CB079271

DICIONÁRIO

Aurélio

DA LÍNGUA PORTUGUESA

5.ª EDIÇÃO

EDITORA POSITIVO

À Marina

Diccionario, no eres
tumba, sepulcro, féretro,
túmulo, mausoleo,
sino preservación,
fuego escondido,
plantación de rubíes,
perpetuidad viviente
de la esencia,
granero del idioma.

Pablo Neruda, "Oda al Diccionario".

Escrevo com o dicionário.
Sem dicionário não posso escrever – como escritor.

Gilberto Amado, ap. Antônio Carlos Vilaça, *O Anel.*

Every other authour may aspire to praise; the lexicographer can only hope to escape to reproach, and even this negative recompense has been yet granted to very few.

Samuel Johnson, no prefácio ao seu dicionário.

AURÉLIO BUARQUE DE HOLANDA FERREIRA

Academia Brasileira de Letras | Academia Brasileira de Filologia
Academia de Ciências de Lisboa | Hispanic Society of America

DICIONÁRIO Aurélio DA LÍNGUA PORTUGUESA

COORDENAÇÃO E EDIÇÃO Marina Baird Ferreira | Margarida dos Anjos

5.ª EDIÇÃO

EDITORA POSITIVO

© 5ª edição do Dicionário Aurélio da Língua Portuguesa.
© 2010 by Regis Ltda.

Direitos cedidos com exclusividade para a Língua Portuguesa em todo o mundo para a Editora Positivo. Nenhuma parte desta obra pode ser apropriada ou estocada em sistema de banco de dados ou processo similar, em qualquer forma ou meio, seja eletrônico, fotocópia, gravação, etc., sem permissão do detentor do copirraite.

Dados Internacionais para Catalogação na Publicação (CIP)
(Mônica Catani M. de Souza /CRB9-807/Curitiba, Pr. Brasil)

F383 Ferreira, Aurélio Buarque de Holanda.
Dicionário Aurélio da língua portuguesa / Aurélio Buarque de Holanda Ferreira; coordenação Marina Baird Ferreira, Margarida dos Anjos. — 5. ed. — Curitiba : Positivo, 2010.
2272 p.

ISBN 978-85-385-4198-1

1. Língua portuguesa - Dicionários. I. Ferreira, Marina Baird. II. Anjos, Margarida dos. III. Título.

CDU 030=690

EDITORA POSITIVO

Diretor-Superintendente
Ruben Formighieri

Diretor-Geral
Emerson Walter dos Santos

Diretor Comercial
Ricardo Tavares Oliveira

Diretor Editorial
Joseph Razouk Junior

Gerente Editorial
Vitória Rodrigues e Silva

Gerente de Arte e Iconografia
Cláudio Espósito Godoy

Atualização Ortográfica
Valéria Zelik

Coordenador Editorial
Adriano Freitas

Editora
Valéria Zelik

Assistente Editorial
Vanessa Zelik

Editora de Arte
Karina Hollanda

Coordenadora de Arte
Juliana Ferreira Rodrigues

Coordenadora de Revisão
Sandra Regina de Souza

Revisores
Alessandro de Paula
Ana Luiza Couto
Andréa Vidal
Camila Figueiredo de Freitas
Camila Vanzella Fonteque
Cássio Dias Pelin
Débora Milani
Eloisa da Riva Moura
Flávia Garcia Penna
Heleusa Angélica Teixeira
Isney Savoy
Ivana Luiza Traversin
José Archangelo Sensi
Lielson Zeni
Maria de Lourdes Neto Eiras Romero Rubio
Maiza Prande Bernardello
Marcia Camargo
Marcos Thadeu Fernandes
Mary Ferrarini
Patricia Vidal Romano
Roseane Barreiros
Rosemary Lima
Selma Corrêa
Sérgio Limolli
Vanessa Carneiro Rodrigues

Pesquisador das Palavras Mais Frequentes
João Morais Pinto Junior

Projeto Gráfico de Miolo e Capa
Commcepta Brand Design
Fotos: acervo familiar de Marina Baird Ferreira

Editoração Eletrônica
Bruna Maria Cantador
Giseli Françoasi Trebien

Revisores de Editoração
Ana Luzia Sequeira Lemos
Elis Marina de Andrade Buck
Júnior Guilherme Madalosso
Michelle Navroski
Roberta da Silva
Willian Marques

Editora Positivo
Rua Major Heitor Guimarães, 174
Curitiba – Paraná
CEP 80440-120
Fone: 0800 723 6868
Site: www.editorapositivo.com.br

Impressão e Acabamento
Gráfica Posigraf S.A.
Rua Senador Accioly Filho, 500
Curitiba – Paraná CEP 81310-000
Fone: 0xx41 3212-5451
E-mail: posigraf@positivo.com.br

LEXICOGRAFIA

AUTORIA

Aurélio Buarque de Holanda Ferreira

COORDENAÇÃO E EDIÇÃO

Margarida dos Anjos
Marina Baird Ferreira

LEXICOGRAFIA E ATUALIZAÇÃO

Amir Geiger
Elza Tavares Ferreira †
Emanuel Pinho Medeiros
Joaquim Campelo Marques
Margarida dos Anjos († 25.09.2009)
Marina Baird Ferreira
Renata de Cássia Menezes da Silva
Roberto Cortes de Lacerda
Wilson Guerreiro Pinheiro

ATUALIZAÇÃO ORTOGRÁFICA

Emanuel Pinho Medeiros
Margarida dos Anjos †
Marina Baird Ferreira
Renata de Cássia Menezes da Silva
Roberto Cortes de Lacerda

APOIO TÉCNICO

Camila Rodrigues Almodova
Emanuel Pinho Medeiros
Eni Valentim Torres
Giovani Mafra e Silva †
João Ferreira Gomes Barcellos
Maria Lúcia Santos Daflon Gomes
Marlúzia Cabral Faria dos Santos
Raquel Corina Menezes da Silva
Rita Rodrigo Octavio Moutinho
Rosane Correia do Sacramento

AGRADECIMENTOS

A Affonso B. Tarantino,
Antar Padilha Gonçalves †,
Carlos Giesta,
Deolindo Couto †,
Elisa P. Couto,
Everardo J. Grossi,
Francisco E. Rabelo †,
Gilberto M. de Oliveira Castro,
José Barbosa Filho,
Luís Fernando Ferreira,
Luís Gonçalves Paulo,
Roberto Soares de Moura,
Sylvestre Mattos Gomes,
e Virmar R. Soares,
que foram consultados a propósito de alguns verbetes de Medicina e matérias conexas, ao Prof. Jean-Michel Massa, pela autorização do uso do seu *Dictionnaire Bilingue Portugais-Français – Guinée-Bissau*, e ao SENAI, o nosso agradecimento.

PEQUISADORES EM *ÁREAS ESPECIALIZADAS*

Ademar Bezerra Ferreira Lima – *Taquigrafia* †
Alberto da Costa e Silva – *Registro de Povos e Línguas Africanos*
Aldrico da Silva Toríbio – *Capoeira*
Amir Geiger – *Coordenação de Antropologia, Informática e Transcrição Fonética*
Ana Cristina Bernardes – *Estudos da Linguagem*
André Marques Vinharski – *Informática*
Ângela Maria Bosísio – *Informática*
Anita Macedo – *Matemática*
Arthur Bosísio Jr. – *Comunicação, Editoração e Marketing*
Aurélio Baird Buarque Ferreira – *Bioquímica e Química*
Aurora Maria Soares Neiva – *Gramática e Linguística*
Beatriz Senoi Ilari – *Música*
Bernardo Velloso F. Conde – *Capoeira e Esportes*
Bruna Franchetto – *Antropologia Social, Etnônimos Brasílicos e Povos Indígenas*
Carlos Toledo Rizzini – *Botânica* †
Carmem Lúcia Graboski da Gama – *Matemática*
Célio Teixeira Mendonça – *Medicina*
Cícero de Andrade Urban – *Medicina*
Clarisse Bolfe Poliquesi – *Botânica*
Cláudio Espósito Godoy – *Artes Gráficas*
Cláudio Marchand Krüger – *Engenharia*
Deolindo Couto Jr. – *Medicina*
Durvaldo Gonçalves – *Engenharia Eletrônica e Nuclear*
E. Brum Negreiros – *Imunologia* †
Edilson Rodrigues Martins – *complementação de Antropologia*
Edmundo Carlos de Morais – *Genética*
Flávio Rabelo Versiani – *Economia*
Franco de Barros – *Teatro* †
Gerdt Guenther Hatschbach – *Botânica*
Heitor Almeida Herrera – *Exército*
Heitor Lisboa de Araújo – *Engenharia Civil* †
Herick Marques Caminha – *Marinha, Marinharia, Construção Naval e Náutica* †
Horácio Macedo – *Estatística, Física, Físico-Química, Química e Matemática* †
Hugo Eduardo Meza Pinto – *Economia*
Isolda dos Anjos Honnen – *Arquitetura e Urbanismo*
Ivan Cavalcanti Proença – *Equitação e Hipologia*
Jayme Morais Aranha Filho – *Informática*
João Baptista de Medeiros Vargens – *Arabismos*
João Carlos dos Anjos – *Física Nuclear e Física de Partículas*
José Cândido de Mello Carvalho – *Zoologia* †
Lúcio Leão Fialho – *Informática*
Marçal Versiani – *Religião* †
Marcela Stockler Coelho de Souza – *Antropologia*
Marcelo de Araújo Cosendey – *Medicina*
Marcelo do Carmo Rocha – *Culinária*
Marcelo Fernando de Lima – *Comunicação*
Marcos Alves da Silva – *Direito*
Marcos de Castro – *Turfe*
Marcos Fabiano Sigwalt – *Anatomia*
Margarida dos Anjos – *Etimologia* †
Maria Carlota Amaral Paixão Rosa – *Estudos Linguísticos*
Maria Elisa Giacomazzi Ribas – *Biologia*
Maria José Machado Carneiro – *Música*
Marília Barroso – *Filosofia*
Mário Sérgio Michaliszyn – *Etnologia e Folclore*
Mauro Salles Villar – *Lusismos e Religião e Liturgia Afro-Brasileira*
Michael Leslie Dillinger – *Transcrição Fonética*
Michel Laban – *Português dos Países Africanos de Língua Portuguesa* †
Myriam Azevedo de Freitas – *Gramática, Linguística e Transcrição Fonética*
Nely Valadares e Fátima Martins – *Teoria Literária*
Orlando da Costa Ferreira – *Bibliologia e Artes Gráficas*
Orlando Pinto Ribeiro – *Arquitetura*

Osmar dos Santos Ribas – *Botânica*
Oswaldo Terra de Faria – *Aeronáutica*
Paulo Marcos de Amorim – *Antropologia*
Paulo Moreira da Silva – *Oceanografia* †
Paulo Renato Guérios – *Ciências Sociais*
Paulo Rónai – *Palavras, locuções, frases feitas e provérbios de uso universal* †
Raimundo Araújo – *Propaganda e Promoção de Vendas*
Regina Elisabeth Santiago Carvalho – *Genética*
Reginaldo Guimarães – *Folclore* †
Renata de Cássia Menezes da Silva – *Elementos de Composição de Palavras e Etimologia*
Renata Ellen Peres – *Botânica*
Roberto Cortes de Lacerda – *Etimologia*
Roberto Wu – *Filosofia*
Ronaldo Rogério de Freitas Mourão – *Astronomia, Astrologia, Astronáutica e Cosmologia*
Rosa Maria de Lemos Fernandes – *Biologia*
Sábato Magaldi – *Teatro*
Saint-Clair Bahls – *Psiquiatria*
Sandro Denis de Sousa Nunes – *Maçonaria*
Sílvio Alves – *Charadismo e Cruzadismo*
Sólon Leontsinis – *Zoologia* †
Stella Rodrigo Octavio Moutinho – *Artes Plásticas*
Sueli Cardoso de Araújo – *Mineralogia*
Walter Benevides – *Medicina e Anatomia* †
Walter Ferreira Salles – *Religião*
Wilson Guerreiro Pinheiro – *Engenharia Eletrônica*
Yedo Alquini – *Botânica*
Zair Candido de Oliveira Netto – *Esportes*

OUTROS PESQUISADORES EM *ÁREAS ESPECIALIZADAS*

Alexandre Reis Graeml, Ana Maria Soek, Andreana Alba Nery de Mello Buest, Andréia Schmidt, Célia Maria Peres Lacerda, Celso do Ó da Silva, Christian Luiz, Melim Schwartz, Cláudio Luiz Baraúna Vieira, Edson Pedro Ferlin, Eduardo Baggio, Gaudino Cocchiaro, Giovanna dos Santos, Hemerson Bertassoni Alves, Jair Mendes Marques, Luimar Pedroso, Márcia Santos de Menezes, Maria da Graça Kfouri Lopes, Pedro Mituru Kitanishi, Rafael Ginane Bezerra, Salmo Raskim.

BIBLIOGRAFIA DO AUTOR

Dois Mundos (contos). (Prêmio Afonso Arinos, da Academia Brasileira de Letras.) Rio de Janeiro: Livraria José Olímpio Editora, 1942.

Mar de Histórias: Antologia do Conto Mundial. (Em colaboração com Paulo Rónai.) Rio de Janeiro, Livraria José Olímpio Editora, 1945: vol. I; 1951: vol. II; 1958: vol. III; 1963: vol. IV. Rio de Janeiro: Editora Nova Fronteira, 1989: vol. V; 1989: vol. VI; 1990: vol. VII; 1989: vol. VIII; 1991: vol. IX; 1989: vol. X; 1999: do vol. I ao vol. X (4ª ed.). Vol. I ao X (5ª ed.). São Paulo: Cosac & Naify Edições.

"Linguagem e Estilo de Eça de Queirós". In: *Livro do Centenário de Eça de Queirós.* Portugal/Brasil: Edições Dois mundos, 1945.

Contos Gauchescos e Lendas do Sul, de Simões Lopes Neto. (Edição crítica, com amplo estudo sobre a linguagem e estilo do autor, e variantes, notas e glossário). Porto Alegre: Editora Globo, 1949.

Antologia dos Poetas Brasileiros da Fase Romântica, de Manuel Bandeira. (Revisão crítica). Rio de Janeiro: [s.n.], 1949.

Antologia dos Poetas Brasileiros da Fase Parnasiana, de Manuel Bandeira. (Revisão crítica). Rio de Janeiro: DIN, 1951.

O Romance Brasileiro (de 1752 a 1930). (Colaboração, notas, revisão e um estudo sobre Teixeira e Souza). Rio de Janeiro: Edições O Cruzeiro, 1952.

Apresentação de Vitorino Nemésio (plaquete). Lisboa, 1953.

Roteiro Literário de Portugal e do Brasil: Antologia da Língua Portuguesa. (Em colaboração com Álvaro Lins.) Rio de Janeiro: Livraria José Olímpio Editora, 1956. Rio de Janeiro: Civilização Brasileira, 1956.

Território Lírico (ensaios). Rio de Janeiro: Edições O Cruzeiro, 1958.

Enriqueça o seu Vocabulário. Rio de Janeiro: Editora Nova Fronteira, 1984. (Em 4ª ed., revista e ampliada).

Discurso de Posse na Academia. Rio de Janeiro: Edições O Cruzeiro, 1964.

Vocabulário Ortográfico Brasileiro. Rio de Janeiro: Editorial Bruguera, 1969.

Discursos de Posse e de Recepção (na Academia Brasileira de Letras, recebendo Marques Rebelo). (Separata). Rio de Janeiro, 1972.

Discursos de Posse e de Recepção (na Academia Brasileira, recebendo Ciro dos Anjos). (Separata). Rio de Janeiro, 1972.

O Chapéu de Meu Pai. (3ª ed., revista e reduzida, de *Dois mundos*). Brasília: Editora Brasília, 1974.

Novo Dicionário Aurélio da Língua Portuguesa. Rio de Janeiro: Editora Nova Fronteira, 1976 (3ª ed., revista e ampliada em 1999) – 4ª ed., Curitiba: Editora Positivo, 2009.

Minidicionário Aurélio da Língua Portuguesa. Rio de Janeiro: Editora Nova Fronteira, 1977 – 7ª edição, Curitiba: Editora Positivo, 2009.

Seleta em Prosa e Verso. (Organização, estudo e notas do Prof. Paulo Rónai). Rio de Janeiro: Livraria José Olímpio Editora, 1979.

Dicionário Aurélio Básico da Língua Portuguesa (edição reduzida do Médio Dicionário Aurélio). Rio de Janeiro: Editora Nova Fronteira, 1988. (6ª ed., 1991).

Cadeira um – Discursos de Posse e Recepção (na Academia Brasileira de Letras, recebendo Bernardo Ellis). Rio de Janeiro: Livraria Editora Cátedra, 1983.

Dicionário Aurélio Infantil da Língua Portuguesa. Rio de Janeiro: Editora Nova Fronteira, 1989. (1ª ed., em 4ª reimpressão, 1999).

Microdicionário Aurélio. Rio de Janeiro: Editora Nova Fronteira, 1992.

Aurelinho: Dicionário Infantil Ilustrado da Língua Portuguesa. Coordenação Marina Baird Ferreira e Margarida dos Anjos. Curitiba: Positivo, 2005.

Dicionário Aurélio Júnior: Dicionário Escolar da Língua Portuguesa. Coordenação Marina Baird Ferreira e Margarida dos Anjos. Curitiba: Positivo, 2005.

Linguagem e estilo de Machado de Assis, Eça de Queirós e Simões Lopes Neto. Rio de Janeiro: Academia Brasileira de Letras, 2007.

Melhores Contos. Seleção de Luciano Rosa. São Paulo: Global, 2007.

Dicionário Aurélio Ilustrado. Coordenação Marina Baird Ferreira e Margarida dos Anjos. Curitiba: Positivo, 2008.

Dicionário Aurélio da Língua Portuguesa. Coordenação Marina Baird Ferreira e Margarida dos Anjos. 5ª ed. Curitiba: Positivo, 2010.

TRADUÇÕES

O Caminho da Perdição, de Upton Sinclair. (Em colaboração com Olívia Krähenbühl). Rio de Janeiro: Edições O Cruzeiro, 1943.

Os Gazéis, de Hafiz. Rio de Janeiro: Livraria José Olímpio Editora, 1944.

O Jardim das Rosas, de Saadi. Rio de Janeiro: Livraria José Olímpio Editora, 1944.

As Pombas dos Minaretes, de Franz Toussaint. Rio de Janeiro: Livraria José Olímpio Editora, 1945.

Vinho, Vida e Amor, de Hafiz e Saadi. Rio de Janeiro: Livraria José Olímpio Editora, 1946.

Poemas de Amor, de Amaru. Rio de Janeiro: Livraria José Olímpio Editora, 1949.

Amor e Psique, de Lúcio Apuleio. (Em colaboração com Paulo Rónai). Rio de Janeiro: Editora Civilização Brasileira, 1956.

Sete Lendas, de Gottfried Keller. (Em colaboração com Paulo Rónai). Rio de Janeiro: Editora Civilização Brasileira, 1956.

Servidão e Grandeza Militares, de Alfred de Vigny. (Em colaboração com Paulo Rónai). Rio de Janeiro: Biblioteca do Exército, 1960. (Em 3ª ed.)

Pequenos Poemas em Prosa, de Charles Baudelaire. Rio de Janeiro: Editora Nova Fronteira, 1976. (Em 4ª ed., revista.)

Meu Coração Desnudado, de Charles Baudelaire. Rio de Janeiro: Editora Nova Fronteira, 1981.

Grandes Vozes Líricas Hispano-Americanas. (Seleção e tradução). Rio de Janeiro: Editora Nova Fronteira, 1990 – edição póstuma. Apresentação de Marina Baird Ferreira.

O BEM-AMADO

O Aurélio é o dicionário mais amado de nossa língua planetária. É o bem-amado. E neste ano em que celebramos o centenário de nascimento do alagoano Aurélio Buarque de Holanda Ferreira se justifica o buscar-se a razão desse bem-amor que lhe devotam os usuários do universo lusófono.

No ancestral Portugal e no seu ditoso filho Brasil, em São Tomé e Príncipe, em Moçambique e em Angola, no Timor-Leste e nas diásporas geradas pela emigração de nossas gentes, mãos de vários climas abrem o "Aurélio" e olhos de vária cor procuram em suas páginas a palavra esquiva. Ela, essa palavra, freme no depósito medieval, é o africanismo ou o asiatismo que atravessou oceanos e ainda guarda em suas sílabas o frêmito das marés e a aflição dos naufrágios. É o brasileirismo que correspondeu à dulcificação de um idioma hierático sob as estrelas do Trópico. É o espanholismo que, presente no falar do gaúcho, já respirava no primeiro "dicionário de autoridades" que, no século XVIII, foi o modelo ibérico dos grandes e numerosos léxicos de nossa portuguesa língua. É o termo gerado pela nossa civilização eletrônica, o vitorioso vocábulo invasor.

Por que esse bem-amar, esse fiel e cada vez mais externo bem-querer? Na resposta, ou nas respostas que se abrem como um leque, impera a evidência de que o "Aurélio" é um dicionário destinado ao usuário, seja ele o escritor que castiga o estilo como se este fosse um aluno relapso merecedor de uma boa palmatória, ou o leitor anônimo e confiante. É um dicionário para todos. E as centenas de milhares de palavras que o habitam ostentam, quase sempre, o respaldo da explicação literária. Esse amparo acentua a relação existente entre a língua escrita e a língua oral – a língua dos doutos e a seminal e dengosa língua do povo. Nesse Aurélio em que hoje se debruça, rodeada de competentes e devotados pesquisadores e investigadores, a figura doce porém vigilante de Marina Baird Ferreira, o apoio debordante das abonações dá vida e vigor a textos literários nem sempre ungidos pela aura clássica. Ao lado da autoridade dos mestres consagrados, formiguejam nomes humildes ou esquecidos.

Todas as vozes são vozes da língua.

O nosso idioma é um tesouro que pertence a todos nós. Aurélio Buarque de Holanda Ferreira foi um guardião desse tesouro, ao qual a passagem do tempo impõe o cuidado do acréscimo sucessivo, que o torna cada vez mais opulento.

Nesta manhã de domingo, abro o meu "Aurélio". Uma galáxia de palavras me rodeia. Que frescor têm até as mais vetustas! É como se tivessem acabado de nascer. São matinais como orvalho. E nessa matinalidade reside a sua esplêndida autoridade e envolvente mistério.

Lêdo Ivo

Da Academia Brasileira de Letras

APRESENTAÇÃO

Esta é a 5ª edição do dicionário elaborado por um professor. Sim, Aurélio Buarque de Holanda Ferreira, o dicionarista, sempre foi um professor, um educador. A presente edição é comemorativa do centenário de nascimento de Aurélio, cuja obra, mesmo após sua partida, permanece viva no dia a dia desta nação.

Na infância humilde, no interior de Alagoas, frequentou escolas sem muitos recursos, mas já demonstrava grande inteligência e esforço, que resultavam em progresso. Tal desempenho o destacava a ponto de um professor ministrar, apenas a ele, Aurélio, aos 10 anos, ainda no curso primário, aulas de análise sintática e de francês. Notável aluno, tornou-se professor aos 15, profissão que abraçou até os 75 anos de idade. A educação foi uma das grandes preocupações do dicionarista por seis décadas. Apesar de desenvolver outras atividades, a educação era inseparável de sua vida e de seus afazeres. Quando não ensinava em sala de aula, dedicava-se ao saber e à transmissão do conhecimento por outra via: a lexicografia.

Tanto estudo o levou a publicar seu próprio dicionário, obra de muito trabalho e insuperável sucesso. Indiretamente, por meio de verbetes, definições, exemplos, abonações, achegas, o professor continuava ensinando. Ensinava o significado das palavras e, mais, ensinava como as usar e, até mesmo, como não usá-las. E é assim até hoje. Seu legado permanece vivo na obra que aqui é apresentada, o *Dicionário Aurélio*, ou simplesmente *Aurélio*. Um dicionário simples, de fácil consulta, porque simples era a forma de mestre Aurélio ensinar, explicar, definir. Uma obra para todos era o que seu autor desejava fazer.

Mestre, segundo o *Aurélio*, a obra, é o “homem que ensina”, é o “professor”. Esse era Aurélio, o homem. A palavra **mestre** também se aplica a inúmeras outras pessoas que dedicam suas vidas à educação, que fazem o mesmo que um professor fez ao menino Aurélio, ao aluno dedicado: mostram o futuro, a possibilidade de alcançar o amanhã. Na verdade, elas fazem o que Aurélio fez: dedicam-se ao conhecimento, dedicam-se ao ensino, importam-se com os outros, vão à luta, vão além, sempre com honestidade e ética. Muitas dessas pessoas, que se dedicam à educação, utilizam o dicionário para ensinar. E para aprender.

Estima-se que, a cada seis habitantes deste país, um tem um dicionário *Aurélio*, em qualquer uma de suas versões, em sua casa, ao seu dispor. Isso sem contar os inúmeros exemplares presentes nas bibliotecas e o acesso à Internet, facilitando muito sua disponibilidade. É obra em que o brasileiro confia, que deixa entrar em seu lar e participar de seu cotidiano. Conhecendo a trajetória da obra e de seu autor, essa confiança tende a aumentar, aliada, obviamente, à sua incomparável qualidade.

A 5ª edição deste dicionário conta com a parceria da Editora Positivo, parte do maior grupo educacional do Brasil, o Grupo Positivo, que, há quase quatro décadas, trabalha para a formação de um ser humano melhor, capaz de construir um mundo melhor. Publicar esta obra é parte de nosso desejo de contribuir para o desenvolvimento do país, por intermédio da educação, tendo como base o **saber**, a **ética**, o **trabalho** e o **progresso**, princípios tão bem explicados e, principalmente, tão bem vividos, no *Aurélio* e pelo Aurélio.

Oriovisto Guimarães
Diretor-Presidente do Grupo Positivo

SUMÁRIO

DICIONÁRIO
Aurélio
DA LÍNGUA PORTUGUESA

PREFÁCIOS

PREFÁCIO À QUINTA EDIÇÃO

A presente edição vem à luz sob o signo de *um tempo*: o do *centenário de nascimento* de seu autor. Aurélio – brasileiro, alagoano, lusófono, professor, lexicógrafo, filólogo, contista, tradutor, revisor, amigo, marido, pai e avô – faria em maio último cem anos de vida. Vida esta, como todas, marcada por inúmeros fatos e acontecimentos; inspirada, porém, sobremaneira pelos estudos e leituras que o acompanharam por quase toda a existência. Vida ritmada pela prosa e pela poesia, esta lida e relida, e recitada de memória tantas e tantas vezes com enorme paixão. Vida assinalada por diferentes países dentro de um só Brasil, por falares tão diversos, tantos de uma mesma língua. Vida e obra mescladas numa só e enriquecidas pelo trato com pessoas amigas, queridas: escritores, poetas e intelectuais de convívio diário ou quase diário. Aurélio e muitos dos seus amigos e companheiros, de idade e origem variadas – todos, diga-se, amantes da língua e da literatura –, legaram ao país as *palavras* com as quais viveram e viverão no futuro.

A obra dessa existência, aquela pela qual Aurélio é mais lembrado, completa trinta e cinco anos no seu centenário. Trinta e cinco anos de adoção em escolas, cursos, universidades, empresas, escritórios e lares, seja como livro, seja, há mais de uma década, na forma digital – tão típica dos dias de hoje. Assim, há mais de três décadas, a obra de Aurélio vive e renasce a cada consulta, a cada pergunta feita, a cada resposta dada.

Marcada pela contemporaneidade, rica em abonações de autores de vários estilos, renomados ou não – mas representantes do uso, daquilo que é constante, frequente, ou da boa forma –, a obra do *professor Aurélio* trouxe a objetividade, a necessidade, quase urgência, de fazer compreender, de ser claro, de esclarecer, elucidar.

Na *luta vã em que* "mal rompe a manhã" ou "que vai até de manhã", o *Aurélio dicionarista* venceu o tempo e, por meio das palavras com as quais sempre 'lutou' e que sempre amou, realizou o sonho do menino que cedo começou a trabalhar, para ajudar a família e, também, para poder comprar as brochuras que tanto apreciava ler. Este era o Aurélio incansável, persistente, determinado a vencer a fadiga, a posição à mesa, por mais uma palavra, mais um pouco, dizia, por amor à sua obra.

O tempo traz e leva muitas coisas: em 28 de fevereiro de 1989 Aurélio se foi, mas a sua obra ficou. *Pessoas queridas sempre se vão.* Sentimos a sua falta e sempre sentiremos, mas é preciso ir em frente. A obra como reflexo e fonte de uma língua viva precisava seguir seu curso. Assim fizemos Margarida dos Anjos e eu: cuidamos, com a nossa equipe, da continuidade da obra. Esta é a terceira edição após a morte de Aurélio. Tive ao meu lado, até bem pouco tempo, Margarida: como querida amiga e colaboradora, por mais de 45 anos, e, também, como corresponsável pela coordenação das obras *Aurélio*, nas duas últimas décadas. Assim como ele, Aurélio, Margarida se foi. E, como Aurélio, foi-se para o tempo das lembranças, para habitar o templo da saudade, da imortalidade. Guardamos dela o exemplo de força, de segurança, de competência, de confiança no conhecimento adquirido, de fluência em diferentes línguas, de amor à literatura universal, de pensamento claro e redação fácil. Falta-nos, hoje, Margarida, mas não nos falta ânimo. A obra prossegue, a língua continua viva, o dicionário também.

Tão vivo como fotografia instantânea, que faz um corte no tempo, sincronicamente, e na língua, sincrônica e, *grosso modo*, diacronicamente – acompanhando-lhe a evolução –, ao registrar aquilo que, de caráter recente ou menos recente, 'veio para ficar': o que já está assimilado, absorvido pelos diferentes falares, em diferentes níveis e usos, de uma mesma língua, seja na variante brasileira, lusa ou africana.

Para as línguas o tempo também passa, e, assim, elas ganham e perdem cores. Muitas até deixam de existir. Nas existentes, surgem novas palavras, outras se modificam, ganham novas formas, adquirem novos significados, perdem outros; passam a ser usadas de modo diverso daquele de outrora, ou revigoram antigos usos, maneiras de dizer. Se o modo como as falamos também varia de um lugar para outro, com o tempo outras mudanças, também, se fazem perceber. Uma das principais funções do dicionário, se não a principal, é acompanhar a evolução da língua, numa dada época, e registrar-lhe a renovação por meio das palavras e locuções (lexias) ou das formas adotadas pelo uso.

O modo como essas palavras e locuções são consignadas, algumas vezes, sofre alteração, especialmente quando se decide uniformizar-lhes a grafia.

No período de um século, o do centenário de Aurélio, houve várias tentativas de reformar a ortografia ou de uniformizá-la, nas suas variantes lusa e brasileira; as principais foram as de 1911, 1931, 1943, 1945, 1971-1973, 1975, 1986 e 1990-2009. Esta última passou a vigorar, legal e efetivamente, no Brasil em janeiro de 2009. O dicionário está atualizado em relação ao acordo e às disposições da 5ª edição do *Vocabulário Ortográfico da Língua Portuguesa* da Academia Brasileira de Letras desde o ano passado, quando veio a lume a 4ª edição, esta especialmente voltada às questões do acordo.

A presente edição revista, atualizada e acrescida com milhares de vocábulos de diversas áreas do conhecimento (informática, biologia, genética, botânica, ecologia, economia, educação, pedagogia, astronomia, física, física quântica, engenharia, química, medicina, culinária, etc.) e de níveis e registros diferentes – aqueles nos quais empregamos as palavras –, traz ainda indicados os 3.000[1] vocábulos mais frequentes, na língua escrita, no período que se estende de 1900 a 2000, segundo o *Corpus de Araraquara*, da Unesp. Essa marcação feita na entrada dos verbetes tem como objetivo estabelecer aquilo que, na escrita, estaria próximo do que constituiria a base do vocabulário ativo do falante comum. Devemos lembrar, porém, que, por se tratar de amostragem referente apenas à língua escrita, não se indicarão, em certos casos, vocábulos de uso frequente na *fala* do dia a dia.

Por não haver como fugir da influência de outros idiomas – algo que toda língua sofre, sofreu e sofrerá, ainda mais em tempos de globalização –, resta-nos lembrar que a presente obra, na intenção de descrever a realidade contemporânea, traz um amplo registro de vocábulos e termos de cunho internacional, ora aportuguesados, ora com a grafia original, conforme o uso que, geralmente, deles se faz.

Nosso propósito, que esperamos ter alcançado, foi mais uma vez fazer uma edição útil e prática.

MARINA BAIRD FERREIRA

1. Em virtude da relação de homonímia existente entre várias formas, estão sendo indicadas 3.042 entradas.

Observação: Embora a tradição gramatical e lexicográfica ateste o masculino como a forma representativa dos adjetivos e de muitos substantivos, e, historicamente, em muitos casos, o seu uso ainda prevaleça pelas imposições sociais, faz-se, na presente edição, o registro de substantivos femininos referentes a mulheres que ocupam cargos políticos e/ou governamentais, em virtude das transformações sociais em curso.

PREFÁCIO À QUARTA EDIÇÃO

Esta quarta edição do *Dicionário Aurélio da Língua Portuguesa* proporcionará ao público conhecer, em todas as suas minúcias, as mudanças na escrita decorrentes do *Acordo Ortográfico da Língua Portuguesa* (2008), e aquelas advindas de sua interpretação pela Academia Brasileira de Letras. Valemo-nos deste prefácio para comentar os casos em que estas alterações se prendem a interpretações do padrão culto da língua, mas geram, no entanto, resultados conflitantes.

Para tanto, criamos uma tabela com símbolos que, inseridos em achegas aos verbetes que sofreram alteração, ou que resultam da aplicação do acordo, irão explicar o caso controverso (ou não) que constitui cada um deles.

✣ = Indica as palavras que sofreram alterações segundo o *Acordo Ortográfico da Língua Portuguesa* (ABL - 2009).

⊙ = Indica as palavras que representam nova grafia de formas lusas, prescritas pelo *Acordo Ortográfico da Língua Portuguesa* (ABL - 2009), em virtude da queda de consoante etimológica não pronunciada.

❊ = Indica as palavras que, não estando previstas no acordo, sofreram alterações na 5ª edição do *Vocabulário Ortográfico da Língua Portuguesa* (ABL - 2009). Apresentam, ainda, este símbolo aquelas que, não estando registradas no Volp., foram modificadas segundo os critérios adotados pela Academia Brasileira de Letras.

NOTAS

1) ântero-, etc.

As palavras que remetem para esta nota correspondem a formações a partir de *ântero, êxtero, ínfero, íntero, látero, póstero* e *súpero*. Vale dizer: **a)** o *Acordo Ortográfico da Língua Portuguesa* não trata de trissílabos tônicos (a única exceção é *eletro-*); **b)** algumas dessas formas já existiam, no latim (com terminação em *-erus*), e também em português, como adjetivo (exemplo: *ínfero* e [com noção de posição no tempo] *póstero*); **c)** no Brasil e em Portugal a tradição ortográfica era a mesma para compostos com *ântero-, êxtero-, ínfero-, íntero-, látero-, póstero-* (ver no *Dicionário da Academia de Ciências de Lisboa*) e *súpero-*. O melhor, em tais casos, seria usar o princípio da analogia com outras formas adjetivas e assim manter o hífen e o acento gráfico, de modo a garantir a conservação da subtônica do segmento, como prescrevia o *Formulário Ortográfico de 1943* (OBS. 5ª, 3º §).

2) não-

As palavras que remetem para esta nota correspondem a formações com **não-**. Vale dizer: **a)** o *Acordo Ortográfico da Língua Portuguesa* não trata especificamente deste prefixo (mas trata de *além-* e *aquém-*, também de origem adverbial, e de *sem-*, de origem prepositiva, este com valor de 'ausência, privação ou falta', e para tais formas prescreve a hifenação); **b)** tais formações correspondem a empréstimos de outras línguas (inglês, francês e alemão) em que o hífen, geralmente, faz parte da palavra (exemplo: *non-combatant, non-euclidian, Non-moi, non-ego, Nicht-ich*); **c)** muitas destas formas apresentam sentido específico, e não são apenas uma forma negativa daquele vocábulo que o *não-* antecede (um *não combatente* [q. v.] não é apenas alguém que não combate); **d)** não existe no português caso de *prefixação* em que o primeiro elemento não esteja diretamente (por aglutinação [exemplo: *desinfeliz*]) ou indiretamente (por hifenação [exemplo: *sub-reitor*]) ligado ao 2º elemento; **e)** a 5ª edição do *Vocabulário Ortográfico da Língua Portuguesa* (ABL - 2009) registra cerca de 60 entradas de substantivos e adjetivos com este prefixo, em geral com sentido específico, porém sem hífen, embora a tradição (inclusive lexicográfica) para tais formas com sentido próprio fosse a mesma no Brasil e em Portugal (ver *Dicionário da Academia de Ciências de Lisboa*).

☑ = Indica as palavras[1] que sofreram alteração na 5ª edição do *Vocabulário Ortográfico da Língua Portuguesa* (ABL - 2009), ou aquelas que, não constando da 5ª edição, foram alteradas segundo os critérios adotados pelo *Vocabulário* – são, em geral, aquelas formações com conectores (*a, de, com*, etc.), que, embora de uso consagrado na língua (algumas com registro em dicionários do Brasil e de Portugal há mais de 50 anos), ficaram sem hífen no *Vocabulário Ortográfico da Língua Portuguesa*, por ter a *Academia Brasileira de Letras* decidido que no *Acordo* só valem as exceções mencionadas. Importa lembrar: **a)** a maioria absoluta dos casos é de lexia fixa que corresponde a uma substantivação, na qual a palavra-chave perde o sentido primevo por completo, ou na qual os elementos lexicais não comportam, separadamente, o significado que a estrutura (como algo inseparável) apresenta; tendo, portanto, significado próprio ou específico, ou seja: um segmento sonoro (na escrita representado por grafemas) de tal forma preenchido de significado que, ao ouvi-lo, temos em mente o seu referente (o que corresponde ao conceito do signo linguístico); **b)** muitos destes casos já apresentavam igualdade de forma no Brasil e em Portugal (ver o *Dicionário da Academia de Ciências de Lisboa*), há mais de 50 anos: *pé de alferes, pé de atleta, pé de boi, pé de cabra, pé de chumbo, pé de galinha, pé de moleque, pé de pato* e tantas outras palavras; **c)** muitas destas formações podem ser motivo de dubiedade na escrita: *Tomara que caia na passarela do Valentino*; **d)** os exemplos de locuções (portanto, não hifenizáveis) apresentados no *Acordo Ortográfico da Língua Portuguesa* são, de fato, de locuções ou de formas que não perderam o sentido primevo, e não de substantivações ou adjetivações (as ditas *lexias nominalizadas*); **e)** tais formas consagradas pelo uso ficaram no registro do *Vocabulário Ortográfico da Língua Portuguesa* (ABL - 2009), *grosso modo*, entre os conceitos de locução e de substantivos ou adjetivos, embora na fala mantenham, pelo uso, sentido e função, a força de signo linguístico; **f)** há quem classifique tais formas como locuções substantivas (estas não contempladas pela NGB) ou locuções adjetivas; nós, porém, pensamos de modo diferente (ver *nota de rodapé*).

1. Mantivemos tais formas como entradas autônomas no corpo da presente obra por acreditarmos, a exemplo do professor Aurélio, que elas são palavras, com ou sem hífen – embora preferíssemos, em muitos casos, a hifenação. É bom lembrar que a escrita, para alguns uma representação da fala, para outros um novo código, funciona, para as línguas que a possuem, como um segundo momento. Os conceitos e a nomenclatura que nos servem como metalinguagem não se perdem no vão entre fala e escrita, como se um substantivo, um adjetivo, etc. (ou seja, um signo linguístico) pudesse deixar de sê-lo, na escrita, em função da ausência de um sinal diacrítico. Na fala, um signo linguístico continua sendo um signo linguístico; na escrita, seja qual for a convenção que se imponha, o mesmo signo continuará a sê-lo, desde que se realize como tal. Resta-nos, porém, observar que a hifenação serve, muitas vezes, para o leigo – para o indivíduo desacostumado com tais conceitos –, como um sinal da existência de algo que ele entende por 'palavra', no caso composta, mas *palavra* (independentemente do valor que nós, especialistas da área, lhe atribuímos).

NOTAS

1) O acordo prescreve a hifenação dos vocábulos que têm como referente um bicho ou uma planta, independentemente da morfologia da palavra, mas deixa **a descoberto** várias outras formas, de outras áreas do conhecimento ou de morfologia similar, geradas a partir dos mesmos princípios. Assim, formas de Zoologia, como *adivinha-quem-vem-hoje* e *gente-de-fora-vem-aí*, e de Botânica, como *abiu-grande-da-terra-firme, amores-dos-campos-sujos* e *algoz-das-árvores*, mantiveram a tradicional hifenação, embora as também tradicionais *cabeleira de vênus* (de Mineralogia), *cabeça de medusa* e *bico de papagaio* (de Medicina), *vir a ser* e *ser em situação* (de Filosofia), *dente de cão* (de Artes Gráficas), *folha de flandres* (de Metalurgia), *dente de leite* (de futebol), *nariz de cera* (de Comunicação), e tantas outras formas populares, com referentes diversos (como o de cachaça, por exemplo: *aquela que matou o guarda, a do ó*) – a maioria delas também forjada informalmente, no vernáculo, do mesmo modo que as formas de Botânica e Zoologia, a partir ou de uma figura, uma noção associativa (de procedência, p. ex.) ou de uma onomatopeia –, **foram consignadas sem hífen pelo Vocabulário da Academia Brasileira de Letras**.

2) Com o acordo, a dupla *à-toa* (adjetivo [2g.]) e *à toa* (locução adverbial) desfez-se, passando os dois casos a *à toa*; a 5ª edição do Vocabulário, seguindo a hifenação de plantas e bichos, mas tirando o hífen das demais acepções de mesma forma (geralmente de uso consagrado), criou, porém, a duplicidade do tipo *bico-de-papagaio* (planta) / *bico de papagaio* (nariz adunco; excrescência óssea patológica na coluna vertebral).

3) Em alguns casos, além da duplicidade apontada na nota anterior, surgiu a triplicidade de forma: *fios-de-ovos* (espécie de cipó), *fios de ovos* (doce feito de ovos) e *fios-d'ovos* (o mesmo doce).

4) Na *Nota Explicativa* à 5ª edição do Volp.[2], apresenta-se, à pág. LII, como 7ª medida, a inclusão, no mesmo caso de denominações de botânica e zoologia (leia-se de plantas e bichos), de "formas designativas de plantas, flores, frutos, raízes e sementes", listando como exemplário para tal fato: *azeite-de-dendê, bálsamo-do-canadá, água-de-coco*. Além de não corresponderem ao conceito apresentado (de 'formas designativas de plantas, flores, frutos, raízes e sementes') – pois são, respectivamente, 'o óleo extraído do fruto do dendezeiro', 'resina extraída do abeto-do-canadá' e 'albume líquido do coco (do fruto do coqueiro)' –, tais formas se encontram no interior da 1ª impressão da 5ª edição do Volp. sem hifens. Em errata virtual, do mês de julho de 2009, a ABL fez a substituição do item 7: "Incluir no caso 3º da Base XV, relativo às denominações botânicas e zoológicas, as formas designativas de espécies de plantas, flores, frutos, raízes e sementes, conforme prática da tradição ortográfica".

Seria de esperar que as formas comuns ao Brasil e a Portugal fossem preservadas, tais como: *mão de obra, não me toques, pé de alferes* (e tantas outras, com hífen).

Resta-nos observar que a presente edição do *Dicionário Aurélio da Língua Portuguesa*, além de estar devidamente adaptada ao Novo Acordo em relação às transformações prescritas para a variante brasileira, traz, ainda, no seu interior, perseguindo o objetivo de uma visão maior de nossa língua no mundo lusofônico – objetivo esse prescrito pelo seu autor e por nós revigorado desde a 3ª edição de sua obra (com a inclusão de centenas de formas lusas e africanas) –, várias novas entradas de formas lusas, também adaptadas às transformações prescritas pelo Acordo para a variante europeia.

MARINA BAIRD FERREIRA
MARGARIDA DOS ANJOS

PREFÁCIO À TERCEIRA EDIÇÃO*

A terceira edição do *Novo Dicionário Aurélio da Língua Portuguesa*, o *Aurélio Século XXI* apresenta uma descrição revista e ampliada do português contemporâneo, que resulta do trabalho de pesquisadores especializados em diversas áreas, e do nosso esforço para dar continuidade à tarefa começada por Aurélio Buarque de Holanda Ferreira, quase que imediatamente após a publicação da segunda edição. Grande número de verbetes já havia sido por ele selecionado, de entre os milhares de fichas que serviriam de base para o dicionário em cinco volumes que inicialmente planejara, e em cuja execução trabalhara anos a fio, antes de "enxugá-lo", como dizia, em um volume só, já que assim pediam as circunstâncias. Após a sua morte, continuamos a atualização e ampliação como era de sua vontade.

Um dicionário é, por excelência, uma obra dinâmica. A expansão da informação, nos dias atuais, é constante, e, conseqüentemente, o surgimento de novas tecnologias; a língua se modifica por exigência das várias áreas científicas, literárias, etc., e ainda pela boca do povo. Tínhamos pela frente prosseguir um trabalho reconhecidamente consagrado, e foi o nosso empenho máximo buscar a concisão, clareza e precisão que caracterizaram as edições anteriores. A via técnica foi-nos fornecida pelos pesquisadores, como já referimos (os seus nomes constam da página V); a popular, familiar, da linguagem do dia-a-dia, pela nossa pesquisa em livros recém-editados, revistas, jornais, pela correspondência que nos chega de todo o país, e ainda pela TV, pelo rádio e pelo cinema. É claro que autores da atualidade nos provêem de palavras eruditas (algumas delas "ressuscitam", já que haviam caído em desuso). Das mais preciosas fontes para a terceira edição foi, no entanto, o arquivo organizado por Giovani Mafra e Silva, em que figuram, entre outras de demais proveniências, inúmeras palavras cuja definição Aurélio a ele ditou, na impossibilidade física de escrever, quando já atingido pela doença; desse arquivo valiosíssimo constam anotações como 'ouvido ao Mestre em 16.8.1988', 'ditado pelo Mestre em 4.5.1987'.

E para que o *Aurélio* continue, sempre, a refletir o português vivo, do Brasil, de Portugal e – esta é uma novidade introduzida na presente edição – da África, continuaremos, dentro do nosso propósito de fidelidade à obra do Mestre, a registrá-lo em todos os seus aspectos.

MARINA BAIRD FERREIRA
MARGARIDA DOS ANJOS

As lexicógrafas Marina Baird Ferreira (viúva de Aurélio Buarque de Holanda Ferreira) e Margarida dos Anjos trabalham no Novo Dicionário Aurélio da Língua Portuguesa *desde 1966.*

2. *Nota Explicativa* esta que tivera uma primeira versão – na qual se falava 'em produtos, afins e derivados' na 7ª medida –, veiculada virtualmente uma semana antes do lançamento da referida obra.

* Manteve-se a grafia da data de publicação.

NOTA À PRIMEIRA IMPRESSÃO PELA EDITORA POSITIVO*

Apresentamos ao público leitor a primeira impressão do *Novo Dicionário Aurélio da Língua Portuguesa* pela Editora Positivo, que ora em diante tem a seu cargo o destino dos dicionários Aurélio.

No mais breve espaço de tempo que a feitura de uma nova edição possa permitir, essa Editora lançará a 4ª edição atualizada e ampliada, já em preparo pelos pesquisadores especializados nas diversas áreas, pelos lexicógrafos que já vinham trabalhando na obra, e com a nossa coordenação, que se iniciou desde a morte do saudoso Professor Aurélio.

Aguardamos, pois, a 4ª edição, que certamente encerrará o que de novo se apresenta na língua, seja em seus aspectos científicos e técnicos, seja no falar do dia-a-dia.

MARINA BAIRD FERREIRA
MARGARIDA DOS ANJOS

PREFÁCIO À SEGUNDA EDIÇÃO*

Oferecemos ao leitor a 2ª edição do *Novo Dicionário da Língua Portuguesa*, atualizada, totalmente revista e 35% mais copiosa que a primeira. O número de autores e de obras citadas em abonações elevou-se, respectivamente, a cerca de mil e duas mil. Novos colaboradores, e novas matérias, como, por exemplo, Informática, Teoria Literária, Comunicação, Genética, foram introduzidas. Somos gratos aos consulentes que nos enviaram achegas, quer por escrito, quer de viva voz, e, em especial, a Hamilton Biancardine Silva, Wilson Guerreiro Pinheiro, Adriano da Gama Kury, Celso Pedro Luft, Wilson Piazza Branco e Artur Oliveira Fonseca, pela sua vasta contribuição. A Affonso B. Tarantino, Américo S. Autran Filho, Arthur O. Kós, Carlos Giesta, Deolindo Couto, Sr., Francisco E. Rabelo, Gobert A. Costa, Henrique W. Besser, Jair P. Ramalho, José R. Coura, Luís E. Ferreira, Murilo Q. de Barros, Nicolau Mega, Virmar R. Soares e Waldir Maymone, que foram consultados a propósito de alguns verbetes de Medicina e matérias conexas, a Edgardo Amorim Rego, nos verbetes de Economia, e a Floriano Lemos, nos de jargão policial – uma palavra de agradecimento. A Walter Benevides, colaborador de Medicina da 1ª edição, uma palavra de saudade. Pelo auxílio especializado que nos deram nos trabalhos de preparação dos originais, também os nossos agradecimentos a Elizabeth Dodsworth Tranjan, Ana Madalena Moutinho Nery, Mary Baird Loewenberg e Teresinha Guimarães.

AURÉLIO BUARQUE DE HOLANDA FERREIRA

PREFÁCIO À PRIMEIRA EDIÇÃO*

Mais de trinta anos consumiu Littré na feitura de seu famosíssimo *Dictionnaire de la Langue Française*, conquanto lhe dedicasse boas quatorze horas por dia. E – note-se – a páginas tantas, havendo comido, à hora de suspender a atividade para se deitar (quatro da manhã), dois vidros de geléia, em vez de um, como de ordinário fazia, sobreveio-lhe uma indigestão e, daí, o medo de morrer deixando a obra inconclusa, o que o fez recorrer à ajuda de sua filha.

E dói pensar que o por vezes super-humano esforço de um dicionarista pode terminar com as mais indesejáveis conseqüências físicas, compensação intelectual bem pouco aliciante e resultados financeiros não demasiado expressivos. Assim aconteceu aos três organizadores do *Dicionário da Língua Portuguesa* (1793) da Academia das Ciências de Lisboa, o qual, sabe-se, parou na letra A, em *azurrar*, fato glosado pelo sarcasmo de Herculano em uma de suas *Lendas* e *Narrativas*[1]. Desses acadêmicos, um, José da Fonseca, morreu, segundo Ramalho Ortigão, "de lentas e dolorosas enfermidades contraídas nas vigílias da mais opressiva tarefa", Bartolomeu Inácio Jorge e Agostinho José da Costa Macedo, os outros dois, ficaram cegos. O público, esse lhes deu "o mais ingrato esquecimento"; e a Academia ofereceu a cada um dos três mártires da lexicografia – "como suprema e única remuneração de sua inglória fadiga" – um exemplar do *Dicionário*.

Narrando o fato, deseja o A., mais do que chamar a atenção para as dores dos lexicógrafos, as quais, afinal de contas, talvez não tenham senão dessas vezes chegado a tanto, distrair o leitor com algo ameno, embora triste, e atraí-lo para o prefácio, tipo de leitura, sem dúvida, não muito apetecido. Um pouco de paciência: procuraremos ser objetivos e sintéticos; daremos informações, sem divagações.

1. Pretendeu-se fazer um dicionário médio, ou inframédio etimológico, com razoável contingente vocabular (bem mais de cem mil verbetes e subverbetes), atualizado (dentro dos seus limites), atento não só à língua dos escritores[2] (muito especialmente os modernos, mas sem desprezo, que seria pueril, dos clássicos), senão também à língua dos jornais e revistas, do teatro, do rádio e televisão, ao falar do povo, aos linguajares diversos – regionais, jocosos, depreciativos, profissionais, giriescos...
2. Entre os autores, dos mais desvairados gêneros, figuram com certa freqüência os cronistas; por se mostrarem, em maior ou menor grau, bons espelhos da língua viva. São, aliás, vários deles, mestres da prosa dos nossos dias. Nem foi esquecida outra classe de autores: a dos letristas de sambas, marchas, canções. Eles – tal como, até certo ponto, também os cronistas –, além de captarem a criação lingüística popular, não raro são, ainda por cima, criadores, inventores, de palavras.
3. Injusto seria deixar de recorrer aos comentaristas políticos, econômicos, etc., aos repórteres, aos noticiaristas – desde os mais qualificados colaboradores, de vária espécie, de jornais e revistas, até aos mais modestos, aos focas anônimos, aos que fazem a cozinha da profissão.
4. Dessas diversas fontes brotaram muitas das palavras deste dicionário. Brotaram, ou se enriqueceram de acepções ou abonações. Quando se pensa em abonar palavras para um léxico, observa-se – como se deu agora com o A. – o mundo de vocábulos e, sobretudo, de significados, vivos, de um século, de séculos, e esquecidos dos lexicógrafos, que, ao

1. Talvez nem todos se recordem da lenda nem da glosa. A lenda é "A Dama Pé-de-Cabra", onde se lê: "O onagro fitou as orelhas e.... começou a azurrar; começou por onde, às vezes, academias acabam". E em nota de rodapé o escritor glosa/goza: "O Dicionário da Academia, que ficou interrompido no fim da letra A, acaba na palavra *azurrar*."

2. Vão a 770 os autores citados, e a 1. 610 as respectivas obras. V., no fim do volume, a bibliografia.

longo do tempo (com exceções, é claro), foram fazendo pouco mais do que mutuamente se copiarem (o que às vezes é inevitável), com, aqui e ali, algum retoque na cópia, e mais umas tantas palavras ou acepções, que estão entrando pelos olhos.

5. Adotou-se, aqui, em relação à fraseologia, o critério, eminentemente prático, do *Diccionario* da Real Academia Española, critério também seguido por Nascentes: se a frase contém substantivo ou palavra substantivada, naquele ou nesta se faz o registro (assim, *ação entre amigos* virá em *ação*; *pôr a mão na consciência*, em *mão*; "O prometido é devido" [provérbio], em *prometido*); seguem-se, na ordem de preferência, o verbo, o adjetivo, o pronome e o advérbio; havendo na expressão mais de um vocábulo, da mesma classe gramatical, será o primeiro deles o preferido (p. ex.: *tirar a sardinha com a mão do gato* figura em *sardinha*); as palavras *pessoa* e *coisa*, o pronome *alguém*, os verbos de ligação – *ser, estar, continuar, ficar*, etc. –, se não constituírem parte essencial, imutável, da locução, não são levados em conta; nem se levam em conta os verbos auxiliares.

6. Certos adjetivos que representam espécies de determinadas coisas aparecem definidos no competente substantivo, com que formam um todo. Exemplifiquemos: *ascórbico, bórico, lisérgico*, espécies de ácido, definem-se em ácido; as definições de *capacitivo, eletrônico, flexível*, espécies de *acoplamento*, vêm nesta última palavra; e aparecem definidas em *verso*, e não nos qualificativos, as locuções *verso agudo, verso branco, verso livre*, etc.

7. Há muitas informações a respeito da conjugação dos verbos, inclusive do timbre do *e* em formas onde ele aparece na sílaba tônica (casos como os de *desejar, ensejar*, e *invejar*; *espelhar* e *grelhar*; *empeçar*^{1}, *empeçar*^{2}, e *empeçar*^{3}).

8. Neste dicionário é abundante a sinonímia. Inúmeras palavras vêm seguidas de sinônimos, que por vezes chegam a dezenas; ou – bem mais raramente – a mais de cem (como em *cachaça* e *diabo*). Além disso, registram-se largamente homônimos e parônimos, e menciona-se boa porção de antônimos.

9. O "V.", nas remissões, tem estas serventias: **a)** manda o leitor para uma forma vocabular que é a verdadeiramente boa, ou preferível (ou, pelo menos, assim considerada pelo Vocabulário Ortográfico de 1943). Ex.: *"Anquilosar, v. t. d.* e *p. V. ancilosar"*; *"Regímen, s. m. V. regime"*; **b)** de um dos sinônimos duma palavra encaminha para ela o consulente, que nela encontrará, além da definição, pelo menos dois sinônimos; **c)** remete de um adjetivo à locução a que ele pertence (v. § 6).

10. Atenção grande se deu à regência verbal, procurando-se (sem prejuízo da regência de outros verbos) abonar sistematicamente os transitivos indiretos (ou relativos) e os transitivos diretos e indiretos (ou transitivo-relativos). Além do quê, consignamos regências numerosas ainda ausentes dos léxicos.

11. Corrigiram-se muitos e muitos cochilos do Vocabulário Ortográfico de 1943 (alguns deles com presença noutras obras), como, p. ex., *rigeza* (de *rijo*, e não de *rígido*), *retratibilidade* (de *retrátil*, e não de *retratível*, inexistente), *inopinoso*; *resispiscência, babalão, manéia, pulpéria*; em lugar de *rijeza, retratilidade, inopioso, resipiscência, babalaô, maneia, pulperia.*

12. No caso de homônimos com étimos diferentes, seriamo-los, pondo à direita de cada um deles um número alceado (como um expoente em matemática). Veja-se, p. ex., *acorde*^{1} (do fr. *accord*) e *acorde*^{2} (de *acordar*). Há casos de três, quatro, cinco e até mais desses homônimos.

13. Parece-nos de incontestável utilidade para o leitor o largo registro que fizemos de elementos de composição, vernáculos e de origem latina e grega.

14. Para destaque gráfico e, pois, mais perfeita legibilidade, adotou-se não apenas boa variedade de tipos, mas também algumas siglas e sinais, que se encontrarão mais para diante, numa lista onde aparecem junto com as abreviaturas – alguns de uso mais ou menos corrente, e outros que criamos, com o fim de facilitar a consulta. Há outro sinal, que na lista não figura: os quatro pontos (....), que não se devem confundir com as reticências. Constituem eles, segundo nosso critério, a chamada *interpontuação*, série de pontos indicativos de supressão de parte de um trecho citado. Achamos condenável o emprego dos três pontinhos, por levarem a crer, muitas vezes, que se trata de reticências do autor. Epifânio Dias, em casos tais, na sua edição de *Os Lusíadas*, usa apenas, para este caso, dois pontos (..); Sá Nunes usava cinco; adotamos quatro. São drummondianos estes versos, já outras vezes citados por nós:

> Lutar com palavras
> é a luta mais vã.
> Entanto lutamos
> mal rompe a manhã.

Lutam com as palavras os escritores, os Drummonds, aceitando-lhes as definições correntes ou, no seu direito de artistas, modificando-lhes o sentido; ou criando novos, ou novas palavras; e lutam, igualmente, os dicionaristas, redefinindo-as, acrescentando-lhes significados, ou introduzindo-as no léxico, após enfrentar a tarefa, tantas vezes penosa, de captar-lhes a essência, desentranhar-lhes o sentido, infundir alma num corpo. Uns e outros se empenham na luta – e sempre com a esperança de que não seja vã. Em nossos casos particulares – o do Poeta e o deste aprendiz de lexicografia – há uma diferença (deixem passar a confissão): a luta de Drummond principia "mal rompe a manhã"; a do aprendiz, ordinariamente, vai até de manhã[3].

AURÉLIO BUARQUE DE HOLANDA FERREIRA

---

3. Aqui os nossos agradecimentos a numerosos amigos que trabalharam para esta obra, fornecendo-nos achegas e/ou ajudando-nos em tarefas de ordem prática.

Entre os que fizeram uma coisa e outra estão Reginaldo Guimarães e Heitor Lisboa de Araújo (este, um dos colaboradores especializados), Paulo Jorge Buarque Ferreira e Paulo Batista Ferraz.

Forneceram achegas Paulo Rónai (colaborador especializado, também), Américo Lacombe, Ciro dos Anjos, Rubem Rosa, Raimundo Magalhães Júnior, Paulo Celso Moutinho, Paulo Mercadante, Geraldo de Morais, Osvaldo Tavares Ferreira, Nélson Vaz, Mário Palmério, Mário Teles, Neemias Gueiros, Herick Marques Caminha (também colaborador especializado), José Honório Rodrigues, Luís Ferraz, Herberto Sales, Afonso Arinos, Josué Montelo, Lothar F. Hessel, Walter Benevides (outro colaborador especializado), Valdemar Cavalcanti, Rocha Lima, Fontes Ibiapina, Geraldo França de Lima, Moreira Campos, Abgar Renault, Albertoni Pimentel, Antônio Celso, Benedito Silva, Bernardo Élis, Fernando Heraldo Queirós de Nóvoa.

Deram precioso auxílio nos trabalhos de escritório Mary Baird Loewenberg e Maria José Machado Carneiro (também colaboradora especializada).

Uma palavra de saudade para Sérgio Lucchetti, que morreu mal principiava a obra; de saudade e agradecimento a Nélson de Faria, a quem a morte obrigou a interromper uma colaboração excelente, e da qual fazia questão de não auferir nenhuma vantagem material; e de agradecimento a Paulo César Farah, Franco de Barros (também colaborador especializado), Marcílio Eiras, Ana Maria Cavalcanti e Maria Helena Garcia Tourinho, que durante algum tempo nos deram assistência.

COMO USAR ESTE DICIONÁRIO

Organizadas em ordem alfabética, cada palavra representada em forma de verbete neste dicionário traz uma ampla quantidade de informações, estruturadas de forma específica. São mais de 20 tipos de classificações diferentes, subdivididos por sua vez em alguns itens, e identificados por sinais gráficos, conforme indicado neste roteiro. Ao tomar conhecimento de todas as ramificações aqui descritas, o leitor perceberá como é fácil o acesso ao abrangente conteúdo léxico-gramatical do *Dicionário Aurélio*.

cabeça do verbete

A **cabeça do verbete**, ou apenas **cabeça**, vem sempre em negrito e azul, é alinhada à esquerda, e identifica o verbete. Às vezes, pode vir seguida de uma ortoépia, conforme explicado mais adiante.

ortoépia

A **ortoépia** aparece sempre entre parênteses e em tipo claro, logo após a palavra em negrito da cabeça. Ela esclarece a pronúncia, quando o caso é passível de dúvida (vogal aberta ou fechada, hiato, consoante chiada ou não, encontro consonantal, etc.).

índice

O **índice** é um número em tipo pequeno, colocado junto à cabeça do verbete, porém elevado, que assinala palavras homógrafas de origens distintas. Ele distingue verbetes diferentes que começam com a mesma palavra.

categoria gramatical

A **categoria gramatical**, de forma abreviada, em negrito e itálico, abre uma seção de significados e outras informações referentes à palavra nessa função gramatical específica.

etimologia

A **etimologia**, apresentada entre colchetes e logo depois da cabeça (ou da ortoépia, ou da transcrição fonética, quando houver), revela a origem e a formação da palavra.

rubrica

A **rubrica**, em geral abreviada e sempre em itálico, aparece antes das definições quando se refere a todas as definições daquele verbete, ou dentro de uma definição específica quando se refere apenas a esta. Ela indica uma área em que a palavra é usada com tal significado. A área pode ser uma região geográfica, um campo da ciência ou do conhecimento, um tipo de uso, etc. As definições assim identificadas perfazem um subdicionário especializado na área delimitada pela rubrica (regionalismos, gírias, disciplina, etc.). A mesma definição pode surgir em mais de uma rubrica. As abreviaturas usadas nas rubricas encontram-se na relação das páginas seguintes.

Vin vinciano | vinhedo

vinciano (txano) ***Adj.*** Pertencente ou relativo a Leonardo da Vinci. [V. *leonardesco*.]

vincituro [Do lat. *vincituru*, part. fut. ativo de *vincere*, 'vencer'.] ***Adj.*** Que há de vencer.

vinco [De or. obscura.] ***S. m.*** **1.** Aresta ou marca produzida por uma dobra; vincada. **2.** Sulco ou sinal produzido por pancada, passagem de roda, aperto de cordão, unhada, etc. **3.** Vergão (2). **4.** *Fig.* Ruga. **5.** Primeira camada seguida à côdea inferior da broa, quando esta sai malcozida do forno. **6.** *Art. Gráf.* Sulco produzido por filete, em papel ou em outro material, geralmente para facilitar a dobragem; dobra seca. [V. *fio de vincar*.] **7.** *Grav.* V. *bisel* (4).

vincristina [Voc. farmac.] ***S. f.*** *Quím.* Alcaloide encontrado em certas apocináceas relacionadas à vinca (2), us. como medicamento antineoplásico [fórm.: $C_{46}H_{56}N_4O_{10}$].

vinculação [De *vincular*[2] + *-ção*.] ***S. f.*** Ato ou efeito de vincular(-se).

vinculado [Do lat. tard. *vinculatu*.] ***Adj.*** **1.** Instituído por vínculo. **2.** Da natureza do vínculo. **3.** Vincular[1]. **4.** Fortemente ligado ou preso. ~ V. *bens —s* e *voto —*.

vinculador (ô) [De *vincular*[2] + *-dor*.] ***Adj.*** **1.** Que vincula; vinculativo, vinculatório. • ***S. m.*** **2.** Aquele que vincula.

vinculante [De *vincular* + *-nte*.] ***Adj.*** Que serve para vincular. ~ V. *súmula —*.

vincular[1] [De *vínculo* + *-ar*[1].] ***Adj. 2 g.*** Relativo a vínculo; vinculado.

vincular[2] [Do lat. tard. *vinculare*.] ***V. t. d.*** **1.** Ligar ou prender com vínculos; apertar. **2.** Ligar ou prender moralmente: *O amor à família vincula os filhos.* **3.** Firmar a posse de. **4.** Impor obrigação a; penhorar; gravar; onerar: *O favor recebido vinculou-o.* **5.** Submeter (coisas) a vínculo. ***T. d. e i.*** **6.** Ligar ou prender moralmente: *A obrigação vinculou-a ao benfeitor.* **7.** Ligar, prender, unir, ou deixar ligado, unido, preso: "O general da frota cristã de Lepanto vinculou a sua memória àquela batalha gloriosa." (Latino Coelho, *Cervantes*, p. 43.) **8.** Anexar, apensar: *vincular um processo a outro.* **9.** Sujeitar, obrigar. **10.** *Inform.* Estabelecer vínculo (8) entre (dois itens de dados, ou dois programas). ***P.*** **11.** Prender-se ou ligar-se moralmente: *Vinculou-se ao seu benfeitor.* **12.** Ligar-se, prender-se, unir-se: "É bem conhecida a teoria do enraizamento de Barrès, exposta no romance *Les Déracinés*, segundo a qual o homem se vincula à terra, à região em que nasce e onde nasceram os seus, truncando o próprio destino quando se transplanta para ambiente diverso." (Brito Broca, *Horas de Leitura*, p. 79.) **13.** Eternizar-se, perpetuar-se; imortalizar-se. [Pres. ind.: *vinculo*, etc. Cf. *vínculo*.]

vinculativo [Do lat. *vinculatus*, part. pass. do lat. tard. **vinculare*, 'vincular', + *-ivo*.] ***Adj.*** V. *vinculador* (1).

vinculatório [De *vincular*[2] + *-tório*.] ***Adj.*** V. *vinculador* (1).

vinculável [De *vincular* + *-vel*.] ***Adj. 2 g.*** Que é passível de ser vinculado.

vínculo [Do lat. *vinculu*.] ***S. m.*** **1.** Tudo o que ata, liga ou aperta: "Este [o presente], segundo o escritor italiano [Salviolli], mesmo depois das mais profundas revoluções, liga-se ao passado por vínculos tais que não se poderiam romper sem torná-lo um enigma." (Paulo Mercadante, *A Consciência Conservadora no Brasil*, p. 7.) **2.** Nó, liame. **3.** *Fig.* Ligação moral. **4.** Gravame, ônus, restrições. **5.** Relação, subordinação. **6.** Nexo, sentido. **7.** *Fís.* Num sistema mecânico, a relação entre suas coordenadas generalizadas, que traduz a existência duma restrição material que limita o movimento do sistema. **8.** *Inform.* Ligação entre itens de dados, ou programas, e que permite, ao se usar ou consultar um deles, fácil acesso ao(s) outro(s). **9.** *Inform.* Em hipertextos e hipermídias, ligação análoga e que serve de elo (4) entre documentos, us. como recurso de navegação (7). [Cf. *vinculo*, do v. *vincular*.] ◆ **Vínculo esclerônomo.** *Fís.* Aquele em cujas equações de definição não figura explicitamente a variável tempo. **Vínculo holônomo.** *Fís.* O que pode ser expresso por um número finito de equações entre as coordenadas generalizadas do sistema e o tempo. **Vínculo não holônomo.** *Fís.* O que não é holônomo. **Vínculo reônomo.** *Fís.* O que é definido por equações que incluem explicitamente a variável tempo.

vinda [F. subst. de *vindo*, part. de *vir*.] ***S. f.*** **1.** Ato ou efeito de vir. **2.** Volta, regresso.

vindecaá [De or. incerta; o segundo el. é de or. tupi.] ***S. m.*** *Bras. Amaz. Bot.* Designação comum a grandes ervas zingiberáceas, ornamentais, rizomatosas, do gênero *Alpinia* (v. *alpínia*), originárias da Ásia e encontradiças em jardins em virtude das belas e perfumadas flores alvas ou vermelhas reunidas em cachos vistosos.

➔ **vin d'honneur** [vɛ̃ dɔ'nœʁ] [Fr.] Recepção oficial de homenagem, em que se servem vinhos, coquetéis, etc.

2160

verbete

O **verbete** constitui a unidade estrutural do dicionário. Ele se inicia com a própria palavra e traz todas as informações a ela referentes. Seu texto é indentado à esquerda para que tenha maior destaque.

remissiva

A **remissiva**, que pode ser total ou complementar, é identificada por um V., em tipo redondo e claro, seguido por uma palavra ou expressão *italizada*, e conduz o leitor a outro verbete, ou locução, ou definição que descreve um significado semelhante ou complementar ao da palavra no contexto em que está sendo pesquisada. Ao final de uma definição, assinala outra palavra ou locução que pode vir a acrescentar algo ao conceito apresentado. Usa-se, também, no final de um verbete que remete para sua forma plural, de sentido específico, ou ainda, no final de uma forma plural para a sua forma singular. A remissiva ~ V., por sua vez, leva para uma locução na qual uma das palavras é a que encabeça o verbete que está sendo consultado no momento (em geral, como adjetivo). Neste caso, a palavra é substituída por um travessão, o qual pode ser seguido por uma indicação de flexão de gênero ou de número.

abreviações

Ao longo de todo o texto do dicionário, são utilizadas **abreviações**, cuja listagem completa se encontra nas páginas seguintes.

definição

A **definição** é a descrição de cada um dos significados da palavra na categoria gramatical considerada. As variações de significado, por mais sutis que sejam, são demonstradas em textos claros e sucintos. Muitas vezes o leitor vai encontrar o mesmo significado (ou análogo) para uma palavra em diferentes categorias gramaticais; ou, perceber que, ao contrário, o significado será completamente diferente, variando a categoria.

número de definição

O **número de definição** em tipo grande e negrito, anuncia o início da definição de um novo significado dentro do verbete, facilitando a consulta.

transcrição fonética

A **transcrição fonética** dos estrangeirismos vem logo após a cabeça, entre colchetes, e representa, de acordo com o Alfabeto Fonético Internacional (adaptado), a pronúncia aproximada da palavra na língua de origem, que, aliás, também é indicada dentro de colchetes separados. A tabela de transcrições fonéticas encontra-se nas páginas seguintes.

sinais identificadores

Há verbetes que são antecedidos por um **sinal identificador**, de acordo com a característica principal da forma apresentada:

(▲) introduz um ***elemento morfológico***: elemento de composição, prefixo, sufixo ou afixo.

▲ **-a** Desin. do fem. na língua portuguesa: *aluna, cantora.* [Pl.: *-as.*]

(■) apresenta ***símbolo***, ***sigla***, etc., por exemplo:

■ **ONU** Sigla da *Organização das Nações Unidas.*

(➔) indica palavra ou expressão de ***língua estrangeira***, como em:

➔ **jazz** [dʒæz] [Ingl.] *S. m. Mús.* Música profana, vocal ou instrumental, dos negros ....

palavras-guias

No alto da página, próximo aos cabeços, são registradas as palavras que encabeçam o primeiro e o último verbetes nela iniciados, delimitando com precisão a abrangência dos verbetes contidos naquela página, em rigorosa ordem alfabética, possibilitando a localização exata da palavra a ser consultada. São as **palavras-guias**.

cabeço

O **cabeço** das páginas de número par apresenta as três primeiras letras do primeiro verbete da página, em tipos grandes, para facilitar a busca das palavras a serem consultadas. Nas páginas de número ímpar, o **cabeço** é formado pelas três primeiras letras do último verbete da página, também em tipos grandes, e com o mesmo objetivo.

achega

A **achega**, introduzida entre colchetes, traz informações adicionais à definição. Pode ser explicativa, comparativa [Cf., sinônimos, antônimos, etc.], gramatical [flexões, conjugação verbal, etc.], etc.

símbolos

Os **símbolos**, (✤), (◎), (✻) e (☑) foram inseridos em todos os verbetes cujas entradas foram alteradas pelo AOLP ou pelo Volp., explicando o caso de cada um deles. Por vezes, logo após os símbolos são indicadas notas explicativas. Tanto as notas, quanto os símbolos, têm seus esclarecimentos no Prefácio à Quarta Edição, nas páginas XII e XIII.

palavras mais frequentes

As **palavras mais frequentes** do português *escrito* no Brasil, no período entre os anos de 1900 a 2000, são indicadas por uma marcação sombreada na entrada do verbete.

abonação

A **abonação** é um exemplo retirado de texto literário, jornal ou revista, ou ainda de letra de música e apresenta o próprio *texto de abonação* (entre aspas), *autor* (entre parênteses, em tipo redondo), *título*, dentro dos mesmos parênteses, em itálico, seguido do número da página [dos livros], ou da data de publicação [dos periódicos]. A abonação vem sempre depois de dois-pontos (:), ou de ponto e vírgula (;), e do símbolo (📖), em azul. A bibliografia completa e a lista dos periódicos encontram-se nas últimas páginas deste dicionário.

exemplo

O **exemplo** demonstra o uso da palavra naquele significado, dentro de uma frase ou expressão. Criados pelo autor do dicionário, eles aparecem após a definição e antecedidos de dois-pontos (:), ou de ponto e vírgula (;); são sempre em itálico e recebem o símbolo (📄) em azul.

mudança de categoria gramatical

O sinal (•), em azul, avisa sobre uma **mudança de categoria gramatical**. A partir deste sinal, as informações se referem à nova categoria.

locução

O sinal (◆), em azul, determina o fim da seção de definições de um verbete e o início da seção de locuções ou expressões idiomáticas que incluam a palavra em questão, com significados específicos. A **locução** é constituída por duas ou mais palavras que formam uma unidade semântica, sendo uma delas a cabeça do verbete. As locuções são grafadas sempre em negrito. Cada uma pode ter uma ou mais definições, exemplos e abonações, como se fosse um verbete. Para entender o critério adotado na escolha da fraseologia, veja o item 5 do Prefácio à Primeira Edição, reproduzido anteriormente.

regência

A **regência** acompanha a notação da categoria gramatical quando se trata de verbo (*V.*) e inaugura a seção de significados e informações sobre o verbo em cada regência. As regências alternativas, que às vezes se seguem, são introduzidas sem repetir a categoria (*V.*).

---

vazios | vegetar **Veg**

vedista [De *veda*² + *-ista*.] *S. 2 g.* Pessoa conhecedora do Veda, nele especializada.

vedo (ê) [Dev. de *vedar*.] *S. m. Bras.* **1.** V. *tapume* (1). **2.** *Constr.* Qualquer elemento que tenha como função básica a vedação: tapumes, muros, cercas, painéis, divisórias, etc. [Pl.: *vedos* (ê). Cf. *vedo*, do v. *vedar*.]

vedoia (ói) [De or. expressiva, poss.] *S. m. Bras. N.* **1.** Caloteiro. **2.** Trapaceiro, velhaco, traficante, trampolineiro, cangancheiro. ✤

vedor (ô) [Do arc. *veedor* < *veer*, 'ver'.] *Adj.* **1.** Que vê. • *S. m.* **2.** Aquele que vê. **3.** Inspetor, fiscal, intendente; veador. **4.** Pesquisador de nascentes de água.

vedoria [De *vedor* + *-ia*¹.] *S. f.* **1.** Funções de vedor (3). **2.** Repartição dirigida por um vedor (3).

vedro¹ [Do lat. *vetere*.] *Adj. Ant.* Velho, antigo.

vedro² [De or. obscura.] *S. m. Desus.* Valado (1) em volta de terrenos de lavoura.

veeiro [De *veio* + *-eiro*.] *S. m. Bras.* **1.** Diáclase ou fendimento numa rocha, preenchido por substâncias de origem hidrotermal, diversas das que formam a rocha encaixante: 📖 "Emanuel falava com entusiasmo, destacando sobretudo a experiência por ele adquirida ao contato daquela coisa nova que eram veeiros de pegmatito, impregnados de ricas bolsas de pedras coradas" (Nélson de Faria, *Cabeça-Torta*, p. 156). **2.** Linha pela qual uma pedra se quebra quando batida. **3.** Imposto de minas [v. *mina*¹ (2)] que se pagava à coroa portuguesa. **4.** *Bras. GO* Pessoa que tem a servidão das águas fluviais que lhe banham as propriedades até o veio do rio.

veemência [Do lat. *vehementia*.] *S. f.* **1.** Qualidade ou estado de veemente. **2.** Impulso rápido no ânimo ou nas paixões; impetuosidade. **3.** Grande energia; vigor. **4.** Intensidade, atividade, vivacidade. **5.** Eloquência comovente.

veemente [Do lat. *vehemente*.] *Adj. 2 g.* **1.** Impetuoso, animado, arrojado. **2.** Enérgico, forte, vigoroso. **3.** Entusiástico, fervoroso, caloroso. **4.** Vivo, intenso, forte: 📖 "chamou-lhe mártir .... por causa das dores veementíssimas que sofreu no coração em a morte de seu filho" (D. Fr. Amador Arrais, *Diálogos*, p. 788).

veementemente [De *veemente* + *-mente*.] *Adv.* De maneira veemente; com veemência.

veementizar [De *veemente* + *-izar*.] *V. t. d.* Dar veemência a; tornar veemente.

vega [Do lat. med. *Vega* (< ár.).] *S. f. Astr.* Estrela alfa, muito branca, da constelação de Lira¹ (6). [Com cap.]

vegetabilidade [De *vegetável* + *-(i)dade*, seg. o padrão erudito.] *S. f.* Qualidade ou condição de vegetável.

vegetação [Do lat. *vegetatione*, 'movimento', 'agitação'; fr. *végétation*.] *S. f.* **1.** Ato ou efeito de vegetar. **2.** Força vegetativa. **3.** Produto químico que na sua cristalização apresenta o aspecto de planta. **4.** *Bot.* Conjunto de plantas que cobrem uma região. [Não se congregam ao acaso, e a vegetação apresenta uma estrutura, uma fisionomia e uma composição que podem ser objeto de estudos; varia bastante, conforme o clima e o solo, donde existirem tipos muito diversos, como, p. ex., o cerrado, a caatinga e a floresta.] **5.** *Patol.* Excrescência de tecido patológico, semelhante a fungo¹. ◆ **Vegetação adenoide.** *Patol.* Cada um dos nódulos de tecido linfoide, habitualmente encontrados na nasofaringe de crianças, e cujo conjunto é conhecido como tonsila rinofaríngea (q. v.).

vegetado [Part. de *vegetar*.] *Adj.* **1.** Que vegetou. **2.** Que contém vegetação.

vegetal [Do lat. med. *vegetale*.] *Adj. 2 g.* **1.** *Bot.* Relativo ou pertencente às plantas: 📄 *reino vegetal; vida vegetal; célula vegetal.* **2.** Procedente de planta. ~ V. *carvão —, crina —, manteiga —, morfologia —, papel —, pergaminho —, sociologia —* e *terra —*. • *S. m.* **3.** *Bot.* Planta¹ (1). [Nenhuma diferença há que sirva para distinguir, de modo absoluto, todos os vegetais de todos os animais. Deve-se considerar, contudo, uma combinação de várias diferenças importantes, tais como presença de clorofila e de celulose, tipo de nutrição e de metabolismo, mobilidade e sensibilidade, etc.]

vegetalidade [De *vegetal* + *-(i)dade*.] *S. f.* **1.** Qualidade de vegetal. **2.** O conjunto dos vegetais.

vegetalina [De *vegetal* + *-ina*¹.] *S. f.* Antídoto que combate o veneno dos ofídios.

vegetalização [De *vegetalizar* + *-ção*.] *S. f.* Ação ou efeito de vegetalizar.

vegetalizar [De *vegetal* + *-izar*.] *V. t. d.* **1.** Dar a forma de vegetal a. **2.** Dar a natureza de vegetal a. *P.* **3.** Tomar a forma de planta.

vegetante [Do lat. *vegetante*.] *Adj. 2 g.* Que vegeta.

vegetar [Do lat. *vegetare*.] *V. int.* **1.** Viver e desenvolver-se (uma planta): 📖 "Aqui e ali, ao acaso, algumas árvores enfezadas .... vegetavam a medo, com os troncos protegidos por velhas grades de madeira" (Trindade Coelho, *Os Meus Amores*, pp. 126-127). **2.** Desenvolver-se com exuberância; pulular. **3.** Viver sem interesse, sem emoções. **4.** Viver na inércia, na

2137

TABELA DE TRANSCRIÇÕES FONÉTICAS

VOGAIS

a aberta central; como no port. *mar;* fr. *à la arte;* it. *da cappo*

æ aberta anterior; sem correspondente em port.; é semelhante ao [a], mas pronunciando-se com a boca menos aberta e a língua menos recuada, na posição próxima à do /e/ aberto ([ɛ]), como no ingl. *back*

ɑ semiaberta posterior; semelhante ao *a*, mas com a boca menos aberta e a língua mais recuada (é o [a] neutro ou reduzido, especialmente observado na pronúncia de Portugal, onde é realizado como vogal semifechada)

ã correspondente nasal do [ɑ], e próxima do port. *lã;* fr. *chantilly, sans-culotte*

e semifechada anterior; como no port. *ver, rede*

ə vogal neutra (xuá): abertura média da boca (entre o [ɛ] e o [e]), com a língua nem muito avançada nem muito recuada na cavidade bucal (entre o [e] e o [o]); típica da pronúncia de Portugal (como em for*te*, tar*de*), ou como no fr. *au revoir, première*

ɛ semi-aberta anterior; como no port. *ferro, lebre*

ɛ̃ correspondente nasal do [ɛ]; como no fr. *bien, lingerie, vin*

i fechada anterior; como no port. *cair*

ɪ vogal fechada; pronúncia próxima à do [i], com a boca menos fechada e a língua mais recuada, como no ingl. *bit, chip, kit*

ɨ fechada central; sem correspondente em port.; a boca como na pronúncia do [i] com a língua mais recuada; ingl. *self-service*

o fechada posterior; como no port. *calor*

ɔ semiaberta posterior; corresponde aproximadamente ao /o/ aberto, como em *sorte*

ɔ̃ correspondente nasal do [ɔ]; como no port. *bom, com;* fr. *bon, frisson, jeton, réveillon*

ø semifechada anterior; não há correspondente em port.: a boca arredondada na forma do /o/ fechado ([o]) e a língua na posição do /e/ fechado ([e]), como no fr. *berceuse, monsieur*, e na pronúncia do ö (tb. grafado ou transcrito *oe*), em certas palavras e nomes do alemão, como *Goethe*

œ anterior média; sem correspondente em port.; a boca na forma do /o/ aberto ([ɔ]), a língua na posição do /e/ aberto ([ɛ]): fr. *tailleur, peur, œuvre*

u fechada posterior; como no port. *sul, luz*

y fechada anterior; sem correspondente em port.; a boca na forma do /u/, com a língua na posição do /i/: é a pronúncia do *u* no fr., como em *fondue, déjà vu*; e do *ü* no alemão, como em *Kümmel, über*

ʌ posterior semiaberta, como no ingl. *funk, rush*; próxima da vogal neutra [ə], mas ger. acentuada, e pronunciada com a língua mais recuada e a boca mais aberta

ɚ vogal dita r-colorida; equivale a [əɪ] e é a pronúncia típica do /er/ em ingl., como *best-seller, buffer, laser* e em outros casos de vogal neutra + r (*network, nurse*)

CONSOANTES

b plosiva bilabial sonora; como no port. *bola*

d plosiva alveolar sonora; como no port. *dedo*

f fricativa labiodental surda; como no port. *fim*

g velar sonora; como no port. *gato, açougue*

k velar surda; como no port. *coração, aqui, aquário*

l lateral alveolar; como no port. *lago*

m nasal bilabial; como no port. *mar*

n nasal alveolar; como no port. *nó*

p plosiva bilabial surda; como no port. *pé* (em ingl., por exemplo, a pronúncia é ger. acompanhada de aspiração)

ɾ vibrante alveolar simples; como no português *cara*

r̃ vibrante múltipla, como no it. *arrivederci*

ɹ contínua (sem fricção); a língua não chega a tocar no céu da boca, i.e., não produz oclusão; é o som representado tipicamente pelo *r* no ingl.: *rock-and-roll, software*

s fricativa alveolar surda; como no port. *sim, passo*

t plosiva alveolar surda; como no port. *ter, até*

v fricativa labiodental sonora; como no port. *ver*

z fricativa alveolar sonora; como no port. *cozer, asa*

ʒ fricativa palatoalveolar sonora; como no port. *jogo*

ʃ fricativa palatoalveolar surda; como no port. *chá, xícara*

θ fricativa interdental surda; não tem correspondente em port.; soa como no ingl. *thriller*, gr. *éthos, páthos*; corresponde, aproximadamente, a um /s/ realizado com a língua de encontro aos dentes frontais

ð fricativa dental sonora; não tem correspondente em port.; como no ingl. *the* (art. def.); corresponde, aproximadamente, a um /z/ realizado com a língua de encontro aos dentes frontais

ŋ nasal velar; tipicamente representada pelo dígrafo *ng* em ingl., como em *camping*

ɲ nasal palatal; semelhante ao som representado em port. pelo dígrafo *nh*, ou como no fr. *peignoir*; esp. *el niño*

ç fricativa palatal; sem correspondente no port.; a fricção é semelhante à da pronúncia do [ʃ], mas o dorso da língua é recuado, i.e., levado à parte posterior do palato, como no al. *Reich*

χ fricativa uvular surda; sem correspondente exato no port.; soa como no al. *Krach, Mach* (antr.); no esp. *Juan* (antr.; cf. *Don Juan);* no ár. *sheik*; no gr. *arché*; a língua fica em posição ainda mais recuada do que na realização do [ç]

ʁ fricativa uvular sonora; o som se aproxima ao da pronúncia do *r* não intervocálico e do *rr* em port. (carne, carro)

ʕ fricativa faríngea, como no ár. *tahine*, hebr. *chanukah*

ħ fricativa faríngea surda; corresponde à pronúncia aspirada do *h*, como no ingl. *hit, hobby, homepage*; semelhante, no port., a certas pronúncias do *r* em início de palavra: *rato; rei*

tʰ é o /t/ acompanhado de aspiração, na pronúncia do dígrafo *th* em latim

ɣ fricativa velar sonora, na pronúncia reconstituída do gama do gr. clássico: *lógos*

SEMIVOGAIS

w bilabial; pronuncia-se como o /u/ semivogal de ditongo, no port. *quadro, chapéu*

j palatal; pronuncia-se como o /i/ semivogal de ditongo, no port. *boi, herói, colégio*

SINAIS ESPECIAIS

ą representa a vogal aberta posterior na pronúncia do ingl.; é semelhante ao [a], mas realizada com a língua em posição mais recuada e a boca um pouco mais fechada e arredondada; ingl. *shop, top*

ę sinal usado na transcrição do *i* breve átono, na reconstituição da pronúncia do latim; aproxima-se do [e] e do [ɪ]

lʸ lateral palatal; som correspondente ao do [l] palatalizado: um /l/ pronunciado com o dorso da língua de encontro ao palato, como no esp. *amontillado*; som próximo ao representado pelo dígrafo *lh* em port.

ˈ sinal que precede a sílaba tônica

ˌ sinal que precede sílaba subtônica (us. em algumas transcrições)

ː indica duração completa (ou longa)

CHAVE DE PRONÚNCIA

O quadro a seguir lista os símbolos fonéticos usados na transcrição de palavras e expressões estrangeiras. A versão utilizada do alfabeto fonético internacional (IPA) foi a de 1993 (revista em 1996), em razão de ter sido aquela em que se basearam as transcrições elaboradas para a edição anterior e que foram mantidas na presente edição. Com o objetivo de facilitar a consulta, o quadro apresenta, separadamente, os símbolos para consoantes, vogais e diacríticos usados nas transcrições dos novos verbetes incluídos nesta 5.ª edição do *Dicionário Aurélio*, bem como sua classificação de acordo com o IPA e um exemplo para orientar o leitor quanto à sua produção oral.

SÍMBOLO IPA	CLASSIFICAÇÃO IPA	EXEMPLO
	CONSOANTES	
lʲ	Consoante aproximante lateral palatalizada vozeada	**goulash** [ˈgulʲaʃ] [hún.]
β	Consoante fricativa bilabial vozeada	**vino de crianza** [βinoðekɾiˈansa] [Esp.]
ð	Consoante fricativa dental vozeada	**vino de crianza** [βinoðekɾiˈansa] [Esp.]
ŋ	Consoante nasal velar vozeada	**mailing** [ˈmajlɪŋ] [Ingl.]
ɾ	Consoante tepe alveolar vozeada	**provolone** [pɾovoˈlone] [It.]
ʃ	Consoante fricativa pós-alveolar desvozeada	**blush** [ˈblʌʃ] [Ingl.]
tʃ	Consoante africada pós-alveolar desvozeada	**check-out** [tʃɛk awt] [Ingl.]
θ	Consoante fricativa dental desvozeada	**bluetooth** [ˈbluw tuwθ] [Ingl.]
ʋ	Consoante aproximante labiodental vozeada	**aquavit** [ɑkʋɑˈʋit] [Sueco *aqvavit* < lat. *aqua vitae.*]
ʒ	Consoante fricativa pós-alveolar vozeada	**beaujolais** [boʒoˈlɛ] [Fr.]
dʒ	Consoante africada pós-alveolar vozeada	**jeans** [dʒijnz] [Ingl., do fr. *Gênes,* ´Genova`, porto na Itália.]
ts	Consoante africada alveolar desvozeada	**pizzicato** [ˌpit.tsiˈkato] [It.]
dz	Consoante africada alveolar vozeada	**jacuzzi** [jaˈkud.dzi] [It., marca registrada.]
b	Consoante oclusiva bilabial vozeada	**bike** [bajk] [Ingl.]
d	Consoante oclusiva alveolar vozeada	**al dente** [al ˈdente] [It.]
f	Consoante fricativa labiodental desvozeada	**flan** [flɑ̃] [Fr.]
g	Consoante oclusiva velar vozeada	**gourmet** [guʁˈme] [Fr.]
h	Consoante fricativa glotal desvozeada	**home theater** [howm ˈθijətɚ] [Ingl.]
j	Consoante aproximante palatal vozeada	**yakissoba** [jaːˈkisobaː] [Chin./Jap.]
k	Consoante oclusiva velar desvozeada	**cookie** [ˈkʊkij] [Ingl.]
l	Consoante aproximante lateral alveolar vozeada	**lan house** [læn hɑws] [Ingl., do acrôn. ingl. *lan* (*local area network*) + *house.*]
m	Consoante nasal bilabial vozeada	**mangá** [maɴˈgaː] [Jap.]
n	Consoante nasal alveolar vozeada	**noir** [nwaʁ] [Fr.]
p	Consoante oclusiva bilabial desvozeada	**pit bull** [ˈpɪtbʊl] [Ingl.]
r	Consoante vibrante alveolar vozeada	**rigatone** [rigaˈtone] [It.]
s	Consoante fricativa alveolar desvozeada	**club soda** [klʊb ˈsowdə] [Ingl.]
t	Consoante oclusiva alveolar desvozeada	**top model** [tɑp ˈmɑdl̩] [Ingl.]
v	Consoante fricativa labiodental vozeada	**van** [væn] [Ingl., f. red. de *caravan*, 'caravana'.]
w	Consoante aproximante labiovelar vozeada	**webcam** [ˈwɛbkæm] [Ingl.]
z	Consoante fricativa alveolar vozeada	**king-size** [kɪŋ sajz] [Ingl.]
ʂ	Consoante fricativa retroflexa desvozeada	**feng chui** [fə́ŋ ʂwèj] [chin.]

SÍMBOLO IPA	CLASSIFICAÇÃO IPA	EXEMPLO
CONSOANTES		
ɹ	Consoante aproximante alveolar (retroflexa) vozeada	**rafting** [ˈɹæftɪŋ] [Ingl.]
ɴ	Consoante nasal uvular vozeada	**futon** [fuˈtoːɴ] [Jap.]
ʎ	Consoante aproximante lateral palatal vozeada	**tempranillo** [tempɾaˈniʎo] [Esp.]
ʁ	Consoante fricativa uvular vozeada	**brie** [bʁi] [Fr.]
ɥ	Consoante aproximante labiopalatal vozeada	**gruyère** [gʁyˈɥɛʁ] [Fr.]
ɲ	Consoante nasal palatal vozeada	**champignon** [ʃɑ̃piˈɲɔ̃] [Fr.]
VOGAIS		
ɑ	Vogal posterior aberta não arredondada	**blockbuster** [ˈblɑkˌbʌstɚ] [Ingl.]
ɯ	Vogal posterior fechada não arredondada	**surimi** [sɯɾiˈmi] [Jap.]
o	Vogal posterior meio-fechada arredondada	**cot** [ko] [Fr.]
ɛ	Vogal anterior meio-aberta não arredondada	**pet shop** [pɛt ʃɑp] [Ingl.]
ɪ	Vogal anterior fechada não tensa não arredondada	**chip** [tʃɪp] [Ingl.]
y	Vogal anterior fechada arredondada	**brut** [bʁyt] [Fr.]
ø	Vogal anterior meio-fechada arredondada	**bleu** [blø] [Fr.]
œ	Vogal anterior meio-aberta arredondada	**cache-coeur** [kaʃ kœʁ] [Fr.]
ʌ	Vogal posterior meio-aberta não arredondada	**cup** [kʌp] [Ingl.]
æ	Vogal anterior aberta não arredondada	**gadget** [ˈgædʒɪt] [Ingl.]
u	Vogal posterior fechada arredondada	**fusilli** [fuˈzil.li] [It.]
ɔ	Vogal posterior meio-aberta arredondada	**offshore** [ˌɔfˈʃɔɪ] [Ingl.]
ʊ	Vogal posterior fechada não tensa arredondada	**e-book** [ˈijbʊk] [Ingl.]
ə	Vogal média central não arredondada	**donut** [ˈdownət] [Ingl.]
ʉ	Vogal central fechada arredondada	**ombudsman** [ˌombʉdsˈmɑn] [Sueco *ombud*, 'representante', 'deputado', + ingl. *man*, 'homem'.]
a	Vogal central aberta não arredondada	**pasta²** [ˈpasta] [It.]
e	Vogal anterior meio-fechada não arredondada	**pesto** [ˈpesto] [It.]
i	Vogal anterior fechada não arredondada	**petit gâteau** [pətigaˈto] [Fr., 'bolinho'.]
ɝ	Vogal central meio-aberta não arredondada roticizada	**t-shirt** [tij ʃɝt] [Ingl.]
ɚ	Vogal média central não arredondada roticizada	**call center** [ˈkɔlˌsɛntɚ] [Ingl.]
ɨ	Vogal central fechada não arredondada	**zloty** [ˈzloːtɨ] [Pol.]
DIACRÍTICOS*		
ː	Longo	**shiitake** [ˈʃiːtake] [Jap.]
ˉ	Tom alto (tom 1 do chinês mandarim)	**shantung** [ʃānˈd̥ūŋ] [chin.]
ˋ	Tom descendente (tom 4 do chinês mandarim)	**feng chui** [fə́ŋ ʂwèj] [chin.]
˘	Breve	**ad interim** [ad ˈintĕrẹm] [Lat.]
~	Nasalizado	**maison** [meˈzõ] [Fr.]
˳	Desvozeado	**shantung** [ʃānˈd̥ūŋ] [chin.]
.	Fronteira silábica	**farfalle** [farˈfal.le] [It.]
˖	Vogal anteriorizada	**ad infinitum** [ad ẹnˈfinẹto(m)] [Lat.]
ˊ	Tom ascendente (tom 2 do chinês mandarim)	**feng chui** [fə́ŋ ʂwèj] [Jap.]
̩	silábico	**eagle** [ˈijgl̩] [Ingl.]
ˌ	Acento secundário	**smartphone** [ˈsmɑɹtˌfown] [Ingl.]
ˈ	Acento primário	**smartphone** [ˈsmɑɹtˌfown] [Ingl.]

* Sinais diacríticos ampliados para melhor visualização.

ABREVIATURAS, SIGLAS E SINAIS CONVENCIONAIS

A

A. = autor
ablat. = ablativo
abrev. = abreviatura; abreviado(a)
abs. = absoluto
acepç. = acepção
acepçs. = acepções
açor. = açoriano(s), açoriana(s); açorianismo(s)
Açor. = Açorianismo
acrôn. = acrônimo
acus. = acusativo
Acúst. = Acústica
adapt. = adaptação
adit. = aditiva
Adj. = Adjetivo
Adj. (f). = Adjetivo us. mormente na sua forma feminina, ou forma feminina do adjetivo que representa uma exceção morfológica.
Adj. 2 g. = Adjetivo de dois gêneros
Adj. 2 n. = Adjetivo de dois números
Adj. 2 g. e 2 n. = Adjetivo de dois gêneros e de dois números
Adm. = Administração
adv. = advérbio; adverbial
Adv. = Advérbio
Aer. = Aeronáutica
Aerom. = Aeromodelismo
afr. = africano(s), africana(s); africanismo(s)
afric. = africano(s), africana(s); africanismo(s)
Afric. =Africanismo
agl. = aglutinação
aglut. = aglutinação
Agr. = Agricultura
al. = alemão (alemães), alemã(s)
Al. = Alemão
alat. = alatinado
Álg. = Álgebra
Alq. = Alquimia
alter. = alteração
alto-al. = alto-alemão
Amaz. = Amazônia
amer. = americano(s), americana(s); americanismo(s)
anal. = analogia
anal. = analítico(a); análise
Anat. = Anatomia
Anest. = Anestesiologia
Angiol. = Angiologia
Angl. = Anglicismo
angol. = angolano(s), angolana(s); angolanismo(s)
Angol. = Angolanismo
ant. = antigo(s), antiga(s)
Ant. = Antigo
antiq. = antiquado(s), antiquada(s)
Antiq. = Antiquado
antôn. = antônimo(s)
antr. = antropônimo(s)
Antrop. = Antropologia
Antrop. Social = Antropologia Social
Antropom. = Antropometria
AOLP = *Acordo Ortográfico da Língua Portuguesa*
ap. = *apud*
Apic. = Apicultura
aport. = aportuguesamento
arc. = arcaico(s), arcaica(s); arcaísmo(s)
Arc. = Arcaísmo
ár. = árabe
ár.-hisp. = árabe-hispânico
Arit. = Aritmética
Arqueol. = Arqueologia
Arquit. = Arquitetura
art. = *artigo*
Art. = *Artigo*
Arte Poét. = Arte Poética
Art. Gráf. = Artes Gráficas
Artilh. = Artilharia
Art. Plást. = Artes Plásticas
astr. = astrônimo
Astr. = Astronomia
Astrofís. = Astrofísica
Astrol. = Astrologia
Astron. = Astronáutica
Atlet. = Atletismo
atr. = através
aum. = aumentativo
Autom. = Automobilismo
Automat. =Automatismo
Av. = Aviação

B

b.-al. = baixo-alemão
Bacter. = Bacteriologia
B.-Art. = Belas-Artes
Basq. = Basquetebol
Bibliogr. = Bibliografia
Bibliol. = Bibliologia
bibliôn. = bibliônimo
Bibliot. = Biblioteconomia
Biofís. = Biofísica
Biogeogr. = Biogeografia
Biol. = Biologia
Bioquím. = Bioquímica
Biotip. = Biotipologia
bit. i. = bitransitivo indireto
bit. c. = bitransitivo circunstancial
b.-lat. = baixo-latim
b.-lat. hisp. = baixo-latim hispânico
Bord. = Bordado
bot. = botânico(s), botânica(s)
Bot. = *Botânica*
bras. = brasileiro(s), brasileira(s); brasileirismo(s)
bras. = brasílico
Bras. = Brasileirismo
Burl. = Burlesco

C

c. = cerca de, mais ou menos em
C. = Centro
cabo-verd. = cabo-verdiano(s), cabo-verdiana(s); cabo-verdianismo(s)
Cabo-verd. = Cabo-verdianismo
cald. = caldaico
Caligr. = Caligrafia
Cap. = Capoeira
cap. = capitular, inicial maiúscula
Card. = Cardiologia
Carp. = Carpintaria
Cartogr. = Cartografia
cat. = catalão
caus. = causal
célt. = céltico
cf. = confronte, compare
Chapel. = Chapelaria
chin. = chinês (chineses), chinesa(s)
Chin. = Chinês
Cibern. = Cibernética
Ciênc. Pol. = Ciência Política
cient. = científico
Cin. = Cinema
Cineg. = Cinegética
cing. = cingalês
Cinol. = Cinologia
Cir. = Cirurgia
Cir. Plást. = Cirurgia Plástica
Citol. = Citologia
cláss. = clássico
C. O. = Centro-Oeste
col. = coluna
Com. = Comércio
comb. = combinação
comp. = comparativo
Comp. Gráf. = Computação Gráfica
Comun. = Comunicação
concess. = concessiva
cond. = condicional
Conj. = Conjunção
conjug. = conjugação
Constr. = Construção
Constr. Nav. = Construção Naval
Cont. = Contabilidade
contr. = contração; contrato(a)
Contr. = Contração
controv. = controverso(a), controvertido(a)
coord. = coordenativa
Cosm. = Cosmologia
Cost. = Costura
Crist. = Cristalografia
Cronol. = Cronologia
cruz. = cruzamento
Cul. = Culinária

D

DACL = Dicionário da Academia de Ciências de Lisboa
deduz. = deduzido(a)
def. = definido; definição
defect. = defectivo
dem. = demonstrativo
Demogr. = Demografia
denom. = denominação
deprec. = depreciativo(s)
Deprec. = Depreciativo
der. = derivado(s), derivada(s)
Derm. = Dermatologia
desin. = desinência(s)
desus. = desusado(s), desusada(s)
Desus. = Desusado
Desus. no Brasil = Desusado no Brasil
det. = determinativo
dev. = deverbal
dial. = dialeto; dialetal
dim. = diminutivo
dim. subst. = diminutivo substantivado
din. = dinamarquês (dinamarqueses), dinamarquesa(s)
Din. = Dinamarquês
Diplom. = Diplomacia
Dir. = Direito
Dir. Adm. = Direito Administrativo
Dir. Civ. = Direito Civil
Dir. Com. = Direito Comercial
Dir. Fin. = Direito Financeiro
Dir. Intern. = Direito Internacional
Dir. Jud. Civ. = Direito Judiciário Civil
Dir. Penal = Direito Penal
Dir. Proc. = Direito Processual
Dir. Process. Civ. – Direito Processual Civil
Dir. Proc. Penal = Direito Processual Penal
Dir. Trab. = Direito Trabalhista
Dir. Trib. = Direito Tributário
Docum. = Documentação

E

E. = Este
Ecles. = Eclesiástico
Ecol. = Ecologia
Econ. = Economia
Edit. = Editoração
Edit. Eletrôn. = Editoração Eletrônica
Educ. = Educação
Educ. Esp. = Educação Especial
el. = elemento
El. comp. = Elemento de composição
El. s. f. = Elemento substantivo feminino
El. s. f. pl. = Elemento substantivo feminino plural
El. s. m. = Elemento substantivo masculino
El. s. m. pl. = Elemento substantivo masculino plural
Eletr. = Eletricidade
Eletromag. = Eletromagnetismo
Eletrôn. = Eletrônica
E. Ling. = Estudos da Linguagem
Embr. = Embriologia
Encad. = Encadernação
Endocr. = Endocrinologia
Endosc. = Endoscopia
Eng. = Engenharia
Eng. Civ. = Engenharia Civil
Eng. Elétr. = Engenharia Elétrica
Eng. Eletrôn. = Engenharia Eletrônica
Eng. Ind. = Engenharia Industrial
Eng. Nucl. = Engenharia Nuclear
Eng. Quím. = Engenharia Química
Enol. = Enologia
Equit. = Equitação
equiv. = equivalente(s)
escand. = escandinavo(s), escandinava(s)
escol. = escolar
Escult. = Escultura
esp. = especial; especialmente
esp. = espanhol (espanhóis), espanhola(s)
Esp. = Espanholismo; espanhol
Espir. = Espiritismo
Esport. = Esportes
Estat. = Estatística
Estét. = Estética
Ét. = Ética
etim. = etimologia
Etnogr. = Etnografia
Etnôn. = Etnônimo
Etnôn. bras. = Etnônimo brasílico
Etnol. = Etnologia
E.U.A. = Estados Unidos da América
euf. = eufêmico(s), eufêmica(s); eufemismo(s)
Euf. = Eufemismo
ex. = exemplo(s)
excl. = exclamação; exclamativo
Exérc. = Exército
Expl. = Explosivos
expr. = expressão
express. = expressivo(s), expressiva(s)

F

f. = feminino
f. = folha(s)
f. = forma(s)
F. = Fulano
fam. = familiar
Fam. = Familiar
Farm. = Farmácia
Farmac. = Farmacologia
fem. = feminino
ficciôn. = ficciônimo
fig. = figurado; figuradamente
Fig. = Figurado
Filos. = Filosofia
fin. = final
Fin. = Finanças
Fin. Públ. = Finanças Públicas
finl. = finlandês (finlandeses), finlandesa(s)
Finl. = Finlandês
Fís. = Física
Fís. Mat. = Física Matemática
Fís. Nucl. = Física Nuclear
Fís.-Quím. = Físico-Química
Fís. Part. = Física de Partículas
Fisiol. = Fisiologia
Fitogeogr. = Fitogeografia
Fitopatol. = Fitopatologia
Flex. = Flexão, flexões
Folcl. = Folclore
Fonoaud. = Fonoaudiologia
fórm. = fórmula
Fort. = Fortificação
Fot. = Fotografia
Fotograv. = Fotogravura
Fotom. = Fotometria
F. paral. = Forma paralela
f. pl. = feminino plural
f. pl. = forma plural
fr. = francês (franceses), francesa(s)
Fr. = Francês
F. red. = Forma reduzida
f. subst. = feminino substantivado
freq. = frequentativo
fut. = futuro
Fut. = Futebol
fut. ind. = futuro do indicativo
fut. pres. = futuro do presente
fut. pret. = futuro do pretérito
fut. subj. = futuro do subjuntivo

G

g. = gênero(s)
gal. = galicismo(s)
Gal. = Galicismo
Gastr. = Gastroenterologia
gaul. = gaulês (gauleses), gaulesa(s)
gen. = genitivo
gen. = genovês
gên. = gênero
geneal. = genealogia
Genét. = Genética
Geofís. = Geofísica
Geogr. = Geografia
Geogr. Pol. = Geografia Política
Geol. = Geologia
Geom. = Geometria
Geom. Projet. = Geometria Projetiva
ger. = geral; geralmente
Germ. = germânico
Gin. = Ginecologia
Ginást. = Ginástica
Gír. = Gíria
Gloss. = Glossônimo
gót. = gótico
gr. = grego(s), grega(s)
Gr. = Grego
Graf. = Grafética
Grav. = Gravura
guar. = guarani
guin. = guineense(s); guineensismo(s)
Guin. = Guineensismo

H

hag. = hagiônimo
hebr. = hebraico
Hemat. = Hematologia
heort. = heortônimo
Heráld. = Heráldica
hier. = hierônimo
Hig. = Higiene
hind. = hindustâni
Hip. = Hipologia
hisp. = hispânico
hisp.-amer. = hispano-americano(s), hispano-americana(s); hispano-americanismo(s)
Hist. = História
Hist. Bras. = História do Brasil
Hist. Med. = História da Medicina
Hist. Filos. = História da Filosofia
Hist. Nat. = História Natural
Histol. = Histologia
hol. = holandês (holandeses), holandesa(s)
Hol. = Holandês
hom. = homônimo
Homeop. = Homeopatia
húng. = húngaro(s), húngara(s)
Húng. = Húngaro

I

ib. = *ibidem*
Iconogr. = Iconografia
id. = *idem*
i. e. = lat. *id est* = isto é
ilustr. = ilustrado
imp. = imperial
imperat. = imperativo
imperf. = imperfeito
impess. = impessoal
impr. = impróprio(s), imprópria(s); impropriamente
Impr. = Impróprio
Imun. = Imunologia
ind. = indicativo
Ind. = Indústria
Ind. Pap. = Indústria Papeleira
indef. = indefinido
inf. = infinitivo
Inf. = Infantil
infer. = inferioridade
infl. = influência
Inform. = Informática
ingl. = inglês (ingleses), inglesa(s)
Ingl. = Inglês
Int. = Intransitivo
interj. = interjeição; interjetivo(a)
Interj. = Interjeição
interrog. = interrogativo(a)
ior. = ioruba
irl. = irlandês (irlandeses), irlandesa(s)
Irl. = Irlandês
Irôn. = Irônico
irreg. = irregular(es)
isl. = islandês (islandeses), islandesa(s)
Isl. = Islandês
it. = italiano(s), italiana(s); italianismo(s)
It. = Italiano

J

jap. = japonês (japoneses), japonesa(s)
Jap. = Japonês
Joc. = Jocoso
Jog. Inf. = Jogos Infantis
Jorn. = Jornalismo
Jur. = Jurídico

L

L. = Leste
lat. = latino(s), latina(s); latim; latinismo
Lat. = Latim; latinismo
lat. cient. = latim científico
lat. cláss. = latim clássico

lat. ecles. = latim eclesiástico
lat.-hisp. = latim hispânico
lat. imp. = latim imperial
lat. med. = latim medieval
lat. tard. = latim tardio
lat. vulg. = latim vulgar
lat. vulg. hisp. = latim vulgar hispânico
leg. = legal
ling. = linguagem
Lit. = Liturgia
Liter. = Literatura
Liter. Pop. = Literatura Popular
Litogr. = Litografia
Litoral = Litoral (1)
loc. = locução, locuções
Lóg. = Lógica
lomb. = lombardo
lunf. = lunfardo
lus. = lusitano(s), lusitana(s); lusitanismo(s)
Lus. = Lusitanismo
Luso-afr. = Luso-africanismo
Luso-asiat. = Luso-asiatismo

M

m. = mais
m. = masculino
Maç. = Maçonaria
Mad. = ilha da Madeira
mal. = malaio(s), malaia(s)
Mal. = Malaio
Mar. = Marinha
Mar. G. = Marinha de Guerra
Mar. Merc. = Marinha Mercante
Marc. = Marcenaria
Marinh. = Marinharia
Market. = *Marketing*
Marn. = Marnotagem
masc. = masculino
Mat. = Matemática
Mat. Fin. = Matemática Financeira
Mec. = Mecânica
Med. = Medicina
Med. Leg. = Medicina Legal
Med. Nucl. = Medicina Nuclear
menos pref. = menos preferível
Mercad. = Mercadologia
Met. = Meteorologia
Metal. = Metalurgia
Meteor. = Meteorologia
Metrol. = Metrologia
Micol. = Micologia
Microbiol. = Microbiologia
Microeletrôn. = Microeletrônica
Mil. = Militar
Min. = Mineralogia
mit. = mitônimo(s)
Mit. = Mitologia
moç. = moçambicano(s), moçambicana(s); moçambicanismo
Moç. = Moçambique; Moçambicanismo
mod. = moderno(s), moderna(s)
Montanh. = Montanhismo
m.-q.-perf. = mais-que-perfeito
m. us. = mais usado
Mús. = Música
Mús. Eletrôn. = Música Eletrônica

N

n. = número(s)
N. = Norte
N.E. = Nordeste
Nataç. = Natação
Náut. = Náutica
neerl. = neerlandês (neerlandeses), neerlandesa(s)
Neerl. = Neerlandês
Nefr. = Nefrologia
neg. = negativo
neol. = neologismo(s)
Neol. = Neologismo
Neur. = Neurologia
Neurocir. = Neurocirurgia
NGB = Nomenclatura Gramatical Brasileira
N.O. = Noroeste
nom. = nominal; nominativo
nom.-acus. = nominativo-acusativo
nor. = norueguês (noruegueses), norueguesa(s)
Nor. = Norueguês
nucl. = nuclear
Num. = Numeral
Numism. = Numismática

O

O. = Oeste
obsc. = obscuro(a)
Obsol. = Obsoleto
Obst. = Obstetrícia
oc. ant. = occitânico antigo
Ocean. = Oceanografia
Ocean. Biol. = Oceanografia Biológica
Ocean. Fís. = Oceanografia Física
Ocean. Geol. = Oceanografia Geológica
Ocean. Quím. = Oceanografia Química
Ocult. = Ocultismo
Odont. = Odontologia
Oftalm. = Oftalmologia
Oncol. = Oncologia
onom. = onomatopeia; onomatopeico
Ópt. = Óptica
or. = origem
Ornit. = Ornitologia
Ort. = Ortopedia
Otor. = Otorrinolaringologia
ox. = Oxítono(a)

P

p. = página
p. = pronominal
P. = Portugal
Paleogr. = Paleografia
Paleont. = Paleontologia
p. anal. = por analogia
paral. = paralela(s)
parox. = paroxítono(a)
part. = particípio
pass. = passado
Patol. = Patologia
Ped. = Pediatria
Pedag. = Pedagogia
Pedol. = Pedologia
Pej. = Pejorativo
perf. = perfeito
Pesc. = Pescaria
pess. = pessoa(s); pessoal
Petr. = Petrografia
p. ex. = por exemplo
P. ext. = Por extensão
Pint. = Pintura
pl. = plural
pl. subst. = plural substantivado
plat. = platino
Pleb. = Plebeísmo
Pneum. = Pneumologia
Poét. = Poético
pol. = polonês (poloneses), polonesa(s)
Pol. = Polonês
Pol. Social = Política Social
Polít. = Política
pop. = popular(es)
Pop. = Popular
port. = português (portugueses), portuguesa(s)
Port. = Portugal
poss. = possessivo
poss. = possivelmente
pp. = páginas
pred. = predicativo
pref. = preferível
pref. = prefixo
Pref. = Prefixo
prep. = preposição; prepositivo(a)
Prep. = Preposição
pres. = presente
pret. = pretérito
Proct. = Proctologia
prof. = professor
profs. = professores
prof.ª = professora
Prom. Vend. = Promoção de Vendas
pron. = pronome(s); pronominal
Pron. = Pronome
Prop. = Propaganda
proparox. = proparoxítono(a)
pros. = prosódico(s), prosódicas(s)
pros. = prosônimo
prov. = provérbio
prov. = provinciano(s), provinciana(s); provincianismo ou provincialismo
Prov. = Provincianismo
Prov. port. = Provincianismo português
provenç. = provençal
Psican. = Psicanálise
Psicol. = Psicologia
Psiq. = Psiquiatria
p. us. = pouco usado(s)
P. us. = Pouco usado
P. us. no Brasil = Pouco usado no Brasil

Q

Quím. = Química
Quím. Nucl. = Química Nuclear
Quím. Org. = Química Orgânica
quimb. = quimbundo
q. v. = queira ver

R

rad. = radical
Rád. = Rádio
Radiol. = Radiologia
Radiotéc. = Radiotécnica
regress. = regressivo
Rel. = Religião
Rel. Públ. = Relações Públicas
restr. = restritivo; restritivamente
Restr. = Restritivo
Reum. = Reumatologia
rom. = romeno(s), romena(s)
Rom. = Romeno
rus. = russo(s), russa(s)
Rus. = Russo

S

S. = Substantivo
S. = Sul
sânscr. = sânscrito
santom. = santomense(s); santomensismo(s)
Santom. = Santomensismo
Saúde Públ. = Saúde Pública
S.E. = Sudeste
séc. = século
sécs. = séculos
seg. = segundo
Semiol. = Semiologia
síl. = sílaba(s)
símb. = símbolo
sin. = sinônimo(s)

sing. = singular
Sin. ger. = Sinônimo geral, sinônimos gerais
sint. = sintético
S.O. = Sudoeste
Sociol. = Sociologia
Son. = Sonorização
subesp. = subespécie(s)
subj. = subjuntivo
subord. = subordinativa
subst. = substantivo (a); substantivado (a); substantivação
S. 2 g. = Substantivo de dois gêneros
S. 2 g. e 2 n. = Substantivo de dois gêneros e de dois números
S. f. = Substantivo feminino
S. f. 2 n. = Substantivo feminino de dois números
S. f. e m. = Substantivo feminino e masculino
S. f. e m. 2 n. = Substantivo feminino e masculino de dois números
S. f. e m. pl. = Substantivo feminino e masculino plural
S. f. pl. = Substantivo feminino plural
S. m. = Substantivo masculino
S. m. 2 n. = Substantivo masculino de dois números
S. m. e f. = Substantivo masculino e feminino
S. m. e f. 2 n. = Substantivo masculino e feminino de dois números
S. m. e f. pl. = Substantivo masculino e feminino plural
S. m. pl. = Substantivo masculino plural
Suf. = Sufixo
Suf. adv. = Sufixo adverbial
Suf. nom. = Sufixo nominal
Suf. verb. = Sufixo verbal
super. = superioridade
superl. abs. sint. = superlativo absoluto sintético
Surf. = Surfe
s. v. = *sub voce* (na palavra)

T

t. = termo
T. onom. = Termo onomatopeico
Taquigr. = Taquigrafia
Taur. = Tauromaquia
tax. = taxônimo (cs)
tb. = também
t. c. = transitivo circunstancial
t. d. = transitivo direto
t. d. e c. = transitivo direto e circunstancial
t. d. e i. = transitivo direto e indireto
Teatr. = Teatro
Tec. = Tecnologia
Tec. Mec. = Tecnologia Mecânica
Tec. Quím. = Tecnologia Química
Tec. Têx. = Tecnologia Têxtil
Telec. = Telecomunicação
Telev. = Televisão
Tên. = Tênis
Teol. = Teologia
Teor. Com. = Teoria da Comunicação
Teor. Inf. = Teoria da Informação
Ter. = Teratologia
Terap. = Terapia ou Terapêutica
term. = terminação
t. i. = transitivo indireto
Tip. = Tipografia
top. = topônimo(s)
Topogr. = Topografia
Tox. = Toxicologia
trad. = tradução
transobj. = transobjetivo
Traum. = Traumatologia
Trig. = Trigonometria
tupi-guar. = tupi-guarani

U

umb. = umbundo
unid. = unidade
unipess. = unipessoal
Urb. = Urbanismo
Urol. = Urologia
U.R.S.S. = União das Repúblicas Socialistas Soviéticas
us. = usado(s), usada(s)

V

v. = veja
V. = Veja
v. = verbo(s); verbal
V. = Verbo
var. = variedade
Var. = Variante(s)
var. pref. = variação prefixal
Var. pros. = Variante(s) prosódica(s)
var. suf. = variação sufixal
vasc. = vasconço
V.C.I. = Vocabulário Científico Internacional
verb. = verbal
vern. = vernáculo
Vest. = Vestuário
Veter. = Veterinária
v. g. = *verbi gratia*
Vitic. = Viticultura
Voc. = vocábulo(s)
Voc. deduz. = Vocábulo deduzido
Voc. Farmac. = Vocábulo Farmacopeico
voc. = vocativo
vulg. = vulgar

Z

Zool. = Zoologia
Zootec. = Zootecnia

SINAIS CONVENCIONAIS

▲ Antecede elemento mórfico: elemento de composição, prefixo, sufixo ou infixo.
■ Antecede sigla, abreviatura ou símbolo.
➔ Antecede palavra ou expressão estrangeira.
▫ Antecede exemplo.
🕮 Antecede abonação.
— Quando se remete o leitor para uma locução, este sinal substitui o adjetivo que dela faz parte. P. ex: no verbete *constitucional* lê-se: "V. *Direito* —"; equivale a "V. *direito constitucional*".
• Us. apenas no interior de um verbete, para indicar mudança de classe gramatical ou de gênero.
◆ Us. somente em interior de verbete, antecedendo locução ou locuções de que o verbete é a base.
* Indica forma hipotética (na etimologia).
| Indica mudança de parágrafo.
/ Indica mudança de verso.
// Indica mudança de estrofe.
= igual a
\+ mais
− menos
× multiplicação
÷ divisão
> "torna-se"; maior do que
< "provém de"; menor do que
// Indica a intercalação de um fonema; ex.: /a/.
~ Indica remissão.

FORMULÁRIO ORTOGRÁFICO*

INSTRUÇÕES PARA A ORGANIZAÇÃO DO VOCABULÁRIO ORTOGRÁFICO DA LÍNGUA PORTUGUÊSA

Aprovadas unânimemente pela Academia Brasileira de Letras, na sessão de 12 de agosto de 1943.

O *Vocabulário Ortográfico da Língua Portuguêsa* terá por base o *Vocabulário Ortográfco da Língua Portuguêsa* da Academia das Ciências de Lisboa, edição de 1940, consoante a sugestão do Sr. Ministro da Educação e Saúde, aprovada unânimemente pela Academia Brasileira de Letras, em 29 de janeiro de 1942. Para a sua organização se obedecerá rigorosamente aos itens seguintes:

1º – Inclusão dos brasileirismos consagrados pelo uso.

2º – Inclusão de estrangeirismos e neologismos de uso corrente no Brasil e necessários à língua literária.

3º – Substituição de certas formas usadas em Portugal pelas correspondentes formas usadas no Brasil, consoante a pronúncia e a morfologia consagradas.

4º – Fixação da grafia de vocábulos cuja etimologia ainda não está perfeitamente demonstrada, consignando-se em primeiro lugar a de uso mais generalizado.

5º – Fixação das grafias de vocábulos sincréticos e dos que têm uma ou mais variantes, tendo-se em vista o étimo e a história da língua, e registro de tais vocábulos um a par do outro, de maneira que figure em primeira plana, como preferível, o de uso mais generalizado.

6º – Evitar duplicidade gráfica ou prosódica de qualquer natureza, dando-se a cada vocábulo uma única forma, salvo se nele há consoante que facultativamente se profira, ou se há mais de uma pronúncia legitimada pelo uso ou pela etimologia, casos em que se registrarão as duas formas, uma em seguida à outra, colocando-se em primeiro lugar a de uso mais generalizado.

7º – Registro de um significado ou da definição de todos os vocábulos homófonos não homógrafos, bem como dos homógrafos heterofônicos, – mas não dos homógrafos perfeitos, – fazendo-se remissão de um para outro.

8º – Registro, entre parênteses, da vogal ou sílaba tônica de todo e qualquer vocábulo cuja pronúncia é duvidosa, ou cuja grafia não mostra claramente a sua ortoépia; não sendo, porém, indicada a sílaba tônica dos infinitos dos verbos, salvo se forem homógrafos heterofônicos.

9º – Registro, entre parênteses, do timbre da vogal tônica de palavras sem acento diacrítico, bem como da vogal da sílaba pretônica ou postônica, sempre que se faça mister, em especial quando há metafonia, tanto no plural dos nomes e adjetivos quanto em formas verbais. Não será indicado, porém, o timbre aberto das vogais *e* e *o* nem o timbre fechado das dos vocábulos compostos ligados por hífen.

10º – Fixação dos femininos e plurais irregulares, que serão inscritos em seguida ao masculino singular.

11º – Registro de formas irregulares dos verbos mais usados em *ear* e *iar*, especialmente das do presente do indicativo, no todo ou em parte.

12º – Todos os vocábulos devem ser escritos e acentuados graficamente de acôrdo com a ortoépia usual brasileira e sempre seguidos da indicação da categoria gramatical a que pertencem.

Para acentuar graficamente as palavras de origem grega, ou indicar-lhes a prosódia entre parênteses, cumpre atender ao uso brasileiro: registra-se a pronúncia consagrada, embora esteja em desacôrdo com a primordial; mas, se ela é de uso apenas em certa arte ou ciência, e ainda esteja em tempo de se corrigir, convém seja corrigida, inscrevendo-se a forma etimológica em seguida à usual.

O *Vocabulário* conterá:

a) o formulário ortográfico, que são estas instruções;

b) o vocabulário comum;

c) registro de abreviaturas.

O *Vocabulário Onomástico* será publicado separadamente, depois de aprovado por decreto especial.

I. ALFABETO

1. O alfabeto português consta fundamentalmente de vinte e três letras: *a, b, c, d, e, f, g, h, i, j, l, m, n, o, p, q, r, s, t, u, v, x, z*.

2. Além dessas letras, há três que só se podem usar em casos especiais: *k, w, y*.

II. K, W, Y

3. O *k* é substituído por *qu* antes de *e, i*, e por *c* antes de outra qualquer letra: *breque, caqui, caulim, faquir, níquel*, etc.

4. Emprega-se em abreviaturas e símbolos, bem como em palavras estrangeiras de uso internacional: *K* = potássio; *Kr* = criptônio; *kg* = quilograma; *km* = quilômetro; *kW* = quilowatt; *kWh* = quilowatt-hora, etc.

5. Os derivados portuguêses de nomes próprios estrangeiros devem escrever-se de acôrdo com as formas primitivas: *frankliniano, kantismo, kepleriano, perkinismo*, etc.

6. O *w* substitui-se, em palavras portuguêsas ou aportuguesadas, por *u* ou *v*, conforme o seu valor fonético: *sanduíche, talvegue, visigodo*, etc.

7. Como símbolo e abreviatura, usa-se em *kw* = quilowatt; *W.* = oeste ou tungstênio; *W* = watt; *Ws* = watt-segundo, etc.

8. Nos derivados vernáculos de nomes próprios estrangeiros, cumpre adotar as formas que estão em harmonia com a primitiva: *darwinismo, wagneriano, zwinglianista*, etc.

9. O *y*, que é substituído pelo *i*, ainda se emprega em abreviaturas e como símbolo de alguns têrmos técnicos e científicos: *Y* = ítrio; *yd* = jarda, etc.

10. Nos derivados de nomes próprios estrangeiros, devem usar-se as formas que se acham de conformidade com a primitiva: *byroniano, maynardina, taylorista*, etc.[1]

III. H

11. Esta letra não é propriamente consoante, mas um símbolo que, em razão da etimologia e da tradição escrita do nosso idioma, se conserva no princípio de várias palavras e no fim de algumas interjeições: *haver, hélice, hidrogênio, hóstia, humildade; hã!, hem?, puh!*; etc.

12. No interior do vocábulo, só se emprega em dois casos: quando faz parte do *ch*, do *lh* e do *nh*, que representam fonemas palatais, e nos

* Mantém-se, aqui, por motivo que nos parece óbvio, a grafia originária, a qual sofreu, como se sabe, três alterações, pela Lei no 5.765, de 18/12/1971, transcrita logo em seguida a este formulário.

1. E, no entanto, o P.V.O.L.P. dá goiesco, em lugar de *goyesco* (derivado de Goya).

compostos em que o segundo elemento, com *h* inicial etimológico, se une ao primeiro por meio de hífen: *chave, malho, rebanho; anti-higiênico, contra-haste, pré-história; sôbre-humano*; etc.

OBSERVAÇÃO – Nos compostos sem hífen, elimina-se o *h* do segundo elemento: *anarmônico, biebdomadário, coonestar, desarmonia, exausto, inabilitar, lobisomem, reaver*, etc.

13. No futuro do indicativo e no condicional, não se usa o *h* no último elemento, quando há pronome intercalado: *amá-lo-ei, dir-se-ia*, etc.

14. Quando a etimologia o não justifica, não se emprega: *arpejo* (substantivo), *ombro, ontem*, etc. E mesmo que o justifique, não se escreve no fim de substantivos nem no comêço de alguns vocábulos que o uso consagrou sem êste símbolo: *andorinha, erva, felá, inverno*, etc.

15. Não se escreve *h* depois de *c* (salvo o disposto em o nº 12) nem depois de *p, r* e *t*: o *ph* é substituído por *f*, o *ch* (gutural) por *qu* antes de *e* ou *i* e por *c* antes de outra qualquer letra: *corografia, cristão; querubim, química, farmácia, fósforo; retórica, ruibarbo; teatro, turíbulo*; etc.

IV. CONSOANTES MUDAS

16. Não se escrevem as consoantes que se não proferem: *asma, assinatura, ciência, diretor, ginásio, inibir, inovação, ofício, ótimo, salmo*, e não *astma, assignatura, sciencia, director, gymnasio, inhibir, innovação, officio, optimo, psalmo*.

OBSERVAÇÃO – Escreve-se, porém, o *s* em palavras como *descer, florescer, nascer*, etc., e o *x* em vocábulos como *exceto, excerto*, etc., apesar de nem sempre se pronunciarem essas consoantes.

17. Em sendo mudo o *p* no grupo *mpc* ou *mpt*, escreve-se *nc* ou *nt*: *assuncionista, assunto, presunção, prontificar*, etc.

18. Devem-se registrar os vocábulos cujas consoantes facultativamente se pronunciam, pondo-se em primeiro lugar o de uso mais generalizado, e em seguida o outro. Assim, serão consignados, além de outros, êstes: *aspecto* e *aspeto*, *característico* e *caraterístico*, *circunspecto* e *circunspeto*, *conectivo* e *conetivo*, *contacto* e *contato*, *corrupção* e *corrução*, *corruptela* e *corrutela*, *dactilografia* e *datilografia*, *espectro* e *espetro*, *excepcional* e *excecional*, *expectativa* e *expetativa*, *infecção* e *infeção*, *optimismo* e *otimismo*[2], *respectivo* e *respetivo*, *secção* e *seção*, *sinóptico* e *sinótico*, *sucção* e *sução*, *sumptuoso* e *suntuoso*, *tacto* e *tato*, *tecto* e *teto*.

V. SC

19. Elimina-se o *s* do grupo inicial *sc*: *celerado, cena, cenografia, ciência, cientista, cindir, cintilar, ciografia, cisão*, etc.

20. Os compostos dessa classe de vocábulos, quando formados em nossa língua, são escritos sem o *s* antes do *c*: *anticientífico, contracenar, encenação*, etc.; mas, quando vieram já formados para o vernáculo, conservam o *s*: *consciência, cônscio, imprescindível, insciente, íscio, multisciente, néscio, presciência, prescindir, proscênio, rescindir, rescisão*, etc.

VI. LETRAS DOBRADAS

21. Escrevem-se *rr* e *ss* quando, entre vogais, representam os sons simples do *r* e *s* iniciais; e *cc* ou *cç* quando o primeiro soa distintamente do segundo: *carro, farra, massa, passo; convicção, occipital*, etc.

22. Duplicam-se o *r* e o *s* tôdas as vêzes que a um elemento de composição terminado em vogal se segue, sem interposição do hífen, palavra começada por uma daquelas letras: *albirrosado, arritmia, altíssono, derrogar, prerrogativa, pressentir, ressentimento, sacrossanto*, etc.

VII. VOGAIS NASAIS

23. As vogais nasais são representadas no fim dos vocábulos por *ã (ãs), im (ins), om (ons), um (uns)*: *afã, cãs, flautim, folhetins, semitom, tons, tutum, zunzuns*, etc.

24. O *ã* pode figurar na sílaba tônica, pretônica ou átona: *ãatá, cristãmente, maçã, órfã, romãzeira*, etc.[3]

25. Quando aquelas vogais são iniciais ou mediais, a nasalidade é expressa por *m* antes de *b* e *p*, e por *n* antes de outra qualquer consoante: *ambos, campo; contudo, enfim, enquanto; homenzinho, nuvenzinha, vintènzinho*; etc.

VIII. DITONGOS

26. Os ditongos orais escrevem-se com a subjuntiva *i* ou *u*: *aipo, cai, cauto, degrau, dei, fazeis, idéia, mausoléu, neurose, retorquiu, rói, sois, sou, souto, uivo, usufrui*, etc.

OBSERVAÇÃO – Escrevem-se com *i*, e não com *e*, a forma verbal *fui*, a 2ª e 3ª pessoa do singular do presente do indicativo e a 2ª do singular do imperativo dos verbos terminados em *uir*: *aflui, fruis, retribuis*, etc.

27. O ditongo *ou* alterna, em numerosos vocábulos, com *oi*: *balouçar* e *baloiçar*, *calouro* e *caloiro*, *dourar* e *doirar*, etc. Cumpre registrar em primeiro lugar a forma que mais se usa, e em seguida a variante.

28. Escrevem-se assim os ditongos nasais: *ãe, ãi, ão, am, em, en(s), õe, ui* (proferido ũi): *mãe, pães, cãibra, acórdão, irmão, leãozinho, amam, bem, bens, devem, põe, repões, muito*, etc.

OBSERVAÇÃO 1ª – Dispensa-se o til do ditongo nasal *ui* em *mui* e *muito*.

OBSERVAÇÃO 2ª – Com o ditongo nasal *ão* se escrevem os monossílabos, tônicos ou não, e os polissílabos oxítonos: *cão, dão, grão, não, quão, são, tão; alcorão, capitão, cristão, então, irmão, senão*, sentirão, *servirão, viverão*[4]; etc.

OBSERVAÇÃO 3ª – Também se escrevem com o ditongo *ão* os substantivos e adjetivos paroxítonos, acentuando-se porém, a sílaba tônica: *órfão, órgão, sótão*, etc.

OBSERVAÇÃO 4ª – Nas formas verbais anoxítonas se escreve *am*: *amaram, deveram, partiram, puseram*, etc.

OBSERVAÇÃO 5ª – Com o ditongo nasal *ãe* se escrevem os vocábulos oxítonos e os seus derivados; e os anoxítonos primitivos grafam-se com o ditongo *ãi*: *capitães, mães, pãezinhos; cãibro, zãibo*; etc.

OBSERVAÇÃO 6ª – O ditongo nasal ei(s) escreve-se em ou en(s) assim nos monossílabos como nos polissílabos de qualquer categoria gramatical: *bem, cem, convém, convéns, mantém, manténs, nem, sem, virgem, virgens, voragem*, voragens, etc.

29. Os encontros vocálicos átonos e finais que podem ser pronunciados como ditongos crescentes escrevem-se da seguinte forma: *ea* (áurea), *eo* (cetáceo), *ia* (colônia), *ie* (espécie), *io* (exímio), *ao* (nódoa), *ua* (contínua), *ue* (tênue), *uo* (tríduo), etc.

IX. HIATOS

30. A 1ª, 2ª e 3ª pessoa do singular do presente do conjuntivo e a 3ª do singular do imperativo dos verbos em *oar* escrevem-se com *oe*, e não *oi*: *abençoe, amaldiçoes, perdoe*, etc.

31. As três pessoas do singular do presente do conjuntivo e a 3ª do singular do imperativo dos verbos em *uar* escrevem-se com *ue*, e não *ui*: *cultue, habitues, preceitue*, etc.

X. PARÔNIMOS E VOCÁBULOS DE GRAFIA DUPLA

32. Deve-se fazer a mais rigorosa distinção entre os vocábulos parônimos e os de grafia dupla que se escrevem com *e* ou com *i*, com *o* ou com *u*, com *c* ou com *q*, com *ch* ou *x*, com *g* ou *j*, com *s*, *ss* ou *c*, *ç*, com *s* ou *x*, com *s* ou *z*, e com os diversos valôres do *x*.

---

2. O P.V.O.L.P. não dá esta palavra.

3. Cf. XII, 11ª, onde se diz que "[o til] vale como acento tônico se outro acento não figura no vocábulo". A ser assim, *cristãmente, romãzeira* e outros derivados de palavras em cuja sílaba final existe vogal tildada, com, p. ex., *chãmente, cristãzinha, leõezinhos, mãozada* (citados em XII, 13ª), seriam todos proparoxítonos.

4. No P.V.O.L.P. está vírgula, e não ponto-e-vírgula.

33. Deve-se registrar a grafia que seja mais conforme à etimologia do vocábulo e à sua história, mas que esteja em harmonia com a prosódia geral dos brasileiros, nem sempre idêntica à lusitana. E quando há dois vocábulos diferentes, v. g., um escrito com *e* e outro escrito com *i*, é necessário que ambos sejam acompanhados da sua definição ou do seu significado mais vulgar, salvo se forem de categorias gramaticais diferentes, porque, neste caso, serão acompanhados da indicação dessas categorias. Ex.: *censório*, adj. Cf. *sensório*, adj. e s. m.
Assim, pois, devem ser inscritos vocábulos como: *antecipar, criador, criança, criar, diminuir, discricionário, dividir, filintiano, filipino, idade, igreja, igual, imiscuir-se, invés, militar, ministro, pior, quase, quepe, tigela, tijolo, vizinho*, etc.

34. Palavras como *cardeal* e *cardial*, *desfear* e *desfiar*, *descrição* e *discrição*, *destinto* e *distinto*, *meado* e *miado*, *recrear* e *recriar*, *se* e *si* serão consignadas com o necessário esclarecimento e a devida remissão. Por exemplo: *descrição*, s. f.: ação de descrever. Cf. *discrição*. *Discrição*, s. f.: qualidade do que é discreto. Cf. *descrição*.

35. Os verbos mais usados em *ear* e *iar* serão seguidos das formas do presente do indicativo, no todo ou em parte.

36. De acôrdo com o critério exposto, far-se-á rigorosa distinção entre os vocábulos que se escrevem:

a) com *o* ou com *u*: *frágua, lugar, mágoa, manuelino, polir, tribo, urdir, veio* (v. ou subst.), etc.

b) com *c* ou *q*: *quatorze* (seguido de *catorze*), *cinqüenta, quociente* (seguido de *cociente*), etc.

c) com *ch* ou *x*: *anexim, bucha, cambaxirra, charque, chimarrão, coxia, estrebuchar, faxina, flecha, tachar* (notar; censurar), *taxar* (determinar a taxa; regular), *xícara*, etc.

d) com *g* ou *j*: *estrangeiro, jenipapo, genitivo, gíria, jeira, jeito, jibóia, jirau, laranjeira, lojista, majestade, viagem* (subst.), *viajem* (do v. *viajar*), etc.

e) com *s, ss* ou *c, ç*: *ânsia, anticéptico, boça* (cabo de navio), *bossa* (protuberância; aptidão), *bolçar* (vomitar), *bolsar* (fazer bolsos), *caçula, censual* (relativo a censo), *sensual* (lascivo), etc.

OBSERVAÇÃO – Não se emprega ç em início de palavra.

f) com *s* ou *x*: *espectador* (testemunha), *expetador* (pessoa que tem esperança), *experto* (perito; experimentado); *esperto* (ativo; acordado); *esplêndido, esplendor, extremoso, flux* (na locução a *flux*), *justafluvial, justapor, misto*, etc.

g) com *s* ou com *z*: *alazão, alcaçuz* (planta), *alisar* (tornar liso), *alizar* (s. m.), *anestesiar, autorizar, bazar, blusa, brasileiro, buzina, coliseu, comezinho, cortês, dissensão, empresa, esfuziar, esvaziamento, frenesi* (seguido de *frenesim*), *garcês, guizo* (s. m.), *improvisar, irisar* (dar as côres do íris a), *irizar* (atacar [o iriz] o cafèzeiro), *lambuzar, luzidio, mazorca, narcisar-se, obséquio, pezunho, prioresa, rizotônico, sacerdotisa, sazão, tapiz, trânsito, xadrez*, etc.

OBSERVAÇÃO 1ª – É sonoro o *s* de obséquio e seus derivados, bem como o do prefixo *trans*, em se lhe seguindo vogal, pelo que se deverá indicar a sua pronúncia entre parênteses; quando, porém, a esse prefixo se segue palavra iniciada por *s*, só se escreve um, que se profere como se fôra dobrado: *obsequiar (ze), transoceânico (zo); transecular (se), transubstanciação (su)*; etc.

OBSERVAÇÃO 2ª – No final de sílaba átona, seja no interior, seja no fim do vocábulo, emprega-se o *s* em lugar do *z*: *asteca, endes, mesquita*, etc.[5]

37. O *x* continua a escrever-se com seus cinco valôres, bem como nos casos em que pode ser mudo, qual em *exceto, excerto*, etc. Tem, pois, o som de:

1º – *ch*, no princípio e no interior de muitas palavras: *xairel, xerife, xícara, ameixa, enxoval, peixe*, etc.

OBSERVAÇÃO – Quando tem êsse valor, não será indicada a sua pronúncia entre parênteses.[6]

2º – *cs*, no meio e no fim de várias palavras: *anexo, complexidade, convexo, bórax, látex, sílex*, etc.
3º – *z*, quando ocorre no prefixo *exo*, ou *ex* seguido de vogal: *exame, êxito, êxodo, exosmose, exotérmico*, etc.
4º – *ss*: *aproximar, auxiliar, máximo, proximidade, sintaxe*, etc.
5º – *s* final de sílaba: *contexto, fênix, pretextar, sexto, textual*, etc.

38. No final de sílabas iniciais e interiores se deve empregar o *s* em vez do *x*, quando não o precede a vogal *e*: *justafluvial, justaposição, misto, sistino*, etc.

XI. NOMES PRÓPRIOS

39. Os nomes próprios personativos, locativos e de qualquer natureza, sendo portuguêses ou aportuguesados, estão sujeitos às mesmas regras estabelecidas para os nomes comuns.

40. Para salvaguardar direitos individuais, quem o quiser manterá em sua assinatura a forma consuetudinária. Poderá também ser mantida a grafia original de quaisquer firmas, sociedades, títulos e marcas que se achem inscritos em registro público.

41. Os topônimos de origem estrangeira devem ser usados com as formas vernáculas de uso vulgar; e quando não têm formas vernáculas, transcrevem-se consoante as normas estatuídas pela Conferência de Geografia de 1926 que não contrariarem os princípios estabelecidos nestas *Instruções*.

42. Os topônimos de tradição histórica secular não sofrem alteração alguma na sua grafia, quando já esteja consagrada pelo consenso diuturno dos brasileiros. Sirva de exemplo o topônimo "Bahia", que conservará esta forma quando se aplicar em referência ao Estado e à cidade que têm êsse nome.

OBSERVAÇÃO – Os compostos e derivados desses topônimos obedecerão às normas gerais do vocabulário comum.

XII. ACENTUAÇÃO GRÁFICA

43. A fim de que a acentuação gráfica satisfaça às necessidades do ensino – precípuo escopo da simplificação e regularização da ortografia nacional –, e permita que todas as palavras sejam lidas corretamente, estejam ou não marcadas por sinal diacrítico, no *Vocabulário* será indicada, entre parênteses, a sílaba ou a vogal tônica e o timbre desta em todos os vocábulos cuja pronúncia possa dar azo a dúvidas.
A acentuação gráfica obedecerá às seguintes regras:
1ª – Assinalam-se com o acento agudo os vocábulos oxítonos que terminam em *a, e, o* abertos, e com o acento circunflexo os que acabam em *e, o* fechados, seguidos, ou não, de *s*: *cajá, hás, jacaré, pés, seridó, sós; dendê, lês; pôs, trisavô*; etc.

OBSERVAÇÃO – Nesta regra se incluem as formas verbais em que, depois de *a, e, o*, se assimilaram *r, s, z* ao *l* do pronome *lo, la, los, las*, caindo depois o primeiro *l*: *dá-lo, contá-la, fá-lo-á; fê-los, movê-las-ia, pô-los, quê-los, sabê-lo-emos, trá-lo-ás*, etc.

2ª – Tôdas as palavras proparoxítonas devem ser acentuadas gràficamente: recebem o acento agudo as que têm na antepenúltima sílaba as vogais *a, e, o* abertas ou *i, u*; e levam acento circunflexo as em que figuram na sílaba predominante as vogais *e, o* fechadas ou *a, e, o* seguidas de *m* ou *n*: *árabe, exército, gótico, límpido, louvaríamos, público, úmbrico; devêssemos, fôlego, lâmina, lâmpada, lêmures, pêndula, quilômetro, recôndito*; etc.

5. Também se emprega, no fim de sílaba tônica, *s*, e não *z*, no interior do vocábulo: *gusla, Guipúscoa*.

6. Daqui se deduz que, quando tem outros valores, sempre se faz tal indicação; e no entanto ela não é feita depois das palavras em que o *x* (precedido de *e*) vale *z*. E note-se que há em português três palavras nas quais o *x*, em tal situação, equivale a *ch*: *exe* (não consignada pelo P.V.O.L.P., e que registramos), *exido* (à qual o P.V.O.L.P. pospõe um "ch" interparentético indicativo do som chiante do *x*) e *exu* (a que propusemos o "ch" para evitar que se dê ao *x* o som de *z*).

OBSERVAÇÃO – Incluem-se neste preceito os vocábulos terminados em encontros vocálicos que podem ser pronunciados como ditongos crescentes: *área, espontâneo, ignorância, imundície, lírio, mágoa, régua, tênue, vácuo*, etc.

3ª – Os vocábulos paroxítonos finalizados em *i* ou *u*, seguidos, ou não, de *s*, marcam-se com acento agudo quando na sílaba tônica figuram *a, e, o* abertos, *i* ou *u*; e com acento circunflexo quando nela figuram *e, o* fechados ou *a, e, o* seguidos de *m* ou *n*: *beribéri, bônus, dândi, íris, júri, lápis, miosótis, tênis*, etc.

OBSERVAÇÃO 1ª – Os paroxítonos terminados em *um, uns* têm acento agudo na sílaba tônica: *álbum, álbuns*, etc.

OBSERVAÇÃO 2ª – Não se acentuam os prefixos paroxítonos acabados em *i*: *semi-histórico*, etc.

4ª – Põe-se o acento agudo no *i* e no *u* tônicos que não formam ditongo com a vogal anterior: *aí, balaústre, cafeína, caís, contraí-la, distribuí-lo, egoísta, faísca, heroína, juízo, país, peúga, saía, saúde, timbaúva, viúvo*, etc.

OBSERVAÇÃO 1ª – Não se coloca o acento agudo no *i* e no *u* quando, precedidos de vogal que com êles não forma ditongo, são seguidos de *l, m, n, r* ou *z* que não iniciam sílabas e, ainda, *nh*: *adail, contribuinte, demiurgo, juiz, paul, retribuirdes, ruim, tainha, ventoinha*, etc.

OBSERVAÇÃO 2ª – Também não se assinala com acento agudo a base dos ditongos tônicos *iu* e *ui*, quando precedidos de vogal: *atraiu, contribuiu, pauis*, etc.

5ª – Assinala-se com o acento agudo o *u* tônico precedido de *g* ou *q* e seguido de *e* ou *i*: *argúi, argúis, averigúe, averigúes, oblique, obliqúes*, etc.

6ª – Põe-se o acento agudo na base dos ditongos abertos *éi, éu, ói*, quando tônicos: *assembléia, bacharéis, chapéu, jibóia, lóio, paranóico, rouxinóis*, etc.

7ª – Marca-se com o acento agudo o *e* da terminação *em* ou *ens* das palavras oxítonas de mais de uma sílaba: *alguém, armazém, convém, convéns, detém-no, mantém-na, parabéns, retém-no, também*, etc.

OBSERVAÇÃO 1ª – Não se acentuam gràficamente os vocábulos paroxítonos finalizados por *ens*: *imagens, jovens, nuvens*, etc.

OBSERVAÇÃO 2ª – A 3ª pessoa do plural do presente do indicativo dos verbos *ter, vir* e seus compostos recebe acento circunflexo no *e* da sílaba tônica: *(êles) contêm, (elas) convêm, (êles) têm, (elas) vêm*, etc.

OBSERVAÇÃO 3ª – Conserva-se, por clareza gráfica, o acento circunflexo do singular *crê, dê, lê, vê* no plural *crêem, dêem, lêem, vêem* e nos compostos desses verbos, como *descrêem, desdêem, relêem, revêem*, etc.

8ª – Sobrepõe-se o acento agudo ao *a, e, o* abertos e ao *i* ou *u* da penúltima sílaba dos vocábulos paroxítonos que acabam em *l, n, r* e *x*; e o acento circunflexo ao *e, o* fechados e ao *a, e, o* seguidos de *m* ou *n* em situação idêntica: *açúcar, afável, alúmen, córtex, éter, hífen; aljôfar, âmbar, cânon, êxul, fênix, vômer*[7]; etc.

OBSERVAÇÃO – Não se acentuam graficamente os prefixos paroxítonos terminados em *r*: *inter-helênico*[8], *super-homem*, etc.

9ª – Marca-se com o competente acento, agudo ou circunflexo, a vogal da sílaba tônica dos vocábulos paroxítonos acabados em ditongo oral: *ágeis, devêreis, escrevêsseis, faríeis, férteis, fôsseis, fósseis, imóveis, jóquei, pênseis, pudésseis, quisésseis, tínheis, túneis, úteis, variáveis*, etc.

10ª – Recebe acento circunflexo o penúltimo *o* fechado do hiato *oo*, seguido, ou não, de *s*, nas palavras paroxítonas: *abençôo, enjôos, perdôo, vôos*, etc.

11ª – Usa-se o til para indicar a nasalização, e vale como acento tônico se outro acento não figura no vocábulo: *afã, capitães, coração, devoções, põem*, etc.[9]

OBSERVAÇÃO – Se é átona a sílaba onde figura o til, acentua-se gràficamente a predominante: *acórdão, bênção, órfã*, etc.

12ª – Emprega-se o trema no *u* que se pronuncia depois de *g* ou *q* e seguido de *e* ou *i*: *agüentar, argüição, eloqüente, tranqüilo*, etc.

OBSERVAÇÃO 1ª – Não se põe acento agudo na sílaba tônica das formas verbais terminadas em *qüe, qüem*: *apropinqüe, delinqüem*, etc.

OBSERVAÇÃO 2ª – É lícito o emprêgo do trema quando se quer indicar que um encontro de vogais não forma ditongo, mas hiato: *saüdade, vaïdade* (com quatro sílabas), etc.

13ª – Mantêm-se o acento circunflexo e o til do primeiro elemento nos advérbios em *mente* e nos derivados em que figuram sufixos precedidos do infixo *z* (*zada, zal, zeiro, zinho, zista, zito, zona, zorro, zudo*, etc.): *cômodamente, cortêsmente, dendêzeiro, ôvozito, pêssegozinho, chãmente, cristãzinha, leõezinhos, mãozada*[10], *romãzeira*, etc.; e o acento agudo do primeiro elemento passará a ser acento grave nos derivados dessa natureza: *avòzinha, cafèzeiro, faìscazinha, indelèvelmente, opùsculozinho, sòmente, sòzinho, terrìvelmente, volùntàriozinho, volùvelmente*, etc.

14ª – Emprega-se o acento circunflexo como diferencial ou distintivo no *e* e no *o* fechados da sílaba tônica das palavras que estão em homografia com outras em que são abertos êsse *e* e êsse *o*: *acêrto* (s. m.) e *acerto* (v.); *aquêle, aquêles* (adj. ou pron. dem.) e *aquele, aqueles* (v.); *côr* (s. f.) e *cor* (s. m.); *côrte, côrtes* (s. f.) e *corte, cortes* (v.); *dêle, dêles* (contr. da prep. *de* com o pron. pess. *êle, êles*) e *dele, deles* (v.); *devêras* (v.) e *deveras* (adv.); *êsse, êsses, êste, êstes* (adj. ou pron. dem.) e *esse, esses, este, estes* (s. m.); *fêz* (s. m. e v.) e *fez* (s. f.); *fôr* (v.) e *for* (s. m.); *fôra*[11] (v.) e *fora* (adv., interj. ou s. m.); *fôsse*[12] (dos v. *ir* e *ser*) e *fosse* (do v. *fossar*); *nêle, nêles* (contr. da prep. *em* com o pron. pess. *êle, êles*) e *nele, neles* (s. m.); *pôde* (perf. ind.) e *pode* (pres. ind.); *sôbre* (prep.) e *sobre* (v.); etc.

OBSERVAÇÃO 1ª – Emprega-se também o acento circunflexo para distinguir de certos homógrafos inacentuados as palavras que têm *e* ou *o* fechados: *pêlo* (s. m.) e *pelo* (*per* e *lo*); *pêra* (s. f.) e *pera* (prep. ant.); *pôlo, pôlos* (s. m.) e *polo, polos* (*por* e *lo* ou *los*); *pôr* (v.) e *por* (prep.); *porquê* (quando é subst. ou quando vem no fim da frase) e *porque* (conj.); *quê* (s. m., interj., ou pron. no fim da frase) e *que* (adv., conj., pron. ou part. expletiva).

OBSERVAÇÃO 2ª – Quando a flexão do vocábulo faz desaparecer a homografia, cessa o motivo do emprêgo do sinal diacrítico. Acentuam-se, por exemplo, o masculino singular *enfêrmo* e as formas femininas *enfêrma* e *enfêrmas*, em razão de existirem *enfermo, enferma* e *enfermas*, com *e* aberto, do verbo *enfermar*; porém não se acentua gràficamente o substantivo plural *enfermos*, visto não haver igual forma com *e* aberto; *colhêr* e *colhêres*, formas do infinito e do futuro do conjutivo do verbo *colhêr*, recebem acento circunflexo para se diferençarem dos homógrafos heterofônicos *colher* e *colheres*, substantivos femininos que se proferem com *e* aberto, mas não

7. No P.V.O.L.P. há vírgula.

8. Esta palavra não figura no corpo do P.V.O.L.P.

9. V. a nota 3.

10. V. a nota 3.

11. Deveria também dar *fôras*, pois existe *foras*, pl. do s. m. *fora* e s. m. pl. (como s. m. pl. não vem no P.V.O.L.P.).

12. E também *fôsses*.

levam acento gráfico as outras pessoas daquele modo e tempo, em virtude da inexistência de formas cujo timbre da vogal tônica seja aberto.

15ª – Recebem acento agudo os seguintes vocábulos, que estão em homografia com outros: *ás* (s. m.), cf. *às* (contr. da prep. *a* com o art. ou pron. *as*); *pára* (v.), cf. *para* (prep.); *péla, pélas* (s. f. e v.), cf: *pelas, pelas* (agl. da prep. *per* com o art. ou pron. *la, las*); *pélo* (v.), cf. *pelo* (agl. da prep. *per* com o art. ou pron. *lo*); *péra* (el. do s. f. comp. *péra-fita*), cf. *pera* (prep. ant.); *pólo, pólos* (s. m.), cf. *polo, pólos* (agl. da prep. *por* com o art. ou pron. *lo, los*); etc.

OBSERVAÇÃO – Não se acentua gràficamente a terminação *amos* do pretérito perfeito do indicativo dos verbos da 1ª conjugação.

16ª – O acento grave, além de marcar a sílaba pretônica de que trata a regra 13ª, assinala as contrações da preposição *a* com o artigo *a* e com os adjetivos ou pronomes demonstrativos *a, aquêle, aqueloutro, aquilo*, os quais se escreverão assim: *à, às, àquele, àquela, àqueles, àquelas, àquilo, àqueloutro, àqueloutra, àqueloutros, àqueloutras.*

OBSERVAÇÃO – *Àquele* e *àqueles* dispensam o acento circunflexo, em razão de o acento grave os diferençar dos homógrafos heterofônicos *aquele* e *aqueles.*

XIII. APÓSTROFO

44. Limita-se o emprêgo do apóstrofo aos seguintes casos:

1º – Indicar a supressão de uma letra ou letras no verso, por exigência da metrificação: *c'roa, esp'rança, of'recer, 'star*, etc.

2º – Reproduzir certas pronúncias populares: *'tá, 'teve*, etc.

3º – Indicar a supressão da vogal, já consagrada pelo uso, em certas palavras compostas ligadas pela preposição de: *copo-d'água* (planta; lanche), *galinha-d'água, mãe-d'água, ôlho-d'água, pau-d'água* (árvore; ébrio), *pau-d'alho, pau-d'arco*, etc.

OBSERVAÇÃO – Restringindo-se o emprêgo do apóstrofo a êsses casos, cumpre não se use dêle em nenhuma outra hipótese. Assim, não será empregado:

a) nas contrações das preposições *de* e *em* com artigos, adjetivos ou pronomes demonstrativos, indefinidos, pessoais e com alguns advérbios: *del* (em aqui-del-rei); *dum, duma* (a par de *de um, de uma*), *num, numa* (a par de *em um, em uma*); *dalgum, dalguma* (a par de *de algum, de alguma*), *nalgum, nalguma* (a par de *em algum, em alguma*); *dal-guém, nalguém* (a par de *de alguém, em alguém*); *doutrem, noutrem* (a par de *de outrem, em outrem*); *dalgo, dalgures* (a par de *de algo, de algures*); *daquém, dalém, dacolá* (a par de *de aquém, de além, de acolá*); *doutro, noutro* (a par de *de outro; em outro*); *dêle, dela, nêle, nela; dêste, desta, neste, nesta, daquele, daquela, naquele, naquela; disto, nisto, daquilo, naquilo; daqui, daí, dacolá, donde, dantes, dentre; doutrora* (a par de *de outrora*), *noutrora; doravante* (a par de *de ora avante*); etc.

b) nas combinações dos pronomes pessoais: *mo, ma, mos, mas, to, ta, tos, tas, lho, lha, lhos, lhas, no-lo, no-la, no-los, no-las, vo-lo, vo-la, vo-los, vo-las.*

c) nas expressões vocabulares que se tornaram unidades fonéticas e semânticas: *dessarte, destarte, homessa, tarrenego, tesconjuro, vivalma*, etc.

d) nas expressões de uso constante e geral na linguagem vulgar: *co, coa, ca, cos, cas, coas* (= *com o, com a, com os, com as*), *plo, pla, plos, plas* (= *pelo, pela, pelos, pelas*), *pra* (= *para*), *pro, pra, pros, pras* (= *para o, para a, para os, para as*), etc.

XIV. HÍFEN

45. Só se ligam por hífen os elementos das palavras compostas em que se mantém a noção da composição, isto é, os elementos das palavras compostas que mantêm a sua independência fonética, conservando cada um a sua própria acentuação, porém formando o conjunto perfeita unidade de sentido.

46. Dentro dêsse princípio, deve-se empregar o hífen nos seguintes casos:

1º – Nas palavras compostas em que os elementos, com a sua acentuação própria, não conservam, considerados isoladamente, a sua significação, mas o conjunto constitui uma unidade semântica: *água-marinha, arco-íris, galinha-d'água, couve-flor, guarda-pó, pé-de-meia* (mealheiro; pecúlio), *pára-choque, porta-chapéus*, etc.

OBSERVAÇÃO 1ª – Incluem-se nesta norma os compostos em que figuram elementos fonèticamente reduzidos: *bel-prazer, és-sueste, mal-pecado, su-sueste*, etc.

OBSERVAÇÃO 2ª – O antigo artigo *el*, sem embargo de haver perdido o seu primitivo sentido e não ter vida à parte na língua, une-se por hífen ao substantivo *rei*, por ter êste elemento evidência semântica.

OBSERVAÇÃO 3ª – Quando se perde a noção do composto, quase sempre em razão de um dos elementos não ter vida própria na língua, não se escreve com hífen, mas aglutinadamente: *abrolhos, bancarrota, fidalgo, vinagre*, etc.

OBSERVAÇÃO 4ª – Como as locuções não têm unidade de sentido, os seus elementos não devem ser unidos por hífen, seja qual fôr a categoria gramatical a que elas pertençam. Assim, escreve-se, v. g., *vós outros* (locução pronominal), *a desoros* (locução adverbial), *a fim de* (locução prepositiva), *contanto que* (locução conjuntiva), porque essas combinações vocabulares não são verdadeiros compostos, não formam perfeitas unidades semânticas. Quando, porém, as locuções se tornam unidades fonéticas, devem ser escritas numa só palavra: *acêrca* (adv.), *afinal, apesar, debaixo, decerto, defronte, depressa, devagar, deveras, resvés*, etc.

OBSERVAÇÃO 5ª – As formas verbais com pronomes enclíticos ou mesoclíticos e os vocábulos compostos cujos elementos são ligados por hífen conservam seus acentos gráficos: *amá-lo-á, amáreis-me, amásseis-vos, devê-lo-ia, fá-la-emos, pô-las-íamos, possuí-las, provêm-lhes, retêm-nas; água-de-colônia, pão-de-lô, pára-sóis, pesa-papéis*; etc.

2º – Nas formas verbais com pronomes enclíticos ou mesoclíticos: *ama-lo* (*amas* e *lo*), *amá-lo* (*amar* e *lo*), *dê-se-lhe, fá-lo-á, oferecê-la-ia, repô-lo-eis, serenou-se-te, traz-me, vedou-te*, etc.

OBSERVAÇÃO – Também se unem por hífen as enclíticas *lo, la, los, las* aos pronomes *nos, vos* e à forma *eis*: *no-lo, no-las, vo-la, vo-los, ei-lo*, etc.

3º – Nos vocábulos formados pelos prefixos que representam formas adjetivas, como *anglo, greco, histórico, ínfero, latino, lusitano, luso, póstero, súpero*, etc.: *anglo-brasileiro, greco-romano, histórico-geográfico, infero-anterior, latino-americano, lusitano-castelhano, luso-brasileiro, póstero-palatal, súpero-posterior*, etc.

OBSERVAÇÃO – Ainda que esses elementos prefixais sejam reduções de adjetivos, não perdem a sua individualidade morfológica, e por isso devem unir-se por hífen, como sucede com *austro* (= *austríaco*), *dólico* (= *dolicocéfalo*), *euro* (= *europeu*), *telégrafo* (= *telegráfico*), etc.: *austro-húngaro, dólico-louro, euro-africano, telégrafo-postal*, etc.

4º – Nos vocábulos formados por sufixos que representam formas adjetivas como *açu, guaçu* e *mirim*, quando o exige a pronúncia e quando o primeiro elemento acaba em vogal acentuada graficamente: *andá-açu, amoré-guaçu, anajá-mirim, capim-açu*, etc.

5º – Nos vocábulos formados pelos prefixos:

a) *auto, contra, extra, infra, intra, neo, proto, pseudo, semi* e *ultra*, quando se lhes seguem palavras começadas por *vogal, h, r* ou *s*: *auto-educação, contra-almirante, extra-oficial, infra-hepático, intra-ocular, neo-republicano, proto-revolucionário, pseudo-revelação, semi-selvagem, ultra-sensível*, etc.

OBSERVAÇÃO – A única exceção a esta regra é a palavra *extraordinário*, que já está consagrada pelo uso.

b) *ante, anti, arque* e *sôbre* quando seguidos de palavras iniciadas por *h, r* ou *s*: *ante-histórico, anti-higiênico, arqui-rabino, sôbre-saia*, etc.

c) *supra*, quando se lhe segue palavra encetada por vogal, *r* ou *s*: *supra-axilar, supra-renal, supra-sensível*, etc.[13]

d) *super*, quando seguido de palavra principiada por *h* ou *r*: *super-homem, super-requintado*, etc.[14]

e) *ab, ad, ob, sob* e *sub*, quando seguidos de elementos iniciados por *r*: *ab-rogar, ad-renal, ob-reptício, sob-roda, sub-reino*, etc.[15]

f) *pan* e *mal*, quando se lhes segue palavra começada por vogal ou *h*: *pan-asiático, pan-helenismo, mal-educado, mal-humorado*, etc.[16]

g) bem, quando a palavra que lhe segue tem vida autônoma na língua ou quando a pronúncia o requer: *bem-ditoso, bem-aventurança*, etc.

h) *sem, sota, soto, vice, vizo, ex* (com o sentido de cessamento ou estado anterior), etc.: *sem-cerimônia, sota-pilôto, sota-ministro, vice-reitor, vizo-rei, ex-diretor*, etc.[17]

i) *pós, pré* e *pró*, que têm acento próprio, por causa da evidência dos seus significados e da sua pronunciação, ao contrário dos seus homógrafos inacentuados, que, por diversificados foneticamente, se aglutinam com o segundo elemento: *pós-meridiano, pré-escolar, pró-britânico*; mas *pospor, preanunciar, procônsul*, etc.[18]

XV. DIVISÃO SILÁBICA

47. A divisão de qualquer vocábulo, assinalada pelo hífen, em regra se faz pela soletração, e não pelos seus elementos constitutivos segundo a etimologia.

48. Fundidas neste princípio geral, cumpre respeitar as seguintes normas:

1ª – A consoante inicial não seguida de vogal permanece na sílaba que a segue: *cni-do-se, dze-ta, gno-ma, mne-mô-ni-ca, pneu-má-ti-co*, etc.

2ª – No interior do vocábulo, sempre se conserva na sílaba que a precede a consoante não seguida de *vogal*: *ab-di-car, ac-ne, bet-sa-mi-ta, daf-ne, drac-ma, ét-ni-co, nup-cial, ob-fir-mar, op-ção, sig-ma-tis-mo, sub-por, sub-ju-gar*, etc.

3ª – Não se separam os elementos dos grupos consonânticos iniciais de sílaba nem os dos digramas *ch, lh* e *nh*: *a-blu-ção, a-bra-sar, a-che-gar, fi-lho, ma-nhá*, etc.

OBSERVAÇÃO – Nem sempre formam grupos articulados as consonâncias *bl* e *br*: nalguns casos o *l* e o *r* se pronunciam separadamente, e a isso se atenderá na partição do vocábulo; e as consoantes *dl*, a não ser do têrmo onomatopéico *dlim*, que exprime toque de campainha, proferem-se desligadamente, e na divisão silábica ficará o hífen entre essas duas letras. Ex.: *sub-lin-gual, sub-ro-gar*[19], *ad-le-ga-ção*, etc.

4ª – O *sc* no interior do vocábulo biparte-se, ficando o *s* numa sílaba, e o *c* na sílaba imediata:*a-do-les-cen-te, con-va-les-cer, des-cer, ins-ci-ente, pres-cin-dir, res-ci-são*, etc.

OBSERVAÇÃO – Forma sílaba com o prefixo antecedente o *s* que precede consoante: *abs-tra-ir, ads-crever, ins-cri-ção, ins-pe-tor, ins-tru-ir, in-ters-tí-cio, pers-pi-caz, subs-cre-ver, subs-ta-be-le-cer*, etc.

5ª – O *s* dos prefixos *bis, cis, des, dis, trans* e o *x* do prefixo *ex* não se separam quando a sílaba seguinte começa por consoante; mas, se principia por vogal,formam sílaba com esta e separam-se do elemento prefixal: *bis-ne-to, cis-pla-ti-no, des-li-gar, dis-tração, trans-por-tar, ex-tra-ir, bi-sa-vó, ci-san-di-no, de-ses-pe-rar, di-sen-té-ri-co, tran-sa-tlân-ti-co, e-xér-ci-to*; etc.

6ª – As vogais idênticas e as letras *cc, cç, rr* e *ss* separam-se, ficando uma na sílaba que as precede, e outra na sílaba seguinte: *ca-a-tin-ga, co-or-de-nar, du-ún-vi-ro, fri-ís-si-mo, ge-e-na, in-te-lec-ção, oc-ci-pi-tal, pror-ro-gar, res-sur-gir*, etc.

OBSERVAÇÃO – As vogais de hiatos, ainda que diferentes uma da outra, também se separam: *ata-ú-de, cai-ais, ca-í-eis, ca-ir, do-er, du-e-lo, fi-el, flu-iu, fru-ir, gra-ú-na, je-su-í-ta, le-al, mi-ú-do, po-ei-ra, ra-i-nha, sa-ú-de, vi-ví-eis, vo-ar*, etc.

7ª – Não se separam as vogais dos ditongos – crescentes e decrescentes – nem as dos tritongos: *ai-ro-so, a-ni-mais, au-ro-ra, a-ve-ri-güeis, ca-iu, cru-éis, en-jei-tar, fo-ga-réu, fu-giu, gló-ria, guaiar, i-guais, ja-mais, jói-as, ó-dio, quais, sá-bio, sa-guão, sa-guões, su-bor-nou, ta-fuis, vá-rio*, etc.

OBSERVAÇÃO – Não se separa do *u* precedido de *g* ou *q* a vogal que o segue, acompanhada, ou não, de consoante: *am-bí-guo, e-qui-va-ler, guer-ra, u-bí-quo*, etc.

XVI. EMPRÊGO DAS INICIAIS MAIÚSCULAS

49. Emprega-se letra inicial maiúscula:

1º – No começo do período, verso ou citação direta:

Disse o PADRE ANTÔNIO VIEIRA: "Estar com CRISTO em qualquer lugar, ainda que seja no Inferno, é estar no Paraíso."

"Auriverde pendão de minha terra,
Que a brisa do Brasil beija e balança,
Estandarte que à luz do sol encerra
As promessas divinas da Esperança..."
(CASTRO ALVES)

OBSERVAÇÃO – Alguns poetas usam, à espanhola, a minúscula no princípio de cada verso, quando a pontuação o permite, como se vê em CASTILHO:

"Aqui, sim, no meu cantinho,
vendo rir-me o candeeiro,
gozo o bem de estar sòzinho
e esquecer o mundo inteiro."

2º – Nos substantivos próprios de qualquer espécie – antropônimos, topônimos, patronímicos, cognomes, alcunhas, tribos e castas, designações de comunidades religiosas e políticas, nomes sagrados e relativos a religiões, entidades mitológicas e astronômicas, etc.: *José*,

---

13. Também quando é seguido de palavra começada por *h*: *supra-hepático, supra-histórico, supra-homem, supra-humanismo, supra-humano*. O P.V.O.L.P. não traz nenhum dêstes vocábulos, todos já agora dicionarizados.

14. Também *inter* e *hiper*: *inter-helênico* (palavra ausente do corpo do P.V.O.L.P., mas que aparece na observação à regra 8ª do art. 43 destas "Instruções"), *inter-hemisférico, inter-humano, inter-racial, inter-radial, inter-regional, inter-rei, inter-relação, inter-resistente* (registrado, aliás, pelo P.V.O.L.P.); *hiper-hedônico, hiper-hedonismo, hiper-humano, hiper-rancoroso, hiper-rugoso* (dos quais nenhum figura no P.V.O.L.P.).

15. Quanto a *sub*, também quando se lhe segue elemento principiado por *b*: *sub-base, sub-bibliotecário, sub-borato, sub-braquicéfalo* (registrados pelo próprio P.V.O.L.P.), *sub-bailio, sub-bilabiado, sub-bosque*.

16. No mesmo caso está *circum*: *circum-adjacente, circum-ambiente, circum-anal, circum-escolar* (registrados, aliás, pelo P.V.O.L.P.), *circum-uretral, circum-hospitalar*.

17. E, igualmente, *além, aquém*: *além-eras, além-fronteiras, além-mar, além-mundo, além-túmulo* (todos, naturalmente, consignados pelo P.V.O.L.P.), *aquém-fronteiras, aquém-mar* (id.).

18. O P.V.O.L.P. omite os seguintes prefixos, que também devem ser seguidos de hífen.

a) *ad*, quando seguido de palavra iniciada por *d*: *ad-digital* (ausente do P.V.O.L.P.);

b) *com*, quando se lhe segue palavra começada por vogal: *com-aluno, com-irmão* (não figurantes do Vocabulário oficial);

c) *entre*, quando seguido de palavra iniciada por *h*: *entre-hostil* (também não registrado pelo P.V.O.L.P.);

d) *co*, quando tem o sentido de 'a par' e o segundo elemento possui vida autônoma na língua: *co-autor, co-educação, co-eleitor, co-fiador, co-herdar, co-herdeiro, co-inquilino, co-opositor, co-proprietário, co-redator, co-responsabilidade, co-utente, co-vidente* (vocábulos que, aliás, figuram, além de outros, no P.V.O.L.P.), etc. É de pasmar – acentue-se – a incoerência do P.V.O.L.P. em relação a esse prefixo. Registra *co-aluno, co-autor*, a par de *coadquirente, coaquisição*; *co-herdeiro* a par de *coabitar* – e por aí além.

Também não traz *nuper*, embora dê *nuper-falecido* e *nuper-publicado* (ambos, como se vê, com hífen).

19. No texto: *sub-rogar*.

Maria, Macedo, Freitas, Brasil, América, Guanabara, Tietê, Atlântico, Antoninos, Afonsinhos, Conquistador, Magnânimo, Coração de Leão, Sem Pavor, Deus, Jeová, Alá, Assunção, Ressurreição, Júpiter, Baco, Cérbero, Via Láctea[20], *Canopo, Vênus*, etc.

OBSERVAÇÃO 1ª – As formas onomásticas que entram na composição de palavras do vocabulário comum escrevem-se com inicial minúscula quando constituem, com os elementos a que se ligam por hífen, uma unidade semântica; quando não constituem unidade semântica, devem ser escritas sem hífen e com inicial maiúscula: *água-de-colônia, joão-de-barro, maria-rosa* (palmeira), etc.; além *Andes, aquém Atlântico*, etc.

OBSERVAÇÃO 2ª – Os nomes de povos escrevem-se com inicial minúscula, não só quando designam habitantes ou naturais de um estado, província, cidade, vila ou distrito, mas ainda quando representam coletivamente uma nação: amazonenses, baianos, estremenhos, fluminenses, guarapuavanos[21], jequieenses, paulistas, pontalenses[22], romenos, russos, suíços, uruguaios, venezuelanos, etc.

3.º – Nos nomes próprios de eras históricas e épocas notáveis: *Hégira*[23], *Idade Média, Quinhentos* (o século XVI), *Seiscentos* (o século XVII), etc.

OBSERVAÇÃO – Os nomes dos meses devem escrever-se com inicial minúscula: *janeiro, fevereiro, março, abril, maio, junho, julho, agôsto, setembro, outubro, novembro* e *dezembro*.

4º – Nos nomes de vias e lugares públicos: *Avenidade Rio Branco, Beco do Carmo, Largo da Carioca, Praia do Flamengo, Praça da Bandeira, Rua Larga, Rua do Ouvidor, Terreiro de São Francisco, Travessa do Comércio*, etc.

5º – Nos nomes que designam altos conceitos religiosos, políticos ou nacionalistas: *Igreja* (Católica, Apostólica, Romana), *Nação, Estado, Pátria, Raça*, etc.

OBSERVAÇÃO – Êsses nomes se escrevem com inicial minúscula quando são empregados em sentido geral ou indeterminado.

6º – Nos nomes que designam artes, ciências ou disciplinas, bem como nos que sintetizam, em sentido elevado, as manifestações do engenho e do saber: *Agricultura, Arquitetura, Educação Física, Filologia Portuguêsa, Direito, Medicina, Engenharia, História do Brasil, Geografia, Matemática, Pintura, Arte, Ciência, Cultura*, etc.

OBSERVAÇÃO – Os nomes *idioma, idioma pátrio, língua, língua portuguêsa, vernáculo* e outros análogos escrevem-se com inicial maiúscula quando empregados com especial relêvo.

7º – Nos nomes que designam altos cargos, dignidades ou postos: *Papa, Cardeal, Arcebispo, Bispo, Patriarca, Vigário, Vigário-Geral, Presidente da República, Ministro da Educação, Governador do Estado, Embaixador, Almirantado, Secretário de Estado*, etc.[24]

8º – Nos nomes de repartições, corporações ou agremiações, edifícios e estabelecimentos públicos ou particulares: *Diretoria-Geral*[25] *do Ensino, Inspetoriado Ensino Superior, Ministério das Relações Exteriores, Academia Paranaense de Letras, Círculo de Estudos "Bandeirantes", Presidência da República, Instituto Brasileiro de Geografia e Estatística, Tesouro do Estado, Departamento Administrativo do Serviço Público, Banco do Brasil, Imprensa Nacional, Teatro de São José, Tipografia Rolandiana*, etc.

9º – Nos títulos de livros, jornais, revistas, produções artísticas, literárias e científicas: *Imitação de Cristo, Horas Marianas, Correio da Manhã, Revista Filológica, Transfiguração* (de RAFAEL), *Norma* (de BELLINI), *O Guarani*[26] (de CARLOS GOMES), *O Espírito das Leis* (de MONTESQUIEU), etc.

OBSERVAÇÃO – Não se escrevem com maiúscula inicial as partículas monossilábicas que se acham no interior de vocábulos compostos ou de locuções ou expressões que têm iniciais maiúsculas: *Quedado Império, O Crepúsculo dos Deuses, Histórias sem Data, A Mão e a Luva, Festas e Tradições Populares do Brasil*[27], etc.[28]

10º – Nos nomes de fatos históricos e importantes, o de atos solenes e de grandes empreendimentos públicos: *Centenário da Independência do Brasil, Descobrimento da América, Questão Religiosa, Reforma Ortográfica, Acôrdo Luso-Brasileiro, Exposição Nacional, Festa das Mães, Dia do Município, Glorificação da Língua Portuguêsa*, etc.

OBSERVAÇÃO – Os nomes das festas pagãs ou populares escrevem-se com inicial minúscula: *carnaval, entrudo, saturnais*, etc.

11º – Nos nomes de escolas de qualquer espécie ou grau de ensino: *Faculdade de Filosofia, Escola Superior de Comércio, Ginásio do Estado, Colégio de Pedro II, Instituto de Educação, Grupo Escolar de Machado* de *Assis*, etc.

12º – Nos nomes comuns, quando personificados ou individuados, e de sêres morais ou fictícios: A *Capital da República*, a *Transbrasiliana*, moro na *Capital*, o *Natal de JESUS*, o *Poeta* (CAMÕES), a ciência da *Antiguidade*, os habitantes da *Península*, a *Bondade*, a *Virtude*, o *Amor*, a *Ira*, o *Mêdo*, o *Lôbo*, o *Cordeiro*, a *Cigarra*, a *Formiga*, etc.

OBSERVAÇÃO – Incluem-se nesta norma os nomes que designam atos das autoridades da República, quando empregados em correspondência ou documentos oficiais: A *Lei* de 13 de maio, o *Decreto-Lei*[29] nº 292, o *Decreto* nº 20-108, a *Portaria* de 15 de junho, o *Regulamento* nº 737, o *Acórdão* de 3 de agôsto, etc.

13º – Nos nomes dos pontos cardeais, quando designam regiões: Os povos do *Oriente*; o falar do *Norte* é diferente do falar do *Sul*; a guerra do *Ocidente*; etc.

20. No corpo do P.V.O.L.P. está, incoerentemente, *via-láctea* (com hífen).

21. Palavra inexistente no corpo do P.V.O.L.P.

22. Idem.

23. É a boa forma. No corpo do P.V.O.L.P. está *héjira* (com *j*).

24. Parece-nos claro não haver motivo para o emprêgo de iniciais maiúsculas em tais nomes se êles forem usados de modo vago ou geral ("em sentido geral ou indeterminado", como se diz na observação ao item 5º), se não há razão para especial deferência: *Sonha ser papa*; *Candidatou-se a governador do Estado*; *Aspira ao cargo de presidente da República*; *Será promovido a embaixador*; etc. A não existir essa diferença, semelhantes nomes nunca seriam substantivos comuns.

25. No P.V.O.L.P., por evidente lapso, está sem o hífen.

26. No P.V.O.L.P., vem, inexatamente, "*Guarani*" (sem o artigo).

27. No P.V.O.L.P., inexatamente, está "*no Brasil*".

28. É incompleta e imperfeita esta observação. Não se compreende que só as partículas monossilábicas (e as contrações ou combinações delas com outras palavras, do que não trata o P.V.O.L.P.) se escrevam com inicial minúscula. Possivelmente a relativa raridade, em títulos de obras, revistas, etc., de partículas de mais de uma sílaba, ocasionou a falta de referência a estas. Por que se hão de escrever, nesses casos, as preposições e combinações *a, de, do, em, no, por, sem*, com minúscula, e as partículas *como, contra, depois, desde, durante, para*, a combinação *pelo*, etc., com letra grande? E se no título entra uma locução como *depois de, perto de, longe de, acêrca de, apesar de, por dentro, por fora*, etc., pode se admitir a minúscula no monossílabo e a maiúscula no elemento de mais de uma sílaba? Mais: os próprios substantivos, quando partes integrantes de locuções, devem ser grafados com inicial pequena, segundo doutrina Rebêlo Gonçalves em seu *Tratado de Ortografia*, visto que no conjunto se lhes diluiu o teor semântico. Exemplo para os vários casos, *Uma Mulher como as Outras, Doutrina contra Doutrina, História Financeira e Orçamentária do Império do Brasil desde Sua Fundação, História de Arzila durante o Domínio Português, Marcha para o Oeste, Uma Jangada para Ulisses, Tiradentes perante a História, Estudos sôbre o Negro, A Felicidade pela Instrução*; *Contos fora da Moda, A Vida perto de Nós, Apontamentos acêrca de Pessoas e Coisas do Brasil, O Pôrto por fora e por dentro, À margem da História, Conversas ao pé do Fogo, Seis personagens à procura de um Autor, Em busca do Tempo Perdido, Em demanda do Graal, O Brasil em face dos Imperialismos Modernos, Ao léu do Sonho e à mercê da Vida. À sombra das Raparigas em flor, O Médico à força, A bico de pena, Com a pulga atrás da orelha*. Aliás, tende-se, agora, para o uso de iniciais minúsculas nos títulos, salvo na primeira palavra e (é claro) nas que são substantivos próprios. Consideramos lamentável esta prática.

29. Está "Decreto-lei" (com inicial minúscula o segundo elemento), o que é injustificável. Veja-se a observação ao item 9º., na qual se veda o emprêgo de maiúscula inicial nas partículas existentes "no interior de vocábulos compostos"; portanto, visto que não são partículas os substantivos e adjetivos, todos os que entram na formação de tais vocábulos devem escrever-se com inicial grande. Cf., neste mesmo capítulo: "Vigário-Geral" (item 9º), "Luso-Brasileiro" (10º), e, na observação ao item 14º., "Capitão-de-Mar-e-Guerra" (todos os elementos, nas três palavras, com maiúscula inicial).

OBSERVAÇÃO – Os nomes dos pontos cardeais escrevem-se com inicial minúscula quando designam direções ou limites geográficos: Percorri[30] o país de *norte* a *sul* e de *leste* a *oeste*.

14º – Nos nomes, adjetivos, pronomes e expressões de tratamento ou reverência: *D.* (*Dom* ou *Dona*), *Sr.* (*Senhor*), *Sr.ª* (*Senhora*), *DD.* Ou *Dig.^mo^* (*Digníssimo*), *MM.* ou *M.^mo^* (*Meritíssimo*), *Rev.^mo^* (*Reverendíssimo*), *V. Rev.ª* (*Vossa Reverência*), *S. E.*[31] (*Sua Eminência*), *V. M.* (*Vossa Majestade*), *V. A.* (*Vossa Alteza*), *V. S.ª* (*Vossa Senhoria*), *V. Ex.ª* (*Vossa Excelência*), *V. Ex.ª Rev.^ma^* (*Vossa Excelência Reverendíssima*), *V. Ex.^as^* (*Vossas Excelências*), etc.

OBSERVAÇÃO – As formas que se acham ligadas a essas expressões de tratamento devem ser também escritas com iniciais maiúsculas: *D. Abade, Exma, Sr.ª Diretora, Sr. Almirante, Sr. Capitão-de-Mar-e-Guerra, MM. Juiz de Direito, Exmo e Rev.^mo^ Sr. Arcebispo Primaz, Magnífico Reitor, Excelentíssimo Senhor Presidente da República, Eminentíssimo Senhor Cardeal, Sua Majestade Imperial, Sua Alteza Real*, etc.

15º – Nas palavras que, no estilo epistolar, se dirigem a um amigo, a um colega, a uma pessoa respeitável, as quais, por deferência, consideração ou respeito, se queira realçar por esta maneira: *Meu bom Amigo, caro Colega, meu prezado Mestre, estimado Professor, meu querido Pai, minha amorável Mãe, meu bom Padre, minha distinta Diretora, caro Dr., prezado Capitão*, etc.

XVII. SINAIS DE PONTUAÇÃO

50. *Aspas* – Quando a pausa coincide com o final da expressão ou sentença que se acha entre aspas, coloca-se o competente sinal de pontuação depois delas, se encerram apenas uma parte da proposição; quando, porém, as aspas abrangem todo o período, sentença, frase, ou expressão, a respectiva notação fica abrangida por elas:

"Aí temos a lei", dizia o Florentino. "Mas quem as há de segurar? Ninguém."
(RUI BARBOSA)

"Mísera! tivesse eu aquela enorme, aquela
Claridade imortal, que tôda a luz resume!"
"Por que não nasci eu um simples vaga-lume?"
(MACHADO DE ASSIS)

51. *Parênteses* – Quando uma pausa coincide com o início da construção parentética, o respectivo sinal de pontuação deve ficar depois dos parênteses; mas, estando a proposição ou a frase inteira encerrada pelos parênteses, dentro dêles se põe a competente notação:

"Não, filhos meus (deixai-me experimentar, uma vez que seja, convosco, êste suavíssimo nome); não: o coração não é tão frívolo, tão exterior, tão carnal, quanto se cuida."
(RUI BARBOSA)

"A imprensa (quem o contesta?) é o mais poderoso meio que se tem inventado para a divulgação do pensamento." "(Carta inserta nos *Anais da Biblioteca Nacional*, vol. I.)"
(CARLOS DE LAET)

52. *Travessão* – Emprega-se o travessão, e não o hífen, para ligar palavras ou grupos de palavras que formam, pelo assim dizer, uma cadeia na frase: o trajeto Mauá — Cascadura; a estrada de ferro *Rio — Petrópolis*; a linha aérea *Brasil — Argentina*; o percurso *Barcas — Tijuca*; etc.

53. *Ponto Final* – Quando o período, oração ou frase termina por abreviatura, não se coloca o ponto final adiante do ponto abreviativo, pois êste, quando coincide com aquêle, tem dupla serventia. Ex.: "O ponto abreviativo põe-se depois das palavras indicadas abreviadamente por suas iniciais ou por algumas das letras com que se representam: v. g.: V. Sª; Il^mo^; Exª; etc."
(DR. ERNESTO CARNEIRO RIBEIRO)

LEI 5.765,

DE 18 DE DEZEMBRO DE 1971

Aprova alterações na ortografia da língua portuguesa e dá outras providências.

O Presidente da República

Faço saber que o Congresso Nacional decreta e eu sanciono a seguinte Lei:

Art. 1º De conformidade com o parecer conjunto da Academia Brasileira de Letras e da Academia das Ciências de Lisboa, exarado a 22 de abril de 1971, segundo o disposto no art. III da Convenção Ortográfica celebrada a 29 de dezembro de 1943 entre o Brasil e Portugal, fica abolido o trema nos hiatos átonos[1]; o acento circunflexo diferencial na letra *e* e na letra *o* da sílaba tônica das palavras homógrafas de outras em que são abertas a letra *e* e a letra *o*[2], exceção feita da forma *pôde*, que se acentuará por oposição a *pode*; o acento circunflexo e o grave com que se assinala a sílaba subtônica dos vocábulos derivados em que figura o sufixo *mente* ou sufixos iniciados por *z*.

Art 2º A Academia Brasileira de Letras promoverá, dentro do prazo de dois anos, a atualização do Vocabulário Comum, a organização do Vocabulário Onomástico e a republicação do *Pequeno Vocabulário Ortográfico da Língua Portuguesa* nos termos da presente Lei.

Art. 3º Conceder-se-á às empresas editoras de livros e publicações o prazo de quatro anos para o cumprimento do que dispõe esta Lei.

Art. 4º Esta Lei, que revoga as disposições em contrário, entrará em vigor trinta dias após a sua publicação.

Brasília, 18 de dezembro de 1971

150º da Independência e 83º da República

EMÍLIO G. MÉDICI

JARBAS G. PASSARINHO

30. Por evidente lapso de revisão, no texto vem "Percorrí" (com o i acentuado).

31. Deve ser "S. Em.ª"; assim está no "Registro de Abreviaturas" (bem como "V. Em.ª" (Vossa Eminência) e simplesmente "Em.ª" (Eminência).

1. No Vocabulário de 1943 o trema era não obrigatório, mas facultativo, nesse tipo de hiatos; teria sido conveniente mantê-lo quando, em poesia metrificada, se deseja contar como hiato um encontro vocálico mais comumente lido como ditongo. É o caso, por exemplo, de *saudade* e *saudoso*, que, sendo, de ordinário, contados como trissílabos, ainda hoje aparecem também como tetrassílabos. Vejam-se estes exemplos, colhidos nas *Rimas*, de José Albano, poeta deste século, embora de pendor quinhentista: "Saüdades suaves e ferinas" (p. 82); "Do seio saudosos ais arranca" (p. 166). Há numerosas ocorrências, em antigos e modernos, de uma e de outra contagem.

2. Atenção para o que está escrito. Fala-se de oposição entre *e* e *o* fechados (visto que trazem sobreposto o acento circunflexo) e as mesmas vogais abertas. Duas observações. A primeira: se a oposição é entre vogal fechada e reduzida, o acento da primeira se mantém: *pôr* (verbo) e *por* (preposição). A segunda: se há um grupo de três homônimos, o primeiro com vogal tônica fechada, o segundo com a tônica aberta, e o terceiro com vogal reduzida (e, portanto, dissílabo átono), então haverá, respectivamente, o acento circunflexo, acento agudo, e ausência de acento: *pêlo* (s. m.), *pélo* (do v. pelar) e *pelo* (contração); *pêra* (s. f.) e *pera* (prep. antiga), dissílabo átono; *pôlo* (s. m. e adj.), *pólo* (s. m.) e *polo* (contração antiga).

NOMENCLATURA GRAMATICAL BRASILEIRA*

O MINISTRO DE ESTADO DA EDUCAÇÃO E CULTURA, tendo em vista as razões que determinaram a expedição da Portaria nº 52, de 24 de abril de 1957, e considerando que o trabalho proposto pela Comissão resultou de minucioso exame das contribuições apresentadas por filólogos e lingüistas de todo o País, ao Anteprojeto de Simplificação e Unificação da Nomenclatura Gramatical Brasileira, RESOLVE

Art. 1º – Recomendar a adoção da Nomenclatura Gramatical Brasileira, que segue anexa à presente Portaria, no ensino programático da Língua Portuguesa e nas atividades que visem à verificação do aprendizado, nos estabelecimentos de ensino;

Art. 2º – Aconselhar que entre em vigor:

a) para o ensino programático e atividades dele decorrentes, a partir do início do primeiro período do ano letivo de 1959;
b) para os exames de admissão, adaptação, habilitação, seleção e do art. 91, a partir dos que se realizarem em primeira época para o período letivo de 1960.

CLÓVIS SALGADO

PRIMEIRA PARTE

Fonética

I – A fonética pode ser:
Descritiva
Histórica
Sintática

II – Fonemas:
vogais
consoantes
semivogais

1. Classificação das vogais

Classificam-se as *vogais*:

a) quanto à *zona de articulação*, em:
anteriores, médias e *posteriores*
b) quanto ao *timbre*, em:
abertas, fechadas e *reduzidas*
c) quanto ao *papel das cavidades bucal* e *nasal*, em:
orais e *nasais*
d) quanto à *intensidade*, em:
átonas e *tônicas*

2. Classificação das consoantes

Classificam-se as *consoantes*:

a) quanto ao *modo de articulação*, em:
oclusivas
constritivas | *fricativas*, *laterais*, *vibrantes*
b) quanto ao *ponto de articulação*, em:
bilabiais
labiodentais
linguodentais
alveolares
palatais
velares
c) quanto ao *papel das cordas vocais*, em:
surdas e *sonoras*
d) quanto ao *papel das cavidades bucal e nasal*, em:
orais e *nasais*

III – 1. Ditongos

Classificam-se os *ditongos* em:
crescentes e *decrescentes*
orais e *nasais*

– 2. Tritongos

Classificam-se os *tritongos* em:
orais e *nasais*

– 3. Hiatos

Nota

Os encontros *-ia, -ie, -io, -ua, -ue, -uo*, finais, átonos, seguidos, ou não, de *s*, classificam-se quer como ditongos, quer como hiatos, uma vez que ambas as emissões existem no domínio da Língua Portuguesa: *histó-ri-a* e *histó-ria*; *sé-ri-e* e *sé-rie*; *pá-ti-o* e *pá-tio*; *ár-du-a* e *ár-dua*; *tê-nu-e* e *tê-nue*; *vá-cu-o* e *vá-cuo*.

– 4. Encontros consonantais

IV – Sílaba

Classificam-se os vocábulos, *quanto ao número de sílabas*, em: *monossílabos, dissílabos, trissílabos* e *polissílabos*.

V – Tonicidade:

1. Acento:
principal
secundário
2. Sílabas:
tônicas
subtônicas
átonas | *pretônicas*, *postônicas*
3. Quanto ao *acento tônico*, classificam-se os vocábulos em:
oxítonos
paroxítonos
proparoxítonos
4. Classificam-se os monossílabos em:
átonos
tônicos
5. Rizotônico
Arrizotônico
6. Ortoepia
7. Prosódia

Nota

São *átonos* os vocábulos sem acentuação própria, isto é, os que não têm autonomia fonética, apresentando-se como sílabas átonas do vocábulo seguinte ou do vocábulo anterior.

São *tônicos* os vocábulos com acentuação própria, isto é, os que têm autonomia fonética. Pode ocorrer que, conforme mantenha, ou não, sua autonomia fonética, o mesmo vocábulo seja átono numa frase, porém tônico em outra.

Tal pode acontecer, também, com vocábulos de mais de uma sílaba: serem átonos numa frase, e tônicos em outra.

SEGUNDA PARTE

Morfologia

A *Morfologia* trata das palavras:
a) quanto a sua estrutura e formação;
b) quanto a suas flexões; e
c) quanto a sua classificação.

A. Estrutura das palavras

1. Raiz
Radical
Tema
Afixo | prefixo, sufixo
Desinência | nominal, verbal
Vogal temática
Vogal e consoante de ligação
2. Cognato

B. Formação das palavras

1. *Derivação*
2. *Composição*
3. *Hibridismo*

C. Flexão das palavras

Quanto a sua *flexão*, as palavras podem ser:
variáveis
invariáveis

D. Classificação das palavras:

Substantivo
Artigo
Adjetivo
Numeral
Pronome
Verbo
Advérbio
Preposição
Conjunção
Interjeição

I – Substantivo

1. Classificam-se os *substantivos* em:
comuns e *próprios*
concretos e *abstratos*
2. Formação do *substantivo*:
primitivo e *derivado*
simples e *composto*
3. Flexão do *substantivo*:
a) gênero:
masculino
feminino
epiceno
comum de dois gêneros
sobrecomum

*Manteve-se a grafia da data de publicação.

b) número:
- *singular*
- *plural*

c) grau:
- *aumentativo*
- *diminutivo*

> **Nota**
> Entre os *comuns* mencionem-se, especialmente, os *coletivos*.

II – ARTIGO

1. Classificação do *artigo*:
- *definido*
- *indefinido*

2. Flexão do *artigo*:

a) gênero:
- *masculino*
- *feminino*

b) número:
- *singular*
- *plural*

III – ADJETIVO

1. Formação do adjetivo:
- *primitivo e derivado*
- *simples e composto*

2. Flexão do *adjetivo*:

a) gênero:
- *masculino*
- *feminino*

b) número:
- *singular*
- *plural*

c) grau:
- *comparativo*
  - *de igualdade*
  - *de superioridade*
    - *analítico*
    - *sintético*
  - *de inferioridade*
- *superlativo*
  - *relativo*
    - *de superioridade*
    - *de inferioridade*
  - *absoluto*
    - *analítico*
    - *sintético*

3. Locução adjetiva

IV – NUMERAL

1. Classificação do *numeral*:
- *cardinal*
- *ordinal*
- *multiplicativo*
- *fracionário*

2. Flexão do *numeral*:

a) gênero:
- *masculino*
- *feminino*

b) número:
- *singular*
- *plural*

V – PRONOME

1. Classificação do *pronome*:
- *pessoal*
  - *reto*
  - *oblíquo (reflexivo, não reflexivo)*
  - *de tratamento*
- *possessivo*
- *demonstrativo*
- *indefinido*
- *interrogativo*
- *relativo*

2. Flexão do *pronome*

a) gênero:
- *masculino*
- *feminino*

b) número:
- *singular*
- *plural*

c) pessoa:
- *primeira*
- *segunda*
- *terceira*

3. Locução pronominal

> **Nota**
> Os que fazem as vezes de substantivo chamam-se *pronomes substantivos*; os que acompanham o substantivo, *pronomes adjetivos*.

VI – VERBO

1. Classificação do *verbo*:
- *regular*
- *irregular*
- *anômalo*
- *defectivo*
- *abundante*
- *auxiliar*

2. Conjugações:

Três são as conjugações:
- a 1ª com o tema terminado em *a*
- a 2ª com o tema terminado em *e*
- a 3ª com o tema terminado em *i*

3. Formação do *verbo*:
- *primitivo* e *derivado*
- *simples* e *composto*

4. Flexão verbal

a) modo:
- *indicativo*
- *subjuntivo*
- *imperativo*

b) formas nominais do verbo:
- *infinitivo*
  - *pessoal*
    - *flexionado*
    - *não flexionado*
  - *impessoal*
- *gerúndio*
- *particípio*

c) tempo:
- *presente*
- *pretérito*
  - *imperfeito*
  - *perfeito*
    - *simples*
    - *composto*
  - *mais-que-perfeito*
    - *simples*
    - *composto*
- *futuro*
  - *do presente*
    - *simples*
    - *composto*
  - *do pretérito*
    - *simples*
    - *composto*

d) número:
- *singular*
- *plural*

e) pessoa:
- *primeira*
- *segunda*
- *terceira*

f) voz:
- *ativa*
- *passiva* — *com auxiliar*
- *reflexiva* — *com pronome apassivador*

5. Locução verbal

> **Notas**
> a) O verbo *pôr* (e os dele formados) constitui anomalia da 2ª conjugação;
> b) a denominação *futuro do pretérito* (*simples* e *composto*) substitui a de *condicional* (*simples* e *composto*).

VII – ADVÉRBIO

1. Classificação do *advérbio*:

a)
- *de lugar*
- *de tempo*
- *de modo*
- *de negação*
- *de dúvida*
- *de intensidade*
- *de afirmação*

b) advérbios interrogativos
- *de lugar*
- *de tempo*
- *de modo*
- *de causa*

2. Flexão do *advérbio*:

grau:

a) comparativo
- *de igualdade*
- *de superioridade*
- *de inferioridade*

b) superlativo absoluto
- *sintético*
- *analítico*

c) diminutivo

3. Locução adverbial

> **Notas**
> a) Podem alguns advérbios estar modificando toda a oração;
> b) Certas palavras, por não se poderem enquadrar entre os advérbios, terão classificação à parte. São palavras que denotam exclusão, inclusão, situação, designação, retificação, realce, afetividade, etc.

VIII – PREPOSIÇÃO

1. Classificação das *preposições*:
- *essenciais*
- *acidentais*

2. Combinação

3. Contração

4. Locução prepositiva

IX – CONJUNÇÃO

1. Classificação das *conjunções*:
- *coordenativas*
  - *aditivas*
  - *adversativas*
  - *alternativas*
  - *conclusivas*
  - *explicativas*
- *subordinativas*
  - *integrantes*
  - *causais*
  - *comparativas*
  - *concessivas*
  - *condicionais*
  - *consecutivas*
  - *finais*
  - *temporais*
  - *proporcionais*
  - *conformativas*

2. Locução conjuntiva

> **Nota**
> As conjunções *que, porque*, e equivalentes, ora têm valor coordenativo, ora subordinativo; no primeiro caso, chamam-se *explicativas*; no segundo, *causais*.

X – INTERJEIÇÃO

Locução interjectiva

XI – 1. Palavra

2. Vocábulo

3. Sincretismo Sincrético

4. Forma variante

5. Conectivo

TERCEIRA PARTE

Sintaxe

A. Divisão da *sintaxe*:

a) de *concordância* | *nominal* / *verbal*

b) de *regência* | *nominal* / *verbal*

c) de *colocação*

> **Nota**
> Na colocação dos *pronomes oblíquos átonos*, adotem-se as denominações de *próclise, mesóclise* e *ênclise*.

B. Análise Sintática

– Da *oração*

1. ***Termos essenciais* da oração:**
   sujeito
   predicado

a) Sujeito
- *simples*
- *composto*
- *indeterminado*
- *oração sem sujeito*

b) Predicado
- *nominal*
- *verbal*
- *verbo-nominal*

c) Predicativo
- *do sujeito*
- *do objeto*

d) Predicação verbal
- *verbo de ligação*[1]
- *verbo intransitivo*
- *verbo transitivo* | *direto* / *indireto*[2]
- *agente da passiva*

2. ***Termos integrantes* da oração:**
- *complemento nominal*
- *complemento verbal: objeto* | *direto* / *indireto*

3. ***Termos acessórios* da oração:**
- *adjunto adnominal*
- *adjunto adverbial*
- *aposto*

4. **Vocativo**

– Do *Período*

1. Tipos de *período*:
   simples
   composto
2. Composição do *período*:
   coordenação
   subordinação
3. Classificação das orações:

a) *absoluta*

b) *principal*

c) *coordenada* | *assindética* / *sindética* | *aditiva* / *adversativa* / *alternativa* / *conclusiva* / *explicativa*

d) subordinada
- *substantiva* | *subjetiva* / *objetiva* (*direta* / *indireta*) / *completiva-nominal* / *predicativa* / *apositiva*
- *adjetiva* | *restritiva* / *explicativa*
- *adverbial* | *causal* / *comparativa* / *consecutiva* / *concessiva* / *condicional* / *conformativa* / *final* / *proporcional* / *temporal*

As *orações subordinadas* podem apresentar-se, também, com os verbos numa de suas *formas nominais*; chamam-se, neste caso, *reduzidas*
de *infinitivo*
de *gerúndio*
de *particípio*
as quais se classificam como as desenvolvidas: *substantivas* (*subjetivas*, etc.), *adjetivas, adverbiais* (*temporais*, etc.).

> **Notas**
> 1. *Coordenadas* entre si podem estar quer *principais*, quer *independentes*, quer *subordinadas* (*desenvolvidas* ou *reduzidas*).
>
> 2. Devem ser abandonadas as classificações:
> a) de *lógico* e *gramatical, ampliado* e *inampliado, completo* e *incompleto, total* e *parcial*, para qualquer elemento oracional;
> b) de oração quanto à *forma* (plena, elítica, etc.); quanto à ordem (direta, inversa, partida, etc.); quanto ao *conectivo* (*conjuncional, não conjuncional, relativa*).
>
> 3. Na classificação da oração *subordinada* bastará dizer-se:
> – *oração subordinada substantiva subjetiva* (ou qualquer outra);
> – *oração subordinada adjetiva restritiva*, ou *explicativa*;
> – *oração subordinada adverbial causal* (ou qualquer outra).

APÊNDICE

I – FIGURAS DE SINTAXE

anacoluto
elipse
pleonasmo
silepse

II – GRAMÁTICA HISTÓRICA

aférese
altura (som)
analogia
apócope
assimilação | total / parcial / progressiva / regressiva
consonantismo
consonantização
convergente
crase
desnasalização
despalatalização
dissimilação | total / parcial / progressiva / regressiva
ditongação
divergente
elisão
empréstimo
epêntese
etimologia
haplologia
hiperbibasmo
intensidade (som)
metátese
nasalização
neologismo
palatalização
paragoge
patronímico
prótese
síncope
sonorização
substrato
superstrato
vocalismo
vocalização

III – ORTOGRAFIA

abreviatura
alfabeto
dígrafo – grupo de letras que representam um só fonema.
Exs. *ch* (chave)
gu (guerra)
lh (palha)
nh (manhã)
qu (quero)
rr (carro)
ss (passo)
homógrafo
homófono
letra | maiúscula / minúscula

notações léxicas:
acento | agudo / grave / circunflexo
apóstrofo
cedilha
hífen
til
trema
sigla

IV – PONTUAÇÃO

aspas
asterisco
colchetes
dois-pontos
parágrafo (§)
parênteses
ponto-de-exclamação
ponto-de-interrogação
ponto-e-vírgula
ponto-final
reticências
travessão
vírgula

V – SIGNIFICAÇÃO DAS PALAVRAS

antônimo
homônimo
sinônimo
sentido figurado

VI – VÍCIOS DE LINGUAGEM

barbarismo
cacofonia
preciosismo
solecismo

1. Nesta obra usou-se *verbo predicativo*.

2. Também se usou, neste dicionário, a classificação *transitivo direto e indireto* (correspondente ao já tradicional *transitivo-relativo*). Por não considerarmos intransitivos os verbos *ir*, *vir* e outros assim, usamos para eles, por sugestão do Prof. Rocha Lima, querido Amigo, a denominação *transitivo circunstancial*.

ACORDO ORTOGRÁFICO DA LÍNGUA PORTUGUESA

DECRETO 6.583, DE 29 DE SETEMBRO DE 2008

Promulga o Acordo Ortográfico da Língua Portuguesa, assinado em Lisboa, em 16 de dezembro de 1990.

O Presidente da República, no uso da atribuição que lhe confere o art. 84, inciso IV, da Constituição, e Considerando que o Congresso Nacional aprovou, por meio do Decreto Legislativo nº 54, de 18 de abril de 1995, o Acordo Ortográfico da Língua Portuguesa, assinado em Lisboa, em 16 de dezembro de 1990; Considerando que o Governo brasileiro depositou o instrumento de ratificação do referido Acordo junto ao Ministério dos Negócios Estrangeiros da República Portuguesa, na qualidade de depositário do ato, em 24 de junho de 1996; Considerando que o Acordo entrou em vigor internacional em 1º de janeiro de 2007, inclusive para o Brasil, no plano jurídico externo;

DECRETA:

Art. 1º O Acordo Ortográfico da Língua Portuguesa, entre os Governos da República de Angola, da República Federativa do Brasil, da República de Cabo Verde, da República de Guiné-Bissau, da República de Moçambique, da República Portuguesa e da República Democrática de São Tomé e Príncipe, de 16 de dezembro de 1990, apenso por cópia ao presente Decreto, será executado e cumprido tão inteiramente como nele se contém.

Art. 2º O referido Acordo produzirá efeitos somente a partir de 1º de janeiro de 2009. Parágrafo único. A implementação do Acordo obedecerá ao período de transição de 1º de janeiro de 2009 a 31 de dezembro de 2012, durante o qual coexistirão a norma ortográfica atualmente em vigor e a nova norma estabelecida.

Art. 3º São sujeitos à aprovação do Congresso Nacional quaisquer atos que possam resultar em revisão do referido Acordo, assim como quaisquer ajustes complementares que, nos termos do art. 49, inciso I, da Constituição, acarretem encargos ou compromissos gravosos ao patrimônio nacional.

Art. 4º Este Decreto entra em vigor na data de sua publicação.

Brasília, 29 de setembro de 2008
187º da Independência e 120º da República.

Luiz Inácio Lula Da Silva
Celso Luiz Nunes Amorim

ACORDO ORTOGRÁFICO DA LÍNGUA PORTUGUESA

Considerando que o projeto de texto de ortografia unificada de língua portuguesa aprovado em Lisboa, em 12 de outubro de 1990, pela Academia das Ciências de Lisboa, Academia Brasileira de Letras e delegações de Angola, Cabo Verde, Guiné-Bissau, Moçambique e São Tomé e Príncipe, com a adesão da delegação de observadores da Galiza, constitui um passo importante para a defesa da unidade essencial da língua portuguesa e para o seu prestígio internacional,
Considerando que o texto do Acordo que ora se aprova resulta de um aprofundado debate nos Países signatários,
a República Popular de Angola,
a República Federativa do Brasil,
a República de Cabo Verde,
a República da Guiné-Bissau,
a República de Moçambique,
a República Portuguesa,
e a República Democrática de São Tomé e Príncipe,
acordam no seguinte:

ARTIGO 1º

É aprovado o Acordo Ortográfico da Língua Portuguesa, que consta como anexo I ao presente instrumento de aprovação, sob a designação de Acordo Ortográfico da Língua Portuguesa (1990) e vai acompanhado da respectiva nota explicativa, que consta como anexo II ao mesmo instrumento de aprovação, sob a designação de Nota Explicativa do Acordo Ortográfico da Língua Portuguesa (1990).

ARTIGO 2º

Os Estados signatários tomarão, através das instituições e órgãos competentes, as providências necessárias com vista à elaboração, até 1 de janeiro de 1993, de um vocabulário ortográfico comum da língua portuguesa, tão completo quanto desejável e tão normalizador quanto possível, no que se refere às terminologias científicas e técnicas.

ARTIGO 3º

O Acordo Ortográfico da Língua Portuguesa entrará em vigor em 1 de janeiro de 1994, após depositados os instrumentos de ratificação de todos os Estados junto do Governo da República Portuguesa.

ARTIGO 4º

Os Estados signatários adotarão as medidas que entenderem adequadas ao efetivo respeito da data da entrada em vigor estabelecida no artigo 3º. Em fé do que, os abaixo assinados, devidamente credenciados para o efeito, aprovam o presente acordo, redigido em língua portuguesa, em sete exemplares, todos igualmente autênticos.
Assinado em Lisboa, em 16 de dezembro de 1990.

PELA REPÚBLICA POPULAR DE ANGOLA
JOSÉ MATEUS DE ADELINO PEIXOTO
Secretário de Estado da Cultura

PELA REPÚBLICA FEDERATIVA DO BRASIL
CARLOS ALBERTO GOMES CHIARELLI
Ministro da Educação

PELA REPÚBLICA DE CABO VERDE
DAVID HOPFFER ALMADA
Ministro da Informação, Cultura e Desportos

PELA REPÚBLICA DA GUINÉ-BISSAU
ALEXANDRE BRITO RIBEIRO FURTADO
Secretário de Estado da Cultura

PELA REPÚBLICA DE MOÇAMBIQUE
LUIS BERNARDO HONWANA
Ministro da Cultura

PELA REPÚBLICA PORTUGUESA
PEDRO MIGUEL DE SANTANA LOPES
Secretário de Estado da Cultura

PELA REPÚBLICA DEMOCRÁTICA DE SÃO TOMÉ E PRÍNCIPE
LIGIA SILVA GRAÇA DO ESPÍRITO SANTO COSTA
Ministra da Educação e Cultura

ANEXO I

Acordo Ortográfico da Língua Portuguesa (1990)

BASE I

Do alfabeto e dos nomes próprios estrangeiros e seus derivados

1º – O alfabeto da língua portuguesa é formado por vinte e seis letras, cada uma delas com uma forma minúscula e outra maiúscula:

a A (á)	j J (jota)	s S (esse)
b B (bê)	k K (capa ou cá)	t T (tê)
c C (cê)	l L (ele)	u U (u)
d D (dê)	m M (eme)	v V (vê)
e E (é)	n N (ene)	w W (dáblio)
f F (efe)	o O (ó)	x X (xis)
g G (gê ou guê)	p P (pê)	y Y (ípsilon)
h H (agá)	q Q (quê)	z Z (zê)
i I (i)	r R (erre)	

OBSERVAÇÃO 1ª – Além destas letras, usam-se o *ç* (cê cedilhado) e os seguintes dígrafos: *rr* (erre duplo), *ss* (esse duplo), *ch* (cê-agá), *lh* (ele-agá), *nh* (ene-agá), *gu* (guê-u) e *qu* (quê-u).

OBSERVAÇÃO 2ª – Os nomes das letras acima sugeridos não excluem outras formas de as designar.

2º – As letras *k*, *w* e *y* usam-se nos seguintes casos especiais:

a) Em antropónimos/antropônimos originários de outras línguas e seus derivados: *Franklin, frankliniano; Kant, kantismo; Darwin, darwinismo; Wagner, wagneriano; Byron, byroniano; Taylor, taylorista*.

b) Em topónimos/topônimos originários de outras línguas e seus derivados: *Kwanza, Kuwait, kuwaitiano; Malawi, malawiano*.

c) Em siglas, símbolos e mesmo em palavras adotadas como unidades de medida de curso internacional: *TWA, KLM; K-potássio (de kalium), W-oeste (West); kg-quilograma, km-quilómetro, kW-kilowatt, yd-jarda (yard); Watt*.

3º – Em congruência com o número anterior, mantêm-se nos vocábulos derivados eruditamente de nomes próprios estrangeiros quaisquer combinações gráficas ou sinais diacríticos não peculiares à nossa escrita que figurem nesses nomes: *comtista*, de *Comte*; *garrettiano*, de *Garrett*; *jeffersónia/jeffersônia*, de *Jefferson*; *mülleriano*, de *Müller*, *shakespeariano*, de *Shakespeare*.

Os vocabulários autorizados registrarão grafias alternativas admissíveis, em casos de divulgação de certas palavras de tal tipo de origem (a exemplo de *fúcsia/fúchsia* e derivados, *buganvília/buganvílea/bougainvíllea*).

4º – Os dígrafos finais de origem hebraica *ch*, *ph* e *th* podem conservar-se em formas onomásticas da tradição bíblica, como *Baruch, Loth, Moloch, Ziph*, ou então simplificar-se: *Baruc, Lot, Moloc, Zif*. Se qualquer um destes dígrafos, em formas do mesmo tipo, é invariavelmente mudo, elimina-se: *José, Nazaré*, em vez de *Joseph, Nazareth*; e se algum deles, por força do uso, permite adaptação, substitui-se, recebendo uma adição vocálica: *Judite*, em vez de *Judith*.

5º – As consoantes finais grafadas *b, c, d, g* e *t* mantêm-se, quer sejam mudas, quer proferidas, nas formas onomásticas em que o uso as consagrou, nomeadamente antropónimos/antropônimos e topónimos/topônimos da tradição bíblica: *Jacob, Job, Moab, Isaac; David, Gad; Gog, Magog; Bensabat, Josafat*.

Integram-se também nesta forma: *Cid*, em que o *d* é sempre pronunciado; *Madrid* e *Valhadolid*, em que o *d* ora é pronunciado, ora não; e *Calecut* ou *Calicut*, em que o *t* se encontra nas mesmas condições.

Nada impede, entretanto, que dos antropónimos/antropônimos em apreço sejam usados sem a consoante final *Jó, Davi* e *Jacó*.

6º – Recomenda-se que os topónimos/topônimos de línguas estrangeiras se substituam, tanto quanto possível, por formas vernáculas, quando estas sejam antigas e ainda vivas em português ou quando entrem, ou possam entrar, no uso corrente. Exemplo: *Anvers*, substituído por *Antuérpia*; *Cherbourg*, por *Cherburgo*; *Garonne*, por *Garona*; *Genève*, por *Genebra*; *Jutland*, por *Jutlândia*; *Milano*, por *Milão*; *München*, por *Munique*; *Torino*, por *Turim*; *Zürich*, por *Zurique*, etc.

BASE II

Do h inicial e final

1º – O *h* inicial emprega-se:

a) Por força da etimologia: *haver, hélice, hera, hoje, hora, homem, humor*.

b) Em virtude de adoção convencional: *hã?, hem?, hum!*.

2º – O *h* inicial suprime-se:

a) Quando, apesar da etimologia, a sua supressão está inteiramente consagrada pelo uso: *erva*, em vez de *herva*; e, portanto, *ervaçal, ervanário, ervoso* (em contraste com *herbáceo, herbanário, herboso*, formas de origem erudita).

b) Quando, por via de composição, passa a interior e o elemento em que figura se aglutina ao precedente: *biebdomadário, desarmonia, desumano, exaurir, inábil, lobisomem, reabilitar, reaver*.

3º – O *h* inicial mantém-se, no entanto, quando, numa palavra composta, pertence a um elemento que está ligado ao anterior por meio de hífen: *anti-higiénico/anti-higiênico, contra-haste; pré-história, sobre-humano*.

4º – O *h* final emprega-se em interjeições: *ah! oh!*

BASE III

Da homofonia de certos grafemas consonânticos

Dada a homofonia existente entre certos grafemas consonânticos, torna-se necessário diferençar os seus empregos, que fundamentalmente se regulam pela história das palavras. É certo que a variedade das condições em que se fixam na escrita os grafemas consonânticos homófonos nem sempre permite fácil diferenciação dos casos em que se deve empregar uma letra e daqueles em que, diversamente, se deve empregar outra, ou outras, a representar o mesmo som. Nesta conformidade, importa notar, principalmente, os seguintes casos:

1º – Distinção gráfica entre *ch* e *x*: *achar, archote, bucha, capacho, capucho, chamar, chave, Chico, chiste, chorar, colchão, colchete, endecha, estrebucha, facho, ficha, flecha, frincha, gancho, inchar, macho, mancha, murchar, nicho, pachorra, pecha, pechincha, penacho, rachar, sachar, tacho; ameixa, anexim, baixel, baixo, bexiga, bruxa, coaxar, coxia, debuxo, deixar, eixo, elixir, enxofre, faixa, feixe, madeixa, mexer, oxalá, praxe, puxar, rouxinol, vexar, xadrez, xarope, xenofobia, xerife, xícara*.

2º – Distinção gráfica entre *g*, com valor de fricativa palatal, e *j*: *adágio, alfageme, Álgebra, algema, algeroz, Algés, algibebe, algibeira, álgido, almargem, Alvorge, Argel, estrangeiro, falange, ferrugem, frigir, gelosia, gengiva, gergelim, geringonça, Gibraltar, ginete, ginja, girafa, gíria, herege, relógio, sege, Tânger, virgem; adjetivo, ajeitar, ajeru* (nome de planta indiana e de uma espécie de papagaio), *canjerê, canjica, enjeitar, granjear, hoje, intrujice, jecoral, jejum, jeira, jeito, Jeová, jenipapo, jequiri, jequitibá, Jeremias, Jericó, jerimum, Jerónimo, Jesus, jiboia, jiquipanga, jiquiró, jiquitaia, jirau, jiriti, jitirana, laranjeira, lojista, majestade, majestoso, manjerico, manjerona, mucujê, pajé, pegajento, rejeitar, sujeito, trejeito.*

3º – Distinção gráfica entre as letras *s, ss, c, ç* e *x*, que representam sibilantes surdas: *ânsia, ascensão, aspersão, cansar, conversão, esconso, farsa, ganso, imenso, mansão, mansarda, manso, pretensão, remanso, seara, seda, Seia, Sertã, Sernancelhe, serralheiro, Singapura, Sintra, sisa, tarso, terso, valsa; abadessa, acossar, amassar, arremessar, Asseiceira, asseio, atravessar, benesse, Cassilda, codesso (identicamente Codessal ou Codassal, Codesseda, Codessoso, etc.), crasso, devassar, dossel, egresso, endossar, escasso, fosso, gesso, molosso, mossa, obsessão, pêssego, possesso, remessa, sossegar; acém, acervo, alicerce, cebola, cereal, Cernache, cetim, Cinfães, Escócia, Macedo, obcecar, percevejo; açafate, açorda, açúcar, almaço, atenção, berço, Buçaco, caçanje, caçula, caraça, dançar, Eça, enguiço, Gonçalves, inserção, linguiça, maçada, Mação, maçar, Moçambique, Monção, muçulmano, murça, negaça, pança, peça, quiçaba, quiçaça, quiçama, quiçamba, Seiça* (grafia que pretere as erróneas/errôneas *Ceiça* e *Ceissa*), *Seiçal, Suíça, terço; auxílio, Maximiliano, Maximino, máximo, próximo, sintaxe.*

4º – Distinção gráfica entre *s* de fim de sílaba (inicial ou interior) e *x* e *z* com idêntico valor fónico/fônico: *adestrar, Calisto, escusar, esdrúxulo, esgotar, esplanada, esplêndido, espontâneo, espremer, esquisito, estender, Estremadura, Estremoz, inesgotável; extensão, explicar, extraordinário, inextricável, inexperto, sextante, têxtil; capazmente, infelizmente, velozmente.* De acordo com esta distinção convém notar dois casos:

a) Em final de sílaba que não seja final de palavra, o *x* = *s* muda para *s* sempre que está precedido de *i* ou *u*: *justapor, justalinear, misto, sistino* (cf. *Capela Sistina*), *Sisto*, em vez de *juxtapor, juxtalinear, mixto, sixtina, Sixto.*

b) Só nos advérbios em *-mente* se admite *z*, com valor idêntico ao de *s*, em final de sílaba seguida de outra consoante (cf. *capazmente*, etc.); de contrário, o *s* toma sempre o lugar de *z*: *Biscaia*, e não *Bizcaia*.

5º – Distinção gráfica entre *s* final de palavra e *x* e *z* com idêntico valor fónico/fônico: *aguarrás, aliás, anis, após, atrás, através, Avis, Brás, Dinis, Garcês, gás, Gerês, Inês, íris, Jesus, jus, lápis, Luís, país, português, Queirós, quis, retrós, revés, Tomás, Valdés; cálix, Félix, Fénix, flux; assaz, arroz, avestruz, dez, diz, fez* (substantivo e forma do verbo *fazer*), *fiz, Forjaz, Galaaz, giz, jaez, matiz, petiz, Queluz, Romariz, [Arcos de] Valdevez, Vaz.* A propósito, deve observar-se que é inadmissível *z* final equivalente a *s* em palavra não oxítona: *Cádis*, e não *Cádiz*.

6º – Distinção gráfica entre as letras interiores *s, x* e *z*, que representam sibilantes sonoras: *aceso, analisar, anestesia, artesão, asa, asilo, Baltasar, besouro, besuntar, blusa, brasa, brasão, Brasil, brisa, [Marco de] Canaveses, coliseu, defesa, duquesa, Elisa, empresa, Ermesinde, Esposende, frenesi ou frenesim, frisar, guisa, improviso, jusante, liso, lousa, Lousã, Luso* (nome de lugar, homónimo/homônimo de Luso, nome mitológico), *Matosinhos, Meneses, narciso, Nisa, obséquio, ousar, pesquisa, portuguesa, presa, raso, represa, Resende, sacerdotisa, Sesimbra, Sousa, surpresa, tisana, transe, trânsito, vaso; exalar, exemplo, exibir, exorbitar, exuberante, inexato, inexorável; abalizado, alfazema, Arcozelo, autorizar, azar, azedo, azo, azorrague, baliza, bazar, beleza, buzina, búzio, comezinho, deslizar, deslize, Ezequiel, fuzileiro, Galiza, guizo, helenizar, lambuzar, lezíria, Mouzinho, proeza, sazão, urze, vazar, Veneza, Vizela, Vouzela.*

BASE IV

Das sequências consonânticas

1º – O *c*, com valor de oclusiva velar, das sequências interiores *cc* (segundo *c* com valor de sibilante), *cç* e *ct*, e o *p* das sequências interiores *pc* (*c* com valor de sibilante), *pç* e *pt*, ora se conservam, ora se eliminam.

Assim:

a) Conservam-se nos casos em que são invariavelmente proferidos nas pronúncias cultas da língua: *compacto, convicção, convicto, ficção, friccionar, pacto, pictural; adepto, apto, díptico, erupção, eucalipto, inepto, núpcias, rapto.*

b) Eliminam-se nos casos em que são invariavelmente mudos nas pronúncias cultas da língua: *ação, acionar, afetivo, aflição, aflito, ato, coleção, coletivo, direção, diretor, exato, objeção; adoção, adotar, batizar, Egito, ótimo.*

c) Conservam-se ou eliminam-se, facultativamente, quando se proferem numa pronúncia culta, quer geral, quer restritamente, ou então quando oscilam entre a prolação e o emudecimento: *aspecto* e *aspeto, cacto* e *cato, caracteres* e *carateres, dicção* e *dição; facto* e *fato, sector* e *setor, ceptro* e *cetro, concepção* e *conceção, corrupto* e *corruto, recepção* e *receção.*

d) Quando, nas sequências interiores *mpc, mpç* e *mpt* se eliminar o *p* de acordo com o determinado nos parágrafos precedentes, o *m* passa a *n*, escrevendo-se, respectivamente *nc, nç* e *nt*: *assumpcionista* e *assuncionista; assumpção* e *assunção; assumptível* e *assuntível; peremptório* e *perentório, sumptuoso* e *suntuoso, sumptuosidade* e *suntuosidade.*

2º – Conservam-se ou eliminam-se, facultativamente, quando se proferem numa pronúncia culta, quer geral, quer restritamente, ou então quando oscilam entre a prolação e o emudecimento: o *b* da sequência *bd*, em *súbdito*; o *b* da sequência *bt*, em *subtil* e seus derivados; o *g* da sequência *gd*, em *amígdala, amigdalácea, amigdalar, amigdalato, amigdalite, amigdaloide, amigdalopatia, amigdalotomia*; o *m* da sequência *mn*, em *amnistia, amnistiar, indemne, indemnidade, indemnizar, omnímodo, omnipotente, omnisciente*, etc.; o *t*, da sequência *tm*, em *aritmética* e *aritmético.*

BASE V

Das vogais átonas

1º – O emprego do *e* e do *i*, assim como o do *o* e do *u*, em sílaba átona, regula-se fundamentalmente pela etimologia e por particularidades da história das palavras. Assim se estabelecem variadíssimas grafias:

a) Com *e* e *i*: *ameaça, amealhar, antecipar, arrepiar, balnear, boreal, campeão, cardeal* (prelado, ave planta; diferente de *cardial* = "relativo à cárdia"), *Ceará, côdea, enseada, enteado, Floreal, janeanes, lêndea, Leonardo, Leonel, Leonor, Leopoldo, Leote, linear, meão, melhor, nomear, peanha, quase* (em vez de *quási*), *real, semear, semelhante, várzea; ameixial, Ameixieira, amial, amieiro, arrieiro, artilharia, capitânia, cordial* (adjetivo e substantivo), *corriola, crânio, criar, diante, diminuir, Dinis, ferregial, Filinto, Filipe* (e identicamente *Filipa, Filipinas*, etc.), *freixial, giesta, Idanha, igual, imiscuir-se, inigualável, lampião, limiar, Lumiar, lumieiro, pátio, pior, tigela, tijolo, Vimieiro, Vimioso;*

b) Com *o* e *u*: *abolir, Alpendorada, assolar, borboleta, cobiça, consoada, consoar, costume, díscolo, êmbolo, engolir, epístola, esbaforir-se, esboroar, farândola, femoral, Freixoeira, girândola, goela, jocoso, mágoa, névoa, nódoa, óbolo, Páscoa, Pascoal, Pascoela, polir, Rodolfo, távoa, tavoada, távola, tômbola, veio* (substantivo e forma do verbo *vir*); *açular, água, aluvião, arcuense, assumir, bulir, camândulas, curtir, curtume, embutir, entupir, fémur/fêmur, fístula, glândula, ínsua, jucundo, légua, Luanda, lucubração, lugar, mangual, Manuel, míngua, Nicarágua, pontual, régua, tábua, tabuada, tabuleta, trégua, virtualha.*

2º – Sendo muito variadas as condições etimológicas e histórico-fonéticas em que se fixam graficamente *e* e *i* ou *o* e *u* em sílaba átona, é evidente que só a consulta dos vocabulários ou dicionários pode indicar, muitas vezes, se deve empregar-se *e* ou *i*, se *o* ou *u*. Há, todavia, alguns casos em que o uso dessas vogais pode ser facilmente sistematizado. Convém fixar os seguintes:

a) Escrevem-se com *e*, e não com *i*, antes da sílaba tónica/tônica, os substantivos e adjetivos que procedem de substantivos terminados em *-eio* e *-eia*, ou com eles estão em relação direta. Assim se regulam: *aldeão, aldeola, aldeota* por *aldeia; areal, areeiro, areento, Areosa* por *areia; aveal* por *aveia; baleal* por *baleia; cadeado* por *cadeia; candeeiro* por *candeia; centeeira e centeeiro* por *centeio; colmeal* e *colmeeiro* por *colmeia; correada* e *correame* por *correia*.

b) Escrevem-se igualmente com *e*, antes de vogal ou ditongo da sílaba tónica/tônica, os derivados de palavras que terminam em *e* acentuado (o qual pode representar um antigo hiato: *ea, ee*): *galeão, galeota, galeote*, de *galé; coreano*, de *Coreia; daomeano*, de *Daomé; guineense*, de *Guiné; poleame e poleeiro*, de *polé*.

c) Escrevem-se com *i*, e não com *e*, antes da sílaba tónica/tônica, os adjetivos e substantivos derivados em que entram os sufixos mistos de formação vernácula *-iano* e *-iense*, os quais são o resultado da combinação dos sufixos *-ano* e *-ense* com um *i* de origem analógica (baseado em palavras onde *-ano* e *-ense* estão precedidos de *i* pertencente ao tema: *horaciano, italiano, duriense, flaviense*, etc.): *açoriano, acriano* (de *Acre*), *camoniano, goisiano* (relativo a Damião de Góis), *siniense* (de *Sines*), *sofocliano, torriano, torriense* (de *Torre(s)*).

d) Uniformizam-se com as terminações *-io* e *-ia* (átonas), em vez de *-eo* e *-ea*, os substantivos que constituem variações, obtidas por ampliação, de outros substantivos terminados em vogal: *cúmio* (popular), de *cume; hástia*, de *haste; réstia*, do antigo *reste; véstia*, de *veste*.

e) Os verbos em *-ear* podem distinguir-se praticamente, grande número de vezes, dos verbos em *-iar*, quer pela formação, quer pela conjugação e formação ao mesmo tempo. Estão no primeiro caso todos os verbos que se prendem a substantivos em *-eio* ou *-eia* (sejam formados em português ou venham já do latim); assim se regulam: *aldear*, por *aldeia; alhear, alheio; cear*, por *ceia; encadear*, por *encadeia; pear*, por *peia*; etc. Estão no segundo caso todos os verbos que têm normalmente flexões rizotónicas/rizotônicas em *-eio, -eias*, etc.: *clarear, delinear, devanear, falsear, granjear, guerrear, hastear, nomear, semear*, etc. Existem, no entanto, verbos em *-iar*, ligados a substantivos com as terminações átonas *-ia* ou *-io*, que admitem variantes na conjugação: *negoceio* ou *negocio* (cf. *negócio*); *premeio* ou *premio* (cf. *prémio/prêmio*); etc.

f) Não é lícito o emprego do *u* final átono em palavras de origem latina. Escreve-se, por isso: *moto*, em vez de *mótu* (por exemplo, na expressão *de moto próprio*); *tribo*, em vez de *tríbu*.

g) Os verbos em *-oar* distinguem-se praticamente dos verbos em *-uar* pela sua conjugação nas formas rizotónicas/rizotônicas, que têm sempre *o* na sílaba acentuada: *abençoar* com *o*, como *abençoo, abençoas*, etc.; *destoar*, com *o*, como *destoo, destoas*, etc.: mas *acentuar*, com *u*, como *acentuo, acentuas*, etc.

BASE VI

Das vogais nasais

Na representação das vogais nasais devem observar-se os seguintes preceitos:

1º – Quando uma vogal nasal ocorre em fim de palavra, ou em fim de elemento seguido de hífen, representa-se a nasalidade pelo til, se essa vogal é de timbre *a*; por *m*, se possui qualquer outro timbre e termina a palavra; e por *n*, se é de timbre diverso de *a* e está seguida de *s*: *afã, grã, Grã-Bretanha, lã, órfã, sã-braseiro* (forma dialetal; o mesmo que *são-brasense* = de S. Brás de Alportel); *clarim, tom, vacum; flautins, semitons, zunzuns*.

2º – Os vocábulos terminados em *-ã* transmitem esta representação do *a* nasal aos advérbios em *-mente* que deles se formem, assim como a derivados em que entrem sufixos iniciados por *z*: *cristãmente, irmãmente, sãmente; lãzudo, maçãzita, manhãzinha, romãzeira*.

BASE VII

Dos ditongos

1º – Os ditongos orais, que tanto podem ser tónicos/tônicos como átonos, distribuem-se por dois grupos gráficos principais, conforme o segundo elemento do ditongo é representado por *i* ou *u*: *ai, ei, éi, ui; au, eu, éu, iu, ou*: *braçais, caixote, deveis, eirado, farnéis* (mas *farneizinhos*), *goivo, goivar, lençóis* (mas *lençoizinhos*), *tafuis, uivar, cacau, cacaueiro, deu, endeusar, ilhéu* (mas *ilheuzito*), *mediu, passou, regougar*.

OBSERVAÇÃO: Admitem-se, todavia, excepcionalmente, à parte destes dois grupos, os ditongos grafados *ae* (= *âi* ou *ai*) e *ao* (= *âu* ou *au*): o primeiro, representado nos antropónimos/antropônimos *Caetano* e *Caetana*, assim como nos respectivos derivados e compostos (*caetaninha, são-caetano*, etc.); o segundo, representado nas combinações da preposição *a* com as formas masculinas do artigo ou pronome demonstrativo *o*, ou seja, *ao* e *aos*.

2º – Cumpre fixar, a propósito dos ditongos orais, os seguintes preceitos particulares:

a) É o ditongo grafado *ui*, e não a sequência vocálica grafada *ue*, que se emprega nas formas de 2ª e 3ª pessoas do singular do presente do indicativo e igualmente na da 2ª pessoa do singular do imperativo dos verbos em *-uir*: *constituis, influi, retribui*. Harmonizam-se, portanto, essas formas com todos os casos de ditongo grafado *ui* de sílaba final ou fim de palavra (*azuis, fui, Guardafui, Rui*, etc.); e ficam assim em paralelo gráfico-fonético com as formas de 2ª e 3ª pessoas do singular do presente do indicativo e de 2ª pessoa do singular do imperativo dos verbos em *-air* e em *-oer*: *atrais, cai, sai; móis, remói, sói*.

b) É o ditongo grafado *ui* que representa sempre, em palavras de origem latina, a união de um *u* a um *i* átono seguinte. Não divergem, portanto, formas como *fluido* de formas como *gratuito*. E isso não impede que nos derivados de formas daquele tipo as vogais grafadas *u* e *i* se separem: *fluídico, fluidez* (*u-i*).

c) Além dos ditongos orais propriamente ditos, os quais são todos decrescentes, admite-se, como é sabido, a existência de ditongos crescentes. Podem considerar-se no número deles as sequências vocálicas pós-tónicas/pós-tônicas, tais as que se representam graficamente por *ea, eo, ia, ie, io, oa, ua, ue, uo*: *áurea, áureo, calúnia, espécie, exímio, mágoa, míngua, ténue/tênue, tríduo*.

3º – Os ditongos nasais, que na sua maioria tanto podem ser tónicos/tônicos como átonos, pertencem graficamente a dois tipos fundamentais: ditongos representados por vogal com til e semivogal; ditongos representados por uma vogal seguida da consoante nasal *m*. Eis a indicação de uns e outros:

a) Os ditongos representados por vogal com til e semivogal são quatro, considerando-se apenas a língua padrão contemporânea: *ãe* (usado em vocábulos oxítonos e derivados), *ãi* (usado em vocábulos anoxitonos e derivados), *ão* e *õe*. Exemplos: *cães, Guimarães, mãe, mãezinha; cãibas, cãibeiro, cãibra, zãibo; mão, mãozinha, não, quão, sótão, sotãozinho, tão; Camões, orações, oraçõezinhas, põe, repões*. Ao lado de tais ditongos pode, por exemplo, colocar-se o ditongo *ũi* mas este, embora se exemplifique numa forma popular como *rui = ruim*, representa-se sem o til nas formas *muito* e *mui*, por obediência à tradição.

b) Os ditongos representados por uma vogal seguida da consoante nasal *m* são dois: *am* e *em*. Divergem, porém, nos seus empregos:

I) *am* (sempre átono) só se emprega em flexões verbais: *amam, deviam, escreveram, puseram*;

II) *em* (tónico/tônico ou átono) emprega-se em palavras de categorias morfológicas diversas, incluindo flexões verbais, e pode apresentar variantes gráficas determinadas pela posição, pela acentuação ou, simultaneamente, pela posição e pela acentuação: *bem, Bembom, Bemposta, cem, devem, nem, quem, sem, tem, virgem; Bencanta, Benfeito, Benfica, benquisto, bens, enfim, enquanto, homenzarrão, homenzinho, nuvenzinha, tens, virgens, amém* (variação de *ámen*), *armazém, convém, mantém, ninguém, porém, Santarém, também; convêm, mantêm, têm* (3ªs pessoas do plural); *armazéns, desdéns, convéns, reténs; Belenzada, vintenzinho*.

BASE VIII

Da acentuação gráfica das palavras oxítonas

1º – Acentuam-se com acento agudo:

a) As palavras oxítonas terminadas nas vogais tónicas/tônicas abertas grafadas *-a*, *-e* ou *-o*, seguidas ou não de *-s*: *está, estás, já, olá; até, é, és, olé, pontapé(s); avó(s), dominó(s), paletó(s), só(s)*.

OBSERVAÇÃO: Em algumas (poucas) palavras oxítonas terminadas em *-e* tónico/tônico, geralmente provenientes do francês, esta vogal, por ser articulada nas pronúncias cultas ora como aberta ora como fechada, admite tanto o acento agudo como o acento circunflexo: *bebé* ou *bebê*; *bidé* ou *bidê*, *canapé* ou *canapê*, *caraté* ou *caratê*, *croché* ou *crochê*, *guiché* ou *guichê*, *matiné* ou *matinê*, *nené* ou *nenê*, *ponjé* ou *ponjê*, *puré* ou *purê*, *rapé* ou *rapê*.
O mesmo se verifica com formas como *cocó* e *cocô*, *ró* (letra do alfabeto grego) e *rô*. São igualmente admitidas formas como *judô*, a par de *judo*, e *metrô*, a par de *metro*.

b) As formas verbais oxítonas, quando, conjugadas com os pronomes clíticos *lo(s)* ou *la(s)*, ficam a terminar na vogal tónica/tônica aberta grafada *-a*, após a assimilação e perda das consoantes finais grafadas *-r*, *-s* ou *-z*: *adorá-lo(s)* (de *adorar-lo(s)*), *dá-la(s)* (de *dar-la(s)* ou *dá(s)-la(s)*), *fá-lo(s)* (de *faz-lo(s)*), *fá-lo(s)-ás* (de *far-lo(s)-ás*), *habitá-la(s)-iam* (de *habitar-la(s)-iam*), *trá-la(s)-á* (de *trar-la(s)-á*).

c) As palavras oxítonas com mais de uma sílaba terminadas no ditongo nasal grafado *-em* (exceto as formas da 3ª pessoa do plural do presente do indicativo dos compostos de *ter* e *vir*: *retêm, sustêm; advêm, provêm*; etc.) ou *-ens*: *acém, detém, deténs, entretém, entreténs, harém, haréns, porém, provém, provéns, também*.

d) As palavras oxítonas com os ditongos abertos grafados *-éi*, *-éu* ou *-ói*, podendo estes dois últimos ser seguidos ou não de *-s*: *anéis, batéis, fiéis, papéis; céu(s), chapéu(s), ilhéu(s), véu(s); corrói* (de *corroer*), *herói(s), remói* (de *remoer*), *sóis*.

2º – Acentuam-se com acento circunflexo:

a) As palavras oxítonas terminadas nas vogais tónicas/tônicas fechadas que se grafam *-e* ou *-o*, seguidas ou não de *-s*: *cortês, dê, dês* (de *dar*), *lê, lês* (de *ler*), *português, você(s); avô(s), pôs* (de *pôr*), *robô(s)*.

b) As formas verbais oxítonas, quando, conjugadas com os pronomes clíticos *-lo(s)* ou *-la(s)*, ficam a terminar nas vogais tónicas/tônicas fechadas que se grafam *-e* ou *-o*, após a assimilação e perda das consoantes finais grafadas *-r*, *-s* ou *-z*: *detê-lo(s)* (de *deter-lo(s)*), *fazê-la(s)* (de *fazer-la(s)*), *fê-lo(s)* (de *fez-lo(s)*), *vê-la(s)* (de *ver-la(s)*), *compô-la(s)* (de *compor-la(s)*), *repô-la(s)* (de *repor-la(s)*), *pô-la(s)* (de *por-la(s)* ou *pôs-la(s)*).

3º – Prescinde-se de acento gráfico para distinguir palavras oxítonas homógrafas, mas heterofónicas/heterofônicas, do tipo de *cor*(ô), substantivo, e *cor*(ó), elemento da locução *de cor*; *colher*(ê), verbo, e *colher*(é), substantivo. Excetua-se a forma verbal *pôr*, para a distinguir da preposição *por*.

BASE IX

Da acentuação gráfica das palavras paroxítonas

1º – As palavras paroxítonas não são em geral acentuadas graficamente: *enjoo, grave, homem, mesa, Tejo, vejo, velho, voo; avanço, floresta; abençoo, angolano, brasileiro; descobrimento, graficamente, moçambicano*.

2º – Recebem, no entanto, acento agudo:

a) As palavras paroxítonas que apresentam, na sílaba tónica/tônica, as vogais abertas grafadas *a*, *e*, *o* e ainda *i* ou *u* e que terminam em *-l*, *-n*, *-r*, *-x* e *-ps*, assim como, salvo raras exceções, as respectivas formas do plural, algumas das quais passam a proparoxítonas: *amável* (pl. *amáveis*), *Aníbal, dócil* (pl. *dóceis*), *dúctil* (pl. *dúcteis*), *fóssil* (pl. *fósseis*), *réptil* (pl. *répteis*; var. *reptil*, pl. *reptis*); *cármen* (pl. *cármenes* ou *carmens*; var. *carme*, pl. *carmes*); *dólmen* (pl. *dólmenes* ou *dolmens*), *éden* (pl. *édenes* ou *edens*), *líquen* (pl. *líquenes*), *lúmen* (pl. *lúmenes* ou *lumens*); *açúcar* (pl. *açúcares*), *almíscar* (pl. *almíscares*), *cadáver* (pl. *cadáveres*), *caráter* ou *carácter* (mas pl. *carateres* ou *caracteres*), *ímpar* (pl. *ímpares*); *Ájax, córtex* (pl. *córtex*; var. *córtice*, pl. *córtices*), *índex* (pl. *index*; var. *índice*, pl. *índices*), *tórax*, (pl. *tórax* ou *tóraxes*; var. *torace*, pl. *toraces*); *bíceps* (pl. *bíceps*; var. *bicípite*, pl. *bicípites*), *fórceps* (pl. *fórceps*; var. *fórcipe*, pl. *fórcipes*).

OBSERVAÇÃO: Muito poucas palavras deste tipo, com as vogais tónicas/tônicas grafadas *e* e *o* em fim de sílaba, seguidas das consoantes nasais grafadas *m* e *n*, apresentam oscilação de timbre nas pronúncias cultas da língua e, por conseguinte, também de acento gráfico (agudo ou circunflexo): *sémen* e *sêmen*, *xénon* e *xênon*; *fémur* e *fêmur*, *vómer* e *vômer*; *Fénix* e *Fênix*, *ónix* e *ônix*.

b) As palavras paroxítonas que apresentam, na sílaba tónica/tônica, as vogais abertas grafadas *a*, *e*, *o* e ainda *i* ou *u* e que terminam em *-ã(s)*, *-ão(s)*, *-ei(s)*, *-i(s)*, *-um*, *-uns* ou *-us*: *órfã* (pl. *órfãs*), *acórdão* (pl. *acórdãos*), *órfão* (pl. *órfãos*), *órgão* (pl. *órgãos*), *sótão* (pl. *sótãos*); *hóquei, jóquei* (pl. *jóqueis*), *amáveis* (pl. de *amável*), *fáceis* (pl. de *fácil*), *fósseis* (pl. de *fóssil*), *amáreis* (de *amar*), *amáveis* (id.), *cantaríeis* (de *cantar*), *fizéreis* (de *fazer*), *fizésseis* (id.); *beribéri* (pl. *beribéris*), *bílis* (sg. e pl.), *íris* (sg. e pl.), *júri* (pl. *júris*), *oásis* (sg. e pl.); *álbum* (pl. *álbuns*), *fórum* (pl. *fóruns*); *húmus* (sg. e pl.), *vírus* (sg. e pl.).

OBSERVAÇÃO: Muito poucas paroxítonas deste tipo, com as vogais tónicas/tônicas grafadas *e* e *o* em fim de sílaba, seguidas das consoantes nasais grafadas *m* e *n*, apresentam oscilação de timbre nas pronúncias cultas da língua, o qual é assinalado com acento agudo, se aberto, ou circunflexo, se fechado: *pónei* e *pônei*; *gónis* e *gônis*, *pénis* e *pênis*, *ténis* e *tênis*; *bónus* e *bônus*, *ónus* e *ônus*, *tónus* e *tônus*, *Vénus* e *Vênus*.

3º – Não se acentuam graficamente os ditongos representados por *ei* e *oi* da sílaba tónica/tônica das palavras paroxítonas, dado que existe oscilação em muitos casos entre o fechamento e a abertura na sua articulação: *assembleia, boleia, ideia*, tal como *aldeia, baleia, cadeia, cheia, meia; coreico, epopeico, onomatopeico, proteico; alcaloide, apoio* (do verbo *apoiar*), tal como *apoio* (subst.), *Azoia, boia, boina, comboio* (subst.), tal como *comboio, comboias*, etc. (do verbo comboiar), *dezoito, estroina, heroico, introito, jiboia, moina, paranoico, zoina*.

4º – É facultativo assinalar com acento agudo as formas verbais de pretérito perfeito do indicativo, do tipo *amámos, louvámos*, para as distinguir das correspondentes formas do presente do indicativo (*amamos, louvamos*), já que o timbre da vogal tónica/tônica é aberto naquele caso em certas variantes do português.

5º – Recebem acento circunflexo:

a) As palavras paroxítonas que contêm, na sílaba tónica/tônica, as vogais fechadas com a grafia *a*, *e*, *o* e que terminam em *-l*, *-n*, *-r* ou *-x*, assim como as respectivas formas do plural, algumas das quais se tornam proparoxítonas: *cônsul* (pl. *cônsules*), *pênsil* (*pênseis*), *têxtil* (pl. *têxteis*); *cânon*, var. *cânone*, (pl. *cânones*), *plâncton* (pl. *plânctons*); *Almodôvar, aljôfar* (pl. *aljôfares*), *âmbar* (pl. *âmbares*), *Câncer, Tânger*; *bômbax* (sg. e pl.), *bômbix*, var. *bômbice*, (pl. *bômbices*).

b) As palavras paroxítonas que contêm, na sílaba tónica/tônica, as vogais fechadas com a grafia *a*, *e*, *o* e que terminam em *-ão(s)*, *-eis*, *-i(s)* ou *-us*: *bênção(s), côvão(s), Estêvão, zângão(s); devêreis* (de *dever*), *escrevêsseis* (de *escrever*), *fôreis* (de *ser* e *ir*), *fôsseis* (id.), *pênseis* (pl. de *pênsil*), *têxteis* (pl. de *têxtil*); *dândi(s), Mênfis; ânus*.

c) As formas verbais *têm* e *vêm*, 3.as pessoas do plural do presente do indicativo de *ter* e *vir*, que são foneticamente paroxítonas (respectivamente /tãjãj/, /vãjãj/ ou /têêj/, /vêêj/ ou ainda /têjêj/, /vêjêj/; cf. as antigas grafias preteridas, *têem, vêem*), a fim de se distinguirem de *tem* e *vem*, 3.as pessoas do singular do presente do indicativo ou 2.as pessoas do singular do imperativo; e também as correspondentes formas compostas, tais como: *abstêm* (cf. *abstém*), *advêm* (cf. *advém*), *contêm* (cf. *contém*), *convêm* (cf. *convém*), *desconvêm* (cf. *desconvém*), *detêm* (cf. *detém*), *entretêm* (cf. *entretém*), *intervêm* (cf. *intervém*), *mantêm* (cf. *mantém*), *obtêm* (cf. *obtém*), *provêm* (cf. *provém*), *sobrevêm* (cf. *sobrevém*).

OBSERVAÇÃO: Também neste caso são preteridas as antigas grafias *detêem, intervêem, mantêem, provêem*, etc.

6º – Assinalam-se com acento circunflexo:

a) Obrigatoriamente, *pôde* (3.ª pessoa do singular do pretérito perfeito do indicativo), que se distingue da correspondente forma do presente do indicativo (*pode*).

b) Facultativamente, *dêmos* (1.ª pessoa do plural do presente do conjuntivo), para se distinguir da correspondente forma do pretérito perfeito do indicativo (*demos*); *fôrma* (substantivo), distinta de *forma* (substantivo; 3.ª pessoa do singular do presente do indicativo ou 2.ª pessoa do singular do imperativo do verbo *formar*).

7º – Prescinde-se de acento circunflexo nas formas verbais paroxítonas que contêm um *e* tónico/tônico oral fechado em hiato com a terminação *-em* da 3.ª pessoa do plural do presente do indicativo ou do conjuntivo, conforme os casos: *creem, deem* (conj.), *descreem, desdeem* (conj.), *leem, preveem, redeem* (conj.), *releem, reveem, tresleem, veem*.

8º – Prescinde-se igualmente do acento circunflexo para assinalar a vogal tónica/tônica fechada com a grafia *o* em palavras paroxítonas como *enjoo*, substantivo e flexão de *enjoar*, *povoo*, flexão de *povoar*, *voo*, substantivo e flexão de *voar*, etc.

9º – Prescinde-se, quer do acento agudo, quer do circunflexo, para distinguir palavras paroxítonas que, tendo respectivamente vogal tónica/tônica aberta ou fechada, são homógrafas de palavras proclíticas. Assim, deixam de se distinguir pelo acento gráfico: *para* (á), flexão de *parar*, e *para*, preposição; *pela(s)* (é), substantivo e flexão de *pelar*, e *pela(s)*, combinação de *per* e *la(s)*; *pelo* (é), flexão de *pelar*, *pelo(s)* (ê), substantivo ou combinação de *per* e *lo(s)*; *polo(s)* (ó), substantivo, e *polo(s)*, combinação antiga e popular de *por* e *lo(s)*; etc.

10º – Prescinde-se igualmente de acento gráfico para distinguir paroxítonas homógrafas heterofónicas/heterofônicas do tipo de *acerto* (ê), substantivo e *acerto* (é), flexão de *acertar*; *acordo* (ô), substantivo, e *acordo* (ó), flexão de *acordar*; *cerca* (ê), substantivo, advérbio e elemento da locução prepositiva *cerca de*, e *cerca* (é), flexão de *cercar*; *coro* (ô), substantivo, e *coro* (ó), flexão de *corar*; *deste* (ê), contracção da preposição *de* com o demonstrativo *este*, e *deste* (é), flexão de *dar*; *fora* (ô), flexão de *ser* e *ir*, e *fora* (ó), advérbio, interjeição e substantivo; *piloto* (ô), substantivo, e *piloto* (ó), flexão de *pilotar*, etc.

BASE X

Da acentuação das vogais tónicas/tônicas grafadas i e u das palavras oxítonas e paroxítonas

1º – As vogais tónicas/tônicas grafadas *i* e *u* das palavras oxítonas e paroxítonas levam acento agudo quando antecedidas de uma vogal com que não formam ditongo e desde que não constituam sílaba com a eventual consoante seguinte, excetuando o caso de *s*: *adaís* (pl. de *adail*), *aí, atraí* (de *atrair*), *baú, caís* (de *cair*), *Esaú, jacuí, Luís, país*, etc.; *alaúde, amiúde, Araújo, Ataíde, atraíam* (de *atrair*), *atraísse* (id.), *baía, balaústre, cafeína, ciúme, egoísmo, faísca, faúlha, graúdo, influíste* (de *influir*), *juízes, Luísa, miúdo, paraíso, raízes, recaída, ruína, saída, sanduíche*, etc.

2º – As vogais tónicas/tônicas grafadas *i* e *u* das palavras oxítonas e paroxítonas não levam acento agudo quando, antecedidas de vogal com que não formam ditongo, constituem sílaba com a consoante seguinte, como é o caso de *nh, l, m, n, r* e *z*: *bainha, moinho, rainha*; *adail, paul, Raul*; *Aboim, Coimbra, ruim*; *ainda, constituinte, oriundo, ruins, triunfo*; *atrair, demiurgo, influir, influirmos*; *juiz, raiz*; etc.

3º – Em conformidade com as regras anteriores leva acento agudo a vogal tónica/tônica grafada *i* das formas oxítonas terminadas em *r* dos verbos em *-air* e *-uir*, quando estas se combinam com as formas pronominais clíticas *-lo(s), -la(s)*, que levam à assimilação e perda daquele *-r*: *atraí-lo(s)* (de *atrair-lo(s)*); *atraí-lo(s)-ia* (de *atrair-lo(s)-ia*); *possuí-la(s)* (de *possuir-la(s)*); *possuí-la(s)-ia* (de *possuir-la(s)-ia*).

4º – Prescinde-se do acento agudo nas vogais tónicas/tônicas grafadas *i* e *u* das palavras paroxítonas, quando elas estão precedidas de ditongo: *baiuca, boiuno, cauila* (var. *cauira*), *cheiinho* (de *cheio*), *saiinha* (de *saia*).

5º – Levam, porém, acento agudo as vogais tónicas/tônicas grafadas *i* e *u* quando, precedidas de ditongo, pertencem a palavras oxítonas e estão em posição final ou seguidas de *s*: *Piauí, teiú, teiús, tuiuiú, tuiuiús*.

OBSERVAÇÃO: Se, neste caso, a consoante final for diferente de *s*, tais vogais dispensam o acento agudo: *cauim*.

6º – Prescinde-se do acento agudo nos ditongos tónicos/tônicos grafados *iu* e *ui*, quando precedidos de vogal: *distraiu, instruiu, pauis* (pl. de *paul*).

7º – Os verbos *arguir* e *redarguir* prescindem do acento agudo na vogal tónica/tônica grafada *u* nas formas rizotónicas/rizotônicas: *arguo, arguis, argui, arguem, argua, arguas, argua, arguam*. Os verbos do tipo de *aguar, apaniguar, apaziguar, apropinquar, averiguar, desaguar, enxaguar, obliquar, delinquir* e afins, por oferecerem dois paradigmas, ou têm as formas rizotónicas/rizotônicas igualmente acentuadas no *u* mas sem marca gráfica (a exemplo de *averiguo, averiguas, averigua, averiguam*; *averigue, averigues, averigue, averiguem*; *enxaguo, enxaguas, enxagua, enxaguam*; *enxague, enxagues, enxague, enxaguem*, etc.; *delinquo, delinquis, delinqui, delinquem*; mas *delinquimos, delinquis*) ou têm as formas rizotónicas/rizotônicas acentuadas fónica/fônica e graficamente nas vogais *a* ou *i* radicais (a exemplo de *averíguo, averíguas, averígua, averíguam*; *averígue, averígues, averígue, averíguem*; *enxáguo, enxáguas, enxágua, enxáguam*; *enxágue, enxágues, enxágue, enxáguem*; *delínquo, delínques*; *delínque, delínquem*; *delínqua, delínquas, delínqua, delínquam*).

OBSERVAÇÃO: Em conexão com os casos acima referidos, registre-se que os verbos em *-ingir* (*atingir, cingir, constringir, infringir, tingir*, etc.) e os verbos em *-inguir* sem prolação do *u* (*distinguir, extinguir*, etc.) têm grafias absolutamente regulares (*atinjo, atinja, atinge, atingimos*, etc.; *distingo, distinga, distingue, distinguimos*, etc.)

BASE XI

Da acentuação gráfica das palavras proparoxítonas

1º – Levam acento agudo:

a) As palavras proparoxítonas que apresentam na sílaba tónica/tônica as vogais abertas grafadas *a, e, o* e ainda *i, u* ou ditongo oral começado por vogal aberta: *árabe, cáustico, Cleópatra, esquálido, exército, hidráulico, líquido, míope, músico, plástico, prosélito, público, rústico, tétrico, último*.

b) As chamadas proparoxítonas aparentes, isto é, que apresentam na sílaba tónica/tônica as vogais abertas grafadas *a, e, o* e ainda *i, u* ou ditongo oral começado por vogal aberta, e que terminam por sequências vocálicas pós-tónicas/pós-tônicas praticamente consideradas como ditongos crescentes (*-ea, -eo, -ia, -ie, -io, -oa, -ua, -uo*, etc.): *álea, náusea*; *etéreo, níveo*; *enciclopédia, glória*; *barbárie, série*; *lírio, prélio*; *mágoa, nódoa*; *exígua, língua*; *exíguo, vácuo*.

2º – Levam acento circunflexo:

a) As palavras proparoxítonas que apresentam na sílaba tónica/tônica vogal fechada ou ditongo com a vogal básica fechada: *anacreôntico, brêtema, cânfora, cômputo, devêramos* (de *dever*), *dinâmico, êmbolo, excêntrico, fôssemos* (de *ser* e *ir*), *Grândola, hermenêutica, lâmpada, lôstrego, lôbrego, nêspera, plêiade, sôfrego, sonâmbulo, trôpego*.

b) As chamadas proparoxítonas aparentes, isto é, que apresentam vogais fechadas na sílaba tónica/tônica, e terminam por sequências vocálicas pós-tónicas/pós-tônicas praticamente consideradas como ditongos crescentes: *amêndoa, argênteo, côdea, Islândia, Mântua, serôdio*.

3º – Levam acento agudo ou acento circunflexo as palavras proparoxítonas, reais ou aparentes, cujas vogais tónicas/tônicas grafadas *e* ou *o* estão em final de sílaba e são seguidas das consoantes nasais grafadas *m* ou *n*, conforme o seu timbre é, respectivamente, aberto ou fechado nas pronúncias cultas da língua: *académico/acadêmico, anatómico/anatômico, cénico/cênico, cómodo/cômodo, fenómeno/fenômeno, género/gênero, topónimo/topônimo; Amazónia/Amazônia, António/Antônio, blasfémia/blasfêmia, fémea/fêmea, gémeo/gêmeo, génio/gênio, ténue/tênue*.

BASE XII

Do emprego do acento grave

1º – Emprega-se o acento grave:

a) Na contração da preposição *a* com as formas femininas do artigo ou pronome demonstrativo *o*: *à* (de *a* + *a*), *às* (de *a* + *as*).

b) Na contração da preposição *a* com os demonstrativos *aquele, aquela, aqueles, aquelas* e *aquilo* ou ainda da mesma preposição com os compostos *aqueloutro* e suas flexões: *àquele(s), àquela(s), àquilo; àqueloutro(s), àqueloutra(s)*.

BASE XIII

Da supressão dos acentos em palavras derivadas

1º – Nos advérbios em *-mente*, derivados de adjetivos com acento agudo ou circunflexo, estes são suprimidos: *avidamente* (de *ávido*), *debilmente* (de *débil*), *facilmente* (de *fácil*), *habilmente* (de *hábil*), *ingenuamente* (de *ingênuo*), *lucidamente* (de *lúcido*), *mamente* (de *má*), *somente* (de *só*), *unicamente* (de *único*), etc.; *candidamente* (de *cândido*), *cortesmente* (de *cortês*), *dinamicamente* (de *dinâmico*), *espontaneamente* (de *espontâneo*), *portuguesmente* (de *português*), *romanticamente* (de *romântico*).

2º – Nas palavras derivadas que contêm sufixos iniciados por *z* e cujas formas de base apresentam vogais tónica/tônica com acento agudo ou circunflexo, estes são suprimidos: *aneizinhos* (de *anéis*), *avozinha* (de *avó*), *bebezito* (de *bebê*), *cafezada* (de *café*), *chapeuzinho* (de *chapéu*), *chazeiro* (de *chá*), *heroizito* (de *herói*), *ilheuzito* (de *ilhéu*), *mazinha* (de *má*), *orfãozinho* (de *órfão*), *vintenzito* (de *vintém*), etc.; *avozinho* (de *avô*), *bençãozinha* (de *bênção*), *lampadazita* (de *lâmpada*), *pessegozito* (de *pêssego*).

BASE XIV

Do trema

O trema, sinal de diérese, é inteiramente suprimido em palavras portuguesas ou aportuguesadas. Nem sequer se emprega na poesia, mesmo que haja separação de duas vogais que normalmente formam ditongo: *saudade*, e não *saüdade*, ainda que tetrassílabo; *saudar*, e não *saüdar*, ainda que trissílabo; etc.

Em virtude desta supressão, abstrai-se de sinal especial, quer para distinguir, em sílaba átona, um *i* ou um *u* de uma vogal da sílaba anterior, quer para distinguir, também em sílaba átona, um *i* ou um *u* de um ditongo precedente, quer para distinguir, em sílaba tónica/tônica ou átona, o *u* de *gu* ou de *qu* de um *e* ou *i* seguintes: *arruinar, constituiria, depoimento, esmiuçar, faiscar, faulhar, oleicultura, paraibano, reunião; abaiucado, auiqui, caiuá, cauixi, piauiense; aguentar, anguiforme, arguir, bilíngue* (ou *bilingue*), *lingueta, linguista, linguístico; cinquenta, equestre, frequentar, tranquilo, ubiquidade*.

OBSERVAÇÃO: Conserva-se, no entanto, o trema, de acordo com a Base I, 3º, em palavras derivadas de nomes próprios estrangeiros: *hübneriano*, de *Hübner*, *mülleriano*, de *Müller*, etc.

BASE XV

Do hífen em compostos, locuções e encadeamentos vocabulares

1º – Emprega-se o hífen nas palavras compostas por justaposição que não contêm formas de ligação e cujos elementos, de natureza nominal, adjetival, numeral ou verbal, constituem uma unidade sintagmática e semântica e mantêm acento próprio, podendo dar-se o caso de o primeiro elemento estar reduzido: *ano-luz, arcebispo-bispo, arco-íris, decreto-lei, és-sueste, médico-cirurgião, rainha-cláudia, tenente-coronel, tio-avô, turma-piloto; alcaide-mor, amor-perfeito, guarda-noturno, mato-grossense, norte-americano, porto-alegrense, sul-africano; afro-asiático, afro-luso-brasileiro, azul-escuro, luso-brasileiro, primeiro-ministro, primeiro-sargento, primo-infeção, segunda-feira; conta-gotas, finca-pé, guarda-chuva*.

OBSERVAÇÃO: Certos compostos, em relação aos quais se perdeu, em certa medida, a noção de composição, grafam-se aglutinadamente: *girassol, madressilva, mandachuva, pontapé, paraquedas, paraquedista*, etc.

2º – Emprega-se o hífen nos topónimos/topônimos compostos, iniciados pelos adjetivos *grã, grão* ou por forma verbal ou cujos elementos estejam ligados por artigo: *Grã-Bretanha, Grão-Pará; Abre-Campo; Passa-Quatro, Quebra-Costas, Quebra-Dentes, Traga-Mouros, Trinca-Fortes; Alberga-ria-a-Velha, Baía de Todos-os-Santos, Entre-os-Rios, Montemor-o-Novo, Trás-os-Montes*.

OBSERVAÇÃO: Os outros topónimos/topônimos compostos escrevem-se com os elementos separados, sem hífen: *América do Sul, Belo Horizonte, Cabo Verde, Castelo Branco, Freixo de Espada à Cinta*, etc. O topónimo/topônimo *Guiné-Bissau* é, contudo, uma exceção consagrada pelo uso.

3º – Emprega-se o hífen nas palavras compostas que designam espécies botânicas e zoológicas, estejam ou não ligadas por preposição ou qualquer outro elemento: *abóbora-menina, couve-flor, erva-doce, feijão-verde; benção-de-deus, erva-do-chá, ervilha-de-cheiro, fava-de-santo-inácio; bem-me-quer* (nome de planta que também se dá à *margarida* e ao *malmequer*); *andorinha-grande, cobra-capelo, formiga-branca; andorinha-do-mar, cobra-d'água, lesma-de-conchinha; bem-te-vi* (nome de um pássaro).

4º – Emprega-se o hífen nos compostos com os advérbios *bem* e *mal*, quando estes formam com o elemento que se lhes segue uma unidade sintagmática e semântica e tal elemento começa por *vogal* ou *h*. No entanto, o advérbio *bem*, ao contrário do *mal*, pode não se aglutinar com palavras começadas por consoante. Eis alguns exemplos das várias situações: *bem-aventurado, bem-estar, bem-humorado; mal-afortunado, mal-estar, mal-humorado; bem-criado* (cf. *malcriado*), *bem-ditoso* (cf. *malditoso*), *bem-falante* (cf. *malfalante*), *bem-mandado* (cf. *malmandado*), *bem-nascido* (cf. *malnascido*), *bem-soante* (cf. *malsoante*), *bem-visto* (cf. *malvisto*).

OBSERVAÇÃO: Em muitos compostos, o advérbio *bem* aparece aglutinado com o segundo elemento, quer este tenha ou não vida à parte: *benfazejo, benfeito, benfeitor, benquerença*, etc.

5º – Emprega-se o hífen nos compostos com os elementos *além, aquém, recém* e *sem*: *além-Atlântico, além-mar, além-fronteiras; aquém-mar, aquém-Pirenéus; recém-casado, recém-nascido; sem-cerimônia, sem-número, sem-vergonha*.

6º – Nas locuções de qualquer tipo, sejam elas substantivas, adjetivas, pronominais, adverbiais, prepositivas ou conjuncionais, não se emprega em geral o hífen, salvo algumas exceções já consagradas pelo uso (como é o caso de *água-de-colônia, arco-da-velha, cor-de-rosa, mais-que-perfeito, pé-de-meia, ao deus-dará, à queima-roupa*). Sirvam, pois, de exemplo de emprego sem hífen as seguintes locuções:

a) Substantivas: *cão de guarda, fim de semana, sala de jantar*;
b) Adjetivas: *cor de açafrão, cor de café com leite, cor de vinho*;
c) Pronominais: *cada um, ele próprio, nós mesmos, quem quer que seja*;
d) Adverbiais: *à parte* (note-se o substantivo *aparte*), *à vontade, de mais* (locução que se contrapõe a *de menos*; note-se *demais*, advérbio, conjunção, etc.), *depois de amanhã, em cima, por isso*;
e) Prepositivas: *abaixo de, acerca de, acima de, a fim de, a par de, à parte de, apesar de, aquando de, debaixo de, enquanto a, por baixo de, por cima de, quanto a*;
f) Conjuncionais: *a fim de que, ao passo que, contanto que, logo que, por conseguinte, visto que*.

7º – Emprega-se o hífen para ligar duas ou mais palavras que ocasionalmente se combinam, formando, não propriamente vocábulos, mas encadeamentos vocabulares (tipo: a divisa *Liberdade-Igualdade-Fraternidade*, a ponte *Rio-Niterói*, o percurso *Lisboa-Coimbra-Porto*, a ligação *Angola-Moçambique*), e bem assim nas combinações históricas ou ocasionais de topónimos/topônimos (tipo: *Áustria-Hungria, Alsácia-Lorena, Angola-Brasil, Tóquio-Rio de Janeiro*, etc.).

BASE XVI

Do hífen nas formações por prefixação, recomposição e sufixação

1º – Nas formações com prefixos (como, por exemplo: *ante-, anti-, circum-, co-, contra-, entre-, extra-, hiper-, infra-, intra-, pós-, pré-, pró-, sobre-, sub-, super-, supra-, ultra-*, etc.) e em formações por recomposição, isto é, com elementos não autónomos ou falsos prefixos, de origem grega e latina (tais como: *aero-, agro-, arqui-, auto-, bio-, eletro-, geo-, hidro-, inter-, macro-, maxi-, micro-, mini-, multi-, neo-, pan-, pluri-, proto-, pseudo-, retro-, semi-, tele-*, etc.), só se emprega o hífen nos seguintes casos:

a) Nas formações em que o segundo elemento começa por *h*: *anti-higiénico/anti-higiênico, circum-hospitalar, co-herdeiro, contra-harmónico/contra-harmônico, extra-humano, pré-história, sub-hepático, super-homem, ultra-hiperbólico*; *arqui-hipérbole, eletro-higrómetro, geo-história, neo-helénico/neo-helênico, pan-helenismo, semi-hospitalar*.

OBSERVAÇÃO: Não se usa, no entanto, o hífen em formações que contêm em geral os prefixos *des-* e *in-* e nas quais o segundo elemento perdeu o *h* inicial: *desumano, desumidificar, inábil, inumano*, etc.

b) Nas formações em que o prefixo ou pseudoprefixo termina na mesma vogal com que se inicia o segundo elemento: *anti-ibérico, contra-almirante, infra-axilar, supra-auricular*; *arqui-irmandade, auto-observação, eletro-ótica, micro-onda, semi- interno*.

OBSERVAÇÃO: Nas formações com o prefixo *co-*, este aglutina-se em geral com o segundo elemento mesmo quando iniciado por *o*: *coobrigação, coocupante, coordenar, cooperação, cooperar*, etc.

c) Nas formações com os prefixos *circum-* e *pan-*, quando o segundo elemento começa por vogal, *m* ou *n* (além de *h*, caso já considerado atrás na alínea a): *circum-escolar, circum-murado, circum-navegação*; *pan-africano, pan-mágico, pan-negritude*.
d) Nas formações com os prefixos *hiper-, inter-* e *super-*, quando combinados com elementos iniciados por *r*: *hiper-requintado, inter-resistente, super-revista*.
e) Nas formações com os prefixos *ex-* (com o sentido de estado anterior ou cessamento), *sota-, soto-, vice-* e *vizo-*: *ex-almirante, ex-diretor, ex-hospedeira, ex-presidente, ex-primeiro-ministro, ex-rei*; *sota-piloto, soto-mestre, vice-presidente, vice-reitor, vizo-rei*.
f) Nas formações com os prefixos tónicos/tônicos acentuados graficamente *pós-, pré-* e *pró-* quando o segundo elemento tem vida à parte (ao contrário do que acontece com as correspondentes formas átonas que se aglutinam com o elemento seguinte): *pós-graduação, pós-tónico/pós-tônicos* (mas *pospor*); *pré-escolar, pré-natal* (mas *prever*); *pró-africano, pró-europeu* (mas *promover*).

2º – Não se emprega, pois, o hífen:
a) Nas formações em que o prefixo ou falso prefixo termina em vogal e o segundo elemento começa por *r* ou *s*, devendo estas consoantes duplicar-se, prática aliás já generalizada em palavras deste tipo pertencentes aos domínios científico e técnico. Assim: *antirreligioso, antissemita, contrarregra, contrassenha, cosseno, extrarregular, infrassom, minissaia*, tal como *biorritmo, biossatélite, eletrossiderurgia, microssistema, microrradiografia*.
b) Nas formações em que o prefixo ou pseudoprefixo termina em vogal e o segundo elemento começa por vogal diferente, prática esta em geral já adotada também para os termos técnicos e científicos. Assim: *antiaéreo, coeducação, extraescolar*; *aeroespacial, autoestrada, autoaprendizagem, agroindustrial, hidroelétrico, plurianual*.

3º – Nas formações por sufixação apenas se emprega o hífen nos vocábulos terminados por sufixos de origem tupi-guarani que representam formas adjetivas, como *açu, guaçu* e *mirim*, quando o primeiro elemento acaba em vogal acentuada graficamente ou quando a pronúncia exige a distinção gráfica dos dois elementos: *amoré-guaçu, anajá-mirim, andá-açu, capim-açu, Ceará-Mirim*.

BASE XVII

Do hífen na ênclise, na tmese e com o verbo haver

1º – Emprega-se o hífen na ênclise e na tmese: *amá-lo, dá-se, deixa-o, partir-lhe*; *amá-lo-ei, enviar-lhe-emos*.

2º – Não se emprega o hífen nas ligações da preposição *de* às formas monossilábicas do presente do indicativo do verbo haver: *hei de, hás de, hão de*, etc.

OBSERVAÇÃO: 1. Embora estejam consagradas pelo uso as formas verbais *quer* e *requer*, dos verbos *querer* e *requerer*, em vez de *quere* e *requere*, estas últimas formas conservam-se, no entanto, nos casos de ênclise: *quere-o(s), requere-o(s)*. Nestes contextos, as formas (legítimas, aliás) *qué-lo* e *requé-lo* são pouco usadas.

OBSERVAÇÃO: 2. Usa-se também o hífen nas ligações de formas pronominais enclíticas ao advérbio *eis* (*eis-me, ei-lo*) e ainda nas combinações de formas pronominais do tipo *no-lo, vo-las*, quando em próclise (por ex.: *esperamos que no-lo comprem*).

BASE XVIII

Do apóstrofo

1º – São os seguintes os casos de emprego do apóstrofo:
a) Faz-se uso do apóstrofo para cindir graficamente uma contração ou aglutinação vocabular, quando um elemento ou fração respectiva pertence propriamente a um conjunto vocabular distinto: *d'*Os Lusíadas, *d'*Os Sertões; *n'*Os Lusíadas, *n'*Os Sertões; *pel'*Os Lusíadas, *pel'*Os Sertões. Nada obsta, contudo, a que estas escritas sejam substituídas por empregos de preposições íntegras, se o exigir razão especial de clareza, expressividade ou ênfase: *de* Os Lusíadas, *em* Os Lusíadas, *por* Os Lusíadas, etc.
As cisões indicadas são análogas às dissoluções gráficas que se fazem, embora sem emprego do apóstrofo, em combinações da preposição *a* com palavras pertencentes a conjuntos vocabulares imediatos: *a* A Relíquia, *a* Os Lusíadas (exemplos: *importância atribuída a* A Relíquia; *recorro a* Os Lusíadas). Em tais casos, como é óbvio, entende-se que a dissolução gráfica nunca impede na leitura a combinação fonética: *a A = à, a Os = aos*, etc.
b) Pode cindir-se por meio do apóstrofo uma contração ou aglutinação vocabular, quando um elemento ou fração respectiva é forma pronominal e se lhe quer dar realce com o uso de maiúscula: *d'Ele, n'Ele, d'Aquele, n'Aquele, d'O, n'O, pel'O, m'O, t'O, lh'O*, casos em que a segunda parte, forma masculina, é aplicável a Deus, a Jesus, etc.; *d'Ela, n'Ela, d'Aquela, d'A, n'A, pel'A, m'A, t'A, lh'A*, casos em que a segunda parte, forma feminina, é aplicável à mãe de Jesus, à

Providência, etc. Exemplos frásicos: *confiamos n'O que nos salvou; esse milagre revelou-m'O; está n'Ela a nossa esperança; pugnemos pel'A que é nossa padroeira.*

À semelhança das cisões indicadas, pode dissolver-se graficamente, posto que sem uso do apóstrofo, uma combinação da preposição *a* com uma forma pronominal realçada pela maiúscula: *a O, a Aquele, a Aquela* (entendendo-se que a dissolução gráfica nunca impede na leitura a combinação fonética: *a O = ao, a Aquela = àquela*, etc.). Exemplos frásicos: *a O que tudo pode; a Aquela que nos protege.*

c) Emprega-se o apóstrofo nas ligações das formas *santo* e *santa* a nomes do hagiológio, quando importa representar a elisão das vogais finais *o* e *a*: *Sant'Ana, Sant'Iago*, etc. É, pois, correto escrever: *Calçada de Sant'Ana, Rua de Sant'Ana; culto de Sant'Iago, Ordem de Sant'Iago*. Mas, se as ligações deste gênero, como é o caso destas mesmas Sant'Ana e Sant'Iago, se tornam perfeitas unidades mórficas, aglutinam-se os dois elementos: *Fulano de Santana, ilhéu de Santana, Santana de Parnaíba; Fulano de Santiago, ilha de Santiago, Santiago do Cacém*. Em paralelo com a grafia *Sant'Ana* e congêneres, emprega-se também o apóstrofo nas ligações de duas formas antroponímicas, quando é necessário indicar que na primeira se elide um *o* final: *Nun'Álvares, Pedr'Eanes*.

Note-se que nos casos referidos as escritas com apóstrofo, indicativas de elisão, não impedem, de modo algum, as escritas sem apóstrofo: *Santa Ana, Nuno Álvares, Pedro Álvares*, etc.

d) Emprega-se o apóstrofo para assinalar, no interior de certos compostos, a elisão do *e* da preposição *de*, em combinação com substantivos: *borda-d'água, cobra-d'água, copo-d'água, estrela-d'alva, galinha-d'água, mãe-d'água, pau-d'água, pau-d'alho, pau-d'arco, pau-d'óleo.*

2º – São os seguintes os casos em que não se usa o apóstrofo:

Não é admissível o uso do apóstrofo nas combinações das preposições *de* e *em* com as formas do artigo definido, com formas pronominais diversas e com formas adverbiais (excetuado o que se estabelece nas alíneas *1º a* e *1º b*). Tais combinações são representadas:

a) Por uma só forma vocabular, se constituem, de modo fixo, uniões perfeitas:

I) *do, da, dos, das; dele, dela, deles, delas; deste, desta, destes, destas, disto; desse, dessa, desses, dessas, disso; daquele, daquela, daqueles, daquelas, daquilo; destoutro, destoutra, destoutros, destoutras; dessoutro, dessoutra, dessoutros, dessoutras; daqueloutro, daqueloutra, daqueloutros, daqueloutras; daqui; daí; dali; dacolá; donde; dantes (= antigamente);*

II) *no, na, nos, nas; nele, nela, neles, nelas; neste, nesta, nestes, nestas, nisto; nesse, nessa, nesses, nessas, nisso; naquele, naquela, naqueles, naquelas, naquilo; nestoutro, nestoutra, nestoutros, nestoutras; nessoutro, nessoutra, nessoutros, nessoutras; naqueloutro, naqueloutra, naqueloutros, naqueloutras; num, numa, nuns, numas; noutro, noutra, noutros, noutras, noutrem; nalgum, nalguma, nalguns, nalgumas, nalguém.*

b) Por uma ou duas formas vocabulares, se não constituem, de modo fixo, uniões perfeitas (apesar de serem correntes com esta feição em algumas pronúncias): *de um, de uma, de uns, de umas*, ou *dum, duma, duns, dumas; de algum, de alguma, de alguns, de algumas, de alguém, de algo, de algures, de alhures*, ou *dalgum, dalguma, dalguns, dalgumas, dalguém, dalgo, dalgures, dalhures; de outro, de outra, de outros, de outras, de outrem, de outrora*, ou *doutro, doutra, doutros, doutras, doutrem, doutrora; de aquém* ou *daquém; de além* ou *dalém; de entre* ou *dentre*.

De acordo com os exemplos deste último tipo, tanto se admite o uso da locução adverbial *de ora avante* como do advérbio que representa a contração dos seus três elementos: *doravante*.

OBSERVAÇÃO: Quando a preposição *de* se combina com as formas articulares ou pronominais *o, a, os, as*, ou com quaisquer pronomes ou advérbios começados por vogal, mas acontece estarem essas palavras integradas em construções de infinitivo, não se emprega o apóstrofo, nem se funde a preposição com a forma imediata, escrevendo-se estas duas separadamente: *a fim de ele compreender; apesar de o não ter visto; em virtude de os nossos pais serem bondosos; o fato de o conhecer; por causa de aqui estares.*

BASE XIX

Das minúsculas e maiúsculas

1º – A letra minúscula inicial é usada:

a) Ordinariamente, em todos os vocábulos da língua nos usos correntes.

b) Nos nomes dos dias, meses, estações do ano: *segunda-feira; outubro; primavera.*

c) Nos bibliónimos/bibliônimos (após o primeiro elemento, que é com maiúscula, os demais vocábulos, podem ser escritos com minúscula, salvo nos nomes próprios nele contidos, tudo em grifo): *O Senhor do Paço de Ninães, O senhor do paço de Ninães, Menino de Engenho* ou *Menino de engenho, Árvore e Tambor* ou *Árvore e tambor.*

d) Nos usos de *fulano, sicrano, beltrano.*

e) Nos pontos cardeais (mas não nas suas abreviaturas); *norte, sul* (mas: *SW sudoeste*).

f) Nos axiónimos/axiônimos e hagiónimos/hagiônimos (opcionalmente, neste caso, também com maiúscula): *senhor doutor Joaquim da Silva, bacharel Mário Abrantes, o cardeal Bembo; santa Filomena* (ou *Santa Filomena*).

g) Nos nomes que designam domínios do saber, cursos e disciplinas (opcionalmente, também com maiúscula): *português* (ou *Português*), *matemática* (ou *Matemática*); *línguas e literaturas modernas* (ou *Línguas e Literaturas Modernas*).

2º – A letra maiúscula inicial é usada:

a) Nos antropónimos/antropônimos, reais ou fictícios: *Pedro Marques; Branca de Neve, D. Quixote.*

b) Nos topónimos/topônimos, reais ou fictícios: *Lisboa, Luanda, Maputo, Rio de Janeiro; Atlântida, Hespéria.*

c) Nos nomes de seres antropomorfizados ou mitológicos: *Adamastor; Neptuno/Netuno.*

d) Nos nomes que designam instituições: *Instituto de Pensões e Aposentadorias da Previdência Social.*

e) Nos nomes de festas e festividades: *Natal, Páscoa, Ramadão, Todos os Santos.*

f) Nos títulos de periódicos, que retêm o itálico: *O Primeiro de Janeiro, O Estado de São Paulo* (ou *S. Paulo*).

g) Nos pontos cardeais ou equivalentes, quando empregados absolutamente: *Nordeste*, por nordeste do Brasil, *Norte*, por norte de Portugal, *Meio-Dia*, pelo sul da França ou de outros países, *Ocidente*, por ocidente europeu, *Oriente*, por oriente asiático.

h) Em siglas, símbolos ou abreviaturas internacionais ou nacionalmente reguladas com maiúsculas, iniciais ou mediais ou finais ou o todo em maiúsculas: *FAO, NATO, ONU*; H_2O; *Sr., V. Exª.*

i) Opcionalmente, em palavras usadas reverencialmente, aulicamente ou hierarquicamente, em início de versos, em categorizações de logradouros públicos: (*rua* ou *Rua da Liberdade, largo* ou *Largo dos Leões*), de templos (*igreja* ou *Igreja do Bonfim, templo* ou *Templo do Apostolado Positivista*), de edifícios (*palácio* ou *Palácio da Cultura, edifício* ou *Edifício Azevedo Cunha*).

OBSERVAÇÃO: As disposições sobre os usos das minúsculas e maiúsculas não obstam a que obras especializadas observem regras próprias, provindas de códigos ou normalizações específicas (terminologias antropológica, geológica, bibliológica, botânica, zoológica, etc.), promanadas de entidades científicas ou normalizadoras, reconhecidas internacionalmente.

BASE XX

Da divisão silábica

A divisão silábica, que em regra se faz pela soletração (*a-ba-de, bru-ma, ca-cho, lha-no, ma-lha, ma-nha, má-xi-mo, ó-xi-do, ro-xo, tme-se*), e na qual, por isso, se não tem de atender aos elementos constitutivos dos vocábulos segundo a etimologia (*a-ba-li-e-nar, bi-sa-vô, de-sa-pa-re-cer, di-sú-ri-co, e-xâ-ni-me, hi-pe-ra-cús-ti-co, i-ná-bil, o-bo-val, su-bo-cu-lar, su-pe-rá-ci-do*), obedece a vários preceitos particulares, que rigorosamente cumpre seguir, quando se tem de fazer em fim de linha, mediante o emprego do hífen, a partição de uma palavra:

1º – São indivisíveis no interior da palavra, tal como inicialmente, e formam, portanto, sílaba para a frente as sucessões de duas consoantes que constituem perfeitos grupos, ou sejam (com exceção apenas de vários compostos cujos prefixos terminam em *b*, ou *d*: *ab-legação, ad-ligar, sub-lunar*, etc., em vez de *a-blegação, a-dligar, su-blunar*, etc.) aquelas sucessões em que a primeira consoante é uma labial, uma velar, uma dental ou uma labiodental e a segunda um *l* ou um *r*: *a-blução, cele-brar, du-plicação, re-primir, a-clamar, de-creto, de-glutição, re-grado; a-tlético, cáte-dra, períme-tro; a-fluir, a-fricano, ne-vrose*.

2º – São divisíveis no interior da palavra as sucessões de duas consoantes que não constituem propriamente grupos e igualmente as sucessões de *m* ou *n*, com valor de nasalidade, e uma consoante: *ab-dicar, Ed-gardo, op-tar, sub-por, ab-soluto, ad-jetivo, af-ta, bet-samita, íp-silon, ob-viar, des-cer, dis-ciplina, flores-cer, nas-cer, res-cisão; ac-ne, ad-mirável, Daf-ne, diafrag-ma, drac-ma, ét-nico, rit-mo, sub-meter, am-nésico, interam-nense; bir-reme, cor-roer, pror-rogar, as-segurar, bis-secular, sos-segar, bissex-to, contex-to, ex-citar, atroz-mente, capaz-mente, infeliz-mente; am-bição, desen-ganar, en-xame, man-chu, Mân-lio*, etc.

3º – As sucessões de mais de duas consoantes ou de *m* ou *n*, com o valor de nasalidade, e duas ou mais consoantes são divisíveis por um de dois meios: se nelas entra um dos grupos que são indivisíveis (de acordo com o preceito 1º), esse grupo forma sílaba para diante, ficando a consoante ou consoantes que o precedem ligadas à sílaba anterior; se nelas não entra nenhum desses grupos, a divisão dá-se sempre antes da última consoante. Exemplos dos dois casos: *cam-braia, ec-tlipse, em-blema, explicar, in-cluir, ins-crição, subs-crever, trans-gredir, abs-tenção, disp-neia, inters-telar, lambda-cismo, sols-ticial, Terp-sícore, tungs-tênio*.

4º – As vogais consecutivas que não pertencem a ditongos decrescentes (as que pertencem a ditongos deste tipo nunca se separam: *ai-roso, cadei-ra, insti-tui, ora-ção, sacris-tães, traves-sões*) podem, se a primeira delas não é *u* precedido de *g* ou *q*, e mesmo que sejam iguais, separar-se na escrita: *ala-úde, áre-as, ca-apeba, co-ordenar, do-er, flu-idez, perdo-as, vo-os*. O mesmo se aplica aos casos de contiguidade de ditongos, iguais ou diferentes, ou de ditongos e vogais: *cai-ais, cai-eis, ensai-os, flu-iu*.

5º – Os digramas *gu* e *qu*, em que o *u* se não pronuncia, nunca se separam da vogal ou ditongo imediato (*ne-gue, ne-guei; pe-que, pe-quei*), do mesmo modo que as combinações *gu* e *qu* em que o *u* se pronuncia: *á-gua, ambí-guo, averi-gueis, longín-quos, lo-quaz, quais-quer*.

6º – Na translineação de uma palavra composta ou de uma combinação de palavras em que há um hífen, ou mais, se a partição coincide com o final de um dos elementos ou membros, deve, por clareza gráfica, repetir-se o hífen no início da linha imediata: *ex- -alferes, serená- -los-emos* ou *serená- -los- -emos, vice- -almirante*.

BASE XXI

Das assinaturas e firmas

Para ressalva de direitos, cada qual poderá manter a escrita que, por costume ou registro legal, adote na assinatura do seu nome. Com o mesmo fim, pode manter-se a grafia original de quaisquer firmas comerciais, nomes de sociedades, marcas e títulos que estejam inscritos em registro público.

ANEXO II

NOTA EXPLICATIVA DO ACORDO ORTOGRÁFICO DA LÍNGUA PORTUGUESA (1990)

1. Memória breve dos acordos ortográficos

A existência de duas ortografias oficiais da língua portuguesa, a lusitana e a brasileira, tem sido considerada como largamente prejudicial para a unidade intercontinental do português e para o seu prestígio no Mundo.
Tal situação remonta, como é sabido, a 1911, ano em que foi adotada em Portugal a primeira grande reforma ortográfica, mas que não foi extensiva ao Brasil.
Por iniciativa da Academia Brasileira de Letras, em consonância com a Academia das Ciências de Lisboa, com o objetivo de se minimizarem os inconvenientes desta situação, foi aprovado em 1931 o primeiro acordo ortográfico entre Portugal e o Brasil. Todavia, por razões que não importa agora mencionar, este acordo não produziu, afinal, a tão desejada unificação dos dois sistemas ortográficos, fato que levou mais tarde à convenção ortográfica de 1943. Perante as divergências persistentes nos *Vocabulários* entretanto publicados pelas duas Academias, que punham em evidência os parcos resultados práticos do acordo de 1943, realizou-se, em 1945, em Lisboa, novo encontro entre representantes daquelas duas agremiações, o qual conduziu à chamada Convenção Ortográfica Luso--Brasileira de 1945. Mais uma vez, porém, este acordo não produziu os almejados efeitos, já que ele foi adotado em Portugal, mas não no Brasil.
Em 1971, no Brasil, e em 1973, em Portugal, foram promulgadas leis que reduziram substancialmente as divergências ortográficas entre os dois países. Apesar destas louváveis iniciativas, continuavam a persistir, porém, divergências sérias entre os dois sistemas ortográficos.
No sentido de as reduzir, a Academia das Ciências de Lisboa e a Academia Brasileira de Letras elaboraram em 1975 um novo projeto de acordo que não foi, no entanto, aprovado oficialmente por razões de ordem política, sobretudo vigentes em Portugal.
E é neste contexto que surge o encontro do Rio de Janeiro, em maio de 1986, e no qual se encontram, pela primeira vez na história da língua portuguesa, representantes não apenas de Portugal e do Brasil mas também dos cinco novos países africanos lusófonos entretanto emergidos da descolonização portuguesa.
O Acordo Ortográfico de 1986, conseguido na reunião do Rio de Janeiro, ficou, porém, inviabilizado pela reação polêmica contra ele movida sobretudo em Portugal.

2. Razões do fracasso dos acordos ortográficos

Perante o fracasso sucessivo dos acordos ortográficos entre Portugal e o Brasil, abrangendo o de 1986 também os países lusófonos de África, importa refletir seriamente sobre as razões de tal malogro.
Analisando sucintamente o conteúdo dos acordos de 1945 e de 1986, a conclusão que se colhe é a de que eles visavam impor uma unificação ortográfica absoluta.
Em termos quantitativos e com base em estudos desenvolvidos pela Academia das Ciências de Lisboa, com base num *corpus* de cerca de 110.000 palavras, conclui-se que o Acordo de 1986 conseguia a unificação ortográfica em cerca de 99,5% do vocabulário geral da língua. Mas conseguia-a sobretudo à custa da simplificação drástica do sistema de acentuação gráfica, pela supressão dos acentos nas palavras proparoxí-

tonas e paroxítonas, o que não foi bem aceito por uma parte substancial da opinião pública portuguesa.

Também o acordo de 1945 propunha uma unificação ortográfica absoluta que rondava os 100% do vocabulário geral da língua. Mas tal unificação assentava em dois princípios que se revelaram inaceitáveis para os brasileiros:

a) Conservação das chamadas consoantes mudas ou não articuladas, o que correspondia a uma verdadeira restauração destas consoantes no Brasil, uma vez que elas tinham há muito sido abolidas.

b) Resolução das divergências de acentuação das vogais tônicas *e* e *o*, seguidas das consoantes nasais *m* e *n*, das palavras proparoxítonas (ou esdrúxulas) no sentido da prática portuguesa, que consistia em as grafar com acento agudo e não circunflexo, conforme a prática brasileira.

Assim se procurava, pois, resolver a divergência de acentuação gráfica de palavras como *António* e *Antônio*, *cómodo* e *cômodo*, *género* e *gênero*, *oxigénio* e *oxigênio*, etc., em favor da generalização da acentuação com o diacrítico agudo. Esta solução estipulava, contra toda a tradição ortográfica portuguesa, que o acento agudo, nestes casos, apenas assinalava a tonicidade da vogal e não o seu timbre, visando assim resolver as diferenças de pronúncia daquelas mesmas vogais.

A inviabilização prática de tais soluções leva-nos à conclusão de que não é possível unificar por via administrativa divergências que assentam em claras diferenças de pronúncia, um dos critérios, aliás, em que se baseia o sistema ortográfico da língua portuguesa.

Nestas condições, há que procurar uma versão de unificação ortográfica que acautele mais o futuro do que o passado e que não receie sacrificar a simplificação também pretendida em 1986, em favor da máxima unidade possível. Com a emergência de cinco novos países lusófonos, os fatores de desagregação da unidade essencial da língua portuguesa far-se-ão sentir com mais acuidade e também no domínio ortográfico. Neste sentido importa, pois, consagrar uma versão de unificação ortográfica que fixe e delimite as diferenças atualmente existentes e previna contra a desagregação ortográfica da língua portuguesa.

Foi, pois, tendo presentes estes objetivos, que se fixou o novo texto de unificação ortográfica, o qual representa uma versão menos forte do que as que foram conseguidas em 1945 e 1986. Mas ainda assim suficientemente forte para unificar ortograficamente cerca de 98% do vocabulário geral da língua.

3. Forma e substância do novo texto

O novo texto de unificação ortográfica agora proposto contém alterações de forma (ou estrutura) e de conteúdo, relativamente aos anteriores. Pode dizer-se, simplificando, que em termos de estrutura se aproxima mais do acordo de 1986, mas que em termos de conteúdo adota uma posição mais conforme com o projeto de 1975, atrás referido.

Em relação às alterações de conteúdo, elas afetam sobretudo o caso das consoantes mudas ou não articuladas, o sistema de acentuação gráfica, especialmente das esdrúxulas, e a hifenação.

Pode dizer-se ainda que, no que respeita às alterações de conteúdo, de entre os princípios em que assenta a ortografia portuguesa, se privilegiou o critério fonético (ou da pronúncia) com um certo detrimento para o critério etimológico.

É o critério da pronúncia que determina, aliás, a supressão gráfica das consoantes mudas ou não articuladas, que se têm conservado na ortografia lusitana essencialmente por razões de ordem etimológica.

É também o critério da pronúncia que nos leva a manter um certo número de grafias duplas do tipo de *caráter* e *carácter*, *facto* e *fato*, *sumptuoso* e *suntuoso*, etc.

É ainda o critério da pronúncia que conduz à manutenção da dupla acentuação gráfica do tipo de *económico* e *econômico*, *efémero* e *efêmero*, *género* e *gênero*, *génio* e *gênio*, ou de *bónus* e *bônus*, *sémen* e *sêmen*, *ténis* e *tênis*, ou ainda de *bebé* e *bebê*, ou *metro* e *metrô*, etc.

Explicitam-se em seguida as principais alterações introduzidas no novo texto de unificação ortográfica, assim como a respectiva justificação.

4. Conservação ou supressão das consoantes c, p, b, g, m e t em certas sequências consonânticas (Base IV)

4.1. Estado da questão

Como é sabido, uma das principais dificuldades na unificação da ortografia da língua portuguesa reside na solução a adotar para a grafia das consoantes *c* e *p*, em certas sequências consonânticas interiores, já que existem fortes divergências na sua articulação.

Assim, umas vezes, estas consoantes são invariavelmente proferidas em todo o espaço geográfico da língua portuguesa, conforme sucede em casos como *compacto*, *ficção*, *pacto*; *adepto*, *aptidão*, *núpcias*; etc.

Neste caso, não existe qualquer problema ortográfico, já que tais consoantes não podem deixar de grafar-se (v. Base IV, 1º a).

Noutros casos, porém, dá-se a situação inversa da anterior, ou seja, tais consoantes não são proferidas em nenhuma pronúncia culta da língua, como acontece em *acção*, *afectivo*, *direcção*; *adopção*, *exacto*, *óptimo*; etc. Neste caso existe um problema. É que na norma gráfica brasileira há muito estas consoantes foram abolidas, ao contrário do que sucede na norma gráfica lusitana, em que tais consoantes se conservam. A solução que agora se adota (v. Base IV, 1º b) é a de as suprimir, por uma questão de coerência e de uniformização de critérios (vejam-se as razões de tal supressão adiante, em 4.2.).

As palavras afectadas por tal supressão representam 0,54% do vocabulário geral da língua, o que é pouco significativo em termos quantitativos (pouco mais de 600 palavras em cerca de 110.000). Este número é, no entanto, qualitativamente importante, já que compreende vocábulos de uso muito frequente (como, por ex., *acção*, *actor*, *actual*, *colecção*, *colectivo*, *correcção*, *direcção*, *director*, *electricidade*, *factor*, *factura*, *inspector*, *lectivo*, *óptimo*, etc.).

O terceiro caso que se verifica relativamente às consoantes *c* e *p* diz respeito à oscilação de pronúncia, a qual ocorre umas vezes no interior da mesma norma culta (cf., por ex., *cacto* ou *cato*, *dicção* ou *dição*, *sector* ou *setor*, etc.), outras vezes entre normas cultas distintas (cf., por ex., *facto*, *receção* em Portugal, mas *fato*, *recepção* no Brasil).

A solução que se propõe para estes casos, no novo texto ortográfico, consagra a dupla grafia (v. Base IV, 1º c).

A estes casos de grafia dupla devem acrescentar-se as poucas variantes do tipo de *súbdito* e *súdito*, *subtil* e *sutil*, *amígdala* e *amídala*, *amnistia* e *anistia*, *aritmética* e *arimética*, nas quais a oscilação da pronúncia se verifica quanto às consoantes *b*, *g*, *m* e *t* (v. Base IV, 2º).

O número de palavras abrangidas pela dupla grafia é de cerca de 0,5% do vocabulário geral da língua, o que é pouco significativo (ou seja, pouco mais de 575 palavras em cerca de 110.000), embora nele se incluam também alguns vocábulos de uso muito frequente.

4.2. Justificação da supressão de consoantes não articuladas (Base IV 1º b)

As razões que levaram à supressão das consoantes mudas ou não articuladas em palavras como *ação* (*acção*), *ativo* (*activo*), *diretor* (*director*), *ótimo* (*óptimo*) foram essencialmente as seguintes:

a) O argumento de que a manutenção de tais consoantes se justifica por motivos de ordem etimológica, permitindo assinalar melhor a similaridade com as palavras congêneres das outras línguas românicas, não tem consistência. Por outro lado, várias consoantes etimológicas se foram perdendo na evolução das palavras ao longo da história da língua portuguesa. Vários são, por outro lado, os exemplos de palavras deste tipo, pertencentes a diferentes línguas românicas, que, embora provenientes do mesmo étimo latino, revelam incongruências quanto à conservação ou não das referidas consoantes.

É o caso, por exemplo, da palavra *objecto*, proveniente do latim *objectu-*, que até agora conservava o *c*, ao contrário do que sucede em francês (cf. *objet*), ou em espanhol (cf. *objeto*). Do mesmo modo *projecto* (de *projectu-*) mantinha até agora a grafia com *c*, tal como acontece em espanhol (cf. *proyecto*), mas não em francês (cf. *projet*). Nestes casos o italiano dobra a consoante, por assimilação (cf. *oggetto* e *progetto*). A palavra *vitória* há muito se grafa sem *c*, apesar do espanhol *victoria*, do francês *victoire* ou do italiano *vittoria*. Muitos outros exemplos se poderiam citar. Aliás, não tem qualquer consistência a ideia de que a similaridade do português com as outras línguas românicas passa pela manutenção de consoantes etimológicas do tipo mencionado. Confrontem-se, por exemplo, formas como as seguintes: port. *acidente* (do lat. *accidente-*), esp. *accidente*, fr. *accident*, it. *accidente*; port. *dicionário* (do lat. *dictionariu-*), esp. *diccionario*, fr. *dictionnaire*, it. *dizionario*; port. *ditar* (do lat. *dictare*), esp. *dictar*, fr. *dicter*, it. *dettare*; port. *estrutura* (de *structura-*), esp. *estructura*, fr. *structure*, it. *struttura*; etc.

Em conclusão, as divergências entre as línguas românicas, neste domínio, são evidentes, o que não impede, aliás, o imediato reconhecimento da similaridade entre tais formas. Tais divergências levantam dificuldades à memorização da norma gráfica, na aprendizagem destas línguas, mas não é com certeza a manutenção de consoantes não articuladas em português que vai facilitar aquela tarefa.

b) A justificação de que as ditas consoantes mudas travam o fechamento da vogal precedente também é de fraco valor, já que, por um lado, se mantêm na língua palavras com vogal pré-tónica aberta, sem a presença de qualquer sinal diacrítico, como em *corar*, *padeiro*, *oblação*, *pregar* (= fazer uma prédica), etc., e, por outro, a conservação de tais consoantes não impede a tendência para o ensurdecimento da vogal anterior em casos como *accionar*, *actual*, *actualidade*, *exactidão*, *tactear*, etc.

c) É indiscutível que a supressão deste tipo de consoantes vem facilitar a aprendizagem da grafia das palavras em que elas ocorriam.

De fato, como é que uma criança de 6-7 anos pode compreender que em palavras como *concepção*, *excepção*, *recepção*, a consoante não articulada é um *p*, ao passo que em vocábulos como *correcção*, *direcção*, *objecção*, tal consoante é um *c*?

Só à custa de um enorme esforço de memorização que poderá ser vantajosamente canalizado para outras áreas da aprendizagem da língua.

d) A divergência de grafias existente neste domínio entre a norma lusitana, que teimosamente conserva consoantes que não se articulam em todo o domínio geográfico da língua portuguesa, e a norma brasileira, que há muito suprimiu tais consoantes, é incompreensível para os lusitanistas estrangeiros, nomeadamente para professores e estudantes de português, já que lhes cria dificuldades suplementares, nomeadamente na consulta dos dicionários, uma vez que as palavras em causa vêm em lugares diferentes da ordem alfabética, conforme apresentam ou não a consoante muda.

e) Uma outra razão, esta de natureza psicológica, embora nem por isso menos importante, consiste na convicção de que não haverá unificação ortográfica da língua portuguesa se tal disparidade não for revolvida.

f) Tal disparidade ortográfica só se pode resolver suprimindo da escrita as consoantes não articuladas, por uma questão de coerência, já que a pronúncia as ignora, e não tentando impor a sua grafia àqueles que há muito as não escrevem, justamente por elas não se pronunciarem.

4.3. Incongruências aparentes

A aplicação do princípio, baseado no critério da pronúncia, de que as consoantes *c* e *p* em certas sequências consonânticas se suprimem, quando não articuladas, conduz a algumas incongruências aparentes, conforme sucede em palavras como *apocalítico* ou *Egito* (sem *p*, já que este não se pronuncia), a par de *apocalipse* ou *egípcio* (visto que aqui o *p* se articula), *noturno* (sem *c*, por este ser mudo), ao lado de *noctívago* (com *c* por este se pronunciar), etc.

Tal incongruência é apenas aparente. De fato, baseando-se a conservação ou supressão daquelas consoantes no critério da pronúncia, o que não faria sentido era mantê-las, em certos casos, por razões de parentesco lexical. Se se abrisse tal exceção, o utente, ao ter que escrever determinada palavra, teria que recordar previamente, para não cometer erros, se não haveria outros vocábulos da mesma família que se escrevessem com este tipo de consoante.

Aliás, divergências ortográficas do mesmo tipo das que agora se propõem foram já aceites nas Bases de 1945 (v. Base VI, último parágrafo), que consagraram grafias como *assunção* ao lado de *assumptivo*, *cativo*, a par de *captor* e *captura*, *dicionário*, mas *dicção*, etc. A razão então aduzida foi a de que tais palavras entraram e se fixaram na língua em condições diferentes. A justificação da grafia com base na pronúncia é tão nobre como aquela razão.

4.4. Casos de dupla grafia (Base IV, 1º c, d e 2º)

Sendo a pronúncia um dos critérios em que assenta a ortografia da língua portuguesa, é inevitável que se aceitem grafias duplas naqueles casos em que existem divergências de articulação quanto às referidas consoantes *c* e *p* e ainda em outros casos de menor significado. Torna-se, porém, praticamente impossível enunciar uma regra clara e abrangente dos casos em que há oscilação entre o emudecimento e a prolação daquelas consoantes, já que todas as sequências consonânticas enunciadas, qualquer que seja a vogal precedente, admitem as duas alternativas: *cacto* e *cato*, *caracteres* e *carateres*, *dicção* e *dição*, *facto* e *fato*, *sector* e *setor*; *ceptro* e *cetro*; *concepção* e *conceção*, *recepção* e *receção*; *assumpção* e *assunção*, *peremptório* e *perentório*, *sumptuoso* e *suntuoso*; etc.

De um modo geral pode dizer-se que, nestes casos, o emudecimento da consoante (exceto em *dicção*, *facto*, *sumptuoso* e poucos mais) se verifica, sobretudo, em Portugal e nos países africanos, enquanto no Brasil há oscilação entre a prolação e o emudecimento da mesma consoante.

Também os outros casos de dupla grafia (já mencionados em 4.1.), do tipo de *súbdito* e *súdito*, *subtil* e *sutil*, *amígdala* e *amídala*, *omnisciente* e *onisciente*, *aritmética* e *arimética*, muito menos relevantes em termos quantitativos do que os anteriores, se verificam sobretudo no Brasil.

Trata-se, afinal, de formas divergentes, isto é, do mesmo étimo. As palavras sem consoante, mais antigas e introduzidas na língua por via popular, foram já usadas em Portugal e encontram-se nomeadamente em escritores dos séculos XVI e XVII.

Os dicionários da língua portuguesa, que passarão a registrar as duas formas, em todos os casos de dupla grafia, esclarecerão, tanto quanto possível, sobre o alcance geográfico e social desta oscilação de pronúncia.

5. Sistema de acentuação gráfica (Bases VIII a XIII)

5.1. Análise geral da questão

O sistema de acentuação gráfica do português atualmente em vigor, extremamente complexo e minucioso, remonta essencialmente à Reforma Ortográfica de 1911.

Tal sistema não se limita, em geral, a assinalar apenas a tonicidade das vogais sobre as quais recaem os acentos gráficos, mas distingue também o timbre destas.

Tendo em conta as diferenças de pronúncia entre o português europeu e o do Brasil, era natural que surgissem divergências de acentuação gráfica entre as duas realizações da língua.

Tais divergências têm sido um obstáculo à unificação ortográfica do português.

É certo que em 1971, no Brasil, e em 1973, em Portugal, foram dados alguns passos significativos no sentido da unificação da acentuação gráfica, como se disse atrás. Mas, mesmo assim, subsistem divergências importantes neste domínio, sobretudo no que respeita à acentuação das paroxítonas.

Não tendo tido viabilidade prática a solução fixada na Convenção Ortográfica de 1945, conforme já foi referido, duas soluções eram possíveis para se procurar resolver esta questão.

Uma era conservar a dupla acentuação gráfica, o que constituía sempre um espinho contra a unificação da ortografia.

Outra era abolir os acentos gráficos, solução adotada em 1986, no Encontro do Rio de Janeiro.

Esta solução, já preconizada no I Simpósio Luso-Brasileiro sobre a Língua Portuguesa Contemporânea, realizada em 1967 em Coimbra, tinha sobretudo a justificá-la o fato de a língua oral preceder a língua escrita, o que leva muitos utentes a não empregarem na prática os acentos gráficos, visto que não os consideram indispensáveis à leitura e compreensão dos textos escritos.

A abolição dos acentos gráficos nas palavras proparoxítonas e paroxítonas, preconizada no Acordo de 1986, foi, porém, contestada por uma larga parte da opinião pública portuguesa, sobretudo por tal medida ir contra a *tradição ortográfica* e não tanto por estar contra a *prática ortográfica*.

A questão da acentuação gráfica tinha, pois, de ser repensada.

Neste sentido, desenvolveram-se alguns estudos e fizeram-se vários levantamentos estatísticos com o objetivo de se delimitarem melhor e quantificarem com precisão as divergências existentes nesta matéria.

5.2. Casos de dupla acentuação

5.2.1. Nas proparoxítonas (Base XI)

Verificou-se assim que as divergências, no que respeita às proparoxítonas, se circunscrevem praticamente, como já foi destacado atrás, ao caso das vogais tônicas *e* e *o*, seguidas das consoantes nasais *m* e *n*, com as quais aquelas não formam sílaba (v. Base XI, 3º).

Estas vogais soam abertas em Portugal e nos países africanos recebendo, por isso, acento agudo, mas são do timbre fechado em grande parte do Brasil, grafando-se por conseguinte com acento circunflexo: *académico/acadêmico, cómodo/cômodo, efémero/efêmero, fenómeno/fenômeno, génio/gênio, tónico/tônico*, etc.

Existem uma ou outra exceção a esta regra, como, por exemplo, *cômoro* e *sêmola*, mas estes casos não são significativos.

Costuma, por vezes, referir-se que o *a* tônico das proparoxítonas, quando seguido de *m* ou *n* com que não forma sílaba, também está sujeito à referida divergência de acentuação gráfica. Mas tal não acontece, porém, já que o seu timbre soa praticamente sempre fechado nas pronúncias cultas da língua, recebendo, por isso, acento circunflexo: *âmago, ânimo, botânico, câmara, dinâmico, gerânio, pânico, pirâmide*.

As únicas exceções a este princípio são os nomes próprios de origem grega *Dánae/Dânae* e *Dánao/Dânao*.

Note-se que se as vogais *e* e *o*, assim como *a*, formam sílaba com as consoantes *m* ou *n*, o seu timbre é sempre fechado em qualquer pronúncia culta da língua, recebendo, por isso, acento circunflexo: *êmbolo, amêndoa, argênteo, excêntrico, têmpera; anacreôntico, cômputo, recôndito, cânfora, Grândola, Islândia, lâmpada, sonâmbulo*, etc.

5.2.2. Nas paroxítonas (Base IX)

Também nos casos especiais de acentuação das paroxítonas ou graves (v. Base IX, 2º), algumas palavras que contêm as vogais tônicas *e* e *o* em final de sílaba, seguidas das consoantes nasais *m* e *n*, apresentam oscilação de timbre, nas pronúncias cultas da língua.

Tais palavras são assinaladas com acento agudo, se o timbre da vogal tônica é aberto, ou com acento circunflexo, se o timbre é fechado: *fémur* ou *fêmur, Fénix* ou *Fênix, ónix* ou *ônix, sémen* ou *sêmen, xénon* ou *xênon; bónus* ou *bônus, ónus* ou *ônus, pónei* ou *pônei, ténis* ou *tênis, Vénus* ou *Vênus*; etc. No total, estes são pouco mais de uma dúzia de casos.

5.2.3. Nas oxítonas (Base VIII)

Encontramos igualmente nas oxítonas (v. Base VIII, 1º a, *Obs.*) algumas divergências de timbre em palavras terminadas em *e* tônico, sobretudo, provenientes do francês. Se esta vogal tônica soa aberta, recebe acento agudo; se soa fechada, grafa-se com acento circunflexo. Também aqui os exemplos pouco ultrapassam as duas dezenas: *bebé* ou *bebê, caraté* ou *caratê, croché* ou *crochê, guiché* ou *guichê, matiné* ou *matinê, puré* ou *purê*; etc. Existe também um caso ou outro de oxítonas terminadas em *o* ora aberto ora fechado, como sucede em *cocó* ou *cocô, ró* ou *rô*.

A par de casos como este há formas oxítonas terminadas em *o* fechado, às quais se opõem variantes paroxítonas, como acontece em *judô* e *judo, metrô* e *metro*, mas tais casos são muito raros.

5.2.4. Avaliação estatística dos casos de dupla acentuação gráfica

Tendo em conta o levantamento estatístico que se fez na Academia das Ciências de Lisboa, com base no já referido *corpus* de cerca de 110.000 palavras do vocabulário geral da língua, verificou-se que os citados casos de dupla acentuação gráfica abrangiam aproximadamente 1,27% (cerca de 1.400 palavras). Considerando que tais casos se encontram perfeitamente delimitados, como se referiu atrás, sendo assim possível enunciar a regra de aplicação, optou-se por fixar a dupla acentuação gráfica como a solução menos onerosa para a unificação ortográfica da língua portuguesa.

5.3. Razões da manutenção dos acentos gráficos nas proparoxítonas e paroxítonas

Resolvida a questão dos casos de dupla acentuação gráfica, como se disse atrás, já não tinha relevância o principal motivo que levou em 1986 a abolir os acentos nas palavras proparoxítonas e paroxítonas.

Em favor da manutenção dos acentos gráficos nestes casos, ponderaram-se, pois, essencialmente as seguintes razões:

a) Pouca representatividade (cerca de 1,27%) dos casos de dupla acentuação.

b) Eventual influência da língua escrita sobre a língua oral, com a possibilidade de, sem acentos gráficos, se intensificar a tendência para a paroxitonia, ou seja, deslocação do acento tônico da antepenúltima para a penúltima sílaba, lugar mais frequente de colocação do acento tônico em português.

c) Dificuldade em apreender corretamente a pronúncia em termos de âmbito técnico e científico, muitas vezes adquiridos através da língua escrita (leitura).

d) Dificuldades causadas, com a abolição dos acentos, à aprendizagem da língua, sobretudo quando esta se faz em condições precárias, como no caso dos países africanos, ou em situação de autoaprendizagem.

e) Alargamento, com a abolição dos acentos gráficos, dos casos de homografia, do tipo de *análise*(s.)/*analise*(v.), *fábrica*(s.)/*fabrica*(v.), *secretária*(s. ou v.), *vária*(s.)/*varia*(v.), etc., casos que apesar de dirimíveis pelo contexto sintático, levantariam por vezes algumas dúvidas e constituiriam sempre problema para o tratamento informatizado do léxico.

f) Dificuldade em determinar as regras de colocação do acento tônico em função da estrutura mórfica da palavra. Assim, as proparoxítonas, segundo os resultados estatísticos obtidos da análise de um *corpus* de 25.000 palavras, constituem 12%. Destes, 12%, cerca de 30% são falsas esdrúxulas (cf. *génio, água*, etc.). Dos 70% restantes, que são as verdadeiras proparoxítonas (cf. *cômodo, gênero*, etc.), aproximadamente 29% são palavras que terminam em *-ico/-ica* (cf. *ártico, econômico, módico, prático*, etc.). Os restantes 41% de verdadeiras esdrúxulas distribuem-se por cerca de duzentas terminações diferentes, em geral de caráter erudito (cf. *espírito, ínclito, púlpito*; *filólogo*; *filósofo*; *esófago*; *epíteto*; *pássaro*; *pêsames*; *facílimo*; *lindíssimo*; *parêntesis*; etc.).

5.4. Supressão de acentos gráficos em certas palavras oxítonas e paroxítonas (Bases VIII, IX e X)

5.4.1. Em casos de homografia (Bases VIII, 3º e IX, 9º e 10º)

O novo texto ortográfico estabelece que deixem de se acentuar graficamente palavras do tipo de *para* (á), flexão de *parar*, *pelo* (ê), substantivo, *pelo* (é), flexão de *pelar*, etc., as quais são homógrafas, respectivamente, das proclíticas *para*, preposição, *pelo*, contração de *per* e *lo*, etc.

As razões por que se suprime, nestes casos, o acento gráfico são as seguintes:

a) Em primeiro lugar, por coerência com a abolição do acento gráfico já consagrada pelo Acordo de 1945, em Portugal, e pela Lei nº. 5.765, de 18/12/1971, no Brasil, em casos semelhantes, como, por exemplo: *acerto (ê)*, substantivo, e *acerto (é)*, flexão de *acertar*; *acordo (ô)*, substantivo, e *acordo (ó)*, flexão de *acordar*; *cor (ô)*, substantivo, e *cor (ó)*, elemento da locação *de cor*; *sede (ê)* e *sede (é)*, ambos substantivos; etc.

b) Em segundo lugar, porque, tratando-se de pares cujos elementos pertencem a classes gramaticais diferentes, o contexto sintático permite distinguir claramente tais homógrafas.

5.4.2. Em paroxítonas com os ditongos ei e oi na sílaba tônica (Base IX, 3º)

O novo texto ortográfico propõe que não se acentuem graficamente os ditongos *ei* e *oi* tônicos das palavras paroxítonas. Assim, palavras como *assembleia, boleia, ideia*, que na norma gráfica brasileira se escrevem com acento agudo, por o ditongo soar aberto, passarão a escrever-se sem acento, tal como *aldeia, baleia, cheia*, etc.

Do mesmo modo, palavras como *comboio, dezoito, estroina*, etc., em que o timbre do ditongo oscila entre a abertura e o fechamento, oscilação que se traduz na facultatividade do emprego do acento agudo no Brasil, passarão a grafar-se sem acento.

A generalização da supressão do acento nestes casos justifica-se não apenas por permitir eliminar uma diferença entre a prática ortográfica brasileira e a lusitana, mas ainda pelas seguintes razões:

a) Tal supressão é coerente com a já consagrada eliminação do acento em casos de homografia heterofônica (v. Base IX, 10º, e, neste texto atrás, 5.4.1.), como sucede, por exemplo, em *acerto*, substantivo, e *acerto*, flexão de *acertar*, *acordo*, substantivo, e *acordo*, flexão de *acordar*, *fora*, flexão de *ser* e *ir*, e *fora*, advérbio, etc.

b) No sistema ortográfico português não se assinala, em geral, o timbre das vogais tônicas *a, e* e *o* das palavras paroxítonas, já que a língua portuguesa se caracteriza pela sua tendência para a paroxitonia. O sistema ortográfico não admite, pois, a distinção entre, por exemplo, *cada (â)* e *fada (á)*, *para (â)* e *tara (á)*; *espelho (ê)* e *velho (é)*, *janela (é)* e *janelo (ê)*, *escrevera (ê)*, flexão de *escrever*, e *Primavera (é)*; *moda (ó)* e *toda (ô)*, *virtuosa (ó)* e *virtuoso (ô)*; etc. Então, se não se torna necessário, nestes casos, distinguir pelo acento gráfico o timbre da vogal tónica, por que se há-de usar o diacrítico para assinalar a abertura dos ditongos *ei* e *oi* nas paroxítonas, tendo em conta que o seu timbre nem sempre é uniforme e a presença do acento constituiria um elemento perturbador da unificação ortográfica?

5.4.3. Em paroxítons do tipo de abençoo, enjoo, voo, etc. (Base IX, 8º)

Por razões semelhantes às anteriores, o novo texto ortográfico consagra também a abolição do acento circunflexo, vigente no Brasil, em palavras paroxítonas como *abençoo*, flexão de *abençoar*, *enjoo*, substantivo e flexão de *enjoar*, *moo*, flexão de *moer*, *povoo*, flexão de *povoar*, *voo*, substantivo e flexão de *voar*, etc. O uso do acento circunflexo não tem aqui qualquer razão de ser, já que ele ocorre em palavras paroxítonas cuja vogal tônica apresenta a mesma pronúncia em todo o domínio da língua portuguesa. Além de não ter, pois, qualquer vantagem nem justificação, constitui um fator que perturba a unificação do sistema ortográfico.

5.4.4. Em formas verbais com u e ui tônicos, precedidos de g e q (Base X, 7º)

Não há justificação para se acentuarem graficamente palavras como *apazigue, arguem*, etc., já que estas formas verbais são paroxítonas e a vogal *u* é sempre articulada, qualquer que seja a flexão do verbo respectivo.

No caso de formas verbais como *argui, delinquis*, etc., também não há justificação para o acento, pois se trata de oxítonas terminadas no ditongo tônico *ui*, que como tal nunca é acentuado graficamente.

Tais formas só serão acentuadas se a sequência *ui* não formar ditongo e a vogal tônica for *i*, como, por exemplo, *arguí* (1ª pessoa do singular do pretérito perfeito do indicativo).

6. Emprego do hífen (Bases XV a XVIII)

6.1. Estado da questão

No que respeita ao emprego do hífen, não há propriamente divergências assumidas entre a norma ortográfica lusitana e a brasileira. Ao compulsarmos, porém, os dicionários portugueses e brasileiros e ao lermos, por exemplo, jornais e revistas, deparam-se-nos muitas oscilações e um largo número de formações vocabulares com grafia dupla, ou seja, com hífen e sem hífen, o que aumenta desmesurada e desnecessariamente as entradas lexicais dos dicionários. Estas oscilações verificam-se sobretudo nas formações por prefixação e na chamada recomposição, ou seja, em formações com pseudoprefixos de origem grega ou latina.

Eis alguns exemplos de tais oscilações: *ante-rosto* e *anterrosto*, *co-educação* e *coeducação*, *pré-frontal* e *prefrontal*, *sobre-saia* e *sobressaia*, *sobre-saltar* e *sobressaltar*, *aero-espacial* e *aeroespacial*, *auto-aprendizagem* e *autoaprendizagem*, *agro-industrial* e *agroindustrial*, *agro-pecuária* e *agropecuária*, *alvéolo-dental* e *alveolodental*, *bolbo-raquidiano* e *bolborraquidiano*, *geo-história* e *geoistória*, *micro-onda* e *microonda*; etc.

Estas oscilações são, sem dúvida, devidas a uma certa ambiguidade e falta de sistematização das regras que sobre esta matéria foram consagradas no texto de 1945. Tornava-se, pois, necessário reformular tais regras de modo mais claro, sistemático e simples. Foi o que se tentou fazer em 1986.

A simplificação e redução operadas nessa altura, nem sempre bem compreendidas, provocaram igualmente polêmica na opinião pública portuguesa, não tanto por uma ou outra incongruência resultante da aplicação das novas regras, mas sobretudo por alterarem bastante a prática ortográfica neste domínio.

A posição que agora se adota, muito embora tenha tido em conta as críticas fundamentadas ao texto de 1986, resulta, sobretudo, do estudo do uso do hífen nos dicionários portugueses e brasileiros, assim como em jornais e revistas.

6.2. O hífen nos compostos (Base XV)

Sintetizando, pode dizer-se que, quanto ao emprego do hífen nos compostos, locuções e encadeamentos vocabulares, se mantém o que foi estatuído em 1945, apenas se reformulando as regras de modo mais claro, sucinto e simples.

De fato, neste domínio não se verificam praticamente divergências nem nos dicionários nem na imprensa escrita.

6.3. O hífen nas formas derivadas (Base XVI)

Quanto ao emprego do hífen nas formações por prefixação e também por recomposição, isto é, nas formações com pseudoprefixos de origem grega ou latina, apresenta-se alguma inovação. Assim, algumas regras são formuladas em termos contextuais, como sucede nos seguintes casos:

a) Emprega-se o hífen quando o segundo elemento da formação começa por *h* ou pela mesma vogal ou consoante com que termina o prefixo ou pseudoprefixo (por ex. *anti-higiênico, contra-almirante, hiper-resistente*).

b) Emprega-se o hífen quando o prefixo ou falso prefixo termina em *m* e o segundo elemento começa por vogal, *m* ou *n* (por ex. *circum-murado, pan-africano*).

As restantes regras são formuladas em termos de unidades lexicais, como acontece com oito delas (*ex-, sota-* e *soto-, vice-* e *vizo-; pós-, pré-* e *pró-*). Noutros casos, porém, uniformiza-se o não emprego do hífen, do modo seguinte:

a) Nos casos em que o prefixo ou o pseudoprefixo termina em vogal e o segundo elemento começa por *r* ou *s*, estas consoantes dobram-se, como já acontece com os termos técnicos e científicos (por ex. *antirreligioso, microssistema*).

b) Nos casos em que o prefixo ou pseudoprefixo termina em vogal e o segundo elemento começa por vogal diferente daquela, as duas formas aglutinam-se, sem hífen, como já sucede igualmente no vocabulário científico e técnico (por ex. *antiaéreo, aeroespacial*).

6.4. O hífen na ênclise e tmese (Base XVII)

Quanto ao emprego do hífen na ênclise e na tmese mantêm-se as regras de 1945, exceto no caso das formas *hei de, hás de, há de*, etc., em que passa a suprimir-se o hífen. Nestas formas verbais o uso do hífen não tem justificação, já que a preposição *de* funciona ali como mero elemento de ligação ao infinitivo com que se forma a perífrase verbal (cf. *hei de ler*, etc.), na qual *de* é mais proclítica do que apoclítica.

7. Outras alterações de conteúdo

7.1. Inserção do alfabeto (Base I)

Uma inovação que o novo texto de unificação ortográfica apresenta, logo na Base I, é a inclusão do alfabeto, acompanhado das designações que usualmente são dadas às diferentes letras. No alfabeto português passam a incluir-se também as letras *k*, *w* e *y*, pelas seguintes razões:

a) Os dicionários da língua já registram estas letras, pois existe um razoável número de palavras do léxico português iniciado por elas.

b) Na aprendizagem do alfabeto é necessário fixar qual a ordem que aquelas letras ocupam.

c) Nos países africanos de língua oficial portuguesa existem muitas palavras que se escrevem com aquelas letras.

Apesar da inclusão no alfabeto das letras *k*, *w* e *y*, mantiveram-se, no entanto, as regras já fixadas anteriormente, quanto ao seu uso restritivo, pois existem outros grafemas com o mesmo valor fônico daquelas. Se, de fato, se abolisse o uso restritivo daquelas letras, introduzir-se-ia no sistema ortográfico do português mais um fator de perturbação, ou seja, a possibilidade de representar, indiscriminadamente, por aquelas letras fonemas que já são transcritos por outras.

7.2. Abolição do trema (Base XIV)

No Brasil, só com a Lei nº5.765, de 18/12/1971, o emprego do trema foi largamente restringido, ficando apenas reservado às sequências *gu* e *qu* seguidas de *e* ou *i*, nas quais *u* se pronuncia (cf. *aguentar, arguente, eloquente, equestre*, etc.).

O novo texto ortográfico propõe a supressão completa do trema, já acolhida, aliás, no Acordo de 1986, embora não figurasse explicitamente nas respectivas bases. A única ressalva, neste aspecto, diz respeito a palavras derivadas de nomes próprios estrangeiros com trema (cf. *mülleriano*, de *Müller*, etc.).

Generalizar a supressão do trema é eliminar mais um fator que perturba a unificação da ortografia portuguesa.

8. Estrutura e ortografia do novo texto

Na organização do novo texto de unificação ortográfica optou-se por conservar o modelo de estrutura já adotado em 1986. Assim, houve a preocupação de reunir, numa mesma base, matéria afim, dispersa por diferentes bases de textos anteriores, donde resultou a redução destas a vinte e uma.

Através de um título sucinto, que antecede cada base, dá-se conta do conteúdo nela consagrado. Dentro de cada base adotou-se um sistema de numeração (tradicional) que permite uma melhor e mais clara arrumação da matéria aí contida.

Aurélio Buarque de Holanda Ferreira nasceu no dia 3 de maio de 1910, em Passo de Camaragibe, Alagoas. Ali e na cidade vizinha Porto de Pedras, morou até os dez anos de idade. Em sua casa não havia sequer um dicionário.

a[1] *S. m.* **1.** A 1ª letra do nosso alfabeto. [Representa a vogal oral, baixa e aberta (como em *fato*), ou a vogal oral, baixa e reduzida (como em *roupa*). Soa como vogal nasal, com timbre mais fechado, quando marcada com til (*lã*), ou, em raros casos, com acento circunflexo (*câimbra*), ou, ger., quando seguida de *m* ou *n*, esp. em final de sílaba (*campo, lanterna*) ou de *nh* (*banho*).] **2.** A figura dessa letra, ou qualquer representação sua: 📄 *Bordou um a na camiseta.* **3.** Som por ela representado: 📄 *A pronúncia aberta do a é característica de certas regiões do País.* **4.** Conceito (6), ger. correspondente a aprovação com nota máxima: 📄 *Tirou um A em matemática.* [Nesta acepç., ger. com cap.] ● ***Num.*** **5.** Primeiro (1), numa série ordenada ou hierárquica cujos elementos são representados ou designados pelas letras do alfabeto: 📄 *O item a é o mais importante; A crise econômica também afetou a camada A da sociedade.* [Tb. us. adjetivamente, para denotar classificação e significando 'de primeira categoria', 'de qualidade superior', 'de alto valor ou importância': 📄 *serviço de classe A; leite de tipo A* (ou, simplesmente, *leite A*).] [Pl., nas acepç. 1 a 4: *as* (tb. indicado graficamente pela duplicação da letra: *aa*). Cf. *á, à, ah.*] ◆ **De a a z.** Do início ao fim, ou em toda a extensão de algo; completamente, inteiramente, exaustivamente; do a ao z. **Do a ao z.** De a a z. **Por a mais b.** De maneira plena, cabal; sem deixar dúvida ou suscitar discussão.

a[2] [Do lat. *illa*, pron. dem. lat., pela forma arc. *la* (q. v.).] ***Art. def.*** **1.** Fem. do art. *o*: 📖 "Tem a saúde, a firmeza, a força" (Eça de Queirós, *Notas Contemporâneas*, p. 52). ● ***Pron. pess.*** **2.** Fem. do pron. pess. da 3ª pess. do sing., *o*, forma oblíqua: 📖 "Em vão a fiquei chamando" (Alberto de Oliveira, *Poesias*, 3ª série, p. 29). ● ***Pron. dem.*** **3.** Fem. do pron. dem. *o*; aquela: 📄 *Esta flor não é a que lhe dei;* 📖 "Vestem a rainha e o rei camisas compridas, que pelo chão arrastam, a do rei somente a fímbria bordada, a da rainha bom meio palmo mais" (José Saramago, *Memorial do Convento*, p. 15). [Flex.: *o, as, os.* Cf. *á, à*[1] e *à*[2].]

a[3] [Do lat. *ad.*] ***Prep.*** **1.** Exprime inúmeras relações entre palavras, podendo substituir, de modo mais ou menos adequado, várias outras preposições. Eis os seus principais empregos: **a)** Introduz complementos ou adjuntos de verbos, substantivos e adjetivos: 📖 "Não deixa de aludir igualmente a Sancho e Dulcineia" (Augusto Meyer, *A Forma Secreta*, p. 94); "Falo a ti – doce virgem dos meus sonhos" (Casimiro de Abreu, *Obras*, p. 49); 📄 *Obedece às normas gramaticais;* 📖 "o sapê cerrado .... flexuava crepitando como a um fogo latente." (Coelho Neto, *Rei Negro*, p. 248); "a violento / Abalo acorda." (Alberto de Oliveira, *Poesias*, 2ª série, p. 232); "trabalhavam desde crianças a velhos" (José Régio, *O Príncipe com Orelhas de Burro*, p. 228); 📄 *sensibilidade ao sofrimento; homem temente a Deus;* 📖 "Aroma a pinheiros úmidos, a musgo, a cogumelos." (Vergílio Ferreira, *Alegria Breve*, p. 108). **b)** Rege expletivamente o objeto direto de verbos, quando este é substantivo próprio, ou quando possa encerrar ambiguidade: 📄 *amar a Deus* [neste caso, pode-se dizer que é obrigatório]; 📖 "Lia Alexandro a Homero de maneira / Que sempre se lhe sabe à cabeceira." (Luís de Camões, *Os Lusíadas*, V, 96); 📄 *Venera o filho ao pai.* c) Regendo verbo no infinitivo, entra na construção de formas verbais perifrásticas que têm o valor de gerúndio: *estar a chorar* (= 'estar chorando'); 📖 "Eu quisera viver a voar, a voar" (Gilca da Costa Melo Machado, *Poesias*, p. 128); que têm valor incoativo: 📄 *Pegou a falar;* 📖 "logo que passaram as missas da Candinha, recomeçou a rondar o Luís da Cunha e a pedir-lhe insistentemente a filha." (Pedro Nava, *Baú de Ossos*, p. 144); que exprimem fim ou intenção: 📄 *Correu a perguntar quem chegara;* 📖 "Ia colher as pitangas, / Trepava a tirar as mangas" (Casimiro de Abreu, *Obras*, p. 94); "Atrevo-me a falar sobre as mulheres." (Romeu de Avelar, *Crônicas de Ontem e de Hoje*, p. 11). **d)** É elemento primordial em inúmeras locuções adverbiais: 📄 *a olho nu; a pé; aos poucos; à porfia; às avessas.* **e)** Entra na formação de numerosas locuções prepositivas: *a despeito de; a respeito de; com referência a.* [Cf. *por*]. ● ***Conj.*** **2.** Se, se acaso, caso (precedendo verbo no infinitivo): 📄 *A continuares calado, eu me retirarei; A irmos agora, o Fernando irá conosco;* 📖 "Cruas ânsias, / Dos teus olhos afastado, / Houveram-me acabrunhado, / A não lembrar-me de ti!" (Gonçalves Dias, *Obras Poéticas*, I, p. 343). [Cf. *á, à*[1] e *à*[2].]

■ a **1.** Símb. de *are.* **2.** Indica, à direita (e ger. ao alto) de certas abreviaturas, a forma feminina delas: profª (= 'professora'). **3.** Indica, à direita (e ger. ao alto) de um número, numeral ordinal no feminino: 3ª (= 'terceira'). **4.** Abrev. de *atto-* (q. v.). **5.** Abrev. de *arroba* (1 e 2). [Ger. representado no interior de um círculo incompleto, formando o símb. @.] **6.** *Fís.* Símb. usual de *aceleração.* **7.** *Inform.* No interior de um círculo incompleto, us. como caráter especial em endereços eletrônicos [v. *arroba* (3)] e alguns programas e linguagens computacionais. **8.** *Mat.* Representa, numa expressão, uma quantidade variável conhecida. [Utilizam-se, ger., os símb. *b, c, d,* etc., para representar outras quantidades conhecidas, na mesma expressão.] [Cf., nesta acepç., ■ *x* (3).]

■ A **1.** No sistema hexadecimal de numeração, o undécimo algarismo modificador, equivalente ao número decimal 10. **2.** Abrev. de *autor* ou *autora.* [Duplicado (*AA*), é abrev. do pl.] **3.** *Fís.* Símb. de *ampère.* **4.** *Fís. Nucl.* Símb. de *número de massa.* **5.** *Ind. Pap.* V. *formato série A.* **6.** *Lóg.* Símb. de *proposição universal afirmativa.* **7.** *Med.* Designação de um aglutinógeno cuja presença nas hemácias caracteriza um grupo sanguíneo (q. v.), designado *grupo A.* **8.** *Mús.* Sinal com que se representa a nota lá (v. *lá*[1]), ou a escala em que o lá é a tônica, ou o acorde em que o lá é a nota fundamental. [Deriva da notação musical alfabética ainda us. nos países germânicos e anglo-saxões.] **9.** *Quím. Obsol.* Símb. de *argônio.* [Nesta acepç., o símb. recomendado internacionalmente é *Ar.*]

▲ a-[1] [Do lat. *a-, ab-, abs-* < *a, ab, abs*, prep. de abl.] ***Pref.*** = 'afastamento', 'separação'; 'privação'; 'excesso', 'intensidade': *amovível.* [Equiv.: *ab-*[1], *abs-* (sempre antes de *c* e *t*): *abaxial; abscesso* (< lat.), *abster* (< lat.).]

▲ a-[2] [Do lat. *ad-* < *ad*, prep. de acus.] ***Pref.*** = 'aproximação', 'direção'; 'aumento', 'acrescentamento'; 'mudança de estado', 'transformação', etc.: *abeirar, achegar; apodrecer, amedrontar.* [Equiv.: *ad-, ar-*[1], *as-*[1] (*ar-* e *as-* vêm sempre antes de *r* e *s*): *advogado* (< lat.), *adventício* (< lat.); *adoperar; arrostar, arribar; assimilar* (< lat.). A f. *a-* é, algumas vezes, consequência da assimilação do *d* à consoante seguinte e simplificação da consoante geminada: *aglutinar* (< lat.).]

▲ a-[3] [Do gr. *a-* ou *an-*.] ***Pref.*** = 'privação', 'negação': *acálice, amoral.* [Equiv.: *-a-*[2]: *baragnose; an-*, que vem sempre antes de vogal: *anencefalia, analgia; as-*[3]: *assepsia, assexual; ar-*[3]: *arreísmo.*]

▲ a-[4] ***Pref.*** protético: *alevantar, avergar.* [Equiv.: *ar-*[2] e *as-*[2], que vêm sempre antes de *r* e *s*: *arruído; assazonado.*]

▲ a-[5] ***Pref.*** protético resultante da aglutinação do artigo a certos substantivos: *abantesma, amora.* [Equiv.: *ar-*[4], que vem sempre antes de *r*: *arruda.*]

▲ -a-[1] Vogal de ligação.

▲ -a-[2] V. *a-*[3].

▲ -a Desin. do fem. na língua portuguesa: *aluna, cantora.* [Pl.: *-as.*]

á *S. m.* Nome da letra *a.* [Pl.: *ás* ou *aa.*] [Cf. *a, à* e *ah.*] ◆ **Não dizer á nem bê.** Não pronunciar uma palavra; nada dizer em resposta ao que se viu ou ao que se ouviu.

à[1] Contr. da prep. *a* com o art. *a*: 📄 *Chegou à hora da partida;* 📖 "Esta pele refranzida / Move à piedade e à tristeza." (Alberto de Oliveira, *Poesias*, 3ª série, p. 42); "à luz dessa lamparina soturna, trêmula, ... a sua cabeça era uma cousa morta" (Gonzaga Duque, *Mocidade Morta*, p. 236); "as cortinas se balançavam à brisa dessa noite" (Clarice Lispector, *A Via-Crúcis do Corpo*, p. 18). [Cf. *a, à*[2] e *ah.*]

à^2 [Contr. da prep. *a* com o pron. dem. *a*.] **1.** Àquela: *Esta flor é semelhante à que lhe dei; Fez um poema à que se foi;* "compara a dor de agora à que sentiste / quando perdeste o teu primeiro encanto!" (Medeiros e Albuquerque, *Poesias*, p. 146). **2.** À maneira de; à moda de: *jantar à americana; bife à milanesa.* [Cf. *a*, *à*^{1} e *ah*.]

■ **Å** *Fís.* Símb. de *angström.*

■ **A4** *Ind. Pap.* V. *formato série A.*

■ **AA** **1.** *Edit.* Abrev. de *autores.* **2.** *Ind. Pap.* Formato AA (q. v.).

■ **ãa** *Farm.* Abrev. de *aná*^{2}.

aabora [Var. de *aavora.*] *S. f. Bot.* V. *dendezeiro.*

aal [Do tax. *Aalis.*] *S. m. e f. Bot.* **1.** Gênero de árvores anacardiáceas, naturais da Índia. **2.** Qualquer espécie desse gênero, como, p. ex., a *Aalis latifolia*, cuja casca serve para aromatizar o vinho de sagu, e alimentos. **3.** Qualquer espécime desse gênero.

aarónico *Adj.* V. *aarônico.* [Uso freq. em P.]

aarônico [Do antr. *Aarão (aaron-)* + *-ico*^{2}, seg. o padrão erudito.] *Adj.* Relativo ou pertencente a Aarão, irmão primogênito de Moisés [cf. *mosaico*^{2}] e primeiro sumo sacerdote do povo de Israel [v. *israelita* (3)].

aaru [Do tupi.] *S. m. Bras. MT Cul.* Espécie de bolo que os nhambiquaras preparam com tatu moqueado, triturado em pilão e misturado com farinha de mandioca.

■ **AAT** *Bioquím.* Sigla de *alfa-1-antitripsina.*

aavora [De or. afric., poss.] *S. f. Bot.* V. *dendezeiro.*

ab [Do hebr. *av.*] *S. m.* V. *av.*

■ **AB** *Biol.* Designação de um aglutinógeno cuja presença, nas hemácias, caracteriza um grupo sanguíneo (q. v.), designado *grupo AB.*

■ **A.B.** Abrev. do título universitário Bacharel em Artes (*Artium Baccalaureus*); B.A.

▲ **ab-^{1}** V. *a-*^{1}. [O AOLP prescreve o uso do hífen nos casos de anteposição deste pref. a palavra iniciada por *b*, *h* ou *r* que inicie sílaba: *ab-reação, ab-reptício.*]

▲ **ab-^{2}** No sistema c.g.s. eletromagnético, pref. que, anteposto ao nome de uma unidade do S.I. correspondente, designa a unidade de medida elétrica. Ex.: *abvolt.*

aba^1 [De or. incerta.] *S. f.* **1.** Parte pendente de certas peças de uma veste. **2.** Rebordo de chapéu: "chapéu de feltro de copa afunilada e abas largas" (Melo Morais Filho, *Festas e Tradições Populares do Brasil*, p. 169). **3.** Prolongamento, ger. dobrável, de tampo de mesa ou de outros móveis. **4.** Lugar contíguo, adjunto (a outro): *Mora na aba de minha casa.* **5.** Costa que limita um mar, rio, lago, etc.; margem, beira. **6.** Base de montanha; falda, fralda, sopé: "Olhe a casinha na aba do morro..." (B. Lopes, *Val de Lírios*, p. 63) **7.** A costela inferior do boi. **8.** *Fig.* Proteção, amparo, arrimo. **9.** *Arquit.* Peça de madeira, às vezes com perfil caprichoso, utilizada no arremate da junção entre o teto de madeira e a parede. **10.** *Arquit.* Peça que guarnece os topos dos caibros nos telhados de beiral; testeira. **11.** *Arquit.* Qualquer prolongamento de telhado além da prumada da parede; beiral. **12.** *Bibliogr.* Orelha (7). [Dim. irreg.: *abeta.*] ~ V. *abas.* ◆ **Aba corrida.** *Arquit.* Varanda em sacada que corre ao longo da cimalha de um prédio.

aba^2 [Do ár. *ʿabāʾ.*] *S. f.* V. *abaia.*

aba^3 [Do aramaico *abba*, 'pai', 'patriarca'; 'antepassado', siríaco *abba*, de igual sentido e us. como designação ou forma de tratamento de superior religioso.] *S. m.* **1.** Nas igrejas orientais, pai (em sentido espiritual). **2.** Entre os orientais, o fundador ou pai de um mosteiro ou abadia.

ababá [De or. obsc.] *S. m. Bras. Gír.* Alguidar.

ababadar [De *a-*^{2} + *babado*^{1} + *-ar*^{2}.] *V. t. d.* **1.** Franzir à maneira de babado^1 (1). **2.** Pregar babados em. *Int. P.* **3.** Adquirir forma ou semelhança de babado^1 (1).

ababaloalô *S. m. Bras. Rel.* V. *babalaô.*

abá baxé de ori [Do ior.] *S. m. 2 n. Bras. Rel.* Nos candomblés nagôs, cerimônia de iniciação em que a inicianda convive pela primeira vez com o orixá. ☑

ababelado [Part. de *ababelar.*] *Adj.* Em que há desordem, confusão; babélico.

ababelar [De *a-*^{2} + *babel* + *-ar*^{2}.] *V. t. d. P.* Transformar(-se) numa babel; misturar(-se); embaralhar(-se).

ababone [Var. de *ababuí.*] *S. m. Bras. Bot.* V. *ameixeira-do-brasil.*

ababoni [Var. de *ababuí.*] *S. m. Bras. Bot.* V. *ameixeira-do-brasil.*

➔ **ab absurdo** [ab ap'surdo] [Lat., 'partindo do absurdo'.] Diz-se de método de demonstração que prova a "verdade" de uma proposição ou de um teorema, fazendo-se ver o absurdo que resultaria do contrário de tal proposição ou teorema.

ababuí [De or. indígena, poss. do caraíba.] *S. m. Bras. Bot.* V. *ameixeira-do-brasil.*

abacá [Do tagalo, pelo esp. *abacá.*] *S. m. Bot.* V. *cânhamo-de-manilha.*

abacado [Do náuatle (v. *abacate*).] *S. m. Bras. BA Bot.* **1.** Abacateiro. **2.** Abacate.

abaçaí [De or. tupi.] *S. m. Bras.* Na mitologia tupi, espírito maligno que perseguia os índios, enlouquecendo-os.

abacamartado [De *a-*^{2} + *bacamarte* + *-ado*^{1}.] *Adj.* Semelhante a bacamarte.

abaçanado [De *a-*^{2} + fr. *basané*, 'bronzeado', + *-ado*^{1}.] *Adj.* **1.** De um branco denegrido e baço; branco-sujo. **2.** Moreno, trigueiro: "O tipo caboclo estava nela representado com opulência e genuinidade. Tez abaçanada, cabelos corridos e pretos, olhos rasos e grandes, cara cheia e redonda" (Franklin Távora, *O Matuto*, p. 21). [Var.: *abacinado.*]

abaçanar [De *abaçan-*, como em *abaçanado*, + *-ar*^{2}.] *V. t. d.* **1.** Tornar baço ou abaçanado; escurecer. *P.* **2.** Tornar-se baço ou abaçanado. **3.** Arroxear(-se) (a pele); amorenar-se. [Var.: *abacinar.*]

abacatada [De *abacate* + *-ada*^{1}.] *S. f. Bras. CE* Creme de abacate.

abacataia [Var. de *abacatuaia.*] *S. f. Bras. Zool.* V. *aracanguira.*

abacate [Do náuatle *awákatl*, pelo esp. *aguacate.*] *S. m.* O fruto do abacateiro (*Persea americana*), grande baga comestível, que pode atingir até 2kg; sua polpa encerra 20 a 25% de óleos, carboidratos, proteínas e sais minerais. Alguns cultivares dessa mesma espécie diferem entre si no formato do fruto (globosos ou em forma de pera), bem como no sabor e teores; us. em perfumaria, etc. [Sin. (bras., BA): *abacado.*]

abacate-do-mato *S. m. Bras. Bot.* **1.** Arbusto celastráceo (*Salacia brachypoda*) trepador, de frutos edules e sementes ricas em óleo e em alcaloide amargo, us. como medicamento estomáquico. **2.** O fruto dessa planta. [Sin., nessas acepçs.: *castanha-mineira* e *cipó-abacate.*] **3.** V. *canela-rosa.* [Pl.: *abacates-do-mato.*]

abacateiro [De *abacate* + *-eiro.*] *S. m. Bot.* Árvore laurácea (*Persea americana*) de folhas lanceoladas, pequeninas flores esverdeadas e frutos bacáceos ovoides ou piriformes, com polpa verde-amarelada. É universalmente cultivada, pelo valor nutritivo dos frutos, e as folhas se usam como diurético. [Sin. (bras., BA): *abacado.*]

abacaterana [De *abacate* + *-rana.*] *S. f. Bras. Bot.* **1.** Árvore laurácea (*Persea caerulea* ou *P. laevigata*), de grandes folhas vilosas na página inferior, flores amarelas e pequenos frutos bacáceos, pretos; a madeira, pardacenta, é compacta. **2.** V. *louro-abacate* (1).

abacatina *S. f. Bras. Zool.* V. *aracanguira.*

abacatuaia [De or. tupi.] *S. f. Bras. Zool.* V. *aracanguira.*

abacatuia [Var. de *abacatuaia.*] *S. f. Bras. Zool.* V. *aracanguira.*

abacatúxia *S. f. Bras. Zool.* V. *aracanguira.*

abacaxi^1 [Do tupi = 'fruta recendente'.] *S. m.* **1.** *Bras. Angol. Bot.* Planta bromeliácea (*Ananas sativus*), cultivada ou selvagem, cuja parte comestível é infrutescência carnosa resultante do crescimento e da coalescência de todas as flores da inflorescência. Tanto a infrutescência como o caule encerram uma enzima proteolítica que pode ter o mesmo emprego que a papaína. [Sin. (bras.): *ananá, ananás, ananaseiro, nanás, nanaseiro, abacaxi-branco, aberas.*] **2.** A infrutescência comestível do abacaxi; ananá, ananás, nanás. **3.** *Bras. Gír.* Coisa trabalhosa, complicada, embrulhada, intrincada: *Antes de viajar, teve vários abacaxis para resolver.* **4.** *Bras. Gír.* Coisa ou pessoa desagradável, maçante, chata: *Aquele romance é um abacaxi;* "Dois meses depois, ela telefona, em pânico: 'Vou ser mãe!' Do outro lado da linha, Sandoval explode: 'Que abacaxi!' E, então, começa a evitar a pequena." (Nélson Rodrigues, *100 Contos Escolhidos. A Vida como Ela É*, II, pp. 57-58). **5.** *Bras.* V. *galego* (4). **6.** *Bras. PE AL* Dançador pesado, desajeitado. ◆ **Descascar um abacaxi.** *Pop.* **1.** Resolver uma dificuldade, um problema. **2.** Sair-se de uma embrulhada, de uma situação desagradável, maçante.

abacaxi^2 *Bras. S. 2 g.* **1.** *Etnôn.* Indivíduo dos abacaxis, povo indígena extinto que habitava as margens do rio Abacaxi (AM). ● *Adj. 2 g.* **2.** Pertencente ou relativo a esse povo. [Tb. us. como *s. 2 g. e 2 n.* (com cap.) e *adj. 2 g. e 2 n.*]

abacaxibirra [De *abacaxi*^{1} + *birra*^{2}.] *S. f. Bras. ES* Bebida feita com cascas de abacaxi fermentadas. [Cf. *aluá*^{2}.]

abacaxi-branco [De *abacaxi*^{1} + *branco.*] *S. m. Bot.* V. *abacaxi*^{1} (1). [Pl.: *abacaxis-brancos.*]

abacaxi-de-tingir [De *abacaxi*^{1} + *de* + *tingir.*] *S. m. Bras. Bot.* Planta bromeliácea (*Aechmea bromeliifolia*), nativa da América Central e do Sul, cuja raiz fornece tinta amarela; abacaxi-silvestre, gravatá-branco, gravatá-de-tingir. [Pl.: *abacaxis-de-tingir.*]

abacaxi-silvestre [De *abacaxi*^{1} + *silvestre.*] *S. m. Bras. Bot.* V. *abacaxi-de-tingir.* [Pl.: *abacaxis-silvestres.*]

abacaxizal [De *abacaxi*^{1} + *-zal.*] *S. m.* **1.** Quantidade mais ou menos considerável de pés de abacaxi dispostos proximamente entre si. **2.** Área ocupada pelo abacaxizal (1).

abacaxizeiro [De *abacaxi*^{1} + *-zeiro.*] *S. m. Bras. Bot.* V. *abacaxi*^{1} (1).

abacelar [De *a-*^{2} + *bacelo* + *-ar*^{2}.] *V. t. d.* **1.** Plantar bacelos em. **2.** Chegar terra ao redor de (plantas). **3.** Soterrar provisoriamente (muda de planta). *Int.* **4.** Plantar bacelos. [F. paral.: *bacelar.*]

abacharelado [De *a-*^{2} + *bacharel* + *-ado*^{1}.] *Adj.* Próprio de bacharel; bacharelesco.

abacharelar-se [De *a-*^{2} + *bacharel* + *-ar*^{2} + *se*^{1}.] *V. p.* **1.** Colar grau de bacharel; bacharelar-se. **2.** Viver como, ou imitar bacharel.

abaci [Do ár. *ʿabbāsī*, 'de ou relativo a Abbaz'.] *S. m.* Moeda persa, tb. corrente na Índia, cunhada no reinado do xá Abbaz I (1571-1629). [Cf. *abassi.*]

abácia *S. f. Bot.* V. *abátia* (2 e 3).

abacial [Do lat. ecles. *abbatiale.*] *Adj. 2 g.* **1.** Pertencente ou relativo a abade, a abadessa ou a abadia. **2.** Próprio de abade ou abadessa: *poltrona abacial.* **3.** *Fig.* Bem nutrido; anafado, gordo. [Sin., nas acepçs. 2 e 3: *abadesco.*]

abaciar [De *a-*^{2} + *bacia* + *-ar*^{2}.] *V. t. d.* Dar feição de bacia a.

abácida [Do antr. ár. *ʿabbās* (> adj. ár. *ʿabbāsī*) + *-ida*^{5}.] *Adj. 2 g.* **1.** Pertencente ou relativo a uma dinastia muçulmana de califas, descendente de Al-Abbas (tio do profeta Maomé), cujo primeiro governante foi Abu Abbas, e que reinou em Bagdá de 750 a 1258. ● *S. 2 g.* **2.** Membro dessa dinastia. [Var.: *abássida.*]

abacinado *Adj.* V. *abaçanado.*

abacinar *V. t. d. P.* V. *abaçanar.*

abacisco [Do lat. *abaciscu*, do gr. *abakískos.*] *S. m.* V. *abáculo* (1).

abacista [De *ábaco* + *-ista.*] *S. 2 g.* Pessoa que utiliza o ábaco para calcular.

ábaco [Do gr. *ábax*, pelo lat. *abacu.*] *S. m.* **1.** Mesa ou aparador que os antigos usavam com finalidades diferentes, conforme a época. **2.** Mesa coberta de tênue camada de areia ou de cera, usada pelos antigos para os primeiros delineamentos da geometria ou da escrita. **3.** Moldura retangular, com arames, nos quais correm pequenas bolas, e empregada para iniciar alguém na aritmética elementar. **4.** Lâmina de mármore, vidro, ou de outro material, que se incrustava em parede, como ornamento. **5.** *Arquit.* A parte superior do capitel da coluna, cuja função é transmitir as cargas do entablamento, da cobertura ou dos pavimentos superiores para a coluna, protegendo assim o capitel, que ger. é delicado e frágil. **6.** *Mat.* Instrumento para efetuar operações algébricas elementares, do qual existem diversos modelos. **7.** *Mat.* Nomograma.

abacomitato [De *abacômite* + *-ato*^{1}.] *S. m.* **1.** Dignidade, cargo ou jurisdição de abacômite. **2.** O tempo de exercício desse cargo.

abacómite *S. m.* V. *abacômite.* [Uso freq. em P.]

abacômite [Do lat. *abbas* (nom.) (v. *abade*) + lat. *comite*, 'conde'.] *S. m.* **1.** Abade com a dignidade e a jurisdição de conde. **2.** Leigo que tinha abadia a título de comenda.

abacteriano [De *a-*^{3} + *bacteriano.*] *Adj. Microbiol.* Que não contém bactéria(s).

abactínico [De *ab-*^{1} + *-actin(o)-* + *-ico*^{2}.] *Adj. Zool.* Diz-se da área do corpo dos equinodermos situada na região oposta à do ambulacro.

abacto [Do lat. *abactu*, 'enxotado', 'expelido'.] *S. m.* **1.** *Ant.* Violência. **2.** Abigeato. **3.** *Med.* Aborto provocado.

abactor (ô) [Do lat. *abactore.*] *S. m.* V. *abigeatário.*

abáculo [Do lat. *abaculu.*] *S. m.* **1.** Cada uma das pequenas peças, em lâminas ou em cubos, de pedra, cerâmica, vidro, esmalte, etc., de diferentes cores, embutidos em pavimentos, paredes ou tetos, para formar mosaicos; abacisco, alguergue, alquerque, alguerque, embutido. **2.** Pedra multicor usada pelos antigos romanos em certos jogos. **3.** Antiga mesa pequena.

abacutaia [Var. de *abacatuaia.*] *S. f. Bras. Zool.* V. *aracanguira.*

abada^1 [De *aba*^{1} + *-ada*^{1}.] *S. f.* **1.** Porção contida numa aba^1 (1 e 2), como, p. ex., a aba de um avental: "Vizinhas entravam com abadas de flores do campo, que lançavam no estreito caixão." (Bernardo Pinheiro Pindela, *Azulejos*, p. 73.) **2.** *Fig.* V. *quantidade* (3).

abada^2 [De *a-*^{5} + ant. *bada*, este do mal. *badaq*, 'rinoceronte'.] *S. f. Zool.* **1.** *Ant.* Rinoceronte. **2.** O corno do rinoceronte.

abada^3 [Do ior.] *S. m. Bras. Amaz.* Tambor usado nos babaçuês da Amazônia.

abadá [Do ior.] *S. m.* **1.** *Bras. BA* Túnica longa de mangas perdidas, us. pelos muçulmanos na África e pelos malês no Brasil, em casa e para orar. **2.** *Bras. P. ext.* Traje semelhante ao abadá (1), de uso informal. **3.** *Restr.* Bata ou camiseta padronizada, vendida ou cedida por trios elétricos ou blocos carnavalescos aos participantes do seu cordão (7). 4. *Bras. RJ Cap.* A calça us. pelos capoeiristas. 5. *Bras. Cap.* Membro ou capoeirista da associação Abadá Capoeira. • *Adj. 2 g.* 6. *Bras. Cap.* Pertencente ou relativo a essa associação.

abadado[1] [De *abade* + *-ado*[2].] *S. m.* 1. Dignidade, cargo ou jurisdição de abade. 2. Tempo de exercício desse cargo. 3. *Lus.* V. *abadia* (5). [Cf. *abadessado*.]

abadado[2] [Part. de *abadar*.] *Adj.* Provido de abade; abadiado[2]: *mosteiro abadado.*

aba da estrela *S. f. Bras. GO* Cada um dos pequenos lábios da vulva. [Pl.: *abas da estrela*. Note que: a) 'da estrela' equivale a *estelar*; b) se o voc. fosse *aba-estelar* teria hífen.] ☑

abadágio *S. m.* 1. Refeição que os paroquianos davam obrigatoriamente ao abade. 2. A obrigação desse ato. 3. Renda de abadia.

abadalado [De *a-*[2] + *badalo* + *-ado*[1].] *Adj.* Que tem feitio de badalo.

abadar [De *abade* + *-ar*[2].] *V. t. d.* 1. Apresentar abade em, prover de abade (mosteiro ou paróquia); abadiar. 2. Exercer as funções de abade em (mosteiro ou paróquia). [Cf. *abadessar*.]

abade [Do siríaco *abba*, f. enfática do hebr. *'ab'*, 'pai', pelo gr. *abbâ* e pelo lat. *abbate*.] *S. m.* 1. Prelado que dirige a abadia. 2. Superior de ordem religiosa. 3. *Lus.* Pároco de certas freguesias. 4. *Fig.* Homem muito gordo, bem nutrido e, em geral, pachorrento. [Fem., nessas acepçs.: *abadessa* (ê), pl. *abadessas* (ê). Cf. *abadessa* e *abadessas*, do v. *abadessar*.] 5. Tira de pano sem pregas, ou babado, que encobre os pés de móveis estofados, formando um macho em cada um dos quatro cantos do móvel. 6. *Zool. Bras.* V. *gralha-do-campo*. 7. *Bras. N.* Mortalha para cigarros.

abadejo [Do esp. *abadejo*.] *S. m. Zool.* Badejo (1) (q. v.).

abadengo [De *abade* + *-engo*.] *Adj.* Pertencente ao abade ou à sua jurisdição: *terras abadengas.* ~ V. *abadengos*.

abadengos [Pl. de *abadengo*.] *S. m. pl.* Os bens abaciais. ~ V. *abadengo*.

abaderna [De *a-*[5] + *baderna*[1].] *S. f. Marinh. Ant.* Baderna[1] (q. v.).

abadesco (ê) [De *abade* + *-esco*.] *Adj.* Abacial (2 e 3).

abadessa (ê) [Do lat. tard. *abbatissa*.] *S. f.* 1. Superiora de abadia (4). 2. *Fig.* Mulher grande, de aspecto matronal. 3. *Bras. PE* Dona ou administradora de prostíbulo. [Pl.: *abadessas* (ê). Cf. *abadessa* e *abadessas*, do v. *abadessar*.]

abadessado [De *abadessa* + *-ado*[2].] *S. m.* 1. Cargo e jurisdição de abadessa. 2. O tempo de exercício desse cargo. 3. Ato da eleição da abadessa. 4. Celebração desse ato. [Cf. *abadado*[1].]

abadessar [De *abadessa* + *-ar*[2].] *V. t. d.* Dirigir como abadessa. [Pres. ind.: *abadesso, abadessas, abadessa,* etc. Cf. *abadessa* (ê), pl. *abadessas* (ê), e *abadar*.]

abadia [Do lat. ecles. *abbatia*.] *S. f. Ecles.* 1. Circunscrição eclesiástica sob a jurisdição de um abade. 2. Residência canônica do abade. 3. Os rendimentos correspondentes à abadia (1). 4. Mosteiro governado por abade ou abadessa. 5. *Lus.* Igreja paroquial cujo pároco tem a dignidade de abade; abadiado, abadado.

abadiado[1] [De *abadia* + *-ado*[2].] *S. m. Lus.* V. *abadia* (5).

abadiado[2] [Part. de *abadiar*.] *Adj.* Abadado[2].

abadianense *Adj. 2 g.* 1. De, ou pertencente ou relativo a Abadiânia (GO). • *S. 2 g.* 2. O natural ou habitante de Abadiânia.

abadiar [De *abade* + *-iar*[2].] *V. t. d.* Abadar (1) (q. v.).

abádida [Do antr. ár. *ᶜabbād* + *-ida*[5].] *Adj. 2 g.* 1. Pertencente ou relativo a uma dinastia muçulmana que reinou na cidade de Sevilha (S. da Espanha) de 1023 a 1091, época em que essa cidade foi um dos centros da civilização muçulmana. • *S. 2 g.* 2. Membro dessa dinastia.

abadiense *Adj. 2 g.* 1. De, ou pertencente ou relativo a Abadia dos Dourados (MG). • *S. 2 g.* 2. O natural ou habitante de Abadia dos Dourados.

abadir [Do semítico *'ab addir*, 'pai venerável', pelo lat. tard. *abaddir*.] *S. m.* 1. Pedra sagrada que os antigos consideravam habitada pela divindade. 2. *Mit.* A pedra que Saturno engoliu julgando que devorava seu próprio filho Júpiter.

abado [Part. de *abar*.] *Adj.* Provido de aba, ou de grande aba.

abadô [Do ior.] *S. m. Bras. Rel.* Comida votiva de Omolu, feita de milho torrado.

abaetado (a-e) [De *a-*[2] + *baeta* + *-ado*[1].] *Adj.* Semelhante a baeta.

abaetar (a-e) [De *a-*[2] + *baeta* + *-ar*[2].] *V. t. d.* 1. Cobrir com baeta. 2. Agasalhar com baeta. *P.* 3. Vestir baeta. 4. Agasalhar-se, abrigar-se, enroupar-se.

abaetê (a-e) [De or. tupi.] *S. m. Bras.* Homem bom, verdadeiro, de palavra, honrado. [Cf. *abaité* e o top. e antr. *Abaeté*.]

abaeteense (a-etêen) *Adj. 2 g.* 1. De, ou pertencente ou relativo a Abaeté (MG). • *S. 2 g.* 2. O natural ou habitante de Abaeté.

➔ **ab aeterno** [ab ajˈtɛrno] [Lat.] Desde toda a eternidade.

abaetetubense (a-e) *Adj. 2 g.* 1. De, ou pertencente ou relativo a Abaetetuba (PA). • *S. 2 g.* 2. O natural ou habitante de Abaetetuba.

abaezado (è) [De *a-*[2] + *baé* + *-zado*.] *Adj. Bras. AL* Diz-se do bovino (e, p. ext., de pessoa de pequeno porte) robusto e de pernas curtas.

abafa [Dev. de *abafar*[2].] *S. m. Bras. AL RJ* Certo jogo de cartas.

abafa-banana [De *abafar*[2] + *banana*.] *S. m. Bras. N.E. Fam. Vest.* Roupa (2) grossa, muito quente. [Pl.: *abafa-bananas*.]

abafação [De *abafar*[2] + *-ção*.] *S. f.* V. *abafamento*.

abafadela [De *abafar*[2] + *-dela*.] *S. f.* Ação de abafar rapidamente.

abafadiço *Adj.* 1. Suscetível de sufocações ou abafamentos. 2. V. *abafado* (1 e 2): "Era um dia abafadiço e aborrecido. A pobre cidade de S. Luís do Maranhão parecia entorpecida pelo calor." (Aluísio Azevedo, *O Mulato*, p. 9.) 3. *Fig.* Irritadiço, espinhado, irascível.

abafado [Part. de *abafar*[2].] *Adj.* 1. Pesado, sufocante, abafante, abafadiço, abafador: *atmosfera abafada.* 2. Em que se respira mal; irrespirável, abafadiço: *sala abafada.* 3. Privado do ar; sufocado, opresso, asfixiado. 4. Contido, reprimido, sofreado: *soluços abafados.* 5. Enroupado, agasalhado, para evitar o frio. 6. Disfarçado, dissimulado, velado: *riso abafado.* 7. Que não se divulgou, não veio a público: *escândalo abafado.* 8. De pouca ressonância; surdo, sumido: *voz abafada.* 9. Oprimido pela angústia; apertado, esmagado: *Sente o coração abafado.* 10. *Bras. Pop.* Extremamente ocupado; abarbado. 11. *Bras. Pop.* Agoniado, ansiado, aflito. 12. *Bras. PE Pop.* Zangado, irritado. ~ V. *vinho* —.

abafador (ô) [De *abafar*[2] + *-dor*.] *Adj.* 1. Que abafa. 2. V. *abafado* (1). 3. Que reprime; dominador: *leis abafadoras.* • *S. m.* 4. Aquilo que abafa ou agasalha; cobertura, agasalho. 5. Cobertura de lã para conservar quente o conteúdo de uma vasilha. 6. *Mús.* Peça que amortece ou impede a vibração dos sons, em certos instrumentos. 7. *Rel.* Membro de uma seita cristã que abreviava a vida dos moribundos, depois de confessados e comungados, abafando-os com almofadas. 8. *Bras. Gír.* Gatuno, larápio.

abafadura [De *abafar*[2] + *-dura*.] *S. f.* V. *abafamento* (1 e 2).

abafamento [De *abafar*[2] + *-mento*.] *S. m.* 1. Ato de abafar(-se); abafadura. 2. Falta de ar; sufocação; abafadura, abafo. 3. Apagamento, desaparecimento. 4. *Bras. Gír.* Ação de abafar, de apropriar-se indebitamente de objeto ou quantia; abafo. [Sin. ger.: *abafação*.]

abafanético [De *abafar*[2] + *-n-* + *-ético*, jocosamente.] *Adj. Bras. PE Pop. Desus.* Cansado, ofegante, exausto, extenuado.

abafante [De *abafar*[2] + *-nte*.] *Adj. 2 g.* 1. V. *abafado* (1). 2. *Bras. Gír.* Que abafa, que sobressai pela beleza, graça, elegância, simpatia, inteligência, etc.; abafativo.

abafar[1] *S. m.* V. *albafar*.

abafar[2] [De *a-*[2] + *bafo*[1] + *-ar*[2].] *V. t. d.* 1. Cobrir, para conservar o calor, dificultar ou obstar a evaporação: *Abafou o bule para que o chá não esfriasse.* 2. Impedir a combustão de: *abafar as chamas.* 3. Dificultar a respiração de; sufocar, asfixiar: *O excesso de agasalhos abafava-o.* 4. Matar por asfixia; sufocar. 5. Impedir o desenvolvimento de; não deixar crescer ou expandir-se; sufocar, asfixiar. 6. Ocultar, esconder: "Chorai, olhos meus, chorai, / Que eu não abafo o que sinto" (José Albano, *Rimas*, p. 30). 7. Amortecer, abrandar o som de: "eu abafava os soluços para que ninguém os percebesse" (Umberto Peregrino, *Três Mulheres*, p. 21). 8. Cobrir (alguém) de roupas contra o frio; agasalhar. 9. Não deixar prosseguir; encobrir: *Tentou abafar o processo, mas o juiz, honesto, não o permitiu.* 10. Não deixar que se divulgue: *Mal conseguiram abafar o escândalo.* 11. *Marinh.* Apertar (a vela, o pano) de encontro ao mastro ou verga, depois de carregada, de modo que o vento não a possa enfunar. 12. *Bras. Gír.* Roubar, furtar: *Abafou o dinheiro e fugiu.* 13. *Bras. Gír.* Estar ou ficar em situação de especial relevo em relação a, atraindo para si todas as atenções; dominar, suplantar: "A Vila não quer abafar ninguém" (Noel Rosa, do samba *Palpite Infeliz*). *T. d. e i. T. d. e c. T. c. e i.* 14. *Bras. Gír.* Abafar (12). *Int.* 15. Respirar com dificuldade; sufocar(-se), asfixiar(-se). 16. Fazer calor intenso. 17. V. *sufocar* (8): "O calor abafava, fora." (Pedro Rabelo, *A Alma Alheia*, p. 24.) 18. *Bras. Gír.* Ficar em situação de especial relevo, acima de todos, dominando-os, suplantando-os; arrasar: *Quando a escola de samba apareceu, abafou.* *P.* 19. Sufocar-se, asfixiar-se. 20. Agasalhar-se, enroupar-se.

abafarete (ê) [De *abafar*[2] + *-ete* (ê).] *S. m.* 1. Ato de abafar. 2. Sustação do seguimento de uma coisa. 3. O obstar a que uma notícia se divulgue. 4. *Fam.* Qualquer bebida para aquecer.

abafativo [De *abafar*[2] + *-tivo*.] *Adj. Bras. Gír.* Abafante (2).

abafo [Dev. de *abafar*[2].] *S. m.* 1. Agasalho (6). 2. Afeto, afago. 3. V. *abafamento* (2 e 4).

abagoar [De *a-*[2] + *bago* + *-oar*.] *V. int. Lus.* 1. Criar bago(s). 2. Desprender-se (grão, conta, etc.). [Conjug.: v. *coroar*.]

abagualado [De *a-*[2] + *bagual* + *-ado*[1].] *Adj. Bras. S.* 1. Diz-se do cavalo arisco, espantadiço, como se fora bagual. 2. *P. ext.* Inculto, rústico, abrutalhado.

abagualar-se [De *a-*[2] + *bagual* + *-ar*[2] + *se*[1].] *V. p. Bras. S.* 1. Tornar-se (o cavalo) bagual ou arisco. 2. *P. ext.* Tornar-se grosseiro, rústico; abrutalhar-se.

abagunçado [Part. de *abagunçar*.] *Adj. Bras. Pop.* V. *bagunçado*.

abagunçar [De *a-*[2] + *bagunça* + *-ar*[2].] *V. t. d. Int. Bras. Pop.* V. *bagunçar*. [Conjug.: v. *laçar*.]

abaí [De or. obsc.] *S. m. Bot.* Arbusto calicantáceo (*Chimonanthus fragrans*) ornamental, de folhas lanceoladas, grandes flores alvacentas, purpúreas no interior, e cujo odor lembra o do jacinto; é nativo do Japão.

abaia [Do ár.] *S. f.* Túnica larga usada por muçulmanos (árabes, iranianos, etc.), que lhes cobre todo o corpo. [Var.: *aba*.]

abaianada (a-i) [F. subst. de *abaianado*.] *S. f. Bras. N.E.* Peça de zabumba (2), de ritmo rápido, caracterizada sobretudo pelo toque rufado do tarol.

abaianado (a-i) [De *a-*[2] + *baiano* + *-ado*[1].] *Adj. Bras.* Que tem temperamento, jeito, modos de baiano.

abaianar (a-i) [De *a-*[2] + *baiano* + *-ar*[2].] *V. t. d. P.* Tornar(-se) abaianado; adaptar(-se) ao temperamento, maneira, ou estilo baiano.

abaiarense *Adj. 2 g.* 1. De, ou pertencente ou relativo a Abaiara (CE). • *S. 2 g.* 2. O natural ou habitante de Abaiara.

abaíba *Bras. S. 2 g.* 1. *Etnôn.* Indivíduo dos abaíbas, povo indígena extinto que ocupava a região da atual Zona da Mata (MG). • *Adj. 2 g.* 2. Pertencente ou relativo a esse povo. [Tb. us. como *s. 2 g. e 2 n.* (com cap.) e *adj. 2 g. e 2 n.*]

abainhado [De *a-*[2] + *bainha* + *-ado*[1].] *Adj.* Em forma de bainha.

abainhar (a-i) [De *a-*[2] + *bainha* + *-ar*[2].] *V. t. d.* 1. Dar forma de bainha a. 2. Fazer bainha em; embainhar, bainhar: "Estava agora do outro lado da mesa, abainhando um esfregão" (Eça de Queirós, *O Crime do Padre Amaro*, p. 462).

abaionetado [De *a-*[2] + *baioneta* + *-ado*[1].] *Adj.* Em forma de baioneta.

abaionetar [De *a-*[2] + *baioneta* + *-ar*[2].] *V. t. d.* 1. Ferir ou trespassar com baioneta. 2. Armar de baioneta.

abairense (a-i) *Adj. 2 g.* 1. De, ou pertencente ou relativo a Abaíra (BA). • *S. 2 g.* 2. O natural ou habitante de Abaíra.

abairrado [Part. de *abairrar*.] *Adj.* Dividido em bairros.

abairramento [De *abairrar* + *-mento*.] *S. m.* Ato ou efeito de abairrar.

abairrar [De *a-*[2] + *bairro* + *-ar*[2].] *V. t. d.* Dividir (cidade, vila, etc.) em bairros.

abaité (a-i) [De or. tupi.] *S. m. Bras. MG* Pessoa feia, repulsiva. [Cf. *abaetê* e o top. e antr. *Abaeté*.]

abaiucar (ai-u) [De *a-*[2] + *baiuca* + *-ar*[2].] *V. t. d.* Dar aspecto de baiuca a. [Conjug.: v. *trancar*.]

abaixadela [De *abaixar* + *-dela*.] *S. f.* Ato ou efeito de abaixar(-se) uma vez, ou ligeiramente.

abaixado [Part. de *abaixar*.] *Adj.* 1. Tornado baixo ou mais baixo. 2. Descido, arriado: *Dormiu de persianas abaixadas.* 3. Abatido, humilhado, rebaixado. ~ V. *abaixados*.

abaixador (ô) [De *abaixar* + *-dor*.] *Adj.* 1. Que abaixa; abaixante. • *S. m.* 2. Aquilo que abaixa. 3. *Bras. BA* Pescador que, mergulhando, desembaraça a rede de presa em qualquer obstáculo no fundo da água. ◆ **Abaixador de língua.** *Med.* Instrumento espatulado com que, no decurso de exame ou de intervenção cirúrgica, a língua é mantida abaixada; abaixa-língua, glossocátoco.

abaixados [Pl. subst. de *abaixado*.] *S. m. pl. Bras.* 1. Salamaleques, rapapés, mesuras. 2. Adulações, bajulações. [Sin. ger.: *agachados*.] ~ V. *abaixado*.

abaixa-língua [De *abaixar* + *língua*.] *S. m. Med.* V. *abaixador de língua*. [Pl.: *abaixa-línguas*.]

abaixa-luz [De *abaixar* + *luz*.] *S. m.* V. *abajur* (1). [Pl.: *abaixa-luzes*.]

abaixamento [De *abaixar* + *-mento*.] *S. m.* Ato ou efeito de abaixar(-se).

abaixante [De *abaixar* + *-nte*.] *Adj. 2 g.* Abaixador (1).

abaixar [De *a-*[2] + *baixo* + *-ar*[2].] *V. t. d.* 1. Tornar baixo ou mais baixo; diminuir na altura: *Fez abaixar os altos muros da mansão.* 2. Fazer descer: *Abaixou as persianas.* 3. *Mat.* Escrever (cifra de dividendo) na sequência do resto obtido. **4.** Diminuir a intensidade, o volume de (som). **5.** Fazer cair, reduzir (a temperatura). **6.** Fazer cair; derribar, derrubar. **7.** Dirigir para baixo: "o homem abaixava os olhos, contrafeito, ou os desviava para o lado" (Herman Lima, *Garimpos*, p. 142). **8.** Reduzir o preço, o valor, a estimação de: *A queda do dólar abaixou as ações.* **9.** *Mús.* V. *baixar* (3). *T. d. e c.* **10.** Dirigir (para baixo). *T. c.* **11.** Trazer para nível inferior; descer: *abaixar ao solo. Int.* **12.** Descer ao nível do chão ou para o fundo do recipiente (pó, poeira, sedimento); assentar. **13.** Passar de um lugar alto para outro baixo ou menos alto; descer. **14.** Arrefecer (a temperatura). *P.* **15.** Tornar-se menos alto ou mais baixo. **16.** Diminuir em altura. **17.** Curvar-se, dobrar-se, flexionar-se: "abaixando-me na mesa do almoço para apanhar um garfo, vi as coxas de Miriã" (Dias da Costa, *Canção do Beco*, p. 17). **18.** *Fig.* Humilhar-se, rebaixar-se. [Sin. ger.: *baixar.*]

abaixa-voz [De *abaixar* + *voz.*] *S. m. Arquit.* Guarda-voz. [Pl.: *abaixa-vozes.*]

abaixo [De *a*[3] + *baixo.*] *Adv.* **1.** Em lugar menos elevado: *Construiu a casa na vertente da colina; abaixo passa uma estrada.* **2.** Na parte inferior (esp. de página escrita): *Os abaixo nomeados não receberão bonificações.* **3.** Na direção da parte superior para a inferior; descensionalmente: "O fato de voarem uma atrás da outra, ora à direita, ora à esquerda, ora abaixo, ora acima, ... não dá a razão do desvio, visto que nunca as borboletas voaram em linha reta, como simples militares." (Machado de Assis, *Histórias sem Data*, p. 197.) **4.** Em situação ou posição hierárquica inferior: *Pedro é diretor da firma, Paulo está abaixo.* **5.** Ao chão, à terra, ao solo: *Irado, jogou abaixo tudo que encontrou à frente.* **6.** Em plano ou ponto inferior (no espaço); embaixo: "Pimenta ainda não se deitara .... Veio abaixo abrir a porta, mostrou-se admirado" (José Saramago, *O Ano da Morte de Ricardo Reis*, p. 79). [Antôn., nas acepçs. 1 a 4: *acima.*] • *Interj.* **7.** Grito de reprovação: *Abaixo a tirania!* ◆ **Abaixo de. 1.** Em posição inferior a, mas na mesma direção vertical: *Pôs o livro abaixo da pasta;* "o carvão já falhou no inverno, quando vaga agudíssima de frio precipitou o azougue dos termômetros abaixo de zero muitos graus." (Ricardo Jorge, *Passadas de Erradio*, p. 181). **2.** Em posição inferior, subalterna, em um conjunto, série, hierarquia, etc.: *O capitão está abaixo do major; Sua inteligência é abaixo da média.* **3.** Em seguida a; depois de; após: *Abaixo de João ainda há mais três filhos; Abaixo de Deus, ama os filhos.* **4.** Em condição inferior, quanto ao mérito intelectual, moral, etc.: *Valentim Magalhães está muitíssimo abaixo de Machado de Assis;* "Não o coloco [a Camilo Castelo Branco] abaixo nem acima de pessoa alguma: não o quis comparar." (Tomás Ribeiro, em Camilo Castelo Branco, *Um Livro*, p. XXXI); "Achava tudo muito abaixo do que imaginara; daí o tédio, a repulsão por tudo aquilo." (Abel Botelho, *Sem Remédio*, p. 181). **5.** Em quantidade, quantia, idade, etc., inferior a: *Os livros que possui são abaixo de 10.000; Percebe vencimentos abaixo de dois salários;* "são vinte [meninos], ... todos garotinhos abaixo de dez anos" (Armando Nogueira, *Na Grande Área*, p. 11).

abaixo-assinado *S. m.* Documento particular assinado por várias pessoas e que, em geral, contém reivindicação, pedido, manifestação de protesto ou de solidariedade, etc. [Pl.: *abaixo-assinados.*]

abajá [De or. afric., poss.] *S. m. Bot.* V. *cola*[2] (2).

abajá-mirim [De *abajá* + *-mirim.*] *S. m. Bras. Bot.* V. *angelim-doce* (2). [Pl.: *abajás-mirins.*]

abajeru [Var. de *guajeru.*] *S. m. Bras. Bot.* **1.** Árvore crisobalanácea (*Couepia canomensis*) de fruto drupáceo, aproveitável na alimentação. **2.** O fruto dessa planta. [Outras var.: *gajeru, gajiru, gajuru, guajaru, guajiru, guajuru.*]

abajoujamento [De *abajoujar(-se)* + *-mento.*] *S. m.* Ato de abajoujar-se.

abajoujar-se [De *a*-[2] + *bajoujo* + *-ar*[2] + *se*[1].] *V. p.* Tornar-se ou mostrar-se bajoujo.

abaju *Adj. 2 g. S. 2 g. Bras.* Diz-se de, ou mestiço resultante do cruzamento de abaúna com branco.

abajur [Do fr. *abat-jour.*] *S. m.* **1.** Peça de forma variável, feita de cartão, pano, vidro fosco, etc., que preserva os olhos da luz de lâmpada, candeeiro, vela, etc., ou a faz incidir sobre determinada área; quebra-luz, abaixa-luz, para-luz, lucivelo ou lucivéu, pantalha, refletidor, sombra, tapa-luz: "Entra em seu quarto, a luz do abajur clareia o rosto da mulher" (Ricardo Ramos, *Matar um Homem*, p. 146). **2.** *P. ext.* O conjunto formado pelo abajur (1) e pelo respectivo pé. [Sin., nesta acepç., (lus.): *candeeiro.*] **3.** Aparelho feito de pranchas, aplicado às janelas das prisões para vedar aos prisioneiros toda a comunicação com o exterior. **4.** *Arquit.* Janela cujos lados são inclinados para que a abertura no interior se alargue. **5.** *Bras. RJ Gír. pol.* Policial que fica à espreita de ladrões, assaltantes, etc.

abalá *S. m. Bras. BA* V. *abará.*

abalada [De *abalar* + *-ada*[1].] *S. f.* **1.** V. *abalamento.* **2.** Saída de um lugar; partida. **3.** Corrida, correria: *Foi e voltou numa abalada.* **4.** Direção que a caça toma ao levantar-se. ◆ **De abalada.** Apressadamente, precipitadamente; a toda a pressa: "— Adeus! adeus! — exclamei raivoso, erguendo-me e de abalada seguindo em direção à porta da rua." (Abel Botelho, *O Livro de Alda*, p. 119.)

abalado [Part. de *abalar.*] *Adj.* **1.** Que não está firme; malseguro: *alicerces abalados.* **2.** Abatido, alquebrado: *saúde abalada.* **3.** Perturbado por efeito de grande comoção; atônito, comovido.

abalador (ô) [De *abalar* + *-dor.*] *Adj.* Que abala.

abaladura [De *abalar* + *-dura.*] *S. f.* V. *abalamento.*

abalaiado [De *a*-[2] + *balaio* + *-ado*[1].] *Adj.* Em forma de balaio.

abalamento [De *abalar* + *-mento.*] *S. m.* Ato ou efeito de abalar; abaladura, abalo, abalada.

abalançamento [De *abalançar* + *-mento.*] *S. m.* Ato ou efeito de abalançar(-se).

abalançar [De *a*-[2] + *balança* + *-ar*[2].] *V. t. d.* **1.** Determinar ou declarar o peso de, usando para isto a balança. **2.** Avaliar, estimar, calcular: *Não foi possível abalançar com precisão os danos.* **3.** Mover alternadamente em sentidos opostos; oscilar, balançar. **4.** V. *balançar* (2). **5.** Impelir, impulsar, impulsionar. **6.** Balançar (4). *T. d. e i.* **7.** Impelir, mover: *O sentimento cívico abalançou-o a apresentar-se como voluntário. T. i.* **8.** Impelir, mover, conduzir. *Int.* **9.** V. *abalançar* (10). *P.* **10.** Mover-se alternadamente em sentidos opostos; oscilar, balançar, abalançar. **11.** Arrojar-se, atrever-se, arriscar-se, aventurar-se: "E foi assim que .... às suas instâncias me abalancei à viagem ao Oriente e a Londres." (Ricardo Jorge, *Canhenho dum Vagamundo*, p. XV.) [Conjug.: v. *laçar.*]

abalar [De or. controv.] *V. t. d.* **1.** Diminuir a solidez ou firmeza de: *O terremoto abalou vários bairros da cidade; A infiltração abalou a fundação do prédio.* **2.** Provocar oscilação em; fazer tremer; agitar: "a ventania abala as vidraças." (Raul Brandão, *A Farsa*, p. 13). **3.** Causar abalo a; enfraquecer, desgastar. **4.** Causar abalo (5) a; abater, comover, impressionar: *A catástrofe abalou-o vivamente.* **5.** Diminuir ou tirar a resistência de; abater, debilitar: *A vida afanosa que leva não o abala.* **6.** Pôr em rebuliço; agitar: *A notícia abalou a cidade.* **7.** Convulsionar, revolucionar, subverter. **8.** Fazer mudar ou modificar (opinião, parecer, etc.): *Apesar de todos os meus argumentos, não alcancei abalá-lo. T. d. e i.* **9.** Incitar, impelir: *O ódio abalou-o a praticar o crime. T. c.* **10.** Sair ou partir deixando, abandonando: *Abalou da cidade natal em busca de melhores condições de vida. Int.* **11.** V. *fugir* (1 e 2): *Praticado o crime, abalou.* **12.** Partir; afastar-se, ausentar-se: *Mal rompeu o dia, ela abalou;* "Quando as naus iam à Índia, / Se eram cem as que abalavam, / Vinte apenas regressavam..." (Eugênio de Castro, *Obras Poéticas*, V, p. 93). **13.** *Bras. BA* Fazer batendo os remos na água. *P.* **14.** Sacudir-se, agitar-se. **15.** Sofrer abalo (5); abater-se, prostrar-se: *Abalou-se muito com a morte do filho;* "Ao sopro da desventura / Só eu me não abalei" (Gonçalves Dias, *Obras Poéticas*, II, p. 103). **16.** Afligir-se, alterar-se, inquietar-se, perturbar-se. **17.** Abater (20): *abalar-se com doença.* [Pres. ind.: *abalo*, etc. Cf. *ábalo*, s. m.]

abalaú *S. m. Bras. Rel.* V. *Abaluaiê.* [Com cap.]

abalaustrado[1] (a-us) [De *a*-[2] + *balaústre* + *-ado*[1].] *Adj.* Em forma de balaústre.

abalaustrado[2] (a-us) [Part. de *abalaustrar.*] *Adj.* Guarnecido de balaústre(s).

abalaustramento (a-us) [De *abalaustrar* + *-mento.*] *S. m.* Ato ou efeito de abalaustrar.

abalaustrar (a-us) [De *a*-[2] + *balaústre* + *-ar*[2].] *V. t. d.* **1.** Guarnecer com balaústre(s). **2.** Dar forma de balaústre a. [Conjug.: v. *saudar.*]

abalável [De *abalar* + *-vel.*] *Adj. 2 g.* Que pode ser abalado.

abaldeirado *Adj. Bras.* V. *albardeiro* (3).

abaldeiro *Adj. Bras.* V. *albardeiro* (3).

abalienação [Do lat. cient. *abalienatio, onis.*] *S. f. Med. P. us.* Distúrbio mental.

abalienado [Do lat. *abalienatu.*] *Adj. S. m. Med. P. us.* Diz-se de, ou aquele que sofre de abalienação.

abalizado [Part. de *abalizar.*] *Adj.* **1.** Marcado ou sinalizado com balizas. **2.** De grande competência; idôneo, notável, competente: "No que levo dito dos jantares de dois me reporto ao testemunho de abalizadas autoridades" (Ramalho Ortigão, *Em Paris*, p. 125).

abalizador (ô) [De *abalizar* + *-dor.*] *Adj.* **1.** Que abaliza. • *S. m.* **2.** Aquele ou aquilo que abaliza. **3.** Vara para medir terrenos.

abalizamento [De *abalizar* + *-mento.*] *S. m.* Ato ou efeito de abalizar(-se).

abalizar [De *a*-[2] + *baliza* + *-ar*[2].] *V. t. d.* **1.** V. *balizar* (1). **2.** Assinalar, marcar: *Uma cruz abalizava o local do desastre.* **3.** Apontar, assinalar, determinar. *T. d. e i.* **4.** Traçar, assinalar: *Abalizou limites aos pedidos impertinentes do filho. Transobj.* **5.** Apontar, assinalar: "se o abalizarem [Antônio José da Silva, o Judeu] o primeiro entre os autores de comédias populares ...., não lhe contestamos a categoria." (Camilo Castelo Branco, *Curso de Literatura Portuguesa*, p. 192). *P.* **6.** Adquirir notável competência; distinguir-se, sobressair.

abalo [Dev. de *abalar.*] *S. m.* **1.** V. *abalamento.* **2.** Estremecimento, trepidação, tremor: *abalo de um prédio.* **3.** Grande agitação ou transformação; perturbação: *1930 foi um ano de grande abalo político no Brasil.* **4.** Desordem, alvoroço. **5.** Perturbação de ânimo; emoção forte; comoção, choque, baque: *A morte do filho causou-lhe grande abalo.* **6.** Partida, ida, abalada. **7.** Deslocamento pulsatório em qualquer sistema mecânico. **8.** *Bras. BA* Modalidade de pesca na qual se usa rede de tresmalho em forma circular. **9.** *Bras. BA* Essa rede. **10.** *Bras. MG* Reação causada por medicamento. [Cf. *ábalo.*] ◆ **Abalo sísmico.** *Geofís.* V. *sismo.*

ábalo *S. m.* **1.** Indivíduo dos ábalos, povo da Índia. • *Adj.* **2.** Pertencente ou relativo a esse povo. [Cf. *abalo*, do v. *abalar* e s. m.]

abaloado [De *a*-[2] + *balão* + *-ado*[1], com desnasalação.] *Adj.* V. *abalonado.*

abaloar [De *a*-[2] + *balão* + *-ar*[2], com desnasalação.] *V. t. d.* Dar feitio ou aspecto de balão a. [Conjug.: v. *coroar.*]

abalofado [Part. de *abalofar.*] *Adj.* **1.** Tornado balofo (1). **2.** Cheio de si; presumido, enfatuado.

abalofar [De *a*-[2] + *balofo* + *-ar*[2].] *V. t. d.* **1.** Tornar balofo, fofo; afofar. **2.** Envaidecer, ensoberbecer. *Int.* **3.** Tornar-se balofo; afofar(-se); abalofar-se. *P.* **4.** Abalofar (3). **5.** Tornar-se balofo, cheio de si; envaidecer-se, afofar-se.

abalonado [De *a*-[2] + *balão* (*balon*-) + *-ado*[1], seg. o padrão erudito.] *Adj. Bras.* Semelhante a, ou que tem forma de balão; arredondado, abaloado: *saia abalonada; ventre abalonado.*

abalórios *S. m. pl.* V. *avelórios.*

abaloso (ô) [De *abal*-, como em *abalar*, + *-oso.*] *Adj.* **1.** *Bras.* Que abala muito. **2.** *Bras. S.* Diz-se de andar de cavalo que abala ou sacode fortemente, que é incômodo, desagradável.

abalroação [De *abalroar* + *-ção.*] *S. f.* V. *abalroamento.*

abalroada [De *abalroar* + *-ada*[1].] *S. f.* V. *abalroamento.*

abalroadela [De *abalroar* + *-dela.*] *S. f.* Abalroamento não muito forte, de que resultam avarias de menor importância.

abalroamento [De *abalroar* + *-mento.*] *S. m.* Ato ou efeito de abalroar; abalroação, abalroada.

abalroar [De *a*-[2] + *balroa* + *-ar*[2].] *V. t. d.* **1.** *Mar.* Chocar-se (a embarcação) com (outra embarcação, cais, boia, etc.), ger. de forma acidental e desastrosa; colidir: "uma pequena lancha a vapor que abalroa um saveiro, do qual muitos homens estão caindo ao mar" (Clarival do Prado Valadares, *Riscadores de Milagres*, p. 62). **2.** Ir de encontro a; colidir com: *Na Idade Média, os aríetes levados pelos guerreiros abalroavam as muralhas. T. i. T. c.* **3.** Chocar-se (com ou contra embarcação, cais, boia, etc.). **4.** Ir de encontro a; colidir. *Int. P.* **5.** Chocar-se; encontrar-se. **6.** *Ant.* Atracar com balroa(s). [F. paral., p. us.: *balroar.* Conjug.: v. *coroar.*]

abalsar [De *a*-[2] + *balsa*[1] + *-ar*[2].] *V. t. d.* Meter na balsa[1] (2).

abaluaê *S. m. Bras. Rel.* V. *Abaluaiê.* [Com cap.]

abaluaiê [Do ior.] *S. m. Bras. Rel.* Forma jovem de Omolu; Abaluaê, Abalaú, Obaluaiê, Obaluaê. [Com cap.]

abaluartado [Part. de *abaluartar.*] *Adj.* Diz-se de fortificação ou muralha com reentrâncias e saliências, formando baluarte (1).

abaluartamento [De *abaluartar* + *-mento.*] *S. m.* Ato ou operação de abaluartar(-se).

abaluartar [De *a*-[2] + *baluarte* + *-ar*[2].] *V. t. d.* **1.** Guarnecer de baluartes; fortificar. **2.** Tornar semelhante a baluarte. *P.* **3.** Entrincheirar-se, fortificar-se.

abâmita [Do lat. *abamita.*] *S. f.* Tia em quarto grau.

abanã *Bras. S. 2 g.* **1.** *Etnôn.* Indivíduo dos abanás, povo indígena que habita as margens do rio Japurá (AM). • *Adj. 2 g.* **2.** Pertencente ou relativo a esse povo. [Tb. us. como *s. 2 g. e 2 n.* (com cap.) e *adj. 2 g. e 2 n.*]

abanação [De *abanar* + *-ção.*] *S. f.* **1.** Ato ou efeito de abanar(-se); abanamento, abanadura, abano. **2.** *Bras.* Operação mecânica pela qual se separa a palha dos grãos dos cereais.

abanadela [De *abanar* + *-dela.*] *S. f.* **1.** Ação de abanar uma vez, ou de leve. **2.** Sacudidela, sacudidura.

abanado [Part. de *abanar.*] *Adj.* **1.** Ventilado com abano. **2.** Agitado, sacudido. **3.** Estouvado, estabanado. **4.** *Pop.* Doentio, enfermiço, valetudinário.

abanador (ô) [De *abanar* + *-dor*.] *Adj.* **1.** Que abana; abanante. • *S. m.* **2.** Abano (1).

abanadura [De *abanar* + *-dura*.] *S. f.* V. *abanação* (1).

abanamento [De *abanar* + *-mento*.] *S. m.* V. *abanação* (1).

abana-moscas [De *abanar* + o pl. de *mosca*.] *S. m. 2 n.* **1.** Enxota-moscas. **2.** *Fig.* Insignificância, bagatela.

abananado [De *a-*^{2} + *banana* + *-ado*^{1}.] *Adj.* **1.** Semelhante a banana. **2.** Mole, brando: *consistência abananada.* **3.** *Fig.* Apalermado, tolo. **4.** *Lus.* Um tanto doente, combalido.

abananar [De *a-*^{2} + *banana* + *-ar*^{2}.] *V. t. d. P.* Tornar(-se) banana ou tolo; atoleimar(-se).

abanando [Ger. de *abanar*.] *S. m. Bras. PE Folcl.* Passo de frevo de movimentos simultâneos das pernas e dos braços, com acentuada flexão das pernas e do tronco, o antebraço cruzado na frente, a mão direita para a esquerda e vice-versa, o dançarino deslocando-se em todas as direções.

abanante [De *abanar* + *-nte*.] *Adj. 2 g.* Abanador (1).

abanão [De *abanar* + *-ão*^{3}.] *S. m. Pop.* Ato de abanar com força; safanão, sacão.

abanar^{1} [Do lat. *evannare, por *evannere* (do lat. *vannus*, 'joeira', 'crivo'), ou de *a-*^{2} + lat. *vannus* + *-ar*^{2}.] *V. t. d.* **1.** Refrescar, movendo abano, leque, ou coisa semelhante: *Abanava a criança desfalecida para reavivá-la.* **2.** Menear, sacudir: "abanou a cabeça com um sorriso de piedade e ternura" (Machado de Assis, *Memórias Póstumas de Brás Cubas*, p. 208); "quando o mísero cachorro .... se aproximou abanando o rabo, sorrindo o pintor teve a ideia: livrar-se do antigo amigo que o irritava com sua simples presença." (Lígia Fagundes Teles, *A Disciplina do Amor*, p. 77). **3.** Demover, dissuadir. *T. i.* **4.** Acenar (4). *Int.* **5.** Tremer, oscilar. *P.* **6.** Refrescar-se com abano, leque, ou coisa semelhante: "encontraram o bom velho estendido em uma cadeira de lona, em mangas de camisa, a abanar-se com um jornal." (Coelho Neto, *A Conquista*, p. 433).

abanar^{2} [De *afanar*, poss.] *V. t. d. Int. Bras. Gír.* Furtar, roubar.

abancado [Part. de *abancar*^{1}.] *Adj.* **1.** Guarnecido com bancos. **2.** Sentado em banco, ou em qualquer outro tipo de assento.

abancamento [De *abancar*^{1} + *-mento*.] *S. m.* Guarnecimento com bancos.

abancar^{1} [De *a-*^{2} + *banco*^{1} + *-ar*^{2}.] *V. t. d.* **1.** Guarnecer com bancos. *Int. P.* **2.** Tomar assento; sentar-se, assentar-se. [Conjug.: v. *trancar*.]

abancar^{2} [De *a-*^{2} + *banca* + *-ar*^{2}.] *V. t. d.* **1.** Dispor em volta da banca ou da mesa. *T. c.* **2.** Assentar-se, sentar-se: "Ficou no botequim do pavimento térreo, abancou a uma mesa, pediu café e conhaque" (Coelho Neto, *Turbilhão*, p. 227). *Int.* **3.** Assentar-se à banca ou à mesa. **4.** Permanecer longamente: *Aonde vai de visita, abanca.* *P.* **5.** Assentar-se à banca ou à mesa: "foi abancar-se à máquina de escrever" (Pedro Nava, *Beira-Mar*, p. 35); "Abanquei-me a seu lado." (Ciro dos Anjos, *A Menina do Sobrado*, p. 349). **6.** *Bras. RS* Começar, pegar, pôr-se: *Abancou-se a correr.* **7.** Instalar-se com o intuito de permanecer longamente: *Veio do Norte e abancou-se em casa do amigo.* [Conjug.: v. *trancar*.]

abancar^{3} [De or. incerta.] *V. int.* Correr em fuga, ou no encalço de alguém [v. *fugir* (1 e 2)]: "O que era certo é que o comandante abancava. Os mais distantes, assombrados, começaram a correr também." (João Felício dos Santos, *João Abade*, p. 184.) [Conjug.: v. *trancar*.]

abandado [Part. de *abandar*.] *Adj.* Diz-se do animal que anda em bando, que se abanda.

abandalhação [De *abandalhar* + *-ção*.] *S. f.* **1.** Ato ou efeito de abandalhar(-se). **2.** Ação de bandalho. [Sin. ger.: *abandalhamento*.]

abandalhado [Part. de *abandalhar*.] *Adj.* **1.** Tornado bandalho; acanalhado. **2.** Próprio de quem se abandalhou: *modos abandalhados.*

abandalhamento [De *abandalhar* + *-mento*.] *S. m.* V. *abandalhação*.

abandalhar [De *a-*^{2} + *bandalho* + *-ar*^{2}.] *V. t. d.* **1.** Tornar bandalho, reles, desprezível; aviltar. *P.* **2.** Tornar-se bandalho; dar-se ao desprezo; aviltar-se.

abandar^{1} [De *a-*^{2} + *bando*^{1} + *-ar*^{2}.] *V. t. d.* **1.** Reunir em bando; bandear. *Int.* **2.** Abandar^{1} (1). *P.* **3.** Formar bando; ajuntar-se em bando; abandoar-se. **4.** Unir-se a um bando, partido, facção, etc.; bandear-se.

abandar^{2} [De *a-*^{2} + *banda*^{1} + *-ar*^{2}.] *V. t. d.* **1.** Pôr de banda, de lado; separar: *Abandou parte do seu quinhão.* *T. d. e i.* **2.** Separar para dar, ou dar, como quinhão. *P.* **3.** Pôr-se de banda, de lado; separar-se, isolar-se.

abandar^{3} [De *a-*^{2} + *banda*^{2} + *-ar*^{2}.] *V. t. d.* Pôr banda(s) em.

abandear [De *a-*^{2} + *bando*^{1} + *-ear*^{2}.] *V. t. d. P.* Bandear^{2}. [Conjug.: v. *frear*.]

abandeirado [Part. de *abandeirar*.] *Adj.* **1.** Embandeirado (1). **2.** *Bras.* Alistado em bandeira (13).

abandeirar [De *a-*^{2} + *bandeira* + *-ar*^{2}.] *V. t. d.* **1.** Embandeirar. *P.* **2.** Embandeirar-se. **3.** Alistar-se em bandeira (13).

abandejado^{1} [De *a-*^{2} + *bandeja* + *-ado*^{1}.] *Adj.* Que tem forma de bandeja, ou é semelhante a ela.

abandejado^{2} [Part. de *abandejar*.] *Adj.* **1.** A que se deu forma de bandeja. **2.** Diz-se do cereal separado com bandeja.

abandejar [De *a-*^{2} + *bandeja* + *-ar*^{2}.] *V. t. d.* **1.** Dar a forma de bandeja a. **2.** Separar com bandeja (3) (o grão da palha), na limpa dos cereais. [Conjug.: v. *pelejar*.]

abandidado [Part. de *abandidar*.] *Adj.* **1.** Que se abandidou. **2.** Que é próprio de bandido: *um ar abandidado.*

abandidar [De *a-*^{2} + *bandido* + *-ar*^{2}.] *Bras. V. t. d.* **1.** Tornar bandido. *Int. P.* **2.** Tornar-se bandido. **3.** Agir como bandido, como assecla do banditismo.

abandoar-se [De *a-*^{2} + *bando*^{1} + *-oar* + *se*^{1}.] *V. p.* Unir-se em bando; formar grupo; abandar-se: "Jaraquis, pirapitingas, pacus e curimatãs abandoam-se por essa época" (Gastão Cruls, *4 Romances*, p. 160). [Conjug.: v. *coroar*.]

abandonado [Part. de *abandonar*.] *Adj.* **1.** Posto de lado; deixado, largado: *carro abandonado.* **2.** Deixado ao abandono; desamparado: *crianças abandonadas.* **3.** Sem trato; descuidado, maltratado, danificado: *estradas abandonadas.* **4.** Diz-se daquilo a que se renunciou, de que se desistiu: *projeto abandonado.* • *S. m.* **5.** Indivíduo desamparado, abandonado: "— Ó piedosa Mulher, Mãe dos abandonados, / *Miserere mei!...*" (Gomes Leal, *A Mulher de Luto*, p. 183.)

abandonador (ô) [De *abandonar* + *-dor*.] *S. m.* **1.** Aquele que abandona. **2.** *Jur.* Aquele que cede os atos de posse sobre um bem com o propósito de não mais tê-lo para si.

abandonamento [De *abandonar* + *-mento*.] *S. m. P. us.* V. *abandono*.

abandonar [Do fr. *abandonner*.] *V. t. d.* **1.** Deixar, largar: *Abandonou a casa paterna quando criança.* **2.** Deixar só; desamparar: "Não casou ele em Paris com Susana de Montfort?! | — Casou. | — Abandonou-a? | — Não a abandonou. Foi a Portugal, mas voltará." (Camilo Castelo Branco, *Livro Negro de Padre Dinis*, p. 28.) **3.** Afastar-se de: *abandonar a razão.* **4.** Renunciar a; desistir de: "lembrou-se, um dia, de procurar ocupação no comércio, abandonando .... as suas veleidades de escritor público" (Artur Azevedo, *Contos Cariocas*, p. 17). **5.** Não se interessar por; não cuidar de; descuidar, descurar: *Desgostoso, abandonou os estudos; Com a morte da mulher, abandonou o sítio onde passavam os fins de semana.* **6.** Desprezar, menosprezar, desdenhar: *Quando se viu em alta posição, abandonou os antigos companheiros.* *P.* **7.** Dar-se ao desprezo. **8.** Entregar-se, dar-se: *Abandonou-se ao vício;* "Henriqueta Lisboa muito aprendeu dessas verdades subterrâneas que a morte .... esconde aos que simplesmente a temem, ou diante dela se abandonam ao puro desespero." (Carlos Drummond de Andrade, *Passeios na Ilha*, p. 197). **9.** Deixar-se vencer pela fadiga, pela preguiça, pelo vício, etc.: "O mormaço encandeia. Os olhos se fecham, o corpo se abandona." (Lúcia Miguel Pereira, *Cabra-Cega*, p. 193.)

abandonatário [De *abandonar* + *-tário*.] *S. m. Jur.* **1.** Aquele que se apossa de coisa abandonada, ou a ela tem direito. **2.** Aquele que recebe direitos ou bens deixados pelo abandonador.

abandonável [De *abandonar* + *-vel*.] *Adj. 2 g.* Que pode ou deve ser abandonado.

abandono [Dev. de *abandonar*.] *S. m.* **1.** Ato ou efeito de abandonar(-se): *Acusou o marido de abandono do lar; Foi demitido por abandono de emprego.* **2.** Estado ou condição de quem ou do que é ou está abandonado, largado, desamparado: *Deplorável espetáculo o do abandono de menores na cidade.* **3.** Atitude, maneiras, de quem vive ou como que vive abandonado: *Sendo rico, veste-se com certo abandono e falta de asseio.* **4.** Relaxamento de tensão; relaxamento: *Esticou-se no sofá numa atitude de abandono.* **5.** Falta de assistência a menor ou incapaz. **6.** Não comparecimento ao emprego por determinado tempo, sem justificação razoável. **7.** *Jur.* Desistência de um direito ou da propriedade de um bem. [Sin. ger. (p. us.): *abandonamento*.] ◆ **Abandono noxal.** *Jur.* **1.** No direito romano, medida penal limitadora da vingança de sangue, e que consiste na entrega do filho do criminoso, pelo *pater familias*, à parte ofendida, a fim de livrar-se da reparação do dano patrimonial oriunda do delito. **2.** No direito romano, a faculdade concedida ao dono de animais domésticos, causadores de prejuízos à propriedade alheia, de abandonar seu domínio em favor do lesado, a título de ressarcimento. [Neste sentido ainda se usa a expressão.] **Ao abandono. 1.** Sem auxílio, sem proteção. **2.** Sem cuidado ou tratamento.

abaneiro [De *abano* + *-eiro*.] *S. m. Bras. Bot.* Pequena árvore ou arbusto clusiáceo (*Clusia fluminensis*) muito ornamental, graças às folhas arredondadas e belas flores; a casca exsuda resina com propriedades medicinais, pois encerra tanino. [Sin.: *abano, mangue-da-praia, mangue-bravo, mangue-da-praia*.]

abanheém [Do tupi = 'língua de gente'.] *S. m. Bras. Gloss.* Denominação dada ao tupi dos primeiros textos jesuíticos. [Var.: *abanheenga* e *avanheenga*. Cf. *nheengatu*.]

abanheenga *S. m. Bras. S. Gloss.* V. *abanheém*.

abanicar [De *abanico* + *-ar*^{2}.] *V. t. d. P.* Abanar(-se) com leque ou abanico. [Conjug.: v. *trancar*.]

abanico [Do esp. *abanico*.] *S. m.* Leque (1).

abano [De *a-*^{4} + lat. *vannu*, 'joeira', 'crivo'.] *S. m.* **1.** Objeto semelhante ao leque, feito de palha entrelaçada, papel, etc., próprio para agitar o ar e/ou avivar o fogo; abanador: "Sinha Vitória agitava o abano para sustentar as labaredas no angico molhado." (Graciliano Ramos, *Vidas Secas*, p. 8.) **2.** Ventarola. **3.** V. *abanação* (1). **4.** *Art. Gráf.* Peça que, na saída das rotativas, separa os jornais em quantidades preestabelecidas. **5.** *Bras. Bot.* V. *abaneiro*. ~ V. *abanos*.

abanos *S. m. pl.* **1.** *Pop.* As orelhas [v. *orelha* (1)]. **2.** *Ant.* Guarnições de canutilhos outrora usadas à volta do pescoço, nos punhos e no peitilho da camisa. ~ V. *abano*.

abantesma (ê) [De *a-*^{5} + lat. *phantasma* < gr. *phántasma*.] *S. m. e f.* V. *fantasma* (3). [Var.: *avantesma* e *aventesma*.]

abanto [Do esp. *abanto*.] *Adj. Taur.* Diz-se do touro covarde, que não reage às provocações do toureiro.

abaquetar [De *a-*^{2} + *baqueta* + *-ar*^{2}.] *V. t. d.* Dar forma de baqueta a. [O e é aberto nas f. rizotônicas: *abaqueto, abaquetas, abaqueta, abaquete*, etc.]

abar [De *aba*^{1} + *-ar*^{2}.] *V. t. d.* **1.** Guarnecer de abas. **2.** Desabar (1). [Inf. pess.: *abar, abares, ... abarem*. Cf. *abarém*.]

abará [Do ior.] *S. m. Bras. BA Cul.* Pequeno bolo de feijão ralado sem a casca, condimentado, e cozinhado em banho-maria, envolvido em folhas de bananeira: "Na pobre cozinha, Gabriela fabricava riqueza: acarajés de cobre, abarás de prata." (Jorge Amado, *Gabriela, Cravo e Canela*, p. 433.) [Var.: *abalá*.]

abaraíba [De or. tupi.] *S. f. Bras. Bot.* V. *aroeira* (1).

abaratar [De *a-*^{2} + *barato* + *-ar*^{2}.] *V. t. d.* **1.** Pôr ou tornar mais barato; diminuir o preço de; baratear. **2.** Ter em menos conta ou consideração; menosprezar, menoscabar, desestimar; baratear.

abarbado [Part. de *abarbar*.] *Adj.* **1.** Que tem muito serviço por fazer ou se encontra em apuros; atropelado, embaraçado, sobrecarregado. **2.** Próximo, encostado.

abarbar [De *a-*^{2} + *barba* + *-ar*^{2}.] *V. t. d.* **1.** Tocar com a barba ou queixo. **2.** Igualar em nível ou altura: *Sua janela abarba a da casa vizinha.* **3.** Encontrar face a face; arrostar, enfrentar. **4.** Sobrecarregar de serviço: *Pouco trabalha, porém abarba os auxiliares.* **5.** Embaraçar com problemas ou trabalhos difíceis. *T. d. e i.* **6.** Pôr no mesmo nível; igualar. *T. c.* **7.** Igualar em nível ou altura: "vacas mugiam sentindo a manhã e, de longe .... os apartados bezerros, abarbando com a cerca, respondiam" (Coelho Neto, *Treva*, p. 236).

abarbarado [De *a-*^{2} + *bárbaro* + *-ado*^{1}.] *Adj.* **1.** Semelhante a bárbaro. **2.** *Bras.* Valente, temerário. **3.** *Bras.* Rude, grosseiro.

abarbarar-se [De *a-*^{2} + *bárbaro* + *-ar*^{2} + *se*^{1}.] *V. p. Bras.* Adquirir maneiras e/ou hábitos de bárbaro; tornar-se abarbarado.

abarbarizar [De *a-*^{4} + *barbarizar*.] *V. t. d. Int. P.* V. *barbarizar*.

abarbatar [De or. obsc.] *V. t. d. T. d. e i. Lus.* V. *surripiar*.

abarbelar [De *a-*^{2} + *barbela* + *-ar*^{2}.] *V. t. d.* Prender com barbela.

abarbetado [De *a-*^{2} + *barbeta* + *-ado*^{1}.] *Adj.* Em forma de barbeta.

abarbilhar [De *a-*^{2} + *barbilho* + *-ar*^{2}.] *V. t. d.* Pôr barbilho em (o animal).

abarca [De or. incerta: de or. pré-romana, ou do vasc. *abarka*, 'coisa de madeira', ou var. de *albarca* e *alparca* (q. v.).] *S. f.* **1.** Espécie de sandália rústica, ou alpercata. **2.** Chanca (2).

abarcador (ô) [De *abarcar* + *-dor*.] *Adj.* **1.** Que abarca; abarcante. • *S. m.* **2.** Monopolista, açambarcador.

abarcamento [De *abarcar* + *-mento*.] *S. m.* Ação ou efeito de abarcar.

abarcante [De *abarcar* + *-nte*.] *Adj. 2 g.* Abarcador (1).

abarcar [Do lat. vulg. *abbracchicare (do lat. *brachium*, 'braço').] *V. t. d.* **1.** Cingir com os braços; abraçar: *Abarcou o feixe de lenha, pondo-o às costas.* **2.** Abranger, envolver: *A vista abarca toda a cidade.* **3.** Alcançar, atingir; abranger: *Estas cifras populacionais abarcam todo o país.* **4.** Apreender, entender; abranger. **5.** Conter em si; compreender, abranger: "Estes cursos, estas lições, estas conferências, ...

abarcam toda a esfera da ciência" (Ramalho Ortigão, *Em Paris*, p. 255). [Conjug.: v. *trancar*.]

abarcia *S. f.* V. *bulimia* (2).

abaré [Do tupi = 'homem diferente'.] *S. m. Bras.* **1.** Entre os indígenas brasileiros, missionário ou padre cristão; abaruna. [Cf. *abuna*.] **2.** *Rel.* Na umbanda, médium desenvolvido (5). [Var.: *avaré*.]

abareense (êen) *Adj. 2 g.* **1.** De, ou pertencente ou relativo a Abaré (BA). • *S. 2 g.* **2.** O natural ou habitante de Abaré.

abaré-guaçu [De *abaré* + *-guaçu*.] *S. m. Bras. Rel.* Na quimbanda, grande feiticeiro. [Pl.: *abarés-guaçus*.]

abarém *S. m. Bras. Cul.* V. *aberém*. [Cf. *abarem*, do v. *abar*.]

abaré-mirim *S. m. Bras. Rel.* Na umbanda, médium que inicia seu desenvolvimento (6). [Pl.: *abarés-mirins*.]

abaremotemo *S. m. Bras. Bot.* V. *avaremotemo*.

abaretado [De *a-*^{2} + *bareta* + *-ado*^{1}.] *Adj.* Em forma de bareta.

abaritonado [De *a-*^{2} + *barítono* + *-ado*^{1}.] *Adj. Mús.* **1.** Diz-se da voz (esp. a de tenor) com as qualidades de timbre que a aproximam da do barítono, e do cantor que tem essa voz: "desandou a cantar, ... com a sua bela voz de tenor abaritonado, Henrique de Holanda, que a todos nós comoveu." (Leôncio Correia, *A Boêmia do Meu Tempo*, p. 150). **2.** A que se deu caráter de barítono.

abaritonar [De *a-*^{2} + *barítono* + *-ar*^{2}.] *V. t. d.* **1.** Tornar (a voz) semelhante à do barítono. *P.* **2.** Tornar-se barítono.

abarognose [De *a-*^{3} + *-bar(o)-* + *-gnose*.] *S. f. Med.* Perda da capacidade de perceber o próprio peso.

abarracado [De *a-*^{2} + *barraca* + *-ado*^{1}.] *Adj.* Que tem feitio de barraca.

abarracamento [De *abarracar* + *-mento*.] *S. m.* **1.** Ação ou efeito de abarracar. **2.** Conjunto de barracas. **3.** Lugar onde há muitas barracas armadas; acampamento. [Var. aferética (RS): *barracamento*.]

abarracar [De *a-*^{2} + *barraca* + *-ar*^{2}.] *V. t. c.* **1.** Armar barracas em: *Os excursionistas abarracaram a praia. T. d.* **2.** Instalar em barracas: *abarracar víveres.* **3.** Dispor de forma semelhante à da barraca. *Int. P.* **4.** Recolher-se em barracas. **5.** *Bras. S.* Ficar (um homem) num canto, em conversa com mulher. [Conjug.: v. *trancar*.]

abarrada *S. f. Ant.* V. *albarrada*.

abarrancar [De *a-*^{2} + *barranco* + *-ar*^{2}.] *V. t. d.* **1.** Obstruir com barrancos: *Abarrancaram as estradas para dificultar a invasão. P.* **2.** Meter-se em barrancos. [Conjug.: v. *trancar*.]

abarraz [Do ár. *ḥabb ar-rā's*, esta planta, lit. 'semente de cabeça' (por serem suas sementes us. para matar piolhos), poss. pelo esp. *abarraz*.] *S. m. Bot.* V. *paparraz*.

abarregar-se [De *a-*^{2} + *barregã* + *-ar*^{2} + *se*^{1}, com desnasalação.] *V. p.* Ligar-se a uma barregã; amigar-se. [Conjug.: v. *regar*.]

abarreirar [De *a-*^{2} + *barreira*^{2} + *-ar*^{2}.] *V. t. d.* **1.** Cercar de barreiras; fortificar com obstáculos; entrincheirar. **2.** Instalar posto fiscal ou barreira em.

abarretar [De *a-*^{2} + *barrete* + *-ar*^{2}.] *V. t. d. P.* Cobrir(-se) com barrete.

abarrotamento [De *abarrotar* + *-mento*.] *S. m.* Ação de abarrotar(-se).

abarrotar [Do esp. *abarrotar* (do esp. *barrote* [1535] < fr. *barrot* [1384]).] *V. t. d.* **1.** Encher de barrotes. **2.** Encher em demasia; atestar: *Prevendo o racionamento, abarrotou a despensa;* "Coisas de Europa e Índia abarrotavam lojas e vendas das encruzilhadas" (Nélson de Faria, *Cabeça-Torta*, p. 8). *T. d. e i.* **3.** Abarrotar (2): *Abarrotou o armário de latas. Int.* **4.** Assentar barrotes para armar um piso, um teto ou uma cobertura. *P.* **5.** Encher-se de comida; fartar-se, empanturrar-se: "Durante alguns minutos não se ouviu mais que o tinir dos talheres e o ruído da mastigação. Borges abarrotava-se de alface e vaca" (Machado de Assis, *Várias Histórias*, p. 42). **6.** Encher-se, atestar-se: "Nas salas de estudo numerosas estantes se abarrotam de livros certamente preciosos, com admiráveis encadernações." (Graciliano Ramos, *Viagem*, p. 20.)

abarticulação [De *ab-*^{1} + *articulação*.] *S. f.* **1.** *Traum.* Luxação de uma articulação (3). **2.** *Anat.* Diartrose.

abarticular [De *ab-*^{1} + *articular*^{1}.] *Adj. 2 g. Anat.* Que está fora da articulação, ou não a compromete.

abaruna [Do tupi = 'homem preto' (em alusão às vestes dos jesuítas).] *S. m. Bras.* **1.** Abuna. **2.** V. *abaré* (1).

abas [Pl. de *aba*^{1}.] *S. f. pl.* Arredores, imediações, cercanias: *Mora nas abas da minha casa.* ~ V. *aba*.

abasbacar [De *a-*^{2} + *basbaque* + *-ar*^{2}.] *V. t. d. Int. P.* V. *embasbacar*. [Conjug.: v. *trancar*.]

abascado *Adj. Lus.* V. *apascaçado*.

abascanto [Do gr. *abáskanton*.] *Adj. S. m.* Que, ou aquilo que preserva de malefícios.

abasia [De *a-*^{3} + *-bas(i)-* + *-ia*^{1}.] *S. f. Patol.* Incapacidade de realizar a marcha em consequência de distúrbio de coordenação muscular.

abasicarpo [De *a-*^{3} + *-bas(i)-* + *-carpo*.] *Adj. Bot.* Diz-se de fruto desprovido de base.

abásico [De *abasia* + *-ico*^{2}.] *Patol. Adj.* **1.** Relativo a abasia, ou que dela sofre. • *S. m.* **2.** Aquele que sofre de abasia.

abassi [Do ár. *al-ḥabašī*, 'coisa negra'.] *Adj. 2 g. S. 2 g.* V. *abissínio* (1 e 2). [Cf. *abaci*.]

abássida *Adj. 2 g. S. 2 g.* V. *abácida*.

abassino^1 [De or. obsc.] *S. m. Bot.* V. *nogueira-de-iguape*.

abassino^2 [Do ár. *al-ḥabašī* (v. *abassi*) + *-ino*^{1}.] *Adj. S. m.* V. *abissínio* (1 e 2).

abastado [Part. de *abastar*.] *Adj.* **1.** Cheio de víveres, do necessário. **2.** Endinheirado, dinheiroso, rico, abastoso. • *S. m.* **3.** Indivíduo abastado (2).

abastamento [De *abastar* + *-mento*.] *S. m.* **1.** Ato ou efeito de abastar(-se). **2.** V. *abastança* (1).

abastança [De *abastar* + *-ança*.] *S. f.* **1.** Provimento farto; abundância, fartura, abastamento. **2.** Riqueza, fortuna; haveres. **3.** Vida cômoda, confortável, sem privações.

abastar [De *a-*^{2} + *bastar*, ou de *a-*^{2} *basto*^{2} + *-ar*^{2}.] *V. t. d.* **1.** Prover do que é bastante ou necessário; abastecer: *abastar uma embarcação. T. i.* **2.** Ser bastante ou suficiente; bastar. *P.* **3.** Prover-se do bastante ou necessário; abastecer-se.

abastardado [Part. de *abastardar*.] *Adj.* **1.** Degenerado por bastardia. **2.** Adulterado, falsificado: *vinho abastardado.*

abastardamento [De *abastardar* + *-mento*.] *S. m.* Ato ou efeito de abastardar(-se).

abastardar [De *a-*^{2} + *bastardo* + *-ar*^{2}.] *V. t. d.* **1.** Fazer perder a genuinidade; alterar, corromper. **2.** Fazer degenerar; perverter, corromper. *P.* **3.** Degenerar(-se), perverter-se, corromper-se.

abastecedor (ô) [De *abastecer* + *-dor*.] *Adj. S. m.* Que, ou aquele que abastece; fornecedor.

abastecer [De or. controv.; poss. de *bastar* + *-ecer*, ou de *basto*^{2} + *-ecer*, com posterior prefixação (v. *a-*^{2}).] *V. t. d.* **1.** Prover ou munir do necessário; abastar: *abastecer o celeiro.* **2.** Prover, munir, fornecer. *T. d. e i.* **3.** Prover, munir, fornecer: *Abasteceram-no do necessário. P.* **4.** Prover-se, munir-se. [Conjug.: v. *aquecer*.]

abastecido [Part. de *abastecer*.] *Adj.* **1.** Que se abasteceu. **2.** Bem provido; cheio, farto.

abastecimento [De *abastecer* + *-imento*.] *S. m.* **1.** Ação ou efeito de abastecer(-se); fornecimento, provimento, bastimento. **2.** *Urb.* O sistema de captação, adução e distribuição de água potável para os centros urbanos.

abáster *S. m.* Na alquimia, volatilização da matéria. [Pl.: *abásteres*.]

abasto [Dev. de *abastar*.] *Ant. S. m.* **1.** Ato ou efeito de abastar(-se). • *Adv.* **2.** Abundantemente.

abastonado [De *a-*^{2} + *bastão*^{1} *(baston-)* + *-ado*^{1}.] *Adj.* Em forma de bastão^1.

abastoso (ô) [De *abast-*, como em *abastar*, + *-oso*.] *Adj.* **1.** Abundante, copioso, farto. **2.** V. *abastado* (2).

abatatado [De *a-*^{2} + *batata*^{1} + *-ado*^{1}.] *Adj.* **1.** Que tem forma de batata, ou é semelhante a ela. **2.** Grosso, largo: *nariz abatatado.*

abatatar [De *a-*^{2} + *batata*^{1} + *-ar*^{2}; esp. plat. *abatatar*.] *V. t. d.* **1.** Dar forma de batata a. **2.** Tornar grosso e largo: *O soco abatatou-lhe o nariz.* **3.** *Bras. RS* Abater; desmoralizar; entristecer.

abate [Dev. de *abater*.] *S. m.* **1.** Ato ou efeito de abater animais para o consumo (como gado, aves, etc.). **2.** V. *abatimento* (7).

abatedoiro [De *abater* + *-doiro*^{2}.] *S. m. Bras. S.* V. *matadouro* (1).

abatedor (ô) [De *abater* + *-dor*.] *Adj. S. m.* Que, ou aquele que abate.

abatedouro [De *abater* + *-douro*^{2}; var. de *abatedoiro*.] *S. m.* **1.** V. *matadouro* (1). **2.** *P. ext.* Local onde se abatem pequenos animais (esp. aves, rãs, etc.) para consumo.

abatelado [De *a-*^{2} + *batel* + *-ado*^{1}.] *Adj.* Em forma de batel.

abater [Do lat. tard. *abbattuere*.] *V. t. d.* **1.** Deixar ou fazer cair; baixar, abaixar: "Leonor abateu mais a cabeça, retraindo-se, num pejo instintivo, numa grande confusão interior." (Abel Botelho, *Os Lázaros*, p. 209.) **2.** Lançar por terra; derribar, derrubar, prostrar: "Um dia um tufão furibundo abateu-o [ao cacto] pela raiz." (Manuel Bandeira, *Estrela da Vida Inteira*, p. 106.) **3.** Tornar triste, melancólico; abalar, desanimar: *A notícia do desastre abateu-o deveras;* "A vida é combate, / Que os fracos abate" (Gonçalves Dias, *Obras Poéticas*, II, p. 42). **4.** Dar cabo de; matar: *Abateu-o a tiros de revólver.* **5.** Tornar débil; enfraquecer, abalar: *abater possibilidades eleitorais.* **6.** Fazer perder a resistência, ou retirá-la a; abalar, debilitar: *A doença o abateu seriamente.* **7.** Diminuir ou fazer baixar (o valor de): *A ótima safra abateu o preço do feijão.* **8.** Diminuir no valor, na intensidade, etc.: *Procura abater os méritos alheios;* "Onde está sua graça perfumada, / que a dos lírios e rosas abatia?" (Eugênio de Castro, *Obras Poéticas*, V, p. 107). **9.** Diminuir o prestígio, o domínio ou a influência de: "Acusam os Filipes de abaterem a literatura portuguesa, com o propósito de embrutecerem e apagarem os derradeiros lampejos do patriotismo nas almas obscurecidas pela ignorância." (Camilo Castelo Branco, *Curso de Literatura Portuguesa*, p. 21.) **10.** Humilhar, rebaixar, apoucar: *A mentira a que se vira obrigado abatia-o a seus próprios olhos.* **11.** Matar (gado, pequenos animais, aves) para consumo. *T. c. e i.* **12.** Descontar, diminuir: *Abateu cinco por cento do preço da mercadoria. Int.* **13.** Cair, descer; abater-se. **14.** Cair; desabar: "Teve um triste sorriso, abateu na primeira cadeira, prostrada" (Carlos Malheiro Dias, *Os Teles de Albergaria*, p. 193). **15.** Calcar-se (a terra) e abaixar, por efeito da chuva. **16.** *Mar.* Descair (a embarcação) da rota para a qual aponta a sua proa por efeito de correnteza, mar ou vento; descair, cair: *O navio abateu fortemente durante a tempestade. P.* **17.** Cair, descer; abater: "quantas vezes se desequilibrou, e as suas mãos se abateram desamparadamente sobre o solo de mato ou rocha ....!" (Eça de Queirós, *Contos*, pp. 164-165). **18.** Vir abaixo; cair, desabar. **19.** Humilhar-se, rebaixar-se, aviltar-se: *Orgulhoso, não se abate em face dos poderosos.* **20.** Perder a resistência, total ou parcialmente; abalar-se. **21.** V. *abalar* (15).

abati [Do tupi.] *S. m. Bras. Bot.* **1.** V. *milho* (1). [Var.: *auati, avati*.] **2.** Arroz (1): "— O coração de Iracema está como o abati n'água do rio. Ninguém fará mal ao guerreiro branco na cabana de Araquém." (José de Alencar, *Iracema*, p. 75.) **3.** V. *jatobá* (2).

abátia [Do tax. *Abatia*, do antr. *(Peter) Abat*, 'botanista em Sevilha', lat. cient. *-ia*.] *S. f. Bot.* **1.** Gênero de plantas flacourtiáceas nativas das regiões tropicais da América do Sul. **2.** Qualquer das nove espécies desse gênero. **3.** Espécime desse gênero. [Var. pop., nas acepç. 2 e 3: *abácia*.]

abatiaense (tià) *Adj. 2 g.* **1.** De, ou pertencente ou relativo a Abatiá (PR). • *S. 2 g.* **2.** O natural ou habitante de Abatiá.

abatiapé [De or. tupi, porém com 2º elemento desconhecido.] *S. m. Bras. Bot.* V. *arroz-bravo*.

abatido [Part. de *abater*.] *Adj.* **1.** Que se abateu. **2.** Lançado por terra; caído, derribado, derrubado: *muro abatido; árvores abatidas.* **3.** Diminuído, prostrado. **4.** Enfraquecido, debilitado. **5.** Cansado, fatigado: *fisionomia abatida.* **6.** Desanimado, entibiado, deprimido: *A má notícia deixou-o abatido.* ~ V. *abóbada — a e arco —*.

abatiguera (güe) [De or. tupi.] *S. f. Bras.* V. *tiguera*. ❖

abatimento [De *abater* + *-imento*.] *S. m.* **1.** Ação ou efeito de abater(-se). **2.** Depressão, desânimo; desalento. **3.** Diminuição acentuada da atividade normal do organismo; enfraquecimento, fraqueza, cansaço. **4.** Corte (de árvores). **5.** Queda ou desmoronamento (de edifício). **6.** Demolição (de um edifício ou de parte dele). **7.** Diminuição de preço; abate, desconto. **8.** *Náut.* Ângulo que a direção da quilha da embarcação faz com a direção da sua esteira, por efeito de vento, correnteza ou vagas, e que mede o caimento ou desvio da andadura da embarcação provocado pela ação desses fatores.

abatimirim [De *abati* + *-mirim*.] *S. m. Bras. Bot.* Erva poácea (*Orysa sativa* var. *subulata*) que é uma variedade de arroz caracterizada pelos grãos avermelhados e pequenos.

abatina [Do lat. vulg. **abbatina*.] *S. f. Ant.* Batina.

abatinado [De *a-*^{2} + *batina* + *-ado*^{1}.] *Adj.* Em forma de batina.

abatinar [De *a-*^{2} + *batina* + *-ar*^{2}.] *V. t. d. P.* Vestir(-se) com batina.

abatinga [Do tupi = 'cabelos brancos'.] *S. 2 g. Bras. AM* Pessoa encanecida.

abatiputá *S. m. Bras. Bot.* V. *batiputá*.

abatirá *Bras. S. 2 g.* **1.** *Etnôn.* Indivíduo dos abatirás, povo indígena que habitava a antiga capitania de Porto Seguro. • *Adj. 2 g.* **2.** Pertencente ou relativo a esse povo. [Tb. us. como *s. 2 g. e 2 n.* (com cap.) e *adj. 2 g. e 2 n.*]

abatis [Do fr. *abattis*.] *S. m.* **1.** *Mil.* Obstáculo feito de troncos e galhos de árvores abatidas, entrançados com arame, etc.: "À noite acampávamos em campo entrincheirado abrindo pequenos fossos e reforçando os parapeitos com sacos de terra. Se a demora era maior, reforçávamos as defesas com .... abatises." (João Sarmento Pimentel, *Memórias do Capitão*, p. 231). **2.** *Bras. Cul.* Qualquer preparação feita com miúdos de aves. [Pl.: *abatises*.]

abati-timbaí [De or. tupi.] *S. m. Bras. Bot.* V. *jatobá* (2). [Pl.: *abatis-timbaís* e *abatis-timbaí*.]

abativi [Do tupi.] *S. m. Bras.* Bebida indígena feita de milho cozido e fermentado.

abatocado [Part. de *abatocar.*] *Adj.* **1.** Em que se pôs batoque; arrolhado. **2.** Embaraçado, enleado; embatucado. [Var.: *abotocado.*]

abatocar [De *a-*[2] + *batoque* + *-ar*[2].] *V. t. d.* **1.** Pôr batoque em; arrolhar. **2.** Embaraçar, atrapalhar, confundir, enlear; embatocar, embatucar. [Var.: *abotocar.* Conjug.: v. *trancar.*]

abatufado [De or. obsc.] *Adj. Lus.* V. *balofo* (5).

abatumado [Part. de *abatumar.*] *Adj.* **1.** *Bras.* V. *abetumado* (1 e 2). **2.** *Bras. S. Prov. port.* Que se abatumou (o pão ou o bolo); abetumado.

abatumar [De *a-*[2] + *batume*, var. de *betume*, + *-ar*[2], por anal.] *V. int. Bras. S. Prov. port.* Tornar-se (o pão ou o bolo) duro e pesado, por insuficiente fermentação da massa.

abaulador (a-u...ô) [De *abaular* + *-dor.*] *Adj.* Que abaúla.

abaulamento (a-u) [De *abaular* + *-mento.*] *S. m.* **1.** Ato ou efeito de abaular; curvatura, convexidade. **2.** Convexidade que se dá aos terraços, coberturas e calçamento das ruas para facilitar o escoamento de águas pluviais. **3.** *Eng. Ind.* Bojamento (2).

abaular (a-u) [De *a-*[2] + *baul* + *-ar*[2].] *V. t. d.* **1.** Dar forma de baú a; tornar curvo, convexo; arquear. *Int. P.* **2.** Tomar forma de baú; tornar-se curvo ou convexo. [Conjug.: v. *saudar.*]

abaúna *Bras. Adj. 2 g. S. 2 g.* Diz-se de, ou indígena não miscigenado.

abaxial (cs) [De *ab-*[1] + *axial.*] *Adj. 2 g.* **1.** *Ópt.* Que não está no eixo óptico. **2.** *Bot.* Diz-se de estrutura que se encontra do lado oposto, ou mais afastada, de um eixo. [Cf., nesta acepç., *adaxial.*] **3.** *Anat.* Que está fora do eixo do corpo ou de uma estrutura particular dele.

abc *S. m.* V. *á-bê-cê.* [Tb. us. com cap.]

■ **ABC** Sigla de *Academia Brasileira de Ciências.*

■ **A.B.C.** [Ingl.] *Hig.* Abrev. us. para designar processo de desodorização de fossas mediante o uso de alume (ingl. *Alum*), sangue (ingl. *Blood*) e carvão (ingl. *Coal*).

abceder *V. int.* V. *absceder.*

abcesso *S. m.* V. *abscesso.*

abcidar *V. int.* V. *abscidar.*

abcisão *S. f.* V. *abscisão.*

abcissa *S. f.* V. *abscissa.*

abdá *S. m.* V. *abedale.*

abdal *S. m.* V. *abedale.*

abdala *S. m.* V. *abedale.*

abdalá *S. m.* V. *abedale.*

abdicação [Do lat. *abdicatione.*] *S. f.* Ação ou efeito de abdicar: *A abdicação de D. Pedro I deu-se na madrugada de 7 de abril de 1831.*

abdicador (ô) [De *abdicar* + *-dor.*] *Adj. S. m.* Que, ou aquele que abdica; abdicante, abdicatário. [Fem.: *abdicadora* e *abdicatriz.*]

abdicante [Do lat. *abdicante.*] *Adj. 2 g. S. 2 g.* V. *abdicador.*

abdicar [Do lat. *abdicare.*] *V. t. d.* **1.** Renunciar voluntariamente a, abandonar (cargo, dignidade, poder, etc.). **2.** Desistir de; renunciar, resignar: *Abdicou a sua parte na herança. T. i.* **3.** Abdicar (2): *Abdicou do seu passado, quando o aceitou como marido. T. d. e i.* **4.** Renunciar a autoridade suprema; rejeitar o poder soberano: "Dezanove anos depois da morte de D. Isabel, Carlos V abdica em seu filho a coroa de Espanha" (Antero de Figueiredo, *Toledo*, p. 171). **5.** Renunciar, desistir. *Int.* **6.** Renunciar ao poder, cargo ou dignidade em que se achava investido: "O velho rei .... vai abdicar." (Eça de Queirós, *Ecos de Paris*, p. 161). *P.* **7.** Abrir mão; desistir. [Conjug.: v. *trancar.*]

abdicatário [Do lat. *abdicatus*, part. pass. de *abdicare*, + *-ário.*] *Adj. S. m.* V. *abdicador.*

abdicativo [Do lat. tard. *abdicativu.*] *Adj.* Relativo a, ou que envolve ou implica abdicação; abdicatório.

abdicatório [De *abdicar* + *-tório.*] *Adj.* Abdicativo.

abdicatriz [Do lat. tard. *abdicatrice.*] *Adj. (f.) S. f.* Fem. de abdicador; abdicadora.

abdicável [De *abdicar* + *-vel.*] *Adj. 2 g.* Que pode ou deve ser abdicado.

ábdito [Do lat. *abditu.*] *Adj.* **1.** Oculto, abscôndito. **2.** Afastado, retirado. ● *S. m.* **3.** Lugar ermo.

abditório [Do lat. ecles. *abditoriu.*] *S. m. Rel.* Caixa ou cofre onde se guardam alfaias, relíquias e outras coisas de uso nos rituais religiosos.

■ **ABDM** Sigla de *Associação Brasileira de Direito Marítimo.*

abdome [Do lat. *abdomen.*] *S. m.* **1.** Parte do corpo do homem e dos mamíferos, situada entre o tórax e a bacia, e cuja cavidade, revestida pelo peritônio, está separada do tórax pelo diafragma. Contém numerosos órgãos (digestivos, urinários, etc.). **2.** *Zool.* Em outros vertebrados, região do corpo que contém órgãos internos, que não o coração e os pulmões. **3.** *Zool.* Na maioria dos artrópodes, região posterior do corpo, que contém a maior parte do trato digestivo, as gônadas e as aberturas genitais. [Sin. ger.: *ventre, barriga.* F. paral.: *abdômen.*] ◆ **Abdome agudo.** *Patol.* Distúrbio abdominal que exige, ger., cirurgia de urgência.

abdómen *S. m.* V. *abdômen.* [Uso freq. em P.]

abdômen *S. m.* V. *abdome.* [Pl.: *abdomens* e (p. us. no Brasil) *abdômenes.*]

abdominal [De *abdomin(o)-* + *-al*[1].] *Adj. 2 g.* **1.** Pertencente ou relativo ao abdome. **2.** *Zool.* Diz-se de peixe malacopterígio que tem as barbatanas ventrais embaixo do abdome. **3.** *Zool.* Diz-se de insetos com predomínio do abdome sobre o tórax. ~ V. *costelas abdominais, gravidez — e tifo —.* ● *S. m. e f.* **4.** Exercício (4) para o abdome. "Dizia que fazia dois mil abdominais por dia." (Rubem Fonseca, *O Seminarista*, p. 14.)

abdominia [De *abdomin(o)-* + *-ia*[1].] *S. f. Desus.* V. *adefagia.*

▲ **abdomin(o)-** [Do lat. *abdŏmen, ĭnis.*] *El. comp.* = 'abdome': *abdominia, abdominogenital.*

abdominocentese (dô) [De *abdomin(o)-* + *-centese.*] *S. f. Med.* Punção da cavidade abdominal.

abdominogenital (dô) [De *abdomin(o)-* + *genital.*] *Adj. 2 g. Anat.* Referente ao abdome e aos órgãos genitais.

abdominoplastia (dô) [De *abdomin(o)-* + *-plast(o)-* + *-ia*[1].] *S. f. Cir. Plást.* Retirada de excesso de pele e de gordura[1] (2) da parede abdominal.

abdominoscopia (dô) [De *abdomin(o)-* + *-scop-* + *-ia*[1].] *S. f. Med.* Laparoscopia.

abdominoscópico (dô) [De *abdominoscopia* + *-ico*[2].] *Adj. Med.* Respeitante à abdominoscopia.

abdominoscrotal (dô) [De *abdomin(o)-* + lat. *scrotum*, 'escroto', + *-al*[1].] *Adj. 2 g.* Relativo ao abdome e ao escroto.

abdominoso (ô) [De *abdomin(o)-* + *-oso.*] *Adj.* Que tem abdome proeminente; ventrudo, barrigudo, pançudo.

abdominotorácico (dô) [De *abdomin(o)-* + *-torac(o)-* + *-ico*[2].] *Adj.* Relativo ao abdome e ao tórax.

abdonense *Adj. 2 g.* **1.** De, ou pertencente ou relativo a Abdon Batista (SC). ● *S. 2 g.* **2.** O natural ou habitante de Abdon Batista.

■ **ABDR** Sigla da *Associação Brasileira de Direitos Reprográficos.*

abdução [Do lat. tard. *abductione.*] *S. f.* **1.** Ato ou efeito de abduzir. **2.** *Lóg.* Silogismo cuja conclusão é apenas provável em decorrência de o ser, tb., a premissa menor (q. v.); raciocínio apagógico. **3.** *Lóg.* Apagogia (1). **4.** *Fisiol. Zool.* Movimento que afasta um membro, ou uma parte móvel do corpo, do plano médio corporal, ou de um eixo de referência. **5.** *Jur.* Rapto com violência, fraude ou sedução.

abducente [Do lat. *abducente.*] *Adj. 2 g.* Que produz abdução; abdutor.

abdutivo [Do lat. *abductus*, part. pass. de *abducere*, 'afastar', + *-ivo.*] *Adj.* Relativo a abdução.

abdutor (ô) [Do lat. cient. *abductore.*] *Adj.* **1.** Abducente. ● *S. m.* **2.** Músculo que produz a abdução.

abduzir [Do lat. *abducere.*] *V. t. d.* **1.** *Fisiol.* Afastar parcial ou totalmente (membro ou segmento de membro) da linha mediana do corpo. **2.** Desviar de um ponto; afastar, arredar. **3.** Raptar, sequestrar. [Us. esp. na linguagem dos ufólogos.] [Conjug.: v. *aduzir.*]

abeatar [De *a-*[2] + *beato* + *-ar*[2].] *V. t. d.* **1.** Tornar beato. **2.** Dar aspecto beato a: *Abeatava o semblante para angariar simpatias. P.* **3.** Tornar-se beato.

abebé [Do ior.] *S. m. Bras. Rel.* Leque circular metálico, atributo (2) de Oxum, quando feito de latão, e de Iemanjá, quando de metal prateado e com uma sereia. [F. paral.: *abebê.*]

abebê *S. m. Bras. Rel.* V. *abebé.*

abeberado [Part. de *abeberar.*] *Adj.* **1.** Que bebeu; que ingeriu bebida. **2.** Que se dessedentou; desalterado. **3.** Ensopado, encharcado.

abeberar [Do lat. **abbiberare.*] *V. t. d.* **1.** Dar de beber a; matar a sede de; dessedentar, beberar, abrevar: *O vaqueiro costuma abeberar o gado.* **2.** Regar, banhar; ensopar, embeber, encharcar, beberar. **3.** Planejar, projetar, tramar demoradamente, refletidamente; premeditar, beberar. *T. d. e i.* **4.** Ensopar, embeber, encharcar, beberar, abrevar: *abeberar o pão na sopa. P.* **5.** Matar a própria sede; dessedentar-se; beberar-se; abrevar-se: "coutadas verdejantes .... de gado de luxo, ... abeberando-se imóveis em contornos pardacentos" (Ramalho Ortigão, *A Holanda*, p. 136). **6.** Retirar ensinamento; aprender, instruir-se: *Abeberou-se nos clássicos.* [Sin. ger.: *embeberar.*]

abecar [De *a-*[2] + *beca*[1] + *-ar*[2].] *Bras. V. t. d.* **1.** *Pop.* Agarrar pela gola do casaco ou da camisa, para agredir; aberturar, abotoar, abotecar, abufelar, patolar. *T. d. e i.* **2.** *Gír.* Roubar, furtar; abafar. [Conjug.: v. *trancar.* Cf. *abicar.*]

á-bê-cê *S. m.* **1.** Forma substantivada de *abc*, modo corrente de se designar o alfabeto latino; abecedário. **2.** A instrução rudimentar; as primeiras letras; á-é-i-ó-u; bê-á-bá, *abecedário.* **3.** Cartilha ou sistema por meio do qual se aprendem as letras e os primeiros elementos da leitura. **4.** *Fig.* Rudimentos de uma ciência ou arte; alfabeto, abecedário, á-é-i-ó-u; bê-á-bá: *Ignora o á-bê-cê da medicina.* **5.** *Bras.* Composição poética, ordinariamente de 25 ou 26 sextilhas ou setilhas, que celebra feitos heroicos (mas também, às vezes, satírica), e na qual os cantadores procuram iniciar cada estrofe por uma letra do alfabeto na sua ordem tradicional. Costuma-se incluir nos á-bê-cês, como letras obrigatórias, o *k* e o *til*, considerando-se este como letra final do alfabeto e fazendo-se a estrofe referente a ele encerrar a composição. **6.** Região de SP. [V., nesta acepç., *abecedense.*] [Pl.: *á-bê-cês.*]

abecedária [De *abecedário*, por ser crença popular que esta planta desenvolve a fala das crianças e lhes facilita a pronúncia.] *S. f. Bot.* V. *piteira*[1] (2).

abecedário [Do lat. tard. *abecedariu.*] *S. m.* **1.** Alfabeto (2). **2.** V. *á-bê-cê* (1, 2 e 4). ● *Adj.* **3.** *P. us.* Alfabético (2). ◆ **Abecedário maiúsculo.** Alfabeto maiúsculo. **Abecedário manual.** Alfabeto manual. **Abecedário minúsculo.** Alfabeto minúsculo.

abecedê [Comb. do nome das letras *a, b, c* e *d.*] *S. m.* V. *á-bê-cê* (1 a 4).

abecedense *Adj. 2 g.* **1.** Da, ou pertencente ou relativo à região do ABCD (Santo André, São Bernardo do Campo, São Caetano do Sul e Diadema, em SP). ● *S. 2 g.* **2.** O natural ou habitante dessa região.

abecedista [De *abecedê* + *-ista.*] *S. 2 g. Bras.* Pessoa que compõe *á-bê-cês* [v. *á-bê-cê* (5)].

abecer [Do lat. **avenescere*, 'sobrevir'.] *V. t. i. Lus.* Ocorrer satisfatoriamente.

abécula [De or. controv.] *S. f. Lus. Pop. Pej.* Pessoa pouco inteligente, apalermada.

abedale [Do ár. *abdāl*, pl. de *badal*, 'substituto', 'sucessor'.] *S. m.* Entre os sufis, homem santo ou religioso; abedalita. [Designa um dos graus da hierarquia religiosa sufista.] [Var.: *abdá, abdal, abdala, abdalá.*]

abedalita [De *abedale* + *-ita*[2].] *Adj. 2 g.* **1.** De, ou pertencente ou relativo a abedale. ● *S. m.* **2.** Abedale.

abedária [De *abecedária*, com síncope.] *S. f. Bras. Bot.* V. *agrião-do-pará.*

abegão [Do lat. **abigone*, 'pastor', < lat. *abigere.*] *S. m.* **1.** Homem que trata da abegoaria. **2.** Feitor de propriedade. [Fem.: *abegoa.*]

abegoa (ô) *S. f.* Fem. de *abegão.*

abegoaria [De *abegão* + *-aria.*] *S. f.* **1.** Lugar onde se recolhe gado e/ou se guardam utensílios de lavoura, carros, etc. **2.** Granja (2).

abeirante [De *abeirar* + *-nte.*] *Adj. 2 g. Bras. S.* **1.** Que está próximo da beira, rente à beira. **2.** Que está beirando certa idade: *homem abeirante aos 90 anos.*

abeirão [De *abeiro* + *-ão*[1].] *S. m. Prov. port. Açor.* Abeiro.

abeirar [De *a-*[2] + *beira* + *-ar*[2].] *V. t. d.* **1.** Chegar à beira de; avizinhar-se, aproximar-se de: *Mal abeirou a casa, gritou pelos moradores. T. d. e c.* **2.** Fazer chegar à beira; aproximar: *Abeirou o animal do regato. T. c.* **3.** Chegar perto de; aproximar-se. *P.* **4.** Ir para a beira ou lado de; aproximar-se; acercar-se; avizinhar-se: "Cavada [a estrada] na montanha .... ali se abeirava perigosamente do abismo." (Cândido Jucá [filho], *Noite Insone*, p. 13).

abeiro [De *aba*[1] + *-eiro.*] *S. m. Prov. port. Açor.* Chapéu de abas largas; abeirão.

abelardense *Adj. 2 g. S. 2 g.* V. *abelardo-luzense.*

abelardo-luzense *Adj. 2 g.* **1.** De, ou pertencente ou relativo a Abelardo Luz (SC). ● *S. 2 g.* **2.** O natural ou habitante de Abelardo Luz. [Sin. ger.: *abelardense.* Pl.: *abelardo-luzenses.*]

abelha (ê) [Do lat. *apicula*, por via pop.] *S. f. Zool.* Designação comum às numerosas espécies de insetos himenópteros, apoídeos, que se alimentam de pólen e néctar que coletam das flores. Apresentam dois pares de asas membranosas, olhos simples e compostos, pelos na cabeça e no tórax. O aparelho bucal é composto por duas mandíbulas e pela língua, cobertа de pelos, que é usada na coleta do alimento. Há abelhas sociais, parasitas ou solitárias. As sociais como, p. ex., a abelha-europeia, são as únicas que produzem mel em abundância; as solitárias, que constituem a maioria, só produzem o mel necessário para formar a bola de pólen que servirá de alimento às larvas.

abelha-africana *S. f. Bras. Zool.* Abelha apídea (*Apis mellifera scutellata*) eussocial, com cerca de 10mm, que tem, no abdome, marcas amarelo-avermelhadas, tórax com pilosidade amarelada, um a três tergitos, e vestígios de um quarto, todos eles amarelo-avermelhados. Ocorre no L. da África e é muito mais agressiva que a *Apis mellifera mellifera* (v. *abelha-europeia*). [Introduzida em Piracicaba, São Paulo, em 1956, foi hibridizada com a espécie europeia, há muito adaptada no Brasil, dando origem à abelha africanizada, que se espalhou pela América do Sul, Central, México e Estados Unidos.] [Pl.: *abelhas-africanas.*]

abelha-alemã *S. f. Bras. Zool.* V. *abelha-europeia.* [Pl.: *abelhas-alemãs.*]

abelha-amarela *S. f. Bras. Zool.* V. *abelha-italiana-amarela.* [Pl.: *abelhas-amarelas.*]

abelha-cachorro *S. f. Bras. Zool.* V. *irapuá.* [Pl.: *abelhas-cachorros* e *abelhas-cachorro.*]

abelha-caga-fogo *S. f. Bras. Zool.* V. *tataíra.* [Pl.: *abelhas-caga-fogo.*]

abelha-carpinteira *S. f. Zool.* Designação comum a abelhas xilocopíneas, ger. solitárias, que, ger., nidificam em galerias em ramos ou troncos mortos, ou em talos de plantas herbáceas (as de pequeno porte), escavadas por elas mesmas ou preexistentes. [Pl.: *abelhas-carpinteiras* ou *abelhas-carpinteira.*]

abelha-caucasiana *S. f. Zool.* Abelha apídea (*Apis mellifera caucasica*) eussocial, mansa e produtiva, originária do Cáucaso (Rússia), que tem cerca de 12mm e coloração que varia do cinza ao amarelado. [Pl.: *abelhas-caucasianas.*]

abelha-comum *S. f. Bras. Zool.* V. *abelha-europeia.* [Pl.: *abelhas-comuns.*]

abelha-da-europa *S. f. Bras. Zool.* V. *abelha-europeia.* [Pl.: *abelhas-da-europa.*]

abelha-da-terra *S. f. Bras. Zool.* Designação comum a abelhas meliponíneas que nidificam no chão; abelha-do-chão, abelha-papa-terra, irá. [Pl.: *abelhas-da-terra.*]

abelha-de-cachorro *S. f. Bras. Zool.* V. *irapuá.* [Pl.: *abelhas-de-cachorro.*]

abelha-de-cupim *S. f. Zool.* Designação comum às espécies de abelhas meliponíneas que nidificam em termiteiros. [Pl.: *abelhas-de-cupim.* Cf. *boca-de-barro.*]

abelha-de-fogo *S. f. Bras. Zool.* V. *tataíra.* [Pl.: *abelhas-de-fogo.*]

abelha-de-mel *S. f. Bras. Zool.* V. *abelha-europeia.* [Pl.: *abelhas-de-mel.*]

abelha-de-sapo *S. f. Zool.* Mel-de-sapo. [Pl.: *abelhas-de-sapo.*]

abelha-do-chão *S. f. Bras. Zool.* **1.** V. *abelha-da-terra.* **2.** V. *abelha-mulata.* [Pl.: *abelhas-do-chão.*]

abelha-doméstica *S. f. Bras. Zool.* V. *abelha-europeia.* [Pl.: *abelhas-domésticas.*]

abelha-do-pau *S. f. Bras. Zool.* Designação comum às abelhas meliponíneas que nidificam em ocos de árvores; mel-de-pau. [Pl.: *abelhas-do-pau.*]

abelha-do-reino *S. f. Bras. Zool.* V. *abelha-europeia.* [Pl.: *abelhas-do-reino.*]

abelha-escura *S. f. Bras. Zool.* V. *abelha-europeia.* [Pl.: *abelhas-escuras.*]

abelha-europa *S. f. Bras. ES Zool.* V. *abelha-europeia.* [Pl.: *abelhas-europa.*]

abelha-europeia (éi) *S. f. Bras. Zool.* Abelha apídea (*Apis mellifera mellifera*) eussocial, com cerca de 12mm, abdome preto, tórax revestido de pelos amarelo-acinzentados, faixas tomentosas do abdome amarelas e estreitas e ferrão bem desenvolvido, no ápice do abdome. Originária do N. da Europa, foi introduzida no Brasil em 1839, por produzir mel em abundância. [Sin.: *abelha-alemã, abelha-comum, abelha-da-europa, abelha-de-mel, abelha-doméstica, abelha-do-reino, abelha-escura, abelha-europa, abelha-preta, abelha-real, oropa.* Pl.: *abelhas-europeias.*] ❖

abelha-italiana *S. f. Zool.* V. *abelha-italiana-amarela.* [Pl.: *abelhas-italianas.*]

abelha-italiana-amarela *S. f. Zool.* Abelha apídea (*Apis mellifera ligustica*), originária da Itália, que tem cerca de 12mm, abdome com marcas amarelo-avermelhadas do primeiro ao terceiro segmento, e escutelo preto. [Por sua mansidão e produtividade, estas abelhas são muito populares entre os apicultores.] [Sin.: *abelha-amarela, abelha-italiana.* Pl.: *abelhas-italianas-amarelas.*]

abelha-limão *S. f. Bras. Zool.* V. *iraxim.* [Pl.: *abelhas-limões* e *abelhas-limão.*]

abelha-macha *S. f. Zool.* Zangão (1). [Pl.: *abelhas-machas.*]

abelha-mestra *S. f.* **1.** *Zool.* Numa colmeia, abelha responsável pela reprodução da espécie. Nasce de ovo fecundado, é criada em célula especial, a realeira, e alimentada com geleia real pelas operárias. Após o voo nupcial, em que é fecundada por vários zangões, regressa à colmeia e inicia a postura dos ovos. [Sin.: *rainha.*] **2.** *Fig.* Mulher ladina, astuciosa, finória. [Pl.: *abelhas-mestras.*]

abelhamirim [De *abelha* + *-mirim.*] *S. f. Bras. Zool.* **1.** Designação comum a várias espécies de abelhas meliponíneas muitíssimo pequenas; mirim, mosquitinho. **2.** Abelha meliponínea (*Plebeia minima*), de cor negra, com cerca de 2,5mm, que constrói um estreito tubo de cera na entrada da colmeia.

abelha-mosquito *S. f. Bras. Zool.* Abelha meliponínea (*Plebeia droryana*) escura, com desenhos amarelos, que tem cerca de 5mm, nidifica em fendas de árvores, rochas, etc., e cujo mel é de boa qualidade, mas escasso. [Sin.: *jati, jataí, jataí-mosquito, jataí-preta, mirim.* Pl.: *abelhas-mosquitos* e *abelhas-mosquito.*]

abelha-mulata *S. f. Bras. Zool.* Abelha meliponínea (*Schwarziana quadripunctata*) mansa, muito comum no Brasil, principalmente no Sul e Sudeste; nidifica em ninhos subterrâneos, geralmente sauvais, e produz mel de excelente qualidade. [Sin.: *abelha-do-chão, guira, guiruçu, iruçu, iruçu-do-chão, iruçu-mineiro, mulatinha, mulatinha-do-chão, mumbuca-loira, mumbuca-loura, uruçu.* Pl.: *abelhas-mulatas.* Tb. se diz apenas *mulata.*]

abelhão [De *abelha* + *-ão*[1].] *S. m. Bras. Zool.* V. *mamangaba* (1).

abelha-papa-terra *S. f. Bras. Zool.* V. *abelha-da-terra.* [Pl.: *abelhas-papa-terra.*]

abelha-piranha *S. f. Bras. Amaz.* V. *aramá.* [Pl.: *abelhas-piranhas* e *abelhas-piranha.*]

abelha-preta *S. f. Zool.* V. *abelha-europeia.* [Pl.: *abelhas-pretas.*]

abelha-real *S. f. Bras. Zool.* V. *abelha-europeia.* [Pl.: *abelhas-reais.*]

abelharuco [Do esp. *abejaruco.*] *S. m. Zool.* V. *abelheiro* (4).

abelha-sanharó *S. f. Bras. Zool.* V. *sanharão* (1). [Pl.: *abelhas-sanharós.*]

abelha-uruçu *S. f. Bras. Zool.* V. *uruçu* (1). [Pl.: *abelhas-uruçus.*]

abelheira [De *abelha* + *-eira.*] *S. f.* **1.** Ninho ou colmeia de abelhas; abelheiro [var. pop., em SP: *veieira*]. **2.** Abelheiro (3). **3.** Planta orquidácea (*Ophrys apifera*) europeia, cujas flores lembram o corpo duma abelha, por terem os lobos laterais do labelo muito menores que o lobo médio, que é largo e comprido, vermelho-escuro, aveludado, e com listras glabras; abelha-flor, abelhinha, alpivre, aranhão-do-mato, erva-abelha e erva-aranha.

abelheiro [De *abelha* + *-eiro.*] *S. m.* **1.** Homem que trata de abelhas, que se encarrega da criação delas; colmeeiro, apicultor. **2.** Abelheira (1). **3.** Conjunto de orifícios na superfície de pedras, como, p. ex., granitos e mármores, que lembram os que as abelhas fazem nos troncos das árvores. **4.** *Zool.* Ave migradora, coraciiforme, meropídea (*Merops apiaster*), de plumagem brilhante, e que se nutre de abelhas e outros insetos; ocorre no S. da Europa; abelharuco, abelhuco, melharuco, milharós.

abelhinha [De *abelha* + *-inha.*] *S. f. Bot.* V. *abelheira* (3).

abelhuco *S. m. Zool.* V. *abelheiro* (4).

abelhudice [De *abelhudo* + *-ice.*] *S. f.* Qualidade, ato ou modos de abelhudo (1 a 3).

abelhudo [De *abelha* + *-udo.*] *Adj.* **1.** Curioso, indiscreto. **2.** Metediço, intrometido. **3.** Astuto, manhoso. **4.** Desembaraçado, ativo.

abélia [Do tax. *Abelia*, do antr. (*Clark*) *Abel* (1780-1826), 'botânico inglês', + o lat. cient. *-ia.*] *S. f. Bot.* **1.** Gênero de plantas caprifoliáceas originárias da China, de flores odoríferas, brancas ou róseas; são cultivadas como ornamentais. **2.** Qualquer espécie desse gênero, como, p. ex., a *Abelia rupestris* (v. *abélia-da-china*). **3.** Qualquer espécime desse gênero, ou a sua flor.

abélia-da-china [De *abélia* + *da*[1] + o top. *China.*] *S. f. Bot.* Arbusto caprifoliáceo (*Abelia rupestris*) muito ramificado, e dotado de inflorescências vistosas, com inúmeras flores campanuliformes, odoríferas, brancas ou róseas. [Pl.: *abélias-da-china.*]

abeliano [Do antr. (*Niles Henri*) *Abel* (1802-1829), matemático norueguês, + *-iano.*] *Álg.* **Adj. 1.** ~ V. *grupo* ~. ● *S. m.* **2.** Grupo abeliano (q. v.).

abelidar-se [De *a-*[2] + *belida* + *-ar*[2] + *se*[1].] *V. p.* Criar belida (o olho).

abelim *S. m.* Carpidor nas cerimônias fúnebres israelitas.

abelissauro [Do tax. *Abelisaurus.*] *S. m. Paleont.* **1.** Gênero de dinossauros terópodes, com cerca de 11m de comprimento que viveram no período cretáceo do que é hoje a América do Sul, incluído o Brasil. **2.** Espécie ou espécime desse gênero.

abelmeluco [Do ár. *ḥabb al-mulūk*, lit., 'semente dos reis'.] *S. m.* Mamona (2).

abelmosco [Do tax. *Abelmoschus*, do ár. *ḥabb al-misk*, 'grão de almíscar'.] *S. m. Bot.* **1.** Gênero de plantas malváceas das regiões tropicais, de grandes folhas lobadas, cálice espatáceo e flores amarelas. **2.** Qualquer espécie desse gênero, como, p. ex., a *Abelmoschus moschatus* ou *Hibiscus abelmoschus* (v. *ambreta*). **3.** Qualquer espécime desse gênero.

abelota [Var. de *bolota.*] *S. f. Bot.* V. *glande* (1).

abeloura [De or. obsc.] *S. f. Lus. Bot.* V. *dedaleira* (1).

abemolado [Part. de *abemolar.*] *Adj.* **1.** *Mús.* Que se abemolou. **2.** *Fig.* Suave, doce, brando: 📖 "A sua voz [de Camilo Castelo Branco] era abemolada, e com ligeiras inflexões irônicas." (Gonçalves Crespo, *Obras Completas*, p. 439.)

abemolar [De *a-*[2] + *bemol* + *-ar*[2].] *V. t. d.* **1.** *Mús.* Baixar (uma nota musical) de meio tom. **2.** *Mús.* Assinalar com o bemol. **3.** *Fig.* Suavizar; abrandar: 📖 "rasgava um prelúdio brilhante na viola .... e, abemolando a voz, soltava uma destas três modinhas" (Afonso Arinos, *Histórias e Paisagens*, p. 24). *P.* **4.** Abrandar-se, suavizar-se: *Sua voz, outrora tão áspera, abemolou-se.*

abencerrage [Do ár. ibn sirāğ.] *S. m.* **1.** Indivíduo dos abencerrages, tribo moura que dominou em Granada, e se tornou famosa, no séc. XV, pela sua rivalidade com a tribo zegri: 📖 "os descendentes dos conquistadores de Espanha, abencerrages e zegris, caíram no abismo" (Camilo Castelo Branco, *A Enjeitada*, p. 234). ● *Adj. 2 g.* **2.** Pertencente ou relativo a essa tribo. ◆ **O último abencerrage.** Indivíduo que se mostra de extrema dedicação a uma causa, é o derradeiro paladino de uma ideia. [Var.: *abencerragem.*]

abencerragem *S. m. Adj. 2 g.* V. *abencerrage.*

abençoadeiro [De *abençoar* + *-deiro.*] *Adj.* **1.** Que abençoa ou protege. ● *S. m.* **2.** V. *benzedeiro* (1).

abençoador (ô) [De *abençoar* + *-dor.*] *Adj.* **1.** Que abençoa; abençoante. ● *S. m.* **2.** Aquele que abençoa.

abençoante [De *abençoar* + *-nte.*] *Adj. 2 g.* Abençoador (1).

abençoar [De *a-*[2] + *bênção* + *-ar*[2], com desnasalação.] *V. t. d.* **1.** Dar ou lançar a bênção a; benzer, abendiçoar, bendizer: *O Papa abençoou os fiéis na Praça de São Pedro;* 📖 "À noite, quando ele se foi despedir, ela mal o abençoou." (Coelho Neto, *Turbilhão*, p. 312). **2.** Fazer feliz, tornar próspero; proteger: *Que os céus abençoem o recém-nascido.* **3.** Constituir bênção ou proteção para. *P.* **4.** Fazer o sinal da cruz; benzer-se. [Conjug.: v. *coroar.*]

abendiçoar [De *a-*[2] + *bendição* + *-ar*[2], com desnasalação.] *V. t. d.* **1.** V. *abençoar* (1). **2.** V. *bendizer* (4): 📖 "Luís de Camões! Tanto pode a paixão, cega e vidente, que, depois de trezentos e quarenta e dois anos de imortalidade, se ergue, reumaniza-se, canta, para abendiçoar o mar, a voz do maior dos nossos aedos..." (Martins Fontes, *O Mar*, p. 48.) [Conjug.: v. *coroar.*]

a bengala aponta *S. f. 2 n. Jog. Inf.* Jogo de salão no qual um participante se afasta do grupo, dando-lhe as costas, ao passo que outro, seu aliado, se põe a apontar vários companheiros com uma bengala de papel, enquanto dialoga com o primeiro que deve adivinhar em quem, por fim, a bengala se deteve. Para tanto, baseia-se nos indícios fornecidos pelo comparsa, com o qual fez uma combinação, que em geral consiste em parar a bengala no último a falar alto antes de certa pergunta de quem aponta, sendo imprescindível ao adivinho conhecer a voz de cada jogador. ☑

abentérico [De *ab-*[1] + *-enter(o)-* + *-ico*[2].] *Adj. Anat.* Diz-se do que ocorre, ou do que se situa fora do intestino.

abenuz [Do ár. *ābnūs* < gr. *ébenos*, de or. oriental (hebr. *habne*, egípcio *hbni*).] *S. m.* V. *ébano.*

■ **Abep** Sigla de *Associação Brasileira de Entidades Portuárias.*

aberas *S. m. 2 n. Bot.* V. *abacaxi*[1] (1).

aberém [Do ior.] *S. m. Bras. Cul.* Bolo de milho ralado na pedra e cozido envolto em folhas de bananeira. [Var.: *abarém.*]

aberêmoa [Do tax. *Aberemoa*, de or. indígena.] *S. f. Bot.* **1.** Gênero de árvores e arbustos anonáceos, ger. incluídos nos gêneros *Guatteria* (v. *guattéria*) e *Duguetia* (v. *duguétia*). **2.** Qualquer espécie desse gênero, como, p. ex., a *Duguetia longifolia* (v. *araticum-do-mato*). **3.** Qualquer espécime desse gênero.

abéria [Do tax. *Aberia.*] *S. f. Bot.* **1.** Gênero de plantas flacourtiáceas por vezes incluídas no gênero *Dovyalis* (v. *doviális*). **2.** Qualquer espécie, ou espécime desse gênero.

aberinjelado [De *a-*[2] + *berinjela* + *-ado*[1].] *Adj.* Que tem forma ou cor de berinjela.

aberlindado [De *a-*[2] + *berlinda*[1] + *-ado*[1].] *Adj.* Em forma de berlinda.

aberração [Do lat. *aberratione.*] *S. f.* **1.** Ato ou efeito de aberrar. **2.** Defeito, distorção: 📖 "podia, sob a firme e sólida base da boa erudição, soltar os voos à fantasia, sem incorrer nas deploráveis aberrações da escola gongorista." (Latino Coelho, *Cervantes*, p. 233). **3.** Anomalia, anormalidade. **4.** Desvario, delírio, desatino. **5.** *Astr.* Deslocamento aparente de um astro na direção em que se move a Terra, provocado pela composição das velocidades da luz e do nosso planeta; aberração da luz. **6.** *Med.* Anomalia na situação ou na conformação de um órgão, ou no exercício das suas funções. **7.** *Ópt.* Afastamento de um raio luminoso que atravessa um sistema óptico da trajetória ideal de um raio paraxial. **8.** *Ter.* Monstro (8). **9.** *Fig.* Aquilo que, por ser diferente ou atípico, provoca espanto ou repulsa. ◆ **Aberração ânua.** *Astr.* Aberração da luz, produzida pelo movimento de revolução da Terra em torno do Sol; aberração das fixas. **Aberração cromática.** *Ópt.* Aberração decorrente das diferenças de comprimento de onda de uma radiação policromática. **Aberração cromossômica.** *Genét.* Alteração da estrutura ou do número de cromossomos de um determinado indivíduo, quando comparado a um cariótipo considerado padrão para uma dada espécie. **Aberração da luz.** *Astr.* Aberração (5). **Aberração da natureza. 1.** Fenômeno natural que se nos mostra sob formas desconhecidas ou incompreensíveis. **2.** Ato de degradação moral, impróprio de quem é sensato. **Aberração das fixas.** *Astr.* Aberração ânua. **Aberração de esfericidade.** *Ópt.* Aberração esférica. **Aberração diurna.** *Astr.* Aberração da luz, produzida pelo movimento de rotação da Terra em torno de seu eixo. **Aberração esférica.** *Ópt.* Aberração monocromática em que um feixe de raios paralelos não converge para um mesmo ponto; aberração de esfericidade. **Aberração geométrica.** *Ópt.* Aberração monocromática. **Aberração monocromática.** *Ópt.* Aberração de um sistema óptico, determinada fundamentalmente pela forma geométrica dos meios refratores que o constituem; aberração geométrica. **Aberração planetária.** *Astr.* Ângulo entre a direção aparente de um astro do sistema solar e a direção da reta que liga o observador à posição real do astro em um instante dado. **Aberração secular.** *Astr.* Aberração da luz, produzida pelo movimento de conjunto do sistema solar em direção ao ápex.

aberrador (ô) [De *aberrar* + *-dor*.] *Adj.* Aberrante.

aberrante [Do lat. *aberrante*.] *Adj. 2 g.* Que aberra, que se desvia das normas, do padrão comum; aberrador.

aberrar [Do lat. *aberrare*.] *V. int.* **1.** Desviar-se das regras naturais; constituir-se numa aberração (2 a 4). **2.** Tornar-se anomalia de um sistema, afastando-se por quaisquer características do tipo ou das espécies do mesmo gênero. *T. i.* **3.** Ser diferente de; destoar. *P.* **4.** Tornar-se diferente, esquisito.

→**aberratio criminis** [abeˈrate ˈkrimenes] [Lat., 'desvio do crime'.] *Dir. Proc. Penal Aberratio delicti.*

→**aberratio delicti** [abeˈrateo deˈlikte] [Lat., 'desvio de delito'.] *Dir. Proc. Penal* Acidente ou erro na execução de um crime que provoca resultado diverso do pretendido pelo agente; *aberratio criminis.*

→**aberratio ictus** [abeˈrate ˈiktos] [Lat., 'desvio do golpe'.] *Dir. Proc. Penal* Erro ou acidente na execução do delito, que leva o criminoso a atingir pessoa diversa daquela a quem pretendia ofender.

aberrativo [De *aberrar* + *-tivo*.] *Adj.* Aberratório.

aberratório [De *aberrar* + *-tório*.] *Adj.* Em que há, ou que envolve aberração; aberrativo.

aberta [F. subst. de *aberto*.] *S. f.* **1.** Fenda, fresta, abertura: "por uma aberta que a turba deixava, pôde ele ver o rosto da desmaiada." (Machado de Assis, *Contos Fluminenses*, p. 308). **2.** Vala, rego. **3.** Breve espaço de tempo em que deixa de chover; estiada. **4.** Nesga do céu que as nuvens, abrindo-se, deixam ver em dias chuvosos. **5.** Espaço de folga ou de interrupção num serviço continuado; intervalo. **6.** Parte desunida do vestuário. **7.** *Fig.* Saída, solução. **8.** *Fig.* Ocasião favorável, oportunidade, ensejo: "Já estavam calados, havia momentos, os dous vereadores, à espera de que Bastos Leite lhes desse uma aberta." (Xavier Marques, *As Voltas da Estrada*, pp. 32-33.) **9.** *Mar.* Ocasião favorável, por acalmia na queda da chuva ou por interrupção do nevoeiro, permitindo melhor visibilidade; sota, clara. **10.** *Bras. Amaz.* Lugar onde o campo, rompendo a selva, chega até a margem do rio. **11.** *Bras. BA* Em florestas, parte desmatada e cultivada para pasto ou lavoura. **12.** *Bras. S.* Em mata, parte sem vegetação que forma uma abertura ou passagem rente a uma serra. **13.** *Bras.* V. *clareira* (1): "deu com a vista, no meio de uma aberta que fazia a mata, sobre os estendidos canaviais do Engenho Novo." (Franklin Távora, *O Cabeleira*, pp. 267-268). ~ V. *abertas*.

abertão [De *aberta* + *-ão*¹.] *S. m. Bras. BA S.* Grande aberta ou clareira, na mata.

abertas [Pl. de *aberta*.] *S. f. pl.* Claros ou intervalos deixados num documento ou livro manuscrito, como divisão ou para preenchimento posterior. [Cf. *janela* (2).] ~ V. *aberta*.

aberto [Do lat. *apertu*.] *Adj.* **1.** Que se abriu, se descerrou; que não está fechado; descerrado: *olhos abertos*; "E na escada esbarrei com um repórter, de chapéu para a nuca, a carteira aberta, gritando sofregamente 'se havia mortos?'" (Eça de Queirós, *A Cidade e as Serras*, p. 58). **2.** Sem obstáculo que impeça de entrar, de sair, de ver: "Quando Jacinto, no seu quarto do 202, com as varandas abertas sobre os lilases, me desenrolava estas imagens, todo ele crescia, iluminado." (Id., *ib.*, p. 18.) **3.** Sem cobertura, ou com ela abaixada; descoberto: *terraço aberto; carro aberto.* **4.** Vasto, amplo: *Gostava de cavalgar pela campina aberta.* **5.** Diz-se de lugar não defendido por obras de defesa ou fortificações, nem por montanhas ou rios: *cidade aberta.* **6.** Separado um do outro a partir de um ponto de articulação; afastado: *mão com os dedos abertos.* **7.** *P. ext.* Diz-se de qualquer coisa cujos elementos estão assim separados: *tesoura aberta; ângulo aberto.* **8.** Não cicatrizado (ferimento ou chaga). **9.** Desfeito, desmanchado: *Chamou-lhe a atenção o pacote aberto.* **10.** Desdobrado, desenrolado, estendido: "com o *Fígaro* ou as *Novidades* abertas sobre o prato, eu esperava sempre meia hora pelo meu príncipe" (Eça de Queirós, *A Cidade e as Serras*, p. 49). **11.** Desabotoado, desapertado: *Anda com o peito da camisa aberto.* **12.** Gravado ou traçado com buril, cinzel, ponteira, etc.: *placa de madeira com caracteres abertos.* **13.** Desabrochado, desabotoado (a flor): *A roseira está com todas as flores abertas.* **14.** Diz-se de cor ou coloração viva, intensa. **15.** Iniciado, encetado: *As negociações abertas em breve irão a termo.* **16.** Em funcionamento, em atividade: *Com o escritório aberto, não poderá tirar férias nem viajar.* **17.** Sem nuvens; claro, límpido: *céu aberto.* **18.** Sem limite ou restrição; ilimitado: *Deposita no empreendimento a mais aberta confiança.* **19.** Manifesto, claro, evidente: *O aberto desacordo entre as duas facções políticas gerou a alta do dólar.* **20.** A que se pode chegar; acessível: *Pelo baixo preço das mensalidades, é um curso aberto a qualquer interessado.* **21.** Que admite e compreende facilmente: *espírito aberto.* **22.** Franco, sincero, lhano: "gente aberta, sem pé-atrás." (José J. Veiga, *A Hora dos Ruminantes*, p. 23). **23.** Que admite ou aceita novas ideias; que não tem preconceitos nem bloqueios em relação às novidades; liberal. **24.** Diz-se de relacionamento (casamento ou namoro) no qual os cônjuges podem se relacionar consentidamente com outros parceiros. **25.** *Bord.* Diz-se de espaço vazado em tecido, que é bordado em volta formando desenhos. **26.** *Econ.* Diz-se de empresa ou companhia de capital aberto (q. v.): "As companhias abertas não poderão .... manter em tesouraria mais do que 5% de suas próprias ações em circulação." (*Gazeta Mercantil*, 13.01.1990, p. 24). **27.** *E. Ling.* Que tem abertura (10). **28.** *Bras. Pop.* Diz-se de quem tem muita sorte no jogo; largo. ~ V. *anúncio —, capital —, carta —a, casamento —, cidade —a, circulação —a, composição —a, conjunto —, conta —a, empresa —a, espaço —, fase —a, gaveta —a, intervalo —, letra —a, mar —, mercado —, obra —a, peito —, ponto —, pôquer —, porto —, programação —a, pulso —, questão —a, sílaba —a, sinal —, sistema —, televisão —a, testamento —* e *vogal —a.* ● *S. m.* **29.** Espaço vazio; abertura: "A picada estreita cortava o sítio, ... alongando-se pelos abertos de mandioca e os pés de milho" (Ricardo Ramos, *Tempo de Espera*, p. 40). **30.** Torneio ou campeonato do qual participam esportistas profissionais e amadores: *aberto de Nova Iorque.* **31.** *Bras. CE* O descampado em geral; clareira (na mata ou na caatinga).

abertura [Do lat. *apertura*.] *S. f.* **1.** Ato ou efeito de abrir; abrimento. **2.** Espaço aberto ou vazio formando orifício, fenda ou vão: "Chego-me a uma das portas exíguas, baixinhas, fechadas, meto os olhos por uma abertura, na esperança de enxergar as panelas e as retortas que ainda se conservam lá dentro." (Graciliano Ramos, *Viagem*, p. 24.) **3.** Parte superior de certas peças de vestuário, por onde se abrem e se abotoam; decote: "todo o seu trajo e adornos se reduziam a uma espécie de loba negra, que lhe descia até aos pés, abotoada na pequena abertura do peitilho com três botões" (Alexandre Herculano, *O Monge de Cister*, II, pp. 11-12). **4.** Começo, início: *abertura das aulas.* **5.** Solenidade inaugural; inauguração: *Assisti à abertura do simpósio.* **6.** Afastamento das pontas do compasso, dos pontos extremos de uma baía, golfo, enseada, etc., das vertentes de um vale, etc. **7.** Qualidade de aberto (21); acessibilidade. **8.** *Arquit.* V. *vão* (10). **9.** *Cin. Telev.* Efeito em que a imagem surge do preto, definindo-se pouco a pouco. **10.** *E. Ling.* Timbre de uma vogal resultante do distanciamento entre a língua e o céu da boca. **11.** *E. Ling.* Grau de afastamento dos articuladores [v. *articulador* (2)] durante a produção de um som. **12.** *Mús.* Introdução ou prelúdio instrumental a qualquer obra de grande desenvolvimento, como, p. ex., ópera, opereta, oratório, cantata. [Sin. (fr.), nesta acepç.: *ouverture.* Cf., nesta acepç., *protofonia*.] **13.** *Ópt.* Diafragma que limita a entrada de luz num sistema óptico. **14.** *Ópt.* Diâmetro da pupila de entrada dum sistema óptico. **15.** *Ópt.* O diâmetro de uma lente. **16.** *Ópt.* Abertura relativa (q. v.). **17.** *Eng. Ind.* Distância entre dois fios consecutivos de uma peneira. **18.** *Polít.* Estratégia desenvolvida ou conjunto de medidas adotadas pelo governo brasileiro no final do período ditatorial pós-1964 com o objetivo de reconduzir o país à normalidade democrática. **19.** Período de, ou transição entre a ditadura iniciada em 1964 e a volta à normalidade democrática reinstaurada no final da década de 1970. **20.** *Quím.* Tratamento preliminar de uma amostra para solubilizar seus constituintes, de forma que possam ser analisados. ◆ **Abertura efetiva.** *Fot.* Fração da área de uma objetiva através da qual passam raios luminosos, que contribuem eficazmente para a formação da imagem sobre a chapa fotográfica. **Abertura numérica.** *Ópt.* Produto do seno do ângulo de abertura do cone luminoso, que penetra na objetiva de um microscópio pelo índice de refração do meio óptico, que está imediatamente em frente à lente frontal da objetiva. **Abertura relativa.** *Ópt.* Numa objetiva, o quociente entre sua distância focal e o diâmetro da sua pupila de entrada. [Cf. *número f.*] [Tb. se diz apenas *abertura*.]

aberturar [De *abertura* (3) + *-ar*².] *V. t. d. Bras. N.E. Pop.* V. *abecar* (1).

aberturista [De *abertura* + *-ista*.] *Adj. 2 g.* Relativo a, ou próprio da abertura (17).

abesana [Do esp. *abesana*.] *S. f. Ant.* **1.** Junta de bois. **2.** O primeiro sulco do arado, que irá regular os demais.

abesantar [De *a-*² + *besante* + *-ar*².] *V. t. d.* Guarnecer com besantes (um escudo de armas); besantar.

abespinhadiço *Adj.* Que se abespinha com facilidade; abespinhado.

abespinhado [Part. de *abespinhar*.] *Adj.* **1.** Que se abespinhou; irritado, exasperado. **2.** Abespinhadiço.

abespinhamento [De *abespinhar* + *-mento*.] *S. m.* Ato ou efeito de abespinhar(-se).

abespinhar [De *a-*² + *bespa* + *-inhar*.] *V. t. d. P.* **1.** Irritar(-se), enfurecer(-se), assanhar(-se): "Então Iexu ponderou decisivamente, abespinhando a multidão que se conformou, sem outro jeito, mas murmurando aleives contra o Messias" (Almáquio Dinis, *A Carne de Jesus*, p. 181); "e um tenor da 'Trindade' abespinhou-se até a raiz dos cabelos vendo no cartaz o seu nome composto em tipo mais pequeno do que o da cançonetista Suzete da 'Rua dos Condes'" (Antero de Figueiredo, *Cômicos*, pp. 163-164). **2.** Aborrecer(-se), agastar(-se). [Sin. ger.: *embespinhar*.]

abessivo [Do lat. *abesse*, 'estar ausente', 'estar afastado', + *-ivo*.] *E. Ling. Adj.* **1.** Relativo a abessivo (2). ~ V. *caso —.* ● *S. m.* **2.** Caso abessivo (q. v.).

abestado [Part. de *abestar*.] *Adj.* **1.** Que se abestou. **2.** Um tanto besta (4); aparvalhado. ● *S. m.* **3.** Indivíduo abestado (2).

abestalhado [De *a-*² + *besta* (ê) + *-alh(o)-* + *-ado*¹.] *Adj.* **1.** Abobado, tolo. **2.** V. *bestificado* (2).

abestalhamento [De *abestalhar* + *-mento*.] *S. m.* Ato ou efeito de abestalhar(-se); abestamento.

abestalhar [De *a-*² + *besta* (ê) + *-alhar*.] *V. t. d. P. Bras.* V. *bestificar*.

abestamento [De *abestar* + *-mento*.] *S. m.* Abestalhamento.

abestar [De *a-*² + *besta* (ê) + *-ar*².] *V. t. d. P.* V. *bestificar*.

abestruz *S. f.* e *m. Zool.* V. *avestruz*.

abeta (ê) [De *aba*¹ + *-eta* (ê).] *S. f.* **1.** Pequena aba¹. **2.** *Maç.* Parte superior dos aventais maçônicos, com formato triangular.

abete (ê) *S. m. Bot.* V. *abeto*.

abeto (ê) [Do lat. vulg. *abete*, de *abiete*.] *S. m. Bot.* **1.** Designação comum a várias pináceas do gênero *Abies* (v. *ábies*), perenes, ger. altas, que habitam a América do Norte e a Europa; algumas delas são cultivadas no Brasil, nas regiões mais temperadas, e sua madeira é importante na fabricação do papel. **2.** V. *abeto-branco*. [Var. e f. paral.: *abete, abieto*.]

abeto-branco *S. m. Bot.* Árvore pinácea (*Abies alba*) de origem norte-americana, cultivada no Brasil, e cujo córtex produz tanino. [Tb. se diz apenas *abeto*. Pl.: *abetos-brancos*.]

abeto-do-canadá [De *abeto* + *do*¹ + o top. *Canadá*.] *S. m. Bot.* Árvore pinácea (*Abies balsamea*) de folhas prateadas na página inferior e estróbilo violáceo, cilíndrico e ereto. Fornece madeira útil e resina escura dita *bálsamo do canadá*. [Pl.: *abetos-do-canadá*.]

abeto-do-norte *S. m. Bot.* V. *abeto-falso*. [Pl.: *abetos-do-norte*.]

abeto-falso *S. m. Bot.* Grande árvore pinácea (*Picea abies*) de formato cônico, nativa da Europa setentrional e central, dotada de folhas aciculares rígidas e estróbilos femininos pendentes, escamosos. [Sin.: *abeto-do-norte, árvore-de-natal, falso-pinho, pinheiro-da-noruega*. Pl.: *abetos-falsos*.]

abetum [De or. incerta.] *S. m. Ant.* Ajuda, auxílio.

abetumado [Part. de *abetumar*.] *Adj.* **1.** Colado, calafetado de betumes. **2.** *Fig.* V. *tristonho* (1). [Sin., nessas acepç.: *abatumado*.] **3.** *Bras. S. Prov. port.* Abatumado (2).

abetumador (ô) [De *abetumar* + *-dor*.] *S. m.* Aquele que abetuma; calafetador.

abetumar [De *a-*² + *betume* + *-ar*².] *V. t. d.* Cobrir com betume; calafetar.

abevacuação [De *ab-*¹ + *evacuação*.] *S. f. Med.* Anormalidade da evacuação, por excesso ou por deficiência.

abexi [Var. de *abassi*.] *Adj. 2 g. S. 2 g.* V. *abissínio* (1 e 2).

abexigar *V. int.* V. *bexigar*. [Conjug.: v. *largar*.]

abexim [Var. de *abassi*.] *Adj. 2 g. S. 2 g.* V. *abissínio* (1 e 2).

abezerrado [De *a-*[2] + *bezerro* + *-ado*[1].] *Adj.* Semelhante a bezerro (1).

abfração [De *ab-*[1] + lat. *fractio, onis*, 'ação de quebrar, de romper'.] *S. f. Odont.* Perda de tecido ósseo do colo[1] (4) devida a traumatismo oclusal.

→**ab hoc et ab hac** [ap hɔk et ap hak] [Lat., 'disto e daquilo'.] A torto e a direito.

abi *S. m. Bras. Bot.* V. *abieiro.*

■ **ABI** Sigla de *Associação Brasileira de Imprensa.*

abiã [Do ior.] *S. f. Bras. Rel.* No candomblé queto e em seitas afins, aspirante a servidora dos orixás que cumpriu apenas os ritos prévios de iniciação.

abibe [Do lat. *ave ibe.*] *S. m. Zool.* Ave caradriídea (*Vanellus vanellus*), da Europa e da Ásia, com cerca de 30 cm, garganta, topete e dorso escuros, peito branco, risca negra ocular e na cauda, e que nidifica em pequenas colônias. [Sin.: *ave-fria, ventoinha.*]

abibliotecar [De *a-*[2] + *biblioteca* + *-ar*[2].] *V. t. d.* Conservar ou dispor em biblioteca. [Conjug.: v. *trancar.*]

abibura [De or. obsc.] *S. m. Bras. Micol.* Fungo agaricáceo (*Agaricus pisonianus*), cujo chapéu é o órgão produtor dos esporos, formando novas plantas depois de germinarem; é altamente venenoso.

abicadoiro [De *abicar* + *-doiro*[2].] *S. m. Bras.* Abicadouro (q. v.).

abicadouro [De *abicar* + *-douro*[2]; var. de *abicadoiro.*] *S. m. Bras.* Lugar da praia ou da margem onde a embarcação pode ou costuma abicar.

abicar [De *a-*[2] + *bico*[1] + *-ar*[2].] *V. t. d.* **1.** Fazer bico em; aguçar: *abicar uma haste de ferro.* ***T. c.*** **2.** *Mar.* Encalhar propositadamente com a proa; tocar intencionalmente com o bico de proa: "O escaler abicou na praia amiga" (Almeida Garrett, *Camões*, I, XIX); "Logo após abicava à ribeira o batel conduzindo Aires de Lucena" (José de Alencar, *Alfarrábios*, p. 193); "Uma canoa acabava de abicar à ribeira junto à ponte" (Id., *Til*, p. 285). **3.** *Mar.* Dirigir, apontar a proa: *A embarcação abicou para terra; O navio abicou para a costa.* **4.** Tocar, aproximar; chegar: "Viu-se uma barca sumptuosamente empavesada descer o Reno e vir lentamente abicar ao cais" (Ramalho Ortigão, *A Holanda*, p. 213). ***Int.*** **5.** Aproximar-se, chegar(-se): "acostavam ainda, a vela panda e molhada, abicando ao sabor do vento." (Herman Lima, *Tijipió*, p. 122). **6.** *Bras. RS* Ficar (a vaca), no período da gravidez, com as mamas intumescidas de leite. ***P.*** **7.** Aproximar-se, avizinhar-se. [Conjug.: v. *trancar.* Perf. ind.: *abiquei, abicaste, abicou*, etc. Cf. *abicô* e *abecar.*]

abichar[1] [De or. incerta; poss. do it. *abbisciare.*] *V. t. d.* Alcançar, conseguir (qualquer coisa vantajosa).

abichar[2] [Do esp. plat. *abichar.*] *V. int. P.* **1.** *Bras.* Criar bicheira (o animal). **2.** Apodrecer, estragar-se (fruta, cereal, etc.) por ataque de inseto, fungo, etc.

abicharar [De *a-*[2] + *bicha* + *-r-* + *-ar*[2].] *V. int. Bras. Chulo* Tornar-se bicha (11).

abichornado [Part. de *abichornar* (q. v.).] *Adj.* **1.** *Bras.* Quente, abafado (diz-se de tempo, vento, etc.). **2.** *Bras. S.* Desanimado, desalentado. **3.** *Bras. S.* Vexado, envergonhado. **4.** *Bras. S.* Acovardado, intimidado: "Os homens viveram abichornados, na tristeza dura" (Simões Lopes Neto, *Contos Gauchescos e Lendas do Sul*, p. 281).

abichornar [De *abochornar*, com dissimilação.] *V. t. d.* **1.** *Bras.* Tornar abichornado (1). **2.** *Bras. S.* Desanimar, desalentar. **3.** *Bras. S.* Vexar, envergonhar. ***Int. P.*** **4.** *Bras.* Tornar-se abichornado (1). **5.** *Bras. S.* Desanimar(-se), desalentar(-se).

abicô [Do ior.] *S. 2 g. Bras. Rel.* Pessoa que não pode fazer a cabeça [v. *fazer a cabeça* (1)] porque o seu santo já tem a obrigação feita. [Cf. *abicou*, do v. *abicar.*]

abicorar *V. t. d. Bras. Amaz.* Ficar à espreita de, vigilante.

abieiro [De *abiu* + *-eiro.*] *S. m. Bras. Bot.* Árvore sapotácea (*Lucuma caimito* ou *Pouteria caimito*), originária do Peru, lactescente, produtora de apreciado fruto edule, o abiu, e que é cultivada nas regiões tropicais; a madeira é us. no fabrico de instrumentos musicais, cabos de ferramenta, etc. [Sin.: *abi, abiu, abiiba, abiu-grande, caimiteiro, caimito, caimo.*]

ábies [Do tax. *Abies*, do lat. *abies, abietis.*] *S. m. Bot.* **1.** Gênero de pináceas que reúne cerca de cinquenta espécies distribuídas pelo hemisfério norte; são árvores altíssimas, e cultivadas pela madeira e pela resina. **2.** Qualquer espécie desse gênero, como, p. ex., a *Abies alba* (v. *abeto-branco*). **3.** Qualquer espécime desse gênero.

▲ **abiet-** [Do lat. *abiet-* < lat. *abies, ĕtis.*] *El. comp.* = 'abeto', 'pinheiro'; em *Quím.*, 'ácido abiético': *abietina; abietato.*

abietácea [Adapt. do tax. *Abietaceae*, do lat. cient. *Abiet-*, do gên. *Abies*, + lat. cient. *-aceae.*] *S. f. Bot.* V. *pinácea.*

abietáceo [De *abietácea*, com var. suf. (v. *-áceo*).] *Adj. Bot.* V. *pináceo.*

abietato [De *abiet-* + *-ato*[2].] *S. m. Quím.* Cada um dos sais, ou ésteres, do ácido abiético.

abieteno [De *abiet-* + *-eno*[2].] *S. m. Quím.* Mistura líquida de hidrocarbonetos tricíclicos, insaturados, resultante da descarboxilação do ácido abiético, e extraída também de algumas resinas [fórm.: $C_{19}H_{30}$].

abiético [De *abiet-* + *-ico*[2].] *Adj. Quím.* ~ V. *ácido* —.

abietina [De *abiet-* + *-ina*[3].] *S. f.* Quím Coniferina.

abietino [Do lat. *abietinu.*] *Adj.* Semelhante ou relativo ao abeto.

abieto (ê) [Do lat. *abiete.*] *S. m. Bras. Bot.* V. *abeto.*

ábiga [Do lat. *abiga*, 'planta de propriedades expulsivas'.] *S. f. Bot.* Nome comum a plantas lamiáceas do gênero *Ajuga* (v. *ajuga*), de uso medicinal.

abigeatário [Do lat. tard. *abigeatus*, 'roubo (de gado)', + *-ário.*] *S. m.* Indivíduo que comete abigeato; abígeo, abactor. [Sin. bras. (RS e MT): *quatreiro.*]

abigeato [Do lat. tard. *abigeatu.*] *S. m.* Furto de gado; abacto: "Certa vez, Melquíades, famoso autor de inúmeros abigeatos, caiu nas malhas policiais e se fez nas armas" (A. S. de Mendonça Júnior, *O Anel de Brilhante e Outras Estórias*, p. 38).

abígeo [Do lat. tard. *abigeu.*] *S. m.* V. *abigeatário.*

abigodado [De *a-*[2] + *bigode* + *-ado*[1].] *Adj.* Em forma de bigode.

abigornado [De *a-*[2] + *bigorna* + *-ado*[1].] *Adj.* Em forma de bigorna, ou que a ela se assemelha.

abiiba [De or. tupi.] *S. m. Bras. Bot.* V. *abieiro.*

abilhamento [Do fr. *habillement*, 'traje', 'vestimenta'.] *S. m. Ant.* Adorno, atavio.

abilo [De or. obsc.] *S. m. Bot.* Árvore burserácea (*Garuga abilo*) nativa do S. da Ásia, cuja madeira é útil.

abilolado [De or. express., poss.] *Adj. Bras. Pop.* **1.** V. *amalucado* (1): "todos os filósofos que até hoje tentaram entender as mulheres acabaram meio abilolados." (Cora Rónai Vieira e Paulo Rónai, *Aventuras de Fígaro*, p. 36). **2.** Perdido de amores; apaixonado: *Ficou abilolado pela loura.*

abilolar *V. int. Bras. Pop.* Ficar maluco, ou agir como maluco; amalucar, enlouquecer.

→**ab imo corde** [ab 'imɔ 'kɔrde] [Lat.] Do fundo do coração; *ab imo pectore.*

→**ab imo pectore** [ab 'imɔ 'pɛktɔreʰ] [Lat.] *Ab imo corde* (q. v.).

→**ab initio** [ab e̱'nitsɔ] [Lat.] *Loc. adv.* Desde o começo; desde a origem. ***Loc. adj.*** **2.** *Quím.* Diz-se de método ou cálculo de química teórica que é realizado sem o emprego de parâmetros obtidos experimentalmente. (V. *semiempírico.*)

→**ab intestato** [ab entes'tatɔ] [Lat., 'sem deixar testamento'.] *Dir. Civ.* Diz-se da sucessão em que não há testamento e daquele que é herdeiro apenas por força de lei.

abio *S. m. Bras. Bot.* V. *abiu.*

abioceno [De *a-*[3] + *-bi(o)-* + *-ceno*[2].] *S. m. Biol.* Lugar desprovido de seres vivos.

abiocenose [De *abioceno* + *-ose*[1].] *S. f. Ecol.* O conjunto dos elementos não vivos (físicos, químicos e geológicos) que fazem parte de um ecossistema.

abioenergia [De *a-*[3] + *-bi(o)-* + *energia.*] *S. f. Patol. Desus.* V. *abiotrofia.*

abiofisiologia [De *a-*[3] + *-bi(o)-* + *fisiologia.*] *S. f. Fisiol.* Estudo dos fenômenos inorgânicos que ocorrem em organismos vivos.

abiogênese *S. f. Biol.* V. *abiogênese.* [Uso freq. em P.]

abiogênese [De *a-*[3] + *-bi(o)-* + *-gênese.*] *S. f. Biol.* Suposta formação de organismo vivo com base em matéria não viva; geração espontânea, autogênese.

abiogenético [De *abiogên(ese)* + *-ético.*] *Adj. Biol.* **1.** Relativo a abiogênese. **2.** Que surge por abiogênese. [Sin. ger.: *autogenético.*]

abiombado [De *a-*[2] + *biombo* + *-ado*[1].] *Adj.* Em forma de biombo.

abiorana *S. f. Bras. Bot.* V. *abiurana.*

abiorana-guta *S. f. Bot.* V. *abiurana-guta.* [Pl.: *abioranas-gutas* e *abioranas-guta.*]

abiori [De or. indígena, poss.] *S. m. Bras. Bot.* Taquari.

abiose [De *a-*[3] + *-bi(o)-* + *-ose*[1].] *S. f.* Ausência de vida.

abiossesto *S. m. Ecol.* V. *abiosséston.*

abiosséston [De *a-*[3] + *-bi(o)-* + *séston.*] *S. m. Ecol.* V. *séston.* [Var.: *abiossesto.*]

abiótico [De *abi(ose)* + *-ótico.*] *Adj.* **1.** Relativo à abiose, ou caracterizado por ela. **2.** Em que não se pode viver. ~ V. *componente* —.

abioto (ô) [Do gr. *abíotos.*] *S. m.* **1.** O que é incompatível com a vida; o que mata. **2.** Designação dada à cicuta, por sua qualidade mortífera. ● *Adj.* **3.** Incompatível com a vida.

abiotrofia [De *a-*[3] + *-bi(o)-* + *-trofia.*] *S. f. Patol.* **1.** Insuficiência nutricional. **2.** Diminuição da vitalidade com perda de resistência específica. [Sin. ger.: (desus.) *abioenergia, hipotrofia.*]

abiotrófico [De *abiotrofia* + *-ico*[2].] *Adj.* Referente à abiotrofia.

abiquara *S. f. Bras. Zool.* V. *corcoroca* (2 e 3).

abiqueirado [De *a-*[2] + *biqueira* + *-ado*[1].] *Adj.* Em forma de biqueira.

→**ab irato** [ab e̱'ratɔ] [Lat.] Em estado de ira, de cólera.

abirritação [De *ab-*[1] + *irritação.*] *S. f. Med.* **1.** Fraqueza, debilidade; astenia, atonia. **2.** Diminuição ou abolição de reflexos ou de qualquer outra forma de irritabilidade num órgão ou numa região.

abirritante [De *abirritar* + *-nte.*] *Adj. 2 g.* Que produz abirritação; abirritativo.

abirritar [Voc. deduz. de *abirritação.*] *V. t. d. Med.* Produzir abirritação em.

abirritativo [De *abirritar* + *-tivo.*] *Adj.* Abirritante.

abiscoitado[1] [De *a-*[2] + *biscoito* + *-ado*[1].] *Adj.* Semelhante a biscoito, no gosto, na forma ou no aspecto. [F. paral.: *abiscoutado.*]

abiscoitado[2] [Part. de *abiscoitar.*] *Adj.* Que se abiscoitou. [F. paral.: *abiscoutado.*]

abiscoitar [De *a-*[2] + *biscoito* + *-ar*[2].] *V. t. d.* **1.** Cozer como biscoito. **2.** Conseguir, alcançar; abichar[1]: *Com a eleição do novo governador, abiscoitou um bom emprego.* **3.** *Bras.* Receber, ganhar; arranjar. [F. paral.: *abiscoutar* e *biscoitar.*]

abiscoutado[1] *Adj.* Abiscoitado[1].

abiscoutado[2] *Adj.* Abiscoitado[2].

abiscoutar [De *a-*[2] + *biscouto* + *-ar*[2].] *V. t. d.* V. *abiscoitar.*

abisga [De or. afric., poss.] *S. f. Bot.* Arbusto caparidáceo (*Capparis sodata* ou *C. aphyla*), nativo da África, de fruto comestível.

abismado [Part. de *abismar.*] *Adj.* Muito admirado; assombrado; perplexo.

abismal [De *abismo* + *-al*[1].] *Adj. 2 g.* **1.** Relativo ou pertencente a abismo. **2.** Da natureza do abismo: *profundezas abismais.* **3.** *Fig.* Insondável; aterrador. [Sin. ger.: *abissal.*]

abismamento [De *abismar* + *-mento.*] *S. m.* **1.** Ato de abismar(-se). **2.** *Geol.* Formação de grandes abismos por processos tectônicos.

abismante [De *abismar* + *-nte.*] *Adj. 2 g.* Que provoca assombro, ou perplexidade; que deixa abismado.

abismar [De *abismo* + *-ar*[2].] *V. t. d.* **1.** Precipitar ou lançar no abismo: "O riso que revolteia as tormentas dos impérios, e abisma tronos, e espuma espadanas de lama" (Camilo Castelo Branco, *A Mulher Fatal*, p. 8). **2.** Causar assombro, admiração a: *O violinista abismou a plateia com o seu virtuosismo.* ***T. d. e c.*** **3.** Lançar, precipitar. ***Int.*** **4.** V. *abismar* (9). ***P.*** **5.** Lançar-se ou precipitar-se no abismo. **6.** *P. ext.* Lançar-se, precipitar-se: "do mar na escuridão se abisma a lua / A pratear as águas que alumia." (Álvares de Azevedo, *Obras Completas*, I, p. 470). **7.** *Fig.* Ser invadido por; tomar-se de: "Viu o riso feroz desses homens e todo o seu ser estremeceu de horror. E, logo, a sua alma se abismou em profunda angústia." (Castro Soromenho, *Rajada e Outras Histórias*, p. 128.) **8.** Ficar absorto; alhear-se; perder-se: *Interrompeu a leitura e abismou-se em sonhos.* **9.** Ficar assombrado; espantar-se; abismar. **10.** Perder-se moralmente.

abismo [Do gr. *ábyssos*, 'sem fundo', pelo lat. *abyssu* e pelo lat. vulg. **abyssimu.*] *S. m.* **1.** Abertura, sulco natural, quase vertical, de fundo praticamente insondável; voragem, vórtice, sorvedouro, abissal. **2.** Precipício, despenhadeiro. **3.** *P. ext. Fig.* Profundezas da alma, do espírito: "Ela aí vai, a minha estrela, aí vai a resvalar no abismo, donde não sei se a levantarei mais..." (Machado de Assis, *Teatro*, p. 270.) **4.** *Fig.* Tudo que é imenso, incomensurável; coisa assombrosa, insondável: "Jamais o problema da vida e da morte me oprimira o cérebro; nunca .... me debruçara sobre o abismo do Inexplicável" (Machado de Assis, *Memórias Póstumas de Brás Cubas*, p. 80). **5.** *Fig.* Grande distância ou diferença: "– Era um homem que ela supunha separado, por um abismo, de todas as suas relações pessoais" (Id., *Histórias sem Data*, p. 55). **6.** *Fig.* O último grau; o extremo: *Vive no abismo da desventura.* **7.** *Fig.* Situação difícil; posição insustentável: *Dificilmente o salvarão do abismo em que se acha.* **8.** *Fig.* Oceano, mar. **9.** *Fig.* Os Infernos: "É rápido [o Diabo], batendo as asas, com tal estrondo que abalou todas as províncias do abismo, arrancou da sombra para o infinito azul." (Machado de Assis, *Histórias sem Data*, p. 28.) **10.** *Hist. Filos.* Caos. [F. paral.: *abisso.*]

abismoso (ô) [De *abismo* + *-oso.*] *Adj.* Em que há abismos; cercado de abismos.

abissal [Do lat. med. *abyssale*; fr. *abyssal.*] *Adj. 2 g.* **1.** V. *abismal.* **2.** Relativo ou pertencente ao abisso. **3.** Espantoso, assombroso, enorme. **4.** *Fig.* Misterioso, enigmático: "o caráter abissal e a carne diabólica e perversa daquela mulher haviam-no brutalizado, fanatizado por completo!" (Abel Botelho, *Os Lázaros*, p. 44). **5.** *Ecol.* Diz-se de região oceânica abaixo de 2.000m, e onde a luz não penetra. ~ V. *rocha* —. ● *S. m.* **6.** *Ecol.* Essa região.

abissínio [Do top. lat. *Abyssinia* (< ár. *al-ḥabašī*, 'coisa negra', poss.) + *-io*[3].] *Adj.* **1.** Da, ou pertencente ou relativo à Abissínia, atual Etiópia (África). ● *S. m.* **2.** O natural ou habitante da Abissínia. [Sin., nessas acepçs.: *abassi, abassino, abexi, abexim.*] **3.** *Gloss.* Amárico. **4.** *Bras. Deprec.* Indivíduo que ataca os decaídos do poder e elogia os novos governantes.

abisso [Do gr. *ábyssos*, pelo lat. *abyssu.*] *S. m. P. us.* V. *abismo.*

abissofobia [De *abisso* + *-fobia.*] *S. f. Psiq.* Horror a abismos e a precipícios.

abissofóbico [De *abissofobia* + *-ico*^{2}.] *Psiq. Adj.* **1.** Relativo a abissofobia. **2.** Que sofre de abissofobia; abissófobo. ● *S. m.* **3.** Aquele que sofre de abissofobia; abissófobo.

abissófobo [De *abisso* + *-fobo.*] *Adj. S. m. Psiq.* Abissofóbico (2 e 3).

abita [De *a-*^{5} + fr. *bitte.*] *S. f. Constr. Nav.* Peça, hoje raramente usada, que consiste em uma coluna de madeira ou de ferro, fortemente presa no convés, e em torno da qual se dão voltas à amarra depois de lançada a âncora. [Cf. *habita*, do v. *habitar.*]

abitana *S. 2 g.* **1.** *Etnôn.* Indivíduo dos abitanas [ou (etnôn. bras.) *Abitana-Wanyan], povo indígena extinto da família linguística xapacura, que habitava as margens do rio São Miguel, afluente do rio Guaporé (RO). ● *Adj. 2 g.* **2.** Pertencente ou relativo a esse povo.

abitar [De *abita* + *-ar*^{2}.] *V. t. d. Marinh. Ant.* Prender (a amarra), com voltas, na abita. [Pres. ind.: *abito*, etc. Cf. *hábito* e *habitar.*]

abito [De or. incerta.] *S. m.* Na antiga alquimia, o carbonato de chumbo. [Cf. *habito*, do v. *habitar*, e *hábito.*]

abitolar [De *a-*^{2} + *bitola* + *-ar*^{2}.] *V. t. d.* Medir pela bitola; sujeitar à bitola.

abiu [Do tupi = 'fruto de polpa adocicada'.] *S. m. Bras.* **1.** Fruto do abieiro, de baga branca e doce. **2.** *Bot.* V. *abieiro.* [Var.: *abio.*]

abiu-de-casca-fina [De *abiu* + *de* + *casca* + o f. de *fino*^{1}.] *S. m. Bras. Bot.* V. *maçarandubarana.* [Pl.: *abius-de--casca-fina.*]

abiu-do-mato *S. m. Bras. Bot.* V. *acá* (1). [Pl.: *abius-do--mato.*]

abiu-do-pará [De *abiu* + *do*^{1} + o top. *Pará.*] *S. m. Bras. Bot.* V. *caimito* (1). [Pl.: *abius-do-pará.*]

abiu-grande *S. m. Bras. Bot.* **1.** Árvore sapotácea (*Pouteria macrocarpa*) de até 30 m, nativa da Amaz., de frutos bacáceos edules; abiurana, abiu-grande--da-terra-firme. **2.** V. *abieiro.* [Pl.: *abius-grandes.*]

abiu-grande-da-terra-firme *S. m. Bras. Bot.* Abiu-grande (1). [Pl.: *abius-grandes-da-terra-firme.*]

abiu-piloso *S. m. Bras. Bot.* V. *acá* (1). [Pl.: *abius-pilosos.*]

abiurana [De *abiu* + *-rana.*] *S. f.* **1.** *Bras. Bot.* Árvore sapotácea (*Pouteria lasiocarpa*) de casca lactescente, com propriedades adstringentes, e frutos bacáceos amarelos, edules; a madeira tem grande durabilidade. [Sin.: *abiurana-da-mata, abiurana-da-várzea, abiurana-vermelha, auaduri.*] **2.** V. *acá* (1). **3.** V. *abiu--grande.* **4.** V. *maçarandubarana.* [Var.: *abiorana, biorana, biurana.*]

abiurana-da-mata *S. f. Bras. Bot.* V. *abiurana* (1). [Pl.: *abiuranas-da-mata.*]

abiurana-da-várzea *S. f. Bras. Bot.* V. *abiurana* (1). [Pl.: *abiuranas-da-várzea.*]

abiurana-grande *S. f. Bras. Bot.* V. *cutitiribarana* (2). [Pl.: *abiuranas-grandes.*]

abiurana-guta *S. f. Bot.* **1.** *Bras. Amaz.* Árvore sapotácea (*Pouteria gutta*), de cujo látex se faz a balata (2). **2.** *Bras.* V. *frutão.* [Pl.: *abiuranas-gutas* e *abiuranas--guta.*]

abiurana-preta [De *abiurana* + o f. de *preto.*] *S. f. Bras. Bot.* V. *cutitiribarana* (2). [Pl.: *abiuranas-pretas.*]

abiurana-vermelha [De *abiurana* + o f. de *vermelho*^{1}.] *S. f. Bras. Bot.* **1.** V. *abiurana* (1). **2.** V. *maçarandubarana.* [Pl.: *abiuranas-vermelhas.*]

abiu-roxo *S. m. Bot.* V. *caimito* (1). [Pl.: *abius-roxos.*]

abjeção [Do lat. *abjectione.*] *S. f.* Baixeza, aviltamento, degradação.

abjecto *Adj. S. m.* V. *abjeto.*

abjeto [Do lat. *abjectu.*] *Adj.* **1.** Imundo, desprezível, ignóbil: 📖 "entre os malaios, o feudalismo, conservado além do que a norma das cousas o consente, deu lugar a instituições tão abjetas .... como as que observamos na Índia imperial." (Oliveira Martins, *Quadro das Instituições Primitivas*, p. 289). ● *S. m.* **2.** Ente vil, abjeto. [Var.: *abjecto.*]

abjudicação [De *abjudicar* + *-ção.*] *S. f.* Ato ou efeito de abjudicar; abjurgação.

abjudicador (ô) [De *abjudicar* + *-dor.*] *Adj. S. m.* Que, ou aquele que abjudica; abjudicante, abjurgador, abjurgante.

abjudicante [De *abjudicar* + *-nte.*] *Adj. 2 g. S. 2 g.* V. *abjudicador.*

abjudicar [Do lat. *abjudicare.*] *V. t. d. Jur.* Tirar judicialmente ao possuidor ilegítimo (o que pertence a outrem); abjurgar. [Conjug.: v. *trancar.*]

abjugar [Do lat. *abjugare.*] *V. t. d.* **1.** Tirar do jugo; disjungir, separar. **2.** Soltar, libertar. [Conjug.: v. *largar.*]

abjunção [De *abjun(gir)* + *-ção*, seg. o padrão erudito.] *S. f.* Ato ou efeito de abjungir; separação.

abjungir [Do lat. *abjungere.*] *V. t. d.* Separar, afastar. [Conjug.: v. *jungir.*]

abjuntivo [Do lat. *abjunctus*, part. pass. de *abjungere*, 'desprender'; 'afastar', + *-ivo.*] *Adj.* Que abjunge ou serve para abjungir.

abjuração [Do lat. tard. *abjuratione.*] *S. f.* Ato ou efeito de abjurar; abjuramento.

abjurador (ô) [Do lat. tard. *abjuratore.*] *Adj. S. m.* Que, ou aquele que abjura; abjurante.

abjuramento [De *abjurar* + *-mento.*] *S. m.* Abjuração.

abjurante [Do lat. *abjurante.*] *Adj. 2 g. S. 2 g.* Abjurador.

abjurar [Do lat. *abjurare.*] *V. t. d.* **1.** Renunciar solenemente a (religião, crença); perjurar. **2.** Renunciar a (opinião, doutrina, etc.); perjurar: 📖 "O artista .... abjura todos os princípios, renega todos os cânones" (Ramalho Ortigão, *O Culto da Arte em Portugal*, p. 166). **3.** Desdizer-se ou retratar-se de (uma opinião): 📖 "Ele diz estar convencido, em 1870, que, terminada a guerra franco-prussiana, o imperador, abjurando os erros, entrará na Igreja Católica e depois no Céu." (Camilo Castelo Branco, *Maria da Fonte*, p. 344.) *Int.* **4.** Desertar da religião que antes professava.

abjuratório [De *abjurar* + *-tório.*] *Adj.* Relativo a, ou que envolve abjuração.

abjurgação [De *abjurgar* + *-ção.*] *S. f.* Ato ou efeito de abjurgar; abjudicação.

abjurgador (ô) [De *abjurgar* + *-dor.*] *Adj. S. m.* V. *abjudicador.*

abjurgante [De *abjurgar* + *-nte.*] *Adj. 2 g. S. 2 g.* V. *abjudicador.*

abjurgar [Do lat. tard. *abjurgare.*] *V. t. d. Jur.* Abjudicar. [Conjug.: v. *largar.*]

■ **ABL** Sigla de *Academia Brasileira de Letras.*

ablaca [De *ab-*^{1} + lat. *laqueus*, 'nó', 'laço'; 'trama', com mudança de gên.] *S. f.* **1.** *Ant.* Seda finíssima originária da Pérsia. **2.** *Zool.* Bisso (3). [Var.: *abláqua.*]

ablação [Do lat. tard. *ablatione.*] *S. f.* **1.** Ação de tirar por força. **2.** *Cir.* Remoção de uma estrutura orgânica, principalmente por seção dela. **3.** *E. Ling.* Aférese. **4.** *Geol.* Degelo da parte superficial das geleiras. **5.** *Astron.* Perda de material da superfície de um veículo espacial, por fusão ou vaporização, quando de seu regresso à superfície terrestre.

ablactação [Do lat. tard. *ablactatione.*] *S. f.* **1.** Cessação do aleitamento; desmama, desmame. **2.** *Med.* Suspensão medicamentosa ou não da secreção láctea.

ablactar [Do lat. tard. *ablactare.*] *V. t. d.* Fazer a ablactação de; desmamar.

ablages [De or. obsc.] *S. f. 2 n. Bot.* Planta asterácea (*Lactuca taraxacifolia*) nativa da África, cujas folhas são us. em saladas, e o sumo, como narcótico.

ablamelar [De *ab-*^{1} + *lamela* + *-ar*^{1}.] *Adj. 2 g. S. f. Bot.* Diz-se de, ou planta que tem as lamelas afastadas umas das outras.

ablânia [Do tax. *Ablania.*] *S. f. Bot.* **1.** Gênero de plantas eleocarpáceas, incluídas, por vezes, no gênero *Sloanea* (v. *sloânea*). **2.** Qualquer espécie, ou espécime desse gênero. **3.** Planta eleocarpácea (*Sloanea cuneifolia*) nativa das Guianas, de madeira útil, vermelha.

abláqua *S. f.* V. *ablaca.*

ablaqueação [Do lat. tard. *ablaqueatione.*] *S. f.* **1.** Ação de ablaquear. **2.** *Bot.* Cova aberta em volta das árvores, para facilitar a ação da luz e do ar, bem como a penetração da água da rega ou da chuva.

ablaquear [Do lat. *ablaqueare.*] *V. t. d.* **1.** Deslaçar, desprender, soltar. **2.** Escavar em volta de (planta). [Sin. ger.: *ablaquecer.* Conjug.: v. *frear.*]

ablaquecer [De *ablaqu-*, como em *ablaquear*, + *-ecer.*] *V. t. d.* V. *ablaquear.* [Conjug.: v. *aquecer.*]

ablastêmico *Adj. Bot.* V. *ablastêmico.* [Uso freq. em P.]

ablastêmico [De *a-*^{3} + *blastema* + *-ico*^{2}.] *Adj. Bot.* Que não pode germinar.

ablastia [De *a-*^{3} + *-blast(o)-* + *-ia*^{1}.] *S. f. Bot.* Falta de desenvolvimento de um órgão, que poderá, até, desaparecer de todo.

ablativismo [De *ablativo* + *-ismo.*] *S. m. E. Ling.* Corrente filológica que afirma ser o ablativo o caso lexicogênico da língua portuguesa.

ablativo [Do lat. *ablativu.*] *Adj.* **1.** Que pode tirar, cortar, privar de alguma coisa, etc. **2.** *E. Ling.* Relativo ao ablativo (3). ~ V. *caso* —. ● *S. m.* **3.** *E. Ling.* Caso ablativo (q. v.). ◆ **Estar em ablativo de partida.** V. *estar em ablativo de viagem.* **Estar em ablativo de viagem.** Estar prestes a partir, nos últimos preparativos para viagem ou partida; estar em ablativo de partida. **Fazer ablativo de partida.** V. *fazer ablativo de viagem.* **Fazer ablativo de viagem.** **1.** Partir inesperadamente, sem se despedir; desaparecer. **2.** *Fig.* V. *morrer* (1): 📖 "se fizerdes o vosso ablativo de viagem nalguma aldeia, ... lá do adro, onde haveis de jazer, alevantai a caveira descarnada .... e vereis o foguete subir aos ares." (Alexandre Herculano, *Lendas e Narrativas*, II, p. 186). [Sin. ger.: *fazer ablativo de partida.*]

ablator (ô) [Do lat. tard. *ablatore.*] *Adj.* **1.** Que corta, tira ou extrai. ● *S. m.* **2.** Aquele que corta, tira ou extrai. **3.** Instrumento utilizado para cortar a cauda de certos animais, ou para castrar.

➔ **ablaut** ['ablawt] [Al.] *E. Ling.* V. *apofonia.* [Com cap.]

ablefaria [De *a-*^{3} + *-blefar(o)-* + *-ia*^{1}.] *S. f. Oftalm.* Ausência total ou parcial das pálpebras.

ablefárico [De *ablefaria* + *-ico*^{2}.] *Adj.* Relativo a ablefaria.

abléfaro [Do gr. *ablépharos.*] *Adj.* Privado de pálpebras.

ablegação (ab-le) [Do lat. *ablegatione.*] *S. f.* Ato ou efeito de ablegar.

ablegar (ab-le) [Do lat. *ablegare.*] *V. t. d.* **1.** Mandar para longe; afastar. **2.** Exilar, desterrar, banir. **3.** Desterrar, desprezar, relegar. [Conjug.: v. *regar.*]

ablepsia [De *a-*^{3} + *-bleps-* + *-ia*^{1}.] *S. f.* **1.** *Patol.* Perda ou falta da visão. **2.** *Fig.* Perda das faculdades intelectuais.

abléptico [De *a(blepsia)* + *-bléptico*, seg. o padrão erudito.] *Adj.* **1.** Referente a ablepsia, ou que a apresenta. ● *S. m.* **2.** Aquele que tem ablepsia.

ablução [Do lat. *ablutione.*] *S. f.* **1.** Ato ou efeito de abluir(-se); lavagem: 📖 "banhou o rosto e as mãos na água fresca do rio, e como se a ablução lhe desse um novo batismo de crença e de fé, sentiu-se são." (Inglês de Sousa, *O Missionário*, p. 252). **2.** Banho de todo o corpo, ou de parte dele, com esponja embebida em água ou com toalha molhada. **3.** *Rel.* Ritual de purificação por meio da água, praticado em várias religiões. **4.** *Rel.* Ação de lavar-se antes de uma prece. **5.** *Maç.* Uma das formas de purificação simbólica, tb. chamada de "prova da água", que faz parte da iniciação pela qual passam os candidatos a ingressar na maçonaria. ◆ **Ablução areenta.** A que é feita com areia, por falta de água. [Usam-na sobretudo os viajantes muçulmanos durante a travessia de regiões desérticas, onde a água escasseia.]

abluente [Do lat. *abluente.*] *Adj. 2 g.* **1.** Próprio para abluir. ● *S. m.* **2.** Aquilo que ablui.

abluir [Do lat. *abluere.*] *V. t. d.* **1.** V. *lavar* (1). **2.** Purificar por meio da água. *P.* **3.** Limpar-se; purificar-se: 📖 "Sempre a obsessão de supor [o Prof. Ernesto Carneiro Ribeiro] que, com indigitar nódoas minhas, se abluiria das suas." (Rui Barbosa, *Réplica*, p. 279.) [Conjug.: v. *atribuir.*]

ablutomania [Do lat. *ablut(io)*, 'ablução', + *-o-*^{1} + *-mania.*] *S. f. Psiq.* Impulso mórbido para lavar-se e banhar-se.

ablutomaníaco [De *ablutomania* + *-íaco.*] *Psiq. Adj.* **1.** Relativo a ablutomania. **2.** Que tem ablutomania; ablutômano. ● *S. m.* **3.** Aquele que tem ablutomania; ablutômano.

ablutômano *Adj. S. m. Psiq.* V. *ablutômano.* [Uso freq. em P.]

ablutômano [Do lat. tard. *ablut(io)*, 'ablução', + *-o-*^{1} + *-mano*^{1}.] *Adj. S. m. Psiq.* Ablutomaníaco (2 e 3).

ablutor (ô) [Do lat. tard. *ablutore.*] *S. m.* Aquilo que lava ou purifica.

abmigração [De *ab-*^{1} + *migração.*] *S. f. Zool.* Partida para o norte, para uma nova região de verão, durante a primavera, de aves que não migraram para o sul no outono anterior.

abnegação [Do lat. tard. *abnegatione.*] *S. f.* **1.** Ato ou efeito de abnegar. **2.** Desinteresse, renúncia, desprendimento, devotamento: 📖 "A concentração em que vivia ...., entregara-o avidamente ao estudo dos tempos heroicos do cristianismo, exaltando-lhe a imaginação com os exemplos de abnegação e de sacrifício dos Mártires da Igreja." (Inglês de Sousa, *O Missionário*, p. 56). **3.** *Ét.* Sacrifício voluntário do que há de egoístico nos desejos e tendências naturais do homem, em proveito de uma pessoa, causa ou ideia. [Cf., nesta acepç., *altruísmo* (3) e *egoísmo* (4 e 5).]

abnegado [Part. de *abnegar.*] *Adj.* Que tem ou envolve abnegação: *ação abnegada.*

abnegar [Do lat. *abnegare.*] *V. t. d.* **1.** Renunciar a; abster-se de; abjurar. *T. i.* **2.** Abjurar, renegar: *abnegar de doutrinas.* **3.** Renunciar: *Abnegou dos prazeres da mesa.* *P.* **4.** Sacrificar-se, mortificar-se, esp. em benefício de Deus ou do próximo. [Conjug.: v. *regar.*]

abnegativo [Do lat. tard. *abnegativu.*] *Adj.* Que envolve abnegação; desinteressado, desprendido, abnegado.

abneto [De *ab-*^{1} + *neto*^{1}; f. moldada no lat. *abnepos.*] *S. m.* Trineto.

abnodação [De *abnodar* + *-ção.*] *S. f.* Ato ou efeito de abnodar.

abnodar [Do lat. tard. *abnodare.*] *V. t. d.* Cortar os nós de (as árvores).

abnodoso (ô) [De *abnod-*, como em *abnodar*, + *-oso.*] *Adj.* Que não tem nós ou excrescências.

abnormal [Do ingl. *abnormal.*] *Adj. 2 g.* V. *anormal.*

abnormalidade [De *abnormal* + *-(i)dade*.] *S. f.* Qualidade de abnormal; anormalidade (q. v.).

abnorme [Do lat. *abnorme*.] *Adj. 2 g.* V. *anormal*.

abnormidade [Do lat. tard. *abnormitate*.] *S. f.* Qualidade de abnorme; anormalidade (q. v.).

abnóxio (cs) [De *ab-*[1] + *nóxio*.] *Adj.* Inofensivo, inócuo.

■ **ABNT** Sigla de *Associação Brasileira de Normas Técnicas*.

abnuência [Do lat. tard. *abnuentia*.] *S. f.* **1.** Desacordo, discordância. **2.** Discussão, controvérsia.

abnuente [Do lat. *abnuente*.] *Adj. 2 g.* Que abnui; renuente.

abnuir [Do lat. *abnuere*.] *V. t. d.* **1.** Não anuir; discordar. **2.** Recusar, rejeitar. [Conjug.: v. *atribuir*.]

abó [De or. afric.] *S. m. Angol. Bot.* Trepadeira apocinácea (*Landolphia florida*) originária de regiões tropicais da África, dotada de látex que produz um tipo de borracha, folhas oblongas ou elípticas, coriáceas, grandes flores alvas, aromáticas, corimbiformes, e frutos bacáceos alaranjados, edules. [Sin.: *ditute, mebungu*.]

abô [Do ior.] *S. m. Bras. Rel.* Infusão de ervas consideradas sagradas, maceradas na água das quartinhas do roncó, e us., no candomblé, para banhos [v. *banho de cheiro*].

aboado [Part. de *aboar*.] *Adj.* Que se abonançou (diz-se do tempo).

aboamento [De *aboar* + *-mento*.] *S. m.* Inclinação que se dá à face interna das folhas de porta ou janela, a fim de que estas possam ficar bem abertas.

aboar [De or. contrav.] *V. t. d.* **1.** *Arc.* Dividir, demarcar, estremar. *Int.* **2.** Abonançar(-se) (o tempo). [Conjug.: v. *coroar*.]

aboba *Bras. S. 2 g.* **1.** *Etnôn.* Indivíduo dos abobas, povo indígena extinto que habitava as margens do rio Corumbiara (RO). ● *Adj. 2 g.* **2.** Pertencente ou relativo a esse povo. [Tb. us. como *s. 2 g. e 2 n.* (com cap.) e *adj. 2 g. e 2 n.*]

abóbada [De *a-*[5] + b.-lat. **volvita*, fem. do part. pass. de *volvere*, 'dar volta'.] *S. f.* **1.** *Arquit.* Cobertura de curvatura côncava e contínua, levantada num espaço interno, e construída ger. com pedras ou tijolos que se apoiam uns nos outros, de modo que suportem seu próprio peso e as cargas externas. **2.** *P. ext.* Tudo que apresente forma aproximada de uma cobertura côncava: *abóbadas de uma gruta; abóbada craniana;* "Além do rio Charante, está uma estalagem .... quase escondida pelos castanheiros seculares que lhe formavam uma abóbada de folhagens." (Camilo Castelo Branco, *Livro Negro de Padre Dinis*, p. 218). **3.** *Anat.* Qualquer formação (5) que, exteriormente, é convexa e arredondada e, interiormente, tem aspecto côncavo e arqueado. [Var. p. us.: *abóbeda*. Cf. *abobada*, do v. *abobadar*.] ◆ **Abóbada abatida.** *Arquit.* Abóbada cuja curvatura é determinada por uma seção de elipse, tendo por largura o eixo maior; abóbada de volta de sarapanel, abóbada de asa de cesto. **Abóbada acústica.** *Fís.* Abóbada construída de modo que um som emitido em dado ponto, por muito pequena que seja a sua intensidade, é ouvido distintamente noutro lugar, afastado. **Abóbada à moderna.** *Arquit.* V. *abóbada ogival*. **Abóbada celeste.** O firmamento. **Abóbada cilíndrica.** *Arquit.* Aquela cuja curvatura é determinada pelo arco de círculo; abóbada de berço, abóbada de berço direito, abóbada de volta de berço, abóbada de um só centro, abóbada de canudo, abóbada de tubo, abóbada de tumba, abóbada mestra. **Abóbada cocleária.** *Arquit.* V. *abóbada de caracol*. **Abóbada craniana** *Anat.* A parte superior da caixa craniana. **Abóbada de aço.** *Maç.* Cobertura composta de espadas cujas pontas se cruzam no alto, utilizada no protocolo maçônico. **Abóbada de ângulo.** *Arquit.* Abóbada formada por quatro seções de círculo, resultantes da interseção de duas abóbadas cilíndricas, formando ângulos reentrantes; abóbada em arco de claustro. **Abóbada de aresta.** *Arquit.* **1.** A que é determinada pela interseção de duas abóbadas cilíndricas, formando ângulos salientes. **2.** Abóbada formada por quatro lunetas [v. *luneta* (6)] iguais. **Abóbada de asa de cesto.** *Arquit.* V. *abóbada abatida*. **Abóbada de barrete de clérigo.** *Arquit.* Abóbada formada por quatro triângulos curvilíneos, cujos vértices se encontram num mesmo ponto central. **Abóbada de berço.** *Arquit.* **1.** Aquela cuja curvatura é determinada por semicírculo e cujo comprimento é maior que a largura. **2.** V. *abóbada cilíndrica*. **Abóbada de berço direito.** *Arquit.* V. *abóbada cilíndrica*. **Abóbada de canudo.** *Arquit.* V. *abóbada cilíndrica*. **Abóbada de caracol.** *Arquit.* A que corre sobre duas paredes paralelas e espiraladas, como nas escadas em caracol; abóbada cocleária, abóbada helicoide, abóbada de espiral. **Abóbada de concha.** *Arquit.* Abóbada em forma de semicúpula, usada nos nichos. **Abóbada de escarção.** *Arquit.* V. *abóbada oblíqua*. **Abóbada de espiral.** *Arquit.* V. *abóbada de caracol*. **Abóbada de lado.** *Arquit.* V. *abóbada oblíqua*. **Abóbada de luneta.** *Arquit.* V. *abóbada oblíqua*. **Abóbada de ogiva.** *Arquit.* V. *abóbada ogival*. **Abóbada de tubo.** *Arquit.* V. *abóbada cilíndrica*. **Abóbada de tumba.** *Arquit.* V. *abóbada cilíndrica*. **Abóbada de um só centro.** *Arquit.* V. *abóbada cilíndrica*. **Abóbada de volta de berço.** *Arquit.* V. *abóbada cilíndrica*. **Abóbada de volta de sarapanel.** *Arquit.* V. *abóbada abatida*. **Abóbada elevada.** *Arquit.* Aquela cuja curvatura é determinada por uma seção de elipse, tendo por largura o eixo menor. **Abóbada em arco de claustro.** *Arquit.* Abóbada de ângulo. **Abóbada em declive.** *Arquit.* A que segue, paralelamente, o declive de uma rampa ou de uma escada. **Abóbada esférica.** *Arquit.* Aquela cujo plano e perfil são circulares. **Abóbada gótica.** *Arquit.* V. *abóbada ogival*. **Abóbada helicoide.** *Arquit.* V. *abóbada de caracol*. **Abóbada mestra.** *Arquit.* **1.** V. *abóbada cilíndrica*. **2.** A abóbada principal de um edifício. **Abóbada oblíqua.** *Arquit.* Aquela cujas paredes laterais não estão em esquadria com os pés-direitos da entrada; abóbada de escarção, abóbada de lado, abóbada de luneta. **Abóbada ogival.** *Arquit.* Aquela cuja curvatura é determinada por dois segmentos iguais de círculo, que se cruzam, formando ângulos na parte superior; abóbada de ogiva, abóbada gótica, abóbada à moderna. **Abóbada palatina.** *Anat.* V. *palato*. **Abóbada policêntrica.** *Arquit.* Aquela cuja curvatura é determinada por mais de uma seção de círculos e com centros diversos.

abobadado [De *abóbada* + *-ado*[1].] *Adj.* Que tem forma ou semelhança de abóbada; arqueado, abaulado.

abobadar [De *abóbada* + *-ar*[2].] *V. t. d.* **1.** Cobrir com abóbada. **2.** Dar forma de abóbada a. [Pres. ind.: *abobado, abobadas, abobada*, etc. Cf. *abóbada, aboubado* e fem. *aboubada*.]

abobadilha [De *abóbada* + *-ilha*.] *S. f. Arquit.* Pequena abóbada semicircular, ger. de tijolos, us. eventualmente na construção de sobrados.

abobado [De *a-*[2] + *bobo* + *-ado*[1].] *Adj.* V. *tolo* (1 a 3). [Cf. *aboubado*.]

abobalhado [De *a-*[2] + *bobo* + *-alh(o)-* + *-ado*[1].] *Adj. Bras.* V. *tolo* (1 a 3).

abobalhar [De *a-*[2] + *bobo* + *-alhar*.] *V. t. d.* **1.** Tornar bobo; apalermar. **2.** Provocar impressão ou sensação (de desorientação ou de surpresa) em; deixar bobo. *P.* **3.** Ficar impressionado.

abobamento [De *abobar* + *-mento*.] *S. m.* Ato ou efeito de abobar(-se).

abobar [De *a-*[2] + *bobo* + *-ar*[2].] *V. t. d. P.* Tornar(-se) bobo (2); apalermar(-se); atoleimar(-se). [Perf. ind.: *abobei, abobaste, abobou*, etc. Cf. *abobó* e *aboubar-se*.]

abobarrado [De *a-*[2] + *bobo* + *-arr(o)-* + *-ado*[1].] *Adj. Bras. SP* V. *tolo* (1 a 3).

abóbeda *S. f.* V. *abóbada*: "O riso que abate a abóbeda do templo sobre as ossadas dos mártires" (Camilo Castelo Branco, *A Mulher Fatal*, p. 8).

abobó [Do jeje.] *S. m. Bras. MA Rel.* Comida votiva de voduns na Casa Grande das Minas, em São Luís, feita de feijão-branco de olho preto com azeite de dendê.

abóbora [Do lat.-hisp. *apopores*, poss.] *S. f.* **1.** *Bot.* Nome comum aos frutos comestíveis da aboboreira. [Sin. (no N. e N.E.): *jerimum*.] **2.** *Bot.* V. *aboboreira*. **3.** *Fig.* Mulher gorda. **4.** *Gír.* A cabeça. **5.** *Bras. Zool.* Borboleta diurna, heliconiídea, gênero *Eucides*, com asas de cores vivas sobre fundo escuro. ● *S. 2 g.* **6.** *Fig.* Pessoa irresoluta, preguiçosa, fraca. ● *S. m.* **7.** A cor da abóbora: *O abóbora e o azul ficam-lhe muito bem.* **8.** Roupa abóbora (9): *F. estava de abóbora ontem, no almoço.* ● *Adj. 2 g. e 2 n.* **9.** Da cor da abóbora: *vestido abóbora.* **10.** Diz-se dessa cor: *pano de cor abóbora.* [Cf. *abobora*, do v. *aboborar*.]

abóbora-almíscar *S. f. Bot.* V. *abóbora-cheirosa*. [Pl.: *abóboras-almíscares* e *abóboras-almíscar*.]

abóbora-amarela *S. f. Bot.* V. *aboboreira*. [Pl.: *abóboras-amarelas*.]

abóbora-branca *S. f.* O fruto da benincasa. [Pl.: *abóboras-brancas*.]

abóbora-carneira *S. f. Bot.* V. *abóbora-moganga*. [Pl.: *abóboras-carneiras*.]

abóbora-catinga *S. f. Bras. Bot.* V. *abóbora-cheirosa*. [Pl.: *abóboras-catingas* e *abóboras-catinga*.]

abóbora-cheirosa [De *abóbora* + o f. de *cheiroso*.] *S. f.* **1.** *Bras. Bot.* Cucurbitácea (*Cucurbita moschata*) originária da Ásia e da América e cuja polpa é comestível. **2.** O fruto dessa planta. [Sin. ger.: *abóbora-almíscar, abóbora-catinga, abóbora-melão*. Pl.: *abóboras-cheirosas*.]

abóbora-d'água *S. f. Bras. Bot.* **1.** Cucurbitácea (*Lagenaria vulgaris*) cujos frutos, de casca dura, servem para a fabricação de cabaças, usadas como vasilhas no interior do Brasil; cuieira. **2.** O fruto dessa planta; cuia. [Pl.: *abóboras-d'água*.]

abóbora-d'anta *S. f.* **1.** *Bras. Bot.* Cucurbitácea (*Trianosperma ficifolium*) de pequenos frutos amargos, os quais, pelo seu elevado teor de saponina, espumam quando agitados na água, e que é tida, popularmente, como depurativo. **2.** O seu fruto. [Sin. ger.: *taiuiá-grande, timbaba*. Pl.: *abóboras-d'anta*.]

abóbora-de-porco *S. f. Bras. Bot.* V. *abóbora-moganga*. [Pl.: *abóboras-de-porco*.]

abóbora-do-campo *S. f.* **1.** *Bras. RS Bot.* Cucurbitácea (*Abobra tenuifolia*) cujos frutos, vermelhos, ovoides, podem ser comidos enquanto novos. **2.** O seu fruto. [Pl.: *abóboras-do-campo*.]

abóbora-do-mato *S. f.* **1.** *Bras. Bot.* Cucurbitácea (*Melothria fluminensis*) cujos frutos são bagas de 3 a 4 cm que contêm polpa fortemente purgativa. **2.** O seu fruto. [Sin. ger.: *aboboreira-do-mato, cereja-de-purga, guardião, melão-de-morcego, taiuiá-miúdo*. Pl.: *abóboras-do-mato*.]

abóbora-gigante *S. f. Bot.* V. *abóbora-menina*. [Pl.: *abóboras-gigantes*.]

abóbora-grande *S. f. Bot.* V. *abóbora-menina*. [Pl.: *abóboras-grandes*.]

aboboral [De *abóbora* + *-al*[1].] *S. m.* **1.** Quantidade mais ou menos considerável de aboboreiras dispostas proximamente entre si. **2.** Área ocupada pelo aboboral (1).

abóbora-melão *S. f. Bot.* V. *abóbora-cheirosa*. [Pl.: *abóboras-melões* e *abóboras-melão*.]

abóbora-menina *S. f. Bras. Bot.* **1.** Cucurbitácea (*Cucurbita maxima*) de fruto bacáceo grande, cuja casca é usada em cuias, tigelas, etc., cuieira. **2.** O seu fruto; cuia. [Sin. ger.: *abóbora-gigante, abóbora-grande*. Pl.: *abóboras-meninas*.]

abóbora-moganga *S. f. Bras. Bot.* **1.** Cucurbitácea (*Cucurbita pepo*) de grande fruto comestível. **2.** O seu fruto. [Sin. ger.: *abóbora-carneira, abóbora-de-porco, abóbora-moranga, abóbora-porqueira, boganga, bogango, jerimum, moranga*. Pl.: *abóboras-mogangas*.]

abóbora-moranga *S. f. Bras. Bot.* V. *abóbora-moganga*. [Pl.: *abóboras-morangas*.]

abóbora-moranguinha [De *abóbora* + o dim. de *moranga*[2].] *S. f. Bras. Bot.* **1.** Cucurbitácea (*Cucurbita potira*) de fruto bacáceo. **2.** O seu fruto. [Pl.: *abóboras-moranguinhas*.]

abóbora-porqueira *S. f. Bras. Bot.* V. *abóbora-moganga*. [Pl.: *abóboras-porqueiras*.]

aboborar [De *abóbora* + *-ar*[2].] *V. t. d.* **1.** Pôr a amadurecer (um plano, uma ideia, etc.). *Int. P.* **2.** Jazer na cama, abafado. [Pres. ind.: *aboboro, aboboras, abobora*, etc. Cf. *abóbora*.]

abóbora-serpente *S. f. Bras. Bot.* **1.** Cucurbitácea (*Trichosanthes anguina* ou *T. cucumerina*) originária da Ásia, hoje bem dispersa no Brasil, e cujo fruto, comestível antes de amadurecer, tem propriedades purgativas e vermífugas. **2.** O seu fruto. [Pl.: *abóboras-serpentes* e *abóboras-serpente*.]

aboboreira [De *abóbora* + *-eira*.] *S. f. Bot.* Nome comum a várias espécies de cucurbitáceas dos gêneros *Cucurbita* (v. *cucúrbita*), *Lagenaria* (v. *lagenária*) e *Abobra* (v. *abobra*), cujos frutos e brotos, em sua maioria, são importantes na alimentação: "as ramas das aboboreiras cobriam uma extensão larga" (Coelho Neto, *Sertão*, p. 278). [Sin.: *abóbora, abóbora-amarela, abobreira* e (no N. e N.E.) *jerimum, jerimuzeiro, jerimunzeiro*.]

aboboreira-do-mato *S. f. Bot.* **1.** V. *abóbora-do-mato*. **2.** V. *fruta-de-gentio*. [Pl.: *aboboreiras-do-mato*.]

aboborinha [Dim. de *abóbora*.] *S. f. Bot.* V. *abobrinha* (1 e 2).

abobra [F. sincopada de *abóbora*; tax. *Abobra*.] *S. f. Bot.* **1.** Gênero monoespecífico de cucurbitáceas de folhas partidas, flores esverdeadas, solitárias, e frutos vermelhos, ovoides. **2.** A espécie desse gênero, *Abobra tenuifolia* (v. *abóbora-do-campo*). **3.** Qualquer espécime desse gênero.

abobreira *S. f.* V. *aboboreira*.

abobrinha [De *abobra* + *inha*.] *S. f. Bras.* **1.** *Bot.* Fruto verde da aboboreira, tão apreciado quanto o maduro na alimentação do homem. **2.** *Gír. Obsol.* Cédula de mil cruzeiros antigos. **3.** *Gír.* Bobagem, tolice: *É pessoa inconsequente; só fala abobrinha.*

abobrinha-do-mato *S. f. Bras. Bot.* **1.** Cucurbitácea (*Trianosperma diversifolia*), de folhas pilosas, cálice e corola concrescentes na base, ovário trilocular e fruto bacáceo de uso medicinal. **2.** Cucurbitácea (*Trianosperma tayuya*) de propriedades antiescorbúticas e antirreumáticas, e outros usos medicinais. **3.** Cucurbitácea (*Willbrandia verticillata*), de folhas pilosas, flores unissexuais, cálice e corola soldados na base, fruto bacáceo drástico, e raiz depurativa e antissifilítica. [Sin., nesta acepç.: *ana-pinta, azougue-do-brasil, azougue-dos-pobres, cabacinha, cabacinha-riscada, cabacinha-verrugosa, cipó-azougue, taiuiá*.] **4.** V. *fruta-de-gentio*. **5.** O fruto dessas plantas. [Pl.: *abobrinhas-do-mato*.]

abobrinha-do-norte *S. f.* V. *buchinha*. [Pl.: *abobrinhas-do-norte*.]

abocadar [De *a-*[2] + *bocado* + *-ar*[2].] *V. t. d. Lus.* Colocar na boca [*bocado* (1)].

abocador (ô) [De *abocar* + *-dor*.] *Adj. S. m.* Abocanhador.

abocadura [De *abocar* + *-dura.*] ***S. f.*** **1.** Ato de abocar. **2.** V. *seteira* (1).
aboçadura [De *aboçar* + *-dura.*] ***S. f.*** *Marinh.* Conjunto de nós especiais (botão em cruz, nó de escota, etc.) com que se prende ou liga uma boça a um cabo ou a uma amarra. [Cf. *abossadura.*]
abocamento [De *abocar* + *-mento.*] ***S. m.*** **1.** Ato ou efeito de abocar; abocanhamento. **2.** Encontro de bocas. **3.** Encontro, aproximação, confluência. **4.** Colóquio, conversa.
aboçamento [De *aboçar* + *-mento.*] ***S. m.*** Ato de aboçar.
abocanhador (ô) [De *abocanhar* + *-dor.*] ***Adj. S. m.*** Que, ou aquele que abocanha; abocador.
abocanhamento [De *abocanhar* + *-mento.*] ***S. m.*** Ato ou efeito de abocanhar; abocamento.
abocanhar [De *aboc(ar)* + *-inhar*, com infl. de *boca*^{1} e síncope do *i.*] ***V. t. d.*** **1.** Apanhar com a boca; abocar: "Zig segurou com a boca um dos gatinhos e sumiu com ele. Voltou pouco depois, e diante da mãe espavorida abocanhou pelo dorso outro bichinho e sumiu novamente." (Rubem Braga, *O Homem Rouco*, p. 68.) **2.** Rasgar ou tirar pedaços de, com os dentes; morder, atassalhar, retalhar. **3.** Comer, engolir, devorar, tragar. **4.** Dizer mal de; difamar, caluniar, aboquejar: *Intrigante, costuma abocanhar amigos e inimigos.* **5.** *Bras. Gír.* Apoderar-se de, usando de astúcia ou violência; conseguir, obter, com oportunismo. ***T. i.*** **6.** Engolir, devorar, tragar. ***Int.*** **7.** Rasgar, arrancar ou tirar pedaços de alguma coisa com os dentes; morder, atassalhar, lacerar, retalhar. ***P.*** **8.** Morder-se um ao outro; trocar dentadas ou mordidas.
abocar [De *a-*^{2} + *boca*^{1} + *-ar*^{2}.] ***V. t. d.*** **1.** Apanhar com a boca; bocar; abocanhar. **2.** Colocar na boca; bocar: "Depois de ele ter bebido, a velha levantou a cara, abocou o gargalo por onde ele bebera, e bebeu também" (José Régio, *O Príncipe com Orelhas de Burro*, p. 143). **3.** V. *comer* (1). **4.** Chegar, aparecer à entrada de; começar a entrar em. **5.** Desembocar em: *O rio Negro aboca o Amazonas perto de Manaus.* **6.** *Anat. Cir.* Comunicar ou fazer comunicar (um conduto) com outro órgão da mesma natureza [vaso com vaso, intestino grosso com intestino grosso], ou não [estômago com intestino delgado, intestino grosso com pele, etc.]. **7.** *Constr.* Unir (tubos) roscando as bocas ou encaixando um no outro. ***T. d. e c.*** **8.** Apontar, dirigir: *Abocou a canoa para a praia.* ***T. c.*** **9.** Ir dar; desembocar: *O rio Negro aboca no Amazonas.* ***P.*** **10.** Comunicar-se, entender-se; falar: "consegui .... abeirar-me de uma das avenidas e abocar-me com um agente de tráfego que gritava e corria atrás de mim." (Gilberto Amado, *Depois da Política*, p. 73). [Conjug.: v. *trancar.*]
aboçar [De *a-*^{2} + *boça* + *-ar*^{2}.] ***V. t. d.*** Prender com boças. [Conjug.: v. *laçar*. Pres. ind.: *aboço*, etc. Cf. *aboço* (ô).]
abocetar [De *a-*^{2} + *boceta* + *-ar*^{2}.] ***V. t. d.*** **1.** Fazer semelhante a boceta (1). **2.** Guardar em boceta (1).
abochornado [De *a-*^{2} + *bochorno* + *-ado*^{1}.] ***Adj.*** **1.** Amolentado pelo bochorno; abafado. **2.** Diz-se do tempo abafadiço, sufocante.
abochornar [De *a-*^{2} + *bochorno* + *-ar*^{2}.] ***V. t. d.*** **1.** Tornar (o tempo) bochornoso, abafadiço, sufocante. ***Int.*** **2.** Tornar-se (o tempo) abafadiço, sufocante. ***P.*** **3.** Amolentar-se ou encalmar-se pelo bochorno.
aboço (ô) [Dev. de *aboçar.*] ***S. m.*** *Marinh.* **1.** Ato ou efeito de aboçar. **2.** Ligação de dois cabos com nó de aboço. [Pl.: *aboços* (ô). Cf. *aboço*, do v. *aboçar.*]
abocoçô [Do ior.] ***S. m.*** *Bras. SE Rel.* Entidade (6) campestre africana, cultuada em terreiros afro-brasileiros. [Com cap.]
abodegação [De *abodegar* + *-ção.*] ***S. f.*** *Bras. N. Pop.* Ato ou efeito de abodegar (2 e 3).
abodegado [Part. de *abodegar.*] ***Adj.*** **1.** Transformado em bodega. **2.** Sujo, emporcalhado, imundo. **3.** *Bras. N. Pop.* De mau humor; aborrecido, zangado.
abodegar [De *a-*^{2} + *bodega* + *-ar*^{2}.] ***V. t. d.*** **1.** Transformar em bodega. **2.** Sujar, emporcalhar. **3.** *Bras. N.E. Pop.* V. *apoquentar*. ***P.*** *Bras. N.E. Pop.* **4.** V. *apoquentar*. [Conjug.: v. *regar*. Pres. ind.: *abodego*, etc. Cf. *abodego* (ê).]
abodego (ê) [Dev. de *abodegar.*] ***S. m.*** *Bras. N.E. Gír.* Aborrecimento, apoquentação, abodegação. [Cf. *abodego*, do v. *abodegar.*]
aboiado ***S. m.*** *Bras.* Aboio: "À tarde, o eco dum aboiado rolou pelo fundo da várzea" (Hugo de Carvalho Ramos, *Tropas e Boiadas*, p. 11).
aboiar^{1} [De *a-*^{2} + *boia*^{1} + *-ar*^{2}.] ***V. t. d.*** Prender à boia. [Conjug.: v. *boiar*. Pres. ind.: *aboio*, etc. Cf. *aboio* e *aboiar*^{3}.]
aboiar^{2} [De *a-*^{4} + *boiar.*] ***V. int. P.*** Manter-se à tona da água; flutuar, sobrenadar, boiar. [Conjug.: v. *boiar*. Pres. ind.: *aboio*, etc. Cf. *aboio* e *aboiar*^{3}.]
aboiar^{3} [De *a-*^{2} + *boi*^{1} + *-ar*^{2}.] ***V. int.*** *Bras. Prov. port.* **1.** Cantar aos bois. **2.** Guiar uma boiada com canto monótono e triste. **3.** Trabalhar com bois. [Este verbo, ao contrário de *aboiar*^{1} e *aboiar*^{2}, mantém o *o* fechado nas f. rizotônicas. Pres. ind.: *aboio*, etc. Cf. *aboio*, dos v. *aboiar*^{1} e *aboiar*^{2}.]
aboio (ô) [Dev. de *aboiar*^{3}.] ***S. m.*** *Bras. Cabo-verd.* Melopeia plangente e monótona com que os vaqueiros guiam as boiadas ou chamam os bois dispersos; aboiado: "Um aboio reboou demorado na mata: — Ei, boi! Ei, vaaaca!" (Herberto Sales, *Além dos Marimbus*, p. 101.) [Cf. *aboio*, dos v. *aboiar*^{1} e *aboiar*^{2}.]
aboiz (o-i) [De *a-*^{4} + *boiz.*] ***S. m.*** **1.** Armadilha para aves e coelhos: "Apesar da traição de laços e aboízes / Nos soutos e estevais abundam as perdizes!" (Bulhão Pato, *Livro do Monte*, p. 85.) **2.** *Fig.* Cilada, ardil, embuste. [Pl.: *aboízes.*]
abojar [De *a-*^{2} + *bojo* + *-ar*^{2}.] ***V. t. d.*** *Bras. BA* Agarrar, segurar.
abolachado^{1} [De *a-*^{2} + *bolacha* + *-ado*^{1}.] ***Adj.*** Que tem forma de bolacha: *cara abolachada*.
abolachado^{2} [Part. de *abolachar.*] ***Adj.*** Que tomou forma de bolacha.
abolachar [De *a-*^{2} + *bolacha* + *-ar*^{2}.] ***V. t. d.*** Dar forma de bolacha a.
abolado [Part. de *abolar.*] ***Adj.*** Reduzido à forma de bolo^{1} (ô) (1); amarrotado, amassado, machucado. [Cf. *abulado.*]
abolar [De *a-*^{2} + *bolo*^{1} (ô) + *-ar*^{2}.] ***V. t. d.*** Dar forma de bolo^{1} (ô) (1) a; amassar, machucar, amachucar. [Cf. *abular.*]
abólboda [Do tax. *Abolboda.*] ***S. f.*** *Bot.* **1.** Gênero de plantas xiridáceas nativas de regiões tropicais da América do Sul. **2.** Qualquer espécie desse gênero, como, p. ex., a *Abolboda poarchon* [v. *capim-rei* (1)]. **3.** Qualquer espécime desse gênero.
abolbodácea [Do tax. *Abolboda* + *-ácea*; tax. *Abolbodaceae.*] ***S. f.*** *Bot.* V. *xiridácea.*
abolbodáceo [De *abolbodácea*, com var. sufixal (v. *-áceo*).] ***Adj.*** *Bot.* V. *xiridáceo.*
abolçar [De *a-*^{4} + *bolçar.*] ***V. t. d. T. d. e c.*** V. *bolçar*. [Conjug.: v. *laçar*. Cf. *abolsar.*]
aboleimado [Part. de *aboleimar.*] ***Adj.*** Que se aboleimou.
aboleimar [De *a-*^{2} + *boleima* + *-ar*^{2}.] ***V. t. d.*** **1.** Achatar, espalmar. **2.** Espantar, assombrar, pasmar. **3.** Tornar grosseiro. ***P.*** **4.** Achatar-se, espalmar-se. **5.** Tornar-se grosseiro, aparvalhado.
aboletamento [De *aboletar* + *-mento.*] ***S. m.*** Ato ou efeito de aboletar(-se).
aboletar [De *a-*^{2} + *boleto*^{1} + *-ar*^{2}.] ***V. t. d.*** **1.** Dar boleto a; aquartelar (soldados) em casas particulares. ***T. d. e c.*** **2.** Alojar, acomodar, instalar. ***P.*** **3.** Alojar-se, instalar-se. [F. paral., p. us.: *boletar.*]
aboli ***S. m.*** *Bot.* V. *abolim.*
abolição [Do lat. *abolitione.*] ***S. f.*** **1.** Ação ou efeito de abolir; extinção. [Sin., p. us.: *abolimento.*] **2.** *Restr.* Abolição da escravatura: *José do Patrocínio é um dos grandes vultos da Abolição.* [Ger. com cap., nesta acepç.]
abolicionismo [Do ingl. *abolitionism.*] ***S. m.*** **1.** Doutrina que pregava a abolição da escravatura. **2.** A prática dessa doutrina.
abolicionista [Do ingl. *abolitionist.*] ***Adj. 2 g.*** **1.** Relativo ao, ou em que se prega o abolicionismo. **2.** Que é partidário dele. • ***S. 2 g.*** **3.** Partidário do abolicionismo.
abolim [Do concani *abolīm.*] ***S. m.*** *Bot.* Arbusto acantáceo (*Crossandra undulaefolia*) de flores vermelhas, espiciformes. [Var.: *aboli*. Sin.: *crossandra.*]
abolimento [De *abolir* + *-mento.*] ***S. m.*** *P. us.* V. *abolição* (1).
abolinar [De *a-*^{2} + *bolina* + *-ar*^{2}.] ***V. int.*** *Mar.* V. *navegar à bolina.*
abolir [Do lat. *abolere.*] ***V. t. d.*** **1.** Acabar com (instituições, leis, usos, etc.); extinguir. **2.** Fazer desaparecer; eliminar, suprimir. **3.** Deixar de usar; largar: *Aboliu o cigarro e recuperou a saúde.* ***T. d. e c.*** **4.** Eliminar, banir, suprimir. [Defect. Não tem as f. em que ao *l* da raiz se seguiria *a* ou *o*: a 1ª pess. sing. do pres. ind., todo o pres. subj. e o imperat. neg. Imperf. ind.: *abolia*, etc. Cf. *abulia.*]
abolitivo [De *abolir* + *-tivo.*] ***Adj.*** Que serve para abolir ou tem força para isto.
abolível [De *abolir* + *-vel.*] ***Adj. 2 g.*** Que é passível de ser abolido.
abolorecer [De *a-*^{2} + *bolor* + *-ecer.*] ***V. t. d. Int.*** Cobrir de, ou criar bolor. [Sin. ger.: *mofar, embolorar, embolorecer*. Conjug.: v. *aquecer.*]
abolorecimento [De *abolorecer* + *-imento.*] ***S. m.*** **1.** Ato ou efeito de abolorecer. **2.** Bolor, mofo.
abolsado [Part. de *abolsar.*] ***Adj.*** **1.** A que se deu forma de bolsa ou bolso. **2.** Diz-se de peça de vestuário que faz bolsos ou tufos.
abolsar [De *a-*^{2} + *bolso* ou *bolsa* + *-ar*^{2}.] ***V. t. d.*** **1.** Dar forma de bolso ou bolsa a. **2.** Entufar ou enrugar, formando bolsos ou tufos. ***Int.*** **3.** Ter ou tomar a forma de bolso ou bolsa. **4.** Não assentar bem. [Cf. *abolçar.*]
abomaso [De *ab-*^{1} + lat. *omasum*, 'tripa de boi'.] ***S. m.*** *Zool.* V. *coagulador* (2).
abombachado [De *a-*^{2} + *bombacha(s)* + *-ado*^{1}.] ***Adj.*** *Bras.* Diz-se das calças com feitio de bombachas.
abombado [Part. de *abombar.*] ***Adj.*** *Bras. S. GO* **1.** Diz-se de animal cansado e ofegante por efeito do trabalho em dia de calor: "Um cavalo caiu abombado, gemendo na terra fofa do curral." (Bernardo Élis, *Ermos e Gerais*, p. 71.) **2.** *P. ext.* Esfalfado, exausto, arquejante: "Era por fevereiro; eu vinha abombado da troteada." (Simões Lopes Neto, *Contos Gauchescos e Lendas do Sul*, p. 125.)
abombador (ô) [De *abombar* + *-dor.*] ***S. m.*** *Bras. S. GO* **1.** Aquele que, por imperícia, torna o cavalo abombado. **2.** *P. ext.* Indivíduo desajeitado.
abombamento [De *abombar* + *-mento.*] ***S. m.*** *Bras. S. GO* **1.** Ato ou efeito de abombar. **2.** Estado do animal que abomba.
abombar [Do esp. plat. *abombar.*] *Bras. S. GO* ***V. t. d.*** **1.** Cansar, esfalfar, estafar (o cavalo), por imperícia. ***Int. P.*** **2.** Suspender a marcha (o cavalo) por cansaço devido ao calor; ficar abombado.
abominação [Do lat. tard. *abominatione.*] ***S. f.*** **1.** Ação ou efeito de abominar. **2.** Pessoa ou coisa abominável, execrável.
abominador (ô) [De *abominar* + *-dor.*] ***Adj. S. m.*** Que, ou aquele que abomina.
abominando [Do lat. *abominandu.*] ***Adj.*** V. *abominável*: "Às vezes, uma vida abominanda / Vives no sono" (Olavo Bilac, *Tarde*, p. 66).
abominar [Do lat. *abominare.*] ***V. t. d.*** **1.** Sentir horror a; detestar; aborrecer: "Ó meu passado, ruinaria sem beleza! / Eu abomino a tua obscura soledade." (Manuel Bandeira, *Estrela da Vida Inteira*, p. 41); "Mas quando você me viu usar lapiseira? Abomino lapiseiras!" (Marques Rebelo, *A Mudança*, p. 582). ***P.*** **2.** Ter horror a si mesmo; detestar-se, odiar-se. **3.** V. *detestar* (4): *As duas famílias se abominam.*
abominável [Do lat. tard. *abominabile.*] ***Adj. 2 g.*** Que deve ser abominado; detestável, execrável, execrando, abominando, abominoso: "para ser .... abominável, Xerxes ordenou que decapitassem a todos os que tinham construído a ponte e não soubessem fazê-la imperecível." (Machado de Assis, *Páginas Recolhidas*, p. 105).
abominoso (ô) [Do lat. tard. *abominosu.*] ***Adj.*** V. *abominável.*
abonação [De *abonar* + *-ção.*] ***S. f.*** **1.** Ato ou efeito de abonar(-se); abonamento, abono. **2.** V. *abono* (2 a 5). **3.** Informação abonadora; recomendação. **4.** Trecho ou frase que serve para abonar (4): *as abonações de um dicionário.* **5.** Riqueza, abastança. **6.** *Bras.* Relevação de ausência a aula ou a atividade similar, de maneira que não conte como falta. **7.** *Bras. P. ext.* Notação gráfica, ger. feita em caderneta, ficha ou similar, dessa abonação. [Sin., nas acepçs. 6 e 7: *abono.*]
abonado [Part. de *abonar.*] ***Adj.*** **1.** Que se abonou. **2.** Rico, endinheirado, abastado. **3.** Que tem meios ou recursos (esp. para fazer algo): *Abonado, teve como pagar pelo conserto imprevisto.* • ***S. m.*** **4.** Aquele que tem dinheiro, que é rico. **5.** Aquele que recebeu abono (6 e 9).
abonador (ô) [De *abonar* + *-dor.*] ***Adj.*** **1.** Que abona. • ***S. m.*** **2.** Aquele que abona. **3.** Verruma de cabo largo, usada na construção de pipas e tonéis.
abonamento [De *abonar* + *-mento.*] ***S. m.*** V. *abonação* (1).
abonançar [De *a-*^{2} + *bonança* + *-ar*^{2}.] ***V. t. d.*** **1.** Tornar bonançoso; sossegar, aplacar. ***Int.*** **2.** Tranquilizar-se, serenar. **3.** Abrandar, serenar (o tempo). **4.** Moderar-se, afrouxar, abrandar. ***P.*** **5.** Tranquilizar-se, serenar(-se), sossegar(-se). [Conjug.: v. *laçar.*]
abonar [De *a-*^{2} + *bom (bon-)* + *-ar*^{2}, seg. o padrão erudito.] ***V. t. d.*** **1.** Declarar bom ou verdadeiro; apresentar como bom. **2.** Ficar como fiador de, ou responsável por (dívida, obrigação, compromisso, etc.); afiançar, garantir. **3.** Demonstrar pela citação, escrita ou oral, de trecho de autor abalizado, a exatidão do significado de (palavra ou locução); aforar: *O dicionarista abona largamente o verbo* andar *e outros muitos.* **4.** Servir para demonstrar a exatidão de significado de (palavra ou locução): *Numerosas passagens de clássicos abonam a locução* a revezes. **5.** Confirmar, aprovar: *A tese não abona a proclamada inteligência do autor.* **6.** Justificar ou relevar (falta no cumprimento do trabalho, falta a aula[s]). **7.** Abonar (9). ***T. d. e i.*** **8.** Adiantar dinheiro: *Abonei-lhe, para a viagem, avultada quantia.* **9.** Dar, oferecer: *A lei lhe abona tal direito.* ***P.*** **10.** Fundamentar-se, apoiar-se, por ter como bom ou verdadeiro: "Provará pois o homem de tudo, ... e não lhe fará mal nenhum descer uma vez por outra das altitudes rarefeitas em que costuma abonar-se, para ver como se fabrica o pensar comum" (José Saramago, *O Ano da Morte de Ricardo Reis*, p. 142). **11.** Gabar-se, orgulhar-se, vangloriar-se: "A fortuna me faz o engenho frio, / Do qual já não me jacto, nem

me abono." (Luís de Camões, *Os Lusíadas*, X, 9.) **12.** Vangloriar-se, autorizar-se, apadrinhar-se.

abonatório [De *abonar* + *-tório*.] *Adj.* Próprio para abonar.

abonável [De *abonar* + *-vel*.] *Adj. 2 g.* Que se pode abonar.

abonecado[1] [De *a-*[2] + *boneco* + *-ado*[1].] *Adj.* Semelhante a boneco.

abonecado[2] [Part. de *abonecar*.] *Adj.* **1.** Que se abonecou; janota. **2.** *Bras.* Diz-se do milho ou da cana que botou pendão ou boneca.

abonecar [De *a-*[2] + *boneco* ou *boneca* + *-ar*[2].] *V. t. d.* **1.** Vestir com apuro excessivo: *Abonecou a filha para a festa de formatura.* *Int.* **2.** Botar pendão ou boneca (o milho, a cana). *P.* **3.** Vestir-se com apuro excessivo; ajanotar-se. **4.** *Gír.* Vestir-se de mulher; travestir-se. [Conjug.: v. *trancar*.]

abono [Dev. de *abonar*.] *S. m.* **1.** V. *abonação* (1). **2.** Fiança, caução, garantia. **3.** Aprovação, louvor. **4.** Auxílio monetário. **5.** Quantia paga antecipadamente por conta de vencimentos, honorários, etc.. [Sin., nas acepçs. de 2 a 5: *abonação*.] **6.** Subsídio em dinheiro, além do vencimento ou ordenado: *abono de Natal.* **7.** Acréscimo ao peso ou medida justa. **8.** Defesa ou reforço (de opinião, conceito, etc.). **9.** Relevação de falta(s), de modo que não se descontem os dias de ausência do trabalho. **10.** *Dir. Trab.* Suplemento pecuniário a determinada remuneração, como a das férias do empregado. **11.** V. *abonação* (6 e 7). **12.** *Jur.* Fiança da solvência do fiador. **13.** *Bras. RS* Adubo ou estrume em terras de cultura.

aboquejado [Part. de *aboquejar*.] *Adj.* **1.** Que se aboquejou; difamado. **2.** *Lus.* Que se deu a perceber, a notar-se; falado.

aboquejar [De *a-*[4] + *boquejar*.] *V. t. d.* **1.** Dizer mal de; difamar, boquejar. **2.** *Prov. port.* Dar a perceber (algo). [Conjug.: v. *pelejar*.]

aboquejo (ê) [Dev. de *aboquejar*.] *S. m.* Ato ou efeito de aboquejar.

aboquejos [Pl. de *aboquejo*.] *S. m. pl. Lus.* Agonia (3).

aboral [De *ab-*[1] + *oral*.] *Adj. 2 g. Anat.* Afastado da boca. ~ V. *polo* —.

aborbulhar [De *a-*[2] + *borbulha* + *-ar*[2].] *V. int. P.* Encher-se de borbulhas.

abordada [De *abordar* + *-ada*[1].] *S. f.* Abordagem.

abordador (ô) [De *abordar* + *-dor*.] *Adj.* **1.** Que aborda. • *S. m.* **2.** Aquele ou aquilo que aborda.

abordagem [De *abordar* + *-agem*[2], ou do fr. *abordage*.] *S. f.* Ato ou efeito de abordar; abordada.

abordar [De *a-*[2] + *bordo* ou *borda* + *-ar*[2], ou do fr. *aborder*.] *V. t. d.* **1.** Chegar à beira ou borda de. **2.** Abalroar (uma embarcação), para tomá-la de assalto. **3.** Acometer, assaltar. **4.** *P. ext.* Achegar-se, aproximar-se de (alguém): *O repórter abordou o ministro quando este descia do automóvel.* **5.** *P. ext.* Tratar de, versar (tema, assunto): "abordava tanto as teorias econômicas quanto a história" (Eduardo Frieiro, *Os Livros Nossos Amigos*, p. 193). *T. c.* **6.** Estar borda com borda; encostar; limitar: *As suas terras abordavam com as do pai.* **7.** Atingir, chegar (ao lugar para onde se dirigia): "Foi então que Alípio José, à frente do rebanho, de novo abordou àquelas paragens" (Trindade Coelho, *Os Meus Amores*, p. 207). **8.** Chegar a (o bordo, a praia). *Int.* **9.** Chegar, encostar com o bordo (no cais, na costa, etc.). [Pres. ind.: *abordo*, etc. Cf. *abordo* (ô), s. m.]

abordável [De *abordar* + *-vel*.] *Adj. 2 g.* Que se pode abordar.

abordo (ô) [Dev. de *abordar*.] *S. m.* Ação de abordar, de chegar; chegada, entrada. [Pl.: *abordos* (ô). Cf. *abordo*, do v. *abordar*.]

abordoar [De *a-*[2] + *bordão*[1] + *-ar*[2], com desnasalação.] *V. t. d.* **1.** Bater com o bordão em. *P.* **2.** Arrimar-se; firmar-se: "apareceu uma cabrocha magrinha, enfezada, ... toda corcovada, abordoando-se a uma bengala." (Coelho Neto, *Turbilhão*, p. 159). [Conjug.: v. *coroar*.]

aborígene *Adj. 2 g. S. 2 g.* V. *aborígine*.

aborígine [Do lat. *aborigines*.] *Adj. 2 g.* **1.** *Antrop.* Diz-se de habitante de região de que é originário; autóctone, indígena, nativo. **2.** Diz-se do que se origina na região em que é encontrado: *frutos aborígines.* **3.** Próprio de uma população aborígine: *línguas aborígines.* • *S. 2 g.* **4.** *Antrop.* Indivíduo aborígine; autóctone, indígena, nativo.

aborletar [De *a-*[2] + *borleta* + *-ar*[2].] *V. t. d.* Prover de borlas ou borletas.

abornalar [De *a-*[2] + *bornal* + *-ar*[2].] *V. t. d.* V. *embornalar*.

aborrascar [De *a-*[2] + *borrasca* + *-ar*[2].] *V. t. d.* **1.** Tornar borrascoso. *P.* **2.** Tornar-se borrascoso; ameaçar borrasca: *O tempo, sereno, de repente se aborrasca.* [Conjug.: v. *trancar*. Norm. é unipess.]

aborrecedor (ô) [De *aborrecer* + *-dor*.] *Adj.* **1.** V. *aborrecível* (1). • *S. m.* **2.** Aquele que aborrece ou causa aborrecimento.

aborrecer [Do lat. *abhorrescere*.] *V. t. d.* **1.** Sentir horror a; abominar: "Luís Garcia amava a espécie e aborrecia o indivíduo." (Machado de Assis, *Iaiá Garcia*, p. 3); "abriu mesmo meia janela para arejar o quarto, aborrece os odores noturnos" (José Saramago, *O Ano da Morte de Ricardo Reis*, p. 59). **2.** Causar aborrecimento a; desgostar: "Mistérios nunca nos aborrecem" (Machado de Assis, *A Semana*, II, p. 249). **3.** V. *apoquentar*. *Int.* **4.** Causar horror, aversão, tédio, aborrecimento, enfado. *P.* **5.** Enfastiar-se; enfadar-se: "Passa-se um ano, o sedutor aborrece-se da companheira, abandona-a em um quarto de hotel." (Graciliano Ramos, *Linhas Tortas*, p. 29.) **6.** V. *apoquentar*. [Conjug.: v. *aquecer*.]

aborrecido [Part. de *aborrecer*.] *Adj.* **1.** Que causa aborrecimento ou horror; detestado, abominado: *É o cantor mais aborrecido de quantos conheço: ninguém o tolera.* **2.** V. *aborrecível* (1). **3.** Que aborrece ou entedia; tedioso, maçante, fastidioso, aborrecível: "Chuvinha aborrecida peneirava-se" (Alberto Rangel, *Quando o Brasil Amanhecia*, p. 175). **4.** Que sente aborrecimento, enfado; amolado. **5.** Que denota aborrecimento, tédio; amolado: *Fez um ar aborrecido e deu as costas.*

aborrecimento [De *aborrecer* + *-imento*.] *S. m.* **1.** Ato ou efeito de aborrecer(-se). **2.** Ódio, horror, aversão. **3.** Repugnância, aversão. **4.** Fastio, tédio. **5.** Desgosto, contrariedade. **6.** *Bras.* Pequena discussão, ou divergência.

aborrecível [De *aborrecer* + *-ível*.] *Adj. 2 g.* **1.** Que pode ou deve causar aborrecimento ou horror; digno de horror; detestável, execrável, abominável, aborrecido, aborrecedor: "A sombra da sombra de uma lembrança grotesca projeta-se no meio da paixão mais aborrecível, e o sorriso vem às vezes à tona da cara" (Machado de Assis, *Quincas Borba*, p. 98). **2.** V. *aborrecido* (3): "Pode ser .... que a música doce e mística daqueles outros condiscípulos fosse aborrecível ao seu gênio essencialmente trágico." (Id., *Dom Casmurro*, p. 25).

aborregado [De *a-*[2] + *borrego* (ê) + *-ado*[1].] *Adj.* **1.** Semelhante a borrego. **2.** *Geol.* Diz-se das rochas elevadas adjacentes aos glaciares, as quais, por efeito do fenômeno erosivo do gelo, apresentam saliências lisas e arredondadas.

aborrido [Part. de *aborrir*.] *Adj. Desus.* V. *aborrecido* (3 e 4): "Os gracejos da escrava Nuirat-edia, a conversação instrutiva da bela Aiecha, ... eram o único alívio que adoçava a existência aborrida do velho leão do Islamismo." (Alexandre Herculano, *Lendas e Narrativas*, I, p. 39.)

aborrimento [De *aborrir* + *-mento*.] *S. m. Desus.* V. *aborrecimento*.

aborrir [Do lat. *abhorrere*.] *V. t. d. Int. P. Desus.* V. *aborrecer*. [Conjug.: v. *abolir*. Defect.]

abortado [Part. de *abortar*.] *Adj.* **1.** Que abortou, não vingou, morreu antes de se desenvolver. **2.** Que abortou ou se malogrou; malogrado, gorado: *motim abortado.* **3.** Diz-se da família que se extinguiu por falta de sucessão. **4.** *Bras. Pop.* Diz-se de indivíduo de boa sorte, feliz. • *S. m.* **5.** *Bras. Pop.* Indivíduo abortado (4).

abortamento [De *abortar* + *-mento*.] *S. m.* V. *aborto* (1).

abortar [Do lat. *abortare*.] *V. int.* **1.** *Med.* Expulsar prematuramente do útero o produto da concepção (embrião ou feto inviável ou não). **2.** Não se desenvolver: *O projeto abortou: não tinha viabilidade.* **3.** Não ter êxito; não ser bem-sucedido; falhar, malograr-se, frustrar-se. **4.** *Inform.* Terminar de forma anormal (programa ou comando). *T. d.* **5.** Fazer que não se leve a termo, ou impedir o bom êxito de; malograr, frustrar. "Poucos dias antes, com dom Carlos ainda em férias, a polícia abortara mais uma tentativa de insurreição republicana" (Rui Castro, *Cármen*, p. 9). **6.** Interromper ou cancelar a execução ou a continuidade de (procedimento, experiência, processo [3], etc.), antes de sua conclusão normal, ger. em virtude de falha, defeito ou provável insucesso. **7.** *Restr. Inform.* Cancelar a execução de (programa ou comando) antes de sua conclusão normal. [Pres. ind.: *aborto*, etc. Cf. *aborto* (ô).]

abortável [De *abortar* + *-vel*.] *Adj. 2 g.* Que se pode abortar.

aborteiro [De *aborto* + *-eiro*.] *S. m. Bras.* Médico que pratica aborto (2); curetoiro, cureta.

abortício [De *aborto* + *-ício*.] *Adj. Med.* Nascido por aborto (1 e 2).

abortifaciente [De *aborto* + *-i-* + *-faciente*.] *Adj. 2 g. S. m. Med.* Diz-se de, ou agente que causa aborto.

abortífero [De *aborto* + *-ífero*.] *Adj.* V. *abortivo* (1).

abortivo [Do lat. *abortivu*.] *Adj.* **1.** Que faz abortar, que provoca aborto; abortífero, amblótico. **2.** Diz-se de medicamento que faz abortar; ectrótico. **3.** Que não atingiu o seu natural desenvolvimento. **4.** Malsucedido, malogrado, frustrado, falhado. **5.** Que faz malograr, falhar. **6.** Diz-se de tratamento que visa a interromper instantaneamente o ciclo de uma doença. **7.** Anormal, monstruoso. • *S. m.* **8.** Substância ectrótica, que pode produzir aborto; amblótico.

aborto (ô) [Do lat. *abortu*.] *S. m.* **1.** *Med.* Ação ou efeito de abortar (1); abortamento, amblose, móvito, mau sucesso. [Sin. fam.: *desmancho*.] **2.** *Jur.* Interrupção dolosa da gravidez, com expulsão do feto ou sem ela. **3.** Indivíduo disforme; monstro. **4.** Monstruosidade, anormalidade, anomalia. **5.** Insucesso, malogro. **6.** *Fig.* Produção imperfeita, defeituosa: "Não lhe falo de outras emoções truncadas, que são todas as minhas, abortos de prazer, planos que se esgarçam no ar" (Machado de Assis, *Histórias sem Data*, p. 164). **7.** *Fig.* Coisa rara, incomum, espantosa, extraordinária: *aborto da natureza.* [Pl.: *abortos* (ô). Cf. *aborto*, do v. *abortar*.] ◆ **Aborto séptico** *Med.* Aquele que se acompanha de grave infecção uterina, a qual tende a generalizar-se.

aboscar [De or. obsc.] *V. t. d. Bras.* Ganhar, obter, conseguir. [Conjug.: v. *trancar*.]

abossadura [De *abossar (de *a-*[2] + *bossa* + *-ar*[2]) + *-dura*.] *S. f. Arquit.* V. *bossagem*. [Cf. *aboçadura*.]

abostelar [De *a-*[2] + *bostela* + *-ar*[2].] *V. int.* Criar bostela.

abotecar *V. t. d. Bras. N. Pop.* V. *abecar* (1). [Conjug.: v. *trancar*. Cf. *aboticar*.]

aboticado [Part. de *aboticar*.] *Adj. Bras. N. N.E. Pop.* Diz-se dos olhos ressaltados, arregalados.

aboticar [Por *abotecar*, de *a-*[2] + *boteco*[1] + *-ar*[2].] *V. t. d. Bras. N. N.E. Pop.* Arregalar (os olhos). [Conjug.: v. *trancar*. Cf. *abotecar*.]

abotijado [De *a-*[2] + *botija* + *-ado*[1].] *Adj.* Em forma de botija.

abotinado[1] [De *a-*[2] + *botina*[1] + *-ado*[1].] *Adj.* Cuja forma lembra a da botina. ~ V. *sapato* —.

abotinado[2] [Part. de *abotinar*.] *Adj.* A que se deu forma de botina: "Eram de uso os sapatos abotinados ingleses" (Joaquim Manuel de Macedo, *Memórias da Rua do Ouvidor*, p. 119).

abotinar [De *a-*[2] + *botina*[1] + *-ar*[2].] *V. t. d.* Dar a forma de botina a.

abotoação [De *abotoar* + *-ção*.] *S. f.* Ato ou efeito de abotoar(-se).

abotoadeira [De *abotoar* + *-deira*.] *S. f.* **1.** Mulher que faz botões ou que os prega. **2.** Instrumento para abotoar; abotoador.

abotoado [Part. de *abotoar*.] *Adj.* **1.** Fechado por meio de botões: "Botinas pretas, abotoadas, deixando entrever, sobre o cano curto, uma nesga das meias xadrez." (Maria Julieta Drummond de Andrade, *O Valor da Vida*, p. 147.) **2.** Que está em botão; que ainda não desabrochou: *Um canteiro de roseiras abotoadas.* **3.** Unido, ligado. **4.** Diz-se da arma branca em cuja ponta se põe uma bola ou um botão para que não fira: *florete abotoado.* • *S. m.* **5.** *Bras. Zool.* V. *cuiú-cuiú* (2 a 5).

abotoador (ô) [De *abotoar* + *-dor*.] *Adj.* **1.** Que abotoa. • *S. m.* **2.** Indivíduo que faz ou prega botões. [Fem., nesta acepç.: *abotoadeira*.] **3.** Abotoadeira (2).

abotoadura [De *abotoar* + *-dura*.] *S. f.* **1.** Ato de abotoar (1). **2.** Conjunto de botões para um vestuário. **3.** Botões removíveis, próprios para os punhos, o peito ou o colarinho das camisas: "punhos larguíssimos, ... unidos por abotoaduras de corrente" (Martins Fontes, *Terras da Fantasia*, p. 110). **4.** *Marinh.* Conjunto de botões que ligam dois cabos ou duas pernadas do mesmo cabo.

abotoamento [De *abotoar* + *-mento*.] *S. m.* **1.** Ato ou efeito de abotoar(-se). **2.** Fileira de botões com suas respectivas casas: *vestido sem mangas, com abotoamento até a cintura.* **3.** Parte de uma veste por onde ela se abotoa.

abotoar [De *a-*[2] + *botão* + *-ar*[2], com desnasalação.] *V. t. d.* **1.** Meter os botões nas casas para fechar (veste, etc.): "O Dr. Viriato ajudou-o a abotoar a camisa nova e o colete" (Autran Dourado, *As Imaginações Pecaminosas*, p. 24). **2.** *Marinh.* Fazer botão ou botões em. **3.** *Marinh.* Ligar (um cabo a outro, ou duas pernadas do mesmo cabo) por meio de botões. **4.** *Bras.* V. *abecar* (1). **5.** *Bras. Gír.* V. *matar* (1). *T. c.* **6.** Ter abotoamento; fechar-se. **7.** Aparecer, surgir: "No fim de ano e meio, abotoou no horizonte uma esperança" (Machado de Assis, *Histórias sem Data*, p. 34). *Int.* **8.** Fechar com botões; colocar os botões de (veste, etc.) nas respectivas casas. **9.** Deitar (a planta) botões ou gomos; abotoar-se. **10.** *Bras. Gír.* V. *morrer* (1). *P.* **11.** Unir-se ou fechar-se com botões: *O vestido, sóbrio, abotoava-se até o pescoço.* **12.** Fechar (peça ou peças do próprio vestuário) com botões. **13.** Abotoar (9). **14.** Obter indevidamente; apoderar-se com fraude. [Conjug.: v. *coroar*.]

abotoável [De *abotoar* + *-vel*.] *Adj. 2 g.* Que se pode abotoar ou é próprio para ser abotoado: *camisa de colarinho abotoável.*

abotocado *Adj.* V. *abatocado*.

abotocar *V. t. d.* V. *abatocar*. [Conjug.: v. *trancar*.]

aboubado [Part. de *aboubar-se.*] *Adj.* Cheio ou coberto de boubas. [Cf. *abobado.*]

aboubar-se [De *a-*² + *bouba* + *-ar*² + *se*¹.] *V. p.* Encher-se ou cobrir-se de boubas; ser atacado de boubas. [Cf. *abobar-se.*]

aboucadela [De *aboucar* + *-dela.*] *S. f. Lus.* **1.** Ato ou efeito de aboucar; surra. **2.** *Pop.* Equimose.

aboucado [Part. de *aboucar.*] *Adj. Lus.* **1.** Que se surrou, aboucou. **2.** Aturdido, atordoado.

aboucar [De or. incerta.] *Lus. V. t. d.* **1.** Surrar, espancar. *Int.* **2.** Ensurdecer. **3.** Aturdir, atordoar.

abougado [Part. de *abougar.*] *Adj. Lus.* Louco, alucinado.

abougar [De or. obsc.] *V. int. Lus.* Enlouquecer. [Conjug.: v. *largar.*]

➔**ab ovo** [ab 'ɔvɔ] [Lat.] Desde o ovo, ou seja, desde o começo, desde a origem.

abra [Do fr. *havre.*] *S. f.* **1.** Enseada com ancoradouro seguro para embarcações: "São os recortes dessa penedia que formam todas as embocaduras, todas as baías, ..., todas as abras da costa brasileira." (Júlio Ribeiro, *A Carne*, p. 117). **2.** *Bras. RS* Clareira na mata. **3.** *Bras. RS* Abertura entre dois montes.

■ **Abra** Sigla de *Associação Brasileira de Reforma Agrária.*

abraâmico [Do antr. *Abraão* (< lat. *Abraham*, de or. hebraica) + *-ico*², seg. o padrão erudito.] *Adj.* Relativo ou pertencente a Abraão, patriarca hebreu que teria vivido por volta de 1850 a.C.

abraâmida [Do antr. *Abraão* + *-ida*⁵, seg. o padrão erudito.] *S. 2 g.* Descendente de Abraão (v. *abraâmico*). [F. paral.: *abrâmida.*]

abracadabra [Do gr. *abrakádabra* (voc. poss. forjado pelos gnósticos a partir do gr. *abraxás* [v. *abraxas*]), pelo lat. tard. *abracadabra.*] *S. m.* **1.** Palavra cabalística, que se escrevia em 11 linhas, com uma letra a menos em cada uma delas, de modo que formassem um triângulo, e à qual se atribuía a propriedade de curar certas doenças. **2.** Amuleto em que estava escrita ou gravada essa palavra. **3.** Crença supersticiosa. **4.** *Fig.* Expressão sem sentido, ininteligível.

abracadabrância [De *abracadabrante* + *-ia*², seg. o padrão analógico.] *S. f.* Prática de abracadabra, de coisas abracadabrantes [v. *abracadabrante* (2)].

abracadabrante [Do fr. *abracadabrant.*] *Adj. 2 g.* **1.** Relativo a abracadabra. **2.** Cabalístico, mágico, misterioso. **3.** Extraordinário, singular: "comprimida .... à lufa-lufa, em casas de ocasião, quartos de hotel, ..., e abracadabrantes saraus dramático-musicais" (Fialho d'Almeida, *Pasquinadas*, p. 316). [Sin. ger.: *abracadábrico.*]

abracadábrico [De *abracadabra* + *-ico*².] *Adj.* V. *abracadabrante.*

abracadabrista [De *abracadabra* + *-ista.*] *S. 2 g.* Pessoa versada em abracadabrância.

abraçadeira [De *abraçar* + *-deira.*] *S. f.* **1.** Chapa grossa de ferro em esquadro, usada como reforço de sambladuras de madeira. **2.** Peça de ferro para segurar vigas ou paredes, etc. **3.** Cordão, tira, argola que cinge um cortinado ou reposteiro, prendendo-o de lado; braçadeira.

abraçador (ô) [De *abraçar* + *-dor.*] *Adj.* **1.** Que, ou aquele que abraça; abraçante. ● *S. m.* **2.** Aquele que abraça.

abraçamento [De *abraçar* + *-mento.*] *S. m.* Ato ou efeito de abraçar(-se).

abraçante [De *abraçar* + *-nte.*] *Adj. 2 g.* Abraçador (1).

abraça-pau [Da 3ª pess. do pres. ind. do v. *abraçar.*] *S. m. Bras. Bot.* Orquidácea (*Brassavola subulifolia*) originária da América do Sul. [Pl.: *abraça-paus.*]

abracar [De *abracar* (q. v.), com infl. de *abraçar*, poss.] *V. t. d. Bras. MG SP MT Pop.* V. *abraçar* (1). [Conjug.: v. *trancar.*]

abraçar [De *a-*² + *braço* + *-ar*².] *V. t. d.* **1.** Apertar com os braços; tomar entre os braços; cingir, abarcar: "Estendeu-lhe os braços, para abraçá-la e beijá-la como de costume." (José Rodrigues Miguéis, *Onde a Noite Se Acaba*, p. 52); "gritou D. Fernando, deitando-se aos pés de D. Leonor e abraçando-a pelos joelhos" (Alexandre Herculano, *Lendas e Narrativas*, I, p. 83). [Sin. pop., em MG, SP e MT: *abracar.*] **2.** Circundar, cercar, cingir, rodear: "O rio defronte descia .... abraçando, sem um sussurro, uma larga ilhota de pedra que rebrilhava." (Eça de Queirós, *A Cidade e as Serras*, p. 203.) **3.** Abranger, conter, abarcar. **4.** Adotar, seguir: "explicou-me o capitão que só por motivos graves abraçara a profissão marítima" (Machado de Assis, *Memórias Póstumas de Brás Cubas*, pp. 66-67). **5.** Ocupar-se de; tomar a responsabilidade de; chamar a si; avocar: *abraçar uma causa.* **6.** *Marinh.* Cingir com cabo. *Transobj.* **7.** Adotar (9 e 10). *P.* **8.** Cingir-se a, com, ou em alguém ou algo; entrelaçar-se: "E Tertuliano, prorrompendo em soluços, abraçou-se de novo ao Doutor Claudino." (Artur Azevedo, *Contos fora da Moda*, p. 16.) **9.** Confundir-se, ligar-se, unindo-se. [Conjug.: v. *laçar.*]

abraço [Dev. de *abraçar.*] *S. m.* **1.** Ato de abraçar (1); amplexo. **2.** *Fig.* Demonstração de amizade. **3.** Ligação, união. **4.** *Bot.* V. *gavinha.* **5.** *Arquit.* Ornato que circunda o fuste de uma coluna, reproduzindo em geral um entrelaçamento de folhagens.

abraço-da-primavera *S. m. Bot.* V. *abrótea*² (3). [Pl.: *abraços-da-primavera.*]

abraço de tamanduá *S. m. Bras.* Traição, felonia. [Pl.: *abraços de tamanduá.*] ☑

abrâmida [Do lat. *abramida.*] *Adj. 2 g.* Abraâmida (q. v.).

abrandamento [De *abrandar* + *-mento.*] *S. m.* **1.** Ato ou efeito de abrandar(-se). **2.** *E. Ling.* Realização de uma consoante com menor obstrução à passagem da corrente de ar expiratória, o que, no caso mais extremo, leva ao desaparecimento da consoante. **3.** *E. Ling.* Passagem de um fonema de articulação forte para outro de articulação fraca, consequente de abrandamento (2). [Na evolução do lat. ao port., são comuns os exemplos de abrandamento das oclusivas surdas intervocálicas, que passaram a sonoras (p. ex., /t/ > /d/: *moneta* > *moeda*), ou mesmo do desaparecimento das oclusivas sonoras intervocálicas (p. ex., /d/ > ø: *nudum* > *nuu* > *nu*).] [Sin. (nas acepç. 2 e 3): *lenição, lenização.*] **4.** *Quím.* Tratamento de água que consiste em substituir os íons cálcio e magnésio por íons sódio, com o intuito de eliminar a dureza.

abrandar [De *a-*² + *brando* + *-ar*².] *V. t. d.* **1.** Tornar brando; amolecer. **2.** Suavizar, mitigar: *As palavras de consolo abrandaram-lhe a dor.* **3.** Aplacar; serenar: "abrandai a cólera, que não sou vosso inimigo" (Machado de Assis, *Páginas Recolhidas*, p. 189). **4.** Tornar dócil; amansar, amolecer, enternecer. **5.** Fazer que desça, diminua, baixe (temperatura, mau tempo, velocidade, etc.). *Int.* **6.** Tornar-se brando, mole; abrandar-se. **7.** Perder o ânimo, as forças, a resistência; desanimar, esmorecer. **8.** Serenar-se; amainar-se; aplacar-se: "A tarde cai. O vento abranda. O ar escurece." (Olavo Bilac, *Poesias*, p. 213.) **9.** Suavizar-se, aplacar-se. **10.** *Marinh.* Brandear, afrouxar (cabo, adriça). *P.* **11.** Abrandar (6). **12.** Comover-se, enternecer-se, suavizar-se; abrandar. **13.** Diminuir de intensidade; atenuar-se, abafar-se, amortecer-se: "Os sons se abrandam, tomam um como timbre murmuroso." (Júlio Ribeiro, *A Carne*, p. 182.)

abrandecer [De *a-*² + *brando* + *-ecer.*] *V. t. d.* Abrandar, embrandecer. [Conjug.: v. *aquecer.*]

abrangedor (ô) [De *abranger* + *-dor.*] *Adj.* Abrangente.

abrangência [De *abranger* + *-ência.*] *S. f.* **1.** Qualidade de abrangente. **2.** Capacidade de abranger: "a essência da poesia transcende a abrangência semântica das palavras e das frases." (Aires da Mata Machado Filho, *Crítica de Estilos*, p. 96).

abrangente [De *abranger* + *-nte.*] *Adj. 2 g.* Que abrange; abrangedor: "foi [Archer M. Huntington] talvez o primeiro a usar a denominação *Hispanic*, em inglês, como abrangente da totalidade da cultura que tem origem na antiga Hispânia" (Eduardo Frieiro, *O Alegre Arcipreste e Outros Temas de Literatura Espanhola*, p. 13).

abranger [De or. incerta; poss. pré-romana.] *V. t. d.* **1.** Cingir, abraçar, abarcar. **2.** Conter em si; compreender, incluir, encerrar, abarcar: "Pus a ciência acima de todas as coisas; mas não afirmei jamais que a ciência não possa abranger as coisas divinas." (Rui Barbosa, *Cartas de Inglaterra*, pp. 394-395.) **3.** Abarcar, dominar, com a vista: "Abrangíamos, dali, canaviais e casas, o bueiro do engenho, a roda-d'água, gente" (Osmã Lins, *Nove, Novena*, p. 111). **4.** Apreender, perceber, entender, alcançar, atingir: *Com sua pouca percepção, não abrange todos os ângulos do problema.* **5.** Compreender, abarcar (no tempo); estender-se por; durar: *Os preparativos para a Segunda Guerra Mundial abrangeram os últimos anos da década de 1930. T. i.* **6.** Elevar-se, montar, chegar: *Seus recursos não abrangem a tanto.* **7.** Apreender, perceber, entender, alcançar, atingir. *Int.* **8.** Atingir o alvo; acertar. **9.** Apreender, perceber. *P.* **10.** Incluir-se, conter-se. [Conjug.: v. *tanger.*]

abrangível [De *abranger* + *-ível.*] *Adj. 2 g.* Que se pode abranger.

abranquial [De *a-*³ + *-branqui(o)-* + *-al*¹.] *Adj. 2 g. Zool.* Abrânquio.

abrânquio [De *a-*³ + *-brânquio.*] *Adj. Zool.* Que não tem brânquias ou guelras; abranquial.

abrantino *Adj.* **1.** De, ou pertencente ou relativo a Abrantes (BA). ● *S. m.* **2.** O natural ou habitante de Abrantes.

abraquia [De *a-*³ + *-braqu(i)(o)-* + *-ia*¹.] *S. f. Ter.* Ausência congênita de braço.

abráquio [De *a-*³ + *-bráquio.*] *Adj.* **1.** Sem braços; anóleno. ● *S. m.* **2.** *Ter.* Feto que apresenta abraquia.

abraquiocefalia (brà) [De *a-*³ + *-braqu(i)(o)-* + *-cefal(o)-* + *-ia*¹.] *S. f. Ter.* Acefalobraquia.

abraquiocefálico (brà) [De *abraquiocefalia* + *-ico*².] *Adj.* Relativo a abraquiocefalia.

abraquiocéfalo (brà) [De *a-*³ + *-braqu(i)(o)-* + *-céfalo.*] *Adj. S. m. Ter.* Diz-se de, ou feto que apresenta abraquiocefalia.

abrasado [Part. de *abrasar.*] *Adj.* **1.** Em brasa; queimado, requeimado: "Lançai o olhar em torno; / Arde a terra abrasada" (Guerra Junqueiro, *A Musa em Férias*, p. 167). **2.** Quente, ardente: "Dessa terra combusta por longo e abrasado estio, já ressumam os viços que anunciam a poderosa expansão de sua fecundidade" (José de Alencar, *O Sertanejo*, p. 97). **3.** Abrasador (2). **4.** Corado, encalorado, afogueado: *Chegou do passeio com as faces abrasadas.* **5.** *Fig.* Entusiasmado, excitado.

abrasador (ô) [De *abrasar* + *-dor.*] *Adj.* **1.** Que abrasa; que queima: "O estio abrasador queimou toda a verdura" (Medeiros e Albuquerque, *Poesias*, p. 155). **2.** De calor intenso; muito quente; abrasado: "Macróbios soturnos passam, trôpegos, trêmulos, na morna calma das tardes abrasadoras." (Graciliano Ramos, *Linhas Tortas*, p. 73.) **3.** *Fig.* Aflitivo, torturante: "agora mesmo, já depois da posse completa, a mesma abrasadora incerteza continuava a devorá-lo..." (Abel Botelho, *Sem Remédio*, p. 155). **4.** *Fig.* Que arrebata, excita ou inflama. [Sin. ger.: *abrasante.*]

abrasagem [De *abrasar* + *-agem*².] *S. f. P. us.* Abrasamento (1).

abrasamento [De *abrasar* + *-mento.*] *S. m.* **1.** Ato ou efeito de abrasar(-se). **2.** *Fig.* Ardor, veemência, entusiasmo, arrebatamento.

abrasante [De *abrasar* + *-nte.*] *Adj. 2 g.* V. *abrasador*: "no recesso das moutas insetos estralejavam, cigarras pareciam chiar ao sol abrasante." (Coelho Neto, *Treva*, p. 333).

abrasão [Do lat. tard. *abrasione.*] *S. f.* **1.** Raspagem, rasura. **2.** Desgaste provocado pelo atrito. **3.** Esfoladura, esfolamento, escoriação. **4.** *Geol.* Desgaste na superfície de rochas causado pelo impacto ou fricção de partículas e fragmentos transportados pelo vento, água corrente, ondas, geleiras, etc. **5.** *Med.* Desgaste de uma formação (5), como, p. ex., dente, em consequência de atrição intensa. **6.** *Med.* Raspagem de uma área do corpo por meio de processo mecânico. **7.** *Med.* Lesão traumática produzida por grande atrição tecidual. ◆ **Abrasão a laser.** *Cir. Plást.* Processo cirúrgico em que se faz uso de radiação *laser* de mais de um tipo, e que pode ser complementado com outro procedimento, objetivando a eliminação de rugas que se desenvolveram na face em consequência da deterioração, ali, de fibras colágenas e elásticas, sendo acelerada por fatores externos, como exposição ao sol, fumo, e por estresse. [Tb. us. o termo ingl.: *resurfacing.*]

abrasar [De *a-*² + *brasa* + *-ar*².] *V. t. d.* **1.** Tornar em brasa. **2.** Aquecer ou acalorar em extremo: "nunca o sol abrasou a terra com uma obstinação mais cansativa." (Machado de Assis, *Papéis Avulsos*, p. 230). **3.** Tornar vermelho cor de brasa, de fogo; avermelhar. **4.** *P. ext.* Corar, enrubescer, ruborizar, afoguear: *A vergonha abrasou-lhe as faces.* **5.** Devastar, destruir, talar: *A seca abrasou os campos.* **6.** Entusiasmar, excitar, arrebatar, inflamar: "O relâmpago da fé abrasara-o." (Camilo Castelo Branco, *Novelas do Minho*, I, p. 74.) *Int.* **7.** Produzir calor excessivo; aquecer em demasia: "O ar abrasava e .... o solo tinha a evaporação de um forno" (Coelho Neto, *Sertão*, p. 91). **8.** Ser ou estar quentíssimo: "É o tempo em que adormeces [ó mar] / Ao sol que abrasa" (Vicente de Carvalho, *Poemas e Canções*, p. 138); "Dezembro chegou trazendo calor e falta d'água. A cidade abrasava" (Carlos Heitor Cony, *A Verdade de Cada Dia*, p. 107). *P.* **9.** Converter-se em brasas; arder, queimar-se. **10.** Estar como que em brasa, em chama; abrasar. **11.** Consumir-se; arder. **12.** Corar, afoguear-se. **13.** Inflamar-se, exaltar-se; arrebatar-se. [Perf. ind.: *abrasei, abrasaste, abrasou*, etc. Cf. *abrazô.*]

abraseado [Part. de *abrasear.*] *Adj.* **1.** V. *esbraseado.* **2.** *Ant.* Cheio de ira; colérico.

abrasear [De *a-*² + *brasa* + *-ear*².] *V. t. d. Int. P.* V. *esbrasear.* [Conjug.: v. *frear.*]

abrasileirado [De *a-*² + *brasileiro* + *-ado*¹.] *Adj.* **1.** Que se abrasileirou; que dá ideia de brasileiro. **2.** Próprio de brasileiro (2).

abrasileiramento [De *abrasileirar* + *-mento.*] *S. m.* Ato ou efeito de abrasileirar(-se).

abrasileirar [De *a-*² + *brasileiro* + *-ar*².] *V. t. d. P.* Tornar(-se) brasileiro; adaptar(-se) ao temperamento, maneira, cultura ou estilo brasileiro. [Sin. bras.: *abrasilianar.*]

abrasilianar [De *a-*² + *brasiliano* + *-ar*².] *V. t. d. P. Bras.* Abrasileirar.

abrasivo [Do lat. *abrasus*, part. pass. de *abradere*, 'raspar', + *-ivo.*] *Adj. S. m.* **1.** Que ou o que produz abrasão. **2.** Diz-se de, ou substância muito dura (alumina, esmeril, diamante, lixa, sílica, etc.), capaz de arrancar, por atrito, partículas de outros corpos.

abrasonar [De *a-*[2] + *brasão* + *-ar*[2], seg. o padrão erudito.] *V. t. d.* 1. Conferir brasão a. 2. Pôr brasão em.

abraxas (cs) [Do gr. *abraxás*, poss. criptograma (= 'Que Deus proteja') de or. hebraica, inicialmente representado em duas linhas, *ABRA//XAS*.] *S. m. 2 n.* 1. Palavra simbólica entre os gnósticos, que exprime o curso do Sol nos 365 dias do ano. 2. Talismã gnóstico gravado com essa palavra.

abrazô [Var. de *ambrozô*.] *S. m. Bras. Cul.* Bolinho feito de farinha de milho ou de mandioca misturada com azeite de dendê, pimenta e outros temperos, e frito nesse azeite; ambrazô, ambrozô. [Cf. *abrasou*, do v. *abrasar*.]

abre [Da 3.ª pess. sing. do pres. ind. de *abrir*.] *S. m. Bras. Gír.* V. *cachaça* (1).

ab-reação [Do al. *Abreaktion*.] *S. f. Psican.* Descarga emocional mais ou menos intensa, em que o indivíduo revive um acontecimento traumático que o libera da repressão à qual estava submetido, e que pode ser espontânea ou manifestar-se no curso de certos processos psicoterápicos, por ação deles. [Pl.: *ab-reações*.]

ab-reagir [Voc. deduz. de *ab-reação*, a partir de *ab-*[1] + *reagir*.] *V. int. T. i. Psican.* Libertar-se de uma ideia reprimida, de uma emoção, etc. por meio de ab-reação.

abre-alas [De *abrir* + o pl. de *ala*.] *S. m. 2 n. Bras.* 1. Tabuleta, dístico, ou carro alegórico, que abre o desfile duma entidade carnavalesca. 2. *P. ext.* Grupo de pessoas que levam o abre-alas (1), ou estão sobre ele.

abre-boca [De *abrir* + *boca*[1] (ô).] *S. m. Veter.* Instrumento para forçar a abrir e manter aberta a boca de doentes e de animais de laboratório; abridor de boca. [Pl.: *abre-bocas*.]

abre-campense *Adj. 2 g.* 1. De, ou pertencente ou relativo a Abre-Campo (MG). ● *S. 2 g.* 2. O natural ou habitante de Abre-Campo. [Pl.: *abre-campenses*.]

abrecar [De *a-*[2] + *breque* (*qu* = *c*) + *-ar*[2].] *V. t. d. Bras. Pop.* Segurar firme: "abrequei a Germana, cabritinha sarará danadamente assanhada, e arrochei-lhe um belisção retorcido na popa *(sic)* da bunda." (Graciliano Ramos, *S. Bernardo*, p. 14.) [Conjug.: *trancar*.]

abre-e-fecha [De *abrir* e *fechar*.] *S. m. 2 n. Bras. CE Zool.* V. *tico-tico-rei*.

abre-ilhós [De *abrir* + *ilhós*.] *S. m. 2 n.* Instrumento com que se abrem buracos destinados a ilhós; furador. [Var.: *abre-ilhoses*.]

abre-ilhoses [De *abrir* + *ilhoses*, pl. de *ilhós*.] *S. m. 2 n.* V. *abre-ilhós*.

abrejar [De *a-*[2] + *brejo* + *-ar*[2].] *V. t. d.* 1. *Bras. N.E.* Transformar em pântano ou brejo; alagar, apaular. *Int.* 2. V. *abrejar* (4). 3. *Bras. N.E.* Existir em abundância. *P.* 4. Transformar-se em brejo; alagar-se, apaular-se, abrejar. 5. *Bras. N.E. Pop.* Empanturrar-se, abarrotar-se. [Conjug.: v. *invejar*.]

abrejeirado [De *a-*[2] + *brejeiro* + *-ado*[1].] *Adj.* 1. Que tem aspecto e/ou modos brejeiros: *menina abrejeirada*. 2. Próprio de brejeiro; malicioso.

abrejeirar [De *a-*[2] + *brejeiro* + *-ar*[2].] *V. t. d. P.* Tornar(-se) brejeiro, ou abrejeirado.

abre-latas [De *abrir* + o pl. de *lata*.] *S. m. 2 n Lus.* Abridor (4).

abrenhar [De *a-*[2] + *brenha* + *-ar*[2].] *V. t. d. e c. P.* Meter(-se) em brenhas; embrenhar(-se): "Os cabeços das serras, que cingem os matagais onde me abrenhei, negrejam através das nuvens cinzentas." (Camilo Castelo Branco, *A Mulher Fatal*, p. 19.)

abrenunciação [Do lat. tard. *abrenuntiatione*.] *S. f.* Ato ou efeito de abrenunciar; abrenúncio.

ab-renunciação *S. f.* V. *abrenunciação*. [Pl.: *ab-renunciações*.]

abrenunciar [Do lat. tard. *abrenuntiare*.] *V. t. d.* 1. Rejeitar reprovando; arrenegar, abjurar. 2. Mostrar repugnância, desprezo ou horror a; repelir. 3. Renunciar a (opinião, doutrina, etc.); abjurar. [Pres. ind.: *abrenuncio*, etc. Cf. *abrenúncio*.]

ab-renunciar *V. t. d.* V. *abrenunciar*.

abrenúncio [Do lat. *abrenuntio*, 1.ª pess. sing. do pres. de *abrenuntiare*.] *S. m.* 1. Abrenunciação. ● *Interj.* 2. Credo; Deus me livre; sai, demônio: "– .... Em matéria de noivos só o século passado os fornece capazes e bons. Casamentos de hoje! Abrenúncio!" (Machado de Assis, *Contos Avulsos*, p. 90). [Cf. *abrenuncio*, do v. *abrenunciar*.]

ab-renúncio *S. m. Interj.* V. *abrenúncio*. [Pl.: *ab-renúncios*.]

abrenunza *S. f. Bras. SC Folcl.* V. *bernúncia*.

ab-reptício [Do lat. *abreptus*, part. pass. de *abripere*, 'arrebatar', + *-ício*.] *Adj.* Exaltado; arrebatado, possesso. [Pl.: *ab-reptícios*.]

abretanhado [De *a-*[2] + *bretanha* + *-ado*[1].] *Adj.* Semelhante a bretanha: *tecido abretanhado*.

abreu[1] [Do tax. *Abraeus*.] *S. m. Zool.* 1. Gênero de coleópteros histerídeos que se nutrem de matéria orgânica em decomposição. 2. Espécie ou espécime desse gênero.

abreu[2] [F. red. de *manuel-de-abreu*.] *S. m. Bras. Zool.* Abelha meliponínea (*Frieseomelitta varia*) que nidifica em taipa ou em árvores ocas, constrói ninhos em forma de cacho, e cujo mel é de boa qualidade; amarela, marmelada, moça-branca, manuel-de-abreu, manuel-de-breu, zamboque.

abreugrafia [Do antr. *Abreu* + *-grafia*.] *S. f. Med.* Método criado pelo médico brasileiro Manuel de Abreu (1894-1962), para fixar por meio de máquina fotográfica especial a imagem observada pela radioscopia; roentgenfotografia. [Importantíssimo no exame de coletividades, para o diagnóstico precoce da tuberculose e do câncer pulmonares.]

abreugráfico [De *abreugrafia* + *-ico*[2].] *Adj.* Referente a abreugrafia.

abreu-limense *Adj. 2 g.* 1. De, ou pertencente ou relativo a Abreu e Lima (PE). ● *S. 2 g.* 2. O natural ou habitante de Abreu e Lima. [Pl.: *abreu-limenses*.]

abrevar *V. t. d. T. d. e i. P.* V. *abeberar*.

abreviação [Do lat. tard. *abbreviatione*.] *S. f.* 1. Ato ou efeito de abreviar; abreviamento, abreviatura. 2. *Edit.* Braquigrama (q. v.) convencionado para uso esp. em determinada obra: *comun.* por *comunicação*, *telev.* por *televisão*, etc.

abreviado [Part. de *abreviar*.] *Adj.* 1. Reduzido a menor extensão (espaço, tempo, etc.). 2. Resumido, sucinto: *relação abreviada dos acontecimentos*. 3. Antecipado, apressado. 4. Posto em abreviatura (2 e 3): *escrita abreviada*. ~ V. *edição* —*a*.

abreviador (ô) [Do lat. tard. *abbreviatore*.] *Adj. S. m.* Que, ou aquele que abrevia.

abreviamento [De *abreviar* + *-mento*.] *S. m. Desus.* V. *abreviação*.

abreviar [Do lat. tard. *abbreviare*.] *V. t. d.* 1. Tornar breve ou mais breve; encurtar: *abreviar uma visita*. 2. Reduzir; resumir, diminuir: "A sua existência estava condenada: tratava-se apenas de abreviar sofrimentos inúteis." (Júlio Dantas, *Abelhas Doiradas*, p. 53.) 3. Suprimir (parte da grafia de um vocábulo), ger. de maneira inteligível, ou por critério anteriormente ajustado. 4. Tornar mais próximo em tempo; apressar, precipitar. 5. Resumir, sintetizar; compendiar: *abreviar uma narrativa*. 6. *Mat.* Efetuar (uma operação matemática) de forma simplificada, desprezando a influência de grandezas ou variáveis de módulo pequeno diante dos resultados. *T. d. e i.* 7. Acomodar, ajustar: *Abrevia o seu estilo ao de Anatole France*. *T. i.* 8. Terminar, acabar, em breve tempo; dar fim com rapidez ou presteza. *Int.* 9. Encurtar ou cortar conversa.

abreviativo [De *abreviar* + *-tivo*.] *Adj.* 1. Que serve para abreviar. 2. Que indica abreviatura (3). ~ V. *ponto* —.

abreviatura [De *abreviar* + *-tura*; lat. med. *abbreviatura*.] *S. f.* 1. V. *abreviação* (1). 2. *Edit.* Braquigrama (q. v.) mais ou menos fixo na língua: *Ilmo.* ou *Il.mo* por *ilustríssimo*; *cf.* por *confronte*; *d.C.* por *depois de Cristo*, etc. 3. *Paleogr.* Representação escrita de uma palavra sem algumas das letras que a compõem. [As formas mais antigas dessa representação são: (a) *notae iuris*; (b) *sigla* (1); (c) *notas tironianas*; (d) *nomina sacra*.] 4. Coisa reduzida, diminuta; miniatura: *Esta menina é uma abreviatura de mulher*. ◆ **Abreviaturas jurídicas.** *Paleogr.* V. *notae iuris*.

abriacanita *S. f. Min.* V. *abriachanita*.

abriachanita [Do top. *Abriachan* (Escócia) + *-ita*[2].] *S. f. Min.* Silicato hidratado de ferro e magnésio, variedade terrosa e amorfa de crocidolita.

abrição [De *abrir* + *-ção*.] *S. f. Fam.* Ato ou efeito de abrir; abrimento. ◆ **Abrição de boca.** *Bras. Fam.* Bocejo.

abricó [Do fr. *abricot*.] *S. m. Bot.* 1. O fruto do abricoteiro; abricote, abricoque, albricoque. 2. V. *damasco* (1).

abricó-amarelo *S. m. Bot.* V. *abricoteiro* (2). [Pl.: *abricós-amarelos*.]

abricó-das-antilhas [De *abricó* + o pl. de *da*[1] + o top. *Antilhas*.] *S. m. Bot.* V. *abricoteiro* (1). [Pl.: *abricós-das-antilhas*.]

abricó-de-macaco *S. m. Bras. Bot.* V. *castanha-de-macaco*. [Pl.: *abricós-de-macaco*.]

abricó-de-são-domingos [De *abricó* + *de* + o top. *São Domingos*.] *S. m. Bot.* V. *abricoteiro* (1). [Pl.: *abricós-de-são-domingos*.]

abricó-do-brasil [De *abricó* + *do*[1] + o top. *Brasil*.] *S. m. Bot.* V. *abricoteiro* (1). [Pl.: *abricós-do-brasil*.]

abricó-do-mato *S. m. Bot.* V. *abricoteiro* (2). [Pl.: *abricós-do-mato*.]

abricó-do-pará [De *abricó* + *do*[1] + o top. *Pará*.] *S. m. Bot.* V. *abricoteiro* (1). [Pl.: *abricós-do-pará*.]

abricoque [Var. de *albricoque*.] *S. m. Bot.* 1. V. *abricó* (1). 2. V. *damasco* (1).

abricoqueiro [Var. de *albricoqueiro*.] *S. m. Bot.* 1. V. *abricoteiro* (1). 2. V. *damasqueiro*.

abricó-selvagem *S. m. Bot.* V. *abricoteiro* (1). [Pl.: *abricós-selvagens*.]

abricote [Do fr. *abricot*.] *S. m.* 1. *Bot.* V. *abricó* (1). 2. V. *damasco* (1).

abricoteiro [De *abricote* + *-eiro*.] *S. m. Bot.* 1. Árvore clusiácea (*Mammea americana*) de até 18m, de folhas coriáceas, verde-escuras, flores alvas, aromáticas, grandes frutos carnosos, e madeira dura e resistente; é cultivada pelos frutos, edules, pelas flores, us. na feitura de licores, e pela madeira. [Sin.: *abricó-das-antilhas, abricó-de-são-domingos, abricó-do-brasil, abricó-do-pará, abricó-selvagem, abricoqueiro, abricoteiro-do-brasil, alpercheiro*.] 2. Árvore sapotácea (*Mimusops elengi*) de flores brancas, aromáticas, frutos bacáceos amarelos, cultivada pelos frutos edules, pela madeira resistente, vermelho-escura, e pela casca e raízes, de uso medicinal. [Sin.: *abricó-amarelo, abricó-do-mato, abricoteiro-do-mato*.] 3. V. *damasqueiro*.

abricoteiro-do-brasil [De *abricoteiro* + *do*[1] + o top. *Brasil*.] *S. m. Bot.* V. *abricoteiro* (1). [Pl.: *abricoteiros-do-brasil*.]

abricoteiro-do-mato *S. m. Bot.* V. abricoteiro (2). [Pl.: *abricoteiros-do-mato*.]

abrideira [De *abrir* + *-deira*.] *S. f. Bras.* 1. Máquina usada na indústria de fiação. 2. Bebida alcoólica, em geral aguardente, que se toma antes da refeição, em pequena quantidade, como aperitivo. 3. *Pop.* V. *cachaça* (1).

abridela [De *abrir* + *-dela*.] *S. f.* O ato de abrir (a boca, os olhos, etc.); abrimento.

abridor (ô) [De *abrir* + *-dor*.] *Adj.* 1. Que abre. ● *S. m.* 2. Aquele ou aquilo que abre. 3. Gravador, burilador. 4. Instrumento para abrir latas, garrafas, etc. [Sing. (lus.): *abre-latas*.] ◆ **Abridor de boca.** *Veter.* Abre-boca. **Abridor de letras.** *Ant.* Puncionista.

abrigada [De *abrigar* + *-ada*[1].] *S. f.* V. *abrigo* (1).

abrigado [Do lat. *apricatu*, part. de *apricare*, 'abrigar-se do frio, do Sol.'] *Adj.* 1. Que se abrigou ou agasalhou. ● *S. m.* 2. V. *abrigo* (1).

abrigadoiro [De *abrigar* + *-doiro*[2].] *S. m.* V. *abrigo* (1).

abrigador (ô) [De *abrigar* + *-dor*.] *Adj. S. m.* Que, ou aquele que abriga.

abrigadouro [De *abrigar* + *-douro*[2]; var. de *abrigadoiro*.] *S. m.* V. *abrigo* (1).

abrigar [Do lat. *apricare*.] *V. t. d.* 1. Resguardar do rigor do tempo, de dano ou perigo. 2. *Fig.* Acolher; guardar, encerrar: "Ó crentes, como vós, no íntimo do peito / Abrigo a mesma crença e guardo o mesmo ideal." (Guerra Junqueiro, *A Velhice do Padre Eterno*, p. 5.) 3. Acolher; acoitar: *Procuravam teto que os abrigasse*. 4. Acolher, agasalhar: "Olinda abrigava as velhas famílias possuidoras dos latifúndios circunvizinhos" (Sousa Bandeira, *Evocação e Outros Escritos*, p. 64). 5. Proteger, amparar. 6. Conter; encerrar: *O galpão era pequeno para abrigar os flagelados*. 7. Guardar; conservar. 8. Esconder, ocultar: *Seu semblante indiferente abriga ódios*. 9. *Mar.* Proteger (embarcação) do mar ou do vento, utilizando-se de porto, acidente da costa, etc. *T. d. e i.* 10. Resguardar, proteger; amparar. 11. Resguardar do rigor do tempo: *Abriguei-o contra as chuvas*. *T. d. e c.* 12. Acolher, acoitar: *Abrigou o mendigo em sua casa*. *P.* 13. Resguardar-se do rigor do tempo, de dano ou perigo: "Quando os *Schrapnells* caíram na rua, o povo correu de novo para se abrigar nas igrejas." (João Felício dos Santos, *João Abade*, p. 237.) 14. Conter-se, encerrar-se: "em su'alma abrigava-se a inocência" (Luís Murat, *Ondas*, III, p. 151). 15. *Mar.* Acolher-se (embarcação) ao abrigo de porto, cabo, ilha ou costa; refugiar-se. [Conjug.: v. *largar*.]

abrigo [Dev. de *abrigar*.] *S. m.* 1. Lugar que abriga; refúgio, abrigada, abrigadoiro, abrigadouro. 2. Cobertura, teto: "cada pobre, sob o abrigo da sua telha-vã, se agacha no seu mantéu ao calor da lareira." (Eça de Queirós, *A Cidade e as Serras*, p. 164). 3. Casa de assistência social onde se recolhem pobres, velhos, órfãos ou desamparados. 4. Local que oferece proteção contra os rigores do sol, da chuva, do mar ou do vento. 5. Túnel, caverna ou construção subterrânea usada como refúgio e para proteção durante ataques aéreos. 6. Agasalho, em geral impermeável, usado em ocasião de mau tempo. 7. *Fig.* Asilo, amparo, proteção: "reconheço agora o que vale o mundo com suas perfídias e tempestades. Quero achar um abrigo contra elas" (Machado de Assis, *Teatro*, p. 288). ◆ **Abrigo antiaéreo.** *Mil.* Dispositivo de defesa passiva destinado a proteger pessoal, material ou instalações contra os efeitos de ataques aéreos ou aeroespaciais. **Abrigo meteorológico.** *Met.* Pequena construção dentro da qual se instalam instrumentos meteorológicos, como, p. ex., higrógrafo, atmômetro, termógrafo e psicrômetro. **Abrigo natural.** Caverna ou qualquer outra escavação rochosa, adaptada e devidamente aproveitada como lugar de moradia ou habitação permanente. **Abrigo sob rocha.** *Arqueol.* Formação rochosa com parte mais alta saliente, formando um telhado natural, que servia de abrigo para as populações pré-históricas, e onde se encontram vestígios arqueológicos de fogueiras, restos de alimentação, sepultamentos e, às vezes, inscrições rupestres.

abrigueiro [De *abrigo* + *-eiro*.] ***S. m. Lus.*** Local resguardado; abrigo.

abril [Do lat. *aprile*.] ***S. m.*** **1.** *Cronol.* O quarto mês dos calendários juliano e gregoriano, com 30 dias. **2.** *Fig.* Idade da inocência e da alegria. **3.** *Fig.* Viço, frescor.

abrilada [De *abril* + *-ada*[1].] ***S. f.*** Acontecimento ocorrido em abril, em especial a revolta portuguesa de 1824, e a revolução restauradora, de 1832, em PE.

abrilhantador (ô) [De *abrilhantar* + *-dor*.] ***Adj.*** **1.** Que abrilhanta. • ***S. m.*** **2.** O que abrilhanta. **3.** *Tec. Quím.* Qualquer substância que se adiciona a processo de galvanoplastia, e que visa a obter deposição mais uniforme de metal, dotando-o de brilho.

abrilhantamento [De *abrilhantar* + *-mento*.] ***S. m.*** Ato ou efeito de abrilhantar; realce, brilho.

abrilhantar [De *a-*[2] + *brilhante* + *-ar*[2].] ***V. t. d.*** **1.** Dar brilho, ou luz viva, a; tornar brilhante, luzente, reluzente. **2.** Dar brilho, brilhantismo, realce, a: "A flor mimosa abrilhanta o prado / Ao sol nascente vai pedir fulgor." (Casimiro de Abreu, *Obras*, p. 154.) ***P.*** **3.** Tornar-se brilhante, luzente, reluzente. **4.** Adquirir maior realce, maior brilho; realçar-se.

abrilino [De *abril* + *-ino*[1].] ***Adj.*** V. *aprilino*.

abrimento [De *abrir* + *-mento*.] ***S. m.*** Ação ou efeito de abrir; abertura: *abrimento da boca.*

abrina [Do tax. *Abrus* (v. *ábrus*) + *-ina*[3].] ***S. f. Bioquím.*** Toxialbumina encontrada nas sementes do jequiriti (q. v.).

abrinismo [De *abrina* + *-ismo*.] ***S. m. Med.*** Envenenamento produzido pela abrina (q. v.).

abrir [Do lat. *aperire*.] ***V. t. d.*** **1.** Fazer (lit. ou fig.) com que (algo) deixe de estar fechado, cerrado, ou que deixe de ter a sua abertura obstruída ou o seu acesso impedido; tornar aberto. **2.** *Restr.* Mover (lit.) parte móvel e/ou contígua de (algo) a fim de permitir o acesso ao seu interior ou àquilo que está em seu interior. **3.** *Restr.* Mover (porta, janela, etc., fechada ou cerrada), ou mover porta, tampa, ou similar de (edificação, móvel, objeto ou veículo, etc.); tornar aberto, descerrado: *Não conseguiu abrir o capô do veículo; Demorou a abrir o carro;* "Bonifácio abriu as janelas todas da frente e desceu à chácara." (Machado de Assis, *Outras Relíquias*, p. 29); "Pimenta ainda não se deitara .... Veio abaixo abrir a porta" (José Saramago, *O Ano da Morte de Ricardo Reis*, p. 79); "abriu mesmo meia janela" (Id., *ib.*, p. 59); "Teria de abrir o cofre" (Josué Montelo, *O Labirinto de Espelhos*, p. 153); "abriu a cigarreira, tirou lentamente um cigarro" (Manuel da Fonseca, *Aldeia Nova*, p. 53). **4.** *P. met.* Servir para destrancar e/ou descerrar: *Minha chave não abre essa porta.* **5.** Mover (gaveta, etc.) para fora do móvel ou da estrutura à qual se encaixa, de modo a ter acesso ao seu interior: "Gonçalo abriria o gavetão da rica cômoda" (Eça de Queirós, *A Ilustre Casa de Ramires*, p. 132); "abria gavetas, lia os manuscritos que encontrava" (Aluísio Azevedo, *O Mulato*, p. 155). **6.** Abrir (2), ao desfechar, desenlaçar, desabotoar ou desprender as partes contíguas de (bolsa, mala, etc.), ou de (peça de vestuário): *Abriu a camisa para refrescar-se;* "Abriu a bolsa, desapartou algumas cédulas" (Gilvã Lemos, *Jutaí Menino*, p. 9); "assim que o sol nasceu abriu o bisaco" (Luís da Câmara Cascudo, *Contos Tradicionais do Brasil*, p. 32); "abriu a sua carteira de viagem, dela tirou papel, penas e um tinteiro" (Joaquim Manuel de Macedo, *Os Romances da Semana*, p. 202); "tirou a carteira, abriu-a" (Machado de Assis, *Papéis Avulsos*, p. 204); "Abrindo a blusa, despi o porta-seios" (Osmã Lins, *Nove, Novena*, p. 66). **7.** Desabotoar (2): *abrir uma carreira de botões.* **8.** Retirar o invólucro, ou a tampa, ou o selo de: *abrir um pacote; abrir uma garrafa.* **9.** Fazer desabotoar ou desabrolhar: "Neste limiar de indiferença, / não posso abrir a tênue rosa / do mais espiritual suspiro." (Cecília Meireles, *Obra Poética*, p. 248.) **10.** Separar, afastar, totalmente ou não, as partes juntas ou contíguas de: "Abriu o zíper da jaqueta" (Lígia Fagundes Teles, *Seminário dos Ratos*, p. 93). **11.** *Restr.* Abrir (10) (um órgão, ou parte dele), conforme a sua formação (5): "abriu demasiadamente os olhos" (Camilo Castelo Branco, *Novelas do Minho*, II, p. 80); "O canzarrão .... rosnou, ... e, abrindo a boca, mostrou os dentes anavalhados." (Alexandre Herculano, *Lendas e Narrativas*, II, p. 13); "Cristo abria um dos olhos e piscava para mim" (Maria Julieta Drummond de Andrade, *O Valor da Vida*, p. 39); "abriu o dorminhoco as pálpebras" (José de Alencar, *O Sertanejo*, p. 76). **12.** Afastar (a parte móvel) da parte fixa sem desprender, ou afastar (um membro) do seu ponto de articulação; estender ao comprido ou conforme a sua estrutura e extensão; estender, alongar: "Abre o sinistro corvo as asas largas..." (Raimundo Correia, *Poesias*, p. 224); "Era o amigo do chapéu de palha: abriu grandes braços pasmados." (Eça de Queirós, *Contos*, p. 30); "Os pavões abrem leques para o luar..." (Ronald de Carvalho, *Poemas e Sonetos*, p. 164)". **13.** Descerrar (livro, revista, etc.), ger. para ler ou consultar: "Abri qualquer dicionário, — e cotejai a miséria da palavra — Beleza — com a opulência sinonímica da palavra — Graça." (Olavo Bilac, *Conferências Literárias*, p. 230). **14.** *P. ext. Fig.* Ler: "— A senhora tem em seu poder um papel, que o meu amigo lhe deu a guardar, recomendando-me que, no caso de acontecer-lhe alguma cousa, lhe avisasse para abri-lo." (José de Alencar, *Senhora*, p. 225). **15.** Desenrolar ou desdobrar (o que está enrolado ou dobrado), esticando-o; estender: "Abriu-o [o mapa] em cima da cama, seguindo com a ponta do lápis os meandros do coração montanhoso do Brasil." (Aníbal Machado, *A Morte da Porta-Estandarte e Tati, a Garota e Outras Histórias*, p. 43). **16.** Separar, afastar, apartar: *O navio abria as águas do mar.* **17.** Separar (o que está unido, ligado ou pegado): "abrindo com a espátula páginas e páginas de livros que vinha de comprar" (Maria Helena Cardoso, *Vida — Vida*, p. 5). **18.** Partir, dividir, cortar, ger. ao meio: *abrir uma maçã.* **19.** Tirar o primeiro pedaço de (bolo, torta, queijo, etc. e certas frutas): *Abriu o melão, mas não o provou.* **20.** Dispor em partes; repartir, dividir: "Aquela, cujo amor me causa alguma pena, / Põe o chapéu ao lado, abre o cabelo à banda." (Cesário Verde, *Obra Completa*, p. 86). **21.** Criar passagem, acesso: *Empurrou os vizinhos com violência, para abrir caminho.* **22.** Dar passagem: *Pediu que abrissem caminho.* **23.** Fender, furar, mediante incisão, corte, golpe, etc.: *Recebeu um teco que lhe abriu a cabeça.* **24.** Fazer incisão em; cortar, rasgar: *O médico abriu o abscesso.* **25.** Cavar, escavar; fazer: *abrir um buraco;* "À noite acampávamos em campo entrincheirado abrindo pequenos fossos e reforçando os parapeitos com sacos de terra." (João Sarmento Pimentel, *Memórias do Capitão*, p. 231). **26.** Fazer: "no meio do bosque abrirei um roçado que nos há de dar farinha, macaxeira, feijão" (Franklin Távora, *O Cabeleira*, p. 232). **27.** *P. ext.* Construir: *abrir um canal, uma estrada.* **28.** Montar (estabelecimento, loja, instituição, etc., aberta ao público); instalar: "antiga mulher de amor, gasta e repelida, abriu casa de tolerância" (Lúcio de Mendonça, *Horas do Bom Tempo*, p. 207); *A preocupação do governo é abrir escolas.* **29.** Tornar aberto (estabelecimento comercial) ao público: *Hoje, seu Manuel demorou a abrir a padaria;* "Mal o Bazar se abriu, já se negavam, ali, a lhe fiar umas ceroulas" (Ciro dos Anjos, *Explorações no Tempo*, p. 98). [Note-se que o 2º exemplo está na voz passiva sintética.] **30.** Formar, criar; implementar: *As secas deste ano obrigaram o Governo a abrir várias frentes de trabalho.* **31.** Dar início a: "O ano de 1839 abria o ciclo de perigosas lutas políticas que convulsionariam a Província das Alagoas" (Carlos Pontes, *Tavares Bastos*, p. 3). **32.** Ser o primeiro de: *Seu nome abre a lista.* **33.** Dar por começado ou aberto: *Abriu a sessão com um breve discurso;* "Quem abriu o baile foi o padeiro, dançando com a mulher." (D. João da Câmara, *Contos*, p. 11). **34.** Inaugurar (3): "O seu prior subia uma vez por ano à Universidade a abrir como Cancelário a sala dos exames privados" (Antônio Feliciano de Castilho, *Amor e Melancolia*, p. 316). **35.** Começar a; principiar, encetar: *Abriu um choro convulsivo.* **36.** Excitar, estimular, despertar (o apetite). **37.** Dar execução a; pôr em prática: *O governo abriu concorrência para a construção de uma estrada.* **38.** Registrar, lavrar (termo, contrato, etc.). **39.** Estabelecer (crédito). **40.** Cumprir as formalidades para obter (conta bancária). **41.** Emitir, soltar (4): "cuspiu, limpou a boca com as costas da mão, e abriu .... a sua voz áspera" (João do Rio, *Vida Vertiginosa*, p. 145). **42.** Liberar ou acionar o fornecimento de (água, gás, etc.): *Peça que abram o gás.* **43.** *Restr.* Acender (a luz elétrica). **44.** Fazer funcionar, pôr em uso: "Ricardo Reis abriu torneiras" (José Saramago, *O Ano da Morte de Ricardo Reis*, p. 219). **45.** Acionar mecanismo que faça abrir (12) (guarda-chuva, barraca [4], sombrinha, etc.). **46.** *Art. Gráf.* V. *entrelinhar* (2). **47.** *Art. Gráf.* V. *interespacejar*. **48.** *Art. Gráf.* V. *arejar* (3). **49.** *Art. Gráf.* Aumentar os claros entre letras, palavras, ou linhas em [a composição (9)]. [Antôn., nesta acepç.: *apertar* (11).] **50.** *Cin. Fot. Telev.* Obter maior amplitude de enquadramento de (o assunto [3]), mediante afastamento da câmera, ou por uso do zum. [Antôn., nesta acepç.: *fechar*.] **51.** *Cin. Fot. Telev.* Obter maior entrada de luz através do diafragma da câmera. **52.** *E. Ling.* Dar pronúncia aberta, longa, a (uma vogal). **53.** *Inform.* Carregar (17) (arquivo ou programa), preparando-o para uso. **54.** *Inform.* Criar ou expandir (janela [7]), tornando-a ativa. **55.** *Inform.* Numa rede de computadores, iniciar (uma conexão) de um computador com outro. **56.** *Inform.* Acessar ou criar (um arquivo) para ler, alterar ou acrescentar dados. **57.** Romper pelas costuras: *Mar.* *O impacto da vaga abriu a embarcação.* **58.** *Tec.* Perfurar, furar (poço, túnel, etc.). **59.** *Tec.* Separar, desunir as fibras de (algodão em rama). **60.** *Bras.* Afastar (o cavalo) da trilha. **61.** *Bras.* Ceder a interrogatório, confessando (crime) ou denunciando (alguém). **62.** *Bras. Gír.* Terminar (relacionamento); romper. ***T. d. e i.*** **63.** Descerrar (porta, etc.) a quem bate; franquear a entrada: "o grande médico veio em pessoa abrir-lhes a porta." (Machado de Assis, *Histórias sem Data*, p. 18). **64.** Tornar acessível (lit. ou fig.): *Em 1808 Portugal abriu os portos do Brasil às nações amigas;* "torna-se necessário abrir o espírito a linguagens diferentes das logomaquias dos metafísicos" (Fidelino de Figueiredo, *Um Homem na Sua Humanidade*, pp. 85-86). **65.** *P. ext.* Fazer conhecer; descobrir, revelar, descerrar: *A leitura abre aos jovens outras culturas.* **66.** Oferecer, proporcionar. **67.** Estender, estirar: "— E ela abria-me os braços. E eu ficava." (Olavo Bilac, *Poesias*, p. 168.) **68.** Obter, ganhar: *Senna abriu vantagem sobre Piquet.* **69.** Estabelecer, conceder (crédito). **70.** Esculpir, entalhar; gravar, burilar: "bagaxas houve .... que mandaram abrir, na própria campa, epitáfios proclamando as loucuras de amor que os reis fizeram por elas." (Antero de Figueiredo, *Leonor Teles*, p. XXVI); "abriu a seguinte inscrição no tronco de um ipé" (Artur Azevedo, *Contos Efêmeros*, p. 144). ***T. d. e c.*** **71.** *Mar.* Variar (a marcação) afastando-se da direção da proa da embarcação. ***T. c. e i.*** **72.** Abrir (66): "FHC abre 7 pontos sobre Lula" (*Folha de S.Paulo*, 12.08.1994). ***T. i.*** **73.** Descerrar a porta; franquear a entrada: *Mandou abrir aos que batiam.* **74.** Fazer confidência(s); desabafar(-se); abrir-se: *Abriu, afinal, com o velho companheiro.* **75.** Começar, principiar, entrar: *Depois do susto, a criança abriu a chorar.* **76.** *Bras. Gír.* Romper relacionamento amoroso: *Abriu com a namorada logo depois do Natal.* ***T. c.*** **77.** Dar acesso, comunicação; dizer: *A janela abre para o jardim.;* "a seguir, a alcova, que abria para a sala de jantar" (Augusto Meyer, *No Tempo da Flor*, p. 71). **78.** Ter descerrada(s) porta(s) de entrada, para atender ao público: *As casas comerciais abrem às 9 horas.* **79.** *Mar.* Afastar-se, distanciar-se: *O navio abriu do cais.* **80.** *Mar.* Rondar (o vento) no sentido da popa da embarcação: *O vento abriu para o través, para a alheta, etc.* ***Int.*** **81.** Desabrochar, desabotoar; abrir-se: "Que linda noite! Os cravos vão a abrir..." (Antônio Nobre, *Só*, p. 172.) **82.** *Fig.* Germinar (1): "A chuva cai. A chuva aumenta. / Cai, benfazeja, a bom cair! / Contenta as árvores! Contenta / As sementes que vão abrir!" (Manuel Bandeira, *Estrela da Vida Inteira*, p. 37.) **83.** Abrir a porta; franquear a entrada: "Bateram à minha porta, / Fui abrir, não vi ninguém." (Manuel Bandeira, *Estrela da Vida Inteira*, p. 197.) **84.** Na sinalização do trânsito, passar o sinal vermelho (que indica trânsito impedido) a verde (que indica trânsito livre): *Mal o carro freara, o sinal abriu.* **85.** Funcionar (5): *O guichê demorou a abrir.* **86.** Surgir ou aparecer de súbito: "O relâmpago abria, iluminava-me instantaneamente a razão e depois passava." (Cordeiro de Andrade, *Anjo Negro*, p. 107.) **87.** Melhorar, serenar (as condições meteorológicas, o tempo). **88.** *Mar.* Diminuir (bruma, nevoeiro). **89.** *Bras.* Afastar-se, distanciar-se. **90.** *Bras. Angol.* V. *fugir* (1 e 2): "Os que tinham famílias nas matas, não passou uma semana, já abriram." (Pepetela, *A Geração da Utopia*, p. 156.) **91.** *Bras.* Ceder a interrogatório, confessando crime ou denunciando alguém. **92.** *Bras. Pop.* Mudar de ideia; ceder; abrir mão: "Estou com os garis e não abro." (Lúcia Maria Mazzinho Costa, em *Jornal do Brasil*, "Carta ao Leitor", 20.02.1979.) ***P.*** **93.** Mover-se (porta, janela, etc. fechada ou cerrada): *Com a forte ventania as janelas abriram-se de par em par.* **94.** Rasgar-se; fender-se: *Com o terremoto as paredes do templo se abriram.* **95.** Ter formação; formar-se: *Abriu-se uma falha na tábua ressecada; Abriu-se uma fenda no velho muro.* **96.** V. *abrir* (80): "Papoulas plumejavam, cravos abriam-se em sangue, em borlas de neve" (Coelho Neto, *Rei Negro*, pp. 5-6). **97.** Pôr-se em aberto: "eu vi a vulva negra a se abrir como uma flor rubra de cardeiro." (José Lins do Rego, *Meus Verdes Anos*, p. 218). **98.** Pôr-se em condições de uso, estendendo-se, desdobrando-se: "o paraquedas se abriu por inteiro, como uma pequena abóbada volante" (Orígenes Lessa, *Omelete em Bombaim*, p. 143). **99.** Tornar-se acessível (lit. ou fig.) a: "No período da vida em que o coração da mulher se abre às paixões há duas épocas distintas." (Alexandre

Herculano, *O Monge de Cister*, II, p. 142). **100.** Abrir (73): "É reservado, tímido, mas se abriu comigo, conquistei-o, parece." (Edson Guedes de Morais, *Outras Lembranças, Outra Casa, Outros Mortos*, p. 19). **101.** Falar abertamente, francamente: *Os tempos mudaram: antes, as crianças não tinham liberdade de abrir-se com os pais.* **102.** *Bras.* Ir(-se) embora; sair, partir, viajar. **103.** *Bras. Gír.* Viver sorrindo; sorrir. [Part. irreg.: *aberto.*] ● *S. m.* **104.** Ato de abrir(-se). ◆ **Num abrir de olhos.** V. *num abrir e fechar de olhos.* **Num abrir e fechar de olhos.** Num instante; num átimo; num abrir de olhos; num piscar de olhos, num voo: "Num abrir e fechar de olhos lhe passaram as algemas, e vendo Cristo, ali ao pé, o compadre Repenicado, que o invectivava, compreendeu a traça de que fora vítima." (Aquilino Ribeiro, *Quando ao Gavião Cai a Pena*, pp. 267-268.)

abro *S. m. Bot.* V. *ábrus.*

abrocadado[1] [De *a-*[2] + *brocado*[1] + *-ado*[1].] *Adj.* Semelhante ao brocado[1] (1).

abrocadado[2] [Part. de *abrocadar.*] *Adj.* Tecido à maneira de brocado[1] (1).

abrocadar [De *a-*[2] + *brocado*[1] + *-ar*[2].] *V. t. d.* Tecer à maneira de brocado[1] (1).

abrochado [Part. de *abrochar*[2].] *Adj. Bras. AL Pop.* Abarbado, atarefado, apertado.

abrochador (ô) [De *abrochar*[1] + *-dor.*] *S. m.* Aquilo que abrocha.

abrochadura [De *abrochar*[1] + *-dura.*] *S. f.* Ato ou efeito de abrochar.

abrochar[1] [De *a-*[2] + *broche* + *-ar*[2].] *V. t. d.* **1.** Unir ou ornar com broche. **2.** Unir, ligar; abotoar; afivelar (peça do vestuário). **3.** Apertar, franzir: "abrochou os lábios e deu-lhe um beijo na boca." (Machado de Assis, *Várias Histórias*, p. 55). *Int.* **4.** Unir, ligar, prender, com broche, as peças do vestuário. **5.** Encolher-se, retrair-se: "As pétalas de uma rosa, que abrochassem, outra vez tornando-se botão, de flor que eram, não teriam o gracioso enlace dos lábios que se apinhavam." (José de Alencar, *O Tronco do Ipê*, p. 199.) *P.* **6.** Abotoar-se com broche.

abrochar[2] [De *a-*[2] + *brocha* + *-ar*[2].] *V. t. d.* **1.** Ligar (os bois) com brocha (3). **2.** *Bras. AL Pop.* Apertar com trabalho; atarefar, abarbar.

abrocomídeo [Do tax. *Abrocoma* + *-ídeo*[1]; tax. *Abrocomidae.*] *Zool. S. m.* **1.** Espécime dos abrocomídeos, família de mamíferos histricomorfos, com único gênero e três espécies, que reúne animais de porte médio, com corpo semelhante ao dos ratos, encontrados nos Andes, do S. do Peru até o N. do Chile. São os ratos-chinchilas. ● *Adj.* **2.** Pertencente ou relativo a eles.

ab-rogação [Do lat. tard. *abrogatione.*] *S. f.* Ato de ab-rogar; ab-rogamento. [Pl.: *ab-rogações.*]

ab-rogador (ô) [Do lat. tard. *abrogatore.*] *Adj. S. m.* Que, ou aquele que ab-roga, que tem a virtude de ab-rogar. [Pl.: *ab-rogadores.*]

ab-rogamento [De *ab-rogar* + *-mento.*] *S. m.* Ab-rogação. [Pl.: *ab-rogamentos.*]

ab-rogar [Do lat. *abrogare.*] *V. t. d.* **1.** Pôr em desuso; anular, suprimir, revogar, derrogar. **2.** *Jur.* Fazer cessar a vigência de (uma lei, um decreto, um regulamento, etc.) em sua totalidade: "ab-rogando a lei antiga, ... Chindasvinto e seu filho Recesvinto quiseram substituir .... o direito territorial ao direito pessoal" (Alexandre Herculano, *Opúsculos*, V, p. 282). [Cf. *derrogar.* Conjug.: v. *largar.*]

ab-rogativo [De *ab-rogar* + *-tivo.*] *Adj.* Ab-rogatório (q. v.). [Pl.: *ab-rogativos.*]

ab-rogatório [De *ab-rogar* + *-tório.*] *Adj.* Que tem a faculdade de ab-rogar; ab-rogativo. [Pl.: *ab-rogatórios.* Cf. *derrogatório.*]

ab-rogável [De *ab-rogar* + *-vel.*] *Adj. 2 g.* Que deve ou pode ser ab-rogado. [Cf. *derrogável.*]

abrolhado [Part. de *abrolhar.*] *Adj.* **1.** Brotado. **2.** Coberto ou cheio de abrolhos, de botões, de espinhos; espinhoso. **3.** *Fig.* Cheio de dificuldades, de obstáculos; espinhoso, árduo. [Sin. ger.: *abrolhoso.*]

abrolhador (ô) [De *abrolhar* + *-dor.*] *Adj.* Que abrolha.

abrolhar [De *abrolho* + *-ar*[2].] *V. t. d.* **1.** Dar, produzir (abrolhos). **2.** Fazer nascer; fazer desabrochar. **3.** Fazer nascer; causar, originar. *Int.* **4.** *Bot.* Produzir abrolhos ou lançamentos a partir das gemas, olhos e gomos; gemar: "já uma depois de outra, iam renascendo as plantas, iam abrolhando as árvores" (Almeida Garrett, *Viagens na Minha Terra*, p. 178); "Porque abrolha em espinhos a roseira / Quem negará que as rosas são gentis?" (Vicente de Carvalho, *Poemas e Canções*, p. 42). **5.** Aparecer, surgir; brotar: "E, neste lance, as lágrimas abrolharam a torrentes" (Camilo Castelo Branco, *O Regicida*, p. 120). *P.* **6.** Encher-se de abrolhos. [Pres. ind.: *abrolho*, etc. Cf. *abrolho* (ô).]

abrolho (ô) [Do lat. *aperi oculos*, 'abra os olhos', ou de *aperit oculos*, 'abre os olhos'.] *S. m.* **1.** *Bot.* V. *broto* (2). **2.** *Bot.* Nome comum a diversas plantas espinhosas, como, p. ex., a *Centaurea calcitrapa*, das asteráceas, e a *Tribulus terrestris*, das zigofiláceas. **3.** A ponta ou pua do fruto ou da bráctea dessas plantas: "o seu cavalo, ... o esperava sem nenhuma impaciência, resmoendo um abrolho mais novo de mandacaru." (José de Alencar, *O Sertanejo*, p. 64). **4.** Qualquer espinho; estrepe: "Dilacerem-te os pés urzes e cardos, / Pontas de rochas, híspidos abrolhos..." (Da Costa e Silva, *Sangue*, p. 51.) **5.** Rochedo à flor da água; escolho. [Nesta acepç., m. us. no pl.] **6.** *Mil.* Estrepe (4). [Pl.: *abrolhos* (ó). Cf. *abrolho*, do v. *abrolhar.*] ~ V. *abrolhos.*

abrolho-aquático *S. m. Bras. Bot.* V. *tríbulo-aquático.* [Pl.: *abrolhos-aquáticos.*]

abrolhos (ó) [Pl. de *abrolho* (ô).] *S. m. pl.* **1.** V. *abrolho.* **2.** *Fig.* Dificuldades, penas, desgostos, mágoas, mortificações. ~ V. *abrolho* (ô).

abrolhoso (ô) [De *abrolho* + *-oso.*] *Adj.* V. *abrolhado.*

abronzar [De *a-*[2] + *bronze* + *-ar*[2].] *V. t. d.* **1.** Fundir (o cobre), em geral com estanho, para produzir o bronze. **2.** V. *bronzear* (1).

abronzear [De *a-*[2] + *bronze* + *-ear*[2].] *V. t. d.* V. *bronzear* (1). [Conjug.: v. *frear.*]

abroque [Do ár. al-burqu[c], 'manto para cobrir o rosto'.] *S. m.* Espécie de manto azul e branco, us. pelas mulheres mouras.

abroquelado[1] [De *a-*[2] + *broquel* + *-ado*[1].] *Adj.* Que tem forma de broquel (1).

abroquelado[2] [Part. de *abroquelar.*] *Adj.* Coberto com broquel (1): *cama abroquelada.*

abroquelar [De *a-*[2] + *broquel* + *-ar*[2].] *V. t. d.* **1.** Dar forma de broquel (1) a. **2.** Resguardar ou cobrir com broquel ou escudo. **3.** *Fig.* Proteger; defender, resguardar, escudar. *T. d. e i.* **4.** Resguardar, defender, escudar. *P.* **5.** Resguardar-se ou cobrir-se com broquel; escudar-se. **6.** Resguardar-se, defender-se, escudar-se. [F. paral.: *broquelar.*]

abrota *S. f. Bras. Zool.* V. *abrótea.*

abrótano [Do gr. *abrótonon*, pelo lat. *abrotonu* ou *abrotanu*, por via erudita.] *S. m. Bot.* Arbusto asteráceo (*Artemisia abrotanum*), aromático, de folhas espiraladas e flores em pequenos capítulos; é cultivado como ornamental, pelo uso em infusões e por exsudar santonina (2). [Sin. e var.: *abrótano-macho, abrótega, abrótica, abrótiga, abrótono, alfacinha-do-rio, artemísia, aurônia, erva-lombrigueira.*]

abrótano-fêmeo *S. m. Bot.* Erva asterácea (*Santolina chamaecyparissus*) cultivada como ornamental, muito ramosa, de bela folhagem, e flores em capítulos globosos, amarelos, solitários e terminais, e que têm propriedades medicamentosas como estomacais e vermífugas. V. *santolina.* [Pl.: *abrótanos-fêmeos.*]

abrótano-macho *S. m. Bot.* **1.** V. *abrótano.* **2.** V. *santolina.* [Pl.: *abrótanos-machos.*]

abrotar [De *a-*[4] + *brotar.*] *V. int. Desus.* Brotar. [Cf. *abrutar.*]

abrote *S. m. Bras. Zool.* V. *abrótea.*

abrótea[1] *S. f. Zool.* Peixe actinopterígio, anacantíneo, gadídeo, gênero *Urophycis*, que mede de 50 a 75cm de comprimento e tem duas nadadeiras dorsais, a primeira das quais muito curta e provida de longo filamento. Coloração pardacenta, e abdome esbranquiçado. É semelhante ao bacalhau, no aspecto e no sabor, e dele há várias espécies nas costas brasileiras. [Var. (bras.): *abrota, abrote, brota.* Sin. (lus.): *balótica.*]

abrótea[2] [Do rad. *abrot-*, de *abrótano*, + lat. *-ea.*] *S. f. Bot.* **1.** Nome comum a plantas asfodeláceas do gênero *Asphodelus* [v. *asfódelo* (1)], muitas vezes incluídas entre as liliáceas. **2.** Erva asfodelácea (*Asphodelus albus*) cultivada como ornamental e para a produção de álcool; asfódelo, abrótea-da-primavera, abrótega, balótica, gamão, tremoço. **3.** Erva asfodelácea (*Asphodelus lusitanicus*) nativa esp. de Portugal; abraço-da-primavera, gamão.

abrótea-da-primavera [De *abrótea*[2] + *da*[1] + *primavera.*] *S. f. Bot.* V. *abrótea*[2] (2). [Pl.: *abróteas-da-primavera.*]

abrótea-de-verão [De *abrótea*[2] + *de* + *verão.*] *S. f. Bot.* Erva asfodelácea (*Asphodelus aestivus*) de ramagem densa, folhas verde-claras e flores alvas que ger. surgem no verão; das raízes se extraem tintura amarela e goma. [Sin.: *abrótea-menor, gamão.* Pl.: *abróteas-de-verão.*]

abrótea-fina [De *abrótea*[2] + o f. de *fino*[1].] *S. f. Bot.* V. *abrótea-fistulosa.* [Pl.: *abróteas-finas.*]

abrótea-fistulosa [De *abrótea*[2] + o f. de *fistuloso.*] *S. f. Bot.* Erva asfodelácea (*Asphodelus fistulosus*) cultivada como ornamental, e cujos bulbos são alimentícios; abrótea-fina, gamão-fistuloso. [Pl.: *abróteas-fistulosas.*]

abrótea-menor [De *abrótea*[2] + *menor.*] *S. f. Bot.* V. *abrótea-de-verão.* [Pl.: *abróteas-menores.*]

abrótega [Var. de *abrótiga.*] *S. f. Bot.* **1.** V. *abrótano.* **2.** V. *abrótea*[2] (2).

abrótica [Do rad. *abrot-*, como em *abrótano*, + lat. *-ica*, por via semierudita.] *S. f. Bot.* V. *abrótano.*

abrótiga [Do rad. *abrot-*, como em *abrótano*, + lat. *-ica*, por via pop.] *S. f. Bot.* V. *abrótano.*

abrótinas [De *a-*[4] + *broto*, por *brotoeja*, + *-ina*[1], poss.] *S. f. pl. Lus.* Varicela, catapora.

abrumar [De *a-*[2] + *bruma* + *-ar*[2].] *V. t. d.* **1.** Cobrir ou encher de bruma. **2.** Tornar escuro, sombrio; escurecer: "Um tom cerúleo abrumava a selva resfriada, o solo esponjava, como encharcado" (Coelho Neto, *Rei Negro*, p. 265). **3.** Tornar apreensivo, triste, melancólico. *P.* **4.** Cobrir-se ou encher-se de bruma. **5.** Tornar-se escuro, sombrio.

abrunheiro [De *abrunho* + *-eiro.*] *S. m. Bot.* Arbusto rosáceo (*Prunus spinosa*) natural da Europa, de até 2m, casca lisa, ramos espinhosos, folhas lanceoladas, serreadas, flores alvas, pequenos frutos bacáceos, globosos, cultivado para cercas-vivas; a casca é us. em curtume, as folhas podem substituir as do chá-da-índia, e dos frutos, edules, fazem-se vinhos. [Sin.: *abrunheiro-bravo, abrunho, acácia-dos-alemães, ameixeira-brava.*]

abrunheiro-bravo *S. m. Bot.* V. *abrunheiro.* [Pl.: *abrunheiros-bravos.*]

abrunho [De *a-*[4] + lat. **pruneu* (< lat. *prunu*, 'ameixa').] *S. m. Bot.* **1.** O fruto do abrunheiro, semelhante a uma pequena ameixa azulada. **2.** V. *abrunheiro.*

ab-rupção [Do lat. *abruptione.*] *S. f.* **1.** *Traum.* Fratura transversal de osso, que dá origem a superfícies desiguais e ásperas. **2.** *E. Ling.* Figura pela qual se suprimem as transições a fim de tornar o estilo mais vivo, animado, expressivo. [Pl.: *ab-rupções.*] ❖

ab-ruptela [De *ab-rupto* + *-ela.*] *S. f.* Terra desbravada ou novamente arroteada. [Pl.: *ab-ruptelas.*] ❖

▲ **ab-rupti-** [Do lat. *abruptus, a, um.*] *El. comp.* = 'abrupto'; 'de modo súbito, abruptamente': *ab-ruptinérveo.*

ab-ruptinérveo [De *ab-rupti-* + *-nerv(i)-* + *-eo.*] *Adj. Bot.* Diz-se de órgão, esp. foliar, em que as nervuras terminam de modo abrupto.

ab-ruptipenado [De *ab-rupti-* + *penado*[1].] *Adj. Bot.* Diz-se de órgão foliar penado que não tem folíolo ímpar terminal.

ab-rupto [Do lat. *abruptu.*] *Adj.* **1.** Quase a pique; escarpado, íngreme: "A cordilheira vem dos abismos do oceano, surde, emerge, levanta-se ab-rupta" (Júlio Ribeiro, *A Carne*, p. 117). **2.** *Fig.* Áspero, rude: "Joanito com pouca demora retirou-se. A maneira ab-rupta por que o fez deixou aos outros a impressão de que não tornaria à casa de Augusta." (Xavier Marques, *As Voltas da Estrada*, p. 29.) **3.** Súbito, inopinado, repentino. [Var. pop.: *abrupto.* Pl.: *ab-ruptos.*] ❖

abrupto (ab-ru) *Adj. Pop.* V. *ab-rupto.*

ábrus [Do tax. *Abrus*, do gr. *habrós*, 'tenro', 'delicado'.] *S. m. Bot.* **1.** Gênero das fabáceas que reúne cerca de 17 espécies originárias de regiões tropicais. **2.** Qualquer espécie desse gênero, como, p. ex., a *Abrus precatorius* (v. *jequiriti*). **3.** Qualquer espécime desse gênero. [Var.: *abro.*]

abrutado [De *a-*[2] + *bruto* + *-ado*[1].] *Adj.* V. *abrutalhado.*

abrutalhado [De *a-*[2] + *bruto* + *-alh(o)-* + *-ado*[1].] *Adj.* Que tem modos ou semelhança de, ou que é próprio de bruto; rude, grosseiro, brutal; abrutado: *indivíduo abrutalhado; maneiras abrutalhadas.*

abrutalhar [De *a-*[2] + *bruto* + *-alh(o)-* + *-ar*[2].] *V. t. d. P.* Tornar(-se) brutal, grosseiro, rude; abrutar(-se), abrutecer(-se), embrutecer(-se).

abrutamento [De *abrutar* + *-mento.*] *S. m.* **1.** Ato ou efeito de abrutar(-se); embrutecimento. **2.** Grosseria, rudeza, brutalidade.

abrutar [De *a-*[2] + *bruto* + *-ar*[2].] *V. t. d. P.* V. *abrutalhar.* [Cf. *abrotar.*]

abrutecer [De *a-*[2] + *bruto* + *-ecer.*] *V. t. d. P.* V. *abrutalhar.* [Conjug.: v. *aquecer.*]

■ **ABS** [Ingl.; sigla de *acrylonitrile-butadiene-styrene.*] *Quím.* Copolímero de acrilonitrila, butadieno e estireno, que é um elastômero us. como borracha sintética na fabricação, p. ex., de pneumáticos.

▲ **abs-** V. *a-*[1].

absceder [Do lat. *abscedere.*] *V. int.* Degenerar em abscesso; supurar.

abscesso [Do lat. *abscessu.*] *S. m. Patol.* Acúmulo de pus em cavidade formada em consequência de processo inflamatório, em um ou mais locais de órgão(s) ou de cavidades do corpo; apostema. ◆ **Abscesso ossifluente.** *Patol.* O que decorre de ossifluência.

abscidar [Do lat. *abscidere.*] *V. int.* Separar-se, desligar-se.

abscisão [Do lat. tard. *abscisione.*] *S. f. Cir.* Remoção por meio de seção; excisão.

abscissa [Do lat. *abscissa.*] *S. f.* **1.** *Mat.* Numa reta, a distância dum ponto a outro tomado como origem; coordenada de um ponto sobre uma reta horizontal. **2.** *Mat.* Em um sistema cartesiano, coordenada referente ao eixo dos *xx*. **3.** *Geom.* Distância de um ponto a um plano de perfil tomado como referência.

abscíssico *Adj. Quím.* ~ V. *ácido* —.

absconder [Do lat. *abscondere*.] *V. t. d. P. us.* Esconder, ocultar.
abscôndito [Do lat. *absconditu*.] *Adj.* V. *absconso* (1).
absconsa [Do lat. *absconsa*.] *S. f.* **1.** Pequena lâmpada velada, de antigo uso conventual. **2.** Estrela que se oculta ao pôr do sol.
abscônsia *S. f. Lus.* V. *absconsa*.
absconso [Do lat. *absconsu*.] *Adj.* **1.** Escondido, oculto, esconso, abscôndito. ● *S. m.* **2.** Coisa secreta; segredo. **3.** *Anat.* Cavidade de um osso que abriga a cabeça de outro; cavidade cotiloide.
abscopal [Do ingl. *abscopal*.] *Adj. 2 g.* ~ V. *efeito* –.
absência *S. f. Ant. Lus.* V. *ausência*.
absenteísmo [Do fr. *absentéisme*, do ingl. *absenteeism*, de *absentee*, 'pessoa que falta ao trabalho, à escola, etc.'.] *S. m.* **1.** Sistema de exploração rural no qual um intermediário (administrador, gerente, capataz) se interpõe entre o proprietário, que não reside em suas terras, e aqueles que a cultivam. **2.** Ausência habitual da pátria, da propriedade, do emprego, etc. **3.** Falta de assiduidade, sobretudo ao trabalho. **4.** Estado de alheamento à realidade, ao ambiente, ao mundo exterior. **5.** *Zool.* Comportamento característico de alguns animais de permanecer longe da prole, aproximando-se dela apenas para trazer alimentos e dispensar outros cuidados. **6.** *Bras.* Abstencionismo (1). [Var.: *absentismo*.]
absenteísta [Do fr. *absentéiste*.] *Adj. 2 g.* **1.** Relativo ao absenteísmo. **2.** Que vive ou está, por via de regra, ausente. **3.** Praticante ou seguidor do absenteísmo (1 e 4). ● *S. 2 g.* **4.** Aquele que é praticante ou seguidor do absenteísmo (1 e 4). [Var.: *absentista*.]
absentismo *S. m.* V. *absenteísmo*.
absentista *Adj. 2 g. S. 2 g.* V. *absenteísta*.
absidal [De *abside* + *-al*[1].] *Adj. 2 g.* Relativo a, ou que tem forma de abside.
abside [Do gr. *apsís*, pelo lat. *abside*.] *S. f. Arquit.* **1.** Qualquer recinto abobadado, cuja planta é semicircular ou poligonal. **2.** Nas basílicas romanas, o nicho semicircular e abobadado onde se achava o assento do juiz. **3.** Nas basílicas cristãs e noutros tipos de igreja, a cabeceira do templo, onde fica o altar-mor. **4.** Oratório reservado, por detrás do altar-mor.
absidíola [De *abside* + *-i-* + *-ola*.] *S. f.* **1.** *Arquit.* Pequena abside, ou capelinha, geralmente disposta em redor da abside central. **2.** Relicário arredondado.
absintado [De *absinto* + *-ado*[1].] *Adj.* **1.** Que tem absinto. **2.** Que se tornou amargo como o absinto. **3.** *Fig.* Angustiado, amargurado.
absíntico [De *absinto* + *-ico*[2].] *Adj.* **1.** Que contém absinto. **2.** Da cor do absinto: "Lua absíntica, verde, feiticeira" (Cruz e Sousa, *Últimos Sonetos*, p. 169).
absintina [De *absinto* (1) + *-ina*[3].] *S. f. Quím.* Glicosídio do absinto [fórm.: $C_{30}H_{40}O_6$].
absíntio [Do gr. *absínthion*, pelo lat. *absinthiu*.] *S. m. P. us.* V. *absinto*.
absintismo [De *absinto* + *-ismo*.] *S. m. Tox.* Estado mórbido provocado pelo abuso do absinto (2). [Cf. *absentismo*.]
absintite [Do lat. *absinthites*.] *S. m.* Vinho absintado; vinho de losna.
absinto [Do fr. *absinthe*, do lat. *absinthiu*.] *S. m. Bot.* **1.** Erva asterácea (*Artemisia absinthium*) aromática, dotada de propriedades amargas, cultivada pelas raízes e folhas, us. em infusões, e pelas sumidades floridas, empregadas no licor de absinto, e que são muito conhecidas por suas propriedades tóxicas; absinto-comum, absinto-maior, absinto-grande, artemísia, alosna, losna, losna-de-dioscórides, losna-maior, erva-das-sezões, erva-santa, sintro, vermute. **2.** Bebida alcoólica muito amarga, preparada com as folhas dessa planta. **3.** *Fig.* Pesar, mágoa, amargura. [F. paral., p. us.: *absíntio*.]
absinto-comum *S. m. Bot.* V. *absinto* (1). [Pl.: *absintos-comuns*.]
absinto-de-portugal [De *absinto* + *de* + o top. *Portugal*.] *S. f. Bot.* V. *losna-do-algarve*. [Pl.: *absintos-de-portugal*.]
absinto-grande *S. m. Bot.* V. *absinto* (1). [Pl.: *absintos-grandes*.]
absinto-maior *S. m. Bot.* V. *absinto* (1). [Pl.: *absintos-maiores*.]
absintoso (ô) [De *absinto* + *-oso*.] *S. m.* Aquele que se entrega ao vício do absinto (2).
absogro (ô) [De *ab-*[1] + *sogro* (ô); moldado no lat. tard. *absocer*.] *S. m.* Bisavô de um cônjuge, em relação ao outro. [Fem.: *absogra*; pl.: *absogros* (ô).]
absolto (ô) *Adj.* Perdoado, absolvido. [Cf. *absorto*.]
absoluta [F. subst. de *absoluto*.] *S. f. E. Ling.* Oração absoluta (q. v.).
absolutamente [Do f. de *absoluto* + *-mente*.] *Adv.* **1.** De modo absoluto; totalmente, inteiramente: "Desconhecia absolutamente as artimanhas do bem-falar" (Carlos de Laet, *Obras Seletas*, I, p. 37). **2.** V. *em absoluto* (2): "— Medo de encrenca, não é? | — Absolutamente. O comandante agiu de boa-fé." (Marques Rebelo, *A Mudança*, p. 378); "Serão os homens assim para o coração de Jorge Amado? Absolutamente não. Ele quer salvá-los, é esta a sua paixão." (Guilherme Figueiredo, *Cobras & Lagartos*, p. 85). **3.** *Lus.* Certamente; com toda certeza.
absolutismo [De *absoluto* + *-ismo*.] *S. m.* **1.** Sistema de governo em que o governante se investe de poderes absolutos, sem limite algum, exercendo de fato e de direito os atributos da soberania. **2.** Dominação, tirania. **3.** *Ét.* Doutrina segundo a qual as distinções morais não são o resultado de mandamentos puramente arbitrários de Deus, nem convenções humanas variáveis segundo as circunstâncias, mas sim intrinsecamente válidas, e as mesmas para todos os seres humanos, em todos os tempos e lugares. **4.** *Estét.* Doutrina em que as distinções de beleza e fealdade não são inteiramente dependentes de sentimentos subjetivos, mas, pelo contrário, diferenças objetivas nas próprias coisas.
absolutista [De *absolutismo* + *-ista*; fr. *absolutiste*.] *Adj. 2 g.* **1.** Pertencente ou relativo ao absolutismo (1), ou que é partidário dele. ● *S. 2 g.* **2.** Partidário dele. ● *S. m.* **3.** *Bras. RS* V. *carimboto*.
absolutivo [De *absoluto* + *-ivo*.] *E. Ling. Adj.* **1.** Relativo a absolutivo (2). ~ V. *caso* –. ● *S. m.* **2.** Caso absolutivo (q. v.).
absolutização [De *absolutizar* + *-ção*.] *S. f.* Ato ou efeito de absolutizar.
absolutizante [De *absolutizar* + *-nte*.] *Adj. 2 g.* Que absolutiza ou procura absolutizar.
absolutizar [De *absoluto* + *-izar*.] *V. t. d.* Tornar absoluto.
absoluto [Do lat. *absolutu*.] *Adj.* **1.** Que não depende de outrem ou de uma coisa; independente: *Os feudos eram governados por senhores absolutos.* **2.** Que não tem limites; sem restrições; irrestrito, infinito: *poder absoluto.* **3.** Diz-se de um Estado ou de um governo em que o poder soberano reside no chefe; soberano. **4.** Não sujeito a condições; incondicional. **5.** Superior a todos os outros; único, firme: *Está senhor absoluto da situação.* **6.** Que não admite contradição; incontestável: *verdade absoluta.* **7.** Pleno, completo, cabal: *Vive na mais absoluta miséria.* **8.** Diz-se de substância quimicamente pura: *álcool absoluto.* **9.** Absolvido, perdoado. **10.** *Filos.* Diz-se, propriamente, do que existe em si e/ou por si. ~ V. *álcool* –, *ampère* –, *conceito* –, *densidade* –*a*, *dispersão* –*a*, *frequência* –*a*, *futuro* –, *grau* –, *idealismo* –, *limiar* –, *maioria* –*a*, *música* –*a*, *oração* –*a*, *ouvido* –, *passado* –, *superlativo* –, *temperatura* –*a*, *tempo* –, *valor* – e *zero* –. ● *S. m.* **11.** *Filos.* Conceito-limite que satisfaz a tendência totalizante e unificante do pensamento; conceito de um ser, ideal ou material, que se definiria como o princípio constitutivo e explicativo de toda a realidade. **12.** *P. ext.* Atributo metafísico de Deus. ◆ **Em absoluto.** **1.** Completamente, totalmente. **2.** De modo nenhum; absolutamente não; absolutamente: *Em absoluto, não fiz tal promessa.*
absolutório [Do lat. *absolutoriu*.] *Adj.* Que contém absolvição; que absolve.
absolvente [De *absolver* + *-nte*.] *Adj. 2 g.* Que absolve. [Cf. *absorvente*.]
absolver [Do lat. *absolvere*.] *V. t. d.* **1.** Relevar da culpa imputada ou da pena que lhe corresponde; declarar inocente. **2.** Perdoar pecados a; remir. **3.** Conceder perdão; perdoar, desculpar: *Na hora da morte absolveu o inimigo.* *T. d. e i.* **4.** Relevar da culpa imputada ou da pena que lhe corresponde: "Este testamento absolveu-o do antigo desleixo dos seus deveres de pai, absolveu-o das suas culpas e dos seus erros." (Luís de Magalhães, *O Brasileiro Soares*, p. 15.) **5.** Perdoar pecados; dar, conceder absolvição. **6.** Conceder perdão; perdoar, desculpar. *Int.* **7.** Absolver (4). **8.** Perdoar pecados, remi-los. *P.* **9.** Relevar-se de culpa; perdoar, desculpar a si mesmo. [Cf. *absorver*.]
absolvição [De *absolver* + *-ição*.] *S. f.* **1.** Ação ou efeito de absolver(-se). **2.** Perdão de pecados ou culpas. **3.** *Dir. Proc. Penal* Ato judicial que declara o réu inocente ou meramente isento de sanção. *a absolvição do réu.* **4.** *Rel.* Ritual fúnebre de prece por um defunto, feito perante o cadáver ou o simples catafalco. ◆ **Absolvição canônica.** *Rel.* Suspensão de pena eclesiástica. **Absolvição sacramental.** *Rel.* Perdão de pecados ou culpas ao penitente que se mostra arrependido.
absolvido [Part. de *absolver*.] *Adj.* Que se absolveu ou julgou inocente de penalidade. **2.** A quem se deu absolvição (2 e 3).
absonar [Do lat. tard. *absonare*.] *V. int.* **1.** Dissonar. **2.** Discordar, destoar. [Pres. ind.: *absono*, etc. Cf. *ábsono*.]
ábsono [Do lat. *absonu*.] *Adj.* **1.** Dissonante, destoante. **2.** Contrário, discordante. [Cf. *absono*, do v. *absonar*.]
absorbância [Do fr. *absorbance* < fr. *absorbant* (part. pres. do fr. *absorber*), 'que tem a propriedade de absorver líquidos, raios luminosos, gás, etc'.] *S. f. Fís.-Quím.* Cologaritmo da transmitância de uma solução; densidade óptica, extinção.
absorção [Do lat. tard. *absorptione*.] *S. f.* **1.** Ação ou efeito de absorver; absorvimento. **2.** Anexação e assimilação de uma cultura, de uma crença, etc., pela fusão com outra, dominante ou não: *A absorção dos valores cristãos processou-se gradativamente entre os povos da Europa.* **3.** Anexação territorial; conquista. **4.** *Fig.* Elevação do espírito; transporte, êxtase. **5.** *Fís.* Fenômeno pelo qual um feixe de radiação transfere sua energia, parcial ou totalmente, para o meio material que atravessa. **6.** *Fís. Nucl.* Interação em que uma partícula colide com outra e desaparece. **7.** *Fís.-Quím.* Fixação de uma substância, geralmente líquida ou gasosa, no interior da massa de outra substância, em geral sólida, e resultante dum conjunto complexo de fenômenos de capilaridade, atrações eletrostáticas, reações químicas, etc. **8.** *Biol.* Processo pelo qual fluido e substâncias nele dissolvidas, provenientes do meio externo, penetram em membrana celular. ◆ **Absorção galáctica.** *Astr.* Absorção das radiações, produzida pela matéria interstelar das galáxias; absorção interstelar. **Absorção intergaláctica.** *Astr.* Absorção das radiações, produzida pela matéria existente entre as galáxias. **Absorção interstelar.** *Astr.* Absorção galáctica. **Absorção não seletiva.** *Astr.* Extinção (5).
absorsor (ô) [De *absor(ver)* + *-sor*.] *S. m. Fís.-Quím.* V. *absorvente* (6).
absortância *S. f. Ópt.* Fração da luz que incide sobre uma superfície e é absorvida.
absortividade [De *absortivo* + *-(i)dade*; ingl. *absorptivity*.] *S. f. Fís.-Quím.* Constante que caracteriza quantitativamente o fenômeno da absorção de uma radiação monocrômica por uma solução; coeficiente de extinção, índice de absorvância.
absortivo [Do lat. *absorptus* (v. *absorto*) + *-ivo*.] *Adj.* Que absorve ou tem a capacidade de absorver.
absorto (ô) [Do lat. *absorptu*.] *Adj.* **1.** Absorvido (1). **2.** Concentrado em seus pensamentos; alheado, abstraído, abstrato, absorvido: "Vivia no ar, tão absorta que não raro era preciso falarem-lhe duas e três vezes para que ela chegasse a responder alguma coisa" (Machado de Assis, *Histórias sem Data*, p. 138). **3.** *Fig.* Extasiado, enlevado, embevecido: "e começou a executar a sonata, sem saber de si, desvairado ou absorto, mas com grande perfeição." (Id., *Várias Histórias*, p. 65). [Cf. *absolto* (ô).]
absorvância [De *absorver* + *ância*.] *S. f. Fís.-Quím.* V. *absorbância*.
absorvedoiro [De *absorver* + *-doiro*[2].] *S. m.* Absorvedouro (q. v.).
absorvedor (ô) [De *absorver* + *-dor*.] *Adj.* **1.** Que absorve; absorvente, absortivo. ● *S. m.* **2.** O que absorve; absorvente. **3.** *Fís.-Quím.* V. *absorvente* (6).
absorvedouro [De *absorver* + *-douro*[2]; var. de *absorvedoiro*.] *S. m.* Sorvedouro.
absorvefaciente [Trad. do ingl. *absorbefacient*.] *Med. Adj. 2 g.* **1.** Que produz absorção (8). ● *S. m.* **2.** Agente terapêutico que promove absorção.
absorvência [De *absorver* + *-ência*.] *S. f.* Faculdade de absorver.
absorvente [Do lat. *absorbente*.] *Adj. 2 g.* **1.** Absorvedor (1). **2.** Que ocupa fortemente a atenção, o espírito: "Absorvente e dominadora, a arte exigia tudo, o dom inteiro de si mesmo" (Lúcia Miguel Pereira, *Machado de Assis*, p. 139). **3.** Que atrai ou chama notavelmente a atenção: *paisagem absorvente.* **4.** Que tende a enfeixar em suas mãos todo o poder. ● *S. m.* **5.** Absorvedor (2). **6.** *Fís.-Quím.* Substância que, num fenômeno de absorção, fixa a substância absorvida; absorsor, absorvedor. **7.** *Med.* Substância ou objeto que, ou realiza absorção, ou atua como absorvefaciente. [Cf. *absolvente*.] ◆ **Absorvente acústico.** *Son.* Material us. ger. em estúdios de gravação para diminuir os níveis de ruído. **Absorvente higiênico.** V. *tampão vaginal*. **Absorvente interno.** Tampão higiênico (q. v.).
absorver [Do lat. *absorbere*.] *V. t. d.* **1.** Embeber em si; recolher em si; sorver. **2.** Consumir; esgotar, exaurir: "É longa a história dessa luta, que absorveu cerca de três dos melhores anos de minha mocidade." (José de Alencar, *O Guarani*, I, p. 66.) **3.** Acolher, receber. **4.** Preocupar intensamente; requerer toda a atenção de. **5.** Aspirar; sorver: *absorver um perfume.* **6.** Engolir, comendo ou bebendo: "O serviço começou por ostras de Ning-Pó. Exímias! Absorvi duas dúzias com intenso regalo chinês." (Eça de Queirós, *O Mandarim*, p. 96.) **7.** Fazer que se concentre em si; tornar-se objetivo exclusivo de: *O filho caçula absorve a atenção da família.* **8.** Arrebatar, enlevar: "O amor as absorvia; a exposição de uma tinha para outra um enlevo raro." (Machado

de Assis, *Quincas Borba*, p. 299.) **9.** Recolher, apreender, assimilar: *Os romanos absorveram a cultura helênica adaptando-a à sua realidade histórica.* **10.** Aprender, assimilar: *Esta criança absorve rapidamente o que lhe ensinam.* **11.** Passar por cima; superar: *O Presidente absorveu a estranha atitude do seu ministro.* **12.** *Fís.-Quím.* Realizar a absorção de (uma substância). *T. d. e i.* **13.** Concentrar, aplicar, ocupar inteiramente: *absorver a atenção no exame de um problema. P.* **14.** Concentrar-se, aplicar-se detidamente em. **15.** Ficar absorto; concentrar-se nos seus pensamentos. **16.** Arrebatar-se, enlevar-se, entusiasmar-se. [Cf. *absolver.*]

absorvibilidade [De *absorvível* (*absorvibil-*) + *-(i)dade*, seg. o padrão erudito.] *S. f.* Qualidade de absorvível.

absorvido [Part. de *absorver.*] *Adj.* **1.** Que se absorveu; absorto. ~ V. *dose —a* e *dose —a integral.* **2.** V. *absorto* (2) **3.** Que tem a sua atenção voltada para algo: *Absorvido na leitura, não viu o amigo chegar.* ● *S. m.* **4.** *Fís.-Quím.* Substância que, num fenômeno de absorção, é fixada no interior da massa da substância absorvente.

absorvimento [De *absorver* + *-imento.*] *S. m.* Absorção (1).

absorvível [De *absorver* + *-ível.*] *Adj. 2 g.* Que pode ser absorvido.

abstemia [De *abstêm(io)* + *-ia*[1].] *S. f.* Qualidade ou caráter de abstêmio; sobriedade. [Cf. *abstêmia*, fem. de *abstêmio.*]

abstémio *Adj. S. m.* V. *abstêmio.* [Uso freq. em P.]

abstêmio [Do lat. *abstemiu.*] *Adj. S. m.* Que, ou aquele que se abstém de bebidas alcoólicas, que é sóbrio. [Fem.: *abstêmia.* Cf. *abstemia.*]

abstenção [Do lat. tard. *abstentione.*] *S. f.* **1.** Ação ou efeito de abster-se. **2.** Recusa voluntária de participar de qualquer ato. **3.** *Restr.* Recusa voluntária de participar de votação: *Na apuração constatou-se que apenas dez pessoas votaram: houve 20 abstenções.*

abstencionismo [De *abstenção* (*abstencion-*) + *-ismo*, seg. o padrão erudito; fr. *abstentionnisme.*] *S. m.* **1.** Abstenção, voluntária ou não, do exercício do voto; absenteísmo. **2.** Tendência para a abstenção ou neutralidade em qualquer matéria.

abstencionista [De *abstencionismo* + *-ista*, seg. o padrão gr.; fr. *abstentionniste.*] *Adj. 2 g. S. 2 g.* Praticante ou partidário do abstencionismo (1).

abstento [Do lat. *abstentu.*] *Adj. S. m. Jur.* Que, ou aquele que desiste de uma herança.

abster [Do lat. *abstinere.*] *V. t. d. e i.* **1.** Privar; impedir: *A doença abstém-na de andar. P.* **2.** Não fazer voluntariamente; privar-se de fazer (algo): *abster-se de votar.* **3.** Conter-se, refrear-se: "Considerando o formulário para declaração de imposto de renda algo assimilável aos textos em caracteres cuneiformes, sempre me abstive religiosamente de preenchê-lo." (Carlos Drummond de Andrade, *Cadeira de Balanço*, p. 35.) **4.** Deixar de intervir. **5.** Privar-se (de alimento, álcool, tabaco, etc.); fazer abstinência. [Irreg. Conjug.: v. *conter.*]

abstergência [De *abstergente* + *-ia*[2], seg. o padrão erudito.] *S. f.* **1.** Qualidade de abstergente. **2.** Limpeza de uma ferida.

abstergente [Do lat. *abstergente.*] *Adj. 2 g.* **1.** Que absterge; próprio para absterger. ● *S. m.* **2.** Substância ou medicamento abstergente. [Sin. ger.: *abstersivo.*]

absterger [Do lat. *abstergere.*] *V. t. d.* **1.** Limpar (úlcera, chaga, ferida). **2.** Desobstruir. **3.** *P. ext.* Limpar-se, purificar-se. [Conjug.: v. *reger.*]

abstergido [Part. de *absterger.*] *Adj.* V. *absterso.*

abstersão [Do lat. tard. *abstersione.*] *S. f.* Ato ou efeito de absterger.

abstersivo [Do lat. *abstersus*, part. pass. de *abstergere*, + *-ivo.*] *Adj. S. m.* V. *abstergente.*

absterso [Do lat. *abstersu.*] *Adj.* Purificado, expurgado, limpo, abstergido.

abstido [Part. de *abster.*] *Adj.* Que se absteve ou abstém; contido, reprimido.

abstinência [Do lat. *abstinentia.*] *S. f.* **1.** Abstenção (1). **2.** Qualidade daquele que se abstém. **3.** Privação de certos alimentos, ou de algo que dê prazer, por penitência. **4.** *Restr.* Privação, forçada ou não, de contatos sexuais; continência: "Saiu Lídia, ele estendeu-se no sofá a descansar, três noites ativas depois duma longa abstinência" (José Saramago, *O Ano da Morte de Ricardo Reis*, p. 102). **5.** *Med.* Restrição, em grau variável, de procedimentos diversos, tais como alimentação, uso de drogas, relação sexual. **6.** *Restr.* Jejum.

abstinente [Do lat. *abstinente.*] *Adj. 2 g.* **1.** Que pratica abstinência: "Eu é que sabia como andava tresnoitado e abstinente de alimentos o meu pobre companheiro de hotel." (Camilo Castelo Branco, *A Mulher Fatal*, p. 40.) ● *S. 2 g.* **2.** Indivíduo abstinente (1).

abstração [Do lat. tard. *abstractione.*] *S. f.* **1.** Ato de abstrair(-se); abstraimento. **2.** *Filos.* Ato de separar mentalmente um ou mais elementos de uma totalidade complexa (coisa, representação, fato), os quais só mentalmente podem subsistir fora dessa totalidade. [Cf. *determinação* (6 e 7) e *generalização* (5).] **3.** *Filos.* O resultado de abstrações (termo, conceito, ideia, elemento de classe, etc.); abstrato. **4.** Estado de alheamento do espírito; enleio, devaneio, abstraimento. **5.** *P. ext.* Falta de atenção; distração, alheamento; abstraimento. **6.** *Art. Plást.* Obra de arte abstrata.

abstracionismo [De *abstração* + *-ismo*, seg. o padrão erudito.] *S. m.* **1.** Qualidade ou caráter de abstrato. **2.** Qualquer manifestação artística de características abstratas: *O abstracionismo na arte muçulmana.* [Cf. (nesta acepç.) *figurativismo.*] **3.** *Art. Plást.* Corrente estética surgida em princípios do séc. XX, caracterizada pelo abandono total da representação figurativa das imagens ou aparências da realidade, pelo uso de formas e cores com ritmo e expressão próprios e liberadas de qualquer conteúdo que perturbe a manifestação da sensibilidade do artista, e pela abertura para amplas interpretações subjetivas; arte abstrata. [Cf. (nesta acepç.) *concretismo* (2).] **4.** *Filos.* Tendência a considerar as abstrações, *i. e.*, as representações puramente mentais, como equivalentes a realidades concretas. **5.** *Filos. Pej.* Abuso de abstrações.

abstracionista [De *abstracionismo* + *-ista.*] *Adj. 2 g.* **1.** Pertencente ou relativo ao abstracionismo (2): *pintura abstracionista.* **2.** Que é adepto do abstracionismo ou lhe adota os princípios ● *S. 2 g.* **3.** Artista abstracionista. [Sin. ger.: *abstrato.*]

➔ **abstract** ['æbstɹækt] [Ingl.] *S. m. Docum.* Resumo.

abstraído [Part. de *abstrair.*] *Adj.* **1.** V. *absorto* (2). **2.** Alheado, distraído.

abstraimento (a-i) [De *abstrair* + *-mento.*] *S. m.* V. *abstração* (1, 4 e 5).

abstrair [Do lat. *abstrahere.*] *V. t. d. e i.* **1.** Considerar isoladamente um ou mais elementos de um todo; separar, apartar. *T. d.* **2.** Considerar isoladamente (coisas que se acham unidas). **3.** Separar, afastar, apartar; alhear. **4.** *Filos.* Separar mentalmente para tomar em consideração (uma propriedade que não pode ter existência fora do todo concreto ou intuitivo em que aparece): *abstrair a cor ou a forma de um objeto. T. i.* **5.** Não levar em conta ou consideração; não considerar; pôr de parte; prescindir: "Abstraiamos de inúmeras causas perturbadoras, e consideremos os três elementos constituintes de nossa raça em si mesmos" (Euclides da Cunha, *Os Sertões*, p. 67); "A arte abstrai da morte, desconhece-a, com esse obstinado acreditar em si mesmo, que é o estigma do seu orgulho e da sua força." (Pontes de Miranda, *Obras Literárias*, p. 33). **6.** Afastar(-se), apartar(-se); alhear(-se): *Abstrai da vida mundana para dedicar-se à arte. P.* **7.** Alhear-se, distrair-se. **8.** Concentrar-se, absorver-se. **9.** *Filos.* Abster-se de considerar uma ou mais propriedades separadas mentalmente de um todo concreto ou intuitivo. [Irreg. Conjug.: v. *sair.* O part. irreg., *abstrato*, só é us. como adjetivo.]

abstrativo [Do lat. *abstractus* (v. *abstrato*) + *-ivo.*] *Adj.* Que abstrai.

abstratização [De *abstratizar* + *-ção.*] *S. f.* Ato ou efeito de abstratizar(-se).

abstratizante [De *abstratizar* + *-nte.*] *Adj. 2 g.* Que abstratiza, ou torna abstrato.

abstratizar [De *abstrato* + *-izar.*] *V. t. d. e P.* Tornar(-se) abstrato; dar ou tomar caráter abstrato.

abstrato [Do lat. *abstractu*, part. pass. de *abstrahere*, 'separar de'; 'abstrair'.] *Adj.* **1.** Resultante de abstração (3): *A coragem e o medo são conceitos abstratos.* **2.** Que utiliza abstrações, que opera com qualidades e relações, e não com a realidade sensível: *pensamento abstrato; ciência abstrata.* **3.** Que expressa uma qualidade ou característica separada do objeto a que pertence ou a que está ligada: *substantivo abstrato; As palavras pobreza e honra são abstratas.* **4.** *Art. Plást.* Diz-se da manifestação artística de conteúdo e forma alheios a qualquer representação figurativa, que é característica de diferentes épocas, culturas ou correntes estéticas, e transcende as aparências exteriores da realidade; abstracionista: *arte abstrata.* [Cf., nesta acepç., *figurativo* (2).] **5.** *Filos.* Diz-se de representação à qual não corresponde nenhum dado sensorial ou concreto, *i. e.*, daquela que apresenta seus objetos sem características individuadoras. [Cf., nesta acepç., *concreto* (7).] **6.** *P. ext.* Que é de compreensão difícil; obscuro, vago, abstruso: *texto abstrato.* **7.** Distraído, desatento: "percorreu distraído duas ou três páginas e ficou a olhar a chama trêmula da vela, cada vez mais abstrato e mais febril." (Aluísio Azevedo, *Casa de Pensão*, pp. 164-165). **8.** *Art. Plást.* V. *abstracionista* (1 e 2): *pintor abstrato.* ~ V. *álgebra —a*, *arte —a*, *caso —*, *conceito —* e *substantivo —.* ● *S. m.* **9.** Aquilo que se considera existente só no domínio das ideias e sem base material: "Fulgêncio vivia do escrito, do impresso, ... do abstrato, dos princípios e das fórmulas." (Machado de Assis, *Histórias sem Data*, p. 190.) **10.** *Filos.* Abstração (3). **11.** *Art. Plást.* V. *abstracionista* (3).

abstrator (ô) [Do lat. *abstractus* (v. *abstrato*) + *-or.*] *S. m.* Aquele cujo espírito propende para a abstração.

abstruso [Do lat. *abstrusu.*] *Adj.* **1.** Oculto, escondido. **2.** Dificilmente compreensível; obscuro: *linguagem abstrusa;* "Os nomes, ou elogios, que os químicos dão à pedra crisopeia, ou filosofal (que é o mais abstruso mistério de sua arte, ...), verdadeiramente são magníficos, e excitadores de grandes esperanças." (P.[e] Manuel Bernardes, *Nova Floresta*, IV, p. 254).

absurdez (ê) [De *absurdo* + *-ez.*] *S. f.* V. *absurdo* (5).

absurdeza (ê) [De *absurdo* + *-eza.*] *S. f.* V. *absurdo* (5).

absurdidade [Do lat. tard. *absurditate.*] *S. f.* V. *absurdo* (5).

absurdismo [De *absurdo* + *-ismo.*] *S. m.* V. *absurdo* (5).

absurdo [Do lat. *absurdu.*] *Adj.* **1.** Contrário à razão, ao bom senso: *atitude absurda.* **2.** *P. ext.* Disparatado, inepto. **3.** *Filos.* Que fere as regras da lógica ou as leis da razão, ou é irredutível a elas: *raciocínio absurdo.* **4.** *P. ext. Filos.* Que escapa a regras ou a condições determinadas. ● *S. m.* **5.** Coisa absurda; absurdez, absurdeza, absurdidade, absurdismo. **6.** *Fig.* Sonho, utopia, quimera.

ábsus [Do lat. cient. (*Cassia*) *absus.*] *S. f. Bot.* Planta cesalpiniácea (*Cassia absus*), nativa do norte da África, e cujas sementes têm uso medicinal.

abu[1] *S. m. Cronol.* O quinto mês do calendário caldeu.

abu[2] [Do tupi.] *Adj. 2 g. Bras. AM* Sem ruído; silencioso.

abuamado [Do quimb. *ku-buama*, 'ficar pasmado'.] *Adj. Angol.* Pasmado, admirado: "Havia gente abuamada ante o rio de bebidas." (Jorge Macedo, *Gente do Meu Bairro*, p. 70.)

abuanar [De *a-*[2] + *buana* + *-ar*[2].] *V. t. d. Lus.* Pôr buana em; adubar.

abudo [De *aba*[1] + *-udo.*] *Adj. Bras. S.* Que tem abas grandes: "alto, ruivo, delicado, quietão, chapéu abudo caído sobre os olhos" (Ciro Martins, *Paz nos Campos*, p. 9).

abufelar [Por **abofelar* < *bofes* (3).] *V. t. d. Bras. N.E. Pop.* V. *abecar* (1): "Receei que a mulher de calva e bigode .... engolisse um bocadinho de licor .... para depois aborrecer a minha cara e me abufelar." (Mário Brandão, *Almas do Outro Mundo*, pp. 69-70).

abugalhado [De *a-*[2] + *bugalho* + *-ado*[1].] *Adj.* Diz-se dos olhos muito abertos.

abugalhar [De *a-*[2] + *bugalho* + *-ar*[2].] *V. t. d.* Abrir muito (os olhos); esbugalhar.

abugrado [De *a-*[2] + *bugre* + *-ado*[1].] *Adj. Bras. S.* **1.** Semelhante a bugre. **2.** Descendente de bugre.

abuí *Bras. S. 2 g. Adj. 2 g.* V. *uabuí.*

abulado [Part. de *abular.*] *Adj.* Selado com bula (1). [Cf. *abolado.*]

abular [De *a-*[2] + *bula* + *-ar*[2].] *V. t. d.* **1.** Selar com bula ou selo de chumbo (1). *P.* **2.** Adquirir bula (2). [Cf. *abolar.*]

abulia [Do gr. *aboulía*, 'ausência de desejo'.] *S. f. Psiq.* **1.** Diminuição ou perda de vontade. **2.** Incapacidade patológica de tomar decisão ou de concretizar uma ação. [Sin. ger.: *abulismo, abulomania, disbulia.* Cf. *abolia*, do v. *abolir.*]

abúlico [De *abulia* + *-ico*[2].] *Adj. S. m.* Que, ou aquele que não tem, ou quase não tem vontade. [Sin.: *disbúlico.*]

abulismo [De *abul-*, como em *abulia*, + *-ismo.*] *S. m. Psiq.* V. *abulia.*

▲ **abulo-** [Do gr. *áboulos, os, on*, 'irrefletido'.] *El. comp.* = 'irrefletido'; 'indiferente'; 'irreflexão': *abulomania, abulômano.*

abulomania [De *abulo-* + *-mania.*] *S. f. Psiq.* V. *abulia.*

abulomaníaco [De *abulomania* + *-íaco.*] *Psiq. Adj.* **1.** Relativo a abulomania. **2.** Que tem abulomania; abulômano. ● *S. m.* **3.** Aquele que tem abulomania; abulômano.

abulómano *Adj. S. m. Psiq.* V. *abulômano.* [Uso freq. em P.]

abulômano [De *abulo-* + *-mano*[1].] *Adj. S. m. Psiq.* Abulomaníaco (2 e 3).

abuna[1] [Do tupi.] *S. m. Bras.* Entre os tupis-guaranis, padre da Companhia de Jesus; abaruna. [Cf. *abaré.*]

abuna[2] [Do ár., 'nosso pai'.] *S. m.* Título honorífico do patriarca dos cristãos novos da Abissínia (atual Etiópia).

abunã *S. f. Bras. AM* Pirão feito com ovos de tartaruga e farinha de mandioca, ao qual se adiciona, em geral, açúcar.

abundância [Do lat. *abundantia.*] *S. f.* **1.** Grande quantidade; cópia, profusão. **2.** V. *quantidade* (3). **3.** Opulência, abastança. **4.** *Fig.* Excesso, exagero: "Insisti logo, com abundância, puxando os punhos, saboreando o meu fácil filosofar." (Eça de Queirós, *A Cidade e as Serras*, p. 130.) **5.** *Astr.* Proporção de átomos ou de moléculas que entram na composição de uma atmosfera estelar. [Cf. *abundancia*, do v. *abundanciar*.] ◆ **Abundância isotópica.** *Fís. Nucl.* Fração de átomos que, numa amostra de um só elemento, tem a mesma massa atômica. **Abundância natural.** *Fís. Nucl.* A concentração de qualquer dos isótopos de um elemento nas ocorrências naturais.

abundanciar [De *abundância* + *-ar*[2].] *V. t. d.* Tornar abundante. [Pres. ind.: *abundancio*, ... *abundancia*, etc. Cf. *abundância*.]

abundante [Do lat. *abundante*.] *Adj.* *2 g.* **1.** Que tem ou existe em abundância; farto, abundoso: *refeição abundante*. **2.** Em grande número; numeroso: *Fez-lhe abundantes perguntas durante o interrogatório.* **3.** Rico, abastado, abundoso. **4.** Fértil, fecundo, abundoso. **5.** Falador, loquaz. **6.** V. *caudaloso*. ~ V. *número* — *e verbo* —.

abundantíssimo *Adj.* Superl. abs. sint. de *abundante*.

abundar [Do lat. *abundare*.] *V. int.* **1.** Existir em abundância, em grande quantidade; superabundar: "Que é um clássico? As definições imbecis abundam. Acredito ser o termo uma invenção dos livreiros, para poderem vender livros que ninguém gosta de ler." (Oto Maria Carpeaux, *A Cinza do Purgatório*, p. 188.) **2.** Sobejar, sobrar. *T. i.* **3.** Ter ou existir em grande abundância; superabundar. **4.** Ser da mesma opinião; estar de acordo; concordar, acordar: "— Abundo na decisão ilustrada e sobremaneira humana do tão douto conselheiro — disse o prelado" (Camilo Castelo Branco, *O Santo da Montanha*, p. 249). *T. d.* **5.** Tornar abundante, farto. **6.** Dizer (em aditamento ao que já se disse); acrescentar: *Disse que estava doente. "— De febre", abundou.*

abundoso (ô) [De *abund-*, como em *abundar*, + *-oso*.] *Adj.* V. *abundante* (1, 3 e 4).

abunhadio [De *abunhado* + *-io*[2].] *S. m.* Condição ou cargo de abunhado.

abunhado [Do persa *bunyad*, 'alicerce', 'fundamento', poss.] *S. m.* Trabalhador indiano que, nascido em terras de um senhorio, era obrigado a viver e trabalhar nelas, conquanto não fosse escravo.

abunhar *V. int.* **1.** Viver como abunhado, em abunhadio. **2.** *P. ext.* Viver com muita parcimônia.

aburbonado [De *a-*[2] + *burbom* (*burbon-*) + *-ado*[1], seg. o padrão erudito.] *Adj.* *Bras.* Diz-se do café da enxertia do cafeeiro burbom.

aburelado [Part. de *aburelar*.] *Adj.* Diz-se do pano fabricado à imitação de burel.

aburelar [De *a-*[2] + *burel* + *-ar*[2].] *V. t. d.* **1.** Fabricar (pano) à imitação de burel (1). **2.** Dar forma de burel (2) a. *P.* **3.** Vestir-se de burel.

aburguesado [De *a-*[2] + *burguês* + *-ado*[1].] *Adj.* Que tem modos ou semelhança de, ou que é próprio de burguês: "uma respeitável matrona aburguesada, que .... conta histórias de fadas aos netinhos turbulentos" (Carlos Magalhães de Azeredo, *Alma Primitiva*, p. 74).

aburguesamento [De *aburguesar* + *-mento*.] *S. m.* Ato ou efeito de aburguesar(-se).

aburguesar [De *a-*[2] + *burguês* + *-ar*[2].] *V. t. d.* **1.** Dar modos, hábitos, aspecto de burguês a. **2.** Tornar burguês; incluir na burguesia. *P.* **3.** Adquirir hábitos, modos ou aspecto de burguês. **4.** *Fig.* Banalizar-se, vulgarizar-se: "Ao lado dele [o burguês] nada resiste: o céu aburguesa-se, a mata banaliza-se..." (Antero de Figueiredo, *Jornadas em Portugal*, p. 365.)

ábus [Do lat. cient. (*Cassia*) *absus*.] *S. f.* *Bot.* Planta cesalpiniácea (*Cassia absus*), nativa do norte da África, e cujas sementes têm uso medicinal.

abusado [Part. de *abusar*.] *Adj.* **1.** Que abusa, que excede o permitido. **2.** *Fig.* Supersticioso, crendeiro. **3.** V. *intrometido* (2). **4.** *Bras.* Que é dado a atrevimentos, a intimidades despropositadas. **5.** *Bras.* Provocador, briguento. **6.** *Bras. N. N.E.* Aborrecido, entediado. **7.** *Bras. N. N.E.* Tedioso (1). ● *S. m.* **8.** *Bras.* Indivíduo abusado (3, 4, 5 e 7).

abusador (ô) [De *abusar* + *-dor*.] *Adj.* *S. m.* Que, ou aquele que abusa.

abusão[1] [Do lat. *advsione*, pelo port. ant. *abusam*.] *S. f.* **1.** Engano, ilusão: "Talvez as pisadas também tivessem sido abusão de sonho." (Graciliano Ramos, *S. Bernardo*, p. 158.) **2.** Superstição, abuso: "Não era ele dos mais supersticiosos, porém os modos estranhos do sertanejo .... despertaram em seu espírito as abusões da época." (José de Alencar, *O Sertanejo*, p. 88.)

abusão[2] [Do lat. *abusione*, 'mau uso'.] *S. m.* **1.** Mau uso, ou uso excessivo. **2.** *E. Ling.* Catacrese.

abusar [Do lat. vulg. **abusare*.] *V. t. d.* **1.** Usar mal ou inconvenientemente de; mal-usar. **2.** Prevalecer-se, aproveitar-se de. **3.** *Bras.* Ficar ou estar enfastiado de; aborrecer. *T. i.* **4.** Usar mal ou inconvenientemente de; exceder-se ou exorbitar no emprego ou exercício de. **5.** Exceder-se no uso de alguma coisa; usá-la em excesso: "Abusava de perfumes: a sua roupa branca recendia a vetiver; a sândalo, a ixora" (Júlio Ribeiro, *A Carne*, pp. 23-24). **6.** Praticar excessos que causam ou podem causar dano: "não exporia seu corpo à chuva, não abusaria da saúde" (Jorge Medauar, *Água Preta*, p. 199). **7.** Prevalecer-se, valer-se, aproveitar-se: *Abusa da fraqueza do irmão.* **8.** Fazer pouco; ridicularizar, ridicularizar, zombar, escarnecer; achincalhar: *Abusou da humilde criatura, pondo-a em ridículo.* **9.** Desonrar, violentar, estuprar: *D. Juan abusava de mulheres e donzelas que lhe despertavam a concupiscência.* **10.** *Bras.* Fazer uso em demasia: *Na Suíça, abusou do chocolate e nunca mais o comeu.* **11.** *Bras.* Dizer ou fazer (algo desrespeitoso, e/ou ofensivo) a; folgar; afrontar: *Abusou comigo, e dei-lhe um soco.* **12.** *Bras.* Agir com abuso; aproveitar-se (de alguém). *Int.* **13.** Usar mal ou inconvenientemente de qualquer situação de superioridade de que desfruta: *Às vezes os poderosos abusam, quando não encontram quem lhes oponha resistência.* **14.** Ir além das medidas ou limites; exceder-se, exorbitar. **15.** Tirar proveito, partido, vantagem; aproveitar-se: "as mulheres são teimosas, e quando descobrem o quanto é fraco e mole um coração de Braga começam a abusar." (Rubem Braga, *O Homem Rouco*, p. 69).

abusivo [Do lat. tard. *abusivu*.] *Adj.* Em que há abuso. ~ V. *propaganda* —*a* e *publicidade* —*a*.

abuso [Do lat. *abusu*.] *S. m.* **1.** Mau uso, ou uso errado, excessivo ou injusto; excesso, abusão. **2.** Exorbitância de atribuições ou poderes. **3.** Aquilo que contraria as boas normas, os bons costumes. **4.** Uso excessivo, inadequado ou prejudicial de substância lícita ou ilícita: *abuso do álcool, do açúcar, do tabaco.* **5.** V. *abusão*[1] (2). **6.** *Bras.* Aborrecimento, nojo. **7.** *Bras.* Fastio a comida ou bebida, enjoo. **8.** *Bras.* Falta de respeito; desacato: *O que eles fizeram com o senhor foi um abuso* ◆ **Tomar abuso de.** *Bras. N.E.* Enjoar de, aborrecer-se de; abusar: *Tomei abuso desse pessoal — não os aguento mais; Tomei abuso de manga; não posso nem mais sentir o cheiro.*

abuta [Do tax. *Abuta*.] *S. f.* *Bot.* **1.** Gênero da família das menispermáceas. **2.** Qualquer espécie desse gênero como, p. ex., a *Abuta rufescens* [v. *abutua* (1)]. **3.** Qualquer espécime desse gênero.

abutilão *S. m.* *Bot.* V. *abútilo* (2 e 3).

abutilhão *S. m.* *Bot.* V. *abútilo* (2 e 3).

abutílio *S. m.* *Bot.* V. *abútilo* (2 e 3).

abútilo [Do tax. *Abutilon*, de or. ár.] *S. m.* *Bot.* **1.** Gênero de malváceas com mais de cem espécies, que habitam regiões tropicais e subtropicais; são cultivadas como ornamentais, como medicinais, ou para o fornecimento de fibra, muito semelhante à da juta. **2.** Qualquer espécie desse gênero, como, p. ex., a *Abutilon avicinae* (v. *malva-amarela*). **3.** Qualquer espécime desse gênero, ou a sua flor. [Var. pop., nas acepç. 2 e 3: *abutilão*, *abutilhão*, *abutílio*.]

abutinha [De *abuta* + *-inha*.] *S. f.* *Bras.* *Bot.* **1.** V. *abutua* (1). **2.** V. *cipó-de-cobra* (3).

abutre [De *a-*[4] + lat. *vulture*.] *S. m.* **1.** *Zool.* Designação comum a aves de rapina acipitrídeas (*abutres do Velho Mundo*) e catartídeas (*abutres do Novo Mundo*). Apesar das evidências que os dois grupos evoluíram de ancestrais distintos, apresentam características comuns: grande poder de voo, bico forte, cabeça e pescoço quase sempre nus, nutrindo-se ger. de animais em decomposição. **2.** *Fig.* Homem cruel, sanguinário, de maus instintos. **3.** *Fig.* Homem sem escrúpulos. **4.** *Fig.* Homem usurário, avaro. **5.** *Fig.* Pessoa que deseja a morte de outra para receber-lhe a herança. [Sin. ger. (desus.): *butre*.]

abutre-do-egito *S. m.* *Zool.* Canhota[2]. [Pl.: *abutres-do-egito*.]

abutreiro [De *abutre* + *-eiro*.] *S. m.* Caçador de abutres.

abutua [Do tupi.] *S. f.* *Bras.* *Bot.* **1.** Nome comum a diversas plantas trepadeiras menispermáceas, entre as quais se distingue, no RJ, a *Abuta rufescens*, cujas folhas têm bases de amônio quaternário, de ação curarizante; abuta, abutinha, butua, butinha, butuinha, caapeba, cipó-de-cobra, parreira-brava. **2.** V. *falso-paratudo*. **3.** V. *cipó-de-cobra* (3).

abútua *S. f.* *Bras.* *Bot.* V. *abutua*.

abutua-da-terra *S. f.* *Bras.* *Bot.* V. *abutua-grande*. [Pl.: *abutuas-da-terra*.]

abutua-de-batata *S. f.* *Bras.* *Bot.* V. *batata-brava* (2). [Pl.: *abutuas-de-batata*.]

abutua-do-amazonas [De *abutua* + *do*[1] + o top. *Amazonas*.] *S. f.* *Bras.* *Bot.* Arbusto menispermáceo (*Cocculus amazonum*) sarmentoso, de flores hexapétalas, paniculadas; é planta tóxica. [Pl.: *abutuas-do-amazonas*.]

abutua-do-rio [De *abutua* + *do*[1] + o top. *Rio* (*de Janeiro*).] *S. f.* *Bras.* *Bot.* Planta menispermácea (*Cissampelos fluminensis*) de folhas membranáceas e inflorescências cimosas; parreira-brava-do-rio. [Pl.: *abutuas-do-rio*.]

abutua-grande *S. f.* *Bras.* *Bot.* Planta menispermácea (*Chondodendron platyphyllum*), cujos frutos são drupas vermelhas, de sabor agradável; abutua-da-terra, abutua-legítima, abutua-preta, baga-da-praia, batata-brava, jabuticaba-de-cipó, uva-do-mato. [Pl.: *abutuas-grandes*.]

abutua-legítima *S. f.* *Bras.* *Bot.* V. *abutua-grande*. [Pl.: *abutuas-legítimas*.]

abutua-miúda [De *abutua* + o f. de *miúdo*.] *S. f.* *Bot.* Arbusto menispermáceo (*Cocculus filipendula*) sarmentoso, de bagas edules e raízes que têm propriedades medicinais. [Pl.: *abutuas-miúdas*.]

abutua-preta *S. f.* *Bras.* *Bot.* V. *abutua-grande*. [Pl.: *abutuas-pretas*.]

abuzinar [De *a-*[2] + *buzina* + *-ar*[2].] *V. int.* **1.** Tocar buzina; buzinar. **2.** Fazer barulho impertinente. **3.** Falar alto. *T. d.* **4.** Dar forma de buzina a. **5.** Aturdir, atordoar, com barulho excessivo.

■ **a.C.** Abrev. de *antes de Cristo*. [Cf. *d.C.* e *a.D.*]

■ **a/c** Abrev. de *ao(s) cuidado(s) de*.

■ **Ac** *Quím.* Símb. de *actínio*.

■ **AC**[1] Sigla do Estado do Acre.

■ **AC**[2] [Ingl., *alternating current*.] *Eletr.* CA (q. v.).

▲ **-ac-** *Quím.* V. *acet(i)-* (2).

aca [Var. de *inhaca*[2].] *S. f.* **1.** *Bras.* V. *bodum* (2). **2.** *Bras. BA* Cachaça ruim ou de mau gosto.

▲ **-aca** [Do lat. *-aca*.] Equiv. de *-aco*.

acá [De or. obsc.] *S. m.* *Bras.* *Bot.* **1.** Árvore sapotácea (*Pouteria torta*) de até 14m, de frutos carnosos, pilosos, edules; abiu-do-mato, abiu-piloso, abiurana, cabo-de-machado, curiola, grão-de-galo, guapeba, guapeva, pêssego-do-mato. **2.** O fruto dessa árvore. **3.** V. *guapeba* (4). **4.** V. *mata-olho* (2).

acã [Dessa língua, pelo ingl. *akan*.] *S.* *2 g.* **1.** *Etnôn.* Indivíduo de um grupo etnolinguístico que habita, majoritariamente, a República de Gana e a Costa do Marfim (O. da África). ● *S. m.* **2.** *Gloss.* Grupo de línguas faladas na República de Gana e na Costa do Marfim. ● *Adj.* *2 g.* **3.** Pertencente ou relativo a esses povos ou às suas línguas.

aça *Adj.* *2 g.* *Bras.* **1.** Diz-se de pessoa ou animal albino (q. v.). ● *S.* *2 g.* **2.** Pessoa ou animal albino. ● *S. m.* **3.** Mulato alvacento. [Var. no m.: *aço*[2]. Cf. *assa*, do v. *assar*.]

▲ **-aç(a)-** V. *-aça*.

▲ **-aça** [Fem. de *-aço*.] *Suf. nom.* = 'aumento'; 'resultado de ação'; 'depreciação': *barcaça*, *murraça*, *gentaça*. [Equiv.: *-aço*, *-ázio*, *-uça*, *-uço*, *-aç(a)-* (esse infixo ocorre em *-açal* [*borraçal*, *lamaçal*, *lodaçal*]): *mosquetaço*; *balaço*; *trompaço*; *copázio*; *dentuça*; *pinguço*.]

acabaçado [De *a-*[2] + *cabaça*[1] + *-ado*[1].] *Adj.* Que tem a forma de cabaça ou é semelhante a ela.

acabaçar [De *a-*[2] + *cabaça*[1] + *-ar*[2].] *V. t. d.* Dar forma de cabaça a. [Conjug.: v. *laçar*.]

acabadiço [De *acabado* + *-iço*.] *Adj.* *Pop.* Doentio, enfermiço, achacadiço.

acabado [Part. de *acabar*.] *Adj.* **1.** Levado a cabo; concluído, rematado, pronto. **2.** Em que nada falta; completo, inteiro. **3.** Primoroso, perfeito: *F. é o tipo acabado do brasileiro; um poema acabado*; "Esta concha nasceu, como Vênus, da onda, / rósea, láctea, polida, intacta e sem defeito. / .... Semelha um coração acabado e perfeito." (Alberto Ramos, *Poemas*, p. 77). **4.** Gasto, consumido, esgotado. **5.** Abatido, exausto, enfraquecido: "Minha mãe andava cada vez mais pálida, mais acabada, e a sua voz adquirira aquele timbre próprio das pessoas sumamente desgraçadas." (Cordeiro de Andrade, *Anjo Negro*, p. 91.) **6.** Avelhentado, avelhantado, envelhecido, velho: *Anda pelos 50 anos, mas já é um homem acabado*; "A coitada estava tão velhinha, tão acabada..." (Mário Donato, *A Parábola das 4 Cruzes*, p. 69). [Antôn., nas acepç. 1 e 2: *inacabado*.] ● *S. m.* **7.** Remate, acabamento: *roupa de bom acabado*.

acabador (ô) [De *acabar* + *-dor*.] *Adj.* *S. m.* Que, ou aquele que acaba, ou dá a última demão.

acabadota [De *acabado* + *-ota*[1].] *Adj.* (*f.*) *Fam.* Fem. de *acabadote* (q. v.).

acabadote [De *acabado* + *-ote*[1].] *Adj.* *Fam.* Um tanto acabado; avelhentado. [Fem.: *acabadota*.]

acabamento [De *acabar* + *-mento*.] *S. m.* **1.** Ato ou efeito de acabar(-se). **2.** Remate, arremate, conclusão. **3.** Tratamento final (polimento, última demão, etc.) de obra de pintura, de metal, de madeira, etc. **4.** Fim, termo, limite: "A morte é o acabamento, ponto final de um conjunto de atividades que formam o conjunto vida." (Fidelino de Figueiredo, *Entre Dois Universos*, p. 224.) **5.** Morte (1): *Toda a família assistiu ao seu acabamento.* **6.** Aniquilamento, ruína. **7.** *Arquit.* Arremate final dos elementos construtivos de uma edificação, como, p. ex., revestimentos de pisos, paredes e tetos. **8.** *Art. Gráf.* Fase final da produção física de uma publicação, compreendendo, usualmente, a dobragem das folhas impressas, alceamento dos cadernos [v. *caderno* (6)], costura do miolo, corte e colocação da capa. **9.** *Ind. Pap.* Tratamento da superfície do papel: *acabamento de máquina.* **10.** *Ind. Pap.* Conjunto de características da superfície do papel. **11.** *Tec. Têx.* O processo de tingimento, estamparia e tratamento físico-químico dos tecidos, para a obtenção de propriedades como cor, brilho, maciez, etc. ◆ **Acabamento anilina.** Acabamento transparente, sem pigmentos, que permite visualização integral da flor (13) do couro. **Acabamento de máquina.** *Ind. Pap.* Acabamento que se dá ao papel na própria máquina contínua, sem o passar na calandra ou em qualquer outro aparelho. **Acabamento marmorizado.** *Arquit.* Acabamento (7) em que se utiliza pó de mármore para revestir paredes, pisos e forros.

acabanado[1] [De *a-*[2] + *cabana* + *-ado*[1].] *Adj.* Que tem forma de cabana.

acabanado[2] [De *a-*[2] + *cabano*[3] + *-ado*[1].] *Adj. Bras. Prov. port.* **1.** Diz-se dos animais de chifres e orelhas inclinados para baixo. **2.** Diz-se dos chifres ou orelhas desses animais e tb. da orelha humana, quando caída.

acabanado[3] [Part. de *acabanar*[2].] *Adj.* Diz-se do chapéu, ou de sua aba, quando descaídos.

acabanar[1] [De *a-*[2] + *cabana* + *-ar*[2].] *V. t. d.* Dar forma de cabana a.

acabanar[2] [De *a-*[2] + *cabano*[3] + *-ar*[2].] *V. t. d. Bras.* Voltar para baixo (o chapéu ou a sua aba).

acaba-novenas [De *acabar* + o pl. de *novena*.] *S. 2 g. e 2 n. Bras. N.E. Pop.* **1.** Indivíduo metido a valente; desordeiro, arruaceiro. **2.** V. *valentão* (3): "Outra variedade do tipo cangaceiro é o cabra valentão, famanaz, 'desmancha-sambas', 'acaba-novenas', ..., faquista, desordeiro." (Gustavo Barroso, *Terra de Sol*, p. 150).

acabar [De *a-*[2] + *cabo*[1] (4) + *-ar*[2].] *V. t. d.* **1.** Levar a cabo; concluir; pôr termo a; dar fim a; terminar, findar, concluir. **2.** Chegar ao fim ou ao termo de; terminar: "Quando acabava a folha, pegava nela, e comparava as assinaturas" (Machado de Assis, *Quincas Borba*, p. 157); "O Romualdo acabou a sobremesa, tomou o café, saiu" (Artur Azevedo, *Contos Cariocas*, p. 22); "Ali ele não queria ver Ismael acabar os seus dias." (Autran Dourado, *Ópera dos Fantoches*, p. 21). **3.** Romper (relação amorosa); terminar: *Acabou o noivado sem mais nem menos.* **4.** Dar cabo de; destruir, matar. **5.** Consumir, esgotar, exaurir. **6.** Extinguir; fechar: "— Por que é que acabaram os conventos? Diga-me? Porque era um desaforo lá dentro!" (Eça de Queirós, *O Primo Basílio*, p. 200.) **7.** Conseguir, obter, alcançar. **8.** Rematar; aperfeiçoar. *T. i.* **9.** Pôr termo, pôr fim: *Acabou com a briga atirando para o alto.* **10.** Dar cabo; destruir; matar: *Acabou com o adversário.* **11.** Comer ou beber até o fim: *Em poucos minutos acabou com o frango.* **12.** Ter como desfecho ou desenlace: *O médico temia que aquele nervosismo acabasse em loucura.* **13.** Desmanchar, terminar namoro, casamento, etc.: *Acabou com o noivo e daí a meses casou com outro.* **14.** Vir de terminar uma ação: "O relógio acabara de bater pausadamente onze horas." (Casimiro de Abreu, *Obras*, p. 416.) *T. c.* **15.** Chegar ao fim, ao termo; terminar: *A rua acaba no sopé do morro.* **Pred. 16.** Vir a ser; tornar-se: *Tanto se esforçou que acabou o primeiro aluno da classe.* *Int.* **17.** Chegar ao seu termo; cessar, findar, terminar, acabar-se: "Este amor que, enfim, se acaba, / Acaba, não com o fragor / De uma torre que desaba..." (Alberto de Oliveira, *Poesias*, 2.ª série, p. 360.) **18.** Consumir-se, esgotar-se, exaurir-se. **19.** Envelhecer: *Acabou em pouco tempo, depois da morte do marido.* **20.** Morrer, falecer: "Ali acabou. O rolo de uma onda rejeitou a morta contra um lapedo carcomido de cavernas sonoras" (Camilo Castelo Branco, *O Vinho do Porto*, p. 36). *P.* **21.** Acabar (17): "Este amor que, enfim, se acaba, / Acaba, não com o fragor / De uma torre que desaba..." (Alberto de Oliveira, *Poesias*, 2.ª série, p. 360.) **22.** Consumir-se, extinguir-se: *A luz do Sol acabava-se aos poucos; era quase noite.* ◆ **Quando acaba.** *Bras. Pop.* Além de tudo; além do mais; ainda por cima: *É preguiçoso, burro, e, quando acaba, muito pedante.* **Um nunca acabar.** Uma série, uma grande quantidade, um número indefinido de: "reprovou a mania do empanturramento que caracteriza o brasileiro: um nunca acabar de pratos, tudo a esfriar." (Coelho Neto, *Turbilhão*, p. 331).

acabelar [De *a-*[2] + *cabelo* + *-ar*[2].] *V. int.* Criar cabelo.

acaboclado [De *a-*[2] + *caboclo*[1] + *-ado*[1].] *Adj. Bras.* **1.** Que tem o aspecto do caboclo: "era um homem de estatura regular, acaboclado" (Melo Morais Filho, *Festas e Tradições Populares do Brasil*, p. 176). **2.** Próprio de caboclo, ou semelhante a este nos modos ou no comportamento. **3.** Rústico, caipira.

acaboclar [De *a-*[2] + *caboclo*[1] + *-ar*[2].] *V. p. Bras.* **1.** Tomar o aspecto, ou a cor do caboclo. **2.** Tornar-se rústico; acaipirar-se, amatutar-se.

acabralhado [De *a-*[2] + *cabra* + *-alh(o)-* + *-ado*[1].] *Adj. Bras.* Diz-se do mestiço que puxa ao tipo de cabra (6).

acabramar [De *a-*[2] + *cabramo* + *-ar*[2].] *V. t. d.* **1.** Tolher os movimentos de (animal bovino, caprino, etc.), ligando-lhe com o cabramo a pata ao chifre. **2.** Prender um dos cornos de (animal bovino, caprino, etc.) a uma estaca, etc., com cabramo.

acabramo [Dev. de *acabramar*.] *S. m.* Corda de acabramar.

acabrunhado [Part. de *acabrunhar*.] *Adj.* **1.** Abatido, quebrantado, prostrado. **2.** Que perdeu o ânimo por aflição ou desgosto; aflito, atormentado: "E o pobre menestrel, corrido, acabrunhado, chegou ao ponto de embebedar-se nas vendas" (Afonso Arinos, *Histórias e Paisagens*, pp. 29-30). **3.** Envergonhado, humilhado.

acabrunhador (ô) [De *acabrunhar* + *-dor*.] *Adj.* Que acabrunha; acabrunhante: "Um mormaço acabrunhador amolecendo a gente." (Herman Lima, *Garimpos*, p. 12.)

acabrunhamento [De *acabrunhar* + *-mento*.] *S. m.* Ato ou efeito de acabrunhar(-se).

acabrunhante [De *acabrunhar* + *-nte*.] *Adj. 2 g.* Acabrunhador.

acabrunhar [De or. controv.] *V. t. d.* **1.** Abater, prostrar, quebrantar: "o peso do sono ainda a acabrunhava, e as pálpebras descoradas se fecharam..." (Alvares de Azevedo, *Obras Completas*, II, p. 138); *A notícia da catástrofe acabrunhou a população.* **2.** Afligir, contristar, atormentar: "Num átomo de tempo experimentou o horror de todas as solidões acumuladas, que acabrunham o homem desde a primeira hora do mundo." (José Rodrigues Miguéis, *Onde a Noite Se Acaba*, p. 58.) **3.** Desanimar, desalentar: "Esta desilusão que me acabrunha / É mais traidora do que o foi Pilatos!..." (Augusto dos Anjos, *Eu*, p. 79.) *Int.* **4.** Causar acabrunhamento: "No fim de algum tempo arredei os olhos; se a figura repelia, a comparação acabrunhava." (Machado de Assis, *Memórias Póstumas de Brás Cubas*, p. 166.) *P.* **5.** Atormentar-se, apoquentar-se. **6.** Desanimar(-se), desalentar-se, prostrar-se: "Zé-Sacristão se acabrunhava .... Não ajudava mais a missa." (João Clímaco Bezerra, *A Vinha dos Esquecidos*, p. 38.)

acaburro *Adj. S. m.* V. *zaburro.*

acaçá [Do ior.] *S. m. Bras.* **1.** Pequeno bolo de milho branco ou amarelo, ralado ou moído, cozido até se tornar gelatinoso, e envolvido, ainda quente, em folhas de bananeira. **2.** Angu de fubá de arroz e leite de coco: "Serve-se o vatapá acompanhado por um pirão, também chamado de acaçá ou creme branco, feito com fubá de arroz e leite grosso de coco." (Jô Soares, *O Xangô de Baker Street*, p. 115.) **3.** Refrigerante de fubá mimoso, fermentado em água açucarada. **4.** Aquilo que refresca; refrigerante, refrigério. **5.** Coisa que atrai; atrativo. **6.** Perfume forte, trescalante. **7.** *P. ext.* Coisa que embriaga.

açacaladeira [De *açacalar* + *-deira*.] *S. f.* **1.** Espécie de máquina para polir. **2.** Instrumento com que os encadernadores dobram o papel; dobradeira.

açacalado [Part. de *açacalar*.] *Adj.* **1.** Polido, brunido, luzente: *espadim açacalado.* **2.** Aperfeiçoado, apurado: *estilo açacalado.* [Var.: *acicalado*.]

açacalador (ô) [De *açacalar* + *-dor*.] *Adj. S. m.* Que, ou aquele que açacala. [Var.: *acicalador*.]

açacaladura [De *açacalar* + *-dura*.] *S. f.* Ato ou efeito de açacalar; açacalamento. [Var.: *acicaladura*.]

açacalamento [De *açacalar* + *-mento*.] *S. m.* V. *açacaladura.* [Var. *acicalamento*.]

açacalar [De *a-*[4] + ár. aqala, 'adornar', 'refinar', + *-ar*[2].] *V. t. d.* **1.** Polir, brunir (armas brancas). **2.** *Fig.* Aperfeiçoar; apurar: *açacalar o estilo.* [Var.: *acicalar*.]

açaçapado[1] [De *a-*[2] + *caçapo* + *-ado*[1].] *Adj.* **1.** Semelhante a caçapo. **2.** Que tem pouca altura; baixo: *casa açaçapada.* **3.** Achatado; chato: "olhos negros, nariz açaçapado" (Adolfo Caminha, *Bom-Crioulo*, p. 16). [Var.: *achachapado*.]

açaçapado[2] [Part. de *açaçapar*.] *Adj.* **1.** Abaixado, encolhido, agachado. **2.** Oculto, escondido. [Var.: *achachapado*.]

açaçapador (ô) [De *açaçapar* + *-dor*.] *Adj. S. m.* Que, ou aquele que açaçapa. [Var.: *achachapador*.]

açaçapamento [De *açaçapar* + *-mento*.] *S. m.* Ato ou efeito de açaçapar(-se). [Var.: *achachapamento*.]

açaçapante [De *açaçapar* + *-nte*.] *Adj. 2 g.* Irrecusável, irretorquível; esmagador. [Var.: *achachapante*.]

açaçapar [De *a-*[2] + *caçapo* + *-ar*[2].] *V. t. d.* **1.** Tornar semelhante a caçapo. **2.** Abater, achatar, esmagar. **3.** Esconder, ocultar. *P.* **4.** Agachar-se; encolher-se. **5.** Esconder-se, ocultar-se. [Var.: *achachapar*.]

achachapado[1] *Adj.* V. *açaçapado*[1].

achachapado[2] *Adj.* V. *açaçapado*[2].

achachapador (ô) *Adj. S. m.* V. *açaçapador.*

achachapamento *S. m.* V. *açaçapamento.*

achachapante *Adj. 2 g.* V. *açaçapante.*

achachapar *V. t. d. P.* V. *açaçapar.*

achachar [De *a-*[4] + *cachar*[1].] *V. t. d.* **1.** Açaçapar, agachar. **2.** Esconder, ocultar. **3.** *Prov. port.* Dar abrigo a *P.* **4.** Açaçapar-se, agachar-se. **5.** Esconder-se, ocultar-se.

achachimbado [De *a-*[2] + *cachimbo* + *-ado*[1].] *Adj.* Em forma de cachimbo.

achachoar [De *a-*[2] + *cachão*[1] + *-ar*[2], com desnasalação.] *V. int. P.* **1.** Formar cachão; borbulhar, borbotar, escachoar. **2.** Ferver; espumar. **3.** Agitar-se, formando ondas; marulhar. [Conjug.: v. *coroar*. Norm. é unipess.]

acácia [Do lat. *acácia* < gr. *akakía*; tax. *Acacia*.] *S. f. Bot.* **1.** Gênero de árvores e arbustos fabáceos, nativos de regiões tropicais da Austrália, Nova Zelândia, África e do continente americano, que reúne cerca de 1.200 espécies. **2.** Qualquer espécie desse gênero, como, p. ex., a *Acacia cultriformis* (v. *acácia-mimosa*). **3.** Qualquer espécime desse gênero, ou a sua flor. **4.** *Impr.* Designação comum a várias árvores e arbustos do gênero *Cassia* (v. *cássia*).

acácia-amarela [De *acácia* + o f. de *amarelo*.] *S. f. Bras. Bot.* V. *canafístula* (3). [Pl.: *acácias-amarelas*.]

acácia-angico [De *acácia* + *angico*[1].] *S. f. Bras. Bot.* V. *angico-verdadeiro.* [Pl.: *acácias-angicos* e *acácias-angico*.]

acácia-arábica [De *acácia* + o f. de *arábico*.] *S. f. Bot.* V. *árvore-da-goma-arábica.* [Pl.: *acácias-arábicas*.]

acácia-argentina [De *acácia* + o f. de *argentino*[2].] *S. f. Bras. Bot.* V. *pau-de-mocó.* [Pl.: *acácias-argentinas*.]

acácia-asiática [De *acácia* + o f. de *asiático*.] *S. f. Bot.* Árvore fabácea (*Albizzia moluccana* ou *Falcataria moluccana*) de folhas penadas com folíolos arredondados, flores amarelas, glomeruliformes, e frutos que são vagens compridas com inúmeras sementes; é cultivada como ornamental. [Pl.: *acácias-asiáticas*.]

acácia-bastarda [De *acácia* + o f. de *bastardo*.] *S. f. Bot.* V. *acácia-para-sol.* [Pl.: *acácias-bastardas*.]

acácia-branca [De *acácia* + o f. de *branco*.] *S. f. Bot.* Árvore moringácea (*Moringa oleifera*) de até 10m, de folhas bipenadas, grandes flores amarelo-claras, frutos capsulares com sementes trialadas, cultivada como ornamental, pela madeira, por ser útil na fabricação de fibras têxteis, por serem as folhas e frutos edules, e pelas sementes que fornecem óleo aromático e medicinal. [Pl.: *acácias-brancas*.]

acácia-da-austrália [De *acácia* + *da*[1] + o top. *Austrália*.] *S. f. Bot.* **1.** Árvore fabácea (*Acacia baileyana*) de pequeninos folíolos amarelados, flores amarelas glomeruliformes, dispostas ao longo e nas extremidades dos ramos, e que exsuda goma semelhante à goma-arábica; é cultivada como ornamental. **2.** Arbusto fabáceo (*Acacia longifolia*) de ramos pendentes, filódios lanceolados, verde-azulados, e flores amarelas, espiciformes. **3.** Árvore fabácea (*Acacia pycnantha*) de filódios lanceolados, flores amarelas, aromáticas, glomeruliformes; é us. em perfumaria, e fornece goma e tanino. **4.** Árvore fabácea (*Acacia dealbata*) de folhas bipenadas, e flores amarelas, dispostas em capítulos globulares; exsuda goma semelhante à goma-arábica. [Sin.: *acácia-dealbada, mimosa*.] **5.** Árvore fabácea (*Acácia cyanophylla*) de até 10m, de ramos pendentes, filódios verde-azulados, oblongos, flores amarelas, glomeruliformes, e frutos que são legumes nodosos. **6.** Acácia-negra. **7.** Ébano-da-austrália. [Pl.: *acácias-da-austrália*.]

acácia-dealbada [De *acácia* + o f. do part. de *dealbar*.] *S. f. Bot.* V. *acácia-da-austrália* (4). [Pl.: *acácias-dealbadas*.]

acácia-do-egito [De *acácia* + *do*[1] + o top. *Egito*.] *S. f. Bot.* V. *árvore-da-goma-arábica.* [Pl.: *acácias-do-egito*.]

acácia-do-nilo [De *acácia* + *do*[1] + o top. (rio) *Nilo* (África).] *S. f. Bot.* V. *árvore-da-goma-arábica.* [Pl.: *acácias-do-nilo*.]

acácia-dos-alemães [De *acácia* + o pl. de *do*[1] + o pl. de *alemão*.] *S. f. Bot.* V. *abrunheiro.* [Pl.: *acácias-dos-alemães*.]

acácia-do-senegal [De *acácia* + *do*[1] + o top. *Senegal*.] *S. f. Bot.* V. *árvore-da-goma-arábica.* [Pl.: *acácias-do-senegal*.]

acácia-falsa [De *acácia* + o f. de *falso*.] *S. f. Bot.* V. *acácia-para-sol.* [Pl.: *acácias-falsas*.]

acácia-meleira *S. f. Bot.* V. *espinheiro-da-virgínia.* [Pl.: *acácias-meleiras*.]

acácia-mimosa [De *acácia* + o f. de *mimoso*.] *S. f. Bot.* Arbusto fabáceo (*Acacia podaelyraefolia*) ornamental, de até 5m, de folíolos verde-acinzentados, flores amarelo-claras; esponjinha. [Pl.: *acácias-mimosas*.]

acácia-negra [De *acácia* + o f. de *negro*.] *S. f. Bras. Bot.* Árvore fabácea (*Acacia decurrens*) originária da Austrália e muito cultivada no Brasil, dotada de madeira útil, e que produz boa goma, do tipo da goma-arábica, além de conter na casca, o que é mais importante, 30% a 40% de tanino; acácia-da-austrália. [Pl.: *acácias-negras*.]

acacianismo [De *acaciano* + *-ismo*.] *S. m.* Dito, escrito ou maneiras próprias de indivíduo acaciano.

acaciano[1] [Do ficcion. *Acácio* (v. *acácio*) + *-iano*.] *Adj.* **1.** Ridiculamente sentencioso pelo tom convencional e vazio de sentido e/ou pela aparatosa gravidade das maneiras, lembrando o Conselheiro Acácio, personagem eciano (q. v.) do romance *O Primo Basílio*. • *S. m.* **2.** Indivíduo acaciano; acácio.

acaciano[2] [De *acácia* + *-iano*.] *S. m. P. us.* Maçom.

acácia-para-sol *S. f. Bot.* Árvore fabácea (*Robinia pseudoacacia*) de tronco ereto, espinhoso, e flores brancas aromáticas; é cultivada pelas folhas, us. como forragem, e pelas flores, de uso em perfumaria. [Sin.: *acácia-bastarda, acácia-falsa, robínia-comum, robínia-falsa-acácia*. Pl.: *acácias-para-sol*.]

acácia-verdadeira [De *acácia* + o f. de *verdadeiro*.] *S. f. Bot.* V. *árvore-da-goma-arábica*. [Pl.: *acácias-verdadeiras*.]

acácia-vermelha [De *acácia* + o f. de *vermelho*[1].] *S. f. Bras. Bot.* Árvore cesalpiniácea (*Cassia javanica*) ornamental, com uns 10m de altura, e flores róseas em grandes panículas localizadas por sobre a ramagem. [Pl.: *acácias-vermelhas*.]

acacifar [De *a-*[2] + *cacifo* + *-ar*[2].] *V. t. d.* Introduzir ou guardar em cacifo.

acácio [Do ficcion. *Acácio*, do romance *O Primo Basílio*, de Eça de Queirós.] *S. m.* **1.** Acaciano (2). **2.** *Bras.* Bobo, tolo.

açacu [Do tupi.] *S. m. Bras. Bot.* Grande árvore euforbiácea (*Hura crepitans*) de casca verde, espinescente, toda ela impregnada de látex venenosíssimo, e cuja madeira, leve, resistente à umidade; é us. em obras internas e caixotaria: "o açacu, enorme, pavoroso, que envenena as águas que lhe banham as raízes, derramava na localidade o seu tóxico, tornando as redondezas doentias." (Raimundo Morais, *País das Pedras Verdes*, p. 50). [Sin.: *açacuzeiro, uaçacu*.]

açacuí [De *açacu* + *-í*.] *S. m. Bras. Bot.* V. *maleiteira*.

acaculado [Part. de *acacular*.] *Adj. Bras. MG SP MT Pop.* Excessivamente cheio; abarrotado.

acacular [De *a-*[2] + *caculo*[2] + *-ar*[2].] *V. t. d. Bras. MG SP MT Pop.* Encher em excesso; abarrotar, atestar.

açacumirim [Do tupi.] *S. m. Bras. AL Bot.* V. *jequiriti*.

açacurana [De *açacu* + *-rana*.] *S. f.* **1.** *Bras. Bot.* Árvore fabácea (*Erythrina glauca*) nativa das matas, porém já bastante cultivada, ocorrendo por toda a América tropical, e que em setembro se cobre toda de grandes flores mais ou menos amarelas; bucaré, suinã. **2.** V. *sananduva* (2).

açacuzeiro [De *açacu* + *-zeiro*.] *S. m. Bras. Bot.* V. *açacu*.

acadar [Do lat. *accapitare*, 'receber'; 'segurar'.] *V. t. d. Arc.* Agarrar, apanhar.

ácade *Adj. 2 g. S. 2 g.* V. *acadiano*[1].

acadeirar-se [De *a-*[2] + *cadeira* + *-ar*[2] + *se*[1].] *V. p.* Sentar-se em cadeira; abancar-se.

academia [Do gr. *akadēmía*, pelo lat. *academia*.] *S. f.* **1.** Escola criada por Platão (v. *platonismo*) em 387 a.C., situada nos jardins consagrados ao herói ateniense Academo, e que, embora destinada oficialmente ao culto das musas, teve intensa atividade filosófica. [Com cap. Cf. *Escola de Atenas*.] **2.** *P. ext.* Escola de qualquer filósofo. **3.** Estabelecimento de ensino superior de ciência ou arte; faculdade, escola: *academia de direito, de medicina, de engenharia; Academia Militar das Agulhas Negras*. **4.** Escola onde se ministra o ensino de práticas desportivas ou lúdicas, prendas, etc.: *academia de judô, de dança, de corte e costura*. **5.** Sociedade ou agremiação, particular ou oficial, com caráter científico, literário ou artístico. **6.** O conjunto dos membros de uma academia (5). **7.** Local onde se reúnem os acadêmicos [v. *acadêmico* (6 e 7)]. **8.** *Bras. Restr.* A Academia Brasileira de Letras. [Com cap., nesta acepç.] **9.** *Bras. N.E.* V. *amarelinha*[2]. [Cf. *acadêmia*.]

acadêmia *S. f.* V. *academia*. [Uso freq. em P.]

academia [Do it. *accademia*, do gr. *akadémeia*.] *S. f. Art. Plást. P. us.* Modelo plástico, em gesso. [Cf. *academia*, do v. *academiar* e s. f.]

academial [De *academia* + *-al*[1].] *Adj. 2 g. P. us.* Relativo a, ou próprio de academia; acadêmico.

academiar [De *academia* + *-ar*[2].] *V. int.* Falar ou proceder academicamente. [Pres. ind.: *academio, academias, academia*, etc. Cf. *academia*.]

academicamente [Do f. de *acadêmico* + *-mente*.] *Adv.* **1.** Segundo as normas acadêmicas. **2.** Do ponto de vista acadêmico: *Academicamente falando, o candidato é fraco*.

academicismo [De *acadêmico* + *-ismo*.] *S. m.* Mentalidade de quem faz parte, ou como que faz parte, de academia; espírito acadêmico; academismo: "O academicismo nos impõe suas fórmulas, não é? Desprezemo-lo e desprezemo-las. Costas à Academia!" (Gonzaga Duque, *Mocidade Morta*, p. 40.)

academicista [De *acadêmico* + *-ista*.] *Adj. 2 g.* **1.** Relativo ao academicismo; academista. **2.** Academial, acadêmico.

académico *Adj. S. m.* V. *acadêmico*. [Uso freq. em P.]

acadêmico [Do gr. *akademikós*, pelo lat. *academicu*.] *Adj.* **1.** Pertencente ou relativo a, ou próprio de academia (3 e 5) ou de acadêmico (6 e 7): *tradições acadêmicas; procedimento acadêmico*. **2.** *Art. Plást.* Relativo ao, ou próprio do academismo (1): *proporções acadêmicas; composição acadêmica; modelo acadêmico*. **3.** *Art. Plást.* Diz-se do artista e/ou da obra de arte que se conserva presa às regras e ao gosto do academismo (1), numa concepção estética imobilizada, alheia a novas correntes de expressão: *um escultor acadêmico; um quadro acadêmico*. **4.** *P. ext.* Diz-se de manifestação artística ou cultural de um convencionalismo estreito, hostil a qualquer inovação. **5.** *Fig. Deprec.* Bizantino (4): *discussão acadêmica*. ~ V. *centro —, diretório —, orientação —a* e *solicitador —*. • *S. m.* **6.** Membro de uma academia (5). **7.** Aluno de academia (3).

academismo [De *academia* + *-ismo*.] *S. m.* **1.** *Art. Plást.* Doutrina estética surgida na Itália em fins do séc. XVI como reação contra o virtuosismo maneirista (q. v.), e que preconizava o retorno ao equilíbrio dos cânones clássicos da Antiguidade e do Renascimento, buscando uma representação ideal da natureza e do homem. **2.** *Art. Plást.* O método de ensino baseado nessa doutrina. **3.** Obediência estrita, nas letras, nas artes, ou em outras áreas culturais, aos preceitos acadêmicos: "Na França, o estruturalismo é uma arma de ataque ao positivismo oficial e ao academismo universitário." (Fausto Cunha, *Situações da Ficção Brasileira*, p. 20.) **4.** Academicismo.

academista [De *academia* + *-ista*.] *Adj. 2 g.* **1.** Academicista (1). • *S. 2 g.* **2.** Frequentador de academia recreativa.

academizante [De *academizar* + *-nte*.] *Adj. 2 g.* **1.** Que academiza, ou dá feição acadêmica a. **2.** Que tem feição acadêmica (3 a 5). • *S. m.* **3.** Aquele ou aquilo que academiza ou dá feição acadêmica (3 a 5) a.

academizar [De *acadêmico* + *-izar*, seg. o padrão grego.] *V. t. d. P.* Tornar(-se) acadêmico.

academizável [De *academizar* + *-vel*.] *Adj. 2 g. Bras.* Que tem condições ou títulos para ser acadêmico (6); que o merece.

acadiano[1] [Do top. *Acádia* (América do Norte) + *-ano*[1].] *Adj.* **1.** De, ou pertencente à Acádia, colônia francesa nos séculos XVII-XVIII, hoje Nova Escócia, Nova Brunswick, ilha do Príncipe Eduardo, além de partes do Québec (Canadá) e do Maine (E.U.A.). • *S. m.* **2.** O natural ou habitante da Acádia. [Sin., nessas acepçs.: *ácade*.] **3.** *Gloss.* Cajã.

acadiano[2] [Do top. *Acádia* (Ásia) + *-ano*[1].] *S. m.* **1.** O natural ou habitante da Mesopotâmia central antes de 2000 a.C. **2.** *Gloss.* Antiga língua semítica falada pelos acadianos.

acadimado [Part. de *acadimar*.] *Adj.* **1.** Tornado cadimo; habituado, acostumado. **2.** Afeiçoado, apegado (a algo ou alguém). **3.** *Lus.* Que mostra tino, juízo; ajuizado.

acadimar [De *a-*[2] + *cadimo* + *-ar*[2].] *V. t. d. Ant.* **1.** Habituar, acostumar. *P.* **2.** Apegar-se (a algo ou alguém). **3.** *Lus.* Adaptar-se, amoldar-se (a algo ou alguém). **4.** *Lus.* Tornar-se ajuizado.

acádio [Do top. *Akkad* (região da antiga Babilônia) + *-io*[3].] *S. m.* **1.** Indivíduo dos acádios, povo semita que habitava a Mesopotâmia entre cerca de 3000 e 1000 a.C. **2.** *Gloss.* Língua semítica da Mesopotâmia, atualmente extinta, atestada em vasta literatura em escrita cuneiforme, e que se tornou língua franca (q. v.) do Oriente Próximo por volta de 2000 a.C. • *Adj.* **3.** Pertencente ou relativo a esse povo, ou à sua língua.

acadiro [Do tétum *akadírum*.] *S. m. Bot.* V. *palmira*.

acaé [Do tupi.] *S. m. Bras. Zool.* V. *gralha* (1).

acaecer *V. int. Arc.* Acontecer.

acaeraisaua (a-e) *S. f. Bras. Zool.* V. *japuaçu* (1).

acafajestado [De *a-*[2] + *cafajeste* + *-ado*[1].] *Adj. Bras.* Que tem maneiras, modos ou procedimentos, ou que é próprio de cafajeste; acanalhado.

acafajestamento [De *acafajestar* + *-mento*.] *S. m. Bras.* Ação de acafajestar(-se); acanalhamento.

acafajestar-se [De *a-*[2] + *cafajeste* + *-ar*[2] + *se*[1].] *V. p. Bras.* Tornar-se cafajeste; acanalhar-se.

acafalar *V. t. d.* V. *acafelar*.

açafata [De *açafate*.] *S. f.* Dama fidalga que estava a serviço das senhoras da família real, e que tinha a seu cargo o conduzir, em açafate, lenços, toucados, etc.; moça do açafate: "Tive [fala a filha dum rei] açafatas, damas de honor, / Galgos, falcões e alabardeiros" (Eugênio de Castro, *Obras Poéticas*, I, p. 195).

açafatar [De *açafate* + *-ar*[2].] *V. t. d.* **1.** Pôr em açafate. **2.** *P. ext.* Arrecadar, acumular, juntar.

açafate [Do ár. *as-safaṭ ta(t)*.] *S. m.* Cestinho de vime, de bordo baixo, sem arco e sem asas: "as frutas e as passas, as pinhas nos açafates das Caldas e em fruteiras de vidro, sorriam em disposições simétricas" (Fialho d'Almeida, *Contos*, p. 168).

açafate-de-oiro *S. m. Bras. Bot.* Açafate-de-ouro. [Pl.: *açafates-de-oiro*.]

açafate-de-ouro *S. m. Bras. Bot.* Erva brassicácea (*Alyssum saxatile*) ornamental, de pequenas flores amarelas e brilhantes, dispostas em racemos. [Var.: *açafate-de-oiro*. Pl.: *açafates-de-ouro*.]

acafelado [Part. de *acafelar*.] *Adj.* **1.** Rebocado, estucado. **2.** *Fig.* Dissimulado, disfarçado.

acafelador (ô) [De *acafelar* + *-dor*.] *Adj. S. m.* Que, ou aquele que acafela.

acafeladura [De *acafelar* + *-dura*.] *S. f.* Acafelamento.

acafelamento [De *acafelar* + *-mento*.] *S. m.* Ato ou efeito de acafelar; acafeladura.

acafelar [De *a-*[4] + ár. *qaffala*, 'fechar'.] *V. t. d.* **1.** Rebocar com cal e areia. **2.** Tapar com asfalto, cimento ou argamassa. **3.** *Fig.* Encobrir, dissimular; disfarçar. [Var.: *acafalar*.]

acafetado [De *a-*[2] + *café* + *-t-* + *-ado*[1].] *Adj.* Tirante à cor do café.

acafetar [De *a-*[2] + *café* + *-t-* + *-ar*[2].] *V. t. d.* Dar a cor marrom-escura do café a.

açaflor (ô) [Cruz. de *açafrão* com *flor*.] *S. m. Bot.* Açafrão (2).

acafobado *Adj.* V. *afobado*.

acafobar *V. t. d. P.* V. *afobar*.

açafrão [Do ár. *az-za'farān*, do persa.] *S. m. Bot.* **1.** Erva iridácea (*Crocus sativus*) de procedência europeia, e possuidora de um bulbo perene. [Sin.: *açafrão-de-outono, açafrão-palhinha, erva-ruiva*.] **2.** *Bot.* A flor dessa planta; açaflor. **3.** Pó preparado com os estigmas dessa flor, de cor tirante a amarelo forte, e utilizado como matéria corante, tempero culinário e medicamento. **4.** *Bras.* V. *urucu*[1] (2). **5.** *Bot. Impr.* V. *açafrão-da-terra*. **6.** O rizoma de açafrão-da-terra (q. v.) us. em culinária.

açafrão-agreste *S. m. Bot.* V. *açafrol* (1). [Pl.: *açafrões-agrestes*.]

açafrão-bastardo *S. m. Bot.* **1.** V. *açafroa* (1). [Pl.: *açafrões-bastardos*.]

açafrão-bravo *S. m. Bot.* V. *açafrol* (1). [Pl.: *açafrões-bravos*.]

açafrão-da-índia [De *açafrão* + *da*[1] + o top. *Índia*.] *S. m. Bot.* V. *açafrão-da-terra* (1). [Pl.: *açafrões-da-índia*.]

açafrão-da-terra *S. m. Bot.* **1.** Erva zingiberácea (*Curcuma longa*) de frutos capsulares, us. em culinária e tidos como medicinais, cujos rizomas fornecem óleo essencial, amido e matéria corante; açafreiro, açafroeira, açafroeira-da-índia, açafrão-da-índia, açafroeiro-da-índia, árvore-triste, batatinha-amarela, croco-indiano, gengibre-dourado, gengibre-de-dourar, mangarataia. **2.** Arbusto ou pequena árvore oleácea (*Nycthantes arbor-tristis*) de folhas cordiformes, abundantes flores aromáticas, amarelas ou brancas, capituliformes, e frutos capsulares; nativa da Índia, é cultivada como ornamental e pelas flores, que se abrem apenas à noite, e que fornecem tinta amarela us. em farmácia e em perfumaria. [Sin.: *açafroeira, açafroeira-da-terra, açafroeira-da-índia, açafroeira-do-brasil, açafroeira-indígena, árvore-da-noite, árvore-triste, sonâmbula*.] [Pl.: *açafrões-da-terra*.]

açafrão-de-outono *S. m. Bot.* V. *açafrão* (1). [Pl.: *açafrões-de-outono*.]

açafrão-do-campo *S. m. Bot.* Açafrão-do-mato. [Pl.: *açafrões-do-campo*.]

açafrão-do-mato *S. m. Bot.* Erva escrofulariácea (*Escobedia scabrifolia*) de folhas oblongas, denteadas, muito ásperas e rígidas, flores brancas, e cujas raízes fornecem corante amarelo de uso culinário. É cultivada como ornamental. [Sin.: *açafrão-do-campo*. Pl.: *açafrões-do-mato*.]

açafrão-palhinha *S. m. Bot.* V. *açafrão* (1). [Pl.: *açafrões-palhinhas* e *açafrões-palhinha*.]

açafrão-vermelho *S. m. Quím.* Cartamina. [Pl.: *açafrões-vermelhos*.]

açafreiro [De *açafr-*, como em *açafrão*, + *-eiro*, com desnasalação e síncope.] *S. m. Bot.* V. *açafrão-da-terra* (1).

açafroa (ô) [De *açafrão*.] *S. f. Bot.* Erva asterácea (*Carthamus tinctorius*) de caule tirante ao branco, folhas ovais, lanceoladas, serreadas, espinhosas, e flores de corolas vermelho-alaranjadas, que contêm princípio corante amarelo e vermelho (v. *cartamina*); alaçor, açafrão-bastardo, açafrol, cártamo, sultana.

açafroado[1] [De *açafrão* + *-ado*[1].] *Adj.* Da cor do açafrão (3 e 6): "Ficou com a pele açafroada que nem flor de algodão." (Nélson de Faria, *Tiziu e Outras Estórias*, p. 125.)

açafroado[2] [Part. de *açafroar*.] *Adj.* Tingido ou temperado com açafrão: *arroz açafroado*.

açafroal [De *açafrão* + *-al*[1], com desnasalação.] *S. m.* Quantidade mais ou menos considerável de pés de açafrão dispostos proximamente entre si.

açafroar [De *açafrão* + *-ar*[2], com desnasalação.] *V. t. d.* Tingir ou temperar com açafrão (3 e 6). [Conjug.: v. *coroar*.]

açafroeira [De *açafr-*, como em *açafrão*, + *-eira*, com desnasalação.] *S. f. Bot.* V. *açafrão-da-terra* (1).

açafroeira-da-índia [De *açafroeira* + *da*[1] + o top. *Índia*.] *S. f. Bot.* V. *açafrão-da-terra* (2). [Pl.: *açafroeiras-da-índia*.]

açafroeira-da-terra *S. f. Bot.* V. *açafrão-da-terra* (2). [Pl.: *açafroeiras-da-terra*.]

açafroeira-do-brasil [De *açafroeira* + *do*[1] + o top. *Brasil*.] *S. f. Bot.* V. *açafrão-da-terra* (2). [Pl.: *açafroeiras-do-brasil*.]

açafroeira-indígena *S. f. Bot.* V. *açafrão-da-terra* (2). [Pl.: *açafroeiras-indígenas*.]

açafroeiro-da-índia [De *açafroeiro* + *da*[1] + o top. *Índia*.] *S. m. Bot.* V. *açafrão-da-terra* (1). [Pl.: *açafroeiros-da-índia*.]

açafrol [De *açafrão*.] *S. m. Bot.* **1.** Erva iridácea (*Crocus clusii*) de folhas estreitas, com margens enroladas, e poucas flores, violáceas; cresce espontaneamente em Portugal e Espanha, em sítios áridos. [Sin.: *açafrão-agreste, açafrão-bravo, pé-de-burro*.] **2.** V. *açafroa* (1).

acafuzado [De *a-*[2] + *cafuzo* + *-ado*[1].] *Adj.* Que tem o aspecto de cafuzo.

açagador (ô) *S. m. Arc.* Alfageme.

acagual *S. m. Bras. Zool.* V. *quimera* (5).

açaí [Do tupi = 'fruto que deita água'.] *S. m. Bras. Bot.* **1.** Palmeira arecácea (*Euterpe oleracea*) de até 20m, com o tronco múltiplo, formando touceiras, que ocorre no Brasil desde a Amaz. até a BA, em matas ciliares. As folhas têm até 2m, e os frutos, roxo-escuros, são muito apreciados, e deles se faz papa alimentícia, suco, etc. O palmito, de boa qualidade, é us., industrialmente, em conservas. [Sin.: *uaçaí, açaí-branco, açaí-do-pará, açaizeiro, coqueiro-açaí, iuçara, juçara, palmiteiro, palmito, piná, tucaniei*.] **2.** O fruto do açaí; juçara. **3.** Refresco desse fruto; juçara. [Cf. *assaí*, do v. *assar*.]

acaiá [Do tupi = 'fruto que é todo caroço'.] *S. m. Bras. Bot.* V. *cajazeira*.

acaiaba [De or. tupi, poss.] *S. m. Bras. Bot.* V. *cajazeira*.

acaiacá [Do tupi.] *S. m. Bras. Bot.* V. *cedro-batata*.

acaiacarana [De *acaiacá* + *-rana*.] *S. f. Bras. Bot.* V. *cajá-manga* (1).

acaiacatinga [De *acaiacá* + *-tinga*.] *S. f. Bras. Bot.* V. *mogno* (1).

acaiaquense *Adj. 2 g.* **1.** De, ou pertencente ou relativo a Acaiaca (MG). ● *S. 2 g.* **2.** O natural ou habitante de Acaiaca.

açaí-branco *S. m. Bras. Bot.* V. *açaí* (1). [Pl.: *açaís-brancos*.]

acaiçarado [De *a-*[2] + *caiçara* + *-ado*[1].] *Adj. Bras.* **1.** Que tem maneiras, modos, ou é próprio de caiçara; caipira, matuto, amatutado. **2.** De origem humilde. **3.** Tosco, rústico.

acaiçarar-se [De *a-*[2] + *caiçara* + *-ar*[2] + *se*[1].] *V. p. Bras.* **1.** Tornar-se caiçara ou caipira; acaipirar-se, amatutar-se. **2.** Adquirir modos de caiçara.

açaí-catinga *S. m. Bras. Bot.* V. *açaí-chumbo*. [Pl.: *açaís-catingas* e *açaís-catinga*.]

açaí-chumbo *S. m. Bras. Amaz. Bot.* Palmeira arecácea (*Euterpe catingae*) de fruto drupáceo, pequeníssimo, us. pelos aborígines para enfeite, a qual fornece palmito comestível; açaí-catinga, açaí-de-caatinga, açaí-mirim, uaçaí-chumbo, uaçaí-miri, uaçaí-mirim. [Pl.: *açaís-chumbos* e *açaís-chumbo*.]

acaico [Do gr. *achaikós*, pelo lat. *achaicu*.] *Adj. S. m.* V. *aqueu* (1 e 3).

açaí-de-caatinga *S. m. Bras. Bot.* V. *açaí-chumbo*. [Pl.: *açaís-de-caatinga*.]

açaí-do-alto-amazonas [De *açaí* + *do*[1] + *alto*[1] + o top. (rio) *Amazonas*.] *S. m. Bras. Bot.* Palmeira arecácea (*Euterpe precatoria*) de até 20m, originária da Amazônia e do Caribe, de estipe anelado, flores amarelas, frutos roxo-escuros dos quais se extrai bebida vinosa, e cujo palmito é de boa qualidade; açaí-mirim, guaçaí, juçara, palmito-mole. [Pl.: *açaís-do-alto-amazonas*.]

açaí-do-pará *S. m. Bras. Bot.* V. *açaí* (1). [Pl.: *açaís-do-pará*.]

açaiense (a-i) *Adj. 2 g.* **1.** De, ou pertencente ou relativo a Açaí (PR). ● *S. 2 g.* **2.** O natural ou habitante de Açaí.

açailandense (a-i) *Adj. 2 g.* **1.** De, ou pertencente ou relativo a Açailândia (MA). ● *S. 2 g.* **2.** O natural ou habitante de Açailândia.

açaimar [Var. de *açamar*.] *V. t. d.* **1.** Prender com açaimo ou açamo. **2.** Pôr açaimo a. **3.** *Fig.* Reprimir, refrear, silenciar. "Nenhuma vontade conseguia açaimar o grito irreprimível que o sufocava." (Miguel Torga, *Bichos*, p. 48.) [Var.: *aceimar*.]

açaime *S. m.* V. *açaimo*.

açaí-mirim *S. m. Bras. Bot.* **1.** V. *açaí-chumbo*. **2.** V. *açaí-do-alto-amazonas*. [Pl.: *açaís-mirins*.]

açaimo [Var. de *açamo*, do ár. *azimma(t)*, pl. de *zimaom*, 'amarra', 'atadura', 'cordão'; 'bridão', 'cabresto (esp. de camelo)'.] *S. m.* Cabrestilho que se põe no focinho dos animais para não morderem ou não comerem. [Outra var.: *açaime*.]

acaio *Adj. S. m.* V. *aqueu* (1 e 3).

acaipirado [De *a-*[2] + *caipira* + *-ado*[1].] *Adj. Bras.* Que tem maneiras ou modos, ou é próprio de caipira; matuto: "A maçada era a Nicota, a mulher, ... sempre retraída, muito acaipirada, cousa demais." (Visconde de Taunay, *Ao Entardecer*, p. 187.)

acaipirar-se [De *a-*[2] + *caipira* + *-ar*[2] + *se*[1].] *V. p. Bras.* Tornar-se caipira; tomar hábitos e/ou o modo de falar dos roceiros; amatutar-se, acaiçarar-se, encaipirar-se.

açairana (a-i) [De *açaí* + *-rana*.] *S. f. Bras. Bot.* **1.** Juritiubim. **2.** Palmeira arecácea (*Syagrus sancona*) de até 30m, originária da Amazônia, cujos folíolos são dispostos irregularmente na raque, e os frutos, elipsoides, são amarelos. **3.** V. *guaraicanga-de-bengala*.

acairelado [Part. de *acairelar*.] *Adj.* Cercado ou guarnecido de cairel.

acairelador (ô) [De *acairelar* + *-dor*.] *Adj. S. m.* Que, ou aquele que acairela.

acairelar [De *a-*[2] + *cairel* + *-ar*[2].] *V. t. d.* Cercar ou guarnecer de cairel; debruar, cairelar.

acaiúra [De or. tupi.] *S. f. Bras. Bot.* V. *tucumã* (2).

açaizal (a-i) [De *açaí* + *-zal*.] *S. m. Bras. Amaz.* Quantidade mais ou menos considerável de açaizeiros dispostos proximamente entre si, e em geral à beira de rio.

açaizeiro (a-i) [De *açaí* + *-zeiro*.] *S. m. Bras. Amaz. Bot.* V. *açaí* (1): "a palmeira por excelência, em toda a esplanada equatorial, é o açaizeiro, que se distingue por três espécies." (Raimundo Morais, *País das Pedras Verdes*, p. 102).

acajá [Do tupi.] *S. m. Bras. Bot.* V. *cajazeira*.

acajadado [De *a-*[2] + *cajado* + *-ado*[1].] *Adj.* Em forma de cajado, ou semelhante a ele.

acajadar [De *a-*[2] + *cajado* + *-ar*[1].] *V. t. d.* Bater, espancar, com cajado; esbordoar, espancar.

acajaíba [De *acajá* + *-íba*.] *S. m. Bras. Bot.* V. *cajazeira*.

acajibado *Adj. Bras. SE Pop.* Deformado pelo uso; envelhecido, acajipado.

acajipado *Adj. Bras. SE Pop.* V. *acajibado*.

acaju [Do tupi = 'caju'.] *S. m. Bras. Bot.* **1.** V. *mogno*. **2.** V. *mogno-brasileiro*. **3.** V. *cedro-batata*. **4.** V. *cedro-cheiroso*. ● *Adj. 2 g. e 2 n.* **5.** Que tem a cor castanho-avermelhada própria do mogno. **6.** Diz-se dessa cor.

acaju-catinga *S. m. Bras. Bot.* V. *cedro-batata*. [Pl.: *acajus-catingas* e *acajus-catinga*.]

acajucica [Do tupi.] *S. f. Bras.* Resina produzida pelo cajueiro.

acajutibense *Adj. 2 g.* **1.** De, ou pertencente ou relativo a Acajutiba (BA) ● *S. 2 g.* **2.** O natural ou habitante de Acajutiba.

▲**-açal** [De *-aç(a)-* + *-al*[1].] V. *-aça*.

açalá *S. f.* V. *saiá*.

acalantar [De *calar*; cf. o esp. *callantar*.] *V. t. d. Int. P.* V. *acalentar*.

acalanto [Dev. de *acalantar*.] *S. m.* **1.** Acalento (1 e 2). **2.** *Mús.* Composição vocal ou instrumental semelhante ao acalento (2). [Sin., fr.: *berceuse*.]

acalasia [De *a-*[3] + *-calas-* + *-ia*[1].] *S. f. Med.* Condição em que não há relaxamento esfincteriano, como, p. ex., de esôfago, por não ocorrerem as contrações dos condutos correspondentes.

acalcamento [De *acalcar* + *-mento*.] *S. m.* Ato ou efeito de acalcar; calcamento.

acalcanhado [Part. de *acalcanhar*.] *Adj.* **1.** Pisado com calcanhar; calcado. **2.** Diz-se do calçado cujo tacão se gastou de um lado, ou se entortou com o uso do andar; cambado: "Duas mocinhas de salto alto acalcanhado e uma falha no incisivo superior." (Carlos Lacerda, *Xanã*, p. 15.) **3.** *Fig.* Espezinhado, esmagado, oprimido. **4.** *Bras.* Gasto, acabado, envelhecido.

acalcanhamento [De *acalcanhar* + *-mento*.] *S. m.* Ato ou efeito de acalcanhar.

acalcanhar *V. t. d.* **1.** Pisar com o calcanhar; calcar. **2.** Entortar, com o andar, o tacão de (o calçado). **3.** *Fig.* Espezinhar, oprimir, humilhar. **4.** *Bras.* Gastar, envelhecer. *Int.* **5.** Ficar (o calçado) com o tacão entortado.

acalcar [De *a-*[4] + *calcar*.] *V. t. d.* Comprimir, calcar. [Conjug.: v. *trancar*.]

acalculia [De *a-*[3] + *cálculo* + *-ia*[1].] *S. f. Psiq.* Incapacidade de realizar cálculos aritméticos, por mais simples que sejam, causada por distúrbios cerebrais.

acaléfio [De *acalefo* + *-io*[3].] *Adj. S. m. Zool.* V. *cifozoário*.

acalefo [Do fr. *acalèphe* < gr. *akaléphe*, 'urtiga', 'urtiga-do-mar'.] *Adj. S. m. Zool.* V. *cifozoário*.

acalefologia [De *acalefo* + *-logia*.] *S. f. Zool.* Parte da celenterologia que trata dos acalefos.

acalefológico [De *acalefologia* + *-ico*[2].] *Adj.* Referente à acalefologia.

acalenta-menino [De *acalentar* + *menino*.] *S. m.* **1.** *Bras.* Feijão saboroso, que cozinha depressa, muito usado na alimentação das crianças. **2.** *Bras. MG Pop.* V. *valentão* (3). [Pl.: *acalenta-meninos*.]

acalentamento [De *acalentar* + *-mento*.] *S. m.* Ato ou efeito de acalentar; acalento, acalanto: "Tu [ó Lua], que soluças pelos céus nevoentos / .... / Dá-me os teus doces acalentamentos!" (Cruz e Sousa, *Últimos Sonetos*, p. 156.)

acalentar [Var. de *acalantar*.] *V. t. d.* **1.** Adormecer (criança) ao som de cantigas; embalar cantando, aconchegando ao peito: "acalentavam as criancinhas, com umas cantigas ingênuas, em que o *velho do outro mundo* era comparado ao *murucututu* de cima dos telhados" (Inglês de Sousa, *Contos Amazônicos*, p. 177). **2.** Tranquilizar, sossegar, serenar. **3.** Chegar a si; aconchegar; conchegar: "Quando a separaram do cadáver, não percebeu; e, enrolando o seu xale molhado, apertou-o ao peito, acalentando-o com um sorriso triste." (Conde de Ficalho, *Uma Eleição Perdida*, p. 201.) **4.** Amimar, acariciar, afagar. **5.** Alentar, cultivar; incentivar: *Sempre acalentou sonhos impossíveis.* **6.** Consolar, confortar: "Criança e moço, acalentaram-me os afagos da mais extremosa das mães" (Ricardo Jorge, *Canhenho dum Vagamundo*, p. XIII). *Int.* **7.** Cantar para fazer adormecer, ou para embalar. **8.** Fazer dormir; embalar: "Quem conta estória / de acalentar?" (Emílio Moura, *Itinerário Poético*, p. 83.) *P.* **9.** Adormecer ao som de cantigas; embalar-se.

acalento [Var. de *acalanto*.] *S. m.* **1.** Ato de acalentar; acalentamento. **2.** *Mús.* Cantiga para adormecer criança; canção de ninar, cantiga de ninar. [Sin. (bras., SP), nesta acepç., *dorme-nenê*.] **3.** Afago, carinho; acalentamento.

acálice [De *a-*[3] + *cálice*[2].] *Adj. 2 g. Bot.* Acalicino.

acalicino [De *a-*[3] + *cálice*[2] + *-ino*[1].] *Adj. Bot.* Destituído de cálice (planta ou flor); acálice.

acálifa [Do tax. *Acalypha* (do gr. *akalýphe*, alter. de *akaléphe*, 'urtiga').] *S. f. Bot.* **1.** Gênero de árvores e arbustos euforbiáceos, que habitam regiões quentes, de folhagem multicolorida, pelo que são cultivadas como ornamentais. **2.** Qualquer espécie desse gênero, como, p. ex., a *Acalypha wilkesiana* (v. *crista-de-peru*). **3.** Qualquer espécime desse gênero. [Var.: *acálifo*.]

acálifo *S. m. Bot.* V. *acálifa*.

acalipto *S. m. Bras. Pop.* Eucalipto.

acaliptrado [De *a-*[3] + gr. *kalýptra*, 'cobertura para a cabeça', + *-ado*[3]; tax. *Acalyptrata*.] *Zool. S. m.* **1.** Espécime dos acaliptrados, subdivisão de esquizóforos, que abrange diversas famílias, cujas álulas ou calípteras são ausentes ou rudimentares. ● *Adj.* **2.** Pertencente ou relativo a eles.

acalmação [De *acalmar* + *-ção*.] *S. f.* Ato ou efeito de acalmar(-se).

acalmada [De *acalmar* + *-ada*[1].] *S. f. Fam.* Efeito de acalmar-se: *A chuva deu uma acalmada: vamos embora!*

acalmado [Part. de *acalmar*.] *Adj.* **1.** Tornado calmo: sossegado, tranquilizado, serenado. **2.** Pacificado, apaziguado. ~ V. *aço —*.

acalmar [De *a-*[2] + *calmo* + *-ar*[2].] *V. t. d.* **1.** Tornar calmo; tranquilizar, serenar: "Ferve-me o sangue. Acalma-o com teu beijo" (Olavo Bilac, *Poesias*, p. 115). **2.** Moderar; mitigar, aplacar: "Um banho morno, em que se demorou, não serviu para acalmar-lhe os nervos" (Júlio Ribeiro, *A Carne*, p. 202). **3.** Pacificar, apaziguar. *Int. P.* **4.** Tornar-se menos intenso; aplacar(-se), serenar-se: "a efusão deste sentimento [de saudade] se acalmara, e de todo aplacou-se ao entrar [D. Flor] na choupana." (José de Alencar, *O Sertanejo*, p. 191). **5.** Aplacar; serenar: "— Meu pai, por que sua ira não se acalma!" (Augusto dos Anjos, *Eu*, p. 92.) [F. paral.: *calmar*.]

acalmia [De *a-*[3] + *calmo* + *-ia*[1].] *S. f.* **1.** Período de calma ou repouso subsequente a outro de agitação. **2.** Estiagem, bonança. **3.** *Med.* Período de serenidade, no curso de processo mórbido.

açalmo [Var. de *xalma* ou *xelma*, poss. com infl. do ár. *as-sullam*; v. etim. de *xelma*.] *S. m.* **1.** V. *xalma*. **2.** *P. ext. Mil. Ant.* Quantidade de munição, armas, equipamentos ou gêneros, esp. armazenados para provisão durante sítio[2] ou longa campanha.

acalorado [Part. de *acalorar*.] *Adj.* **1.** Cheio de calor (1); encalmado. **2.** Cheio de calor, de vivacidade; vivo, animado. **3.** Entusiasmado, exaltado: "Como bom patriota, deixava-se [João de Barros], ... às vezes, fascinar pela sublimidade das ações heroicas que descrevia, tornando-se mais panegirista acalorado que historiador sereno e imparcial." (P.ᵉ Arlindo Ribeiro da Cunha, *A Língua e a Literatura Portuguesa*, pp. 269-270.) **4.** Veemente, vigoroso. ● *S. m.* **5.** Aquele que tem calor; indivíduo calorento.

acalorar [De *a-*[2] + *calor* + *-ar*[2].] *V. t. d.* **1.** Dar calor a; aquecer. **2.** Animar; entusiasmar; excitar: *A discussão acalorou os ânimos.* *P.* **3.** Entusiasmar-se; animar-se.

açalpão *S. m. Bras. Pop.* V. *alçapão*.

acamado [De *a-*[2] + *cama* + *-ado*[1].] *Adj.* **1.** Deitado na cama, ou como em cama. **2.** Diz-se de doente que está de cama: "Marcenda não está aqui, nem seria de contar que estivesse, não é doente acamada, anda por seu pé" (José Saramago, *O Ano da Morte de Ricardo Reis*, p. 314). **3.** Disposto, acomodado, arrumado, formando camadas ou camas. **4.** Assentado; alisado. **5.** Diz-se do pasto seco que se deita sobre o solo. ● *S. m.* **6.** Pasto acamado.

acamamento [De *acamar* + *-mento*.] *S. m.* **1.** Ato ou efeito de acamar(-se). **2.** Queda das hastes do trigo e de outras gramíneas, por efeito de ventania. **3.** Acondicionamento das folhas do feno para fermentarem. **4.** *Geol.* Plano que separa as camadas contíguas das rochas sedimentares estratificadas; estratificação.

acamar [De *a-*[2] + *cama* + *-ar*[2].] *V. t. d.* **1.** Deitar em cama ou superfície análoga: *Deu ordem para que acamassem o doente.* **2.** Fazer deitar: "Uma brisa louca, mas amena, doudejava na campina, ramalhando as folhas, ... empolando e acamando as ervas dos prados." (Rebelo da Silva, *Contos e Lendas*, p. 134.) **3.** Dispor em camas ou camadas. **4.** Alisar, anediar: "tinha no regaço uma cadelinha, e com a sua mão seca e fina, cheia de veias, acamava-lhe o pelo branco como algodão." (Eça de Queirós, *O Crime do Padre Amaro*, p. 55). *Int.* **5.** Cair de cama; adoecer, acamar-se. **6.** Pender ou cair, quase ficando, ou ficando, ao nível do solo; abater-se; acamar-se: *As espigas acamaram com o vendaval. P.* **7.** Pôr-se na cama; deitar-se. **8.** V. *acamar* (5 e 6). **9.** Acumular-se, amontoar-se. **10.** Abater-se, humilhar-se.

açamar [De *açamo* + *-ar*[2].] *V. t. d.* V. *açaimar*: "As paixões nesta idade, quando são contrariadas, pesam sobre a alma, imobilizam-na, açamam-lhe os ímpetos" (Camilo Castelo Branco, *A Mulher Fatal*, p. 42).

acamaradado [Part. de *acamaradar*.] *Adj.* Que está de camaradagem com alguém.

acamaradar [De *a-*[2] + *camarada* + *-ar*[2].] *V. int.* **1.** Tornar-se camarada, companheiro; acamaradar-se. **2.** Andar de camaradagem, em companhia; acamaradar-se. *P.* **3.** Acamaradar (1). **4.** Acamaradar (2). **5.** Unir-se, ligar-se: "as castas femininas acamaradaram-se sem escrúpulos na devoção da cruz roxa" (Ricardo Jorge, *Passadas de Erradio*, p. 195). **6.** Aparceirar-se, mancomunar-se.

acamatanga [De or. tupi.] *S. f. Bras. Zool.* V. *xauã*.

acâmato [Do gr. *akámatos*, 'infatigável'.] *Adj. S. m. Fisiol.* Diz-se de, ou aquele que não se fatiga facilmente.

açambarcação [De *açambarcar* + *-ção*.] *S. f.* V. *açambarcamento*.

açambarcador (ô) [De *açambarcar* + *-dor*.] *Adj.* **1.** Que açambarca; açambarcante. ● *S. m.* **2.** Aquele que açambarca.

açambarcagem [De *açambarcar* + *-agem*[2].] *S. f.* V. *açambarcamento*.

açambarcamento [De *açambarcar* + *-mento*.] *S. m.* Ato ou efeito de açambarcar; açambarcação, açambarcagem, açambarque.

açambarcante [De *açambarcar* + *-nte*.] *Adj. 2 g.* Açambarcador (1).

açambarcar [De *a-*[4] + *sambarcar*, poss.] *V. t. d.* Chamar (algo) exclusivamente a si, privando os outros da respectiva vantagem; monopolizar: "as operações em vasta escala do Banco Russo-Chinês, açambarcando todas as finanças do Oriente" (Euclides da Cunha, *Contrastes e Confrontos*, p. 123). **2.** Assenhorear-se de, apropriar-se de: *Os invasores açambarcaram toda a produção.* [Conjug.: v. *trancar*.]

açambarque [Dev. de *açambarcar*.] *S. m.* V. *açambarcamento*.

acambetado [De *a-*[2] + *cambeta* + *-ado*[1].] *Adj.* V. *cambaio* (1).

acambetar [De *a-*[2] + *cambeta* + *-ar*[2].] *V. int.* Andar com as pernas tortas; cambetear.

acamboar [De *a-*[2] + *cambo*[2] + *-oar*.] *V. t. d.* Tornar cambo; entortar, cambar. [Conjug.: v. *coroar*.]

acambulhado [Part. de *acambulhar*.] *Adj.* **1.** Deitado de cambulhada. **2.** *Lus.* Inclinado [o pão (3) nas searas] um sobre outro.

acambulhar [De *a-*[2] + *cambulho* + *-ar*[2].] *V. t. d.* **1.** Pôr de cambulhada, desordenadamente. **2.** *Lus.* Acamar [o pão (3) nas searas] um sobre outro. *P.* **3.** Apresentar-se de cambulhada; misturar-se desordenadamente.

açamo *S. m.* Açaimo (q. v.).

açamoucado [De *a-*[2] + *samouco* + *-ado*[1].] *Adj.* **1.** Malconstruído. ● *S. m.* **2.** Obra (4) sem arte ou sem segurança, pelo mau emprego de materiais de construção. **3.** Serviço feito apressadamente e sem cuidado.

acampado [Part. de *acampar*.] *Adj.* Alojado em acampamento.

acampainhado (a-i) [De *a-*[2] + *campainha* + *-ado*[1].] *Adj.* Que tem feitio de campainha.

acampamento [De *acampar* + *-mento*.] *S. m.* **1.** Ato ou efeito de acampar(-se). **2.** Lugar onde se acampa; arraial. **3.** Lugar de permanência provisória. **4.** Camping. **5.** Bando ou tropa acampada: *O acampamento está em pé de guerra.* **6.** *Arqueol.* Sítio arqueológico que caracteriza assentamentos humanos transitórios, muitas vezes sazonais. **7.** *Mil.* Forma de estacionamento em que a organização militar se instala temporariamente em barracas ou em outro tipo de proteção semelhante contra intempéries. [Cf. (nesta acepç.) *acantonamento* (2) e *bivaque* (1).] **8.** *P. ext.* Instalação semelhante de unidades de escotismo e outras. ◆ **Levantar acampamento. 1.** Mudar-se (de lugar, de casa, etc.) levando todos os seus pertences. **2.** Ir-se embora.

acampanar [De *a-*[4] + *campana* + *-ar*[2].] *Bras. RJ Gír. V. t. d.* **1.** Perseguir, espionar (alguém), de longe, para roubar, prender ou para outro fim. **2.** Ficar de espreita; tocaiar (alguém). *Int.* **3.** Espreitar, tocaiar. [F. paral.: *campanar*.]

acampar [De *a-*[2] + *campo* + *-ar*[2].] *V. t. d.* **1.** Instalar em campo ou acampamento: *acampar um exército. T. c. Int. P.* **2.** Estabelecer-se em campo ou acampamento; arranchar-se: *Os ciganos acamparam nos arredores da cidade; Após a longa jornada, acampa-ram(-se).* **3.** Assentar arraial (1). **4.** Estabelecer-se provisoriamente; arranchar-se: *Os excursionistas acamparam no topo da montanha; Vários rapazes acamparam(-se) aqui durante três dias.*

acampsia [Do gr. *akampsía*.] *S. f. Med.* Ancilose.

acamurçado [De *a-*[2] + *camurça* + *-ado*[1].] *Adj.* Semelhante a camurça; camurçado.

acamurçar [De *a-*[2] + *camurça* + *-ar*[2].] *V. t. d.* Dar aspecto ou cor de camurça a. [Conjug.: v. *laçar*.]

acamutanga *S. f. Bras. Zool.* V. *xauã*.

acana [Do esp. *ácana*, poss. do taino.] *S. f. Bot.* Nome comum a diversas sapotáceas do gênero *Manilkara* (v. *manilcara*) que fornecem látex e madeira de ótima qualidade; são mais conhecidas como *balata* [v. *balata*[2] (1)] e *maçaranduba* (q. v.).

acaná *S. f. Bras. Zool.* V. *acauã*.

acanã *S. f. Bras. Zool.* V. *acauã*.

açaná *S. f. Bras. Zool.* V. *frango-d'água* (1).

açanã *S. f. Bras. Zool.* V. *frango-d'água* (1).

acanalado [De *a-*[2] + *canal* + *-ado*[1].] *Adj.* Que tem forma de canal. [Var.: *acanelado*.]

acanalador (ô) [De *acanalar* + *-dor*.] *Adj. S. m.* Que, ou aquele que acanala. [Var.: *acanelador*.]

acanaladura [De *acanalar* + *-dura*.] *S. f.* V. *canelura*. [Var.: *acaneladura*.]

acanalar [De *a-*[2] + *canal* + *-ar*[2].] *V. t. d.* **1.** Abrir acanaladuras em; estriar. *P.* **2.** Formar fosso ou escavação à maneira de canal. [Var.: *acanelar*.]

acanalhado [De *a-*[2] + *canalha* + *-ado*[1].] *Adj.* Que tem maneiras de, ou que é próprio de canalha.

acanalhador (ô) [De *acanalhar* + *-dor*.] *Adj. S. m.* Que, ou aquele que acanalha.

acanalhamento [De *acanalhar* + *-mento*.] *S. m.* Ato ou efeito de acanalhar(-se); aviltamento, envilecimento.

acanalhante [De *acanalhar* + *-nte*.] *Adj. 2 g.* Próprio de canalha; acanalhado.

acanalhar [De *a-*[2] + *canalha* + *-ar*[2].] *V. t. d.* **1.** Dar modos ou feição próprios de canalha a; tornar canalha. **2.** Tornar desprezível ou abjeto; aviltar, envilecer. *P.* **3.** Tornar-se canalha ou velhaco. **4.** Tornar-se desprezível ou abjeto; aviltar-se: "que vale o nosso bom senso, se ele serve apenas para nos manter na descrença em que nos acanalhamos, sem o amor da Pátria, sem o amor da Justiça, sem o amor da Beleza moral?" (Olavo Bilac, *Crítica e Fantasia*, p. 167).

acanati [Var. de *acunati*.] *S. m. Bras. Zool.* V. *jacu-estalo*.

acanatique *S. m. Bras. Zool.* V. *jacu-estalo*.

acanaveado [Part. de *acanavear*.] *Adj.* **1.** Supliciado com puas de cana entre as unhas e a carne. **2.** *P. ext.* Martirizado, torturado. **3.** *P. ext.* Emagrecido. **4.** *Fig. Lus.* Angustiado, aflito.

acanaveadura [De *acanavear* + *-dura*.] *S. f.* Ato ou efeito de acanavear(-se).

acanavear [De *a-*[2] + *cânave* + *-ar*[2].] *V. t. d.* **1.** Torturar, supliciar, introduzindo puas de cana entre as unhas e a carne. **2.** *P. ext.* Martirizar, torturar, supliciar, mortificar. **3.** Tornar magro, abatido; emagrecer. *P.* **4.** Atormentar-se; angustiar-se. [Conjug.: v. *frear*.]

acancelado [De *a-*[2] + *cancela* + *-ado*[1].] *Adj.* Semelhante a cancela.

acancelar [De *a-*[2] + *cancela* + *-ar*[2].] *V. t. d.* **1.** Fazer em forma de cancela. **2.** Fechar com cancela.

acanelado[1] [De *a-*[2] + *canela*[1] + *-ado*[1].] *Adj.* Que tem cor de canela: "Fez reentrar na represa da camisa o seio acanelado e flácido." (Alberto Rangel, *Sombras n'Água*, p. 113.)

acanelado[2] *Adj.* V. *acanalado*.

acanelador (ô) *Adj. S. m.* V. *acanalador*.

acaneladura *S. f.* V. *acanaladura*.

acanelar[1] [De *a-*[2] + *canela*[1] + *-ar*[2].] *V. t. d.* **1.** Dar cor de canela a. **2.** Cobrir ou polvilhar com pó de canela.

acanelar[2] *V. t. d. P.* V. *acanalar*.

acangaceirado [De *a-*[2] + *cangaceiro* + *-ado*[1].] *Adj.* Que tem maneiras ou modos, ou que é próprio de cangaceiro: "'Alexandre Francisco Cerbelon Verdeixa, padre sertanejo no Ceará', turbulento e acangaceirado, também se dizia presciente." (Gustavo Barroso, *Heróis e Bandidos*, p. 265.)

acangapara [Do tupi-guar.] *S. m. Bras. MA Zool.* V. *cágado* (1).

acangapeva *S. m. Bras. Zool.* V. *cambeva* (1).

acangatar *S. m. Bras.* V. *canitar*.

acangatara *S. m. Bras.* V. *canitar*.

acanguçu [Do tupi 'cabeça grande'.] *S. m. Bras. Zool.* V. *jaguar*. [Var.: *canguçu*.]

acangulado [De *a-*[2] + *cangulo* + *-ado*[1].] *Adj. Bras.* Diz-se de cangulo (2).

acanhação [De *acanhar* + *-ção*.] *S. f. P. us.* V. *acanhamento*.

acanhadão [De *acanhado* + *-ão*[1].] *Adj. S. m.* Diz-se de, ou indivíduo muito acanhado (3). [Fem.: *acanhadona*.]

acanhado [Part. de *acanhar*.] *Adj.* **1.** De tamanho menor que o normal: "Raquítico, miúdo, acanhado, ninguém de boa mente me daria mais do que dez anos." (Cordeiro de Andrade, *Anjo Negro*, p. 106.) **2.** Estreito, apertado: *Vive modestamente, em cômodos acanhados.* **3.** Sem desembaraço; tímido: "Tão expansivo era de coração, como acanhado de maneiras" (Machado de Assis, *Histórias sem Data*, p. 24). **4.** V. *avaro* (1). **5.** Covarde, pusilânime.

acanhadona [F. de *acanhadão*.] *S. f.* Mulher muito acanhada [v. *acanhado* (3)].

acanhador (ô) [De *acanhar* + *-dor*.] *Adj. S. m.* Que, ou aquele que acanha.

acanhamento [De *acanhar* + *-mento*.] *S. m.* **1.** Ato ou efeito de acanhar(-se). **2.** Estreiteza, aperto. **3.** Falta de desembaraço; timidez. **4.** Mesquinhez, sovinice. [Sin. ger. (p. us.): *acanho*, *acanhação*.]

acanhar [De *a-*[2] + *canho*[2] + *-ar*[2].] *V. t. d.* **1.** Impedir o desenvolvimento de; atrofiar; enfezar. **2.** Fazer ou tornar apertado; apertar, estreitar. **3.** Oprimir, acabrunhar; apertar: *Grande é a mágoa que lhe acanha o peito.* **4.** Vexar, envergonhar: *Acanhava-o a pobreza de sua casa.* **5.** Embaraçar, tolher, intimidar. *P.* **6.** Envergonhar-se, vexar-se. **7.** Tornar-se ou mostrar-se tímido. **8.** Acovardar-se, intimidar-se. **9.** Tornar-se estreito, apertado; estreitar-se: *A larga estrada acanhava-se na curva.*

acanho [Dev. de *acanhar*.] *S. m. P. us.* V. *acanhamento*: "era natural, sem acanho de roceira" (Machado de Assis, *Quincas Borba*, p. 118); "Não trazia o acanho natural a um pedinte" (Id., *Papéis Avulsos*, p. 195).

acanhoar [De *a-*[2] + *canhão* + *-ar*, com desnasalação.] *V. t. d.* Acanhonear. [Conjug.: v. *coroar*.]

acanhonear [De *a-*[2] + *canhão* + *-ear*[2].] *V. t. d.* Disparar canhões contra. [Sin.: *acanhoar*. Conjug.: v. *frear*.]

acanhotado [De *a-*[2] + *canhoto* + *-ado*[1].] *Adj.* **1.** Um tanto canhoto, sem jeito. **2.** *Lus.* Malfeito, tosco, grosseiro. **3.** *Lus.* Bronco, rude. **4.** *Lus. Pop.* Triste, sorumbático.

acânia [Do tax. *Akania*.] *S. f. Bot.* **1.** Gênero monoespecífico das acaniáceas, cuja espécie, nativa do N.E. da Austrália, é encontrada, na Argentina, como fóssil. **2.** A espécie desse gênero, *Akania bidwillii*, de folhas espiraladas, penadas, com folíolos denteados, flores hermafroditas, pentâmeras, paniculadas, e frutos capsulares, loculicidas. **3.** Qualquer espécime desse gênero.

acaniácea [Do tax. *Akania* + *-ácea*; tax. *Akaniaceae*.] *S. f. Bot.* Espécime das acaniáceas, família da ordem das caparidales que compreende apenas o gênero *Akania* (v. *acânia*).

acaniáceo [De *acaniácea*, com var. suf. (v. *-áceo*).] *Adj. Bot.* Pertencente ou relativo às acaniáceas.

acanoado [De *a-*[2] + *canoa* + *-ado*[1].] *Adj. Bras.* **1.** Que tem feitio de canoa. **2.** Diz-se de tábua quando empena no sentido da largura.

acanoar [De *a-*[2] + *canoa* + *-ar*[2].] *V. t. d. Bras.* Dar a forma de canoa a. [Conjug.: v. *coroar*.]

acanônico *Adj.* V. *acanônico*. [Uso freq. em P.]

acanônico [De *a-*[3] + *cânon* + *-ico*[2].] *Adj.* Contrário aos cânones; não canônico.

acanonista [De *a-*[3] + *cânon* + *-ista*.] *Adj. 2 g. S. 2 g.* Que, ou quem transgride ou ignora os cânones.

acansterol [De *acan(to)*[1] (1) (q. v.) + *-sterol*.] *S. m. Quím.* Esterol encontrado em certas acantáceas, que contém anel ciclopropânico na cadeia lateral [fórm.: $C_{30}H_{50}O$]. [Pl.: *acansteróis*.]

acantácea [Do tax. *Acanthus* (v. *acanto*[1]) + *-ácea*; tax. *Acanthaceae*.] *S. f. Bot.* Espécime das acantáceas, família da ordem das escrofulariales, que engloba ervas ou arbustos, e muito raramente árvores. Apreciadíssimas como plantas ornamentais, têm flores hermafroditas, frequentemente abundantes e dum belo colorido, com corola bilabiada, e os frutos são pequenas cápsulas. O Brasil é rico em espécies.

acantáceo [Do tax. *Acanthus* + *-áceo.*] ***Adj. Bot.*** **1.** Pertencente ou relativo às acantáceas. **2.** Pertencente ou relativo ao acanto[1] (1).

acanteirado [De *a-*[2] + *canteiro* + *-ado*[1].] ***Adj.*** Em forma de canteiro.

acantela [Do lat. cient. *acanthella.*] ***S. f. Zool.*** **1.** Estágio intermediário da larva dos acantocéfalos, entre o do acântor e o da forma jovem infectante. **2.** A forma jovem, infectante, dos acantocéfalos.

acantestesia [De *acant(o)-* + *-estes(i)-* + *-ia*[1].] ***S. f. Neur.*** Distúrbio de sensibilidade em que o paciente tem a impressão de que está atuando, sobre uma ou mais partes do corpo, um objeto pontiagudo.

acantina [De *acant(o)-* + *-ina*[3].] ***S. f. Zool.*** Substância orgânica que forma o esqueleto de protozoários radiolários.

acantisitídeo [Do tax. *Acanthisitta*, gênero-tipo, + *-ídeo*[1]; tax. *Acanthisittidae.*] *Zool.* ***S. m.*** **1.** Espécime dos acantisitídeos, família de aves canoras passeriformes, insetívoras. Constroem ninhos em cúpula e são encontradas esp. na Austrália, Nova Zelândia e na Nova Guiné, com raras espécies americanas. • ***Adj.*** **2.** Pertencente ou relativo a eles.

acantita [De *acant(o)-* + *-ita*[3].] ***S. f. Min.*** Mineral ortorrômbico, sulfeto de prata (Ag_2S).

acanto[1] [Do tax. *Acanthus*; v. *acant(o)-*.] ***S. m. Bot.*** **1.** Gênero de subarbustos e ervas perenes acantáceas, em sua maioria xeromorfas, de folhas amplas e penatífidas; nativas da região do Mediterrâneo, algumas espécies são cultivadas como ornamentais desde a Antiguidade. **2.** Qualquer espécie desse gênero, como, p. ex., a *Acanthus spinosus*, de folhas pubescentes, com recortes triangulares, acuminados, dotados de espinhos curtos, flores em espigas e fruto capsular, e a espécie *A. mollis*, de grandes flores serreadas e pecioladas, flores alvas em espigas compridas, e fruto capsular, e que é vulgarmente conhecida como erva-gigante e melafólio. [Esta espécie é cultivada por suas propriedades medicinais, sendo as folhas us. como antídoto para vários venenos.] **3.** Qualquer espécime desse gênero.

acanto[2] [Do lat. *acanthu.*] ***S. m. Arquit.*** **1.** Ornato escultórico que toma como modelo a folha do *Acanthus mollis* [v. *acanto*[1] (2)], us. nos capitéis da ordem coríntia e da ordem compósita. **2.** Ornato escultórico que toma como modelo a folha do *Acanthus spinosus* [v. *acanto*[1] (2)], us. em capitéis góticos.

▲ **acant(o)-** [Do gr. *akanth-*, *akantho-* < gr. *ákantha*, ēs.] ***El. comp.*** = 'espinho', 'espinhoso'; 'afiado'; 'espinha dorsal', 'corda dorsal': *acantina*, *acantita*, *acantocéfalo*. [Equiv.: *-(a)cant(o)-*, *-acanto*: *celacantino*, *paleocantocéfalo*; *poliacanto*.]

▲ **-(a)cant(o)-** V. *acant(o)-*.

▲ **-acanto** V. *acant(o)-*.

acantoado [Part. de *acantoar.*] ***Adj.*** **1.** Posto ao canto. **2.** Separado, isolado. **3.** Escondido, oculto.

acantoamento [De *acantoar* + *-mento.*] ***S. m.*** Ato ou efeito de acantoar(-se).

acantoar [De *a-*[2] + *canto* + *-oar.*] ***V. t. d.*** **1.** Pôr a um canto. **2.** Ocultar, esconder. **3.** Separar, isolar. **4.** Desprezar, rejeitar. ***P.*** **5.** Fugir ao convívio social; buscar a solidão; isolar-se. [Conjug.: v. *coroar*.]

acantobdélido [De *acant(o)-* + *-bdel(o)-* + *-ido*[3]; tax. *Acanthobdellida.*] *Zool.* ***S. m.*** **1.** Espécime dos acantobdélidos, ordem de animais anelídeos hirudíneos sem ventosa anterior e sem maxilas, nem probóscide; têm dois pares de cerdas no segundo e quarto somitos, e celoma segmentado. O principal gênero, *Acanthobdella*, constitui-se em parasita de peixes. • ***Adj.*** **2.** Pertencente ou relativo a eles.

acantóbolo [Do gr. *akanthobólos.*] ***S. m.*** Instrumento cirúrgico antigo, em forma de pinça, para a extração de corpos estranhos.

acantobótrio[1] [De *acant(o)-* + *-bótrio.*] *Zool.* ***Adj.*** **1.** Diz-se do escólex dos vermes cestódeos que apresenta quatro ventosas em forma de vaso ou taça com ganchos quitinosos. • ***S. m.*** **2.** Esse escólex.

acantobótrio[2] [Do tax. *Acanthobothrium.*] ***S. m. Zool.*** **1.** Gênero de platelmintos que apresentam escólex acantobótrio. **2.** Espécie, ou espécime desse gênero.

acantocárpico [De *acant(o)-* + *-carp(o)-* + *-ico*[2].] ***Adj.*** *Bot.* Acantocarpo (1).

acantocarpo [De *acant(o)-* + *-carpo.*] *Bot.* ***Adj.*** **1.** Dotado de frutos espinhosos ou aculeados; acantocárpico. • ***S. m.*** **2.** Fruto recoberto de espinhos.

acantocefalíase [Do tax. *Acanthocephala* + *-íase.*] ***S. f.*** *Med.* Infestação produzida por qualquer acantocéfalo[2] (1).

acantocéfalo[1] [De *acant(o)-* + *-céfalo.*] ***Adj. Zool.*** Que tem a extremidade anterior do corpo provida de ganchos ou espinhos.

acantocéfalo[2] [Adapt. do tax. *Acanthocephala.*] *Zool.* ***S. m.*** **1.** Espécime dos acantocéfalos, filo de parasitos da parede intestinal de vários vertebrados, de simetria bilateral e extremidade anterior com probóscide reversível, revestida de ganchos para fixação; não apresentam tubo digestivo, absorvendo diretamente os nutrientes. São dioicos com acentuado dimorfismo sexual. • ***Adj.*** **2.** Pertencente ou relativo a eles.

acantocisto [De *acant(o)-* + *-cisto.*] ***S. m. Zool.*** Cada um dos estiletes laterais acessórios ou secundários que partem do estilete calcário da tromba de vermes como os nemertinos, e que é parte do órgão de sucção destes.

acantócito [De *acant(o)-* + *-cito.*] ***S. m.*** *Patol.* Hemácia alterada que apresenta projeções protoplasmáticas de diversas formas e tamanhos, conferindo à célula uma aparência espinhosa.

acantocládio [De *acant(o)-* + *-clad(o)-* + *-io*[3].] ***Adj. Bot.*** Provido de ramos espinhosos ou aculeados, ou, ainda, de ramos transformados em espinhos.

acantoclinídeo [Adapt. do tax. *Acanthoclinidae.*] *Zool.* ***S. m.*** **1.** Espécime dos acantoclinídeos, família de pequenos peixes perciformes, com cerca de 8cm de comprimento, que habitam águas tropicais da região indo-pacífica. • ***Adj.*** **2.** Pertencente ou relativo a eles.

acantódio [Adapt. do tax. *Acanthodii.*] *Paleont.* ***S. m.*** **1.** Espécime dos acantódios, classe de peixes que apresentavam esqueleto totalmente ossificado, nadadeira caudal heterocerca, notocórdio persistente, e escamas ganoides; viveram do siluriano ao permiano e, poss., relacionam-se aos ancestrais dos atuais actinopterígios. • ***Adj.*** **2.** Pertencente ou relativo a eles.

acantofilo [Do tax. *Acanthophyllum.*] ***S. m. Bot.*** **1.** Gênero de cariofiláceas cujas espécies, em sua maioria xerófitas, habitam o S.O. e o centro da Ásia, e a Sibéria. **2.** Qualquer espécie, ou espécime desse gênero.

acantóforo [Do gr. *akanthophóros.*] ***Adj. Zool.*** Provido de espinhos ou ganchos.

acantólise [De *acant(o)-* + *-lise.*] ***S. f.*** *Patol.* Atrofia e desprendimento da camada espinhosa da pele.

acantolítico [De *acantól(ise)* + *-ítico.*] ***Adj.*** *Patol.* Que diz respeito à acantólise.

acantoma [De *acant(o)-* + *-oma*[1].] ***S. m.*** *Patol.* Tumor constituído de células epidérmicas ou pavimentosas.

acantonado [Part. de *acantonar.*] ***Adj.*** **1.** Distribuído por cantões ou aldeias. **2.** Instalado em acantonamento (2 e 3).

acantonamento [De *acantonar* + *-mento.*] ***S. m.*** **1.** Ato ou efeito de acantonar(-se). **2.** *Mil.* Construção ou grupo de construções não militares, particulares ou públicas, utilizadas para alojar temporariamente organizações militares. **3.** *P. ext.* Instalação análoga de unidades de escotismo e outras.

acantonar [De *a-*[4] + fr. *cantonner.*] ***V. t. d.*** **1.** Dispor ou distribuir (tropas) em acantonamentos. ***T. d. e c.*** **2.** Acantonar (1): *Acantonou os soldados na escola da vila.* ***Int.*** **3.** Distribuir-se (a tropa) por diferentes acantonamentos, para descanso. **4.** *P. ext.* Instalar-se (unidades de escotismo e outras) em acantonamento (3).

acantopterígio [De *acant(o)-* + *-pterígio*; tax. *Acanthopterygii.*] *Zool.* ***S. m.*** **1.** Espécime dos acantopterígios, superordem de peixes teleósteos cujas nadadeiras são providas de raios espinhosos.s • ***Adj.*** **2.** Pertencente ou relativo a eles.

acantoquitonino [De *acant(o)-* + *-quiton-* + *-ino*[3]; tax. *Acanthochitonina.*] *Zool.* ***S. m.*** **1.** Espécime dos acantoquitoninos, subordem de moluscos anfineuros. • ***Adj.*** **2.** Pertencente ou relativo a eles.

acântor [Do lat. cient. *acanthor.*] ***S. m. Zool.*** Larva dos acantocéfalos, desde a eclosão do ovo até a sua transformação em acantela.

acantose [De *acant(o)-* + *-ose*[1].] ***S. f.*** **1.** *Bot.* Moléstia parasitária das plantas, causada pelo ataque de fungos e caracterizada pela emissão de formações que lembram pequenos espinhos. **2.** *Patol.* Espessamento da camada espinhosa da epiderme.

acantósporo [De *acant(o)-* + *-sporo.*] ***S. m.*** *Bot.* Esporo revestido de minutas pontas ou apículos.

acantossoma [De *acant(o)-* + *-soma.*] ***S. m.*** *Zool.* Pós-larva característica de camarões sergestídeos.

acanturídeo [Adapt. do tax. *Acanthuridae.*] *Zool.* ***S. m.*** **1.** Espécime dos acanturídeos, família de peixes perciformes, de cores brilhantes, conhecidos vulgarmente como *barbeiros* [v. *barbeiro* (7)]. • ***Adj.*** **2.** Pertencente ou relativo a eles.

acanular [De *a-*[2] + *cânula* + *-ar*[2].] ***V. t. d.*** Dar a forma de cana ou de cânula a.

ação [Do lat. *actione.*] ***S. f.*** **1.** Ato ou efeito de agir, de atuar; atuação, ato, feito, obra. **2.** Manifestação de uma força, de uma energia, de um agente. **3.** Maneira como um corpo, um agente, atua sobre outro; efeito: *ação do tempo; ação de um medicamento.* **4.** Capacidade de mover-se, de agir: *Ao ser-lhe apontado o revólver, ficou sem ação.* **5.** Movimento, funcionamento: *pôr em ação o motor do carro.* **6.** Modo de proceder; comportamento, atitude: *Tal ação é indigna de pessoa decente.* **7.** Exercício da força, do poder de fazer alguma coisa: "cidade médico-militar brotada por um milagre de ação em meses no deserto dum areal" (Ricardo Jorge, *Canhenho dum Vagamundo*, p. 3). **8.** Influência (sobre alguém ou alguma coisa): "nos primeiros anos de moço parecia [Machado de Assis] confiar na ação da sua vontade e na continuidade do trabalho." (Mário de Alencar, em Machado de Assis, *Teatro*, p. 10). **9.** Ocorrência, acontecimento, sucesso. **10.** Solenidade, cerimônia. **11.** Sequência de acontecimentos duma peça teatral, dum filme, dum romance, etc.; enredo, intriga, trama. **12.** *Cin. Telev.* Palavra de ordem para o início das filmagens. **13.** *Cin. Telev. Teatr.* O desenvolvimento dos fatos de uma peça teatral ou de uma trama cinematográfica ou televisiva. **14.** *Econ.* Parcela em que se divide o capital de uma sociedade anônima: "A companhia ou sociedade anônima terá o capital dividido em ações ...." (Lei das Sociedades Anônimas, Lei nº 6.404 de 15.12.1976, Art. 1º). **15.** *Econ.* Documento negociável representativo da propriedade de tal parcela: *Ele herdou de seu tio muitas ações do Banco do Brasil.* **16.** *E. Ling.* No verbo e no substantivo, expressão de processo ou atividade. **17.** *Ét.* Atividade responsável de um sujeito; realização de uma vontade que se presume livre e consciente. [Cf., nesta acepç., *ato* (6) e *liberdade* (11).] **18.** *Filos.* Processo que decorre da natureza ou da vontade de um ser, o agente, e de que resulta criação ou modificação da realidade. [Cf., nesta acepç., *ato* (8).] **19.** *Filos.* O curso desse processo; atividade. **20.** *Filos.* Resultado ou efeito desse processo. **21.** *Jur.* Direito público subjetivo de pedir a tutela jurisdicional do Estado para assegurar direito que se julga ter. **22.** *Dir. Proc.* Meio pelo qual se postula perante a justiça o reconhecimento, a declaração, a atribuição ou efetivação de um direito, ou, ainda, a punição de um infrator das leis penais. **23.** *Mil.* Cada uma das atividades táticas elementares que integram uma operação militar. **24.** *Teatr.* Organização, numa história coerente, das ações particulares desenvolvidas pelas personagens de uma peça teatral. **25.** *Teatr.* Sequência dos movimentos, atitudes e gestos das personagens de uma peça, e, p. ext., dos atores em cena; ação dramática. ◆ **Ação afirmativa.** **1.** Programa governamental ou de instituição, ligada ou não ao governo, que busca atenuar ou mesmo diminuir os efeitos da discriminação (esp. racial) ou da desigualdade social. **2.** *Jur.* Qualquer medida de caráter temporário, instituída pelo Estado, com tal finalidade. **Ação ao portador.** *Fin.* A que não traz escrito o nome de seu proprietário, pertencendo, pois, a quem a tiver em poder. **Ação combinada.** *Mil.* Ação militar de que participam elementos de mais de uma força armada, todos subordinados diretamente a um mesmo comando. **Ação comum.** *Fin.* Ação ordinária. **Ação condenatória.** *Dir. Proc. Civ.* Aquela que tem por objetivo a condenação judicial do réu à realização de uma prestação para satisfação do direito do autor da demanda. **Ação conjunta.** *Mil.* Ação militar em que tomam parte elementos de mais de uma força armada, sem que fiquem diretamente subordinados a um mesmo comando. **Ação constitutiva** *Dir. Proc. Civ.* Aquela que tem por objetivo a criação, modificação ou extinção de determinada situação jurídica. **Ação declaratória.** *Dir. Proc. Civ.* Aquela que tem por objetivo declaração judicial que proclame a existência ou inexistência de uma relação jurídica ou de um direito, ou a falsidade ou a autenticidade de um documento. **Ação de graças.** *Lit.* Ato de piedade e devoção com que se agradece a Deus ou aos santos um benefício recebido; eucaristia, oração eucarística: "em ação de graças mandou ao senhor prior um galo para o almoço e um carro de raízes de carvalho para a braseira." (Aquilino Ribeiro, *Aldeia*, p. 133). **Ação diversionária.** *Mil.* A que tem por fim desviar a atenção do inimigo; ação diversiva; diversão. **Ação diversiva.** *Mil.* V. *ação diversionária*. **Ação dramática.** *Teatr.* Ação (25). **Ação endossável.** *Fin.* Ação nominativa que pode ser transferida mediante simples endosso. **Ação entre amigos.** *Bras.* Rifa. **Ação executiva.** *Dir. Proc. Civ.* Aquela que, fundada em título executivo judicial ou extrajudicial, tem por objetivo a satisfação do direito do credor, inclusive, mediante atos expropriatórios do patrimônio do devedor. **Ação imanente.** *Filos.* Ação pela qual o agente se modifica. [Distingue-se da *ação transitiva*.] **Ação livre** *Cin. Telev.* Modo de produção de imagens em movimento a partir de sua captação por uma câmera. **Ação não local.** *Fís.* Capacidade quântica que tem um objeto de influenciar o estado físico de outro, sem que exista interação entre eles. **Ação nominativa.** *Fin.* A que traz escrito o nome de seu proprietário, e cuja venda deve ser registrada em livro especial na empresa que a emitiu. **Ação ordinária.** *Fin.* A que, além de proporcionar participação nos lucros da empresa, dá a seu titular o direito de voto; ação comum. **Ação penal.** *Dir. Proc. Penal* Meio pelo qual o Ministério Público ou um particular requer ao juízo criminal a condenação daquele que cometeu delito ou contravenção penal. **Ação petitória.** *Jur.* Aquela em que se pretende o reconhecimento ou a garantia do direito de propriedade, ou de qualquer direito real. **Ação possessória.** *Dir. Proc. Civ.* Aquela que tem por objetivo assegurar a posse de um bem ao autor da demanda, para afastar ameaça, turbação ou esbulho ao referido bem. **Ação preferencial.** *Fin.* A que dá ao seu possuidor prioridade no recebimento de dividendos e, em caso de dissolução da empresa, no reembolso do capital. [Normalmente não confere direito a voto.] **Ação recíproca.** *Psicol.* Interacionismo. **Ação reipersecutória.** *Dir. Proc. Civ.* Aquela em que o autor reclama o que se lhe deve ou lhe pertence, e que se acha fora de seu patrimônio. **Ação transitiva.** *Filos.* Ação pela qual se cria, modifica ou aniquila um ser diferente do agente. [Distingue-se da *ação imanente*.] **Concentrar ações.** Reunir (alguém) todas as ações de uma sociedade anônima, de modo que passe a dirigi-la sozinho, usando como expediente o nome de parentes ou sócios fictícios. **Entrar em ação.** Passar a agir. **Fazer ação.** *Bras. N.E.* **1.** Reagir, lutar. **2.** Praticar um ato de generosidade. **Pôr em ação.** Levar a efeito; executar. [Sin.: *pôr em prática, pôr em campo.*]

acapachar [De *a-*^{2} + *capacho* + *-ar*^{2}.] ***V. t. d.*** **1.** Pôr capacho em; cobrir com capacho; encapachar. **2.** Reduzir a capacho (2); esmagar, humilhar, desmoralizar. ***P.*** **3.** Reduzir-se a capacho (2); tornar-se subserviente; humilhar-se; encapachar-se.

acapadoçado [De *a-*^{2} + *capadócio* + *-ado*^{1}.] ***Adj.*** Que tem modos de, ou é semelhante a, ou que é próprio de capadócio (5).

acapangar [De *a-*^{2} + *capanga* + *-ar*^{2}.] ***V. p.*** **1.** *Bras.* Agir como capanga (4). ***T. d.*** **2.** Servir de capanga a. [Conjug.: v. *largar*.]

acapelar [De *a-*^{2} + *capelo*^{1} (ê) + *-ar*^{2}.] ***V. t. d.*** **1.** Dar a forma de capelo^{1} a. **2.** Cobrir com capelo^{1} (1 a 3). **3.** Submergir, afundar; soçobrar. ***P.*** **4.** Cobrir-se com capelo^{1} (1 a 3). **5.** Agitar-se, encrespar-se (o mar); encapelar-se.

acapitã [De or. tupi.] ***S. f.*** *Bras. Zool.* V. *cardeal* (3).

acapitular [De *a-*^{2} + *capítulo* + *-ar*^{2}.] ***V. t. d.*** **1.** Dividir em capítulos. **2.** Admoestar em capítulo (3).

acapna [Do gr. *ákapnos*, 'sem fumaça', pelo lat. *acapna, i. e., ligna acapna*.] ***S. f.*** Lenha seca, que não deita fumaça durante a combustão.

acapnia [Do gr. *ákapnos*, 'sem fumaça', + *-ia*^{1}.] ***S. f.*** *Med. Impr.* Baixa de tensão de dióxido de carbono no sangue. [A boa f. é *hipocapnia*.]

acapno [Do gr. *ákapnos*, 'sem fumaça', pelo lat. *acapnu*.] ***Adj. S. m.*** Diz-se do, ou o melhor mel que se extrai da colmeia sem expulsar as abelhas por meio de fumaça.

acapociba [Do tupi, poss.] ***S. f.*** *Bras. Bot.* **1.** Nome comum a algumas plantas apocináceas, ger. trepadeiras, do gênero *Allamanda* [v. *alamanda* (2)], dotadas de flores amarelas, campanuliformes; ibapocaba. **2.** V. *alamanda-rosa*.

acapoeirar-se [De *a-*^{2} + *capoeira*^{2} + *-ar*^{2} + *se*^{1}.] ***V. p.*** *Bras.* **1.** Tornar-se capoeira^{2} (4). **2.** Acanalhar-se, abandalhar-se.

acapu [Do tupi.] ***S. m.*** *Bras. Bot.* Árvore cesalpiniácea (*Vouacapoua americana*) comum na Amaz. e nas Guianas, que atinge 20m ou mais, de folhas imparipenadas e flores amarelo-douradas, dispostas em inflorescências terminais e eretas. Fornece madeira muitíssimo durável, utilizada para tacos e móveis finos. [F. paral.: *uacapu*. Sin.: *angelim-de-folha-larga, aracuí, pitangueira*.]

acapu-do-igapó ***S. m.*** *Bras. Amaz. Bot.* V. *acapurana*. [Pl.: *acapus-do-igapó*.]

acapurana [De *acapu* + *-rana*.] ***S. f.*** *Bras. Amaz. Bot.* Árvore cesalpiniácea (*Campsiandra comosa* ou *C. laurifolia*) de flores róseas, grandes frutos, e madeira durável, própria para construção, marcenaria, etc.; acapu-do-igapó, acapurana-vermelha, capoeirana, cumandá, manaiara. [F. paral.: *uacapurana*.]

acapurana-da-terra-firme ***S. f.*** *Bras. Amaz. Bot.* Árvore cesalpiniácea (*Batesia floribunda*) de flores pequenas, frutos que são legumes medíocres, e cuja madeira pode ser facilmente trabalhada; tenteiro. [Pl.: *acapuranas-da-terra-firme*.]

acapurana-vermelha ***S. f.*** *Bras. Bot.* V. *acapurana*. [Pl.: *acapuranas-vermelhas*.]

açapuva ***S. f.*** *Bras. Bot.* V. *cipó-violeta*.

▲**-açar** ***Suf. verb.*** = 'repetição', 'frequência'; 'aumento': *espicaçar; estiraçar*.

acará^{1} [Do tupi.] ***S. m.*** *Bras. Zool.* **1.** Nome comum a peixes ciclídeos pertencentes a diversos gêneros e espécies, e que se caracterizam por cuidarem da prole, chegando a esconder os alevinos na boca, quando ameaçados; acaratinga, caratinga. [Var.: *cará*.] **2.** V. *garça-branca-grande*.

acará^{2} [Do ior.] ***S. m.*** *Bras.* **1.** *Rel.* Pedaço de algodão embebido em azeite de dendê, e em chamas, que, nos candomblés, se põe na palma das mãos ou se faz que o ingiram as pessoas de quem se suspeita estejam simulando possessão; prova ou confirmação da possessão. **2.** *Cul.* Acarajé.

acará-açu [De *acará*^{1} + *-açu*.] ***S. m.*** *Bras. Zool.* V. *apaiari*. [Pl.: *acarás-açus*.]

acaraaia [De or. tupi.] ***S. m.*** *Bras. Zool.* V. *vermelho*^{2} (1).

acará-bandeira ***S. m.*** *Bras. Zool.* Nome comum a duas espécies de peixes ciclídeos da Amaz. (*Pterophyllum scalare* e *P. altum*). Têm coloração prateada, com três linhas verticais de cor escura, nadadeiras ímpares com raias negras transversais, e na base caudal costuma aparecer uma quarta linha vertical. As nadeiras anal e dorsal são muito longas, e as ventrais prolongam-se em dois filamentos tão longos quanto o corpo, ou mais. A diferença entre as espécies reside nas proporções entre a altura e o comprimento do corpo, e no número de escamas. São peixes altamente apreciados para aquários, podendo viver por muitos anos e reproduzindo-se com facilidade. [Sin.: *buvuari, buxuari, piraquenanã*. Pl.: *acarás-bandeiras* e *acarás-bandeira*.]

acará-bararuá ***S. m.*** *Bras. Zool.* Peixe ciclídeo (*Hoplarchus psittacus*) da Amaz., de coloração esverdeada, com caprichosos desenhos escuros, e que chega a atingir 35cm; alimenta-se de crustáceos, insetos e de outros peixes. [Sin.: *acará-fuso, acaraparaguá, acaraparaná, acaraparauá, araruá, bararuá*. Pl.: *acarás-bararuás* e *acarás-bararuá*.]

acará-bererê ***S. m.*** *Bras. Amaz. Zool.* Peixe ciclídeo (*Mesonauta festivus*), da Amaz. e Paraguai, de coloração que varia do branco-prateado ao amarelo-cobre ou esverdeado, sobre a qual, nos flancos, há faixas verticais. Região dorsal com uma linha escura lateral característica, nadadeiras amarelas ou rosadas, manchadas de pardo ou branco, e base caudal com uma mácula avermelhada; comprimento de 10 a 15cm. [Sin.: *acarapinxame, pinaxame*. Pl.: *acarás-bererês* e *acarás-bererê*.]

acará-bobo ***S. m.*** *Bras. Amaz. Zool.* Peixe ciclídeo (Laetacara dorsigera), da Amaz., do Paraguai e da Argentina; tem manchas escuras no dorso, e comprimento de até 10cm. [Sin.: *acará-manaçaravé, acará-pataquira*. Pl.: *acarás-bobos*.]

acará-boca-de-jiquiá ***S. m.*** *Bras. Zool.* Boca-de-fogo. [Pl.: *acarás-boca-de-jiquiá*.]

acará-cascudo ***S. m.*** *Bras. Zool.* Peixe ciclídeo (*Cichlasoma facetum*) do Brasil meridional e países limítrofes, de coloração variável, cor fundamental amarela com faixas transversais escuras. Comprimento: até 20cm. [Pl.: *acarás-cascudos*.]

acará-chibante ***S. m.*** *Bras. Amaz. Zool.* Peixe ciclídeo (*Satanoperca jurupari*) da bacia amazônica, de coloração verdoenga, com três faixas transversais escuras na região frontocervical e uma mácula negra muito pequena e oblíqua na nadadeira caudal. Comprimento: até 25cm. [Sin.: *juruparipindá*. Pl.: *acarás-chibantes*.]

acaraçu [De or. tupi.] ***S. m.*** *Bras. AM Zool.* V. *apaiari*.

acaracuaíma (u-a-í) [De or. tupi.] ***S. m.*** *Bras. Amaz. Zool.* V. *acaradola*.

acaracuíma [De or. tupi.] ***S. m.*** *Bras. Amaz. Zool.* V. *acaradola*.

acará-diadema ***S. m.*** *Bras. Zool.* Peixe ciclídeo (*Geophagus brasiliensis*) esverdeado, com faixas e manchas negras, além de manchas azul-nacaradas abaixo dos olhos e nas escamas. Tem ampla distribuição, ocorrendo, em rios e lagoas, da BA ao Uruguai. [Sin.: *acará-ferreiro, acaraí, acará-topete, papa-terra*. Pl.: *acarás-diademas* e *acarás-diadema*.]

acará-disco ***S. m.*** *Bras. Zool.* Nome comum a duas espécies de peixes ciclídeos (*Symphysodon discus* e *S. aequifasciatus*) e suas subespécies, originárias da bacia amazônica e hoje mundialmente apreciadas pelos aquariófilos. Têm coloração variada, motivada, inclusive, pelas variedades provenientes de cruzamento, e o corpo arredondado em forma de disco, donde o nome trivial. Comprimento: até 20cm; altura: até 26cm. [Sin.: *mererê, morerê, morotê, peixe-disco*. Pl.: *acarás-discos* e *acarás-disco*.]

acaradola (carà) [De *acará*^{1}.] ***S. m.*** *Bras. Amaz. Zool.* Peixe ciclídeo (*Aequidens tetramerus*) amplamente distribuído na Amaz., uma das espécies mais coloridas do gênero, principalmente no período reprodutivo. [Sin.: *acaracuaíma, acaracuíma, acaraiacuaíma, acará-tonto*.]

acaraense (carà) ***Adj. 2 g.*** **1.** De, ou pertencente ou relativo a Acará (PA). ● ***S. 2 g.*** **2.** O natural ou habitante de Acará.

acará-ferreiro ***S. m.*** *Bras. Zool.* V. *acará-diadema*. [Pl.: *acarás-ferreiros* e *acarás-ferreiro*.]

acará-fuso ***S. m.*** *Bras. Amaz. Zool.* V. *acará-bararuá*. [Pl.: *acarás-fusos* e *acarás-fuso*.]

acará-grande ***S. m.*** *Bras. Zool.* V. *apaiari*. [Pl.: *acarás-grandes*.]

acará-guaçu [De *acará*^{1} + *-guaçu*.] ***S. m.*** *Bras. AM Zool.* V. *apaiari*. [Pl.: *acarás-guaçus*.]

acaraí [De or. tupi.] ***S. m.*** *Bras. Zool.* V. *acará-diadema*. [Cf. *acarai*, do v. *acarar*.]

acaraiacuaíma (ua-í) [De or. tupi.] ***S. m.*** *Bras. Amaz. Zool.* V. *acaradola*.

acaraiense (a-i) ***Adj. 2 g.*** **1.** De, ou pertencente ou relativo a Acaraí (MG). ● ***S. 2 g.*** **2.** O natural ou habitante de Acaraí.

acarajé [Do ior.] ***S. m.*** *Bras. Cul.* Bolinho da culinária afro-baiana, feito de massa de feijão-fradinho, frito em azeite de dendê, e que se serve com molho de pimenta, cebola e camarão seco; acará. [Cf. *carajé*.]

acará-manaçaravé ***S. m.*** *Bras. Amaz. Zool.* V. *acará-bobo*. [Pl.: *acarás-manaçaravés* e *acarás-manaçaravé*.]

acará-mocó ***S. m.*** *Bras. Zool.* V. *cangulo* (1). [Pl.: *acarás-mocós* e *acarás-mocó*.]

acaramuçu [De or. tupi.] ***S. m.*** *Bras. Zool.* V. *cangulo* (1).

acarangado [De *a-*^{2} + *carango* + *-ado*^{1}.] ***Adj.*** V. *encarangado*.

acaranguejado [De *a-*^{2} + *caranguejo* + *-ado*^{1}.] ***Adj.*** Semelhante a caranguejo.

acaraparaguá [De or. tupi.] ***S. m.*** *Bras. Zool.* V. *acará-bararuá*.

acaraparaná [De or. tupi.] ***S. m.*** *Bras. Amaz. Zool.* V. *acará-bararuá*.

acaraparauá [De or. tupi.] ***S. m.*** *Bras. AM Zool.* V. *acará-bararuá*.

acará-pataquira ***S. m.*** *Bras. Amaz. Zool.* V. *acará-bobo*. [Pl.: *acarás-pataquiras* e *acarás-pataquira*.]

acarapeba [De *acará*^{1} + *-peba*.] ***S. m.*** *Bras. Zool.* **1.** V. *carapeba*. **2.** V. *acará-severo*.

acarapense ***Adj. 2 g.*** **1.** De, ou pertencente ou relativo a Acarape (CE). ● ***S. 2 g.*** **2.** O natural ou habitante de Acarape.

acarapera ***S. m.*** *Bras. Zool.* V. *acará-severo*.

acarapeva [De *acará*^{1} + *-peva*.] ***S. m.*** *Zool.* **1.** *Bras.* V. *carapeba*. **2.** *Bras. AM* V. *acará-severo*.

acarapi *Bras.* ***S. 2 g.*** **1.** *Etnôn.* Indivíduo dos acarapis, povo indígena que habita as imediações do rio Branco (RR). ● ***Adj. 2 g.*** **2.** Pertencente ou relativo a esse povo. [Tb. us. como *s. 2 g. e 2 n.* (com cap.) e *adj. 2 g. e 2 n.*]

acarapicu (carà) [De or. tupi.] ***S. m.*** *Bras. Zool.* **1.** V. *cangulo* (1). **2.** V. *carapicu* (2).

acarapinxame (carà) [De or. tupi.] ***S. m.*** *Bras. Amaz. Zool.* V. *acará-bererê*.

acarapindá (carà) [Do tupi.] ***S. m.*** *Bras. Amaz. Zool.* V. *peixe-agulha* (1).

acarapinhar [De *a-*^{2} + *carapinha* + *-ar*^{2}.] ***V. t. d. Int. P.*** V. *encarapinhar*.

acarapirambocaia (carà) [De or. tupi.] ***S. m.*** *Bras. Zool.* Peixe ciclídeo (*Bujurquina vittata*) com até 12cm, coloração geral amarelo-clara e faixa negra que percorre longitudinalmente o corpo; ocorre em rios do Mato Grosso do Sul e Paraguai.

acarapitanga (carà) [De or. tupi.] ***S. m.*** *Bras. Zool.* V. *vermelho*^{2} (1).

acarapixuna (carà) [De or. tupi.] ***S. m.*** *Bras. Zool.* **1.** V. *acará-preto*. **2.** Peixe caracídeo (*Astyanax abramis*) com até 10cm, do Amazonas e da bacia do Prata; tem coloração prateada, mácula negra atrás de cada opérculo, e faixa negra no pedúnculo e na nadadeira caudal.

acará-preto ***S. m.*** *Bras. Amaz. Zool.* Peixe ciclídeo (*Hypselecara coryphaenoides*) da bacia amazônica, que, quando jovem, tem cor clara e, em adulto, é marrom-escuro tirante ao preto; tem até 25cm e é predador voraz de peixes menores. Os machos têm nadadeiras mais pontudas, e uma bossa cefálica. [Sin.: *acarapixuna, acaraúna*. Pl.: *acarás-pretos*.]

acarapuã [De or. tupi.] ***S. m.*** *Bras. Zool.* V. *vermelho*^{2} (1).

acarapucu [De or. tupi.] ***S. m.*** *Bras. Zool.* V. *cangulo* (1).

acarar [De *a-*^{2} + *cara* + *-ar*^{2}.] ***V. t. d. T. i.*** V. *encarar* (1 e 4). [Pres. ind.: *acaro*, etc.; imperat.: *acara, acarai*, etc. Cf. *ácaro, acaraí* e o top. *Acaraí*.]

acará-severo ***S. m.*** *Bras. Zool.* Peixe actinopterígio, teleósteo, perciforme, ciclídeo (*Heros severus*), da Amaz., de coloração violácea no dorso, esverdeada nos flancos, rósea no abdome, com numerosos pontos avermelhados e, antes do pedúnculo caudal, uma faixa escura vertical. Nadadeiras dorsal e anal muito desenvolvidas. [Sin.: *acarapeba, acarapera, acarapeva*. Pl.: *acarás-severos*.]

acaratimbó [De or. tupi.] ***S. m.*** *Bras. Zool.* V. *garça-real*.

acaratinga [De *acará*^{1} + *-tinga*.] ***S. m.*** *Zool.* **1.** *Bras.* V. *acará* (1). **2.** *Bras. Amaz.* V. *garça-branca-grande*.

acará-tonto ***S. m.*** *Bras. Amaz. Zool.* V. *acaradola*. [Pl.: *acarás-tontos*.]

acará-topete ***S. m.*** *Bras. Amaz. Zool.* V. *acará-diadema*. [Pl.: *acarás-topetes* e *acarás-topete*.]

acará-uaçu [De *acará*[1] + *-uaçu.*] *S. m. Bras. Amaz.* **1.** *Zool.* V. *apaiari.* **2.** *Bot.* Árvore poligonácea (*Symmeria paniculata*) que mede até 10m de altura, de fruto suberoso e carnudo, flores sésseis e brancas, madeira escura, utilizada sobretudo em obras internas, e casca medicinal. [Pl.: *acarás-uaçus.*]

acará-uçu [De *acará*[1] + *-uçu.*] *S. m. Bras. Zool.* V. *apaiari.* [Pl.: *acarás-uçus.*]

acarauense (a-u) *Adj. 2 g.* **1.** De, ou pertencente ou relativo a Acaraú (CE). ● *S. 2 g.* **2.** O natural ou habitante de Acaraú.

acaraúna [Do tupi.] *S. m. Bras. Zool.* V. *acará-preto.*

acardia [De *a-*[3] + *-cardia.*] *S. f. Ter.* Anomalia congênita do feto, caracterizada pela ausência de coração.

acardíaco [De *acardia* + *-íaco.*] *Ter. Adj.* **1.** Sem coração. ● *S. m.* **2.** Feto que apresenta acardia.

acardiotrofia [De *a-*[3] + *-cardi(o)-* + *-trofia.*] *S. f. Patol.* Atrofia do coração.

acardiotrófico [De *acardiotrofia* + *-ico*[2].] *Adj.* Relativo a acardiotrofia.

acardumar [De *a-*[2] + *cardume* + *-ar*[2].] *V. t. d.* **1.** Reunir em cardume. *Int. P.* **2.** Reunir-se em cardume; formar cardume; encardumar.

acareação [De *acarear* + *-ção.*] *S. f.* Ato de acarear; acareamento, careação.

acareamento [De *acarear* + *-mento.*] *S. m.* V. *acareação.*

acarear [De *a-*[2] + *cara* + *-ear*[2].] *V. t. d.* **1.** Pôr cara a cara, ou frente a frente; afrontar, enfrentar, acarar. **2.** Pôr (testemunhas cujos depoimentos ou declarações não são concordes) em presença umas das outras para tomar novos depoimentos; acaroar. **3.** Procurar, obter; granjear. *T. d. e i.* **4.** Confrontar, cotejar: *Acareou uma edição atual de* Os Lusíadas *com a edição príncipe.* **5.** Acarear (2). [Sin. ger., ant.: *carear.* Conjug.: v. *frear.*]

acari [De or. tupi.] *S. m. Bras. Zool.* **1.** V. *cascudo*[2] (2). **2.** V. *cacajau* (2).

▲ **acar(i)-** [Do tax. *Acarus* < gr. *ákari, eōs.*] *El. comp.* = 'ácaro', 'inseto pequeno': *acaríase, acarígeno.* [Equiv.: *acaro-*: *acarofilia.*]

açaria *S. f.* V. *azaria.*

acari-açacu *S. m. Bras. Zool.* Peixe loricariídeo (*Pseudacanthicus spinosus*), que se caracteriza por ter o corpo recoberto de numerosos acúleos, o que faz com que lembre o tronco espinhoso do açacu (q. v.). [Pl.: *acaris-açacu* e *acaris-açacus.*]

acari-açacu-pirarara *S. m. Bras. Zool.* Peixe loricariídeo (*Pseudacanthicus serratus*), semelhante ao acari-açacu, mas cujos primeiros raios das nadadeiras dorsal e peitorais, e os dois raios externos da nadadeira caudal, têm coloração de um vermelho intenso. [Pl.: *acaris-açacus-pirararas.*]

acariácea [Do tax. *Acharia* (do antr. *E. Acharius*, 'botânico sueco') + *-ácea*; tax. *Achariaceae.*] *S. f. Bot.* Espécime das acariáceas, família da ordem das violales que reúne três gêneros monotípicos de ervas e subarbustos que ocorrem na África austral, de folhas dispostas em espiral, ger. palmatilobadas, flores monécias, solitárias ou racemosas, e frutos capsulares globosos.

acariáceo [De *acariácea*, com var. suf. (v. *-áceo*).] *Adj. Bot.* Pertencente ou relativo às acariáceas.

acariaçu [De or. tupi.] *S. m. Bras. Zool.* Peixe loricariídeo (*Pseudacanthicus histrix*) da Amaz., de até 80cm, cor escura, corpo revestido por placas ósseas, e cujo primeiro acúleo da nadadeira peitoral é muito desenvolvido e revestido de acículas, como que formando uma escova. [Sin. e var.: *acariguaçu, guacariaçu, guacariguaçu, uacariaçu, uacariguaçu.*]

acari-amarelo *S. m. Bras. Zool.* Peixe loricariídeo (*Pterygoplichthys etentaculatus*) da bacia do São Francisco, de coloração geral amarelada, com até 30cm; coroncho. [Pl.: *acaris-amarelos.*]

acaríase [De *acar(i)-* + *-íase.*] *S. f. Derm.* Dermatite consequente a infestação por ácaros; acaridíase, acarinose, acariose. [Sin., pop.: *sarna.*]

acari-chicote *S. m. Bras. Zool.* Peixe teleósteo, siluriforme, loricariídeo (*Loricariichthys typus*), de até 22cm de comprimento, distribuído por todo o Brasil. Tem nadadeiras marcadas por pontos negros, e a nadadeira caudal sem filamento longo. Sua forma, muito afilada na cauda, motivou-lhe o nome popular. [Sin.: *acari-laranja, acari-mole, acari-pintado.* Pl.: *acaris-chicotes* e *acaris-chicote.*]

acariciador (ô) [De *acariciar* + *-dor.*] *Adj.* **1.** Que acaricia; acariciante, acariciativo. ● *S. m.* **2.** Aquele que acaricia.

acariciante [De *acariciar* + *-nte.*] *Adj. 2 g.* V. *acariciador* (1).

acariciar [De *a-*[2] + *carícia* + *-ar*[2].] *V. t. d.* **1.** Fazer carícias a; afagar, acarinhar. **2.** Roçar levemente; perpassar; afagar: "A viração do oceano acariciava o rosto / Como incorpóreas mãos." (Manuel Bandeira, *Estrela da Vida Inteira*, p. 43.) **3.** Contemplar com enlevo, encanto. **4.** Copular com. **5.** Seduzir, aliciar. **6.** Lisonjear, incensar. **7.** Comprazer-se em pensar (alguma coisa): *Passou horas a fio acariciando o plano.* **8.** Alentar, animar; alimentar: *Caindo em si, viu que acariciara sonhos irrealizáveis;* "A pobre senhora acariciava a esperança de que, antes do nascer do Sol, ali teria a filha, salva e pura." (Coelho Neto, *Turbilhão*, p. 35). *Int.* **9.** Fazer carícias ou afagos; amimar. *P.* **10.** Fazer carícias a si mesmo, ou mutuamente; afagar-se, acarinhar-se: "Sob a chuva, a Cidade/ .... / Tem a esquisita sensualidade / De gata que se lambe e que se acaricia..." (Olegário Mariano, *Toda uma Vida de Poesia*, I, p. 253); "Um ou outro casal se acaricia." (Maria Julieta Drummond de Andrade, *Um Buquê de Alcachofras*, p. 21).

acariciativo [De *acariciar* + *-tivo.*] *Adj.* V. *acariciador* (1).

acaricida [De *acar(i)-* + *-cida.*] *Adj. 2 g. S. m.* Diz-se de, ou substância que destrói ácaros.

acariçoba [De or. tupi.] *S. f. Bras. Bot.* Erva apiácea (*Hydrocotyle umbellata*) rasteira, cujas flores são inaparentes, e que se alastra extensamente pelas praias e adjacências; erva-capitão.

acari-cutia *S. m. Bras. Zool.* **1.** Peixe loricariídeo (*Scobinancistrus pariolispos*) de até 40cm, coloração escura com pintas claras, focinho curto, e dentição saliente, que lembra a da cutia. [Pl.: *acaris-cutias* e *acaris-cutia.*]

acaridar [De *a-*[2] + *caridade* + *-ar*[2], com haplologia.] *V. t. d.* **1.** Usar de caridade com; tratar caridosamente. **2.** Tratar com carinho; acarinhar. *P.* **3.** Compadecer-se, condoer-se, doer-se, comiserar-se, apiedar-se.

acarídeo [Do tax. *Acarus* (v. *ácaro*) + *-ídeo*[1]; tax. *Acaridae.*] *Zool. S. m.* **1.** Espécime dos acarídeos, família de ácaros parasitos acarinos de formas variadíssimas, marinhos, de água doce, ou terrestres. ● *Adj.* **2.** Pertencente ou relativo a eles.

acaridíase [De *acarídeo* + *-íase.*] *S. f. Patol.* V. *acaríase.*

acariense *Adj. 2 g.* **1.** De, ou pertencente ou relativo ao Acari (RN). ● *S. 2 g.* **2.** O natural ou habitante do Acari.

acari-espada *S. m.* **1.** *Bras. Pop. Zool.* Designação comum às espécies de peixes actinopterígios, teleósteos, siluriformes, loricariídeos, gênero *Farlowella*, de corpo quase cilíndrico, muito afilado no rosto e no pedúnculo caudal. São muito apreciados para aquários e a maioria é da Amaz. [Sin.: *cascudo-espada, cascudo-viola.*] **2.** *Bras. SP* Designação dada à espécie *Loricaria piracicabae*, de peixes cascudos do rio Piracicaba. [Pl.: *acaris-espadas* e *acaris-espada.*]

acarígeno [De *acar(i)-* + *-geno.*] *Adj.* Que é produzido por ácaros.

acariguaçu [De *acari* + *-guaçu.*] *S. m. Bras. Amaz. Zool.* V. *acariaçu.*

acari-guariba *S. m. Bras. Zool.* Peixe loricariídeo (*Acanthicus histrix*) de até 60cm, e de cor escura, como a do guariba. [Pl.: *acaris-guaribas* e *acaris-guariba.*]

acarijuba [De or. tupi.] *S. m. Bras. Amaz. Zool.* Cascudo-comum.

acari-laranja *S. m. Bras. Zool.* V. *acari-chicote.* [Pl.: *acaris-laranjas* e *acaris-laranja.*]

acari-lima *S. m. Bras. Zool.* Peixe loricariídeo (*Rinelloricaria lima*) distribuído por todo o Brasil, de forma muito afilada no sentido da cauda, e uma série de filamentos no mento. Coloração olivácea, com pontos negros no corpo. [Sin.: *aperta-galha, cascudo-barbado, cascudo-lima.* Pl.: *acaris-limas* e *acaris-lima.*]

acari-mole *S. m. Bras. Zool.* V. *acari-chicote.* [Pl.: *acaris-moles.*]

acarinhamento [De *acarinhar* + *-mento.*] *S. m.* Ato ou efeito de acarinhar.

acarinhante [De *acarinhar* + *-nte.*] *Adj. 2 g.* Que transmite carinho; acariciante, suave, terno: *palavras acarinhantes.*

acarinhar [De *a-*[2] + *carinho* + *-ar*[2].] *V. t. d.* **1.** Tratar com carinho; amimar, mimar, acaridar: "Da minha ira empalidece a chama, / E, acarinhando-a, pago os seus carinhos." (Eugênio de Castro, *Obras Poéticas*, V, p. 174); "Ao ver a filha, Dona Maria do Carmo abraçou-se nela, a acarinhá-la, num choro convulsivo." (Jorge Amado, *Dona Flor e Seus Dois Maridos*, p. 381). **2.** Alisar, afagar: "Vagueia nas umbrosas alamedas / E acarinha, de leve, as sensitivas." (Cesário Verde, *Obra Completa*, p. 47.)

acarino [Do tax. *Acarus* + *-ino*[3]; tax. *Acarina.*] *Zool. S. m.* **1.** Espécime dos acarinos, ordem de aracnídeos pequenos ou pequeníssimos, ger. com abdome curto, não segmentado. Têm distribuição cosmopolita, vida livre ou parasitária, e muitas espécies infectam pessoas, animais ou plantas. Ex.: ácaros, carrapatos. ● *Adj.* **2.** Pertencente ou relativo a eles.

acarinose [Do tax. *Acarina* (v. *acarino*) + *-ose*[1].] *S. f. Med.* V. *acaríase.*

acariocar [De *a-*[2] + *carioca* + *-ar*[2].] *V. t. d. P.* Dar características ou modos cariocas a, ou adquiri-los. [Conjug.: v. *trancar.*]

acariose [De *acar(i)-* + *-ose*[1].] *S. f. Med.* V. *acaríase.*

acari-pintado *S. m. Bras. Zool.* V. *acari-chicote.* [Pl.: *acaris-pintados.*]

acariquara [De or. tupi.] *S. f. Bras. Bot.* Árvore olacácea (*Minquartia guianensis* e *M. punctata*), de madeira incorruptível, utilizada em esteios, dormentes e obras exteriores; acariúba, acaximba, aguariguara.

acarirana [De or. tupi.] *S. f. Bras. Bot.* Árvore apocinácea (*Geissospermum sericeum*) de flores pequeninas, madeira sem préstimo, e cuja casca, amarga, tem uso medicamentoso contra febres; pereira, pau-pereira, pau-forquilha, quinarana.

acariúba [De or. tupi.] *S. f. Bras. Bot.* V. *acariquara.*

acarneirado [De *a-*[2] + *carneiro* + *-ado*[1].] *Adj.* **1.** Semelhante a carneiro. **2.** *Fig.* Doce, meigo, terno: *olhos acarneirados.* **3.** *Fig.* Diz-se do céu coberto de nuvenzinhas brancas, e do mar picado, quando coberto de pequenas ondas espumosas.

▲ **acaro-** Equiv. de *acar(i)-*.

ácaro [Do tax. *Acarus* < gr. *ákari, eos*, 'micuim'.] *S. m. Zool.* **1.** Gênero de aracnídeos acarinos, muitas vezes ectoparasitas, e agentes patológicos de acaríase e outras lesões cutâneas. **2.** Qualquer espécie desse gênero como, p. ex., a *Acarus folliculorum* (ou *Demodex folliculorum*), encontradas em folículos capilares e em secreções sebáceas esp. da face e do nariz. **3.** Qualquer espécime desse gênero. **4.** *P. ext.* Designação genérica de acarinos como, p. ex., carrapatos e micuins.

acaroar [De *a-*[2] + *carão* + *-ar*[2], com desnasalação.] *V. t. d.* **1.** Pôr cara a cara, frente a frente; confrontar. **2.** Acarear (2). [Conjug.: v. *coroar.* Cf. *acarear.*]

acarocecídia [De *acarocecídio.*] *S. f. Bot.* Acarocecídio (1).

acarocecídio [De *acaro-* + *-cecídio.*] *S. m. Bot.* **1.** Galha ou cecídio proveniente da ação parasitária dum ácaro, como, p. ex., na videira; acarocecídia. **2.** Acarodomácia.

ácaro-da-ferrugem *S. m. Zool.* Ácaro diminuto (*Phylocoptrutes oleivora*) que ataca plantas cítricas e seus frutos. [Pl.: *ácaros-da-ferrugem.*]

acarodermatite [De *acaro-* + *-dermat(o)-* + *-ite*[1].] *S. f. Derm.* Inflamação cutânea causada por ácaro.

acarodomácia [De *acaro-* + *domácia.*] *S. f. Bot.* Cada uma das pequenas domácias produzidas nas folhas pela ação de um ácaro; acarocecídio. [Sin.: *acarodomácio.*]

acarodomácio [De *acaro-* + gr. *domation.*] *S. m. Bot.* V. *acarodomácia.*

acarofilia [De *acaro-* + *-filia.*] *S. f. Bot.* Simbiose de uma planta com os ácaros, com vantagens mútuas.

acarofílico (àca) [De *acarofilia* + *-ico*[2].] *Adj.* Relativo a acarofilia.

acarofobia (àca) [De *acaro-* + *-fobia.*] *S. f. Psiq.* Receio patológico de ácaros.

acarofóbico (àca) [De *acarofobia* + *-ico*[2].] *Psiq. Adj.* **1.** Relativo a acarofobia. **2.** Que sofre de acarofobia; acarófobo. ● *S. m.* **3.** Aquele que sofre de acarofobia; acarófobo.

acarófobo [De *acaro-* + *-fobo.*] *Adj. S. m. Psiq.* Acarofóbico (2 e 3).

acaroide (ói) [De *acar(i)-* + *-oide.*] *Adj. 2 g.* **1.** Semelhante a ácaro. **2.** Diz-se de uma resina que se obtém de certas espécies de plantas da família das liliáceas. ❖

acarpantese [De *a-*[3] + *-carp(o)-* + *antese.*] *S. f. Bot.* Floração estéril, não acompanhada da formação de frutos.

acarpetado [Part. de *acarpetar.*] *Adj.* Carpetado: "Idas e voltas, pés pelo soalho / acarpetado" (Geir Campos, *Cantar de Amigo ao Outro Homem da Mulher Amada*, p. 24).

acarpetar [De *a-*[2] + *carpete* + *-ar*[2].] *V. t. d.* Carpetar.

acárpico [De *a-*[3] + *-carp(o)-* + *-ico*[2].] *Adj. Bot.* Sem fruto, que não gera fruto; acarpo.

acarpo [Do gr. *ákarpos.*] *Adj. Bot.* Acárpico.

acarraçado [De *a-*[2] + *carraça* + *-ado*[1].] *Adj.* Agarrado ou apegado como carraça (q. v.).

acarrado [Part. de *acarrar.*] *Adj.* **1.** Que acarrou. **2.** Que está imóvel, quieto.

acarradoiro [De *acarrar* + *-doiro*[2].] *S. m.* Acarradouro (q. v.).

acarradouro [De *acarrar* + *-douro*[2]; var. de *acarradoiro.*] *S. m.* Lugar onde o gado lanígero passa as horas de calor.

acarrancado [De *a-*[2] + *carranca* + *-ado*[1].] *Adj.* Carrancudo (2): *fisionomia severa, acarrancada.*

acarrancar [De *a-*[2] + *carranca* + *-ar*[2].] *V. t. d.* **1.** Tornar carrancudo. *Int. P.* **2.** Tornar-se carrancudo; mostrar carranca. [Sin. ger.: *carranquear.* Conjug.: v. *trancar.*]

acarrapatado [De *a-*[2] + *carrapato* + *-ado*[1].] *Adj.* Renitente, obstinado, como o carrapato (7).

acarrapatar [De *a-*[2] + *carrapato* + *-ar*[2].] *V. t. d.* Tornar semelhante ao carrapato (7).

acarrar *V. int. P.* **1.** Resguardar-se do calor no acarradouro (o gado lanígero). **2.** Deixar de mover-se; ficar imóvel, quedo, por efeito de calor, doença, etc.

3. Estar (o gado) muito junto para defender-se do calor do Sol.

acarrear [De *a-*[2] + *carro* + *-ear*[2].] *V. t. d. T. d. e i.* V. *acarretar*. [Conjug.: v. *frear*.]

acarreio [Dev. de *acarrear*.] *S. m.* Ato ou efeito de acarrear.

acarretador (ô) [De *acarretar* + *-dor*.] *S. m.* Que, ou aquele que acarreta.

acarretadura [De *acarretar* + *-dura*.] *S. f.* V. *acarretamento*.

acarretamento [De *acarretar* + *-mento*.] *S. m.* Ação ou efeito de acarretar; acarretadura, acarreto.

acarretar [De *a-*[2] + *carreta* + *-ar*[2].] *V. t. d.* **1.** Transportar em carreta ou carro; acarrear, carrear. **2.** Fazer frete ou carreto de; transportar, acarrear, carrear. **3.** Trazer consigo; causar, ocasionar, acarrear, carrear: *O desabamento acarretou consequências trágicas*; "A seca .... empobrece os ricos, obriga a emigrar, avilta os pobres, acarreta desonra" (Austregésilo de Ataíde, em *Discursos de Posse e Recepção na Academia Brasileira de Letras*, p. 54). *T. d. e i.* **4.** Causar, ocasionar, motivar, acarrear, carrear: "Depois de demorados debates, foi a proposta do governador unanimemente rejeitada por acarretar pesado sacrifício aos contribuintes." (Vivaldo Coaraci, *O Rio de Janeiro no Século 17*, p. 152.) [Pres. ind.: *acarreto*, etc. Cf. *acarreto* (ê). F. paral. (p. us.): *carretar*.]

acarreto (ê) [Dev. de *acarretar*.] *S. m.* **1.** V. *acarretamento*. **2.** Plágio, imitação. **3.** Alegação forçada ou fora de tempo e lugar. [Pl.: *acarretos* (ê). Cf. *acarreto*, do v. *acarretar*.] ◆ **De acarreto.** Sem cabimento, fundamento ou originalidade: "Não são descrições trazidas de acarreto. As pessoas das narrativas vão para ali continuar a ação começada." (Machado de Assis, *Crítica*, p. 190.)

acartonado [De *a-*[2] + *cartão* + *-ado*[1].] *Adj.* Que tem aspecto, consistência ou forma de cartão (1). [Cf. *cartonado*.]

acartonar [De *a-*[2] + *cartão* + *-ar*[2].] *V. t. d.* Tornar semelhante a cartão (1); dar consistência de cartão (1) a.

acarvalhar [De *a-*[2] + *carvalho* + *-ar*[2].] *V. t. d. Enol.* Amadeirar (2).

acasacado [De *a-*[2] + *casaca* ou *casaco* + *-ado*[1].] *Adj.* Semelhante a casaca ou casaco: *vestido acasacado*.

acasalação [De *acasalar* + *-ção*.] *S. f.* Acasalamento.

acasalamento [De *acasalar* + *-mento*.] *S. m.* Ato ou efeito de acasalar(-se); acasalação.

acasalar [De *a-*[2] + *casal* + *-ar*[2].] *V. t. d.* **1.** Ajuntar (macho e fêmea) para a procriação. **2.** Reunir em casal. **3.** Ajuntar, emparelhando ou irmanando: *acasalar pares de meias, de sapatos*. *T. d. e i.* **4.** Acasalar (1 e 3). *Int.* **5.** Juntar-se (macho e fêmea) para a procriação; acasalar-se. *P.* **6.** V. *acasalar* (5). **7.** Ajuntar-se, emparelhando ou irmanando. **8.** Amancebar-se, amasiar-se, amigar-se. [Sin., nas acepç. de 1 a 7: *casalar*.]

acascarrilhado [De *a-*[2] + *cascarrilha*[2] + *-ado*[2].] *Adj.* Diz-se do jogo em que se toma a cascarrilha[2] ou algumas cartas dela.

acasear [De *a-*[2] + *casa* + *-ear*[2].] *V. t. d.* Casear. [Conjug.: v. *frear*.]

acaso [De *a*[3] + *caso*.] *S. m.* **1.** Conjunto de causas imprevisíveis e independentes entre si, que não se prendem a um encadeamento lógico ou racional, e que determinam um acontecimento qualquer: "— Providência ou acaso?, perguntou o tenente. Eu sou mais pelo acaso." (Machado de Assis, *Histórias da Meia-Noite*, p. 104.) **2.** O resultado desse conjunto de causas: *A maioria dos historiadores nega que o descobrimento do Brasil tenha sido um acaso*. **3.** Acontecimento fortuito; fato imprevisto; casualidade: "não era crime achar dinheiro, era uma felicidade, um bom acaso, era talvez um lance da Providência." (Machado de Assis, *Memórias Póstumas de Brás Cubas*, p. 151). **4.** Destino, fado, sorte, fortuna: "Resignei-me a abrir mão da aventura ou esperar a solução do acaso." (Id., *Histórias sem Data*, p. 113.) **5.** *Filos.* Caráter de acontecimento imprevisível com relação às causas que o determinam (p. ex., a premiação de um bilhete), ou injustificável com respeito à significação assumida (p. ex., um atraso de segundos que provoca um desastre). ● *Adv.* **6.** Casualmente, acidentalmente, fortuitamente; por acaso: "Conheço apenas Dona Margarida / Por tê-la visto, acaso, num salão." (Paulo Setúbal, *Alma Cabocla*, p. 109.) **7.** Talvez, porventura: "a figura vaga do finado amigo passa-lhe acaso ao longe, muito longe, aos pedaços" (Machado de Assis, *Quincas Borba*, p. 43). **8.** Eventualmente; por acaso: "Zagais do monte que um lindo / Rebanho estais a guardar, / — Essa empós da qual vou indo, / Acaso a vistes passar?" (Raimundo Correia, *Poesias*, p. 138.) ◆ **Ao acaso. 1.** Sem direção, sem rumo; à toa, a esmo: *andar ao acaso*; "A missa estava começada, e ele ficou ali, de pé, numa distração pouco devota, deixando a vista errar ao acaso pela igreja" (Conde de Ficalho, *Uma Eleição Perdida*, p. 105). **2.** Sem maior reflexão; impensadamente: *Respondeu ao acaso às perguntas formuladas pelo júri*. **3.** Sem premeditação ou escolha prévia: *Pegou um livro ao acaso*. **Por acaso.** V. *acaso* (6 e 8): *Encontrou por acaso o livro que tanto buscara dias antes; Por acaso viste o meu caderno?*

acastanhado [De *a-*[2] + *castanho* + *-ado*[1].] *Adj.* De cor tirante a castanho; amarronzado.

acastanhar [De *a-*[2] + *castanho* + *-ar*[2].] *V. t. d.* Tornar castanho ou quase castanho.

acastelado [Part. de *acastelar*.] *Adj.* **1.** Construído à maneira de castelo: "Sem saber como, Astrigildo achou-se junto das barreiras de um solar acastelado." (Alexandre Herculano, *Lendas e Narrativas*, II, p. 28.) **2.** Fortificado com castelo; encastelado: *cidade acastelada*. **3.** *P. ext.* Defendido, protegido, seguro; encastelado. **4.** Que é senhor de castelo: *morgado acastelado*. **5.** Amontoado, encastelado: "O vento vai quebrando, e já rareiam / Grossos montões de acasteladas nuvens" (Alexandre Herculano, *Poesias*, p. 115).

acastelamento [De *acastelar* + *-mento*.] *S. m.* Ato ou efeito de acastelar(-se).

acastelar [De *a-*[2] + *castelo* + *-ar*[2].] *V. t. d.* **1.** Fortificar com castelo; encastelar. **2.** Construir à maneira de castelo. **3.** Defender, proteger. **4.** Amontoar, acumular; encastelar. *P.* **5.** Pôr-se em defesa; fortificar-se, encastelar-se. **6.** Prevenir-se; precaver-se, precatar-se. **7.** Amontoar-se, acumular-se, encastelar-se: "O sol subia no horizonte, escondido por densas nuvens pesadas, que se acastelavam na atmosfera." (Bernardo Pinheiro Pindela, *Azulejos*, p. 85.)

acastelhanado [De *a-*[2] + *castelhano* + *-ado*[1].] *Adj.* Que tem modos ou maneiras de, ou que é próprio de castelhano (3): *indivíduo acastelhanado*.

acastelhanar [De *a-*[2] + *castelhano* + *-ar*[2].] *V. t. d.* **1.** Dar feição, modos, costumes castelhanos a; tornar semelhante aos castelhanos. *P.* **2.** Adquirir feição, modos, costumes castelhanos; tornar-se semelhante aos castelhanos.

acasulado [De *a-*[2] + *casulo* + *-ado*[1].] *Adj.* Que tem a forma de casulo.

acasular [De *a-*[2] + *casulo* + *-ar*[2].] *V. t. d.* Dar a forma de casulo a.

acatador (ô) [De *acatar* + *-dor*.] *Adj. S. m.* Que, ou aquele que acata.

acatadura[1] [De *acatar* (3) + *-dura*.] *S. f.* Observação atenta.

acatadura[2] [De *a-*[5] + *catadura*.] *S. f.* V. *catadura* (1).

acataia *S. f. Bras. Bot.* V. *cataia*.

acataléctico [Do lat. tard. *acatalecticu*.] *Adj.* ~ V. *verso* —. [Var.: *acatalético*. Cf. *acataléptico*.]

acatalepsia [Do gr. *akatalepsía*.] *S. f.* **1.** *Filos.* Impossibilidade de compreensão; dúvida, incerteza. **2.** *Med.* Dúvida quanto a diagnóstico e a prognóstico. **3.** *Psiq.* Incapacidade de compreensão.

acataléptico *Adj.* Referente a acatalepsia. [Cf. *acataléctico*.]

acatalético *Adj.* V. *acataléctico*.

acatamatesia [De *a-*[3] + gr. *katamáthesis* + *-ia*[1].] *S. f. Neur.* **1.** Perda, parcial ou total, da capacidade de entender a linguagem. **2.** Percepção deficiente, devida a lesão do sistema nervoso central, de qualquer dos tipos de sensação.

acatamatésico [De *acatamatesia* + *-ico*[2].] *Adj.* **1.** Relativo a, ou que sofre de acatamatesia. ● *S. m.* **2.** Aquele que sofre de acatamatesia.

acatamento [De *acatar* + *-mento*.] *S. m.* **1.** Ato ou efeito de acatar. **2.** Respeito, consideração, veneração. **3.** Vênia respeitosa; reverência. [Sin. ger.: *acato*.]

acatápose [De *a-*[3] + gr. *katáposis*, 'deglutição'.] *S. f. Med.* V. *disfagia*.

acatar [De *a-*[2] + *catar*[2].] *V. t. d.* **1.** Respeitar, reverenciar, honrar, venerar: "É .... um homem de bons costumes, acata as famílias e preza as leis do decoro público e privado." (Machado de Assis, *Contos Avulsos*, p. 9.) **2.** Obedecer, seguir (opinião, etc.): *Acata os conselhos dos pais*. **3.** *Ant.* Olhar atentamente.

acatarrado [De *a-*[2] + *catarro* + *-ado*[1].] *Adj.* Que tem ou está cheio de catarro; acatarroado, encatarrado, encatarroado.

acatarroado [Part. de *acatarroar-se*.] *Adj.* V. *acatarrado*.

acatarroar-se [De *a-*[2] + *catarro* + *-oar* + *se*[1].] *V. p.* Ser acometido de catarro; encatarrar-se, encatarroar-se. [Conjug.: v. *coroar*.]

acatassolar [De *a-*[2] + *catassol* + *-ar*[2].] *V. t. d.* **1.** Tecer à maneira do catassol (2). **2.** Dar a cor irisada do catassol a.

acatastasia [De *a-*[3] + gr. *katástasis*, 'ação de estabelecer'; 'ordem'; 'estado'; 'estabilidade', + *-ia*[1].] *S. f. Med.* Falta de regularidade, afastamento não patológico da normalidade.

acatastásico [De *acatastasia* + *-ico*[2].] *Adj.* **1.** Relativo a, ou que sofre de acatastasia. ● *S. m.* **2.** Aquele que sofre de acatastasia.

acatável [De *acatar* + *-vel*.] *Adj. 2 g.* Que merece acatamento.

acatético [De *a-*[3] + gr. *kathektikós*.] *Adj.* **1.** Relativo a acatexia, ou que dela sofre. ● *S. m.* **2.** Aquele que sofre de acatexia.

acatexia (cs) [De *a-*[3] + gr. *káthexis*, 'retenção', + *-ia*[1].] *S. f. Med.* Condição patológica em que o paciente não consegue reter as secreções que produz.

acatingado[1] [De *a-*[2] + *catinga*[1] + *-ado*[1].] *Adj. Bras.* Que tem catinga[1] ou mau cheiro; malcheiroso, catingoso, catinguento.

acatingado[2] [De *a-*[2] + *catinga*[2] + *-ado*[1].] *S. m. Bras. N.E.* **1.** Terreno ou formação vegetal que tem certas características da catinga[2], mas não se confunde com ela. ● *Adj.* **2.** Relativo a, ou próprio de acatingado[2] (1). ~ V. *agreste* —.

acátio [Do gr. *akátion*, pelo lat. *acatiu*.] *S. m.* **1.** Pequena embarcação da Antiguidade greco-romana, movida a remos ou à vela, com um esporão na proa, a popa recurvada para dentro, e usada, em geral, por piratas. **2.** Taça de feitio semelhante ao dessa embarcação, destinada às libações. [Var.: *acato*[2].]

acatisia [De *a-*[3] + gr. *káthisis*, 'ação de assentar-se', + *-ia*[1].] *S. f. Med.* Condição que varia entre uma sensação de inquietação e a incapacidade de sentar-se ou de deitar-se tranquilamente, ou de dormir; catisofobia.

acatisíaco [De *acatis(ia)* + *-iaco*[2].] *Adj.* **1.** Referente a, ou que sofre de acatisia. ● *S. m.* **2.** Aquele que sofre de acatisia.

acatitado [De *a-*[2] + *catita*[3] + *-ado*[1].] *Adj.* Que tem modos catitas; ajanotado, aperaltado.

acato[1] [Dev. de *acatar*.] *S. m.* V. *acatamento*.

acato[2] *S. m.* V. *acátio*.

acatocarpácea [Do tax. *Achatocarpus* + *-ácea*; tax. *Achatocarpaceae*.] *S. f. Bot.* Espécime das acatocarpáceas, família da ordem das cariofilales que reúne 6 espécies de árvores e arbustos dioicos da América tropical, por vezes aculeados, com folhas simples, espiraladas, flores paniculadas ou racemosas, e frutos bacáceos.

acatocarpáceo [De *acatocarpácea*, com var. suf. (v. *-áceo*).] *Adj. Bot.* Pertencente ou relativo às acatocarpáceas.

acatólico [De *a-*[3] + *católico*.] *Adj. S. m.* Que, ou aquele que não é católico.

acatruzar [Alter. de *alcatruzar*.] *V. t. d. Bras. PB Pop.* Aberrocar, apoquentar, aperrear.

acaú [De or. tupi.] *S. m. Bot.* V. *acauá*.

acauá [De or. tupi.] *S. m. Bras. Bot.* Árvore rubiácea (*Ferdinandusa paraensis*) de flores vistosas, frutos capsulares, e cuja madeira se utiliza em marcenaria, embora a espécie não seja abundante; pau-de-bugre, acaú.

acauã [Do tupi.] *S. f. e m. Bras. Zool.* Ave falconídea (*Herpetotheres cachinnans*), distribuída do México à Argentina, de coloração creme, com o dorso escuro e a cauda negra, esta com faixas claras transversais; tem o lado inferior branco, uma mancha clara circundando o pescoço, uma faixa negra em torno dos olhos, prolongando-se até a nuca, e o alto da cabeça branco; acanã, acanã, cauã, macaá, macaguã, macauã, nacauã, uacauã.

acaudatar [De *a-*[2] + *caudato* + *-ar*[2].] *V. t. d.* **1.** Segurar a cauda (4) de. **2.** Ir na cauda de (cortejo ou procissão): "Acaudatavam-no doze pajens com outros tantos cavalos de raça" (Aquilino Ribeiro, *Aventura Maravilhosa*, p. 9).

acaudilhar [De *a-*[2] + *caudilho* + *-ar*[2].] *V. t. d.* **1.** Comandar como caudilho; capitanear. **2.** Chefiar partido ou facção política. *P.* **3.** Agrupar-se ou orientar-se sob o comando de um caudilho. **4.** Alistar-se, arregimentar-se (em partido, grupo, facção). [F. paral.: *caudilhar*.]

açauinaui *S. 2 g.* **1.** *Etnôn.* Indivíduo dos açauinauis [ou (etnôn. bras.) *Assauinaui], povo indígena extinto que habitava a região do rio Negro (AM) conhecida como Boca do Cachorro. ● *Adj. 2 g.* **2.** Pertencente ou relativo a esse povo.

acaule [De *a-*[3] + *caule*; gr. *ákaulos*.] *Adj. 2 g. Bot.* Cujo caule não é visível, por ser ou subterrâneo, ou muito curto. [Sin.: *acaulescente*, *acáulico*, *descaulino*.]

acaulescente [De *a-*[3] + *caulescente*.] *Adj. 2 g. Bot.* V. *acaule*.

acáulico [De *acaule* + *-ico*[2].] *Adj. Bot.* V. *acaule*.

acauso *S. m. Bras. Pop.* Acaso (1 a 4).

acausto [Do gr. *ákaustos*, 'que não se queima'.] *Adj.* Incombustível.

acaustobiólito [Do gr. *ákaustos* + *-bi(o)-* + *-lito*.] *S. m. Petr.* Rocha sedimentar constituída de restos de organismos não combustíveis.

acautelado [Part. de *acautelar*.] *Adj.* **1.** Que se acautela; previdente, precavido, precatado, cauteloso, cauto. **2.** Astuto, astucioso, manhoso, sagaz. **3.** Guardado com cautela; resguardado, defendido.

acautelador (ô) [De *acautelar* + *-dor*.] ***Adj. S. m.*** Que, ou aquele que acautela.

acautelamento [De *acautelar* + *-mento*.] ***S. m.*** Ação ou efeito de acautelar(-se); cautela: "O Poder Público, com a colaboração da comunidade, promoverá e protegerá o patrimônio cultural brasileiro, por meio de inventários, registros, vigilância, tombamento, desapropriação, e de outras formas de acautelamento e preservação." (*Constituição da República Federativa do Brasil*, 1988, Seção II, Art. 216, parágrafo 1º.) [F. paral.: *cautelamento*.]

acautelar [De *a-*[2] + *cautela* + *-ar*[2].] ***V. t. d.*** **1.** Pôr de sobreaviso; prevenir; precaver. **2.** Pôr (alguém) de prevenção. **3.** Evitar, prevenir. **4.** Guardar com cautela: *Acautelou os documentos antes de viajar.* ***T. d. e i.*** **5.** Acautelar (1): *Acautelaram o banqueiro quanto a um possível assalto.* **6.** Resguardar, defender: *Procurou acautelar os filhos dos perigos dos tóxicos.* ***Int.*** **7.** Usar de cautela; pôr-se de prevenção. ***P.*** **8.** Usar de cautela; resguardar-se; precaver-se: "Mais valia acautelarem-se, sacrificando-se por algumas semanas." (Machado de Assis, *Várias Histórias*, p. 10.) [F. paral.: *cautelar*.]

acautelatório [De *acautelar* + *-tório*.] ***Adj.*** Próprio para acautelar, para resguardar; preventivo, cautelar: *medidas acautelatórias*.

acavalado[1] [De *a-*[2] + *cavalo*[1] + *-ado*[1].] ***Adj.*** **1.** Abrutalhado de maneiras; rude, grosseiro. **2.** *Bras.* Muito grande. **3.** *Bras. N.E.* Que tem o pênis enorme.

acavalado[2] [Part. de *acavalar*.] ***Adj.*** **1.** Coberto, fecundado: *égua acavalada*. **2.** Sobreposto: *dentes acavalados*.

acavalamento [De *acavalar* + *-mento*.] ***S. m.*** **1.** Ato ou efeito de acavalar(-se). **2.** *Geol.* Avanço de algumas centenas de metros de um terreno sobre outro, produzido tanto por falhas como por dobras.

acavalar [De *a-*[2] + *cavalo*[1] + *-ar*[2].] ***V. t. d.*** **1.** Cobrir (a égua). **2.** Pôr (objetos) uns sobre os outros; sobrepor, amontoar. ***T. d. e i.*** **3.** Sobrepor, superpor: "Vitorino Teixeira, acavalando os óculos de ouro no grosso nariz vermelho, abriria o cofre" (Graciliano Ramos, *Caetés*, p. 86). ***P.*** **4.** Pôr-se (objetos) uns sobre os outros, ou dar a impressão de que estão postos assim; sobrepor-se, amontoar-se: "acavalam-se morros, esplendem casarias brancas pelo pendor das encostas" (Olavo Bilac, *Crítica e Fantasia*, p. 301).

acavaleirado [Part. de *acavaleirar*.] ***Adj.*** Posto a cavaleiro; sobranceiro, elevado.

acavaleirar [De *a-*[2] + *cavaleiro* + *-ar*[2].] ***V. t. d.*** **1.** Pôr a cavaleiro. **2.** Pôr em posição elevada, sobranceira ou dominante. **3.** Amontoar, sobrepor; acavalar. ***T. d. e i.*** **4.** Acavaleirar (1).

acavaletado [De *a-*[2] + *cavalete* + *-ado*[1].] ***Adj.*** **1.** Com cavalete (1). **2.** *Bras.* Diz-se de nariz aquilino ou arqueado.

acaximba ***S. f.*** *Bras. Bot.* V. *acariquara*.

▲ **-acaz** V. *-az*.

accessível (cs) ***Adj. 2 g.*** V. *acessível*.

accessório (cs) ***S. m.*** V. *acessório*.

➔ **acciaccatura** [at.tʃak.ka'tura] [It.] ***S. f.*** *Mús.* Aciacatura.

acciano ***Adj.*** Relativo aos jogos públicos instituídos por César (v. *cesáreo*) para comemorar a batalha de Áccio.

accipitrário ***S. m.*** V. *acipitrário*.

accipitriano ***Adj.*** V. *acipitriano*.

accipitrídeo ***S. m. Adj.*** *Zool.* V. *acipitrídeo*.

accipitriforme ***S. m. Adj. 2 g.*** *Zool.* V. *acipitriforme*.

accipitrino ***Adj.*** *Zool.* V. *acipitrino*.

➔ **ace** [ɛjs] [Ingl.] ***S. m.*** *Esport.* No voleibol e no tênis, saque no qual o adversário não consegue alcançar a bola e que, portanto, é convertido em ponto.

acê ***Pron. de tratamento*** *Bras. Pop.* V. *você*.

▲ **-ácea** [Adapt. do lat. cient. *-aceae* (pl.).] ***Suf. nom.*** = 'espécime da família de (plantas)': *rosácea, rubiácea*. [V. *-áceas*.]

▲ **-áceas** ***Suf. nom.*** *Bot.* = 'família de (plantas)': *rosáceas*. [V. *-ácea*.]

acebolado[1] [De *a-*[2] + *cebola* + *-ado*[1].] ***Adj.*** Que tem gosto de cebola.

acebolado[2] [Part. de *acebolar*.] ***Adj.*** Temperado com cebola: *bife acebolado*.

acebolar [De *a-*[2] + *cebola* + *-ar*[2].] ***V. t. d.*** Temperar com cebola.

aceca ***S. f.*** V. *acéquia*.

aceção ***S. f.*** V. *acepção*. [Uso próprio de P.] ⊙

acedares [De *a-*[4] + lat. *cetaria*, 'viveiros de peixes'.] ***S. m. pl.*** Redes para pescar sardinhas. [Cf. *assedares*, do v. *assedar*.]

acedência [Do lat. *accedentia*.] ***S. f.*** Ato ou efeito de aceder. [Cf. *acidência*.]

acedente [Do lat. *accedente*.] ***Adj. 2 g. S. 2 g.*** Que, ou quem acede. [Cf. *acidente*.]

aceder [Do lat. *accedere*.] ***V. t. i.*** **1.** Conformar-se, aprovando; concordar, assentir, aquiescer, anuir: "Rubião acedeu ao pedido que lhe faziam de pegar em uma das argolas" (Machado de Assis, *Quincas Borba*, p. 189). **2.** Juntar-se, ajuntar-se, acrescer, adicionar-se: *À sua beleza acede uma graça inefável.* **3.** *Lus. Inform.* Acessar: *aceder ao Linux, ao Windows.* ***T. d. e i.*** **4.** Juntar, ajuntar, acrescer, adicionar: *Acedeu, aos exemplos, vários outros de diferentes autores.* ***Int.*** **5.** Anuir, aquiescer, assentir, consentir, concordar em alguma coisa: "ele fazia-lhes a proposta. Geralmente elas acediam, não só pelo ganho que o sueco oferecia como pela aventura em vista e pela beleza viril de Undset." (Vasconcelos Maia, *O Leque de Oxum*, p. 47). [Pres. ind.: *acedo* (ê), etc.; pres. subj.: *aceda* (ê), *acedas* (ê), *aceda* (ê), etc. Cf. o pres. ind. e o pres. subj. do v. *assedar*.]

acedia [Do gr. *akedía*.] ***S. f.*** Acídia. [Cf. *assedia*, do v. *assediar*.]

acedrenche ***S. m.*** *Ant.* V. *xadrez* (1).

acefalia [De *acefal(o)-* + *-ia*[1].] ***S. f.*** *Ter.* Ausência congênita de cabeça; acefalismo.

acefálico [De *acefal(o)-* + *-ico*[2].] ***Adj.*** Acéfalo[1] (1 a 3).

acefalismo [De *acefal(o)-* + *-ismo*.] ***S. m.*** *Ter.* Acefalia.

▲ **acefal(o)-** [Do gr. *aképhalos, os, on*.] ***El. comp.*** = 'sem cabeça', 'sem começo': *acefalia*. [Equiv.: *-acefal(o)-*, *-acéfalo*: *omacefalia*; *omacéfalo*.]

▲ **-acefal(o)-** V. *acefal(o)-*.

acéfalo[1] [Do gr. *aképhalos*, pelo lat. tard. *acephalu*.] ***Adj.*** **1.** *Ter.* Que apresenta acefalia; acefálico. **2.** *P. ext.* Curto de inteligência; estúpido; acefálico. **3.** *Fig.* Sem orientador, sem responsável, sem chefe; acefálico: "Para que a prelazia não ficasse acéfala, reuniu-se o clero local e elegeu para administrador eclesiástico interino o vigário-geral" (Vivaldo Coaraci, *O Rio de Janeiro no Século 17*, p. 69). **4.** Diz-se do concílio não presidido pelo Papa. **5.** *Mús.* Diz-se do desenho musical que não se inicia no começo do compasso, ou que recebe seu icto inicial sobre uma pausa; procatalético. ~ V. *suspensão —a* e *verso —*. ● ***S. m.*** **6.** *Ter.* Monstro sem cabeça. **7.** *Zool.* Larva de alguns insetos dípteros.

acéfalo[2] [Adapt. do *Acephala*.] ***S. m. Adj.*** *Zool.* V. *pelecípode*.

▲ **-acéfalo** V. *acefal(o)-*.

acefalobraquia (è) [De *a-*[3] + *-cefal(o)-* + *-braqu(i)(o)-* + *-ia*[1].] ***S. f.*** *Ter.* Anomalia congênita que consiste na ausência de cabeça e braços; abraquiocefalia.

acefalobráquico (è) [De *acefalobraquia* + *-ico*[2].] ***Adj.*** Relativo à acefalobraquia, ou que a tem.

acefalocardia (è) [De *a-*[3] + *-cefal(o)-* + *-cardia*.] ***S. f.*** *Ter.* Ausência congênita de cabeça e coração.

acefalocárdio [De *acefalocard(ia)* + *-io*[3].] ***Adj.*** Referente à acefalocardia, ou que a tem. ● ***S. m.*** **2.** Aquele que tem acefalocardia.

acefalocisto (è) [De *acefal(o)-* + *-cisto*.] ***S. m.*** *Zool.* Larva de tênia (*Echinococcus granulosus*) na qual não se formou escólex, e que é causadora do cisto hidático.

acefalóforo (è) [De *acefal(o)-* + *-foro*.] ***Adj. S. m.*** *Zool.* Diz-se do, ou o animal invertebrado, cuja cabeça não é distinta do corpo.

acefalogastria (è) [De *a-*[3] + *-cefal(o)-* + *-gastr(o)-* + *-ia*[1].] ***S. f.*** *Ter.* Ausência congênita de cabeça, tórax e porção superior do abdome.

acefalogástrico [De *acefalogastria* + *-ico*[2].] ***Adj.*** **1.** Referente à acefalogastria, ou que a tem. ● ***S. m.*** **2.** Aquele que tem acefalogastria.

acefalopodia (è) [De *a-*[3] + *-cefal(o)-* + *-pod(o)-* + *-ia*[1].] ***S. f.*** *Ter.* Ausência congênita de cabeça e pés.

acefalópodo [De *acefal(o)-* + *-podo*.] ***Adj.*** **1.** Relativo à acefalopodia, ou que a tem. ● ***S. m.*** **2.** Aquele tem acefalopodia.

aceifa ***S. f.*** V. *ceifa*.

aceimar ***V. t. d.*** V. *açaimar*.

aceiração [De *aceirar* + *-ção*.] ***S. f.*** Aceiramento. [Cf. *aceração*.]

aceiramento [De *aceirar* + *-mento*.] ***S. m.*** Ato ou operação de aceirar; aceiração. [Cf. *aceramento*.]

aceirar [De *aceiro* + *-ar*[2].] ***V. t. d.*** **1.** V. *acerar* (1). **2.** Fazer aceiro (5) em (matas, florestas, propriedades, etc.). **3.** Andar à volta de; rondar. **4.** *Bras.* Rodear, observando, trocando de posição para ver melhor. **5.** *Bras.* Aproximar-se de (alguém ou alguma coisa), espreitando. **6.** *Bras.* Olhar com cobiça. [Cf. *acerar*.]

aceiro [Do lat. tard. *aciariu* < *acies, ei*, 'ponta', 'gume', e, p. ext., 'espada'.] ***Adj.*** **1.** Relativo ao aço, ou que tem as propriedades dele. **2.** *Fig.* Forte, agudo, penetrante: *sofrimento aceiro*; *voz aceira*. ● ***S. m.*** **3.** *Ant.* Aço[1] (1). **4.** Operário que trabalha em aço. **5.** Desbaste de terreno em volta de propriedades rurais, ou matas, coivaras, etc., para, pela descontinuidade assim estabelecida na vegetação, evitar a propagação de incêndios ou queimadas; atalhada: "O aceiro aberto na direção da fazenda tinha cortado a tromba do incêndio que o vento impelia naquele rumo" (José de Alencar, *O Sertanejo*, p. 44). **6.** *Bras. RJ GO* Limpeza que se faz em torno de uma cerca de arame, a 1m de distância, mais ou menos, de cada lado, para protegê-la contra o fogo por ocasião das queimadas. **7.** *P. ext. Bras. GO* Pequena queimada que os viajantes fazem no campo, em trechos não determinados de seu trajeto, para descanso próprio ou dos cavalos.

aceitabilidade [De *aceitável* + *-(i)dade*, seg. o padrão erudito.] ***S. f.*** Qualidade ou caráter de aceitável.

aceitação [Do lat. tard. *acceptatione*.] ***S. f.*** **1.** Ato ou efeito de aceitar. **2.** Acolhimento, receptividade: *produtos de boa aceitação no mercado.* **3.** Concordância, anuência: "A vinda de D. Lourenço, e a sua aceitação ao convite que lhe ia fazer, eram agora, para ela, uma certeza" (Domingos Monteiro, *O Primeiro Crime de Simão Bolandas*, p. 118). **4.** Aprovação, aplauso. **5.** Respeito, consideração. **6.** O fato de aceitar-se com naturalidade e conformação qualquer sofrimento ou infortúnio. [Sin. ger.: *aceitamento*.]

aceitador (ô) [Do lat. *acceptatore*.] ***Adj.*** **1.** Que aceita; aceitante. ~ V. *átomo —*, *impureza —a* e *nível —*. ● ***S. m.*** **2.** Aquele que aceita; aceitante. **3.** *Quím.* Substância, molécula, grupo (3), átomo ou partícula subatômica capaz de receber outra para formar uma terceira; aceptor: *aceitador de elétrons, aceitador de hidrogênio.*

aceitamento [De *aceitar* + *-mento*.] ***S. m.*** V. *aceitação*.

aceitante [Do lat. *acceptante*.] ***Adj. 2 g.*** **1.** Aceitador (1). ● ***S. 2 g.*** **2.** Aceitador (2). **3.** Pessoa que assina o aceite numa letra de câmbio, ou duplicata de fatura, reconhecendo a obrigação por ela representada.

aceitar [Do lat. *acceptare*.] ***V. t. d.*** **1.** Consentir em receber (coisa oferecida ou dada). **2.** Estar de acordo com; concordar com; anuir a: *Aceitou a proposta, considerando-a justa.* **3.** Conformar-se com (fato, circunstância, etc.): *Aceitou bem a reprimenda.* **4.** Chamar a si; arrogar-se, atribuir-se: *Aceitou a responsabilidade do crime.* **5.** Dar crédito a; ter como bom, como certo, como verdadeiro; acreditar: *É-me impossível aceitar esta informação.* **6.** *Jur.* Assumir a obrigação de pagar (título de crédito) no vencimento, pondo nele o aceite. **7.** *Jur.* Manifestar anuência a (os termos essenciais de uma proposta de contrato, que com isto se torna perfeito e acabado). **8.** Admitir, tolerar, suportar: *Os bovídeos aceitam bem o jugo.* ***T. d. e i.*** **9.** Concordar, anuir: "Simão Bacamarte começou por organizar um pessoal de administração; e, aceitando essa ideia ao boticário Crispim Soares, aceitou-lhe também dous sobrinhos" (Machado de Assis, *Papéis Avulsos*, p. 10). **10.** Consentir em receber: "Simão Bacamarte começou por organizar um pessoal de administração; e, aceitando essa ideia ao boticário Crispim Soares, aceitou-lhe também dous sobrinhos" (Id., *ib.*, p. 10). ***Transobj.*** **11.** Admitir, reconhecer: *Aceito por verdadeira a doutrina*; "Por que hei de aceitar como boa e infalível uma realidade geral, que, íntima e secretamente, ninguém aceita?" (Almeida Fischer, *10 Contos Escolhidos*, p. 65). ***Int.*** **12.** Assentir em alguma coisa; concordar com ela: *Dada a insistência do convite, não teve remédio senão aceitar.* **13.** Consentir em receber coisa oferecida ou dada. [Part.: *aceitado*, *aceito* e *aceite*. A última f. é us. quase só em Portugal.]

aceitável [Do lat. tard. *acceptabile*.] ***Adj. 2 g.*** Que pode ser aceito; digno de aceitação.

aceite[1] [Dev. de *aceitar*.] ***S. m.*** **1.** Ato de aceitar (6). **2.** *Econ.* A assinatura do aceitante em título de crédito: "Jactou-se de não ter sequer um título a pagar. Nada de endossos nem aceites." (Otávio Issa, *Os Inquietos*, p. 8.) **3.** *P. ext. Econ.* O próprio título de crédito.

aceite[2] [De *aceito*.] ***Adj. 2 g.*** *P. us. no Brasil* Aceito: "Decidi que devia sacrificar a minha coragem a estas abusões hierárquicas geralmente aceites, e saltei fora." (Ramalho Ortigão, *Primeiras Prosas*, p. 167.)

aceito [Do lat. *acceptu*.] ***Adj.*** **1.** Recebido, admitido: *pessoa aceita na melhor sociedade.* **2.** A que se anui ou anuiu; aprovado: *opinião aceita.* **3.** Admitido, acreditado: *Sua informação, apesar de estranha, é aceita.* **4.** Recebido com agrado; grato, aprazível: "Cada qual isento agora / d'enfadonha ocupação, / se dá todo aos passatempos / que mais aceitos lhe são." (Antônio Feliciano de Castilho, *Amor e Melancolia*, p. 31.)

aceitoso (ô) [De *aceito* + *-oso*.] ***Adj.*** *Desus.* **1.** Agradável, acolhedor: "por haver deixado os aceitosos lugares de além, tão fagueiros e lindos na primavera" (Coelho Neto, *Treva*, p. 30). **2.** Que pode ou deve ser aceito; aceitável.

aceleirar [De *a-*[2] + *celeiro* + *-ar*[2].] ***V. t. d.*** Meter em celeiro. [Cf. *acelerar*.]

acelera [Dev. de *acelerar*.] ***S. 2 g.*** *Lus. Pop.* **1.** Pessoa que dirige em alta velocidade. **2.** Piloto de corrida automobilística.

aceleração [Do lat. *acceleratione*.] ***S. f.*** **1.** Ação ou efeito de acelerar; aceleramento. **2.** Rapidez na execução; aceleramento. **3.** Pressa, precipitação. **4.** Aumento progressivo de velocidade de um veículo automotor.

5. *Fís.* Variação da velocidade de um móvel na unidade de tempo; derivada, em relação ao tempo, da velocidade de um móvel; derivada segunda, em relação ao tempo, do espaço percorrido por um móvel. **6.** *Fís.* Aceleração instantânea. ◆ **Aceleração angular.** *Fís.* Variação da velocidade angular na unidade de tempo; derivada, em relação ao tempo, da velocidade angular de um móvel. **Aceleração centrífuga.** *Fís.* Aceleração de um móvel sujeito a uma força inercial centrífuga. **Aceleração centrípeta.** *Fís.* Componente do vetor aceleração cujo suporte é o raio vetor, e que está dirigido para o centro de curvatura da trajetória. **Aceleração da gravidade.** *Fís.* Aceleração de um corpo sujeito à atração gravitacional da Terra; aceleração de um corpo em queda livre na Terra [símb. usual: *g*]. **Aceleração de Coriolis.** *Fís.* Aceleração de um móvel que se move retilineamente em relação a um sistema de referência, medida em um segundo sistema de referência que tem uma aceleração angular em relação ao primeiro; aceleração causada em um móvel por uma força de Coriolis. **Aceleração instantânea.** *Fís.* O limite da aceleração média quando o intervalo de tempo tende para zero; a derivada, em relação ao tempo, do vector velocidade. [Tb. se diz apenas *aceleração*.] **Aceleração média.** *Fís.* Cociente da variação de velocidade de um móvel num intervalo finito de tempo por esse intervalo. **Aceleração negativa.** *Aer.* A exercida sobre o corpo humano em que a força de inércia resultante atua no sentido dos pés para a cabeça. **Aceleração normal da gravidade.** *Fís.* Aceleração de um móvel igual a 9,80665m/s^{-2}. **Aceleração positiva.** *Aer.* A exercida sobre o corpo humano em que a força de inércia resultante atua no sentido da cabeça para os pés. **Aceleração radial.** *Fís.* Componente da aceleração de um móvel, cujo suporte é o raio vector do movimento. **Aceleração tangencial.** *Fís.* Componente da aceleração de um móvel, cujo suporte é a tangente à trajetória. **Aceleração transversa.** *Aer.* A exercida sobre o corpo humano em que a força de inércia resultante atua perpendicularmente ao eixo maior do corpo humano.

acelerado [Part. de *acelerar*.] ***Adj.*** **1.** Tornado rápido ou mais rápido; apressado: *A rotação acelerada do toca-discos alterou o som.* **2.** Rápido, veloz, ligeiro: "Marchou em passo acelerado até defronte do palácio" (Bernardo Pinheiro Pindela, *Azulejos*, p. 23). **3.** *Mec.* Diz-se do motor que trabalha em alta rotação. ~ V. *leitura —a, movimento —* e *referencial —*. ● ***S. m.*** **4.** *Mil.* Passo de tropa que marcha a pé, de andamento mais rápido que o passo ordinário. ◆ **Em acelerado.** Em andamento ou ritmo acelerado; aceleradamente.

acelerador (ô) [De *acelerar* + *-dor*.] ***Adj.*** **1.** Que acelera. ● ***S. m.*** **2.** Aquilo que acelera. **3.** *Fís. Nucl.* V. *acelerador de partículas*. **4.** *Constr.* Aditivo que torna mais rápida a pega de um concreto (9). **5.** *Mec.* Dispositivo que regula a quantidade de mistura combustível que alimenta o motor de um veículo, para aumentar ou diminuir a velocidade. **6.** *Mec.* O pedal ou alavanca pelos quais se controla a aceleração de um veículo. **7.** *Quím.* Catalisador. **8.** *Tec. Quím. Restr.* Substância que acelera a vulcanização da borracha ou permite que ela se realize em temperatura baixa. ◆ **Acelerador a impulsos.** *Eng. Nucl.* Acelerador eletrostático onde a alta tensão se apresenta sob a forma de um impulso breve, produzido pela carga de condensadores em paralelo e sua descarga em série. **Acelerador a indução.** *Eng. Nucl.* Acelerador de elétrons em que estes recebem energia de um campo elétrico induzido pela variação de um campo magnético, que é, também, o campo que determina as trajetórias. **Acelerador de partículas.** *Fís. Nucl.* Aparelho destinado a acelerar, mediante o uso de campos eletromagnéticos intensos, feixe de partículas atômicas ou subatômicas carregadas eletricamente, aumentando sua energia. [Tb. se diz apenas *acelerador*.] **Acelerador eletrostático.** *Eng. Nucl.* Acelerador de partículas que utiliza uma diferença de potencial contínua, obtida pela acumulação de cargas elétricas sobre um eletrodo isolado. **Acelerador linear.** *Eng. Nucl.* Aquele em que as partículas descrevem trajetórias retilíneas.

aceleramento [De *acelerar* + *-mento*.] ***S. m.*** Aceleração (1 e 2).

acelerar [Do lat. *accelerare*.] ***V. t. d.*** **1.** Tornar célere ou mais célere; aumentar a velocidade de; apressar: *Acelerou a marcha e chegou antes da hora.* **2.** Dar pressa a; fazer progredir ou andar mais rápido; apressar, ativar: *acelerar o andamento de um processo.* **3.** Instigar, estimular. **4.** *Autom.* Imprimir maior velocidade a (o veículo automóvel), mediante aceleração progressiva do motor. ***Int.*** **5.** Tornar-se célere ou mais célere; apressar-se, acelerar-se: "A mão desvia, sobe o ombro, acelera, corre o braço" (José Cardoso Pires, *O Delfim*, p. 341). **6.** Aumentar de velocidade. **7.** *Autom.* Imprimir maior velocidade de rotação ao motor de um veículo automóvel. ***P.*** **8.** Tornar-se célere ou mais célere; adquirir maior velocidade; acelerar. [Cf. *aceleirar*.]

acelerómetro ***S. m.*** V. *acelerômetro*. [Uso freq. em P.]

acelerômetro [De *aceler(ação)* + *-o-* + *-metro*.] ***S. m.*** *Fís.* Instrumento para medir acelerações [v. *aceleração* (5)].

acelga [Do ár. *as-sílqa*, do gr.] ***S. f.*** *Bot.* Erva quenopodiácea (*Beta vulgaris*), de origem europeia, utilizada como verdura. [Var.: *acelca, celga*.]

acelia [De *a-*[3] + *-cel(o)-* + *-ia*[1].] ***S. f.*** *Embr.* Ausência de cavidade(s).

acélio [De *a-*[3] + *-célio*; tax. *Acoela*.] *Zool.* ***S. m.*** **1.** Espécime dos acélios, ordem de pequenos animais platelmintos turbelários, marinhos, providos de boca e quase sempre de faringe mas sem intestino, protonefrídios, ovidutos ou gônadas diferenciadas. ● ***Adj.*** **2.** Pertencente ou relativo a eles.

acelomado[1] [De *a-*[3] + *celoma* + *-ado*[1].] ***Adj.*** *Zool.* Sem celoma verdadeiro, como, p. ex., os platelmintos e os nemertinos.

acelomado[2] [De *a-*[3] + *celoma* + *-ado*[3]; tax. *Acoelomata*.] *Zool.* ***S. m.*** **1.** Espécime dos acelomados, grupo de animais desprovidos de celoma, nos quais o espaço entre a parede do corpo e os órgãos internos é preenchido pelo parênquima, como os são caracteristicamente os platelmintos e os nemertinos. ● ***Adj.*** **2.** Pertencente ou relativo a eles.

acelular [De *a-*[3] + *-celul(i)-* + *-ar*[1].] ***Adj. 2 g.*** *Biol.* Que não se compõe de células.

acém [Do ár. *as-siman*, 'gordura', 'obesidade'.] ***S. m.*** Carne do lombo do boi, entre a pá e o cachaço. [Cf. *assem*, do v. *assar*.]

acemista [Da sigla *ACM* (q. v.) + *-ista*.] ***Adj. 2 g. S. 2 g.*** Diz-se de, ou membro da ACM.

acenafteno [De *ace(t)(o)-* + *nafteno*.] ***S. m.*** *Quím.* Hidrocarboneto aromático, tricíclico, cristalino, existente no alcatrão de hulha [fórm.: $C_{12}H_{10}$].

acenaftileno [De *ace(t)(o)-* + *naftileno*.] ***S. m.*** *Quím.* Hidrocarboneto aromático, cristalino, amarelado, obtido do acenafteno por desidrogenação [fórm.: $C_{12}H_{8}$].

acenamento [De *acenar* + *-mento*.] ***S. m.*** *P. us.* V. *aceno*.

acenar [Do lat. vulg. **accinare*.] ***V. int.*** **1.** Fazer movimentos com a(s) mão(s), a cabeça, os olhos, etc., para avisar, mostrar, dar a entender, ameaçar, instigar, etc.; fazer aceno(s): "E via-o, ... a acenar, à sua espera no cais de desembarque em Lisboa." (Joaquim Paço d'Arcos, *Carnaval e Outros Contos*, p. 112.) **2.** Agitar-se, balançar, balouçar, acenando ou como que acenando: *Lenços brancos acenavam ao longe.* **3.** Chamar a atenção; fazer-se notar. ***T. i.*** **4.** Fazer movimento com a(s) mão(s), com a cabeça, com os olhos, para chamar, avisar, mostrar, dar a entender, ameaçar, instigar, etc.; fazer aceno(s); abanar: *Acenaram-lhe para que não prosseguisse;* "— Pois ide! disse o capitão-mor acenando-lhe com a mão." (José de Alencar, *O Sertanejo*, p. 121); "Ao montar, acenando ainda para a família, Hugo sentia os olhos úmidos" (Herman Lima, *Tijipió*, p. 149). **5.** Fazer alusão; referir-se, aludir: *Em suas memórias o escritor acena, vagamente, ao episódio que lhe inspirou o romance.* ***Bit. i.*** **6.** Procurar seduzir, atrair, aliciar: *Acenou-lhe com vantagens inesperadas.* ***T. d.*** **7.** Dar ou exprimir por meio de aceno(s): *Acenou um adeus.* **8.** Fazer movimento(s) com (a[s] mão[s], a cabeça, etc.): "Passou por eles, acenou ligeiramente a cabeça em quase imperceptível saudação" (Patrícia Joyce, *Anúncio de Casamento*, p. 115). ***T. d. e i.*** **9.** Exprimir, enunciar, declarar, por meio de aceno(s): *Acenaram adeuses ao viajante.* ***P.*** **10.** Fazer acenos mutuamente.

acenável [De *acenar* + *-vel*.] ***Adj. 2 g.*** Que se pode acenar: "ninguém ousaria rostear esse poderio e as ameaças tremendas por ele acenáveis" (João Ubaldo Ribeiro, *O Feitiço da Ilha do Pavão*, p. 169).

acendalha [De *acender*.] ***S. f.*** Tudo o que serve para acender lume: cavacos, gravetos, etc.: "Incendeia--os [os renques de macambira], batendo o isqueiro nas acendalhas das folhas ressequidas para os despir, em combustão rápida, dos espinhos." (Euclides da Cunha, *Os Sertões*, p. 138.)

acende-candeia [De *acender* + *candeia*.] ***S. m. e f.*** *Bras. Bot.* V. *vinhático-do-campo*. [Pl.: *acende-candeias*.]

acendedor (ô) [De *acender* + *-dor*.] ***S. m.*** **1.** Aquele ou aquilo que acende: "Lá vem o acendedor de lampiões da rua!" (Jorge de Lima, *Obra Completa*, I, p. 208.) **2.** Isqueiro. **3.** Aparelho elétrico destinado a acender bicos de gás.

acender [Do lat. *accendere*.] ***V. t. d.*** **1.** Pôr fogo, fazer arder; queimar, incendiar: "Não se contenta a gente Portuguesa: / Mas seguindo a vitória estrui, e mata; / A povoação sem muro, e sem defesa, / Esbombardeia, acende e desbarata." (Luís de Camões, *Os Lusíadas*, I, 90.) **2.** Levar fogo a (pavio, cigarro, charuto, cachimbo, etc.) para fazer arder: "Neste estado violento, passeando no quarto, acendendo cigarros que deixava apagar em seguida, passou a manhã toda." (Conde de Ficalho, *Uma Eleição Perdida*, p. 144.) **3.** Levar fogo a, ou produzir fogo em (fogão, lareira, forno, etc.). **4.** Esquentar, aquecer: "O espúmeo chipre as faces dos convivas / Acendia." (Olavo Bilac, *Poesias*, p. 135.) **5.** Riscar, fazendo que se queime por atrito: *acender um fósforo.* **6.** Pôr em funcionamento (sistema elétrico de iluminação): *acender uma lâmpada.* **7.** Acalorar, animar, entusiasmar: *A intervenção do deputado acendeu o debate;* "Só o cheiro destes acepipes era o bastante para acender os homens e os lobos dos barrocais que nos cercam." (Aquilino Ribeiro, *A Via Sinuosa*, p. 76). **8.** Fazer nascer; provocar, gerar, suscitar: "eleva [o ouro] os homens audazes, / e acende paixões que alastram / sinistras rivalidades." (Cecília Meireles, *Obra Poética*, p. 659). ***Int.*** **9.** Arder, crescer, ativar--se. **10.** Pôr em funcionamento um sistema elétrico ou de iluminação: "Salvador apareceu e disse: Vinha mesmo agora acender, senhor doutor" (José Saramago, *O Ano da Morte de Ricardo Reis*, p. 132). ***P.*** **11.** Pegar fogo; queimar-se, inflamar-se. **12.** Fulgurar, cintilar; iluminar-se: *Seus olhos acenderam-se, no calor da discussão;* "As estrelas acendem-se, radiando, / Altas, semeadas pelo céu sombrio." (Olavo Bilac, *Poesias*, p. 58). **13.** Ficar iluminado, por ter sido acionado sistema de iluminação: "mal acabara de o pensar acendeu-se o lustre" (José Saramago, *O Ano da Morte de Ricardo Reis*, p. 132). **14.** Exaltar-se, irritar-se, inflamar-se: *A dada altura do debate o orador acendeu-se.* **15.** Transportar-se, enlevar-se, arrebatar-se: *Enquanto orava, sua alma acendia--se em amor a Deus.* **16.** Despertar-se; ativar-se, inflamar-se: "À chegada de Padre Antônio de Morais o espírito de luta acendera-se novamente no cérebro de Chico Fidêncio." (Inglês de Sousa, *O Missionário*, p. 87.) [Cf. *ascender*.]

acendimento [De *acender* + *-imento*.] ***S. m.*** Ato ou efeito de acender(-se). [Sin., p. us.: *acensão*. Cf. *ascendimento*.]

acendível [De *acender* + *-ível*.] ***Adj. 2 g.*** Que se pode acender.

acendrado [Part. de *acendrar*.] ***Adj.*** Apurado, acrisolado, purificado: "Um orador começou a discursar, enaltecendo a personalidade do Dr. Romão, o seu acendrado amor à democracia" (Almeida Fischer, *10 Contos Escolhidos*, p. 48).

acendrar [Do esp. *acendrar*.] ***V. t. d.*** **1.** Limpar com cinza. **2.** Purificar, apurar, acrisolar; encendrar.

acenestesia [De *a-*[3] + *-cen(o)-*[2] + *-estes(i)-* + *-ia*[1].] ***S. f.*** *Psiq.* **1.** Distúrbio (3) mental em que o indivíduo não experimenta sensação de bem-estar. **2.** Ausência ou perda da sensação da existência do próprio corpo.

acenestésico [De *acenestesia* + *-ico*[2].] *Psic.* ***Adj.*** **1.** Relativo a, ou que sofre de acenestesia. ● ***S. m.*** Aquele que sofre de acenestesia.

acenha ***S. f.*** V. *azenha*.

aceniscar [De *aceno* + *-iscar*.] ***V. int.*** *Lus.* Piscar seguidamente. [Conjug.: v. trancar.]

aceno [Dev. de *acenar*.] ***S. m.*** **1.** Movimento da cabeça, dos olhos ou das mãos, para exprimir ideias; gesto, sinal. **2.** Chamamento, apelo, convite. [Sin. (p. us.): *acenamento*.] ◆ **A qualquer aceno.** Ao mais leve indício da vontade.

▲ **-aceno** *Quím.* ***El. comp.*** Indica composto aromático, esp. aqueles policíclicos em arranjo linear: *naftaceno, pentaceno*. [O el. prefixal indica o número de anéis benzênicos.]

acenoso (ô) [De *aceno* + *-oso*.] ***Adj.*** *Bot.* Diz-se de caule, pedúnculo ou pedicelo que se inclina para baixo, tendo em vista o peso da inflorescência ou da flor.

acensão [Do lat. *accensione*.] ***S. f.*** *P. us.* Acendimento. [Cf. *ascensão*, s. f., e *Ascensão*, hier., antr. e top. f.]

acenso [Do lat. *accensu*.] ***S. m.*** **1.** Na antiga Roma, oficial adjunto a alto funcionário. **2.** Na época feudal, arrendamento de propriedade. [Cf. *ascenso*, o antr. *Ascenso* e *assenso*.]

acento [Do lat. *accentu*.] ***S. m.*** **1.** *E. Ling.* Maior intensidade ou altura que opõe a enunciação de uma sílaba à enunciação das que lhe são contíguas. **2.** *E. Ling.* Sinal diacrítico (q. v.) indicativo do acento (1). São, em português: a) o *acento agudo*, empregado para assinalar as vogais tônicas *a*, *i* e *u*: *página, aí, baú,* e as vogais tônicas abertas *e* e *o*:, *pajé, etéreo, ósculo, herói;* b) o *acento grave*, apenas empregado, de acordo com as normas ortográficas vigentes, para indicar a crase da preposição *a* com a forma feminina do artigo (*a, as*) e com os pronomes demonstrativos (*a, as, aquele, aquela, aqueles, aquelas, aquilo*): *O político falou às massas; Refiro-me àquela pessoa que sabes; Quanto àquilo, nada sei;* c) o *acento circunflexo*, empregado para indicar o timbre fechado das vogais tônicas *e* e *o*, assim como do *a* seguido de *m* e *n*: *três, vêm, pôs, abdômen* (q. v.), *câmbio, cântico.*

3. Tom de voz; inflexão, timbre: "Por volta de onze horas, um acento desconhecido na voz, Teixeira gritou por Inocência." (Orígenes Lessa, *Rua do Sol*, p. 244.) 4. *P. ext.* Destaque, realce, relevo: "É uma das características inglesas realizar as maiores modificações na estrutura social ou política do país sem colocar jamais o acento da inovação sobre as suas resoluções." (Lindolfo Collor, *Europa 1939*, p. 143.) 5. Consonância, harmonia: *Embalava o filho com os ternos acentos do seu canto.* 6. *Fot.* Acentuação (3). 7. Sotaque (2): "Era do Porto, do Poorto, como ela dizia, porque nunca perdera o seu acento minhoto" (Eça de Queirós, *O Primo Basílio*, p. 162). [Cf. *assento*, do v. *assentar*, e s. m.] ◆ **Acento agudo.** *E. Ling.* V. *acento* (2). **Acento circunflexo.** *E. Ling.* V. *acento* (2). **Acento de altura.** *E. Ling.* Acento (1) caracterizado por uma variação na altura melódica, decorrente de uma variação na frequência de vibração das pregas vocais; acento musical. **Acento de intensidade.** *E. Ling.* Acento (1) que, pela maior intensidade, distingue uma sílaba de sílabas contíguas. **Acento de ritmo.** *E. Ling.* O resultante do modo por que se cadencia a dicção. **Acento diferencial.** *E. Ling.* O acento (agudo ou circunflexo) que se usava sobre as vogais *a*, *e* e *o* em alguns vocábulos tônicos (*pára*, verbo; *pêlo*, s.m.; *pélo*, verbo) ou que ainda se usa em *pôr* (verbo) para distingui-los de homônimos átonos (respectivamente, *para*, prep.; *pelo*, combinação de prep. e art.; *por*, prep.); o acento (circunflexo) que se usa sobre o *o* fechado dos vocábulos tônicos, como, p. ex., em *pôde* (3ª pess. sing. pret. perf. ind. do v. *poder*), para distingui-lo de pode (3ª pess. sing. pres. ind. desse mesmo verbo), e *fôrma* (pl. fôrmas), para distingui-lo de *forma* (pl. *formas*), ou ainda em *dêmos* (1ª pess. pl. pres. subj.), para distingui-lo de *demos* (1ª pess. pl. pret. perf. ind.). [V. obs. no verbete *fôrma*.] **Acento enfático.** *E. Ling.* Inflexão de voz com que, no discurso, se dá maior força de expressão a uma palavra ou frase. **Acento grave.** *E. Ling.* V. *acento* (2). **Acento musical.** *E. Ling.* Acento de altura. **Acento oratório.** Inflexão de voz da pessoa de quem fala para expressar e comunicar aos ouvintes os sentimentos ou afeto de que deve estar possuído; acento patético. **Acento patético.** Acento oratório. **Acento postiço.** *Tip.* Sinal fundido separadamente, para integrar fontes desprovidas de letras acentuadas. **Acento primário.** *E. Ling.* Num vocábulo, o acento de maior intensidade. [Cf. *acento secundário*.] **Acento provincial.** Inflexão de voz característica dos naturais duma província, estado ou região dum país. **Acento secundário.** *E. Ling.* Num vocábulo extenso, e em geral derivado, o acento que recai numa ou mais sílabas subtônicas, como, p. ex., em *resolutamente*, na sílaba *-lu-*, e em *indubitavelmente*, nas sílabas *-du-* e *-ta-*. [Cf. *acento primário*.] **Acento tônico.** 1. *E. Ling.* Numa palavra, o acento predominante. 2. O aspecto mais significativo, a ideia predominante, o ponto fundamental: "Eu, porém, não tinha uma parcela de legitimismo de direito divino; minha caracterização, o acento tônico, era outra: *liberal*, não no sentido passageiro, político, da expressão, mas no seu sentido humano, eterno" (Joaquim Nabuco, *Minha Formação*, p. 303).

▲ **acentro-** [Do gr. *ákentros, os, on*.] ***El. comp.*** = 'sem ponta', 'sem aguilhão': *acentróptero*.

acentróptero [De *acentro-* + *-ptero*.] ***S. m.*** *Zool.* Inseto cujas asas não se evaginam na parte central do mesótorax.

acentuação [De *acentuar* + *-ção*.] ***S. f.*** 1. Ato, modo ou sistema de acentuar na fala ou na escrita. 2. *Eletrôn.* Método eletrônico utilizado para realçar determinadas bandas de frequência em um amplificador de áudio. 3. *Fot.* Processo em que se realça um detalhe do objeto; acento. 4. *Lóg.* Sofisma da acentuação. 5. *Mús.* Maior intensidade que se dá a determinadas notas, figuras rítmicas ou sílabas cantadas no conjunto de uma frase melódica ou rítmica. 6. *Telec.* Pré-ênfase.

acentuado [Part. de *acentuar*.] ***Adj.*** 1. Que tem acento(s) ortográfico(s). 2. Definido, marcante: *estrada de curvas acentuadas.* 3. Saliente, proeminente: "Tinha .... um nariz aquilino, proeminente, muito acentuado." (Virgílio Várzea, *Nas Ondas*, p. 13.) 4. Claro, nítido: *Tem acentuada tendência para a música.* 5. *E. Ling.* Que recebeu acento (1).

acentual [De *acento* + *-ual*.] ***Adj. 2 g.*** Relativo a acento ou a acentuação.

acentuar [Do lat. med. *accentuare*.] ***V. t. d.*** 1. Empregar acento (2) em: *acentuar o o de biótipo.* 2. *E. Ling.* Pôr acento (1) em. 3. Pronunciar com clareza ou com intensidade; dar realce ou ênfase a; frisar: *Chamou-lhe "traidor", acentuando bem a palavra.* 4. Tornar bem visível; pôr em realce; realçar: "A roupa molhada colava-se-lhe ao corpo, acentuando-lhe as formas angulosas." (Júlio Ribeiro, *A Carne*, p. 60); "Rugas, aos lados da boca, acentuavam o ar de cansaço." (Solange Lajes, *Passagem*, p. 63). 5. Dar relevo a; pôr em relevo; relevar, salientar. *P.* 6. Tornar-se mais nítido, mais intenso; aumentar: *Fechadas as janelas, acentuou-se o cheiro adocicado das flores murchas.* 7. Adquirir relevo ou maior relevo; aumentar, crescer: *Sua beleza acentua-se a cada dia.*

▲ **-áceo** [Do lat. *-aceu*.] ***Suf. nom.*** = 'origem', 'referência', 'pertinência': *algáceo*. [Em *Zool.* designa 'espécime de (divisão de animais)': *cetáceo*, *crustáceo*. V. *-áceos*.]

▲ **-áceos** *Zool.* ***Suf. nom.*** = 'divisão de (animais)': *crustáceos*. [V. *-áceo*.]

acepção [Do lat. *acceptione*.] ***S. f.*** 1. Sentido em que se emprega um termo; significação, sentido. 2. Interpretação, compreensão. [Cf. *acessão*.] ◆ **Na acepção da palavra.** Em toda a extensão da palavra: *É um maluco na acepção da palavra.*

acepilhado [Part. de *acepilhar*.] ***Adj.*** 1. Alisado ou polido: *móvel acepilhado.* 2. Aperfeiçoado, apurado: *estilo acepilhado.*

acepilhador (ô) [De *acepilhar* + *-dor*.] ***S. m.*** Operário que acepilha, que trabalha com o cepilho.

acepilhadura [De *acepilhar* + *-dura*.] ***S. f.*** 1. Ato ou efeito de acepilhar ou alisar os materiais. 2. Maravalha tirada pelo cepilho; apara.

acepilhar [De *a-*² + *cepilho* + *-ar*².] ***V. t. d.*** 1. Alisar com o cepilho; aplainar: "Sob o risco de D. Cristóvão, que tão bem pegava da serra e cortava um tronco como da plaina e acepilhava uma tábua, fizeram os carros que eram necessários à coluna." (Aquilino Ribeiro, *Portugueses das Sete Partidas*, p. 91.) 2. Polir com limas finas. 3. Aperfeiçoar, aprimorar, lapidar: *acepilhar o estilo.* 4. Tornar bem-educado, cortês; polir, civilizar. *P.* 5. Aperfeiçoar-se, aprimorar-se, polir-se. 6. Tornar-se cortês, sociável; polir-se, civilizar-se. [F. paral.: *cepilhar*.]

acepipe [Do ár. *az-zabīb*, 'passa', 'figo seco'.] ***S. m.*** 1. V. *petisco* (1): "Nos vossos lábios ainda prurem as saborosas lembranças dos acepipes principescos" (Mário de Alencar, *Alguns Escritos*, p. 131). 2. *Lus.* Hors-d'œuvre. [Var.: *azebibe*.]

acepipeiro [De *acepipe* + *-eiro*.] ***Adj. S. m.*** Que, ou aquele que gosta de acepipes e/ou que os prepara.

aceptilação [Do lat. tard. *acceptilatione*.] ***S. f.*** 1. *Jur.* Quitação de dívida que se dá a um devedor, com efeito extintivo da dos demais coobrigados. 2. Remissão de dívida não paga.

aceptor (ô) [Do ingl. *acceptor*.] ***Adj. S. m.*** V. *aceitador* (3).

acéquia [Do ár. *as-sāqia (t)*.] ***S. f.*** 1. Represa de águas; açude. 2. Rego; canal. [Var.: *aceca*.]

ácer [Do tax. *Acer* (do lat. *acer*, 'bordo [ô]').] ***S. m.*** *Bot.* 1. Gênero largamente distribuído de árvores e arbustos aceráceos, dotados de folhas simples ou compostas, flores polígamas ou dioicas, e frutos alados. 2. Qualquer espécie desse gênero, como, p. ex., a *Acer saccharinum* [(v. *bordo* (ô)]. 3. Qualquer espécime desse gênero.

aceração [De *acerar* + *-ção*.] ***S. f.*** V. *aceragem* (1). [Cf. *aceiração*.]

acerácea [Do tax. *Acer* (v. *ácer*) + *-ácea*; tax. *Aceraceae*.] ***S. f.*** *Bot.* Espécime das aceráceas, família da ordem das sapindales, constituída de árvores ou arbustos providos de folhas recortadas, a qual se compõe de cerca de 120 espécies, próprias das terras temperadas do Norte; tem flores minutas e agrupadas em cachos, frutos que são nozes aladas, em geral com uma só semente.

aceráceo [De *acerácea*, com var. suf. (v. *-áceo*).] ***Adj.*** *Bot.* Pertencente ou relativo às aceráceas.

acerado [Part. de *acerar*.] ***Adj.*** 1. Que tem a têmpera do aço: *punhal acerado.* 2. Afiado, cortante: "Logo a inocente Dafne evita Apolo, / Correndo .... / Sob uma chuva de aceradas setas" (Eugênio de Castro, *Obras Poéticas*, X, p. 156). 3. *Fig.* Que fere profundamente; mordaz, mordente, exacerbado, azeirado: "A par de páginas da mais elevada moral e da mais perfeita religião, Madame de Girardin tinha a réplica acerada e a ironia viva e penetrante." (Ramalho Ortigão, *Em Paris*, p. 180.)

acerador (ô) [De *acerar* + *-dor*.] ***Adj.*** 1. Que acera; acerante. • ***S. m.*** 2. Cuteleiro.

aceragem [De *acerar* + *-agem*².] ***S. f.*** 1. Ato ou efeito de acerar; aceração, aceramento. 2. Trabalho de cuteleiro. 3. *Art. Gráf.* Processo galvanoplástico pelo qual se deposita uma camada de ferro na superfície de clichês de cobre, e de gravuras em metal, para lhes dar a resistência necessária às grandes tiragens ou protegê-los do efeito corrosivo de certas tintas.

aceramento [De *acerar* + *-mento*.] ***S. m.*** V. *aceragem* (1). [Cf. *aceiramento*.]

acerante [De *acerar* + *-nte*.] ***Adj. 2 g.*** Acerador (1).

acerar [Var. de *aceirar*.] ***V. t. d.*** 1. Dar têmpera de aço a; aceirar; azerar. 2. Tornar pungente, aguçado, cortante: "traições e iniquidades, / As tramas, que urdes, e os punhais, que aceras" (Raimundo Correia, *Poesias*, p. 199). 3. Acentuar, exacerbar: *As palavras mordazes aceraram o seu ódio.* 4. Fortalecer, avigorar, robustecer. 5. *Art. Gráf.* Proteger (clichê ou gravura em metal) pela aceragem. [Pres. ind.: *acero*, etc. Cf. *ácero*.]

aceratose [De *a-*³ + *-cerat(o)-* + *-ose*¹.] ***S. f.*** 1. *Med.* Falta ou diminuição de tecido córneo. 2. *Zool.* Aceratosia.

aceratosia [De *a-*³ + *-cerat(o)-* + *-os(e)-*¹ + *-ia*¹.] ***S. f.*** *Zool.* Ausência de cornos observada em mamíferos ruminantes atuais e em fósseis de mamíferos perissodáctilos; aceratose.

aceratótico [De *acerat(ose)* + *-ótico*.] ***Adj.*** Relativo à aceratose.

acerbar [De *acerbo* + *-ar*².] ***V. t. d.*** 1. Tornar acerbo. 2. Tornar mais intenso ou mais acerbo; exacerbar. 3. Angustiar, afligir.

acerbidade [Do lat. *acerbitate*.] ***S. f.*** Qualidade de acerbo.

acerbo [Do lat. *acerbu*.] ***Adj.*** 1. V. *azedo* (1 e 2): *fruto acerbo.* 2. V. *amargo* (1 e 2). 3. Duro, difícil, árduo: *trabalho acerbo.* 4. Duro, áspero: *Suas críticas foram por demais acerbas.* 5. Cruel, doloroso: *Dor acerba pungia-o com a morte do pai.* 6. Mordaz, maldoso, amargo: *comentário acerbo.* 7. Rude, insolente, desabrido.

acerca (ê) [Do lat. *ad circa*.] ***Adv.*** *Ant.* 1. A pequenina distância (no espaço ou no tempo); perto. 2. Quase, cerca. [Cf. *acerca*, do v. *acercar*.] ◆ **Acerca de.** A respeito de; relativamente a; quanto a; com referência a; sobre: *Falou muito tempo acerca da sua última viagem*; "Conversas na rua e no mesmo cartório acerca de sortes grandes" (Machado de Assis, *Outras Relíquias*, p. 74).

acercamento [De *acercar* + *-mento*.] ***S. m.*** Ato ou efeito de acercar(-se).

acercar [De *a-*² + lat. **circare*, 'ir, andar ao redor de'.] ***V. t. d. P.*** 1. Aproximar(-se), avizinhar(-se), abeirar(-se), achegar(-se): "Ela gostou dele, acercaram-se, amaram-se." (Machado de Assis, *Memórias Póstumas de Brás Cubas*, p. 203); "Com o tempo, o pobre deu mesmo para beber, e ficava sentado no botequim toda tarde, se lamuriando com os raros amigos que ainda se dignavam de acercar-se dele." (Fernando Sabino, *O Homem Nu*, p. 96). 2. Rodear(-se); cercar(-se): *Os cães acercaram a caça; Gosta de acercar-se de amigos.* [M. us. como p. Conjug.: v. *trancar*. Pres. ind.: *acerco*, *acercas*, *acerca*, etc. Cf. *acerca* (ê).]

acerejado [De *a-*² + *cereja* + *-ado*¹.] ***Adj.*** 1. Tirante à cor da cereja: "O rosto acerejado, o gesto comovido" (Gonçalves Crespo, *Obras Completas*, p. 268). 2. Semelhante a cereja.

acerejar [De *a-*² + *cereja* + *-ar*².] ***V. t. d.*** 1. Dar a cor da cereja a: "O sangue que acereja a epiderme das faces revela, quando muito, a compleição da pessoa." (Camilo Castelo Branco, *A Mulher Fatal*, pp. 36-37.) 2. Corar, ruborizar, enrubescer. *P.* 3. Tornar-se da cor da cereja. 4. Corar-se, enrubescer-se. [Conjug.: v. *pelejar*.]

aceria[1] [De *aceiro*¹ + *-ia*¹, com síncope.] ***S. f.*** Aciaria.

aceria[2] [Do gr. *akairía*, 'ocasião desfavorável'.] ***S. f.*** O que é intempestivo ou inoportuno.

acérido [De *a-*³ + *-cer(o)-*² + *-ido*¹.] ***Adj.*** Desprovido de cera.

ácero [Do gr. *ákeros*.] ***Adj.*** *Zool.* Diz-se dos artrópodes ou dos moluscos desprovidos de antenas ou de tentáculos. [Cf. *acero*, do v. *acerar*.]

acerola [Do ár. *az-zuʿrūra(t)*.] ***S. f.*** 1. *Bot.* Arbusto, ou arvoreta, malpighiáceo (*Malpighia emarginata*), originário das Antilhas, cujo fruto drupáceo, globoso, pequeno e vermelho lembra a pitanga e é riquíssimo em vitaminas A e C, ferro e cálcio; azaroleira, azaroleiro, azeroleira. 2. O fruto desse arbusto; cereja-das-antilhas, cereja-do-pará. [Var.: *acerolo*, *azarola*, *azerola*.]

acerolo (ô) ***S. m.*** V. *acerola*.

aceroso (ô) [Do lat. *acer*, 'agudo', 'que termina em ponta', + *-oso*.] ***Adj.*** *Bot.* Diz-se de órgão rígido e que termina em ponta pungente; acicular. [Aplica-se quase sempre a folhas, como, p. ex., a do pinheiro-do-paraná.] ~ V. *folha* —*a*.

acerra [Do lat. *acerra*.] ***S. f.*** 1. Entre os antigos romanos, pequeno vaso ou cofre em que se guardava o incenso para os sacrifícios, em especial para a cremação dos mortos. 2. Altar que se erigia aos pés do leito de um morto, e sobre o qual se queimavam perfumes e incenso. 3. Naveta (1).

acérrimo [Do lat. *acerrimu*.] ***Adj.*** 1. Superl. abs. sint. de *acre* e *agre*; muito acre: *fruta acérrima.* 2. Muito tenaz; obstinado, pertinaz: *É um acérrimo defensor da democracia*; "Ao cabo de oito meses de luta acérrima, Sagunto sucumbiu." (Aquilino Ribeiro, *Os Avós dos Nossos Avós*, p. 117).

acertada [De *acertar* + *-ada*¹.] ***S. f.*** Ato ou efeito de acertar.

acertado [Part. de *acertar*.] *Adj*. **1.** Posto ou tornado certo. **2.** Certo, adequado, apropriado: *medida acertada*. **3.** Sensato, razoável: *resolução acertada*. **4.** Tratado, ajustado: *encontro acertado*. **5.** Atingido, tocado: *alvo acertado*.

acertador (ô) [De *acertar* + *-dor*.] *S. m.* **1.** Aquele ou aquilo que acerta. **2.** Aquele que acerta em loteria, etc. **3.** *Bras.* Indivíduo que acerta a marcha dos animais de sela. ● *Adj.* **4.** Que acerta.

acertamento [De *acertar* + *-mento*.] *S. m.* Acerto (1).

acertar [De *a-*² + *certo* + *-ar*².] *V. t. d.* **1.** Achar ao certo; atinar com; descobrir, encontrar: *Não acertou o caminho*. **2.** Dar ou bater em; atingir, alcançar: *O murro acertou-lhe o nariz*. **3.** Colocar de maneira certa, adequada; endireitar: "abriu demasiadamente os olhos, acertou os óculos na base do nariz" (Camilo Castelo Branco, *Novelas do Minho*, II, p. 80). **4.** Movimentar peça de (relógio, ou instrumento análogo) a fim de corrigir ou precisar a indicação desejada. **5.** Harmonizar, combinar (o passo, etc.). **6.** Responder corretamente *Acertou as questões da prova*. **7.** *Bras.* Ensinar (o animal de sela) a obedecer à rédea. *T. d. e i.* **8.** Ajustar, combinar: *Acertou um encontro com a moça*. **9.** Fazer coincidir: *Acertou suas férias com as minhas*. *T. d. e c.* **10.** Fazer atingir, tocar com justeza: *Acertou-lhe um murro no queixo*. *T. i.* **11.** Atinar, deparar, encontrar: "Foi feliz, acertou com um bom médico." (Júlio Ribeiro, *A Carne*, p. 194.) **12.** Agir certo ou fazer, dizer, ou descobrir o certo: *Ele acertou em não sair de casa durante o temporal; acertar numa escolha*. **13.** *P. ext.* Ganhar na loteria, no jogo de azar: "— Etelvina, minha filha! .... — Acertei no milhar / Ganhei 500 contos / Não vou mais trabalhar." (Wilson Batista e Geraldo Pereira, no samba *Acertei no Milhar*). **14.** Acontecer, suceder, por acerto ou acaso: *Estávamos em paz, quando acertou de chegar aquele desordeiro*; "Meu pai temia-o, e acautelava-se muito dele, quando acertava de falar furtivamente a Rosa" (Camilo Castelo Branco, *Doze Casamentos Felizes*, p. 178). *T. c.* **15.** Dar, bater, atingir: *Acertou no alvo*. *Int.* **16.** Proceder com acerto ou prudência. **17.** Atingir o alvo (5): *Atirou contra a onça, e acertou*; "o caçador chega cantando, / À pomba faz o tiro... / A bala acerta e ela cai de bruços" (Casimiro de Abreu, *Obras*, pp. 90-91). **18.** Alcançar um resultado desejado; atingir o alvo (7). *P.* **19.** Suceder, acontecer, por acerto ou acaso. **20.** Estar presente, achar-se, encontrar-se por acaso em algum lugar. [Pres. ind.: *acerto*, etc. Cf. *acerto* (ê) e *asserto* (ê).]

acerto (ê) [Dev. de *acertar*.] *S. m.* **1.** Ato ou efeito de acertar; acertamento. **2.** Sensatez, prudência, tino, sabedoria: *Respondeu com acerto às perguntas do advogado*. **3.** Acaso, sorte: "Era um achado, um acerto feliz, como a sorte grande" (Machado de Assis, *Memórias Póstumas de Brás Cubas*, p. 151). **4.** Dito acertado, justo, feliz; achado. **5.** Correção no falar, no escrever, no proceder, etc.: *Escreve e fala com acerto*. **6.** Ajuste, acordo, concerto. **7.** *Art. Gráf.* Ato ou efeito de regular uma máquina impressora para obtenção de uma impressão perfeita expressamente em relação ao registro (18 e 19). **8.** *Bras. N.E.* Contrato verbal entre o tirador de caroá e a direção da usina de beneficiamento dessa fibra. [Pl.: *acertos* (ê). Cf. *acerto*, do v. *acertar*, e *asserto*.] ◆ **Acerto de contas.** V. *ajuste de contas*.

acervar [Do lat. *acervare*.] *V. t. d.* **1.** Amontoar, empilhar: "Acerva-se a lenha da vasta fogueira" (Gonçalves Dias, *Obras Poéticas*, II, p. 19). **2.** *Bras.* Levantar o acervo (3 e 4) de. [Pres. ind.: *acervo*, etc. Cf. *acervo* (ê).]

acervejado [De *a-*² + *cerveja* + *-ado*¹.] *Adj.* **1.** Que sabe a cerveja. **2.** Tirante à cor da cerveja. **3.** Amante da cerveja.

acervo (é ou ê) [Do lat. *acervu*.] *S. m.* **1.** Montão, cúmulo. **2.** V. *quantidade* (3): "Formávamos juntos um acervo de trastes, valíamos tanto como as bagagens trazidas lá de baixo e as mercadorias a que nos misturávamos." (Graciliano Ramos, *Memórias do Cárcere*, I, p. 194.) **3.** Conjunto de bens que integram um patrimônio; cabedal: "E, perguntando-lhe eu que lhe parecia do plano de vender em leilão o acervo da companhia, ... vi-o .... soltar um suspiro tão grande, que pareceu trazer-lhe as entranhas para fora." (Machado de Assis, *A Semana*, II, p. 88.) **4.** O conjunto das obras de uma biblioteca, de um museu, etc. **5.** Patrimônio, riqueza, cabedal: *acervo artístico; acervo moral*. [Cf. *acervo*, do v. *acervar*. Dim. irreg.: *acérvulo*.]

acérvulo [Do lat. *acervulu*.] *S. m.* **1.** Pequeno acervo. **2.** *Bot.* No ramo duma inflorescência, grupo de flores disposto em linha. **3.** *Med.* Concreção calcária ou magnesiana encontrada no plexo coroide e na glândula pineal. **4.** *Micol.* Conjunto de células portadoras de esporos dos himenomicetos, e que forma uma camada.

acescência [Do lat. **acescentia* < lat. *acescere*.] *S. f.* Disposição ou tendência para azedar.

acescente [Do lat. *acescente*.] *Adj. 2 g.* Que principia, tende a azedar(-se).

aceso (ê) [Do lat. *accensu*.] *Adj.* **1.** Que se acendeu; em que se produziu chama: "Fifós acesos espalhavam bruxuleante claridade, projetando sombras pelo chão" (Vasconcelos Maia, *O Leque de Oxum*, p. 27). **2.** Vivo, brilhante: *A alegria deixou-lhe os olhos acesos*. **3.** Intenso, ardente, impetuoso: *Acesas paixões devoravam-lhe a alma*. **4.** Arrebatado; excitado: "Estavam tão acesas as duas mulheres, tão entretidas na conversa, que não ouviram, fora, um passo rápido na areia da estrada" (Conde de Ficalho, *Uma Eleição Perdida*, p. 243). **5.** Furioso, raivoso. ● *S. m.* **6.** Ponto culminante; auge, apogeu: *No aceso da discussão feriu o adversário*.

acesódino [Do gr. *ákesis*, 'cura', + *-ódino*.] *Adj. Med.* V. *anódino* (1).

acessado [Part. de *acessar*.] *Adj. Inform.* **1.** Diz-se de computador, unidade periférica ou dispositivo de armazenamento, com o qual se estabelece acesso (9). **2.** *P. ext.* Diz-se das informações (como arquivos ou bases de dados) ou dos serviços obtidos por acesso (9) a um computador.

acessão [Do lat. *accessione*.] *S. f.* **1.** Ato ou efeito de aceder; consentimento: *acessão a um tratado*. **2.** Aumento, acrescentamento. **3.** Acesso, promoção a dignidade ou posto superior: *acessão à cátedra*. **4.** Subida ao trono. **5.** *Jur.* Modo de aquisição de propriedade pelo qual fica pertencendo ao proprietário aquilo que se une ou se incorpora ao seu bem. [Cf. *acepção*.]

acessar [De *acesso* + *-ar*²; adapt. do ingl. *(to) access*.] *V. t. d. Inform.* **1.** Estabelecer comunicação com (computador, ou dispositivo a ele ligado), para fazer uso de seus recursos, ou dos serviços por ele oferecidos. **2.** *P. ext.* Obter ou utilizar dessa maneira (dados, arquivos, programas, serviços, etc., armazenados ou processados em computador): *acessar informações sigilosas*.

acessibilidade [Do lat. tard. *accessibilitate*.] *S. f.* **1.** Qualidade de acessível. **2.** Facilidade na aproximação, no trato ou na obtenção. **3.** *Educ.* Condição de acesso aos serviços de informação, documentação e comunicação, por parte de portador de necessidades especiais (q. v.). [Termo da educação especial.]

acessional *Adj. 2 g.* **1.** *P. us.* Que se junta ou sobrevém; adicional. **2.** *Med.* Que ocorre em acessos; intermitente: *febre acessional*.

acessível [Do lat. tard. *accessibile*.] *Adj. 2 g.* **1.** A que se pode chegar; de acesso fácil: *porto acessível a todo tipo de embarcação*. **2.** Que se pode alcançar, obter ou possuir: *livros bons e acessíveis*. **3.** Inteligível, compreensível: *É um filme acessível a qualquer público*. **4.** Tratável, comunicativo: *É pessoa muito acessível e simpática*. **5.** Módico, moderado, razoável: *preços acessíveis*.

acessivo [Do lat. *accessus*, part. pass. do v. lat. *accedere*, 'ir para', 'vir acrescentar-se', + *-ivo*.] *Adj.* Que acresce; que se acrescenta.

acesso [Do lat. *accessu*.] *S. m.* **1.** Ingresso, entrada: *Não teve acesso ao palácio*. **2.** Trânsito, passagem: *Estrada particular: proibido o acesso*. **3.** Avizinhação, aproximação: *porto de fácil acesso; via de acesso*. **4.** Alcance de coisa elevada ou longínqua: *Nem todos, infelizmente, têm acesso à cultura*. **5.** Elevação em dignidade ou posto; promoção: *acesso a um cargo mais alto*. **6.** Trato, comunicação: *personalidade de fácil acesso*. **7.** Ataque súbito; ímpeto: *acesso de raiva*; "Reginaldo em vão perguntava a origem desses fugitivos acessos de melancolia..." (Artur Azevedo, *Contos Efêmeros*, p. 130); "A polícia, tomada de um desses acessos de zelo intermitente que às vezes acometem esta veneranda instituição, acaba de assaltar várias casas de batota." (Ramalho Ortigão, *As Farpas*, I, p. 92). **8.** *Arquit.* Espaço interno ou externo por onde se entra numa edificação ou em parte dela, e que pode corresponder, ou não, a um elemento construído, como escada, vão, porta, rampa, etc. **9.** *Inform.* Ato ou efeito de acessar (1); comunicação entre dispositivos computacionais. **10.** *Inform. Restr.* Acesso (9), por meio do qual se utilizam os serviços ou recursos oferecidos em uma rede de computadores. **11.** *Med.* Fenômeno fisiológico ou patológico que sobrevém e cessa periodicamente.

acessório [Do lat. *accessus* (v. *acessivo*) + *-ório*.] *Adj.* **1.** Que não é fundamental; secundário: *máquina acessória*. **2.** Que se acrescenta a uma coisa, sem fazer parte integrante dela; suplementar, adicional: *termos acessórios de uma oração*. ~ V. *contrato —, genitália —a, mineral —, nervo —, pena —a, termos —s*. ● *S. m.* **3.** Aquilo que se junta ao objeto principal, ou é dependente dele; complemento, achega. **4.** Pormenor, minúcia: "Com os subsídios ministrados pelo cura de Caldelas compus esta narrativa, espraiando-me por acessórios de duvidoso bom senso" (Camilo Castelo Branco, *A Brasileira de Prazins*, p. 389). **5.** Cada uma das peças ou objetos que contribuem para a harmonia do vestuário, ou da decoração de um ambiente, quer como complemento, quer como adorno. [Cf., nesta acepç., *complemento* (3).] **6.** Objeto ou utensílio destinado a facilitar o desempenho de uma atividade. **7.** *Cin. Teatr. Telev.* Cada um dos objetos de cena duma peça, filme, novela, etc. **8.** *Autom.* Peça que, embora desnecessária ao funcionamento do veículo, contribui para a segurança e proteção dele, e para o conforto e segurança dos passageiros, podendo, também, servir apenas de adorno. **9.** *E. Ling.* Termo que se junta a um nome ou a um verbo para precisar-lhes o sentido. [Cf. *assessório*.]

acessual [De *acesso* + *-ual*.] *Adj. 2 g.* Que surge ou se manifesta por acessos.

acessulfame [Do ingl. *acesulfame* (de *ace[t]* + *sulf* + *-ame* [como em *aspartame*]); voc. farmac.] *S. m. Quím.* Adoçante artificial, 200 vezes mais doce que o açúcar comum, us. em bebidas e alimentos [fórm.: $C_4H_4NO_4S^-K^+$]; acessulfame potássio. ◆ **Acessulfame potássio.** *Quím.* Acessulfame.

acesume [De *aceso* + *-ume*.] *S. m. Bras. Pop.* Vivacidade exagerada; assanhamento.

acetabulado [De *acetabul(i)-* + *-ado*¹.] *Adj.* Acetabuliforme.

acetabular [De *acetábulo* + *-ar*¹.] *Adj. 2 g.* Relativo a acetábulo (1, 4, 6 a 8).

acetabulária [De *acetabul(i)-* + *-ária*; tax. *Acetabularia*.] *S. f. Bot.* **1.** Gênero de algas clorofíceas, acetabuliformes, de natureza calcária e coloração verde, que ocorrem em mares tropicais, fixadas a conchas ou a rochas. **2.** Espécie, ou espécime desse gênero.

acetabulectomia [De *acetabul(i)-* + *-ectom-* + *-ia*¹.] *S. f. Cir.* Ressecção de acetábulo (4).

▲ **acetabul(i)-** [Do lat. acetabŭlum, *i*.] *El. comp.* = 'acetábulo', 'taça'; 'tentáculo': *acetabulífero, acetabuliforme*.

acetabulífero [De *acetabul(i)-* + *-fero*; tax. *Acetabulifera*.] *S. m. Adj. Zool.* Cefalópode².

acetabuliforme [De *acetabul(i)-* + *-forme*.] *Adj. 2 g.* Que tem forma de taça; acetabulado.

acetábulo [Do lat. *acetabulu*.] *S. m.* **1.** Cavidade em forma de taça. **2.** Antigo vaso romano, pouco fundo, destinado a conter vinagre. **3.** *Bot.* Flor cujo cálice tem o feitio desse vaso. **4.** *Anat.* Cótilo de cada um dos ossos ilíacos. **5.** *Mús.* Instrumento musical, acetabuliforme, que se percute com maceta. **6.** *Zool.* Cavidade ou ventosa de que são providos certos animais, como, p. ex., os platelmintos. **7.** *Zool.* Escavação em concha ou em polipeiro onde se fixa um animal. **8.** *Zool.* Cavidade onde se insere a pata traseira dos insetos.

acetal [De *acet(i)-* + *-al*².] *S. m.* **1.** *Quím.* Produto de condensação de aldeído acético com dois equivalentes de etanol; é um líquido incolor e inflamável, us. como solvente e em cosméticos [fórm.: $C_6H_{14}O_2$]. **2.** *P. ext.* Produto de condensação de um aldeído com dois equivalentes de um mesmo álcool, ou de dois álcoois. **3.** *Impr.* V. *polioximetileno*. [Pl.: *acetais*.]

acetalamina [De *acetal* + *amina*.] *S. f. Quím.* Aminoacetal.

acetaldeído [De *acet(i)-* + *aldeído*.] *S. m. Quím.* V. *aldeído acético*.

acetamida [De *acet(i)-* + *-amida*.] *S. f. Quím.* Amida cristalina, branca, derivada do ácido acético; etanamida [fórm.: C_2H_5NO].

acetamidina [De *acét(ico)* + *amidina*.] *S. f. Quím.* Amidina derivada do ácido acético [fórm.: $C_2H_6N_2$], e que é mais estável na forma de sal do ácido clorídrico [fórm.: $C_2H_7N_2^+Cl^-$].

acetanilida [De *acet(i)-* + *anilida*.] *S. f. Quím.* Amida cristalina, derivada da anilina e do ácido acético [fórm.: C_8H_9O].

acetar [De *acet(i)-* + *-ar*².] *V. t. d. P.* V. *acetificar*. [Pres. ind.: *aceto, acetas, aceta*, etc. Cf. *assetar* e *asceta*.]

acetato [De *acet(i)-* + *-ato*².] *S. m.* **1.** *Quím.* Qualquer sal ou éster do ácido acético. **2.** *Quím.* Acetato de celulose. **3.** Disco (4) de alumínio, recoberto de acetato de celulose, que era us. para gravações sonoras experimentais ou provisórias. **4.** Base não inflamável de película fotográfica e cinematográfica, feita de acetato de celulose. **5.** *Tec. Têx.* Fibra sintética, us. como substituta da seda natural, que exige técnicas especiais de tingimento. **6.** *Tec. Têx.* Nome genérico dos tecidos produzidos com acetato (5). ◆ **Acetato de celulose.** *Quím.* Polímero sintético us. na fabricação de filmes e discos para reprodução sonora analógica. [Tb. se diz apenas *acetato*.] **Acetato de fenila** *Quím.* Líquido incolor, um pouco mais denso que a água e com ela imiscível, us. como reagente em química orgânica [fórm.: $C_8H_8O_2$]. [Sin.: *acetoxibenzeno*.] **Acetato de vinila.** *Quím.* Líquido incolor, insaturado, do qual se preparam polímeros de uso industrial [fórm.: $C_4H_6O_2$].

acéter [Do ár. *as-sa ṭl.*] ***S. m. Ant.*** Púcaro de beber água. [Pl.: *acéteres.*] [Var.: *acétere, acetre.*]
acétere ***S. m.*** V. *acéter.*
▲ **acet(i)-** [Do fr. *acét(i)-* < lat. *aceti-* < lat. *acētum, i.*] ***El. comp.*** Indica **1.** 'vinagre' (*acetar, acetificar; acetímetro*); **2.** em *Quím.*, 'ácido acético' (*acetato*); **3.** em *Quím.*, 'a presença, ou proveniência do grupo acetila' (*acetaldeído, acetamida*). [Ocorre, tb., sob a forma *ace(t)(o)-*: *acetomel; acetoacético, acenafteno* (acepç. 3); e, tb., como infixo: *-ac-*: *uracila* (acepç. 2).]
acetia [De *acet(i)- + -ia*[1].] ***S. f.*** **1.** Azedia, azedume. **2.** Doença do vinho, que o azeda, transformando-o gradualmente em vinagre.
acético [De *acet(i)- + -ico*[2].] ***Adj.*** **1.** *Quím.* Referente ao ácido acético, ou próprio dele. **2.** Pertencente ou relativo ao vinagre. ~ V. *ácido —, aldeído —* e *anidrido —.* [Cf. *ascético* e *asséptico.*]
acetificação [De *acetificar + -ção.*] ***S. f.*** Transformação de certas substâncias em ácido acético; conversão em vinagre.
acetificador (ô) [De *acetificar + -dor.*] ***Adj. S. m.*** Que ou o que acetifica.
acetificar [De *acet(i)- + -ficar.*] ***V. t. d.*** **1.** Transformar em ácido acético; converter em vinagre; avinagrar. **2.** Pôr ácido acético ou vinagre em; acetar. ***P.*** **3.** Transformar-se (o vinho ou o álcool) em ácido acético ou vinagre; avinagrar-se, acetar-se. [Conjug.: v. *trancar.*]
acetil [De *acet(i)- + -il*[2].] ***S. m. Quím.*** V. *acetila.*
▲ **acetil-** *Quím.* ***El. comp.*** Indica a presença do grupo acetila: *acetilcolina.* [F. alternativas: *acet(i)-* (3), *ace(t)(o)-* (q. v.).]
acetila [De *acet(i)- + -ila*[2].] ***S. f.*** *Quím.* Grupo $CH_3C(=O)^-$, derivado do ácido acético por remoção da hidroxila; acetil, acetilo.
acetilação [De *acetilar + -ção.*] ***S. f.*** *Quím.* Ato ou efeito de acetilar.
acetilacetona [De *acetil- + acetona.*] ***S. f.*** *Quím.* Dicetona acíclica, líquida, incolor, capaz de unir-se a certos cátions metálicos [fórm.: $C_5H_8O_2$].
acetilacetonato [De *acetilacetona + -ato*[2].] ***S. m.*** *Quím.* Qualquer composto organometálico formado pela acetilacetona e um cátion metálico, dos quais vários têm usos industriais.
acetilar [De *acetil- + -ar*[2].] ***V. t. d.*** *Quím.* Introduzir o grupo acetila em (uma molécula).
acetil-coenzima A ***S. m. e f.*** *Bioquím.* Composto formado pela ligação de uma acetila ao grupo tiol da coenzima A e que participa em processos biológicos, como, p. ex., a biossíntese e a oxidação de ácidos graxos.
acetilcoenzima A ***S. m. e f.*** *Quím.* V. *acetil-coenzima A.* ❋
acetilcolina [De *acetil- + colina*[2].] ***S. f.*** *Bioquím.* Substância existente no organismo animal, onde funciona como neurotransmissor e, tb., provoca dilatação das artérias [fórm.: $C_7H_{17}O_3N$].
acetilcolinesterase [De *acetilcolina + esterase.*] ***S. f.*** *Bioquím.* Enzima que catalisa a hidrólise da acetilcolina.
acetileneto (ê) [De *acetileno + -eto*[2].] ***S. m.*** *Quím.* Acetileto.
acetileno [De *acetil- + -eno*[2].] ***S. m.*** *Quím.* Hidrocarboneto não saturado, gasoso, incolor, com cheiro desagradável, utilizado em inúmeras indústrias; etino [fórm.: C_2H_2].
acetileto (ê) [De *acetil(eno) + -eto*[2].] ***S. m.*** *Quím.* Qualquer derivado do acetileno por substituição dos hidrogênios; acetileneto.
acetilneuramínico [Do ingl. *acetilneuraminic.*] ***Adj.*** *Quím.* ~ V. *ácido —.*
acetilo [De *acet(i)- + -ilo.*] ***S. m.*** *Quím.* V. *acetila.*
acetilsalicílico [De *acetil- + salicílico.*] ***Adj.*** *Quím.* ~ V. *ácido —.*
acetimétrico [De *acetímetro + -ico*[2].] ***Adj.*** Relativo ao acetímetro; acetométrico.
acetímetro [De *acet(i)- + -metro.*] ***S. m.*** Instrumento com que se avalia a percentagem de ácido acético no vinagre comercial; acetômetro.
acetina [De *acet(i)- + -ina*[3].] ***S. f.*** *Quím.* Qualquer acetato do glicerol.
acetinação [De *acetinar + -ção.*] ***S. f.*** Ato ou efeito de acetinar; acetinagem.
acetinadeira [De *acetinar + -deira.*] ***S. f.*** *Ind. Pap.* V. *calandra*[1] (1).
acetinado[1] [De *a-*[2] *+ cetim + -ado*[1].] ***Adj.*** Macio e lustroso como o cetim: "Parece .... que o ligeiro buço que lhe cobre a pele acetinada se erriça" (José de Alencar, *Lucíola*, p. 86).
acetinado[2] [Part. de *acetinar.*] ***Adj.*** Que se acetinou, tornou macio, liso; e/ou lustroso como o cetim: *tecido acetinado.* ~ V. *papel*[1] *—.*
acetinador (ô) [De *acetinar + -dor.*] ***S. m.*** *Ind. Pap.* Operário que trabalha em qualquer aparelho de acetinar. [Cf. *calandreiro.*]
acetinagem [De *acetinar + -agem*[2].] ***S. f.*** Acetinação.
acetinar [De *a-*[2] *+ cetim + -ar*[2].] ***V. t. d.*** **1.** Tornar macio e lustroso como o cetim. **2.** *Ind. Pap.* Tornar liso (o papel), passando as folhas na calandra ou na lisa, ou intercalando-as com placas de metal e comprimindo-as numa prensa.
▲ **ace(t)(o)-** V. *acet(i)-* (1 e 3).
acetoacético [De *ace(t)(o)- + acético.*] ***Adj.*** *Quím.* ~ V. *ácido —.*
acetofenona [De *ace(t)(o)- + fenona.*] ***S. f.*** *Quím.* Cetona aromática, cristalina, incolor [fórm.: C_8H_8O].
acetol [De *acet(i)- + -ol*[2].] ***S. m.*** O vinagre mais puro. [Pl.: *acetóis.*]
acetólise [De *ace(t)(o)- + -lise.*] ***S. f.*** *Quím.* Remoção de um grupo acetila de um composto orgânico.
acetomel [De *ace(t)(o)- + mel.*] ***S. m.*** Xarope de vinagre com mel. [Pl.: *acetoméis.*]
acetométrico [De *acetômetro + -ico*[2].] ***Adj.*** Acetimétrico.
acetómetro ***S. m.*** V. *acetômetro.* [Uso freq. em P.]
acetômetro [De *ace(t)(o)- + -metro.*] ***S. m.*** Acetímetro.
acetona [De *acet(ato) + -ona*[2].] ***S. f.*** *Quím.* Propanona.
acetonemia [De *acetona + -emia.*] ***S. f.*** *Med.* Cetonemia.
acetonémico ***Adj. S. m.*** V. *acetonêmico.* [Uso freq. em P.]
acetonêmico [De *acetonemia + -ico*[2].] ***Adj.*** Cetonêmico.
acetonitrila [De *ace(t)(o)- + nitrila.*] ***S. f.*** *Quím.* A mais simples das nitrilas, us. como solvente [fórm.: C_2H_3N].
acetonuria [De *acetona + -uria.*] ***S. f.*** *Med.* Cetonúria. [F. paral.: *acetonúria.*]
acetonúria [De *acetona + -úria.*] ***S. f.*** *Med.* Cetonúria. [F. paral.: *acetonuria.*]
acetonúrico [De *acetonúria + -ico*[2].] ***Adj.*** Cetonúrico.
acetoso (ô) [Do lat. *acetosu.*] ***Adj.*** Que sabe a vinagre.
▲ **acetoxi-** *Quím.* ***El. comp.*** Indica a presença de acetoxila: *acetoxibenzeno.*
acetóxi (cs) [De *ace(t)(o)- + -óxi.*] ***S. m.*** *Quím.* O grupo CH_3COO-, derivado do ácido acético.
acetoxibenzeno (cs) [De *acetoxi- + benzeno.*] ***S. m.*** *Quím.* Acetato de fenila (q. v.).
acetoxila (cs) [De *(ácido) acét(ico) + -ox(i)- + -ila*[2].] ***S. f.*** *Quím.* O grupo CH_3COO^-, derivado do ácido acético.
acetoxima (cs) [De *(aldeído) acét(ico) + oxima.*] ***S. f.*** *Quím.* Qualquer dos dois isômeros, sin e anti, da oxima do aldeído acético [fórm.: C_2H_5NO].
acetre ***S. m.*** V. *acéter.*
acevadar [De *a-*[2] *+ cevada + -ar*[2].] ***V. t. d.*** Alimentar ou arraçoar com cevada.
acevar [De *a-*[4] *+ cevar.*] ***V. t. d. T. d. e i. P.*** V. *cevar.*
acha[1] [Do lat. *astula.*] ***S. f.*** Pedaço de madeira tosca, para o lume: "pôs um panelão de água a aquecer ao lume da lareira que ateou com novas achas e sentou-se na dormideira a ver o fogo crepitar." (Domingos Monteiro, *O Primeiro Crime de Simão Bolandas*, p. 36). [Sin. (bras., N.E., pop.): *lacha.*]
acha[2] [Do germ. *happja*, pelo fr. *hache.*] ***S. f.*** **1.** Arma antiga, com o feitio de machado; acha-d'armas. [Sin. ant.: *facha*[2].] **2.** *Heráld.* Timbre (1) que representa o feixe do lictor e que caracteriza a nobreza de origem militar.
achaboucado [De *a-*[2] *+ chabouco + -ado*[1].] ***Adj. Lus.*** **1.** Malfeito, tosco, grosseiro; achanatado. **2.** Desajeitado, desastrado.
achacadiço ***Adj.*** Sujeito a achaques; achacoso.
achacador (ô) [De *achacar*[2] *+ -dor.*] ***Adj.*** **1.** Que achaca. ● ***S. m.*** **2.** *Bras. Gír.* Aquele que achaca outrem, extorquindo-lhe dinheiro: "Altamiro Escobar .... sempre e irremediavelmente abrindo o bolso às ameaças veladas do reles achacador." (José Condé, *Como uma Tarde em Dezembro*, p. 42.) **3.** *Bras. Gír.* Policial que extorque dinheiro de marginais para não os prender.
achacar[1] [De *achaque*[1] *+ -ar*[2].] ***V. int. P.*** Ter achaques; adoecer, enfermar-se.
achacar[2] [De or. obscura.] ***V. t. d.*** **1.** Maltratar, molestar. **2.** Desgostar, desagradar, aborrecer. **3.** Roubar a alguém, intimidando-o. **4.** *Bras. Gír.* Extorquir dinheiro de. ***T. d. e i.*** **5.** Acusar, imputar; assacar. ***Transobj.*** **6.** Acoimar, tachar: *Achaquei-o de negligente.* [Conjug.: v. *trancar.*]
achacoso (ô) [De *achac-*, como em *achacar*[1], *+ -oso.*] ***Adj.*** V. *achacadiço.*
achada [Do port. ant. *achãada, achaada*, fem. de *achaado, achanado*, part. de *achanar.*] ***S. f.*** V. *planalto.* [Cf. *axada.*]
achadão [De *achado + -ão*[1].] ***S. m. Fam.*** **1.** Grande achado ou pechincha; negócio ótimo. **2.** Proteção, arrimo.
acha-d'armas ***S. f.*** V. *acha*[2] (1). [Pl.: *achas-d'armas.*]
achádego ***S. m. Ant.*** **1.** Coisa achada; achado. **2.** *Jur.* Recompensa devida a quem restitui coisa achada.
achadiço ***Adj.*** Que se acha com facilidade; fácil de achar; achadio.
achadio ***Adj.*** Achadiço: "ensinou-lhe a vaqueanagem de todas as furnas recamadas de tesouros escondidos .... escondidos pelos cauilas, perdidos para os medrosos e achadios de valentes" (Simões Lopes Neto, *Contos Gauchescos e Lendas do Sul*, p. 294).
achado [Part. de *achar*[2].] ***Adj.*** **1.** Que se achou; encontrado. **2.** Encontrado pela primeira vez; descoberto. [Fem.: *achada.* Cf. *axada.*] ● ***S. m.*** **3.** Ato ou efeito de achar; achamento: "Antônia referiu a Andrade a perda e o achado da cadelinha." (Machado de Assis, *Contos Fluminenses*, p. 18.) **4.** Coisa encontrada, ou descoberta, por acaso ou não: *um achado arqueológico.* **5.** Acerto (4): *Sua resposta foi um achado: convenceu a todos.* **6.** Invento; descoberta, descobrimento. **7.** *Fam.* V. *pechincha* (3). **8.** *Bras.* Coisa providencial; sorte: "Era um achado, um acerto feliz, como a sorte grande" (Machado de Assis, *Memórias Póstumas de Brás Cubas*, p. 151). ◆ **Achados do vento.** Ideias ou pensamentos que ocorrem ao acaso. **Não se dar por achado.** Agir com indiferença ou descaso; não se tocar. **Ser um achado.** Vir a propósito; ser muito conveniente.
achadoiro [De *achar*[2] *+ -doiro*[2].] ***S. m.*** Achadouro (q. v.).
achador (ô) [De *achar*[2] *+ -dor.*] ***Adj. S. m.*** Que, ou aquele que acha.
achadouro [De *achar*[2] *+ -douro*[2]; var. de *achadoiro.*] ***S. m.*** **1.** Lugar onde se achou alguma coisa. **2.** Lugar onde há vestígios de épocas pré-históricas.
achamalotado [De *a-*[2] *+ chamalote + -ado*[1].] ***Adj.*** Semelhante a chamalote: "Os cavaleiros .... ostentavam a tiracolo larga fita achamalotada, das cores brasileiras." (Melo Morais Filho, *Festas e Tradições Populares do Brasil*, p. 114.)
achamboado [De *a-*[2] *+ chambão + -ado*[1], com desnasalação.] ***Adj.*** **1.** Grosseiro, tosco, achavascado: "uma alcateia de lobos, dois ruços, medonhos em tudo, e três medianos, ... focinheira o que há de mais brutesco e achamboado" (Aquilino Ribeiro, *Quando ao Gavião Cai a Pena*, p. 107). **2.** Malvestido; desajeitado. [F. paral.: *achambonado.*]
achamboar [De *a-*[2] *+ chambão + -ar*[2], com desnasalação.] ***V. t. d. P.*** **1.** Tornar(-se) chambão, rude, grosseiro. ***Int.*** **2.** Proceder de maneira achamboada. [F. paral.: *achambonar.* Conjug.: v. *coroar.*]
achambonado [De *a-*[2] *+ chambão + -ado*[1].] ***Adj. Bras. RS*** V. *achamboado.*
achambonar [De *a-*[2] *+ chambão + -ar*[2].] ***V. t. d. Int. P. Bras. RS*** V. *achamboar.*
achamento [De *achar*[2] *+ -mento.*] ***S. m.*** Achado (3).
achamorrado[1] [De *a-*[2] *+ chamorro + -ado*[1].] ***Adj. Bras.*** **1.** Semelhante a chamorro. **2.** Diz-se do nariz achatado.
achamorrado[2] [Part. de *achamorrar.*] ***Adj.*** Tornado chamorro; tosquiado, tosado.
achanar [De *a-*[2] *+ chão + -ar*[2].] ***V. t. d. Bras. N.E. Pop. Ant.*** **1.** Tornar plano ou chão; nivelar, aplanar, aplainar, alhanar: *achanar um terreno.* **2.** Tornar lhano, afável; alhanar. **3.** Vencer, superar, remover (obstáculos, empecilhos, dificuldades). **4.** *Bras. N.E.* Tornar chato, plano; achatar. **5.** *Bras. N.E.* Reduzir ou aniquilar moralmente; abater, achatar. **6.** *Bras. N.E.* Dominar, subjugar: *Apesar de sua força, o adversário terminou achanando-o.* ***P.*** **7.** Tornar-se plano ou chão; aplanar-se, aplainar-se, alhanar-se.
achanatado [Part. de *achanatar.*] ***Adj. Lus.*** Mal-acabado; achaboucado.
achanatar [De or. incerta, poss. de *achanar*, com *epêntese.*] ***V. t. d. Lus.*** **1.** Fazer (algo) apressadamente, sem cuidado. **2.** Consertar, remendar.
achante ***S. 2 g. S. m. Adj. 2 g.*** V. *axanti.*
achanti ***S. 2 g. S. m. Adj. 2 g.*** V. *axanti*: "as pequenas placas de ouro, a figurarem o rosto humano, que os achantis e os baulês trazem ao peito" (Alberto da Costa e Silva, *A Enxada e a Lança*, p. 365).
achaparrado [De *a-*[2] *+ chaparro + -ado*[1].] ***Adj.*** **1.** Semelhante ao chaparro. **2.** Diz-se do indivíduo baixo e gordo: "três senhoras acompanhadas de um rapaz gordo, o Moreirinha, muito baixo, achaparrado de corpo." (Alberto de Oliveira, *ap.* Graciliano Ramos, *Contos e Novelas*, II, p. 43). ● ***S. m.*** **3.** *Bras.* Arvoredo baixo e cheio de ramagens.
achaparrar [De *a-*[2] *+ chaparro + -ar*[2].] ***V. int.*** Engrossar, crescendo pouco em altura.
achaque[1] [Do ár. *aš-šakā'*, 'indisposição', 'mal-estar'.] ***S. m.*** Doença ou mal-estar sem gravidade, em geral recorrente: *pessoa sujeita a achaques*; "Há dez dias não escrevo nada. Não é doença ou achaque de qualquer espécie, nem preguiça." (Machado de Assis, *Memorial de Aires*, p. 192.)
achaque[2] [Dev. de *achacar*[2].] ***S. m.*** **1.** Defeito moral; vício: "desejavam saber se era verdade que, além de outros achaques humanos, havia o de não pagar as dívidas" (Id., *Histórias sem Data*, p. 19). **2.** Assunto ou matéria sobre alguma coisa. **3.** Razão aparente; motivo, pretexto. **4.** *Ant.* Imposto ou multa em consequência de condenação judicial. **5.** *Ant.* Queixa, acusação. [Dim. irreg.: *achaquilho.*]
achaqueira [De *achaque*[1] *+ -eira.*] ***S. f. Pop.*** **1.** Achaque demorado, ou sucessão de achaques. **2.** *P. ext.* Doença prolongada ou difícil de curar.

achaquilho [De *achaque*[2] + *-ilho*.] *S. m.* Pequeno achaque.

achar[1] [Do persa *achar*.] *S. m.* Conserva indiana preparada com frutos em vinagre e sal, e geralmente colorida com açafrão.

achar[2] [Do lat. vulg. **aflare*, por *afflare*.] *V. t. d.* **1.** Encontrar por acaso ou procurando; deparar com: "Jamais em minha vida achei na rua ou em qualquer parte do globo um objeto qualquer." (Carlos Drummond de Andrade, *A Bolsa & a Vida*, p. 7.) **2.** Atinar (com); encontrar, descobrir: *Não achei modo de tocar no assunto.* **3.** Considerar, julgar, supor: *Achou que sua presença era indesejada.* **4.** Obter, conseguir: "achou logo amizade; o seu rosto bonito agradou." (Eça de Queirós, *O Crime do Padre Amaro*, p. 37). *T. d. e i.* **5.** Sentir, experimentar: *Acha na dança imenso prazer.* **6.** Descobrir, encontrar: "— Conversei com o homem; achei-lhe ideias delirantes." (Machado de Assis, *Quincas Borba*, p. 306.) ***Transobj.*** **7.** Julgar, considerar: "achava-o aborrecido e antipático." (Machado de Assis, *Várias Histórias*, p. 131); "Ptolomeu achou o raciocínio exato" (Id., *Histórias sem Data*, p. 101); "Achei lindas as negras." (Jorge de Lima, *Obra Completa*, I, p. 364). **8.** Deparar com; encontrar: "Achou tudo mudado: casas novas, ... gente branca na roça." (Coelho Neto, *Banzo*, p. 11.) *T. i.* **9.** Julgar acertado; deliberar, resolver: *Achou de viajar repentinamente;* "ele [o menino maluquinho] achou de inventar (pois tinha aprendido a criar) a Teoria dos Lados!" (Ziraldo, *O Menino Maluquinho*, p. 84). ***Int.*** **10.** Encontrar; descobrir. *P.* **11.** Estar; encontrar-se: *Atualmente acha-se bem de finanças;* "As pernas queriam descer e entrar... Camilo achou-se diante de um longo véu opaco..." (Machado de Assis, *Várias Histórias*, pp. 13-14.) **12.** Estar situado; situar-se: *Brasília acha-se no Planalto Central.* **13.** Considerar-se, julgar-se, reputar-se: *Acha-se um gênio.* **14.** Ser em um dado momento; estar: *Acham-se abertas as inscrições para o concurso.* [Pres. subj.: *ache, aches, achem*, etc. Cf. *axe*, s. m., *axe* (cs), s. m., *achém*, s. m., e o top. *Achém*.] ◆ **Achar de bem.** Julgar acertado.

acharoado [Part. de *acharoar*.] *Adj.* Envernizado à maneira das obras de charão (1): *móveis acharoados.*

acharoamento [De *acharoar* + *-mento*.] *S. m.* Ato ou efeito de acharoar.

acharoar [De *a-*[2] + *charão* + *-ar*[2], com desnasalação.] *V. t. d.* **1.** Envernizar com o charão. **2.** Dar aparência de charão a. [Conjug.: v. *coroar*.]

achatadela [De *achatar* + *-dela*.] *S. f.* Ato ou efeito de achatar; amolgadela.

achatado[1] [De *a-*[2] + *chato* + *-ado*[1].] *Adj.* Que tem, por natureza, forma chata. ~ V. *elipsoide* —.

achatado[2] [Part. de *achatar*.] *Adj.* **1.** Que tomou forma chata. **2.** *Fig.* Rebaixado, vexado, humilhado. **3.** *Fig.* Vencido, derrotado. **4.** Que se tornou excessivamente baixo, ou aviltado: *preços achatados; salários achatados.*

achatadura [De *achatar* + *-dura*.] *S. f.* Achatamento (1).

achatamento [De *achatar* + *-mento*.] *S. m.* **1.** Ato ou efeito de achatar; achatadura. **2.** *Astr.* Relação entre a diferença dos semidiâmetros equatorial e polar e o semidiâmetro equatorial de um corpo celeste. **3.** *Estat.* Curtose. ◆ **Achatamento salarial.** *Bras.* Contenção de salários em um nível tal que, ainda que aumentados, continuam abaixo da taxa de aumento do custo de vida.

achatar [De *a-*[2] + *chato* + *-ar*[2].] *V. t. d.* **1.** Tornar chato, plano ou quase plano; aplanar, aplainar: *A erosão achatou parte do terreno.* **2.** Diminuir a curvatura ou o relevo de; rebaixar: *No projeto de reforma, o arquiteto achatou a linha do telhado.* **3.** Rebaixar, abater; humilhar. **4.** Vencer, derrotar, com argumentos. **5.** Aniquilar moralmente: *A ingratidão do amigo achatou-o.* *P.* **6.** Fazer-se chato. **7.** Curvar-se, humilhar-se: *Achata-se ante os poderosos.* **8.** *Pop.* Cair (de barriga).

achavascado [Part. de *achavascar*.] *Adj.* Grosseiro, tosco, rude, achamboado: *móvel achavascado.*

achavascar [De *a-*[2] + *chavasco* + *-ar*[2].] *V. t. d.* **1.** Fazer (obra, trabalho) de maneira tosca ou grosseira; achamboar. **2.** Deturpar, desfigurar. *P.* **3.** Tornar-se rude, grosseiro; abrutalhar-se. [Conjug.: v. *trancar*.]

achável [De *achar*[2] + *-vel*.] *Adj. 2 g.* Que se pode achar; encontrável: "não poderia vos dizer mais do que já dito em livros facilmente acháveis." (Mário de Andrade, *O Baile das Quatro Artes*, p. 117).

achega (ê) [Dev. de *achegar*.] *S. f.* **1.** Aditamento, acrescentamento, acréscimo. **2.** Ajuda, auxílio, subsídio; achego: *A herança, ainda que pequena, sempre foi uma boa achega.* **3.** Pequeno lucro; rendimento acessório. **4.** Subsídio ou contribuição para o aperfeiçoamento e/ou ampliação de alguma obra, de um ramo de conhecimento, etc.: *Bom pesquisador, fornece achegas para dicionários;* "O fabulário medieval se originou no velho Esopo, com achegas de toda parte" (Renato Almeida, *Inteligência do Folclore*, p. 77). **5.** Material de construção. [M. us. no pl.] ~ V. *achegas*.

achegadeira [De *achegar* + *-deira*.] *S. f.* V. *alcoviteira* (2).

achegado [Part. de *achegar*.] *Adj.* **1.** Unido, ligado: "As hastes de milho, achegadas e compactas, enchem largos campos" (Abel Botelho, *Mulheres da Beira*, p. 2). **2.** Próximo, chegado: *parente achegado.* **3.** Confortável, arranjado, aconchegado: *quarto achegado.* ● *S. m.* **4.** Indivíduo ligado a outro por parentesco. **5.** Partidário, aliado.

achegador (ô) [De *achegar* + *-dor*.] *Adj.* Que achega. ● *S. m.* **2.** Aquele que achega. **3.** *Prov. port.* Alcoviteiro.

achegamento [De *achegar* + *-mento*.] *S. m.* Ação ou efeito de achegar(-se).

acheganças *S. f. pl.* Rendas suplementares; achegas.

achegar [De *a-*[4] + *chegar*.] *V. t. d.* **1.** Ligar, unir. **2.** Aproximar, avizinhar: *Achegou uma cadeira e mandou-o sentar-se.* **3.** Arranjar, compor, aconchegando: *Sentindo frio, achegou a gola do capote.* *T. d. e c.* **4.** Achegar (2). *P.* **5.** Aproximar-se, avizinhar-se; apropinquar-se: "As mulheres me achegava de manso, meu fraco eram as viúvas e as casadas, nunca me aproveitei de inocentes" (Osmã Lins, *Nove, Novena*, pp. 101-102); "Mal me achego de ti, minha querida, / Tu me iluminas desse amor sagrado." (João Ribeiro, *Versos*, p. 79). **6.** Acolher-se, recolher-se. [Conjug.: v. *largar*; quanto ao timbre do *e*, v. *chegar*.]

achegas (ê) [Pl. de *achega*.] *S. f. pl.* Acheganças. ~ V. *achega*.

achego (ê) [Dev. de *achegar*.] *S. m.* **1.** Ato ou efeito de achegar(-se). **2.** Proteção, amparo: *achego materno.* **3.** *Bras.* V. *achega* (2). **4.** *Bras.* Vantagem ou lucro inesperado, imprevisto: "ganho trezentos mil-réis por mês, afora os achegos que aparecem." (Aluísio Azevedo, *Demônios*, p. 264). **5.** *Bras.* Cônjuge ou amante. **6.** *Bras.* Ato ou efeito de encostar; encosto.

achelense [Do top. *(Saint-)Acheul* + *-ense*.] *Adj. 2 g.* *S. 2 g.* V. *acheuliano*.

achém[1] *S. m. Desus.* Dachém. [Cf. *achem*, do v. *achar*.]

achém[2] *S. 2 g.* **1.** Indivíduo dos achéns, povo que habitava o antigo sultanato de Achém, em Sumatra, ilha da Indonésia (Sudeste Asiático). ● *Adj. 2 g.* **2.** Pertencente ou relativo a esse povo. [Cf. *achem*, do v. *achar*.]

acheuliano [Do top. *(Saint-)Acheul* + *-iano*.] *Adj.* **1.** Diz-se da cultura do Paleolítico Inferior caracterizada pelo uso de sílices talhados bifacialmente. **2.** Diz-se do homem que vivia nessa época. **3.** Diz-se de cada um dos instrumentos usados por esse homem. ● *S. m.* **4.** Aquele ou aquilo que é próprio ou característico do Paleolítico Inferior. [Sin. ger.: *achelense*.]

achibantado [De *a-*[2] + *chibante* + *-ado*[1].] *Adj.* Que tem maneiras de chibante.

achibantar [De *a-*[2] + *chibante* + *-ar*[2].] *V. t. d. P.* Tornar(-se) chibante.

achicar[1] [Do lat. *exsiccare*.] *V. t. d.* **1.** Esgotar a água de (embarcação); estancar. *Int.* **2.** Esgotar a água de embarcação. [Conjug.: v. *trancar*.]

achicar[2] [Do esp. *achicar*.] *Bras. RS V. t. d.* **1.** Tornar pequeno; diminuir. *P.* **2.** Acovardar-se, intimidar-se. [Conjug.: v. *trancar*.]

achichelar [De *a-*[2] + *chichelo* + *-ar*[2].] *V. t. d.* **1.** Arrastar (os passos) como quem anda de chinelo(s). **2.** *Bras. CE* Achinelar (1).

achinado [De *a-*[2] + *chino* + *-ado*[1].] *Adj.* Achinesado.

achinar [De *a-*[2] + *chino* + *-ar*[2].] *V. t. d. P.* Achinesar(-se).

achincalhação [De *achincalhar* + *-ção*.] *S. f.* Ato ou efeito de achincalhar; achincalhamento, achincalhe.

achincalhador (ô) [De *achincalhar* + *-dor*.] *Adj.* **1.** Que achincalha; achincalhante. ● *S. m.* **2.** Aquele que achincalha.

achincalhamento [De *achincalhar* + *-mento*.] *S. m.* V. *achincalhação*.

achincalhante [De *achincalhar* + *-nte*.] *Adj. 2 g.* Achincalhador (1).

achincalhar [De *a-*[2] + *chinquilho* (q. v.) + *-ar*[2], com dissimilação.] *V. t. d.* **1.** Ridicularizar, ridicularizar; escarnecer. **2.** Rebaixar, aviltar: *Achincalhou a sua pessoa para enriquecer.*

achincalhe [Dev. de *achincalhar*.] *S. m.* V. *achincalhação*.

achinelar [De *a-*[2] + *chinelo* ou *chinela* + *-ar*[2].] *V. t. d.* **1.** Acalcanhar (o sapato), dando-lhe forma de chinelo ou chinela. [Sin., no CE: *achichelar*.] **2.** Rebaixar, humilhar. *P.* **3.** Rebaixar-se, humilhar-se.

achinesado [De *a-*[2] + *chinês* + *-ado*[1].] *Adj.* Que tem aspecto ou aparência de pessoa ou coisa chinesa, ou próprio de chinês; achinado: *indivíduo achinesado;* "saia de roda e falvalás, à Pompadour, de seda fofa e achinesada de Lião" (Martins Fontes, *A Dança*, p. 51).

achinesar [De *a-*[2] + *chinês* + *-ar*[2].] *V. t. d. P.* **1.** Tornar(-se) chinês; adaptar(-se) ao temperamento, ou à maneira, ou ao estilo chinês; achinar. **2.** Dar ou tomar aspecto de chinês; achinar.

achismo [De *achar* + *-ismo*.] *S. m. Bras. Pop. Joc.* **1.** Opinião infundada, sem embasamento ou razão. **2.** Mania de valorizar o subjetivismo pessoal em detrimento da avaliação ou averiguação imparcial dos fatos e evidências.

▲ **-ach(o)-** V. *-acho*.

▲ **-acho** *Suf. nom.* = 'diminuição': *fogacho, populacho.* [Equiv.: *-ach(o)-, -icha, -icho, -ucha, -ucho: bonachão, barbicha, governicho, casucha, gorducho*.]

achoar [De *a-*[2] + *chão* + *-ar*[2].] *V. t. d.* **1.** Calcar com os pés depois de atirar ao chão; espezinhar. **2.** Moer de pancadas; espancar. [Conjug.: v. *coroar*.]

achocalhado [De *a-*[2] + *chocalho* + *-ado*[1].] *Adj.* **1.** Semelhante ao chocalho. **2.** Munido de chocalho.

achocalhar [De *a-*[2] + *chocalho* + *-ar*[2].] *V. t. d.* **1.** Dar feição ou som de chocalho a. **2.** Pôr chocalho em; enchocalhar. **3.** Divulgar, propalar; chocalhar.

achocolatado [De *a-*[2] + *chocolate* + *-ado*[1].] *Adj. S. m.* Diz-se de, ou alimento que contém chocolate, ou tem sabor dele: *biscoitos achocolatados;* "a lista [da Sunab] deverá ser bem maior, abrangendo produtos tão diversos como sucos, achocolatados, ... desodorantes" (*Jornal do Brasil*, 02.01.1987).

achoupanado [De *a-*[2] + *choupana* + *-ado*[1].] *Adj.* Em forma de choupana.

achumbado [De *a-*[2] + *chumbo* + *-ado*[1].] *Adj.* **1.** Que tem o aspecto, a cor ou o peso do chumbo. **2.** Diz-se do rosto macilento.

achumbar [De *a-*[2] + *chumbo* + *-ar*[2].] *V. t. d.* Dar cor ou aspecto do chumbo a; tornar semelhante ao chumbo.

■ **ACI** Sigla de *Aliança Cooperativa Internacional*.

aciacatura [Do it. *acciaccatura*.] *S. f. Mús.* Ornamento melódico para reforçar a acentuação expressiva, muito usado, na música setecentista, para cravo e órgão. [Var. epentética: *acicatura*.]

aciano [Do lat. *cyanu*, 'escovinha', com prótese (v. *a-*[4]).] *S. m. Bot.* V. *escovinha*.

acianoblepsia [De *a-*[3] + *-cian(o)-* + *-bleps-* + *-ia*[1].] *S. f. Med.* Defeito visual que impossibilita distinguir a cor azul; acianopsia.

acianopsia [De *a-*[3] + *-cian(o)-* + *-opsia*.] *S. f. Med.* Acianoblepsia.

acianótico [De *a-*[3] + *cianótico*.] *Adj.* Que não apresenta cianose.

aciaria [Do lat. tard. *aciariu* (v. *aceiro*) + *-ia*[1].] *S. f.* Usina ou parte duma usina siderúrgica destinada à produção do aço; aceria[1].

acica [Do ár. *aṣ-ṣakk*, 'ata', 'título', 'documento'.] *S. f.* **1.** *Ant.* Pequena bolsa, levada à cintura ou a tiracolo. **2.** *Bras.* Bolso (1). [Var. (ant.): *acíqua*.]

acicalado *Adj.* V. *açacalado*.

acicalador (ô) *Adj. S. m.* V. *açacalador*.

acicaladura *S. f.* V. *açacaladura*.

acicalamento *S. m.* V. *açacalamento*.

acicalar *V. t. d.* V. *açacalar*.

acicatar [De *acicate* + *-ar*[2].] *V. t. d.* **1.** Estimular (o cavalo) com acicate; esporear. **2.** *Fig.* Estimular, incentivar, excitar: "Vultos de mulheres afloravam-lhe à lembrança, ... e nem a sombra dum desejo, já, o acicatava." (Joaquim Paço d'Arcos, *Carnaval e Outros Contos*, p. 77.) [Sin. ger.: *acicatear*.]

acicate [Do ár. *aš-šawkkāt*, pl. de aš-šakka*(t)*, 'espora de uma só ponta; pua'.] *S. m.* **1.** Espora de um só aguilhão: "Um clérigo velho, montado em uma alentada mula branca, ... espicaçava os ilhais da cavalgadura com seus acicates de prata." (Alexandre Herculano, *Lendas e Narrativas*, II, p. 71.) **2.** *Fig.* Incentivo, estímulo: "Se fugiu [Alexandre Magno], diga-o o seu Bucéfalo, em que montado e transmontado se salvou dos perigos da guerra índica: sendo-lhe tão fiel, que as mesmas lanças, que o crivaram, teve por acicates para correr melhor até o pôr em seguro" (Pe. Manuel Bernardes, *Nova Floresta*, IV, p. 270). [Var.: *açucate*.]

acicatear [De *acicate* + *-ear*[2].] *V. t. d.* V. *acicatar*.

acicatura[1] *S. f. Mús.* Ornamento melódico para reforçar a acentuação expressiva, muito usado na música setecentista para cravo e órgão.

acicatura[2] *S. f. Mús.* V. *aciacatura*.

aciclia [De *a-*[3] + *-cicl(o)-* + *-ia*[1].] *S. f. Med.* Falta de movimento dos fluidos corporais.

acíclico[1] [De *aciclia* + *-ico*[2].] *Adj.* Relativo a aciclia.

acíclico[2] [De *a-*[3] + *cíclico*.] *Adj.* **1.** Que não é cíclico. **2.** *Bot.* Diz-se da flor cujas peças não se inserem no mesmo ponto do eixo floral, mas ao longo desse eixo, como ocorre nas ninfeáceas. [Cf., nesta acepç., *cíclico* (3).] **3.** *Quím.* Diz-se de um composto cuja molécula não tem qualquer anel fechado.

aciclovir *S. m. Quím.* Substância heterocíclica, álcool derivado da guanina, us. no tratamento de certas infecções virais [fórm.: $C_8H_{11}N_5O_3$].

acícula [Do lat. *acicula*.] ***S. f.*** **1.** Ganchinho de metal, de osso ou de madeira, com que as romanas prendiam os cabelos. **2.** *Bot.* Qualquer parte aciculada do organismo vegetal. **3.** *Bot. Restr.* Folha comprida e fina, filiforme, como a de muitos pinheiros. **4.** *Bot. Restr.* Espécie de espinho curvo e flexível. **5.** *Zool.* Cerda ou espinho aguçado presente no corpo de certos animais, como, p. ex., os artrópodes e anelídeos.

aciculado [De *acicul(i)-* + *-ado*[1].] ***Adj.*** V. *acicular*.

acicular [De *acicul(i)-* + *-ar*[1].] ***Adj. 2 g.*** **1.** Que tem forma de agulha; aciculado, aciculiforme, aciforme, agulheado. **2.** Aculeiforme. **3.** *Bot.* Aceroso. ~ V. *folha –*.

▲ **acicul(i)-** [Do lat. acicŭla, *ae*, por acucŭla, *ae*, dim. de *acus, us*, 'agulha'.] ***El. comp.*** = 'pequena agulha': *acicular, aciculiforme*.

aciculifoliado [De *acicul(i)-* + *-foli-* + *-ado*[1].] ***Adj.*** *Bot.* Diz-se do vegetal cujas folhas têm a forma de agulha.

aciculiforme [De *acicul(i)-* + *-forme*.] ***Adj. 2 g.*** V. *acicular*.

aciculino [De *acicul(i)-* + *-ino*[1].] ***Adj.*** V. *acicular* (1).

acidação [De *acidar* + *-ção*.] ***S. f.*** Ato ou efeito de acidar(-se).

acidade ***S. f.*** V. *acidez* (1).

acidar [De *ácido* + *-ar*[2].] ***V. t. d. P.*** Tornar(-se) ácido; acidificar(-se). [Pres. ind.: *acido*, etc. Cf. *ácido*, s. m. e adj.]

acidável [De *acidar* + *-vel*.] ***Adj. 2 g.*** Que se pode acidar.

acidemia [De *acid(o)-* + *-emia*.] ***S. f.*** *Med.* Teor ácido do sangue.

acidência [Do lat. *accidentia*.] ***S. f.*** **1.** Qualidade do que é acidental. **2.** *E. Ling. Desus.* V. *flexão* (4). **3.** *E. Ling. Desus.* V. *morfologia flexional*. [Cf. *acedência*.]

acidentação [De *acidentar* + *-ção*.] ***S. f.*** **1.** Ato ou efeito de acidentar(-se). **2.** *Mús.* Ato ou efeito de acidentar (4).

acidentado[1] [De *acidente* + *-ado*[1].] ***Adj.*** **1.** Que tem acidentes; irregular, desigual: *terreno acidentado*. **2.** Em que houve acidentes: *viagem acidentada*. **3.** Cheio de acidentes, peripécias, dificuldades; agitado, tumultuado: *vida acidentada*. ~ V. *composição –a*. ● ***S. m.*** **4.** Qualidade do que é acidentado[1]: *O acidentado do caminho dificultou-lhe a viagem*. **5.** Relevo que apresenta desnivelamentos marcantes.

acidentado[2] [Part. de *acidentar*.] ***Adj. S. m.*** Diz-se de, ou indivíduo que se acidentou, que foi vítima de acidente (2).

acidental [De *acidente* + *-al*[1].] ***Adj. 2 g.*** **1.** Casual, fortuito; imprevisto, acidentário: *Circunstâncias acidentais levaram-no ao crime*. **2.** Acessório, adicional, suplementar: "O tema do sono não foi acidental em Keats." (Eugênio Gomes, *Espelho contra Espelho*, p. 199.) **3.** *Filos.* Que é ou que acontece de modo contingente. **4.** *Filos.* Relativo a acidente (8), e não à substância de um ser. ~ V. *amostra –*, *amostragem –* e *erro –*.

acidentalidade [De *acidental* + *-(i)dade*.] ***S. f.*** Estado ou qualidade de acidental.

acidentalismo [Do ingl. *accidentalism*.] ***S. m.*** *Med.* Teoria médica que só se reporta aos sintomas, ignorando os conhecimentos etiológicos e patológicos.

acidentalização [De *acidentalizar* + *-ção*.] ***S. f.*** *Estat.* Planejamento de um experimento, em que se procura controlar, mediante uma lei probabilística, a influência de algumas variáveis; casualização, randomização.

acidentalizar [De *acidental* + *-izar*.] ***V. t. d.*** *Estat.* Introduzir um elemento aleatório em (um cálculo ou um raciocínio). [Sin.: *casualizar* e (angl.) *randomizar*.]

acidentar [De *acidente* + *-ar*[2].] ***V. t. d.*** **1.** Produzir acidente em; modificar, alterar. **2.** Tornar (o terreno) irregular, desigual, acidentado. **3.** Ferir ou lesar em acidente (2): *O desastre acidentou 10 pessoas*. **4.** *Mús.* Alterar (o tom das notas musicais) com acidente (12). ***P.*** **5.** Sofrer modificação ou alteração; modificar-se, alterar-se. **6.** Tornar-se (o terreno) desigual, irregular, acidentado. **7.** Ser vítima de acidente (2). [Fut. pret.: *acidentaria*, etc. Cf. *acidentária*, fem. de *acidentário*, s. m.]

acidentário [De *acidente* + *-ário*.] ***Adj.*** **1.** V. *acidental* (1). **2.** *Jur.* Relativo aos acidentes, esp. aos ocorridos no trabalho. [Fem.: *acidentária*. Cf. *acidentaria*, do v. *acidentar*.]

acidentável [De *acidentar* + *-vel*.] ***Adj. 2 g.*** Que se pode acidentar.

acidente [Do lat. *accidente*.] ***S. m.*** **1.** Acontecimento casual, fortuito, imprevisto: "Cristo e Rousseau são os dous acidentes mais extraordinários na história do espírito humano." (Graça Aranha, *A Estética da Vida*, p. 193.) **2.** Acontecimento infeliz, casual ou não, e de que resulta ferimento, dano, estrago, prejuízo, avaria, ruína, etc.; desastre: *Acidentes de trânsito ocorrem frequentemente*. **3.** O que se acresce ao principal; acessório. **4.** Pormenor, detalhe, particularidade. **5.** Irregularidade na superfície do solo ou na linha do litoral. **6.** Disposição variada da luz: *O sol atravessava os vitrais, produzindo belos acidentes luminosos*. **7.** *Pop.* Ataque de epilepsia. **8.** *Filos.* Um dos predicáveis (q. v.): característica que não faz parte da essência de uma coisa, podendo ou não ser a ela atribuída. Ex.: com relação a *homem*, *estar sentado* [v. *acidente inseparável* e *acidente separável*. Cf. *substância* (10) e *essência* (5)]. **9.** *Filos.* O que resulta de contingência ou de acaso. **10.** *E. Ling. Desus.* V. *flexão* (5). **11.** *Med.* Fenômeno patológico inesperado que sobrevém a uma doença e a agrava. **12.** *Mús.* Cada um dos sinais de alteração pelos quais um som da escala natural pode ser elevado ou abaixado de um ou dois semitons cromáticos: sustenido, bemol, bequadro, dobrado-sustenido, dobrado-bemol. [Cf. *acedente*.] ◆ **Acidente de percurso.** *Fig.* Fato imprevisto que não chega a perturbar uma ação ou um entendimento em curso. **Acidente de trabalho.** *Dir. Trab.* Toda lesão corporal ou perturbação funcional que, no exercício do trabalho, ou por motivo dele, resultar de causa externa, súbita, imprevista ou fortuita, determinando a morte do empregado ou a sua incapacidade para o trabalho, total ou parcial, permanente ou temporária. **Acidente geográfico.** *Geogr.* Manifestação contrastante do terreno em comparação com as áreas circunvizinhas. **Acidente inseparável.** *Filos.* Segundo Porfírio (v. *neoplatonismo*), qualidade permanente de um sujeito, a qual, no entanto, se pode conceber como eliminada, sem que o sujeito seja destruído. Ex.: a qualidade *negro* com relação ao sujeito *etíope*. **Acidente operatório.** *Cir.* Ocorrência imprevista no decurso duma intervenção cirúrgica. **Acidente pós-operatório.** *Cir.* Ocorrência imprevista que sobrevém a uma intervenção cirúrgica. **Acidente separável.** *Filos.* Segundo Porfírio (v. *neoplatonismo*), qualidade não permanente de um sujeito. P. ex.: *adormecido*, com relação ao sujeito *homem*. **Acidente vascular cerebral.** *Med.* Designação imprópria de distúrbio da circulação encefálica, de ocorrência súbita, duração e intensidade variáveis, e que pode ter causas diversas, sendo passível de produzir alterações, entre outras, da consciência, da motricidade, da palavra. [Abrev.: *AVC*.] **Por acidente.** *Filos.* Dependentemente das circunstâncias e não da natureza de um ser. [Cf., nesta acepç., *por si* (2).]

acidez (ê) [De *ácido* + *-ez*.] ***S. f.*** **1.** Qualidade ou sabor do que é, ou está ácido; acidade, azedia, azedume. **2.** *Fig.* Azedume (2). **3.** *Quím.* Qualidade de ácido (6): *o pH mede a acidez de uma solução aquosa*. [A acidez pode ser medida pelo pH (em soluções aquosas diluídas), pela constante de equilíbrio entre um ácido e sua base conjugada ou por uma função acidez.] **4.** *Quím.* Número de grupos hidroxila substituíveis em cada molécula de uma base; acididade; basicidade. **5.** *Quím.* Quantidade de ácido livre nos óleos vegetais, resinas, etc.

▲ **acid(i)-** [Do lat. acĭdus, *a, um*.] ***El. comp.*** = 'ácido': *acidificar, acidimetria*. [Equiv.: *acid(o)-*, *-ácido*: *acidemia, acidófilo, aminoácido*.]

acídia [Do gr. *akedía*, 'indiferença', 'tristeza', pelo lat. *acedia*.] ***S. f.*** Abatimento do corpo e do espírito; moleza, frouxidão; acedia. [Cf. *ascídia*.]

acididade [De *acid(i)-* + *-(i)dade*.] ***S. f.*** *Quím.* V. *acidez* (4).

acidífero [De *acid(i)-* + *-fero*.] ***Adj.*** Que encerra ou produz ácido.

acidificação [De *acidificar* + *-ção*.] ***S. f.*** Ação ou efeito de acidificar(-se).

acidificante [De *acidificar* + *-nte*.] ***Adj. 2 g. S. m.*** Que, ou substância que acidifica.

acidificar [De *acid(i)-* + *-ficar*.] ***V. t. d. P.*** Tornar(-se) ácido; acidar(-se). [Conjug.: v. *trancar*.]

acidimetria [De *acid(i)-* + *-metria*.] ***S. f.*** *Quím.* Processo para determinar a composição duma solução ácida mediante uma solução básica de normalidade conhecida.

acidimétrico [De *acidimetria* + *-ico*[2].] ***Adj.*** *Quím.* Relativo à acidimetria, ou ao acidímetro.

acidímetro [De *acid(i)-* + *-metro*.] ***S. m.*** *Quím.* Instrumento para medir o grau de acidez de um líquido.

acidioso (ô) [De *acídia* + *-oso*.] ***Adj.*** Que tem acídia.

▲ **acid(o)-** V. *acid(i)-*.

ácido [Do lat. *acidu*.] ***S. m.*** **1.** Designação genérica de certas substâncias ácidas [v. *ácido* (2)], corrosivas, venenosas, capazes de causar queimaduras na pele, us. para limpeza de peças metálicas ou dissolução de crostas calcárias. **2.** *Quím.* Substância capaz de ceder prótons (íons hidrogênio, que em água são hidratados, formando íons hidrônio) ou de receber um par de elétrons não compartilhados, previamente localizado em uma base, formando com esta uma ligação covalente (conceito mais amplo, devido ao químico norte-americano G. N. Lewis [1875-1946]); tais substâncias reagem com bases para formar sais e, muitas vezes, provocam mudança de cor característica em indicador, como, p. ex., o tornassol. **3.** *Impr. Gír.* V. *LSD*. **4.** V. *azedo* (1): *O limão é uma fruta ácida*. ● ***Adj.*** **5.** *Fig.* Desagradável e mordaz; acre, acerbo, acrimonioso: *crítica ácida*. **6.** Que apresenta propriedades de ácido (1), que tem acidez: *solução ácida*. **7.** *Quím.* Diz-se substância que tem propriedades de ácido (2), ou de solução cujo pH é menor que 7: *solo ácido*. ~ V. *aço –*, *acumulador –*, *catálise –a*, *chuva –a*, *corante –*, *escória –a*, *fosfato –*, *oxalato –*, *pilha –a*, *rocha –a*, *sal –* e *sulfato –*. [Cf. *acido*, do v. *acidar*.] ◆ **Ácido 2-ceto-propiônico.** *Quím.* V. *ácido pirúvico*. **Ácido 2-metil-propanoico** *Quím.* Ácido isobutírico. **Ácido acetilneuramínico** *Bioquím.* Ácido siálico. **Ácido 2-oxo-propiônico.** *Quím.* V. *ácido pirúvico*. **Ácido abiético.** *Quím.* Ácido carboxílico diterpênico tricíclico, cristalino, extraído da resina de coníferas [fórm.: $C_{20}H_{30}O_2$]. **Ácido abscíssico.** *Quím.* Substância terpenoide encontrada em plantas e que tem sobre estas ação hormonal [fórm.: $C_{15}H_{20}O_4$]. **Ácido acético.** *Quím.* Ácido carboxílico, líquido, incolor, com cheiro característico, presente em cerca de 7% no vinagre, obtido por fermentação do vinho ou pela oxidação catalítica do acetileno; ácido etanoico [fórm.: $C_2H_4O_2$]. **Ácido acetilsalicílico.** *Quím.* Sólido incolor, cristalino, derivado do ácido salicílico, usado como analgésico e antipirético; aspirina [fórm.: $C_9H_8O_4$]. **Ácido acetoacético.** *Quím.* Líquido ácido incolor e xaroposo, instável [fórm.: $C_4H_6O_3$]. **Ácido aconítico.** *Quím.* Ácido tricarboxílico insaturado, cristalino, incolor [fórm.: $C_6H_6O_6$]. **Ácido acrílico.** *Quím.* Ácido carboxílico insaturado, líquido, incolor, com cheiro parecido com o do ácido acético, us. na fabricação de resinas acrílicas; ácido vinilfórmico [fórm.: $C_3H_4O_2$]. **Ácido adenílico.** *Quím.* Nucleotídeo que ocorre no ARN e, por hidrólise, fornece ácido fosfórico e adenosina; AMP, monofosfato de adenosina. **Ácido adípico.** *Quím.* Ácido dicarboxílico saturado, cristalino, incolor, us. na manufatura de fibras artificiais [fórm.: $C_6H_{10}O_4$]. **Ácido aldárico.** *Quím.* Designação genérica de ácidos dicarboxílicos produzidos pela oxidação de aldoses; ácido sacárico. **Ácido aldônico.** *Quím.* Designação genérica de ácidos carboxílicos produzidos pela oxidação branda de aldoses. **Ácido aldurônico.** *Quím.* Ácido urônico. **Ácido algínico.** *Quím.* Polissacarídeo hidrófilo, coloidal, extraído de algas marinhas, que fornece por hidrólise os ácidos urônicos derivados da manose e da gulose. **Ácido amidofosfórico.** *Quím.* Ácido derivado do ácido fosfórico por substituição de uma hidroxila deste por um grupo $-NH^2$; ácido fosforamídico [fórm.: $OP(OH)_2NH_2$]. **Ácido aminado.** *Quím. Impr.* Aminoácido. **Ácido aminoacético.** *Quím.* V. *glicina*. **Ácido aminobenzoico.** *Quím.* Qualquer dos três isômeros que se obtêm pela substituição de um hidrogênio do anel benzênico, no ácido benzoico, por um gru-pamento amina [fórm.: $C_7H_7NO_2$]. **Ácido aminobutírico.** *Quím.* Qualquer dos aminoácidos isoméricos derivados do ácido butírico (ácidos α-, β- e γ-aminobutírico), que não ocorrem usualmente em proteínas [fórm.: $C_4H_9NO_2$]. **Ácido aminopropiônico.** *Quím.* Alanina. **Ácido antranílico.** *Quím.* Sólido pulverulento, branco, cujos derivados se usam na indústria de corantes e em perfumaria. É o isômero *orto* do ácido aminobenzoico [fórm.: $C_7H_7NO_2$]. **Ácido araquídico.** *Quím.* Ácido graxo saturado encontrado em alguns óleos vegetais, cristalino; ácido icosânico [fórm.: $C_{20}H_{40}O_2$]. **Ácido araquidônico.** *Quím.* Ácido graxo com quatro ligações duplas entre carbonos, precursor biológico das prostaglandinas [fórm.: $C_{20}H_{32}O_2$]. **Ácido arsênico.** *Quím.* Ácido derivado do arsênio, em que este elemento se apresenta pentavalente [fórm.: H_3AsO_4] **Ácido arsenioso.** *Quím.* Ácido derivado do arsênio, em que este elemento se apresenta trivalente [fórm.: H_3AsO_3]. **Ácido ascórbico.** *Quím.* Substância cristalina existente em diversos frutos cítricos, que pode ser sintetizada ou extraída de tais frutos, e é essencial ao metabolismo do organismo; vitamina C [fórm.: $C_6H_8O_6$]. **Ácido aspártico.** *Quím.* Aminoácido natural, ácido, que contém outro grupo ácido carboxílico, além daquele adjacente ao grupo amina [fórm.: $C_4H_7NO_4$]. **Ácido azótico.** *Quím. Desus.* V. *ácido nítrico*. **Ácido barbitúrico.** *Quím.* Composto obtido do ácido malônico e da ureia, cristalino, incolor, us. como sonífero e anticonvulsivo [fórm.: $C_4H_4O_3N_2$]. **Ácido benzenossulfônico.** *Quím.* Ácido forte, derivado do benzeno por sulfonação [fórm.: $C_6H_6O_3S$]. **Ácido benzoico.** *Quím.* Ácido carboxílico aromático, derivado do benzeno, cristalino, incolor, us. como preservativo de bebidas, como antisséptico, e na indústria de corantes [fórm.: $C_7H_6O_2$]. **Ácido biliar.** *Quím.* Ácido cólico (q. v.) e seus derivados. **Ácido bórico.** *Quím.* Sólido cristalino, com emprego medicinal [fórm.: H_3BO_3]. **Ácido brômico.** *Quím.* Oxiácido do bromo, que não existe livre, mas forma os bromatos [fórm.: $HBrO_3$]. **Ácido bromídrico.** *Quím.* Solução aquosa do brometo de hidrogênio, fortemente ácida [fórm.: HBr]. **Ácido butanoico.** *Quím.* Ácido butírico. **Ácido butenodioico.** *Quím.* Qualquer dos dois ácidos dicarboxílicos insaturados, de fórm. $C_4H_4O_4$. [V. *ácido fumárico* e *ácido maleico*.] **Ácido butírico.** *Quím.* Ácido carboxílico, líquido, xaroposo, com odor e gosto de manteiga rançosa; ácido butanoico [fórm.: $C_4H_8O_2$]. **Ácido cáprico.** *Quím.* Ácido carboxílico, cristalino, existente no leite de cabra; ácido decanoico [fórm.: $C_{10}H_{20}O_2$]. **Ácido caprílico.** *Quím.* Ácido carboxílico presente no suor e no leite de cabra; ácido octanoico [fórm.: $C_8H_{16}O_2$]. **Ácido caproico.** *Quím.* Ácido carboxílico existente no leite de cabra e tb. no óleo de coco; ácido hexanoico [fórm.: $C_6H_{12}O_2$]. **Ácido carbâmico.** *Quím.* Ácido que não é conhecido em estado livre, mas apenas sob a forma de sais ou ésteres [fórm.: CH_3NO_2]. **Ácido carbólico.** *Quím.* V. *fenol* (1). **Ácido carbônico.** *Quím.* Ácido fraco que se forma na dissolução do dióxido de carbono em água [fórm.: H_2CO_3]. **Ácido carboxílico.** *Quím.* Qualquer composto orgânico que contenha o grupo funcional -COOH (carboxila). **Ácido carmínico.** *Quím.* Sólido cristalino, vermelho, presente na cochonila [fórm.: $C_{22}H_{20}O_{13}$]. **Ácido chalmúgrico.** *Quím.* Ácido graxo cuja estrutura contém anel pentagonal insaturado, encontrado em plantas flacurtiáceas e us. no tratamento da lepra [fórm.: $C_{18}H_{32}O_2$]. **Ácido chiquímico.** *Quím.* Ácido carboxílico que desempenha importante papel na formação de compostos aromáticos em plantas e microrganismos [fórm.: $C_7H_{10}O_5$]. **Ácido ciânico.** *Quím.* Ácido facilmente hidrolisável, que não existe livre [fórm.: HCNO]. **Ácido cianídrico.** *Quím.* Ácido, venenoso, que só existe em solução [fórm.: HCN]. [Sin., ant.: *ácido prússico*.] **Ácido cianoacrílico.** *Quím.* Ácido carboxílico insaturado, que contém o grupo nitrila [fórm.: $C_4H_3NO_2$]. **Ácido ciclâmico.** *Quím.* O ácido ciclo-hexano-aminossulfônico, sólido, solúvel em água, edulcorante [fórm.: $C_6H_{13}NSO_3$]. **Ácido ciclopropanocarboxílico.** *Quím.* Ácido que tem carboxila no lugar de um átomo de hidrogênio do ciclopropano [fórm.: $C_4H_6O_2$]. **Ácido cinâmico.** *Quím.* Ácido carboxílico aromático insaturado, sólido, cristalino [fórm.: $C_9H_8O_2$]. **Ácido citidílico.** *Quím.* Nucleotídeo que ocorre no ARN e, por hidrólise, fornece ácido fosfórico e citidina. **Ácido citracônico.** *Quím.* Ácido metilmaleico, sólido, incolor, cristalino [fórm.: $C_5H_6O_4$]. **Ácido cítrico.** *Quím.* Ácido tricarboxílico, cristalino, incolor, presente nos sucos das frutas cítricas [fórm.: $C_6H_8O_7$]. **Ácido clórico.** *Quím.* Oxiácido do cloro, instável, que forma diversos sais, os cloratos [fórm.: $HClO_3$]. **Ácido clorídrico.** *Quím.* Gás clorídrico em solução, muito ativo, com cheiro forte e sufocante, com importantes usos industriais [fórm.: HCl]. **Ácido cloroacético.** *Quím.* Ácido carboxílico, sólido, cristalino, incolor, solúvel em água [fórm.: $C_2H_3ClO_2$]. **Ácido cloroáurico.** *Quím.* Substância cristalina amarela, deliquescente, obtida pelo tratamento do ouro com água régia e evaporação [fórm.: $HAuCl_4$]. **Ácido cloroplatínico.** *Quím.* Substância cristalina, deliquescente, marrom-avermelhada, obtida pela dissolução da platina em água-régia e us. em química analítica [fórm.: H_2PtCl_6]. **Ácido cloroso.** *Quím.* Ácido instável, formado pela solubilização do dióxido de cloro em água, cujos sais, os cloritos, são estáveis [fórm.: $HClO_2$]. **Ácido clorossulfônico.** *Quím.* Líquido incolor, ácido forte, muito corrosivo, empregado em sínteses [fórm.: $HClSO_3$]. **Ácido cólico.** *Quím.* Ácido carboxílico esteroidal, que ocorre, livre ou combinado, na bílis dos mamíferos [fórm.: $C_{24}H_{46}O_5$]. **Ácido conjugado.** *Quím.* Composto derivado de uma base por adição de um próton. **Ácido cresílico.** *Quím. Impr.* Cresol. **Ácido crisantêmico.** *Quím.* Substância cristalina, ácido carboxílico derivado do ciclopropano, da qual certos ésteres ocorrem na flor do piretro e são us. como inseticidas [fórm.: $C_{10}H_{16}O_2$]. **Ácido crômico.** *Quím.* **1.** Ácido hipotético, que só existe sob forma dissociada, em solução aquosa, e cujos sais são os cromatos [fórm.: H_2CrO_4]. **2.** Designação usual do trióxido de cromo. **Ácido de bateria.** *Quím.* Solução aquosa de ácido sulfúrico a 33%, aproximadamente, us. nas baterias de veículos automotivos. **Ácido decanoico.** *Quím.* Ácido cáprico. **Ácido de Lewis.** *Quím.* Substância que, segundo o conceito de Lewis, é um ácido. **Ácido desidroascórbico.** *Quím.* Forma oxidada do ácido ascórbico [$C_6H_6O_6$]. **Ácido desoxiadenílico** *Quím.* Nucleotídeo que ocorre no ADN e, por hidrólise, fornece ácido fosfórico e desoxiadenosina. **Ácido desoxicitidílico.** *Quím.* Nucleotídeo que ocorre no ADN e, por hidrólise, fornece ácido fosfórico e desoxicitidina. **Ácido desoxiguanílico.** *Quím.* Nucleotídeo que ocorre no ADN e, por hidrólise, fornece ácido fosfórico e desoxiguanosina. **Ácido desoxirribonucleico.** *Citol. Genét.* Molécula que contém a informação genética, formada por duas cadeias paralelas de nucleotídeos (q. v.) interligados. [Sigla: *ADN* e (ingl.) *DNA*.] **Ácido desoxitimidílico.** *Quím.* Nucleotídeo que ocorre no ADN e, por hidrólise, fornece ácido fosfórico e desoxitimidina. **Ácido dibásico.** O que é capaz de ceder dois prótons e pode, portanto, formar duas séries de sais. **Ácido dicarboxílico.** *Quím.* Qualquer composto orgânico que contenha dois grupos funcionais -COOH (carboxila). **Ácido diclorofenoxiacético.** *Quím.* Substância sólida, aromática, mais corretamente o ácido 2, 4-diclorofenoxiacético, com ampla ação desfolhante, mas não sobre gramíneas; 2, 4-D [fórm.: $C_8H_6Cl_2O_3$]. **Ácido dodecanoico.** *Quím.* Ácido láurico. **Ácido dodecilbenzenossulfônico.** *Quím.* Ácido forte, derivado de dodecilbenzeno por sulfonação, cujo sal sódico é us. como detergente [fórm.: $C_{18}H_{28}O_3S$]. **Ácido E-butenodioico.** *Quím.* Ácido fumárico (q. v.). **Ácido eleosteárico.** *Quím.* Ácido graxo com três ligações duplas entre carbonos, que, sob forma combinada, é o componente principal do óleo de tungue [fórm.: $C_{18}H_{30}O_2$]. **Ácido enântico.** *Quím.* Ácido graxo saturado; ácido heptanoico [fórm.: $C_7H_{14}O_2$]. **Ácido erúcico.** *Quím.* Ácido graxo insaturado, que existe no óleo da semente de mostarda e de outras plantas [fórm.: $C_{22}H_{42}O_2$]. **Ácido esteárico.** *Quím.* Ácido graxo saturado existente nas gorduras animais e vegetais, e cujos sais de sódio e potássio constituem sabões; ácido octadecanoico [fórm.: $C_{18}H_{36}O_2$]. **Ácido estercúlico.** *Quím.* Ácido graxo natural cuja molécula contém anel de ciclopropeno [fórm.: $C_{19}H_{34}O_2$]. **Ácido estífnico.** *Quím.* Nome usual do trinitro-resorcinol. **Ácido etanoico.** *Quím.* Ácido acético. **Ácido etilenodiaminotetracético.** *Quím.* Cristais incolores, pouco solúveis em água, us. como agente quelante de metais [fórm.: $C_{10}H_{16}O_8N_2$]. [Sigla: *EDTA*.] **Ácido fênico.** *Quím.* V. *fenol* (1). **Ácido fenolsulfônico.** *Quím.* Líquido amarelado, solúvel em água e álcool, irritante da pele e moderadamente tóxico [fórm.: $C_6H_6O_4S$]. **Ácido fítico.** *Quím.* Líquido xaroposo, derivado do inositol e do ácido fosfórico, abundante em sementes oleaginosas, legumes e cereais [fórm.: $C_6H_{18}O_{24}P_6$]. **Ácido fluobórico.** *Quím.* Ácido forte, venenoso, cujos sais são us. em galvanoplastia [fórm.: HBF_4]. **Ácido fluorídrico.** *Quím.* Solução aquosa do gás fluorídrico, ácido forte, muito ativo [fórm.: H_2F_2]. **Ácido fluossilícico.** *Quím.* Líquido incolor, fumegante, solúvel em água, venenoso, corrosivo [fórm.: H_2SiF_6]. **Ácido fólico.** *Quím.* Substância cristalina, vitamina hematopoética do complexo vitamínico B [fórm.: $C_{19}H_{19}N_7O_6$]. **Ácido fórmico.** *Quím.* O mais simples dos ácidos carboxílicos, líquido, incolor, com cheiro penetrante [fórm.: CH_2O_2]. **Ácido forte.** *Quím.* Qualquer ácido que se dissocia totalmente quando dissolvido em água, ou que possui elevada acidez (4). **Ácido fosfomolíbdico.** *Quím.* Qualquer de vários ácidos obtidos por reação de ácido molíbdico com ácido fosfórico — esp. o de fórm. $H_3PMo_{12}O_{40}$, hidratado com número indefinido de moléculas de água —, us. na análise de Alcaloides e outras substâncias orgânicas e, tb., de certos metais; ácido molibdofosfórico. **Ácido fosfônico.** *Quím.* Qualquer ácido de fórm. geral H_2PRO_3, onde R é um grupo hidrocarbônico ligado diretamente ao átomo de fósforo. **Ácido fosforamídico.** *Quím.* Ácido amidofosfórico (q. v.). **Ácido fosfórico.** *Quím.* Oxiácido do fósforo, cristalino, que se funde a 49°C, solúvel em água, formando sais importantes; ácido ortofosfórico [fórm.: H_3PO_4]. **Ácido fosforoso.** *Quím.* Um dos ácidos em que o fósforo tem número de oxidação 3, sólido, cristalino, incolor; ácido ortofosforoso [fórm.: H_3PO_3]. **Ácido fosfotúngstico.** *Quím.* Qualquer de vários ácidos obtidos por reação de ácido túngstico com ácido fosfórico — esp. o de fórm. $H_3PW_{12}O_{40}$, hidratado com número indefinido de moléculas de água —, que tem usos semelhantes ao do ácido fosfomolíbdico; ácido tungstofosfórico. **Ácido fraco.** *Quím.* Qualquer ácido que pouco se dissocia quando dissolvido em água, ou que possui baixa acidez (4). **Ácido ftálico.** *Quím.* Ácido dicarboxílico aromático, sólido, incolor [fórm.: $C_8H_6O_4$]. **Ácido fulmínico.** *Quím.* Composto volátil, instável, com cheiro parecido com o do ácido cianídrico, e que forma sais usados como detonadores [fórm.: CNOH]. **Ácido fúlvico.** *Quím.* **1.** Uma das porções do humo (q. v.); tem características semelhantes ao ácido húmico, diferindo pela cor amarela a marrom clara e por permanecer solúvel após a precipitação dele. **2.** Qualquer das substâncias típicas do ácido fúlvico (1). **Ácido fumárico.** *Quím.* Ácido dicarboxílico, sólido, cristalino, isômero trans do ácido butenodioico; ácido liquênico [fórm.: $C_4H_4O_4$]. **Ácido gálico.** *Quím.* Ácido carboxílico, derivado do ácido benzoico, cristalino, incolor, encontrado muito frequentemente nos tecidos vegetais, como constituinte dos taninos [fórm.: $C_7H_6O_5$]. **Ácido gama-aminobutírico** (v. *aminobutírico*). *Quím.* Ácido aminobutírico em que o grupo amina está na extremidade da cadeia carbônica, e que é um neurotransmissor importante [fórm.: $C_4H_9NO_2$]. [Sigla: *GABA*.] **Ácido giberélico.** *Quím.* Hormônio natural de vegetais, cristalino, branco, us. para provocar o crescimento de plantas [fórm.: $C_{19}H_{22}O_6$]. **Ácido glicárico.** *Quím.* Ácido aldárico produzido a partir da glicose [fórm.: $C_6H_{10}O_8$]. **Ácido glicólico.** *Quím.* Substância cristalina, inodora, que é um derivado hidroxilado do ácido acético, us. em indústria [fórm.: $C_2H_4O_3$]. **Ácido glicônico.** *Quím.* Ácido aldônico produzido a partir da glicose; ácido glucônico [fórm.: $C_6H_{12}O_7$]. **Ácido glicurônico.** *Quím.* Ácido urônico derivado da glicose, amplamente encontrado na natureza, principalmente sob forma combinada; ácido glucurônico [fórm.: $C_6H_{10}O_7$]. **Ácido glucônico.** *Quím.* Ácido glicônico. **Ácido glucurônico.** *Quím.* Ácido glicurônico. **Ácido glutâmico.** *Quím.* Aminoácido natural, cristalino, ácido, que contém outro grupo ácido carboxílico, além daquele adjacente ao grupo amina, e que tem sabor de carne e é us. como condimento [fórm.: $C_5H_9NO_4$]. **Ácido gordo.** *Quím. Lus.* Ácido graxo. **Ácido graxo.** *Quím.* Qualquer de certos ácidos carboxílicos, comumente de cadeia longa, linear e número par de átomos de carbono, encontrados, sob forma combinada, em óleos, gorduras e outros lipídios. [Sin. (lus.): *ácido gordo*.] **Ácido graxo ômega menos três (ω-3).** *Quím.* Qualquer de certos ácidos graxos que contém várias ligações duplas, com a primeira localizada no terceiro carbono a partir do carbono ômega, e cada uma das subsequentes separada da anterior por um grupo metileno. [A presença de tais ácidos na alimentação é considerada benéfica à saúde.] **Ácido guanílico.** *Quím.* Nucleotídeo que ocorre no ARN e, por hidrólise, fornece ácido fosfórico e guanosina. **Ácido heptanoico.** *Quím.* Ácido enântico. **Ácido hexadecanoico.** *Quím.* Ácido palmítico. **Ácido hexanoico.** *Quím.* Ácido caproico. **Ácido hialurônico.** *Quím.* Polissacarídeo que ocorre em tecidos conectivos e que é us. em medicina. **Ácido hidrazoico.** *Quím.* Líquido incolor, venenoso, instável, de cheiro nauseante [fórm.: HN_3]. **Ácido hidroxibenzoico.** *Quím.* Qualquer dos três ácidos carboxílicos hidroxilados, isoméricos, derivados do ácido benzoico [fórm.: $C_7H_6O_3$]. **Ácido hipobromoso.** *Quím.* Ácido fraco, presente na dissolução de bromo em água [fórm.: HBrO]. **Ácido hipocloroso.** *Quím.* Ácido fraco, presente na dissolução de cloro em água [fórm.: HClO]. **Ácido hipofosfórico.** *Quím.* Ácido instável, com quatro hidrogênios ácidos [fórm.: $H_4P_2O_6$]. **Ácido hipofosforoso.** *Quím.* Substância cristalina, deliquescente, que é um ácido forte com somente um hidrogênio ácido [fórm.: H_3PO_2]. **Ácido hipúrico.** *Bioquím.* Ácido orgânico encontrado mais largamente na urina dos herbívoros [fórm.: $C_9H_9NO_3$]. **Ácido húmico.** *Quím.* **1.** Uma das principais porções constituintes do humo (q. v.) e que é caracterizada pela solubilidade em meio alcalino e precipitação em ácido (modo pelo qual é extraído), pela cor marrom e pela abundância de grupos carboxílicos e fenólicos. [É formado por inúmeras substâncias individuais e sua presença nos solos aumenta a capacidade destes quanto a retenção de água e troca iônica, beneficiando em muito a fertilidade.] **2.** Qualquer das substâncias típicas do ácido húmico (1). **Ácido icosânico** *Quím.* Ácido araquídico. **Ácido imídico.** *Quím.* Qualquer dos ácidos, hipotéticos (fórm.: R-C(=NH)OH, onde R é um grupo hidrocarbônico), conhecidos somente sob a forma de derivados como, p. ex., ésteres. **Ácido iódico.** *Quím.* Sólido cristalino incolor, fortemente ácido em solução, muito oxidante [fórm.: HIO_3]. **Ácido iodídrico.** *Quím.* Solução aquosa do gás iodídrico, incolor ou levemente amarelado, com forte reação ácida [fórm.: HI]. **Ácido isobutírico.** *Quím.* Líquido xaroposo de odor desagradável, isômero do ácido butírico, estando a carboxila ligada a grupo isopropila; ácido 2-metil-propanoico [fórm.: $C_4H_8O_2$]. **Ácido isonicotínico.** *Quím.* Ácido carboxílico derivado da piridina, com carboxila no carbono oposto ao átomo de nitrogênio do anel piridínico [fórm.: $C_6H_5NO_2$]. **Ácido láctico.** *Quím.* Líquido incolor, xaroposo, existente no organismo humano, onde tem papel metabólico importante [fórm.: $C_3H_6O_3$]. **Ácido láurico.** *Quím.* Ácido graxo saturado, cristalino, com baixo ponto de fusão, presente no leite, no óleo de coco e no espermacete; ácido dodecanoico [fórm.: $C_{12}H_{24}O_2$]. **Ácido laurilsulfúrico.** *Quím.* Ácido derivado do ácido sulfúrico por substituição de um átomo de hidrogênio por grupo laurila, cujo sal sódico é us. como detergente [fórm.: $C_{12}H_{26}O_4S$]. **Ácido lignocérico.** *Quím.* Ácido graxo saturado, normal, encontrado em pequenas quantidades em muitos óleos e gorduras [fórm.: $C_{24}H_{48}O_2$]. **Ácido linoleico.** *Quím.* Ácido graxo, líquido, com duas insaturações, encontrado em diversos óleos vegetais [fórm.: $C_{18}H_{32}O_2$]. **Ácido linolênico.** *Quím.* Ácido graxo com três insaturações, líquido, incolor, presente sob a forma de éster nos óleos secativos [fórm.: $C_{18}H_{30}O_2$]. **Ácido lipoico.** *Bioquím.* Qualquer de certas substâncias que são fatores de crescimento de micróbios e esp. uma delas [fórm.: $C_8H_{14}O_2S_2$], que é um ácido carboxílico com duas sulfidrilas, encontrado no fígado e no lêvedo, e é uma das coenzimas necessárias à descarboxilação de piruvato catalisada por uma desidrogenase. **Ácido liquênico.** *Quím.* Ácido fumárico. **Ácido lisérgico.** *Quím.* Alcaloide alucinógeno encontrado em cereais, esp. o centeio, infectados por certos fungos; sua dietilamida é chamada LSD (q. v.). [Tb. se diz apenas *ácido*; fórm.: $C_{16}H_{16}O_2N_2$]. **Ácido maleico.** *Quím.* Ácido dicarboxílico, sólido, cristalino, isômero cis do ácido butenodioico [fórm.: $C_4H_4O_4$]. **Ácido málico.** *Quím.* Ácido dicarboxílico hidroxilado, cristalino, incolor, ocorrente em diversas frutas como a maçã, uva, etc. [fórm.: $C_4H_6O_5$]. **Ácido malônico.** *Quím.* Ácido dicarboxílico, cristalino, incolor [fórm.: $C_3H_4O_4$]. **Ácido mandélico.** *Quím.* Ácido carboxílico aromático hidroxilado [fórm.: $C_8H_8O_3$]. **Ácido margárico.** *Quím.* Ácido graxo com 17 átomos de carbono [fórm.: $C_{17}H_{34}O_2$]. **Ácido melíssico.** *Quím.* Ácido graxo, com 30 átomos de carbono, existente na cera de abelha [fórm.: $C_{30}H_{60}O_2$]. **Ácido metabórico.** *Quím.* Substância vítrea, obtida por desidratação do ácido bórico [fórm.: HBO_2]. **Ácido metacrílico.** *Quím.* Ácido carboxílico insaturado, cujo éster metílico pode produzir polímeros transparentes, us. como sucedâneo do vidro [v. *acrílico* (2)] [fórm.: $C_4H_6O_2$]. **Ácido metafosfórico.** *Quím.* Oxiácido do fósforo, líquido, viscoso [fórm.: HPO_3]. **Ácido metilmaleico.** *Quím.* Ácido citracônico. **Ácido mevalônico.** *Quím.* Ácido carboxílico, precursor de esteroides e terpenos produzidos por organismos [fórm.: $C_6H_{12}O_4$]. **Ácido mirístico.** *Quím.* Ácido graxo encontrado em grande número de óleos vegetais, cristalino, incolor; ácido tetradecanoico [fórm.: $C_{14}H_{28}O_2$]. **Ácido molíbdico.** *Quím.* Oxiácido que tem molibdênio com número de oxidação +6 e que é us. em Química Analítica [fórm.: H_2MoO_4]. **Ácido molibdofosfórico.** *Quím.* Ácido fosfomolíbdico. **Ácido monobásico.** *Quím.* Ácido que tem apenas um hidrogênio substituível e forma, por isso, apenas uma série de sais. **Ácido murâmico.** *Quím.* Ácido carboxílico derivado da glicosamina, encontrado, sob forma combinada, na parede celular das bactérias [fórm.: $C_9H_{17}NO_7$]. **Ácido muriático.** *Quím.* Ácido clorídrico impuro, us. industrialmente em diversos processos, líquido, amarelo-esverdeado. **Ácido naftênico.** *Quím.* Sólido cristalino, na forma de prismas, incolor, us. na vulcanização da borracha, na fabricação de gelatinas explosivas e incendiárias, e em alguns processos industriais [fórm.: $C_7H_{12}O_2$]. **Ácido neuramínico.** *Bioquím.* Glicídeo ácido que ocorre, de forma combinada, em vários tecidos e em bactérias e vírus [fórm.: $C_9H_{17}NO_8$]. **Ácido nicotínico.** *Quím.* Ácido carboxílico derivado da piridina, isômero dos ácidos picolínico e isonicotínico, e que é uma vitamina cuja carência provoca a pelagra; niacina [fórm.: $C_6H_5NO_2$]. **Ácido nióbico.** *Quím.* Ácido resultante da hidratação do óxido nióbico. **Ácido nítrico.** *Quím.* Líquido incolor, fortemente ácido, muito reativo, oxidante, com numerosíssimas aplicações industriais [fórm.: NHO_3]. **Ácido nitroso.** *Quím.* Ácido instável, redutor, que forma os sais conhecidos como nitritos [fórm.: HNO_2]. **Ácido nonanoico.** *Quím.* V. *ácido pelargônico*. **Ácido nucleico.** *Citol. Genét.* Molécula constituída pela polimeração de unidades chamadas nucleotídeos, responsável pelo armazenamento e transmissão da informação genética. Identificam-se dois tipos de ácidos nucleicos: o ácido ribonucleico e o ácido desoxirribonucleico. **Ácido octadecanoico.** *Quím.* Ácido esteárico. **Ácido octanoico.** *Quím.* Ácido caprílico. **Ácido oleanólico.** *Quím.* Ácido carboxílico triterpênico, pentacíclico, encontrado em várias plantas, inclusive sob forma de saponina [fórm.: $C_{30}H_{48}O_3$]. **Ácido oleico.** *Quím.* Ácido graxo, insaturado, encontrado sob a forma de ésteres em inúmeros óleos de origem animal ou vegetal, líquido, incolor, cujos sais constituem parte de diversos sabões [fórm.: $C_{18}H_{34}O_2$]. **Ácido orótico.** *Quím.* Substância natural, ácido carboxílico heterocíclico que é um precursor biossintético de certas pirimidinas [v. *pirimidina* (2)] e com uso medicinal [fórm.: $C_5H_4N_2O_4$]. **Ácido ortocarbônico.** *Quím.* Ácido hipotético, conhecido apenas sob a forma de seus ésteres, os ortocarbonatos [fórm.: $C(OH)_4$]. **Ácido ortofórmico.** *Quím.* Ácido hipotético, conhecido apenas sob a forma de seus ésteres, os ortoformiatos [fórm.: $CH(OH)_3$]. **Ácido ortofosfórico.** *Quím.* Ácido fosfórico. **Ácido ortofosforoso.** *Quím.* Ácido fosforoso. **Ácido ósmico.** *Quím. Impr.* Tetróxido de ósmio. **Ácido oxálico.** *Quím.* Ácido dicarboxílico, cristalino, incolor, venenoso, encontrado em alguns vegetais [fórm.: $C_2H_2O_4$]. **Ácido palmítico.** *Quím.* Ácido hexadecanoico, cristalino, existente na maioria dos óleos e gorduras; ácido hexadecanoico [fórm.: $C_{16}H_{32}O_2$]. **Ácido pantotênico.** *Quím.* Fator de crescimento de certos microrganismos, líquido, viscoso [fórm.: $C_9H_{17}O_5N$]. **Ácido para-hidroxibenzoico.** *Quím.* Um dos isômeros do ácido hidroxibenzoico, cujos ésteres são us. como conservantes de alimentos [fórm.: $C_7H_6O_3$]. [Sigla.: *paraben*]. **Ácido pelargônico.** *Quím.* Ácido nonanoico, líquido, oleoso, incolor [fórm.: $C_9H_{18}O_2$]. **Ácido pentanoico.** *Quím.* V. *ácido valérico*. **Ácido perbenzoico.** *Quím.* Perácido carboxílico, derivado do ácido benzoico, que é us. como oxidante [fórm.: $C_7H_6O_3$]. **Ácido peracético.** *Quím.* Perácido carboxílico, derivado do ácido acético, que é us. como oxidante [fórm.: $C_2H_4O_3$]. **Ácido perclórico.** *Quím.* Líquido incolor, fumegante, oleoso [fórm.: $HClO_4$]. **Ácido persulfúrico.** *Quím.* Ácido dibásico, sólido, enérgico, oxidante [fórm.: $H_2S_2O_8$]. **Ácido picolínico.** *Quím.* Ácido carboxílico derivado da piridina, com carboxila ligada ao carbono adjacente ao átomo de nitrogênio do anel piridínico [fórm.: $C_6H_5NO_2$]. **Ácido pícrico.** *Quím.* O 2, 4, 6-trinitrofenol, sólido, cristalino, amarelo-brilhante, explosivo [fórm.: $C_6H_3N_3O_7$]. **Ácido pimárico.** *Quím.* Ácido carboxílico diterpênico, que é isômero do ácido abiético [fórm.: $C_{20}H_{30}O_2$]. **Ácido pimélico.** *Quím.* Ácido dicarboxilícico, cristalino, incolor, encontrado no óleo de rícino [fórm.: $C_7H_{12}O_4$]. **Ácido pirocatequínico.** *Quím.* V. *pirocatecol*. **Ácido pirofosfórico.** *Quím.* Oxiácido do fósforo, cristalino [fórm.: $H_4P_2O_7$]. **Ácido pirúvico.** *Quím.* Líquido incolor, de cheiro parecido com o do ácido acético, encontrado como intermediário no metabolismo dos açúcares; ácido 2-ceto-propiônico, ácido 2-oxo-propiônico [fórm.: $C_3H_4O_3$]. **Ácido polibásico.** *Quím.* O que é capaz de libertar, na dissociação, diversos prótons; ácido poliprótico. **Ácido poliprótico.** *Quím.* Ácido polibásico. **Ácido prefênico.** *Quím.* Diácido carboxílico cíclico, mas não aromático, que é o precursor biossintético de certos aminoácidos [fórm.: $C_{10}H_{10}O_6$]. **Ácido propanoico.** *Quím.* Ácido propiônico. **Ácido propiônico.** *Quím.* Ácido carboxílico com 3 átomos de carbono, líquido incolor, de odor intenso e desagradável [fórm.: $C_3H_6O_2$]. **Ácido prússico.** *Quím. Ant.* Ácido cianídrico. **Ácido ribonucleico.** *Citol. Genét.* Polímero formado por monômeros de ribonucleotídeos covalentemente ligados, relacionados com a transcrição e tradução da informação genética. [Sigla: *ARN* e (ingl.) *RNA*.] **Ácido ribonucleico de transferência.** *Citol. Genét.* Ácido ribonucleico transportador. [Sigla: *ARN-t* e (ingl.) *t-RNA*.] **Ácido ribonucleico mensageiro.** *Citol. Genét.* Molécula de RNA que especifica a sequência de aminoácidos de uma proteína. [Sigla: *ARN-m* e (ingl.) *m-RNA*.] **Ácido ribonucleico ribossômico.** *Citol. Genét.* Aquele que faz parte da estrutura dos ribossomos e constitui o complexo que possibilita a síntese proteica. [Sigla: *ARN-r* e (ingl.) *r-RNA*.] **Ácido ribonucleico transportador.** *Citol. Genét.* O de baixo peso molecular, responsável pelo transporte dos aminoácidos até o sítio apropriado para a formação da cadeia polipeptídica; ácido ribonucleico de transferência. [Sigla: *ARN-t* e (ingl.) *t-RNA*.] **Ácido ricinoleico.** *Quím.* Ácido graxo líquido, oleoso, encontrado no óleo de rícino [fórm.: $C_{18}H_{34}O_3$]. **Ácido sacárico.** *Quím.* Ácido aldárico. **Ácido salicílico.** *Quím.* Ácido carboxílico aromático, cristalino, incolor, bactericida e fungicida, existente em alguns vegetais, e us. em medicina [fórm.: $C_7H_6O_3$]. **Ácido siálico** *Bioquím.* Glicídeo ácido, derivado do ácido neuramínico por acetilação, que ocorre de forma combinada em várias substâncias de importância biológica [fórm.: $C_{11}H_{19}NO_9$]. [Sin.: *ácido acetilneuramínico*.] **Ácido sórbico.** *Quím.* Ácido carboxílico acíclico duplamente insaturado, conjugado, us., assim como alguns de seus sais, como conservante de alimentos [fórm.: $C_6H_8O_2$]. **Ácido succínico.** *Quím.* Ácido dicarboxílico, cristalino, incolor, existente em alguns vegetais [fórm.: $C_4H_6O_4$]. **Ácido sulfâmico.** *Quím.* Substância cristalina, oxiácido que contém grupo amina ($-NH^2$) ligado a átomo de enxofre [fórm.: H_3NO_3S]. **Ácido sulfanílico.** *Quím.* Ácido sulfônico aromático, que contém grupo amina, us. na fabricação de corantes e em Química Analítica [fórm.: $C_6H_7NO_3S$]. **Ácido sulfênico.** *Quím.* Qualquer ácido com fórmula geral RSOH (onde R é um grupo hidrocarbônico), quase todos conhecidos apenas sob a forma de derivados. [Cf. *ácido sulfônico*.] **Ácido sulfídrico** *Quím.* Ácido fraco, gasoso quando puro (é o gás sulfídrico [q. v.]), cujas soluções aquosas são us. em química analítica [fórm.: H_2S]. **Ácido sulfínico.** *Quím.* Qualquer ácido com fórmula geral RSO_2H (onde R é um grupo hidrocarbônico). [Cf. *ácido sulfônico*.] **Ácido sulfônico.** *Quím.* Qualquer substância de um grupo monovalente $-SO^3H$ ligado diretamente a um átomo de carbono. **Ácido sulfoxílico.** *Quím.* Ácido hipotético, do qual se conhecem apenas certos derivados orgânicos [fórm.: H_2SO_2]. **Ácido sulfúrico.** *Quím.* Líquido viscoso, incolor, corrosivo, denso, enérgico, desidratante e ácido, muito forte, com aplicações extensas e variadas [fórm.: H_2SO_4]. **Ácido sulfuroso.** *Quím.* Ácido incolor que se forma na dissolução do dióxido de enxofre em água [fórm.: H_2SO_3]. **Ácido tânico.** *Quím.* Pirogalol. **Ácido tartárico.** *Quím.* Ácido dicarboxílico, di-hidroxilado, cristalino, incolor [fórm.: $C_4H_6O_6$]. **Ácido taurocólico.** *Quím.* Ácido cristalino deliquescente que ocorre, sob a forma de sal de sódio, na bile do homem, de animais canívoros, de gado vacum e de alguns outros animais herbívoros, e cuja hidrólise resulta em taurina e ácido cólico [fórm.: $C_{26}H_{45}NO_7S$]. **Ácido tereftálico.** *Quím.* Isômero para do ácido ftálico (q. v.), us. na preparação de ésteres e fibras poliméricas [fórm.: $C_8H_6O_4$]. **Ácido tiossulfúrico.** *Quím.* Diz-se do ácido hipotético do enxofre, obtido pela substituição de um átomo de oxigênio do ácido sulfúrico por um átomo de enxofre [fórm.: $H_2S_2O_3$]. **Ácido treônico.** *Quím.* Ácido tri-hidroxilado xaroposo ou cristalino, formado pela oxidação da treose [fórm.: $C_4H_8O_5$]. **Ácido tetradecanoico.** *Quím.* Ácido mirístico. **Ácido tiociânico.** *Quím.* Substância gasosa, solúvel em água [fórm.: HSCN]. **Ácido tioglicólico.** *Quím.* Substância líquida, de odor intenso e desagradável, que pode ser considerada um derivado do ácido glicólico, no qual um grupo tiol (-SH) toma o lugar da hidroxila alcoólica, e que é us. em Química Analítica [fórm.: $C_2H_4S_2O$]. **Ácido tiônico.** *Quím.* Qualquer dos ácidos resultantes da ação do dióxido de enxofre sobre soluções de tiossulfato. **Ácido tolilacético.** *Quím.* Qualquer de três ácidos carboxílicos isômeros, derivados do ácido acético por substituição de um dos hidrogênios da metila deste por um grupo tolila [fórm.: $C_9H_{10}O_2$]. **Ácido toluenossulfônico.** *Quím.* Substância sólida, fortemente ácida, que é um ácido sulfônico cujo enxofre está ligado a grupo tolila [fórm.: $C_7H_8O_3S$]. **Ácido tribásico.** O que é capaz de ceder três prótons e pode, portanto, formar três séries de sais. **Ácido tricarboxílico.** *Quím.* Qualquer composto orgânico que contenha três grupos funcionais -COOH (carboxila). **Ácido triclorofenoxiacético.** *Quím.* Substância sólida, aromática, mais corretamente, ácido 2, 4, 5-triclorofenoxiacético, com ampla ação desfolhante, mas não sobre gramíneas; 2, 4, 5-T [fórm.: $C_8H_5Cl_3O_3$]. **Ácido truxílico.** *Quím.* Qualquer dos diácidos carboxílicos que contêm anel de ciclobutano e são dímeros do ácido cinâmico [fórm.: $C_{18}H_{16}O_4$]. **Ácido túngstico.** *Quím.* Oxiácido que tem tungstênio com número de oxidação +6 e que é us. em Química Analítica [fórm.: H_2WO_4]. **Ácido tungstofosfórico.** *Quím.* Ácido fosfotúngstico. **Ácido úrico.** *Quím.* Substância cristalina, pulverulenta, incolor, existente em pequenas quantidades na urina humana [fórm.: $C_5H_4O_3N_4$]. **Ácido uridílico.** *Quím.* Nucleotídeo que ocorre no ARN e, por hidrólise, fornece ácido fosfórico e uridina. **Ácido urônico.** *Quím.* Designação genérica de substâncias produzidas pela oxidação parcial, enzimática, de aldoses e que são ácidos carboxílicos que contêm grupo aldeído; ácido aldurônico. **Ácido valeriânico.** *Quím.* V. *ácido valérico*. **Ácido valérico.** *Quím.* Ácido carboxílico, líquido, incolor, de cheiro desagradável, us. em medicina e perfumaria; ácido valeriânico, ácido pentanoico [fórm.: $C_5H_{10}O_2$]. **Ácido verátrico.** *Quím.* Substância cristalina natural, que é um derivado, com duas metoxilas, do ácido benzoico [fórm.: $C_9H_{10}O_4$]. **Ácido vinilfórmico.** *Quím.* Ácido acrílico. **Ácido xântico.** *Quím.* Qualquer de vários tioácidos instáveis, de fórm. geral ROC(=S)SH (onde R é uma alquila ou, raramente, hidrogênio), e cujos sais, os xantatos, são estáveis. **Ácido xílico.** *Quím.* Qualquer de seis ácidos carboxílicos cristalinos, isoméricos, derivados do xileno [fórm.: $C_9H_{10}O_2$]. **Ácido Z-butenodioico.** *Quím.* Ácido maleico (q. v.).

▲ -ácido V. *acid(i)-*.

acidobásico ***Adj.*** *Quím.* V. *ácido-básico*. ❄

ácido-básico ***Adj.*** *Quím.* ~ V. *catálise —a*. [Pl.: *ácidos-básicos*.]

acidofilia [De *acidófilo* + *-ia*[1].] ***S. f.*** *Biol.* Condição de acidófilo (2).

acidofílico [De *acidofilia* + *-ico*[2].] ***Adj.*** *Biol.* Acidófilo (2).

acidófilo [De *acid(o)-* + *-filo*[2].] ***Adj.*** **1.** *Histol.* Que se cora facilmente com corantes ácidos. **2.** *Biol.* Diz-se de organismo que necessita de um meio ácido para viver ou desenvolver-se; acidofílico: *bactérias acidófilas*. ● ***S. m.*** **3.** *Histol.* Eosinófilo (q. v.).

acidorresistência (àc) [De *acid(o)-* + *resistência*.] ***S. f.*** *Microbiol.* Fenômeno em que certas bactérias, quando submetidas, inicialmente, à ação de fucsina fenicada, a quente, e em seguida à de ácido forte, não descoram, mantendo coloração vermelha.

acidorresistente (àc) [De *acid(o)-* + *resistente.*] ***Adj. 2 g.*** **1.** Que resiste à ação corrosiva de certos ácidos. **2.** *Microbiol.* Que apresenta acidorresistência.

acidose [De *acid(o)-* + *-ose*^{1}.] ***S. f.*** *Med.* Distúrbio resultante de acúmulo de ácido, ou perda de base, orgânicos, caracterizado por diminuição do pH sanguíneo.

acidósico [De *acidose* + *-ico*^{2}.] ***Adj.*** Acidótico.

acidótico [De *acid(ose)* + *-ótico.*] ***Adj.*** Relativo a, ou em que há acidose; acidósico.

acidoto (ô) [Do gr. *akidotós.*] ***Adj.*** *Bot.* Terminado em acúleo ou ponta.

acidrado [De *a-*^{2} + *cidra* + *-ado*^{1}.] ***Adj.*** Semelhante à cidra, ou à cor da cidra: "o juiz da comarca, velho esmarrido, de cor acidrada" (Xavier Marques, *As Voltas da Estrada*, pp. 291-292). [Cf. *assidrado.*]

acidrar [De *a-*^{2} + *cidra* + *-ar*^{2}.] ***V. t. d.*** Tornar semelhante à cidra. [Cf. *assidrar.*]

acidulação [De *acidular* + *-ção.*] ***S. f.*** **1.** Ato ou operação de acidular. **2.** *Litogr.* Preparação (4).

acidulado [Part. de *acidular.*] ***Adj.*** **1.** Tornado ácido. **2.** Acídulo. **3.** *Fig.* Irritado, enervado.

acidulante [De *acidular* + *-nte.*] ***Adj. 2 g. S. m.*** *Quím.* Diz-se de, ou substância que é adicionada a alimento para comunicar-lhe ou intensificar o gosto acídulo.

acidular [De *acídulo* + *-ar*^{2}.] ***V. t. d.*** **1.** Tornar acídulo ou ácido; acidificar, acidar: "bebeu, sem sede, meia xícara de água gelada, acidulando-a com umas gotas de limão" (Paulo Mendes Campos, *O Cego de Ipanema*, p. 128). **2.** Adicionar a (um líquido) pequena quantidade de ácido. **3.** Irritar com ácido. ***P.*** **4.** Acidificar-se, azedar-se. [Pres. ind.: *acidulo*, etc. Cf. *acídulo.*]

acídulo [Do lat. *acidulu.*] ***Adj.*** Levemente ácido; acidulado. [Cf. *acidulo*, do v. *acidular.*]

aciduria [De *acid(i)-* + *-uria.*] ***S. f.*** *Med.* V. *acidúria.*

acidúria [De *acid(i)-* + *-úria.*] ***S. f.*** *Med.* Teor ácido da urina. [F. paral.: *aciduria.*]

acidúrico [De *acidúria* + *-ico*^{2}.] ***Adj.*** Relativo à acidúria.

ácie [Do lat. *acie.*] ***S. f.*** *P. us.* Agudeza, argúcia, perspicácia.

aciforme [De *ac(u)-* + *-iforme.*] ***Adj. 2 g.*** V. *acicular* (1).

aciganado [De *a-*^{2} + *cigano* + *-ado*^{1}.] ***Adj.*** Que tem modos ou maneira de cigano, ou é próprio dele: "Os sabidos passavam a perna nos bobos. Aciganados, barganhavam tudo." (Nélson de Faria, *Tiziu e Outras Estórias*, p. 190.)

aciganar [De *a-*^{2} + *cigano* + *-ar*^{2}.] ***V. t. d.*** **1.** Dar feição, hábitos ou modos de cigano a. ***P.*** **2.** Adquirir hábitos ou modos de cigano. **3.** Tornar-se trapaceiro e/ou manhoso.

▲ **acil-** *Quím.* ***El. comp.*** Indica a presença do grupo acila: *acilar.* [Ocorre, tb., como infixo: *-acil-*: *triacilglicerídeo.*]

acila [De *ác(ido)* + *-ila*^{2}.] ***S. f.*** *Quím.* Grupo obtido pela remoção da hidroxila de um ácido carboxílico.

acilação [De *acilar* + *-ção.*] ***S. f.*** *Quím.* Conversão química em que se introduz um grupo acila numa molécula, seja pela ação de um ácido, seja pela reação de ésteres, de cloretos de acila ou de anidridos.

acilar [De *acil-* + *-ar*^{2}.] ***V. t. d.*** *Quím.* Introduzir um grupo acila em (uma molécula).

acilato [De *acil-* + *-ato*^{2}.] ***S. m.*** *Quím.* Sal ou éster de um ácido orgânico.

acil-fosfato [De *acil-* + *fosfato.*] ***S. m.*** *Bioquím.* Fosfato de acila. [Pl.: *acil-fosfatos.*]

acilia [De *a-*^{3} + *-cil(i)-* + *-ia*^{1}.] ***S. f.*** Privação ou ausência de cílios.

acílio ***S. m.*** *Quím.* Qualquer cátion RCO^+ (onde R é um grupo hidrocarbônico), resultante da abstração do ânion hidroxila de um ácido carboxílico.

acima [De *a*^{3} + *cima.*] ***Adv.*** **1.** Em lugar mais alto, mais elevado: "O fato de voarem uma atrás da outra, ora à direita, ora à esquerda, ora abaixo, ora acima, também não dá a razão do desvio, visto que nunca as borboletas voaram em linha reta, como simples militares." (Machado de Assis, *Histórias sem Data*, p. 197.) **2.** Em lugar precedente ou na parte superior: *Nos trechos acima transcritos encontrará resposta às suas indagações; Refiro-me aos acima citados.* **3.** Na direção da parte inferior para a superior; ascensionalmente: *O bloco passou rua acima entoando velhas marchas carnavalescas; Seguiu rio acima;* "Parede acima vais." (Fernando de Mendonça, *13 Decassílabos*, p. 8). **4.** Para o alto; para cima. [Antôn., nas acepçs. de 1 a 3: *abaixo.*] • ***Interj.*** **5.** Expressão de exortação; avante: *Acima, companheiros, não desanimemos!* ◆ **Acima de. 1.** Em posição superior, num conjunto, numa série, numa hierarquia, etc.: *O posto de general está acima do de coronel; Sua experiência de vida coloca-o bem acima de seus companheiros de idade.* **2.** Mais que, mais do que: *Ganha acima de três salários mínimos; Tem acima de 7.000 livros.*

▲ **acinaci-** [Do lat. acinăces, *is.*] ***El. comp.*** = 'lâmina de sabre ou alfanje': *acinaciforme.*

acinacifoliado [De *acinacifólio* + *-ado*^{1}.] ***Adj.*** *Bot.* Acinacifólio.

acinacifólio [De *acinaci-* + *-fólio.*] ***Adj.*** *Bot.* Que tem folhas acinaciformes; acinacifoliado.

acinaciforme [De *acinaci-* + *-forme.*] ***Adj. 2 g.*** Que tem forma de espada curva. ~ V. *folha* —.

acincho [De *a-*^{4} + *cincho*^{1}.] ***S. m.*** V. *cincho*^{1}.

acinese [De *a-*^{3} + *-cinese.*] ***S. f.*** *Biol. Desus.* Divisão celular sem o fenômeno da cariocinese.

acinesia [Do gr. *akinesía.*] ***S. f.*** *Patol.* Ausência anormal de movimento; imobilidade.

acinésico [De *acinesia* + *-ico*^{2}.] ***Adj.*** V. *acinético.*

acinestesia [De *a-*^{3} + *cinestesia.*] ***S. f.*** *Med.* Ausência do sentido de movimento.

acinestésico [De *acinestesia* + *-ico*^{2}.] ***Adj.*** Relativo à acinestesia.

acinético [De *a-*^{3} + *-cinet(o)-* + *-ico*^{2}.] ***Adj.*** **1.** Contrário ao movimento; imóvel. **2.** Que produz acinesia.

acinetídeo [Do tax. *Acineta* (< gr. *akínetos*, 'imóvel') + *-ídeo*^{1}.] *Zool.* ***S. m.*** **1.** Espécime dos acinetídeos, família de protozoários suctórios que se alimentam de outros ciliados, paralisando as vítimas pela ação do tóxico que os seus tentáculos emitem. • ***Adj.*** **2.** Pertencente ou relativo a eles.

acineto [Do gr. *akínetos*, 'imóvel'.] ***S. m.*** *Bot.* Célula reprodutiva das algas, desprovida de flagelos, e diretamente formada por espessamento da membrana de uma célula vegetativa, sem que haja prévia fecundação.

acinetósporo [De *acineto* + *-sporo.*] ***S. m.*** *Bot.* **1.** Esporo destituído de flagelos e, portanto, imóvel. **2.** Esporo que atravessa um período de repouso antes da germinação.

acingir [De *a-*^{4} + *cingir.*] ***V. t. d. T. d. e i. P.*** *P. us.* V. *cingir.* [Conjug.: v. *dirigir.*]

aciniforme [Do lat. *acinus*, 'bago de uva', + *-iforme.*] ***Adj. 2 g.*** Que tem forma de bago.

ácino [Do gr. *ákinos*, pelo lat. *acinu.*] ***S. m.*** **1.** *Desus.* Baga (1). **2.** *Anat.* Designação genérica de pequenas dilatações saciformes, especialmente em glândulas.

acinoso (ô) [Do lat. *acinosu.*] ***Adj.*** Redondo como o ácino.

acinte [Da loc. lat. *a scinte*, alter. de *a sciente*, 'sabendo', 'de propósito'.] ***S. m.*** **1.** Ação praticada premeditadamente, de caso pensado, com o fim de desgostar alguém; provocação. • ***Adv.*** **2.** De propósito; de caso pensado; de estudo, adrede.

acintoso (ô) [De *acinte* + *-oso.*] ***Adj.*** **1.** Em que há, ou que envolve acinte: *procedimento acintoso;* "Este discurso, acintoso e agressivo no seu insólito laconismo, deixou .... a Câmara vibrante de irritação." (Oliveira Viana, *Pequenos Estudos de Psicologia Social*, p. 188). **2.** Dado a fazer acintes: *indivíduo acintoso.*

acinturado [De *a-*^{2} + *cintura* + *-ado*^{1}.] ***Adj.*** V. *cinturado.*

acinzado [De *a-*^{2} + *cinza* + *-ado*^{1}.] ***Adj.*** V. *acinzentado.*

acinzamento [De *acinzar* + *-mento.*] ***S. m.*** Ato ou efeito de acinzar.

acinzar [De *a-*^{2} + *cinza* + *-ar*^{2}.] ***V. t. d. Int. P.*** V. *acinzentar.*

acinzentado [De *a-*^{2} + *cinzento* + *-ado*^{1}.] ***Adj.*** Tirante a cinzento; griséu, acinzado.

acinzentamento [De *acinzentar* + *-mento.*] ***S. m.*** Ato ou efeito de acinzentar(-se).

acinzentar [De *a-*^{2} + *cinzento* + *-ar*^{2}.] ***V. t. d. Int. P.*** Tornar(-se) cinzento, ou um tanto cinzento; acinzar(-se); cinzar(-se): "Algumas nuvens grossas e pardacentas acumuladas no horizonte acinzentavam o azul do céu" (Alberto Braga, *Novos Contos*, p. 3).

aciolismo [Do antr. *Acióli* (Accioli) + *-ismo.*] ***S. m.*** *Bras. Obsol.* Monopolização de cargos públicos por família dominante na política.

aciolista [Do antr. *Acióli* (Accioli) + *-ista.*] ***S. 2 g.*** *Bras. PE* Marreta (6).

acionado [Part. de *acionar.*] ***Adj.*** **1.** A que se deu ou comunicou movimento; posto em ação. **2.** Demandado em juízo; processado. **3.** Incorporado (companhia ou sociedade por ações). **4.** Acompanhado de gestos adequados (discurso, declamação, etc.). • ***S. m.*** **5.** Aquele que é demandado em juízo; réu. **6.** Gesto de quem fala ou representa: "Nem sempre ia naquele passo vagaroso e rígido. Também se descompunha em acionados, era muita vez rápido e lépido nos movimentos" (Machado de Assis, *Dom Casmurro*, p. 13).

acionador (ô) [De *acionar* + *-dor.*] ***Adj.*** **1.** Que aciona. • ***S. m.*** **2.** Aquele ou aquilo que aciona. **3.** *Inform.* Em um computador, unidade periférica eletromecânica, que põe em movimento um dispositivo de memória secundária (como disco ou fita), para nele armazenar ou ler informações. [Corresp. em ingl.: *drive.*]

acional [Do lat. *actionale*, ou de *ação* + *-al*^{1}.] ***Adj. 2 g.*** Relativo a ação.

acionamento [De *acionar* + *-mento.*] ***S. m.*** Ato ou efeito de acionar.

acionar [De *ação* (*acion-*) + *-ar*^{2}, seg. o padrão erudito.] ***V. t. d.*** **1.** Pôr em ação, em movimento; fazer funcionar: *acionar um mecanismo.* **2.** Propor ou intentar ação judicial contra; demandar, processar. **3.** Incorporar (companhia ou sociedade) por ações. **4.** Acompanhar (discurso, declamação, etc.) com acionados [v. *acionado* (6)]. **5.** Pôr em ação; impulsionar: *acionar medidas.* ***Int.*** **6.** Fazer acionados; gesticular. [Fut. pret.: *acionaria*, etc. Cf. *acionária*, fem. de *acionário*, adj. e s. m.]

acionário [De *ação* + *-ário*, seg. o padrão erudito.] ***Adj.*** **1.** Relativo a ação (13 e 14); acionista: *mercado acionário.* ~ V. *controle* —. • ***S. m.*** **2.** Acionista (2). [Fem.: *acionária.* Cf. *acionaria*, do v. *acionar.*]

acionável [De *acionar* + *-vel.*] ***Adj. 2 g.*** Que pode ser acionado.

acioné *Bras.* ***S. 2 g.*** **1.** *Etnôn.* Indivíduo dos acionés, povo indígena extinto que habitava as margens do rio Sepotuba (MS). • ***Adj. 2 g.*** **2.** Pertencente ou relativo a esse povo. [Tb. us. como *s. 2 g. e 2 n.* (com cap.) e *adj. 2 g. e 2 n.*]

acionista [De *ação* + *-ista*, seg. o padrão erudito.] ***Adj. 2 g.*** **1.** Acionário (1). • ***S. 2 g.*** **2.** *Econ.* Sócio de empresa constituída sob forma de sociedade por ações (q. v.); acionário.

acipenserídeo [Adapt. do tax. *Acipenseridae.*] *Zool.* ***S. m.*** **1.** Espécime dos acipenserídeos, família de grandes peixes, ger. marinhos, da América do Norte e Europa, e que desovam em rios; são os esturjões. • ***Adj.*** **2.** Pertencente ou relativo ou a eles.

acipitrário [De *acipitr(i)-* + *-ário.*] ***S. m.*** Armadilha para aves de rapina.

▲ **acipitr(i)-** [Do lat. accipĭter, *tris.*] ***El. comp.*** = 'ave de rapina'; 'gavião'; 'falcão': *acipitrário, acipitrino.*

acipitriano [De *acipitr(i)-* + *-iano.*] ***Adj.*** *Zool.* Acipitrino.

acipitrídeo [Do tax. *Accipitres* (v. *acipitriforme*) + *-ídeo*^{1}; tax. *Accipitridae.*] *Zool.* ***S. m.*** **1.** Espécime dos acipitrídeos, família de aves falconiformes, caracterizadas por terem as vértebras dorsais livres, ramos da mandíbula sem escavação, superfície ventral da maxila superior sem crista longitudinal mediana. No grupo se incluem os grandes gaviões brasileiros. • ***Adj.*** **2.** Pertencente ou relativo a eles.

acipitriforme [Do tax. *Accipitres* (< lat. *accipiter, tris*, 'gavião', 'falcão') + *-iforme.*] ***S. m. Adj. 2 g.*** *Zool.* V. *falconiforme.*

acipitrino [De *acipitr(i)-* + *-ino*^{1}.] ***Adj.*** *Zool.* Pertencente ou relativo a aves de rapina; acipitriano.

acipreste [De *a-*^{4} + *cipreste.*] ***S. m.*** V. *cipreste* (1): "Em torno de ti pois para memória / Vegetam de prodígio, e tanta glória, / Não do acipreste as ramas lacrimosas, / Mas pudicos jasmins, virgíneas rosas" (Fr. Francisco de S. Carlos, *A Assunção*, p. 23).

acíqua ***S. f.*** *Ant.* V. *acica.*

acirandar [De *a-*^{2} + *ciranda* + *-ar*^{2}.] ***V. t. d.*** Limpar (cereais) com a ciranda; joeirar, cirandar.

acirologia [Do gr. *ákyros*, 'sem autoridade'; 'impróprio', + *-logia.*] ***S. f.*** Impropriedade de expressão; maneira de falar imprópria.

acirológico [De *acirologia* + *-ico*^{2}.] ***Adj.*** Referente a, ou em que se observa acirologia.

acirrado [Part. de *acirrar.*] ***Adj.*** **1.** Irritado, exasperado, exacerbado: "acirrada controvérsia teológico-política" (Sant'Ana Dionísio, em João Gaspar Simões, *Perspectiva da Literatura Portuguesa do Século XIX*, pp. 149-150). **2.** Incitado, provocado. **3.** Estimulado, excitado: *paixões e desejos acirrados.* **4.** Teimoso, obstinado.

acirramento [De *acirrar* + *-mento.*] ***S. m.*** Ato ou efeito de acirrar(-se).

acirrante [De *acirrar* + *-nte.*] ***Adj. 2 g.*** **1.** Irritante, exasperante, exacerbante. **2.** Picante, estimulante.

acirrar [Poss. alter. de *acerar* ('tornar pungente, aguçado'; 'exacerbar', 'fortalecer'), com intensificação semântica; esp. *acerar* (*fig.*) 'fortalecer', 'intensificar'.] ***V. t. d.*** **1.** Fazer crescer; estimular, excitar: *acirrar um sentimento.* **2.** Irritar, exasperar, exacerbar: "O Andeiro é feito conde de Ourém. Isto acirra o povo." (Antero de Figueiredo, *Leonor Teles*, p. 213.) **3.** Incitar, instigar; provocar, açular. ***T. d. e i.*** **4.** V. *acirrar* (3): "O episódio .... deixou-nos abatidos por muito tempo. Acirrou o nosso ódio contra os altos." (Aníbal M. Machado, *Histórias Reunidas*, p. 148.) ***P.*** **5.** Aguçar-se, estimular-se. **6.** Irritar-se, exasperar-se.

acismo [Do gr. *akkismós.*] ***S. m.*** *E. Ling.* Recusa fingida.

acistia [De *a-*^{3} + *-cist(i)-* + *-ia*^{1}.] ***S. f.*** *Ter.* Ausência congênita de bexiga. [Cf. *assistia*, do v. *assistir.*]

acístico [De *acistia* + *-ico*^{2}.] *Med.* ***Adj.*** **1.** Relativo à acistia, ou que a tem. • ***S. m.*** **2.** Aquele que tem acistia.

acitara [Do ár. *as-sitār*, pl. de *as-sitr*, 'cortina'.] ***S. f.*** **1.** Cortina, reposteiro. **2.** Véu para cobrir coisas de igreja. **3.** Alfaia de tela fina e preciosa. **4.** Cobertura ou manta que se lançava sobre a sela ou sobre o dorso do cavalo. **5.** Barbacã, antemuro.

acitrinado [De *a-*^{2} + *citrino* + *-ado*^{1}.] ***Adj.*** Que tem o sabor ou a cor do limão; citrino: "até os indivíduos brancos ganham no nosso clima feio tom acitrinado" (Nestor Vítor, *Paris*, p. 32).

aclamação [De lat. *acclamatione*.] *S. f.* **1.** Ato ou efeito de aclamar; ovação. **2.** Reconhecimento da ascensão de um soberano ao trono. **3.** Manifestação, proclamação, divulgação. **4.** Testemunho, prova, manifestação: "vernaculíssimo escritor, cujo nome é, na literatura, uma aclamação de gênio e de saber." (Mário Barreto, *Novos Estudos da Língua Portuguesa*, p. 202). **5.** *E. Ling.* Frase sentenciosa que resume um raciocínio. ◆ **Por aclamação.** Por meio de aplausos, vivas e/ou outras ovações, em substituição ao escrutínio ou à votação individual: *As principais autoridades espartanas eram eleitas por aclamação.*

aclamador (ô) [De *aclamar* + *-dor*.] *Adj. S. m.* Que, ou aquele que aclama ou proclama; aclamante.

aclamante [De *aclamar* + *-nte*.] *Adj. 2 g. S. 2 g.* Aclamador.

aclamar [Do lat. *acclamare*.] *V. t. d.* **1.** Aplaudir ou aprovar entusiasticamente por meio de brados ou aplausos; saudar calorosamente: *O povo, em praça pública, aclamou o novo rei.* **2.** Reconhecer solenemente, proclamar (chefe de Estado). **3.** Eleger por aclamação, isto é, dispensando escrutínio. *Transobj.* **4.** Reconhecer solenemente como chefe de Estado, de governo, etc.; proclamar: *A 12 de outubro de 1822 os brasileiros aclamaram D. Pedro imperador constitucional.* **5.** Eleger por aclamação: *Aclamaram-no representante de suas aspirações.* *Int.* **6.** Levantar clamor em sinal de aprovação. *P.* **7.** Fazer-se aclamar, proclamar-se (chefe de Estado). **8.** Atribuir a si mesmo honra, dignidade, título, etc.: *Aclamaram-se defensores da pátria.*

aclamativo [De *aclamar* + *-tivo*.] *Adj.* Relativo a, ou que encerra aclamação; aclamatório.

aclamatório [De *aclamar* + *-tório*.] *Adj.* Aclamativo.

aclamídeo [De *a-*[3] + *-clamid(o)-* + *-eo*.] *Adj. Bot.* Diz-se de planta, flor, etc., destituída de perianto, caso em que os órgãos sexuais podem ou não ser protegidos por uma bráctea; aperiantado.

aclaração [De *aclarar* + *-ção*.] *S. f.* **1.** Ação ou efeito de aclarar(-se); aclaramento, esclarecimento. **2.** Aditamento que se faz a um texto legal ou contratual para esclarecer certas cláusulas ou artigos.

aclarado [Part. de *aclarar*.] *Adj.* **1.** Tornado claro ou mais claro; iluminado. **2.** Tornado mais claro, mais nítido, mais compreensível. **3.** Posto a claro; esclarecido.

aclarador (ô) [De *aclarar* + *-dor*.] *Adj.* Que aclara, esclarece, elucida.

aclaramento [De *aclarar* + *-mento*.] *S. m.* V. *aclaração* (1).

aclarar [Do lat. *acclarare*.] *V. t. d.* **1.** Tornar claro; dar luz ou claridade a; iluminar, alumiar: "Desponte / A alvorada da Lua aclarando o horizonte..." (Martins Fontes, *Verão*, p. 166); "Minha verdade é mais que meu destino. / É projetor: aclara terras e águas..." (José Oiticica, *Fonte Perene*, p. 28). **2.** Tornar claro ou mais claro: "Leve palidez aclarou-lhe o moreno do rosto" (Afrânio Peixoto, *A Esfinge*, p. 14). **3.** Esclarecer; elucidar; explicar: "Aclaro definitivamente: romance não é o que a reflexão crítica .... sobre o romance diz; romance é o que o romancista faz." (Silviano Santiago, *Nas Malhas da Letra*, p. 28.) **4.** Clarificar, purificar, limpar. **5.** Tornar sensível, perceptível, distinto. *T. d. e i.* **6.** Explicar claramente: "a maturidade lhe foi aclarando o conhecimento das coisas" (Abel Botelho, *Os Lázaros*, p. 96). *Int.* **7.** Tornar-se claro; desanuviar-se: "Assim que aclarou o céu, já a senhora despertou a criada para lhe dar do baú outros vestidos e ornatos." (Camilo Castelo Branco, *O Bem e o Mal*, p. 206); "Deixou de chover, o céu aclarou, pode Ricardo Reis .... dar um passeio antes do almoço." (José Saramago, *O Ano da Morte de Ricardo Reis*, p. 61). *P.* **8.** Tornar-se claro, visível, nítido. **9.** Tornar-se capaz de ver com clareza; compreender.

aclase *S. f. Med.* V. *áclase*.

áclase [De *a-*[3] + *-clase*.] *S. f. Med.* Tecido patológico oriundo de tecido normal, mas integrado neste, formando estrutura contínua, como na condrodisplasia; aclasia. [Var. pros.: *aclase*.]

aclasia [De *a-*[3] + *-clas(i)-* + *-ia*[1].] *S. f. Med.* Áclase.

aclásico [De *áclase* + *-ico*[2].] *Adj.* Relativo a áclase.

aclaustrado [De *a-*[2] + *claustro* + *-ado*[1].] *Adj.* Que tem forma de claustro.

aclavado [De *a-*[2] + *clava* + *-ado*[1].] *Adj.* Que tem feitio de clava.

aclavulado [De *a-*[2] + *clávula* + *-ado*[1].] *Adj. Bot.* Que tem forma de pequena clava, *i.e.*, dilatado em uma das extremidades; clavulado, claviliforme.

➔ **à clé** [a kle] [Fr.] V. *à clef*.

➔ **à clef** [a kle] [Fr., 'à chave'.] Diz-se de obra literária cujas personagens e situações, tomadas à vida real, podem ser identificadas; *à clé*.

aclerizar-se [De *a-*[2] + *clero* + *-izar* + *se*[1].] *V. p.* Fazer-se clérigo.

aclidiano [De *a-*[3] + *-clid(o)-* + *-iano*.] *Adj. Zool.* Diz-se de mamífero que não tem clavícula, como o cavalo e o boi; áclido.

áclido [De *a-*[3] + *-clido*.] *Adj. Zool.* Aclidiano.

aclimação [De *aclimar* + *-ção*.] *S. f.* **1.** Ato ou efeito de aclimar(-se). **2.** *Biol.* Adaptação progressiva de um organismo a um novo ambiente; acomodação. **3.** *P. ext.* Adaptação, ajustamento. [Sin. ger.: *aclimamento, aclimatação, aclimatização*.]

aclimado [Part. de *aclimar*.] *Adj.* **1.** Adaptado a certo clima. **2.** Adaptado, acostumado, afeito, ajustado. [Sin. ger.: *aclimatado* e *aclimatizado*.]

aclimador (ô) [De *aclimar* + *-dor*.] *Adj. S. m.* Que ou o que aclima.

aclimamento [De *aclimar* + *-mento*.] *S. m.* V. *aclimação*.

aclimar [De *a-*[2] + *clima* + *-ar*[2].] *V. t. d.* **1.** Habituar a um clima. **2.** Habituar, acostumar, afazer, adaptar. *T. d. e i.* **3.** Habituar a um clima: *A longa permanência o aclimou ao frio da região.* **4.** Afazer, habituar, acostumar; adaptar: *Não consigo aclimá-lo a essa nova tarefa.* *P.* **5.** Identificar-se com as condições vitais de um clima; afazer-se a um clima. **6.** Habituar-se, acostumar-se, afazer-se. [Sin. ger.: *aclimatar, aclimatizar* e *climatizar*.]

aclimatação [De *aclimatar* + *-ção*.] *S. f.* V. *aclimação*.

aclimatado [Part. de *aclimatar*.] *Adj.* V. *aclimado*.

aclimatar [Do fr. *acclimater*.] *V. t. d. T. d. e i. P.* V. *aclimar*.

aclimatável [De *aclimatar* + *-vel*.] *Adj. 2 g.* V. *aclimável*.

aclimatização [De *aclimatizar* + *-ção*.] *S. f.* V. *aclimação*.

aclimatizado [Part. de *aclimatizar*.] *Adj.* V. *aclimado*.

aclimatizar [De *a-*[2] + *-climat(o)-* + *-izar*.] *V. t. d. T. d. e i. P.* V. *aclimar*.

aclimável [De *aclimar* + *-vel*.] *Adj. 2 g.* **1.** Que pode ser aclimado. **2.** Fácil de se adaptar. [Sin. ger.: *aclimatável*.]

aclive [Do lat. *acclive*.] *S. m.* **1.** Inclinação do terreno, considerada de baixo para cima, e que tem como ponto de referência a via que lhe dá acesso: "uma trilha estendia-se pelos tabuleiros, a outra serpejava pelo doce aclive que já ali formavam as abas da próxima serra." (José de Alencar, *O Sertanejo*, p. 33); "este trecho medonho de estrada, tortuoso e estreito, invadido de mato, rolando em aclives vivos, afundando em grotões" (Euclides da Cunha, *Contrastes e Confrontos*, p. 244). ● *Adj. 2 g.* **2.** Disposto em subida; íngreme: "Sobe pelos caminhos aclives" (Martins Fontes, *Verão*, p. 15). [Antôn.: *declive*.]

acloridria [De *a-*[3] + *clorídr(ico)* + *-ia*[1].] *S. f. Med.* Ausência de ácido clorídrico na secreção gástrica.

aclorídrico [De *acloridria* + *-ico*[2].] *Adj.* Relativo à acloridria.

acloroblepsia [De *a-*[3] + *-clor(o)-* + *-bleps-* + *-ia*[1].] *S. f. Med.* Incapacidade de reconhecer a cor verde; aclorópsia.

aclorobléptico [De *acloro(blepsia)* + *-bléptico*, seg. o padrão erudito.] *Adj. Oftalm.* **1.** Relativo à acloroblepsia, ou que apresenta. ● *S. m.* **2.** Aquele que tem acloroblepsia. [Sin. ger.: *acloróptico*.]

aclorofiláceo [De *a-*[3] + *clorofila* + *-áceo*.] *Adj. Bot.* V. *aclorofilado*.

aclorofilado [De *a-*[3] + *clorofila* + *-ado*[1].] *Adj. Bot.* Destituído de clorofila; aclorofiláceo, aclorofilo.

aclorofilia [De *a-*[3] + *clorofila* + *-ia*[1].] *S. f. Bot.* Ausência de clorofila.

aclorofilo [De *a-*[3] + *-clor(o)-* + *-filo*[1].] *Adj. Bot.* V. *aclorofilado*.

aclorópsia [De *a-*[3] + *-clor(o)-* + *-opsia*.] *S. f. Med.* Acloroblepsia.

acloróptico [De *aclor(opsia)* + *-óptico*, seg. o padrão erudito.] *Adj. S. m. Oftalm.* V. *aclorobléptico*.

acluofobia [Do gr. *achlýs, ýos*, 'escuridão', + *-fobia*.] *S. f. Psiq.* Medo patológico da escuridão.

acluofóbico [De *acluofobia* + *-ico*[2].] *Psiq. Adj.* **1.** Relativo a acluofobia. **2.** Que sofre de acluofobia; aclúofobo. ● *S. m.* **3.** Aquele que sofre de acluofobia; aclúofobo.

aclúofobo [Do gr. *achlýs, ýos*, 'escuridão', + *-fobo*.] *Adj. S. m. Psiq.* Acluofóbico (2 e 3).

■ **ACM** Sigla de *Associação Cristã de Moços*.

acmástico [Do gr. *akmastikós*.] *Adj. Med.* Diz-se de período em que certa doença manifesta o seu acme.

acme [Do gr. *akmé*.] *S. m.* **1.** O ponto mais alto; culminância; clímax: *o acme do gozo.* **2.** Crise ou fase crítica de uma enfermidade.

acmeídeo [Do tax. *Acmaea* + *-ideo*[1]; tax. *Acmaeidae*.] *Zool. S. m.* **1.** Espécime dos acmeídeos, família de moluscos gastrópodes, marinhos, distribuídos em dois gêneros: *Acmaea*, nos mares boreais, e Scurria, na costa ocidental da América. Importantes espécies são fósseis dos terrenos terciários. ● *Adj.* **2.** Pertencente ou relativo a eles.

acmeísmo [De *acme* (1) + *-ismo*.] *S. m. Liter.* Estilo pós-simbolista da poesia russa identificado com o futurismo, que buscava uma linguagem mais clara, precisa e espontânea.

acmeísta [De *acmeísmo* + *-ista*.] *Adj. 2 g.* **1.** Relativo ou pertencente ao acmeísmo. **2.** Que é adepto do acmeísmo. ● *S. 2 g.* **3.** Escritor ou poeta russo da corrente pós-simbolista.

acmeístico [De *acmeísta* + *-ico*[2].] *Adj.* Relativo aos acmeístas.

acmela [Do tax. *Acmella*.] *S. f. Bot.* **1.** Gênero das asteráceas que compreende cerca de trinta espécies tropicais, algumas de folhas comestíveis, outras medicinais, e outras, ainda, que são cultivadas como ornamentais. **2.** Qualquer espécie desse gênero, como, p. ex., a *Acmella oleracea* (v. *agrião-do-pará*). **3.** Qualquer espécime desse gênero.

acmestesia [Do gr. *akmé*, 'parte aguda de um objeto'; 'ponta', + *-estes(i)-* + *-ia*[1].] *S. f. Med.* Sensação descrita pelo paciente como que produzida por pressão exercida por objeto pontiagudo.

acmita [Do al. *Achmit* < gr. *akmé*, 'acme', + al. *-it* (v. *-ita*[3]).] *S. f. Min.* Piroxênio monoclínico, variedade de egirina em cristais longos e estreitos, ger. pardos.

acne [Do gr. tard. *akné*, poss. corruptela do gr. *akmé*, 'ponta', pelo ingl. *acne*.] *S. f. Patol.* Doença de natureza inflamatória, e de que há vários tipos, e que compromete formações cutâneas pilosas e sebáceas. ◆ **Acne rosácea.** *Derm.* Rosácea[1] (3).

acnegênico *Adj. Med.* V. *acnegênico*. [Uso freq. em P.]

acnegênico [De *acne* + *-gen(o)-* + *-ico*[2].] *Adj. Med.* Diz-se de fator capaz de gerar acne.

acneiforme [De *acne* + *-iforme*.] *Adj. 2 g. Med.* Semelhante a acne.

acnemia [De *a-*[3] + *-cnem(e)-* + *-ia*[1].] *S. f.* **1.** *Med.* Atrofia de panturrilha. **2.** *Ter.* Ausência congênita das pernas.

▲ **ac(o)-** Equiv. de *acont(o)-*.

▲ **aco-** [Do gr. *ákos, eos-ous*.] *El. comp.* = 'medicamento': *acognosia, acografia*.

▲ **-aco** [Do lat. *-accu*.] *Suf. nom.* formador de voc. de cunho popular, não raro com valor irônico ou pejorativo: *cavaco, velhaco*. [Equiv.: *-aca*: *cavaca, ervilhaca*.]

aço[1] [Der. regress. de *aceiro*.] *S. m.* **1.** *Metal.* Liga de ferro e carbono (teor de carbono variável entre 0,008% e 2,000%), que pode conter, além doutros elementos residuais resultantes do processo de fabricação, elementos de liga. **2.** Arma branca **3.** Lâmina de arma branca: "O aço de um punhal lampejou no ar" (Camilo Castelo Branco, *Novelas do Minho*, XII, p. 75). **4.** *Poét.* Armadura (1). **5.** Amálgama de mercúrio e estanho que se aplica no vidro para formar a superfície refletora: *espelho de aço.* **6.** *Fig.* Aquilo que é duro, resistente, rígido, etc., como o aço: *têmpera de aço; coração de aço.* **7.** *Fig.* Energia, força, vigor, resistência: "gastara o aço da mocidade em divulgar uma concepção que ninguém lhe entendeu." (Machado de Assis, *Histórias sem Data*, p. 185). **8.** *Bras. S. Gír.* V. *cachaça* (1). [Cf. *asso*, do v. *assar*.] ◆ **Aço acalmado.** *Metal.* Aço desoxidado, na temperatura de fusão, pela adição de certos metais ou ligas, como, p. ex., o alumínio e o ferrossilício. **Aço ácido.** *Metal.* O que é obtido em forno cuja escória é predominantemente silícica. **Aço ao cadinho.** *Metal.* Aço fabricado em cadinho que se aquece em forno de coque. **Aço ao cromo.** *Metal.* Aço ligado com cromo. **Aço ao manganês.** *Metal.* Aço ligado com manganês. **Aço ao níquel.** *Metal.* Aço ligado com níquel. **Aço ao silício.** *Metal.* Aço ligado com silício. **Aço ao vanádio.** *Metal.* Aço ligado com vanádio. **Aço austenítico.** *Metal.* Aço ligado com cromo e níquel, que tem como elemento estrutural a austenita, e é muito resistente à corrosão. **Aço básico.** *Metal.* O que se obtém em forno que tem escória básica (dolomítica, calcária, p. ex.). **Aço cementado.** *Metal.* Aço cuja superfície foi enriquecida de carbono depois da têmpera. **Aço de bolha.** *Metal.* Aço temperado que se obtém com base em ferro doce, mediante aquecimento ao rubro brilhante, em presença de carvão. **Aço doce.** *Metal.* Aço com pouco carbono, até 0,25%. **Aço duro.** *Metal.* Aço com 0,60 a 0,70% de carbono. **Aço escovado.** *Metal.* Peça de aço que recebe acabamento mecânico para eliminar imperfeições. **Aço extraduro.** *Metal.* Aço com mais de 0,80% de carbono. **Aço inoxidável.** *Metal.* Aço com teor de cromo entre 10 e 25%, capaz de resistir à corrosão de muitos meios. **Aço martensítico.** *Metal.* Aço que tem a martensita como elemento estrutural. **Aço não ligado.** *Metal.* Aço que não contém elementos de liga além do carbono; aço-carbono. **Aço rápido.** *Metal.* O que se utiliza na fabricação de ferramentas, com diversas composições, contendo vários metais (molibdênio, tungstênio, cobalto, p. ex.), e cujas propriedades mecânicas se mantêm inalteradas em temperaturas elevadas. **Aço temperado.** *Metal.* Aço que sofreu tratamento apropriado para conferir-lhe têmpera. **Aço temperado ao ar.** *Metal.* Aquele cuja têmpera se obtém pelo resfriamento, ao ar, da peça metálica aquecida. **Aço verde.** Aquele que é produzido sem usar carvão vegetal proveniente de áreas de desmatamento. **Aço zincado.** *Metal.* Aço galvanizado ger. us. na fabricação de telhas metálicas. **Querer tirar o aço do espelho.** Passar muito tempo a mirar-se.

aço[2] ***Adj. S. m.*** *Bras.* V. *aça.* [Cf. *asso,* do v. *assar.*]

▲**-aço** [Do lat. *-aceu.*] V. *-aça.*

acoar [De *a-*[2] +*cão*[1] + *-ar*[2], poss.] ***V. int.*** *Bras. RS* Latir, ladrar. [Conjug.: v. *coroar.* Cf. *acuar.*]

acoaramuru [De or. tupi, poss.] ***S. m.*** *Bras. Bot.* **1.** V. *babosa-branca.* **2.** V. *grão-de-galo* (1). **3.** V. *grão-de-porco* (1).

acobardado [Part. de *acobardar.*] ***Adj.*** V. *acovardado.*

acobardamento [De *acobardar* + *-mento.*] ***S. m.*** V. *acovardamento.*

acobardar [De *a-*[2] + *cobarde* + *-ar*[2].] ***V. t. d. P.*** V. *acovardar*: "Branca .... acobardava-se agora defronte da hipótese de um escândalo social." (Aluísio Azevedo, *O Coruja,* p. 264.)

acobertado [Part. de *acobertar.*] ***Adj.*** **1.** Resguardado ou tapado com coberta; coberto. **2.** Encoberto, dissimulado. **3.** Protegido, resguardado. **4.** *Maç.* Diz-se do irmão que nada deve à loja (4).

acobertador (ô) [De *acobertar* + *-dor.*] ***Adj.*** **1.** Que acoberta. ● ***S. m.*** **2.** Aquele ou aquilo que acoberta.

acobertar [De *a-*[2] + *coberta* + *-ar*[2].] ***V. t. d.*** **1.** Tapar com coberta, manto, etc.; cobrir. **2.** Cobrir, resguardar; proteger: *Pesadas armaduras acobertavam os cavaleiros medievais.* **3.** Apadrinhar, patrocinar; proteger: *Acobertou as arbitrariedades cometidas por seus subordinados.* **4.** Cobrir, encobrir, dissimular: *acobertar um crime.* ***P.*** **5.** Cobrir-se ou resguardar-se com coberta, manto, etc.; abrigar-se, resguardar-se. **6.** Pôr-se a coberto ou a salvo; resguardar-se. **7.** Cobrir-se, escudar-se; defender-se. **8.** Dissimular-se, disfarçar-se; mascarar-se: *O grande ator acobertava-se sob o pseudônimo.* [Sin. ger.: *encobertar.*]

acobilhar ***V. t. d.*** V. *acovilhar.*

acobreado[1] [De *a-*[2] + *cobre* + *-eado.*] ***Adj.*** Da cor ou aspecto do cobre: "Tratava-se dum homenzinho baixo, ... tez acobreada" (Aquilino Ribeiro, *Quando ao Gavião Cai a Pena,* p. 204).

acobreado[2] [Part. de *acobrear.*] ***Adj.*** A que se deu cor ou aspecto de cobre.

acobrear [De *a-*[2] + *cobre* + *-ear*[2].] ***V. t. d.*** **1.** Dar cor ou aspecto de cobre a. ***P.*** **2.** Adquirir cor ou aspecto de cobre: "uma ampla corola eritrina, sulfurina, ..., que onímoda, onicolor, ..., se ambreia, se acobreia" (Martins Fontes, *A Dança,* p. 64). [F. paral.: *cobrear.*]

acocação [De *acocar*[1] + *-ção.*] ***S. f.*** *Bras. S. Fam.* Carinho, mimo; dengues.

acocantera [Do tax. *Acokanthera.*] ***S. f.*** *Bot.* **1.** Gênero de árvores e arbustos apocináceos nativos da África, em sua maioria venenosos, dotados de folhas coriáceas e flores alvas, odoríferas. **2.** Qualquer espécie desse gênero, como, p. ex., a *Acokanthera ouabaia,* de uso medicinal (v. *uabaína*) e a *A. oppositifolia,* da qual os nativos extraem suco us. para envenenar flechas. **3.** Qualquer espécime desse gênero.

acoçapatá [Do jeje.] ***S. m.*** *Bras. MA Rel.* Vodum cultuado na Casa Grande das Minas, em São Luís. [Com cap.]

acocar[1] ***V. t. d. P.*** *Bras. S. Fam.* Fazer mimos em; mimar, acariciar. [Conjug.: v. *trancar.*]

acocar[2] ***V. t. d. P.*** *Bras. Pop.* Acocorar(-se). [Conjug.: v. *trancar.*]

aço-carbono ***S. m.*** *Metal.* Aço não ligado. [Pl.: *aços-carbonos* e *aços-carbono.*]

acochado [Part. de *acochar.*] ***Adj.*** **1.** Acamado apertadamente; comprimido, cochado. **2.** Apertado; arrochado. **3.** *Fig.* Aconchegado, conchegado. **4.** *Bras.* Apressado, açodado.

acochambrar [De or. obsc.] ***V. t. d.*** *Pop.* **1.** Combinar (algo) de modo escuso. **2.** Fazer mal ou às pressas.

acochar [De *a-*[4] + *cochar.*] ***V. t. d.*** **1.** Acamar, calcando ou apertando. **2.** Apertar, comprimir, arrochar; cochar. **3.** *Bras.* Importunar, assediar: *Não para de acochar o amigo, pedindo-lhe favores.* **4.** *Bras.* Apressar, açodar. ***P.*** **5.** Apertar-se, comprimir-se; arrochar-se. **6.** Agachar-se, acocorar-se. [Pres. ind.: *acocho,* etc. Cf. *acocho* (ô).]

acocho (ô) [Dev. de *acochar.*] ***S. m.*** Ato ou efeito de acochar. [Pl.: *acochos* (ô). Cf. *acocho,* do v. *acochar.*]

acóclide [De *a-*[3] + gr. *kochlís,* 'pequena concha', + *-ide*[1].] ***Adj. 2 g.*** *Zool.* Diz-se dos moluscos que não têm concha.

acoclídeo [De *a-*[3] + gr. *kochlís,* 'pequena concha', + *-ídeo*[1]; tax. *Acochlideae.*] *Zool.* ***S. m.*** **1.** Espécime dos acoclídeos, família de moluscos cefalópodes diminutos, dibrânquios, desprovidos de conchas, e que vivem nos estuários arenosos. ● ***Adj.*** **2.** Pertencente ou relativo a eles.

acocorado[1] [Part. de *acocorar*[1].] ***Adj.*** De cócoras; agachado.

acocorado[2] [Part. de *acocorar*[2].] ***Adj.*** *Bras. SP* Tratado com mimo; amimado.

acocoramento[1] [De *acocorar*[1] + *-mento.*] ***S. m.*** **1.** Ato de acocorar(-se). **2.** Posição de cócoras.

acocoramento[2] [De *acocorar*[2] + *-mento.*] ***S. m.*** *Bras.* Ato ou efeito de acocorar[2].

acocorar[1] [De *a-*[2] + *cócoras* + *-ar*[2].] ***V. t. d.*** **1.** Pôr de cócoras. **2.** *Bras.* Diminuir o moral de; humilhar, acobardar. ***P.*** **3.** Pôr-se de cócoras; agachar-se: "acocorou-se junto ao fogão .... atiçou o fogo" (Nélson de Faria, *Tiziu e Outras Estórias,* p. 80); "deteve-se, acocorou-se, ficou olhando." (Machado de Assis, *Dom Casmurro,* p. 312). **4.** Acovardar-se, humilhar-se.

acocorar[2] ***V. t. d.*** *Bras. SP* Amimar, acariciar, acocar.

açodado [Part. de *açodar.*] ***Adj.*** Apressado, diligente: "Veio logo [o regedor de Fajões] todo açodado acompanhado de dois cabos, a impor a sua autoridade" (João da Silva Correia, *Farândola,* p. 81).

açodamento [De *açodar* + *-mento.*] ***S. m.*** **1.** Ato de açodar(-se). **2.** Pressa, azáfama; precipitação. [Cf. *açudamento.*]

açodar [De or. obscura.] ***V. t. d.*** **1.** Apressar, acelerar, precipitar. **2.** Ir ao encalço de; perseguir, acossar: *os policiais açodaram os assaltantes.* ***T. d. e i.*** **3.** Incitar, instigar, estimular, espicaçar: *Açodou os cães ao encalço do ladrão.* ***P.*** **4.** Apressar-se, apressurar-se: "em toda a Europa de além-Pireneus os povos se açodavam a constituir uma cultura, a melhorar e a dignificar a vida" (Fidelino de Figueiredo, *"... um pobre homem da Póvoa de Varzim...",* p. 114). [Cf. *açudar.*]

acoelhado [Part. de *acoelhar-se.*] ***Adj.*** *Bras.* Amedrontado, acovardado; tímido.

acoelhar-se [De *a-*[2] + *coelho* + *-ar*[2] + *se*[1].] ***V. p.*** *Bras.* Mostrar-se ou tornar-se dócil, tímido, ou acovardado: "Só gasto perfume francês... Acoelhou-se meigamente: — É um pequenino luxo a que me dou..." (Marques Rebelo, *O Simples Coronel Madureira,* p. 85.) [Conjug.: v. *aparelhar.*]

açôfar [Do ár. *aṣ-ṣufr,* 'latão'.] ***S. m.*** **1.** Ouropel (1 e 2). **2.** *Fig.* Coisa vã.

açofeifa [Do gr. *zizyphon,* pelo ár.-hisp., e pelo esp. *azufaifa.*] ***S. f.*** *Bot.* V. *jujuba* (1 e 2).

açofeifeira [De *açofeifa* + *-eira.*] ***S. f.*** *Bot.* V. *jujuba* (1). [Var.: *açufeifeira.*]

acofiar [De *a-*[4] + *cofiar.*] ***V. t. d.*** V. *cofiar.*

açofra (ô) [De *açôfar,* com metátese e mudança de gênero.] ***S. f.*** Açôfar.

acognosia [De *aco-* + *-gnosia.*] ***S. f.*** *Med.* Conhecimento e estudo dos medicamentos; acologia.

acognósico [De *acognosia* + *-ico*[2].] ***Adj.*** Relativo à acognosia; acológico.

acografia [De *aco-* + *-grafia.*] ***S. f.*** *Med.* Descrição dos medicamentos.

acográfico [De *acografia* + *-ico*[2].] ***Adj.*** Referente à acografia.

acogulado [Part. de *acogular.*] ***Adj.*** **1.** Que faz cogulo; demasiadamente cheio; cheio a transbordar: "iam e vinham carregadores com enormes cestos acogulados" (Coelho Neto, *A Conquista,* p. 444). **2.** *Fig.* Amontoado, apinhado.

acogular [De *a-*[2] + *cogulo* + *-ar*[2].] ***V. t. d.*** **1.** Encher (uma medida, uma vasilha) em demasia, até formar cogulo: "a pitança ostentava-se na mesa com a farinha-d'água acogulando a cuia." (Alberto Rangel, *Lume e Cinza,* p. 180.) **2.** Amontoar, acumular. ***T. d. e i.*** **3.** Encher a transbordar; abarrotar. ***P.*** **4.** Chegar ao cúmulo; atingir o auge; cumular-se. [F. paral.: *cogular*; var.: *acucular.*]

açoiaba [Do tupi = 'coberta'.] ***S. f.*** *Bras.* Manto ou turbante de penas usado pelos índios em certas festividades.

acoimador (ô) [De *acoimar* + *-dor.*] ***Adj. S. m.*** Que, ou aquele que acoima.

acoimamento [De *acoimar* + *-mento.*] ***S. m.*** Ato ou efeito de acoimar(-se).

acoimar [De *a-*[2] + *coima* + *-ar*[2].] ***V. t. d.*** **1.** Impor coima a; multar. **2.** Castigar, punir. **3.** Censurar, repreender. ***T. d. e i.*** **4.** Acusar, incriminar: "A mulher do Crispim deu em protestar, esganada, acoimando a vizinha de não dar de comer ao animal." (Antunes da Silva, *O Aprendiz de Ladrão,* p. 191.) ***Transobj.*** **5.** Censurar, tachar: "Não faltou .... quem o acoimasse de impostor" (Aquilino Ribeiro, *Portugueses das Sete Partidas,* p. 262). ***Int.*** **6.** Vingar-se de dano recebido. ***P.*** **7.** Reconhecer-se culpado; acusar-se. [F. paral. (p. us.): *coimar*; sin. ger.: *encoimar.*] [Pret. imperf. ind.: *acoimava, ... acoimáveis, acoimavam.* Cf. *acoimáveis,* pl. de *acoimável.*]

acoimável [De *acoimar* + *-vel.*] ***Adj. 2 g.*** V. *coimável.*

acoirelamento [De *acoirelar* + *-mento.*] ***S. m.*** Divisão em coirelas ou casais. [Var.: *acourelamento.*]

acoirelar [De *a-*[2] + *coirela* + *-ar*[2].] ***V. t. d.*** Dividir (um terreno) em coirelas. [Var.: *acourelar.*]

açoita-cavalo [De *açoitar* + *cavalo*; var. de *açouta-cavalo.*] ***S. m.*** *Bras. Bot.* **1.** Nome comum a tiliáceas do gênero *Luehea* (v. *luéea*) de cujos galhos, muito flexíveis, se fazem chicotes. **2.** Árvore tiliácea (*Luehea divaricata*) nativa de MG, RJ, SP, PR e C.O., de folhas serreadas, grandes flores brancas ou róseas e frutos capsulares deiscentes; a madeira, um tanto dura, mas putrescível, se usa em construções internas, móveis, etc. [Sin.: *ivantiji, ivitinga, caaueti, mutamba-preta, papeá-guaçu, batinga, ubatinga, vatinga.*] **3.** V. *tapeacuaçu.* [F. paral.: *açoita-cavalos, açouta-cavalo, açouta-cavalos.* Pl.: *açoita-cavalos.*]

açoita-cavalos ***S. m. 2 n.*** *Bras. Bot.* V. *açoita-cavalo.*

acoitador (ô) [De *acoitar* + *-dor*; var. de *acoutador.*] ***Adj. S. m.*** Que, ou aquele que acoita.

açoitador (ô) [Var. de *açoutador.*] ***Adj. S. m.*** Que, ou aquele que açoita.

açoitamento [Var. de *açoutamento.*] ***S. m.*** Ato ou efeito de açoitar(-se).

acoitar [De *a-*[2] + *coito*[2]; + *-ar*[2]; var. de *acoutar.*] ***V. t. d.*** **1.** Dar coito[2], valhacoito, asilo, guarida a; homiziar, acoutar. **2.** Acolher, agasalhar, abrigar, acoutar. **3.** Esconder, ocultar, guardar. ***T. d. e i.*** **4.** Abrigar, proteger, defender. ***Int.*** **5.** Estabelecer-se; alojar-se. **6.** Esconder-se, ocultar-se, refugiar-se; acoutar-se ***P.*** **7.** Abrigar-se, resguardar-se: "Já então se tinha [Sete-sóis] ligado de amizade com outro antigo soldado .... que justamente se acoitava para a noite, estando suave o tempo, nuns telheiros abandonados" (José Saramago, *Memorial do Convento,* p. 44). **8.** Esconder-se, refugiar-se; acoutar: "e os olhos torcidos, de soslaio, para o ângulo escuro onde se acoitava a mulher." (Maria Archer, *Fauno Sovina,* p. 138.)

açoitar [Var. de *açoutar.*] ***V. t. d.*** **1.** Fustigar com açoite; fustigar, flagelar, vergastar. **2.** Dar pancada(s) ou golpe(s) em; bater em, ou de encontro a: "O mar gemia lôbrego e espumante, / Açoitando o navio" (Luís Guimarães, *Sonetos e Rimas,* p. 17); "O vento açoitava as árvores" (Guimarães Passos, *Horas Mortas,* p. 57). **3.** Ferir, magoar, pungir: "Aquela cantoria era, para ele, pior que os açoites de Dom Pepe: açoitava a alma." (Barbosa Lessa, *O Boi das Aspas de Ouro,* p. 48.) **4.** Devastar, assolar: *As legiões de Átila açoitaram a Europa Central no século V.* **5.** Varrer (4); fustigar: *A ventania açoitava o arvoredo.* ***P.*** **6.** Fustigar-se com açoite; flagelar-se, vergastar-se.

açoite [Var. de *açoute,* do ár. *as-sawṭ.*] ***S. m.*** **1.** Instrumento de tiras de couro, para fustigar; látego, azorrague, vergasta. **2.** V. *chicote* (1). **3.** *P. ext.* Qualquer objeto (vara, cipó, etc.) que pode servir para açoitar. **4.** Golpe com qualquer dos instrumentos acima referidos. **5.** Pancada com a mão aberta; palmada. **6.** *Fig.* Aflição, castigo, flagelo: "Em seu seio escondi-me... como à noite / Incauto colibri, temendo o açoite / das iras do tufão" (Castro Alves, *Obra Completa,* p. 162). ◆ **De açoite.** *Bras.* De repente, de súbito, subitamente, súbito; de estalo.

açoite de rio [Var. de *açoute de rio.*] ***S. m.*** *Bras. BA* **1.** Trecho de rio onde há maior sedimentação. **2.** Margem convexa de um meandro fluvial, onde há maior sedimentação de material erosivo e acentuada redução de correnteza. [Pl.: *açoites de rio.*] ☑

açoiteira [Var. de *açouteira.*] ***S. f.*** *Bras. S.* **1.** Ponta de rédea ou látego de rebenque com que o cavaleiro açoita o cavalo. **2.** Chicote curto usado pelos cavaleiros gaúchos. **3.** *Bras. BA MG* Na região são-franciscana, chicote, relho de carroceiro. [Var.: *soiteira.*]

acola ***S. f.*** *Bras.* Antiga iguaria de chocolate e farinha de milho.

acolá [Do lat. vulg. *eccu(m) illac,* 'eis lá'.] ***Adv.*** **1.** Em lugar afastado da pessoa que fala e daquela com quem se fala; naquele lugar; mais além; lá ao longe: "Aqui fareja, ali para a coçar uma orelha, acolá cata uma pulga na barriga" (Machado de Assis, *Quincas Borba,* p. 42); "Ali dous velhos; além duas irmãs, ...; acolá duas criancinhas" (Camilo Castelo Branco, *Agulha em Palheiro,* p. 200). **2.** Para aquele lugar; para mais adiante, mais além: *Saiu agorinha, foi acolá à casa do tio.*

acolada [Do fr. *accolade.*] ***S. f.*** Golpe com a prancha da espada no ombro do jovem nobre que era armado cavaleiro, seguido de um ligeiro abraço.

acolchetado [Part. de *acolchetar.*] ***Adj.*** Apertado ou seguro com colchetes.

acolchetar [De *a-*[2] + *colchete* + *-ar*[2].] ***V. t. d.*** **1.** Prender, unir ou apertar com colchete(s). **2.** Guarnecer de colchete(s). ***Int. P.*** **3.** Prender-se, unir-se com colchete(s): *Este vestido acolcheta nas costas; Sua vestimenta austera acolchetava-se até o pescoço.* [F. paral.: *colchetar.*]

acolchoadinho [De *acolchoado*[1] + *-inho*[1].] ***S. m.*** *Tec. Têx.* Tecido que imita estofo acolchoado.

acolchoado[1] [Part. de *acolchoar*[1].] ***Adj.*** **1.** Que foi tecido ou lavrado como colcha. **2.** Guarnecido de colcha: *Nas festas religiosas, as sacadas acolchoadas coloriam as fachadas.* ● ***S. m.*** **3.** *Tec. Têx.* Tecido lavrado como colcha.

acolchoado[2] [Part. de *acolchoar*[2].] ***Adj.*** **1.** Cheio ou forrado como colchão; estofado, almofadado: *sofá acolchoado.* **2.** Guarnecido de colchão: *estrado* acolchoado. **3.** *Tec. Têx.* Diz-se de tecido natural ou sintético cujo forro, de algodão em rama ou de material análogo, é preso com pontos, colado, etc. **4.** Diz-se daquilo que é revestido de tecido acolchoado. • ***S. m.*** **5.** *Tec. Têx.* Tecido acolchoado. **6.** *Bras. S.* V. *edredom.*

acolchoador^{1} (ô) [De *acolchoar^{1}* + *-dor.*] ***Adj. S. m.*** Que, ou aquele que acolchoa.

acolchoador^{2} (ô) [De *acolchoar^{2}* + *-dor.*] ***Adj. S. m.*** Que, ou aquele que acolchoa.

acolchoamento^{1} [De *acolchoar^{1}* + *-mento.*] ***S. m.*** Ato ou efeito de acolchoar^{1}.

acolchoamento^{2} [De *acolchoar^{2}* + *-mento.*] ***S. m.*** Ato ou efeito de acolchoar^{2}.

acolchoar^{1} [De *a-^{2}* + *colcha* + *-oar.*] ***V. t. d.*** **1.** Tecer ou lavrar à maneira de colcha. **2.** Guarnecer com colcha; estofar. [Conjug.: v. *coroar.*]

acolchoar^{2} [De *a-^{2}* + *colchão* + *-ar^{2}*, com desnasalação.] ***V. t. d.*** **1.** Encher ou forrar como o colchão. **2.** Estofar (1). **3.** Forrar (tecido, couro, plástico, etc.) com algodão em rama ou material análogo, para torná-lo fofo e macio. **4.** Revestir com acolchoado^{2} (5). [Conjug.: v. *coroar.*]

acoletado^{1} [De *a-^{2}* + *colete* + *-ado^{1}.*] ***Adj.*** Que tem forma de colete: *blusa acoletada.*

acoletado^{2} [Part. de *acoletar.*] ***Adj.*** **1.** Vestido com colete. **2.** Vestido com apuro excessivo; janota.

acoletar [De *a-^{2}* + *colete* + *-ar^{2}.*] ***V. t. d.*** **1.** Dar feitio de colete a. ***P.*** **2.** Vestir-se ou apertar-se com colete.

acolhedor (ô) [De *acolher* + *-dor.*] ***Adj.*** **1.** Que acolhe bem; hospitaleiro. **2.** Que propicia bom acolhimento: *casa acolhedora.*

acolher [Do lat. **accolligere.*] ***V. t. d.*** **1.** Dar acolhida ou agasalho a; hospedar. **2.** Dar acolhida a; receber. **3.** Atender, receber: *O diretor acolheu bem o pedido.* **4.** Dar crédito a; dar ouvidos a: *Não acolheu a estranha reclamação.* **5.** Admitir, aceitar, receber: *Acolheu a triste notícia com resignação.* **6.** Tomar em consideração; atender a: "Sinto-me contente .... porque sei que o seu espírito acolhe com simpatia e amizade estas minhas tristezas de altura." (Fernando Pessoa, *Cartas a Armando Cortes-Rodrigues*, p. 44.) ***T. d. e c.*** **7.** Acolher (1): *Acolheu-nos em sua casa.* ***Int.*** **8.** Abrigar, agasalhar. ***P.*** **9.** Agasalhar-se, hospedar-se. **10.** Abrigar-se, recolher-se. **11.** Refugiar-se; amparar-se. [M.-q.-perf. ind.: *acolhera* (ê), *acolheras* (ê), *acolhera* (ê), *acolhêramos, acolhereis* (ê), *acolheram* (ê). Cf. o pres. ind. do v. *acolherar.*]

acolherar [Do esp. plat. *acollerar.*] *Bras. S.* ***V. t. d.*** **1.** Atrelar ou ajoujar (animais) por meio de colhera. **2.** *P. ext.* Unir, juntar, agrupar, reunir (pessoas). ***P.*** **3.** Andar (duas ou mais pessoas) juntas, acompanhadas. **4.** Juntar-se, reunir-se (geralmente para certo fim): "Pois desta feita se acolheram a jogar a taba o Osoro e o Chico Ruivo." (Simões Lopes Neto, *Contos Gauchescos e Lendas do Sul*, p. 214.) **5.** Juntar-se, amasiar-se, amigar-se, amancebar-se. [Pres. ind.: *acolhero, acolheras, acolhera, acolheramos, acolherais, acolheram.* Cf. o m.-q.-perf. ind. do v. *acolher.*]

acolhida [De *acolher* + *-ida^{3}.*] ***S. f.*** V. *acolhimento.*

acolhimento [De *acolher* + *-imento.*] ***S. m.*** **1.** Ato ou efeito de acolher; recepção: "Chega, por fim, à Terceira, e mal aprecia o acolhimento carinhoso da família" (José Osório de Oliveira, *O Romance de Garrett*, p. 37). **2.** Atenção, consideração. **3.** Refúgio, abrigo, agasalho. [Sin. nestas acepçs.: *acolhida.*] **4.** *Bras. Med. Pol.* Atendimento ambulatorial, médico e/ou hospitalar, segundo a política e o processo de humanização do sistema de saúde e de inclusão social do paciente que dele se vale: *polos de acolhimento.* **5.** *Bras. Pol.* Essa política de atendimento na área de saúde.

acolia [De *a-^{3}* + *-col(e)-* + *-ia^{1}.*] ***S. f.*** *Med.* Supressão ou suspensão da secreção biliar.

acólico [De *acolia* + *-ico^{2}.*] ***Adj.*** Referente à acolia.

aço-liga ***S. m.*** *Metal.* Aço que contém, além do carbono, elementos de liga, adicionados a fim de conseguir-se material com determinadas propriedades mecânicas, térmicas, elétricas, magnéticas, anticorrosivas. [Pl.: *aços-ligas* e *aços-liga.*]

acolimbético [Do gr. *akólymbos*, 'que não sabe mergulhar ou nadar', + *-ético.*] ***Adj.*** *Zool.* Diz-se do pé de ave em que há, pelo menos, três dedos livres, ou, os dois dedos anteriores soldados mais ou menos completamente, ou ainda, quando a ave apresenta apenas dois dedos, estes ligeiramente unidos por membrana basal.

acolitar [De *acólito* + *-ar^{2}.*] ***V. t. d.*** **1.** Servir de acólito a; acompanhar como acólito. **2.** Seguir, acompanhar. **3.** Ajudar, auxiliar. ***Int.*** **4.** Servir de acólito. [Pres. ind.: *acolito*, etc. Cf. *acólito.*]

acolitato [De *acólito* + *-ato^{1}.*] ***S. m.*** *Rel.* A ordem de acólito, a quarta e última das ordens menores na Igreja Católica.

acólito [Do gr. *akólouthos*, pelo lat. ecles. *acolythu.*] ***S. m.*** **1.** *Ecles.* Aquele que recebeu a ordem do acolitato. **2.** *Rel.* Aquele que acompanha e serve, na Igreja Católica, aos ministros superiores. **3.** Aquele que acompanha, que ajuda; ajudante, assistente. [Cf. *acolito*, do v. *acolitar.*]

acologia [De *aco-* + *-logia.*] ***S. f.*** *Med.* Acognosia.

acológico [De *acologia* + *-ico^{2}.*] ***Adj.*** Acognósico.

acoluria [De *a-^{3}* + *-col(e)-* + *-uria.*] ***S. f.*** *Med.* V. *acolúria.*

acolúria [De *a-^{3}* + *-col(e)-* + *-úria.*] ***S. f.*** *Med.* Ausência de pigmentos biliares na urina. [F. paral.: *acoluria.*]

acolúrico [De *acolúria* + *-ico^{2}.*] ***Adj.*** Relativo à acolúria.

acomadrar-se [De *a-^{2}* + *comadre* + *-ar^{2}* + *se^{1}.*] ***V. p.*** **1.** Tornar-se (uma mulher) comadre de outrem. **2.** Ligar-se, unir-se, acamaradar-se, familiarizar-se.

acometedor (ô) [De *acometer* + *-dor.*] ***Adj. S. m.*** Que, ou aquele que acomete.

acometer [De *a-^{4}* + *cometer.*] ***V. t. d.*** **1.** Investir contra ou sobre; atacar; assaltar: "Quando o índio, no golpe ousado, / Acomete a árvore anosa, / Sob o fio do machado / Flui a resina cheirosa." (Alberto de Oliveira, *Poesias*, 2.ª série, p. 22.) **2.** Provocar, hostilizar; insultar, injuriar: *Ofendido, acometeu os provocadores com palavras enraivecidas.* **3.** Tentar (empresa arriscada); empreender, cometer: *Acometeram a deposição do presidente.* **4.** Chocar-se violentamente (um veículo com outro); ir de encontro a; abalroar: *O ônibus acometeu o caminhão, fazendo vítimas.* **5.** Manifestar-se de repente (doença, desejo, sono, etc.) em; atacar: "uma dessas paixões serôdias e abjetas que acometem as velhas" (Artur Azevedo, *Contos Possíveis*, p. 83). ***T. i.*** **6.** Lançar-se, abalançar-se, aventurar-se: *Acometeu corajosamente à aventura.* **7.** Investir, arremeter. ***Int.*** **8.** Atacar, agredir, arremeter, investir. **9.** Empreender ataque ou assalto; encetar briga. ***P.*** **10.** Investir reciprocamente; atacar-se.

acometida [De *acometer* + *-ida^{3}.*] ***S. f.*** V. *acometimento.*

acometimento [De *acometer* + *-imento.*] ***S. m.*** **1.** Ato ou efeito de acometer; cometimento. **2.** Investida, ataque, assalto. **3.** Manifestação súbita de um sentimento. **4.** Ataque súbito; insulto. **5.** Cometimento (2). [Sin. ger.: *acometida, cometida.*]

acometível [De *acometer* + *-ível.*] ***Adj. 2 g.*** Que pode ser acometido.

acometividade [De **acometivo* + *-(i)dade*, a ex. de voc. como *passividade.*] ***S. f.*** Disposição para acometer; combatividade, agressividade.

acomia [De *a-^{3}* + *-com(e)-* + *-ia^{1}.*] ***S. f.*** *Med.* Queda dos cabelos; calvície.

acomodação [Do lat. *accommodatione.*] ***S. f.*** **1.** Ato ou efeito de acomodar(-se); arranjo, arrumação, acomodamento. **2.** Instalação, arrumação, disposição, arranjo de equipamento, móveis, etc.: "Para não descer da região poética em que nos achamos, ... passo .... por alto as circunstâncias da acomodação do rapaz" (Machado de Assis, *Histórias sem Data*, p. 192). **3.** V. *cômodo* (5): *hotel com muitas acomodações.* **4.** *Fig.* Adaptação, conformação, adequação: *acomodação da fantasia à realidade.* **5.** Meio de vida; emprego, colocação: *Enriqueceu com a acomodação que encontrou.* **6.** Dedução, conclusão: "Não é imaginação sem fundamento minha, é acomodação verdadeira, tirada, com toda a propriedade, do texto." (P.^{e} Antônio Vieira, *Sermões*, V, p. 559.) **7.** Tendência a conformar-se com qualquer situação; conformismo: *Sua acomodação impediu-o de vencer na vida.* **8.** *E. Ling.* Numa situação de comunicação, o ajustamento do discurso de um indivíduo à fala de seu interlocutor. **9.** *E. Ling.* Desvio da articulação típica de um fonema para adaptá-la à pronúncia do fonema seguinte ou à do antecedente. **10.** *Oftalm.* Modificação que ocorre em cada olho para tornar nítida a visão a distâncias variáveis.

acomodadiço [De *acomodar* + *-(d)iço^{1}.*] ***Adj.*** V. *acomodatício.*

acomodado [Part. de *acomodar.*] ***Adj.*** **1.** Apropriado, adequado, cômodo. **2.** Tranquilo, quieto, sossegado. **3.** Ajustado a uma situação sem estar, ou não estando inteiramente, de acordo com ela; adaptado: *Seus argumentos de nada valem: é um sujeito acomodado politicamente.* **4.** Alojado, instalado. • ***S. m.*** **5.** Indivíduo acomodado, resignado.

acomodador (ô) [De *acomodar* + *-dor.*] ***Adj.*** **1.** Que acomoda. • ***S. m.*** **2.** O que acomoda. **3.** *Tip.* Peça da linotipo onde se alinham as matrizes, à medida que caem no componedor. [Cf. *graduador* (3).] ◆ **Acomodador de sortes.** *Tip.* Espécie de componedor onde se alinham mecanicamente as matrizes manuais da linotipo quando, após a fundição, descem pelo tubo de sortes [v. *sorte* (16)].

acomodamento [De *acomodar* + *-mento.*] ***S. m.*** V. *acomodação* (1).

acomodar [Do lat. *accommodare.*] ***V. t. d.*** **1.** Dar cômodo a; alojar: *O hotel, superlotado, não teve como acomodar os novos hóspedes.* **2.** Pôr ou dispor em ordem; ordenar, arrumar. **3.** Dar colocação ou emprego a; colocar, empregar. **4.** Apaziguar, acalmar, serenar, aquietar: *acomodar pessoas desavindas.* **5.** Pôr em lugar cômodo, conveniente; ajeitar: *Depois de acomodar o grande pacote, sentou-se a conversar.* **6.** Ter lugar, ou acomodações para: *Seu carro acomoda seis pessoas.* ***T. d. e i.*** **7.** Adaptar, afeiçoar, afazer: "ficou a torcer as mãos à soleira da porta, olhos entrefechados, como a acomodar as pupilas à intensidade da luz repentina." (Josué Montelo, *Cais da Sagração*, p. 21); "Necessitando acomodar as suas observações com as afirmações alheias, acha que os políticos, individualmente, são criaturas como as outras, mas em conjunto são malfeitores." (Graciliano Ramos, *S. Bernardo*, p. 131). ***T. d. e c.*** **8.** Instalar bem: *Acomodou o bebê no berço.* **9.** Arrumar, ajeitar: *acomodar livros em estante.* ***Int.*** **10.** Apaziguar-se, acalmar-se; acomodar-se. **11.** Apaziguar, acalmar, harmonizar pessoas desavindas. ***P.*** **12.** Retirar-se para os seus cômodos ou aposentos. **13.** Instalar-se, alojar-se: *Os convidados acomodaram-se à mesa.* **14.** V. *acomodar* (10). **15.** Adaptar-se, adequar-se; afazer-se: "Disse-me ele que a frugalidade não era necessária para entender o Humanitismo ...., que esta filosofia acomodava-se facilmente com os prazeres da vida." (Machado de Assis, *Memórias Póstumas de Brás Cubas*, p. 281.) **16.** Dar-se por satisfeito. [Pres. ind.: *acomodo.* Cf. *acômodo*, adj.]

acomodatício [De *acomodar* + *-(t)ício.*] ***Adj.*** **1.** Que se acomoda com facilidade; amoldável; adaptável. **2.** Transigente, condescendente. [Sin. ger.: *acomodadiço.*]

acomodável [De *acomodar* + *-vel.*] ***Adj. 2 g.*** Que se pode acomodar.

acómodo ***Adj.*** *Ant.* V. *acômodo.*

acômodo [Do lat. *accomodu.*] ***Adj.*** **1.** *Ant.* Oportuno, apto, cômodo. **2.** *Lus.* O trabalho da empregada doméstica. [Cf. *acomodo*, do v. *acomodar.*]

acompadração [De *acompadrar* + *-ção.*] ***S. f.*** Ato ou efeito de acompadrar(-se).

acompadrar [De *a-^{2}* + *compadre* + *-ar^{2}.*] ***V. t. d.*** **1.** Tornar compadre; ligar por compadrio; compadrar. ***T. d. e i.*** **2.** Tornar amigo; familiarizar: *Acompadrei Inácio com Ismael.* ***P.*** **3.** Tornar-se compadre; compadrar-se: *Já íntimos amigos, agora se acompadraram.* **4.** Acamaradar-se; aliar-se; associar-se: "Não quis acompadrar-se com os quartéis: dominou-os." (Rui Barbosa, *Cartas de Inglaterra*, p. 257.)

acompanhadeira [De *acompanhar* + *-deira.*] ***S. f.*** Mulher que acompanha.

acompanhado [Part. de *acompanhar.*] ***Adj.*** **1.** Seguido de companheiro(s), ou junto com ele(s). **2.** Com acompanhamento (6). ~ V. *melodia —a* e *recitativo —.*

acompanhador (ô) [De *acompanhar* + *-dor.*] ***Adj. S. m.*** **1.** Que, ou aquele que acompanha; acompanhante (q. v.). **2.** *Mús.* Diz-se de, ou músico que executa o acompanhamento instrumental ou vocal.

acompanhamento [De *acompanhar* + *-mento.*] ***S. m.*** **1.** Ato ou efeito de acompanhar. **2.** Cortejo; comitiva, séquito, préstito. **3.** *Astr.* Movimento, paralelo ao equador celeste, realizado por um instrumento astronômico a velocidade constante, e que permite acompanhar o movimento diurno dos astros. **4.** *Astr.* V. *rastreamento* (2). **5.** *Educ.* Ação, processo ou efeito de acompanhar o desenvolvimento e a aprendizagem de um estudante **6.** *Mús.* Parte instrumental ou vocal executada concomitantemente à voz ou instrumento solista. **7.** *Bras. Cul.* Prato secundário que acompanha o principal, como, p. ex., o arroz, a batata, etc. [Cf. (nesta acepç.): *guarnição* (12).]

acompanhante [De *acompanhar* + *-nte.*] ***Adj. 2 g.*** **1.** Que acompanha; acompanhador. • ***S. 2 g.*** **2.** Pessoa que acompanha; acompanhador. **3.** *Bras.* Pessoa que faz companhia ou dá assistência a indivíduo doente, idoso, inválido, etc.

acompanhar [De *a-^{2}* + *companhia* + *-ar^{2}.*] ***V. t. d.*** **1.** Ir em companhia de; fazer companhia a; ir junto; seguir: *Interrompeu o trabalho para acompanhar as visitas.* **2.** Estar associado a: *Um vestígio de tristeza acompanha, por vezes, uma grande alegria.* **3.** Seguir a mesma direção de: *A amurada do castelo acompanha o rio.* **4.** Observar a marcha, a evolução de: *Acompanhou a convalescença do amigo com o maior interesse.* **5.** Ser da mesma política, da mesma opinião que. **6.** Participar dos mesmos sentimentos de. **7.** Entender (um raciocínio, uma exposição, etc.): **8.** *Mús.* Executar o acompanhamento (6) de: *Cantava, e o pianista a acompanhava.* • ***V. t. d. e c.*** **9.** Ir em companhia de; fazer companhia a; seguir: "Rubião acompanhou-os ao portão de ferro." (Machado de Assis, *Quincas Borba*, p. 52). ***T. d. e i.*** **10.** Aliar, unir: *Acompanha a beleza com a serenidade.* **11.** Dotar, favorecer: *A natureza acompanhou-o de notáveis dotes.* **12.** Adornar, ornar. **13.** Ilustrar, documentar. ***Int.*** **14.** *Mús.* Executar o acompanhamento (6) ***P.*** **15.** Fazer-se acompanhar; rodear-se, cercar-se. **16.** Unir-se, juntar-se, aliar-se, associar-se. **17.** *Mús.* Cantar, tocando ao mesmo tempo o acompanhamento (6): "Era Aninha, a filha mais jovem do Dr. Ives, vizinho próximo, cuja esposa .... cantava canções árabes acompanhando-se ao piano." (Jorge Amado, *Dona Flor e Seus Dois Maridos*, p. 61.)

acompleicionado [De *a-*[2] + *compleição* + *-ado*[1], seg. o padrão erudito.] ***Adj.*** De boa ou má compleição.

acompridar [De *a-*[2] + *comprido* + *-ar*[2].] ***V. t. d.*** Tornar comprido ou mais comprido; alongar, encompridar.

acomunar-se [De *a-*[2] + *comum* + *-ar*[2] + *se*[1].] ***V. p.*** V. *mancomunar-se*.

aconá ***S. 2 g.*** **1.** *Etnôn.* Indivíduo dos aconás [ou (etnôn. bras.) *Aconan, *Akonã], povo indígena cariri que habita a região do baixo São Francisco, divisa de SE com AL. ● ***Adj. 2 g.*** **2.** Pertencente ou relativo a esse povo.

aconativo [De *a-*[3] + *conativo*.] ***Adj.*** *Psiq.* Que não tem conação; que não implica desejo ou volição.

aconchado [Part. de *aconchar*.] ***Adj.*** **1.** A que se deu forma de concha; aconcheado. **2.** *Arquit.* Diz-se do teto construído de maneira que se aproveite o vão do telhado.

aconchar [De *a-*[2] + *concha* + *-ar*[2].] ***V. t. d.*** Dar a forma de concha a. [Sin., bras.: *aconchear*.]

aconchavador (ô) [De *aconchavar* + *-dor*.] ***S. m.*** **1.** Conchavador. **2.** *Bras. S.* Indivíduo que arrebanha trabalhadores para os ervais.

aconchavar [De *a-*[4] + *conchavar*.] ***V. t. d. Int. P.*** V. *conchavar* (1, 2, 4, 5 e 6).

aconcheado [Part. de *aconchear*.] ***Adj.*** Aconchado (1).

aconchear [De *a-*[2] + *concha* + *-ear*[2].] ***V. t. d.*** *Bras.* **1.** Aconchar. **2.** Pôr (a mão) em forma de concha atrás da orelha, para escutar. [Conjug.: v. *frear*.]

aconchegado [Part. de *aconchegar*.] ***Adj.*** **1.** Aproximado, chegado, achegado. **2.** Cômodo, confortável, agasalhado; achegado: *ambiente aconchegado*.

aconchegante [De *aconchegar* + *-nte*.] ***Adj. 2 g.*** Que aconchega; conchegativo, agasalhador: "O teu sorriso aberto e aconchegante" (Pontes de Miranda, *Obras Literárias*, p. 489).

aconchegar [De *a-*[4] + *conchegar*.] ***V. t. d.*** **1.** Aproximar, chegar, achegar. **2.** Tornar cômodo, confortável, aconchegado. ***T. d. e c.*** **3.** Abrigar, agasalhar: *Aconchegou a criança na manta.* **4.** Chegar a si; aproximar, chegar, achegar: *Aconchegou a criança ao peito;* "Aconchega mais o xaile sobre os ombros, baixa a cabeça trêmula e gelada" (Fialho d'Almeida, *O País das Uvas*, p. 94). ***T. d. e i.*** **5.** Pôr em comunicação, em contato; ligar, unir. ***P.*** **6.** Acercar-se, avizinhar-se, achegar-se: "Aconcheguei-me dela, a alma vibrante e louca, / o coração batendo" (Menotti del Picchia, *As Máscaras*, p. XXXVII). **7.** Sentar-se ou deitar-se procurando conchego, posição confortável; acomodar-se. **8.** Agasalhar-se, abrigar-se, abafar-se. [F. paral.: *conchegar*. Conjug.: v. *chegar*.]

aconchego (ê) ***S. m.*** V. *conchego*.

acondicionação [De *acondicionar* + *-ção*.] ***S. f.*** Acondicionamento.

acondicionado [Part. de *acondicionar*.] ***Adj.*** Embalado, enfardado, empacotado. [Cf. *condicionado*.]

acondicionamento [De *acondicionar* + *-mento*.] ***S. m.*** Ato ou efeito de acondicionar(-se); acondicionação. [Cf. *condicionamento*.]

acondicionar [De *a-*[2] + *condição* + *-ar*[2], seg. o padrão erudito.] ***V. t. d.*** **1.** Dotar de certa condição, índole ou qualidade: *A fortuna acondicionou os homens diversamente.* **2.** Pôr condições a; regular; condicionar. **3.** Guardar em local conveniente. **4.** Embalar[2]. **5.** Preservar de deterioração. ***T. d. e c.*** **6.** Acondicionar (3). ***T. d. e i.*** **7.** Acomodar, adaptar, adequar, apropriar: *Acondicionou a peça ao aparelho; Acondicionou seu gênio ao da mulher.* ***P.*** **8.** Acomodar-se, adaptar-se, adequar-se, apropriar-se.

acondrito [De *a-*[3] + *condrito*.] ***S. m.*** *Astr.* Designação dos meteoritos que não contêm côndrulos.

acondroplasia [De *a-*[3] + *-condr(o)-* + *-plas(i)-* + *-ia*[1].] ***S. f.*** *Med.* Distúrbio evolutivo das cartilagens epifisárias, que acarreta nanismo por deficiência de crescimento dos ossos longos.

acondroplásico [De *acondroplasia* + *-ico*[2].] ***Adj.*** Concernente à acondroplasia: *nanismo acondroplásico*.

aconfeitado [De *a-*[2] + *confeito* + *-ado*[1].] ***Adj.*** Que tem forma de, ou é semelhante a confeito. [Cf. *confeitado*.]

aconfeitar [De *a-*[2] + *confeito* + *-ar*[2].] ***V. t. d.*** Dar forma de confeito a. [Cf. *confeitar*.]

aconfradar [De *a-*[2] + *confrade* + *-ar*[2].] ***V. t. d.*** **1.** Admitir em uma confraria; tornar confrade. ***Int. P.*** **2.** Ser admitido numa confraria; tornar-se confrade.

aconguaçu ***S. 2 g.*** **1.** *Etnôn.* Indivíduo dos aconguaçus [ou (etnôn. bras.) *Aconguassú], povo indígena extinto que habitava o N.O. do CE. ● ***Adj. 2 g.*** **2.** Pertencente ou relativo a esse povo.

aconitato [De *aconit(i)-* + *-ato*[2].] ***S. m.*** *Quím.* Qualquer dos sais e ésteres do ácido aconítico.

▲ **aconit(i)-** [Do tax. *Aconitum* < lat. *aconitum, i*.] ***El. comp.*** = 'acônito' (q. v.): *aconitina, aconitato, aconitiforme*.

aconítico [De *aconit(i)-* + *-ico*[2].] ***Adj.*** *Quím.* ~ V. *ácido* —.

aconitiforme [De *aconit(i)-* + *-forme*.] ***Adj. 2 g.*** Que tem a forma ou aspecto do acônito (1).

aconitina [De *aconit(i)-* + *-ina*[3].] ***S. f.*** *Quím.* Alcaloide, cristalino, incolor, venenoso, encontrado no acônito [fórm.: $C_{34}H_{47}NO_{11}$].

acônito ***S. m.*** V. *acônito*. [Uso freq. em P.]

acônito [Do tax. *Aconitum*.] ***S. m.*** *Bot.* **1.** Gênero de ervas ranunculáceas eretas, venenosas, que habitam regiões temperadas. **2.** Qualquer espécie desse gênero, como, p. ex., a *Aconitum napellus* (v. *napelo*). **3.** Qualquer espécime desse gênero.

aconselhado [Part. de *aconselhar*.] ***Adj.*** **1.** Que recebeu conselho. **2.** Prudente, sensato, ajuizado, avisado.

aconselhador (ô) [De *aconselhar* + *-dor*.] ***Adj. S. m.*** Que, ou aquele que aconselha; conselheiro.

aconselhamento [De *aconselhar* + *-mento*.] ***S. m.*** **1.** Ato ou efeito de aconselhar(-se). **2.** *Educ.* Orientação educativa em que o conselheiro auxilia o orientando (q. v.) nas decisões que deve tomar. **3.** *Psic.* Forma de assistência psicológica destinada à solução de leves desajustamentos de conduta. ◆ **Aconselhamento clínico.** *Educ. Psic.* Aconselhamento baseado em amplo e completo diagnóstico do caso, no estudo de várias soluções ou caminhos apresentados ao orientando, e com ele francamente discutidos; aconselhamento diretivo. **Aconselhamento diretivo.** *Educ. Psic.* Aconselhamento clínico. **Aconselhamento genético.** *Genét.* Aquele que, com base na anamnese familiar, tem como objetivo avaliar o risco de recorrência de uma doença hereditária e/ou genética na família, através da qual indivíduos que a têm, ou estão em risco de tê-la, são informados sobre as suas características, a probabilidade ou risco de desenvolvê-la ou transmiti-la, e como pode ser prevenida ou mitigada. **Aconselhamento não diretivo.** *Educ. Psic.* Aconselhamento que permite ao orientando expressar livremente seus anseios, preocupações, tensões emocionais, e bem assim os seus planos positivos de escolha, limitando-se o orientador educacional a fazer que o aluno adote a solução que melhor lhe pareça, e o orientador psicológico a valorizar a personalidade do paciente.

aconselhar [De *a-*[2] + *conselho* + *-ar*[2].] ***V. t. d.*** **1.** Dar conselho a. **2.** Indicar a vantagem ou conveniência de; recomendar: "Jamais aconselharia o emprego de um recurso que ele viu falhar em suas próprias mãos" (Machado de Assis, *Papéis Avulsos*, p. 78). ***T. d. e i.*** **3.** Dar conselho(s): *Aconselhei-o a viajar.* **4.** Indicar, recomendar; prescrever, receitar: *O médico aconselhou-lhe um regime alimentício especial.* **5.** Procurar convencer da necessidade ou conveniência de; procurar induzir, persuadir: *Aconselhou-os a estudar.* ***Int.*** **6.** Dar conselho: *Não ouve conselhos, mas gosta de aconselhar.* ***P.*** **7.** Pedir ou tomar conselho: *Aconselhou-se antes de tomar decisão.* [Conjug.: v. *aparelhar*.]

aconselhável [De *aconselhar* + *-vel*.] ***Adj. 2 g.*** Que se pode ou deve aconselhar.

aconsoantado [Part. de *aconsoantar*.] ***Adj.*** Que forma consoante.

aconsoantar [De *a-*[2] + *consoante* + *-ar*[2].] ***V. t. d.*** Tornar consoante.

aconsonantar [De *a-*[2] + lat. *consonante* + *-ar*[2].] ***V. t. d.*** Dar som consonantal a.

acontecer [Do lat. **contigescere*, por **contingescere*, incoativo de *contingere*, 'acontecer'.] ***V. int.*** **1.** Suceder ou realizar-se inopinadamente: "Uma ocasião aconteceu vir [à corte] pelo carnaval" (Artur Azevedo, *Contos Possíveis*, p. 55); *Caso acontecesse o desabamento, sepultaria centenas de pessoas.* **2.** Passar a ser realidade; ocorrer, suceder, sobrevir: *Tudo aconteceu conforme se planejara.* **3.** *Bras.* Ser ou constituir fato de importância na vida social, ou em outros âmbitos: *É uma revista em que só figura gente que acontece.* ***T. i.*** **4.** Suceder, ocorrer: "Quando eu era capelão de S. Francisco de Paula .... aconteceu-me uma aventura extraordinária." (Machado de Assis, *Várias Histórias*, p. 23); "acontecia-lhe chorar .... por causa de um vestido que a modista não lhe fizera a gosto" (José de Alencar, *Encarnação*, p. 299). [Defect. Normalmente só se usa nas 3.as pess. do sing. e do pl. Não tem imperativo. Conjug.: v. *aquecer*.] ◆ **Aconteça o que acontecer.** Independentemente do que ocorra (algo há de ser feito ou de se cumprir); haja o que houver, custe o que custar.

acontecido [Part. de *acontecer*.] ***Adj.*** **1.** Que aconteceu. **2.** *Prov. port.* Espantado, admirado. ● ***S. m.*** **3.** Sucesso, ocorrência, acontecimento.

acontecimento [De *acontecer* + *-imento*.] ***S. m.*** **1.** Aquilo que acontece; sucesso. **2.** Fato que causa sensação; caso notável: *Sua eleição para a diretoria do clube foi um acontecimento.* **3.** Episódio, sucesso, ocorrência: "Já conhecemos o acontecimento de sua morte e a impressão que ela causara ao abade." (Machado de Assis, *Contos Fluminenses*, p. 309.) **4.** Coisa ou pessoa que causa viva sensação, constitui grande êxito: "Helena tornara-se o acontecimento do bairro; seus ditos e gestos eram o assunto da vizinhança" (Id., *Helena*, p. 39). **5.** *Estat.* Evento (4).

acontecível [De *acontecer* + *-ível*.] ***Adj. 2 g.*** Que pode acontecer.

acôntio [Do gr. *akóntion*.] ***S. m.*** **1.** Pequeno dardo usado pelos antigos gregos. **2.** Seta, flecha, frecha. **3.** *Zool.* Conjunto de espículas ligadas aos cnidoblastos das actínias, que permite a picada e a penetração do veneno destes celenterados.

acontista [Do gr. *akontistés*.] ***S. 2 g.*** Flecheiro.

▲ **acont(o)-** [Do gr. *ákon, ontos*.] ***El. comp.*** = 'ponta'; 'lança': *acontista* (< gr.). [Equiv.: *ac(o)-*: *acodonte*.]

acontraltado [De *a-*[2] + *contralto* + *-ado*[1].] ***Adj.*** *Mús.* **1.** Diz-se da voz de soprano ou de meio-soprano que atinge os registros da do contralto. **2.** A que se deu caráter de contralto.

➔ **a contrario** [a kon'trarjo] [Lat., 'pela (razão) contrária'.] Us. na expr. *raciocínio* a contrario. [Cf. *a fortiori* e *a pari*.]

aconurese [Do gr. *ákon*, 'involuntário', + *-ur(o)-*[1] + *-ese*.] ***S. f.*** *Med.* Eliminação involuntária de urina.

acoo [Dev. de *acoar*.] ***S. m.*** *Bras. S.* Ação de acoar; latido, ladrido. ❖

acopiarense ***Adj. 2 g.*** **1.** De, ou pertencente ou relativo a Acopiara (CE). ● ***S. 2 g.*** **2.** O natural ou habitante de Acopiara.

acoplação [De *acoplar* + *-ção*.] ***S. f.*** V. *acoplamento*.

acoplado [Part. de *acoplar*.] ***Adj.*** Junto ou unido em acoplamento: *naves acopladas*.

acoplador (ô) [De *acoplar* + *-dor*.] ***S. m.*** *Eletr.* Componente elétrico usado para conectar dois circuitos.

acoplagem [Do fr. *accouplage*.] ***S. f.*** V. *acoplamento*.

acoplamento [Do fr. *accouplement*.] ***S. m.*** **1.** Ato ou efeito de acoplar(-se); acoplação; acoplagem. **2.** *Fís.* Ligação, conexão ou interação entre dois sistemas, mediante o que se transfere energia de um para o outro. **3.** *Aer.* Uma das fases de reabastecimento no ar que consiste na conexão de aviões através de tubo flexível pelo qual flui combustível do avião tanque para o avião a ser reabastecido. **4.** *Astron.* Junção ou união de dois elementos, como de uma espaçonave com estação espacial, etc. [Sin. ger.: *acoplação* e *acoplagem*.] ◆ **Acoplamento capacitivo.** *Eletr.* Ligação entre dois circuitos elétricos ou eletrônicos realizada por meio de uma capacitância; acoplamento elétrico. **Acoplamento crítico.** *Eletrôn.* Acoplamento entre dois circuitos no qual a transferência de energia de um para o outro só é máxima quando um deles funciona num estado único e bem determinado. **Acoplamento diazoico.** *Quím.* Copulação (2). **Acoplamento dissipativo.** *Fís.* Aquele em que há dissipação de energia na ligação existente entre os sistemas acoplados. **Acoplamento elástico.** *Fís.* O que se realiza por meio duma conexão elástica capaz de transmitir forças dum sistema para o outro, e é análogo ao acoplamento capacitivo entre dois circuitos elétricos. Ex.: acoplamento entre dois pêndulos rígidos, independentes, ligados entre si por uma mola elástica. [Sin.: *acoplamento estático*.] **Acoplamento elétrico.** *Eletr.* Acoplamento capacitivo. **Acoplamento eletrônico.** *Eletrôn.* Aquele em que a ligação entre dois circuitos se realiza por meio de uma válvula eletrônica de vários eletrodos na qual as correntes entre estes constituem as ligações entre os circuitos. **Acoplamento estático.** *Fís.* Acoplamento elástico. **Acoplamento flexível.** *Fís.* Aquele em que a transferência de energia entre dois sistemas se realiza com uma eficiência da mesma ordem de grandeza, do primeiro para o segundo sistema, e vice-versa. [Quando o acoplamento é flexível, o primeiro sistema influencia o segundo e é, por sua vez, influenciado por este.] **Acoplamento forte.** *Fís. Nucl.* Interação entre partículas subatômicas, em que as forças entre elas têm intensidade suficiente para modificar substancialmente os níveis quânticos de cada uma. **Acoplamento fraco.** *Fís. Nucl.* O que existe entre partículas subatômicas, e no qual a interação entre elas é insuficiente para modificar substancialmente os níveis energéticos de cada uma. **Acoplamento galvânico.** *Eletr.* V. *acoplamento resistivo*. **Acoplamento indutivo.** *Eletr.* Ligação de dois circuitos elétricos ou eletrônicos realizada por meio de uma indutância; acoplamento magnético. **Acoplamento inercial.** *Fís.* O que se realiza graças a forças inerciais que atuam entre os dois sistemas. **Acoplamento magnético.** *Eletr.* Acoplamento indutivo. **Acoplamento ôhmico.** *Eletr.* V. *acoplamento resistivo*. **Acoplamento óptico.** *Ópt.* Justaposição de elementos de um sistema óptico realizada de maneira que se reduzam as perdas de luz por efeito de reflexão nas interfaces do sistema. **Acoplamento resistivo.** *Eletr.* Ligação entre dois circuitos elétricos ou eletrônicos realizada por meio de um resistor; acoplamento ôhmico, acoplamento galvânico. **Acoplamento rígido.** *Fís.* Acoplamento em que a transferência de energia é mais eficiente do primeiro para o segundo sistema do que deste para aquele.

acoplar [Do fr. *accoupler*.] *V. t. d.* **1.** *Fís.* Realizar o acoplamento de. *T. c.* **2.** Estabelecer acoplamento: *O módulo acoplou com a nave. P.* **3.** Juntar-se por acoplamento (3): *As naves acoplaram-se.* **4.** *Bras. Gír.* Casar(-se), matrimoniar-se. **5.** *Bras. Gír.* Amasiar-se, amigar-se, amancebar-se.

ácopo [Do gr. *ákopon*, pelo lat. *acopu*.] *S. m.* **1.** Pedra preciosa, transparente e com riscas douradas, semelhante a um quartzo cristalino, à qual se atribuíam virtudes curativas da fadiga. **2.** *Med.* Linimento us. na Grécia antiga para combater o cansaço.

acoprose [Do gr. *ákopros*, 'sem excremento', + *-ose*[1].] *S. f. Med.* Ausência de fezes no intestino.

acoquinar [Do esp. plat. *acoquinar*.] *V. t. d. P. Bras. S.* **1.** Intimidar(-se), acovardar(-se). **2.** Aborrecer(-se), amofinar(-se): "— É uma dos diabos, é ...., mas não se acoquine, homem!" (Simões Lopes Neto, *Contos Gauchescos e Lendas do Sul*, p. 126.) **3.** Inquietar(-se), desassossegar(-se).

açor (ô) [Do lat. *acceptore*.] *S. m. Zool.* Designação comum às aves de rapina do gênero *Accipiter*, acipitrídeas, que têm hábitos diurnos e se assemelham ao falcão. [Pl.: *açores* (ô). Cf. *açores*, do v. *açorar*.]

acorácea [Adapt. do tax. *Acoraceae*.] *S. f. Bot.* Espécime das acoráceas, família da ordem das arales, nativas do Velho Mundo e da América do Norte, que compreende, apenas, o gênero *Acorus* (v. *ácoro*).

acoráceo [De *acorácea*, com var. sufixal (v. *-áceo*).] *Adj. Bot.* Pertencente ou relativo às acoráceas.

acoraçoado [Part. de *acoraçoar*.] *Adj.* Acoroçoado (q. v.).

acoraçoador (ô) [De *acoraçoar* + *-dor*.] *Adj. S. m.* Acoroçoador (q. v.).

acoraçoamento [De *acoraçoar* + *-mento*.] *S. m.* Acoroçoamento (q. v.).

acoraçoar [De *a-*[2] + *coração* + *-ar*[2], com desnasalação.] *V. t. d. T. d. e i. P.* V. *acoroçoar*. [Conjug.: v. *coroar*.]

açorado [Part. de *açorar*.] *Adj.* Ávido, sôfrego.

açorar *V. t. d.* **1.** Despertar grande desejo em; provocar tentação em. *P.* **2.** Sentir desejo veemente, ou tentação. [Pres. subj.: *açore*, *açores*, etc. Cf. *açores* (ô), pl. de *açor*, e o top. *Açores* (ô).]

acorçoado *Adj.* V. *acoroçoado*.

acorçoador (ô) *Adj. S. m.* V. *acoroçoador*.

acorçoamento *S. m.* V. *acoroçoamento*.

acorçoar *V. t. d. T. d. e i. P.* V. *acoroçoar*. [Conjug.: v. *coroar*.]

acorcovar [De *a-*[2] + *corcova* + *-ar*[2].] *V. t. d. Int. P.* V. *acorcundar*.

acorcundado [De *a-*[2] + *corcunda* + *-ado*[1].] *Adj.* Um tanto corcunda.

acorcundar [De *a-*[2] + *corcunda* + *-ar*[2].] *V. t. d.* **1.** Tornar corcunda; corcovar, acorcovar, encorcundar. *Int. P.* **2.** Tornar-se corcunda; corcovar(-se), acorcovar(-se), encorcundar(-se).

açorda (ô) [Do ár. *aè-èurda(t)*, 'migalhas de pão cozido'.] *S. f. Lus.* **1.** *Cul.* Sopa de migas de pão, temperada com azeite, alho e coentro, ou preparada com ovos, manteiga e açúcar: "a açorda de coentros e o gaspacho de alho e vinagre" (Miguel Torga, *Portugal*, p. 126). [Cf. *massamorda*.] **2.** *Cul.* Miolo de pão embebido em água fervente ou num caldo, e ger. condimentado com alho e azeite. **3.** *Fig.* Pessoa fraca, medrosa, moleirona. **4.** *Pop.* Coisa ou obra malfeita. **5.** *Pop.* Estado de embriaguez; bebedeira.

acordado[1] [Part. de *acordar*[1].] *Adj.* **1.** Resolvido de comum acordo; combinado. **2.** *Jur.* Resolvido por acordo, ou por acórdão.

acordado[2] [Part. de *acordar*[2].] *Adj.* **1.** Desperto do sono; despertado. **2.** Próprio de quem está acordado: "se é que não foi sonho acordado, imaginação que a gente esquece" (Afrânio Peixoto, *As Razões do Coração*, p. 282). **3.** Lúcido, vivo, esperto. **4.** Que se recorda; lembrado. **5.** Que não perde o senso; prudente. ● *S. m.* **6.** *P. us.* Indivíduo acordado (1 e 3 a 5).

acordado[3] [De *a-*[3] + *cordado*[3]; tax. *Achordata*.] *Adj. S. m. Zool.* Invertebrado (1 e 3).

acordamento [De *acordar*[2] + *-mento*.] *S. m.* Ato de acordar ou despertar.

acordante [De *acordar*[1] + *-nte*.] *Adj. 2 g.* Acorde[2] (2): *Suas decisões eram acordantes com o sentimento, e não com a razão.*

acórdão [De *acordam* (*i.e.*, 'concordam'), 3ª pess. do pl. do pres. ind. do v. *acordar*[1].] *S. m. Dir. Proc.* Decisão judicial proferida em grau de recurso por tribunal coletivo. [Pl.: *acórdãos*. Cf. *acordam*, do v. *acordar*.]

acordar[1] [Voc. deduz. do adj. *acordado*, 'cordato', 'prudente', do lat. *cordatus*, der. do lat. *cor*, *cordis*, 'coração'.] *V. t. d.* **1.** Tirar do sono; despertar; chamar: "A menina continuou dormindo. Era melhor acordar Ananias." (José Carlos Cavalcanti Borges, *O Assassino*, p. 33); "Mal raiava a manhã as buzinas acordavam logo as solidões." (Rebelo da Silva, *Contos e Lendas*, p. 127). **2.** Excitar, animar, avivar: *O hino pátrio acordou-lhe o sentimento cívico.* **3.** Pôr em atividade; fazer nascer; provocar, suscitar: "Margarida tinha uma voz saborosa e carnal, que acordava impulsos de animalidade." (José Rodrigues Miguéis, *Onde a Noite Se Acaba*, p. 45.) **4.** Quebrar, interromper, cessar: *Três batidas de relógio acordaram o silêncio. T. d. e i.* **5.** Trazer à memória; lembrar; recordar: *Aquela paisagem acordava-lhe a terra natal.* **6.** Despertar; tirar: "Mais de uma vez, era o próprio Palha que o acordava daqueles sonhos conjugais." (Machado de Assis, *Quincas Borba*, p. 157). *T. i.* **7.** Sair, despertar (de sono ou sonho). **8.** Voltar a si; recobrar os sentidos: *acordar de um desmaio. Pred.* **9.** Encontrar-se, sentir-se (em certo estado ou disposição) ao despertar: "Ao amanhecer dormiu um sono quieto, e acordou aflito." (Camilo Castelo Branco, *Amor de Salvação*, p. 227); "Nunca imaginei que um bom homem pudesse acordar casado." (Ursulino Leão, *Existência de Marina*, p. 87). **10.** Começar, principiar; despertar, raiar: *A manhã acordava bela. Int.* **11.** Sair do sono; despertar: "olhar da janela o céu, ... dormir, dormitar e acordar, sair só para o almoço" (José Saramago, *O Ano da Morte de Ricardo Reis*, p. 241). **12.** Começar, principiar, despertar, raiar: *Pôs-se a caminho quando o dia acordava.* **13.** Reviver, ressurgir, ressuscitar: *No dia do Juízo Final os mortos hão de acordar. P.* **14.** Recordar-se, lembrar-se: *Acordou-se do primeiro amor.* **15.** *Bras.* Sair do sono, despertar; acordar: "Engole-Cobra acordou-se aos gritos." (Mário Brandão, *Almas do Outro Mundo*, p. 35); "Acordei-me com o barulho das pancadas enormes na minha porta." (Luís Jardim, *Maria Perigosa*, p. 61); "acordava-se com os passarinhos e, antes do Sol nascer, já andava no campo cortando mandacaru para o gado." (Adalberon Cavalcanti Lins, *Curral Novo*, p. 42). [Pres. ind.: *acordo*, ... *acordam*. Cf. *acordo* (ô) e *acórdão*.]

acordar[2] [Do lat. vulg. **accordare*, 'pôr de acordo', voc. deduz. de *concordare*, 'estar de acordo', e de *discordare*, 'discrepar', der. do lat. *cor*, *cordis*, 'coração'.] *V. t. d.* **1.** Resolver de comum acordo; concordar. **2.** *Mús. P. us.* Afinar (6). **3.** *Mús.* Harmonizar (3). **4.** *Arquit.* Estabelecer concordância entre (as partes de uma obra) e entre (estas partes e o todo); ajuntar, equilibrar, harmonizar. *T. d. e i.* **5.** Conciliar, acomodar: *Não conseguia acordar o sentimento com a razão.* **6.** Convir; concordar: *Acordou com o amigo que andara mal. T. i.* **7.** Chegar a um acordo; concordar: *Acordamos em muitos pontos. P.* **8.** Estar de acordo; combinar-se. **9.** Entender-se, avir-se, haver-se. [Pres. ind.: *acordo*, ... *acordam*. Cf. *acordo* (ô) e *acórdão*.]

acorde[1] [Do fr. *accord*.] *S. m.* **1.** Cântico, verso ou poesia, especialmente lírica. **2.** *Mús.* Complexo sonoro resultante da emissão simultânea de três ou mais sons de frequência diferente. [Cf., nesta acepç.: *agregação* (5) e *agregado sonoro*.] **3.** *P. ext.* Som musical: "Então, ondulam no ar diáfano e fluente / Suavidades idílicas, acordes / De avenas, cornamusas e ocarinas" (Raul de Leoni, *Luz Mediterrânea*, p. 38).

acorde[2] [Dev. de *acordar*[1].] *Adj. 2 g.* **1.** Que está de acordo, ou em harmonia; conforme, concorde: "Todos os seus biógrafos [de Machado de Assis] são mais ou menos acordes em reconhecer a qualidade enigmática e inquietante de sua figura." (Barreto Filho, *Introdução a Machado de Assis*, p. 34); "Toda essa arte de escrever .... consiste em procurar, entre todas as estruturas da expressão de um pensamento, a mais artística, isto é, a mais acorde de um sentimento estético." (José Oiticica, *Curso de Literatura*, p. 127). **2.** Harmônico, afinado, acordante: *instrumentos acordes*; "O sino é um instrumento acorde com as vastas harmonias das serras e dos descampados." (Alexandre Herculano, *Lendas e Narrativas*, II, p. 130). ● *S. m.* **3.** Concordância, acordo, harmonia.

acordeão [Do al. *Akkordion*, pelo fr. *accordéon*.] *S. m.* **1.** Designação comum a diversos instrumentos de sopro de palheta livre, dotados de um fole (1) preguеado que se comprime ou distende movimentando o ar, que, ao ser expelido, faz vibrar as lâminas metálicas das palhetas. [Cf. *acordeona*, *fole* (5), *harmônica*, *realejo* (5), *concertina*.] **2.** Acordeão (1) dotado de um ou dois teclados diatônicos (executados com a mão direita), de botões que correspondem às baixas cromáticas (executados com a mão esquerda), e de registros. [F. paral. (bras.): *acordeom*; sin. (bras.): *sanfona*.]

acordeom [Do fr. *accordéon*.] *S. m.* V. *acordeão*.

acordeona *S. f. Bras. S.* Espécie de acordeão (1).

acordeonista [De *acordeão* + *-ista*, seg. o padrão erudito.] *S. 2 g.* Pessoa que toca acordeão.

acordina [De *acorde*[1] + *-ina*[2].] *S. f.* Relógio musical provido de tubos metálicos que produzem o acorde perfeito maior.

acordo[1] (ô) [Dev. de *acordar*[1].] *S. m.* **1.** Concordância de sentimentos ou ideias; concórdia. **2.** Harmonia, concordância, consonância, conformidade: "Escobar confessou esse acordo do interno com o externo, por palavras tão finas e altas que me comoveram" (Machado de Assis, *Dom Casmurro*, p. 265). **3.** *Jur.* V. *transação* (6). **4.** Combinação, ajuste, pacto. [Pl.: *acordos* (ô). Cf. *acordo*, do v. *acordar*.] ◆ **Acordo coletivo de trabalho.** Contrato de natureza normativa firmado entre os sindicatos representativos de categorias profissionais com uma ou mais empresas da correspondente categoria econômica, e por meio do qual são estipuladas condições de trabalho aplicáveis, no âmbito da empresa ou das empresas acordantes, às respectivas relações de trabalho. **Acordo de cavalheiros.** Entendimento ou acordo em que as partes, cordialmente, dispensam formalidades legais, garantindo-se pela palavra empenhada. [Us., não raro, ironicamente.]

acordo[2] (ô) [Dev. de *acordar*[2].] *S. m.* **1.** Conhecimento inteiro, resultante do perfeito uso e domínio dos sentimentos; consciência: "Fez-se-lhe rubro o pálido semblante, / Tornou-se-lhe o olhar mais chamejante / E, sem acordo, ruiu, tombou no chão..." (Augusto Gil, *Alba Plena*, p. 34.) **2.** Tino, prudência, tato, discrição. [Pl.: *acordos* (ô). Cf. *acordo*, do v. *acordar*.] ◆ **Dar acordo de si.** Recuperar a consciência; voltar a si: "quando deu acordo de si estava novamente trotando, firme e descuidado" (Pedro Nava, *Baú de Ossos*, p. 106).

acordoar [De *a-*[2] + *corda* + *-oar*.] *V. t. d.* Guarnecer de cordas; encordoar. [Conjug.: v. *coroar*.]

acori [De or. afr.] *S. m. Zool.* Coral-azul.

acoria[1] [Do gr. *akoría*, 'insaciabilidade'.] *S. f. Med.* Modalidade de polifagia que se deve à perda da sensação de saciedade, embora o apetite possa não ser grande.

acoria[2] [De *a-*[3] + *-cor(e)-* + *-ia*[1].] *S. f. Med.* Ausência congênita de pupila (3).

açorianismo [De *açoriano* + *-ismo*.] *S. m.* Palavra ou locução própria dos açorianos.

açoriano *Adj.* **1.** Das, ou pertencente ou relativo às ilhas dos Açores, situadas no Atlântico, a O. da Europa meridional; açórico, açoriense. ● *S. m.* **2.** O natural ou habitante dos Açores; açoriense.

açórico *Adj.* V. *açoriano* (1).

açoriense *Adj. 2 g. S. 2 g.* V. *açoriano*.

acorizano *Adj.* **1.** De, ou pertencente ou relativo a Acorizal (MT). ● *S. m.* **2.** O natural ou habitante de Acorizal.

acornado [De *a-*[2] + *corno* + *-ado*[1].] *Adj.* Que tem forma de corno.

acornar [De *a-*[2] + *corno* + *-ar*[2].] *V. t. d.* Dar a forma de corno ou chifre a.

ácoro [Do tax. *Acorus* (do gr. *ákoros*, 'planta odorífera').] *S. m. Bot.* **1.** Gênero de plantas herbáceas, aromáticas, da família das aráceas, originárias do Oriente, tidas como oficinais; têm longas folhas e flores em espádice, lembrando as juncáceas. **2.** Qualquer espécie desse gênero, como, por exemplo, a *Acorus calamus* (v. *cálamo*). **3.** Qualquer espécime desse gênero.

ácoro-aromático *S. m. Bot.* V. *cálamo*. [Pl.: *ácoros-aromáticos*.]

ácoro-bastardo *S. m. Bot.* V. *lírio-amarelo* (3). [Pl.: *ácoros-bastardos*.]

acoroçoado [Part. de *acoroçoar*; var. de *acoraçoado*.] *Adj.* Animado, esperançado. [Outra var.: *acorçoado*.]

acoroçoador (ô) [De *acoroçoar* + *-dor*.] *Adj. S. m.* Que, ou aquele que acoroçoa. [Outra var.: *acorçoador*.]

acoroçoamento [De *acoroçoar* + *-mento*.] *S. m.* Ato de acoroçoar; encorajamento; acoraçoamento. [Outra var.: *acorçoamento*.]

acoroçoar [Var. de *acoraçoar* (q. v.).] *V. t. d.* **1.** Alentar, animar, encorajar: "A pouca densidade demográfica corrigiu, em certas regiões, as primeiras veleidades de separatismo acoroçoado pela geografia anticentralista." (Cassiano Ricardo, *Marcha para Oeste*, I, p. 15.) *T. d. e i.* **2.** Animar, encorajar, instigar. *P.* **3.** Cobrar alento, ânimo; alentar-se, animar-se. [Outra var.: *acorçoar*. Conjug.: v. *coroar*.]

acorrência [De *acorrer* + *-ência*.] *S. f.* Ato ou efeito de acorrer; afluxo, concorrência.

acorrentado [Part. de *acorrentar*.] *Adj.* **1.** Preso com corrente; encadeado. **2.** Preso, sujeito, escravizado. [Sin. ger., p. us.: *encorrentado* (q. v.).]

acorrentamento [De *acorrentar* + *-mento*.] *S. m.* Ato ou efeito de acorrentar(-se).

acorrentar [De *a-*[2] + *corrente* + *-ar*[2].] *V. t. d. T. d. e i.* **1.** Prender com corrente; encadear: "Podes acorrentar-me às rochas das montanhas, / pôr abutres roendo-me as entranhas!" (José Régio, *A Chaga do Lado*, p. 82.) **2.** Sujeitar, subjugar, escravizar. *P.* **3.** Pôr-se ou ficar na dependência; sujeitar-se, submeter-se: *Acorrentou-se às fantasias do filho.* [Sin. ger. (p. us.): *encorrentar*.]

acorrer [Do lat. *accurrere*.] *V. int.* **1.** Correr a algum lugar; acudir à pressa: "Acorrei, descuidadas, / vede as portas abertas, / e os canteiros e as cabras!" (Cecília Meireles, *Obra Poética*, p. 479.) **2.** Ir ou vir em socorro de alguém; acudir: "Súbito, cai ela também doente. .... Vêm médicos, vêm amigos, vêm vizinhos, acorre o padre com a Extrema-Unção" (Antero de Figueiredo, *Miradouro*, pp. 48-49); "Estava preparando o bornal quando gritos e pancadas na porta fizeram-no acorrer precipitado." (Ilza Espírito Santo Porto, *João sem Terra e Outros Contos*, p. 14). *T. c.* **3.** Acudir à pressa; correr. *T. i.* **4.** Ir ou vir em socorro; acudir. **5.** Valer, auxiliar: "— Jesus, filho da Virgem, acorre-me!" (Antero de Figueiredo, *Leonor Teles*, p. 171.) **6.** Vir à mente; ocorrer: *Acorreu-lhe, subitamente, a dúvida.* **7.** Prevenir, obviar. **8.** Remediar, valer, auxiliar. *P.* **9.** Acolher-se, refugiar-se. **10.** Servir-se, valer-se. [Conjug.: v. *socorrer*.]

acorrilhar [De *a-*[2] + *corro* + *-ilhar*.] *V. t. d.* Meter em corro; encurralar.

acorrimento [De *acorrer* + *-imento*.] *S. m. P. us.* Ato de acorrer; socorro, auxílio. [Sin., p. us.: *acorro*.]

acorro (ô) [Dev. de *acorrer*.] *S. m. P. us.* V. *acorrimento*.

acortinar [De *a-*[2] + *cortina* + *-ar*[2].] *V. t. d.* Guarnecer com cortina(s); encortinar.

acoruchar [De *a-*[2] + *coruchéu* + *-ar*[2].] *V. t. d.* Dar forma de coruchéu a.

acósmico [De *a-*[3] + *cósmico*.] *Adj.* Que não é cósmico.

acosmismo [De *a-*[3] + *-cosm(o)-* + *-ismo*.] *S. m. Filos.* Doutrina que nega o mundo como realidade independente e considera Deus a última realidade. [Cf. *ateísmo* (3) e *panteísmo* (2).]

acosmístico *Adj.* Relativo ao acosmismo.

acossa [Dev. de *acossar*.] *S. f. Pop.* V. *acossamento*. [F. paral.: *cossa*.]

acossado [Part. de *acossar*.] *Adj. S. m.* Que, ou aquele que é objeto de acossamento.

acossador (ô) [De *acossar* + *-dor*.] *Adj. S. m.* Que, ou aquele que acossa.

acossamento [De *acossar* + *-mento*.] *S. m.* Ato ou efeito de acossar; acossa, acosso.

acossar [De *a-*[2] + *cosso*[1] (ô) + *-ar*[2].] *V. t. d.* **1.** Correr ao encalço de; perseguir; dar caça a: *Cães ensinados acossaram os fugitivos.* **2.** Afligir, atormentar: *Os invasores acossaram a população.* **3.** Flagelar, castigar: *terra acossada pela fome.* [Pres. ind.: *acosso*, etc. Cf. *acosso* (ô).]

acosso (ô) [Dev. de *acossar*.] *S. m.* V. *acossamento*. [Pl.: *acossos* (ô). Cf. *acosso*, do v. *acossar*.]

acostado [Part. de *acostar*.] *Adj.* **1.** Encostado (embarcação) a um cais ou a outra embarcação. **2.** Encostado, arrimado. **3.** Deitado, recostado. ● *S. m.* **4.** Indivíduo que vive na dependência de outro; encostado, agregado, parasito: "Por que não ides com os acostados que planejam debaixo do vosso pendão, e vivem da vossa caldeira, ajuntar-vos com o infante?" (Alexandre Herculano, *O Bobo*, p. 61.) **5.** *Bras.* Capanga, jagunço.

acostadouro [De *acostar* + *-douro*[2].] *S. m. Bras.* Atracadouro de pequenas embarcações.

acostagem [De *acostar* + *-agem*[2].] *S. f. Mar.* Ato ou efeito de acostar (1 e 4).

acostamento [De *acostar* + *-mento*.] *S. m.* **1.** Ato ou efeito de acostar (2, 3, 5 a 7). **2.** Na superfície de uma rodovia, faixa contígua à direita da pista de rolamento, destinada à parada eventual de veículos, ao trânsito de pedestres e ao de veículos em caso de emergência: "O caminhão diminuiu a marcha. O do volante procurou um acostamento precário e fez funcionar o pisca-pisca." (Moreira Campos, *Os Doze Parafusos*, p. 31.) [Sin. (lus.), nesta acepç.: *berma*.] **3.** Área em torno de terreno para cultivo, destinada às manobras das máquinas.

acostar [De *a-*[2] + *costa* + *-ar*[2].] *V. t. d.* **1.** *Mar.* Encostar (a embarcação) a um cais ou a outra embarcação. *T. d. e c.* **2.** Encostar, juntar, arrimar. *T. c.* **3.** Aproximar-se até tocar (costa, cais, etc.). *P.* **4.** *Mar.* Aproximar-se da costa. **5.** Apoiar-se, basear-se: "é de crer que aprimorasse mais o desenho de tão ilustre português e se acostasse a fatos verdadeiros, que os tinha bons" (Camilo Castelo Branco, *Curso de Literatura Portuguesa*, p. 300). **6.** Procurar amparo, auxílio. **7.** Recostar-se, deitar-se. [Pres. ind.: *acosto*, etc. Cf. *acosto* (ô), s. m.]

acostável [De *acostar* + *-vel*.] *Adj. 2 g.* Diz-se do cais ou local a que pode atracar ou acostar uma embarcação. ~ V. *cais —*.

acosto (ô) [Dev. de *acostar*.] *S. m.* Ato ou efeito de acostar(-se). [Pl.: *acostos* (ô). Cf. *acosto*, do v. *acostar*.]

acostumado [Part. de *acostumar*.] *Adj.* Habitual, usual.

acostumar [De *a-*[2] + *costume*[1] + *-ar*[2].] *V. t. d. e i.* **1.** Fazer tomar o costume de; habituar, afazer, avezar: *Acostumei-o ao trabalho; Acostumou o corpo ao frio.* *T. i.* **2.** *Bras. Pop.* Habituar-se, afazer-se, avezar-se: "A gente mesmo, na estrada, não acostuma com as coisas, não dá tempo." (João Guimarães Rosa, *Manuelzão e Miguilim*, p. 126.) *P.* **3.** Habituar-se; afazer-se, avezar-se, acostumar: *acostumar-se ao frio.*

➔ **à côté** [a ko'te] [Fr., 'ao lado'.] *Loc. adv.* Ao lado de; acessoriamente.

açoteado [De *açoteia* + *-ado*[1].] *Adj.* Que tem açoteia.

açoteia (éi) [Do ár. *as-sa ṭḥ*, 'terraço', 'superfície plana'.] *S. f.* Eirado ou terraço por cima das casas ou torres: "os almuadens eram escolhidos dentre os cegos .... para que não pudessem devassar a intimidade dos pátios e açoteias que, do alto da almádena, em figura dominavam." (José Saramago, *História do Cerco de Lisboa*, p. 29). [Var.: *soteia*.] ❖

acotiar [De *a-*[2] + *cotio*[1] + *-ar*[2].] *V. t. d.* **1.** Trazer (roupa) a cotio. **2.** Usar; trazer. **3.** Ir amiúde a; frequentar. **4.** Ser assíduo ou persistente em.

acotilédone *Adj. 2 g. Bot.* V. *acotiledôneo*.

acotiledóneo *Adj. Bot.* V. *acotiledôneo* [Uso freq. em P.]

acotiledôneo [De *a-*[3] + *cotiledôneo*.] *Adj. Bot.* Que não tem cotilédones; acotilédone, acotilédono, acotíleo. [Diz-se, esp., dos criptógamos.]

acotilédono *Adj. Bot.* V. *acotiledôneo*.

acotíleo *Adj. Bot.* V. *acotiledôneo*.

acótilo [De *a-*[3] + *-cótilo*.] *Adj. Zool.* Diz-se de animal invertebrado, privado de boca central e de cavidades laterais.

acotoar [De *a-*[2] + *cotão* + *-ar*[2], com desnasalação.] *V. t. d.* **1.** Encher ou cobrir de cotão. *Int. P.* **2.** Cobrir-se de cotão. [Sin. ger.: *acotonar*. Conjug.: v. *coroar*.]

acotonar [De *a-*[2] + *-coton(i)-* + *-ar*[2].] *V. t. d. Int. P.* Acotoar.

acotovelado [Part. de *acotovelar*.] *Adj.* **1.** Que se acotovelou. **2.** Pegado um ao outro: *Durante o comício, por falta de espaço, ficaram acotovelados.*

acotovelador (ô) [De *acotovelar* + *-dor*.] *Adj. S. m.* Que, ou aquele que acotovela.

acotoveladura [De *acotovelar* + *-dura*.] *S. f.* Acotovelamento.

acotovelamento [De *acotovelar* + *-mento*.] *S. m.* Ação ou efeito de acotovelar(-se); acotoveladura.

acotovelar [De *a-*[2] + *cotovelo* + *-ar*[2].] *V. t. d.* **1.** Dar ou tocar com o cotovelo em, geralmente com o fim de chamar a atenção para alguma coisa. **2.** Dar cotoveladas ou encontrões em, geralmente para abrir caminho; empurrar, encontroar: "os dois levantaram-se caminhando molemente, acotovelando mulheres que tresandavam a essências." (Coelho Neto, *A Conquista*, p. 46). **3.** Estar ou ficar ao lado de, próximo a. **4.** *Fig.* Cutucar; instigar. *Int.* **5.** Formar cotovelo (4): *A estrada acotovela logo depois do túnel.* *P.* **6.** Tocar-se com o cotovelo, em geral com o fim de chamar a atenção para alguma coisa: *Quando o rapaz passou, as garotas acotovelaram-se e ficaram às risotas.* **7.** Dar cotoveladas ou encontrões recíprocos, para abrir caminho; empurrar-se: *A turba acotovelava-se na ânsia de sair do recinto.* **8.** Dar encontrões recíprocos, esbarrões, pela exiguidade de espaço; esbarrar: "A sala é tão estreita, que todos estes funcionários se acotovelam uns aos outros" (Fialho d'Almeida, *Pasquinadas*, p. 11). [F. paral., p. us.: *cotovelar*.]

acoturnado [Part. de *acoturnar*.] *Adj.* Que cobre o pé à maneira de coturno: *calçado acoturnado.*

acoturnar [De *a-*[2] + *coturno* + *-ar*[2].] *V. t. d.* Dar a forma de coturno a.

açougada [De *açougue* + *-ada*[1].] *S. f.* **1.** Matança, carnificina, matadouro: "A batalha degenerou em açougada pura à voz pânica de salve-se quem puder" (Aquilino Ribeiro, *Os Avós dos Nossos Avós*, p. 152). **2.** *Fig.* V. *açougue* (4).

açougagem [De *açougue* + *-agem*[1].] *S. f. Ant.* **1.** Imposto cobrado sobre carne cortada em açougue ou matadouro; brancagem. **2.** Parte do mercado em que se vendem carnes frescas. **3.** *Fig.* Açougada (1).

açougue [Do ár. *as-sūq*, 'mercado', 'feira', 'bazar'.] *S. m.* **1.** Lugar onde se vende carne verde; corte, talho, carniçaria. **2.** *Ant.* V. *matadouro* (1). **3.** *P. us.* V. *matadouro* (2). **4.** *Fig.* Lugar onde há desordem, vozerio; açougada. **5.** *Fig. Bras. Gír.* V. *prostíbulo*.

açougueiro [De *açougue* + *-eiro*.] *S. m.* **1.** Proprietário de açougue (1). **2.** V. *magarefe* (1). **3.** *Fig.* Mau cirurgião; carniceiro, magarefe.

acourelamento *S. m.* V. *acoirelamento*.

acourelar *V. t. d.* V. *acoirelar*.

açouta-cavalo *S. m. Bras. Bot.* V. *açoita-cavalo*. [Pl.: *açouta-cavalos*.]

açouta-cavalos *S. m. 2 n. Bras. Bot.* V. *açoita-cavalo*.

acoutador (ô) [De *acoutar* + *-dor*.] *Adj. S. m.* Acoitador (q. v.).

açoutador (ô) [De *açoutar* + *-dor*.] *Adj. S. m.* Açoitador (q. v.).

açoutamento [De *açoutar* + *-mento*.] *S. m.* Açoitamento (q. v.).

acoutar [De *a-*[2] + *couto*[1] + *-ar*[2].] *V. t. d. T. d. e i. Int. P.* Acoitar (q. v.).

açoutar *V. t. d. P.* V. *açoitar*: "Fr. Nuno Mendes estava lançado por terra defronte de uma gigantesca imagem de Jesus crucificado, nu da cinta para cima e açoutando-se rijamente com umas disciplinas." (Arnaldo Gama, *O Balio de Leça*, pp. 114-115.)

açoute *S. m.* V. *açoite*.

açoute de rio *S. m. Bras. BA* V. *açoite de rio*. [Pl.: *açoutes de rio*.] ☑

açouteira *S. f. Bras. S.* Açoiteira (q. v.).

acouti *S. f. Bras. Zool.* V. *cutia*[1].

acovar [De *a-*[2] + *cova* + *-ar*[2].] *V. t. d.* Fazer covas em.

acovardado [Part. de *acovardar*.] *Adj.* **1.** Atemorizado, amedrontado. **2.** Acanhado, tímido. **3.** Desanimado, desalentado: *ânimos acovardados.* [F. paral.: *acobardado*.]

acovardamento [De *acovardar* + *-mento*.] *S. m.* **1.** Ato ou efeito de acovardar(-se). **2.** Timidez, acanhamento. [F. paral.: *acobardamento*.]

acovardar [De *a-*[2] + *covarde* + *-ar*[2].] *V. t. d.* **1.** Tornar covarde; amedrontar, atemorizar. **2.** Fazer perder o ânimo, a coragem, a energia; desanimar: *As circunstâncias adversas o acovardaram.* *P.* **3.** Encher-se de medo; amedrontar-se. **4.** Perder o ânimo, a coragem, a energia; desanimar. [F. paral.: *acobardar*; sin. ger., p. us.: *encovardar*, *encobardar*.]

acovilhar [De *a-*[2] + *covil* + *-ar*[2], com palatalização.] *V. t. d.* **1.** Dar agasalho a; recolher em casa; acolher, abrigar, agasalhar. **2.** Cobrir (o fogo) com cinza. [Var.: *acobilhar*.]

acracia [Do gr. *akratía*.] *S. f.* **1.** Ausência de governo, de autoridade. **2.** Desordem, anarquia. **3.** *Med.* Fraqueza, debilidade.

acrania [De *a-*[3] + *-cran(i)(o)-* + *-ia*[1].] *S. f. Ter.* Ausência total ou parcial do crânio. [Cf. *acrânia*, fem. de *acrânio*.]

acrânico [De *acrania* + *-ico*[2].] *Adj.* **1.** Relativo à acrania, ou que a apresenta. ● *S. m.* **2.** Aquele que apresenta acrania.

acrânio[1] [De *a-*[3] + *crânio*.] *Adj.* Sem crânio. [Fem.: *acrânia*. Cf. *acrania*.]

acrânio[2] [Do tax. *Acrania*.] *Adj. S. m. Zool.* V. *cefalocordado*.

acraniota[1] [De *a-*[3] + *-cran(i)(o)-* + *-ota*[2].] *Adj. 2 g. Zool.* Diz-se do animal sem crânio.

acraniota[2] [Do tax. *Acrania* + *-ota*[2].] *S. m. Adj. 2 g. Zool.* V. *cefalocordado*.

acrasia [Do gr. *akrasía*.] *S. f.* Desregramento, intemperança.

acráspedo [Do tax. *Acraspeda*.] *Zool. Desus. S. m.* **1.** Espécime dos acráspedos, em antigas classificações divisão de celenterados que reunia as medusas desprovidas de véu. ● *Adj.* **2.** Pertencente ou relativo a eles.

acraspedota [De *a-*[3] + *craspedota*.] *Adj. 2 g. S. f. Zool.* Diz-se de, ou medusa desprovida de véu.

ácrata [Do gr. *akratés* (ăt).] *Adj. 2 g. S. 2 g.* Partidário da acracia (1). [Por influência dos cognatos *aristocrata*, etc., há a tendência para fazer paroxítono o vocábulo.]

acrático [De *ácrata* ou *acracia* + *-ico*[2], seg. o padrão erudito.] *Adj.* Relativo à acracia (1), ou aos ácratas.

acratismo[1] [De *ácrata* + *-ismo*.] *S. m.* Sistema que se funda na acracia (1).

acratismo[2] [Do gr. *akratismós*.] *S. m.* Na Grécia antiga, a primeira refeição, que se fazia à base de pão e vinho puro.

▲ **acrato-** [Do gr. *ákratos*, *os*, *on*.] *El. comp.* = 'vinho puro': *acratóforo* (< gr.).

acratóforo [Do gr. *akratophóros*, pelo lat. *acratophoru*.] *S. m.* Vaso para beber vinho, usado entre os antigos gregos e romanos.

acraturese [Do gr. *akratés*, 'sem força', + *-ur(o)-*[1] + *-ese*.] *S. f. Med.* Dificuldade de micção, por atonia da bexiga urinária.

acravar [De *a-*[2] + *cravo*[2] + *-ar*[2].] *V. t. d.* **1.** Traspassar com cravos; cravejar, cravar. **2.** Cravar com força, pelo peso. **3.** Enterrar, soterrar. *T. d. e c.* **4.** Embeber, enterrar, fincar, cravar. *P.* **5.** Fixar-se, penetrando; embeber-se, encravar-se, cravar-se. **6.** Enterrar-se no lodo; atolar-se.

acre[1] [Do ingl. *acre*.] *S. m.* Medida agrária de alguns países. [O acre inglês e americano equivale a 40, 47 ares.]

acre[2] [Do lat. *acre*.] *Adj. 2 g.* **1.** De sabor ácido ou amargo; áspero, acerbo: *fruta acre; vinho acre.* **2.** De aroma forte, ativo, áspero, seco: *perfume acre.* **3.** Agudo, penetrante: *O som acre dos metais incomodava-lhe os ouvidos.* **4.** Diz-se de cheiro acre[2] (2): "o aroma acre dos pinheiros" (Guerra Junqueiro, *A Musa em Férias*, p. 192). **5.** *Fig.* Áspero, ríspido, acrimonioso: *Falou-lhe num tom acre que muito o feriu.* **6.** *Fig.* Áspero, violento, desabrido: *Seu temperamento é um tanto acre.* [F. paral. (p. us.): *agre*, *acro*. Superl. abs. sint.: *acérrimo* e *acríssimo*.] ● *S. m.* **7.** Cheiro ou sabor acre (1): "o acre enjoativo do bolor." (Camilo Castelo Branco, *A Mulher Fatal*, p. 11).

acrebite [Var. de *alcrevite*.] *S. m. Ant.* V. *enxofre* (1).

acreção [Do lat. *accretione*.] *S. f.* **1.** Ato ou efeito de acrescer; acréscimo, acrescimento. **2.** *Astr.* Processo de coalescência ou de acumulação de pequenas partículas, sob a influência de atração gravitacional mútua, ou como resultado de colisões casuais, assim criando gradualmente, por aglomeração, massas maiores.

acrecionário [De *acreção* (*acrecion-*) + *-ário*, seg. o padrão erudito.] *Adj.* Relativo a, ou produzido por acreção.

acreditado [Part. de *acreditar*.] *Adj.* **1.** Que tem crédito; que merece ou inspira confiança: *comerciante acreditado.* **2.** Autorizado ou reconhecido por uma nação junto a outra: *diplomata acreditado.*

acreditador (ô) [De *acreditar* + *-dor*.] *Adj. S. m.* Que, ou aquele que acredita.

acreditar [De *a-*[2] + *crédito* + *-ar*[2].] *V. t. d.* **1.** Dar crédito a; crer: "A tia Bárbara dizia Alzira prendada, e acreditei-a" (Fialho d'Almeida, *Lisboa Galante*, p. 131). **2.** Ter como verdadeiro; crer: "Herder acreditava que, na origem, os homens falavam em verso" (João Ribeiro, *Goethe*, p. 16); "D. Leonor repelira o olhar, entre colérico e tímido, que mal acreditava a própria audácia" (Alexandre Herculano, *Lendas e Narrativas*, I, p. 196). **3.** Dar ou estabelecer crédito a; afiançar. **4.** Conceder reputação a; tornar digno de crédito, confiança; abonar. **5.** Conferir poderes a, para representar uma nação perante um país estrangeiro. *Transobj.* **6.** Julgar, achar: *Não o acredito capaz de magnanimidades.* *T. i.* **7.** Ter como verdadeiro; crer: "Menina da roça, não podia deixar de acreditar em assombrações." (Brito Broca, *Memórias*, p. 17.) *P.* **8.** Adquirir crédito. **9.** Julgar-se, crer-se: *Acredita-se um grande homem.*

acreditável [De *acreditar* + *-vel*.] *Adj. 2 g.* Que se pode ou deve acreditar; crível.

acre-doce [De *acre*[2] + *doce*.] *Adj. 2 g.* V. *agridoce* (1). [Pl.: *acre-doces*.]

acredor (ô) [De *a-*[4] + *credor*.] *S. m.* V. *credor* (2 e 3).

acrelandense *Adj. 2 g.* **1.** De, ou pertencente ou relativo a Acrelândia (AC). • *S. 2 g.* **2.** O natural ou habitante de Acrelândia.

acremoniose [Do tax. *Acremonium* + *-ose*[1].] *S. f. Med.* Doença infecciosa produzida pelo fungo *Acremonium*.

acrense *Adj. 2 g.* **1.** De, ou pertencente ou relativo a Acra (Gana). • *S. 2 g.* **2.** O natural ou habitante de Acra.

acrescência [Do lat. *accrescentia* < lat. *accrescere*, 'acrescer'.] *S. f.* Estado ou qualidade do que é acrescente.

acrescentador (ô) [De *acrescentar* + *-dor*.] *Adj.* Que acrescenta ou faz acrescentar.

acrescentamento [De *acrescentar* + *-mento*.] *S. m.* **1.** Ato ou efeito de acrescentar; aumento, ampliação, acréscimo, acrescente. **2.** Adição, acréscimo, acrescimento, acrescente. **3.** Melhoramento, benfeitoria. **4.** Coisa acrescentada; suplemento.

acrescentar [De *acresc(er)* + *-entar*.] *V. t. d.* **1.** Ajuntar alguma coisa a outra, para torná-la maior em tamanho, número ou força: *Encomendou 50 livros e depois acrescentou cinco.* **2.** Acrescentar bens, vantagens, graças, etc., a: *'Deus o acrescente', agradeceu o mendigo.* **3.** Dizer em aditamento a (o que já se disse). **4.** Acrescentar (5). *T. d. e i.* **5.** Ajuntar, aditar, adicionar: *Acrescentou duas abonações à definição da palavra.* *T. i.* **6.** Acrescentar bens, vantagens, graças, etc.: "Deus lhe acrescente, minha senhora devota! exclamou o irmão das almas" (Machado de Assis, *Esaú e Jacó*, p. 10); "Nossa Senhora lhe acrescente — agradeceu a mulher de Francelino mais chocha em sua humildade." (Permínio Asfora, *Vento Nordeste*, p. 20). *Int.* **7.** Fazer acréscimo (1): "Afinal tornava ao trabalho, para reler, acrescentar, emendar." (Machado de Assis, *Páginas Recolhidas*, p. 96.) **8.** Acrescentar alguém em bens, vantagens, graças. *P.* **9.** Ajuntar-se, juntar-se; somar-se, adicionar-se; acrescer.

acrescentável [De *acrescentar* + *-vel*.] *Adj. 2 g.* Que se pode acrescentar.

acrescente [Do lat. *accrescente*.] *Adj. 2 g.* **1.** *Bot.* Que se desenvolve após a fecundação. ~ V. *cálice* —. • *S. m.* **2.** V. *acrescentamento* (1 e 2). **3.** *P. us.* V. *cabeleira*[1] (2).

acrescento [Dev. de *acrescentar*.] *S. m.* V. *acréscimo* (1 e 5): "cerca de cem páginas impressas, corrigidas, refundidas, ... cobertas de emendas e acrescentos a lápis" (José Maria d'Eça de Queirós, em Eça de Queirós, *A Capital*, p. VIII).

acrescer [Do lat. *accrescere*.] *V. t. d.* **1.** Fazer maior; aumentar. *T. i.* **2.** Juntar-se, ajuntar-se, acrescentar-se: "Acrescia à pobreza o excesso de trabalho." (Carlos de Laet, *O Frade Estrangeiro e Outros Escritos*, p. 17.) *Int.* **3.** Crescer, aumentar. **4.** Vir ou acontecer em acréscimo de motivo(s) ou argumento(s) expendidos antes; dever, ainda, ser considerado: *Não pude vir: tinha outro compromisso urgente. Acresce que não havia condução.* [Conjug.: v. *crescer*.]

acrescimento [De *acrescer* + *-imento*.] *S. m.* Ação ou efeito de acrescer; acrescentamento.

acréscimo [De *acrescer*.] *S. m.* **1.** Aquilo que se acrescenta; acrescentamento, acrescento: *Narrou o fato com inúmeros acréscimos inverídicos.* **2.** Elevação, aumento: *pouco acréscimo de temperatura.* **3.** V. *malária*. **4.** *Mat.* V. *incremento* (3 e 4). **5.** *Tip.* Intercalação de palavra, frase ou trechos inteiros inexistentes no original, feita pelo autor em prova tipográfica; intercalação, acrescento. ~ V. *acréscimos*. ◆ **Acréscimo de massa.** *Astr.* Processo pelo qual um objeto celeste aumenta a sua massa à custa de partículas do espaço.

acréscimos *S. m. pl.* V. *malária*. ~ V. *acréscimo*.

acretivo [Do lat. *accretus*, part. pass. de *accrescere*, + *-ivo*.] *Adj.* Que se forma por acreção.

acreunense (e-u) *Adj. 2 g.* **1.** De, ou pertencente ou relativo a Acreúna (GO). • *S. 2 g.* **2.** O natural ou habitante de Acreúna.

▲ **acr(i)-** [Do lat. *ăcer, ăcris, ăcre*.] *El. comp.* = 'acre', 'ácido'; 'agudo'; 'pontiagudo': *acridade, acrípede.* [Equiv.: *acr(o)-*[2]: *acrografia*.]

acriançado [De *a-*[2] + *criança* + *-ado*[1].] *Adj.* Que tem modos de, ou que é próprio de criança: *indivíduo acriançado; brincadeiras acriançadas.*

acriançar-se [De *a-*[2] + *criança* + *-ar*[2] + *se*[1].] *V. p.* Adquirir modos de criança; proceder infantilmente. [Conjug.: v. *laçar*.]

acriano [Do top. *Acre* + *-iano*.] *Adj.* **1.** Do, ou pertencente, ou relativo ao Estado do Acre. • *S. m.* **2.** O natural ou habitante do Acre.

▲ **acribo-** [Do gr. *akribés, és, és*.] *El. comp.* = 'preciso', 'rigoroso', 'exato': *acribomania.*

acribologia [Do gr. *akribología*.] *S. f.* Propriedade, rigor e precisão no estilo.

acribológico [De *acribologia* + *-ico*[2].] *Adj.* Concernente à acribologia.

acribomania [De *acribo-* + *-mania*.] *S. f. Psiq.* Mania de exatidão.

acribomaníaco [De *acribomania* + *-íaco*.] *Psiq. Adj.* **1.** Relativo a acribomania. **2.** Que tem acribomania; acribômano. • *S. m.* **3.** Aquele que sofre de acribomania; acribômano.

acribómano *Adj. S. m. Psiq.* V. *acribômano*. [Uso freq. em P.]

acribômano [De *acribo-* + *-mano*[1].] *Adj. S. m. Psiq.* Acribomaníaco (2 e 3).

acridade [De *acr(i)-* + *-(i)dade*.] *S. f.* Qualidade de acre[2] (2): "saturava a friagem do ambiente a acridade enjoativa dos carvões e graxas" (Gonzaga Duque, *Mocidade Morta*, p. 228).

acridão [De *acre*[2] + *-idão*.] *S. f.* V. *acridez* (1).

acrídeo [De *acrid(o)-* + *-eo*; tax. *Acrideа*.] *Zool. S. m.* **1.** Espécime dos acrídeos, família de insetos ortópteros, heterometabólicos, de corpo alongado e achatado lateralmente, que produzem som estridente pelo atrito dos fêmures com as asas. • *Adj.* **2.** Pertencente ou relativo a eles. [Sin. ger.: *acridídeo*.]

acridez (ê) *S. f.* **1.** Qualidade do que é acre[2]; acridão, acritude, acrimônia. **2.** Acrimônia (2).

▲ **acridi-** Equiv. de *acrid(o)-*.

acridiano [De *acridi-* + *-ano*[1].] *Adj.* **1.** Referente ou semelhante ao gafanhoto. • *S. m.* **2.** *Zool.* V. *gafanhoto* (1). [Sin. ger.: *acrídio*.]

acridídeo [De *acrid(o)-* + *-ídeo*; tax. *Acrididae*.] *S. m. Adj. Zool.* V. *acrídeo*.

acridiforme [De *acridi-* + *-forme*.] *Adj. 2 g. Zool.* Que tem a configuração de um gafanhoto.

acridina *S. f. Quím.* **1.** Substância cristalina amarela, base heterocíclica, cujas moléculas se podem considerar derivadas do antraceno, por substituição de um dos metinos centrais por um átomo de nitrogênio [fórm.: $C_{13}H_9N$]. **2.** Qualquer de certas substâncias, esp. corantes, derivadas da acridina (1).

acrídio [De *acrid(o)-* + *-io*[3].] *Adj. S. m.* V. *acridiano*.

acridióideo *S. m. Adj. Zool.* V. *acridódeo*.

▲ **acrid(o)-** [Do gr. *akrís, ídos*.] *El. comp.* = 'gafanhoto': *acridio, acridofagia.* [Equiv.: *acridi-*: *acridiforme*.]

ácrido [De *acr(i)-* + *-ido*[2].] *Adj. Patol. Med.* Diz-se de agente químico ou de fator físico capaz de causar irritação orgânica.

acridódeo [Adapt. do tax. *Acridodea*.] *Zool. S. m.* **1.** Espécime dos acridódeos, subordem de insetos ortópteros, com antenas mais curtas que o corpo, em geral filiformes; ovipositor inconspícuo constituído de quatro peças córneas de ápices divergentes. São os gafanhotos. • *Adj.* **2.** Pertencente ou relativo a eles. [Sin. ger.: *acridióideo*.]

acridofagia [De *acrid(o)-* + *-fag(o)-* + *-ia*[1].] *S. f.* Hábito de comer gafanhotos, observado em alguns povos africanos e outros, e em certos indígenas brasileiros.

acridofágico [De *acridofagia* + *-ico*[2].] *Adj.* Relativo a acridofagia, ou a acridófago.

acridófago [Do gr. *akridophágos*.] *Adj. S. m.* Que, ou aquele que come gafanhotos.

acrilamida [De *acril(o)-* + *-amida*.] *S. f. Quím.* Substância sólida, tóxica, insaturada, cujos polímeros são us. como floculantes, espessantes, etc. [fórm.: C_3H_5NO].

acrilato [De *acril(o)-* + *-ato*[2].] *S. m. Quím.* **1.** Sal ou éster do ácido acrílico. **2.** Qualquer um de certos adesivos de ação muito rápida, derivados do ácido acrílico.

acrílico [De *acr(oleína)* + *-il-* + *-ico*[2].] *Adj.* **1.** *Quím.* Próprio do ácido acrílico, ou dele derivado. ~ V. *ácido* —, *aldeído* — e *resina* —*a*. • *S. m.* **2.** *Quím.* Designação genérica de polímeros de metacrilato de metila: *letreiro de acrílico.* **3.** *Quím.* Resina acrílica. **4.** *Tec. Têx.* Fibra sintética us. como substituta da lã natural, que é um bom isolante térmico, de fácil tingimento e lavagem, e que não amassa nem encolhe.

acrilização [De *acrilizar* + *-ção*.] *S. f.* Ato ou efeito de acrilizar. **2.** *Odont.* Revestimento de aparelho protético ou ortodôntico com resina acrílica.

acrilizar [De *acril(o)-* + *-izar*.] *V. t. d.* Preencher ou revestir com resina acrílica.

▲ **acril(o)-** [De *acrílico*.] *Quím. El. comp.* = 'acrílico': *acrilamida, acrilonitrila.*

acrilonitrila [De *acril(o)-* + *nitrila*.] *S. f. Quím.* Substância líquida, tóxica e inflamável, insaturada, que é us. industrialmente como monômero na preparação de vários polímeros [fórm.: C_3H_3N].

acrimancia (cí) [De *acr(i)-* + *-mancia*.] *S. f.* Adivinhação por meio do fogo.

acrimante [Do *acr(i)-* + *-mante*.] *S. 2 g.* Pessoa que pratica a acrimancia.

acrimântico *Adj.* Referente a acrimancia, ou a acrimante.

acrimónia *S. f.* V. *acrimônia*. [Uso freq. em P.]

acrimônia [Do lat. *acrimonia*.] *S. f.* **1.** V. *acridez* (1). **2.** Aspereza, desabrimento; acridez: "os excessos oratórios dos padres .... que, do púlpito, censuravam, com acrimônia, os colonos, em termos pouco caridosos e evangélicos." (Mecenas Dourado, *A Conversão do Gentio*, p. 137). [F. paral.: *agrimônia*[2]. Cf. *acrimonia*, do v. *acrimoniar*.]

acrimoniar [De *acrimônia* + *-ar*[2].] *V. t. d. P.* **1.** Tornar(-se) acrimonioso. **2.** Azedar(-se), acidificar(-se). [Pres. ind.: *acrimonio, acrimonias, acrimonia*, etc. Cf. *acrimônia*.]

acrimoniosidade [De *acrimonioso* + *-(i)dade*.] *S. f.* Qualidade de acrimonioso.

acrimonioso (ô) [De *acrimônia* + *-oso*.] *Adj.* Que tem ou denota acrimônia.

acrinia [De *a-*[3] + *-crin(o)-* + *-ia*[1].] *S. f. Med.* Falta ou diminuição de secreção.

acrínico [De *acrinia* + *-ico*[2].] *Adj.* Referente a acrinia.

acrioulado[1] [De *a-*[2] + *crioulo* + *-ado*[1].] *Adj.* Que tem modos e/ou aparência de crioulo, ou é próprio dele: *pele acrioulada.*

acrioulado[2] [Part. de *acrioular*.] *Adj.* **1.** *E. Ling.* Que se tornou crioulo (12). **2.** *Bras.* Que adquiriu hábitos de crioulos, de natural da terra: *imigrantes acrioulados.* **3.** *Bras. RS* Diz-se do animal que se adaptou a um meio estranho, passando a assemelhar-se ao tipo indígena local.

acrioular [De *a-*[2] + *crioulo* + *-ar*[2].] *V. t. d.* **1.** Tornar como que natural ou crioulo de. *P.* **2.** Tornar-se acrioulado[2]. **3.** *Bras. RS* Acostumar-se, adaptar-se, aclimar-se (o animal) a um novo ambiente, a um meio estranho, ficando semelhante ao tipo desse meio.

acrípede [De *acr(i)-* + *-pede*.] *Adj. 2 g. Zool.* Cujos pés são pontiagudos.

acriptogamia [De *a-*[3] + *criptogamia*.] *S. f. Bot.* Condição de acriptogâmico.

acriptogâmico [De *a-*[3] + *criptogâmico*.] *Adj. Bot.* Cujos órgãos de reprodução não estão ocultos (diz-se de vegetal).

acrisia [De *a-*[3] + *crise*[1] + *-ia*[1].] *S. f. Med.* Ausência de crise durante a evolução de uma doença.

acrisolado [Part. de *acrisolar*.] *Adj.* **1.** Purificado no crisol. **2.** *Fig.* Purificado, puro, acendrado. **3.** Aperfeiçoado, apurado: *estilo acrisolado.*

acrisolador (ô) [De *acrisolar* + *-dor*.] *Adj. S. m.* Que ou o que acrisola.

acrisolar [De *a-*[2] + *crisol* + *-ar*[2].] *V. t. d.* **1.** Purificar no crisol. **2.** Depurar, purificar: "a assembleia desses credos submetidos mais jungia e melhor acrisolava os sentimentos religiosos dos vencidos." (Antero de Figueiredo, *Toledo*, p. 83). **3.** Aperfeiçoar, sublimar. *P.* **4.** Purificar-se, submetendo-se a provas. **5.** Aperfeiçoar-se, sublimar-se.

acríssimo *Adj.* Superl. abs. sint. de *acre*; acérrimo.

acrítico[1] [De *a-*[3] + *crítico*.] *Adj.* Não crítico.

acrítico[2] [De *acr(isia)* + *-ítico*.] *Adj.* Relativo a acrisia.

acritocromacia [Do gr. *ákritos*, 'confuso', 'indistinto', + *-cromat(o)-* + *-ia*[1], com passagem do *-t-* ao *-c-*.] *S. f. Patol.* Incapacidade de perceber as cores.

acritude [Do lat. *acritudine*.] *S. f.* V. *acridez* (1).

acriú *Bras. S. 2 g.* **1.** *Etnôn.* Indivíduo dos acriús, povo indígena extinto que habitava o N. do CE. ● *Adj. 2 g.* **2.** Pertencente ou relativo a esse povo. [Tb. us. como *s. 2 g. e 2 n.* (com cap.) e *adj. 2 g. e 2 n.*]

acro[1] [Do lat. *acru.*] *Adj. P. us.* V. *acre*[2].

acro[2] *Adj.* **1.** Diz-se de material que, por ser pouco maleável, se quebra facilmente: *ferro acro.* **2.** Quebradiço, frágil.

▲ **acr(o)-**[1] [Do gr. *akro-* < gr. *ákros, a, on.*] ***El. comp.*** = 'alto', 'elevado'; 'ponta'; 'extremidade', 'ponto culminante'; *fig.* 'superior': *acrocianose, acrodinia, acroleto.* [Equiv.: *-acr(o)-*: *anacrógeno.*]

▲ **acr(o)-**[2] Equiv. de *acr(i)-*.

▲ **acro-** V. *acromat(o)-*.

▲ **-acr(o)-** Equiv. de *acr(o)-*[1].

acroá *S. 2 g.* **1.** *Etnôn.* Indivíduo dos acroás [ou (etnôn. bras.) *Akroá], povo indígena extinto da família linguística jê, tronco macro-jê, que habitava as margens do rio Balsas (GO) e as margens do rio Parnaíba (PI). ● *Adj. 2 g.* **2.** Pertencente ou relativo a esse povo.

acroá-gamela *S. 2 g.* **1.** *Etnôn.* Indivíduo dos acroás-gamelas [ou (etnôn. bras.) *Akroá-Gamella], povo indígena extinto, tronco macro-jê, que habitava a margem esquerda do rio Mearim (MA). ● *Adj. 2 g.* **2.** Pertencente ou relativo a esse povo. [Pl.: *acroás-gamelas* e *acroás-gamela.*]

acroagnosia [De *acr(o)-*[1] + *-a-*[2] + *-gnosia.*] *S. f. Med.* Falta de acrognosia.

acroama [Do gr. *akróama*, pelo lat. *acroama.*] *S. m.* **1.** Discurso ou canto harmonioso. **2.** Entre os gregos, interlúdio instrumental. **3.** Entre os romanos, recitação dramático-musical de uma peça recreativa, feita geralmente pelos escravos. **4.** Música de caráter alegre.

acroamático [Do gr. *akroamatikós.*] *Adj.* **1.** Agradável à audição. **2.** Sublime, elevado, transcendente. **3.** Diz-se de ensino oral. **4.** *Filos.* Esotérico (2). **5.** *Mús.* Diz-se da aprendizagem da música só pela audição. ● *S. m.* **6.** *Mús.* Peça musical não escrita, destinada a festas familiares. **7.** *Mús.* Músico instintivo, que aprendeu de ouvido.

acroanestesia [De *acr(o)-*[1] + *anestesia.*] *S. f. Med.* **1.** Anestesia das extremidades. **2.** Ausência total de sensações.

acroanestésico [De *acroanestesia* + *-ico*[2].] *Adj.* Referente a acroanestesia.

acroartrite [De *acr(o)-*[1] + *artrite.*] *S. f. Med.* Artrite que compromete extremidade(s).

acroase [Do gr. *akróasis*, pelo lat. *acroase.*] *S. f.* **1.** Preleção (2). **2.** Dificuldade de compreender sem explicações prévias.

acroático [Do gr. *akroatikós*, pelo lat. tard. *acroaticu.*] *Adj.* Que só é compreendido mediante explicações.

acrobacia [De fr. *acrobatie*, moldado em *acrobate.*] *S. f.* **1.** Arte ou profissão de acrobata; acrobatismo. **2.** Exercício ou exibição feita por acrobata; acrobatismo. **3.** Movimento que revela destreza, agilidade: "o Marrazes fazia toda a sorte de acrobacias para evitar os tremedais e, a cada deslize, as pragas de sua boca saraivavam." (Aquilino Ribeiro, *A Batalha sem Fim*, p. 60). **4.** *Fig.* Ato ou procedimento que revela habilidade ou astúcia. **5.** *Aer. Av.* Manobra comandada de aeronave(s), provocando acelerações anormais ou bruscas, com mudança de atitude.

acrobapto [De *acr(o)-*[1] + gr. *baptós*, 'imerso em líquido' e, p. ext., 'imerso em tintura'; 'tingido'.] *Adj. Zool.* Que tem mancha negra na extremidade das asas.

acrobata [Var. pros. de *acróbata.*] *S. 2 g.* **1.** Funâmbulo, equilibrista, dançarino, etc., que em geral se exibe em espetáculos de circo ou de variedades, apresentando números de ginástica difíceis e, não raro, perigosos. **2.** *Fig.* Equilibrista, malabarista. **3.** Palhaço, saltimbanco. **4.** *P. ext.* Qualquer artista ginástico. **5.** *Aer.* Aviador que faz acrobacias.

acróbata [Do gr. *akróbatos* (v. *acr(o)-*[1] e *-bata*[1]), pelo fr. *acrobate.*] *S. 2 g.* Acrobata (q. v.).

acrobático [De *acróbata* + *-ico*[2].] *Adj.* Relativo a, ou próprio de acrobata, ou de acrobacia.

acrobatismo [De *acróbata* + *-ismo.*] *S. m.* **1.** Acrobacia (1 e 2). **2.** Instabilidade de opiniões; versatilidade: *acrobatismo político.*

acrocárpico [De *acr(o)-*[1] + *-carp(o)-* + *-ico*[2].] *Adj. Bot.* Acrocarpo (q. v.).

acrocarpo [De *acr(o)-*[1] + *-carpo.*] *Adj. Bot.* Diz-se de musgos dotados de arquegônios e esporogônios terminais; acrocárpico. [Opõe-se a *pleurocarpo.*]

acrocefalia [De *acr(o)-*[1] + *-cefal(o)-* + *-ia*[1].] *S. f. Antropom.* Oxicefalia.

acrocefálico [De *acrocefalia* + *-ico*[2].] *Adj.* Relativo a acrocefalia; oxicefálico.

acrocéfalo [De *acr(o)-*[1] + *-céfalo.*] *Adj. S. m.* Diz-se de, ou indivíduo que tem acrocefalia; oxicéfalo.

acroceratose [De *acr(o)-*[1] + *ceratose.*] *S. f. Med.* Ceratose de, ou das extremidades.

acroceráunio [Do gr. *akrokeraúnios* (< gr. *ákros*, 'o mais alto', + gr. *keraúnios*, 'atingido pelos raios' [os montes Ceráunios]), pelo lat. *acrocerauniu*, 'da extremidade dos montes Ceráunios'.] *Adj.* Diz-se de monte alto e agudo, e exposto aos raios.

acrocianose [De *acr(o)-*[1] + *cianose.*] *S. f. Med.* **1.** Desordem circulatória em que as extremidades (mãos, pés, nariz, orelhas) são permanentemente frias, azuladas e úmidas. **2.** *P. ext.* A cor azulada das extremidades.

acroclínio [Do tax. *Acroclinium.*] *S. m. Bot.* **1.** Gênero de ervas asteráceas, nativas da Austrália, de flores reunidas em capítulo radiado, solitário, pápus plumoso, e frutos aquênios revestidos de tomento branco, sedoso. **2.** Qualquer espécie desse gênero, como, p. ex., a *Acroclinium roseum* ou *Helipterum roseum* (v. *sempre-viva-rosa.*) **3.** Qualquer espécime desse gênero, ou a flor dele. [Sin. ger.: *helíptero.*]

acrocoracoide (ói) [De *acr(o)-*[1] + (*apófise*) *coracoide.*] *S. m. Zool.* Extremidade da apófise coracoide das aves. ❖

acrocordal [De *acr(o)-*[1] + *-cord(o)-* + *-al*[1].] *Adj. 2 g. Zool.* Diz-se da cartilagem frontal ímpar e mediana do crânio das aves.

acrodendrofilia [De *acr(o)-*[1] + *-dendr(o)-* + *-filia.*] *S. f. Zool.* Tendência de certas espécies animais para fazerem do alto ou da copa das árvores o seu hábitat preferido.

acrodendrofílico [De *acrodendrofilia* + *-ico*[2].] *Adj.* Relativo a acrodendrofilia.

acrodermatose [De *acr(o)-*[1] + *dermatose.*] *S. f. Med.* Qualquer doença cutânea que surja em mão(s) ou pé(s).

acrodinia [De *acr(o)-*[1] + *-odin(o)-* + *-ia*[1].] *S. f.* **1.** *Med.* Dor nas mãos e nos pés. **2.** *Patol.* Doença, sobretudo da infância, que apresenta fenômenos circulatórios (hipertensão arterial, taquicardia) e neurológicos (hipomotilidade, dor nas mãos e nos pés, apatia, fotofobia). **3.** *Veter.* Afecção, observada em ratos, causada por deficiência de piridosina, caracterizada por tumefação e vermelhidão das pontas das orelhas, do nariz e das patas, e que provoca necrose.

acrodínico [De *acrodinia* + *-ico*[2].] *Adj.* Relativo a acrodinia.

acrodonte [De *acr(o)-*[1] + *-odonte.*] *Adj. 2 g.* **1.** *Anat.* Diz-se de dente desprovido de raiz e que se prende apenas à borda das maxilas, não se implantando em alvéolo. **2.** *Zool.* Diz-se de ofídios e sáurios cujos dentes são implantados na borda superior das maxilas, e que parecem expansão destas. ● *S. m.* **3.** Animal acrodonte (2).

acrodrômico [De *acródromo* + *-ico*[2].] *Adj. Bot.* Acródromo.

acródromo [De *acr(o)-*[1] + *-dromo.*] *Adj. Bot.* Diz-se das nervuras foliares secundárias que formam ângulo muito agudo com a nervura principal, convergindo para o ápice; acrodrômico.

acrófito [De *acr(o)-*[1] + *-fito.*] *Adj. Bot.* Que habita regiões elevadas (diz-se de vegetal).

acrofobia [De *acr(o)-*[1] + *-fobia.*] *S. f. Psiq.* Medo mórbido de altura, de lugares elevados.

acrofóbico [De *acrofobia* + *-ico*[2].] *Psiq. Adj.* **1.** Relativo a acrofobia. **2.** Que sofre de acrofobia; acrófobo. ● *S. m.* **3.** Aquele que sofre de acrofobia; acrófobo.

acrófobo [De *acr(o)-*[1] + *-fobo.*] *Adj. S. m. Psiq.* Acrofóbico (2 e 3).

acrofonia [De *acr(o)-*[1] + *-fon(o)-* + *-ia*[1].] *S. f.* Representação fonética de som inicial (sílaba ou letra) do nome de um objeto, por meio de símbolo que antes constituía seu ideograma. [V. *fonetismo.*]

acrofónico *Adj.* V. *acrofônico.* [Uso freq. em P.]

acrofônico [De *acrofonia* + *-ico*[2].] *Adj.* Respeitante a acrofonia.

acrófora *S. f. Zool.* Larva dos equinodermos, quando se forma a placa madreporária.

acrogamia [De *acr(o)-*[1] + *-gam(o)-* + *-ia*[1].] *S. f. Bot.* Porogamia.

acrogâmico [De *acrogamia* + *-ico*[2].] *Adj. Bot.* Porogâmico.

acrogânglio [De *acr(o)-*[1] + *gânglio.*] *S. m. Zool.* Gânglio nervoso supraesofágico dos platelmintos, anelídeos, artrópodes e moluscos, e que é considerado o cérebro primitivo dos invertebrados.

acrógino [De *acr(o)-*[1] + *-gino.*] *Adj. Bot.* Diz-se dos musgos e hepáticas que apresentam órgãos reprodutivos no ápice caulinar.

acroglobina [De *acro-* + *-glob(i)-* + *-ina*[3].] *S. f. Zool.* Pigmento respiratório incolor de alguns tunicados e moluscos.

acrognose [De *acr(o)-*[1] + *-gnose.*] *S. f. Med.* Acrognosia.

acrognosia [De *acr(o)-*[1] + *-gnosia.*] *S. f. Med.* Capacidade de um indivíduo de, sensorialmente, reconhecer seus membros [v. *membro* (1)], bem como cada porção deles em relação a outras do mesmo membro; acrognose.

acrografia[1] [De *acr(o)-*[1] + *-grafia.*] *S. f.* No antigo conceito de geografia, o estudo dos cabos e promontórios.

acrografia[2] [De *acr(o)-*[2] + *-grafia.*] *S. f.* **1.** Arte de gravar em relevo sobre pedra ou metal, mediante o emprego de ácidos. **2.** A lâmina ou estampa assim obtidas.

acrográfico[1] [De *acrografia*[1] + *-ico*[2].] *Adj.* Referente a acrografia[1].

acrográfico[2] [De *acrografia*[2] + *-ico*[2].] *Adj.* Referente a acrografia[2].

acrógrafo [De *acr(o)-*[1] + *-grafo.*] *S. m. Edit.* Acrograma (2).

acrograma [De *acr(o)-*[1] + *-grama.*] *S. m.* **1.** Palavra formada por acrossemia; sigla. **2.** *Edit.* Redução, ger. de intitulativo de organismo ou empresa, que apresenta estrutura silábico-vocabular; acrógrafo. Ex.: *Frimisa* por *Frigoríficos de Minas Gerais Sociedade Anônima.*

acroíta *S. f.* Variedade de turmalina.

acroleína [De *acr(i)-* + lat. *ole(re)*, 'cheirar', + *-ina*[3].] *S. f. Quím.* Aldeído não saturado, líquido, volátil, com cheiro característico, venenoso, irritante e congestionante das mucosas; aldeído acrílico [fórm.: C_3H_4O].

acroletal [De *acroleto* + *-al*[1].] *Adj. 2 g. E. Ling.* Relativo a acroleto.

acroleto [De *acr(o)-*[1] + *-leto*; ingl. *acrolect.*] *S. m. E. Ling.* Variedade local de língua lexificadora (q. v.) que funciona como padrão. [Cf. *basileto* e *mesoleto.*]

acrólito [Do gr. *akrólithos*, pelo lat. tard. *acrolithu.*] *S. m.* **1.** Estátua antiga, com a extremidade superior de pedra ou mármore, e o resto de outra substância. ● *Adj.* **2.** Que tem extremidade de pedra.

acromania [De *acr(o)-*[1] + *-mania.*] *S. f. Psiq.* **1.** Desejo exagerado por grande atividade motora. **2.** *P. us.* Insanidade crônica e incurável.

acromaníaco [De *acromania* + *-íaco.*] *Psiq. Adj.* **1.** Relativo a acromania. **2.** Que tem acromania; acrômano. ● *S. m.* **3.** Aquele que tem acromania; acrômano.

acrómano *Adj. S. m. Psiq.* V. *acrômano.* [Uso freq. em P.]

acrômano [De *acr(o)-*[1] + *-mano*[1].] *Adj. S. m. Psiq.* Acromaníaco (2 e 3).

acromasia [De *a-*[3] + lat. cient. *-cromasia* (< gr. *chrôma*, 'cor').] *S. f.* **1.** Ausência de pigmentação normal da pele. **2.** Perda de cromatina do núcleo das células. **3.** Palidez, descoramento. **4.** *Ópt.* Condição de um sistema óptico em que estão corrigidas as aberrações cromáticas.

acromaticidade [De *acromático* + *-(i)dade.*] *S. f.* Acromatismo.

acromático [De *acromat(o)-* + *-ico*[2].] *Adj.* **1.** Sem cor. **2.** Que não toma cor. **3.** Que não distingue as cores. **4.** Destituído de cromatina. **5.** Diz-se de elemento que deixa passar ou refrata a luz, sem a decompor em suas cores fundamentais. **6.** *Mús.* Em que não há cromatismo; diatônico. **7.** *Mús.* Diz-se dos cantares do povo, da música simples, monótona, com poucas modulações. **8.** *Mús.* Diz-se dos primeiros sons da série harmônica (q. v.). **9.** *Ópt.* Diz-se de um sistema óptico que não tem aberração cromática e pode, portanto, transmitir luz branca sem decompô-la em seus componentes monocromáticos. ~ V. *fuso* — e *objetiva* —*a.*

acromatina [De *acromat(o)-* + *-ina*[3].] *S. f. Biol.* Parte da substância nuclear que não recebe os corantes empregados para tingir o núcleo, em preparações microscópicas. É constituída sobretudo por proteínas. [Sin. (desus.): *linina.*]

acromatínico [De *acromatina* + *-ico*[2].] *Adj. Biol.* Referente a acromatina.

acromatismo [De *acromat(o)-* + *-ismo.*] *S. m.* **1.** Qualidade de acromático. **2.** *Ópt.* Propriedade de um sistema óptico em que não existe aberração cromática. [Sin. ger.: *acromaticidade.*]

acromatização [De *acromatizar* + *-ção.*] *S. f. Fís.* **1.** Ação ou efeito de acromatizar. **2.** Superposição de radiações cromáticas para obtenção de radiação acromática ou branca.

acromatizar [De *acromático* + *-izar*, seg. o padrão grego.] *V. t. d. Fís.* Tornar (um sistema óptico) acromático.

▲ **acromat(o)-** [Do gr. *achrômatos, os, on.*] ***El. comp.*** = 'sem cor', 'incolor': *acromatina, acromatismo.* [F. red. *acro-*: *acroglobina.* V. *acrom(o)-.*]

acrómato *Adj.* V. *acrômato.* [Uso freq. em P.]

acrômato [Do gr. *achrómatos.*] *Adj.* V. *acromo.*

acromatófilo [De *acromat(o)-* + *-filo*[2].] *Adj.* Que não fixa os corantes.

acromatopia [De *acromat(o)-* + *-opia.*] *S. f. Oftalm.* V. *monocromatismo.*

acromatópico [De *acromatopia* + *-ico*[2].] *Adj.* Relativo a acromatopia.

acromatopsia [De *acromat(o)-* + *-opsia.*] *S. f. Oftalm.* V. *monocromatismo.*

acromatópsico [De *acromatopsia* + *-ico*[2].] *Adj. S. m. Oftalm.* V. *acromatóptico.*

acromatóptico [De *acromat(opsia)* + *-óptico*, seg. o padrão erudito.] *Oftalm. Adj.* **1.** Relativo a acromatopsia, ou que a apresenta. ● *S. m.* **2.** Aquele que tem acromatopsia. [F. paral.: *acromatópsico.*]

acromatose [De *acromat(o)-* + *-ose*^{1}.] ***S. f.*** **1.** *Bot.* Ausência dos pigmentos em quaisquer partes onde deveriam estar presentes; anomalia que gera descoloração de órgãos. **2.** *Med.* Pigmentação tecidual insuficiente, como pode ocorrer, eventualmente, na pele.

acromatótico [De *acromat(ose)* + *-ótico.*] ***Adj.*** Referente a acromatose.

acromaturia [De *a-*^{3} + *-cromat(o)-* + *-uria.*] ***S. f.*** *Med.* V. *acromatúria.*

acromatúria [De *a-*^{3} + *cromat(o)-* + *-úria.*] ***S. f.*** *Med.* Ausência de coloração da urina. [F. paral.: *acromaturia.*]

acromegalia [De *acr(o)-*^{1} + *-megal(o)-* + *-ia*^{1}.] ***S. f.*** *Endocr.* Condição mórbida caracterizada por desenvolvimento excessivo, no adulto, das extremidades do corpo (mãos, pés, nariz, queixo), e que se deve à excessiva secreção do hormônio de crescimento; doença de Marie; moléstia de Marie.

acromegálico [De *acromegalia* + *-ico*^{2}.] ***Adj.*** Referente a acromegalia.

acromia [De *acrom(o)-* + *-ia*^{1}.] ***S. f.*** *Med.* Ausência ou diminuição de pigmentos em qualquer região do corpo.

acromial [De *acrômio* + *-al*^{1}.] ***Adj. 2 g.*** *Med.* Relativo ou pertencente a acrômio.

acrómico ***Adj.*** V. *acrômico.* [Uso freq. em P.]

acrômico [De *acrom(o)-* + *-ico*^{2}.] ***Adj.*** **1.** V. *acromo.* **2.** *Med.* Relativo a acromia, ou que a tem.

acromicria [De *acr(o)-*^{1} + *-micr(o)-* + *-ia*^{1}.] ***S. f.*** *Med.* Pequenez anormal dos pés e das mãos.

acromícrico [De *acromicria* + *-ico*^{2}.] ***Adj.*** Relativo a acromicria.

acrómio ***S. m.*** V. *acrômio.* [Uso freq. em P.]

acrômio [Do gr. *akrómion.*] ***S. m.*** *Anat.* Apófise terminal da crista de cada uma das escápulas.

acromiocoracoide (crô...ói) [De *acrômio* + *coracoide.*] ***Adj. 2 g. S. m.*** *Zool.* Diz-se de, ou ligamento que se estende, transversalmente, entre a apófise coracoide e o acrômio. ❖

acromo [Do gr. *áchromos.*] ***Adj.*** Sem cor; incolor, acrômato, acrômico.

▲ **acrom(o)-** [Do gr. *áchrōmos, on.*] ***El. comp.*** = 'sem cor', 'sem pigmento': *acromia.* [V. *acromat(o)-.*]

acromobacteriácea [De *acrom(o)-* + *-bacter(i)-* + *-ácea*; tax. *Achromobacteriaceae.*] ***S. f.*** *Microbiol.* Espécime das acromobacteriáceas, família de bactérias baciliformes cujas células são imóveis ou providas de flagelos. Vivem na água ou no solo; poucas são parasitas.

acromobacteriáceo [De *acromobacteriácea,* com var. suf. (v. *áceo*).] ***Adj.*** *Microbiol.* Pertencente ou relativo às acromobacteriáceas.

acromodermia [De *acrom(o)-* + *-derm(o)-* + *-ia*^{1}.] ***S. f.*** *Patol. Desus.* Leucodermia.

acromodérmico [De *acromodermia* + *-ico*^{2}.] ***Adj.*** Relativo a acromodermia.

ácron [Do lat. cient. *acron* < gr. *ákron,* neutro do adj. *ákros* (v. *acr(o)-*^{1}).] ***S. m.*** *Zool.* A região pré-oral dos insetos.

acronecrose [De *acr(o)-*^{1} + *necrose.*] ***S. f.*** *Bot.* Morte das extremidades das plantas, quase sempre por ataques de vírus.

acronema [De *acr(o)-*^{1} + *-nema.*] ***S. m.*** *Zool.* A parte terminal dos flagelos, nos protozoários.

acronemático [De *acronema* + *-ático.*] ***Adj.*** *Bot.* Diz-se dos flagelos que terminam por um filamento muito delicado, que vem a ser mero prolongamento do eixo do flagelo e é comum nas algas verdes da ordem dos fitomonadinos.

acronia [De *a-*^{3} + *-cron(o)-* + *-ia*^{1}.] ***S. f.*** *E. Ling.* Ausência de fatores temporais no estudo dos fatos linguísticos.

acrónico^{1} ***Adj.*** V. *acrônico*^{1}. [Uso freq. em P.]

acrónico^{2} ***Adj.*** V. *acrônico*^{2}. [Us. freq. em P.]

acrónico^{3} ***Adj.*** V. *acrônico*^{3}. [Uso freq. em P.]

acrônico^{1} [De *a-*^{3} + *-cron(o)-* + *-ico*^{2}.] ***Adj.*** **1.** Que se realiza fora do tempo próprio. **2.** Que não tem tempo; eterno.

acrônico^{2} [Do gr. *akrónychos.*] ***Adj.*** Relativo à tarde; vespertino. ~ V. *astro —, nascer —* e *pôr —.*

acrônico^{3} [De *acronia* + *-ico*^{2}.] ***Adj.*** *E. Ling.* Relativo a acronia.

acrónimo ***S. m.*** *Lus.* V. *acrônimo.* [Uso freq. em P.]

acrônimo [De *acr(o)-*^{1} + *-ônimo.*] ***S. m.*** Palavra formada pela primeira letra (ou mais de uma) de cada uma das partes sucessivas de uma locução ou pela maioria dessas partes. Ex.: *sonar* [so(und) na(vigation) r(anging)]. [Cf. *sigla* (3) e *siglônimo.*]

ácrono [De *a-*^{3} + *-crono.*] ***Adj.*** *Bot.* Diz-se das plantas que não se regem pelas estações, especialmente as que não têm época certa para florescer ou frutificar.

acroparalisia [De *acr(o)-*^{1} + *paralisia.*] ***S. f.*** *Med.* Paralisia das extremidades.

acropata [Var. pros. de *acrópata.*] ***S. 2 g.*** Pessoa que sofre de acropatia; acropático.

acrópata [De *acr(o)-* + *-pata* (q. v.).] ***S. 2 g.*** *Med.* Acropata (q. v.).

acropatia [De *acr(o)-*^{1} + *-patia.*] ***S. f.*** *Med.* Designação comum às afecções que atingem as extremidades dos membros.

acropático [De *acr(o)-*^{1} + *-pat(o)-* + *-ico*^{2}.] ***Adj.*** **1.** Relativo a acropatia. ● ***S. m.*** **2.** V. *acropata.*

acropatologia [De *acr(o)-*^{1} + *patologia.*] ***S. f.*** *Med.* Estudo das doenças que comprometem as extremidades.

acrópeto [De *acr(o)-*^{1} + *-peto.*] ***Adj.*** *Bot.* Diz-se de órgãos ou partes que se desenvolvem da base para o ápice, como, p. ex., folhas e flores, sendo, pois, as maiores e mais velhas as de baixo. [Sin.: *basífugo.*]

acrópode [De *acr(o)-*^{1} + *-pode.*] ***S. m.*** *Zool.* V. *acrópodo.*

acropódio [Do gr. *akropódion,* pelo lat. tard. *acropodiu.*] ***S. m.*** Pedestal ou plinto baixo e quadrado, no qual se firma uma estátua.

acrópodo [De *acr(o)-*^{1} + *-podo.*] ***S. m.*** *Zool.* **1.** Parte terminal dos membros dos vertebrados. **2.** Lado superior da extremidade dos dedos das aves. [Sin. ger.: *acrópode.*]

acrópole [Do gr. *akrópolis,* pelo lat. tard. *acropole.*] ***S. f.*** A parte mais elevada das antigas cidades gregas, que comportava a cidadela e, eventualmente, santuários: 📖 "Demos .... que o engenho helênico chegara ao máximo cultivo e expansão; que a arte multiplicara aos olhos dos helenos .... nos templos e nas acrópoles, as suas infinitas maravilhas" (Latino Coelho, *A Oração da Coroa,* p. CDIX).

acrorrago ***S. m.*** *Zool.* Tubérculo marginal das actínias, que contém nematocistos.

acrosofia [De *acr(o)-*^{1} + *-sofia.*] ***S. f.*** A sabedoria divina. [Var. pros.: *acrossofia.*]

acrosófico [De *acrosofia* + *-ico*^{2}.] ***Adj.*** Relativo a acrosofia. [Var. pros.: *acrossófico.*]

acrósporo [De *acr(o)-*^{1} + *-sporo.*] ***Adj.*** *Micol.* Diz-se da formação de esporos e outras células reprodutivas dos fungos quando surgem na extremidade da célula-mãe, caso em que os esporos são exógenos.

acrossarco [De *acr(o)-*^{1} + *-sarco.*] ***S. m.*** *Bot. P. us.* Qualquer das bagas oriundas de ovário ínfero e coroadas pelo cálice persistente.

acrossemia [De *acr(o)-*^{1} + *-sem(a)-* + *-ia*^{1}.] ***S. f.*** Redução de palavras ou expressões a letras ou sílabas iniciais.

acrossémico ***Adj.*** V. *acrossêmico.* [Uso freq. em P.]

acrossêmico [De *acrossemia* + *-ico*^{2}.] ***Adj.*** Referente a acrossemia.

acrossofia ***S. f.*** V. *acrosofia.*

acrossófico ***Adj.*** V. *acrosófico.*

acrossoma [De *acr(o)-*^{1} + *-soma.*] ***S. m.*** *Citol.* V. *acrossomo.*

acrossomo [De *acr(o)-*^{1} + *-somo.*] ***S. m.*** *Citol.* Organela que cobre a metade da superfície nuclear do espermatozoide, e contém enzimas que, na fecundação, auxiliam na penetração deste pelas camadas circundantes do ovócito; acrossoma.

acróstico [Do gr. *akrostichís, ídos,* pelo fr. *acrostiche.*] ***S. m.*** Composição poética na qual o conjunto das letras iniciais (e por vezes as mediais ou finais) dos versos compõe verticalmente uma palavra ou frase.

acrostólio [Do gr. *akrostólion.*] ***S. m.*** Ornato em forma de escudo, capacete, cabeça de cisne, etc., que os antigos punham na proa dos navios.

acrotarso [De *acr(o)-*^{1} + *-tarso.*] ***S. m.*** *Zool.* Face anterior do pé das aves, coberta de escamas grandes e imbricadas.

acrotério [Do gr. *akrotérion,* pelo lat. *acroteriu.*] ***S. m.*** *Arquit.* **1.** Ponto mais elevado, ou cimo, de edifício. **2.** Pequeno pedestal sem ornatos, ger. colocado nas extremidades e/ou no cume do frontão ou, ainda, de espaço a espaço, nas balaustradas, e que serve de suporte de estátuas ou de figuras esculpidas.

acroteriose [Do gr. *akrotérion,* 'extremidade', + *-ose*^{1}.] ***S. f.*** *Patol.* Gangrena senil das extremidades dos membros.

acrotismo [De *a-*^{1} + gr. *krótos,* 'percussão', 'batimento', + *-ismo.*] ***S. m.*** *Med.* Ausência ou fraco batimento do pulso.

acrotomia [Do gr. *akrótomos,* 'cortado pela ponta', + *-ia*^{1}.] ***S. f.*** *Cir.* Amputação das extremidades do corpo.

acrotómico ***Adj.*** V. *acrotômico.* [Uso freq. em P.]

acrotômico [De *acrotomia* + *-ico*^{2}.] ***Adj.*** Concernente a acrotomia.

acrotorácico [De *acr(o)-*^{1} + *-torac(o)-* + *-ico*^{2}; tax. *Acrothoracica.*] *Zool.* ***S. m.*** **1.** Espécime dos acrotorácicos, ordem de animais artrópodes, que reúne crustáceos e cirrípedes, com o corpo revestido de manto e menos de seis pares de apêndices no tronco. ● ***Adj.*** **2.** Pertencente ou relativo a eles.

■ **ACTH** [Acrôn. do ingl. *adrenocorticotrophic hormone.*] ***S. m.*** *Endocr.* Hormônio produzido pelo lobo anterior da hipófise, e que estimula cada córtex suprarrenal.

actina [Do lat. *act(us),* 'movimento', + *-ina*^{3}; al. *Aktin.*] ***S. f.*** *Bioquím.* Proteína abundante no citoplasma celular e que se apresenta em forma de filamentos em todas as células eucarióticas. ◆ **Actina F.** *Bioquím.* Forma de actina polimérica ou filamentosa. **Actina G.** *Bioquím.* Forma de actina monomérica ou globular.

actinauxismo (cs) [De *actin(o)-* + *-aux(i)-* + *-ismo.*] ***S. m.*** *Bot.* Fenômeno derivado da atuação das radiações sobre o crescimento das plantas. [As radiações de onda muito curta retardam o desenvolvimento dos vegetais.]

▲ **actini-** V. *actin(o)-.*

actínia [De *actin(o)-* + *-ia*^{2}; tax. *Actinia.*] ***S. f.*** *Zool.* **1.** Gênero de pólipos [v. *pólipo* (2)] actiniários. **2.** Qualquer espécie desse gênero como, p. ex., a que é vulgarmente conhecida como *anêmona-do-mar* (q. v.): 📖 "O bernardo-eremita, ou paguro — todos o sabem —, é um caranguejo desprovido de carapaça, que se mete na concha espiralada de certo caramujo marinho, à qual se vem fixar, sempre, uma actínia vermelha, para aproveitar-se das sobras da alimentação do crustáceo." (Melo Nóbrega, *O Soneto de Arvers,* p. 29.) **3.** Qualquer espécime desse gênero.

actiniário [Do tax. *Actinia* (v. *actin(o)-*) + *-ário*; tax. *Actiniaria.*] *Zool.* ***S. m.*** **1.** Espécime dos actiniários, ordem de animais celenterados zoantários, sem esqueleto, e que apresentam pólipos de tamanho regular, colunares, com parede muscular e disco pedioso; tem estomodeu em geral com sifonóglifo, e septos pares, geralmente em múltiplos de seis. Sésseis, porém não fixos, solitários, habitam rochas, areias, ou vivem sobre invertebrados. São as anêmonas-do-mar. ● ***Adj.*** **2.** Pertencente ou relativo a eles.

actínico [De *actin(o)-* + *-ico*^{2}.] ***Adj.*** **1.** *Quím. Desus.* Diz-se de, ou relativo às radiações que exercem ação química sobre certas substâncias. **2.** *Med.* Diz-se de lesão ou doença devida a exposição à luz solar ou a outras radiações, como as usadas em radioterapia. ● ***S. m.*** **3.** *Zool.* V. *ambulacrário.*

actinídeo [De *actin(o)-* + *-ídeo*^{2}.] ***S. m.*** *Quím.* Cada um dos elementos actinídeos.

actinídeos [De *actin(o)-* + o pl. de *-ídeo*^{2}.] ***S. m. pl.*** *Quím.* Grupo de elementos com propriedades semelhantes às do actínio, de número atômico entre 90 e 103, que compreende, em ordem crescente de número atômico, tório, protactínio, urânio, netúnio, plutônio, amerício, cúrio, berquélio, califórnio, einstêinio, o férmio, o mendelévio, o nobélio e o laurêncio; actinídios, actinoides. [Do netúnio, inclusive, em diante, todos os elementos são artificiais e, tb., instáveis, radioativos. V. *elemento transurânico.*]

actinidiácea [Do tax. *Actinidia* + *-ácea*; tax. *Actinidiaceae.*] ***S. f.*** *Bot.* Espécime das actinidiáceas, família da ordem das ericales que reúne 340 espécies de árvores e arbustos, volúveis ou trepadores, das regiões quentes, de flores actinomorfas, com estames e carpelos numerosos, e frutos que ou são cápsulas ou bagas. Não ocorrem no Brasil.

actinidiáceo [De *actinidiácea,* com var. suf. (v. *-áceo*).] ***Adj.*** *Bot.* Pertencente ou relativo às actinidiáceas.

actinídios ***S. m. pl.*** *Quím.* Actinídeos.

actiniforme [De *actini-* + *-forme.*] ***Adj. 2 g.*** Que tem forma radial, como, p. ex., a anêmona-do-mar.

actínio [De *actin(o)-* + *-io*^{3}; lat. cient. *actinium.*] ***S. m.*** *Quím.* Elemento de número atômico 89, sólido, cristalino, branco-prateado, muito reativo, radioativo [símb.: *Ac*].

actinismo [De *actin(o)-* + *-ismo.*] ***S. m.*** *Quím. Desus.* Propriedade da energia radiante, principalmente no que concerne às áreas visível e ultravioleta do espectro, e pela qual são produzidos efeitos químicos.

actinite [De *actin(o)-* + *-ite*^{1}.] ***S. f.*** *Derm.* Dermatite produzida pela ação de raios luminosos situados além da faixa violeta do espectro solar.

▲ **actin(o)-** [Do gr. *aktís, aktînos.*] ***El. comp.*** = 'raio', 'radiação'; 'actinídeo': *actínio, actinostelo, actinoterapia, actinismo.* [Equiv.: *actini-, -actin(o)-: actiniforme; abactínico.*]

▲ **-actin(o)-** V. *actin(o)-.*

actinoblasto [De *actin(o)-* + *-blasto.*] ***S. m.*** *Zool.* Célula formadora das espículas dos poríferos ou espongiários.

actinocongestina ***S. f.*** *Zool.* Substância tóxica contida no líquido urticante dos cnidoblastos dos celenterados.

actinodermatite [De *actin(o)-* + *-dermat(o)-* + *-ite*^{1}.] ***S. f.*** *Derm.* V. *radiodermatite.*

actinódromo [De *actin(o)-* + *-dromo.*] ***Adj.*** *Bot.* Diz-se da nervação de certas folhas nas quais as nervuras partem da base de modo radiado.

actinógrafo [De *actin(o)-* + *-grafo.*] ***S. m.*** *Met.* Instrumento com que se registra intensidade de radiação solar.

actinograma [De *actin(o)-* + *-grama.*] ***S. m.*** *Met.* Diagrama que apresenta escala vertical em calorias por centímetro quadrado por minuto e escala horizontal em tempo que, no actinógrafo, registra a intensidade de radiação solar.

actinoides (ói) ***S. m. pl.*** *Quím.* Actinídeos. ❖

actinolita [De *actin(o)-* + *-lita.*] ***S. f.*** *Min.* Mineral monoclínico, silicato básico de cálcio, magnésio e ferro do grupo dos anfibólios, verde, fibroso ou granular.

actinologia [De *actin(o)-* + *-logia.*] ***S. f.*** *Biofís.* Ciência que estuda as radiações actínicas.

actinomancia (cí) [De *actin(o)-* + *-mancia.*] ***S. f.*** Ramo da astrologia em que se adivinha por meio das radiações estelares.

actinomante [De *actin(o)-* + *-mante.*] ***S. 2 g.*** Pessoa que pratica a actinomancia.

actinomântico ***Adj.*** Relativo a actinomancia, ou a actinomante.

actinometria [De *actin(o)-* + *-metria.*] ***S. f.*** *Fís.-Quím.* Medida da intensidade de radiação, esp. visível ou ultravioleta, obtida por um sistema químico, ou instrumento físico, e que ger. é expressa em fótons em um dado tempo.

actinométrico [De *actinometria* + *-ico*[2].] ***Adj.*** Relativo a actinometria, ou a actinômetro.

actinómetro ***S. m.*** V. *actinômetro*. [Uso freq. em P.]

actinômetro [De *actin(o)-* + *-metro.*] ***S. m.*** *Fís.-Quím.* Instrumento ou sistema químico empregado na actinometria.

actinomicetácea [De *actin(o)-* + *-micet(o)-* + *-ácea*; tax. *Actinomycetaceae.*] ***S. f.*** *Microbiol.* Espécime das actinomicetáceas, família de bactérias gram-positivas que transitam para os fungos em virtude das colônias filamentosas e radialmente ramificadas. As células são imóveis e não originam endósporos; o gênero-tipo, muito rico em espécies, é o *Actinomyces* (v. *actinomicete*).

actinomicetáceo [De *actinomicetácea*, com var. suf. (v. *-áceo*).] ***Adj.*** *Microbiol.* Pertencente ou relativo às actinomicetáceas.

actinomicete [De *actin(o)-* + *-micete*; tax. *Actinomyces.*] ***S. m.* 1.** *Microbiol.* Gênero-tipo das actinomicetáceas, que engloba bactérias patogênicas capazes de causar a actinomicetose (q. v.). **2.** Qualquer espécie ou espécime desse gênero.

actinomiceto [De *actin(o)-* + *-miceto*; tax. *Actinomyces.*] ***S. m.*** *Microbiol.* Actinomicete.

actinomicetose [De *actinomiceto* + *-ose*[1].] ***S. f.*** *Patol.* Doença crônica, supurativa, granulomatosa, causada por actinomicetes, e que pode acometer o homem e certos animais, como, p. ex., os bovinos; actinomicose.

actinomicídio [Adapt. do tax. *Actinomyxidia*, f. irreg. do tax. *Actinomyxida.*] *Zool.* ***S. m.* 1.** Espécime dos actinomicídios, ordem de animais protozoários cnidosporídios, que têm esporos com três cápsulas e três filamentos polares, e são parasitas no intestino e no celoma de anelídeos aquáticos. • ***Adj.* 2.** Pertencente ou relativo a eles.

actinomicina [De *actin(o)-* + *-mic(o)-*[1] + *-ina*[3]; ingl. *actinomycin.*] ***S. f.*** *Quím.* Qualquer de um grupo de polipeptídios encontrados em bactérias do gên. *Streptomyces*, presentes no solo, p. ex., a actinomicina D [fórm.: $C_{62}H_{86}N_{12}O_{16}$], um dos primeiros antibióticos usados em terapia.

actinomicoma [Do tax. *Actinomyces* + *-oma*[1].] ***S. m.*** *Patol.* Lesão semelhante a tumor (1), e que se deve a reação consequente a infecção por actinomicete.

actinomicose [De *actin(o)-* + *-mic(o)-*[1] + *-ose*[1].] ***S. f.*** *Patol.* Actinomicetose.

actinomicótico [De *actinomic(ose)* + *-ótico.*] ***Adj.*** *Patol.* Relativo a actinomicose.

actinomorfia [De *actin(o)-* + *-morf(o)-* + *-ia*[1].] ***S. f.*** *Bot.* Qualidade de actinomorfo; actinomorfismo.

actinomórfico [De *actinomorfia* + *-ico*[2].] ***Adj.*** *Bot.* Relativo a actinomorfia.

actinomorfismo [De *actin(o)-* + *-morf(o)-* + *-ismo.*] ***S. m.*** *Bot.* Actinomorfia.

actinomorfo [De *actin(o)-* + *-morfo.*] ***Adj.*** *Bot.* Diz-se de qualquer órgão ou parte de uma planta que tenha simetria radiada, *i.e.*, que permita passar ou traçar vários planos de simetria. [Opõe-se a *zigomorfo.*]

actinónio ***S. m.*** *Quím.* V. *actinônio*. [Uso freq. em P.]

actinônio [De *actin(o)-* + *-on-* + *-io*[3].] ***S. m.*** *Quím.* Isótopo do radônio, de massa atômica 219.

actinópode [De *actin(o)-* + *-pode*; tax. *Actinopoda.*] *Zool.* ***S. m.* 1.** Espécime dos actinópodes, subclasse de protozoários que apresentam pseudópodes de forma radiada, providos de um eixo interno. • ***Adj. 2 g.* 2.** Pertencente ou relativo a eles.

actinopterígio [De *actin(o)-* + *-pterígio*; tax. *Actinopterygii.*] *Zool.* ***S. m.* 1.** Espécime dos actinopterígios, numerosa subclasse de peixes osteictes, com mais de 23 mil espécies extintas e exstantes, que se caracterizam por apresentar nadadeiras com raios, esqueleto calcificado, e aberturas branquiais protegidas por opérculos. • ***Adj.* 2.** Pertencente ou relativo a eles.

actinoscopia [De *actin(o)-* + *-scop-* + *-ia*[1].] ***S. f.*** *Med.* Exame de tecidos e estruturas profundas do corpo, por meio de raios X; radioscopia, fluoroscopia.

actinoscópico [De *actinoscopia* + *-ico*[2].] ***Adj.*** Relativo a actinoscopia.

actinostelia [De *actinostelo* + *-ia*[1].] ***S. f.*** *Bot.* Característica de raiz e caule que apresentam actinostelo.

actinostélico [De *actinostelo* + *-ico*[2].] ***Adj.*** *Bot.* Referente a actinostelia, ou a actinostelo, ou de qualquer deles característico.

actinostelo [De *actin(o)-* + *-stelo.*] ***S. m.*** *Bot.* Estelo em que o lenho se abre para fora, em forma de vários ramos, recordando as pontas de uma estrela, e entre os quais fica o líber. [É peculiar às raízes das plantas vascularizadas e ao caule dos licopódios.]

actinóstoma [De *actin(o)-* + *-stoma.*] ***S. m.*** *Zool.* A boca da anêmona-do-mar e da estrela-do-mar.

actinotactismo [De *actin(o)-* + *tactismo.*] ***S. m.*** *Bot.* V. *actinotatismo*.

actinotatismo [De *actin(o)-* + *tatismo*; var. de *actinotactismo.*] ***S. m.*** *Bot.* Movimento que certos vegetais apresentam sob a influência de uma radiação.

actinoterapia [De *actin(o)-* + *-terapia.*] ***S. f.*** *Terap.* Forma de terapia em que se emprega irradiação ultravioleta ou irradiação actínica.

actinoterápico [De *actinoterapia* + *-ico*[2].] ***Adj.*** *Terap.* Relativo a actinoterapia.

actinotoxemia (cs) [De *actin(o)-* + *toxemia.*] ***S. f.*** *Patol.* Toxemia devida a produtos de desintegração que, originados de tecidos corporais, surgem em consequência de efeito de irradiações [v. *irradiação* (3)].

actinotoxémico (cs) ***Adj.*** V. *actinotoxêmico*. [Uso freq. em P.]

actinotoxêmico (cs) [De *actinotoxemia* + *-ico*[2].] ***Adj.*** Referente a actinotoxemia.

actinotropismo [De *actin(o)-* + *tropismo.*] ***S. m.*** *Bot.* Inflexão de um vegetal sob a influência de uma radiação luminosa que age lateralmente.

actinozoário [De *actin(o)-* + *-zo(o)-* + *-ário*; tax. *Actinozoa.*] ***S. m. Adj.*** *Zool.* V. *antozoário*.

actínula [De *actin(o)-* + *-ula*; lat. cient. *actinula.*] ***S. f.*** *Zool.* Forma larvária ciliada dos hidroides do gênero *Tubularia*, que nada e rasteja antes de se fixar.

➔**activewear** [ˈæktɪvˌwɛɚ] [Ingl.] ***S. m. e f.*** Roupa própria para a atividade esportiva.

acu [De or. tupi, poss.] ***S. m.*** *Bras.* Calor, quentura.

▲**ac(u)-** [Do lat. *acus, us.*] ***El. comp.*** = 'agulha': *acupressão, acupuntura.*

açu [Do tupi.] ***Adj. 2 g.*** *Bras.* Grande; considerável: "Em escala descendente, a começar no Catete, onde pontifica o chefe açu, e a terminar no último lugarejo do sertão, com caudilho mirim, isto é um país a regurgitar de mandões" (Graciliano Ramos, *Linhas Tortas*, p. 9). [Antôn.: *mirim.*]

▲ **-açu** [Do tupi *gwa'su.*] ***El. comp.*** = 'grande', 'vasto'; 'considerável': *acutipuruaçu*. [Equiv.: *-guaçu, -oçu, -uaçu, -uçu*: *amoré-guaçu, acarauaçu, acarauçu, boiaçu.*] [É seguido de hífen quando a pronúncia o exige ou quando o primeiro el. termina por vogal acentuada graficamente: *andá-açu, capim-açu.*]

acuação [De *acuar* + *-ção.*] ***S. f.* 1.** V. *acuamento* (1). **2.** *Bras.* Perseguição de caça, obrigando-a a refugiar-se na toca.

acuado [Part. de *acuar.*] ***Adj.* 1.** Perseguido, acossado. **2.** Diz-se de cavalgadura que não quer andar; empacado, emperrado. **3.** *Bras. Fig.* Constrangido, obrigado. **4.** *Bras. N.E. MG* Diz-se do animal bravio que está na defensiva, ameaçado pelos cães. **5.** *Bras. N.E. MG Fig.* Embaraçado, confuso, perplexo. **6.** *Bras. N.E. MG* Diz-se da dor localizada num ponto determinado.

acuador (ô) [De *acuar* + *-dor.*] ***Adj.* 1.** Que acua ou faz acuar. **2.** *Bras.* Diz-se do equídeo acuado (2). **3.** *Bras.* Diz-se de cavalo rústico, mas perito em perseguir reses tresmalhadas.

acuamento [De *acuar* + *-mento.*] ***S. m.* 1.** Ato ou efeito de acuar; acuação, acuo. **2.** Retirada humilhante.

acuar [De *a-*[2] + *cu* + *-ar*[2].] ***V. int.* 1.** Sentar-se (o animal) sobre as patas traseiras, para formar o salto. **2.** Recuar: *A tropa fez o inimigo acuar.* **3.** *Bras.* Parar, sem querer continuar a marcha (o cavalo); empacar. **4.** *Bras. N.E. MG* Deter-se de medo ou de espanto; ficar perplexo. ***T. d.* 5.** Perseguir (a caça), especialmente para forçá-la a refugiar-se na toca; entocar. **6.** Cercar (a caça) com os cães, obrigando-a a defender-se. **7.** Perseguir (o inimigo, o adversário) em posição de que não possa fugir. **8.** *Bras. N.E. MG* Deixar em situação embaraçosa. [Pres. subj.: *acue, acues, acue, acuemos, acueis, acuem*. Cf. *acuém* e *acoar.*]

acuasma ***S. m.*** *Med. Impr.* V. *acusma*.

acuaua ***S. 2 g.* 1.** *Etnôn.* Indivíduo dos acuauas [ou (etnôn. bras.) *Akuawa, *Asurini, *Asurini do Tocantins*], grupo indígena da família linguística tupi-guarani, tronco tupi, que habita ao N. de Tucuruí (PA). • ***Adj. 2 g.* 2.** Pertencente ou relativo a esse povo.

açubá [Do ár. *aṣ-ṣubh*, 'aurora', 'manhã', 'madrugada'.] ***S. f.*** *Bras. Rel.* Entre os malês, a oração matutina, a primeira das cinco orações diárias dos muçulmanos.

acúbito [Do lat. *accubitu.*] ***S. m.*** Espécie de leito ou sofá destinado normalmente a um só conviva, nas refeições romanas.

açúcar [Do ár. *as-sukkar*, 'açúcar', poss. do gr. *sákcharon* (cf. *sacarose*) < sânscr. *çarkarâ*, 'pedregulho'; 'grão'; 'cristais de açúcar'.] ***S. m.* 1.** *Quím.* Qualquer de certos carboidratos simples, ger. solúveis em água e de sabor adocicado, como a sacarose, a glicose e a frutose. **2.** *P. ext.* Cana-de-açúcar: *A cultura do açúcar é uma das principais riquezas do Nordeste.* **3.** Substância derivada do metabolismo vegetal e animal, encontrada em abundância nos frutos, no mel, no sangue, e na urina dos diabéticos; glicose (q. v.). **4.** *Fig.* Doçura, brandura. **5.** *Fig.* Manha, lábia. **6.** *Bras.* Na zona dos engenhos e canaviais, nome de algumas danças e cantigas afronegras. [Var. (pop.): *açucre*. Pl.: *açúcares*. Cf. *açucares*, do v. *açucarar*; *assucar*; e deste verbo a f. *assucares.*] ◆ **Açúcar branco.** Açúcar (1), muito refinado e clarificado, em que a sacarose está presente em alto grau de pureza. **Açúcar de cana.** Açúcar (1). **Açúcar de confeiteiro.** Tipo de açúcar pulverulento e de cor branca, com aspecto nevado, e que é us. no preparo de suspiros, merengues e na decoração de outros doces. **Açúcar mascavado.** Denominação comum aos açúcares de coloração amarelo-queimado, produzido nos engenhos e usinas. [Cf. *açúcar mascavo.*] **Açúcar mascavo.** Variedade de açúcar mascavado (q. v.), de coloração mais intensa. **Açúcar redutor.** *Quím.* Qualquer carboidrato (p. ex., glicose e maltose, mas não sacarose) que tem carbonila livre, aldeídica ou cetônica, facilmente oxidável e que, portanto, reage com certos oxidantes brandos como, p. ex., o reagente de Fehling.

açucarado [Part. de *açucarar.*] ***Adj.* 1.** Que se açucarou. **2.** Diz-se de fruta que é naturalmente adocicada. **3.** V. *Água com açúcar* (2). ~ V. *diabetes —a* e *diabetes —*.

açucarar [De *açúcar* + *-ar*[2].] ***V. t. d.* 1.** Adoçar com açúcar. **2.** Tornar doce; adoçar, dulcificar, edulcorar: *Açucarou excessivamente o café.* **3.** Tornar melífluo, suave; suavizar, edulcorar, adoçar: *açucarar a voz.* **4.** Tornar meigo, terno, amorável; ameigar, suavizar. ***Int.* 5.** Adquirir a consistência do açúcar; açucarar-se. ***P.* 6.** Cobrir-se ou repassar-se de açúcar. **7.** Açucarar (5). **8.** Ameigar-se, suavizar-se: "Quando se azeda [um ministro], é déspota; quando açucara-se, transige." (Carlos de Laet, *Obras Seletas*, I, p. 34.) [Pres. subj.: *açucare, açucares*, etc. Cf. *açúcares*, pl. de *açúcar*, e *assucares*, do v. *assucar.*]

açúcar-cande [Do ár. *sukkar* (v. *açúcar*) + *qand* (v. *cande*).] ***S. m.*** O que é obtido pela cristalização da sacarose, e se apresenta em blocos vítreos; açúcar de farmácia, alfênico: "A que morreu trazia sempre ovos de açúcar-cande para a merenda da segunda-feira da Páscoa." (Maria Julieta Drummond de Andrade, *O Valor da Vida*, p. 19.) [Var.: *açúcar-cândi*. Sin.: *açúcar de farmácia*. Pl.: *açúcares-candes* e *açúcares-cande.*]

açúcar-cândi ***S. m.*** V. *açúcar-cande*. [Pl.: *açúcares-cândis* e *açúcares-cândi.*]

açúcar de farmácia ***S. m.*** V. *açúcar-cande*. [Pl.: *açúcares de farmácia.*] ☑

açúcar de leite ***S. m.*** V. *lactose*. [Pl.: *açúcares de leite.*] ☑

açúcar-demerara ***S. m.*** Açúcar amarelado, constituído por cristais, e largamente exportado pelas usinas. [Tb. se diz apenas *demerara*. Pl.: *açúcares-demerara.*]

açúcar de uva ***S. m.*** Glicose. [Pl.: *açúcares de uva.*] ☑

açúcar dos diabéticos ***S. m.*** Sacarina. [Pl.: *açúcares dos diabéticos.*] ☑

açucareira ***S. f.*** *Bras. Zool.* V. *formiga-açucareira*.

açucareiro [De *açúcar* + *-eiro.*] ***S. m.* 1.** Fabricante de açúcar. **2.** Negociante de açúcar. **3.** Vaso em que se serve o açúcar. • ***Adj.* 4.** Pertencente ou relativo ao açúcar ou à cana-de-açúcar. **5.** Que se ocupa da indústria e do comércio do açúcar.

açucate ***S. m.*** V. *acicate*.

açucena [Do ár. *as-sūsān.*] ***S. f.*** *Bot.* **1.** Nome comum a várias amarilidáceas dos gêneros *Amaryllis, Hippeastrum, Worsleya* e *Zephyrantes*; são ger. bulbosas, com folhas lineares e ensiformes, e flores exuberantes e conhecidas, ainda, como copo-de-leite e cecém. **2.** V. *açucena-branca*. **3.** V. *flor-da-imperatriz*. **4.** V. *palma-de-são-josé*. **5.** V. *tuquirá*.

açucena-branca [De *açucena* + o f. de *branco.*] ***S. f.*** *Bot.* Erva liliácea (*Lilium candidum*) de folhas lanceoladas, flores brancas, aromáticas, e frutos capsulares; fornece óleo essencial, tem propriedades medicinais, e é us. em perfumaria. [Tb. se diz apenas *açucena*. Sin.: *copo-de-leite, cecém, cebola-cecém, lírio-branco*. Pl.: *açucenas-brancas.*]

açucena-d'água ***S. f.*** *Bras.* **1.** Planta herbácea, da família das amarilidáceas (*Crinum erubescens*), ornamental e cultivada, de flores sésseis, aromáticas, com coloração branca e filetes rubros; cebola-cecém. **2.** V. *cebola-brava-do-pará*. [Pl.: *açucenas-d'água.*]

açucena-do-campo ***S. f.*** *Bras. Bot.* Erva amarilidácea (*Hippeastrum psittacinum*) que habita os planaltos austral e central brasileiros; tem folhas dísticas e flores esverdeadas com margens purpúreas ou roxas, sendo o suco da raiz considerado excitante e purgativo. [Pl.: *açucenas-do-campo.*]

açucena-do-mato *S. f. Bras. Bot.* Pequena árvore rubiácea (*Posoqueria latifolia*) ornamental, de flores alvas e perfumadas, e cujos frutos são bagas amarelas; araçá-da-praia, araçá-de-coroa, bacupari-de-capoeira, flor-de-mico, laranja-de-mico, laranja-de-macaco, maria-peidorreira, papa-terra, puruí. [Pl.: *açucenas-do-mato.*]

açucena-do-rio *S. f. Bras. Bot.* Carapitaia. [Pl.: *açucenas-do-rio.*]

açucenal [De *açucena* + *-al*^{1}.] *S. m.* Quantidade mais ou menos considerável de açucenas [v. *açucena* (1)] dispostas proximamente entre si.

açucenense *Adj. 2 g.* **1.** De, ou pertencente ou relativo a Açucena (MG). ● *S. 2 g.* **2.** O natural ou habitante de Açucena.

acuchi *S. m. Bras. Zool.* V. *cutia*^{1}.

açucre *S. m. Pop.* V. *açúcar.*

açucrinha [De um dim. de *açúcar.*] *S. f. Cabo-verd.* Espécie de caramelo feito à base de açúcar e leite; sucrinha: "O rapaz doente comprou duas bolachas e cinco açucrinhas." (Gabriel Mariano, *Vida e Morte de João Cabafume*, p. 18.)

açuçuapara [De *suaçuapara*, com prótese e metátese.] *S. m. Bras. Zool.* V. *suaçuapara.*

acucular *V. t. d. T. d. e i. P.* V. *acogular.*

açudada [De *açude* + *-ada*^{1}.] *S. f.* **1.** Porção de água represada pelo açude. **2.** Açude cheio.

açudador (ô) [De *açudar* + *-dor.*] *Adj.* Que açuda, que represa águas.

açudagem [De *açudar* + *-agem*^{2}.] *S. f.* Ação ou efeito de açudar; açudamento.

açudamento [De *açudar* + *-mento.*] *S. m.* Açudagem. [Cf. *açodamento.*]

açudar [De *açude* + *-ar*^{2}.] *V. t. d.* **1.** Represar (água) no açude. *Int.* **2.** Construir açudes. [Cf. *açodar.*]

açude [Do ár. *as-sadda(t).*] *S. m.* **1.** Construção destinada a represar águas, em geral para fins de irrigação; barragem, acéquia, presúria. **2.** *Bras. N.E.* Vazante onde o sertanejo faz a sua cultura, à medida que baixa o nível da água. **3.** *Bras.* Lago formado por represamento.

acudir [Do ant. *recudir*, do lat. *recutere*, 'rechaçar'.] *V. t. d.* **1.** Acorrer, ir em socorro, defesa ou proteção de; socorrer; auxiliar: "Quem me vê? quem me quer? quem me acode?" (Alberto Ramos, *Poemas*, p. 54.) **2.** Arcar com; atender a; assumir: "o vice-rei não tinha recursos; o cofre público mal podia acudir urgências ordinárias." (Machado de Assis, *Papéis Avulsos*, p. 252). **3.** Responder prontamente; retorquir: "quando Pestana entregou a nova polca, e passaram ao título, o editor acudiu que trazia um .... para a primeira obra que ele lhe apresentasse" (Machado de Assis, *Várias Histórias*, p. 69). *T. i.* **4.** Ir em socorro ou em auxílio; valer em dificuldade; acorrer: "O pior é que o pequeno, se lhe não acudo, morre de fome..." (Camilo Castelo Branco, *Novelas do Minho*, I, p. 29); "Escolheu o soneto... A folha branca / Pede-lhe a inspiração; mas, frouxa e manca, / A pena não acode ao gesto seu." (Machado de Assis, *Poesias Completas*, p. 330). **5.** Obedecer, atender: "Vitorino Carneiro da Cunha acode a todo chamado." (José Lins do Rego, *Fogo Morto*, p. 51.) **6.** Satisfazer, atender. **7.** Interceder, intervir: "D. Fernanda deu algum dinheiro ao criado para que o fosse lavar [ao cão] e conduzir à casa de saúde .... Nesta parte acudiu também Sofia, ordenando que a procurasse antes, em casa." (Machado de Assis, *Quincas Borba*, p. 349.) **8.** Responder, retorquir: *Acode a tudo que lhe perguntam;* "'Que bobagem!', ia pensando, em desconcertar o sorriso aprovador com que acudia a todas as observações de D. Fernanda." (Id., *ib.*, pp. 346-347). **9.** Responder por determinado nome, título, apelido, etc.; ser conhecido por ele: *Chama-se Manuel, mas acode também por Manuca.* **10.** Vir à lembrança; ocorrer: *Não lhe acudia o nome certo da rua;* "Secou-me na boca o riso que ia rir, e acudiram-me ideias em que nunca tinha refletido." (Raul Brandão, *Os Pobres*, p. 197). *T. c.* **11.** Ir, dirigir-se, encaminhar-se (a um lugar): "Rubião escrevera ao Palha que o procurasse; este acudiu à casa de saúde, viu que ele raciocinava claramente, sem a menor sombra de delírio." (Machado de Assis, *Quincas Borba*, p. 353.) *Bit. i.* **12.** Atender, satisfazer: "dava-se ao marido e ao amante por igual, acudindo a um e a outro com a mesma abnegação e o mesmo empenho." (Josué Montelo, *Uma tarde, Outra tarde*, p. 255). **13.** Prover, remediar: "Aguiar dava-se a trabalhos diversos para acudir com suprimentos à escassez dos vencimentos." (Machado de Assis, *Memorial de Aires*, p. 28.) **14.** Responder, retorquir: "a juventude se queixa de ser reprovada em exames por não acudir com resposta certa a perguntas difíceis." (Camilo Castelo Branco, *Curso de Literatura Portuguesa*, p. 287). *Int.* **15.** Ir ou vir em socorro de alguém; acorrer: "De repente perdeu os sentidos, o pulso enfraqueceu. Acudiram." (Geraldo França de Lima, *Jazigo dos Vivos*, p. 62.) **16.** Atender a chamado, aviso, convite, etc.: "Bati algum tempo e, não acudindo alguém de dentro, entrei sem mais cerimônia." (Afonso Arinos, *Pelo Sertão*, p. 177.) *P.* **17.** Socorrer-se, valer-se de alguém ou de alguma coisa: *Quando se viu sem dinheiro, acudiu-se da família.* [Irreg. Muda o *u* da raiz em *o* nas 2ª e 3ª pess. sing. e 3ª pess. pl. do pres. ind., e na 2ª pess. sing. do imperat.: *acodes, acode, acodem; acode.*]

acuém *S. 2 g.* **1.** *Etnôn.* Indivíduo dos acuéns [ou (etnôn. bras.) *Akwen], grupo indígena que compreende os xavantes, os xerentes e os xacriabás, da família linguística jê, tronco macro-jê. ● *Adj. 2 g.* **2.** Pertencente ou relativo a esse grupo. [Cf. *acuem*, do v. *acuar.*]

açuense *Adj. 2 g.* **1.** Do, ou pertencente ou relativo ao Açu (RN). ● *S. 2 g.* **2.** O natural ou habitante do Açu.

acuera [Do tupi = 'o que foi'.] *Adj. 2 g. S. f. Bras.* Diz-se de, ou coisas antigas, abandonadas ou extintas.

acufechamento [De *acu-* + *fechamento*; trad. do ingl. *acuclosure.*] *S. m. Cir.* Detenção de uma hemorragia por meio de agulha.

açufeifa [Var. de *açofeifa.*] *S. f. Bot.* V. *jujuba* (1 e 2).

açufeifeira [Var. de *açofeifeira.*] *S. f. Bot.* V. *jujuba* (1).

acúfeno [De *acu(o)-* + *-feno.*] *S. m. Med. Impr.* V. *acuofênio.*

acuidade (u-i) [Adapt. do fr. *acuité.*] *S. f.* **1.** Qualidade de agudo. **2.** Agudeza de percepção; perspicácia; finura: "Sá-Carneiro não deixará de continuar a beneficiar da sua imaginação metafórica riquíssima, da sua acuidade sensual invulgar" (João Gaspar Simões, *Liberdade do Espírito*, p. 53). **3.** Intensidade, veemência. **4.** Gravidade, seriedade. **5.** *Fisiol.* Grau de sensibilidade acentuada dos órgãos do sentido (5), como os da visão, da audição, do tato; agudeza.

acuiuru [De or. tupi.] *S. m. Bras. Bot.* V. *tucumã* (2).

açulador (ô) [De *açular* + *-dor.*] *Adj. S. m.* Que, ou aquele que açula.

aculálio [De *acu(o)-* + *-lal(o)-* + *-io*^{3}.] *S. m. Med.* Aparelho com que se ensinavam os surdos-mudos a falar.

açulamento [De *açular* + *-mento.*] *S. m.* Ato ou efeito de açular(-se). [Sin., bras.: *açulo.*]

açular [De or. obscura.] *V. t. d.* **1.** Incitar, instigar (o cão) a morder: "Impensadamente, açulei o cachorro: — 'Isca! Pega!'" (Gustavo Barroso, *Terra de Sol*, p. 87.) **2.** Incitar, instigar, estimular, excitar: "Como que para açular a ambição dos que o procuravam, variava [o ouro] de qualidade" (Paulo Prado, *Retrato do Brasil*, p. 93). *T. d. e i.* **3.** Incitar a morder; estumar. **4.** Incitar; provocar, estimular: "De mão dada com os adversários dos jesuítas, o embaixador .... não perdia ensejo de açular a opinião contra a sociedade, inundando Roma de pasquins" (J. Lúcio d'Azevedo, *O Marquês de Pombal e a Sua Época*, p. 200). *P.* **5.** Estimular-se, excitar-se: *O apetite açulou-se com a corrida.* [Cf. *assolar.*]

aculeado^{1} [Do lat. *aculeatu.*] *Adj.* **1.** Que tem aguilhão ou ferrão. **2.** Agudo, pontiagudo.

aculeado^{2} [Do tax. *Aculeata.*] *Zool. S. m.* **1.** Espécime dos aculeados, divisão de insetos himenópteros cujas fêmeas têm um ferrão na extremidade do abdome. ● *Adj.* **2.** Pertencente ou relativo a eles.

acular [De *acúleo* + *-ar*^{2}.] *V. t. d.* **1.** Armar ou prover de acúleo ou aguilhão. **2.** *Fig.* Ferir, magoar. [Conjug.: v. *frear.*]

aculeiforme [De *acúleo* + *-iforme.*] *Adj. 2 g.* Que tem forma de acúleo; acicular.

acúleo [Do lat. *aculeu.*] *S. m.* **1.** Ponta aguçada; pua, espinho: "guaiapás perigosos, abrolhados em acúleos lancinantes e peçonhentos" (Júlio Ribeiro, *A Carne*, p. 25). **2.** *Fig.* Incentivo, estímulo: *os acúleos da ambição.* **3.** *Bot.* Emergência rígida e pungente ligada ao córtex e, portanto, abaixo da epiderme. Distingue-se do espinho por ser mais superficial que ele, podendo destacar-se com facilidade. **4.** *Zool.* Ferrão dos insetos himenópteros e dos escorpionídeos que se liga a uma glândula peçonhenta. **5.** *Zool.* Ornamento acelular da cutícula dos insetos. **6.** *Zool.* Raio simples, duro e pungente, ligado à nadadeira de certos peixes, como, p. ex., os bagres; espinha, espinho. [Cf. *ecúleo.*]

aculeolado [De *aculéolo* + *-ado*^{1}.] *Adj. Bot.* Provido de acúleos ou aculéolos.

aculéolo [Do lat. *aculeolu*, dim. do lat. *aculeu* (v. *acúleo*).] *S. m.* Pequeno acúleo.

açulo [Dev. de *açular.*] *S. m. Bras.* Açulamento.

aculturação [Do ingl. *acculturation.*] *S. f.* **1.** *Antrop.* Processo decorrente do contato mais ou menos direto e contínuo entre dois ou mais grupos sociais, pelo qual cada um desses grupos assimila, adota ou rejeita elementos da cultura do outro, seja de modo recíproco ou unilateral, e podendo implicar, eventualmente, subordinação política. **2.** *Antrop. P. ext.* O estado que resulta desse processo. **3.** *Psicol.* Adaptação de um indivíduo a uma nova cultura com que estabelece contato, seja em seu local de origem, seja em outro local para que se tenha mudado. **4.** *Sociol.* Formação de uma nova cultura a partir da absorção de uma cultura por outra.

aculturado [Part. de *aculturar.*] *Adj.* Que sofreu aculturação: "Se assim fosse, encontraríamos .... tribos tanto mais aculturadas, mestiçadas e assimiladas quanto mais antiga fosse a ocupação .... de seus territórios" (Darci Ribeiro, *Os Índios e a Civilização*, p. 20).

aculturamento [De *aculturar* + *-mento.*] *S. m.* V. *aculturação.*

aculturar [Voc. deduz. de *aculturação*; v. *a-*^{2}, *cultura* e *-ar*^{2}.] *V. t. d.* **1.** Causar ou promover a aculturação de (grupo social, ou indivíduos a ele pertencentes). *P.* **2.** Passar por processo de aculturação; modificar-se como resultado do contato com outros grupos e a assimilação ou adaptação parcial à cultura destes.

acumã [De or. tupi.] *S. m. Bras. Bot.* Palmeira arecácea (*Syagrus campestris*) cespitosa, cujas nozes contêm semente oleífera, e de cujas folhas se fazem vassouras grosseiras; ariri, coco-da-serra, coco-de-vassoura, coqueirinho-do-campo, coqueiro-do-campo, uacumã.

açumagrar [De *açumagre* + *-ar*^{2}.] *V. t. d.* Curtir com açumagre.

açumagre *S. m. Bot.* V. *sumagre.*

acumatanga [Var. de *acamatanga.*] *S. f. Bras. Zool.* V. *xauã.*

acumbente [Do lat. *accumbente.*] *Adj. 2 g. Bot.* **1.** Diz-se dos cotilédones quando estão aplicados um contra o outro e a radícula se coloca ao longo dos bordos justapostos, em um dos lados. **2.** Nas hepáticas jungermanniales foliosas, quando as folhas são imbricadas, diz-se da folha que cobre com a base o ápice da que fica abaixo.

acume [Var. de *acúmen.*] *S. m.* **1.** Ponta aguda e comprida. **2.** Ponto mais alto; ápice, cume. **3.** *Fig.* Agudeza, astúcia, argúcia. **4.** *Fig.* Estímulo, incentivo, acicate.

acumear [De *a-*^{2} + *cume* + *-ear*^{2}.] *V. t. d.* Levar ao cume ou acume; encumear. [Conjug.: v. *frear.*]

acúmen [Do lat. *acumen.*] *S. m.* V. *acume.* [Pl.: *acumens* e (p. us. no Brasil) *acúmenes.*]

acumetria [De *acu(o)-* + *-metria.*] *S. f.* V. *audiometria.*

acumétrico [De *acumetria* + *-ico*^{2}.] *Adj.* Relativo a acumetria.

acúmetro [De *acu(o)-* + *-metro.*] *S. m.* V. *audiômetro.*

açumi [Do hauçá.] *S. m. Bras. Rel.* Jejum anual dos malês, que coincide com a festa católica do Espírito Santo, e que dura toda uma lunação, sendo seguido de 60 dias de descanso e 10 de penitência. [Cf. *assumi*, do v. *assumir.*]

acuminado [Do lat. *acumine* (v. *acume*) + *-ado*^{1}.] *Adj.* **1.** Agudo, aguçado, pontiagudo. **2.** Terminado em, ou provido de acume (1): *folha acuminada.*

acuminar [Do lat. tard. *acuminare.*] *V. t. d.* **1.** Estreitar em ponta; aguçar. *P.* **2.** Tornar-se acuminado.

acumpliciado [Part. de *acumpliciar.*] *Adj.* Que se acumpliciou, que se tornou cúmplice.

acumpliciar [De *a-*^{2} + *cúmplice* + *-iar*^{2}.] *V. t. d. P.* Tornar(-se) cúmplice; cumpliciar(-se).

acumulabilidade [De *acumulável* (*acumulabil-*) + *-(i)dade*, seg. o padrão erudito.] *S. f.* Qualidade ou característica do que é acumulável.

acumulação [Do lat. tard. *accumulatione.*] *S. f.* **1.** Ato ou efeito de acumular(-se); acúmulo, amontoamento: "Quanto ao Tomé Gonçalves, pasmado de tantas dívidas velhas, não se fartava de elogiar a longanimidade dos credores, censurando-os ao mesmo tempo pela acumulação." (Machado de Assis, *Histórias sem Data*, p. 24.) **2.** Aumento, acréscimo, acúmulo: *acumulação de capitais.* **3.** Reunião de pessoas ou de coisas; ajuntamento, acúmulo: *No quarto havia uma acumulação exagerada de móveis.* **4.** Designação genérica do trabalho construtivo das águas correntes, das águas do mar e dos lagos, das geleiras, dos ventos e dos vulcões. **5.** Exercício simultâneo de empregos ou cargos e respectivos réditos ou remunerações. ◆ **Acumulação eólia.** *Geogr.* Acúmulo de areia, em consequência da ação dos ventos, que formam as dunas. **Acumulação marinha.** *Geogr.* Depósito constante de areia, mediante a ação das águas do mar, e da qual se originam as praias e restingas.

acumulada [F. subst. do adj. *acumulado.*] *S. f. Turfe* Modalidade de aposta que acumula cavalos de vários páreos em um mesmo jogo, e na qual o capital empatado se vai multiplicando à proporção que vão ganhando cada páreo os animais escolhidos. ◆ **Furar uma acumulada.** *Turfe* Deixar de ganhar seu páreo (um dos cavalos da acumulada).

acumulado [Part. de *acumular.*] *Adj.* **1.** Posto em cúmulo ou montão; amontoado. **2.** Ajuntado, reunido, junto. **3.** Associado, aliado. **4.** Que se vai acumulando gradualmente: *juros acumulados; ressentimentos acumulados.* 5. *Quím.* Em química orgânica, diz-se de duas ligações duplas que compartilham um átomo central de carbono, como no aleno (1). ~ V. *frequência —a* e *frequência —a relativa.* ● *S. m.* 6. Aquilo que se acumulou.

acumulador (ô) [Do lat. tard. *accumulatore.*] *Adj.* 1. Que acumula. ~ V. *registrador —.* ● *S. m.* 2. Aquele ou aquilo que acumula. 3. *Fís.-Quím.* Sistema eletroquímico capaz de converter energia química em energia elétrica operando em condições de quase reversibilidade, o que permite recarregá-lo eletricamente pela transformação direta de energia elétrica em energia química; bateria secundária. 4. *Eletr.* Bateria (3). 5. *Inform.* Registrador acumulador (q. v.). ◆ **Acumulador ácido.** *Fís.-Quím.* Aquele cujo eletrólito é uma solução de ácido sulfúrico. **Acumulador alcalino.** *Fís.-Quím.* Aquele cujo eletrólito é, geralmente, uma solução de hidróxido de potássio.

acumular [Do lat. *accumulare.*] *V. t. d.* 1. Pôr em cúmulo ou montão; amontoar, ajuntar. 2. Ajuntar, juntar, reunir: *Antes de escrever o trabalho, acumulou vasta bibliografia sobre o assunto.* 3. Exercer (várias funções, empregos, encargos, etc.) simultaneamente: "Rui de Pina, como Fernão Lopes e Zurara, acumulou os cargos de cronista-mor do reino e de guarda-mor da Torre do Tombo." (Feliciano Ramos, *História da Literatura Portuguesa*, p. 83.) 4. *Bibliogr.* Reunir (bibliografias, índices, etc., que se publicam em fascículos ou volumes semanais, quinzenais, etc.) numa só ordem alfabética, em um ou mais tomos, e, periodicamente, até formar coleção de determinada amplitude. *T. d. e i.* 5. Associar, aliar. 6. Exercer simultaneamente várias funções, cargos, empregos, etc.: "Latino Coelho (1825-1891), contemporâneo de Camilo, formou-se na Escola Politécnica, acumulando estas funções com uma intensa atividade jornalística, parlamentar e acadêmica." (Antônio José Saraiva e Óscar Lopes, *História da Literatura Portuguesa*, p. 787.) *Int.* 7. Amontoar riquezas, bens; fazer fortuna. *P.* 8. Pôr-se em cúmulo ou montão. 9. Juntar-se, amontoando; amontoar-se. 10. Reunir-se, juntar-se: "É à medida que as palavras se acumulam sobre o papel que a poesia vai nascendo." (João Gaspar Simões, *O Mistério da Poesia*, p. 175.) 11. Encher-se, transbordar. 12. Unir-se, mancomunar-se, conjurar-se. [F. paral.: *cumular.* Pres. ind.: *acumulo*, etc. Cf. *acúmulo*, s. m.]

acumulativo [De *acumular* + *-tivo.*] *Adj.* 1. Que tem a faculdade de acumular. 2. Que se acumula: *lucros acumulativos.*

acumulável [De *acumular* + *-vel.*] *Adj. 2 g.* Que se pode acumular.

acúmulo [Dev. de *acumular.*] *S. m.* V. *acumulação* (1 a 3). [Cf. *acumulo*, do v. *acumular.*]

acumutanga [Var. de *acamatanga.*] *S. f. Bras. Zool.* V. *xauá.*

acunati [De or. tupi.] *S. m. Bras. Zool.* V. *jacu-estalo.* [Var.: *acanati.*]

acunhar [De *a-*[2] + *cunha* + *-ar*[2].] *V. t. d.* 1. Meter cunhas em; apertar com cunhas; falquejar. 2. Proteger com empena ou cunha.

acunhear [De *a-*[2] + *cunha* + *-ear*[2].] *V. t. d.* Dar forma de cunha a. [Conjug.: v. *frear.*]

acuo [Dev. de *acuar.*] *S. m. Bras.* V. *acuamento* (1).

▲ **acu(o)-** [Do gr. *akoúein.*] *El. comp.* = 'audição': *aculálio, acumetro, acuômetro.*

acuofénio *S. m. Med.* V. *acuofênio.* [Uso freq. em P.]

acuofênio [De *acu(o)-* + *-fen(o)-* + *-io*[3].] *S. m. Med.* Toda sensação auditiva que não resulta de estímulo exterior ao organismo.

acuometria [De *acu(o)-* + *-metria.*] *S. f.* V. *audiometria.*

acuómetro *S. m.* V. *acuômetro.* [Uso freq. em P.]

acuômetro [De *acu(o)-* + *-metro.*] *S. m.* V. *audiômetro.*

acuponto [De *acu-* + *ponto*; trad. do ingl. *acupoint.*] *S. m. Med.* Na acupuntura, local bem determinado para introdução de agulha, ao longo de um meridiano corporal.

acupremir [De *acu-* + *premir.*] *V. t. d. Terap.* Praticar acupressão em. [Conjug.: v. *premir.*]

acupressão [De *acu-* + *pressão.*] *S. f. Terap.* Forma de tratamento mediante a acupressura.

acupressura [Do ingl. *acupressure.*] *S. f. Terap. Desus.* Processo de hemóstase que consiste em comprimir, inserindo agulhas em suas adjacências, o(s) vaso(s) de onde se origina a hemorragia.

acupunctor (ô) [De *acu-* + *punctor.*] *S. m.* Acupuntor.

acupunctura [De *acu-* + *punctura.*] *S. f.* Acupuntura.

acupuncturar [De *acupunctura* + *-ar*[2].] *V. t. d.* Acupunturar.

acupuntor (ô) [Var. de *acupunctor.*] *S. m.* Especialista em acupuntura.

acupuntura [Var. de *acupunctura.*] *S. f. Med.* 1. Método terapêutico, us. desde milênios pelos chineses e japoneses, que consiste na introdução de agulhas muito finas em pontos cutâneos precisos, para tratamento de certas perturbações funcionais ou para aliviar dores. 2. Punção em local de picada.

acupunturar [Var. de *acupuncturar.*] *V. t. d.* Praticar acupuntura em; tratar pela acupuntura.

acupunturista [De *acupuntura* + *-ista.*] *S. 2 g.* Especialista em acupuntura.

acurácia [Do ingl. *accuracy* (< lat. *accuratus* [v. *acurado*]); a f. vernácula seria **acuração* (< lat. *accuratio, onis*).] *S. f.* 1. *Mat.* Exatidão de uma operação ou de uma tabela. 2. *Fís.* Propriedade de uma medida de uma grandeza física que foi obtida por instrumentos e processos isentos de erros sistemáticos.

acurado [Do lat. *accuratus*; part. de *acurar.*] *Adj.* Feito ou tratado com muito cuidado, desvelo ou apuro: *exame acurado.*

acurar [Do lat. *accurare.*] *V. t. d.* 1. Aperfeiçoar, aprimorar. 2. Tratar de (pessoa ou coisa) com cuidado, com desvelo ou interesse; cuidar de. *P.* 3. Esmerar-se em.

acurativo [Do lat. *accuratus* (v. *acurado*) + *-ivo.*] *Adj. E. Ling.* ~ V. *verbo —.*

acurau [De *acuraua*, com apócope.] *S. m. Bras. Zool.* V. *bacurau* (1).

acuraua *S. f. Bras. MT Zool.* V. *bacurau* (1).

acuré *S. f. Bras.* Entre caçadores, a anta; antacuré.

acuri [Do tupi.] *S. m. Bras. Bot.* Palmeira arecácea (*Attalea princeps* ou *A. phalerata*) de tronco simples, curto, ger. coberto de restos de pecíolo, cujas folhas são us. para cobertura de casas; os frutos têm mesocarpo comestível. [Var.: *guacuri.*]

acurio *S. 2 g.* 1. *Etnôn.* Indivíduo dos acurios [ou (etnôn. bras.) *Akurio], povo indígena da família linguística caraíba, que habita o parque Tumucumaque (PA). ● *Adj. 2 g.* 2. Pertencente ou relativo a esse povo.

acurralar [De *a-*[2] + *curral* + *-ar*[2].] *V. t. d.* Encurralar (1).

acurtar [De *a-*[2] + *curto* + *-ar*[2].] *V. t. d. Int. P.* V. *encurtar.*

acurvado [Part. de *acurvar.*] *Adj.* Curvado.

acurvamento [De *acurvar* + *-mento.*] *S. m.* Ato ou efeito de acurvar(-se).

acurvar [De *a-*[2] + *curvo* + *-ar*[2].] *V. t. d.* 1. Fazer curvo; curvar, encurvar, vergar: "colheu .... uma pitada e, acurvando o busto, sorveu-a ruidosamente." (Afonso Arinos, *Pelo Sertão*, p. 141). *P.* 2. Curvar-se, encurvar-se: "Com uma solicitude rara eles [os floricultores] se acurvavam .... sobre os seus queridos arbustos" (Fialho d'Almeida, *Pasquinadas*, p. 185). 3. Curvar (6): "A praia acurva-se em meia-lua, eriçada de cachopos nos extremos" (Pedro Calmon, *História da Casa da Torre*, p. 19). 4. *P. ext.* Submeter-se, dobrar-se, curvar-se.

acurvilhar [De *a-*[2] + *curvilhão* + *-ar*[2], com desnasalação.] *V. int.* 1. Cair sobre os joelhos amiúde quando tropeça (a cavalgadura). 2. *P. ext.* Pôr-se de joelhos; ajoelhar(-se).

acusabilidade [De *acusável* + *-(i)dade*, seg. o padrão erudito.] *S. f.* Qualidade de acusável.

acusação [Do lat. *accusatione.*] *S. f.* 1. Ato ou efeito de acusar(-se); acusamento. 2. Imputação de erro ou crime; inculpação, incriminação: "Emílio Olivier, culpado da acusação de cúmplice, defendeu-a [a imperatriz Eugênia] galhardamente até ao último arranco" (Ricardo Jorge, *Canhenho dum Vagamundo*, p. 162). 3. Denúncia, delação. 4. Confissão espontânea. 5. *Dir. Proc. Penal* Atividade realizada, perante um tribunal criminal, pelo Ministério Público ou pelo advogado do ofendido, para demonstrar a procedência da denúncia ou da queixa. 6. *Dir. Proc. Penal* O órgão incumbido dessa atividade. 7. *Dir. Proc. Penal* Exposição escrita ou oral da parte que acusa.

acusado [Part. de *acusar.*] *Adj.* 1. Que sofreu acusação; incriminado, acoimado. 2. Denunciado, revelado. 3. Declarado, confessado. 4. Muito pronunciado; acentuado, realçado. ● *S. m.* 5. Aquele a quem se acusa de alguma coisa. 6. *Dir. Proc. Penal* Réu em processo-crime. 7. *Bras.* Jogo infantil, espécie de pique[1] (3) em que o pegador, ao descobrir o esconderijo de algum companheiro, o acusa, gritando: *Acusado F.* (em tal lugar), e o acusado foge para o pique, perseguido pelo acusador.

acusador (ô) [Do lat. *accusatore.*] *Adj.* 1. Que acusa; acusante. ● *S. m.* 2. Aquele que acusa; acusante. 3. *Restr. Dir. Proc. Penal* Aquele a quem compete a acusação (5).

acusamento [De *acusar* + *-mento.*] *S. m.* Acusação (1).

acusante [Do lat. *accusante.*] *Adj. 2 g. S. 2 g.* Acusador (1 e 2).

acusar [Do lat. *accusare.*] *V. t. d.* 1. Imputar falta, delito ou crime a; incriminar, culpar: "Acusou clamorosamente o raptor Guilherme Nogueira, e pediu justiça" (Camilo Castelo Branco, *Novelas do Minho*, I, p. 22). 2. Revelar, denunciar, mostrar: *O exame clínico acusou a doença.* 3. Declarar, confessar. 4. Participar (o recebimento de carta, ofício, etc., a quem os escreveu). 5. *Jur.* Imputar a (alguém), perante o juiz ou tribunal competente, o cometimento de crime ou ato contrário à lei. *T. d. e i.* 6. Culpar, incriminar: "Nisard acusa Juvenal de relatar com indiferença o suplício dos primeiros cristãos." (Fausto Cunha, *Situações da Ficção Brasileira*, p. 100); "O delegado, brigado com o juiz, acusara-o de proteger o agressor." (José Lins do Rego, *Fogo Morto*, p. 236). *Transobj.* 7. Tachar, incriminar: *Acusaram-no de corrupto;* "Fomos [os portugueses] os primeiros que, ao sair da Idade Média, começamos a *dilatar* a fé e o *império* por esses mares, ... e, depois da empresa feita, ou a tacharam de fácil ou a acusaram de imitada." (Latino Coelho, *Fernão de Magalhães*, p. 194). *Int.* 8. Imputar falta, crime ou delito a alguém; incriminar alguém: "Eu não acuso: inquiro por enquanto o teu testemunho" (Camilo Castelo Branco, *A Mulher Fatal*, p. 82). *P.* 9. Declarar-se culpado: *Interrogados sobre a autoria da falta, nenhum dos dois se acusou.*

acusativo [Do lat. *accusativu.*] *Adj.* 1. Relativo a acusação; acusatório. 2. *E. Ling.* Relativo ao acusativo (3). ~ V. *caso —.* ● *S. m.* 3. *E. Ling.* Caso acusativo (q. v.).

acusatório [Do lat. *accusatoriu.*] *Adj.* 1. Que envolve ou contém acusação: "Passemos a examinar outros libelos acusatórios" (Melo Nóbrega, *Arredores da Poesia*, p. 18). 2. Acusativo (1).

acusável [Do lat. *accusabile.*] *Adj. 2 g.* Que pode ou deve ser acusado.

▲ **-acus(i)-** [Do gr. *ákousis, eōs.*] *El. comp.* = 'audição'; 'relativo a (certo tipo de) audição': *bradiacusia, hiperacusia.* [Equiv.: *acustico-, -acústico*: *acusticofobia; hiperacústico.*]

acusma [Do gr. *ákousma*, 'rumor'.] *S. m. Psiq.* Alucinação auditiva.

acúsmata [Do gr. *ákousma, atos.*] *S. m. Filos.* Preceito religioso próprio do pitagorismo primitivo.

acussetor (ô) [De *acu-* + lat. *sectore*, 'cortador'; ingl. *acusector.*] *S. m. Cir.* Agulha que, por ação de corrente elétrica, pode ser us. como escalpelo.

▲ **acusti-** Equiv. de *acust(o)-*.

acústica [Do fr. *acoustique.*] *S. f. Fís.* 1. Parte da física que estuda as oscilações e ondas ocorrentes em meios elásticos, e cujas frequências estão compreendidas entre 20 e 20.000 Hz. Estas oscilações e ondas são percebidas pela orelha como ondas sonoras. 2. Qualidade de um espaço arquitetônico sob o aspecto das condições de propagação do som: *O teatro tem boa acústica.*

▲ **acustico-** [Do gr. *akoustikós, ḗ, ón.*] V. *-acus(i)-*.

acústico [Do gr. *akoustikós*, pelo fr. *acoustique.*] *Adj.* Relativo à acústica. ~ V. *abóbada —a, absorvente —, afasia —a, análogo —, caixa —a, concha —a, corneta —a, filtro —, fonética —a, massa —a, meato — externo, nervo —, ohm —, tratamento —* e *tubo —.*

▲ **-acústico-** [Do gr. *akoustikós, ḗ, ón.*] V. *-acus(i)-*.

acusticofobia (cùs) [De *acustico-* + *-fobia.*] *S. f. Psiq.* Medo patológico de sons.

acusticofóbico (cùs) [De *acusticofobia* + *-ico*[2].] *Psiq. Adj.* 1. Relativo à acusticofobia; acusticófobo. 2. Que sofre de acusticofobia; acusticófobo. ● *S. m.* 3. Aquele que sofre de acusticofobia; acusticófobo.

acusticófobo [De *acustico-* + *-fobo.*] *Adj. S. m. Psiq.* Acusticofóbico (2 e 3).

acustigrama [De *acusti-* + *-grama.*] *S. m. Med.* V. *acustograma.*

▲ **acust(o)-** [Do gr. *akoustós, é, ón*, 'que se pode ouvir'.] *El. comp.* = 'audível'; 'audição'; 'som': *acustograma.* [Equiv.: *acusti-*: *acustigrama.*]

acustograma [De *acust(o)-* + *-grama.*] *S. m. Med.* Representação gráfica de curvas sonoras produzidas pelo(s) movimento(s) de articulação (3).

acuta [Do lat. *acuta*, 'aguda'.] *S. f.* Instrumento com que se medem ou traçam ângulos; salta-regra, esquadria. [Cf. *esquadro* (1), *suta* (2) e *transferidor* (3).]

acutangulado [De *acutângulo* + *-ado*[1].] *Adj.* Que tem ou forma ângulos agudos; acutangular.

acutangular [De *acutângulo* + *-ar*[1].] *Adj. 2 g.* Acutangulado.

acutângulo [De *acut(i)-* + *ângulo.*] *Adj.* Com todos os ângulos agudos; oxígono. ~ V. *triângulo —.*

acutelado [De *a-*[2] + *cutelo* + *-ado*[1].] *Adj.* Que tem feitio de cutelo. [Cf. *acutilado.*]

acutenáculo [Do fr. *acutenacle.*] *S. m. Cir.* Instrumento com que se seguram as agulhas quando se fazem suturas onde as mãos não podem operar.

acuti[1] [Do tupi.] *S. m. Bras. Zool.* V. *cutia*[1].

acuti[2] *S. 2 g.* 1. *Etnôn.* Indivíduo dos acutis [ou (etnôn. bras.) *Acutí], povo indígena extinto, da família linguística aruaque, que habitava o AM na fronteira com a Colômbia. ● *Adj. 2 g.* 2. Pertencente ou relativo a esse povo.

▲ **acut(i)-** [Do lat. *acūtus, a, um.*] *El. comp.* = 'agudo', 'em ponta': *acuticórneo, acutângulo, acutifloro.*

acutiboia (ói) *S. f. Bras. Amaz. Zool.* V. *acutimboia.* ❖

acuticaudado [De *acut(i)-* + *-caud(i)-* + *-ado*[1].] *Adj. Zool.* Diz-se dos animais de cauda pontiaguda.

acuticórneo [De *acut(i)-* + *-corn(i)-* + *-eo.*] ***Adj. Zool.*** Diz-se do artrópode cujas antenas ou chifres terminam em ponta afilada.

acutifloro [De *acut(i)-* + *-floro.*] ***Adj. Bot.*** Dotado de pétalas ou sépalas agudas.

acutifoliado [De *acut(i)-* + *-foli-* + *-ado*[1].] ***Adj. Bot.*** Acutifólio.

acutifólio [De *acut(i)-* + *-fólio.*] ***Adj. Bot.*** Que tem folhas agudas, *i.e.*, terminando em ponta estreitada; acutifoliado.

acutilado [Part. de *acutilar.*] ***Adj.*** **1.** Que recebeu cutiladas. **2.** *Fig.* Experiente, experimentado. [Cf. *acutelado.*]

acutilador (ô) [De *acutilar* + *-dor.*] ***Adj. S. m.*** Que, ou aquele que acutila.

acutilamento [De *acutilar* + *-mento.*] ***S. m.*** Ato ou efeito de acutilar(-se).

acutilar [De *a-*[2] + *cutilada* + *-ar*[2], com síncope.] ***V. t. d.*** **1.** Dar cutiladas em; golpear com cutelo ou arma branca. **2.** *P. ext.* Bater em, espancar, maltratar. ***P.*** **3.** Cortar-se ou ferir-se com cutelo ou arma branca. **4.** *P. ext.* Cortar-se, ferir-se: "os javardos / Uns aos outros coos dentes seacutilam" (Eugênio de Castro, *Obras Poéticas*, V, p. 39).

acutilobado [De *acut(i)-* + *-lob(o)-* + *-ado*[1].] ***Adj. Bot.*** Acutílobo.

acutílobo [De *acut(i)-* + *-lobo.*] ***Adj. Bot.*** Provido de lobos agudos, como várias folhas, cálices e corolas; acutilobado.

acutimboia (ói) [Do tupi = 'cobra-cutia'.] ***S. f. Zool.*** **1.** *Bras. Amaz.* Reptil ofídio, colubrídeo (*Chironius carinatus*), comum em todo o Brasil equatorial e no subtropical. Coloração verde-oliva no dorso, verde-amarela no mento, esbranquiçada na garganta e na região ventral; tem o corpo muito fino, com uma quilha dorsal, é arborícola, e se alimenta sobretudo de perereca. **2.** Reptil ofídio colubrídeo (*Chironius sexcarinatus*), da região subtropical temperada, de coloração parda, cabeça cor de tijolo. [Sin., nesta acepç.: *boitiaboia* e *sacaboia*. Var.: *acutiboia, cutimboia*. Cf. *cobra-cipó*.] ❖

acutipum [Do tupi.] ***S. m.*** *Bras. Zool.* Pequenino macaco de pele felpuda, lustrosa e preta.

acutipuru [Do tupi = 'cutia enfeitada'.] ***S. m.*** *Bras. Zool.* V. *serelepe* (1).

acutipuruaçu [De *acutipuru* + *-açu.*] ***S. m.*** *Bras. Zool.* Quatipuruaçu.

acutirrostro [De *acut(i)-* + *-rostro.*] ***Adj. Zool.*** **1.** De cabeça prolongada em bico. **2.** Diz-se de bico de ave pontudo. **3.** *P. ext.* Diz-se de focinho pontiagudo.

acutíssimo [Do lat. *acutissimu.*] ***Adj.*** Superl. absol. sint. de *agudo*; agudíssimo: "Cipião, além doutros excelentes predicados, tinha a inteligência lúcida e acutíssima." (Aquilino Ribeiro, *Os Avós dos Nossos Avós*, p. 216.)

acuti-tapuia ***S. 2 g.*** *Bras.* **1.** *Etnôn.* Indivíduo dos acutis-tapuias [ou (etnôn. bras.) *Acutí-Tapuya], subgrupo indígena baníua da região do rio Içana, da margem esquerda do rio Solimões e da foz do rio Javari (AM). • ***Adj. 2 g.*** **2.** Pertencente ou relativo a esse povo. [Pl.: *acutis-tapuias.*]

acutiúsculo [De *acut(i)-* + *-úsculo.*] ***Adj. Bot.*** Diz-se do órgão vegetal ligeiramente agudo: *folha acutiúscula.*

acutorção [De *acu-* + *torção.*] ***S. f. Cir.*** Acutorsão (q. v.).

acutorsão [Do ingl. *acutorsion.*] ***S. f. Cir.*** Processo hemostático que consiste em torcer um vaso sanguíneo mediante a utilização duma agulha; acutorção.

■ **a.D.** Abrev. de *anno Domini* (no ano do Senhor), utilizada nas inscrições latinas e nos países anglo-saxões, correspondente à abrev. portuguesa *d.C.* (depois de Cristo). [Cf. *a.C.*]

▲ **ad-** V. *a-*[2]. [É seguido de hífen quando anteposto a palavra iniciada por *d* ou por *r* que iniciem sílaba: *ad-digital, ad-rogação, ad-rogar.*]

▲ **-ada**[1] [Do lat. *-ata*, fem. do suf. lat. *-atus, a, um* (v. *-ado*[1]), fonte tb. do suf. *-ata* (q. v.).] ***Suf. nom.*** tônico = 'ação' ou 'resultado de ação (enérgica)'; 'coleção'; 'multidão'; 'golpe'; 'produto alimentar'; 'duração'; 'porção'; 'marca feita com um instrumento'; 'acontecimento'; 'movimento': *freada, unhada; boiada, cumeada; pedrada, facada; goiabada, laranjada; noitada, temporada; colherada; pincelada; abrilada.* [Equiv.: *-alhada* (q. v.), *-arada* (q. v.), *-eada, -iada, -oada, -uada, -zada*: *candeada; farrapiada; aterroada; cajuada; anguzada, buritizada.*]

▲ **-ada**[2] [Adapt. do lat. cient. *-ata*, neutro pl. do lat. *-ātus, a, um.*] ***Suf. nom.*** tônico = 'espécime de família, ou de ordem de (plantas)': *labiada.* [V. *-adas.*]

adactilia [De *a-*[3] + *-da(c)til(o)-* + *-ia*[1].] ***S. f. Ter.*** Ausência congênita de dedo(s) da(s) mão(s) ou do(s) pé(s); adactilismo. [Var.: *adatilia.*]

adactilismo [De *a-*[3] + *-da(c)til(o)-* + *-ismo.*] ***S. m. Ter.*** Adactilia. [Var.: *adatilismo.*]

adáctilo [De *a-*[3] + *-dá(c)tilo.*] ***Adj.*** Que tem adactilia; congenitamente sem dedo(s). [Var.: *adátilo.*]

adafina [Do ár. *ad-dafīna(t)*, 'tesouro oculto', 'coisa escondida'.] ***S. f.*** *Ant.* Guisado feito em panela de barro, deixado coberto com o rescaldo (2), e que os judeus espanhóis costumavam preparar antes do anoitecer da sexta-feira para consumi-lo no sábado. [Var.: *dafina, defina.*]

adaga [De *a-*[4] + *daga* (q. v.).] ***S. f.*** **1.** Arma branca, mais larga e maior que o punhal, com um ou dois gumes: "os trajos [eram] ricos, e muitos os anéis e alfinetes, as adagas e punhais tauxiados de ouro e prata com joias engastadas." (Oliveira Martins, *História de Portugal*, I, p. 257). **2.** *Tip.* V. *cruz* (13). ◆ **Adaga dupla.** *Tip.* Cruz dupla.

adagada [De *adaga* + *-ada*[1].] ***S. f.*** Golpe de adaga.

adage ***S. m.*** *Bras. SP MG MT Pop.* **1.** Préstimo, serventia. **2.** Capacidade, aptidão. **3.** Coragem, valor.

adagial [De *adágio*[1] + *-al*[1].] ***Adj. 2 g.*** Referente a adágio[1].

adagiar [De *adágio*[1] + *-ar*[2].] ***V. int.*** Citar adágios [v. *adágio*[1]] a propósito; sentenciar. [Pres. ind.: *adagio*, etc. Cf. *adágio.*]

adagiário ***S. m.*** Coleção ou compêndio de adágios [v. *adágio*[1]].

adágio[1] [Do lat. *adagiu.*] ***S. m.*** V. *provérbio* (1). Ex.: "Água mole em pedra dura, tanto bate até que fura"; "De grão em grão enche a galinha o papo". [Cf. *adagio*, do v. *adagiar.*]

adágio[2] [Do it. *adagio.*] *Mús.* ***Adv.*** **1.** Em andamento lento, vagaroso, pausado, entre o largo e o andante. • ***S. m.*** **2.** Esse andamento. **3.** Composição musical, movimento ou parte de uma composição (sonata, concerto, sinfonia, etc.), nesse andamento. [Cf. *adagio*, do v. *adagiar.*]

adagueiro [De *adaga* + *-eiro.*] ***S. m. Zool.*** Veado ainda novo, cujos chifres semelham adagas.

adail (í) [Do ár. *ad-dalīl*, 'guia'.] ***S. m.*** **1.** *Ant.* Chefe ou guia de soldados. **2.** *Ant.* Chefe de batedores de campo. **3.** *Fig.* Defensor dedicado; paladino. **4.** *Fig.* Chefe; guia, mentor: "Maravilhado e seduzido inconscientemente pelo renome dos grandes adaís da revolução intelectual" (Camilo Castelo Branco, *Curso de Literatura*, p. 9). [Pl.: *adaís.*]

adajibe [Do jeje, poss.] ***S. m.*** *Bras. Rel.* Nos candomblés jejes, os cânticos iniciais das cerimônias.

adamado [De *a-*[2] + *dama*[1] + *-ado*[1].] ***Adj.*** **1.** Próprio de dama[1] (2); delicado, fino: "Tinham mas eram as mãos adamadas de quem vinha para a fábrica de luvas de pelica" (João da Silva Correia, *Farândola*, p. 130). **2.** Semelhante a dama[1] (2) no vestir, no falar e/ou nas maneiras; efeminado (q. v.). ~ V. *vinho* —.

adamantano [Do lat. *adamante*, 'tudo o que é sólido e duro', + *-ano*[2].] ***S. m.*** *Quím.* Hidrocarboneto saturado, tricíclico, cuja estrutura molecular lembra a do diamante [fórm.: $C_{10}H_{16}$].

adamantinense ***Adj. 2 g.*** **1.** De, ou pertencente ou relativo a Adamantina (SP). • ***S. 2 g.*** **2.** O natural ou habitante de Adamantina.

adamantino [Do gr. *adamántinos*, pelo lat. *adamantinu.*] ***Adj.*** **1.** V. *diamantino*[1] (2 a 4). **2.** *Anat.* Relativo ao esmalte dentário.

adamantinoma [De *adamantino* + *-oma*[1]; ingl. *adamantinoma.*] ***S. m.*** *Odont.* Ameloblastoma.

adamar [De *a-*[2] + *dama*[1] + *-ar*[2].] ***V. t. d.*** **1.** Enfeitar (o homem) com trajes ou adornos próprios de mulher. ***P.*** **2.** Enfeitar-se com os cuidados próprios de mulher. **3.** Adquirir maneiras afeminadas; efeminar-se.

adamascado[1] [De *a-*[2] + *damasco* + *-ado*[1].] ***Adj.*** Semelhante ao damasco (1) na cor e no sabor.

adamascado[2] [Part. de *adamascar.*] ***Adj.*** **1.** Diz-se do tecido que imita o damasco (2) na feição dos lavrados e ornatos: "Largo e suntuoso leito de jacarandá e pau-rosa .... oferecia-lhes o inefável conchego das suas colchas adamascadas." (Artur Azevedo, *Contos fora de Moda*, p. 46.) **2.** *P. ext.* Que tem lavrado ou ornato à maneira de damasco (2): *papel adamascado.* • ***S. m.*** **3.** *Tec. Têx.* Tecido adamascado[2] (2); damasco: "o centro da mesa, sobre a qual fora estendida a toalha de adamascado das grandes ocasiões, ostentava um bolo em forma de tronco" (Maria Julieta Drummond de Andrade, *Um Buquê de Alcachofras*, p. 24). **4.** *Tec. Têx. Jacquard* (q. v.) de seda, linho ou algodão, com desenhos brilhantes e opacos contrastantes.

adamascar [De *a-*[2] + *damasco* + *-ar*[2].] ***V. t. d.*** Dar cor e/ou lavor de damasco (2) a. [Conjug.: v. *trancar.*]

adamasquinado [De *a-*[2] + *damasquino* + *-ado*[1].] ***Adj.*** Que tem lavores semelhantes aos das armas damasquinas.

adamaua-oriental [Do top. *Adamaua*, maciço que se estende de Camarões à República Centro-Africana, + *oriental.*] ***S. m.*** *Gloss.* Ramo da família nigero-congolesa composto por cerca de 90 línguas, e que se subdivide geograficamente em dois grupos: um falado na Nigéria e em Camarões, na região das montanhas Adamaua, e outro a L. dessas montanhas, na República Centro-Africana, no S. do Chade, no S.O. do Sudão e no N. da República Democrática do Congo (antigo Zaire); adamauá-oriental. [Sango e gbaia são exemplos de línguas desse ramo.]

adamauá-oriental ***S. m.*** *Gloss.* V. *adamaua-oriental.*

adamaxeno [Do ior.] ***S. m.*** *Bras. Rel.* Nos candomblés jeje-nagôs, bipene[2] de Xangô.

adamelito [Do top. *Adamello* + *-ito*[2].] ***S. m.*** *Petr.* Rocha magmática intrusiva, constituída essencialmente de quartzo, feldspatos alcalinos e plagioclásios.

adâmico [Do lat. *Adam*, 'Adão', + *-ico*[2].] ***Adj.*** **1.** Relativo a, ou próprio de Adão, o primeiro homem, segundo a tradição bíblica: "as densas e frescas sombras despertam irresistivelmente no homem os velhos instintos adâmicos da ociosidade divina." (Eça de Queirós, *Cartas Familiares e Bilhetes de Paris*, p. 168). **2.** Adamítico.

adamita[1] [Do lat. *Adam*, 'Adão', + *-ita*[2].] ***S. 2 g.*** Membro de uma seita religiosa herética do séc. II, cujos adeptos compareciam às assembleias despidos para imitar o estado de inocência de Adão antes do pecado, e que ressuscitou no séc. XV entre os tchecos.

adamita[2] [Do antr. (*Gilbert-Joseph*) *Adam* (1795-1881), mineralogista francês, + *-ita*[3].] ***S. f.*** *Min.* **1.** Mineral ortorrômbico, hidroarseniato de zinco. **2.** Designação comercial do coríndon artificial.

adamítico [Do lat. *Adam*, 'Adão', + *-ítico.*] ***Adj.*** Relativo aos tempos primitivos; adâmico.

adamo ***S. m.*** **1.** *Alq.* Pedra filosofal (1) (q. v.). **2.** *Ant.* Adão[1].

adamsita [Do antr. (*Roger*) *Adams* (1889-1971), químico norte-americano, + *-ita*[2].] ***S. f.*** *Quím.* Substância extremamente tóxica, derivada da fenarsazina e que é us., sob forma de aerossol, como gás de guerra e tb. como pesticida [fórm.: $C_{12}H_9AsClN$].

→ **ad amusim** [ad a'moşe(m)] [Lat.] À risca; com exatidão.

adansónia ***S. f.*** *Bot.* V. *adansônia.* [Uso freq. em P.]

adansônia [Do antr. (*Michel*) *Adanson* (1727-1806), botânico francês, + lat. cient. *-ia* (v. *-ia*[2]); tax. *Adansonia.*] ***S. f.*** *Bot.* **1.** Gênero de plantas bombacáceas, dicotiledôneas. **2.** Qualquer espécie desse gênero, como, p. ex., a *Adansonia digitata* (v. *baobá*). **3.** Qualquer espécime desse gênero.

adão[1] [Do antr. *Adão.*] ***S. m.*** *Ant.* Pó medicinal que certos filósofos consideravam a quinta-essência do Universo; adamo.

adão[2] ***S. m.*** *Bras. S. C.O. Pop. Anat.* V. *pomo de adão* (denom. ant. de *proeminência laríngea*).

→ **ad aperturam libri** [ad apɛr'tura(m) 'librẹ] [Lat.] *Aperto libro.*

adaptabilidade [De *adaptável* + *-(i)dade*, seg. o padrão erudito.] ***S. f.*** **1.** Qualidade de adaptável. **2.** Capacidade de se adaptar.

adaptação [De *adaptar* + *-ção.*] ***S. f.*** **1.** Ação ou efeito de adaptar(-se). **2.** *Biol. Ecol.* Processo, ger. hereditário, pelo qual um indivíduo, ou uma espécie, sofre modificações em sua estrutura ou em seus hábitos, de modo a ajustar-se às condições do meio ambiente. **3.** Transformação de uma obra literária em representação teatral, cinematográfica, radiofônica ou televisionada: *A opereta* My Fair Lady *é uma adaptação da peça teatral* Pygmalion, *do escritor irlandês George Bernard Shaw (1856-1950).* **4.** Uso de utensílio, objeto, peça, etc., para um fim diverso daquele ao qual se destinava: *Este pé de lâmpada é adaptação de um antigo moinho de café.* **5.** *Mús.* Transformação de uma obra musical para servir a um novo fim. [Cf., nesta acepç., *arranjo* (6) e *transcrição* (5).] **6.** *Mús.* Utilização de obras já existentes como ilustração musical de uma obra dramática, coreográfica ou cinematográfica. **7.** *Arquit.* Acomodação de um complexo arquitetônico para novo uso mediante intervenções necessárias à nova função; reutilização.

adaptacional [De *adaptação* (*adaptacion-*) + *-al*[1], seg. o padrão erudito.] ***Adj. 2 g.*** Relativo a, ou que envolve adaptação.

adaptado [Part. de *adaptar.*] ***Adj.*** **1.** Que se adaptou. **2.** Ajustado: *O vazamento devia-se à torneira adaptada inadequadamente.* **3.** Ajustado ao meio biológico ou social em que vive. • ***S. m.*** **4.** Indivíduo adaptado.

adaptador (ô) [De *adaptar* + *-dor.*] ***Adj.*** **1.** Que adapta. • ***S. m.*** **2.** Aquele ou aquilo que adapta. **3.** *Inform.* V. *interface* (6).

adaptar [Do lat. *adaptare.*] ***V. t. d.*** **1.** Fazer acomodar à visão: *Adaptou a lente do telescópio.* **2.** Modificar o texto de (obra literária), ou tornando-o mais acessível ao público a que se destina, ou transformando-o em peça teatral, *script* cinematográfico, etc. **3.** *Mús.* Arranjar (7). ***T. d. e i.*** **4.** Tornar apto: *adaptar um operário à nova técnica.* **5.** Pôr em harmonia; harmonizar, acomodar, adequar: "Essa era a sua [do Conselheiro Nabuco de Araújo] qualidade principal do político: adaptar os meios aos fins" (Joaquim Nabuco, *Minha Formação*, p. 189). **6.** Amoldar, ajustar, conformar. **7.** Adequar ou acomodar uma coisa a outra: *Adaptou a lente ao binóculo.* ***P.***

8. Harmonizar-se, adequar-se. 9. Amoldar-se, ajustar-se, conformar-se: *Procurou adaptar-se às exigências do patrão.* 10. Ambientar-se, aclimar-se.

adaptativo [De *adaptar* + *-tivo*; fr. *adaptatif.*] *Adj.* 1. Que resulta em adaptação, ou que a facilita. 2. *Med.* Que permite ao organismo adaptar-se a doença, ou a ameaça de doença. ~ V. *convergência —a.*

adaptável [Do lat. **adaptabile.*] *Adj. 2 g.* Que pode ser adaptado.

→**adar** [ad'ar] [Hebr.] *S. m. Cronol.* O sexto mês do calendário judaico, que incide entre os meses de fevereiro e março dos calendários juliano e gregoriano. [Designa-se por *adar b* ou *adar II* o sétimo mês dos anos bissextos, ditos embolísticos, do calendário judaico.]

adarga [Do ár. *ad-daraqa(t).*] *S. f.* Antigo escudo oval de couro, com duas braçadeiras; uma estreita, para a mão, e outra larga, para o braço: "Na adarga tresdobrada / .... / Bate e rebate, em vão, / A carga da estralante saraivada" (Bulhão Pato, *Livro do Monte*, p. 110).

adargado [Do part. de *adargar.*] *Adj.* 1. Coberto ou protegido com adarga. 2. Defendido, resguardado; amparado. • *S. m.* 3. Adargueiro (2).

adargar [De *adarga* + *-ar*[2].] *V. t. d.* 1. Munir de adarga. 2. Cobrir ou defender com adarga. 3. *Fig.* Proteger, amparar, resguardar. *P.* 4. Proteger-se com adarga. 5. Defender-se, resguardar-se, abrigar-se.

adargueiro [De *adarga* + *-eiro.*] *S. m.* 1. Aquele que faz adargas. 2. Aquele que usa adarga para combater; adargado.

→**ad argumentandum tantum** [ad ar̃gomen'tandon 'tanto(m)] [Lat.] Só para argumentar.

adarme [Do gr. *drakhmé* (v. *dracma*), pelo ár. *ad-dirham.*] *S. m.* 1. Peso antigo, igual à meia oitava ou dracma, aproximadamente, 2g. 2. Calibre de projetil de certas armas de fogo. 3. *Fig.* Coisa insignificante; insignificância. [Var.: *direme.*]

adarrum [Do ior.] *S. m. Bras. Rel.* No candomblé, ritmo apressado, forte e contínuo, marcado em uníssono por todos os atabaques e pelo agogô, e destinado a evocar qualquer santo, facilitando o transe (6).

adarvar [De *adarve* + *-ar*[2].] *V. t. d.* Fortificar por meio de adarves.

adarve [Do ár. *ad-darb*, 'desfiladeiro'; 'caminho'.] *S. m.* 1. Muro ameado de fortaleza: "Já conhecia esta povoação de a ver, com o binóculo, dos adarves da fortaleza de Santa Catarina" (Júlio Dantas, *Abelhas Doiradas*, p. 183). 2. Caminho estreito no alto dos muros de uma fortaleza, atrás do parapeito.

▲**-adas** *Suf. nom.* = 'família, ou ordem de (plantas)': *labiadas.* [V. *-ada*[2].]

adastra [Dev. de *adastrar.*] *S. f.* 1. Instrumento com que os ourives endireitam aros de anéis. 2. Bigorna de estender lâminas.

adastragem [De *adastrar* + *-agem*[2].] *S. f.* Ato ou operação de adastrar.

adastrar [De or. obscura.] *V. t. d.* Endireitar ou corrigir com a adastra.

adatilia *S. f. Ter.* V. *adactilia.*

adatilismo *S. m. Ter.* V. *adactilismo.*

adátilo *Adj.* V. *adáctilo.*

→**ad auctoritatem** [ad awktɔre'tatẽ(m)] [Lat.] *Lóg.* Us. na expr. *argumento* ad auctoritatem.

adaxial (cs) [De *ad-* + *axial.*] *Adj. 2 g. Bot.* Diz-se de estrutura que se encontra do mesmo lado, ou mais próxima, de um eixo. [Cf. *abaxial* (2).]

→**ad cautelam** [at kaw'tela(m)] [Lat.] Diz-se do ato que se pratica, ou medida que se toma, por simples precaução.

→**ad corpus** [at 'kor̃pos] [Lat.] *Jur.* Diz-se da venda de imóvel em que se ajusta o preço do todo, sem especificar a medida da área.

→**ad diem** [ad 'die(m)] [Lat., 'até o dia'.] Us. para designar o dia final de um prazo.

ad-digital [De *ad-* + *digital.*] *Adj. 2 g. Zool.* Situado na proximidade dos dedos. [Pl.: *ad-digitais.*]

addisoniano[1] *Adj.* 1. Pertencente ou relativo a Joseph Addison (1672-1719), ensaísta inglês, ou cujo estilo lembra o dele. 2. Cujo estilo literário é claro e apurado. • *S. m.* 3. Aquele que é grande admirador de Joseph Addison, ou cujo estilo lembra o dele.

addisoniano[2] *Adj.* 1. Pertencente ou relativo a Thomas Addison (1783-1860), médico inglês. 2. Que sofre da doença de Addison. • *S. m.* 3. Aquele que sofre dessa doença.

adê[1] [Do ior.] *S. m. Bras. Rel.* Adereço de cabeça do traje de Nanã, Iansã, Oxum, Iemanjá, etc., com franja de vidrilhos e contas, que lhes oculta o rosto.

adê[2] [Do cabo-verd. *adê*, 'ah Deus'.] *Interj. Cabo-verd.* Exprime dúvida, espanto, ou, eventualmente, zombaria: "Adê Jóna, o que é isso?" (Ivone Aida Ramos, *Vidas Vividas*, p. 65.)

adeciduado [De *a-*[3] + *decídua* + *-ado*[1].] *Adj.* 1. *Zool.* Diz-se de mamífero sem membrana caduca, como os desdentados, os cetáceos e os ungulados. 2. *Bot.* Não caduco (5): *folhas adeciduadas.* • *S. m.* 3. *Zool.* Mamífero adeciduado (1).

adefagia [Do gr. *adephagía.*] *S. f. Med.* Apetite insaciável; voracidade. [Sin., desus.: *abdominia.*]

adefágico [De *adefagia* + *-ico*[2].] *Adj.* Relativo a adefagia.

adéfago[1] [Do gr. *adephágos*, 'voraz', 'glutão'.] *Adj. Zool.* Que tem grande voracidade.

adéfago[2] [Do tax. *Adephaga.*] *Zool. S. m.* 1. Espécime dos adéfagos, subordem de coleópteros que têm o primeiro urosternito dividido pelos quadris posteriores, antenas filiformes e tarsos pentâmeros. • *Adj.* 2. Pertencente ou relativo a eles.

adega [Do gr. *apothéke*, 'depósito', pelo lat. *apotheca.*] *S. f.* 1. Compartimento da casa, de temperatura baixa e constante, em geral subterrâneo, onde se guardam azeite, vinho e outras bebidas; cava, cave: "O melhor vinho que encontrar na adega / É para hoje, olé..." (Guerra Junqueiro, *A velhice do Padre Eterno*, p. 172.) [Sin. (lus.), nesta acepç.: *garrafeira.*] 2. O conjunto de bebidas guardadas nesse lugar: *Que excelente adega tem ele!* 3. *P. ext.* Espécie de geladeira (1) com as mesmas funções da adega (1).

adegar [De *adega* + *-ar*[2].] *V. t. d.* Guardar ou recolher em adega. [Conjug.: v. *regar.*]

adegueiro [De *adega* + *-eiro.*] *S. m.* Aquele que cuida da adega.

adeísmo *S. m. Filos.* Adevismo (q. v.).

adejar [De **aletejar* (< *aleta*, 'pequena asa', + *-ejar*; esp. *aletear*), com síncope e sonorização, poss.] *V. int.* 1. Mover as asas para manter-se em equilíbrio no ar; bater as asas; voar. 2. Dar voos curtos e repetidos sem direção certa; esvoaçar, avoaçar, voejar: "Viram umas asas brancas, que adejavam pelos campos azuis." (José de Alencar, *Iracema*, p. 117); "Ao cheiro da fumaça, as vespas levantaram o voo, adejaram sobre a cabeça da mulher e partiram" (Amadeu de Queirós, *Os Casos do Carimbamba*, p. 54). 3. Estar iminente; pairar. 4. Passar de leve, roçando; aflorar: *Um sorriso adejou-lhe nos lábios.* *T. d.* 5. Agitar à semelhança de asas; abanar, agitar. [Conjug.: v. *pelejar.*]

adejo[1] (ê) [Dev. de *adejar.*] *S. m.* 1. Ato de adejar. 2. *Aer.* Deslocamento involuntário de um ou mais membros, instabilidade do corpo, ou ambos, devido à reação do ar durante escape em voo de uma aeronave, muitas vezes resultando em dano no esqueleto ou nas articulações. 3. *Card. Flutter* (1).

adejo[2] (ê) [De *andejo*, com desnasalação.] *Adj. S. m. Bras. N.* Diz-se de, ou cavalo que vagueia sem cavaleiro nem carga.

adel [Var. de *adelo.*] *S. m.* V. *adeleiro.*

adela [Fem. de *adelo.*] *S. f.* Adeleira.

adelandense *Adj. 2 g.* 1. De, ou pertencente ou relativo a Adelândia (GO). • *S. 2 g.* 2. O natural ou habitante de Adelândia.

adeleira [Fem. de *adeleiro.*] *S. f.* 1. Mulher que comercia objetos usados, esp. roupas. 2. *P. ext.* Alcoviteira. [Sin.: *adela.*]

adeleiro [De *adelo* + *-eiro.*] *S. m.* Aquele que compra e vende trastes usados; adel, adelo, belchior, bufarinheiro, ferro-velho, merca-tudo, zângano. [Cf. *bricabraquista* e *roupa-velheiro.*]

adelfa [Do ár. *ad-dafla(t)* < gr. *dáphne.*] *S. f. Bot.* V. *espirradeira.*

adelfal [De *adelfa* + *-al*[1].] *S. m.* Quantidade mais ou menos considerável de adelfas dispostas proximamente entre si.

adelfeira [De *adelfa* + *-eira.*] *S. f. Bot.* V. *espirradeira.*

adelfia [De *adelf(o)-* + *-ia*[1].] *S. f. Bot.* Soldadura dos estames pelos filetes, formando um ou vários feixes estaminais. [O termo designava tb. as classes do sistema sexual de Lineu (v. *lineano*).]

adelfo [Do gr. *adelphós*, 'irmão'.] *Adj. Bot.* Que se caracteriza pela adelfia.

▲**adelf(o)-** [Do gr. *adelphós, oû.*] *El. comp.* = 'irmão'; 'união'; em *Bot.*, 'estame': *adelfia, adelfogamia.* [Equiv.: *-adelfo*: *diadelfo, tetradelfo.*]

▲**-adelfo** Equiv. de *adelf(o)-.*

adelfogamia [De *adelf(o)-* + *-gam(o)-* + *-ia*[1].] *S. f. Zool.* Cruzamento entre indivíduos irmãos.

adelfogâmico [De *adelfogamia* + *-ico*[2].] *Adj.* Relativo à adelfogamia.

adelfógamo [De *adelf(o)-* + *-gamo.*] *S. m. Zool.* Animal que pratica a adelfogamia.

adelfolita [De *adelf(o)-* + *-lita.*] *S. f. Min.* Mineral tetragonal, columbato de manganês, intimamente relacionado à tapiolita.

adelgaçado [Part. de *adelgaçar.*] *Adj.* 1. Delgado, fino. 2. Aguçado, pontiagudo. 3. Emagrecido, magro.

adelgaçador (ô) [De *adelgaçar* + *-dor.*] *Adj. S. m.* Que ou o que adelgaça.

adelgaçamento [De *adelgaçar* + *-mento.*] *S. m.* Ato ou efeito de adelgaçar(-se).

adelgaçar [De *a-*[2] + lat. vulg. **delicatiare* (< lat. *delicatu*, 'delicado').] *V. t. d.* 1. Fazer delgado, fino. 2. Tornar fino ou agudo; aguçar. 3. Tornar menos denso; tornar tênue; rarefazer. 4. Diminuir, reduzir: "O homem, em menos dum mês ...., curou-se do reumatismo, adelgaçou as protuberâncias pedestres" (Camilo Castelo Branco, *A Mulher Fatal*, p. 27). 5. Desbastar, desgastar. *Int.* 6. Reduzir-se em tamanho, extensão, intensidade, etc.; estreitar-se, adelgaçar-se. *P.* 7. Adelgaçar (6). 8. Tornar-se menos denso; tornar tênue; rarefazer-se: "Ia-se a pouco e pouco adelgaçando o véu / Da noite." (Alberto de Oliveira, *Poesias*, 1.ª série, p. 236.) 9. Tornar-se magro; emagrecer. [Conjug.: v. *laçar.*]

adelgadar [De *a-*[2] + *delgado* + *-ar*[2].] *V. t. d. Int. P. P. us.* V. *adelgaçar.*

adélia [Do tax. *Adelia* (v. *adel(o)-* e *-ia*[2]).] *S. f. Bot.* 1. Gênero de arbustos euforbiáceos de folhas dentadas e pequenas flores amareladas, e que reúne 15 espécies. 2. Espécie, ou espécime desse gênero.

adelita [De *adel(o)-* + *-ita*[3].] *S. f. Min.* Mineral ortorrômbico, arseniato básico de cálcio e magnésio, maciço, de brilho resinoso, com fratura conchoidal.

adelo [Do ár. *ad-dalāl*, 'pregoeiro', 'leiloeiro'.] *S. m.* 1. V. *adeleiro.* 2. Loja de adeleiro.

▲**adel(o)-** [Do gr. *ádēlos, os, on.*] *El. comp.* = 'não aparente', 'obscuro': *adelobrânquio.*

adelobrânquio [De *adel(o)-* + *-brânquio.*] *Adj. Zool.* Diz-se de animal que tem brânquias ocultas.

adem [Do lat. *anate*, pela f. arc. *aade.*] *S. m. Zool.* Ave palmípede anatídea (*Anas boschas*); alavanco, lavanco, pato-real: "Por cima de nós vogava um casal de adens, a fêmea de plumagem obscura, o macho de asas vistosas e com as duas guias azuis da cauda a reluzir." (José Cardoso Pires, *O Delfim*, p. 274.)

ademã [Do esp. *ademán.*] *S. m.* 1. *P. us.* V. *ademanes*: "ei-la que retorna a andar, naquele seu estudado ademã de requebrada e ondeante majestade" (Abel Botelho, *Amor Crioulo*, pp. 298-299). 2. *Fig.* Aparência, aspecto, configuração: "Filhas dos mesmos pais [as línguas portuguesa e castelhana], diversamente educadas, distintas feições, vário gênio, porte e ademã tiveram: há contudo nas feições de ambas aquele *ar de família* que à primeira vista se colhe." (Almeida Garrett, *Obras Completas*, II, p. 348.) ~ V. *ademãs.*

ademães *S. m. pl.* V. *ademanes*: "Não mais me mostrarão ventura oculta / Teus ademães risonhos." (Junqueira Freire, *Obras Póstumas*, II, p. 161.)

ademais [De *a*[3] + *demais.*] *Adv.* Além disso; demais: "Vivia-se, por assim dizer, em comum ....: um sabendo da vida do outro. .... Ademais, era obrigatória a passagem em frente ao local onde ele possuía a livraria." (Salim Miguel, *Alguma Gente*, p. 23.)

ademane *S. m. P. us.* V. *ademanes.*

ademanes [Do esp. *ademanes.*] *S. m. pl.* 1. Movimentos (principalmente das mãos) para exprimir ideias; gestos, trejeitos: *Pôs-se a gritar, com ademanes coléricos.* 2. Gestos afetados, amaneirados; trejeitos: "Meu amigo, — exclamou D. José de Noronha com ademanes triunfais — eu tenho palpado duas boas dúzias de corações de mulheres" (Camilo Castelo Branco, *O Santo da Montanha*, p. 34). [Var.: *ademães.* Tb. se usa *ademãs* e (embora menos) o sing. *ademane, ademã.*]

ademão [De *a-*[5] + *demão.*] *S. m.* 1. *Bras. Pop.* Auxílio, ajuda, demão. 2. *Bras. SP* V. *mutirão* (1). [Pl.: *ademãos.*]

ademãs *S. m. pl.* V. *ademanes.* ~ V. *ademã.*

ademocrático [De *a-*[3] + *democrático.*] *Adj.* Não democrático: "A França e a Inglaterra democráticas não poderiam .... reconhecer a Itália e a Alemanha antiliberais e ademocráticas." (Gilberto Amado, *Depois da Política*, p. 185.)

adempção *S. f. Jur.* V. *adenção.*

adenalgia [De *aden(o)-* + *-alg(o)-*[2] + *-ia*[1].] *S. f. Med.* Dor em glândula; adenodinia.

adenção [Do lat. *ademptione.*] *S. f. Dir. Civ.* Caducidade do legado, em virtude de não mais pertencer ao testador o bem por ele deixado ao legatário.

adenda [Do lat. *addenda.*] *S. f.* Aquilo que se acrescenta a um livro, a uma obra, para completá-la; apêndice, adendo.

adendo *S. m.* V. *adenda.*

adenectomia [De *aden(o)-* + *-ectom-* + *-ia*[1].] *S. f. Cir.* Extirpação de glândula(s).

adenectômico *Adj.* V. *adenectômico.* [Uso freq. em P.]

adenectômico [De *adenectomia* + *-ico*[2].] *Adj.* Relativo a adenectomia.

adenectopia [De *aden(o)-* + *-ectop-* + *-ia*[1].] *S. f. Anat.* Localização glandular anormal.

adenenfraxia (cs) [De *aden(o)-* + gr. *émphraxis*, 'ato de obstruir', + *-ia*[1].] *S. f. Patol.* Obstrução glandular.

adenia [De *aden(o)-* + *-ia*[1].] *S. f. Patol.* Afecção crônica dos linfonodos.

adénico *Adj.* V. *adênico.* [Uso freq. em P.]

adênico [De *aden(o)-* + *-ico*[2].] *Adj.* Que diz respeito a glândula.

adeniforme [De *aden(o)-* + *-iforme*.] ***Adj. 2 g.*** Cuja forma se assemelha à da glândula.

adenílico [De *aden(ina)* + *-il-* + *-ico*[2].] ***Adj.*** *Quím.* ~ V. *ácido —*.

adenina [De *aden(o)-* + *-ina*[3]; al. *Adenin*.] ***S. f.*** *Quím. Genét.* Substância cristalina nitrogenada, básica, que é um derivado aminado da purina e que compõe certos nucleotídeos e os ácidos nucleicos [fórm.: $C_5H_5N_5$].

adenipófise [Var. de *adenoipófise*.] ***S. f.*** *Anat.* V. *hipófise*.

adenite [De *aden(o)-* + *-ite*[1].] ***S. f.*** *Patol.* Inflamação de linfonodos, devida a infecção; linfadenite.

▲ **aden(o)-** [Do gr. *adeno-* < gr. *adḗn, adénos*.] ***El. comp.*** = 'glândula': *adenina, adenite, adenofilo*. [Equiv.: *-aden(o)-*: *blefaradenite*.]

▲ **-aden(o)-** Equiv. de *aden(o)-*.

adenocarcinoma [De *aden(o)-* + *carcinoma*.] ***S. m.*** *Patol.* Carcinoma originado em tecido epitelial de tipo glandular, e em que as células tumorais se dispõem de modo a reproduzir, grosseiramente, o aspecto de glândulas mucosas normais.

adenodinia [De *aden(o)-* + *-odin(o)-* + *-ia*[1].] ***S. f.*** *Med.* Adenalgia.

adenofilo [De *aden(o)-* + *-filo*[1].] ***Adj.*** *Bot.* Dotado de folhas glandulosas, tal o maracujazeiro e a mamona.

adenofório [Adapt. do tax. *Adenophorea*.] *Zool.* ***S. m.*** **1.** Espécime dos adenofórios, classe de vermes nematódeos, de distribuição cosmopolita, ger. aquáticos e de vida livre, com anfídios bem desenvolvidos e quase sempre destituídos de fasmídios. ● ***Adj.*** **2.** Pertencente ou relativo a eles.

adenóforo [De *aden(o)-* + *-foro*.] ***Adj. S. m.*** *Bot.* Diz-se de, ou planta ou órgão vegetal que possui glândulas.

adenograma [De *aden(o)-* + *-grama*.] ***S. m.*** *Patol.* Demonstração numérica, absoluta e relativa, das proporções dos vários tipos celulares presentes em linfonodos.

adenoide (ói) [De *aden(o)-* + *-oide*.] ***Adj. 2 g.*** *Med.* Semelhante a glândula. ~ V. *vegetações —s*. ❖

adenoidectomia [De *adenoide* (por 'vegetações adenoides') + *-ectom-* + *-ia*[1].] ***S. f.*** *Otor.* Extirpação cirúrgica das vegetações adenoides.

adenóideo [De *adenoide* + *-eo*.] ***Adj.*** Relativo às vegetações adenoides (q. v.).

adenoides (ói) ***S. f. pl.*** *Pop.* Hipertrofia de vegetações adenoides. ❖

adenoidismo [De *adenoide* (por 'vegetações adenoides') + *-ismo*.] ***S. m.*** *Otor.* Conjunto sintomático produzido pela hipertrofia de vegetações adenoides.

adenoidite [De *adenoide* + *-ite*[1].] ***S. f.*** *Otor.* Inflamação de vegetações adenoides.

adenoipofisário (o-i) [De *adenoipófise* + *-ário*.] ***Adj.*** Relativo a adenoipófise.

adenoipófise (o-i) [De *aden(o)-* + *hipófise*.] ***S. f.*** *Anat.* V. *hipófise*.

adenoma [De *aden(o)-* + *-oma*[1].] ***S. m.*** *Patol.* Tumor benigno, de tecido epitelial, e em que as células ou constituem formações [v. *formação* (5)] de aspecto glandular, ou se originam, nitidamente, de elementos glandulares.

adenomegalia [De *aden(o)-* + *-megal(o)-* + *-ia*[1].] ***S. f.*** *Med.* Hipertrofia glandular ou de linfonodo.

adenopata [Var. pros. de *adenópata*.] ***S. 2 g.*** Pessoa que sofre de adenopatia.

adenópata [De *aden(o)-* + *-pata* (q. v.).] ***S. 2 g.*** *Med.* Adenopata (q. v.).

adenopatia [De *aden(o)-* + *-patia*.] ***S. f.*** *Patol.* Designação comum às afecções dos linfonodos ou das glândulas.

adenopático [De *adenopatia* + *-ico*[2].] ***Adj.*** Referente à adenopatia.

adenosina [Comb. de *adenina* e *ribose*.] ***S. f.*** *Quím.* Nucleosídeo de ácidos nucleicos que, por hidrólise, fornece ribose e adenina.

adenotomia [De *aden(o)-* + *-tom(o)-* + *-ia*[1].] ***S. f.*** *Cir.* Incisão de glândulas ou de linfonodos.

adenotómico ***Adj.*** V. *adenotômico*. [Uso freq. em P.]

adenotômico [De *adenotomia* + *-ico*[2].] ***Adj.*** Relativo a adenotomia.

adenovirídeo [De *adenovírus* + *-ídeo*[1]; tax. *Adenoviridae*.] ***S. m.*** *Microbiol.* **1.** Espécime dos adenovirídeos, família de vírus DNA dotados de vírion icosaédrico cujo diâmetro varia de 70 a 90mm, e têm 252 capsômeros; reúne todos os adenovírus (q. v.). ● ***Adj.*** **2.** Pertencente ou relativo a eles.

adenoviro ***S. m.*** *Microbiol.* V. *adenovírus*.

adenovirose [De *adenovírus* + *-ose*[1].] ***S. f.*** *Patol.* Qualquer doença causada por adenovírus, como, p. ex., faringites agudas, conjuntivites, traqueobronquites, etc.

adenovírus [De *aden(o)-* + *vírus*.] ***S. m. 2 n.*** *Microbiol.* Qualquer de um grupo de vírus DNA integrantes da família dos adenovirídeos, e que podem ser encontrados em roedores, aves, macacos, no gado e no homem; são causadores de infecções agudas do trato respiratório, cujos sintomas lembram os do resfriado comum, e podem, ainda, ser oncogênicos.

adensamento [De *adensar* + *-mento*.] ***S. m.*** **1.** Ato ou efeito de adensar(-se). **2.** *Constr.* Ação de agitar o concreto com varas de ferro ou com vibrador, fazendo-o ocupar todo o espaço das fôrmas e envolver bem os ferros. **3.** *Geol.* Consolidação de solos.

adensar [Do lat. *addensare*.] ***V. t. d.*** **1.** Tornar espesso ou denso: *adensar um líquido.* **2.** Tornar denso, grave, pesado; carregar, agravar. **3.** Saturar, impregnar: *O forte perfume adensava o ar.* ***P.*** **4.** Tornar-se denso, espesso; espessar-se: "As nuvens adensavam-se a poente, escuras" (José Rodrigues Miguéis, *Gente da Terceira Classe*, p. 97). **5.** Saturar-se, impregnar-se, repassar-se. **6.** Tornar-se denso, pesado; carregar-se. **7.** *Bras.* Reunir-se, formando grupo denso, compacto: "O povo adensava-se sob a *latada* coberta de folhagens." (Euclides da Cunha, *Os Sertões*, p. 198.)

adentado[1] [De *a-*[2] + *dentado*[1].] ***Adj.*** V. *dentado*[1].

adentado[2] [Part. de *adentar*.] ***Adj.*** V. *dentado*[2] (1).

adentar [De *a-*[4] + *dentar*.] ***V. t. d. Int.*** V. *dentar*.

adentrar [De *a-*[2] + *dentro* + *-ar*[2].] ***V. t. d.*** **1.** Fazer entrar. **2.** Entrar, penetrar em. ***Int. P.*** **3.** Entrar, penetrar. **4.** Penetrar, internar-se, embrenhar-se: "Milhares de homens, ... se adentram pela mata para extrair o leite das seringueiras." (Tiago de Melo, *Mormaço na Floresta*, p. 78.); "Não nos adentremos pelos aspectos de caráter nitidamente econômico da colonização." (Silviano Santiago, *Nas Malhas da Letra*, p. 193).

adentro [De *a*[3] + *dentro*.] ***Adv.*** **1.** No interior; dentro, interiormente. **2.** Para o interior; para dentro: "Saem correndo, Lula rua afora, Nina casa adentro" (Jorge Amado, *Teresa Batista Cansada de Guerra*, p. 249); "E as alegrias da tarde prosseguiram noite adentro, entrando pela madrugada" (Josué Montelo, *Os Degraus do Paraíso*, p. 32). **3.** Por toda a extensão (tempo); ao longo, afora: *Em 5 de janeiro, a luta seguiu noite adentro em Gaza.*

adepto [Do lat. *adeptu*.] ***S. m.*** **1.** O conhecedor dos princípios ou dogmas de uma seita, religião, corrente filosófica, etc., ou o iniciado neles. **2.** Partidário, sectário, sequaz, prosélito. **3.** *Alq.* Indivíduo prestes a descobrir a pedra filosofal. **4.** *Lus.* V. *torcedor* (6).

adequabilidade [De *adequável* + *-(i)dade*, seg. o padrão erudito.] ***S. f.*** Qualidade de adequável.

adequação [Do lat. *adaequatione*.] ***S. f.*** **1.** Ato de adequar(-se). **2.** Correspondência exata; conformidade, identidade. **3.** *Filos.* Conformidade ou correspondência exata entre os termos de uma relação.

adequadamente [Do f. de *adequado* + *-mente*.] ***Adv.*** De maneira adequada; com adequação.

adequado [Part. de *adequar*.] ***Adj.*** **1.** Apropriado, próprio, conveniente: "À intensa religiosidade do homem medieval correspondeu também uma literatura religiosa adequada." (Feliciano Ramos, *História da Literatura Portuguesa*, p. 43.) **2.** Acomodado, ajustado, adaptado. **3.** Conveniente, oportuno. **4.** *Filos.* Diz-se de uma representação que tem exata correspondência ou conformidade com o seu objeto. ~ V. *conhecimento —*.

adequador (ô) [De *adequar* + *-dor*.] ***Adj. S. m.*** Que, ou aquele que torna adequado, apropriado: "Enfim, nós [publicitários – v. *publicitário* (2)] somos meros adequadores de linguagem. | Para cada produto, temos de buscar uma solução publicitária que seja a cara dele, e não a nossa cara." (Washington Olivetto, *Os Piores Textos de Washington Olivetto*, p. 177.)

adequar [Do lat. *adaequare*.] ***V. t. d. e i.*** **1.** Tornar próprio, conveniente; apropriar, adaptar: *Adequou o provérbio à ocasião.* **2.** Amoldar, ajustar, apropriar: "Se aqui ou ali Caeiro se corrige, para adequar a linguagem à realidade experimentada, é ainda a inteligência de análise que intervém" (Jacinto do Prado Coelho, *Diversidade e Unidade em Fernando Pessoa*, p. 13.) ***P.*** **3.** Adaptar-se; amoldar-se; ajustar-se. [Defect. us. só nas f. arrizotônicas: *adequamos, adequais; adequava; adequei*; etc.]

adequável [De *adequar* + *-vel*.] ***Adj. 2 g.*** Que pode ser adequado.

adereçamento [De *adereçar* + *-mento*.] ***S. m.*** Ato ou efeito de adereçar(-se).

adereçar [Do lat. vulg. **addirectiare*, de *directus*, 'direito'.] ***V. t. d.*** **1.** Adornar com adereço(s); enfeitar: "Assim reflexionava Rubião, saindo para a sala de jantar, onde os copeiros adereçavam a mesa da ceia." (Machado de Assis, *Quincas Borba*, p. 219.) **2.** *P. us.* Preparar, dispor, aprontar. **3.** Endereçar (1). ***T. d. e i.*** **4.** Remeter, enviar; endereçar: *Aderecei-lhe ontem uma carta.* ***P.*** **5.** Adornar-se com adereço ou joia. **6.** Adornar-se, enfeitar-se. **7.** Dirigir-se, encaminhar-se; endereçar-se. [Conjug.: v. *começar*. Pres. ind.: *adereço*, etc.; pres. subj.: *aderece, adereces*, etc. Cf. *adereço* (ê) e o pl. *adereces* (ê).]

aderece (êc) [Dev. de *adereçar*.] ***S. m.*** *Desus.* Adereço (q. v.). [Pl.: *adereces* (êc). Cf. *aderece* e *adereces*, do v. *adereçar*.]

aderecista [De *adereço* + *-ista*.] ***S. 2 g.*** **1.** Pessoa que adereça. **2.** *Cin. Teatr. Telev.* Especialista que cria e produz adereços (q. v.).

adereço (ê) [Dev. de *adereçar*.] ***S. m.*** **1.** Objeto de adorno pessoal; ornamento, enfeite: "diademas, colares, adereços, anéis e plumas" (Plínio Salgado, *O Estrangeiro*, p. 151). **2.** Conjunto de joias (colar, brincos, broche, pulseira, etc.) que combinam entre si pelo material e/ou pela feitura: *um adereço de ouro e rubis.* **3.** Arreio, jaez: *Adereços de um cavalo.* **4.** Endereço, direção. [Pl.: *adereços* (ê). Cf. *adereço*, do v. *adereçar*.] ~ V. *adereços*.

adereços (ê) ***S. m. pl.*** **1.** *Cin. Teatr. Telev.* Acessórios cênicos de indumentária ou decoração. **2.** *Bras.* Trastes, móveis. ~ V. *adereço*.

aderência [Do lat. tard. *adhaerentia*.] ***S. f.*** **1.** Qualidade de aderente: *aderência da cola.* **2.** Adesão (1 e 2). **3.** Ligação, união, adesão: *aderência das gavinhas às estacas.* **4.** Efeito de aderir; marca, sinal, vestígio de coisa que aderiu: "entre a manga e o braço ferido havia aderências do sangue empastado." (Abel Botelho, *Os Lázaros*, p. 27). **5.** Atrito que se desenvolve entre as rodas motrizes de um veículo e a superfície de rolamento, e que assegura o deslocamento do veículo por se opor à patinhagem das rodas. **6.** *Med.* União anormal que se estabelece entre formações anatômicas, por meio de tecido fibroso. **7.** *Esport.* Em montanhismo, escalada de paredão de mediano aclive, feita sem qualquer apoio, na qual se utilizam apenas as palmas das mãos e as plantas dos pés chapados na rocha.

aderencial [De *aderência* + *-al*[1].] ***Adj. 2 g.*** Relativo ao poder de aderência. ~ V. *junção —*.

aderente [Do lat. *adhaerente*.] ***Adj. 2 g.*** **1.** Que adere. **2.** Pegado, unido: *órgãos aderentes.* ~ V. *cálice — e peso —*. ● ***S. 2 g.*** **3.** Pessoa que adere. **4.** Pessoa ligada a outrem por amizade ou dependência. **5.** Seguidor, sequaz. [M. us., nas acepçs. 4 e 5, no pl.] ~ V. *aderentes*.

aderentes [Pl. de *aderente*.] ***S. m. pl.*** Amigos; sequazes: *É um homem só, sem parentes nem aderentes.* ~ V. *aderente*.

adergar [Do lat. vulg. **addirigere*, com alter. do final *-igere* para *-icare*.] ***V. t. d. Int. P.*** V. *adregar*. [Conjug.: v. *largar*. Pres. ind.: *adergo*, etc. Cf. *adergo* (ê).]

adergo (ê) [Dev. de *adregar*.] ***S. m.*** V. *adrego* (ê). [Pl.: *adergos* (ê). Cf. *adergo*, do v. *adergar*.]

aderir [Do lat. *adhaerere*.] ***V. int.*** **1.** Estar ou tornar-se intimamente ligado, unido, colado: "A poeira entranhada sufoca-nos. Pega-se. Adere." (Raul Brandão, *Húmus*, p. 25.) **2.** Ser aderente: grudar, colar: "O ar é pastoso e adere como goma." (José Alcides Pinto, *O Criador de Demônios*, p. 57.) **3.** Abraçar partido, empresa, causa, seita, etc.; dar adesão. **4.** Conformar-se, aprovando. ***T. i.*** **5.** Tornar-se aderente, prender-se, unir-se, colar-se: *A camisa suada aderia ao corpo.* **6.** Tornar-se ou mostrar-se adepto (2); abraçar partido, empresa, causa, seita, etc. **7.** Unir-se a uma iniciativa de apreço, apoio ou solidariedade a alguém ou alguma causa: *Muitas pessoas aderiram à homenagem ao grande poeta.* ***T. d. e i.*** **8.** Unir, ligar, colar: *Adira esta folha de papel àquela outra.* ***T. d.*** **9.** Fazer pegar a ou em; unir, juntar. ***P.*** **10.** Ajuntar-se, unir-se, ligar-se: *Construções gramaticais em que o gerúndio se adere a um substantivo.* [Irreg. Muda o *e* do radical em *i* na 1.ª pess. do sing. do pres. ind., *adiro*, e, portanto, em todas as pess. do pres. subj.: *adira, adiras, adira, adiramos, adirais, adiram*. Part. irreg.: *adeso*.]

adermia [De *a-*[3] + *-derm(o)-* + *-ia*[1].] ***S. f.*** *Ter.* Ausência ou desenvolvimento insuficiente de pele; adermogênese.

adermogénese ***S. f.*** *Med.* V. *adermogênese*. [Uso freq. em P.]

adermogênese [De *a-*[3] + *-derm(o)-* + *-gênese*.] ***S. f.*** *Ter.* Adermia.

adernação [De *adernar* + *-ção*.] ***S. f.*** V. *adernamento* (1).

adernado [Part. de *adernar*.] ***Adj.*** *Bras. N.E.* Entornado.

adernagem [De *adernar* + *-agem*[2].] ***S. f.*** V. *adernamento* (1)

adernal [De *aderno* + *-al*[1].] ***S. m.*** Quantidade mais ou menos considerável de adernos dispostos proximamente entre si.

adernamento [De *adernar* + *-mento*.] ***S. m.*** **1.** Ato ou efeito de adernar; adernação, adernagem. **2.** Banda[1] (5).

adernar [De or. incerta.] ***V. t. d.*** **1.** *Mar.* Inclinar (a embarcação) sobre um dos bordos: "uma força brutal e cega [do vento] que enchia as velas, adernava o barco, alteava as ondas bravias" (Josué Montelo, *Cais da Sagração*, p. 160). ***Int.*** **2.** *Mar.* Inclinar-se (a embarcação) sobre um dos bordos por ação de vento, vaga, ou alagamento parcial de compartimentos:

"A canoa adernou, no começo com uma inclinação parcial." (Raul Bopp, *Putirum*, p. 211.) 3. *Bras. N.E.* Inclinar-se ou emborcar-se (o recipiente), deixando cair conteúdo líquido. 4. *Bras. Pop.* Inclinar-se, tombando: *Bebe e bebe e depois aderna.*

aderno [Do lat. *alaternu.*] *S. m. Bot.* 1. V. *faia*[1] (2). 2. V. *mucuri.*

aderno-preto *S. m. Bot.* V. *mucuri.* [Pl.: *adernos-pretos.*]

adesão [Do lat. *adhaesione.*] *S. f.* 1. Ato de aderir; aderência. 2. Assentimento, aprovação, concordância. 3. Manifestação de solidariedade a uma ideia, a uma causa; apoio: "eu não julgo necessário produzir bem alto a afirmação da minha profunda adesão ao Governo" (Eça de Queirós, *O Conde d'Abranhos*, p. 147). 4. Aderência (3). 5. O ato de aderir (7): *banquete de adesões.* 6. *Fís.* Atração entre dois corpos sólidos ou plásticos, com superfícies de contato comuns, e produzida pela existência de forças atrativas intermoleculares de ação a curta distância.

adesionismo [De *adesão* + *-ismo*, seg. o padrão erudito.] *S. m.* Adesismo.

adesionista [De *adesionismo* + *-ista.*] *Adj. 2 g. S. 2 g.* Adesista.

adesismo [Do rad. de *adesão* + *-ismo.*] *S. m.* 1. Adesão sistemática, em política, às situações novas. 2. Tendência para essa adesão. [Sin. ger.: *adesionismo.*]

adesista [Do rad. de *adesão* + *-ista.*] *Adj. 2 g. S. 2 g.* Que, ou quem pratica o adesismo; adesionista.

adesivado [Part. de *adesivar.*] *Adj.* Que recebeu adesivo.

adesivagem [De *adesivar* + *-agem*[2].] *S. f.* 1. Ato ou efeito de adesivar. 2. *Restr.* A colocação de adesivos em veículos, esp. como elemento de propaganda ou tunagem.

adesivar [De *adesivo* + *-ar*[2].] *V. t. d. e i.* Pôr adesivo em: *Adesivou o carro com a foto do filho.*

adesividade [De *adesivo* + *-(i)dade.*] *S. f.* Qualidade ou propriedade de adesivo.

adesivo [Do fr. *adhésive.*] *Adj.* 1. Que adere; aderente. 2. Que cola, une, adere: *tinta adesiva.* 3. Que permanece colado depois de aplicado por pressão: *papel adesivo.* ● *S. m.* 4. Tira de papel, pano, plástico ou qualquer outro material flexível, com um dos lados recoberto de substância que adere a uma superfície sem umedecimento. 5. *Lus.* Esparadrapo.

adeso [Part. irreg. de *aderir.*] *Adj.* Aderido.

adespois [De *a-*[4] + *despois.*] *Adv. Bras. Pop.* Depois.

adessivo [Do lat. *adesse*, 'estar perto', pres. inf. do lat. *adsum*, + *-ivo.*] *E. Ling. Adj.* 1. Relativo a adessivo (2). ~ V. *caso —.* ● *S. m.* 2. Caso adessivo (q. v.).

adestração [De *adestrar* + *-ção.*] *S. f.* V. *adestramento* (1).

adestrado [Part. de *adestrar.*] *Adj.* Destro; ensinado, amestrado, industriado: "queria .... atirar-se ao teto e cair de ponta-cabeça ao soalho, dando um salto no espaço, como funâmbulo adestrado." (João Pacheco, *Negra a Caminho da Cidade*, p. 13).

adestrador (ô) [De *adestrar* + *-dor.*] *Adj. S. m.* Que, ou aquele que adestra.

adestramento [De *adestrar* + *-mento.*] *S. m.* 1. Ato ou efeito de adestrar(-se); treino, adestração. 2. Educação (9).

adestrar [De *a-*[2] + *destro* + *-ar*[2].] *V. t. d. P.* 1. Tornar destro, hábil; habilitar, instruir, preparar, amestrar: *Os espartanos adestravam os cidadãos para a vitória* 2. Ensinar (um animal) a realizar certas tarefas e seguir certos comandos. *P.* 3. Habilitar-se, preparar-se: *Adestrou-se bem para a competição.*

adestro [De *a-*[2] + *destro.*] *Adj.* 1. Que vai ao lado a fim de preencher falta. 2. Diz-se do cavalo que se conduz para muda no caminho.

adeus [De *a*[3] + *Deus.*] *Interj.* 1. Emprega-se como cumprimento, em sinal de despedida, e significa 'Deus o acompanhe!'. [Sin. (fam.): *adeusinho.*] 2. Exprime pena ou saudade de pessoa ou coisa perdida ou desaparecida, de bem que se gozou: "Adeus! ó choça do monte!... /... Adeus! palmeiras da fonte!... / Adeus! amores... adeus!..." (Castro Alves, *Obra Completa*, p. 282.) 3. Emprega-se para significar desaparecimento, com sin. de 'e lá vai (ou se foi)': *Quando tudo ia tão bem, adeus, boa vida, adeus, casamento!* ● *S. m.* 4. Despedida, separação. 5. Gesto ou sinal de despedida, ou, por vezes, de saudação: "Nenhum dos recrutas abraçou amigos e parentes; os adeuses trocaram-se com os olhos e com as mãos, de longe." (Inglês de Sousa, *Contos Amazônicos*, p. 27.) [Pl.: *adeuses.*] ◆ **Adeus de mão fechada.** *Bras. Chulo* V. *manguito*[2]. **Dar adeus.** *Gír. Turfe* Despedir (15). **Dar adeus a.** 1. Saudar à distância; dizer adeus a; dar adeusinho. 2. Dizer adeus a (3). **Dizer adeus a.** 1. Despedir-se de (uma pessoa). 2. Dar adeus a (1). 3. Renunciar a (algo): *Com o casamento, disse adeus à boêmia.* **Dizer adeus ao mundo.** V. *morrer* (1).

adeusar [De *a-*[2] + *Deus* + *-ar*[2].] *V. t. d. P. P. us.* V. *endeusar.*

adeusinho [De *adeus* + *-inho*[1].] *Interj.* 1. *Fam.* Adeus (1). ● *S. m.* 2. Gesto ou sinal de despedida carinhoso: "E despediram-se risonhas, com adeusinhos íntimos." (Coelho Neto, *Turbilhão*, p. 344.) ◆ **Dar adeusinho a.** Dar adeus a.

adevão *S. m. Bras. Pop.* Contenda, luta. V. *rolo*[1] (16).

adevismo [De *a-*[3] + *deva* (ê) + *-ismo.*] *S. m. Filos.* Rejeição da multiplicidade de devas (v. *deva*), que são considerados figuração de uma divindade única; adeísmo. [Cf. *ateísmo* e *teísmo.*]

→**ad hoc** [at hɔk] [Lat., 'para isso', 'para esse caso'.] 1. De propósito; adrede. 2. Designado, por se tratar de perito (4), para executar determinada tarefa: *escrivão ad hoc; advogado ad hoc.* 3. *Filos. Lóg.* Diz-se de argumento ou de assunção forjados a partir do fato que se pretende explicar, provar, etc.

→**ad hominem** [at 'homenẽ(m)] [Lat., 'ao homem'.] Us. na expr. *argumento* ad hominem.

adiabata [Var. pros. de *adiábata.*] *S. 2 g. Fís.* Adiabática.

adiábata [Do gr. *adiábatos*, 'intransitável', (v. *-bata*[1]).] *S. 2 g. Fís.* Adiabática.

adiabática [Do gr. *adiábatos*, 'intransitável' + *-ica.*] *S. f. Fís.* Num diagrama de estado de um sistema, a curva representativa de uma evolução adiabática deste sistema; adiábata, adiabata.

adiabático [Do gr. *adiábatos*, 'intransitável', + *-ico*[2].] *Adj. Fís.* Diz-se dum processo de transformação dum sistema em que não ocorrem trocas térmicas com o exterior. ~ V. *desmagnetização —a* e *transformação —a.*

adiafa [Do ár. *aḍ-ḍyāfa(t)*, 'hospitalidade', 'banquete'.] *S. f.* 1. Refeição oferecida a trabalhadores, ao fim de sua tarefa. 2. *P. ext.* Pagamento, em gêneros e mercadorias (como roupas) ou em dinheiro, por tarefa realizada. 3. *P. ext.* Gratificação. [Var.: *diafa, diefa.*]

adiáfano [De *a-*[3] + *diáfano.*] *Adj.* Não diáfano; opaco.

adiaforese [De *a-*[3] + *diaforese.*] *S. f. Med.* Ausência, ou diminuição acentuada, de secreção sudorípara; adiapneustia.

adiaforético [De *adiafor(ese)* + *-ético.*] *Adj.* Relativo a adiaforese.

adiaforia [Do gr. *adiaphoría.*] *S. f.* 1. *Filos.* Indiferença completa em face de coisas e acontecimentos. 2. *Psiq.* Ausência de resposta a estímulos, como consequência de exposição anterior a esses mesmos estímulos.

adiafórico [De *adiaforia* + *-ico*[2].] *Adj.* Relativo a adiaforia.

adiaforismo [De *adiáforo* + *-ismo.*] *S. m.* 1. *Filos.* Descrença sistemática na possibilidade de o homem alcançar a verdade. 2. *Rel.* A doutrina dos luteranos moderados.

adiaforista [De *adiaforismo* + *-ista.*] *Adj. 2 g.* 1. Respeitante ao, ou que é sectário do adiaforismo. ● *S. 2 g.* 2. Sectário dele.

adiáforo [Do gr. *adiáphoros.*] *Adj.* Não essencial; acessório, secundário, dispensável.

adiamantado [De *a-*[2] + *diamante* + *-ado*[1].] *Adj.* Semelhante ao diamante, no brilho e dureza.

adiamantar [De *a-*[2] + *diamante* + *-ar*[2].] *V. t. d.* 1. Tornar brilhante ou luminoso como o diamante. 2. Tornar ou fazer duro como o diamante. 3. Ornar, ornamentar com diamantes.

adiamantino *Adj.* V. *diamantino*[1] (2 a 4).

adiamento [De *adiar* + *-mento.*] *S. m.* Ato ou efeito de adiar.

adiantado [Part. de *adiantar.*] *Adj.* 1. Que se adianta ou adiantou. 2. Mais distante do começo ou mais próximo do fim (no tempo ou no espaço); avançado: *homem adiantado em anos; hora adiantada do dia; Com a tarefa adiantada, saiu.* 3. Que marca um tempo que ainda não é o presente (diz-se de relógio, calendário, etc.). 4. Desenvolvido em conhecimentos, em estudos; avançado: "Guiou dali Vieira [o Pᵉ Antônio Vieira] para a escola .... e logo animosamente pediu para argumentar com os mais sabedores e adiantados." (João Francisco Lisboa, *Obras*, IV, p. 10.) 5. Desenvolvido em cultura; civilizado: *povos adiantados.* 6. *Bras.* Intrometido, metediço, audacioso. ● *S. m.* 7. Antigo governador de província. 8. Qualidade de adiantado (2): *Em vista do adiantado da hora, teve que sair da reunião.* ● *Adv.* 9. Com antecipação, adiantadamente: *Pagou adiantado o aluguel da casa.*

adiantamento [De *adiantar* + *-mento.*] *S. m.* 1. Ato ou efeito de adiantar(-se). 2. Proximamente ao fim ou à conclusão: *adiantamento da obra.* 3. Dianteira, primazia. 4. Progresso, desenvolvimento, avanço: *adiantamento de um povo.* 5. Progressos nos estudos. 6. Quantia paga antecipadamente por conta de salários, vencimentos, títulos de dívidas, etc.: "Enterrara muito dinheiro no vapor de descaroçar e espalhara com os agricultores adiantamentos." (José Lins do Rego, *Pedra Bonita*, p. 70.)

adiantar [De *adiante* + *-ar*[2].] *V. t. d.* 1. Mover ou estender para diante: "O sertanejo adiantou alguns passos pela copa da árvore." (José de Alencar, *O Sertanejo*, p. 74); *O pedinte adiantou o braço para receber a esmola.* 2. Fazer avançar, progredir, desenvolver: *Administrou inteligentemente, adiantando a indústria e comércio durante a sua gestão.* 3. Acelerar, apressar: *Tinha pressa; pediu que adiantassem o almoço.* 4. Fazer ou dizer antes do tempo; antecipar, precipitar: *Se pudesse, adiantaria o encontro que marcara para o mês seguinte.* 5. Pagar adiantadamente parte ou total de (quantia ajustada). 6. Abonar, emprestar (dinheiro). 7. Alterar para mais o horário indicado (no relógio): *Ivo adiantou o relógio para não chegar atrasado à escola.* *T. d. e i.* 8. Dizer ou afirmar com antecipação: "A polícia .... prendeu comunistas e simpatizantes. .... E vai tudo para o sul, posso-lhe adiantar." (Josué Montelo, *Uma Tarde, Outra Tarde*, p. 8.) 9. Pagar antecipadamente. 10. Fazer avançar, progredir, desenvolver, melhorar, aperfeiçoar. *Int.* 11. Trazer vantagem, proveito, lucro, benefício: *Processos violentos quase nunca adiantam.* 12. Ter efeito; aproveitar; valer a pena; compensar: *Ali, conselhos não adiantavam.* 13. Avançar (o mecanismo do relógio) mais depressa que o normal, marcando a hora com adiantamento: *O seu relógio nunca adianta nem atrasa.* *P.* 14. Ir para diante, caminhar para a frente; avançar: "Ana adiantou-se para mim, e dando-me a mão ...., apresentou rubescente a fronte pura e angélica." (José de Alencar, *Lucíola*, p. 178.) 15. Fazer ou dizer antes do tempo; precipitar-se: "no seu interesseiro inquérito, ele adiantara-se mais do que convinha. Urgia disfarçar a intenção." (Abel Botelho, *Os Lázaros*, p. 215). 16. Apressar-se, acelerar-se. 17. *Bras. Fam.* Tomar confiança, liberdade.

adiante [De *a-*[2] + *diante.*] *Adv.* 1. Na frente; na dianteira: "A sra. morgada ia casar com um fidalgo muito rico de Alijó, que já tinha mandado adiante dez cargas de dinheiro." (Camilo Castelo Branco, *O Santo da Montanha*, p. 206.) 2. Em primeiro lugar, primeiramente: *Entrou adiante de todos, furioso com os acontecimentos.* 3. À frente; para a frente; para o primeiro lugar: "Enquanto os três amigos mais chegados do seminário passavam adiante, trabalhando e servindo, ... ele Teófilo era o mesmo apóstolo e místico dos primeiros anos" (Machado de Assis, *Histórias sem Data*, p. 185). 4. Em lugar à frente daquele que se considera; além: "afastou-se do lugar. Adiante parou e refletiu" (Id., *Contos Fluminenses*, p. 35). 5. Em seguida; depois, após: *Logo adiante uns meses viajou.* 6. Em continuação; em diante, por adiante: "Antes de ir adiante, direi que eram primos." (Machado de Assis, *Histórias sem Data*, p. 178.) 7. Depois, posteriormente, futuramente: "pelo tempo adiante reparou que os noivos tinham mais cara de enterro que de casamento." (Id., *Contos Fluminenses*, p. 41). 8. A uma fase adiantada de execução; à frente; avante: *Infelizmente não viu a obra que levou tão adiante.* ● *Interj.* 9. Exprime intimação para continuar alguma coisa interrompida, equivalendo a *passe adiante, prossiga, toque para frente*: "— Adiante, homem de Deus, adiante! — tornou o juiz de paz" (Aquilino Ribeiro, *Quando ao Gavião Cai a Pena*, p. 212).

adianto[1] [Do tax. *Adiantum* (do gr. *adíanton*, 'capilária', 'avenca').] *S. m. Bot.* 1. Gênero de fetos pteridáceos, com cerca de 150 espécies de distribuição cosmopolita, ger. conhecidas como *avencas.* 2. Qualquer espécie desse gênero, como, p. ex., a *Adiantum brasiliense* [v. *avenca* (2)]. 3. Qualquer espécime desse gênero.

adianto[2] [Dev. de *adiantar.*] *S. m. Bras. Pop.* 1. Adiantamento (1). 2. *P. ext.* Ajuda, auxílio para fazer ou conseguir algo.

adiapneustia [Do gr. *adiapneustía.*] *S. f. Med.* Adiaforese.

adiapnêustico [De *adiapneustia* + *-ico*[2].] *Adj.* Relativo a adiapneustia.

adiar [De *a-*[2] + *dia* + *-ar*[2].] *V. t. d.* 1. Transferir para outro dia; protelar, prorrogar, procrastinar. 2. Reprovar em exame: *O professor adiou vários candidatos inscritos.* *T. d. e c.* 3. Transferir (data e/ou horário de compromisso ou acontecimento) para mais tarde: *O professor adiou a prova para a próxima semana.*

adiatérmico [De *a-*[3] + *diatérmico.*] *Adj. Fís.* Diz-se de corpo ou substância opacos à radiação térmica.

adiável [De *adiar* + *-vel.*] *Adj. 2 g.* Que pode ou deve ser adiado.

adibe [Do ár. *aḍ-ḍi'b.*] *S. m.* Lobo; chacal. [Var.: *adive.*]

adição[1] [Do lat. *aditione.*] *S. f.* Ato ou efeito de adir[1].

adição[2] [Do lat. *additione.*] *S. f.* 1. Ato ou efeito de adir[2]; adicionamento, adicionação. 2. Acrescimento, acréscimo, acrescentamento, aditamento. 3. *Mat.* Soma[1]. 4. *Quím.* Tipo de reação em que dois átomos, ou grupos de átomos, se ligam às extremidades de uma insaturação, ou de um grupo de insaturações conjugadas. ◆ **Adição lógica.** *Lóg.* V. *disjunção inclusiva.*

adição[3] [Do fr. *addition.*] *S. f. Bras.* Conta (4).

adição[4] *S. f.* V. *adicção.*

adicção [Adapt. do ingl. *addiction.*] *S. f.* Consumo de drogas, medicamentos ou substâncias psicoativas em virtude de dependência físico-química. [Var. menos us.: *adição.*]

adiciça [Do quimb.] *S. f. Bras. Rel.* Em alguns terreiros [v. *terreiro* (7)], esteira[2] (1). [Var.: *ciça.*]

adicionação [De *adicionar* + *-ção.*] *S. f.* Ato de adicionar; adicionamento, adição.

adicionado [Part. de *adicionar.*] *Adj.* **1.** Juntado, acrescentado, somado. **2.** *Bras. S.* Diz-se do cavalo que tem doença crônica ou defeito físico, particularmente nos órgãos locomotores. ~ V. *charada —a* e *valor —.*

adicionador (ô) [De *adicionar* + *-dor.*] *Adj. S. m.* Que, ou quem adiciona.

adicional [De *adição*[2] + *-al*[1], seg. o padrão erudito.] *Adj. 2 g.* **1.** Que se adiciona, que se acrescenta. **2.** Acessório, complementar. ~ V. *ato —* e *crédito —.* ● *S. m.* **3.** Aquilo que se adiciona ou se acrescenta. **4.** Imposto, ou taxa, que se acrescenta a outro imposto ou taxa. **5.** Qualquer gratificação concedida a um funcionário (esp. o de instituição pública) ou incorporada ao seu salário, em virtude, esp., de risco ou desvantagem no exercício da profissão. ◆ **Adicional de insalubridade.** Adicional (5) pago a trabalhador que opera em condições de insalubridade. **Adicional noturno.** Aquele que o funcionário recebe por trabalhar à noite.

adicionamento [De *adicionar* + *-mento.*] *S. m.* V. *adicionação.*

adicionar [De *adição*[2] + *-ar*[2], seg. o padrão erudito.] *V. t. d.* **1.** Juntar, ajuntar, acrescentar, acrescer, aditar, adir. **2.** Fazer a adição[2] (3) de; somar. **3.** *Bras. S.* Tornar (o cavalo) adicionado (2). *T. d. e i.* **4.** Acrescentar, juntar, ajuntar, aditar, adir: "Em obediência à medicina bruta do sertão, adicionavam cebola à beberagem, o que a tornava repugnante." (Graciliano Ramos, *Infância*, p. 124.) *P.* **5.** *Bras. S.* Tornar-se (o cavalo) adicionado.

adicionável [De *adicionar* + *-vel.*] *Adj. 2 g.* Que pode ser adicionado.

adictivo [Adapt. do ingl. *addictive.*] *Adj.* Que causa dependência, vício (diz-se de substância, droga, etc.). [Var.: *aditivo.*]

adicto [Do lat. *adictu*, pelo ingl. *adict.*] *Adj.* **1.** Afeiçoado, dedicado, apegado. **2.** Adjunto, adstrito, dependente. **3.** *Med.* Que não consegue abandonar um hábito nocivo, mormente de álcool e drogas, por motivos fisiológicos ou psicológicos. ● *S. m.* **4.** *Med.* Indivíduo adicto (3).

adido [Part. de *adir*[2], ou do lat. mediev. *adidu.*] *S. m.* **1.** Funcionário agregado a outro, a corporação ou a quadro, para auxiliar. **2.** Pessoa não pertencente aos quadros diplomáticos designada para servir junto a uma embaixada como representante de interesses específicos: *adido cultural; adido militar; adido de imprensa.* [Tb. se usa, nesta acepç., o fr. *attaché.*]

adietado [Part. de *adietar.*] *Adj.* **1.** Posto em dieta. **2.** Conforme a dieta: *almoço adietado.*

adietar [De *a-*[2] + *dieta* + *-ar*[2].] *V. t. d. P.* Pôr(-se) em dieta; submeter(-se) a dieta.

→ **ad ignorantiam** [ad igno'rantça(m)] [Lat., 'para a ignorância'.] *Lóg.* Us. na expr. *apelo* ad ignorantiam.

→ **adi granth** ['adi grantʰ] [Hindi < sânscr., 'livro original'.] *S. m.* Compilação dos textos sagrados siques, reunidos, originariamente, em 1603. [Tb. se diz *Granth* e *Guru Granth Sahib.* Com cap.]

adimensional [De *a-*[3] + *dimensional.*] *Adj. 2 g.* Que não tem dimensão. ~ V. *número —.*

adimplemento [De *adimplir* (< lat. tard. *adimplere*) + *-mento*, seg. o padrão erudito.] *S. m. Jur.* Ato ou efeito de adimplir; adimplência: "Quando se diz que a propriedade e a posse se transferirão no dia tal, ... necessariamente se acordou na transmissão, como adimplemento ou modo de adimplemento do contrato de compra e venda." (Pontes de Miranda, *Tratado do Direito Privado*, XXXIX, p. 58.)

adimplência [De *adimplir* + *-ência.*] *S. f. Jur.* Adimplemento.

adimplente [De *adimplir* + *-ente.*] *Adj. 2 g. Jur.* Que cumpre no devido termo todas as obrigações contratuais; que adimple.

adimplir [Do lat. tard. *adimplere.*] *V. t. d.* Cumprir ou executar (obrigação) decorrente de um contrato.

adinamia [Do gr. *adynamía.*] *S. f.* **1.** Estado de prostração física e/ou moral; falta de forças: "Imóveis largo tempo, um em frente ao outro, ... parecendo refletir a adinamia do mesmo esgotamento – espiavam-se, solertes, traiçoeiros, tocaiando-se." (Euclides da Cunha, *Os Sertões*, p. 584.) **2.** *Med.* Diminuição acentuada de força e de atividade, observada com frequência, p. ex., no curso de doenças infecciosas prolongadas.

adinâmico [De *adinamia* + *-ico*[2].] *Adj.* Respeitante a adinamia. ~ V. *íleo —.*

adínamo [Do gr. *adýnamos.*] *Adj.* Enfraquecido, debilitado, prostrado.

→ **ad infinitum** [ad ẽn'fiŋetom] [Lat.] Até o infinito; para sempre.

adinheirado [De *a-*[2] + *dinheiro* + *-ado*[1].] *Adj.* V. *endinheirado.*

→ **ad instar** [ad 'instar] [Lat.] À semelhança de, à maneira de.

→ **ad interim** [ad 'intẽrẽm] [Lat.] Provisoriamente, temporariamente.

adíon [De *ad* (*sorvido*) + *-íon.*] *S. m. Fís.-Quím.* Íon adsorvido numa superfície.

ádipe [Do lat. *adipe.*] *S. f. e m.* Gordura animal: "Quando ele surgiu .... embarrilado no próprio ádipe, ..., vinha montando um robusto quartau" (Xavier Marques, *As Voltas da Estrada*, p. 23). [Vár.: *ádipo.*]

adipectomia [De *adip(o)-* + *-ectom-* + *-ia*[1].] *S. f. Cir.* Lipectomia.

adípico [De *ádipe* + *-ico*[2].] *Adj. Quím.* ~ V. *ácido —.*

▲ **adip(o)-** [Do lat. *adeps*, adĭpis.] *El. comp.* = 'gordura': *adipócito, adipoma, adipose.*

ádipo *S. m.* V. *ádipe.*

adipocera [Do fr. *adipocire.*] *S. f. Med.* Massa branca, mole, quebradiça, que se forma nos diversos tecidos e órgãos dos cadáveres, principalmente dos inumados em lugares úmidos.

adipoceratoso (ô) [De *adip(o)-* + *-cerat(o)-* + *-oso.*] *Adj.* Relativo a adipocera.

adipócito [De *adip(o)-* + *-cito.*] *S. m. Biol.* Célula adiposa (q. v.).

adipoma [De *adip(o)-* + *-oma*[1].] *S. m. Patol.* V. *lipoma.*

adiposa [F. subst. de *adiposo.*] *S. f. Zool.* . V. *nadadeira adiposa.*

adipose [De *adip(o)-* + *-ose*[1].] *S. f. Med.* Aumento, em regra patológico, de gorduras no tecido celular subcutâneo; obesidade.

adiposidade [De *adiposo* + *-(i)dade.*] *S. f. Med.* **1.** Condição em que o peso corporal pode não exceder o normal, mas é excessiva a proporção de gordura nele existente. **2.** Obesidade.

adiposite [De *adipose* + *-ite*[1].] *S. f. Patol.* Paniculite.

adiposo (ô) [De *ádipe* + *-oso.*] *Adj.* **1.** Gorduroso, gordo. **2.** Muito gordo; balofo, obeso. ~ V. *célula —a, esclerema —, panículo —* e *tecido —.*

adiposuria [De *adiposo* + *-uria.*] *S. f. Med.* Lipúria. [F. paral.: *adiposúria.*]

adiposúria [De *adiposo* + *-úria.*] *S. f. Med.* Lipúria. [F. paral.: *adiposuria.*]

adiposúrico [De *adiposúria* + *-ico*[2].] *Adj.* Relativo a adiposúria.

adipsia [Do gr. *ádipsos*, 'sem sede', + *-ia*[1].] *S. f. Med.* Falta de sede.

adípsico [De *adipsia* + *-ico*[2].] *Adj.* Referente a adipsia.

adir[1] [Do lat. *adire.*] *V. t. d.* Entrar na posse de (os bens de herança). [Defect. Conjug.: v. *falir.*]

adir[2] [Do lat. *addere.*] *V. t. d. T. d. e i.* **1.** V. *adicionar* (1 e 4): *Recusou a proposta e não adiu razões; Adiu novos argumentos a tantos outros já apresentados.* **2.** Agregar, incorporar. *P.* **3.** Juntar-se, ligar-se, aliar-se, unir-se. [Defect. Conjug.: v. *falir.*]

aditamento [Do lat. *additamentu.*] *S. m.* **1.** Ato ou efeito de aditar[2]; acrescentamento, adição. **2.** O que se junta ou adita a alguma coisa para esclarecê-la ou completá-la; suplemento.

aditar[1] [De *a-*[2] + *dita* + *-ar*[2].] *V. t. d.* Proporcionar dita ou felicidade a; tornar ditoso; afortunar. [Pres. ind.: *adito*, etc. Cf. *ádito.*]

aditar[2] [Do lat. *additus*, part. pass. de *addere*, 'acrescentar', 'adir', + *-ar*[2].] *V. t. d. T. d. e i.* **1.** V. *adicionar* (1 e 4): *Aditou novos títulos aos da bibliografia.* *Int.* **2.** Fazer aditamento: "meu papel, subalterno e pouco menos de anônimo, limitado a corrigir, suprimir e aditar em obra alheia, não seria susceptível de comparação nenhuma com o do professor Clóvis [Clóvis Beviláqua]" (Rui Barbosa, *Réplica*, p. 53). *P.* **3.** V. *adir*[2] (3). [Pres. ind.: *adito*, etc. Cf. *ádito.*]

aditício [Do lat. *additiciu.*] *Adj.* Que se juntou ao texto; acrescentado.

aditiva [F. subst. de *aditivo.*] *S. f. E. Ling.* Conjunção aditiva (q. v.).

aditivado [De *aditivo* + *-ado*[1].] *Adj.* Que recebeu aditivo (2 a 5).

aditividade [De *aditivo* + *-(i)dade.*] *S. f.* Qualidade, propriedade ou caráter de aditivo.

aditivo[1] [Do lat. *additivu.*] *Adj.* **1.** Que se adita ou serve para adicionar; adicional. ~ V. *charada —a, conjunção —a, inverso —, operação —a, propriedade —a* e *sinal —.* ● *S. m.* **2.** O que se adicionou. **3.** *Constr.* Substância que se junta, em pequenas quantidades, aos aglomerantes, para lhes modificar determinadas características. **4.** *Quím.* Substância adicionada a outra, ger. em pequena quantidade, para acrescentar, aumentar, diminuir ou eliminar determinada propriedade. [São usados aditivos em alimentos, combustíveis, lubrificantes, tintas, cimento e outros produtos industrializados.] **5.** *Ind. Pap.* Nome genérico dado a substâncias não fibrosas adicionadas às fibras durante a preparação para a máquina contínua de papel; carga. **6.** *Med.* Substância que se adiciona a alimentos, esp. durante o seu processamento, para fins conservativos, ou para aumentar-lhes o valor nutritivo, ou para torná-los mais palatáveis.

aditivo[2] *Adj.* V. *adictivo*

aditivo-constitutivo *Adj.* ~ V. *propriedade —a.* [Pl.: *aditivo-constitutivos.*]

ádito[1] [Do lat. *adytu.*] *S. m.* **1.** Câmara secreta, nos templos antigos; santuário onde só os sacerdotes podiam entrar: "Nos áditos do místico pagode / O ministro de Brama aspira incensos." (Junqueira Freire, *Obras Poéticas*, I, p. 71.) **2.** Compartimento reservado. **3.** Lugar recôndito; arcano: "densa abóbada de folhagem verde-negra cobria o ádito agreste, reservado aos mistérios do rito bárbaro." (José de Alencar, *Iracema*, p. 60). [Cf. *adito*, do v. *aditar.*]

ádito[2] [Do lat. *aditu.*] *S. m.* **1.** Entrada, abertura. **2.** Acesso, aproximação: *Conseguiu enfim ádito ao presidente.* **3.** Porta, pórtico. [Cf. *adito*, do v. *aditar.*]

adive *S. m.* V. *adibe.*

adivinha[1] [Dev. de *adivinhar.*] *S. f.* **1.** Coisa para adivinhar; enigma popular; adivinhação. **2.** Adivinhação (2). [Cf. *advinha*, do v. *advir.*]

adivinha[2] [Fem. de *adivinho.*] *S. f.* Mulher que pretende ter faculdades divinatórias; profetisa, pitonisa, adivinhadeira, adivinhona: "Com eles seguiam as adivinhas, que liam mãos e botavam cartas para predizer o futuro." (Ferreira Gullar, *Cidades Inventadas*, p. 31.) [Cf. *advinha*, do v. *advir.*]

adivinhação [De *adivinhar* + *-ção.*] *S. f.* **1.** Ato ou efeito de adivinhar (1 e 6). **2.** Brincadeira que consiste na proposição de enigmas fáceis para serem decifrados; adivinha. **3.** Adivinha[1] (1). **4.** *Antrop.* Interpretação de eventos passados, presentes ou futuros, segundo um conjunto culturalmente codificado de meios e técnicas postos em operação pelo adivinho.

adivinhadeira [De *adivinhar* + *-deira.*] *S. f.* V. *adivinha*[2].

adivinhadeiro [De *adivinhar* + *-deiro.*] *S. m.* V. *adivinho.*

adivinhador (ô) [De *adivinhar* + *-dor.*] *Adj.* **1.** Que adivinha; adivinhante. ● *S. m.* **2.** V. *adivinho.*

adivinhante [De *adivinhar* + *-nte.*] *Adj. 2 g.* Adivinhador (1).

adivinhão [De *adivinho* + *-ão*[1].] *S. m.* **1.** V. *adivinho.* **2.** Bruxo, feiticeiro. [Fem.: *adivinhona.*]

adivinhar [Do lat. *addivinare* < lat. *ad divinare.*] *V. t. d.* **1.** Conhecer ou descobrir, por meios sobrenaturais ou artifícios hábeis, o que está oculto em (o passado, presente ou futuro). **2.** Descobrir por interpretação, indução, conjetura, intuição, etc.: *Desde as primeiras palavras adivinhei o seu talento de orador.* **3.** Acertar com; atinar (com), descobrir: *Não consigo adivinhar a causa de sua deliberação.* **4.** Tirar conclusões de; deduzir: *Pelo seu aspecto acabrunhado, adivinhou a gravidade da notícia.* **5.** Interpretar, decifrar: *adivinhar um enigma, um mistério.* *T. d. e i.* **6.** Predizer, profetizar, vaticinar: *É fácil adivinhar-lhe um futuro glorioso.* ***Transobj.*** **7.** Supor, julgar, presumir, imaginar: *Adivinhou-a leviana e irresponsável.*

adivinhe-quem-vem-hoje *S. m. 2 n. Bras. Zool.* V. *gente-de-fora-vem-aí.*

adivinho [Do lat. (*homo*) *divinu*, 'homem divino', *i. e.*, 'o que tem o dom de adivinhar', com infl. de *adivinhar.*] *S. m.* Aquele a quem se atribuem faculdades divinatórias, ou que atribui a si tais faculdades; adivinhador, adivinhadeiro, adivinhão, haríolo, profeta.

adivinhona [Fem. de *adivinhão.*] *S. f. Pop.* V. *adivinha*[2].

adixá [Do ár. *al-ʿišā'*, 'tarde'; 'a oração vespertina', corruptela de *al-ʿašā'.*] *S. f. Rel.* Entre os malês, oração vespertina, que é a quinta das cinco orações diárias muçulmanas.

adjá [Do ior.] *S. m. Bras. Rel.* No candomblé e noutros cultos religiosos afins, espécie de sineta, simples ou múltipla, us. para fins cerimoniais diversos. "Formamos um longo cortejo, que foi em silêncio até uma fonte próxima, seguindo a velha filha de Oxalá, que agitava o adjá." (Ana Maria Gonçalves, *Um Defeito de Cor*, p. 491).

adjacência [Do lat. *adjacentia* (*loca*), 'lugares adjacentes'.] *S. f.* **1.** Situação adjacente; vizinhança, proximidade, contiguidade: "um jornal que defendesse os interesses da Igreja e doutrinasse os tapuios dos sítios do Urubus e adjacências." (Inglês de Sousa, *O Missionário*, p. 97). **2.** Qualidade, estado ou posição de adjacente, de contíguo.

adjacente [Do lat. *adjacente.*] *Adj. 2 g.* **1.** Contíguo, junto, confinante: *área adjacente ao cais.* **2.** Próximo, vizinho: *terras adjacentes.* ~ V. *ângulos —s* e *mar —*.

adjazer [Do lat. *adjacere.*] *V. int.* Estar, permanecer, jazer junto. [Conjug.: v. *aprazer.*]

adjeção [Do lat. *adjectione.*] *S. f.* Adição, acrescentamento.

adjectivo *Adj. S. m.* V. *adjetivo*.

adjetivação [De *adjetivar* + *-ção*.] *S. f.* Ato, efeito ou modo de adjetivar; adjetivamento.

adjetivado [Part. de *adjetivar*.] *Adj.* **1.** Tornado adjetivo. **2.** Empregado como adjetivo: *advérbio adjetivado.* **3.** Acompanhado de adjetivo.

adjetival [De *adjetivo* + *-al*[1].] *Adj. 2 g.* Referente ao, ou da natureza do adjetivo.

adjetivamento [De *adjetivar* + *-mento*.] *S. m.* Adjetivação.

adjetivar [De *adjetivo* + *-ar*[2].] *V. t. d.* **1.** Dar acepção ou valor gramatical de adjetivo a: *adjetivar um substantivo.* **2.** Acompanhar de adjetivo; qualificar. *T. d. e i.* **3.** Fazer coerente, compatível; harmonizar: *Sabe adjetivar a sabedoria com a modéstia. Transobj.* **4.** Atribuir qualidade; qualificar: *Adjetivou de ilustres as pessoas presentes. Int.* **5.** Empregar o adjetivo: *Adjetiva muito, em seus escritos.*

adjetivo [Do lat. *adjectivu.*] *S. m.* **1.** *E. Ling.* Palavra que modifica o substantivo, indicando qualidade, caráter, modo de ser ou estado: *pessoa caridosa; boa casa.* • *Adj.* **2.** V. *adjunto* (1). **3.** Equivalente ao adjetivo (1), ou que o traz implícito: *oração adjetiva.* ~ V. *direito —, lei —a, pronome —* e *verbo —*. ◆ **Adjetivo atributivo.** *E. Ling.* O que funciona como adjunto adnominal: *palavras* meigas. **Adjetivo biforme.** *E. Ling.* O que admite flexão para o gênero feminino [Ex.: belo *menino* / bela *menina*; *idioma* francês / *língua* francesa.] **Adjetivo de dois gêneros.** *E. Ling.* Aquele que tem só uma forma para os dois gêneros (masc. e fem.). [Ex.: *infeliz*: *homem* infeliz / *ideia* infeliz; *notável*: *homem* notável / *ideia* notável.] **Adjetivo de dois gêneros e de dois números.** *E. Ling.* Aquele que tem só uma forma para os dois gêneros (masc. e fem.) e para os dois números (sing. e pl.). [Ex.: *cinza*: *vestido* cinza / *vestidos* cinza; *saia* cinza / *saias* cinza.] **Adjetivo de dois números.** *E. Ling.* Aquele que tem só uma forma para os dois números. [Ex.: *daqueles* (q. v.).] **Adjetivo determinativo.** *E. Ling. Desus.* Pronome adjetivo. **Adjetivo gentílico.** *E. Ling.* O que se aplica ao povo ou etnia de uma cidade, região, etc.: *latino, anglo, germânico.* [Tb. se diz apenas *gentílico*.] **Adjetivo pátrio.** *E. Ling.* O que se refere a continente, país, região, estado, cidade, província, vila, povoado: *americano, brasileiro, amazonense, amazônico, macaense, coimbrão, minhoto.* **Adjetivo predicativo.** *E. Ling.* O que funciona como predicativo: *A casa estava* deserta. **Adjetivo qualitativo.** *E. Ling. Desus.* Adjetivo (1). **Adjetivo uniforme.** *E. Ling.* O que possui uma única forma para os dois gêneros. [Ex.: *menina* feliz / *menino* feliz; *cidade* pobre / *estado* pobre.]

adjetivoso (ô) [De *adjetivo* + *-oso*.] *Adj.* Com excesso de adjetivos.

adjeto [Do lat. *adjectu.*] *Adj.* V. *adjunto* (1). ~ V. *pacto —*.

adjudicação [Do lat. *adjudicatione.*] *S. f. Dir. Proc.* O ato judicial em virtude do qual um ou vários bens são transferidos a determinada pessoa.

adjudicador (ô) [De *adjudicar* + *-dor*.] *Adj. S. m. Dir. Proc. Civ.* Que, ou aquele que adjudica.

adjudicando [De *adjudicar* + *-ando*.] *S. m. Dir. Proc. Civ.* O que se vai adjudicar.

adjudicar [Do lat. *adjudicare.*] *V. t. d.* **1.** *Dir. Proc. Civ.* Fazer adjudicação de: *Mandou adjudicar os bens do menor.* **2.** *Dir. Proc. Civ.* Conceder a posse de (qualquer coisa), por decisão ou sentença de autoridade judicial ou administrativa. *T. d. e i.* **3.** *Dir. Proc. Civ.* Fazer adjudicação. **4.** Considerar como autor, causa ou origem; atribuir: *Impossível adjudicar a tão mau poeta um poema tão belo.* **5.** Vincular, ligar: *Adjudicou o seu trabalho ao pagamento da dívida.* **6.** Confiar, conferir, entregar; incumbir. **7.** Atribuir a; dar a: *Adjudicou ao filho o título de rei. P.* **8.** Chamar, atribuir, arrogar a si; atribuir-se, arrogar-se: *Adjudicou-se a falha do empreendimento.* [Conjug.: v. *trancar*.]

adjudicatário [De *adjudicar* + *-tário*.] *S. m. Dir. Proc. Civ.* Aquele a quem alguma coisa é adjudicada.

adjudicativo [De *adjudicar* + *-tivo*.] *Adj. Dir. Proc. Civ.* Adjudicatório.

adjudicatório [De *adjudicar* + *-tório*.] *Adj. Dir. Proc. Civ.* Diz-se de ato ou sentença de que deriva a adjudicação; adjudicativo.

→**ad judicia** [ad jo'dikja] [Lat., 'para juízos'.] *Jur.* Diz-se do poder geral outorgado ao advogado, por meio de procuração, para representar o outorgante, em juízo, na defesa de seus direitos e interesses.

→**ad judicium** [ad jo'dikio(m)] [Lat., 'para o juízo'.] *Lóg.* Us. na expr. *apelo* ad judicium.

adjunção [Do lat. *adjunctione.*] *S. f.* **1.** Ato ou efeito de juntar, de associar. **2.** *Álg.* Processo de passar de um corpo algébrico para o corpo das raízes de uma equação algébrica, cujos coeficientes estão no corpo primitivo. **3.** *Dir. Civ.* Mistura ou confusão de coisas móveis de diferentes titulares, sem que estes percam, por esse motivo, o direito sobre elas.

adjungir [Do lat. *adjungere.*] *V. t. d. e i.* Jungir (4): *adjungir os animais ao arado.*

adjunto [Do lat. *adjunctu.*] *Adj.* **1.** Unido, próximo, contíguo, adjetivo, adjeto. **2.** Auxiliar, ajudante, assistente. ~ V. *promotor público —*. • *S. m.* **3.** Ajudante, assistente, assessor: *adjunto de promotoria.* **4.** Substituto, suplente. **5.** *E. Ling.* Termo acessório, que modifica outro, principal ou acessório. **6.** *Bras. N.E.* V. *mutirão* (1). **7.** *Bras.* Na região amazônica, movimento coletivo que reúne dezenas ou até centenas de ribeirinhos, seringueiros ou agricultores visando a uma ação política ou social. [O adjunto tanto se presta para derrubada de um roçado (cf. *mutirão* [1]), como para resistir ou enfrentar os patrões ou os seus jagunços.] ◆ **Adjunto adnominal.** *E. Ling.* Termo de valor adjetivo que especifica ou delimita o significado de um substantivo, qualquer que seja a função deste. **Adjunto adverbial.** *E. Ling.* Termo de valor adverbial que denota alguma circunstância do fato expresso pelo verbo ou intensifica o sentido deste, ou de um adjetivo, ou de um advérbio. **Adjunto de horta.** *Bras. MG* Na região são-franciscana, cozimento de folhas ou raízes que crescem no fundo do quintal, usado como medicina caseira.

adjuntoria *S. f. Bras.* **1.** Cargo ou função de adjunto; os adjuntos. **2.** O local onde eles trabalham.

adjuração [Do lat. *adjuratione.*] *S. f.* Ato ou efeito de adjurar.

adjurador (ô) [Do lat. *adjuratore.*] *Adj. S. m.* Que, ou aquele que adjura.

adjurar [Do lat. *adjurare.*] *V. t. d.* **1.** Exorcismar, exorcizar, esconjurar: *O sacerdote adjurou o possesso.* **2.** Instar ou intimar, invocando o nome de Deus. **3.** Afirmar ou confirmar sob juramento; jurar. *T. d. e i.* **4.** Pedir ou solicitar com instância; instar: *Adjurei-o a cumprir as formalidades.* **5.** Ordenar com autoridade; intimar.

adjutor (ô) [Do lat. *adjutore.*] *S. m.* Aquele que ajuda ou adjutora; ajudante. [Pl.: *adjutores* (ô). Cf. *adjutores*, do v. *adjutorar*.]

adjutorar [De *adjutor* + *-ar*[2].] *V. t. d.* Dar adjutório a; auxiliar, ajudar. [Pres. subj.: *adjutore, adjutores*, etc. Cf. *adjutores* (ô), pl. de *adjutor*.]

adjutório [Do lat. *adjutoriu.*] *Adj.* **1.** Adjuvante. • *S. m.* **2.** Ajuda, auxílio. **3.** Ajudante, auxiliar. **4.** *Pop.* V. *clister.* **5.** *Bras. SE BA* V. *mutirão* (1).

adjuvante [Do lat. *adjuvante.*] *Adj. 2 g.* Que ajuda ou auxilia; adjutório.

→**ad lib** [ad lib] [Lat.] Abrev. de *ad libitum* (q. v.).

→**ad libitum** [ad le'bito(m)] [Lat., 'à vontade', 'a bel-prazer'.] **1.** À sua escolha; à vontade. **2.** *Mús.* Indicação de que o trecho pode ser executado à vontade do intérprete. **3.** *Teatr.* Indicação cênica de que o ator pode continuar, improvisando-o, o diálogo escrito. [Abrev.: *ad lib.*]

adligar-se (ad-li) [De *ad-* + *ligar* + *se*[1].] *V. p.* **1.** Prender-se, ligar-se. **2.** *Bot.* Fixar-se por apêndices ou pelas raízes (uma planta a outra). [Conjug.: v. *largar*.]

→**ad litem** [ad 'lite(m)] [Lat., 'para o litígio'.] *Jur.* Para a lide, isto é, em vista de um processo.

→**ad litteram** [ad 'littera(m)] [Lat.] À letra; ao pé da letra; literalmente.

→**ad majorem Dei gloriam** [ad ma'joren 'dei 'glorea(m)] [Lat.] Para maior glória de Deus. [Divisa da Ordem dos Jesuítas.]

→**ad mensuram** [ad 'mensora(m) [Lat., 'por medida'.] *Jur.* Diz-se da venda cujo preço é estipulado por unidade de peso ou de medida.

adminiculante [Do lat. *adminiculante.*] *Adj. 2 g.* Adminicular[1].

adminicular[1] [De *adminículo* + *-ar*[1].] *Adj. 2 g.* Que serve de adminículo; adminiculante.

adminicular[2] [Do lat. *adminiculare.*] *V. t. d.* Ministrar adminículo; auxiliar, ajudar. [Pres. ind.: *adminiculo*, etc. Cf. *adminículo*.]

adminículo [Do lat. *adminiculu.*] *S. m.* **1.** Ajuda, auxílio, subsídio, contribuição. **2.** Presunção jurídica. [Cf. *adminiculo*, do v. *adminicular*.] ~ V. *adminículos*.

adminículos [Pl. de *adminículo*.] *S. m. pl.* Ornatos em volta de medalha antiga. ~ V. *adminículo*.

administração [Do lat. *administratione.*] *S. f.* **1.** Ação de administrar. **2.** Gestão de negócios públicos ou particulares. **3.** Governo, regência. **4.** Conjunto de princípios, normas e funções que têm por fim ordenar a estrutura e funcionamento de uma organização (empresa, órgão público, etc.). **5.** Prática desses princípios, normas e funções: *administração de uma empresa.* **6.** Função de administrador; gestão, gerência. **7.** *P. ext.* O espaço de tempo decorrido na gestão de um administrador: *Na sua administração ocorreram importantes inovações.* **8.** Pessoal que administra; direção: "eu tenho relações com a administração do correio..." (Machado de Assis, *Teatro*, p. 64). **9.** Lugar (sala, conjunto de salas, ou edifício, etc.) onde se alojam os administradores de uma instituição, empresa, etc. **10.** Secretaria ou repartição chefiada por um administrador. **11.** Ato de ministrar ou administrar (sacramentos, medicamentos). ◆ **Administração estratégica.** *Adm.* Administração com visão de longo prazo, preocupação com as ações presentes necessárias para atingir resultados futuros desejados por uma organização. **Administração científica.** *Adm.* Abordagem clássica da administração baseada nas ideias do engenheiro norte-americano Frederick Winslow Taylor (1856-1915), que procura racionalizar as atividades produtivas e obter a máxima eficiência em nível operacional. [Sin.: *taylorismo*.] **Administração participativa.** *Adm.* Abordagem da administração que procura envolver todos os interessados nas decisões que precisam ser tomadas. É mais comum na administração pública, quando visa a envolver o cidadão e obter a sua colaboração na priorização das ações do governo, mas também é adotada por empresas que acreditam que os funcionários se tornam mais comprometidos com projetos que ajudaram a conceber ou aprovar. **Administração por objetivos.** *Adm.* Forma de administrar em que a avaliação de resultados se dá por meio do estabelecimento prévio de objetivos claros e mensuráveis, acordados entre avaliador e avaliado, e pela verificação do seu cumprimento ao final de um prazo predefinido. **Administração visual.** *Adm.* Forma de administrar estoques que se baseia na percepção visual da existência da quantidade de itens necessária para garantir o atendimento do processo produtivo, conforme os preceitos da produção enxuta.

administrador (ô) [Do lat. *administratore.*] *Adj.* **1.** Que administra; administrante. • *S. m.* **2.** Pessoa que tem a seu cargo a administração de bens e serviços públicos ou particulares. **3.** *Bras.* Preposto do proprietário na direção de uma fazenda (2). **4.** *Bras.* Bacharel em curso superior de Administração.

administradora (ô) [De *administrar* + *-dora*.] *S. f.* **1.** Aquela que trabalha com a administração de empresas. **2.** Empresa que administra um dado serviço (esp. financeiro ou administrativo). **3.** *Restr.* Empresa especializada na administração de imóveis.

administrante [Do lat. *administrante.*] *Adj. 2 g.* Administrador (1).

administrar [Do lat. *administrare.*] *V. t. d.* **1.** Gerir (negócios públicos ou particulares). **2.** Reger com autoridade suprema; governar; dirigir: "tinha passado os seus quatro primeiros anos de rei a administrar inteligentemente o seu reino" (Antero de Figueiredo, *Leonor Teles*, pp. 28-29). **3.** Dirigir qualquer instituição. **4.** Conferir, ministrar (sacramento). **5.** Dar a tomar, ministrar (medicamento). **6.** Manter sob controle um grupo, uma situação, etc. a fim de obter o melhor resultado: *administrar uma eleição, uma competição, uma disputa. T. d. e i.* **7.** Dar a tomar; ministrar: *Administrou ao doente forte dose de penicilina.* **8.** Dar, aplicar: *O pai administrou-lhe umas boas palmadas.* **9.** Conferir, ministrar: *Administrou ao moribundo os últimos sacramentos. Int.* **10.** Gerir negócios públicos ou particulares; exercer função de administrador. *P.* **11.** Ministrar (medicamento) a si mesmo: "Para queimar esse açúcar .... ele mesmo se administra ampolas de insulina, todos os dias" (Haroldo Maranhão, *A Estranha Xícara*, p. 42).

administrativista [De *administrativo* + *-ista*.] *S. 2 g.* Especialista em direito administrativo.

administrativo [Do lat. *administrativu.*] *Adj.* Relativo à administração. ~ V. *advocacia —a, cheque —, descentralização —a, direito —, inquérito —* e *juízo —*.

admirabilidade [Do lat. *admirabilitate.*] *S. f.* Qualidade de admirável.

admiração [Do lat. *admiratione.*] *S. f.* **1.** Ação ou efeito de admirar. **2.** Estranheza, espanto, assombro, pasmo. **3.** Consideração, respeito, estima: *Minha avó inspirava admiração a toda a família.* **4.** Afeição, inclinação, simpatia: *Todos sabiam daquela admiração mútua, e a ninguém espantou o namoro dos dois.* **5.** Pessoa ou coisa admirada: *Manuel Bandeira é uma das minhas grandes admirações.* **6.** *Histol. Filos.* No aristotelismo e no platonismo, sentimento de estranhamento diante do mundo que gera indagações que estão na origem da atitude de filosofar.

admirado [Part. de *admirar*.] *Adj.* Surpreso, assombrado, espantado: *Lançou um olhar admirado.*

admirador (ô) [Do lat. *admiratore.*] *Adj.* **1.** Que admira. • *S. m.* **2.** Aquele que admira, que aprecia. **3.** Pessoa que sente alguma inclinação amorosa por alguém; adorador, apaixonado: *Sua beleza atraía sempre a sua volta um monte de admiradores.*

admirando [Do lat. *admirandu.*] *Adj.* Admirável (2).

admirar [Do lat. *admirari.*] ***V. t. d.*** **1.** Olhar ou considerar com admiração, espanto, assombro: "Milkau ficou um momento admirando os movimentos espertos e juvenis do ancião" (Graça Aranha, *Canaã*, p. 259). **2.** Experimentar sentimento de admiração (3 e 4) por: "Ninguém se fartava de o elogiar. Admiravam-lhe as maneiras e a elegância." (Machado de Assis, *Histórias da Meia-Noite*, p. 29.) **3.** Causar admiração, surpresa, espanto, ou assombro, etc., a: "Tudo, quando passo, / olha-me e suspira. / — Será meu compasso / que tanto os admira?" (Cecília Meireles, *Obra Poética*, p. 139.) **4.** Extasiar-se diante de. ***Int. T. i.*** **5.** Causar admiração, surpresa, espanto, assombro, etc.: *Não admira que ela o tenha escolhido: é um rapaz de grandes qualidades;* "seu colo admirava pela majestade" (Joaquim Manuel de Macedo, *Os Romances da Semana*, p. 256).; *Não lhes admiram as falcatruas do sócio e falso amigo.* ***P.*** **6.** Sentir admiração, surpresa, assombro, etc.: "— Pois então? Casado. De que se admira?" (Valentim Magalhães, *Vinte Contos*, p. 45.) **7.** Ter ou sentir admiração a si mesmo. **8.** Ter ou sentir admiração recíproca: "João Ribeiro e Rui Barbosa foram amigos e se admiravam mutuamente." (Joaquim Ribeiro, *Rui Barbosa e João Ribeiro*, p. 23.)

admirativo [Do lat. *admirativu.*] ***Adj.*** Que envolve ou exprime admiração: "Teresinha não despregava dela os olhos, em êxtase de admirativa curiosidade." (Domingos Olímpio, *Luzia-Homem*, p. 28.)

admirável [Do lat. *admirabile.*] ***Adj. 2 g.*** **1.** Que causa admiração. **2.** Digno de ser admirado; admirando: "— Ó piedosa mulher dos olhos admiráveis, / *Miserere mei*!..." (Gomes Leal, *A Mulher de Luto*, p. 181.)

→ **ad misericordiam** [ad mesɛ̄ri'kor̄dea(m)] [Lat., 'à misericórdia'.] *Lóg.* Us. na expr. *apelo* ad misericordiam.

admissão [Do lat. *admissione.*] ***S. f.*** **1.** Ato ou efeito de admitir. **2.** Aceitação, aprovação, acolhimento. **3.** Ingresso, entrada: "Foi então que o Governo Imperial, em aviso de 19 de maio de 1855, proibiu a admissão de noviços aos conventos." (Afonso Arinos de Melo Franco, *Amor a Roma*, p. 33.) **4.** *Mec.* Entrada de ar ou de mistura (ar e combustível), para o interior do cilindro do motor térmico a combustão interna; primeiro tempo, entrada, aspiração. • ***S. m.*** **5.** *Bras.* Ano escolar, extinto em 1971, que preparava o aluno para o exame de admissão ao curso ginasial. **6.** *Bras. P. ext.* Esse exame. ◆ **Admissão forçada.** *Mec.* Entrada de ar ou de combustível para o cilindro do motor, sob pressão.

admissibilidade [De *admissível* + *-(i)dade*, seg. o padrão erudito.] ***S. f.*** Qualidade de admissível; aceitabilidade.

admissível [Do lat. *admissus*, part. pass. de *admittere* (v. *admitir*), + *-ível.*] ***Adj. 2 g.*** Que se pode admitir, aceitar.

admistão [Do lat. *admixtus* ou *admistus*, part. pass. de *admiscere*, 'misturar', 'mesclar', + *-ão*^{3}.] ***S. f.*** Ato de ajuntar, misturando; misturação.

admitância [Do ingl. *admittance.*] ***S. f.*** *Eng. Elétr.* O inverso da impedância de um circuito elétrico [símb.: *Y*].

admitido [Part. de *admitir.*] ***Adj.*** **1.** Aceito, acolhido. **2.** Benquisto, considerado. **3.** Que recebeu aprovação; aprovado: *Já pode considerar-se aluno admitido.*

admitir [Do lat. *admittere.*] ***V. t. d.*** **1.** Aceitar ou reconhecer como bom, verdadeiro ou legítimo; aceitar: *admitir o dogma da Imaculada Conceição.* **2.** Aceitar, reconhecer: *Admitia que tinha errado.* **3.** Aceitar, receber: *Admitia as homenagens mas não se deixava corromper.* **4.** Tolerar, permitir: "Vadinho! Não admito essas pilhérias..." (Jorge Amado, *Dona Flor e Seus Dois Maridos*, p. 427.) **5.** *Filos.* Aceitar com reserva, provisória e/ou convencionalmente, em função de sua utilidade operacional (uma ideia, um pressuposto, uma regra); assumir. **6.** Aceitar matrícula de: *admitir aluno.* **7.** Contratar, empregar: *admitir funcionário.* ***T. d. e i.*** **8.** Permitir o ingresso; acolher. ***T. d. e c.*** **9.** Receber, acolher: "Admitia pouca gente em sua casa e pouquíssima à sua presença." (Camilo Castelo Branco, *A Brasileira de Prazins*, p. 93.) ***Transobj.*** **10.** Aceitar, receber: *Admitiram-no como sócio.* **11.** Empregar, contratar: *Admitiu-a como secretária.* **12.** Aceitar ou reconhecer como bom, verdadeiro ou legítimo; adotar, abonar: *Admitiu a declaração por verdadeira.*

admnistrabilidade [De *administrável* (*adminstrabil-*) + *-(i)dade*, seg. o padrão erudito.] ***S. f.*** Qualidade ou condição do que é administrável.

admoestação [De *admoestar* + *-ção.*] ***S. f.*** **1.** Ato ou efeito de admoestar. **2.** Advertência, aviso, conselho. **3.** Leve repreensão; reparo, reprimenda, admonição, corrigenda.

admoestador (ô) [De *admoestar* + *-dor.*] ***Adj. S. m.*** Que, ou aquele que admoesta; admonitor.

admoestar [Do lat. vulg. **admonestare*, poss.] ***V. t. d.*** **1.** Advertir de falta: "sofrei as ignorâncias de vosso marido, porque assim vos é necessário; .... admoestai-o com brandura" (Diogo de Paiva de Andrade, *Casamento Perfeito*, p. 172). **2.** Censurar, repreender com brandura; aconselhar, exortar. ***T. d. e i.*** **3.** Exortar, concitar; aconselhar: *Admoestou-os a que cumprissem o seu dever.* **4.** Advertir; lembrar, avisar: "Concluiu admoestando a pobre senhora a que soubesse ser mãe" (Camilo Castelo Branco, *Doze Casamentos Felizes*, p. 216).

admoestatório [De *admoestar* + *-tório.*] ***Adj.*** **1.** Que envolve admoestação. **2.** Próprio para admoestar; admonitório.

admoestável [De *admoestar* + *-vel.*] ***Adj. 2 g.*** Que se pode ou deve admoestar.

admonenda [Do lat. *admonenda*, de *admonendum*, gerundivo de *admonere*, 'lembrar', 'sugerir', 'advertir'.] ***S. f.*** Breve advertência; admoestação: "Instintivamente os peregrinos recuaram, tendo compreendido a admonenda." (Aquilino Ribeiro, *S. Bonaboião, Anacoreta e Mártir*, p. 85.)

admonição [Do lat. *admonitione.*] ***S. f.*** V. *admoestação* (3).

admonitor (ô) [Do lat. *admonitore.*] ***Adj.*** **1.** Admoestador. • ***S. m.*** **2.** Admoestador. **3.** Noviço, entre os jesuítas, encarregado de avisar os outros do que devem fazer.

admonitório [Do lat. *admonitoriu.*] ***Adj.*** **1.** Admoestatório (2): *sermão admonitório.* • ***S. m.*** **2.** Escrito ou discurso que admoesta.

→ **admov** [ad'mov] [Lat.] *Med.* Abrev. de *admove* e de *admoveatur*, 'adicione', 'que se adicione'.

→ **ad multos annos** [ad 'multɔs 'annɔs] [Lat.] Por muitos anos.

■ **ADN** *Citol. Genét.* Sigla de *ácido desoxirribonucleico.* [A forma *DNA* (ingl.) é mais usada.]

adnata [F. subst. de *adnato.*] ***S. f.*** *Anat.* Conjuntiva.

adnato [Do lat. *adnatu.*] ***Adj.*** **1.** Ligado a alguma coisa de que parece fazer parte. **2.** Que nasce junto de.

→ **ad nauseam** [ad'nauseam] [Lat., 'até a náusea'.] À saciedade: *Costumava repetir ad nauseam que era louco pela mulher.*

→ **ad negotia** [ad nɛ'goteạ] [Lat., 'para negócios'.] *Jur.* Diz-se do mandato outorgado para efeito de gerência ou administração de negócios.

adnominação [Do lat. *adnominatione.*] ***S. f.*** V. *paronomásia* (1).

adnominal [De *ad-* + *nominal.*] ***Adj. 2 g.*** Relativo a, ou que indica adnominação. ~ V. *adjunto* —.

adnotação [Do lat. *adnotatione.*] ***S. f.*** Resposta dada pelo Papa a uma súplica ou solicitação mediante a simples aposição de sua assinatura.

adnumeração [Do lat. *adnumeratione.*] ***S. f.*** V. *enumeração.*

adnumerar [Do lat. *adnumerare.*] ***V. t. d.*** V. *enumerar.*

→ **ad nutum** [ad 'nuto(m)] [Lat., 'às ordens'.] **1.** *Dir. Civ.* Diz-se da condição ou cláusula que autoriza a revogação de negócio jurídico pela vontade unilateral de uma das partes. **2.** *Dir. Adm.* Diz-se da possibilidade da demissão de funcionário público não estável, deliberada a juízo exclusivo da autoridade administrativa competente.

ado^{1} ***S. m.*** **1.** Leite ordenhado recentemente. **2.** Nata (1).

ado^{2} ***S. m.*** *Bras. Rel.* V. *adum.*

▲**-ado**^{1} [Do lat. *-ātus, a, um*, do part. pass. dos verbos da 1.ª conjug. latina (= *-a-*, vogal temática da 1.ª conjug., + *-tus* [v. *-do*], suf. de part. pass.).] ***Suf. nom.*** tônico = 'provido de'; 'um tanto', 'que tem caráter ou forma de', 'semelhante a': *barbado, ciliado*; *adamado, avermelhado*. [Equiv.: *-eado, -iado, -ido*^{1} (q. v.), *-oado, -uado, -zado*: *seleniado*; *denteado*; *roupido*; *bagoado*; *dessexuado*; *ensapezado*.]

▲**-ado**^{2} [Do lat. *-ātu.*] ***Suf. nom.*** tônico = 'dignidade', 'cargo'; 'ofício'; 'jurisdição'; 'instituição', 'corporação', 'classe'; 'qualidade': *almirantado, papado*; *califado*; *proletariado*. [Equiv.: *-ato*^{1}: *anonimato, indigenato, baronato, tabelionato, artesanato*.]

▲**-ado**^{3} [Adapt. do lat. cient. *-ata*, do neutro pl. de *-ātus*, ou do lat. cient. *-atae*, fem. pl. de *-ātus*, ou do lat. cient. *-ati*, pl. de *-ātus.*] ***Suf. nom.*** tônico = 'espécime de divisão de (animais)': *celenterado*. [Equiv.: *-ato*^{3}: *adeciduato*. V. *-ados.*]

adô [Do ior.] ***S. m.*** *Bras. Rel.* Cabacinha usada nos colares de búzios de alguns orixás, com as cores rituais.

adoba (ô) ***S. f.*** V. *adobe*^{1}. [Pl.: *adobas* (ô). Cf. *adoba* e *adobas*, do v. *adobar.*]

adobale ***S. m.*** *Bras. Rel.* V. *dobale.*

adobar [De *adobe* + *-ar*^{2}.] ***V. t. d.*** **1.** Prover de adobe(s). ***Int.*** **2.** Fazer adobe(s). [Pres. ind.: *adobo, adobas, adoba*, etc.; pres. subj.: *adobe, adobes*, etc. Cf. *adoba* (ô), *adobas* (ô), *adobe* (ô), *adobes* (ô), *adobo* (ô) e *adubar.*]

adobaria [De *adobe* + *-aria.*] ***S. f.*** Lugar em que se fabricam adobes^{1}.

adobe^{1} (ô) [Do ár. *a ṭ- ṭūb*, 'tijolo cru'; 'ladrilho'.] ***S. m.*** **1.** Pequeno bloco semelhante ao tijolo, preparado com argila crua, secada ao sol, e que também é feito misturado com palha, para se tornar mais resistente; tijolo cru: "Os homens amassavam lodo, enformavam adobes, tocavam fogo nos tijolos" (Afrânio Peixoto, *Maria Bonita*, p. 108). **2.** Pedra lisa e arredondada que se encontra no leito dos rios. [Var.: *adoba, adobo, adova, adove, adovo.*]

adobe^{2} (ô) [Do ár. *aḍ-ḍaba(t)*, 'ferrolho'.] ***S. m.*** *Ant.* Grilhão com tijolo de ferro na extremidade, que se atava aos pés ou às pernas dos presos.

adobo (ô) ***S. m.*** V. *adobe*^{1}: "atravessou correndo o quintal até ao chuveiro — desajeitado chalezinho de adobo sem reboco." (Mário Palmério, *Vila dos Confins*, p. 22). [Pl. *adobos* (ô). Cf. *adobo*, do v. *adobar.*]

adoçado [Part. de *adoçar.*] ***Adj.*** **1.** Tornado doce; açucarado. **2.** Suavizado, atenuado. [Cf. *adossado.*]

adoçagem [De *adoçar* + *-agem*^{2}.] ***S. f.*** Adoçamento (1).

adoçamento [De *adoçar* + *-mento.*] ***S. m.*** **1.** Ato ou efeito de adoçar(-se); adoçagem. **2.** *Arquit.* Moldura côncava que suaviza a transição entre o plinto e a cornija. **3.** *Arquit.* Canelura que suaviza a ligação entre a parede e a saliência duma moldura.

adoçante [De *adoçar* + *-nte.*] ***Adj. 2 g.*** **1.** Que adoça. • ***S. m.*** **2.** *Quím.* Substância adoçante. [Sin. ger., p. us.: *edulcorante.*] **3.** *Restr.* Substância adoçante, industrializada, com baixa ou nenhuma caloria, us. como substituta do açúcar, mel, etc. [Sin. nas acepçs. 1 e 2, p. us.: *edulcorante.*]

adoção [Do lat. *adoptione.*] ***S. f.*** **1.** Ação ou efeito de adotar. **2.** Aceitação voluntária e legal de uma criança como filho; perfilhação, perfilhamento. ◆ **Adoção de Lowtons.** *Maç.* Adoção, em caso de orfandade, de um filho de um irmão pela loja (4), comprometendo-se esta a dar-lhe educação e sustento até que atinja idade e meios para fazê-lo por si.

adoçar [De *a-*^{2} + *doce* + *-ar*^{2}.] ***V. t. d.*** **1.** Tornar doce (1); adulçorar: *adoçar o café;* "Sua boca adoçava o próprio mel" (Eugênio de Castro, *Obras Poéticas*, V, p. 108). **2.** Tornar doce, agradável, aprazível; adulçorar: *O nascimento do neto adoçou-lhe a velhice.* **3.** Abrandar, suavizar; adulçorar: "Os gracejos da escrava Nuirat-edia... eram o único alívio que adoçava a existência aborrida do velho leão do islamismo." (Alexandre Herculano, *Lendas e Narrativas*, I, p. 39.) **4.** Comover, sensibilizar, adulçorar: *As palavras amáveis adoçaram o seu humor.* **5.** Aplanar, alisar: *adoçar as asperezas da madeira.* **6.** *Arquit.* Obter a concordância entre (diferentes elementos arquitetônicos) por meio de molduras, guarnições, meias-canas, etc. ***P.*** **7.** Acalmar-se, serenar-se, abrandar-se. [Conjug.: v. *laçar.*]

adocianismo [Do ingl. *adoptianism* ou *adoptionism.*] ***S. m.*** Heresia do séc. II, segundo a qual Jesus foi adotado como filho de Deus desde o batismo no Jordão, e que nega, assim, uma filiação divina em sentido próprio.

adocianista [De *adocianismo* + *-ista.*] ***Adj. 2 g.*** **1.** Pertencente ou relativo ao adocianismo. **2.** Diz-se de partidário do adocianismo. • ***S. 2 g.*** **3.** Partidário do adocianismo.

adocicado [Part. de *adocicar.*] ***Adj.*** Um tanto doce.

adocicante [De *adocicar* + *-vel.*] ***Adj. 2 g.*** Que adocica.

adocicar [De *a-*^{2} + *doce* + *-icar.*] ***V. t. d.*** **1.** Tornar um tanto doce; adoçar incompletamente. **2.** Atenuar; abrandar; adoçar. **3.** Tornar harmonioso, suave: *adocicar a voz.* ***P.*** **4.** Mostrar-se melífluo; afetar-se, adengar-se. [Conjug.: v. *trancar.*]

adoecer [Do lat. *addolescere.*] ***V. int.*** **1.** Ficar doente; enfermar: "Amor não sei se o é, mas sei que te estremeço, / Que adoecia talvez de te saber doente." (Camilo Pessanha, *Clepsidra e Outros Poemas*, p. 212.) **2.** Tornar-se doentio: "Tinha ali adoecido o ar em tempo antigo, / e dera em pestilência" (Antônio Feliciano de Castilho, *As Geórgicas*, p. 207). **3.** *Bras. Pop.* Ficar (a mulher) menstruada. ***T. d.*** **4.** Tornar doente; enfermar: *O trabalho excessivo adoeceu-o.* [Conjug.: v. *aquecer.*]

adoecimento [De *adoecer* + *-imento.*] ***S. m.*** O fato de adoecer.

adoentado [Part. de *adoentar.*] ***Adj.*** **1.** Um tanto doente. **2.** Fraco, abatido, combalido.

adoentar [De *a-*^{2} + *doente* + *-ar*^{2}.] ***V. t. d. P.*** Tornar(-se) doente, ou um pouco doente.

adoestar [De *a-*^{4} + *doestar.*] ***V. t. d. P.*** V. *doestar.*

adogã [Do jeje.] ***S. m.*** *Bras. Rel.* Homem que toma conta das árvores sagradas nos terreiros jejes.

adoidado [De *a-*^{2} + *doido* + *-ado*^{1}.] ***Adj.*** **1.** V. *amalucado* (1). • ***Adv. Pop.*** **2.** Em grande quantidade; à beça: "Aqui [no Acre] os madeireiros ainda não chegaram. Do outro lado [no Peru], a coisa pega. Estão matando índio adoidado." (José Carlos Meireles, em *Folha de S.Paulo*, 02.06.2008.) **3.** Em excesso; muito, à beça: *Ele correu adoidado para chegar a tempo.*

adoidar [De *a-*^{2} + *doido* + *-ar*^{2}.] ***V. t. d.*** **1.** Tornar doido ou um pouco doido; endoidecer, endoidar. **2.** Tornar estouvado, imprudente ou leviano. ***Int. P.*** **3.** Ficar doido ou um pouco doido; endoidecer, endoidar, adoidar-se. *P.* 4. Tornar-se estouvado, imprudente ou leviano. [F. paral.: *adoudar.*]

adoidarrado [De *a-*² + *doido* + *-arr(o)-* + *-ado*¹.] *Adj. Bras. PE* V. *adoidado.* [F. paral.: *adoudarrado.*]

adolescência [Do lat. *adolescentia.*] *S. f.* O período da vida humana que sucede à infância, começa com a puberdade, e se caracteriza por uma série de mudanças corporais e psicológicas (estende-se aproximadamente dos 12 aos 20 anos).

adolescente [Do lat. *adolescente.*] *Adj. 2 g.* 1. Que está na adolescência. 2. *Fig.* Que está no começo, no início; que ainda não atingiu todo o vigor. 3. De pouco tempo; novo: "Plantei, com a minha mão ingênua e mansa, / Uma linda amendoeira adolescente." (Raul de Leoni, *Luz Mediterrânea*, p. 65.) 4. Próprio do adolescente: "D. Camila prolongou, quanto pôde, os vestidos adolescentes da filha." (Machado de Assis, *Histórias sem Data*, p. 122.) ● *S. 2 g.* 5. Pessoa que está na adolescência.

adolescer [Do lat. *adolescere.*] *V. int.* 1. Atingir a adolescência; tornar-se adolescente: "O afastamento da terra onde brincou, onde adolesceu" (Antero de Figueiredo, *Jornadas em Portugal*, p. 309). 2. Crescer; desenvolver-se. 3. Rejuvenescer, remoçar. [Conjug.: v. *crescer.*]

adolfino *Adj.* 1. De, ou pertencente ou relativo a Adolfo (SP). ● *S. m.* 2. O natural ou habitante de Adolfo.

adolo (ô) [De um dev. **adulo* < *adular.*] *S. m. Bras. Pop.* V. *adulação*: "O Raimundo Benedito achava que os músicos queriam 'adolos', mas ele não nascera para adular ninguém." (Viriato Correia, *Contos do Sertão*, p. 233.)

adomado [Part. de *adomar.*] *Adj. Bras. Pop.* Que aceita tudo, em geral, de bom grado; conformado, resignado.

adomar [De *a-*⁴ + *domar.*] *V. t. d.* 1. Domar. *P.* 2. *Bras. Pop.* Aceitar de bom grado (situação má, inconveniente, desconfortável); resignar-se. 3. Habituar-se, acostumar-se: *A princípio estranhou o clima da cidade, mas, com o tempo, se adomou.*

adomingado [Part. de *adomingar.*] *Adj.* V. *endomingado.*

adomingar [De *a-*² + *domingo* + *-ar*².] *V. t. d. P.* V. *endomingar.* [Conjug.: v. *largar.*]

adonai [Do hebr., 'meu Senhor'.] *S. m.* Entre os hebreus, um dos nomes da divindade. [Com cap.]

adonar-se [De *a-*² + *dono* + *-ar*² + *se*¹.] *V. p. Bras. RS* Tornar-se dono, apoderar-se de alguma coisa usando de esperteza ou velhacaria. [Pres. subj.: *adone-me, adones-te*, etc. Cf. *Adônis*, mit. e antr.]

adonde *Adv. Ant. Pop.* 1. Aonde: "esse caminho / Bem sei adonde vai" (Fr. Agostinho da Cruz, *Obras*, p. 1918); "— De noite a gente come. | — Adonde? | — Não sei." (Bariani Ortêncio, *Vão dos Angicos*, p. 103). 2. Onde: "Se eu fosse as pedras morenas / Lá da serra adonde estás / As pedras seriam penas, / As penas que tu me dás..." (Augusto Gil, *O Craveiro da Janela*, p. 14); "— Mas o que é que anda fazendo? | — Procurando serviço. Será que ocê, que conhece tudo aqui pra Vila, sabe adonde tem?" (Amadeu de Queirós, *João*, p. 15). ● *Interj.* 3. *Bras. Pop.* Qual!, não é possível!: *— Pode-me emprestar algum dinheiro? | — Adonde, meu amigo!*

adoníade *S. f.* 1. Nome poético da deusa Vênus. [Com cap.] 2. *Fig.* Donzela esbelta e graciosa.

adônico *Adj.* V. *adônio.* [Uso freq. em P.]

adônico *Adj.* ~ V. *verso* —.

adónio *Adj.* V. *adônio.* [Uso freq. em P.]

adônio [Do gr. *adónios*, pelo lat. *adoniu.*] *Adj.* ~ V. *verso* —.

adónis¹ *S. m.* V. *adônis*¹. [Uso freq. em P.]

adónis² *S. m. Bot.* V. *adônis*². [Uso freq. em P.]

adônis¹ [Do tax. *Adonis.*] *S. f. 2 n. Bot.* 1. Pequeno gênero de ervas ranunculáceas, europeias, que apresentam folhas alternas e flores solitárias, vermelhas ou amarelas. 2. Qualquer espécie desse gênero como, por ex., a *Adonis autumnalis*, de flores vermelhas, e que, por sua beleza, é cultivada em jardins. 3. Qualquer espécime desse gênero. [Cf. *adones-te*, do v. *adonar-se.*]

adônis² [Do mit. gr. *Ádonis*, herói grego famoso por sua rara beleza.] *S. m. 2 n.* Jovem de grande beleza e elegância. [Cf. *adones-te*, do v. *adonar-se.*]

adonisar [De *adônis*¹ + *-ar*².] *V. t. d.* 1. Tornar galante e presumido. 2. Embelezar, enfeitar, adornar (alguém). *P.* 3. Tornar-se elegante; ajanotar-se. 4. Embelezar-se, enfeitar-se, adornar-se.

adonismo [De *adônis*¹ + *-ismo.*] *S. m.* Elegância exagerada; faceirice, janotice, presunção.

adonte *Adj. 2 g. S. m. Zool.* Diz-se de, ou animal que não tem dentes.

a do ó *S. f. Bras. Gír.* V. *cachaça* (1). [Pl.: *as do ó.*] ☑

adopção *S. f.* V. *adoção.*

adoperar [De *ad-* + *operar.*] *V. t. d.* Preparar para uso; trabalhar: *adoperar um metal.*

adoptar *V. t. d. T. d. e i. Transobj. Int.* V. *adotar.*

adoptivo *Adj. S. m.* V. *adotivo.*

adoração [Do lat. *adoratione.*] *S. f.* 1. Ato de adorar. 2. Culto a uma divindade. 3. *P. ext.* Culto, reverência, veneração. 4. Amor excessivo; idolatria. 5. Gosto imoderado de alguma coisa. 6. Quadro que representa a veneração dos Reis Magos ao Menino Jesus.

adorado¹ [Part. de *adorar.*] *Adj.* 1. Cultuado, venerado, reverenciado. 2. Muito querido; amado: "Adeus, belo corpo adorado!" (Olavo Bilac, *Poesias*, p. 182.)

adorado² [De *a-*² + *dor*¹ + *-ado*¹.] *Adj. Ant.* Adoentado, dolorido.

adorador (ô) [Do lat. *adoratore.*] *Adj. S. m.* 1. Que, ou aquele que adora. 2. V. *admirador* (3).

adoral [De *ad-* + *oral.*] *Adj. 2 g.* Situado junto à boca, ou na vizinhança dela.

adorar [Do lat. *adorare.*] *V. t. d.* 1. Render culto a (divindade): "Um cerra as asas débeis e a divindade adora, / O outro adora a Deus e as asas níveas solta." (Fagundes Varela, *Poesias Completas*, I, p. 238.) 2. Reverenciar, venerar: "devotíssimo da Cruz, cujo sinal adorava com inclinação profunda sem diferença de lugar ou tempo." (Jacinto Freire de Andrada, *Vida de D. João de Castro*, p. 340). 3. Amar extremosamente; idolatrar: *Adorava os pais*; "Amo-te muito; adoro-te, confesso" (Humberto de Campos, *Poesias Completas*, p. 54). 4. *Fam.* Gostar muitíssimo de; ter grande predileção a: "Eu adorava meu avô Cesário Pereira, e ele adorava crianças." (Afonso Arinos Filho, *Primo Canto*, p. 27.) *Transobj.* 5. Cultuar, reverenciar, venerar: *Os antigos egípcios adoravam o Sol por divindade.* *Int.* 6. Prestar culto de adoração. *P.* 7. Amar extremamente, venerar (a si mesmo). 8. Amar-se mutuamente ao extremo: "Quando se conheceram, Romeu e Julieta estavam em plena adolescência. Adoraram-se, com a ternura ainda inconsciente de si mesma" (Múcio Leão, *Emoção e Harmonia*, p. 68).

adorativo [Do lat. *adorativu.*] *Adj.* Que tem caráter de adoração: *Culto adorativo.*

adoratório [De *adorar* + *-tório.*] *S. m. Rel.* 1. Lugar consagrado ao culto extremo da divindade. 2. Oratório¹ (3).

adorável [Do lat. *adorabile.*] *Adj. 2 g.* 1. Digno de adoração. 2. Fascinante; encantador, admirável: *uma garota adorável.*

adorbital [De *ad-* + *orbital.*] *Adj. 2 g. S. m. Anat.* Diz-se de, ou cada um dos ossos que formam a órbita.

adormecedor (ô) [De *adormecer* + *-dor.*] *Adj. S. m.* Que, ou aquele que adormece ou faz adormecer.

adormecer [Do lat. *addormiscere.*] *V. int.* 1. Pegar no sono; cair no sono; dormir: "ando tresnoitado, disse ele e adormeceu." (Artur Azevedo, *Contos Possíveis*, p. 36); "Adormecia sorrindo / E despertava a cantar!" (Casimiro de Abreu, *Obras*, p. 94.) [Sin. fam.: *apagar.*] 2. Ficar ou cair em repouso; repousar, aquietar-se: "Ninguém... A estrada, ampla e silente, / Sem caminhantes, adormece..." (Olavo Bilac, *Poesias*, p. 225.) 3. Perder o calor, o entusiasmo; esfriar, arrefecer: *Aquele espírito, outrora tão esfuziante, adormeceu.* 4. *Maç.* Cessar, uma loja (4), temporariamente, seus trabalhos. 5. *Mar.* Permanecer (a embarcação) afocinhada ou adernada, por efeito de golpe de mar ou de vento, em risco de perder a estabilidade. 6. Ficar dormente; entorpecer-se: "— Escrevia tanto que os dedos adormeciam." (Graciliano Ramos, *S. Bernardo*, p. 169.) *T. d.* 7. Fazer dormir; causar sono a; adormecer, adormir: *A suave música adormeceu-o.* 8. Acalentar (1): *Aconchegou a criança ao peito, embalando-a, adormecendo-a.* 9. Causar sono ou enfado a; adormentar: *O longo discurso adormeceu a assembleia.* 10. Acalmar, serenar, abrandar. 11. Entorpecer a sensibilidade de; insensibilizar: *A pancada adormeceu-lhe o braço.* 12. Anestesiar, narcotizar: "um misto de perfume suavíssimo e de cheiro áspero de raízes e de seiva, que relaxava os nervos, que adormecia o cérebro." (Júlio Ribeiro, *A Carne*, pp. 25-26). 13. Acalmar, sopitar; adormentar: *A apreensão adormecia-lhe o desejo.* 14. Arrefecer; amortecer. *Pred.* 15. Encontrar-se (em certo estado ou condição) ao adormecer: "Guimarães Airosa é assim, amanhece pobre e adormece semimilionário." (Jaime d'Altavila, *Lógica de um Burro*, p. 92.) *P.* 16. Deixar-se dormir; pegar no sono; adormecer. 17. Dormir para sempre; repousar eternamente. [Conjug.: v. *aquecer.*] ● *S. m.* 18. Adormecimento (1).

adormecido [Part. de *adormecer.*] *Adj.* 1. Que adormeceu. 2. Que está dormindo: "O lírio é menos cândido, a neve é menos pura / Que uma criança loira no berço adormecida" (Fagundes Varela, *Poesias Completas*, I, p. 238). 3. Acalmado, abrandado, serenado. 4. Entorpecido, dormente. [Sin. ger.: *adormido* e *dormido.*]

adormecimento [De *adormecer* + *-imento.*] *S. m.* 1. Ato ou efeito de adormecer; adormecer. 2. Entorpecimento, torpor, letargo. ◆ **Adormecimento do fogo.** *Maç.* O ato de apagar as velas.

adormentado [Part. de *adormentar.*] *Adj.* Adormecido, adormido: "O rio defronte descia, preguiçoso e como adormentado sob a calma já pesada de maio" (Eça de Queirós, *A Cidade e as Serras*, p. 203).

adormentador (ô) [De *adormentar* + *-dor.*] *Adj. S. m.* Que, ou aquele que adormenta.

adormentar [De *a-*² + *dorm(ir)* + *-entar.*] *V. t. d.* 1. Fazer dormir; adormecer; adormir. 2. Predispor ao sono; cansar, entediar, enfastiar; adormecer. 3. Entorpecer; adormecer: "Perfumes agudos de orquídeas fragrantes .... deliciavam o olfato, sem irritar e sem adormentar os nervos." (Júlio Ribeiro, *A Carne*, p. 147.) 4. Suspender ou enfraquecer a ação, a energia, a percepção, a sensibilidade, etc., de. 5. Abrandar, suavizar, amenizar, mitigar: "Mãe — que adormente este viver dorido, / E me vele esta noite de tal frio" (Antero de Quental, *Sonetos*, p. 171). *P.* 6. Abrandar(-se), acalmar(-se); mitigar(-se); remitir(-se).

adormido [Part. de *adormir.*] *Adj.* V. *adormecido*: "Doce brisa da noite, aura mais frouxa / Que o débil sopro de adormido infante" (Fagundes Varela, *Poesias Completas*, II, p. 44).

adormir [Do lat. *addormire.*] *V. t. d.* Fazer dormir; adormecer, adormentar.

adornamento [De *adornar* + *-mento.*] *S. m.* 1. Ato ou efeito de adornar(-se). 2. V. *adorno* (ô) (2).

adornar [Do lat. *adornare.*] *V. t. d.* 1. Guarnecer com adorno(s), ornar, ornamentar, enfeitar; decorar: "Entre os quadrinhos que adornam as paredes do meu apartamento há um que me desperta particular ternura." (Manuel Bandeira, *Andorinha, Andorinha*, p. 50.) *T. d. e i.* 2. Tornar atraente, agradável, interessante, etc.: *Procurou adornar a conversa com ditos facetos.* *P.* 3. Enfeitar-se, ornar-se, ornamentar-se, compor-se. [Pres. ind.: *adorno*, etc. Cf. *adorno* (ô).]

adorno (ô) [Dev. de *adornar.*] *S. m.* 1. Qualquer elemento que serve para embelezar ou dar aspecto mais atraente a pessoas ou coisas. 2. Aquilo que serve de ornamento, enfeite ou atavio; adornamento. 3. Coisa que se destina a enfeitar ou decorar um ambiente: *objeto de adorno.* [Pl.: *adornos* (ô). Cf. *adorno*, do v. *adornar.*]

▲ **-ados** *Suf. nom.* = 'divisão de (animais)': *celenterados, labiados.*

adossado [Do fr. *adossé.*] *Adj. Heráld.* Diz-se de um par de figuras do escudo, iguais, que se apresentam dorso contra dorso. [Cf. *adoçado.*]

adotado [Do lat. *adoptatu.*] *Adj.* 1. Que se adotou. 2. Perfilhado ou tomado como se fosse filho. 3. Utilizado, usado ou incorporado. 4. Que se pôs em prática (diz-se de ideia, projeto, procedimento, medida, etc.).

adotando [De *adotar* + *-ando.*] *S. m.* Indivíduo que vai ser adotado ou perfilhado por outrem.

adotante [Do lat. *adoptante.*] *Adj. 2 g.* Que adota.

adotar [Do lat. *adoptare.*] *V. t. d.* 1. Optar ou decidir-se por; escolher, preferir: "Entre mandar a carta ao destinatário e entregá-la a Sofia, adotou afinal o segundo alvitre" (Machado de Assis, *Quincas Borba*, p. 183). 2. Seguir, abraçar: *Adotou a carreira do pai.* 3. Tomar, assumir. 4. Aceitar, acolher, seguir: *adotar um conselho.* 5. Pôr em prática, em uso; praticar, aplicar: *A nova república adotou o regime democrático.* 6. *Dir. Civ.* Atribuir a (filho de outrem) os direitos de filho próprio. 7. Usar de, ou passar a usar de; tomar, assumir: "Insensivelmente adotei um tom de cerimônia." (Domingos Monteiro, *Contos do Dia e da Noite*, p. 18.) *T. d. e i.* 8. Aprovar; outorgar. *Transobj.* 9. Admitir, aceitar; reconhecer: *Adotei-o por filho; Adotarei a criança como minha neta.* 10. Recorrer a, valer-se de: *Adotou a passividade como defesa.* *Int.* 11. *Dir. Civ.* Tomar por filho próprio pessoa de quem não se é ascendente biológico, mediante decisão judicial.

adotável [Do lat. *adoptabile.*] *Adj. 2 g.* Que pode ser adotado.

adotivo [Do lat. *adoptivu.*] *Adj.* 1. Que se adotou; adotado: *pátria adotiva.* 2. Que adotou: *mãe adotiva.* 3. Relativo a adoção. ~ V. *filho* —. ● *S. m.* 4. Filho adotivo.

adoudado [Part. de *adoudar.*] *Adj.* V. *adoidado.*

adoudar [De *a-*² + *doudo* + *-ar*².] *V. t. d. Int. P.* V. *adoidar.*

adoudarrado [De *a-*² + *doudo* + *-arr(o)-* + *-ado*¹.] *Adj. Bras. PE* V. *adoidarrado.*

adoutrinar [De *a-*⁴ + *doutrinar.*] *V. t. d. Int.* Doutrinar.

adova (ô) *S. f.* V. *adobe*¹.

adove (ô) *S. m.* V. *adobe*¹.

adovo (ô) *S. m.* V. *adobe*¹.

adoxa (cs) [Do tax. *Adoxa* (do gr. *ádoxos, os, on*, 'vulgar, comum').] *S. f. Bot.* 1. Gênero de plantas adoxáceas, das terras temperadas boreais. 2. Qualquer espécie desse gênero, como, p. ex., a *Adoxa moschatellina* (v. *moscatelina*). 3. Qualquer espécime desse gênero.

adoxácea (cs) [Do tax. *Adoxa* (v. *adoxa*) + *-ácea*; tax. *Adoxaceae*.] *S. f. Bot.* Espécime das adoxáceas, família da ordem das dipsacales que reúne cinco espécies de pequenas ervas perenes que habitam regiões temperadas do hemisfério norte, de folhas trifolioladas, flores hermafroditas e frutos drupáceos.

adoxáceo (cs) [De *adoxácea*, com var. suf. (v. *-áceo*).] *Adj. Bot.* Pertencente ou relativo às adoxáceas.

adoxografia (cs) [Do gr. *ádoxos*, 'sem glória', + *-grafia*.] *S. f.* 1. Arte de escrever brilhantemente sobre assuntos ou coisas vulgares. 2. *E. Ling.* Elogio de pessoas ou coisas que o não merecem.

adoxográfico (cs) [De *adoxografia* + *-ico*².] *Adj.* Referente à adoxografia.

■ **ADP** [Ingl., sigla de *Adenosine diphosphate*.] *Quím.* V. *difosfato de adenosina*.

adpedância *S. f. Eletr.* Admitância ou impedância de um circuito elétrico.

→ **ad perpetuam rei memoriam** [at peɾ'petoa 'ɾei me'mo-ɾça(m)] [Lat., 'para perpétua lembrança da coisa'.] 1. Fórmula empregada no começo de bulas papais referentes a questões de doutrina, e usada, também, em monumentos comemorativos, medalhas, etc. 2. *Jur.* Diz-se da antecipação da produção de prova, para resguardar direito, quando haja receio de que, sem tal providência, mais tarde, a prova do fato seja impossível.

→ **ad populum** [ad 'popolo(m)] [Lat., 'para o povo'.] *Lóg.* Us. na expr. *argumento* ad populum.

adpresso *Adj. Bot.* Aplicado contra uma superfície ou deitado sobre ela. [M. us. para designar pelos aplicados sobre folhas ou ramos.]

→ **ad quem** [at kwe(m)] [Lat.] *Dir. Proc.* 1. Diz-se do juiz ou de tribunal para o qual se recorre de decisão de juiz ou tribunal de instância inferior. 2. Diz-se do dia em que expira um prazo.

adquirente [Do lat. *adquirente*.] *Adj. 2 g. S. 2 g.* Que, ou quem adquire, compra; adquiridor.

adquirição [De *adquirir* + *-ção*.] *S. f.* Ação ou efeito de adquirir; aquisição, adquisição.

adquirido [Part. de *adquirir*.] *Adj.* Que se adquire; de que se fez aquisição. ~ V. *caráter —*, *direito —*, *imunidade —a* e *adquiridos*.

adquiridor (ô) [De *adquirir* + *-dor*.] *Adj. S. m.* Adquirente.

adquiridos [Pl. subst. de *adquirido*.] *S. m. pl.* Bens obtidos na constância do matrimônio. ~ V. *adquirido*.

adquirir [Do lat. *acquirere*, *adquirere*.] *V. t. d.* 1. Obter; conseguir; alcançar: "A paisagem ficou espiritualizada. / Tinha adquirido uma alma." (Manuel Bandeira, *Estrela da Vida Inteira*, p. 44.) 2. Obter por compra; comprar: *Adquiriu a casa que alugara.* 3. Alcançar, conquistar, granjear: *adquirir renome.* 4. Assumir, tomar: *A pele, outrora baça, adquiriu um tom rosado.* 5. Passar a ter; vir a ter; criar, ganhar, contrair: "adquiri, neste escritório da Rua Erê, o hábito de filosofar" (Ciro dos Anjos, *O Amanuense Belmiro*, p. 25). *T. d. e i.* 6. Fazer adquirir; proporcionar: *O dinheiro adquire-nos conforto. Int.* 7. Ganhar dinheiro: *Ávido, só pensa em adquirir.*

adquirível [De *adquirir* + *-vel*.] *Adj. 2 g.* Que se pode adquirir.

adquisição [Do lat. *acquisitione*.] *S. f.* V. *adquirição*.

adraganta [Do gr. *tragákantha*, pelo lat. *tragacanthu* e pelo fr. *adragante*.] *S. f. Bot.* V. *alcatira*.

adrede (ê) [Do esp. *adrede* (séc. XIII), e este poss. do gótico *at *red*, 'por conselho'.] *Adv.* De propósito; de caso pensado; de estudo; intencionalmente: "Embaixo, adrede construída, desde a véspera, vê-se uma jangada de quatro paus boiantes" (Euclides da Cunha, *À margem da História*, p. 91).

→ **ad referendum** [ad ɾefe'ɾendo(m)] [Lat.] Para ser submetido à apreciação dos interessados.

adregar [De *adregar*, com metátese.] *V. t. d.* 1. Combinar, ajustar, concertar. 2. Encontrar por acaso. *Int.* 3. Acontecer casualmente; calhar. 4. Chegar a propósito. *P.* 5. Apresentar-se, oferecer-se inesperadamente; deparar-se. [F. paral.: *adergar*. Conjug.: v. *regar*. Pres. ind.: *adrego*, etc. Cf. *adrego* (ê).]

adrego (ê) [Dev. de *adregar*.] *S. m.* Acaso, casualidade. [F. paral.: *adergo* (ê). Pl.: *adregos* (ê). Cf. *adrego*, do v. *adregar*.]

→ **ad rem** [ad ɾe(m)] [Lat., 'à coisa'.] 1. Us. na expr. *argumento* ad rem (q. v.). 2. Us. tb. na acepç. de 'exatamente, de maneira pertinente'. 3. *Jur.* Diz-se do direito ligado à coisa.

adrenal [De *adren(o)-* + *-al*¹; ingl. *adrenal*.] *Adj. 2 g. S. f.* V. *suprarrenal*.

adrenalectomia [De *adrenal* + *-ectom-* + *-ia*¹.] *S. f. Cir.* Excisão de glândula suprarrenal.

adrenalina [De *adrenal* + *-ina*³; ingl. *adrenalin*.] *S. f.* 1. *Quím.* Hormônio produzido pela parte medular das glândulas suprarrenais, e que tem numerosos efeitos no organismo (circulatórios, metabólicos e outros); epinefrina [fórm.: $C_9H_{13}O_3N$]. 2. *Fig.* Estimulação, exaltação: *Paraquedismo é adrenalina pura.*

adrenalinemia [De *adrenalina* + *-emia*.] *S. f. Med.* Teor sanguíneo de adrenalina.

adrenérgico [De *adr(enalina)* + *-erg(o)-*¹ + *-ico*².] *Adj. Fisiol.* 1. Diz-se de neurofibra que, estimulada, libera adrenalina ou substância com ação semelhante à dela. 2. Diz-se de receptor (6) que, reagindo à adrenalina ou à noradrenalina, desencadeia reação motora ou inibidora.

▲ **adren(o)-** [Do lat. *ad* (v. *a*²) + lat. *rēnes*, 'rins'.] *El. comp.* Indica 1. 'glândula suprarrenal' (*adrenalina*) 2. 'adrenalina' (*adrenérgico*). [Equiv.: *-adren(o)-*: *hiperadrenocorticismo*.]

▲ **-adren(o)-** Equiv. de *adren(o)-*.

adrenoceptor (ô) [Do ingl. *adren(ergic)* + *(re)ceptor*.] *S. m. Fisiol.* Receptor adrenérgico.

adrenocortical [De *adren(o)-* + *cortical*.] *Adj. 2 g.* Relativo à camada cortical de glândula suprarrenal.

adrenocorticotrófico [De *adrenocortic(al)* + *-o-* + *-trof(o)-* + *-ico*².] *Adj. Fisiol.* Diz-se de substância que exerce um efeito estimulante sobre a atividade da camada cortical de glândula suprarrenal.

adrenopausa [De *adren(o)-* + *-pausa*.] *S. f. Med.* Cessação do funcionamento suprarrenal.

adressógrafo [De *Adressograph*, nome comercial.] *S. m.* Máquina de escritório, para imprimir endereços em cartas, folhetos, etc.; máquina de endereçar.

adrianopolense *Adj. 2 g. S. 2 g.* V. *adrianopolitano*.

adrianopolitano *Adj.* 1. De, ou pertencente ou relativo a Adrianópolis (PR). • *S. m.* 2. O natural ou habitante de Adrianópolis. [Sin. ger.: *adrianopolense*.]

adriático [Do lat. *adriaticu*.] *Adj.* Pertencente ou relativo ao mar Adriático (Europa), ou às suas imediações.

adriça [De *a-*⁵ + it. *drizza*, pela f. ant. *driça*.] *S. f. Marinh.* Cabo de laborar utilizado para içar bandeira, flâmula, roupa, maca e determinadas vergas e velas; driça: "De improviso flutuaram todas [as canoas], com rangidos de adriças e palpitações do velame, que o vento encopava e propelia." (Xavier Marques, *Jana e Joel*, p. 53.) ◆ **A meia adriça.** 1. *Marinh.* Diz-se de bandeira içada até 2/3 da distância vertical que vai do lais da verga ou do tope do mastro ao local de onde foi içada a meio. 2. *Mar. Gír.* Um tanto embriagado; tocado.

adriçar [De *adriça* + *-ar*².] *V. t. d.* 1. *Marinh. P. us.* Erguer, içar (bandeira, flâmula, etc.) por meio de adriça. 2. *Mar.* Endireitar (embarcação que esteja adernada). *P.* 3. *Mar.* Endireitar-se (a embarcação) após um balanço ou deslocação de pesos. [Conjug.: v. *laçar*.]

adro [Do lat. *atriu*.] *S. m.* 1. Terreno em frente e/ou em volta da igreja, plano ou escalonado, aberto ou murado; períbolo, átrio: "— Pois vamos ver, disse Delfino .... a vista perdida entre os profetas do adro da igreja lá fora" (Antônio Calado, *A Madona de Cedro*, p. 22). 2. Antigo cemitério (ainda hoje existente em algumas localidades) situado nesse terreno.

ad-rogação [Do lat. *adrogatione*.] *S. f.* Ato de ad-rogar. [Pl.: *ad-rogações*.]

ad-rogar [Do lat. *adrogare*.] *V. t. d. Jur.* Adotar ou tomar por adoção (pessoa de maior idade). [Conjug.: v. *largar*.]

adromia [De *a-*³ + *-drom(o)-* + *-ia*¹.] *S. f. Fisiol.* Ausência de condução nervosa.

adscrever [Do lat. *adscribere*.] *V. t. d. e i.* 1. Acrescentar ao que está escrito: "Nos intervalos editava ordens ao Chalaça .... e redigia ao Coronel João de Castro uma carta em que a própria D. Domitila adscrevia um pós-escrito" (Alberto Rangel, *Dom Pedro Primeiro e a Marquesa de Santos*, p. 145). 2. Registrar, inscrever. 3. Obrigar, constranger. 4. Subordinar, sujeitar. *P.* 5. Limitar-se, restringir-se, cingir-se, circunscrever-se. 6. Obrigar-se, constranger-se. [Part. (irreg.): *adscrito*.]

adscrição [Do lat. *adscriptione*.] *S. f.* 1. Aditamento ao que está escrito. 2. Registro, inscrição. 3. Sujeição, submissão, dependência.

adscritício [Do lat. *adscripticiu*.] *Adj.* Dizia-se do colono obrigado a viver e trabalhar em determinada terra; adscrito.

adscrito [Do lat. *adscriptu*.] *Adj.* 1. Aditado, acrescentado. 2. Inscrito, registrado, arrolado. 3. Sujeito, subordinado. 4. Adscritício.

■ **ADSL** [Abrev. do ingl. *Asymmetrical Digital Subscriber Line*, 'Linha Digital Assimétrica de Assinante'.] *Inform.* Tecnologia que permite a transmissão de dados em alta velocidade através de linha telefônica.

adsorção [Do ing. *adsorption*.] *S. f. Fís.-Quím.* Fixação de moléculas de uma substância (o *adsorvato*) na superfície de outra substância (o *adsorvente*).

adsorvato [Do rad. de *adsorver* + *-ato*¹.] *S. m. Fís.-Quím.* Num processo de adsorção, substância que é adsorvida.

adsorvente [De *adsorver* + *-nte*.] *S. m. Fís.-Quím.* Substância que adsorve.

adsorver [De *ad-* + *sorver*.] *V. t. d. Fís.-Quím.* Realizar a adsorção de (uma substância).

→ **adstante febre** [ad 'stante 'febre] [Lat.] *Med.* Enquanto persistir febre. [Abrev.: *adst. feb.*]

adstrato [De *ad-* + lat. *stratu*, part. de *sternere*, 'estender'.] *S. m. E. Ling.* Situação de contato entre línguas de igual prestígio, em que uma se constitui em fonte de empréstimo para a outra. [Cf. *substrato* e *superstrato*.]

adstrição [Do lat. *adstrictione*.] *S. f.* 1. Ação ou efeito de adstringir. 2. *Med.* Processo de constrição que ocorre nos tecidos orgânicos a partir do uso de substâncias adstringentes.

adstringência [Do lat. *adstringentia*.] *S. f.* Qualidade de adstringente.

adstringente [Do lat. *adstringente*.] *Adj. 2 g. S. m.* 1. Que ou o que adstringe; adstringitivo, adstringivo, adstritivo. 2. *Med.* Diz-se de, ou medicamento ou substância que produz constrição; estíptico. 3. *Enol.* Diz-se de, ou vinho carregado de taninos, que deixa na boca uma sensação de aspereza e acidez.

adstringir [Do lat. *adstringere*.] *V. t. d.* 1. Apertar, comprimir. 2. Diminuir, restringir. 3. Unir, unificar; juntar. 4. Submeter, sujeitar, subjugar. *T. d. e i.* 5. Obrigar, constranger; adscrever: *Adstringi-o ao cumprimento da lei.* *P.* 6. Apertar-se, comprimir-se. 7. Unir-se, ligar-se; juntar-se, ajuntar-se. 8. Limitar-se, circunscrever-se, adscrever-se. [Conjug.: v. *dirigir*.]

adstringitivo [De *adstringir* + *-tivo*.] *Adj. S. m.* V. *adstringente* (1).

adstringivo [De *adstringir* + *-ivo*.] *Adj. S. m.* V. *adstringente* (1).

adstritivo [De *adstrito* + *-ivo*.] *Adj. S. m.* V. *adstringente* (1).

adstrito [Do lat. *adstrictu*.] *Adj.* 1. Apertado, unido, ligado. 2. Contraído, constrito. 3. Cingido, limitado, restrito.

adua¹ [Do ár. *ad-dūla(t)*, 'rebanho'.] *S. f. Lus.* 1. Rebanho de bestas e bois, a cujo pastor se paga por cabeça. 2. *Ant.* Divisão de terras para pastagem. 3. *Ant.* Partilha de águas para irrigações, entre lavradores vizinhos.

adua² *S. f.* V. *anúduva*.

aduada [De *adua*¹ + *-ada*¹.] *S. f. Lus.* O rebanho que pasta em uma adua¹ (2).

aduado¹ [Part. de *aduar*².] *Adj. Ant.* Sujeito ao imposto dito *adua*².

aduado² [Part. de *aduar*³.] *Adj. Ant.* Que é fruto de adua¹ (2): *terreno aduado.*

aduagem [De *aduar*² + *-agem*².] *S. f.* Ato ou efeito de aduar².

aduana [Do ár. *ad-diwān*, 'governo', 'gabinete', 'ministério'; cf. o étimo de *divã*.] *S. f.* 1. Alfândega (1 a 3): "É a hora da fiscalização alfandegária .... os funcionários da aduana se estendem detrás de largos bancos, prontos para o trabalho." (Albertino Moreira, *Uruguai — Argentina — Chile*, p. 25.) 2. *Ant.* Local de reunião de ministros ou administradores. 3. *Ant. P. ext.* Ministério, conselho; divã. 4. Antigo bairro fechado, habitado por cristãos, em terra de mouros.

aduanar [De *aduana* + *-ar*².] *V. t. d.* V. *alfandegar*².

aduaneiro [De *aduana* + *-eiro*.] *Adj.* 1. V. *alfandegário*: "Não pensava o funcionário aduaneiro que o navio de carga transportasse passageiros" (Joaquim Paço d'Arcos, *Carnaval e Outros Contos*, p. 164). ~ V. *polícia —a*, *tarifa —a* e *união —a*. • *S. m.* 2. Funcionário do quadro aduaneiro.

aduar¹ [Do ár. *ad-duār*, 'aldeia', 'povoado'.] *S. m.* 1. Povoação móvel mourisca: "Os mouros imediatamente soaram o alarme através dos aduares .... e atacaram o destacamento." (Eça de Queirós, *Ecos de Paris*, p. 146.) 2. *P. ext.* Acampamento de povos primitivos. 3. *Fig.* Agrupamento, reunião.

aduar² [De *adua* ² + *-ar*².] *V. t. d. Ant.* Cobrar imposto de adua² sobre.

aduar³ [De *adua*¹ + *-ar*².] *V. t. d. Ant.* 1. Dividir (a água das regas) em aduas. 2. Dividir (terras de pastagem), demarcando aduas.

adubação [De *adubar* + *-ção*.] *S. f.* Ato ou efeito de adubar; adubagem, adubamento. ◆ **Adubação verde.** Prática de adubação em que se utilizam plantas apropriadas, cultivadas para esse fim, como, p. ex., feijão-de-porco.

adubadeira [De *adubar* + *-deira*.] *S. f.* Máquina para adubar terra.

adubador (ô) [De *adubar* + *-dor*.] *Adj. S. m.* Que, ou aquele que aduba.

adubagem [De *adubar* + *-agem*².] *S. f.* V. *adubação*.

aduble *S. m. Bras. Rel.* V. *dobale*.

adubamento [De *adubar* + *-mento*.] *S. f.* 1. V. *adubação*.

adubar [Do frâncico *dubban*, 'bater', pelo fr. ant. *adober*.] *V. t. d.* 1. Temperar, guisar, condimentar: "ao jantar, dão-lhe carne, ... e um prato d'arroz e algum guisado com farto molho, para adubar o arroz" (Camilo Castelo Branco, *O Judeu*, II, p. 200). 2. Fertilizar (o terreno) com adubo; estrumar. 3. Curtir, preparar (o couro). **4.** Amanhar, cultivar (a terra). **5.** Dar chiste ou sal a (aquilo que se diz). **6.** *Fig.* Preparar, enfeitar, adornar, ornar, ataviar. **7.** *Mar. Ant.* Reparar (embarcação), especialmente o seu fundo. [Cf., nesta acepç., *radobar.*] **8.** *Mar. Ant.* Abastecer (navio) de mantimentos. ***T. d. e i.*** **9.** Misturar, mesclar, entremear: *Falando, aduba um pouco de mau francês com uma vaga tintura de espanhol.* [Cf. *adobar.*]

adubo [Dev. de *adubar.*] ***S. m.*** **1.** Tempero, condimento. **2.** Resíduos animais ou vegetais, ou substância química, que se misturam à terra para fertilizá-la; fertilizante. **3.** *Fig.* Chiste, facécia; sal. **4.** *Fig.* Aquilo que favorece o desenvolvimento.

adução [Do lat. tard. *adductione.*] ***S. f.*** **1.** Ação de aduzir. **2.** Operação de trazer a água, nos sistemas de abastecimento, desde o ponto de captação até à rede de distribuição. **3.** *Fisiol. Med.* Ação de movimentar um membro ou parte dele em direção à linha axial ou ao plano mediano dele próprio.

aducente [Do lat. *adducere* + *-nte.*] ***Adj. 2 g. S. m.*** *Anat. Fisiol.* Adutor (2).

aducha [Do esp. *aducha.*] ***S. f.*** *Marinh.* **1.** Cada uma das voltas ou cobros de um cabo ou amarra arrumada de sorte que ocupe menos espaço e reduza o risco de se enroscar quando tiver de ser usada, ou apresente boa aparência. **2.** Cada uma das partes em que se dobra uma vela desenvergada e ferrada. **3.** Rolo ou meada de cabo ou amarra. ◆ **Aducha à inglesa.** *Marinh.* Rolo de cabo arrumado de maneira que cada volta fique justa e por fora da volta anterior e num mesmo plano. **Aducha em cobros.** *Marinh.* Meada de cabo ou amarra arrumada em zigue-zague. **Aducha em pandeiro.** *Marinh.* Rolo de cabo ou amarra arrumado de maneira que cada volta fique por cima da anterior.

aduchar [De *aducha* + *-ar*[2].] ***V. t. d.*** *Marinh.* **1.** Arrumar em aduchas (cabo, amarra, etc.). **2.** Dobrar convenientemente (uma vela desenvergada).

aducir [Do fr. *adoucir*, 'adoçar'.] ***V. t. d.*** Amaciar (metal) para o tornar flexível e pouco quebradiço.

aducto [Do lat. *aductus*, part. pass. de *adducere*, pelo al. *Addukt.*] ***S. m.*** *Quím.* Composto de adição em que moléculas de uma espécie ficam presas ou localizadas em vazios da rede formada por moléculas de outra espécie.

adueiro[1] [De *adua*[1] + *-eiro.*] ***S. m.*** Pastor que guarda o rebanho em adua[1].

adueiro[2] [De *adua*[2] + *-eiro.*] ***S. m.*** Na Idade Média, aquele que era obrigado a trabalhar nas fortificações.

aduela [De *a-*[5] + fr. *douelle.*] ***S. f.*** **1.** Tábua encurvada com que se forma o corpo de tonéis, pipas, etc. **2.** *Constr.* Pedra em forma de cunha secionada, que se emprega na construção de arcos e abóbadas de cantaria. **3.** *Constr.* Peça fixa e vertical, voltada para a face interior do vão de portas e janelas, na qual se articulam as folhas das esquadrias; alizar. **4.** *Ant.* Abertura de ferro dos saca-trapos [v. *saca-trapo* (1)]. ◆ **Ter uma aduela de mais.** *Fam.* V. *ter um parafuso de menos.* **Ter uma aduela de menos.** *Fam.* V. *ter um parafuso de menos*: "Diziam que tinha uma aduela de menos e, sendo telegrafista, vivia de uma paragem a outra, obrigando a mulher a situações de vexame." (José Lins do Rego, *Meus Verdes Anos*, p. 226.)

aduelagem [De *aduela* + *-agem*[2].] ***S. f.*** Operação de executar e/ou colocar aduelas.

adufa [Do ár. *ad-daffa(t)*, 'aquilo que cobre'; 'revestimento', 'coberta'; 'portada'.] ***S. f.*** **1.** Anteparo movediço us. em portas, janelas e outros tipos de abertura, fabricado com lâminas estreitas de madeira, inclinadas e pouco afastadas entre si, de modo que proteja o interior da casa contra o excesso de vento, a luz muito viva, a chuva e a indiscrição de quem passa, só deixando entrar livremente o ar. **2.** Roda que esmaga a azeitona no lagar de azeite. **3.** Chapa (metálica) móvel em torno dum eixo, ou com movimento de correr, que se coloca nos condutos que regulam a vazão de um fluido. **4.** Dispositivo para regular o fluxo de qualquer material pulverulento. **5.** *Constr.* Abertura retangular, de grandes dimensões, feita em barragens ou canais, através da qual se pode escoar a água, e cujo fechamento pode ser graduado por uma comporta.

adufada [De *adufar*[2] + *-ada*[1].] ***S. f.*** Ação de adufar[2]; toque de adufe.

adufar[1] [De *adufa* (1) + *-ar*[2].] ***V. t. d.*** Resguardar com adufa(s).

adufar[2] [De *adufe* + *-ar*[2].] ***V. int.*** **1.** Tocar adufe. ***T. d.*** **2.** Acompanhar ou marcar com o adufe o ritmo de (baile, canção, etc.).

adufe [Do ár. *ad-duff.*] ***S. m.*** **1.** *Mús.* Espécie de pandeiro quadrado sem soalhas, feito de madeira leve, e com pele retesada dos dois lados: "muitas personagens, ... tangendo pandeiros, adufes e castanhetas" (Ramalho Ortigão, *As Farpas*, I, p. 83). **2.** *Bras.* Antigo pandeiro quadrado, de madeira, com dois tampos de pergaminho, que encerram fieiras de soalhas. [Var.: *adufo*[2].]

adufeiro [De *adufe* + *-eiro.*] ***S. m.*** **1.** Tocador de adufe. **2.** Fabricante de adufes.

adufo[1] ***S. m.*** Peça retangular de barro amassado e seco ao sol.

adufo[2] ***S. m.*** **1.** *Bras.* V. *adufe*. **2.** *Bras. AL Mús.* V. *cuíca* (2).

adulação [Do lat. *adulatione.*] ***S. f.*** **1.** Ato ou efeito de adular. **2.** Lisonja, bajulação, louvaminha. [Sin. ger., bras.: *adolo* (ô).]

adulador (ô) [Do lat. *adulatore.*] ***Adj. S. m.*** V. *bajulador*.

adulão [De *adular* + *-ão*[1].] ***Adj. S. m.*** V. *bajulador*. [Fem.: *adulona.*]

adular [Do lat. *adulare.*] ***V. t. d.*** **1.** Lisonjear servilmente; bajular, incensar, sabujar: *Adula sempre os poderosos.* **2.** Gabar por interesse próprio e com afetação. **3.** *Bras. MG* Acarinhar, acariciar, agradar: *Como aquela mãe adula o filho!* **4.** *Bras. N.E.* Sentir admiração a; admirar. [Fut. do pret.: *adularia*, etc. Cf. *adulária.*]

adulária [Do fr. *adulaire.*] ***S. f.*** *Min.* Variedade de ortoclásio usada em joalheria, e caracterizada pelo brilho de pérola e por opalescência; pedra da lua. [Cf. *adularia*, do v. *adular.*]

adulativo [De *adular* + *-tivo.*] ***Adj.*** V. *adulatório*.

adulatório [Do lat. *adulatoriu.*] ***Adj.*** Que envolve adulação; lisonjeiro, adulativo: *Tem para com o chefe palavras e modos adulatórios.*

adulçorar [De *a-*[2] + *dulçor* + *-ar*[2].] ***V. t. d.*** V. *adoçar* (1 a 5).

adulona [Fem. de *adulão.*] ***S. f.*** Aquela que adula, que bajula.

aduloso (ô) [De *adul-*, como em *adular*, + *-oso.*] ***Adj. S. m.*** V. *bajulador*.

adulteração [Do lat. *adulteratione.*] ***S. f.*** **1.** Ato ou efeito de adulterar. **2.** Falsificação, contrafação, corrupção, adultério. **3.** Adição fraudulenta de substância imprópria ou desnecessária a outra substância (medicamento, combustível, alimentos, etc.).

adulterado [Part. de *adulterar.*] ***Adj.*** **1.** Alterado com fraude; falsificado: *documentos adulterados; uísque adulterado.* **2.** Modificado, alterado: *texto adulterado.* **3.** Deturpado, deformado: *projeto adulterado.*

adulterador (ô) [Do lat. *adulteratore.*] ***Adj. S. m.*** Que, ou aquele que adultera.

adulterante [De *adulterar* + *-nte.*] ***Adj. 2 g. S. m.*** Diz-se de, ou substância us. para adulteração (3).

adulterar [Do lat. *adulterare.*] ***V. t. d.*** **1.** Falsificar, contrafazer: *adulterar documentos.* **2.** Corromper, viciar, deturpar, deformar. **3.** Mudar, alterar, modificar: "A prosódia crioula adulterou tanto estas palavras africanas, ... que se tornaram irreconhecíveis." (Gustavo Barroso, *As Colunas do Templo*, p. 65.) ***Int.*** **4.** Cometer adultério; adulterar-se. ***P.*** **5.** Corromper-se, viciar-se, deturpar-se. **6.** Adulterar (4). [Pres. ind.: *adultero, adulteras, adultera*, etc. Cf. *adúltero* e *adúltera.*]

adulterável [De *adulterar* + *-vel.*] ***Adj. 2 g.*** Que pode ser adulterado.

adulterinidade [De *adulterino* + *-(i)dade.*] ***S. f.*** Qualidade de adulterino (1 e 2).

adulterino [Do lat. *adulterinu.*] ***Adj.*** **1.** Em que há adultério (1); adulterioso, adúltero, adulteroso: *ligações adulterinas.* **2.** Proveniente de adultério: *filho adulterino.* **3.** Que sofreu adulteração. ~ V. *filho —*.

adultério [Do lat. *adulteriu.*] ***S. m.*** **1.** Infidelidade conjugal; amantismo, prevaricação. **2.** *Fig.* União destoante, aberrante. **3.** V. *adulteração* (2).

adulterioso (ô) [De *adultério* + *-oso.*] ***Adj.*** **1.** V. *adulterino* (1). **2.** Que incorre em adultério (1).

adúltero [Do lat. *adulteru.*] ***Adj.*** **1.** Alterado, corrompido, falsificado. **2.** Que violou ou viola a fidelidade conjugal. **3.** V. *adulterino* (1): "— Queres ouvir uma história de amor do Bosque Harmonioso? | — Apenas o meu amor clandestino, o meu amor adúltero —, diz" (Augusto Abelaira, *O Bosque Harmonioso*, p. 71). ● ***S. m.*** **4.** Indivíduo adúltero (2). [Cf. *adultero*, do v. *adulterar.*]

adulteroso (ô) ***Adj.*** **1.** V. *adulterino* (1). **2.** Inclinado ao adultério.

adultidade [De *adulto* + *-(i)dade.*] ***S. f.*** O período da vida em que o indivíduo é adulto: "as graves leituras da adultidade, chegando a uma certa altura da vida já todos, mais ou menos, lemos as mesmas coisas." (José Saramago, *O Ano da Morte de Ricardo Reis*, p. 141).

adulto [Do lat. *adultu.*] ***Adj.*** **1.** Diz-se do indivíduo que atingiu o completo desenvolvimento e chegou à idade vigorosa. **2.** Que atingiu a maioridade (1). **3.** Próprio de pessoa adulta: *A pequena já tem ideias adultas.* **4.** Diz-se do ser vivo que atingiu o máximo do seu crescimento: *mangueira adulta; animal adulto.* **5.** Relativo ao período da vida após a adolescência: *idade adulta.* **6.** *Psicol.* Diz-se de indivíduo que atingiu plena maturidade, expressa em termos de adequada integração social e adequado controle das funções intelectuais e emocionais. ● ***S. m.*** **7.** Indivíduo adulto.

adum [Do ior.] ***S. m.*** *Bras. Rel.* Milho torrado, que se reduz a pó e se tempera com azeite de cheiro, ao qual se pode adicionar mel de abelha, comida votiva do orixá Oxum; ado, uado.

adumbrar [Do lat. *adumbrare.*] ***V. t. d.*** **1.** Cobrir de sombra; sombrear, obumbrar. **2.** Acompanhar como sombra. **3.** Esboçar, bosquejar, debuxar. ***P.*** **4.** Anuviar-se, obumbrar-se.

adunação [Do lat. *adunatione.*] ***S. f.*** Ato ou efeito de adunar(-se); união de várias coisas em uma só; adunamento.

adunado [Part. de *adunar.*] ***Adj.*** Que sofreu adunação. ~ V. *folhas —as*.

adunamento [De *adunar* + *-mento.*] ***S. m.*** Adunação.

adunar [Do lat. *adunare.*] ***V. t. d.*** **1.** Reunir, incorporar, em um só; congregar, coadunar. ***P.*** **2.** Reunir-se, congregar-se: "No centro da taba se estende um terreiro, / Onde ora se aduna o concílio guerreiro / Da tribo senhora, das tribos servis" (Gonçalves Dias, *Obras Poéticas*, II, p. 19).

aduncar [De *adunco* + *-ar*[2].] ***V. t. d.*** Tornar adunco: "Susana envenenada de luxúria, Filomena aduncando o nariz e as unhas na avareza" (Osmã Lins, *Nove, Novena*, p. 98). [Conjug.: v. *trancar.*]

aduncidade [Do lat. *aduncitate.*] ***S. f.*** Qualidade ou feição de adunco.

aduncirrostro [De *adunco* + *-i-* + *-rostro.*] ***Adj.*** *Zool.* Que tem bico adunco, recurvo ou aquilino, como as aves de rapina.

adunco [Do lat. *aduncu.*] ***Adj.*** **1.** Curvo ou recurvado em forma de garra ou gancho: "Tinha o nariz curvo, adunco de ave de pilhagem, as barbas grisalhas e ralas." (Júlio Brandão, *Contos Escolhidos*, p. 54.) **2.** Recurvado, curvo: *ferro adunco.*

adúnia [Do ár. *ad-dunīā*, 'o mundo em que vivemos (em oposição ao céu)'.] ***Adv.*** *Ant.* **1.** Muito, abundantemente. **2.** De toda parte; em todas as direções.

adurar [De *a-*[4] + *durar.*] ***V. int.*** *Ant. Pop.* Durar.

adurência [De *adurente* + *-ia*[2], seg. o padrão analógico.] ***S. f.*** Qualidade de adurente (1 e 2).

adurente [Do lat. *adurente.*] ***Adj. 2 g.*** **1.** Que adure, queima, caustica; adustivo. **2.** Que produz sensação semelhante à da queimadura: *sede adurente.* ● ***S. m.*** **3.** Medicamento cáustico.

adurir [Do lat. *adurere.*] ***V. t. d.*** Queimar, abrasar.

adustão [Do lat. *adustione.*] ***S. f.*** **1.** Cauterização pelo fogo. **2.** Calor excessivo; abrasamento. **3.** *Bot.* Estado da planta queimada por ação de agentes do ambiente.

adustinense ***Adj. 2 g.*** **1.** De, ou pertencente ou relativo a Adustina (BA). ● ***S. 2 g.*** **2.** O natural ou habitante de Adustina.

adustível [Do lat. *adustus* (v. *adustivo*) + *-ível.*] ***Adj. 2 g.*** V. *combustível* (1).

adustivo [Do lat. *adustus* (part. pass. de *adurere*, 'queimar', 'abrasar') + *-ivo.*] ***Adj.*** Adurente (1).

adusto [Do lat. *adustu.*] ***Adj.*** **1.** Queimado, ressequido: *vegetação adusta.* **2.** Muito quente; esbraseado, ardente: "Sopra um cinzento ar, / que empeçonha a cidade e as areias adustas" (Gomes Leal, *O Anticristo*, p. 84). **3.** Tisnado, tostado: *pele adusta.*

→ **ad usum Delphini** [ad ˈuson ˈdelpħẹnẹ] [Lat., 'para uso do Delfim'.] Inscrição que traziam as edições dos clássicos latinos especialmente expurgadas para o uso do Delfim, filho de Luís XIV. [A expressão indica, hoje, qualquer edição expurgada.]

adutor (ô) [Do lat. *adductore.*] ***Adj. S. m.*** **1.** Que ou o que aduz ou traz. **2.** *Anat. Fisiol.* Diz-se de, ou músculo que efetua adução (3); aducente.

adutora (ô) [F. subst. do adj. *adutor.*] ***S. f.*** Canal, galeria ou encanamento destinado a conduzir as águas de um manancial para o reservatório: "Isto se passou no período mais ardente da crise da adutora do Guandu, com o Rio sem água." (Carlos Drummond de Andrade, *Cadeira de Balanço*, p. 101.) [Cf. *aqueduto* (1 e 2).]

aduzir [Do lat. *adducere.*] ***V. t. d.*** **1.** Trazer, apresentar (razões, provas, testemunhos, etc.): "Vieira, com a habilidade de costume, aduz as várias razões" (Afonso Pena Júnior, *A Arte de Furtar e o seu Autor*, I, p. 157). ***T. d. e i.*** **2.** Trazer, apresentar: *O advogado aduzia ao juiz novos argumentos.* [Perde o *e* final na 3.ª pess. sing. do pres. ind., *aduz*, e na 2.ª pess. sing. do imperat. apresenta duas formas: *aduze* e *aduz*.]

→ **ad valorem** [ad vaˈloɾɛ(m)] [Lat., 'conforme o valor'.] *Jur.* Diz-se da tributação que se faz conforme o valor da mercadoria importada ou vendida, e não pelo seu volume, peso, espécie ou quantidade.

advecção [Do lat. *advectione.*] ***S. f.*** *Met.* Transmissão do calor por um movimento horizontal de massa de ar.

ádvena [Do lat. *advena.*] ***Adj. 2 g. S. 2 g.*** V. *adventício* (1 e 6).

adveniente [Do lat. *adveniente*.] ***Adj. 2 g.*** Que advém.

adventícia ***S. f.*** *Anat.* V. *túnica adventícia*.

adventicial [De *adventícia* + *-al*[1].] ***Adj. 2 g.*** Relativo à túnica adventícia.

adventício [Do lat. *adventiciu*.] ***Adj.*** **1.** Chegado de fora; estrangeiro, forasteiro, ádvena. **2.** Casual, fortuito, inesperado. **3.** *Biol.* Que está fora do lugar próprio, ou fora de época. **4.** *Fitogeogr.* Diz-se de espécie que se encontra vegetando noutro lugar que não o seu de origem. **5.** *Bot.* Diz-se de qualquer órgão que nasce fora do lugar habitual: *raiz adventícia*. ~ V. *cratera —a, ideia —a, raiz —a* e *túnica —a*. ● ***S. m.*** **6.** Aquele que chega de fora, que é estranho ou intruso; estrangeiro, forasteiro, ádvena.

adventismo [Do ingl. *adventism*.] ***S. m.*** Doutrina protestante dos adventistas, fundada nos E.U.A., em 1849, e que espera o cumprimento literal de algumas profecias numa segunda vinda de Jesus à Terra, visto não se haverem cumprido quando da primeira.

adventista [Do ingl. *adventist*.] ***Adj. 2 g.*** **1.** Relativo ou pertencente ao adventismo ou aos adventistas. **2.** Que é seguidor do adventismo. ● ***S. 2 g.*** **3.** Seguidor do adventismo.

advento [Do lat. *adventu*.] ***S. m.*** **1.** Vinda, chegada. **2.** Aparecimento, começo: *o advento da monarquia.* **3.** *Lit.* A primeira divisão do ano[1] litúrgico (q. v.), período das quatro semanas antes do Natal, fixado pela Igreja Católica para a preparação espiritual compatível com esta festa. [Nesta acepç., ger. com cap.]

adverbial [Do lat. *adverbiale*.] ***Adj. 2 g.*** **1.** Referente ao, ou próprio do advérbio: *Em ferir fundo a palavra* fundo *tem função adverbial.* **2.** Que tem valor de advérbio: *locução adverbial.* ~ V. *adjunto —*.

adverbialidade [De *adverbial* + *-(i)dade*.] ***S. f.*** Qualidade ou caráter de adverbial.

adverbializado [Part. de *adverbializar*.] ***Adj.*** Transformado em advérbio.

adverbializar [De *adverbial* + *-izar*.] ***V. t. d.*** Transformar em advérbio.

adverbiar [De *advérbio* + *-ar*[2].] ***V. t. d.*** Empregar com função ou terminação de advérbio; transformar em advérbio. [Pres. ind.: *adverbio*, etc. Cf. *advérbio*.]

advérbio [Do lat. *adverbiu*.] ***S. m.*** *E. Ling.* Palavra invariável que modifica um verbo, um adjetivo ou outro advérbio, exprimindo circunstância de tempo, lugar, modo, dúvida, etc. [Cf. *adverbio*, do v. *adverbiar*.]

→**ad verecundiam** [ad veɾe'kundja(m)] [Lat., 'ao respeito'.] *Lóg.* Us. na expr. *apelo* ad verecundiam.

adversante [Do lat. *adversante*.] ***Adj. 2 g.*** Adverso (1).

adversão [Do lat. *adversione*.] ***S. f.*** **1.** Ato ou efeito de adversar; oposição, impugnação. **2.** V. *advertência* (2).

adversar [Do lat. *adversare*.] ***V. t. d.*** Ser adverso a; contrariar, combater, impugnar. [Fut. pret.: *adversaria*. Cf. *adversária*, f. de *adversário*.]

adversário [Do lat. *adversariu*.] ***Adj.*** **1.** Que luta contra; que se opõe a: *time adversário; partidos adversários.* **2.** Adverso (1). ● ***S. m.*** **3.** Indivíduo que luta contra; inimigo. **4.** Indivíduo que se opõe a; opositor, antagonista. **5.** Rival, concorrente. [Fem.: *adversária*. Cf. *adversaria*, do v. *adversar*.]

adversativa [F. subst. de *adversativo*.] ***S. f.*** *E. Ling.* Conjunção adversativa (q. v.).

adversativo [Do lat. *adversativu*.] ***Adj.*** **1.** Oposto, adverso. **2.** Que expressa ou revela oposição. ~ V. *conjunção —a*.

▲ **adversi-** [Do lat. *advĕrsus, a, um*.] ***El. comp.*** = 'oposto': *adversifólio*.

adversidade [Do lat. *adversitate*.] ***S. f.*** **1.** Contrariedade, aborrecimento. **2.** Infelicidade, infortúnio, revés. **3.** Qualidade ou caráter de adverso (3): *a adversidade do clima equatorial.*

adversifólio [De *adversi-* + *-fólio*.] ***Adj.*** *Bot.* Que tem folhas opostas, no mesmo tronco ou ramo; opositifólio.

adverso [Do lat. *adversu*.] ***Adj.*** **1.** Hostil, inimigo; contrário: "Ainda hoje são, por fado adverso, / Meus filhos — alimárias do Universo... / Eu — pasto universal." (Castro Alves, *Poesias Escolhidas*, p. 343.) **2.** Que traz infortúnio, infelicidade, má sorte: *épocas adversas.* **3.** Desfavorável, impróprio, malpropício: *clima adverso à cultura do café.* [Sin. ger.: *averso*.]

advertência [Do lat. *advertentia*.] ***S. f.*** **1.** Ato ou efeito de advertir. **2.** Admoestação, aviso, adversão. [Sin. ger. (p. us.): *advertimento*.]

advertido [Part. de *advertir*.] ***Adj.*** **1.** Avisado, informado, aconselhado. **2.** Prudente, discreto. **3.** Atento, reparador.

advertimento [De *advertir* + *-mento*.] ***S. m.*** *P. us.* V. *advertência*.

advertir [Do lat. *advertere*.] ***V. t. d.*** **1.** Observar com palavras; censurar levemente; admoestar. **2.** Atentar ou reparar em; notar, observar: "Entrou no quarto, e, não advertindo que fazia este movimento antes de qualquer outro, olhou a cama." (José Saramago, *O Ano da Morte de Ricardo Reis*, p. 98.) **3.** Chamar a atenção para; fazer que repare em: *Advertiu as faltas do subordinado.* **4.** Concluir, deduzir: *Explicou-me detalhadamente a situação, e só então a adverti que agira corretamente.* **5.** Acautelar, prevenir, precatar: *Só não caiu na cilada porque o advertiram.* **6.** Dizer, comunicar, repreendendo. ***T. d. e i.*** **7.** Avisar, admoestar: "Nessa mesma noite, leu-lhe o artigo em que advertia o partido da conveniência de não ceder às perfídias do poder" (Machado de Assis, *Quincas Borba*, p. 208). **8.** Fazer observar, atentar, reparar: *Os primeiros cabelos brancos advertiram-na da velhice que chegava;* "alguma cousa de suave lhe advertia que a afeição do sangue não tinha as asas da sua, essas asas auriverdes da esperança" (José de Alencar, *O Tronco do Ipê*, p. 198). ***T. i.*** **9.** Reparar, atentar: *Só então advertiu na imprudência de seu ato.* ***Int.*** **10.** Fazer advertência; informar: "A um lado e outro, grandes letreiros ...., exortam, advertem, refrescam a lembrança do fogo do inferno" (Augusto Meyer, *No Tempo da Flor*, p. 40). ***P.*** **11.** Dar fé; reparar, atentar: *Ao cair da noite, advertiu-se de que não se agasalhara bem.* [Conjug.: v. *aderir*.]

advincular [De *ad-* + *vínculo* + *-ar*[1].] ***Adj. 2 g.*** Conexo, ligado, enlaçado.

advindo [Part. de *advir*.] ***Adj.*** Que adveio ou sobreveio.

advir [Do lat. *advenire*.] ***V. t. i.*** **1.** Suceder, ocorrer, acontecer, sobrevir: *Informou-o da desgraça que poderia advir-lhe.* ***Bit. i.*** **2.** Vir em consequência; resultar, proceder, derivar, provir: *Daquele feito adveio-lhe a glória.* ***Int.*** **3.** Suceder, acontecer: *Fatos desastrosos advieram.* [Irreg. Conjug.: v. *vir*. Pret. imperf. ind.: *advinha*, etc. Cf. *adivinha*, do v. *adivinhar* e s. f.]

→**advocaat** [advo'ka : t] [Neerl.] ***S. m.*** Licor holandês feito com gemas de ovos batidos, açúcar e álcool, e aromatizado com genebra.

advocacia ***S. f.*** **1.** Ação de advogar. **2.** Profissão ou exercício da profissão de advogado. [Sin. (p. us.): *advocatura* e *advogacia*.] ◆ **Advocacia administrativa.** *Bras.* Tráfico de influência.

advocatício [Do lat. *advocatus* + *-ício*.] ***Adj.*** Relativo às atividades do advogado; advocatório.

advocatório [De *advogar* (< lat. *advocare*) + *-tório*, seg. o padrão erudito.] ***Adj.*** **1.** Advocatício. **2.** Que tem poder para advogar ou defender.

advocatura [Do lat. *advocatus*, 'advogado', + *-ura*.] ***S. f.*** *P. us.* V. *advocacia*.

advogacia ***S. f.*** *P. us.* V. *advocacia*.

advogado [Do lat. *advocatu*.] ***S. m.*** **1.** Bacharel em direito legalmente habilitado a advogar, *i. e.*, a prestar assistência profissional a terceiros em assunto jurídico, defendendo-lhes os interesses, ou como consultor, ou como procurador em juízo: *Ordem dos Advogados do Brasil.* [Cf. *bacharel* (2).] **2.** Patrono, defensor, protetor, padroeiro: *Santa Bárbara, sede nossa advogada, valei-nos nesta tempestade.* **3.** Intercessor, medianeiro, mediador. ◆ **Advogado de porta de xadrez.** *Bras. Pop.* Advogado sem clientela, que vive a procurar clientes pelas prisões. **Advogado do Diabo.** *Rel.* **1.** O encarregado, na Cúria romana, de levantar objeções a uma proposta de canonização, ou de propor as objeções numa conferência religiosa. **2.** *P. ext.* Aquele que se encarrega de opor e sustentar objeções a qualquer tese, ou anda sempre a levantar dificuldades, a criar objeções.

advogar [Do lat. *advocare*.] ***V. t. d.*** **1.** Interceder a favor de; apadrinhar: *Vendo repelida a sua pretensão, pediu ao velho amigo que o advogasse;* "Dize-lhe de mim o melhor que puderes dizer; advoga a minha causa com a tua eloquência habitual" (Artur Azevedo, *Contos Cariocas*, p. 142). **2.** Defender com razões e argumentos: "Maupassant, no célebre prefácio de *Pierre et Jean*, advoga um romance rigidamente objetivo, que represente com exatidão os atos, os gestos, o comportamento, em suma, das personagens" (Vítor Manuel de Aguiar e Silva, *Teoria da Literatura*, p. 302). **3.** Defender ou atacar (uma causa) em juízo (4 e 7). ***Int.*** **4.** Exercer a profissão de advogado: "Conheci .... uma filha deste magistrado casada com um bacharel transmontano ...., que advogou alguns anos em Lisboa" (Camilo Castelo Branco, *Noites de Insônia*, p. 72); "O bacharel não advogava" (José de Alencar, *Senhora*, p. 227). ***T. i.*** **5.** Interceder; exorar: *Advogou pelo pobre homem.* [Conjug.: v. *largar*.]

adzâneni ***S. 2 g.*** **1.** *Etnôn.* Indivíduo dos adzânenis, povo indígena aruaque que habita as imediações do rio Aquio. ● ***Adj. 2 g.*** **2.** Relativo ou pertencente a esse povo. [Sin. ger.: *ariana* e *tatu-tapuia*. Tb. us. como s. *2 g. e 2 n.* (com cap.) e adj *2 g. e 2 n.*]

■ **Ae** *Eletr.* Símb. de *ampère-espira*.

■ **AEB** Sigla de *Associação dos Exportadores Brasileiros*.

→**aedes** ['ajdes] [Lat., do tax. *Aedes* < gr. *aedés*, 'desagradável'.] ***S. m. 2 n.*** *Zool.* **1.** Grande gênero, cosmopolita, de insetos culicídeos, vulgarmente conhecidos como mosquitos, vetores de germes causadores de doenças em homens e noutros animais. **2.** Qualquer espécie desse gênero como, p. ex., a *Aedes aegypti*, que transmite a febre amarela urbana (q. v.), o dengue, a filariose e encefalites, e a *A. leucocelaenus*, que transmite a febre amarela silvestre (q. v.). **3.** Qualquer espécime desse gênero.

aedo (é) [Do gr. *aoidós*, 'cantor'.] ***S. m.*** **1.** Na Grécia antiga, poeta que recitava ou cantava suas composições religiosas ou épicas, acompanhando-se à lira. **2.** *P. ext.* V. *poeta* (1).

á-é-i-ó-u ***S. m.*** Substantivação de *a, e, i, o, u*, com que se designam as primeiras letras, ou rudimentos de uma matéria; á-bê-cê, abecedário.

aeração [Do fr. *aération*.] ***S. f.*** **1.** Ato ou efeito de arejar; aeragem. **2.** Renovação do ar; ventilação. **3.** *Fisiol. Med.* Troca de dióxido de carbono por oxigênio, efetuada por ocasião da passagem do sangue pelos pulmões. **4.** *Quím.* Passagem forçada de ar através de uma solução, de um banho, ou de outro sistema, com o objetivo de aumentar-lhe o teor de oxigênio ou expulsar gases indesejáveis.

aerado [Part. de *aerar*.] ***Adj.*** **1.** Que sofreu aeração. **2.** Diz-se do chocolate que recebeu adição de CO_2, o qual, associado à caseína do leite em pó, propicia a formação de pequeníssimas bolhas de ar na barra de chocolate.

aerador (ô) [De *aerar* + *-dor*.] ***Adj. S. m.*** Que, ou aquilo que aera, renova o ar de um ambiente.

aeragem [Do fr. *aérage*.] ***S. f.*** Aeração (1).

aerar [De *aer(i)-* + *-ar*[2]; fr. *aérer*.] ***V. t. d.*** **1.** Arejar (2). **2.** Introduzir ar (ou um de seus componentes) em.

aerastenia [De *aer(o)-* + *-asten(o)-* + *-ia*[1].] ***S. f.*** *Psiq.* Aeroneurose.

aerelasticidade [De *aer(o)-* + *elasticidade*.] ***S. f.*** *Fís.* Estudo dos efeitos estáticos e dinâmicos das forças exercidas sobre os corpos elásticos pelo ar em movimento.

aeremoto ***S. m.*** V. *aeromoto*.

aerênquima [De *aer(o)-* + *-ênquima*.] ***S. m.*** *Bot.* Parênquima caracterizado pela presença de grandes lacunas aeríferas, próprio de plantas aquáticas, às quais confere boas qualidades de flutuação.

aéreo [Do gr. *aérios*.] ***Adj.*** **1.** Relativo ao ar: *regiões aéreas.* **2.** Semelhante ao ar: *fluido aéreo.* **3.** Que é formado de ar: *correntes aéreas.* **4.** Suspenso no ar: *poeira aérea.* **5.** Que se desloca no ar: *engenho aéreo.* **6.** Que vive ou se desenvolve no ar: *planta aérea.* **7.** *Fig.* Alto, elevado, superior. **8.** *Fig.* Fantasioso, imaginário, vão: *Tinha uma visão aérea da realidade.* **9.** *Fig.* Ligeiro, leve, vaporoso. **10.** *Fig.* Desatento, distraído, irrefletido: *Aéreo de natureza, não se lembra nunca onde põe os seus pertences.* **11.** Efetuado pela aviação: *correio aéreo; ataque aéreo.* **12.** Em que se usa a aviação como meio de transporte: *linhas aéreas.* ~ V. *anúncio —, base —a, cal —a, conhecimento —, direito —, espaço —, fotografia —a, linha —a, navegação —a, papel —, poder —, ponte —a, tráfego —* e *via —a*. ● ***S. m.*** **13.** *Surf.* Manobra na qual o surfista faz com que a prancha voe, perdendo e retomando contato com a onda por alguns segundos.

→**aere perennius** ['ajɾe pe'ɾenneos] [Lat., 'mais durável que o bronze'.] Expressão com que Horácio (v. *horaciano*) caracterizava a sua própria obra poética.

▲**aer(i)-** [Do lat. *aer, aëris*.] ***El. comp.*** = 'ar': *aerar; aerificar, aeriforme*.

aerícola [De *aeri-* + *-cola*[1].] ***Adj. 2 g.*** Que vive no ar.

aerífero [De *aeri-* + *-fero*.] ***Adj.*** **1.** Que conduz ou distribui o ar. ● ***S. m.*** **2.** *Arquit.* Pequena abertura disposta nos forros de casas, contornando a cimalha, para fins de ventilação.

aerificação [De *aerificar* + *-ção*.] ***S. f.*** Ação ou efeito de aerificar; aerização.

aerificar [De *aeri-* + *-ficar*.] ***V. t. d. P.*** Reduzir(-se) ao estado gasoso; aerizar: "Seu espírito aerificou-se, eterizou-se" (Martins Fontes, *Terras da Fantasia*, p. 175). [Conjug.: v. *trancar*.]

aeriforme [De *aeri-* + *-forme*.] ***Adj. 2 g.*** Semelhante ao ar.

aerívoro [De *aeri-* + *-voro*.] ***Adj.*** Que vive ou se alimenta de ar, ou também de ar.

aerização [De *aerizar* + *-ção*.] ***S. f.*** Ato ou efeito de aerizar; aerificação.

aerizar [De *aer(o)-* + *-izar*.] ***V. t. d. P.*** Aerificar.

▲**aer(o)-** [Do gr. *aḗr, aéros*.] ***El. comp.*** = 'ar', 'aéreo': *aerastenia, aerofagia*. [Equiv.: *-aer(o)-*: *anaeróbio*.]

▲**-aer(o)-** Equiv. de *aer(o)-*.

aerobalística [De *aer(o)-* + *balística*.] ***S. f.*** Estudo do movimento dos corpos cuja trajetória é determinada tão só pela aplicação dos princípios de aerodinâmica e da balística.

aerobalístico [De *aerobalística*, com var. suf. (v. *-ico*[2]).] ***Adj.*** Relativo à aerobalística.

aerobarco [De *aer(o)-* + *barco*.] ***S. m.*** Barco a motor, dotado de hidrofólios (v. *hidrofólio*), e que se desloca deslizando na superfície das águas com a maior parte do casco emersa, sujeito assim, simultaneamente, às leis da hidrodinâmica e da aerodinâmica, razão de sua maior velocidade por unidade de potência instalada.

aerobata [Var. pros. de *aeróbata*.] *S. 2 g.* **1.** Pessoa que anda pelo ar. **2.** Pessoa que faz acrobacias aéreas.

aeróbata [De *aer(o)-* + *-bata*[1] (q. v.).] *S. 2 g.* Aerobata (q. v.).

aeróbica [F. subst. do adj. *aeróbico*.] *S. f.* **1.** *Med.* Modalidade de condicionamento físico que, mediante exercícios rápidos e ritmados, aumenta a oxigenação tecidual. **2.** Ginástica aeróbica (q. v.).

aeróbico [De *aeróbio* + *-ico*[2].] *Adj.* **1.** *Biol.* Aeróbio (1 e 2). **2.** De, ou relativo, ou pertencente à aeróbica. ~ V. *ginástica —a* e *respiração —a*.

aeróbio [De *aer(o)-* + *-bio*.] *Adj. Biol.* **1.** Diz-se do organismo a cuja vida é imprescindível o oxigênio livre retirado do ar: microrganismo aeróbio. **2.** Relativo a, ou próprio de organismo aeróbio: *respiração aeróbia*. [Sin., nas acepçs. 1 e 2: *aeróbico*.] ● *S. m.* **3.** Organismo aeróbio. [Antôn.: *anaeróbio*.]

aerobionte [De *aer(o)-* + *-bionte*.] *S. m. Biol.* Organismo aeróbio.

aerobiontia [De *aer(o)-* + *-biont(e)-* + *-ia*[1].] *S. f. Biol.* Necessidade que os microrganismos da terra têm do oxigênio livre do ar para viverem.

aerobiose [De *aer(o)-* + *-biose*.] *S. f. Biol.* Condição de vida em presença do oxigênio.

aerobiótico [De *aerobi(ose)* + *-ótico*.] *Adj. Biol.* Relativo à aerobiose.

aeroblasto [De *aer(o)-* + *-blasto*.] *S. m. Bot.* Nas plantas aquáticas, o ramo que se expande no ar, fora da água.

aerobulose [De *aer(o)-* + lat. *bulla*, 'bolha', + *-ose*[1].] *S. f. Med.* Doença de descompressão.

aerobus [Do ingl./fr. *aerobus*.] *S. m. 2 n.* Veículo elétrico semelhante a ônibus que transita no ar, preso a cabo suspenso.

aeroclube [De *aer(o)-* + *clube*.] *S. m. Aer.* Centro de formação para pilotos civis, cujos objetivos principais são a prática e o ensino da aviação civil esportiva e de turismo.

aerocolia [De *aer(o)-* + *-col(o)-* + *-ia*[1].] *S. f. Med.* Distensão do colo[2], por gases.

aerocólico [De *aerocolia* + *-ico*[2].] *Adj.* Referente à aerocolia.

aerocondensador (ô) [De *aer(o)-* + *condensador*.] *Adj. S. m. Mec.* Diz-se de, ou dispositivo para condensar o vapor à saída das máquinas térmicas sem necessidade do emprego de água.

aerodesporto (ô) [De *aer(o)-* + *desporto*.] *S. m. Aer.* Atividade não comercial voltada para a prática do esporte, do turismo e do lazer, em que se utilizam engenhos aéreos. [Pl.: *aerodesportos* (ó).]

aerodinâmica [De *aer(o)-* + *dinâmica*.] *S. f. Fís.* Estudo do ar e outros gases em movimento, no tocante às suas propriedades e características, e às forças que exercem em corpos sólidos neles imersos. ◆ **Aerodinâmica transônica.** *Fís.* Ramo da aerodinâmica que trata dos escoamentos caracterizados pelas velocidades relativas vizinhas à do som.

aerodinâmico [De *aer(o)-* + *dinâmico*.] *Adj. Fís.* **1.** Referente à aerodinâmica. **2.** Diz-se de um sólido cuja forma é tal que a resistência oferecida pelo ar ao seu deslocamento é pequena.

aerodinamismo [De *aer(o)-* + *dinamismo*; fr. *aéro dynamisme*.] *S. m.* Característica ou condição de aerodinâmico.

aeródino [De *aer(o)-* + *-dino*.] *S. m. Aer. Av.* Aeronave mais pesada que o ar, cuja sustentação em voo provém, principalmente, de forças dinâmicas. São aeródinos: aviões, planadores, helicópteros, autogiros, motoplanadores e ultraleves.

aerodontalgia [De *aer(o)-* + *odontalgia*.] *S. f. Odont. Med.* Odontalgia em pessoa que está em local de baixa pressão atmosférica, como durante viagem aérea ou prática de alpinismo; odontodinia, barodontalgia.

aeródromo [De *aer(o)-* + *dromo*.] *S. m. Aer.* Área delimitada em terra, na água, ou flutuante, destinada a pouso e decolagem de aeronaves: "Dez minutos depois do avião levantar voo, o aeródromo de Haia, donde partiu, era ocupado pelo invasor." (Joaquim Paço d'Arcos, *Neve sobre o Mar*, p. 225.) [Cf. *aeroporto*.]

aerodromofobia [De *aer(o)-* + *-drom(o)-* + *-fobia*.] *S. f. Psiq.* Medo patológico de viagem aérea.

aerodromofóbico [De *aerodromofobia* + *-ico*[2].] *Psiq. Adj.* **1.** Relativo a aerodromofobia. **2.** Que sofre de aerodromofobia; aerodromófobo. ● *S. m.* **3.** Aquele que sofre de aerodromofobia; aerodromófobo.

aerodromófobo [De *aer(o)-* + *-drom(o)-* + *-fobo*.] *Adj. S. m. Psiq.* Aerodromofóbico (2 e 3).

aeroduto [De *aer(o)-* + *-duto*.] *S. m.* Conduto de ar empregado nas instalações de acondicionamento ou de simples renovação do ar num espaço edificado.

aeroelasticidade *S. f. Fís.* V. *aerelasticidade*.

aeroespacial [De *aer(o)-* + *espacial*.] *Adj. 2 g. Astron.* **1.** Relativo à aeronáutica e ao espaço aéreo (3). **2.** Concernente ao aeroespaço. ~ V. *veículo —*.

aeroespaço [De *aer(o)-* + *espaço*.] *S. m. Astron.* Região de lançamento e controle de mísseis, foguetes e satélites artificiais.

aeroespaçonáutica [De *aer(o)-* + *espaço* + *náutica*.] *S. f. Astron.* Parte da ciência que estuda os minifoguetes.

aerofagia [De *aer(o)-* + *-fag(o)-* + *-ia*[1].] *S. f. Med.* Deglutição exagerada de ar resultante da ingestão apressada de alimentos, ou própria de certos estados ansiosos, e cujo sintoma principal é a eructação, acompanhada de dispepsia e palpitação.

aerofágico [De *aerofagia* + *-ico*[2].] *Adj.* Relativo à aerofagia.

aerófago [De *aer(o)-* + *-fago*.] *S. m.* Aquele que deglute ar, que tem aerofagia.

aerófano [Do gr. *aerophanés*.] *Adj.* Que se torna transparente no ar.

aerofilme [De *aer(o)-* + *filme*.] *S. m. Fot.* Sequência de fotografias tiradas de avião.

aerofobia [De *aer(o)-* + *-fobia*.] *S. f. Psiq.* Medo mórbido do ar, de correntes de ar, etc.

aerofóbico [De *aerofobia* + *-ico*[2].] *Psiq. Adj.* **1.** Relativo a aerofobia. **2.** Que sofre de aerofobia; aerófobo. ● *S. m.* **3.** Aquele que sofre de aerofobia; aerófobo.

aerófobo [De *aer(o)-* + *-fobo*.] *Adj. S. m. Psiq.* Aerofóbico (2 e 3).

aerofólio [De *aer(o)-* + *-fólio*.] *S. m.* **1.** *Aer.* Corpo de forma apropriada a produzir uma reação aerodinâmica normal à direção do seu movimento relativo. **2.** Peça que se adapta à traseira do carro de corrida para dar-lhe melhor estabilidade: "Piquet teve um susto na largada, quando .... chocou a dianteira de seu carro contra a traseira do de Arnoux, destruindo parcialmente o aerofólio de seu Brabham." (*Jornal do Brasil*, 05.08.1981.)

aerofone [De *aer(o)-* + *-fone*.] *S. m. Mús.* Instrumento aerófono. Ex.: flauta, oboé, trompete.

aerofônico *Adj. Mús.* V. *aerofônico*. [Uso freq. em P.]

aerofônico [De *aerofone* + *-ico*[2].] *Adj. Mús.* Relativo a aerofone.

aerófono [De *aer(o)-* + *-fono*.] *Adj. Mús.* Na classificação organológica de Curt Sacks (1881-1959), diz-se de qualquer instrumento de madeira, de metal, de fole, etc., que soa por meio do ar posto em vibração. [Cf. *cordófono*, *eletrófono*, *idiófono* e *membranófono*. V. *organologia*.]

aeróforo [De *aer(o)-* + *-foro*.] *Adj.* Que conduz o ar.

aerofoto [De *aer(o)-* + *-foto*.] *S. f. Fot.* Fotografia tirada de aeronave.

aerofotografia [De *aer(o)-* + *fotografia*.] *S. f. Fot.* Método de fotografia aérea do terreno para reconhecimentos topográficos, geológicos, arqueológicos ou militares.

aerofotográfico [De *aerofotografia* + *-ico*[2].] *Adj.* Relativo à aerofotografia.

aerofotogrametria [De *aer(o)-* + *fotogrametria*.] *S. f.* Fotogrametria obtida por meio de fotografias aéreas.

aerofotogramétrico [De *aerofotogrametria* + *-ico*[2].] *Adj.* Relativo à aerofotogrametria.

aerogare [Do fr. *aérogare*.] *S. f. Lus.* O aeroporto (q. v.), excluindo-se o campo de pouso das aeronaves.

aerogel [De *aer(o)-* + *gel*.] *S. m. Fís.-Quím.* Solução coloidal em que a fase dispersa é gasosa e a fase dispersora é sólida. Ex.: sorvete italiano, musse. [Pl.: *aerogéis*.]

aerógeno [De *aer(o)-* + *-geno*.] *Adj.* Que produz gás.

aerognosia [De *aer(o)-* + *-gnosia*.] *S. f.* Estudo das propriedades do ar e de suas funções na natureza.

aerognóstico [De *aer(o)-* + *-gnóstico*.] *Adj.* Referente à aerognosia.

aerografia [De *aer(o)-* + *-grafia*.] *S. f.* **1.** Descrição do ar ou dos gases. **2.** Ciência que trata do ar atmosférico. **3.** Ato ou efeito de pintar ou envernizar utilizando aerógrafo (2).

aerográfico [De *aerografia* + *-ico*[2].] *Adj.* Relativo à aerografia.

aerógrafo [De *aer(o)-* + *-grafo*.] *S. m.* **1.** Aquele que estuda o ar e suas propriedades. **2.** Instrumento a ar comprimido, com que se colorem desenhos, cartazes, etc., espargindo tinta atomizada sobre a superfície desejada, e também empregado, em tipografia, no preparo de originais destinados à reprodução por via fotomecânica.

aerograma [De *aer(o)-* + *-grama*.] *S. m.* **1.** *P. us.* V. *radiograma* (1). **2.** Papel de carta franqueado de antemão que, dobrado, se transmuda em envelope.

aeroide (ói) [De *aer(o)-* + *-oide*.] *Adj. 2 g.* Da natureza do ar, ou semelhante a ele. ❖

aerólito [De *aer(o)-* + *-lito*.] *S. m. Astr.* V. *meteorito* (1).

aerologia [De *aer(o)-* + *-logia*.] *S. f.* Parte da meteorologia que estuda a atmosfera livre (q. v.).

aerológico [De *aerologia* + *-ico*[2].] *Adj.* Referente à aerologia. ~ V. *sondagem —a*.

aeromancia (ci) [De *aer(o)-* + *-mancia*.] *S. f.* Adivinhação por meio da observação do ar.

aeromante [De *aer(o)-* + *-mante*.] *S. 2 g.* Pessoa que se dedica à aeromancia.

aeromântico *Adj.* Referente a aeromancia, ou a aeromante.

aeromedicina [De *aer(o)-* + *medicina*.] *S. f. Med.* Medicina de aeronáutica.

aerometria [De *aer(o)-* + *-metria*.] *S. f.* Ciência da medição da densidade dos elementos do ar.

aerométrico [De *aerometria* + *-ico*[2].] *Adj.* Relativo à aerometria, ou destinado a ela.

aerómetro *S. m. Fís.* V. *aerômetro*. [Uso freq. em P.]

aerômetro [De *aer(o)-* + *-metro*.] *S. m. Fís.* Instrumento empregado para medir a densidade ou o peso de um gás. [Sin. (pop.): *provete*.]

aeromoça (ô) [De *aer(o)-* + *moça*.] *S. f. Bras. Obsol.* V. *comissária de bordo*.

aeromoço (ô) [De *aer(o)-* + *moço*.] *S. m. Bras. Obsol. P. us.* V. *comissário de bordo*.

aeromodelismo [De *aeromodelo* + *-ismo*.] *S. m.* **1.** Ciência ou técnica de projetar e construir aeromodelos. **2.** Esporte praticado com aeromodelos.

aeromodelista [De *aeromodelismo* + *-ista*.] *S. 2 g.* **1.** Pessoa que pratica o aeromodelismo. **2.** Pessoa que projeta e/ou constrói aeromodelos.

aeromodelo (ê) [De *aer(o)-* + *modelo*.] *S. m.* Miniatura de máquina voadora (avião, helicóptero, etc.), quer para fins experimentais de laboratório (estudo de sua aerodinâmica, etc.), quer para recreação, sobretudo juvenil. [No último caso, pode ter ou não propulsão própria, mediante o desenrolar de um feixe de elásticos particularmente resistentes, ou a utilização de pequenos motores de explosão, ou de pulsojactos.]

aeromorfose [De *aer(o)-* + *-morf(o)-* + *-ose*[1].] *S. f.* Mudança na forma, devido à exposição ao ar ou ao vento.

aeromoto [De *aer(o)-* + *-moto*.] *S. m.* Tremor violento do ar. [Var. (por infl. de *terremoto*): *aeremoto*.]

aeronauta [De *aer(o)-* + *-nauta*.] *S. 2 g.* **1.** Profissional habilitado que exerce atividade a bordo de aeronave civil, mediante contrato de trabalho. **2.** Aeróstata. **3.** Pessoa que viaja num aeróstato. ● *S. f.* **4.** *Zool.* Denominação popular de aranhas que aproveitam as correntes ascensionais de ar para transportar-se a grandes distâncias.

aeronáutica [De *aer(o)-* + *-náutica*.] *S. f.* **1.** Ciência, arte e prática da navegação aérea; aeronavegação. **2.** Aviação militar de um país.

aeronáutico [De *aeronáutica*, com var. suf. (v. *-ico*[2]).] *Adj.* Referente à aeronáutica. ~ V. *testamento –*.

aeronaval [De *aer(o)-* + *naval*.] *Adj. 2 g.* Referente à força aérea e à força naval, ou à força aérea da marinha de guerra.

aeronave [De *aer(o)-* + *-nave*.] *S. f. Aer. Av.* Designação genérica dos aparelhos por meio dos quais se navega no ar. [Há dois tipos de aeronave: *aeróstatos* e *aeródinos*.]

aeronavegação [De *aer(o)-* + *navegação*.] *S. f.* **1.** Arte de viajar em aeróstatos ou aeroplanos; navegação aérea. **2.** Aeronáutica.

aeroneurose [De *aer(o)-* + *neurose*.] *S. f. Psiq.* Neurose que se pode observar em pilotos de avião, e cujo quadro clínico apresenta distúrbios gástricos, irritabilidade, insônia, instabilidade emocional, hiperatividade motora, etc.; aerastenia.

aeronomia [De *aer(o)-* + *-nom(o)-* + *-ia*[1].] *S. f. Geofís.* Ramo da geofísica que trata da investigação físico-química das camadas superiores da atmosfera.

aeronómico *Adj.* V. *aeronômico*. [Uso freq. em P.]

aeronômico [De *aeronomia* + *-ico*[2].] *Adj.* Relativo à aeronomia.

aeropatia [De *aer(o)-* + *-patia*.] *S. f. Med.* Qualquer doença causada por mudança de pressão atmosférica.

aeropausa [De *aer(o)-* + *-pausa*.] *S. f. Astron. Impr.* Região superior da atmosfera, em que está é inadequada para voos de aeronaves convencionais.

aeropista [De *aer(o)-* + *pista*.] *S. f.* Faixa de rodagem para aviões.

aeroplano [Do fr. *aéroplane*.] *S. m. Aer.* Avião (1).

aeroporostomia [De *aer(o)-* + *-por(o)-* + *-stom(o)-* + *-ia*[1].] *S. f. Med. Desus.* Intervenção cirúrgica ou instrumental destinada a permitir a entrada de ar em vias respiratórias.

aeroporto (ô) [De *aer(o)-* + *porto*.] *S. m. Aer.* Aeródromo (q. v.) que dispõe de instalações próprias para os serviços de chegada e partida, carga e descarga e manutenção de aeronaves, assim como de atendimento, embarque e desembarque de passageiros; campo de aviação. [Pl.: *aeroportos* (ó).]

aeroportuário [De *aeroporto* + *-uário*.] *Adj.* Relativo a aeroporto.

aeroposta [De *aer(o)-* + *posta*[2].] *S. f.* **1.** Instalação para o envio de cartas com o auxílio da pressão do ar. **2.** Posta ou correio aéreo.

aeroscópio [De *aer(o)-* + *-scópio.*] *S. m.* Instrumento físico para observações no ar.

aerosfera [De *aer(o)-* + *-sfera.*] *S. f.* V. *atmosfera* (1 e 2).

aerossol [De *aer(o)-* + *sol*[4].] *S. m.* 1. *Fís.-Quím.* Solução coloidal em que a fase dispersora é gasosa e a fase dispersa é sólida ou líquida. 2. *P. ext.* Embalagem de um produto (tinta, inseticida, medicamento, desodorante, etc.) que deve ser usado sob forma de aerossol. [Pl.: *aerossóis.*]

aerostação *S. f.* 1. Ciência que estuda os princípios básicos dos aeróstatos. 2. Arte de dirigir aeróstatos.

aeróstata [De *aeróstato.*] *S. 2 g.* Pessoa que dirige um aeróstato; aeronauta.

aerostática [De *aer(o)-* + *-stat(o)-* + *-ica.*] *S. f.* 1. Parte da física que estuda as leis dos gases em equilíbrio. 2. Estudo dos aeróstatos, do seu manejo e direção.

aerostático [De *aeróstato* + *-ico*[2].] *Adj.* Relativo à aerostação, ou aos aeróstatos.

aerostato *S. m.* V. *aeróstato.*

aeróstato [Do fr. *aérostat.*] *S. m.* 1. Veículo mais leve que o ar, e ao qual o empuxo arquimediano fornece a força de sustentação. [Há dois tipos de aeróstatos: balões e dirigíveis.] 2. *Bras. PE* Balão (2) cuja forma lembra a do aeróstato: "distendiam os gomos do aeróstato, jeitosamente, temendo rasgar o papel de seda" (Mário Sete, *Senhora de Engenho*, p. 27). [Var.: *aerostato.*]

aerotático [De *aer(o)-* + *-tá(c)tico.*] *Adj.* Diz-se de órgão, atividade, operação, etc., relacionados a ações militares aéreas, realizadas em proveito de forças terrestres ou navais, com o fim de obter superioridade aérea, isolar o campo de batalha ou assegurar apoio aéreo imediato.

aerotaxímetro [De *aer(o)-* + *taxímetro.*] *S. m. Lus.* Aeronave que faz transporte de passageiros, cobrando o valor da passagem pela distância percorrida.

aerotecnia [De *aer(o)-* + *-tecn(o)-* + *-ia*[1].] *S. f.* Ciência que trata das aplicações industriais do ar.

aerotécnico [De *aerotecnia* + *-ico*[2].] *Adj.* Relativo à aerotecnia.

aerotelúrico [De *aer(o)-* + *-telur(i)-* + *-ico*[2].] *Adj.* Relativo às correntes aéreas e demais fenômenos atmosféricos.

aeroterapia [De *aer(o)-* + *-terapia.*] *S. f. Med. Desus.* O uso terapêutico do ar.

aeroterápico [De *aeroterapia* + *-ico*[2].] *Adj. Med. Desus.* Relativo à, ou em que se faz uso da aeroterapia

aerotermodinâmica [De *aer(o)-* + *termodinâmica.*] *S. f. Fís.* O estudo da troca de calor entre sólidos e gases, esp. do efeito de aquecimento sobre aeronaves ao desenvolverem alta velocidade.

aerotermodinâmico [De *aerotermodinâmica*, com var. suf. (v. *-ico*[2]).] *Adj.* Da, ou relativo à aerotermodinâmica.

aeroterrestre [De *aer(o)-* + *terrestre.*] *Adj. 2 g.* 1. Referente ao ar e à terra: *transportes aeroterrestres; comunicações aeroterrestres.* 2. Referente às forças militares do ar e da terra.

aerotransportado [Part. de *aerotransportar* (*aer(o)-* + *transportar*); trad. do ingl. *airbone.*] *Adj.* 1. Transportado, ou que se destina a ser transportado pelo ar: *infantaria aerotransportada.* 2. Suspenso, ou transportado, ou difundido pelo ar: *bactérias aerotransportadas.*

aerotransportadora (ô) [De *aer(o)-* + *transportadora.*] *S. f.* Empresa especializada no transporte de cargas por via aérea.

aerotransportar [De *aer(o)-* + *transportar.*] *V. t. d. P.* Transportar(-se) por via aérea.

aerotransporte [De *aer(o)-* + *transporte.*] *S. m.* 1. Transporte por via aérea. 2. Avião para transporte de grande vulto.

aerotrópico [De *aerotropismo* + *-ico*[2], seg. o padrão erudito.] *Adj.* Referente ao aerotropismo.

aerotropismo [De *aer(o)-* + *tropismo.*] *S. m.* Influência do ar na orientação do crescimento dum vegetal.

aerovia [De *aer(o)-* + *via.*] *S. f.* 1. Empresa de navegação aérea. 2. Espaço aéreo submetido a controle, em forma de corredor, cujo eixo de simetria passa na vertical de pontos determinados no solo ou na água e cujas dimensões laterais e verticais são fixadas pela autoridade aeronáutica.

aeroviário [De *aerovia* + *-ário.*] *Adj.* 1. Relativo a aerovia, ou a aerotransporte. • *S. m.* 2. Profissional habilitado a exercer atividade, em terra, ligada à administração, manutenção, operação e controle de aeronaves, mediante contrato.

aerozoário [De *aer(o)-* + *-zo(o)-* + *-ário.*] *Adj. S. m. Zool.* Diz-se de, ou animal que não pode viver sem ar.

aerugita [Do lat. *aerugo*, 'azinhavre', + *-ita*[2].] *S. f. Min.* Arseniato de níquel, verde ou marrom.

aético [De *a-*[3] + *ético.*] *Adj.* Alheio à ética. [Cf.: *antiético* e *anético.*]

■ **Ae/Wb** *Fís.* Símb. de *ampère-espira por weber.*

■ **aF** Símb. de *attofarad.*

afã [Dev. de *afanar.*] *S. m.* 1. Ânsia, entusiasmo. 2. Sofreguidão, ambição. 3. Pressa, azáfama. 4. Diligência, cuidado. 5. Trabalho, faina. 6. Cansaço, fadiga.

afabilidade [Do lat. *affabilitate.*] *S. f.* 1. Qualidade ou maneiras de quem é afável; lhaneza de trato; delicadeza, cortesia. 2. Benignidade, benevolência.

afabilíssimo *Adj.* Superl. abs. sint. de *afável.*

afabulação *S. f.* V. *fabulação* (2 e 3).

afacia [De *a-*[3] + *-fac(o)-* + *-ia*[1].] *S. f. Patol.* Defeito ocular, congênito ou adquirido, consistente na ausência do cristalino.

afácico [De *afacia* + *-ico*[2].] *Adj. Patol.* Relativo à afacia.

afadigador (ô) [De *afadigar* + *-dor.*] *Adj.* 1. Que afadiga; afadigoso. • *S. f.* 2. Aquele ou aquilo que afadiga.

afadigar [De *a-*[2] + *fadiga* + *-ar*[2].] *V. t. d.* 1. Causar fadiga a; fatigar, cansar: *As 12 horas de trabalho diário afadigam-no.* 2. Importunar, enfastiar, enfarar, entediar: *O longo discurso afadigou o público.* 3. Perseguir, acossar (embarcação). *P.* 4. Encher-se de fadiga; cansar-se, fatigar-se: "Hoje, que ninguém mais crê, ninguém se afadigam os santos em obrar as suas maravilhas" (João Ribeiro, *Crepúsculo dos Deuses*, p. 137). 5. Trabalhar com afã: *Enquanto o velho pai se afadiga, vivem os filhos na indolência.* 6. Importunar-se, enfastiar-se, entediar-se. [Conjug.: v. *largar.*]

afadigoso (ô) [De *afadig-*, como em *afadigar*, + *-oso.*] *Adj.* Afadigador (1): "uma longa e afadigosa viagem" (Manuel Antônio de Almeida, *Memórias de um Sargento de Milícias*, p. 108).

afadistado [De *a-*[2] + *fadista* + *-ado*[1].] *Adj.* 1. Que tem modos e/ou aparência de fadista (1). 2. Próprio de fadista (2): "o horror de sentir aquelas frases em calão, pandilhas, afadistadas, como só Lisboa as pode criar" (Eça de Queirós, *Os Maias*, II, p. 287).

afadistar [De *a-*[2] + *fadista* + *-ar*[2].] *V. t. d.* 1. Dar modos ou costumes de fadista; tornar fadista. 2. *P. ext.* Dar ares de malandro (1) a. *P.* 3. Tomar modos ou costumes de fadista; fazer-se fadista.

afagador (ô) [De *afagar* + *-dor.*] *Adj.* 1. V. *afagante.* • *S. m.* 2. Aquele que afaga.

afagamento [De *afagar* + *-mento.*] *S. m.* Ato ou efeito de afagar.

afagante [De *afagar* + *-nte.*] *Adj. 2 g.* Que afaga; afagador, afagoso, fagueiro.

afagar [Do ár. *ḫalaqa*, 'tratar com consideração'.] *V. t. d.* 1. Fazer afagos ou festas a (pessoas ou animais), roçando com a mão; mimar, amimar, acariciar, acarinhar, ameigar: *o avô afagou o neto;* "E o homem conhecendo também ao leão, começou de afagá-lo, e correr-lhe a mão pelas jubas." (P.[e] Manuel Bernardes, *Nova Floresta*, II, p. 159). 2. Alentar, acalentar, alimentar: *afagar uma esperança; afagar uma ideia.* 3. Desbastar saliências de; aplanar, aplainar, nivelar, alisar: *O marceneiro afagou a tábua.* *Int.* 4. Fazer afagos ou carícias; mimar, amimar, acarinhar, acariciar: "A mão que afaga é a mesma que apedreja." (Augusto dos Anjos, *Eu*, p. 101.) *P.* 5. Fazer afagos a si mesmo; acariciar-se. 6. Acariciar-se mutuamente. [Conjug.: v. *largar.*]

afagia [De *a-*[3] + *-fag(o)-* + *-ia*[1].] *S. f. Med.* Impossibilidade de deglutir.

afágico [De *afagia* + *-ico*[2].] *Adj. Med.* Referente à afagia.

afago [Dev. de *afagar.*] *S. m.* 1. Ato ou efeito de afagar. 2. Gesto de passar carinhosamente a mão em pessoa ou animal para demonstrar amizade ou afeição. 3. Carícia ligeira; carinho. 4. *Fig.* Graça, favor: *afagos da sorte.*

afagoso (ô) [De *afag-*, como em *afagar*, + *-oso.*] *Adj.* V. *afagante:* "perante a sua máscara austera [de D. Fernando] quebravam-se, como num escudo, as mesuras, e encolhiam todos os sorrisos afagosos e falsos com que ela [Leonor Teles] vinha para o conquistar." (Antero de Figueiredo, *Leonor Teles*, p. 120).

afaimado [Part. de *afaimar.*] *Adj.* V. *faminto* (1).

afaimar [De *a-*[2] + arc. *fame* + *-ar*[2].] *V. t. d.* V. *esfomear* (1 e 3).

afainar-se [De *a-*[2] + *faina* + *-ar*[2] + *se*[1].] *V. p.* 1. Trabalhar ativamente; azafamar-se, afanar-se. 2. Esbaforir-se, apressar-se, afobar-se; afanar-se.

afalado [Part. de *afalar.*] *Adj.* Diz-se do animal que entende as falas e por elas se governa.

afalar [De *a-*[2] + *fala* + *-ar*[2].] *V. t. i.* Dirigir palavras (aos animais) para incitá-los ao trabalho.

afalcoado [De *a-*[2] + *falcão* + *-ado*[1], com desnasalação.] *Adj.* Semelhante ao falcão.

afalcoar [De *a-*[2] + *falcão* + *-ar*[2], com desnasalação.] *V. t. d.* 1. Tornar semelhante ao falcão. 2. Espicaçar, instigar, incitar, acirrar. [Conjug.: v. *coroar.*]

afaluado *Adj. Bras.* 1. Azafamado, apressado. 2. Esbaforido, ofegante.

afamado [Part. de *afamar.*] *Adj.* Que tem fama; famoso, notável, insigne, celebrado, célebre.

afamanado [De *a-*[2] + *fama* + *-n-* + *-ado*[1].] *Adj. Bras. N.E. Pop.* V. *famanaz:* "No meio da rua morava a celebérrima preta Inês. / Catimbozeira afamanada" (Ascenso Ferreira, *Catimbó e Outros Poemas*, p. 175).

afamar [De *a-*[2] + *fama* + *-ar*[2].] *V. t. d.* 1. Dar fama a; celebrizar, notabilizar. *P.* 2. Adquirir fama; celebrizar-se, notabilizar-se.

afamilhado [Var. de *afamiliado.*] *Adj.* 1. *Bras.* Que tem muitos filhos, família grande. 2. Que tem família, encargo de família. 3. Casado. 4. Amasiado, amigado, amancebado.

afamilhar-se [Var. de *afamiliar-se.*] *V. p. Bras.* 1. Ter muitos filhos; encher-se de família. 2. Adquirir encargos de família. 3. Criar família; casar-se. 4. Amancebar-se, amigar-se, acasalar-se.

afamiliado [Part. de *afamiliar-se.*] *Adj. Bras.* Afamilhado (q. v.).

afamiliar-se [De *a-*[2] + *família* + *-ar*[2] + *se*[1].] *V. p. Bras.* Afamilhar-se (q. v.).

afanado *S. m. Lus.* V. *pronto* (12).

afanar [Do lat. **affanare.*] *V. t. d.* 1. Buscar, procurar, investigar. 2. Adquirir com afã; granjear. 3. *Bras. Pop.* Roubar, furtar: "Os franceses, livres da fúria de Cristóvão Jaques, insistiam em afanar o nosso pau-brasil." (Eduardo Almeida Reis, *De Colombo a Kubitschek*, p. 23.) 4. Obter, conseguir, arranjar, com insistência e/ou ameaçando: "ele tentando afanar o dinheiro de Dona Flor, ela resistindo, era o dinheiro das despesas" (Jorge Amado, *Dona Flor e Seus Dois Maridos*, p. 144). *Int.* 5. Trabalhar com afã; labutar. *P.* 6. Trabalhar com afã; azafamar-se, afainar-se. 7. Cansar-se, afadigar-se. 8. Apressar-se, apressurar-se, azafamar-se; afainar-se.

afandangado [De *a-*[2] + *fandango* + *-ado*[1].] *Adj.* Semelhante ao fandango.

▲ **afan(e)-** [Do gr. *aphanḗs, ḗs, és.*] *El. comp.* = 'que não se vê', 'obscuro'; 'não aparente': *afania, afaníptero.* [Equiv.: *afanes-, afanesita.*]

▲ **afanes-** Equiv. de *afan(e)-.*

afanesita [De *afanes-* + *-ita*[2].] *S. f. Min.* Mineral monoclínico, colorido externamente de verde-azulado e, internamente, de verde-escuro.

afanfar [De or. incerta.] *V. int. Lus.* V. *surrar* (2).

afania [De *afan(e)-* + *-ia*[1].] *S. f. Med.* Medo mórbido de perder a capacidade sexual; afânise.

afânico [De *afania* + *-ico*[2].] *Adj.* Relativo à afania.

afaníptero [De *afan(e)-* + *-i-* + *-ptero*; tax. *Aphaniptera.*] *Zool.* *S. m.* 1. Espécime dos afanípteros, subordem ou ordem de insetos dípteros, constituída de uma só família, a dos pulicídeos. • *Adj.* 2. Pertencente ou relativo a eles.

afânise [Do gr. *aphánisis*, 'supressão'.] *S. f. Med.* V. *afania.*

afanítico [De *afan(e)-* + *-ítico.*] *Adj.* ~ V. *rocha —a.*

afanito [De *afan(e)-* + *-ito*[2].] *S. m. Petr.* Rocha homogênea, densa, cujos elementos formadores são tão diminutos que não se distinguem a olho nu.

afano [Dev. de *afanar.*] *S. m.* 1. Ato de afanar(-se); afã. 2. *Bras. Pop.* Roubo, furto.

afanoso (ô) [De *afã* + *-oso.*] *Adj.* Cheio de afã; trabalhoso, laborioso.

afaquear [De *a-*[2] + *faca*[1] + *-ear*[2].] *V. t. d.* Dar facadas em; encher de facadas; esfaquear. [Conjug.: v. *frear.*]

afar *S. 2 g.* 1. *Etnôn.* Indivíduo dos afares, povo que habita as regiões N. e O. da República do Djibuti (África ocidental). • *S. m.* 2. *Gloss.* A língua cuxita dos afares, para a qual não há representação escrita. [Sin., nesta acepç.: *danaquil.*] • *Adj. 2 g.* 3. Pertencente ou relativo aos afares ou à sua língua.

afarar-se [De *a-*[2] + *faro* + *-ar*[2] + *se*[1].] *V. p.* Tomar ou adquirir faro (o cão).

afasia [Do gr. *aphasía.*] *S. f.* 1. *Filos.* No ceticismo (q. v.), suspensão do pronunciamento referente à verdade ou à falsidade de qualquer coisa. 2. *Neur. Psiq.* Perda do poder de expressão pela fala, pela escrita ou pela sinalização, ou da capacidade de compreensão da palavra escrita ou falada, por lesão cerebral, e sem alteração dos órgãos vocais. [Cf. *afazia*, do v. *afazer*, e *afrasia.*] ◆ **Afasia acústica.** *Psiq.* Afasia auditiva. **Afasia amnésica.** *Psiq.* Incapacidade de expressar-se com as palavras exatas, esp. para designar objetos, o que resulta numa linguagem fragmentária, mas sem comprometimento da escrita e da leitura. **Afasia atáxica.** *Med. Neur.* Aquela em que o paciente sabe o que deseja expressar pela fala, mas não pode pronunciar as palavras pela incapacidade de coordenar os músculos, por lesão cerebral; afemia. **Afasia auditiva.** *Psiq.* Afasia (2) em que o indivíduo não compreende a palavra falada ou sons; afasia acústica. **Afasia sensorial.** *Psiq.* Afasia (2) que se caracteriza pela preservação parcial da percepção dos sons, ficando o indivíduo incapaz de compreender o significado das palavras e, quando fala, tem dificuldade em lembrar-se delas, empregando-as incorretamente e não transmitindo o pensamento com precisão.

afásico [De *afasia* + *-ico*[2].] *Adj.* 1. Referente a, ou que sofre de afasia. • *S. m.* 2. Aquele que sofre de afasia.

afasmídio [Do tax. *Aphasmidia.*] *Zool. S. m.* **1.** Espécime dos afasmídios, subclasse de vermes asquelmintos, nematódeos, de fasmidos ausentes ou muito reduzidos e anfídios numerosos, raramente em forma de poros. ● *Adj.* **2.** Pertencente ou relativo a eles.

afastado [Part. de *afastar.*] *Adj.* **1.** Que está longe (em relação a um ponto de referência); remoto: *bairro afastado; parentes afastados.* **2.** Que não está perto; longínquo, longe, remoto: *Viajou por terras afastadas.* **3.** Distante um do outro; separado: *pernas afastadas.* **4.** Posto de lado; separado.

afastador (ô) [De *afastar* + *-dor.*] *Adj.* **1.** Que afasta. ● *S. m.* **2.** Aquele ou aquilo que afasta.

afastamento [De *afastar* + *-mento.*] *S. m.* **1.** Ato ou efeito de afastar(-se). **2.** *Aer.* Distância, a E. ou O., a que um avião se encontra de seu curso. **3.** *Estat.* Diferença entre o valor de uma variável aleatória e a correspondente esperança matemática; desvio. **4.** *Mat.* Numa função de uma só variável, diferença entre dois valores da abscissa. **5.** *Urb.* Distância entre a construção e as divisas de lote^{1} (10) em que está localizada, e que pode ser frontal, lateral e de fundos. ◆ **Afastamento mediano.** *Estat.* Mediana dos afastamentos de um conjunto de valores em relação a uma média dos valores. **Afastamento médio.** *Estat.* Média aritmética dos módulos dos afastamentos de uma variável em relação à média. **Afastamento padrão.** *Estat.* V. *desvio padrão.* **Afastamento provável.** *Estat.* Mediana dos módulos dos afastamentos dos membros de um conjunto em relação a uma origem, geralmente a média aritmética. **Afastamento quadrático médio.** *Estat.* **1.** Média quadrática dos afastamentos de uma variável em relação a uma origem determinada. **2.** Média quadrática de esperança matemática do afastamento de uma variável aleatória em relação à origem. **Afastamento quadrático médio da média.** *Estat.* V. *desvio padrão.*

afastar [De or. obscura.] *V. t. d.* **1.** Pôr de parte, de lado: *Terminada a refeição, afastou o prato; Afastou a ideia, por considerá-la impraticável.* **2.** Tirar do caminho; distanciar, apartar, arredar: *Afastou os móveis que impediam a passagem.* **3.** Tornar menos próximo ou chegado; distanciar: *A sua rispidez afastou os amigos.* **4.** Separar, apartar: *afastou os bordos da ferida para desinfetá-la.* **5.** Impedir, obstar, frustrar: *O desentendimento entre os governos afastou as probabilidades de paz.* ***T. d. e c.*** **6.** Distanciar, apartar, arredar, desviar: "Conservou-a por algum tempo na vivenda da Boa Vista, afastando-a das rodas de frequentadores do S. João" (Xavier Marques, *Vida de Castro Alves*, p. 161); "E eu afastei os olhos desse espetáculo lutuoso, e volvi-os em redor de mim." (Gonçalves Dias, *Meditação*, p. 9). ***Int.*** **7.** Distanciar, afastar, arredar. ***P.*** **8.** Distanciar-se, apartar-se; sair: "murmurou baixinho: — Adeus, seja feliz! — e afastou-se." (Artur Azevedo, *Contos fora da Moda*, p. 28); "o homem foi obrigado .... a afastar-se do Distrito Federal durante quarenta e oito horas" (Artur Azevedo, *Contos Efêmeros*, p. 186). **9.** Pôr-se à parte, ou de lado. **10.** Esfriar nas relações sociais, de amizade, de parentesco, etc.; distanciar-se: *afastou-se completamente dos seus.*

afatiado [Part. de *afatiar.*] *Adj.* **1.** Cortado em fatias; esfatiado, fatiado. **2.** *Fig.* Golpeado, fendido ou retalhado com arma branca ou instrumento cortante.

afatiar [De *a-*^{2} + *fatia* + *-ar*^{2}.] *V. t. d.* **1.** Cortar em fatias; esfatiar, fatiar: *afatiar o bolo.* **2.** Cortar, fender, retalhar com arma branca.

afavecos *S. m. pl. Bras. N.E.* **1.** V. *cacaréus.* **2.** Peças de roupa em uso. **3.** Preparos de viagem.

afável [Do lat. *affabile.*] *Adj. 2 g.* **1.** Delicado no trato; fácil e cortês nas relações **2.** Agradável, aprazível. **3.** Benévolo, bondoso.

afavelado [De *a-*^{2} + *favela* + *-ado*^{1}.] *Adj.* Que tem o aspecto de favela; que se transformou em favela: "as vielas afaveladas da Cidade Livre." (Afonso Arinos de Melo Franco, *A Alma do Tempo*, p. 289).

afaxinar [De *a-*^{2} + *faxina* + *-ar*^{2}.] *V. t. d.* Fazer faxina em; faxinar.

afazendado [De *a-*^{2} + *fazenda* + *-ado*^{1}.] *Adj.* Possuidor de fazenda(s) [v. *fazenda* (1, 2 e 9).]

afazendar-se [De *a-*^{2} + *fazenda* + *-ar*^{2} + *se*^{1}.] *V. p.* **1.** Adquirir fazendas ou bens de raiz. **2.** Enriquecer, enricar.

afazer *V. t. d. e i.* **1.** Habituar, acostumar, costumar, avezar: *Desde cedo afez o espírito à meditação.* **2.** Afeiçoar, adaptar, acomodar; aclimar, aclimatar: *Não conseguiu afazer os seus hábitos aos daquela terra.* ***P.*** **3.** Habituar-se, acostumar-se, avezar-se: "o homem do centro-sul, o mineiro principalmente, é .... pouco expansivo e só lentamente se afaz à confiança e à intimidade." (Oliveira Viana, *Pequenos Estudos de Psicologia Social*, pp. 37-38). **4.** Adaptar-se, acomodar-se, aclimar-se, aclimatar-se: "A tudo se habitua o homem, a todo o estado se afaz" (Almeida Garrett, *Viagens na Minha Terra*, p. 178). [Irreg. Conjug.: v. *fazer*. Imperf. ind.: *afazia*, etc. Cf. *afasia.*]

afazeres (ê) [Do fr. *affaire.*] *S. m. pl.* Trabalhos, ocupações, quefazeres.

afeado [Part. de *afear.*] *Adj.* **1.** Que se tornou feio. **2.** Apresentado sob um aspecto desfavorável. [Cf. *afiado.*]

afeador (ô) [De *afear* + *-dor.*] *Adj. S. m.* Que ou o que afeia. [Cf. *afiador.*]

afeamento [De *afear* + *-mento.*] *S. m.* **1.** Ação ou efeito de afear(-se). **2.** Fealdade, feiura. [Cf. *afiamento.*]

afear [De *a-*^{2} + *feio* + *-ar*^{2}.] *V. t. d.* **1.** Tornar feio; desfigurar: "os cabelos grisalhos, se o não embeleceram, não o afearam de todo." (Artur Azevedo, *Contos Cariocas*, p. 101); "Como inda é verde este caminho... / Mas como o afeia a solidão!" (Olavo Bilac, *Poesias*, p. 208). **2.** Deslustrar, empanar: *afear o estilo.* **3.** Deturpar, desfigurar, com maldade ou agravando: *Narrou o fato afeando a participação do inimigo.* ***P.*** **4.** Tornar-se feio. [Sin. ger.: *enfear, desfear.* Conj.: v. *frear*. Cf. *afiar.*]

afebril [De *a-*^{3} + *febril.*] *Adj. 2 g. Med.* Sem febre.

afeção *S. f.* V. *afecção.*

afecção [Do lat. *affectione.*] *S. f.* **1.** *Filos.* Alteração de faculdade receptiva que revela seu modo próprio de receber e transformar impressões [v. *impressão* (4).] **2.** *Med.* Conjunto de fenômenos mórbidos que dependem da mesma lesão. [Var.: *afeção.*]

afectação *S. f.* V. *afetação.*

afectado *Adj.* V. *afetado.*

afectante *Adj. 2 g.* V. *afetante.*

afectar *V. t. d. T. i. P.* V. *afetar.*

afectividade *S. f.* V. *afetividade.*

afectivo *Adj.* V. *afetivo.*

afecto^{1} *S. m.* V. *afeto*^{1}.

afecto^{2} *Adj.* V. *afeto*^{2}.

afectuoso (ô) *Adj.* V. *afetuoso.*

afefé [Do ior.] *S. m. Bras. Rel.* Vento forte que se manifesta na presença de Iansã.

afefobia *S. f. Psiq.* V. *hafefobia.*

afefóbico *Adj. S. m. Psiq.* V. *hafefóbico.*

aféfobo *Adj. S. m. Psiq.* V. *haféfobo.*

afegã *Adj. 2 g. S. 2 g.* V. *afegane* (1 e 2).

afegane *Adj. 2 g.* **1.** Do, ou pertencente ou relativo ao Afeganistão (Ásia); afegânico. ● *S. 2 g.* **2.** O natural ou habitante do Afeganistão. [F. paral., nas acepçs. 1 e 2: *afegã, afegão, afgã.*] ● *S. m.* **3.** *Gloss.* Língua indo-europeia do ramo indo-iraniano falada no Afeganistão e no Paquistão e ainda no Irã, no Tadjiquistão e nos Emirados Árabes Unidos. **4.** Unidade monetária, e moeda, do Afeganistão. [F. paral.: *afgane.*]

afegânico *Adj.* V. *afegane* (1).

afegão *Adj. S. m.* V. *afegane* (1 e 2).

afeição [Do lat. *affectione.*] *S. f.* **1.** Sentimento de apego sincero por alguém ou algo; carinho; amizade, afeiçoamento. **2.** Inclinação, pendor. **3.** Conexão, ligação, relação: "Pois ainda acredita na afeição íntima entre a descrença masculina e... dá licença? a leviandade feminina?" (Machado de Assis, *Teatro*, p. 71.)

afeiçoado^{1} [Part. de *afeiçoar*^{1}.] *Adj.* **1.** Que tem feição, forma ou figura. **2.** Apropriado, adequado, adaptado. **3.** Benfeito; aperfeiçoado. ~ V. *pedra —a.*

afeiçoado^{2} [Part. de *afeiçoar*^{2}.] *Adj.* **1.** Que sente afeição; apegado. **2.** Inclinado, dedicado, devotado. ● *S. m.* **3.** Aquele que é objeto de afeição; amigo.

afeiçoador^{1} (ô) [De *afeiçoar*^{1} + *-dor.*] *Adj. S. m.* Que, ou aquele que afeiçoa.

afeiçoador^{2} (ô) [De *afeiçoar*^{2} + *-dor.*] *Adj. S. m.* Que, ou aquele que afeiçoa.

afeiçoamento^{1} [De *afeiçoar*^{1} + *-mento.*] *S. m.* Ato ou efeito de afeiçoar^{1}.

afeiçoamento^{2} [De *afeiçoar*^{2} + *-mento.*] *S. m.* **1.** Ato ou efeito de afeiçoar^{2}. **2.** V. *afeição* (1).

afeiçoar^{1} [De *a-*^{2} + *feição* + *-ar*^{2}, com desnasalação.] *V. t. d.* **1.** Dar feição, forma ou figura a; amoldar, modelar: "Os homens foram por esse mundo rachar o lajedo e afeiçoar a pedra." (Raul Brandão, *Os Pescadores*, p. 44.) **2.** Dar forma melhor ou mais perfeita a; melhorar, aperfeiçoar: "principia, às voltas com a figura disforme: salienta-lhe e afeiçoa-lhe o nariz" (Euclides da Cunha, *À margem da História*, p. 89); *Os grandes escritores afeiçoam a língua.* **3.** Instruir, educar, formar: *A instrução afeiçoa os homens.* ***T. d. e i.*** **4.** Adaptar, apropriar: "Desejava afeiçoar a terra da seca a um tipo de civilização prática e feliz." (José Américo de Almeida, *O Boqueirão*, p. 84); *afeiçoou a casa a suas necessidades.* ***P.*** **5.** Tomar feição, forma ou figura; moldar-se, amoldar-se. **6.** Adaptar-se, acomodar-se, apropriar-se. **7.** Habituar-se, afazer-se, avezar-se: "Afeiçoara-se a ver a fisionomia temerosa dos povos na ruinaria majestosa das cidades vastas" (Euclides da Cunha, *Os Sertões*, p. 570). [Conjug.: v. *coroar.*]

afeiçoar^{2} [De *afeição* + *-ar*^{2}, com desnasalação.] *V. t. d.* **1.** Inspirar afeição a; granjear o afeto de: *A doçura da jovem afeiçoou o rapaz.* ***P.*** **2.** Ter ou tomar afeição, estima, amor: "Foi num desses bebedouros que a turma do Fragoso o conheceu e se lhe afeiçoou." (Valdemar Versiani dos Anjos, *Simplício*, p. 30); "ia se ensolteirando, não deixando que o coração se afeiçoasse a nenhuma mulher." (Rui Santos, *Teixeira Moleque*, p. 68). [Conjug.: v. *coroar.*]

afeitar [Do esp. *afeitar.*] *V. t. d. Int. P. Obsol.* **1.** V. *enfeitar(-se)* (1 a 3, 5 e 9): "Euclides, em breve, mas enérgico artigo, verberou a infâmia que já começara de afeitar-se com a roupagem de *salvação pública.*" (Carlos de Laet, *Obras Seletas*, I, p. 97.) **2.** *Bras. S.* Barbear(-se).

afeito [Part. de *afazer.*] *Adj.* **1.** Acostumado, habituado. **2.** Adaptado e/ou feliz em terra estranha.

afelandra [Do tax. *Aphelandra* (do gr. *apheles, es, és*, 'simples', + *anér, andrós*, 'homem').] *S. f. Bot.* **1.** Gênero de acantáceas originárias das Américas, dotadas de inflorescências espiciformes. **2.** Qualquer espécie desse gênero, como, p. ex., a *Aphelandra squarrosa* (v. *espiga-dourada*). **3.** Qualquer espécime desse gênero, ou a sua flor.

afelear [De *a-*^{2} + *fel* + *-ear*^{2}.] *V. t. d.* **1.** Pôr fel em (mistura); misturar com fel. **2.** Dar fel a. **3.** Tornar amargo como fel: "Perdoo-te, entretanto, o mal que me fizeste, / Afeleando um dulçor, que era sobreceleste" (Martins Fontes, *Verão*, p. 132). **4.** Envenenar; ervar. **5.** Amargurar, amargar, angustiar, desgostar. [Conjug.: v. *frear*. Cf. *afiliar.*]

afélio [Do lat. cient. *aphelium.*] *S. m. Astr.* O ponto da órbita de um astro do sistema solar em que a sua distância ao sol é máxima. [Opõe-se a *periélio.*]

afemestesia [De *a-*^{3} + gr. *phémé, és*, 'revelação pela palavra', + *-estes(i)-* + *-ia*^{1}.] *S. f. Neur.* V. *alexia.*

afemestésico [De *afemestesia* + *-ico*^{2}.] *Adj. S. m.* Aléxico.

afemia [De *a-*^{3} + gr. *phemé*, 'expressão pela fala', + *-ia*^{1}.] *S. f. Patol.* **1.** Perda do poder de expressão pela fala, devida à lesão cerebral. **2.** Afasia atáxica.

afémico *Adj. Patol.* V. *afêmico.* [Uso freq. em P.]

afêmico [De *afemia* + *-ico*^{2}.] *Adj. Patol.* Referente à afemia.

afeminação [De *afeminar* + *-ção.*] *S. f.* Efeminação.

afeminado [Part. de *afeminar.*] *Adj. S. m.* V. *efeminado*: "homens corruptos e enfraquecidos por ócios e prazeres de vida afeminada" (Alexandre Herculano, *Lendas e Narrativas*, II, p. 99).

afeminar [De *efeminar*, com dissimilação.] *V. t. d. P.* V. *efeminar*: "A natureza real tinha cedido o passo a esta natureza de convenção, natureza pálida, ... que afeminava o ânimo dos homens" (Latino Coelho, *Cervantes*, p. 83).

aferente [Do lat. *afferente.*] *Adj. 2 g.* **1.** Que conduz; que leva. **2.** *Anat.* Diz-se de vaso que conduz o sangue que penetra numa estrutura, de nervo que conduz estímulo em direção a centro nervoso, ou de vaso linfático que conduz a linfa que penetra em linfonodo. [Cf. *eferente.*] ~ V. *cachorra —.*

aférese [Do gr. *aphaíresis*, pelo lat. *aphaerese.*] *S. f. E. Ling.* Supressão de um fonema ou grupo de fonemas no começo da palavra; ablação. Ex.: *batina*, por *abatina*; *Zé*, por *José.*

aferético [Do gr. *aphairetikós.*] *Adj.* Em que há, ou resultante de aférese. ~ V. *charada —a.*

aferição [De *aferir* + *-ção.*] *S. f.* **1.** Ação ou efeito de aferir; afilamento. **2.** Marca posta nas coisas aferidas. [Sin. ger.: *aferimento.*]

aferido^{1} *S. m.* Caneiro ou calha por onde cai a água nas rodas da azenha.

aferido^{2} [Part. de *aferir.*] *Adj.* **1.** Ajustado ao padrão. **2.** Cotejado, conferido, comparado.

aferidor (ô) [De *aferir* + *-dor.*] *Adj.* **1.** Que afere. ● *S. m.* **2.** Aquele que afere. **3.** Instrumento para aferir.

aferimento [De *aferir* + *-mento.*] *S. m.* V. *aferição.*

aferir [Do lat **afferere*, por *afferre*, 'levar para'.] *V. t. d.* **1.** Conferir (pesos, medidas, etc.) com os respectivos padrões; afilar. **2.** Pôr a marca da aferição em. **3.** Avaliar, estimar: *aferir um tamanho; aferir um valor.* **4.** Cotejar; comparar. ***T. d. e i.*** **5.** Cotejar, comparar: "Isto de clareza, como não se tateia à mão, ... nem se afere a regras de sintaxe, deixa em opinião entre os apreciadores o fazerem, cada qual segundo o seu paladar, ou interesse, da opacidade transparência e da transparência opacidade." (Rui Barbosa, *Réplica*, p. 206.) **6.** Julgar, estimar, calcular. ***Int.*** **7.** Avaliar, estimar, medir. ***P.*** **8.** Estimar-se, avaliar-se, julgar-se. [Irreg. Conjug.: v. *aderir*. Cf. *auferir.*]

aferível [De *aferir* + *-vel.*] *Adj. 2 g.* Que pode ser aferido. [Cf. *auferível.*]

aferrado [Part. de *aferrar.*] *Adj.* Obstinado, pertinaz, teimoso, afincado.

aferrar [De *a-*^{2} + *ferro* + *-ar*^{2}.] *V. t. d.* **1.** Prender com ferro; segurar. **2.** Agarrar, prender, segurar com força: *aferrou o gatuno pelo ombro;* "— Tu mentes, vilão — balbuciou por entre os dentes cerrados, aferrando-o ferozmente por um braço." (Arnaldo Gama, *O Balio de Leça*, p. 116.) 3. Firmar, afirmar, fixar. *T. d. e c.* 4. Atacar, acometer: *Aferrou pelo flanco a tropa inimiga.* *Int.* 5. Atacar, acometer. *P.* 6. Entregar-se com afinco; agarrar-se; obstinar-se. [Pres. ind.: *aferro*, etc. Cf. *aferro* (ê).]

aferrenhar [De *a-*[2] + *ferrenho* + *-ar*[2].] *V. t. d.* 1. Endurecer como o ferro; tornar duro. 2. Tornar ferrenho, obstinado. *P.* 3. Tornar-se ferrenho; obstinar-se.

aferretar [De *a-*[2] + *ferrete* + *-ar*[2].] *V. t. d. Transobj.* V. *ferretear*.

aferretear [De *a-*[2] + *ferrete* + *-ear*[2].] *V. t. d. Transobj.* V. *ferretear*. [Conjug.: v. *frear*.]

aferretoador (ô) [De *aferretoar* + *-dor*.] *Adj. S. m.* V. *aferroador*.

aferretoar *V. t. d.* V. *aferroar*. [Conj.: v. *coroar*.]

aferro (ê) [Dev. de *aferrar*.] *S. m.* 1. Ação ou efeito de aferrar(-se). 2. Obstinação, pertinácia, teima, afincamento, afinco: "Amavam-se estas duas criaturas com o aferro de um primeiro amor." (Machado de Assis, *Contos Avulsos*, p. 34.) [Pl.: *aferros* (ê). Cf. *aferro*, do v. *aferrar*.]

aferroador (ô) [De *aferroar* + *-dor*.] *Adj. S. m.* Que, ou aquele que aferroa; aferretoador.

aferroar [De *a-*[2] + *ferrão* + *-ar*[2], com desnasalação.] *V. t. d.* 1. Ferir com ferrão, presa, ou objeto pontiagudo; picar, espicaçar, aguilhoar: "carrapatos e moscas aferroam o couro dos cavalos, dos bodes e dos bois." (Osmã Lins, *Nove, Novena*, p. 158). 2. Acossar, incomodar, estorvar. 3. Afligir, torturar, magoar. 4. Excitar, incitar, instigar, provocar. [Sin. ger.: *aferretoar*. Conjug.: v. *coroar*.]

aferrolhador (ô) [De *aferrolhar* + *-dor*.] *Adj. S. m.* Que, ou aquele que aferrolha.

aferrolhar [De *a-*[2] + *ferrolho* + *-ar*[2].] *V. t. d.* 1. Fechar com ferrolho. 2. Guardar muito fechado e cuidadosamente: *Aferrolha todo o seu dinheiro que tem em casa.* 3. Prender, aprisionar: "a única culpada verdadeira era Dona Rosilda, ... aferrolhando-a dentro de casa" (Jorge Amado, *Dona Flor e Seus Dois Maridos*, p. 127). [F. paral.: *ferrolhar*.]

aferventação [De *aferventar* + *-ção*.] *S. f.* Ato ou efeito de aferventar(-se).

aferventado [Part. de *aferventar*.] *Adj.* 1. Que se aferventou ou entrecozeu. 2. Afervorado, acalorado, ardente. 3. *Bras. Pop.* Impaciente, insofrido, sôfrego, alvoroçado. ● *S. m.* 4. *Bras. N.E. Cul.* Prato típico, em geral de restos de aves, carne, etc., assados, cozidos posteriormente com carnes defumadas, batatas e legumes e servido com pirão feito com o caldo do cozido: "Almoço ao ar livre na casa de U. e A. .... Aferventado de peru." (Gilberto Freire, *Tempo Morto e Outros Tempos*, p. 245).

aferventar [De *a-*[2] + *fervente* + *-ar*[2].] *V. t. d.* 1. Submeter a uma rápida fervura; entrecozer; ferventar: *aferventar os legumes.* 2. Excitar, estimular, incentivar: *As injúrias proferidas aferventaram-lhe o ódio.* 3. *Bras. Pop.* Apressar, acelerar. *P.* 4. Tornar-se fervente; ferver, afervorar-se; ferventar-se. 5. Tornar-se fervoroso, ardoroso; afervorar-se. 6. Apressar-se, acelerar-se. 7. *Bras. N.E. Pop.* Excitar-se; alvoroçar-se. 8. *Bras. N.E. Pop.* Impacientar-se.

afervorar [De *a-*[2] + *fervor* + *-ar*[2].] *V. t. d.* 1. Pôr em fervura; ferver, aferventar. 2. Excitar o fervor, o ardor de; estimular, aferventar, afervorizar. 3. Comunicar fervor a; tornar ardente, fervoroso; afervorizar: *afervorar a fé hesitante.* *P.* 4. Tornar-se fervente; entrar em ebulição; ferver, aferventar-se. 5. Encher-se de fervor; tomar-se de zelo; afervorizar-se. 6. Incitar-se, estimular-se, afervorizar-se.

afervorizar [De *a-*[2] + *fervor* + *-izar*.] *V. t. d. P.* V. *afervorar* (2, 3, 5, e 6).

afestoado [Part. de *afestoar*.] *Adj.* 1. Ornado com festões; engrinaldado. 2. Enfeitado, engalanado.

afestoar [De *a-*[2] + *festão* + *ar*[2], com desnasalação.] *V. t. d.* 1. Guarnecer, revestir, ornamentar, com festões. 2. Enfeitar, engalanar. *P.* 3. Ornar-se com festões; engrinaldar-se. 4. Enfeitar-se, ataviar-se. [Sin. ger.: *enfestoar*. Conjug.: v. *coroar*.]

afetação [Do lat. *affectatione*.] *S. f.* 1. Ato ou efeito de afetar(-se). 2. Falta de naturalidade; amaneiramento. 3. Fingimento, falsidade. 4. Vaidade, presunção.

afetado [Part. de *afetar*.] *Adj.* 1. Que mostra afetação (2 a 4). 2. Que sofreu afecção. 3. *Bras. Pop.* Afetado de tuberculose; tuberculoso.

afetante [Do lat. *affectante*.] *Adj. 2 g.* Que afeta.

afetar [Do lat. *affectare*.] *V. t. d.* 1. Fingir; simular: "a imagem do lojista saltava-lhe perfeita à memória — magricela, ... afetando delicadezas de alfaiate de Lisboa." (Aluísio Azevedo, *O Mulato*, p. 245). 2. Produzir lesão em; lesar: *A tuberculose afetou-lhe o pulmão direito.* 3. Afligir, comover, abalar: *Afetou-o muito a morte do amigo.* 4. Dizer respeito a; concernir, interessar: *Afirmou que, naquilo que a afetava, nada tinha a opor.* 5. Apresentar, imitar (a forma de uma coisa ou de um ser): *afetar a forma de um losango.* *T. i.* 6. Fingir-se, fazer-se: "Os ricos afetam de pobres para não serem importunados" (Marquês de Maricá, *Máximas, Pensamentos e Reflexões*, p. 211). *P.* 7. Apurar-se ridiculamente. [Part.: *afetado* e *afeto*.]

afetividade [De *afetivo* + *-(i)dade*.] *S. f.* 1. Qualidade ou caráter de afetivo. 2. *Psic.* Conjunto de fenômenos psíquicos que se manifestam sob a forma de emoções, sentimentos e paixões, acompanhados sempre da impressão de dor ou prazer, de satisfação ou insatisfação, de agrado ou desagrado, de alegria ou tristeza.

afetivo [Do lat. *affectivu*.] *Adj.* 1. Relativo a afeto[1] ou a afetividade. 2. Que sente ou que procura afeto: *criança afetiva.* 3. Em que há afeto: *manifestação afetiva.* ~ V. *linguagem —a* e *memória —a*.

afeto[1] [Do lat. *affectus*, *us*.] *S. m.* 1. Afeição por alguém; inclinação, simpatia, amizade, amor: "amou-o assim como se amam as coisas belas, e o afeto de que o envolvia propagou-se em redor" (Rute Bueno, *O Livro de Auta*, p. 33). 2. Objeto de afeição: *Doía-lhe estar ausente do seu afeto.* 3. *Psicol.* O elemento básico da afetividade (2). 4. *Psiq.* Estado emocional que acompanha qualquer representação mental.

afeto[2] [Do lat. *affectu*, part. de *afficere*, 'afetar'.] *Adj.* 1. Afeiçoado, dedicado. 2. Partidário, sectário. 3. Da competência ou da alçada de.

afetuosidade [De *afetuoso* + *-(i)dade*.] *S. f.* 1. Qualidade, característica ou sentimento de afetuoso. 2. Ação, dito ou comportamento próprios de pessoa afetuosa.

afetuoso (ô) [Do lat. *affectuosu*.] *Adj.* 1. Que demonstra afeto; cheio de afeto; carinhoso: *filho afetuoso; afetuoso abraço; maneiras afetuosas.* 2. Meigo, terno: *criança afetuosa.* [Cf. *efetuoso*.]

→**affaire** [a'fɛʀ] [Fr.] *S. m.* V. *caso* (7). [É fem. em fr.]

→**affrettando** [affret'tando] [It., gerúndio de *affrettare*.] *Adv. Mús.* Apressando (o andamento).

afgã *Adj. 2 g. S. 2 g.* V. *afegane* (1 e 2).

afgane *Adj. 2 g. S. 2 g.* V. *afegane*.

afiação [De *afiar* + *-ção*.] *S. f.* Ação ou efeito de afiar(-se); afiamento.

afiado [Part. de *afiar*.] *Adj.* 1. De gume muito cortante; aguçado: *faca afiada.* 2. *Fig.* Irritado, abespinhado. 3. *Fig.* Apurado, aprimorado, aperfeiçoado, aguçado. 4. *Fig.* Perspicaz, penetrante, agudo: *olhar afiado.* 5. *Bras. Fig.* Bem adestrado ou bem preparado; com muita prática e/ou conhecimento seguro de algo: *O zagueiro estava afiado: jogou admiravelmente; Está fraco em francês, mas afiado em português.* ~ V. *língua —a*. [Cf. *afeado*.]

afiador (ô) [De *afiar* + *-dor*.] *Adj. S. m.* Que, ou aquele que afia; amolador. [Cf. *afeador*.]

afiambrado [Part. de *afiambrar*.] *Adj.* 1. Diz-se da peça de salsicharia (salame, mortadela, etc.) preparada à maneira de fiambre. 2. Feito de fiambre. 3. *Fig.* Ridiculamente apurado no trajar. ● *S. m.* 4. Carne afiambrada.

afiambrar [De *a-*[2] + *fiambre* + *-ar*[2].] *V. t. d.* 1. *Bras.* Preparar (a carne) como presunto ou fiambre. 2. Tornar por demais apurado no trajar; ajanotar. *P.* 3. Apurar-se em excesso no trajar; ajanotar-se.

afiamento [De *afiar* + *-mento*.] *S. m.* Afiação. [Cf. *afeamento*.]

afiançado [Part. de *afiançar*.] *Adj.* 1. Que prestou fiança: *réu afiançado.* 2. De quem alguém foi fiador; por quem alguém se responsabilizou. 3. De que alguém foi fiador: *dívida afiançada.* 4. Apresentado como digno de confiança; abonado, acreditado, garantido. ● *S. m.* 5. Indivíduo a favor do qual se presta ou se prestou fiança.

afiançador (ô) [De *afiançar* + *-dor*.] *Adj. S. m.* Que, ou aquele que afiança; abonador, fiador.

afiançar [De *a-*[2] + *fiança* + *-ar*[2].] *V. t. d.* 1. Ser fiador de; assumir responsabilidade por; abonar. 2. Pagar a fiança de. 3. Afirmar, assegurar, asseverar, garantir: *afiançou que era aquele o caminho certo.* 4. Apresentar ou inculcar como digno de confiança; garantir; abonar. *T. d. e i.* 5. Afirmar, assegurar, asseverar, garantir: "Afianço-lhe que, apesar de tudo, havemos de ser amigos no outro mundo como fomos neste." (José de Alencar, *O Sertanejo*, p. 93.) 6. Testemunhar, demonstrar: *O seu olhar afiança-me que não mente.* *Int.* 7. Ser fiador; dar fiança. *P.* 8. Pagar ou prestar fiança. [Conjug.: v. *laçar*.]

afiançável [De *afiançar* + *-vel*.] *Adj. 2 g.* Que pode ser objeto de fiança.

afiar [De *a-*[2] + *fio* + *-ar*[2].] *V. t. d.* 1. Dar fio a; tornar cortante ou mais cortante; amolar; aguçar: *afiar uma faca, uma tesoura.* 2. Tornar agudo, penetrante; adelgaçar na ponta; aguçar, apontar: *afiar um lápis.* 3. apurar, aprimorar, aperfeiçoar: *A experiência afia a sagacidade.* 4. Tornar picante, mordaz; acerar: *Afiou ainda mais a linguagem de seus epigramas.* 5. Estimular, intensificar: *A ameaça afiou-lhe a raiva.* 6. Preparar para o assalto (os dentes, as garras). 7. Irritar, exasperar. *P.* 8. Apurar-se, aprimorar-se, aperfeiçoar-se: *Afiou-se para as provas finais.* [Cf. *afear*.] ◆ **Afiar com.** Avançar para atacar (alguém).

afibrinogenemia [De *a-*[3] + *fibrinogên(io)* + *-emia*.] *S. f. Med.* Ausência de fibrinogênio no sangue.

aficionado [Do esp. *aficionado*.] *Adj.* 1. Propenso a alguma coisa; entusiasta, afeiçoado. ● *S. m.* 2. Amador de um espetáculo, de um esporte, de uma arte, etc.: "— Empate! Empate! gritavam os aficionados ao longo da cancha por onde passava a parelha veloz, compassada como numa colherа." (Simões Lopes Neto, *Contos Gauchescos e Lendas do Sul*, p. 330.)

afidalgado[1] [De *a-*[2] + *fidalgo* + *-ado*[1].] *Adj.* Que tem maneiras e/ou aparência de fidalgo, ou é próprio de fidalgo: *classe afidalgada; traje afidalgado.*

afidalgado[2] [Part. de *afidalgar*.] *Adj.* 1. Tornado fidalgo ou semelhante a fidalgo. 2. Desabituado do trabalho.

afidalgamento [De *afidalgar* + *-mento*.] *S. m.* 1. Ato ou efeito de afidalgar(-se). 2. Fidalguia, nobreza.

afidalgar [De *a-*[2] + *fidalgo* + *-ar*[2].] *V. t. d.* 1. Tornar fidalgo ou semelhante a fidalgo; nobilitar. 2. Dar aspecto ou ares de fidalguia a; tornar afidalgado: "Compreendo que ele, em suas viagens ao exterior, bafejadas por tamanha largueza de finanças, tenha afidalgado as suas maneiras" (Herberto Sales, *Dados Biográficos do Finado Marcelino*, p. 55). *P.* 3. Tornar-se fidalgo ou semelhante a fidalgo; nobilitar-se. 4. Desabituar-se do trabalho. [Conjug.: v. *largar*.]

afídeo [Do tax. *Aphis* + *-ídeo*[1]; tax. *Aphidae*.] *S. m. Adj. Zool.* V. *afidídeo*.

afidídeo [Do lat. cient. *Aphid-* (< tax. *Aphis*) + *-ídeo*[1]; tax. *Aphididae*.] *Zool.* *S. m.* 1. Espécime dos afidídeos, família de pequenos insetos homópteros, parasitas de vegetais, como o pulgão-da-roseira, o pulgão-da-laranjeira. ● *Adj.* 2. Pertencente ou relativo a eles. [Sin. ger.: *afídeo*.]

afidóideo [Do lat. cient. *Aphid-* (< tax. *Aphis*) + *-óideo*; tax. *Aphidoidea*.] *S. m. Zool.* 1. Espécime dos afidóideos, subordem de insetos homópteros em que se classificam os pulgões. ● *Adj.* 2. Pertencente ou relativo a eles.

afiguração [De *afigurar* + *-ção*.] *S. f.* 1. Ato ou efeito de afigurar(-se); representação, imagem. 2. Suposição, imaginação, fantasia.

afigurar [De *a-*[2] + *figura* + *-ar*[2].] *V. t. d.* 1. Apresentar forma ou figura de; assemelhar-se a: "Ele, avesso ao terror daquelas pobres almas, / Antes afigurava um deus sereno e forte" (Manuel Bandeira, *Estrela da Vida Inteira*, p. 69); *No escuro, afigurava um ser monstruoso.* 2. Dar forma ou figura a; moldar (em barro, mármore, etc.). 3. Representar em figura na imaginação; imaginar, figurar: "Se não a vejo e o espírito afigura, / Cresce este meu desejo de hora em hora..." (Manuel Bandeira, *Estrela da Vida Inteira*, p. 13). *Transobj.* 4. Representar em figura na imaginação; imaginar, figurar: *Não a conhecendo, afigurava-a bela.* *P.* 5. Esboçar, delinear, pintar forma ou figura de. 6. Parecer, semelhar, assemelhar-se. 7. Representar-se na mente; parecer: "As intermináveis discussões acerca das origens da poesia lírica portuguesa afiguram-se-me, também, um tanto áridas." (Ciro dos Anjos, *Abdias*, p. 4.)

afigurativo [De *afigurar* + *-tivo*.] *Adj.* 1. Que encerra figura ou parábola. 2. Que se afigura.

afilado[1] [De *a-*[2] + *-fil(i)-*[1] + *-ado*[1].] *Adj.* Delicado, fino, adelgaçado: *nariz afilado;* "As minhas mãos magritas afiladas" (Florbela Espanca, *Sonetos Completos*, p. 109).

afilado[2] [Part. de *afilar*[3].] *Adj.* Aferido (peça, medida, etc.).

afilador (ô) [De *afilar*[3] + *-dor*.] *Adj. S. m.* Que, ou aquele que afila ou afere; aferidor.

afilamento [De *afilar*[3] + *-mento*.] *S. m.* Ato ou efeito de afilar[3]; aferição.

afilar[1] [De *a-*[2] + *-fil(i)-*[1] + *-ar*[2].] *V. t. d.* 1. Reduzir a fio. 2. Tornar fino, delgado, ou aguçado; adelgaçar, afinar. *Int.* 3. Tornar-se fino, delgado, ou aguçado; afinar(-se), adelgaçar(-se), afilar(-se). *P.* 4. Tornar-se fino, delgado, ou aguçado; afinar(-se), adelgaçar-se; afilar: "Desbotava-se a rubidez das faces incendidas e afilava-se, a mais e mais, o nariz correto, aquilino." (Visconde de Taunay, *Ao Entardecer*, pp. 28-29.)

afilar[2] [De *a-*[4] + *filar*.] *V. t. d.* 1. Açular (cão) a morder; açular, filar. 2. Excitar, estimular. [Var.: *afilhar*[2].]

afilar[3] *V. t. d.* 1. Acertar (a balança). 2. Aferir (1).

afilhada [Fem. de *afilhado*.] *S. f.* A mulher em relação a seu padrinho e/ou a sua madrinha.

afilhadagem [De *afilhado* + *-agem*[2].] *S. f.* 1. Conjunto de afilhados. 2. V. *afilhadismo*.

afilhadismo [De *afilhado* + *-ismo*.] *S. m.* Proteção aos afilhados ou favoritos; afilhadagem, favoritismo, nepotismo.

afilhado [De *a-*[2] + *filho* + *-ado*[1].] *S. m.* 1. O homem em relação a seu padrinho e/ou a sua madrinha. 2. Protegido, favorito, preferido. **3.** *Bras. PE Irôn.* Filho de padre ou de frade.

afilhar[1] [De *a-*[2] + *filho* + *-ar*[2].] *V. int.* Dar filhos ou rebentos (as plantas). [Cf. *afiliar.*]

afilhar[2] *V. t. d.* V. *afilar*[2]. [Cf. *afiliar.*]

afilharar [De *a-*[2] + *filho* + suf. verbal express. *-arar.*] *V. int. Lus.* Ter uma filharada.

afiliação [De *afiliar* + *-ção.*] *S. f.* Ato ou efeito de afiliar.

afiliada [F. subst. de *afiliado.*] *S. f. Rád. Telev.* Emissora afiliada.

afiliado [Part. pass. de *afiliar.*] *Adj.* Que se afiliou. ~ V. *emissora —a.*

afiliar [De *a-*[2] + *-fil(i)-*[2] + *-ar*[2].] *V. t. d. P.* **1.** Agregar(-se) ou juntar(-se) a uma corporação ou sociedade. **2.** Inscrever(-se) como sócio ou membro. [F. paral.: *filiar.* Cf. *afilhar* e *afelar.*]

afilo [Do gr. *áphyllos.*] *Adj. Bot.* Diz-se de planta desprovida de folhas, ou cujas folhas se reduzem a escamas tão insignificantes que parecem não existir, como se vê, p. ex., nos cactos.

afim [Do lat. *affine.*] *Adj. 2 g.* **1.** Que apresenta afinidade: *almas afins; vocábulos afins; objetivos afins.* ~ V. *parente —, parentesco — e transformação —.* • *S. 2 g.* **2.** Parente afim (q. v.). **3.** Aquele ou aquilo que apresenta afinidade com alguém ou algo já referido: *O acidentado teve pronta assistência de médicos e afins.*

afinação [De *afinar* + *-ção.*] *S. f.* **1.** Ato ou efeito de afinar; afinamento. **2.** Qualidade de afinado. **3.** Aprimoramento, refinamento, apuro. **4.** Polidez, delicadeza. **5.** Purificação de metais; afinagem. **6.** Estado de irritação, de mau humor. **7.** *Mús.* Ajuste do tom de uma nota em relação a outra, de modo que o número de vibrações corresponda às exigências da acústica ou de um determinado gênero e estilo musical. **8.** *P. ext.* Este ajuste aplicado à voz ou a instrumentos: *a afinação de um coral; a afinação de um quarteto.* **9.** *Mús.* Ajuste da tensão das cordas de um instrumento, de modo que as notas emitidas coincidam, em frequência, com intervalos ou notas predeterminadas. **10.** *Mús.* Ajuste do comprimento de um tubo sonoro para se obter o tom correto. [Antôn. (de 7 a 10): *desafinação.*] **11.** *Mús.* Sequência das notas emitidas por certos instrumentos de corda: *A afinação do violino é sol, ré, lá, mi.* **12.** *Teatr.* Conjugação harmônica dos cenários, efeitos luminosos e demais elementos cênicos e dramáticos: *ensaio de afinação.* **13.** *Autom.* Regulagem de um motor.

afinadinho [De *afinado* + *-inho*[1].] *Adj. Lus.* Diz-se de pessoa responsável, cumpridora dos deveres.

afinado [Part. de *afinar.*] *Adj.* **1.** Que se afinou. **2.** Purificado, acrisolado. **3.** Aperfeiçoado, bem-acabado. **4.** Que tem as condições necessárias para emitir sons que correspondam à afinação (8): *cantor afinado.* **5.** *Mús.* Que tem afinação (7) perfeita ou quase perfeita: *um piano afinado.* [Antôn. nas acepçs. 4 e 5: *desafinado.*] **6.** *Fam.* Irritado, agastado.

afinador (ô) [De *afinar* + *-dor.*] *S. m.* **1.** Especialista em afinar (6) ou fazer certos reparos técnicos em instrumentos de teclado, como piano, cravo, órgão, etc. **2.** *Mús.* V. *diapasão* (5). **3.** *Mús.* Chave de ferro com que se afinam alguns instrumentos de cordas (piano, harpa, saltério, etc.).

afinagem [De *afinar* + *-agem*[2].] *S. f.* Afinação (5). [Cf. *afinamento.*]

afinal [De *a-*[3] + *final.*] *Adv.* **1.** Por fim; finalmente; afinal de contas: *Disse que vinha, mas afinal não veio;* "consegui que fumasse um cigarro, depois outro, e afinal fumou-o às dúzias, sem acabar nenhum." (Machado de Assis, *Páginas Recolhidas*, p. 62). **2.** Em conclusão: pensando bem; afinal de contas: "Pois que agora lhe devolvera o quadro, com uma carta muito seca, dizendo que afinal Corot não era dos pintores da sua predileção" (Abel Botelho, *Amor Crioulo*, p. 382).

afinamento [De *afinar* + *-mento.*] *S. m.* Afinação (1). [Cf. *afinagem.*]

afinar [De *a-*[2] + *fino*[1] + *-ar*[2].] *V. t. d.* **1.** Tornar fino, ou mais fino; adelgaçar. **2.** Apurar, aperfeiçoar: *afinar as maneiras; afinar o estilo.* **3.** Polir, educar: *Afinou os sentidos na contemplação do belo.* **4.** Aumentar a acuidade, a finura, de. **5.** Purificar (metais) no crisol; acrisolar. **6.** Proceder à afinação (7) de (voz ou instrumento): "O teatro transbordava. Os músicos afinavam os instrumentos." (D. João da Câmara, *Contos*, p. 84.) **7.** Ajustar e coordenar harmonicamente os elementos cênicos e dramáticos: *O diretor afinou o espetáculo.* **8.** *Autom.* Regular (um motor). *T. d. e i.* **9.** Ajustar, harmonizar, conciliar: *Resolveu afinar as suas ideias pelas da maioria;* "o Délfico [Apolo (v. *apolíneo*)], imberbe e cor-d'ouro, afinando os pensamentos humanos pelo ritmo da sua cítara" (Eça de Queirós, *A Relíquia*, p. 293). **10.** Ajustar, harmonizar, acordar (instrumentos ou vozes entre si): *O regente afinou a orquestra pelo lá do oboé.* *T. i.* **11.** Ajustar-se, harmonizar-se, regular-se: *Seu procedimento afina pelo do pai;* "Tanto os biógrafos de ontem como os de hoje afinam por idêntico diapasão" (Aquilino Ribeiro, *Luís de Camões*, II, p. 318). *Int.* **12.** Fazer-se fino, ou mais fino; adelgaçar(-se), afinar-se: "A chuva caía de rojão, afinando e engrossando, sem parar." (José Lins do Rego, *Pedra Bonita*, p. 25.) **13.** Cantar em uníssono, sem se afastar do tom. **14.** *Fam.* Irritar-se, ofender-se. **15.** *Bras. Gír. Fut.* Não disputar a bola com o adversário por medo de contusão; jogar de salto alto. *P.* **16.** V. *afinar* (12): "As canelas se afinaram, ficando como taboca" (José Lins do Rego, *Pedra Bonita*, p. 195). **17.** Concordar; ajustar; harmonizar. **18.** Apurar-se, aperfeiçoar-se: "Que por muito e por muito que se afinem / Nestas fábulas vãs também sonhadas, / A verdade que eu conto nua e pura / Vence toda grandíloca escritura." (Luís de Camões, *Os Lusíadas*, V, 89.) **19.** Polir-se, educar-se.

afincado [Part. de *afincar.*] *Adj.* Pertinaz, obstinado.

afincamento [De *afincar* + *-mento.*] *S. m.* **1.** Ato ou efeito de afincar(-se). **2.** V. *aferro* (2).

afincar [De *a-*[2] + *fincar.*] *V. t. d.* **1.** Plantar de estaca; cravar, fincar. *T. d. e i.* **2.** Fixar (a vista, a atenção, o pensamento, etc.); fitar: *Afincou os olhos na bela moça.* *T. i.* **3.** Teimar, insistir, aferrar-se; fincar: *Afinca em princípios disparatados.* *P.* **4.** Aferrar-se; insistir; teimar; obstinar-se: *Afincou-se à ideia, e ninguém o pôde demover.* [Conjug.: v. *trancar.*]

afinco [Dev. de *afincar.*] *S. m.* **1.** V. *aferro* (2). **2.** Perseverança, persistência: *trabalhar com afinco.*

afinidade [Do lat. *affinitate.*] *S. f.* **1.** Relação, semelhança, analogia: *Há grande afinidade entre a língua portuguesa e a galega.* **2.** Semelhança entre duas ou mais espécies. **3.** Conformidade, identidade, igualdade: *afinidade de gostos.* **4.** Tendência combinatória. **5.** Coincidência de gostos ou de sentimentos: *Dão-se bem porque têm muita afinidade.* **6.** *Antrop.* Relação de parentesco que se estabelece através de casamento, vinculando os parentes de cada um dos cônjuges ao outro cônjuge e a seus parentes; parentesco afim, parentesco por afinidade. **7.** *Antrop.* Relação de cognação que, em certas culturas, pode ou deve idealmente converter-se em relação de casamento ou de afinidade (6). **8.** *P. ext. Antrop.* Relação que se estabelece entre dois grupos sociais (ger. definidos com base no parentesco), em decorrência de um ou mais casamentos entre seus membros. **9.** *Fís.-Quím.* Grandeza que mede a espontaneidade de uma reação química, e que se relaciona com a entalpia livre e o grau de avanço de reação. **10.** *Quím. Obsol.* Segundo certas teorias químicas, tendência que tem uma substância de ligar-se quimicamente a outra. [Us., atualmente, em sentido genérico ou coloquial.] ◆ **Afinidade eletrônica.** *Quím.* Energia liberada quando um átomo, íon, ou molécula se liga a um elétron.

afirmação [Do lat. *affirmatione.*] *S. f.* **1.** Ação ou efeito de afirmar(-se). **2.** Aquilo que se afirma ou assevera; asserção. **3.** V. *afirmativa* (1). **4.** Testemunho, prova. **5.** *Lóg.* Ato pelo qual se declara verdadeiro um juízo ou uma proposição, sem se levar em conta a forma afirmativa ou negativa que apresentem; asserção. **6.** *Lóg.* Proposição em que se considera existente a relação entre os termos. [Antôn., nesta acepç.: *negação* (6).] **7.** *Psicol.* Autoafirmação. **8.** *E. Ling.* Uma das quatro classes em que se dividem as sentenças simples, e que se caracteriza pela presença do sujeito, ger. precedendo o verbo, e por ter como objetivo, principalmente, veicular informação; asserção, declaração. [Cf., nesta acepç., *comando* (4), *exclamação* (2), *interrogação* (3).]

afirmador (ô) [Do lat. *affirmatore.*] *Adj. S. m.* Afirmante.

afirmante [Do lat. *affirmante.*] *Adj. 2 g. S. 2 g.* Que, ou quem afirma; afirmador.

afirmar [Do lat. *affirmare.*] *V. t. d.* **1.** Tornar firme, fazer firme; consolidar: *Afirmou as bases de seu governo.* **2.** Dizer ou declarar com firmeza; asseverar: "Afirma, ante o olhar espantado e sôfrego do rei em delírio, que o pequeno Álvaro .... não é filho dela" (Antero de Figueiredo, *Leonor Teles*, p. 58). **3.** Certificar, atestar: "a sua fuga é inexplicável. Afirma-a, contudo, a sisudez do cronista sincero." (Euclides da Cunha, *Os Sertões*, p. 155). **4.** Firmar, fixar: *Afirmou a vista para ver melhor.* *T. d. e i.* **5.** Dizer ou declarar com firmeza; garantir, asseverar: "Foi o Sr. João Crisóstomo quem determinou a queda do governo, afirmando ao rei que, se ele insistisse, a revolução era inevitável." (Guerra Junqueiro, *Pátria*, p. 217); "Henriqueta [Henriette Renan], por mais que Renan nos afirme o contrário, tinha um fundo pessimista." (Machado de Assis, *Páginas Recolhidas*, p. 156); "— Se encontrar uma mulher tão completa como eu exijo, afirmo-lhe que me casarei." (Machado de Assis, *Contos Fluminenses*, p. 88). *Int.* **6.** Fazer afirmação ou afirmações: *Costuma afirmar antes de se inteirar dos fatos.* **7.** Insistir, teimar; firmar-se. *P.* **8.** Certificar-se, assegurar-se (especialmente pela vista). **9.** Fixar-se, estabelecer-se: *Afirmou-se no cargo de chefe.* **10.** Deter-se em examinar alguém ou alguma coisa; reparar, atentar: "Quanto mais se afirmava nela, mais guapa se lhe afigurava." (Camilo Castelo Branco, *O Santo da Montanha*, p. 174.) **11.** Aparentar segurança, ou sentir-se seguro: *É agressivo apenas para se afirmar.*

afirmativa [F. subst. de *afirmativo.*] *S. f.* **1.** Declaração positiva, que afirma; afirmação, asserção. **2.** *E. Ling.* Sentença que não tem marcas de negação, tais como afixos negativos, advérbios de negação ou itens lexicais que refiram negação. [Cf., nesta acepç., *negativa* (1).]

afirmativamente [De f. de *afirmativo* + *-mente.*] *Adv.* De modo afirmativo; com afirmação: "— Tudo pronto? — perguntou o recém-chegado. O outro respondeu afirmativamente com a cabeça" (Wellington de Araújo Leão, em *Contos Alagoanos de Hoje*, p. 74).

afirmativo [Do lat. *affirmativu.*] *Adj.* **1.** Que afirma ou confirma: *resposta afirmativa.* **2.** Que denota aquiescência, concordância: *um movimento de cabeça afirmativo.* ~ V. *ação —a, proposição particular —a* e *proposição universal —a.*

afirmável [De *afirmar* + *-vel.*] *Adj. 2 g.* Que pode ser afirmado.

afistulado [Part. de *afistular.*] *Adj.* Transformado em fístula.

afistular [De *a-*[2] + fístula + -ar[2].] *V. t. d.* **1.** *Med. Cir. Patol.* Fazer ou abrir fístula em; fistular. **2.** *Fig.* Corromper, apodrecer, adulterar, deteriorar. *P.* **3.** *Med. Cir. Patol.* Converter-se em fístula; fistular-se.

afitamento [De *afitar*[2] + *-mento.*] *S. m.* **1.** *P. us.* Ato de afitar[2]. **2.** *Ant. Pop.* V. *indigestão* (1). **3.** *Ant. Pop.* V. *diarreia.*

afitar[1] [De *a-*[2] + *fita*[1] + *-ar*[2].] *V. t. d.* Enfitar[1]. [Pres. ind.: *afito*, etc. Cf. a loc. adv. *a fito.*]

afitar[2] [De *a-*[4] + *fitar.*] *V. t. d.* **1.** Fitar. **2.** *Ant.* Causar afito a. **3.** *Bras.* Lançar afito ou mau-olhado a. [Pres. ind.: *afito*, etc. Cf. loc. adv. *a fito.*]

afito [Dev. de *afitar*[2].] *S. m.* **1.** *Ant. Pop.* V. *indigestão* (1). **2.** *Ant. Pop.* V. *diarreia.* **3.** *Bras.* V. *mau-olhado.* [Cf. a loc. adv. *a fito.*]

afivelado [Part. de *afivelar.*] *Adj.* Apertado ou preso com fivela.

afivelar [De *a-*[2] + *fivela* + *-ar*[2].] *V. t. d. e c.* **1.** Prender, atar, segurar, com fivela: "Depois do banquete os confederados afivelam à cinta a sacola tradicional dos mendigos da Flandres" (Ramalho Ortigão, *A Holanda*, p. 194). *T. d.* **2.** Colocar fivela em. **3.** *Fig.* Ajustar, firmar, contratar, em caráter definitivo (um trato, um negócio, etc.); amarrar. [Cf. *enfivelar.*]

afixação[1] (cs) [De *afixar* + *-ção.*] *S. f.* Ato ou efeito de afixar.

afixação[2] (cs) [De **afixar* (< *afixo* [2]) + *-ção.*] *S. f. E. Ling.* Emprego de afixos (v. *afixo*).

afixal (cs) [De *afixo* + *-al*[1].] *Adj. 2 g. E. Ling.* Relativo a afixo (2).

afixar (cs) [De *a-*[2] + *fixo* + *-ar*[2].] *V. t. d. T. d. e c.* **1.** Tornar fixo, segurar; prender; firmar, fixar. **2.** Pregar (cartaz, aviso) em lugar público.

afixo (cs) [Do lat. *affixu.*] *Adj.* **1.** Que se afixou; segurado, preso, fixo. • *S. m.* **2.** *E. Ling.* Designação comum aos prefixos, sufixos e infixos. ◆ **Afixo derivacional.** *E. Ling.* Afixo (2) que entra na composição de derivados. **Afixo flexional.** *E. Ling.* Afixo (2) empregado na flexão.

aflamengado [De *a-*[2] + *flamengo*[2] + *-ado*[1].] *Adj.* Que tem modos e/ou aparência de, ou é próprio de flamengo[2]: *veste aflamengada; pronúncia aflamengada.*

aflante [Do lat. *afflante.*] *Adj. 2 g.* **1.** Que sopra ou bafeja. **2.** Que respira a custo; ofegante, anelante, arfante.

aflar [Do lat. *afflare.*] *V. t. d.* **1.** Soprar; bafejar: "De novo aflou o seio de Berta com um suspiro, que ela, como ao primeiro, recalcou" (José de Alencar, *Til*, p. 243). **2.** Inspirar (1). *Int.* **3.** Respirar a custo; arfar, ofegar, anelar. **4.** Soprar (12): "Pulverizam-se, ao luar, as neblinas... A brisa /Afla de leve..." (Martins Fontes, *Volúpia*, p. 164). **5.** Agitar-se ao vento: "as folhas do arvoredo apenas aflavam com o brando sopro da viração." (José de Alencar, *O Sertanejo*, p. 112).

aflato [Do lat. *afflatu.*] *S. m.* **1.** Sopro, bafejo, hálito. **2.** Cheiro, emanação.

aflatoxina (cs) [Do tax. *A(spergillus) fla(vus)* + *toxina.*] *S. f. Quím.* Qualquer de certas substâncias, que são lactonas pentacíclicas, cancerígenas, geradas pelo mofo *Aspergillus flavus* e outros, e que podem contaminar sementes e produtos alimentícios armazenados incorretamente, como, p. ex., o amendoim. [Cf. *micotoxina.*]

aflautado [De *a-*[2] + *flauta* + *-ado*[1].] *Adj.* **1.** Diz-se do som doce e suave semelhante ao da flauta; aflauteado. **2.** *Fig.* Brando, manso; aflauteado: "Disposto a convencer-me do contrário, aflautado e melífluo, ele ainda insistiu, protestando contra a 'ditadura financeira' que eu desejava impor" (Luís Edmundo, *De um*

Livro de Memórias, III, p. 857). 3. Delgado e esguio como uma flauta. 4. *Fam.* Esganiçado; agudo: *voz aflautada.* [F. paral.: *flautado.*]

aflautar [De *a-*[2] + *flauta* + *-ar*[2].] *V. t. d.* 1. Tornar (a voz) suave, melodiosa, como certos sons da flauta; adocicar. 2. Tornar (a voz) aguda, esganiçada, como certos sons da flauta. *Int.* 3. Soltar a voz (a siriema). [F. paral.: *flautar.*]

aflauteado [De *a-*[2] + *flauta* + *-eado.*] *Adj.* 1. V. *aflautado* (1 e 2). 2. *Lus.* Diz-se de roupa rota, esfarrapada.

aflechado[1] [De *a-*[2] + *flecha* + *-ado*[1].] *Adj.* Semelhante a flecha. [Var.: *afrechado*[1].]

aflechado[2] [Part. de *aflechar.*] *Adj.* Ferido por flecha. [Var.: *afrechado*[2].]

aflechar [De *a-*[2] + *flecha* + *-ar*[2].] *V. t. d.* 1. Dar forma ou semelhança de flecha a. 2. Ferir com flecha; flechar. [Var.: *afrechar.* Conjug.: v. *flechar.*]

afleimar [De *a-*[2] + *fleima* + *ar-*[2].] *V. t. d. P.* 1. Irritar(-se), amofinar(-se), apoquentar(-se), ralar(-se), atentar(-se). *Int.* 2. V. *afleumar* (2). [Var.: *afreimar* e, como int. e p., (bras., CE): *afuleimar-se.*]

afleumar [De *a-*[2] + *fleuma* + *-ar*[2].] *V. t. d.* 1. Tornar pachorrento, fleumático. *Int.* 2. *Med. Cir.* Inflamar-se, apostemar(-se); inchar; afleimar.

aflição [Do lat. *afflictione.*] *S. f.* 1. Profundo sentimento moral produzido por um revés da fortuna, uma circunstância penosa, etc.; pena, agonia. 2. Estado de grande desalento, de profunda tristeza ou mágoa; desgosto. 3. Grande preocupação ou inquietação; ansiedade, angústia. 4. Padecimento físico; tortura.

afligente [Do lat. *affligente.*] *Adj. 2 g.* V. *aflitivo.*

afligidor (ô) [De *afligir* + *-dor.*] *Adj.* 1. V. *aflitivo.* ● *S. m.* 2. Aquele que aflige.

afligimento [De *afligir* + *-mento.*] *S. m.* Ação ou efeito de afligir(-se).

afligir [Do lat. *affligere.*] *V. t. d.* 1. Causar aflição ou grande aflição a; angustiar, atormentar. 2. Torturar, atormentar; mortificar. 3. Atacar, atingir (doença): *Um mal desconhecido o afligia.* 4. Assolar, devastar, talar. 5. V. *apoquentar. Int.* 6. Causar aflição: *Sua miséria aflige. P.* 7. Entrar em aflição ou agonia (5); agoniar-se. 8. Atormentar-se, torturar-se, mortificar-se. 9. V. *apoquentar.* [Conjug.: v. *dirigir*, mas tem dois part.: *afligido* e *aflito.*]

aflitivo [De *aflito* + *-ivo.*] *Adj.* Que causa aflição; afligente, afligidor.

aflito [Do lat. *afflictu.*] *Adj.* 1. Cheio de aflição; atormentado, agoniado. 2. Preocupado, inquieto; angustiado. ● *S. m.* 3. Aquele que tem aflição.

aflogístico [De *a-*[3] + *flogístico.*] *Adj.* Que arde sem chama.

afloração [De *aflorar* + *-ção.*] *S. f.* 1. Ação ou efeito de aflorar; afloramento. 2. Nivelamento de uma superfície com outra.

afloramento [De *aflorar* + *-mento.*] *S. m.* 1. Afloração (1). 2. *Geol.* A parte de um maciço ou camada de rocha, ou de minério, que chega à superfície do solo, quer por irrupção, quer pelo desnudamento dum capeamento preexistente.

aflorar [Do fr. *effleurer.*] *V. t. d.* 1. Nivelar (uma superfície) com outra; pôr ao mesmo nível: "Ariel sustinha-se nas altas regiões do espaço e baixava muito até aflorar os tetos das choupanas" (Alberto Rangel, *Livro de Figuras*, p. 176). 2. Tocar de leve ou ligeiramente; acariciar, afagar: *Aflorou-lhe a bela cabeleira.* 3. Tratar superficialmente de; abordar: *aflorar um assunto.* 4. Esboçar, delinear, entremostrar: *Desapontado, mal aflorou um sorriso. T. i.* 5. Deixar-se entrever; entremostrar-se: "E trechos de salmos que aprendera em menino .... afloraram-lhe à boca." (Afonso Arinos, *Pelo Sertão*, pp. 42-43.) *Int.* 6. Emergir à superfície; vir à tona: *Os peixes mortos afloraram.* 7. Deixar-se entrever; entremostrar-se: "Desde cedo o homem de ciências aflorou na personalidade de Gonçalves Dias." (Josué Montelo, *Estante Giratória*, p. 69.)

afluência[1] [Do lat. *affluentia.*] *S. f.* 1. V. *afluxo.* 2. Corrente copiosa, abundante. 3. Confluência (2). 4. Grande concorrência (de pessoas ou coisas); abundância, convergência: *Há grande afluência às casas de diversões.*

afluência[2] [Do ingl. *affluence.*] *S. f.* Abundância de dinheiro, de bens; riqueza.

afluente[1] [Do lat. *affluente.*] *Adj. 2 g.* 1. Que aflui. 2. Copioso, abundante. 3. *Tec.* Diz-se de fluido que entra num equipamento. [Cf., nesta acepç., *efluente* (2).] ● *S. m.* 4. Curso de água que desemboca em outro curso de água, considerado principal, ou em um lago, contribuindo para lhes aumentar o volume; tributário. [Cf. *confluente* e *defluente.*]

afluente[2] [Do ingl. *affluent.*] *Adj. 2 g.* Que tem, ou em que há afluência[2]; rico: *sociedade afluente.*

afluição (u-i) [De *afluir* + *-ção.*] *S. f.* V. *afluxo.*

afluir [Do lat. *affluere.*] *V. t. c.* 1. Correr para; convergir; concorrer: *Vários rios afluem ao Amazonas.* 2. Concorrer em grande quantidade: "Os fiéis afluíam .... à velha ermida solitária" (Artur Azevedo, *Contos Possíveis*, p. 51). *T. d. e i.* 3. Concorrer em grande quantidade: "O ouro afluía-lhe de ricos banqueiros, que se honravam do parentesco de um cardeal." (Camilo Castelo Branco, *Livro de Padre Dinis*, p. 36.) *Int.* 4. Concorrer em grande quantidade: "Afluíam os convidados: famílias, quase todas do bairro." (Galpi, *Narrativas Militares*, p. 48.) [Conjug.: v. *atribuir.*]

afluxo (cs) *S. m.* Ato ou efeito de afluir; afluição, afluência.

afobação [De *afobar* + *-ção.*] *S. f. Bras.* 1. Grande pressa; lufa-lufa, azáfama. 2. Atrapalhação, perturbação. 3. Cansaço, fadiga, esfalfamento. [Sin. ger.: *afobamento* e (p. us.) *afobo.*]

afobado [Part. de *afobar.*] *Adj.* 1. Azafamado, apressado. 2. Atrapalhado, embaraçado, perturbado. 3. Cansado, esfalfado, ofegante: "Subo de automóvel à serra, que tantas vezes galguei a pé e afobado, para acudir a aflições urgentes." (Miguel Torga, *Diário*, X, p. 191.) [Var. express.: *acafobado.*]

afobamento [De *afobar* + *-mento.*] *S. m. Bras.* V. *afobação.*

afobar *Bras. V. t. d.* 1. Causar afobação a. *P.* 2. Ficar afobado: "— Ora, não se afobe, compadre, a afilhada já dorme, moída da festança" (Hugo de Carvalho Ramos, *Tropas e Boiadas*, p. 9). [Var. express.: *acafobar.* Pres. ind.: *afobo*, etc. Cf. *afobo* (ô).]

afobo (ô) [Dev. de *afobar.*] *S. m. Bras. P. us.* V. *afobação.* [Cf. *afobo*, do v. afobar.]

afocal [De *a-*[3] + *focal.*] *Adj. 2 g.* ~ V. *sistema* —.

afocinhado [Part. de *afocinhar.*] *Adj. Mar. Ant.* Diz-se de embarcação cuja proa está mais baixa do que a popa; embicado. [Antôn.: *derrabado.*]

afocinhamento [De *afocinhar* + *-mento.*] *S. m.* Ato ou efeito de afocinhar.

afocinhar [De *a-*[2] + *focinho* + *-ar*[2].] *V. t. d.* 1. Acometer, investir, atacar com o focinho. 2. Escavar com o focinho; fossar, fuçar: "Os porcos vinham chegando um a um afocinhando a terra" (Coelho Neto, *Rei Negro*, p. 131). 3. Fazer cair de focinho, nariz ou ventas. *T. i.* 4. Deparar ou encontrar frente a frente, ou cara a cara: "em tão boa hora caminham, que vão afocinhar os dois com o amigo particular do conde de Eu." (Fialho d'Almeida, *Os Gatos*, I, p. 91). *Int.* 5. Cair de ventas no chão; ir de focinho ao chão; cair: "Se eu caísse, havia de ter graça! Afocinhava no tijuco e era uma vez o meu terno de casimira clara." (Ribeiro Couto, *Baianinha e Outras Mulheres*, p. 60.) 6. Escavar com o focinho; fossar, fuçar. 7. *Mar.* Mergulhar a proa (a embarcação), quer em consequência do balanço longitudinal, quer por excesso de carga a vante. [F. paral.: *focinhar.*]

afodal [De *áfodo* + *-al*[1].] *Adj. 2 g. Zool.* Relativo a áfodo, ou que o tem.

afódio [Do tax. *Aphodius.*] *S. m. Zool.* 1. Grande gênero de pequenos escaravelhos de corpo alongado, ger. classificados como escarabeídeos. 2. Espécie, ou espécime desse gênero.

áfodo [Do lat. cient. *aphodus* < gr. *áphodos*, 'ação de afastar(-se)'; 'saída'; 'excremento'; 'latrina'.] *S. m. Zool.* Tubo curto e estreito que, nos espongiários, reúne as câmaras vibráteis aos canais excurrentes ou exalantes.

afofado [Part. de *afofar.*] *Adj.* 1. Tornado fofo (1). 2. *Fig.* Jactancioso, vanglorioso, vaidoso, enfatuado.

afofamento [De *afofar* + *-mento.*] *S. m.* Ato ou efeito de afofar(-se).

afofar [De *a-* + *fofo* + *-ar*[2].] *V. t. d.* 1. Tornar fofo (1), mole. 2. *Fig.* Tornar fofo, vaidoso; envaidecer. *Int. P.* 3. Tornar-se fofo (1), mole. 4. *Fig.* Tornar-se fofo, vaidoso; envaidecer-se. [Sin. ger.: *abalofar.*]

afofié *S. m.* V. *afofiê.*

afofiê [Do ior.] *S. m. Bras. BA* Pequena flauta de bambu ou taquara. [Var. pros.: *afofié.*]

afogadela [De *afogar* + *-dela.*] *S. f.* 1. Ação ou efeito de afogar de leve. 2. V. *afogadilho.*

afogadense *Adj. 2 g.* 1. De, ou pertencente ou relativo a Afogados da Ingazeira (PE). ● *S. 2 g.* 2. O natural ou habitante de Afogados da Ingazeira.

afogadiço *Adj.* 1. Que se afoga facilmente. 2. Que produz sufocação; abafadiço: *atmosfera afogadiça.*

afogadilho [De *afogado* + *-ilho.*] *S. m.* Pressa, precipitação, açodamento, afogadela: "Pedi que relatassem sem afogadilho: — No compasso, homem de Deus. No compasso." (José Cândido de Carvalho, *O Coronel e o Lobisomem*, p. 97.) ◆ **De afogadilho.** Apressadamente; à pressa, às pressas: *livro escrito de afogadilho;* "— Não, então, se é para comer de afogadilho, mais vale fazer primeiro a visita." (Júlio Dinis, *As Pupilas do Senhor Reitor*, p. 128.)

afogado[1] [Part. de *afogar*[1].] *Adj.* 1. Que se afogou. 2. Asfixiado, sufocado, afrontado. 3. Abafadiço, afogadiço, abafado: *recinto afogado.* 4. Diz-se de blusa ou vestido fechado até o pescoço (por oposição a *decotado*). 5. Diz-se da voz cava, baixa, entrecortada. 6. *Mar.* Diz-se de embarcação ou terra que mal se divisa acima do horizonte. 7. *Bras. Nataç. Gír.* Diz-se do indivíduo que tem pouca ou nenhuma habilidade para nadar. ~ V. *ponte* —*a.* ● *S. m.* 8. Indivíduo que morreu afogado. 9. Indivíduo que sobrevive a afogamento (3): *O guarda-vidas salvou o afogado.* 10. Lugar oculto; arcano.

afogado[2] [Part. de *afogar*[2].] *S. m. Cul.* Refogado (2).

afogador (ô) [De *afogar* [1] + *-dor.*] *Adj.* 1. Que afoga. ● *S. m.* 2. Aquele que afoga. 3. Colar, gargantilha: "Cingia-lhe o pescoço alvo e redondo um rico afogador de pedraria" (Afonso Arinos, *Pelo Sertão*, p. 139). 4. *Autom.* Disco de metal, móvel em torno de um eixo excêntrico, situado logo abaixo da entrada de ar do carburador, e que restringe a passagem do ar para a câmara de carburação, a fim de proporcionar mistura mais rica, sobretudo nas partidas com o motor frio. 5. *P. ext.* Dispositivo que aciona, a partir do painel do veículo, o afogador (4). [Sin. (lus.), nesta acepç.: *botão de ar.*]

afogadura [De *afogar* + *-dura.*] *S. f.* V. *afogamento.*

afogamento [De *afogar* + *-mento.*] *S. m.* 1. Ato ou efeito de afogar(-se). 2. Sufocação, asfixia, afogo. 3. Sufocação, seguida ou não de morte, em consequência de encharcamento pulmonar com água ou outras substâncias que impossibilitem o intercâmbio gasoso que ocorre na respiração. [Sin. ger.: *afogadura.*]

afogar[1] [Do lat. *offocare*, com troca de prefixo.] *V. t. d.* 1. Privar de respiração por asfixia; asfixiar, sufocar: "M. Prosper Arcourt não era marido de duelos, nem tampouco de afogar a mulher com o travesseiro." (Camilo Castelo Branco, *A Mulher Fatal*, pp. 153-154.) 2. Privar de respiração por estrangulamento; estrangular, sufocar, asfixiar. 3. Privar de respiração, ou matar, por submersão. 4. Fazer desaparecer; anular, eliminar: "Por que não lhe vinha um sono que lhe afogasse os pensamentos loucos?" (José Lins do Rego, *Pedra Bonita*, p. 170.) 5. Reprimir, abafar, sufocar, embargar: "Este é o altivo pecador sereno, / Que os soluços afoga na garganta" (Olavo Bilac, *Poesias*, p. 193). 6. Encobrir, ocultar: "O caminho coberto por uma camada veludosa de areia fina, amarelenta, embebia-se pela neblina espessa que afogava a terra." (Júlio Ribeiro, *A Carne*, p. 145.) 7. Impedir o crescimento de; sufocar: *A erva-de-passarinho afogou a mangueira.* 8. *Autom.* Fazer enguiçar (o motor) por excesso de gasolina ou pela obstrução da entrada de ar no carburador. *T. d. e i.* 9. Mergulhar, submergir. 10. Embeber, ensopar: *Afogou o pão no vinho.* 11. Extinguir, exterminar; liquidar: "Não afogou a vida .... na grosseria e interesse do merceeiro." (João Ribeiro, *Crepúsculo dos Deuses*, p. 20.) *Int.* 12. Asfixiar-se, sufocar-se. 13. *Autom.* Enguiçar (o motor) por excesso de gasolina ou por obstrução da entrada de ar no carburador: *O motor afogou duas vezes, na viagem. P.* 14. Sofrer afogamento (3). 15. *P. ext.* Matar-se ou morrer por asfixia ou por submersão. 16. Embriagar-se, embebedar-se. 17. Alagar-se, inundar-se, rasar-se: "os seus olhos se afogavam em lágrimas e o coração se lhe estorcia no peito" (Camilo Castelo Branco, *A Filha do Regicida*, pp. 100-101). 18. Afundar-se, embeber-se. 19. *Turfe* Perder (o cavalo) o fôlego em carreira, por defeito no sistema respiratório. [Conjug.: v. *largar.* Pres. ind.: *afogo*, etc. Cf. *afogo* (ô), s. m.]

afogar[2] [De *a-*[2] + *fogo* + *-ar*[2].] *V. t. d. Cul.* Refogar. [Conjug.: v. *largar.* Pres. ind.: *afogo*, etc. Cf. *afogo* (ô), s. m.]

afogo[1] (ô) [Dev. de *afogar*[1].] *S. m.* 1. V. *afogamento* (2). 2. Aflição, ansiedade, angústia. [Antôn.: *desafogo* (ô). Pl.: *afogos* (ô). Cf. *afogo*, do v. *afogar.*]

afogo[2] (ô) [De *a-*[2] + *fogo.*] *S. m.* 1. Impetuosidade, fúria: *o afogo da guerra.* 2. Grande calor; afogueamento, ardor: *o afogo da febre.* 3. *Fig.* Calor, entusiasmo, ardor: *No afogo da peleja esportiva, lesou o menisco.* 4. Pressa, urgência, azáfama. [Antôn.: *desafogo* (ô). Pl.: *afogos* (ô). Cf. *afogo*, do v. *afogar.*]

afogueado [Part. de *afoguear.*] *Adj.* 1. Submetido a muito fogo ou a muito calor. 2. Muito quente; abrasado, ardente: *sertão afogueado.* 3. Muito corado; rubro: *faces afogueadas;* "No céu afogueado do entardecer, os adens riscavam as nuvens tranquilamente" (José Cardoso Pires, *O Delfim*, p. 275). 4. *Fig.* Animado, caloroso: *discussão afogueada.* [Sin., nessas acepç., *esfogueado.*] ● *S. m.* 5. *Ant.* Na procissão do auto de fé (q. v.), o condenado à fogueira, que levava no sambenito insígnias de fogo.

afogueamento [De *afoguear* + *-mento.*] *S. m.* 1. Ato ou efeito de afoguear(-se). 2. Grande calor; afogo, ardor.

afoguear [De *a-*[2] + *fogo* + *-ear*[2].] *V. t. d.* 1. Pôr fogo a; queimar. 2. Submeter a muito fogo ou a muito calor. 3. Aquecer muito; abrasar, esbrasear: "intenso calor afogueava-lhe o rosto" (Coelho Neto, *Rei Negro*, p. 77). 4. Fazer corar muito; fazer enrubescer; avermelhar: "O rubor afogueou as faces de Aurélia, ouvindo essa palavra acentuada pelo sarcasmo de Seixas." (José de Alencar, *Senhora*, p. 234.) **5.** Animar, excitar, entusiasmar. ***P.* 6.** Abrasar-se, inflamar-se. **7.** Corar intensamente; enrubescer, ruborizar-se. **8.** Animar-se, entusiasmar-se. [Sin. ger.: *esfoguear*. Conjug.: v. *frear*.]

afoiçado [De a-[2] + *foice* + *-ado*[1].] ***Adj.*** V. *falciforme* (1). [F. paral.: *afouçado*.]

afoitar [De *afoito* (q. v.) + *-ar*[2]; var. de *afoutar*.] ***V. t. d.* 1.** Tornar afoito; encorajar; animar, acoroçoar. **2.** Atrever-se, abalançar-se, arriscar-se a: *Afoitou uma empresa muito árdua para a sua idade.* ***T. d. e i.* 3.** Induzir, incitar, animar, estimular: *As palavras de estímulo afoitaram-no a aceitar a difícil incumbência.* ***P.* 4.** Tomar-se ou mostrar-se afoito, corajoso, audaz; animar-se, encorajar-se. **5.** Atrever-se, arriscar-se, abalançar-se: "nem me afoitava a incomodar as pessoas grandes com perguntas." (Graciliano Ramos, *Infância*, p. 108).

afoiteza (ê) [Var. de *afouteza*; v. *afoito*.] ***S. f.*** Qualidade de afoito; coragem, ânimo, arrojo, audácia.

afoito [Var. de *afouto*.] ***Adj.* 1.** Sem medo; corajoso, ousado, destemido, audaz. **2.** V. *valentão* (1). **3.** Apressado; precipitado; ansioso.

afolar[1] [De *a-*[4] + *folar*.] ***S. m.*** Folar.

afolar[2] [De *a-*[2] + *fole* + *-ar*[2].] ***V. t. d.*** Soprar com fole.

afolhado[1] [Part. de *afolhar*.] ***Adj.* 1.** Que tem folha: *ramo afolhado.* **2.** Diz-se do terreno submetido a afolhamento.

afolhado[2] [De *a-*[2] + *fólio* + *-ado*[1], com palatalização.] ***Adj.*** Diz-se do registro fiscal ou mercantil que tem os fólios numerados e rubricados.

afolhamento [De *afolhar* + *-mento*.] ***S. m.*** Ato ou efeito de afolhar (1); rotação.

afolhar [De *a-*[2] + *folha* + *-ar*[2].] ***V. t. d.* 1.** Dividir (o terreno) em folhas ou porções grandes, para submetê-las a um ciclo ou alternação de culturas. ***Int. P.* 2.** Criar folhas (a planta); cobrir-se de folhas; folhar-se.

afolozado [Part. de *afolozar*.] ***Adj.* 1.** *Bras. AL Pop.* Alargado ou largo em demasia; muito frouxo. **2.** *Bras. PB* Inutilizado, estragado.

afolozar [De *a-*[2] + *fole* + *-z-* + *-ar*[2], com assimilação.] ***V. t. d.* 1.** *Bras. PB Pop.* Inutilizar, estragar (um objeto, uma coisa de uso). **2.** *Bras. AL Pop.* Alargar em demasia; afrouxar muito.

afonia [Do gr. *aphonía*.] ***S. f.*** *Med. Otor.* Perda ou diminuição da voz.

afónico ***Adj.*** V. *afônico*. [Uso freq. em P.]

afônico [De *afonia* + *-ico*[2].] ***Adj.*** Relativo à afonia, ou que a tem; áfono, afono: "Desentoada, antimusical, quase afônica, hoje cantarei." (Eneida, *Cão da Madrugada*, p. 51.) ~ V. *pectoriloquia —a.*

afonjá [Do antr. *Afonja*, oficial palaciano que, no passado, teria tomado o poder em Oio, na Nigéria.] *Bras. Rel.* ***S. m.* 1.** Nos candomblés nagôs, qualidade (11) de Xangô. [Com cap.] ● ***Adj. 2 g.* 2.** Diz-se dessa qualidade.

afono [Do gr. *áphonos*.] ***Adj.*** V. *afônico*.

áfono [Var. pros. de *afono*.] ***Adj.*** V. *afônico*.

afonogelia [De *a-*[3] + *-fon(o)-* + gr. *gélos*, 'riso', + *-ia*[1].] ***S. f.*** *Med.* Impossibilidade de rir de algo.

afonsinho [Do antr. *Afonso* + *-inho*[2].] ***Adj.*** V. *afonsino*.

afonsino [Do antr. *Afonso* + *-ino*[1].] ***Adj.* 1.** Relativo aos reis de nome Afonso, em particular ao rei Afonso Henriques, primeiro rei de Portugal. **2.** Diz-se do primeiro código legislativo de Portugal, terminado no reinado de D. Afonso V: *As ordenações afonsinas.* [F. paral.: *afonsinho*.]

afonso-bezerrense ***Adj. 2 g.* 1.** De, ou pertencente ou relativo a Afonso Bezerra (RN). ● ***S. 2 g.* 2.** O natural ou habitante de Afonso Bezerra. [Pl.: *afonso-bezerrenses*.]

afonso-claudense ***Adj. 2 g.* 1.** De, ou pertencente ou relativo a Afonso Cláudio (ES). ● ***S. 2 g.* 2.** O natural ou habitante de Afonso Cláudio. [Pl.: *afonso-claudenses*.]

afonso-cunhense ***Adj. 2 g.* 1.** De, ou pertencente ou relativo a Afonso Cunha (MA). ● ***S. 2 g.* 2.** O natural ou habitante de Afonso Cunha. [Pl.: *afonso-cunhenses*.]

afora [De *a*[3] + *fora*; lat. med. *adforas*.] ***Adv.* 1.** Para o lado de fora; exteriormente; fora; em fora; além: "Ele não disse uma palavra e saiu de porta afora." (Hermilo Borba Filho, *Margem das Lembranças*, p. 60); "É isto o nosso mar, em que vês barra afora / Saindo e entrando a um tempo, às mil, em confusão, / Velas que vêm... velas que vão." (Alberto de Oliveira, *Poesias*, 4ª série, p. 76). **2.** Por toda a extensão (tempo e espaço); ao longo; fora; em fora: "Desde os tempos do colégio, nosso grupo foi um grupo de pessoas decentes .... Pela vida afora, continuamos a ser pessoas decentes." (Herberto Sales, *Armado Cavaleiro, o Audaz Motoqueiro*, p. 144); *Foi-se estrada afora, feliz da vida.* ● ***Prep.* 3.** Além de outro(s); além de: "casou ele com a segunda mulher, por meio da qual se multiplicou em sete filhos, afora outras multiplicações bastardas" (Camilo Castelo Branco, *Mosaico e Silva de Curiosidades*, p. 35). **4.** Com exclusão de; à exceção de; exceto, salvo, salvante, fora: "afora os estirões, poucos são os trechos do rio em que se pode remar desembaraçadamente." (Gastão Cruls, *A Amazônia que Eu Vi*, p. 125).

aforação [De *aforar*[1] + *-ção*.] ***S. f.*** *Dir. Civ.* V. *aforamento*.

aforado [Part. de *aforar*[1].] ***Adj.*** V. *enfiteuticado*.

aforador (ô) [De *aforar*[1] + *-dor*.] ***S. m.*** Aquele que afora.

aforamento [De *aforar*[1] + *-mento*.] ***S. m.*** *Dir. Civ.* **1.** V. *enfiteuse*. **2.** Documento que comprova o *aforamento*. [Sin. ger.: *aforação*.]

aforar[1] [De *a-*[2] + *foro* (ô) + *-ar*[2].] ***V. t. d. T. d. e i.* 1.** Dar por aforamento ou enfiteuse (q. v.); emprazar, enfiteuticar. **2.** Tomar por aforamento ou enfiteuse (q. v.). **3.** Abonar (3): *aforar vocábulos.* ***Transobj.* 4.** Conceder privilégio, direito, ou honraria a. ***P.* 5.** Arrogar a si, atribuir-se direitos, qualidades, etc.

aforar[2] [De *a-*[2] + *fora* + *-ar*[2].] ***V. t. d.*** *Bras. SP Pop.* Tirar, excetuar: *De oito, aforando três, ficam cinco.*

aforçurado [Part. de *aforçurar-se*.] ***Adj.*** Apressado, apressurado; atarefado.

aforçuramento [De *aforçurar-se* + *-mento*.] ***S. m.*** Ato ou efeito de aforçurar-se; pressa.

aforçurar-se [De *a-*[2] + *forçura* + *-ar*[2] + *se*[1].] ***V. p.*** Apressar-se, apressurar-se.

aforese ***S. f.*** *Med.* Falta de secreção sudoral.

aforético [De *afor(ese)* + *-ético*.] ***Adj.*** *Med.* Relativo à aforese, ou que a tem.

aforia [Do gr. *aphoría*.] ***S. f.*** *Med.* V. *agenesia* (1).

afórico [De *aforia* + *-ico*[2].] ***Adj.*** *Med.* Relativo à aforia, ou que a tem.

aforismático [De *aforismo* + *-ático*.] ***Adj.*** V. *aforístico*.

aforismo [Do gr. *aphorismós*, pelo lat. *aphorismu*.] ***S. m.*** Sentença moral breve e conceituosa; apotegma, máxima: "Esse outro aspecto .... está resumido num aforismo que gostava [Machado de Assis] de repetir, com ligeiras variações, o de que a morte é séria e não admite ironia." (Barreto Filho, *Introdução a Machado de Assis*, pp. 20-21.)

aforista [Do gr. *aphorízein*, 'definir', + *-ista*.] ***S. 2 g.*** Pessoa que faz aforismos ou é dada a citá-los.

aforístico [Do gr. *aphoristikós*.] ***Adj.* 1.** Relativo ou semelhante a aforismo. **2.** Que encerra aforismo. [Sin. ger.: *aforismático, apotegmático*.]

aformoseador (ô) [De *aformosear* + *-dor*.] ***Adj.* 1.** Que aformoseia. ● ***S. m.* 2.** Aquele ou aquilo que aformoseia.

aformoseamento [De *aformosear* + *-mento*.] ***S. m.*** Ato ou efeito de aformosear(-se).

aformosear [De *a-*[2] + *formoso* + *-ear*[2].] ***V. t. d.* 1.** Tornar formoso; embelezar, alindar: "um sorriso de inefável doçura lhe aformoseava os lábios" (Camilo Castelo Branco, *A Filha do Regicida*, p. 246). **2.** Enfeitar, adornar, ornar. ***P.* 3.** Tornar-se formoso; embelezar-se, alindar-se. **4.** Enfeitar-se, adornar-se. [F. paral.: *formosear*; sin. ger.: *aformosentar, formosentar*. Conjug.: v. *frear*.]

aformosentar [De *a-*[2] + *formoso* + *-entar*.] ***V. t. d. P.*** V. *aformosear*.

aforquilhado [De *a-*[2] + *forquilha* + *-ado*[1].] ***Adj.*** Que tem feitio de forquilha; bifurcado.

aforquilhar [De *a-*[2] + *forquilha* + *-ar*[2].] ***V. t. d.* 1.** Dar forma de forquilha a. **2.** Segurar ou prender com forquilha; enforquilhar.

aforrado [Part. de *aforrar*[2].] ***Adj.* 1.** Forro, liberto, alforriado. **2.** Livre, desembaraçado, desimpedido. ● ***S. m.* 3.** Indivíduo aforrado (1).

aforrador (ô) [De *aforrar*[2] + *-dor*.] ***Adj. S. m.*** Que, ou aquele que aforra, que economiza (v. *aforrar*[2]).

aforramento [De *aforrar*[2] + *-mento*.] ***S. m.*** Ato ou efeito de aforrar[2](-se).

aforrar[1] [De *a-*[2] + *forro*[1] (ô) + *-ar*[2].] ***V. t. d.* 1.** Colocar forro[1] em; revestir de forro[1]; forrar. **2.** Arregaçar (a manga), dobrando a borda para cima. ***P.* 3.** Tirar o paletó; pôr-se em mangas de camisa. [Pres. ind.: *aforro*, etc. Cf. *aforro* (ô).]

aforrar[2] [De *a-*[2] + *forro*[2] (ô) + *-ar*[2].] ***V. t. d.* 1.** Tornar forro[2]; libertar, alforriar, manumitir: *aforrar um escravo.* **2.** Economizar, juntando; amealhar: *Aforrou uma boa quantia.* ***Int.* 3.** Fazer economia; economizar, amealhar. ***P.* 4.** Alcançar ou comprar alforria; libertar-se, alforriar-se. [Pres. ind.: *aforro*, etc. Cf. *aforro* (ô).]

aforro (ô) [Dev. de *aforrar*[2].] ***S. m.*** Ato ou efeito de aforrar[2] (1 e 2). [Pl.: *aforros* (ó). Cf. *aforro*, do v. *aforrar*.]

afortalecer [De *a-*[2] + *fortalecer*.] ***V. t. d. Int. P.*** Tornar(-se) forte; fortalecer(-se): "Se meus olhos a veem, acontece, / Que a Excelente Senhora, por virtude, / Meu ânimo caído afortalece." (Antônio Correia de Oliveira, *Líricas*, I, p. 35.) [Conjug.: v. *aquecer*.]

afortalezado [Part. de *afortalezar*.] ***Adj.*** Que tem fortaleza.

afortalezamento [De *afortalezar* + *-mento*.] ***S. m.* 1.** Ato ou efeito de afortalezar(-se). **2.** Obra de fortificação.

afortalezar [De *a-*[2] + *fortaleza* + *-ar*[2].] ***V. t. d.* 1.** Transformar em fortaleza, fortificando com muros, etc. **2.** Prover de fortaleza; fortificar. **3.** Fortalecer (opinião). ***P.* 4.** Acolher-se ou defender-se em fortaleza ou como em fortaleza. **5.** Fortificar-se; proteger-se.

➔ **a fortiori** [a fɔrtʃ'oɾi] [Lat., 'com tanto mais (razão)'.] *Lóg.* Us. na expr. *raciocínio a fortiori*. [Cf. *a contrario* e *a pari*.]

afortunado [Part. de *afortunar*.] ***Adj.*** Feliz, venturoso, ditoso, fortunoso, afortunoso.

afortunar [De *a-*[2] + *fortuna* + *-ar*[2].] ***V. t. d.* 1.** Dar fortuna a; tornar ditoso, feliz, venturoso. ***P.* 2.** Tornar-se feliz, ditoso, venturoso. [F. paral.: *fortunar*.]

afortunoso (ô) [De *afortun-*, como em *afortunar*, + *-oso*.] ***Adj.*** V. *afortunado*.

afótico [De *a-*[3] + *-fot(o)-* + *-ico*[2].] ***Adj.*** ~ V. *zona —a*.

afouçado [De *a-*[2] + *fouce* + *-ado*[1].] ***Adj.*** V. *afoiçado*.

afoutar [De *afouto* + *-ar*[2].] ***V. t. d. T. d. e i. P.*** Afoitar (q. v.).

afouteza (ê) [De *afouto* + *-eza*.] ***S. f.*** Afoiteza (q. v.).

afouto [De *a-*[4] + lat. *faustu*, 'favorecido'.] ***Adj.*** Afoito (q. v.).

afoxé [Do ior.] ***S. m.*** *Bras. BA RJ* **1.** Cortejo de natureza semirreligiosa e que, no carnaval, desfila cantando e dançando, mas sem se mesclar com as outras manifestações carnavalescas. **2.** *BA* A canção cantada nesse cortejo. **3.** *Mús.* Instrumento musical de percussão. **4.** *Rel.* Candomblé tido como de nível inferior. **5.** *Rel. Pej.* Quimbanda. [Var. pros.: *afoxê*.]

afoxê ***S. m.*** *Bras.* V. *afoxé*: "espiou o afoxê tão anunciado nos jornais, a maior beleza do carnaval baiano." (Jorge Amado, *Dona Flor e Seus Dois Maridos*, p. 30).

afracar [De *a-*[2] + *fraco* + *-ar*[2].] ***V. int.*** Enfraquecer: "muito mal andariam os Estados quando uma rainha afracasse por esse pouco, se para tão grandes e maiores golpes são educadas." (José Saramago, *Memorial do Convento*, p. 49). [Conjug.: v. *trancar*.]

afragatado [De *a-*[2] + *fragata*[1] + *-ado*[1].] ***Adj.*** V. *atrevido* (1 e 2).

afrancesado [De *a-*[2] + *francês* + *-ado*[1].] ***Adj.* 1.** Que tem modos e/ou aparências de francês. **2.** Que é próprio de francês. **3.** Que afeta francesismo.

afrancesar [De *a-*[2] + *francês* + *-ar*[2].] ***V. t. d. P.*** Tornar(-se) francês; adaptar(-se) ao temperamento, maneira e/ou estilo franceses.

afraniense ***Adj. 2 g.* 1.** De, ou pertencente ou relativo a Afrânio (PE). ● ***S. 2 g.* 2.** O natural ou habitante de Afrânio.

afrasia [De *a-*[3] + *-fras(i)-* + *-ia*[1].] ***S. f.* 1.** *Med. Neur.* Impossibilidade de expressão por meio de frase(s), embora permaneça a capacidade de enunciar palavras isoladas. **2.** Mudez, mutismo. [Cf. *afasia*.]

afrásico[1] [Do top. *Afrásia* + *-ico*[2].] ***Adj.*** *P. us.* De, ou pertencente ou relativo à Afrásia (África e Ásia); afro-asiático.

afrásico[2] [De *afrasia* + *-ico*[2].] ***Adj.* 1.** Relativo à, ou próprio da afrasia. **2.** Que tem afrasia. ● ***S. m.* 3.** Aquele que a tem.

afrechado[1] ***Adj.*** V. *aflechado*[1].

afrechado[2] ***Adj.*** V. *aflechado*[2].

afrechar ***V. t. d.*** V. *aflechar*. [Conjug.: v. *flechar*.]

afreguesado [Part. de *afreguesar*.] ***Adj.*** Que tem (muitos) fregueses: "A loja do Sr. Antônio Severino era a mais afreguesada, por ser a mais bem sortida" (Brito Camacho, *Quadros Alentejanos*, p. 49).

afreguesar [De *a-*[2] + *freguês* + *-ar*[2].] ***V. t. d.* 1.** Tornar freguês ou cliente. **2.** Granjear ou adquirir fregueses para. ***P.* 3.** Fazer-se freguês.

afreimar ***V. t. d. Int. P.*** V. *afleimar*.

afrenia [De *a-*[3] + *-fren(o)-* + *-ia*[1].] ***S. f.*** *Psiq.* V. *demência* (1).

afrentar [De *a-*[2] + *frente* + *-ar*[2].] ***V. t. d.* 1.** Pôr frente a frente; defrontar, confrontar. **2.** Confinar, convizinhar. **3.** Enraivecer, afligir.

afrescalhado [De *a-*[2] + *fresco* + *-alh(o)-* + *-ado*[1].] ***Adj.*** *Bras. Gír.* Efeminado (2).

afrescalhar [De *a-*[2] + *fresco* + *-alh(o)-* + *-ar*[2].] ***V. t. d. P.*** *Chulo* Tornar(-se) fresco (12); efeminar(-se).

afrescar [De *a-*[2] + *fresco* + *-ar*[2].] ***V. t. d. Int. P.*** Tornar(-se) fresco ou mais fresco; refrescar(-se). [Conjug.: v. *trancar*. Pres. ind.: *afresco*, etc. Cf. *afresco* (ê).]

afresco (ê) [Do it. *affresco*.] ***S. m.* 1.** Técnica de pintura aplicada em paredes e tetos que consiste em pintar sobre camada de revestimento recente, fresco, de nata de cal, gesso ou outro material apropriado ainda úmido, de modo que possibilite o embebimento da tinta. **2.** Pintura feita por esse processo: "Quando um pintor pinta um retrato, não é uma abstração que ele compõe, é o homem que ele quer descobrir sempre.| Agiu com esse critério absolutamente humano o pintor Portinari nos afrescos do Ministério da Educação." (José Lins do Rego, *Gordos e Magros*, p. 77.) [F. paral.: *fresco*[1]. Pl.: *afrescos* (ê). Cf. *afresco*, do v. *afrescar*.]

afretador (ô) [De *afretar* + *-dor*.] ***S. m.* 1.** *Mar. Merc.* Pessoa ou firma que, mediante compensação em dinheiro, utiliza uma embarcação mercante ou os serviços dela. **2.** Fretador.

afretamento [De *afretar* + *-mento*.] *S. m.* **1.** Ato de afretar; fretamento. **2.** Contrato mediante o qual se adquire o direito de utilizar um navio por aluguel.
afretar [De *a-*[4] + *fretar*.] *V. t. d. T. d. e i.* V. *fretar*.
áfrica [Do top. *África*, por alusão às famosas façanhas lá praticadas.] *S. f.* **1.** Façanha, proeza, feito: "esgotar poço de pouca água não era nenhuma áfrica." (Mário de Andrade, *Contos Novos*, p. 82). **2.** *Fig.* Aquilo que representa uma grande dificuldade ou algo muito difícil de obter ou alcançar. [Cf. *africa*, do v. *africar*.]
africação [De *africar* + *-ção*.] *S. f. E. Ling.* Ato ou efeito de africar.
africada [F. subst. de *africado*.] *S. f. E. Ling.* Consoante africada (q. v.).
africado [Part. de *africar*.] *Adj. E. Ling.* Que combina, em sua produção, características de consoante oclusiva e fricativa. [Na fala carioca, p. ex., são produzidas como africadas as consoantes iniciais de *tia* e *dia*.]
africanada [De *africano* + *-ada*[1].] *S. f.* V. *fanfarrice* (2).
africanas [F. pl. subst. de *africano*.] *S. f. pl.* Brincos [v. *brinco* (1)] de ouro em forma de argola: "apareceu-lhe .... um vendedor ambulante de joias, a prestações; e ela .... fez-se dona de umas africanas com a promessa de pagar dez mil-réis por mês." (Lima Barreto, *Vida e Morte de M.J. Gonzaga de Sá*, pp. 240-241).
africânder *S. 2 g.* **1.** Indivíduo sul-africano branco, em geral descendente de holandeses. ● *Adj. 2 g.* **2.** Pertencente ou relativo a africânder (1).
africâner *S. m.* **1.** *Gloss.* Língua falada na África do Sul e em parte da Namíbia, originada do holandês do séc. XVII: "A esse quadro há que acrescentar: o malgaxe, língua malaio-polinésia, trazida pelos indonésios que ocuparam, faz muitos séculos, Madagascar; o africâner, aparentado ao neerlandês, desenvolvido pelos colonos brancos da África do Sul; e o português" (Alberto da Costa e Silva, *A Enxada e a Lança*, p. 41). [Tb. se diz *afrikaans*.] ● *Adj. 2 g.* **2.** De, pertencente ou relativo a essa língua. [Sin. ger., lus.: *africanês*.]
africanês *S. m. Adj. Lus.* V. *africâner*. [Flex. do adj.: *africanesa* (ê), *africaneses* (ê), *africanesas* (ê).]
africanismo [De *africano* + *-ismo*.] *S. m.* **1.** O estudo das coisas da África. **2.** Influência da África. **3.** Costume ou modos próprios da África. **4.** *E. Ling.* Palavra ou expressão oriunda de alguma das línguas africanas. **5.** Sentimento de amor ou fidelidade às tradições, interesses ou ideias africanas, especialmente aos da África negra.
africanista [De *africano* + *-ista*.] *Adj. 2 g.* **1.** Relativo ao africanismo. **2.** Diz-se de pessoa dada ao estudo das línguas e civilizações africanas. **3.** Que advoga os interesses dos Estados africanos, em especial os dos Estados negros. ● *S. 2 g.* **4.** Pessoa africanista (2 e 3). **5.** Explorador de regiões da África.
africanizado [Part. de *africanizar*.] *Adj.* Que se africanizou; adaptado ao temperamento, cultura, maneiras e/ou estilo africano: "Santos Antônios proteiformes africanizados, de aspecto bronco, de fetiches" (Euclides da Cunha, *Os Sertões*, p. 185).
africanizar [De *africano* + *-izar*.] *V. t. d. P.* Tornar(-se) africano; adaptar(-se) ao temperamento, maneiras, tradições, ou ao estilo africano.
africano [Do lat. *africanu*.] *Adj.* **1.** Da, ou pertencente ou relativo à África. ~ V. *elefante* —. ● *S. m.* **2.** O natural ou habitante da África. [Sin. ger.: *áfrico*, *afro*.]
africanologia [De *africano* + *-logia*.] *S. f.* Estudos relativos à África ou aos africanos.
africanológico [De *africanologia* + *-ico*[2].] *Adj.* Relativo à africanologia.
africanologista [De *africanologia* + *-ista*.] *S. 2 g.* Especialista em africanologia; africanólogo.
africanólogo [De *africano* + *-logo*.] *S. m.* Africanologista.
africar [Do lat. *affricare*, 'friccionar'.] *V. t. d. E. Ling.* Tornar africada (uma consoante). [Conjug.: v. *trancar*. Pres. ind.: *africo*, *africas*, *africa*, etc. Cf. *áfrica*, s. f., e o top. *África*, e *áfrico*, adj. e s. m.]
áfrico [Do lat. *africu*.] *Adj.* **1.** V. *africano*. ● *S. m.* **2.** V. *africano*. **3.** *Ant.* Vento do S.O. [Cf. *africo*, do v. *africar*.]
➔**afrikaans** [afri'ka:ns] [Africâner.] *S. m. Gloss.* Africâner (1).
afrita [De *afr(o)-* + *-ita*[3].] *S. f. Min.* Variedade de carbonato de cálcio.
afrizita [Do gr. *aphrízein*, 'espumar', + *-ita*[3].] *S. f. Min.* Variedade negra de turmalina.
afro [Do lat. *afru*.] *Adj. 2 g. e 2 n.* **1.** V. *africano* (1). **2.** Próprio da África negra, dos negros africanos, ou de seus descendentes, ou que neles se inspira: *música afro, dança afro, moda afro*. **3.** Diz-se do cabelo muito crespo e espesso cortado de modo a tomar forma arredondada e volumosa em torno do rosto. ● *S. m.* **4.** V. *africano* (2). **5.** O corte de cabelo afro (2).

▲**afr(o)-** [Do gr. *aphrós, oû*.] *El. comp.* = 'espuma': *afrita*.
▲**afro-** [Do lat. *afer, afra, afrum*.] *El. comp.* = 'africano': *afro-brasileiro*.
afro-americano [De *afro-* + *americano*[3].] *Adj.* **1.** Relativo ou pertencente à África e aos E.U.A. **2.** Pertencente ou relativo à cultura dos afro-americanos. ● *S. m.* **3.** *Restr.* Americano descendente de africanos negros. [Pl.: *afro-americanos*.]
afro-ameríndio [De *afro-* + *ameríndio*.] *Adj.* Relativo ou pertencente aos africanos e ameríndios. [Pl.: *afro-ameríndios*.]
afro-asiático [De *afro-* + *asiático*.] *Adj.* **1.** Da África e da Ásia, ou pertencente ou relativo a esses dois continentes, ou que os lembra: *línguas afro-asiáticas; civilização afro-asiática*; "Neste mundo americano, eslavo e afro-asiático eu me sinto irremediavelmente cristão, ocidental, latino e mediterrâneo" (Afonso Arinos de Melo Franco, *A Alma do Tempo*, p. 148). **2.** De origem africana e asiática; afrásico. ● *S. m.* **3.** Indivíduo de origem afro-asiática (2). **4.** *Gloss.* V. *camito-semítico* (3). [Pl.: *afro-asiáticos*.]
afro-baiano [De *afro-* + *baiano*.] *Adj.* Relativo ou pertencente à África e à BA: *culinária afro-baiana*. [Pl.: *afro-baianos*.]
afro-brasileiro [De *afro-* + *brasileiro*.] *Adj.* **1.** Relativo ou pertencente à África e ao Brasil. **2.** Pertencente ou relativo à cultura dos afro-brasileiros. ● *S. m.* **3.** *Restr.* Brasileiro descendente de africanos negros. [Pl.: *afro-brasileiros*.]
afrodescendente *Adj. 2 g. S. 2 g.* Diz-se de, ou pessoa de ascendência africana.
afrodisia [Do gr. *aphrodisía*.] *S. f. Med. Psiq.* Excitação sexual exagerada, de caráter mórbido.
afrodisíaco [Do gr. *aphrodisiakós*.] *Adj. S. m.* **1.** Que, ou aquilo que restaura as forças geradoras. **2.** Excitante dos apetites sexuais. [Opõe-se a *anafrodisíaco*, *antiafrodisíaco*.]
afrodita[1] [Do mit. *Afrodite*, deusa da beleza e do amor.] *Adj. 2 g. S. m.* Que, ou o que se reproduz sem ato externo de geração.
afrodita[2] [De *afr(o)-* + *-ita*[3], com infl. de *afrodita*[1].] *S. f. Min.* V. *estevencita*.
▲**afrodito-** [Do gr. *Aphrodítē, ēs*.] *El. comp.* = 'o planeta Vênus': *afroditografia*.
afroditografia [De *afrodito-* + *-grafia*.] *S. f.* Descrição do planeta Vênus.
afroditográfico [De *afroditografia* + *-ico*[2].] *Adj.* Referente à afroditografia.
afroixamento [De *afroixar* + *-mento*.] *S. m.* Afrouxamento (q. v.).
afroixar [De *a-*[2] + *froixo* + *-ar*[2].] *V. t. d. T. i. Int. P.* Afrouxar (q. v.).
afroixelado [De *a-*[2] + *froixel* + *-ado*[1].] *Adj.* Afrouxelado (q. v.).
afroixelar [De *a-*[2] + *froixel* + *-ar*[2].] *V. t. d.* Afrouxelar (q. v.).
afrómetro *S. m.* V. *afrômetro*. [Uso freq. em P.]
afrômetro [De *afr(o)-* + *-metro*.] *S. m.* Espécie de manômetro us. para medir a pressão de gases nas garrafas de bebidas espumantes.
afronegro [De *afro-* + *negro*.] *Adj.* Relativo ou pertencente aos negros de origem africana. [Pl.: *afronegros*.] ❄
afronesia [De *a-*[3] + gr. *phrónesis*, 'ato de pensar', + *-ia*[1].] *S. f. Psiq.* V. *demência* (1).
afronta [Dev. de *afrontar*.] *S. f.* **1.** V. *afrontamento* (1). **2.** Desprezo ou injúria lançado em rosto; ofensa, ultraje. **3.** Vergonha, humilhação, vexame: *É uma afronta para a família*. **4.** Assalto, ataque. **5.** Fadiga, cansaço. **6.** Mal-estar, indisposição. **7.** Declaração do maior lanço nas arrematações.
afrontação [De *afrontar* + *-ção*.] *S. f.* **1.** V. *afrontamento* (1). **2.** Falta de ar; dispneia, afrontamento.
afrontado [Part. de *afrontar*.] *Adj.* **1.** Que sofreu afronta; ultrajado, ofendido. **2.** Sufocado, asfixiado, afogado. **3.** Cansado, arquejante, ofegante, anelante. **4.** *Pop.* Incomodado, em consequência de má digestão.
afrontador (ô) [De *afrontar* + *-dor*.] *Adj. S. m.* Que, ou aquele que afronta.
afrontamento [De *afrontar* + *-mento*.] *S. m.* **1.** Ato ou efeito de afrontar(-se); afronta, afrontação. **2.** Perturbação causada por má digestão. **3.** V. *afrontação* (2).
afrontar [De *a-*[2] + *fronte* + *-ar*[2].] *V. t. d.* **1.** Colocar fronte a fronte; confrontar. **2.** Estar situado defronte de: *O muro afronta a casa*. **3.** Encarar de frente; arrostar, defrontar: "afrontava furioso e destemido as violentas marradas e o coice rápido dos marruás." (Amadeu de Queirós, *Os Casos do Carimbamba*, p. 37); "Quando Gastão viesse, ... ela afrontaria resolutamente o problema" (Abel Botelho, *Sem Remédio*, p. 210). **4.** Infligir afronta a; insultar, ofender, injuriar: *Humilha-o, afronta-o, sem que o infeliz se defenda*. **5.** Afligir, molestar, importunar. **6.** Resistir a; suportar, tolerar, aguentar: "era uma criança, sem compleição nem robustez madura para afrontar climas inóspitos e gentes bárbaras." (Manuel Ribeiro, *A Planície Heroica*, p. 140). **7.** Causar afrontamento (2 e 3) a: *As iguarias do lauto banquete afrontaram-no*. *T. d. e i.* **8.** Confrontar, acarear: *O juiz afrontou a testemunha com o réu*. *Int.* **9.** Causar afrontamento; incomodar, perturbar. **10.** Sentir calor ou fadiga. *P.* **11.** Encontrar-se frente a frente, ou cara a cara; deparar; defrontar-se: "um simples duelo, onde se afrontem, com sua coragem ou seu fanatismo, apenas dois homens." (Costa Rego, *Águas Passadas*, p. 365). **12.** Atacar de frente, fazer face; acometer, combater: "O tanoeiro .... não tinha valor para afrontar-se face a face com D. Fernando" (Alexandre Herculano, *Lendas e Narrativas*, I, p. 144); "os soldados que Napoleão mandara afrontar-se com a raça indomável dos Viriatos e Cides" (Camilo Castelo Branco, *A Enjeitada*, p. 139). **13.** Sentir-se incomodado pelo calor ou por má digestão; encalmar-se. **14.** Fatigar-se, afadigar-se, esfalfar-se. **15.** *Bras.* Tornar-se abombado (a cavalgadura).
afrontável [De *afrontar* + *-vel*.] *Adj. 2 g.* Que se pode afrontar.
afrontoso (ô) [De *afront-*, como em *afrontar*, + *-oso*.] *Adj.* **1.** Que causa afronta. **2.** Que envolve afronta; ignominioso, humilhante. **3.** Que provoca asfixia, sufocação: *calor afrontoso*.
afrossiderita [De *afr(o)-* + *-sider(o)-* + *-ita*[3].] *S. f. Min.* Mineral semelhante à clorita, verde-oliva, de estrutura escamosa, variedade de dafnita rica em ferro.
afrouxamento [De *afrouxar* + *-mento*, var. de *afroixamento*.] *S. m.* **1.** Ato ou efeito de afrouxar(-se). **2.** Abrandamento, relaxamento, enfraquecimento: *afrouxamento de relações*.
afrouxar [De *a-*[2] + *frouxo* + *-ar*[2]; var. de *afroixar*.] *V. t. d.* **1.** Tornar frouxo, flexível. **2.** Alargar ou desapertar (o que está apertado): "Não tire, não deixe afrouxar o amarrilho da perna." (Júlio Ribeiro, *A Carne*, p. 187.) **3.** Diminuir a rapidez de: "E não podíamos parar, nem mesmo afrouxar a marcha, porque o danado do Bernardino vinha esporeando com vontade." (Valdemar Versiani dos Anjos, *O Jornal de Serra Verde*, p. 68.) **4.** Relaxar o rigor, a austeridade de; relaxar: *afrouxar a disciplina*. **5.** Abrandar, acalmar, aplacar: *O medicamento afrouxou as dores*. **6.** *Bras.* Dar largueza ou ampliar o espaço de (as pastagens). **7.** *Bras.* Dar liberdade a (o gado). **8.** *Bras.* Deixar escapar, revelar (segredo): "contei um par de rodelas, queimei campo a boche, mas não afrouxei nada da conversa" (Simões Lopes Neto, *Contos Gauchescos e Lendas do Sul*, p. 171). *T. i.* **9.** Entibiar, enfraquecer, moderar: "Os portugueses afrouxaram em sua vigilante desconfiança." (Aquilino Ribeiro, *Constantino de Bragança*, p. 243.) *Int.* **10.** Tornar-se frouxo, alargar-se, desapertar-se. **11.** Perder a ação, o ânimo; ceder: "É interesse dos nossos adversários ver-nos afrouxar, a troco da animação dada à parte corrupta do partido." (Machado de Assis, *Quincas Borba*, pp. 208-209.) **12.** Diminuir de velocidade ou andamento: *Com a fadiga, a marcha, dantes rápida, afrouxou*. **13.** Relaxar(-se); descuidar-se: *Ia bem no trabalho, mas em pouco tempo afrouxou*. **14.** Recuar por medo; acovardar-se. **15.** Revelar, deixar escapar segredo. *P.* **16.** Perder o vigor; relaxar-se. **17.** Perder em rigor; relaxar-se: *As exigências disciplinares afrouxaram-se*. **18.** Entibiar-se, reduzir-se, moderar-se. **19.** *Bras.* Esfalfar-se (a montada ou o próprio cavaleiro).
afrouxelado [De *a-*[2] + *frouxel* + *-ado*[1]; var. de *afroixelado*.] *Adj.* Macio, mole como o frouxel (1).
afrouxelar [De *a-*[2] + *frouxel* + *-ar*[2]; var. de *afroixelar*.] *V. t. d.* **1.** Tornar macio, brando ou mole como frouxel; amaciar, afofar. **2.** Dar a maciez do frouxel a. **3.** Cobrir ou encher de frouxel.
afrutado [Part. de *afrutar*.] *Adj.* Carregado de frutos.
afrutar [De *a-*[2] + *fruta* + *-ar*[2].] *V. int.* Carregar-se de frutos (a árvore); frutificar.
afta [Do gr. *áphtha*, pelo lat. *aphtha*.] *S. f. Med.* Pequena ulceração superficial de mucosa(s) do sistema digestório, principalmente da mucosa bucal.
aftosa [F. subst. de *aftoso*.] *S. f.* Febre aftosa (q. v.).
aftoso (ô) [De *afta* + *-oso*.] *Adj.* **1.** Relativo a afta ou a aftas. **2.** Que tem aftas ou aftosa. **3.** Que as causa. ~ V. *febre* — *a*.
afuaense (aèn) *Adj. 2 g.* **1.** De, ou pertencente ou relativo a Afuá (PA). ● *S. 2 g.* **2.** O natural ou habitante de Afuá.
afuazado *Adj. Bras. MG SP MT Pop.* **1.** Espantado, assustado: "Nisso foi chegando o filho de Julião, no seu rosilho afuazado." (Bernardo Élis, *Veranico de Janeiro*, p. 5.) **2.** Enfezado, irritado.
afugentador (ô) [De *afugentar* + *-dor*.] *Adj.* **1.** Que afugenta. ● *S. m.* **2.** Aquele ou aquilo que afugenta.
afugentamento [De *afugentar* + *-mento*.] *S. m.* Ato ou efeito de afugentar.

afugentar [De *a-*[2] + *fug(ir)* + *-entar*.] ***V. t. d.*** **1.** Pôr em fuga; fazer fugir; afastar; repelir. **2.** Fazer desaparecer.

afuleimação [De *afuleimar(-se)* + *-ção*.] ***S. f.*** **1.** *Bras. Pop.* Inflamação, inchação, apostema. **2.** *Bras. CE Pop.* Briga, contenda, altercação.

afuleimado [Part. de *afuleimar(-se)*.] ***Adj.*** **1.** *Bras. Pop.* Inflamado, inchado. **2.** *Bras. CE Pop.* V. *valentão* (1).

afuleimar [De *afleimar(-se)*, com suarabácti.] ***V. int. P.*** *Bras. CE* Supurar(-se), apostemar(-se), inflamar(-se); afleimar.

afumação [De *afumar* + *-ção*.] ***S. f.*** V. *afumadura*.

afumado [Part. de *afumar*.] ***Adj.*** **1.** Submetido à ação do fumo. **2.** Que sabe a fumo. **3.** Escuro, esfumado.

afumadura [De *afumar* + *-dura*.] ***S. f.*** **1.** Ação ou efeito de afumar. **2.** Enegrecimento, tisnadura, escurecimento. [Sin. ger.: *afumação*.]

afumar [De *a-*[2] + *fumo* + *-ar*[2].] ***V. t. d.*** **1.** Encher ou cobrir de fumo: *Os foguetes afumavam o ar.* **2.** Denegrir com fumo; esfumar. **3.** Deixar apanhar gosto de fumaça, defumar (comida). **4.** Tornar ou fazer negro ou lúgubre; escurecer, enegrecer: "E a noite desce, afuma o firmamento" (Olavo Bilac, *Poesias*, p. 132). ***Int.*** **5.** Cobrir-se de fumo, de fumaça, de vapores; exalar vapores; fumegar, fumaçar.

afundado [Part. de *afundar*.] ***Adj.*** **1.** Que foi ao fundo, a pique. **2.** Metido no fundo; cavado, escavado, fundo: *olhos afundados*. **3.** Abatido, acabrunhado.

afundamento [De *afundar* + *-mento*.] ***S. m.*** **1.** Ato ou efeito de afundar(-se). **2.** Depressão (3) devida ao tectonismo.

afundar [De *a-*[2] + *fundo* + *-ar*[2].] ***V. t. d.*** **1.** Fazer ir ao fundo; mergulhar: *afundar uma âncora.* **2.** Tornar fundo; aprofundar: *afundar um poço.* **3.** Examinar detidamente, com atenção; profundar, aprofundar: *afundar uma matéria.* **4.** Meter no fundo; meter a pique. **5.** *Bras. Gír.* Levar (o aluno) a sair-se mal num exame, pela dificuldade das questões: *Com aquelas perguntas, o professor afundou a turma.* ***T. d. e c.*** **6.** Introduzir profundamente: *Afundou a espada no peito do adversário.* ***T. c.*** **7.** Penetrar, entranhar-se, embrenhar-se: "atirando-se sobre o grupo, atropelou dois negros .... O último afundou no mato espavorido." (Coelho Neto, *Rei Negro*, p. 26). ***Int.*** **8.** Ir ao fundo; imergir, submergir(-se), mergulhar: "Nadava, espadanando, aos gritos. De repente, duro, sem poder se mover, afundando, tudo a rodar em torno dele, as águas crescendo." (Salim Miguel, *Alguma Gente*, p. 14). **9.** *Mar.* Ir a pique; submergir(-se), naufragar, soçobrar. **10.** *Mar.* Tocar o fundo. ***P.*** **11.** Penetrar, meter-se, embrenhar-se: *Afundou-se no matagal.* **12.** Mergulhar, imergir. **13.** Penetrar, imergir; engolfar-se, mergulhar-se: "Estás triste, Patkull? triste porque te afundaste em recordações do passado?" (Gonçalves Dias, *Teatro*, p. 286). **14.** Ter fim; findar(-se), acabar(-se), extinguir(-se): "Mas eis que um dia chega negregado / Em que toda a ventura se afundou!" (Eugênio de Castro, *Obras Poéticas*, VI, p. 167). **15.** Sair-se mal; frustrar-se, malograr-se. **16.** *Bras. Gír. Escol.* Sair-se mal em exame: *Afundou-se no exame de matemática.* **17.** *Mar.* Ir a pique; submergir(-se), soçobrar. [Sin. p. us., salvo nas acepçs. 5, 15 e 16: *afundir*.]

afundir [De *a-*[2] + *fundo* + *-ir*.] ***V. t. d. T. d. e c. T. c. Int. P.*** *P. us.* V. *afundar*: "já sem velas, / A nau no mar... / Vai a afundir, por entre a ventania" (Alberto de Oliveira, *Poesias*, 4.ª série, p. 23); "apoiando a cabeça sobre as mãos, afundiu-se em negros pensamentos." (Aquilino Ribeiro, *Andam Faunos pelos Bosques*, p. 150).

afunilado [De *a-*[2] + *funil* + *-ado*[1].] ***Adj.*** **1.** Que tem feitio de funil (1); aguçado; enfunilado, infundibuliforme, coanoide: *chapéu afunilado*. **2.** Pontiagudo, pontudo; aguçado. **3.** Longo, esguio, delgado. **4.** Que se vai estreitando: *rua afunilada*.

afunilamento [De *afunilar* + *-mento*.] ***S. m.*** Ato ou efeito de afunilar(-se); enfunilamento.

afunilar [De *a-*[2] + *funil* + *-ar*[2].] ***V. t. d.*** **1.** Dar forma de funil a; enfunilar. **2.** Diminuir a largura de; tornar estreito ou mais estreito; estreitar, afinar. ***P.*** **3.** Tomar a forma de funil. **4.** Tornar-se estreito ou mais estreito; estreitar-se, afinar-se: "E toda uma série de recortes alheios aos planos geográficos, desconhecidos das cartas, ... baila, afunila-se, arredonda-se, estira-se, encrespa-se, confunde-se, adensando-se e desfazendo-se ao sabor das brisas reinantes." (Raimundo Morais, *Na Planície Amazônica*, p. 75).

afurá [Do ior.] ***S. m.*** *Bras. PA MA BA* Bolo de arroz fermentado, moído em pedra, e que, dissolvido em água açucarada, produz bebida refrigerante.

afuroado [Part. de *afuroar*.] ***Adj.*** **1.** Caçado com o furão[1] (1). **2.** *Fig.* Indagado, investigado, esmiuçado.

afuroador (ô) [De *afuroar* + *-dor*.] ***S. m.*** **1.** Aquele que emprega o furão[1] (1) na caça. **2.** Curioso, esmiuçador, esquadrinhador.

afuroar [De *a-*[2] + *furão*[1] (1) + *-ar*[2], com desnasalação.] ***V. t. d.*** **1.** Caçar com furão. **2.** Procurar à maneira do furão; pesquisar, indagar com empenho; investigar, esmiuçar; esquadrinhar. [Conjug.: v. *coroar*.]

afusado [De *a-*[2] + *-fus(i)-* + *-ado*[1].] ***Adj.*** Que tem forma de fuso (1); afuselado, fuselado, fusiforme, fusoide: *dedos afusados;* "espalmava a condessa a afusada mão sobre o seio" (Abel Botelho, *Próspero Fortuna*, p. 186).

afusal ***S. m.*** Porção de fiadura que uma roca comporta.

afusão [Do lat. *affusione*.] ***S. f.*** **1.** Banho, aspersão. **2.** Ato de deitar um líquido em qualquer remédio. **3.** *Med.* Processo terapêutico que consiste na aplicação dum jato de água sobre parte do corpo para diminuir a temperatura ou combater sintomas nervosos.

afusar [De *a-*[2] + *fuso* + *-ar*[2].] ***V. t. d.*** **1.** Dar forma ou semelhança de fuso a. **2.** Tornar aguçado como o fuso; aguçar, afilar.

afuselado ***Adj.*** V. *afusado*.

afustado [De *a-*[2] + *fuste* + *-ado*[1].] ***Adj.*** Que tem fuste(s); afustuado.

afustuado [De *a-*[2] + *fuste* + *-uado*.] ***Adj.*** Afustado (q. v.).

afutricado [Part. de *afutricar*.] ***Adj.*** *Bras.* **1.** Importunado, apoquentado. **2.** Malfeito, imperfeito.

afutricar [De *a-*[2] + *futrica* + *-ar*[2].] ***V. t. d.*** **1.** *Bras.* Importunar, apoquentar; fuxicar, futricar. **2.** Fazer (qualquer coisa) imperfeitamente. **3.** Dar pouco valor a; baratear. ***Int.*** **4.** V. *futricar* (6). [Conjug.: v. *trancar*.]

afuzilar [De *a-*[4] + *fuzilar*.] ***V. t. d. Int.*** Fuzilar.

afwillita [Do antr. *A. F. Williams*, mineralogista norte-americano, + *-ita*[3].] ***S. f.*** *Min.* Mineral monoclínico, silicato básico de cálcio, hábito prismático, clivagem basal perfeita, branco ou incolor.

■ **Ag** *Quím.* Símb. de *prata*.

agá [Do b.-lat. *ah*, com o *h* aspirado.] ***S. m.*** Nome da letra *h* (q. v.). [Pl.: *agás* (ou graficamente *hh*).]

agachada [De *agachar(-se)* + *-ada*[1].] ***S. f.*** *Bras. S.* **1.** Ato de agachar-se. **2.** Impulso violento para frente que o cavaleiro dá ao cavalo, quer esteja este parado, quer já em marcha, para mudar do trote para a corrida. **3.** Ataque repentino; investida. **4.** Astúcia, manha. **5.** Alusão agressiva dirigida a alguém, para provocar assunto que lhe é desagradável. **6.** Dito engraçado; piada, pilhéria. **7.** Disparate, tolice. **8.** Ostentação, alarde. **9.** Façanha, proeza. **10.** *Bras. Zool.* Ave caradriiforme, escolopacídea (*Arenaria interpres*), das terras árticas da América setentrional, e que emigra no inverno até as costas marítimas do N. do Brasil. Coloração pardo-clara pintalgada de escuro, e parte das penas marginadas de branco. [Sin., nesta acepç.: *agachadeira, batuíra, vira-pedra*.]

agachadeira [De *agachar* + *-deira*.] ***S. f.*** *Zool. Bras.* V. *agachada* (10).

agachado [Part. de *agachar-se*.] ***Adj.*** **1.** Que se agachou; de cócoras; abaixado. **2.** Abatido, humilhado. **3.** Subserviente, servil. • ***S. m.*** **4.** Certo galope de cavalo. ~ V. *agachados*.

agachados [Subst. do pl. do adj. *agachado*.] ***S. m. pl.*** V. *abaixados*. ~ V. *agachado*.

agachamento [De *agachar-se* + *-mento*.] ***S. m.*** **1.** Ato de agachar-se. **2.** Efeito de agachar-se; postura de quem se agacha; agacho. **3.** Subserviência, servilismo.

agachar [De or. obscura.] ***V. t. d.*** *Prov. port. Cabo-verd.* Esconder, ocultar: "Cara é para mostrar e para agachar coisas..." (Antônio Aurélio Gonçalves, *Recaída*, p. 73.)

agachar-se [De *a-*[2] + *gacho*[1] + *-ar*[2] + *se*[1].] ***V. p.*** **1.** Abaixar-se sobre os calcanhares, com as pernas em flexão; abaixar-se; acaçapar-se. **2.** Humilhar-se, rebaixar-se; aviltar-se: *Agacha-se diante de imposições injustas.* **3.** Curvar-se; ceder. **4.** Parar de súbito; estacar: "O bagual agachou-se a velhaquear, e, pra pior ainda, em volta, enredando-se no laço frouxo" (Simões Lopes Neto, *Contos Gauchescos e Lendas do Sul*, p. 232).

agacho [Dev. de *agachar*.] ***S. m.*** Agachamento (2).

agadado [De *a-*[2] + *gado* + *-ado*[1].] ***Adj.*** Diz-se do enxame de abelhas que, fora da colmeia, forma cacho.

agadanhado[1] [De *a-*[2] + *gadanho* + *-ado*[1].] ***Adj.*** Que tem forma de gadanho.

agadanhado[2] [Part. de *agadanhar*.] ***Adj.*** Ferido com o gadanho ou com as unhas; agatanhado.

agadanhador (ô) [De *agadanhar* + *-dor*.] ***S. m.*** Aquele que agadanha.

agadanhar [De *a-*[2] + *gadanho* + *-ar*[2].] ***V. t. d.*** **1.** Lançar o gadanho a. **2.** Agarrar com as mãos, com as unhas ou com as garras; agafanhar. **3.** Ferir com as unhas ou garras; agatanhar, agafanhar. **4.** Roubar; furtar; agafanhar. ***P.*** **5.** Ferir-se com as unhas ou garras; arranhar-se, agafanhar-se.

agafanhar [De *a-*[2] + *gafa*[3] + *-anhar*.] ***V. t. d.*** **1.** Agarrar com a gafa[3] (2). **2.** V. *agadanhar* (2 a 4). ***P.*** **3.** V. *agadanhar* (5).

agafita ***S. f.*** *Min.* Mineral triclínico, fosfato de alumínio e cobre hidratado, pedra semipreciosa, azul.

agaí [Var. de *auaí*.] ***S. m.*** *Bras. Amaz. a CE Bot.* Arbusto apocináceo (*Thevetia ahouai*), de flores amarelo-pálidas, cujo fruto é uma drupa trígona, e cujo látex e sementes são venenosos; aguaí, auaí, cascaveleira, tingui-de-leite.

agaiatado [De *a-*[2] + *gaiato* + *-ado*[1].] ***Adj.*** Que tem ares e/ou modos de gaiato, ou é próprio de gaiato.

agaiatar-se [De *a-*[2] + *gaiato* + *-ar*[2] + *se*[1].] ***V. p.*** Tomar modos de gaiato; fazer-se gaiato, brejeiro; agarotar(-se), abrejeirar(-se).

agaitado [De *a-*[2] + *gaita* + *-ado*[1].] ***Adj.*** **1.** Que tem forma de gaita (1 a 3). **2.** Que tem som semelhante ao da gaita (1 a 3).

agalactação ***S. f.*** *Obst.* V. *agalactia*.

agalactia [Do gr. *agálaktos*, 'sem leite', + *-ia*[1].] ***S. f.*** *Obst.* Ausência de leite na puérpera; agalactação, agalactose.

agaláctico [De *agalactia* + *-ico*[2].] ***Adj.*** Relativo à agalactia.

agalactose [Do gr. *agaláktos*, 'sem leite', + *-ose*[1].] ***S. f.*** *Obst.* V. *agalactia*.

agalactosuria [De *a-*[3] + *galactose* + *-uria*.] ***S. f.*** *Med.* V. *agalactosúria*.

agalactosúria [De *a-*[3] + *galactose* + *-úria*.] ***S. f.*** *Med.* Ausência de galactose na urina. [F. paral.: *agalactosuria*.]

agalactosúrico [De *agalactosúria* + *-ico*[2].] ***Adj.*** *Med.* Relativo à agalactosúria.

agalanado [Part. de *agalanar*.] ***Adj.*** V. *engalanado*.

agalanar [De *a-*[2] + *gala*[1] + *-n-* + *-ar*[2].] ***V. t. d. P.*** V. *engalanar*.

agalegado [De *a-*[2] + *galego* + *-ado*[1].] ***Adj.*** **1.** Que tem modos e/ou aparência de galego (2). **2.** Que é próprio de galego (2). **3.** Grosseiro, estúpido, malcriado.

agalegar [De *a-*[2] + *galego* + *-ar*[2].] ***V. t. d. P.*** **1.** Tornar(-se) galego ou semelhante a galego. **2.** Tornar(-se) grosseiro; abrutalhar(-se). [Conjug.: v. *regar*.]

agalgar[1] [De *a-*[2] + *galga* + *-ar*[2].] ***V. t. d.*** Moer com a galga (2). [Conjug.: v. *largar*.]

agalgar[2] [De *a-*[2] + *galgo* + *-ar*[2].] ***V. int.*** Tomar (o cão) proporções, configuração e natureza de galgo. [Normalmente é defect., conjugável só nas 3.as pess. Conjug.: v. *largar*.]

agalha [Var. de *galha*[2].] ***S. f.*** *Bot.* V. *cecídio*. ~ V. *agalhas*.

agalhado [De *a-*[2] + *galho* + *-ado*[1].] ***Adj.*** Que deitou ou tem galhos: *árvore agalhada; boi agalhado*.

agalhar [De *a-*[2] + *galho* + *-ar*[2].] ***V. int.*** Deitar galhos.

agalhas [Do esp. plat. *agallas*.] ***S. f. pl.*** *Bras. RS* **1.** Esperteza, velhacaria, trapaça. **2.** V. *fanfarrice* (2). ~ V. *agalha*. ◆ **De agalhas.** *Bras. RS* Esperto, finório, velhaco: *um sujeito de agalhas*.

agalhudo [Do esp. plat. *agalludo*.] ***Adj.*** *Bras. S.* Esforçado, forte, enérgico, animoso, audaz.

agalinhar [De *a-*[2] + *galinha* + *-ar*[2].] ***V. int.*** **1.** Galinhar. ***P.*** **2.** Agachar-se, acachapar-se. **3.** *Bras. Pop.* Baixar a crista; acovardar-se, agachar-se.

agalmatolito [Do gr. *ágalma, atos*, 'imagem', 'estátua', + *-lito*.] ***S. m.*** *Petr.* Rocha metamórfica composta de vários minerais, sendo os principais a pirofilita e muscovita.

agaloado [Part. de *agaloar*.] ***Adj.*** **1.** Guarnecido com galão[1] ou galões: "Junto às rodas [do cupê] passou choutando, numa pileca branca, o correio agaloado." (Eça de Queirós, *Os Maias*, II, p. 409.) • ***S. m.*** **2.** Guarnição de galão[1] (1); agaloadura.

agaloadura [De *agaloar* + *-dura*.] ***S. f.*** **1.** Ato de agaloar. **2.** Agaloado (2).

agaloar [De *a-*[2] + *galão* + *-ar*[2], com desnasalação.] ***V. t. d.*** **1.** Guarnecer de galão[1] ou de galões; galonar. **2.** *Fig.* Glorificar, enaltecer, exaltar, exalçar. [Conjug.: v. *coroar*.]

agáloco [Do tax. *Agallochum*, do gr. *agálokhon*, 'águila'.] ***S. m.*** *Bot.* **1.** Árvore timeleácea (*Aquilaria malaccensis*), originária desde a Índia à Nova Guiné, cultivada pelas folhas, que fornecem fibras para tecidos, e pelo cerne, que contém resina aromática us. como incenso e que, depois de destilada, tem uso em farmácia e em perfumaria. [Sin.: *garo, loureiro-da-índia, pau-cheiroso, águila*.] **2.** A madeira dessa árvore; agara, pau-cheiroso, pau-de-águia, pau-de-águila. **3.** Árvore euforbiácea (*Excoecaria agallocha*) originária desde a Índia à Nova Guiné, cujo látex, cáustico, pode provocar cegueira; guarda-olhos.

agalopado ***S. m.*** *Bras. Liter. Pop.* V. *martelo agalopado*.

agamaglobulinemia [De *a-*[3] + *gamaglobulina* + *-emia*.] ***S. f.*** *Med. Imun.* Diminuição muito intensa de todos os tipos de gamaglobulina, ficando altamente prejudicados os mecanismos de defesa que dependem dessas proteínas.

agami [De or. tupi, poss.] ***S. m.*** *Bras. Zool.* V. *japacanim* (2).

agamia [Do gr. *agamía*, 'celibato' (v. *a-*[3], *-gam(o)-* e *-ia*[1]); na acepç. antropológica, formado sobre o modelo de *endogamia* e *exogamia*.] ***S. f.*** **1.** *Antrop.* Regime caracterizado pela ausência de regras especificamente endogâmicas ou exogâmicas, *i. e.*, em que a afiliação a determinado grupo social (seja este definido com base no parentesco, residência, território, classe, casta, etnia, língua ou em qualquer critério) não é pertinente para a determinação daquele(s) com quem um indivíduo pode ou deve se casar. [Cf. *exogamia, endogamia*.] **2.** *Bot.* Ausência de órgãos sexuais nas plantas quando ocorre a multiplicação vegetativa, *i. e.*, reprodução sem o concurso de células sexuadas.

agâmico [De *a-*^{3} + *-gam(o)-* + *-ico*^{2}.] ***Adj.*** *Antrop. Biol.* V. *ágamo*.

ágamo [Do gr. *ágamos*, 'solteiro', pelo lat. *agamu*.] ***Adj.*** **1.** *Antrop.* Relativo à agamia (1), ou caracterizado por ela. **2.** *Biol.* Que não produz gametas diferenciados para a reprodução; de reprodução assexuada; assexuado. [Sin. ger.: *agâmico*.]

agamogénese ***S. f.*** *Biol.* V. *agamogênese*. [Uso freq. em P.]

agamogênese [De *a-*^{3} + *-gam(o)-* + *-gênese*.] ***S. f.*** *Biol.* Reprodução sem formação de gametas especializados; reprodução assexual.

agamogenético [De *agamogên(ese)* + *-ético*.] ***Adj.*** Relativo à agamogênese.

agamogonia [De *a-*^{3} + *-gam(o)-* + *-gon(o)-*^{2} + *-ia*^{1}.] ***S. f.*** *Biol.* **1.** Reprodução sem fecundação. **2.** Esquizogonia.

agamogónico ***Adj.*** V. *agamogônico*. [Uso freq. em P.]

agamogônico [De *agamogonia* + *-ico*^{2}.] ***Adj.*** Concernente à agamogonia.

agamospermia [De *a-*^{3} + *-gam(o)-* + *-sperm(o)-* + *-ia*^{1}.] ***S. f.*** *Biol.* Tipo de reprodução por sementes, obtido assexuadamente.

agamospérmico [De *agamospermia* + *-ico*^{2}.] ***Adj.*** Relativo a agamospermia, ou obtido por este tipo de reprodução.

aganju [Do ior.] ***S. m.*** *Bras. Rel.* Nos candomblés nagôs, a mais jovem das variedades de Xangô. [Com cap.]

ágapa ***S. f.*** V. *ágape*: "nas ágapas dos cristãos primitivos cantavam-se os salmos ao som do órgão!!!" (Alexandre Herculano, *Lendas e Narrativas*, II, p. 207).

agapanto [Do gr. *agápe*, 'afeto', 'amor', + *-anto*; tax. *Agapanthus*.] ***S. m.*** *Bot.* **1.** Gênero de plantas liliáceas, por vezes incluído entre as amarilidáceas, dotadas de raízes tuberosas e flores em glomérulos, azuis, roxas ou brancas. **2.** Qualquer espécie desse gênero; como, p. ex., o *Agapanthus africanus* (v. *lírio-africano*). **3.** Qualquer espécime desse gênero, ou a flor dele.

ágape [Do gr. *agápe*, 'afeto', 'amor'; 'refeição de confraternização'.] ***S. f. e m.*** **1.** Refeição que os primitivos cristãos tomavam em comum. **2.** *P. ext.* Banquete, almoço ou outra refeição de confraternização por motivos políticos, sociais, comerciais, etc. **3.** *Ét.* V. *caridade* (1). [Var.: *ágapa*.]

agapeta (ê) [Do gr. *agapeté*, 'amada', pelo lat. *agapeta*.] ***S. f.*** Cada uma das viúvas ou virgens cristãs que, nos primórdios do cristianismo, viviam em comunidade, sem fazer votos.

ágar ***S. m.*** V. *ágar-ágar*. [Pl.: *ágares*.]

agara [Do sânscr. *agaru*, pelo hindi *agaru* e pelo port. *agara* ou *garo*.] ***S. m.*** *Bot.* V. *agáloco* (2).

ágar-ágar ***S. m.*** Substância existente em certas algas vermelhas (*rodofíceas*), e que forma com facilidade um hidrogel, utilizado como meio de cultura de microrganismos; ágar, gelose. [Pl.: *ágar-ágares*.]

agarejo (ê) ***S. m.*** *Prov. port.* V. *algarejo*.

agareno ***Adj.*** **1.** Descendente de Agar, escrava egípcia de Abraão (v. *abraâmico*) e mãe de Ismael (v. *ismaelita*^{1}). **2.** *P. ext.* Muçulmano, mouro, mourisco: *acampamento agareno*. • ***S. m.*** **3.** Indivíduo agareno.

agaricácea [Do tax. *Agaricus* (v. *agárico*) + *-ácea*; tax. *Agaricaceae*.] ***S. f.*** *Micol.* Espécime das agaricáceas, família de basidiomicetos, que encerra grande número de formas avantajadas, muito notórias, vulgarmente conhecidas como *orelha-de-pau*.

agaricáceo [De *agaricácea*, com var. suf. (v. *-áceo*).] ***Adj.*** *Micol.* Relativo às agaricáceas.

▲ **agarici-** [Do lat. agarĭcum, *i* < gr. *agarikón, ou*.] Equiv. de *agaric(o)-*.

agaricícola [De *agarici-* + *-cola*^{1}.] ***Adj. 2 g.*** *Zool.* Diz-se dos insetos que vivem nos agáricos como parasitos.

agariciforme [De *agarici-* + *-forme*.] ***Adj. 2 g.*** Que tem forma de agárico.

▲ **agaric(o)-** [Do gr. *agarikón, ou*.] ***El. comp.*** = 'espécie de cogumelo': *agaricácea*. [Equiv.: *agarici-*: *agaricícola*.]

agárico [Do gr. *agarikón*, pelo lat. *agaricu*; tax. *Agaricus*.] ***S. m.*** **1.** *Micol.* Gênero de fungos agaricáceos, cujos basidiocarpos, carnosos, têm coloração variada; engloba cerca de 300 espécies, muitas delas comestíveis, e outras venenosas. **2.** Qualquer espécie desse gênero, como, p. ex., a *Agaricus pisonianus* (v. *abibura*). **3.** Qualquer espécime desse gênero.

agarnachar [De *a-*^{2} + *garnacha* + *-ar*^{2}.] ***V. t. d. P.*** Vestir(-se) de garnacha (1).

agarose [De *ágar(-ágar)* + *-ose*^{2}.] ***S. f.*** *Quím.* Polissacarídeo obtido do ágar-ágar, us. em eletroforese.

agarotado [De *a-*^{2} + *garoto* + *-ado*^{1}.] ***Adj.*** **1.** Que tem modos e/ou aparência de garoto. **2.** Que é próprio de garoto.

agarotar-se [De *a-*^{2} + *garoto* + *-ar*^{2} + *se*^{1}.] ***V. p.*** Tornar-se garoto; abrejeirar-se, agaiatar-se.

agarra [Dev. de *agarrar*.] ***S. m.*** **1.** *Bras.* Ato ou efeito de agarrar; agarramento. • ***Interj.*** **2.** Pega^{1} (13).

agarração [De *agarrar* + *-ção*.] ***S. f.*** **1.** Agarramento (1). **2.** *Bras.* V. *agarramento* (4).

agarradeira [De *agarrar* + *-deira*.] ***S. f.*** *Bras.* Cada uma das saliências que se fazem na planta do casco do cavalo para permitir a este maior firmeza em terrenos úmidos ou escorregadios.

agarradiço ***Adj.*** **1.** Que se agarra ou pega facilmente. **2.** Acostumado, afeito a agarrar-se.

agarradinho [De *agarrado* + *-inho*^{1}.] ***Adj.*** **1.** Fortemente abraçado. **2.** Agarrado (4).

agarrado [Part. de *agarrar*.] ***Adj.*** **1.** Preso ou seguro com força. **2.** Teimoso, obstinado. **3.** V. *avaro* (1). **4.** Muito ligado; afeiçoado em extremo; agarradinho: *O caçula é muito agarrado à mãe*. • ***S. m.*** **5.** V. *agarramento* (4): "— Esse menino é mesmo que o pai por um rabo de saia. É um agarrado com aquela professora..." (Adalberon Cavalcanti Lins, *Curral Novo*, p. 246). **6.** Espaço apertado entre as rochas de uma grota.

agarrador (ô) [De *agarrar* + *-dor*.] ***Adj.*** **1.** Que agarra; agarrante. **2.** *Bras. S.* Que sabe firmar-se bem em cavalo que salta ou corcoveia. • ***S. m.*** **3.** O que agarra. **4.** *Bras. Zool.* V. *rêmora* (2 e 3). **5.** *Bras. S.* Indivíduo agarrador.

agarramento [De *agarrar* + *-mento*.] ***S. m.*** **1.** Ato ou efeito de agarrar(-se); agarração. **2.** Avareza, sovinice. **3.** *Bras.* Ligação estreita, união constante entre duas ou mais pessoas. **4.** *Bras.* Contato voluptuoso; esfregação, xumbregação, agarração, agarrado, amasso: *Mesmo em público, os dois viviam num agarramento*.

agarranado [De *a-*^{2} + *garrano* + *-ado*^{1}.] ***Adj.*** *Bras. S.* Semelhante a garrano (1): *cavalo agarranado*.

agarrante [De *agarrar* + *-nte*.] ***Adj. 2 g.*** **1.** Agarrador (1). **2.** *Heráld.* Diz-se de ave de rapina representada com uma presa nas garras.

agarra-pé [De *agarrar* + *pé*.] ***S. m.*** *Bras. Bot.* Arbusto ornamental marcgraviáceo (*Schwartzia brasiliensis*), comuníssimo em todo o litoral, e cujas flores, vivamente sanguíneas, se agrupam em longos cachos. [Pl.: *agarra-pés*.]

agarra-pinto [De *agarrar* + *pinto*.] ***S. m.*** *Bras. Bot.* Erva nictaginácea (*Boerhaavia hirsuta*) originária das Américas, de folhas ovadas, pilosas nas duas páginas, flores paniculadas; tem uso medicinal, esp. a raiz. [Sin.: *amarra-pinto, ipecacuanha-falsa, pega-pinto, mela-pinto, erva-tostão* e *tostão*. Pl.: *agarra-pintos*.]

agarrar [De *a-*^{2} + *garra*^{1} + *-ar*^{2}.] ***V. t. d.*** **1.** Prender com garra^{1} (1); garrear (q. v.). **2.** Pegar em; apanhar, tomar: "Dobrou-se, agarrou uma caixa que deixara sobre a cadeira e tentou entregar-lha" (Ferreira de Castro, *A Tempestade*, p. 260). **3.** Prender, segurar com força. **4.** Capturar, aprisionar: "Existia um cidadão mantido pela câmara com obrigação de agarrar os vadios e pô-los a servir." (Camilo Castelo Branco, *Mosaico e Silva de Curiosidades*, p. 54); "— Vitoriano, se te agarram, / terás de cumprir sentença!" (Cecília Meireles, *Obra Poética*, p. 758). **5.** Lançar mão de; valer-se de; recorrer a. ***T. i.*** **6.** Segurar-se, prender-se; agarrar-se. **7.** Segurar; pegar: *Agarrou nos seus pertences e foi embora;* "E, agarrando na mão trêmula e fria do Cantidiano, levou-o até à sala de visitas." (Artur Azevedo, *Contos Efêmeros*, p. 33). **8.** Pegar; apanhar, tomar: *Agarrando no chapéu, saiu apressadamente;* "agarrei na escopeta, saltei para a canoa, e assim Deus me salve como não ficou garça viva no rio!" (Júlio Dantas, *Abelhas Doiradas*, p. 161). ***Int.*** **9.** *Bras.* Tomar uma deliberação; resolver-se: *Agarrou e partiu*, i. e., *resolveu partir e partiu, indiferente a apelos*. **10.** *Bras. Fut.* Jogar de goleiro; defender: "pela facilidade com que chuta [Pelé], com que passa ou finaliza, cabeceia ou até mesmo agarra" (*Jornal do Brasil*, Rio, 14.11.1969). ***P.*** **11.** Segurar-se, prender-se: "Continuava junto a mim, e agarrava-se ao meu braço, como se tivesse medo." (Carlos Magalhães de Azeredo, *Alma Primitiva*, p. 161); "Agarrou-se comigo e me beijou como se me quisesse comer." (José Lins do Rego, *Meus Verdes Anos*, p. 218). **12.** Manter-se aferrado ou ligado: *agarrar-se a uma ideia*. **13.** Lançar mão; valer-se: *Agarrou-se a tudo para ver se a retinha*. **14.** Recorrer à proteção; valer-se, socorrer-se. **15.** *Pop.* Abraçar(-se) fortemente; atracar-se: *Agarrou-se à moça, beijando-a à força*.

agarrochar [De *a-*^{2} + *garrocha* + *-ar*^{2}.] ***V. t. d.*** **1.** Ferir ou picar com garrocha; garrochar. **2.** Incitar, estimular. **3.** Atormentar, mortificar. [Cf. *agarruchar* e *agarrunchar*.]

agarrotar [De *a-*^{4} + *garrotar*.] ***V. t. d.*** V. *garrotar* (1).

agarruchar [De *a-*^{2} + *garrucha* + *-ar*^{2}.] ***V. t. d.*** Apertar ou atar com garrucha (2). [Cf. *agarrochar* e *agarrunchar*.]

agarrunchar [De *a-*^{2} + *garruncho* + *-ar*^{2}.] ***V. t. d.*** Ligar com garruncho. [Cf. *agarruchar* e *agarrochar*.]

agasalhadeiro [De *agasalhar* + *-deiro*.] ***Adj.*** Que se compraz em agasalhar; hospitaleiro, acolhedor.

agasalhado [Part. de *agasalhar*.] ***Adj.*** **1.** Coberto, enroupado, abrigado. **2.** Coberto, abafado. ~ V. *agasalhados*.

agasalhador (ô) [De *agasalhar* + *-dor*.] ***Adj. S. m.*** Que, ou aquele ou aquilo que agasalha: "sob os céus mais diversos, nos mais variados climas, a rua é a agasalhadora da miséria." (João do Rio, *A Alma Encantadora das Ruas*, p. 4).

agasalhados [Pl. subst. de *agasalhado*.] ***S. m. pl.*** *Mar. Merc.* Mercadorias não compreendidas na carga, mas que permitem à equipagem embarcar para fazer comércio por sua conta. ~ V. *agasalhado*.

agasalhar [Do lat. vulg. **adgasoliare*, poss.] ***V. t. d.*** **1.** Dar agasalho a; hospedar; abrigar, albergar: "Agasalharam o velho, que tiritava" (Camilo Castelo Branco, *O Santo da Montanha*, p. 298). **2.** Receber com agrado; acolher bem: "Da vinda tua tem tanta alegria, / Que não deseja mais que agasalhar--te, / Ver-te, e do necessário reformar-te." (Luís de Camões, *Os Lusíadas*, II, 2.) **3.** Cobrir, abafar: "Recolheu-a, agasalhou-a, e como estivesse gelada como as pedras, dormiu com ela para a aquecer sob a mesma manta no frio." (Raul Brandão, *A Farsa*, p. 115.) **4.** Resguardar do mau tempo; abrigar do frio ou da chuva. **5.** Ter capacidade para conter ou abrigar. **6.** Ter em si; conter, encerrar, abrigar. ***P.*** **7.** Hospedar--se, abrigar-se, albergar-se. **8.** Recolher-se à casa ou aos aposentos. **9.** Cobrir-se, abafar-se: "Vestia um modesto vestido de seda, e agasalhava-se em uma capa de martas." (Camilo Castelo Branco, *A Mulher Fatal*, p. 97.) **10.** Resguardar-se do mau tempo. [Var. aferética: *gasalhar*.]

agasalho [Dev. de *agasalhar*.] ***S. m.*** **1.** Ação de agasalhar. **2.** Bom acolhimento, bom trato; atenção. **3.** Alojamento, hospedagem; gasalhado. **4.** Proteção, abrigo. **5.** Calor, conforto, gasalhado. **6.** Peça de vestuário destinada a conservar o calor do corpo, e que resguarda do frio; abafo.

agastadiço ***Adj.*** Que facilmente se agasta; dado a agastamentos; irascível, irritadiço, zangadiço.

agastado [Part. de *agastar*.] ***Adj.*** **1.** Que se agastou; irritado, encolerizado, irado. **2.** Aborrecido, zangado. **3.** *Bras. AL Fam.* V. *encarapinhado*. ~ V. *cabelo* —.

agastamento [De *agastar* + *-mento*.] ***S. m.*** **1.** Ato ou efeito de agastar(-se). **2.** Irritação, cólera, ira. **3.** Aborrecimento, enfado, zanga.

agastar [De *a-*^{4} + *gastar*.] ***V. t. d.*** **1.** Irritar, irar, encolerizar. ***P.*** **2.** Irritar-se, irar-se, encolerizar-se. **3.** Aborrecer-se, zangar-se: "Vovô, às vezes, é um selvagem no tratar as pessoas. Não .... se agaste com a opinião dele." (Nélson de Faria, *Tiziu e Outras Estórias*, p. 90). **4.** Pôr-se de mal; zangar-se. **5.** Enfraquecer por privação de alimento.

agastria [De *a-*^{3} + *-gastr(o)-* + *-ia*^{1}.] ***S. f.*** **1.** *Embr.* Ausência de estômago. **2.** *Zool.* Ausência de canal intestinal.

agástrico [De *agastria* + *-ico*^{2}.] ***Adj.*** **1.** Relativo à agastria. **2.** *Zool.* Diz-se do animal em que há agastria; agastro, agastrozoário.

agastro [De *a-*^{3} + *-gastro*.] ***Adj.*** *Zool.* V. *agástrico* (2).

agastrozoário [De *a-*^{3} + *-gastr(o)* + *-zoário*.] ***Adj.*** *Zool.* V. *agástrico* (2).

agastura ***S. f.*** **1.** Fraqueza, mal-estar, por falta de alimento. **2.** Necessidade de comer. [Cf. *gastura*.]

ágata^{1} [Do gr. *achátes*, pelo lat. *achates*.] ***S. f.*** *Min.* Variedade de calcedônia de brilho ceroso e litoide, formada de zonas concêntricas e diversamente coloridas, que serve para a manufatura de joias, objetos de arte, etc.

ágata^{2} [Do fr. *agate*.] ***S. f.*** *Bras. Pop.* V. *ágate*: "O bule de ágata, descascado pelo uso de uma dezena de anos, estava cheio." (Permínio Asfora, *Vento Nordeste*, p. 246.)

ágata^{3} ***S. f.*** **1.** *Encad.* V. *brunidor de ágata*. **2.** *Tip.* O caráter de 5 e 1/2 pontos.

agatanhado [Part. de *agatanhar*.] ***Adj.*** Ferido com as unhas; arranhado, agadanhado.

agatanhadura [De *agatanhar* + *-dura*.] ***S. f.*** Arranhadura, agatanhamento.

agatanhamento [De *agatanhar* + *-mento*.] ***S. m.*** Agatanhadura.

agatanhar [De *agadanhar*, com infl. de *gato*.] ***V. t. d. P.*** Ferir(-se) com as unhas; unhar(-se), arranhar(-se), agadanhar(-se), agafanhar(-se), esgatanhar(-se). [Cf.: *agatinhar*.]

ágate [Do fr. *agate*.] ***S. m.*** Ferro esmaltado: *um bule de ágate*. [F. paral. (bras., pop.): *ágata*^{2}.]

agateado [De *a-*^{2} + *gato* + *-eado*.] ***Adj.*** *Bras.* Diz-se dos olhos amarelo-esverdeados semelhantes aos dos gatos; gateado: "Os olhos agateados, em contraste com a pele morena, brilhavam de brejeirice." (Gustavo Barroso, *Mississípi*, p. 103.)

agáteo [De *ágata*[1] + *-eo*.] *Adj.* Que tem veios semelhantes aos da ágata[1].

agatífero [De *ágata*[1] + *-ífero*.] *Adj.* Que contém ágata[1].

agatinhar [De *a-*[2] + *gato* + *-inhar*.] *V. t. d.* **1.** Subir, trepando com dificuldade. *Int.* **2.** V. *engatinhar* (1). [Cf. *agatanhar*.]

agatismo [De *agat(o)-* + *-ismo*.] *S. m.* Doutrina otimista segundo a qual todas as coisas tendem para o bem.

▲ **agat(o)-** [Do gr. *agathós, é, ón*.] *El. comp.* = 'bom'; 'bem': *agatologia*.

agatoide (ói) [Do gr. *agathoeidés*.] *Adj. 2 g.* Que tem a natureza do bem; benigno, benévolo. ❖

agatologia [De *agat(o)-* + *-logia*.] *S. f.* Doutrina do bem e da perfeição.

agatológico [De *agatologia* + *-ico*[2].] *Adj.* Relativo à agatologia.

agatunado [De *a-*[2] + *gatuno* + *-ado*[1].] *Adj.* **1.** Um tanto gatuno; meio gatuno. **2.** Que se tornou gatuno.

agaturrar [Cruz. de *agarrar* e *gato*, com aglutinação.] *V. t. d. Bras. S.* **1.** Agarrar, segurar. **2.** Prender, capturar.

agaú [Do tupi.] *S. m. Bras.* V. *japacanim* (2).

agauchado[1] (a-u) [De *a-*[2] + *gaúcho* + *-ado*[1].] *Adj. Bras.* Que tem modos e/ou aparência de gaúcho: *roupa agauchada*.

agauchado[2] (a-u) [Part. de *agauchar-se*.] *Adj.* Que adquiriu modos ou hábitos de gaúcho.

agauchar-se (a-u) [De *a-*[2] + *gaúcho* + *-ar*[2] + *se*[1].] *V. p. Bras.* Adquirir modos ou hábitos de gaúcho. [Conjug.: v. *saudar*.]

agavácea [Do tax. *Agave* (v. *agave*) + *-ácea*; tax. *Agavaceae*.] *S. f. Bot.* Espécime das agaváceas, família de monocotiledôneas da ordem das asparagales, que podem ser ou herbáceas, ou lenhosas; a maioria dispõe-se em roseta (q. v.), mas ocorrem, também, como árvores ou trepadeiras; têm folhas rígidas espatiformes, suculentas e espíneas, inflorescências racemosas, com flores ger. bissexuais, e fruto capsular ou bacáceo. Há cerca de 580 espécies e muitas delas fornecem fibras. São encontradas, principalmente, nas regiões áridas da América.

agaváceo [De *agavácea*, com var. suf. (v. *-áceo*).] *Adj. Bot.* Pertencente ou relativo às agaváceas.

agave [Do tax. *Agave* (do gr. *agaué, es*, 'admirável').] *S. m. e f. Bot.* **1.** Gênero de agaváceas que reúne cerca de 300 espécies, dotadas de folhas grandes, carnosas e rígidas, ger. com espinhos, e inflorescência sobre haste central longa; algumas são medicinais, outras fornecem fibras, e de outras se produzem bebidas mexicanas típicas. **2.** Qualquer espécie desse gênero, como, p. ex., a *Agave americana* [v. *piteira*[1] (2)]. **3.** Qualquer espécime desse gênero. **4.** V. *sisal* (1 e 2).

agávea [Do tax. *Agave* (v. *agave*) + *-ea*.] *S. f. Bot.* V. *piteira*[1] (2).

agavelar [De *a-*[2] + *gavela* + *-ar*[2].] *V. t. d.* V. *engavelar*.

agavio *S. m. Bras. MG* Na região são-franciscana, aperitivo com base de cachaça.

agavotocuengue *S. 2 g.* **1.** *Etnôn.* Indivíduo dos agavotocuengues [ou (etnôn. bras.) *Agahïtï Kwegï], povo indígena pouco conhecido que vive entre os rios Curisevo e Culuene, no Alto Xingu. ● *Adj. 2 g.* **2.** Pertencente ou relativo a esse povo.

agazela *S. f. Ant.* V. *gazela*.

agazuado [De *a-*[2] + *gazua* + *-ado*[1].] *Adj.* Que tem forma de gazua.

agê *S. m. Mús.* V. *cabaça*[1] (4).

▲ **-agem**[1] [Do lat. *-agine*, do acus. de *-ago, ĭnis*.] *Suf. nom.* = 'ação' ou 'resultado de ação': *voragem* (< lat.), *imagem* (< lat.).

▲ **-agem**[2] [Do provenç. *-atge* ou do fr. *-age*.] *Suf. nom.* = 'ação' ou 'resultado de ação'; 'coleção': *vadiagem, aprendizagem; folhagem, plumagem*.

agência [Do lat. *agentia*.] *S. f.* **1.** Função ou cargo de agente. **2.** Gratificação de agente; comissão. **3.** Empresa especializada em prestação de serviços, e que desempenha, em geral, função intermediária: *agência de viagens; agência de empregos*. **4.** Sucursal de repartição pública, de banco, ou de casa comercial: *a agência dos Correios e Telégrafos; a agência do Banco do Brasil em Maceió*. **5.** Unidade administrativa de um governo, em geral com função reguladora: *agência de energia elétrica*. **6.** Local onde funciona uma agência (3 e 5). **7.** Capacidade de agir; diligência, atividade, trabalho. **8.** *Prop.* Agência de propaganda. [Cf. *agencia*, do v. *agenciar*.] ◆ **Agência de notícias.** *Jorn.* Empresa ou instituição governamental que produz e distribui material jornalístico para seus assinantes. **Agência de propaganda.** *Prop.* Empresa de serviços que planeja, executa, distribui e controla a propaganda comercial dos seus clientes; agência de publicidade. **Agência de publicidade.** *Prop.* V. *agência de propaganda*. **Agência internacional.** Agência de notícias, privada ou governamental, que transmite internacionalmente notícias e comentários de interesse geral, e que dispõe de aparelhamento técnico e de ampla rede de informantes e correspondentes.

agenciação [De *agenciar* + *-ção*.] *S. f.* **1.** Ação ou efeito de agenciar. **2.** Diligência ou indústria de agenciar.

agenciadeira [De *agenciar* + *-deira*.] *S. f.* **1.** Mulher que obtém meios de vida por sua indústria e diligência. **2.** Inculcadeira, alcoviteira.

agenciador (ô) [De *agenciar* + *-dor*.] *Adj.* **1.** Que agencia. **2.** Ativo, trabalhador, diligente. [Sin., nessas acepçs.: *agencioso*.] ● *S. m.* **3.** Aquele que agencia.

agenciamento [De *agenciar* + *-mento*.] *S. m.* **1.** Ato ou efeito de agenciar. **2.** Tratamento de determinado sítio e/ou aspecto de uma construção.

agenciar [De *agência* + *-ar*[2].] *V. t. d.* **1.** Tratar de (negócios) como representante ou agente: *agenciar os interesses de uma indústria estrangeira*. **2.** Tratar ou cuidar de; lutar por; cavar: "Há só uma correção a fazer ....: a de que não é por ignorância que eles caem na falta, mas pela dura necessidade de agenciar a vida." (Antônio Sérgio, *Cartas do Terceiro Homem*, p. 72.) **3.** Esforçar-se por obter; diligenciar: *Vai agenciar tua saída de tal função*. **4.** Solicitar, requerer, promover. [Conjug.: v. *negociar* (Bras. e Port.). Pres. ind.: *agencio, agencias, agencia*, etc. Cf. *agência*.]

agencioso (ô) [De *agenci-*, como em *agenciar* e *agenciamento*, + *-oso*.] *Adj.* V. *agenciador* (1 e 2).

agenda [Do lat. *agenda*, pl. n. de *agendus*, gerundivo de *agere*.] *S. f.* **1.** Caderneta, caderno ou registro, em geral com a data dia a dia, destinado a anotações de compromissos, de encontros, de despesas, etc., e que ger. traz também outras informações práticas ou apontamentos pessoais. **2.** *P. ext.* Os compromissos de alguém, anotados ou não em agenda (1): *A minha agenda de hoje é muito grande*. **3.** *Angl.* Lista sumária, ou conjunto de questões ou assuntos a serem tratados (p. ex., em uma reunião deliberativa), ou de tarefas ou ações a serem realizadas (p. ex., em um plano ou empreendimento). **4.** *Inform.* Agenda eletrônica (q. v.). ◆ **Agenda eletrônica.** *Inform.* Aparelho eletrônico portátil, ou programa (9) de computador, que funciona como agenda (1), permitindo registrar e consultar informações diversas de uso pessoal. [Tb. se diz apenas *agenda*.]

agendamento [De *agendar* + *-mento*.] *S. m.* **1.** Ato ou efeito de agendar. **2.** *P. ext.* O compromisso anotado.

agendar [De *agenda* + *-ar*[2].] *V. t. d.* Fazer constar de agenda (1); incluir em agenda (1).

➔**agenda-setting** [ə'dʒendə 'setıŋ] [Ingl.] *S. m. Comun.* Teoria segundo a qual os meios de comunicação de massa influenciam na escolha dos temas de discussão de uma determinada comunidade.

ageneiosídeo *S. m. Adj. Zool.* V. *ageniosídeo*.

agenesia [De *a-*[3] + *-genes(i)-* + *-ia*[1].] *S. f.* **1.** *Med.* Impossibilidade de gerar; esterilidade, aforia. **2.** *Embr. Patol.* Ausência de um órgão, de uma estrutura (8).

agenésico [De *agenesia* + *-ico*[2].] *Adj.* Que não é capaz de gerar; afórico.

ageniosídeo [Do tax. *Ageneiosus* + *-ideo*[1]; tax. *Ageneiosidae*.] *Zool. S. m.* **1.** Espécime dos afidídeos, família de peixes siluriformes de água doce que se alimentam de vermes e larvas. São os mandubis. ● *Adj.* **2.** Pertencente ou relativo a eles.

agente [Do lat. *agente*.] *Adj. 2 g.* **1.** Que opera, agencia, age. ~ V. *intelecto* —. ● *S. 2 g.* **2.** Pessoa agente (1). **3.** Pessoa especializada que trata de negócio por conta alheia, ou que representa os interesses de seus clientes: *agente comercial; agente literário*. **4.** Representante, comissário ou delegado de uma pessoa, de uma instituição, de um organismo, etc.: *Ele é um agente do patrão; Chegou um agente da ONU para tratar com o governo*. **5.** Pessoa encarregada de uma agência (4 e 5). **6.** Pessoa que pratica a ação. **7.** Membro de corporação policial; polícia: *agente secreto*. **8.** Autor, causador, promotor. ● *S. m.* **9.** O que é agente (1). **10.** Causa, razão, motivo. **11.** Motor, propulsor, impulsor: "Todo o movimento ascensional .... teve por primeiro agente essa impulsão inicial, recebida da ciência britânica." (Ricardo Jorge, *Canhenho dum Vagamundo*, p. 33.) **12.** *E. Ling.* Forma linguística que expressa o executor de uma ação; agentivo. **13.** *Filos.* O princípio ou o sujeito de uma ação. ◆ **Agente da passiva.** *E. Ling.* Agente da voz passiva. **Agente da voz passiva.** *E. Ling.* Termo que, na voz passiva analítica (q. v.), representa o agente (12); agente da passiva. **Agente funerário.** Agenciador de enterros; papa-defuntos. **Agente laranja.** Designação de mistura desfolhante que contém 2, 4-D e 2, 4, 5-T (e dioxina [2] como impureza), e que teve uso militar. **Agente mutagênico.** *Citol. Genét.* Fator biológico, ou físico ou químico, cuja ação altera molécula de ADN. **Agente secreto.** **1.** Pessoa de confiança, especialmente da confiança de um governo, que se encarrega de missões sigilosas diplomáticas, policiais e outras. **2.** Espião (1). **Agente técnico.** *Lus.* Indivíduo diplomado por certas escolas técnicas de nível médio.

agentivo [De *agente* + *-ivo*.] *E. Ling. Adj.* **1.** Referente a agente (12). ● *S. m.* **2.** Agente (12).

ageometria [De *a-*[3] + *geometria*.] *S. f.* Ageometrosia.

ageométrico [De *a-*[3] + *geométrico*.] *Adj.* **1.** Que não é geométrico. **2.** Que não segue os princípios da geometria.

ageometrosia [De *a-*[3] + *geometr(ia)* + *-os(e)-*[1] + *-ia*[1].] *S. f.* Ignorância e afastamento dos princípios da geometria; ageometria.

agerasia [De *a-*[3] + gr. *gêras*, 'velhice', + *-ia*[1].] *S. f. Med.* Estado de quem apresenta aspecto bem mais jovem do que o que seria de esperar, tendo em vista a idade avançada.

agerásico [De *agerasia* + *-ico*[2].] *Adj.* Referente à agerasia.

agérato[1] [Do tax. *Ageratum* (do gr. *agératos, os, on*, 'que não envelhece').] *S. m. Bot.* **1.** Gênero de plantas asteráceas nativas da América tropical, dotadas de folhas ovais opostas e de pequenos capítulos de flores azuis ou brancas nas cimeiras. **2.** Qualquer espécie desse gênero, como, p. ex., a *Ageratum houstonianum*, us. em cercas-vivas. **3.** Qualquer espécime desse gênero.

agérato[2] [Do gr. *agératos*, 'que não envelhece'.] *Adj.* Que não envelhece.

agermanar [De *a-*[2] + *germano*[1] + *-ar*[2].] *V. t. d.* **1.** *Ant.* Tornar irmão; igualar. **2.** Associar, unir, aparceirar. *T. d. e i.* **3.** Associar, unir, aparceirar. *P.* **4.** Ligar-se, associar-se.

agermolho [De or. obsc.] *S. m. Lus. Cul.* V. *gaspacho*. [Var.: *agernulho, algeramolho*.]

agernulho [Var. de *agermolho*.] *S. m.* V. *gaspacho*.

agérrimo *Adj.* Superl. abs. sint. de *acre* e *agro*; agríssimo: "Agras e agérrimas são de si as entrepresas deste gênero; mas por isso mesmo é que aliciam almas generosas." (Antônio Feliciano de Castilho, *Amor e Melancolia*, p. 339.) [M. regular seria *acérrimo*.]

ageusia [De *a-*[3] + gr. *geûsis*, 'ação de provar, saborear'; 'sabor', 'gosto', + *-ia*[1].] *S. f. Med.* Ausência ou enfraquecimento do sentido do paladar; ageustia.

agêusico [De *ageusia* + *-ico*[2].] *Adj.* Referente à ageusia, ou que dela sofre.

ageustia *S. f. Med.* Ageusia.

agi *S. m.* V. *hadji*. [Cf. *agi*, do v. *agir*.]

agigantado [De *a-*[2] + *gigante* + *-ado*[1].] *Adj.* **1.** Que tem proporções de gigante; enorme, colossal: "os Ramires entroncavam .... no filho do Conde Nuno Mendes, aquele agigantado Ordonho Mendes" (Eça de Queirós, *A Ilustre Casa de Ramires*, p. 7). **2.** Desmedido, desmensurado, incomensurável: *passos agigantados*. **3.** Muito forte; hercúleo.

agigantamento [De *agigantar* + *-mento*.] *S. m.* Ato ou efeito de agigantar(-se).

agigantar [De *a-*[2] + *gigante* + *-ar*[2].] *V. t. d.* **1.** Tornar gigantesco: *Agigantou a dívida pública*. **2.** Aumentar, exagerar: *Agiganta sempre os pequenos impasses*. *P.* **3.** Tornar-se gigantesco; crescer ou aumentar muito.

ágil [Do lat. *agile*.] *Adj. 2 g.* **1.** Que se move com destreza; destro, hábil, desenvolto: *dançarino ágil; Com suas mãos ágeis, em três tempos arrumou a casa*. **2.** Rápido, desembaraçado, ligeiro, veloz: "Refiro-me ao pitoresco do diálogo de Oswald de Andrade — o diálogo mais ágil, mais agudo, mais inteligente que já encontrei desde que iniciei estas colunas de crítica." (Guilherme Figueiredo, *Cobras & Lagartos*, p. 103); *raciocínio ágil; É ainda muito ágil para a idade que tem*. **3.** Ativo, expedito, diligente. [Pl.: *ágeis*; superl. abs. sint.: *agílimo* e *agilíssimo*.]

agilidade [Do lat. *agilitate*.] *S. f.* Qualidade ou caráter de ágil.

agílimo [Do lat. *agillimu*.] *Adj.* Superl. abs. sint. de *ágil*; agilíssimo.

agilíssimo [Do lat. *agilissimu*.] *Adj.* Agílimo.

agilitar [De *ágil* + *-itar*.] *V. t. d. P. us.* Agilizar.

agilização [De *agilizar* + *-ção*.] *S. f.* Ato ou efeito de agilizar.

agilizar [De *ágil* + *-izar*.] *V. t. d. Neol.* Imprimir maior agilidade, rapidez, eficiência, a. [Sin. (p. us.): *agilitar*.]

aginha *Adv. Ant.* V. *asinha*[2].

ágio [Do it. *aggio*.] *S. m. Econ.* **1.** Lucro resultante de operações de câmbio: "o responsável pela portaria me propunha comprar com alto ágio os dólares que eu tivesse..." (Costa Rego, *Águas Passadas*, p. 261). **2.** Diferença a maior entre o valor pago por um título e seu valor nominal. **3.** Adicional cobrado sobre um preço tabelado quando, a esse preço, a procura supera a oferta: "A cobrança de ágio sobre o preço do botijão de gás liquefeito de petróleo já está sendo praticada, neste primeiro dia em que a oferta do produto tornou-se escassa devido à greve dos petroleiros." (*Gazeta Mercantil*, 18.01.1990, p. 17.) **4.** Comissão cobrada pela transferência de financiamento, etc.: *Comprou o apartamento pagando um ágio e assumindo o pagamento das prestações.*

agiota [Dev. de *agiotar.*] *Adj. 2 g. S. 2 g.* Que, ou quem se entrega à agiotagem; usurário.

agiotagem [Do fr. *agiotage.*] *S. f.* 1. Especulação sobre fundos, câmbios ou mercadorias, com o fim de obter lucros exagerados; usura. 2. Lucro resultante dessa especulação. 3. Empréstimo de dinheiro a juros exorbitantes.

agiotar [Do fr. *agioter.*] *V. int.* 1. Entregar-se à agiotagem; especular. 2. Rebater, descontar título de crédito.

agir [Do lat. *agere.*] *V. int.* 1. Praticar ou efetuar na qualidade de agente; obrar, operar, atuar: *Agimos e reagimos conforme às circunstâncias;* "Agia em representação de tia Milu, vizinha de rua, anciã quase centenária: todo o santo dia a velhinha arriscava no grupo, na dezena, na centena, no milhar, pule modesta mas durante meses seguidos." (Jorge Amado, *Teresa Batista*, p. 23). 2. Fazer o que for necessário ou possível, visando resolver ou modificar certo fato ou situação *Diante do ocorrido, era preciso agir.* 3. Apresentar determinado comportamento; portar-se: *Não está agindo bem;* "Dona Jesuína se irritou mais, empurrou Dafé para fora da sala com alguma rudeza, lembrou-lhe que ainda não arrumara a canastra, continuava agindo como uma desmiolada." (João Ubaldo Ribeiro, *Viva o Povo Brasileiro*, p. 286). *T. i.* 4. Atuar, exercer influência ou causar um efeito: *O cinema age sobre as outras artes, assim como as outras artes agem sobre o cinema, ponderou o cineasta;* "O leitor dum poema age como o sol sobre o gelo: provoca o regresso ao estado fluido da realidade psicológica cristalizada." (João Gaspar Simões, *O Mistério da Poesia*, p. 14). [Conjug.: v. *dirigir*. Pres. subj.: *aja, ajas, aja,* etc. Cf. o pres. subj. do v. *haver* e *agi*, s.m.]

agirafado [De *a-*[2] + *girafa* + *-ado*[1].] *Adj.* Esguio como a girafa.

agiria [De *a-*[3] + *-gir(o)-* + *-ia*[1].] *S. f. Patol.* Má-formação em que as circunvoluções cerebrais se desenvolvem insuficientemente, de modo que a superfície do cérebro se apresenta com aspecto liso; lissencefalia.

agironado [De *a-*[2] + *girão* + *-ado*[1].] *Adj.* Guarnecido de girão (1 e 2).

agitação [Do lat. *agitatione.*] *S. f.* 1. Ação ou efeito de agitar(-se); agitamento. 2. Movimento, abalo, oscilação. 3. Perturbação, inquietação; efervescência: "Padilha, numa agitação constante, devorava manifestos e roía as unhas." (Graciliano Ramos, *S. Bernardo*, p. 180.) 4. Comoção política; sublevação, conflito. 5. Alvoroço, rebuliço, tumulto. 6. Manifestação de caráter político e/ou social que expressa novas tendências, ou descontentamento, por meio de atos públicos, de atuação sobre determinados grupos, de divulgação escrita ou visual, etc. 7. *Psiq.* Atividade motora exagerada, desordenada e incoerente, com excitação ou confusão mental. 8. *Bras. Gír.* V. *ouriço* (4).

agitadiço *Adj.* Que se agita facilmente.

agitado [Part. de *agitar.*] *Adj.* 1. Diz-se de indivíduo inquieto, perturbado, desvairado. 2. Que se move contínua ou tempestuosamente; revolto: *águas agitadas, mar agitado.* 3. Com muitas tarefas ou compromissos; movimentado: *Seu dia a dia é muito agitado.* 4. Que transmite ou revela inquietação, intranquilidade: *ânimos agitados, sono agitado.* ● *S. m.* 5. Indivíduo agitado (1).

agitador (ô) [Do lat. *agitatore.*] *Adj.* 1. Que agita. ● *S. m.* 2. Indivíduo agitador. 3. Mecanismo que nas manteigueiras serve para agitar o leite a fim de separar dele a nata ou a manteiga. 4. Aquele que promove agitação (6); revolucionário. 5. Indivíduo que divulga, em discursos, panfletos, etc., as ideias de um grupo político.

agitamento [De *agitar* + *-mento.*] *S. m.* Agitação (1).

agitante [Do lat. *agitante.*] *Adj. 2 g.* Que agita. ~ V. *paralisia —*.

agitar [Do lat. *agitare.*] *V. t. d.* 1. Mover com frequência; abalar: *O barulho do trovão agitou a casa toda;* "O vento brando agita as bandeiras" (Lígia Fagundes Teles, *A Disciplina do Amor*, p. 61). 2. Comover fortemente; excitar: *Medidas tão injustas agitariam o ódio dos vencidos.* 3. Discutir (uma questão) com veemência. 4. Suscitar, ventilar: *agitar um problema.* 5. Inquietar, perturbar: *Aquela visão tenebrosa ainda o agita.* 6. Incitar à revolta; sublevar. *P.* 7. Mover-se, mexer-se: "O doente agitava-se no leito e delirava." (Artur Azevedo, *Contos Cariocas*, p. 43); "as papoulas, quando vinha a aragem, agitavam-se como asas vermelhas de borboletas pousadas..." (Eça de Queirós, *O Primo Basílio*, p. 86). 8. Preocupar-se, inquietar-se, perturbar-se.

agitável [Do lat. *agitabile.*] *Adj. 2 g.* Que pode ser agitado.

agito [Dev. de *agitar.*] *S. m. Bras. Gír.* V. *ouriço* (4).

agitofasia [Do lat. *agit(are)*, 'agitar', 'apressar', + *-o-* + *-fas(i)-* + *-ia*[1]; ingl. *agitophasia.*] *S. f. Neur.* Rapidez excessiva no falar, de tal forma que palavras ou sílabas são omitidas inconscientemente, ou mal proferidas.

➔**agitprop** ['ædʒɪtˌprɒp] [Ingl., do russo *agit(atsiya)-prop(aganda).*] *S. m. Teatr.* Forma radicalizada do teatro político, de cunho bolchevique, e em cuja origem se acham a agitação e a propaganda.

aglaia [Do tax. *Aglaia* (do gr. *aglaïa, as*, 'esplendor', 'glória').] *S. f. Bot.* 1. Gênero de árvores e arbustos meliáceos nativos da Ásia e da Oceania, mas aclimatados no Brasil; têm folhas alternas e flores distribuídas em racemos axilares. 2. Qualquer espécie desse gênero, como, p. ex., a *Aglaia odorata*. 3. Qualquer espécime desse gênero.

aglia [Do gr. *aglíe*, 'névoa branca no olho'.] *S. f. Oftalm.* Cicatriz branca na córnea.

aglicona *S. f. Quím.* V. *aglicônio.*

aglicónio *S. m. Quím.* V. *aglicônio.* [Uso freq. em P.]

aglicônio [De *a-*[2] + *-glic(o)-* + *-on-* + *-io*[3].] *S. m. Quím.* Substância diferente de uma *ose*, que se forma na hidrólise dum heterosídeo; aglicona.

aglicosuria [De *a-*[3] + *glicose* + *-uria.*] *S. f. Med.* V. *aglicosúria.*

aglicosúria [De *a-*[3] + *glicose* + *-úria.*] *S. f. Med.* Ausência de açúcar na urina. [F. paral.: *aglicosuria.*]

aglicosúrico [De *aglicosúria* + *-ico*[2].] *Adj. S. m.* Diz-se de, ou aquele que não apresenta glicosúria.

áglifo[1] [De *a-*[3] + *-glifo.*] *Adj. Zool.* Diz-se de dente não canaliculado dos ofídios.

áglifo[2] [Do tax. *Aglypha.*] *Zool. S. m.* 1. Espécime dos áglifos, divisão (18) da família dos colubrídeos, de características muito próximas aos dos aglifodontes (q. v.), e que, em certas classificações, coexiste com este grupo. ● *Adj.* 2. Pertencente ou relativo a eles.

aglifodonte [De *áglifo* + *-odonte*; tax. *Aglyphodonta.*] *Zool. S. m.* 1. Espécime dos aglifodontes, grupo de ofídios de caninos áglifos, sem glândulas veneníferas, e que não apresentam vestígios de membros; compreende famílias como a dos colubrídeos, e inclui a maior parte dos ofídios não venenosos que são, por vezes, classificados entre aqueles. ● *Adj. 2 g.* 2. Pertencente ou relativo a eles.

aglomeração [De *aglomerar* + *-ção.*] *S. f.* 1. Ação ou efeito de aglomerar(-se); ajuntamento, agrupamento, amontoamento. 2. Grande número de pessoas reunidas em um mesmo lugar. ◆ **Aglomeração urbana.** Qualquer agrupamento urbano, seja vila ou cidade; aglomerado urbano.

aglomerado [Part. de *aglomerar.*] *Adj.* 1. Junto, reunido; acumulado, amontoado. ~ V. *madeira —a*. ● *S. m.* 2. Conjunto, reunião, aglomeração. 3. Conjunto de cimento e pedras imitante a mármore. 4. Argamassa hidráulica de cimento e pedra britada. 5. *Geol.* Rocha constituída por fragmentos vulcânicos angulosos ligados, sem orientação definida, por cimento, usualmente vulcânico. 6. *Astr.* V. *aglomerado estelar*. 7. Produto derivado da madeira, e fabricado, em chapas planas, mediante a prensagem a quente de uma mistura de partículas de madeira com um aglutinante; madeira aglomerada. [Cf., nesta acepç., *compensado*[1] (2).] ◆ **Aglomerado de galáxias.** *Astr.* Grupo de galáxias que ocupam posições muito próximas no espaço. [Os aglomerados podem formar grupos muito pobres, como o grupo local, com 10 a 100 galáxias, ou ricos, como os grandes aglomerados, com cerca de 1.000 galáxias.] Sin.: *agrupamento de galáxias, cúmulo de galáxias.*] **Aglomerado estelar.** *Astr.* Conjunto de dezenas até milhares de estrelas, ligadas entre si pela atração gravitacional, com movimentos próprios associados; cúmulo estelar, grupo estelar. [Tb. se diz apenas *aglomerado.*] **Aglomerado galáctico.** *Astr.* Aglomerado assimétrico e com poucas estrelas, próximo ao plano galáctico; cúmulo galáctico. **Aglomerado globular.** *Astr.* Aglomerado rico em membros, com simetria esférica, e situado longe do plano galáctico; cúmulo globular. **Aglomerado móvel.** *Astr.* Grupo de estrelas ligadas gravitacionalmente, que se movem na mesma direção, com movimento próprio sensível; cúmulo móvel. **Aglomerado urbano.** Aglomeração urbana (q. v.).

aglomerante [Do lat. *agglomerante.*] *Adj. 2 g.* 1. Que aglomera. ● *S. m.* 2. *Constr.* Aglutinante (4).

aglomerar [Do lat. *agglomerare.*] *V. t. d.* 1. Juntar, reunir, acumular. *P.* 2. Ajuntar-se, reunir-se; amontoar-se: "Sob o dossel de uma latada ...., toda a gente da aldeia se aglomera, para ver bailar as raparigas." (Martins Fontes, *A Dança*, p. 73.) [F. paral. (p. us.): *glomerar.*]

aglomerato [Do lat. *agglomeratu.*] *S. m. Geol.* Rocha heterogênea de origem vulcânica.

aglossa [De *a-*[3] + *-glossa*; tax. *Aglossa.*] *S. f.* 1. Gênero de lepidópteros piralídeos, sem tromba[1] (2), ou com tromba rudimentar, e cuja crisálida vive nas gorduras do ambiente doméstico. 2. Qualquer espécie desse gênero, como, p. ex., a *Aglossa pinguinalis* e a *Aglossa cuprealis*. 3. Qualquer espécime desse gênero.

aglossia [Do gr. *aglossía*, cuja significação exata, aliás, é 'mutismo'.] *S. f. Ter.* Ausência de língua.

aglóssico [De *aglossia* + *-ico*[2].] *Adj.* Relativo à aglossia.

aglosso[1] [Do gr. *áglossos.*] *Adj. S. m.* 1. Que, ou aquele que não tem língua. 2. *P. ext.* Que, ou aquele que fala de maneira bárbara.

aglosso[2] [Adapt. do tax. *Aglossa.*] *Zool. S. m.* 1. Espécime dos aglossos, subordem de anfíbios anuros sem língua, e que reúne uma só família: a dos pipídeos. 2. Espécime dos aglossos, divisão (18) de moluscos gastrópodes desprovidos de rádula. ● *Adj.* 3. Pertencente ou relativo a eles.

aglossostomia [De *a-*[3] + *-gloss(o)-* + *-stom(o)-* + *-ia*[1].] *S. f. Ter.* Anomalia congênita em que o indivíduo não tem língua nem fenda bucal.

aglutição [De *a-*[3] + *glut-*, raiz do lat. *gluttire*, 'engolir', + *-ção.*] *S. f.* Impossibilidade ou dificuldade de engolir ou deglutir.

aglutinação [De *aglutinar* + *-ção.*] *S. f.* 1. Ação ou efeito de aglutinar; aglutinamento. 2. *E. Ling.* V. *composição* (7). [Cf., nesta acepç., *deglutinação.*] 3. *Med.* Agrupamento, em suspensão, de células portadoras de antígeno (microrganismo, ou partículas na presença de aglutininas específicas). 4. *Med.* Na cicatrização, processo de união de tecidos separados de uma ferida.

aglutinado [Part. de *aglutinar.*] *Adj.* Reunido, juntado e/ou colado.

aglutinamento [De *aglutinar* + *-mento.*] *S. m.* Aglutinação (1).

aglutinante [De *aglutinar* + *-nte.*] *Adj. 2 g.* 1. Que aglutina; aglutinativo. 2. Que pega como grude. ~ V. *língua —*. ● *S. m.* 3. Substância glutinosa: cola, grude, etc. 4. *Constr.* Material ativo (cimento, cal, etc.) que, em concretos, argamassas e alvenarias, liga entre si as partículas de um agregado; aglomerante, ligante.

aglutinar [Do lat. *agglutinare.*] *V. t. d.* 1. Unir com cola ou grude; colar, grudar. 2. Unir, reunir, ligar: "Era o marimbu solitário e miasmático — ondulante bosque aquático aglutinando lama, folhas e hastes no pântano, para em seguida se fundir na mata" (Herberto Sales, *Além dos Marimbus*, p. 21). 3. Reunir, justapondo, os bordos de uma ferida. 4. *E. Ling.* Reunir por aglutinação (2).

aglutinativo [De *aglutinar* + *-tivo.*] *Adj.* 1. Aglutinante (1). 2. Próprio para aglutinar. ~ V. *língua —a*.

aglutinável [De *aglutinar* + *-vel.*] *Adj. 2 g.* Que se pode aglutinar.

aglutinidade [De *aglutin(o)-* + *-(i)dade.*] *S. f.* Qualidade ou caráter de aglutinável.

aglutinina [De *aglutin(o)-* + *-ina*[3].] *S. f. Imun.* Anticorpo que produz aglutinação com determinado antígeno, como, p. ex., bactéria, após combinação com o antígeno homólogo, seja *in vivo* ou *in vitro*.

▲ **aglutin(o)-** [Do rad. do lat. *agglutināre.*] *El. comp.* = 'aglutinar'; 'aglutinação': *aglutinina, aglutinógeno*[1].

aglutinogénico *Adj. Imun.* V. *aglutinogênico.* [Uso freq. em P.]

aglutinogênico [De *aglutinógeno*[2] + *-ico*[2].] *Adj. Imun.* De, ou relativo a aglutinógeno[2].

aglutinogénio *S. m. Imun.* V. *aglutinogênio.* [Uso freq. em P.]

aglutinogênio [De *aglutin(o)-* + *-gen(o)-* + *-io*[3].] *S. m. Imun.* Aglutinógeno[2].

aglutinógeno[1] [De *aglutin(o)-* + *-geno.*] *Adj. Med.* Que promove aglutinação (3).

aglutinógeno[2] [De *aglutin(ina)* + *-geno.*] *S. m. Imun.* Qualquer substância que, funcionando como antígeno, induz à produção de aglutinina; aglutinogênio.

agnação [Do lat. *agnatione.*] *S. f. Antrop.* Relação de parentesco por consanguinidade (entre indivíduos de qualquer sexo) traçada por linha exclusivamente masculina. [Cf. *cognação* e *parentesco uterino.*]

agnado *Adj. S. m. Antrop.* Agnato.

agnatia [De *a-*[3] + *-gnat(o)-* + *-ia*[1].] *S. f. Ter.* Ausência congênita da mandíbula.

agnatício [Do lat. *agnaticiu.*] *Adj.* Agnático[1].

agnático[1] [De *agnato* + *-ico*[2].] *Adj.* Relativo a agnato, ou a agnação; agnatício.

agnático[2] [De *agnatia* + *-ico*[2].] *Ter. Adj.* 1. Relativo a agnatia. 2. Que apresenta agnatia. ● *S. m.* 3. Aquele que apresenta agnatia; ágnato.

agnato [Do lat. *agnatu.*] *Adj. S. m. Antrop.* Que, ou aquele que é parente por agnação; agnado. [Cf. *ágnato.*]

ágnato[1] [De *a-*[3] + *-gnato.*] *Ter. Adj.* 1. Que não tem mandíbula. ● *S. m.* 2. Agnático[2] (3). [Cf. *agnato.*]

ágnato[2] [Do tax. *Agnatha*; v. *ágnato*[1].] *Zool. S. m.* 1. Espécime dos ágnatos, superclasse de vertebrados, muito próximos aos peixes, com ausência de maxilares, boca sugadora e ausência de nadadeiras pares.

• *Adj.* **2.** Pertencente ou relativo a eles. [Sin. ger.: *marsipobrânquio*. Cf. *agnato*.]

agnelina [F. subst. de *agnelino*.] ***S. f.*** Pele de carneiro com lã: "Leva anéis de cobre com aventurinas, / Brincos de sueiras, manto de agnelinas." (Eugênio de Castro, *Obras Poéticas*, I, p. 107.)

agnelino [Do lat. *agnellus*, 'cordeirinho', + *-ino*[1].] ***Adj.*** **1.** Próprio de, ou relativo a cordeiro. **2.** Diz-se da primeira lã que se tosquia de cordeiros.

agnogénico ***Adj.*** V. *agnogênico*. [Uso freq. em P.]

agnogênico [Do gr. *agnós*, 'desconhecido', 'obscuro', + *-gen(o)-* + *-ico*[2].] ***Adj.*** Diz-se de fenômeno de origem ou de causa desconhecida.

➔**agnolotti** [aŋɔˈlɔt.ti] [It.] ***S. m. pl. Cul.*** Tipo de ravióli com a forma de um capuz de monge e recheado com uma pasta de carne moída.

agnome [Do lat. *agnomen*.] ***S. m.*** Entre os romanos, alcunha ou apelido que se acrescentava ao cognome, e que ordinariamente se derivava de uma virtude ou feito notáveis.

agnominação [Do lat. *agnominatione*.] ***S. f. E. Ling.*** V. *paronomásia* (2).

agnosia [Do gr. *agnosía*.] ***S. f.*** **1.** *Filos.* Ignorância, especialmente a universal, definida pela sentença socrática "Só sei que nada sei". **2.** *Neur.* Perda do poder de reconhecimento perceptivo sensorial. [A cada um dos sentidos corresponde uma variedade: auditiva, visual, etc.]

agnosiologia [Do gr. *agnosía*, 'ignorância', + *-o-* + *-logia*.] ***S. f. Filos.*** Discurso sobre o que necessariamente ignoramos.

agnosticismo [Do ingl. *agnosticism*.] ***S. m. Filos.*** **1.** Segundo Thomas Henry Huxley (1825-1895), naturalista inglês, posição metodológica que só admite os conhecimentos adquiridos pela razão e evita qualquer conclusão não demonstrada. **2.** Atitude que considera inúteis as discussões sobre questões metafísicas, já que estas tratam de realidades incognoscíveis. **3.** *P. ext.* Doutrina, ou atitude, que admite uma ordem de realidade que é incognoscível. [Cf. *dogmatismo* (1).]

agnóstico [Do gr. *ágnostos*, 'ignorado', + *-ico*[2].] *Filos.* ***Adj.*** **1.** Relativo ao agnosticismo. **2.** Diz-se de pessoa ou doutrina que aceita ou representa qualquer forma de agnosticismo. • ***S. m.*** **3.** Sectário do agnosticismo.

agnostozoico (ói) [Do gr. *ágnostos*, 'ignorado', + *-zoico*.] ***S. m.*** **1.** Era agnostozoica. • ***Adj.*** **2.** ~ V. *era —a*. ❖

ágnus-dei [Do lat. *Agnus Dei*, 'Cordeiro de Deus'.] ***S. m.*** Medalha de cera benzida pelo Papa e usada ao pescoço como proteção contra diversos males e perigos. [Pl.: *ágnus-deis*. Cf. *Agnus Dei*.]

➔**agnus dei** [ˈaŋnos ˈdei] [Lat., 'Cordeiro de Deus'.] ***Loc. S. m. Lit.*** Oração recitada ou cantada na missa (1), e que antecede a comunhão. [V. *liturgia da missa*. Cf. *ágnus-dei*. Com cap.]

agô [Do ior.] ***S. m.*** *Bras. Rel.* Nos terreiros [v. *terreiro* (7)], pedido de licença, por parte de crentes e entidades [v. *entidade* (6)].

agoge [Do gr. *agogé*, pelo lat. *agoge*.] ***S. f.*** *Mús.* Entre os gregos, sucessão ascendente, descendente, ou ascendente e descendente, de uma série de sons, por graus conjuntos; agógica.

agógica [Do gr. *agogé*, 'movimento', + *-ica*.] ***S. f.*** *Mús.* **1.** Doutrina das modificações passageiras do andamento de um trecho musical, tais como aceleração, precipitação, retardamento, etc., suas causas determinantes e seus efeitos. **2.** Agoge.

agógico [De *agoge* + *-ico*[2].] ***Adj.*** Relativo à agoge, ou à agógica.

▲**-agog(o)-** Equiv. de *-agogo*.

▲**-agogo** [Do gr. *agōgós, ós, ón*.] ***El. comp.*** = 'o que conduz', 'o que leva': *galactagogo*. [Equiv.: *-agog(o)-*: *antropagogia*.]

agogô [Do ior.] ***S. m.*** *Bras. Mús.* Instrumento de percussão que consta, ger., de duas campânulas de ferro de tamanhos diferentes, unidas por cabo em forma de U, e que se percutem com vareta (ou baqueta) de madeira ou de ferro: "Da casa do pai de santo Jubiabá vinham sons de atabaque, agogô, chocalho, cabaça" (Jorge Amado, *Jubiabá*, p. 91). [Cf. *gã*.]

agoiral ***Adj. 2 g.*** V. *agoural*.

agoirar ***V. t. d. T. d. e i. T. i. Int. P.*** V. *agourar*: "Anda [o vento] a chorar nas trevas, agoirando / Desgraças e desgraças..." (Teixeira de Pascoais, *D. Carlos*, p. 51.)

agoireiro ***Adj.*** V. *agoureiro*: "Piam perto, na sombra, as aves agoireiras." (Olavo Bilac, *Poesias*, p. 266.)

agoirentar ***V. t. d.*** V. *agourentar*.

agoirento ***Adj.*** V. *agourento*.

agoiro ***S. m.*** V. *agouro*.

agolpear [De *a-*[2] + *golpe* + *-ear*[2].] ***V. t. d. P.*** Golpear. [Conjug.: v. *frear*.]

agomar [De *a-*[2] + *gomo* + *-ar*[2].] ***V. int.*** **1.** Lançar gomos ou rebentos; germinar, abrolhar. ***P.*** **2.** Cobrir-se de gomos ou rebentos.

agomia[1] [Do ár. *al-kumya(t)*, 'arma de arremesso'.] ***S. f.*** **1.** Arma curva e cortante usada pelos mouros do Malabar. **2.** Faca de ponta recurvada. [Var.: *algomia, gomia*.]

agomia[2] [Var. de *agomil*.] ***S. f.*** V. *gomil*.

agomiada [De *agomia*[1] + *-ada*[1].] ***S. f.*** Golpe de agomia[1].

agomil [Do lat. **aquiminele*, por *aquimanile*.] ***S. m.*** V. *gomil*.

agomilado [De *a-*[2] + *gomil* + *-ado*[1].] ***Adj.*** Que tem feitio de gomil.

agomitar [De *a-*[4] + *gomitar*.] ***V. int.*** *Lus.* V. *vomitar* (11).

agon [Do gr. *agón*, 'assembleia'; 'luta', 'combate'; 'debate', 'questão'; 'momento crítico'.] ***S. m.*** *Teatr.* Parte da comédia antiga grega, em que duas personagens travam um debate, definidor de seu conflito. As outras partes são o prólogo, o párodo (q. v.), a parábase (q. v.), o episódio (q. v.) e o comos (q. v.).

ágona [F. subst. de *ágono* (q. v.).] ***S. f.*** *Geofís.* Linha que liga os pontos nos quais a declinação magnética é zero. [Cf. *linha agônica*.]

agonais [Adapt. do lat. *Agonalia*.] ***S. f. pl.*** Na Roma antiga, festas em honra de Jano, deus bifronte, protetor das entradas e das saídas.

agonfíase [De *a-*[3] + gr. *(odoús) gomphíos*, '(dente) molar', + *-íase*.] ***S. f.*** *Odont.* Agonfose.

agonfo ***Adj.*** **1.** Diz-se dos dentes não implantados em alvéolos. **2.** Sem dentes. **3.** *Zool.* Diz-se de animal que não tem alvéolos nem dentes.

agonfose [De *a-*[3] + gr. *(odoús) gomphíos*, '(dente) molar', + *-ose*[1].] ***S. f.*** *Odont.* Estado em que o(s) dente(s) se encontra(m) abalado(s) e se move(m) no(s) alvéolo(s); agonfíase.

agongorado [Part. de *agongorar*.] ***Adj.*** **1.** Com arrebiques de gongorismo; rebuscado, empolado: *estilo agongorado*. **2.** *P. ext.* Um tanto obscuro; enigmático.

agongorar [De *a-*[2] + o antr. *Góngora* + *-ar*[2].] ***V. t. d.*** **1.** Tornar semelhante ao estilo gongórico (q. v.). ***P.*** **2.** Cair na imitação desse estilo.

agonia [Do gr. *agonía*, 'luta'.] ***S. f.*** **1.** *Med.* Conjunto de fenômenos mórbidos que aparecem na fase final de doenças agudas ou crônicas e anunciam a morte. **2.** Espaço de tempo que dura a agonia (1). **3.** Estado de moribundo; agoniação e (*lus.*) aboquejos. **4.** Sofrimento, amargura, dor. **5.** Angústia, aflição: "Na agonia de tantos pesadelos / Uma dor bruta puxa-me os cabelos." (Augusto dos Anjos, *Eu*, p. 111.) **6.** Desejo ardente; ansiedade, ânsia. **7.** Decadência que precede o fim: *A civilização romana entrava em agonia*. **8.** Termo, fim, ocaso: *Vivia o grande escritor a agonia de sua glória;* "Transmonta fulvo o sol. E a natureza assiste, / Na mesma solidão e na mesma hora triste, / À agonia do herói e à agonia da tarde." (Olavo Bilac, *Poesias*, p. 266). **9.** *Pop.* Náusea, enjoo. **10.** *Bras.* Pressa, afobação. **11.** *Bras.* Indecisão, chove não molha: *Vai ficar muito tempo nessa agonia?*

agoniação [De *agoniar* + *-ção*.] ***S. f.*** **1.** Ação ou efeito de agoniar(-se). **2.** Agonia (3).

agoniada [F. subst. de *agoniado*.] ***S. f.*** *Bot.* Árvore apocinácea (*Himatanthus lancifolia*) silvestre, pequena, leitosa, de flores alvas e grandes, muito apreciada pelo povo como panaceia; arapuê, quina-branca, quina-mole, tapuoca.

agoniadina [De *agoniada* (q. v.) + *-ina*[3].] ***S. f.*** *Quím.* Glicosídeo que se extrai da agoniada; plumierídeo [fórm.: $C_{21}H_{26}O_{12}$].

agoniado [Part. de *agoniar*.] ***Adj.*** **1.** Que sente agonia; agonizado, ansiado, ansioso. **2.** Muito penalizado; triste. **3.** Aflito moralmente; angustiado. **4.** Muito indisposto; nauseado. **5.** *Bras.* Apressado, afobado.

agoniador (ô) [De *agoniar* + *-dor*.] ***Adj.*** Que causa agonia (4 e 5). [Sin.: *agoniento* e (p. us.) *agonizante*.]

agoniar [De *agonia* + *-ar*[2].] ***V. t. d.*** **1.** Causar agonia, aflição, náusea, a. **2.** Afligir, inquietar, mortificar: "E uma saudade de casa começou a me agoniar." (José Lins do Rego, *Doidinho*, p. 171); *A longa espera agoniava-o*. **3.** Irritar, apoquentar. ***P.*** **4.** Indispor-se do estômago; ansiar-se. **5.** Afligir-se, inquietar-se, atribular-se: "Nenhuma simpatia ao companheiro desgraçado, que se agoniava no pelourinho, aguardando a tortura." (Graciliano Ramos, *Infância*, p. 81.) **6.** Irritar-se, apoquentar-se.

agónico[1] ***Adj.*** V. *agônico*[1]. [Uso freq. em P.]

agónico[2] ***Adj.*** V. *agônico*[2]. [Uso freq. em P.]

agônico[1] [Do gr. *agonikós*, pelo lat. *agonicu*.] ***Adj.*** Relativo à, ou próprio da agonia. ~ V. *morte —a*.

agônico[2] [Do gr. *ágonos*, 'sem ângulo', + *-ico*[2].] ***Adj.*** Relativo a ágona. ~ V. *linha —a*.

agoniento [De *agoniar* + *-ento*.] ***Adj.*** V. *agoniador*: "rebentava em choro ou caía em profundos silêncios agonientos." (João do Rio, *Dentro da Noite*, p. 82).

agoniologia [Do gr. *agonía*, 'esterilidade', + *-o-* + *-logia*.] ***S. f.*** *Med.* Estudo da esterilidade humana e dos meios de a corrigir ou a evitar.

agoniológico [De *agoniologia* + *-ico*[2].] ***Adj.*** Relativo à agoniologia.

agonista [Do gr. *agonistés*, 'que luta (nos jogos)'; 'que combate'.] ***Adj. 2 g.*** **1.** *Anat.* Diz-se de músculo que promove uma ação à qual se opõe outro músculo, denominado antagonista (q. v.). **2.** *Farm.* Diz-se de droga estimulante de atividade fisiológica que se processa em receptores celulares, os quais, por sua vez, já são, rotineiramente, solicitados por substâncias existentes no organismo. • ***S. m.*** **3.** *Anat.* Músculo agonista (1).

agonística [Do gr. *agonistiké, i. e., téchne agonistiké*, 'arte da luta', pelo lat. *agonistica*.] ***S. f.*** Entre os gregos antigos, parte da ginástica que tratava da luta dos atletas.

agonístico [Do gr. *agonistikós*, pelo lat. *agonisticu*.] ***Adj.*** **1.** Relativo à agonística. **2.** Relativo à luta, em particular à luta pela vida.

agonizado [Part. de *agonizar*.] ***Adj.*** V. *agoniado* (1).

agonizante [De *agonizar* + *-nte*.] ***Adj. 2 g.*** **1.** Que está na agonia. **2.** *P. us.* V. *agoniador*. **3.** Prestes a acabar: *civilização agonizante*. • ***S. 2 g.*** **4.** Pessoa em transe de morte; moribundo.

agonizar [Do lat. *agonizare*.] ***V. int.*** **1.** Estar moribundo; estar morrendo, ou a acabar; padecer agonia; estertorar: "O João da Luz tem uma filha, e é ela / Que está a agonizar" (Conde de Monsaraz, *Musa Alentejana*, p. 183); "E Mães, a agonizar de fome e de cansaço, / Levam com o coração mais do que com o braço / Os filhos pequeninos." (Vicente de Carvalho, *Poemas e Canções*, p. 58). **2.** Ir-se extinguindo (luz ou chama); bruxulear: "espevita o lampadário, / Cuja luzinha d'azeite / Agoniza ante o sacrário." (Eugênio de Castro, *Obras Poéticas*, IX, p. 30). **3.** Levar vida desregrada ou miserável; sofrer. ***T. d.*** **4.** Mortificar, martirizar. **5.** Afligir, penalizar, agoniar.

ágono [De *a-*[3] + *-gono*.] ***Adj.*** Sem ângulos. [A pronúncia correta seria *agono*, v. *-gono*.]

agonotesia [Do gr. *agonothesía*.] ***S. f.*** Cargo e função de agonóteta.

agonóteta [Do gr. *agonothétes*, pelo lat. tard. *agonotheta*.] ***S. m.*** **1.** Na Grécia antiga, aquele que organizava e dirigia os jogos públicos. **2.** *Restr.* Cidadão incumbido pelo Estado de organizar uma festa ou um certame artístico a expensas do erário ou à sua própria custa.

agora [Do lat. *hac hora*, 'nesta hora'.] ***Adv.*** **1.** Neste instante, neste momento, nesta hora: *Chegou agora; Agora não posso sair.* **2.** Presentemente, atualmente: *A moda agora são as roupas unissex.* **3.** Nesse ou naquele instante, nesse ou naquele momento, nessa ou naquela hora; então: *Lutara muito e agora queria descansar.* **4.** Nesse ou naquele tempo; então: "o Dr. Mendonça inventou um elixir contra a doença; e tão excelente era o elixir, que o autor ganhou um bom par de contos de réis. Agora exercia a medicina como amador." (Machado de Assis, *Contos Fluminenses*, p. 6). **5.** Depois disto, diante disto: "E agora, José? / A festa acabou, / a luz apagou, / o povo sumiu, / a noite esfriou, / e agora, José?" (Carlos Drummond de Andrade, *Reunião*, p. 70.) **6.** De agora em diante; doravante: "Estava livre! Passara o perigo! Agora era esquecer o passado, ser dele, de Macambira, só dele!" (Coelho Neto, *Rei Negro*, p. 120.) • ***Conj.*** **7.** Mas, porém, contudo, todavia: *Ir é fácil; agora, voltar é que são elas.* **8.** Umas vezes... outras vezes; ora... ora: "Língua minha dulcíssona e canora, / Em que mel com aroma se mistura, / Agora leda, lastimosa agora, / Mas não isenta nunca de brandura" (José Albano, *Rimas*, p. 75). • ***Interj.*** **9.** *Lus.* Ora essa; ora: "— Mas os outros são mais do que nós, mãe? / — Agora! Tu és melhor que os filhos dos outros." (Raul Brandão, *A Farsa*, p. 64.) [Cf. *ágora* e *agorá*.] ◆ **Agora agora.** *Bras.* V. *agorinha*. **Agora mesmo.** V. *agorinha*: *A carta chegou agora mesmo.* **Agora moderno.** *Cabo-verd.* Nos últimos tempos; ultimamente: "Mas agora moderno tinha vindo outra ordem" (Luís Romano, *Negrume (Lzimparin)*, p. 64). **Agora por ora.** *Bras. MG* Na região são-franciscana, por enquanto. **De agora.** Do presente; atual: *As crianças de agora são bem mais precoces que as de antes.* **Agora ou nunca.** Usa-se como exortação para que não se demore a agir: "Alisou o porrete, pôs a mão no cabo da faca, contraiu o corpo todo. Agora ou nunca!" (João Ubaldo Ribeiro, *Viva o Povo Brasileiro*, p. 351). **Por agora.** Por enquanto, por ora: *Obrigado, por agora não necessito de nada.*

▲**agora-** [Do gr. *agorá, âs*, 'assembleia'; 'assembleia do povo'; 'lugar em que a assembleia se reúne'; 'praça pública'.] ***El. comp.*** = 'espaço aberto': *agorafobia, agoráfobo*.

agorá [Do hebr. *agorah*.] ***S. m.*** Moeda divisionária que representa a centésima parte do siclo novo (q. v.). [Pl. (hebr.): *agorot* (ót). Cf. *ágora* e *agora*.]

ágora [Do gr. *agorá*.] ***S. f.*** Praça das antigas cidades gregas, na qual se fazia o mercado e onde se reuniam, muitas vezes, as assembleias do povo. [Cf. *agora*.]

agorafilia [De *agora-* + *-filia*.] *S. f. Psiq.* Tendência mórbida a ser atraído por espaços amplos e abertos. [Cf. *agorafobia*.]

agorafílico [De *agorafilia* + *-ico*[2].] *Psiq. Adj.* **1.** Relativo a agorafilia. **2.** Que tem agorafilia; agorafilo. ● *S. m.* **3.** Aquele que tem agorafilia; agorafilo.

agorafilo [De *agora-* + *-filo*[2].] *Adj. S. m. Psiq.* Agorafílico (2 e 3).

agorafobia [De *agora-* + *-fobia*.] *S. f. Psiq.* **1.** Medo mórbido e angustiante de lugares públicos e grandes espaços descobertos. **2.** Transtorno (5) caracterizado pela ansiedade de estar em locais ou em situações de onde é difícil ou embaraçoso sair. [Cf. *agorafilia* e *claustrofobia*.]

agorafóbico [De *agorafobia* + *-ico*[2].] *Psiq. Adj.* **1.** Relativo a agorafobia. **2.** Que sofre de agorafobia; agoráfobo. ● *S. m.* **3.** Aquele que sofre de agorafobia; agoráfobo.

agoráfobo [De *agora-* + *-fobo*.] *Adj. S. m. Psiq.* Agorafóbico (2 e 3).

agoranomia [Do gr. *agoranomía*.] *S. f.* Cargo e função de agorânomo.

agorânomo [Do gr. *agoranómos*, pelo lat. *agoranomu*.] *S. m.* Na Grécia antiga, magistrado responsável pela fiscalização dos mercados.

agorentar *V. t. d.* V. *aguarentar*. [Pres. ind.: *agorento*, etc. Cf. *agourento*, adj., o pres. ind. dos v. *agourentar* e *agurentar*, e estes verbos.]

agorinha [De *agora* + *-inha*.] *Adv. Angol. Bras. Cabo-verd. Moç.* Há poucos instantes; agora mesmo; ainda agora; agora ainda; ainda agorinha, agorinha mesmo: *Por pouco você o encontrava em casa: saiu agorinha;* "Quer um cafezinho? Foi passado agorinha." (Chico Anísio, *Teje Preso*, p. 15). ◆ **Agorinha mesmo.** *Bras.* V. *agorinha*.

agostiniano *Adj.* **1.** Relativo ou pertencente a Santo Agostinho, nascido na África romana (354-430), ou à ordem fundada por ele. ● *S. m.* **2.** Frade dessa ordem.

agostinismo *S. m. Hist. Filos.* Corrente teológico-filosófica proveniente de Santo Agostinho (v. *agostiniano*), com forte propensão para o platonismo; augustinianismo, augustinismo.

agostinista *Filos. Adj. 2 g.* **1.** Pertencente ou relativo ao agostinismo. **2.** Partidário do agostinismo. ● *S. 2 g.* **3.** Partidário do agostinismo. [Sin. ger.: *augustiniano* e *augustinista*.]

agosto (ô) [Do lat. *Augustu*.] *S. m.* O oitavo mês dos calendários juliano e gregoriano, com 31 dias. [Pl.: *agostos* (ô).]

agoural [Do lat. *augurale*.] *Adj. 2 g.* Relativo a agouros. [Var.: *agoiral*.]

agourar [Do lat. *augurare*.] *V. t. d.* **1.** Adivinhar, prever, pressentir, prognosticar: *Os técnicos agouram sucesso na empresa. T. d. e i.* **2.** Fazer agouro; predizer, pressagiar, vaticinar: *Tal situação agoura-lhe um futuro caótico. T. i.* **3.** Fazer agouro; pressagiar: "agourara mal do silêncio do noivo" (Camilo Castelo Branco, *A Mulher Fatal*, p. 25). *Int.* **4.** Ter ou fazer mau agouro: "Um caburé piou na moita de murici. Desgraçado de caburé. Ainda vinha agourar mais." (Renato Castelo Branco, *Senhores e Escravos*, p. 16.) *P.* **5.** Prever o que está para acontecer a si mesmo. [Var.: *agoirar*.]

agoureiro [De *agourar* + *-eiro*.] *Adj.* **1.** Que agoura; agourento. **2.** Que vaticina ou anuncia, ou se crê vaticinar ou anunciar desgraças, infortúnios: *um velho agoureiro;* "Fora da mata, pela estrada erma e escura, pulavam bacuraus agoureiros" (Alberto Deodato, *Canaviais*, p. 39). **3.** Crente em agouros; supersticioso, crendeiro, agourento. ● *S. m.* **4.** Indivíduo que vaticina males e desgraças. **5.** Aquele que agoura; adivinho, áugure. **6.** Áugure (1). [Var.: *agoireiro*.]

agourentar [De *agouro* + *-entar*.] *V. t. d.* Fazer mau agouro sobre; ameaçar com desdita; predizer desgraças a. [Var.: *agoirentar*. Pres. ind.: *agourento*, etc. Cf. *agorento* e *agurento*, dos v. *agorentar* e *agurentar*, e estes verbos.]

agourento [De *agouro* + *-ento*.] *Adj.* **1.** Que envolve agouro. **2.** V. *agoureiro* (1 e 3): "as agourentas corujas grazinavam. Tremi." (Coelho Neto, *Sertão*, p. 144). [Var.: *agoirento*. Cf. *agorento*, *agurento*, dos v. *agorentar* e *agurentar*, e estes verbos.]

agouro [Do lat. *auguriu*.] *S. m.* **1.** Predição baseada no voo ou no canto das aves; augúrio. **2.** Profecia, prognóstico, vaticínio, predição, augúrio. **3.** Presságio, pressentimento, previsão, augúrio: "A visita pareceu de mau agouro ao médico." (Machado de Assis, *Contos Fluminenses*, p. 38.) **4.** Sinal que pressagia; augúrio. **5.** Presságio de coisa má; mau agouro. [Var.: *agoiro*.]

▲**-agra** [Do gr. *ágra*, *as*.] *El. comp.* = 'presa'; 'espécie de pinçamento que causa dor'; *p. ext.*, 'acesso de dor aguda': *odontagra*, *omagra*, *raquissagra*.

agraciação [De *agraciar* + *-ção*.] *S. f.* Ação ou efeito de agraciar.

agraciado [Part. de *agraciar*.] *Adj.* **1.** Que recebeu graça, mercê; condecorado, galardoado. **2.** Que recebeu mercê, indulto, perdão.

agraciador (ô) [De *agraciar* + *-dor*.] *Adj. S. m.* Que, ou aquele que agracia.

agraciar [De *a-*[2] + lat. *gratia*, 'graça', + *-ar*[2].] *V. t. d.* **1.** Conceder graça, honraria, condecoração ou mercê a; galardoar: *O rei agraciou o velho servidor da coroa. T. d. e i.* **2.** Conceder graça, honraria, condecoração ou mercê: "Em 1841 agraciou-o D. Pedro II [a José Joaquim da Rocha] com o título de Conselheiro." (Afonso d'E. Taunay, *Grandes Vultos da Independência Brasileira*, p. 69.) **3.** Dar ou comunicar graça ou perfeição a. **4.** Perdoar ou comutar pena a; indultar. *Transobj.* **5.** Conceder o título de: *O decreto real agraciava-o barão.*

agraço [Do lat. vulg. *acraceu < lat. *acer*, 'agudo', 'azedo'; 'forte', 'vigoroso'.] *S. m.* **1.** Agraz (q. v.). **2.** Suco de uva verde. **3.** Verdor, verdura; vigor: "Árvores murcham no esplendor do agraço." (Luís Carlos, *Colunas*, p. 20.)

agradabilíssimo *Adj.* Superl. abs. sint. de *agradável*.

agradar[1] [De *a-*[2] + *grado*[1] + *-ar*[2].] *V. t. i.* **1.** Ser agradável; aprazer, deleitar: *A gentileza do rapaz agradou a todos.* **2.** Cair no agrado, no gosto; satisfazer: "o interior do casarão agradara-lhe também, com a sua disposição apalaçada" (Eça de Queirós, *Os Maias*, I, p. 8). *T. d.* **3.** *Bras.* Fazer agrado(s), festas; amimar, acarinhar, afagar: "Tinhô caiu em si, arrependeu-se e procurou agradar o filho" (Amadeu de Queirós, *João*, p. 24); "Quando cresci e tentei agradá-la, recebeu-me suspeitosa e hostil" (Graciliano Ramos, *Infância*, p. 37). **4.** Ser agradável a; causar satisfação a; satisfazer. *Int.* **5.** Causar ou inspirar complacência ou satisfação; ser agradável: "Que moças boas, adivinhando que a melhor forma de agradar era não ser triste!..." (José Américo de Almeida, *O Boqueirão*, p. 17); "Hoje .... ninguém há que não cuide do corpo para agradar." (João do Rio, *Sésamo*, p. 27). **6.** Parecer bem; aprazer, quadrar. **7.** Contentar, satisfazer: "A peça havia um mês em cena, agradara em cheio" (Antero de Figueiredo, *Cômicos*, p. 111). *P.* **8.** Sentir prazer, satisfação; comprazer-se. **9.** Tomar-se de amores; encantar-se, enamorar-se; simpatizar, afeiçoar-se: "quem sabe se ela não se agradaria de algum desses bolas, esquecendo-se de mim?..." (Raul Pompeia, *Contos*, p. 22); *Agradou-se da criança abandonada, tomando-a para criar; Tanto se agradou da moça que lhe propôs casamento.*

agradar[2] [De *a-*[2] + *grade* + *-ar*[2].] *V. t. d.* V. *gradar*[1].

agradável [De *agradar*[1] + *-vel*.] *Adj. 2 g.* **1.** Que agrada. **2.** Aprazível, deleitável: *ambiente agradável.* **3.** Bom, prazenteiro, grato: *Disse-lhe palavras agradáveis de ouvir.* **4.** Afável, delicado, cortês: *pessoa de trato agradável.* **5.** Que agrada, dá prazer aos sentidos: *cheiro agradável; sabor agradável.* [Superl. abs. sint.: *agradabilíssimo*.] ● *S. m.* **6.** Aquilo que agrada: *Unir o útil ao agradável.*

agradecer [De *a-*[2] + *grado*[1] + *-ecer*.] *V. t. d.* **1.** Mostrar-se grato por. *T. d. e i.* **2.** Demonstrar, manifestar gratidão: "Hoje [23 de novembro], nos Estados Unidos, é o dia de agradecer a Deus os benefícios e favores recebidos." (Dario de Almeida Magalhães, *Páginas Avulsas*, p. 18); "Calisto levantou-se, agradecendo à Providência a chegada de um ancião respeitável que se aproximava dele a cortejá-lo." (Camilo Castelo Branco, *A Queda dum Anjo*, p. 150).; "Rubião foi agradecer a notícia ao Camacho" (Machado de Assis, *Quincas Borba*, p. 125). **3.** Retribuir, recompensar: "— Também eu esperava este momento para agradecer-lhe os cuidados e desvelos que dispensou a Aurélia, e assegurar-lhe minha sincera amizade." (José de Alencar, *Senhora*, p. 171.) *T. i.* **4.** Demonstrar ou manifestar gratidão: *Recebi dele um favor, e ainda não lhe agradeci. Int.* **5.** Demonstrar ou manifestar gratidão; mostrar-se grato: *Recebe favores, e não agradece.* [Conjug.: v. *aquecer*.]

agradecido [Part. de *agradecer*.] *Adj.* **1.** Grato, reconhecido, penhorado. **2.** V. *bem-agradecido*.

agradecimento [De *agradecer* + *-imento*.] *S. m.* **1.** Ato ou efeito de agradecer. **2.** Gratidão, reconhecimento. **3.** Palavras ou fatos com que o agradecimento se manifesta: *Não recebeu agradecimentos pelo presente enviado.*

agradecível [De *agradecer* + *-ível*.] *Adj. 2 g.* Que merece gratidão; digno de agradecimento.

agrado [Dev. de *agradar*.] *S. m.* **1.** Ato ou efeito de agradar(-se). **2.** Aprazimento, satisfação, contentamento. **3.** Aceitação, aprovação, beneplácito. **4.** Afabilidade, amabilidade, cortesia. **5.** Manifestação de carinho; carícia. **6.** Gratificação, gorjeta. ~ V. *agrados*.

agrados [Pl. de *agrado*.] *S. m. pl. Bras.* **1.** Presentes, dádivas. **2.** Mimos, festas: "— Estou brincando, Maria! Pra quê esse beicinho? Isso é zanga? | E foi agradá-la, com agrados de sargento." (Luís Jardim, *Maria Perigosa*, p. 13.) ~ V. *agrado*.

agrafador (ô) [De *agrafar* + *-dor*.] *S. m. Lus.* V. *grampeador* (1).

agrafar [De *agrafo* + *-ar*[2], ou do fr. *agrafer*.] *V. t. d. Lus.* Prender com agrafo(s). [Pres. ind.: *agrafo*, etc.]

agrafe [Do fr. *agrafe*.] *S. m.* **1.** Grampo de cabelo. **2.** *Bras. MA* Alfinete de fralda. **3.** *Lus.* V. *grampo* (6). [Cf. *agrafo*.]

agrafia [De *a-*[3] + *-grafia*.] *S. f. Neur.* Perda da capacidade de escrever, devida a incoordenação motora (*agrafia motora*), ou a incapacidade de formar frases (*agrafia cerebral* ou *agrafia mental*). ◆ **Agrafia cerebral.** *Neur.* V. *agrafia*. **Agrafia mental.** *Neur.* V. *agrafia*. **Agrafia motora.** *Neur.* V. *agrafia*.

agráfico [De *agrafia* + *-ico*[2].] *Adj.* **1.** *Med.* Relativo à agrafia. **2.** Que não pode escrever.

agrafo [Do fr. *agrafe*.] *S. m.* **1.** Grampo metálico com que, em operações cirúrgicas, se faz a sutura de incisões e feridas. **2.** *Lus.* V. *grampo* (6). [Cf. *ágrafo* e *agrafe*.]

ágrafo [Do gr. *ágraphos*.] *Adj.* **1.** Que não está escrito. **2.** Que não tem ou não admite escrita: *língua ágrafa.* [Cf. *agrafo*.]

agramatical [De *a-*[3] + *gramática* + *-al*[1].] *Adj. 2 g. E. Ling.* Contrário a princípios ou regras da gramática (5).

agramatismo [Do gr. *agrámmatos*, 'que não sabe ler ou escrever', + *-ismo*.] *S. m. Neur.* Perturbação da linguagem oral ou escrita caracterizada pela omissão de letras ou sílabas ou pela incapacidade de relacionar as palavras formando frases.

agranelar [De *a-*[2] + *granel* + *-ar*[2].] *V. t. d.* Recolher ou pôr em granel.

agranizar [De *a-*[2] + *granizo* + *-ar*[2].] *V. t. d.* Cobrir de granizo; granizar.

agranular [De *a-*[3] + *granular*[1].] *Adj.* Desprovido de grãos. ~ V *retículo endoplasmático* —.

agranulócito [De *a-*[3] + *granulócito*.] *S. m. Histol.* Leucócito cujo citoplasma não tem granulações específicas.

agranulocitose [De *a-*[3] + *granulócito* + *-ose*[1].] *S. f. Med.* Quadro clínico e laboratorial em que há baixa acentuada de leucócitos granulócitos, ocorrendo lesões mucosas de faringe e de áreas gastrintestinais e alterações cutâneas.

agrar [De *agro*[1] + *-ar*[2].] *V. t. d.* Transformar em agro[1]; aplanar (terras) para cultivo. [Fut. pret.: *agraria*, etc. Cf. *agrária*, f. de *agrário*.]

agrarianismo *S. m.* Doutrina ou sistema que preconiza a repartição das terras entre os agricultores.

agrário [Do lat. *agrariu*.] *Adj.* **1.** Relativo à terra: *medida agrária.* **2.** Relativo ou pertencente aos campos e à agricultura; rural: *população agrária.* ~ V. *reforma —a*. ● *S. m.* **3.** Partidário do agrarianismo. [Fem.: *agrária*. Cf. *agraria*, do v. *agrar*.]

agraudar (a-u) [De *a-*[2] + *graúdo* + *-ar*[2].] *V. int.* Tornar-se graúdo; crescer. [Conjug.: v. *saudar*.]

agravação [Do lat. *aggravatione*.] *S. f.* V. *agravamento*.

agravado [Part. de *agravar*.] *Adj.* **1.** Tornado pior ou mais grave; piorado. **2.** Exasperado, exacerbado. **3.** Que sofreu agravo ou injustiça. **4.** *Dir. Proc.* Diz-se da pessoa ou da decisão contra a qual se interpôs o recurso de agravo. [Cf. (nesta acepç.) *recorrido* (1 e 2).] ● *S. m.* **5.** Pessoa que sofreu agravo. **6.** *Dir. Proc.* Pessoa contra quem é interposto o recurso de agravo.

agravador (ô) [De *agravar* + *-dor*.] *Adj.* **1.** V. *agravante* (1). ● *S. m.* **2.** Aquele que agrava.

agravamento [De *agravar* + *-mento*.] *S. m.* **1.** Ato ou efeito de agravar(-se). **2.** Exacerbação de uma enfermidade ou de um sintoma; agravo. **3.** Aumento, intensificação: *o agravamento da crise política.* **4.** V. *agravo* (1). [Sin. ger.: *agravação*.]

agravante [Do lat. *aggravante*.] *Adj. 2 g.* **1.** Que agrava; agravador, agravativo. **2.** Que aumenta a gravidade. **3.** *Dir. Proc.* Diz-se de circunstância acidental do crime, legalmente prevista, reveladora de sua maior gravidade, e que acarreta, obrigatoriamente, aumento da pena, a critério do juiz, respeitado porém o limite máximo da cominação. ● *S. f.* **4.** Circunstância agravante (2). ● *S. m.* **5.** O que agrava. ● *S. 2 g.* **6.** *Dir. Proc.* Pessoa que interpõe agravo (3).

agravar [Do lat. *aggravare*.] *V. t. d.* **1.** Tornar mais grave, mais pesado: *As palavras de consolo agravavam sua desgraça.* **2.** Tornar pior; piorar, empiorar: *Novas chuvas agravaram a situação dos flagelados.* **3.** Oprimir com peso ou carga; sobrecarregar. **4.** Tornar mais grave; exacerbar: *A falta de cuidados agravou-lhe as feridas.* **5.** Exagerar a importância de; aumentar, exacerbar. **6.** Ofender, magoar, molestar. **7.** Inflamar, irritar: *A poeira agrava os olhos. T. i.* **8.** *Dir. Proc.* Interpor agravo; recorrer mediante agravo: *A parte agravou da decisão. P.* **9.** Tornar-se pior ou mais grave: "O amor é uma forma de loucura e, como a loucura, tem alternativas; agrava-se subitamente hoje, amanhã se atenua sem sabermos por quê." (Ciro dos Anjos, *Abdias*, p. 65.) **10.** Ofender-se, magoar-se. **11.** Aumentar, intensificar: "Os ataques sucediam-se e <u>agravavam-se</u>." (Raul Brandão, *Memórias*, I, p. 317.) [Pret. imperf. ind.: *agravava*, ... *agraváveis, agravavam*. Cf. *agraváveis*, pl. de *agravável*.]

agravativo [De *agravar* + *-tivo*.] ***Adj.*** V. *agravante* (1).

agravável [De *agravar* + *-vel*.] ***Adj. 2 g.*** Que pode ser agravado.

agravo [Dev. de *agravar*.] ***S. m.*** **1.** Ofensa, injúria, afronta, agravamento. **2.** Prejuízo, dano. **3.** Motivo grave de queixa. **4.** Agravamento (2). **5.** *Dir. Proc.* Denominação comum a vários recursos cabíveis, por via de regra, contra decisões interlocutórias ou terminativas, e excepcionalmente contra definitivas. [Cf. (nesta acepç.) *minuta*[1] (3).]

agraz [Var. de *agraço* (1).] ***S. m.*** Qualquer fruta (principalmente uva) muito acre, de verde; agraço.

agre [Do lat. *acre*.] ***Adj. 2 g. P. us.*** Acre, azedo, ácido: "aproveitaram a ocasião para deitarem-me na língua o conteúdo de uma cápsula de quinino. .... Só momentos após levantei-me para cuspir n'água a <u>agre</u> saliva." (Braga Montenegro, *As Viagens*, p. 61). [Superl. abs. sint.: *acérrimo* e *agríssimo*.]

agredido [Part. de *agredir*.] ***Adj. S. m.*** Que, ou aquele que sofreu agressão.

agredir [Do lat. *aggredere*.] ***V. t. d.*** **1.** Atacar, assaltar, acometer. **2.** Injuriar, insultar: *Embriagado, <u>agredia</u>, inconveniente, os passantes.* **3.** Bater em; surrar, espancar. **4.** Causar impressão desagradável a; incomodar, irritar (qualquer dos sentidos): *Esta loção <u>agride</u> o olfato; Aqueles espigões <u>agridem</u> a vista; Certas músicas <u>agridem</u> a audição; Aquele filé <u>agrediu</u>-me o paladar.* **5.** Ir contra, não levar em conta (o que é evidente): *Realista, não costuma <u>agredir</u> os fatos.* ***Int.*** **6.** Demonstrar agressividade (4). [Irreg. Muda o *e* do radical em *i* nas f. rizotônicas do pres. ind.: *agrido, agrides, agride, agridem*, e, portanto, em todo o pres. subj. e nas f. do imperat. que deste derivam.]

agregação [Do lat. *aggregatione*.] ***S. f.*** **1.** Ação ou efeito de agregar(-se). **2.** Reunião em grupo; associação, aglomeração. **3.** *Ecol.* Conjunto de indivíduos da mesma espécie, não organizado de modo cooperativo. **4.** *Filos.* Relação entre as partes de um todo em que cada uma delas mantém a autonomia e a consistência próprias; justaposição. [Cf., nesta acepç., *conexão* (7) e *forma* (19).] **5.** *Mús.* Acorde dissonante que escapa às categorias fixas em que se classificam os acordes. [Cf. (nesta acepç.) *acorde*[1] (2) e *agregado sonoro*.] ◆ **Agregação plaquetária.** *Hemat.* Empilhamento de plaquetas sanguíneas, passível de ser produzido por agentes diversos, e que faz parte de uma cadeia de fenômenos que leva à formação de trombo. **Agregação de valor.** *Adm.* Aumento no benefício percebido pelo cliente, superior ao aumento dos custos incorridos.

agregado[1] [Part. de *agregar*.] ***Adj.*** **1.** Reunido, junto, anexo. **2.** *Econ.* Diz-se de grandezas referentes à economia como um todo, resultantes da soma de dados individuais: *investimento <u>agregado</u>.* ~ V. *demanda –a, oferta –a* e *valor –.* ● ***S. m.*** **3.** Conjunto, aglomerado. **4.** *Constr.* Material granular inerte (pedra, areia, etc.) que participa da composição de concretos, argamassas e alvenarias, e cujas partículas são ligadas entre si por um aglutinante. [Sin.: *inerte*.] **5.** *Econ.* Grandeza relativa à economia como um todo: *A Contabilidade Nacional mede os <u>agregados</u> macroeconômicos, como, p. ex., o PIB.* **6.** *Bras.* Aquele que vive numa casa, como, p. ex., pessoa da família. **7.** *Bras.* Pessoa que vive maritalmente com outra. **8.** *Bras.* Criado, serviçal. **9.** *Bras.* Lavrador pobre estabelecido em terra alheia mediante certas condições. **10.** *Bras. N.E.* Aquele que vive em fazenda ou engenho alheio, cultivando certa porção de terra e prestando serviço ao proprietário alguns dias por semana, mediante remuneração; morador. **11.** *Bras. SP* Aquele que vive em fazenda ou sítio, prestando serviços avulsos, sem ser propriamente um empregado. **12.** *Exérc.* Militar da ativa que deixa de ocupar vaga na escala hierárquica de sua arma, quadro ou serviço. ◆ **Agregado graúdo.** *Constr.* Classe de agregado (4) cujo diâmetro máximo é superior a 4,8mm, e que compreende a brita, a pedra de mão e o pedregulho natural. **Agregado miúdo.** *Constr.* Classe de agregado (4) cujo diâmetro máximo é inferior a 4,8mm, e que compreende a areia, o pó de pedra e o pedrisco. **Agregado sonoro.** *Mús.* Complexo de vibrações acústicas de diferentes frequências, que se produzem simultaneamente ou em curto intervalo de tempo. [Cf. *acorde*[1] (2) e *agregação* (5).]

agregado[2] [Adapt. do tax. *Aggregata*.] *Zool.* ***S. m.*** **1.** Espécime dos agregados, família de moluscos acéfalos, sem concha, caracterizada pela reunião de muitos indivíduos da mesma espécie dentro duma pele comum, que lhes confere a aparência de um indivíduo único. ● ***Adj.*** **2.** Pertencente ou relativo a eles.

agregar [Do lat. *aggregare*.] ***V. t. d.*** **1.** Reunir, congregar: *<u>Agregou</u> os mais lúcidos para um conselho.* **2.** Acumular, reunir: *<u>Agregou</u> vários exemplos.* **3.** *Bras. Mar. G.* Retirar temporariamente (o nome de um oficial) da escala numérica do corpo ou quadro a que pertence, de sorte que não ocupe vaga na referida escala. ***T. d. e i.*** **4.** Reunir, juntar, associar: *<u>Agregou</u> novas razões a tantas já aduzidas.* ***P.*** **5.** Reunir-se, associar-se. **6.** Reunir-se, ajuntar-se. [Conjug.: v. *regar*.]

agregativo [De *agregar* + *-tivo*.] ***Adj.*** Que agrega; capaz de agregar.

agrellita [Do antr. (*Stuart O.*) *Agrell* + *-ita*[3].] ***S. f.*** *Min.* Mineral triclínico, silicato de sódio e cálcio, de cor branca ou cinza, e brilho nacarado nas superfícies de clivagem.

➔ **agrément** [agʁemˈɑ̃] [Fr.] ***S. m.*** *Jur.* Consulta reservada feita por um governo a outro para saber se o agente diplomático que o primeiro pretende acreditar junto desse outro é ou não de seu agrado e conveniência. [Cf. *persona grata* (1).]

agremiação [De *agremiar* + *-ção*.] ***S. f.*** **1.** Ato de agremiar(-se). **2.** V. *sociedade* (7). **3.** Ajuntamento em assembleia.

agremiador (ô) [De *agremiar* + *-dor*.] ***Adj. S. m.*** Que, ou aquele que agremia.

agremiar [De *a-*[2] + *grêmio* + *-ar*[2].] ***V. t. d.*** **1.** Reunir (indivíduos) em grêmio ou em assembleia; associar. **2.** Associar, ligar, reunir. ***P.*** **3.** Associar-se, ligar-se, reunir-se: "Em 1849 havia na Itália uma propaganda católica, cujos membros todavia não chegaram nunca a <u>agremiar-se</u> e a constituir-se em sociedade" (Ramalho Ortigão, *As Farpas*, II, p. 83).

agressão [Do lat. *aggressione*.] ***S. f.*** **1.** Ação ou efeito de agredir. **2.** Bordoada, pancada. **3.** Investida, ataque. **4.** Provocação, hostilidade. **5.** Ofensa, acometimento, ataque. **6.** *Psic.* Conduta caracterizada por intuito destrutivo.

agressividade [De *agressivo* + *-(i)dade*.] ***S. f.*** **1.** Qualidade de agressivo. **2.** Disposição para agredir. **3.** *Fig.* Dinamismo, atividade. **4.** *Psic.* Disposição para o desencadeamento de condutas hostis, destrutivas, fixada e alimentada pelo acúmulo de experiências frustradoras.

agressivo [Do lat. *aggressus*, part. pass. de *aggredi*, 'ir contra', 'atacar', + *-ivo*.] ***Adj.*** **1.** Que agride, ou envolve ou denota agressão: *homem <u>agressivo</u>; palavras e gestos <u>agressivos</u>.* **2.** *Psic.* Diz-se de indivíduo em cuja personalidade prevalece como componente a disposição para condutas destrutivas, hostis. **3.** *Fig.* Dinâmico, ativo. **4.** *Fig.* Empreendedor. ● ***S. m.*** **5.** *Psic.* Indivíduo agressivo (2).

agressor (ô) [Do lat. *aggressore*.] ***Adj. S. m.*** Diz-se de, ou aquele que agride. [M. us. como s. m.]

agrestado [De *agreste* + *-ado*[1].] ***S. m.*** *Bras. N.E.* Terreno ou formação vegetal que tem certas características do agreste, mas que dele difere.

agreste [Do lat. *agreste*.] ***Adj. 2 g.*** **1.** Relativo ao campo ou agro, sobretudo quando não cultivado; campestre. **2.** Tosco, rude, rústico. **3.** Inclemente, rigoroso: *tempo <u>agreste</u>;* "Rompe <u>agreste</u> e chuvosa a madrugada." (Eugênio de Castro, *Obras Poéticas*, V, p. 71). **4.** Desabrido, indelicado. ● ***S. m.*** **5.** *Bras.* Zona fitogeográfica do N.E., entre a mata e o sertão, caracterizada pelo solo pedregoso e pela vegetação escassa e de pequeno porte (mirtáceas, leguminosas e combretáceas). ◆ **Agreste acatingado.** *Bras.* Agreste com certas características próprias da caatinga.

agrestia [De *agreste* + *-ia*[1].] ***S. f.*** **1.** Qualidade do que é agreste. **2.** *Fig.* Rudeza, rusticidade. **3.** *P. ext.* Grosseria, desabrimento. [Sin. ger.: *agrestidade*.]

agrestidade [De *agreste* + *-(i)dade*.] ***S. f.*** V. *agrestia*.

agrestinense ***Adj. 2 g.*** **1.** De, ou pertencente ou relativo a Agrestina (PE). ● ***S. 2 g.*** **2.** O natural ou habitante de Agrestina.

agrestino [Do lat. *agrestinu*.] ***Adj.*** *Bras. N.E.* **1.** Pertencente ou relativo ao agreste (5). ● ***S. m.*** **2.** O natural ou habitante do agreste (5).

▲**agri-**[1] [Do lat. *acer, acris, acre*, ou do lat. vulg. *acer, acra, acrum*.] ***El. comp.*** = 'ácido', 'azedo': *agridoce*.

▲**agri-**[2] [Do lat. *ager, agri*.] ***El. comp.*** = 'campo': *agrícola* (< lat.), *agricultor*. [Equiv.: *agro-*[2]: *agronomia*.]

agrião[1] [De or. controv.; do lat. **agrione* ou do lat. vulg. *acrione*, poss.] ***S. m.*** *Bot.* Erva brassicácea (*Nasturtium officinale*) de origem europeia, ger. aquática, de caule oco, folhas penatissectas, flores branco-amareladas, e frutos que são síliquas cilíndricas; é universalmente cultivada para uso em salada.

agrião[2] ***S. m.*** *Veter.* Tumor duro e sem dor, no curvilhão das cavalgaduras.

agrião-bravo [De *agrião*[1] + *bravo*.] ***S. m.*** *Bras. Bot.* V. *agrião-do-pará*. [Pl.: *agriões-bravos*.]

agrião-do-brasil [De *agrião*[1] + *do*[1] + o top. *Brasil*.] ***S. m.*** *Bras. Bot.* V. *agrião-do-pará*. [Pl.: *agriões-do-brasil*.]

agrião-do-brejo [De *agrião*[1] + *do*[1] + *brejo*.] ***S. m.*** *Bras. Bot.* Pequena erva asterácea (*Eclipta alba*), de flores alvas e folhas pequenas e sésseis, usada pelo povo como medicamento caseiro; erva-de-botão. [Pl.: *agriões-do-brejo*.]

agrião-do-pará [De *agrião*[1] + *do*[1] + o top. *Pará*.] ***S. m.*** *Bras. Bot.* Erva asterácea (*Acmella oleracea*) de flores amareladas e folhas opostas, ovaladas, com longos pecíolos; tem sabor picante, e é us. como tempero, em saladas, ou cozida. [Sin.: *abecedária, abedária, acmela, agrião-bravo, agrião-do-brasil, jambu, nhambu, nhandu, numbu*. Pl.: *agriões-do-pará*.]

➔**agribusiness** [ægɹiˈbɪznɪs] [Ingl.] ***S. m.*** *Econ.* V. *agronegócio*.

agrícola [Do lat. *agricola*.] ***Adj. 2 g.*** **1.** Relativo à agricultura. **2.** Que se dedica à agricultura: *país <u>agrícola</u>.* **3.** Que é baseado na agricultura, ou é próprio dela: *economia <u>agrícola</u>.* ~ V. *ano –, botânica –, colônia –, defensivo –* e *fronteira –.* ● ***S. 2 g.*** **4.** Agricultor.

agricolandense ***Adj. 2 g.*** **1.** De, ou pertencente ou relativo a Agricolândia (PI). ● ***S. 2 g.*** **2.** O natural ou habitante de Agricolândia.

agricolita [Do antr. (*Georgius*) *Agricola* (1494-1555), mineralogista alemão, + *-ita*[3].] ***S. f.*** *Min.* Mineral monoclínico, silicato de bismuto, adamantino, incolor ou amarelo.

agricultado [Part. de *agricultar*.] ***Adj.*** **1.** Cultivado, lavrado, amanhado: "Uma umidade excessiva de selva subia daquele vale, ... errava pelas chapadas, onde .... repontavam as primeiras chaminés dos casais à roda dos campos <u>agricultados</u>" (Pedro Calmon, *História da Casa da Torre*, p. 17). **2.** Diz-se do terreno em que se aplicaram os processos agrícolas.

agricultar [De *agri-*[2] + lat. *cultus*, 'cultura', 'cultivo', + *-ar*[2].] ***V. t. d.*** **1.** Cultivar (terras). ***Int.*** **2.** Dedicar-se à agricultura.

agricultável [De *agricultar* + *-vel*.] ***Adj. 2 g.*** Que se pode agricultar; agriculturável, arável.

agricultor (ô) [Do lat. *agricultore*.] ***Adj.*** **1.** Que agricultura: *povo <u>agricultor</u>.* ● ***S. m.*** **2.** Aquele que agricultura; lavrador. **3.** Lavrador (3).

agricultura ***S. f.*** **1.** Arte de cultivar os campos; cultivo da terra; lavoura; cultura. **2.** Conjunto de operações que transformam o solo natural para produção de vegetais úteis ao homem. ◆ **Agricultura de subsistência.** *Econ.* Produção agrícola voltada unicamente ao consumo do próprio produtor. **Agricultura familiar.** *Econ.* Produção agrícola baseada no trabalho de grupos familiares, ger. em pequenas propriedades e usando técnicas e instrumentos simples. **Agricultura itinerante.** Sistema primitivo de cultura do solo, característico das regiões tropicais, e pelo qual, após a queimada da mata, se instala determinada lavoura, que, mal a terra apresenta sinais de esgotamento, é abandonada, ocasião em que o lavrador parte à procura de nova área ainda inexplorada. **Agricultura superior.** A que se caracteriza pelo emprego de adubos e irrigação artificial, selecionamento e cruzamento de vegetais, combate às pragas e moléstias e uso de toda a tecnologia, com vista a aumentar a produtividade. [Do lat. *agricultura*.]

agriculturável [De **agriculturar* (de *agricultura* + *-ar*[2]) + *-vel*.] ***Adj. 2 g.*** V. *agricultável*. "O Brasil tem uma das maiores áreas <u>agriculturáveis</u> do mundo, boa parte delas ainda não exploradas." (Gitânio Fontes, em *Folha de S.Paulo*, 09.05.2008.)

agridoce (ô) [De *agri-*[1] + *doce*.] ***Adj. 2 g.*** **1.** Agro e doce ao mesmo tempo; agro-doce, acre-doce: "Quis chorar, porém não pôde. Um sentimento estranho, <u>agridoce</u>, o impedia, envolvendo-o numa onda de pesar e esperança" (O. G. Rego de Carvalho, *Somos Todos Inocentes*, p. 21). ● ***S. m.*** **2.** Sabor agridoce.

agrilhoamento [De *agrilhoar* + *-mento*.] ***S. m.*** Ato ou efeito de agrilhoar.

agrilhoar [De *a-*[2] + *grilhão* + *-ar*[2], com desnasalação.] ***V. t. d.*** **1.** Prender com grilhões; pôr grilhões em; acorrentar. **2.** *Fig.* Constranger; reprimir, refrear: *<u>agrilhoar</u> o ódio.* ***T. d. e i.*** **3.** Prender, ligar: *Não admite que o <u>agrilhoem</u> a convenções.* ***P.*** **4.** Prender-se, ligar-se: "Quis a má fortuna que aquele coração peregrino <u>se agrilhoasse</u> no cativeiro de um amor forte" (Lúcio de Mendonça, *Horas do Bom Tempo*, p. 142). [Conjug.: v. *coroar*.]

agrílica-de-rama ***S. f.*** *Bras. Bot.* V. *cipó-de-sapo*. [Pl.: *agrílicas-de-rama*.]

agrimar-se [De *a-*[2] + *grima*[1] + *-ar*[2] + *se*[1].] ***V. p.*** **1.** Tomar-se de grima. **2.** Deixar-se invadir por terror supersticioso.

agrimensão ***S. f.*** V. *agrimensura*.

agrimensar ***V. t. d.*** Medir (terrenos agrícolas).

agrimensor (ô) [Do lat. *agrimensore*.] ***S. m.*** **1.** Medidor de terras. [Sin., no RS: *piloto*.] **2.** *Pop.* Designação comum às larvas de certas borboletas geometrídeas, que se locomovem de maneira peculiar.

agrimensório [Do lat. tard. *agrimensoriu*.] ***Adj.*** Relativo à agrimensão.

agrimensura [Do lat. *agrimensura*.] *S. f.* 1. Medição das terras. 2. A arte dessa medição. [Sin. ger.: *agrimensão* e *gromática*.]

agrimónia[1] *S. f. Bot.* V. *agrimônia*[1]. [Uso freq. em P.]

agrimónia[2] *S. f.* V. *agrimônia*[2]. [Uso freq. em P.]

agrimônia[1] [Do lat. *agrimonia*, por *argemonia*; tax. *Agrimonia*.] *S. f. Bot.* 1. Gênero de ervas rosáceas que habitam, esp., as regiões temperadas do hemisfério norte; têm folhas alternas, imparipenadas, serreadas, flores amarelas, pentâmeras, em racemos espiciformes, e frutos ásperos, com coroa de pequenos espinhos. 2. Qualquer espécie desse gênero, como, p. ex., a *Agrimonia eupatoria* (v. *erva-agrimônia*). 3. Qualquer espécime desse gênero.

agrimônia[2] [Do lat. *acrimonia*, por via pop.] *S. f.* V. *acrimônia*.

agrinaldar [De *a-*[2] + *grinalda* + *-ar*[2].] *V. t. d. P.* V. *engrinaldar*.

▲ **agrio-** [Do gr. *ágrios, a, on*.] *El. comp.* = 'rude', 'silvestre', 'selvagem': *agriófago, agriotério*.

agriófago [De *agrio-* + *-fago*.] *Adj. S. m.* Que, ou aquele que se alimenta de animais silvestres.

agriônias [Adapt. do gr. *Agriónia*.] *S. f. pl.* Na antiga Beócia, festival em honra de Dioniso. [*Agriónios* era um dos epítetos desse deus.]

agriote [Do tax. *Agriotes*.] *S. m. Zool.* 1. Gênero de coleópteros elaterídeos, de porte médio e cor cinza, e cujas larvas, nocivas, destroem as raízes de gramíneas e da beterraba. 2. Espécime, ou espécie desse gênero.

agriotimia [De *agrio-* + *-tim(o)-* + *-ia*[1].] *S. f. Psiq.* Agressividade patológica.

agripa [Do lat. *agrippa*.] *S. 2 g.* Criança que ao nascer apresenta primeiro os pés.

agripene *Adj. 2 g. Zool.* Diz-se da ave que tem as penas da cauda aguçadas ou em forma de leque.

agripina *S. f. Bras. Zool.* Inseto lepidóptero, noctuídeo (*Thysania agrippina*), um dos maiores insetos conhecidos, cuja envergadura das asas pode atingir 27cm; imperador, tisânia.

agripnético [Do gr. *agrypnetikós*, 'insone', 'vígil'.] *Adj. Med.* Diz-se de substância que promove o despertar. [Cf. *hipnótico* (2).]

agripnia [Do gr. *agrypnía*, 'insônia'.] *S. f. Med.* Insônia.

agripnocoma [Do gr. *ágrypnos*, 'que não dorme', 'insone', + *coma*[2].] *S. m. Med.* Coma vígil.

agrisalhado [Part. de *agrisalhar*.] *Adj.* Meio grisalho.

agrisalhar [De *a-*[2] + *grisalho* + *-ar*[2].] *V. t. d. P.* Tornar(-se) grisalho.

agríssimo *Adj.* Superl. abs. sint. de *agro*; agérrimo (q. v.).

agro[1] [Do lat. *agru*.] *S. m. Ant.* Terra cultivada ou cultivável; campo: 📖 "E imita muita vez do vento as vozes / Pela noturna solidão dos agros." (José Severiano de Resende, *Mistérios*, p. 115).

agro[2] [Do lat. *acru*.] *Adj.* 1. Acre, azedo, ácido: 📖 "E nós inda em nossa pátria / Longe — longe — viveremos. / Mesmo ali — agra saudade / Um do outro curtiremos" (Gonçalves Dias, *Obras Poéticas*, II, p. 33). 2. Duro, árduo, inclemente: 📖 "nas horas de desalento, quando a atenção cansada do agro labor dos estudos repousava na contemplação de um cantinho qualquer da natureza, ... a pungente saudade o torturava ainda e o perseguia sempre" (Inglês de Sousa, *O Missionário*, p. 206). 3. Dificultoso, íngreme, escabroso: 📖 "Julgo achar no Amor o bem mais desejado, / Mas atrás desse amor, trilhando agro caminho, / Ensanguentou seus pés" (Eugênio de Castro, *Obras Poéticas*, III, p. 155). ● *S. m.* 4. Sabor agro. 5. Agrura (2 e 4). [Superl. abs. sint.: *agérrimo* e *agríssimo*.]

▲ **agro-** Equiv. de *agri-*[2].

agroaçucareiro [De + *açúcar* + *-eiro*.] *Adj.* Relativo à cultura e industrialização da cana-de-açúcar.

➔ **agrobusiness** ['ægɹəˌbɪznɪs] [Ingl.] *S. m. Econ.* V. *agronegócio*.

agro-doce [De *agro*[2] + *doce*.] *Adj. 2 g.* V. *agridoce* (1). [Na 5ª ed. do Volp., sem hífen; corrigido em errata.]

agroecologia [De *agro-* + *-ecologia*.] *S. f.* 1. Parte da ecologia que estuda os ecossistemas artificiais que se formam nas áreas agrícolas. 2. Estudo que visa à integração equilibrada da atividade agrícola com a proteção do meio ambiente.

agroecológico [De *agroecologia* + *-ico*[2].] *Adj.* Pertencente ou relativo à agroecologia.

agrogeologia [De *agro-* + *geologia*.] *S. f.* Ciência que trata da constituição física e química do solo em relação com a agricultura.

agrogeológico [De *agrogeologia* + *-ico*[2].] *Adj.* Relativo à agrogeologia.

agrografia [De *agro-* + *-grafia*.] *S. f.* Descrição das coisas referentes à agricultura.

agrográfico [De *agrografia* + *-ico*[2].] *Adj.* Concernente à agrografia.

agroindústria (o-i) [De *agro-* + *indústria*.] *S. f.* 1. A indústria nas suas relações com a agricultura ou dependências desta. 2. Indústria que beneficia matéria-prima oriunda da agricultura e vende o produto final.

agroindustrial (o-i) [De *agro-* + *indústria* + *-al*[1].] *Adj. 2 g.* Referente à agricultura e à indústria, ou à agroindústria.

agrolandense *Adj. 2 g.* 1. De, ou pertencente ou relativo a Agrolândia (SC). ● *S. 2 g.* 2. O natural ou habitante de Agrolândia.

agrologia [De *agro-* + *-logia*.] *S. f.* Ramo da agronomia que trata do estudo dos solos nas suas relações com a agricultura.

agrológico [De *agrologia* + *-ico*[2].] *Adj.* Relativo à agrologia.

agrólogo [De *agro-* + *-logo*.] *S. m.* Especialista em agrologia.

agromancia (cí) [De *agro-* + *-mancia*.] *S. f.* Adivinhação pelo aspecto dos campos.

agromania [De *agro* + *-mania*.] *S. f. Psiq.* Tendência mórbida à solidão, ou a vagar pelos campos.

agromaníaco [De *agromania* + *-íaco*.] *Psiq. Adj.* 1. Relativo à agromania. 2. Que tem agromania; agrômano. ● *S. m.* 3. Aquele que tem agromania; agrômano.

agrómano *Adj. S. m. Psiq.* V. *agrômano*. [Uso freq. em P.]

agrômano [De *agro-* + *-mano*[1].] *Adj. S. m. Psiq.* Agromaníaco (2 e 3).

agromante [De *agro-* + *-mante*.] *S. 2 g.* Pessoa que se dá à prática da agromancia.

agromântico *Adj.* Relativo à agromancia, ou a agromante.

agrometeorologia [De *agro-* + *meteorologia*.] *S. f.* Meteorologia aplicada à agricultura.

agrometeorológico [De *agrometeorologia* + *-ico*[2].] *Adj.* Referente à agrometeorologia.

agronegócio [De *agro-* + *negócio*, para trad. o ingl. *agrobusiness*.] *S. m. Econ.* 1. O conjunto de atividades e operações da cadeia de produção rural e da comercialização de seus produtos e serviços. 2. Cada uma dessas atividades ou operações. [Tb. se usa o ingl. *agrobusiness* e *agribusiness*.]

agronomando [De *agrônomo* + *-ando* (q. v.).] *S. m.* Aquele que está prestes a formar-se ou graduar-se em agronomia.

agronomense *Adj. 2 g.* 1. De, ou pertencente ou relativo a Agronômica (SC). ● *S. 2 g.* 2. O natural ou habitante de Agronômica.

agronometria [De *agrono(mia)* + *-metria*.] *S. f.* Ramo da agronomia destinado a calcular a força produtiva do solo.

agronométrico [De *agronometria* + *-ico*[2].] *Adj.* Relativo à agronometria.

agronomia [De *agro-* + *-nomo-* + *-ia*[1].] *S. f.* Conjunto das ciências e dos princípios que regem a prática da agricultura.

agronómico *Adj.* V. *agronômico*. [Uso freq. em P.]

agronômico [De *agronomia* + *-ico*[2].] *Adj.* Respeitante à agronomia.

agrónomo *S. m.* V. *agrônomo*. [Uso freq. em P.]

agrônomo [Do gr. *agronómos*.] *S. m.* Especialista em agronomia.

agropastoril [De *agro-* + *pastoril*.] *Adj. 2 g.* 1. Relativo à agricultura e à pecuária. 2. Relativo ao, ou próprio do pastoreio de rebanhos em campos naturais ou cultivados.

agropecuária [De *agro-* + *pecuária*.] *S. f.* Teoria e prática da agricultura e da pecuária, nas suas relações mútuas.

agropecuário *Adj.* Relativo à agropecuária.

agropecuarista [De *agropecuária* + *-ista*.] *S. 2 g.* Pessoa que se dedica à agropecuária.

agroquímica [De *agro-* + *química*.] *S. f.* Designação genérica dos conhecimentos químicos relativos à fabricação de produtos destinados à agronomia (defensivos agrícolas, p. ex.), ou pertinentes à ação de produtos químicos sobre culturas agrícolas.

agroquímico [De *agroquímica*, com var. suf. (v. *-ico*[2]).] *Adj.* Referente à agroquímica.

agror (ô) [Do lat. *acrore*.] *S. m.* Azedume, amargura, agrura: 📖 "Tudo é relativo, os ressaibos da fartura e os agrores da fome." (Aquilino Ribeiro, *Lápides Partidas*, p. 132.)

agróstea [Do tax. *Agrostis* (v. *agrosto-*) + *-ea*.] *S. f. Bot.* V. *agróstis* (2).

agróstis [Do tax. *Agrostis* (do gr. *agrôstis, idos*, 'grama').] *S. f. Bot.* 1. Gênero de plantas poáceas, amplamente distribuído pelo mundo; têm folhas rugosas e panícula aberta ou contrata, com espículas pequenas, de uma só flor. 2. Qualquer espécie desse gênero; algumas delas, como a *Agrostis palustris*, conhecida como agróstea, são importantes como pastagem, e us. para relvados; são perenes, rizomatosas, e resistentes a condições adversas, espalhando-se por estolhos. 3. Qualquer espécime desse gênero.

▲ **agrosto-** [Do gr. *agrâstis, idos*.] *El. comp.* = 'grama', 'gramínea': *agrostografia, agrostologia*.

agrostografia [De *agrosto-* + *-grafia*.] *S. f. Bot.* Agrostologia.

agrostográfico [De *agrostografia* + *-ico*[2].] *Adj. Bot.* Referente à agrostografia; agrostológico.

agrostógrafo [De *agrosto-* + *-grafo*.] *S. m. Bot.* Especialista em agrostografia; agrostólogo.

agrostologia [De *agrosto-* + *-logia*.] *S. f. Bot.* Parte da botânica que estuda as gramas e pastos; agrostografia.

agrostológico [De *agrostologia* + *-ico*[2].] *Adj. Bot.* Relativo à agrostologia; agrostográfico.

agrostólogo [De *agrosto-* + *-logo*.] *S. m. Bot.* Especialista em agrostologia; agrostógrafo.

agrotíneo [Do tax. *Agrot(is)* + *-in(o)-*[3] + *-eo*.] *Zool. S. m.* 1. Espécime dos agrotíneos, subfamília de lepidópteros noturnos, noctuídeos, cujas lagartas de extrema voracidade, conhecidas como lagartas cinzentas, permanecem enterradas durante o dia para mais tarde alimentarem-se de plantas. ● *Adj.* 2. Pertencente ou relativo a eles.

agrotóxico (cs) [De *agro-*[2] + *-tóxico*.] *S. m. Pop.* Defensivo agrícola (q. v.).

agrovia [De *agro-*[2] + *via*.] *S. f.* Via para escoamento de produtos agrícolas.

agrovila [De *agro-*[2] + *vila*.] *S. f. Bras. Neol.* Núcleo de povoamento, com serviços integrados de comunidade, planejado e construído para abrigo e prestação de assistência aos construtores de estradas de penetração e a suas famílias.

agrumar-se [De *a-*[2] + *grumo* + *-ar*[2].] *V. p.* Tomar a forma de grumo; formar grumo.

agrumelar *V. t. d. P.* V. *agrumular*.

agrumetar [De *a-*[2] + *grumete* + *-ar*[2].] *V. t. d. Ant.* Prover de grumete(s).

agrumular [De *a-*[2] + *grúmulo* + *-ar*[2].] *V. t. d.* 1. Coagular em grúmulos; coagular, coalhar. *P.* 2. Formar grúmulo; coagular-se, coalhar-se. [Var.: *agrumelar*.]

agrupação [De *agrupar* + *-ção*.] *S. f. P. us.* V. *agrupamento*.

agrupamento [De *agrupar* + *-mento*.] *S. m.* 1. Ato ou efeito de agrupar(-se). 2. Reunião, ajuntamento, aglomeração. [Sin., nestas acepç. (p. us.): *agrupação*.] 3. Grupo (4) (esp. quando organizado); associação, agremiação. 4. *Mil.* Unidade de apoio, formada por grupos de artilharia. [Cf. *grupamento* (3).] ◆ **Agrupamento de galáxias.** V. *aglomerado de galáxias*.

agrupar [De *a-*[2] + *grupo* + *-ar*[2].] *V. t. d.* 1. Juntar ou reunir em grupo(s). 2. Dispor em grupos; grupar. *T. d. e i.* 3. Anexar, juntar. *P.* 4. Juntar-se em grupo; formar grupo: 📖 "Soltou um grito, e caiu com sua filha nos braços da multidão, que se agrupou a indagar o sucesso." (Camilo Castelo Branco, *Livro Negro de Padre Dinis*, p. 35.)

agrura [De *agro*[2] + *-ura*.] *S. f.* 1. Qualidade de agro. 2. Aspereza, fragosidade, escabrosidade, agro. 3. Dificuldade, obstáculo, óbice, impedimento, empecilho. 4. Dissabor, amargura, aflição, agro.

água[1] [Do lat. *aqua*.] *S. f.* 1. Líquido incolor, sem cheiro ou sabor, essencial à vida; congela a 0°C e entra em ebulição a 100°C. [Quím.: óxido de di-hidrogênio, fórm.: H_2O.] 2. A parte líquida do globo terrestre. 3. Chuva (1): 🗎 *Hoje não parou de cair água.* 4. Qualquer das secreções orgânicas aquosas: suor, lágrima, saliva, urina, humor, etc.: 📖 "Irmãos na Dor, os olhos rasos de água, / Chorai comigo a minha imensa mágoa, / Lendo o meu livro só de mágoas cheio!..." (Florbela Espanca, *Sonetos Completos*, p. 21.) 5. Seiva que corre de certas plantas quando cortadas ou postas no fogo. 6. Suco de frutos; caldo, sumo. 7. *Fig.* Sopa rala. 8. Preparado líquido proveniente de maceração ou destilação. 9. Aparência cristalina; limpidez, lustre, lustro, brilho. 10. Grau de pureza e brilho de pedras preciosas e em particular de diamante: 📖 "Diamantes achavam-se assim aos punhados, em qualquer lavagem, e não eram fundos, refugos de partida, 'chapéus de frade' ...., mas diamantes de primeira água." (Afrânio Peixoto, *Bugrinha*, p. 173.) 11. Qualidade, predicado, talento. 12. *Arquit.* Cada uma das superfícies planas e inclinadas que constituem um telhado; água de telhado, pano de telhado: 🗎 *telhado de uma água.* 13. *Bras.* V. *bebedeira* (1). 14. *Pop.* Líquido amniótico que é expelido do útero antes do parto: 🗎 *A parturiente está perdendo água.* 15. *Bras. Gír.* Coisa fácil; sopa. 16. *Bras. N.E.* Qualquer medicamento em forma líquida; infusão. 17. *Bras. N.E.* Época das piracemas marítimas: 🗎 *água das tainhas.* 18. *Santom.* Ribeiro, riacho: 📖 "Iniciaram a colheita na ponta da roça, junto da água Chó-Chó." (Sum Marky, *No Altar da Lei*, p. 134.) ~ V. *águas*. ◆ **Água benta.** *Rel.* A que foi benzida e é utilizada em rituais religiosos. **Água bidestilada.** *Quím.* Água usada em procedimentos analíticos muito finos, obtida pela destilação de uma água destilada. **Água boricada.** *Quím.* Solução aquosa, diluída, de ácido bórico, usada como antisséptico. **Água com picos.** *Lus.* Água gasosa. **Água de barita.** *Quím.* Solução aquosa de barita, usada como reativo para o gás carbônico. **Água de barrela. 1.** V. *barrela.* **2.** Água suja. **3.** *Pop.* Café muito ralo. **Água de bromo.** *Quím.* Solução aquosa de bromo, usada como agente oxidante. **Água de cal.** *Quím.* Suspensão aquosa de hidróxido de cálcio, usada como reativo para o dióxido de carbono e como meio alcalino. **Água de cloro.** *Quím.* Solução aquosa de cloro, usada como agente oxidante. **Água de cristalização.** *Quím.* A que faz parte da rede cristalina de um sal. **Água de hidratação.** *Quím.* A que constitui um hidrato. **Água de Javel.** *Quím. Desus.* Água sanitária. **Água de louro-cereja.** V. *louro-cereja.* **Água de muro.** *Arquit.* Superfície plana que forma a face superior do muro e se inclina para o lado do terreno a que ele pertence. **Água de rosas.** *Quím.* Solução aquosa diluída de solução alcoólica de essência de rosas. **Água destilada.** *Quím.* Água isenta de sais minerais, a menos de traços, obtida por destilação. **Água doce.** A que não contém grandes quantidades de cloreto de sódio e outros sais. **Água do monte.** *Bras. S.* Anormalidade que se registra na correnteza de um rio em virtude de enxurradas extemporâneas; docinho. **Água dos axés.** *Bras. Rel.* No candomblé nagô e em ritos afins, líquido que contém gotas de sangue de animais votivos, imolados aos orixás no decorrer do ano. **Água dura.** *Quím.* Água com sais de cálcio e magnésio dissolvidos, e que dificilmente espuma com sabão. **Água encanada.** *Arquit. Urb.* A que é tratada, e que circula através de rede de dutos tubulares de distribuição para o consumo de uma população. **Água lisa.** *Lus.* Água mineral sem gás. **Água lustral.** Água sagrada dos antigos, a qual se obtinha extinguindo-se na água comum um tição ardente tirado da pira dos sacrifícios. [Tb. se diz apenas *lustral.*] **Água meteórica.** *Met.* Água da chuva. **Água mineral.** *Quím.* Água natural potável, com apreciável quantidade de sais minerais (no mínimo um grama por litro, sem contar os sais carbonáticos, que lhe dão valor terapêutico). **Água mineral gasosa.** *Quím.* Água mineral que contém gás carbônico dissolvido. **Água natural.** *Quím.* Água existente na natureza, em rios, lagos, fontes, na chuva, etc., contendo em geral sais e gases dissolvidos ou matéria insolúvel em suspensão. **Água o deu, água o levou.** Diz-se de alguma coisa facilmente obtida e também facilmente perdida. **Água oxigenada.** *Quím.* Solução aquosa de peróxido de hidrogênio, líquido, incolor, instável, usada como antisséptico, alvejante e oxidante. **Água panada.** *Bras.* Infusão com pão torrado. **Água pesada.** *Quím.* Óxido de deutério, ou solução aquosa deste óxido, líquida, incolor. **Água potável.** *Quím.* A que é conveniente para consumo humano, isenta de quantidades apreciáveis de sais minerais ou de microrganismos nocivos. **Água residual.** *Quím.* Designação genérica de soluções aquosas, ou não, resultantes de operações industriais. **Água salgada.** A que contém alto teor de sais. **Água sanitária.** *Quím.* Solução aquosa diluída de hipoclorito de sódio, que se usa como alvejante e antisséptico. **Águas colatícias.** As que correm pelas vertentes. **Águas continentais.** *Geol.* Designação genérica dos lagos, geleiras e cursos de água. **Águas de janeiro.** Primeiras-águas (3). **Águas de março.** Primeiras-águas (1): "São as águas de março / Fechando o verão" (Tom Jobim, na canção *Águas de Março.*) **Águas dormentes.** Águas lacustres. **Águas lacustres.** Águas de um lago ou lagoa; águas dormentes. **Águas passadas.** *Fig.* Coisas do passado; o que já passou e já não interessa: *Para ele a briga com a família são águas passadas.* **Águas pluviais.** *Arquit. Urb.* As que procedem das chuvas e que são captadas pelos telhados e ruas, podendo ser coletadas [v. *coletor* (6)], ou não. **Águas selvagens.** V. *enxurradas* (1). **Águas territoriais.** Designação genérica de mar territorial (q. v.) e dos lagos e rios sujeitos à jurisdição de um só Estado. **Água termal.** Água medicinal cuja temperatura normal excede a do ambiente onde se encontra. **Água tônica.** Bebida gaseificada, de leve sabor amargo. [Tb. se diz apenas *tônica.*] **Água tremida.** Tremor que se registra à superfície das águas de um rio por causa de qualquer obstáculo submerso. **Água vegetomineral.** Solução medicamentosa adstringente que tem por base o acetato de chumbo. **Abrir água.** *Mar.* Começar a fazer água. [V. *fazer água.*] **Afogar-se em pouca água. 1.** Afligir-se por pouco, à toa. **2.** Pôr tudo a perder por nada. **Aquentar água para o mate de.** *Bras. RS* Fazer a cama para (outrem) (q. v.). **Até debaixo d'água.** *Bras.* **1.** Muito, muitíssimo, extraordinariamente: *O homem sabe eletrônica até debaixo d'água.* **2.** Em todos os sentidos; em qualquer circunstância; para o que der e vier: "Foste meu amigo até o último momento, amigo até debaixo d'água!" (Nélson Rodrigues, *100 Contos Escolhidos, A Vida como Ela É*, II, p. 51.) **Banhar-se em água de rosas. 1.** Estar em situação lisonjeira; sentir-se muito feliz. **2.** Alegrar-se muito com a infelicidade alheia, especialmente quando esta resultou da não obediência aos conselhos de alguém. **Beber água nas orelhas dos outros.** *Bras. S.* Viver sempre aos cochichos, a fazer intrigas. **Bom como água.** Muito bom; excelente; bom como pão. [Aplica-se a pessoas.] **Botar água às mãos.** Mostrar superioridade, revelar-se superior: "Não havia em toda a rua outro caixeiro, que lhe botasse água às mãos na meiguice do gesto, na elegância com que cortava uma peça de seda." (Pedro Ivo, *Contos*, p. 125.) **Carregar água em cesto.** Fazer esforço inútil; perder tempo; carregar água em peneira; enfiar água no espeto. **Carregar água em peneira.** V. *carregar água em cesto*. **Claro como água.** Extremamente claro; patente, evidente; claro como o dia. **Com água na boca. 1.** Com intenso apetite de determinado alimento: *O menino olhava o sorvete com água na boca.* **2.** *P. ext.* Com vivo desejo, cobiça, inveja: *Ganhou na loteria e deixou todo o mundo com água na boca.* **Com água no bico.** Com água na boca. **Como água.** Em abundância; em grande quantidade. [Sin. ger.: *com água no bico.*] **Como da água para o vinho.** De maneira total; radicalmente: *O homem nem parece o que era: mudou como da água para o vinho.* **Corra água por onde correr.** *Fam.* Aconteça o que acontecer; haja o que houver. **Correr (muita) água debaixo da ponte.** V. *passar (muita) água debaixo da ponte.* **Cozinhar em água fria.** Cozinhar (3). **Crescer água na boca.** Produzir vontade ou desejo de, em; apetecer: *Com o cheiro da comida, cresceu-lhe água na boca.* **Dar água pela barba.** Apresentar dificuldades ou risco; dar grande trabalho: "Não me lembro de problemas dentro da metrificação que eu não tivesse resolvido prontamente. No entanto os primeiros versos do poema 'Gesso', que é em versos livres, me deram água pela barba durante anos." (Manuel Bandeira, *Poesia e Prosa*, II, pp. 33-34); "Essas sessões têm dado água pela barba a padre Atanásio." (Graciliano Ramos, *Caetés*, p. 92). **Dar em água.** V. *dar em água de barrela.* **Dar em água de barrela.** Não dar bom resultado; perder-se, malograr-se; dar em água, dar em nada. **De água doce.** Pouco versado ou pouco experiente em seu ofício: *poeta de água doce.* **De fazer água na boca.** Muito bom; excelente: "Dê um salto a S. Bernardo para eu lhe mostrar o que é uma lavoura de fazer água na boca." (Graciliano Ramos, *S. Bernardo*, p. 78.) **De primeira água.** Excelente; de primeira ordem, de primeira: *Machado de Assis é escritor de primeira água.* **Deitar água na fervura** V. *pôr água na fervura*: "A prever já o resultado da correria, tentava deitar água na fervura: || — Mais devagar, rapaz, mais devagar..." (Miguel Torga, *Bichos*, p. 17.) **Enfiar água no espeto.** *Bras. S.* V. *carregar água em cesto.* **Entre duas águas. 1.** Nem na flor nem no fundo da água. **2.** *Fig.* Neutro entre dois partidos ou opiniões opostas. **Estar nas águas.** *Bras. N.E. Pop.* Estar embriagado. **Estar nas águas de.** *Bras.* Ir nas águas de (1). **Fácil como água.** *Bras.* Extremamente fácil; fácil como água do pote. **Fácil como água do pote.** *Bras.* Fácil como água (q. v.). **Fazer água. 1.** *Mar.* Ser (uma embarcação) invadida pela água. **2.** *P. ext.* Principiar (uma tarefa) e perder-se, durante sua execução. **Fazer água na boca.** Aguçar o apetite; tornar apetecível. **Ferver em pouca água. 1.** Excitar-se por coisa pouco importante; inquietar-se facilmente: "— Ora, adeus! Ainda não conhece aquela gente? Fervem em pouca água. Sempre assim foram. Afinal verá que não há de passar de uma enxaqueca de D. Leocádia" (Júlio Dinis, *As Pupilas do Senhor Reitor*, p. 128). **2.** Zangar-se por pouca coisa. **Ficar em água de bacalhau.** Ficar em águas de bacalhau (q. v.). **Ficar em águas de bacalhau.** Ficar em nada; frustrar-se (falando-se de um negócio ou intento); ficar em água de bacalhau. **Ir de água abaixo.** Ir por água abaixo. **Ir nas águas de.** *Bras.* **1.** Concordar com, seguir, acompanhar a maneira de pensar ou de agir de; estar nas águas de. **2.** Aproveitar-se de uma oportunidade ou favor dado a outrem: *É muito caradura: sempre vai nas águas dos amigos.* **Ir por água abaixo.** Não realizar-se; malograr-se, gorar, falhar, fracassar; ir de água abaixo: "Abdias, não quero morrer. .... Se eu morrer, tudo aqui irá por água abaixo." (Ciro dos Anjos, *Abdias*, p. 111.) **Jogar água no mar.** Fazer um trabalho inútil; levar água ao rio. **Levar água ao rio.** Jogar água no mar. **Mariscar na água.** *Bras.* Pescar (1). **Na água e no couro.** *Bras. N.E.* Expr. us. em frases como: *F. só tem uma roupa* (ou camisa, etc.), *na água e no couro* (*i. e.*, unicamente uma, para lavar e vestir imediatamente). **Passar (muita) água debaixo da ponte.** Decorrer muito tempo; correr (muita) água debaixo da ponte. **Pescar em águas turvas.** Tirar partido de situação confusa. **Pôr água na fervura.** Acalmar, moderar, arrefecer o entusiasmo, o ânimo, a excitação, etc.; deitar água na fervura. **Sem dizer água vai.** Sem dar qualquer aviso; sem mais nem menos; subitamente: "Encontrou o outro ali no galpão, e, sem dizer água vai, meteu-lhe a faca na barriga, montou no cavalo e se foi..." (Telmo Vergara, *Contos da Vida Breve*, p. 52.) **Ser aquela água.** *Bras. Pop.* **1.** Pôr-se a perder; ir por água abaixo. **2.** Desenrolar-se (determinado fato ou situação) de maneira peculiar. **3.** Ser um deus nos acuda. **Ser como água em balaio.** *Cabo-verd.* Não levar a nada; ser inútil: "acreditar no milagre será como água em balaio" (Manuel Ferreira, *Voz de Prisão*, p. 150). **Sujar a água que bebe.** Ser ingrato, mal-agradecido; cuspir no copo em que bebeu, cuspir no prato em que comeu. **Ter bebido água de chocalho.** V. *falar pelos cotovelos.* **Tirar água de pedra.** V. *tirar leite de pedra.* **Tirar água do joelho.** *Bras. Gír.* V. *urinar* (1). **Tomar água.** *Mar.* Munir-se de água potável para o abastecimento de um navio; fazer aguada. **Trazer água no bico.** Ter motivo suspeito, disfarçado. **Verter água.** V. *urinar* (1). **Verter águas.** V. *urinar* (1): "— Desconfio de uremia. Passou três dias sem verter águas." (José Lins do Rego, *Doidinho*, p. 146.)

água[2] [De or. tupi, poss.] ***S. m.*** *Bras.* Entre os omáguas, indivíduo do sexo masculino; homem.

água-amarga ***S. f.*** *Bras. N.E. Pop.* **1.** Purgativo salino. **2.** Infusão de quina. [Pl.: *águas-amargas.*]

água-benta ***S. f.*** *Bras.* V. *cachaça* (1). [Pl.: *águas-bentas.*]

água-boense ***Adj. 2 g.*** **1.** De, ou pertencente ou relativo a Água Boa (MG e MT). • ***S. 2 g.*** **2.** O natural ou habitante de Água Boa. [Pl.: *água-boenses.*]

água-bórica ***S. f.*** *Lus. Pop.* Aguardente de qualidade inferior. [Pl.: *águas-bóricas.*]

água-branca ***S. f.*** *Bras. AM* Designação comum a águas fluviais ricas em sedimentos. [Pl.: *águas-brancas.*]

água-branquense ***Adj. 2 g.*** **1.** De, ou pertencente ou relativo a Água Branca (AL, PB e PI). • ***S. 2 g.*** **2.** O natural ou habitante de Água Branca. [Pl.: *água-branquenses.*]

água-brava ***S. f.*** *Bras.* V. *manipueira.* [Pl.: *águas-bravas.*]

água-bruta ***S. f.*** *Bras.* V. *cachaça* (1). [Pl.: *águas-brutas.*]

aguaça [De *água*[1] + *-aça.*] ***S. f.*** V. *enxurrada* (1).

aguaçal [De *aguaça* + *-al*[1].] ***S. m.*** V. *pântano*: "Parecia-lhe, na verdade, de mau agouro que, dentro de uma casa atolada no aguaçal, fosse possível um incêndio" (Dalcídio Jurandir, *Três Casas e Um Rio*, p. 21).

aguaceira [De *aguac-*, como em *aguaceiro*, + *-eira.*] ***S. f.*** Água ou saliva que se expele da boca por indisposição do estômago.

aguaceirada [De *aguaceiro* + *-ada*[1].] ***S. f.*** *Bras.* Fortes aguaceiros [v. *aguaceiro* (1)] frequentemente repetidos.

aguaceiro [De *aguaça* + *-eiro.*] ***S. m.*** **1.** Chuva repentina e de pouca duração; cordoada, manga-d'água, pé-d'água. V. *salseiro* (1). **2.** Contratempo, contrariedade. **3.** *Fig.* Acesso de raiva; zanga. ◆ **Aguaceiro branco.** *Bras. BA* Pé de vento repentino, não acompanhado de chuva.

aguacento [De *aguac-*, como em *aguaceiro*, + *-ento.*] ***Adj.*** **1.** Semelhante à água. **2.** Impregnado de água; molhado, encharcado: *terras aguacentas.* **3.** Diluído em água; aquoso.

água-clarense ***Adj. 2 g.*** **1.** De, ou pertencente ou relativo a Água Clara (MS). • ***S. 2 g.*** **2.** O natural ou habitante de Água Clara. [Pl.: *água-clarenses.*]

água com açúcar ***Adj. 2 g. e 2 n.*** **1.** Simples, ingênuo. **2.** Convencionalmente romântico; piegas, açucarado: *romance água com açúcar.* ☑

água-compridense ***Adj. 2 g.*** **1.** De, ou pertencente ou relativo a Água Comprida (MG). • ***S. 2 g.*** **2.** O natural ou habitante de Água Comprida. [Pl.: *água-compridenses.*]

aguaçu [De or. tupi.] ***S. m.*** *Bras. Bot.* V. *babaçu.*

aguada [De *água*[1] + *-ada*[1].] ***S. f.*** **1.** Abastecimento de água potável, sobretudo para viagens. **2.** Lugar onde se faz esse abastecimento. **3.** Lugar onde existe água para se beber; bebedouro natural. **4.** Fonte, rio, lagoa ou qualquer manancial existente numa propriedade agrícola. **5.** Chuva forte; chuvada. **6.** Mistura de água e clara de ovo empregada pelos encadernadores. **7.** *Art. Plást.* Técnica de pintura que consiste em colorir um desenho a aquarela, guache, etc., com a tinta muito diluída em água. **8.** *P. ext.* A obra de arte feita com essa técnica. **9.** *Mar.* Provisão de água potável que a embarcação leva para consumo da tripulação. **10.** *Mar.* Local onde as embarcações podem abastecer-se de água potável. **11.** *Bras. N.E.* Lugar onde se abrem cacimbas, ou em que existem poços ou fontes. **12.** *Bras. RS* Estância que tem boas vertentes ou arroios. **13.** *Bras. RS* Lugar onde os animais bebem água. ◆ **Fazer aguada.** *Mar.* Tomar água.

água-da-colônia ***S. f.*** V. *água-de-colônia.* [Pl.: *águas-da-colônia.*]

água da guerra ***S. f.*** *Bras. S.* O líquido de Dakin, assim dito por causa do seu largo emprego durante a I Guerra Mundial. [Pl.: *águas da guerra.*] ☑

água de briga *S. f. Bras. Gír.* V. *cachaça* (1). [Pl.: *águas de briga*.] ☑

água de cana *S. f. Bras.* V. *cachaça* (1). [Pl.: *águas de cana*.] ☑

água de cheiro *S. f. Bras. Pop.* Água-de-colônia; extrato, perfume: 📖 "Seu José Luís das miudezas .... fazia as suas vendas de alfinetes, agulhas, carretéis de linha, água de cheiro, fitas, galões." (José Lins do Rego, *Meus Verdes Anos*, p. 50). [Pl.: *águas de cheiro*.] ☑

água de coco *S. f. Bras.* Albume líquido do coco-da-baía ainda verde, utilizado em geral como bebida refrigerante. [Pl.: *águas de coco*.] ☑ nota 4

água-de-colônia *S. f.* V. *água-de-colônia* . [Uso freq. em P.]

água-de-colônia [De *água*[1] + *de* + o top. *Colônia*, cidade alemã onde a princípio, no séc. XVIII, se fabricou esse produto.] *S. f.* Solução alcoólica de essência de bergamota, ou de limão ou de lavanda, usada como perfume: 📖 "ela entrou, derramando um fresco cheiro de sabão Windsor e d'água-de-colônia" (Eça de Queirós, *A Relíquia*, p. 129). [Var.: *água-da-colônia*. Tb. se diz apenas *colônia*. Pl.: *águas-de-colônia*.]

água de flor *S. f.* Água de flor de laranjeira. [Pl.: *águas de flor*.] ☑

água de goma *S. f. Bras.* V. *manipueira*. [Pl.: *águas de goma*.] ☑

aguadeiro [De *aguada* + *-eiro*.] *S. m.* **1.** Vendedor, carregador ou distribuidor de água: 📖 "os aguadeiros .... invadiram sem cerimônia as casas para encher as banheiras e os potes." (Aluísio Azevedo, *O Mulato*, p. 9). [Var. (bras., S.): *aguateiro*.] **2.** *Astr. P. us.* Aquário[1] (4). [Com cap., nesta acepç.]

água de oxalá *S. f. Bras. Rel.* Cerimônia purificatória do candomblé, em que as filhas de santo renovam a água das quartinhas do templo e lavam as otás e outros símbolos de Oxalufã; água de oxalufã. [Pl.: *águas de oxalá*.] ☑

água de oxalufã *S. f. Bras. Rel.* Água de oxalá. [Pl.: *águas de oxalufã*.] ☑

água de telhado *S. f. Arquit.* V. *água* (12). [Pl.: *águas de telhado*.] ☑

aguadilha [De *água*[1].] *S. f.* **1.** Secreção orgânica aquosa: muco, humor, suor, saliva, serosidade, etc. **2.** Chuva miúda, chuvisco.

aguado [Part. de *aguar*.] *Adj.* **1.** Diluído em água; misturado com água: 📄 *leite aguado*. **2.** Cheio de água. **3.** Diz-se dos olhos rasos de lágrimas. **4.** Não carregado; diluído, desvanecido, deslavado: 📄 *azul aguado*. **5.** Desmanchado, perturbado, frustrado: 📄 *projeto aguado*. **6.** Insípido, desgostoso, dessaborido: 📄 *arroz aguado*. **7.** Diz-se do cabelo ralo e fino. **8.** Diz-se do animal que sofre de aguamento. **9.** *Fig.* Sem-graça, insípido. 📖 "O sapo tanoeiro, /Parnasiano aguado, Diz: '— Meu cancioneiro / É bem martelado.'" (Manuel Bandeira, *Estrela da Vida Inteira*, p. 51.) **10.** *Pop.* Que está com água na boca [v. *aguar* (6)]: 📄 *Dava pena ver a criança aguada em frente à vitrine de doces.* **11.** *Bras.* Que está na água; embriagado. **12.** *Bras.* Diz-se do café, chá ou refresco ralo, com excesso de água. **13.** *Bras. MG Pop.* Muito desejoso. **14.** *Bras. BA MG* Na região são-franciscana, diz-se de animal emprestado. ● *S. m.* **15.** *Bras. BA MG* Esse animal.

água-docense[1] *Adj. 2 g.* **1.** De, ou pertencente ou relativo a Água Doce (SC). ● *S. 2 g.* **2.** O natural ou habitante de Água Doce. [Pl.: *água-docenses*.]

água-docense[2] *Adj. 2 g.* **1.** De, ou pertencente ou relativo a Água Doce do Norte (ES). ● *S. 2 g.* **2.** O natural ou habitante de Água Doce do Norte. [Pl.: *água-docenses*.]

aguador (ô) [De *aguar* + *-dor*.] *S. m.* **1.** Aquele que água. **2.** Vaso para aguar; regador.

água-emendada *S. f. Bras.* Nascente ou desaguadouro comum a dois ou mais rios pertencentes a bacias diversas. [Tb. us. no pl.: *águas-emendadas*.]

água-flórida *S. f. Bras.* Espécie de perfume: 📖 "tinha o rosto coberto por um lenço de labirinto encharcado de água-flórida" (Aluísio Azevedo, *O Mulato*, p. 194). [Pl.: *águas-flóridas*.]

água-forte *S. f.* **1.** Designação vulgar do ácido nítrico. **2.** Mistura de ácido nítrico e água, empregada para desoxidar e gravar metais. **3.** *Art. Gráf.* Técnica de gravura na qual se utiliza a ação corrosiva do ácido nítrico sobre as partes postas a descoberto na superfície de uma placa metálica revestida de camada protetora (como, p. ex., de cera). **4.** *Art. Gráf.* Gravura realizada com essa técnica. **5.** *Fig.* Conceito, pensamento, descrição, notáveis pela expressão vigorosa, direta, incisiva. [F. paral. (p. us.): *aquaforte*. Pl.: *águas-fortes*.] ◆ **Água-forte pura.** *Grav.* Placa destinada a acabamento a ponta-seca, água-tinta, etc., e que apresenta apenas a mordaçagem inicial dos traços.

água-fortista [De *água-forte* + *-ista*.] *S. 2 g.* Gravador que emprega água-forte. [F. paral.: *aquafortista*. Pl.: *água-fortistas*.]

água-friense[1] *Adj. 2 g.* **1.** De, ou pertencente ou relativo a Água Fria (BA). ● *S. 2 g.* **2.** O natural ou habitante de Água Fria. [Pl.: *água-frienses*.]

água-friense[2] *Adj. 2 g.* **1.** De, ou pertencente ou relativo a Água Fria de Goiás (GO). ● *S. 2 g.* **2.** O natural ou habitante de Água Fria de Goiás. [Pl.: *água-frienses*.]

água-furtada [De *água* + *furtada*, fem. do part. de *furtar*; abrange um espaço furtado às águas do telhado.] *S. f.* Espécie de sótão em que as janelas abrem sobre o telhado, interrompendo-lhe ou modificando-lhe as águas; desvão: 📖 "Das águas-furtadas, levantadas nos telhados muito negros, espreitava-se o rio" (José-Augusto França, *Despedida Breve*, p. 114). [Pl.: *águas-furtadas*.]

aguagem [De *aguar* + *-agem*[2].] *S. f.* **1.** Ação ou efeito de aguar; aguamento. **2.** Correnteza de água impetuosa.

aguaí [Var. de *auaí*.] *S. m. Bras. Bot.* **1.** Nome comum a várias árvores sapotáceas do gênero *Chrysophyllum* (v. *crisófilo*). **2.** Grande árvore sapotácea (*Chrysophylum gonocarpum*), lactescente, cujo tronco tem até 0,80m de diâmetro, de folhas simples, alongadas e frutos muito apreciados pelos pássaros; ocorre do RJ e MG até o RS. A madeira, compacta, tem vários usos. [Sin., nesta acepç: *aguaizeiro*, *aguaí-da-serra*, *caixeta-amarela*.] **3.** V. *agaí*. [Cf. *aguai*, do v. *aguar*.]

aguaiano (a-i) *Adj.* **1.** De, ou pertencente ou relativo a Aguaí (SP). ● *S. 2 g.* **2.** O natural ou habitante de Aguaí.

aguaí-da-serra *S. m. Bras. Bot.* V. *aguaí* (2). [Pl.: *aguaís-da-serra*.]

aguaí-vermelho [De *aguaí* + *vermelho*[1].] *S. m. Bras. Bot.* Árvore sapotácea (*Chrysophylum maytenoides*) de até 10m, de folhas ovadas e flores em fascículos; a madeira é avermelhada, compacta e elástica. [Sin.: *aranhão*. Pl.: *aguaís-vermelhos*.]

aguaizeiro (a-i) [De *aguaí* + *-zeiro*.] *S. m. Bras. Bot.* V. *aguaí* (2).

água-limpense *Adj. 2 g.* **1.** De, ou pertencente ou relativo a Água Limpa (GO). ● *S. 2 g.* **2.** O natural ou habitante de Água Limpa. [Pl.: *água-limpenses*.]

água-má *S. f. Zool. Pop.* V. *água-viva* (2). [Pl.: *águas-más*.]

água-mãe *S. f. Quím.* O líquido restante de uma solução da qual houve a cristalização de uma substância. [Pl.: *águas-mães*.]

água-marinha *S. f. Min.* Variedade azulada do berilo, pedra semipreciosa muito encontrada no Brasil, e assim chamada pela sua cor azul-clara, que lembra a água do mar. [Pl.: *águas-marinhas*.]

água-mel *S. f.* V. *hidromel*. [Pl.: *águas-méis* e *águas-mel*.]

aguamento [De *aguar* + *-mento*.] *S. m.* **1.** Aguagem (1). **2.** Doença de animais de carga ou de tração, resultante de excesso de trabalho, ou de resfriamento.

água-mestra *S. f. Arquit.* Água[1] (12) que tem forma trapezoidal no telhado de planta retangular com quatro águas. [Pl.: *águas-mestras*. Cf. *águas-mestras*.]

água-morna *S. 2 g. Fam.* Pessoa pacata, inofensiva, ou mole, irresoluta, sem vida; chove não molha: 📖 "Água-morna, temia complicações, preferia baixar a cabeça, esperar que as coisas acontecessem." (Permínio Asfora, *Vento Nordeste*, p. 13.) [Pl.: *águas-mornas*. Cf. *águas-mornas*, s. 2 g. 2 n.]

aguanilense *Adj. 2 g.* **1.** De, ou pertencente ou relativo a Aguanil (MG). ● *S. 2 g.* **2.** O natural ou habitante de Aguanil.

aguano [De or. obsc.] *S. m. Bras. Bot.* **1.** V. *mogno* (1). **2.** V. *mogno-brasileiro*.

água-novense *Adj. 2 g.* **1.** De, ou pertencente ou relativo a Água Nova (RN). ● *S. 2 g.* **2.** O natural ou habitante de Água Nova. [Pl.: *água-novenses*.]

aguapé[1] [De *água*[1] + *pé*.] *S. f.* **1.** Bebida de baixo teor alcoólico, que se obtém adicionando água à balsa[1] (1) e tornando a espremê-la. **2.** Vinho fraco.

aguapé[2] [De or. tupi.] *S. m. Bras. Bot.* **1.** Designação comum a várias plantas aquáticas flutuantes, de flores violáceas e ornamentais, e das quais a *Eichhornia crassipes*, da família das pontederiáceas, é a mais comum; mururé, orelha-de-veado, pavoá, rainha-do-lago, uapé, uapê. **2.** Flecha (11). **3.** Trama vegetal constituída de plantas aquáticas que crescem na superfície das águas dos rios, lagos e pantanais, e que, prendendo-se mutuamente, formam um tapete capaz de sustentar um homem sobre ele deitado.

aguapé-branco *S. m. Bras. Bot.* Erva aquática ninfeácea (*Nymphaea gardneriana*) de pequenas flores orbiculares e grandes flores aromáticas; aguapé-cheiroso, jigoga. [Pl.: *aguapés-brancos*.]

aguapé-cheiroso *S. m. Bras. Bot.* V. *aguapé-branco*. [Pl.: *aguapés-cheirosos*.]

água-pedrense *Adj. 2 g.* **1.** De, ou pertencente ou relativo a Águas de São Pedro (SP). ● *S. 2 g.* **2.** O natural ou habitante de Águas de São Pedro. [Pl.: *água-pedrenses*.]

aguapezal (pè) [De *aguapé* + *-zal*.] *S. m. Bras. S.* Grande extensão de água coberta de aguapés.

água-pretense *Adj. 2 g.* **1.** De, ou pertencente ou relativo a Água Preta (PE). ● *S. 2 g.* **2.** O natural ou habitante de Água Preta. [Pl.: *água-pretenses*.]

água que gato não bebe *S. f. Bras. SP Pop.* V. *cachaça* (1). [Pl.: *águas que gato não bebe*.] ☑

água que passarinho não bebe *S. f. Bras. Pop.* V. *cachaça* (1). [Pl.: *águas que passarinho não bebe*.] ☑

aguar [Do lat. **aquare*, por *aquari*.] *V. t. d.* **1.** Borrifar com água ou outro líquido; regar, molhar: 📄 *aguar as plantas*; 📖 "Está na horta aguando suas alfaces" (Antônio Olavo Pereira, *Marcoré*, p. 5). **2.** Misturar água com (qualquer líquido): 📖 "Peguei mais gelo, aguando a bebida." (Ricardo Ramos, *Matar um Homem*, p. 90.) **3.** Falsificar ou adulterar (um líquido) pela adição de água. **4.** Interromper o gosto ou alegria de; frustrar: 📖 "Aguava porém este inofensivo prazer o cuidado que lhe estava dando a demora da família" (Júlio Dinis, *Uma Família Inglesa*, p. 159). **5.** *Bras. MG Pop.* Desejar intensamente; apetecer muito. *Int.* **6.** *Pop.* Ficar com água na boca; ter salivação, pelo desejo de certa comida, ou simplesmente de comida. **7.** Ter aguamento (a cavalgadura). *P.* **8.** Encher-se de água: 📄 *Aguaram-se-lhe os olhos durante a cerimônia.* [Apresenta dois paradigmas: a) com acento fônico e gráfico no *a* das formas rizotônicas — pres. ind.: *águo*, *águas*, *água*, *aguamos*, *aguais*, *águam*; pret. perf.: *aguei* (ü), *aguaste*, *aguou*, *aguamos*, *aguastes*, *aguaram*; pres. subj.: *águe* (ü), *águes* (ü), *águe* (ü), *aguemos* (ü), *agueis* (ü), *águem* (ü); imperat.: *água*, ... *aguai*, *águem* (ü). b) com acento fônico, porém não gráfico no *u* das formas rizotônicas: pres. ind.: *aguo* (ú), *aguas* (ú), *agua* (ú), *aguamos*, etc.; 1ª pess. sing. pret. perf. ind.: *aguei* (ü); pret. imperf. ind.: *aguava*, ... *aguáveis*, *aguavam*; pres. subj.: *ague* (ú), *agues* (ú), *ague* (ú), *aguemos* (ü), *agueis* (ü), *aguem* (ú).]

aguará [De *a-*[4] + *guará*[2].] *S. m. Bras. Zool.* V. *guará*[2].

aguaraçu [De *aguará* + *-açu*.] *S. m. Bras. Zool.* V. *guará*[2].

aguaraíba [De *aguará* + *-íba*.] *S. f. Bras. Bot.* **1.** V. *mogno* (1). **2.** V. *aroeira* (1).

aguaraíbá-guaçu [De *aguaraíba*, com deslocamento da sílaba tônica, + *-guaçu*.] *S. m. Bras. Bot.* V. *aroeira* (1). [Pl.: *aguaraíbás-guaçus*.]

aguaraíbá-guaçu (a-i) [Do tupi.] *S. f. Bras. Bot.* V. *aroeira* (1). [Pl.: *aguaraíbás-guaçus*.]

aguarapondá [De or. tupi.] *S. f. Bras. Bot.* V. *gervão* (2).

aguaraquiá [De or. tupi.] *S. m. Bras. Bot.* V. *erva-moura*.

aguaraquiá-açu [De *aguaraquiá* + *-açu*.] *S. m. Bras. Bot.* V. *erva-moura*. [Pl.: *aguaraquiás-açus*.]

aguaraúba [Var. de *aguaraíba*.] *S. f. Bras. Bot.* V. *aroeira* (1).

aguaraucá (a-u) *S. m. Bras. Zool.* V. *espia-maré* (3).

aguaraxaim (a-ím) [Var. de *guaraxaim*] *S. m. Bras. Zool.* V. *cachorro-do-mato*.

aguarda [Dev. de *aguardar*.] *S. f.* Aguardamento.

aguardador (ô) [De *aguardar* + *-dor*.] *S. m.* Aquele que aguarda.

aguardamento [De *aguardar* + *-mento*.] *S. m.* Ação ou efeito de aguardar; aguarda.

aguardar [De *a-*[4] + *guardar*.] *V. t. d.* **1.** Estar à espera de; permanecer na expectativa de; esperar. **2.** Respeitar, observar, acatar: 📄 *aguardar o regulamento*. **3.** Vigiar, velar; guardar.

aguardentação [De *aguardentar* + *-ção*.] *S. f.* Ato ou efeito de aguardentar (1).

aguardentado[1] [De *aguardente* + *-ado*[1].] *Adj.* **1.** Tirante ao sabor ou cheiro da aguardente: 📄 *hálito aguardentado*. **2.** Que denuncia o costume de ingerir aguardente: 📄 *voz aguardentada*.

aguardentado[2] [Part. de *aguardentar*.] *Adj.* **1.** Misturado com aguardente. **2.** Embriagado com aguardente.

aguardentar [De *aguardente* + *-ar*[2].] *V. t. d.* **1.** Misturar com aguardente. **2.** Fartar de aguardente.

aguardente [De *água* + *ardente*.] *S. f.* **1.** Bebida de elevado teor alcoólico (40% a 60%), que se obtém por destilação de inúmeros frutos, cereais, raízes, sementes, tubérculos, etc. [Sin. moç., nesta acepç.: *tontonto*.] **2.** V. *cachaça* (1). ◆ **Aguardente da cabeça.** *Bras. S.* A que se destila em primeiro lugar, e que de ordinário é preparada com flores cheirosas; cachaça da cabeça. **Aguardente de cana.** V. *cachaça* (1).

aguardenteiro [De *aguardente* + *-eiro*.] *S. m.* **1.** Fabricante e/ou vendedor de aguardente. **2.** Ébrio habitual; beberrão, pau-d'água, bêbedo, bêbado.

aguardo [Dev. de *aguardar*.] *S. m. Bras.* Ato ou efeito de aguardar; espera: 📄 *Estou ao aguardo de suas notícias*.

água-redonda *S. f. Bras. AM* **1.** Lago (1). **2.** Lagoa[1] (1). [Pl.: *águas-redondas*.]

água-régia *S. f. Quím.* Mistura, na proporção de 3 para 1, de ácido clorídrico a 35% e ácido nítrico a 65%, com poderosa ação oxidante, capaz de dissolver o ouro. [Pl.: *águas-régias*.]

aguarela *S. f.* Aquarela (q. v.).

aguarelar *V. int.* Aquarelar (q. v.).

aguarelista *S. 2 g.* Aquarelista (q. v.).

aguarentador (ô) [De *aguarentar* + *-dor*.] ***Adj. S. m.*** Que, ou o que aguarenta.

aguarentar [De *a-*[2] + *guarente* + *-ar*[2].] ***V. t. d.*** **1.** Aparar em roda (a extremidade de peça de vestuário). **2.** Cortar; diminuir, encurtar. **3.** Desacreditar, amesquinhar, depreciar. **4.** Tirar o gosto de; aguar. [Var.: *agorentar*. Cf. *agurentar*.]

aguariguara ***S. f.*** *Bras. Bot.* V. *acariquara*.

aguarrás [De água + lat. *rasis, is*, 'pez seco e pulvéreo', poss. pelo esp. *aguarrás*.] ***S. f.*** **1.** *Quím.* Essência de terebintina: "mandei .... lavar com uma mistura de cera e aguarrás o couro dos painéis," (Bernardo Pinheiro Pindela, *Azulejos*, p. 11). [É us. como solvente de tintas a óleo e componente de verniz e massa plástica.] **2.** *Bras. SE* V. *cachaça* (1).

água-ruça ***S. f.*** Líquido pardo que escorre da azeitona quando laborada para extração do azeite. [Pl.: *águas-ruças*.]

águas [Pl. de *água*[1].] ***S. f. pl.*** **1.** O mar (1). **2.** As marés [v. *maré* (1)]. **3.** As chuvas [v. *chuva* (1)]. **4.** *P. ext. Cabo-verd.* A época das chuvas, de princípio de julho a outubro; as-águas: "quando as águas eram boas, casavam-se" (Germano Almeida, em *Ponto & Vírgula* nº 2, p. 19). **5.** Nascente de, ou águas minerais ou termais. **6.** V. *estância hidromineral*: *Só melhorou depois que voltou das águas*. **7.** V. *urina*. **8.** Líquido amniótico expulso por ocasião do parto. **9.** Ondas formadas no cabelo, no marfim, em estofos, etc. **10.** Sinais exteriores, mostras. **11.** *Mar.* Esteira[1] (1): *seguir nas águas da capitânia*. **12.** *Fig.* Tendências, inclinações, propensões. ~ V. *água*.

água-santense ***Adj. 2 g.*** **1.** De, ou pertencente ou relativo a Água Santa (RS). • ***S. 2 g.*** **2.** O natural ou habitante de Água Santa. [Pl.: *água-santenses*.]

águas-belense ***Adj. 2 g.*** **1.** De, ou pertencente ou relativo a Águas Belas (PE). • ***S. 2 g.*** **2.** O natural ou habitante de Águas Belas. [Pl.: *águas-belenses*.]

águas de setembro ***S. f. pl.*** *Bras. SP Pop.* V. *cachaça* (1). ☑

águas-emendadas ***S. f. pl.*** *Bras.* Água-emendada.

água-servida ***S. f.*** *Arquit. Urb.* Água residual, ou de esgoto (3 e 4). [Pl.: *águas-servidas*.]

águas-formosense ***Adj. 2 g.*** **1.** De, ou pertencente ou relativo a Águas Formosas (MG). • ***S. 2 g.*** **2.** O natural ou habitante de Águas Formosas. [Pl.: *águas-formosenses*.]

águas-friense ***Adj. 2 g.*** **1.** De, ou pertencente ou relativo a Águas Frias (SC). • ***S. 2 g.*** **2.** O natural ou habitante de Águas Frias. [Pl.: *águas-frienses*.]

águas-iguais ***S. f. pl.*** *Bras. PA* Marés do quarto dia após a lua nova e a lua cheia.

águas-mestras ***S. f. pl.*** *Constr.* Plano de telhado com forma trapezoidal. [Cf. *água-mestra*.]

águas-mornas [Pl. de *água* + pl. do fem. de *morno*.] ***S. m. 2 n.*** *Lus. Pop.* **1.** Subterfúgio para evitar dificuldades, contrariedades, etc. • ***S. 2 g. e 2 n.*** **2.** Pessoa que se vale de subterfúgios, para evitar aborrecimentos. [Cf. *água-morna*.]

águas-mornense ***Adj. 2 g.*** **1.** De, ou pertencente ou relativo a Águas Mornas (SC). • ***S. 2 g.*** **2.** O natural ou habitante de Águas Mornas. [Pl.: *águas-mornenses*.]

água-só ***S. m.*** *Zool.* V. *narcejão*. [Pl.: *águas-sós*.]

águas-pegadas ***S. f. pl.*** *Bras. PA* Marés do quarto dia após o quarto crescente e o quarto minguante.

águas-puladeiras ***S. f. pl.*** *Bras. MG* Corredeira forte.

água-suja ***S. f.*** *Bras. Pop.* **1.** Discussão, bate-boca. **2.** V. *rolo*[1] (16). **3.** Intriga, mexerico. [Pl.: *águas-sujas*.]

águas-vermelhense ***Adj. 2 g.*** **1.** De, ou pertencente ou relativo a Águas Vermelhas (MG). • ***S. 2 g.*** **2.** O natural ou habitante de Águas Vermelhas. [Pl.: *águas-vermelhenses*.]

aguatal ***S. f.*** *Bras.* Água insossa.

aguateiro [Var. de *aguadeiro*.] ***S. m.*** *Bras. S.* **1.** V. *aguadeiro* (1). **2.** Animal que carrega água ou puxa uma carroça de água. **3.** Cavalo ruim. **4.** Homem que vive nas estâncias menos por necessidade do serviço que por condescendência do proprietário, e que se ocupa em trabalhos ligeiros.

água-tinta ***S. f.*** Gravura à água-tinta. [Pl.: *águas-tintas* e *águas-tinta*.] ◆ **Água-tinta a açúcar.** *Tip.* Aquela em que o desenho é feito a pincel, com tinta misturada a açúcar, na placa descoberta, depois envernizada, banhada em água, para que o açúcar, ao dissolver-se, descubra o metal nas partes que serão mordaçadas, e, finalmente, submetida a granulagem. **Água-tinta a sal.** Aquela em que se cobre a placa com camada de cera sobre a qual se pulveriza sal, que, após ser aquecido para penetrar até o metal, e dissolvido, produz efeito semelhante ao da granulagem.

água-tintista [De *água-tinta* + *-ista*.] ***S. 2 g.*** Pessoa que grava à água-tinta. [Pl.: *água-tintistas*.]

água-tofana [Var. de *aquatofana*.] ***S. f.*** Veneno (provavelmente com base no anidrido arsenioso) célebre na Itália nos sécs. XVI e XVII. [Pl.: *águas-tofanas*.]

água-viva ***S. f.*** **1.** *Geofís.* V. *maré de sizígia*. **2.** *Zool.* Designação comum a todas as espécies de medusa ou celenterado marinho, cifozoários, de corpo mole, gelatinoso e transparente, providos de sistema defensivo de células urticantes, que causam queimadura na pele humana, com dor intensa. As espécies mais comuns no litoral brasileiro pertencem ao gênero rizóstoma (q. v.). [Cf. (nesta acepç.) *medusa*[2]. Sin.: *água-má, alforreca, cansanção, caravela, chora-vinagre, mãe-d'água, mãe-joana, mija-vinagre, ponom, urtiga-do-mar, vinagreira*. Pl.: *águas-vivas*.]

aguaxado ***Adj.*** **1.** *Bras.* Saturado de água. **2.** *Bras. S. GO* Diz-se do cavalo que, após longo período de descanso, fica tão gordo que não pode fazer uma longa marcha sem transpirar em demasia, produzindo uma espuma branca: "Nem mortos ele deixava. Só os cavalos abombados, aguados, aguaxados." (Bernardo Élis, *Ermos e Gerais*, p. 66.)

aguaxima [De *a-*[4] + *guaxima*.] ***S. f.*** *Bras. Bot.* **1.** V. *guaxima-roxa*. **2.** V. *mático*. **3.** V. *capeba* (1).

aguazil [Var. de *alguazil*, do ár. *al-wazīr*, 'ministro'; cf. etim. de *vizir*.] ***S. m.*** *Ant.* **1.** Governador plenipotenciário de cidade ou província, por nomeação real. **2.** Magistrado supremo. **3.** Juiz ordinário de primeira instância, eleito pelo povo ou por outros juízes. [V. *alcalde*.] **4.** Vereador municipal; camarista. **5.** Oficial de diligências; meirinho, esbirro, beleguim. **6.** Ministro, conselheiro; vizir. [Outras var.: *alquazil, aluacir, aluazil, aluazir, alvacil, alvacir, alvasil, alvazil, alvazir, guazil*. V. *vizir*.]

aguçadeira [De *aguçar* + *-deira*.] ***S. f.*** Pedra de aguçar ou de amolar.

aguçado [Part. de *aguçar*.] ***Adj.*** **1.** Afiado, cortante, agudo: "se avistava seixos aguçados ou uma pedra áspera, por sobre elas se empurrava" (Eça de Queirós, *Últimas Páginas*, p. 311). **2.** Terminado em ponta ou em bico; afunilado; agudo: *os picos aguçados da serra*. **3.** Afilado, fino, agudo: *nariz aguçado*. **4.** Perspicaz, agudo, sagaz, atilado: *espírito aguçado*. **5.** Atento, vivo, alerta: *audição aguçada*. **6.** Diz-se do sentido (5) capaz de captar as sensações com exatidão e rapidez; agudo, apurado: *paladar aguçado; olfato aguçado*.

aguçador (ô) [De *aguçar* + *-dor*.] ***Adj.*** **1.** Que aguça. • ***S. m.*** **2.** Aquele ou aquilo que aguça.

aguçadura [De *aguçar* + *-dura*.] ***S. f.*** **1.** Ação ou efeito de aguçar. **2.** Gume dado a instrumento de corte; corte; fio. **3.** Adelgaçamento, afunilamento. **4.** *Fig.* Sutileza, agudeza, esperteza, sagacidade.

aguçamento [De *aguçar* + *-mento*.] ***S. m.*** **1.** Ato, processo ou efeito de aguçar. **2.** Fio (7). **3.** Diminuição da largura ou da espessura de um objeto. **4.** *Fig.* V. *sagacidade* (4).

aguçar [Do lat. vulg. **acutiare*.] ***V. t. d.*** **1.** Tornar agudo; adelgaçar na ponta: "navalhas de aguçar os lápis e de cortar a côdea do milhão" (João de Araújo Correia, *Contos Bárbaros*, p. 30). **2.** Dar fio a; afiar, amolar. **3.** Excitar, estimular: "A dificuldade aguçava-lhe o apetite." (Abel Botelho, *Sem Remédio*, p. 89.) **4.** Tornar perspicaz; apurar, sutilizar: *As boas leituras aguçam a inteligência*. **5.** Tornar intenso; animar, excitar: *As palavras maldosas aguçaram-lhe o ódio*. ***Int.*** **6.** Adelgaçar-se, afunilar-se. ***P.*** **7.** Fazer-se diligente, apressado: "Não te aguces para beber este final de dia" (Abgar Renault, *A Outra Face da Lua*, p. 91). **8.** Excitar-se, estimular-se. **9.** *Bras. Pop.* V. *fugir* (1 e 2). [Conjug.: v. *laçar*.]

aguço [Dev. de *aguçar*.] ***S. m.*** Objeto aguçado; espeto, estoque.

agude ***S. f.*** *Zool.* Formiga de asas; agúdia.

agudecer [De *agudo* + *-ecer*.] ***V. t. d.*** Tornar agudo ou mais agudo; agudizar: "Ao longe os montes têm neve ao sol, / Mas é suave já o frio calmo / Que alisa e agudece os dardos do sol alto." (Fernando Pessoa, *Odes de Ricardo Reis*, p. 25.) [Conjug.: v. *aquecer*.]

agudense[1] ***Adj. 2 g.*** **1.** De, ou pertencente ou relativo a Agudo (RS). • ***S. 2 g.*** **2.** O natural ou habitante de Agudo.

agudense[2] ***Adj. 2 g.*** **1.** De, ou pertencente ou relativo a Agudos (SP). • ***S. 2 g.*** **2.** O natural ou habitante de Agudos.

agudense[3] ***Adj. 2 g. S. 2 g.*** V. *agudense-do-sul*.

agudense-do-sul ***Adj. 2 g.*** **1.** De, ou pertencente ou relativo a Agudos do Sul (PR). • ***S. 2 g.*** **2.** O natural ou habitante de Agudos do Sul. [Sin. ger.: *agudense*[3]. Pl.: *agudenses-do-sul*.]

agudez (ê) [De *agudo* + *-ez*.] ***S. f.*** V. *agudeza*.

agudeza (ê) [De *agudo* + *-eza*.] ***S. f.*** **1.** Qualidade do que é agudo ou cortante. **2.** Gume, fio. **3.** Sutileza; perspicácia, penetração, finura; acuidade. **4.** Acrimônia, aspereza. **5.** Intensidade ou estado agudo de doença. **6.** *Fisiol.* Acuidade (5). [F. paral.: *agudez*.]

agúdia ***S. f.*** *Zool.* Agude.

agudíssimo ***Adj.*** Superl. abs. sint. de *agudo*; acutíssimo.

agudização [De *agudizar* + *-ção*.] ***S. f.*** Ato ou efeito de agudizar(-se).

agudizar [De *agudo* + *-izar*.] ***V. t. d.*** **1.** Tornar agudo ou aguçado. **2.** *Fig.* Tornar mais agudo ou intenso: *O estado emocional do paciente agudizou a doença*. **3.** *P. ext.* Intensificar, aguçar: *Desentendimentos entre as duas facções políticas agudizaram a crise*. ***P.*** **4.** Tornar-se agudo, ou mais agudo; intensificar-se: *A discussão acirrada leva a crer que as discrepâncias entre ambos se agudizaram*.

agudo [Do lat. *acutu*.] ***Adj.*** **1.** Terminado em ponta ou em gume afiado: *estilete agudo*; "Mas já as agudas proas apartando / Iam as vias úmidas de argento" (Luís de Camões, *Os Lusíadas*, II, 67). **2.** Penetrante, intenso, áspero: *vento agudo*. **3.** Arguto, perspicaz, sutil, penetrante: *inteligência aguda*. **4.** Intenso, forte, violento: *paixão aguda; dor aguda*; "pelos agudos frios da serra, andavam figuras solitárias, de mãos atrás das costas" (Graciliano Ramos, *Infância*, p. 48). **5.** Picante, satírico, mordaz. **6.** *Ant.* Exasperado, iracundo, irado. **7.** V. *aguçado* (6): *vista aguda; olfato agudo*. **8.** *E. Ling. Desus.* Oxítono. **9.** *E. Ling.* Diz-se do acento (2) us. para assinalar as vogais tônicas *a*, *i* e *u* e as vogais tônicas abertas *e* e *o*. **10.** *Mat.* Diz-se do ângulo menor que um ângulo reto (q. v.). **11.** *Mús.* Diz-se do som de frequência com elevado número de vibrações, por oposição ao som grave: *voz aguda*. **12.** *Mús.* Na escala geral dos sons, diz-se da região que se estende do dó4 ao dó5. **13.** *Mús.* Diz-se do som de um instrumento em relação a outro. [O som do violino, p. ex., é normalmente mais agudo do que o som do contrabaixo.] [Superl. abs. sint.: *acutíssimo* e *agudíssimo*.] • ***S. m.*** **14.** *Mús.* Nota musical aguda.

agué ***S. f.*** *Lus. Mús. Etnogr.* V. *aguê*.

aguê (güê) [Do ior.] ***S. m.*** *Bras. Mús.* V. *cabaça*[1] (4). ❖

agueira (güei) ***S. f.*** Vala ou rego por onde correm as águas de rega; agueiro. [Var. lus.: *augueira*.] ❖

agueiro (güei) ***S. m.*** **1.** Agueira. **2.** Cano que dá vazão às águas dos telhados; algeroz. [Var. lus.: *augueiro*.] ❖

aguentador (güen...ô) [De *aguentar* + *-dor*.] ***Adj.*** **1.** Que aguenta. • ***S. m.*** **2.** Aquele ou aquilo que aguenta. ❖

aguentar (güen) [Do it. *agguantare*.] ***V. t. d.*** **1.** Sustentar, suportar, tolerar (peso, carga, trabalho, etc.). **2.** Manter, sustentar (uma posição, um estado, etc.): *Aguentaram o casamento enquanto os filhos eram pequenos*. **3.** Aturar, tolerar; suportar: *Aguentou com resignação a dura perda*. **4.** Resistir a; suportar: *Esse carro não aguenta outra batida; Troia aguentou durante dez anos o cerco dos aqueus*. **5.** Prover o sustento de; manter, sustentar: *Precisa trabalhar 12 horas por dia para aguentar a numerosa família*. ***T. i.*** **6.** Suportar: "Luís Bernardo içou-se para cima da árvore, subiu cautelosamente a um primeiro ramo, constatou que aguentava bem com o seu peso, e depois alcançou com as mãos o ramo acima desse" (Miguel Sousa Tavares, *Equador*, p. 502). **7.** Arcar: *aguentar com as consequências*. ***Int.*** **8.** Oferecer resistência; resistir, suportar: *Essa corda não aguenta mais, vai arrebentar*. ***P.*** **9.** Manter-se firme; equilibrar-se. **10.** Manter-se, conservar-se; sustentar-se: *Aguentou-se dez anos no poder*. **11.** Haver-se, arranjar-se: *Ele que se aguente sozinho, agora*! ◆ **Aguentar firme.** V. *Aguentar o rojão*. ❖

aguente (güen) [Do esp. plat. *aguante*.] ***S. m.*** *Bras. S.* Resistência física. ❖

agueré ***S. m.*** V. *aguerê*.

aguerê [Do ior.] ***S. m.*** *Bras. Rel.* Nos terreiros nagôs, ritmo lento, produzido por atabaques, com que se chama Iansã a baixar (9). [Var. pros.: *agueré*.]

aguerrear [De *a-*[2] + *guerra* + *-ear*[2].] ***V. t. d.*** **1.** Habituar à guerra; afazer aos combates; aguerrir. ***P.*** **2.** Exercitar-se para a guerra; aguerrir-se. [Conjug.: v. *frear*.]

aguerrido [Part. de *aguerrir*.] ***Adj.*** **1.** Afeito à guerra: *exército aguerrido*. **2.** Corajoso, valente, destemido. **3.** Combativo; belicoso; guerreiro: *O espírito aguerrido dos maquis favoreceu a resistência na França*.

aguerrilhar [De *a-*[2] + *guerrilha* + *-ar*[2].] ***V. t. d.*** **1.** Converter ou reunir em guerrilha. ***P.*** **2.** Alistar-se em guerrilha.

aguerrir [Do fr. *aguerrir*.] ***V. t. d.*** **1.** Afazer à guerra; aguerrear. **2.** Habituar às lutas, trabalhos, contrariedades, etc. **3.** Tornar valoroso, enérgico, destemido. ***P.*** **4.** Exercitar-se nas armas, na guerra; aguerrear-se. **5.** Afazer-se às lutas, aos trabalhos, às contrariedades. [Defect. Só se conjuga nas f. em que ao *r* da raiz se segue *i*: *aguerrimos, aguerris; aguerria; aguerri*; etc.]

águia [Do lat. *aquila*; v. *áquila*.] ***S. f.*** **1.** *Zool.* Qualquer das aves de rapina falconiformes, acipitrídeas, do gênero *Aquila* (v. *áquila*), notáveis pelo tamanho, vigor, acuidade de visão, e capacidade de voo; não ocorrem na América do Sul. **2.** *P. ext.* Insígnia ou símbolo representado pela figura estilizada deste animal. **3.** *Fig.* Pessoa de grande talento e perspicácia. **4.** Designação de pessoa notável, por antonomásia, com indicação da terra de sua naturalidade ou do lugar onde se tornou célebre: *Águia de Haia* (Rui Barbosa); *Águia de Austerlitz* (Napoleão I). **5.** Chefe, governante. **6.** *Bras.* No jogo do bicho (q. v.), o segundo grupo (14), que abrange as dezenas 05, 06, 07 e 08, e corresponde ao número dois. **7.** *Astr.* Constelação boreal, situada nos confins da Via Láctea. [Nesta acepç., com cap.] ● *S. m.* **8.** *Bras.* Velhaco, tratante, espertalhão. ◆ **Águia de Haia.** Antonomásia de Rui Barbosa (v. *ruiano*), dada em virtude da sua atuação na Segunda Conferência de Paz, em Haia (1907).

águia-branquense *Adj. 2 g.* **1.** De, ou pertencente ou relativo a Águia Branca (ES). ● *S. 2 g.* **2.** O natural ou habitante de Águia Branca. [Pl.: *águia-branquenses.*]

águia-chilena *S. f. Bras. Zool.* Ave falconiforme, acipitrídea (*Geranoaetus melanoleucus*), distribuída desde o N. e E. da Argentina até o Paraguai e o Brasil meridional, de coloração preta, coberteiras menores e medianas da asa cinzentas, cruzadas por barras negras, coberteiras maiores pretas, cauda com ponta branca, e lado inferior acinzentado, com barras escuras. Alimenta-se de gafanhotos e pequenos vertebrados. [Pl.: *águias-chilenas.*]

águia-cinzenta *S. f. Bras. RS* Ave falconiforme, acipitrídea (*Harpyhaliaetus coronatus*), do Brasil meridional e ocidental, países vizinhos e Chile. É um gavião de porte agigantado (cerca de 85cm de comprimento), coloração cinzenta, penas em penacho no occipício, e que se alimenta de outras aves e de pequenos mamíferos. [Pl.: *águias-cinzentas.*]

águia-dourada *S. f. Zool.* V. *águia-real-europeia.* [Pl.: *águias-douradas.*]

aguiaense *Adj. 2 g.* **1.** De, ou pertencente ou relativo a Aguiar (PB). ● *S. 2 g.* **2.** O natural ou habitante de Aguiar. [Sin. ger.: *aguiarense.*]

aguião *S. m.* V. *aquilão*[1].

águia-pescadora *S. f. Bras. Zool.* V. *gavião-pescador* (1). [Pl.: *águias-pescadoras.*]

águia-pesqueira *S. f. Bras. Zool.* V. *gavião-pescador* (1). [Pl.: *águias-pesqueiras.*]

águia-real-europeia (éi) *S. f. Zool.* Ave falconiforme, falconídea (*Aquila chrysaetus*), das regiões paleártica e neártica, com plumagem pardo-escura, penas do pescoço mais claras, cauda cinza-clara. Nidifica em rochas, usando o mesmo ninho anos seguidos, e é o maior dos rapineiros utilizados em falcoaria na caça de animais de grande porte, como antílopes e cabras selvagens. [Sin.: *águia-dourada.* Pl.: *águias-reais-europeias.*] ❖

aguiarense *Adj. 2 g. S. 2 g.* V. *aguiaense.*

aguiazinha [De *águia* + *-zinha.*] *S. f. Zool.* Aguieta.

aguieiro [De *a-*[4] + *gueiro.*] *S. m. Constr.* Pau dos madeiramentos de uma casa, sobre o qual se cruzam as vigas em que assenta o telhado.

aguieta (ê) [De *águia* + *-eta* (ê).] *S. f. Zool.* Pequena águia (1); aguiazinha.

águila [Do sânscrito e do hindi, pelo malaiala *akil, águil.*] *S. f. Bot.* V. *agáloco* (1): 📖 "de envolta com perfume de águila e benjoim, evolava-se a poeira sutil e, com ela, um cheiro humano, que aguçava os sentidos." (Afonso Arinos, *Pelo Sertão*, p. 143).

aguilarita [Do antr. (*P.*) *Aguilar*, superintendente da mina de prata onde o mineral foi encontrado, + *-ita*[3].] *S. f. Min.* Sulfosseleneto de prata; ocorre em esqueletos de cristais dodecaédricos.

aguilhada [Do lat. **aquileata*, por *aculeata*, de *aculeus*, 'aguilhão', 'acúleo'.] *S. f.* Vara comprida com ferrão na ponta, usada para tanger os bois: 📖 "Nem se revolta [o boi], quando o lavrador, sem pena, / Para o instigar, lhe crava a ponta da aguilhada." (Olavo Bilac, *Poesias Infantis*, p. 53.) [Sin.: *aguilhão, pereiro* (CE); *picana* (RS e MT), e pop. *guiada.*] ◆ **Aguilhada de terra.** Antiga medida agrária.

aguilhão [Do lat. *aquileone*, por *aculeone*, de *aculeu*, 'aguilhão'.] *S. m.* **1.** A ponta de ferro da aguilhada; ferrão. **2.** V. *aguilhada.* **3.** *P. ext.* Ponta aguçada; bico. **4.** Estímulo, incitamento, incentivo. **5.** Sofrimento pungente. **6.** *Zool.* Ferrão ou dardo retrátil, na extremidade do abdome de alguns insetos ou dos escorpionídeos. **7.** *Zool.* V. *espadarte.* **8.** *Bras.* Peça de ferro que se coloca no meio dos cilindros ou eixos de pau dos engenhos de açúcar.

aguilheira [De *agulha*[1] + *-eira.*] *S. f. Bot.* V. *malva-cheirosa* (2).

aguilhó *S. m.* Antigo toucado feminino.

aguilhoada [De *aguilhoar* + *-ada*[1].] *S. f.* **1.** Picada com aguilhão; ferretoada, ferroada. **2.** Dor forte, fina e momentânea; pontada, agulhada. **3.** Incitamento, instigação, provocação.

aguilhoadela [De *aguilhoar* + *-dela.*] *S. f.* Ato de aguilhoar uma vez.

aguilhoador (ô) [De *aguilhoar* + *-dor.*] *Adj. S. m.* Que, ou aquele que aguilhoa.

aguilhoamento [De *aguilhoar* + *-mento.*] *S. m.* Ato ou efeito de aguilhoar.

aguilhoar [De *aguilhão* + *-ar*[2], com desnasalação.] *V. t. d.* **1.** Picar ou ferir com aguilhão; aferroar. **2.** Espicaçar; estimular, incitar: 📄 *As próprias dificuldades da tarefa aguilhoaram-no.* **3.** Causar grande dor moral a; pungir. [Conjug.: v. *coroar.*]

aguilhoeiro [De *aguilhão* + *-eiro*, com desnasalação.] *S. m.* Aquele que fabrica ou vende aguilhões.

aguinha (güi) [Dim. de *água*[1].] *S. f. Bras. Deprec.* Medicamento homeopático administrado em gotas: 📄 *O doutor me receitou uma aguinha.* ❖

aguinir *V. t. d. P. Bras. CE Pop.* V. *apoquentar.*

aguino (güi) *Adj.* **1.** De, ou pertencente ou relativo a Águas de Chapecó (SC). ● *S. m.* **2.** O natural ou habitante de Águas de Chapecó. [Sin. ger.: *chapecoense-das-águas.*] ❖

aguisado [Part. de *aguisar.*] *Adj.* Posto em ordem; concertado.

aguisar [De *a-*[2] + *guisa* + *-ar*[2].] *V. t. d.* Pôr em ordem; concertar, compor.

aguitarrado [De *a-*[2] + *guitarra* + *-ado*[1].] *Adj.* **1.** Que tem feitio ou som de guitarra. **2.** *Pej.* Que adquiriu sons próprios de guitarra.

aguizalhado [De *a-*[2] + *guizo* + *-alh(o)-* + *-ado*[1].] *Adj. Heráld.* Diz-se de açor ou falcão figurado com guizo(s) de esmalte diferente do seu, na coleira ou nos pés.

agulha[1] [Do lat. vulg. *acucula* < lat. *acula*, dim. de *acus.*] *S. f.* **1.** Hastezinha fina de aço, aguçada numa das extremidades, e com um orifício na outra, por onde se enfia linha, fio, lã, cadarço, barbante, etc., para coser, bordar ou tecer: 📖 "Chegou a costureira, ... pegou da agulha, pegou da linha, enfiou a linha na agulha, e entrou a coser." (Machado de Assis, *Várias Histórias*, p. 231.) **2.** Varinha de metal, madeira, aço, celuloide, marfim, etc., com gancho próprio, e usada para fazer meia, renda, ou obras de malha. **3.** Naveta de madeira, própria para tecer rede. **4.** Ponteiro de relógio, de bússola, etc. **5.** Qualquer haste ou ponta metálica. **6.** Extremidade aguda. **7.** Pequena peça fina e pontuda, usualmente de aço polido ou de outro material, como safira ou diamante, utilizada para transmitir vibrações, como as de um disco fonográfico. **8.** Peça de aço que, nas modernas armas de fogo, percute o fulminante. **9.** Sistema de carris de ferro móveis para facilitar, nas linhas férreas, a passagem dos trens de uma via para outra. **10.** Obelisco (1). **11.** Pico de forma cônica e pontiaguda: 📄 *as Agulhas Negras.* **12.** Agulhão (1). **13.** Ponto de junção das espáduas dos animais. **14.** Agulha de trânsito (q. v.). **15.** *Fig.* Trabalho de costura, de bordado. **16.** *Fig.* Meio de subsistência e modo de vida da costureira: 📄 *Laura vive da agulha.* **17.** *Fig.* Intriga, maledicência. **18.** *Fig.* Dito irônico; sarcasmo, troça, zombaria. **19.** *Arquit.* Arremate piramidal ou cônico, de pequena base e grande altura, posto no coroamento de torre ou campanário para avivar a impressão de esbeltez. **20.** *Arquit.* Nas construções de taipa de pilão, pequena peça cilíndrica de madeira empregada para assegurar a verticalidade das tábuas do taipal. **21.** *Autom.* Estilete (4). **22.** *Cir.* Instrumento aculeiforme, usado para fazer suturas ou punções, ou para dar injeções. **23.** *Constr.* Haste de ferro, redonda e pontiaguda, com cerca de 2m de comprimento, destinada à sondagem rápida de terrenos pouco consistentes. **24.** *Grav.* Ponta (14). **25.** *Náut.* V. *bússola* (1). **26.** *Náut.* Agulha de marear (q. v.). **27.** *Náut.* Qualquer instrumento que indique ao navegante a direção do polo da Terra, ainda que seu funcionamento não dependa de peça que se assemelhe a uma agulha. **28.** *Tip.* Peça semelhante à agulha (1) comum de coser, porém maior e mais resistente, com que os encadernadores costuram o volume nas estribilhas. **29.** *Zool.* Designação comum a algumas espécies de peixe escombrídeas. **30.** *Bras.* Variedade de arroz. **31.** *Bras. MG Min.* O mineral rutílio, um dos satélites do diamante [v. *satélite* (7)]. **32.** *Bot.* Folha acicular do pinheiro e de outras plantas coníferas: 📖 "Nem uma agulha bulia / Na quieta melancolia / Dos pinheiros do caminho..." (Augusto Gil, *Luar de Janeiro*, p. 27). ~ V. *agulhas.* ◆ **Agulha de crochê.** Haste de metal, plástico, etc., que tem numa extremidade um gancho destinado a puxar a linha para formar os pontos. [V. *crochê.*] **Agulha de escaler.** *Náut.* Agulha magnética portátil para uso em embarcação miúda. **Agulha de governo.** *Náut.* Agulha instalada a bordo por anteavante da roda do leme, e por meio da qual o timoneiro governa o navio no rumo ordenado. **Agulha de marear.** *Ant. Náut.* Bússola própria para a navegação marítima, e que era uma agulha magnética montada sobre uma rosa dos ventos desenhada numa placa de cortiça e posta a flutuar dentro de uma tina com água. [Tb. se diz apenas *agulha.*] **Agulha de marinheiro.** *Marinh.* Agulha com que os marinheiros cosem lona, brim e panos grossos em geral. **Agulha de palombar.** *Marinh. Bras.* Agulha curva para costurar tralhas de velas e toldos. **Agulha de trânsito.** Abertura em canteiro lateral para mudança de pista. [Tb. se diz apenas *agulha.*] **Agulha de tricô.** Haste longa, de metal, plástico, etc., que tem uma extremidade pontuda, para retirar as malhas da outra agulha, e a extremidade oposta terminada numa espécie de botão para impedir que as malhas se escapem. [V. *tricô*]. **Agulha giroscópica.** *Náut.* Instrumento de navegação cujo funcionamento se baseia na propriedade que tem o eixo de um giroscópio de, quando obrigado a permanecer horizontal, orientar-se de modo que coincida com a direção do meridiano verdadeiro local. **Agulha líquida.** *Náut.* Agulha magnética cuja cuba é cheia de água destilada, para atenuar as oscilações da rosa dos ventos resultantes das guinadas rápidas e dos balanços do navio. **Agulha magnética.** *Fís. Náut.* V. *bússola* (1). **Agulha principal.** *Náut.* V. *agulha-padrão.* **Agulha repetidora.** *Náut.* Agulha que repete as indicações da agulha-mãe. **Procurar agulha em palheiro.** Procurar coisa dificílima de achar.

agulha[2] *S. f. Zool.* V. *peixe-agulha* (1).

agulha-branca [De *agulha*[2] + o fem. de *branco.*] *S. f. Bras. BA Zool.* Peixe hemiranfídeo (*Hyporhamphus unifasciatus*), da costa atlântica ocidental (dos E.U.A. à Argentina) e da costa pacífica oriental (dos E.U.A. ao Peru), com cerca de 30cm, de coloração geral prateada, com uma faixa tb. prateada nos flancos e o dorso verde-escuro. [Sin.: *peixe-agulha, panaguaiú, tarangalho, tarnagalho.*] **2.** V. *agulhão* (3). [Pl.: *agulhas-brancas.*]

agulha-crioula [De *agulha*[2] + o fem. de *crioulo.*] *S. f. Bras. BA Zool.* Peixe hemiranfídeo (*Hemiramphus brasiliensis*) da costa atlântica ocidental e oriental, de coloração prateada, com o dorso escuro e a ponta do bico avermelhada; mede cerca de 40cm. [Sin.: *agulha-preta, agulhinha, balão, peixe-agulha.* Pl.: *agulhas-crioulas.*]

agulhada [De *agulha*[1] + *-ada*[1].] *S. f.* **1.** Ferimento ou picada com agulha. **2.** V. *aguilhoada* (2). **3.** Uma enfiadura de linha.

agulha-do-mar *S. f. Bras. Zool.* Peixe-cachimbo (1). [Pl.: *agulhas-do-mar.*]

agulha-ferrugenta *S. f. Fig. Fam.* Pessoa intrigante, mexeriqueira. [Pl.: *agulhas-ferrugentas.*]

agulha-mãe *S. f. Náut.* Agulha principal, magnética ou giroscópica, provida, em geral, de agulhas repetidoras. [Pl.: *agulhas-mães* e *agulhas-mãe.*]

agulhão [De *agulha*[1] + *-ão*[1].] *S. m.* **1.** Pedra pontiaguda submersa no leito de um rio; agulha. **2.** V. *agulha-padrão.* **3.** *Bras. Zool.* Peixe belonídeo (*Strongylura marina*), do Atlântico ocidental e do Mediterrâneo, de coloração prata tirante ao verde, e que pode alcançar cerca de 80cm. [Sin.: *agulha, agulha-branca, agulhão-lambaio, peixe-agulha, timbale.*] **4.** *Bras. Zool.* Peixe belonídeo (*Tylosurus acus*) de coloração prateada, com o dorso azul, cerca de 1,30m e é de distribuição circuntropical. [Sin.: *agulha, agulha-preta, carapiá, timbale.*] **5.** *Zool.* V. *agulhão-bandeira.*

agulhão-bandeira *S. m. Bras. Zool.* Peixe istioforídeo (*Istiophorus platypterus*) dos oceanos Atlântico, Índico e Pacífico (classificando-se, às vezes, o do Atlântico, como *Istiophorus albicans*), de dorso negro-azulado, flancos tb. azulados e abdome claro; tem a primeira nadadeira dorsal azulada e muito grande, a anal crescentiforme, e a maxila muito desenvolvida, formando um longo e afilado bico. Pode alcançar cerca de 3m e alimenta-se de peixes, moluscos e crustáceos. [Sin.: *agulhão, agulhão-de-vela, guebo, guebuçu.* Pl.: *agulhões-bandeiras* e *agulhões-bandeira.*]

agulhão-de-vela *S. m. Bras. RN Zool.* V. *agulhão-bandeira.* [Pl.: *agulhões-de-vela.*]

agulhão-lambaio *S. m. Zool.* V. *agulhão* (3). [Pl.: *agulhões-lambaios.*]

agulhão-trombeta *S. m. Bras. Zool.* V. *peixe-trombeta* (2). [Pl.: *agulhões-trombetas* e *agulhões-trombeta.*]

agulha-padrão *S. f. Náut.* A agulha magnética de maior confiança a bordo, e por cujas indicações se aferem as demais; agulhão, agulha principal. [Pl.: *agulhas-padrões* e *agulhas-padrão.*]

agulha-preta [De *agulha*[2] + o fem. de *preto.*] *S. f. Bras. Zool.* **1.** V. *agulha-crioula.* **2.** V. *agulhão* (4). [Pl.: *agulhas-pretas.*]

agulhar [De *agulha* + *-ar*[2].] *V. t. d.* **1.** Ferir com agulha. **2.** Incomodar; afligir, torturar.

agulhas [Pl. de *agulha*[1].] *S. f. pl. Bras.* Pedaço de carne unido ao osso do espinhaço do boi. ~ V. *agulha.*

agulheado [De *agulha*[1] + *-eado.*] *Adj.* V. *acicular.*

agulheira [De *agulha*[1] + *-eira.*] *S. f. Bot.* V. *malva-cheirosa* (2).

agulheira-moscada [De *agulheira* + o f. de *moscado.*] *S. f. Bot.* V. *malva-cheirosa* (2). [Pl.: *agulheiras-moscadas.*]

agulheiro [De *agulha*[1] + *-eiro.*] *S. m.* **1.** Pequeno estojo, ou pequeno caderno com folhas de pano, para guardar agulhas de coser. **2.** Fabricante de agulhas. **3.** O empregado que faz o serviço das agulhas nos caminhos de ferro. **4.** *Constr.* Orifício em parede para embeber a ponta dos travessões do andaime; baldoeiro. **5.** *Constr.* Abertura estreita e profunda para deixar passar o ar e/ou a luz. 6. *Constr. Nav.* Abertura circular ou elíptica, em geral de exíguas dimensões, para acesso a compartimentos do navio normalmente não habitados ou frequentados (tanques, porões, duplos-fundos, etc.). ~ V. *agulheiros*.

agulheiros [Pl. de *agulheiro*.] ***S. m. pl.*** Aberturas por onde se escoam as águas dos tanques e chafarizes. ~ V. *agulheiro*.

agulheta (ê) [De *agulha* + *-eta* (ê).] ***S. f.*** **1.** Remate metálico de cadarço (3), cordões, etc. para facilitar o enfiamento em ilhoses e orifícios. **2.** Agulha grossa e de fundo largo, para enfiar fitas ou cordões. **3.** Peça metálica atarraxada a uma das extremidades das mangueiras de grande pressão para condensar e dirigir o jato de água. **4.** *Bras. ES Zool.* V. *peixe-trombeta* (2). [Pl.: *agulhetas* (ê). Cf. *agulheta* e *agulhetas*, do v. *agulhetar*.] ◆ **Agulheta de seleção.** *Tip.* Eixo que, situado na entrada da caixa seletora da linotipo, suporta o seletor de fonte.

agulhetar [De *agulheta* + *-ar*[2].] ***V. t. d.*** Pôr agulhetas em (fardamento militar, etc.). [Pres. ind.: *agulheto*, *agulhetas*, *agulheta*, etc. Cf. *agulheta* (ê) e pl. *agulhetas* (ê).]

agulheteiro [De *agulheta* + *-eiro*.] ***S. m.*** Fabricante de agulhetas ou de agulhas.

agulhinha ***S. f.*** *Zool.* V. *agulha-crioula*.

agurentar [Var. de *aguarentar* (q. v.).] ***V. t. d.*** *Bras. BA* Acertar ou aparar a roda de (o pano ou as faces do tabuado). [Pres. ind.: *agurento*, etc. Cf. *agorento*, do v. *agorentar*; *agourento*, do v. *agourentar* e adj., e *aguarentar*.]

aguti [Do tupi.] ***S. m.*** *Bras. Zool.* V. *cutia*[1].

agutiguepe [De or. tupi.] ***S. f.*** *Bras. Bot.* V. *araruta* (1).

agutiguepe-obi [De or. tupi.] ***S. m.*** *Bot.* V. *arumarana*. [Pl.: *agutiguepes-obis*.]

agutipuru [Var. de *acutipuru*.] ***S. m.*** *Bras. Zool.* V. *quatipuru*.

ah [Do lat. *ah*, poss.] ***Interj.*** Exprime admiração, alegria, desejo, dúvida, espanto, ironia, dor, tristeza, etc., e é us. às vezes enfaticamente, para dar mais força e realce às palavras a que se junta: "— Ah, estou doido por ela! não imaginas... Que encanto de pequena!" (Abel Botelho, *Sem Remédio*, p. 113); "Ah! o senhor é que é o Pestana?" (Machado de Assis, *Várias Histórias*, p. 61); "— Ah! Se eu soubesse! atalhou o Dr. Castro. Teria vindo passar a noite aqui, oferecer os meus préstimos." (Graciliano Ramos, *Caetés*, p. 175). [Cf. *a*, *á*, *à* e *há*, do v. *haver*.]

■ **A.h.** *Eletr.* Símb. de *ampère-hora*.

ah-ah ***Interj.*** **1.** Voz de quem acerta, ou daquele a quem principia a acontecer alguma coisa como desejava. **2.** Indica surpresa, ironia, incredulidade e o riso: "O Azeredo torcia-se em esgares trocistas e ria, ria, gaiatamente. Ah-ah! É então por isso tanta arrelia?" (Abel Botelho, *Amor Crioulo*, p. 205).

a-histórico [De *a-*[3] + *histórico*.] ***Adj.*** Anistórico (1): "Kafka .... desnuda a história até o simples desejo de poder e de dominação, que é a-histórico e não tem outro conteúdo senão ele mesmo." (Fernando Pedreira, em *Jornal do Brasil*, 11.03.1984.)

ahoje (ô) [Do *a-*[4] + *hoje*.] ***Adv.*** *Moç. Pop.* Hoje (1): "tem reunião do camarada ministro ahoje." (Tomás Vimaró, *Terra no Alambique*, p. 21).

ai[1] ***S. m.*** **1.** Grito de dor, e às vezes de alegria: "Ó boa Madrinha, que o enxugas de leve, / Tem dó desses gritos! compreende esses ais" (Antônio Nobre, *Só*, p. 69). ● ***Interj.*** **2.** Designa dor, lamento, e, por vezes, alegria: "não pode fugir nem desatar aos berros. Apenas suspira baixinho: — Ai!..." (Raul Brandão, *A Farsa*, p. 157); "Ai, no fundo não sou mais do que um bugre, eis tudo." (Vicente de Carvalho, *Poemas e Canções*, p. 151); "Ai! vejam como é bonita / Coas tranças presas na fita / Coas flores no samburá!" (Casimiro de Abreu, *Obras*, p. 116); "Ai, me dá vontade até de morrer." (Dalton Trevisan, *O Vampiro de Curitiba*, p. 9). [Cf. *aí*.] ◆ **Ai de.** Pobre de; desgraçado de: "Ai de tua esquisita petulância, / Alma das incoerências continuadas!" (Fernando de Mendonça, *Treze Decassílabos*, p. 8.) **Num ai.** Num instante; num repente; num abrir e fechar de olhos: "Num ai tudo se apaga e ela perde a noção de quanto a cerca." (Orlando Gonçalves, *Este Mundo dos Homens*, p. 96.)

ai[2] ***S. m.*** Tipo de vinho do Marne (França). [Cf. *aí*.]

■ **AI** Sigla de *Anistia Internacional*.

aí[1] [Do tupi.] ***S. m.*** *Bras. Zool.* V. *preguiça* (5). [Cf. *ai*.]

aí[2] ***Adv.*** **1.** Nesse lugar: *Espero que me escrevas contando o que tens feito aí*; "Ele espanta-se de a ver ali àquela hora. | — Ainda aí, hem?" (Natércia Freire, *A Alma da Velha Casa*, p. 83). **2.** A esse lugar: *Espere por mim, vou aí logo mais.* **3.** Nesse ponto; nesse aspecto; nessa particularidade; nisso: *Aí é que está o busílis*; "Inimigo da humanidade, traidor da arte, adulador do déspota! Já é alguma coisa. Mas creio que é aí, precisamente aí, nessas três fraquezas, que reside a sua verdadeira grandeza [de Goethe]" (Oto Maria Carpeaux, *A Cinza do Purgatório*, p. 29); "No que eles estavam todos de acordo é que ela era extraordinariamente bela; aí foram entusiastas e sinceros." (Machado de Assis, *Várias Histórias*, p. 84). **4.** Pelo mundo; por aí fora; por aí afora, por aí: *Coitado! Anda aí como um cão vadio, maltratado, desprezado por todos.* **5.** Junto, juntamente; em anexo: *Aí vai o documento que me solicitou na última carta.* **6.** A esse respeito; quanto a isso: *É um mau sujeito, mas, em matéria de inteligência, aí não é possível senão elogiá-lo.* **7.** Nessa ocasião; nessa altura; então: *O convidado de honra chegou às duas horas da tarde, e só aí começaram a servir o almoço.* **8.** Nesse caso; nessa hipótese; então: "— Para o juiz não vir, só se acontecesse alguma coisa séria, mas aí ele mandava avisar." (Bernardo Élis, *O Tronco*, p. 5.) **9.** Em frases onde aparecem palavras ou locuções designativas de quantidade, equivale a 'cerca de', 'mais ou menos', indicando ou reforçando a imprecisão dessa quantidade: *Sua biblioteca tem aí uma centena de livros*; "um traquina alourado, aí uns doze anos" (Davi Antunes, *Briguela*, p. 3). **10.** Seguido da prep. *por* e de palavra ou locução designativa de lugar, reforça a ideia de local impreciso, contida na preposição: *Saiu cedo; a estas horas já deve ir aí por Teresópolis; Mora aí pelos arredores de Maceió.* **11.** Seguido da prep. *por* e de palavra ou expressão relativa a tempo, reforça a ideia de data ou tempo impreciso, já expressa pela preposição: *Sua fase áurea foi aí por 1930; Chegou a São Paulo aí pelas 10 horas*; "Aí pela madrugada, Calisto Elói amodorrou-se em roncado dormir" (Camilo Castelo Branco, *A Queda dum Anjo*, p. 154). **12.** É de uso mais ou menos frequente, sobretudo no português antigo, depois do verbo *haver* (na acepção de 'existir', e, por vezes, de outros verbos): "Se fiamos num bem, que a mente cria, / Que outro remédio há aí senão ser triste?" (Antero de Quental, *Sonetos*, p. 172); "Quem sabe aí / quem é e onde vive?" (João José Cochofel, *Os Dias Íntimos*, p. 16). ● ***Interj.*** **13.** Serve para aplaudir, animando: *Bravo! Aí, moço!*; "Quem abriu o baile foi o padeiro, dançando com a mulher. | — Aí, rapaz! gritou-lhe o Bento. Mas era lá preciso que o animassem!" (D. João da Câmara, *Contos*, p. 11). **14.** Encerra sentido malicioso: *Aí, hem, seu malandro*; "Aí... hem?... / pensas que eu não sei..." (Lamartine Babo e Paulo Valença, na marcha *Aí... hem?...*). **15.** Equivale a 'basta', 'alto', 'para', 'chega': *Aí, menino, já gritaste demais.* [Cf. *ai*.] ◆ **E por aí.** E sempre nesse teor; e assim por diante; e por aí afora: *Um grande almoço: peru, faisão, champanha, e por aí.* **E por aí afora.** E por aí. **Por aí.** **1.** Pelo mundo fora, por aí fora, por aí afora: *Ganha 10 salários, por aí.* **2.** Em lugar indeterminado, incerto: *— Onde mora aquele boêmio? — Sei lá! Por aí.* **3.** Mais ou menos; aproximadamente: *O apartamento em Miami custou uns cem mil dólares, por aí.*

aia [Fem. de *aio*.] ***S. f.*** **1.** Dama de companhia. **2.** Encarregada da educação doméstica de crianças nobres. **3.** Criada de dama nobre; camareira: "A imperatriz, em estado de 'buena esperanza', ... cuida dos seus três filhos, do meneio da casa, e, entre camareiros e aias, fia, borda e sarta pérolas e aljôfares." (Antero de Figueiredo, *Toledo*, pp. 155-156.) [Cf. *Haia*, top.]

aiabeba ***S. f.*** V. *axabeba*.

aiabutipitá [Var. de *jabutapitá*.] ***S. m.*** *Bras. Bot.* V. *batiputá*.

aiaçá [Do tupi.] ***S. f.*** *Bras. Amaz. Zool.* Reptil da ordem dos quelônios, pelomedusídeo (*Podocnemis sextuberculata*), da Amaz., de coloração parda a olivácea, plastrão amarelado, cabeça avermelhada na parte superior. Tem carapaça oval, deprimida, atrás muito mais larga que na frente, bordo posterior do plastrão com seis tubérculos, no máximo, mas evidentes nas formas jovens. Mede até 35cm de comprimento. [Var.: *aiuçá*.]

aiaçari [Do ár. *az-zuhr*, 'meio-dia', poss.] ***S. f.*** *Bras. Rel.* Entre os malês, a terceira das cinco orações muçulmanas diárias. [Var. ortográfica: *ai a sari*.]

aiaia ***S. f.*** *Bras.* **1.** Brinquedo (1). **2.** Vestido de criança.

aiaiá ***S. f.*** *Bras. Zool.* V. *colhereiro* (2).

aiapaína ***S. f.*** *Bras. Bot.* V. *aiapana* (2 e 3).

aiapana [Do tupi; tax. *Ayapana*.] ***S. f.*** *Bras. Bot.* **1.** Gênero de plantas asteráceas desmembradas do gênero *Eupatorium* (v. *eupatório*). **2.** Qualquer espécie desse gênero, como, p. ex., a *Ayapana triplinervis* (v. *erva-de-cobra*). **3.** Qualquer espécime desse gênero. **4.** Arbusto euforbiáceo (*Euphorbia cotinifolia*) das Antilhas e da Amaz., com grande fronde, flores cimosas e látex venenoso. [Var., nas acepçs. 2 e 3: *aiapaína*, *iapana*, *japana*.]

aiapuá [Do tupi.] ***S. f.*** *Bras. Bot.* Mandioca brava da Amazônia.

aiar ***V. int.*** **1.** Dar ou soltar ais; guaiar. **2.** Soltar ou emitir gritos de dor; gemer: "ali junto, apertando ainda a lança, ... estrebuchava o Hilarião, sem dar acordo, aiando, só aiando..." (Simões Lopes Neto, *Contos Gauchescos e Lendas do Sul*, p. 203). [Pres. ind.: *aio*, *aias*, *aia*, etc. Cf. *Haia*, top.]

aiará [Do tupi.] ***S. m.*** *Bot.* V. *tucum* (2).

aiaraçu [Do tupi.] ***S. m.*** *Bras. Amaz. Zool.* V. *apaiari*.

ai a sari ***S. f.*** *Bras. Rel.* V. *aiassari*. [Pl.: *ai a saris*.] ☑

aiatolá [Do ár. *ayā(t)allah*, 'exemplo, sinal, manifestação (ou versículo) de Deus'.] ***S. m.*** *Rel.* No Irã, título honorífico atribuído aos especialistas ou interpretadores xiitas da lei islâmica, e esp. àqueles de autoridade superior: "O aiatolá Ruhollah Khomeiny declarou ontem que precisa derrotar o Iraque para abrir caminho para a conquista de Jerusalém" (*Jornal do Brasil*, 17.07.1982).

aibi [De or. tupi, poss.] ***S. m.*** *Bras. BA* Riachinho que, na região costeira, sofre a influência das marés.

aicá ***S. 2 g.*** **1.** *Etnôn.* Indivíduo dos aicás, povo indígena que habita as imediações do rio Maracá (AM). ● ***Adj. 2 g.*** **2.** Pertencente ou relativo a esse povo. [Tb. us. como *s. 2 g. e 2 n.* (com cap.) e *adj. 2 g. e 2 n.*]

aicaná ***S. 2 g.*** **1.** *Etnôn.* Indivíduo dos aicanás [ou (etnôn. bras.) *Aikaná, *Aikanã], povo indígena de língua isolada que habita região próxima ao rio Pimenta Bueno (RO). ● ***Adj. 2 g.*** **2.** Pertencente ou relativo a esse povo. [F. paral.: *aicanã*. Sin. ger.: *maçacá*, *tubarão*.]

aicanã ***S. 2 g. Adj. 2 g.*** *Bras.* V. *aicaná*.

▲**-aico** [Do lat. *-aicu*.] ***Suf. nom.*** = 'referência', 'pertinência': *prosaico* (< lat.), *aramaico*, *incaico*.

aiçuare ***S. 2 g.*** **1.** *Etnôn.* Indivíduo dos aiçuares, povo indígena extinto que habitava a margem esquerda do rio Solimões (AM). ● ***Adj. 2 g.*** **2.** Pertencente ou relativo a esse povo. [Tb. us. como *s. 2 g. e 2 n.* (com cap.) e *adj. 2 g e 2 n.*]

aicuna [Do esp. plat. *ay, cuna!*] ***Interj.*** *Bras. S.* Designa entusiasmo, admiração, surpresa, ira; aijuna (q. v.).

➔**aide-mémoire** [ɛd me'mwaʀ] [Fr.] ***S. m.*** Resumo ou anotação cujo fito é ajudar a memória com dados essenciais sobre determinado assunto. [Sin., bras.: *pró-memória*.]

aidendro [Do tax. *Aydendron*.] ***S. m.*** *Bot.* V. *aniba* (1 e 3). [F. paral.: *edendro*.]

aidético [De *aid(s)* + *-ético*.] ***Adj. S. m.*** Diz-se de, ou aquele que contraiu a síndrome de deficiência imunológica adquirida (q. v.) ou que dela padece. [Sin. (lus.): *sidático*.]

➔**aids** [ajdz] [Abrev. do ingl. *Acquired Immunological Deficiency Syndrome*, 'síndrome de imunodeficiência adquirida'.] ***S. f.*** *Med.* Virose (v. *HIV*) transmissível mediante relações sexuais, sangue introduzido por meio de transfusão ou acidentalmente, uso de seringa contaminada, ou de mãe para filho (durante a gravidez, parto ou amamentação), e que, levando a séria deficiência imunológica, propicia o desenvolvimento de graves infecções, oportunistas ou não, comprometendo sistema nervoso, pulmões, esôfago, etc., e de neoplasias malignas (como sarcoma de Kaposi, linfomas), além de notável comprometimento do estado geral (febre, diarreia, importante perda de peso, etc.) [A designação, embora corrente, é impr. Tb. se grafa com letras maiúsculas: *AIDS*. Us. tb. a abrev. (port.) *SIDA*.]

aiê [Do ior.] ***S. m.*** *Bras. BA* Festa profano-religiosa com que os negros festejavam a passagem do ano-novo.

aie-aie [Do malgaxe *aiay*, voc. onom., poss.] ***S. m.*** *Zool.* Lêmure (*Daubentonia madagascarienses*) de Madagascar, único representante dos daubentoniídeos. Arborícola, insetívoro e frugívoro, tem incisivos cortantes, pelagem cinza escura, cauda comprida e peluda e grandes orelhas desprovidas de pelos. Do tamanho de um grande gato, os dedos terminam em garras e o polegar opõe-se aos demais. [Pl.: *aie-aies*.]

aiereba [Do tupi = 'o que volve', 'o que roda'.] ***S. f.*** **1.** *Bras. Zool.* Raia dasiatídea (*Dasyatis americana*), do Atlântico ocidental, dos E.U.A. ao S. do Brasil; tem a superfície dorsal marrom-escura, a ventral branco-acinzentada, o disco losangular arredondado na região posterior, e a cauda longa, com um grande ferrão. É ovovivípara e tem cerca de 1,80m de largura. [Sin.: *ajaroba*, *raia-prego*.] **2.** Raia-amarela (1).

➔**aigrette** [ɛ'gʀɛt] [Fr.] ***S. f.*** V. *egrete*.

aígue [Do tupi.] ***S. f.*** *Bras.* V. *preguiça* (5).

aí-ibiretê [Do tupi.] ***S. m.*** *Bras. Zool.* Mamífero bradipodídeo (*Aerotopitecus pallidus*), espécie de preguiça. [Pl.: *aís-ibiretês* e *aí-ibiretês*.]

ai-jesus ***Interj.*** **1.** Designa dor ou surpresa. ● ***S. m. 2 n.*** **2.** O queridinho; o predileto: *O pequeno é o ai-jesus dos pais.*

aijuba ***S. f.*** *Bras. AM PA Bot.* V. *aiuba*.

aijulata [De or. guaicuru, poss.] ***S. f.*** *Bras. Etnogr.* Peça de pano, espécie de tanga, em que se enrolam os índios e índias. [Var.: *ajulata* e *julata*.]

aijuna [Do esp. plat. *ahijuna*, contr. de *iah, hijo de una...!*] ***Interj.*** *Bras. S.* Aicuna.

aikinita [Do antr. (*Arthur*) *Aikin* (1773-1854), geólogo inglês, + *-ita*[3].] ***S. f.*** *Min.* **1.** Sulfeto de chumbo, cobre e bismuto, cinza-escuro, sem valor econômico, mas útil na prospecção de ouro. 2. Pseudomorfo de volframita sobre scheelita.

■ **AIL** Sigla de *Associação Internacional de Lusitanistas.*

ailá *S. f. Rel.* Entre os malês, a segunda das cinco orações muçulmanas diárias. [Pl.: *ailás.*] ❖

ailanticultura [De *ailanto* + -*i*- + -*cultura.*] *S. f.* Cultura do ailanto.

ailantina [De *ailanto* + -*ina*[3].] *S. f.* Matéria têxtil fornecida pelo bicho-da-seda criado nas folhas do ailanto.

ailanto [Do tax. *Ailanthus* (do malaio *ailanto*, 'que atinge o céu').] *S. m. Bot.* **1.** Pequeno gênero de árvores simarubáceas, de folhas pinuladas e flores esverdeadas, dispostas em panículos terminais, aos quais sucedem sâmaras oblongas; são originárias das Índias Orientais e da China. **2.** Qualquer espécie desse gênero, como a *Ailanthus glandulosa*, da qual se extrai o verniz-do-japão, e em cujas folhas se cria o bicho-da-seda. **3.** Qualquer espécime desse gênero.

→**aileron** ['ejləɹɑn \ ɛl'ʁõ] [Ingl./Fr.] *S. m. Aer.* Dispositivo móvel localizado na parte posterior da extremidade da asa do avião destinado a controlar os movimentos de inclinação lateral do aparelho, como, p. ex., nas curvas.

▲**ailur(o)-** Equiv de *elur(o)-.*

ailurofilia [De *ailur(o)-* + -*filia.*] *S. f. Psiq.* V. *elurofilia.*

ailurofílico [De *ailurofilia* + -*ico*[2].] *Adj. S. m. Psiq.* V. *elurofílico.*

ailurófilo [De *ailur(o)-* + -*filo*[2].] *Adj. S. m. Psiq.* V. *elurófilo.*

ailurofobia [De *ailur(o)-* + -*fobia.*] *S. f. Psiq.* V. *elurofobia.*

ailurofóbico [De *ailurofobia* + -*ico*[2].] *Adj. S. m. Psiq.* V. *elurofóbico.*

ailurófobo [De *ailur(o)-* + -*fobo.*] *S. m. Psiq.* V. *elurófobo.*

ailuropsia [De *ailur(o)-* + -*opsia.*] *S. f. Anat.* V. *eluropsia.*

aimara[1] [Do tupi, poss.] *S. f. Bras. Bot.* Arvoreta rubiácea (*Posoqueria palustris*) semelhante à açucena-do-mato, inclusive pelo fruto bacáceo, chamado *araçá-do-brejo*; araçá-do-brejo.

aimara[2] *S. 2 g.* **1.** *Etnôn.* Indivíduo dos aimaras, povo indígena dos Andes peruanos e bolivianos, de língua do filo andino-equatorial, atualmente restrita à Bolívia e ao Peru, mas que outrora foi falada em toda a área dos Andes centrais. ● *Adj. 2 g.* **2.** Pertencente ou relativo aos aimaras. [Tb. us. como *s. 2 g. e 2 n.* (com cap.) e *adj. 2 g. e 2 n.*]

aimará *S. m. Bras.* Túnica de algodão entretecida de penas, us. pelos guaranis: "Uma simples túnica de algodão, a que os indígenas chamavam aimará, ... caía-lhe dos ombros até ao meio da perna." (José de Alencar, *O Guarani*, p. 100).

aí-mirim [De *aí*[1] + -*mirim.*] *S. m. Bras. Amaz.* Preguiça-de-bentinho. [Pl.: *aís-mirins* e *aí-mirins.*]

aimoré[1] *S. m. Bras. Zool.* V. *amboré.*

aimoré[2] *Bras. S. 2 g.* **1.** *Etnôn.* Indivíduo dos aimorés, povo indígena extinto, de língua pertencente ao tronco tupi, que habitava o S. da BA. ● *Adj. 2 g.* **2.** Pertencente ou relativo a esse povo. [Tb. us. como *s. 2 g. e 2 n.* (com cap.) e *adj. 2 g. e 2 n.*]

aimorense *Adj. 2 g.* **1.** De, ou pertencente ou relativo a Aimorés (MG). ● *S. 2 g.* **2.** O natural ou habitante de Aimorés.

ainda [De *a*-[4] + *inda.*] *Adv.* **1.** Até agora; até o presente: "Ai, ai, ai deste último homem, está morrendo e ainda sonha com a vida." (Machado de Assis, *Várias Histórias*, p. 269); "Inês de Castro .... é .... o mais simples assunto que ainda trataram poetas." (Almeida Garrett, *Frei Luís de Sousa*, p. 37); *Ainda mora no Russel.* **2.** Até então; até aquele tempo, ou aquele momento: *Conheci-o em 1930, ainda era solteiro; Levou o empurrão e não reagiu de pronto, porque ainda pensava que era brincadeira.* **3.** Até lá; até esse tempo (futuro): *Morrerá velho, decerto, e ainda morará na casa onde nasceu e mora.* **4.** Até (o tempo presente): *Esta geladeira, comprada há cerca de 15 anos, ainda hoje funciona bem.* **5.** Um dia; algum dia (futuro): *Ainda lhe direi as razões da minha queixa, mas, por enquanto, prefiro calar; Você ainda se arrepende de tratá-lo tão mal.* **6.** Novamente; de novo; outra vez, mais uma vez: "E o frêmito esvoaça, / Esvoaça ainda, e vagaroso morre..." (Alberto de Oliveira, *Poesias*, 2ª série, p. 38.) **7.** Mais; além disso, ou além desse(s), dessa(s), etc.: "Os demais retratos eram de compositores clássicos, Cimarosa, Mozart, Beethoven, Gluck, Bach, Schumann, e ainda uns três" (Machado de Assis, *Várias Histórias*, pp. 64-65); *Não pare de cantar: cante ainda!* **8.** Afinal; por fim; finalmente: *Resta-lhe, ainda, um argumento para sua defesa.* **9.** Em qualquer tempo passado; já, jamais: "Era a mais bela e majestosa cabeça de velho que ainda meus olhos viram!" (Camilo Castelo Branco, *Memórias do Cárcere*, I, p. 73); "uma ruiva planície imensa em abandono, / a landa mais queimada e estéril que ainda vi" (Carlos Magalhães de Azeredo, *Vida e Sonho*, p. 231). **10.** Precisamente, exatamente; mesmo: *Ainda agora esteve aqui; Morreu, ele que ainda há um mês parecia vender saúde.* **11.** Ainda assim; mesmo assim; não obstante; nada obstante: *Quero-lhe tanto que, havendo recebido dela as maiores ingratidões, ainda lhe perdoo.* **12.** Mais, ademais; também, além disso: *Tem dois filhos e, ainda, duas belas filhas.* **13.** Ao menos; pelo menos: *Se ainda fosse meu amigo, eu lhe perdoaria; mas nem isso é.* **14.** Nem; nem mesmo: *Não trairei meus companheiros, ainda por todo o ouro do mundo.* **15.** Mesmo, até; ainda que: *Ainda lutando como tem lutado, nada conseguirá; Hei de vencer, ainda à custa dos maiores esforços.* **16.** Até; mesmo; até mesmo; inclusivamente, inclusive: "A opinião que domina é sempre intolerável, ainda quando se recomenda por muito liberal." (Marquês de Maricá, *Máximas, Pensamentos e Reflexões*, p. 19); "Em seus *Venenos*, Sainte-Beuve maculou todos os nossos ídolos românticos, ainda os mais belos, ainda os mais puros." (Múcio Leão, *Emoção e Harmonia*, p. 135). **17.** Além disso; ainda por cima; ainda em cima: *Roubou-o, e ainda lhe bateu.* **18.** *Moç.* Ainda não: "Você já viu a barraca do feitiço? / — Ainda... / — É engraçado." (Orlando Mendes, *Portagem*, p. 60.) ◆ **Ainda agora.** V. *agorinha.* **Ainda agorinha.** *Bras.* V. *agorinha.* **Ainda assim.** Não obstante; nada obstante; apesar disso. **Ainda bem.** Felizmente; graças a Deus: *Não morreu? Ainda bem!* **Ainda quando.** Mesmo que; ainda que: *Não virá; e, ainda quando viesse, seria inútil.* **Ainda que. 1.** V. *ainda quando*: "Um estudante é poeta, ainda que não faça versos" (Joaquim Manuel de Macedo, *Os Romances da Semana*, p. 136). **2.** Apesar de que; embora: "Ainda que mal me lembre, lá fora as coisas devem ser diferentes" (Geir Campos, *O Vestíbulo*, p. 18). **3.** Apesar de; embora; conquanto: "vi que era inteligente, dócil e meiga, ainda que fria" (Machado de Assis, *Casa Velha*, p. 109).

ainhum (a-i) [Do ior. = 'serra'.] *S. m. Bras. Med.* Doença originária da África, muito frequente nos antigos escravos, caracterizada pelo espessamento progressivo da pele e consequente formação, à volta da base de um ou mais dedos do pé, dum anel fibroso, que termina decepando-os.

aino *S. m.* **1.** *Etnôn.* Indivíduo dos ainos, povo caucasoide nativo do Japão que primitivamente distribuía-se por quase todo o arquipélago, e que atualmente ocupa apenas parte das ilhas do norte. ● *Adj.* **2.** Pertencente ou relativo a esse povo. [Var.: *ainu.*]

ainsa (a-í) [Do sânscr. = 'não injúria'.] *S. m. Filos.* Princípio ético adotado particularmente no jainismo, e que consiste na rejeição permanente da violência e no respeito absoluto à vida de qualquer ser.

ainu *S. 2 g. Adj. 2 g.* V. *aino.*

aio *S. m.* **1.** Preceptor de crianças ilustres ou ricas. **2.** Criado-grave; camareiro, escudeiro: "Os Ataídes vêm de boa estirpe portuguesa e pretendem descender em linha reta do grande Egas Moniz, aio de Afonso Henriques." (Ciro dos Anjos, *Abdias*, p. 11.)

aió [De *cairiri.*] *S. m. Bras.* Bolsa de caça feita de fibras de caroá: "Levava no aió um frasco de creolina" (Graciliano Ramos, *Vidas Secas*, p. 21).

aiocá *S. m. Bras. Rel.* V. *arocá.* [Ger. com cap.]

→ **aïoli** [ajo'li] [Fr.] *S. m. Cul.* Molho pastoso de alho socado com azeite de oliva, gema de ovo e suco de limão e que acompanha peixe, carne fria ou legumes cozidos.

aipatsê *S. 2 g. Bras.* **1.** *Etnôn.* Indivíduo dos aipatsês, povo indígena que habitava as margens do médio Culuene, na região do Alto Xingu, e cujos sobreviventes se juntaram aos cuicuros. ● *Adj. 2 g.* **2.** Pertencente ou relativo a esse povo. [Tb. us. como *s. 2 g. e 2 n.* (com cap.) e *adj. 2 g. e 2 n.*]

aipi [Do tupi.] *S. m. Bras. Bot. P. us.* V. *mandioca* (1 e 2).

aipim [Do tupi.] *S. m. Bras. Bot.* **1.** Arbusto euforbiáceo (*Manihot esculenta*) de folhas partidas, pequenas flores amarelas ou violáceas e frutos capsulares; tem grande valor alimentício. **2.** V. *mandioca* (1 e 2).

aí-pixuna (a-i) [De *aí*[1] + tupi = 'preto'.] *S. m. Bras. Zool.* Preguiça-de-coleira. [Pl.: *aís-pixunas.*] ❖

aipo [Do lat. *apiu.*] *S. m. Bot.* Erva apiácea (*Apium graveolens*) cujas folhas, profundamente recortadas, são sustentadas por largos pecíolos de cor variada, crassos, carnosos, estriados, muitíssimo odoríferos, e que se usam em saladas, sopas, molhos, etc., ou como condimento; salsão.

aipo-rábano *S. m. Bot.* Variedade de aipo (*Apium graveolens* var. *rapaceum*) que é cultivada por sua grossa raiz comestível, semelhante ao nabo. [Pl.: *aipos-rábanos* e *aipos-rábano.*]

aiquarense *Adj. 2 g.* **1.** De, ou pertencente ou relativo a Aiquara (BA). ● *S. 2 g.* **2.** O natural ou habitante de Aiquara.

aiquidô [Do jap.] *S. m.* Técnica de defesa pessoal que tem origem no jiu-jítsu e que ensina a neutralizar o antagonista ou a aparar golpes de um ou mais adversários.

airá (a-i) [Do ior.] *S. m. Bras. Rel.* Nos candomblés nagôs, forma anciã de Xangô que aparece sob três variedades: *Intile, Igbonã* e *Mofé.* [Com cap. Sin.: *Dadá.*]

airado [Do esp. *airado.*] *Adj.* **1.** Desvairado, alucinado, louco. **2.** Sem seriedade; leviano, irresponsável. **3.** Vadio, vagabundo, doidivanas, estroina. **4.** *Bras.* Constipado, resfriado. ~ V. *vida —a.*

airar [Do esp. *airar.*] *V. int. Bras. MT* Tomar ar; refrescar-se.

→**airbag** ['ɛjɹbæg] [Ingl.] *S. m.* Saco fixo que infla automaticamente à frente dos passageiros de um veículo automóvel, impedindo que, em caso de acidente, estes sejam atirados contra as partes sólidas do carro.

→**airbus** [ɛəɪ bʌs] [Ingl., de *Airbus*, marca registrada.] *S. m.* Avião para transporte de grande número de passageiros.

aire [Do esp. *aire.*] *S. m. Bras.* Coisa vã.

airense *Adj. 2 g.* **1.** De, ou pertencente ou relativo a Francisco Aires (PI). ● *S. 2 g.* **2.** O natural ou habitante de Francisco Aires.

→**airglow** ['ɛjɹglow] [Ingl.] *S. m. Astr.* Fraca luminosidade do céu, invisível ao olho humano, que é provocada pela ionização de minúsculas partículas da atmosfera; emissão atmosférica.

airi [Do tupi.] *S. m. Bras. Bot.* Palmeira arecácea (*Astrocaryum aculeatissimum* ou *A. airi*) de troncos ger. agregados, muito espinhosos, e frutos obovoides cujas nozes são usadas pelas crianças para fazer pião, sendo as sementes oleosas e saborosas; iri, coco-de-iri, brejaúba, brejaúva: "o airi meneia / A folha adulta e a bráctea em lança enrista." (Alberto de Oliveira, *Poesias*, 3ª série, p. 279).

airimirim [De *airi* + -*mirim.*] *S. f. Bras. Bot.* Palmeira arecácea (*Bactris vulgaris*) de caules agregados, com até 3 m, lisos ou com espinhos nos internódios, folhas com bainha, pecíolo e raque recobertos de espinhos, e frutos globosos, escuros, purpúreos, adocicados. [Var.: *irimirim*; sin.: *tucum-preto.*]

airini *S. 2 g. Adj. 2 g. Bras.* V. *ariine.*

airoba [Do tupi-guar.] *S. f. Bras.* Membrana serosa que envolve o abdome da capivara, e donde vem o mau cheiro e o gosto ruim da carne desse animal.

airosidade [De *airoso* + -*(i)dade.*] *S. f.* Qualidade de airoso.

airoso (ô) [Do esp. *airoso.*] *Adj.* **1.** Gracioso de movimentos; elegante na aparência; garboso. **2.** Delicado de maneiras; gentil, galante. **3.** Digno, honroso, decoroso: *atitude airosa.*

aitá [De or. tupi, poss.] *S. f. Bras. Amaz.* Árvore morácea (*Brosimum guianense*) de seiva lactescente, e cuja madeira, imputrescível, é adequada para ebanisteria e outros usos que requerem lenho de lei. [Var.: *uiatá*; sin.: *caimberana, leiteira.*]

aite [Da língua dos parecis.] *S. f. Bras.* Pasta de cera e pó de sementes com que os parecis se pintavam para festas e cerimônias.

aiú [De or. afr.] *S. m. Bras. BA Folcl.* **1.** Antigo jogo africano de quadrícula: um tabuleiro com 12 concavidades onde os dois parceiros vão colocando frutinhos ou donde os vão retirando. **2.** Cada um desses frutinhos.

aiuá (ai-u) *Interj. Bras.* Exprime alegria, gracejo ou mofa; aiuê.

aiuabense (ai-u) *Adj. 2 g.* **1.** De, ou pertencente ou relativo a Aiuaba (CE). ● *S. 2 g.* **2.** O natural ou habitante de Aiuaba.

aiuara-aiuara (ai-u) [Do tupi.] *S. f. Bras.* V. *mãe-d'água* (1). [Pl.: *aiuara-aiuaras.*]

aiuateri (ai-u) *Bras. S. 2 g.* **1.** *Etnôn.* Indivíduo dos aiuateris, povo indígena da família linguística ianomâmi, que habita as margens dos rios Demini (afluente da margem esquerda do rio Negro) e de seus formadores Mapulau e Tootobi (AM). ● *Adj. 2 g.* **2.** Pertencente ou relativo a esse povo. [Tb. us. como *s. 2 g. e 2 n.* (com cap.) e *adj. 2 g. e 2 n.*]

aiuba (ai-ú) [Do tupi.] *S. f. Bras. Bot.* Árvore laurácea (*Aniba permollis*) nativa do Brasil, de folhas coriáceas, flores paniculadas e frutos bacáceos, cujas sementes são medicinais. [Var.: *ajuba, aijuba, aniúba, anjuba, auuba, auuva.*] ❖

aiucá (a-i) *S. m. Bras. Rel.* V. *arocá.* [Ger. com cap.]

aiuçá (a-i) *S. f. Bras. Amaz. Zool.* V. *aiaçá.*

aiuê (ai-u) *Interj. Bras.* Aiuá.

aiuimoroti (ai-uí) *S. m. Bras. Bot.* V. *canela-rajada.*

aiuiú [De or. tupi, poss.] *S. m. Bras. Bot.* V. *canela-braúna.*

aiuruapara (ai-u) [Do tupi.] *S. m. Bras. Zool.* V. *papagaio-campeiro.*

aiurucatinga (ai-u) [De or. tupi.] *S. m. Bras. Zool.* V. *papagaio-do-mangue.*

aiurujuba (a-i) [De or. tupi.] *S. m. Bras. Amaz. Zool.* V. *guaruba.*

aiuruocano (a-i) *Adj.* **1.** De, ou pertencente ou relativo a Aiuruoca (MG). • *S. m.* **2.** O natural ou habitante de Aiuruoca.

■ **AIV** Sigla de *Associação Internacional de Vulcanologia*.

aíva *Bras. Adj. 2 g.* **1.** Sem valor; insignificante, reles. **2.** Mau, ruim. **3.** Adoentado, mofino, indisposto. **4.** Fora de si; desorientado, desatinado. • *S. 2 g.* **5.** Pessoa ou coisa aíva (1). • *S. f.* **6.** Doença incurável.

aivado [Alter. de *alvado* (q. v.).] *S. m. Bras.* Alvado (2).

aiveca *S. f.* Cada uma das duas peças que sustentam a relha do arado, e que serve para alargar o sulco.

aizoácea [Do tax. *Aizo(on)* + *-ácea*; tax. *Aizoaceae.*] *S. f. Bot.* Espécime das aizoáceas, família da ordem das cariofilales composta de espécies herbáceas ou subarbustivas, de flores simples, não raro vistosas.

aizoáceo [De *aizoácea*, com var. suf. (v. *-áceo*).] *Adj. Bot.* Pertencente ou relativo às aizoáceas.

ajabó [Do ior.] *S. m. Bras. Rel.* Comida votiva de Iroco e de Oxalufã, feita de quiabo e mel. [Var. pros.: *ajabô.*]

ajabô *S. m. Bras. Rel.* V. *ajabó*.

ajabutipitá [Var. de *jabutapitá.*] *S. m. Bras. Bot.* V. *batiputá*.

ajaezado [Part. de *ajaezar.*] *Adj.* **1.** Diz-se de cavalo com todos os seus arreios e ornatos: "Não muito longe, um cavalo branco, ajaezado, espera-a." (Osmã Lins, *Nove, Novena*, p. 171.) **2.** Enfeitado, ornado.

ajaezar [De *a-*[2] + *jaez* + *-ar*[2].] *V. t. d.* **1.** Adornar de jaezes. *P.* **2.** Enfeitar-se, adornar-se. [F. paral.: *jaezar.*]

ajajá [Do tupi.] *S. f. Bras. Zool.* V. *colhereiro* (2).

ajambrar *V. t. d. P.* Arrumar(-se), ajeitar(-se).

ajanotado[1] [De *a-*[2] + *janota* + *-ado*[1].] *Adj.* Que tem ares ou modos de janota: "um deles, louro, muito ajanotado, de luneta" (Luís de Magalhães, *O Brasileiro Soares*, p. 29).

ajanotado[2] [Part. de *ajanotar.*] *Adj.* Que tem trajes de janota.

ajanotar [De *a-*[2] + *janota* + *-ar*[2].] *V. t. d.* **1.** Tornar janota. *P.* **2.** Vestir-se ou apresentar-se como janota.

ajantarado [De *a-*[2] + *jantar* + *-ado*[1].] *Adj.* **1.** Semelhante a um jantar. ~ V. *almoço* —. • *S. m.* **2.** *Bras.* Almoço ajantarado (q. v.).

ajapá [Do ior.] *S. m. Bras. BA Zool.* V. *cágado* (1).

ajaponado [De *a-*[2] + *japona* + *-ado*[1].] *Adj.* Semelhante a japona (1): casaco ajaponado.

ajará [Do tupi, poss.] *S. f. Bras. Amaz. N.E. Bot.* Pequena árvore violácea (*Rinorea guianensis*) de folhas comestíveis, pequeninas flores alvas, em racemos ou espigas, e frutos capsulares; inambuquiçaua, inhambuquiçaua.

ajaraí [Do tupi, poss.] *S. f. Bras. Amaz. Bot.* Árvore sapotácea (*Pradosia schomburgkiana*) cujos frutos (bagas) são comestíveis, graças à polpa suculenta e doce, tendo a casca nítido sabor adocicado.

ajardinado [Part. de *ajardinar.*] *Adj.* **1.** Que tem jardim: casa ajardinada. **2.** Disposto à maneira de jardim (1): quintal ajardinado; praça ajardinada.

ajardinamento [De *ajardinar* + *-mento.*] *S. m.* Ato ou efeito de ajardinar.

ajardinar [De *a-*[2] + *jardim* + *-ar*[2].] *V. t. d.* **1.** Dispor em forma de jardim. **2.** Transformar em jardim: "sem o auxílio de ninguém, ... ele havia ajardinado o terreno, onde já se ostentavam lindíssimas flores." (Artur Azevedo, *Contos Cariocas*, p. 247).

ajaré [Do tupi.] *S. m. Bras. Bot.* Arbusto fabáceo (*Tephrosia nitens*) que vive à beira de lagos e em depressões campestres, de folhas penadas, com folíolos coriáceos, pilosos e prateados na face inferior, flores vistosas, vermelhas ou rosadas, reunidas em cachos, e cujo fruto é um legume sedoso. É planta ornamental, e tóxica para peixes, sendo us. pelos indígenas para envenenar flechas. [Sin., Amaz.: *timbó-caá.*]

ajaroba [De *aiereba*, com palatalização e dissimilação.] *S. f. Bras. Zool.* V. *aiereba* (1).

ajáua [Do ajáua.] *S. 2 g.* **1.** *Etnôn.* Indivíduo dos ajáuas, povo que habita a província do Niassa (Moçambique). • *S. m.* **2.** *Gloss.* A língua falada pelos ajáuas, pertencente ao grupo banto. • *Adj. 2 g.* **3.** Pertencente ou relativo aos ajáuas, ou à sua língua: "É que, tio Katupwa, sou homem eu, sangue chuabo neste braço, sangue ajáua neste outro." (Tomás Vimaró, *Charrua* nº 7, p. 36.)

ajé *Adj. Bras. MG* Na região são-franciscana, estúpido, bronco.

ajeitação [De *ajeitar* + *-ção.*] *S. f.* Ato ou efeito de ajeitar(-se); ajeitamento.

ajeitamento [De *ajeitar* + *-mento.*] *S. m.* Ajeitação.

ajeitar [De *a-*[2] + *jeito* + *-ar*[2].] *V. t. d.* **1.** Pôr a jeito; acomodar: *Foi ao espelho e ajeitou a gravata. T. d. e i.* **2.** Conseguir, alcançar, por meios hábeis: *Lutou, mas ajeitou uma colocação para o filho.* **3.** Oferecer; proporcionar: *Conseguiu quem lhe ajeitasse uma entrevista com o prefeito. P.* **4.** Mostrar jeito; revelar-se hábil, jeitoso. **5.** Dar-se bem em qualquer serviço. **6.** Pôr-se a jeito; acomodar-se. **7.** Aparecer, oferecer-se: "Entrou Baltasar Pereira à sala; e, assim que a ocasião se ajeitou, foi sentar-se ao lado de Mécia." (Camilo Castelo Branco, *O Santo da Montanha*, p. 166.)

ajeré [Do ior.] *S. m. Bras. Rel.* **1.** Símbolo de Omulu, que consta de um alguidar coberto por um cuscuzeiro, dentro do qual fica sua otá. **2.** Em certos rituais afro-brasileiros, prova de transe em que o fiel deve suportar o candaru sobre a cabeça sem se queimar; prova do candaru.

ajeru [Var. de *ajuru.*] *S. m. Bras. Zool.* V. *papagaio* (1).

ajesuitado (u-i) [De *a-*[2] + *jesuíta* + *-ado*[1].] *Adj.* **1.** Que tem modos e/ou aparência de jesuíta: *um homem ajesuitado.* **2.** Próprio de jesuíta: *ar ajesuitado.*

ajesuitar (u-i) [De *a-*[2] + *jesuíta* + *-ar*[2].] *V. t. d. P.* Tornar(-se) jesuíta (2) ou semelhante a jesuíta (2). [Conjug.: v. *ajuizar.*]

ajibonã [De *a-*[4] + *jibonã.*] *S. m. Bras. Rel.* V. *iaquererê*.

ajimez (ê) *S. m.* V. *aximez*. [Pl.: *ajimezes.*]

ajirauzado [De *a-*[2] + *jirau* + *-zado.*] *Adj. Bras.* Que tem forma ou semelhança de jirau.

ajoanetado [De *a-*[2] + *joanete* + *-ado*[1].] *Adj.* **1.** Que tem grandes joanetes. **2.** Que tem forma de joanete.

ajoeirar [De *a-*[4] + *joeirar.*] *V. t. d.* V. *joeirar*: "— Ora vai um charuto?!... — principiou o Augusto .... a cabeça azoeirada, onde os miolos dançavam como se os ajoeirassem num crivo." (Pina de Morais, *Sangue Plebeu*, p. 95.)

ajoelhação [De *ajoelhar* + *-ção.*] *S. f.* Ação de ajoelhar(-se); genuflexão (q. v.).

ajoelhado [Part. de *ajoelhar.*] *Adj.* **1.** Posto de joelhos; genuflexo. **2.** *Fig.* Prostrado, humilhado, contrito.

ajoelhar [De *a-*[2] + *joelho* + *-ar*[2].] *V. t. d.* **1.** Pôr de joelhos; fazer dobrar os joelhos. *Int.* **2.** Pôr-se de joelhos; ajoelhar-se: "Ajoelhou, sem orar." (Camilo Castelo Branco, *No Bom Jesus do Monte*, p. 14); "Ajoelha e reza uma oração." (Manuel Bandeira, *Estrela da Vida Inteira*, p. 128). **3.** Sucumbir, fraquejar, submeter-se. *P.* **4.** Pôr-se de joelhos; ajoelhar: "— Bem, ajoelhou-se e rezou." (Machado de Assis, *Várias Histórias*, p. 34.) **5.** Humilhar-se, humildar-se. [Conjug.: v. *aparelhar.*]

ajorca *S. f.* V. *axorca*.

ajorcado [Part. de *ajorcar.*] *Adj.* V. *axorcado*.

ajorcar *V. t. d.* V. *axorcar*. [Conjug.: v. *trancar.*]

ajorjar [De *ajoujar.*] *V. t. i. Int. Bras. GO Pop.* Amigar, amasiar.

ajornalado [Part. de *ajornalar.*] *Adj.* Que trabalha por jorna ou jornal.

ajornalar [De *a-*[2] + *jornal* + *-ar*[2].] *V. t. d.* **1.** Contratar para trabalhar por jornal ou diária. *P.* **2.** Trabalhar por jornal ou diária.

ajoujado [Part. de *ajoujar.*] *Adj.* **1.** Ligado ou preso com ajoujo. **2.** Curvado ou arriado ao peso de uma carga: "a paciência de quem lá fora sustentasse nos braços ajoujados a grande bandeja com o café e o leite, as torradas, o açucareiro" (José Saramago, *O Ano da Morte de Ricardo Reis*, p. 57).

ajoujamento [De *ajoujar* + *-mento.*] *S. m.* Ato ou efeito de ajoujar(-se).

ajoujar [Do lat. **adjugium*, de **adjugare*, + *-ar*[2].] *V. t. d.* **1.** Prender ou ligar com ajoujo. **2.** Unir, juntar. **3.** *P. ext.* Unir ou ligar moralmente. **4.** Prender, atar, ligar. **5.** Oprimir, sobrecarregar, vexar: *ajoujar os mais humildes.* **6.** Fazer vergar ao peso de uma grande carga. *P.* **7.** Unir-se, juntar-se. **8.** Deixar-se dominar por outrem.

ajoujo [Dev. de *ajoujar.*] *S. m.* **1.** Cordão ou corrente com que se prendem ou jungem animais pelo pescoço. **2.** Um par de animais ligados um ao outro. **3.** *Fig.* União forçada e incômoda. **4.** *Bras. N.E. C.O.* Embarcação híbrida de balsa e canoa, para transporte de carga no rio São Francisco, constituída de duas a quatro canoas, tendo por cima um estrado de madeira (*coxia*) a elas fortemente amarrado, e que é impelida por longas varas. **5.** *Bras. RS* Tira de couro usada para unir dois bois pelos chifres. **6.** *Bras. N.E. C.O.* Cada uma dessas tiras.

ajuacora [Do tupi.] *S. f. Bras. Etnogr.* Colar de conchas usado pelos índios.

ajuaga *S. f.* Tumor que se forma nos cascos das cavalgaduras.

ajuba *S. f. Bras. Bot.* V. *aiuba*.

ajubatipá [Var. de *jabutapitá.*] *S. m. Bras. Bot.* V. *batiputá*.

ajuberô [De or. afr.] *Interj. Bras. Rel.* No candomblé nagô, exclamação com que se saúda Omulu, quando desce [v. *descer* (15)].

ajucará *S. m. Bras. BA Etnogr.* Colar de dentes, quase sempre um troféu de caça ou de guerra, usado pelos tupinambás.

ajuda [Dev. de *ajudar.*] *S. f.* **1.** Ato ou efeito de ajudar. **2.** Auxílio, amparo, socorro. **3.** Favor, obséquio. [Sin., nessas acepçs.: *ajudada.*] **4.** Capela ou igreja sucursal de uma igreja paroquial cujos fregueses moram a grande distância. **5.** Espécie de tributo feudal. **6.** *Ant.* V. *clister*. **7.** *Inform.* Parte de um aplicativo em que se encontram instruções de uso e explicações específicas sobre seus recursos, às quais um usuário pode recorrer durante a utilização do programa. **8.** *Bras. N.E.* Adicionamento ao caldo da cana-de-açúcar de uma substância alcalina, geralmente cal, para que tal substância, combinando-se com os ácidos que esse caldo contém, possibilite a eliminação deles. ◆ **Ajuda de custa.** Ajuda de custo. **Ajuda de custo.** Quantia suplementar paga por determinados serviços, ou dada para determinadas despesas; ajuda de custa. **Ainda para mais ajuda.** Ainda por cima; ainda em cima.

ajudada [De *ajudar* + *-ada*[1].] *S. f. Bras. Pop.* V. *ajuda* (1 a 3).

ajudadoiro [De *ajudar* + *-doiro*[2].] *S. m.* Ajudadouro (q. v.).

ajudador (ô) [De *ajudar* + *-dor.*] *Adj.* **1.** Ajudante (1). • *S. m.* **2.** V. *ajudante* (2). **3.** *Bras. BA Folcl.* Personagem importante nos ritos funerários do sertão, chamado, quando se tem um moribundo em casa, para que, por meio de cantos de incelências, defumações e simpatias, ajude o enfermo a morrer e a sua alma a encaminhar-se para lugar bom.

ajudadouro [De *ajudar* + *-douro*[2]; var. de *ajudadoiro.*] *S. m.* Socorro, auxílio.

ajuda-mútua *S. f. Terap.* Método que visa melhorar a qualidade de vida, esp. de dependentes [v. *dependente* (6)]e de indivíduos que sofrem de compulsão (2), através de reuniões em que pessoas com o mesmo problema trocam suas experiências e ouvem palestras de outros que já passaram por situação semelhante e conseguiram superá-la.

ajudância [De *ajudar* + *-ância.*] *S. f. Bras.* Cargo ou função de ajudante.

ajudanta *S. f. Lus.* Fem. de *ajudante* (3).

ajudante [De *ajudar* + *-nte.*] *Adj. 2 g.* **1.** Que ajuda; ajudador. • *S. 2 g.* **2.** Pessoa que ajuda; ajudador. **3.** *Restr.* Pessoa que ajuda ou está às ordens de outra em trabalho ou função; assistente, auxiliar. [Fem. lus., nesta acepç., *ajudanta.*] • *S. m.* **4.** V. *hierarquia militar*. **5.** Militar que detinha a posição hierárquica de ajudante.

ajudante de ordens *S. m.* Oficial às ordens de outro de patente mais alta, ou de um ministro, ou de um chefe de governo. [Pl.: *ajudantes de ordens.*] ☑

ajudar [Do lat. *adjutare.*] *V. t. d.* **1.** Dar ajuda a; auxiliar: "há proveito em irem as pessoas da minha história colaborando nela, ajudando o autor" (Machado de Assis, *Esaú e Jacó*, p. 46). **2.** Socorrer; favorecer. **3.** Facilitar; favorecer, propiciar: *Repouso ajuda a cura da gripe.* **4.** *Bras. N.E.* Fazer a ajuda (8) em (o caldo de cana-de-açúcar, nos engenhos). *T. d. e i.* **5.** Auxiliar a fazer alguma coisa: "Rosto contraído, boca torta, pediu finalmente à mulher que o ajudasse a conseguir uma visão melhor." (Gilvã Lemos, *Jutaí Menino*, p. 7.) *T. i.* **6.** Dar ajuda, prestar auxílio: *Queixa-se de que ninguém lhe ajuda. Int.* **7.** Dar ajuda, prestar auxílio a alguém: "Pessoas que viram a cena correram para se informar, para ajudar, e encontraram Geminiano debruçado na roda chorando." (José J. Veiga, *A Hora dos Ruminantes*, p. 29.) *P.* **8.** Valer-se, aproveitar-se, socorrer-se. **9.** Prestar auxílio a si mesmo. **10.** Auxiliar-se reciprocamente: "Os homens em sociedade são como as pedras em uma abóbada, resistem e se ajudam simultaneamente." (Marquês de Maricá, *Máximas, Pensamentos e Reflexões*, p. 28.)

ajudengado [Part. de *ajudengar.*] *Adj.* **1.** Que segue a religião e os costumes judaicos. **2.** Ajudeuzado (1).

ajudengar [De *a-*[2] + *judeu* + *-eng(o)-* + *-ar*[2].] *V. t. d.* **1.** Comunicar ou transmitir os modos judaicos a. *P.* **2.** Fazer-se judeu. **3.** Adquirir modos de judeu. [Conjug.: v. *largar.*]

ajudeuzado [De *a-*[2] + *judeu* + *-zado.*] *Adj.* **1.** Que tem modos e/ou aparência de judeu, ou é próprio de judeu; ajudengado. **2.** Meio judeu.

ajuga [Do tax. *Ajuga*, poss. corrupt. do lat. *abiga/auiga* (v. *ábiga*).] *S. f. Bot.* **1.** Gênero de lamiáceas nativas de regiões temperadas do Velho Mundo, cultivadas como medicinais, ou como ornamentais. **2.** Qualquer espécie desse gênero, como, p. ex., a *Ajuga iva* (v. *iva-moscada*). **3.** Qualquer espécime desse gênero.

ajugaíba [De *ajuga* + *-íba.*] *S. f. Bras. Bot.* V. *língua-de-boi*.

ajuizado[1] (u-i) [De *a-*[2] + *juízo* + *-ado*[1].] *Adj.* Que tem juízo; sensato, prudente, judicioso.

ajuizado[2] (u-i) [Part. de *ajuizar.*] *Adj. Jur.* **1.** Que está em juízo. **2.** Dependente de apreciação judiciária.

ajuizador (u-i...ô) [De *ajuizar* + *-dor.*] *Adj. S. m.* Que, ou aquele que ajuíza.

ajuizamento (u-i) [De *ajuizar* + *-mento.*] *S. m.* Ato ou efeito de ajuizar(-se).

ajuizar (u-i) [De *a-*[2] + *juízo* + *-ar*[2].] *V. t. d.* **1.** Formar juízo ou conceito acerca de; julgar, avaliar: *Ajuizar a verdadeira importância de um fato.* **2.** Avaliar, calcular, computar: *Ainda não ajuizaram os danos da cheia.* **3.** Pôr a juízo; levar a juízo (numa demanda); tornar em objeto de processo ou de mando judicial. ***T. i.*** **4.** Formar juízo ou conceito; julgar, avaliar, ponderar: *Não posso ajuizar de seus méritos.* ***Int.*** **5.** Ponderar, refletir; pensar: *Coçando a cabeça, ajuizava.* ***P.*** **6.** Julgar-se, considerar-se. [Pres. ind.: *ajuízo, ajuízas, ajuíza, ajuizamos* (u-i), *ajuizais* (u-i), *ajuízam*; pres. subj.: *ajuíze, ajuízes, ajuíze, ajuizemos* (u-i), *ajuizeis* (u-i), *ajuízem*; imperat.: *ajuíza, ajuizai* (u-i); etc.]

ajuizável (u-i) [De *ajuizar* + *-vel*.] ***Adj. 2 g.*** Que se pode levar a juízo: *questão ajuizável.*

ajular ***V. t. d.*** *Mar. Ant.* Impelir para julavento; arribar, sota-ventear.

ajulata ***S. f.*** *Bras. Etnogr.* V. *aijulata.*

ajumentado [De *a-*^{2} + *jumento* + *-ado*^{1}.] ***Adj.*** Que tem aparência de jumento (1).

ajunta [Dev. de *ajuntar*.] ***S. f.*** Ajuntamento (1).

ajuntadeira [De *ajuntar* + *-deira*.] ***S. f.*** Mulher que ajunta e cose as peças superiores do calçado.

ajuntado [Part. de *ajuntar*.] ***Adj.*** **1.** Junto, ligado, unido. **2.** Congregado, associado, reunido. **3.** Amontoado, acumulado, acrescentado.

ajuntadoiro [De *ajuntar* + *-doiro*^{2}.] ***S. m.*** Ajuntadouro (q. v.).

ajuntador (ô) [De *ajuntar* + *-dor*.] ***Adj.*** **1.** Que ajunta. ● ***S. m.*** **2.** Aquele que ajunta. **3.** Pescador a quem cabe fechar a rede com os pés, debaixo da água, a fim de prender os peixes.

ajuntadouro [De *ajuntar* + *-douro*^{2}; var. de *ajuntadoiro*.] ***S. m.*** Lugar onde se juntam águas das chuvas ou outras coisas.

ajuntamento [De *ajuntar* + *-mento*.] ***S. m.*** **1.** Ato ou efeito de ajuntar(-se); ajunta, (lus.) ajunto. **2.** Reunião de pessoas; agrupamento, aglomeração.

ajunta-pedra [De *ajuntar* + *pedra*.] ***S. m.*** *Bras. Zool.* Peixe teleósteo, perciforme, ciclídeo (*Retroculus lapidifer*), do rio Araguaia, cinza-esverdeado, com cinco faixas escuras transversais características e abdome claro, e que tem o aspecto geral dos acarás. [Costuma ajuntar pedras no lugar onde desova, donde o nome. Pl.: *ajunta-pedras*.]

ajuntar [De *a-*^{2} + *junto* + *-ar*^{2}.] ***V. t. d.*** **1.** Pôr junto; aproximar, unir: *Ajuntou as duas cadeiras, improvisando uma cama.* **2.** Reunir, agrupar. **3.** Coligir, colecionar, reunir: *ajuntar selos.* **4.** Unir, coligar: "Não lhes foi difícil ajuntarem a freguesia contra nós" (Camilo Castelo Branco, *Doze Casamentos Felizes*, p. 179). **5.** Acrescentar, adicionar, adir: "Não ajuntarei palavras para encarecer as providências que aponto." (Tavares Bastos, *O Vale do Amazonas*, p. 155.) **6.** Dizer em seguida; acrescentar: *Disse que estava desorientado e ajuntou que esperava a minha ajuda.* **7.** Economizar, amealhar, aforrar: *ajuntar dinheiro;* "andei, virei, mexi, ... até que ajuntei um saldozinho, e me atirei pro Ceará." (Herman Lima, *Tijipió*, p. 108). **8.** Acasalar, casar. ***T. d. e i.*** **9.** Pôr junto; unir, aproximar, juntar: *ajuntar um tijolo a outro.* **10.** Agregar, associar: "a esses ditos ajuntou por seu lado a princesa o gracioso sorriso" (João Ribeiro, *Crepúsculo dos Deuses*, p. 15). **11.** Agregar, anexar, acrescentar: "Isidro deu a Dolores tudo que havia em casa, ajuntando aos bens vinte libras para que ela não ficasse a pedir." (Coelho Neto, *Treva*, p. 24.) ***Int.*** **12.** Juntar dinheiro; economizar, poupar: "Eles prosperavam. Trabalhando por hábito, gostavam de ajuntar." (José Vieira, *Vida e Aventura de Pedro Malasarte*, p. 89.) ***P.*** **13.** Unir-se, reunir-se; juntar-se: "À embriaguez do sangue viera ajuntar-se a embriaguez do vinho." (Camilo Castelo Branco, *Livro Negro de Padre Dinis*, p. 14.) **14.** Reunir-se, congregar-se; aglomerar-se. **15.** Amasiar-se, amancebar-se, amigar-se. **16.** Ter cópula; copular. [F. paral.: *juntar*.]

ajuntável [De *ajuntar* + *-vel*.] ***Adj. 2 g.*** Que se pode ajuntar.

ajunto [Dev. de *ajuntar*.] ***S. m.*** *Lus.* V. *ajuntamento* (1).

ajuntoira ***S. f.*** V. *ajuntoura.*

ajuntoura [De *a-*^{4} + *juntoura*.] ***S. f.*** *Constr.* V. *juntoura* (2). [Var.: *ajuntoira*.]

ajupá [Do tupi, poss.] ***S. m.*** *Bras.* V. *tijupá* (1 a 4).

ajupe ***Interj.*** *Bras. S.* Voz com que os arrieiros e tropeiros estimulam os animais.

ajur [Do fr. *à jour*, 'à (luz do) dia'.] ***S. m.*** *Bord.* Ponto de bordado, feito à máquina, que imita o ponto de bainha aberta (q. v.) manual.

ajuramentado [Part. de *ajuramentar*.] ***Adj.*** Que prestou juramento; juramentado: *testemunha ajuramentada.*

ajuramentar [De *a-*^{2} + *juramento* + *-ar*^{2}.] ***V. t. d.*** **1.** Deferir juramento a. **2.** Fazer jurar. ***P.*** **3.** Obrigar-se por juramento. [F. paral.: *juramentar*.]

ajurana [Do tupi.] ***S. f.*** *Bras. Bot.* Comandatuba (1).

ajuri [Do tupi.] ***S. m.*** *Bras. AM* V. *mutirão* (1).

ajuricabense ***Adj. 2 g.*** **1.** De, ou pertencente ou relativo a Ajuricaba (RS). ● ***S. 2 g.*** **2.** O natural ou habitante de Ajuricaba.

ajuru^{1} [Do tupi.] ***S. m.*** *Bras. Bot.* **1.** Nome comum a várias plantas crisobalanáceas. **2.** *Bot.* Pequena árvore crisobalanácea (*Hirtella racemosa*) de folhas lanceoladas, flores brancas ou róseas, com anteras vermelhas, frutos drupáceos, e madeira regular; macucurana. **3.** *Bot.* Macucu-do-rio-negro. **4.** *Bot.* V. *guajuru* (1). **5.** *Bras. Zool.* V. *papagaio* (1).

ajuru^{2} *Bras.* ***S. 2 g.*** **1.** *Etnôn.* Indivíduo dos ajurus [ou (etnôn. bras.) *Ajurú], povo indígena da família linguística tupari, tronco tupi, que habita as margens do rio Guaporé (RO). ● ***Adj. 2 g.*** **2.** Pertencente ou relativo a esse povo.

ajuruaçu [De or. tupi.] ***S. m.*** *Bras. Zool.* V. *moleiro* (3).

ajuruapara [Var. de *aiuruapara*.] ***S. m.*** *Bras. Zool.* V. *papagaio-campeiro.*

ajurucatinga [Var. de *aiurucatinga*.] ***S. m.*** *Bras. Zool.* V. *papagaio-do-mangue.*

ajurucuruca [Do tupi = 'papagaio resmungador'.] ***S. m.*** *Bras. Zool.* V. *papagaio-do-mangue.*

ajuruetê [Do tupi = 'ajuru verdadeiro'.] ***S. m.*** *Bras. Zool.* V. *papagaio-verdadeiro.*

ajurujubacanga [De or. tupi.] ***S. f.*** *Bras. Zool.* Jubacanga.

ajururana [De or. tupi.] ***S. f.*** *Bras. Bot.* Comandatuba (2).

ajustado [Part. de *ajustar*.] ***Adj.*** **1.** Conforme, concorde. **2.** Combinado, contratado, acordado. **3.** Justo, estreito, apertado. ● ***S. m.*** **4.** Aquilo que se ajustou; ajuste.

ajustagem [De *ajustar* + *-agem*^{2}.] ***S. f.*** *Bras.* Ato ou efeito de ajustar (7); ajustamento, ajuste.

ajustamento [De *ajustar* + *-mento*.] ***S. m.*** **1.** Ato ou efeito de ajustar(-se); ajuste. **2.** Adaptação, conformação, ajuste. **3.** V. *ajuste* (2). **4.** V. *ajuste de contas* (1). **5.** Reconciliação entre pessoas desavindas; acomodamento, concórdia. **6.** Inteireza, retidão, justiça. **7.** *Constr.* V. *assentamento* (3). **8.** *Mat.* Construção ou determinação de uma função analítica que se aproxima, segundo um critério preestabelecido, de um conjunto de pontos determinados experimentalmente; interpolação. **9.** *Bras.* V. *ajustagem.*

ajustar [De *a-*^{2} + *justo* + *-ar*^{2}.] ***V. t. d.*** **1.** Tornar justo, exato; unir bem; igualar. **2.** Convencionar, combinar; estipular: *Ajustou as condições para o negócio.* **3.** Adaptar, acomodar, harmonizar: *Com esse novo comportamento procura ajustar melhor a sua pessoa.* **4.** Acertar, regularizar (contas). **5.** Tomar para o serviço; contratar, assalariar: *Ajustou o empregado por três meses apenas.* **6.** Apertar, estreitar (peça de vestuário). **7.** Tornar justo o grau de folga ou justeza existente entre duas peças justapostas de uma máquina. **8.** *Mat.* Efetuar o ajustamento (8) de (dados); interpolar. ***T. d. e i.*** **9.** Adaptar, acomodar: *Ajustou a chave inglesa ao rebite.* **10.** Combinar, acertar. ***T. i.*** **11.** Adaptar-se, acomodar-se. ***Int.*** **12.** Ficar, cair (bem ou mal): *Este vestido ajusta bem.* ***P.*** **13.** Conformar-se, conciliar-se, harmonizar-se; concordar. **14.** Adaptar-se; acomodar-se: "É caso em que vai bem a alegria, porque sempre se ajusta e cabe quando se rememora façanha heroica tão altanada" (João Ribeiro, *Crepúsculo dos Deuses*, p. 70). **15.** Preparar-se, armar-se: "Ajusta-se sobre os sertões o cautério das secas; .... empedra-se o chão, gretando, recrestado" (Euclides da Cunha, *Os Sertões*, p. 40). **16.** Conformar-se, concordar: *Não se ajustou à situação, rebelou-se.* [F. paral. nas acepçs. 1 a 7 e 9 a 11: *justar*.]

ajustável [De *ajustar* + *-vel*.] ***Adj. 2 g.*** **1.** Que se pode ajustar. **2.** Adaptável, aplicável.

ajuste [Dev. de *ajustar*.] ***S. m.*** **1.** Ajustamento (1 e 2). **2.** Acordo, trato, combinação, convenção, pacto, ajustamento. **3.** V. *ajuste de contas* (1). **4.** Ajustado (4). **5.** *Bras. Mar. Merc.* Contrato de engajamento de tripulante de embarcação mercante. [É feito pelo rol de equipagem, e pode ser: por viagem redonda, por tempo (mensal), ou por quinhão no frete.] **6.** *Bras.* V. *ajustagem.* ◆ **Ajuste de contas. 1.** *Cont.* Liquidação dos débitos ou créditos pendentes; ajuste, ajustamento, encontro de contas. **2.** *Fig.* Represália, desagravo ou revindita que se toma contra alguém. [Sin. ger.: *acerto de contas*.] **Não estar pelos ajustes.** Não querer saber deles.

ajustura [De *ajuste* + *-ura*.] ***S. f.*** Pequena cavidade na ferradura para esta se ajustar bem ao casco.

ajusturar [De *ajustura* + *-ar*^{2}.] ***V. t. d.*** Fazer ajustura em.

ajutório ***S. m.*** *Ant. Bras.* V. *adjutório.*

→ **aka** ['aka] [Quimb.] ***Interj.*** *Angol.* Exprime espanto: "nunca vi na minha vida de caçador um cágado está correr assim! Aka! Inda por cima cágado corre mais que a lebre? Aka!" (Boaventura Cardoso, *A Morte do Velho Kipacaça*, p. 72).

→ **akita** [a : ki'ta :] [Jap.] ***S. m.*** *Cinol.* Cão de uma raça de mesmo nome originária do Japão, de aspecto semelhante ao do lobo, porte robusto e imponente, com peso entre 34 e 50 kg e pelagem dupla.

al^{1} [Do lat. *ale, por *alid*, na f. clássica *aliud*, 'outra coisa'.] ***Pron.*** **1.** *Ant.* Outra pessoa, outra coisa; o mais: "Al não disse, e, fitando olhos ardentes / Na moça, que de enleio enrubescia, / Com discursos mais fortes e eloquentes / Na exposição do caso prosseguia" (Machado de Assis, *Poesias Completas*, p. 154). ● ***S. m.*** **2.** *Ant.* As outras coisas; o mais; o resto.

al^{2} Contr. da prep. *a* com o art. arc. *lo, la* (= *o, a).

■ **Al** *Quím.* Símb. de *alumínio.*

■ **AL** Sigla do Estado de Alagoas.

▲ **-al-** V. *-al*^{1}.

▲ **-al**^{1} [Do lat. *-ale*.] ***Suf. nom.*** = 'relação', 'pertinência'; 'coleção', 'quantidade'; 'cultura de vegetais': *vaginal; pantanal, tijucal; arrozal, bananal.* [Alterna-se, às vezes, com *-ar*^{1}: *elemental, elementar; familial, familiar.* Equiv.: *-açal* (q. v.), *-al-, -eal, -ial, -ual, -zal*: *radialista; falangeal; setorial; processual; bambuzal.*]

▲ **-al**^{2} *Quím.* ***Suf.*** Indica aldeído: *butanal, etanal.*

ala^{1} [Imperat. de *alar*^{3}.] ***Interj.*** **1.** Incitação a puxar para cima, a levantar. **2.** Indica ordem, comando, incitação a sair, a ir embora, partir: "Ala, todos daqui para fora!" (Mário de Carvalho, *Um Deus Passeando pela Brisa da Tarde*, p. 225.)

ala^{2} [Do lat. *ala*.] ***S. f.*** **1.** *Ant.* V. *asa* (1). **2.** Fila, fileira, renque: "Que caminho triste, e que viagem! / Alas de ciprestes negros a gemer no vento" (Vicente de Carvalho, *Poemas e Canções*, p. 18). **3.** Cada um dos agrupamentos que em qualquer forma de associação tem particulares afinidades: *ala direita de um partido político; ala dos católicos progressistas; ala das baianas da escola de samba da Portela.* **4.** *Constr.* Parte do edifício que se prolonga de um ou de outro lado do corpo principal; asa. **5.** *Constr.* Alão^{2}. **6.** *Constr.* Cada um dos resguardos laterais de uma ponte. **7.** *Esport.* Em certos jogos desportivos de competição, como futebol, basquete, futsal, etc., cada um dos lados da linha de ataque. **8.** *Mil.* Unidade ou fração de unidade que opera no flanco de um dispositivo de forças militares. ● ***S. 2 g.*** **9.** *Esport.* Jogador que atua na *ala* (7). ◆ **Abrir alas.** Formarem-se pessoas em fileiras, frente a frente, abrindo espaço para que passe alguém entre elas.

alá^{1} [De *a*^{3} + *lá*^{2}.] ***Adv.*** *Ant.* Lá, acolá: "Alá para a aldeia, por manhãs sonoras, / Mordiscando a côdea de seu pão centeio" (Guerra Junqueiro, *Os Simples*, p. 80).

alá^{2} [Do ár. *al-llah*, 'Deus'.] ***S. m.*** Designação de Deus, entre os muçulmanos. [Com cap.]

alá^{3} [Do ior.] ***S. m.*** *Bras. Rel.* Nos barracões dos templos afro-brasileiros, pano branco sob o qual se realizam certas cerimônias e são conduzidos alguns dos orixás.

alabá^{1} [Do ior.] ***S. m.*** *Bras. Rel.* Espírito infantil secundário, de culto popular e estranho ao candomblé ortodoxo, considerado companheiro de Ibêji (q. v.). [Com cap.]

alabá^{2} [Do ior.] ***S. m.*** *Bras. Rel.* Título atribuído ao chefe da sociedade secreta dos eguns (v. *egum*).

alabama^{1} [Do tax. *Alabama* (< top. *Alabama*, E.U.A.).] ***S. m.*** *Zool.* **1.** Gênero de insetos lepidópteros noctuídeos. **2.** Qualquer espécie desse gênero, como, p. ex., a *Alabama argillacea* (v. *curuquerê*). **3.** Qualquer espécime desse gênero.

alabama^{2} [De *Alabama*, nome de navio.] ***S. m.*** *Bras.* **1.** Brilhante grande, mas de qualidade inferior. **2.** V. *caixeiro-viajante.* **3.** Indivíduo que arrebanha jogadores para as tavolagens.

alabamba ***S. m.*** *Bras.* Espécie de papagaio de papel.

alabamina [Do top *Alabama* (E.U.A.) + *-ina*^{3}.] ***S. f.*** *Quím. Obsol.* Astatínio.

alabanda [Do top. *Alabanda*.] ***S. f.*** Mármore negro, chamado assim por haver sido encontrado por Plínio, o Velho (23-79), na cidade do mesmo nome, na Ásia Menor.

alabandita [Do top. *Alabanda* (Turquia) + *-ita*^{3}.] ***S. f.*** *Min.* Sulfeto de manganês, preto, maciço ou granular, com clivagem cúbica perfeita.

alabão [Do ár. *al-labān*.] ***Adj.*** **1.** Que dá leite, ou que dá muito leite; leiteiro (diz-se de gado). ● ***S. m.*** **2.** Rebanho de ovelhas que dão leite. **3.** *P. ext.* Rebanho; quantidade de animais. [Var.: *alavão*. Pl.: *alabães*.]

alabarar [De *labareda*.] ***V. t. d.*** **1.** Tostar ao fogo. **2.** Arder, queimar. **3.** Consumir, extinguir.

alabarda [Do médio alto-al. *helmbarte*, pelo it. *alabarda*, ou pelo fr. ant. *allabarte*, atual *hallebarde*.] ***S. f.*** Arma antiga, constituída de uma longa haste de madeira rematada em ferro largo e pontiagudo, atravessado por outro em forma de meia-lua.

alabardada [De *alabarda* + *-ada*^{1}.] ***S. f.*** Golpe de alabarda.

alabardeiro [De *alabarda* + *-eiro*.] ***S. m.*** **1.** Indivíduo que usa alabarda. **2.** Archeiro (1).

alabardiforme [De *alabarda* + *-iforme*.] *Adj. 2 g.* Alabardino.

alabardino [De *alabarda* + *-ino*[1].] *Adj.* Em forma de alabarda; alabardiforme.

alabastrino [De *alabastro* + *-ino*[1].] *Adj.* **1.** Da cor do alabastro (1): 📖 "A frouxa luz da alabastrina lâmpada / Lambe volutuosa teus contornos..." (Castro Alves, *Poesias Escolhidas*, p. 68.) **2.** Que apresenta outras das propriedades dessa rocha.

alabastro [Do gr. *alábastros*, pelo lat. *alabastru*.] *S. m.* **1.** *Min.* Rocha pouco dura e muito branca, translúcida, finamente granulada, constituída de gipsita. **2.** *Fig.* Alvura, brancura. **3.** Vaso ou recipiente sem asa, de alabastro, ouro, prata, etc. em forma de pera e com tampa, us. pelas damas gregas e romanas para guardar unguentos e perfumes. **4.** *Bot.* Botão floral.

alabastro-calcário *S. m. Min.* Mármore de granulação muito fina e textura fibrosa. [Na 5ª ed. do Volp., sem hífen; corrigido em errata.]

alabê [Do ior.] *S. m. Bras. Rel.* **1.** Nos ritos afro-brasileiros de liturgia ortodoxa, o chefe dos atabaques. **2.** Em alguns terreiros [v. *terreiro* (7)], qualquer dos tocadores de atabaque.

alabirintado [De *a*-[2] + *labirinto* + *-ado*[1].] *Adj.* **1.** Que tem forma de labirinto. **2.** *Fig.* Confuso, complicado.

alabregado [De *a*-[2] + *labrego* + *-ado*[1].] *Adj.* Que tem aparência e/ou maneiras de labrego; grosseiro, lapuz.

alacado [Part. de *alacar*.] *Adj. Lus.* **1.** Que se alacou [v. *alacar* (1)]; alancado **2.** Muito magro; franzino.

alacaiado [De *a*-[2] + *lacaio* + *-ado*[1].] *Adj.* Que tem maneiras de lacaio.

alacar [De or. obsc.] *V. int. Lus.* **1.** Vergar ao peso de carga. **2.** Sustentar uma grande carga. [F. paral.: *alancar.* Conjug.: v. *trancar*.]

➔**à la carte** [a la kaʁt] [Fr.] Diz-se da refeição em que, num restaurante, os pratos são escolhidos um a um, no cardápio.

alacil *S. m.* V. *alacir*.

alacir [Do ár. *al-ʿaṣīr*, 'suco', 'sumo'.] *S. m.* **1.** Colheita de azeitonas para produção de azeite. **2.** Vindima de uva, esp. para produção de vinho. **3.** A época da colheita ou vindima. [Var.: *alacil*.]

alacoado [De *a*-[2] + *lacão* + *-ado*[1], com desnasalação.] *Adj.* Da cor do lacão ou presunto; rubicundo.

alaçor (ô) [Do ár. *al-asfur*.] *S. m. Bot.* **1.** V. *açafroa* (1). **2.** Tintura amarela, feita do fruto dessa planta.

alacrã *S. f. Zool.* V. *lacrau*.

alacrado [De *a*-[2] + *lacre* + *-ado*[1].] *Adj.* Alacreado.

alacraia [De *-a*[5] + *lacraia*.] *S. f. Bras. Zool.* V. *lacraia*.

alacral *S. m. Zool.* V. *lacrau*.

alacranado [De *alacrão* + *-ado*[1].] *Adj. Bras. S.* **1.** De superfície áspera, cheia de talhos e esfoladuras, como que dentada ou espinhosa. **2.** Diz-se de animal cheio de feridas ou chagas.

alacrão *S. m. Zool.* V. *lacrau*.

alacrau *S. m. Zool.* V. *lacrau*.

álacre [Do lat. *alacre*.] *Adj. 2 g.* Alegre, animado, entusiasmado: 📖 "falas com torrencial abundância e com álacre mobilidade" (Amadeu Amaral, *O Elogio da Mediocridade*, p. 36).

alacreado [De *a*-[2] + *lacre* + *-eado*.] *Adj.* Da cor do lacre; alacrado.

alacridade [Do lat. *alacritate*.] *S. f.* Qualidade de álacre; vivacidade, jovialidade, alegria: 📖 "Vi-a tornar à mesma alacridade, / Ria-se, ria-se, aloucada e linda." (Alberto de Oliveira, *Poesias*, p. 155.)

alactamento *S. m.* Amamentação.

alada [Do top. *Alada*, um dos antigos reinos no território da atual Benim (África).] *S. m. Gloss.* V. *gun-gbe*.

aladeirado [De *a*-[2] + *ladeira* + *-ado*[1].] *Adj.* **1.** Que tem ladeira(s). ● *S. m.* **2.** *Bras. SP* Terreno montuoso ou cheio de ladeiras, ingreme.

■ **Aladi** Sigla de *Associação Latino-Americana de Desenvolvimento Industrial*.

➔**à la diable** [a la djabl] [Fr.] Desordenadamente, atabalhoadamente; a trouxe-mouxe.

aladina [Do fr. *aladine*.] *S. f.* V. *amarelo-aladino*.

alado [Do lat. *alatu*.] *Adj.* **1.** Que tem asas. **2.** Que tem forma de asa. **3.** *Fig.* Leve, aéreo, delicado. **4.** *Fig.* Gracioso, elegante, airoso. **5.** *Bot.* Provido de asas ou expansões membranáceas ao longo ou à volta: 📄 *pecíolo alado; semente alada.* **6.** *Heráld.* Áleo. ● *S. m.* **7.** Ser ou ente alado: 📖 "Negro e laranja, o japiim, sendo o pássaro mais esquivo, ... foi o primeiro alado que se aproximou do selvagem." (Raimundo Morais, *País das Pedras Verdes*, p. 47.)

aladroado [De *a*-[2] + *ladrão* + *-ado*[1], com desnasalação.] *Adj.* **1.** Que tem queda para ladrão; que furta, embora pouco. **2.** Diz-se do peso em que há fraude.

aladroar [De *a*-[2] + *ladrão* + *-ar*[2], com desnasalação.] *V. t. d.* Cercear com fraude; desfalcar com dolo. [Conjug.: v. *coroar*.]

alaela [Do ár. *al-ḥilla(t)*, 'estação', 'parada'; 'acampamento'.] *S. f.* Povoação ou bairro árabe. [Var.: *algela*.]

alagação [De *alagar* + *-ção*.] *S. f.* **1.** Alagamento (1). **2.** *Bras.* Inundação periódica das terras marginais do rio Amazonas. ◆ **Alagação de outubro.** *Bras. BA* Período de chuvas, que ocorre em outubro e dura de quatro a seis dias, considerado sinal de verão úmido.

alagadeiro [De *alagar* + *-deiro*.] *Adj.* **1.** Gastador, esbanjador, perdulário. [Us. sobretudo em relação a mulheres, e comumente como substantivo: 📄 *Teresa é uma alagadeira: dinheiro não lhe para nas mãos.*] ● *S. m.* **2.** Indivíduo gastador, perdulário. **3.** V. *alagadiço* (3).

alagadiceiro [De *alagadiço* + *-eiro*.] *Adj. Bras.* Que pasta em terreno alagadiço: 📄 *bois alagadiceiros*.

alagadiço *Adj.* **1.** Sujeito a alagar-se; encharcadiço. **2.** Lodoso, pantanoso, paludoso. ● *S. m.* **3.** Terreno alagadiço; alagadeiro. [Sin. bras., nesta acepç.: *chepe-chepe*.]

alagado [Part. de *alagar*.] *Adj.* **1.** Cheio de água; encharcado. ● *S. m.* **2.** Pequena lagoa transitória ou temporária.

alagador (ô) [De *alagar* + *-dor*.] *Adj. S. m.* Que ou o que alaga: 📖 "uma chuvinha irritante, alagadora e fácil, enlameia o asfalto da Avenida" (Mateus de Albuquerque, *Da Arte e do Patriotismo*, pp. 189-190).

alagadoramente [Do f. de *alagador* + *-mente*.] *Adv.* De modo alagador; com alagamento: 📖 "o ruído fervente das espumas que se esparramavam alagadoramente." (Coelho Neto, *Banzo*, p. 172).

alagamar [De *a*-[4] + *lagamar*.] *S. m.* Lagamar (2).

alagamento [De *alagar* + *-mento*.] *S. m.* **1.** Ato ou efeito de alagar(-se); alagação, enchente. **2.** *Fig.* Ruína, destruição, arrasamento. [Sin. ger., p. us.: *alago*.]

alagar [De *a*-[2] + *lago* + *-ar*[2].] *V. t. d.* **1.** Tornar como que em lago; cobrir de água; inundar: 📖 "A chuva cai, alaga o chão, encharca os ventos" (Joaquim Cardoso, *Poesias Completas*, p. 8); "A onda investia furente, ... alagava o bote" (Herman Lima, *Tijipió*, p. 123). **2.** Cobrir ou encher de qualquer líquido: 📄 *A chuva alagou a baixada.* **3.** *Fig.* Tornar repleto; encher: 📖 "uma inundação de bondade alagava todos os corações." (Carlos de Laet, *Obras Seletas*, I, p. 80). **4.** Alastrar-se por; invadir, ocupar: 📄 *A partir do século IV os povos germânicos alagaram o Império Romano.* **5.** Destruir, arruinar: 📄 *O terremoto alagou vários bairros da cidade.* **6.** *Ant.* Desperdiçar, dissipar. *T. d. e c.* **7.** Afundar, mergulhar. *T. d. e i.* **8.** Encher, cobrir (de um líquido qualquer). *P.* **9.** Encher-se ou cobrir-se de água. **10.** Subverter; naufragar. [Conjug.: v. *largar*.]

alagartado [De *a*-[2] + *lagarto* + *-ado*[1].] *Adj.* **1.** Manchado, como o lagarto; sarapintado. **2.** Adormecido, à maneira do lagarto.

alagartixado [De *a*-[2] + *lagartixa* + *-ado*[1].] *Adj.* Semelhante a lagartixa.

alagável [De *alagar* + *-vel*.] *Adj. 2 g.* Que sofre alagamento, ou que é passível de sofrê-lo.

alago [Dev. de *alagar*.] *S. m. P. us.* V. *alagamento*.

alagoa (ô) [De *a*-[5] + *lagoa*.] *S. f.* V. *lagoa*[1] (1).

alagoa-grandense *Adj. 2 g.* **1.** De, ou pertencente ou relativo a Alagoa Grande (PB). ● *S. 2 g.* **2.** O natural ou habitante de Alagoa Grande. [Pl.: *alagoa-grandenses*.]

alagoano *Adj.* **1.** Do, ou pertencente ou relativo ao Estado de Alagoas. ~ V. *martelo* —. ● *S. m.* **2.** O natural ou habitante de Alagoas. [Sin. ger., desus.: *alagoense*.]

alagoa-novense *Adj. 2 g.* **1.** De, ou pertencente ou relativo a Alagoa Nova (PB). ● *S. 2 g.* **2.** O natural ou habitante de Alagoa Nova. [Pl.: *alagoa-novenses*.]

alagoense[1] *Adj. 2 g. S. 2 g. Desus.* V. *alagoano*.

alagoense[2] *Adj. 2 g.* **1.** De, ou pertencente ou relativo a Alagoa (MG). ● *S. 2 g.* **2.** O natural ou habitante de Alagoa.

alagoinha (o-i) [Dim. de *alagoa*.] *S. f. Bras.* Lagoa pequena e rasa, temporária, alimentada mais por depósitos fluviais temporários que por cursos de água que para ela afluam.

alagoinhense[1] (o-i) *Adj. 2 g.* **1.** De, ou pertencente ou relativo a Alagoinha (PB e PE). ● *S. 2 g.* **2.** O natural ou habitante de Alagoinha.

alagoinhense[2] (o-i) *Adj. 2 g.* **1.** De, ou pertencente ou relativo a Alagoinha do Piauí (PI). ● *S. 2 g.* **2.** O natural ou habitante de Alagoinha do Piauí.

alagoinhense[3] (o-i) *Adj. 2 g.* **1.** De, ou pertencente ou relativo a Alagoinhas (BA). ● *S. 2 g.* **2.** O natural ou habitante de Alagoinhas.

alagoso (ô) [De *alag-*, como em *alagar*, + *-oso*.] *Adj.* **1.** Cheio de água; alagado. **2.** Paludoso, pantanoso, alagadiço: 📖 "Nos mistérios com que se acotovelavam os raros habitantes da terra alagosa e ignota, a credulidade fazia-se-lhes doentiamente exagerada." (Alberto Rangel, *Sombras n'Água*, pp. 150-151.)

alagosta [De *a*-[4] + *lagosta*.] *S. f. Lus. Pej.* Mulher perdulária.

alagostado [De *a*-[2] + *lagosta* + *-ado*[1].] *Adj.* Da cor avermelhada da lagosta.

alagostice [De *alagosta* + *-ice*.] *S. f. Lus. Pej.* Procedimento de alagosta; esbanjamento.

alagunado [De *a*-[2] + *laguna* + *-ado*[1].] *Adj.* Semelhante a laguna.

alalá *S. m. Bras. Gír. Jorn.* Comentário para dar a um fato aspecto sensacional.

■ **ALALC** Sigla de *Associação Latino-Americana de Livre Comércio*.

alalia [De *a*-[3] + *-lal(o)-* + *-ia*[1].] *S. f. Patol.* Comprometimento, ou perda total, da capacidade de falar, em decorrência de paralisia ou lesão dos órgãos vocais.

alálico [De *alalia* + *-ico*[2].] *Adj.* Relativo à alalia, ou que a tem.

alalita [Do top. *Ala* (Itália) + *-lita*.] *S. f. Min.* Variedade verde-clara de diopsídio.

alamanda [Do tax. *Allamanda*, do antr. (*Jean N.*) *Allamand* (-1787), físico e naturalista suíço.] *S. f. Bot.* **1.** Gênero de trepadeiras e arbustos apocináceos, lenhosos, de belas flores amarelas, afuniladas; algumas espécies são tóxicas. **2.** Qualquer espécie desse gênero, como, p. ex., a *Allamanda cathartica* (v. *dedal-de-dama*). **3.** Qualquer espécime desse gênero, ou a flor dele.

alamanda-amarela [De *alamanda* + o f. de *amarelo*.] *S. f. Bras. Bot.* V. *dedal-de-dama*. [Pl.: *alamandas-amarelas*.]

alamanda-rosa *S. f. Bras. Bot.* Trepadeira apocinácea (*Allamanda blanchetti*) semilenhosa, de folhas ovaladas, verde-brilhantes, e inflorescências com grandes flores róseas ou arroxeadas; dedal-de-rosa, acapociba, ibapocaba. [Pl.: *alamandas-rosa*.]

alamanda-roxa [De *alamanda* + o f. de *roxo*.] *S. f. Bras. Bot.* Quatro-patacas. [Pl.: *alamandas-roxas*.]

alamar [Do berbere *al-ʿamār*, 'corda', 'fios com que se enfeita roupa'.] *S. m.* Galão de fio metálico, ou de seda, etc., que guarnece e abotoa a frente de um vestuário, passando de um lado a outro da abotoadura: 📖 "Só então reparei no seu uniforme, ornado de galões e alamares" (Geir Campos, *O Vestíbulo*, p. 23).

■ **Alamar** Sigla de *Associação Latino-Americana de Armadores*.

alamarado [De *alamar* + *-ado*[1].] *Adj.* Guarnecido de alamares.

alambamento [De or. incerta.] *S. m. Angol.* **1.** Cerimônia na qual o noivo entrega a carta do pedido (q. v.) à família da noiva. **2.** Os presentes dados pelo noivo à família da noiva. **3.** Festa ou cerimônia nupcial.

alâmbar *S. m.* Alambre[1] (q. v.).

alambari *S. m. Bras. Zool.* V. *lambari* (1).

alambariense *Adj. 2 g.* **1.** De, ou pertencente ou relativo a Alambari (SP). ● *S. 2 g.* **2.** O natural ou habitante de Alambari.

alambazado [De *a*-[2] + *lambaz* + *-ado*[1].] *Adj.* **1.** Corpulento e desajeitado. **2.** Grande, volumoso. **3.** Grosseiro, desajeitado. **4.** Guloso, glutão, lambaz.

alambazar-se [De *a*-[2] + *lambaz* + *-ar*[2] + *se*[1].] *V. p.* **1.** Fazer-se lambaz; comer muito; empanturrar-se. **2.** Tornar-se grosseiro, desajeitado, asselvajado.

alambel [Do ár. *al-ḥanbal*, 'tapete'; 'colcha', poss.] *S. m. Ant.* **1.** V. *alfâmbar*. **2.** Pano listado ou decorado com que se cobrem mesas, cadeiras, etc.; lambel. [Var.: *lambel*[1]. Pl.: *alambéis*.]

alambicada [F. subst. de *alambicado*.] *S. f.* Porção de aguardente preparada de cada vez que se carrega o alambique.

alambicado [Part. de *alambicar*.] *Adj.* **1.** Destilado em alambique. **2.** Presumido, pretensioso, afetado, arrebicado: 📖 "Dava tratos à Musa escrevendo copiosas e alambicadas líricas" (Coelho Neto, *A Conquista*, p. 72).

alambicadura [De *alambicar* + *-dura*.] *S. f.* Alambicamento.

alambicamento [De *alambicar* + *-mento*.] *S. m.* Ato ou efeito de alambicar(-se); alambicadura.

alambicar [De *alambique* + *-ar*[2].] *V. t. d.* **1.** Destilar no alambique. **2.** Tornar afetado e pretensioso. **3.** Requintar, aprimorar com afetação (a fala, o estilo). *P.* **4.** Tornar-se afetado, pretensioso; afetar-se. [Conjug.: v. *trancar*.]

alambique [Do gr. *ámbyx*, 'vaso de beira levantada', pelo ár. *al-anbīq*, 'vaso de cobre, ou de vidro, em que se destilam ervas, flores e licores'.] *S. m.* Aparelho de destilação, constituído por uma caldeira na qual se depositam os materiais por destilar, e onde se desprendem e acumulam os vapores que, por meio de uma tubulação especial, chegam ao condensador, e aí tornam, pelo resfriamento, ao estado líquido; destilador.

alambiqueiro [De *alambique* + *-eiro*.] *S. m.* **1.** Aquele que trabalha com alambique. **2.** *Bras. BA* Proprietário de alambique.

alambor (ô) [Do ár., poss.] *S. m. Constr.* Em algumas construções de alvenaria, a face dos muros de arrimo e dos embasamentos. [Pl.: *alambores* (ô). Cf. *alambores*, do v. *alamborar*.]

alamborado [Part. de *alamborar*.] *Adj.* Que tem alambor.

alamborar [De *alambor* + *-ar*[2].] ***V. t. d.*** **1.** Dar feição de alambor a. **2.** Dar declive a; tornar convexo; abaular, alombar. [Pres. subj.: *alambore, alambores,* etc. Cf. *alambores* (ô), pl. de *alambor*.]

alambra [Var. de *alambre*[1].] ***S. f. Bot.*** **1.** V. *choupo-preto.* **2.** Resina extraída dele.

alambrado [Do esp. plat. *alambrado*.] ***Adj.*** **1.** Cercado com arame: *terreno alambrado.* ● ***S. m.*** **2.** Cerca de fios de arame. **3.** Terreno alambrado (1). [Sin. ger.: *aramado*.]

alambrador (ô) [Do esp. plat. *alambrador*.] ***S. m.*** **1.** Fabricante de fios de arame, para cercas; arameiro. **2.** Aquele que alambra.

alambrar[1] [De *alambre*[1] + *-ar*[2].] ***V. t. d.*** **1.** Dar a cor âmbar a (algo). ***P.*** **2.** Tomar a cor do âmbar.

alambrar[2] [Do esp. plat. *alambrar*.] ***V. t. d.*** Cercar (terreno) com alambre[2]; aramar.

alambre[1] [Var. de *alâmbar,* do ár. *al-ᶜanbar,* 'o âmbar (*i. e.,* o âmbar-gris)'.] ***S. m.*** **1.** V. *âmbar* (2). **2.** *Fig.* Pessoa esperta, arguta, sagaz.

alambre[2] [Do esp. *alambre*.] ***S. m.*** Arame (2).

alambreado [De *alambre*[1] + *-eado*.] ***Adj.*** **1.** Da cor amarelo-dourada do alambre[1] (1). **2.** Diz-se dessa cor: "o perfume do cabelo de cor alambreada" (Afonso Arinos, *Pelo Sertão,* p. 138).

alameda (ê) ***S. f.*** **1.** Rua ou avenida marginada de álamos. **2.** *P. ext.* Rua ou avenida marginada de quaisquer árvores. **3.** Aleia (2). **4.** Plantio de álamos. [Pl.: *alamedas* (ê). Cf. *alameda* e *alamedas,* do v. *alamedar*.]

alamedado [Part. de *alamedar*.] ***Adj.*** **1.** Plantado de álamos. **2.** Disposto em alameda.

alamedar [De *alameda* + *-ar*[2].] ***V. t. d.*** **1.** Plantar de álamos. **2.** Dar a forma ou a disposição de alameda a. [Pres. ind.: *alamedo, alamedas, alameda,* etc. Cf. *alameda* (ê) e pl. *alamedas* (ê).]

alamia [Do ár.] ***S. f.*** Certa peça dos jaezes do cavalo.

alamiré [De *a-*[4] + *lamiré*.] ***S. m.*** V. *lamiré.*

álamo [De or. controv., poss. do lat. *alamus (do lat. cláss. *alnus, i,* com infl. do lat. *ulmus,* 'olmo'), ou de or. pré-romana.] ***S. m. Bot.*** **1.** V. *pópulo* (1). **2.** V. *choupo-branco.* [Pl.: *álamos.* Cf. *alamos,* do v. *alar*.]

alamoa (ô) [Alter. de *alemoa*.] ***S. f.*** *Bras.* Fernando de Noronha (PE) Folcl. Ente fantástico sob a forma de uma mulher branca, de cabelos louros, ou de um espectro.

álamo-branco ***S. m. Bot.*** V. *choupo-branco.* [Pl.: *álamos--brancos*.]

álamo-negro ***S. m. Bot.*** V. *choupo-preto.* [Pl.: *álamos--negros*.]

álamo-preto ***S. m. Bot.*** V. *choupo-preto.* [Pl.: *álamos--pretos*.]

alamosita [Do top. *Álamos* (México) + *-ita*[3].] ***S. f. Min.*** Mineral monoclínico, metassilicato de chumbo, em agregados radiais, fibrosos, de cor branca ou incolor.

alâmpada [De *a-*[5] + *lâmpada*.] ***S. f.*** *P. us.* V. *lâmpada*: "A alâmpada na igreja .... / Bruxuleava seu clarão" (Alexandre Herculano, *Poesias,* p. 114).

alampadário [De *a-*[5] + *lampadário*.] ***S. m.*** V. *lampadário.*

alancado [Part. de *alancar*.] ***Adj. Lus.*** **1.** V. *alacado* (1). **2.** A que se deu impulso ou empurrão; empurrado.

alancão [De *alancar* + *-ão*[3].] ***S. m. Lus.*** **1.** Ato ou efeito de alancar. **2.** V. *empurrão.*

alancar [De or. obsc.] ***V. int. Lus.*** **1.** V. *alacar* (1 e 2). **2.** Dar um alanco ou empurrão em; empurrar.

alanceado [Part. de *alancear*.] ***Adj.*** **1.** Ferido com lança. **2.** Torturado moralmente; amargurado.

alanceador (ô) [De *alancear* + *-dor*.] ***Adj. S. m.*** Que, ou aquele que alanceia.

alanceamento [De *alancear* + *-mento*.] ***S. m.*** Ato ou efeito de alancear.

alancear [De *a-*[2] + *lança* + *-ear*[2].] ***V. t. d.*** **1.** Ferir com lança; lancear. **2.** Ferir, pungir. **3.** Atormentar, afligir: "um pressentimento de morte próxima e violenta, punhal ou veneno, alanceia o padre" (Camilo Castelo Branco, *Maria da Fonte,* p. 167). **4.** Espicaçar, estimular. [Conjug.: v. *frear*.]

alanco [Dev. de *alancar*.] ***S. m. Lus.*** V. *empurrão.*

alandeado [De *a-*[2] + *lande* + *-eado*.] ***Adj.*** **1.** Que tem forma de lande[1]; glandiforme. **2.** Semelhante à lande[1].

alangiácea [Do tax. *Alangium* (do canarim *alangí*) + *-ácea*; tax. *Alangiaceae*.] ***S. f. Bot.*** Espécime das alangiáceas, família da ordem das cornales que compreende arbustos das zonas tropicais da Ásia, Europa e África, de folhas alternas, flores hermafroditas e frutos drupáceos. Comporta o gênero *alângio* (q. v.).

alangiáceo [De *alangiácea,* com var. suf. (v. *-áceo*).] ***Adj. Bot.*** Pertencente ou relativo às alangiáceas.

alângio [Do tax. *Alangium*.] ***S. m. Bot.*** **1.** Gênero de árvores e arbustos alangiáceos, das regiões quentes do Velho Mundo; têm folhas alternas, flores axilares, e fruto drupáceo que contém, apenas, uma semente. Tal gênero é composto de 21 espécies. **2.** Espécie ou espécime desse gênero.

alanguidar-se [De *a-*[2] + *lânguido* + *-ar*[2] + *se*[1].] ***V. p.*** Tornar-se lânguido; enlanguescer(-se), languescer, languir.

alanhado [Part. de *alanhar*.] ***Adj.*** **1.** Cheio de lanhos; lacerado, golpeado. **2.** Vexado, oprimido.

alanhador (ô) [De *alanhar* + *-dor*.] ***Adj. S. m.*** Que, ou aquele que alanha.

alanhão [De *alanhar* + *-ão*[3].] ***S. m.*** V. *lanho* (2): "A gata aluada arranhou-te? Dá graças por te safares com alanhões e, em despeito do pior que nos possa suceder nesta enxovia, sempre salvamos a alma." (Aquilino Ribeiro, *S. Bonaboião, Anacoreta e Mártir,* p. 65.)

alanhar [De *a-*[4] + *lanhar*.] ***V. t. d. P.*** V. *lanhar.*

alanina [Do al. *Alanin,* f. irreg. do al. *Aldehyd* + al. *-in*.] ***S. f. Quím.*** Aminoácido cristalino, incolor, que se forma na hidrólise de certas proteínas do organismo; ácido aminopropiônico [fórm.: $C_3H_7O_2N$].

alano[1] [Do esp. *(perro)alano*.] ***S. m. Zool.*** Alão[1] (q. v.).

alano[2] [Do lat. *alanu*.] ***S. m.*** **1.** *Etnôn.* Indivíduo dos alanos, povo bárbaro de origem asiática estabelecido na Sarmácia, entre o mar de Azov e o Cáucaso, e que no séc. V invadiu e dominou, algum tempo, a Gália e a Península Ibérica. ● ***Adj.*** **2.** Pertencente ou relativo a esse povo.

alanterna [De *a-*[5] + *lanterna*.] ***S. f.*** *P. us.* V. *lanterna.*

alantíase [De *alant(o)-* + *-íase*.] ***S. f.*** *Patol. P. us.* Botulismo.

▲**alant(o)-** [Do gr. *allâs, allântos*.] ***El. comp.*** = 'salsicha': *alantíase, alantósporo.*

alantoide (ói) [De *alant(o)-* + *-oide*.] ***Adj. 2 g.*** **1.** Botuliforme. ● ***S. f.*** **2.** *Embr.* Nos mamíferos, reptis, e nas aves, membrana fetal vascularizada que é constituída por um divertículo do tubo intestinal primitivo; em alguns mamíferos placentários, é proeminente, e em outros, inclusive no homem, é vestigial, porém seus vasos sanguíneos dão origem aos do cordão umbilical. ❖

alantoidiano [De *alantoide* + *-iano*.] ***Adj. Zool.*** Diz-se de animal (reptil, ave ou mamífero) cujo embrião é dotado de alantoide (2).

alantoína [Do al. *Alant,* 'ínula' (q. v.), + *-o-* + *-ina*[3].] ***S. f. Quím.*** Substância cristalina, heterocíclica, que é um produto da decomposição metabólica de purinas [fórm.: $C_4H_6N_4O_3$].

alantósporo [De *alant(o)-* + *-sporo*.] ***S. m. Bot.*** Esporo, unicelular ou não, botuliforme.

alantotóxico (cs) [De *alant(o)-* + *-tóxico*.] ***S. m.*** Veneno hipotético que se forma nas carnes conservadas, produzindo a alantíase.

alanzoador (ô) [De *alanzoar* + *-dor*.] ***Adj. S. m.*** Que, ou aquele que alanzoa.

alanzoar [De or. incerta.] ***V. t. d.*** **1.** Dizer à toa, tagarelando. ***Int.*** **2.** Tagarelar, papaguear: "Grita o povinho furiosos impropérios aos condenados, guincham as mulheres debruçadas dos peitoris, alanzoam os frades, a procissão é uma serpente enorme" (José Saramago, *Memorial do Convento,* [8ª ed.] p. 52). **3.** Bazofiar; vangloriar-se. [Conjug.: v. *coroar*.]

alão[1] [Var. de *alano*[1].] ***S. m.*** *Cinol.* Grande cão de fila, utilizado na caça: "o latir dos galgos e alãos" (Alexandre Herculano, *Lendas e Narrativas,* I, p. 185). [Pl.: *alãos, alães* e *alões*.]

alão[2] [De *ala* + *-ão*[2].] ***S. m.*** *Constr.* Laje de pedra com que se arremata a face superior de um muro, para evitar o desmoronamento das pedras miúdas; ala.

alapado[1] [De *a-*[2] + *lapa*[1] + *-ado*[1].] ***Adj.*** Semelhante a lapa[1] (1).

alapado[2] [Part. de *alapar*.] ***Adj.*** **1.** Escondido, oculto. **2.** Encolhido, agachado. [Sin. ger.: *alapardado*.]

alapar [De *a-*[2] + *lapa*[1] + *-ar*[2].] ***V. t. d.*** **1.** Esconder em lapa. **2.** Ocultar debaixo ou por trás de alguma coisa. ***P.*** **3.** Esconder-se rente ao chão; ocultar-se; alapardar-se. **4.** Agachar-se; encolher-se; alapardar-se.

alapardado [Part. de *alapardar-se*.] ***Adj.*** V. *alapado*[2].

alapardar-se [De *láparo,* poss.] ***V. p.*** **1.** V. *alapar* (3): "Punha-se de guarda, ... alapardando-se nas moitas de camará." (José Américo de Almeida, *A Bagaceira,* p. 37.) **2.** V. *alapar* (4).

alapoado [De *a-*[2] + *lapão*[2] + *-ado*[1], com desnasalação.] ***Adj.*** Que tem modos e/ou aspecto de lapão[2]; rústico, grosseiro.

alaque ***S. m.*** *Arquit.* Plinto.

alaqueca [Do ár. *al-ᶜaqiqa(t)*.] ***S. f.*** Cornalina. [Var.: *alequeca, laqueca*.]

alaquestesia [Do gr. *allachê,* 'em outra parte', + *-estes(i)-* + *-ia*[1]; ingl. *allachesthesia*.] ***S. f.*** *Neur.* Aloquestesia (q. v.).

alaqueto (ê) [Do ior.] ***S. m.*** *Bras. Rel.* Nos candomblés nagôs, uma das denominações de Exu que, segundo alguns mitos, foi rei do antigo reino de Keto. [Com cap.]

alar[1] [De *ala* (1) + *-ar*[1].] ***Adj. 2 g.*** **1.** V. *aliforme.* **2.** Relativo a asa. ~ V. *alares.*

alar[2] [De *ala* + *-ar*[2].] ***V. t. d.*** **1.** Dar asa(s) a: *alar a imaginação, a fantasia.* **2.** Dispor em alas; formar em alas. ***T. d. e i.*** **3.** Fazer voar: *alar o pensamento a Deus.* ***P.*** **4.** Criar asas: *insetos que se alam em certas épocas.* **5.** Desferir voo; elevar-se voando: "uma ave que se alou, há pouco" (Francisco Mangabeira, *Poesias,* p. 442). [Pres. ind.: *alo, alas, ala, alamos,* etc.; pres. subj.: *ale, ales, ale, ... alem,* etc. Cf. *halo,* s. m.; *álamos,* pl. de *álamo*; *Álamos,* pl. do antr. *Álamo*; e *além*.]

alar[3] [Do fr. *haler*.] ***V. t. d.*** **1.** Puxar para cima; içar. **2.** Erguer, levantar, suspender. **3.** Remontar, librar. ***P.*** **4.** Elevar-se, alçar-se: "Meu ser ao céu se eleva, se ala, /pela cromática escala / dessa fala!" (Gilca da Costa Melo Machado, *Poesias,* p. 61.) **5.** Engrandecer--se, elevar-se. [Pres. ind.: *alo, alas, ala, alamos,* etc.; pres. subj.: *ale, ales, ... alem,* etc. Cf. *halo,* s. m.; *álamos,* pl. de *álamo*; *Álamos,* pl. do antr. *Álamo*; e *além*.]

alar[4] ***V. int.*** *Gír.* Viver, existir. [Pres. ind.: *alo, alas, ala, alamos,* etc.; pres. subj.: *ale, ales, ... alem,* etc. Cf. *halo,* s. m.; *álamos,* pl. de *álamo*; *Álamos*; pl. do antr. *Álamo*; e *além*.]

alar[5] ***V. t. d.*** *Bras. MG SP MT Pop.* Desenvolver, apressar (o trabalho). [Pres. ind.: *alo, alas, ala, alamos,* etc.; pres. subj.: *ale, ales, ... alem,* etc. Cf. *halo,* s. m.; *álamos,* pl. de *álamo*; *Álamos,* pl. do antr. *Álamo,* e *além*.]

alárabe ***Adj. 2 g. S. 2 g.*** V. *alarve.*

alaranjado [De *a-*[2] + *laranja* + *-ado*[1].] ***Adj.*** **1.** Que tem gosto, odor ou forma de laranja. **2.** Da cor amarelo--avermelhada da casca ou da polpa de certas laranjas, da cor da tangerina, do abricó; laranja. **3.** Diz-se dessa cor: *vestido de cor alaranjada.* ● ***S. m.*** **4.** Essa cor, em suas diversas gradações; laranja. [V. *de cor* (3).]. **5.** No espectro visual (q. v.), cor da radiação eletromagnética com comprimento de onda situado, aproximadamente, entre 590 e 620 nanômetros, entre o amarelo e o vermelho; laranja.

alaranjar [De *a-*[2] + *laranja* + *-ar*[2].] ***V. t. d.*** **1.** Dar cor, aspecto, gosto ou odor de laranja a. ***Int.*** **2.** Tornar-se alaranjado (1 e 2).

alarar [De *a-*[2] + *lar* + *-ar*[2].] ***V. t. d.*** Estender no lar ou lareira.

alarave ***Adj. 2 g. S. 2 g.*** V. *alarve.*

alárave ***Adj. 2 g. S. 2 g.*** V. *alarve.*

alardar[1] [De *alarde* + *-ar*[2].] ***V. t. d. Int.*** *P. us.* V. *alardear.*

alardar[2] [De *a-*[2] + *lardo* + *-ar*[2].] ***V. t. d. T. d. e i.*** Lardear.

alarde [Do ár. *al-ᶜarḍ,* 'exibição', 'mostra'; 'apresentação (da tropa)'.] ***S. m.*** **1.** Ostentação, jactância, alardeio. **2.** Bazófia, fanfarrice. [Var.: *alardo* (q. v.).]

alardeadeira [De *alardear* + *-deira*.] ***S. f.*** Fem. de *alardeador.*

alardeador (ô) [De *alardear* + *-dor*.] ***Adj. S. m.*** **1.** Que, ou aquele que alardeia. **2.** V. *fanfarrão.*

alardear [De *alarde* + *-ear*[2].] ***V. t. d.*** **1.** Fazer alarde de; ostentar. ***Int.*** **2.** Bazofiar, vangloriar-se; gabar. [Sin. ger. (p. us.): *alardar.* Conjug.: v. *frear*.]

alardeio [Dev. de *alardear*.] ***S. m.*** V. *alarde* (1).

alardo [Var. de *alarde*.] ***S. m.*** *Ant.* **1.** Revista anual de tropas. **2.** *Bras. ES Etnogr.* Auto ou representação popular evocativa das lutas entre mouros e cristãos. **3.** Manifestação ou demonstração militar para exercício ou para preparativos de luta. **4.** Resenha minuciosa da gente de armas. **5.** Rol onde se faz essa resenha.

alares ***S. m. pl.*** Laços de crina de cavalo com que se apanham perdizes. ~ V. *alar.*

alargador (ô) [De *alargar* + *-dor*.] ***Adj. S. m.*** Que, ou aquele que alarga.

alargamento [De *alargar* + *-mento*.] ***S. m.*** **1.** Ação ou efeito de alargar(-se). **2.** Estado do que se alargou; dilatação. **3.** *Constr. Nav.* Curvatura ou inclinação para fora no costado de certas embarcações, em geral na região da popa. **4.** *E. Ling.* Ditongação. ◆ **Alargamento Doppler.** *Astr.* Alargamento de uma raia espectral, produzido pelo efeito Doppler, originado este pelo movimento de massas gasosas, ou pelo movimento dos átomos dessa massa.

alargar [De *a-*[2] + *largo* + *-ar*[2].] ***V. t. d.*** **1.** Tornar largo ou mais largo; larguear: "o divino riso, consolador dos homens, alegrava as caras, alargava as bocas" (Augusto Meyer, *No Tempo da Flor,* p. 17). **2.** Afrouxar, desapertar: *Sentindo-se sufocado, alargou o colarinho.* **3.** Ampliar, aumentar: *Resolveu alargar o seu círculo de amizades.* **4.** Alargar (5). ***T. d. e c.*** **5.** Dar maior duração a; prolongar: *Alargou o passeio até o parque.* ***Int.*** **6.** Fazer-se largo ou mais largo; alargar-se: "A casa alarga, crescem as paredes" (Orlando Gonçalves, *Este Mundo dos Homens,* p. 96). ***P.*** **7.** Alargar (5): *Com as chuvas, o manancial alargou-se.* **8.** Gastar largamente. **9.** Prolongar-se, estender-se: "Não discutirei aqui, por não alargar-me muito" (Mário Barreto, *Novos Estudos da Língua Portuguesa,* p. 128). **10.** Alastrar-se, propagar-se: "E de onda em onda cada vez mais larga, / De brisa em brisa cada vez mais pura, / O nome dessa excelsa criatura / Por todo aquele imenso mar se alarga" (João de Deus,

Campo de Flores, I, p. 171). **11.** Distanciar-se, afastar-se: 'Quem dos seus se aparta do remédio se alarga' (prov.). [Conjug.: v. *largar*.]

alarida ***S. f. P. us.*** V. *alarido*.

alarido [De rad. ár., 'barulho', 'tumulto'.] ***S. m.*** **1.** Clamor de vozes; gritaria, algazarra, celeuma. **2.** Choradeira, lamúria, lamentação: "ouviu berreiro de crianças e mulheres, e a voz de Tertuliano, que dominava de vez em quando o alarido geral, soltando .... esta palavra: 'Xandoca'." (Artur Azevedo, *Contos fora da Moda*, p. 11). [Var. (p. us.): *alarida*.]

alarifaço [De *alarife* + *-aço*.] ***S. m. Bras. S.*** Aum. de *alarife* (2, 3 e 4).

alarifagem [De *alarife* + *-agem*^{2}.] ***S. f. Bras. S.*** Qualidade ou ação de quem é alarife (2); esperteza, trapaça, velhacagem.

alarife [Do ár. *al-ᶜarīf*, 'conhecedor'.] ***S. m.*** **1.** *Ant.* Arquiteto; construtor; mestre de obras. **2.** Indivíduo finório, espertalhão, velhaco. **3.** Indivíduo de maus costumes; bandido, ladrão. **4.** V. *valentão* (3). • ***Adj. 2 g.*** **5.** Finório, esperto, velhaco, trapaceiro, ladino. **6.** V. *valentão* (1).

alarma ***S. m.*** V. *alarme*: "Percebida a fuga, foi dado o alarma, ... ao som rouco de córneas buzinas" (Afonso Arinos, *Pelo Sertão*, p. 126).

alarmante [De *alarmar* + *-nte*.] ***Adj. 2 g.*** **1.** Que causa alarme: *Sua palidez era um sinal alarmante.* **2.** Que assusta, sobressalta: *Notícias alarmantes se espalharam por toda a cidade.*

alarmar [De *alarme* + *-ar*^{2}.] ***V. t. d.*** **1.** Dar voz de alarme a. **2.** Pôr em alarme (4); assustar, sobressaltar, alvoroçar: *A ameaça de invasão alarmou o povo.* ***P.*** **3.** Assustar-se, sobressaltar-se, alvoroçar-se.

alarme [Do it. *all'arme*.] ***S. m.*** **1.** Brado às armas; rebate. **2.** Sinal para dar aviso dalgum perigo: *campainha de alarme; Ouvindo passos, o cão latiu dando o alarme.* **3.** Confusão, comoção, tumulto: *Houve com as notícias divulgadas pelos jornais um grande alarme na bolsa de valores.* **4.** Susto, sobressalto, inquietação. **5.** Vozearia, gritaria. **6.** Dispositivo de segurança, em prédios, veículos, etc., que emite forte ruído ou sinal a distância, para denunciar invasão e possível roubo. [Var.: *alarma*.]

alarmismo [De *alarme* + *-ismo*.] ***S. m.*** Difusão de boatos ou notícias alarmantes.

alarmista [De *alarme* + *-ista*.] ***Adj. 2 g. S. 2 g.*** Que, ou quem se compraz em espalhar notícias ou boatos alarmantes.

alaroça [Do ár. *al-ᶜarūs*, pela forma pop. *al-ᶜarūsa(t)*.] ***S. f.*** Noiva.

alaruá *Bras.* ***S. 2 g.*** **1.** *Etnôn.* Indivíduo dos alaruás, povo indígena extinto que habitava a margem direita do rio Solimões (AM). • ***Adj. 2 g.*** **2.** Pertencente ou relativo a esse povo. [Tb. us. como *s. 2 g. e 2 n.* (com cap.) e *adj. 2 g. e 2 n.*]

alarvada [De *alarve* + *-ada*^{1}.] ***S. f.*** **1.** Ação ou dito de alarve (5); tolice. *P. ext.* **2.** Dito ou ato obsceno.

alarvado [De *alarve* + *-ado*^{1}.] ***Adj.*** Que tem modos e/ou aspecto de alarve (5 e 6).

alarvajado ***Adj.*** V. *alarvejado*.

alarvajar ***V. t. d. Int.*** V. *alarvejar*.

alarvaria [De *alarve* + *-aria*.] ***S. f.*** **1.** Ação própria de alarve; brutalidade, rusticidade. **2.** Glutonaria.

alarve [Do ár. *al-ᶜarab*, 'os árabes'.] ***Adj. 2 g.*** **1.** *Ant.* Relativo aos árabes; arábico. **2.** Rústico, rude. **3.** Tolo, parvo, palerma. • ***S. 2 g.*** **4.** *Ant.* Beduíno (1). **5.** Pessoa alarve (2 e 3). **6.** Comilão, glutão. [Var.: *alárabe, alarave, alárave*.]

alarvejado [Part. de *alarvejar*.] ***Adj.*** Que é ou se tornou semelhante a alarve; bruto, embrutecido, alarve. [Var.: *alarvajado*.]

alarvejar [De *alarve* + *-ejar*.] ***V. t. d.*** **1.** Tornar semelhante a alarve (5); embrutecer. ***Int.*** **2.** Tornar-se semelhante a alarve (5) ou agir como este; embrutecer-se. [Var.: *alarvajar*.]

alarvia [De *alarve* + *-ia*^{1}.] ***S. f.*** Multidão de alarves.

alarvidade [De *alarve* + *-(i)dade*.] ***S. f.*** **1.** Caráter de alarve (5 e 6). **2.** Comportamento de alarve (5); grosseria.

alasquense ***Adj. 2 g. S. 2 g.*** V. *alasquiano*.

alasquiano ***Adj.*** **1.** Do, ou pertencente ou relativo ao Estado do Alasca (E.U.A.). • ***S. m.*** **2.** O natural ou habitante desse estado. [Sin. ger.: *alasquense*.]

alastradiço [De *alastrar* + *-(d)iço*^{1}.] ***Adj.*** Que (se) alastra facilmente.

alastrado ***S. m. Bras. N.E. Bot.*** V. *xiquexique* (1): "A cachorra Baleia saiu correndo entre os alastrados e quipás, farejando a novilha raposa." (Graciliano Ramos, *Vidas Secas*, p. 25.)

alastramento [De *alastrar* + *-mento*.] ***S. m.*** Ação ou efeito de alastrar(-se).

alastrante [De *alastrar* + *-nte*.] ***Adj. 2 g.*** Que se alastra.

alastrar [De *a-*^{2} + *lastro*^{1} + *-ar*^{2}.] ***V. t. d.*** **1.** Carregar, ou cobrir com lastro; lastrar. **2.** Cobrir, espalhando; cobrir, encher: "Devorador incêndio alastra os ares" (Gonçalves Dias, *Obras Poéticas*, II, p. 231). **3.** Propagar; difundir: *O vento alastrou a epidemia.* **4.** Derramar, estender: *As espigas maduras alastravam os seus pendões.* ***T. d. e i.*** **5.** Encher, cobrir. ***T. d. e c.*** **6.** Alastrar (2 e 3): *O vento alastrou o fogo pela floresta.* ***P.*** **7.** Estender-se, espalhar-se, alargar-se gradualmente: "De repente raiou uma pluma de fogo na escuridão. Cresceu, alastrou-se" (Rebelo da Silva, *Contos e Lendas*, p. 42). **8.** Ampliar-se, alargar-se. **9.** Lavrar, propagar-se, espraiar-se, grassar, lastrar: "começa a aparecer a vegetação do litoral, alastram-se pelas encostas vastíssimos bananais." (Júlio Ribeiro, *A Carne*, p. 132); "Um perfume agreste se alastra, / De ácido mel." (Cecília Meireles, *Obra Poética*, p. 225).

alastrim [De *alastrar*.] ***S. m.*** **1.** *Med.* Doença eruptiva epidêmica, produzida por vírus, contagiosa e que é uma forma atenuada da varíola. **2.** *Bras. Zool.* V. *sururu* (1).

alatinado [Part. de *alatinar*.] ***Adj.*** **1.** Que imita o latim na forma ou na construção; latinizado. **2.** De aspecto, caráter ou comportamento semelhante aos dos povos de origem latina: *Tinha um semblante alatinado.* **3.** Semelhante ao que é próprio dos povos de origem latina: *um ritmo alatinado, cadenciado.*

alatinamento [De *alatinar* + *-mento*.] ***S. m.*** Ato ou efeito de alatinar.

alatinar [De *a-*^{2} + *latino* + *-ar*^{2}.] ***V. t. d.*** **1.** Dar feição latina a (linguagem, etc.) na forma, na sintaxe, etc.: "Nutrido, desde tenra idade, com o *Leite dos Meninos*, e afeito às belezas de Virgílio, Horácio e Ovídio, alatinou o jovem More, à moda dos humanistas, o próprio nome, transmudando-o em Morus" (Ivã Lins, *Tomás Morus e a Utopia*, p. 4). **2.** Latinizar (1). ***P.*** **3.** Tomar feição latina.

alativo [Do lat. *allatus*, part. pass. supletivo do v. lat. *affere*, 'levar', + *-ivo*; fr. *allatif*.] *E. Ling.* ***Adj.*** **1.** Relativo a alativo (2). ~ V. *caso* —. • ***S. m.*** **2.** Caso alativo (q. v.).

alatoar [De *a-*^{2} + *latão* + *-ar*^{2}, com desnasalação.] ***V. t. d.*** Guarnecer com cintas ou incrustações de latão. [Conjug.: v. *coroar*.]

alauda [Do tax. *Alauda*.] ***S. f. Zool.*** **1.** O gênero-tipo dos alaudídeos. **2.** Qualquer espécie desse gênero como, por ex., a *Alauda arvensis* ou *cotovia-dos-campos*, tb. conhecida como *calandra* [v. *calandra*^{2} (2)]. **3.** Qualquer espécime desse gênero.

alaudado (a-u) [De *alaúde* + *-ado*^{1}.] ***Adj.*** Que lembra o alaúde, pela forma e/ou pelo som.

alaúde [Do ár. *al-ᶜawd*, 'madeira'; 'alaúde'.] ***S. m.*** **1.** *Mús.* Antigo instrumento de cordas dedilháveis, de origem oriental, com a caixa de ressonância sensivelmente abaulada, sem costilhas e em forma de meia pera, e com a pá do cravelhame inclinada, formando ângulo quase reto com o braço longo: "Ouvem-se, ao longe, os sons de um concerto gazil, / De cítola e doçaina, alaúde e arrabil..." (Martins Fontes, *Verão*, p. 73.) [Var. (p. us.): *laúde*.] **2.** *Ant. Marinh.* Escaler da nau. **3.** *Lus.* Pequena embarcação, us. no Algarve para a pesca.

alaudídeo [Do tax. *Alauda* + *-ídeo*^{1}; tax. *Alaudidae*.] *Zool.* ***S. m.*** **1.** Espécime dos alaudídeos, família de aves passeriformes, de coloração acastanhada e com a parte posterior do tarso arredondada e escuteliforme. São as cotovias. • ***Adj.*** **2.** Pertencente ou relativo a eles.

alaudista (a-u) [De *alaúde* + *-ista*.] ***S. 2 g.*** Pessoa que toca alaúde.

alaúza [De *a-*^{5} + *laúza*.] ***S. f. Bras. Gír.*** V. *laúza*.

alavanca [Do esp. *palanca* (< lat. vulg. **palanca* < lat. cláss. *palanga, phalanga* < gr. *phálanx, phálangos*), com infl. de *levantar, alevantar*, poss.] ***S. f.*** **1.** *Fís.* Máquina simples que consiste em um corpo rígido (geralmente linear) capaz de girar em volta de um ponto fixo (fulcro), e no qual se estabelece um equilíbrio de momentos pela ação de duas forças: a potência e a resistência. **2.** Barra de ferro ou de madeira, bem rígida, que se emprega para mover ou levantar objetos pesados. **3.** Peça que aciona engrenagem ou mecanismo. **4.** *Fig.* Meio de ação; expediente. **5.** *Bras.* Peça que, nos veículos de tração elétrica, corre sob os cabos condutores de energia para transmiti-la ao motor. ◆ **Alavanca de câmbio.** *Autom.* V. *câmbio*^{1} (4). **Alavanca de marcha.** *Autom.* V. *câmbio*^{1} (4). **Alavanca de mudanças.** *Autom.* V. *câmbio*^{1} (4). **Alavanca interfixa.** *Fís.* Aquela em que o fulcro está entre a potência e a resistência. Ex.: a tesoura. **Alavanca interpotente.** *Fís.* Aquela em que a potência está entre a resistência e o fulcro. Ex.: a pinça. **Alavanca inter-resistente.** *Fís.* Aquela em que a resistência está entre a potência e o fulcro. Ex.: o quebra-nozes.

alavancado [Part. de *alavancar*.] ***Adj.*** *Econ.* Diz-se de empresa que usa recursos de empréstimo (em distinção a capital próprio) no financiamento de suas operações: *A Empresa X está altamente alavancada.*

alavancagem [De *alavancar* + *-agem*^{2}.] ***S. f.*** **1.** Ato ou efeito de alavancar. **2.** *Econ.* Utilização, por uma empresa, de recursos de terceiros (empréstimos bancários, debêntures, etc.), em adição a seus próprios recursos (o capital social da empresa). **3.** *Econ.* Proporção dos recursos de terceiros nos recursos totais (capital social mais recursos de terceiros) de uma empresa.

alavancar [De *alavanca* + *-ar*^{2}.] ***V. t. d.*** **1.** Mover ou levantar (algo) com o auxílio de alavanca. **2.** *Fig.* Elevar a uma posição de destaque: *Foi a televisão que a alavancou definitivamente.* **3.** *Fig.* Promover, estimular (um negócio, etc.): *Para alavancar suas exportações, a empresa ampliou os prazos de pagamento.* **4.** *Fig.* Custear, financiar: *O projeto foi alavancado com recursos externos.*

alavanco [Do esp. *alavanco, lavanco*, 'pato selvagem', alter. do esp. ant. 'lugar paludoso'.] ***S. m. Zool. Pop.*** V. *adem*.

alavão ***Adj. S. m.*** V. *alabão*.

alavercar ***V. t. d.*** **1.** Curvar, encolher; rebaixar, humilhar. ***Int.*** **2.** Agachar-se, humilhar-se. ***P.*** **3.** Curvar-se humildemente, humilhar-se. [Conjug.: v. *trancar*.]

alazão [Do ár. *al-ḥiṣān*, 'cavalo de raça', 'garanhão'.] ***Adj. S. m.*** Diz-se de, ou cavalo que tem a pelagem cor de canela, amarelo-avermelhada: "Estrada .... castigada pelos cascos de zainos e alazães." (Chico Anísio, *Teje Preso*, p. 12.) [Var. aferética: *lazão*. Fem.: *alazã*; pl. *alazães* e *alazões*.]

alazarado [De *a-*^{2} + *lázaro* + *-ado*^{1}.] ***Adj.*** Semelhante a um lázaro; chaguento.

alazeirado [De *a-*^{2} + *lazeira* + *-ado*^{1}.] ***Adj.*** Que tem lazeira.

alba^{1} [Do lat. *alba*.] ***S. f.*** V. *alva*^{1}.

alba^{2} [Do provenç. *auba*.] ***S. f.*** Antiga composição poética trovadoresca em que se cantavam cenas ocorridas ao romper da aurora. [Var.: *alva*.]

albacar [Do ár. *al-baqar*, 'bovino'.] ***S. m.*** **1.** Manada de bovinos. **2.** Estábulo. **3.** Nas antigas construções e fortalezas árabes, porta ou passagem para o gado. [Var.: *albácar, albacara*^{2}.]

albácar ***S. m.*** V. *albacar*.

albacara^{1} [Do ár. *al-bakara(t)*.] ***S. f.*** **1.** Rolete (1). **2.** Garrucha (1). **3.** Polia^{1}. **4.** Roldana.

albacara^{2} [Var. de *albacar*, poss.] ***S. f.*** **1.** V. *albacar*. **2.** *Ant.* Torre fortificada.

albacora^{1} [Do ár. *al-bākūra(t)*.] ***S. f.*** Figo temporão. [Var.: *albacoria, alvacora*.]

albacora^{2} ***S. f. Zool.*** Atum (1). [Var.: *albacória, alvacora*.]

albacoria ***S. f.*** V. *albacora*^{1}.

albacória ***S. f. Zool.*** V. *albacora*^{2}.

albacorinha [Dim. de *albacora*^{2}.] ***S. f. Bras. Zool.*** V. *atum* (1).

albafar [Do ár. *al-baḫūr*, 'incenso'.] ***S. m.*** **1.** Antigo perfume extraído da raiz da junça. **2.** Incenso. [Var.: *abafar*^{1}, *albafor, bafor*.]

albafor ***S. m.*** V. *albafar*.

albaida ***S. f.*** V. *alvaiade*.

albanês ***Adj.*** **1.** Da, ou pertencente ou relativo à Albânia (Europa). • ***S. m.*** **2.** O natural ou habitante da Albânia. **3.** *Gloss.* Língua indo-europeia falada na Albânia, de filiação desconhecida. [Sin. ger.: *albano*. Flex.: *albanesa* (ê), *albaneses* (ê), *albanesas* (ê).]

albano^{1} ***Adj. S. m.*** V. *albanês*.

albano^{2} ***Adj.*** **1.** De, ou pertencente ou relativo a Alba Longa (Itália). • ***S. m.*** **2.** O natural ou habitante dessa cidade.

albará [De or. obsc.] ***S. f. Bot.*** V. *coquilho* (1). [Var.: *albarã*.]

albarã [Var. de *albará*.] ***S. f. Bot.*** V. *coquilho* (1).

albarca ***S. f. Lus.*** V. *alpercata*.

albarda [Do ár. *al-bardaᶜa(t)*.] ***S. f.*** **1.** Sela grosseira, enchumaçada de palha, para bestas de carga. **2.** *Pop.* Jaqueta ou casaco malfeito. **3.** *Fig.* Humilhação, vexame.

albardada [De *albardar* + *-ada*^{1}.] ***S. f.*** Iguaria coberta com ovos, e frita: *albardada de bacalhau.*

albardado^{1} [Part. de *albardar*.] ***Adj.*** Aparelhado com albarda.

albardado^{2} [De *albarda* + *-ado*^{1}.] ***Adj.*** Diz-se do touro que, sem ser malhado nem sardo, apresenta no lombo mancha de cor diferente da do resto do pelo.

albardão [De *albarda* + *-ão*^{1}.] ***S. m.*** **1.** Albarda grande. **2.** Sela com o feitio da albarda, mas forrada de carneira, com bordas, e própria para cavalaria. **3.** *Bras.* Pequena coxilha. **4.** *Bras.* Cadeia de coxilhas alternadas de baixadas, ao longo de cursos de água: "a estância era na costa de dois rios; e tem muitos albardões com mato, que eram a querência da gadaria xucra." (Simões Lopes Neto, *Contos Gauchescos e Lendas do Sul*, p. 232). **5.** *Bras.* Terreno elevado, à beira de rios ou lagunas. **6.** *Bras.* Dique marginal. [Pl.: *albardões*.]

albardar^{1} [De *albarda* + *-ar*^{2}.] ***V. t. d.*** **1.** Pôr albarda ou albardão em. **2.** Cobrir (fatias, postas de peixe, bifes, etc.) com ovos, para frituras. 3. *Burl.* Vestir mal. 4. *P. ext. Pop.* Fazer mal e às pressas (qualquer coisa). 5. *Fig.* Oprimir, dominar. 6. *Burl.* Vestir-se mal.

albardar[2] [Alter. de *aldrabar*[1], poss.] *V. t. d.* Trancar, aferrolhar; aldravar[1].

albardar[3] [Do ár. *al-bardān*, 'louco', 'estúpido', 'descarado', poss., + *-ar*[2]; v. tb. *albradão*[2] e *aldravar*[2].] *V. t. d.* Enganar, burlar, lograr, intrujar.

albardaria [De *albarda* + *-aria.*] *S. f.* 1. Grande quantidade de albardas. 2. Lugar onde se fazem ou vendem albardas.

albardeira [F. subst. de *albardeiro.*] *S. f.* Agulha grande, us. para coser albardas.

albardeiro [De *albarda* + *-eiro*, poss. com infl. de *albardar*[1] em algumas acepçs.] *Adj.* 1. Relativo a albarda ou albardão, esp. à fabricação de albardas ou ao ofício de fabricá-las: *agulha albardeira.* 2. Diz-se de indivíduo que trabalha mal, sem cuidado ou sem habilidade. 3. *P. ext.* Diz-se de indivíduo trapalhão; abaldeirado, abaldeiro. 4. *P. ext.* Mentiroso, enganador. • *S. m.* 5. Aquele que faz ou vende albardas e albardões. 6. *Deprec.* Indivíduo que trabalha mal. 7. *Deprec.* V. *aldrabão*[2].

albardilha [De *albarda* + *-ilha.*] *S. f.* 1. Pequena albarda. 2. Armadilha para apanhar falcões.

albarrã [Do ár. *al-barrān*, 'aquilo que é exterior, ou que é do campo'.] *S. f.* 1. Torre saliente em castelos ou erguida de distância em distância, ao longo das muralhas, ger. para proteger os campos. 2. Cebola silvestre (*Urginea scilla*). [Tb. se diz *cebola albarrã* (v. *albarrão*).] [Var.: *alvarrã.*]

albarrada [Do ár. *al-barrāda(t).*] *S. f.* 1. Recipiente para líquido. 2. Vaso de barro em que se conserva a água fresca. [Var.: *abarrada.*]

albarrão [Do ár. *al-barrān*, 'aquilo que é exterior, ou que é do campo'.] *Adj.* 1. Que está voltado para o campo. 2. Diz-se da torre (integrada à fortificação, ou isolada) que protege os campos. 3. Diz-se de um tipo de cebola silvestre. [Var.: *alvarrão.* Cf., para as acepçs. 2 e 3, *albarrã* (s.f.).]

albarraz *S. f. Bot.* V. *paparraz.*

albatoça *S. f.* Albetoça (q. v.).

albatroz [Do ingl. *albatross*, pelo fr. *albatros.*] *S. m.* 1. *Zool.* Ave procelariiforme, diomedeídea (*Thalassarche melanophris*), do Atlântico e Pacífico meridionais, de coloração branca, asas e cauda pardacento-escuras, pés e bico amarelos, com área negra sobre os olhos. É ave oceânica, só vindo à terra para nidificar; frequenta a costa do Brasil, onde excepcionalmente aparece além de 20º paralelo sul; alimenta-se de peixes. 2. *Zool.* Designação comum às aves procelariiformes do gênero *Thalassarche*, oceânicas. [Sin., nessas acepçs.: *gaivotão.*] 3. *Zool.* Designação comum às aves procelariiformes do gênero *Diomedea.* [Sin., impr. (nesta acepç.): *gaivotão.*] 4. *Esport.* No golfe, jogada em que se atinge o buraco com três tacadas a menos que o par (21).

albatroz-real *S. m. Bras. Zool.* Ave procelariiforme, diomedeídea (*Diomedea epomophora*), branca com as pontas das asas pretas e pés cor de salmão, que ocorre do Cabo Horn ao S. do Brasil. [Pl.: *albatrozes-reais.*]

albedo (ê) [Do lat. *albedo.*] *S. m.* 1. *Ópt.* Poder difusor de uma superfície; fração da luz incidente que é difundida pela superfície. 2. *Astr. Restr.* Relação entre a luz refletida pela superfície de um planeta ou um satélite e a luz que aquele ou este recebe do Sol. 3. *Alq.* O segundo dos quatro estágios para atingir a pedra filosofal (q. v.), correspondente ao branco, quando ocorre a purificação da matéria que está a sofrer transmutação; leucose.

albente [Do lat. *albente.*] *Adj. 2 g.* V. *alvejante* (2): "Os seus corcéis anões que o espaço embriaga, / Com a cabeça de cervo e cor albente, / Como um bando de cisnes que divaga, / Os ares atravessam bruscamente." (Alphonsus de Guimaraens, *Obra Completa*, p. 182.)

alberca *S. f.* Alverca (q. v.).

albergado [Part. de *albergar.*] *Adj.* 1. Hospedado, alojado, abrigado. 2. Recolhido por caridade; asilado. 3. *Bras.* Diz-se do detento que desfruta das prerrogativas concedidas pelo sistema de prisão-albergue. • *S. m.* 4. *Bras.* Detento albergado (3).

albergador (ô) [De *albergar* + *-dor.*] *Adj. S. m.* Que, ou aquele que alberga.

albergamento [De *albergar* + *-mento.*] *S. m.* Ato ou efeito de albergar(-se); albergaria.

albergar [De *albergue* + *-ar*[2].] *V. t. d.* 1. Dar albergue a; receber, hospedar, agasalhar. 2. Recolher em albergue; asilar. 3. Conter, encerrar, abrigar: *Aquele peito alberga um coração generoso. T. d. e c.* 4. Abrigar, guardar. *T. c.* 5. V. *albergar* (6). *P.* 6. Tomar albergue ou pousada; hospedar-se, alojar-se, agasalhar-se, albergar. 7. Recolher-se em albergue ou asilo. [Conjug.: v. *largar.*]

albergaria [De *albergue* + *-aria.*] *S. f.* 1. Albergamento. 2. V. *albergue* (2). 3. V. *hospedaria.* 4. Pousada ou estalagem onde eram recolhidos peregrinos e viajantes, principalmente os pobres. 5. Contrato de hospedagem.

alberge [Do cat. ou do fr. *alberge*; ver *alperce.*] *S. m. Bot.* V. *damasco* (2).

albergue [Do gót. **haribairgo.*] *S. m.* 1. V. *hospedaria.* 2. Lugar em que se recolhe alguém por caridade; hospício, abrigo, asilo, albergaria. 3. Refúgio, abrigo, resguardo. [Var.: *alvergue.*] ◆ **Albergue noturno.** Asilo onde se recolhem de noite os mendigos.

albergueiro [De *albergar* + *-eiro.*] *S. m.* Aquele que alberga; hospedeiro: "Voemos agora ao almoço do albergueiro, que lá nos espera com a tradicional galinha com arroz" (Afonso Arinos, *Histórias e Paisagens*, p. 215).

albernó *S. m.* V. *albornoz.*

albernoz *S. m.* V. *albornoz.*

albertinense *Adj. 2 g.* 1. De, ou pertencente ou relativo a Albertina (MG). • *S. 2 g.* 2. O natural ou habitante de Albertina.

albertinismo *S. m. Filos.* Albertismo.

albertinista *Adj. 2 g. Filos.* Albertista.

albertismo *S. m. Filos.* Doutrina de Santo Alberto, o Grande (c. 1200-1280 d.C.), teólogo e filósofo bávaro a quem, em grande parte, se deve a divulgação da obra de Aristóteles (v. *aristotelismo*), no Ocidente; albertinismo.

albertista *Adj. 2 g. Filos.* Relativo ao, ou próprio do albertismo; albertinista.

albertogalvano [Do antr. (*Eugen*) *Albert* (1856-1929), inventor alemão, + *galvano.*] *S. m. Tip.* Galvano obtido com matriz de chumbo e usado, por sua durabilidade, nas grandes tiragens ou em certas impressões em cores.

albescente [Do lat. *albescente.*] *Adj. 2 g.* V. *alvacento.*

albetoça [Var. de *albatoça*, do ár. *al-baṭāš* ou *al-baṭāsa(t).*] *S. f. Ant.* Embarcação de vela e remo, usada por portugueses e mouros, no Mediterrâneo e no Ocidente, para se guerrearem.

▲ **alb(i)-** [Do lat. *albus, a, um.*] *El. comp.* = 'branco': *albicaule, albificar, albifloro.* [Equiv.: *albo-*: *albocinéreo.*]

albicante [Do lat. *albicante.*] *Adj. 2 g.* 1. V. *alvacento.* • *S. f.* 2. *Zool.* Anêmona-do-mar de tentáculos esbranquiçados.

albicastrense [De *alb(i)-* + lat. *castrum*, 'fortaleza', 'castelo', + *-ense.*] *Adj. 2 g.* 1. De, ou pertencente ou relativo a Castelo Branco (Portugal). • *S. 2 g.* 2. O natural ou habitante de Castelo Branco.

albicaudado [De *alb(i)-* + *-caud(i)-* + *-ado*[1].] *Adj. Zool.* Albicaude.

albicaude [De *alb(i)-* + *-caude.*] *Adj. 2 g. Zool.* De cauda branca; albicaudado. [Antôn.: *atricaude.*]

albicaule [De *alb(i)-* + *-caule.*] *Adj. 2 g. Bot.* De caule esbranquiçado ou branco.

albicole [De *alb(i)-* + *-cole.*] *Adj. 2 g. Zool.* Que tem colo branco.

álbido [Do lat. *albidu.*] *Adj.* Esbranquiçado, brancacento, alvacento.

albiduria [De *álbido* + *-uria.*] *S. f. Med.* V. *albidúria.*

albidúria [De *álbido* + *-úria.*] *S. f. Med.* Eliminação de urina esbranquiçada ou pálida; albinúria, albinuria. [F. paral.: *albiduria.*]

albificação [De *albificar* + *-ção.*] *S. f.* Ação de albificar.

albificar [De *alb(i)-* + *-ficar.*] *V. t. d.* Tornar alvo ou branco; alvejar, branquear. [Conjug.: v. *trancar.*]

albiflor (ô) *Adj. 2 g. Bot.* V. *albifloro.*

albifloro [De *alb(i)-* + *-floro.*] *Adj. Bot.* Que tem flores alvas; albiflor.

albigense[1] [Do lat. *albigense.*] *S. 2 g. Rel.* 1. Indivíduo dos albigenses, membros de uma facção da seita dos cátaros, que professavam doutrina maniqueísta, pregavam a austeridade e a não violência, tendo surgido no S. da França no séc. XI, e sido exterminados no séc. XIII. • *Adj. 2 g.* 2. Pertencente ou relativo aos albigenses. [Sin. ger.: *cátaro.*]

albigense[2] [Do top. *Albi.*] *Adj. 2 g.* 1. De, ou pertencente ou relativo a Albi (França). • *S. 2 g.* 2. O natural ou habitante de Albi.

albina [De *alb(i)-* + *-ina*[3].] *S. f. Bot.* Planta turnerácea (*Turnera ulmifolia*) lenhosa, de flores amarelas e frutos capsulares, com propriedades medicinais; chanana.

albinervado [De *alb(i)-* + *-nerv(i)-* + *-ado*[1].] *Adj. Bot.* Albinerve.

albinerve [De *alb(i)-* + *-nerve.*] *Adj. 2 g. Bot.* Que tem nervuras brancas; albinervado.

albinia [De *albino* + *-ia*[1].] *S. f. Med. Bot.* V. *albinismo.*

albinismo [De *albino* + *-ismo.*] *S. m.* 1. *Med.* Anomalia congênita, caracterizada pela ausência total ou parcial do pigmento da pele, dos pelos, da íris e da coroide. 2. *Bot.* Anomalia congênita das plantas, consistente na diminuição ou ausência total da clorofila. O albinismo parcial produz manchas alvas em fundo verde, e corresponde à chamada *variegação.* Neste caso, o vegetal torna-se ornamental graças à beleza que adquire. [Sin. ger.: *albinia.*]

albino [De *alb(i)-* + *-ino*[1].] *Adj.* 1. Que tem albinismo; saruê. • *S. m.* 2. Indivíduo albino; barata-descascada, olho de fogo, taturana. [Sin. ger.: *aça* ou *aço, gazo, grauçá, sarará, sarassará.*]

albinuria [De *alb(i)-* + *-n-* + *-uria.*] *S. f. Med.* V. *albidúria.*

albinúria [De *alb(i)-* + *-n-* + *-úria.*] *S. f. Med.* V. *albidúria.* [F. paral.: *albinuria.*]

albirrosado [De *alb(i)-* + *rosado.*] *Adj.* V. *alvirrosado*: "Eis que alfim lá surge, gracilmente esbelta, / .... em domo, fresca boca em delta, / Orelhas em concha, busto albirrosado, / Dona Briolanja com seu noivo ao lado." (Eugênio de Castro, *Obras Poéticas*, I, p. 116.)

albirrostro [De *alb(i)-* + *-rostro.*] *Adj. Zool.* Que tem o bico ou o focinho branco.

albisteiado [De *alb(i)-* + lat. *stella*, 'estrela', + *-ado*[1].] *Adj.* Diz-se do boi cujo pelo tem manchas brancas.

albita [De *alb(i)-* + *-ita*[3].] *S. f. Min.* Mineral triclínico do grupo dos feldspatos (plagioclásio), silicato de alumínio e sódio.

albitana *S. f.* V. *alvitana.*

albitânea *S. f.* V. *alvitana.*

albitano *S. m.* V. *alvitana.*

albitona *S. f.* V. *alvitana.*

albízia [Do tax. *Albizia*, do antr. (*Filippo degli*) *Albizzi* (-1749), naturalista italiano, + lat. cient. *-ia.*] *S. f. Bot.* 1. Grande gênero de mimosáceas originárias de regiões quentes do Velho Mundo, dotadas de folhas bipenadas, flores em racemos solitários ou paniculados, e frutos que são vagens achatadas. 2. Qualquer espécie desse gênero, como, p. ex., a *Albizia lebeck* (v. *coração-de-negro* [1]). 3. Qualquer espécime desse gênero.

▲ **albo-** Equiv. de *alb(i)-.*

albocinéreo [De *albo-* + *cinéreo.*] *Adj. Anat.* Diz-se do órgão nervoso com substância branca e cinzenta.

albodeca *S. f.* V. *albudeca.*

albogue *S. m. Mús.* V. *alboque.*

➔ **albo notanda lapillo** ['albo no'tanda la'pillo] [Lat., '(dia) que deve ser marcado com pedra branca'.] Dia feliz, ditoso.

alboque [Do ár. *al-būq*, 'trombeta', 'clarim', 'corneta'.] *S. m. Mús.* 1. Certa espécie de doçaina. 2. Antigo instrumento pastoril, de sopro e palhetas, ainda em uso na Biscaia. 3. Cada um dos pratinhos de latão usados no acompanhamento de canções e danças populares. [Var.: *albogue.*]

albor (ô) [Do lat. *albore.*] *S. m.* V. *alvor*: "Ao empalidecer a luz das velas com os primeiros albores do dia, foi que deram acordo de si." (Júlio Ribeiro, *A Carne*, p. 77.)

alborcar [De *alborque* + *-ar*[2].] *V. t. d. e i.* Dar ou receber por alborque; permutar, trocar. [Conjug.: v. *trancar.*]

albornoz (ó) [Do ár. *al-burnus*, 'abrigo'; siríaco *bornós.*] *S. m.* Grande manto de lã com capuz, muito usado entre os árabes; burnu, burnus: "Um largo albornoz de lã grossa, em riscas pardas, orlado de franjas azuis, cobria-o até os pés" (Eça de Queirós, *A Relíquia*, p. 230). [Var.: *albernó, albernoz, burnu, burnus.*]

alboroque [Do ár. *al-burūk*, 'comida'; 'café oferecido aos amigos após o sucesso de um negócio; coisa ofertada, presente'.] *S. m.* 1. Refeição que se oferece quando se firma um contrato. 2. Troca, permuta. 3. Ganho ou lucro com comércio pequeno. 4. Negócio escuso. [Var.: *alborque, alvaroque.*]

alborotar [Var. de *alvorotar.*] *V. t. d. P.* V. *alvoroçar*: "A taba se alborota, os golpes descem, /Gritos, imprecações profundas soam" (Gonçalves Dias, *Obras Poéticas*, II, p. 33).

alborque *S. m.* V. *alboroque.*

albricoque [Do ár. *al-burqūq*, 'ameixa', 'damasco', < gr. *praikókion.*] *S. m. Bot.* 1. V. *abricó* (1). 2. V. *damasco* (1).

albricoqueiro [De *albricoque* + *-eiro.*] *S. m. Bot.* V. *abricoteiro* (1).

albudeca [Do ár. *al-baṭīḫa(t).*] *S. f.* Melão. [Var.: *albodeca, almodeca, bateca, batega.*]

albufeira [Do ár. *al-buḥayra(t)*, 'pequeno mar'; 'lagoa'.] *S. f. Lus.* 1. Laguna (1). 2. Água ruça que escorre das azeitonas antes da preparação do azeite.

albugem [Do lat. *albugine.*] *S. f.* 1. Belida. 2. Mancha branca que se forma nas unhas. V. *leuconiquia.* [Sin., nessas acepçs.: *albugo.*] 3. *Bot.* Doença das plantas, causada por fungos albugináceos e caracterizada pela emissão de pequenas pústulas esbranquiçadas e salientes. As partes atacadas não raro acusam atrofia e várias deformações.

albugináceas [Do lat. cient. *Albugin-* (do tax. *Albugo*) + *-ácea*; tax. *Albuginaceae.*] *S. f. Micol.* Espécime das albugináceas, família de fungos parasitos do grupo dos ficomicetos, causadores da albugem (3).

albugináceo [De *albugínacea*, com var. suf. (v. *-áceo*).] *Adj. Micol.* Pertencente ou relativo às albugináceas.

albuginado [Do lat. *albugine*, 'albugem', + *-ado*[1].] ***Adj.*** V. *albugíneo*.

albugínea [Do lat. cient. (*tunica*) *albuginea*.] ***S. f. Anat.*** Designação comum a diversas túnicas fibrosas do organismo: *albugínea ocular (a esclera); albugínea do testículo*.

albugíneo [De *albugínea*, com var. suf. (v. *-eo*).] ***Adj.*** Relativo à albugínea; albuginado, albuginoso.

albuginoso (ô) [Do lat. *albuginosu*.] ***Adj.*** V. *albugíneo*.

albugo[1] [Do lat. *albugo* (nom).] ***S. m.*** V. *albugem* (1 e 2).

albugo[2] [Do tax *Albugo* (do lat. *albugo, inis*).] ***S. m. Micol.*** **1.** O gênero-tipo das albugináceas, com muitas espécies patogênicas para plantas. **2.** Qualquer espécie, ou espécime desse gênero.

álbula [Do tax. *Albula* (< lat. *albula*, fem. do lat. *albulus*, dim. de *albus*, 'branco'.] ***S. f. Zool.*** **1.** Gênero de peixes marinhos prateados vastamente distribuídos pelos mares quentes e que inclui, poss., uma única espécie, a *Albula vulpes*, cuja carne é muito apreciada. **2.** Qualquer espécime desse gênero.

albulídeo [Do tax. *Albula* (do fem. do lat. *albulus*, 'nome genérico de peixes com reflexos prateados'), + *-ídeo*[1]; tax. *Albulidae*.] *Zool.* ***S. m.*** **1.** Espécime dos albulídeos, família de peixes actinopterígios, elopiformes, marinhos, tropicais, de corpo alongado e cabeça sem escamas; medem até 1m de comprimento. ● ***Adj.*** **2.** Pertencente ou relativo a eles.

albuliforme [Adapt. do tax. *Albuliformes*.] *Zool.* ***S. m.*** **1.** Espécime dos albuliformes, ordem de peixes elopomorfos. ● ***Adj. 2 g.*** **2.** Pertencente ou relativo a eles.

álbum [Do lat. *album*, pelo al. *Album* e pelo fr. *album*.] ***S. m.*** **1.** Tabuleta ou painel pintado de branco, no qual os romanos transcreviam, para afixar em público, éditos dos pretores, listas de juízes, etc. **2.** Livro, não raro carcelado, de folhas de cartolina, de papel forte, ou de material sintético, próprio para colagem de figurinhas, recortes, etc., ou para guardar fotografias, coleção de selos, discos, gravuras, etc. **3.** Livro em branco, mais ou menos luxuoso, destinado a receber autógrafos, versos, pensamentos, desenhos, etc. **4.** Volume de estampas, desenhos, etc., que se publica autonomamente, com texto breve e legendas. [Pl.: *álbuns*.] ◆ **Álbum seriado.** Recurso didático us. em salas de aulas, palestras, etc., constituído de folhas de papel presas pela parte superior a um cavalete.

albume [Do lat. *albume*.] ***S. m.*** **1.** Clara de ovo. **2.** *Bot.* Tecido nutritivo rico em substâncias alimentares, que envolve o embrião em muitas plantas, como na polpa do coco-da-baía, na parte comestível do grão de milho, etc.; endosperma. [F. paral: *albúmen*.]

albúmen ***S. m.*** V. *albume*. [Pl.: *albumens* e (p. us. no Brasil) *albúmenes*.]

albumina [Do lat. *albumen*, 'albume', + *-ina*[3]; fr. *albumine*.] ***S. f. Quím.*** Qualquer membro de uma classe de proteínas solúveis em água e coaguláveis por aquecimento.

albuminado [De *albumina* + *-ado*[1].] ***Adj.*** Que tem albumina.

albuminemia [De *albumina* + *-emia*.] ***S. f. Med.*** Teor de albumina no sangue.

albuminífero [De *albumina* + *-ífero*.] ***Adj.*** Que contém albumina.

albuminiforme [De *albumina* + *-iforme*.] ***Adj. 2 g.*** Semelhante à albumina.

albuminoide (ói) [De *albumina* + *-oide*.] ***Adj. 2 g.*** Da natureza da albumina. ❖

albuminoso (ô) [De *albumina* + *-oso*.] ***Adj.*** **1.** Que contém albumina. **2.** Que tem os caracteres, as propriedades da albumina. **3.** *Bot.* Dotado de albume ou endosperma: *semente albuminosa*. [Cf. *exalbuminoso*.]

albuminuria [De *albumina* + *-uria*.] ***S. f. Patol.*** V. *albuminúria*.

albuminúria [De *albumina* + *-úria*.] ***S. f. Patol.*** Presença de albumina na urina. [F. paral.: *albuminuria*.]

albuminúrico [De *albuminúria* + *-ico*[2].] ***Adj.*** **1.** Relativo à, ou que tem albuminúria. ● ***S. m.*** **2.** Aquele que a tem.

alburno [Do lat. *alburnu*.] ***S. m. Bot.*** Parte periférica e mais nova da madeira do tronco das árvores, de cor clara, onde as células vivas realizam a condução da água, de baixo para cima; borne.

▲ **alc-** [Do al. *Alkyl* < al. *Alk(ohol)*, 'álcool', + al. *-yl*, '*-ila*[2]'.] *Quím. El. comp.* = 'alquila': *alcano*.

■ **Alca** Sigla de *Área de Livre Comércio das Américas*.

alça[1] [Dev. de *alçar*[1].] ***S. f.*** **1.** Asa ou argola que se usa para levantar, puxar ou prender alguma coisa. **2.** Pedaço de viés, fita ou fio ao qual se dá forma curva e se prende em tecido ou outro material e serve de casa para botão, etc. **3.** Tira de tecido com que se seguram nos ombros certas peças do vestuário: *alça de maiô; alças de jardineira*. **4.** Pedaço de sola que os sapateiros ajustam às fôrmas para torná-las mais altas. **5.** Parte do aparelho de pontaria (pequena régua graduada) pela qual se dá à arma a inclinação conveniente a atingir o alvo; alça de mira. **6.** *Anat.* Parte de um órgão que descreve um arco: *alça intestinal*. **7.** *Mat.* Laço (5). **8.** *Marinh.* Estropo feito de cabo. **9.** *Tip.* Recorte de papel que se cola na folha de aviamento ou debaixo da fôrma ou do clichê (1), para corrigir a impressão nas partes que saem fracas; calço. **10.** *Ant.* Gratificação, luvas. ◆ **Alça de grifo.** *Tip.* Lingueta fixa à mesa da morsa da linotipo, e que serve para fazer sentar o primeiro elevador na posição de grifo; borboleta. **Alça de mira.** Alça[1] (5): "A lazarina apoiada ao ombro, a pontaria serena se equilibrando do olhar atilado à alça de mira." (Newton Navarro, *ap.* Nei Leandro de Castro, *Contistas Norte-Rio-Grandenses*, p. 72.) **Alça sigmoide.** *Anat.* A parte terminal do colo[2]. **Estar na alça de mira de.** *Bras. Pop.* Estar sob a observação de.

alça[2] [Dev. de *alçar*[1].] ***Interj.*** Usada para mandar levantar ou içar.

alçação [De *alçar*[1] + *-ção*.] ***S. f. Art. Gráf. Tip.*** Operação de alçar[1] (5 e 6); alceação.

alcáçar ***S. m.*** V. *alcácer*. [Pl.: *alcáçares*.]

alcaçaria [Do ár. *al-qaiṣarya(t)*, 'local de concentração de lojas', do lat. *Caesar* (v. *césar*), referência à construção de centros comerciais como característica urbanística da administração romana no Oriente Médio.] ***S. f.*** **1.** Lugar onde era permitido aos judeus e mouros negociar. **2.** Edifício destinado a alojamento de mercadores em trânsito, que dispunha de depósitos para mercadorias. **3.** O mercado principal de uma cidade. **4.** Arruamento de lojas. **5.** V. *curtume* (3). **6.** V. *alcácer* (2).

alcácer [Do ár. *al-qaṣr*.] ***S. m.*** **1.** Antiga fortaleza ou castelo fortificado. **2.** *P. ext.* Habitação suntuosa; castelo, palácio, alcaçaria. [Var.: *alcáçar*. Pl.: *alcáceres*.]

alcacereno ***Adj. S. m.*** V. *alcacerense*.

alcacerense ***Adj. 2 g.*** **1.** De, ou pertencente ou relativo a Alcácer (Portugal). ● ***S. 2 g.*** **2.** O natural ou habitante de Alcácer. [Sin. ger.: *alcacereno*.]

alcachinado [Part. de *alcachinar*.] ***Adj.*** *Pop.* Encolhido, curvado, corcovado: "deparo com um ginja alcachinado, que sem pudor ourina em cena" (Fialho d'Almeida, *Pasquinadas*, p. 99).

alcachinar [De or. obsc.] ***V. t. d. P.*** *Pop.* **1.** Curvar(-se), corcovar(-se): "E os filhos crescem, à medida que os pais se vão alcachinando de velhice." (Fialho d'Almeida, *O País das Uvas*, p. 179.) **2.** Encolher(-se); abaixar(-se). **3.** Abater(-se), acabrunhar(-se).

alcachofa ***S. f. Bot.*** V. *alcachofra*.

alcachofra (ô) [Do ár. *al-ḫaršūfa(t)*.] ***S. f. Bot.*** **1.** Planta hortense asterácea (*Cynara scolymus*), de que são comestíveis o receptáculo da inflorescência e a base das brácteas, riquíssimas em vitamina C. **2.** A inflorescência dessa planta. [Pl.: *alcachofras* (ô). Cf. *alcachofra* e *alcachofras*, do v. *alcachofrar*.] [Var.: *alcachofa*.]

alcachofrado[1] [De *alcachofra* + *-ado*[1].] ***Adj.*** Semelhante, por natureza, à alcachofra.

alcachofrado[2] [Part. de *alcachofrar*.] ***Adj.*** **1.** Tornado semelhante à alcachofra. ● ***S. m.*** **2.** Bordado em forma de alcachofra.

alcachofra-dos-telhados (ô) [De *alcachofra* + o pl. de *do*[1] + o pl. de *telhado*.] ***S. f. Bot.*** Planta crassulácea (*Sempervivum tectorum*) de folhas carnosas, aveludadas, ricas em albumina vegetal, flores róseas e fruto folicular. [Pl.: *alcachofras-dos-telhados*.]

alcachofral [De *alcachofra* + *-al*[1].] ***S. m.*** Quantidade mais ou menos considerável de pés de alcachofra dispostos proximamente entre si.

alcachofrar [De *alcachofra* + *-ar*[2].] ***V. t. d.*** **1.** Tornar semelhante à alcachofra. **2.** Tornar crespo ou áspero. **3.** Fazer bordados crespos em. [Pres. ind.: *alcachofro, alcachofras, alcachofra*, etc. Cf. *alcachofra* (ô) e pl. *alcachofras* (ô).]

alcáçova [Do ár. *al-qaṣba(t)*, 'poço'; 'burgo', 'cidade principal'; 'presídio'.] ***S. f.*** **1.** Castelo fortificado, ou fortaleza; casbá: "A cerca continuava por estas bandas ....., direita à muralha da alcáçova, assim ficado rematada a cintura da cidade" (José Saramago, *História do Cerco de Lisboa*, p. 74). **2.** Castelo antigo. **3.** *Ant. Constr. Nav.* Nas naus e nos galeões, pavimento coberto que se erguia sobre a tolda (q. v.), mais recuado do que esta. [Var.: *casbá* (q. v.).]

alcaçuz [Do ár. *al-ʿarq sūs*, 'a raiz do alcaçuz', com metonímia.] ***S. m. Bot.*** **1.** Arbusto fabáceo (*Glycyrrhiza glabra*) cuja raiz, doce, é medicinal. **2.** Subarbusto fabáceo (*Periandra mediterranea*) do cerrado, cuja raiz, adocicada, o povo considera medicinal.

alcaçuz-bravo ***S. m. Bot.*** V. *boi-gordo*. [Pl.: *alcaçuzes-bravos*.]

alcaçuz-da-américa ***S. m. Bot.*** V. *jequiriti*. [Pl.: *alcaçuzes-da-américa*.]

alcaçuz-da-terra ***S. m. Bras. Bot.*** Arbusto fabáceo (*Periandra mediterranea*), cuja raiz é tida como medicinal. [Sin.: *raiz-doce*. Pl.: *alcaçuzes-da-terra*.]

alçada [De *alçar* + *-ada*[1].] ***S. f.*** **1.** *Ant.* Tribunal coletivo e ambulante que, visitando os povos, lhes administrava justiça. **2.** *Jur.* Limite máximo de valor dentro do qual um órgão judicial pode conhecer da causa, ou pode julgá-la sem recurso para outro órgão. **3.** *Jur.* Limite da competência de um juiz ou tribunal. **4.** Limite da ação, autoridade ou influência de alguém.

alcadafe [Do ár. *al-qudāf*, 'escudela', 'jarra', ou do ár. *al-qadaḥ*, 'cratera'; 'copo', 'vaso'; 'medida de capacidade'.] ***S. m.*** *Lus.* Vaso de barro ou de madeira sobre o qual o taberneiro mede o vinho e apara as verteduras. [Var.: *alcadefe*.]

alcadefe ***S. m.*** *Lus.* V. *alcadafe*.

alçado [Part. de *alçar*[1].] ***Adj.*** **1.** Erguido, levantado, alceado. **2.** *Art. Gráf. P. us.* V. *alceado* (2). **3.** *Bras. S.* Diz-se do gado que fugiu para o mato ou nele se extraviou, tornando-se bravio. **4.** *Bras. S.* Diz-se do animal que abandona a casa. ~ V. *cruz —a*. ● ***S. m.*** **5.** *Arquit.* Elevação (8). **6.** *Tip.* Casa do alçado (q. v.).

alçador (ô) [De *alçar*[1] + *-dor*.] ***S. m.*** **1.** O que alça ou alceia. [Sin., p. us.: *alceador*.] **2.** *Art. Gráf.* V. *alceador* (2).

alçadora (ô) [De *alçar*[1] + *-dora*.] ***S. f. Art. Gráf. P. us.*** V. *alceadora*.

alçadura [De *alçar*[1] + *-dura*.] ***S. f.*** **1.** V. *alçamento*[1] (1). **2.** *Art. Gráf.* V. *alceamento*[1] (2).

alcáfar [Do ár. *al-kafal*.] ***S. m.*** **1.** Lombo de animal, esp. de montaria. **2.** A garupa ou parte traseira do lombo. [Var.: *alcáfer*.]

alcáfer ***S. m.*** V. *alcáfar*.

alçagem [De *alçar*[1] + *-agem*[2].] ***S. f. Art. Gráf.*** V. *alceamento*[1] (2).

alcagueta (güê) [Fem de *alcaguete*.] ***S. f.*** **1.** V. *alcoviteira* (1 e 2). ● ***Adj. 2 g.*** **2.** *Bras. Pop.* V. *alcaguete* (3 e 4): "uma boa equipe de delatores é fundamental para a paz interna. O alcagueta é personagem tão velho quanto os presídios." (Dráuzio Varela, *Estação Carandiru*, pp.112-113). ❖

alcaguetagem (güe) [De *alcaguetar* + *-agem*[2].] ***S. f.*** *Bras. Gír.* Ato ou efeito de alcaguetar. [Var.: *caguetagem*; sin., bras., N.E.: *cabuetagem*.] ❖

alcaguetar (güe) ***V. t. d. T. d. e i.*** *Bras. Gír.* V. *delatar* (2, 4 e 5). [Var.: *caguetar*; sin., bras., N.E.: *cabuetar*. Pres. subj.: *alcaguete, alcaguetes*, etc. Cf. *alcaguete* (ê) e pl. *alcaguetes* (ê).] ❖

alcaguete (güê) [Do esp. *alcahuete*, do ár. *al-qawwād*.] ***S. m.*** **1.** V. *alcoviteiro* (1 e 2). **2.** *Bras. Gír.* Despertador (3). ● ***S. 2 g.*** **3.** *Bras. Gír.* Espião de polícia; dedo-duro, (lus.) bufo: "distingo pelo andar o alcaguete ou o maconheiro." (Lêdo Ivo, *A Morte do Brasil*, p. 11). **4.** *Bras. Gír.* Pessoa que delata outrem; dedo-duro, delator. [Var. aferética (nas acepçs. 2, 3 e 4): *caguete*. Sin., nas acepçs. 3 e 4: *cabueta*. Pl.: *alcaguetes* (ê). Cf. *alcaguete, alcaguetes*, do v. *alcaguetar*.] ❖

alcaico [Do gr. *alkaîkós*, pelo lat. *alcaicu*.] ***Adj.*** Pertencente ou relativo a Alceu (c. 620-c. 580 a.C.), poeta lírico grego, ou próprio dele: *estrofe alcaica*. ~ V. *verso —, verso grande —, verso pequeno —*. [Cf. *arcaico*.]

alcaidaria [De *alcaide* + *-aria*.] ***S. f.*** **1.** Dignidade ou funções de alcaide. **2.** Lugar onde o alcaide exerce sua jurisdição, ou onde trabalham os funcionários ou órgãos a ele ligados. **3.** Conjunto de funcionários subordinados ao alcaide. **4.** Tributo ou pensão pagos ao alcaide.

alcaidaria-mor ***S. f.*** Dignidade de alcaide-mor. [Pl.: *alcaidarias-mores*.]

alcaide [Do ár. *al-qā'id*, 'chefe', 'guia', 'prefeito'.] ***S. m.*** **1.** Antigo governador de castelo ou de província. **2.** Antigo oficial de justiça. **3.** Atual autoridade administrativa espanhola, cujas funções correspondem às de um prefeito. [Fem.: *alcaidessa* e *alcaidina*.] **4.** *Astr.* Nome tradicional da estrela eta da Ursa Maior. [Sin., nesta acepç.: *Benetnache*. Com cap., nesta acepç.] **5.** *Bras.* Objeto velho, feio, fora de moda, desusado, imprestável. **6.** *Bras.* Resto de mercadoria que não encontra comprador; encalhe. **7.** *Bras. P. ext.* Pessoa muito feia ou muito velha. **8.** *Bras. SP Zool.* V. *tietê*. **9.** *Bras. S.* Cavalo ruim.

alcaide-mor ***S. m.*** Governador de uma praça ou de uma província. [Pl.: *alcaides-mores*.]

alcaideria ***S. f.*** V. *alcaidaria*.

alcaidessa (ê) [De *alcaide* + *-essa*.] ***S. f.*** Mulher de alcaide, ou que exerce funções de alcaide; alcaidina.

alcaidina [De *alcaide* + *-ina*[1].] ***S. f.*** Alcaidessa.

alcaima ***S. f.*** V. *alxaima*.

alcaiota [Fem. de *alcaiote*.] ***S. f.*** V. *alcoviteira* (1 e 2).

alcaiote [Var. de *alcoveto*.] ***S. m.*** V. *alcoviteiro* (1 e 2).

alcalde [Do ár. *al-qāḍī*, 'juiz'; a acepç. 2 é poss. infl. da semelhança com a f. *alcaide*.] ***S. m.*** **1.** Juiz ou magistrado do poder local. [V. *aguazil*.] **2.** Governador, ou autoridade administrativa; alcaide. [Cf. *alicali*.]

alcalemia [Do *alcal(i)-* + *-emia*.] ***S. f. Med. Bioquím.*** Teor de base (32) no sangue.

alcalescência [De *alcalescente* + *-ia*[2], seg. o padrão analógico.] ***S. f.*** **1.** Passagem do estado alcalino. **2.** Alcalinidade leve.

alcalescente [De **alcalescer* (< *álcali* + *-escer*) + *-nte*.] *Adj.* *2 g.* Diz-se de substância levemente alcalina, ou que tende para a alcalinidade.

alcali *S. m. Quím.* V. *álcali*.

▲ **alcal(i)-** [De *álcali*.] *Quím.* **El. comp.** = 'álcali': *alcalimetria, alcalino*.

álcali [Do ár. *al-qalī*, pelo lat. med. *alcali, alkali*.] *S. m. Quím.* Qualquer hidróxido dos metais alcalinos (lítio, sódio, potássio, rubídio e césio) e, *p. ext.*, óxidos, carbonatos e bicarbonatos destes metais, além do hidróxido de amônio.

alcalificante [De *alcalificar* + *-nte*.] *Adj. 2 g.* Que alcalifica.

alcalificar [De *alcal(i)-* + *-ficar*.] *V. t. d.* Dar propriedades alcalinas a. [Conjug.: v. *trancar*.]

alcalimetria [De *alcal(i)-* + *-metria*.] *S. f. Quím.* Processo analítico de determinação da concentração de uma solução alcalina mediante uma solução ácida.

alcalimétrico [De *alcalimetria* + *-ico*².] *Adj.* Relativo à alcalimetria.

alcalímetro [De *alcal(i)-* + *-metro*.] *S. m.* Bureta com que se realiza uma alcalimetria.

alcalinar [De *alcalino* + *-ar*².] *V. t. d. P. Quím.* V. *alcalinizar(-se)*.

alcalinidade [De *alcalino* + *-(i)dade*.] *S. f.* Qualidade de alcalino.

alcalinização [De *alcalinizar* + *-ção*.] *S. f. Quím.* **1.** Operação em que se eleva o pH de uma solução. **2.** Alcalização.

alcalinizante [De *alcalinizar* + *-nte*.] *Adj. 2 g. S. m. Med.* Diz-se de, ou medicação que produz alcalinização de um meio.

alcalinizar [De *alcalino* + *-izar*.] *V. t. d. P. Quím.* Tornar(-se) alcalino (3); alcalinar(-se); alcalizar(-se).

alcalino [De *alcal(i)-* + *-ino*¹.] *Adj. Quím.* **1.** Referente a, ou próprio de um álcali. **2.** *P. ext.* Referente a, ou próprio de uma base forte em solução aquosa. **3.** Que tem pH maior que 7; básico. ~ V. *acumulador —, metais alcalinos, metal —, pilha —a, reserva —a, rocha —a* e *vidro —*.

alcalinoterroso *Adj. Quím.* ~ V. *metais —s* e *metal —*. ✻

alcalinuria [De *alcalino* + *-uria*.] *S. f. Med. Bioquím.* V. *alcalinúria*.

alcalinúria [De *alcalino* + *-úria*.] *S. f. Med. Bioquím.* Teor alcalino da urina. [F. paral.: *alcalinuria*.]

alcaliterapia [De *alcal(i)-* + *-terapia*.] *S. f. Med.* Tratamento mediante o uso de substâncias alcalinizantes.

alcalização [De *alcalizar* + *-ção*.] *S. f.* Ação ou efeito de alcalizar; alcalinização.

alcalizar [De *alcal(i)-* + *-izar*.] *V. t. d. P. Quím.* V. *alcalinizar(-se)*.

alcaloide (ói) [De *alcal(i)-* + *-oide*.] *S. m. Quím.* Qualquer das substâncias de um extenso grupo encontrado nos vegetais, em geral nitrogenadas, heterocíclicas, básicas, com pronunciada ação fisiológica sobre os animais. ❖

alcaloideu *Adj.* Relativo ou pertencente aos alcaloides; alcalóidico. [Fem.: *alcaloideia*.]

alcalóidico [De *alcaloide* + *-ico*².] *Adj.* Alcaloideu.

alcalose [De *alcal(i)-* + *-ose*¹.] *S. f. Med.* Estado patológico produzido pelo acúmulo de bases [v. *base* (32)]ou perda de ácidos no organismo, e que se caracteriza por elevação do pH sanguíneo.

alcalótico [De *alcal(ose)* + *-ótico*.] *Adj.* Relativo a, ou que produz alcalose.

alçamento¹ [De *alçar*¹ + *-mento*.] *S. m.* **1.** Ato ou efeito de alçar¹(-se); alceamento, alçadura. **2.** *Art. Gráf.* V. *alceamento*¹ (2).

alçamento² [De *alçar*² + *-mento*.] *S. m.* Ato de alçar²; alceamento.

alcamonia [Do ár. *al-kammūnya(t)*.] *S. f.* Doce feito, em geral, de melaço e farinha de mandioca. [Var.: *alcomonia*.]

alcânave [Do gr. *kánnabis* (v. *cânhamo*), pelo ár. *al-qunnab*.] *S. m.* **1.** Cânhamo. **2.** Linho semelhante ao cânhamo. ● *Adj. 2 g.* **3.** Relativo ou semelhante ao cânhamo (diz-se de linho, ou de fibra ou tecido). [Var.: *alcâneve*.]

alcançadiço *Adj.* Que se alcança facilmente.

alcançado [Part. de *alcançar*.] *Adj.* **1.** Apanhado, agarrado. **2.** Atingido, tocado. **3.** Obtido, conseguido. **4.** Compreendido, percebido, entendido. **5.** Abrangido com a vista; abarcado, avistado. **6.** Empenhado, endividado. **7.** Diz-se do valor ou dinheiro que sofreu alcance (8) ou desfalque. **8.** Que sofreu ou praticou alcance (8) ou desfalque. **9.** Prejudicado, estragado, deteriorado.

alcançador (ô) [De *alcançar* + *-dor*.] *Adj. S. m.* Que, ou aquele que alcança.

alcançadura [De *alcançar* + *-dura*.] *S. f. Veter.* Contusão que o animal produz em si mesmo quando marcha, topando com um pé no outro; alcance.

alcançamento [De *alcançar* + *-mento*.] *S. m.* Alcance (1 e 4).

alcançar [Do lat. vulg. **incalciare*.] *V. t. d.* **1.** Chegar a; ir até: "vadeando rios e atravessando os mares, alcançou o deserto" (João Ribeiro, *Floresta de Exemplos*, p. 96). **2.** Chegar ou conseguir chegar até (alguém ou algo que vai distante ou que se afasta); apanhar: "lá estava a sua figura ensombrada a galgar pacientemente o morro. .... O Nenzinho apressou-se para alcançá-lo" (Miroel Silveira, *Bonecos de Engenço*, p. 124); "Não te encontro, não te alcanço..." (Cecília Meireles, *Obra Poética*, p. 249). **3.** Abranger, atingir: *O panorama, do cimo da montanha, alcançava todo o vale.* **4.** Completar, inteirar; atingir: *Esperou até alcançar a idade requerida.* **5.** Chegar ou poder chegar com a mão até, ou perto de (algo): "Levantei-me ainda no escuro e alcancei a lista telefônica." (Raquel Jardim, *Inventário das Cinzas*, p. 15); *Estirando o braço e ficando na ponta dos pés, pôde alcançar a última prateleira.* **6.** Obter, conseguir, lograr: *alcançar honrarias;* "Tia Mônica teve arte de alcançar aposento para os três" (Machado de Assis, *Relíquias de Casa Velha*, p. 12); "nunca a gente alcança / Aquilo que mais deseja." (Ricardo Gonçalves, *Ipês*, p. 142). **7.** Compreender, entender, perceber: "Claro que não era brincadeira, mas o velho, estonteado, não alcançava o desastre" (Graciliano Ramos, *Infância*, p. 221). **8.** Prejudicar, estragar, gastar, desgastar: *A idade alcançou-o muito.* **9.** Ter vivido em, ter conhecido (determinada época, ou determinado lugar, em certa fase; ou determinada usança, costume, etc.); apanhar, pegar. **10.** Atingir, causando grande dano ou a morte: "A moléstia é como a fome: só alcança os pobres, os sem-dinheiro." (Lima Barreto, *Feiras e Mafuás*, p. 58.) *T. d. e i.* **11.** Conseguir, obter: *Alcança do amigo tudo quanto deseja;* "Levava comigo um retrato de Maria Cora; alcançara-o dela mesma, ... com uma pequena dedicatória cerimoniosa." (Machado de Assis, *Relíquias de Casa Velha*, p. 37). *T. d. e c.* **12.** Praticar alcance (8); desfalcar, defraudar: *O caixa alcançou a firma em R$ 1.000,00.* *T. i.* **13.** Ser suficiente, bastante; bastar: *Os seus bens não alcançam a tão alto empreendimento.* *Int.* **14.** Conseguir o que se pretende: "Quem espera sempre alcança" (prov.). **15.** *Veter.* Sofrer alcançadura. *P.* **16.** Seguir-se ou suceder-se a breves intervalos. **17.** Desfalcar os fundos que tem a seu cargo: *Meteu-se em altas especulações, e acabou alcançando-se.* [Conjug.: v. *laçar*.]

alcançável [De *alcançar* + *-vel*.] *Adj. 2 g.* Que pode ser alcançado.

alcance [Dev. de *alcançar*.] *S. m.* **1.** Ato ou efeito de alcançar; alcançamento. **2.** Limite dentro do qual se consegue tocar ou atingir alguma coisa: *ao alcance da vista e da mão.* **3.** Busca, encalço: *Foi em alcance do irmão para transmitir-lhe a boa notícia.* **4.** Conseguimento, obtenção; alcançamento. **5.** Distância horizontal entre a boca da arma de fogo (origem) e o ponto de queda do projetil. **6.** Distância máxima a que pode chegar uma comunicação emitida por determinado equipamento de comunicação. **7.** Distância máxima em que dado tipo de alvo pode ser detectado por determinado equipamento eletrônico. **8.** Apropriação, extravio, desvio ou falta verificada na prestação de contas, de dinheiro ou valores confiados à guarda de alguém em razão de cargo, múnus ou função; desfalque. **9.** *Fig.* Penetração do entendimento; inteligência, acuidade. **10.** *Fig.* Importância, valor: *problema de pequeno alcance.* **11.** Alcançadura. **12.** *Fís. Nucl.* A espessura máxima de um absorvedor que pode ser atravessada por um feixe de partículas. [F. paral.: *alcanço*.]

alcancia (cí) *S. f.* V. *alcanzia*.

alcancilhos [De *alcançar*.] *S. m. pl.* Torneio ou espécie de evolução, nas cavalhadas.

alcanço [Dev. de *alcançar*.] *S. m.* **1.** V. *alcance*. **2.** *Zool.* O dedo insulado nos pés das aves de rapina.

alcândor *S. m.* Cimo, sumidade, píncaro. [Pl.: *alcândores*. Cf. *alcandores*, do v. *alcandorar-se*, e *alcândora*.]

alcândora [Do ár. *al-kandara(t)*, 'solo alto e duro'.] *S. f.* Poleiro das aves, especialmente de papagaio ou de falcão. [Cf. *alcandora-se*, do v. *alcandorar-se*, e *alcândor*.]

alcandorado [Part. de *alcandorar-se*.] *Adj.* **1.** Empoleirado alto. **2.** Colocado a grande altura; elevado. **3.** *Fig.* Exaltado, sublimado: *estilo alcandorado.*

alcandorar-se [De *alcândora* + *-ar*² + *se*¹.] *V. p.* **1.** Pousar em alcândora. **2.** Guindar-se, elevar-se. **3.** Sublimar-se, exaltar-se. [Pres. ind.: *alcandoro-me, alcandoras-te, alcandora-se*, etc.; pres. subj.: *alcandore-me, alcandores-te, alcandore-se*, etc. Cf. *alcândora*, pl. *alcândoras*, e *alcândores*, pl. de *alcândor*.]

alcâneve *S. m. Adj. 2 g.* V. *alcânave*.

alcanfor (ô) [Var. de *alcânfora*.] *S. m.* V. *cânfora* (1). [Pl.: *alcanfores* (ô). Cf. *alcanfores*, do v. *alcanforar*.] ◆ **Virar alcanfor.** *Bras. Pop.* V. *fugir* (1 e 2).

alcânfora [Do ár. *al-kāfūr*; v. *cânfora*.] *S. f.* V. *cânfora* (1). [Var.: *alcanfor*. Cf. *alcanfora*, do v. *alcanforar*.]

alcanforar [De *alcânfora* + *-ar*².] *V. t. d.* Canforar. [Pres. ind.: *alcanforo, alcanforas, alcanfora*, etc.; pres. subj.: *alcanfore, alcanfores*, etc. Cf. *alcânfora*, pl. *alcânforas*, e *alcanfores* (ô), pl. de *alcanfor*.]

alcanforeira [De *alcânfora* + *-eira*.] *S. f. Bot.* V. *canforeira*.

alcanforeira-do-japão *S. f. Bot.* V. *canforeira*. [Pl.: *alcanforeiras-do-japão*.]

alcano [De *alc-* + *-ano*².] *S. m. Quím.* Qualquer composto binário de carbono e hidrogênio saturado; hidrocarboneto saturado. ◆ **Alcano cíclico.** *Quím.* Cicloalcano. **Alcano linear.** *Quím.* Aquele em que cada átomo de carbono está unido a, no máximo, dois outros átomos de carbono; alcano normal. **Alcano normal.** *Quím.* Alcano linear. **Alcano ramificado.** *Quím.* Aquele em que um átomo de carbono, pelo menos, está ligado a três, ou quatro, átomos de carbono.

alcanol [De *alcano* + *-ol*².] *S. m. Quím.* Álcool alifático (como o metanol) que se considera como derivado de um alcano.

alcanolamida [De *alcanol* + *amida*.] *S. f. Quím.* Designação usual de certas amidas hidroxiladas, derivadas de ácidos graxos, us. em indústria.

alcântara [Do ár. *al-qan ṭara(t)*.] *S. f. Ant.* Ponte.

alcantarense¹ *Adj. 2 g.* **1.** De, ou pertencente ou relativo a Alcântara (MA). ● *S. 2 g.* **2.** O natural ou habitante de Alcântara.

alcantarense² *Adj. 2 g.* **1.** De, ou pertencente ou relativo a Alcântaras (CE). ● *S. 2 g.* **2.** O natural ou habitante de Alcântaras.

alcantil [Der. regress. de *alcantilado*.] *S. m.* **1.** Rocha escarpada, talhada a pique. **2.** Despenhadeiro escarpado: "As águas caudalosas de dois rios, juntando-se num delta, corriam algum tempo soltas, numa levada tranquila, até uma apertada garganta, entre alcantis" (Coelho Neto, *Treva*, p. 269). **3.** Píncaro, pináculo, cume: "É o Gerez em toda a sua imponência. .... Anfractuoso, de cristas recortadíssimas, alcantis sobre alcantis, massas azuis para além de outras massas azuis" (Antero de Figueiredo, *Jornadas em Portugal*, p. 202).

alcantilada [De *alcantil* + *-ada*¹.] *S. f.* **1.** Sucessão de alcantis. **2.** Despenhadeiro longo.

alcantilado [De *a-*² + *cantil* + *-ado*¹ (o primeiro *l*, epentético, por infl. do segundo).] *Adj.* **1.** Lavrado a cantil (2); talhado a pique. **2.** Escarpado, íngreme, escabroso: "cheguei à beira da cachoeira, precipitada em despenhadeiro alcantilado" (Alphonsus de Guimaraens, *Obra Completa*, p. 399). **3.** Alto, empinado. [Sin. ger.: *alcantiloso*.]

alcantilar [De *alcantil* + *-ar*².] *V. t. d.* **1.** Transformar em alcantil. **2.** Talhar a pique. **3.** Elevar-se como alcantil.

alcantiloso (ô) [De *alcantil* + *-oso*.] *Adj.* V. *alcantilado*.

alcanzia [Do ár. *al-kinzya(t)*.] *S. f.* **1.** Bola de barro, oca, que se arremessava cheia de flores e de outros mimos, nas cavalhadas antigas. **2.** Espécie de granada de barro usada nas guerras de outrora. **3.** Mealheiro de barro. [Var.: *alcancia*.]

alcanziada [De *alcanzia* + *-ada*¹.] *S. f.* Arremesso de alcanzia.

alçapão [Do imperat. de *alçar* e do de *pôr*, este na f. *pom*: *alça pom*, 'alça põe'.] *S. m.* **1.** Porta ou tampa horizontal, que se fecha de cima para baixo e dá entrada para o porão ou para o desvão do telhado. **2.** Abertura que comunica um pavimento com outro inferior: "Na parte de cima da Cadeia funcionava o Tribunal do Júri. Para o julgamento, os presos a ele tinham acesso por um alçapão em cuja abertura se lançava uma escada." (Ciro dos Anjos, *A Menina do Sobrado*, p. 96.) **3.** Peça antiga das calças, que tapava a abertura da braguilha. **4.** V. *armadilha* (2 e 3): *Acreditou no vigarista, e caiu no alçapão.* **5.** *Teatr.* Abertura no chão do palco, dissimulada aos olhos dos espectadores, para encenar efeitos de aparição e desaparição. **6.** *Bras.* Armadilha para apanhar pássaros: gaiola ou caixa cuja parte superior tem uma portinhola que desarma automaticamente quando a ave nela pousa; alçapão falso. [Var. metatética: *açalpão*.] ◆ **Alçapão falso.** *Bras.* Alçapão (6).

alcaparra [Do ár. *al-qabbār*.] *S. f. Bot.* **1.** Botão floral da alcaparreira, aromático, usado como condimento, em conserva no vinagre. **2.** V. *alcaparreira*.

alcaparrado [De *alcaparra* + *-ado*¹.] *Adj.* **1.** Temperado com alcaparras. **2.** *Fig.* Desenfastiado, estimulado.

alcaparral [De *alcaparra* + *-al*¹.] *S. m.* Quantidade mais ou menos considerável de alcaparreiras dispostas proximamente entre si.

alcaparreira [De *alcaparra* + *-eira*.] *S. f. Bot.* Planta caparidácea (*Capparis spinosa*), hortense, de que se conhecem 350 espécies tropicais, e que fornece a alcaparra (1). [Na caatinga nordestina ocorre uma espécie de *Capparis*, porém a mais usual na industrialização do condimento é nativa da região mediterrânea. Sin.: *alcaparra, alcaparreiro*.]

alcaparreira-cheirosa [De *alcaparreira* + of. de *cheiroso*.] *S. f. Bot.* Planta caparidácea (*Capparis odoratissima*) ornamental, de folhas coriáceas e flores aromáticas, e cujo fruto é baga séssil. [Pl.: *alcaparreiras-cheirosas*.]

alcaparreiro [De *alcaparra* + *-eiro*.] *S. m.* **1.** Vendedor de alcaparras. **2.** *P. ext.* Vendedor de conservas e condimentos. **3.** *Bot.* V. *alcaparreira*.

alça-pé [De *alçar*[1] + *pé*.] *S. m.* **1.** Armadilha para apanhar aves pelos pés. **2.** Qualquer armadilha: "Eu já estava acostumada aos alça-pés do destino, e ali naquele porto seria apenas mais um deles." (Ana Maria Gonçalves, *Um Defeito de Cor*, p. 804). **3.** Ato traiçoeiro em que o lutador mete um pé entre as pernas do adversário para fazê-lo cair. **4.** *Fig.* Artifício doloso. [Pl.: *alça-pés*.]

alçapoado [De *alçapão* + *-ado*[1], com desnasalação.] *Adj.* Que serve como alçapão.

alçaprema [Dos imperat. de *alçar*[1] e do ant. *premar* (mod. *premer*).] *S. f.* **1.** Grande alavanca para levantar pesos consideráveis. **2.** Tenaz de dentista. **3.** Aziar (1). **4.** *Fig.* Grande aflição; aperto, opressão. [Cf. *saprema*.]

alçapremar [De *alçaprema* + *-ar*[2].] *V. t. d.* **1.** Levantar ou escorar com alçaprema. **2.** Levantar, alçar. **3.** Oprimir; tiranizar.

alcaptona [De *ál(cali)* + lat. *capt-* (< lat. *captare*, 'captar') + *-ona*[2].] *S. f.* Substância formada por perturbação congênita do metabolismo de alguns ácidos aminados, a qual empresta cor escura às cartilagens e à urina, e se admite ser um produto de transformação da tirosina.

alcaptônico [De *alcaptona* + *-ico*[2].] *Adj.* Relativo à alcaptona, ou que a apresenta.

alcaptonuria [De *alcaptona* + *-uria*.] *S. f. Med.* V. *alcaptonúria*.

alcaptonúria [De *alcaptona* + *-úria*.] *S. f. Med.* Eliminação de corpos alcaptônicos pela urina, conferindo a ela, quando em repouso, ou caso se lhe acrescente substância alcalina, tonalidade escura. [F. paral.: *alcaptonuria*.]

alcaptonúrico [De *alcaptonúria* + *-ico*[2].] *Adj.* **1.** Relativo a, ou que tem alcaptonúria. ● *S. m.* **2.** Aquele que a tem.

alçar[1] [Do lat. **altiare*, por *altare*.] *V. t. d.* **1.** Tornar alto; altear, erguer, levantar, alcear: *Alçou os muros que cercavam a sua propriedade.* **2.** Suspender, erguer: *alçar os braços; alçar a voz.* **3.** Edificar, erigir: *alçar um monumento aos bandeirantes.* **4.** Celebrar, exaltar: *Em* Os Lusíadas, *Camões alça as glórias de seu povo.* **5.** *Art. Gráf.* Alcear[1] (2). **6.** *Tip.* Pendurar (as folhas impressas) para secarem, quando previamente umedecidas. *T. d. e c.* **7.** Elevar, erguer: *Alçou os braços aos céus, pedindo perdão.* ***Transobj.*** **8.** Nomear, eleger; aclamar: *Alçaram-no em rei mal atingiu a maioridade. P.* **9.** Levantar-se, erguer-se: "E as raparigas do alto, orgulhosas, enamoradas, alçam-se na ponta dos pés, para ver, por cima das cabeças, o filho do Choco tocando a pandeireta com ademanes espanhóis." (José Vieira, *Sol de Portugal*, p. 157.) **10.** Elevar-se, sobressair. **11.** Ensoberbecer-se, engrandecer-se. **12.** *Bras.* Fugir para o mato (o gado), tornando-se selvagem. **13.** *Bras.* Formar guerrilha (1) nas montanhas: *Vinte revoltosos alçaram-se.* [Conjug.: v. *laçar*.]

alçar[2] [De *alça*[1] + *-ar*[2].] *V. t. d.* Colocar alça em; alcear[2]. [Conjug.: v. *laçar*.]

alcaravão [Do ár. *al-karawān*.] *S. m. Zool.* Garça paludícola, ardeídea (*Ardea stellaris*), de pescoço e patas curtos e plumagem raiada de pardo. [Var.: *algorabão, algorovão, algravão*.]

alcaravia [Do ár. *al-karāwyā*.] *S. f. Bot.* Planta apiácea (*Carum carvi*) herbácea, cujas sementes, que contêm um óleo volátil, têm uso em medicina e culinária; cominho-armênio, cariz. [Var.: *alcarovia, alcorovia*.]

alcaraviz [De or. incerta; do ár., poss.] *S. m.* Tubo de ferro que conduz o ar do fole à forja: "O fole resfólega ventando pelo alcaraviz rajadas assoviantes" (Alberto Rangel, *Quinzenas de Campo e Guerra*, p. 154.) [Var.: *algaraviz*.]

alcaria [Do ár. *al-qarya(t)*, 'povoado', 'lugarejo'.] *S. f.* **1.** Aldeia, vila. **2.** Propriedade rural; casa de campo, fazenda, quinta. **3.** *Lus.* Depósito onde se guardam instrumentos de lavoura. **4.** *Lus. Bot.* V. *benefe*.

alcarial [De *alcaria* + *-al*[1].] *S. m. Lus.* **1.** Terras arenosas onde cresce a alcaria (2). **2.** Local ermo com ruínas e restos arqueológicos.

alcarovia *S. f.* V. *alcaravia*.

alcarraça *S. f.* V. *alcarraza*.

alcarrada *S. f.* Movimento circular da ave de rapina para apanhar a presa.

alcarraza [Do ár. *al-karrāza(t)*, 'frasco', botija'.] *S. f.* Vaso ou vasilha, esp. vaso ou bilha para água fresca. [Var.: *alcarraça*.]

alcatear [De *alcateia* + *-ar*[2].] *V. int. P.* Juntar-se em alcateia. [Conjug.: v. *idear*.]

alcateia (éi) [Do ár. *al-qaṭī'*, 'manada', 'rebanho'.] *S. f.* **1.** Bando de lobos. **2.** Grupo ou manada de animais ferozes: "os agentes ciclistas surgem e somem-se velozes e silenciosos como alcateia de tigres nas selvas" (Aquilino Ribeiro, *É a Guerra*, p. 166). **3.** Quadrilha de malfeitores: "O que esbravejava aí era uma alcateia de [sequazes] crapulosas muito cabeludas, convulsionadas pelo espírito das tavernas e das sacristias" (Camilo Castelo Branco, *Maria da Fonte*, p. 72). **4.** *Bras. Mar. G.* Grupo de submarinos que operam ofensivamente juntos; matilha. ◆ **De alcateia.** À espera: *estar, ficar, continuar de alcateia.* ❖

alcatifa [Do ár.-hisp. *al-qa ṭifa(t)*.] *S. f.* **1.** Tapete ou tecido de lã ou seda para revestir o chão ou pendurar nas janelas em dias de festas. **2.** Alfombra (1). **3.** *P. ext.* Tudo o que se estende como alcatifa: *uma alcatifa de grama.* **4.** *Bras. Bot.* Planta asterácea (*Trichospira menthoides*), rasteira.

alcatifado [Part. de *alcatifar*.] *Adj.* Coberto com alcatifa; atapetado, tapetado, tapeçado, alfombrado.

alcatifar [De *alcatifa* + *-ar*[2].] *V. t. d.* **1.** Revestir com alcatifa(s). **2.** Cobrir à maneira de alcatifa: "vai pisando a areia encarnada e as ervas que alcatifam o pavimento" (José Saramago, *Memorial do Convento*, p. 147). [Sin. ger.: *atapetar* (q. v.).]

alcatifeiro [De *alcatifa* + *-eiro*.] *S. m.* Fabricante de alcatifas [v. *alcatifa* (1)].

alcatira [Do ár. *al-kaṯīrā'*.] *S. f.* **1.** *Bot.* Arbusto fabáceo (*Astracantha gummifera*), de cujo caule se extrai goma de igual nome. **2.** *P. ext.* Essa goma. [Sin. ger.: *adraganta, tragacanto*.]

alcatra [Do ár. *al-qaṭra(t)*.] *S. f.* **1.** Peça de carne da rês, situada onde termina o fio do lombo, e em que se pegam os rins. **2.** A anca dos bovídeos. **3.** *Chulo* Nádega. [Var. (bras., S.): *alcatre*.] ◆ **Andar nas alcatras.** *Bras.* Montar em pelo. **Bater a alcatra na terra ingrata.** *Bras. RS Pop.* V. *morrer* (1).

alcatrão [Do ár. *al-qaṭrān*.] *S. m. Quím.* Mistura de diversos componentes, líquida, negra, viscosa, obtida na destilação de várias substâncias orgânicas, como, p. ex., petróleo, madeira ou carvão.

alcatrate [Do ár. *al-qa ṭrāt*, 'pedaços', 'peças'.] *S. m.* **1.** *Constr. Nav.* Série de pranchões colocados de proa a popa sobre o topo das aposturas do cavername, e que serve de remate dos revestimentos externo e interno do casco; talabardão. **2.** *Marinh.* Peça de madeira que cobre o topo do cavername, nas embarcações miúdas, e sobre a qual se assentam os cocões das chumaceiras ou as chapas das toleteiras.

alcatraz[1] [Do ár. *al-ga ṭ ṭās*, 'mergulhão'.] *S. m. Zool.* Ave pelicaniforme, fregatídea (*Fregata magnificens rothschildi*), das costas atlântica e pacífica da América tropical e subtropical. O macho é negro, com pescoço vermelho no período de procriação; a fêmea tem abdome esbranquiçado, cauda longa, bifurcada. [Sin.: *carapirá, cararapirá, grapirá, guarapirá, fragata, joão-grande, tesourão, urubu-do-mar*.]

alcatraz[2] [De *alcatra* + *-az*.] *S. m. Pop.* Aquele que conserta ossos deslocados.

alcatre *S. m. Bras. S.* V. *alcatra*.

alcatreiro [De *alcatra* (3) + *-eiro*.] *Adj. Chulo* Que tem grandes alcatras; nadegudo, bundudo.

alcatroado [Part. de *alcatroar*.] *Adj.* Coberto, misturado ou untado com alcatrão. ~ V. *barbante* —.

alcatroamento [De *alcatroar* + *-mento*.] *S. m.* Ato ou efeito de alcatroar.

alcatroar [De *alcatrão* + *-ar*[2], com desnasalação.] *V. t. d.* Cobrir, misturar ou untar com alcatrão. [Conjug.: v. *coroar*.]

alcatroeiro [De *alcatrão* + *-eiro*, com desnasalação.] *S. m.* Aquele que fabrica e/ou vende alcatrão.

alcatruz [Do gr. *kádos*, 'ânfora para líquidos', 'jarra'; 'urna para votação', pelo ár. *al-qādūs*.] *S. m.* **1.** Vaso de barro, geralmente cilíndrico, em que se levanta a água das noras; caçamba. **2.** *Arquit.* Em antigas construções, conduto de água: "ouvia-se distintamente o ruído de uma nora distante, ... a água dos alcatruzes caindo em jorros sobre o tabuleiro" (Conde de Ficalho, *Uma Eleição Perdida*, p. 156).

alcatruzado [De *alcatruz* + *-ado*[1].] *Adj.* **1.** Que tem alcatruzes. **2.** Que tem a forma de alcatruz. **3.** Curvado, abaulado. **4.** *Bras.* Entristecido, abichornado.

alcatruzar [De *alcatruz* + *-ar*[2].] *V. t. d.* **1.** Dar feitio de alcatruz a. **2.** Prover de alcatruzes. **3.** Curvar em arco; abaular. ***Int. P.*** **4.** Curvar ou envergar o corpo, por idade ou velhice.

alcavala [Do ár. *al-qabāla(t)*, 'receita', 'imposto', 'garantia', 'compromisso'.] *S. f.* **1.** Certo tributo que outrora o vassalo pagava ao senhor feudal. **2.** Imposto forçado; extorsão do fisco. **3.** *Fig.* Traficância, logro.

alcavaleiro [De *alcavala* + *-eiro*.] *S. m.* Aquele que administrava ou arrecadava o produto das alcavalas. [V. *alcavala* (1).]

alce[1] [Do lat. *alce*; tax. *Alces*.] *S. m. Zool.* **1.** Gênero de mamíferos artiodáctilos ruminantes, cervídeos, dotados de chifres ramificados em galhadas foliáceas, e que ocorrem na região holártica. **2.** Qualquer espécie desse gênero como, p. ex., a *Alces alces*, o maior dos cervídeos; é pesado, tem pernas longas e pescoço e cauda curtos. **3.** Qualquer espécime desse gênero.

alce[2] [Dev. de *alçar*[1].] *S. m.* **1.** Ato ou efeito de alçar ou levantar alguma coisa. **2.** *Bras. S.* Ato de alçar ou levantar o cavalo por meio das rédeas.

alce[3] [Do esp. plat. *alce*.] *S. m. Bras. RS* **1.** Folga, descanso, trégua. **2.** Melhora do estado físico; engorda. **3.** Diminuição da marcha de uma cavalgadura, para poupá-la e depois fazê-la andar com rapidez.

alceação [De *alcear*[1] + *-ção*.] *S. f. Tip. P. us.* Alçação.

alceado [Part. de *alcear*[1].] *Adj.* **1.** Posto no alto; erguido, alçado: *O número alceado distingue verbetes homógrafos de etimologias diferentes.* **2.** *Art. Gráf.* Diz-se de volume formado pelos cadernos ou pelas folhas já reunidas por alceamento; alçado. **3.** *Tip.* Preparado com alça[1] (9): *clichê alceado.*

alceador (ô) [De *alcear*[1] + *-dor*.] *S. m.* **1.** *P. us.* Alçador (1). **2.** *Art. Gráf.* Gráfico encarregado da operação de alcear[1] (2); alçador.

alceadora (ô) [De *alcear*[1] + *-dora*.] *S. f. Art. Gráf.* Máquina ou maquinismo us. para alcear[1] (2); alçadora.

alceame [De *alça*[1] + *-ame*.] *S. m. Marinh.* Conjunto de alças.

alceamento[1] [De *alcear*[1] + *-mento*.] *S. m.* **1.** Ação ou efeito de alcear[1] (1); erguimento, levantamento, alçamento. **2.** *Art. Gráf.* Operação de alcear[1] (2); alçadura, alçagem, alçamento.

alceamento[2] [De *alcear*[2] + *-mento*.] *S. m.* Ato de alcear[2]; alçamento[2].

alcear[1] [Do lat. **altiare*.] *V. t. d.* **1.** Alçar; erguer, levantar. **2.** *Art. Gráf.* Agrupar, manual ou mecanicamente (as folhas ou os cadernos impressos), formando volumes regulares prontos para as etapas finais do acabamento; alçar. [Conjug.: v. *frear*.]

alcear[2] [De *alça*[1] + *-ear*[2].] *V. t. d.* Alçar[2]. [Conjug.: v. *frear*.]

alcedínida [Do lat. cient. *Alcedin-* (v. *alcedinídeo*) + *-ida*[1].] *S. m. Adj. 2 g. Zool.* V. *alcedinídeo*.

alcedinídeo [Do lat. cient. *Alcedin-* (< tax. *Alcedo*) + *-ídeo*[1]; tax. *Alcedinidae*.] *Zool. S. m.* **1.** Espécime dos alcedinídeos, família de aves coraciiformes, caracterizadas por terem o bico comprido, forte, com margens não serradas; vivem perto de rios e lagos, e alimentam-se de peixes e insetos. São os martins-pescadores. ● *Adj.* **2.** Pertencente ou relativo a eles. [Sin. ger.: *alcedínida*.]

alceiro [De *alçar*[1] + *-eiro*.] *Adj.* Ligeiro, rápido, ágil: "Mas nada há mais alceiro que as bocas do mundo" (Aquilino Ribeiro, *Jardim das Tormentas*, p. 179).

alceno [De *alc-* + *-eno*[2].] *S. m. Quím.* Qualquer composto de carbono e hidrogênio, insaturado com uma dupla ligação; alqueno, olefina.

alcião *S. m.* V. *alcíone*. [Pl.: *alciãos, alciães* e *alciões*.]

alcicorne [De *alce*[1] + *-corne*.] *Adj. 2 g.* Que tem cornos semelhantes aos do alce[1].

alcino [De *alc-* + *-ino*[4].] *S. m. Quím.* Qualquer composto binário de carbono e hidrogênio, insaturado com uma ligação tripla; alquino.

alcinopolense *Adj. 2 g.* **1.** De, ou pertencente ou relativo a Alcinópolis (MS). ● *S. 2 g.* **2.** O natural ou habitante de Alcinópolis.

alcíon *S. m.* V. *alcíone*. [Pl.: *alcíones*.]

alcionáceo [Do tax. *Alcyon(ium)* + *-áceo*; tax. *Alcyonacea*.] *Zool. S. m.* **1.** Espécime dos alcionáceos, ordem de cnidários, alcionários, conhecidos como corais-moles, de águas litorâneas quentes, cujos pólipos têm a parte inferior fundida a uma massa carnosa, com a região oral destacada; esqueleto de espículas calcárias isoladas, sem eixo. ● *Adj.* **2.** Pertencente ou relativo a eles.

alcionário [Do tax. *Alcyonaria*.] *Zool. S. m.* **1.** Espécime dos alcionários, subclasse de cnidários, antozoários com oito tentáculos e oito septos completos. ● *Adj.* **2.** Pertencente ou relativo a eles. [Sin. ger.: *octocoraliário*.]

alcíone [Do gr. *alkyón*, pelo lat. *alcyone*.] *S. f.* **1.** Ave fabulosa, dos antigos: "Longe, por esse azul dos vastos mares, / Na solidão melancólica das águas, / Ouvi gemer a lamentosa Alcíone." (Almeida Garrett, *Camões*, p. 102.) **2.** *Astr.* Uma das sete estrelas visíveis à vista desarmada do asterismo das Plêiades. [Nesta acepç., com cap. Var.: *alcíon* e *alcião*.]

alcióneo *Adj.* V. *alciôneo*. [Uso freq. em P.]

alciôneo [De *alcíone* + *-eo*.] *Adj.* Alciônico.

alciónico *Adj.* V. *alciônico*. [Uso freq. em P.]

alciônico [De *alcíone* + *-ico*[2].] *Adj.* **1.** Relativo à alcíone. **2.** *Fig.* Sereno, agradável, bonançoso. [Sin. ger.: *alciôneo*.]

alcmânico [Do lat. *alcmanicu*.] *Adj.* ~ V. *verso* —.

alcmânio *Adj.* ~ V. *verso* —.

alcoba (ô) *S. f.* V. *alcova*.

alcobaça [Do top. *Alcobaça*, vila portuguesa de onde se importavam estes lenços.] ***S. m.*** Lenço grande de algodão, em geral vermelho, usado sobretudo por quem cheira rapé.

alcobacense ***Adj. 2 g.*** **1.** De, ou pertencente ou relativo a Alcobaça (Portugal e BA). **2.** Relativo ou pertencente ao mosteiro de Alcobaça (Portugal). ● ***S. 2 g.*** **3.** O natural ou habitante de Alcobaça.

alcoceifa [Do ár. *al-quṣayfa(t)*, 'orgia', 'lugar de libertinos'.] ***S. f.*** *Ant.* Bairro ou casas de meretrizes.

alcofa (ô) [Do ár. *al-quffa(t)*.] ***S. f.*** **1.** Cesto flexível, de vime, de esparto ou de folha de palma, achatado e com asas: 📖 "via-se num canto, enroscada numa alcofa, uma cadela parida, lambendo docemente a cabeçorra exótica das crias." (Fialho d'Almeida, *O País das Uvas*, p. 276). ● ***S. 2 g.*** **2.** *Fig.* Alcoviteiro ou alcoviteira. [Pl.: *alcofas* (ô). Cf. *alcofa* e *alcofas*, do v. *alcofar*.]

alcofada [De *alcofa* (1) + *-ada*[1].] ***S. f.*** O conteúdo ou capacidade de uma alcofa (1).

alcofado[1] [De *alcofa* (1) + *-ado*[1].] ***Adj.*** Semelhante a alcofa (1).

alcofado[2] [Part. de *alcofar*[1].] ***Adj.*** Colocado ou guardado em alcofa (1).

alcofado[3] [Part. de *alcofar*[2].] ***Adj.*** Que se realizou ou se preparou por meio de ação de alcofa (2); alcovitado.

alcofar [De *alcofa* (1) + *-ar*[2].] ***V. t. d.*** **1.** Colocar em alcofa (1). **2.** Preparar, arranjar, inculcar, servindo de alcofa (2); alcovitar. [Pres. ind.: *alcofo, alcofas, alcofa*, etc. Cf. *alcofa* (ô) e pl. *alcofas* (ô).]

alçofeifa [Var. de *açofeifa*.] ***S. f.*** V. *jujuba* (1 e 2).

alcofeta ***S. 2 g.*** V. *alcoveto*.

alcofor (ô) [Var. de *álcool* (q. v.); na acepç. 3, por semelhança com a f. *alcanfor*, poss.] ***S. m.*** *Ant.* **1.** *Quím. Desus.* O antimônio, na forma de alguns de seus compostos. **2.** Pigmento à base de antimônio, us. como maquiagem em redor dos olhos, para realçá-los. **3.** *P. ext. Fig.* Remédio para a vista. **4.** *Lus. Impr.* Cânfora.

alcoice ***S. m.*** V. *alcouce*.

alcoiceiro ***S. m.*** V. *alcouceiro*.

alcomonia ***S. f.*** V. *alcamonia*.

▲ **alcoo-** [De *álcool*.] ***El. comp.*** = 'álcool': *alcoômetro, alcoomania.* [Equiv.: *alcoolo-*: *alcoolômetro*.]

álcool [Do ár. (cláss.) *al-kuḥul* ou *al-kuḥl*, 'pó metálico (de antimônio ou chumbo) us. para colorir as pálpebras'; 'colírio', pelo esp. *alcohol*; nas línguas europeias, a palavra passou a significar 'pó obtido por sublimação' e, por analogia, 'produto ou essência obtida por destilação'.] ***S. m.*** **1.** *Quím.* Composto orgânico que contém hidroxila ligada diretamente a átomo de carbono saturado. **2.** *Quím.* Líquido incolor, volátil, com cheiro e sabor característicos, obtido por fermentação de substâncias açucaradas ou amiláceas, ou mediante processos sintéticos, utilizado com larga faixa de propósitos; etanol, álcool etílico [fórm.: C_2H_6O]. **3.** *P. ext.* Qualquer bebida espirituosa. [Pl.: *álcoois* e *alcoóis*.] ◆ **Álcool absoluto.** *Quím.* Aquele, ger. etanol, que foi purificado e não contém traço de água. **Álcool amílico.** *Quím.* V. *álcool pentílico*. [fórm.: $C_5H_{12}O$]. **Álcool anidro.** *Quím.* Etanol a que se retirou, praticamente, toda a água, e que pode ser misturado à gasolina para uso como combustível. **Álcool benzílico.** *Quím.* Álcool aromático, isômero dos cresóis, que se pode considerar derivado do tolueno, encontrado em certos óleos vegetais [fórm.: C_7H_8O]. **Álcool butílico.** *Quím.* Qualquer álcool de cadeia saturada, com quatro átomos de carbono, esp. o de cadeia linear; butanol [fórm.: $C_4H_{10}O$]. **Álcool cetílico.** *Quím.* Álcool saturado, sólido, incolor, presente na forma de éster palmítico no espermacete [fórm.: $C_{16}H_{34}O$]. **Álcool etílico.** *Quím.* V. *álcool* (2). **Álcool isoamílico.** *Quím.* Líquido incolor, com odor pouco agradável, presente no resíduo de algumas fermentações, usado como solvente e em sínteses orgânicas [fórm.: $C_5H_{12}O$]. **Álcool isopropílico.** *Quím.* Líquido incolor, volátil, com odor característico, usado como solvente; isopropanol [fórm.: C_3H_8O]. **Álcool láurico.** *Quím.* Substância sólida, álcool com cadeia saturada linear de doze átomos de carbono; álcool laurílico [fórm.: $C_{12}H_{26}O$]. **Álcool laurílico.** *Quím.* Álcool láurico. **Álcool metílico.** *Quím.* Líquido incolor com cheiro etílico, formado na destilação da madeira, usado como solvente, venenoso; metanol [fórm.: CH_4O]. **Álcool neopentílico.** *Quím.* Substância líquida, isômero do álcool amílico [fórm.: $C_5H_{12}O$]. **Álcool pentílico.** *Quím.* Qualquer álcool de cadeia saturada, com cinco átomos de carbono, esp. o de cadeia linear; álcool amílico; pentanol [fórm.: $C_5H_{12}O$]. **Álcool pirúvico.** *Quím.* Líquido incolor com cheiro agradável [fórm.: $C_4H_6O_2$]. **Álcool polivinílico.** *Quím.* Nome usual de substância polimérica, poli-hidroxilada, que se obtém por hidrólise de polímero do acetato de vinila, e que é us. em adesivos. **Álcool propargílico.** *Quím.* Álcool acíclico com uma ligação tripla [fórm.: C_3H_4O]. **Álcool propílico.** *Quím.* Qualquer dos dois alcoóis com três átomos de carbono na cadeia, esp. o primário; propanol [fórm.: C_3H_8O].

alcoolato [De *álcool* + *-ato*[2].] ***S. m.*** **1.** *Farm.* Líquido resultante da destilação conjunta do álcool com uma substância volátil. **2.** *Quím.* Composto que se forma pela ação de certos metais sobre um álcool; alcóxido.

alcoólatra [De *álcool* + *-latra*.] ***Adj. 2 g. S. 2 g.*** Diz-se de, ou pessoa que se entrega ao alcoolismo, viciada na ingestão de bebidas alcoólicas; alcoólico, alcoolista, etilista.

alcoolatura ***S. f.*** *Farm.* Líquido proveniente da maceração de matérias vegetais ou animais em álcool.

alcooleiro [De *álcool* + *-eiro*.] *Bras.* ***Adj.*** De, ou referente a álcool, ou que o produz: 📖 "o Projeto Araguaia, que consiste na implantação de grandes centros produtores de álcool e polos alcooleiros" (em *Amazônia*, nº 51, março-abril 1980).

alcoolemia [De *álcool* + *-emia*.] ***S. f.*** *Med.* Teor alcoólico no sangue.

alcoolémico ***Adj.*** V. *alcoolêmico*. [Uso freq. em P.]

alcoolêmico [De *alcoolemia* + *-ico*[2].] ***Adj.*** Relativo à alcoolemia.

alcoólico [De *álcool* + *-ico*[2].] ***Adj.*** **1.** Que contém álcool; espirituoso. **2.** Referente ao álcool. **3.** V. *alcoólatra*. ● ***S. m.*** **4.** V. *alcoólatra*.

alcoólise [De *álcool* + *-lise*.] ***S. f.*** *Quím.* **1.** Decomposição de uma substância por ação de um álcool. **2.** *Restr.* Transesterificação.

alcoolismo [De *álcool* + *-ismo*.] ***S. m.*** **1.** Vício de ingerir bebidas alcoólicas; dipsomania. **2.** Estado patológico originado pelo abuso do álcool. [Sin. ger.: *etilismo*.]

alcoolista [De *álcool* + *-ista*.] ***Adj. 2 g. S. 2 g.*** V. *alcoólatra*.

alcoolização [De *alcoolizar* + *-ção*.] ***S. f.*** **1.** Ato ou efeito de alcoolizar(-se). **2.** *Terap.* Tratamento mediante injeção de álcool (2) em alguma área do corpo.

alcoolizado [Part. de *alcoolizar*.] ***Adj.*** **1.** Tratado ou misturado com álcool. **2.** Ébrio, bêbedo, embriagado. **3.** Próprio de ébrio: 📖 "inspirava receio, ..., mesmo na venda, na confraternização da pinga, quando os seus olhos alcoolizados, ..., tornavam-se ameaçadoramente amarelos." (Amadeu de Queirós, *Os Casos do Carimbamba*, p. 28).

alcoolizar [De *álcool* + *-izar*.] ***V. t. d.*** **1.** Adicionar álcool a (qualquer líquido). **2.** Embriagar, embebedar. **3.** *Terap.* Tratar mediante alcoolização (2). ***P.*** **4.** Embriagar-se, embebedar-se.

▲**alcoolo-** Equiv. de *alcoo-*.

alcoolomania [De *alcoolo-* + *-mania*.] ***S. f.*** *Psiq.* Alcoomania.

alcoolomaníaco [De *alcoolomania-* + *-íaco*.] ***Adj. S. m.*** *Psiq.* V. *alcoomaníaco*.

alcoolómano ***Adj. S. m.*** *Psiq.* V. *alcoolômano*. [Uso freq. em P.]

alcoolômano [De *alcoolo-* + *-mano*[1].] ***Adj. S. m.*** *Psiq.* V. *alcoomaníaco* (2 e 3).

alcoolómetro ***S. m.*** *Fís.* V. *alcoolômetro*. [Uso freq. em P.]

alcoolômetro [De *alcoolo-* + *-metro*.] ***S. m.*** *Fís.* Instrumento para a medição da composição de soluções alcoólicas, e cujo funcionamento é idêntico ao dos aerômetros de peso constante; alcoômetro.

alcoolquímica [De *álcool* + *química*.] ***S. f.*** Química da obtenção do etanol e de seus derivados.

alcoomania [De *alcoo-* + *-mania*.] ***S. f.*** *Psiq.* Tendência mórbida para intoxicação por bebida alcoólica; alcoolomania.

alcoomaníaco [De *alcoomania* + *-íaco*.] *Psiq.* ***Adj.*** **1.** Relativo a alcoomania. **2.** Que tem alcoomania; alcoolômano, alcoômano. ● ***S. m.*** **3.** Aquele que tem alcoomania; alcoolômano, alcoômano. [Sin. ger.: *alcoolomaníaco*.]

alcoómano ***Adj. S. m.*** *Psiq.* V. *alcoômano*. [Uso freq. em P.]

alcoômano [De *alcoo-* + *-mano*[1].] ***Adj. S. m.*** *Psiq.* V. *alcoomaníaco* (2 e 3).

alcoómetro ***S. m.*** *Fís.* V. *alcoômetro*. [Uso freq. em P.]

alcoômetro [De *alcoo-* + *-metro*.] ***S. m.*** *Fís.* Alcoolômetro.

alcorânico [De *Alcorão* + *-ico*[2].] ***Adj.*** **1.** Relativo ao Alcorão, seu texto, seus ensinamentos, etc. **2.** *P. ext.* Relativo à religião muçulmana em geral.

alcoranista [De *Alcorão* + *-ista*.] ***Adj. 2 g. S. 2 g.*** **1.** Que, ou quem é versado nas doutrinas do Alcorão. **2.** Partidário do alcorão (2); maometano.

alcorão [Do ár. *al-qurʼān*, 'o que deve ser lido.] ***S. m.*** **1.** O livro sagrado da religião muçulmana. [É a compilação do conjunto das revelações de Deus, Alá, ao profeta Maomé (c. 570-632), e compreende a doutrina religiosa e a codificação da vida civil e social islâmica.] **2.** *P. ext.* V. *maometismo*. [Com cap., na acepç. 1.] [Pl.: *alcorões* e *alcorães*.]

alcorca ***S. f.*** Valado para escoamento das águas; vala, alcorcova.

alcorça (ô) [Var. de *alcorce*.] ***S. f.*** **1.** Alcorce. **2.** *Fig.* Boneco de alcorça (q. v.).

alcorce (ô) [Do ár. *al-qurṣ*, 'bolo redondo de farinha, manteiga e açúcar'.] ***S. m.*** Massa de açúcar, com a qual se fazem ou cobrem doces. [Var.: *alcorça*.]

alcorcino [De *alcorce* + *-ino*[1].] ***Adj.*** Da cor branca do alcorce.

alcorcova ***S. f.*** **1.** Curva saliente; corcova. **2.** V. *alcorca*.

alcorcovar [De *alcorcova* + *-ar*[2].] ***V. t. d.*** **1.** Fazer alcorcovas em. **2.** Curvar, encurvar; corcovar.

alcorovia ***S. f.*** V. *alcaravia*.

alcorque [Do ár. *al-qurq*.] ***S. m.*** Chapim antigo, com sola de cortiça.

alcouce [Do ár. *al-qos*, 'cabana de eremita', com alter. semântica.] ***S. m.*** V. *prostíbulo*. [Var.: *alcoice*.]

alcouceiro [De *alcouce* + *-eiro*.] ***S. m.*** **1.** Dono ou gerente de alcouce. **2.** Frequentador de alcouce. [Var.: *alcoiceiro*.]

alcova (ô) [Do ár. *al-qubba(t)*, 'cúpula', 'abóbada'; 'edifício com cúpula' e, no ár.-hisp., 'pequeno quarto adjacente a uma sala'.] ***S. f.*** **1.** Pequeno quarto de dormir situado no interior da casa, sem aberturas para o exterior; recâmara. **2.** Quarto de mulher. **3.** Dormitório de casal. **4.** Quarto de dormir. **5.** *Teatr.* V. *inner stage*. [Var.: *alcoba*.]

alcoveta (ê) [Fem. de *alcoveto*.] ***S. f.*** V. *alcoviteira* (1 e 2).

alcoveto (ê) [Do ár. *al-qawwād*, 'intermediário'.] ***S. m.*** **1.** Alcoviteiro (1 e 2). **2.** *Ant.* Companheiro, colaborador. [Var.: *alcofeta*.]

alcovista [De *alcova* + *-ista*.] ***S. m.*** Indivíduo femeeiro, frequentador de alcovas.

alcovitado [Part. de *alcovitar*.] ***Adj.*** Alcofado[3].

alcovitagem [De *alcovitar* + *-agem*[2].] ***S. f.*** Ato ou efeito de alcovitar.

alcovitar [De *alcoveto* + *-ar*[2], pela f. arc. *alcouvetar* e *alcouvitar*.] ***V. t. d.*** **1.** Servir de intermediário em relações amorosas. **2.** Intrigar; mexericar. ***T. d. e i.*** **3.** Inculcar, servindo de alcoviteiro. ***Int.*** **4.** Servir de alcoviteiro. **5.** Fazer intriga; intrigar, mexericar.

alcoviteira [De *alcovitar* + *-eira*.] ***S. f.*** **1.** Mulher que alcovita; lena, alcagueta. **2.** Mulher que tem casa de alcouce. [Sin., nesta acepç.: *achegadeira, alcagueta, alcaiota, alcoveta, celestina, proxeneta*.] **3.** Mexeriqueira, intrigante; cuvilheira; leva e traz.

alcoviteirice [De *alcoviteiro* + *-ice*.] ***S. f.*** **1.** Ofício de alcoviteiro. **2.** Mexerico, bisbilhotice, mexericada. **3.** V. *lenocínio*. [Sin. ger.: *alcovitice*.]

alcoviteiro [De *alcovit-*, como em *alcovitar* (q. v.), + *-eiro*.] ***S. m.*** **1.** Homem que alcovita; intermediário de namorados. [Sin. (bras.): *pau de cabeleira*.] **2.** Corretor de prostitutas; cáften, proxeneta. [Sin., nas acepçs. 1 e 2: *alcaguete, alcaiote, alcoveto*.] **3.** Mexeriqueiro, intrigante. **4.** *Bras. N.E.* V. *periquito*[1] (6).

alcovitice ***S. f.*** V. *alcoviteirice*.

alcóxido (cs) ***S. m.*** *Quím.* Alcoolato (2).

alcrevite [Do ár. *al-kibrīt*.] ***S. m.*** *Ant.* V. *enxofre* (1). [Var.: *acrebite*.]

alcunha [Do ár. *al-kunya(t)*, 'designação que se junta ao pronome e ao sobrenome de alguém'.] ***S. f.*** Cognome geralmente depreciativo que se põe a alguém, e pelo qual fica sendo conhecido, tirado de alguma particularidade física ou moral; apelido, apodo.

alcunhar [De *alcunha* + *-ar*[2].] ***V. transobj.*** Pôr alcunha a; apelidar: *O povo alcunhou Joaquim José da Silva Xavier de Tiradentes.*

alcuza [Do ár. *al-kūz*.] ***S. f.*** *Prov. port.* Almotolia.

aldagrante ***Adj. 2 g. S. m.*** *Bras. S.* Tratante, velhaco, trampolineiro, vagabundo.

aldárico [De *ald(o)-* + *(sac)árico*.] ***Adj.*** ~ V. *ácido —*.

aldeado [Part. de *aldear*.] ***Adj.*** **1.** Dividido ou disposto em aldeias. **2.** Povoado de aldeias.

aldeador (ô) [De *aldear* + *-dor*.] ***Adj. S. m.*** *Lus.* Diz-se de, ou indivíduo doidivanas.

aldeamento [De *aldear* + *-mento*.] ***S. m.*** **1.** Ato ou efeito de aldear. **2.** *Bras.* Povoação de índios dirigida por missionários ou por autoridade leiga. **3.** *Bras.* Alojamento de presidiários em FN, os quais ali eram recolhidos em cumprimento de sentença.

aldeão ***Adj.*** **1.** Pertencente ou relativo a aldeia: *costumes aldeões; trajo aldeão.* **2.** Próprio de aldeia; rústico, camponês. ● ***S. m.*** **3.** O natural ou habitante de aldeia. [Fem.: *aldeã*; pl.: *aldeãos, aldeões* e *aldeães*.]

aldear [De *aldeia* + *-ar*[2].] ***V. t. d.*** **1.** Dividir em aldeias; distribuir por aldeias: *Os jesuítas costumavam aldear os índios catequizados.* **2.** Reunir, formando aldeia. **3.** Reduzir numa só aldeia. [Conjug.: v. *frear*.]

aldebarã [Do ár. *al-dabaran*, '(as) que seguem as cinco estrelas da constelação de Touro (as Plêiades)'.] ***S. f.*** *Astr.* Nome tradicional da estrela alfa de Touro. [Com cap.]

aldeia [Do ár. *aḍ-ḍayʿa(t)*.] ***S. f.*** **1.** Pequena povoação, de categoria inferior a vila; povoação rústica; povoado. **2.** *Bras.* Povoação constituída exclusivamente de índios; maloca. **3.** *Bras. BA Rel.* Terreiro (7), nos candomblés de caboclo; roça. **4.** *Antrop.* Unidade social que consiste numa habitação coletiva multifamiliar, ou num conjunto de habitações reunidas em um mesmo local, e organizada política e espacialmente de forma específica, conforme a sociedade a que pertence. **5.** *P. ext.* O local ocupado por essa comunidade. **6.** *Arqueol.* Sítio arqueológico, ger. em forma circular que varia de 20 a 100m de diâmetro, com evidências arqueológicas tais como manchas escuras no solo, carvão, objetos de pedra e cerâmica, restos de construção, etc. **7.** *Bras. RS* Grupo de casas de construção muito pobre situadas nas imediações dos quartéis ou dos acampamentos, e onde residem as famílias dos soldados. [Dim. irreg.: *aldeola* e *aldeota*.] ◆ **Aldeia global.** O mundo, como uma grande aldeia em que todos se comunicam através dos inúmeros meios de comunicação, de alta tecnologia. [Calque (2) do ingl. *global village*.]

aldeias-altense ***Adj. 2 g.*** **1.** De, ou pertencente ou relativo a Aldeias Altas (MA). ● ***S. 2 g.*** **2.** O natural ou habitante de Aldeias Altas. [Pl.: *aldeias-altenses*.]

aldeidase (e-i) [De *aldeído* + *-ase*.] ***S. f.*** *Bioquím.* Enzima produzida pelo fígado, e que transforma alguns aldeídos em ácidos.

aldeído [Do lat. cient. *al(cohol) dehyd(rogenatum)*, 'álcool desidrogenado', pelo al. *Aldehyd* e pelo ingl. *aldehyde*.] ***S. m.*** *Quím.* Classe de compostos orgânicos que contêm o grupo CHO ligado a um átomo de hidrogênio ou de carbono. ◆ **Aldeído acético.** *Quím.* Líquido incolor, com cheiro característico, obtido pela oxidação do etanol; etanal, acetaldeído [fórm.: C_2H_4O]. **Aldeído acrílico.** *Quím.* Acroleína. **Aldeído aminoacético.** *Quím.* Substância instável, da qual o acetal dietílico (v. aminoacetal) é reagente usual para sínteses [fórm.: C_2H_5NO]; aminoacetaldeído. **Aldeído benzoico.** *Quím.* Aldeído do ácido benzoico, líquido incolor, volátil, utilizado em sínteses orgânicas, em medicina e na manufatura de corantes e perfumes; benzaldeído [fórm.: C_7H_6O]. **Aldeído butírico.** *Quím.* Substância líquida, inflamável, aldeído com três átomos de carbono; butanal, butiraldeído [fórm.: C_4H_8O]. **Aldeído cinâmico.** *Quím.* Líquido oleoso, com cheiro de canela, encontrado no óleo de canela, usado em perfumaria [fórm.: C_9H_8O]. **Aldeído fórmico.** *Quím.* Gás incolor, com cheiro característico e agressivo, bactericida; metanal, formaldeído [fórm.: CH_2O]. **Aldeído glicérico.** *Quím.* Substância cristalina, insípida, que é a mais simples das aldoses; gliceraldeído [fórm.: $C_3H_6O_3$]. **Aldeído propiônico.** *Quím.* Substância líquida, inflamável, aldeído com três átomos de carbono [fórm.: C_3H_6O]. [Sin.: *propionaldeído, propanol*.]

aldeiense ***Adj. 2 g.*** **1.** De, ou pertencente ou relativo a São Pedro da Aldeia (RJ). ● ***S. 2 g.*** **2.** O natural ou habitante de São Pedro da Aldeia.

➔ **al dente** [al 'dente] [It.] *Cul.* Diz-se do alimento (sobretudo massa ou arroz) cozido de modo que ainda ofereça resistência à mastigação.

aldeola ***S. f.*** Pequena aldeia; aldeota.

aldeota ***S. f.*** Aldeola.

alderamim ***S. f.*** *Astr.* Nome tradicional da estrela alfa do Cefeu. [Com cap.]

aldermã [Do ingl. *alderman*.] ***S. m.*** Magistrado de conselho municipal, na Inglaterra, Irlanda e Estados Unidos.

aldino ***Adj.*** Pertencente ou relativo ao impressor italiano Aldo Manuzio (1450-1515), ou próprio dele. ~ V. *encadernação —a*.

alditol [De *ald(ose)* + *-itol*.] ***S. m.*** *Quím.* Designação genérica dos produtos obtidos pela redução a álcool do grupo cetona, ou aldeído, de uma cetose, ou aldose, respectivamente. [Pl.: *alditóis*.]

aldo ***S. m.*** *Bibliogr.* Livro impresso por Aldo Manuzio (v. *aldino*).

▲ **ald(o)-** *Quím.* ***El. comp.*** Designa a presença, ou proveniência de função aldeído: *aldose*. [Ocorre, tb., como infixo: *-ald(o)-*: *quinaldina*.]

▲ **-ald(o)-** V. *ald(o)*.

aldoexose (cs) [De *ald(o)-* + *(h)exose*.] ***S. f.*** *Quím.* Açúcar com seis átomos de carbono e função aldeído.

aldol [De *ald(o)-* + *-ol*[2].] ***S. m.*** *Quím.* Substância resultante da dimerização de aldeídos, com um grupamento hidroxila e outro aldeídico. [Pl.: *aldóis*.]

aldólico [De *aldol* + *-ico*[2].] ***Adj.*** *Quím.* ~ V. *condensação —a*.

aldónico ***Adj.*** *Quím.* V. *aldônico*. [Uso freq. em P.]

aldônico [De *ald(o)-* + *-ônico*.] ***Adj.*** *Quím.* ~ V. *ácido —*.

aldopentose [De *ald(o)-* + *pentose*.] ***S. f.*** *Quím.* Açúcar com cinco átomos de carbono e função aldeído.

aldose [De *ald(o)-* + *-ose*[2].] ***S. f.*** *Quím.* Qualquer carboidrato que é um aldeído: *A glicose é uma aldose.*

aldosterona [De *ald(o)-* + *esterol* + *-ona*[2].] ***S. f.*** *Bioquím.* Hormônio corticoide que regula o metabolismo de água e eletrólitos [fórm.: $C_{21}H_{28}O_5$].

aldosteronismo [De *aldosterona* + *-ismo*.] ***S. m.*** *Med.* Hiperaldosteronismo.

aldotetrose [De *ald(o)-* + *tetrose*.] ***S. f.*** *Quím.* Açúcar com quatro átomos de carbono e função aldeído.

aldotriose [De *ald(o)-* + *triose*.] ***S. f.*** *Quím.* Açúcar com três átomos de carbono e função aldeído.

aldoxima (cs) [De *ald(o)-* + *oxima*.] ***S. f.*** *Quím.* Qualquer oxima formada a partir de um aldeído.

aldraba ***S. f.*** Aldrava (q. v.). ~ V. *aldrabas*.

aldrabada [De *aldraba* + *-ada*[1].] ***S. f.*** V. *aldravada*.

aldrabado[1] [Part. de *aldrabar*.] ***Adj.*** Aldravado.

aldrabado[2] [Part. de *aldrabar*[2].] ***Adj.*** *Lus. Pop.* **1.** Feito ou dito apressadamente. **2.** Que foi enganado, ludibriado. **3.** Que não é original; falso. **4.** Diz-se de serviço malfeito.

aldrabagata [Der. de *aldraba*.] ***S. f.*** *Ant. Marinh.* Charneira entre as partes do cesto de gávea.

aldrabagate ***S. f.*** V. *aldrabagato*.

aldrabagato [De *aldraba*.] ***S. m.*** Espécie de pequena aldrava, que se prende, de um lado, a uma argola e, do lado oposto, engata em peça de ferro. [Var.: *aldrabagate*.]

aldrabão[1] [De *aldraba* + *-ão*[1].] ***S. m.*** Aldravão[1]. [Pl.: *aldrabões*.]

aldrabão[2] [Do ár.*al-bardān*, 'louco', 'débil', 'estúpido'; 'descarado'.] ***S. m.*** **1.** Indivíduo que age ou fala de modo confuso. **2.** Indivíduo trapaceiro, mentiroso. [Sin. ger.: *albardeiro, aldrabeiro* e *aldrabista*. Var.: *aldravão*[2].] [Pl.: *aldrabões*; fem.: *aldrabona*.]

aldrabar[1] [De *aldraba* + *-ar*[2].] ***V. t. d. T. i. Int.*** Aldravar[1].

aldrabar[2] [Do rad. de *aldabrão* + *-ar*[2].] ***V. t. d.*** *Lus.* **1.** Executar mal, imperfeitamente (obra, tarefa, serviço). **2.** Enganar; ludibriar. ***Int.*** **3.** Falar atrapalhadamente. **4.** Mentir muito.

aldrabas ***S. f. pl.*** *Bras.* Perneiras de couro dos sertanejos. ~ V. *aldraba*.

aldrabeiro [De *aldrabão*[2], com mudança de suf. (v. *-eiro*).] ***S. m.*** V. *aldrabão*[2].

aldrabice ***S. f.*** Aldravice (q. v.).

aldrabista [De *aldrabão*[2], com mudança de suf. (v. *-ista*).] ***S. 2 g.*** V. *aldrabão*[2].

aldrabona ***S. f.*** Aldravona (q. v.).

aldrava [Var. de *aldraba*, do ár. *aḍ-ḍabba(t)*, 'ferrolho'.] ***S. f.*** **1.** Tranqueta de metal com que se fecha a porta, com dispositivo que permite abrir e fechar por fora. **2.** Tranca de porta, para escorar portas e janelas. **3.** Argola ou maça de metal com que se bate às portas, chamando a atenção de quem está dentro; batente. **4.** Tranqueta com que se fecha a cana do leme.

aldravada [De *aldrava* + *-ada*[1]; var. de *aldrabada*.] ***S. f.*** Pancada com aldrava.

aldravado[1] [Part. de *aldravar*[1]; var. de *aldrabado*.] ***Adj.*** Que tem aldrava.

aldravado[2] [Part. de *aldravar*[2].] ***Adj.*** V. *aldrabado*[2].

aldravão[1] [De *aldrava* + *-ão*[1]; var. de *aldrabão*[1].] ***S. m.*** Aldrava grande. [Pl.: *aldravões*.]

aldravão[2] ***S. m.*** V. *aldrabão*[2].

aldravar[1] [De *aldrava* + *-ar*[2]; var. de *aldrabar*.] ***V. t. d.*** **1.** Pôr aldrava em. **2.** Fechar ou trancar com aldrava. ***T. i.*** **3.** Dar pancadas com aldrava.

aldravar[2] [Der. de *aldravão*[2] (var. de *aldrabão*[2] [q. v.]) + *-ar*[2].] ***V. t. d. Int.*** V. *aldrabar*[2].

aldravaz [De **aldrav-* (de *aldrabão*) + *-az*.] ***S. m.*** *Lus.* V. *trapaceiro* (2).

aldravice [Var. de *aldrabice*.] ***S. f.*** **1.** Patranha de aldravão ou aldrabão; trapaça. **2.** Trabalho malfeito.

aldravona (ô) [Var. de *aldrabona*.] ***S. f.*** Fem. de *aldravão*[2].

aldrin ***S. m.*** *Quím.* Inseticida clorado, tricíclico, tóxico, cujo uso é proibido em vários países [fórm.: $C_{12}H_8Cl_6$].

aldurónico ***Adj.*** *Quím.* ~ V. *aldurônico*. [Uso freq. em P.]

aldurônico [De *ald(o)-* + *urônico*.] ***Adj.*** *Quím.* ~ V. *ácido —*.

▲ **-ale** [Adapt. do lat. cient. *-ales*, do pl. do lat. *-alis*.] ***Suf.*** Us. na terminologia científica para indicar ordem (26): *aristoloquiale, cicadale, cicadoficale, clamidiale*.

álea[1] [Do lat. *alea*, 'dado de jogar'.] ***S. f.*** *Jur.* Probabilidade de perda concomitante à probabilidade de lucro. [Cf. *risco*[2] (4). Cf. tb. *aleia*.]

álea[2] ***S. f.*** Aleia.

➔ **alea jacta est** ['alεa 'jaktεst] [Lat., 'a sorte está lançada'.] Frase que se atribui a Júlio César ao decidir, em 49 a.C., atravessar o rio Rubicão com suas tropas, em vez de licenciá-las, como prescrevia o Senado romano. [Emprega-se para indicar decisão irrevogável.]

alealdar [De *a-*[4] + *lealdar*.] ***V. t. d.*** V. *lealdar*.

aleatoriedade [De *aleatóri(o)* + *-edade*.] ***S. f.*** Qualidade ou caráter de aleatório.

aleatório [Do lat. *aleatoriu*.] ***Adj.*** **1.** Dependente de fatores incertos, sujeitos ao acaso; casual, fortuito, acidental: 🕮 "Por longa e penosa experiência, sabia que o pagamento dos *pro labore* era coisa muito incerta e aleatória, dependendo de imprevisíveis caprichos e circunstâncias." (Vivaldo Coaraci, *Todos Contam Sua Vida*, p. 241.) **2.** Dependente de um acontecimento incerto quanto às vantagens ou prejuízos. **3.** Diz-se do fenômeno físico que envolve uma variável de caráter estatístico, como, p. ex., a desintegração de um núcleo atômico, o movimento browniano; estocástico, randômico. [Cf. *alheatório*.] ~ V. *contrato —, música —a, números —s* e *variável —a*.

alecítico [De *a-*[3] + *lécito*[1] + *-ico*[2].] ***Adj.*** Pertencente ou relativo a alécito.

alécito [De *a-*[3] + *lécito*[1].] ***Adj.*** *Embr.* Diz-se de óvulo com pouco ou nenhum vitelo[2], encontrado nos mamíferos, e que constitui uma variedade de óvulo oligolécito.

alecrim [Do ár. *al-iklīl*.] ***S. m.*** *Bot.* **1.** Arbusto lamiáceo (*Rosmarinus officinalis*) que exala odor agradável e forte, e por destilação dá abundante quantidade de óleo essencial volátil, e se usa como medicamento e como condimento; alecrim-de-cheiro, alecrineiro, alecrinzeiro. **2.** Ramo, folha ou flor desse arbusto. **3.** *Zool.* V. *tintureira* (3). [Var. (prov. lus.): *anecril*.]

alecrim-bravo ***S. m.*** *Bot.* V. *catinga-de-formiga*. [Pl.: *alecrins-bravos*.]

alecrim-de-angola ***S. m.*** *Bot.* Pimenteiro (1). [Pl.: *alecrins-de-angola*.]

alecrim-de-cheiro ***S. m.*** *Bot.* V. *alecrim* (1). [Pl.: *alecrins-de-cheiro*.]

alecrim-do-campo ***S. m.*** *Bot.* Designação comum a vários arbustos asteráceos, lamiáceos e verbenáceos. [Pl.: *alecrins-do-campo*.]

alecrineiro [De *alecrim* + *-eiro*.] ***S. m.*** V. *alecrim* (1).

alecrinense ***Adj. 2 g.*** **1.** De, ou pertencente ou relativo a Alecrim (RS). ● ***S. 2 g.*** **2.** O natural ou habitante de Alecrim.

alecrinzeiro [De *alecrim* + *-zeiro*.] ***S. m.*** V. *alecrim* (1).

aléctico [De *a-*[3] + *-lé(c)tico*.] ***Adj.*** **1.** Relativo à alexia. **2.** Que sofre de alexia. [Var.: *alético*.]

alectório [Do lat. *alectoriu*.] ***Adj.*** Respeitante ao galo. ~ V. *pedra —a*.

▲ **alectoro-** [Do gr. *alektoro-* < gr. *aléktōr, oros*.] ***El. comp.*** = 'galo[1]': *alectoromaquia*.

alectoromancia (cí) [De *alectoro-* + *-mancia*.] ***S. f.*** Antiga arte de adivinhar por meio de um galo que ia comendo os grãos de milho colocados sobre letras que formavam palavras.

alectoromante [De *alectoro-* + *-mante*.] ***S. 2 g.*** Pessoa que praticava a alectoromancia.

alectoromântico ***Adj.*** Referente a alectoromancia, ou a alectoromante.

alectoromaquia [De *alectoro-* + *-maquia*.] ***S. f.*** Luta de galos.

alectoromáquico [De *alectoromaquia* + *-ico*[2].] ***Adj.*** Relativo a alectoromaquia.

➔ **alef** ['alεf] [Hebr.] ***S. m.*** **1.** A primeira letra do alfabeto hebraico. **2.** *Mat.* Designação genérica dos cardinais transfinitos. ◆ **Alef zero.** *Mat.* Número cardinal transfinito de todos os conjuntos infinitos numeráveis; o primeiro cardinal transfinito.

alefriz [Do ár. *al-firād*, pl. de al-furëa*(t)*, 'entalhe'.] ***S. m.*** *Constr. Nav.* **1.** Entalhe feito na quilha, na roda de proa e no cadaste, e no qual se encaixa o tabuado que constitui o forro externo do casco. **2.** Entalhe feito na parte interna das braçolas da escotilha de paiol ou porão, para apoio dos quartéis de cobertura.

alegabilidade [De *alegável* + *-(i)dade*, seg. o padrão erudito.] ***S. f.*** Qualidade ou caráter de alegável.

alegação [Do lat. *allegatione*.] ***S. f.*** **1.** Ato ou efeito de alegar. **2.** Aquilo que se alega; argumento, arrazoado, prova. **3.** Explicação, justificativa. ~ V. *alegações*.

alegações [Pl. de *alegação*.] ***S. f. pl.*** *Jur.* Razões de fato ou de direito produzidas em juízo pelos litigantes; arrazoado, alegado. ~ V. *alegação*.

alegado [Subst. do part. de *alegar*.] ***S. m.*** *Jur.* V. *alegações*.

alegânico [Do ingl. *alleghanian*.] ***Adj.*** Pertencente ou relativo aos montes Alegânis (E.U.A.), ou à região onde estão situados.

alegante [Do lat. *allegante*.] ***Adj. 2 g. S. 2 g.*** Que, ou quem alega.

alegar [Do lat. *allegare*.] ***V. t. d.*** **1.** Citar, mencionar como prova: *Alegou, perante o juiz, um álibi duvidoso.* **2.** Apresentar como explicação, desculpa ou pretexto: 🕮 "O seu desejo era não acudir ao chamado; alegar que estava doente, ou não alegar coisa alguma, e lá não ir." (Artur Azevedo, *Contos Cariocas*, p. 22.) **3.** Citar, referir, mencionar. **4.** *Jur.* Fazer, em juízo, alegação de: 🕮 "Figuravam no seu ativo dez ou doze mortes, todas de tocaia ..... Inquirido a respeito, alegava, enxugando uma lágrima, que matara só uns três" (Ciro dos Anjos, *A Menina do Sobrado*, p. 96). ***T. d. e i.*** **5.** Apresentar, citar (um fato) em defesa ou justificativa. ***T. i.*** **6.** Expor fato(s), razão ou razões, argumento(s): *Não deu crédito ao que o aluno lhe alegara.* ***P.*** **7.** Referir-se a si próprio; citar-se. [Conjug.: v. *regar*.]

alegável [De *alegar* + *-vel*.] ***Adj. 2 g.*** Que pode ser alegado.

alegoria [Do gr. *allegoría*, pelo lat. *allegoria*.] ***S. f.*** **1.** Exposição de um pensamento sob forma figurada. **2.** Ficção que representa uma coisa para dar ideia de outra. **3.** Sequência de metáforas que significam uma coisa nas palavras e outra no sentido. **4.** Obra de pintura ou de escultura que representa uma ideia abstrata por meio de formas que a tornam compreensível. **5.** Simbolismo concreto que abrange o conjunto de toda uma narrativa ou quadro, de maneira que a cada elemento do símbolo corresponda um elemento significado ou simbolizado. ◆ **Alegoria da caverna.** *Filos.* V. *mito da caverna.*

alegórico [Do gr. *allegorikós*, pelo lat. tard. *allegoricu.*] *Adj.* **1.** Referente a alegoria. **2.** Que encerra alegoria. ~ V. *carro — e estátua —a.*

alegorista [Do gr. *allegoristés*, pelo fr. *allégoriste.*] *Adj. 2 g.* **1.** Que usa de estilo alegórico. ● *S. 2 g.* **2.** Pessoa que faz uso de alegorias.

alegorizar [Do gr. *allegoreúein*, pelo lat. tard. *allegorizare.*] *V. t. d.* **1.** Apresentar por meio de alegoria. **2.** Explicar em sentido alegórico.

alegrado[1] [Part. de *alegrar*[1].] *Adj.* Que se alegrou; alegre, contente, satisfeito, divertido.

alegrado[2] [Part. de *alegrar*[2].] *Adj.* Aberto ou cortado com legra.

alegrador (ô) [De *alegrar*[1] + *-dor.*] *Adj. S. m.* Que, ou aquele que alegra.

alegramento [De *alegrar*[1] + *-mento.*] *S. m.* Ato ou efeito de alegrar(-se).

alegrão [De *alegr(ia)* + *-ão*[1].] *S. m.* Grande alegria (2): "Ninguém me espera, vou daqui dar um alegrão à minha gente." (Fialho d'Almeida, *O País das Uvas*, p. 93.)

alegrar[1] [De *alegre*[1] + *-ar*[2].] *V. t. d.* **1.** Tornar ou pôr alegre, contente; contentar: "o divino riso, consolador dos homens, alegrava as caras, alargava as bocas" (Augusto Meyer, *No Tempo da Flor*, p. 17). **2.** Trazer alegria, beleza: *O nascer do Sol alegrou os campos.* **3.** Pôr ligeiramente embriagado. *P.* **4.** Sentir alegria, satisfação; tornar-se alegre: "Tudo se alegra e ri em torno dela" (Gonçalves Dias, *Obras Poéticas*, II, p. 152).

alegrar[2] [De *a-*[2] + *legra* + *-ar*[2].] *V. t. d.* **1.** Cortar com legra. **2.** Sulcar, geralmente empregando legra, as juntas de (paredes, muros ou pisos de tijolo ou pedra), seja para renovar a argamassa, seja para dar ressalto ao efeito plástico do material.

alegrativo [De *alegrar*[1] + *-tivo.*] *Adj.* **1.** Próprio para tornar alegre[2]. **2.** Que causa alegria; alegrador.

alegre[1] [De *a-*[4] + *legra.*] *S. m. Bras. N.* **1.** Ferramenta com que se fazem colheres de pau. **2.** Ferramenta com que se raspa o tronco da maniçoba para obter o látex.

alegre[2] [Do lat. *alacre*, pelo provenç. trovadoresco *alegre.*] *Adj. 2 g.* **1.** Que sente e/ou manifesta contentamento, satisfação, prazer de viver; contente, satisfeito: "a Luzia, a mais linda, a mais alegre rapariga das que no verão arranchavam nas vindimas." (Trindade Coelho, *Os Meus Amores*, p. 228); "Num quiosque em festa a alegre turba grita." (Augusto dos Anjos, *Eu*, p. 69). **2.** Intimamente feliz, contente: *Sentiu-se alegre ao receber o elogio.* **3.** Que inspira júbilo, prazer, contentamento: *ambiente alegre; canção alegre.* **4.** Em que há júbilo; jovial, prazenteiro: *Foi muito alegre o seu jantar de noivado.* **5.** Diz-se da cor viva e vistosa. **6.** Ligeiramente embriagado; alegrete, calibrado, bicado, riscado, tocado. **7.** Um tanto licencioso ou libertino: *viúva alegre.*

alegrense[1] *Adj. 2 g.* **1.** De, ou pertencente ou relativo a Alegre (ES). ● *S. 2 g.* **2.** O natural ou habitante de Alegre.

alegrense[2] *Adj. 2 g.* **1.** De, ou pertencente ou relativo a Rancho Alegre (PR). ● *S. 2 g.* **2.** O natural ou habitante de Rancho Alegre.

alegrense[3] *Adj. 2 g.* **1.** De, ou pertencente ou relativo a São José do Alegre (MG). ● *S. 2 g.* **2.** O natural ou habitante de São José do Alegre.

alegrete[1] (ê) [De *alegre*[2] + *-ete* (ê).] *S. m.* Pequeno canteiro para plantas ou flores: "Quando veio regar os craveiros, aproximei-me do alegrete" (Conde de Ficalho, *Uma Eleição Perdida*, p. 231).

alegrete[2] (ê) *Adj. 2 g.* V. *alegre*[2] (6).

alegretense *Adj. 2 g.* **1.** De, ou pertencente ou relativo a Alegrete (RS). ● *S. 2 g.* **2.** O natural ou habitante de Alegrete.

alegreto (ê) [Do it. *allegretto.*] *Mús. Adv.* **1.** Em andamento entre o andante e o alegro. ● *S. m.* **2.** Esse andamento. **3.** Trecho musical de caráter gracioso e leve, escrito nesse andamento.

alegria [De *alegre* + *-ia*[1].] *S. f.* **1.** Qualidade de alegre[2]: *A nota característica de seus quadros é a alegria.* **2.** Estado ou condição de alegre: *Tem um gênio privilegiado: nunca perde a alegria.* **3.** Sentimento de felicidade, de contentamento, satisfação, júbilo: *A alegria de ser mãe notava-se-lhe nos olhos;* "Neste retiro os longos dias passo, / Sem alegrias e sem dissabores" (Ricardo Gonçalves, *Ipês*, p. 37). **4.** Tudo quanto alegra, contenta, jubila, exulta: *Os filhos são a sua única alegria; Foi uma alegria para todos sua vinda pelo Natal.* **5.** Divertimento, distração, prazer: *Sua única alegria é a leitura.* ~ V. *alegrias.*

alegrias *S. f. pl.* Testículos de animal. ~ V. *alegria.*

alegriense[1] *Adj. 2 g.* **1.** De, ou pertencente ou relativo a Alegria (RS). ● *S. 2 g.* **2.** O natural ou habitante de Alegria.

alegriense[2] *Adj. 2 g.* **1.** De, ou pertencente ou relativo a Chã de Alegria (PE). ● *S. 2 g.* **2.** O natural ou habitante de Chã de Alegria.

alegriense[3] *Adj. 2 g.* **1.** De, ou pertencente ou relativo a Santo Antônio da Alegria (SP). ● *S. 2 g.* **2.** O natural ou habitante de Santo Antônio da Alegria.

alegrinho [Dim. de *alegre*[2].] *S. m. Bras. Zool.* Ave passeriforme, tiranídea (*Serpophaga subcristata*), de coloração cinzento-azeitonada na parte superior e branco-amarelada na inferior, vértice com uma mancha e duas faixas brancas onduladas sobre as asas. Ocorre no S. do Brasil, e é encontrada até MG e SP. [Sin.: *caga-sebinho, caga-sebite* e *caga-sebito.*]

alegro [Do it. *allegro.*] *Mús. Adv.* **1.** Viva e alegremente; em andamento animado. ● *S. m.* **2.** Trecho musical nesse andamento.

aleia (éi) [Do fr. *allée.*] *S. f.* **1.** Fileira ou renque de arbustos ou de árvores. **2.** Caminho (de jardim, parque, etc.) ladeado de árvores ou de arbustos; alameda: "Adiante, a lividez do luar alumiou-lhes o passo por uma aleia de buxos aparados e de cheirosos canteiros de alfazema." (Gustavo Barroso, *A Ronda dos Séculos*, p. 234.) **3.** Passagem ou caminho ladeado de muros. [F. paral.: *álea*[2]. Cf. *álea*[1].] ❖

aleijada [F. subst. de *aleijado.*] *S. f.* Variedade de cana-de-açúcar.

aleijado [Part. de *aleijar.*] *Adj.* **1.** Que tem algum defeito, deformidade ou mutilação física; defeituoso, estropiado: *cachorro aleijado; braço aleijado.* **2.** *P. ext.* Que tem defeito moral ou espiritual. **3.** *P. ext.* Imperfeito, incorreto, defeituoso: *Suas trovas, quase todas aleijadas, mostram ser mau poeta.* ● *S. m.* **4.** *Bras. Gír.* Medroso, fraco. ● *S. m.* **5.** Aquele que é aleijado (1).

aleijamento [De *aleijar* + *-mento.*] *S. m.* **1.** Ato ou efeito de aleijar(-se). **2.** *Ant.* Aleijão.

aleijão [De *a-*[4] + lat. *laesione*, 'lesão'.] *S. m.* **1.** Deformidade ou defeito físico ou moral. **2.** Pessoa com grande deformidade física; monstro. **3.** Coisa malfeita, disforme, hedionda.

aleijar [De *a-* + lat. **laesiare*, por *laesionare*, 'provocar lesão'; ou de *aleij(ão)* + *-ar*[2].] *V. t. d.* **1.** Causar aleijão a; deformar, mutilar, estropiar. **2.** Deturpar, adulterar. **3.** Magoar muito. **4.** Causar prejuízo financeiro a; explorar: *A venda da casa aleijou-me.* **5.** *Lus.* Machucar ligeiramente: *Aleijou o dedo ao cortar a unha.* *Int. P.* **6.** Ficar aleijado ou mutilado: *aleijar(-se) na guerra.* **7.** *Lus.* Machucar-se ligeiramente.

aleiloar [De *a-*[2] + *leilão* + *-ar*[2], com desnasalação.] *V. t. d.* V. *leiloar.* [Conjug.: v. *coroar.*]

aleirado [Part. de *aleirar.*] *Adj.* Que se aleirou; dividido em leiras.

aleirar [De *a-*[2] + *leira* + *-ar*[2].] *V. t. d.* Dividir em leiras; leirar.

aleitação [De *aleitar*[1] + *-ção.*] *S. f.* V. *aleitamento*[1].

aleitamento[1] [De *aleitar*[1] + *-mento.*] *S. m.* Ato, processo, ou efeito de aleitar[1]; aleitação, amamentação.

aleitamento[2] [De *aleitar*[2] + *-mento.*] *S. m.* Ato ou efeito de aleitar[2].

aleitar[1] [De *a-*[2] + *leite* + *-ar*[2].] *V. t. d.* **1.** Criar a leite; amamentar: "A tua menina cá fica entregue à Maria Lemenha, ... que pode aleitar três crianças" (Camilo Castelo Branco, *Vulcões de Lama*, p. 97). **2.** Tornar cor como leite.

aleitar[2] [De *a-*[2] + *leito* + *-ar*[2].] *V. t. d.* **1.** Meter no leito ou na cama; acamar. **2.** Ajustar a superfície de (uma pedra), para colocar outra em cima.

aleitativo [De *aleitar*[1] + *-tivo.*] *Adj.* Referente à aleitação.

aleive [De or. controversa.] *S. m.* V. *aleivosia*: "Não se disse .... em público e raso que a mulher do ministro da guerra, ..., não ostentara numa recepção o colar de diamante que lhe trouxera um embaixador aliado como arras do suborno, e o aleive não correu e ficou impune?" (Aquilino Ribeiro, *Estrada de Santiago*, p. 137.)

aleivosia [De *aleivoso* + *-ia*[1].] *S. f.* **1.** Traição, perfídia, deslealdade. **2.** Dolo, fraude. **3.** Falsa acusação; calúnia. [Sin. ger.: *aleive.*]

aleivoso (ô) [De *aleive* + *-oso.*] *Adj.* **1.** Em que há aleive; fraudulento. **2.** Que procede com aleive; desleal, traidor, pérfido. **3.** Caluniador.

aleli [Do berbere *al-hīrī.*] *S. m. Bot.* **1.** Planta herbácea brassicácea (Erysimum cheiri), ornamental, de flores rubras raiadas de branco, ou amarelas, e cheirosas; goiveiro. **2.** A flor dessa planta. [Sin. ger.: *goivo.*]

alélico [De *alelo* + *-ico*[2].] *Adj.* De alelo, ou relativo a ele.

alelismo [De *alel(o)-* + *-ismo.*] *S. m. Genét.* Ocorrência de dois ou mais alelos localizados no mesmo lugar do cromossomo; alelomorfismo.

alelo [F. red. de *alelomorfo.*] *S. m. Genét.* Uma das formas alternativas de um gene, que ocupa determinado lócus no cromossomo.

▲ **alel(o)-** [Do gr. *allēlon.*] *El. comp.* = 'de um a outro': *alelismo, alelomorfo.*

alelobiose [De *alel(o)-* + *-bi(o)-* + *-ose*[1].] *S. f. Biol.* O conjunto das relações vitais entre os indivíduos.

alelomorfismo [De *alelomorfo* + *-ismo.*] *S. m. Genét.* Alelismo.

alelomorfo [De *alel(o)-* + *-morfo.*] *S. m. Genét.* Alelo.

alelopatia [De *alel(o)-* + *-patia.*] *S. f. Ecol.* Antibiose.

alelopático [De *alelopatia* + *-ico*[2].] *Adj.* Relativo à alelopatia, ou próprio dela.

aleloquímico [De *alel(o)-* + *químico.*] *Ecol. Adj.* **1.** Diz-se de, ou relativo a mensageiro químico que fornece vantagem competitiva de uma espécie sobre outra. ● *S. m.* **2.** Substância aleloquímica.

alelositismo [De *alel(o)-* + *-sit(o)-* + *-ismo.*] *S. m.* **1.** *Biol.* Mútua dependência nutricional entre células, esp. entre colônias de bactérias. **2.** *Bot.* Fenômeno no qual um líquen heterotrófico parasita outro do mesmo grupo. [Sin. ger.: *sintrofia.*]

aleluia [Do hebr. *hallelu Yah*, 'louvai ao Senhor', pelo lat. *alleulia* ou *halleluiah.*] *S. f.* **1.** *Mús. Rel.* Canto de alegria e louvor, frequente nos salmos, e adotado pela Igreja na sua liturgia, esp. no tempo da Páscoa. **2.** *P. ext.* Alegria, regozijo. **3.** *Rel.* O sábado da Ressurreição. **4.** *Rel.* Versículo precedido e seguido dessa palavra que se recita ou canta antes do Evangelho, na missa (1). **5.** *Bot.* Árvore cesalpiniácea (*Cassia macranthera* ou *C. speciosa*), de folhas compostas, flores amarelas, em racemos terminais, e madeira leve, macia, us. em obras internas. **6.** *Bot.* A flor, amarela, da aleluia (5): "As douradas aleluias de março e abril, querendo cantar seu amarelo" (Ana Maria Machado, *Palavra de Honra*, p. 188). **7.** *Bras. Zool.* Designação comum aos exemplares alados (macho e fêmea) dos cupins, ao abandonar o ninho para o voo nupcial, após o qual as fêmeas fecundadas formam novas colônias; arará, cupim, siliuia, siriruia. ~ V. *aleluias.*

aleluiar [De *aleluia* + *-ar*[2].] *V. t. d.* **1.** *Mús.* Adicionar a (antífonas, versículos, introitos, etc.) as aleluias que, no tempo próprio, a liturgia determina. *Int.* **2.** Cantar aleluia. **3.** Alegrar-se muito; jubilar-se, rejubilar-se.

aleluias *S. f. pl.* V. *direitos de estola.* ~ V. *aleluia.*

aleluítico [De *aleluia* + *-ítico.*] *Adj.* **1.** Em que há aleluia. **2.** Que louva; que saúda; que celebra.

além [Do lat. *ecce hinc*, 'eis ali', poss.] *Adv.* **1.** Lá, acolá, lá ao longe: "Era noite!... A tormenta além ruge..." (Castro Alves, *Obra Completa*, p. 176); "Aqui, o rio azul ao sol do estio; / Além, o monte, no horizonte suave." (Campos de Figueiredo, *Imagem da Noite*, p. 29). **2.** Longe, bem longe: "Vou-me com ele, sem saber onde vamos. Além, espera-nos o Jordão." (Tristão da Cunha, *Histórias do Bem e do Mal*, p. 53.) **3.** Mais adiante; mais à frente: "Não deram mais um passo além. Ultimara-se uma empresa deplorável." (Euclides da Cunha, *Os Sertões*, p. 219.) **4.** V. *afora* (1): "O caçador por essa linha migratória além terá ensejo de fazer bom cinto." (Aquilino Ribeiro, *Aldeia*, p. 183.) [Antôn.: *aquém.*] ● *S. m.* **5.** O que vem depois da morte; o outro mundo; a eternidade, o desconhecido, o além-mundo, o além-túmulo; a ultravida: "Que bom com um dia assim deixar a terra, / Ir-se da vida! e a um sol tão puro, / Buscar assim o Além que nos aterra!" (Alberto de Oliveira, *Poesias*, 4.ª série, p. 237); "Porventura estarei também algumas vezes / Nesses vagos aléns / que a esperam, chamam e levam?" (Cecília Meireles, *Obra Poética*, p. 211). [Cf. *alem*, do v. *alar.*] ◆ **Além de. 1.** Para mais de, para lá de: "Se perguntarem: Que mais queres, / além de versos e mulheres?..." (Manuel Bandeira, *Estrela da Vida Inteira*, p. 50); *Já estava além dos oitenta anos quando adoeceu pela primeira vez.* **2.** Mais adiante de: *Não pôde ir além das primeiras casas da cidade.* **3.** Do outro lado de: *A estrada ficava além do rio;* "Eu nasci além dos mares" (Casimiro de Abreu, *Obras*, p. 57). **4.** Acima de: *Gasta além das suas posses.* **5.** Ademais de; afora de: *É, além de levado, muito malcriado.* **Além disso.** De mais a mais; além do mais; a mais; outrossim, também: *É viajado e, além disso, muito lido.* **Além do mais.** V. *além disso.*

▲ **além-** *Pref.* = 'além de', 'para além de': *além-mar, além-túmulo.* [É sempre seguido de hífen.]

alemã *S. f.* Fem. de *alemão.*

alemânico [Do lat. *alamannicu.*] *Adj. P. us.* **1.** Relativo à Alemanha ou aos alemães; germânico. ● *S. m.* **2.** *Gloss.* Língua germânica falada na Suíça, na Áustria, e também na Alemanha e na França. [Na França, é denominada *alsaciano*; na Suíça, *alemão-suíço*.] 3. Vocábulo dessa língua.

alemanismo [De *alemão* + *-ismo*.] *S. m.* Germanismo.

alemanista [De *alemão* + *-ista*.] *S. 2 g.* Germanista.

alemanizar [De *alemão* + *-izar*.] *V. t. d. P.* Germanizar.

alemão [Do lat. med. *alamannu*, *alemannu*.] *Adj.* **1.** Da, ou pertencente ou relativo à Alemanha (Europa). **2.** Pertencente ou relativo aos alemães, sua cultura, etc., ou ao alemão (4). ~ V. *aspas —ãs*, *cortina —ã*, *grifo —*, *marco² — e sarampo —*. ● *S. m.* **3.** O natural ou habitante da Alemanha. **4.** *Gloss.* Língua do grupo germânico ocidental, idioma oficial da Alemanha, Áustria e parte da Suíça. [Divide-se em duas zonas linguísticas principais, cujo limite foi traçado no séc. XIX: (a) o *alto-alemão*, falado ao S., compreendendo o bávaro e o alemânico, e que se tornou, após a Reforma (q. v.), o alemão clássico, atual alemão padrão, documentado desde o séc. VIII; (b) o *baixo-alemão*, representado hoje em dia por diversos falares da Alemanha do N., do qual procedem o holandês e o neerlandês, e que não contribuiu para a formação do alemão moderno. Cf. *germânico* (4).] **5.** Vocábulo dessa língua. **6.** *Bras. Gír.* Membro de quadrilha rival; inimigo. [Flex.: *alemã*, *alemães*, *alemãs*.]

alemão-ocidental *Adj.* **1.** Da, ou pertencente, ou relativo à antiga Alemanha Ocidental [ou à ex-República Federal da Alemanha (1945-1989)]. ● *S. m.* **2.** O habitante ou natural da antiga Alemanha Ocidental. [Pl.: *alemães-ocidentais*. Flex.: *alemã-ocidental*; pl.: *alemãs-ocidentais*.]

alemão-oriental *Adj.* **1.** Da, ou pertencente, ou relativo à antiga Alemanha Oriental [ou à ex-República Democrática Alemã (1945-1989)]. ● *S. m.* **2.** O natural ou habitante da antiga Alemanha Oriental. [Pl.: *alemães-orientais*. Flex.: *alemã-oriental*; pl.: *alemãs-orientais*.]

alemão-suíço *S. m. Gloss.* V. *alemânico* (2 e 3). [Pl.: *alemães-suíços*.]

alemãozada [De *alemão* + *-zada*.] *S. f. Fam.* V. *alemoada*.

alembamento [De *alembar* + *-mento*.] *S. m. Afric.* Dote de casamento, compensação material que o noivo (ou o pai do noivo) oferece à família da noiva, segundo o sistema tradicional; lembamento: "ainda sobrava dinheiro para dar o alembamento da filha do velho Gonga." (Antônio Jacinto, *Vovô Bartolomeu*, p. 21). [Sin. (moç.): *lobolo*.]

alembar [De *a-⁴* + *lembar*.] *V. t. d. Angol.* V. *lembar*: "Sou casada, tenho marido / di-lo quem foi alembada / o contrário é descaramento." (Raul David, *Cantares do Nosso Povo*, p. 53.)

alembrar [De *a-⁴* + *lembrar*.] *V. t. d. T. d e i. P. Ant. Pop.* Lembrar: "encanecidos / Pescadores de outrora alembram com saudade / As pescarias" (Vicente de Carvalho, *Versos da Mocidade*, p. 124); "Algumas vezes eu me alembro duma / tarde na roça" (Gilberto Mendonça Teles, *Saciologia Goiana*, p. 34).

além-mar *Adv.* **1.** Além do mar. [Antôn.: *aquém-mar*.] ● *S. m.* **2.** As terras situadas além-mar; ultramar. [Pl., nesta acepç.: *além-mares*.]

além-mundo *S. m.* V. *além* (5). [Pl.: *além-mundos*.]

álemo [Var. de *álamo*.] *S. m. Bot.* V. *choupo-branco*.

alemoa (ô) *S. f. Pop.* Fem. de alemão (3): "Atravessando sozinho alguma ponte, depois dos sinos de Santo Antônio badalarem nove horas, arriscava-se a ser levado para o fundo das águas por uma linda alemoa de cabelos louros." (Gilberto Freire, *Assombrações do Recife Velho*, p. 29.)

alemoada [De *alemão* + *-ada¹*, com desnasalação.] *S. f. Fam.* **1.** Grupo de alemães. **2.** O conjunto dos alemães. [Sin. ger.: *alemãozada*.]

alemoado¹ [De *alemão* + *-ado¹*, com desnasalação.] *Adj. Bras. S.* De aspecto germânico.

alemoado² [Part. de *alemoar*.] *Adj. Bras. S.* Que adquiriu hábitos de alemão; que se alemoou.

alemoar [De *alemão* + *-ar²*, com desnasalação.] *V. t. d. P. Bras. S.* Germanizar. [Conjug.: v. *coroar*.]

além-paraibano (a-i) *Adj.* **1.** De, ou pertencente ou relativo a Além-Paraíba (MG). ● *S. m.* **2.** O natural ou habitante de Além-Paraíba. [Pl.: *além-paraibanos*.]

além-pireneus [De *além-* + *pireneus*.] *Adv.* **1.** Além dos Pireneus (Europa). ● *S. m. 2 n.* **2.** As terras de além-pireneus. [Antôn.: *aquém-pireneus*.]

além-túmulo *S. m.* V. *além* (5). [Pl.: *além-túmulos*.]

alencariano *Adj.* **1.** Pertencente ou relativo a José de Alencar (1829-1877), notável representante da nossa escola romântica, ou próprio dele. **2.** Que é seu admirador e/ou conhecedor profundo de sua obra. ● *S. m.* **3.** Admirador e/ou conhecedor profundo da obra de José de Alencar. [Sin. ger.: *alencarino*.]

alencarino *Adj. S. m.* Alencariano.

aleno [De *al(ila)* + *-eno²*.] *S. m. Quím.* **1.** Hidrocarboneto gasoso de três átomos de carbono e que contém duas ligações duplas acumuladas [fórm.: C_3H_4]. **2.** Qualquer composto orgânico que se pode considerar derivado do aleno (1) por substituição de um ou mais hidrogênios por outros grupos ou átomos.

▲ **-aleno** [De *(naft)aleno*.] *Quím. El. comp.* Indica hidrocarbonetos totalmente insaturados, formados por dois anéis iguais, fundidos por um lado: *pentaleno* [o elemento prefixal indica o tamanho do anel].

alenquerense *Adj. 2 g.* **1.** De, ou pertencente ou relativo a Alenquer (PA). ● *S. 2 g.* **2.** O natural ou habitante de Alenquer. [Sin. ger.: *ximango*.]

alentado [Part. de *alentar*.] *Adj.* **1.** Valente, animoso, brioso. **2.** V. *valentão* (1). **3.** Grande, avantajado, volumoso: *um alentado tomo de física*. **4.** Corpulento, robusto. **5.** Farto, substancial.

alentador (ô) [De *alentar* + *-dor*.] *Adj.* **1.** Que alenta. ● *S. m.* **2.** Aquele ou aquilo que alenta.

alentar [De *alento* + *-ar²*.] *V. t. d.* **1.** Dar alento, ânimo, coragem, a; encorajar: *Uma esperança ainda o alentava.* **2.** Alimentar, nutrir. *Int.* **3.** Tomar alento; respirar. **4.** Dar alento, ânimo, coragem, encorajar: *A verdadeira fé alenta e revigora.* *P.* **5.** Tomar alento; animar-se, encorajar-se. **6.** Tomar fôlego: "agarrou-se ao corrimão da escada e desceu com passos malseguros, parando de degrau em degrau para respirar e alentar-se." (Joaquim Manuel de Macedo, *Os Romances da Semana*, p. 301).

alentecer [De *a-²* + *lento* + *-ecer*.] *V. int.* Tornar-se lento, vagaroso. [Conjug.: v. *aquecer*.]

alentecimento [De *alentecer* + *-imento*.] *S. m.* Ato ou efeito de alentecer. ◆ **Alentecimento dos relógios.** *Fís.* Efeito relativístico resultante da existência de um tempo em cada referencial, e que se manifesta pela modificação da marcha de um relógio quando se lhe altera o estado de movimento.

alentejano *Adj.* **1.** Do, ou pertencente ou relativo ao Alentejo (Portugal). ● *S. m.* **2.** O natural ou habitante do Alentejo.

alento [Do lat. *anhelitu*.] *S. m.* **1.** Bafo, hálito, respiração. **2.** Coragem, ânimo. **3.** Alimento, sustento: "A Aurora é o riso do Céu, a alegria dos campos, ... a vida, e alento do mundo." (P.ᵉ Antônio Vieira, *Sermões*, I, p. 126). **4.** Inspiração, estro, entusiasmo; bafagem, bafo. ~ V. *alentos*. ◆ **Dar o último alento.** V. *morrer* (1).

alentos *S. m. pl.* **1.** Orifícios nas ventas dos cavalos. **2.** Ornatos que as freiras usavam no toucado. ~ V. *alento*.

▲ **aleo-** [Do gr. *allóios, a, on*.] *El. comp.* = 'diferente'; 'outro': *aleofilia, aleófilo*.

áleo [Do lat. *ala*, 'asa', + *-eo*.] *Adj. Heráld.* Diz-se de animal figurado com asas, sem esmalte diferente do do corpo e da cabeça; alado.

aleofilia [De *aleo-* + *-filia*.] *S. f.* Atração pelo sexo oposto.

aleofílico [De *aleofilia* + *-ico²*.] *Adj.* **1.** Relativo a aleofilia. **2.** Que tem aleofilia; aleófilo. ● *S. m.* **3.** Aquele que tem aleofilia; aleófilo.

aleófilo [De *aleo-* + *-filo²*.] *Adj. S. m.* Aleofílico (2 e 3).

aleonado [De *a-²* + *leão* + *-ado¹*.] *Adj.* **1.** Semelhante ao leão. **2.** Da cor do leão; fulvo.

alepidossaurídeo [De *a-³* + *-lepid(o)-* + *-saur(o)-* + *-ídeo¹*.] *Zool. S. m.* **1.** Espécime dos alepidossaurídeos, família de peixes actinopterígios do Atlântico Sul, sem escamas. ● *Adj.* **2.** Pertencente ou relativo a eles.

alepídoto [Do gr. *alepídotos*.] *Adj. Zool.* **1.** Desprovido de escamas. ● *S. m.* **2.** Peixe alepídoto.

alepocéfalo [De *a-³* + *-lep(o)-* + *-céfalo*.] *Adj. Zool.* Diz-se de peixe que não tem escamas na cabeça.

alequeado [De *a-²* + *leque* + *-eado*.] *Adj.* **1.** Que tem forma de leque. **2.** *Bot.* Diz-se de certas folhas que, como as de algumas palmeiras, têm essa forma.

alequeca *S. f.* V. *alaqueca*.

alerce [Do esp. *alerce*, 'lariço', < ár. *al-'arz*.] *S. m. Bot.* **1.** Nome comum a diversas pináceas do gênero *Larix* (v. *lárix*). **2.** Árvore pinácea (*Larix decidua*) de até 35m, nativa da Europa, de madeira resistente, folhas lineares, decíduas, e estróbilos em escamas arredondadas; cedro, larício, lariço, pinheiro-larício.

alergênico *S. m. Med.* V. *alergênio*. [Uso freq. em P.]

alergênico [De *alerg(o)-* + *-gen(o)-* + *-ico²*.] *S. m. Med.* V. *alergênio*.

alergênio [De *alerg(o)-* + *-gen(o)-* + *-io³*.] *S. m. Med.* Agente capaz de produzir alergia; alergênico, alérgeno.

alérgeno *S. m. Med.* V. *alergênio*.

alergia [De *al(o)-* + *-erg(o)-¹* + *-ia¹*.] *S. f.* **1.** *Med.* Designação de estado de hipersensibilidade causado por exposição a determinado antígeno, dito alergênio, sendo observadas reações imunológicas nocivas se houver subsequentes exposições a este mesmo alergênio. [Designa, atualmente, hipersensibilidade a antígeno ambiental ou medicamentoso.] **2.** *Fig.* Aversão, repulsão, antipatia, ojeriza: *Tem alergia às declamadoras; É notória sua alergia ao trabalho.*

alérgico [De *alergia* + *-ico²*.] *Adj.* **1.** Relativo à alergia, ou próprio da alergia (1). **2.** Que sofre de alergia (1). **3.** *Fig.* Que sente alergia (2): *É alérgico à política.* ~ V. *rinite —a*. ● *S. m.* **4.** Aquele que sofre de alergia.

alérgide [Do ingl. *allergid*.] *S. f. Imun.* Qualquer manifestação cutânea de natureza alérgica.

alergista [De *alergia* + *-ista*.] *S. 2 g. Impr.* Alergologista.

alergizante [De **alergizar* (< *alergia* + *-izar*) + *-nte*.] *Adj. 2 g. S. m.* Diz-se de, ou substância ou agente físico que provoca alergia.

▲ **alerg(o)-** [De *alergia* + *-o*.] *El. comp.* = 'alergia': *alergologia, alergólogo*.

alergodiagnóstico [De *alerg(o)-* + *diagnóstico*.] *S. m. Med.* Diagnóstico de alergia (1).

alergologia [De *alerg(o)-* + *-logia*.] *S. f.* Ramo da medicina que estuda os fenômenos da alergia.

alergológico [De *alergologia* + *-ico²*.] *Adj.* Relativo a alergologia.

alergologista [De *alergologia* + *-ista*.] *S. 2 g.* Especialista em alergologia; alergólogo.

alergólogo [De *alerg(o)-* + *-logo*.] *S. m.* Alergologista.

alerta [Do it. *all'erta*.] *Adv.* **1.** Em atitude de quem vigia; de vigilância; de sobreaviso: *estar, ficar, continuar alerta.* ● *Adj. 2 g.* **2.** Atento, vigilante, alertado: *Nada lhes escapa, são homens alertas*; "ficaram por ali as freiras, sentadinhas no chão natural as mais vetustas, alertas e vivíssimas as da última safra, a apanhar o bom solzinho da estação" (José Saramago, *Memorial do Convento*, p. 93). ● *Interj.* **3.** Sentido! atenção! cuidado! ● *S. m.* **4.** Sinal para estar vigilante.

alertar [De *alerta* + *-ar²*.] *V. t. d. e T. d. i.* **1.** Tornar ou deixar alerta: *Os primeiros tiros alertaram a população; O médico alertou a família sobre o risco de contaminação; A direção alertou os pais do ocorrido* *Int. P.* **2.** Pôr-se alerta.

alesado [De *a-⁴* + *lesado*.] *Adj. Bras. MG SP MT Pop.* Prejudicado, lesado.

alesagem [Do fr. *alésage*.] *S. f.* Diâmetro interno de um cilindro.

alestar [De *a-²* + *lesto* + *-ar²*.] *V. t. d. P.* Tornar(-se) lesto; apressar(-se); ativar(-se).

alestesia [De *al(o)-* + *-estes(i)-* + *-ia¹*.] *S. f. Neur.* V. *aloquestesia*.

aleta (ê) [De *ala* + *-eta* (ê).] *S. f.* **1.** Pequena ala. **2.** Cada uma das duas asas do nariz. **3.** *Tec.* Cada uma das pás de um rotor ou de uma ventoinha. [Cf. *alheta*.]

aletargado [De *a-²* + *letargo* + *-ado¹*.] *Adj.* Posto ou caído em letargo.

alético¹ *Adj. Med.* V. *aléctico*.

alético² [De *alet(o)-* + *-ico²*.] *Adj.* Aletológico.

aleto *S. m. Bras. Zool.* V. *aracanguira*.

▲ **alet(o)-** [Do gr. *alēthḗs, és, és*.] *El. comp.* = 'verdadeiro': *aletologia, alético²*.

▲ **aleto-** [Do gr. *alḗtēs, ou*.] *El. comp.* = 'errante': *aletócito*.

aletócito [De *aleto-* + *-cito*.] *S. m. Patol.* Célula errante.

aletologia [De *alet(o)-* + *-logia*.] *S. f. Filos.* Tratado ou discurso acerca da verdade.

aletológico [De *aletologia* + *-ico²*.] *Adj. Filos.* Concernente à aletologia.

aletradar-se [De *a-²* + *letrado* + *-ar²* + *se¹*.] *V. p.* Fazer-se letrado; tornar-se versado em letras.

aletria [Do ár. *al-i tryа(t)*, 'fio'.] *S. f.* **1.** Massa de farinha de trigo em fios delgados, usada em sopas ou preparada com ovos, leite e açúcar. [Var. *letria*. Sin.: *cabelo de anjo, fidelinho, fidéus*.] **2.** *Bras. Zool.* V. *manjuba* (1).

aletriado [De *aletria* + *-ado¹*.] *Adj.* Semelhante à aletria.

aleurite [Do tax. *Aleurites* (do gr. *áleuron*, ou, 'farinha de trigo').] *S. m. Bot.* **1.** Gênero de euforbiáceas com cinco espécies, nativas da Índia, do S.E. da Ásia e de ilhas do Pacífico. **2.** Qualquer espécie desse gênero, como a *Aleurites mollucana* (v. *nogueira-de-iguape*). **3.** Qualquer espécime desse gênero.

▲ **aleur(o)-** [Do gr. *áleuron, ou*.] *El. comp.* = 'farinha': *aleurômetro, aleurona*.

aleuromancia (cí) [Do gr. *aleuromanteía*.] *S. f.* Antiga prática de adivinhar por meio da farinha de trigo; alfitomancia.

aleuromante [Do gr. *aleurómantis*.] *S. 2 g.* Pessoa que pratica a aleuromancia; alfitomante.

aleuromântico *Adj.* Relativo a aleuromancia, ou a aleuromante; alfitomântico.

aleurómetro *S. m.* V. *aleurômetro*. [Uso freq. em P.]

aleurômetro [De *aleur(o)-* + *-metro*.] *S. m.* Instrumento com que se mede a quantidade de glute existente na farinha de trigo.

aleurona [De *aleur(o)-* + *-ona²*.] *S. f. Bot.* Substância de reserva, de natureza proteica, armazenada nas células do albume das sementes sob a forma de grânulos, e que se destina a alimentar o embrião em crescimento nas primeiras fases.

aleúte *S. 2 g.* **1.** *Etnôn.* Indivíduo dos aleútes, povo que habita as ilhas Aleútas, as ilhas Shumagin e o O. do Alasca. ● *S. m.* **2.** *Gloss.* Língua desse povo. ● *Adj. 2 g.* **3.** Pertencente ou relativo a esse povo, ou à sua língua.

alevadoiro [De **alevar* (< *a-⁴* + *levar*) + *-doiro²*.] *S. m.* Alevadouro (q. v.).

alevadouro [Var. de *alevadoiro.*] *S. m.* Pau com que se levanta a pedra do moinho ou da atafona.

alevantadiço *Adj. Desus.* Propenso a sublevar-se, rebelar-se, alevantar-se.

alevantar [De *a-*[4] + *levantar.*] *V. t. d. P.* Levantar(-se): "E um pássaro, com as asas espalmadas, / O voo alevantou" (Múcio Teixeira, *Brasas e Cinzas,* p. 84); "Este Povo ressurge e novas forças, / Muito embora contrárias, se alevantam." (Teixeira de Pascoais, *D. Carlos,* p. 18); "Quando o dia se alevanta, / Virgem Santa! / fica assim de sabiá." (Heckel Tavares e Luís Peixoto, na canção *Casa de Caboclo.*)

alevante [Dev. de *alevantar.*] *S. m.* **1.** Levante[2] (1). **2.** V. *levante*[2] (3).

alevedar [De *a-*[2] + *lêvedo* + *-ar*[2].] *V. t. d.* V. *levedar.*

alevim *S. m. Zool.* Alevino (q. v.).

alevino [Do fr. *alevin.*] *S. m. Zool.* **1.** Filhote de peixe. **2.** Forma embrionária, inicial dos peixes, com bolsa vitelínica volumosa. [F. paral.: *alevim.*]

alexânder (cs) [Do ingl. *alexander.*] *S. m.* Coquetel preparado com gim, licor de cacau e leite condensado. [Sin. ger. (bras.): *leite de onça.* Pl.: *alexânderes.*]

alexandrinense *Adj. 2 g.* **1.** De, ou pertencente ou relativo a Alexandria (RN). • *S. 2 g.* **2.** O natural ou habitante de Alexandria.

alexandrinismo [De *alexandrino*[2] + *-ismo.*] *S. m.* **1.** Conjunto de manifestações filosóficas, científicas e artísticas da civilização grega de Alexandria no período que vai do séc. III a.C. ao séc. III. **2.** *Hist. Filos.* Conjunto das doutrinas dos neoplatônicos e dos outros filósofos cristãos e judeus, ligados a Alexandria, nos sécs. II e III; Escola de Alexandria. **3.** *P. ext.* Designação geral dada às letras e artes nas épocas de decadência requintada. [Cf. *alexandrismo.*]

alexandrino[1] [Do antr. *Alexandrino.*] *S. m. Bras. Mar. G.* Uniforme constituído de calça branca e jaquetão azul-marinho, instituído pelo Alm. Alexandrino Faria de Alencar, e usado pelo pessoal da Marinha do Brasil nos festejos da Batalha do Riachuelo.

alexandrino[2] [Do lat. *alexandrinu.*] *Adj.* Relativo a Alexandre Magno (356-323 a.C.), rei da Macedônia, ou à sua época.

alexandrino[3] [Do romance (3) *Alexandre, o Grande,* do francês Alexandre de Bernay (séc. XII), + *-ino*[1].] *S. m.* **1.** Verso alexandrino. • *Adj.* **2.** ~ V. *verso —.*

alexandrino[4] *Adj.* **1.** De, ou pertencente ou relativo a Alexandria (Egito). **2.** Relativo ao alexandrinismo. ~ V. *charada —a* e *judaísmo —.* • *S. m.* **3.** O natural ou habitante de Alexandria.

alexandrismo *S. m. Hist. Filos.* Doutrina de pensadores aristotélicos italianos dos sécs. XIV e XV, que se apoiava na interpretação de Aristóteles dada pelo filósofo grego Alexandre de Afrodisíade (fins do séc. II e começos do III). [V. *aristotelismo* e *peripatetismo.* Cf. *alexandrinismo.*]

alexandrista *Filos. Adj. 2 g.* **1.** Relativo ao, ou que é partidário do alexandrismo. • *S. 2 g.* **2.** Partidário do alexandrismo.

alexandrita [Do antr. *Alexandre,* czar da Rússia (1818-1881), + *-ita*[3].] *S. f. Min.* Variedade de crisoberilo verde-esmeralda, mineral ortorrômbico, aluminato de glucínio, pedra semipreciosa.

alexaniense (cs) *Adj. 2 g.* **1.** De, ou pertencente ou relativo a Alexânia (GO). • *S. 2 g.* **2.** O natural ou habitante de Alexânia.

alexetérico (cs) [De *alexetério* + *-ico*[2].] *Adj.* **1.** Relativo ao alexetério. **2.** Diz-se de procedimento eficaz contra infecção ou contra envenenamento.

alexetério (cs) [Do gr. *alexetér,* 'que expulsa', 'que repele', + *-io*[3].] *S. m. Med.* V. *antídoto.*

▲ **alex(i)-** [Do gr. *alexi-* < gr. *aléxein,* 'afastar'; 'afastar o mal de alguém', 'proteger'.] *El. comp.* = 'que expulsa', 'que protege': *alexina.*

alexia (cs) [De *a-*[3] + *-lex(i)-* + *-ia*[1].] *S. f. Neur.* Perda patológica da capacidade de apreender o significado da palavra escrita; cegueira verbal; afemestesia.

aléxico (cs) [De *alexia* + *-ico*[2].] *Adj.* **1.** Relativo a, ou que tem alexia. • *S. m.* **2.** Aquele que tem alexia. [Sin. ger.: *afemestésico.*]

alexifármaco (cs) [De *alex(i)-* + *fármaco.*] *S. m. Med.* Antídoto contra envenenamento.

alexina (cs) [De *alex(i)-* + *-ina*[3].] *S. f. Bioquím.* Fator termolábil presente no soro normal, e que, junto com um anticorpo natural, confere àquele soro poder bactericida.

alexitimia (cs) [De *a-*[3] + *-lex(i)-* + *-tim(o)-* + *-ia*[1].] *S. f. Psiq.* Incapacidade de exprimir verbalmente os estados emocionais, ainda que os sinais fisiológicos de tais estados estejam claramente presentes.

aleziriado [De *a-*[2] + *lezíria* + *-ado*[1].] *Adj.* Cheio de lezírias.

alfa[1] [Do gr. *álpha,* pelo lat. *alpha.*] *S. m.* **1.** A 1ª letra do alfabeto grego (Α, α), correspondente ao nosso *a.* **2.** *Fig.* Princípio, começo, início. [Opõe-se a *ômega.*] **3.** *Astr.* A principal estrela de uma constelação, em geral a mais brilhante. **4.** *Mús.* Na antiga notação, figura que abrangia dois lugares de um pentagrama e representava duas notas ligadas. • *S. f.* **5.** *Quím.* Designação de átomo ligado a um dado grupo que é tomado como referência, ou de outro grupo — ou átomo monovalente —, tb. ligado a esse átomo. **6.** *Quím.* Designação da face inferior de certas moléculas, quando estas estão representadas de forma convencionada. **7.** *P. ext. Quím.* Designação da configuração espacial de moléculas que contêm grupos esp. importantes na face alfa. [Nas acepçs. 3, 5 e 7, o voc., posposto a outro substantivo, tem valor adjetivo; nessas acepçs. tb. se usa a letra grega α.] **8.** *Fís. Nucl.* Partícula alfa. [Tem valor adjetivo, quando posposto a nome de processo relacionado às partículas alfa: *desintegração alfa, radiação alfa.*] ◆ **Alfa do Centauro.** *Astr.* Estrela múltipla da constelação do Centauro: uma de suas componentes, a *Proxima Centauri,* é de todas as estrelas a mais próxima do Sol. **Alfa e ômega.** O princípio e o fim.

alfa[2] [Do ár. *al-ḥalfa(t).*] *S. f. Bot. Pop.* Esparto.

alfa[3] [De or. afr., poss.] *S. m.* Sacerdote, entre os negros maometanos do Senegal.

▲ **alfa-** *Quím. Pref.* **1.** Indica, numa molécula, átomo ou grupo alfa (5): *alfa-aminoácido.* **2.** Designa, segundo critérios mais ou menos arbitrários, uma entre várias substâncias relacionadas: *alfaionona.* **3.** Indica uma estrutura alfa (7): *alfa-(D)-glicopiranose.* **4.** Indica, em lactona ou lactama, anel de três átomos: *alfa-lactona.* [Em todos os casos, tb. é us. a letra grega α.]

alfábar V. *alfâmbar.*

alfábega *S. f.* V. *alfavaca.*

alfabetação [De *alfabetar* + *-ção.*] *S. f.* Ato ou operação de alfabetar; alfabetamento.

alfabetado [Part. de *alfabetar.*] *Adj.* Disposto por ordem alfabética.

alfabetador (ô) [De *alfabetar* + *-dor.*] *S. m.* Aquele que alfabeta.

alfabetamento [De *alfabetar* + *-mento.*] *S. m.* Alfabetação.

alfabetar [De *alfabeto* + *-ar*[2].] *V. t. d.* Dispor por ordem alfabética. [Fut. do pret.: *alfabetaria,* etc. Cf. *alfabetária,* fem. de *alfabetário,* e *alfabetizar.*]

alfabetário [De *alfabeto* + *-ário.*] *Adj.* Concernente ao alfabeto. [Fem.: *alfabetária.* Cf. *alfabetaria,* do v. *alfabetar.*]

alfabético [De *alfabeto* + *-ico*[2].] *Adj.* **1.** Pertencente ao alfabeto, ou próprio dele. **2.** Que está segundo a ordem das letras do alfabeto. [Sin., p. us., nesta acepç.: *abecedário.*] ~ V. *escrita —a* e *índice —.*

alfabetismo [De *alfabeto* + *-ismo.*] *S. m.* **1.** Sistema de escrita pelo alfabeto. [V. *fonetismo.*] **2.** Estado ou qualidade de alfabetizado.

alfabetização [De *alfabetizar* + *-ção.*] *S. f.* **1.** Ação, processo ou efeito de alfabetizar. **2.** O tempo ou estágio desse processo. **3.** Turma(s) de alunos de uma instituição de ensino, em fase de alfabetização. **4.** O conjunto, em escola, colégio, instituto, dos professores que alfabetizam.

alfabetizado [Part. de *alfabetizar.*] *Adj. S. m.* Que, ou aquele que sabe ler.

alfabetizador (ô) [De *alfabetizar* + *-dor.*] *Adj. S. m.* **1.** Que, ou aquele que alfabetiza. **2.** Diz-se de, ou professor especializado em alfabetização.

alfabetizando [De *alfabetizar* + *-ando.*] *S. m.* Aquele que vai ser alfabetizado.

alfabetizante [De *alfabetizar* + *-nte.*] *Adj. 2 g.* ~ V. *escrita —.*

alfabetizar [De *alfabeto* + *-izar.*] *V. t. d.* **1.** Ensinar a ler e a escrever: "Capitão Josué contratou uma professora, em Santana, para alfabetizar os filhos." (Gentil Ursino Vale, *Confidências do Agreste,* p. 11.) **2.** Dar instrução primária a. *P.* **3.** Aprender a ler e a escrever; receber instrução primária: "eu estava ansioso para rever .... as duas casas, conjugadas, junto à Fábrica de Óleos, onde cresci, alfabetizei-me e aprendi muitas lições de coisas..." (Povina Cavalcanti, *Volta à Infância,* p. 11). [Cf. *alfabetar.*]

alfabeto [Do gr. *alphábetos,* pelo lat. tard. *alphabetu.*] *S. m.* **1.** *Graf.* Sistema de escrita em que um conjunto de símbolos, as letras, representa os fonemas de uma língua. [Sin., nesta acepç.: *escrita alfabética.* Cf. *escrita* (1).] **2.** O conjunto dessas letras; abecedário. [O nosso alfabeto, segundo o AOLP, passou a ter 26 letras: *a, b, c, d, e, f, g, h, i, j, k, l, m, n, o, p, q, r, s, t, u, v, w, x, y, z.*] **3.** Qualquer sistema de sinais estabelecidos para representar letras, fonemas ou palavras: *alfabeto dos cegos; alfabeto semafórico.* **4.** Relação ou lista em ordem alfabética. **5.** *P. ext.* Qualquer série convencional. **6.** *Fig.* V. *á-bê-cê* (4): "Alceu ignorou o alfabeto até entrar para o Ginásio Nacional em 1903." (Antônio Carlos Vilaça, *O Desafio da Liberdade,* p. 24.) **7.** Escrita (2). ◆ **Alfabeto árabe.** *Graf.* Alfabeto de origem obscura, surgido por volta do séc. IV a.C.; compõe-se de 28 consoantes, mais seis adicionais, e grafa-se da direita para a esquerda. **Alfabeto aramaico.** *Graf.* Alfabeto dos arameus, composto de 22 letras que se escreviam da direita para a esquerda, e que deu origem a vários outros alfabetos da Antiguidade, entre eles o hebraico quadrado. [Tb. se diz apenas *aramaico.*] **Alfabeto bengali.** *Graf.* Alfabeto em que são escritos o bengali (5) e o assamês (4). **Alfabeto cirílico.** *Graf.* Alfabeto eslavo surgido no séc. IX, composto de 43 letras, derivado do alfabeto grego. [Cf. *alfabeto glagolítico.*] **Alfabeto copta.** *Graf.* Sistema de escrita derivado do alfabeto grego e us. no Egito, composto por 32 letras, das quais 25 se formaram a partir das unciais gregas e 7, da escrita demótica. **Alfabeto devanagárico.** *Graf.* V. *devanágari.* **Alfabeto etrusco.** *Graf.* Sistema de escrita que resultou da adaptação do alfabeto grego à língua dos etruscos, surgido provavelmente por volta do século VIII a.C. e utilizado até cerca de 1000 d.C. [Era constituído, a princípio, por 26 letras e, por volta do século V a.C., tomou a forma clássica, com 20 letras.] **Alfabeto fenício.** *Graf.* Alfabeto que consistia em 22 consoantes e cujo registro mais antigo data do século XI a.C. **Alfabeto fonético.** Sistema convencional de caracteres gráficos elaborado pelos linguistas para a transcrição exata dos textos falados ou escritos. **Alfabeto fonético internacional.** *E. Ling.* Alfabeto elaborado pela *Association Phonétique Internationale,* cuja primeira versão data de 1888, sendo formado, basicamente, por letras do alfabeto romano a que se acrescentaram algumas de outros alfabetos, além de diacríticos, e que tem por finalidade a representação rigorosa dos sons da fala de qualquer língua. **Alfabeto glagolítico.** *Graf.* Uma das duas escritas eslavas do século IX derivadas do alfabeto grego, com 40 letras. [Cf. *alfabeto cirílico.*] **Alfabeto gótico.** *Graf.* Alfabeto composto pelo bispo Úlfilas, no séc. IV, com unciais gregas e caracteres rúnicos. **Alfabeto granta.** *Graf.* Escrita usada pelos tâmeis para o sânscrito. [Tb. se diz apenas *granta.*] **Alfabeto grego.** *Graf.* Sistema de escrita que resultou da adaptação do alfabeto fenício, feita provavelmente por volta do século IX ou X a.C. [Apresentava diferenciações regionais até que, em 403 a.C., o alfabeto jônico de Mileto foi introduzido oficialmente em Atenas e transformou-se na escrita grega clássica, com 24 letras.] **Alfabeto gurmuqui.** *Graf.* Alfabeto derivado do devanágari com que, na Índia, se escreve o panjabi (3); alfabeto panjabi. [Teria surgido no século XVI, composto pelo segundo guru sique, o Guru Angad (1504-1552).] **Alfabeto hebraico antigo.** *Graf.* Alfabeto de origem semítica, composto de 22 consoantes, no qual foi, originariamente, escrito o Pentateuco (q. v.), e que caiu gradativamente em desuso nos sécs. IV e III a.C., tendo, no entanto, sobrevivido liturgicamente; em fins do séc. I d.C. foi substituído pelo alfabeto hebraico quadrado (q. v.). **Alfabeto hebraico moderno.** *Graf.* O que é utilizado na escrita do hebraico moderno, tendo-se originado do alfabeto hebraico quadrado (q. v.). [É composto de 22 consoantes escritas e lidas da direita para a esquerda, e os sons vocálicos, bem como as marcas de sonorização, são representados por 14 diferentes sinais diacríticos.] **Alfabeto hebraico quadrado.** *Graf.* Alfabeto composto de 22 consoantes, que se originou da escrita aramaica, e que substituiu o alfabeto hebraico antigo em fins do séc. I d.C., durante o exílio dos judeus na Babilônia. [Por ser o aramaico a língua franca daquela região, a escrita aramaica passou a ser a única us. nas escolas judaicas, tendo o texto hebraico do Pentateuco sido reescrito, por volta dos sécs. IV e V d.C., em caracteres aramaicos.] **Alfabeto latino.** *Graf.* Adaptação da escrita etrusca à língua latina, realizada por volta do século VII a.C. [Contando inicialmente com 21 letras, ganhou, por volta do século I a.C., as letras *Y* e *Z,* para simplificação da tarefa de traduzir palavras gregas. *U, W* e *J* surgiram mais tarde, atualizando apenas os valores de *V* e *I.* Cf. *consoante ramista.*] **Alfabeto maiúsculo.** O conjunto das letras maiúsculas; abecedário maiúsculo. **Alfabeto manual.** Sistemas de sinais executados com os dedos de uma das mãos, ou de ambas, e usados para comunicação, em especial dos surdos-mudos entre si, ou com outrem; abecedário manual. **Alfabeto minúsculo.** O conjunto de letras minúsculas; abecedário minúsculo. **Alfabeto Morse.** Código Morse (q. v.). **Alfabeto ogâmico.** *Graf.* Alfabeto de origem desconhecida, composto de 20 letras (*ogamos*), empregado por volta do séc. IV pelas populações célticas das Ilhas Britânicas, especialmente na Irlanda e no País de Gales. **Alfabeto osco.** *Graf.* Alfabeto derivado do etrusco, e us. em parte das inscrições em osco (q. v.) já encontradas. **Alfabeto panjabi.** *Graf.* Alfabeto gurmuqui. **Alfabeto rúnico.** *Graf.* Alfabeto usado no N.O. da Europa, especialmente na Escandinávia e nas Ilhas Britânicas, entre os séculos III-XVII d.C., e composto de 24 letras, as *runas,* possivelmente derivadas do alfabeto latino. **Alfabeto sabélico.** *Graf.* O alfabeto dos sabelos, derivado do alfabeto etrusco. **Alfabeto tâmil.** *Graf.* A escrita das antigas inscrições tâmeis. **Alfabeto ugarítico.** Alfabeto cuneiforme que remonta ao século XV a.C., composto de 32 letras. **Alfabeto úmbrio.** *Graf.* Alfabeto derivado do etrusco, e encontrado em inscrições dos úmbrios.

alfabetologia [De *alfabeto* + *-logia*.] *S. f. Paleogr.* Parte da história da escrita que se ocupa das origens do alfabeto.

alfabetológico [De *alfabetologia* + *-ico*[2].] *Adj. Paleogr.* Referente à alfabetologia.

alfaçal [De *alface* + *-al*[1].] *S. m.* Quantidade mais ou menos considerável de pés de alface dispostos proximamente entre si.

alface [Do ár. *al-ḫaṣṣa(t)*, pelo ár.-hisp. *al ḫassa(t)*.] *S. f. Bot.* Planta astácea (*Lactuca sativa*) hortense, usada ger. para salada.

alface-d'água *S. f. Bras. Bot.* V. *flor-d'água*. [Pl.: *alfaces-d'água*.]

alface-do-mar *S. f. Bot.* V. *ulva*. [Pl.: *alfaces-do-mar*.]

alfacinha [De *alface* + *-inha*.] *Adj. 2 g. S. 2 g.* V. *lisboeta*.

alfacinha-do-rio *S. f. Bot.* V. *abrótano*. [Pl.: *alfacinhas-do-rio*.]

alfádega [Var. de *alfavaca*, por um arc. *alfábega*.] *S. f.* **1.** V. *alfavaca*. **2.** Manjericão. **3.** Manjerona.

alfa-(D)-glicopiranose *S. m. Quím.* O anômero da glicopiranose da (D)-glicose que possui a hidroxila anomérica na face oposta àquela em que se encontra o grupo $-CH_2OH$. [Cf. *beta-(D)-glicopiranose*. Pl.: *alfa-(D)-glicopiranoses*.]

alfadia [Do ár. *al-ḫadyya(t)*.] *S. f. Ant.* Presente, oferta. [Var.: *odiá*.]

alfádiga [Var. de alfádega.] *S. f.* V. *alfavaca*.

alfaemissor (ô) [De *alfa*[1] + *emissor*.] *S. m. Fís. Nucl.* Nuclídeo radioativo que emite partículas alfas. [Var.: *alfemissor*.]

alfafa [Do ár. *al-ḥalfā'*, pela forma *alfalfa*, com dissimilação.] *S. f. Bot.* **1.** Nome comum a várias plantas fabáceas do gênero *Medicago*. **2.** Planta fabácea (*Medicago sativa*), e que é excelente forragem, de flores azuis ou violáceas e vagens helicoidais; alfafa-verdadeira, luzerna. [Var.: *alfalfa*. Sin. (lus).: *médica*[2].]

alfafal [De *alfafa* + *-al*[1].] *S. m.* Quantidade mais ou menos considerável de pés de alfafa, dispostos proximamente entre si; luzernal, luzerneira.

alfafa-verdadeira [De *alfafa* + o f. de *verdadeiro*.] *S. f. Bot.* V. *alfafa* (2). [Pl.: *alfafas-verdadeiras*.]

alfagemaria [De *alfageme* + *-aria*.] *S. f.* **1.** Ofício ou arte de alfageme. **2.** Oficina ou loja de alfageme. **3.** *P. ext.* Depósito de espadas, alfanges e outras armas brancas.

alfageme [Do ár. *al-ḥaǧǧām*, pl. de *al-ḥaǧǧim*, 'o que faz sangrar'; 'sangrador'.] *S. m. Ant.* **1.** Barbeiro que, além do seu ofício, limpava e afiava armas brancas. **2.** Fabricante de espadas e alfanjes; armeiro, espadeiro. [Var.: *alfajeme*.]

alfa-hélice *S. f. Bioquím.* Hélice alfa. [Tb. se escreve *a-hélice*. Pl.: *alfa-hélices* e *alfas-hélices*.]

alfaia [Do ár. *al-ḥāǧa(t)*, 'necessidade'; 'roupa'; 'utensílio'.] *S. f.* **1.** Móvel ou utensílio de uso ou adorno doméstico. **2.** Enfeite, adorno, atavio. **3.** Utensílio agrícola. **4.** Paramento de igreja.

alfaiar [De *alfaia* + *-ar*[2].] *V. t. d.* **1.** Guarnecer de alfaias; mobiliar. **2.** Ornamentar, adornar. **3.** Enfeitar, embelezar.

alfaiata [De *alfaiate*.] *S. f.* Mulher que trabalha como alfaiate.

alfaiatar [De *alfaiate* + *-ar*[2].] *V. t. d.* **1.** Coser ou talhar (peças de vestuário). *Int.* **2.** Trabalhar como alfaiate.

alfaiataria [De *alfaiate* + *-aria*.] *S. f.* Oficina ou estabelecimento de alfaiate.

alfaiate [Do ár. *al-ḫaya ṭ* +.] *S. m.* **1.** Indivíduo que faz roupas de homem e/ou de mulher, de talhe masculino. [Fem.: *alfaiata*. Cf. *costureiro* (1 e 2).] **2.** *Bras. Zool.* V. *tiziu*. **3.** *Bras. Zool.* V. alcatraz[1].

alfaique *S. m.* V. *alfaque*.

alfajeme *S. m.* V. *alfageme*.

alfalfa *S. f. Bot.* V. *alfafa*.

alfama [Do ár. *al-ḥam(a)*, 'fonte de água morna', com que se designava um bairro da Lisboa medieval.] *S. f. Ant.* **1.** Bairro onde habitavam judeus. **2.** Asilo, refúgio. [Var.: *aljama*[1].]

alfâmar *S. m.* V. *alfâmbar*.

alfâmbar [Do ár. *al-ḥanbal*.] *S. m.* Peça de pano para cobrir ou forrar, como tapete, colcha ou cobertor; alambel. [Var.: *alfábar, alfâmar*.]

alfamia *S. f.* V. *aljamia*.

alfana *S. f. Bot.* V. *alfena*.

alfândega [Do gr. *pandocheion*, 'estalagem', 'hospedaria', 'pousada', pelo ár. *al-funduq* e pelo ár.-hisp. *al-fundaq*.] *S. f.* **1.** Repartição pública encarregada de vistoriar bagagens e mercadorias em trânsito, e cobrar os correspondentes direitos de entrada e saída. **2.** Conjunto de salas ou edifício onde se instala essa repartição pública. **3.** Direitos alfandegários. [Sin. (nessas acepç.): *aduana*.] **4.** *Fig.* Lugar onde se faz muita algazarra. [Cf. *alfandega*, do v. *alfandegar*.] ◆ **Alfândega marítima.** Aquela que se instala em porto de mar. **Alfândega seca.** A que se instala em algum ponto de trânsito terrestre e aéreo.

alfandegagem [De *alfandegar*[2] + *-agem*[2].] *S. f.* **1.** Ato ou efeito de alfandegar[2]. **2.** Cobrança de direitos aduaneiros. [Sin. ger.: *alfandegamento*.]

alfandegamento [De *alfandegar*[2] + *-mento*.] *S. m.* V. *alfandegagem*.

alfandegar[1] [De *alfândega* + *-ar*[1].] *Adj. 2 g.* V. *alfandegário*.

alfandegar[2] [De *alfândega* + *-ar*[2].] *V. t. d.* **1.** Despachar na alfândega. **2.** Armazenar na alfândega. [Sin. ger.: *aduanar*.] [Conjug.: v. *regar*. Pres. ind.: *alfandego, alfandegas, alfandega*, etc.; fut. do pret.: *alfandegaria*, etc. Cf. *alfândega*, s. f., e *alfandegária*, fem. de *alfandegário*.]

alfandegário [De *alfândega* + *-ário*.] *Adj.* Relativo ou pertencente à alfândega: aduaneiro, alfandegar, alfandegueiro. ~ V. *tarifa —a* e *união —a*.

alfandegueiro [De *alfândega* + *-eiro*.] *Adj.* **1.** V. *alfandegário*. ● *S. m.* **2.** *Ant.* Aquele que está empregado na alfândega.

alfange *S. m.* V. *alfanje*.

alfanjada [De *alfanje* + *-ada*[1].] *S. f.* Golpe de alfanje.

alfanjado [De *alfanje* + *-ado*[1].] *Adj.* Semelhante a alfanje.

alfanje [Do ár. *al-ḫanǧar*.] *S. m.* **1.** Sabre de folha curta e larga: 📖 "No calor da peleja que se trava, / .... o alfanje, como anjo de extermínio, / Prostra exangues, sem dó, esses valentes / Que em cem batalhas não tremeram nunca!" (Casimiro de Abreu, *Obras*, pp. 23-24.) **2.** *Bras.* V. *gadanha* (2). [Var.: *alfange*.]

alfanumérico [De *alfa(beto)* + *numérico*.] *Adj.* **1.** Relativo a, ou composto por letras e números (ou algarismos). **2.** Diz-se do sistema de codificação em que se combinam letras do alfabeto e algarismos. **3.** *P. ext.* Diz-se do que é codificado por esse sistema: 📄 *placa alfanumérica*. ~ V. *caractere — e cater —*.

alfaque [Do ár. *al-fakk*, 'deslocamento'; 'separação'.] *S. m.* **1.** Pego que se forma pela deslocação de areia. **2.** *Mar.* Banco de areia movediça que se forma principalmente na embocadura dos rios, no cruzamento de correntes marítimas e nas costas de fundo muito irregular. **3.** *Mar.* Baixio de pedra, menos extenso que o parcel, e mais fundo, que permite a passagem de navios de pequeno calado. **4.** *Mar.* Conjunto de pedras soltas em fundo baixo de areia, no porto. [Var.: *alfaique*.]

alfaqueque [Do ár. *al-fakkāk*, 'o que resgata os cativos'.] *S. m.* **1.** Nas guerras, conflitos e negociações, pessoa que tem a missão de levar a outrem (inimigo, etc.) mensagem de paz, ou resgatar prisioneiros. **2.** Mensageiro, portador de mensagens.

alfaqui [Do ár. *al-faquh* ou *al-faqih*.] *S. m.* Entre os muçulmanos, sacerdote e legista.

alfaquim [De or. obsc.] *S. m. Zool.* V. *peixe galo* (2).

alfaraz[1] [Do ár. *al-faras*, 'cavalo', 'égua'.] *Adj. 2 g. S. m.* **1.** Diz-se de, ou cavalo pequeno e veloz, de um tipo us. por árabes e persas para montaria, na guerra. **2.** *P. ext.* Diz-se de, ou cavalo bem adestrado. ● *Adj. 2 g.* **3.** *Fig.* Veloz, ligeiro.

alfaraz[2] [Do ár. *al-fāris*, 'cavaleiro'; 'herói'.] *S. m.* Cavaleiro destro e bem montado.

alfarda[1] [Do ár. *al-farda(t)*, 'par', 'metade de um par', poss. de uma acepç. 'vestido', 'veste de mulher', em ár. andaluz.] *S. f. Ant.* Veste feminina simples, us. por mulheres não pertencentes à nobreza.

alfarda[2] [Do ár. al-farēa(t), 'contribuição', 'taxa'.] *S. f. Ant.* Em alguns reinos cristãos, imposto cobrado de muçulmanos e judeus.

alfarém [Do ár. *al-ḥirām*, 'a túnica usada pelo peregrino', da mesma raiz *ḥrm*, 'sagrado', 'proibido', do étimo de *harém* (q. v.).] *S. m.* Pano fino, ou peça com que se cobre a cabeça. [Var.: *alfarema, alfareme*.]

alfarema *S. f.* V. *alfarém*.

alfareme *S. m.* V. *alfarém*.

alfarge[1] [Do ár. *al-ḥaǧr*, 'pedra'.] *S. m.* **1.** Lagar, ou a engrenagem deste. **2.** Moinho. [Var.: *alfarja, alfarje*.]

alfarge[2] [Do ár. *al-farš*, 'campo'; 'esteira'; 'soalho'; 'mobília'.] *Adj. 2 g. Ant.* **1.** Relativo ao estilo decorativo ibérico, em que predominam entalhes multiformes, de motivos variados. ● *S. m.* **2.** Esse estilo. **3.** Teto de madeiras lavradas e entrelaçadas.

alfario *Adj.* Diz-se do cavalo brincalhão, saltador e rinchador.

alfarja *S. f.* V. *alfarge*[1].

alfarje *S. m.* V. *alfarge*[1].

alfarrábio [Do antr. ár. *al-fārābī*, lat. Alfarabius, filósofo muçulmano estabelecido em Bagdá (c. 870-950).] *S. m.* Livro antigo ou velho e de pouco préstimo, ou valioso por ser antigo: 📖 "Um dia num alfarrábio / Eu li que um louco vivia, / Toda a noite e todo o dia, / Uma estátua a namorar." (Guimarães Passos, *Versos de um Simples*, p. 35.)

alfarrabista [De *alfarrábio* + *-ista*.] *S. 2 g.* **1.** Vendedor e/ou colecionador de alfarrábios. **2.** Sebista.

alfarrabístico [De *alfarrabista* + *-ico*[2].] *Adj.* Relativo a alfarrabista, ou a alfarrábios.

alfarricoque [De *farricoco*, poss.] *S. m. P. us.* Indivíduo insignificante; joão-ninguém.

alfarroba (ô) [Do ár. *al-ḫarrūba(t)*, de que tb. derivam as formas *algar(r)oba* e *algar(r)obo*.] *S. f.* **1.** Fruto da alfarrobeira. **2.** *Bot.* Alfarrobeira. [F. paral.: *algaroba, algarroba*.] [Pl.: *alfarrobas* (ô). Cf. *alfarroba* e *alfarrobas*, do v. *alfarrobar*.]

alfarrobal [De *alfarroba* + *-al*[1].] *S. m.* Quantidade mais ou menos considerável de alfarrobeiras dispostas proximamente entre si.

alfarrobar [De *alfarroba* + *-ar*[2].] *V. t. d.* **1.** Preparar com alfarroba. **2.** Esfregar (linhas de pesca) com alfarroba verde, para as enrijar e escurecer. [Pres. ind.: *alfarrobo, alfarrobas, alfarroba*, etc. Cf. *alfarroba* (ô) e pl. *alfarrobas* (ô).]

alfarrobeira [De *alfarroba* + *-eira*.] *S. f. Bot.* Árvore cesalpiniácea (*Ceratonia siliqua*), cujo fruto é uma vagem de polpa doce e muito nutritiva, us. contra a gastrenterite dos lactentes, e cuja madeira, vermelha e dura, se emprega em marcenaria; alfarroba.

alfatópico *Adj. Fís. Nucl.* Diz-se de um núcleo que difere de outro por duas unidades no número atômico e quatro unidades no número de massa.

alfavaca [Do ár. *al-ḥabaqa(t)*.] *S. f. Bot.* **1.** Arbusto lamiáceo (*Ocimum gratissimum*) lenhoso, de pequenas folhas ovadas, lanceoladas, serreadas, flores lilases ou amarelo-esverdeadas, racemosas, e frutos capsulares; alfavaca-do-campo, basilicão, manjericão, manjericão-cheiroso, manjerico, segurelha. Tem uso medicinal. **2.** V. *manjericão* (2). [Var.: *alfábega, alfádega, alfádiga, alfavega, alfávega*.]

alfavaca-cheirosa [De *alfavaca* + o f. de *cheiroso*.] *S. f. Bot.* V. *manjericão* (2). [Pl.: *alfavacas-cheirosas*.]

alfavaca-de-caboclo *S. f. Bras. Bot.* V. *sambacuité*. [Pl.: *alfavacas-de-caboclo*.]

alfavaca-de-cobra *S. f. Bot.* V. *bétis*. [Pl.: *alfavacas-de-cobra*.]

alfavaca-do-campo *S. f. Bot.* **1.** V. *alfavaca* (1). **2.** Segurelha[2]. [Pl.: *alfavacas-do-campo*.]

alfavega *S. f.* V. *alfavaca*.

alfávega *S. f.* V. *alfavaca*.

alfazema [Do ár. *al-ḫuzāma(t)*.] *S. f. Bot.* **1.** Nome comum a algumas plantas lamiáceas do gênero *Lavandula* (v. *lavândula*). **2.** Subarbusto lamiáceo (*Lavandula angustifolia*) nativo do Mediterrâneo, de folhas lineares e flores azuis ou violáceas, espiciformes, muito cultivado para uso em perfumaria e medicina; lavanda. **3.** A flor, azul-violácea, dessas plantas.

alfazemar [De *alfazema* + *-ar*[2].] *V. t. d.* Perfumar com alfazema.

alfa-1-antitripsina *S. f. Bioquím.* Glicoproteína que inibe um grande número de proteases (inclusive a tripsina sérica) [sigla.: *AAT*].

alfeça [Do ár. *al-fās*.] *S. f.* **1.** Peça de ferro para abrir os alvados das enxadas, martelos, machados, etc. **2.** Instrumento para escavar a terra, quebrar pedras, etc.; alvião, picareta. [Var.: *alfece, alfeço, alferça, alferce*.]

alfece *S. m.* V. *alfeça*.

alfeço *S. m.* V. *alfeça*.

alfeire [Do ár. *al-ḫayr*.] *S. m.* **1.** Curral de porcos; chiqueiro, pocilga. **2.** Vara de porcos. **3.** Conjunto de leitões ou borregos desmamados. **4.** Gado sem crias. **5.** *P. ext.* Rebanho.

alfeireiro [De *alfeire* + *-eiro*.] *S. m.* Guardador de alfeire.

alfeiro [Der. de *alfeire*, com infl. do suf. *-eiro*.] *Adj.* **1.** Diz-se do porco com menos de ano e meio. **2.** *P. ext.* Diz-se do gado que não dá leite nem cria.

alfeizar *S. m. Carp.* Peça de madeira que se encaixa nas testeiras das serras.

alféloa [Do ár. *al-ḥalwa(t)*.] *S. f.* **1.** Pasta de melaço ou de açúcar, em ponto grosso, que ao esfriar é manipulada até embranquecer, e com a qual se fazem diversos artigos de confeitaria. [Sin. bras.: *felô*.] **2.** Bala feita com essa pasta, retorcida. **3.** *P. ext.* Alfenim (1). **4.** *Fig.* Coisa delicada, suave, ou que lembra a alféloa por sua brancura ou doçura.

alfeloeiro [De *alféloa* + *-eiro*.] *S. m.* Fabricante e/ou vendedor de alféloas; confeiteiro.

alfemissor (ô) *S. m. Fís. Nucl.* V. *alfaemissor*.

alfena [Do ár. *al-ḥinna(t)*.] *S. f. Bot.* **1.** Arbusto oleáceo (*Ligustrum vulgare*) de flores alvas e bagas negras; alfeneiro. **2.** A flor desse arbusto. [Var.: *alfana, alvena*.]

alfenado [De *alfena* + *-ado*[1].] *Adj.* Da cor da baga da alfena.

alfenar [De *alfena* + *-ar*[2].] *V. t. d.* **1.** Tingir com bagas ou pés de alfena. **2.** *Fig.* Tornar efeminado; efeminar.

alfeneiro [De *alfena* + *-eiro*.] *S. m. Bot.* Alfena.

alfenense *Adj. 2 g.* **1.** De, ou pertencente ou relativo a Alfenas (MG). ● *S. 2 g.* **2.** O natural ou habitante de Alfenas.

alfeni *S. m.* V. *alfenim.*

alfénico *S. m.* V. *alfênico.* [Uso freq. em P.]

alfênico *S. m.* V. *açúcar-cande.*

alfenide[1] [Do fr. *alfénide* < antr. *Halfen*, químico que inventou a liga em 1850.] *S. m.* Liga metálica que imita a prata.

alfenide[2] *S. m.* V. *alfenim.*

alfenim [Do persa *panid*, pelo ár. *al-fānīd.*] *S. m.* **1.** Massa muito branca de clara de ovo e açúcar a que se dá ponto especial; alféloa. **2.** *P. ext.* Bala (5) feita com esta massa. **3.** *Fig.* Pessoa frágil, franzina, delicada, melindrosa. [Var.: *alfeni, alfenide*[2]*, alfini.*]

alfeninado [De *alfenim* + *-ado*[1].] *Adj.* **1.** Delicado, franzino. **2.** Efeminado.

alfeninar-se [De *alfenim* + *-ar*[2] + *se*[1].] *V. p.* **1.** Tornar-se frágil, delicado, melindroso. **2.** Efeminar-se.

alferça *S. f.* V. *alfeça.*

alferce *S. f.* V. *alfeça.*

alferes [Do ár. *al-fāris*, 'cavaleiro', 'herói'.] *S. m. 2 n.* **1.** V. *hierarquia militar.* **2.** Militar que detém a posição hierárquica de alferes: 📖 "Umbelina fora casada com um alferes de cavalaria" (Bernardo Guimarães, *O Seminarista*, p. 17). **3.** *Ant.* Porta-bandeira.

alfétena *S. f.* V. *alfitena.*

alfil *S. m.* V. *alfim*[2].

alfim[1] [De *al*[2] + *fim.*] *Adv. P. us.* Afinal, finalmente, ao cabo: 📖 "Sobreviveram com instâncias muito afetuosas, e alfim conseguiram removê-lo" (Camilo Castelo Branco, *A Enjeitada*, p. 15).

alfim[2] [Do persa *pil*, 'elefante', pelo ár. *al-fīl.*] *S. m. Ant.* No xadrez (1), peça que representa um elefante, e equivalente ao bispo [v. *bispo* (6)] na forma ocidental moderna do jogo. [Var.: *alfil, alfir, arfil, arfir.*]

alfinetada [De *alfinete* + *-ada*[1].] *S. f.* **1.** Picada de alfinete. **2.** Dor muito aguda e rápida, que produz sensação de picada. **3.** *Fig.* Dito ou alusão mordaz; picuinha, remoque, espetada, espetadela. [Sin. ger.: *alfinetadela.*]

alfinetadela [De *alfinetada* + *-ela.*] *S. f.* V. *alfinetada.*

alfinetado [De *alfinete* + *-ado*[1].] *Adj.* Em forma de alfinete.

alfinetar [De *alfinete* + *-ar*[2].] *V. t. d.* **1.** Picar com alfinete. **2.** Dar forma de alfinete a. **3.** *Cost.* Marcar (uma costura) com alfinete. **4.** Criticar, magoando: 📄 *Não a censurou com doçura: alfinetou-a mordazmente.* **5.** Ferir com palavras; espetar, satirizar. **6.** Dirigir epigramas ou poeminhas a. [Pres. subj.: *alfinete, alfinetes, alfinete*, etc. Cf. *alfinete* (ê) e pl. *alfinetes* (ê).]

alfinete (ê) [Do ár. *al-ḫilāl*, pl. de *al-ḫilāl.*] *S. m.* **1.** Pequena e fina haste de metal, com uma das extremidades aguçada (a ponta) e a outra ger. achatada (a cabeça), utilizada para prender, fixar ou pregar panos, papéis, etc.: 📖 "— Que cabeça, senhora! A senhora não é alfinete, é agulha. Agulha não tem cabeça." (Machado de Assis, *Várias Histórias*, p. 229.) **2.** Joia semelhante ao alfinete, dotada de cabeça decorada, que os homens pregam na gravata. **3.** Broche (1). **4.** *Bot.* Planta valerianácea (*Centranthus ruber*) ornamental. **5.** *Bot.* Nome comum a outras plantas, tais como a centáurea-menor (q. v.) e as cariofiláceas *Silene armeria* e *S. pendula*. [Pl.: *alfinetes* (ê). Cf. *alfinete* e *alfinetes*, do v. *alfinetar.*] ◆ **Alfinete de fralda.** Alfinete de segurança que se usa nas roupas dos bebês. **Alfinete de mola.** V. *alfinete de segurança.* **Alfinete de segurança.** *Bras.* Espécie de alfinete formado de duas partes articuladas, e cuja ponta se prende em uma cavidade da cabeça, a fim de que não pique nem se desprenda; alfinete de mola, segurança, joaninha. **Não valer um alfinete.** Não ter nenhum valor; não valer dois caracóis.

alfineteira [De *alfinete* + *-eira.*] *S. f.* **1.** Caixa ou tubo para guardar alfinetes. **2.** Almofadinha onde se cravam alfinetes. [Sin. ger.: *alfineteiro.*]

alfineteiro [De *alfinete* + *-eiro.*] *S. m.* **1.** V. *alfineteira.* **2.** Vendedor e/ou fabricante de alfinetes.

alfinetes (ê) [Pl. de *alfinete.*] *S. m. pl.* **1.** Objetos de uso pessoal, nem sempre indispensáveis; miudezas: 📄 *Trabalha só para comprar seus alfinetes.* **2.** Despesas miúdas ou particulares: 📄 *Dá uma pequena mesada à mulher para os seus alfinetes.* ~ V. *alfinete.*

alfini *S. m.* V. *alfenim.*

alfir *S. m.* V. *alfim*[2].

alfirme [De *al*[1] + *firme*, poss.] *S. m. Lus.* **1.** Cordel de esparto com que se ajuntam feixes de cortiça. **2.** Cercado para ovelhas feito com alfirmes.

alfirmeira [De *alfirme* + *-eira.*] *S. f. Lus.* Ovelha que escapa do alfirme (2).

alfitena [Do ár. *al-fitna(t).*] *S. f.* Hostilidade, conflito, guerra. [Var.: *alfétena.*]

alfitete [Do ár. *al-fitāt*, da raiz *ftt*, 'desintegrar', 'desmanchar', us. em relação a preparados culinários.] *S. m.* Massa de ovos, açúcar, manteiga ou toicinho e vinho, que tem vários usos culinários.

▲ **alfito-** [Do gr. *álphiton, ou.*] *El. comp.* = 'farinha de cevada': *alfitomancia, alfitomante.*

alfitomancia (cí) [De *alfito-* + *-mancia.*] *S. f.* Aleuromancia.

alfitomante [De *alfito-* + *-mante.*] *S. 2 g.* Aleuromante.

alfitomântico *Adj.* Aleuromântico.

alfitra [Do ár. *al-fi ṭra(t)*, 'esmola'.] *S. f. Ant.* Imposto sobre gado ou outras posses, pago pelos árabes nos reinos cristãos ibéricos.

alfobre (ô) [Do ár. *al-ḥufra(t)*, 'escavação'.] *S. m.* **1.** Viveiro de plantas; almácego. **2.** V. *leira* (2). [Var.: *alfofre, alforbe, alfovre.*]

alfofre (ô) *S. m.* V. *alfobre.*

alfola [Do ár. *al-ḥulla(t).*] *S. f.* **1.** Manto, vestido, peça de vestuário. **2.** *Tec. Têx.* Tecido fino e luxuoso (p. ex., seda com fios de ouro). **3.** *Vest.* Peça, vestimenta, etc. feita desse tecido.

alfombra [Do ár. *al-ḫumra(t)*, 'esteirinha', 'tapete'.] *S. f.* **1.** Tapete espesso e fofo; alcatifa. **2.** *P. ext.* Tapete de verdura ou de relva: 📖 "entre dormir a sesta numa alfombra tapetada de folhas e numa laja à torreira, prefere [a cabra] a laja" (Aquilino Ribeiro, *Luís de Camões*, II, p. 88).

alfombrado [Part. de *alfombrar.*] *Adj.* **1.** Atapetado, tapetado, tapeçado. **2.** Arrelvado, relvado.

alfombrar [De *alfombra* + *-ar*[2].] *V. t. d.* **1.** Forrar com alfombra; atapetar, alcatifar. **2.** Cobrir de relva; arrelvar.

alfonsia *S. f. Bot.* Alforra.

alfonsim [Do antr. *Alfonso*, de um rei de Portugal, + *-im.*] *S. m.* Antiga moeda portuguesa.

alforba [Do ár. al-hulba(t)] *S. f. Bot.* V. *feno-grego.* [Var.: *alforfa, alforja, alforva, alfova.*]

alforbe *S. m.* V. *alfobre.*

alforfa [Var. de *alforba.*] *S. f.* V. *feno-grego.*

alforge *S. m.* V. *alforje.*

alforja [Var. de *alforba.*] *S. f.* V. *feno-grego.*

alforjada [De *alforje* + *-ada*[1].] *S. f.* **1.** O conteúdo de um alforje; alforje. **2.** Porção de coisas várias. **3.** Bolso grande e cheio.

alforjar [De *alforje* + *-ar*[2].] *V. t. d.* **1.** Meter no alforje. **2.** Meter nas algibeiras: 📄 *Alforjou o fruto do roubo.* ***Int.*** **3.** Encher as algibeiras com muita coisa, sobretudo comestíveis.

alforje [Do ár. *al-ḫurǧ.*] *S. m.* **1.** Duplo saco, fechado nas extremidades e aberto no meio, formando como que dois bornais, que se enchem equilibradamente, sendo a carga transportada no lombo de cavalgaduras ou ao ombro de pessoas. **2.** Alforjada (1). **3.** Grande quantidade. **4.** *Bras. Gír. P. us.* Nariz grande. **5.** *Pop.* Os testículos. **6.** *Fig.* Indivíduo falador, tagarela; algarvio. [Var.: *alforge.*]

alforma [Do ár. *al-ḥuruma(t), al-ḥurama(t), al-ḥurma(t)*, 'coisa sagrada, inviolável'; 'santidade'.] *S. f.* Salvo-conduto.

alforra (ô) [Do ár. *al-ḥumra(t)*, 'vermelhidão'; 'inflamação', 'doença inflamatória'.] *S. f. Bot.* Ferrugem das searas, causada por uma espécie de fungo; alfonsia. [Pl.: *alforras* (ô). Cf. *alforra* e *alforras*, do v. *alforrar.*]

alforrar [De *alforra* + *-ar*[2].] *V. int.* Criar alforra (ô). [Pres. ind.: *alforro, alforras, alforra*, etc. Cf. *alforra* (ô) e pl. *alforras* (ô).]

alforreca [Do ár. *al-ḥurrāqa(t).*] *Lus. S. f.* **1.** *Zool.* V. *água-viva* (2). ● *S. 2 g.* **2.** Aquilo que não tem firmeza, solidez ou consistência. **3.** *Fig.* Pessoa que tem muitas habilidades, ou competente em muitas atividades. ● *Adj. 2 g.* **4.** *Fig.* Diz-se de coisa ou material sem firmeza ou sem solidez. **5.** *Fig.* Diz-se de pessoa com muitas aptidões.

alforria [Do ár. *al-ḥurrya(t)*, 'liberdade'.] *S. f.* **1.** Liberdade concedida ao escravo; manumissão. **2.** *P. ext.* Libertação de qualquer jugo ou domínio.

alforriado [Part. de *alforriar.*] *Adj.* **1.** Que recebeu carta de alforria; liberto, livre, forro. ● *S. m.* **2.** Indivíduo alforriado, manumisso.

alforriar [De *alforria* + *-ar*[2].] *V. t. d.* **1.** Dar alforria a; resgatar, libertar, manumitir; forrar. *P.* **2.** Libertar-se, livrar-se.

alforva [Var. de *alforba.*] *S. f.* V. *feno-grego.*

alfóstica [Fem. de *alfóstico.*] *S. f. Bot.* V. *pistache* (1).

alfóstico [Do ár. *al-fustaq.*] *S. m. Lus. Bot.* **1.** Pequena árvore anacardiácea (*Pistacia vera*) nativa da região mediterrânea; alfostigueiro. **2.** V. *pistácio* (1). [Var.: *alfóstigo.*]

alfóstiga [Fem. de *alfóstigo.*] *S. f. Bot.* V. *pistácio* (1).

alfóstigo *S. m. Bot.* V. *alfóstico.*

alfostigueiro [De *alfóstigo* + *-eiro.*] *S. m. Bot.* Alfóstico (1).

alfova [Var. de *alforba.*] *S. f. Bot.* V. *feno-grego.*

alfovre (ô) *S. m.* V. *alfobre.*

alfoz [Do ár. *al-ḥūz*, 'distrito', 'cantão'.] *S. m.* **1.** As terras ou terrenos próximos a uma localidade ou povoação, e que dela dependem. **2.** Área ou região vizinha; arrebalde, arredores, confins.

alfredense[1] *Adj. 2 g.* **1.** De, ou pertencente ou relativo a Alfredo Chaves (ES). ● *S. 2 g.* **2.** O natural ou habitante de Alfredo Chaves.

alfredense[2] *Adj. 2 g.* **1.** De, ou pertencente ou relativo a Alfredo Wagner (SC). ● *S. 2 g.* **2.** O natural ou habitante de Alfredo Wagner.

alfredense[3] *Adj. 2 g.* **1.** De, ou pertencente ou relativo a João Alfredo (PE). ● *S. 2 g.* **2.** O natural ou habitante de João Alfredo.

alfredo (ê) [Do antr. *Alfredo.*] *S. m.* Candeeiro ordinário, sem manga.

alfrezes [Do ár. *al-firāš*, 'cama', 'mobília', 'mobiliário'.] *S. m. pl.* Mobiliário, ou conjunto de utensílios caseiros em geral; alfaias.

alfridária [Do ár. *al-farīḍa(t)*, 'dever', 'preceito', pelo lat. med. *alfridaria.*] *S. f.* Influência que os astrólogos árabes atribuíam a determinados astros durante certo número de anos.

alfúgera *S. f.* V. *alfurja.*

alfuja *S. f.* V. *alfurja.*

alfuje *S. m.* V. *alfurja.*

alfujera *S. f.* V. *alfurja.*

alfújera *S. f.* V. *alfurja.*

alfurja [Do ár. *al-fuǧra(t)*, 'saída', 'escape', 'desaguamento', 'escoadouro'.] *S. f. Ant.* **1.** Pátio interno destinado a ventilar e iluminar cômodos de uma casa. **2.** Rua estreita, ou área qualquer, onde se atirava o despejo das casas. **3.** *Fig.* Pocilga, monturo. **4.** *Fig.* Lugar de má fama, ou onde se praticam atos moralmente reprováveis. [Var.: *alfúgera, alfuja, alfuje, alfujera, alfújera, alfurje.*]

alfurje *S. m.* V. *alfurja.*

alga [Do lat. *alga*; tax. *Algae.*] *S. f. Bot.* Espécime das algas, importante divisão do *Reino plantae* (q. v.), que reúne espécies procariotas e eucariotas as quais apresentam, além da clorofila, outros pigmentos, que determinam a coloração diversa, pouca ou nenhuma diferenciação de tecidos e órgãos, grande variedade de formas e tamanho. Vivem no fundo ou na superfície de águas salgadas e doces. Certas espécies são us. como alimento, outras como fertilizante, ou para o fornecimento de fibras. ◆ **Alga apotecial.** *Bot.* Alga que ocorre em determinados líquens. **Alga azul.** *Bot.* V. *cianofícea.* **Alga parda.** *Bot.* V. *feofícea.* **Alga verde.** *Bot.* V. *clorofícea.* **Alga vermelha.** *Bot.* V. *rodofícea.* **Alga vesiculosa.** *Bot.* V. *bodelha.*

algáceo [De *alga* + *-áceo.*] *Adj. Bot.* Relativo ou pertencente às algas.

algaço *S. m. Bot.* Qualquer das vegetações que o mar arroja à praia.

algália[1] [Do gr. *ergaleîon*, 'instrumento de trabalho', pelo lat. tard. *algalia.*] *S. f. Cir. Desus.* Sonda para extração de urina ou exame de cálculos vesicais; candelinha. [Cf. *algalia*, do v. *algaliar.*]

algália[2] [Do ár. *al-ġālya(t)*, 'medicamento extraído de excremento animal'.] *S. f.* **1.** Almíscar (1). **2.** *Zool.* Mamífero cervídeo (*Moschus moschiferus*) da Ásia central; de pequeno porte, desprovido de chifres; almiscareiro. [Os machos possuem no abdome uma glândula produtora de almíscar (1).] **3.** Mamífero viverrídeo (*Civettictis civetta*) carnívoro, de florestas e savanas africanas, de até 1m de comprimento, pelagem acinzentada com manchas negras e glândulas anais que segregam substância odorífera, utilizada em perfumaria e farmácia; gato-almiscarado, gato-de-algália. [Cf. *algalia*, do v. *algaliar.*]

algaliar [De *algália* [1] + *-ar*[2].] *V. t. d.* Sondar com a algália[1]. [Pres. ind.: *algalio, algalias, algalia*, etc. Cf. *algália.*]

alganame [Do ár. *al-gannām.*] *S. m.* O pastor principal, responsável pelo rebanho.

algar [Do ár. *al-ġār*, 'cova'.] *S. m.* **1.** Caverna, furna, gruta. **2.** Barranco feito pelas enxurradas. **3.** Despenhadeiro, abismo. **4.** *Lus.* Conduto natural que, nas regiões calcárias, une a superfície do terreno ao interior de uma gruta ou caverna.

algara [Do ár. *al-ġāra(t).*] *S. f.* **1.** *Ant.* Expedição guerreira, ou incursão de cavaleiros em um território, esp. para provocar tumulto e destruição. **2.** *P. ext.* Rebelião coletiva espontânea e desorganizada, malsucedida. [Sin.: *algarada.*]

algarada [De *algara* + *-ada*[1], poss.] *S. f.* **1.** Algara. **2.** *Fig.* Confusão, gritaria, algazarra.

algarafa *S. f. Ant.* V. *garrafa.*

algaravia [Do ár. *al-ʿarabya(t)*, 'a língua árabe', com infl. de *algarb*, 'o Oeste (nome dado à região do Algarve)'.] *S. f.* **1.** Língua árabe. **2.** *Fig.* Linguagem confusa e ininteligível: 📖 "Pôs-se a falar, na sua algaravia que a comoção ainda tornava menos compreensível." (João Alphonsus, *Rola-Moça*, p. 122.) **3.** Coisa difícil de perceber. [Var.: *algravia.*]

algaraviada [De *algaravia* + *-ada*[1].] *S. f.* Confusão de vozes; algazarra, gritaria. [Var.: *algraviada.*]

algaraviar [De *algaravia* + *-ar*[2].] *V. int.* **1.** Falar ou escrever confusamente. *T. d.* **2.** Exprimir em algaravia (2). [Var.: *algraviar.*]

algaravio *S. m.* V. *algarvio.*

algaraviz *S. m.* V. *alcaraviz.*

algarejo [De *algar* + *-ejo* (ô).] ***S. m. Prov. port.*** Pequeno algar; pequena furna de mato crescido. [Var.: *agarejo*.]

algariado [Part. de *algariar*.] ***Adj. Lus.*** **1.** Atrapalhado, confuso. **2.** Nervoso, descontrolado.

algariar [De or. incerta.] ***V. int. Lus.*** Perder a cabeça, descontrolar-se.

algarísmico [De *algarismo* + *-ico*^{2}.] ***Adj.*** Relativo a algarismo.

algarismo [Do antr. ár. *al-ḫuwarizmī*, Muhammad Ibn Mussa al-Khwarizmi (c.780-c.850), matemático estabelecido em Bagdá.] ***S. m. Mat.*** Símbolo (6) usado para a representação sistemática de números. ◆ **Algarismo arábico.** *Mat.* Cada um dos símbolos representativos dos números, na notação usualmente adotada, baseada no sistema decimal de numeração; cada um dos membros do conjunto dos símbolos 0, 1, 2, 3, 4, 5, 6, 7, 8 e 9; respectivamente, zero, um, dois, três, quatro, cinco, seis, sete, oito e nove. [A f. correta é *algarismo indo-arábico*, uma vez que os algarismos ditos arábicos se originaram na Índia, tendo sido trazidos para o Ocidente pelos árabes.] **Algarismo exato.** *Mat.* Em um número aproximado, cada um dos algarismos que, a começar do primeiro algarismo à esquerda diferente de zero, está isento de erro. **Algarismo indo-arábico.** V. *algarismo arábico.* **Algarismo romano.** *Mat.* Cada um dos símbolos representativos dos números, no sistema romano de numeração; quaisquer dos símbolos I, V, X, L, C, D e M; respectivamente, um, cinco, dez, cinquenta, cem, quinhentos e mil. **Algarismo significativo.** *Mat.* Na expressão de um número aproximado, cada um dos algarismos que, a começar do primeiro à esquerda diferente de zero, está isento de erro, ou tem um erro no máximo igual a meia unidade de sua ordem decimal, por falta ou por excesso.

algaroba (ô) [Var. de *algarroba*.] ***S. f. Bot.*** V. *alfarroba* (1 e 2).

algarobeira [De *algaroba* + *-eira*.] ***S. f. Bot.*** **1.** Nome comum a árvores mimosáceas do gênero *Prosopis* (v. *prosópis*). **2.** Árvore mimosácea (Prosopis juliflora) nativa do Paraguai, da Argentina e do Brasil, de flores amareladas, frutos que são vagens edules, e madeira de boa qualidade. [Sin. ger.: *algaroba, algarroba, algaróbia, algarobo, algarrobo*.]

algaróbia [Do tax. *Algarobia* (de or. ár.).] ***S. f. Bot.*** V. *algarobeira* (1 e 2).

algarobo (ô) [Var. de *algarrobo*.] ***S. m. Bot.*** **1.** V. *algarobeira* (1 e 2). **2.** V. *jatobá* (2).

algarroba [Do mesmo étimo ár. de *alfarroba* (q. v.).] ***S. f.*** **1.** *Bot.* V. *algarobeira*. (1 e 2) **2.** V. *alfarroba*.

algarrobo (ô) [Do mesmo étimo ár. de *alfarroba* (q. v.).] ***S. m. Bot.*** V. *algarobeira* (1 e 2).

algarviense ***Adj. 2 g. S. 2 g.*** Algarvio (1 e 2).

algarvio [Do ár. *al-garbīī*, 'ocidental'.] ***Adj.*** **1.** Do, ou pertencente ou relativo ao Algarve (S. de Portugal). • ***S. m.*** **2.** O natural ou habitante do Algarve. [Sin., nessas acepçs.: *algarviense*.] **3.** *Fig.* Palrador, tagarela, falador; alforje. [Var.: *algaravio*.]

alga-vesiculosa [De *alga* + o f. de *vesiculoso*.] ***S. f. Bot.*** V. *bodelha*. [Pl.: *algas-vesiculosas*.]

algazara ***S. f.*** V. *algazarra*.

algazarra [Do ár. *al-gazāra(t)*, 'abundância'; 'multidão'.] ***S. f.*** **1.** *Ant.* Gritaria que os mouros levantavam em qualquer acometida militar. **2.** Vozearia, gritaria, clamor, barulhada. [Var.: *algazara*.]

algazarrar [De *algazarra* + *-ar*^{2}.] ***V. int.*** Fazer algazarra: "À orla dos banhados, as seriemas já <u>algazarravam</u> aos pulos, alvissareiras da manhã." (Vieira Pires, *Querência*, p. 131.)

algazu ***S. m.*** V. *gázua*.

álgebra [Do ár. *al-ǧabāra(t)*, 'reunião, reintegração daquilo que se quebrou', 'restauração de ossos fraturados'; em ár., aparece no início de uma expressão que designava os cálculos algébricos e significa 'ciência da reintegração e equiparação'.] ***S. f.*** **1.** Parte da matemática que estuda as leis e processos formais de operações com entidades abstratas; almucábala. **2.** Tratado ou compêndio dessa matéria. **3.** Exemplar de um desses tratados ou compêndios. **4.** *Ant.* A arte de tratar ossos fraturados ou deslocados. ◆ **Álgebra abstrata.** Parte da álgebra moderna em que se investigam as propriedades dos sistemas algébricos que permanecem invariantes nas transformações isomórficas. **Álgebra booliana.** *Lóg. Inform.* Álgebra binária (*i. e.*, cujas variáveis podem assumir apenas dois valores), desenvolvida no século XIX por G. Boole (v. *booliano*), que permite determinar se proposições lógicas são falsas ou verdadeiras, e que tem, atualmente, emprego fundamental em computação; lógica booliana. [V. *operador booliano*.] **Álgebra da lógica.** *Lóg.* Uma das formas da logística^{1} (1). **Álgebra divisão.** *Alg.* Álgebra linear em que todo elemento diferente de zero tem um inverso multiplicativo. **Álgebra linear.** *Álg.* Conjunto de elementos que é um espaço vectorial de ordem finita sobre um corpo, e em que se define um produto binário associativo e bilinear. **Álgebra matricial.** *Álg.* Parte do cálculo matricial em que se investigam as propriedades e transformações das matrizes sobre as operações de soma, produto, combinação linear de linhas e colunas, etc. **Álgebra motorial.** Parte do cálculo motorial em que se usam apenas as operações da álgebra. **Álgebra relacional.** *Inform.* Paradigma para modelagem, consulta e manipulação de bancos de dados que tratam determinados tipos de conjuntos (ditos *relações*) por meio de operações específicas sobre eles. **Álgebra vetorial.** *Mat.* Parte do cálculo vetorial em que se estudam as propriedades dos vetores sobre as operações algébricas de soma, produto escalar, produto vetorial, etc. **Álgebra zero.** *Álg.* Álgebra linear em que o produto de qualquer de seus elementos por si mesmo é igual a zero.

algébrico [De *álgebra* + *-ico*^{2}.] ***Adj.*** **1.** Relativo à álgebra. **2.** Que se resolve por álgebra. ~ V. *complemento —, curva —a, equação —a, equação —a irracional, equação —a racional, equação —a racional inteira, função —a, número —, operação —a* e *soma —a*.

algebrista [De *álgebra* + *-ista*.] ***S. 2 g.*** **1.** Pessoa versada em álgebra (1). **2.** *Ant.* Pessoa que tratava fraturas ou deslocação de ossos; especialista em álgebra (4).

algebrizar [De *álgebra* + *-izar*.] ***V. t. d.*** Encher de fórmulas algébricas.

algela ***S. f.*** V. *alaela*.

algema [Do ár. *al-liǧāma(t)*.] ***S. f.*** **1.** Cada uma de um par de argolas de metal, com fechaduras, e ligadas entre si, us. para prender alguém pelo pulso. [Sin.: (gír.) *bracelete*, e (bras., gír.) *pulseira*.] **2.** Cadeia, grilheta. **3.** *Fig.* Coação, coerção, opressão. [M. us. no pl.] [Var.: *aljama*^{2}.]

algemar [De *algema* + *-ar*^{2}.] ***V. t. d.*** **1.** Prender ou maniatar com algemas. **2.** Prender moralmente; oprimir; coagir, obrigar: *Um juramento solene o <u>algemava</u>.*

algemas ***S. f. pl.*** V. *algema*.

algemia ***S. f.*** V. *aljamia*.

algemiado ***Adj.*** V. *aljamiado*.

algemiar ***V. t. d.*** V. *aljamiar*.

algente [Do lat. *algente*.] ***Adj. 2 g.*** Álgido (1): "Agora a deslizar pelo arvoredo mudo, / Como um choro de prata <u>algente</u> o luar escorre." (Olavo Bilac, *Poesias*, p. 271.)

algeramolho (ô) [Var. de *agermolho*.] ***S. m. Lus.*** V. *gaspacho*.

algeriano [Do fr. *algérien*, de *Algérie*.] ***Adj. S. m.*** V. *argelino*^{1}.

algeroz (ó) [Do ár. *az-zurūb*, pl. de *az-zirb*, 'canal'.] ***S. m.*** **1.** Calha que recolhe as águas pluviais do telhado, encaminhando-as para os condutores: "E assim ela se conservara algum tempo ao pé da espádua erguida do morro, no prédio vetusto de adufas desusadas e biqueiras muito sobressaídas dos <u>algerozes</u>." (Alberto Rangel, *Lume e Cinza*, p. 197.) **2.** Agueiro (2). [Var.: *aljaraz*^{2}.]

▲**alges(i)-** [Do gr. *álgesis, eōs*.] ***El. comp.*** = 'dor', 'sofrimento': *algesia*. [Equiv.: *-alges(i)-*: *hiperalgesia*.]

▲**-alges(i)-** Equiv. de *alges(i)-*.

algesia [De *alges(i)-* + *-ia*^{1}.] ***S. f. Med.*** Sensibilidade à dor.

algésico [De *algesia* + *-ico*^{2}.] ***Adj. Med.*** Relativo à algesia.

▲**algi-** [Do lat. *alga, ae*.] ***El. comp.*** = 'alga': *algícola*. [Equiv.: *alg(o)-*^{1}, *-alg(o)-*^{1}: *algologia*.]

algia [De *alg(o)-*^{2} + *-ia*^{1}.] ***S. f. Med.*** Qualquer dor.

algibe [Var. de *aljube*, por uma f. ant. *aljibe*, do esp. *aljibe*.] ***S. m.*** V. *cisterna* (2).

algibeba ***S. f.*** Fem. de *algibebe* (q. v.). [Var.: *aljabeba, aljibeba*.]

algibebe [Do ár. *algibebe*, 'aprendiz de alfaiate'.] ***S. m.*** Aquele que fabrica e vende roupas de fazenda ordinária. [Fem.: *algibeba*.] [Var.: *aljabebe, aljibebe*.]

algibeira [Do ár. al-ǧabayra*(t)*, 'pequena tábua', 'bracelete'; 'saco de couro'.] ***S. f.*** **1.** *Vest.* Bolso que faz parte integrante da roupa: "Estas palavras disse-as o Alfredo enquanto tirava uma nota da <u>algibeira</u> das calças" (Artur Azevedo, *Contos Possíveis*, p. 39). **2.** Pequena bolsa em forma de saquinho que as mulheres prendiam à cintura, em geral, por baixo dos vestidos ou aventais. ◆ **Pôr de sua algibeira.** Pagar à sua custa. [Var.: *aljibeira*.]

algicida [De *algi-* + *-cida*.] ***Adj. 2 g. S. m.*** Diz-se de, ou substância que elimina algas.

algícola [De *algi-* + *-cola*^{1}.] ***Adj. 2 g.*** Que vive ou se cria sobre as algas.

algidez (ê) [De *álgido* + *-ez*.] ***S. f.*** **1.** Qualidade ou estado de álgido; grande frialdade. **2.** *Med.* Estado patológico caracterizado pelo resfriamento das extremidades; sensação de frio intenso.

álgido [Do lat. *algidu*.] ***Adj.*** **1.** Muito frio; gélido, glacial, algente: "<u>Álgido</u> inverno! Oblíquo o sol, gelado..." (Camilo Pessanha, *Clepsidra e Outros Poemas*, p. 179); "os aspectos do céu profundamente frio tinham umas estrelas trêmulas, lucilantes, e um luar <u>álgido</u> que dava às concavidades nevadas a claridade nítida duns lagos de prata fundida." (Camilo Castelo Branco, *Sentimentalismo e História*, p. 180). **2.** *Med.* No qual, ou durante o qual se observa algidez (2): *o período <u>álgido</u> da cólera.*

alginato [De *algín(ico)* + *-ato*^{2}.] ***S. m. Quím.*** Qualquer sal obtido do ácido algínico, dos quais alguns são us. como espessantes em indústria de alimentos.

algínico ***Adj. Quím.*** ~ *V. ácido —.*

algirão ***S. m.*** Abertura por onde os peixes entram na rede ou na armação. [Sin. bras. (SC e RS): *sanga*.]

algo [Do lat. *aliquod*.] ***Pron. indef.*** **1.** Alguma coisa, qualquer coisa: *Por que não dizem <u>algo</u>?* • ***Adv.*** **2.** Um tanto, um pouco: *Acha-se <u>algo</u> adoentado.* • ***S. m.*** **3.** *Ant.* Quantia em dinheiro; fazenda, cabedal, bens. **4.** *Ant.* Aquele que possui, que é rico: *filho de <u>algo</u> (fidalgo).*

▲**alg(o)-**^{1} V. *algi-*.

▲**alg(o)-**^{2} [Do gr. *álgos, eos-ous*.] ***El. comp.*** = 'dor': *algia, algofilia*. [Equiv.: *-alg(o)-*^{2}: *dacriadenalgia, isquialgia*.]

▲**-alg(o)-**^{1} V. *algi-*.

▲**-alg(o)-**^{2} Equiv. de *alg(o)-*^{2}.

algodão^{1} [Do ár. *al-qu ṭn* ou *al-qu ṭun*.] ***S. m.*** **1.** *Bot.* Conjunto de compridos pelos alvos e entrelaçados, macios, que revestem a superfície das sementes do algodoeiro. Aparecem em outras malváceas e em plantas de variadas famílias, onde podem receber nomes especiais, como *paina*, por exemplo. **2.** *P. ext.* Algodoeiro (1). **3.** *Tec. Têx.* Fio ou tecido fabricado com algodão^{1} (1), que absorve muito bem a umidade, é macio, confortável, durável, mas encolhe e amassa com facilidade. **4.** Algodão hidrófilo. **5.** *Pop.* V. *cúmulo* (3). ◆ **Algodão egípcio.** *Tec. Têx.* Algodão (3) de alta qualidade, com fibras longas, produzido no vale do Nilo (Egito). **Algodão em rama.** Algodão (1) sem preparação. **Algodão hidrófilo.** Algodão (1) perfeitamente dessecado e desinfetado, para uso em farmácia e medicina; algodão. **Algodão mercerizado.** Algodão (3) que foi tratado por hidróxido de sódio com o fim de aumentar-lhe o brilho e a capacidade de tingimento. **Ser algodão entre cristais.** Buscar evitar atritos entre pessoas inimigas.

algodão^{2} ***S. m.*** V. *algodão-doce*.

algodão-bravo [De *algodão*^{1} + *bravo*^{1}.] ***S. m. Bot.*** **1.** Arbusto malváceo (Hibiscus furcellatus) de flores róseas, com manchas vermelhas na base das pétalas, e frutos capsulares. **2.** Arbusto convolvuláceo (Ipoema carnea) nativo do Brasil, de folhas cordiformes e flores brancas ou róseas; é lactescente e venenoso para o gado. [Sin., nesta acepç.: *campainha-de-canudo; canudo, salsa-branca*. Pl.: *algodões-bravos*.]

algodão-colódio ***S. m.*** V. *nitrocelulose*. [Pl.: *algodões-colódios* e *algodões-colódio*.]

algodão-cravo ***S. m. Bras. Bot.*** V. *butua-de-corvo*. [Pl.: *algodões-cravos* e *algodões-cravo*.]

algodão-da-praia [De *algodão*^{1} + *da*^{1} + *praia*.] ***S. m. Bras. Bot.*** Arvoreta ou arbusto malváceo (*Hibiscus tiliaceus*) de flores amarelas, e que é us. na arborização urbana; embira-do-mangue. [Pl.: *algodões-da-praia*.]

algodão de açúcar ***S. m. Bras.*** V. *algodão-doce*. [Pl.: *algodões de açúcar*.] ☑

algodão de vidro ***S. m. Tec.*** Substância que tem o aspecto e consistência do algodão, e formada de inúmeros fios capilares de vidro. [Pl.: *algodões de vidro*.] ☑

algodão-do-brejo ***S. m. Bras. Bot.*** V. *fanfã*. [Pl.: *algodões-do-brejo*.]

algodão-do-campo ***S. m. Bras. Bot.*** V. *butua-de-corvo*. [Pl.: *algodões-do-campo*.]

algodão-doce ***S. m. Bras.*** Espécie de doce que se faz com o açúcar reduzido, em ponto especial, a fios finíssimos, e tem o aspecto de algodão em rama. [F. red.: *algodão*^{2}; sin.: *algodão de açúcar*. Pl.: *algodões-doces*.]

algodão-do-mato ***S. m. Bras. Bot.*** V. *butua-de-corvo*. [Pl.: *algodões-do-mato*.]

algodão-macaco [De *algodão*^{1} + *macaco*.] ***S. m. Bot.*** Variedade de algodoeiro que fornece fibra têxtil pardacenta. [Pl.: *algodões-macacos* e *algodões-macaco*.]

algodão-pólvora ***S. m. Quím. Expl. Desus.*** V. *nitrocelulose*. [Pl.: *algodões-pólvoras* e *algodões-pólvora*.]

algodãorana [De *algodão*^{1} + *-rana*.] ***S. f. Bras. Bot.*** Planta malvácea (*Pavonia paniculata*) nativa da Amaz., que fornece fibras têxteis.

algodãozinho [De *algodão*^{1} + *-zinho*.] ***S. m. Bras. Tec. Têx.*** Tecido grosseiro de algodão: "Vestindo invariavelmente grosseiras calças de <u>algodãozinho</u>" (Almeida Fischer, *10 Contos Escolhidos*, p. 73); "Esta conversa animou os dois, que limparam os olhos e o nariz na manga arregaçada da camisa de <u>algodãozinho</u>." (Bariani Ortêncio, *Vão dos Angicos*, p. 100). [Cf. *algodoim*.]

algodoal [De *algodão* + *-al*^{1}, com desnasalação.] ***S. m.*** Quantidade mais ou menos considerável de algodoeiros dispostos proximamente entre si: "florescia o algodoal pintalgado de branco e amarelo." (Jaime d'Altavila, *Lógica de um Burro*, p. 11).

algodoar [De *algodão* + *-ar*², com desnasalação.] ***V. t. d.*** **1.** Encher, entulhar de algodão: *algodoar almofadas.* **2.** Tornar semelhante ao algodão, ou ao que se acha revestido de algodão: *A névoa algodoava os campos.* ***P.*** **3.** Tornar-se parecido ao algodão, ou ao que se acha revestido de algodão: *Os cúmulos algodoavam-se no horizonte.* [Conjug.: v. *coroar.*]

algodoaria [De *algodão* + *-aria*, com desnasalação.] ***S. f.*** Edifício ou estabelecimento onde se fabricam fios ou tecidos de algodão; cotonaria, cotonifício.

algodoeiro [De *algodão*¹ (*algodo-*) + *-eiro*, com desnasalação.] ***S. m.*** *Bot.* **1.** Nome comum a árvores e arbustos malváceos do gênero *Gossypium* (v. *gossípio*), de folhas palmadas ou codiformes, flores exuberantes e frutos capsulares com sementes envoltas em fibras que produzem o algodão (1). **2.** Arbusto malváceo (*Gossypium hirsutum*) nativo das Américas e cultivado em todo o mundo, revestido de pelos, de flores amarelas com mancha púrpura na base das pétalas, e frutos capsulares envoltos em algodão (1). **3.** Arbusto malváceo (*Gossypium herbaceum*) de flores amarelas ou róseas, nativo da Índia, e cultivado na Europa.

algodoeiro-do-campo ***S. m.*** *Bras. Bot.* V. *butua-de-corvo.* [Pl.: *algodoeiros-do-campo.*]

algodoim (o-im) [De *algodão*¹ (*algodo-*) + *-im*, com desnasalação.] ***S. m.*** *Tec. Têx.* Tecido rústico de algodão, mais grosseiro que o algodãozinho (q. v.).

algodonita [Do top. *Algodones* (Chile) + *-ita*³.] ***S. f.*** *Min.* Mineral hexagonal, arsenieto de cobre, opaco, de cor cinza.

algofilia [De *alg(o)-*² + *-filia.*] ***S. f.*** *Psiq.* Perversão sexual caracterizada por desejo de sentir dor; algomania. [Opõe-se a *algofobia.*]

algofílico [De *algofilia* + *-ico*².] ***Adj.*** *Psiq.* **1.** Relativo a algofilia. **2.** Que tem algofilia; algófilo, algômano. ● ***S. m.*** **3.** Aquele que tem algofilia; algófilo, algômano. [Sin. ger.: *algomaníaco.*]

algófilo [De *alg(o)-*² + *-filo*².] ***Adj. S. m.*** *Psiq.* V. *algofílico* (2 e 3).

algofobia [De *alg(o)-*² + *-fobia.*] ***S. f.*** *Psiq.* Terror mórbido de sensação dolorosa. [Opõe-se a *algofilia.*]

algofóbico [De *algofobia* + *-ico*².] *Psiq.* ***Adj.*** **1.** Relativo a algofobia. **2.** Que sofre de algofobia; algófobo. ● ***S. m.*** **3.** Aquele que sofre de algofobia; algófobo.

algófobo [De *alg(o)-*² + *-fobo.*] ***Adj. S. m.*** *Psiq.* Algofóbico (2 e 3).

algoide (ói) [De *alg(o)-*¹ + *-oide.*] ***Adj. 2 g.*** Semelhante à alga. ✧

algol¹ [Do ár. (*ras*) *al-gūl*, lit. '(a cabeça do) demônio'.] ***S. m.*** *Astr.* Estrela dupla variável, muito brilhante, da constelação de Perseu; Estrela-Demônio. [Com cap. Pl.: *algóis.*]

algol² [Das iniciais da loc. ingl. *alg(orithmic) o(riented) l(anguage).*] ***S. m.*** *Inform.* Linguagem de programação criada no final dos anos 1950, precursora de uma série de outras linguagens estruturadas, e empregada sobretudo em operações científicas. [Pl.: *algóis.*]

algolagnia [De *alg(o)-*² + *-lagnia.*] ***S. f.*** *Psiq.* Perversão daquele que só tem prazer sexual associado a uma dor experimentada por ele mesmo ou infligida a outrem. ◆ **Algolagnia ativa.** *Psiq.* Sadismo (1). **Algolagnia passiva.** *Psiq.* Masoquismo (1).

algologia [De *alg(o)-*¹ + *-logia.*] ***S. f.*** *Bot.* Estudo ou tratado das algas; ficologia.

algológico [De *algologia* + *-ico*².] ***Adj.*** Relativo à algologia; ficológico.

algologista [De *algologia* + *-ista.*] ***S. 2 g.*** *Bot.* Especialista em algologia; algólogo, ficologista.

algólogo [De *alg(o)-*¹ + *-logo.*] ***S. m.*** *Bot.* V. *algologista.*

algomania [De *alg(o)-*² + *-mania.*] ***S. f.*** *Psiq.* V. *algofilia.*

algomaníaco [De *algomania* + *-íaco.*] ***Adj.*** *Psiq.* V. *algofílico.*

algómano ***Adj. S. m.*** *Psiq.* V. *algômano.* [Uso freq. em P.]

algômano [De *alg(o)-*² + *-mano*¹.] ***Adj. S. m.*** *Psiq.* V. *algofílico* (2 e 3).

algómetro ***S. m.*** *Fisiol.* V. *algômetro.* [Uso freq. em P.]

algômetro [De *alg(o)-*² + *-metro.*] ***S. m.*** *Fisiol.* Instrumento destinado a avaliar grau de sensibilidade a estímulo(s) doloroso(s).

algomia ***S. f.*** V. *agomia*¹.

algonquiano ***S. m.*** **1.** *Etnôn.* Algonquino (1). [Tb. us., nesta acepç., com cap.] **2.** *Gloss.* Família de línguas indígenas dos E.U.A. e do Canadá constituída por cerca de 30 línguas, entre elas o cheiene, o cri e o moicano. **3.** *Etnôn.* Indivíduo de povo indígena que fala uma língua algonquiana [v. *algonquiano* (2).] **4.** *Geol.* Última fase do pré-cambriano, em que aparecem as primeiras manifestações de vida; proterozoico [v. *período* (10)]. ● ***Adj.*** **5.** Pertencente ou relativo a algonquiano (2 e 4) ou aos algonquianos.

algonquino ***S. m.*** **1.** *Etnôn.* Indivíduo dos algonquinos, povo indígena do S. do Canadá. ● ***Adj.*** **2.** Pertencente ou relativo a esse povo. [Sin. ger.: *algonquiano.*] [Tb. us. com cap. e como *s. 2 g. e 2 n.* e *adj. 2 g. e 2 n.*]

algor (ô) [Do lat. *algore.*] ***S. m.*** Frio veemente; viva sensação de frio.

algorabão ***S. m.*** V. *alcaravão.*

algorítmico [De *algoritmo* + *-ico*².] ***Adj.*** Relativo a algoritmo.

algoritmo [Do lat. med. *algorismos, algorithmos*, 'algarismo', por infl. do gr. *arithmós*, 'número'.] ***S. m.*** **1.** *Mat.* Processo de cálculo, ou de resolução de um grupo de problemas semelhantes, em que se estipulam, com generalidade e sem restrições, regras formais para a obtenção do resultado, ou da solução do problema. **2.** *Inform.* Conjunto de regras e operações bem definidas e ordenadas, destinadas à solução de um problema, ou de uma classe de problemas, em um número finito de etapas. ◆ **Algoritmo da divisão.** *Álg.* O que se destina à divisão de dois polinômios. **Algoritmo de Briot-Ruffini.** *Álg.* O que se utiliza para determinar o resto da divisão de um polinômio por um binômio do primeiro grau, ou para determinar as raízes inteiras de uma equação algébrica; dispositivo prático de Briot. **Algoritmo de Euclides.** *Mat.* O que é aplicável à determinação do máximo divisor comum de dois inteiros.

algorovão ***S. m.*** V. *alcaravão.*

algoso (ô) [Do lat. *algosu.*] ***Adj.*** Que tem algas. [Cf. *algozo*, do v. *algozar.*]

algóstase¹ [De *alg(o)-*¹ + *-stase.*] ***S. f.*** *Bot.* Ficóstase.

algóstase² [De *alg(o)-*² + *-stase.*] ***S. f.*** *Med.* Diminuição ou extinção da sensibilidade à dor, nos casos de grande traumatismo.

algostático [De *algóst(ase*¹) + *-ático.*] ***Adj.*** *Bot.* Ficostático.

algoz (ô) [Do ár. *al-guzīī*, 'conquistador', 'invasor'.] ***S. m.*** **1.** V. *carrasco*¹ (1): "Já o algoz tremendo me conduz / Ao cadafalso: e horror! já sobre mim reluz / O aço triangular da guilhotina!" (Raimundo Correia, *Poesias*, p. 253.) **2.** *Fig.* Pessoa cruel, desumana, que mata ou aflige outra: "Não tive amigos e nem deixo amores; / E, se os tive, tornaram-se traidores, / Algozes vis de um'alma consumida." (Francisco Otaviano, *ap.* Manuel Bandeira, *Antologia dos Poetas Brasileiros da Fase Romântica*, p. 105.) **3.** *Fig.* Coisa que magoa ou aflige. [Pl. *algozes* (ô). Cf. *algozes*, do v. *algozar.*]

algozar [De *algoz* + *-ar*².] ***V. t. d.*** **1.** Dar tratos de algoz a; martirizar, torturar, supliciar. ***Int.*** **2.** Executar atos de algoz; praticar morticínio. [Pres. ind.: *algozo*, etc.; pres. subj.: *algoze, algozes*, etc. Cf. *algoso* (ô), adj., e *algozes* (ô), pl. de *algoz.*]

algozaria [De *algozar* + *-ia*¹.] ***S. f.*** Ação própria de algoz; crueldade.

algoz-das-árvores [De *algoz* + o pl. de *da*¹ + o pl. de *árvore.*] ***S. m.*** *Bot.* Trepadeira celastrácea (*Celastrus scandens*) lenhosa, de folhas alternas, oblongas, serreadas, flores branco-esverdeadas dispostas em cachos e fruto capsular. [Pl.: *algozes-das-árvores.*]

algrafia [De *al(umínio)* + *-grafia.*] ***S. f.*** **1.** Processo metalográfico em que o alumínio em placas especialmente preparadas substitui a pedra litográfica; aluminografia. **2.** Estampa tirada por esse processo.

algráfico [De *algrafia* + *-ico*².] ***Adj.*** Relativo à algrafia.

algrame [De or. *incerta.*] ***S. m.*** *Lus.* Lagar (1) de azeite.

algravão ***S. m.*** V. *alcaravão.*

algravia ***S. f.*** V. *algaravia.*

algraviada ***S. f.*** V. *algaraviada.*

algraviar ***V. int. T. d.*** V. *algaraviar.*

alguazil ***S. m.*** *Ant.* Aguazil (q. v.).

algueiro [De *alga* + *-eiro.*] ***S. m.*** *CE* Aquele que coleta ou cultiva algas.

alguém [De *algum*, com infl. de *quem.*] ***Pron. indef.*** **1.** Alguma pessoa: *Ficava horas à janela, a ver se alguém conhecido passava.* **2.** Determinada pessoa: "Para alguém sou o lírio entre os abrolhos. / E tenho as formas ideais do Cristo" (Gonçalves Crespo, *Obras Completas*, p. 150). **3.** Pessoa de relevo intelectual e/ou social: *Sua maior ambição é ser alguém na vida; Era de condição modestíssima, e pelo seu esforço tornou-se alguém.* ● ***S. m.*** **4.** Ente, pessoa: "E se esse alguém existe, é porque existo" (Id., *ib.*, p. 150).

alguergado [Part. de *alguergar.*] ***Adj.*** Ornado ou revestido com mosaico feito de alguergue.

alguergar [De *alguergue* + *-ar*².] ***V. t. d.*** Ornar com mosaicos feitos de alguergues. [Conjug.: v. *regar.*]

alguergue [Do ár. *al-qirq*, 'jogo de mesa'.] ***S. m.*** V. *abáculo* (1). [Var.: *alguerque, alquerque.*]

alguerque [Var. de *alguergue.*] ***S. m.*** V. *abáculo* (1).

alguidar [Do ár. *al-gidār.*] ***S. m.*** Vaso de barro ou de metal, baixo, em forma de tronco de cone invertido, e com diversos usos domésticos; ababá, alquidar.

alguidarada [De *alguidar* + *-ada*¹.] ***S. f.*** Porção contida em alguidar.

algum [Do lat. vulg. **alicunu.*] ***Pron. indef.*** **1.** Um entre dois ou mais: *Algum daqueles romances foi retirado da biblioteca.* **2.** Um, qualquer: "esteve ele em perigo de romper alguma veia importante, à conta de sufocar o riso" (Camilo Castelo Branco, *O Santo da Montanha*, p. 71). **3.** Um certo; determinado: "Muitas vezes encontro sua lembrança em alguma esquina da cidade" (Rubem Braga, *A Cidade e a Roça*, p. 178). **4.** Um pouco de; um certo: "batíamos em vão as ruas do centro, a suar, procurando algum jeito de arranjar algum dinheiro" (Id., *ib.*, p. 33). Posposto ao substantivo em frase onde (nem sempre) apareça partícula negativa ou a preposição *sem*, corresponde a *nenhum*: *Não tenho interesse algum neste negócio;* "É a guerra aquela calamidade composta de todas as calamidades, em que não há mal algum, que ou se não padeça, ou se não tema" (P.ᵉ Antônio Vieira, *Sermões*, XIV, p. 8); "Em parte alguma vejo / Dias lindos como estes do Alentejo!" (Conde de Monsaraz, *Musa Alentejana*, p. 108). ● ***S. m.*** **5.** *Pop.* Algum dinheiro: *O malandro sempre descola algum.* [Flex.: *alguma, alguns, algumas.*] ~ V. *alguns.* ◆ **Algum tanto.** Um pouco; medianamente: "sorriam-me as esperanças, algum tanto vaidosas, de obter de Deus deferimento às minhas pretensões infantis" (Alexandre Herculano, *Lendas e Narrativas*, II, p. 119).

alguma ***Pron. indef.*** **1.** Fem. de *algum*: *Alguma razão teve para agir como agiu.* ● ***S. f.*** **2.** *Fam.* Alguma coisa nova, estranha, inconveniente, má: "— Ai! como tu estás hoje... | — Tu é que não vens bom! Alguma te aconteceu..." (Abel Botelho, *O Livro de Alda*, p. 345); *Vigie bem este garoto, senão ele apronta alguma.*

alguns [Pl. de *algum.*] ***Pron. indef. pl.*** Mais de um; diversos, vários (entre maior número): *Estiveram aqui alguns professores;* "A vida sempre foi amarga para alguns" (Ribeiro Couto, *Poesias Reunidas*, p. 156). ~ V. *algum.*

algures [Do provenç. *alhors*, com infl. de *algum.*] ***Adv.*** Em alguma parte, em algum lugar: "Não foi este o próprio vocábulo empregado por ela; já lá disse algures que D. Carmo não possui o estilo enfático." (Machado de Assis, *Memorial de Aires*, pp. 258-259.) [Cf. *nenhures* e *alhures.*]

▲**alh(a)-** V. *-alha.*

▲**-alha** [Do it. *-aglia.*] ***Suf. nom.*** = 'quantidade', 'coleção', em geral pejorativo: *cangalha, miuçalha.* [Equiv.: *-alh(a)-, -oalha*: *esmamalhada; cordoalha.*]

alhada [De *alho* + *-ada*¹.] ***S. f.*** **1.** Quantidade de alhos. **2.** Guisado com muito alho. **3.** *Fig.* Embrulhada, trapalhada, encrenca. "ocorreu-lhe de súbito uma saída para a alhada em que já se havia metido." (Fernando Sabino, *O Grande Mentecapto*, p. 106).

▲**-alhada** ***Suf. nom.*** formador de voc. de cunho popular, equiv. de *-alh(o)-* (q. v.) e de *-ada*¹ (q. v.), ger. com as noções, por vezes depreciativas, de '(algo) em grande número ou em número excessivo', 'coleção': *brigalhada, cabralhada, fradalhada, frangalhada, fritalhada, gringalhada, intrigalhada, livralhada, negralhada, padralhada, petalhada, porcalhada, pratalhada, pretalhada, russalhada, tripalhada, turcalhada, versalhada.*

alhaima [Var. de *alxaima* (q. v.).] ***S. f.*** *Ant.* Tenda ou barraca para acampar.

alhal [De *alho* + *-al*¹.] ***S. m.*** Quantidade mais ou menos considerável de pés de alho dispostos proximamente entre si.

alhanar [De *a-*² + *lhano* + *-ar*².] ***V. t. d.*** **1.** Tornar lhano, afável, delicado. **2.** Tornar plano ou igual; nivelar, achanar. **3.** Resolver as dificuldades de; facilitar; aplanar. **4.** Assolar, arrasar. ***P.*** **5.** Abater-se, humilhar-se. **6.** Tornar-se plano; achanar-se.

alhandrense ***Adj. 2 g.*** **1.** De, ou pertencente ou relativo a Alhandra (PB). ● ***S. 2 g.*** **2.** O natural ou habitante de Alhandra.

▲**-alhão** V. *-ão*¹.

▲**-alhar** [De *-alho* + *-ar*².] ***Suf.*** formador de verbos: *emporcalhar, avacalhar.*

alhas [De *alho*, tomado como adj.] ***Adj. (f.) pl.*** ~ V. *palhas* —.

▲**-alhaz** V. *-az.*

alheabilidade [De *alheável* + *-(i)dade*, seg. o padrão erudito.] ***S. f.*** Qualidade de alheável.

alheação [De *alhear* + *-ção.*] ***S. f.*** V. *alheamento*: "cada um em seu canto de sofá, separados ainda mais pela completa alheação do que pelo espaço que entre ambos mediava" (José de Alencar, *Senhora*, p. 262).

alheado [Part. de *alhear.*] ***Adj.*** **1.** Distraído, desatento. **2.** V. *absorto* (2). **3.** Enlevado, arrebatado, extasiado, alienado. **4.** V. *alienado* (3).

alheador (ô) [De *alhear* + *-dor.*] ***S. m.*** Aquele que alheia; alienador.

alheamento [De *alhear* + *-mento.*] ***S. m.*** Ato ou efeito de alhear(-se); alheação, alienação.

alhear [Do lat. *alienare.*] ***V. t. d.*** **1.** Tornar alheio; transferir para outrem o direito de alienar; *alhear uma propriedade.* **2.** Desviar, afastar, apartar: *Alheou a atenção por momentos.* **3.** Perturbar, desvairar: *A* *grande mágoa alheia-lhe o espírito.* ***T. d. e i.*** **4.** Afastar, distanciar, desviar. ***T. d. e c.*** **5.** Alhear (4). ***P.*** **6.** Afastar-se, apartar-se, desviar-se. **7.** Esquecer-se de si mesmo; distrair-se. **8.** Arrebatar-se, enlevar-se, extasiar-se, arroubar-se. **9.** Enlouquecer, alienar-se. [Conjug.: v. *frear*.]

alheatório [De *alhear* + *-tório*.] ***Adj.*** Que alheia. [Cf. *aleatório*.]

alheável [De *alhear* + *-vel*.] ***Adj. 2 g.*** Que se pode alhear.

alheio [Do lat. *alienu*.] ***Adj.*** **1.** Que não é nosso; que pertence a outrem: "Eu, Marília, não sou algum vaqueiro, / que viva de guardar alheio gado" (Tomás Antônio Gonzaga, *Marília de Dirceu*, p. 1); *Os males alheios não o comovem.* **2.** Estranho, estrangeiro: *Acabou morrendo em terra alheia.* **3.** Que nada tem a ver com o assunto de que se trata; impróprio: *Seus apartes, sempre alheios à matéria, prejudicaram a explanação do conferencista.* **4.** Distante, apartado, afastado: *Alheio da roda do crime, é hoje outro homem; ninguém o reconhece.* **5.** Diverso, contrário, oposto: *Não consegue se entrosar porque suas aspirações são alheias às do grupo.* **6.** Falto, privado: *Casmurro e triste, viveu alheio de afeições.* **7.** Isento, livre: *É um tipo alheio de más intenções.* **8.** Distraído, desatento, abstraído: *Vive alheia a tudo.* **9.** Desconhecedor, insciente, ignorante: *Alheio da realidade, meteu os pés pelas mãos.* **10.** Alienado, louco, doido. ● ***S. m.*** **11.** Aquilo que não nos pertence: *os amigos do alheio;* "Quem o alheio veste, na praça o despe" (prov.). ~ V. *alheios*. ◆ **Alheio de si.** Absorto, alienado, alheado.

alheios [Pl. subst. do adj. *alheio*.] ***S. m. pl.*** Os estranhos; os que não são parentes: *Prefere a companhia dos alheios à dos seus.* ~ V. *alheio*.

alheira [De *alho* + *-eira*.] ***S. f.*** **1.** Vendedora de alhos. **2.** *Lus. Cul.* Enchido em forma de U, oriundo de Trás-os-Montes, feito com pão e várias carnes, como vitela, frango, peru, pato, coelho, e mais raramente, porco, temperado esp. com alho e defumado durante uma série de dias; come-se ger. depois de frita em azeite de oliva.

alheiro [De *alho* + *-eiro*.] ***S. m.*** **1.** Negociante de alhos. **2.** Viveiro de alhos.

alheta[1] (ê) [Do ár. *al-ḫīṭān*, pl. de *al-ḫāʾiṭ*, 'parede', pelo fr. *allete*.] ***S. f.*** **1.** *Constr. Nav.* O encontro do painel da popa com o costado, nas embarcações de popa quadrada. **2.** *Constr. Nav.* Parte curva do costado, de um e de outro bordo, à popa da embarcação. **3.** *Mar.* A direção que fica a meio caminho entre o través e a popa: "Pela alheta de boreste vinha-se chegando... o vulto sombrio de um grande vapor de dois canos." (Adolfo Caminha, *Bom-Crioulo*, p.43.) **4.** *Tip.* Cada uma das duas alavancas (*alheta superior* e *alheta inferior*) que, acionadas por uma trava, ligam e desligam o movimento da linotipo. [Cf. *aleta*.] ◆ **Alheta inferior.** *Tip.* V. *alheta* (4). **Alheta superior.** *Tip.* V. *alheta* (4).

alheta[2] (ê) [Do ár. *al-ḫīā(t)*, + 'costura'.] ***S. f.*** Pista, encalço, rasto. [Us. em geral na expr. *ir na alheta de*.]

alho [Do lat. *alliu*.] ***S. m.*** **1.** *Bot.* Planta liliácea (*Allium sativum*) de folhas lineares, flores brancas ou avermelhadas, cápsulas loculicidas, e cujo bulbo se emprega como condimento. **2.** *Bot.* O bulbo desse vegetal, vulgarmente chamado *cabeça*, constituído de outros vários pequenos bulbos, ditos *dentes*. **3.** *Fig.* Pessoa muito esperta, muito viva. ◆ **Misturar alhos com bugalhos.** Confundir coisas dessemelhantes.

▲**-alh(o)-** Equiv. de *-alho*.

▲**-alho** [Do lat. *-aculu*, por via pop.] ***El. comp.*** = 'inferioridade'; 'depreciação': *borralho*, *cangalho*[1], *escovalho*. [Equiv.: *-alh(o)-*: *aguizalhado*.]

alho-poró ***S. m.*** *Bras. Bot.* V. *porro* (1 e 2). [Pl.: *alhos-porós*.]

alho-porro ***S. m.*** *Bot.* V. *porro* (1 e 2). [Pl.: *alhos-porros*.]

alhures [Do provenç. *Aliors*, poss.] ***Adv.*** Noutro lugar, noutra parte: "Olhou para o retrato de Beethoven, e começou a executar a sonata, sem saber de si, desvairado e absorto .... Tornou ao piano; era a vez de Mozart, pegou de um trecho, e executou-o do mesmo modo, com a alma alhures." (Machado de Assis, *Várias Histórias*, p. 65.) [Cf. *algures* e *nenhures*.]

ali [Do lat. *ad illic*.] ***Adv.*** **1.** Naquele lugar; lá: *Mudou-se para Belo Horizonte e ali ficou por toda a vida;* "Foi aqui, foi ali, além..." (Casimiro de Abreu, *Obras*, p. 108). **2.** Em lugar que já se indicou, ou se está indicando, de modo expresso: "Um cônego da Capela Imperial lembrou-se de fazer-me entrar ali de sacristão" (Machado de Assis, *Histórias sem Data*, p. 29); *Mora ali na esquina.* **3.** Àquele lugar: *Vou ali e volto já;* "Chegara ali, apegara-se aos parentes" (Bárbara de Araújo, *O Bezerro de Ouro*, p. 21). **4.** Naquele procedimento, atitude, deliberação, negócio, etc.; naquilo: "Iaiá sentiu os olhos úmidos e atirou-se aos braços da madrasta. A efusão era sincera; havia ali afeto, reconhecimento e admiração." (Machado de Assis, *Iaiá Garcia*, p. 315); *Ninguém entende aquilo, ali há dente de coelho.* **5.** Naquele assunto ou matéria; àquele respeito: *Concordávamos em tudo, mas, quanto à religião, ali não nos conseguíamos entender.* **6.** Aquela hora; aquele momento: "Agora, eu que até ali havia resistido, orgulhoso marinheiro de primeira viagem, também me sentia entregue." (Salim Miguel, *Alguma Gente*, p. 46.) **7.** Seguido da prep. *por* e de palavra ou expressão relativa a tempo, reforça a ideia, contida no *por*, de data ou hora imprecisa: *Chegara ao Rio ali por 1920; Ficou de vir às três horas, e só apareceu ali pelas nove.* **8.** Seguido da mesma preposição e de palavra ou expressão relativa a lugar, indica ou reforça a ideia de local impreciso: *Seguiu há duas horas para São Paulo, e agora deve andar ali por Barra Mansa; Reside ali pela Penha.* **9.** Vizinho de um pronome pessoal ou demonstrativo, ou de um antropônimo, serve para indicar o lugar onde se acha a pessoa a quem eles se referem, podendo ter, e às vezes tendo, valor algo afetivo: *Ele ali não é nada tolo; Aquele ali é meu amigo velho;* "pra inteirar o aluguel, tive de tomar emprestado ali à Do Carmo." (Amando Fontes, *Os Curumbas*, p. 78). **10.** Naquela(s) pessoa(s), naquela(s) criatura(s); nele(s), nela(s): *É um rapaz modesto, mas ali há cultura de verdade; O Carlos e o Sousinha — coragem é ali!* ● ***S. m.*** **11.** Aquele lugar: *Vive em Petrópolis. Enquanto o Rio é muito quente, ali é deveras agradável.* ◆ **Até ali.** A mais não poder; inexcedivelmente: *Homem bom, até ali!* ~ V. *ser ali*.

▲ **ali-** [Do lat. *ala, ae*.] ***El. comp.*** = 'asa': *aliforme*, *alinegro*.

aliá [Do cing. *aliya*.] ***S. f.*** A fêmea do elefante (q. v.).

aliácea [Do tax. *Allium* (v. *álio*) + *-ácea*; tax. *Alliaceae*.] ***S. f.*** *Bot.* V. *liliácea*.

aliáceo[1] [De *aliácea*, com var. suf. (v. *áceo*).] ***S. f.*** *Bot.* V. *liliáceo*.

aliáceo[2] [Do lat. *alliu*, 'alho', + *-áceo*.] ***Adj.*** Semelhante ou referente ao alho, ou que a ele recende.

aliado [Part. de *aliar*.] ***Adj.*** **1.** Unido, ligado, junto. **2.** Unida a outro ou a outros para ação comum: *nações aliadas.* **3.** V. *coligado* (2). **4.** *Antrop.* Diz-se de indivíduo ou de grupo social que tem com outro uma relação de aliança (6). ● ***S. m.*** **5.** O que contraiu aliança. **6.** Partidário, cúmplice, sequaz. **7.** Parente por afinidade. **8.** V. *coligado* (3).

aliadofilia [De *aliado* + *-filia*.] ***S. f.*** Qualidade ou caráter de aliadófilo. [Antôn.: *aliadofobia*.]

aliadofílico [De *aliadofilia* + *-ico*[2].] ***Adj.*** Relativo a aliadofilia.

aliadófilo [De *aliado* + *-filo*[2].] ***Adj. S. m.*** Diz-se de, ou aquele, que na I Guerra Mundial era favorável às nações aliadas, que lutaram contra a Alemanha e o Império Austro-húngaro, ou que na II Guerra Mundial era favorável às nações que se uniram na luta contra o Eixo (15). [Antôn.: *aliadófobo*.]

aliadofobia [De *aliado* + *-fobia*.] ***S. f.*** Qualidade ou caráter de aliadófobo. [Antôn.: *aliadofilia*.]

aliadofóbico [De *aliadofobia* + *-ico*[2].] ***Adj.*** Relativo a aliadofobia, ou a aliadófobo.

aliadófobo [De *aliado* + *-fobo*.] ***Adj. S. m.*** Diz-se de, ou aquele que na I Guerra Mundial não era favorável às nações aliadas (v. *aliadófilo*).

aliagem ***S. f. P. us.*** Aliança (1): "Márcio Dias já havia publicado o *Umbu de Tapera*, aliagem singular de Regionalismo e Simbolismo." (Augusto Meyer, *A Forma Secreta*, p. 183.)

aliamba [De *a-*[5] + *liamba*.] ***S. f.*** *Bras.* V. *maconha*.

aliança [Do fr. *alliance*.] ***S. f.*** **1.** Ato ou efeito de aliar(-se). [Sin. (p. us.): *aliagem*.] **2.** Ajuste, acordo, pacto. **3.** União por casamento. **4.** Anel simbólico de noivado ou de casamento. **5.** *Rel.* Cada um dos pactos que, segundo as Escrituras, Deus fez com os homens. **6.** *Antrop.* Relação estabelecida entre indivíduos ou grupos sociais (famílias, parentelas, grupos de descendência ou outros) através de casamento. ◆ **Aliança assimétrica.** *Antrop.* Relação de aliança (6) decorrente de uma regra ou de um ideal de casamento com prima cruzada matrilateral (v. *primo cruzado matrilateral*). **Aliança simétrica.** *Antrop.* Relação de aliança (6) decorrente de uma regra ou de um ideal de casamento entre primos cruzados bilaterais (v. *primo cruzado bilateral*).

aliançar [De *aliança* + *-ar*[2].] ***V. t. d. P. P. us.*** Ligar(-se), unir(-se), aliar(-se): "Acabamos .... de assistir a nova prova de indissolúvel estima que aliança as duas grandes nações [o Brasil e a Argentina]" (Aloísio de Castro, *Excertos*, p. 61). [Conjug.: v. *laçar*.]

aliancense[1] ***Adj. 2 g.*** **1.** De, ou pertencente ou relativo a Aliança (PE). ● ***S. 2 g.*** **2.** O natural ou habitante de Aliança.

aliancense[2] ***Adj. 2 g.*** **1.** De, ou pertencente ou relativo a Aliança do Tocantins (TO). ● ***S. 2 g.*** **2.** O natural ou habitante de Aliança do Tocantins.

aliancense[3] ***Adj. 2 g. S. 2 g.*** V. *nova-aliancense*.

aliancista [De *aliança* + *-ista*.] ***Adj. 2 g. S. 2 g.*** Que, ou quem é adepto, ou favorável a alianças.

aliar [Do fr. *allier*.] ***V. t. d.*** **1.** Reunir, juntar, associar; combinar: *aliar metais; aliar qualidades.* ***T. d. e i.*** **2.** Reunir, juntar, associar, combinar: *Aliava a beleza ao espírito;* "O crítico de segunda ordem alia à capacidade de apreciação a incapacidade de compreensão e de análise." (Fernando Pessoa, *Páginas de Doutrina Estética*, p. 39.) **3.** Unir por pacto, tratado, convenção militar, etc.; confederar: *A Tríplice Aliança aliou o Brasil, o Uruguai e a Argentina contra o Paraguai.* **4.** Ligar pelo casamento: *Famílias nobres aliavam seus filhos à casa real.* ***P.*** **5.** Unir-se, ligar-se. **6.** Unir-se por tratado, pacto ou convenção militar; confederar-se. **7.** Unir-se por casamento.

➔ **alias** ['ejliəs] [Ingl. < lat.] ***S. m. 2 n.*** *Inform.* Identificação alternativa para um objeto (11); apelido.

aliás [Do lat. *alias*, com deslocamento do acento tônico.] ***Adv.*** **1.** De outra maneira, de outro modo; do contrário: *O rapaz é teu amigo, aliás não falaria bem de ti.* **2.** Além disso; além do mais: *É boa pessoa — aliás, muito inteligente.* **3.** No entanto; não obstante; nada obstante; apesar disso; contudo: *Fazer dicionário é trabalho árduo, sem, aliás, deixar de ser interessante.* **4.** Diga-se a propósito; seja dito de passagem: *Esteve ontem aqui. Aliás, trouxe-te um recado do pai.* **5.** Ou por outra; ou seja; digo: *Estamos a 25 de janeiro, aliás, de fevereiro.*

aliável [De *aliar* + *-vel*.] ***Adj. 2 g.*** Que se pode aliar ou ligar.

aliaxé [Do ior.] ***S. m.*** *Bras.* V. *roncó*. [Var.: *aliaxê*. Cf. *ariaxé*.]

aliaxê ***S. m.*** *Bras.* V. *aliaxé*.

aliazar ***S. m.*** V. *aljazar*.

alibambar [De *a-*[2] + *libambo* + *-ar*[2].] ***V. t. d.*** *Bras.* Prender ao libambo; acorrentar.

álibi [Do lat. *alibi*, 'noutro lugar'.] ***S. m.*** *Jur.* Meio de defesa que o réu apresenta provando sua presença, no momento do crime ou do delito, em lugar diferente daquele em que este foi cometido.

alíbil [Do lat. *alibile*.] ***Adj. 2 g.*** **1.** Próprio para a nutrição: *substância alíbil.* ● ***S. m.*** **2.** *Med.* A parte dos alimentos assimilável pelo organismo. [Pl.: *alíbeis*.]

alibilidade [De *alíbil* + *-(i)dade*.] ***S. f.*** Qualidade de alíbil (1).

alicaído [De *ali-* + *caído*.] ***Adj.*** **1.** De asas caídas, pendentes. **2.** *Fig.* Desanimado, desalentado, descoroçoado, desacoroçoado.

alicali [Do ár. *al-qāḍī*.] ***S. m.*** *Bras.* Entre os muçulmanos malês, espécie de juiz ou guia espiritual. [Cf. *alcalde*.]

alicantina [Do esp. *alicantina*.] ***S. f.*** Astúcia, manha, trapaça, treta: "as malas-artes de Mercúrio, deus das alicantinas e patifarias, que arrastava a perna tão lastimosamente." (Aquilino Ribeiro, *Lápides Partidas*, p. 36).

alicantinador (ô) [De **alicantinar* (< *alicantina* + *-ar*[2]) + *-dor*.] ***S. m.*** V. *alicantineiro*.

alicantineiro [De *alicantina* + *-eiro*.] ***S. m.*** Aquele que usa de alicantinas; treteiro, astucioso, trapaceiro; alicantinador.

alicate [Do ár. *al-laqāṭ*.] ***S. m.*** **1.** Ferramenta própria para segurar, prender ou cortar certos objetos, composta de duas barras de ferro ou de aço que se cruzam, presas por um eixo sobre o qual se movem, e terminando em pontas chatas ou recurvadas. **2.** *Maç.* O garfo, nos banquetes maçônicos. ◆ **Alicate aperta-nervos.** *Encad.* Alicate de bico largo e chato, para moldar os nervos; aperta-nervos, forma-nervos.

➔ **alice** [a'litʃe] [It.] ***S. m.*** Filezinho de enchova picante, curtido em muito sal e azeite. [Pl.: *alici*.]

alicece ***S. m.*** Alicerce (q. v.).

alicerçado [Part. de *alicerçar*.] ***Adj.*** **1.** Em que se fez alicerce; fundamentado, cimentado. **2.** Baseado, fundamentado, esteado. **3.** Consolidado, firmado.

alicerçador (ô) [De *alicerçar* + *-dor*.] ***Adj. S. m.*** Que, ou aquele que alicerça.

alicerçamento [De *alicerçar* + *-mento*.] ***S. m.*** **1.** Ato ou efeito de alicerçar. **2.** V. *alicerce* (1).

alicerçar [De *alicerce* + *-ar*[2].] ***V. t. d.*** **1.** Fazer o alicerce de; fundamentar; cimentar: *alicerçar uma construção.* **2.** Basear, fundamentar, estear: *Alicerçou bem a sua concepção.* **3.** Consolidar; firmar: *A compreensão demonstrada pelo amigo alicerçou as relações de ambos.* ***T. d. e i. T. d. e c. P.*** **4.** Fundamentar(-se), basear(-se): *Alicerçou os seus conhecimentos nos melhores autores do ramo;* "O terreno em que se alicerça o poema de Ana Cristina é o da cumplicidade inimiga, das relações ambivalentes na ternura" (Silviano Santiago, *Nas Malhas da Letra*, p. 58). [Conjug.: v. *começar*.]

alicerce [Var. de *alicece*, do ár. *al-asās*.] ***S. m.*** **1.** Maciço de alvenaria, enterrado, que serve de base às paredes de um edifício; base, fundação. **2.** A escavação onde assenta o alicerce; vala. **3.** *Fig.* Base, fundamento, sustentáculo.

aliche *S. m. Cul.* V. *alice.*

aliciação [De *aliciar* + *-ção.*] *S. f.* Aliciamento.

aliciador (ô) [De *aliciar* + *-dor.*] *Adj.* **1.** Que alicia; aliciante, aliciente. • *S. m.* **2.** Aquele que alicia. **3.** Aquilo que alicia ou que serve para aliciar.

aliciamento [De *aliciar* + *-mento.*] *S. m.* Ação ou efeito de aliciar; aliciação.

aliciante [De *aliciar* + *-nte.*] *Adj. 2 g.* V. *aliciador* (1).

aliciar [Do lat. **alliciare*, por *allicere.*] *V. t. d.* **1.** Atrair a si; seduzir, atrair: *Aliciou o amigo, fazendo-o ciente do segredo;* "Em São Paulo, Luís Gama, Raul Pompeia e outros aliciavam escravos para que se rebelassem e fugissem para o Rio, onde encontrariam guarida e liberdade." (R. Magalhães Júnior, *Artur Azevedo e Sua Época*, p. 127.) **2.** Peitar, subornar: *Aliciou testemunhas para deporem a seu favor.* **3.** Atrair, angariar: "enquanto se aliciavam adeptos ...., Seu Ramiro nos visitou com frequência." (Graciliano Ramos, *Infância*, p. 233). *T. d. e i.* **4.** Seduzir, atrair: *Foi preso por aliciar menores para a prostituição.* **5.** Incitar, instigar: *Aliciou os partidos a assumirem posições contrárias.*

alicíclico [De *ali(fático)* + *cíclico.*] *Adj. Quím.* Diz-se de composto orgânico cíclico que não contém anel aromático.

aliciente [Do lat. *alliciente.*] *Adj. 2 g.* **1.** V. *aliciador* (1): "— Eu era livre, mas andava tão triste, tão abandonado... e eis que o acaso me oferece esse duplo amor aliciente." (Maria Julieta Drummond de Andrade, *O Valor da Vida*, p. 86.) • *S. m.* **2.** Coisa que alicia; sedução.

alicorne [Var. de *alincorne* (< *unicorne*), com desnasalação.] *S. m.* **1.** Licorne. **2.** *Bras. Amaz. Zool.* V. *anhima* (2).

alicuri *S. f. Bras. Bot.* V. *aricuri.*

alidada *S. f. Fís.* V. *alidade.*

alidade [Do ár. *al-ʿiḍāda(t)*, 'lado'; 'valeta'; 'eixo'.] *S. f. Fís.* Qualquer dispositivo mecânico destinado a medir ângulos ou afastamentos angulares mediante um alinhamento óptico. [Var.: *alidada.*]

➔**alien** ['ejlijən] [Ingl.] *S. 2 g.* Ser extraterrestre.

alienabilidade [De *alienável* + *-(i)dade*, seg. o padrão erudito.] *S. f.* Qualidade de alienável.

alienação [Do lat. *alienatione.*] *S. f.* **1.** Ato ou efeito de alienar(-se); alheação. **2.** Cessão de bens. **3.** Transporte, enlevo, arrebatamento. **4.** *Psiq.* Alienação mental (q. v.). **5.** *Filos.* Processo ligado essencialmente à ação, à consciência e à situação dos homens, e pelo qual se oculta ou se falsifica essa ligação de modo que apareça o processo (e seus produtos) como indiferente, independente ou superior aos homens, seus criadores. [Cf. (nesta acepç.) *objetivação* e *reificação.*] **6.** *Filos.* Estado, condição ou produto de alienação. **7.** *Hist. Filos.* Segundo Hegel (v. *hegelianismo*), processo essencial à consciência e pelo qual ao observador ingênuo o mundo parece constituído de coisas independentes umas das outras, e indiferentes à consciência — independência e indiferença serão negadas pelo conhecimento filosófico. **8.** *Hist. Filos.* Segundo Marx (v. *marxismo*), situação resultante dos fatores materiais dominantes da sociedade, e por ele caracterizada sobretudo no sistema capitalista, em que o trabalho do homem se processa de modo que produza coisas que imediatamente são separadas dos interesses e do alcance de quem as produziu, para se transformarem, indistintamente, em mercadorias. **9.** *P. ext.* Falta de consciência dos problemas políticos e sociais. ◆ **Alienação fiduciária.** *Econ.* Transferência pelo devedor ao credor do domínio de um bem, em garantia de pagamento. **Alienação mental.** *Psiq.* Qualquer forma de perturbação mental que incapacita o indivíduo para agir segundo as normas legais e convencionais do seu meio social. [Tb. se diz apenas *alienação.*]

alienado [Do lat. *alienatu.*] *Adj.* **1.** Cedido, transferido; vendido. **2.** V. *alheado* (3). **3.** Louco, doido, desvairado, alheado. **4.** Que se encontra no estado de alienação (9). • *S. m.* **5.** Aquele que é doido; demente, louco. **6.** Aquele que se acha no estado de alienação (9).

alienador (ô) [Do lat. *alienatore.*] *Adj.* **1.** Que aliena. • *S. m.* **2.** Alheador.

alienante [Do lat. *alienante.*] *Adj. 2 g. S. 2 g.* Que, ou quem aliena a propriedade, transfere o domínio.

alienar [Do lat. *alienare.*] *V. t. d.* **1.** Transferir para outrem o domínio de; tornar alheio; alhear: *O testamento proibia alienar os bens herdados.* **2.** Desviar, afastar; alhear. **3.** Indispor, malquistar: *Evita alienar o ânimo do velho amigo.* **4.** Alucinar, perturbar; alhear: *O grande desgosto alienou-lhe o juízo. T. d. e i.* **5.** Desviar, apartar: *Alienou de mim a boa vontade que o ministro demonstrara. P.* **6.** Afastar-se, distanciar-se. **7.** Tornar-se alienado; manter-se alheio aos acontecimentos. **8.** Enlouquecer, endoidecer; alhear-se.

alienatário [De *alienar* + *-tário.*] *S. m.* Aquele a quem se transfere posse ou propriedade de alguma coisa.

alienatório [De *alienar* + *-tório.*] *Adj.* **1.** Transmissível por alienação. **2.** Que causa alienação.

alienável [De *alienar* + *-vel.*] *Adj. 2 g.* **1.** Que se pode alienar. **2.** *E. Ling.* Diz-se da indicação gramatical de relação de posse (5) não permanente.

alienia [De *a-*[3] + *-lien(o)-* + *-ia*[1].] *S. f. Med.* Ausência de baço; anesplenia.

aliênico [De *alienia* + *-ico*[2].] *Adj. Med.* Relativo à alienia; anesplênico.

alienígena [Do lat. *alienigena.*] *Adj. 2 g. S. 2 g.* **1.** Que, ou quem é de outro país; estrangeiro: "Naquela pequena sociedade encontrava-se a representação fiel do ambiente nacional. Nem mesmo faltavam exemplares de origem alienígena." (Vivaldo Coaraci, *Todos Contam Sua Vida*, p. 180.) [Antôn.: *indígena.*] **2.** Que, ou aquele ou aquilo que é de outro planeta; extraterrestre.

alienismo [Do lat. *alienus*, 'que é do outro', 'alheio', + *-ismo.*] *S. m.* **1.** *Psiq.* Distúrbio mental. **2.** Exercício da psiquiatria forense.

alienista [Do fr. *aliéniste.*] *Adj. 2 g.* **1.** Relativo ao tratamento dos alienados [v. *alienado* (3)]. • *S. 2 g.* **2.** Médico especialista em doenças mentais.

alifafe[1] [Var. de *anafafe*, do ár. *an-nāfaḫ.*] *S. m.* Tumor entre o nervo do jarrete e o osso da perna dos animais cavalares: "cavalicoque cheio de alifafes" (João de Araújo Correia, *Sem Método*, p. 64).

alifafe[2] [Do ár. *al-liḥāf*, 'túnica'; 'manto ou manta'.] *S. m. Ant.* Travesseiro.

alifático [Do gr. *aleiphat-* (< gr. *aleipha, atos* ou *aleiphar, atos*, 'aquilo que serve para untar'; 'óleo'; 'matéria graxa') + *-ico*[2].] *Adj. Quím.* Diz-se de composto orgânico que não é aromático.

alífero [Do lat. *aliferu.*] *Adj.* **1.** Que tem asas; alígero. • *S. m.* **2.** Animal alado.

aliforme [De *ali-* + *-forme.*] *Adj. 2 g.* Que tem forma de asa; alar, ansiforme.

aligator (ô) *S. m. Zool.* V. *aligátor.* [Pl.: *aligatores* (ô).]

aligátor [Do tax. *Alligator* (< ingl. *alligator*, adapt. do esp. *el lagarto*, 'o lagarto').] *S. m. Zool.* **1.** Gênero de reptis crocodilianos aligatorídeos, cujo focinho é mais curto e mais largo que o dos crocodilos e jacarés. Vivem em regiões temperadas do S. dos E.U.A., à exceção da espécie chinesa. **2.** Qualquer espécie desse gênero como, p. ex., o *Alligator mississipenses*, o mais comum deles, que atinge até 5,5m. **3.** Qualquer espécime desse gênero. [Pl.: *aligatores* (ô) e (lus.) *aligatores* (ó).]

aligatorídeo [Do tax. *Alligator* (v. *aligátor*) + *-ídeo*[1]; tax. *Alligatoridae.*] *Zool. S. m.* **1.** Espécime dos aligatorídeos, família de reptis crocodilianos que reúne os aligatores e os caimães. São animais de cabeça curta e larga; o primeiro e o quarto dentes inferiores fazem oclusão com diastemas na arcada superior. • *Adj.* **2.** Pertencente ou relativo a eles.

aligeirar [De *a-*[2] + *ligeiro* + *-ar*[2].] *V. t. d.* **1.** Tornar ligeiro ou leve. **2.** Tornar ligeiro, rápido; apressar: *aligeirar o passo.* **3.** Mitigar; atenuar; aliviar. *P.* **4.** Desfazer-se, desembaraçar-se; livrar-se. **5.** Tornar-se leve ou mais leve; aliviar-se, abrandar-se, serenar: "Quando sinto teu sorriso, / tudo se doura e aligeira, / teu sorriso é na minha alma / como o sol numa roseira." (Adelmar Tavares, *Poesias Completas*, p. 199.)

alígero [Do lat. *aligeru.*] *Adj.* **1.** *Poét.* Alífero (1). **2.** Ligeiro, veloz, rápido: "E o alígero corcel, e o tigre e o leão" (Luís Delfino, *Algas e Musgos*, p. 152).

alijação [De *alijar* + *-ção.*] *S. f.* Alijamento.

alijamento [De *alijar* + *-mento.*] *S. m.* Ato de alijar(-se); alijação.

alijar [Do fr. *alléger*, 'tornar leve'.] *V. t. d.* **1.** Deitar fora da embarcação, aliviando (a carga). **2.** Desembaraçar-se de, livrar-se de; aliviar-se de: "O poeta, afinal, convida os pessimistas a que vão, dromedários do tédio, alijar no cemitério a carga que os derreia" (Camilo Castelo Branco, *Serões de São Miguel de Ceide*, III, p. 92). **3.** Desconhecer, negar (responsabilidade, compromisso, etc.). *T. d. e c.* **4.** Livrar; aliviar. *T. d. e c.* **5.** Atirar, arremessar, lançar. *Int.* **6.** Lançar (o navio) carga ao mar. *P.* **7.** Apartar de si; desembaraçar-se, desobrigar-se: *Alijou-se de todos os compromissos.*

alil [Do tax. *Al(lium)* (v. *álio*) + *-il*[2].] *S. m. Quím.* V. *alila.*

▲**alil-** *Quím. El. comp.* Indica a presença do grupo alila: *alilamina.* [Ocorre, tb., como infixo.]

▲**-alil-** *Quím.* V. *alil-.*

alila [Do tax. *Al(lium)* (v. *álio*) + *-ila*[2].] *S. f. Quím.* O grupo insaturado $-C_3H_5$ derivado do propeno por retirada de um átomo de hidrogênio da metila nele presente.

alilamina *S. f. Quím.* Amina insaturada, líquida, volátil, cujos vapores são fortemente irritantes [fórm.: C_3H_7N].

alimanada [De *animalada*, com metátese.] *S. f. Bras. RS Pop.* Animalada.

alimangariba [Do ár.] *S. f. Bras. Rel.* Entre os malês, a quarta oração, vespertina, das cinco orações diárias muçulmanas.

alimária [Alter. do lat. *animalia*, 'animais'.] *S. f.* **1.** Animal irracional; animália: "Kipling nos descreve o majestoso espetáculo de uma parada de tropas inglesas na Índia. São cerca de 30.000 soldados que desfilam, ... arrastando a multidão heterogênea das alimárias de guerra: bois, cavalos, elefantes." (Oliveira Viana, *Problemas de Política Objetiva*, pp. 100-101). **2.** Animal de carga; besta, animália: "Ainda hoje são, pelo fado adverso, / Meus filhos — alimárias do Universo... / Eu — pasto universal." (Castro Alves, *Poesias Escolhidas*, p. 343.) **3.** *Fig.* V. *animal* (3).

alime *S. m.* V. *álime.*

álime [Do ár. *ʿalim*, 'sábio'.] *S. m.* V. *ulemá.* [Var.: *alime.*]

alimentação [De *alimentar* + *-ção.*] *S. f.* **1.** Ato ou efeito de alimentar(-se). **2.** Tudo aquilo de que alguém costuma alimentar-se: *Sua alimentação é sadia e equilibrada.* **3.** Abastecimento, provimento: *A alimentação dos mercados de autopeças está irregular.* **4.** *Art. Gráf.* Operação ou processo de introdução do papel em equipamento gráfico. **5.** *Eletr.* Fonte de força eletromotriz que fornece corrente a um circuito. ◆ **Alimentação parenteral.** A que se faz por outra via (subcutânea, intramuscular, intravenosa) que não a digestiva.

alimentador (ô) [De *alimentar* + *-dor.*] *S. m.* **1.** Aquele que alimenta. **2.** *Art. Gráf.* Mecanismo que executa a alimentação (4). [Cf. *margeador.*]

alimentando [De *alimentar* + *-ando.*] *S. m. Jur.* Aquele a quem se devem alimentos; alimentário.

alimentante [De *alimentar* + *-nte.*] *S. 2 g. Jur.* Pessoa obrigada por lei a prestar alimentos a outra.

alimentar[1] [De *alimento* + *-ar*[1].] *Adj. 2 g.* **1.** Relativo a alimentos: *regime alimentar.* **2.** Próprio para a alimentação; alimentício: *produtos alimentares.* **3.** Alimentício (3). ~ V. *bolo —, cadeia —* e *teia —.*

alimentar[2] [De *alimento* + *-ar*[2].] *V. t. d.* **1.** Dar alimento a; nutrir; sustentar. **2.** Nutrir; fomentar: *alimentar uma esperança.* **3.** Conservar; manter: *Alimentava a mágoa que a decepção lhe causara.* **4.** Munir, abastecer: *Alimentou o rifle com balas de caça.* **5.** Fornecer assunto para: *alimentar uma conversa.* **6.** *Art. Gráf.* Fazer a alimentação (4) de. [Cf. *margear* (5).] **7.** *Inform.* Introduzir informações em (base de dados). **8.** *Eletr.* Ligar (um circuito) a uma fonte de força eletromotriz. *P.* **9.** Nutrir-se, sustentar-se. [Fut. do pret.: *alimentaria*, etc. Cf. *alimentária*, fem. de *alimentário.*]

alimentário [Do lat. *alimentariu.*] *S. m. Jur.* Alimentando. [Fem.: *alimentária.* Cf. *alimentaria*, do v. *alimentar.*]

alimentício [De *alimento* + *-ício.*] *Adj.* **1.** Alimentar[1] (2): *gêneros alimentícios.* **2.** Que alimenta; que sustenta; nutritivo: *A soja tem importantes qualidades alimentícias.* **3.** Que proporciona ou dá alimento; que sustenta; alimentar[1]: *pensão alimentícia.*

alimento [Do lat. *alimentu.*] *S. m.* **1.** Toda substância que, ingerida por um ser vivo, o alimenta ou nutre. **2.** Mantimento, sustento, alimentação. **3.** Aquilo que faz subsistir, conserva alguma coisa: *A madeira da casa serviu de alimento ao incêndio.* **4.** Aquilo que estimula, fomenta alguma coisa; alento, fomento: *A viagem forneceu alimento à sua criação artística.* ~ V. *alimentos.* ◆ **Alimento de poupança.** Substância, tal como o álcool, o chá, o café, o guaraná, a cola, que, não concorrendo para suprir necessidades alimentares, estimula o sistema nervoso central e produz energia passageira, com poupança das reservas do organismo.

alimentos [Pl. de *alimento.*] *S. m. pl.* Recursos considerados indispensáveis ao sustento, que se devem aos parentes até certo grau, impossibilitados de os prover, e entre os quais se incluem habitação, vestuário, assistência médica, e, caso seja menor o alimentando, auxílio para sua educação e instrução. ~ V. *alimento.*

alimentoso (ô) [De *alimento* + *-oso.*] *Adj.* Alimentício, nutritivo.

➔**a limine** [a 'limẹne] [Lat., 'desde o limiar'.] Desde o princípio; sem maior exame.

alimpa [Dev. de *alimpar.*] *S. f.* **1.** V. *alimpadura* (1). **2.** Desbaste de plantas daninhas ou de ramos supérfluos; limpa.

alimpadeira [De *alimpar* + *-deira.*] *S. f.* Mulher que alimpa. ~ V. *alimpadeiras.*

alimpadeiras [Pl. de *alimpadeira.*] *S. f. pl. Zool.* Abelhas que vão adiante do seu enxame para escolher e alimpar o sítio onde será instalada uma nova colmeia. ~ V. *alimpadeira.*

alimpador (ô) [De *alimpar* + *-dor*.] ***S. m.*** **1.** Indivíduo ou coisa que alimpa. **2.** Instrumento para alimpar.

alimpadura [De *alimpar* + *-dura*.] ***S. f.*** **1.** Ação ou efeito de alimpar; alimpa, alimpamento, limpa, limpamento. **2.** Resíduos ou restos que ficam de alguma coisa depois de limpa. **3.** Resíduos dos cereais joeirados.

alimpamento [De *alimpar* + *-mento*.] ***S. m.*** V. *alimpadura* (1).

alimpar [De *a-*[2] + *limpo* + *-ar*[2].] ***V. t. d. T. d. e i. Int. P.*** V. *limpar*: "Não havia quem não estivesse ativo, cuidando de sua arma, alimpando os fuzis, calculando imaginárias pontarias" (Albertino Moreira, *Boca-Pio*, p. 66); "Formosa virgem dos vales, / Visão dos tempos de Deus, / Vem, corre, transforma, alimpa / Meus pensamentos ateus." (Junqueira Freire, *Obras Póstumas*, II, p. 64).

alincorne ***S. m.*** Alicorne (q. v.).

alindado [Part. de *alindar*.] ***Adj.*** Enfeitado; embelezado.

alindamento [De *alindar* + *-mento*.] ***S. m.*** Ato ou efeito de alindar(-se); alinde.

alindar [De *a-*[2] + *lindo* + *-ar*[2].] ***V. t. d. P.*** Tornar(-se) lindo, ornado, adornado; aformosear(-se), embelezar(-se).

alinde [Dev. de *alindar*.] ***S. m.*** Alindamento.

alínea [Do lat. *a linea*.] ***S. f.*** **1.** Linha escrita que marca a abertura de novo parágrafo. **2.** Cada uma das subdivisões de artigo (2), indicada por um número ou letra que tem à direita um traço curvo como o que fecha parênteses; inciso, parágrafo.

alinegro (ê) [De *ali-* + *negro*.] ***Adj.*** Que tem asas negras.

alines [De ali, poss.] ***Adv. Lus. Pop.*** Ali, acolá.

alinguetado (güe) [De *a-*[2] + *lingueta* + *-ado*[1].] ***Adj.*** Em forma de lingueta. ❖

alinhado [Part. de *alinhar*.] ***Adj.*** **1.** Posto em linha reta. **2.** Trajado com esmero; elegante. **3.** Que tem linha, que é correto nas maneiras e/ou no proceder; íntegro, reto.

alinhador (ô) [De *alinhar* + *-dor*.] ***S. m.*** **1.** Aquele que alinha. **2.** *Tip.* Aparelho, dotado de lente e parafuso micrométrico, com que se alinham os tipos na unidade fundidora da monotipo.

alinhamento [De *alinhar* + *-mento*.] ***S. m.*** **1.** Ato ou efeito de alinhar(-se); alinho. **2.** V. *fileira*. **3.** Direção do eixo de uma estrada, rua, canal, etc. **4.** Ajuste de um equipamento, dispositivo, etc., que permite a otimização de seu funcionamento. **5.** *Arquit.* Ato ou efeito de posicionar, com relação a uma linha reta, os pontos de um terreno, ou de uma construção. **6.** *Art. Gráf.* Disposição correta das letras sobre a reta ideal (linha) que passa pela sua base. **7.** *Art. Gráf.* Disposição das linhas de um texto de forma que estas comecem ou terminem em uma reta imaginária vertical (alinhamento vertical à esquerda ou à direita, respectivamente). **8.** *Arqueol.* Agrupamento de menires em linhas ou fileiras paralelas. **9.** *Astr.* V. *superconjunção*. **10.** *Autom.* Operação que se destina a verificar e/ou corrigir o paralelismo das rodas de um veículo, ou a perpendicularidade destas em relação ao chassi. **11.** *Urb.* Linha oficial, traçada pela autoridade competente, que limita o lote[1] (10) em relação ao logradouro (1).

alinhar [De *a-*[2] + *linha* + *-ar*[2].] ***V. t. d.*** **1.** Dispor em linha reta. **2.** Enfeitar, adornar, ataviar. **3.** Fazer o alinhamento (4) de. **4.** *Art. Gráf.* Fazer o alinhamento (6 e 7) de. [Cf., nesta acepç.: *blocar* (2) e *justificar* (7).] ***T. i.*** **5.** *Fig.* Partilhar, participar (de decisão, ou iniciativa coletiva). ***Int.*** **6.** Estar em linha reta. **7.** Entrar na mesma fila, fileira ou linha; fazer alinhamento. ***P.*** **8.** Formar-se ou dispor-se em linha reta; enfileirar-se: "Com pouco vencíamos a curva do rio, vendo desaparecer a meia dúzia de casas alinhando-se na ponta do Tento." (Saboia Ribeiro, *Contos do Cacau*, p. 133.) **9.** Medir-se, nivelar-se: *Tem a ousadia de querer alinhar-se ao mestre.* **10.** Apurar-se no vestir: *Passa horas ao espelho alinhando-se.* **11.** *Fig.* Juntar-se; aderir: *A Suécia não se alinhou ao Mercado Comum Europeu.*

alinhavado [Part. de *alinhavar*.] ***Adj.*** **1.** Em que se fez ou deu alinhavo. **2.** Arranjado à pressa; dito ou feito de improviso, imperfeitamente: *desculpas alinhavadas.* **3.** *Bras. AL* Diz-se do cabelo entremeado de fios brancos.

alinhavar [De *alinhavo* + *-ar*[2].] ***V. t. d.*** **1.** Coser a ponto largo, como preparo de costura que se fará depois com ponto miúdo: "Noca .... alinhavava um timãozinho." (José Carlos Cavalcanti Borges, *O Assassino*, p. 19.) **2.** Preparar, aprontar: *Alinhavou uma desculpa por haver chegado tarde.* **3.** Traçar os lineamentos gerais de; delinear, esboçar: *Alinhavou o romance, para escrevê-lo mais tarde.* **4.** Executar mal, apressadamente.

alinhavo [De linha.] ***S. m.*** **1.** Ação ou efeito de alinhavar. **2.** Os pontos com que se alinhava.

alinho [Dev. de *alinhar*.] ***S. m.*** **1.** Alinhamento (1). **2.** Ornato, atavio. "Em criança, a beleza natural supria nelas qualquer outro alinho" (Machado de Assis, *Contos Avulsos*, p. 224). **3.** Apuro, asseio. **4.** Decência, decoro.

álio [Do tax. *Allium* (do lat. *allium, ii*, [> alho]).] ***S. m. Bot.*** **1.** Gênero de ervas bulbosas liliáceas vastamente distribuídas pelo mundo; têm folhas invaginantes, em sua maioria radiculares, flores umbelíferas brancas, amarelas ou avermelhadas, e odor característico. **2.** Qualquer espécie desse gênero, como, p. ex., o *Allium sativum* [v. *alho* (1)], o *A. cepa* [v. *cebola* (1)], o *A. porrum* [v. *porro* (1)], e o *A. fistulosum* [v. *cebolinha* (1)]. **3.** Qualquer espécime desse gênero.

aliósio [Do fr. *alios*, 'espécie de grés', + *-io*[3].] ***S. m. Geol.*** Variedade de arenito pardo-avermelhada, proveniente da cimentação dos grãos de areia pelo óxido de ferro.

alípede [Do lat. *alipede*.] ***Adj. 2 g.*** Que tem, ou como que tem, asas nos pés: "Alípede, esbelta e cheia de elance .... ave leve, rápida, lépida como um relance." (Pedro Nava, *Beira-Mar*, p. 273).

alipina [Voc. farmac.] ***S. f. Anest.*** Anestésico local derivado da estovaína.

alipita ***S. f. Min.*** Hidrossilicato de magnésio e níquel, maciço, verde, semelhante à gentita.

alipotente [De *ali-* + *potente*.] ***Adj. 2 g.*** Que tem asas poderosas.

➔ **aliquid** ['alękwęd] [Lat., 'algo'.] *Filos.* Determinação de ser isto ou aquilo.

alíquota (co) [Do lat. *aliquot*, 'alguns'.] ***S. f.*** **1.** Percentual com que determinado tributo incide sobre o valor da coisa tributada: *As alíquotas desse imposto são inferiores a 45%.* **2.** *Quím.* Pequena porção representativa de uma quantidade maior de uma substância.

alisado[1] [Part. de *alisar*.] ***Adj.*** **1.** Tornado liso; plano: *tábua alisada.* **2.** Sem rugas; desenrugado: *fazenda perfeitamente alisada.* **3.** Diz-se do cabelo crespo tratado a fim de tornar-se liso. **4.** Brunido, polido. **5.** Abrandado, serenado.

alisado[2] [Adapt. do fr. (*vent*) *alizé*.] ***Adj.*** **1.** *Met.* ~ V. *vento* —. ● ***S. m.*** **2.** *Met.* V. *vento alisado*.

alisador (ô) [De *alisar* + *-dor*.] ***Adj.*** **1.** Que alisa. ~ V. *prensa* —*a*. ● ***S. m.*** **2.** Aquele ou aquilo que alisa.

alisamento [De *alisar* + *-mento*.] ***S. m.*** **1.** Ação, processo ou efeito de alisar. **2.** O produto ou substância usados nesta ação ou processo.

alisar [De *a-*[2] + *liso* + *-ar*[2].] ***V. t. d.*** **1.** Tornar liso, plano; aplanar, igualar. **2.** Desenrugar, desrugar, desencarquilhar: *A operação plástica alisou-lhe bonitamente a pele.* **3.** Tornar liso, desencrespar (o cabelo). **4.** Abrandar, serenar, aplacar: *As palavras amáveis foram suficientes para alisar seu ânimo.* **5.** Passar a mão por, geralmente numa carícia: *Afagou o animal alisando-lhe o pelo.* **6.** *Bras.* Proteger, livrando de punição; passar a mão pela cabeça. ***Int.*** **7.** Tornar-se liso; desencrespar-se: *O cabelo de Marina alisou.* ***P.*** **8.** Tornar-se liso, macio. [Cf. *alizar*, s. m.]

alisável [De *alisar* + *-vel*.] ***Adj. 2 g.*** Que se pode alisar.

alisboetar [De *a-*[2] + *lisboeta* + *-ar*[2].] ***V. t. d. P.*** Tornar(-se) lisboeta; adaptar(-se) ao temperamento, maneira ou estilo lisboeta.

aliseu [Do fr. *alizé*.] ***Adj.*** **1.** *Met.* ~ V. *vento* —. ● ***S. m.*** **2.** *Met.* V. *vento aliseu*.

alisfenoide (ói) [De *ali-* + *esfenoide*.] ***Adj. 2 g. S. 2 g.*** *Zool.* Diz-se de, ou osso que forma parte da parede do crânio. ❖

alísio [Do fr. ant. *alis* (< *lisse*, atual fr. *alizé*) + *-io*[3].] ***Adj.*** **1.** *Met.* ~ V. *vento* —. ● ***S. m.*** **2.** *Met.* V. *vento alísio*.

alisma [Do tax. *Alisma* (do gr. *álisma*, atos, 'tanchagem').] ***S. f. Bot.*** **1.** Gênero de plantas alismatáceas, próprias dos terrenos úmidos, pântanos e lagoas. **2.** Qualquer espécie desse gênero, como, p. ex., a *Alisma plantago*, aquática, com o nome popular de *tanchagem-de-água*. **3.** Qualquer espécime desse gênero.

alismatácea [Do lat. cient. *Alismat-* (< tax. *Alisma*) + *-ácea*; tax. *Alismataceae*.] ***S. f. Bot.*** Espécime das alismatáceas, família de monocotiledôneas da ordem das alismatales, próprias de ambientes ricos em água, de folhagem ampla, flores abundantes e coloridas e de frutos monospérmicos. Há representantes no Brasil.

alismatáceo [De *alismatácea*, com var. suf. (v. *-áceo*).] ***Adj. Bot.*** Pertencente ou relativo às alismatáceas.

alismatal [Do lat. cient. *Alismat-* (v. *álisma*) + *-al*[1]. ***Adj. 2 g.*** Pertencente ou relativo às alismatales.

alismatale [Adapt. do tax. *Alismatales*.] ***S. f. Bot.*** Espécime das alismatales, ordem de monocotiledôneas que inclui as hidrocaritales e as naiadales, e que engloba 13 famílias de plantas aquáticas.

alisso [Do tax. *Alyssum* (do gr. *álysson*, ou, 'planta de suposta ação antirrábica').] ***S. m. Bot.*** **1.** Gênero de brassicáceas nativas da Europa e da Ásia, dotadas de pequenas flores racemosas. **2.** Qualquer espécie desse gênero, todas elas ornamentais, como, p. ex., a *Alyssum saxatile* (v. *açafate-de-ouro*). **3.** Qualquer espécime desse gênero, ou a flor dele.

alissoide (ói) ***S. f. Mat.*** Curva plana em que o raio de curvatura é uma função linear do quadrado do comprimento do arco. ❖

alistabilidade [De *alistável* + *-(i)dade*, seg. o padrão erudito.] ***S. f.*** Qualidade de alistável; possibilidade de ser alistado.

alistamento [De *alistar* + *-mento*.] ***S. m.*** **1.** Ato ou efeito de alistar(-se). **2.** Recrutamento para o serviço militar. **3.** Inscrição, voluntária ou compulsória, feita perante autoridade pública, a fim de se exercer um direito ou cumprir um dever.

alistando [De *alistar* + *-ando*.] ***S. m.*** Aquele que vai ser alistado.

alistão [De or. controversa.] ***S. m.*** *Constr.* V. *cantaria* (1).

alistar [De *a-*[2] + *lista* + *-ar*[2].] ***V. t. d.*** **1.** Pôr em lista(s); relacionar; arrolar. **2.** Fazer a inscrição (3) de; inscrever: *Alistou a família inteira para a competição.* **3.** Recrutar (1). ***T. d. e i.*** **4.** Alistar (1): *Alistou-o entre os alunos faltosos.* ***P.*** **5.** Assentar praça: "Fui a Porto Alegre, alistei-me e marchei para a campanha." (Machado de Assis, *Relíquias de Casa Velha*, pp. 36-37.)

alistável [De *alistar* + *-vel*.] ***Adj. 2 g.*** Que pode ser alistado.

alistridente [De *ali-* + lat. *stridente*, 'estridente'.] ***Adj. 2 g.*** Que faz estridor com as asas: "O caprichoso e alistridente Ariel librava-se no ar, com asas níveas e mais rápidas que as das libélulas." (Alberto Rangel, *Livro de Figuras*, p. 175.)

alita [De *a-*[1] + *-lita*.] ***S. f. Min.*** Mineral ortorrômbico, silicoaluminato de cálcio.

aliteração [De **aliterar* (< *a-*[2] + lat. *littera* 'letra') + *-ção*; fr. *allitération*.] ***S. f.*** Repetição de fonema(s) no início, meio ou fim de vocábulos próximos, ou mesmo distantes (desde que simetricamente dispostos) em uma ou mais frases, em um ou mais versos; aliteramento, paragramatismo. Ex.: "E fria, fluente, frouxa claridade / Flutua como as brumas de um letargo..." (Cruz e Sousa, *Broquéis*, p. 50); "Rara, rubra, risonha, régia rosa" (Félix Pacheco, *Poesias*, p. 19); "Na messe, que enlourece, estremece a quermesse..." (Eugênio de Castro, *Obras Poéticas*, I, p. 58); "Alípede, esbelta e cheia de elance, perfume que perpassa, ave leve, rápida, lépida como um relance." (Pedro Nava, *Beira-Mar*, p. 273).

aliteramento [De *aliterar* + *-mento*.] ***S. m. P. us.*** V. *aliteração*.

aliterar [De *a-*[2] + lat. *littera*, 'letra', + *-ar*[2].] ***V. t. d.*** **1.** Dispor em aliteração. ***Int.*** **2.** Fazer aliteração.

aliteratado [Part. de *aliteratar-se*.] ***Adj.*** Um tanto literato; com ares de literato: "recebera Glória luzes de instrução com que seduzira o médico do sítio. Além de médico, o médico era aliteratado." (José Régio, *Histórias de Mulheres*, p. 96).

aliteratar-se [De *a-*[2] + *literato* + *-ar*[2] + *se*[1].] ***V. p.*** Assumir modos de literato.

alitização ***S. f. Min.*** Processo pelo qual se verifica a lixiviação de silicatos e da própria sílica, e de que resulta a formação de hidratos de alumina. [É muito comum nas regiões tropicais e subtropicais úmidas.]

alitúrgico [De *a-*[3] + *litúrgico*.] ***Adj.*** Excluído da liturgia. ~ V. *dia* —.

aliviação [De *aliviar* + *-ção*.] ***S. f. P. us.*** V. *alívio* (1).

aliviado [Part. de *aliviar*.] ***Adj.*** **1.** Livre de todo ou em parte, de algum peso, encargo ou incômodo. **2.** Descansado, repousado, folgado. **3.** *Bras. Gír.* Depenado (2). ~ V. *luto* —.

aliviador (ô) [De *aliviar* + *-dor*.] ***Adj.*** **1.** Que alivia. ● ***S. m.*** **2.** Aquele ou aquilo que alivia.

aliviamento [De *aliviar* + *-mento*.] ***S. m.*** **1.** *P. us.* V. *alívio* (1). **2.** *Pop.* V. *parto* (1).

aliviante [De *aliviar* + *-nte*.] ***Adj. 2 g. S. m.*** Que, ou aquilo que alivia.

aliviar [Do lat. *alleviare*.] ***V. t. d.*** **1.** Dar alívio, tranquilidade, a; serenar, acalmar, tranquilizar. **2.** Tornar leve ou mais leve, diminuir o peso de; descarregar, alijar: *Aliviaram a embarcação para que não submergisse.* **3.** Abrandar, suavizar, mitigar: *Este analgésico alivia rapidamente dores de cabeça;* "Viver! Eu sei que a alma chora / E a vida é só dor ingrata, / Pranto, que a não alivia" (Raimundo Correia, *Poesias*, p. 7). **4.** Minorar, atenuar: *Pediu que o ajudassem a aliviar a sua grande dor.* **5.** Tornar menos gordo ou vigoroso (o leite). **6.** *Bras. RJ Gír.* Dar cobertura a; proteger: *Ia acusá-lo de roubo, mas, atendendo a pedido da mãe, resolvi aliviá-lo.* **7.** *Bras. N.E.* V. *matar* (1). ***T. d. e i.*** **8.** Desafogar, desembaraçar; livrar: *A confissão aliviou-o da angústia;* "Entraram com el-rei dois camaristas que o aliviaram das roupas superfluas" (José Saramago, *Memorial do Convento*, p. 15). **9.** *Bras. Gír.* Roubar, furtar: *Aliviaram-no de todo o dinheiro que levava.* ***Int.*** **10.** Diminuir de intensidade; remitir: *A dor aliviou com o analgésico.* **11.** Atenuar a dor, o cansaço, a mortificação; confortar: *O pranto alivia.* ***P.*** **12.** Sentir alívio; ficar aliviado. **13.** Desafogar-se, desembaraçar-se:

Com a confissão, aliviou-se de grande peso. **14.** *Pop.* V. *defecar* (5). **15.** *Pop.* Expelir gases pelo ânus; peidar. **16.** *Chulo* Ter cópula (2); copular. [Pres. ind.: *alivio,* etc. Cf. *alívio.*]

alívio [Dev. de *aliviar.*] ***S. m.*** **1.** Ato ou efeito de aliviar(-se). [Sin. (p. us.): *aliviamento* e *aliviação.*] **2.** Diminuição de dor, de peso, de trabalho, etc. **3.** Desopressão, desafogo. **4.** Descanso, tranquilidade. **5.** Consolo, refrigério. [Cf. *alivio,* do v. *aliviar.*] ◆ **Alívio cômico.** *Teatr.* Numa peça, situação cômica entre dois momentos de maior dramaticidade, para aliviar a tensão do espectador; descanso cômico, pausa cômica.

alizaba ***S. f.*** Espécie de túnica de mangas largas e aberta na frente, usada pelos mouros.

alizar [Do ár. *al-īīzār.*] ***S. m.*** **1.** *Arquit.* Faixa de azulejos, mármore ou madeira, disposta na altura do encosto das cadeiras, para proteção das paredes ou como ornamentação; guarda-cadeiras. **2.** *Arquit. P. ext.* Lambris. **3.** *Constr.* V. *guarnição* (9). **4.** *Constr.* Aduela (3). **5.** *Constr.* V. *rodapé* (2). [Cf. *alisar.*]

alizari [Do ár. *al-ᶜuṣāra(t),* ou *alᶜaṣāra(t),* 'sumo', pelo fr. ou esp. *alizari.*] ***S. m.*** Raiz seca da ruiva[1].

alizarina [De *alizari* + *-ina*[3]; fr. *alizarine.*] ***S. f.*** *Quím.* Corante cristalino vermelho-alaranjado, obtido sinteticamente e utilizado, sob forma de diversos derivados, no tingimento de tecidos [fórm.: $C_{14}H_8O_4$].

aljabeba ***S. f.*** V. *algibeba.*

aljabebe ***S. m.*** V. *algibebe.*

aljafra ***S. f.*** Seio ou bolso das redes de arrastar.

aljama[1] ***S. f.*** *Ant.* V. *alfama.*

aljama[2] ***S. f.*** V. *algema.*

aljamia [Do ár. *al-ᶜağamya(t),* 'língua estrangeira'.] ***S. f.*** **1.** *Gloss.* Nome dado pelos mouros, na Península Ibérica, ao romance (1) dos moçárabes, escrito em caracteres árabes. **2.** *Graf.* Utilização de caracteres árabes para a escrita de uma língua não árabe. [Var.: *algemia, alfamia.*]

aljamiado [Part. de *aljamiar.*] ***Adj.*** **1.** Falado ou escrito em aljamia (1). **2.** *Ant.* Diz-se de texto em espanhol escrito em caracteres árabes. **3.** *Ant.* Diz-se de indivíduo instruído, capaz de expressar-se ou escrever em aljamia. [Var.: *algemiado.*]

aljamiar [De *aljamia* + *-ar*[2].] ***V. t. d.*** *Ant.* **1.** Escrever (texto ou trecho em língua espanhola) em caracteres árabes. ● ***V. int.*** **2.** Falar ou escrever em aljamia. [Var.: *algemiar.*]

aljarabia ***S. f.*** V. *aljaravia.*

aljaravia [Do ár. *al-ğalābyya(t).*] ***S. f.*** Veste ampla e comprida, de mangas largas. [Var.: *aljarabia, aljeravia, aljerevia.*]

aljaraz[1] ***S. m.*** V. *aljorce.*

aljaraz[2] ***S. m.*** V. *algeroz.*

aljarxe ***S. m.*** V. *aljorce.*

aljava [Do ár. *al-ğaᶜba(t).*] ***S. f.*** **1.** *Ant.* Saca de milho. **2.** Coldre ou estojo onde se metiam as setas e que se trazia pendente do ombro; carcás, fáretra: "Pendura a um verde tronco as várias penas, / E o arco, e as setas, e a sonora aljava" (José Basílio da Gama, *O Uraguai*, III, p. 52).

aljazar [Do ár. *al-ğazīra(t),* 'ilha'.] ***S. f.*** Terreno seco, cercado de água do mar [cf. mouchão]. [Var.: *aliazar.*]

aljeravia ***S. f.*** V. *aljaravia.*

aljerevia ***S. f.*** V. *aljaravia.*

aljibeba ***S. f.*** V. *algibeba.*

aljibebe ***S. m.*** V. *algibebe.*

aljibeira ***S. f.*** V. *algibeira.*

aljofaina [Do ár. al-ğufayna*(t),* dim. de al-ğafna*(t).*] ***S. f.*** **1.** Bacia ou recipiente, ger. para abluções. **2.** *P. ext.* Alguidar, escudela.

aljôfar [Do ár. al-ğawhar, 'pedra preciosa', 'joia'.] ***S. m.*** **1.** Pérola muito miúda, ou quantidade de pequenas pérolas: "chapéus de plumas bordados de pérolas e aljôfar" (Oliveira Martins, *História de Portugal*, II, p. 7). **2.** *Fig.* Gota ou gotas de água. **3.** *Fig.* O orvalho da manhã. **4.** *Poét.* Lágrimas, esp. de mulher bela. [Var.: *aljofre* (ô). Pl.: *aljôfares.* Cf. *aljofares,* do v. *aljofarar.*]

aljofarar [De *aljôfar* + *-ar*[2].] ***V. t. d.*** **1.** Ornar com aljôfar. **2.** Salpicar com pequenas gotas; orvalhar. [Var.: *aljofrar.* Pres. subj.: *aljofare, aljofares,* etc. Cf. *aljôfares,* pl. de *aljôfar.*]

aljofrar ***V. t. d.*** V. *aljofarar.* [Pres. subj.: *aljofre, aljofres,* etc. Cf. *aljofre* (ô) e pl. *aljofres* (ô).]

aljofre (ô) ***S. m.*** V. *aljôfar.* [Pl.: *aljofres* (ô). Cf. *aljofre* e *aljofres,* do v. *aljofrar.*]

aljorce [Do ár. al-ğaras, 'campainha', 'ruído'.] ***S. m.*** Sino, badalo, guizo ou chocalho, esp. o que se pendura ao pescoço de animal. [Var.: *aljaraz*[1], *aljarxe, aljorge, aljorxe, aljorze, arjoz.*]

aljorge ***S. m.*** V. *aljorce.*

aljorxe ***S. m.*** V. *aljorce.*

aljorze ***S. m.*** V. *aljorce.*

aljuba [Do ár. al-ğubba*(t),* 'couraça', 'veste que cobre dos ombros à cintura'.] ***S. f.*** **1.** Veste árabe semelhante ao colete, com ou sem meias mangas. **2.** Veste talar, com fraldas e mangas largas, usada pelas mulheres portuguesas dos sécs. XIV e XV, e imposta aos mouros pelas Ordenações Afonsinas. **3.** Veste imposta aos judeus no séc. XIV, a qual devia ostentar uma estrela de seis pontas feita de pano de cor viva.

aljube [Do ár. *al-ğubb,* 'poço', 'cisterna'.] ***S. m.*** **1.** Cômodo sem abertura para o exterior, com deficiência de iluminação e ventilação. **2.** Prisão escura; cárcere. **3.** *Ecles.* Cárcere de foro eclesiástico, que ficava, em geral, junto a um mosteiro; prisão de padres. "Quanto ao prelado, se a novidade lhe for aos ouvidos, não me mete no aljube, que já os não há." (Aquilino Ribeiro, *Andam Faunos pelos Bosques*, p. 140.) **4.** Caverna, gruta, furna.

aljubeiro [De *aljube* + *-eiro.*] ***S. m.*** *Desus.* Carcereiro.

aljubeta (ê) [De *aljuba* + *-eta* (ê).] ***S. f.*** Antiga veste talar.

aljubeteiro [De *aljubeta* + *-eiro.*] ***S. m.*** Aquele que fazia aljubeta.

allanita [Do antr. (*Thomas*) *Allan* (1777-1833), mineralogista escocês, + *-ita*[3].] ***S. f.*** *Min.* Ortita.

→ **allnews** [ɔl njuwz] [Ingl.] ***Adj. 2 g. e 2 n.*** *Inform. Rád. Telev.* Diz-se de emissora de rádio, TV ou *site* cujo conteúdo é exclusivamente jornalístico, e ger. veiculado 24 horas por dia.

→ **all right** [ɔl ɹajt] [Ingl., 'tudo direito'.] Frase que se emprega para indicar que tudo vai bem, ou para exprimir consentimento.

→ **alltype** [ˈɔltajp] [Ingl.] ***S. m.*** *Prop.* Trabalho gráfico (cartaz, anúncio, capa de livro, etc.) constituído apenas de texto, sem ilustração.

→ **allure** [aˈlyʁ] [Fr.] ***S. f.*** **1.** Maneira de se apresentar ou de se movimentar; postura, atitude. **2.** Maneira de proceder; atitude. [Nesta acepç., usa-se geralmente no pl.]

alma [Do lat. *anima.*] ***S. f.*** **1.** Princípio da vida. **2.** *Filos.* Entidade a que se atribuem, por necessidade de um princípio de unificação, as características essenciais à vida (do nível orgânico às manifestações mais diferenciadas da sensibilidade) e ao pensamento, e que se define em oposição a corpo (embora não necessariamente a matéria) e, às vezes, a espírito, estando associadas à consideração da ideia de alma as questões da imortalidade, da personalidade, da individualidade, da consciência, etc., com todas as implicações morais, religiosas e metafísicas que elas suscitam [v. *corpo* (6), *espírito* (1) e *matéria* (10)]. **3.** Princípio espiritual do homem concebido como separável do corpo e imortal: "A alma precisa de silêncio e prece" (Cruz e Sousa, *Últimos Sonetos*, p. 95); *Reza pelas almas dos vivos e dos mortos.* **4.** O conjunto das funções psíquicas e dos estados de consciência do ser humano que lhe determina o comportamento, embora não tenha realidade física ou material; espírito: *Seu estado de alma sempre lhe transparece nos olhos.* **5.** Sede de afetos, dos sentimentos, das paixões: "Do teu Príncipe ali te respondiam / As lembranças que na alma lhe moravam" (Luís de Camões, *Os Lusíadas*, III, 121). **6.** *Pop.* Alma do outro mundo; fantasma: *Diz ele que anda vendo almas.* **7.** Índole ou caráter de um indivíduo ou de um grupo de indivíduos: *alma bem-formada; a alma brasileira.* **8.** Sentimento, generosidade, coração: *É uma pessoa sem alma.* **9.** Coragem, ânimo: *Não tive alma para recusar-lhe o favor.* **10.** Veemência de sentimento; entusiasmo, arrebatamento: *cantar, recitar, representar com alma.* **11.** Expressão, animação, vida: *Certas cores dão alma aos ambientes.* **12.** Pessoa, indivíduo: *Era uma boa alma; Mora num lugarejo de dez mil almas.* **13.** Pessoa que cria e/ou anima alguma coisa: *Foi Tiradentes a alma da Conjuração Mineira.* **14.** Pessoa que é objeto de vivo amor ou amizade: "Alma minha gentil que te partiste / tão cedo desta vida descontente / repousa lá no Céu eternamente" (Luís de Camões, *Rimas*, p. 172). **15.** Condição primacial; essência: *O segredo é a alma do negócio.* **16.** Vazio, interior, cilíndrico, de uma arma de fogo, que vai desde a culatra até a boca do cano, destinado a resistir à pressão dos gases produzidos pela combustão da pólvora e a orientar o projetil. **17.** Parte central de um trilho ferroviário, vertical e estreitada, situada entre o boleto e o patim. **18.** Parte central de uma viga, estreitada, situada entre a laje ou mesa e a base alargada. [Tb. us. ger. em estruturas de aço.] **19.** Pedaço entre a sola e a palmilha do sapato ou da bota. **20.** O vão da sola do pé. **21.** Pau em volta do qual se enrola o tabaco ou fumo de rolo. **22.** Pedaço de madeira ou de plástico que se cobre de pano para servir de botão. **23.** Pedaço de couro que permite a entrada do ar no fole e não o deixa sair. **24.** Molde em que se funde a estátua. **25.** *Expl.* Parte interior de um estopim ou cordel detonante, e que contém o núcleo de explosivo. **26.** *Mús.* Nos instrumentos de cordas friccionadas com arco, pequeno cilindro de madeira colocado verticalmente entre o tampo e o fundo, um pouco atrás do pé direito do cavalete, e cuja função é transmitir as vibrações sonoras à caixa de ressonância, e sustentar o tampo do lado direito, para que ele resista à pressão das cordas sobre o cavalete. ◆ **Alma de cântaro** Indivíduo mau, sem princípios, inescrupuloso: "– Você é um safado. .... justou comigo uma porca por quatro moedas e foi depois vendê-la ao Antônio do Eido por mais um quartinho. Lembra-se, seu alma de cântaro?" (Camilo Castelo Branco, *A Brasileira de Prazins*, p. 37.) **Alma do mundo.** *Filos.* Princípio de unidade e de movimento do universo, a que se deve principalmente a continuidade entre o mundo orgânico e o inorgânico. **Alma do outro mundo.** V. *fantasma* (3): "E almas penadas, almas do outro mundo, / Passam gemendo pela noite em fora." (Ricardo Gonçalves, *Ipês*, p. 25.) **Alma gêmea.** **1.** Pessoa com a qual se tem total afinidade de sentimentos. **2.** O par ideal, a outra metade da laranja. **Alma penada.** **1.** Espectro de morto que o povo crê errar pela Terra. **2.** *P. ext.* Pessoa sem rumo, desprotegida, desamparada. [Sin. ger.: *alma perdida.*] **Alma perdida.** V. *alma penada.* [Cf. *alma-perdida.*] **Abrir a alma.** Expandir os seus sentimentos; abrir o coração; desabafar. **Botar a alma pela boca.** Estar ou ficar ofegante, com a respiração opressa. **Cair a alma aos pés.** Sentir-se abalado por um acontecimento inesperado; cair o coração aos pés: "Deveras só me lembrei dela ao entrar em casa, para me tornar a lembrar dela quando, na manhã seguinte, me filava ao despedir do quarto com sobrecenho amável mas decidido: | – *Y no nie trae el alquiler?* Caiu-me a alma aos pés." (Aquilino Ribeiro, *Lápides Partidas*, pp. 110-111.) **Com a alma lavada.** **1.** Livre de incômodo ou peso; aliviado: "Seria bom se pudesse falar sobre seus erros .... saindo dali aliviado, com a alma lavada." (Moacir Scliar, *Os Leopardos de Kafka*, p. 66.) **2.** Vingado (de ofensa, insulto ou injustiça); desafrontado, desforrado. **Cortar a alma.** Tocar, comover ao extremo; cortar o coração. **Criar alma nova.** Recobrar a coragem, o ânimo, o entusiasmo: "não viu mais o Barão, nem seus horrendos companheiros. Criou alma nova" (Ézio Pinto Monteiro, *Chico*, p. 79). **Dar a alma a Deus.** V. *morrer* (1): "Elisa caiu-me nos braços; removi-a para a cama. À noite tinha dado a alma a Deus." (Machado de Assis, *Contos sem Data*, p. 95.) **Dar a alma ao Criador.** V. *morrer* (1). **Dar a alma ao diabo.** Fazer o possível e o impossível para se conseguir alguma coisa que se deseja intensamente, por alusão a uma lenda popular. **De alma leve.** Com um grande sentimento de alívio: "O Egon, que fora ao funeral representando o secretário, saiu do cemitério de alma leve." (Pedro Nava, *O Círio Perfeito*, p. 472.) **Entregar a alma a Deus.** V. *morrer* (1). **Entregar a alma ao diabo.** V. *morrer* (1). **Lavar a alma.** **1.** Livrar(-se) de peso ou incômodo moral. **2.** Vingar de ofensa, insulto ou injustiça; desforrar(-se): *Segundo o bloguista, o procurador-geral 'lavou a alma da Nação', ao fazer o indiciamento dos suspeitos.* **Render a alma.** V. *morrer* (1). **Render a alma a Deus.** V. *morrer* (1). **Render a alma ao Criador.** V. *morrer* (1). **Rezar por alma de.** Perder a esperança de receber de volta (dinheiro ou coisa emprestada). **Sua alma, sua palma.** Faça-se-lhe a vontade, ainda que seja para seu mal.

almaala ***S. f.*** V. *almofala.*

alma-beafada [Do criol.] ***S. 2 g. e 2 n.*** *Guin. Zool.* V. *calau-d'abissínia*: "Mas quando disse que tinha visto o Alma-beafada levantar voo à minha frente, houve um deles que me mandou calar" (Abdulai Sila, *Mistida*, p. 57).

almácega[1] [Do ár. *al-maskaba.*] ***S. f.*** Pequeno tanque ou reservatório destinado a armazenar água da nora ou da chuva.

almácega[2] V. *almécega.*

almácego [Do esp. plat. *almacigo.*] ***S. m.*** *Bras. S.* Alfobre (1).

almaço [Contr. de *a lo maço,* expr. que alude à maneira de fabricar este papel.] ***Adj.*** **1.** ~ V. *formato* — e *papel* —. ● ***S. m.*** **2.** *Ind. Pap.* Papel almaço (q. v.).

alma-danada ***S. 2 g.*** Pessoa perversa, malvada, de alma empedernida; alma de cântaro, alma de púcaro, alma do diabo. [Pl.: *almas-danadas.*]

alma-de-beafada [Do criol.] ***S. 2 g. e 2 n.*** *Guin. Zool.* V. *calau-d'abissínia.*

alma-de-caboclo ***S. f.*** *Bras. Zool.* V. *alma-de-gato* (1). [Pl.: *almas-de-caboclo.*]

alma de cântaro ***S. f.*** V. *alma-danada.* [Pl.: *almas de cântaro.*] ☑

alma-de-gato ***S. f.*** *Zool.* **1.** *Bras.* Ave cuculídea (*Piaya cayana*) com cerca de 47cm, coloração vermelho-castanha, retrizes vermelhas com brilho purpúreo e pontas brancas, e parte inferior cinzenta. É insetívora, frequenta matas e capoeiras, e ocorre do México ao N. da Argentina. [Sin.: *alma-de-caboclo, alma-perdida, atinga, atingaçu, atinguaçu, atingaú,* *atiuaçu, chincoã, crocoió, maria-caraíba, meia-pataca, oraca, pataca, pato-pataca, piá, rabilonga, rabo-de-escrivão, rabo-de-palha, tincoã, tinguaçu, uirapajé, urraca.*] **2.** *Bras. RS* V. *anum-branco*. [Pl.: *almas-de-gato*.]

alma-de-mestre *S. f. Bras. Zool.* Andorinhão-das-tormentas: 📖 "Encontram-se no alto-mar umas avezinhas que de noite dão sentidíssimos e longos pios, às quais os marinheiros puseram o nome de almas-de-mestre." (Almeida Garrett, *Camões*, p. 254.) [Pl.: *almas-de-mestre*.]

almádena [Do ár. *al-mādana(t)*, 'lugar de pregão'.] *S. f.* Minarete: 📖 "no momento matinal .... em que [o almuadem] iria subir a escada da almádena para chamar os fiéis à primeira oração." (José Saramago, *História do Cerco de Lisboa*, p. 18).

alma de púcaro *S. f.* V. *alma-danada*. [Pl.: *almas de púcaro*.] ☑

almadia [Do ár. *al-mādya(t)*.] *S. f.* Embarcação africana e asiática, muito comprida e estreita, feita, por via de regra, de um só pau, escavado; tone: 📖 "Uns vão nas almadias carregadas, / Um corta o mar a nado diligente." (Luís de Camões, *Os Lusíadas*, I, 92.)

almadinense *Adj. 2 g.* **1.** De, ou pertencente ou relativo a Almadina (BA). ● *S. 2 g.* **2.** O natural ou habitante de Almadina.

alma do diabo *S. f.* V. *alma-danada*. [Pl.: *almas do diabo*.] ☑

alma do padeiro *S. m.* Vão deixado pela amassadura no interior do pão. [Pl.: *almas do padeiro*.] ☑

almadra [Var. de *almatrá*.] *S. f. Ant.* **1.** V. *almadraque*. **2.** *Fig.* Cômoro.

almadraba [Do ár. *al-muḍarraba(t)*.] *S. f.* **1.** Armação de pesca de atum. **2.** Pescaria de atum. **3.** Lugar onde se pesca ou onde se reúnem os pescadores de atum. [Var. *almadrava*. Sin. ger.: *almadrabilha*.]

almadrabilha [De *almadraba* + *-ilha*.] *S. f. Lus.* V. *almadraba*.

almadrague *S. m.* V. *almadraque*.

almadraque [Var. de *almatrá*; do ár. *al-maṭraḥ*, 'tapete'.] *S. m.* **1.** Almofada us. para a cabeça ou como assento; travesseiro, coxim. **2.** *P. ext.* Colchão, esp. de material grosseiro. **3.** Assento ou divã improvisado. [Sin. ger.: *almadra, almatrá*. Var.: *almadrague*.]

almadrava *S. f.* V. *almadraba*.

almaface *S. f.* V. *almofaça*.

almafala *S. f.* V. *almofala*.

almafariz *S. m.* V. *almofariz*.

almáfega [Do ár. *al-mirfaq* ou *al-marfiq*, 'almofada'.] *S. f. Ant.* Burel ou outro tecido grosseiro de lã, de cor branca, us. pelo povo como marca de luto ou comoção.

almafre *S. m.* **1.** Nas armaduras, a malha que cobre e protege a cabeça. **2.** Capacete, elmo, morrião. [Var.: *almôfar, almofre*.]

almafreixe *S. m.* V. *almofreixe*.

almagra *S. f.* V. *almagre*.

almagrar [De *almagre* + *-ar*[2].] *V. t. d.* **1.** Tingir com almagre. **2.** *P. ext.* Marcar, assinalar. **3.** *Fig.* Contundir, ferir.

almagre [Do ár. *al-mugra(t)*, 'terra vermelha'.] *S. m.* **1.** Argila avermelhada que se emprega em artes industriais e em pinturas grosseiras; rubrica. **2.** *Fig.* Sangue plebeu. [Var.: *almagra, almagro*.]

almagro *S. m.* V. *almagre*.

almainha (a-í) [Var. de *almuinha*, do ár. *al-munya(t)*.] *S. f.* **1.** Quintal cercado; horta, pomar. **2.** Quinta, ou pequena propriedade suburbana. [Outra var.: *almoinha*.]

almajarra *S. f.* V. *almanjarra*.

almajarrado[1] *Adj.* V. *almanjarrado*[1].

almajarrado[2] *Adj.* V. *almanjarrado*[2].

almajarrar *V. t. d.* V. *almanjarrar*.

almalho [Do b.-lat. **animaliu*, de *animal*, 'animal'.] *S. m.* Novilho, bezerro.

➔**alma mater** ['alma 'mater] [Lat., 'Mãe nutridora'.] *Fig.* Expr. com que por vezes se designa a Universidade; *alma parens*.

almami [Do mandinga.] *S. m. Guin.* Entre os mandingas, dignitário islâmico, responsável pelo culto, e consultor jurídico do régulo; almamil: 📖 "A revolta de Bocar Biro, Almami do Timbo, e de seu irmão Cherno Siré contra os franceses, fora por eles paga com a vida." (Fausto Duarte, *A Revolta*, p. 140.)

almamil [Do mandinga.] *S. m. Guin.* Almami.

almanaque [Do ár. *al-munāh*.] *S. m.* Publicação que, além de um calendário completo, contém matéria científica, literária, informativa e, às vezes, recreativa e humorística. ◆ **Almanaque astronômico.** *Astr.* Livro ou tábua que contém dados astronômicos para um determinado ano; anuário astronômico. **Almanaque náutico.** *Náut.* Publicação que fornece dados astronômicos anuais sobre o Sol, a Lua, os planetas de navegação e as estrelas de navegação. **De almanaque.** Diz-se de cultura, saber, conhecimento, imperfeitos, precários, superficiais.

almandina [Do lat. *alabandina, i. e., gemma alabandina*.] *S. f. Min.* Mineral monométrico, silicato de alumínio e ferro, variedade do grupo das granadas. É pedra semipreciosa.

almandra [Do ár. *al-mimṭara(t)*, 'impermeável'.] *S. f. Ant.* **1.** Colcha ou coberta de linho ou lã; alcatifa. **2.** Casacão de lã, para proteger o corpo da chuva.

almanicha [De *alma* + *-n-* + *-icha*, poss.] *S. m. Lus.* **1.** Indivíduo cruel, desalmado. **2.** Indivíduo vagabundo.

almanjar *S. m.* V. *almanjarra*.

almanjarra [Do ár. *al-maǧarr*, 'viga'.] *S. f.* **1.** Pau de nora, que o animal puxa para movimentá-la: 📖 "Montado num dos paus da almanjarra, empunhando um relho, divertia-me naquele carrossel rústico que as bestas faziam girar esmagando a cana." (Raul Lima, *O Fio do Tempo*, p. 53.) [Sin. (bras.), nesta acepç.: *traquitanda*.] **2.** *Marn.* Rodo usado nas salinas. **3.** Coisa enorme, desmedida, mal-acabada. **4.** *Fig.* Homem agigantado, colossal. [Var.: *almajarra, almanjar*.]

almanjarrado[1] [De *almanjarra* + *-ado*[1].] *Adj.* Semelhante a almanjarra. [Var.: *almajarrado*[1].]

almanjarrado[2] [Part. de *almanjarrar*.] *Adj.* Puxado ou retirado por meio de almanjarra (2). [Var.: *almajarrado*[2].]

almanjarrar [De *almanjarra* + *-ar*[2].] *V. t. d. Marn.* Tirar ou puxar (água ou lama acumulada no fundo das salinas) com a almanjarra. [Var.: *almajarrar*.]

almanxar [Do ár. *al-manšar*, da raiz *nšr*, 'estender'.] *S. m.* **1.** Eira (1). **2.** Lugar onde os figos são postos a secar. [Var.: *almaxar, almexar, almixar*.]

➔**alma parens** ['alma pa'rens] [Lat., 'Mãe nutridora'.] *Alma mater*.

alma-perdida *S. f. Bras. Zool.* V. *alma-de-gato* (1). [Pl.: *almas-perdidas*. Cf. *alma perdida*.]

almarada [Do ár. *al-muḫrāz*.] *S. f. Ant.* Espécie de instrumento para furar ou perfurar; furador, punção, sovela. [Var.: *almaraz*.]

almarado *Adj.* **1.** Diz-se do touro que apresenta em volta dos olhos um círculo de cor diversa da do resto da cabeça. **2.** Diz-se do boi ou do cavalo que tem pelos rosa ou azulados em vários pontos da cabeça.

almaraz *S. m.* V. *almarada*.

almareado [Part. de *almarear*.] *Adj. Lus.* Enjoado, nauseado.

almarear [De mar + *-ear*[2], com el. inicial incerto.] *V. t. d. Int. Lus.* Provocar ou sentir náusea.

almareio [De *mareio*, com el. inicial de or. incerta.] *S. m. Lus.* Vertigem, tonteira.

almarge *S. m.* V. *almargem*.

almargeado [De *almarge(m)* + *-ado*[1].] *Adj.* **1.** Coberto de almargem. **2.** Diz-se do terreno abandonado por não ter préstimo.

almargeal [De *almarge* + *-al*[1].] *S. m.* Terreno, esp. pantanoso, coberto de almargem (2): 📖 "Vista assim [a barca], ... por entre o almargeal verdejante, ... parece o aceno de uma velha mão amiga" (Ramalho Ortigão, *A Holanda*, p. 83).

almargear [De *almarge* + *-ear*[2].] *V. t. d.* **1.** Converter (terreno) em almargem (1), ou usá-lo como prado ou pastagem. **2.** Deixar, ou colocar (o gado) em almargem. **3.** *Fig.* Deixar ao abandono; desprezar, relegar. **4.** *Fig.* Expulsar, afastar.

almargem [Do ár. *al-marǧa(t)*, 'pasto'.] *S. m. e f.* **1.** Prado natural; pastagem: 📖 "distinguia .... a pasta barrenta desse lamentoso Tejo contorcido, cuja ânsia de correr, liberto entre almargens chãs, ... se vem ouvindo pelos séculos fora." (Antero de Figueiredo, *Toledo*, p. 16). **2.** Erva para pasto, que cresce nos almargens. [Var.: *almarge*.]

almargio *Adj.* **1.** Relativo ao almargem. **2.** Diz-se do animal lançado ao almargem: 🗎 *cavalo almargio*.

almário *S. m. Ant. Pop.* Armário: 📖 "Bota antes [o peixe preparado] neste almário!" (Aluísio Azevedo, *O Mulato*, p. 264.)

almarraxa [Do ár. *al-miraššа(t)*, da raiz *ršš*, 'regar'.] *S. f. Ant.* **1.** Regador. **2.** Almotolia (1). **3.** *Heráld.* Ornamento em forma de vaso com asas, com gargalo recurvado e extremidade circular.

almas [Pl. de *alma*.] *S. f. pl.* Alminhas.

almástica *S. f.* V. *almécega* (4).

almatrá *S. f.* V. *almadraque*.

almaxar *S. m.* V. *almanxar*.

almazém *S. m. Ant. Pop.* Armazém.

almece [Do ár. *al-mayṣ*, 'soro de leite'.] *S. m.* Soro de leite de cabra ou de ovelha, que se extrai, por pressão, na fabricação do queijo; tabefe. [Var.: *almeice*.]

almécega [Do ár. *al-maçTaka*, pelo ár. vulg. *al-meçkâ*.] *S. f.* **1.** *Bot.* V. *almecegueira* (1). **2.** *Bot.* V. *icica* (1). **3.** V. *breu* (2). **4.** Resina amarelada e aromática que exsuda de várias árvores anacardiáceas, como as do gênero *Schinus* (v. *esquino*) e *Pistacia* (v. *pistácia*). [Sin. e var., nesta acepç.: *almástica, almécega-do-oriente, copal, mástica, mástique*.]

almecegado [De *almécega* + *-ado*[1].] *Adj.* **1.** Da cor da almécega. **2.** Preparado com almécega.

almécega-do-oriente [De *almécega* + *do*[1] + o top. *Oriente* (i.e., Ásia).] *S. f.* V. *almécega* (4). [Pl.: *almécegas-do-oriente*.]

almecegar [De *almécega* + *-ar*[2].] *V. t. d.* **1.** Tornar amarelo como a almécega. **2.** Aplicar almécega a. [Pres. ind.: *almecego, almecegas, almecega*, etc. Cf. *almécega*. Conjug.: v. *regar*.]

almecegueira [De *almécega* + *-eira*.] *S. f. Bot.* **1.** Nome comum a várias burseráceas do gênero *Protium* (v. *prótio*), que produzem a almécega; almécega, elemi, elemieira, prótio. **2.** Árvore burserácea (*Protium heptaphyllum*) natural do Brasil, de casca cinzenta, folhas que têm uso medicinal, flores verde-amareladas, frutos drupáceos vermelhos, com polpa resinosa amarela, madeira branco-amarelada de boa qualidade, e que fornece breu; almecegueira-cheirosa, almecegueira-vermelha, breu-branco, breu-branco-verdadeiro. **3.** Árvore burserácea (*Bursera balsamifera*) natural do Caribe e das Guianas, que fornece resina oleosa vermelha, aromática, e dotada de flores racemosas e drupas subglobosas que contêm óleo de uso medicinal; a madeira, útil, é avermelhada. **4.** V. *icica* (1).

almecegueira-cheirosa [De *almecegueira* + o f. de *cheiroso*.] *S. f. Bot.* V. *almecegueira* (2). [Pl.: *almecegueiras-cheirosas*.]

almecegueira-verdadeira [De *almecegueira* + o f. de *verdadeiro*.] *S. f. Bot.* V. *icica* (1). [Pl.: *almecegueiras-verdadeiras*.]

almecegueira-vermelha [De *almecegueira* + o f. de *vermelho*[1].] *S. f. Bot.* V. *almecegueira* (2). [Pl.: *almecegueiras-vermelhas*.]

almedina [Do ár. *al-madīna(t)*.] *S. f. Ant.* Nas cidades medievais árabes e ibéricas, a parte mais alta, fortificada. [Var.: *medina*.]

almeia[1] [Do ár. *al-ᶜalima(t)*, 'cantora'; 'meretriz', pelo fr. *almée*.] *S. f.* Dançarina egípcia, cujas danças lascivas são geralmente acompanhadas de canto improvisado.

almeia[2] [Do ár. *al-mayᶜa(t)*, 'incenso', 'perfume'.] *S. f.* **1.** Bálsamo natural, produzido no Oriente e de uso em farmácia e perfumaria. **2.** *P. ext.* A árvore conífera, nativa da América Central, de cuja casca se extrai esse bálsamo.

almeice *S. m.* V. *almece*.

almeida[1] *S. f. Constr. Nav.* Parte curva do costado dos antigos navios de popa quadrada, logo abaixo do painel da popa, e que com este forma ângulo obtuso ou uma curvatura.

almeida[2] [De or. incerta.] *S. m. Prov. port.* Varredor de rua.

almeidense[1] *Adj. 2 g.* **1.** De, ou pertencente ou relativo a Conceição da Almeida (BA). ● *S. 2 g.* **2.** O natural ou habitante de Conceição da Almeida.

almeidense[2] *Adj. 2 g.* **1.** De, ou pertencente ou relativo a Maximiliano de Almeida (RS). ● *S. 2 g.* **2.** O natural ou habitante de Maximiliano de Almeida.

almeirão [Do ár.-hisp. *al-mayrūn*, poss. do lat. ou gr.] *S. m. Bot.* Espécie de chicória (*Cichorium intybus*): 📖 "acostumava-se o belo-horizontino a comer hortaliças, e não só a couve tradicional, mas ainda o almeirão, a alface, o repolho." (Eduardo Frieiro, *Feijão, Angu e Couve*, p. 228). [Pl.: *almeirões*.]

almeiriense *Adj. 2 g. S. 2 g.* V. *almeirinense*.

almeirinense *Adj. 2 g.* **1.** De, ou pertencente ou relativo a Almeirim (PA). ● *S. 2 g.* **2.** O natural ou habitante de Almeirim. [Sin. ger.: *almeiriense*.]

almeitiga [Do ár. *al-mitᶜa(t)*, 'pequena quantidade de comida'.] *S. f. Ant.* Refeição ligeira, que se oferecia aos cobradores de impostos reais. [Var.: *almitiga*.]

almeizar [Do ár. *al-mi'zar*, 'véu'.] *S. m. Ant. Tec. Têx.* Peça de tecido, ger. ornada, us. pelos mouros como toalha de mesa, manto, etc. [Var.: *almejar, almezar*. Pl.: *almeizares*.]

almejante [De *almejar*[2] + *-nte*.] *Adj. 2 g.* Que almeja; desejoso, ansioso.

almejar[1] *S. m. Ant.* V. *almeizar*.

almejar[2] [De *alma* + *-ejar*.] *V. t. d.* **1.** Desejar ardentemente, com ânsia; ansiar: 🗎 *Vive a almejar a paz*; 📖 "Os homens de pensamento almejam a construção duma ordem moral em que se alicerce o novo império espanhol." (Eduardo Frieiro, *O Alegre Arcipreste*, p. 106). *T. i.* **2.** Desejar com ânsia; ansiar: 🗎 *Almeja por uma vida tranquila*; 📖 "Terminando sempre com grandes protestos de fidelidade ao Governo, almejando pelo dia em que lhe pudesse prestar 'outros serviços políticos superiores a estes pequenos negócios de campanário'." (Luís de Magalhães, *O Brasileiro Soares*, p. 39). *Int.* **3.** Estar próximo a morrer, a dar a alma; agonizar: 🗎 *Ao chegar o médico, já o doente almejava*. [Conjug.: v. *pelejar*.]

almejável [De *almejar*[2] + *-vel*.] *Adj. 2 g.* Que pode ser almejado.

almejo (ê) [Dev. de *almejar*[2].] *S. m.* Desejo ansioso, veemente: 📖 "Por que teu vulto se levanta airoso,

/Ébrio de almejos de volúpia infinda?" (Fagundes Varela, *Poesias Completas*, II, p. 157.)

almenara [Do ár. *al-manāra(t)*, 'farol' (cf. tb. etim. de *minarete*).] *S. f.* **1.** Facho ou farol que outrora se acendia nas torres ou castelos para dar sinal ao longe: "o clarão das almenaras .... não consentia nem leve repouso aos defensores da verdadeira lei." (Rebelo da Silva, *Contos e Lendas*, p. 19). **2.** Torre em que se acendiam esses fachos. [Cf. *minarete*.]

almenarense *Adj. 2 g.* **1.** De, ou pertencente ou relativo a Almenara (MG). • *S. 2 g.* **2.** O natural ou habitante de Almenara.

almense *Adj. 2 g.* **1.** De, ou pertencente ou relativo a Almas (TO). • *S. 2 g.* **2.** O natural ou habitante de Almas.

almexar *S. m.* V. *almanxar*.

almexia [Do ár. *al-maḥšya(t)* ou *al-miḥšya(t)*.] *S. f.* **1.** *Vest.* Espécie de túnica ou de veste, us. sobre outras roupas. **2.** *Hist.* Entre o séc. XIV e o séc. XVIII, peça de roupa ou corte de pano de uso obrigatório pela população moura no reino português. [Estavam obrigados a portá-la todos aqueles que não trajassem as vestes mouras típicas, para que fosse possível distingui-los da população cristã.]

almezar *S. m. Ant.* V. *almeizar*.

almiara [Do ár.] *S. f. Lus.* Monte ou porção de palha que fica no campo após a debulha.

alminha [Dim. de alma.] *S. f. Pej.* Pessoa (1).

alminhas [Pl. do dim. de *alma*.] *S. f. pl.* Pequenos monumentos religiosos, nas estradas e caminhos, representativos de almas penadas; almas: "metam por essa serra afora até encontrar um carreiro ...., lá, voltem à direita, até dar com umas alminhas." (Aquilino Ribeiro, *S. Bonaboião, Anacoreta e Mártir*, p. 56).

almino-afonsense *Adj. 2 g.* **1.** De, ou pertencente ou relativo a Almino Afonso (RN). • *S. 2 g.* **2.** O natural ou habitante de Almino Afonso. [Pl.: *almino-afonsenses*.]

almiranta [Fem. de *almirante*.] *S. f.* **1.** A nau em que viaja o almirante. **2.** A mulher do almirante.

almirantado [De *almirante* + *-ado*[2].] *S. m.* **1.** Posto, cargo ou dignidade de almirante. **2.** Corporação de oficiais superiores de marinha. • *Adj.* **3.** ~ V. *latão* —.

almirante [Do ár. *amīr*, 'chefe', f. red. de *amīr al-baḥr*, + *-nte*, poss. por analogia com *reinante, imperante*, etc.] *S. m.* **1.** V. *hierarquia militar*. **2.** Oficial que detém o posto de almirante. **3.** *Bras.* Denominação comum também a *almirante de esquadra, vice-almirante* e *contra-almirante*. **4.** Concha univalve. **5.** *Zool.* Borboleta diurna. **6.** *Bot.* Variedade de pera. **7.** *Bot.* V. *endívia*. • *Adj. 2 g.* **8.** *Mar.* Diz-se da embarcação em que viaja o almirante: *nau almirante*.

almirante de esquadra *S. m.* **1.** V. *hierarquia militar*. **2.** Oficial que detém o posto de almirante-de-esquadra. [V. *almirante* (3). Pl.: *almirantes de esquadra*.]

almirantense *Adj. 2 g.* **1.** De, ou pertencente ou relativo a Almirante Tamandaré (PR). • *S. 2 g.* **2.** O natural ou habitante de Almirante Tamandaré. [Sin. ger.: *tamandareense*.]

almíscar [Do ár. *al-misk*, derivado do persa *musk* e afim do lat. tard. *muscus* e gr. tard. *móskos* ou *móschos*, cuja orig. poss. é o sânscr. *muska*, 'testículo'.] *S. m.* **1.** Substância odorífera de sabor amargo e cor amarelada, muito volátil, segregada pelo almiscareiro (q. v.), e utilizada em perfumaria e farmácia; algália. **2.** *P. ext.* Odor muito ativo. **3.** *Fam.* Sabor desagradável; saibo. **4.** *Bot.* Arbusto estiracáceo (*Styrax glabrato*) de folhas oblongas, lanceoladas, muito perfumadas, flores brancas, racemosas, e frutos drupáceos globosos; é frequente nos cerrados. **5.** *Bras. N.E.* Cheiro de peixe, de maresia. [Var.: *almíscaro, almiscre*. Pl.: *almíscares*. Cf. *almiscares*, do v. *almiscarar*.]

almiscarado [Part. de *almiscarar*.] *Adj.* Perfumado com almíscar.

almiscarar [De *almíscar* + *-ar*[2].] *V. t. d. P.* Perfumar(-se) com almíscar. [Pres. subj.: *almiscare, almiscares, almiscare*, etc. Cf. *almíscares*, pl. de *almíscar*.]

almíscar de civeta *S. m.* Civeta (4). [Pl.: *almíscares de civeta*.]

almíscar de jacaré *S. m. Bras.* O mau cheiro das axilas. [Pl.: *almíscares de jacaré*]

almiscareira [De *almíscar* + *-eira*.] *S. f. Bot.* V. *malva-cheirosa* (2).

almiscareiro [De *almíscar* + *-eiro*.] *S. m. Zool.* Algália[2] (2). [Cf. *almíscar* (1).]

almíscaro *S. m.* V. *almíscar*.

almiscre *S. m.* V. *almíscar*.

almitiga *S. f. Ant.* V. *almeitiga*.

almixar *S. f.* V. *almanxar*.

almo [Do lat. *almu*.] *Adj. Poét.* **1.** Que cria, alimenta ou nutre. **2.** Adorável, delicioso, encantador: "Doura-lhe o fino lábio nacarado / Almo sorrir de amor, puro, inocente..." (Gonçalves Crespo, *Obras Completas*, p. 172.) **3.** Benigno, benéfico, bom: "Entre responsos e entre salmos, / Há de florir meu coração / Em sonhos bons, desejos almos, / .... / Nas cinco tábuas de um caixão." (Da Costa e Silva, *Sangue*, p. 43.) **4.** Santo, venerável.

almóada [Do ár. *al-muwaḥḥid*, 'unitário'; 'aquele que afirma a unidade (de Deus)'.] *S. 2 g.* **1.** *Hist.* Membro da dinastia berbere que sucedeu à liderança política e religiosa dos almorávidas, e governou a região do Marrocos e o N. da África (1147-1269) e a Espanha muçulmana (1154-1232). **2.** *Rel.* Adepto ou seguidor do movimento muçulmano liderado pelos almóadas, e que pregava a reforma religiosa e uma doutrina que afirmava a unidade absoluta de Deus. • *Adj. 2 g.* **3.** Relativo às tribos, ao movimento religioso ou à dinastia dos almóadas. [Var.: *almôada, almóade, almôade*.]

almôada *S. 2 g. Adj. 2 g.* V. *almóada*.

almóade *S. 2 g. Adj. 2 g.* V. *almóada*.

almôade *S. 2 g. Adj. 2 g.* V. *almóada*.

almoadem *S. m.* V. *almuadem*.

almoala *S. m.* V. *almofala*.

almocábar *S. m. Ant.* Almocávar (q. v.). [Pl.: *almocábares*.]

almoçadeira [De *almoçar* + *-deira*.] *Adj.* (*f.*) *S. f.* Diz-se de, ou xícara grande, usada em geral ao desjejum.

almocadem *S. m.* V. *almocadém*.

almocadém [Do ár. *al-muqaddam*.] *S. m. Ant.* **1.** Capitão ou caudilho de infantaria, na milícia árabe e portuguesa. **2.** Comandante; chefe. [Var.: *almocadem, mocadão*.]

almoçado [Part. de *almoçar*.] *Adj.* **1.** Que almoçou: "almoçado e acendendo um charuto, Bonifácio pensou na boa fortuna, que seria, se ela lhe aparecesse." (Machado de Assis, *Outras Relíquias*, p. 59). **2.** *Bras. N.E.* Perito: *No rifle o cabra é almoçado.*

almocafo [Var. de *almocafre*.] *S. m. Bras.* **1.** Almocafre. **2.** *BA* Sacho ou enxada já gasta pelo uso, e a que se adapta um cabo comprido.

almocafre [Do ár. *al-miḥfar*, 'enxada'.] *S. m.* Sacho de ponta usado na mineração; almocafo: "os homens, metidos na água até os joelhos e remontando a corrente, remexiam com o almocafre o cascalho acumulado na barragem" (Eduardo Frieiro, *O Mameluco Boaventura*, pp. 38-39). [Var.: *almocafo* (q. v.).]

almoçala *S. f.* V. *almocela*.

almocântara *S. m. Astr.* Círculo menor da esfera celeste, paralelo ao horizonte; círculo de altura, almocantarado.

almocantarado *S. m. Astr. P. us.* V. *almocântara*.

almoçar [De *almoço* + *-ar*[2].] *V. int.* **1.** Tomar o almoço: *Passou o dia sem almoçar*; "ia à minha casa almoçar conosco e abençoar os bisnetos." (Francisco Ribeiro Sampaio, *Renembranças*, p. 101). *T. d.* **2.** Comer ao almoço: "Vem almoçar umas trutas que eu pesquei" (Eça de Queirós, *Contos*, p. 122). [Conjug.: v. *laçar*. Pres. ind.: *almoço*, etc. Cf. *almoço* (ô).] ◆ **Almoçar, jantar, cear.** Almoçar, jantar e cear: "Durante todo o tempo que viajamos juntos, você, por assim dizer, almoçava, jantava, ceava, e quem sabe se até sonhava o progresso econômico de Minas Gerais." (Afonso Pena Júnior, *Saudação a Teófilo Ribeiro*, p. 10.) **Almoçar, jantar e cear.** Pensar exclusivamente, ou até de modo obsessivo, em; ter sempre em mente; almoçar, jantar, cear.

almocávar [Var. de *almocábar*, do ár. *al-muqbura(t)*.] *S. m. Ant.* Cemitério ou sepultura de mouros ou de judeus, na Península Ibérica. [Pl.: *almocávares*.]

almocela [Do ár. *al-muṣalā*.] *S. f. Ant.* **1.** Tapete sobre o qual o muçulmano se ajoelha para rezar. **2.** Coberta de cama. [Var.: *almoçala, almozela, almucela*.]

almoceleiro [De *almocela* + *-eiro*.] *S. m.* Fabricante ou vendedor de almocelas. [Var.: *almuceleiro*.]

almoço (ô) [Do lat. vulg. **admordium* < lat. *admordere*, 'morder de leve', 'principiar a comer (algo)'.] *S. m.* **1.** A primeira das duas refeições substanciais do dia, usualmente feita ao princípio da tarde. **2.** A comida que constitui essa refeição: *O almoço está servido.* **3.** *Fig.* O primeiro acontecimento do dia. [Pl.: no Brasil, *almoços* (ô); em Portugal, predominantemente *almóços* (ó). Cf. *almoço*, do v. *almoçar*.] ◆ **Almoço ajantarado.** Almoço servido depois da hora habitual deste, com o fim de suprimir o jantar. [Tb. se diz apenas *ajantarado*.] **Almoço bravo.** Almoço tardio, fora de horas. **Almoço comercial.** *Bras.* Almoço trivial e de baixo preço, de serviço rápido, que já vem servido, e que consta de um prato básico, pão e sobremesa simples; prato comercial, prato feito, pê-efe. **Almoço manso.** Almoço na hora certa, normal.

almocrevar [De *almocreve* + *-ar*[2].] *V. t. d.* **1.** Transportar em bestas de carga. *Int.* **2.** Trabalhar como almocreve: "Não conhecia ele o Lourenço senão de o ver uma vez por outra almocrevando" (Franklin Távora, *O Matuto*, p. 86).

almocrevaria [De *almocreve* + *-aria*.] *S. f.* Exercício da profissão de almocreve.

almocreve [Do ár. *al-mukārī*, lit., 'aquele que aluga'.] *S. m.* Homem que se ocupa em conduzir bestas de carga; recoveiro, carregador, arrocheiro: "Sob a chibata do almocreve as bestas aceleravam o chouto." (Aquilino Ribeiro, *Jardim das Tormentas*, p. 188.)

almodeca *S. f.* V. *albudeca*.

almoeda [Do ár. *al-munāda(t)*.] *S. f.* **1.** Venda em hasta pública; leilão. **2.** Exposição ou oferta ao público.

almoedar [De *almoeda* + *-ar*[2].] *V. t. d.* Pôr em almoeda; vender em leilão.

almofaça [Do ár. *al-muḥasa(t)*, 'raspador'.] *S. f.* Escova de ferro com que se limpam cavalgaduras. [Var.: *almaface, almoface*.]

almofaçadura [De *almofaçar* + *-dura*.] *S. f.* Ato de almofaçar.

almofaçar [De *almofaça* + *-ar*[2].] *V. t. d.* Limpar com almofaça: "No alpendre formado pela abóbada estava um criado almofaçando um alazão irrequieto" (Camilo Castelo Branco, *A Filha do Regicida*, p. 95). [Conjug.: v. *laçar*.]

almoface *S. m.* V. *almofaça*.

almofacilha *S. f.* Porção de estopa que se enrola na barbela do cavalo para ele não ferir os queixos.

almofada [Do ár. *al-muḥadda(t)*.] *S. f.* **1.** Espécie de saco estofado para encosto, assento, ou ornato. **2.** Peça saliente, reentrante ou simplesmente guarnecida por filete, moldura ou ranhura, geralmente retangular, em obras de madeira, pedra ou outro material. **3.** *Encad.* Parte saliente formada na pasta da frente da capa de um livro. **4.** Caixa com tampo, provida de um forro interno, retentor de tinta, para a tintagem dos carimbos. **5.** *Arquit.* Face aparente da aduela, no intradorso da cúpula. **6.** *Tip.* Revestimento de folhas de papel, pano, borracha, etc., que se põe no cilindro ou na platina das prensas, para abrandar o seu contato com a superfície impressora. [Tb. se usa, nesta acepç., *cama*, sobretudo quando se trata de cilindro e frisa. Cf. *branqueta*.] **7.** *Tip.* Espécie de coxim cheio de areia que serve de apoio à placa de metal, durante a gravação.

almofadado [Part. de *almofadar*.] *Adj.* Que tem almofadas; ornado ou coberto com almofadas. ~ V. *capa* —*a*.

almofadão [De *almofada* + *-ão*[1].] *S. m.* **1.** Almofada (1 e 2) grande. **2.** *Zool.* Massa de penas dorsais de certas aves, que parcialmente cobre a cauda. [Pl.: *almofadões*.]

almofadar [De *almofada* + *-ar*[2].] *V. t. d.* **1.** Ornar ou cobrir com almofada (1). **2.** Soto-pôr a (um objeto) uma peça ou substância que o alteie. **3.** Dar maior volume a, acolchoando: *Certas damas almofadam os quadris.* **4.** Ornar com almofada (2).

almofadilha [De *almofada* + *-ilha*.] *S. f. Arquit.* Parte lateral da voluta do capitel jônico.

almofadinha [De *almofada* + *-inha*.] *S. f.* **1.** Pregadeira de alfinetes ou agulhas. **2.** Saquinho com substância aromática para perfumar roupas. **3.** Rodilha que os carregadores põem na cabeça para protegê-la do fardo. • *S. m.* **4.** *Bras.* Homem que se veste com excessivo apuro; casquilho, janota: "Em frente dele [o prédio] há sempre almofadinhas de várias idades que tomam sol horas a fio só para dizerem piadas às moças que passam desacompanhadas." (Antônio de Alcântara Machado, *Cavaquinho e Saxofone*, p. 4); "um elegante cavalheiro, tipo perfeito de um almofadinha, de polainas, de luvas e monóculo." (Luís Edmundo, *De um Livro de Memórias*, III, p. 662).

almofadismo [De *almofad-*, como em *almofadinha* (4), + *-ismo*.] *S. m. Bras. P. us.* **1.** Elegância adamada. **2.** Hábitos, atos, atitudes de almofadinha (4).

almofala [Do ár. *al-maḥalla(t)*, 'albergue', 'pousada', 'hotel; venda'.] *S. f. Ant.* **1.** Arraial (1) em que se passa a noite. **2.** Expedição armada ou exército, esp. mourisco. **3.** Bairro, aldeia, povoado. [Var.: *almaala, almafala, almoala*.]

almôfar *S. m.* V. *almafre*.

almofariz [Do ár. *al-mihrās*.] *S. m.* Recipiente de pedra, metal, etc., em que se trituram e homogeneízam substâncias sólidas; pilão, gral, morteiro. [Var.: *almafariz*.]

almofate [Do ár. *al-maḫīṭ*, 'agulha'.] *S. m.* Espécie de sovela ou furador usado pelos correeiros para abrir buracos na sola; almofrez.

almofeira [De or. obscura.] *S. f.* Líquido escuro que escorre das azeitonas em talha; reima.

almofia [Do ár. (afr.) *al-mūfya(t)*, 'prato fundo'.] *S. f.* **1.** Espécie de tigela ou grande prato, largo e pouco fundo. **2.** *Ant.* Bacia para lavar as mãos. **3.** *P. ext.* Alguidar.

almofre *S. m.* V. *almafre*.

almofreixe [Do ár. *al-mifraš*, 'tapete', 'colcha', 'coberta'.] *S. m.* Grande mala antiga de viagem. [Var.: *almafreixe, almofrez*.]

almofrez[1] (ê) [Do ár. *al-miḫraz*.] *S. m.* Sovela de sapateiro; almofate.

almofrez^2 (ê) *S. m. Ant.* V. *almofreixe.*

almogama [Do ár. *al-mugma*^{c}*(t),* 'lugar de reunião'.] *S. f. Marinh.* A parte extrema da proa ou da popa, onde as balizas [v. *baliza* (8)] e cavernas [v. *caverna* (3)] estão mais próximas entre si e formam o fundo ou porão da embarcação.

almogárave *S. m. Ant.* V. *almogávar.*

almogávar [Do ár. *al-mugāwir,* 'guerreiro'.] *S. m. Ant.* **1.** Guerreiro que, ger. montado em cavalo, participava de incursões armadas, emboscadas, etc., esp. em terras de mouros. **2.** *P. ext.* Soldado de cavalaria. [Pl.: *almogávares.*] [Var.: *almogárave, almogavre, almograve.*]

almogavaria [De *almogávar* + *-ia*^{1}.] *S. f.* **1.** Emboscada, assalto ou incursão armada em território inimigo. **2.** Tropa de almogávares. [Var.: *almogavria.*]

almogavre *S. m.* V. *almogávar.*

almogavria *S. f.* V. *almogavaria.*

almograve *S. m.* V. *almogávar.*

almoinha [Var. de *almuinha.*] *S. f.* V. *almainha.*

almoinheiro *S. m.* V. *almuinheiro.*

almojávena [Do ár. *al-mugbana(t).*] *S. f.* Bolo ou torta de farinha e queijo ou requeijão.

almolina *S. f.* Antigo brinquedo, espécie de cabra-cega.

almôndega [Do ár. *al-bunduqa(t).*] *S. f. Cul.* Bolinho de carne moída, com ovos e temperos, cozido em molho espesso. [Cf. *croquete,* e *almondega,* do v. *almondegar.*]

almondegar [De *almôndega* + *-ar*^{2}.] *V. t. d.* **1.** Dar forma de almôndega a. **2.** Misturar, mesclar. [Conjug.: v. *regar.* Pres. ind.: *almondego, almondegas, almondega,* etc. Cf. *almôndega.*]

almorávida [Do ár. *al-murābit,* 'o que vive numa fortaleza ou mosteiro'; 'eremita'; 'guia religioso' (v. tb. etim. de *marabuto,* e o suf. *-ida*^{5}).] *S. 2 g.* **1.** Membro da seita religiosa, e depois também política, dos almorávidas, dominante na Espanha, e no N. da África, de 1061 a 1147. ● *Adj. 2 g.* **2.** Relativo ou pertencente aos almorávidas. [F. paral.: *almorávide.*]

almorávide *S. 2 g. Adj. 2 g.* V. *almorávida.*

almorreima [Do b.-lat. **haemorrhuema* < gr. *haíma,* 'sangue', + gr. *rheûma,* 'fluxo'.] *S. f. Pop.* Hemorroida.

almotaçar [De *almotacé* + *-ar*^{2}.] *V. t. d. Ant.* **1.** Taxar (o almotacé) o preço de. **2.** *P. ext.* Regular; regrar. *Transobj.* **3.** Taxar; qualificar. [Conjug.: v. *laçar.* Pres. subj.: *almotace, almotaces, almotaceis,* etc. Cf. *almotacéis,* pl. de *almotacel.*]

almotaçaria [De *almotacé* + *-aria.*] *S. f. Ant.* **1.** Cargo ou função de almotacé. **2.** Fixação do preço dos víveres feita por eles.

almotacé [Do ár. *al-muhtasib.*] *S. m. Ant.* Inspetor encarregado da aplicação exata dos pesos e medidas e da taxação dos gêneros alimentícios. [Var.: *almotacel.*]

almotacel *S. m. Ant.* V. *almotacé.* [Pl.: *almotacéis.* Cf. *almotaceis,* do v. *almotaçar.*]

almotalia *S. f. Ant.* V. *almotolia.*

almotolia [Do ár. *al-mu tlya(t),* de or. gr.] *S. f.* **1.** Pequeno vaso de folha, de feitio cônico, para azeite e outros líquidos, principalmente oleosos; almarraxa: 📖 "A outro, promessa feita a Maria / Deitam-lhe azeite na almotolia." (Guerra Junqueiro, *Os Simples,* p. 104.) **2.** Aparelho para lubrificação de pequenas máquinas: 📖 "Juntava .... cadeados emperrados que eu lubrificava com a pequena almotolia da máquina de costura." (Oto Lara Resende, *O Retrato na Gaveta,* p. 142.) [Sin. ger.: *alcuza* (prov. lus.), *azeiteira.* Var.: *almotalia, almotonia.*]

almotonia *S. f.* V. *almotolia.*

almoxarifado [De *almoxarife* + *-ado*^{2}.] *S. m.* **1.** Cargo ou função de almoxarife. **2.** Área de jurisdição do almoxarife. **3.** Depósito de objetos, materiais e matérias-primas.

almoxarife [Do ár. *al-mušarraf,* 'digno', 'honrado'; 'inspetor', 'intendente'.] *S. m.* **1.** *Ant.* Oficial da Fazenda que tinha a seu cargo a cobrança das rendas reais. **2.** *Ant.* Tesoureiro da casa real. **3.** *Ant.* Administrador de propriedades da casa real. **4.** *Ant.* Cobrador de portagem. **5.** Aquele que, nos estabelecimentos públicos ou particulares, é responsável pelo almoxarifado (3); fiel.

almozela *S. f.* V. *almocela.*

almuadem [Do ár. *al-mu'adin.*] *S. m.* Entre os muçulmanos, aquele que anuncia, em voz alta, do alto das almádenas, a hora das preces: 📖 "A cruz hasteava-se outra vez sobre o crescente quebrado; .... e a voz do almuadem trocava-se por toada de sinos, que chamavam à oração entendida por Deus." (Alexandre Herculano, *Lendas e Narrativas,* II, p. 84.) [Var.: *almoadem, almuédão, muezim.* A f. mais us. é *muezim,* considerada menos boa, por galicística.]

almucábala [Do ár. (*'alim al-gabur ua*) *almuqābala(t),* 'ciência da redução e da comparação' (v. tb. etim. de *álgebra*).] *S. f.* Álgebra.

almucela *S. f.* V. *almocela.*

almuceleiro *S. m.* V. *almoceleiro.*

almudada [De *almude* + *-ada*^{1}.] *S. f.* **1.** Almude de cereais. **2.** Terra que leva um almude de semeadura. **3.** Almude cheio.

almudar [De *almude* + *-ar*^{2}.] *V. t. d.* Medir ou encher os almudes [v. *almude* (2)].

almude [Do ár. *al-mudd,* poss. relacionado ao gr. *módios* e lat. *modiu* (v. *moio*).] *S. m.* **1.** Antiga unidade de medida de capacidade para líquidos, equivalente a 12 canadas (v. *canada*^{2}), ou seja, 31, 94 litros. **2.** Recipiente com capacidade para um almude, us. na medição de líquidos.

almudeiral [De *almudeiro* + *-al*^{1}.] *Adj. 2 g.* **1.** Almudeiro (1). ● *S. m.* **2.** Relativo ao almudeiro (2, 3 e 4).

almudeiro [De *almude* + *-eiro.*] *Adj.* **1.** Que tem a capacidade de um almude. ● *S. m.* **2.** Aquele que fabrica ou vende almudes. **3.** Aquele que mede líquidos com o almude. **4.** *P. ext. Ant.* Cobrador de impostos sobre o vinho.

almuédão *S. m.* V. *almuadem.* [Pl.: *almuédãos.*]

almuinha *S. f.* Almainha (q. v.).

almuinheiro (u-i) [De *almuinha* + *-eiro.*] *S. m.* O que cultiva ou possui almuinha. [Var.: *almoinheiro.*]

alna [Do gót. *álina,* 'cotovelo'.] *S. f.* Antiga medida de comprimento, de três palmos.

alnaíbe [Do ár. *an-nā'ib,* 'deputado', 'representante'; 'lugar-tenente'; 'sargento'.] *S. m.* Antigo capitão de cavalaria.

alnico *S. m. Metal.* Nome comercial de ligas magnéticas permanentes, constituídas por níquel, alumínio, manganês, cobalto e silício.

alno [Do lat. *alnu,* 'álamo'; tax. tax. *Alnus.*] *S. m. Bot.* **1.** Gênero de árvores betuláceas, decíduas, que habitam zonas temperadas setentrionais, de folhas dentadas, flores com cálice quadrífido e fruto lenhoso, coniforme. **2.** Qualquer espécie desse gênero, como, p. ex., a *Alnus glutinosa* (v. *amieiro*). **3.** Qualquer espécime desse gênero.

▲ **al(o)-** [Do gr. *állos, ē, o.*] *El. comp.* = 'outro', 'um outro', 'diferente'; 'estranho': *alógamo, alopatia; alergia.*

aló [De *a ló.*] *Adv. Mar.* Para barlavento. [Cf. *alô.*]

alô^1 [Do ingl. *hallo, hello.*] *Interj.* **1.** Serve para chamar a atenção. **2.** Serve de saudação, especialmente ao telefone. **3.** Exprime surpresa. ● *S. m.* **4.** Cumprimento em que se diz alô^1 (2): 📄 *Ao ver-me, fez um alô muito chocho.* [Cf. *aló.*]

alô^2 [Do ior.] *S. m. Bras. Rel.* Na encanteria piauiense, o oratório. [Cf. *aló.*]

aloandense *Adj. 2 g.* **1.** De, ou pertencente ou relativo a Aloândia (GO). ● *S. 2 g.* **2.** O natural ou habitante de Aloândia.

alobadado [De or. obsc.] *Adj. Lus.* Diz-se do céu coberto de pequenas nuvens, que prenuncia nevada.

alóbaro [De *al(o)-* + *-baro.*] *Adj. Quím.* Diz-se de elemento cuja composição isotópica é diferente da natural.

alobrógico [Do lat. *allobrogicu.*] *Adj.* **1.** Alóbrogo (3). **2.** Próprio de alóbrogo (2).

alóbrogo *S. m.* **1.** Indivíduo dos alóbrogos, antigo povo da região hoje chamada Saboia (França). **2.** Homem rústico, rude. ● *Adj.* **3.** Relativo ou pertencente aos alóbrogos; alobrógico. **4.** Rústico, rude.

alocação [De *alocar* + *-ção.*] *S. f.* Ato ou efeito de alocar.

alocado [Part. de *alocar.*] *Adj.* **1.** Que se alocou. **2.** Colocado em determinado lugar. **3.** Reservado para determinado uso ou formalidade. [Cf.: *aloucado.*]

alocar [De *a-*^{2} + lat. *locare,* por via erudita.] *V. t. d.* **1.** Colocar (um ser) num lugar de uma sequência de lugares. **2.** Destinar (fundo orçamentário, verba, etc.) a um fim específico, ou a uma entidade. **3.** *Inform.* Reservar (área de memória [q. v.], ou recurso computacional) para ser us. por programa (9) ou rotina (4). [Conjug.: v. *trancar.* Cf. *aloucar.*]

alocásia [Do tax. *Alocasia* (poss. alter. do tax.. *Colocasia,* do lat. *colocasia,* 'lótus da Índia').] *S. f. Bot.* **1.** Gênero de aráceas de folhas radiculares, exuberantes, pecíolo longo, espata navicular, glauca, e frutos bacáceos, avermelhados. **2.** Qualquer espécie desse gênero, como, p. ex., a *Alocasia portei* (v. *taiá-gigante*). **3.** Qualquer espécime desse gênero.

alocroísmo [Do gr. *allóchros,* 'que apresenta diferença de cor', + *-ismo.*] *S. m.* Mudança ou diferença de cor em uma mesma substância, de acordo com a variação do tipo, quantidade e distribuição do pigmento a que se deve a coloração.

alocromatia [De *al(o)-* + *-cromat(o)-* + *-ia*^{1}.] *S. f. Med.* Alocromia (1).

alocromático [De *alocromatia* + *-ico*^{2}.] *Adj. Med.* Relativo à alocromatia.

alocromia [De *al(o)-* + *-crom(o)-* + *-ia*^{1}.] *S. f.* **1.** *Med.* Doença de que resulta verem-se cores diferentes das reais, alocromatia. **2.** *Fís.* Qualquer forma de reemissão de luz em que a luz emitida tem o comprimento de onda diferente da luz absorvida.

alocrómico *Adj.* V. *alocrômico.* [Uso freq. em P.]

alocrômico [De *al(o)-* + *-crom(o)-* + *-ico*^{2}.] *Adj.* **1.** Referente à alocromia. **2.** Diz-se dos minerais cuja cor, em virtude de impureza, difere da normal.

alóctone [De *al(o)-* + *-ctone;* fr. *allochtone.*] *Adj. 2 g.* **1.** Diz-se de pessoa que não é originária do país onde habita. ~ V. *depósito — e solo —.* ● *S. m.* **2.** Pessoa alóctone (1). [Opõe-se a *autóctone.*]

alocução [Do lat. *allocutione.*] *S. f.* Discurso breve, proferido em ocasião solene: 📖 "A Academia Brasileira de Letras, de que ele [Valentim Magalhães] era um dos mais conspícuos membros, fez-se representar nesse ato [o seu enterro] pelo seu secretário Rodrigo Otávio, que proferiu sentida alocução à memória do morto" (Raimundo Correia, *Poesia Completa e Prosa,* p. 580).

alocurtose *S. f. Estat.* Característica de uma distribuição de dois atributos cujas distribuições condicionadas são assimétricas.

alodê *S. m. Bras. BA Pop.* Homem de cor escura carregada.

alodial [De *alódio* + *-al*^{1}.] *Adj. 2 g.* Diz-se da propriedade imóvel livre de foros, vínculos, pessoas e ônus. ~ V. *bens alodiais.*

alodialidade [De *alodial* + *-(i)dade.*] *S. f.* Qualidade de alodial.

alódio [Do b.-lat. *alodiu* < frâncico *alôd,* 'patrimônio livre'.] *S. m. Ant.* Bens ou propriedades com isenção de direitos senhoriais.

alodiploide (ói) [De *al(o)-* + *diploide.*] *Adj. 2 g. Biol.* Diz-se dos indivíduos com o número diploide normal de cromossomos, acrescido de um ou mais cromossomos pertencentes a outra espécie. ❖

aloé [Do lat. *aloe* (gen. *aloes,* donde a f. paral. *aloés*) < gr. *alóe;* tax. *Aloe.*] *S. m. Bot.* **1.** Gênero de plantas liliáceas que inclui cerca de 365 espécies ger. xerófilas, arbustivas ou arborescentes, de folhas suculentas, ger. denteadas, dispostas em rosetas; são cultivadas para extração de gel e fibras. **2.** Qualquer espécie desse gênero, como, p. ex., *Aloe succotrina* e *A. vera,* originárias do S. da África. [Sin., nesta acepç. (bras.): *babosa.*] **3.** Qualquer espécime desse gênero. **4.** Sumo que se extrai das folhas dessas plantas, e que contém aloína. **5.** V. *piteira*^{1} (2). [Var., nessas acepçs.: *áloe, aloés.*]

áloe *S. m.* V. *aloé.*

aloé-dos-cem-anos [De *aloé* + o pl. de *do*^{1} + *cem*^{1} + o pl. de *ano*^{1}.] *S. m. Bot.* **1.** V. *piteira*^{1} (2). [Pl.: *aloés-dos-cem-anos.*]

aloendro [De *a-*^{4} + *loendro.*] *S. m. Bot.* V. *espirradeira.*

aloenxerto (ê) [De *al(o)-* + *enxerto.*] *S. m. Med.* Enxerto que se realiza de um indivíduo para outro da mesma espécie, mas de genótipo diferente; homotransplante.

aloeocélio [Do gr. *alloîos,* 'diferente', 'de natureza distinta', + *-célio;* tax. *Alloiocoela, Alloeocoela.*] *Zool. S. m.* **1.** Espécime dos aloeocélios, ordem de animais platelmintos turbelários, providos de intestino reto ou com ramificações curtas, geralmente cilíndricas, de 1 a 4cm de comprimento. São, na maioria, marinhos, ocorrendo, porém, algumas espécies em água doce ou lugares úmidos. ● *Adj.* **2.** Pertencente ou relativo a eles.

aloerotismo [De *al(o)-* + *erotismo.*] *S. m. Psicol.* Orientação da libido para objetos externos; heteroerotismo. [Cf. *autoerotismo.*]

aloés *S. m. 2 n. Bot.* V. *aloé.*

aloético [De *áloe* (q. v.) + *-ético.*] *Adj.* **1.** Que contém áloe. **2.** Diz-se de mistura com base em áloe.

aloetina [Do tax. *Aloes* (v. *áloe*) + *-t-* + *-ina*^{3}.] *S. f.* Substância extraída do áloe, amarga e purgativa, solúvel na água e insolúvel no álcool.

alofana [De *al(o)-* + *-fana.*] *S. f. Min.* Mineral amorfo, silicato hidratado de alumínio.

alofasia [De *al(o)-* + *-fas(i)-* + *-ia*^{1}.] *S. f. Psiq.* Fala incoerente, podendo ser sinal integrante de delírio.

alofásico [De *alofasia* + *-ico*^{2}.] *Adj. Psiq.* Relativo à alofasia, ou que a tem.

alofone [De *al(o)-* + *fone*^{1}.] *S. m. E. Ling.* Cada uma das realizações de um fonema.

alofonia [De *alofone* + *-ia*^{1}.] *S. f. E. Ling.* O conjunto dos processos ou padrões alofônicos.

alofónico *Adj. E. Ling.* V. *alofônico.* [Uso freq. em P.]

alofônico [De *alofone* + *-ico*^{2}.] *Adj. E. Ling.* Relativo a alofone.

aloftalmia [De *al(o)-* + *-(o)ftalm(o)-* + *-ia*^{1}.] *S. f. Med.* Diferença entre os dois olhos, por via de regra na cor.

aloftálmico [De *aloftalmia* + *-ico*^{2}.] *Adj. Med.* Relativo à aloftalmia.

alogamia [De *al(o)-* + *-gam(o)-* + *-ia*^{1}.] *S. f.* **1.** *Biol.* Tipo de reprodução sexuada que envolve a fertilização do óvulo de um indivíduo pelo espermatozoide de outro. **2.** *Bot.* Fecundação de uma flor pelo pólen de outra. [Sin. ger.: *fecundação cruzada.* Opõe-se a *autogamia.*]

alogâmico [De *alogamia* + *-ico*^{2}.] *Adj. Biol. Bot.* Relativo a, ou que se reproduz por alogamia; alógamo. [Opõe-se a *autogâmico.*]

alógamo [De *al(o)-* + *-gamo*.] ***Adj. Biol. Bot.*** Alogâmico. [Opõe-se a *autógamo*.]

alogénico ***Adj. Imun.*** V. *alogênico*. [Uso freq. em P.]

alogênico [De *al(o)-* + *-gen(o)-* + *-ico*[2].] ***Adj. Imun.*** Diz-se de indivíduo que, sendo da mesma espécie que outro, dele é, contudo, distinto, na capacidade antigênica. ~ V. *transplante —*.

alógeno [Do gr. *allogenés*.] ***S. m. Biol.*** Originário de outra espécie ou raça.

alogia[1] [Do gr. *alogía*.] ***S. f.*** Absurdo, disparate, contrassenso.

alogia[2] [De *a-*[3] + *-logia*.] ***S. f. Neur.*** Incapacidade de falar devido a lesão do sistema nervoso central.

alogiano ***S. m. Rel.*** Membro da seita dos alogianos, heréticos que negavam a autenticidade do Evangelho e do Apocalipse de S. João, e recusavam a Cristo a qualidade de verbo eterno; alogo.

alógico[1] [De *alogia*[1] + *-ico*[2].] ***Adj.*** **1.** Que dispensa demonstração ou prova para se ver que é certo; que é evidente. **2.** *Filos.* Diz-se do pensamento que é privado de determinações lógicas e, assim, situado a igual distância do lógico (q. v.) e ilógico (q. v.). [Cf., nesta acepç.: *antilógico* (2).] • ***S. m.*** **3.** O que é alógico: "a arte é uma ficção individual, ... é uma luta incessante como o imperceptível, o alógico e o indizível." (Fidelino de Figueiredo, *Últimas Aventuras*, p. 214).

alógico[2] [De *alogia*[2] + *-ico*[2].] ***Adj. Neur.*** Relativo a alogia[2], ou que a tem.

alogismo [De *alógico*[1] + *-ismo*, seg. o padrão grego.] ***S. m.*** *Filos.* Pensamento alógico.

alogo ***S. m.*** Alogiano.

alogonia [De *al(o)-* + *-gon(o)-*[2] + *-ia*[1].] ***S. f. Biol.*** Maturação sexual dos órgãos reprodutores dos organismos hermafroditas em períodos distintos, de modo a impedir a autofecundação.

alogônico [De *alogonia* + *-ico*[2].] ***Adj. Biol.*** De, ou relativo à alogonia.

alografe [Do fr. *allographe* < fr. *allo-* (= *al(o)-*) + fr. *graphe* (< fr. *graphème*).] ***S. m. Graf.*** Alógrafo.

alógrafo [De *al(o)-* + *-grafo*.] ***S. m. Graf.*** Cada uma das variantes de um grafema; alografe.

aloidídeo [Do gr. *alloeidés*, 'de aspecto diferente', + *-ideo*[1].] *Zool.* ***S. m.*** **1.** Espécime dos aloidídeos, família de moluscos pelecípodes muito comuns nos sambaquis do S. do Brasil. • ***Adj.*** **2.** Pertencente ou relativo a eles. [V. *baiquiqui*.]

aloilado [De or. obsc.] ***Adj. Lus.*** Amalucado, adoidado.

aloína [Do tax. *Alo(es)* (v. *áloe*) + *-ina*[3].] ***S. f. Quím.*** **1.** Mistura complexa de substâncias ativas obtidas das folhas do áloe, usada como aperiente e purgativo. **2.** Substância cristalina, amarelo-esverdeada, amarga, glicosídeo existente no áloe [fórm.: $C_{21}H_{22}O_9$].

aloinado (o-i) ***Adj.*** Semelhante ao áloe.

aloirado [De *a-*[2] + *loiro*[3] + *-ado*[1].] ***Adj.*** V. *alourado*.

aloirar [De *a-*[2] + *loiro*[3] + *-ar*[2].] ***V. t. d. Int. P.*** V. *alourar*: "— Já vai aloirando o porquinho, irmão Egídio! A pele já tosta, meu santo!" (Eça de Queirós, *Contos*, p. 147.)

aloisar [De *a-*[2] + *loisa* + *-ar*[2].] ***V. t. d.*** V. *alousar*.

aloite [De *loita*.] ***S. m.*** *Bras. SP C. Pop.* Lida, esforço, luta. [Cf. *loita* e *luita*.]

alojá ***S. m.*** *Bras. Rel.* V. *alujá*.

alojação [De *alojar*[1] + *-ção*.] ***S. f.*** Alojamento (1).

alojamento [De *alojar*[1] + *-mento*.] ***S. m.*** **1.** Ação ou efeito de alojar[1](-se); alojação. **2.** *Ant.* Estalagem, hospedaria. **3.** Aboletamento; quartel.

alojar[1] [De *a-*[2] + *loja* + *-ar*[2].] ***V. t. d.*** **1.** Recolher ou acomodar em loja. **2.** Aboletar; aquartelar: *Alojou as tropas invasoras.* ***T. d. e c.*** **3.** Hospedar, agasalhar: *Alojou todos em sua casa.* **4.** Armazenar, depositar. ***T. c. P.*** **5.** Hospedar-se, agasalhar-se: *Alojaram em casa de parentes;* "Gararoba alojou-se numa casa próxima à estrebaria." (A. S. de Mendonça Júnior, *O Anel de Brilhante e Outras Histórias*, p. 27). **6.** Acampar; pousar: *Alojaram na beira do rio; A tropa alojou-se nos arredores da cidade.* [Pres. ind.: *alojo*, etc. Cf. *alojo* (ô).]

alojar[2] [De *anojar*, poss.] ***V. t. d. Int.*** *Bras. MG* V. *vomitar* (1 e 11). [Pres. ind.: *alojo*, etc. Cf. *alojo* (ô).]

alojo (ô) [Dev. de *alojar*[2].] ***S. m.*** *Bras. MG* V. *vômito*. [Pl.: *alojos* (ô). Cf. *alojo*, do v. *alojar*.]

alolalia [De *al(o)-* + *-lal(o)-* + *-ia*[1].] ***S. f. Neur.*** Qualquer distúrbio da fala devido a lesão do sistema nervoso central.

alombado [Part. de *alombar*[1].] ***Adj.*** **1.** Arqueado, abaulado, curvado. **2.** Indisposto para o trabalho; derreado, alquebrado. **3.** *Bras.* Preguiçoso, indolente.

alombamento [De *alombar*[1] + *-mento*.] ***S. m.*** Ação ou efeito de alombar[1].

alombar[1] [De *a-*[2] + *lombo* + *-ar*[2].] ***V. t. d.*** **1.** Tornar curvo como o lombo; arquear. **2.** Derrear com pancadas no lombo.

alombar[2] [De *a-*[2] + *lombada* + *-ar*[2], com síncope.] ***V. t. d.*** *Encad.* Pôr lombada em (livro); enlombar, endorsar.

alometria [De *al(o)-* + *-metria*.] ***S. f. Med.*** Mensuração do crescimento relativo de uma parte em relação ao organismo por inteiro, ou a um padrão.

alométrico [De *alometria* + *-ico*[2].] ***Adj. Med.*** Relativo a alometria, ou que se realiza mediante ela.

alomónio ***S. m. Quím.*** V. *alomônio*. [Uso freq. em P.]

alomônio [De *al(o)-* + *hor(mônio)*; ingl. *allomone*.] ***S. m.*** *Quím.* Substância aleloquímica cuja ação beneficia somente o organismo emissor.

alomorfe [De *al(o)-* + *morfe*.] ***S. m. E. Ling.*** Cada uma das variantes de um morfema.

alomorfia[1] [De *al(o)-* + *-morf(o)-* + *-ia*[1].] ***S. f.*** Passagem de uma forma para outra, diferente; metamorfose.

alomorfia[2] [De *alomorfe* + *-ia*[1].] ***S. f. E. Ling.*** O conjunto de processos ou padrões alomórficos.

alomórfico[1] [De *alomorfia*[1] + *-ico*[2].] ***Adj.*** **1.** Relativo a alomorfia[1]. **2.** Que tem forma diferente.

alomórfico[2] [De *alomorfe* + *-ico*[2].] ***Adj. E. Ling.*** Relativo a alomorfe.

alonga [Dev. de *alongar*.] ***S. f.*** Tubo fusiforme, de vidro, que se adapta aos condensadores e balões de destilação, nos laboratórios químicos.

alongado [Part. de *alongar*.] ***Adj.*** **1.** Que se tornou longo; comprido. **2.** Afastado, distante, longínquo: "Assim andou, por alongados climas" (Machado de Assis, *Poesias*, p. 254). **3.** *Bras.* Diz-se do animal doméstico que foge para o mato e não volta.

alongador (ô) [De *alongar* + *-dor*.] ***Adj. S. m.*** Que, ou aquele ou aquilo que alonga.

alongamento [De *alongar* + *-mento*.] ***S. m.*** **1.** Ato ou efeito de alongar(-se). **2.** Extensão no comprimento. **3.** Afastamento, apartamento. **4.** Demora, tardança. **5.** Alongue. **6.** *Esport.* Modalidade de exercício físico cujo objetivo é alongar o músculo, afastando-o da origem da sua inserção.

alongar [De *a-*[2] + *longo* + *-ar*[2].] ***V. t. d.*** **1.** Tornar longo, ou mais longo; estender, encompridar: *alongar o vestido; alongar um prazo.* **2.** Estender, estirar: *Alongou o braço para alcançar o livro.* **3.** *P. ext.* Realizar alongamento (6) em: *Antes de praticar um esporte é bom alongar os membros.* ***T. d. e c.*** **4.** Dirigir para longe; estender: *Alongou a vista para o navio que partia;* "Triste, o olhar por céus em fora / Uma druidisa alonga" (Olavo Bilac, *Poesias*, p. 235). **5.** Pôr distante; afastar, apartar: *Não queria alongar de si o filho.* ***P.*** **6.** Tornar-se longo, ou mais longo; prolongar-se: "Não enxergara as claridades que se alongavam e encurtavam" (Graciliano Ramos, *Infância*, p. 56). **7.** Afastar-se, apartar-se: *Há meses que se alongou de sua terra.* **8.** Estender-se, estirar-se: *Uma enorme cobra alongava-se na estrada; A conversação alongou-se pela madrugada.* [Conjug.: v. *largar*.]

alonginquar [De *a-*[2] + *longínquo* + *-ar*[2].] ***V. t. d. P.*** Afastar(-se); distanciar(-se), apartar(-se): "ó praias do país que alongínqua, à medida que se apropínqua o turbulento país do carvão" (Adelino Magalhães, *Obras Completas*, I, p. 623). [Conjug.: v. *averiguar*.]

alongue [Dev. de *alongar*.] ***S. m.*** Papel que se cola a uma letra de câmbio à qual falta espaço para endossos, e que lhe serve de suplemento; alongamento.

alónimo ***Adj. S. m.*** V. *alônimo*. [Uso freq. em P.]

alônimo [De *al(o)-* + *-ônimo*.] ***Adj.*** **1.** Publicado sob o nome de outrem. • ***S. m.*** **2.** Autor que usa nome diverso do seu. **3.** Aquele que se serve do nome de outrem. **4.** Obra publicada sob o nome de outrem. **5.** V. *pseudônimo* (1).

alonjar-se [De *a-*[2] + *longe* + *-ar*[2] + *se*[1].] ***V. p.*** Afastar-se, alongar-se: "os olhos do meu rosto viam a consolação da graça de Maria Puríssima que se alonjava..." (Simões Lopes Neto, *Contos Gauchescos e Lendas do Sul*, p. 305).

alopata [Var. pros. de *alópata*.] ***S. 2 g. Med.*** Médico que exerce a alopatia.

alópata [De *al(o)-* + *-pata* (q. v.).] ***S. 2 g. Med.*** Alopata (q. v.).

alopatia [De *al(o)-* + *-patia*; al. *Allopathie*, t. forjado pelo modelo de *homeopatia* (q. v.).] ***S. f.*** Sistema terapêutico que consiste em tratar as doenças por meios contrários a elas, procurando conhecer suas causas e combatê-las. [Termo introduzido por Hahnemann (v. *homeopatia*) em cerca de 1850, com referência a qualquer outro método de cura que não o homeopático, e que, posteriormente, passou a abranger quaisquer outras práticas da medicina exercidas por médicos graduados em escolas não homeopáticas. Cf. *homeopatia* (1) e *isopatia*.]

alopático [De *alopatia* + *-ico*[2].] ***Adj. Biol.*** Relativo ou pertencente à alopatia. [Cf. *homeopático* (1).]

alopatria [De *al(o)-* + gr. *pátra*, 'pátria', 'lugar de origem', + *-ia*[1].] ***S. f. Biol.*** Impossibilidade de ocorrência simultânea, numa mesma área geográfica, de certas espécies ou populações, por umas excluírem as outras.

alopátrico [De *alopatria* + *-ico*[2].] ***Adj. Biol.*** Relativo à alopatria. ~ V. *especiação —a*.

alopecia [Do gr. *alopekía*.] ***S. f. Med.*** Ausência, congênita ou não, dos cabelos ou dos pelos do corpo; atricose, atriquia, falacrose, peladura (pop.). [F. paral., e f. mais us.: *alopécia*.]

alopécia [Do gr. *alopekía*, pelo lat. *alopecia*.] ***S. f. Med.*** V. *alopecia*.

alopécico [De *alopecia* + *-ico*[2].] ***Adj.*** **1.** Relativo à alopecia, ou que a tem. • ***S. m.*** **2.** Aquele que tem alopecia.

alópia ***S. f.*** Concha fina e mais ou menos rugosa.

aloploide (ói) [De *al(o)-* + *-ploide*.] ***Adj. 2 g.*** *Citol. Genét.* Diz-se de organismo ou célula em que os diferentes conjuntos cromossômicos provêm de espécies ou linhagens diferentes. ❖

aloploidia [De *aloploide* + *-ia*[1].] ***S. f.*** *Citol. Genét.* Fenômeno relativo a célula ou organismo aloploide.

alopoliploide (ói) [De *al(o)-* + *poliploide*.] ***Adj. 2 g.*** *Citol. Genét.* Diz-se de célula, ou de organismo poliploide que se formou pela fusão de duas células, com guarnições cromossômicas distintas. [Opõe-se a *autopoliploide*.] ❖

alopoliploidia [De *alopoliploide.* + *-ia*[1].] ***S. f.*** *Citol. Genét.* Condição de célula ou de organismo alopoliploide.

alopração [De *aloprar* + *-ção*.] ***S. f.*** *Bras. Gír.* Qualidade, estado ou modos de aloprado.

aloprado ***Adj.*** *Bras. Gír.* **1.** Muito inquieto, muito agitado. **2.** *Bras. Gír.* V. *amalucado* (1).

alopramento [De *aloprar* + *-mento*.] ***S. m.*** *Bras. Gír.* **1.** Ato ou efeito de aloprar (1 e 2). **2.** Agitação ou correria ao fazer algo.

aloprar ***V. int.*** *Bras. Gír.* **1.** Tornar-se inquieto, agitado, aloprado. **2.** V. *amalucar* (2).

alóptero [De *al(o)-* + *-ptero*.] ***Adj. Zool.*** Diz-se dos peixes cujas nadadeiras não têm posição fixa.

alopurinol [Voc. farmac.] ***S. m. Quím.*** Substância cristalina, heterocíclica, hidroxilada, us. como medicamento anti-inflamatório [fórm.: $C_5H_4N_4O$]. [Pl.: *alopurinóis*.]

aloquestesia [Do ingl. *allochestesia*, var. de *allachestesia* (v. *alaquestesia*).] ***S. f. Neur.*** Sensação táctil percebida em local distante do ponto em que se deu a estimulação; alestesia, alaquestesia.

aloquete (ê) [De *a-*[4] + *loquete*.] ***S. m.*** V. *loquete*.

aloquiria [De *al(o)-* + *-quir(o)-* + *-ia*[1].] ***S. f. Neur.*** Fenômeno em que, sendo um ponto de um membro estimulado por objeto pontiagudo, a sensação é percebida no ponto equivalente do membro contralateral.

alor [Do fr. *allure*.] ***S. m.*** **1.** Estímulo, incitamento. **2.** Ímpeto, impulso: "Mas também nos é impossível calar impulsos profundos do nosso alor vital" (Fidelino de Figueiredo, *Música e Pensamento*, p. 130). **3.** Movimento, marcha: "eram vultos afilados, ..., movendo-se ...., em alor sereno, como se subissem em ascensão de fumo" (Coelho Neto, *Rei Negro*, pp. 266-267).

alorritmia [De *al(o)-* + *ritmo* + *-ia*[1].] ***S. f. Med.*** Disritmia cardíaca, ou do pulso, sempre no sentido de irregularidade, e que se repete de modo uniforme.

alorrítmico [De *alorritmia* + *-ico*[2].] ***Adj. Med.*** Relativo a alorritmia.

alose [De *al(o)-* + *-ose*[2].] ***S. f. Quím.*** Uma das aldoexoses, epímero da altrose [fórm.: $C_6H_{12}O_6$].

alosna [Do lat. *aloxina*, poss. pelo esp. *alosna*.] ***S. f. Bot.*** V. *absinto* (1).

alósporo [De *al(o)-* + *-sporo*.] ***S. m. Bot.*** Esporo que dá origem ao gametófito.

alossauro [De *al(o)-* + *-sauro*; tax. *Allosaurus*.] ***S. m.*** *Paleont.* **1.** Gênero de dinossauros carnívoros que habitaram a América do Norte no final do jurássico; tinham cerca de 12m de comprimento, 1,5t de peso, grandes dentes recurvos e serrilhados, e locomoviam-se em posição bipedal. **2.** Espécie, ou espécime desse gênero.

alosteria [De *al(o)-* + *-(e)ster(e)(o)-* + *-ia*[1].] ***S. f. Bioquím.*** Efeito inibidor sobre a reatividade de uma enzima com outra molécula, exercido por uma outra molécula, não sendo esta substrato.

alostérico [De *alosteria* + *-ico*[2].] ***Adj. Bioquím.*** ~ V. *efeito —* e *enzima —a*.

alotador (ô) [De *alotar* (2) + *-dor*.] ***S. m.*** *Bras.* Cavalo garanhão ao qual compete padrear um lote de éguas.

alotar [De *a-*[2] + *lote* + *-ar*[2].] ***V. t. d.*** **1.** Pôr em lotes: "Ocasiões havia de grande movimento: quando aqueles mesmos homens da capatazia vinham alotar fardos de algodão no grande armazém" (Moreira Campos, *Portas Fechadas*, p. 245). **2.** *Bras.* Velar para que não se tresmalhem (as éguas que formam um lote, a cargo de um garanhão). **3.** *Bras.* Juntar e acostumar (reses em manada).

alotetraploide (ói) [De *al(o)-* + *-tetr(a)-* + *-ploide*.] ***Adj. 2 g.*** *Citol. Genét.* Diz-se de célula ou de organismo alopoliploide que se origina de duas espécies diploides parentais e cujo complemento cromossômico comporta duas repetições de cada um dos complementos haploides. ❖

alotetraploidia [De *alotetraploide* + *-ia*[1].] *S. f. Citol. Genét.* Condição de célula ou de organismo alotetraploide.

alotígeno [Do gr. *állothi*, 'noutro lugar', + *-geno*.] *Adj.* Detrítico.

alotipia [De *al(o)-* + *-tip(o)-* + *-ia*[1].] *S. f. Citol. Genét.* V. *meiose*.

alotípico [De *alotipia* + *-ico*[2].] *Adj. Citol. Genét.* V. *meiótico*.

alótipo [De *al(o)-* + *-tipo*.] *S. m. Biol.* Indivíduo de sexo oposto ao que originalmente serviu para descrever uma espécie, e cujas características servem para suplementar essa descrição.

alotransplante [De *al(o)-* + *transplante*.] *S. m. Imun. Cir.* Transplante de órgão(s) de um indivíduo para outro da mesma espécie, porém genotipicamente diferente do doador (2).

▲ **alotri(o)-** [Do gr. *allótrios, a, on*.] ***El. comp.*** = 'estranho', 'anormal': *alotriosmia, alotriomórfico*.

alotriofagia [De *alotri(o)-* + *-fag(o)-* + *-ia*[1].] *S. f. Psiq.* Impulso patológico para alimentar-se de substâncias estranhas ou antinaturais.

alotriógnato [De *alotri(o)-* + *-gnato*; tax. *Allotriognathi*.] *S. m. Adj. Zool.* V. *lampridiforme*.

alotriomórfico (lò) [De *alotri(o)-* + *-morf(o)-* + *-ico*[2].] *Adj.* Xenomórfico.

alotriosmia (lò) [De *alotri(o)-* + *-osm(o)-*[1] + *-ia*[1].] *S. f. Patol.* Condição em que os odores são interpretados de modo incorreto.

alotriósmico (lò) [De *alotriosmia* + *-ico*[2].] *Adj. Patol.* Relativo a alotriosmia.

alotropia [De *alótropo* + *-ia*[1].] *S. f. Fís.-Quím.* Fenômeno que consiste em poder um elemento químico cristalizar em mais de um sistema cristalino e ter, por isso, diferentes propriedades físicas. [O carbono exibe alotropia.]

alotrópico [De *alotropia* + *-ico*[2].] *Adj. Fís.-Quím.* Referente a, ou em que há alotropia.

alótropo [Do gr. *allótropos*.] *Adj.* **1.** *Bot.* Diz-se das flores que apresentam o pólen e o néctar a descoberto, *i. e.*, ao alcance de qualquer inseto. **2.** *Zool.* Diz-se dos insetos visitantes de flores, cujo corpo não demonstra conformação especial em consonância com a morfologia floral, porque também se alimentam alhures. ● *S. m.* **3.** *Fís.-Quím.* Qualquer das formas alotrópicas dum elemento. [Diamante e grafita são alótropos do carbono.] **4.** *E. Ling.* Cada um dos vocábulos que têm a mesma origem que outro da mesma língua: *delicado e delgado; mancha, malha e mágoa*.

aloucado [De *a-*[2] + *louco* + *-ado*[1].] *Adj.* **1.** Que tende para a loucura; adoidado, amalucado: "Ria-se, ria-se, aloucada e linda." (Alberto de Oliveira, *Poesias*, 4.ª série, p. 155.) **2.** Insensato, temerário. [Cf. *alocado*.]

aloucamento [De *aloucar* + *-mento*.] *S. m.* Ato ou efeito de aloucar(-se).

aloucar [De *a-*[2] + *louco*[2] + *-ar*[2].] *V. t. d.* **1.** V. *enlouquecer*. *P.* **2.** V. *enlouquecer*. **3.** V. *amalucar(-se)*. [Conjug.: v. *trancar*. Cf. *alocar*.]

alourado [De *a-*[2] + *louro*[3] + *-ado*[1].] *Adj.* Tirante a louro[3] (1): "surpreendeu-a Teresinha, a rapariga branca e alourada" (Domingos Olímpio, *Luzia-Homem*, p. 17); "os cabelos alourados das axilas que roçavam sua pele provocavam arrepios súbitos" (José Condé, *Como uma Tarde em Dezembro*, p. 209). [F. paral.: *aloirado*.]

alourar [De *a-*[2] + *louro*[3] + *-ar*[2].] *V. t. d.* **1.** Tornar louro, ou aproximadamente louro; enlourecer: *alourar os cabelos*. *Int.* **2.** Dourar-se ao fogo (o assado): *O peru já está alourando*. **3.** Mostrar-se na sua cor ou tonalidade loura: "Os roçados de milho alouravam ao sol." (Gustavo Barroso, *Terra de Sol*, p. 186.) *P.* **4.** Tornar-se louro. [F. paral.: *aloirar*. Sin. ger.: *enlourar*.]

alousar [De *a-*[2] + *lousa* + *-ar*[2].] *V. t. d.* Cobrir com lousa. [Var.: *aloisar*.]

aloxana (cs) [De *al(antoína)* + *ox(álico)* + *-ana*[2].] *S. f. Quím.* Substância cristalina, incolor, que se prepara por oxidação do ácido úrico [fórm.: $C_4H_2N_2O_4$].

alpaca[1] [Do quíchua *paco*, 'vermelho'; o *al-* é analógico.] *S. f.* **1.** *Zool.* Mamífero camelídeo (*Lama pacos*) menor que a lhama, de pescoço muito longo, cabeça pequena, orelhas curtas não encurvadas para dentro. A pelagem do corpo é lanosa, longa, de coloração muito variável, mais comumente chocolate-escura, quase negra. É frequente no Peru e na Bolívia, em domesticidade. A forma selvagem já se acha extinta. [V. *lama*[3] (2).] **2.** A lã desse animal. **3.** *Tec. Têx.* Tecido leve feito dessa lã, muito us. outrora para a confecção de casacos, por ter o brilho das sedas mais pesadas. **4.** *Tec. Têx.* Tecido pouco espesso, de algodão ou viscose, us. para forros de roupas.

alpaca[2] *S. f.* Liga metálica de cobre, zinco, níquel e prata; metal-branco.

alparca *S. f.* V. *alpercata*: "Nas alparcas dos pés, enfim de tudo, / Cobrem ouro e aljôfar ao veludo." (Luís de Camões, *Os Lusíadas*, II, 95.)

alparcata *S. f.* V. *alpercata*: "Objetos de couro, desde os magníficos chapéus de custosa fabricação até os arreios de animais, as alparcatas, estas últimas pioneiras da indústria de calçados populares" (Sousa Barros, *Cercas Sertanejas*, p. 24).

alparcateiro [De *alparcata* + *-eiro*.] *S. m.* V. *alpercateiro*.

alpargata *S. f.* V. *alpercata*.

alpargataria [De *alpargata* + *-aria*.] *S. f.* Oficina ou loja de alpargatas.

alpargateiro [De *alpargata* + *-eiro*.] *S. m.* V. *alpercateiro*.

alparqueiro [De *alparca* + *-eiro*.] *S. m.* V. *alpercateiro*.

alpece [Var. de *alperce*.] *S. m. Bot.* V. *damasco* (1).

alpedo (ê) *Adv. Bras. RS* À toa; em vão; debalde, embalde.

alpendrada [De *alpendre* + *-ada*[1].] *S. f.* Grande alpendre, apoiado em esteios ou colunas, aberto aos quatro ventos ou protegido por alguma parede, destinado, em geral, a abrigar colheitas, máquinas, implementos agrícolas, animais, etc.; alpendrado: "O sertanejo modorrava na tipoia à sombra da alpendrada." (Gustavo Barroso, *Terra de Sol*, p. 186.)

alpendrado[1] [De *alpendre* + *-ado*[1].] *Adj.* Que tem forma de alpendre.

alpendrado[2] [Part. de *alpendrar*.] *Adj.* Que tem alpendre; coberto com alpendre.

alpendrado[3] *S. m.* Alpendrada.

alpendrar [De *alpendre* + *-ar*[2].] *V. t. d.* Cobrir com alpendre (1).

alpendre *S. m.* **1.** Cobertura saliente, de uma só água, independentemente do telhado, situada em geral à entrada de um prédio, e que se apoia, de um lado, na parede deste, e de outro, em esteios, pilares ou colunas; telheiro. **2.** *P. ext.* Espaço coberto, reentrante, e aberto na fachada de uma casa, que dá acesso ao interior. **3.** *Bras.* V. *varanda* (6).

alpense [Do lat. *alpense*.] *Adj. 2 g.* V. *alpino* (1).

alpercata [Do ár. *al-balga(t)* ou *al-bulga(t)*, 'chinela', 'babucha'.] *S. f.* Sandália sem salto que se prende ao pé por tiras de couro ou de pano; loré: "adiantou-se arrastando as alpercatas" (Coelho Neto, *Banzo*, p. 45). [Var. e f. paral.: *albarca, alparca, alparcata, alpargata, alpergata, apragata, paragata, pracata, pargata, pragata*.]

alpercateiro [De *alpercata* + *-eiro*.] *S. m.* Fabricante e/ou vendedor de alpercatas; alparcateiro, alpargateiro, alparqueiro.

alpercatense *Adj. 2 g.* **1.** De, ou pertencente ou relativo a Alpercata (MG). ● *S. 2 g.* **2.** O natural ou habitante de Alpercata.

alperce [Do esp. *albérchigo*, poss., ou do cat., fr., e it. *alberge*.] *S. m. Bot.* V. *damasco* (1).

alperceiro [De *alperce* + *-eiro*.] *S. m. Bot.* **1.** V. *abricoteiro* (1). **2.** V. *damasqueiro*.

alperche [Do mesmo étimo que *alperce*.] *S. m. Bot.* V. *damasco* (1).

alpercheiro [De *alperche* + *-eiro*.] *S. m. Bot.* **1.** V. *abricoteiro* (1). **2.** V. *damasqueiro*.

alpergata *S. f.* V. *alpercata*.

alpestre [Do it. *alpestre*.] *Adj. 2 g.* **1.** V. *alpino* (1). **2.** Semelhante aos Alpes; alpino: "Do cimo da montanha alcança-se um horizonte vastíssimo, ... e, ao longo dela, um panorama alpestre, nada semelhante aos quadros tropicais, desdobra-se a nossos olhos." (Ciro dos Anjos, *Abdias*, p. 49.) **3.** Pedregoso, fragoso, alcantilado, alpino. **4.** Das montanhas; montês, alpino: *aroma alpestre*. **5.** Rude, rústico, montês. **6.** Diz-se das plantas e dos animais que vivem em qualquer montanha de cerca de 1.000m de altitude. [Cf., nesta acepç., *alpino* (3).]

alpestrense *Adj. 2 g.* **1.** De, ou pertencente ou relativo a Alpestre (RS). ● *S. 2 g.* **2.** O natural ou habitante de Alpestre.

álpico [Do lat. *alpicu*.] *Adj.* V. *alpino* (1).

alpícola [Do top. *Alpes* (Europa) + *-i-* + *-cola*[1].] *Adj. 2 g. S. 2 g.* Que, ou quem vive nos Alpes.

alpínia [Do lat. *Alpinia* (do antr. [*Prospero*] *Alpini* [1553-1617], naturalista italiano, lat. cient. *-ia*).] *S. f. Bot.* **1.** Gênero de zingiberáceas nativas de regiões temperadas da Ásia, dotadas de rizomas aromáticos que lembram o gengibre, e cultivadas como medicinais e como ornamentais. **2.** Qualquer espécie desse gênero como, p. ex., a *Alpinia officinarum* ou *A. galanga* (v. *galanga*). **3.** Qualquer espécime desse gênero.

alpinismo [Do fr. *alpinisme*.] *S. m.* Montanhismo.

alpinista [Do fr. *alpiniste* ou do it. *alpinista*.] *Adj. 2 g. S. 2 g.* Montanhista.

alpino [Do lat. *alpinu*.] *Adj.* **1.** Pertencente ou relativo aos Alpes, sistema montanhoso da Europa ocidental e meridional; alpestre, álpico, alpense: *os cumes alpinos; um chalé alpino*. **2.** V. *alpestre* (2 a 4). **3.** Diz-se da planta ou do animal que nasce ou cresce nas altas montanhas, a mais de 1.000m de altitude. [Cf., nesta acepç., *alpestre* (6).] **4.** Diz-se do soldado ou da unidade militar especializada na luta ou guerra nos Alpes ou nas altas montanhas: *caçador alpino; tropas alpinas*. ● *S. m.* **5.** O natural ou habitante dos Alpes. **6.** Soldado ou corpo militar alpino.

alpinopolense *Adj. 2 g.* **1.** De, ou pertencente ou relativo a Alpinópolis (MG). ● *S. 2 g.* **2.** O natural ou habitante de Alpinópolis.

alpista *S. f. Bot.* V. *alpiste*.

alpiste [Do esp. *alpiste*.] *S. m. Bot.* **1.** Erva poácea (*Phalaris canariensis*) de folhas lineares, e lanceoladas, flores paniculadas, espiciformes; é subespontânea em várias partes do mundo, sendo cultivada pelos grãos. **2.** O grão dessa planta, us. na alimentação de pássaros. [Sin., nessas acepçs.: *milho-alpista, milho-alpiste*.] **3.** *Bras. Gír.* V. *cachaça* (1). [Var.: *alpista*.]

alpoldras [De or. controv.] *S. f. pl.* Pedras que se estendem sobre um curso de água rasa para permitir que alguém o transponha sem molhar os pés; alpondras: "Ah, mas a que alturas ia ele no ofício divino? Para lá das completas, Santo Nome de Jesus, tendo passado matinas e vésperas insensivelmente, como sonâmbulo às alpoldras dum rio." (Aquilino Ribeiro, *Andam Faunos pelos Bosques*, p. 274.)

alpondras *S. f. pl.* Pedras que atravessam um rio ou um ribeiro de uma para outra margem; passadeira: "Quando chegamos ao sítio em que o Mondego engrossa com a água que desce do rio velho, ainda espumante e batida das alpondras dum açude, fomos obrigados a parar" (Alberto Braga, *Novos Contos*, p. 170). [F. aferética (sing.): *pondra*.]

alporama [Do fr. *alporama*.] *S. m.* Vista ou panorama dos Alpes em quadro.

alporca *S. f.* **1.** *Pop.* Escrófula (3). **2.** *Agr.* V. *alporque*.

alporcar [De *alporque* + *-ar*[2].] *V. t. d. Agr.* Fazer alporque em: "Afora um bocado de breviário, não lê senão um repertório para estar ao fato das luas e saber quando convém alporcar as pereiras e semear os pepinos." (Ramalho Ortigão, *As Farpas*, II, p. 86.) [Conjug.: v. *trancar*.]

alporque *S. m. Agr.* Mergulhia. [Var.: *alporca*.]

alporquento [De *alporca* + *-ento*.] *Adj.* Que tem alporca (1); escrofuloso.

alprive [Da mesma or. incerta que o port. ant. *alipivre*, 'semente da erva-abelha'.] *S. m. Lus. Bot.* V. *abelheira* (3).

alquazil *S. m.* V. *aguazil*.

alquebrado [Do esp. *aliquebrado*, 'de asas quebradas, partidas'.] *Adj.* **1.** Enfraquecido, fraco, abatido, prostrado. **2.** *Mar.* Que se alquebrou [v. *alquebrar* (4)].

alquebramento [De *alquebrar* + *-mento*.] *S. m.* **1.** Ato ou efeito de alquebrar. **2.** Esgotamento de forças; abatimento. **3.** *Constr. Nav.* Curvatura que toma a quilha das embarcações sujeitas a esforços excessivos ou continuados, e na qual as extremidades ficam mais baixas que a parte central.

alquebrar [Voc. deduz. de *alquebrado* (q. v.).] *V. t. d.* **1.** Curvar, dobrar: *O peso da pasta fazia-o alquebrar o ombro*. **2.** Prostrar, derrear: *A enfermidade alquebrou-o*. *Int.* **3.** Curvar da espinha, por fraqueza, doença, etc.: *O viúvo, inconsolável, alquebrou em poucas semanas*. **4.** *Mar.* Adquirir (a embarcação) alquebramento.

alqueirado [Part. de *alqueirar*.] *Adj.* Medido em alqueires.

alqueiramento [De *alqueirar* + *-mento*.] *S. m.* Ato de alqueirar.

alqueirão [De *alqueire* + *-ão*[1].] *S. m.* **1.** Alqueire grande. **2.** *Prov. port.* Um alqueire de trigo. [Sin., lus.: *rasão*.]

alqueirar [De *alqueire* + *-ar*[2].] *V. t. d.* Medir aos alqueires.

alqueire [Do ár. *al-kayl*, 'medida (de cereais)'.] *S. m.* **1.** Antiga unidade de medida de capacidade para secos, equivalente a quatro quartas [v. *quarta*[1] (2)], ou seja, 36, 27 litros. **2.** *Bras.* Unidade de medida de superfície agrária equivalente em MG, RJ e GO a 10.000 braças quadradas (4, 84 hectares), e em SP a 5.000 braças quadradas (2, 42 hectares): "Servir de espoleta a um sujeito mau como Seu Juca, de coração duro como pedra .... dono de muitos alqueires de terra, esquecido de que, para o descanso daqueles ossos velhos, eram suficientes sete palmos dela, nada mais, nada menos!" (Nélson de Faria, *Tiziu e Outras Estórias*, p. 133.) **3.** Área de terreno cujo plantio comporta um alqueire (1) de semeadura. **4.** Recipiente com capacidade de um alqueire (1), us. para medição de quantidade de grãos de cereais: "passante já de duas horas de espera, surgiu o comerciante com escassa ração de milho no fundo de um alqueire" (João da Silva Correia, *Farândola*, p. 50). ◆ **Alqueire do Norte.** *Bras.* Medida de superfície, equivalente a 27.225m^2. **Alqueire do Pará.** *Bras.* Medida de capacidade destinada a medir a farinha-d'água, e correspondente a dois paneiros, ou cerca de 30 quilos.

alqueirinho [De *alqueire* + *-inho*[1].] *S. m. Ant.* Medida de capacidade, equivalente a 9/16 do alqueire.

alqueivado [Part. de *alqueivar*.] *Adj.* Lavrado e deixado de pousio (diz-se de terreno, terra, etc.).

alqueivar [De *alqueive* + *-ar*[2], poss.] *V. t. d.* Lavrar (a terra) e deixá-la de pousio para que adquira força produtiva.

alqueive [Do ár. e *al-qalīb*, 'ação de lavrar a terra', poss.] *S. m.* **1.** Ato de alqueivar. **2.** Terreno alqueivado: "pelos terrenos sáfaros, enxutos, / Dos alqueives das lavras e das leivas. / Enloireçam searas rutilando!" (Martins Fontes, *Verão*, p. 59). **3.** Estado da terra alqueivada.

alqueno [Do al. *Alk(yl)*, 'alquila', + *-eno*[2].] *S. m. Quím.* V. *alceno*.

alquequenje [Do ár. *al-kākanğ*.] *S. m. Bot.* Erva solanácea (*Physalis alkekenji*) racemosa, pilosa, com folhas viscosas, pequenas flores alvas ou amarelas, e fruto bacáceo comestível cujo cálice, vermelho, é tóxico; tem uso medicinal. [Var.: *alquequenque*.]

alquequenje-amarelo *S. m. Bot.* Camapu (2). [Pl.: *alquequenjes-amarelos*.]

alquequenque *S. m. Bot.* V. *alquequenje*.

alquereiro [De *alqueire* + *-eiro*.] *S. m.* Aquele que fabrica ou vende alqueires (4) e outros recipientes ou instrumentos semelhantes, para medição.

alquermes [Do ár. *al-qirmiz*, 'a cochonilha' (v. etim. de *quermes*).] *S. m. 2 n.* **1.** Espécie de licor, preparado com especiarias como canela, cravo[1], baunilha, e originalmente corada com o quermes animal. **2.** Certo preparado medicinal revigorante, de gosto amargo, atualmente em desuso, em cuja composição entra o quermes.

alquerque [Var. de *alguergue*.] *S. m.* V. *abáculo* (1).

alquibla [Do ár. *al-qibla(t)*, 'a direção da Caaba'.] *S. f.* O ponto ou direção, no horizonte ou na mesquita, para o qual se voltam os muçulmanos, ao rezar. [Var.: *quibla*.]

alquicé [Do ár. *al-kisā*[2], 'vestuário'.] *S. m.* **1.** Capa, manta ou manto, us. pelos mouros, ger. de lã. **2.** Pequeno enxergão. **3.** Espécie de coberta. [Var.: *alquicel*, *alquicer*.]

alquicel *S. m.* V. *alquicé*.

alquicer *S. m.* V. *alquicé*.

alquiez (ê) [Do ár. *al-qīās*, 'medida'.] *S. m. Ant.* **1.** Marca que se costumava fazer à entrada dos castelos ou casas de nobres, para servir de padrão de medida. **2.** Medida us. pelos curtidores no comércio da sola. **3.** Craveira (3).

alquifa [Der. regress. de *alquifu* ou *alquifol*, do ár. *al-kuḥl*, 'pintura para os olhos'; v. tb. etim. de *álcool*.] *S. f.* **1.** Mistura de galena e areia, usada em cerâmica, na preparação de vidrados e vernizes. **2.** Pó de galena com que os orientais escurecem as pálpebras. [Sin. ger.: *alquifu*, *alquifol*.]

alquifol *S. m.* V. *alquifa*. [Pl.: *alquifóis*.]

alquifu [F. paral. de *alquifol*.] *S. m.* V. *alquifa*. [Pl.: *alquifóis*.]

alquila [Do al. *Alk(yl)* < al. *Alk(ohol)*, 'álcool', + al. *-yl*, '*-ila*[2]'.] *S. f. Quím.* Grupo que se obtém retirando um hidrogênio de um alcano.

alquilação *S. f. Quím.* Introdução de um alquila numa molécula orgânica.

alquilado [De *alquila* + *-ado*[1].] *Adj. Quím.* Que contém alquila.

alquilador (ô) [De *alquilar* + *-dor*.] *S. m.* Indivíduo que alquila.

alquilar [De *alquilé* + *-ar*[2].] *V. t. d.* Alugar (especialmente cavalgadura).

alquilaria [De *alquilar* + *-aria*.] *S. f.* **1.** Estabelecimento onde se alquila. **2.** Contrato de alquilar. **3.** Profissão de alquilador.

alquilé [Do ár. *al-kirā*' (ou *al-kirī*).] *S. m.* Aluguel (em especial de cavalgadura). [Var.: *alquiler*.]

alquiler *S. m.* V. *alquilé*.

alquime [Der. regress. de *alquimia*.] *S. m.* V. *ouropel* (1): "as raparigas pobres, ... doidas por um anel de coralina ou alquime" (Brito Camacho, *Quadros Alentejanos*, p. 48).

alquimia [Do ár. *al-kīmīā* (> lat. med. *alchemia*, *alchimia*); a or. do termo ár. é controversa: poss., adapt. do gr. tard. *chē mía*, '(arte) egípcia, (*i. e.*, a química, tal como praticada em Alexandria, na época helenística)', der., por sua vez, do nome dado ao Egito, *Khmi*, 'terra negra', nos textos em hieróglifos; ou do gr. *chymeía*, der. de *cheîn*, 'derramar', 'infundir', e de *chymós*, 'sumo', 'seiva', 'humor'.] *S. f.* Disciplina (6) que, reunindo procedimentos de laboratório e filosofia especulativa, ciência natural aristotélica e gnosticismo, forte caráter místico e simbolismo esotérico, remonta à Antiguidade (Alexandria helenística, com possíveis influências indianas e chinesas), foi desenvolvida pelos árabes, e chegou ao apogeu na Idade Média e na Renascença; procurava a *Pedra Filosofal* e o *Elixir da longa vida* ou panaceia, fórmulas secretas para a transmutação dos metais comuns em ouro e para a imortalidade; espagíria. [O aspecto prático, laboratorial, segundo alguns, incorporou-se à ciência química moderna, e a doutrina filosófica ainda tem adeptos.]

alquimiar [De *alquimia* + *-ar*[2].] *V. int.* Cultivar a alquimia.

alquímico [De *alquimia* + *-ico*[2].] *Adj.* Relativo à alquimia.

alquimista [De *alquimia* + *-ista*.] *S. 2 g.* Cultor da alquimia.

alquino [Do al. *Alk(yl)*, 'alquila', + *-ino*[4].] *S. m. Quím.* V. *alcino*.

alquitara [Do ár. *al-quṭāra(t)*, 'o que goteja'.] *S. f.* Espécie de alambique, sem serpentina.

alrotar *V. int.* **1.** Fazer grande tumulto, vozerio. **2.** Pedir esmola com grande clamor: "Passageiros saltaram, os pobres correram à esmola alrotando, gemendo" (Coelho Neto, *Banzo*, p. 31).

alrucabá *S. f. Astr.* V. *Estrela Polar*. [Com cap.]

alsaciano *Adj.* **1.** Da, ou pertencente ou relativo à Alsácia (região do L. da França). • *S. m.* **2.** O natural ou habitante da Alsácia. **3.** *Gloss.* V. *alemânico* (2).

alstroemeriácea [Do tax. *Alstroemeria* + *-ácea*; tax. *Alstroemeriaceae*.] *S. f. Bot.* Espécime das alstroemeriáceas, família de ervas rizomatosas da ordem das liliales, de caule ereto, por vezes trepador e folhado, flores bissexuais, irregulares, em glomérulos terminais ou em racemos irregulares, frutos capsulares, e que inclui quatro gêneros e cerca de 200 espécies que habitam desde a América Central à América do Sul, esp. as montanhas andinas. São cultivadas como ornamentais.

alstroemeriáceo [De *alstromeriácea*, com var. suf. (v. *-áceo*).] *Adj.* Pertencente ou relativo às alstroemeriáceas.

alta[1] [F. subst. de *alto*[2].] *S. f.* **1.** Subida de preços ou de cotação: *As ações voltaram à alta?* **2.** Determinação, por parte do(s) médico(s), de término de tratamento, ou de etapa deste, por motivos diversos (cura, inoperância, etc.). **3.** Alta hospitalar (q. v.). **4.** *Ant.* Espécie de dança que se executava saltando com os pés levantados. **5.** *Teatr.* O âmbito do palco, desde o centro até o fundo da cena. **6.** *Met.* V. *anticiclone*. ◆ **Alta a pedido.** Alta[1] (2) que é concedida a pedido e sob a responsabilidade legal do paciente e/ou de sua família. **Alta hospitalar.** Autorização dada pelo médico ao internado, para que este deixe o hospital, transitória ou permanentemente. [Tb. se diz apenas *alta*.]

alta[2] *S. f.* V. *alta-roda*: "Não quero Vila do Conde / da praia da gente da alta: / quero-lhe as praias aonde / minha alma vai e se exalta." (Alberto de Serpa, *Almanaque de Lembranças Luso-Brasileiro*, p. 14); "As paraibanas são da alta, têm na alma a brancura dos algodoais e do leite correndo de cima da Borborema." (Mauro Mota, *O Pátio Vermelho*, p. 156).

alta-costura [Do f. de *alto*[2] + *costura*, para trad. o fr. *haute couture*, marca registrada.] *S. f. Vest.* **1.** Moda (4) desenvolvida manualmente, com alta qualidade e exclusividade, ger. mediante três provas [v. *prova* (5)]: a primeira no *toile*, a segunda na peça alinhavada e a terceira em cliente ou modelo. **2.** A roupa assim produzida, composta ger. de modelos exclusivos e de alto preço. [Pl.: *altas-costuras*.]

alta-fidelidade *S. f.* **1.** *Eletrôn.* Conjunto de técnicas eletrônicas pelas quais se reproduz e amplifica sem distorção um impulso sonoro. **2.** *Bras.* Eletrola ou toca-discos cujo funcionamento se baseia nessa técnica. [Pl.: *altas-fidelidades*.]

alta-florense *Adj. 2 g.* **1.** De, ou pertencente ou relativo a Alta Floresta d'Oeste (RO). • *S. 2 g.* **2.** O natural ou habitante de Alta Floresta d'Oeste. [Pl.: *alta-florenses*.]

alta-florestense *Adj. 2 g.* **1.** De, ou pertencente ou relativo a Alta Floresta (MT). • *S. 2 g.* **2.** O natural ou habitante de Alta Floresta. [Pl.: *alta-florestenses*.]

altaico *Adj.* **1.** Pertencente ou relativo aos montes Altai (Mongólia) ou aos povos que neles habitam. **2.** Pertencente ou relativo ao altaico (3). • *S. m.* **3.** *Gloss.* Família linguística que se estende pelos Bálcãs e N.E. da Ásia, e que se subdivide em três grupos: (a) o *túrcico* ou *turco*, que inclui o *turco*, o *turcomano* e o *azerbaidjani*; (b) o *mongoliano*, cuja principal língua é o *mongol*; e (c) o *manchu-tungue*, que inclui o *manchu* e o *evenque* ou *tungue*[2].

altairense (a-i) *Adj. 2 g.* **1.** De, ou pertencente ou relativo a Altair (SP). • *S. 2 g.* **2.** O natural ou habitante de Altair.

altaíta [Do top. *Altai* (Mongólia) + *-ita*[3].] *S. f. Min.* Telureto de chumbo, branco, cúbico, com brilho metálico.

alta-luz *S. f. Fot. Art. Gráf.* Numa fotografia ou estampa, a área mais clara. [Cf. *luzes* (3). Pl.: *altas-luzes*.]

altamado *Adj.* De todas as espécies; de vários tipos: *panos altamados*.

altamirense[1] *Adj. 2 g.* **1.** De, ou pertencente ou relativo a Altamira (PA). • *S. 2 g.* **2.** O natural ou habitante de Altamira. [Sin. ger.: *xinguense*[1].]

altamirense[2] *Adj. 2 g.* **1.** De, ou pertencente ou relativo a Altamira do Maranhão (MA). • *S. 2 g.* **2.** O natural ou habitante de Altamira do Maranhão.

altamirense[3] *Adj. 2 g.* **1.** De, ou pertencente ou relativo a Altamira do Paraná (PR). • *S. 2 g.* **2.** O natural ou habitante de Altamira do Paraná.

altamisa [De or. obsc.] *S. f. Bras. Bot.* Planta asterácea (*Baccharis artemisioides*), empregada como forragem, apesar de dar ao leite das vacas sabor desagradável.

altanadice [De *altanado* + *-ice*.] *S. f.* Qualidade de altanado; altanaria, soberba.

altanado [Part. de *altanar-se*.] *Adj.* **1.** Altaneiro, elevado, erguido: "Canta, filho do sol da zona ardente, / Destes cerros, soberbos, altanados!" (Castro Alves, *Poesias Escolhidas*, p. 312.) **2.** Orgulhoso, soberbo, altivo; altaneiro. **3.** Leviano, estroina. **4.** Alvoroçado, alterado. • *S. m.* **5.** Indivíduo altanado (2 e 3). **6.** Juiz do tribunal criminal.

altanaria [Do esp. *altanería*, por via pop.] *S. f.* **1.** Qualidade de altaneiro; soberba, altivez. **2.** Qualidade de caça que voa alto. **3.** Caça das aves que voam alto, como, em geral, as de rapina. [Cf., nesta acepç., *volataria* (1).]

altanar-se *V. p.* **1.** Erguer-se, elevar-se muito. **2.** Tornar-se ou mostrar-se soberbo, altivo, orgulhoso. **3.** Tornar-se leviano ou irrefletido. **4.** Alvoroçar-se, alvorotar-se.

altaneirense *Adj. 2 g.* **1.** De, ou pertencente ou relativo a Altaneira (CE). • *S. 2 g.* **2.** O natural ou habitante de Altaneira.

altaneiro [Do esp. *altanero*.] *Adj.* **1.** Que se eleva muito; altanado: *voo altaneiro*. **2.** Que voa muito alto: *ave altaneira*. **3.** Soberbo, altivo, altanado: *temperamento altaneiro*.

altaneria [Do esp. *altanería*, por via erudita.] *S. f.* Altanaria (1): "Ali saltavam com altaneria provocante de triunfadores em praça conquistada" (Euclides da Cunha, *Os Sertões*, p. 370).

altar [Do lat. *altare*.] *S. m.* **1.** Mesa especial consagrada aos sacrifícios religiosos. **2.** Mesa, balcão ou bloco de pedra destinado à imolação de vítimas em holocausto ou a outros tipos de sacrifícios; ara. **3.** *Maç.* Mesa, geralmente triangular, em que trabalham o venerável mestre e os vigilantes. **4.** Lugar, em igrejas, etc., onde imagens de Cristo, da Virgem Maria ou de santos estão expostas. **5.** *Fig.* Culto, religião. **6.** *Fig.* O estado eclesiástico. **7.** *Fig.* Adoração, veneração. **8.** Parede divisória, feita de tijolos refratários, que se levanta no fundo das fornalhas, na extremidade das grelhas, para encaminhar convenientemente a chama. **9.** *Astr.* Constelação circumpolar austral, ao S. da Ave do Paraíso, a O. do Triângulo Austral e da Régua, ao N. do Escorpião e a L. da Coroa Austral, do Telescópio e do Pavão. [Com cap., nesta acepç.] ◆ **Altar da sabedoria.** *Maç.* Trono de Salomão (q. v.). **Altar dos juramentos.** *Maç.* Pequena mesa quadrada ou triangular no centro do oriente ou do ocidente de um templo, conforme o rito praticado, e que contém os elementos necessários aos compromissos maçônicos.

altaragem [De *altar* + *-agem*[2].] *S. f.* Direitos sobre as oferendas de igreja.

altareiro [De *altar* + *-eiro*.] *S. m.* **1.** Aquele que era encarregado da limpeza e ornamentação dos altares. **2.** Aquele que tem pendor para o ministério eclesiástico. **3.** Beato[2], carola.

altarista [De *altar* + *-ista*.] *S. m.* Cônego a quem compete, na basílica do Vaticano, cuidar do altar-mor e dos frontais.

altar-mor *S. m.* O altar principal de uma igreja, na extremidade oposta à porta de entrada. [Pl.: *altares-mores*.]

alta-roda [Do f. de *alto*[2] + *roda*.] *S. f.* As pessoas da alta burguesia, da classe média alta e/ou da classe dirigente de uma cidade, país, etc.; alta-sociedade, soçaite, *high society* (ingl.): "Quando vi o seu retrato eu disse é ele, é aquele menino que trabalhou comigo na claque... Subiu na vida, pensei, agora anda metido na alta-roda..." (Rubem Fonseca, *Agosto*, p. 52.) [Tb. se diz apenas *alta*. Pl.: *altas-rodas*.]

alta-sociedade [Do f. de *alto*[2] + *sociedade*, poss. para trad. o ingl. *high society*.] *S. f.* V. *alta-roda*. [Pl.: *altas-sociedades*.]

alta-tensão *S. f. Radiotéc.* Tensão de alimentação da placa de uma válvula. [Pl.: *altas-tensões*.]

altazimutal [De *altazimute* + *-al*[1].] *Adj. 2 g.* **1.** Relativo ao altazimute. **2.** Relativo às coordenadas horizontais locais.

altazimute [De *alt(itude)* + *azimute*.] *S. m. Astr.* Instrumento astronômico cuja montagem lhe permite deslocar-se segundo as coordenadas horizontais, azimute e altura.

alteador (ô) [De *altear* + *-dor.*] *Adj.* *S. m.* Que, ou aquele que alteia.

alteamento [De *altear* + *-mento.*] *S. m.* **1.** Ação ou efeito de altear(-se). **2.** *Arquit.* Aumento da altura de uma parede, de um andar, de uma coluna, etc.

altear [De *alto* + *-ear*[2].] *V. t. d.* **1.** Tornar alto, ou mais alto. **2.** Tornar mais forte; elevar (o som): "É a mesa — disse ela, alteando a voz — que o Senhor Inspetor prefere." (Domingos Monteiro, *Histórias das Horas Vagas*, p. 117.) **3.** Erguer, elevar: *A girafa alteava o pescoço até alcançar os brotos de folhas.* **4.** Tornar mais alto[2] (16); elevar; aumentar: "O sujeito magro contou uma anedota, e tornou a tratar da casa, alteando a proposta.| — Trinta e oito contos, disse ele." (Machado de Assis, *Memórias Póstumas de Brás Cubas*, p. 241.) **5.** Tornar alto, sublime: "Torce [o poeta], aprimora, alteia, lima / A frase" (Olavo Bilac, *Poesias*, p. 2). **6.** Fazer subir, erguer: *Alguns feitos altearam o seu nome ao cume da glória.* ***Int.*** **7.** Crescer, avultar: *Seu peito alteava e abaixava, nos estertores finais.* **8.** Aumentar de volume; crescer: *Esta massa deve altear bastante.* ***P.*** **9.** Tornar-se alto, ou mais alto. **10.** Estar ou mostrar-se alto, sobranceiro; elevar-se, erguer-se: "No meio das tabas de amenos verdores, / Cercadas de troncos cobertos de flores, / Alteiam-se os tetos d'altiva nação" (Gonçalves Dias, *Obras Poéticas*, II, p. 18). **11.** Subir, elevar-se (a posto ou posição). [Conjug.: v. *frear*. Pres. ind.: *alteio, alteias, alteia*, etc. Cf. *alteia* e pl. *alteias*.]

alteia (éi) [Do lat. *althea* < gr. *althaía*; tax. *althaea.*] *S. f.* *Bot.* **1.** Gênero de malváceas que abrange 12 espécies, 11 nativas da Europa ao N.E. da Sibéria, e uma do S. da Austrália. **2.** Qualquer espécie desse gênero, como, p. ex., a *Althaea officinalis* (v. *malva-branca*). **3.** Qualquer espécime desse gênero, ou a sua flor. [Pl.: *alteias*. Cf. *alteia, alteias*, do v. *altear*, e o top. e mit. f. *Alteia*.] ❖

altense *Adj. 2 g.* **1.** De ou pertencente ou relativo a São Sebastião do Alto (RJ). ● *S. 2 g.* **2.** O natural ou habitante de São Sebastião do Alto.

➔ **alter** ['altɛr] [Lat.] *S. m.* V. *álter*.

álter [Do lat. *alter*, 'outro'.] *S. m.* **1.** Outro ser ou outra pessoa, em relação a determinado indivíduo; aquilo ou aquele que é percebido ou concebido como uma pessoa ou um ser distinto e separado do sujeito, daquele que pensa, sente e age. **2.** *Antrop.* Qualquer indivíduo, considerado como objeto de um sistema de classificação de relações interpessoais, em particular de uma terminologia de parentesco. [Na acepç. (2), ger. com cap.] [Tb. us. o lat. *alter*. Cf. *ego*. Pl.: *álteres*. Cf. *alteres*, do v. *alterar* e, *halteres*, pl. de *haltere, halter*.]

alterabilidade [De *alterável* (*alterabil-*) + *-(i)dade*, seg. o padrão erudito.] *S. f.* Qualidade ou condição do que pode ser alterado.

alteração [Do lat. *alteratione.*] *S. f.* **1.** Ato ou efeito de alterar(-se). **2.** Mudança, modificação. **3.** Falsificação, adulteração: *alteração das moedas.* **4.** Degeneração, decomposição: *a alteração de um remédio.* **5.** Inquietação, agitação. **6.** Perturbação, desordem: *A injustiça cometida causou alterações entre os detidos.* **7.** V. *rolo*[1] (16). **8.** *Edit.* Mudança em texto feita na fase de revisão, e que pode consistir em acréscimo, supressão ou simples modificação. **9.** *Mús.* Modificação da altura (12) de uma nota, seja por elevação, seja por abaixamento de um ou de dois semitons. [As alterações são indicadas, na pauta, pelos sinais chamados *acidentes* (v. *acidente*).]

alterado [Part. de *alterar.*] *Adj.* **1.** Modificado, mudado. **2.** Falsificado, adulterado. **3.** Perturbado moralmente. **4.** Inquieto, agitado. **5.** Nervoso, irritado. [Cf. *halterado*.]

alterador (ô) [De *alterar* + *-dor.*] *Adj.* **1.** Que altera; alterante. ● *S. m.* **2.** Aquele ou aquilo que altera.

alterante [Do lat. *alterante.*] *Adj. 2 g.* Alterador (1).

alterar [Do lat. *alterare.*] *V. t. d.* **1.** Mudar, modificar: *A palavra trocada alterava o sentido do texto.* **2.** Perturbar, desorganizar: *Sua chegada intempestiva alterou os festejos.* **3.** Falsificar, adulterar: *alterar a verdade.* **4.** Decompor, degenerar: *Substâncias que alteram o vinho.* **5.** Agitar, alvorotar. **6.** Perturbar, transtornar: *A perda do amigo muito o alterou.* **7.** Inquietar, sobressaltar: *O número de baixas alterou o general.* **8.** Irritar, encolerizar. **9.** *Ant.* Provocar sede em. [Cf. (nesta acepç.) *desalterar* (2 e 3).] ***P.*** **10.** Variar, modificar-se: "Aparentemente nada se alterou [no teatro Bolshoi]. A mesma plateia, os mesmos camarotes, os mesmos lustres" (Graciliano Ramos, *Viagem*, p. 39). **11.** Perder a serenidade; perturbar-se. **12.** Irritar-se; enfurecer-se: *Estava calmo, mas, ao ser insultado, alterou-se deveras.* **13.** Corromper-se, estragar-se. **14.** Sublevar-se, amotinar-se. [Pres. subj.: *altere, alteres*, etc. Cf. *álteres*, pl. de *álter*, s. m., e *haltere*, s. m., pl. *halteres*.]

alterativo [De *alterar* + *-tivo.*] *Adj.* Que tem o poder de alterar.

alterável [De *alterar* + *-vel.*] *Adj. 2 g.* Que pode alterar-se.

altercação [Do lat. *altercatione.*] *S. f.* Ato ou efeito de altercar.

altercador (ô) [Do lat. *altercatore.*] *Adj. S. m.* Que, ou aquele que alterca.

altercar [Do lat. *altercare.*] *V. int.* **1.** Discutir com ardor; provocar polêmicas: *Após a conferência, os defensores das teorias contrárias altercaram.* ***T. i.*** **2.** Disputar calorosamente; argumentar: *Irritado, altercava com todos os presentes.* ***T. d.*** **3.** Defender em polêmica: *altercar uma questão.* [Conjug.: v. *trancar*.]

➔ **alter ego** ['altɛr 'ɛgɔ] [Lat., 'outro eu'.] *Loc. s. m.* **1.** Designa um amigo íntimo em quem se deposita toda a confiança. **2.** O outro eu, ou seja, pessoa na qual se pode confiar como em si mesmo. **3.** *P. ext.* Aquele que substitui perfeitamente o outro.

alteridade [Do lat. *alter*, 'outro', + *-(i)dade.*] *S. f.* *Filos.* Qualidade do que é outro (q. v.).

alternação [Do lat. *alternatione.*] *S. f.* Alternância (1).

alternada *S. f.* *Lóg.* Proposição alternada.

alternado [Part. de *alternar.*] *Adj.* **1.** Diz-se de coisas que se alternam, ora uma, ora outra, sucessivamente: *os desenhos alternados de uma padronagem.* **2.** Em que há revezamento: *ordem alternada.* **3.** Diz-se do que ocorre sucessivamente, a intervalos, uma vez sim, outra vez não: *dias alternados.* ~ V. *charada —a, corrente —a, proposição —a, rimas —as, sequência —a* e *série —a*.

alternador (ô) [De *alternar* + *-dor.*] *Adj.* **1.** Que alterna; alternante. ● *S. m.* **2.** O que alterna. **3.** *Eng. Elétr.* Aparelho elétrico, mecânico ou eletromecânico, que fornece corrente alternada.

alternância [Do lat. *alternantia.*] *S. f.* **1.** Ação ou efeito de alternar; alternação. **2.** Repetição de dois motivos ou temas diferentes, sempre na mesma ordem. **3.** *Bot.* Disposição das folhas ou partes florais em que há uma em cada nó caulinar. **4.** *Geol.* Disposição das camadas de terreno estratificado. **5.** *E. Ling.* Relação entre formas variantes, tais como alofones e alomorfes. ◆ **Alternância de fases.** *Biol.* Fenômeno em que um organismo apresenta, ao longo do ciclo de reprodução sexuada, uma fase em que o conjunto cromossômico é diploide e outra fase em que esse conjunto é haploide. **Alternância de gerações.** *Biol.* Ocorrência, durante o ciclo de vida de um organismo, de alternância de dois tipos de geração, uma sexuada, ou haploide, e outra assexuada, ou diploide. [Sin.: *heterogênese, heterogenia, heterogonia, metagênese*.] **Alternância vocálica.** *E. Ling.* V. *apofonia*.

alternante [Do lat. *alternante.*] *Adj. 2 g.* **1.** Alternador (1). ~ V. *geração —*. ● *S. f.* **2.** *E. Ling.* Cada uma das formas que realiza uma unidade linguística, como é o caso, p. ex., dos fones em relação ao fonema, ou dos morfes em relação ao morfema.

alternantera [Do tax. *Alternanthera* (v. *altern(i)-* e *antera*).] *S. f.* *Bot.* **1.** Gênero de plantas herbáceas amarantáceas, de flores inconspícuas, e que habitam, esp., as regiões tropicais da América e a Austrália. **2.** Qualquer espécie desse gênero, como, p. ex., a *Alternanthera puberula* (v. *botão-de-farda*). **3.** Qualquer espécime desse gênero, ou a sua flor.

alternar [Do lat. *alternare.*] *V. t. d.* **1.** Fazer suceder repetida e regularmente; revezar: *Homem de humor vário, alterna expansão e sisudez.* **2.** Colocar em posições recíprocas; dispor em ordem alternada. **3.** *Mat.* Trocar entre si (os meios ou extremos de uma proposição). ***T. d. e i.*** **4.** Substituir regularmente; revezar: "o jesuíta folgava de alternar a conversação com o exame de livros raros." (Camilo Castelo Branco, *O Santo da Montanha*, p. 245). ***T. i.*** **5.** Surgir, aparecer (ora uma, ora outra coisa). ***Int.*** **6.** Suceder, vir (uma coisa ou pessoa após outra). ***P.*** **7.** Suceder alternadamente: "Numa promíscua reunião, casas comerciais se alternam com pequenos sobrados residenciais." (Arnoldo Jambo, *Diário de Pernambuco*, p. 94.) **8.** Mudar-se alternadamente.

alternativa [F. subst. de *alternativo.*] *S. f.* **1.** Sucessão de duas coisas reciprocamente exclusivas. **2.** Opção entre duas coisas. **3.** *Lóg.* Disjunção (5). **4.** *Lóg.* Cada uma das proposições que integram a alternativa; proposição alternada. [Cf., nesta acepç., *disjuntiva* (2).] **5.** *E. Ling.* Conjunção alternativa (q. v.). ◆ **Alternativa exclusiva.** *Lóg.* Disjunção exclusiva. **Alternativa inclusiva.** *Lóg.* V. *disjunção inclusiva*.

alternativo [De *alternar* + *-tivo.*] *Adj.* **1.** Que se faz ou que ocorre com alternação: *movimento alternativo.* **2.** Diz-se de duas ou mais coisas que se sucedem com alternância. **3.** Diz-se daquilo que representa uma opção entre duas ou mais possibilidades: *dieta alternativa.* **4.** *Restr.* Que adota uma posição independente em relação a tendências dominantes: *cinema alternativo.* **5.** *Tec.* Diz-se de motor ou qualquer outro equipamento em que peças móveis efetuam movimento de vaivém. [Cf., nesta acepç., *rotativo* (4).] ~ V. *bomba —a, conjunção —a, energia —a, espaço —, imprensa —a, máquina —a, medicina —a, mídia —a, movimento —* e *título —*.

alternável [De *alternar* + *-vel.*] *Adj. 2 g.* Que é passível de se alternar.

▲ **alterni-** [Do lat. *altĕrnus, a, um.*] *El. comp.* = 'alterno', 'alternado': *alternípede, alternifloro, alternifloréo*.

alterniflóreo [De *alterni-* + *-flor(i)-* + *-eo.*] *Adj.* *Bot.* Que tem flores alternas ou esparsas; alternifloro.

alternifloro [De *alterni-* + *-floro.*] *Adj.* *Bot.* Alterniflóreo.

alternifoliado [De *alterni-* + *-foli-* + *-ado*[1].] *Adj.* *Bot.* Alternifólio.

alternifólio [De *alterni-* + *-fólio.*] *Adj.* *Bot.* Provido de folhas alternas; alternifoliado.

alternípede [De *alterni-* + *-pede.*] *Adj. 2 g.* *Zool.* Que tem as patas, alternativamente, de duas cores diversas.

alternipenado [De *alterni-* + *-pen(i)-* + *-ado*[1].] *Adj.* *Bot.* ~ V. *folha —a*.

alternípene [De *alterni-* + *-pene.*] *Adj. 2 g.* *Bot.* ~ V. *folha —*.

alternipétalo [De *alterni-* + *-pétalo.*] *Adj.* *Bot.* Que leva as peças florais em alternância com as pétalas. ~ V. *estame —*.

alternissépalo [De *alterni-* + *-sépalo.*] *Adj.* *Bot.* Que tem as peças florais em alternância com as sépalas.

alterno [Do lat. *alternu.*] *Adj.* **1.** Revezado, alternado. **2.** *Bot.* Diz-se dos órgãos e partes de uma planta colocados um depois do outro. ~ V. *ângulos —s externos, ângulos —s internos* e *folha —a*.

alterosas *S. f. pl.* Us. na loc. *as Alterosas*. ◆ **As Alterosas.** O Estado de Minas Gerais.

alterosense *Adj. 2 g.* **1.** De, ou pertencente ou relativo a Alterosa (MG). ● *S. 2 g.* **2.** O natural ou habitante de Alterosa.

alteroso (ô) [Do esp. *alteroso.*] *Adj.* **1.** De grande altura: *montanhas alterosas*; "Já vamos longe... Os morros benfazejos / Metem na bruma os cimos alterosos..." (Luís Guimarães, *Sonetos e Rimas*, p. 9). **2.** Grandioso, imponente. **3.** Altaneiro, altivo. **4.** *Mar.* Diz-se de embarcação cujas obras mortas emergem muito acima da linha-d'água; de alto bordo: "manda o mui político Hiparco armar uma alterosa galé de cinquenta remos, mastros dourados e velas de púrpura" (Antônio Feliciano de Castilho, *A Lírica de Anacreonte*, p. 15). **5.** *Mar.* Diz-se de mar que tem ondas altas.

alteza[1] (ê) [Do lat. tard. *altitia.*] *S. f.* **1.** Qualidade do que é alto. **2.** Elevação moral; grandeza, nobreza: "A alteza dos pensamentos anuncia a nobreza dos sentimentos." (Marquês de Maricá, *Máximas, Pensamentos e Reflexões*, p. 208.)

alteza[2] (ê) [Do it. *altezza.*] *S. f.* Tratamento dado outrora aos reis, e posteriormente apenas aos príncipes.

althusseriano *Adj.* **1.** Pertencente, relativo a, ou próprio do teórico francês Louis Althusser (1918-1990), famoso pela reinterpretação de conceitos fundamentais do marxismo à luz de categorias do estruturalismo. **2.** Que é adepto das concepções de Louis Althusser ou profundo conhecedor de sua obra. ● *S. m.* **3.** Seguidor de suas concepções ou profundo conhecedor de sua obra.

▲ **alti-** [Do lat. *altus, a, um.*] *El. comp.* = 'alto', 'elevado': *altiloquente, altimurado, altícola*.

altibaixo [De *alti-* + *baixo.*] *Adj.* Que tem elevações e depressões: *solo altibaixo.* ~ V. *altibaixos*.

altibaixos [Pl. subst. de *altibaixo.*] *S. m. pl.* **1.** Desigualdades de terreno acidentado; desnivelamentos. **2.** *Fig.* Alternância de êxitos e reveses: *os altibaixos da vida.* **3.** *Fig.* Instabilidade de comportamento, de sentimentos, de gênio, etc. [Sin. ger.: *altos e baixos*.] ~ V. *altibaixo*.

alticamelo [De *alti-* + *camelo*; tax. *Alticamelus.*] *S. m.* *Paleont.* **1.** Gênero de camelos de pescoço muito longo que habitou a América do Norte no mioceno. **2.** Espécie, ou espécime desse gênero.

altícídeo [Do tax. *altica* (f. irreg. a partir do gr. *haltikós*, 'saltador'), + *-ídeo*[1].] *Zool.* *S. m.* **1.** Espécime dos altícídeos, família de coleópteros com fêmures posteriores muito fortes, intumescidos. São besouros pequenos, nocivos, que vivem nas folhas e se deslocam em grandes saltos. ● *Adj.* **2.** Pertencente ou relativo a eles.

altícola [De *alti-* + *-cola*[1].] *Adj.* Que vive em lugar elevado.

alticolúnio [De *alti-* + *coluna* + *-io*[3].] *Adj.* Que tem colunas altas.

altícomo [De *alti-* + *-como.*] *Adj.* Que tem coma[1] (3) alta.

alticornígero [De *alti-* + *cornígero.*] *Adj.* *Zool.* Que tem cornos muito altos.

altifalante [De *alti-* + *falante.*] *S. m.* V. *alto-falante*: "Naquela noite, e durante toda uma semana, não houve altifalante na janela de nhô Fidjinho." (Germano Almeida, *A Ilha Fantástica*, p. 175.)

altígrafo [De *alti-* + *-grafo.*] *S. m. Fís.* V. *barógrafo.*

altiloquência (qüên) [De *alti-* + lat. *loquentia.*] *S. f.* Alta eloquência; estilo elevado e grandioso. ❖

altiloquente (qüen) [De *alti-* + lat. *loquente*, part. pres. de *loqui*, 'falar'.] *Adj. 2 g.* Altíloquo. ❖

altiloquentíssimo (qüen) *Adj.* Superl. abs. sint. de *altíloquo.* ❖

altíloquo [De *alti-* + *-loquo.*] *Adj.* Que se exprime com altiloquência; que fala com sublimidade; altiloquente. [Superl. abs. sint.: *altiloquentíssimo.*]

altimetria [De *alti-* + *-metria.*] *S. f.* **1.** Operação de medir as altitudes de pontos de um terreno. **2.** Representação dessas altitudes numa planta topográfica. [Sin. ger.: *hipsometria.*]

altímetro [De *alti-* + *-metro.*] *S. m.* Instrumento com que se medem altitudes. [Cf. *hipsômetro.*]

altimurado [De *alti-* + *murado.*] *Adj.* Que tem muros altos.

altinense *Adj. 2 g.* **1.** De, ou pertencente ou relativo a Altinho (PE). • *S. 2 g.* **2.** O natural ou habitante de Altinho.

altinho [De *alto*[2] + *-inho*[1].] *S. m. Bras. Esport.* Jogo, derivado do futebol, entre dois ou mais jogadores, em que a bola é lançada por um deles, sem o uso das mãos, recebida e controlada por outro, e, então, devolvida ou repassada, e assim sucessivamente, sem que vá ao chão: "A proibição de jogos com bola na faixa de areia próxima à água nas praias do Rio .... deve acabar com as rodas de altinho e com as partidas de frescobol" (Carol Ribeiro & Thais Britto, em *O Globo*, 26.10.2009).

altinopolense *Adj. 2 g.* **1.** De, ou pertencente ou relativo a Altinópolis (SP). • *S. 2 g.* **2.** O natural ou habitante de Altinópolis.

altiplano [Do hisp.-amer. *altiplano.*] *S. m.* V. *planalto.*

altiplanura [De *alti-* + *planura.*] *S. f.* V. *planalto.*

altipotente [Do lat. tard. *altipotente.*] *Adj. 2 g.* Que tem alto poder; poderosíssimo.

altirna *S. f.* Vestidura sacerdotal da Ásia, especialmente da China: "afora outra muito grande cópia de daroeses ...., os quais por insígnia do sacerdócio andam vestidos de roxo, com suas altirnas verdes sobraçadas, que são como entre nós as estolas" (Fernão Mendes Pinto, *Peregrinação*, III, p. 185).

altirrostro [De *alti-* + *-rostro.*] *Adj. Zool.* Cujo bico é mais alto que comprido.

altíssimo [Do lat. *altissimu.*] *Adj.* **1.** Superl. abs. sint. de *alto*[2]. • *S. m.* **2.** Deus: "tudo que os homens fizerem contra ele [o amor ardente entre dois seres] é um .... atentado contra os desígnios do Altíssimo." (Camilo Castelo Branco, *Carlota Ângela*, p. 58). [Nesta acepç., com cap.]

altissonante [Do lat. tard. *altisonante.*] *Adj. 2 g.* **1.** Que soa muito alto: "um grupo de fidalgos, a cavalo, ... saía dos Paços de Apar São Martinho, descendo, a tropear, as estreitas ruas de Lisboa, até ao Terreiro da Sé, parando aí e pregoando, em voz altissonante, este brado agoirento ....: | — Arraial, arraial, arraial pela Rainha D. Beatriz de Portugal, nossa Senhora." (Antero de Figueiredo, *Leonor Teles*, p. 255). **2.** Pomposo, aparatoso. [Sin. ger.: *altíssono.*]

altíssono [Do lat. *altisonu.*] *Adj.* V. *altissonante*: "Aclamações altíssonas / Corram nos ares da imortal Caxias." (Gonçalves Dias, *Obras Poéticas*, II, p. 145.)

altista[1] [De *alto*[1] + *-ista.*] *S. 2 g. Mús.* **1.** No quarteto vocal, pessoa cuja voz tem as características da voz de contralto ou alto. **2.** No quarteto de cordas, pessoa que executa a parte de viola ou alto. [Cf. *autista.*]

altista[2] [De *alta*[1] + *-ista.*] *S. 2 g.* **1.** Pessoa que joga na alta do câmbio, ou que eleva o preço das mercadorias. • *Adj. 2 g.* **2.** Diz-se do especulador que assim procede. **3.** Relativo aos altistas. **4.** Próprio de, ou provocado por altista: *Cada dia sobem os preços: são manobras altistas.* [Cf. *autista.*]

altitonante [Do lat. *altitonante.*] *Adj. 2 g.* **1.** Que troveja nas alturas. **2.** Estrepitoso, estrondoso, retumbante.

altitude [Do lat. *altitudine.*] *S. f.* Altura em relação ao nível do mar. [Cf. *altura* (2).] ◆ **Altitude de voo.** *Aer.* Distância vertical de uma aeronave em relação ao nível médio do mar.

altitúdico [De *altitude* + *-ico*[2].] *Adj.* Relativo a altitude.

altívago [Do lat. tard. *altivagu.*] *Adj.* Que vaga no espaço, nas alturas.

altivar [De *altivo* + *-ar*[2].] *V. t. d. P. us.* Tornar altivo.

altivez (ê) [De *altivo* + *-ez.*] *S. f.* **1.** Qualidade de altivo (2); nobreza, elevação, brio. **2.** Qualidade de altivo (3); arrogância, orgulho, amor-próprio. [Var. (p. us.): *altiveza.*]

altiveza (ê) [De *altivo* + *-eza.*] *S. f. P. us.* V. *altivez.*

altivo [De *alto*[2] + *-ivo.*] *Adj.* **1.** Elevado, alto. **2.** Nobre, elevado, brioso, digno, ilustre. **3.** Arrogante, orgulhoso, presunçoso.

altivolante [Do lat. *altivolante.*] *Adj. 2 g.* Que voa alto; altívolo: "O altivolante abutre" (Alberto de Oliveira, *Poesias*, 3ª série, p. 21).

altívolo [Do lat. *altivolu.*] *Adj.* Altivolante.

alto[1] [Do it. *alto.*] *Mús. S. m.* **1.** V. *contralto.* **2.** V. *viola*[1] (2). **3.** O saxorne contralto. **4.** O segundo instrumento da moderna família dos saxofones. • *Adj.* **5.** Diz-se de um instrumento de sopro em relação a outros análogos, para caracterizar-lhe o registro de contralto.

alto[2] [Do lat. *altu.*] *Adj.* **1.** De grande extensão vertical; elevado: *prédio alto.* **2.** Levantado, erguido; ereto: *mamas altas.* **3.** Elevado, grande, intenso: *fornos de alta temperatura.* **4.** Que soa forte: "Todos falavam em voz alta, de mesa para mesa" (Domingos Monteiro, *Histórias das Horas Vagas*, p. 117). **5.** Ilustre, superior, preclaro: *o alto imperador.* **6.** Excelente, insigne, nobre: *homem de altas qualidades de espírito.* **7.** Elevado, eminente, categorizado: *alto cargo.* **8.** Grande, importante, relevante: *os altos negócios do Estado.* **9.** De muita importância; grave, sério: *alta traição.* **10.** Difícil, superior, transcendente: *alta matemática.* **11.** Magnífico, elevado, sublime: "Deste Deus homem, alto, e infinito, / Os Livros que tu pedes, não trazia." (Luís de Camões, *Os Lusíadas*, I, 66); "Tinha um filho e Deus levou-lho. Altos juízos seus!" (Rebelo da Silva, *Contos e Lendas*, p. 185); *oração em alto estilo.* **12.** De grande alcance; penetrante, agudo: *alta inteligência.* **13.** Altivo, brioso. **14.** De nível avançado ou qualidade superior: *alta tecnologia, alta definição.* [Nesta acepç., calque (2) do ingl. *high.*] **15.** Que revela arrojo, destemor; arrojado: *altas façanhas.* **16.** Completo, total, absoluto: *Um grito lancinante cortou o alto silêncio da noite.* **17.** Que não é módico; elevado: *preço alto.* **18.** Muito fundo; profundo: "Ver as nuvens do mar com largo cano / Sorver as altas águas do Oceano." (Luís de Camões, *Os Lusíadas*, V, 18.) **19.** Afastado no tempo; remoto: *a alta Antiguidade.* **20.** Adiantado no seu curso: "Se acordo agora, noite alta, sem poder dormir, é para ver a outra casa" (Augusto Meyer, *Segredos da Infância*, p. 57). **21.** Diz-se do mar que fica longe da costa. [V., nesta acepç., *alto-mar.*] **22.** Situado em nível ou altitude superior à de outro: *bairro alto.* **23.** Situado ao norte: *o alto Nilo.* **24.** Distante, remoto, longínquo: *Nasceu no alto sertão.* **25.** Diz-se do trecho (e dos lugares circunvizinhos) de um rio mais próximo às suas nascentes: *o alto rio Negro.* **26.** *Bras. Pop.* Um tanto embriagado; bêbado: *estar, ficar, andar alto.* [Superl. abs. sint. (nem todos us. em todas as acepç.): *altíssimo, supérrimo, supremo, sumo.*] ~ V. *–a burguesia, –a comédia, –a frequência, –grau, –a indagação, –a maçonaria, –a noite, –chapadão, – explosivo, –as habilidades, –as horas, caixa –a, câmara –a, centro –, cidade –a, direita –a, esquerda –a, estatura –a, mar –, maré –a, nível lógico –, noite –a, nuvem –a, órbita –a, ponto –, turfeira –a* e *vogal –a.* • *S. m.* **27.** Dimensão vertical, considerada em elevação ou profundidade: *parede com 3m de alto; poço com 4m de alto.* **28.** O ponto mais alto de alguma coisa; topo, cimo: "desesperado por ter visto que um homem saía dos meus braços, foi provocar, no próprio antro da fera, uma onça medonha que habita o alto da serra do Sambê" (Lúcio de Mendonça, *Horas do Bom Tempo*, p. 289); *alto da cabeça.* **29.** Cômoro, outeiro, monte: *A casa foi construída num alto.* **30.** Os que mandam, os que dirigem; governo, direção: *As ordens vieram do alto.* **31.** *Fig.* O Céu. **32.** Saliência, protuberância: *Está com um alto na testa.* **33.** Trecho de rio distante da foz. • *Adv.* **34.** A grande altura; em lugar elevado; nas alturas: *O condor voava alto.* **35.** Em som ou voz alta; sonoramente, fortemente: "Capitu ria alto, falava alto, como se me avisasse" (Machado de Assis, *Dom Casmurro*, pp. 220-221). ~ V. *altos.* ◆ **Chutar para o alto.** Deixar de interessar-se por; pôr de lado; desprezar; jogar para o alto. **Jogar para o alto.** V. *chutar para o alto*: "Não havia lógica nenhuma em se cobrar fidelidade de uma mulher jovem bonita que o marido joga pro alto." (Permínio & Lúcio Asfora, *Confidências no Largo da Segunda-Feira*, p. 114.) **Por alto.** Sem esmiuçar, sem se deter em minúcias: "Digo essas cousas por alto, segundo as ouvi narrar anos depois: ignoro a mor parte dos pormenores daquele famoso dia." (Machado de Assis, *Memórias Póstumas de Brás Cubas*, p. 31.)

alto[3] [Do al. *halt*, imperat. de *halten*, 'parar'.] *Interj.* **1.** Pare; suspenda. **2.** *Mil.* Voz de comando para que os soldados suspendam a marcha, cessem fogo, etc. • *S. m.* **3.** Ato de parar, de suspender marcha: *fazer alto.* ◆ **Alto lá. 1.** Pare onde estiver! [Sin. bras. pop.: *aluvai.*] **2.** *P. ext.* Espere um momento!

alto-alegrense *Adj. 2 g.* **1.** De, ou pertencente ou relativo a Alto Alegre (RR, SP e RS). • *S. 2 g.* **2.** O natural ou habitante de Alto Alegre. [Pl.: *alto-alegrenses.*]

alto-alemão *S. m. Gloss.* **1.** V. *alemão* (4). **2.** Vocábulo dessa língua. [Pl., nesta acepç.: *alto-alemães.*]

alto-araguaiense *Adj. 2 g. S. 2 g.* V. *araguaiano*[2]. [Pl.: *alto-araguaienses.*]

alto-astral *Adj. 2 g. S. 2 g.* **1.** Diz-se de, ou indivíduo que está ou vive bem-humorado, feliz, como que sob boa influência astral. • *S. m.* **2.** Situação ou circunstância favorável, atribuída a suposta influência positiva dos astros. [V. *astral* (3). Opõe-se a *baixo-astral.* Pl.: (do adj.) *alto-astrais*, (do s.) *altos-astrais.*]

alto-boavistense *Adj. 2 g.* **1.** De, ou pertencente ou relativo a Alto Boa Vista (MT). • *S. 2 g.* **2.** O natural ou habitante de Alto Boa Vista. [Pl.: *alto-boavistenses.*]

alto-comando [De *alto*[2] + *comando*, para trad. o ingl. *high command.*] *S. m.* **1.** O conjunto dos comandantes de uma força militar: *o alto-comando da marinha; o alto-comando dos bombeiros.* **2.** Os dirigentes de uma organização, de uma empresa: *O alto-comando da fábrica se reuniu para discutir a crise.* [Pl.: *altos-comandos.*]

alto-contraste *S. m. Fot. Art. Gráf.* **1.** Técnica ou processo us. para eliminar, total ou parcialmente, os meios-tons de fotografia ou estampa. **2.** Fotografia ou estampa obtidas com essa técnica. [Pl.: *altos-contrastes.*]

alto-cúmulo *S. m. Met.* Nuvem constituída de elementos que fazem lembrar seixos arredondados, dispostos em camadas ou fiadas, maiores e mais escuros que os do cirro-cúmulo e menores que os do estrato-cúmulo, e situada a uma altitude média (2.500 a 6.000m). [Pl.: *altos-cúmulos.*]

alto e malo [De *alto*[2] + *malo*[2].] *Adv.* **1.** Ao acaso; a esmo. **2.** Sem escolha; indistintamente. [Var.: *alto e mau.*] ☑

alto e mau *Adv.* V. *alto e malo.* ☑

altoense *Adj. 2 g.* **1.** De, ou pertencente ou relativo a Altos (PI). • *S. 2 g.* **2.** O natural ou habitante de Altos.

alto-estrato *S. m. Met.* Nuvem que apresenta o aspecto de um lençol acinzentado, mais claro que o nimbo-estrato e mais escuro que o cirro-estrato, e situada a uma altitude média (2.500 a 6.000m). [F. paral., nesta acepç.: *altifalante.* Pl.: *altos-estratos.*]

alto-falante [De *alto*[2] (34) + *falante.*] *S. m.* **1.** *Eletrôn.* Transdutor eletroacústico que transforma um sinal de audiofrequência numa onda acústica. [Sin., bras.: *fonoclama.*] **2.** Ampliador do som nos aparelhos de rádio, etc. [F. paral., nesta acepç.: *altifalante.* Pl.: *alto-falantes.*] ◆ **Alto-falante a bobina móvel.** *Eletrôn.* Alto-falante dinâmico. **Alto-falante dinâmico.** *Eletrôn.* Aquele em que uma bobina, ligada mecanicamente a um diafragma flexível, se move pela ação de forças magnéticas; alto-falante a bobina móvel. **Alto-falante eletrostático.** *Eletrôn.* Alto-falante em que a membrana elástica é acionada por forças eletrostáticas.

alto-felizense *Adj. 2 g.* **1.** De, ou pertencente ou relativo a Alto Feliz (RS). • *S. 2 g.* **2.** O natural ou habitante de Alto Feliz. [Pl.: *alto-felizenses.*]

alto-forno [De *alto*[2] + *forno.*] *S. m. Metal.* Construção de dimensões variadas, revestida externamente de chapas metálicas e internamente de tijolos refratários, destinada a fundir e a reduzir o minério de ferro transformando-o em ferro-gusa. [Pl.: *altos-fornos.*]

alto-fundo *S. m.* Parte do fundo do mar elevada sobre o seu nível geral, mas que não constitui perigo para a navegação. [Tb. se diz apenas *fundo.* Pl.: *altos-fundos.*]

alto-garcense *Adj. 2 g.* **1.** Do, ou pertencente ou relativo a Alto Garças (MT). • *S. 2 g.* **2.** O natural ou habitante de Alto Garças. [Pl.: *alto-garcenses.*]

alto-horário [De *alto*[3] + *horário.*] *S. m. Mil.* Alto[3] (3) regulamentar a 10min, para descanso de tropa que marcha a pé, após cada 50min de marcha. [Pl.: *altos-horários.*]

alto-mar *S. m.* **1.** *Mar.* Qualquer ponto do mar afastado da costa e donde não se avista terra. [Sin.: *mar alto, mar largo, largo, pleno mar* e (bras., pop.) *marzão.*] **2.** *Dir. Intern.* Porção do mar que fica fora dos limites das águas territoriais de qualquer Estado, sendo por isso inteiramente livre à navegação; mar alto, mar livre, mar pleno. [Pl.: *altos-mares.*]

altoniano *Adj.* **1.** De, ou pertencente ou relativo a Altônia (PR). • *S. m.* **2.** O natural ou habitante de Altônia. [Sin. ger.: *altoniense.*]

altoniense *Adj. 2 g. S. 2 g.* V. *altoniano.*

alto-paraguaiense *Adj. 2 g.* **1.** De, ou pertencente ou relativo a Alto Paraguai (MT). • *S. 2 g.* **2.** O natural ou habitante de Alto Paraguai. [Pl.: *alto-paraguaienses.*]

alto-paraisense[1] (a-i) *Adj.* **1.** De, ou pertencente ou relativo a Alto Paraíso (RO). • *S. 2 g.* **2.** O natural ou habitante de Alto Paraíso. [Pl.: *alto-paraisenses.*]

alto-paraisense[2] (a-i) *Adj.* **1.** De, ou pertencente ou relativo a Alto Paraíso de Goiás (GO). • *S. 2 g.* **2.** O natural ou habitante de Alto Paraíso de Goiás. [Pl.: *alto-paraisenses.*]

alto-paranaense *Adj. 2 g.* **1.** De, ou pertencente ou relativo a Alto Paraná (PR). • *S. 2 g.* **2.** O natural ou habitante de Alto Paraná. [Pl.: *alto-paranaenses.*]

alto-parnaibano *Adj.* **1.** Do, ou pertencente ou relativo a Alto Parnaíba (MA). • ***S. 2 g.*** **2.** O natural ou habitante de Alto Parnaíba. [Pl.: *alto-parnaibanos.*]

alto-piquirense ***Adj. 2 g.*** **1.** De, ou pertencente ou relativo a Alto Piquiri (PR). • ***S. 2 g.*** **2.** O natural ou habitante de Alto Piquiri. [Pl.: *alto-piquirenses.*]

altoplano [De *alto*[2] + *plano.*] ***S. m.*** V. *planalto.*

altor (ô) [Do lat. *altore.*] ***Adj. S. m.*** Que ou o que nutre ou sustenta. [Fem.: *altriz.*]

alto-relevo ***S. m.*** **1.** Escultura feita sobre superfície plana em que as figuras em relevo pronunciado ficam destacadas do fundo. **2.** Impressão ou gravura em que certas partes sobressaem do fundo. [Pl.: *altos-relevos.* Cf. *baixo-relevo.*]

alto-rio-docense ***Adj. 2 g.*** **1.** Do, ou pertencente ou relativo a Alto Rio Doce (MG). • ***S. 2 g.*** **2.** O natural ou habitante de Alto Rio Doce. [Pl.: *alto-rio-docenses.*]

alto-rio-novense ***Adj. 2 g.*** **1.** De, ou pertencente ou relativo a Alto Rio Novo (ES). • ***S. 2 g.*** **2.** O natural ou habitante de Alto Rio Novo. [Pl.: *alto-rio-novenses.*]

alto-rodriguense ***Adj. 2 g.*** **1.** De, ou pertencente ou relativo a Alto do Rodrigues (RN). • ***S. 2 g.*** **2.** O natural ou habitante de Alto do Rodrigues. [Pl.: *alto-rodriguenses.*]

altos [Pl. de *alto*[2].] ***S. m. pl.*** *Bras. N.E.* Saliências do relevo, correspondentes ao afloramento de pegmatitos. ~ V. *alto.* ◆ **Altos e baixos. 1.** V. *altibaixos.* **2.** *Fig.* Instabilidade de comportamento, de sentimentos, de gênio, etc.: *É uma pessoa imprevisível com tantos altos e baixos.*

alto-santense ***Adj. 2 g.*** **1.** De, ou pertencente ou relativo a Alto Santo (CE). • ***S. 2 g.*** **2.** O natural ou habitante de Alto Santo. [Pl.: *alto-santenses.*]

alto-serrano ***Adj.*** **1.** De, ou pertencente ou relativo a Alto da Serra (RJ). • ***S. m.*** **2.** O natural ou habitante de Alto da Serra. [Pl.: *alto-serranos.*]

alto-vácuo ***S. m.*** *Fís.* Faixa de pressões inferiores a um centésimo de milímetro de mercúrio. [Pl.: *altos-vácuos.*]

altricial [Do rad. *altric-* < lat. *altrix, icis* (v. *altriz*) + *-ial.*] ***Adj. 2 g.*** *Zool.* Nidícola.

altriz [Do lat. *altrice.*] ***S. f.*** **1.** Aquela que nutre ou sustenta. **2.** A parte nutritiva duma substância.

altrose [Do lat. *altr-* (< lat. *alter, tris,* 'outro') + *-ose*[2].] ***S. f.*** *Quím.* Uma das aldoexoses, epímero da alose [fórm.: $C_6H_{12}O_6$].

altruísmo [Do fr. *altruisme.*] ***S. m.*** **1.** Amor ao próximo; filantropia. **2.** Desprendimento, abnegação: "Em terras pequenas raro faz lei social a aceitação de responsabilidade por altruísmo puro e sem lucro." (Fialho d'Almeida, *Vida Errante*, p. 92.) [Opõe-se, nas acepçs. 1 e 2, a *egoísmo* (1 e 2).] **3.** *Ét.* Doutrina que considera como fim da conduta humana o interesse do próximo, e que se resume nos imperativos: "Viva para outrem"; "Ama o próximo mais do que a ti mesmo" [Cf., nesta acepç., *abnegação* (2) e *egoísmo* (4 e 5).]

altruísta [Do fr. *altruiste.*] ***Adj. 2 g.*** **1.** Altruístico (1). **2.** Que pratica o altruísmo. • ***S. 2 g.*** **3.** Pessoa altruísta (1). [Opõe-se a *egoísta* (1 a 4).]

altruístico [De *altruísta* + *-ico*[2].] ***Adj.*** **1.** Relativo a altruísmo; altruísta. **2.** Que envolve ou revela altruísmo: *Seu procedimento altruístico deixou-nos surpresos.* **3.** Próprio de altruísta. [Opõe-se a *egoístico.*]

altura [De *alto*[2] + *-ura.*] ***S. f.*** **1.** Dimensão vertical de um corpo, da base para cima: *a altura de um prédio.* **2.** Posição de um corpo acima de um plano ou ponto de referência: *a altura das nuvens.* [Cf., nesta acepç., *altitude.*] **3.** Estatura (1). **4.** Elevação, eminência. **5.** Cume, cimo, topo. **6.** Alto[2] (26): *parede com 3m de altura; poço com 4m de altura.* **7.** Momento, instante: *A certa altura do discurso, a emoção embargou-lhe a voz;* "por isso ficaram todos calados, era a altura de começarem todos a falar" (José Saramago, *Memorial do Convento*, p. 103). **8.** Ponto, lugar: *Em que altura de Copacabana mora ele?* **9.** Grau de adiantamento: *Em que altura anda o livro que estás escrevendo?* **10.** Importância, valia, categoria: *empreendimento de grande altura.* **11.** *Astr.* Distância angular entre o horizonte e um ponto da esfera celeste, contada segundo o círculo vertical que passa por esse ponto. **12.** *Constr. Nav.* Qualquer distância vertical considerada na geometria do navio. **13.** *Fís.* Propriedade de uma onda ou vibração sonora, caracterizada pela frequência da vibração. **14.** *Geom.* Num cilindro, distância entre as bases. **15.** *Geom.* Num cone, distância entre o vértice e o plano da base. **16.** *Geom.* Num paralelogramo, distância que separa dois lados opostos. **17.** *Geom.* Numa pirâmide, distância entre o vértice e a base. **18.** *Geom.* Num prisma, distância entre os planos paralelos que determinam as bases. **19.** *Geom.* Num retângulo, comprimento do lado que está em posição vertical. **20.** *Geom.* Num trapézio, distância que separa os dois lados paralelos. **21.** *Geom.* Num triângulo, distância entre um vértice e o lado oposto. **22.** *Geom.* Num tronco de cone, distância entre as bases. **23.** *E. Ling.* Sensação auditiva relacionada à intensidade de um som. ~ V. *alturas.* ◆ **Altura americana.** *Tip.* Altura inglesa. **Altura barométrica.** *Fís.* Altura de uma coluna de mercúrio cuja pressão é equilibrada pela pressão atmosférica, e que constitui, por isso, medida dessa pressão. **Altura da maré.** *Ocean.* **1.** Altura do nível da água acima do zero hidrográfico, em determinado instante. **2.** Elevação ou abaixamento do nível da água em relação ao nível médio da maré, em determinado instante. **Altura da onda.** *Ocean.* Distância vertical entre a crista e o cavalo da onda. **Altura de arrebentamento.** *Mil.* Distância, acima do solo, em que explode um projetil, bomba, ou engenho nuclear com espoleta de tempo. **Altura de um triângulo.** *Mat.* Segmento da perpendicular baixada de um vértice sobre o lado oposto. **Altura de uma pirâmide.** *Mat.* Segmento da perpendicular baixada do vértice sobre a base. **Altura de voo.** *Aer.* Distância vertical de uma aeronave em relação a um nível de referência. **Altura do nariz.** Distância compreendida entre a glabela e a raiz do lábio superior. **Altura do papel.** *Tip.* Distância entre a base do tipo e a superfície do olho, correspondente à que vai do cofre da prensa ao papel; tipo-altura. **Altura do polo.** *Náut.* Ângulo que o eixo da Terra faz com o plano do horizonte do observador. **Altura francesa.** *Tip.* Altura do papel do sistema Didot, igual a 23,566mm, em vigor na América Latina e em grande parte da Europa. **Altura inglesa.** *Tip.* No sistema anglo-norte-americano, altura do papel, igual a 23,317mm, e vigorante nos E.U.A. e na Inglaterra; altura americana. **Altura negativa.** *Astr.* Depressão (6). **Altura padrão.** *Fís.* Padrão de frequência adotado em acústica, e igual a 440Hz. **Altura piezométrica.** *Geol.* Distância compreendida entre a superfície do terreno e a superfície do lençol de água subterrâneo. **A altura.** O céu, os céus; Deus; o Altíssimo: "baixava a cabeça como para receber, contrito, as mercês da altura" (Coelho Neto, *Sertão*, p. 284). **À altura. 1.** V. *à altura da situação*: "O Chico portou-se à altura, como um homem." (Garibaldino de Andrade, *Vila Branca*, p. 195.) **2.** Exatamente como deve ou devia fazer, sem frouxidão, com precisão e desassombro: *Insultado, revidou à altura.* **À altura da situação.** Como a situação ou as circunstâncias exigem; de acordo; conforme; à altura: *Portou-se à altura da situação; É um homem à altura da situação.* **À altura de.** Em condições para bom exercício ou desempenho de: *estar à altura do cargo; Acha-se à altura do mandato.* **Nesta altura da situação.** A esta altura (7); neste ponto; agora, presentemente; nesta altura do campeonato; nesta altura dos acontecimentos. **Nesta altura do campeonato.** *Bras. Pop.* Nesta altura da situação. **Nesta altura dos acontecimentos.** V. *nesta altura da situação.* **Pôr nas alturas. 1.** Elevar, exaltar, endeusando; mitificar. **2.** Atribuir qualidades ideais a; idealizar. **Responder à altura.** Responder nos mesmos termos em que foi interpelado, de forma categórica.

alturas [Pl. de *altura.*] ***S. f. pl.*** O céu, os céus: *Glória a Deus nas alturas.* ~ V. *altura.*

aluá[1] [Do ár. *al-ḥalūwa(t)*, 'doce'.] ***S. m.*** **1.** Doce feito de leite, açúcar e amêndoas trituradas. **2.** Alféloa.

aluá[2] [Do quimb. *ualuá.*] ***S. m.*** **1.** *Bras.* Bebida refrigerante, feita com farinha de arroz ou milho torrado, fermentada com açúcar, em potes de barro, ou com cascas de abacaxi, pelo mesmo processo: "queixou-se do calor, e mandou vir um copo de aluá." (Machado de Assis, *Memórias Póstumas de Brás Cubas*, p. 58). [Var. us. na BA: *aruá*[2]] **2.** *Bras. SP* Bebida feita com aguardente, infusão de café e gengibre, água de arroz ou de fubá, adoçada com açúcar. **3.** *Bras. Afric.* Bebida feita com casca de frutas, como, p. ex., abacaxi e tamarindo, ou arroz fermentado: "Havia pessoas andando outras comerciando coisas como obi, ..., aluá, acará, óleo de palma." (Ana Maria Gonçalves, *Um Defeito de Cor*, p. 28).

aluacir ***S. m.*** V. *aguazil.*

aluado [Part. de *aluar-se.*] ***Adj.*** **1.** Influenciado pela Lua; luado. **2.** V. *lunático* (2). **3.** Diz-se do animal que está no cio: "Começou [a gata] a ficar aluada e de noite saltava-me do regaço e subia para cima da casa." (Germano Almeida, *A Ilha Fantástica*, p. 34.) • ***S. m.*** **4.** Indivíduo aluado (2).

aluamento [De *aluar-se* + *-mento.*] ***S. m.*** **1.** Estado de aluado; doidice, maluquice. **2.** Cio dos animais; lua. **3.** *Marinh.* Curva reentrante na esteira das velas (redondas e latinas) para evitar que rocem na verga, na retranca, ou no estai inferior.

aluanda [Do top. *Luanda* (Angola).] ***S. f.*** *Bras. Rel.* Céu onde vivem os orixás e entidades afins. [Por vezes, com cap. Var.: *aruanda, aluanguê, aruandê, aruenda, zaluanda.*]

aluanguê ***S. f.*** *Bras. Rel.* V. *aluanda.*

aluar-se [De *a-*[2] + *lua* + *-ar*[2] + *se*[1].] ***V. p.*** **1.** Ficar louco, lunático; enlouquecer, adoidar-se, aloucar-se. **2.** Ficar (o animal) aluado (3).

aluazil ***S. m.*** V. *aguazil.*

aluazir ***S. m.*** V. *aguazil.*

alucinação [Do lat. *alucinatione.*] ***S. f.*** **1.** Ato ou efeito de alucinar(-se). **2.** Ilusão, fantasia. **3.** Arrebatamento, desvairamento, desvario. **4.** *Psiq.* Percepção do ausente, ou do inexistente, ou ainda, percepção alterada de objeto presente. **5.** *Psiq.* O que é percebido por alucinação (4). ◆ **Alucinação hipnagógica.** *Psiq.* A que é semelhante a sonho, e que se manifesta no começo do sono. **Alucinação hipnopômpica.** *Psiq.* A que é semelhante a sonho, e que se manifesta ao despertar.

alucinado [Part. de *alucinar.*] ***Adj.*** **1.** Fora de si, por efeito de alucinação. **2.** Louco; desvairado: *olhar alucinado.* **3.** *Fig.* Irritado em grau extremo; fora de si; louco: *Ficou alucinado com a brincadeira de mau gosto.* • ***S. m.*** **4.** Indivíduo alucinado.

alucinador (ô) [Do lat. med. *alucinatore.*] ***Adj.*** **1.** V. *alucinante* (1 e 2). • ***S. m.*** **2.** O que alucina.

alucinamento [De *alucinar* + *-mento.*] ***S. m.*** Ato de alucinar(-se).

alucinante [Do lat. *alucinante.*] ***Adj. 2 g.*** **1.** Que alucina, que faz perder o tino, a razão, o entendimento; alucinatório, alucinador. **2.** Apaixonante, tentador, estonteante; alucinador. **3.** Que é causado por ou revela alucinação: *viagem alucinante; olhar alucinante.* **4.** Que causa perturbação ou forte impressão: *imagens alucinantes.* **5.** *P. ext.* Que revela medo, pavor, desespero: *grito alucinante.* **6.** *Fig.* Rápido, veloz ou ágil ao extremo: *velocidade alucinante; ritmo alucinante.*

alucinar [Do lat. **alucinare*, por *alucinari*, 'errar', 'enganar-se'.] ***V. t. d.*** **1.** Privar da razão, do entendimento; desvairar, aloucar: *As repetidas torturas físicas alucinaram o pobre homem.* **2.** Fazer cair em alucinação. **3.** Fazer ficar perdidamente enamorado, apaixonado: *Sua graça e beleza o alucinaram de todo.* ***Int.*** **4.** Causar graves distúrbios de percepção ou desvario: *As drogas alucinam, alterando transitoriamente a personalidade;* "Tu és a flor da Jurema, / Flor que embebeda e alucina" (Luís Murat, *Ondas*, II, p. 65). **5.** Ter alucinação ou alucinações. ***P.*** **6.** Perder a razão, o entendimento; desvairar-se. **7.** Apaixonar-se a ponto de perder o uso do entendimento.

alucinatório [De *alucinar* + *-tório.*] ***Adj.*** **1.** V. *alucinante* (1). **2.** Em que há alucinação: *delírio alucinatório.*

▲ **alucin(o)-** [De *alucinação* < lat. *alucinatĭo, ōnis.*] ***El. comp.*** = 'alucinação': *alucinógeno.*

alucinógeno [De *alucin(o)-* + *-geno.*] ***Adj.*** **1.** Diz-se da substância, produto, ou estado que provoca alucinações. • ***S. m.*** **2.** Substância ou produto alucinógeno.

alucinose [De *alucin(ação)* + *-ose*[1].] ***S. f.*** *Psiq.* Quadro alucinatório de que o indivíduo tem dele consciência clara, ger. devido a intoxicação ou abstinência de substâncias psicoativas, ou a traumas.

alude [De um voc. pré-romano = 'desprendimento de neve', aparentado ao vasc. *elur*, 'neve'.] ***S. m.*** Grande massa de neve que se desagrega da montanha e despenha. [Em geral se designa por *avalanche* ou *avalancha.*]

aludel [Do ár. *al-uṯāl.*] ***S. m.*** Conjunto de vasos encaixados uns nos outros, formando um tubo, que outrora se usava nos laboratórios de química para a obtenção de certos sublimados. [Pl.: *aludéis.*]

aludir [Do lat. *alludere.*] ***V. t. i.*** **1.** Fazer alusão; referir-se: *Preferi não aludir ao desagradável incidente;* "Chanceler, aludistes vagamente a insolências, a conspirações, e não sei a que mais." (Alexandre Herculano, *O Monge de Cister*, I, p. 37). ***T. d. e i.*** **2.** *P. us.* Mencionar (pessoa, fato, etc., a alguém). [Não admite o pronome *lhe(s)*, mas apenas as f. analíticas *a ele(s), a ela(s)*: *Não quero aludir àquele caso, jamais aludirei a ele.*]

alufá [De or. afr., poss. do ár. *al-awf(a)*, 'o fiel', 'o mais fiel'.] ***S. m.*** *Bras. RJ Rel.* **1.** *Obsol.* Sacerdote do culto dos negros malês ou muçulmis, em nosso país. **2.** *P. ext. Obsol.* Muçulmi. **3.** Na umbanda, título prestigioso de chefe de terreiro (7).

alugação [De *alugar* + *-ção.*] ***S. f.*** *Desus.* Ato de alugar; alugamento.

alugado [Part. de *alugar.*] ***Adj.*** **1.** Que se tomou por aluguel; arrendado. **2.** Que se contratou por soldada; assalariado: *trabalhadores alugados.* ~ V. *inimigo —.* • ***S. m.*** **3.** *Bras.* Trabalhador que se aluga para vários serviços. **4.** *Bras. BA* Garimpeiro assalariado, que trabalha sem direito às pedras extraídas.

alugador (ô) [De *alugar* + *-dor.*] ***S. m.*** **1.** Aquele que aluga. **2.** V. *locatário.*

alugamento [De *alugar* + *-mento.*] ***S. m.*** *Desus.* Alugação.

alugar [De *a-*[2] + lat. *locare*, por via pop.] ***V. t. d.*** **1.** Tomar por aluguel: *Alugou uma casa à beira-mar.* **2.** Dar de aluguel; locar: *Tendo de viajar, alugou o apartamento.* **3.** Assoldadar, assalariar. **4.** *Bras. Gír.* Ocupar o tempo e a atenção de (alguém), ger. fora de hora ou de ocasião, com assunto enfadonho, inconveniente, ou com o qual o ouvinte nada tem a ver. ***T. d. e i.*** **5.** Dar de aluguel: *Alugou-lhe a casa por três anos.* **6.** Tomar por aluguel: "Aluguei um telescópio ao Sr. Reis, e observei o cometa" (Joaquim Manuel de Macedo, *Os Romances da Semana*, p. 54). [Conjug.: v. *largar*. Pres. subj.: *alugue, alugues, alugue, aluguemos, alugueis, aluguem*. Cf. *aluguéis*, pl. de *aluguel*.]

alugatário [De *alugar* + *-tário*.] ***S. m.*** Indivíduo que reside em local que tomou por aluguel; inquilino, locatário: "Em Lisboa só há ainda em conta: as casas, em cujas rendas os alugatários pagam também as décimas" (João do Rio, *Portugal dagora*, p. 168).

aluguel [De *alugar*, por infl. de *alquilel*.] ***S. m.*** **1.** Cessão do uso e gozo de prédio, coisa ou animal, ou prestação de serviços, por tempo determinado ou não, mediante pagamento de um preço; locação. **2.** Remuneração paga ao locador em razão da locação. [Var.: *aluguer*. Pl.: *aluguéis*. Cf. *alugueis*, do v. *alugar*.]

aluguer ***S. m.*** V. *aluguel*: "Estou comprando fiado na bodega. E pra inteirar o aluguer da casa, tive de tomar emprestado ali à Do Carmo." (Amando Fontes, *Os Curumbas*, p. 78.)

aluição (u-i) [De *aluir* + *-ção*.] ***S. f.*** Ato ou efeito de aluir(-se); aluimento.

aluidor (u-i...ô) [De *aluir* + *-dor*.] ***Adj.*** Que alui, que faz aluir.

aluimento (u-i) [De *aluir* + *-mento*.] ***S. m.*** Aluição.

aluir [Do lat. *alluere*.] ***V. t. d.*** **1.** Fazer vacilar; abalar. **2.** Abalar, sacudir: *Sua argumentação aluiu as afirmações do réu.* **3.** Pôr abaixo; derribar, derrubar: *Aluíram a velha casa para construir ali um moderno edifício;* "se o Dr. Carneiro houvesse atentado a notação ortográfica, e não se esquecesse de ir perguntar-lhe ao próprio Whitney pela significação, teria visto que ela dá em terra com seu castelo etimológico, aluindo-o pela base" (Rui Barbosa, *Réplica*, p. 342). **4.** Arruinar, prejudicar (alguém ou algo): *aluir uma reputação.* ***T. c.*** **5.** *Bras.* Mexer-se, mover-se: "'Falou, papudo' — pensou o rezador sem aluir do lugar." (Bernardo Élis, *Veranico de Janeiro*, p. 43.) ***Int.*** **6.** Abalar-se, estremecer. **7.** Deixar de estar firme ou seguro; ameaçar ruína; oscilar. **8.** Desabar, desmoronar-se, ruir: "Uma prepotência desabusada surgira — e aluíam muralhas de papel." (Graciliano Ramos, *Memórias do Cárcere*, I, p. 98.) ***P.*** **9.** Desmoronar-se, ruir, cair: "abateu-se a torre com grande estrépito, as quadrelas aluíram-se" (Rebelo da Silva, *Contos e Lendas*, p. 47). **10.** Ameaçar ruína. [Conjug.: v. *atribuir*.]

alujá [Do ior.] ***S. m.*** *Bras. Rel.* **1.** Nos candomblés nagôs, toque de atabaque e ritmo particular de Xangô. **2.** Dança ritual dos candomblés nagôs, no qual as iaôs saúdam a assistência num giro pelo barracão (5). [Var.: *alojá, arujá, iorojá*.]

álula [Do lat. *ala*, 'asa', + *-ula*.] ***S. f.*** **1.** Pequena asa. **2.** *Zool.* Porção basal da asa de certos insetos; nos dípteros localiza-se acima dos alteres; calíptera, escama. **3.** *Zool.* Porção da asa das aves que compreende a borda externa do polegar.

alumbrado [Part. de *alumbrar*.] ***Adj.*** **1.** Que se iluminou espiritualmente; inspirado. **2.** Que se deslumbrou; maravilhado.

alumbrador (ô) [De *alumbrar* + *-dor*.] ***Adj.*** Que alumbra.

alumbramento [De *alumbrar* + *-mento*.] ***S. m.*** *P. us.* **1.** Inspiração sobrenatural; iluminismo. **2.** Ato ou efeito de alumbrar-se; deslumbramento, maravilhamento: "Um dia eu vi uma moça nuinha no banho / Fiquei parado o coração batendo / Ela se riu / Foi o meu primeiro alumbramento" (Manuel Bandeira, *Estrela da Vida Inteira*, p. 116). **3.** Inspiração, iluminação.

alumbrar [Do esp. *alumbrar*.] ***V. t. d. P.*** **1.** Iluminar(-se), alumiar(-se). **2.** Deslumbrar(-se), maravilhar(-se). **3.** Inspirar(-se); iluminar(-se).

alume [Do lat. *alumen*, por via semierudita.] ***S. m.*** *Quím.* Qualquer sulfato duplo de um metal trivalente (alumínio, cromo, ferro) e de um metal alcalino ou de amônio; alúmen.

alumel ***S. m.*** *Metal.* Nome comercial de liga de níquel com manganês, alumínio, silício e ferro, usada para fabricação de resistores elétricos. [Pl.: *aluméis*.]

alúmen [Do lat. *alumen*, por via erudita.] ***S. m.*** *Quím.* V. *alume*. [Pl.: *alumens* e (p. us. no Brasil) *alúmenes*.]

alumiação [De *alumiar* + *-ção*.] ***S. f.*** Ato ou efeito de alumiar; aluminação[2]; alumiamento.

alumiado [Part. de *alumiar*.] ***Adj.*** **1.** Que tem claridade: *quarto alumiado.* **2.** *Fig.* Esclarecido, ilustrado: *homem culto, alumiado.*

alumiador (ô) [De *alumiar* + *-dor*.] ***Adj.*** **1.** Que alumia, fornece luz. **2.** *Fig.* Que esclarece, clarifica. ● ***S. m.*** **3.** Aquele ou aquilo que alumia.

alumiadora (ô) [F. subst. de *alumiador*.] ***S. f.*** Aquela que alumia: "E foi então que lhes nasceu a Lua .... , boa alumiadora, embora emprestando às coisas perspectivas estranhas" (Aquilino Ribeiro, *S. Bonaboião, Anacoreta e Mártir*, p. 118-119).

alumiamento [De *alumiar* + *-mento*.] ***S. m.*** V. *alumiação*.

alumiar [Do lat. vulg. **alluminare*, ou do lat. *illuminare* (por via pop.), ambos de *lumen, inis*.] ***V. t. d.*** **1.** Dar luz ou claridade suficiente a; iluminar, (desus.) aluminar: "A lamparina alumiava o seu quarto de dormir" (Machado de Assis, *Esaú e Jacó*, p. 258); "Leitor, foi um relâmpago. Tão depressa alumiou a noite, como se esvaiu" (Id., *Dom Casmurro*, p. 200). **2.** Dar lume a; acender, (desus.) aluminar: *alumiar a lamparina.* **3.** Dar claridade, brilho, vida, a; iluminar: "um sorriso alumiou o rosto da enferma, sobre o qual a morte batia a asa eterna." (Machado de Assis, *Memórias Póstumas de Brás Cubas*, p. 78). **4.** *Fig.* Instruir, ilustrar, esclarecer; iluminar: *alumiar o espírito.* ***Int.*** **5.** Dar ou espargir luz, claridade; iluminar: "É a luz mais benigna que o Sol; porque o Sol alumia, mas abrasa: a luz alumia, e não ofende." (P.[e] Antônio Vieira, *Sermões*, I, p. 250); "o Sol, escondido por trás da serra, ainda alumiava bastante" (Fran Martins, *Dois de Ouros*, p. 46). **6.** *Bras.* Reluzir, rebrilhar, resplandecer: *O tacho alumiava, de tão limpo.* ***P.*** **7.** Ficar iluminado; iluminar-se. **8.** Ilustrar-se, instruir-se; iluminar-se.

alumina [Do lat. *alumen* + *-ina*[3].] ***S. f.*** *Quím.* O trióxido de dialumínio [fórm.: Al_2O_3]

aluminação[1] [De *aluminar*[1] + *-ção*.] ***S. f.*** Ato ou efeito de aluminar[1]; aluminagem.

aluminação[2] [De *aluminar*[2] + *-ção*.] ***S. f.*** Ato ou efeito de aluminar[2]; alumiação.

aluminagem [De *aluminar*[1] + *-agem*[2].] ***S. f.*** **1.** Aluminação[1]. **2.** *Fot.* Banho de alumina.

aluminar[1] [Do lat. *alumine* + *-ar*[2].] ***V. t. d.*** Misturar com alume.

aluminar[2] [De *a-*[2] + lat. *luminare*, poss.] ***V. t. d.*** *Desus.* Alumiar.

aluminato [De *alumin(i)-* + *-ato*[2].] ***S. m.*** *Quím.* Qualquer derivado do hidróxido de alumínio em que o hidrogênio foi substituído.

aluminense ***Adj. 2 g.*** **1.** De, ou pertencente ou relativo a Alumínio (SP). ● ***S. 2 g.*** **2.** O natural ou habitante de Alumínio.

▲ **alumin(i)-** [Do lat. *alūmen, ĭnis*, 'pedra-ume'.] ***El. comp.*** = 'alumínio'; 'alume': *aluminita, aluminífero*. [Equiv.: *-alumin(i)-, alumino-*: *silicaluminoso*; *aluminografia*.]

▲ **-alumin(i)-** V. *alumin(i)-*.

alumínico [De *alumínio* + *-ico*[2].] ***Adj.*** Relativo ao alumínio.

aluminífero [De *alumin(i)-* + *-fero*.] ***Adj.*** Que contém alume; aluminioso.

alumínio [Do lat. cient. *aluminium*.] ***S. m.*** *Quím.* Metal branco prateado, com número atômico 13, leve, mole, dúctil, resistente a corrosão, com inúmeras aplicações [símb.: *Al*].

aluminioso (ô) [De *alumin(i)-* + *-oso*.] ***Adj.*** Aluminífero.

aluminita [De *alumin(i)-* + *-ita*[3].] ***S. f.*** *Min.* Mineral provavelmente ortorrômbico, sulfato de alumínio hidratado.

aluminização [De *aluminizar* + *-ção*.] ***S. f.*** Ato ou operação de aluminizar.

aluminizado [Part. de *aluminizar*.] ***Adj.*** Feito ou recoberto com uma camada de alumínio: *papel aluminizado.*

aluminizar [De *alumin(i)-* + *-izar*.] ***V. t. d.*** Recobrir (uma superfície, de vidro ou de outro material) com uma fina camada de alumínio, tornando-a refletora.

▲ **alumino-** [De *alumin(i)-* + *-o-*.] V. *alumin(i)-*.

aluminografia [De *alumino-* + *-grafia*.] ***S. f.*** Algrafia (1).

aluminoso (ô) [De *alumina* + *-oso*.] ***Adj.*** Que contém alumina. ~ V. *cimento* —.

aluminossilicato [De *alumino-* + *silicato*.] ***S. m.*** *Min.* Composto que contém alumínio e silício, combinados com oxigênio na proporção estequiométrica dos respectivos óxidos, além de outros metais.

aluminotermia [De *alumino-* + *-term(o)-* + *-ia*[1].] ***S. f.*** *Quím.* Procedimento de obtenção de metais mediante a redução, fortemente exotérmica, dos respectivos óxidos pelo alumínio metálico. [O processo é tb. us. para efetuar soldas.]

alunado ***S. m.*** *Bras.* V. *alunato*.

alunagem [De *a-*[2] + lat. *luna*, 'lua', + *-agem*[2].] ***S. f.*** *Astron.* Alunissagem.

alunar [De *a*[2] + lat. *luna*, 'lua', + *-ar*[2].] ***V. int.*** *Astron.* V. *alunissar*.

alunato [De *aluno* + *-ato*[1].] ***S. m.*** *Bras.* **1.** Conjunto de alunos: "um terço do alunato [da Escola Militar do Realengo] é oriundo do Rio Grande do Sul" (Apolônio de Carvalho, *Vale a Pena Sonhar*, p. 46). **2.** Os alunos. [Var.: *alunado*.]

alunissagem [Do fr. *alunissage*.] ***S. f.*** *Astron.* Pouso suave na superfície lunar; alunagem.

alunissar [Voc. deduz. de *alunissagem*.] ***V. int.*** *Astron.* Pousar suavemente na superfície lunar; alunar, alunizar.

alunita [Do fr. *alunite*.] ***S. f.*** *Min.* Mineral trigonal, sulfato básico de alumínio e potássio.

alunizar [De *a-*[2] + *-lun(i)-* + *-izar*.] ***V. int.*** *Astron.* V. *alunissar*.

aluno [Do lat. *alumnu*, primitivamente, 'criança que se dava para criar'.] ***S. m.*** **1.** Pessoa que recebe instrução e/ou educação de algum mestre, ou mestres, em estabelecimento de ensino ou particularmente; estudante, educando, discípulo. **2.** Aquele que tem escassos conhecimentos em certa matéria, ciência ou arte; aprendiz. **3.** *Ant.* Indivíduo natural de certa terra, país ou lugar; natural, filho.

alusão [Do lat. *allusione*.] ***S. f.*** **1.** Ato ou efeito de aludir. **2.** Referência vaga e indireta. **3.** Menção, referência, relação. **4.** *E. Ling.* Apreciação indireta de uma pessoa ou de um ato, por meio de referência a um fato ou personagem conhecidos. Ex.: *Está sob a* espada de Dâmocles; *O exército vencedor sofreu tantas baixas que não pôde continuar a lutar: seu general alcançara uma* vitória de Pirro.

alusivo [Do fr. *allusif*.] ***Adj.*** **1.** Que contém alusão. **2.** Referente, respeitante, relativo. **3.** Alegórico, figurado.

alutáceo ***Adj.*** Semelhante ao couro quanto ao aspecto, coloração, etc.

aluvai ***Interj.*** *Bras. N.E.* Alto lá.

aluvial [De *aluv(i)-*, como em *aluvião* e *alúvio*, + *-al*[1].] ***Adj. 2 g.*** De, semelhante ou relativo a aluvião ou alúvio; aluvionário, aluviônico: *terrenos aluviais.* ~ V. *cone* — e *solo* —.

aluviano ***Adj.*** ~ V. *depósito* — e *terreno* —.

aluvião [Do lat. *alluvione*.] ***S. f. e m.*** **1.** *Geol.* Depósito de cascalho, areia e argila que se forma junto às margens ou à foz dos rios, proveniente do trabalho de erosão; alúvio: "a lembrar paisagens rudimentares de grandes quadrúpedes lacustres, atolados até os joelhos, entre os juncais, nas águas espapaçadas, reverberantes, das estagnações do aluvião." (Silva Guimarães, *Os Borrachos*, p. 12); "Muitas vezes mudaram, no curso do tempo, o perfil da baía do Recife, as regressões e transgressões marinhas, e as aluviões dos numerosos rios" (Osmã Lins, *Nove, Novena*, p. 235). [Cf. *eluvião*.] **2.** Inundação, cheia, enchente, enxurrada, alúvio. **3.** *Fig.* Grande quantidade, ou grande número de pessoas ou coisas: "levava até à noite fazendo visitas, percorrendo toda a cidade, entrando numa aluvião de casas." (Artur Azevedo, *Contos Cariocas*, pp. 42-43); "Baralhavam-lhe o bronco cérebro uma aluvião de ideias, atropeladas, confusas e maldistintas, que o traziam raivoso" (Abel Botelho, *Mulheres da Beira*, p. 27). **4.** *Jur.* Modo de aquisição de propriedade resultante de acessão em consequência de acréscimos paulatinos de terras a imóveis ribeirinhos por força do curso das águas, ou pelo desvio das águas de um rio de seu leito.

alúvio [Do lat. *alluviu*.] ***S. m.*** V. *aluvião* (1 e 2).

aluvional [De *aluvião* (*aluvion-*) + *-al*[1].] ***Adj. 2 g.*** V. *aluvial*.

aluvionamento [De **aluvionar* (de *aluvião* + *-ar*[2]) + -mento.] ***S. m.*** *Geol.* Processo de depositação de aluviões.

aluvionário [De *aluvião* + *-ário*.] ***Adj.*** V. *aluvial*.

aluviónico ***Adj.*** V. *aluviônico*. [Uso freq. em P.]

aluviônico [De *aluvião* + *-ico*[2], seg. o padrão erudito.] ***Adj.*** V. *aluvial*.

alva[1] [F. subst. do adj. *alvo*.] ***S. f.*** **1.** O primeiro alvor da manhã; anteaurora: "A alva desponta. Dói-lhe a claridade / Nos olhos tristes." (Manuel Bandeira, *Estrela da Vida Inteira*, p. 65). **2.** Veste talar, de pano branco: "Com a mesma cerimônia de rezas, aspersões e às vezes oblações de incenso, arrancando-lhe [a Fr. Caneca] estola, manípulo, cordão, alva, amito, deixando-o em camisa e calça." (Tobias Monteiro, *O Primeiro Reinado*, p. 233.) **3.** *Anat.* V. *esclera*. **4.** *Ant.* Espécie de túnica que os condenados vestiam ao ir para o suplício. [Var. de *alba*[1].]

alva[2] ***S. f.*** V. *alba*[2].

alvacá ***S. f.*** *Bot.* V. *cânhamo-de-manilha*.

alvação ***Adj.*** **1.** V. *alvacento*. **2.** *Bras. N.E.* Diz-se da rês branca, sem mancha: "carros puxados por juntas de 10 bois, formada cada junta, a capricho, de animais de pelo igual: ou todos pretos, ou alvações, laranjos, malhados, bragados" (Xavier Marques, *As Voltas da Estrada*, p. 16). [Fem.: *alvaçã*; pl.: *alvações*.]

alvaçar ***S. f.*** *Bras. BA* Peça de madeira, na proa das embarcações, que serve de amparo ao mastro.

alvacento [Do lat. *albescente*, com infl. dos adj. em *-ento*, poss.] ***Adj.*** Quase branco; esbranquiçado, ou cinzento-claro; alvadio, albescente, alvação, albicante: "E límpida, sem mácula, alvacenta, / A lua a estrada solitária banha..." (Raimundo Correia, *Poesias*, p. 112.) [Outro sin. (p. us.): *alvar*.]

alvacil ***S. m.*** V. *aguazil*.

alvacir ***S. m.*** V. *aguazil*.

alvacora *S. f. Bras. Zool.* V. *albacora*.

alvadio [Do lat. *albatu*, 'vestido de branco', + *-io*[2], ou do lat. vulg. *albativu*.] ***Adj.*** V. *alvacento*: "Trajava de cetim escuro, ... diamantes nas orelhas e num laço dos cabelos, envolta em uma capa alvadia roçagante." (Camilo Castelo Branco, *Perfil do Marquês de Pombal*, p. 16).

alvado [Do lat. *alveatu*.] ***S. m.*** **1.** Vão, ou olho, de alguns instrumentos, por onde entra o cabo deles. **2.** *Apic.* No cortiço, abertura por onde entram e saem as abelhas; aivado. **3.** *Pop.* Alvéolo (6). **4.** *Bras. AL Pop.* V. *ânus*.

alvaiadar [De *alvaiade* + *-ar*[2].] ***V. t. d.*** Pintar ou tingir com alvaiade.

alvaiade [Do ár. *al-abyaḍ*, 'branco'.] ***S. m.*** *Quím.* Pigmento branco, seja de carbonato básico de chumbo, seja de óxido de zinco. [Var.: *albaida*.]

alvaiado [Por *alvaiadado*, de *alvaiadar*, com haplologia.] ***Adj.*** Pintado ou tingido com alvaiade.

alvanega [Do ár. *al-baniqa(t)*, 'faca'.] ***S. f.*** *Ant.* **1.** Peça triangular que se coloca nas mangas das camisas para as alargar. **2.** Espécie de capuz, gorro ou touca, ger. us. por mulheres.

alvanel [Do ár. *al-banā'*, 'construtor'.] ***S. m.*** Pedreiro (1), alveneiro. [Var.: *alvaner*, *alvanéu*, *alvenal*, *alvenel*, *alvener*, *alvenéu*.] [Pl.: *alvanéis*.]

alvaner ***S. m.*** V. *alvanel*.

alvanéu ***S. m.*** V. *alvanel*.

alvar [De *alvo* (1) + *-ar*[1].] ***Adj. 2 g.*** **1.** *P. us.* V. *alvacento*. **2.** Estúpido, ingênuo [v. *tolo* (1 a 3)]: "E a Sra. Fernandinha, hipopótamo enorme, flácida, com aquela cara alvar e espapaçada, sorria-lhe alarvemente." (Antônio Madeira, *Caminhos Magnéticos*, p. 35.) [Pl.: *alvares*. Cf. *Álvares*, antr.]

alvará [Do ár. *al-barā'(t)*, 'carta', 'cédula'.] ***S. m.*** **1.** Documento passado a favor de alguém por autoridade judiciária ou administrativa, que contém ordem ou autorização para a prática de determinado ato. **2.** Licença administrativa para o exercício de uma atividade, ou para realização de obra arquitetônica. **3.** *Ant.* Resolução, rubricada pelo soberano e referendada pelo ministro competente, acerca de negócios, públicos ou particulares, em geral de efeito temporário. [Pl.: *alvarás*. Cf. *alvaraz*.] ◆ **Alvará de construção.** *Arquit.* Documento em que uma prefeitura licencia a execução de uma obra, segundo planta aprovada, ficando esta sujeita à sua fiscalização.

alvarado [Do antr. *Alvarado*.] ***S. m.*** *Bot.* Planta ciperácea (*Scleria hirtella*) empregada como forragem e no fabrico de papel.

alvarãense ***Adj. 2 g.*** **1.** De, ou pertencente ou relativo a Alvarães (AM). ● ***S. 2 g.*** **2.** O natural ou habitante de Alvarães.

alvaraz [Do ár. *al-baraṣ*.] ***S. m.*** *Ant.* **1.** Lepra branca. **2.** Manchas brancas que se manifestam na pele. **3.** Vitiligem de equídeos. [Var., ant.: *alvarazo*. Cf. *alvarás*, pl. de *alvará*.]

alvarazo ***S. m.*** *Ant.* V. *alvaraz*.

alvarenga [Do antr. *Alvarenga*, poss.] ***S. f.*** *Bras.* Embarcação para carga e descarga de navios. [Cf. *chata* e *batelão*.]

alvarengueiro [De *alvarenga* + *-eiro*.] ***S. m.*** *Bras.* Dono e/ou tripulante de alvarenga.

alvarenguense ***Adj. 2 g.*** **1.** De, ou pertencente ou relativo a Alvarenga (MG). ● ***S. 2 g.*** **2.** O natural ou habitante de Alvarenga.

alvaresiano [Do antr. *Álvares (de Azevedo)* + *-iano*.] ***Adj.*** **1.** Pertencente ou relativo a Álvares de Azevedo (1870-1905), poeta brasileiro, ou próprio dele. **2.** Que é seu admirador e/ou conhecedor profundo de sua obra. ● ***S. m.*** **3.** Admirador e/ou conhecedor profundo da obra de Álvares de Azevedo.

alvarinho[1] [Alter. de *alvaraz*.] ***S. m.*** Bexigas benignas que atacam as cabras e ovelhas.

alvarinho[2] [De *alvar* + *-inho*[2].] ***S. m.*** **1.** *Vitic.* Casta de uva branca, do alto Minho e da Galiza, us. sobretudo na fabricação de vinhos verdes. [É comum, nesta acepç., o uso da palavra no fem. por elipse.] **2.** *Etnol.* Vinho feito com esta uva: "morto de sede, fui beber uma gota de alvarinho a Monção." (Miguel Torga, *Portugal*, p. 17).

álvaro-carvalhense ***Adj. 2 g.*** **1.** De, ou pertencente ou relativo a Álvaro de Carvalho (SP). ● ***S. 2 g.*** **2.** O natural ou habitante de Álvaro de Carvalho. [Pl.: *álvaro-carvalhenses*.]

alvaroque ***S. m.*** *Prov. port.* V. *alboroque*.

alvarrã ***S. f.*** V. *albarrã*.

alvarral [Do ár. *al-girbāl*.] ***S. m.*** Espécie de peneira. [Pl.: *alvarrais*.]

alvarrão ***Adj.*** V. *albarrão*.

alvasil ***S. m.*** V. *aguazil*.

alvazil ***S. m.*** V. *aguazil*: "Alcaides, alvazis, meirinhos e corregedores policiam a governança e administram justiça." (Antero de Figueiredo, *Jornadas em Portugal*, p. 77.)

alvazir ***S. m.*** V. *aguazil*.

alveador (ô) [De *alvear* + *-dor*.] ***S. m.*** *P. us.* Aquele que alveia; caiador.

alveamento [De *alvear* + *-mento*.] ***S. m.*** Ato ou efeito de alvear.

alvear [De *alvo* + *-ear*[2].] ***V. t. d.*** *P. us.* V. *caiar*. [Conjug.: v. *frear*.]

alveário [Do lat. *alveariu*.] ***S. m.*** **1.** Colmeia, enxame. **2.** *Ant.* Concha de orelha.

alvedrio [Dev., talvez, do ant. **alvidriar*, do qual veio *alvidrar*.] ***S. m.*** Vontade própria: "Deixo ao alvedrio de cada leitor pontuar o período à medida do seu pasmo." (Camilo Castelo Branco, *A Enjeitada*, p. 22.)

alveiro [De *alvo* + *-eiro*.] ***Adj.*** **1.** De cor branca: *pão alveiro*; "No delíquio e ametistas dos crepúsculos, vai sossegando o rancho alveiro e sonolento, que se agasalha, tapizando de branco o frondeado estendedouro das moitas negras e misteriosas." (Alberto Rangel, *Sombras n'Água*, p. 156). **2.** Diz-se do moinho que mói somente farinha muito alva. ● ***S. m.*** **3.** Marco branco que serve de alvo.

alveitar [Do gr. *hippiatrós*, 'médico de cavalos', pelo ár. *hippiatrós*, 'veterinário'.] ***S. m.*** **1.** Curandeiro de doenças de animais. **2.** Ferrador de cavalgaduras: "Lá se encontra também o 'Parafuso', um preto, domador de cavalos e alveitar estimado." (Lima Barreto, *Vida e Morte de M. J. Gonzaga de Sá*, p. 200.) **3.** *Fig.* Médico inábil.

alveitaria [De *alveitar* + *-ia*[1].] ***S. f.*** Arte de alveitar.

alvejamento [De *alvejar* + *-mento*.] ***S. m.*** **1.** Ato ou efeito de alvejar. **2.** *Ind. Pap.* Tratamento da pasta de papel durante a fabricação, de forma a livrá-la de impurezas e branquear suas fibras.

alvejante [De *alvejar* + *-nte*.] ***Adj. 2 g.*** **1.** Que alveja, branqueia, torna alvo ou branco; branquejante; *A água sanitária é alvejante.* **2.** Que alveja, branqueia, é alvo ou branco; branquejante, albente: *a lua alvejante.* **3.** Que se apresenta em sua cor alva ou branca; branquejante: *Vê ao longe, alvejante, a capelinha.* ● ***S. m.*** **4.** Substância com que se alvejam ou branqueiam tecidos; branqueador. ◆ **Alvejante óptico.** *Quím.* Alvejante cuja ação se baseia na absorção de luz ultravioleta, invisível, e emissão de fluorescência azulada, visível, para dar a impressão de brancura acima do normal; branqueador óptico.

alvejar [De *alvo* + *-ejar*.] ***V. t. d.*** **1.** Tornar alvo ou branco; branquear, alvorejar: *A lavadeira alvejou todas as camisas.* **2.** Tornar como alvo ou ponto de mira. **3.** Atirar em: *alvejar a caça.* ***Int.*** **4.** Tornar-se alvo; branquear: *Pôr a roupa lavada ao sol, para alvejar.* **5.** Apresentar-se em sua cor alva; alvorejar: "Momento é esse que no céu sereno / Plácida alveja a Lua." (Domingos José Gonçalves de Magalhães, *A Confederação dos Tamoios*, p. 82); "sua asseada e garrida casinha alvejando entre o verdor das .... campinas" (Bernardo Guimarães, *O Seminarista*, p. 16). **6.** Despontar (a aurora, a alva). [Conjug.: v. *pelejar*.]

alvena ***S. f.*** V. *alfena*.

alvenal ***S. m.*** V. *alvanel*.

alvenaria [De *alvener* + *-ia*[1], pela f. ant. *alvanaria*.] ***S. f.*** **1.** Arte ou ofício do pedreiro ou do alvanel (q. v.). **2.** *Constr.* Tipo de construção constituído de pedras naturais, irregulares, justapostas e superpostas: "Morava .... no arraial de S. Gonçalo da Ponte, cuja ponte o rio já levara, deixando dela somente os pilares de alvenaria." (Gustavo Barroso, *O Sertão e o Mundo*, p. 103.) **3.** *P. ext. Constr.* Conjunto de elementos utilizados na construção de parede, muro, ou alicerce: alvenaria de pedra, de tijolos, mista, etc. ◆ **Alvenaria aparelhada.** *Constr.* Aquela em que os paramentos são de pedra aparelhada; alvenaria de pedra aparelhada.. **Alvenaria armada.** *Constr.* Aquela que é feita com blocos de concreto estruturados por ferragens. **Alvenaria de pedra aparelhada.** *Constr.* Alvenaria aparelhada. **Alvenaria de pedra argamassada.** *Constr.* Aquela que é feita de pedras de mão reunidas por argamassa, e que, ger., é aplicada em alicerces, muros de arrimo ou muros de vedação. **Alvenaria de pedra seca.** *Constr.* Aquela cujas pedras não são ligadas por argamassa; alvenaria insossa. **Alvenaria de tijolo.** *Constr.* Aquela constituída por tijolos dispostos a prumo e ligados com argamassa. **Alvenaria estrutural.** *Constr.* Processo construtivo que se caracteriza pelo uso de paredes de alvenaria como principal suporte do edifício. **Alvenaria gorda.** *Constr.* A que contém muita cal. **Alvenaria hidráulica.** *Constr.* Aquela cuja argamassa contém cimento ou cal hidráulica. **Alvenaria insossa.** *Constr.* Alvenaria de pedra seca. **Alvenaria poliédrica.** Tipo de calçamento de rua constituído de pedras irregulares.

alveneiro [De *alvenel* (< *alvanel*) + *-eiro*.] ***S. m.*** V. *alvanel*.

alvenel ***S. m.*** V. *alvanel*. [Pl.: *alvenéis*.]

alvener ***S. m.*** V. *alvanel*.

alvenéu ***S. m.*** V. *alvanel*.

alvense[1] ***Adj. 2 g.*** **1.** De, ou pertencente ou relativo a Francisco Alves (PR). ● ***S. 2 g.*** **2.** O natural ou habitante de Francisco Alves.

alvense[2] ***Adj. 2 g.*** **1.** De, ou pertencente ou relativo a Presidente Alves (SP). ● ***S. 2 g.*** **2.** O natural ou habitante de Presidente Alves.

álveo [Do lat. *alveu*.] ***S. m.*** **1.** Leito (5). **2.** Sulco, escavação.

alveolado [Do lat. *alveolatu*.] ***Adj.*** Provido de alvéolos; alveolar.

alveolar [De *alvéolo* + *-ar*[1].] ***Adj. 2 g.*** **1.** Pertencente ou relativo ao alvéolo. **2.** Alveolado. ~ V. *consoante* —, *corrosão* — e *piorreia* — *dentária*. ● ***S. f.*** **3.** *E. Ling.* Consoante alveolar (q. v.).

alveolectomia [De *alvéolo* + *-ectom-* + *-ia*[1].] ***S. f.*** *Odont.* Retirada de tecido ósseo do alvéolo (6), com excisão total ou parcial do processo alveolar da maxila ou mandíbula.

alveoliforme [De *alvéolo* + *-iforme*.] ***Adj. 2 g.*** Que tem forma de alvéolo.

alveolite [De *alvéolo* + *-ite*[1].] ***S. f.*** *Patol.* Inflamação, ou de alvéolo dental, ou de alvéolo pulmonar.

alvéolo [Do lat. *alveolu*.] ***S. m.*** **1.** Cavidade pequena. **2.** Célula do favo de mel. **3.** Pequena vala ou cava, aberta para a construção de alicerce. **4.** Cavidade aberta de uma superfície do terreno vertical, ou inclinada. **5.** *Anat.* Nome genérico de pequenas dilatações saciformes. **6.** *Anat.* Cavidade onde se implantam os dentes. [Sin. pop. (nesta acepç.): *alvado*.] **7.** *Bot.* Cavidade diminuta, limitada por paredes erectas, que se observa em alguns fungos, polens, sementes, receptáculos, etc. **8.** *Geogr.* Larga porção de um vale fluvial onde se acumulam sedimentos, e que costuma aparecer a jusante de uma garganta. ◆ **Alvéolo dental.** *Anat.* Cavidade ou bolsa em que a raiz do dente é contida pela membrana peridental. **Alvéolo pulmonar.** *Anat.* Pequena projeção do saco alveolar, através de cuja parede ocorrem trocas de gases.

alveolopalatal *E. Ling.* ***Adj. 2 g.*** **1.** Relativo a alveolopalatal (2). ● ***S. f.*** **2.** Consoante alveolopalatal (q. v.). [Sin. ger.: *alveopalatal*.] ❄

alveoloplastia [De *alvéolo* + *-plast(o)-* + *-ia*[1].] ***S. f.*** *Odont.* Reparação cirúrgica ou correção anatômica da crista (9) alveolar.

alveopalatal *E. Ling.* ***Adj. 2 g. S. f.*** V. *alveolopalatal*. ❄

alverca [Var. de *alberca*, do ár. *al-burka(t)*, 'lago', 'reservatório', 'piscina'.] ***S. f.*** **1.** Terreno alagadiço. **2.** Tanque para receber água de nora. **3.** Vala para escoamento de água acumulada na terra. **4.** Viveiro de peixes.

alvergue[1] ***S. m.*** V. *albergue*: "Ali naquele alvergue derrocado / Pela sanha do norte / Um velho existe." (Junqueira Freire, *Obras Poéticas*, I, p. 111.)

alvergue[2] [Alter. de *alverca*.] ***S. m.*** Nos lagares de azeite, depósito onde repousa o líquido escorrido do bagaço da azeitona.

alverniano [Do top. *Alvérnia* (do lat. *Arverni*) + *-ano*[1].] ***Adj.*** **1.** Da, ou pertencente ou relativo à região da Alvérnia (centro-sul da França). ● ***S. m.*** **2.** O natural ou habitante da Alvérnia. **3.** *Gloss.* Língua românica (também classificada como dialeto) dessa região. **4.** Vocábulo dessa língua. [Sin. nas acepçs. 3 e 4: *occitânico*.]

▲ **alvi-** [De *alvo* < lat. *albus, a, um*.] ***El. comp.*** = 'alvo', 'branco': *alvinegro*, *alvirrubro*.

alvião ***S. m.*** Enxadão (2) ou picareta (1).

alviceleste [De *alvi-* + *celeste*.] ***Adj. 2 g. S. 2 g.*** V. *azulino* (2, 3 e 5).

alvidração [De *alvidrar* + *-ção*.] ***S. f.*** *P. us.* Ato ou efeito de alvidrar; arbitramento, avaliação; alvidramento.

alvidramento [De *alvidrar* + *-mento*.] ***S. m.*** *P. us.* V. *alvidração*.

alvidrar [De *arbitrar*, com dissimilação e sonorização.] ***V. t. d.*** *P. us.* Arbitrar.

alvinegro (ê) [De *alvi-* + *negro*.] ***Adj. S. m.*** *Bras.* **1.** V. *botafoguense*[2]. **2.** V. *corintiano*[2] (3). **3.** V. *atleticano*[1].

alvíneo ***Adj.*** Alvino.

alvinitência ***S. f.*** Qualidade de alvinitente.

alvinitente [De *alvi-* + *nitente*[1].] ***Adj. 2 g.*** De alvura imaculada: "Ao pé da porta a alvinitente clina / Desenrolada de um corcel flutua." (Alberto de Oliveira, *Poesias*, 1.ª série, p. 298.)

alvinlandense ***Adj. 2 g.*** **1.** De, ou pertencente ou relativo a Alvinlândia (SP). ● ***S. 2 g.*** **2.** O natural ou habitante de Alvinlândia.

alvino [Do lat. *alvinu*.] ***Adj.*** Relativo ao ventre ou aos intestinos; alvíneo.

alvinopolense ***Adj. 2 g.*** **1.** De, ou pertencente ou relativo a Alvinópolis (MG). ● ***S. 2 g.*** **2.** O natural ou habitante de Alvinópolis.

alvirrosado [De *alvi-* + *rosado*.] ***Adj.*** Branco tirante a róseo, ou branco e róseo; alvirróseo, albirrosado: "E emerge, então da espuma, a graça feminina / Num torso... num quadril... num seio alvirrosado." (Luís Carlos, *Colunas*, p. 58.)

alvirróseo [De alvi- + róseo.] Adj. V. alvirrosado.

alvirrubro [De alvi- + rubro.] Adj. 1. Branco e vermelho. 2. Bras. V. banguense. 3. Regatiano (1 e 2). • S. m. 4. Bras. V. banguense. 5. V. regatiano (3).

alvissarar [De alvíssaras + -ar[2].] V. t. d. 1. Noticiar a fim de receber alvíssaras. 2. Noticiar, referir, relatar: Alvissarou por toda a cidade a infausta notícia. 3. Deparar, topar, com; encontrar: Pesquisando com paciência, hás de alvissarar muita coisa interessante. T. d. e i. 4. Noticiar a fim de receber alvíssaras: Alvissarei-lhe sua nomeação. [Pres. ind.: alvissaro, alvissaras, etc. Cf. alvíssaras.]

alvíssaras [Do ár. al-bašāra(t), 'boa nova'.] S. f. pl. 1. Prêmio ou recompensa que se concede a quem anuncia boas novas ou entrega coisa que se perdera: "Dou a V.M. de alvíssaras, pelas boas novas de Lamego, as mortificações que lhe tenho dado; que esta é a melhor moeda daqueles que em Deus são amigos." (Fr. Antônio das Chagas, Cartas Espirituais, p. 141.) • Interj. 2. Serve para anunciar boas novas. [Cf. alvissaras, do v. alvissarar.]

alvissareiro [De alvíssaras + -eiro.] Adj. 1. Que pede ou dá alvíssaras. 2. Auspicioso: notícia alvissareira; futuro alvissareiro. • S. m. 3. Aquele que pede, ou recebe, dá, ou promete alvíssaras. 4. Portador de boas novas. 5. Aquele que anunciava a chegada de um navio à barra e ia pedir ao dono da embarcação as alvíssaras. 6. P. ext. O que anuncia; anunciador; núncio: "À orla dos banhados, as seriemas já algazarram aos pulos, alvissareiras da manhã." (Vieira Pires, Querência, p. 131.)

alvitana [Do ár. al-biṭāna(t), 'coberta', 'cobertor'; 'forro' (cf. etim. de badana).] S. f. 1. Rede grande, de malha miúda, para reter o pescado. 2. Cada um dos panos exteriores do tresmalho. [Var.: albitana, albitânea, albitano, albitona.]

alvitanado [De alvitana + -ado[1].] Adj. Semelhante à alvitana, ou que tem, como esta, malha miúda.

alvitórax (cs) [De alvi- + -tórax.] Adj. 2 g. e 2 n. Diz-se do animal de tórax branco.

alvitrador (ô) [De alvitrar + -dor.] Adj. 1. Que alvitra. • S. m. 2. Alvitreiro.

alvitramento [De alvitrar + -mento.] S. m. Ato ou efeito de alvitrar; alvitre.

alvitrar [De arbitrar, com dissimilação.] V. t. d. T. d. e i. 1. Aconselhar; propor, sugerir, lembrar: Alvitrou o emprego da força para resolver a questão. 2. Aconselhar, propor, sugerir: Alvitrei-lhe providências que lhe pareceram boas.

alvitre [Dev. de alvitrar.] S. m. 1. Alvitramento. 2. Ant. Notícia, novidade, nova.

alvitreiro [De alvitre + -eiro.] S. m. Aquele que apresenta alvitres; alvitrador.

alviverde (ê) [De alvi- + verde.] Adj. 2 g. S. 2 g. Bras. V. coritibano.

alvo [Do lat. albu.] Adj. 1. Branco, claro: "'imaginei' uma rapariga muito alva / e de tranças negras e longas." (Jáder de Carvalho, Delírio da Solidão, p. 9); "seixinhos da mais alva porcelana" (Camilo Pessanha, Clepsidra e Outros Poemas, p. 197). 2. Fig. Puro, inocente, cândido. • S. m. 3. A cor branca; branco. 4. Anat. V. esclera. 5. Ponto a que se dirige o tiro; mira. 6. Ponto de convergência: É o alvo de todas as atenções. 7. Fig. Fito, intento: Seu alvo era completar logo o curso de línguas. 8. Fís. Nucl. Alvo nuclear. ◆ **Alvo nuclear.** Fís. Nucl. Material submetido a um bombardeamento de partículas; alvo. **Enquadrar o alvo.** Bras. Numa salva de artilharia, obter que o ponto médio de queda da salva fique sobre o alvo.

alvo-argênteo Adj. Branco-prateado. [Pl.: alvo-argênteos.]

alvor (ô) [Var. de albor.] S. m. 1. A primeira luz da manhã; alva. 2. Alvura, brancura: "nas folhas deste livro puro / Não manche o pranto da inocência o alvor" (Casimiro de Abreu, Obras, p. 154); "Não fosse ela aos jardins roubar, trêfega e louca / O rubor da papoula e o alvor das açucenas!" (Olavo Bilac, Poesias, p. 176). 3. Brilho, esplendor. 4. Fig. V. alvorada. 5. Zool. Certo peixe de água doce, parecido à tainha. [Pl.: alvores (ô). Cf. alvores, do v. alvorar.]

alvorada [De alvorar[1] + -ada[1].] S. f. 1. Crepúsculo matutino; a claridade que precede o romper do Sol; arraiada, dilúculo: "Não tarda que a alvorada em fogo resplandeça" (Olavo Bilac, Poesias, p. 201). 2. Canto das aves ao amanhecer. 3. Toque militar nos quartéis, ao raiar do dia, para despertar os soldados. 4. Toque de qualquer música ao despontar da manhã: "— Numerosos habitantes desta cidade .... vieram hoje aqui, ao romper d'alva, no intuito de dar os bons-dias a V. Exª, acompanhados de uma banda de música para tocar a alvorada" (Artur Azevedo, Contos Cariocas, p. 62). 5. Fig. Princípio, começo, início, aurora; alvor: a alvorada da Independência do Brasil; a alvorada da vida.

alvoradense[1] Adj. 2 g. 1. De, ou pertencente ou relativo a Alvorada (RS e TO). • S. 2 g. 2. O natural ou habitante de Alvorada.

alvoradense[2] Adj. 2 g. 1. De, ou pertencente ou relativo a Alvorada d'Oeste (RO). • S. 2 g. 2. O natural ou habitante de Alvorada d'Oeste.

alvoradense[3] Adj. 2 g. 1. De, ou pertencente ou relativo a Alvorada do Norte (GO). • S. 2 g. 2. O natural ou habitante de Alvorada do Norte.

alvoradense-do-sul Adj. 2 g. 1. De, ou pertencente ou relativo a Alvorada do Sul (PR). • S. 2 g. 2. O natural ou habitante de Alvorada do Sul. [Pl.: alvoradenses-do-sul.]

alvoradino Adj. 1. De, ou pertencente ou relativo a Alvorada de Minas (MG). • S. m. 2. O natural ou habitante de Alvorada de Minas.

alvorar[1] [De alvor + -ar[2].] V. int. V. alvorecer. [Cf. arvorar.]

alvorar[2] [De arvorar, com dissimilação.] V. t. d. 1. Hastear, arvorar. Int. 2. Ant. Levantar-se ou empinar-se (a besta). [Pres. ind.: alvoro, etc.; pres. subj.: alvore, alvores, alvore, etc. Cf. alvoro (ô), s. m.; alvores (ô), pl. de alvor; e arvorar.]

alvorecente [De alvorecer + -nte.] Adj. 2 g. Que é próprio do alvorecer: "sentiu na cara a frescura da manhã e a vibração da luz alvorecente, ainda cor nenhuma" (José Saramago, História do Cerco de Lisboa, p. 18).

alvorecer [De alvor + -ecer.] V. int. 1. Romper o dia; amanhecer, alvorejar, alvorar: Mal alvoreceu, saiu a trabalhar. 2. Principiar a manifestar-se (qualidade, ideia ou sentimento); aparecer; alvorejar, alvorar: O romantismo alvoreceu pelos fins do século XVIII. [Defect., impess.; só se conjuga na 3ª pess. do sing.: alvorece, alvoreceu, etc.] • S. m. 3. O romper do dia.

alvorejar [De alvor + -ejar.] V. int. 1. V. alvorecer. 2. Mostrar-se alvo; alvejar. T. d. 3. Branquear, alvejar. [Conjug.: v. pelejar.]

alvoro (ô) [Dev. de alvorar[1].] S. m. Bras. BA Alvor (1). [Pl.: alvoros (ô). Cf. alvoro, do v. alvorar.]

alvoroçado [Part. de alvoroçar.] Adj. 1. Inquieto de ânimo; irrequieto, agitado. 2. Apressado, açodado. 3. Revoltoso, amotinado, sublevado. 4. Alegre, entusiasmado. 5. Bras. N.E. Fam. Amalucado, adoidado. 6. Bras. N.E. Pop. V. desgrenhado (1). 7. Bras. RS Diz-se da fêmea em período de cio.

alvoroçador (ô) [De alvoroçar + -dor.] Adj. S. m. Que, ou aquele que alvoroça.

alvoroçamento [De alvoroçar + -mento.] S. m. Ato ou efeito de alvoroçar(-se).

alvoroçar [De alvoroço + -ar[2].] V. t. d. 1. Pôr em alvoroço; agitar: "O saltimbanco .... rufou numa caixa, alvoroçou a aldeia que se abalou toda para o redor dele" (Camilo Castelo Branco, A Enjeitada, p. 121). 2. Alegrar; entusiasmar: O êxito do pai alvoroçou a família inteira. 3. Amotinar, sublevar: Os revoltosos alvoroçaram as tropas. 4. Assustar, sobressaltar, sobressaltear: Os latidos do cão de guarda alvoroçaram o ladrão. P. 5. Assustar-se, sobressaltar-se, sobressaltear-se. 6. Alegrar-se; entusiasmar-se. Int. 7. Bras. RS Entrar (a fêmea) no cio; reinar. [Sin. ger.: alvorotar e alborotar. Conjug.: v. laçar. Pres. ind.: alvoroço, etc. Cf. alvoroço (ô), s. m.]

alvoroço (ô) [Do ár. al-burūz, 'aparição'; 'saída'; 'liça[1]'.] S. m. 1. Agitação, sobressalto. 2. Pressa, azáfama. 3. Tumulto, confusão. 4. Motim, revolta. 5. Entusiasmo, veemência. 6. Gritaria, balbúrdia. 7. Bras. RS V. cio (1). [Sin. ger.: alvoroto. Pl.: alvoroços (ô). Cf. alvoroço, do v. alvoroçar.]

alvorotar [De or. incerta; do lat. volutare, 'agitar', poss.] V. t. d. P. V. alvoroçar. [Pres. ind.: alvoroto, etc. Cf. alvoroto (ô).]

alvoroto (ô) [Dev. de alvorotar.] S. m. V. alvoroço. [Pl.: alvorotos (ô). Cf. alvoroto, do v. alvorotar.]

alvura [De alvo + -ura.] S. f. 1. Qualidade do que é alvo; brancura. 2. Fig. Candura, pureza, inocência.

alxaima [Do ár. al-ayma(t), 'tenda'.] S. f. Acampamento mourisco; aduar[1]. [Var.: alcaima. Cf. alhaima.]

■ **a.m.** Abrev. de ante meridiem (q. v.).

■ **Am[1]** Quím. Símb. de amerício.

■ **Am[2]** Ind. Pap. Abrev. de formato americano.

■ **AM[1]** Eng. Elétr. Sigla de amplitude modulada.

■ **AM[2]** Sigla do Estado do Amazonas.

ama[1] [Do lat. hisp. infantil amma.] S. f. 1. V. ama de leite. 2. V. ama-seca. 3. A dona da casa em relação aos criados. 4. Governanta (1). 5. Criada de companhia; aia. 6. Bras. N.E. Criada, em geral.

ama[2] [De ama, palavra formada pelas anteras da planta.] S. f. Bot. Planta acantácea (Ruellia macrantha) cultivada em jardins, no Brasil e na Europa, de flores grandes, roxas ou vermelhas, e fruto capsular.

▲**-ama** Suf. nom. = 'coleção', 'quantidade': gentama, courama. [Equiv.: -ame: mulherame, cordame. Alternam-se, às vezes, entre si: dinheirama, dinheirame; raizama, raizame.]

amã[1] [Do ár. amán, 'segurança'; 'fidelidade'; 'proteção'.] S. m. 1. Perdão que os muçulmanos concedem a quem não pratica o islamismo. 2. Entre os árabes, mercê ou perdão outorgado a um inimigo ou insurreto vencido. 3. Ablução usada entre os turcos. 4. Tec. Têx. Certo tecido de algodão levantino.

amã[2] [Do b.-al. Amtmann, 'intendente', 'autoridade provincial', pelo fr. amman.] S. m. Título de certos magistrados locais, em certas regiões da Suíça alemã.

amã[3] S. m. e f. Bras. N. Grama[1] rasteira e gorda.

amabilidade [Do lat. amabilitate.] S. f. 1. Qualidade de amável. 2. Delicadeza e atenção no trato; gentileza, afabilidade, cortesia. 3. P. ext. Palavra, frase, gesto que revela amabilidade, próprio de quem é amável: Nunca poderei agradecer bastante as suas amabilidades.

amabilíssimo [Do lat. amabilissimu.] Adj. Superl. abs. sint. de amável.

amacacado [De a-[2] + macaco + -ado[1].] Adj. 1. Que tem modos e/ou feições de macaco. 2. Próprio de macaco. 3. Fig. Reduzido em proporções; sem grandeza.

amacacar [De a-[2] + macaco + -ar[2].] V. t. d. 1. Assemelhar a macaco; macaquear. 2. Bras. Imitar, copiar. [Conjug.: v. trancar.]

amaçarocado [De a-[2] + maçaroca + -ado[1].] Adj. Semelhante a maçaroca.

amaçarocar [De a-[2] + maçaroca + -ar[2].] V. t. d. Bras. S. Dar forma de maçaroca a. [Conjug.: v. trancar.]

amachonar-se [De a-[2] + machona + -ar[2] + se[1].] V. p. Bras. S. Amachorrar.

amachorrado Adj. Bras. S. Que se tornou estéril ou que toma ares masculinos (diz-se de fêmea).

amachorrar [De a-[2] + machorra + -ar[2].] V. int. Bras. S. Ficar ou tornar-se estéril (a fêmea), ou adquirir ares de macho; amachonar-se.

amachucado [Part. de amachucar.] Adj. Machucado.

amachucar [De a-[4] + machucar.] V. t. d. P. V. machucar. [Conjug.: v. trancar.]

amaciamento [De amaciar + -mento.] S. m. Ato ou efeito de amaciar(-se).

amaciante [De amaciar + -nte.] Adj. 2 g. 1. Que amacia. 2. Diz-se de substância que amacia tecidos, carnes, etc. • S. 2 g. 3. Substância amaciante (2).

amaciar [De a-[2] + macio + -ar[2].] V. t. d. 1. Tornar macio. 2. Abrandar, suavizar, mitigar: O tempo amaciou sua ira. 3. Amolecer, embrandecer: conversa que amacia corações empedernidos. 4. Bras. Mec. Fazer funcionar a baixa velocidade (motor novo ou retificado) para gradual ajustamento. 5. Restr. Amaciar (4) o motor de (veículo automóvel). [Sin. (lus.), nas acepç. (4 e 5): rodar.] 6. Bras. Fut. V. amortecer (6). P. 7. Acalmar-se, serenar-se.

amadeirado[1] [De a-[2] + madeira + -ado[1].] Adj. 1. Semelhante ou imitante a madeira. 2. Enol. Diz-se do vinho com aroma de madeira.

amadeirado[2] [Part. de amadeirar.] Adj. Emadeirado.

amadeirar [De a-[2] + madeira + -ar[2].] V. t. d. 1. Dar cor ou aspecto de madeira a. 2. Enol. Guardar o vinho em barris de carvalho a fim de dar-lhe aroma de madeira. 3. Emadeirar.

ama de leite S. f. Mulher que amamenta criança alheia; ama, babá, criadeira, mamã, mãe de leite. [Pl.: amas de leite.] ☑

amadigo [De *amadego (< ama[1] + lat. decu, 'honra', 'dignidade') com velarização, poss.] S. m. Ant. Privilégio que se concedia a quem criava filho(s) de fidalgo, e ao lugar em que este(s) era(m) criado(s).

amado [Part. de amar.] Adj. 1. Que é objeto de especial afeição; querido, estimado, dileto: "Quando você tiver .... uma mulher amada e amante ao pé de si, será um homem completo e feliz." (Machado de Assis, Contos Fluminenses, p. 88); "Mãe sempre amada, / Sempre querida" (José Albano, Rimas, p. 216). • S. m. 2. O homem a quem se ama.

amador (ô) [Do lat. amatore.] Adj. 1. V. amante[2] (2). 2. Diz-se daquele que se dedica a uma arte ou ofício por prazer, sem fazer destes um meio de vida: músico amador. [Cf., nesta acepç., profissional (2).] 3. Diz-se da arte ou ofício praticado por amadores: teatro amador. • S. m. 4. V. amante[2] (5): "Transforma-se o amador na cousa amada" (Luís de Camões, Rimas, p. 142). 5. Indivíduo amador (2). 6. Entusiasta, apreciador: amador de café. 7. Aquele que entende superficialmente de alguma coisa.

amadorismo [De amador + -ismo.] S. m. 1. Condição de amador, de não profissional. 2. Doutrina, sistema ou regime contrário ao profissionalismo. 3. Fig. Inexperiência.

amadorista [De amadorismo + -ista.] Adj. 2 g. S. 2 g. Partidário do amadorismo.

amadorístico [De amadorista + -ico[2].] Adj. Relativo ao, ou próprio do amadorismo.

amadornar [De a-[2] + madorna + -ar[2].] V. t. d. Int. P. V. madornar: "pouco a pouco me fui amadornando, até cair num sono embrulhado e penoso." (Graciliano Ramos, *S. Bernardo*, p. 170).

amadorrar *V. t. d. Int. P.* V. *amodorrar.*

amadrinhado [Part. de *amadrinhar.*] *Adj.* **1.** Protegido, apadrinhado. **2.** Diz-se das cavalgaduras, e, *p. ext.*, de outros animais, que andam sempre juntos.

amadrinhador (ô) [De *amadrinhar* + *-dor.*] *S. m.* **1.** Aquele que amadrinha. **2.** Indivíduo que acompanha o domador nos exercícios para domar animais cavalares e muares.

amadrinhar [De *a-*[2] + *madrinha* + *-ar*[2].] *V. t. d.* **1.** Servir de madrinha a. **2.** Jungir (um boi manso) com um bravo. **3.** *Bras. S.* Emparelhar (cavalo) com égua ou burro; madrinhar. **4.** *Bras. S.* Acostumar (os muares) a seguir as éguas madrinhas; madrinhar. **5.** *Bras. S.* Acompanhar em cavalo ou burro manso (o animal que está sendo domado), a fim de que este não se dirija a lugares perigosos; madrinhar.

amadurado [Part. de *amadurar.*] *Adj.* Amadurecido, maduro.

amaduramento [De *amadurar* + *-mento.*] *S. m.* V. *amadurecimento* (1).

amadurar [De *a-*[2] + *maduro* + *-ar*[2].] *V. t. d. Int. P.* V. *amadurecer* (1, 6 e 9): "naquele seu vestidinho de chita azul bem liso e justo ao corpo, fruto capitoso que o sol sertanejo amadurara e enrubescera" (Hugo de Carvalho Ramos, *Tropas e Boiadas*, p. 69); "Eis que as vinhas rebentaram / e as uvas amaduraram, / sanguíneas, com sol na cor." (Cruz e Sousa, *Obra Completa*, p. 283).

amadurecer [De *a-*[2] + *maduro* + *-ecer.*] *V. t. d.* **1.** Tornar maduro (o fruto, o grão, etc.); sazonar, madurar, maturar, madurecer, amadurar: *O calor do sol amadurece os frutos.* **2.** Fazer chegar a estado de amadurecimento, aprimoramento; aperfeiçoar, aprimorar: *Na Antiguidade, os gregos amadureceram o conceito de democracia.* **3.** Fazer chegar a um estado de evolução comparável à madureza dos frutos. **4.** *Fig.* Tornar maduro, assisado, prudente, experiente: *A luta pela vida amadureceu o rapaz.* **5.** Deter-se longamente em; ponderar, pesar: *amadurecer um projeto.* *Int.* **6.** Tornar-se maduro; sazonar, maturar, madurar, madurecer, amadurar, amadurecer-se. **7.** Chegar a estado de amadurecimento, aperfeiçoamento; tornar-se maduro; aperfeiçoar-se, aprimorar-se: *O projeto amadurecia no seu espírito.* **8.** Chegar a ponto de supuração (abscesso, furúnculo, etc.). *P.* **9.** Tornar-se maduro; sazonar-se, maturar, madurar, madurecer, amadurar, amadurecer. **10.** Aprimorar-se, aperfeiçoar-se; amadurecer. [Conjug.: v. *aquecer.*]

amadurecido [Part. de *amadurecer.*] *Adj.* **1.** Maduro, amadurado; sazonado. **2.** *Fig.* Que amadureceu; que se tornou assisado, refletido, prudente; experiente. **3.** *Fig.* Pensado, refletido, ponderado: *plano amadurecido.*

amadurecimento [De *amadurecer* + *-imento.*] *S. m.* **1.** Ato, processo ou efeito de amadurecer; sazonamento, maturação, maduração, amaduramento. **2.** Evolução de fruto, grão, etc., até seu completo desenvolvimento ou madureza. **3.** Estado daquilo que amadurece: *o amadurecimento de um abscesso.* **4.** *Fig.* Processo que conduz ao desenvolvimento pleno de um indivíduo, de um fenômeno social, de um conceito, de uma ideia, etc.: *o amadurecimento das instituições, de um plano.*

amaduri *S. m. Bras. Bot.* Abiurana.

amagar *V. t. d. Bras. RS* Levar (o corpo) à frente, quando a cavalo, para dar impulso ao animal: "Amaguei o corpo e pincinando de esporas, toquei a galope largo." (Simões Lopes Neto, *Contos Gauchescos e Lendas do Sul*, p. 127.) [Conjug.: v. *largar.* Pres. ind.: *amago*, etc. Cf. *âmago.*]

amagat *S. m. Fís.* Sistema de unidades que adota a atmosfera como unidade de pressão e 22,4 litros como unidade de volume, usado em alguns casos na investigação de gases.

âmago *S. m.* **1.** *Bot.* V. *cerne* (1). **2.** *P. ext.* O centro, o meio de qualquer coisa: *Mora no âmago da cidade.* **3.** A parte mais íntima de um ser; a essência, o íntimo, a alma: *Os soluços vinham-lhe do âmago.* **4.** A parte fundamental; o principal, a essência: *o âmago da questão.* [Cf. *amago*, do v. *amagar.*]

âmago-furado *S. m. Bras.* Doença que ataca a planta do tabaco. [Pl.: *âmagos-furados.*]

amagotado [Part. de *amagotar.*] *Adj.* Posto ou disposto em magotes.

amagotar [De *a-*[2] + *magote* + *-ar*[2].] *V. t. d.* Pôr ou dispor em magotes.

amaiaripucu *S. m. Bras. Amaz. Zool.* Piquirão (1).

amainar [Do cat., poss.] *V. t. d.* **1.** Colher [a(s) vela(s)]: "sabia governar um escaler ou uma canoa, amainar com destreza a vela num temporal" (Aluísio Azevedo, *Demônios*, p. 240). **2.** Abrandar, acalmar, tranquilizar: "E a Senhora o manto abria / e amainava as procelas" (*Os Versos de Afonso Lopes Vieira*, p. 119). *Int.* **3.** Abrandar(-se), acalmar(-se); diminuir, cessar: "Enfim, a tempestade amainou." (Machado de Assis, *Memórias Póstumas de Brás Cubas*, p. 66); *A epidemia amainou;* "O pranto continuava. Quando amainou, ele não conseguiu nem ler, nem o sono." (José Carlos Cavalcanti Borges, *O Assassino*, p. 35). **4.** Colher ou arriar a(s) vela(s). *P.* **5.** Abrandar(-se), acalmar(-se); diminuir, cessar: "Aquela tempestade enfim se amaina" (Gonçalves Dias, *Obras Poéticas*, II, p. 122).

amajouva [Corrupt. do tax. *Aiouea*, poss.] *S. f. Bras. Bot.* Árvore lauracea (*Aiouea brasiliensis*) nativa da Amaz. à BA, dotada de folhas coriáceas, de uso medicinal.

amalá [Do ior.] *S. m. Bras. Rel.* Comida votiva de Xangô e de Iansã (océ anual), de Obá, de Baiâni, de Ibêji e de Doú, feita de aruru com pirão de farinha de mandioca ou de arroz.

amaldiçoado [Part. de *amaldiçoar.*] *Adj. S. m.* V. *maldito* (1 a 5).

amaldiçoador (ô) [De *amaldiçoar* + *-dor.*] *Adj. S. m.* Que, ou aquele que amaldiçoa.

amaldiçoar [De *a-*[2] + *maldição* + *-ar*[2], com desnasalação.] *V. t. d.* **1.** Lançar maldição a. **2.** Declarar mau ou funesto, praguejando contra; maldizer. **3.** Abominar, execrar: *Passa a vida a amaldiçoar a sua má fortuna.* [Sin. ger.: *maldiçoar.* Conjug.: v. *coroar.*]

amalecita [De *Amalec*, neto de Esaú, personagem bíblica, + *-ita*[2].] *S. 2 g.* **1.** Indivíduo dos amalecitas, povo nômade que viveu ao sul de Canaã na época do Êxodo. ● *Adj. 2 g.* **2.** Pertencente ou relativo a esse povo.

amaleitado [De *a-*[2] + *maleita* + *-ado*[1].] *Adj.* Doente de maleita; maleitoso.

amálgama [Do lat. med. *amalgama.*] *S. f. e m.* **1.** *Quím.* Liga de mercúrio. **2.** *P. ext.* Amálgama de mercúrio e, ger., pó de prata, usado pelos dentistas para obturar os dentes. **3.** *Min.* Mineral monométrico, constituído por mercúrio e prata em misturas isomorfas. **4.** *Fig.* Mistura de elementos que, embora diversos, contribuem para formar um todo: *O espetáculo foi um excelente amálgama de formas e sons.* [Cf., nesta acepç., *amassilho* (3).] **5.** *Fig.* Reunião de pessoas de diferentes classes e qualidades. **6.** *E. Ling.* Palavra entrecruzada (q. v.). [Cf. *amalgama*, do v. *amalgamar.*]

amalgamação [De *amalgamar* + *-ção.*] *S. f.* **1.** Ato ou efeito de amalgamar(-se). **2.** Processo de extrair ouro e prata das minas pela ação do mercúrio. **3.** *Fig.* Ligação íntima. **4.** Processo de união biológica e social de grupos ou de etnias, diferentes; fusão. **5.** *Quím.* Formação de amálgama (1).

amalgamador (ô) [De *amalgamar* + *-dor.*] *Adj. S. m.* Que, ou aquele que amalgama.

amalgamar [De *amálgama* + *-ar*[2].] *V. t. d.* **1.** Fazer amálgama de (mercúrio com outro metal). **2.** Confundir (coisas diversas); reunir, misturar. *T. d. e i.* **3.** Misturar, combinar: *A fantasia daquele romancista amalgama o verossímil com o inverossímil. P.* **4.** Combinar-se, mesclar-se. [Pres. ind.: *amalgamo*, ... *amalgama*, etc. Cf. *amálgama.*]

amalgâmico [De *amálgama* + *-ico*[2].] *Adj.* Que se pode amalgamar ou combinar.

amalhar[1] [De *a-*[4] + *malhar*[2].] *V. t. d.* **1.** Conduzir à malhada; levar ao redil. **2.** Levar por bom caminho. *Int. P.* **3.** Entrar (o gado) na malhada; abrigar-se; recolher-se. [Sin. ger.: *amalhoar.*]

amalhar[2] [De *a-*[2] + *malha*[1] + *-ar*[2].] *V. t. d.* **1.** Prender na malha. **2.** Ilaquear; enredar.

amalhoar *V. t. d. Int. P. Pop.* Amalhar[1]. [Conjug. v. *coroar.*]

amalocar [De *a-*[2] + *maloca* + *-ar*[2].] *V. t. d. Bras.* Juntar em maloca (2); aldear, malocar. [Conjug. v. *trancar.* Cf. *amalucar.*]

amaltado [Part. de *amaltar.*] *Adj.* Reunido em malta[1].

amaltar [De *a-*[2] + *malta*[1] + *ar*[2].] *V. t. d. P.* Reunir(-se) em malta[1].

amalucado [De *a-*[2] + *maluco* + *-ado*[1].] *Adj.* **1.** Que não é muito certo do juízo; um tanto maluco. [Sin.: *adoidado, giro, maníaco,* (bras.) *abilolado, aloprado, biruta, boleado, gira, pancada* e (lus.) *chalado, chanfrado, marado.*] **2.** V. *tolo* (1 a 3).

amalucar [De *a-*[2] + *maluco* + *-ar*[2].] *V. t. d.* **1.** Tornar maluco, ou um tanto maluco; enlouquecer, adoidar: *O sofrimento amalucou-o. Int. P.* **2.** Tornar-se maluco, ou um tanto maluco; adoidar(-se), aloucar(-se), aloprar, embirutar: *Com a mania de grandezas, amalucou; Amalucou-se, coitado, desde que perdeu a mãe.* [Conjug.: v. *trancar.* Cf. *amalocar.*]

amambaiense (a-i) *Adj. 2 g.* **1.** De, ou pertencente ou relativo a Amambaí (MS). ● *S. 2 g.* **2.** O natural ou habitante de Amambaí.

amame *Adj. 2 g.* Diz-se do cavalo ou da égua de pelo preto e branco.

amamentação [De *amamentar* + *-ção.*] *S. f.* Ato ou efeito de amamentar; aleitamento.

amamentador (ô) [De *amamentar* + *-dor.*] *Adj.* Que amamenta. [Fem.: *amamentadora.*]

amamentadora (ô) [F. subst. de *amamentador.*] *S. f.* Aquela que amamenta.

amamentar [De *a-*[2] + *mamar* + *-entar.*] *V. t. d.* **1.** Dar de mamar a; criar ao peito; aleitar; lactar. **2.** Alimentar, nutrir: *Passa a vida a acobertar e amamentar as estroinices do filho.* **3.** Dar vida ou alento a: *Existem aparentes virtudes que amamentam muitos vícios. Int.* **4.** Dar de mamar; criar ao peito: "teus seios miraculosos, / Que amamentaram sem perder / O precário frescor da pubescência" (Manuel Bandeira, *Estrela da Vida Inteira*, p. 88).

■ **Aman** Sigla de *Academia Militar das Agulhas Negras.*

amaná [Do tupi.] *S. f. Bras. Zool.* V. *aruaná*[1].

amanaçaia *S. f. Bras. Zool.* V. *mandaçaia.*

amanaga [Do tupi.] *S. f. Bras. Amaz.* Espécie de tecido de algodão, entre certos povos indígenas.

amanaié *Bras. S. 2 g.* **1.** *Etnôn.* Indivíduo dos amanaiés [ou (etnôn. bras.) *Amanayé], povo indígena da família linguística tupi-guarani, tronco tupi, que habita o alto rio Capim entre os igarapés Ararandeua e Surubiju e a região dos rios Moju e Gurupi (PA). ● *Adj. 2 g.* **2.** Pertencente ou relativo a esse povo. [Sin. ger.: *ararandeuara* e *manaié.*]

amanaju *Bras. S. 2 g.* **1.** *Etnôn.* Indivíduo dos amanajus, povo indígena extinto que habitava o O. do PA. ● *Adj. 2 g.* **2.** Pertencente ou relativo a esse povo. [Tb. us. como *s. 2 g.* (com cap.) e *adj. 2 g. e 2 n.*]

amanarauá *Bras. S. 2 g.* **1.** *Etnôn.* Indivíduo dos amanarauás, povo indígena do N. do PA. ● *Adj. 2 g.* **2.** Pertencente ou relativo a esse povo. [Tb. us. como *s. 2 g. e 2 n.* (com cap.) e *adj. 2 g. e 2 n.*]

amancebado [Part. de *amancebar-se.*] *Adj.* **1.** Que vive em mancebia; amigado, amasiado. ● *S. m.* **2.** Amásio, amante.

amancebamento [De *amancebar* + *-mento.*] *S. m.* **1.** Ato ou efeito de amancebar-se. **2.** Estado de quem vive amancebado; concubinato, mancebia. **3.** *Pej.* Ligação, aliança: *Por conveniência, sujeitou-se a um amancebamento com pessoas indignas.*

amancebar-se [De *a-*[2] + *mancebo* + *-ar*[2] + *se*[1].] *V. p.* **1.** Ligar-se com alguém em mancebia; amasiar-se, amigar-se, concubinar-se. **2.** *Pej.* Aliar-se, juntar-se, ligar-se: *A fé amancebava-se com a crendice.* [Quanto ao timbre do *e*, v. *chegar.*]

amanchar-se [De *a-*[2] + *mancha* + *-ar*[2] + *se*[1].] *V. p.* Estar (o javali) na mancha (5).

amaneirado [De *a-*[2] + *maneira* + *-ado*[1].] *Adj.* **1.** Que não é natural ou simples; afetado; presumido. **2.** Esteticamente rebuscado: *decoração amaneirada.* ● *S. m.* **3.** O que é amaneirado.

amaneiramento [De *amaneirar* + *-mento.*] *S. m.* **1.** Ato ou efeito de amaneirar(-se). **2.** Afetação, artificialismo. **3.** Modo de expressão próprio do maneirismo (q. v.).

amaneirar [De *a-*[2] + *maneira* + *-ar*[2].] *V. t. d.* **1.** Tornar amaneirado. *T. d. e i.* **2.** Adaptar; acomodar: *Amaneirou a peça ao gosto atual. P.* **3.** Tornar-se amaneirado.

amanequinar [De *a-*[2] + *manequim* + *-ar*[2].] *V. t. d.* Pintar ou esculpir sem arte, apenas à vista e imitação do manequim.

amanhã [Do lat. vulg. **maneana, i. e., hora —*, 'em hora matinal'.] *Adv.* **1.** No dia seguinte àquele em que estamos: *Hoje é feriado, mas amanhã irei trabalhar;* "Amanhã traga Juventina para nossa casa." (José Carlos Cavalcanti Borges, *O Assassino*, p. 42). **2.** Mais tarde; para o futuro: *Amanhã sofrerão o resultado dessa vida extravagante.* ● *S. m.* **3.** O dia seguinte: "Não deixes para amanhã o que podes fazer hoje" (prov.). **4.** A época vindoura; o futuro: *os homens de amanhã;* "Fundistes espaço e tempo em luz e geometria, / o amanhã e o passado." (Valdemar Lopes, *Elegia para Joaquim Cardoso*, p. 05). ◆ **Depois de amanhã.** O dia imediatamente seguinte ao de amanhã.

amanhação [De *amanhar* + *-ção.*] *S. f.* Ato ou operação de amanhar; amanho.

amanhador (ô) [De *amanhar* + *-dor.*] *Adj. S. m.* Que, ou aquele que amanha.

amanhar [De *a-*[2] + *manha* + *-ar*[2].] *V. t. d.* **1.** Dar amanho a; cultivar, lavrar, agricultar: *amanhar as terras.* **2.** Arranjar, aprontar: *Mal teve tempo de amanhar as malas: o trem partia em minutos.* **3.** Preparar de acordo com determinadas regras: *amanhar o peixe para o secar.* **4.** Ataviar, adornar: *Amanhou o chapéu com flores silvestres. P.* **5.** Arranjar-se, compor-se, enfeitar-se, adornar-se, ataviar-se: *Amanhou-se faceiramente para receber o noivo.* **6.** Acomodar-se, aviar-se: *Cada qual se amanhe como lhe convier.*

amanhecente [De *amanhecer* + *-nte.*] *Adj. 2 g.* Que amanhece.

amanhecer [Do lat. vulg. **admanescere.*] *V. int.* **1.** Raiar a manhã, romper o dia: *Mal amanheceu, partimos;*

"Também tem graça [o céu]/ quando amanhece" (Tomás Antônio Gonzaga, *Marília de Dirceu*, p. 45). **2.** Raiar, romper, despontar: "O dia amanheceu como os outros" (Pedro Nava, *Balão Cativo*, p. 73). ***T. c.* 3.** Estar ou encontrar-se ao amanhecer em algum lugar: *Viajaram toda a noite, e amanheceram na cidade.* ***Pred.* 4.** Ser, estar (pela manhã): "Amanhecera um belo dia de sol, quente, luminoso" (Adolfo Caminha, *Bom-Crioulo*, p. 55). **5.** Encontrar-se, achar-se (em certo estado) pela manhã: "Amanheci doloroso." (Ribeiro Couto, *Baianinha e Outras Mulheres*, p. 77.) [Conjug.: v. *aquecer*. Na 1ª e 2ª acepç. é unipessoal.] ● ***S. m.* 6.** O raiar do dia; o alvorecer; a aurora. **7.** *Fig.* O começo de alguma coisa; a origem, a aurora: *o amanhecer da civilização; o amanhecer da vida.*

amanhecimento [De *amanhecer* + *-imento.*] ***S. m. P. us.*** Ato de amanhecer.

amanho [Dev. de *amanhar.*] ***S. m.* 1.** Lavoura, cultivo. **2.** Arranjo (1), correção. ~ V. *amanhos.*

amanhos [Pl. de *amanho.*] ***S. m. pl.*** Utensílios. ~ V. *amanho.*

amaninhador (ô) [De *amaninhar* + *-dor.*] ***Adj.*** Que amaninha, esteriliza; esterilizante.

amaninhar [De *a-*[2] + *maninho* + *-ar*[2].] ***V. t. d. P.*** Tornar(-se) maninho; esterilizar(-se): "no fim do inverno, o mata-pasto invadiu ferozmente as pastagens, amaninhando-as, ou o tingui nasceu, a granel, por entre o capinzal." (Gustavo Barroso, *Terra de Sol*, p. 24); "As terras amaninharam-se abandonadas." (Id., *Heróis e Bandidos*, p. 22).

amaniú *Bras.* ***S. 2 g.* 1.** *Etnôn.* Indivíduo dos amaniús, povo indígena que habita as imediações do vale do rio Moju (PA). ● ***Adj. 2 g.* 2.** Pertencente ou relativo a esse povo. [Tb. us. como *s. 2 g. e 2 n.* (com cap.) e *adj. 2 g. e 2 n.*]

amânoa [Do tax. *Amanoa* (de or. galibi).] ***S. f. Bot.* 1.** Gênero de plantas euforbiáceas, americanas, de sementes oleaginosas. **2.** Espécie desse gênero, como a *Amanoa guianensis*. **3.** Espécime desse gênero.

amanonsiado [Part. de *amanonsiar.*] ***Adj. Bras. S.*** Diz-se do cavalo manso sem ser montado; manoseado.

amanonsiador (ô) [De *amanonsiar* + *-dor.*] ***S. m. Bras. S.*** Aquele que amanonsia; manoseador.

amanonsiar [De *a-*[4] + esp. plat. *manosear.*] ***V. t. d. Bras. S.*** Amansar (um cavalo) sem o montar; tirar-lhe as manhas; domesticá-lo por meios brandos, sem o montar; manosear.

amansadela [De *amansar* + *-dela.*] ***S. f.*** Ato de amansar ligeiramente, sem insistir.

amansador (ô) [De *amansar* + *-dor.*] ***Adj. S. m.* 1.** Que, ou aquele que amansa. **2.** Amestrador, domesticador.

amansamento [De *amansar* + *-mento.*] ***S. m.* 1.** Ato ou efeito de amansar(-se). **2.** *Bras. Amaz.* Preparação que se faz nos seringais antes de neles estender os canequinhos de folha, para começo da colheita.

amansar [De *a-*[2] + *manso* + *-ar*[2].] ***V. t. d.* 1.** Tornar manso; domesticar, amestrar. **2.** Aplacar, apaziguar. **3.** Refrear; moderar: *Os argumentos não amansaram sua ira;* "Presença serena, / Que a tormenta amansa" (Luís de Camões, *Rimas*, p. 103). **4.** Abrandar, mitigar, atenuar, suavizar: *O emplastro amansou a dor.* **5.** Tornar (os sapatos) mais brandos, mais cômodos para o uso, andando calçado com eles. ***Int.* 6.** Tornar-se manso; acalmar(-se). ***P.* 7.** Tornar-se manso; domar-se. **8.** Sossegar, acalmar-se.

amansa-senhor [De *amansar* + *senhor.*] ***S. m. Bras. Bot.*** V. *tipi*. [Pl.: *amansa-senhores.*]

amansia [De *a-*[2] + *manso* + *-ia*[1].] ***S. f.*** Ato de amansar o touro para acostumá-lo ao trabalho.

amantar [De *a-*[2] + *manta* + *-ar*[2].] ***V. t. d.*** Cobrir com manto ou manta: "D. José deteve-se na cavalariça a almofaçar e amantar o cavalo" (Camilo Castelo Branco, *O Santo da Montanha*, p. 25).

amante[1] [Do gr. *himás, ántos*, 'correia', pelo lat. vulg. *himante.*] ***S. m. Mar. Merc.*** Amantilho de pau de carga.

amante[2] [Do lat. *amante.*] ***Adj. 2 g.* 1.** Que ama. **2.** Que gosta de alguma pessoa ou coisa; amador, apreciador: *pessoa amante de boa música.* **3.** Apaixonado, amoroso: "Quando você tiver .... uma mulher amada e amante ao pé de si, será um homem feliz e completo." (Machado de Assis, *Contos Fluminenses*, p. 88); "Chegava: e os nossos corações amantes / Apressados batiam." (Humberto de Campos, *Poesias Completas*, p. 16). ● ***S. 2 g.* 4.** Pessoa que ama; namorado; apaixonado. **5.** Pessoa que tem gosto ou inclinação por outra pessoa ou coisa; amador; apreciador: *os amantes da boa mesa.* **6.** Pessoa que tem com outra relações extramatrimoniais: "era sempre e simultaneamente amante das mulheres e amado pelos maridos." (Valentim Magalhães, *Vinte Contos*, p. 46); *Não faltou quem insinuasse ao rapaz que sua mulher era amante do presidente da empresa.* [Sin., nesta acepç.: *amásia, amásio, amiga, amigo* e (bras., gír.) *osso.*]

amanteigado[1] [De *a-*[2] + *manteiga* + *-ado*[1].] ***Adj.*** Semelhante à manteiga, na brandura, na cor ou no gosto: *creme amanteigado.*

amanteigado[2] [Part. de *amanteigar.*] ***Adj.* 1.** Untado ou feito com manteiga: "Trazia-nos .... os melhores biscoitos amanteigados de Petrópolis." (Afonso Arinos Filho, *Primo Canto*, p. 27.) ● ***S. m.* 2.** *Bras.* Espécie de biscoito feito sobretudo com manteiga.

amanteigar [De *a-*[2] + *manteiga* + *-ar*[2].] ***V. t. d.* 1.** Tornar brando como a manteiga. **2.** Dar cor ou sabor de manteiga a. **3.** Passar manteiga em: *amanteigar o pão.* [Conjug.: v. *largar.*]

amantelar ***V. t. d.*** Cercar de muralhas; fortificar.

amantético [De *amante* + *patético*, poss.] ***Adj.* 1.** Ridiculamente apaixonado ou amoroso. **2.** Exageradamente carinhoso: "A erotomania do ternissímo Macias está dentro .... dos hábitos amantéticos galaico-lusitanos." (Eduardo Frieiro, *O Alegre Arcipreste*, p. 294.) **3.** Dado a alguma coisa em que tem prazer.

amantilhar[1] [De *amantilho* + *-ar*[2].] ***V. t. d. Marinh.* 1.** Pôr amantilhos em. **2.** Manobrar o(s) amantilho(s) de (uma verga) com o fim de levá-lo(s) à posição horizontal.

amantilhar[2] [De *amante*[2], poss.] ***V. t. d.* 1.** Ter relações sexuais com. **2.** *Gír.* Envolver, prender. ***P.* 3.** Amasiar-se, amigar-se, amancebar-se.

amantilho [Dim. de *amante*[1].] ***S. m. Marinh.* 1.** Cabo, teque, talha ou corrente que aguenta para cima a extremidade de uma lança (pau de carga), pau de surriola, carangueja ou retranca. **2.** Cada um dos cabos que vão dos laises da verga à cabeça do mastro ou mastaréu para sustentá-la horizontalmente ou dar-lhe movimento no plano vertical. [Cf., nesta acepç., *braço da verga.*]

amantismo [De *amante*[2] + *-ismo.*] ***S. m. Moç.*** V. *adultério* (1): "Fez pausa, se assoou, uma vez mais. Não era problema de amantismo." (Suleiman Cassamo, em *Notícias*, 21.07.1994, p. 8.)

amanuensado [De *amanuense* + *-ado*[2].] ***S. m.*** Funções ou cargo de amanuense.

amanuense [Do lat. *amanuense.*] ***S. 2 g.* 1.** Escrevente, copista. **2.** Funcionário público de condição modesta que fazia a correspondência e copiava ou registrava documentos: "O pai tinha razão, do ponto de vista genealógico: como Borba, fali. .... Meu consolo é que sou um grande amanuense." (Ciro dos Anjos, *O Amanuense Belmiro*, p. 10.)

amapá [Do top. *Amapá*, de or. caraíba.] ***S. m. Bras. Bot.*** Árvore apocinácea (*Hancornia amapa*) nativa do PA, cujas folhas têm 12 a 15 nervuras e cujos frutos, roxo-escuros, são edules; a casca exsuda látex branco de uso medicinal.

amapá-doce ***S. m. Bras. Bot.*** V. *conduru-de-sangue.* [Pl. *amapás-doces.*]

amapaense (pà) ***Adj. 2 g.* 1.** Do, ou pertencente ou relativo ao Estado do Amapá. ● ***S. 2 g.* 2.** O natural ou habitante do Amapá.

amaparana [De *amapá* + *-rana.*] ***S. f. Bras. Bot.*** V. *bagaceira*[2].

amapola (ô) [Do esp. *amapola*, 'papoula'.] ***S. f. Bot.*** Planta cactácea (*Pereskia nemorosa*) arbustiva, armada de espinhos, com folhas achatadas, e de flores solitárias ou cimosas; é cultivada como ornamental.

amaporense ***Adj. 2 g.* 1.** De, ou pertencente ou relativo a Amaporã (PR). ● ***S. 2 g.* 2.** O natural ou habitante de Amaporã.

amapuru *Bras.* ***S. 2 g.* 1.** *Etnôn.* Indivíduo dos amapurus, povo indígena extinto que habitava a margem esquerda do rio Parnaíba (MA). ● ***Adj. 2 g.* 2.** Pertencente ou relativo a esse povo. [Tb. us. como *s. 2 g. e 2 n.* (com cap.) e *adj. 2 g. e 2 n.*]

amar [Do lat. *amare.*] ***V. t. d.* 1.** Ter amor a; querer muito bem a; sentir ternura ou paixão por: "Amo-te, é certo; adoro-te, confesso" (Humberto de Campos, *Poesias Completas*, p. 54); "Goethe amou Roma como artista e não como sábio." (Afonso Arinos de Melo Franco, *Amor a Roma*, p. 24); "O poeta Daniel amava em Francisca tudo: o coração, a beleza, a mocidade, a inocência e até o nome." (Machado de Assis, *Contos Recolhidos*, p. 13). **2.** Ter afeição, dedicação ou devoção a; prezar: *amar a Deus; amar o próximo.* **3.** Sentir prazer em; apreciar muito, gostar de: *Ama a vida ao ar livre;* "Amo a grandeza misteriosa e vasta" (Antero de Quental, *Sonetos*, p. 73). **4.** Praticar, realizar o amor físico com; possuir. **5.** *Ant.* Desejar, querer. **6.** *Ant.* Preferir, escolher. ***Int.* 7.** Ter amor; estar enamorado: "Que ânsia de amar! E tudo a amar me ensina" (Alberto de Oliveira, *Poesias*, II, p. 273); "Quem ama, ama só a igual, porque o faz igual com amá-lo." (Fernando Pessoa, *Páginas de Doutrina Estética*, p. 117). **8.** Ser propenso ao amor ou capaz de amar: *Não sente, não vibra, não ama.* **9.** Praticar o ato sexual. ***P.* 10.** Experimentar (duas ou mais pessoas) um sentimento mútuo de amor, ternura, paixão: "em que escritura, divina ou humana, já foi dado como delito amarem-se duas criaturas?" (Machado de Assis, *Teatro*, p. 253). **11.** Praticar (duas pessoas ou animais) o ato sexual: "Beijemo-nos! amemo-nos! espera!" (Olavo Bilac, *Poesias*, p. 151.) **12.** Votar amor a si mesmo: "Amar-me, já o não consigo" (José Régio, *Mas Deus é Grande*, p. 53). [M.-q.-perf. ind.: *amara, ... amáramos, amáreis*, etc.; fut. pres.: *amarei, amarás, ... amareis*, etc.; pres. subj.: *ame, ames, ... amem*, etc.; imperf. subj.: *amasse, ... amássemos, amásseis*, etc. Cf. *amaramos* e *amareis*, do v. *amarar*; *amassemos* e *amasseis*, do v. *amassar* e *amém*, interj. e s. m. Em Portugal, acentua-se a 1ª pess. do pl. do pret. do ind. (*amámos*) para distinguir da forma do pret. perf. do ind. (*amamos*).]

amáraco [Do gr. *amárakos*, pelo lat. *amaracu.*] ***S. m. Bot.*** Manjerona-do-campo.

amarado [Part. de *amarar*[1].] ***Adj.* 1.** Afastado da costa. **2.** Cheio de água; marejado, inundado.

amaragem [De *amarar*[1] + *-agem*[2].] ***S. f. P. us.*** Ato de amarar[1] (2); amerissagem.

amarajiense ***Adj. 2 g.* 1.** De, ou pertencente ou relativo a Amaraji (PE). ● ***S. 2 g.* 2.** O natural ou habitante de Amaraji.

amaralense[1] ***Adj. 2 g.* 1.** De, ou pertencente ou relativo a Amaral Ferrador (RS). ● ***S. 2 g.* 2.** O natural ou habitante de Amaral Ferrador.

amaralense[2] ***Adj. 2 g.* 1.** De, ou pertencente ou relativo a Senador Amaral (MG). ● ***S. 2 g.* 2.** O natural ou habitante de Senador Amaral.

amarantácea [Do tax. *Amaranthus* (v. *amaranto*) + *-ácea*; tax. *Amaranthaceae.*] ***S. f. Bot.*** Espécime das amarantáceas, família da ordem das cariofilales formada por espécies herbáceas e arbustivas, algumas delas trepadeiras. Flores pequenas, porém numerosas e agregadas em capítulos e glomérulos, muitas vezes coloridas, popularmente conhecidas como sempre-vivas, pois não murcham. O Brasil tem cerca de 850 espécies, mais comuns nas zonas quentes, e das quais a crista-de-galo é exemplo vulgar, em jardins.

amarantáceo [De *amarantácea*, com var. suf. (v. *-áceo*).] ***Adj. Bot.* 1.** Pertencente ou relativo às amarantáceas. **2.** Semelhante ou relativo ao amaranto. **3.** Pertencente ou relativo a ele.

amarante [De or. obsc.] ***S. m. Bras. Amaz. Bot.*** V. *pau-roxo* (1).

amarantino[1] ***Adj.* 1.** De, ou pertencente ou relativo a Amarante (Portugal e PI). ● ***S. m.* 2.** O natural ou habitante de Amarante.

amarantino[2] ***Adj.* 1.** De, ou pertencente ou relativo a Amarante do Maranhão (MA). ● ***S. m.* 2.** O natural ou habitante de Amarante do Maranhão.

amarantino[3] ***Adj. S. m.*** V. *gonçalense*[2].

amaranto [Do tax. *Amaranthus* (f. irreg. a partir do lat. *amarantus* < gr. *amárantos*, 'imarcescível').] ***S. m. Bot.* 1.** Gênero de plantas herbáceas amarantáceas. **2.** Qualquer espécie desse gênero, muitas delas ornamentais como, p. ex., a *Amaranthus caudatus*, de inflorescências pendentes, vermelho-escuras; outra espécie, a *Amaranthus viridis*, ruderal e cultivada como alimentícia, é vulgarmente conhecida como bredo (q. v.). **3.** Qualquer espécime desse gênero.

amarar[1] [De *a-*[2] + *mar* + *-ar*[2].] ***V. int.* 1.** Fazer-se ao mar largo; amarar(-se). **2.** Pousar (o hidravião) na água; amerissar. ***T. d.* 3.** Encher de água, de lágrimas: *A saudade amarava-lhe os olhos.* ***P.* 4.** Fazer-se ao mar largo; amarar. **5.** Encher-se de água, de pranto; marejar-se: *À vista do navio que partia, amararam-se os olhos do rapaz.* **6.** Inundar-se, alagar-se. [Pres. ind.: *amaro, amaras, ... amaramos*, etc.; pres. subj.: *amare, amares, ... amareis*, etc. Cf. *amáramos* e *amáreis*, do v. *amar*; *amaro*, adj., e *Amaro*, antr.]

amarar[2] [De *amaro* + *-ar*[2].] ***V. t. d. P.*** V. *amargurar.*

amarasmear [De *a-*[2] + *marasmo* + *-ear*[2].] ***V. int.* 1.** Mostrar marasmo; estar marasmado. ***P.* 2.** Cair em marasmo. [Conjug.: v. *frear.*]

amarela [F. subst. de *amarelo.*] ***S. f.* 1.** Moeda de ouro. **2.** *Bras. Zool.* V. *abreu*[2]. ~ V. *amarelas.*

amarelado[1] [De *amarelo* + *-ado*[1].] ***Adj.* 1.** Tirante a amarelo; amarelento: "Sáris amarelos e azuis, / Homens envoltos em velhos panos amarelados" (Cecília Meireles, *Obra Poética*, p. 702). **2.** Pálido, descorado: *Nunca teve boa cor, sempre foi amarelada.* ● ***S. m.* 3.** O tom amarelado.

amarelado[2] [Part. de *amarelar.*] ***Adj.* 1.** Tornado amarelo, ou tirante a amarelo. **2.** Amadurecido, amadurado.

amarelamente [Do f. de *amarelo* + *-mente.*] ***Adv.*** À maneira de quem ri ou sorri amarelo (v. *sorrir amarelo*): "gaguejei amarelamente as primeiras palavras que havia decorado." (Gilberto Amado, *Depois da Política*, p. 84).

amarelão [De *amarelo* + *-ão*[1].] ***Adj. Bras.* 1.** Diz-se de certo tipo de arroz. ● ***S. m.* 2.** *Bras.* V. *ancilostomíase*. **3.** *Bot.* V. *pau-marfim* (1).

amarelar [De *amarelo* + *-ar*[2].] ***V. t. d.* 1.** Tornar amarelo: *O sol amarelou as laranjas.* **2.** Tornar tirante a amarelo; descorar: *Os anos amarelaram as folhas de papel.* **3.** Amadurecer, amadurar: *O calor amarelou as frutas.* ***Int.*** **4.** Fazer-se amarelo; amarelar-se. **5.** Perder o viço; empalidecer. **6.** Desistir, por medo, de enfrentar situação perigosa e/ou difícil; acovardar-se: "Outro dia, levei o Ézio para pegar onda, mas ele amarelou, nem quis entrar no mar." (Domingo, *Jornal do Brasil*, nº 846, 19.07.1992.) ***P.*** **7.** Fazer-se amarelo; amarelar. [Sin. (nas acepçs. de 1 a 5 e 7): *amarelecer*.]

amarelas ***El. s. f. pl. Bras. CE a PE Pop.*** Usa-se em loc., como *ver-se nas amarelas*, etc. ~ V. *amarela*. ◆ **Ver-se nas amarelas.** Ver-se em apuros, em dificuldades; ver urso de gole, ver urso.

amarelecer [De *amarelo* + *-ecer*.] ***V. t. d. Int. P.*** V. *amarelar* (1 a 5 e 7): "O outono amarelece e despoja os laríços." (Manuel Bandeira, *Estrela da Vida Inteira*, p. 14); *O tempo amareleceu as cartas guardadas no baú*; "Já amarelecem as folhas do caquizeiro" (Carlos Lacerda, *A Casa do Meu Avô*, p. 49). [Conjug.: v. *aquecer*.]

amarelecido [Part. de *amarelecer*.] ***Adj.*** Que amareleceu: "as flores de papel do jarro .... estavam desbotadas, amarelecidas." (José Carlos Cavalcanti Borges, *O Assassino*, p. 31).

amarelecimento [De *amarelecer* + *-imento*.] ***S. m.*** Ação ou efeito de amarelecer(-se).

amarelejar [De *amarelo* + *-ejar*.] ***V. int.*** Mostrar-se, fazer-se notar, na sua cor amarela: "Os matos amarelejavam lançando faíscas" (Coelho Neto, *Rei Negro*, p. 105); *Ao longe amarelejavam os ipês.* [Conjug.: v. *pelejar*. Normalmente é defect.; conjugável só nas 3.ªs pess.]

amarelento [De *amarelo* + *-ento*.] ***Adj.*** **1.** Amarelado (1): "era a água amarelenta das poças do estio." (José Vieira, *Vida e Aventura de Pedro Malasarte*, p. 59). **2.** *Bras.* Doente de febre amarela.

amarelidão [De *amarelo* + *-idão*.] ***S. f.*** **1.** Qualidade de amarelo. **2.** *Fam.* Palidez, palor. [Sin. ger.: *amarelidez*.]

amarelidez (ê) ***S. f.*** V. *amarelidão*.

amarelinha[1] [De *amarelo* + *-inha*.] ***S. f. Bras. Bot.*** **1.** Trepadeira acantácea (*Thunbergia alata*) ornamental, originária da África oriental, cujos ramos e folhas são comestíveis para o gado, e que é naturalizada e subespontânea no Brasil; bunda-de-mulata, cu-de-cachorro, cu-de-mulata, erva-de-cabrita. **2.** V. *murajuba* (1).

amarelinha[2] [Do fr. *marelle*, donde, por etimologia popular, terá vindo amarela, a que se adicionou, afetivamente, o suf. diminutivo.] ***S. f. Bras.*** Jogo infantil que consiste em pular num pé só sobre casas riscadas no chão, exceto aquela em que cai a pedra que marca a progressão do brincante. [Sin.: *macaco*, *marela*, *maré* (MG e GO), *academia* (N.E.), *sapata* (RS), e (lus.) *jogo do homem*, *macaca*, *pé-coxinho*.]

amarelinho [Dim. subst. de *amarelo*.] ***S. m. Bras.*** **1.** *Zool.* V. *sebinho* (1). **2.** Variedade de fumo em rama. **3.** *Bot.* V. *arapoca*. **4.** *Bot.* V. *vinhático-do-campo*.

amarelo [Do b.-lat. hispânico *amarellu*.] ***Adj.*** **1.** Da cor do ouro, da gema do ovo, do topázio, do enxofre: "A boca negra, os dentes amarelos." (Luís de Camões, *Os Lusíadas*, V, 39.) **2.** Diz-se dessa cor: *tecido de cor amarela.* **3.** Pálido, descorado, amarelado. **4.** Diz-se da pele de coloração castanho-amarelada, característica de povos asiáticos orientais. ~ V. *bismuto —*, *cera —a*, *febre —a*, *febre —a silvestre*, *febre —a urbana*, *latão —*, *riso — e sorriso —*. ● ***S. m.*** **5.** A cor amarela em todas as suas gradações. [V. *de cor* (3).] **6.** No espectro visível (q. v.), cor da radiação eletromagnética de comprimento de onda compreendido, aproximadamente, entre 575 e 590 nanômetros. **7.** *Bras.* Pessoa que tem amarelão. **8.** *Bras. Bot.* V. *vinhático-do-campo*. **9.** *Bras. N.E. MG SP MT Pej.* Pessoa pálida. [Sin. nesta acepç. (em PE): *come-longe*.] ~ V. *amarelos*. ◆ **Amarelo de tartrazina.** *Quím.* Tartrazina.

amarelo-aladino ***S. m.*** Tintura utilizada na estamparia de certos tecidos de algodão originariamente fabricados na Índia, conhecidos como *chita indiana*. [Sin.: *aladina*. Pl.: *amarelos-aladinos*.]

amarelo-cinzento ***Adj.*** **1.** De cor amarela com laivos de cor cinza: "O nevoeiro, espessíssimo, ... parecia tecido de sucessivas e infindas camadas d'algodão em rama, de cor amarelo-cinzenta, como se houvesse andado a rolar longamente no pó." (Virgílio Várzea, *Nas Ondas*, p. 58.) ● ***S. m.*** **2.** Essa cor. [Pl. do adj.: *amarelo-cinzentos*; pl. do s.m.: *amarelos-cinzentos*.]

amarelo-claro ***Adj.*** **1.** De um tom claro de amarelo. ● ***S. m.*** **2.** Essa cor: "Tudo é gris, desde os restolhais, cujo amarelo-claro entra inalterável pelo outono, aos coutos de urze e sargaço onde o tom era sempre verde." (Aquilino Ribeiro, *Aldeia*, p. 185.) [Pl. do adj.: *amarelo-claros*; pl. do s. m.: *amarelos-claros*.]

amarelo-enxofre (ô) ***Adj. 2 g. e 2 n.*** **1.** Diz-se da cor amarela com traços que lembram o enxofre: "Cortando a tela de lado a lado, a meia altura, uma curva larga, feita a compasso, representa a crista de uma colina; o que fica por cima, e deve normalmente ser céu, é amarelo-enxofre" (Léu Vaz, *Páginas Vadias*, p. 232). ● ***S. m.*** **2.** Essa cor. [Pl. do s. m.: *amarelos-enxofres e amarelos-enxofre*.]

amarelo-esverdeado ***Adj.*** **1.** Da cor amarela com laivos verdes: "Na escuridão, ele via as pupilas amarelo-esverdeadas das duas feras, fixas nele, impassíveis, sinistras." (Darci Azambuja, *A Prodigiosa Aventura*, p. 224.) ● ***S. m.*** **2.** Essa cor. [Pl. do adj.: *amarelo-esverdeadas*; pl. do s. m.: *amarelos-esverdeados*.]

amarelo-fosco (ô) ***Adj.*** **1.** Diz-se da cor amarela com laivos foscos: "Não muito longe dele, vadiava sempre um cão felpudo, amarelo-fosco." (Adelino Magalhães, *Obras Completas*, I, p. 127.) ● ***S. m.*** **2.** Essa cor. [Pl. do adj.: *amarelo-foscos*; pl. do s. m.: *amarelos-foscos*.]

amarelo-gualdo ***Adj.*** **1.** Amarelo claríssimo. ● ***S. m.*** **2.** Essa cor. [Pl. do adj.: *amarelo-gualdos*; pl. do s. m.: *amarelos-gualdos*.]

amarelo-limão ***Adj. 2 g. e 2 n.*** **1.** Da cor amarela semelhante à da casca do limão maduro. ● ***S. m.*** **2.** Essa cor. [Pl. do s. m.: *amarelos-limões e amarelos-limão*.]

amarelo-ouro ***Adj. 2 g. e 2 n.*** **1.** De cor amarela tirante a ouro. ● ***S. m.*** **2.** Essa cor. [Pl. do s.m.: *amarelos-ouro e amarelos-ouros*.]

amarelo-pardacento ***Adj.*** **1.** De um tom de amarelo tirante a pardo. ● ***S. m.*** **2.** Essa cor. [Flex. do adj.: *amarelo-pardacentos*, *amarelo-pardacenta(s)*; pl. do s. m.: *amarelos-pardacentos*.]

amarelos [Pl. de *amarelo*.] ***S. m. pl.*** Acessórios, fechos, guarnições, etc., de metal amarelo: "Zé Figo e o companheiro trepavam a encosta íngreme, com o sol a bulir nos amarelos da farda." (Mário Braga, *Serranos*, p. 51.) ~ V. *amarelo*.

amarelo-torrado ***Adj. 2 g. e 2 n.*** **1.** Da tonalidade acastanhada do amarelo. ● ***S. m.*** **2.** Essa cor. [Pl. do s.m.: *amarelo-torrados e amarelos-torrados*.]

amarescente [Do lat. *amarecente*.] ***Adj. 2 g.*** V. *amargo* (1).

➔**amaretto** [ama'rεtto] [It.] ***S. m.*** Licor feito com essência de amêndoas (variedade *Prunus dulcis*).

amarfalhar ***V. t. d.*** V. *amarfanhar*.

amarfanhado ***Adj.*** V. *amarrotado* (1 e 2).

amarfanhar ***V. t. d.*** **1.** Apertar, comprimir, deixando sinais de vincos ou dobras em; machucar, amachucar; amarrotar: "Um dia, enfurecido, amarfanhou o jornal, só porque trouxera um soneto na primeira página." (Carlos Paurílio, *Solidão*, p. 24.) **2.** Maltratar; vexar, humilhar: *Amarfanhou-o com uma repreensão.* [F. paral.: *amarfalhar* e *amorfanhar*.]

amarfinado [De a^{-2} + *marfim* + *-ado*[1].] ***Adj.*** Semelhante, na cor, ao marfim.

amargado [De *amargo* + *-ado*[1].] ***Adj.*** V. *amargo* (1 e 3): "Que m'importa do mundo a inclemência / E esta vida cruel, amargada?" (Gonçalves Dias, *Obras Poéticas*, II, p. 184.)

amargar [Do lat. *amaricare*.] ***V. t. d.*** **1.** Tornar amargo; fazer amargoso. **2.** Tornar desagradável, penoso: *As loucuras do filho amargam os seus dias.* **3.** Sofrer, padecer; suportar: "Amargou saudades do Brasil ao voltar para a Suíça." (Augusto Meyer, *No Tempo da Flor*, p. 71.) **4.** Sofrer as consequências de; expiar: *Vai amargar todos os seus erros.* ***Int.*** **5.** Ter sabor amargo. **6.** Ser desagradável; causar desgosto: "Os longos dias / Do exílio amargam" (Guimarães Passos, *Horas Mortas*, p. 39); *O remorso amarga.* ***P.*** **7.** Causar amargura, desgosto, penas, a si próprio; afligir-se, atormentar-se: *Sempre se amargou com ciúmes.* [Conjug.: v. *largar*.] ◆ **De amargar.** *Pop.* **1.** *Bras.* Difícil de suportar ou de resolver: "Quem me criou o primeiro [problema] na vida de magistério foi Lord Byron. E problema de amargar." (Genolino Amado, *O Reino Perdido*, p. 16). **2.** Diz-se do que é insuportável, muito desagradável ou irritante; de morte: *O homenzinho é de amargar, com as suas manias.*

amargo [Do lat. hisp. **amaricu*, de *amaru*, 'amargo'.] ***Adj.*** **1.** Que tem sabor adstringente, penetrante, desagradável, como, p. ex., o fel e a quássia; amargoso, amargado, acerbo, acre, amarescente: *remédio amargo.* **2.** Diz-se do sabor com essas características: "O corvo que comer as tuas fibras / Há de achar nelas um sabor amargo!" (Augusto dos Anjos, *Eu*, p. 36.) **3.** *Fig.* Doloroso, triste, penoso, acre, amargado: *o sentimento amargo da desilusão*; "Tu me perguntas por que um riso amargo, / Fúnebre e triste me descora os lábios" (Gonçalves Dias, *Obras Poéticas*, II, p. 154). **4.** *Fig.* Áspero, cruel, duro, desabrido, acre: *o golpe amargo da derrota.* **5.** *Fig.* Cheio de ressentimento; vivamente magoado; amargurado, sofrido: *Que homem amargo!*; *Tem o olhar amargo.* **6.** *Pop.* Azedo (gosto). [Sin. ger.: *amaro*. Superl. abs. sint.: *amarguíssimo*.] ~ V. *sal —*. ● ***S. m.*** **7.** V. *amargor* (1). **8.** *Bras. S.* Mate chimarrão: "Tomava um amargo, sesteava e, com a fresca, tocava de novo." (Vieira Pires, *Querência*, pp. 38-39.) ~ V. *amargos*.

amargor (ô) ***S. m.*** **1.** Sabor amargo; amargura; amargo. **2.** Qualidade de amargo. **3.** *Fig.* V. *amargura* (2 e 3).

amargos [Pl. de *amargo*.] ***S. m. pl.*** Remédios amargos. ~ V. *amargo*.

amargoseira [De *amargoso* + *-eira*.] ***S. f. Lus. Bot.*** V. *cinamomo* (4).

amargosense ***Adj. 2 g.*** **1.** De, ou pertencente ou relativo a Amargosa (BA). ● ***S. 2 g.*** **2.** O natural ou habitante de Amargosa.

amargoso (ô) [Do b.-lat. hispânico *amaricosu*.] ***Adj.*** **1.** V. *amargo* (1). **2.** *Fig.* Penoso, triste, amargo. **3.** *Bras. S. Pop.* V. *valentão* (1). ● ***S. m.*** **4.** *Bot.* Nome comum a duas árvores fabáceas, a *Tipuana macrocarpa*, de até 10m, de madeira pesada, us. para construção civil, e a *Andira araroba*, de até 35m, e cuja madeira, moderadamente pesada, é us. para obras externas e na construção civil.

amarguíssimo ***Adj.*** Superl. abs. sint. de *amargo*; amaríssimo.

amargura [De *amargo* + *-ura*.] ***S. f.*** **1.** V. *amargor* (1). **2.** *Fig.* Tristeza, sofrimento, mágoa; amargor: "Quando se fez ao largo a nave escura / Na praia essa mulher ficou chorando, / No doloroso aspecto figurando / A lacrimosa estátua da amargura." (Gonçalves Crespo, *Obras Completas*, p. 331); *Com um olhar de amargura via o navio afastar-se.* **3.** *Fig.* Sofrimento arraigado de dor e ressentimento; acrimônia, azedume; amargor: *Pensava com amargura que não se fazia justiça ao mérito.*

amargurado [Part. de *amargurar*.] ***Adj.*** Cheio de amargura, amarguroso: *indivíduo amargurado*; *vida amargurada.*

amargurar [De *amargura* + *-ar*[2].] ***V. t. d.*** **1.** Causar amargura a; angustiar, afligir: *A falta de recursos amargura o pobre homem.* **2.** Tornar amargo; dar sabor amargo a. **3.** Tornar acrimonioso; imprimir azedume a: *O seu tom áspero amargurou ainda mais a conversa.* ***P.*** **4.** Angustiar-se; afligir-se. [Sin. ger.: *amarar*.]

amarguroso (ô) [De *amargura* + *-oso*.] ***Adj.*** Amargurado: "Oh vida entre todas amargurosa!" (Eça de Queirós, *A Relíquia*, p. 79.)

amaribá ***Bras. S. 2 g.*** **1.** *Etnôn.* Indivíduo dos amaribás, povo indígena da família linguística aruaque, habitante da região do rio Branco (RR). ● ***Adj. 2 g.*** **2.** Pertencente ou relativo a esse povo. [Sin. ger.: *amaripá*. Tb. us. como *s. 2 g. e 2 n.* (com cap.) e *adj. 2 g. e 2 n.*]

amaricado [De a^{-2} + *maricas* + *-ado*[1].] ***Adj.*** Efeminado (1).

amaricar-se [De a^{-2} + *maricas* + $-ar^{2}$ + *se*[1].] ***V. p.*** Tornar-se maricas; efeminar-se. [Conjug.: v. *trancar*.]

amárico [Do top. *Amhara* (Etiópia) + *-ico*[2].] ***S. m.*** **1.** *Gloss.* A língua oficial da Etiópia; abissínio, etiópico. [V. *camito-semítico*, *semítico*.] **2.** Vocábulo dessa língua.

amaridar [De a^{-2} + *marido* + $-ar^{2}$.] ***V. t. d. T. d. e i.*** **1.** Maridar (1 e 3). **2.** Ter intimidade com alguém. ***P.*** **3.** Maridar-se (4): "vancê quer ser minha? vancê quer se amaridar comigo?" (Tito Carvalho, *Bulha d'Arroio*, p. 101).

amarídeo ***S. m. Farm.*** Substância amarga.

amarilha [Do esp. *amarilla*.] ***S. f.*** Caquexia aquosa nas bestas.

amarilho [Do esp. *amarillo*.] ***S. m. Bras.*** **1.** Ligadura, atadura. **2.** *PR RS Bot.* Arbusto ou árvore combretácea (*Terminalia australis*) cuja casca, adstringente e resinosa, serve para curtume, e que fornece madeira de lei, própria para construção civil e naval, carroçaria, carpintaria e carvão; sarandi-amarelo. **3.** Cavalo baio de crina branca. ● ***Adj.*** **4.** Diz-se de cavalo com essas características.

amarílico [Do esp. *amarillo*, poss.] ***Adj. Bras.*** Relativo à febre amarela.

amarilidácea [Do lat. cient. *Amaryllid-* (< tax. *Amaryllis*, v. *amarílis*) + *-ácea*; tax. *Amaryllidaceae*.] ***S. f. Bot.*** Espécime das amarilidáceas, família da ordem das asparagales composta de plantas herbáceas, delicadas, providas de grandes e belas flores coloridas, e que muitas vezes têm 'cebola' ou bolbo. É idêntica às liliáceas, tendo, porém, o ovário ínfero. A família é própria dos climas temperados, onde encerra cerca de 1.000 espécies, estimadíssimas como ornamentos hortenses pela beleza das flores, das quais são poucas as que o Brasil possui, distinguindo-se, entre estas últimas, as do gênero *Hippeastrum*, belíssimas e bem conhecidas, como a açucena.

amarilidáceo [De *amarilidácea*, com var. suf. (v. *-áceo*).] ***Adj. Bot.*** Pertencente ou relativo às amarilidáceas.

amarílide [Do ficción. *Amarílide*, personagem do poeta grego Teócrito (c. 310-c. 250 a.C.).] ***S. f. Bot.*** V. *açucena* (1).

amarilidiforme [De *amarílide* + *-iforme*.] ***Adj. 2 g. Bot.*** Semelhante à amarílis.

amarílis [Do tax. *Amaryllis* (< antr. lat. *Amaryllis* < antr. gr. *Amaryllís*), *idis* ou *idos*.] ***S. f. 2 n. Bot.*** **1.** Gênero de plantas amarilidáceas, herbáceas e perenes, bulbosas, de flores umbeladas cuja corona é dotada de escamas entre os filamentos; muitas espécies são ornamentais. **2.** Qualquer espécie desse gênero, como, p. ex., a *Amaryllis belladonna* [v. *lírio-vermelho*]. **3.** Qualquer espécime desse gênero.

amaríneo ***Adj.*** Que contém substâncias amargas ou amaras.

amarinhar-se [De *a-*^{2} + *marinha* + *-ar*^{2} + *se*^{1}.] ***V. p.*** **1.** Acostumar-se ao mar. **2.** Adquirir hábitos, maneiras, qualidades de marinheiro.

amarinheirado [De *a-*^{2} + *marinheiro* + *-ado*^{1}.] ***Adj.*** **1.** Afeito à vida do mar. **2.** Que tem modos de marinheiro.

amario ***Adj.*** *Bras. SP* Diz-se do cavalo baio com crina e cauda brancas.

amariolar-se [De *a-*^{2} + *mariola* + *-ar*^{2} + *se*^{1}.] ***V. p.*** Tornar-se mariola; acanalhar-se, aviltar-se.

amaripá ***S. 2 g. Adj. 2 g.*** *Bras.* Amaribá.

amaríssimo [Do lat. *amarissimu*.] ***Adj.*** Superl. abs. sint. de *amaro*: "Nada mais resta dos meus verdes anos, / Nem a dor amaríssima e profunda." (José Severiano de Resende, *Mistérios*, p. 71.)

amaro [Do lat. *amaru*.] ***Adj.*** V. *amargo*. [Superl. abs. sint.: *amaríssimo*.]

amaro-leitense ***Adj. 2 g.*** **1.** De, ou pertencente ou relativo a Amaro Leite (GO). • ***S. 2 g.*** **2.** O natural ou habitante de Amaro Leite. [Pl.: *amaro-leitenses*.]

➔**amarone** [ama'rone] [It.] ***S. m.*** *Enol.* Vinho tinto encorpado e longevo, produzido na província de Verona (N.E. da Itália).

amarotar-se [De *a-*^{2} + *maroto* + *-ar*^{2} + *se*^{1}.] ***V. p.*** Adquirir modos de maroto; tornar-se maroto.

amarra [Dev. de *amarrar*.] ***S. f.*** **1.** *Marinh.* Corrente especial formada por elos em geral reforçados por travessões, que segura a âncora à embarcação. **2.** *Mar.* Unidade de comprimento aproximadamente igual a 200m, usada para se indicarem distâncias no mar. [O nome provém das amarras dos navios antigos, que tinham, de ordinário, esse comprimento. Como o valor da braça variava de país para país, também o da amarra diferia. Na Marinha do Brasil, 1 amarra = 1/10 milha marítima = 185,2m; na dos E.U.A., 1 amarra = 120 braças = 720 pés = 219m. Na prática, arredonda-se para 200m.] **3.** *P. ext.* Qualquer corda ou corrente que serve para amarrar ou prender coisa pesada. **4.** *Fig.* Apoio, proteção. [Dim. irreg.: *amarreta* (q. v.).] ◆ **Colher a amarra.** *Marinh.* Pôr safa a amarra, para facilidade de manobra; ferrar a amarra. **Cortar as amarras com.** *Fig.* Desligar(-se), separar(-se) de (aquele ou aquilo que serve de amparo ou proteção). **Ferrar a amarra.** *Mar.* Colher a amarra. **Portar pela amarra.** *Mar.* Puxar por ela (o navio), aproando ao vento ou à maré.

amarração [De *amarrar* + *-ção*.] ***S. f.*** **1.** Ação ou efeito de amarrar(-se). **2.** Correões que suspendem as seges. **3.** *Constr.* Disposição dos materiais, numa construção, de sorte que cada nova peça assentada, ao ligar-se com as outras, aumenta a junção entre elas, contribuindo para imprimir maior solidez e estabilidade ao conjunto. **4.** *Teatr.* Fixação do cenário para que ele não balance com o movimento dos atores; travamento, travação. **5.** *Marinh.* Conjunto de viradores ou espias empregados para segurar uma embarcação ao cais, ou a outra construção ou embarcação. **6.** *Marinh.* Conjunto de duas ou mais âncoras e amarras usado em certos casos para segurar uma embarcação ao ancoradouro. **7.** *Bras.* Ligação ou prisão amorosa.

amarrado [Part. de *amarrar*.] ***Adj.*** **1.** Preso, atado: *A gravura representava um escravo amarrado.* **2.** Preso com amarra (3). **3.** *Fig.* Preso por obrigação ou promessa. **4.** Diz-se do semblante carrancudo, fechado. **5.** *Fam.* Comprometido (por ligação amorosa); noivo, casado ou amigado. **6.** *Bras. RS* Sem desembaraço; acanhado, tímido, atado. **7.** *Bras. MG* V. *avaro* (1). ~ V. *cara —a* e *rabo de arraia —*. • ***S. m.*** **8.** *Bras.* Mato enredado de cipós; cipoal. **9.** *Bras.* Angu ou pirão seco, engrolado. **10.** *Bras.* Embrulho ou volume atado. **11.** *Bras.* Apanhado de coisas atadas (vassouras, flores, canas, ervas, etc.). **12.** *Bras. MG* V. *avaro* (3). ◆ **Nem amarrado** *Pop.* V. *nem a pau*.

amarradoiro [De *amarrar* + *-doiro*^{2}.] ***S. m.*** Amarradouro (q. v.).

amarrador (ô) [De *amarrar* + *-dor*.] ***Adj.*** **1.** Que amarra. • ***S. m.*** **2.** Aquele ou aquilo que amarra. **3.** *Bras.* Mestre das jangadas grandes.

amarradouro [De *amarrar* + *-douro*^{2}; var. de *amarradoiro*.] ***S. m.*** Lugar onde se amarra.

amarradura [De *amarrar* + *-dura*.] ***S. f.*** **1.** Ato ou efeito de amarrar. **2.** *Mar.* Cabo com o qual se prende uma embarcação.

amarra-pinto [De *amarrar* + *pinto*.] ***S. m.*** *Bras. Bot.* V. *agarra-pinto*. [Pl.: *amarra-pintos*.]

amarrar [Do neerl. médio *aenmarren*, 'prender', pelo fr. *amarrer*.] ***V. t. d.*** **1.** Ligar fortemente; atar, prender. **2.** Prender por laços morais: *A promessa que fizera deixava-o atado, amarrava-o.* **3.** Opor obstáculos a; dificultar, estorvar: *Não quis amarrar as negociações do amigo.* **4.** Carregar (as feições), demonstrando aborrecimento. **5.** *Cineg.* Ficar (o cão de caça) imóvel diante de (a presa), aguardando a chegada do caçador: "— Esperem, esperem — pediu, olhos esbugalhados, imóvel como um perdigueiro ao amarrar a caça." (Fernando Sabino, *O Homem Nu*, p. 141.) **6.** *Bras.* Ajustar em definitivo (um negócio); concluir. **7.** *Bras.* Impedir o bom andamento de; embaraçar, entravar: *amarrar um trabalho, uma negociação.* **8.** *Bras.* Botar farinha demais em (angu ou pirão), tornando-o seco, engrolado. **9.** *Bras. Gír.* Prender por laços amorosos; conquistar, ganhar: *Amarrou uma bela garota.* **10.** *Bras.* Jogar continuamente em (um mesmo bicho): "gostava do jogo do bicho. Mas andava de azar nos últimos tempos. Amarrara o cachorro e o danado desaparecera da roda." (João Clímaco Bezerra, *O Semeador de Ausências*, p. 37). **11.** *Cabo-verd.* Coarctar o poder sobrenatural de (alguém que faz bruxaria): "Ela bem queria ir, mas não conseguia passar a soleira da porta porque, já se vê, tinha sido amarrada" (Baltasar Lopes, *Chiquinho*, p. 75.) ***T. d. e i.*** **12.** Unir ou ligar afetivamente: "Que acaso infeliz amarrara àquele estafermo a mulher que devia ser minha?" (Graciliano Ramos, *Caetés*, p. 253.) **13.** Fazer depender; sujeitar, prender: "Pretenda-se ou não amarrar o comércio do Amazonas a mais um novo regulamento, ... ao governo cabe decretar de sua autoridade a liberdade da navegação e criar portos habilitados." (Tavares Bastos, *O Vale do Amazonas*, p. 59.) ***T. i.*** **14.** Valer-se, servir-se, aproveitar-se: *Vive a amarrar ao nome do pai.* ***P.*** **15.** Atar-se, ligar-se, prender-se. **16.** Teimar, obstinar-se. **17.** *Gír.* Deixar-se cativar; ficar enamorado, apaixonado. **18.** Casar(-se), matrimoniar(-se). **19.** Amancebar-se, amigar-se. ◆ **Amarrar a ficar.** *Marinh.* **1.** Amarrar de forma definitiva, nos lugares competentes, uma vez terminada a manobra, os cabos com que ela foi executada. **2.** Amarrar convenientemente uma embarcação ou pau de surriola, uma vez terminado o serviço diário.

amarreta (ê) [De *amarra* + *-eta* (ê).] ***S. f.*** *Marinh.* **1.** Amarra de bitola menor que a amarra principal. **2.** Amarra de pequena bitola e cujos elos têm estais.

amarrilho [De *amarr-*, como em *amarrar* e *amarra*, + *-ilho*.] ***S. m.*** Cordão ou fio com que se ata ou amarra qualquer coisa: "alta de porte, bem desempenada, a saia de chita descendo exata sobre os quadris, o cabelo sustido de lado por um amarrilho de fita." (Albertino Moreira, *Boca-Pio*, p. 108).

amarroado [Part. de *amarroar*.] ***Adj.*** **1.** Abatido; alquebrado. **2.** Melancólico, deprimido. **3.** Pensativo, meditabundo. **4.** Teimoso, insistente. ~ V. *pedra —a*.

amarroamento [De *amarroar* + *-mento*.] ***S. m.*** Ato ou efeito de amarroar.

amarroar [De *a-*^{2} + *marrão*^{2} + *-ar*^{2}, com desnasalação.] ***V. t. d.*** **1.** Bater com marrão em. ***Int.*** **2.** Andar abatido, alquebrado. [Conjug.: v. *coroar*.]

amarronzado [De *a-*^{2} + *marrom* + *-zado*.] ***Adj.*** *Bras.* De cor tirante a marrom; acastanhado.

amarroquinado [De *a-*^{2} + *marroquim* + *-ado*^{1}.] ***Adj.*** Semelhante ao marroquim.

amarroquinar [De *a-*^{2} + *marroquim* + *-ar*^{2}.] ***V. t. d.*** Tornar semelhante ao marroquim.

amarrotado [Part. de *amarrotar*.] ***Adj.*** **1.** Diz-se de coisa lisa que mudou de forma, ou ficou vincada ou enrugada, por efeito de compressão; machucado, amarfanhado, amassado: *papel amarrotado; para-lama amarrotado; vestido amarrotado.* **2.** Diz-se de traços fisionômicos irregulares, achatados; amarfanhado, amassado: *cara amarrotada.* **3.** *Fig.* Contundido, machucado.

amarrotar [De *a-*^{4} + port. ant. **marrotar*, de **manroto*, 'roto com as mãos'.] ***V. t. d.*** **1.** Apertar, comprimir, machucar, deixando sinais de vincos ou dobras em; enxovalhar; amarfanhar. **2.** Enrugar (1): *O tempo amarrotou-lhe as feições.* **3.** Esmagar, vencer (com argumentação irrespondível); amassar. **4.** *Pop.* Quebrar a cara a (alguém): *Amarrotou-o com um soco violento.* ***P.*** **5.** Amachucar-se, machucar-se, amarfanhar-se. **6.** Perder o lustro.

amartelado [Part. de *amartelar*.] ***Adj.*** **1.** Batido com martelo (1); amolgado: *cobre amartelado.* **2.** *Fig.* Vencido, subjugado. **3.** *Fig.* Amoldado, afeiçoado.

amartelar [De *a-*^{2} + *martelo* + *-ar*^{2}.] ***V. t. d. Int.*** V. *martelar*.

amartilhar ***V. t. d.*** Engatilhar, martilhar: "Tirei a pistola do cinto; amartilhei o gatilho... benzi-me, e encostei no ouvido o cano grosso e frio, carregado de bala..." (Simões Lopes Neto, *Contos Gauchescos e Lendas do Sul*, p. 129.)

amarugem [De *amaro* + *-ugem*.] ***S. f.*** **1.** Sabor levemente amargo. **2.** Coisa amarga [v. *amargo* (1 e 2)]: "Provando a horrenda amarugem, / Os paralíticos rugem / Nas contorções do terror." (Martins Fontes, *Poesias*, 5º vol., p. 79.) [Cf. *amarujem*, do v. *amarujar*.]

amarugento [De *amarugem* + *-ento*.] ***Adj.*** Que amaruja.

amarujar [De *amaruge(m)* + *-ar*^{2}.] ***V. int.*** **1.** Ter amargura; ser levemente amargo. **2.** Tornar-se amargo. [Pres. subj.: *amaruje, amarujes, ... amarujem*. Cf. *amarugem*.]

amarulento [Do lat. *amarulentu*.] ***Adj.*** Muito amargo.

amarulhar [De *a-*^{2} + *marulho* + *-ar*^{2}.] ***V. t. d.*** Tornar marulhoso.

amarume [De *amaro* + *-ume*.] ***S. m.*** **1.** Sabor amargo; amargor. **2.** *Fig.* Amargura (2 e 3). **3.** *Fig.* Azedume: "Essa esquivança, essa impenetrabilidade, essa reserva causou-nos .... um certo amarume" (Oliveira Viana, *Pequenos Estudos de Psicologia Social*, p. 38).

ama-seca [De *ama*^{1} + o f. de *seco* (ê).] ***S. f.*** Criada que cuida de crianças sem amamentá-las; ama: "era um garoto gorducho e irrequieto, e os braços de graveto da ama-seca ficavam vermelhos de carregá-lo." (Lia Correia Dutra, *Navio sem Porto*, p. 79). [Sin. (bras.): *pajem, babá, bá*. Pl.: *amas-secas*.]

amasese [De *a-*^{3} + gr. *másesis*, 'mastigação'.] ***S. f.*** *Med.* Incapacidade de mastigar alimento.

amásia [Do lat. *amasia*, primitivamente 'namorada'.] ***S. f.*** V. *amante*^{2} (6): "Alguns até conservaram uma espécie de velha amásia oficial, que chegara a conquistar a quase honorabilidade duma esposa segunda." (José Régio, *Histórias de Mulheres*, p. 289.) [Cf. *amasia-se*, do v. *amasiar-se*, e *amazia*, s.f.]

amasiar-se ***V. p.*** V. *amancebar-se* (1). [Pres. ind.: *amasio-me, amasias-te, amasia-se*, etc. Cf. *amásia* e *amazia*, s. f.]

amasio [Dev. de *amasiar-se*.] ***S. m.*** V. *concubinato* (1). [Cf. *amásio*.]

amásio [Do lat. *amasiu*.] ***S. m.*** V. *amante*^{2} (6). [Cf. *amasio*.]

amasisa [Do tax. (*Erythrina*) *amasisa*, poss.] ***S. f.*** *Bras. Bot.* Árvore fabácea (*Erythrina amasisa*) nativa da Amaz., ornamental, cujas flores, amarelo-vivas, surgem antes das folhas.

amassa-barro [De *amassar* + *barro*.] ***S. m.*** *Bras. Zool.* V. *joão-de-barro*. [Pl.: *amassa-barros*.]

amassadeira [De *amassar* + *-deira*.] ***S. f.*** **1.** Mulher que amassa farinha para fazer pão. **2.** Máquina de amassar. **3.** Vaso ou prancha em que se amassa alguma coisa, em especial a farinha, para o fabrico do pão. [Cf. *masseira* (1).] **4.** Recipiente de madeira dentro do qual se processa a mistura de massa destinada à fabricação de tijolos.

amassadela [De *amassar* + *-dela*.] ***S. f.*** **1.** Ato de amassar uma vez ou rapidamente. **2.** Ato de amassar ligeiramente.

amassado [Part. de *amassar*.] ***Adj.*** **1.** V. *amarrotado* (1): *guardanapo amassado.* • ***S. m.*** **2.** V. *amassadura* (1).

amassadoiro [De *amassar* + *-doiro*^{2}.] ***S. m.*** Amassadouro (q. v.).

amassador (ô) [De *amassar* + *-dor*.] ***S. m.*** **1.** Aquele que amassa. **2.** O operário que prepara, nas obras, a argamassa. **3.** Lugar onde se misturam os materiais que constituem a argamassa. **4.** Lugar onde se amassa o pão; amassaria.

amassadouro [De *amassar* + *-douro*^{2}; var. de *amassadoiro*.] ***S. m.*** Recipiente, tabuleiro ou lugar onde se amassa.

amassadura [De *amassar* + *-dura*.] ***S. f.*** **1.** Ato ou efeito de amassar(-se); amassamento, amassado. **2.** Fornada (1). **3.** Sinal de pancada; amolgadura, mossa. **4.** *Fig.* Mistura, combinação, união.

amassamento [De *amassar* + *-mento*.] ***S. m.*** V. *amassadura* (1).

amassar [De *a-*^{2} + *massa* + *-ar*^{2}.] ***V. t. d.*** **1.** Converter em massa ou pasta; sovar. **2.** Misturar, mesclar, confundir. **3.** Machucar, amachucar, amarrotar, amarfanhar, amarfalhar: *Amassou o papel e atirou-o longe.* **4.** Esmagar, pisar: *Ouvia-se o ruído das passadas que amassavam o mato seco.* **5.** Causar dano ou afundamento à superfície de (um veículo, etc.): *Um ônibus amassou o meu carro.* **6.** *Fig.* Vencer (com argumentação irrespondível); esmagar, achatar: *Com esta asserção amassou logo o adversário.* **7.** *Pop.* Juntar, amealhar: *Amassa uma boa quantia por mês.* **8.** *Bras. PA Chulo* V. *bolinar* (4). ***Int.*** **9.** Tornar-se em massa, pasta; amassar-se. **10.** Amarrotar-se, machucar-se, amachucar-se, amarfanhar-se: "Seus cabelos já estavam brancos, a pele amassando de rugas." (Jorge Medauar, *Água Preta*, p. 119.) **11.** *Bras. Chulo* V. *bolinar* (2). ***P.*** **12.** Tornar-se em massa; amassar. **13.** Amarrotar-se, amarfanhar-se. **14.** Ligar-se, unir-se; misturar-se, confundir-se. **15.** Afazer-se, acostumar-se, acomodar-se: *Amassa-*

-se a qualquer trabalho que lhe deem. [Imperf. subj.: *amasse*, ... *amassemos*, *amasseis*, etc. Cf. *amássemos* e *amásseis*, do v. *amar*.]

amassaria *S. f.* Amassador (4).

amassilho *S. m.* **1.** Porção de farinha que se amassa de uma só vez. **2.** Aparelho de amassar. **3.** Mistura de coisas heterogêneas. [Cf., nesta acepç., *amálgama* (4).]

amasso [Dev. de amassar.] *S. m.* **1.** *Bras. Gír.* V. *agarramento* (4): *Os dois estavam ali no maior amasso.* **2.** Apertão (3).

amastia [De *a-*[3] + *-mast(o)-* + *-ia*[1].] *S. f.* Amazia (q. v.).

amastozoário [De *a-*[3] + *-mast(o)-* + *-zo(o)-* + *-ário*.] *S. m. Zool.* Animal vertebrado que não tem mamas.

amatalar [De *a-*[2] + *mata*[2] + *-l-* + *-ar*[2].] *V. int.* Encher-se (um animal) de matas ou mataduras.

amatalotar [De *a-*[2] + *matalote* + *-ar*[2].] *V. t. d. Ant.* **1.** Revezar (marinheiros) no serviço de bordo. **2.** Associar (marinheiros) dois a dois. **3.** Dar pousada a, alojar (marinheiros). *P.* **4.** *Fig.* Associar-se, emparceirar-se.

amateusíneo [Do tax. *Amatheusiinae*.] *Zool. S. m.* **1.** Espécime dos amateusíneos, subfamília de lepidópteros ninfalídeos. • *Adj.* **2.** Pertencente ou relativo a eles.

amatilhar [De *a-*[2] + *matilha* + *-ar*[2].] *V. t. d.* **1.** Reunir (cães) em matilha. **2.** *Pej.* Congregar, reunir; abandar: *Amatilhou os políticos da terra para decidir a situação.* *P.* **3.** *Pej.* Emparceirar-se, abandar-se.

amatividade [De *amativo* + *-(i)dade*.] *S. f.* **1.** Qualidade de amativo. **2.** Propensão ou disposição para amar: "Não há gelo, ... nem o das almas, nem o da morte ...., que consiga arrefecer-lhe [a Castro Alves] a natural amatividade." (Xavier Marques, *Vida de Castro Alves*, p. 173.)

amativo [De *amatus*, part. pass. do lat. *amare*, 'amar', + *-ivo*.] *Adj.* Propenso para o amor.

amatofobia [Do gr. *ámathos*, 'areia', 'pó', + *-fobia*.] *S. f. Psiq.* Medo patológico de poeira.

amatofóbico [De *amatofobia* + *-ico*[2].] *Psiq. Adj.* **1.** Relativo a amatofobia. **2.** Que sofre de amatofobia; amatófobo. • *S. m.* **3.** Aquele que sofre de amatofobia; amatófobo.

amatófobo [Do gr. *ámathos*, 'areia', 'pó', + *-fobo*.] *Adj. S. m. Psiq.* Amatofóbico (2 e 3).

amatol [De *am(ônio)* + *-a-* + *(trinitro)tol(ueno)*.] *S. m. Expl.* Explosivo militar constituído por uma mistura de nitrato de amônio e trinitrotolueno. [Pl.: *amatóis*.]

amatório [Do lat. *amatoriu*.] *Adj.* **1.** Referente ao, ou próprio do amor: *canções amatórias.* **2.** Que tem a virtude de despertar o amor: "pinta com pincel voluptuoso tão coloridas paisagens e cenas amatórias" (Xavier Marques, *Vida de Castro Alves*, p. 173). • *S. m.* **3.** *Anat. Denom. ant.* V. *músculo oblíquo inferior* e *músculo oblíquo superior*.

amatronar [De *a-*[2] + *matrona* + *-ar*[2].] *V. t. d.* **1.** Dar aspecto de matrona a. *P.* **2.** Adquirir aspecto de matrona; avelhantar-se. **3.** Engordar.

amatular-se [De *a-*[2] + *matula*[1] + *-ar*[2] + *se*[1].] *V. p.* Juntar-se ou bandear-se com gente de má condição, com a matula[1]: "Amatula-se num daqueles bandos, que lá se vão, caminho em fora, debruando de ossadas as veredas" (Euclides da Cunha, *Os Sertões*, p. 138).

amatungado [De *a-*[2] + *matungo* + *-ado*[1].] *Adj. Bras. S.* Diz-se do cavalo que aparenta ser ruim como o matungo (1 e 3).

amaturaense *Adj. 2 g.* **1.** De, ou pertencente ou relativo a Amaturá (AM). • *S. 2 g.* **2.** O natural ou habitante de Amaturá.

amatutado [Part. de *amatutar*.] *Adj.* Que se amatutou ou se amatuta.

amatutar-se [De *a-*[2] + *matuto* + *-ar*[2] + *se*[1].] *V. p. Bras.* **1.** Tornar-se matuto. **2.** Adquirir maneiras rudes, que lembram as de matuto.

amauaca *Bras. S. 2 g.* **1.** *Etnôn.* Indivíduo dos amauacas (ou Amahuaka, Amawaka), povo indígena da família linguística pano, que habita as cabeceiras dos rios Juruá, Envira e Purus, na Amazônia. • *Adj. 2 g.* **2.** Pertencente ou relativo a esse povo. [Var.: *amaúca*.]

amaúca *S. 2 g. Adj. 2 g. Bras.* V. *amauaca*.

amaurose [Do gr. *amaúrosis*, 'obscurecimento', 'enfraquecimento da vista'; fr. *amaurose*.] *S. f. Neur.* Cegueira parcial ou total, em especial a que ocorre quando as estruturas oculares estão aparentemente normais, sendo causada por distúrbio da retina, por lesão do nervo óptico ou das áreas cerebrais relacionadas com o sentido da visão. [Sin., pop.: *gota-serena*.]

amaurósporo [Do gr. *amaurós*, 'obscuro'; 'escuro', + *-sporo*.] *S. m. Micol.* Esporo dos fungos de coloração pardo-violácea.

amaurótico [De *amaur(ose)* + *-ótico*.] *Adj. Neur.* **1.** Relativo à, ou próprio da amaurose. **2.** Que sofre de amaurose. • *S. m. Neur.* **3.** Aquele que sofre dessa doença.

amaurotizar [De *amaurótico* + *-izar*, seg. o padrão erudito.] *V. t. d.* Tornar amaurótico.

amável [Do lat. *amabile*.] *Adj. 2 g.* **1.** Digno de ser amado: *Por sua bondade, é uma pessoa genuinamente amável.* **2.** Que procura agradar; delicado, atencioso: *um vendedor amável.* **3.** De trato ameno; agradável, simples, lhano: *O grande artista era amável com todos os que dele se acercavam.* **4.** Em que há, ou que denota amabilidade (2 e 3): *feitio amável; convite amável.* ~ V. *o sexo* —.

amavio [Do lat. **amabiliu*.] *S. m.* V. *amavios*.

amavios [Pl. de *amavio*.] *S. m. pl.* **1.** Filtros amatórios [v. *filtro*[1] (5)]. **2.** Meios de sedução; feitiços, encantos: "Aprazaram-no para a noite seguinte se encontrar, num quarto apropriado, com uma sultana, cujos amavios descreveram a tão atraentes cores que o poeta se embutiu de 'pílulas do Serralho' e nunca mais sossegou." (M. Teixeira-Gomes, *Gente Singular*, p. 131.) [É p. us. no sing.]

amavioso (ô) [De *amavio* + *-oso*.] *Adj.* **1.** Em que há amavios. **2.** Suave; delicado, amável. [Cf. *mavioso*.]

▲ **amaxo-** [Do gr. *amaxo-* < gr. jônico *ámaxa, ēs*, 'carro de quatro rodas'.] *El. comp.* = 'carro', 'veículo': *amaxofobia, amaxófobo*.

amaxofobia (cs) [De *amaxo-* + *-fobia*.] *S. f. Psiq.* Sensação de medo em presença de veículos.

amaxofóbico (cs) [De *amaxofobia* + *-ico*[2].] *Psiq. Adj.* **1.** Relativo a amaxofobia. **2.** Que sofre de amaxofobia; amaxófobo. • *S. m.* **3.** Aquele que sofre de amaxofobia; amaxófobo.

amaxófobo (cs) [De *amaxo-* + *-fobo*.] *Adj. S. m. Psiq.* Amaxofóbico (2 e 3).

amazelado [Part. de *amazelar*.] *Adj.* **1.** Cheio de mazelas. **2.** *Fig.* Que tem mazela ou mancha na reputação; desonesto.

amazelar [De *a-*[2] + *mazela* + *-ar*[2].] *V. t. d. P.* Tornar(-se) mazelento; cobrir(-se) de mazelas; mazelar(-se).

amazia [De *a-*[3] + gr. *mazós*, 'mama', 'seio', + *-ia*[1].] *S. f.* Ausência ou falta de mama(s); amastia. [Cf. amasia, do v. amasiar, e amásia, s. f.]

amazigue *S. 2 g. Adj. 2 g. Ant.* Berbere (1 e 3): "Os berberes ou amazigues .... vieram a receber afinal em grande parte a lei do Corão" (Alexandre Herculano, *História de Portugal*, tomo I, p. 49).

amazona [Do gr. *amazón*, pelo lat. *amazone*.] *S. f.* **1.** Mulher aguerrida e de coragem viril: "Amazona belicosa / de aljava pendente ao lado, / aponta com o arco invicto / o lindo peito cortado." (Antônio Feliciano de Castilho, *Amor e Melancolia*, p. 85.) **2.** Mulher que monta a cavalo; cavaleira. **3.** Vestido de saia longa, que era usado por amazona (2). ~ V. *amazonas*.

amazonas [Pl. de *amazona*.] *S. f. pl.* Mulheres guerreiras da Antiguidade que habitavam a Ásia Menor e cuja existência alguns consideravam lendária. [No séc. XVI, essa designação foi dada a mulheres com as mesmas características, cuja existência histórica é discutida, e que combateram os conquistadores ibéricos na região depois cognominada *Amazônia*.] ~ V. *amazona*.

amazonense *Adj. 2 g.* **1.** Do, ou pertencente ou relativo ao Estado do Amazonas. • *S. 2 g.* **2.** O natural ou habitante do Amazonas. [Sin., nesta acepç., desus.: *maranhão*.]

amazónico[1] *Adj.* V. *amazônico*[1]. [Uso freq. em P.]

amazónico[2] *Adj.* V. *amazônico*[2]. [Uso freq. em P.]

amazônico[1] [Do gr. *amazonikós*, pelo lat. *amazonicu*.] *Adj.* Referente a amazona.

amazônico[2] [De top. *Amazônia* + *-ico*[2].] *Adj.* **1.** Da Amazônia, ou pertencente ou relativo a ela; amazônico. **2.** *Gloss.* Nos estudos dialectológicos sobre o português brasileiro, diz-se do subfalar do Amazonas, Pará, Acre e parte de Goiás. [V. *falar* (29).]

amazônida [Do top. *amazônia* + *-ida*[5].] *S. 2 g.* Pessoa que nasceu ou que habita na Amazônia.

amazónio *Adj.* V. *amazônio*. [Uso freq. em P.]

amazônio [Do gr. *amazónios*, pelo lat. *amazoniu*.] *Adj.* Amazônico[2]: "O que eu via e acabo de contar não era outra cousa que a região amazônia que começava a desenhar-se risonha, azulada, esplêndida." (Franklin Távora, *O Cabeleira*, p. 9.)

amazonita [Do top. *Amazonas* + *-ita*[3].] *S. f. Min.* Mineral triclínico, variedade de microclínio, geralmente verde ou verde-azulado, raramente incolor.

amazonologia [Do top. *Amazôn(ia)* + *-o-* + *-logia*.] *S. f.* Estudo da Amazônia e sua problemática: "Roberto Santos, professor de Economia e Direito da Universidade Federal do Pará, autor .... de uma *História Econômica da Amazônia* que se transformou numa das bíblias dos jovens cientistas que se dedicam à amazonologia." (*Jornal do Brasil*, 20.08.1989).

amazonólogo [De *Amazôn(ia)* + *-o-* + *-logo*.] *S. m.* Especialista em coisas da Amazônia; profundo conhecedor delas.

■ **AMB**[1] Sigla de *Associação dos Magistrados Brasileiros*.

■ **AMB**[2] Sigla de *Associação Médica Brasileira*.

ambages [Do lat. *ambages*.] *S. m. pl. P. us.* Rodeios, voltas, evasivas: *Falemos claro, deixemos de ambages.*

ambaíba [Do tupi = 'árvore oca'.] *S. f. Bras. Bot.* V. *embaúba* (1 e 2).

ambaibal (a-i) [De *ambaíba* + *-al*[1].] *S. m. Bras.* V. *umbaubal*.

ambaló [Do concani *ambadó*, malaiala *ambalam*.] *S. m. Bot.* V. *cajazeira*.

ambão [De or. controv.] *S. m. Lit.* Pequeno tablado us. em prédicas, cantos litúrgicos, leituras, etc., e que, no séc. XIV, foi substituído pelo púlpito.

ambaquista [Do top. *Ambaca* (Angola) + *-ista*.] *S. 2 g. Angol.* Indivíduo habilidoso, que, para compensar a sua posição subalterna (particularmente no contexto colonial), tenta ludibriar os outros: "Diziam que era ambaquista, mas ele falava pouco, mesmo quando os garotos o disparatavam de fora, impotentes, perante aquela negra barreira de subtileza." (Arnaldo Santos, *Quinaxixe*, p. 101.)

âmbar [Do *'anbar*, que originalmente designava apenas o âmbar-gris.] *S. m.* **1.** Substância sólida, parda ou preta, de cheiro almiscarado, proveniente do intestino do cachalote; âmbar-gris: "Quando entrei no elevador, senti um perfume delicioso: âmbar." (Lígia Fagundes Teles, *A Disciplina do Amor*, p. 101.) **2.** Resina fóssil, proveniente de uma espécie extinta de pinheiro do período terciário, sólida, amarelo-pálida ou acastanhada, transparente ou opaca, utilizada na fabricação de vários objetos; âmbar amarelo, súcino: *um colar de âmbar.* [Var. (ant.): *ambre*. Sin., esp. na acepç. 2: *alâmbar*, *alambre*[1].] [Pl.: *âmbares*.]

âmbar-amarelo *S. m.* V. *âmbar* (2). [Pl.: *âmbares-amarelos*.]

âmbar-gris *S. m.* V. *âmbar* (1). [Pl.: *âmbares-grises*.]

ambárico [De *âmbar* + *-ico*[2].] *Adj.* **1.** Relativo ao, ou que lembra o âmbar, pelo cheiro e/ou pela cor; ambarino. **2.** Feito de âmbar.

ambarina [De *âmbar* + *-ina*[3].] *S. f.* Substância extraída do âmbar (1).

ambarino [De *âmbar* + *-ino*[1].] *Adj.* Ambárico (1): "A chuva cai. O ar fica mole... / Indistinto... ambarino... gris..." (Manuel Bandeira, *Estrela da Vida Inteira*, p. 36).

ambarizar [De *âmbar* + *-izar*.] *V. t. d.* **1.** Perfumar com âmbar (1). **2.** Dar o aspecto ou a cor do âmbar (2) a.

ambaró [Var. de *ambaló*.] *S. m. Bot.* V. *cajazeira*.

ambaúba [Var. de *ambaíba*.] *S. f. Bras. Bot.* V. *embaúba* (1 e 2).

ambaubal (a-u) [De *ambaúba* + *-al*[1]; var. de *ambaibal*.] *S. m. Bras.* V. *umbaubal*.

ambe [Do gr. *ámbe*, 'espátula ligeiramente recurvada'.] *S. m.* Instrumento cirúrgico usado outrora para reduzir as luxações da espádua.

ambé [De or. tupi.] *Adj. 2 g. Bras. AM* Áspero, rugoso.

▲ **ambi-** [Do lat. *ambi-* < *ambo, ae, o*.] *El. comp.* = 'ambos': *ambiesquerdo, ambivalente*.

ambição [Do lat. *ambitione*.] *S. f.* **1.** Desejo veemente de alcançar aquilo que valoriza os bens materiais ou o amor-próprio (poder, glória, riqueza, posição social, etc.): *A ambição o levou aos mais altos postos, apesar da origem humilde.* **2.** Desejo ardente de alcançar um objetivo de ordem superior; aspiração, anelo: *Foi ambição de João XXIII dar ao catolicismo um sentido ecumênico.* **3.** Aspiração relativamente ao futuro: *Minha grande ambição é ver meus filhos encaminhados.* **4.** Desejo intenso: "E eis por que sentes, dia a dia, à toa / Essa ambição de apodrecer na rede / E esses impulsos de brigar em Goa!" (Humberto de Campos, *Poesias Completas*, p. 299.)

ambicionar [De *ambição* + *-ar*[2], seg. o padrão erudito.] *V. t. d.* **1.** Ter ambição de; desejar ardentemente. **2.** Desejar; cobiçar; pretender: "eu não duvido pelo mero prazer de duvidar, mas sim porque ambiciono uma certeza." (Rui Cinatti, *Anoitecendo, a Vida Recomeça*, p. 82).

ambicioneiro [De *ambição* + *-eiro*, seg. o padrão erudito.] *Adj. S. m. Bras. MG RS Pop.* Ambicioso (1 e 4).

ambicioso (ô) [Do lat. *ambitiosu*.] *Adj.* **1.** Que tem ambição: *rapaz ambicioso.* **2.** Em que há ambição: *caráter ambicioso.* **3.** Que exige muita capacidade, coragem ou perícia; ousado, audacioso: *projeto ambicioso; manobra ambiciosa.* • *S. m.* **4.** Indivíduo ambicioso. [Sin. (*Bras.* MG e RS) nas acepçs. 1 e 4: *ambicioneiro*.]

ambidestreza [De *ambidestro* + *-eza*.] *S. f.* Ambidestria: "Ninguém sabe por que ele escolhera aquela posição que costumava exigir um mínimo de ambidestreza." (Rui Castro, *Estrela Solitária: Um brasileiro chamado Garrincha*, p. 39.)

ambidestria [De *ambidestro* + *-ia*[1].] *S. f.* Qualidade de ambidestro, ambidestreza.

ambidestrismo [De *ambidestro* + *-ismo*.] *S. m.* **1.** Princípio segundo o qual devem usar-se indiferentemente as duas mãos. **2.** Treino para servir-se das duas mãos com igual facilidade.

ambidestro (ê) [De lat. tard. *ambidextru.*] *Adj. S. m.* Que, ou aquele que utiliza as duas mãos com a mesma facilidade. [Antôn.: *ambiesquerdo*; cf. *ambilevo*.]

ambiência [Do fr. *ambiance.*] *S. f.* **1.** Meio material ou moral onde se vive; meio ambiente: *ambiência poluída; ambiência mística.* **2.** *Arquit.* O espaço, arquitetonicamente organizado e animado, que constitui um meio físico e, ao mesmo tempo, meio estético, ou psicológico, especialmente preparado para o exercício de atividades humanas; ambiente.

ambientação [De *ambientar* + *-ção.*] *S. f.* **1.** Ato ou efeito de ambientar. **2.** *Cin. Teatr. Telev.* Conjunto dos elementos cenográficos, sonoplásticos etc. utilizados para gerar o ambiente, a atmosfera e a época nos quais a história contada se passa.

ambiental [De *ambiente* + *-al*[1].] *Adj. 2 g.* Relativo a, ou próprio de ambiente. ~ V. *determinismo —, impacto —, passivo —, preservação —, proteção —* e *teatro —*.

ambientalismo [De *ambiental* + *-ismo.*] *S. m.* **1.** Movimento ideológico, social e político em defesa do meio ambiente. **2.** A totalidade das ideias e ações que visam à defesa e à recuperação do meio ambiente.

ambientalista [De *ambiental* + *-ista.*] *Adj. 2 g.* **1.** Relativo ao, ou próprio do meio ambiente. • *S. 2 g.* **2.** Especialista em assuntos ou problemas relacionados ao meio ambiente, a sua defesa, etc.

ambientar [De *ambiente* + *-ar*[2].] *V. t. d. T. d. e i. P.* **1.** Adaptar(-se) a um ambiente ou meio. *T. d. e c.* **2.** Situar em determinado ambiente: *Ambientou a telenovela na Itália.*

ambiente [Do lat. *ambiente.*] *Adj. 2 g.* **1.** Que cerca ou envolve os seres vivos ou as coisas, por todos os lados; envolvente: *meio ambiente*; "Agitam as palmeiras no ar ambiente / Os grandes leques que encontrados soam" (Alberto de Oliveira, *Poesias*, 2ª série, p. 341). ~ V. *meio —*. • *S. m.* **2.** Aquilo que cerca ou envolve os seres vivos ou as coisas; meio ambiente. **3.** Lugar, sítio, espaço, recinto: *ambiente malventilado.* **4.** Meio (6). **5.** V. *meio* (7). **6.** O conjunto de condições materiais e morais que envolve alguém; atmosfera: *ambiente amigo; ambiente de intrigas.* **7.** *Adm.* Contexto em que as organizações estão inseridas e que precisa ser levado em conta na definição das suas ações, de modo a aumentar suas chances de sobrevivência ao longo do tempo. **8.** *Arquit.* Ambiência (2). **9.** *E. Ling.* Num enunciado, a vizinhança de um dado elemento linguístico; contexto. **10.** *Inform.* Conjunto de características gerais de um computador, sistema operacional, ou programa; configuração.

ambiesquerdo (ê) [De *ambi-* + *esquerdo.*] *Adj.* **1.** Desajeitado de ambas as mãos. **2.** *Fig.* Inábil, desastrado, desazado. • *S. m.* **3.** Indivíduo desajeitado de ambas as mãos. [Antôn. (1 e 3): *ambidestro*.]

ambígeno [Do lat. *ambigenu.*] *Adj.* Proveniente de duas espécies diversas.

ambiguidade (güi) [Do lat. *ambiguitate.*] *S. f.* **1.** Qualidade ou estado de ambíguo. **2.** *E. Ling.* Anfibologia (1). **3.** *Automat.* Num servomecanismo, existência de dois ou mais estados de equilíbrio. **4.** *Lóg.* Sofisma verbal. ❖

ambíguo [Do lat. *ambiguu.*] *Adj.* **1.** Que se pode tomar em mais de um sentido; equívoco: *explicação ambígua.* **2.** *E. Ling.* Anfibológico: *expressão ambígua.* **3.** Cujo procedimento denota incerteza, insegurança: *É um homem ambíguo: consultei-o sobre o assunto, e não se definiu.* **4.** Indeterminado, impreciso, incerto: *vocábulos de gênero ambíguo (que podem ser masculinos ou femininos, como, p. ex., laringe, diabetes, preá, guariba)*; "Já não tinha o aspecto indeciso de solteirona, ..., o ar ambíguo como das frutas que antes de maduras engilham (v. *engelhar*) no galho." (Mário de Alencar, *Contos e Impressões*, p. 79.)

ambilateral [De *ambi-* + *lateral.*] *Adj. 2 g. Antrop.* Diz-se de, ou relativo a parentesco pelo lado do pai, da mãe, ou de ambos. [Cf. *bilateral*.]

ambilateralidade [De *ambilateral* + *-(i)dade.*] *S. f.* Caráter ou condição do que é ambilateral.

ambilátero [De *ambi-* + *-látero.*] *Adj.* Bifacial.

ambilevidade [De *ambilevo* + *-(i)dade.*] *S. f.* Falta de capacidade de realizar ações que requeiram habilidade manual à esquerda ou à direita.

ambilevo [De *ambi-* + *-levo.*] *Adj.* Relativo à ambilevidade, ou que a tem. [Cf. *ambidestro*.]

ambilocal [De *ambi-* + *local.*] *Adj. 2 g. Antrop. Etnol.* Relativo a padrão de residência, ou à regra ou costume que o determinam, em que o novo casal, após o casamento, pode optar por viver na localidade da mulher ou do marido. [Tb. se usa, impr., *bilocal* (q. v.).]

ambilocalidade [De *ambilocal* + *-(i)dade.*] *S. f. Antrop. Etnol.* **1.** Caráter ou condição de ambilocal. **2.** Regra ou padrão de residência ambilocal.

ambiopia [De *ambi-* + *-opia.*] *S. f. Oftalm.* Diplopia.

ambíparo [De *ambi-* + *-paro.*] *Adj. Bot.* Diz-se dos botões de que saem folhas e flores.

ambira [De or. tupi, poss.] *S. f. Bras. SP Zool.* Tatarana, em certas regiões.

ambissexuo (cs) [De *ambi-* + *sexo*, a ex. de voc. como *ambíguo*.] *Adj.* Que participa dos dois sexos; bissexual.

ambistomatídeo [Adapt. do tax. *Ambystomatidae.*] *Zool. S. m.* **1.** Espécime dos ambistomatídeos, família de anfíbios urodelos, vulgarmente chamados *salamandras*, de corpo alongado, pulmões, e olhos protegidos por pálpebras. No Brasil só há uma espécie, do gênero *Bolitoglossa* [v. *salamandra* (1)] • *Adj.* **2.** Pertencente ou relativo a eles.

âmbito [Do lat. *ambitu.*] *S. m.* **1.** Contorno, periferia; circunferência: "Estando de cima contemplando a horrenda furna e estômago do monte, cuja disforme boca mostra ter uma légua de âmbito, ouviu três estalidos grandíssimos, como tiros de artilharia grossa" (Pe. Manuel Bernardes, *Nova Floresta*, II, p. 227). **2.** Espaço delimitado; recinto: "Habituei-me a uma paisagem confinada e a um horizonte quase doméstico. No seu âmbito poucas são as imagens do presente, e muitas as do passado." (Ciro dos Anjos, *O Amanuense Belmiro*, p. 18). **3.** *Fig.* Campo de ação; zona de atividade.

ambivalência [De *ambi-* + *valência.*] *S. f.* **1.** Caráter do que apresenta dois aspectos ou dois valores: *a ambivalência de um fato histórico.* **2.** *Psic.* Estado de quem experimenta ao mesmo tempo, numa determinada situação, sentimentos opostos.

ambivalente [De *ambi-* + *valente.*] *Adj. 2 g.* Relativo a, ou em que há ambivalência.

ambívio [Do lat. *ambiviu.*] *S. m.* V. *encruzilhada* (1).

▲ **ambli-** [Do gr. *amblýs, eîa, ý.*] *El. comp.* = 'embotado', 'fraco'; 'ângulo obtuso': *amblícero, amblípigo.*

amblícero [De *ambli-* + *-cero*; tax. *Amblycera.*] *Zool. S. m.* **1.** Espécime dos amblíceros, subordem de insetos malófagos, com palpos maxilares e antenas clavadas ou capitosas. São insetos sugadores que parasitam mamíferos e aves. • *Adj.* **2.** Pertencente ou relativo a eles.

ambligonita [Do gr. *amblygónios*, 'que tem ângulos obtusos', + *-ita*[3].] *S. f. Min.* Mineral triclínico, fluorfosfato de alumínio e lítio.

amblígono [De *ambli-* + *-gono.*] *Adj.* Que tem ângulos obtusos. [A pronúncia correta seria *ambligono*, v. *-gono*.]

ambliope [Do gr. *amblyōpés.*] *Adj. 2 g. S. 2 g.* Amblíope (q. v.).

amblíope [Var. pros. de *ambliope.*] *Adj. 2 g.* **1.** Que sofre de ambliopia. **2.** Diz-se de animal que tem os olhos muito pequenos. • *S. 2 g.* **3.** Indivíduo amblíope.

ambliopia [Do gr. *amblyopía.*] *S. f. Oftalm.* Imprecisão de visão sem lesão orgânica perceptível do olho. ◆ **Ambliopia tóxica.** *Oftalm.* A devida a algum tóxico, como o álcool ou a nicotina.

ambliópico [De *ambliopia* + *-ico*[2].] *Adj.* Referente a ambliopia.

amblioscópio [De *amblio(pia)* + *-scópio.*] *S. m. Oftalm.* Instrumento destinado a educar o olho amblíope a participar da visão, e a medir e ampliar a fusão dos campos visuais.

amblípigo [De *ambli-* + *-pigo*; tax. *Amblypygi.*] *Zool. S. m.* **1.** Espécime dos amblípigos, ordem de artrópodes aracnídeos, de cor escura, pedipalpos, que têm corpo sem glândulas odoríferas e abdome sem flagelo terminal; o 1º par de patas, sensorial, é us. no acasalamento. Vivem embaixo de troncos, pedras e lixo. • *Adj.* **2.** Pertencente ou relativo a eles.

amblípode [De *ambli-* + *-pode*; tax. *Amblypoda.*] *Paleont. S. m.* **1.** Espécime dos amblípodes, ordem de grandes ungulados que habitaram esp. a América do Norte no paleoceno e no eoceno, e a Ásia no oligoceno, e que compreende quatro subordens: pantodontes, dinocerados, xenungulados e pirotérios. • *Adj. 2 g.* **2.** Pertencente ou relativo a eles.

amblirrinco [De *ambli-* + *-rinco*; tax. *Amblyrhynchus.*] *S. m. Zool.* **1.** Gênero de lacertídeos iguanídeos das regiões rochosas das Américas. **2.** Qualquer espécie desse gênero como, por ex., o *Amblyrhynchus cristatus*, que habita as ilhas Galápagos e é a única espécie anfíbia. **3.** Qualquer espécime desse gênero.

amblose [Do gr. *ámblosis.*] *S. f. Med.* V. *aborto* (1).

amblótico [De *ambl(ose)* + *-ótico.*] *Adj.* **1.** Relativo a aborto. **2.** V. *abortivo* (1). • *S. m.* **3.** V. *abortivo* (8).

ambone [Do gr. *ámbone*, 'bordo arredondado de um recipiente'.] *S. m. Bot.* V. *nespereira* (1).

amboré [Var. de *amoré.*] *S. m. Zool.* Peixe gobiídeo (*Bathygobius soporator*), do Atlântico e Pacífico. Nadadeira ventral numa só peça, dotada de uma espécie de ventosa central, com que se prende às pedras. Pequeno, sem valor econômico, tem sobre o corpo uma mucilagem, o que lhe valeu, em certas regiões, o nome popular de babosa. Vive em águas rasas entre rochas, corais, etc. ou em estuários, e alimenta-se de invertebrados marinhos, zooplâncton, etc. [Var. e sin.: *aimoré, amoré, amoré-guaçu, amoreia, aramaré, babosa, candunga, cundunda, florete, maiuíra, maria-da-toca, moreia, muçurungo, peixe-flor, tajacica, ximboré.*]

amborepinima (è) [Var. de *amorepinima.*] *S. m. Bras. Zool.* Peixe teleósteo, perciforme, gobiídeo (*Muraena ocellata*), do Atlântico, caracterizado pela coloração preta, manchada de amarelo. Pertence ao grupo das moreias ou caramurus.

amborepixuna (è) *S. m. Bras. Zool.* V. *amorepixuna*.

ambos [Do lat. *ambos.*] *Num.* Um e outro; os dois: *Segurou a fruta com ambas as mãos*; "Vivia casto como certas damas antigas casadas, de acordo com os maridos, em obséquio à pureza dos anjos de ambos os sexos" (Camilo Castelo Branco, *História e Sentimentalismo*, p. 173). ◆ **Ambos de dois.** F. pleonástica de ambos, ainda muito usada pelo povo: "De ambos de dous a fronte coroada" (Luís de Camões, *Os Lusíadas*, IV, 72). [Tb. o são as f. *ambos e dois* e *ambos de dois*. Cf. Hernâni Cidade, em Luís de Camões, *Os Lusíadas*, LXXII.]

ambrazô *S. m. Bras.* V. *abrazô*.

ambre *S. m. Ant.* V. *âmbar*.

ambreada [De *ambre* + *-eada.*] *S. f.* Substância que imita o âmbar (2).

ambreado[1] [De *ambre* + *-eado.*] *Adj.* De cor semelhante à do âmbar (2).

ambreado[2] [Part. de *ambrear.*] *Adj.* **1.** A que se deu a cor do âmbar (2). **2.** Perfumado com âmbar (1). **3.** *P. ext.* Perfumado, aromatizado.

ambrear [De *ambre* + *-ear*[2].] *V. t. d.* **1.** Dar a cor do âmbar a. **2.** Perfumar com âmbar; ambarizar. **3.** Perfumar, aromatizar. *P.* **4.** Adquirir a cor ou o perfume do âmbar: "uma ampla corola eritrina, sulfurina, ..., que onímoda, onicolor, ... se cobaltiza, se ambreia, se acobreia" (Martins Fontes, *A Dança*, p. 64). [Conjug.: v. *frear*.]

ambreína [Do fr. *ambre*, 'âmbar', + *-ina*[3]; fr. *ambréine.*] *S. f. Quím.* Álcool triterpênico bicíclico, encontrado no âmbar-gris [fórm.: $C_{30}H_{52}O$].

ambreta (ê) [De *ambre* + *-eta* (ê).] *S. f. Bot.* Erva malvácea (*Hibiscus abelmoschus*) cujas sementes, almiscaradas, têm uso medicinal; é tb. us. em perfumaria, e sua casca fornece fibra resistente. [Sin., bras.: *quiabo-cheiroso, quiabo-de-cheiro.*]

▲ **ambr(i)-** [De *ambre.*] *El. comp.* = 'âmbar': *ambrita.*

ambrita [De *ambr(i)-* + *-ita*[3].] *S. f.* Variedade de resina fóssil encontrada na Nova Zelândia. [F. paral.: *ambrite.*]

ambrite *S. f.* V. *ambrita*.

ambrosia [Do gr. *ambrosía.*] *S. f.* **1.** *Mit.* Manjar dos deuses do Olimpo, que dava e conservava a imortalidade. **2.** *P. ext.* Comida ou bebida deliciosa. **3.** *Bras. Cul.* Doce feito com ovos e leite cozidos em calda de açúcar. [Cf. o antr. f. *Ambrósia* e *ambrósia*, s. f.]

ambrósia [Do tax. *Ambrosia* (do gr. *ambrosía*, as, v. *ambrosia*).] *S. f. Bot.* **1.** Gênero de ervas asteráceas que se caracterizam pelas folhas penatífidas ou penatipartidas, tomentosas, e flores monécias, com corola campanulada. **2.** Qualquer espécie desse gênero, como, p. ex., a *Ambrosia artemisiifolia* (v. *ambrósia-americana*). **3.** Qualquer espécime desse gênero, ou a sua flor. [Cf. o antr. f. *Ambrósia* e *ambrosia*, s. f.]

ambrósia-americana [De *ambrósia* + o f. de *americano*[1].] *S. f. Bras. Bot.* Erva asterácea (*Ambrosia artemisiifolia*), cujas folhas e ápices floridos têm propriedades anti-helmínticas, anti-hemorrágicas, antileucorreicas, tônicas e febrífugas. [Pl.: *ambrósias-americanas.*]

ambrosíaco [Do lat. *ambrosiacu.*] *Adj.* **1.** Relativo a ambrosia. **2.** *P. ext.* Delicioso, saboroso.

ambrosiano [Do lat. tard. *ambrosianu.*] *Adj.* **1.** Do rito de Santo Ambrósio. ~ V. *hino —*. • *S. m.* **2.** Sectário anabatista.

ambrósio [Do antr. *Ambrósio*, poss.] *S. m. Bras. BA* Armação que sustenta o saco em que se coa o café (2).

ambrozô *S. m. Bras.* V. *abrazô*.

ambuá [Do tupi.] *S. m. Bras. MT Zool.* V. *embuá*.

ambuí [Var. de *ababuí.*] *S. m. Bras. Bot.* V. *ameixeira-do-brasil*.

âmbula [Do lat. *ampulla.*] *S. f.* **1.** Pequeno vaso onde se guardam os santos óleos: "E pela serra fora, ..., vai o velho prior: adiante o sacristão com a lanterna e a âmbula da extrema-unção, e ele atrás com o cibório." (Alexandre Herculano, *Lendas e Narrativas*, II, p. 137.) **2.** *P. ext.* Qualquer frasco ou garrafa pequena. [Cf. *ambula*, do v. *ambular*.]

ambulação [Do lat. *ambulatione.*] *S. f.* Ato de ambular.

ambulacral [De *ambulacro*[2] + *-al*[1].] *Adj. 2 g.* Ambulacrário.

ambulacrário [De *ambulacro*[2] + *-ário*.] *Adj. Zool.* Respeitante a ambulacro[2]; ambulacral, actínico. ~ V. *fossa —a.*

ambulacriforme [De *ambulacro* + *-iforme*.] *Adj.* *2 g.* Que tem forma de ambulacro[2].

ambulacro[1] [Do lat. *ambulacru*, 'avenida', 'passeio'.] *S. m.* Alameda formada por renques de árvores.

ambulacro[2] [Do lat. cient. *ambulacrum*.] *S. m. Zool.* Tubo elástico, terminado ou não por uma ventosa, o qual funciona como órgão locomotor em numerosos equinodermos (asteroides, equinoides e holoturoides).

ambulância [Do fr. *ambulance*.] *S. f.* **1.** Hospital militar móvel. **2.** *P. ext.* Qualquer estabelecimento destinado a prestar os primeiros socorros a doentes ou feridos. **3.** Veículo automóvel especialmente equipado para conduzir doentes e feridos. [Sin.: *assistência* e (bras.) *mãe-caridosa, mãe-carinhosa, carinhosa, pavorosa*.] **4.** *Lus.* Veículo privativo dos correios, para transporte de correspondência.

ambulante [Do lat. *ambulante*.] *Adj.* *2 g.* **1.** Que anda: *Parece um defunto ambulante.* **2.** Que não permanece no mesmo lugar; que vai de terra em terra, ou de rua em rua; ambulativo, errante, erradio: *músico ambulante; ator ambulante.* **3.** Que funciona em local não fixo: *biblioteca ambulante.* ~ V. *cabide —* e *vendedor —*. ● *S. 2 g.* **4.** Vendedor ambulante (q. v.).

ambular [Do lat. *ambulare*.] *V. int.* Passear, vaguear; deambular, perambular. [Pres. ind.: *ambulo, ambulas, ambula*, etc. Cf. *âmbula*.]

ambulativo [Do lat. *ambulativu*.] *Adj.* **1.** Ambulante, errante, erradio. **2.** Que não obriga o doente a acamar ou hospitalizar-se; ambulatório.

ambulatorial [De *ambulatório*[1] + *-al*[1].] *Adj.* *2 g.* Pertencente ou relativo a ambulatório[1] (3 e 4): "teve alta hospitalar, mas não ambulatorial." (*Jornal do Brasil*, 12.12.1986.)

ambulatório[1] [Do lat. *ambulatoriu*.] *Adj.* **1.** Que impele a andar, a movimentar-se: *delírio ambulatório.* **2.** Ambulativo (2). **3.** *Zool.* Que é adaptado para a marcha. ● *S. m.* **4.** Departamento hospitalar para atendimento (curativos, primeiros socorros, pequenas cirurgias, exames, etc.) de enfermos que se podem locomover. [Sin., lus., nesta acepç.: *banco*.] **5.** *P. ext.* Departamento anexo a uma instituição, organizado como o ambulatório (4): *ambulatório da escola, da paróquia.* **6.** *Arquit.* V. *deambulatório* (3 a 4).

ambulatório[2] [Adapt. do tax. *Ambulatoria* < lat. *ambulator*, 'caminhador', + lat. cient. *-ia* (v. *-ia*[2]).] *S. m. Adj. Zool.* V. *fasmatódeo*.

▲ **ambul(i)-** [Do lat. *ambulare*.] *El. comp.* = 'caminhar', 'andar': *ambulípede*. [Equiv.: *-âmbulo*: *noctâmbulo*.]

ambulípede [De *ambul(i)-* + *-pede*.] *Adj.* *2 g. Zool.* Diz-se de qualquer mamífero de pés bem conformados para andar.

▲ **-âmbulo** Equiv. de *ambul(i)-*.

ambundo [Do quimb. *mbundu*, 'negro'.] *S. m.* **1.** *Etnôn.* Indivíduo dos ambundos, povo banto de Angola (África); bundo, quimbundo. **2.** *Gloss.* V. *quimbundo* (1). ● *Adj.* **3.** Pertencente ou relativo aos ambundos.

amburana [Do tupi; tax. *Amburana*.] *S. f. Bot.* **1.** Gênero de fabáceas com duas espécies sul-americanas que fornecem boa madeira, e cujas sementes contêm cumarina. **2.** Qualquer espécie desse gênero, como, p. ex., a *Amburana cearensis* (v. *cumaru-do-ceará*). **3.** Qualquer espécime desse gênero.

ambustão [Do lat. *ambustione*.] *S. f. Cir.* Cauterização. [V. *cauterizar* (1).]

▲ **-ame** Equiv. de *-ama*.

ameaça [De *a-*[5] + lat. vulg. *minacia*.] *S. f.* **1.** Palavra ou gesto intimidativo: *A ameaça do pai não surtiu o efeito desejado.* **2.** Promessa de castigo ou malefício: *Segundo o Livro de Jonas, o Senhor não consumou a ameaça contra o povo de Nínive porque este se mostrou arrependido.* **3.** Prenúncio ou indício de coisa desagradável ou temível, de desgraça, de doença: *ameaça de tempestade; ameaça de guerra; ameaça de enfarte.* [Sin. ger.: *ameaço*.]

ameaçador (ô) [De *ameaçar* + *-dor*.] *Adj.* **1.** Que ameaça; ameaçante. [Sin., poét.: *minaz*.] **2.** Diz-se do tempo quando está iminente um temporal. ● *S. m.* **3.** Aquele ou aquilo que ameaça.

ameaçante [De *ameaçar* + *-nte*.] *Adj.* *2 g.* **1.** V. *ameaçador* (1). **2.** *Heráld.* Levantante.

ameaçar [De *ameaça* + *-ar*[2].] *V. t. d.* **1.** Dirigir ameaça(s) a. **2.** Procurar intimidar, meter medo em: *Sacou o revólver para ameaçar o ladrão.* **3.** Pôr em perigo; pôr em xeque: *Esta medida ameaça a liberdade de ação.* **4.** Anunciar castigo ou malefício a: "Acaso não terás receios / do infortúnio que o ameaça?" (Eugênio de Castro, *Obras Poéticas*, II, p. 23.) **5.** Dar mostras ou indícios de (coisa iminente); anunciar: "A noite ameaçava chuva." (João Clímaco Bezerra, *O Semeador de Ausências*, p. 119.) **6.** Estar na iminência de: *A velha árvore ameaçava tombar.* *T. d. e i.* **7.** Anunciar castigo ou malefício; prometer (algo mau): *Ameaçou-o de bater-lhe, e até de o matar.* *T. i.* **8.** Estar próximo a chegar, a aparecer, a acontecer, a afluir: *Via-se que estava comovido, que as lágrimas lhe ameaçavam aos olhos.* *Int.* **9.** Fazer ameaça(s). **10.** Estar próximo a acontecer; estar iminente: *Ventava forte, um temporal ameaçava.* **11.** *Bras.* Pôr certas peças de construção numa posição provisória, em caráter de experiência, antes da colocação definitiva. [Conjug.: v. *laçar*.]

ameaço [Dev. de *ameaçar*.] *S. m.* Ameaça: "à noite, quando o tempo ia refrescando, sentia ameaços de febre" (Aluísio Azevedo, *O Coruja*, p. 204).

ameado [Part. de *amear*.] *Adj.* Guarnecido de ameias.

amealhado [Part. de *amealhar*.] *Adj.* **1.** Diz-se de dinheiro poupado. **2.** Distribuído, repartido ou dado em pequenas parcelas, porções ou mealhas.

amealhador (ô) [De *amealhar* + *-dor*.] *S. m.* Aquele que amealha.

amealhar [De *a-*[2] + *mealha* + *-ar*[2].] *V. t. d.* **1.** Juntar pouco a pouco, às mealhas; economizar, poupar: *Com o seu negócio já amealhou bons cobres*; "Numa mala de pregaria unida à cama dos dois ...., amealhavam o ganho líquido" (José Vieira, *Vida e Aventura de Pedro Malasarte*, p. 89). **2.** Distribuir ou repartir em pequenas porções ou parcelas. *Int.* **3.** Regatear na compra; discutir o preço mealha por mealha. **4.** Fazer economias; economizar, poupar: *Apesar de tão rico, só pensa em amealhar*; "Moço, viera para o Brasil, onde amealhara, adquirira bens" (Thiers Martins Moreira, *Os Seres*, pp. 62-63).

amear[1] [De *ameia* + *-ar*[2].] *V. t. d.* **1.** Guarnecer de ameias. **2.** Abrir fendas semelhantes a ameias em. [Conjug.: v. *frear*.]

amear[2] [De *a-*[2] + *meio* + *-ar*[2].] *V. t. d.* Dividir ao meio; mear. [Conjug.: v. *frear*.]

ameba [Do tax. *Amoeba* < gr. *amoibé*, 'mudança'.] *S. f. Zool.* **1.** Gênero de protozoários rizópodes, amebinos, que se caracterizam pela presença de um núcleo vesicular, ger. com vacúolo contrátil, lobopódios, e tendo a maior parte deles vida livre. [Os que são parasitos do homem, e que se incluíam neste gênero, são atualmente classificados em outros gêneros (v., p. ex., *entameba*).] **2.** Qualquer espécie desse gênero, como, p. ex., a *Amoeba proteus*, que habita águas doces. **3.** Qualquer espécime desse gênero.

amebelodonte [Adapt. do tax. *Amebelodon*.] *S. m. Paleont.* **1.** Gênero de mastodontes que habitaram a América do Norte no plioceno; eram dotados de mandíbula alongada, e de duas presas em forma de pá situadas inferiormente a elas. **2.** Espécie, ou espécime desse gênero.

amebiano [De *ameba* + *-iano*.] *Adj.* **1.** Referente a ameba; amébico. **2.** Em que há amebas. ~ V. *disenteria —a.*

amebíase [De *ameba* + *-íase*.] *S. f. Med.* Doença causada por ameba.

amebicida [De *ameba* + *-i-* + *-cida*.] *Adj.* *2 g.* **1.** Que mata ameba. ● *S. m.* **2.** Substância que mata ameba.

amébico [De *ameba* + *-ico*[2].] *Adj.* Amebiano (1).

amebino [Do tax. *Amoeba* + *-ino*[3]; tax. *Amoebina*.] *Zool.* *S. m.* **1.** Espécime dos amebinos, ordem de protozoários rizópodes, aquáticos ou parasitos, cujo corpo, nu ou revestido de carapaça, é dotado de pseudópodes curtos, lobados e variáveis. ● *Adj.* **2.** Pertencente ou relativo a eles. [Sin. ger.: *loboso*.]

amebócito [De *ameba* + *-o-* + *-cito*.] *S. m. Biol.* Célula móvel, de forma variável, semelhante a uma ameba, comum em invertebrados.

ameboide (ói) [De *ameba* + *-oide*.] *Adj.* *2 g.* **1.** Semelhante a ameba. **2.** *Citol.* Diz-se de movimentação celular feita pela emissão de prolongamentos citoplasmáticos, os pseudópodes. ~ V. *movimento—*. ❖

ameboma [De *ameba* + *-oma*[1].] *S. m. Patol. Med.* Tumor (1) decorrente de processo inflamatório amebiano localizado.

amedalhar [De *a-*[2] + *medalha* + *-ar*[2].] *V. t. d.* Conceder medalha (2) a; condecorar.

amedrontador (ô) [De *amedrontar* + *-dor*.] *Adj. S. m.* Que, ou aquele que amedronta.

amedrontadoramente [Do f. de *amedrontador* + *-mente*.] *Adv.* De modo amedrontador; produzindo amedrontamento: "No teatro sentam-se na cadeira que lhes é mostrada pela *ouvreuse*, sem notar os olhos da matrona de cabeleira eriçada amedrontadoramente fisgados na sua pessoa." (Gilberto Amado, *Depois da Política*, p. 63.)

amedrontamento [De *amedrontar* + *-mento*.] *S. m.* Ato ou efeito de amedrontar(-se).

amedrontar [De *a-*[2] + f. arc. *medorento*, 'medroso', + *-ar*[2].] *V. t. d.* **1.** Meter medo a; assustar; atemorizar. *T. d. e i.* **2.** Levar, induzir pelo medo: *Amedrontou os invasores a deixarem o lugar.* *P.* **3.** Assustar-se, atemorizar-se.

ameia [De *a-*[5] + lat. *mina*.] *S. f.* **1.** Cada uma das partes salientes retangulares, separadas por intervalos iguais, na parte superior das muralhas, castelos, etc.: "duas torres quadradas, rendilhadas de ameias" (Ramalho Ortigão, *As Farpas*, I, p. 48). **2.** *P. ext.* Motivo decorativo semelhante às ameias.

ameigado [Part. de *ameigar*.] *Adj.* **1.** Que é objeto de meiguice ou carinho; amimado, afagado, acarinhado, acariciado. **2.** Meigo, carinhoso, terno.

ameigador (ô) [De *ameigar* + *-dor*.] *Adj. S. m.* Que, ou aquele que ameiga.

ameigar [De *a-*[2] + *meigo* + *-ar*[2].] *V. t. d.* **1.** Fazer meiguices a; afagar, amimar, acarinhar, acariciar: "O pequenito .... parecia olhar para o pai, que, sentado ao lado, ... o ameigava com as mãos sujas e calosas" (Bernardo Pinheiro Pindela, *Azulejos*, p. 73); "levaram-na para o quarto de d. Emerenciana, deitaram-na ameigando-a muito" (Coelho Neto, *Treva*, p. 193). **2.** Tornar meigo, suave: "Escondidos na folhagem os pássaros ameigavam o canto." (José de Alencar, *Iracema*, p. 51.) *P.* **3.** Fazer-se meigo, carinhoso, terno: "ao ver-me compungido, ele se ameigava acariciando-me, quase com ares e gestos de arrependido" (Rocha Pombo, *No Hospício*, p. 37). [Conjug.: v. *largar*.]

ameija [Var. de *amêijoa*.] *S. f. Zool.* V. *amêijoa* (2).

amêijea [Var. de *amêijoa*.] *S. f. Zool.* V. *amêijoa* (2).

amêijoa [De or. incerta.] *S. f. Zool.* **1.** *Bras. S.* Designação comum aos moluscos bivalves, lucinídeos, sobretudo o *Phacoides pectinatos*, e outros do gênero *Codokia*, *Divaricella* e *Linga*. **2.** Venerídeo do gênero *Amiantis*, empregado na alimentação. [Sin. (nesta acepç.): *amêijea, ameija* e *cernambi* (BA).] **3.** Molusco bivalve cardiídeo (*Cardium edule*), comestível, de concha sólida, convexa, coloração branca ou ferruginosa, interior branco com manchas castanhas do lado posterior, e que ocorre no Atlântico e no Mediterrâneo; berbigão. [Cf. *ameijoa* (ô), do v. *ameijoar*.]

amêijoa-branca *S. f. Bras. SC Zool.* Molusco bivalve, venerídeo (*Dosinia concentrica*), conhecido desde a Flórida até o S. do Brasil; cernambitinga. [Pl.: *amêijoas-brancas*.]

ameijoada[1] [De *amêijoa* + *-ada*[1].] *S. f. Cul.* Guisado de amêijoas.

ameijoada[2] [De *a-*[2] + arc. *maijom*, do lat. *mansione*, 'lugar de permanência', + *-ada*[1].] *S. f.* **1.** *Ant.* Espera que o caçador faz à caça. **2.** Redil (1). **3.** Pastagem onde o gado passa a noite. **4.** *Bras.* Noite passada em claro, no trabalho, em diversões, etc. [Var.: *meijoada*.]

ameijoar [Voc. deduz. de *ameijoada*[2].] *V. t. d.* **1.** Juntar (o gado) na malhada. **2.** Reunir (animais) ao ar livre, à noite. *Int.* **3.** Recolher-se à ameijoada[2] (1 e 2). **4.** Recolher-se, abrigar-se. [Conjug.: v. *coroar*. Pres. ind.: *ameijoo, ameijoas* (ô), *ameijoa* (ô), etc. Cf. *amêijoa*.]

amêijoa-redonda *S. f. Zool.* Animal molusco, bivalve, venerídeo (*Dosinia exoleta*), do Atlântico e do Mediterrâneo. Coloração branco-amarelada, com duas ou mais zonas radiais, oblíquas e triangulares, e numerosas manchas angulosas, dispostas geralmente em zigue-zague e em quatro ou cinco zonas concêntricas. Interior branco. Comprimento: 3 a 4cm. [Pl.: *amêijoas-redondas*.]

ameiose [De *a-*[3] + *meiose*.] *S. f. Citol.* Divisão celular atípica, onde ocorre a supressão de uma das divisões meióticas, que resulta na não redução de cromossomos; apomeiose.

ameiva [Do tupi; tax. *Ameiva*.] *S. f. Bras. Zool.* **1.** Gênero de reptis lacertílios, teídeos. **2.** Qualquer espécie desse gênero, como, por ex., a *Ameiva ameiva*, comum em todo o Brasil, de coloração verde no dorso, com faixa longitudinal escura; pernas desde o verde ao azulado e o corpo inteiro salpicado de amarelo, sendo estas cores, no entanto, variáveis. Vive em capoeiras, e se alimenta sobretudo de frutas. **3.** Qualquer espécime desse gênero. [Sin. nas acepçs. 2 e 3: *bico-doce* e *camaleão-ferro*.]

ameixa [Do lat. (*pruna*) **(d)amascea*, por (*pruna*) *damascena*.] *S. f.* **1.** Fruto da ameixeira; amêixoa. **2.** *Bot.* V. *ameixeira*. **3.** *Bot.* Folha-de-serra. **4.** *Bras. Pop.* V. *bala* (1). "o pai .... meteu várias ameixas no canalha." (Rubem Mauro Machado, *O Executante*, p. 49). **5.** *Bras. RJ Fut.* Bola (3). **6.** *Bras.* V. *ameixa-preta*.

ameixa-amarela [De *ameixa* + o f. de *amarelo*.] *S. f. Bot.* V. *nespereira* (1). [Pl.: *ameixas-amarelas*.]

ameixa-americana [De *ameixa* + o f. de *americano*[1].] *S. f. Bot.* V. *nespereira* (1). [Pl.: *ameixas-americanas*.]

ameixa-da-baía *S. f. Bot.* V. *ameixeira-do-brasil*. [Pl.: *ameixas-da-baía*.]

ameixa-da-terra *S. f. Bot.* V. *ameixeira-do-brasil*. [Pl.: *ameixas-da-terra*.]

ameixa-de-espinho *S. f. Bot.* V. *ameixeira-do-brasil*. [Pl.: *ameixas-de-espinho*.]

ameixa-de-madagascar [De *ameixa* + *do*[1] + o top. *Madagascar*.] *S. f. Bot.* Planta flacourtiácea (*Flacourtia romontchi*) de pequenos frutos drupáceos roxos, de polpa doce e comestível. [Pl.: *ameixas-de-madagascar*.]

ameixa-de-madagáscar *S. f. Bot.* V. *ameixa-de-madagascar.*

ameixa-do-canadá [De *ameixa* + *do*^{1} + o top. *Canadá.*] *S. f. Bot.* V. *nespereira* (1). [Pl.: *ameixas-do-canadá.*]

ameixa-do-japão [De *ameixa* + *do*^{1} + o top. *Japão.*] *S. f. Bot.* V. *nespereira* (1). [Pl.: *ameixas-do-japão.*]

ameixa-do-pará *S. f. Bot.* V. *ameixeira-do-brasil.* [Pl.: *ameixas-do-pará.*]

ameixa-japonesa [De *ameixa* + o f. de *japonês.*] *S. f. Bot.* V. *nespereira* (1). [Pl.: *ameixas-japonesas.*]

ameixal [De *ameixa* + *-al*^{1}.] *S. m.* Quantidade mais ou menos considerável de ameixeiras dispostas proximamente entre si; ameixial, ameixoal.

ameixa-preta *S. f.* Passa de ameixa (1). [Tb. se diz (no Brasil) apenas *ameixa.* Pl.: *ameixas-pretas.*]

ameixeira [De *ameixa* + *-eira.*] *S. f. Bot.* Árvore pequena ou arbusto rosáceo (*Prunus domestica*) ornamental, proveniente da Europa e do Cáucaso, e que tem frutos drupáceos de polpa doce e comestível; ameixieira, amêixoa, ameixoeira, ameixa, nêspera, nespereira.

ameixeira-brava [De *ameixeira* + o f. de *bravo.*] *S. f. Bot.* V. *abrunheiro.* [Pl.: *ameixeiras-bravas.*]

ameixeira-da-pérsia [De *ameixeira* + *da*^{1} + o top. (antiga) *Pérsia* (atual Irã).] *S. f. Bot.* Árvore rosácea (*Prunus divaricata*) ornamental, de flores róseas e frutos drupáceos, comestíveis; mirobálano, mirobólano. [Pl.: *ameixeiras-da-pérsia.*]

ameixeira-do-brasil [De *ameixeira* + *do*^{1} + o top. *Brasil.*] *S. f. Bras. Bot.* Arbusto olacáceo (*Ximenia americana*) cujas flores se utilizam na indústria de perfumaria, e que tem drupas amarelo-alaranjadas, de polpa doce, comestível; ababone, ababoni, ababuí, ambuí, ameixa-da-baía, ameixa-da-terra, ameixa-de-espinho, ameixa-do-pará, ameixeira-do-pará, espinheiro-de-ameixa. [Pl.: *ameixeiras-do-brasil.*]

ameixeira-do-pará *S. f. Bras. Bot.* V. *ameixeira-do-brasil.* [Pl.: *ameixeiras-do-pará.*]

ameixial [De *ameixa* + *-ial.*] *S. m.* V. *ameixal.*

ameixieira *S. f. Bot.* V. *ameixeira.*

amêixoa *S. f.* **1.** Ameixa (1). **2.** *Bot.* V. *ameixeira.*

ameixoal [De *amêixoa* + *-al*^{1}.] *S. m.* V. *ameixal.*

ameixoeira *S. f. Bot.* V. *ameixeira.*

amelaçar [De *a-*^{2} + *melaço* + *-ar*^{2}.] *V. t. d.* **1.** Dar a cor, consistência ou gosto de melaço a. **2.** Converter em melaço. **3.** Afetar, amaneirar: "Gosta mais do canto estridente da cigarra, modulando cavatinas em plena luz? disse ele, amelaçando a voz." (Monteiro Lobato, *Urupês, Outros Contos e Coisas*, p. 101.) [Conjug.: v. *laçar.*]

amelado [De *a-*^{2} + *mel* + *-ado*^{1}.] *Adj.* Da cor do mel: "José Fernandes e seu compadre vestiam regularmente casaca de antigo e forte pano amelado" (Camilo Castelo Branco, *Aventuras de Basílio Fernandes Enxertado*, p. 13).

amelê *S. m. Bras. BA* V. *ganzá* (1).

amélia [Do antr. *Amélia*, do samba *Ai! que saudade da Amélia*, de autoria de Ataulfo Alves e Mário Lago.] *S. f. Bras. Pop.* Mulher que aceita toda sorte de privações e/ou vexames sem reclamar, por amor a seu homem.

ameliense^1 *Adj. 2 g.* **1.** De, ou pertencente ou relativo a Amélia Rodrigues (BA). ● *S. 2 g.* **2.** O natural ou habitante de Amélia Rodrigues.

ameliense^2 *Adj. 2 g.* **1.** De, ou pertencente ou relativo a Santa Amélia (PR). ● *S. 2 g.* **2.** O natural ou habitante de Santa Amélia.

▲ **amelo-** [Do ingl. *(en)amel*, 'esmalte'.] *El. comp.* = 'esmalte dentário': *ameloblasto, ameloblastoma.*

ameloado [De *a-*^{2} + *melão* + *-ado*^{1}, com desnasalação.] *Adj.* Semelhante ao melão, na forma, cor, cheiro ou sabor.

ameloblasto [De *amelo-* + *-blasto*; ingl. *ameloblast.*] *S. m. Odont.* Célula epitelial formadora do esmalte dentário.

ameloblastoma [De *ameloblasto* + *-oma*^{1}.] *S. m. Odont.* Tumor, ger. benigno, que deriva de remanescentes embriônicos do epitélio formador de esmalte dentário; adamantinoma.

amelopia [De *a-*^{3} + *-mel(a)-* + *-opia.*] *S. f. Oftalm. Neur.* Diminuição ou perda parcial da visão.

amelópico [De *amelopia* + *-ico*^{2}.] *Adj.* **1.** Referente a, ou que sofre de amelopia. ● *S. m.* **2.** Aquele que sofre de amelopia.

amelroado [De *a-*^{2} + *melro* + *-oado.*] *Adj.* Da cor do melro (1).

amém [Do hebr. *amén*, 'assim seja', pelo lat. *amen.*] *Interj.* **1.** Palavra litúrgica de aclamação, que indica anuência firme, concordância perfeita, com um artigo de fé; assim seja. **2.** Usa-se informalmente para indicar concordância, ou para expressar crença ou desejo de que algo seja verdadeiro. ● *S. m.* **3.** Concordância; aprovação, consentimento, anuência: *Nada faz sem o amém da família.* [Var. de *âmen.* Cf. *amem*, do v. *amar.*] ◆ **Dizer amém a.** Consentir em; aprovar; anuir a; condescender com: *Diz amém a todas as loucuras dos filhos.*

âmen *Interj. S. m.* V. *amém.*

amência [Do lat. *amentia.*] *S. f. P. us.* V. *demência.*

amêndoa [Do gr. *amygdále*, pelo lat. *amygdala.*] *S. f.* **1.** Fruto ou semente da amendoeira. **2.** *Bot.* V. *amendoeira-da-praia.* **3.** *P. ext.* Qualquer semente contida em caroço. **4.** A semente da amêndoa (1) recoberta de açúcar ou de sal. **5.** *Petr.* Cavidade, relativamente pequena, parcial ou totalmente cheia de minerais secundários; amígdala. ~ V. *amêndoas.*

amendoada [De *amêndoa* + *-ada*^{1}.] *S. f.* Emulsão de amêndoas.

amêndoa-de-coco *S. f. Bot.* V. *amendoeira* (1). [Pl.: *amêndoas-de-coco.*]

amendoado [De *amêndoa* + *-ado*^{1}.] *Adj.* **1.** Semelhante a amêndoa. **2.** Preparado com amêndoas. **3.** Diz-se de olhos (apertados, em geral) como que repuxados para as têmporas; repuxado: "Os corpos morenos, pés largos, cabelos lisos, olhos amendoados, deslizam pelos jiraus" (Eneida, *Cão da Madrugada*, p. 16).

amêndoa-dos-andes *S. f. Bot.* V. *castanha-de-macaco.* [Pl.: *amêndoas-dos-andes.*]

amêndoa-durázia *S. f. Bot.* V. *amendoeira* (1). [Pl.: *amêndoas-durázias.*]

amendoal [De *amêndoa* + *-al*^{1}.] *S. m.* Quantidade mais ou menos considerável de amendoeiras dispostas proximamente entre si.

amêndoa-molar *S. f. Bot.* V. *amendoeira* (1). [Pl.: *amêndoas-molares.*]

amendoar [De *amêndoa* + *-ar*^{2}.] *V. t. d. P.* Dar forma ou cor de amêndoa a, ou adquiri-las: *técnica para amendoar os olhos.* [Conjug.: v. *coroar.*]

amêndoas [Pl. de *amêndoa.*] *S. f. pl. P. us.* Presente que se dá por ocasião de certas festividades, especialmente as da Páscoa, e que consiste quase sempre em amêndoas [v. *amêndoa* (4)] confeitadas. ~ V. *amêndoa.*

amendoeira [De *amêndoa* + *-eira.*] *S. f. Bot.* **1.** Árvore rosácea (*Amygdalus communis*) originária da África e Mesopotâmia, de semente oleaginosa, apreciada como fruto de inverno, do qual se fabrica o marasquino; amêndoa-de-coco, amêndoa-durázia, amêndoa-molar. **2.** V. *amendoeira-da-praia.*

amendoeira-da-praia *S. f. Bras. Bot.* Árvore combretácea (*Terminalia catappa*) ornamental, própria para beira-mar, de raiz e casca adstringentes, contendo a amêndoa um óleo doce, usado em emulsões peitorais; amêndoa, amendoeira, anoz, árvore-de-anoz, castanhola, chapéu-de-sol, guarda-sol, terminália. [Pl.: *amendoeiras-da-praia.*]

amendoeira-dos-andes *S. f. Bot.* V. *castanha-de-macaco.* [Pl.: *amendoeiras-dos-andes.*]

amendoeirana [De *amendoeira* + *-rana*, com haplologia.] *S. f. Bras. Bot.* Árvore fabácea (*Desmodium axillare*) nativa das Guianas e do Brasil, de flores róseas, roxas, avermelhadas ou brancas, e frutos achatados; amor-do-campo, mandubirana. **2.** V. *boi-gordo.*

amendoí *S. m. Bras. Bot.* V. *amendoim.*

amendoim (o-ím) [Do tupi, com infl. de *amêndoa.*] *S. m. Bot.* **1.** Planta fabácea (*Arachis hypogaea*) herbácea, cujo fruto subterrâneo é us. na alimentação humana, e do qual se extrai óleo de vários empregos, como, p. ex., óleo de cozinha e lubrificante de máquinas e motores. **2.** O fruto do amendoim. [Sin., nesta acepç.: (angol.) *jinguba*, (cabo-verd. e guin.) *mancarra.*] [Sin., nesta acepç.: (angol.) *jinguba*, (cabo-verd. e guin.) *mancarra.*] [Var.: *amendoí, amendoís, mandobi, mandubi, mendubi, menduí, mindubi.*]

amendoim-bravo *S. m. Bras. Bot.* **1.** V. *faveiro* (1). **2.** V. *canafístula* (3). [Pl.: *amendoins-bravos.*]

amendoim-falso *S. m. Bras. Bot.* V. *canafístula* (3). [Pl.: *amendoins-falsos.*]

amendoís *S. m. Bras. Bot.* V. *amendoim.*

amenia [De *a-*^{3} + *-men(o)-* + *-ia*^{1}.] *S. f. Gin. Med.* Amenorreia.

amênico *Adj.* V. *amênico.* [Uso freq. em P.]

amênico [De *amenia* + *-ico*^{2}.] *Adj.* Relativo à amenia; amenorreico.

amenidade [Do lat. *amoenitate.*] *S. f.* **1.** Conjunto de condições, ou caráter, ou qualidade de ameno. **2.** Bem-estar; deleite, agrado: *Invadiu-o uma sensação de amenidade, ao penetrar no parque.* **3.** Polidez, delicadeza, urbanidade: *amenidade no trato.* **4.** Graça, leveza: *amenidade de estilo.* ~ V. *amenidades.*

amenidades [Pl. de *amenidade.*] *S. f. pl.* Assuntos vagos, gerais, superficiais: *A conversa girou em torno de amenidades.* ~ V. *amenidade.*

ameninado [De *a-*^{2} + *menino* + *-ado*^{1}.] *Adj.* **1.** Com aparência e/ou modos de menino. **2.** Fraco, débil.

ameninar [De *a-*^{2} + *menino* + *-ar*^{2}.] *V. t. d.* **1.** Dar aparência ou modos de menino a. *Int. P.* **2.** Tomar aparência de menino; acriançar-se; remoçar. **3.** Enfraquecer, debilitar-se.

amenista [De *amém* (ou *âmen*) + *-ista.*] *S. 2 g.* Pessoa condescendente, que diz amém ou sim a tudo.

amenizado [Part. de *amenizar.*] *Adj.* Tornado ameno.

amenizador (ô) [De *amenizar* + *-dor.*] *Adj. S. m.* Que, ou aquele que ameniza.

amenizante [De *amenizar* + *-nte.*] *Adj. 2 g.* Que ameniza.

amenizar [De *ameno* + *-izar.*] *V. t. d.* **1.** Tornar ameno; abrandar, mitigar. **2.** Tornar menos árduo, ou menos difícil. *Int. P.* **3.** Tornar-se ameno; abrandar-se: *O tempo amenizou; Passada a zanga, a voz do pai amenizou-se.* **4.** Tornar-se menos árduo, ou menos difícil.

ameno [Do lat. *amoenu.*] *Adj.* **1.** De trato suave, delicado; brando, afável, agradável: *pessoa amena.* **2.** Que se processa de maneira fácil e agradável, aprazível: "Muito inteligente, relativamente culta, tinha caligrafia excelente e estilo ameno escrevendo cartas." (Júlio Belo, *Memórias de um Senhor de Engenho*, p. 21); *leitura amena.* **3.** Deleitoso, delicioso, aprazível: *recanto ameno.* **4.** Temperado, moderado, suave: *temperatura amena.* [Sin. ger. (p.us.): *amenoso.*]

▲ **ameno-** [Do lat. *amoenus, a, um.*] *El. comp.* = 'agradável', 'aprazível'; 'risonho'; 'ameno': *amenomania, amenômano.*

amenomania [De *ameno-* + *-mania.*] *S. f. Psiq.* V. *habromania.*

amenomaníaco [De *amenomania* + *-íaco.*] *Adj. S. m. Psiq.* V. *habromaníaco.*

amenómano *Adj.* V. *amenômano.* [Uso freq. em P.]

amenômano [De *ameno-* + *-mano*^{1}.] *Adj. S. m. Psiq.* V. *habromaníaco* (2 e 3).

amenorreia (éi) [De *a-*^{3} + *-men(o)-* + *-reia.*] *S. f. Gin. Med.* Ausência de menorreia ou menstruação; amenia. ❖

amenorreico (éi) [De *a-*^{3} + *-men(o)-* + *-reico.*] *Adj.* Referente à amenorreia; amênico. ❖

amenoso (ô) [De *ameno-* + *-oso.*] *Adj. P. us.* V. *ameno.*

amensalismo [Do ingl. *amensalism*, f. analógica a *commensalism*, 'comensalismo' (q. v.).] *S. m. Ecol.* Interação biológica em que o desenvolvimento de uma espécie é inibido por produtos de secreção da outra.

amenta [Dev. de *amentar*^{2}.] *S. f.* **1.** Ação de amentar^2. **2.** Oração com intenção especial. **3.** Prece por um defunto. **4.** Quantia que se paga para amentar as almas de certos defuntos.

amentáceo [De *ament(i)-* + *-áceo.*] *Adj.* **1.** Relativo a amento (4). **2.** O que lembra o amento (4), como, p. ex., uma inflorescência pêndula, tipo espiga.

amentador (ô) [De *amentar*^{2} + *-dor.*] *S. m.* Aquele que amenta.

amentar^1 [De *amente* + *-ar*^{2}.] *V. t. d. P.* V. *dementar.*

amentar^2 [De *a-*^{2} + *mente* + *-ar*^{2}.] *V. t. d.* **1.** Trazer à mente, à memória; recordar, rememorar. **2.** Rememorar (o nome dos defuntos) orando por eles. **3.** Encomendar a Deus; responsar. **4.** *Ant.* Convocar por conjuro; conjurar.

amentar^3 [Do lat. *amentare.*] *V. t. d.* **1.** Prender com correias. **2.** *P. ext.* Prender, atar.

amente [Do lat. *amente.*] *Adj. 2 g. S. 2 g. P. us.* V. *demente*: "Tentava em vão gritar pávido e amente / E harto estertor morria-me no peito." (José Severiano de Resende, *Mistérios*, p. 153).

▲ **ament(i)-** [Do lat. *amentum, i.*] *El. comp.* = 'amento': *amentáceo, amentífero, amentifloro.*

amentia [De *a-*^{1} + lat. *mente* + *-ia*^{1}.] *S. f. Psiq.* Retardo mental de natureza congênita, que pode variar de intensidade.

amentífero [De *ament(i)-* + *-fero.*] *Adj. Bot.* Provido de flores ordenadas em amento (4).

amentifloro [De *ament(i)-* + *-floro.*] *Adj. Bot.* Diz-se das plantas cujas flores são dispostas em amento (4).

amentiforme [De *ament(i)-* + *-forme.*] *Adj. 2 g. Bot.* Que tem forma de, ou é semelhante ao amento (4).

amentilho [De *amento* + *-ilho.*] *S. m. Bot.* **1.** Amento (4). **2.** Variedade de espiga simples e unissexuada.

amentilhoso (ô) [De *amentilho* + *-oso.*] *Adj. Bot.* Semelhante a amentilho (2).

amento [Do lat. *amentu*, 'correia'.] *S. m.* **1.** Correia fixada ao dardo (2), que servia para o lançamento dele. **2.** Dardo (2). **3.** V. *seta*^{1} (1). **4.** *Bot.* Tipo de inflorescência densa e pêndula, peculiar a árvores dos climas temperados do N., e constituído por minúsculas flores inconspícuas, quase sempre unissexuais e nuas. Lembra grosseiramente a cauda peluda de um gato, e o seu pólen, abundantíssimo, é disseminado pelo vento. [Sin., nesta acepç.: *amentilho.*]

ameraba [De *amer(i)-* + tupi *aba*, 'homem'.] *S. 2 g. Adj. 2 g. Bras.* V. *ameríndio.*

amerceador (ô) [De *amercear* + *-dor.*] *S. m.* Aquele que amercia ou se amercia.

amerceamento [De *amercear* + *-mento.*] *S. m.* Ato ou efeito de amercear(-se).

amercear [De *a-*[2] + *mercê* + *-ar*[2].] ***V. t. d.*** **1.** Fazer mercê a; conceder mercê a. **2.** Comutar a pena de: *O governador amerceou os condenados.* ***P.*** **3.** Condoer-se, doer-se, compadecer-se, apiedar-se, comiserar-se: "parecia-lhe que talvez um dia a Sorte se amerceasse dela, daquele filho que nascera tão perfeito" (Adelaide Félix, *Cada Qual com Seu Milagre...*, p. 246). [Conjug. v. *frear*.]

amerceável [De *amercear* + *-vel*.] ***Adj. 2 g.*** Que se pode amercear; a que se pode conceder mercê.

amereurasiático [De *amer(i)-* + *eurasiático*.] ***Adj.*** Relativo ou pertencente à América e à Eurásia.

▲ **amer(i)-** [Do top. *América*.] ***El. comp.*** = 'americano': *ameríndio, amerígena*. [Equiv.: *americo-*: *americofilo, americomania*.]

américa[1] ***S. f. Bras.*** **1.** Coisa grande, desmedida, fora do comum. **2.** Bom negócio.

américa[2] ***Adj. 2 g. S. 2 g. Bras.*** V. *americano*[2].

americampense ***Adj. 2 g.*** **1.** De, ou pertencente ou relativo a Américo de Campos (SP). ● ***S. 2 g.*** **2.** O natural ou habitante de Américo de Campos.

americana [F. subst. do adj. *americano*.] ***S. f.*** Antiga carruagem de quatro rodas, pequena e leve.

americanada [De *americano*[1] + *-ada*[1].] ***S. f. Deprec.*** **1.** Conjunto de americanos, especialmente norte-americanos. **2.** Ato(s), maneira(s) ou modo(s) característicos de americano; americanice.

americanense ***Adj. 2 g.*** **1.** De, ou pertencente ou relativo a Americana (SP). ● ***S. 2 g.*** **2.** O natural ou habitante de Americana.

americanense-do-brasil ***Adj. 2 g.*** **1.** De, ou pertencente ou relativo a Americano do Brasil (GO). ● ***S. 2 g.*** **2.** O natural ou habitante de Americano do Brasil. [Pl.: *americanenses-do-brasil*.]

americanice [De *americano*[1] + *-ice*.] ***S. f. Deprec.*** **1.** Americanada (2). **2.** Extravagância, excentricidade.

americanidade [De *americano*[1] + *-(i)dade*.] ***S. f.*** Americanismo (1 a 3).

americanismo [De *americano*[1] + *-ismo*.] ***S. m.*** **1.** Admiração, apreço ou mania das coisas da América, particularmente dos E.U.A. **2.** Tudo que diz respeito à cultura, tradição, instituições do continente americano, ou que o caracteriza. **3.** Amor ao continente americano. [Sin., nessas acepçs.: *americanidade*.] **4.** O conjunto das ciências humanas (etnologia, antropologia, linguística, história, etc.) consagradas ao continente americano. [Nesta acepç., cf. *brasileirismo* (2).] **5.** *E. Ling.* Peculiaridade do inglês falado nos E.U.A., do espanhol da América, ou do português do Brasil. **6.** *E. Ling. Restr.* Palavra ou expressão provenientes da América.

americanista [De *americano*[1] + *-ista*.] ***S. 2 g.*** **1.** Especialista em assuntos americanos. **2.** Partidário dos usos e costumes da América. [Sin., nessas acepçs.: *ianquista*.] **3.** Especialista em americanismo (5).

americanização [De *americanizar* + *-ção*.] ***S. f.*** Ação ou efeito de americanizar(-se).

americanizar [De *americano*[1] + *-izar*.] ***V. t. d. P.*** Tornar(-se) americano[1] ou norte-americano; adaptar(-se) ao temperamento, à maneira, ou ao estilo americano[1] ou norte-americano.

americano[1] ***Adj.*** **1.** De, ou pertencente ou relativo às Américas do Norte, Central e do Sul, ou ao continente americano. **2.** *Gloss.* Diz-se das línguas indígenas do continente americano. ~ V. *altura —a, formato —, galão —, noite —a, plano —, ponto —, sanduíche —, tonelada —a* e *tripanossomíase —a*. ● ***S. m.*** **3.** O natural ou habitante do continente americano. **4.** *Tec. Têx.* Certo tecido grosseiro de algodão.

americano[2] ***Bras. Adj.*** **1.** Pertencente ou relativo ao América Futebol Clube (RJ e MG). **2.** Que é torcedor ou jogador de qualquer dessas duas agremiações. [Sin.: *américa* (de MG e do RJ), *coelho* (de MG) e *rubro* (do RJ).] ● ***S. m.*** **3.** Membro, torcedor ou jogador de qualquer delas.

americano[3] ***Adj.*** **1.** V. *norte-americano* (1). ~ V. *futebol —*. ● ***S. m.*** **2.** V. *norte-americano* (2). **3.** *Cabo-verd.* Emigrante relativamente rico, que regressa dos E.U.A.: "não eram rodeados da admiração que cercava os americanos de verdade, que voltavam das fábricas e plantações da América com a algibeira pesada de dólares" (Baltasar Lopes, *Chiquinho*, p. 64).

americano-do-norte ***Adj. S. m.*** V. *norte-americano*. [Pl.: *americanos-do-norte*.]

americanofilia [De *americano*[1] + *-filia*.] ***S. f.*** Amor ou preferência à América, aos americanos, em especial aos Estados Unidos da América; americofilia.

americanofílico [De *americanofilia* + *-ico*[2].] ***Adj.*** Relativo a americanofilia, ou a americanófilo; americofílico.

americanófilo [De *americano*[1] + *-filo*[2].] ***Adj. S. m.*** **1.** Que, ou aquele que tem americanofilia. **2.** *P. ext.* Que, ou aquele que é partidário da América, em especial dos Estados Unidos da América, em detrimento de outros países. [Sin. ger.: *americófilo*.]

americanomania [De *americano*[3] + *-mania*.] ***S. f.*** Admiração e/ou imitação exagerada de tudo quanto é americano; americomania.

americanomaníaco [De *americanomania* + *-íaco*.] ***Adj.*** **1.** Relativo a americanomania. **2.** Que tem americanomania; americanômano; americômano. ● ***S. m.*** **3.** Aquele que tem americanomania; americanômano, americômano. [Sin. ger.: *americomaníaco*.]

americanómano ***Adj. S. m.*** V. *americanômano*. [Uso freq. em P.]

americanômano [De *americano*[1] + *-mano*[1].] ***Adj. S. m.*** V. *americanomaníaco* (2 e 3).

amerício [Do top. *América* + *-io*[3]; lat. cient. *americium*.] ***S. m. Quím.*** Elemento de número atômico 95, artificial, radiativo, metálico, prateado, reativo [símb.: *Am*].

▲ **americo-** Equiv. de *amer(i)-*.

américo-brasiliense ***Adj. 2 g.*** **1.** De, ou pertencente ou relativo a Américo Brasiliense (SP). ● ***S. 2 g.*** **2.** O natural ou habitante de Américo Brasiliense. [Pl.: *américo-brasilienses*.]

américo-douradense ***Adj. 2 g.*** **1.** De, ou pertencente ou relativo a América Dourada (BA). ● ***S. 2 g.*** **2.** O natural ou habitante de América Dourada. [Pl.: *américo-douradenses*.]

americofilia [De *americo-* + *-filia*.] ***S. f.*** Americanofilia.

americofílico [De *americofilia* + *-ico*[2].] ***Adj.*** Americanofílico.

americófilo [De *americo-* + *-filo*[2].] ***Adj. S. m.*** V. *americanófilo*.

americomania (mè) [De *americo-* + *-mania*.] ***S. f.*** Americanomania.

americomaníaco (mè) [De *americomania* + *-íaco*.] ***Adj. S. m.*** V. *americanomaníaco*.

americómano ***Adj. S. m.*** V. *americômano*. [Uso freq. em P.]

americômano [De *americo-* + *-mano*[1].] ***Adj. S. m.*** V. *americanomaníaco* (2 e 3).

amerígena [De *amer(i)-* + *(indí)gena*; t. proposto por Saladino de Gusmão, em 1936.] ***S. 2 g. Adj. 2 g. Bras.*** V. *ameríndio*.

amerim [Do top. lat. *Ameria* + *-im*.] ***Adj.*** Diz-se de certa pera temporã.

ameríncola [De *amer(i)-* + *íncola*.] ***S. 2 g. Adj. 2 g. Bras.*** V. *ameríndio*.

ameríndio [De *amer(i)-* + *índio*; t. sugerido pelo Dr. Charles Scott ao geólogo e etnólogo norte-americano John Wesley Powell (1834-1902), e empregado para distinguir o índio americano do índio asiático.] ***Bras. S. m.*** **1.** O indígena americano. ● ***Adj.*** **2.** Pertencente ou relativo a ele. [Sin. ger.: *ameraba, ameríncola, amerígena*.]

amerissagem [Do fr. *amerrisage*.] ***S. f. Gal.*** Ato de amerissar. [*Amaragem*, melhor f., é muito p. us. no Brasil.]

amerissar [Do fr. *amerrir*.] ***V. int. Gal.*** Pousar (aeronave) na água. [*Amarar*, a boa f., quase não é us. no Brasil.]

amerósporo [De *a-*[3] + *-mer(o)-*[1] + *-sporo*.] ***S. m. Bot.*** Esporo unicelular, *i. e.*, indiviso, simples.

amesendar [De *mesa*.] ***V. t. d.*** **1.** Fazer sentar à mesa. **2.** Fazer tomar assento; instalar, acomodar. ***Int. P.*** **3.** Sentar-se à mesa: "Ele saudou num fio de voz, canhestro, e foi amesendar-se. A mãe trouxe-lhe a sopa" (Orlando Gonçalves, *Este Mundo dos Homens*, p. 112). **4.** Repoltrear-se, refestelar-se, rempimpar-se. **5.** Ficar-se sentado e muito quedo. [Var.: *amesendrar*.]

amesendrar ***V. t. d. Int. P.*** V. *amesendar*. "A sobrinha amesendrou-se sobre o exergão" (Camilo Castelo Branco, *Vulcões de Lama*, p. 221).

amesita [Do antr. *(James) Ames*, minerador americano, + *-ita*[2].] ***S. f. Min.*** Aluminossilicato básico de magnésio e ferro do grupo das cloritas.

■ **ameslan** [Abrev. do ingl. *American Sign Language*.] *Gloss.* V. *língua de sinais americana*.

amesquinhado [Part. de *amesquinhar*.] ***Adj.*** Tornado mesquinho; depreciado, diminuído, humilhado: Amesquinhado perante os colegas, o garoto não queria mais comparecer às aulas.

amesquinhador (ô) [De *amesquinhar* + *-dor*.] ***Adj. S. m.*** Que, ou aquele que amesquinha.

amesquinhamento [De *amesquinhar* + *-mento*.] ***S. m.*** Ato ou efeito de amesquinhar(-se).

amesquinhar [De *a-*[2] + *mesquinho* + *-ar*[2].] ***V. t. d.*** **1.** Tornar mesquinho, insignificante: "Sou o primeiro a reconhecer a falta de merecimento, a pobreza de ação, e os descuidos e desmazelo de estilo que amesquinham estes pobres romances que improvisei." (Joaquim Manuel de Macedo, *Os Romances da Semana*, p. V); *A presença exuberante do amigo amesquinhava-o.* **2.** Humilhar, deprimir, depreciar: *É um caráter vil: amesquinha a toda hora os amigos mais humildes.* **3.** *P. ext.* Amofinar, entristecer. ***P.*** **4.** Tornar-se mesquinho, avarento, somítico. **5.** Humilhar-se, depreciar-se: *Amesquinhou-se para conseguir cargo tão elevado.*

amestrado [Part. de *amestrar*.] ***Adj.*** **1.** Tornado mestre ou perito; industriado, adestrado: *ginasta amestrado*. **2.** Domesticado, domado: *cavalo amestrado*. **3.** Ensinado, adestrado: *elefante amestrado*.

amestrador (ô) [De *amestrar* + *-dor*.] ***Adj. S. m.*** Que, ou aquele que amestra.

amestramento [De *amestrar* + *-mento*.] ***S. m.*** Ato ou efeito de amestrar(-se).

amestrar [De *a-*[2] + *mestre* + *-ar*[2].] ***V. t. d.*** **1.** Tornar mestre, perito. **2.** Ensinar, instruir, adestrar: "habituada à vida claustral do castelo triste, cismando ao luar, entre aias que rezam e pajens louros que passam amestrando falcões" (Olavo Bilac, *Crítica e Fantasia*, p. 307). ***P.*** **3.** Tornar-se mestre, adestrar-se; instruir-se; industriar-se.

ametabólico [De *a-*[3] + *-metabol(e)-* + *-ico*[2].] ***Adj. Zool.*** Diz-se dos insetos apterigotos que não sofrem metamorfose: proturos, colêmbolos, dipluros e tisanuros.

ametábolo [Do tax. *Ametabola* < gr. *ametábolos*, 'imutável'.] ***Adj. S. m. Zool.*** V. *apterigoto*.

ametade [De *a-*[5] + *metade*.] ***S. f. P. us.*** Metade.

ametal [De *a-*[3] + *metal*.] ***S. m. Quím.*** Designação comum aos elementos químicos eletronegativos, sem brilho metálico e geralmente maus condutores de calor e eletricidade; não metal. [Cf. *metaloide* (1).]

ametalar [De *a-*[2] + *metal* + *-ar*[2].] ***V. t. d.*** **1.** Dar aspecto de metal a. **2.** Ornar com metal. **3.** Misturar com metal.

ametista [Do gr. *améthystos*, pelo lat. *amethystu*.] ***S. f. Min.*** Pedra semipreciosa, variedade roxa do quartzo.

ametistense ***Adj. 2 g.*** **1.** De, ou pertencente ou relativo a Ametista do Sul (RS). ● ***S. 2 g.*** **2.** O natural ou habitante de Ametista do Sul.

ametístico [De *ametista* + *-ico*[2].] ***Adj.*** **1.** Relativo à ametista. **2.** Que tem a cor e/ou o brilho da ametista; ametistino.

ametistino [De *ametista* + *-ino*[1].] ***Adj.*** Ametístico (2).

ametódico [De *a-*[3] + *metódico*.] ***Adj.*** Sem método; desordenado; imetódico.

ametria[1] [De *a-*[3] + *-metria*.] ***S. f.*** Falta de medida.

ametria[2] [De *a-*[3] + *-metr(o)-*[1] + *-ia*[1].] ***S. f. Gin.*** Falta congênita de útero.

amétrico[1] [De *ametria*[1] + *-ico*[2].] ***Adj.*** Referente a ametria[1].

amétrico[2] [De *ametria*[2] + *-ico*[2].] ***Adj.*** Referente a ametria[2].

ametrope [De *a-*[3] + *-metr(o)-*[2] + *-ope*.] ***Adj. 2 g. S. 2 g.*** Amétrope (q. v.).

amétrope [Var. pros. de *ametrope*.] ***Adj. 2 g.*** **1.** Diz-se do olho que apresenta ametropia. **2.** Diz-se de quem tem ametropia. ● ***S. 2 g.*** **3.** Pessoa que tem ametropia.

ametropia [De *a-*[3] + *-metr(o)-*[2] + *-opia*.] ***S. f. Oftalm.*** Distúrbio dos poderes de refração do olho, que produz hipermetropia, miopia ou astigmatismo, por não serem as imagens recebidas pela retina no foco adequado.

ametrópico [De *ametropia* + *-ico*[2].] ***Adj.*** Relativo à ametropia.

amezinhador (ô) [De *amezinhar* + *-dor*.] ***S. m.*** Aquele que amezinha.

amezinhar [De *a-*[2] + *mezinha* + *-ar*[2].] ***V. t. d. P.*** Tratar(-se) por meio de mezinhas, de remédios caseiros.

ami [De or. indígena.] ***S. f. Bras. Amaz. Pop. Zool.*** Designação comum a algumas espécies de aranhas solitárias que não tecem teia.

amial [Contr. de *amieiral*.] ***S. m.*** Amieiral.

amianto [Do gr. *amíantos*, pelo lat. *amiantu*.] ***S. m. Min.*** Silicato natural hidratado de cálcio e magnésio, de contextura fibrosa, composta de fibras finíssimas e sedosas, em geral brancas e brilhantes, refratárias, dificilmente fusíveis, e com as quais se fabricam tecidos, torcidas, placas, etc., resistentes ao fogo. [A partir de meados do séc. XX o amianto e o asbesto, vêm sendo condenados e seu uso proibido, devido à asbestose (q. v.).] [Cf. *asbesto*.]

amiastenia [De *a-*[3] + *-m(i)-* + *-asten(o)-* + *-ia*[1].] ***S. f. Med. Neur.*** Astenia muscular; falta de forças; sensação de cansaço e prostração; amiostenia.

amiasténico ***Adj.*** V. *amiastênico*. [Uso freq. em P.]

amiastênico [De *amiastenia* + *-ico*[2].] ***Adj. Med.*** Relativo à amiastenia; amiostênico.

amiba [Imitação do fr. *amibe*.] ***S. f. Zool.*** Ameba.

amical [Do lat. *amicale*.] ***Adj. 2 g.*** Amigável, amistoso, amigo: *gesto amical; aparência amical*.

amicícia [Do lat. *amicitia*.] ***S. f. Desus.*** Amizade.

amicíssimo [Do lat. *amicissimu*.] ***Adj.*** Superl. abs. sint. de *amigo*; amiguíssimo.

▲ **amico-** [Do gr. *amychḗ*, *ês*.] ***El. comp.*** = 'arranhadura', 'arranhão': *amicofobia, amicófobo*.

amicofobia [De *amico-* + *-fobia*.] ***S. f. Psiq.*** Receio mórbido de ser arranhado, como, p. ex., por garra de animal.

amicofóbico [De *amicofobia* + *-ico*[2].] ***Psiq. Adj.*** **1.** Relativo a amicofobia. **2.** Que sofre de amicofobia; amicófobo. ● ***S. m.*** **3.** Aquele que sofre de amicofobia; amicófobo.

amicófobo [De *amico-* + *-fobo*.] ***Adj. S. m. Psiq.*** Amicofóbico (2 e 3).

amíctico ***Adj.*** Relativo à amixia.

amicto [Do lat. *amictu*.] ***S. m.*** Pano branco, bento, que cobre o pescoço e os ombros do padre, por baixo da alva, quando se paramenta para dizer missa: 📖 "ia--se [o padre] despindo com lentidão .... da casula, da estola, do manípulo, da alva e do amicto, dobrando sucessivamente e beijando com respeito esses atributos" (Bernardo Pinheiro Pindela, *Azulejos*, p. 58). [Var.: *amito*.]

amicuã ***S. 2 g. Bras.*** **1.** *Etnôn.* Indivíduo dos amicuãs [ou (etnôn. bras.) *Amikwan], povo indígena extinto que habitava o O. do AP. ● ***Adj. 2 g.*** **2.** Pertencente ou relativo a esse povo.

amículo [Do lat. *amiculu*.] ***S. m.*** **1.** Pequeno manto ou véu que era usado pelas mulheres romanas. **2.** Espécie de mantilha.

amida [De *am(oníaco)* + *-ida*⁴; fr. *amide*, al. *Amide*.] ***S. f. Quím.*** **1.** Classe de compostos orgânicos derivados de amônia pela substituição de um ou mais de um de seus hidrogênios por grupamentos acila. **2.** Qualquer sal que contenha o ânion H_2N^-, muito básico, que reage violentamente com a água, resultante da reação do amoníaco com metais alcalinos, como, p. ex., a amida sódica, tb. chamada amideto de sódio; amideto [fórm.: $H_2N^-Na^+$].

▲ **-amida** *Quím.* V. *amid(o)-*.

amídala ***S. f.*** *Anat. Petr.* V. *amígdala*.

amidalectomia ***S. f.*** *Otor.* V. *amigdalectomia*. [Uso próprio de P.] ⊙

amidalectômico ***Adj.*** *Otor.* V. *amigdalectômico*. [Uso próprio de P.] ⊙

amidalectômico ***Adj.*** *Otor.* V. *amigdalectômico*. [Uso próprio de P.] ⊙

amidálico ***Adj.*** V. *amigdálico*.

amidalina ***S. f.*** *Quím.* V. *amigdalina*.

amidalino ***Adj.*** V. *amigdalino*.

amidalite ***S. f.*** *Med.* V. *amigdalite*.

amidalítico ***Adj.*** V. *amigdalítico*.

amidaloide (ói) ***Adj. 2 g.*** *Anat. Petr.* V. *amigdaloide*. ❖

amideria [De *amido* + *-eria*.] ***S. f. Bras.*** Fábrica de polvilho ou amido.

amideto (ê) [De *amid(o)-* + *-eto*².] ***S. m. Quím.*** Amida (2).

amidina [De *amid(o)-* + *-ina*³.] ***S. f. Quím.*** Designação genérica de substâncias que contêm o grupo funcional $H_2N\text{-}C(=NH)\text{-}$ ligado a grupo hidrocarbônico, ou tal grupo funcional.

amido [De *am(oníaco)* + *-ido*²; al. *Amid*.] ***S. m.*** **1.** *Quím.* Polissacarídeo existente em numerosos vegetais (trigo, arroz, milho, batata, etc.), muito utilizado na alimentação humana, e que também se emprega em diversas preparações farmacêuticas e cosméticas, em vários tipos de cola, e no apresto e acabamento de tecidos, etc. [fórm. $(C_6H_{10}O_5)_n$]. **2.** Pó obtido de muitas plantas, especialmente dos grãos dos cereais; polvilho. [Var. pros. (p. us.): *âmido*. F. paral. (desus.): *amilo*.]

▲**amid(o)-** *Quím. El. comp.* Indica **1.** 'relativo a, ou derivado de amida (1)': *amidoxima*. **2.** 'que contém grupo $-NH_2$ ligado a grupo fortemente retirador de elétrons': *ácido amidofosfórico*. [Ocorre, tb., como infixo e pospositivo: *-amid(o)-*, *-amida*: *ácido fosforamídico*; *acetamida*.]

▲ **-amid(o)-** *Quím.* V. *amid(o)-*.

âmido ***S. m. P.*** *us.* V. *amido*.

amidoado [De *amido* + *-oado*.] ***Adj.*** Que contém amido.

amidofosfórico [De *amid(o)-* + *fosfórico*.] ***Adj. Quím.*** ~ V. *ácido* —.

amieiral [De *amieiro* + *-al*¹.] ***S. m.*** Quantidade mais ou menos considerável de amieiros dispostos proximamente entre si; amial.

amieiro [Do lat. vulg. **aminariu*, de or. desconhecida.] ***S. m. Bot.*** Árvore betulácea (*Alnus glutinosa*) ornamental, introduzida no S. do Brasil, cuja madeira se presta em especial para obras hidráulicas, marcenaria comum, pontes, etc., e cuja casca, adstringente, serve para combater a angina e é usada para curtume; alno.

amieiro-negro ***S. m. Bot.*** Arbusto ramnáceo (*Rhamnus frangula*) da Europa, Ásia e África, de madeira vermelho-clara, e cujo córtex é us. como purgativo; amieiro-preto. [Pl.: *amieiros-negros*.]

amieiro-preto ***S. m. Bot.*** Amieiro-negro. [Pl.: *amieiros--pretos*.]

amielia [De *a-*³ + *-miel(o)-* + *-ia*¹.] ***S. f. Ter.*** Ausência congênita de medula espinhal.

amiélico [De *amielia* + *-ico*².] ***Adj. Ter.*** Concernente à amielia.

amielínico ***Adj. Histol.*** ~ V. *fibra nervosa —a* e *neurofibra —a*.

amiga [Do lat. *amica*.] ***S. f.*** **1.** Mulher ligada a outra pessoa por laços de amizade. **2.** Amante² (6). **3.** *Bras. PE Cul.* Caldo preparado com o do feijão, engrossado com farinha peneirada, e temperado com pimenta.

amigação [De *amigar* + *-ção*.] ***S. f.*** **1.** Ato de amigar-se. **2.** Estado de amigado.

amigaço [De *amigo* + *-aço*.] ***S. m. P.*** *us.* V. *amigalhaço*.

amigado [Part. de *amigar*.] ***Adj.*** Amasiado, amancebado.

amigalhaço [De *amigo* + *-alh(a)-* + *-aço*.] ***S. m.*** Grande amigo. [Sin.: *amigalhão*, *amigão* e (p. us.) *amigaço*. Frequentemente us. em sentido pejorativo.]

amigalhão [De *amigo* + *-alhão*.] ***S. m.*** V. *amigalhaço*.

amigamente [Do f. de *amigo* + *-mente*.] ***Adv.*** V. *amigavelmente*.

amigão [De *amigo* + *-ão*¹.] ***S. m.*** V. *amigalhaço*.

amigar [Do lat. *amicare*.] ***V. t. d.*** **1.** Unir por amizade; tornar amigo. ***P.*** **2.** Tornar-se amigo. **3.** V. *amancebar-se* (1): 📖 "já nem sabe se ama a mulher legítima que o espera, se a preta com quem se amigou" (Miguel Torga, *Traço de União*, p. 115). [Conjug.: v. *largar*.]

amigável [Do lat. *amicabile*.] ***Adj. 2 g.*** **1.** Feito ou dito com espírito conciliador: 🗎 *partilha amigável*; *desquite amigável*. **2.** Próprio de amigos; amical, amistoso, amigo: 🗎 *atitude amigável*; *ambiente amigável*. **3.** *Inform.* De aprendizado e uso fáceis e intuitivos: 🗎 *programa amigável*. [Us. como correspondente do ingl. (*user-*)*friendly*.]

amigavelmente (gà) [De *amigável* + *-mente*.] ***Adv.*** De modo amigável; com amizade; amigamente.

amígdala [Do gr. *amygdále*, 'amêndoa', pelo lat. *amygdala*.] ***S. f.*** **1.** *Anat.* V. *tonsila*. **2.** *Anat.* Substância cinzenta na porção anterior do lobo temporal. **3.** *Anat.* Lóbulo na superfície inferior do cerebelo. **4.** *Petr.* Amêndoa (5). [Var.: *amídala*.]

amigdalectomia [De *amigdal(i)-* + *-ectom-* + *-ia*¹.] ***S. f.*** *Otor.* V. *tonsilectomia*. [Var.: *amidalectomia*.]

amigdalectômico ***Adj.*** V. *amigdalectômico*. [Var.: *amidalectômico*.] [Uso freq. em P.]

amigdalectômico [De *amigdalectomia* + *-ico*².] ***Adj.*** Relativo a amigdalectomia. [Var.: *amidalectômico*.]

▲ **amigdal(i)-** [Do lat. *amygdăla, ae*, 'amêndoa', < gr. *amygdál ē, ēs*.] ***El. comp.*** Indica **1.** 'amêndoa' (*amigdalino*, *amigdaloide*) **2.** 'amígdala' (*amigdalite*) **3.** em *Quím.*, 'amigdalina' (*amigdálico*). [Var.: *amidal(i)-*: *amidalectomia*.]

amigdálico [De *amigdal(i)-* + *-ico*².] ***Adj.*** Que contém amigdalina. [Var.: *amidálico*.]

amigdaliforme [De *amigdal(i)-* + *-forme*.] ***Adj. 2 g.*** Que tem forma de amígdala, ou de amêndoa.

amigdalina [De *amigdal(i)-* + *-ina*³.] ***S. f. Quím.*** Glicosídeo tóxico encontrado nos frutos das rosáceas, e princípio ativo da essência de amêndoas amargas [fórm.: $C_{20}H_{27}O_{11}N$]. [Var.: *amidalina*.]

amigdalino [De *amigdal(i)-* + *-ino*¹.] ***Adj.*** **1.** Relativo a amêndoas. **2.** Feito ou preparado com amêndoas. [Var.: *amidalino*.]

amigdalite [De *amigdal(i)-* + *-ite*¹.] ***S. f.*** *Patol.* V. *tonsilite*.

amigdalítico [De *amigdalite* + *-ico*².] ***Adj.*** Relativo à amigdalite.

amigdaloide (ói) [Do gr. *amygdaloeidés*.] ***Adj. 2 g.*** **1.** *Anat.* Semelhante a amígdala (denom. ant. de tonsila). **2.** *Petr.* Relativo a amêndoa (5). [Var.: *amidaloide*.] ❖

amigo [Do lat. *amicu*.] ***Adj.*** **1.** Que é ligado a outrem por laços de amizade: 🗎 *pessoa amiga*; *animal amigo*. **2.** Em que há amizade; amical, amistoso: 🗎 *abraço amigo*; 📖 "Clama uma voz amiga: — 'Aí tem o Ceará'." (Manuel Bandeira, *Estrela da Vida Inteira*, p. 56); "Ouve da minha boca as palavras amigas, / Que te podem salvar!" (Eugênio de Castro, *Obras Poéticas*, p. 34). **3.** Simpático, acolhedor: 🗎 *anfitrião amigo*; *casa amiga*. **4.** Que ampara ou defende; protetor: 🗎 *Precisava de uma alma bastante amiga para o auxiliar naquele transe*. **5.** Diz-se dos países que mantêm relações amistosas ou são aliados: 🗎 *Em 1808 Portugal abriu os portos do Brasil às nações amigas*. **6.** Benigno, propício: 📖 "Ai!, a noite é amiga! / Ai!, a noite é boa!" (Alberto de Serpa, *Rua*, p. 86). ~ V. *números* —*s*. ● ***S. m.*** **7.** Homem ligado a outrem por laços de amizade (1). **8.** Companheiro, colega. **9.** Aquele que é amigo (4); defensor, protetor: 🗎 *Raimundo Castro Maia foi grande amigo das artes no Brasil*. **10.** Apreciador, admirador, amante: 🗎 *os amigos de Machado de Assis*. **11.** Simpatizante ou partidário: 🗎 *Os amigos do Flamengo exultaram com a vitória*. **12.** Aquele que é dado a um hábito ou um vício: 🗎 *É amigo das longas caminhadas na praia*; *Infelizmente é amigo do jogo*. **13.** País amigo: 🗎 *Portugal tem no Brasil um amigo*. [Aum.: *amigaço* (p. us.), *amigalhaço*, *amigalhão*; superl. abs. sint.: *amicíssimo* e *amiguíssimo*.] **14.** V. *amante*² (6). ◆ **Amigo de seus amigos.** Aquele que se mostra amigo verdadeiro, excelente; amigo do seu amigo. **Amigo do alheio.** V. *ladrão* (3). **Amigo do gênero humano.** Aquele que aparenta ser amigo de todos, sem ter, em verdade, amizade profunda a ninguém. **Amigo do peito.** Amigo muito querido; amigo íntimo: 📖 "O senhor é um amigo do peito, gente minha, gosto do senhor." (Antônio Celso Alves Pereira, *Rua do Quenta-Sol*, p. 178.) **Amigo do seu amigo.** Amigo de seus amigos: 📖 "ativo negociante de vinhos no Porto, amigo do seu amigo" (Camilo Castelo Branco, *Aventuras de Basílio Fernandes Enxertado*, p. 5). **Amigo oculto.** *Bras.* Numa festa comemorativa em que há troca de presentes, como, p. ex., o Natal, cada uma das pessoas que, após sorteio dos nomes de todos os participantes, oferta anonimamente um presente àquela que lhe coube por sorte; amigo secreto. [Cf. *amigo-oculto*.] **Amigo secreto.** *Bras.* Amigo oculto: 📖 "E longamente então, entre cervejas, trocaram então ácidos comentários sobre as mulheres mal-amadas e vorazes, os papos de futebol, amigo secreto, lista de presente" (Caio Fernando Abreu, *Morangos Mofados*, p. 133). [Cf. *amigo-secreto*.] **Falso amigo.** *E. Ling.* Palavra semelhante em duas línguas, mas de significado diverso; falso cognato. [O vocábulo port. *esquisito*, 'estranho', e o espanhol *exquisito*, 'primoroso, delicioso' são *falsos amigos*.] **Meu amigo.** *Fam.* F. amistosa de tratamento; meu chapa; amizade.

amigo da onça ***S. m. Bras. Fam.*** Amigo-urso. [Pl.: *amigos da onça*.] ☑

amigo-oculto ***S. m. Bras.*** Espécie de sorteio entre amigos e/ou familiares, realizado à época do Natal, no qual os participantes trocam presentes entre si; amigo-secreto. [Pl.: *amigos-ocultos*; cf. *amigo oculto*, loc.]

amigo-secreto ***S. m. Bras.*** Amigo-oculto. [Pl.: *amigos--secretos*. Cf. *amigo secreto*, loc.]

amigo-urso ***S. m.*** Amigo falso, hipócrita, infiel; amigo da onça. [Pl.: *amigos-ursos*.]

amigueiro [De *amigo* + *-eiro*.] ***Adj.*** Afável, amável, dado, atencioso.

amiguete ***S. 2 g. Irôn.*** Colega, companheiro; amigo.

amiguíssimo ***Adj.*** Amicíssimo.

amiiforme [Adapt. do tax. *Amiiformes*.] ***Zool. S. m.*** **1.** Espécime dos amiiformes, ordem de peixes actinopterígios, holósteos, com espécies extintas e uma única espécie existente, a *Amia calva*. ● ***Adj.*** **2.** Pertencente ou relativo a eles.

▲ **amil-** *Quím. El. comp.* Indica a presença de grupo amila: *amilamina*. [Ocorre, tb., como infixo.]

▲**-amil-** V. *amil-*.

amila [Do lat. *am(ylum)* + *-ila*².] ***S. f. Quím.*** Pentila.

amiláceo [De *amil(o)-* + *-áceo*.] ***Adj.*** **1.** Semelhante ao amido. **2.** Que contém amido.

amilamina [De *amil-* + *amina*.] ***S. f. Quím.*** Pentanamina. [fórm.: $C_5H_{13}N$].

amilase [De *amil-* + *-ase*.] ***S. f. Bioquím.*** Designação comum a enzimas presentes na saliva, no suco pancreático, na levedura de cerveja, etc. que provocam a hidrólise dos glicídeos.

amilasemia [De *amilase* + *-emia*.] ***S. f. Med.*** Teor de amilase no sangue.

amilasuria [De *amilase* + *-uria*.] ***S. f.*** *Med.* V. *amilasúria*.

amilasúria [De *amilase* + *-úria*.] ***S. f. Med.*** Teor de amilase na urina. [F. paral.: *amilasuria*.]

amilemia [De *amil(o)-* + *-emia*.] ***S. f. Med.*** Teor de amilo no sangue.

amilhado [Part. de *amilhar*.] ***Adj. Bras.*** Diz-se de animal arraçoado com milho: 📖 "a Tudinha tinha cavalo amilhado, só do andar dela, e alguma prata nos preparos." (Simões Lopes Neto, *Contos Gauchescos e Lendas do Sul*, p. 132).

amilhamento [De *amilhar* + *-mento*.] ***S. m.*** Ato de amilhar.

amilhar [De *a-*² + *milho* + *-ar*².] ***V. t. d. Bras.*** Tratar a milho; arraçoar com milho.

amílico [De *amila* + *ico*²] ***Adj. Quím.*** Pentílico. ~ V. *álcool* —.

amilífero [De *amil(o)-* + *-ífero*.] ***Adj.*** Rico em amido.

amilo ***S. m. Desus.*** **1.** Amido (q. v.). **2.** *Quím.* Amila.

▲ **amil(o)-** [Do gr. *ámylon*.] ***El. comp.*** = 'amido'; em *Quím.*, 'que se relaciona a amido': *amiláceo*, *amilólise*; *amilopectina*. [Ocorre, tb., como infixo: *-amil(o)-*: *isoamílico*.]

▲**-amil(o)-** Equiv. de *amil(o)-*.

amilogénese ***S. f.*** *Bot.* V. *amilogênese*. [Uso freq. em P.]

amilogênese [De *amil(o)-* + *-gênese*.] ***S. f. Bot.*** Processo formativo do amilo nas células vegetais.

amilógeno [De *amil(o)-* + *-geno*.] ***Adj.*** Que produz amilo ou amido.

amiloide (ói) [De *amil(o)-* + *-oide*.] ***Adj. 2 g.*** Diz-se de substância que se assemelha a amilo. ❖

amiloidose [Do lat. cient. *amyloidosis*.] ***S. f. Patol.*** Grupo de doenças, devidas a causas diversas, que se caracterizam pelo acúmulo, em várias regiões e tecidos do corpo, de proteínas fibrilares insolúveis, com o comprometimento de funções vitais do organismo.

amilólise [De *amil(o)-* + *-lise*.] ***S. f.*** Transformação do amido em açúcares solúveis por ação de fermentos hidrolíticos ou amilases. Passa-se no interior de células que contêm amido, de modo que possa este ser aproveitado pela economia vegetal sob a forma de açúcares.

amilolítico [De *amilól(ise)* + -*ítico*.] *Adj.* Relativo à amilólise.

amilopectina [De *amil(o)-* + *pectina*.] *S. f.* Um dos polissacarídeos mais simples que entram na constituição química do amido.

amiloplastídio [De *amil(o)-* + *plastídio*.] *S. m. Bot.* Leucoplasto que forma grãos de amido; amiloplasto. [Cf. *leucoplastídio*.]

amiloplasto [De *amil(o)-* + -*plasto*.] *S. m. Bot.* Amiloplastídio.

amilose [De *amil-* + -*ose*[1].] *S. f. Quím.* Polissacarídeo que, por hidrólise total, fornece a glicose, por hidrólise parcial, por ação da amilase, fornece a maltose e que, com a amilopectina, constitui o amido. [A amilose é que reage com o iodo, dando característica coloração azul.]

amimado [Part. de *amimar*.] *Adj.* Tratado com mimo, com carinho; mimado.

amimador (ô) [De *amimar* + -*dor*.] *Adj. S. m.* Que, ou aquele que amima.

amimalhado [Part. de *amimalhar*.] *Adj.* A que ou a quem se dá mimo exagerado: 📖 "os cães mansos, os gatos amimalhados, os pequenos pôneis de sela" (Ramalho Ortigão, *Pela Terra Alheia*, II, p. 189).

amimalhar [De *a-*[2] + *mimo*[1] + -*alhar*.] *V. t. d.* Dar mimo demasiado a.

amimar [De *a-*[2] + *mimo*[1] + -*ar*[2].] *V. t. d.* **1.** Tratar com mimo, com carinho; acariciar, acarinhar. **2.** Cativar com amabilidades; atrair com agrados ou promessas. **3.** Fazer festas, afagos a; afagar. *P.* **4.** Tratar-se com mimo; acariciar-se, acarinhar-se, afagar-se. [F. paral.: *mimar*.]

amimia [De *a-*[3] + -*mim(o)-* + -*ia*[1].] *S. f. Med.* **1.** Ausência de mímica. **2.** Perda da faculdade de expressão por gestos e sinais.

amímico [De *amimia* + -*ico*[2].] *Adj. Med.* Relativo à amimia.

amina [De *am(ônio)* + -*ina*[3].] *S. f. Quím.* **1.** Classe de compostos orgânicos derivados da amônia pela substituição de um ou mais de um de seus hidrogênios por grupos hidrocarbônicos. **2.** Grupo funcional $-NX_2$ (onde X pode ser átomo de hidrogênio ou grupo hidrocarbônico), característico das aminas.

▲**-amina** *Quím. Suf.* Indica que a substância é uma amina, ou indica a presença de grupamento amina ($-NH_2$): *alilamina*.

aminacidemia *S. f. Med.* Aminoacidemia.

aminacidúria *S. f. Med.* V. *aminoacidúria*.

aminado [De *amin(o)-* + -*ado*[1].] *Adj. Quím.* Que contém amina, ou que contém o grupo funcional amina. ~ V. *ácido —*.

amineirar [De *a-*[2] + *mineiro*[2] (3) + -*ar*[2].] *V. t. d. e P. Bras.* Adaptar(-se) ao temperamento, maneiras ou estilo mineiro[2] (3).

aminguar [De *a-*[4] + *minguar*.] *V. int. P. us.* Minguar. [Conjug.: v. *aguar*.]

▲ **amin(o)-** *Quím. El. comp.* Designa o grupo amina ($-NH_2$): *aminoácido*. [Ocorre, tb., como infixo: *-amin(o)-*: *dimetilaminopiridina*.]

▲**-amin(o)-** V. *amin(o)-*.

aminoacetal [De *amin(o)-* + *acetal*.] *S. m. Quím.* Acetal dietílico do aldeído aminoacético, us. em sínteses [fórm.: $C_6H_{15}NO_2$]; acetalamina.

aminoacetaldeído [De *amin(o)-* + *acetaldeído*.] *S. m. Quím.* Aldeído aminoacético.

aminoacético [De *amin(o)-* + *acético*.] *Adj. Quím.* ~ V. *ácido — e aldeído —*.

aminoacidemia [De *aminoácido* + -*emia*.] *S. f. Med.* Teor de aminoácidos no sangue.

aminoácido [De *amin(o)-* + -*ácido*.] *S. m. Quím.* Classe de compostos orgânicos que contêm um grupamento carboxila e um grupamento amina. [Sin., impr.: *ácido aminado*.] ◆ **Aminoácido essencial.** *Bioquím.* Aquele que o organismo ou não sintetiza, ou não o faz em quantidade suficiente para suas necessidades e que, portanto, deve ser obtido do alimento. **Aminoácido terminal.** *Bioquím.* Aquele que ocupa o último lugar na sequência de aminoácidos que constituem um peptídeo.

aminoaciduria [De *aminoácido* + -*uria*.] *S. f. Med.* V. *aminoacidúria*.

aminoacidúria [De *aminoácido* + -*úria*.] *S. f. Med.* Teor de aminoácidos na urina. [Var.: *aminacidúria*. F. paral.: *aminoaciduria*.]

aminobenzoico (ói) *Adj. Quím.* ~ V. *ácido —*. ❖

aminobutírico [De *amin(o)-* + *butírico*.] *Adj. Quím.* ~ V. *ácido —*.

aminodontídeo [Do gr. *ámyna*, 'defesa', + -*odont(o)-* + -*ídeo*[1]; tax. *Amynodontidae*.] *Paleont. S. m.* **1.** Espécime dos aminodontídeos, família extinta de rinocerontes com hábitos fluviais. Habitavam as Américas e a Eurásia no oligoceno e no eoceno. ● *Adj.* **2.** Pertencente ou relativo a eles.

aminofilina [De *amin(o)-* + *(teo)filina*.] *S. f. Quím.* Substância derivada da teofilina, venenosa, us. em medicina como broncodilatador [fórm.: $C_{16}H_{24}N_{10}O_4$].

aminoftalidrazida *S. f. Quím.* V. *luminol*. [O nome químico completo é 3-aminoftalidrazida.]

aminoglicosídeo [De *amin(o)-* + *glicosídeo*.] *S. m.* **1.** *Quím.* Heterosídeo aminado. **2.** *Med. Terap.* Cada um de um grupo de antibióticos originado de várias espécies de *Streptomyces*, e que atua sobre ribossomas bacterianos.

aminólise [De *amin(o)-* + -*lise*.] *S. f. Quím.* Decomposição de uma substância pelo amoníaco ou por uma amina.

aminopirina [De *(dimetil)amin(a)* + -*o-* + *(anti)pirina*.] *S. f. Quím.* Amina aromática e heterocíclica, us. como antipirético e analgésico [fórm.: $C_{13}H_{17}N_3O$].

aminopropiónico *Adj.* V. *aminopropiônico*. [Uso freq. em P.]

aminopropiônico *Adj. Quím.* ~ V. *ácido —*.

aminose [De *amin(o)-* + -*ose*[1].] *S. f. Med.* Produção, de caráter patológico, de aminoácidos no organismo.

aminosuria [De *amin(o)-* + -*uria*.] *S. f. Med.* V. *aminosúria*.

aminosúria [De *amin(o)-* + -*úria*.] *S. f. Med.* Teor de aminas na urina. [F. paral.: *aminosuria*.]

aminotransferase [De *amin(o)-* + *transfer(ência)* + -*ase*; ingl. *aminotransferase*.] *S. f. Bioquím.* V. *transaminase*.

amintinha *S. m. Bras. Pop. Zool.* V. *lacerdinha*.

amiostenia [De *a-*[3] + -*mio(s)-* + -*sten(o)-* + -*ia*[1].] *S. f. Med. Neur.* Amiastenia.

amiosténico *Adj.* V. *amiostênico*. [Uso freq. em P.]

amiostênico [De *amiostenia* + -*ico*[2].] *Adj. Med.* Amiastênico.

amiotaxia (cs) [De *a-*[3] + -*mio(s)-* + -*taxia*.] *S. f. Neur.* Ataxia.

amiotonia [De *a-*[3] + -*mio(s)-* + -*ton(o)-* + -*ia*[1].] *S. f. Med.* Atonia muscular.

amiotónico *Adj.* V. *amiotônico*. [Uso freq. em P.]

amiotônico [De *amiotonia* + -*ico*[2].] *Adj. Med.* Relativo a amiotonia.

amiotrofia [De *a-*[3] + -*mio(s)-* + -*trofia*.] *S. f. Med. Neur.* Atrofia de tecido muscular.

amiotrófico [De *amiotrofia* + -*ico*[2].] *Adj. Med.* Relativo a amiotrofia.

amir *S. m.* V. *emir*.

amirina [Do tax. *Amyris* (v. *âmiris*) + -*ina*[3].] *S. f. Quím.* Qualquer de dois alcoóis triperpênicos pentacíclicos (α-amirina e β-amirina) naturais [fórm.: $C_{30}H_{50}O$].

âmiris [Do tax. *Amyris* (do gr. *amyris*, *ios*).] *S. f. 2 n. Bot.* **1.** Gênero de árvores e arbustos rutáceos, tropicais, americanos, de folhas compostas e flores brancas. **2.** Espécie, ou espécime desse gênero.

amisaua [Do tupi.] *S. f. Bras. Zool.* Vespa amazônica não identificada pela sistemática.

amiseração [De *amiserar-se* + -*ção*.] *S. f.* V. *comiseração*.

amiserar-se [De *a-*[2] + *mísero* + -*ar* + *se*[1].] *V. p.* **1.** V. *comiserar* (2): 📖 "O ímpio não se amiserara de tantos sinais de lágrimas em que a tinta se apagara!" (Camilo Castelo Branco, *Carlota Ângela*, p. 62.) **2.** Lastimar-se, lamentar-se; queixar-se.

➔**amish** ['amɪʃ] [Ingl., poss. do al. *amisch*, de (*Jacob*) *Amman* ou *Amen* (c. 1645- c.1730), bispo menonita suíço, fundador da seita, + al. -*isch*.] *Adj. 2 g.* **1.** De, ou pertencente ou próprio da seita ortodoxa dos seguidores menonitas de Jacob Amman, radicados na América do Norte (Estados Unidos e Canadá). ● *S. 2 g.* **2.** Seguidor da seita *amish*.

amissão [Do lat. *amissione*.] *S. f.* Perda (1).

amissível [Do lat. *amissibile*.] *Adj. 2 g.* Suscetível de perder-se.

amistar [Do esp. *amistar*.] *V. t. d. P.* Tornar(-se) amigo; conciliar(-se), congraçar(-se).

amistosamente [Do f. de *amistoso* + -*mente*.] *Adv.* De modo amistoso; com amizade; cordialmente.

amistoso (ô) [Do esp. *amistoso*.] *Adj.* **1.** Próprio de amigo; amical, amigável, amigo: 📄 *relações amistosas; olhar amistoso*. **2.** Propenso à amizade: 📄 *índole amistosa*. **3.** *Esport.* Diz-se de partida disputada fora de campeonato ou de torneio, em geral para fins beneficentes, de treinamento, de confraternização, ou para arrecadação de fundos. ● *S. m.* **4.** *Esport.* Partida dessa espécie.

amisular [De *a-*[2] + *mísula* + -*ar*[2].] *V. t. d.* **1.** Pôr mísula(s) em. **2.** Pôr sobre mísula(s).

amitado [Do lat. *amita*, 'irmã do pai', + -*ado*[2].] *S. m. Antrop.* Amitato.

amitalocal [Do lat. *amita*, 'irmã do pai', + *local*.] *Adj. 2 g. Antrop. Etnol.* Relativo a regra, costume ou padrão de residência em que um novo casal, após casar-se, passa a viver na localidade da irmã do pai de um dos noivos. [Cf. *viriamitalocal* e *uxoriamitalocal*.]

amitato [Do lat. *amita*, 'irmã do pai', + -*ato*[1].] *S. m. Antrop.* Relação institucionalizada entre a tia paterna e os filhos de seu irmão, que implica uma série variável de direitos e deveres de parte a parte; amitado. [Cf. *avunculato*.]

➔ **amitié amoureuse** [ami'tje amu'ʁøz] [Fr.] Amizade mesclada com amor.

amito *S. m.* V. *amicto*.

amitose [De *a-*[3] + -*mit(o)-* + -*ose*[1].] *S. f. Citol. Genét.* Divisão de núcleo em dois, sem as figuras de mitose e, por via de regra, sem divisão de citoplasma.

amitótico [De *amit(ose)* + -*ótico*.] *Adj.* Concernente à amitose.

amitriptilina [Voc. farmac.] *S. f. Quím.* Amina terciária tricíclica, aromática, us. como antidepressivo [fórm.: $C_{20}H_{23}N$].

amiudado (i-u) [Part. de *amiudar*.] *Adj.* Frequente, repetido. [Sin. poét.: *crebro*.]

amiudar[1] (i-u) [De *amiúde* + -*ar*[2].] *V. t. d.* **1.** Fazer ou executar amiúde, frequentemente: 📄 *Visitava-me raramente, mas agora amiudou as visitas*; 📖 "Vem, corre, amiúda os teus ligeiros passos." (Guimarães Passos, *Horas Mortas*, p. 70). *Int.* **2.** Repetir-se com pequenos intervalos; suceder amiúde; amiudar-se: 📖 "Alta madrugada, quando começava a amiudar o canto dos galos, dois vultos, cautelosos, sorrateiros, surdiram do interior da saleta da frente" (Lúcio de Mendonça, *Horas do Bom Tempo*, p. 226); 📄 *Os soluços amiudaram tanto que a menina perdeu o fôlego*. **3.** Cantar (o galo) pela madrugada, a curtos intervalos: 📖 "Galos amiudavam, empoleirados nas árvores" (Herman Lima, *Tijipió e Garimpos*, p. 96). *P.* **4.** Repetir-se com pequenos intervalos; amiudar: 📖 "As figueiras amiúdam-se no caminho e no campo." (Viana Moog, *Um Rio Imita o Reno*, p. 125.) [O *u* leva acento agudo nas f. rizotônicas: *amiúdo, amiúdas, amiúda, ... amiúdam; amiúde, amiúdes, amiúdem*.]

amiudar[2] (i-u) [De *a-*[2] + *miúdo* + -*ar*[2].] *V. t. d.* **1.** Tornar miúdo (1). **2.** Investigar, pesquisar detidamente; esmiuçar. [O *u* leva acento agudo nas f. rizotônicas: *amiúdo, amiúdas, amiúda, ... amiúdam; amiúde, amiúdes, amiúdem*.]

amiúde [Do lat. *minute*, adv., posteriormente precedido de prep.] *Adv.* Repetidas vezes; repetidamente; frequentemente; a miúdo: 📄 *Rosa vem amiúde aqui*; 📖 "os pés amiúde esbarram em presenças insuspeitas" (Geir Campos, *O Vestíbulo*, p. 17).

amixia[1] (cs) [Do gr. *amixía*.] *S. f. Biol.* Impossibilidade de cruzamento entre uma espécie e outra, ou entre espécie e variedade.

amixia[2] (cs) [De *a-*[3] + -*mix(o)-*[2] + -*ia*[1].] *S. f. Med.* Falta de secreção mucosa.

amizade [Do lat. vulg. **amicitate*.] *S. f.* **1.** Sentimento fiel de afeição, simpatia, estima ou ternura entre pessoas que geralmente não são ligadas por laços de família ou por atração sexual: 📄 *A moça demonstrava grande amizade por sua velha mestra*. **2.** Estima, simpatia ou camaradagem entre grupos ou entidades: 📄 *A amizade entre os clubes locais desenvolveu-se quando do Campeonato Nacional*. **3.** Pessoa amiga; amigo: 📄 *Paula é uma de suas grandes amizades*. **4.** Vinculação de caráter exclusivamente social; relações: 📄 *Não gosta de fazer amizades*. [M. us. no pl.] **5.** Mancebia, concubinato; amasio. **6.** Entendimento, fraternidade: 📄 *a amizade luso-brasileira*. **7.** Benevolência, bondade: 📄 *Todos tratavam o velhinho com amizade*. **8.** Dedicação de certos animais ao homem: 📄 *amizade de um cão a seu dono*. **9.** *Bras. Pop.* F. de tratamento: meu amigo, meu chapa; nossa-amizade: 📖 "— Mas eu sou campeão de caça a irerê e queria bater meu recorde! | — Calma, amizade." (Carlos Drummond de Andrade, em *Jornal do Brasil*, 05.05.1973.) ◆ **Amizade colorida.** *Bras.* Relacionamento íntimo, amoroso, sem compromisso social: 📖 "Fomos jantar no Sheraton e ele começou a insistir para a gente passar a noite juntos lá mesmo, esse negócio de amizade colorida." (Maria Julieta Drummond de Andrade, *O Valor da Vida*, p. 156.)

amnalgesia [De *amn(ésia)* + -*alges(i)-* + -*ia*[1].] *S. f. Anest.* Processo anestesiológico em que, mediante o uso ou de droga(s) ou de hipnose, conforme o caso, se abolem a dor e a lembrança dela.

amnesia [Do gr. *amnesía*.] *S. f. Psiq. Med.* Amnésia (q. v.).

amnésia [Var. pros. de *amnesia*.] *S. f. Psiq. Med.* Perda total ou parcial da memória, que pode acompanhar vários transtornos [v. *transtorno* (5)] ou que sucede a traumatismos físicos ou psíquicos. [Cf. *amnesia*, do v. *amnesiar*.] ◆ **Amnésia táctil.** *Neur.* V. *astereognosia*.

amnesiar [De *amnésia* + -*ar*[2].] *V. t. d.* Causar amnésia a. [Pres. ind.: *amnesio, amnesias, amnesia*, etc. Cf. *amnésia*.]

amnésico [De *amnésia* + -*ico*[2].] *Psiq. Med. Adj.* **1.** Referente a, ou que sofre de amnésia. ~ V. *afasia — a*. ● *S. m.* **2.** Indivíduo amnésico. [Cf. *amnético*.]

amnéstico [Do gr. *ámnestos*, 'esquecido', + -*ico*[2].] *Adj.* Que faz perder a memória. [Cf. *amnésico*.]

amniano [De *âmnio* + *-ano*[1].] *Adj.* Situado no âmnio, ou pertencente ou relativo ao âmnio.
amniapé *Bras. S. 2 g.* **1.** *Etnôn.* Indivíduo dos amniapés, povo indígena extinto da bacia do rio Guaporé (RO). • *Adj. 2 g.* **2.** Pertencente ou relativo a esse povo. [Tb. us. como *s. 2 g. e 2 n.* (com cap.) e *adj. 2 g. e 2 n.*]
âmnio [Do gr. *amníon*.] *S. m. Embr.* Membrana que se desenvolve em torno do embrião de vertebrados superiores, formando o saco amniótico (q. v.).
amniocele [De *âmnio* + *-cele*[1].] *S. f. Med.* Onfalocele.
amniocentese [De *âmnio* + *-centese*.] *S. f.* **1.** *Obst.* Punção uterina transabdominal objetivando colher líquido amniótico. **2.** *Med.* Procedimento clínico utilizado no diagnóstico de anormalidades genéticas no embrião ou no feto, mediante o exame de células de amostra do líquido amniótico, retiradas por punção no abdome materno.
amnioinfusão [Do ingl. *amnioinfusion*.] *S. f. Obst.* Introdução de substância(s) no âmnio, seja para levar a aborto, seja para diluir mecônio espesso, etc.
amniomancia (ci) [De *âmnio* + *-mancia*.] *S. f.* Adivinhação por meio do âmnio. [Segundo a crendice popular, é bom agouro apresentar-se a cabeça do feto envolvida naquela membrana, razão por que se diz de quem tem sorte que nasceu empelicado, ou num fole.]
amniomante [De *âmnio* + *-mante*.] *S. 2 g.* Pessoa que pratica a amniomancia.
amniomântico *Adj.* Pertencente ou relativo a amniomancia, ou a amniomante.
amnioscopia [De *âmnio* + *-scop-* + *-ia*[1].] *S. f. Obst.* Exame do líquido amniótico mediante o uso de amnioscópio, e em que se faz a transiluminação das membranas do polo inferior do ovo, objetivando descobrir, em final de gravidez, sinais de sofrimento fetal.
amnioscópio [De *âmnio* + *-scópio*.] *S. m. Obst.* Endoscópio que é introduzido pelo ducto cervical uterino para visualização do líquido amniótico.
amniota [De *âmnio* + *-ota*[2].] *S. m. Zool.* Vertebrado cujo embrião se desenvolve dentro do âmnio.
amniótico [Do fr. *amniotique*.] *Adj. Embr.* Pertencente ou referente ao âmnio. ~ V. *cavidade —a, líquido —, saco —* e *vesícula —a*.
amniotomia [De *âmnio* + *-tom(o)-* + *-ia*[1].] *S. f. Obst.* Ruptura intencional das membranas fetais para induzir o parto.
amnistia *S. f.* V. *anistia*.
amnistiado *Adj. S. m.* V. *anistiado*.
amnistiar *V. t. d.* V. *anistiar*.
amnistiável *Adj. 2 g.* V. *anistiável*.
amo [De *ama*[1].] *S. m.* **1.** Dono da casa; patrão (em relação aos empregados): "todos em casa, amos e criados, se preocupavam muito com o inquilino da casinha dos fundos." (Artur Azevedo, *Contos Cariocas*, p. 246). **2.** Patrão, senhor, chefe: *Cumprirei suas ordens, meu amo.* **3.** Tratamento dado outrora ao rei por seus cortesãos. **4.** *Bras. MA Etnogr.* O dono do boi, o fazendeiro, no bumba meu boi.
amô [Do cabo-verd. *amô*, 'ah moço'.] *Interj. Cabo-verd.* Exprime espanto, impaciência, decepção, etc.: "escapuliu-se, amô, azar!" (Manuel Ferreira, *Voz de Prisão*, p. 56).
amocambado [Part. de *amocambar*.] *Adj. Bras.* **1.** Refugiado, aquilombado. **2.** Escondido, oculto.
amocambamento [De *amocambar* + *-mento*.] *S. m. Bras.* Ato de amocambar(-se).
amocambar [De *a-*[2] + *mocambo* + *-ar*[2].] *V. t. d. Bras.* **1.** Reunir em mocambo; aquilombar. **2.** Esconder, ocultar. *P.* **3.** Ocultar-se no mato (o gado). **4.** Retrair-se, segregar-se.
amochar-se [De *a-*[2] + *mocho*[1] + *-ar*[2] + *se*[1].] *V. p.* **1.** Fazer-se misantropo; retrair-se; recolher-se. **2.** Esconder-se; ocultar-se. [Cf. *amouxar*.]
amodernar [De *a-*[2] + *moderno* + *-ar*[2].] *V. t. d. P.* Tornar moderno; dar forma ou feição moderna a; modernizar.
amódita [Do gr. *ammodýtes*.] *Adj. 2 g. S. 2 g.* Diz-se de, ou planta ou animal que vive na areia.
amodorrar [De *a-*[2] + *modorra* + *-ar*[2].] *V. t. d.* **1.** Causar modorra a; produzir sonolência em. **2.** Fazer cair em modorra; tornar sonolento. *Int. P.* **3.** Cair em modorra: "Aí pela madrugada, Calisto Elói amodorrou-se em roncado dormir" (Camilo Castelo Branco, *A Queda dum Anjo*, p. 154). **4.** Entranhar-se; mergulhar: *Amodorrou-se numa grande melancolia.* [Var.: *amadorrar*.]
amoedação [De *amoedar* + *-ção*.] *S. f.* Ato de amoedar; cunhagem, moedagem.
amoedar [De *a-*[2] + *moeda* + *-ar*[2].] *V. t. d.* **1.** Reduzir (o metal) a moedas; cunhar, monetizar. **2.** Inventar, criar; cunhar: *amoedar palavras*. [Pres. ind.: *amoedo*, etc. Cf. *Amoedo* (ê), antr. e top.]
amoedável [De *amoedar* + *-vel*.] *Adj. 2 g.* Que pode ser amoedado.
amofinação [De *amofinar* + *-ção*.] *S. f.* Ato ou efeito de amofinar(-se).
amofinado [Part. de *amofinar*.] *Adj.* Aborrecido, apoquentado: *É um homem amofinado, embora sem causa aparente.*
amofinador (ô) [De *amofinar* + *-dor*.] *Adj.* **1.** Que amofina, apoquenta; apoquentador: *atitude amofinadora*. • *S. m.* **2.** Indivíduo amofinador.
amofinar [De *a-*[2] + *mofino* + *-ar*[2].] *V. t. d.* **1.** Tornar mofino (1); apoquentar (q. v.): *Aquela preocupação amofinava-o, consumia-o.* *P.* **2.** V. *apoquentar*: "— Não te amofines assim por causa de uma cozinheira." (Artur Azevedo, *Contos fora da Moda*, p. 45.)
amofumbar [De *a-*[4] + *mofumbar*.] *V. t. d. Bras.* V. *mofumbar*.
amoipira *Bras. S. 2 g.* **1.** *Etnôn.* Indivíduo dos amoipiras, povo indígena extinto, de língua pertencente ao tronco tupi, e que habitava a região do rio São Francisco, na BA. • *Adj. 2 g.* **2.** Pertencente ou relativo a esse povo. [Tb. us. como *s. 2 g. e 2 n.* (com cap.) e *adj. 2 g. e 2 n.*]
amoiriscado [De *a-*[2] + *moirisco* + *-ado*[1].] *Adj.* V. *amouriscado*.
amoiriscar [De *a-*[2] + *moirisco* + *-ar*[2].] *V. t. d.* V. *amouriscar*. [Conjug.: v. *trancar*.]
amoitado [Part. de *amoitar*.] *Adj.* Escondido, ocultado.
amoitar [De *a-*[2] + *moita* + *-ar*[2].] *V. int.* **1.** *Bras.* Esconder-se, ocultar-se, amoitar-se. **2.** *Bras. Gír.* V. *moitar*. *P.* **3.** *Bras.* Amoitar (1).
amojado [Part. de *amojar*.] *Adj.* **1.** Cheio de leite ou suco. **2.** *Bras. N.E. MG* Diz-se da vaca e de outras fêmeas de animais prestes a parir e, por isso, com o úbere desenvolvido.
amojar [Do lat. *emulgere*, com dissimilação.] *V. t. d. Ant.* **1.** Ordenhar (1). *Int.* **2.** Encher-se de leite ou de suco. **3.** Aumentar (o úbere das fêmeas dos animais) nas vésperas do parto. [Pres. ind.: *amojo*, etc. Cf. *amojo* (ô).]
amojo (ô) [Dev. de *amojar*.] *S. m.* **1.** Ato ou efeito de amojar. **2.** Apojadura (1). **3.** Estado lactescente dos grãos de cereais. [Pl.: *amojos* (ô). Cf. *amojo*, do v. *amojar*.]
amolação [De *amolar* + *-ção*.] *S. f.* **1.** V. *amoladura* (1). **2.** *Bras.* Estorvo, incômodo, maçada. **3.** *Bras.* Aborrecimento, desgosto, contrariedade. **4.** *Bras.* Apoquentação, importunação; implicância.
amoladeira [De *amolar* + *-deira*.] *S. f.* Esmeril (2).
amoladela [De *amolar* + *-dela*.] *S. f.* V. *amoladura* (1).
amolado [Part. de *amolar*.] *Adj.* **1.** Afiado, aguçado. **2.** *Bras.* V. *aborrecido* (4 e 5).
amolador (ô) [De *amolar* + *-dor*.] *Adj.* **1.** Que amola ou afia. **2.** *Bras.* V. *maçante* (1). • *S. m.* **3.** Aquele ou aquilo que amola, afia facas, tesouras, etc. **4.** *Bras.* V. *maçante* (2).
amoladura [De *amolar* + *-dura*.] *S. f.* **1.** Ato de amolar (1); amolação, amoladela. **2.** Resíduo de rebolo (1) que fica na água empregada para amolecer o mesmo rebolo.
amolante [De *amolar* + *-nte*.] *Adj. 2 g.* V. *maçante* (1).
amolar [Do esp. *amolar*.] *V. t. d.* **1.** Afiar na amoladeira ou no rebolo; tornar cortante ou mais cortante; afiar, aguçar. **2.** Tornar perspicaz; aguçar: *amolar o espírito*. **3.** Pôr em dificuldades. **4.** *Bras.* Enfadar, maçar, aborrecer, cacetear: "Como o problema o amolava!" (Bernardo Élis, *Veranico de Janeiro*, p. 32.) *T. i.* **5.** Amolar (6): *Passou a tarde a amolar nos conselhos do pai.* *Int.* **6.** Meditar no que se ouviu, leu, etc. **7.** *Bras.* Causar tédio, enfado, amolação; aborrecer: *Aperturas de dinheiro sempre amolam.* *P.* **8.** *Bras.* Aborrecer-se, irritar-se, cacetear-se. **9.** *Bras.* Achar-se em dificuldade.
amoldar [De *a-*[2] + *molde* + *-ar*[2].] *V. t. d.* **1.** Ajustar ao molde (1 a 3); moldar. *T. d. e i.* **2.** Modelar, conformar: *Procura amoldar seus escritos pelos dos grandes escritores.* **3.** Ajustar, adaptar, harmonizar: *Amoldou sua ideologia às conveniências da época.* **4.** Acostumar, habituar, afazer: *Só o tempo e a necessidade o amoldaram a viver no estrangeiro.* *P.* **5.** Ajustar-se ao molde ou ao modelo; modelar-se. **6.** Acostumar-se, habituar-se.
amoldável [De *amoldar* + *-vel*.] *Adj. 2 g.* Suscetível de amoldar-se.
amolecado [De *a-*[2] + *moleque*[1] + *-ado*[1].] *Adj.* **1.** Que tem ar moleque, de moleque, ou pratica ações de moleque: *sujeito amolecado*. **2.** Em que há, ou que denota molecagem (1): *Olhou o professor com um ar amolecado.*
amolecar [De *a-*[2] + *moleque*[1] + *-ar*[2].] *Bras. V. t. d.* **1.** Tratar indecorosamente; ridicularizar, ridicularizar, rebaixar, vexar: *Ainda que considerando-o culpado, não o deveriam amolecar em público.* *P.* **2.** Tornar-se moleque[1] (2 e 3). [Conjug.: v. *trancar*.]
amolecedor (ô) [De *amolecer* + *-dor*.] *Adj.* **1.** Que amolece; amolecente. • *S. m.* **2.** Aquele ou aquilo que amolece.
amolecente [De *amolecer* + *-nte*.] *Adj. 2 g.* Amolecedor (1): "ostentava, ao entrar para o meu serviço, uma brenha cerrada, um espinheiro .... dentro do qual cosméticos, banhas, lanolinas se sumiriam sem produzir efeito amolecente ou domesticante." (Gilberto Amado, *Depois da Política*, p. 95).
amolecer [De *a-*[2] + *mole*[2] + *-ecer*.] *V. t. d.* **1.** Tornar mole, flexível, macio, tenro; amolentar, molificar. **2.** Abrandar, enternecer; comover; amolentar: *Conseguiu amolecer o duro coração do amigo.* *Int.* **3.** Ficar mole: *A massa amoleceu com o calor.* **4.** Perder o ânimo, a energia, o vigor. **5.** Fazer perder o ânimo, a energia, o vigor; entorpecer: "O calor amolecia." (Gustavo Barroso, *A Ronda dos Séculos*, p. 105.) [Conjug.: v. *aquecer*.]
amolecido [Part. de *amolecer*.] *Adj.* **1.** Tornado mole, frouxo. **2.** Enternecido, comovido.
amolecimento [De *amolecer* + *-imento*.] *S. m.* Ato ou efeito de amolecer(-se).
amolegar [Do lat. vulg. **admollicare* < lat. *mollis*, 'mole'; cf. *amolgar*.] *V. t. d.* Apalpar apertando (um corpo mole[2] [1]); amolgar. [Conjug.: v. *regar*.]
amolentador (ô) [De *amolentar* + *-dor*.] *Adj. S. m.* Que ou o que amolenta.
amolentamento [De *amolentar* + *-mento*.] *S. m.* Ação ou efeito de amolentar(-se).
amolentar [De *a-*[2] + *mole*[2] + *-entar*.] *V. t. d.* **1.** Tornar um pouco mole; amolecer. **2.** Suavizar, abrandar: *amolentar as saudades*. **3.** Enternecer, comover: *As ternas súplicas da filha acabaram amolentando-o.* *Int.* **4.** Fazer perder a força, a energia; tornar mole, lânguido: "uma vaga quebreira amolentava, trazia desejos de sesta" (Eça de Queirós, *O Primo Basílio*, p. 6). *P.* **5.** Perder a força, a energia; amolecer.
amolestar [De *a-*[4] + *molestar*.] *V. t. d.* V. *molestar* (1).
amolgação [De *amolgar* + *-ção*.] *S. f.* V. *amolgadura* (1).
amolgadela [De *amolgar* + *-dela*.] *S. f.* V. *amolgadura*.
amolgado [Part. de *amolgar*.] *Adj.* Que se amolgou; amassado, amarrotado, machucado.
amolgadura [De *amolgar* + *-dura*.] *S. f.* **1.** Ação de amolgar; amolgação, amolgadela. **2.** Mossa feita em objeto que se amolgou; amolgadela, amassadura.
amolgar [Do lat. vulg. **admollicare* < lat. *mollis*, 'mole'; cf. *amolegar*.] *V. t. d.* **1.** Deformar, deprimindo ou esmagando; abolar, achatar: *Os salteadores quase lhe amolgaram o crânio a pancada.* **2.** Abalar, abrandar; amolecer, quebrantar: *O sofrimento não lhe amolgou o temperamento rancoroso.* **3.** Dar pancadas em; contundir, pisar: *Amolgou-lhe as costas com um rijo cacete.* **4.** Subjugar, abater; derrotar: *É um despotismo que tudo amolga.* **5.** *Expl.* Estrangular a parte vazia de (uma espoleta) sobre o estopim ou cordel detonante; estriar. *T. d. e i.* **6.** Obrigar, forçar: *A política o amolgou a posições contrárias ao seu feitio.* **7.** Acomodar, conformar, amoldar, ajeitar, ajustar: *Grande político amolga os espíritos aos interesses da causa.* *Int.* **8.** Deformar-se, amassar-se, abolar-se. **9.** Ceder, render-se. *P.* **10.** Amolecer-se, amassar-se, abolar-se. **11.** Render-se, sujeitar-se. [Conjug.: v. *largar*.]
amolgável [De *amolgar* + *-vel*.] *Adj. 2 g.* Que pode ser amolgado.
amonal [De *amônio* + *-al*[2].] *S. m. Expl.* Explosivo militar constituído por nitrato de amônio, trinitrotolueno, alumínio em pó e carvão.
amónia *S. f. Quím.* V. *amônia*. [Uso freq. em P.]
amônia [Do lat. cient. *ammonia* (< lat. [*sal*] *ammoniacus* [v. *amoníaco*]).] *S. f. Quím.* **1.** Solução aquosa do amoníaco, incolor, básica, com odor característico, utilizada em diversos e importantes setores. **2.** *Impr.* V. *amoníaco*.
amoniacado [De *amoníaco* + *-ado*[1].] *Adj.* Amoniacal.
amoniacal [De *amoníaco* + *-al*[1].] *Adj. 2 g.* Que tem amoníaco ou as propriedades dele; amoniacado.
amoníaco [Do gr. *ammoniakón*, '(sal) do país de Amon', *i. e.*, da Líbia, pelo lat. *ammoniacu*.] *S. m. Quím.* Gás incolor, com cheiro característico e pungente, muito solúvel em água, sintetizado a partir do nitrogênio e do hidrogênio, com importantes e variadas aplicações [fórm.: NH_3]. [Tb. se diz, impr., *amônia*.]
amoniemia [De *amônia* + *-emia*.] *S. f. Med.* Teor de amônia no sangue.
amónio *S. m. Quím.* V. *amônio*. [Uso freq. em P.]
amônio [De *amon(íaco)* + *-io*[3].] *S. m. Quím.* **1.** Cátion NH_4^+, ácido conjugado derivado do amoníaco e que, em solução aquosa, tem diversas reações análogas às dos íons alcalinos. **2.** *P. ext.* Qualquer cátion derivado do NH_4^+ por substituição de um ou mais átomos de hidrogênio por grupos hidrocarbônicos.
amoniotélico [De *amoni(o)-* + *-tel(o)-* + *-ico*[2].] *Adj. S. m. Biol.* Diz-se de, ou animal cuja excreta nitrogenada principal é a amônia. Ex.: espongiários, cnidários, crustáceos, osteíctes.
amonite[1] [Do tax. *Ammonites* < lat. (*cornu*) *Ammonis*, 'chifre de Amon', + lat. cient. *-ites*.] *S. f. Paleont.* **1.** Gênero de moluscos cefalópodes de concha espiralada, cuja forma lembra a de um chifre de carneiro, e

cujos fósseis são abundantes em terrenos que datam do devoniano ao cretáceo superior. • *S. m.* **2.** Qualquer espécie desse gênero, como, p. ex., a *Ammonites cordatus* e a *Ammonites bisulcatus*. **3.** Qualquer espécime desse gênero.

amonite[2] [De (*nitrato de*) *amôn(io)* + *-ite*[2].] ***S. m. Expl.*** Explosivo de segurança, de que existem vários tipos, e cuja substância ativa predominante é o nitrato de amônio.

amoniuria (i-u) [De *amônia* + *-uria*.] ***S. f. Med.*** V. *amoniúria*.

amoniúria [De *amônia* + *-úria*.] ***S. f. Med.*** Teor de amônia na urina. [F. paral.: *amoniuria*.]

amonizar [De *amônia* + *-izar*.] ***V. t. d.*** Adicionar amônia a.

amonjeaba ***S. f. Bot.*** Capim-amonjeaba.

amonómetro ***S. m.*** V. *amonômetro*. [Uso freq. em P.]

amonômetro [De *amon(íaco)* + *-o-* + *-metro*.] ***S. m.*** Aparelho para dosar o amoníaco.

amontadense ***Adj. 2 g.*** **1.** De, ou pertencente ou relativo a Amontada (CE). • ***S. 2 g.*** **2.** O natural ou habitante de Amontada.

amontado [Part. de *amontar*[1].] ***Adj.*** Diz-se do animal doméstico que fugiu para o mato e se fez bravio.

amontanhar [De *a-*[2] + *montanha* + *-ar*[2].] ***V. int. P.*** **1.** Elevar-se como montanha. **2.** Crescer em monte; avolumar-se: "Deixou amontanhar os calos para não poder calçar botas dum ciclope" (Camilo Castelo Branco, *A Mulher Fatal*, p. 26).

amontar[1] [De *a-*[2] + *monte* + *-ar*[2].] ***V. t. d.*** **1.** Dar forma de monte a. **2.** Levar para o monte; fazer andar pelo monte: *amontar o gado*. ***Int.*** **3.** Fugir (o animal doméstico) para o mato e tornar-se bravio.

amontar[2] [De *a-*[4] + *montar*.] ***V. t. i.*** Elevar-se, montar.

➔ **amontillado** [ˈamontˈlʸado] [Esp. de (*vino*) *amontillado*, 'vinho de Montilla (cidade da província de Córdova, na Espanha)'.] ***S. m.*** Variedade de xerez (2) seco, e claro.

amontoa (ô) [Dev. de *amontoar*.] ***S. f. Agr.*** Operação consistente em chegar a terra para o pé das plantas, ou por serem elas suscetíveis de formação de raízes ou tubérculos adventícios, ou para melhor firmá-las ao solo.

amontoação [De *amontoar* + *-ção*.] ***S. f.*** Amontoamento (1).

amontoado [Part. de *amontoar*.] ***Adj.*** **1.** Posto em montão; acumulado. **2.** Ajuntado confusamente; empilhado sem ordem. **3.** Amealhado, economizado. • ***S. m.*** **4.** Conjunto de coisas em montão; amontoamento.

amontoador (ô) [De *amontoar* + *-dor*.] ***S. m.*** Aquele ou aquilo que amontoa.

amontoamento [De *amontoar* + *-mento*.] ***S. m.*** **1.** Ato de amontoar(-se); amontoação. **2.** Acumulação, cúmulo, amontoado.

amontoar [De *a-*[2] + *montão* + *-ar*[2], com desnasalação.] ***V. t. d.*** **1.** Pôr em montão; acumular. **2.** Ajuntar confusamente; empilhar sem ordem: *Amontoou a roupa usada.* **3.** Expor profusamente, sem nexo: *Amontoou argumentos para comprovar sua afirmação.* **4.** Guardar, acumular, amealhar; arrecadar. **5.** Juntar, reunir: "vil rebanho de gado humano / que a miséria amontoa" (Alberto Ramos, *Poemas*, p. 61). ***T. d. e c.*** **6.** Amontoar (2 e 4). ***Int.*** **7.** Acumular riquezas, cabedais; economizar, amealhar. **8.** Ajuntar-se, acumular-se, amontoar-se. ***P.*** **9.** Ajuntar-se, acumular-se; amontoar: *Nuvens escuras começavam a amontoar-se no céu.* **10.** Estar junto em grande quantidade e desordenadamente: "Alguns móveis amontoavam-se no fundo do quintal" (Adalberon Cavalcanti Lins, *Curral Novo*, p. 240). [Conjug.: v. *coroar*.]

amonturar [De *a-*[2] + *monturo* + *-ar*[2].] ***V. t. d.*** Juntar em monturo.

amoque [Do mal. *amok*.] ***Adj. 2 g. S. 2 g.*** V. *amouco*[1].

amoquecar [De *a-*[2] + *moqueca*[1] + *-ar*[2], poss.] ***V. int. P. Bras. PE Pop.*** **1.** Pôr-se a cômodo, a salvo, em lugar seguro; moquecar(-se). **2.** Fugir da luta; acovardar-se. [Conjug.: v. *trancar*.]

amor (ô) [Do lat. *amore*.] ***S. m.*** **1.** Sentimento que predispõe alguém a desejar o bem de outrem, ou de alguma coisa: *amor ao próximo; amor ao patrimônio artístico de sua terra.* **2.** Sentimento de dedicação absoluta de um ser a outro ser ou a uma coisa; devoção extrema: "Amor é um fogo que arde sem se ver" (Luís de Camões, *Rimas*, p. 135); "Vereis amor da pátria não movido / De prêmio vil, mas alto e quase eterno" (Id., *Os Lusíadas*, I, 10); *amor a uma causa.* **3.** Sentimento de afeto ditado por laços de família: *amor filial.* **4.** Sentimento terno ou ardente de uma pessoa por outra, e que engloba tb. atração física: "Tenho frio e ardo em febre! / O amor me acalma e endouda, o amor me eleva e abate!" (Olavo Bilac, *Poesias*, p. 124); *estar louco de amor; casamento de amor.* **5.** *P. ext.* Atração física e natural entre animais de sexos opostos: *Os pombos arrulhavam de amor.* **6.** Amor (4) passageiro e sem consequência; capricho: *Seu amor à prima não passou de fogo de palha.* **7.** Aventura amorosa; amores (3): *Aquele amor foi a desgraça do casal.* **8.** Adoração, veneração, culto: *amor a Deus.* **9.** Afeição, amizade, carinho, simpatia, ternura. **10.** Inclinação ou apego profundo a algum valor ou a alguma coisa que proporcione prazer; entusiasmo, paixão: *amor à verdade; amor à natureza; amor ao jogo.* **11.** Muito cuidado; zelo, carinho: *O artesão trabalhava com amor.* **12.** O objeto do amor (1 a 9). **13.** *Mit.* Cupido: "Não me parecia que Amor / pudesse tanto comigo / que donde entre por amigo / se levante por senhor." (Luís de Camões, *Rimas*, p. 69.) ~ V. *amores*. ◆ **Amor à primeira vista.** Amor súbito, ao primeiro encontro. **Amor carnal.** O que busca a satisfação sexual; amor físico. **Amor físico.** Amor carnal. **Amor livre.** O que repudia a consagração religiosa ou legal, representada pelo casamento. **Amor platônico.** Ligação amorosa sem aproximação sexual. **De mil amores.** *Bras.* De todo o gosto; com o maior prazer; com prazer: *Se me pedir algum favor, eu o farei de mil amores.* **Fazer amor.** Ter relações sexuais; copular: "tiraram as roupas e fizeram amor." (Moreira Campos, *Os Doze Parafusos*, p. 22). [Sin.: *fazer o amor* e (bras., N.E.) *fazer amorzinho*.] **Fazer o amor.** V. *fazer amor*: "Só quando trouxeram Vadinho do necrotério e o deixaram nu no leito de casal onde tantas e tantas vezes tinham feito o amor, ... encontrou-se sozinha com a morte do marido e se sentiu viúva." (Jorge Amado, *Dona Flor e Seus Dois Maridos*, p. 31.) **Mais amor e menos confiança.** Expressão us. para reprimir um abuso de intimidade: : "— Mais amor e menos confiança, seu doutor de uma figa. Devagar com a louça, que não é para os seus beiços." (Antônio Sales, *Aves de Arribação*, pp. 278-279.) **Morrer de amores por.** Nutrir grande admiração, simpatia ou paixão por, gostar muito de: "Ora, para o André, que morria de amores pelo silêncio, isto devia ser o ideal das palestras." (Aluísio Azevedo, *O Coruja*, p. 19.) [Mais us. na forma negativa.] **Pelo amor de Deus.** Por caridade; por compaixão. **Por amor à arte.** Desinteressadamente, gratuitamente. **Por amor de.** Por causa de; em atenção a: "Aceitar o destino que vier, / Por amor desta terra e desta gente." (Domingos Carvalho da Silva, *Liberdade embora tarde*, p. 51); "Por amor de um triste velho / Que ao termo fatal já chega, / Vós, guerreiros, concedestes / A vida a um prisioneiro." (Gonçalves Dias, *Obras Poéticas*, II, p. 29); "Falava muita gente, mas sem provas, que ele penava ali por amor de um crime encoberto" (Raquel de Queirós, *Crônicas Escolhidas*, p. 5). **Um amor.** *Fam.* **1.** Pessoa ou coisa muito linda; um amoreco, um sonho, uma graça, um encanto, uma coisa, um doce, um doce de coco, um negócio, um troço, uma uva: *A noiva está um amor.* **2.** Pessoa muito bondosa, ou muito simpática; uma coisa: "— Não é um amor este velhinho? — disse ela coçando o nariz do Senhor Mânlio." (José J. Veiga, *Os Pecados da Tribo*, p. 64.) [Cf. *um amor de*.] **Um amor de.** Loc. a que se segue um substantivo (pessoa ou coisa) referente ao sujeito da oração, ou que é, por vezes, o próprio sujeito, e que tem o mesmo sentido da locução anterior: *Elza é um amor de pessoa* (*i. e.*, é uma pessoa muito bonita e/ou muito bondosa); *A residência dele é um amor de casa; A criança é um amor de bebê.* [Cf. *um amor*.]

amora [De *a-*[5] + lat. vulg. *mora*.] ***S. f.*** **1.** Infrutescência da amoreira. **2.** *Bot.* V. *amoreira*.

amora-da-mata ***S. f. Bras. Bot.*** Árvore morácea (*Helicostylis tomentosa*) de casca rugosa, frutos agregados e comestíveis, e que vegeta desde a Amaz. até as matas litorâneas. [Pl.: *amoras-da-mata*.]

amorado [De *amora* + *-ado*[1].] ***Adj.*** Da cor da amora; morado. [Cf. *amurado*.]

amora-do-mato ***S. f. Bras. Bot.*** V. *pau-marfim* (1). [Pl.: *amoras-do-mato*.]

amor-agarradinho ***S. m. Bras. Bot.*** Trepadeira poligonácea (Antigonon leptopus), muito ornamental, com flores róseas ou brancas, oriunda do México; amor-em-penca, rosália. [Pl.: *amores-agarradinhos*.]

amoral [De *a-*[3] + *moral*.] ***Adj. 2 g.*** **1.** Que não é nem contrário nem conforme à moral: *Segundo Oscar Wilde, a arte não é moral nem imoral, mas amoral.* **2.** A que falta moral: *procedimento amoral.* **3.** Que não tem o senso da moral: *Muitos o consideram escritor amoral.* **4.** *Ét.* Que é privado de qualificação moral; que se situa fora da categoria (6), por não se referir a fato suscetível de julgamento normativo do ponto de vista do bem e do mal. **5.** *Ét.* Diz-se da conduta humana que, suscetível de qualificação moral, não se pauta, pelas regras morais vigentes em um dado tempo e lugar, seja por ignorância do indivíduo ou do grupo considerado, seja pela indiferença, expressa e fundamentada, aos valores morais. [Cf. (nas acepçs. 4 e 5) *moral* (1) e *imoral* (2).] • ***S. 2 g.*** **6.** Pessoa que não tem o senso da moral: *Revela-se em tudo um amoral.*

amoralidade [De *amoral* + *-(i)dade*.] ***S. f.*** Qualidade ou procedimento de amoral; amoralismo: "Em Capitu, há um fundo vertiginoso de amoralidade que atinge as raias da inocência animal." (Augusto Meyer, *Machado de Assis*, p. 148.) [Cf. *imoralidade*.]

amoralismo [De *amoral* + *-ismo*.] ***S. m.*** **1.** Amoralidade. **2.** *Ét.* Doutrina que nega a possibilidade de formulação de juízos morais, por não admitir possam ter fundamento objetivo universal necessário ao caráter normativo categórico (relativo ou absoluto) que essencialmente os qualifica. **3.** *Ét.* Estado do que é amoral (4). [Cf. *imoralismo*.]

amoralista [De *amoralismo* + *-ista*.] ***Adj. 2 g.*** **1.** Referente ao amoralismo. **2.** Que o pratica ou o segue. • ***S. 2 g.*** **3.** Praticante ou seguidor do amoralismo.

amoralizar [De *amoral* + *-izar*.] ***V. t. d.*** **1.** Privar de moral. **2.** Tornar amoral. ***P.*** **3.** Tornar-se amoral.

amora-preta ***S. f. Bras.*** Fruto da amoreira-preta (q. v.). [Pl.: *amoras-pretas*.]

amorar *Ant.* ***V. t. d.*** **1.** Fazer retirar; afugentar. **2.** Esconder, ocultar, sonegar. ***P.*** **3.** Retirar-se, fugir. **4.** Esconder-se, ocultar-se. [Pres. subj.: *amore, amores*, etc. Cf. *amores* (ô), pl. de *amor*, s. m., e *amurar*, v.]

amorativo [De **amorar* (< *amor* + *-ar*[2]) + *-tivo*.] ***Adj.*** Capaz de, ou próprio para amar.

amorável [De **amorar* (< *amor* + *-ar*[2]) + *-vel*.] ***Adj. 2 g.*** **1.** Que é propenso ao amor ou à amizade; terno, afável. **2.** Em que há amor (9); afetuoso, carinhoso: *procedimento amorável; gestos amoráveis.* **3.** Digno de ser amado; estimável, amável.

amora-vermelha [De *amora* + o f. de *vermelho*[1].] ***S. f. Bras. Bot.*** Arbusto rosáceo (*Rubus rosaefolius*) originário da Ásia tropical, e cujo fruto é drupáceo e comestível; framboesa. [Pl.: *amoras-vermelhas*.]

amor-caridade ***S. m. Ét.*** V. *caridade* (1). [Pl.: *amores-caridades* e *amores-caridade*.]

amorcegar [De *a-*[2] + *morcegar*.] ***V. t. d. Bras.*** Agarrar-se perigosamente em traseira de ônibus, carroceria de caminhão, pegando carona. [Cf. *morcegar* (2).]

amor-crescido ***S. m. Bras. Bot.*** Planta portulacácea (*Portulaca hirsutissima*) herbácea, originária do Brasil. [Pl.: *amores-crescidos*.]

amordaçamento [De *amordaçar* + *-mento*.] ***S. m.*** Ato ou efeito de amordaçar.

amordaçar [De *a-*[2] + *mordaça* + *-ar*[2].] ***V. t. d.*** **1.** Pôr mordaça em; açaimar. **2.** Impedir de falar, de opinar, de manifestar-se: *O suborno amordaçou a testemunha.* [Sin. ger.: *emordaçar*. Conjug.: v. *laçar*.]

amor-de-moça ***S. m. Bras. Bot.*** Erva asterácea (*Cosmos bipinnatus*) de flores róseas ou brancacentas, originária do México, e usada na medicina popular; cósmea, cosmos, beijo-de-moça. [Pl.: *amores-de-moça*.]

amor-de-negro ***S. m. Bras. Bot.*** Erva asterácea (*Bidens graveolens*) de caule lenhoso e glabro, folhas sésseis, e flores amarelas em capítulos paniculados; carrapicho-rasteiro. [Pl.: *amores-de-negro*.]

amor-de-vaqueiro ***S. m. Bot.*** Arbusto fabáceo (*Desmodium distortum*) perene, de folhas ásperas, e que constitui excelente forragem. [Pl.: *amores-de-vaqueiro*.]

amor-do-campo ***S. m. Bot.*** V. *amendoeirana* (1). [Pl.: *amores-do-campo*.]

amoré [Do tupi.] ***S. m. Bras. Zool.*** V. *amboré*.

amoreco [Dim. carinhoso de *amor*.] ***El. s. m.*** Us. na loc. *um amoreco*. ◆ **Um amoreco.** *Bras.* V. *um amor* (1).

amoré-guaçu [De *amoré* + *-guaçu*.] ***S. m. Bras. Zool.*** V. *amboré*. [Pl.: *amorés-guaçus*.]

amoreia (éi) [De *amoré*.] ***S. f. Bras. Zool.*** V. *amboré*. ❖

amoreira [De *amora* + *-eira*.] ***S. f.*** Árvore morácea (*Morus nigra*) de folhas cordiformes, denteadas, de que se nutre o bicho-da-seda, flores em amentilhos e frutos roxos, quando maduros, muito apreciados ao natural e em geleias. [Sin.: *amora, amoreira-preta*.]

amoreira-branca [De *amoreira* + o f. de *branco*.] ***S. f. Bot.*** Árvore morácea (*Morus alba*) originária da China, de madeira útil e fruto comestível, saboroso, do qual se extrai álcool e com que se faz bebida vinosa, xaropes e geleias. [Pl.: *amoreiras-brancas*.]

amoreira-de-espinho ***S. f. Bras. Bot.*** V. *moreira* (2). [Pl.: *amoreiras-de-espinho*.]

amoreiral [De *amoreira* + *-al*[1].] ***S. m.*** Quantidade mais ou menos considerável de amoreiras dispostas proximamente entre si.

amoreira-preta [De *amoreira* + o f. de *preto*.] ***S. f. Bras. Bot.*** V. *amoreira*. [Pl.: *amoreiras-pretas*.]

amoreirense ***Adj. 2 g.*** **1.** De, ou pertencente ou relativo a São Sebastião da Amoreira (PR). • ***S. 2 g.*** **2.** O natural ou habitante de São Sebastião da Amoreira.

amor-em-penca ***S. m. Bras. Bot.*** V. *amor-agarradinho*. [Pl.: *amores-em-penca*.]

amorenado[1] [De *a-*[2] + *moreno* + *-ado*[1].] ***Adj.*** Tirante a moreno; um tanto moreno.

amorenado[2] [Part. de *amorenar*.] ***Adj.*** Tornado moreno.

amorenar [De *a-*^{2} + *moreno* + *-ar*^{2}.] *V. t. d. P.* Tornar(-se) moreno: "Mitavaí mandou que fossem tomar banho, e eles foram mentir na praia e amorenar a pele." (M. Cavalcanti Proença, *Manuscrito Holandês*, p. 221); *Com o sol da praia, amorenou-se.*

amorepinima (è) [De *amoré* + tupi = 'pintado'.] *S. m. Bras. Zool.* V. *amborepinima*.

amorepixuna (è) [De *amoré* + tupi = 'preto'.] *S. m. Bras. Zool.* Peixe teleósteo, perciforme, gobiídeo (*Cobius pisonis*), do Atlântico, que tem a nadadeira ventral em forma de ventosa, com que se agarra às pedras, e cujo corpo é revestido de mucilagem; amborepixuna.

amores (ô) [Pl. de *amor*.] *S. m. pl.* **1.** Namoro: *amores de infância*. **2.** O objeto amado; amor: *Maria, meus amores daquela época.* **3.** Relações amorosas: "Meneses trazia amores com uma senhora, separada do marido" (Machado de Assis, *Páginas Recolhidas*, p. 78). **4.** *Mit.* Divindades subordinadas a Vênus e Cupido [v. *amor* (13)]. [Cf. *amores*, do v. *amorar*.] ~ V. *amor*. ◆ **Lindo como os amores.** Lindíssimo, belíssimo: "Tudo ia bem: a filha estava linda como os amores." (Machado de Assis, *Memórias Póstumas de Brás Cubas*, pp. 217-218.) [Us. geralmente só em relação a pessoas.] **Matar de amores.** Inspirar grande paixão a. **Morrer de amores por.** Ter grande estima, afeição ou paixão por; ansiar: *Morria de amores pelo primo.* **Não morrer de amores por.** Gostar pouco, ou nada (de alguém ou alguma coisa): *Não morre de amores pela prima; Não morre de amores pelo uísque.*

amores-de-negro *S. m. 2 n. Bras. Bot.* V. *espinho-de-carneiro*.

amores-do-campo-sujo *S. m. 2 n. Bras. Bot.* V. *carrapicho* (3).

amorfa [Do tax. *Amorpha* (do gr. *ámorphos, os, on*, 'sem forma').] *S. f. Bot.* **1.** Gênero de arbustos e ervas fabáceos, dotados de folhas imparipenadas e de flores espiciformes, purpúreas, com corola reduzida a uma só pétala. **2.** Qualquer espécie desse gênero, como, p. ex., a *Amorpha fruticosa*, nativa do L. dos E.U.A. **3.** Qualquer espécime desse gênero.

amorfanhar *V. t. d.* V. *amarfanhar*.

amor-febril *El. s. m.* Us. na loc. *no amor-febril*. ◆ **No amor-febril.** *Bras. N.E. Pop.* A pé; à pata: *ir, andar no amor-febril.*

amorfia [Do gr. *amorphía*.] *S. f.* Ausência de forma determinada.

amórfico [De *amorfia* + *-ico*^{2}.] *Adj.* Em que há amorfia.

amorfo [Do gr. *ámorphos*.] *Adj.* **1.** Sem forma definida; informe. **2.** Diz-se de indivíduo sem caráter definido ou sem opinião própria ou sem energia: *É um ser amorfo: nunca toma partido em nada.* **3.** *Fís.-Quím.* Diz-se de um estado de agregação inteiramente isotrópico. **4.** *Min.* Diz-se de mineral que não apresenta estrutura cristalina.

amorfófito [De *amorfo* + *-fito*] *Adj. Bot.* Diz-se de planta sem forma definida.

amorico [De *amor* + *-ico*^{1}.] *S. m.* Amor ligeiro; namorico.

amorífero [Do lat. *amoriferu*.] *Adj.* Que encerra ou provoca amor.

amorim *Adj.* V. *amerim*.

amorinopolense *Adj. 2 g.* **1.** De, ou pertencente ou relativo a Amorinópolis (GO). ● *S. 2 g.* **2.** O natural ou habitante de Amorinópolis.

amoriscado *Adj.* Próprio de namorado (4). [Cf. *amouriscado*.]

amoriscar-se *V. p.* Tomar-se de amores; enamorar-se. [Cf. *amouriscar*. Conjug.: v. *trancar*.]

amorita [Do lat. *amorite*.] *S. 2 g.* **1.** Indivíduo dos amoritas, povos semitas que habitavam a região da Palestina, Síria e Mesopotâmia, nos III e II milênios da era cristã. ● *S. m.* **2.** *Gloss.* Língua semítica [v. *semítico* (3)], atualmente extinta, que era falada na região que corresponde ao atual N. da Síria entre c. 2000 e 1500 a.C. ● *Adj. 2 g.* **3.** De, referente ou pertencente a esses povos, ou a essa língua.

amormado [De *a-*^{2} + *mormo* + *-ado*^{1}.] *Adj.* **1.** Doente de mormo. **2.** *P. ext.* Adoentado, achacado.

amornado [Part. de *amornar*.] *Adj.* Tornado morno, tépido; levemente aquecido.

amornar [De *a-*^{2} + *morno* + *-ar*^{2}.] *V. t. d.* **1.** Tornar morno, tépido; aquecer levemente. *Int.* **2.** Pôr-se morno: *A água amornou.* [Sin. ger.: *mornar, amornecer*.]

amornecer [De *a-*^{2} + *morno* + *-ecer*.] *V. t. d. Int.* V. *amornar*. [Conjug.: v. *aquecer*.]

amorosa [F. subst. do adj. *amoroso*.] *S. f.* **1.** *Ant. Mús.* Peça para instrumentos de cordas com temas melodiosos ou sentimentais. **2.** *Bras.* Indisposição para o trabalho; preguiça, lomba.

amorosidade [De *amoroso* + *-(i)dade*.] *S. f.* Qualidade de amoroso.

amoroso (ô) [Do lat. *amorosu*.] *Adj.* **1.** Que tem ou sente amor, ou é propenso ao amor: *mulher amorosa.* **2.** Em que há, ou que denota amor: *olhares amorosos.* **3.** De, ou relativo ao amor, a coisas de amor: *ligação amorosa; correspondência amorosa.* **4.** Carinhoso, terno, meigo: *mãe amorosa.* ~ V. *triângulo* —. ● *S. m.* **5.** Aquele que tem ou sente amor; aquele que está apaixonado: *Sua beleza atraía multidão de amorosos.*

amor-perfeito *S. m. Bot.* Erva violácea (*Viola tricolor*) de folhas ovais, flores amarelas, brancas, roxas ou variegadas, e fruto capsular trígono. É calcífuga, e tem propriedades depurativas, antirreumáticas, expectorantes, e outras, sendo tb. cultivada como ornamental. [Sin.: *amor-perfeito-bravo* e (lus.) *erva-da-trindade*. Pl.: *amores-perfeitos*.]

amor-perfeito-bravo *S. m. Bot.* V. *amor-perfeito*. [Pl.: *amores-perfeitos-bravos*.]

amor-perfeito-da-china [De *amor* + *perfeito* + *da*^{1} + o top. *China*.] *S. m. Bot.* Planta escrofulariácea (*Torenia fournieri*) ornamental, nativa da Ásia. [Pl.: *amores-perfeitos-da-china*.]

amor-perfeito-do-mato *S. m. Bras. Bot.* Nome comum a várias orquidáceas epífitas do gênero *Miltonia* (v. *miltônia*). [Pl.: *amores-perfeitos-do-mato*.]

amor-próprio *S. m.* **1.** *Ét.* Sentimento de dignidade pessoal e de suas exigências morais e sociais. **2.** *P. ext.* Orgulho, vaidade, brio: *Não quero ferir-lhe o amor-próprio.* [Pl., na acepç. 2: *amores-próprios*.]

amorreado [De *a-*^{2} + *morro* + *-eado*.] *Adj.* Que tem muitos morros ou uma série de elevações arredondadas.

amorrinhar-se [De *a-*^{2} + *morrinha* + *-ar*^{2} + *se*^{1}.] *V. p.* **1.** Adoecer de morrinha (1 a 4). **2.** Enfraquecer(-se); alquebrar(-se), morrinhar.

amor-seco (ê) *S. m. Bras. Bot.* Árvore euforbiácea (*Alchornea glandulosa*) de até 8 m, casca lisa, grandes folhas oblongas, e flores dispostas em espigas paniculadas; fornece madeira clara, porosa e leve. [Pl.: *amores-secos*.]

amorsegar [De *a-*^{2} + *morsegar*.] *V. t. d.* V. *morsegar*. [Conjug.: v. *regar*.]

amortalhadeira [De *amortalhar* + *-deira*.] *S. f.* Mulher que tem por ofício amortalhar defuntos.

amortalhado [Part. de *amortalhar*.] *Adj.* **1.** Envolvido em mortalha. **2.** *Fig.* Vestido com a simplicidade e desprendimento de quem morreu para as coisas do mundo. **3.** *P. ext.* Envolvido, coberto.

amortalhador (ô) [De *amortalhar* + *-dor*.] *Adj. S. m.* Que, ou aquele que amortalha. [Fem.: *amortalhadeira*.]

amortalhamento [De *amortalhar* + *-mento*.] *S. m.* Ato ou efeito de amortalhar(-se).

amortalhar [De *a-*^{2} + *mortalha* + *-ar*^{2}.] *V. t. d.* **1.** Envolver em mortalha. **2.** Envolver, ou como que envolver, à maneira de mortalha; entristecer: *Um manto de neve amortalhava a natureza;* "Um horror grande e mudo, um silêncio profundo / No dia do Pecado amortalhava o mundo." (Olavo Bilac, *Poesias*, p. 172). **3.** Destruir, aniquilar; matar: *O luto e a tristeza não amortalharam seu altruísmo.* *T. d. e i.* **4.** Cobrir com algo semelhante a mortalha: *Amortalharam os santos com panos roxos.* **5.** Vestir como para mostrar que morreu para o mundo: *Amortalharam a jovem num hábito de freira.* *P.* **6.** Vestir-se como quem morreu para o mundo: *Amortalhou-se num hábito de monge.*

amortecedor (ô) [De *amortecer* + *-dor*.] *Adj.* **1.** Que amortece, afrouxa, abranda. **2.** Que abafa (o som); abafador. ~ V. *bloco* —. ● *S. m.* **3.** Aquilo que amortece, afrouxa ou abranda. **4.** *Mec.* Qualquer dispositivo que impede ou abranda os choques ou a trepidação de veículos, máquinas, instrumentos, etc. **5.** *Aer.* Mecanismo do trem de aterragem e da bequilha, que, quando as rodas do avião tocam o solo, evita saltos e amortece os choques. **6.** *Autom.* Peça que se adapta ao sistema de suspensão para amortecer as oscilações das molas. **7.** *Tip.* Placa que tem a forma da matriz da linotipo e que, levada pelo dedo do impulsor, empurra a linha do prisma do guindaste para a caixa seletora.

amortecer [De *a-*^{2} + *morto* + *-ecer*.] *V. t. d.* **1.** Tornar como morto: *Sofria de sufocações que o amorteciam.* **2.** Fazer perder a força; diminuir de ímpeto: *Amorteceu a pancada protegendo-se com um travesseiro.* **3.** Enfraquecer, abrandar; diminuir: *Amorteceu o fogo, abafando-o; Amorteceu o som.* **4.** Acalmar, moderar (sentimentos). **5.** Entorpecer, adormecer: *A má posição amorteceu-lhe os membros.* **6.** *Fut.* Reduzir o ímpeto de (a bola); amaciar, matar. *Int.* **7.** Diminuir de intensidade; abrandar: *A luz do Sol amortecia no poente.* **8.** Perder grande parte da força ou do impulso: *O projetil amorteceu antes de atingir o soldado.* **9.** Enfraquecer, diminuir, abrandar, afrouxar: *Já noite alta, o burburinho amorteceu.* *P.* **10.** Tornar-se como morto. **11.** Perder a força; desfalecer, desmaiar. **12.** Entorpecer-se; adormecer. **13.** Diminuir de intensidade; enfraquecer, abrandar. [Sin. ger.: *emortecer*. Conjug.: v. *aquecer*.]

amortecido [Part. de *amortecer*.] *Adj.* **1.** Que tem aparência de morte: *corpo amortecido.* **2.** Quase morto; moribundo. **3.** Sem vigor ou intensidade; enfraquecido: *som amortecido; golpe amortecido.* **4.** Quase extinto; mortiço: *farol amortecido; fogo amortecido.* **5.** Dormente, entorpecido: *Acordou com os pés amortecidos.* **6.** Baço, fosco, mortiço: *olhar amortecido; luz amortecida.* **7.** *Fig.* Abrandado, diminuído: *a dor amortecida pelo tempo.*

amortecimento [De *amortecer* + *-imento*.] *S. m.* **1.** Ato ou efeito de amortecer(-se). **2.** Enfraquecimento; esmorecimento; diminuição. **3.** Dormência, entorpecimento. **4.** *Fís.* Diminuição da amplitude de um movimento vibratório por um processo dissipativo de energia.

amortiçado [Part. de *amortiçar*.] *Adj.* **1.** Que é ou se tornou mortiço: "— Matar-me! — disse com veemência Lopo, deixando cair os braços, e descendo ao chão os olhos amortiçados." (Camilo Castelo Branco, *A Queda dum Anjo*, p. 236.) **2.** Apagado, extinto.

amortiçar [De *a-*^{2} + *mortiço* + *-ar*^{2}.] *V. t. d. P.* **1.** Tornar(-se) mortiço. **2.** Apagar(-se), extinguir(-se). [Conjug.: v. *laçar*.]

amortização [De *amortizar* + *-ção*.] *S. f.* **1.** Ato de amortizar. **2.** Cada uma das parcelas das dívidas amortizáveis. ◆ **Amortização de ações.** *Jur.* Distribuição aos acionistas, a título de antecipação e sem redução do capital social, de quantias que lhes poderiam tocar em caso de liquidação da companhia.

amortizador (ô) [De *amortizar* + *-dor*.] *Adj. S. m.* Que, aquele ou aquilo que amortiza.

amortizante [De *amortizar* + *-nte*.] *Adj. 2 g.* Que amortiza.

amortizar [De *a-*^{2} + *morte* + *-izar*.] *V. t. d.* **1.** Passar (bens, haveres, etc.) para corporações de bens de mão-morta (v. *bens de mão-morta*). **2.** Extinguir (dívida) aos poucos ou em prestações. **3.** Abater (parte de uma dívida), efetuando o pagamento correspondente: *Amortizou metade da sua dívida bancária.*

amortizável [De *amortizar* + *-vel*.] *Adj. 2 g.* Que se pode amortizar.

amorudo [De *amor* + *-udo*.] *Adj. Pop.* Muito dado ao amor; apaixonadiço.

amorzinho *S. m.* Dim. de *amor*. Us. na loc. *fazer amorzinho*. ◆ **Fazer amorzinho.** *Bras. N.E.* V. *fazer amor*.

amossar [De *a-*^{2} + *mossa* + *-ar*^{2}.] *V. t. d.* Fazer mossas em.

amossegar [De *a-*^{4} + *mossegar*.] *V. t. d.* V. *mossegar*. [Conjug.: v. *laçar*.]

amostado [De *a-*^{2} + *mosto* + *-ado*^{1}.] *Adj.* Que sabe a mosto (1 e 2).

amostardado [De *a-*^{2} + *mostarda* + *-ado*^{1}.] *Adj.* **1.** Temperado com mostarda. **2.** *Fig.* Picante, mordaz.

amostra [Dev. de *amostrar*.] *S. f.* **1.** Ato ou efeito de amostrar. **2.** Porção, fragmento ou unidade de um produto natural ou fabricado destituído de valor comercial, e apresentado para demonstrar sua natureza, qualidade ou tipo: *amostra grátis; amostra de trigo, de aço, de azulejo.* **3.** Pedaço pequeno de mercadoria, apresentado ao freguês para dar uma ideia do todo: *amostra de tecido, de papel de parede.* **4.** Espécime notável; modelo, padrão: *Essa artista é uma amostra da beleza sueca.* **5.** Mostra, exteriorização, demonstração: *Isso é uma amostra de sua habilidade, de seu talento.* **6.** Fragmento ou exemplar representativo de alguma coisa: *Esse trecho é uma amostra do estilo de Guimarães Rosa.* **7.** Sinal, indício: *amostra de medo, de indignação.* **8.** *Estat.* Subconjunto de uma população por meio do qual se estabelecem ou estimam as propriedades e características dessa população. **9.** *Mús. Concr.* Um prelevantamento (q. v.) de qualquer largura temporal, na qual não se distingue nenhum centro de interesse bem definido. ◆ **Amostra acidental.** *Estat.* A que foi obtida por um processo de amostragem acidental; amostra casual, amostra randômica. **Amostra casual.** *Estat.* V. *amostra acidental*. **Amostra indeformada.** *Constr.* Amostra de solo obtida de tal modo que se podem considerar como subsistentes nela todas as características que se verificam no local de onde foi extraída. **Amostra pequena.** *Estat.* Amostra que tem um número de elementos insuficientes para permitir fazer uma estimativa não viciada dos parâmetros da população. **Amostra randômica.** *Estat.* V. *amostra acidental*. **Amostra representativa.** *Estat.* A que foi obtida por um processo isento de vício.

amostradiço *Adj.* Que se amostra muito.

amostrador (ô) [De *amostrar* + *-dor*.] *S. m. Constr.* Aparelho destinado a extrair dos solos amostras indeformadas.

amostragem [De *amostrar* + *-agem*^{2}.] *S. f.* **1.** Ato ou processo de seleção de amostra (2) para ser analisada como representante de um todo. **2.** *Estat.* Ato ou processo de seleção e escolha dos elementos de uma população para constituir uma amostra.

◆ **Amostragem acidental.** *Estat.* A que se realiza segundo uma lei probabilística e leva à formação de uma amostra acidental; amostragem casual, amostragem randômica. **Amostragem casual.** *Estat.* V. *amostragem acidental.* **Amostragem estratificada.** *Estat.* Aquela em que a população é dividida em estratos e são extraídos elementos de todos eles para fazer parte da amostra. **Amostragem forçada.** *Prom. Vend.* Atividade promocional que visa a levar consumidores a comprarem e experimentarem um novo produto, mediante o oferecimento de vantagens especiais. **Amostragem intencional.** *Estat.* Técnica de amostragem não probabilística na qual o pesquisador adota um critério que possibilite a determinação de uma amostra satisfatória para as necessidades da pesquisa. **Amostragem não probabilística.** *Estat.* Aquela em que nem todos os elementos da população têm probabilidade conhecida, e diferente de zero, de pertencer à amostra. **Amostragem por conglomerados.** *Estat.* Aquela em que a população é subdividida em várias subpopulações (conglomerados) e a amostra será composta por algumas delas. **Amostragem por conveniência.** *Estat.* Técnica de amostragem não probabilística na qual a amostra é selecionada de acordo com a conveniência do pesquisador. **Amostragem por quotas.** *Estat.* Tipo de amostragem intencional em que se levam em consideração algumas características da população. **Amostragem randômica.** *Estat.* V. *amostragem acidental.* **Amostragem simples.** *Estat.* Aquela em que a probabilidade de escolha de um membro da população para participar da amostra é igual para todos os membros em todas as escolhas. **Amostragem sistemática.** *Estat.* Simplificação da amostragem simples, que deve ser usada quando os elementos da população se encontram ordenados.

amostral [De *amostra* + *-al*[1].] *Adj. 2 g.* De, ou relativo a amostra. ~ V. *distribuição — e espaço —.*

amostrar [De *a-*[4] + *mostrar.*] *V. t. d.* **1.** V. *mostrar* (1 a 6): "a manga arregaçada / Até à doce curva, o braço amostra / delicioso e nu" (Machado de Assis, *Outras Relíquias*, p. 128). **2.** *Estat.* Extrair uma amostra de (uma população). *T. d. e i.* **3.** V. *mostrar* (7 a 11): "Então é que o senso íntimo amostra ao coração a sua ignomínia e miséria." (Camilo Castelo Branco, *Amor de Salvação*, p. 7.) *P.* **4.** V. *mostrar* (12 a 15).

amostra-tipo [De *amostra* + *tipo.*] *S. f. Com.* Pequena porção de gênero devidamente classificada segundo os seus caracteres qualitativos. [Pl.: *amostras-tipos* e *amostras-tipo.*]

amostrinha [De *amostra* + *-inha.*] *S. f. Bras.* V. *rapé.*

amota [De *a-*[5] + *mota*[1].] *S. f.* V. *mota*[1].

amotar [De *a-*[2] + *mota*[1] + *-ar*[2].] *V. t. d.* **1.** Cobrir de mota[1] o pé de (planta). **2.** Fazer aterro em (margem de rio) para proteger de inundação as terras próximas.

amotinação [De *amotinar* + *-ção.*] *S. f.* **1.** Ato ou efeito de amotinar(-se); amotinamento. **2.** Perturbação da ordem constituída; agitação. **3.** V. *motim* (1 a 3). [F. paral.: *motinação.*]

amotinado [Part. de *amotinar.*] *Adj. S. m.* Que, ou aquele que se amotinou; rebelde, revoltoso, insurreto.

amotinador (ô) [De *amotinar* + *-dor.*] *Adj. S. m.* Que, ou aquele que amotina.

amotinamento [De *amotinar* + *-mento.*] *S. m.* V. *amotinação* (1).

amotinar [De *a-*[2] + *motim* + *-ar*[2].] *V. t. d.* **1.** Levantar em motim; sublevar, revoltar. **2.** Perturbar; alvoroçar, alvorotar. *P.* **3.** Sublevar-se, insurgir-se, revoltar-se: "as tribos inimigas / Adunam-se, amotinam-se os guerreiros" (Gonçalves Dias, *Obras Poéticas*, II, p. 252). **4.** Agitar-se, alvoroçar-se. [F. paral.: *motinar.*]

amotinável [De *amotinar* + *-vel.*] *Adj. 2 g.* Propenso a amotinar-se.

amoucado[1] [De *a-*[2] + *mouco* + *-ado*[1].] *Adj.* Um tanto mouco.

amoucado[2] [Part. de *amoucar*[1].] *Adj.* Tornado mouco; surdo.

amoucar [De *amouco* + *-ar*[2].] *V. t. d.* **1.** Lisonjear servilmente (os superiores). *P.* **2.** Submeter-se à vontade dos superiores; humilhar-se. **3.** Enfurecer-se; desesperar-se. [Conjug.: v. *trancar.*]

amoucar-se [De *a-*[2] + *mouco*[1] + *-ar*[2].] *V. p.* Tornar-se mouco; ensurdecer. [Conjug. v. *trancar.*]

amouco[1] [Do mal. *amoq.*] *S. m.* **1.** Homem que, na Índia, jura morrer pelo seu chefe. **2.** Indivíduo servil, que bajula e defende sistematicamente os seus superiores. **3.** *P. ext.* Indivíduo apaixonado, fanático, na defesa das suas opiniões, das suas admirações: "A conclusão, hábil e de rara profundidade dum elevado espírito [o de Eça de Queirós] que acha — embora tarde — o seu verdadeiro caminho, é digna de citar-se, até porque nos justifica plenamente contra os amoucos e os ingênuos que nos acoimaram de facciosos." (José Agostinho, *Eça de Queirós*, pp. 167-168.) **4.** Estado ou condição daquele que está possuído de furor homicida. ● *Adj.* **5.** Votado à morte. **6.** Possuído de furor homicida.

amouco[2] [De *a-*[4] + *mouco.*] *Adj.* V. *mouco.*

amouriscado [De *a-*[2] + *mourisco* + *-ado*[1].] *Adj.* **1.** À maneira dos mouros: *estilo amouriscado.* **2.** Semelhante a mouro: *cavaleiro amouriscado.* **3.** Diz-se do telhado em que cada fiada de telhas é segura de um e outro lado com argamassa. [Var.: *amoiriscado.* Cf. *amoriscado.*]

amouriscar [De *a-*[2] + *mourisco* + *-ar*[2].] *V. t. d.* Dar feição mourisca a. [Var.: *amoiriscar.* Cf. *amoriscar-se.* Conjug.: v. *trancar.*]

amouxar *V. t. d. Bras. MG SP MT* **1.** Guardar ou entesourar avaramente. **2.** Esconder, ocultar (os bens) das vistas alheias. [Cf. *amochar-se.*]

amouxo [Dev. de *amouxar.*] *S. m. Bras. MG SP MT* Ato ou efeito de amouxar.

amover [Do lat. *amovere.*] *V. t. d. T. i.* **1.** Afastar; apartar; desviar. **2.** Privar; desapossar.

amovibilidade [De *amovível* + *-(i)dade*, seg. o padrão erudito.] *S. f.* Qualidade ou caráter de amovível.

amovível [De *amover* + *-ível.*] *Adj. 2 g.* **1.** Capaz de mover-se ou de ser removido. **2.** Suscetível de remoção, de transferência: *funcionário amovível.* **3.** Não vitalício; transitório: *cargo amovível.*

amoxamar [De *a-*[2] + *moxama* + *-ar*[2].] *V. t. d.* **1.** Secar como moxama. **2.** Tornar semelhante a moxama. *P.* **3.** Tornar-se magro, seco, como moxama.

amoxicilina (cs) [Voc. farmac.] *S. f. Quím.* Substância antibiótica, produzida por síntese parcial e us. terapeuticamente; amoxilina [fórm.: $C_{16}H_{19}N_3O_5S$].

amoxilina (cs) [Voc. farmac.] *S. f. Quím.* Amoxicilina.

■ **AMP** [Ingl., sigla de *adenosine monophosphate.*] *Bioquím.* V. *ácido adenílico.*

amparado [Part. de *amparar.*] *Adj.* **1.** Apoiado, esteado, escorado. **2.** *Fig.* Diz-se de quem, não tendo meios para sustentar-se, desfruta de amparo: *Ao morrer deixou os órfãos amparados.*

amparador (ô) [De *amparar* + *-dor.*] *Adj. S. m.* Que, ou aquele que ampara.

amparar [Do lat. *anteparare*, 'prevenir de antemão'; 'pôr algo à frente para proteger'.] *V. t. d.* **1.** Dar, ou servir de amparo a; escorar: *Amparou-a nos braços ao ver que desfalecia.* **2.** Proteger; favorecer: *Tratou de amparar a filha enquanto durasse aquela situação difícil.* **3.** Dar meios de vida a; sustentar: *Com a morte dos pais, não há quem ampare as crianças.* *T. d. e i.* **4.** Suster para impedir de cair; estear, escorar. **5.** Resguardar, defender: *Procurei ampará-lo do perigo; O chapelão amparava-o contra o sol.* *P.* **6.** Agarrar-se a alguma coisa para não cair; escorar-se, apoiar-se: *Sentindo-se fraco, amparou-se contra o muro;* "Estava de joelhos sobre a cama, amparando-se no pescoço do sacerdote, cujas forças não sustinham já o estertor convulsivo da agonizante." (Camilo Castelo Branco, *Livro Negro de Padre Dinis*, p. 215). **7.** Abrigar-se, refugiar-se; defender-se, resguardar-se: *Tão intenso era o calor que os viajantes necessitaram amparar-se.*

amparense[1] *Adj. 2 g.* **1.** De, ou pertencente ou relativo a Amparo (SP). ● *S. 2 g.* **2.** O natural ou habitante de Amparo.

amparense[2] *Adj. 2 g.* **1.** De, ou pertencente ou relativo a Amparo de São Francisco (SE). ● *S. 2 g.* **2.** O natural ou habitante de Amparo de São Francisco.

amparense[3] *Adj. 2 g.* **1.** De, ou pertencente ou relativo a Nossa Senhora do Amparo (RJ). ● *S. 2 g.* **2.** O natural ou habitante de Nossa Senhora do Amparo.

amparense[4] *Adj. 2 g.* **1.** De, ou pertencente ou relativo a Ribeira do Amparo (BA). ● *S. 2 g.* **2.** O natural ou habitante de Ribeira do Amparo.

amparense[5] *Adj. 2 g.* **1.** De, ou pertencente ou relativo a Santo Antônio do Amparo (MG). ● *S. 2 g.* **2.** O natural ou habitante de Santo Antônio do Amparo.

amparo[1] [Dev. de *amparar.*] *S. m.* **1.** Ação ou efeito de amparar. **2.** Pessoa ou coisa que ampara; escora, esteio, arrimo: *O avô era o amparo da família; As paredes da catedral eram sustentadas pelo amparo dos arcobotantes.* **3.** Auxílio, ajuda, socorro: *amparo aos necessitados.* **4.** Refúgio, abrigo: *Procuraram um amparo contra a tempestade.*

amparo[2] [Do ior.] *S. m. Bras. Rel.* Chicote de três pernas, atributo (2) de Ibualama (Oxoce) e por vezes de Logunedê.

ampelina [De *ampel(ito)* + *-ina*[3].] *S. f.* Substância graxa resultante da destilação de alguns xistos betuminosos, e que, por seu aspecto límpido, se assemelha ao creosoto.

ampelito [Do gr. *ampelitis, i. e., gê ampelitis*, 'terra de vinha'.] *S. m. Min.* Variedade de ardósia friável impregnada de carbono, que era usada em pulverizações para destruir insetos nocivos à vinha.

▲ **ampelo-** [Do gr. *ámpelos, ou.*] *El. comp.* = 'vinha', 'uva': *ampelologia, ampelógrafo.*

ampelografia [De *ampelo-* + *-grafia.*] *S. f.* Parte da botânica em que se estuda a videira.

ampelográfico [De *ampelografia* + *-ico*[2].] *Adj.* Referente à ampelografia.

ampelógrafo [De *ampelo-* + *-grafo.*] *S. m.* Especialista em ampelografia.

ampelologia [De *ampelo-* + *-logia.*] *S. f.* Conjunto de teorias ou estudos respeitantes à cultura e ao tratamento da vinha.

ampelológico [De *ampelologia* + *-ico*[2].] *Adj.* Relativo à ampelologia.

amperagem [De *ampère* + *-agem*[2].] *S. f. Eletr.* Intensidade duma corrente elétrica, medida em *ampères.*

ampère [V.C.I, do antr. (*André-Marie*) *Ampère* (1775-1836), físico francês.] *S. m. Eletr.* Unidade de medida de intensidade de corrente elétrica no Sistema Internacional: intensidade de uma corrente elétrica invariável que, mantida em dois condutores paralelos, retilíneos, de comprimento infinito e de área de secção transversal insignificante, e situados no vácuo a um metro de distância um do outro, produz entre estes condutores uma força de 2×10^{-7} newtons por m de comprimento dos condutores [símb.: *A*]. ◆ **Ampère absoluto.** *Eletr.* Unidade de medida de intensidade de corrente elétrica, adotada como unidade fundamental no Sistema Internacional. **Ampère internacional.** *Eletr.* Unidade de medida de intensidade de corrente elétrica: intensidade duma corrente elétrica constante que, passando através de um voltâmetro que contém uma solução aquosa de nitrato de prata, deposita eletroliticamente 0,001118 grama de prata por segundo. Um *ampère* internacional é igual a 0,99985 *ampère* do Sistema Internacional.

ampère-espira *S. m. Eletr.* Unidade de força magnetomotriz no Sistema Internacional: força magnetomotriz de um circuito constituído por uma só espira na qual circula uma corrente elétrica de intensidade invariável igual a um *ampère* [símb.: *Ae*]. [Pl.: *ampères-espiras* e *ampères-espira.*] ◆ **Ampère-espira por weber.** *Eletr.* Unidade de medida de relutância no Sistema Internacional de Pesos e Medidas, igual à relutância de um meio homogêneo e isotrópico tal que uma força magnetomotriz invariável de um *ampère*-espira produz um fluxo de indução magnética uniforme de um weber [símb.: *Ae/Wb*]. [Pl.: *ampères-espiras* e *ampères-espira.*]

ampère-hora *S. m. Eletr.* Quantidade de carga elétrica que circula em uma hora num condutor percorrido por uma corrente elétrica de intensidade invariável igual a um *ampère*, e que é igual a 3.600 *coulombs* [símb.: *A.h.*]. [Pl.: ampères-*horas* e ampères-*hora.*]

amperense *Adj. 2 g.* **1.** De, ou pertencente ou relativo a Ampère (PR). ● *S. 2 g.* **2.** O natural ou habitante de Ampère.

▲ **amper(i)-** [De *ampère* + *-i-.*] *El. comp.* = 'ampère': *amperimetria, amperímetro.* [Equiv.: *ampero-*: *amperometria, amperômetro.*]

amperimetria [De *amper(i)-* + *-metria.*] *S. f. Fís.-Quím.* Conjunto de técnicas de análise quantitativa baseadas na medida da intensidade de uma corrente elétrica que, em condições controladas, atravessa uma solução. [F. paral.: *amperometria.*]

amperímetro [De *amper(i)-* + *-metro.*] *S. m. Eletr.* Instrumento utilizado para medir a intensidade de uma corrente elétrica. [F. paral.: *amperômetro.*]

▲ **ampero-** [De *ampère* + *-o-.*] Equiv. de *amper(i)-.*

amperometria [De *ampero-* + *-metria.*] *S. f. Fís.-Quím.* V. *amperimetria.*

amperômetro *S. m. Eletr.* V. *amperômetro.* [Uso freq. em P.]

ampérômetro [De *ampero-* + *-metro.*] *S. m. Eletr.* V. *amperímetro.*

➔ **ampersand** ['æmpərsænd] [Ingl., alter. de *and per se and*, 'e + lat. *per se* (= *por si*) + *e*'.] *S. m.* Sinal gráfico (&) que representa a conj. *e*, a qual une um substantivo ou uma locução a outro(a), como, p. ex., em *Silva & Cia.*, por *Silva* (e por si) e *Companhia.*

ampicilina [Voc. farmac.] *S. f. Quím.* Antibiótico semissintético relacionado à penicilina [fórm.: $C_{16}H_{19}N_3O_4S$].

ampletivo [Do lat. *amplecti*, 'abraçar', + *-ivo.*] *Adj. Bot.* Diz-se de órgão vegetal que abraça ou enlaça outro. [Aplica-se às folhas que, estando dobradas ou enroladas, se enlaçam entre si.]

▲ **amplexi-** (cs) [Do lat. *amplexus, a, um.*] *El. comp.* = 'abraçado': *amplexicaule, amplexifoliado, amplexifólio, amplexifloro.*

amplexicaule (cs) [De *amplexi-* + *-caule.*] *Adj. 2 g. Bot.* Que abraça ou envolve o caule ou o ramo. ~ V. *folha —.*

amplexifloro (cs) [De *amplexi-* + *-floro.*] *Adj. Bot.* Diz-se de brácteas que envolvem as flores, como nas asteráceas.

amplexifoliado (cs) [De *amplexi-* + *-foli-* + *-ado*[1].] *Adj. Bot.* Amplexifólio.

amplexifólio (cs) [De *amplexi-* + *-fólio.*] *Adj. Bot.* Diz-se das plantas que têm folhas amplexicaules; amplexifoliado.

amplexo (cs) [Do lat. *amplexu.*] *S. m.* Abraço (1): "O fogueteiro é abraçado pelo juiz da festa, ele mesmo o abraça também num amplexo hercúleo" (Ramalho Ortigão, *John Bull*, p. 216).

ampliação [Do lat. *ampliatione.*] *S. f.* **1.** Ato ou efeito de ampliar(-se). **2.** *Ópt.* Num sistema óptico, o cociente entre uma dimensão linear de uma imagem e a dimensão correspondente do objeto; aumento. **3.** *Fot.* Projeção, em câmara escura, de um negativo pequeno sobre uma folha de papel sensibilizado de dimensões maiores, com o fim de aumentar a imagem e, até, modificar-lhe a composição, alterando-lhe o enquadramento. [Antôn. (nesta acepç.): *redução* (3).] **4.** *Fot.* O resultado dessa operação: *Mandou revelar as fotos e recebeu uma bela ampliação grátis.*

ampliado [Part. de *ampliar.*] *Adj.* Que teve ou sofreu ampliação. ~ V. *edição —a.*

ampliador (ô) [Do lat. *ampliatore.*] *Adj.* **1.** Que amplia. • *S. m.* **2.** O que amplia. **3.** *Fot.* Instrumento utilizado em técnica de fotografia para obter reproduções, em geral ampliadas, de negativos fotográficos. É dotado de fonte de luz, de suporte para o negativo e de lente, e é montado em estrutura móvel, ascendente ou descendente, de grande firmeza para, sem tremer, graduar o tamanho da cópia desejada.

ampliar [Do lat. *ampliare.*] *V. t. d.* **1.** Tornar amplo, ou mais amplo: *A estada na Inglaterra ampliou os seus conhecimentos de inglês.* **2.** Aumentar (em área); alargar, dilatar: *O Tratado de Petrópolis, firmado a 17.11.1903, ampliou o território brasileiro, acrescentando-lhe a parte meridional do Acre.* **3.** Dilatar, alongar, aumentar: *Ampliou ainda o discurso, que já era grande.* **4.** Desenvolver; exagerar: *Costuma ampliar tudo o que vê e ouve.* **5.** *Fot.* Reproduzir em formato maior: *ampliar uma fotografia.* *P.* **6.** Tornar-se amplo ou mais amplo; alargar-se, dilatar-se.

ampliatiforme [Do lat. *ampliatus*, 'ampliado', + *-iforme.*] *Adj. 2 g.* Que tem grandes dimensões.

ampliativo [De *ampliar* + *-tivo.*] *Adj.* Que amplia ou serve para ampliar.

ampliável [De *ampliar* + *-vel.*] *Adj. 2 g.* Que pode ser ampliado.

amplidão [Do lat. *amplitudine.*] *S. f.* **1.** Qualidade ou caráter do que é amplo. **2.** Grande extensão; vastidão. **3.** Espaço indefinido: *olhar perdido na amplidão.* **4.** *Fig.* Extensão, vastidão: *Era espantosa a amplidão de seus conhecimentos.* [Sin. nessas acepçs.: *amplitude.*] **5.** *Fig.* O céu.

amplidínamo [Do lat. *ampli-* (do lat. *amplus*, 'amplo') + *-dínamo.*] *S. m. Eletrôn.* Amplificador magnético, girante, baseado na resposta rápida de um gerador de corrente contínua, e que necessita de pequena potência para a resposta; amplificador dinamelétrico.

amplificação [Do lat. *amplificatione.*] *S. f.* **1.** Ato ou efeito de amplificar. **2.** E Ling. Figura que consiste em desenvolver as particularidades de um assunto. **3.** *Eletrôn.* Elevação da energia de um sinal sem alterar-lhe a forma.

amplificador (ô) [Do lat. *amplificatore.*] *Adj.* **1.** Que amplifica; amplificante, amplificativo. ~ V. *válvula —a.* • *S. m.* **2.** Aquilo ou aquele que amplifica. **3.** *Eletrôn.* Dispositivo com que se aumenta no sinal de saída um parâmetro do sinal de entrada, graças a fontes de energia que lhe são pertinentes. **4.** *Restr.* Aparelho utilizado na reprodução ou aumento de sons (música, fala); amplificadora. ◆ **Amplificador classe A.** *Eletrôn.* Amplificador linear (a válvula, transistor ou circuito integrado) em que o ângulo de condução (q. v.) é 360°. **Amplificador classe AB.** *Eletrôn.* Amplificador linear (a válvula, transistor ou circuito integrado) em que o ângulo de condução (q. v.) está compreendido entre 180° e 360°. **Amplificador classe B.** *Eletrôn.* Amplificador linear (a válvula, transistor ou circuito integrado) em que o ângulo de condução (q. v.) é 180°. **Amplificador classe C.** *Eletrôn.* Amplificador não linear (a válvula, transistor ou circuito integrado) em que o ângulo de condução (q. v.) é menor que 180°. **Amplificador de áudio.** *Eletrôn.* O que se destina a amplificar sinais de audiofrequência. **Amplificador de crominância.** *Eletrôn.* Circuito que, num receptor de televisão em cores, amplifica o sinal referente às cores da imagem. **Amplificador de potência.** *Eletrôn.* Aquele que produz um fluxo de corrente elevado numa impedância relativamente baixa, ou um aumento considerável na potência de saída. **Amplificador de vídeo.** *Eletrôn.* Amplificador de faixa larga capaz de amplificar videofrequência, usado para amplificar pulsos em radar e sinais visuais periódicos em televisão. **Amplificador dinamelétrico.** *Eletrôn.* Amplidínamo. **Amplificador inversor.** *Eletrôn.* Amplificador cujo sinal de saída está sempre defasado de 180° em relação ao sinal de entrada. **Amplificador linear.** *Eletrôn.* Aquele cujo sinal de saída é diretamente proporcional ao sinal de entrada correspondente. **Amplificador não inversor.** *Eletrôn.* Amplificador cujo sinal de saída está sempre em fase com o sinal de entrada. **Amplificador não linear.** *Eletrôn.* Aquele cujo sinal de saída é uma função não linear do sinal de entrada correspondente. **Amplificador seguidor de emissor.** *Eletrôn.* Amplificador de tensão com ganho unitário, constituído de um transistor bipolar polarizado em configuração coletor-comum (q. v.). [Tb. se diz apenas *seguidor de emissor.*] **Amplificador seguidor de fonte.** *Eletrôn.* Amplificador de tensão com ganho unitário, constituído de um transistor de efeito de campo polarizado em configuração dreno-comum (q. v.). [Tb. se diz apenas *seguidor de fonte.*] **Amplificador seguidor de tensão.** Amplificador não inversor com ganho de tensão unitário. [Tb. se diz apenas *seguidor de tensão.*]

amplificadora (ô) [Fem. de *amplificador.*] *S. f. Bras.* Amplificador (4): "Há três dias que o Coronel Francelino anunciava pela amplificadora que o jipe tinha saído de São Luís e devia chegar nesses dias." (José Sarney, *Norte das Águas*, p. 203.)

amplificante [De *amplificar* + *-nte.*] *Adj. 2 g.* V. *amplificador* (1). ~ V. *indução —.*

amplificar [Do lat. *amplificare.*] *V. t. d.* **1.** Fazer maior (o que já era grande); ampliar. **2.** Exaltar ou engrandecer o valor ou merecimento de. **3.** Aumentar o volume, a extensão, a intensidade de: *amplificar o som.* [Conjug.: v. *trancar.*]

amplificativo [De *amplificar* + *-tivo.*] *Adj.* V. *amplificador* (1).

amplificável [De *amplificar* + *-vel.*] *Adj. 2 g.* Que pode ser amplificado.

amplitude [Do lat. *amplitudine.*] *S. f.* **1.** V. *amplidão* (1 a 4). **2.** *P. ext. Fig.* Qualidade ou caráter daquilo que abrange grande amplidão; extensão: *a amplitude de um salão; Médico e ensaísta, seu talento é de grande amplitude.* **3.** *Astr.* Complemento do azimute: arco do círculo do horizonte, que vai dos pontos N. ou S. até o círculo vertical que passa por um ponto dado da esfera celeste. **4.** *Estat.* Diferença entre o maior e o menor valores de um conjunto de dados estatísticos. **5.** *Fís.* Valor máximo de uma grandeza que varia periodicamente segundo uma lei harmônica simples. **6.** *Mat.* Numa função harmônica simples, o coeficiente da função periódica; a metade do módulo da diferença entre as ordenadas máxima e mínima de uma função harmônica simples. **7.** *Mat.* V. *ângulo polar.* ◆ **Amplitude centil.** *Estat.* Amplitude percentil. **Amplitude da maré.** Diferença entre a altura de uma preamar e a da baixa-mar anterior ou subsequente. **Amplitude da onda.** *Ocean.* Altura da crista da onda sobre o nível do mar em repouso. [É aproximadamente o dobro da altura da onda.] **Amplitude decil.** *Estat.* A amplitude de um intervalo decil numa distribuição de frequências ou de probabilidades. **Amplitude de classe.** *Estat.* Diferença entre o limite superior e inferior de uma classe para uma distribuição de frequências. **Amplitude diurna.** **1.** *Geogr.* Amplitude térmica. **2.** Diferença, em altura, entre a preamar média mais alta e a baixa-mar média mais baixa, nos lugares onde existe maré diurna. **Amplitude ecológica.** O grau de tolerância que uma dada espécie animal ou vegetal apresenta em face dos fatores ambientais. [Pode ser estreita ou ampla, conforme a variação de condições mesológicas que o indivíduo ou a espécie possam suportar.] **Amplitude interquartil.** *Estat.* Amplitude quartil. **Amplitude modulada.** *Eletr.* A amplitude de um sinal que resulta da superposição de dois outros, cujas frequências são muito diferentes; amplitude que varia periodicamente com uma frequência muito menor que a do sinal. [Sigla: *AM.*] **Amplitude no ocaso.** *Astr.* Azimute de um astro no seu ocaso. **Amplitude ortiva.** *Astr.* Amplitude de um astro no seu nascer. **Amplitude percentil.** *Estat.* A amplitude de um intervalo centil numa distribuição de frequências ou de probabilidades; amplitude centil. **Amplitude quartil.** *Estat.* A amplitude de um intervalo quartil numa distribuição de frequências ou de probabilidades; amplitude interquartil. **Amplitude térmica.** *Geogr.* Diferença registrada no decorrer de um dia ou 24 horas, entre a temperatura mais alta e a mais baixa, no decurso de um dia, um mês, um ano; amplitude diurna.

amplo [Do lat. *amplu.*] *Adj.* **1.** De grandes dimensões; muito extenso; espaçoso, vasto: *território amplo; sala ampla.* **2.** Muito grande; considerável: *refeição ampla; obra ampla.* **3.** Rico, farto, pródigo; abundante: *lucros amplos.* **4.** Largo, folgado: *poltrona ampla; vestes amplas.* **5.** Numeroso, copioso: *amplas virtudes; amplos conhecimentos.* **6.** De grande amplitude (2); lato, dilatado: *sentido amplo.* **7.** Largo, generoso: *abraço amplo.* **8.** Sem restrições; ilimitado: *amplas possibilidades; amplos poderes.* **9.** Que abrange um grande campo (9); extenso, desenvolvido: *propaganda ampla; projeto amplo.*

ampola (ô) [Do lat. *ampulla.*] *S. f.* **1.** V. *empola.* **2.** Pequeno tubo de vidro, ou de plástico, em geral dotado de gargalo, hermeticamente fechado, e destinado a conter um líquido, medicamentoso ou não: *uma ampola de injeção, de perfume.* **3.** O conteúdo de uma ampola (2): *Tomou duas ampolas e ficou bom.* **4.** *Anat.* Designação genérica de formação (5) tubular, ou que se assemelha a frasco. **5.** *Radiol.* Recipiente de vidro que faz parte do tubo de raios X (q. v.).

ampuláceo [Do lat. *ampullaceu.*] *Adj.* Semelhante à ampola.

ampular [De *ampul(i)-* + *-ar*1.] *Adj. 2 g.* Ampuliforme.

ampulária [Do tax. *Ampularia.*] *S. f. Zool.* **1.** O gênero-tipo dos ampularídeos. **2.** Qualquer espécie desse gênero, como, por ex., a que é vulgarmente conhecida como *aruá*[1] (q. v.). **3.** Qualquer espécime desse gênero.

ampularídeo [Do tax. *Ampularia* (< lat. *ampulla*, 'pequeno frasco'), + *-ídeo*[1].] *Zool. S. m.* **1.** Espécime dos ampularídeos, família de moluscos gastrópodes, prosobrânquios, que vivem nos lagos e rios das Américas do Sul e Central, da Ásia meridional e da África. No Brasil são designados vulgarmente por *aruá* ou *uruá.* • *Adj.* **2.** Pertencente ou relativo a eles.

ampulheta (ê) [Do esp. *ampolleta.*] *S. f.* Instrumento constituído por dois vasos cônicos de vidro que se comunicam, nos vértices, por um pequeno orifício, e usado para medir o tempo mediante a passagem de certa quantidade de areia finíssima do vaso superior para o inferior: "aqui tenho sempre presente a ideia de Deus e a ideia da morte e vejo o tempo medir minuto a minuto na ampulheta a vida que passa." (Raul Brandão, *As Ilhas Desconhecidas*, p. 50); "Apenas se escutava / Leve, a areia, a cair no vidro da ampulheta..." (Olavo Bilac, *Poesias*, p. 136).

▲ **ampul(i)-** [Do lat. *ampulla, ae.*] ***El. comp.*** = 'ampola': *ampular, ampuliforme.*

ampuliforme [De *ampul(i)-* + *-forme.*] *Adj. 2 g.* Em forma de ampola; ampular.

amputação [Do lat. *amputatione.*] *S. f.* **1.** Ato ou efeito de amputar. **2.** *Cir.* Ablação parcial ou total de uma estrutura orgânica, como braço, pênis, apêndice vermiforme, podendo permanecer no local uma deformidade que, em alguns casos, pode ser compensada por prótese.

amputado [Part. de *amputar.*] *Adj.* Que se amputou; mutilado, cortado.

amputador (ô) [Do lat. *amputatore.*] *Adj. S. m.* Que ou o que amputa.

amputar [Do lat. *amputare.*] *V. t. d.* **1.** Fazer a amputação de. **2.** Reduzir, limitar, restringir: *amputar despesas.* **3.** Eliminar, suprimir.

amsterdamês *Adj.* **1.** Da, ou pertencente ou relativo à cidade de Amsterdã, capital da Holanda. • *S. m.* **2.** O natural ou habitante dessa cidade. [Flex.: *amsterdamesa* (ê), *amsterdameses* (ê), *amsterdamesas* (ê).]

amuado [Part. de *amuar.*] *Adj.* **1.** Que tem amuo; mal-humorado, aborrecido. **2.** Que se afasta ou retrai agastado ou melindrado. **3.** Guardado ou entesourado sem render (dinheiro, riquezas).

amuamento [De *amuar* + *-mento.*] *S. m.* Ato de amuar(-se).

amuar [De *a-*2 + *mu*1 + *-ar*2.] *V. t. d.* **1.** Provocar amuo a; aborrecer, importunar. **2.** Guardar, amontoar, arrecadar (dinheiro ou valores que se retiram de circulação e se entesouram, sem que rendam): "Ninguém extraiu nunca tão implacavelmente da algibeira dos outros o ouro, a prata, o papel e o cobre; ninguém os amuou com mais zelo e prontidão." (Machado de Assis, *Várias Histórias*, p. 30.) *T. i.* **3.** Insistir muito, obstinar-se: *Amuou em partir no dia seguinte.* ***Int.*** **4.** Ter amuo; demonstrar, no aspecto, mau humor, aborrecimento, melindre; amuar-se. **5.** Fazer amuo (2): *Irritaram-no, e ele amuou.* **6.** Não amadurecer nem desintumescer (um abscesso). **7.** Não abrolhar (a planta). **8.** Não resolver, progredir ou avançar (negócio, assunto, etc.). *P.* **9.** Ficar amuado, de mau humor; agastar-se, melindrar-se; amuar.

amuimó (u-i) *S. 2 g.* **1.** *Etnôn.* Indivíduo dos amuimós, povo indígena que habita a região da cabeceira do rio Nhamundá (PA). • *Adj. 2 g.* **2.** Pertencente ou relativo a esse povo. [Tb. us. como *s. 2 g.* e *2 n.* (com cap.) e *adj. 2 g.* e *2 n.*]

amulatado [De *a-*2 + *mulato* + *-ado*1.] *Adj.* Que tem cor e/ou feições de mulato.

amulatar-se [De *a-*2 + *mulato* + *-ar*2 + *se*1.] *V. p.* Tomar a cor e/ou feições de mulato.

amulético [De *amuleto* + *-ico*2.] *Adj.* Relativo a amuleto.

amuleto (ê) [Do lat. *amuletu.*] *S. m.* Pequeno objeto (figura, medalha, figa, etc.) que, desde a mais alta Antiguidade, alguém traz consigo ou guarda por acreditar em seu poder mágico passivo de afastar desgraças ou malefícios; talismã preservativo: "Velhos abaçanados, ... a camisa de madapolão desabotoada, deixando ver os bentinhos e os amuletos pendurados do pescoço" (Coelho Neto, *A*

Conquista, pp. 361-362). [Sin.: *mezinho* (guin.), *grigri*. Cf. *talismã* (1) e *fetiche* (1).]

amulherado [De *a*-[2] + *mulher* + *-ado*[1].] ***Adj.*** Que parece ou tem modos de mulher; efeminado, afeminado, amulherengado.

amulherar-se [De *a*-[2] + *mulher* + *-ar*[2] + *se*[1].] ***V. p.*** Adquirir modos de mulher; efeminar-se, afeminar-se, amulherengar-se.

amulherengado [De *a*-[2] + *mulherengo* + *-ado*[1].] ***Adj.*** V. *amulherado*.

amulherengar-se [De *a*-[2] + *mulherengo* + *-ar*[2] + *se*[1].] ***V. p.*** V. *amulherar-se*. [Conjug.: v. *largar*.]

amumiado [De *a*-[2] + *múmia* + *-ado*[1].] ***Adj.*** **1.** Semelhante a, ou próprio de múmia. **2.** *Fig.* Muito magro; seco, mirrado.

amumiar [De *a*-[2] + *múmia* + *-ar*[2].] ***V. t. d. P.*** **1.** Tornar(-se) semelhante a múmia; mumificar(-se). **2.** *Fig.* Tornar(-se) seco, magro, definhado; mumificar(-se).

amundiçado [De *a*-[2] + *mundiça* + *-ado*[1].] ***Adj. Bras.*** **1.** Sujo, imundo, sórdido. **2.** Sem educação; grosseiro.

amunhecar [De *a*-[2] + *munheca* + *-ar*[2].] ***V. int. Bras. N.E.*** **1.** Fraquejar das mãos (o equídeo ou o muar); cair: 📖 "Muitas vezes brandira a espada em estocadas espetaculares, fazendo touros bravos amunhecarem a seus pés." (Jorge Medauar, *Água Preta*, p. 171.) **2.** *P. ext.* Fugir da luta; acobardar-se. **3.** Interromper, por exaustão, atividade que requer esforço físico: *No meio da subida, amunhecou.* **4.** Perder o vigor, a energia; entibiar-se; afrouxar: *Com a idade, enfraqueceu, amunhecou.* [Conjug. v. *trancar*.]

amunhegado [De *amunhecado*, com sonorização.] ***Adj. Bras. SE Pop.*** Fraco, alquebrado, abatido.

amuniciamento [De *amuniciar* + *-mento*.] ***S. m.*** Ato ou efeito de amuniciar.

amuniciar [De *a*-[4] + *municiar*.] ***V. t. d.*** V. *municionar*.

amuo [Dev. de *amuar*.] ***S. m.*** **1.** Mau humor, enfado, traduzido no aspecto, nos gestos ou no silêncio; arrufo, calundu, lundu. **2.** Gesto ou trejeito de mau humor, enfado, etc.

amura [Der. regress. de *amurada*.] ***S. f.*** **1.** *Constr. Nav.* Bochecha (3). **2.** *Marinh.* Cabo com que se puxa para vante o punho de barlavento de uma vela redonda, de modo que ela receba bem o vento. **3.** *Marinh.* Cabo com que se prende ao mastro, ou na direção da proa, o punho da amura de uma vela latina.

amurada [F. subst. de *amurado*.] ***S. f.*** **1.** *Constr. Nav.* Face interna do costado de uma embarcação. **2.** *Constr. Nav.* Prolongamento do costado da embarcação, acima do convés descoberto; borda da embarcação. **3.** *P. ext.* Muro de arrimo; paredão.

amurado [Part. de *amurar*[2].] ***Adj.*** **1.** Amuralhado. **2.** *Bras.* Preso, encurralado. [Cf. *amorado*.]

amuralhado [Part. de *amuralhar*.] ***Adj.*** Cercado de muralhas ou de muros; amurado.

amuralhar [De *a*-[2] + *muralha* + *-ar*[2].] ***V. t. d.*** Cercar de muros ou muralhas; amurar, muralhar.

amurar[1] [De *amura* + *-ar*[2].] ***V. t. d. Marinh.*** **1.** Fixar a amura de (uma vela) no lugar conveniente, para que ela se possa enfunar. **2.** Alar as amuras de (uma vela). **3.** Orientar as velas de (uma embarcação) a fim de que recebam o vento de maneira conveniente à navegação. [Cf. *amorar*.]

amurar[2] [De *a*-[2] + *muro* + *-ar*[2].] ***V. t. d.*** V. *amuralhar*. [Cf. *amorar*.]

amurchecer-se [De *a*-[2] + *murcho* + *-ecer* + *se*[1].] ***V. p. Desus.*** Murchar(-se), emurchecer, murchecer. [Comumente é defect., conjugável só nas 3.as pess. Conjug.: v. *aquecer*.]

amurê [Do hauçá.] ***S. m. Bras. Etnogr.*** Entre os escravos malês da Bahia e os alufás do Rio de Janeiro, casamento.

amuri [Do tupi.] ***S. m. Bras.*** Cacique (1) de uma aldeia de índios parecis.

amusia [Do gr. *amousía*.] ***S. f. Neur. Psiq.*** Perda completa ou parcial da faculdade de apreender ou de reproduzir sons musicais.

amúsico [De *amusia* + *-ico*[2].] ***Adj. Neur.*** Relativo a amusia.

▲ **an-** V. *a*-[3].

■ **ANA** Sigla de *Agência Nacional de Águas*.

▲ **an(a)-** [Do gr. *aná*.] ***Pref.*** = 'ação ou movimento contrário'; 'movimento de baixo para cima'; 'repetição'; 'intensidade'; 'ausência', 'privação': *anacrônico; anacatártico* (< gr.); *anabatista; anafilaxia; anacolia*.

▲ **-ana**[1] ***Suf. nom.*** = 'aumento': *bundana*.

▲ **-ana**[2] ***Quím. Suf.*** Forma alternativa de *-ano*[2] em certos nomes tradicionais: *dioxana*.

aná[1] [Do hindustâni *ānā*.] ***S. m.*** Moeda divisionária da Índia, correspondente a 1/16 da rúpia.

aná[2] [Do gr. *aná*, prep. que nas derivações funciona como prefixo, valendo como repetição.] ***Adv. Farm.*** De cada um, na mesma proporção. [Abrev.: *āā*.]

anã ***Adj. (f.)*** **1.** Fem. de *anão*: 📖 "uma arvorezinha nova ou anã, de ramos a rojar pelo chão" (Irene Lisboa, *Voltar atrás para quê?*, p. 134). ~ V. *estrela* —. ● ***S. f.*** **2.** Fem. de *anão*. **3.** *Astr.* V. *estrela anã*. ◆ **Anã branca.** *Astr.* Estrela colapsada, pequena, muito densa e quente, de baixa luminosidade, que gastou todo o suprimento de combustível nuclear e se encontra no estágio final da evolução. **Anã marrom.** *Astr.* Corpo celeste que permanece no estágio entre planeta e estrela. **Anã negra.** *Astr.* Estrela morta não luminosa. **Anã vermelha.** *Astr.* Estrela de pequeno volume e pequena massa, com temperatura superficial baixa e a mais fraca luminosidade de todas as estrelas da sequência principal.

anabantídeo [Do lat. cient. *Anabant-* (< tax. *Anabas* < gr. *anabaínein*, 'subir') + *-ídeo*[1]; tax. *Anabantidae*.] *Zool.* ***S. m.*** **1.** Espécime dos anabantídeos, família de peixes actinopterígios, labirintiformes, que vivem no Vietnã, os quais, valendo-se das espículas de suas nadadeiras ventrais e peitorais, trepam nas árvores que margeiam rios e lagos onde vivem. ● ***Adj.*** **2.** Pertencente ou relativo a eles.

anábase [Do gr. *anábasis*, 'ascensão'.] ***S. f. Med.*** No transcurso de uma doença, etapa em que esta se intensifica. [Cf. *apidose*.]

anabático [Do gr. *anabatikós*, 'que tende a aumentar (febre)'.] ***Adj. Med.*** Relativo a anábase.

anabatismo [De *an(a)-* + *batismo*.] ***S. m.*** **1.** A doutrina dos anabatistas, e a sua prática. **2.** *Restr.* O batismo, realizado pelos anabatistas, de adultos já batizados em criança.

anabatista [De *an(a)-* + *batista*.] ***S. 2 g.*** **1.** Membro da seita protestante surgida no séc. XVI que rejeita o batismo das crianças e rebatiza todos os seus adeptos adultos, bate-se pela total liberdade religiosa, pela separação da Igreja do Estado e opõe-se ao serviço militar, etc. ● ***Adj. 2 g.*** **2.** Referente aos anabatistas ou ao anabatismo.

anabenodáctilo [Do gr. *anabaínein*, 'trepar', 'subir', + *-o-* + *-dá(c)tilo*.] ***Adj. Zool.*** Diz-se dos animais cujos dedos são conformados para trepar. [Var.: *anabenodátilo*.]

anabenodátilo ***Adj.*** V. *anabenodáctilo*.

anabi [Do tupi.] ***S. f. Bras. Bot.*** Arbusto gencianáceo (*Potalia amara*) de flores alvas e cujas folhas, amplas, coriáceas e espatuladas, têm propriedades adstringentes e mucilaginosas, sendo usadas como vomitivo. [Sin.: *pau-cobra, pau-de-cobra*.]

anabiose [Do gr. *anabíosis*, 'ressurreição'.] ***S. f. Biol.*** Suspensão temporária das funções vitais de um organismo.

anabiótico [De *anabi(ose)* + *-ótico*.] ***Adj. Biol.*** **1.** Relativo a anabiose. **2.** Diz-se de organismo em anabiose.

anablepídeo [Do tax. *Anableps* (< gr. *anablépein*, 'erguer a vista') + *-ídeo*[1]; tax. *Anablepidae*.] *Zool.* ***S. m.*** **1.** Espécime dos anablepídeos, subclasse de peixes actinopterígios, ciprinodontídeos, da América tropical, vivíparos, de corpo alongado, olhos muito salientes, bulbosos, divididos em lobos superior e inferior, e que funcionam como quatro olhos. Nadam com parte da cabeça fora da água. ● ***Adj.*** **2.** Pertencente ou relativo a eles.

anabólico [Do gr. *anabolé*, 'demora', + *-ico*[2].] ***Adj.*** Referente ao anabolismo. ~ V. *esteroide* —.

anabolismo [Do gr. *anabolé*, 'demora', + *-ismo*.] ***S. m.*** **1.** *Citol.* Conjunto de reações biossintéticas em uma célula, a partir das quais moléculas maiores são formadas a partir de moléculas menores. **2.** *Fisiol. Med.* Conjunto de fenômenos bioquímicos que se processam no organismo, e que se destinam a regenerar, a partir de substâncias simples, o que se gasta durante a fase catabólica; assimilação.

anabolizante [De **anabolizar* (< *anabol-*, como em *anabolismo*, + *-izar*) + *-nte*.] ***Adj. 2 g. S. m.*** Diz-se de, ou substância, ger. sintética, que estimula o anabolismo, esp. o crescimento de massa muscular. ~ V. *esteroide* —.

anabolizar [De *anabolismo* + *-izar*, seg. o padrão gr.] ***V. t. d. Fisiol. Med.*** Realizar o anabolismo (de).

anabrose [Do gr. *anábrosis*.] ***S. f.*** **1.** Corrosão das partes sólidas do organismo animal por um humor acre. **2.** Ulceração superficial.

anabrótico [Do gr. *anabrotikós*, 'corrosivo'.] ***Adj.*** **1.** Relativo à, ou próprio da anabrose. **2.** Corrosivo, cáustico.

■ **Anac** Sigla de *Agência Nacional de Aviação Civil*.

■ **ANAC** Sigla de *Agência Nacional das Comunicações*.

anacá [Do tupi.] ***S. m. Bras. Zool.*** V. *anacã*.

anacã [Var. de *anacá*.] ***S. m. Bras. Zool.*** Ave psitaciforme, psitacídea (*Deroptyus accipitrinus*), da Amaz. Coloração verde, parte da cauda azul-escura, rêmiges pretas, alto e lados da cabeça pardos, raiados de um tom esbranquiçado que se estende à fronte; no occipício tem uma crista de penas alongadas, vermelho-escuras, marginadas de azul, e os flancos verdes. Não aprende a falar como os papagaios do gênero *Amazona*. [Sin.: *papagaio-de-coleira, vanaquiá*.]

anacâmptico [Do gr. *anakamptikós*, 'que retorna'.] ***Adj. Fís.*** Que reflete a luz ou o som.

anacantíneo [Do tax. *Anacanthini* + *-eo*.] ***S. m. Adj. Zool. Desus.*** V. *gadídeo*.

anacantino [De *an-* + *-(a)cant(o)-* + *-ino*[3]; tax. *Anacanthini*.] ***S. m. Adj. Zool.*** V. *gadiforme*.

anaçar [Do lat. **anateare* < lat. *natare*, 'nadar'.] ***V. t. d.*** Revolver, misturar; bater: *anaçar líquidos; anaçar ovos.* [Conjug.: v. *laçar*.]

anacarado [De *a*-[2] + *nácar* + *-ado*[1].] ***Adj.*** V. *nacarado*.

anacarar [De *a*-[2] + *nácar* + *-ar*[2].] ***V. t. d.*** Nacarar.

anacardiácea [Do tax. *Anacardium* (v. *anacárdio*) + *-ácea*; tax. *Anacardiaceae*.] ***S. f. Bot.*** Espécime das anacardiáceas, família da ordem das sapindales que engloba árvores, arbustos, lianas e algumas ervas, reunindo cerca de 875 espécies ocorrentes nos países tropicais e temperados. Folhas compostas; flores inconspícuas; os frutos drupáceos, não raro, são comestíveis, como, p. ex., a manga e os cajás. As plantas levam condutos resiníferos, cujo conteúdo lhes imprime aroma peculiar. [É representada, no Brasil, pelas aroeiras, pelo gonçalo-alves, etc.; o cajueiro é membro importante desta família.]

anacardiáceo [De *anacardinácea*, com var. suf. (v. *-áceo*).] ***Adj. Bot.*** Pertencente ou relativo às anacardiáceas.

anacárdio [Do tax. *Anacardium*.] ***S. m. Bot.*** **1.** Gênero de arbustos ou árvores sempre-verdes, anacardiáceas, que habitam regiões tropicais e subtropicais de solo fértil e umidade elevada. **2.** Qualquer espécie desse gênero, como, por ex., a *Anacardium occidentale* [v. *cajueiro* (1)]. **3.** Qualquer espécime desse gênero.

anacatártico [Do gr. *anakathartikós*.] ***Adj.*** Que limpa mediante a expectoração, o vômito, etc.

anacé ***S. 2 g.*** **1.** *Etnôn.* Indivíduo dos anacés, povo indígena extinto que habitava o N. do CE. ● ***Adj. 2 g.*** **2.** Pertencente ou relativo a esse povo. [Tb. us. como *s. 2 g. e 2 n.* (com cap.) e *adj. 2 g. e 2 n.*]

anacefaleose [Do gr. *anakephalaíôsis*.] ***S. f. E. Ling.*** Recapitulação dos pontos principais de um discurso, de uma exposição escrita ou oral.

anacenose [Do gr. *anakoínosis*, 'comunicação', pelo lat. *anacoenose*.] ***S. f. E. Ling.*** Apóstrofe dirigida diretamente aos ouvintes, pedindo-lhes a opinião.

anacíclico [Do gr. *anakyklikós*, 'revirado circularmente'.] ***S. m.*** **1.** Verso anacíclico. ● ***Adj.*** **2.** ~ V. *verso* —.

anacirtose [Do gr., alter. de *anakyríosis*, 'ação de se conciliar com a autoridade'.] ***S. f. Med.*** Autoridade que deve exercer o médico sobre o doente.

anáclase [Do gr. *anáklasis*, 'refração', pelo lat. *anaclase*.] ***S. f.*** **1.** Inflexão articular. **2.** Na metrificação, troca de lugar entre a sílaba longa no fim de um verso e a breve no começo do verso seguinte.

anacletérias [Adapt. do gr. *Anacletéria*.] ***S. f. pl.*** No Egito antigo, festas em que se proclamava um novo rei.

anáclise [Do gr. *anáklisis*.] ***S. f. Psiq.*** Estado psíquico de dependência ou de necessidade de apoio.

anaclisia [Do gr. *anáklisis*, 'ação de deitar-se', + *-ia*[1].] ***S. f.*** Posição horizontal ou quase horizontal de um doente na cama ou numa cadeira inclinada.

anaclítico [De *anácl(ise)* + *-ítico*.] ***Adj. Psiq.*** Relativo à anáclise.

anacloridria ***S. f. Med. Impr.*** V. *acloridria*.

anaclorídrico ***Adj. Med. Impr.*** V. *aclorídrico*.

anaco[1] [Do ár. *'anāq*, 'cabrita'.] ***S. m.*** **1.** *Prov. port.* Cabrito de um ano. ● ***Adj.*** **2.** Anejo (diz-se de alguns animais, esp. cabritos).

anaco[2] [De *a*-[4] + *naco*.] ***S. m. Lus. Pop.*** Naco.

anacolia [De *an(a)-* + *-col(e)-* + *-ia*[1].] ***S. f. Med.*** Ausência de secreção biliar.

anacólico [De *anacolia* + *-ico*[2].] ***Adj. Med.*** Referente a anacolia.

anacolutia [Do gr. *anakolouthía*.] ***S. f. E. Ling.*** V. *anacoluto*.

anacolútico [De *anacoluto* + *-ico*[2].] ***Adj. E. Ling.*** Relativo a, ou em que há anacolutia ou anacoluto.

anacoluto [Do gr. *anakólouthos*, pelo lat. *anacoluthon*.] ***S. m. E. Ling.*** Figura de sintaxe que consiste no emprego de um relativo sem antecedente, ou na mudança abrupta de construção; frase quebrada; anacolutia. Ex.: 📖 "Quem o feio ama, bonito lhe parece" (prov.); 📖 "O forte, o cobarde / Seus feitos inveja" [*i. e.*, 'O cobarde inveja os feitos do forte'] (Gonçalves Dias, *Obras Poéticas*, II, p. 43); "tinha não sei que balanço no andar, como quem lhe custa levar o corpo" (Machado de Assis, *Páginas Recolhidas*, p. 82).

anaconda [Do tâmul *anai-kondra*.] ***S. f. Bras. Zool.*** V. *sucuri*.

anacorese [Do gr. *anachóresis*, 'ação de retirar-se', pelo lat. *anachorese*.] ***S. f. Med.*** Atração de microrganismos para órgãos, ou para tecidos com lesões localizadas (tuberculosas, sifilíticas, ou de outra natureza).

anacoreta (ê) [Do gr. *anachorétés*, pelo lat. *anachoreta*.] ***S. m.*** **1.** Religioso ou penitente que vive na solidão, em vida contemplativa: 📖 "ou porque Ifigênia se lhe figurasse algum daqueles serafins que visitavam os anacoretas na Tebaida" (Camilo Castelo Branco, *A Queda dum Anjo*, p. 209). 2. *Fig.* Pessoa que vive afastada do convívio social; monge. [Cf. *cenobita*.]

anacorético [Do gr. *anachoretikós*.] *Adj.* Relativo a, ou próprio de anacoreta.

anacreôntica [F. subst. de *anacreôntico*.] *S. f.* Poesia de Anacreonte (v. *anacreôntico*) ou acomodada ao gosto desse poeta.

anacreôntico [Do lat. *anacreonticu*.] *Adj.* **1.** Pertencente ou relativo ao poeta grego Anacreonte (c. 570 - c. 485 a.C.), ou próprio dele. **2.** Do gênero ou gosto das suas poesias.

anacrógeno [De *an-* + *-acr(o)-* + *-geno*.] *Adj. Bot.* Que traz os esporogônios nos flancos do talo e não no ápice.

anacrônico *Adj.* V. *anacrônico*. [Uso freq. em P.]

anacrônico [De *anacronismo* + *-ico*², seg. o padrão grego.] *Adj.* **1.** Que contém ou encerra anacronismo (1): *documento anacrônico; ensinamento anacrônico*. **2.** Que está em desacordo com a moda, o uso, constituindo atraso em relação a eles: *Usa vestes anacrônicas*. **3.** Avesso aos costumes hodiernos; retrógrado: *pessoa anacrônica; ideias anacrônicas*.

anacronismo [Do gr. tard. *anachronismós*, 'ato de pôr algo fora do tempo correspondente'.] *S. m.* **1.** Confusão de data quanto a acontecimentos ou pessoas. **2.** Fato ou atitude anacrônica. [Sin. ger.: *anticronismo*.]

anacronizar [Do gr. *anacronízein*.] *V. t. d.* Referir ou narrar cometendo anacronismos.

anacrusa *S. f. Mús. Arte Poét.* V. *anacruse*.

anacruse [Do gr. *anákrousis*, 'ação de repelir'.] *S. f.* **1.** *Mús.* Nota ou notas que, no início de peça musical, se realizam no tempo fraco do compasso e antecedem o primeiro tempo forte do compasso inicial; prótese. **2.** *Arte Poét.* Sílaba ou sílabas que vêm no princípio do verso grego e do latino, antecedendo o tempo forte do primeiro pé. [Var.: *anacrusa*.]

anacrústico [Do gr. *anakroustikós*.] *Adj. Mús.* Diz-se do ritmo que principia por anacruse.

anacusia [De *an-* + *-acus(i)-* + *-ia*¹.] *S. f. Fonoaud. Otor.* Perda total da audição. [Cf. *hipacusia* e *disacusia*.]

anacústico *Adj. Otor. Neur.* Relativo a anacusia.

■ **Anad** Sigla de *Agência Nacional Anti-Doping*.

anadal *S. m.* V. *anadel*.

anadel [Do ár. *an-nāzir*, 'aquele que vê'; 'vigilante'; 'guarda'.] *S. m. Ant.* Chefe de companhia militar; capitão de besteiros: "O anadel começou a protestar, entressachando as suas manifestações oficiais com um chuveiro de pragas e ameaças" (Alexandre Herculano, *O Monge de Cister*, II, p. 299). [Var.: *anadal*. Pl.: *anadéis*.]

anadelaria [De *anadel* + *-aria*.] *S. f. Ant.* Cargo ou patente de anadel.

anadiense *Adj. 2 g.* **1.** De, ou pertencente ou relativo a Anadia (AL). • *S. 2 g.* **2.** O natural ou habitante de Anadia.

anadiplose [Do gr. *anadíplosis*, pelo lat. *anadiplose*.] *S. f. E. Ling.* Repetição de palavra(s) do fim de um período ou oração, ou de um verso, no princípio do período, oração ou verso seguinte. Ex.: "Contou muitas histórias. Histórias de lembranças." (Álvaro Moreira, *Havia uma Oliveira no Jardim*, p. 104); "O dia surge todo de bruma, / todo de bruma, todo de neve." (Alphonsus de Guimaraens, *Obras Completas*, p. 117); "E a fonte, rápida e fria, / Com um sussurro zombador, / Por sobre a areia corria, / Corria levando a flor." (Vicente de Carvalho, *Poemas e Canções*, p. 263). [Cf. *epanadiplose*.]

anadiplótico [De *anadipl(ose)* + *-ótico*.] *Adj.* Relativo à anadiplose.

anádromo [De *an(a)-* + *-dromo*.] *Adj.* **1.** *Bot.* Diz-se da disposição da nervação das frondes dos fetos ou samambaias (pteridófitos) em que as nervuras ímpares estão situadas na margem superior e as pares na inferior. **2.** *Zool.* Diz-se de peixe marinho que sobe para os rios na época da desova.

anaeróbico [De *anaeróbio* + *-ico*².] *Adj. Biol.* V. *anaeróbio* (1 e 2). ~ V. *respiração —a*.

anaeróbio [De *an-* + *-aer(o)-* + *-bio*.] *Biol. Adj.* **1.** Diz-se de organismo que pode viver privado do contato do ar ou do oxigênio livre. **2.** Relativo ou próprio dos organismos anaeróbios: *vida anaeróbia*. [Sin. ger.: *anaeróbico*.] • *S. m.* **3.** Organismo anaeróbio; anaerobionte. [Opõe-se a *aeróbio*.]

anaerobionte [De *an-* + *-aer(o)-* + *-bionte*.] *S. m. Biol.* Anaeróbio (3).

anaerobiose [De *an-* + *-aer(o)-* + *-biose*.] *S. f. Biol.* Condição de vida em ausência do oxigênio; anoxibiose.

anafa [Do ár. *an-nafala(t)* ou *an-nafāla(t)*.] *S. f. Bot.* Nome comum a diversas plantas fabáceas, aromáticas e melíferas, do gênero *Melilotus*.

anafado [Part. de *anafar*.] *Adj.* Bem nutrido, gordo, luzidio: "anjinhos anafados, com cintos de rosas caindo-lhes nos quadris roliços, abraçavam os fustes de colunazinhas" (Afonso Arinos, *Pelo Sertão*, p. 118).

anafafe *S. m. Ant.* Alifafe¹ (q. v.).

anafaia [Do ár. *an-nafāya(t)*, 'a parte pior'; 'resto', 'refugo', pelo esp.] *S. f.* A primeira seda que o sirgo (1) fia antes de formar o casulo: "Sei que saí, para encontrar minha irmã sobre os chinelos vazios, suspensa num cordão de anafaia, roçando o chão com os artelhos." (Osmã Lins, *Nove, Novena*, p. 70.)

anafar [De *anafa* + *-ar*².] *V. t. d.* **1.** Alimentar com anafa. **2.** Tornar gordo, nédio, por boa alimentação. **3.** Friccionar com substância untuosa.

anáfase [De *an(a)-* + *-fase*².] *S. f. Citol.* Fase da mitose e da meiose em que os centrômeros se separam e as cromátides migram para polos opostos.

anafásico [De *anáfase* + *-ico*².] *Adj. Citol.* Relativo a anáfase.

anáfega [Do ár. *an-nabiqa(t)*, 'o fruto do loto'.] *S. f. Bot.* V. *jujuba* (1).

anafil¹ [Do ár. *an-nafīr*.] *S. m.* Antiga trombeta mourisca: "O brado estrídulo dos anafis e das charamelas ressoava nas abóbadas góticas da igreja" (Antero de Figueiredo, *Leonor Teles*, p. XIX); "Com toucas na cabeça, e navegando, / Anafis sonorosos vão tocando." (Luís de Camões, *Os Lusíadas*, I, 47). [Pl.: *anafis*. Var.: *nafil* e *nafir*.]

anafil² [Do ár. *'anf(a)*, 'bairro da cidade de Casablanca e antiga denominação dessa cidade'.] *Adj.* Diz-se de uma espécie de trigo rijo, originário de Anafé, atual Casablanca (Marrocos, N.O. da África).

anafiláctico [De *an(a)-* + *-filá(c)tico*.] *Adj. Imun.* Relativo a anafilaxia. [Var.: *anafilático*.]

anafilactizar [De *anafiláctico* + *-izar*, seg. o padrão erudito.] *V. t. d.* Produzir estado de anafilaxia em. [Var.: *anafilatizar*.]

anafilático *Adj.* V. *anafiláctico*.

anafilatizar *V. t. d.* V. *anafilactizar*.

anafilatoxina (cs) [De *anafila(xia)* + *toxina*.] *S. f. Imun.* Substância formada no soro sanguíneo quando se dá ativação do complemento (6) por complexos imunes ou por alguns coloides; promove a liberação de histamina e de outros mediadores químicos de hipersensibilidade imediata, pela degradação de mastócitos e de basófilos, do que resulta aumento de permeabilidade vascular e contração de miócitos lisos. [Var.: *anafilotoxina*.]

anafilaxia (cs) [De *an(a)-* + *-filax-* + *-ia*¹.] *S. f. Imun.* Reação imunológica que ocorre em indivíduo sensibilizado por exposição a antígeno específico, e que resulta, clinicamente, em urticária, prurido, angioedema, colapso vascular, estado de choque e disfunção respiratória frequente e, eventualmente, letal.

anafileiro [De *anafil*¹ + *-eiro*.] *S. m.* Tocador de anafil¹.

anafilotoxina (cs) *S. f. Imun.* V. *anafilatoxina*.

anáfise [De *an(a)-* + *-fise*.] *S. f. Bot.* Filamento estéril que ocorre nos apotécios liquênicos no meio dos ascos, e corresponde à paráfise dos fungos.

anafonese [Do gr. *anaphónesis*, 'exclamação', pelo lat. *anaphonese*.] *S. f.* Exercício vocal destinado a robustecer as vias respiratórias.

anáfora [Do gr. *anaphorá*, pelo lat. *anaphora*.] *S. f. E. Ling.* **1.** Repetição de uma ou mais palavras no princípio de duas ou mais frases, de membros da mesma frase, ou de dois ou mais versos; epanáfora. Ex.: "ela não sente, ela não ouve, avança! avança!" (Fialho d'Almeida, *O País das Uvas*, p. 94); "Era o concurso. Era a viagem. Eram os quinhentos." (José Carlos Cavalcanti Borges, *O Assassino*, p. 35); "Depois o areal extenso... / Depois o oceano de pó... / Depois no horizonte imenso / Desertos... desertos só..." (Castro Alves, *Obra Completa*, p. 282); "Quase tu mataste, / Quase te mataste, / Quase te mataram!" (Manuel Bandeira, *Estrela da Vida Inteira*, p. 244). **2.** Elemento linguístico cuja referência não é independente, mas ligada à de um termo antecedente. [Em *João barbeou-se*, p. ex., o reflexivo *se* só pode ser interpretado com referência a *João*. Cf. *catáfora* (2), *dêixis*, *endófora* e *exófora*.]

anaforese [De *an(a)-* + *-forese*.] *S. f. Fís.-Quím.* Eletroforese.

anafórico [Do gr. *anaphorikós*, pelo lat. *anaphoricu*.] *Adj.* Em que há anáfora; epanafórico.

anaforismo [De *anáfora* + *-ismo*.] *S. m. E. Ling.* Abuso da anáfora.

anafrodisia [Do gr. *anaphrodisía*.] *S. f. Psiq. Med.* Ausência de apetite sexual.

anafrodisíaco [De *anafrodisia* + *-íaco*.] *Adj. S. m. Farmac.* Diz-se de, ou medicamento ou substância que atenua ou tira o apetite sexual, que provoca anafrodisia; antiafrodisíaco. [Opõe-se a *afrodisíaco*.]

anafrodita [Do gr. *anaphróditos*.] *Adj. 2 g. S. 2 g.* Que, ou quem é insensível ao amor carnal.

anafrodítico [De *anafrodita* + *-ico*².] *Adj.* **1.** Relativo a anafrodita. **2.** Que não provém de geração propriamente dita ou do concurso de sexos.

anageense (eèn) *Adj. 2 g.* **1.** De, ou pertencente ou relativo a Anagé (BA). • *S. 2 g.* **2.** O natural ou habitante de Anagé.

anagénese *S. f. Fisiol. Patol.* V. *anagênese*. [Uso freq. em P.]

anagênese [Do gr. *anagénnesis*.] *S. f.* **1.** *Biol.* Desenvolvimento evolutivo progressivo que ocorre no interior de uma espécie, e que resulta na especiação. **2.** *Geol.* Mudança evolutiva, progressiva, linear, em rocha. **3.** *Fisiol.* Regeneração tecidual; anagenia.

anagenético [De *anagên(ese)* + *-ético*.] *Adj. Fisiol. Patol.* Relativo à anagênese.

anagenia [De *an(a)-* + *-genia*.] *S. f. Fisiol.* Anagênese (3).

anagénico *Adj. Geol.* V. *anagênico*. [Uso freq. em P.]

anagênico [De *an(a)-* + *-gen(o)-* + *-ico*².] *Adj. Geol.* ~ V. *depósito —*.

anageotrópico [De *angeotropismo* + *-ico*², seg. o padrão erudito.] *Adj.* Referente ao anageotropismo.

anageotropismo [De *an(a)-* + *geotropismo*.] *S. m.* Geotropismo negativo.

anaglífico [De *anáglifo* + *-ico*².] *Adj.* Relativo a anáglifo.

anáglifo [Do gr. *anáglyphos*, pelo lat. *anaglyphu*.] *S. m.* Figura que combina duas imagens obtidas de pontos de visão diferentes e impressas em cores contrastantes (usualmente vermelho e verde), e que, olhada através de óculos com lentes dessas cores, produz a ilusão de profundidade.

anaglipografia [Do gr. *anáglyptos*, 'cinzelado em relevo', + *-grafia*.] *S. f.* V. *braile*.

anagliptográfico [De *anagliptografia* + *-ico*².] *Adj.* Referente a anagliptografia.

anagnórise [Do gr. *anagnórisis*.] *S. f. Teatr.* Termo que, segundo a Poética de Aristóteles, designa o momento em que a personagem trágica reconhece a verdade, graças à revelação de um fato até então oculto; reconhecimento.

anagnosia [Do gr. *anágnosis*, 'leitura', + *-ia*¹.] *S. f.* Percepção e leitura supranormal de textos inacessíveis aos sentidos normais.

anagnosigrafia [Do gr. *anágnosis*, 'leitura', + *-grafia*.] *S. f.* Processo de ensinar a ler e a escrever ao mesmo tempo.

anagnosigráfico [De *anagnosigrafia* + *-ico*².] *Adj.* Referente à anagnosigrafia.

anagnosta [Do gr. *anagnóstes*, pelo lat. *anagnostes*.] *S. m.* Escravo romano que era encarregado de ler em alta voz durante os banquetes de seus senhores.

anagô *Adj. 2 g. S. 2 g.* V. *nagô*.

anagogia [Do gr. *anagogé*, 'ação de fazer subir', + *-ia*¹.] *S. f.* **1.** Elevação da alma na contemplação das coisas divinas; êxtase, arrebatamento, enlevo. **2.** Interpretação das Sagradas Escrituras, ou de outras obras, como as de Virgílio, Dante, etc., que permite passar do sentido literal ao sentido místico.

anagógico [Do gr. *anagogikós*, pelo lat. *anagogicu*.] *Adj.* **1.** Relativo a anagogia. **2.** *Filos.* Segundo Leibniz (v. *leibniziano*), indutivo. [Opõe-se, nesta acepç., a *catagógico*.]

anagrama [Do lat. mod. *anagramma* < gr. *anagrammatismós* < gr. *anagrammatízein*, 'transpor letras'.] *S. m. E. Ling.* Palavra ou frase formada pela transposição das letras de outra palavra ou frase. Ex.: *Belisa* (de *Isabel*); *Soares Guiamar* (pseudônimo de *Guimarães Rosa*); "Pelo seu próprio conteúdo, a *Menina e Moça* [de Bernardim Ribeiro] não pode deixar de ter um fundo autobiográfico, de ser, pelo menos em parte, um *roman à clef*, como sugerem numerosos anagramas transparentes: Binmarder (Bernardim), Aônia (Joana), Avalor (Álvaro), Arima (Maria), Donanfer (Fernando), etc." (Antônio José Saraiva e Óscar Lopes, *História da Literatura Portuguesa*, p. 239); "E dizem que a *Iracema* do romance de Alencar é o anagrama de *América*." (João Ribeiro, *Curiosidades Verbais*, p. 76).

anagramático [De *anagrama* + *-ático*.] *Adj.* **1.** Relativo a anagrama. **2.** Em que há anagrama.

anagramatismo [Do gr. *anagrammatismós*.] *S. m.* Hábito de anagramatizar.

anagramatizar [Do gr. *anagrammatízein*.] *V. int.* Fazer anagramas.

anágua [Var. de *enágua* < taino *naguas*, pelo esp. *enaguas*.] *S. f.* Saia, usada sob o vestido ou outra saia, em geral mais curta que estes; saia de baixo: "Uma trouxa de roupa é um mundo animado de anáguas, de corpinhos, de fronhas" (Jorge de Lima, *Obra Completa*, I, p. 357).

anaiá [Do tupi.] *S. m. Bot.* **1.** V. *inajá*. **2.** V. *maria-rosa*.

anaiense (a-i) *Adj. 2 g.* **1.** De, ou pertencente ou relativo a Anaí (PR). • *S. 2 g.* **2.** O natural ou habitante de Anaí.

anais [Do lat. *annales*.] *S. m. pl.* **1.** História ou narração organizada ano por ano. **2.** Publicação periódica de ciências, letras ou artes. **3.** *P. ext.* Registro de fatos históricos ou pessoais. ~ V. *anal*.

anaiuri (ai-u) [Do tupi.] *S. m. Bras. Amaz.* Designação indígena dos machos do tracajá (q. v.).

anajá [Var. de *anaiá*.] *S. m. Bot.* **1.** V. *inajá*. **2.** V. *maria-rosa*.

anajaense (jà) ***Adj. 2 g.*** **1.** De, ou pertencente ou relativo a Anajás (PA). ● ***S. 2 g.*** **2.** O natural ou habitante de Anajás.

anajá-mirim ***S. m.*** *Bras. Bot.* Palmeira arecácea acaule (*Attalea humilis*) de folhas penadas, us. na cobertura de casas, frutos edules, dos quais se extrai óleo útil, e que é cultivada como ornamental; catulé, coco-catulé, coco-de-pindoba, palmeirim, pindoba. [Pl.: *anajás-mirins.*]

anajatubense ***Adj. 2 g.*** **1.** De, ou pertencente ou relativo a Anajatuba (MA). ● ***S. 2 g.*** **2.** O natural ou habitante de Anajatuba.

anal[1] ***S. f.*** *Zool.* F. red. de *nadadeira anal.* ~ V. *anais.*

anal[2] [De *ano*[2] + *-al*[1].] ***Adj. 2 g.*** Relativo ou pertencente ao ânus; sedal. ~ V. *anais.*

anal[3] [De *ano*[1] + *-al*[1].] ***Adj. 2 g.*** **1.** *P. us.* Anual. ● ***S. m.*** **2.** Cerimônia religiosa que se celebra todos os dias, durante um ano. ~ V. *anais.*

analabo ***S. m.*** Estola de frades gregos.

analagmático ***Adj.*** ~ V. *curva —a.*

analandense ***Adj. 2 g.*** **1.** De, ou pertencente ou relativo a Analândia (SP). ● ***S. 2 g.*** **2.** O natural ou habitante de Analândia.

analcima [De *an-* + gr. *álkimos*, 'forte'.] ***S. f.*** *Min.* Analcita.

analcita [De *an-* + gr. *alké*, 'força', + *-ita*[3].] ***S. f.*** *Min.* Mineral pseudomonométrico, silicato hidratado de alumínio e sódio; analcima.

analecto [Do gr. *análektos*, 'recolhido'.] ***S. m.*** **1.** Entre os antigos gregos e romanos, escravo incumbido de recolher as sobras de uma refeição. **2.** Coleção de escritos. V. *antologia* (2). **3.** Coleção de aforismos, ou ditos célebres.

analector (ô) [De *analecto* + *-or.*] ***S. m.*** Aquele que organiza analecto (2).

analema [Do gr. *análemma*, pelo lat. *analemma.*] ***S. m.*** **1.** *Astr.* Projeção ortogonal da esfera sobre o coluro dos solstícios; planisfério. **2.** Instrumento de gnomônica.

analemática [De *analema* + *-ática.*] ***S. f.*** *Astr.* Arte de usar o analema (1) para determinar a posição de um astro.

analemático [De *analema* + *-ático.*] ***Adj.*** *Astr.* Relativo ao analema.

analepse [Do gr. *análepsis.*] ***S. f.*** *Med.* V. *analepsia.*

analepsia [De *analepse* + *-ia*[1].] ***S. f.*** *Med.* Restauração das forças perdidas por doença; convalescença; analepse.

analéptica [F. subst. de *analéptico.*] ***S. f.*** *Med.* Ramo da medicina que ensina a restabelecer as forças dos convalescentes.

analéptico [Do gr. *analeptikós.*] ***Adj.*** *Med.* **1.** Referente à analepsia. **2.** Que restaura as forças; tônico.

analérgico [De *an-* + *alérgico.*] ***Adj.*** Diz-se de substância química, ou de fator físico, que não produz reação anafiláctica ou manifestação de hipersensibilidade.

analfa ***S. 2 g.*** *Bras. Gír.* V. *analfabeto.*

analfabético [De *analfabeto* + *-ico*[2].] ***Adj.*** *E. Ling.* ~ V. *língua —a.*

analfabetismo [De *analfabeto* + *-ismo.*] ***S. m.*** Estado ou condição de analfabeto; falta absoluta de instrução.

analfabeto [Do gr. *analphábetos*, 'aquele que não conhece nem o alfa nem o beta', pelo lat. *analphabetu.*] ***Adj.*** **1.** Que não conhece o alfabeto. **2.** Que não sabe ler e escrever: "E que fez Rousseau? Quase analfabeto até aos trinta anos, começa a escrever aos trinta e cinco." (Graça Aranha, *A Estética da Vida*, p. 194.) **3.** Absolutamente ou muito ignorante. **4.** Que desconhece determinado assunto ou matéria: *É analfabeto em geografia.* ● ***S. m.*** **5.** Indivíduo analfabeto (1 e 2). **6.** Indivíduo ignorante, sem nenhuma instrução. [F. red. (bras.) (nessas 2 acepç.): *analfa.*] ◆ **Analfabeto de pai e mãe.** Indivíduo rigorosamente analfabeto.

analgesia [Do gr. *analgesía.*] ***S. f.*** **1.** *Med. Neur.* Perda da sensibilidade à dor; analgia. **2.** *Med.* Sedação de dor, sem que haja perda da consciência. [Sin. ger.: *analgia.*]

analgésico [De *analgesia* + *-ico*[2].] ***Adj.*** **1.** Respeitante à analgesia. **2.** Que suprime a dor. ● ***S. m.*** **3.** *Farm.* Medicamento ou substância que produz analgesia, que suprime a dor. [F. paral.: *analgético.*]

analgesídeo [Do tax. *Analges* (< gr. *analgés*, 'sem dor') + *-ideo*[1].] *Zool.* ***S. m.*** **1.** Espécime dos analgesídeos, família ácaros que parasitam aves, mantendo-se entre as penas e nutrindo-se da gordura produzida pelas glândulas sebáceas. ● ***Adj.*** **2.** Pertencente ou relativo a eles.

analgético [De *analg(esia)* + *-ético.*] ***Adj. S. m.*** V. *analgésico.*

analgia [De *an-* + *-alg(o)-*[2] + *-ia*[1].] ***S. f.*** *Med. Neur.* V. *analgesia.*

analgico [De *analgia* + *-ico*[2].] ***Adj.*** *Med. Neur.* Relativo a analgia.

analisado[1] [Part. de *analisar*[1].] ***Adj.*** Que se analisou ou foi submetido a análise.

analisado[2] [Part. de *analisar*[2].] ***Adj. S. m.*** V. *psicanalisado.*

analisador (ô) [De *analisar* + *-dor.*] ***Adj.*** **1.** Que analisa. ● ***S. m.*** **2.** Aquele que faz análise, que examina com minúcia; analista. **3.** *Eletrôn.* Tipo de equipamento de teste eletrônico usado na análise das características de desempenho dos circuitos. **4.** *Fís. Nucl.* Sistema físico capaz de separar partículas segundo suas energias. **5.** *Ópt.* Componente de um sistema óptico que só é transparente à luz polarizada paralelamente a um determinado plano. ◆ **Analisador harmônico.** *Fís.* Instrumento para efetuar a análise harmônica de um sinal periódico, e de que existem diversos tipos, a maioria dos quais baseada em circuitos elétricos ou eletrônicos capazes de medir a intensidade dos diversos componentes de um sinal.

analisando [De *analisar*[2] + *-ando.*] ***S. m.*** V. *psicanalisando.*

analisar[1] [De *análise* + *-ar*[2].] ***V. t. d.*** **1.** Decompor (um todo) em suas partes componentes; fazer análise[1] (3) de: *analisar o sangue, a água.* **2.** Observar, examinar com minúcia; esquadrinhar: *Procurou analisar a situação, antes de opinar.* **3.** Submeter a crítica; examinar criticamente: *analisar uma obra de arte.* **4.** *E. Ling.* Decompor (uma oração ou período) nos seus elementos, a fim de classificar cada um destes, de acordo com as regras gramaticais. *P.* **5.** Proceder à análise, estudo, apreciação, ou exame, de si próprio: "Muitas vezes, a sós, eu me analiso / e estudo, / os meus gostos crimino e busco, em vão, / torcê-los" (Gilca da Costa Melo Machado, *Poesias*, p. 172). [Pres. subj.: *analise*, etc. Cf. *análise*, s. f.]

analisar[2] ***V. t. d. Int. P.*** V. *psicanalisar.* [Pres. subj.: *analise*, etc. Cf. *análise*, s. f.]

analisável[1] [De *analisar*[1] + *-vel.*] ***Adj. 2 g.*** Que pode ser analisado.

analisável[2] ***Adj. 2 g.*** V. *psicanalisável.*

análise[1] ***S. f.*** **1.** Ato ou efeito de analisar. **2.** Separação ou desagregação das diversas partes constituintes de um todo; decomposição: *análise de uma amostra de minério; análise de um organograma.* **3.** Exame de cada parte de um todo, tendo em vista conhecer sua natureza, suas proporções, suas funções, suas relações, etc.: *análise de um mecanismo; análise de dados referentes a um grupo social.* **4.** *P. ext.* O resultado da análise (1 a 3): *A análise comprovou o erro da nova política econômica.* **5.** Estudo pormenorizado; exame, crítica: *análise de um romance, de uma obra de arte.* **6.** *E. Ling.* V. *análise gramatical.* **7.** *E. Ling.* Análise léxica. **8.** *E. Ling.* Análise lógica. **9.** *E. Ling.* V. *análise sintática.* **10.** *Filos.* Determinação dos elementos que se organizam em uma totalidade, dada ou a construir, material ou ideal. [Cf., nesta acepç., *análise cartesiana.*] **11.** *Mat.* V. *análise matemática.* **12.** *Med.* Análise clínica. [Cf. *analise*, do v. *analisar.*] ◆ **Análise cartesiana.** *Filos.* Regra de método que consiste em dividir cada problema em quantas partes seja necessário para melhor resolvê-lo. [Cf. *análise* (10).] **Análise cefalométrica.** *Med.* Cefalometria (2). **Análise clínica.** *Med.* Análise, geralmente feita em laboratórios especializados, de material oriundo do organismo de um paciente, para avaliar o seu estado geral, determinar ou auxiliar a feitura de diagnóstico, aferir o resultado de medicação. [Tb. se diz apenas *análise.*] **Análise colorimétrica.** *Quím.* Análise quantitativa em que se compara a absorvância ou a transmitância de uma solução de concentração desconhecida, com o mesmo parâmetro de outra solução, qualitativamente idêntica à primeira, mas de concentração conhecida; colorimetria. **Análise combinatória.** *Mat.* Parte da matemática que investiga o número de disposições possíveis dos membros de um conjunto nos seus subconjuntos. **Análise contrastiva.** *E. Ling.* Comparação de descrições de línguas distintas, com a finalidade de identificação das diferenças estruturais entre ambas. **Análise de agrupamentos.** *Estat.* Método de análise estatística multivariada que tem por objetivo reunir elementos de um conjunto em grupos, segundo suas características comuns. **Análise de balanços.** *Econ.* Estudo das demonstrações contábeis de uma empresa com o propósito de avaliar sua situação econômico-financeira. **Análise de componentes principais.** *Estat.* Método de análise estatística multivariada que procura explicar a estrutura da matriz de covariância em termos de um pequeno conjunto de variáveis gerados pelas combinações lineares das variáveis originais. **Análise de correlação.** *Estat.* A que analisa e quantifica o relacionamento ou dependência entre duas variáveis. **Análise de correlação canônica.** *Estat.* Método de análise estatística multivariada que estuda a correlação entre grupos de variáveis. **Análise de custo-benefício.** **1.** *Econ.* Técnica de avaliação econômica de um projeto de investimento, baseada na comparação entre custos e benefícios a ele associados, tanto financeiros quanto sociais. **2.** *P. ext.* Qualquer comparação entre custos e benefícios. **Análise de insumo-produto.** *Econ.* Técnica de análise das relações de compra e venda entre os vários setores da economia, permitindo determinar o nível necessário de produção, em cada setor, correspondente a uma dada estrutura da demanda final por bens e serviços. **Análise de regressão.** *Estat.* Conjunto de métodos que visam a determinar a significância dos parâmetros de uma equação de regressão. **Análise de variância.** *Estat.* Técnica estatística que tem por objeto determinar a influência que alguns fatores, capazes de modificar o valor de uma variável aleatória, exercem sobre a variância desta variável. **Análise dimensional.** *Fís.* Processo analítico pelo qual se verifica a coerência de uma expressão matemática que traduz uma lei física, ou para determinar as formas possíveis de uma relação entre diferentes grandezas físicas, e que consiste em exprimir todas as grandezas físicas que entram na relação em termos de um reduzido número delas, escolhidas como fundamentais, e ver se as expressões obtidas são identidades ou podem reduzir-se a identidades mediante uma seleção apropriada de expoentes e coeficientes. **Análise diofantina.** *Mat.* Parte da álgebra que investiga as soluções inteiras de determinados tipos de equações ou de sistemas de equações. **Análise discriminante.** *Estat.* Método de análise estatística multivariada utilizado na separação e classificação de objetos ou elementos em grupos previamente definidos. **Análise do discurso.** *E. Ling.* Estudo dos padrões de organização do discurso (5). **Análise espectral.** *Quím.* Conjunto de técnicas de análise qualitativa e quantitativa baseadas na produção e no estudo de espectros de emissão, de absorção, de fluorescência, etc. **Análise estatística multivariada.** *Estat.* Análise estatística que envolve simultaneamente mais de duas variáveis. **Análise fatorial.** *Estat.* Método de análise de um fenômeno estatístico multivariado, em que se procura determinar ou medir, por meio de correlações apropriadas, a influência de determinados fatores nesse fenômeno. **Análise fundamentalista.** *Econ.* No mercado acionário, avaliação da vantagem de compra ou venda de determinada ação a partir de uma análise do desempenho passado e das perspectivas futuras da empresa respectiva em exame. **Análise gráfica.** *Econ.* V. *análise técnica* (2). **Análise grafista.** *Econ.* V. *análise técnica* (2). **Análise gramatical.** *E. Ling.* Aquela em que se examina cada palavra (ou, em alguns casos, locução), em um enunciado, a fim de determinar-lhe a classe gramatical; análise léxica. [Tb. se diz apenas *análise.*] **Análise granulométrica.** *Tec.* Granulometria. **Análise harmônica.** *Fís.* Método de análise numérica, ou mecânica, que tem por objetivo determinar a amplitude, fase, frequência, dos movimentos harmônicos simples que constituem um movimento periódico. **Análise infinitesimal.** *Mat.* Análise matemática. **Análise intencional.** *Filos.* Descrição sem pressupostos da consciência viva. **Análise léxica.** *E. Ling.* Análise gramatical. [Tb. se diz apenas *análise.*] **Análise lógica.** *E. Ling.* Análise sintática. [Tb. se diz apenas *análise.*] **Análise matemática.** *Mat.* Parte da matemática em que se utilizam os processos de passagem ao limite e que compreende o cálculo diferencial e integral, o estudo das equações de derivadas ordinárias e parciais, o cálculo variacional, etc.; análise infinitesimal. [Tb. se diz apenas *análise.*] **Análise morfológica.** *E. Ling.* Aquela em que se determina o processo de formação das palavras mediante a classificação de seus elementos mórficos. [V. *morfema.*] **Análise qualitativa.** *Quím.* Determinação dos compostos e/ou dos elementos presentes em uma amostra. **Análise quantitativa.** *Quím.* Determinação das quantidades de cada um dos compostos ou dos elementos presentes em uma amostra. **Análise reflexiva.** *Filos.* Processo pelo qual se evidenciam os elementos e os princípios fundamentais do pensamento. **Análise regressiva.** *Filos.* Processo que visa a encontrar um princípio explicativo do objeto considerado. **Análise retrossintética.** *Quím.* Avaliação das possibilidades de síntese de um composto, começando pelo objetivo final e progredindo, em sucessivas etapas, a fragmentos cada vez mais simples. [A síntese será a realização dessas etapas, na sequência inversa, empregando em cada uma delas reagentes e condições adequadas.] **Análise sequencial.** *Estat.* Investigação de uma hipótese estatística por meio de observações sucessivas em que o prosseguimento ou o término da sequência de observações é determinado pelos resultados obtidos nas observações anteriores. **Análise sintática.** *E. Ling.* Aquela em que se divide um período em orações, classificando estas em seus elementos constituintes; análise lógica. [Tb. se diz apenas *análise.*] **Análise técnica.** **1.** *Cin.* Pormenorização sistematizada de uma produção cinematográfica, em que se faz o levantamento de todas as necessidades técnicas, logísticas e humanas para as filmagens. 2. *Econ.* No mercado acionário, avaliação da vantagem de compra ou venda de determinada ação a partir de uma análise do comportamento passado de suas cotações no mercado (frequentemente baseada no estudo de gráficos de uma série histórica dessas cotações); análise gráfica, análise grafista. **Análise térmica.** *Fís.-Quím.* Método de investigação pelo qual se mede continuamente um parâmetro de um sistema que se aquece ou resfria uniforme e continuamente; termoanálise. **Análise transacional.** Técnica psicoterápica aplicada em grupo ou individualmente, criada em 1958 pelo psiquiatra canadense Eric Berne, e que tem por fim permitir ao indivíduo maior autonomia e espontaneidade através da compreensão e do aprendizado, e se caracteriza pela linguagem clara e pela visão tripartida da personalidade (a criança, o adulto, o pai). **Em última análise.** Esgotando todos os aspectos (de um assunto). [Do gr. *análysis*.]

análise[2] *S. f.* V. *psicanálise* (1).

analista[1] [Do lat. *liber (annalis)*, '(livro) de anais', + *-ista*.] *S. 2 g.* Pessoa que escreve anais.

analista[2] [De *análise*[1] + *-ista*.] *S. 2 g.* 1. Pessoa que faz análise[1]. 2. Observador, analisador. 3. *P. us.* Pessoa versada em álgebra. 4. Pessoa que faz análises químicas, clínicas, etc. 5. *Inform.* Analista de sistema(s) (q. v.). 6. *Quím.* Especialista em química analítica. ◆ **Analista de sistema(s).** *Inform.* Profissional que especifica os requisitos e os recursos necessários para o desenvolvimento de sistemas computacionais. [Tb. se diz apenas *analista*.]

analista[3] *S. 2 g.* V. *psicanalista*.

analiticidade [De *analítico* + *-(i)dade*.] *S. f. Mat.* Propriedade de uma função de ser analítica.

analítico[1] [Do gr. *analytikós*, pelo lat. *analyticu*.] *Adj.* 1. Relativo à análise. 2. Que procede por análise. 3. *Mat.* Referente à, ou próprio da análise matemática. ~ V. *aumentativo —, balança —a, diminutivo —, escrita —a, função —a, função —a regular, geometria —a, índice —, juízo —, língua —a, mecânica —a, método —, química —a, superlativo absoluto —* e *voz passiva —a*.

analítico[2] *Adj.* V. *psicanalítico*.

analogado [De *analog(ia)* + *-ado*[1].] *S. m. Filos.* Termo de relação de analogia (3 a 5).

analogia [Do gr. *analogía*, pelo lat. *analogia*.] *S. f.* 1. Ponto de semelhança entre coisas diferentes. 2. Semelhança, similitude, parecença. 3. *Filos.* Identidade de relações entre os termos de dois ou mais pares. 4. *Filos.* Semelhança entre figuras que só diferem quanto à escala. 5. *Filos.* Semelhança de função entre dois elementos, dentro de suas respectivas totalidades. [Cf., nas acepçs. 3 a 5, *generalização* (5).] 6. *Fís.* Relação entre dois fenômenos físicos distintos que podem ser descritos por um formalismo matemático idêntico, a qual pode existir entre um fenômeno elétrico e outro mecânico, entre um acústico e um elétrico, etc. 7. *Jur.* Processo lógico de interpretação pelo qual se supre omissão legislativa, aplicando a uma dada situação jurídica, para a qual não haja previsão legal específica, norma que disciplina caso similar. 8. *E. Ling.* Modificação ou criação de uma forma linguística por influência de outra(s) já existente(s). [Particípios como *ganho, gasto, pago*, ao lado de *ganhado, gastado* e *pagado*, são tradicionalmente considerados formas analógicas cujo modelo provável foram pares de formas do lat. vulgar, como, p. ex., *acceptum/acceptatum*.]

analógico [Do gr. *analogikós*, pelo lat. *analogicu*.] *Adj.* 1. Fundado na analogia. 2. Que tem analogia. 3. *Fís.* Diz-se de um sistema cuja expressão matemática da relação existente entre suas grandezas físicas é análoga ou semelhante à mesma expressão de um outro sistema. 4. *Fís.* Diz-se de uma informação fornecida por um instrumento a um observador, na qual a medida de uma grandeza física é fornecida explicitamente pela medida de uma segunda grandeza que tem com a primeira uma relação biunívoca. 5. *Inform.* Diz-se de transmissão de sinal elétrico que varia de forma contínua. ~ V. *circuito —, computador —* e *sistemas —s*.

analogismo [De *análogo* + *-ismo*.] *S. m. Filos.* V. *raciocínio por analogia*.

analogista [De *analogia* + *-ista*.] *S. 2 g.* Quem discorre por analogia.

analogístico [Do gr. *analogistikós*.] *Adj.* Em que se procede por analogia.

análogo [Do gr. *análogos*, pelo lat. *analogu*.] *Adj.* 1. Em que há, ou que demonstra analogia; semelhante, comparável, afim: *reações análogas; aspectos análogos; formas análogas*. 2. Fundado em analogia. 3. Diz-se dos órgãos ou partes que, conquanto sejam de origens diferentes, têm a mesma função biológica. 4. *Filos.* Diz-se de palavra, conceito ou atributo em relação de analogia (3 a 5). 5. *Hist. Filos.* Segundo os tomistas, diz-se especialmente de palavra, conceito ou atributo que se aplica, de modo nem totalmente diverso nem totalmente idêntico, a objetos essencialmente diferentes. É uma qualificação que se situa a igual distância de *unívoco* (q. v.) e de *equívoco* (q. v.). 6. *Fís.* Diz-se de qualquer sistema, fenômeno, etc., que tem analogia com outro. ● *S. m.* 7. O que é análogo; equivalente: *Esse fato não tem análogo na História*. 8. *Fís.* Qualquer sistema análogo. ◆ **Análogo acústico.** *Fís.* Fenômeno ou processo acústico que tem analogia (q. v.) com outra classe de fenômenos físicos.

anamãense *Adj. 2 g.* 1. De, ou pertencente ou relativo a Anamã (AM). ● *S. 2 g.* 2. O natural ou habitante de Anamã.

anambé[1] [Do tupi.] *S. m. Bras. Amaz. Zool.* 1. Designação comum às aves cotingídeas, que vivem nas matas virgens e se alimentam de bagas e frutas; coaraciuirá, cotinga, guainambé, guinambé, uanambé. 2. V. *saurá*.

anambé[2] *Bras. S. 2 g.* 1. *Etnôn.* Indivíduo dos anambés, povo indígena da família linguística tupi-guarani que habita o alto rio Caiari, afluente do rio Muju (PA). 2. *Etnôn.* V. *turivara*. ● *Adj. 2 g.* 3. Pertencente ou relativo a esse povo. 4. V. *turivara*. [Tb. us. como *s. 2 g.* e *2 n.* (com cap.) e *adj. 2 g.* e *2 n.*]

anambé-açu [De *anambé* + *-açu*.] *S. m. Bras. Zool.* 1. Ave passeriforme, cotingídea (*Gymnoderus foetidus*), da Amaz., de coloração preta, asas de uma tonalidade clara de xisto, e azul a pele nua da cabeça. 2. Ave passeriforme, cotingídea (*Haematoderus militaris*), vermelho-escura, asas e cauda pardo-escuras. A fêmea é parda, tendo a cabeça e a parte inferior encarnadas. [Sin. ger.: *pombo-anambé, anambé-pombo, anambé-grande, anambé-pitiú*. Pl.: *anambés-açus*.]

anambé-azul *S. m. Bras. Zool.* 1. Ave passeriforme, cotingídea (*Cotinga cayana*), da Amaz., cujo macho tem coloração azul, bases das penas, asas e cauda pretas, garganta purpúrea, sendo a fêmea de um pardo acinzentado, mais claro na parte inferior. 2. Ave passeriforme, cotingídea (*Cotinga cotinga*), cujo macho tem coloração azul-brilhante, peito e barriga purpúreos, cauda e asas pretas, sendo a fêmea de um pardo tirante a preto. [Sin. ger.: *bacaca, curuá*. Pl.: *anambés-azuis*.]

anambé-branco *S. m. Bras. Zool.* Ave cotingídea (*Tityra cayana*) da Amaz., cujo macho tem coloração branco-acinzentada, sendo a cabeça, parte das asas, e caudas, pretas; urubuzinho. [Pl.: *anambés-brancos*.]

anambé-grande *S. m. Bras. Amaz. Zool.* V. *anambé-açu*. [Pl.: *anambés-grandes*.]

anambé-pitiú *S. m. Bras. Amaz. Zool.* V. *anambé-açu*. [Pl.: *anambés-pitiús* e *anambés-pitiú*.]

anambé-pombo *S. m. Bras. PA Zool.* V. *anambé-açu*. [Pl.: *anambés-pombos* e *anambés-pombo*.]

anambé-preto *S. m. Bras. Zool.* 1. Ave passeriforme, cotingídea (*Xipholena lamellipennis*), do baixo Amazonas, cujo macho tem coloração preta com brilho purpúreo, rêmiges e cauda brancas, sendo a fêmea parda, mais clara na parte inferior, e com parte das penas marginadas de branco; bacacu-preto, uiramembi. 2. V. *anambeúna*. [Pl.: *anambés-pretos*.]

anambé-roxo *S. m. Bras. Zool.* Ave passeriforme, cotingídea (*Xipholena punicea*), da Amaz., cujo macho apresenta coloração purpúrea brilhante, asas brancas, pontas das retrizes da mão pretas, sendo a fêmea cinzenta, mais clara na parte inferior; bacacu. [Pl.: *anambés-roxos*.]

anambeúna (è) [De *anambé*[1] + *-una*.] *S. m. Bras. Zool.* Ave passeriforme, cotingídea (*Querula purpurata*), da Amaz., de coloração preta, sendo a garganta do macho purpúrea; anambé-preto, mãe-de-tucano.

anamburucu [De *Nanã Burucu*.] *S. f. Bras. Rel.* V. *Nanã*[2]. [Com cap.]

anamês [Do top. *Aname*, antigo estado, que acrescido de dois outros, Tonquim e Cochinchina, veio a formar o atual Vietnã, + *-ês*.] *Adj.* 1. Anamita (1). ● *S. m.* 2. Anamita (2). [Flex.: *anamesa* (ê), *anameses* (ê), *anamesas* (ê).] 3. *Gloss.* Vietnamita (3).

anamita *Adj. 2 g.* 1. Do, ou pertencente ou relativo ao Anã, região central do Vietnã. ● *S. 2 g.* 2. O natural ou habitante do Anã. [Sin. ger.: *anamês*.]

anamítico [De *anamita* + *-ico*[2].] *Adj.* Relativo ou pertencente aos anamitas.

anamnese [Do gr. *anámnesis*.] *S. f.* 1. *E. Ling.* Figura pela qual nos fingimos recordar de coisa esquecida. 2. *P. ext.* Reminiscência, recordação. 3. *Lit.* Na missa, as palavras que, após a elevação (11), seguem o relato da instituição desse sacramento. 4. *Med.* Conjunto de informações dadas por paciente, ou familiares, ou outros, e referentes a quando começou, como começou, como evoluiu, e como se manifesta a doença, pela ocasião em que, pela primeira vez, é consultado o médico. [Cf., nesta acepç., *catamnese*.] [Sin. ger.: *anamnésia, anamnesia*.]

anamnesia [Do gr. *anámnesis* + *-ia*[1].] *S. f.* Anamnésia (q. v.).

anamnésia [Var. de *anamnesia*.] *S. f.* V. *anamnese*.

anamnésico [De *anamnésia* + *-ico*[2].] *Adj.* 1. Relativo a anamnésia. 2. Que desperta a memória. [Sin. ger.: *anamnéstico*.]

anamnéstico [Do gr. *anamnestikós*.] *Adj.* V. *anamnésico*.

anamniota [De *an-* + *amniota*.] *Adj. 2 g. S. 2 g. Zool.* Diz-se de, ou animal vertebrado desprovido de âmnio. São os ciclostomados, os peixes e os anfíbios.

anamorfismo [De *an(a)-* + *-morf(o)-* + *-ismo*.] *S. m. Geol.* Processo metamórfico realizado em profundidade pelo qual se formam novas rochas com base em minerais quimicamente mais simples. [Opõe-se a *catamorfismo*.]

anamorfose [Do gr. *anamórphosis*, 'transformação'.] *S. f.* 1. *Biol.* Metamorfose característica de certos artrópodes, em que as formas jovens não têm todos os segmentos corporais que as formas adultas apresentam. [Cf. *epimorfose*.] 2. *Mat.* Mapeamento de uma função por meio de um operador funcional; correspondência entre o domínio e o contradomínio de uma função e o domínio e o contradomínio de outra, realizada por meio de um operador funcional. 3. *Ópt.* Deformação de uma imagem formada por um sistema óptico cuja ampliação longitudinal é diferente da ampliação transversal. 4. *Ópt.* Arte de representar essa imagem.

anamorfótico [De *anamorf(ose)* + *-ótico*.] *Adj.* Referente à anamorfose.

ananá [De or. tupi.] *S. m. Bras. Bot.* V. *abacaxi*[1] (1 e 2).

ananaense (nãen) *Adj. 2 g.* 1. De, ou pertencente ou relativo a Ananás (TO). ● *S. 2 g.* 2. O natural ou habitante de Ananás.

ananaí [Do tupi.] *S. f. Bras. Zool.* V. *marreca-ananaí*.

ananás [Do tupi; tax. *Ananas*.] *S. m. Bot.* 1. Pequeno gênero de bromeliáceas da América tropical, dotadas de folhas radiculares ensiformes, flores em racemos terminais, e frutos sincárpicos. 2. Qualquer espécie desse gênero, como, p. ex., a *Ananas sativus* [v. *abacaxi*[1] (1)]. 3. Qualquer espécime desse gênero. 4. V. *abacaxi*[1] (2). [Pl.: *ananases*.]

ananaseiro (nanà) [De *ananás* + *-eiro*.] *S. m. Bot.* V. *abacaxi*[1] (1).

anancástico [Do gr. *anankastikós*, 'obrigatório', 'compulsivo'.] *Adj.* Que obriga, compele (diz-se de obsessão). ~ V. *personalidade — a*.

anandria [De *an-* + *-andr(o)-* + *-ia*[1].] *S. f. Med.* Perda da virilidade.

anândrio [De *an-* + *-andr(o)-* + *-io*[3].] *Adj. S. m. Bot.* Diz-se de, ou planta, ou flor, etc., destituídas de estames, ou seja, dos órgãos reprodutivos masculinos. [Sin. ger.: *anandro*.]

anandro [Do gr. *ánandros*.] *Adj. S. m. Bot.* V. *anândrio*.

anani [Do tupi.] *S. m. Bras. Bot.* Árvore clusiácea (*Symphonia globulifera*) de até 20m, que ocorre desde a Amaz. até o RJ. A madeira é própria para construção e carpintaria e a casca produz resina utilizada na indústria. [Var. e sin.: *ananim, guanandi, oanani, olandi, uanani*.]

ananicado [De *a-*[2] + *nanico* + *-ado*[1].] *Adj.* 1. Quase anão, pequenino, enfezado, raquítico. 2. *Fig.* Mesquinho, baixo, desprezível, ignóbil.

ananicar [De *a-*[2] + *nanico* + *-ar*[2].] *V. t. d.* 1. Tornar anão, pequeno. 2. Tornar mesquinho, desprezível; depreciar, amesquinhar: *ananicar as qualidades de alguém*. [Sin. ger.: *ananzar*. Conjug.: v. *trancar*.]

ananico [De *a-*[4] + *nanico*.] *Adj.* V. *nanico*.

ananim *S. m. Bras. Bot.* V. *anani*.

ananindeuense *Adj. 2 g.* 1. De, ou pertencente ou relativo a Ananindeua (PA). ● *S. 2 g.* 2. O natural ou habitante de Ananindeua.

ananismo [De *anano* + *-ismo*.] *S. m.* Nanismo.

anano [De *a-*[4] + *-nano*.] *Adj.* V. *nanico*.

anantero [De *an-* + *-antero*.] *Adj. Bot.* Destituído de anteras. ~ V. *estame —*.

ananzar *V. t. d.* 1. V. *ananicar*. *P.* 2. Tornar-se anão. 3. Apoucar-se, enfezar-se, atrofiar-se.

anão [De *a-*[4] + lat. *nanu* < gr. *nános*.] *S. m.* 1. Indivíduo que apresenta nanismo (1). 2. Personagem fictícia, de estatura diminuta, muito popular no folclore, nas lendas e nos contos infantis: *Branca de Neve e os Sete Anões*. [Cf., nesta acepç., *gnomo*.] 3. *Deprec.* Indivíduo de pequeno talhe; nanico, pigmeu. 4. *Deprec.* Indivíduo raquítico, mirrado, enfezado. 5. *Fig.* Aquele que é de pouca inteligência e/ou cultura, de escasso merecimento, insignificante (em oposição a *gigante*): *Sentia-se um anão ante a cultura do amigo*. ● *Adj.* 6. Diz-se do animal e da planta que, mesmo quando já desenvolvidos, se apresentam com tamanho muito inferior ao normal: *São famosas as árvores anãs cultivadas pelos japoneses*. 7.

De baixíssima estatura; enfezado, raquítico: *raça anã*. **8.** Muito pequeno; muito baixo: *A torre é anã em relação à igreja*. **9.** Apoucado, reduzido: *inteligência anã*. [Fem.: *anã*; pl.: *anões* e *anãos*.]

anapaíta [Do top. *Anapa* (Rússia) + *-ita*[3].] *S. f. Min.* Mineral triclínico, fosfato hidratado de cálcio e ferro.

anapéstico [Do gr. *anapaistikós*, pelo lat. *anapaesticu*.] *Adj.* Composto de anapestos.

anapesto [Do gr. *anápaistos*, pelo lat. *anapaestu*.] *S. m.* Pé de verso grego ou latino formado de três sílabas, as duas primeiras breves e a última longa.

ana-pinta *S. f. Bras. Bot.* V. *abobrinha-do-mato* (3). [Pl.: *ana-pintas*.]

anaplasia[1] [De *an(a)-* + *-plas(i)-* + *-ia*[1].] *S. f. Patol.* Condição em que as células perdem a diferenciação e organização normais, e a função específica.

anaplasia[2] [Do gr. *anáplasis*, 'ação de recolocar (um membro)', + *-ia*[1].] *S. f. Cir.* V. *anaplastia*.

anaplásico[1] [De *anaplasia*[1] + *-ico*[2].] *Adj.* Relativo a anaplasia[1].

anaplásico[2] [De *anaplasia*[2] + *-ico*[2].] *Adj. Cir.* V. *anaplástico*.

anaplasmose [Do tax. *Anaplasma* (v. *an(a)-* e *-plasma*) + *-ose*[1].] *S. f. Veter.* Doença infecciosa, mas não contagiosa, que afeta os bovinos. Ocorre principalmente nos E.U.A., e ainda no Uruguai, na Argentina e no Brasil.

anaplastia [De *an(a)-* + *-plast(o)-* + *-ia*[1].] *S. f. Cir.* Técnica de restabelecer a forma normal de uma parte do corpo mutilada; anaplasia. [Cf. *autoplastia*.]

anaplástico [De *anaplastia* + *-ico*[2].] *Adj. Cir.* Referente a anaplastia; anaplásico. [Cf. *autoplástico*.]

anapolino *Adj.* **1.** De, ou pertencente ou relativo a Anápolis (GO). ● *S. m.* **2.** O natural ou habitante de Anápolis.

anaptixe (cs) [Do gr. *anáptyxis*, 'desdobramento'.] *S. f. E. Ling.* Suarabácti.

anapuru [De or. tupi.] *S. 2 g. Adj. 2 g. Bras.* V. *amapuru*.

anapuruense *Adj. 2 g.* **1.** De, ou pertencente ou relativo a Anapurus (MA). ● *S. 2 g.* **2.** O natural ou habitante de Anapurus.

anarcisar-se [De *a-*[2] + *narciso* + *-ar*[2] + *se*[1].] *V. p.* V. *narcisar-se*.

anarcossindicalismo [Do fr. *anarcho-syndicalisme*.] *S. m.* Forma de sindicalismo revolucionário que prega a dissolução do Estado e que é consequência da entrada, em massa, de anarquistas no movimento sindical.

anarcossindicalista [De *anarcossindicalismo* + *-ista*.] *Adj. 2 g.* **1.** Relativo ao, ou que é partidário do anarcossindicalismo. ● *S. 2 g.* **2.** Partidário dele.

anarcotina [De *a-*[3] + *narcotina*.] *S. f. Voc. farmac.* Narcotina.

anari [De or. tupi, poss.] *S. m. Bras. Zool.* Peixe caracídeo (*Creagrutus anary*) do rio Madeira, que, como outros lambaris, apresenta uma mancha na região umeral.

anariense *Adj. 2 g.* **1.** De, ou pertencente ou relativo a Vale do Anari (RO). ● *S. 2 g.* **2.** O natural ou habitante de Vale do Anari.

anarmônico *Adj.* V. *anarmônico*. [Uso freq. em P.]

anarmônico [De *an-* + *harmônico*.] *Adj.* **1.** V. *inarmônico*. **2.** *Fís.* Diz-se do movimento de um oscilador sujeito a uma força de restauração que não é proporcional ao deslocamento. ~ V. *movimento* — e *razão* —*a*.

anarquia [Do gr. *anarchía*.] *S. f.* **1.** Falta de governo ou de outra autoridade capaz de manter o equilíbrio da estrutura política, social, econômica, etc. **2.** Confusão ou desordem gerada por essa situação. **3.** Negação do princípio da autoridade. **4.** Estrutura social em que não se exerce qualquer forma de coação sobre o indivíduo. **5.** *P. ext.* Ausência de comando ou de regras em qualquer esfera de atividade ou organização: *A anarquia do hospital causou grandes danos aos internados*. **6.** Qualquer organização, instituição, sociedade, etc., carecente de autoridade e de normas: *Aquela escola é uma anarquia: os alunos fazem o que entendem*. **7.** Desordem; confusão; baralhada: *Há grande anarquia nas suas ideias*. **8.** Desordem, desarrumação, bagunça: *Que anarquia fizeram as crianças!* **9.** Desmoralização, desrespeito, avacalhação: *É dado a fazer anarquia com as pessoas velhas*. ◆ **Anarquia organizada.** *Adm.* Modelo de gestão que se contrapõe ao racional-burocrático, e em que os objetivos não são definidos de forma clara, já que os interesses em jogo são conflituosos, as escolhas são inconsistentes entre si, os processos e tecnologias não são dominados pelos membros da organização e a participação é fluida e descontínua.

anárquico [De *anarquia* + *-ico*[2].] *Adj.* **1.** Que está em anarquia: *sociedade anárquica*. **2.** Em que há anarquia: *rebelião anárquica*. **3.** Que excita à anarquia: *teorias anárquicas*. **4.** Confuso, desordenado, caótico: *A notícia deixou a família em estado anárquico*.

anarquismo [De *anarquia* + *-ismo*.] *S. m.* **1.** Teoria política fundada na convicção de que todas as formas de governo interferem injustamente na liberdade individual, e que preconiza a substituição do Estado pela cooperação de grupos associados. **2.** Resistência ou agressão à ordem estabelecida. **3.** Os anarquistas ou as organizações anarquistas. [Cf. *antarquismo*.]

anarquista [De *anarquismo* + *-ista*.] *Adj. 2 g.* **1.** Relativo ao anarquismo. **2.** Diz-se de pessoa partidária do anarquismo (1); libertário. **3.** Diz-se de pessoa dada à anarquia, à desordem. ● *S. 2 g.* **4.** Pessoa anarquista. [Cf. *antarquista*.]

anarquização [De *anarquizar* + *-ção*.] *S. f.* Ato de anarquizar.

anarquizado [Part. de *anarquizar*.] *Adj.* **1.** Em estado de anarquia. **2.** *Bras.* Que não tem ordem ou método; desordenado, desarrumado: *Que sujeito anarquizado!* **3.** *Bras. Fig.* Que não se leva a sério; desmoralizado. ● *S. m.* **4.** Indivíduo anarquizado (2).

anarquizador (ô) [De *anarquizar* + *-dor*.] *Adj. S. m.* Que, ou aquele que anarquiza.

anarquizar [De *anarquia* + *-izar*.] *V. t. d.* **1.** Tornar anárquico. **2.** Incitar à desordem; sublevar: *Tentou anarquizar o povo com suas ideias extremadas*. **3.** Pôr em desordem, em confusão; desordenar: *Saiu depois de anarquizar toda a casa*. **4.** Pôr em ridículo; desmoralizar: *Usa do seu espírito crítico para anarquizar os outros*. *P.* **5.** Tornar-se anárquico; virar uma anarquia: *Depois de tantos golpes de Estado e de tanta corrupção, o país anarquizou-se*.

anarruga [Nome comercial.] *S. f. Tec. Têx.* Tecido de fibra natural ou sintética, de ligamento (5) tafetá, com superfície de listras enrugadas que se consegue tecendo conjuntamente fibras de coeficiente de encolhimento distinto. É muito us. em peças do vestuário de verão.

anartria [Do gr. *anarthría*, 'debilidade de articulação'.] *S. f. Neur.* Impossibilidade de articular as palavras, conquanto não haja paralisia dos músculos da fonação.

anártrico [De *anartria* + *-ico*[2].] *Adj. Neur.* Relativo a anartria.

anartro [Do gr. *ánarthros*.] *Adj. Neur.* Que sofre de anartria.

anasalar [De *a-*[2] + *nasal* + *-ar*[2].] *V. t. d.* V. *nasalar*.

anasarca [De *an(a)-* + *-sarca*.] *S. f.* **1.** *Med. Patol.* Edema que atinge todas as partes do corpo. **2.** *Veter.* Doença grave dos cavalos, bois e carneiros.

anasarcado [De *anasarca* + *-ado*[1].] *Adj.* Que sofre de anasarca.

anasárcico [De *anasarca* + *-ico*[2].] *Adj.* Referente a anasarca; anasarco.

anasarco [De *an(a)-* + *-sarco*.] *Adj.* Anasárcico.

anaspidáceo [De *an-* + *-aspid(i)-* + *-áceo*; tax. *Anaspidaceа*.] *Zool. S. m.* **1.** Espécime dos anaspidáceos, ordem de artrópodes crustáceos, malacostráceos sincarídeos, sem carapaça e com olhos pedunculados ou sésseis. ● *Adj.* **2.** Pertencente ou relativo a eles.

anáspide [Do tax. *Anaspides*.] *S. m. Zool.* **1.** Gênero-tipo dos crustáceos marinhos, malacostráceos. **2.** Espécie, ou espécime desse gênero.

anaspídeo [Do tax. *Anasp(ides)* + *-ídeo*[1].] *Zool. S. m.* **1.** Espécime dos anaspídeos, família de moluscos gastrópodes anaspidáceos, cuja concha interna é muito reduzida. ● *Adj.* **2.** Pertencente ou relativo a eles.

anastaciano[1] *Adj. 2 g.* **1.** De, ou pertencente ou relativo a Anastácio (MS). ● *S. m.* **2.** O natural ou habitante de Anastácio.

anastaciano[2] *Adj.* **1.** De, ou pertencente ou relativo a Santo Anastácio (SP). ● *S. m.* **2.** O natural ou habitante de Santo Anastácio.

anastácio *S. m. Bras. Desus.* V. *tricórnio*.

anastalse [De *an(a)-* + gr. *stálsis*, 'ação de restringir', 'comprimir', como em *peristalse*; lat. cient. *anastalsis*.] *S. f. Med.* Inversão da peristalse.

anastáltico [De *anastalse* + *-ico*[2], seg. o padrão erudito (como ocorre em *peristáltico*).] *Adj. Med.* Relativo a anastalse.

anastático [De *an(a)-* + gr. *statikós*, 'próprio para fazer parar'.] *Adj.* **1.** Diz-se do processo de reproduzir por transporte químico texto ou desenhos impressos. **2.** Diz-se do solo em que a concentração da solução edáfica varia durante o período de crescimento da vegetação que o recobre. ~ V. *impressão* —*a*.

anastigmata *S. f. Ópt.* Lente composta corrigida para o astigmatismo e a curvatura de campo.

anastigmático [De *an-* + *astigmático*.] *Adj. Ópt.* Diz-se de sistema óptico aplanético livre de astigmatismo. ~ V. *lente* —*a*.

anastilose [De *an(a)-* + *-stil(o)-*[2] + *-ose*[1].] *S. f. Arquit.* Em edifícações arruinadas, a recomposição de partes existentes, porém desmembradas ou deslocadas de sua posição original.

anastomosado [Part. de *anastomosar*.] *Adj.* Unido por anastomose.

anastomosante [De *anastomosar* + *-nte*.] *Adj. 2 g.* Que pode ou é capaz de anastomosar(-se).

anastomosar [De *anastomose* + *-ar*[2].] *V. t. d.* **1.** Juntar por anastomose. *Int. P.* **2.** Juntar-se por anastomose. **3.** Intercomunicar-se por meio de ramificações.

anastomose [Do gr. *anastómosis*, 'ação de abrir', 'abertura'.] *S. f. Anat. Cir.* Comunicação, natural, patológica, ou artificial, entre órgãos ou estruturas tubulares.

anastomótico [Do gr. *anastomotikós*.] *Adj. Anat. Cir.* Relativo a anastomose.

anastral [De *an-* + *-astr(o)-* + *-al*[1].] *Adj. 2 g. Citol. Genét.* Desprovido de áster (2). ~ V. *fuso* — e *mitose* —.

anástrofe [Do gr. *anastrophé*, 'inversão', pelo lat. *anastrophe*.] *S. f. E. Ling.* Inversão, mais ou menos forte, da ordem natural das palavras ou das orações; inversão. Ex.: "Se morre, descansa / Dos seus na lembrança" (Gonçalves Dias, *Obras Poéticas*, II, p. 43), *i. e.*, 'na lembrança dos seus'; "Ouviram do Ipiranga as margens plácidas / De um povo heroico o brado retumbante" (Osório Duque-Estrada, em *Hino Nacional Brasileiro*), *i. e.*, 'As margens plácidas do Ipiranga ouviram o brado retumbante de um povo heroico'. [Cf. *hipérbato* e *sínquise*.]

anastrofia [Do gr. *anastrophía*.] *S. f. Anat.* Inversão visceral.

anastrófico [De *anastrofia* + *-ico*[2].] *Adj. Anat.* Relativo a anastrofia.

anata [Do it. *annata*.] *S. f. Ant. Ecles.* Taxa paga à autoridade eclesiástica por quem recebia um benefício, calculada pelo rendimento de um ano desse benefício.

anatado [De *a-*[2] + *nata* + *-ado*[1].] *Adj.* Semelhante à nata, na cor e/ou na consistência.

anatar [De *a-*[2] + *nata* + *-ar*[2].] *V. t. d.* **1.** Cobrir de nata. **2.** Tornar semelhante à nata, na cor e/ou na consistência.

anatásio [Do gr. *anátasis*, 'inflexibilidade', 'rigidez', + *-io*[3].] *S. m. Min.* V. *octaedrita*.

anateirado [De *a-*[2] + *nateiro* + *-ado*[1].] *Adj.* Em que há nateiro.

anateirar [De *a-*[2] + *nateiro* + *-ar*[2].] *V. t. d.* Cobrir de nateiro.

■ **Anatel** Sigla de *Agência Nacional de Telecomunicações*.

anátema [Do gr. *anáthema*, pelo lat. *anathema*.] *S. m.* **1.** Expulsão do seio da Igreja; excomunhão: "Ter o Bispo encerrado no paço, ou fulminando anátemas desde Roma, ... eis o ideal dos cidadãos do Porto." (Jaime Cortesão, *A Carta de Pero Vaz de Caminha*, p. 54.) **2.** Maldição, execração, opróbrio: "Era como se aquele cão obstinado à minha cola denunciasse em mim o anátema que pesava na noite sobre a humanidade inteira pelo crime ainda não resgatado" (Fernando Sabino, *O Homem Nu*, p. 228). **3.** Reprovação enérgica. **4.** Indivíduo que sofreu excomunhão (1). **5.** Excomungado, maldito, amaldiçoado: "Quem foi o anátema que se atreveu a tal sacrilégio?" (Almeida Garrett, *Viagens na Minha Terra*, p. 361.) **6.** Réprobo, condenado. ● *Adj. 2 g.* **7.** Excomungado, amaldiçoado.

anatemático [De *anátema* + *-ático*.] *Adj.* Relativo a, ou que encerra anátema: *condenação anatemática*.

anatematismo [Do gr. *anathematismós*.] *S. m.* Bula ou escrito que contém anátema.

anatematização [De *anatematizar* + *-ção*.] *S. f.* Ato de anatematizar.

anatematizador (ô) [De *anatematizar* + *-dor*.] *Adj. S. m.* Que, ou aquele que anatematiza.

anatematizar [Do gr. *anathematízein*, pelo lat. *anathematizare*.] *V. t. d.* **1.** Excomungar (1). **2.** Reprovar energicamente; votar à execração; condenar: "Há trinta e poucos anos um jovem deputado brasileiro, Maurício Lacerda, querendo anatematizar a Câmara por seus delíquios em face do governo, disse que ela se avacalhara." (Costa Rego, *Águas Passadas*, p. 377.) **3.** Amaldiçoar, execrar. *T. d. e i.* **4.** Banir, excluir.

anatéxis (cs) [Do gr. *anátexis*, 'liquefação'.] *S. f. 2 n. Petr.* Refusão de uma rocha preexistente pela sua incorporação ao magma.

anátida [Do lat. *anas*, *atis* + *-ida*[1]; tax. *Anatidae*.] *S. m. Adj. 2 g. Zool.* V. *anatídeo*.

anatídeo [Do lat. *anas*, *atis*, 'adem', + *-ídeo*[1]; tax. *Anatidae*.] *Zool. S. m.* **1.** Espécime dos anatídeos, família de aves anseriformes, de bico largo, guarnecido de lamelas. Aquáticas, vivem aos bandos, e se alimentam de matéria vegetal, pequenos animais e toda sorte de invertebrados. São os patos, marrecas e marrecos. ● *Adj.* **2.** Pertencente ou relativo a eles. [Sin.: *anátida*.]

anatifa [Alter. do tax. (*Lepas*) *anatifera*.] *S. f. Zool.* V. *perceve*. [Var.: *anatifo*.]

anatifo *S. m. Zool.* V. *perceve*.

anatista [De *anata* + *-ista*.] *S. m. Ant.* Oficial a quem cabia receber e escriturar as anatas.

anato [Do caraíba.] *S. m.* **1.** Substância amarelo-avermelhada com que se dá cor a certos queijos. **2.** *Bras. Zool.* V. *pirarucu*.

anatocismo [Do gr. *anatokismós*, pelo lat. *anatocismu*.] *S. m.* Capitalização dos juros de uma importância emprestada.

anatoliano[1] *Adj. S. m.* Anatólio.

anatoliano[2] *Adj.* **1.** Pertencente ou relativo ao escritor francês Anatole France (1844-1924), ou próprio dele. • *S. m.* **2.** Grande admirador e/ou profundo conhecedor da obra desse autor.

anatólio *Adj.* **1.** Da, ou pertencente ou relativo à Anatólia (Turquia). • *S. m.* **2.** O natural ou habitante da Anatólia. **3.** *Gloss.* Ramo do indo-europeu constituído por línguas atualmente extintas, das quais a mais importante foi o *hitita*, a que pertencem as atestações mais antigas deste ramo. **4.** *Gloss.* V. *turco* (5).

anatomia [Do lat. *anatomia* < gr. *anatomé*, 'incisão', 'dissecação'.] *S. f.* **1.** *Biol.* Ciência que trata da forma e da estrutura dos seres organizados: *anatomia dos animais superiores; anatomia vegetal.* **2.** *Restr.* Anatomia (1) humana: *anatomia descritiva; anatomia patológica.* **3.** *P. ext.* Tratado ou compêndio desta ciência: *Estudou pela anatomia de Testut;* "Pediu pra gente vir a semana inteira, procurar aqui uma anatomia, nem me lembro o nome do autor" (Mauro Mota, *O Pátio Vermelho*, pp. 117-118). **4.** Dissecação do corpo humano ou de qualquer animal ou planta para conhecer-lhes as partes, a estrutura, o aspecto, etc.: *A Lição de Anatomia, de Rembrandt, representa a autópsia de um cadáver, como era feita no séc. XVII.* **5.** Aspecto exterior do corpo humano; compleição: *De biquíni, ela exibe uma bela anatomia.* **6.** A própria estrutura anatômica de um corpo organizado. **7.** *Fig.* Análise meticulosa, rigorosa; estudo minudente: *a anatomia de um crime; a anatomia do ciúme, da vaidade.* ◆ **Anatomia artística.** Estudo das formas exteriores do corpo humano, em repouso ou em movimento, baseado no conhecimento dos órgãos internos, do esqueleto, dos músculos, etc.

anatômico [Do gr. *anatomikós*, pelo lat. *anatomicu*.] *Adj.* **1.** Referente à anatomia: *caracteres anatômicos.* **2.** Onde se estuda ou pratica anatomia: *gabinete anatômico.* **3.** Diz-se do objeto destinado a ser utilizado pelo homem, e que se adapta à anatomia humana: *colchão anatômico; colete anatômico.* ~ V. *peça —a* e *tabaqueira —a.* • *S. m.* **4.** *P. us.* Anatomista (2).

anatomista [De *anatomia* + *-ista*.] *Adj. 2 g.* **1.** Que é especialista em anatomia. • *S. 2 g.* **2.** Pessoa especialista em anatomia. [Sin. (p. us.), nesta acepç.: *anatômico*.]

anatomização [De *anatomizar* + *-ção*.] *S. f.* Ato de anatomizar.

anatomizar [De *anatomia* + *-izar*.] *V. t. d.* **1.** Praticar anatomia (4) em; dissecar. **2.** Estudar minuciosamente.

▲ **anatom(o)-** [De *anatom(ia)* + *-o-*[1].] *El. comp.* = 'anatomia': *anatomocirurgia, anatomopatologia.*

anatomocirurgia [De *anatom(ia)* + *-o-* + *cirurgia*.] *S. f. Cir.* A anatomia aplicada à cirurgia.

anatomocirúrgico [De *anatomocirurgia* + *-ico*[2].] *Adj.* Relativo à anatomocirurgia.

anatomofisiologia [De *anatom(ia)* + *-o-* + *fisiologia*.] *S. f. Fisiol.* A anatomia aplicada à fisiologia.

anatomofisiológico [De *anatomofisiologia* + *-ico*[2].] *Adj. Fisiol.* Relativo à anatomofisiologia.

anatomopatologia [De *anatom(ia)* + *-o-* + *patologia*.] *S. f.* Ciência que estuda as partes do organismo alteradas por processos patológicos.

anatomopatológico [De *anatomopatologia* + *-ico*[2].] *Adj.* Referente à anatomopatologia.

anatomopatologista (nà) [De *anatomopatologia* + *-ista*.] *S. 2 g.* Especialista em anatomopatologia: "Experimentador, biologista, fisiologista, microbiologista, micologista, anatomopatologista, ... — sua contribuição é enorme em cada um desses terrenos de nossa atividade intelectual." (Pedro Nava, *Beira-Mar*, p. 151.)

anatossauro [Do tax. *Anatosaurus*.] *S. m. Paleont.* **1.** Gênero de dinossauros hadrossaurídeos, anfíbios, herbívoros, que tinham de 10 a 13m de comprimento, e que eram dotados de focinho largo, semelhante a um bico de pato; viveram na América do Norte, no período cretáceo. **2.** Espécie, ou espécime desse gênero.

anatoxina (cs) [De *an(a)-* + *toxina*.] *S. f. Microbiol.* Toxoide.

anatropia [De *anátropo* + *-ia*[1].] *S. f. Oftalm.* Fenômeno que consiste no desvio, em sentido ascendente, do eixo visual de um dos olhos, estando fixo o outro olho.

anatrópico [De *anatropia* + *-ico*[2].] *Adj. Oftalm.* Referente a anatropia.

anátropo [De *an(a)-* + *-tropo*.] *Adj.* **1.** *Oftalm.* Diz-se daquele que apresenta anatropia. **2.** *Bot.* Diz-se do óvulo que, tendo sofrido um movimento de 180°, se torna invertido, caso em que a micrópila passa a situar-se ao lado do hilo e o funículo se solda lateralmente ao óvulo, formando a rafe.

anauê *Interj. Bras. Obsol.* Saudação brasileira do movimento integralista (1932-1937), inspirada na saudação nazista.

anauerá [Do tupi.] *S. f. Bras. Bot.* Árvore crisobalanácea (*Licania macrophyla*) de folhas dísticas, flores paniculadas e frutos drupáceos oblongos; a madeira, de boa qualidade, é us. em construção.

anauiri *S. m. Zool.* Anori.

anaurilandense *Adj. 2 g.* **1.** De, ou pertencente ou relativo a Anaurilândia (MS). • *S. 2 g.* **2.** O natural ou habitante de Anaurilândia.

anavalhado [De *a-*[2] + *navalha* + *-ado*[1].] *Adj.* **1.** Que tem forma de navalha. **2.** Muito afiado: "O canzarrão .... rosnou, pôs a pata sobre o osso e, abrindo a boca, mostrou os dentes anavalhados." (Alexandre Herculano, *Lendas e Narrativas*, II, p. 13.)

anavalhar [De *a-*[2] + *navalha* + *-ar*[2].] *V. t. d.* **1.** Dar forma de navalha a. **2.** Ferir com navalha. **3.** Cortar como navalha: *A ventania anavalhava-lhes a pele.*

ana-velha *S. f. Bras. BA Zool.* V. *socozinho* (ò). [Pl.: *anas-velhas*.]

anavinga [De or. obsc.] *S. f. Bras. Bot.* Árvore flacourtiácea (*Casearia sylvestris*) cujas folhas têm pecíolo articulado, e de flores apétalas e frutos carnosos, coriáceos. Tem diversos usos medicinais.

anaxagoriano (cs) *Adj. S. m.* V. *anaxagórico.*

anaxagórico (cs) *Adj. Filos.* **1.** Pertencente, relativo a, ou próprio de Anaxágoras de Clazômenas (c. 500-428 a.C.), filósofo jônico que viveu em Atenas. • *S. m.* **2.** Adepto ou seguidor desse filósofo. [Sin. ger.: *anaxagoriano, clazomeniano*.]

anca [Do frâncico **hanka*, pelo provenç. ou pelo cat.] *S. f.* **1.** O quarto traseiro dos quadrúpedes; garupa. **2.** O primeiro segmento das pernas dos artrópodes. **3.** Cadeiras, quadris, nádegas. [Tb. us. no pl.] ◆ **Dar anca.** Deixar que se lhe monte na garupa: *Aquele cavalo dá anca.*

▲ **-ança** [Do lat. *-antia*, por via pop.] *Suf.* nom. = 'ação' ou 'resultado da ação', 'estado': *matança, vingança.* [Equiv.: *-ância, -anço: mendicância; recuanço*.]

ancado *Adj.* Derreado; desancado.

ancarense *Adj. 2 g.* **1.** Da, ou pertencente ou relativo à cidade de Ancara, capital da Turquia. • *S. 2 g.* **2.** O natural ou habitante dessa cidade.

ancas [Pl. de *anca*.] *S. f. pl.* V. *anca*: "Vêm sacudindo as ancas opulentas!" (Cesário Verde, *Obra Completa*, p. 104.)

ancê *Pron. de tratamento Bras. MG C.O. Pop.* V. *você*: "Ancê quer que a gente ande com a cabeça no tempo?" (Antônio Versiani, *Paisagens Humanas*, p. 48); "— Ancê num se alembra a velha Custodiana Mesquita?" (Bernardo Élis, *O Tronco*, p. 45).

ancenúbio [T. proposto por Castro Lopes para substituir o fr. *nuance*.] *S. m. Desus.* Matiz, cambiante, nuança.

ancestrais [Pl. de *ancestral*.] *S. 2 g. pl.* As pessoas de quem se descende; antecessores, antepassados, ascendentes, avós. ~ V. *ancestral.*

ancestral [Do fr. *ancestral*.] *Adj. 2 g.* **1.** Relativo ou pertencente a antecessores, a antepassados. • *S. 2 g.* **2.** Indivíduo do qual descendem outros indivíduos, ou grupos biológicos ou sociais; antecessor, antepassado: *Mem de Sá é o ancestral mais famoso da família X; o australopiteco é um dos ancestrais do homem.* **3.** *Antrop.* Antepassado, considerado como objeto de culto, e cuja relação com os indivíduos vivos pode ser estabelecida tanto por genealogias reais (ancestrais próximos), quanto por genealogias fictícias (ancestrais míticos). [Nesta acepç., m. us. no pl.] ~ V. *ancestrais.*

ancestralidade [De *ancestral* + *-(i)dade*.] *S. f.* Qualidade de ancestral.

ancestre [Do fr. ant. *ancestre*, atual fr. *ancêtre*.] *S. m.* V. *ascendente* (4).

anchietano (xiê) *Adj.* Relativo ou pertencente ao P.^e^ José de Anchieta (1534-1597), ou próprio dele.

anchiétea [Do tax. *Anchietea* < antr. (*José de*) *Anchieta* (v. *anchietano*).] *S. f. Bot.* **1.** Gênero de arbustos trepadores da família das violáceas, com flores brancas, em racemos, e cápsulas delgadas. **2.** Qualquer espécie ou espécime desse gênero.

anchietense (xiê) *Adj. 2 g.* **1.** De, ou pertencente ou relativo a Anchieta (ES e SC). • *S. 2 g.* **2.** O natural ou habitante de Anchieta.

anchietina (xiê) [Do tax. *Anchieta* (v. *anchiétea*) + *-ina*[3].] *S. f.* Alcaloide extraído do cipó-suma.

ancho [Do lat. *amplu*, por via pop.] *Adj.* **1.** Largo, amplo. **2.** *Fig.* Cheio de si; vaidoso, convencido: "Primeiro ficou orgulhoso e até abria suas belas asas brancas, muito ancho delas." (Homero Homem, *Menino de Asas*, p. 40.)

anchova (ô) *S. f. Zool.* V. *enchova.*

anchovinha [De *anchova* + *-inha*.] *S. f. Bras. Zool.* V. *enchova* (1).

anchura [De *ancho* + *-ura*.] *S. f.* V. *largura* (1).

anciã *S. f.* Fem. de *ancião* (3).

▲ **-ância** [Do lat. *-antia*, por via semierudita.] V. *-ança.*

anciania [De *ancião* + *-ia*[1].] *S. f. P. us.* V. *ancianidade.*

ancianidade [De *ancião* + *-(i)dade*.] *S. f.* **1.** Qualidade ou estado de ancião: "era uma espécie de mocidade quinquagenária ou de ancianidade viçosa, à escolha..." (Machado de Assis, *Dom Casmurro*, p. 324). **2.** Antiguidade (1). [Sin. ger. (p. us.): *anciania*.]

ancião [Do fr. ant. *ancien*.] *Adj.* **1.** Diz-se de pessoa de idade provecta; velho, idoso: "Perguntei certa vez a um velho negro que idade tinha. O negro ancião sorriu com indiferença: nunca tivera idade." (Eduardo Frieiro, *O Cabo das Tormentas*, p. 8); "Em *La Porteña* mora uma sobrinha de Güiraldes [Ricardo Güiraldes] com a mãe anciã." (Maria Julieta Drummond de Andrade, *Um Buquê de Alcachofras*, p. 19). **2.** Antigo, velho: "outros convivas se haviam espalhado pelos salões, formando grupos aqui e acolá .... de faces rubras, aos estos de um xerez ancião, ou de um madeira longo tempo sopitado em garrafas poentas." (Afonso Arinos, *Pelo Sertão*, p. 138). • *S. m.* **3.** Homem muito velho e respeitável. **4.** V. *presbítero* (2). [Fem.: *anciã*; pl.: *anciãos, anciães* e *anciões*.]

➔**ancien régime** [ã'sjɛ̃ ʁe'ʒim] [Fr., 'antigo regime'.] O sistema de governo que vigorou na França antes da Revolução de 1789.

ancila [Do lat. *ancilla*.] *S. f.* **1.** Escrava, serva: "De todas as artes a mais bela, a mais expressiva, a mais difícil, é .... a arte da palavra. De todas as mais se entretece e se compõe. São as outras como ancilas e ministras; ela soberana universal." (Latino Coelho, *A Oração da Coroa*, p. XVII.) **2.** *Fig.* Coisa que serve de auxílio ou subsídio a outra.

ancilar [Do lat. *ancillare*.] *Adj. 2 g.* **1.** Relativo a, ou próprio de ancila. **2.** Auxiliar, subsidiário: "A gramática foi entendida como ancilar do estudo filosófico que trata das leis do raciocínio." (J. Matoso Câmara Jr., *Estrutura da Língua Portuguesa*, p. 2.)

▲ **ancil(o)-** [Do gr. *ankýlos, ē, on*.] *El. comp.* = 'curvo', 'anguloso', 'apertado', 'aderente': *ancilóstomo, anciloglossia.*

anciloglossia [De *ancil(o)-* + *-gloss(o)-* + *-ia*[1].] *S. f. Med.* Aderência congênita, parcial ou total, da língua à superfície inferior da boca, por comprometimento do freio (4).

ancioglóssico [De *anciloglossia* + *-ico*[2].] *Adj. Med.* Relativo a anciloglossia.

ancilolde (ói) [De *ancil(o)-* + *-oide*.] *Adj. 2 g.* Que tem forma curva, semelhante à de um gancho ou colchete. ❖

ancilosado [De *ancilose* + *-ado*[1].] *Adj.* Que sofre de ancilose.

ancilosar [De *ancilose* + *-ar*[2].] *V. t. d.* Causar ancilose a. [F. impr.: *anquilosar*.]

ancilose [Do gr. *ankýlosis*.] *S. f. Med.* Diminuição ou impossibilidade absoluta de movimentos em uma articulação naturalmente móvel; acampsia. [A f. *anquilose*, considerada menos boa, é muito usada.]

ancilossauro [De *ancil(o)-* + *-sauro*; tax. *Ankylosaurus*.] *S. m. Paleont.* **1.** Gênero de dinossauros que surgiram no final do período cretáceo da América do Norte; tinham mais de 10m de comprimento, o corpo e os membros fortemente protegidos por placas ósseas e por grossas pontas corniformes, e a cauda, longa, que podiam balançar de um lado para o outro, tinha extremidade esférica de 40cm de diâmetro; tb. o crânio era revestido de couraça de placas ósseas, com chifres cravados no topo. **2.** Espécie, ou espécime desse gênero.

ancilostomático [De *ancilostoma* + *-ático*.] *Adj. Zool.* De, relativo ou próprio de ancilóstomo ou de ancilostomíase: *infestação ancilostomática; anemia ancilostomática.*

ancilostomatídeo [Adapt. do tax. *Ancylostomatidae*.] *Zool. S. m.* **1.** Espécime dos ancilostomatídeos, família de helmintos estrongilídios, parasitos do intestino do homem e de vários animais, causadores de ancilostomíase. • *Adj.* **2.** Pertencente ou relativo a eles. [Sin. ger.: *ancilostomídeo*.]

ancilostomíase [Do tax. *Ancylostoma* + *-íase*.] *S. f. Patol.* Infecção produzida pelo *Ancylostoma duodenale* ou pelo *Necator americanus*, nematódeos muito parecidos entre si. [F. impr.: *anquilostomíase*. Sin.: *ancilostomose, necatoríase, uncinariose*, e (bras.) *opilação, amarelão, canguari, mal da terra, mofina*.]

ancilostomídeo [Do tax. *Ancylostoma* + *-ídeo*[1]; tax. *Ancylostomidae*.] *S. m. Adj. Zool.* V. *ancilostomatídeo.*

ancilóstomo [De *ancil(o)-* + *-stomo*; tax. *Ancylostoma*.] *S. m. Zool.* **1.** Gênero de vermes ancilostomatídeos, providos de dentes na margem anterior da cápsula bucal. **2.** Qualquer espécime desse gênero como, p. ex., a *Ancylostoma duodenale*, que parasita o homem, e que é dotada de quatro dentes grandes e dois pequenos na cápsula bucal; as espécies *A. caninum*, com seis dentes grandes na cápsula bucal, e *A. braziliense*, com dois dentes grandes e dois pequenos, quase imperceptíveis, podem também parasitar o homem, produzindo a conhecida *larva migrans*, embora sejam ambas normalmente parasitos de felídeos e canídeos. Alimentam-se de sangue, que retiram da mucosa intestinal, perfurando-a com os dentes, e o seu ciclo evolutivo se processa através da corrente circulatória e dos pulmões. **3.** Qualquer espécime desse gênero. [V. *necátor*. Evite-se a f. *anquilóstomo*.]

ancilostomose [Do tax. *Ancylostoma* + *-ose*[1].] ***S. f. Patol.*** V. *ancilostomíase*.

ancilotomia [De *ancil(o)-* + *-tom(o)-* + *-ia*[1].] ***S. f. Cir.*** Seção do freio da língua, para tratamento da anciloglossia.

ancilótomo [De *ancil(o)-* + *-tomo*.] ***S. m.*** Qualquer instrumento cortante e recurvo.

■ **Ancine** Sigla de *Agência Nacional do Cinema*.

ancinhar [De *ancinho* + *-ar*[2].] ***V. t. d.*** Passar o ancinho em; limpar com o ancinho.

ancinho [Do lat. *uncinu*, 'gancho'.] ***S. m.* 1.** Instrumento agrícola, de cabo longo, dotado de uma travessa dentada e destinado a juntar palha, folhas secas, ou a outros usos semelhantes. [Sin., bras.: *unha de gato*.] **2.** V. *fancho*.

ancipital [De *ancípite* + *-al*[1].] ***Adj. 2 g.*** V. *ancípite*.

ancípite [Do lat. *ancipite*.] ***Adj. 2 g.*** Que tem duas cabeças, ou duas faces, ou dois lados, ou dois gumes, etc.; ancipital. ~ V. *sílaba* —.

ancíroide (ói) [Do gr. *ankyroeidés*.] ***Adj. 2 g.*** Em forma de âncora. ❖

ancislostomático ***Adj. Zool.*** De, relativo ou próprio de ancilóstomo ou de ancilostomíase: *infestação <u>ancilostomática</u>; anemia <u>ancilostomática</u>*.

ancistrocladácea [Do tax. *Ancistrocladus* + *-ácea*; tax. *Ancistrocladaceae*.] ***S. f. Bot.*** Espécime das ancistrocladáceas, família da ordem das nepentales que compreende apenas o gênero Ancistrocladus, com 12 espécies.

ancistrocladáceo [De *ancistrocladácea*, com var. suf. (v. *-áceo*).] ***Adj. Bot.*** Pertencente ou relativo às ancistrocladáceas.

anco [Do gr. *ankón*, 'cotovelo'.] ***S. m.*** Cotovelo ou enseada na costa.

▲ **-anço** V. *-ança*.

ancóneo ***Adj. S. m. Anat.*** V. *ancôneo*. [Uso freq. em P.]

ancôneo [Do lat. cient. *anconeus* < gr. *ankón*, 'cotovelo'.] ***Anat. Adj.* 1.** Diz-se do músculo triangular da parte posterior da articulação do cotovelo. ● ***S. m.* 2.** Esse músculo.

anconeu ***Adj. Anat.*** Referente ao ancôneo.

âncora[1] [Do gr. *ánkyra*, pelo lat. *ancora*.] ***S. f.* 1. *Marinh.*** Peça de formato especial e peso conveniente, e que, presa à extremidade da amarra, aguenta a embarcação no fundeadouro. [Cf. *ferro* (11 e 12). Sin., bras.: *pombeira*.] **2.** Adorno, distintivo ou marca em forma de âncora de navio. **3.** *Fig.* Proteção, amparo, arrimo, abrigo. **4.** Símbolo da esperança. **5.** *Econ.* Instrumento de política econômica que visa à estabilização do nível de preços, como a fixação da taxa cambial (*âncora cambial*), ou o controle da expansão da moeda (*âncora monetária*). **6.** *Inform.* Em um documento de hipertexto, elemento (como trecho de texto, imagem, etc.) com marcação especial, que o torna um elo para outro ponto do documento ou para outro documento. [As palavras que servem como âncoras aparecem ger. grifadas em outra cor, ou sublinhadas, para destacá-las das demais e evidenciar para o leitor as alternativas de navegação.] [Cf. *ancora*, do v. *ancorar*, *Âncora*, antr.] ◆ **Âncora cambial** *Econ.* V. *âncora*[1] (5). **Âncora flutuante.** *Marinh.* Aparelho flutuante usado para manter filada ao vento e ao mar, em caso de mau tempo, a embarcação que se encontra à matroca ou à deriva. **Âncora monetária.** *Econ.* V. *âncora*[1] (5). **Levantar âncora.** V. *levantar ferro*.

âncora[2] [Do ingl. *anchor*, f. red. de *anchorman* ou de *anchorwoman*.] ***S. 2 g. Rád. Telev.*** Principal apresentador de um programa de notícias, esporte, etc., e que usualmente atua como coordenador da equipe de apresentação do programa: "'Estamos sentindo uma forte onda de calor decorrente das explosões ao sul da capital', acrescentava Bernard Shaw, o <u>âncora</u> da CNN em Atlanta, Georgia." (Sílvia S. Costa e Eduardo Mack, em *Jornal do Brasil*, 11.01.1991.)

âncora[3] ***S. f. Prom. Vend.*** V. *loja-âncora*.

ancoração [De *ancorar* + *-ção*.] ***S. f. P. us.*** Ancoragem.

ancoradoiro [De *ancorar* + *-doiro*[2].] ***S. m.*** Ancoradouro (q. v.).

ancoradouro [De *ancorar* + *-douro*[2]; var. de *ancoradoiro*.] ***S. m.* 1.** Lugar próprio para os navios ancorarem com razoável segurança contra o mau tempo. **2.** Local onde o navio permanece ancorado, embora não ofereça boas condições de fundeio e abrigo. **3.** Área próxima a um porto, destinada à ancoragem dos navios que aguardam atracação no cais. [Sin. ger.: *fundeadouro*.]

ancoragem [De *ancorar* + *-agem*[2].] ***S. f.* 1.** Ato ou efeito de ancorar. **2.** Imposto que, para ancorar, devem os navios pagar nalguns portos. **3.** *Cir.* Manobra cirúrgica para fixar uma formação (5) em outra, impedindo o deslocamento da primeira.

ancorar[1] [De *âncora*[1] + *-ar*[2].] ***V. int.* 1.** Lançar (a embarcação) uma âncora ao fundo, para com ela manter-se parada; lançar ferro. ***T. d.* 2.** Fundear, lançando âncora. ***T. d. e i.* 3.** Basear, fundamentar, estribar: *<u>ancorar</u> uma ideia em determinada filosofia*. ***T. i.* 4.** Suster-se, fundamentar-se, basear-se, estribar-se: *Suas afirmações <u>ancoram</u> nas dos grandes juristas*. [Pres. ind.: *ancoro*, *ancoras*, *ancora*, etc. Cf. *âncora* e o antr. *Âncora*.]

ancorar[2] [De *âncora*[2] + *-ar*[2].] ***Rád. Telev. V. t. d.*** Atuar como âncora[2]: *Boris Casoy <u>ancora</u> um dos telejornais da noite*. [Pres. ind.: *ancoro*, *ancoras*, *ancora*, etc. Cf. *âncora* e o antr. *Âncora*.]

ancoreta (ê) [De *âncora* + *-eta* (ê).] ***S. f.* 1.** Pequeno barril, achatado lateralmente, para transportar aguardente ou vinho; ancorote: "encontrou no caminho um matuto que conduzia, num cavalo, duas <u>ancoretas</u> de aguardente." (L. Lavenère, *O Padre Cornélio*, p. 150). **2.** *Marinh.* Quartola.

ancorote [Dim. de *âncora*.] ***S. m.* 1.** Ancoreta (1). **2.** Pequena âncora.

ancudo [De *anca* + *-udo*.] ***Adj.*** Que tem grandes ancas: "Zazá, de corpo bem fornido, <u>ancuda</u>, lábios grossos" (José Condé, *Como uma Tarde em Dezembro*, pp. 40-41). [Sin. (bras.): *quartudo*, *bundudo*.]

ancusa [Do tax. *Anchusa* (do lat. *anchusa* < gr. *ánchousa*).] ***S. f. Bot.* 1.** Grande gênero de plantas boragináceas, herbáceas, ásperas, pilíferas, nativas do Velho Mundo, e que têm flores em forma de trombeta, reunidas em racemos unilaterais. **2.** Qualquer espécie desse gênero, como, p. ex., a *Anchusa officinalis*, cultivada por suas flores delicadas, ger. azuis. **3.** Qualquer espécime desse gênero.

anda [Dev. de *andar*.] ***Interj.*** Exprime mando, súplica, impaciência, ameaça, exortação, a fim de que alguém se apresse. ~ V. *andas*.

andá [Do tupi.] ***S. m. Bras. Bot.*** V. *andá-açu*.

andá-açu [De or. tupi.] ***S. m. Bras. Bot.*** Árvore euforbiácea (*Joannesia princeps*) frondosa, de flores brancacentas ou roxas, cuja madeira tem várias utilidades, entre as quais a fabricação de palitos de fósforo e de papel, e cuja casca e semente são tidas por medicinais; andá, coco-de-purga, cutieira, cutieiro, fruta-de-arara, fruta-de-cutia, fruteira-de-arara, indaguaçu, indaiaçu, purga-de-gentio, purga-dos-paulistas. [Pl.: *andás-açus*.]

andaço [De *andar* + *-aço*.] ***S. m.* 1.** *Fam.* Pequena epidemia: "pôde celebrar-se em Roufins a festividade propiciatória ao mártir glorioso que advoga junto da cúria celeste as aldeias montesinhas contra malinas, <u>andaços</u> e mais flagelos" (Aquilino Ribeiro, *Andam Faunos pelos Bosques*, p. 67). **2.** *Bras. Pop.* Diarreia, disenteria.

andada [De *andar* + *-ada*[1].] ***S. f.*** Ato de andar; caminhada.

andadeira [De *andar* + *-deira*.] ***S. f.*** Andadeiras.

andadeiras [Pl. de *andadeira*.] ***S. f. pl.*** Faixas de pano com que se cinge a criança por sob as axilas, e às quais se atam cordões ou fitas, em que alguém pega para ajudá-la a andar. [Tb. us. no sing.]

andadeiro [De *andar* + *-deiro*.] ***Adj.*** Andador (1).

andado [Part. de *andar*.] ***Adj.* 1.** Percorrido, perlustrado: *caminho <u>andado</u>*. **2.** Passado, decorrido, transcorrido: *tempo <u>andado</u>*.

andador (ô) [De *andar* + *-dor*.] ***Adj.* 1.** Que anda muito e/ou depressa; andadeiro. **2.** *Bras. N.E.* Diz-se do cavalo ensinado especialmente para montaria. **3.** *Bras. S.* Diz-se do cavalo ágil, que caminha com desenvoltura. ● ***S. m.* 4.** Empregado subalterno, especialmente em irmandades e confrarias, que se encarrega de entregas, pequenas cobranças, etc. **5.** Aparelho que se destina a servir de apoio a quem tem dificuldade em ficar de pé ou em andar.

andadoria [De *andador* + *-ia*[1].] ***S. f.*** Ofício de andador (4).

andadura [De *andar* + *-dura*.] ***S. f.* 1.** Maneira de andar, especialmente a das cavalgaduras. [Sin.: *andar* e, pop., *leva*.] **2.** *Bras. MG S.* Certa marcha que a cavalgadura aprende usando travão (1).

andaia [De or. obsc.] ***S. f. Lus.*** Bebida alcoólica obtida a partir da destilação do vinho de baixa graduação.

andaimada (ai ou ãi) [De *andaime* + *-ada*[1].] ***S. f.*** Andaimaria.

andaimado (ai ou ãi) [De *andaime* + *-ado*[1].] ***Adj.*** Provido de andaime.

andaimar (ai ou ãi) [De *andaime* + *-ar*[2].] ***V. t. d.*** Construir, armar ou colocar andaime em (uma obra).

andaimaria (ai ou ãi) [De *andaime* + *-aria*.] ***S. f.*** Conjunto de andaimes; andaimada.

andaime (ai ou ãi) [Do ár. *ad-da'ā'im*, pl. de *ad-di'ām*, 'pilar'; 'base'.] ***S. m. Constr.*** Armação de madeira ou de metal com estrado, sobre o qual trabalham os operários nas construções quando já não é possível trabalhar apoiado no chão. [Sin., p. us.: *cadafalso*, *apodiamento*.] ◆ **Andaime fixo.** *Constr.* O que se apoia no chão e/ou em agulheiros, na própria parede que se constrói. **Andaime rolante.** *Constr.* O que se apoia em rodas, podendo deslocar-se horizontalmente.

andaina (ai ou ãi) [De uma f. românica *andagine*.] ***S. f.* 1.** Fileira, renque. **2.** *Vest.* Roupa completa. **3.** *Lus.* Enviada. [Var.: *andana*.]

andala [Do forro[2].] ***S. f. Santom.*** Folha de palmeira ou, menos frequentemente, de coqueiro, com que se fazem coberturas de cubatas, ou tabiques e outras vedações, esteiras, vassouras, etc.: "num canto da barraca, forrada por frágeis <u>andalas</u> de palmeira, Rosa Adriana, sentada sobre um tronco .... cochichava" (Albertino Bragança, *Rosa do Riboque e Outros Contos*, p. 19).

andaluz [Do top. *Andaluzia*.] ***Adj.* 1.** Da, ou pertencente ou relativo à Andaluzia (região S. da Espanha). ● ***S. m.* 2.** O natural ou habitante da Andaluzia. [Fem.: *andaluza*.]

andaluza ***S. f.*** Fem. de *andaluz*.

andaluzita [Do top. *Andaluzia* + *-ita*[2].] ***S. f. Min.*** Mineral ortorrômbico, silicato de alumínio.

andamanês [Do top. *Andamã* (Índia) + *-ês*.] ***Adj.* 1.** Das, pertencente ou relativo às ilhas Andamã (golfo de Bengala). ● ***S. m.* 2.** O natural ou habitante dessas ilhas. [Flex.: *andamanesa* (ê), *andamaneses* (ê), *andamanesas* (ê).] **3.** *Gloss.* Grupo de línguas indo-pacíficas faladas nessas ilhas.

andamento [De *andar* + *-mento*.] ***S. m.* 1.** Ato de andar; andança. **2.** Modo de andar, de se desenvolver; prosseguimento: *Neste <u>andamento</u>, o trabalho vai longe*. **3.** Direção, rumo: *O <u>andamento</u> que o caso está tomando não me parece bom*. **4.** *Mús.* Grau de velocidade que se imprime à execução de um trecho musical. [Conforme esse grau, consideram-se três tipos de andamento básicos, dos quais derivam outros: *lento*, *moderado* e *rápido*.] [Sin. (pop.), nesta acepç.: *batida*.] ◆ **Dar andamento a.** Promover a movimentação ou a execução de.

andana ***S. f.*** V. *andaina*.

andança [De *andar* + *-ança*.] ***S. f.* 1.** Andamento (1). **2.** Ação de andar, de viajar; viagem, peregrinação ou excursão: "surpreendia-se a si mesmo contando a Toia .... coisas de sua vida, de sua carreira, de suas <u>andanças</u> pelo mundo." (Viana Moog, *Toia*, p. 74). [Nesta acepç. é m. us. no pl.] **3.** *Fam.* Trabalho, faina, lida.

andante[1] [De *andar* + *-nte*.] ***Adj. 2 g.* 1.** Que anda; errante, vagamundo, vagabundo. **2.** *Heráld.* Diz-se do animal quadrúpede, que se representa, no campo do escudo, caminhando com três patas no chão e uma dianteira, levantada. **3.** Corrente (7): *mês <u>andante</u>, ano <u>andante</u>*. ~ V. *cavalaria* — e *cavaleiro* —. ● ***S. 2 g.* 4.** V. *transeunte* (3).

andante[2] [Do it. *andante*.] ***Mús. Adv.* 1.** Em andamento moderado, entre adágio e alegro. ● ***S. m.* 2.** Trecho musical nesse andamento.

andantesco (ê) [De *andante*[1] + *-esco*.] ***Adj.*** Relativo à, ou próprio da cavalaria (5), ou de cavaleiro.

andantino [Do it. *andantino*.] ***Mús. Adv.* 1.** Em andamento um pouco mais vivo que o andante. ● ***S. m.* 2.** Trecho de música nesse andamento.

anda que anda [De *andar* + *que* (= 'e') + *andar*.] ***Adv.* 1.** Em passo acelerado; apressadamente. **2.** Sem interrupção na andadura. ☑

andar [Do lat. *ambulare*.] ***V. int.* 1.** Movimentar-se, dando passos; caminhar: *A menina só <u>andou</u> com dois anos*; "<u>Andar</u>... Perder o seu passo / na noite, também perdida." (Cecília Meireles, *Obras Poéticas*, p. 171.) **2.** Movimentar-se, por impulso próprio ou não, sem dar passos; mover-se: *As borboletas <u>andam</u> quase sempre aos pares*; "A vaga abriu o ventre, acolheu o despojo, fechou-se .... e a galera foi <u>andando</u>." (Machado de Assis, *Memórias Póstumas de Brás Cubas*, p. 68). **3.** Continuar, seguir, prosseguir: "A linha não respondia nada; ia <u>andando</u>." (Id., *Várias Histórias*, p. 231.) **4.** Passar, decorrer, escoar-se (o tempo): *Os anos <u>andaram</u>, e nada fizemos*. **5.** Trabalhar, funcionar: *O relógio, de velho, já não <u>anda</u>*. **6.** Proceder, agir; portar-se: *Não <u>andou</u> com acerto ao desamparar o amigo*. **7.** Existir, viver: *Enquanto <u>andarem</u> homens sobre a Terra haverá discórdia*; "Eu <u>andava</u> sem ti, / Como as velas sem mar." (Alberto de Serpa, *Fonte*, p. 15). **8.** Correr os devidos trâmites; ter seguimento: *O processo <u>andou</u> mais depressa do que se esperava*. **9.** Continuar, prosseguir: "É verdade que o romance não <u>andava</u>, encrencando miseravelmente no segundo capítulo." (Graciliano Ramos, *Caetés*, p. 90.) **10.** *Basq.* Mover (o atleta) o pé de apoio sem quicar a bola. ***T. c.* 11.** Percorrer em viagem; viajar: *<u>Andou</u> por toda a Europa*; "Vi terras da minha terra. / Por outras terras andei." (Manuel Bandeira, *Estrela da Vida Inteira*, p. 173). **12.** Movimentar-se dando passos: "Ela andou por aqui" (Luís Delfino, *Íntimas e Aspásias*, p. 11). **13.** Fazer-se acompanhar: *Andava sempre com um amigo.* **14.** *P. ext.* Ter convívio; conviver: *Só anda com poderosos.* **15.** Atingir aproximadamente (certo número): *Anda pela casa dos trinta;* "a dívida do Terceiro Mundo anda pela casa dos 750 bilhões de dólares" (Paulo Francis, em *Folha de S.Paulo*, 28.09.1983). **16.** Ter relações sexuais; copular: "Gostava das mulheres, andava com elas, tinha-as nos braços" (José Lins do Rego, *Riacho Doce*, p. 136). **17.** Usar como meio de transporte: *Gosta muito de andar de trem.* ***T. i.*** **18.** Apressar-se (em fazer ou terminar algo): *Ande com este trabalho!* ***Pred.*** **19.** Estar, sentir-se ou viver em determinado estado, condição ou aspecto: *Anda acabrunhado;* "Havia oito dias que Lúcia não andava boa." (José de Alencar, *Lucíola*, p. 176). **20.** Estar, existir: "Discrição e caras serviçais nem sempre andam juntos." (Machado de Assis, *Quincas Borba*, p. 37.) **21.** Decorrer, suceder: *Com os preparativos da viagem, tudo andava muito atrapalhado.* ***T. d.*** **22.** Percorrer, correr, perlustrar: "Andei longes terras" (Gonçalves Dias, *Obras Poéticas*, II, p. 23); "Quanto mais andava aquela Rua dos Barbonos, mais me aterrava a ideia de chegar a casa" (Machado de Assis, *Dom Casmurro*, p. 199); "Alta noite, uma luz andava os campos..." (Adelmar Tavares, *Poesias Completas*, p. 108). ● ***S. m.*** **23.** V. *andadura* (1): "tinha não sei que balanço no andar, como quem lhe custa levar o corpo." (Machado de Assis, *Páginas Recolhidas*, p. 82). **24.** *Arquit. Constr.* Numa edificação, qualquer pavimento (1), térreo, de sobreloja, ou situado acima de um ou de outro. [Sin.: *pavimento, piso.*] **25.** *P. ext.* Camada (2). **26.** *Art. Gráf.* Cada uma das plataformas onde se distribuem, funcionalmente, os órgãos (unidades de impressão, dobradeiras e suportes de bobinas) de certas rotativas de grande porte. **27.** Cada um dos vários níveis ou alturas da vegetação; guarda, vergada. **28.** *Bras. N.E.* Qualquer dos três passos que se ensinam aos cavalos de sela: *baixo, meio* e *esquipado.* **29.** Marcha, ritmo; andamento: *Neste andar as coisas não acabam tão cedo.* **30.** *Lus.* V. *apartamento*[2] (1). ~ V. *andares.* ◆ **Andar naufragado.** *Bras. N.E.* Trajar(-se) muito pobremente. **Andar, virar, mexer.** *Bras.* Mover-se, agitar-se, tomando providências para ganhar a vida ou atingir um dado fim; virar e mexer: "No Norte, andei, virei, mexi, três anos e tanto, até que ajuntei um saldozinho, e me atirei pro Ceará." (Herman Lima, *Tijipió*, p. 108.) **Pelo andar da carruagem.** Do modo como vão as coisas.

andaraiense (a-i) ***Adj. 2 g.*** **1.** De, ou pertencente ou relativo a Andaraí (BA). ● ***S. 2 g.*** **2.** O natural ou habitante de Andaraí.

andareco [Do s. m. *andar.*] *Bras. S.* ***Adj.*** **1.** Diz-se do cavalo de andar ou marcha ligeira, mas incômoda. ● ***S. m.*** **2.** Animal pequeno, feio, ordinário.

andarengo [De *andar* + *-engo.*] ***Adj.*** *Bras. S. S.E.* V. *andejo* (1 e 3). "Viramundo vinha à frente, no exercício da sua longa experiência de andarengo." (Fernando Sabino, *O Grande Mentecapto*, p. 220.)

andares [Pl. de *andar.*] ***S. m. pl.*** *Bras. Amaz.* **1.** Praia em forma de anfiteatro. **2.** Extensos areais ou praias que os rios deixam ao baixar, e onde as tartarugas costumam desovar. ~ V. *andar.*

andarilho [De *andar* + *-ilho.*] ***S. m.*** **1.** Aquele que anda muito. **2.** V. *voador*[1] (5). **3.** *Ant.* Aquele que levava cartas ou notícias. **4.** *Ant.* Lacaio que acompanhava a pé os amos que iam de carro ou cavalo.

andarivel (é) [Do esp. plat. *andarivel.*] ***S. m.*** *Bras. RS Desus.* Cada um dos paus fincados entre os trilhos que os cavalos devem percorrer numa corrida, colocados a certa distância uns de outros, para evitar que os corredores saiam da linha que devem seguir, misturando-se. [Pl.: *andarivéis.*]

andas [Do lat. *amites*, 'estacas', poss. pelo espn. *andas.*] ***S. f. pl.*** **1.** Pernas ou muletas de pau com um estribo ou ressalto onde se apoiam os pés; pernas de pau: "Como não lhe era possível andar sobre as longas pernas de pau dentro do apartamento, mandou confeccionar um par de andas menores, para uso doméstico." (Almeida Fischer, *10 Contos Escolhidos*, p. 76.) **2.** Liteira ou cama sobre varais, transportada por homens ou por cavalos. **3.** *Lit.* V. *andor.* **4.** *Ant.* Varais sobre os quais se colocava o esquife. ~ V. *anda.*

andável [De *andar* + *-vel.*] ***Adj. 2 g.*** Que se pode andar ou percorrer; transitável.

andebol ***S. m.*** V. *handebol.* [Pl.: *andebóis.*]

andeiro [De *andar* + *-eiro.*] ***Adj.*** V. *andejo* (1): "o falar comedido, um pouco hesitante, de um sertanejo forte, andeiro e cavaleiro" (Olavo Bilac, *Últimas Conferências e Discursos*, p. 30).

andejar [De *andejo* + *-ar*[2].] ***V. int.*** **1.** Andar ao acaso; vaguear. **2.** Ser andejo. [Conjug.: v. *pelejar.*]

andejo (ê) [De *andar* + *-ejo.*] ***Adj.*** **1.** Que anda ou caminha muito, por muitas terras; erradio, andarengo; andeiro. **2.** Que não para em casa; rueiro. ● ***S. m.*** **3.** Indivíduo andejo (1).

anderé [Do ior.] ***S. m.*** *Bras. Rel.* Comida votiva de Nanã[2], vatapá de feijão-fradinho ou feijão-mulatinho; damborô. [Var.: *anderê.*]

anderê ***S. m.*** *Bras. Rel.* V. *anderé.*

anderesa (ê) [Do antr. *Andresa*, com epêntese, poss.] ***S. f.*** *Bras. BA Cul.* Prato feito com caldo de galinha, farinha de mandioca e sal.

■ **Andes** Sigla de *Sindicato Nacional dos Docentes das Instituições de Ensino Superior.*

andesina [Do top. *Andes* + *-ina*[1].] ***S. f.*** *Min.* Mineral triclínico, do grupo dos feldspatos (plagioclásio), mistura isomorfa de albita e anortita, variando esta de 30 a 50 por cento. [Sin. (obsol.): *andesita.* Cf. *andesito*]

andesita [Do top. *Andes* + *-ita*[3].] ***S. f.*** *Obsol. Min.* Andesina.

andesito [Do top. *Andes* + *-ito*[2].] ***S. m.*** *Petr.* Rocha efusiva porfírica ou felsítica, cujos componentes essenciais são a andesina ou oligoclásio e um ou mais minerais fêmicos em quantidade subordinada. [Cf. *andesina.*]

andiche ***S. f.*** Endiche.

andícola [Do top. *Andes* (América do Sul) + *-i-* + *-cola*[1].] ***Adj. 2 g.*** **1.** Que habita ou cresce nos Andes. ● ***S. 2 g.*** **2.** Andino (2).

andilhas [Dim. de *andas.*] ***S. f. pl.*** Armação de madeira destinada a amparar sobre a cavalgadura quem monta sentado; cadeirinha: "Violante e Andresa, montadas em suas mulas, sobre andilhas, iam acompanhadas dum escravo a pé" (Eduardo Frieiro, *O Mameluco Boaventura*, p. 144).

andim [Do forro[2].] ***S. m.*** *Santom.* V. *dendê* (2): "Mãos negras e musicais (carinhos de mulher parida) tirando da pauta da Terra / o oiro da bananeira e o vermelho sensual do andim." (Francisco José Tenreiro, *Obra Poética de Francisco José Tenreiro*, p. 89.)

andino ***Adj.*** **1.** Dos, ou pertencente ou relativo aos Andes. ● ***S. m.*** **2.** O natural ou habitante dos Andes; andícola.

andino-equatorial ***Adj. 2 g. S. m.*** *Gloss.* Diz-se de, ou um dos três grandes grupos em que podem ser classificadas as línguas indígenas sul-americanas. [Compreendem cerca de 250 línguas, entre elas o aimará, o quíchua e as línguas tupis. Pl.: *andino-equatoriais.*]

andira [Do tax. *Andira* (de or. tupi).] ***S. f.*** *Bot.* **1.** Gênero de árvores fabáceas, caracterizadas por grandes folhas pinaculadas, flores exuberantes e perfumadas, rosas ou purpúreas, e que terminam em panículas e fruto semelhante a drupa. **2.** Qualquer espécie desse gênero, como, p. ex., a *Andira cuyabensis* (v. *angelim-do-cerrado*), e a *A. americana* (v. *acapu*). **3.** Qualquer espécime desse gênero. [F. paral.: *andirá*[2]. Sin. ger.: *vouacapoua.*]

andirá[1] [Do tupi.] ***S. m.*** *Bras. Amaz. Zool.* V. *morcego*[1] (1).

andirá[2] [Do tupi.] ***S. f.*** *Bras. Bot.* **1.** V. *andira.* **2.** V. *fava-de-bolota* (1 e 2).

andirá[3] *Bras.* ***S. 2 g.*** **1.** *Etnôn.* Indivíduo dos andirás, povo indígena extinto que habitava o O. do Pará e o L. do AM, nas imediações do rio Andirá. ● ***Adj. 2 g.*** **2.** Pertencente ou relativo a esse povo. [Tb. us. como *s. 2 g. e 2 n.* (com cap.) e *adj. 2 g. e 2 n.*]

andirá-açu [De *andirá*[1] + *-açu.*] ***S. m.*** *Bras. Zool.* Grande morcego filostomatídeo (*Vampyrus spectrum*), cujo corpo mede 15cm. [Sin.: *andirá-guaçu, guandiraçu.* Pl.: *andirás-açus.*]

andirá-araroba [De *andirá*[2] + *araroba.*] ***S. m.*** *Bras. Bot.* V. *angelim-doce* (2). [Pl.: *andirás-ararobas.*]

andirá-da-várzea ***S. f.*** *Bras. Bot.* V. *fava-de-impigem.* [Pl.: *andirás-da-várzea.*]

andirá-guaçu [De *andirá*[1] + *-guaçu.*] ***S. m.*** *Bras. Zool.* V. *andirá-açu.* [Pl.: *andirás-guaçus.*]

andirapuambé [De or. tupi.] ***S. f.*** *Bras. Bot.* Planta bignoniácea (*Dolichandra ungüis-cati*), de flores amarelas em cachos.

andirense ***Adj. 2 g.*** **1.** De, ou pertencente ou relativo a Andirá (PR). ● ***S. 2 g.*** **2.** O natural ou habitante de Andirá.

andiroba [Do tupi = 'óleo amargo'.] ***S. f.*** *Bras. Bot.* **1.** Árvore meliácea (*Carapa guianensis*) de flores pequenas, amarelas e vermelhas, casca adstringente, madeira usada em marcenaria e carpintaria; das sementes se extrai azeite. Ocorre da Amaz. à BA. [Var.: *andirova, nandiroba, nhandirova.* Sin.: *andiroba-branca, andiroba-do-igapó, andiroba-suruba, andirobeira.*] **2.** V. *castanha-mineira* (1). **3.** V. *fava-de-santo-inácio-falsa* (1).

andiroba-branca [De *andiroba* + o f. de *branco.*] ***S. f.*** *Bras. Bot.* V. *andiroba* (1). [Pl.: *andirobas-brancas.*]

andiroba-do-igapó ***S. f.*** *Bras. Bot.* V. *andiroba* (1). [Pl.: *andirobas-do igapó.*]

andiroba-suruba ***S. f.*** *Bras. Bot.* V. *andiroba* (1). [Pl.: *andirobas-surubas.*]

andirobeira [De *andiroba* + *-eira.*] ***S. f.*** *Bras. Bot.* V. *andiroba* (1).

andirobina [De *andiroba* + *-ina*[3].] ***S. f.*** *Quím.* Substância limonoide encontrada na andiroba, que possui propriedades anti-inflamatórias e é repelente de insetos [fórm.: $C_{27}H_{32}O_7$].

andirova ***S. f.*** *Bras. Bot.* V. *andiroba* (1).

ândito [Do it. *andito.*] ***S. m.*** **1.** Passagem estreita e elevada, ao longo de túneis, pontes ou ruas. **2.** Passeio lateral estreito. **3.** Espaço para andar, em volta de um edifício.

▲ **-ando** [Do lat. *-(ā)ndus, a, um*, desin. de gerundivo da 1ª conjug. lat.] ***Suf. nom.*** us. na formação de voc. derivados de verbos: *abominando, nefando*; modernamente, forma substantivos com ideia de 'aquele que está prestes a': *bacharelando, formando*; e, por infl. destes: *doutorando, economando.* [V. *vestibulando.*]

andó [Do antr. (*Flavio*) *Andò*, ator italiano.] ***Adj.*** *Bras.* Diz-se do feitio de barba em ponta.

andóbia ***S. f.*** Pedra sobre a qual gira a mó, em certos engenhos.

ando-peruano ***Adj.*** Pertencente ou relativo aos Andes e ao Peru, ou aos Andes peruanos. [Pl.: *ando-peruanos.*]

andor (ô) [Do sânscr. *hindola*, 'redouça', pelo malaiala *andola.*] ***S. m.*** *Lit.* Padiola portátil e ornamentada, sobre a qual se conduzem imagens nas procissões; charola, andas. ◆ **Devagar com o andor(, que o santo é de barro)!** Frase que recomenda atenção, cuidado, moderação, prudência, etc.; devagar com a louça.

andorinha [Do dim. * *hirundina*, do lat. *hirundine*, 'andorinha'.] ***S. f.*** **1.** *Bras. Zool.* Designação comum a várias espécies de aves passeriformes hirundinídeas, que se alimentam só de insetos, e contam cerca de 14 espécies em nosso país. Realizam periodicamente migrações, vindo algumas espécies do hemisfério norte nidificar no Brasil, em buracos, nos barrancos, em ocos de paus, ou nos telhados das habitações. [Cf. *uiriri.*] **2.** *Bras.* Carro para mudanças: "Ao cabo desse tempo vieram as andorinhas da Empresa Geral de Mudanças, e os meus vizinhos abalaram para outro bairro" (Artur Azevedo, *Contos Efêmeros*, p. 217). **3.** Lancha movida a vapor. **4.** *Bras. RS* Prostituta (em geral, a que anda de cidade em cidade). **5.** *Bras. PR Folcl.* Dança do fandango, muito graciosa, de linha melódica definida, com batida e roda, e na qual os dançarinos começam a girar entre palmas e sapateados.

andorinha-coleira ***S. f.*** *Bras. Zool.* V. *andorinhão.* [Pl.: *andorinhas-coleiras* e *andorinhas-coleira.*]

andorinha-de-bando ***S. f.*** *Bras. Zool.* Andorinha-pequena. [Pl.: *andorinhas-de-bando.*]

andorinha-de-casa ***S. f.*** *Bras. S. Zool.* Ave passeriforme hirundinídea (*Progne chalybea domestica*), de dorso azulado, garganta e pescoço cinzentos, abdome branco, a cauda bifurcada. Alimenta-se de insetos, e frequenta habitações e igrejas. [Sin.: *andorinha-dos-beirais.* Pl.: *andorinhas-de-casa.*]

andorinha-de-pescoço-vermelho ***S. f.*** *Bras. Zool.* Ave passeriforme, hirundinídea (*Hirundo rustica erythrogaster*), da América do Norte. Costuma realizar migrações até a Argentina, frequentando a América do Sul durante o inverno nórdico. Coloração negro-azulada brilhante no dorso, asas e cauda pardo-escuras, retrizes pintadas de branco, região da garganta com mancha avermelhada, o que lhe valeu o nome popular. Nidifica em penhascos e o ninho é construído de barro. [Pl.: *andorinhas-de-pescoço-vermelho.*]

andorinha-de-rabo-branco ***S. f.*** *Bras. Zool.* Ave passeriforme, hirundinídea (*Iridoprocne albiventer*), da América do Sul, de dorso verde-escuro metálico, uropígio e lado inferior brancos. Nidifica em troncos velhos, e frequenta rios e lagoas, em cuja superfície costuma capturar os insetos com que se alimenta. [Pl.: *andorinhas-de-rabo-branco.*]

andorinha-do-campo ***S. f.*** *Bras. Zool.* V. *taperá.* [Pl.: *andorinhas-do-campo.*]

andorinha-do-mar ***S. f.*** *Bras. Zool.* **1.** Designação comum a duas aves caradriiformes larídeas: *Phaetusa simplex*, das costas e grandes rios do N. e L. da América do Sul, e *Phaetusa chloropoda*, dos grandes rios e estuários das partes meridional e oriental. São ambas de coloração cinzenta, com o alto da cabeça preto, parte das coberteiras e rêmiges do braço brancas, rêmiges da mão pretas com a parte inferior branca, e bico amarelo. **2.** Ave procelariiforme, hidrobatídea (*Oceanodroma castro*), do Atlântico tropical. Dorso preto, cabeça e garganta acinzentadas, coberteiras superiores e inferiores da cauda mescladas de branco, abdome pardo-escuro. [Sin. ger.: *gaivota, trinta-réis, trinta-réis-grande.* Pl.: *andorinhas-do-mar.*]

andorinha-do-mato *S. f. Bras. Zool.* Ave piciforme, buconídea (*Chelidoptera t. tenebrosa*), do Brasil central e setentrional, de coloração preta, com uropígio e crisso brancos, e a parte posterior do abdome avermelhada; urubuzinho. [Pl.: *andorinhas-do-mato.*]

andorinha-do-oco-do-pau *S. f. Bras. Zool.* Ave passeriforme, fringilídea (*Poospiza cinerea*), do Brasil central, de coloração pardo-acinzentada, e que tem os traços gerais dos tico-ticos. Alimenta-se de sementes e insetos. [Pl.: *andorinhas-do-oco-do-pau.*]

andorinha-dos-beirais *S. f. Bras. Zool.* Andorinha-de-casa. [Pl.: *andorinhas-dos-beirais.*]

andorinha-dos-pântanos *S. f. Zool.* V. *perdiz-do-mar.* [Pl.: *andorinhas-dos-pântanos.*]

andorinha-grande *S. f. Bras. Zool.* Ave passeriforme, hirundinídea (*Progne chalybea*), que ocorre do Brasil ao Panamá. Coloração preto-azulada brilhante, garganta e flancos pardo-cinzentos, meio do peito e abdome brancos. [Pl.: *andorinhas-grandes.*]

andorinhão [De *andorinho* + *-ão*[1].] *S. m. Bras. Zool.* **1.** Ave apodiforme, apodídea (*Streptoprocne zonaris*), insetívora, de porte robusto, coloração pardo-escura, com faixa branca na nuca; andorinha-coleira, andorinhão-de-coleira-branca, taperuçu. **2.** Ave apodiforme, apodídea (*Streptoprocne biscutata*), semelhante ao andorinhão (1), porém com mancha branca no peito e com a mancha da nuca menor; andorinhão-de-peito-branco.

andorinhão-das-tormentas *S. m. Bras. Zool.* Ave procelariiforme, hidrobatídea (*Oceanites oceanicus*), da parte meridional dos oceanos Índico, Atlântico e Pacífico. Coloração pardacenta, coberteiras da cauda brancas, coberteiras do braço tirante a ocra. [Sin.: *alma-de-mestre.* Pl.: *andorinhões-das-tormentas.*]

andorinhão-de-coleira-branca *S. m. Bras. Zool.* V. *andorinhão* (1). [Pl.: *andorinhões-de-coleira-branca.*]

andorinhão-de-peito-branco *S. m. Bras. Zool.* V. *andorinhão* (2). [Pl.: *andorinhões-de-peito-branco.*]

andorinha-pequena *S. f. Bras. Zool.* Ave passeriforme, hirundinídea (*Pygochelidon cyanoleuca*), do S. da América Central e toda a América do Sul cisandina, de coloração azul-aço, brilhante, no dorso, abdome branco e crisso azul. Nidifica em barrancos e alimenta-se de insetos. [Sin.: *andorinha-de-bando.* Pl.: *andorinhas-pequenas.*]

andorinhense *Adj. 2 g.* **1.** De, ou pertencente ou relativo a Andorinha (BA). ● *S. 2 g.* **2.** O natural ou habitante de Andorinha.

andorinho *S. m.* **1.** Pequena andorinha. **2.** *Marinh.* Cabo pendente do pau de surriola, e munido de um sapatilho para nele as embarcações miúdas poderem amarrar. **3.** *Marinh.* Cabo que aguenta pelo seio o estribo de uma verga. **4.** *Marinh.* Peça de poleame surdo, com dois ou três gornes para guia ou retorno de cabos de manobra.

andorita [Do antr. *Andor (von Semsey)*, 1833-1923, nobre húngaro, + *-ita*[3].] *S. f. Min.* Mineral ortorrômbico, sulfoantimoneto de chumbo e prata, de cor cinza-escura.

andorrano [Do esp. *andorrano.*] *Adj.* **1.** De, ou pertencente ou relativo a Andorra, nos Pireneus (Europa). ● *S. m.* **2.** O natural ou habitante de Andorra. [Sin. ger.: *andorrense.*]

andorrense *Adj. 2 g.* & *S. 2 g.* V. *andorrano.*

➔**andouille** [ɑ̃du'i] [Fr.] *S. f.* Enchido feito com tripas e miúdos de porco ou de vitela, e que se come frio.

➔**andouillette** [ɑ̃du'jɛt] [Fr.] *S. f. Cul.* Pequena *andouille* que, ao contrário desta, se come quente (grelhada ou frita).

▲ **-andra** V. *andr(o)-.*

andrade [Do antr. *Andrade*, poss.] *S. m. Bras. Bot.* Árvore lauráceа (*Persea venosa*) nativa do Brasil, de folhas alternas, flores hermafroditas e frutos drupáceos carnosos.

andradense *Adj. 2 g.* **1.** De, ou pertencente ou relativo a Andradas (MG). ● *S. 2 g.* **2.** O natural ou habitante de Andradas.

andradiano [De (*Mário Raul de Morais*) *Andrade* + *-iano.*] *Adj.* **1.** Relativo ou pertencente ao escritor brasileiro Mário de Andrade (1893-1945), ou próprio dele. **2.** Que é seu admirador e/ou profundo conhecedor de sua obra. ● *S. m.* **3.** Admirador e/ou profundo conhecedor da obra de Mário de Andrade.

andradinense *Adj. 2 g.* **1.** De, ou pertencente ou relativo a Andradina (SP). ● *S. 2 g.* **2.** O natural ou habitante de Andradina.

andradino *Adj.* **1.** De, ou pertencente ou relativo a Andrade Pinto (RJ). ● *S. m.* **2.** O natural ou habitante de Andrade Pinto.

andradita [Do antr. (*José Bonifácio de*) *Andrada* (*e Silva*), o Patriarca da Independência brasileira e mineralogista (1765-1838), + *-ita*[3].] *S. f. Min.* Mineral monométrico, silicato de ferro e cálcio, variedade do grupo das granadas, e que se apresenta em grande número de subvariedades.

andrajo [Do esp. *andrajo*, do ár., poss.] *S. m.* Trapo, farrapo: 📖 "Os destroços do exército de López .... caíam aos pedaços despencando .... os seus soldados imberbes, nos andrajos de fardas esfarrapadas, desmaiados de cansaço e de fome" (Vicente de Carvalho, *Luisinha*, p. 110). ~ V. *andrajos.*

andrajos [Pl. de *andrajo.*] *S. m. pl.* Vestes esfarrapadas: 📖 "sem as rugas do mendigo, nem os sapatos rotos, nem os andrajos" (Machado de Assis, *Quincas Borba*, p. 77).

andrajoso (ô) [De *andrajo* + *-oso.*] *Adj.* Coberto de andrajos; esfarrapado, esmolambado.

andreazense *Adj. 2 g.* **1.** De, ou pertencente ou relativo a Ministro Andreazza (RO). ● *S. 2 g.* **2.** O natural ou habitante de Ministro Andreazza.

andrecia [De *andr(o)-* + *-ecia.*] *S. f. Bot.* Presença exclusiva de flores masculinas em uma dada planta.

andreense (èèn) *Adj. 2 g.* **1.** De, ou pertencente ou relativo a Santo André (SP). ● *S. 2 g.* **2.** O natural ou habitante de Santo André.

andrelandense *Adj. 2 g.* **1.** De, ou pertencente ou relativo a Andrelândia (MG). ● *S. 2 g.* **2.** O natural ou habitante de Andrelândia.

andrequicé (drê) [De or. tupi.] *S. m. Bras. Bot.* V. *arroz-bravo.*

andré-rochense *Adj. 2 g.* **1.** De, ou pertencente ou relativo a André da Rocha (RS). ● *S. 2 g.* **2.** O natural ou habitante de André da Rocha. [Pl.: *andré-rochenses.*]

andrewsita [Do antr. (*Thomas*) *Andrews*, químico inglês, + *-ita*[3].] *S. f. Min.* Mineral ortorrômbico, fosfato básico de cobre e ferro.

▲ **andr(o)-** [Do gr. *anḗr, andrós.*] *El. comp.* = 'homem', 'macho'; 'elemento masculino': *androfagia, andrófobo.* [Equiv.: *-andr(o)-, -andro, -andra*: *proterandria, sinandria; heteroandro; caliandra.*]

▲ **-andr(o)-** V. *andr(o)-.*

▲ **-andro** V. *andr(o)-.*

androcêntrico [De *androcentrismo* + *-ico*[2].] *Adj. Antrop.* Relativo ao androcentrismo.

androcentrismo [De *andr(o)-* + *-centr(o)-* + *-ismo.*] *S. m. Antrop.* Tendência para privilegiar o ponto de vista masculino ou considerá-lo como representante do geral.

androcentrista [De *androcentrismo* + *-ista.*] *Adj. 2 g.* Relativo ao androcentrismo, ou que tem caráter deste.

androceu [Do lat. cient. *androceum.*] *S. m. Bot.* O conjunto dos órgãos masculinos, ditos estames, o qual constitui o terceiro verticilo numa flor hermafrodita. [Cf. *gineceu* (2).]

androfagia [De *andr(o)-* + *-fag(o)-* + *-ia*[1].] *S. f.* Antropofagia.

androfágico [De *androfagia* + *-ico*[2].] *Adj.* Antropofágico.

andrófago [Do gr. *androphágos.*] *Adj. S. m.* Antropófago.

androfilia [De *andr(o)-* + *-filia.*] *S. f.* Atração por homens.

androfobia [De *andr(o)-* + *-fobia.*] *S. f. Psiq.* Horror ao sexo masculino.

androfóbico [De *androfobia* + *-ico*[2].] *Psiq. Adj.* **1.** Relativo a androfobia. **2.** Que sofre de androfobia; andrófobo. ● *S. m.* **3.** Aquele que sofre de androfobia; andrófobo.

andrófobo [De *andr(o)-* + *-fobo.*] *Adj. S. m. Psiq.* Androfóbico (2 e 3).

andróforo [De *andr(o)-* + *-foro.*] *S. m. Bot.* **1.** Porção alargada do eixo floral que conduz os estames, em flores de diversos grupos. **2.** Coluna estaminal das malváceas, formada pela soldadura de múltiplos filetes, como se vê na *graxa-de-estudante.*

androgénese *S. f. Biol.* V. *androgênese.* [Uso freq. em P.]

androgênese [De *andr(o)-* + *-gênese.*] *S. f. Biol.* Androgenia.

androgenesia [De *andr(o)-* + *-genes(i)-* + *-ia*[1].] *S. f.* Estudo do desenvolvimento físico e moral do homem.

androgenésico[1] [De *androgênese* + *-ico*[2].] *Adj. Biol.* Androgenético[1].

androgenésico[2] [De *androgenesia* + *-ico*[2].] *Adj.* Androgenético[2].

androgenético[1] [De *androgên(ese)* + *-ético.*] *Adj. Biol.* Relativo à androgenia; androgenésico.

androgenético[2] [De *androgen(esia)* + *-ético.*] *Adj.* Relativo à androgenesia; androgenésico.

androgenia [Do gr. *androgéneia.*] *S. f. Biol.* Partenogênese masculina: desenvolvimento embrionário com a participação, apenas, dos cromossomos paternos. [Sin.: *androgênese.* Cf. *androginia.*]

androgénico *Adj.* V. *androgênico.* [Uso freq. em P.]

androgênico [De *androgenia* + *-ico*[2].] *Adj.* Relativo a androgenia. [Cf. *andrógínico.*]

androgénio *S. m. Bioquím.* V. *androgênio.* [Uso freq. em P.]

androgênio [De *andr(o)-* + *-gen(o)-* + *-io*[3].] *S. m. Bioquím.* Qualquer dos hormônios sexuais que estimulam caracteres masculinos secundários.

andrógeno [De *andr(o)-* + *-geno.*] *Adj. Biol.* Diz-se do fator que origina ou estimula os caracteres masculinos. [Cf. *andrógino.*]

androginia [De *andrógino* + *-ia*[1].] *S. f.* **1.** Qualidade ou caráter de andrógino. **2.** *Biol.* V. *hermafroditismo* (1). [Cf. *androgenia.*]

andrógínico [De *andrógino* + *-ico*[2].] *Adj.* Andrógino (4). [Cf. *androgênico.*]

androginismo [De *andrógino* + *-ismo.*] *S. m. Biol.* V. *hermafroditismo* (1).

andrógino [Do gr. *andrógynos*, pelo lat. *androgynu.*] *Adj.* **1.** *Biol.* V. *hermafrodito* (1). **2.** *P. ext.* De aparência ou modos indefinidos, entre masculino e feminino, ou que tem traços marcantes do sexo oposto ao seu: 📖 "das irmãs Cotovia, de meiga voz, ... à mulher barbada, ser andrógino que atraía e angustiava a um tempo" (Maria Julieta Drummond de Andrade, *O valor da vida*, p. 36). **3.** *Micol.* Diz-se dos fungos quando há anterídio e ogônio sobre uma mesma hifa. **4.** *Bot.* Diz-se dos vegetais que têm simultaneamente flores masculinas e femininas, agrupadas no mesmo pedúnculo ou na mesma espiga; andrógínico. [As flores dotadas de órgãos dos dois sexos não se chamam *andróginas*, e sim *hermafroditas.*] [Cf. *andrógeno.*] ● *S. m.* **5.** *Biol.* V. *hermafrodito* (2).

androginóforo [De *andr(o)-* + *-gin(o)-* + *-foro.*] *S. m. Bot.* Prolongamento do receptáculo das flores que sustenta, a um tempo, o androceu e o gineceu, e que se encontra nas passifloráceas, como, p. ex., o maracujá.

androide (ói) [De *andr(o)-* + *-oide.*] *S. m.* **1.** Autômato de figura humana. **2.** *Biol.* Organismo triploide cujos tecidos são formados por dois conjuntos de cromossomos paternos e um materno. ● *Adj. 2 g.* **3.** *Biol.* Relativo a androide (2). ❖

andrólatra [De *andr(o)-* + *-latra.*] *S. 2 g.* Quem rende culto divino a um homem; quem pratica a androlatria.

androlatria [De *andr(o)-* + *-latria.*] *S. f.* Culto divino prestado a um homem.

androlátrico [De *androlatria* + *-ico*[2].] *Adj.* Respeitante à androlatria.

andrologia [De *andr(o)-* + *-logia.*] *S. f.* **1.** Ciência que estuda o homem. **2.** *Med.* Disciplina que estuda as doenças masculinas, em especial as afecções do sistema genital do homem.

andrológico [De *andrologia* + *-ico*[2].] *Adj.* Referente à andrologia.

andrologista [De *andrologia* + *-ista.*] *S. 2 g.* Especialista em andrologia (2).

andromania [Do gr. *andromanía.*] *S. f.* V. *ninfomania.*

andromaníaca [F. subst. de *andromaníaco.*] *S. f.* Aquela que sofre de andromania.

andromaníaco [De *andromania* + *-íaco.*] *Adj.* Relativo à, ou que tem andromania.

andrómeda *S. f.* V. *andrômeda.* [Uso freq. em P.]

andrômeda[1] [Do mit. gr. *Androméda.*] *S. f. Astr.* Constelação boreal, ao S. da constelação de Cassiopeia. [Com cap.]

andrômeda[2] [Do tax. *Andromeda* < mit. gr. *Androméda.*] *S. f. Bot.* **1.** Pequeno gênero de arbustos ericáceos sempre-verdes, nativos das regiões boreal e ártica; são próprios de lugares áridos, e suas flores brancas ou róseas, em umbelas terminais, e as folhas coriáceas têm notável beleza. **2.** Espécie, ou espécime desse gênero.

andromedídeo [De *Andrômeda*[1] + *-ídeo*[1].] *S. m. Astr.* Meteoro pertencente à chuva de meteoros (q. v.), visível na segunda quinzena de novembro, cujo radiante está nas vizinhanças da estrela gama de Andrômeda; bielídeo.

andromedítico [De *Andrômeda*[1] + *-ítico.*] *Adj.* Relativo à Andrômeda[1].

andrómina *S. f.* V. *andrômina.* [Uso freq. em P.]

andrômina *S. f.* V. *endrômina.*

andropausa [De *andr(o)-* + *-pausa.*] *S. f. Med.* Conjunto de modificações somáticas e psicológicas que se instalam em indivíduo do sexo masculino, aproximadamente, entre a quinta e a sétima décadas de vida.

andropógon [Do tax. *Andropogon* (do gr. *anḗr, andrós* [v. *andr(o)-*] + gr. *pógon, onos*, 'barba').] *S. m. Bot.* **1.** Gênero de poáceas que abrange cerca de 100 espécies que ocorrem em regiões tropicais e temperadas, muitas delas em savanas. **2.** Qualquer espécie desse gênero, como, p. ex., a *Andropogon leucostachyus* (v. *capim-membeca*) e a *A. zizanioides* ou *Vetiveria zizanioides* (v. *vetiver*). **3.** Qualquer espécime desse gênero.

androsperma [De *andr(o)-* + *-sperma.*] *S. m. Biol. Desus.* Gameta produzido por um indivíduo heterogamético, e que determina a formação de um embrião masculino.

androsterona [De *andr(o)-* + *-ster(o)(l)-* + *-ona*[2].] *S. f. Bioquím.* Substância esteroidal que é um dos principais androgênios humanos [fórm.: $C_{19}H_{30}O_2$].

androstilo [De *andr(o)-* + *-stilo*[1].] *S. m. Bot.* V. *ginostêmio.*

andu[1] *S. m. Bras.* Fruto do anduzeiro; guando, guandu, feijão-guando.

andu[2] [Do forro[2] (7).] *S. m. Santom. Zool.* Tubarão: "A tragédia já a conhecemos: .... o cheiro do fumo misturando-se / ao cheiro do andu / e ao cheiro da morte." (Maria Manuela Margarido, em *Poetas de São Tomé e Príncipe*, p. 84.)

andubé *S. m. Bras. Zool.* V. *mandubi*[2] (1).

anduiá [Var. de *anujá*.] *S. m. Bras. Zool.* **1.** Peixe auquenipterídeo (*Glanidium albescens*), largamente distribuído pelo Brasil, de coloração cinzenta, flancos escassa e delicadamente pontilhados de branco, abdome branco, pedúnculo e nadadeira dorsal com pequenas manchas escuras, e até 25cm de comprimento; bureva, buneva. **2.** V. *anujá*.

andurriais [Pl. de *andurrial*.] *S. m. pl.* Lugares públicos, sujos e trilhados por muita gente: "andou esse extravagante inglês [Cook] pisando todos os areais, haurindo todas as brisas ...., correndo todos os andurriais do Planeta" (Olavo Bilac, *Crítica e Fantasia*, p. 150). ~ V. *andurrial*.

andurrial [Do esp. *andurrial*.] *S. m.* Lugar ermo, sem caminhos. ~ V. *andurriais*.

anduzeiro [De *andu*[1] + *-zeiro*.] *S. m. Bras. Bot.* Planta fabácea (*Cajanus cajan*) arbustiva, de flores amarelas e sementes comestíveis, que lembram o feijão; guandeiro.

anecoico (ói) [De *an-* + *-ec(o)-*[2] + *-ico*[2]; ingl. *anechoic*.] *Adj. Med.* Em exame ultrassonográfico, diz-se de local que não apresenta eco. ✧

anecril *S. m. Prov. port.* V. *alecrim*.

anecuménico *Adj.* V. *anecumênico*. [Uso freq. em P.]

anecumênico [De *anecúmeno* + *-ico*[2].] *Adj. Geogr.* Relativo ao anecúmeno.

anecúmeno [De *an-* + *ecúmeno*.] *Adj. S. m. Geogr.* Diz-se de, ou área inabitável pelo homem.

anediar [De *a-*[2] + *nédio* + *-ar*[2].] *V. t. d.* **1.** Tornar nédio, lustroso, luzidio. **2.** Alisar, afagar: "roçava timidamente o rosto pelas folhas, anediando-as com a mão, na cisma de serem as madeixas, que tanto amava." (José de Alencar, *O Sertanejo*, p. 71).

anedonia [De *an-* + gr. *hedoné*, 'prazer', + *-ia*[1].] *S. f. Psiq.* Ausência de sensação de prazer, em situação que, habitualmente, o produziria.

anedota [Do gr. *anékdotos*, 'inédito', pelo fr. *anecdote*.] *S. f.* **1.** Relato sucinto de um fato jocoso ou curioso. **2.** Particularidade engraçada de figura histórica ou lendária. **3.** *P. ext.* Piada (3).

anedotário [De *anedota* + *-ário*.] *S. m.* Coleção de anedotas.

anedótico [De *anedota* + *-ico*[2].] *Adj.* Relativo a, ou que encerra anedota.

anedotista [De *anedota* + *-ista*.] *S. 2 g.* Contador e/ou colecionador de anedotas.

anedotizar [De *anedota* + *-izar*.] *V. t. d.* **1.** Contar à maneira de anedota. *Int.* **2.** Contar anedotas.

■ **Aneel** Sigla de *Agência Nacional de Energia Elétrica*.

anegar [Do lat. *enecare*, 'matar'; no lat. tard., 'matar submergindo em água'.] *V. t. d.* **1.** Cobrir de água; submergir; inundar, alagar. *T. d. e i.* **2.** Mergulhar, submergir. [Conjug.: v. *regar*.]

anegrado [De *a-*[2] + *negro* + *-ado*[1].] *Adj.* **1.** Um tanto negro; anegriscado, negrusco. **2.** Escuro (2).

anegrar [De *a-*[2] + *negro* + *-ar*[2].] *V. t. d.* **1.** Dar a cor negra a. *P.* **2.** Tornar-se negro.

anegrejar [De *a-*[2] + *negro* + *-ejar*.] *V. t. d.* Tornar negro; enegrecer: "mostra [o mar] a profundura a anegrejar-lhe o seio" (Martins Fontes, *O Mar*, p. 10). [Conjug.: v. *pelejar*.]

anegriscado [De *a-*[2] + *negro* + *-isc(o)-* + *-ado*[1].] *Adj.* V. *anegrado* (1).

aneiro [De *ano*[1] + *-eiro*.] *Adj.* **1.** Dependente da maneira como correr o ano: *árvores aneiras*. **2.** Incerto, precário.

anejo (ê) [Do esp. *anejo*.] *Adj.* Que tem um ano.

anel [Do lat. *annellu*, por *annulu*, pelo provenç. *anel*.] *S. m.* **1.** Tira circular que se utiliza para segurar, prender ou unir alguma coisa. **2.** Pequena tira circular, ger. de metal, simples ou com engaste de pedras preciosas, sinete, etc., que se usa nos dedos como adorno ou símbolo. **3.** Qualquer objeto ou órgão de forma circular. **4.** Caracol ou cacho de cabelo. **5.** Cada peça de corrente; elo. **6.** *Álg.* Conjunto de elementos em que valem as seguintes propriedades: a) o conjunto é um grupo abeliano sob uma operação de soma; b) o conjunto é fechado sob uma operação binária de produto; c) o produto é associativo e distributivo em relação à soma. **7.** *Astr.* Matéria que circula ao redor de um corpo celeste, como, p. ex., os anéis de Saturno, os anéis de cometas, etc. **8.** *Astr.* V. *anel astronômico*. **9.** *Micol.* Nos fungos, a porção remanescente da ruptura do véu parcial que cobre o píleo do aparelho esporígeno. **10.** *Bot.* Nos pteridófitos, fileira de células espessadas que circula o esporângio. **11.** *Caligr.* Elo formado pelo traçado de certas letras. **12.** *Genét.* V. *anel cromossômico*. **13.** *Quím.* Ciclo[1] (11). [Pl.: *anéis*.] ◆ **Anel asteroidal.** *Astr.* V. *anel de asteroides*. **Anel asteróidico.** *Astr.* V. *anel de asteroides*. **Anel astronômico.** *Astr.* Instrumento astronômico antigo us. para se determinar a altura do Sol. [Tb. se diz apenas *anel*.] **Anel comutativo.** *Álg.* Anel de cujos elementos fazem parte a identidade aditiva e o inverso aditivo. [A identidade multiplicativa pode existir ou não.] **Anel cromossômico.** *Genét.* Na meiose, figura formada pela associação de cromossomos, ponta com ponta; cromossomo em anel. [Tb. se diz apenas *anel*.] **Anel de asteroides.** *Astr.* Região do espaço percorrida pela maior parte dos asteroides situados entre as órbitas de Marte e Júpiter; anel asteroidal, anel asteróidico, faixa de asteroides. **Anel de colisão.** *Fís. Part.* Tipo de acelerador em que dois feixes de partículas, girando em sentidos opostos, se interceptam em vários pontos, provocando colisões a cada passagem; colisor. **Anel de compressão.** *Autom.* Anel mediante o qual é mantida a compressão dentro do cilindro. **Anel de crescimento.** *Bot.* Camada de crescimento decorrente da atividade cambial, que origina xilema ou floema secundário e que pode ser observada em corte transversal, sendo mais evidente em algumas espécies que em outras, e que está relacionada ao seu desenvolvimento evolutivo. [Espécies que existem há várias eras geológicas, como a *Araucaria angustifolia*, p. ex., apresentam essa característica visível a olho nu.] **Anel de fogo.** *Astr.* Delgado anel luminoso que se forma ao redor do disco lunar durante um eclipse anular do Sol. **Anel de grau.** Anel (2) usado por quem cola grau [v. *colar*[2] (3)]. [É um anel que tem engastada pedra preciosa, cuja cor identifica a ciência em que se colou grau: esmeralda, em Medicina, rubi, em Direito, etc.] **Anel de guarda.** *Eletr.* Dispositivo utilizado para diminuir ou eliminar a influência das bordas das armaduras de um capacitor de placas paralelas, na homogeneidade do campo elétrico. **Anel de integridade.** *Álg.* Anel comutativo que: a) tem um elemento unidade que não é nulo; b) não tem divisores próprios do zero. **Anel de Kuiper.** *Astr.* Reservatório hipotético de cometas que deveria existir no plano da eclíptica, além da região ocupada pelos planetas. **Anel divisão.** *Álg.* Conjunto de elementos em que valem as seguintes propriedades: a) o conjunto é um grupo abeliano sob uma operação binária de soma; b) existe a identidade aditiva; c) excetuando-se a identidade aditiva, o conjunto é um grupo sob uma operação binária de produto; d) o produto é distributivo à direita e à esquerda em relação à soma.

anelação[1] [Do lat. *anhelatione*.] *S. f.* **1.** Respiração difícil, curta, ofegante. **2.** *P. us.* V. *anelo*.

anelação[2] [De *anelar*[2] + *-ação*.] *S. f. Quím.* Reação, ou sequência de reações, us. para formar anel ou ciclo em molécula.

anelado[1] [De *anel* + *-ado*[1].] *Adj.* **1.** V. *aneliforme*. **2.** Diz-se do cabelo encaracolado: "Cabelos negros, finos, anelados" (Austro-Costa, *Mulheres e Rosas*, p. 29); "Os longos cabelos, os sobrolhos e a barba espessa, comprida e anelada, eram de cor preta retinta." (Arnaldo Gama, *O Balio de Leça*, p. 2). **3.** Que tem ou apresenta anéis: "você está bem casado, mais anelado que Saturno." (Mia Couto, *Contos do Nascer da Terra*, p. 94). ~ V. *letra —a*.

anelado[2] [Adapt. do tax. *Annelata*.] *S. m. Adj. Zool.* V. *anelídeo*.

anelante [Do lat. *anhelante*.] *Adj. 2 g.* **1.** Que denota ânsia; ofegante: "Ao descair do sol daquele dia / Anelantes os dous enfim chegaram / Ao cimo do elevado promontório" (Domingos José Gonçalves de Magalhães, *A Confederação dos Tamoios*, p. 214); *respiração anelante*. **2.** Que revela anelo, inquietação: "E aí ficou imóvel, mas anelante, cheia de ansiedade, ... até que finalmente ouviu o sinal da hora aprazada e suprema." (Joaquim Manuel de Macedo, *Os Romances da Semana*, p. 299.)

anelão [Aum. de *anel*.] *S. m. Bras.* Anel grosso, pesado, de prata ou de ouro.

anelar[1] [De *anel(i)-* + *-ar*[1].] *Adj. 2 g.* **1.** Anular[1] (2). **2.** V. *aneliforme*.

anelar[2] [De *anel* + *-ar*[2].] *V. t. d.* **1.** Dar forma de anel a. **2.** Pôr em anéis; cachear: "Lúcia ocupava-se em anelar os cabelos louros da irmã" (José de Alencar, *Lucíola*, p. 183). *T. i.* **3.** *Moç.* Casar: *Queria anelar com a moça, mas não tinha emprego*.

anelar[3] [Do lat. *anhelare*.] *V. t. d.* **1.** Desejar ardentemente; aspirar a: *Anelava a glória*. *T. i.* **2.** Ansiar, almejar: *Passa os dias anelando pela presença do amado*. *Int.* **3.** Respirar com dificuldade; ofegar: "Tardo o passo, anelando, a íngreme ladeira / Subo." (Alberto de Oliveira, *Poesias*, 1ª série, p. 245.)

anelasticidade *S. f. Fís.* Propriedade de um sólido elástico em que a deformação depende do tempo de ação da tensão.

aneleira [De *anel* + *-eira*.] *S. f.* Caixinha para guardar anéis. [Cf. *anileira*.]

▲ **anel(i)-** [Do lat. *annellus, i*, dim. de *annulus, i*, 'anel'.] Equiv. de *anul(i)-*.

anelídeo [De *anel(i)-* + *-ídeo*[1]; tax. *Annelida*.] *Zool. S. m.* **1.** Espécime dos anelídeos, filo de enterozoários de simetria bilateral. Corpo segmentado, cada anel ou segmento com um par de nefrídios, tubo digestivo tubular completo; celoma bem diferenciado; sistema vascular fechado. São as minhocas, poliquetas e sanguessugas. ● *Adj.* **2.** Pertencente ou relativo a eles. [Sin. ger.: *anelado*.]

aneliforme [De *anel(i)-* + *-forme*.] *Adj. 2 g.* Que tem forma de anel; anelado; anelar, anular.

anelípede [De *anel(i)-* + *-pede*.] *Adj. 2 g. Zool.* Que tem patas em forma de anel.

anélito [Do lat. *anhelitu*.] *S. m.* **1.** Hálito, respiração, bafo. **2.** *P. us.* V. *anelo*.

anelo [Do lat. *anhelu*.] *S. m.* V. *anseio* (2). [Sin., p. us.: *anelação*, *anélito*.]

anemia [Do gr. *anaimía*.] *S. f.* **1.** *Med. Patol.* Deficiência de hemácias ou hemoglobina no sangue circulante. **2.** *Fig.* Debilidade, fraqueza. ◆ **Anemia falciforme.** *Patol.* Doença hereditária, de incidência quase exclusiva em negros e seus descendentes, e caracterizada por artralgias, dores abdominais agudas, ulcerações dos membros inferiores, e que constitui uma forma de anemia hemolítica; no sangue, são encontradas hemácias falciformes, donde a denominação desta forma de anemia. **Anemia hemolítica.** *Patol.* Qualquer uma de um grupo de anemias, de curso agudo ou crônico, e que se caracterizam por encurtamento da vida de hemácias maduras não compensado pela atividade de medula óssea. **Anemia hipocrônica.** *Patol.* Aquela caracterizada pela concentração anormalmente baixa de hemoglobina nos eritrócitos, frequentemente devido à deficiência de ferro.

anemiante [De *anemiar* + *-nte*.] *Adj. 2 g.* Diz-se de substância, ou de qualquer outra causa que possa produzir anemia.

anemiar [De *anemia* + *-ar*[2].] *V. t. d. Med. Patol.* **1.** Causar anemia em. **2.** Debilitar, enfraquecer. *P.* **3.** Ficar anêmico. [Sin. ger.: *anemizar*.]

anémico *Adj. S. m.* V. *anêmico*. [Uso freq. em P.]

anêmico [De *anemia* + *-ico*[2].] *Adj.* **1.** *Med.* Referente à, ou próprio da anemia. **2.** *Med.* Que sofre de anemia. **3.** *Fig.* Sem vigor, sem relevo; pobre de substância: *discurso anêmico*. **4.** *Fig.* Fraco, frouxo; mortiço: *luz anêmica*. ● *S. m.* **5.** Indivíduo que sofre de anemia.

anemizar [De *anemia* + *-izar*.] *V. t. d. P.* V. *anemiar*.

▲ **anemo-** [Do gr. *ánemos, ou*.] *El. comp.* = 'vento': *anemógrafo*. [Equiv.: *-ânemo*: *barosânemo*.]

▲ **-ânemo** Equiv. de *anemo-*.

anemocoria [De *anemo-* + *-cor(o)-*[2] + *-ia*[1].] *S. f. Bot.* Disseminação das plantas pelo vento, *i. e.*, transporte de suas estruturas reprodutivas pelo ar em movimento.

anemocórico [De *anemocoro* + *-ico*[2].] *Adj. Bot.* Relativo a anemocoro, ou a anemocoria.

anemocoro [De *anemo-* + *-coro*.] *Adj. S. m. Bot.* Diz-se de, ou vegetal cujos diásporos são disseminados pelo vento.

anemofilia [De *anemo-* + *-filia*.] *S. f. Bot.* Polinização pelo vento, *i. e.*, transporte dos grãos de pólen pelo ar em movimento, método pelo qual se processa a polinização cruzada, indo o pólen de uma flor fecundar os óvulos de outra a distância.

anemofílico [De *anemofilia* + *-ico*[2].] *Adj.* Relativo a anemofilia, ou a anemófilo.

anemófilo [De *anemo-* + *-filo*[2].] *Adj. S. m. Bot.* Diz-se de, ou vegetal que é polinizado pela ação do vento.

anemofobia [De *anemo-* + *-fobia*.] *S. f. Psiq.* Medo patológico de vento.

anemofóbico [De *anemofobia* + *-ico*[2].] *Psiq. Adj.* **1.** Relativo a anemofobia. **2.** Que sofre de anemofobia; anemófobo. ● *S. m.* **3.** Aquele que sofre de anemofobia; anemófobo.

anemófobo [De *anemo-* + *-fobo*.] *Adj. S. m. Psiq.* Anemofóbico (2 e 3).

anemogamia [De *anemo-* + *-gam(o)-* + *-ia*[1].] *S. f. Bot.* Fenômeno que consiste na fecundação por anemofilia. [As gramíneas, p. ex., são fecundadas por anemogamia.]

anemogâmico [De *anemogamia* + *-ico*[2].] *Adj. Bot.* Referente à anemogamia.

anemógamo [De *anemo-* + *-gamo*.] *Adj. Bot.* Que é fecundado por anemogamia.

anemografia [De *anemo-* + *-grafia*.] *S. f.* Descrição dos ventos.

anemográfico [De *anemografia* + *-ico*[2].] *Adj.* Referente à anemografia.

anemógrafo [De *anemo-* + *-grafo*.] *S. m.* **1.** Especialista em anemografia. **2.** Aparelho que registra a direção e força dos ventos.

anemologia [De *anemo-* + *-logia*.] ***S. f.*** Tratado sobre os ventos.

anemológico [De *anemologia* + *-ico*[2].] ***Adj.*** Referente à anemologia.

anemólogo [De *anemo-* + *-logo*.] ***S. m.*** Especialista em anemologia.

anemometria [De *anemo-* + *-metria*.] ***S. f.*** Medida da intensidade e da velocidade dos ventos.

anemométrico [De *anemometria* + *-ico*[2].] ***Adj.*** Referente à anemometria.

anemômetro ***S. m.*** *Met.* V. *anemômetro.* [Uso freq. em P.]

anemômetro [De *anemo-* + *-metro*.] ***S. m.*** *Met.* Instrumento para medir a velocidade ou a intensidade do vento, e também, nalguns casos, a sua direção.

anémona ***S. f.*** *Bot.* V. *anêmona.* [Uso freq. em P.]

anêmona [Do tax. *Anemone* (do semítico *Naaman*, epíteto de *Adônis*, v. *adônis*[1]).] ***S. f.*** *Bot.* **1.** Gênero de ervas ranunculáceas, perenes, ornamentais, de flores variadamente coloridas, e que têm larga distribuição. **2.** Qualquer espécie desse gênero, como, p. ex., a *Anemone pulsatilla* (v. *flor-da-páscoa*). **3.** Qualquer espécime desse gênero, ou a sua flor.

anémona-do-mar ***S. f.*** *Zool.* V. *anêmona-do-mar.* [Pl.: *anémonas-do-mar*. Uso freq. em P.]

anêmona-do-mar ***S. f.*** *Zool.* Nome comum aos cnidários da ordem dos actiniários, que reúne espécies sésseis que se apresentam como pólipos solitários ger. grandes e de colorido brilhante, que, por sua forma e cores variegadas, e pelo feixe de tentáculos que lhes circundam superficialmente a boca, lembram uma flor; não têm esqueleto e se reproduzem sexualmente ou, mais raramente, mediante esquizogênese; alimentam-se de pequenos animais que capturam com os tentáculos [v. *tentáculo* (2)]. [Sin.: *flor-das-pedras, actínia*. Pl.: *anêmonas-do-mar*]

anêmona-pulsatila ***S. f.*** *Bot.* V. *flor-da-páscoa.* [Pl.: *anêmonas-pulsatilas*.]

anemopausa [De *anemo-* + *-pausa*.] ***S. f.*** *Astrofís.* Limite onde a pressão do vento solar é igual à pressão da atmosfera superior de um planeta.

anemoscopia [De *anemo-* + *-scop-* + *-ia*[1].] ***S. f.*** Estudo da direção dos ventos.

anemoscópico [De *anemoscopia* + *-ico*[2].] ***Adj.*** Relativo à anemoscopia.

anemoscópio [De *anemo-* + *-scópio*.] ***S. m.*** Instrumento indicador da direção dos ventos.

anemoterapia [De *anemo-* + *-terapia*.] ***S. f.*** *Terap.* Modalidade terapêutica que se realiza mediante inalações.

anemoterápico [De *anemoterapia* + *-ico*[2].] ***Adj.*** *Terap.* Relativo à anemoterapia.

anencefalia [De *an-* + *encéfalo* + *-ia*[1].] ***S. f.*** *Ter.* Anomalia letal do tubo neural embrionário que ocorre em torno da quarta semana após a fecundação, e é caracterizada pela ausência total ou parcial de encéfalo.

anencefálico [De *anencefalia* + *-ico*[2].] ***Adj.*** *Ter.* Referente à anencefalia.

anencéfalo [De *an-* + *encéfalo*.] ***Adj. S. m.*** *Ter.* Diz-se de, ou aquele que apresenta anencefalia.

▲ **-âneo** [Do lat. *-anĕus, a, um*.] ***Suf. nom.*** = 'modo de ser', 'qualidade'; 'duração'; 'próprio de', 'relativo a': *contemporâneo* (< lat.); *cutâneo*.

anepigrafia [De *an-* + *epígrafe* + *-ia*[1].] ***S. f.*** Qualidade de anepigráfico.

anepigráfico [De *anepígrafo* + *-ico*[2].] ***Adj.*** Diz-se de medalha, baixo-relevo, etc., sem título ou inscrição; anepígrafo.

anepígrafo [Do gr. *anepígraphos*.] ***Adj.*** Anepigráfico.

anequim ***S. m.*** *Zool.* **1.** Tubarão lamnídeo (*Isurus oxyrhynchus*) de corpo delgado, com o dorso azul e o abdômen branco, que tem ger. entre 1,80 a 2,5m, mas pode atingir até 4m. Ocorre em águas tropicais e temperadas de todos os oceanos. [É possivelmente o mais rápido dos tubarões.][Sin.: *tubarão-sombreiro, sombreiro, maco*.] **2.** V. *tubarão-branco*.

anergia [De *an-* + *-erg(o)-*[1] + *-ia*[1].] ***S. f.*** *Imun.* Baixa da capacidade de reagir a antígenos específicos.

anérgico [De *anergia* + *-ico*[2].] ***Adj.*** *Imun.* Relativo à anergia.

aneroide (ói) [De *a-*[3] + gr. *nēros*, 'úmido', + *-oide*; fr. *anéroïde*.] ***Adj. 2 g.*** *Fís.* Diz-se de certos instrumentos de medida que operam sem a interveniência de fluidos, em contraste com outros, do mesmo tipo, que atuam com essa interveniência. ~ V. *barômetro* —. ❖

anérveo [De *a-*[3] + *-nerv(i)-* + *-eo*.] ***Adj.*** *Zool.* Diz-se do inseto cujas asas são desprovidas de filetes nervosos.

anesférica [F. subst. de *anesférico*.] ***S. f.*** *Geom.* Superfície que não tem raio de curvatura constante.

anesférico [De *an-* + *-(e)sfer(o)-* + *-ico*[2].] ***Adj.*** *Geom.* Que não tem raio de curvatura constante (diz-se de superfície). ~ V. *lente*[1] *-a*.

anesplenia [De *an-* + *-(e)splen(o)-* + *-ia*[1].] ***S. f.*** *Anat. Med.* Alienia.

anesplénico ***Adj.*** V. *anesplênico.* [Uso freq. em P.]

anesplênico [De *anesplenia* + *-ico*[2].] ***Adj.*** *Med.* Aliênico.

anestesia [Do gr. *anaisthesía*.] ***S. f.*** **1.** *Anest.* Perda total ou parcial da sensibilidade, em uma ou mais de suas formas, que se manifesta em resultado de várias causas mórbidas, ou é conseguida de propósito, para aliviar a dor ou evitar que ela apareça no curso de intervenções cirúrgicas. **2.** *Pop. Impr.* V. *anestésico* (2). ◆ **Anestesia epidural.** *Anest.* Modalidade de anestesia regional produzida pela injeção de substância anestésica no espaço epidural; anestesia peridural. **Anestesia geral.** *Anest.* Estado reversível de inconsciência, causado por agente anestésico, ministrável por diferentes vias, e que abole a dor em todo o corpo, neste produzindo, também, um grau variável de relaxamento muscular. **Anestesia peridural.** *Anest.* Anestesia epidural. **Anestesia regional.** *Anest.* Aquela que produz insensibilidade apenas de uma parte do corpo.

anestesiado [Part. de *anestesiar*.] ***Adj.*** **1.** Sob efeito de anestésico (2), ou como se o estivesse. **2.** *Fig.* Impossibilitado, momentaneamente ou não, de sentir ou reagir a algo.

anestesiador (ô) [De *anestesiar* + *-dor*.] ***Adj. 2 g.*** V. *anestésico* (1).

anestesiante [De *anestesiar* + *-nte*.] ***Adj. 2 g.*** V. *anestésico* (1).

anestesiar [De *anestesia* + *-ar*[2].] ***V. t. d.*** Provocar a anestesia (1) em. [Cf. *narcotizar* (2).]

anestésico [De *anestesia* + *-ico*[2].] ***Adj.*** **1.** Que anestesia; anestesiador, anestesiante. ● ***S. m.*** **2.** *Farmac.* Medicamento que suprime sensibilidade. [F. paral. (p. us.): *anestético*.]

▲ **anestesio-** [Do V.C.I. *anesthesio-* < lat. cient. *anesthesia* < gr. *anaisthesía*.] ***El. comp.*** 'anestesia': *anestesiologia*.

anestesiologia [De *anestesio-* + *-logia*.] ***S. f.*** Ramo da medicina que estuda os fenômenos da anestesia artificialmente provocada.

anestesiológico [De *anestesiologia* + *-ico*[2].] ***Adj.*** Relativo à anestesiologia.

anestesiologista [De *anestesiologia* + *-ista*.] ***S. 2 g.*** Especialista em anestesiologia.

anestesista [De *anestesia* + *-ista*.] ***S. 2 g.*** **1.** *Impr.* Anestesiologista. **2.** Técnico de enfermagem treinado para ministrar anestésicos sob supervisão de anestesiologista.

anestético [De *anest(esia)* + *-ético*.] ***Adj. S. m.*** *P. us.* V. *anestésico*.

anestro [De *an-* + lat. *oestru*, 'estro (3)'.] ***S. m.*** *Biol.* Período de repouso sexual em que a fêmea não é suscetível de acasalamento. [Cf. *estro*[1] (2).]

anete (ê) ***S. m.*** *Marinh.* **1.** Arganéu ou manilha presa ao furo existente na extremidade superior da haste de uma âncora, e na qual é talingada a amarra. **2.** Arganéu colocado na parte superior de uma boia de amarração.

anético [De *an-* + *ético*.] ***Adj.*** Sem ética. [Cf. *aético* e *antiético*.]

aneto [Do tax. *Anethum* (do lat. *anethum* < gr. *anéthon*).] ***S. m.*** *Bot.* **1.** Pequeno gênero de plantas herbáceas apiáceas, de folhagem recortada, e pequenas flores amarelas. **2.** Qualquer espécie desse gênero, como, p. ex., a *Anethum graveolens*, de folhas e sementes aromáticas, ambas us. como condimento e na feitura de licores; é conhecida como *endrão, endro* e *luzendro*. **3.** Qualquer espécime desse gênero.

anetol [Do tax. *Anethum* (v. *aneto*) + *-ol*[3].] ***S. m.*** *Quím.* O principal constituinte da essência de anis, cristalino, escamoso, branco, com cheiro característico, e que é um isômero do estragol (q. v.) [fórm.: $C_{10}H_{12}O$]. [Pl.: *anetóis*.]

aneuploide (ói) [De *an-* + *euploide*.] ***Adj. 2 g.*** *Citol. Genét.* Que tem alteração cromossômica numérica envolvendo cromossomos homólogos. ❖

aneuploidia [De *aneuploide* + *-ia*[1].] ***S. f.*** *Citol. Genét.* Caráter ou qualidade de aneuploide.

aneurina [De *a-*[3] + *-neur(o)-* + *-ina*[3].] ***S. f.*** *Quím.* Tiamina.

aneurisma [Do gr. *aneúrysma*, 'dilatação'.] ***S. m.*** *Patol.* Dilatação parietal de artéria, de veia ou do coração, e que pode ter forma variável (saciforme, fusiforme, etc.).

aneurismal [De *aneurisma* + *-al*[1].] ***Adj. 2 g.*** **1.** Que tem forma ou semelhança de aneurisma. **2.** Da natureza do aneurisma. [Sin. ger.: *aneurismático*.]

aneurismático [De *aneurisma* + *-ático*.] ***Adj.*** **1.** Que tem aneurisma. **2.** Aneurismal.

aneurismectomia [De *aneurisma* + *-ectom-* + *-ia*[1].] ***S. f.*** *Cir.* Excisão de aneurisma.

aneuro [De *a-*[3] + *-neuro*.] ***Adj.*** *Bot.* Enérveo.

anexação (cs) [De *anexar* + *-ção*.] ***S. f.*** Ato ou efeito de anexar(-se).

anexado (cs) [Part. de *anexar*.] ***Adj.*** Que se anexou; reunido.

anexador (cs...ô) [De *anexar* + *-dor*.] ***Adj. S. m.*** Que, ou aquele que anexa.

anexar (cs) [De *anexo* + *-ar*[2].] ***V. t. d. e i.*** **1.** Juntar (algo) a uma coisa considerada como principal: *<u>anexar</u> outras cláusulas ao contrato.* **2.** Reunir (um país, ou parte dele, a outro), preservando-lhe ou não a autonomia: *Em 1809, D. João VI <u>anexou</u> a Guiana Francesa aos domínios portugueses.* **3.** *Inform.* Vincular (arquivo) a uma mensagem de correio eletrônico, determinando que ambos sigam juntos quando esta for enviada [Nesta acepç., us. como correspondente do ingl. *to attach*]. ***P.*** **4.** Incorporar-se, reunir-se, juntar-se.

anexectomia (cs) [De *anex(os uterinos)* + *-ectom-* + *-ia*[1].] ***S. f.*** *Gin.* Excisão de anexos uterinos (q. v.).

anexim[1] (ch) [Do ár. *an-našīd*, 'canto'; 'hino'; 'poema'.] ***S. m.*** **1.** V. *provérbio* (1): "um marido; não desses que justificam o <u>anexim</u>: — nunca falta um chinelo velho para um pé doente — mas um marido regular, capaz de direitos e obrigações." (França Júnior, *Folhetins*, pp. 626-627). **2.** Dito sentencioso.

anexim[2] (cs) [De *anexo*.] ***S. m.*** *Bras. RJ Antiq.* **1.** Aluno de curso anexo à antiga Escola Politécnica do Rio de Janeiro, de preparação para o exame vestibular. **2.** *P. ext.* Qualquer calouro daquela escola: "Eu hei de sempre te fazer justiça / Ó 'Jack-estripador' dos <u>anexins</u>!..." (D. Xiquote, *Saguão da Posteridade*, p. 37).

anexionismo (cs) [Do fr. *annexionnisme*.] ***S. m.*** Doutrina ou teoria pela qual os pequenos Estados deveriam ser incorporados aos grandes, seus vizinhos, a pretexto de afinidade étnica, linguística, cultural, etc.

anexionista (cs) [Do fr. *annexionniste*.] ***Adj. 2 g.*** **1.** Referente ao anexionismo, ou que é partidário dessa doutrina. ● ***S. 2 g.*** **2.** Partidário dela.

anexite (cs) [De *anex(os uterinos)* + *-ite*[1].] ***S. f.*** *Gin.* Inflamação de anexo(s) uterino(s) (q. v.).

anexo (cs) [Do lat. *annexu*.] ***Adj.*** **1.** Ligado, junto, contíguo: *casa <u>anexa</u>.* **2.** Incorporado, apenso: *documento <u>anexo</u>.* **3.** Dependente, subordinado. ● ***S. m.*** **4.** Aquilo que está ligado como acessório. **5.** O prédio que, num conjunto edificado, é dependente de outro, principal, ou que o complementa. **6.** *Anat.* Órgão, ou formação (5), que se apresenta como se estivesse apenso a outro. ◆ **Anexos uterinos.** *Anat.* Órgãos (ovários e tubas uterinas) anexos ao útero.

anexopexia (cs...cs) [De *anexo(s uterinos)* + *-pex-* + *-ia*[1].] ***S. f.*** *Gin.* Fixação cirúrgica de anexos uterinos.

anfetamina [Voc. farmac.] ***S. f.*** *Quím.* **1.** Líquido incolor, com ação marcada sobre o organismo humano, e utilizado como vasoconstritor e como estimulante; benzedrina [fórm.: $C_9H_{13}N$]. **2.** *P. ext.* Qualquer derivado ou análogo da anfetamina (1), que possui atividade fisiológica semelhante.

▲ **anfi-** [Do gr. *amphí*.] ***Pref.*** = 'de um e outro lado', 'ao redor': *anfípode, anfigonia*.

anfião [Do ár. *aflūn* < lat. *opiu* < gr. *ópion* (v. etim. de *ópio*).] ***S. m.*** *Ant. Bot.* V. *papoula* (2).

anfiartrose [De *anfi-* + *artrose*.] ***S. f.*** *Anat.* Articulação apenas capaz de movimentação reduzida, e que não dispõe de cavidade articular nem de membrana sinovial.

anfiáster [De *anfi-* + *-áster*.] ***S. m.*** *Citol.* V. *astrosfera*.

anfíbio[1] [Do gr. *amphíbios*.] ***Adj.*** **1.** Diz-se de animal ou planta que vive tanto em terra como na água. **2.** Que pode ser us. em terra e/ou na água: *veículo <u>anfíbio</u>; embarcação <u>anfíbia</u>.* **3.** Que se realiza, ao mesmo tempo, em terra e/ou em água: "As galés castelhanas arpoavam os navios portugueses, e a luta <u>anfíbia</u> travava-se dentro dos navios encalhados e amarrados" (Oliveira Martins, *A Vida de Nun'Álvares*, p. 187). **4.** *Fig.* Que tem sentimentos opostos, ou segue duas opiniões diferentes, ou tem dois modos de vida, etc. **5.** *Mar. G.* Diz-se de, ou pertinente a uma atividade, operação ou organização cujo fim é efetuar o desembarque ou a retirada de uma força terrestre em um ponto do litoral defendido ou atacado pelo inimigo. ~ V. *avião* —. ● ***S. m.*** **6.** *Fig.* Aquele que tem sentimentos opostos, ou segue duas opiniões diferentes.

anfíbio[2] [Adapt. do tax. *Amphibia*.] *Zool.* ***S. m.*** **1.** Espécime dos anfíbios, classe de animais cordados, vertebrados, gnatostomados, tetrápodes de pele nua, glandular, úmida, sem escamas; respiração por brânquias nos estágios iniciais e depois através de pulmões; fecundação externa. São as cecílias, as salamandras e os anuros. ● ***Adj.*** **2.** Pertencente ou relativo a eles.

anfibiografia [De *anfíbio* + *-grafia*.] ***S. f.*** *Zool.* Tratado descritivo dos anfíbios.

anfibiográfico [De *anfibiografia* + *-ico*[2].] ***Adj.*** *Zool.* Relativo à anfibiografia.

anfibiólito [De *anfíbio* + *-lito*.] ***S. m.*** Fragmento de anfíbio petrificado.

anfibiologia [De *anfíbio* + *-logia*.] ***S. f.*** Parte da zoologia que trata dos anfíbios. [Cf. *anfibologia*.]

anfibiológico [De *anfibiologia* + *-ico*[2].] ***Adj.*** Referente à anfibiologia. [Cf. *anfibológico*.]

anfibiótico [De *anfi-* + *-bi(o)-* + *-ótico*.] *Adj. Zool.* Diz-se de peixe que passa do mar para o rio, ou vice-versa, como os salmões.

anfibolia [Do gr. *amphibolía*, 'ambiguidade', pelo lat. *amphibolia*.] *S. f.* **1.** *Lóg.* Sofisma verbal (q. v.) que decorre de construção gramatical; anfibologia. **2.** *Med.* Nas doenças, período de prognóstico duvidoso.

anfibólico [Do ingl. *amphibolic*.] *Adj.* Diz-se do que é incerto, duvidoso.

anfibólio [Do gr. *amphíbolos*, 'duvidoso', + *-io*[3].] *S. m. Min.* Designação comum aos minerais do grupo muito semelhante, quanto à composição química, ao dos piroxênios. São silicatos que contêm cálcio, magnésio ou ferro, e podem também conter manganês, sódio e potássio.

anfibolito [De *anfibólio* + *-ito*[2].] *S. m. Petr.* Rocha metamórfica ou magmática, essencialmente constituída de anfibólio.

anfibologia [Do lat. tard. *amphibologia*, alter. de *amphibolia* (< gr. *amphíbolos*, 'ambíguo'), com infl. do gr. *-logía*.] *S. f.* **1.** *E. Ling.* Ambiguidade ou duplicidade de sentido numa construção sintática; Ambiguidade. Ex.: *Ama o pai o filho.* **2.** *Lóg.* Anfibolia (1). [Cf. *anfibiologia*.]

anfibológico [De *anfibologia* + *-ico*[2].] *Adj.* Referente a, ou que encerra anfibologia; ambíguo. [Cf. *anfibiológico*.]

anfibologista [De *anfibologia* + *-ista*.] *S. 2 g.* Quem comete anfibologia.

anfiboloide (ói) [Do gr. *amphíbolos*, 'duvidoso', + *-oide*.] *Adj. 2 g.* Semelhante ao anfibólio. ❖

anfíbraco [Do gr. *amphíbrachys*, 'breve dos dois lados', pelo lat. *amphibrachu*.] *S. m.* Pé de verso grego ou latino que tem uma sílaba longa entre duas breves.

anfibráquico [De *anfíbraco* + *-ico*[2].] *Adj.* **1.** Referente a anfíbraco. **2.** Em que há anfíbraco.

anficelo[1] [De *anfi-* + *-celo*.] *Adj. Zool.* ~ V. *vértebra —a.*

anficelo[2] [Adapt. do tax. *Amphicoelia* < lat. cient. *amphikoilos* + lat. cient. *-ia* (v. *-ia*[2]).] *S. m. Zool.* **1.** Espécime dos anficelos, ordem de animais cordados, anfíbios, anuros, que têm vértebras anficelas e dois músculos residuais na cauda. ● *Adj.* **2.** Pertencente ou relativo a eles.

anficribal *Adj. 2 g. Bot.* V. *anficribral*.

anficribral [De *anfi-* + lat. *cribrum*, 'crivo', + *-al*[1].] *Adj. 2 g. Bot.* Provido de tubos crivados ou vasos liberianos em toda a volta. [Var.: *anficribal*. Sin.: *anficrivado*.]

anficrivado [De *anfi-* + *crivo* + *-ado*[1].] *Adj. Bot.* V. *anficribral*.

anfictião [Do sing. do lat. *amphictyones* (< gr. *amphiktýones*), por via semierudita.] *S. m.* Anfictione.

anfictíone [Do sing. do gr. *amphiktíones* ou *amphiktýones*.] *S. m.* Cada membro do conselho de representantes dos antigos Estados gregos, de caráter inicialmente religioso e, mais tarde, político e jurídico; anfictião.

anfictionia [Do sing. do gr. *amphiktionía* ou *amphiktyonía*.] *S. f.* **1.** Reunião dos anfictíones. **2.** Direito de ser representado no conselho deles.

anfictiónico *Adj.* V. *anfictiônico*. [Uso freq. em P.]

anfictiônico [De *anfictíone* + *-ico*[2].] *Adj.* Pertencente ou relativo aos anfictíones.

anfídio [Do gr. *amphidéa*, 'algo que prende em torno'; ingl. *amphid*.] *S. m. Zool.* Cada um dos dois órgãos sensoriais anteriores dos vermes nematódeos.

anfidrômias [Adapt. do gr. *amphidrómia*.] *S. f. pl.* Na antiga Atenas, festas em que se dava nome ao recém-nascido, no quinto dia de vida; eram assim denominadas porque, nelas, o pai corria em torno do lar, com a criança nos braços.

anfidrómico *Adj.* V. *anfidrômico*. [Uso freq. em P.]

anfidrômico [De *anfi-* + *-drom(o)-* + *-ico*[2].] *Adj.* ~ V. *ponto —.*

anfifílico [De *anfi-* + *-fil(o)-*[2], por *(hidró)filo* e *(lipó)filo*, + *-ico*[2].] *Adj. Quím.* Diz-se de composto ou molécula que tem uma parte hidrófila e outra lipofílica; anfipático.

anfifloemático [De *anfi-* + *floema* + *-ático*.] *Adj. Bot.* Que tem floema ou líber interna e externamente; anfifloico.

anfifloico (ói) *Adj. Bot.* Anfifloemático. ❖

anfigamia [De *anfi-* + *-gam(o)-* + *-ia*[1].] *S. f. Biol.* Fecundação em que os gametas procedem de indivíduos distintos, ou do mesmo indivíduo ou, ainda, de variedades ou de espécies diferentes.

anfigâmico [De *anfigamia* + *-ico*[2].] *Adj. Biol.* Referente à anfigamia.

anfígamo [De *anfi-* + *-gamo*.] *Adj. Biol.* Referente à, ou que realiza a anfigamia: *espécie* <u>*anfígama*</u>.

anfigástrio [De *anfi-* + *-gastr(o)-* + *-io*[3].] *S. m. Bot.* Anfigastro.

anfigastro [De *anfi-* + *-gastro*.] *S. m. Bot.* Pequenina folha que forma série na face inferior do talo das hepáticas foliosas. São menores do que as folhas normais e constituem uma terceira fileira, razão por que eram, outrora, chamadas de *estípulas*. [Sin.: *anfigástrio*.]

anfigênese *S. f. Biol.* V. *anfigênese*. [Uso freq. em P.]

anfigênese [De *anfi-* + *-gênese*.] *S. f. Biol.* Reprodução sexuada.

anfigenético [De *anfigên(ese)* + *-ético*.] *Adj. Biol.* Relativo à anfigênese.

anfigénio *S. m. Adj.* V. *anfigênio*. [Uso freq. em P.]

anfigênio [De *anfi-* + *-gen(o)-*[2] + *-io*[3].] *S. m.* **1.** *Min.* Leucita. ● *Adj.* **2.** *Quím.* Diz-se de qualquer dos elementos capazes de produzir tanto ácidos como bases.

anfígeno [De *anfi-* + *-geno*.] *Adj.* **1.** *Biol.* Produzido por anfigênese. **2.** *Bot.* Que se encontra ou surge em ambas as páginas da folha: *frutificações* <u>*anfígenas*</u>. ● *S. m.* **3.** *Bot.* O talo laminar dos liquens.

anfigonia [De *anfi-* + *-gon(o)-*[2] + *-ia*[1].] *S. f. Biol.* Reprodução por meio de dois indivíduos diferentes.

anfigónico *Adj. Biol.* V. *anfigônico*. [Uso freq. em P.]

anfigônico [De *anfigonia* + *-ico*[2].] *Adj. Biol.* Relativo à, ou resultante de anfigonia: *reprodução* <u>*anfigônica*</u>.

anfiguri [Do fr. *amphigouri*.] *S. m.* **1.** Trecho ou discurso deliberadamente ininteligível. **2.** Peça literária desordenada e sem sentido.

anfigúrico [De *anfiguri* + *-ico*[2].] *Adj.* Que tem forma ou caráter de anfiguri; anfigurítico.

anfigurismo [De *anfiguri* + *-ismo*.] *S. m.* **1.** Vício do que é anfigúrico. **2.** Abuso do anfiguri.

anfigurítico [De *anfiguri* + *-ítico*.] *Adj.* Anfigúrico.

anfilepse [De *anfi-* + *-lepse*.] *S. f. Genét.* Num híbrido, a manifestação dos caracteres de ambos os pais.

anfiléptico [De *anfi(lepse)* + *-léptico*, seg. o padrão erudito.] *Adj.* Relativo a anfilepse, ou que a apresenta.

anfimixia (cs) [De *anfi-* + *-mix(o)-*[1] + *-ia*[1].] *S. f. Biol.* União de gametas masculino e feminino, na reprodução; singamia.

anfineuro [De *anfi-* + *-neuro*; tax. *Amphineura*.] *Zool. S. m.* **1.** Espécime dos anfineuros, classe de moluscos marinhos de corpo alongado, cabeça reduzida, sem tentáculos, carapaça com oito placas ou nenhuma, divididos, comumente, em aplacóforos e poliplacóforos. ● *Adj.* **2.** Pertencente ou relativo a eles.

anfioxo (cs) [Do lat. cient. *amphioxus*.] *S. m. Zool.* Nome comum a animais cefalocordados, do gênero Branchiostoma, semelhantes à enguia, com cerca de 6cm, corpo translúcido, notocórdio permanente, destituídos de olhos e cérebro; vivem, ger., em regiões litorâneas, enterrados em sedimentos e são, provavelmente, os mais primitivos dos cordados existentes. [Sin.: *peixe-lanceta*.]

anfipático [De *anfi-* + *-pat(o)-* + *-ico*[2]; ingl. *amphipathic*.] *Adj. Quím.* Anfifílico.

anfípode[1] [De *anfi-* + *-pode*.] *Adj. 2 g.* Que tem duas qualidades de pé.

anfípode[2] [Adapt. do tax. *Amphipoda*.] *Zool. S. m.* **1.** Espécime dos anfípodes, ordem de artrópodes, crustáceos, paracarídios. Corpo comprimido, desprovido de carapaças, com um único par de maxilípedes; olhos sésseis e patas torácicas dispostas em dois grupos. Grande número desses animais são marinhos. ● *Adj. 2 g.* **2.** Pertencente ou relativo a eles.

anfiprótico [De *anfi-* + *prót(on)* + *-ico*[2].] *Adj.* ~ V. *solvente —.*

anfisbena[1] [Do tax. *Amphisbaena*.] *S. f. Zool.* **1.** Gênero-tipo da família dos anfisbenídeos, constituído por reptis lacertílios, de olhos e ouvidos quase imperceptíveis, e cauda curta. **2.** Qualquer espécie desse gênero, como a *Amphisbaena L.* (v. *cobra-de-duas-cabeças*). **3.** Qualquer espécime desse gênero.

anfisbena[2] [Do gr. *amphísbaina*, pelo lat. *amphisbaena*.] *S. f. Heráld.* Animal fabuloso representado como uma serpente de duas cabeças, uma em cada extremidade.

anfisbenídeo [Do tax. *Amphisbaena* (v. *anfisbena*[1]) + *-ídeo*[1]; tax. *Amphisbaenidae*.] *Zool. S. m.* **1.** Espécime dos anfisbenídeos, família de reptis ápodes, lacertílios, que reúne animais de vida subterrânea com cauda semelhante à cabeça, e por isso conhecidos vulgarmente pelo nome de *cobra-de-duas-cabeças* ou *minhocão*. ● *Adj.* **2.** Pertencente ou relativo a eles.

anfíscio [Do gr. *amphískios*, pelo lat. *amphiscíu*.] *Adj. S. m.* Diz-se do, ou habitante da zona equatorial (sua sombra, no decorrer do ano, se estende ora para o N., ora para o S., conforme o hemisfério percorrido pelo Sol).

anfísdromo [Do gr. *amphís*, 'de um e de outro lado', + *-dromo*.] *Adj.* Que pode atracar com a proa ou com a popa.

anfistomíase [Do tax. *Amphistoma* + *-íase*.] *S. f. Patol.* Infecção produzida por trematódeos do gênero *Amphistoma* ou da família *Paramphistomidae*.

anfiteatral [Do lat. *amphitheatrale*.] *Adj. 2 g.* **1.** Relativo a anfiteatro. **2.** Em forma de anfiteatro. [Sin. ger.: *anfiteátrico*.]

anfiteátrico [Do lat. *amphitheatricu*.] *Adj.* Anfiteatral.

anfiteatro [Do gr. *amphithéatron*, 'teatro dos dois lados', pelo lat. *amphitheatru*.] *S. m.* **1.** Antigo edifício oval ou circular, com arquibancadas e, no centro, uma arena, para espetáculos públicos, combates de feras ou de gladiadores, jogos e representações. **2.** Sala, de ordinário circular ou semicircular, com palco ou estrado e arquibancadas, para representações teatrais, aulas, palestras, demonstrações, etc. ◆ **Anfiteatro de erosão.** *Geol.* Porção de terreno de forma semicircular ou ovalada, aberta pela erosão na encosta duma montanha, ou na borda de um chapadão; circo de erosão.

anfitécio [De *anfi-* + *-técio*.] *S. m. Bot.* A porção do talo que circunda o apotécio, nos discoliquens, e que apresenta gonídios.

anfiteno [De *anfi-* + *-teno*.] *S. m. Biol.* Zigoteno.

anfitriã *S. f.* Anfitrioa: "cortava fatias de bolo e sorria aquele sorriso de <u>anfitriã</u> perfeita que prefere deixar os convidados à vontade" (Lígia Fagundes Teles, *O Jardim Selvagem*, p. 54).

anfitrião [Do mit. e ficción. *Anfitrião*, personagem da mitologia grega e duma comédia de Plauto, entre outras.] *S. m.* **1.** Aquele que recebe convivas; dono da casa. **2.** Aquele que dá ou dirige um banquete. **3.** Aquele que paga as despesas de uma refeição: "A fortuna de Rubião é dissipada, como a de Timão de Atenas, em rasgos de filantropia e liberalidades de <u>anfitrião</u>." (Eugênio Gomes, *Espelho contra Espelho*, p. 100.) [Fem.: *anfitrioa* e *anfitriã*.]

anfitrioa (ô) *S. f.* Fem. de *anfitrião*; anfitriã.

anfitrite[1] [Do mit. gr. *Amphitrite*.] *S. f.* **1.** Na mitologia grega, a deusa do mar [com cap.]. **2.** *Fig.* O mar.

anfitrite[2] [Do tax. *Amphitrite*.] *S. f. Zool.* **1.** Gênero de anelídeos, poliquetas, marinhos, com longas brânquias; vivem em buracos ou tubos, se alimentam de detritos ou de plancto, e são de distribuição mundial. **2.** Espécie, ou espécime desse gênero.

anfivasal [De *anfi-* + *vaso* + *-al*[1].] *Adj. 2 g. Bot.* Que apresenta vasos lenhosos, condutores de água, em toda a volta: *feixe* <u>*anfivasal*</u>.

▲ **anfo-** [Do gr. *ámphō*.] *El. comp.* = 'ambos': *anfófilo*, *anfolofótrico*.

anfófilo [De *anfo-* + *-filo*[2].] *Adj.* Que se cora por meio de corantes ácidos e básicos da anilina.

anfolofótrico [De *anfo-* + *-lof(o)-* + *-trico*.] *Adj.* Diz-se dos bacilos que nas duas extremidades apresentam cílios vibráteis.

ânfora [Do gr. *amphoreús*, pelo lat. *amphora*.] *S. f.* **1.** Vaso grande de cerâmica, com duas asas simétricas e fundo pontiagudo, usado por gregos e romanos para armazenar azeite, vinho, água, etc.: "Veem-se amêndoas de Betlém, / e as áureas <u>ânforas</u> contêm / Os vinhos róseos de Siquém." (Martins Fontes, *Verão*, p. 85.) **2.** Qualquer vaso em forma de ânfora. **3.** *Bot.* Porção inferior do pixídio que se abre por fenda circular superior ou opérculo, como na sapucaia.

anforal [De *ânfora* + *-al*[1].] *Adj. 2 g.* **1.** Em forma de ânfora. **2.** *Poét.* Contido em ânfora.

anforicidade [De *anfórico* + *-(i)dade*.] *S. f. Med.* Existência do sopro anfórico.

anfórico [De *ânfora* + *-ico*[2].] *Adj.* Diz-se do som que se obtém soprando numa ânfora, ou noutra vasilha de gargalo estreito. ~ V. *sopro —.*

anfotérico [De *anfótero* + *-ico*[2].] *Adj. Quím.* Anfótero (2).

anfótero [Do gr. *amphóteros*, 'um e outro'.] *Adj.* **1.** Que reúne em si duas qualidades opostas. **2.** *Quím.* Que ora reage como base, ora como ácido; anfotérico.

anfracto [Do lat. *anfractu*.] *S. m. P. us.* Terreno ou caminho com fendas, reentrâncias e sinuosidades: "Pelo tortuoso <u>anfracto</u>, a custo, caminhando / Ao crepúsculo, pôde o velho, passo a passo, / A montanha alcançar" (Olavo Bilac, *Poesias*, p. 16).

anfractuosidade [De *anfractuoso* + *-(i)dade*.] *S. f.* **1.** Saliência, depressão ou sinuosidade irregulares. **2.** *Geol.* Saliência ou cavidade em rocha ou em terreno.

anfractuoso (ô) [Do lat. *anfractuosu*.] *Adj.* Que apresenta anfractuosidade.

▲ **-ang-** V. *angi(o)-*.

anga [Do tupi = 'espírito', 'alma'.] *S. m. Bras. PE* Mau-olhado, enguiço.

angá *S. m. Bras. MG* V. *ingá* (1 e 2).

angapanga *S. f. Bras.* V. *pique*[1] (3).

angapora [Do tupi.] *S. f. Bras. Amaz. Zool.* Espécie de tartaruga amazônica.

angareira *S. f. Bras.* Pequena rede de malhas apertadas, usada na pesca da tainha.

angária [Do gr. *angareía*, pelo lat. *angaria*.] *S. f. Ant.* Requisição ou aluguel de besta de carga. [Cf. *angaria*, do v. *angariar*.]

angariação [De *angariar* + *-ção*.] *S. f.* Ato ou efeito de angariar; angariamento.

angariador (ô) [De *angariar* + *-dor*.] *Adj. S. m.* Que, ou aquele que angaria.

angariamento [De *angariar* + *-mento*.] *S. m.* Angariação.

angariar [Do persa, pelo gr. *angareúein* e pelo lat. *angariare.*] *V. t. d.* **1.** Obter, pedindo a um e a outro: 📖 "Artur Azevedo .... estava sempre solidário com todas as festividades teatrais e 'benefícios' destinados a angariar fundos para a libertação de escravos." (R. Magalhães Júnior, *Artur Azevedo e Sua Época,* p. 122.) **2.** Atrair a si; alcançar, granjear: *Angariou reputação no meio político.* **3.** Recrutar, aliciar: *Angaria combatentes no exterior.* [Pres. ind.: *angario, angarias, angaria,* etc. Cf. *angária.*]

angarilha [Do esp. *angarilla.*] *S. f.* Revestimento de palha, vime, etc., com o qual se protegem vasilhas de barro ou de vidro, garrafas, etc.

angatecô [Do tupi = 'inquieto'.] *S. m. Bras. AM* Susto, sobressalto.

angatubano *Adj. S. m.* V. *angatubense.*

angatubense *Adj. 2 g.* **1.** De, ou pertencente ou relativo a Angatuba (SP). • *S. 2 g.* **2.** O natural ou habitante de Angatuba. [Sin. ger.: *angatubano.*]

angaturama [De or. indígena.] *S. m. Bras.* Entre os indígenas muras, o espírito protetor.

angaú [Do tupi.] *S. m. Bras. Zool.* V. *japacanim* (2).

▲ **angel(i)-** [Do lat. *angĕlus, i* < gr. *ángelos, ou.*] Equiv. de *angelo-.*

angélica[1] [Do lat. med. *angelica* < lat. tard. *angelica,* fem. de *angelicus;* tax. *Angelica.*] *S. f. Bot.* **1.** Gênero de ervas apiáceas nativas das zonas temperadas da Nova Zelândia, de folhas decompostas e flores, em sua maioria, brancas. **2.** Qualquer espécie desse gênero, como, p. ex., a *Angelica archangelica* (v. *erva-do-espírito-santo*). **3.** Qualquer espécime desse gênero. **4.** *Bras.* Árvore rubiácea (*Guettarda argentea*) originária das Guianas, de folhas opostas, estipuladas, fruto drupáceo, e cuja casca é tida como adstringente e tônica; angélica-do-mato, angélica-mansa.

angélica[2] [Do lat. ecles. *angelica,* fem. do lat. *angelicus.*] *S. f.* **1.** *Lit.* Lição cantada por ocasião da bênção do círio pascal. **2.** *Mús.* Espécie de espineta do séc. XVII. **3.** *Mús.* Registro do órgão e do harmônio. **4.** *Mús.* Espécie de alaúde, muito us. na Inglaterra no fim do séc. XVI e no séc. XVII, provido de 17 cordas, pequena caixa de ressonância, enorme braço e dois cravelhames.

angélica-da-mata [De *angélica*[1] + *da*[1] + *mata.*] *S. f. Bras. Bot.* V. *janaúba* (1). [Pl.: *angélicas-da-mata.*]

angélica-do-mato [De *angélica*[1] + *do*[1] + *mato.*] *S. f. Bras. Bot.* V. *angélica*[1] (4). [Pl.: *angélicas-do-mato.*]

angélica-do-pará [De *angélica*[1] + *da*[1] + o top. *Pará.*] *S. f. Bras. Bot.* Árvore cesalpiniácea (*Dicorynia paraensis*) de flores alvas e madeira própria para obras hidráulicas, marcenaria e carpintaria. Ocorre nas Guianas e no PA. [Pl.: *angélicas-do-pará.*]

angelical *Adj. 2 g.* V. *angélico.*

angélica-mansa [De *angélica*[1] + o f. de *manso.*] *S. f. Bras. Bot.* V. *angélica*[1] (4). [Pl.: *angélicas-mansas.*]

angelicida [De *angel(i)-* + *-cida.*] *Adj. 2 g. S. 2 g.* Que, ou quem mata anjos.

angelicó [Alter. de *angélico,* poss.] *S. m. Bras. Bot.* Trepadeira aristoloquiácea (*Aristolochia trilobata*) lenhosa, de folhas lobadas, grandes flores axilares, frutos com sementes chatas, e cuja raiz é medicinal; urubucaá.

angélico [Do gr. *angelikós,* pelo lat. *angelicu.*] *Adj.* **1.** Relativo a, ou próprio de anjo(s). **2.** *Fig.* Puríssimo, imaculado: *alma angélica.* **3.** Belo ao extremo, ou perfeitíssimo. [Sin. ger.: *angelical.*]

angelim [Do tâmil *anjili-maran, anjali-maran.*] *S. m. Bot.* **1.** Nome comum a várias árvores fabáceas, esp. dos gêneros *Andira* (v. *andira*) e *Hymenolobium.* **2.** Árvore fabácea (*Andira paniculata*) de flores roxas e frutos drupáceos; mata-barata, mata-baratas.

angelim-amarelo *S. m. Bras. Bot.* V. *angelim-araroba.* [Pl.: *angelins-amarelos.*]

angelim-amargoso *S. m. Bras. Bot.* **1.** V. *angelim-araroba.* **2.** V. *angelim-pedra* (1). [Pl.: *angelins-amargosos.*]

angelim-araroba *S. m. Bras. Bot.* Árvore fabácea (*Vataireopsis araroba*), de flores róseas e madeira útil, e cuja casca, triturada, se usa contra doenças da pele. Ocorre da BA até o RJ e MG. [Sin.: *angelim-amarelo, angelim-amargoso, araroba.* Pl.: *angelins-ararobas* e *angelins-araroba.*]

angelim-coco *S. m. Bras. Bot.* Pequena árvore fabácea (*Andira stipulacea*) de flores violáceas, cuja madeira se emprega em obras expostas, carpintaria, etc., e cuja casca e sementes têm propriedades vermífugas; angelim-doce, pau-pintado, urarema. [Pl. *angelins-cocos* e *angelins-coco.*]

angelim-de-espinho *S. m. Bras. Bot.* Árvore fabácea (*Andira spinulosa*) de folhas espinescentes, imparipenadas, e flores violáceas, em racemos paniculados; fornece madeira para construção civil, obras expostas e carpintaria. [Sin.: *mari, umari.* Pl.: *angelins-de-espinho.*]

angelim-de-folha-larga *S. m. Bras. Bot.* V. *acapu.* [Pl.: *angelins-de-folha-larga.*]

angelim-de-morcego *S. m. Bras. Bot.* V. *angelim-pedra.* [Pl.: *angelins-de-morcego.*]

angelim-doce *S. m.* **1.** *Bras. Bot.* V. *angelim-coco.* **2.** Árvore fabácea (*Andira fraxinifolia* ou *A. rosea*) de ramagem tomentosa, ferrugínea, flores róseas, frutos drupáceos com sementes amargas, purgativas e vermífugas; ibairiba, ibaiariba, abajá-mirim, andirá-araroba. [Pl.: *angelins-doces.*]

angelim-do-cerrado *S. m. Bras. Bot.* Árvore fabácea (*Andira cuyabensis*) de até 6m, tronco tortuoso e cilíndrico, folhas compostas imparipenadas, pequeninas flores arroxeadas, paniculadas, que é característica das matas do cerrado e do cerradão, e ainda das formações de transição entre estes. [Sin.: *morcego, morcegueiro.* Pl.: *angelins-do-cerrado.*]

angelim-do-pará [De *angelim* + *do*[1] + o top. *Pará.*] *S. m. Bras. Bot.* Nome comum a diversas árvores fabáceas do gênero *Hymenolobium* da Amaz. [Pl.: *angelins-do-pará.*]

angelim-pedra *S. m. Bot.* Árvore fabácea (*Andira spectabilis*) que ocorre da BA e MG até o PA; angelim-amargoso, angelim-de-morcego, sebipira-falsa, sucupira-amarela, bracuí. [Pl.: *angelins-pedras* e *angelins-pedra.*]

angelimpinima [De *angelim* + *-pinima.*] *S. m. Bras. Bot.* Árvore fabácea (*Andira pisonis*) de pequenas folhas imparipenadas, flores roxas dispostas em panículas tomentosas, fruto que é uma vagem drupácea; fornece madeira de lei. [Sin.: *angelim-pintado.*]

angelim-pintado [De *angelim* + *pintado*[1].] *S. m. Bras. Bot.* **1.** Angelimpinima. **2.** V. *ingarana* (2). [Pl.: *angelins-pintados.*]

angelim-rajado *S. m. Bras. Bot.* V. *ingarana* (2). [Pl.: *angelins-rajados.*]

angelim-rosa *S. m. Bras. Bot.* Árvore fabácea (*Platycyamus regnellii*) de folhas compostas, trifolioladas e inflorescências em panículas, com flores brancas e róseas; é us. na arborização de praças e parques. [Sin.: *folha-de-bolo.* Pl.: *angelins-rosas* e *angelins-rosa.*]

angelinense[1] *Adj. 2 g.* **1.** De, ou pertencente ou relativo a Angelim (PE). • *S. 2 g.* **2.** O natural ou habitante de Angelim.

angelinense[2] *Adj. 2 g.* **1.** De, ou pertencente ou relativo a Angelina (SC). • *S. 2 g.* **2.** O natural ou habitante de Angelina.

angeliquense *Adj. 2 g.* **1.** De, ou pertencente ou relativo a Angélica (MS). • *S. 2 g.* **2.** O natural ou habitante de Angélica.

angelismo [De *angel(i)-* + *-ismo.*] *S. m.* **1.** Tendência a espiritualizar demasiadamente o homem. **2.** *Filos.* Atitude filosófica que tende a considerar o homem como um puro espírito. **3.** *Pej.* Inocência, simplicidade.

angelita [De *angel(i)-* + *-ita*[2].] *S. 2 g.* Herege da seita dos angelitas, que rendiam culto aos anjos.

angelitude [De *angel(i)-* + *-(t)ude.*] *S. f.* Estado ou condição de anjo.

angelizar [De *angel(i)-* + *-izar.*] *V. t. d.* **1.** Tornar angélico. **2.** Comparar a anjo. *P.* **3.** Tornar-se angélico: 📖 "dilata [Pasteur] a existência, destrói a enfermidade, consegue a agerasia, ... angeliza-se, diviniza-nos!" (Martins Fontes, *Terras da Fantasia,* p. 211).

▲ **angelo-** [Do gr. *ángelos, ou.*] *El. comp.* = 'anjo': *angelologia, angelólatra.* [Equiv.: *angel(i)-:* *angelicida.*]

angelólatra [De *angelo-* + *-latra.*] *S. 2 g.* Pessoa que pratica a angelolatria.

angelolatria [De *angelo-* + *-latria.*] *S. f.* Adoração dos anjos.

angelolátrico [De *angelolatria* + *-ico*[2].] *Adj.* Relativo à angelolatria.

angelologia [De *angelo-* + *-logia.*] *S. f.* **1.** Tratado acerca de anjos. **2.** Crença na intervenção dos anjos.

angelológico [De *angelologia* + *-ico*[2].] *Adj.* Concernente à angelologia.

angelônia *S. f. Bot.* V. *angelônia.* [Uso freq. em P.]

angelônia [Do tax. *Angelonia.*] *S. f. Bot.* **1.** Gênero de ervas e arbustos escrofulariáceos ornamentais, com espécies medicinais. **2.** Espécie, ou espécime desse gênero.

ângelus [Do lat. *Angelus,* a primeira palavra da oração *Angelus Domini nuntiavit Mariae.*] *S. m. 2 n.* **1.** Esta oração, rezada ao amanhecer, ao meio-dia e ao anoitecer. **2.** Ave-marias (1): 📖 "Ângelus tangido em lentidões de sino" (Mário Pederneiras, *Outono,* p. 59).

angevino [Do fr. *angevin.*] *Adj.* **1.** Da, ou pertencente ou relativo à região de Anju (O. da França) ou à cidade de Angers. • *S. m.* **2.** O natural ou habitante de Anju ou de Angers. **3.** *Gloss.* Dialeto do francês falado nessa região. **4.** Vocábulo desse dialeto. [F. paral.: *anjuvino.*]

angialgia [De *angi(o)-* + *-alg(o)-*[2] + *-ia*[1].] *S. f. Patol.* Dor no trajeto de um vaso[1] (6).

angiálgico [De *angialgia* + *-ico*[2].] *Adj. Patol.* Referente à angialgia.

angical [De *angico*[1] + *-al*[1].] *S. m. Bras.* Quantidade mais ou menos considerável de angicos dispostos proximamente entre si.

angicalense[1] *Adj. 2 g.* **1.** De, ou pertencente ou relativo a Angical (BA). • *S. 2 g.* **2.** O natural ou habitante de Angical.

angicalense[2] *Adj. 2 g.* **1.** De, ou pertencente ou relativo a Angical do Piauí (PI). • *S. 2 g.* **2.** O natural ou habitante de Angical do Piauí.

angicano *Adj.* **1.** De, ou pertencente ou relativo a Angicos (RN). • *S. m.* **2.** O natural ou habitante de Angicos.

angico[1] [De or. incerta.] *S. m. Bras. Bot.* **1.** Nome comum a várias árvores fabáceas dos gêneros *Piptadenia, Parapiptadenia* e *Anadenanthera,* da América tropical, sendo a maioria do Brasil; são cultivadas pela madeira utilíssima. **2.** Árvore fabácea (*Piptadenia paniculata*), nativa do RJ, cujas folhas têm folíolos ovados, e os frutos são brancos, oblongos, membranosos. **3.** V. *angico-branco* (1). **4.** V. *angico-do-campo.* **5.** V. *canafístula* (3).

angico[2] *S. m. Bras. BA* Negro banto da costa sudeste da África, e que tomou, no Brasil, a denominação genérica de *moçambique.*

angico-amarelo [De *angico*[1] + *amarelo.*] *S. m. Bras. Bot.* V. *canafístula* (3). [Pl.: *angicos-amarelos.*]

angico-barbatimão *S. m. Bras. Bot.* V. *avaremotemo.* [Pl.: *angicos-barbatimões* e *angicos-barbatimão.*]

angico-branco [De *angico*[1] + *branco.*] *S. m. Bras. Bot.* **1.** Árvore fabácea (*Anadenanthera colubrina*) de folhas bipenadas, flores brancas, e frutos que são vagens compridas e estreitas. A casca exsuda goma que tem uso industrial. [Tb. se diz apenas *angico.* Sin.: *caubi.*] **2.** V. *jacaré* (6). **3.** V. *jurema* (1). [Pl.: *angicos-brancos.*]

angico-cangalha [De *angico*[1] + *cangalha.*] *S. m. Bras. Bot.* V. *canafístula* (3). [Pl.: *angicos-cangalhas* e *angicos-cangalha.*]

angico-da-mata *S. m. Bras. Bot.* V. *angico-verdadeiro.* [Pl.: *angicos-da-mata.*]

angico-de-minas *S. m. Bras. Bot.* V. *favela-branca.* [Pl.: *angicos-de-minas.*]

angico-do-campo [De *angico*[1] + *do*[1] + *campo.*] *S. m. Bras. Bot.* Árvore fabácea (*Anadenanthera colubrina* var. *cebil*) originária do Brasil, de flores brancas, vagens achatadas e madeira vermelho-escura; angico. [Pl.: *angicos-do-campo.*]

angico-rosa [De *angico*[1] + *rosa.*] *S. m. Bras. Bot.* V. *angico-verdadeiro.* [Pl.: *angicos-rosas.*]

angico-roxo [De *angico*[1] + *roxo.*] *S. m. Bras. Bot.* Árvore mimosácea (*Piptadenia cebil* ou *P. pterosperma*) de até 20m, folhas compostas, bipenadas, flores roxas e frutos leguminosos, achatados, fornece madeira pesada, de textura grossa, indicada para construção civil e obras externas. [Pl.: *angicos-roxos.*]

angico-surucucu *S. m. Bras. Bot.* V. *catanduba.* [Pl.: *angicos-surucucus* e *angicos-surucucu.*]

angico-verdadeiro [De *angico*[1] + *verdadeiro.*] *S. m. Bras. Bot.* Árvore fabácea (*Parapiptadenia rigida*) de até 30m, folhas bipenadas, pequeninas flores espiciformes e frutos que são vagens achatadas; fornece madeira pesada, dura, útil para obras hidráulicas e expostas, construção civil e naval. [Sin.: *acácia-angico, angico-da-mata, angico-rosa, angico-vermelho.* Pl.: *angicos-verdadeiros.*]

angico-vermelho [De *angico*[1] + *vermelho*[1].] *S. m. Bras. Bot.* **1.** V. *angico-verdadeiro.* **2.** V. *canafístula* (3). [Pl.: *angicos-vermelhos.*]

angico-vermelho-do-campo *S. m. Bras. Bot.* V. *favela-branca.* [Pl.: *angicos-vermelhos-do-campo.*]

angiectasia [De *angi(o)-* + *-ectas-* + *-ia*[1].] *S. f. Patol.* Dilatação de vaso[1] (6).

angiectásico [De *angiectasia* + *-ico*[2].] *Adj. Patol.* Angiectático.

angiectático [De *angiect(asia)* + *-ático.*] *Adj. Patol.* Referente à angiectasia; angiectásico.

angiectopia [De *angi(o)-* + *-ectop-* + *-ia*[1].] *S. f. Med.* Localização anômala dum vaso[1] (6).

angiectópico [De *angiectopia* + *-ico*[2].] *Adj. Med.* Relativo à angiectopia.

angiite [De *angi(o)-* + *-ite*[1].] *S. f. Patol.* Inflamação de um vaso[1] (6).

angina [Do lat. *angina.*] *S. f. Med.* **1.** Dor espasmódica sufocante. [T. us., com frequência, para designar a condição que produz tal dor.] **2.** Qualquer inflamação, de caráter agudo, na garganta. ◆ **Angina do peito.** *Med.* Dor constritiva intensa, no peito, frequentemente irradiada para o braço esquerdo, provocada por isquemia do miocárdio e resultante, quase sempre, de moléstia coronariana. **Angina tonsilar.** *Patol.* V. *tonsilite.*

anginofobia [De *angina* + *-o-*[1] + *-fobia.*] *S. f. Psiq.* Medo patológico de sufocar-se.

anginofóbico [De *anginofobia* + *-ico*[2].] *Psiq. Adj.* **1.** Relativo a anginofobia. **2.** Que sofre de anginofobia; anginófobo. • *S. m.* **3.** Aquele que sofre de anginofobia; anginófobo.

anginófobo [De *angina* + *-o-*[1] + *-fobo.*] *Adj. S. m. Psiq.* Anginofóbico (2 e 3).

anginoide (ói) [De *angina* + *-oide.*] *Adj. 2 g. Med.* Semelhante a angina (1). ❖

anginoso (ô) [De *angina* + *-oso.*] *Adj.* Referente à angina.

▲ **angi(o)-** [Do gr. *angeîon, ou.*] *El. comp.* = 'vaso capilar'; 'vaso'; 'receptáculo': *angialgia, angiospermo, angiosclerose.* [Equiv.: *-ang-, -angi(o)-, -ângio: linfangite, hemangioma; esporângio.*]

▲ **-angi(o)-** V. *angi(o)-.*

▲ **-ângio** V. *angi(o)-.*

angioblasto [De *angi(o)-* + *-blasto.*] *S. m. Histol.* Célula mesenquimal geradora de endotélio.

angioblastoma [De *angioblasto* + *-oma*[1].] *S. m. Patol.* Hemangioblastoma.

angiocardiografia [De *angi(o)-* + *-cardi(o)-* + *-grafia.*] *S. f. Radiol.* Estudo das cavidades cardíacas e de grandes vasos da base do coração, mediante a obtenção de radiografias contrastadas e feitas em rápida sucessão. ◆ **Angiocardiografia seletiva.** *Radiol.* Modalidade de angiocardiografia em que se estuda, apenas, parte das cavidades cardíacas, da artéria pulmonar ou da aorta.

angiocolite [De *angi(o)-* + *-col(e)-* + *-ite*[1].] *S. f. Patol.* Inflamação dos canais biliares.

angiodisplasia [De *angi(o)-* + *displasia.*] *S. f. Patol.* Anomalia vascular devida a distúrbio de desenvolvimento e que se deve a comprometimento de tecido conjuntivo.

angioedema [De *angi(o)-* + *edema.*] *S. m. Med.* Reação vascular vista na camada profunda do derma, ou em situação subcutânea ou submucosa, e em que a dilatação e o aumento da permeabilidade capilares levam a edema localizado, além de pápulas de grande tamanho.

angiografia [De *angi(o)-* + *-grafia.*] *S. f.* **1.** *Anat.* Descrição dos vasos do corpo humano. **2.** *Radiol.* Visualização radiológica de vaso(s) do sistema cardiovascular após introdução de contraste nele(s).

angiográfico [De *angiografia* + *-ico*[2].] *Adj.* Referente à angiografia.

angiograma [De *angi(o)-* + *-grama.*] *S. m. Radiol.* Visualização radiológica de um vaso obtida por meio de contraste (7).

angiologia [Do gr. *angeiología.*] *S. f. Anat.* Estudo dos vasos que integram o sistema cardiovascular.

angiológico [De *angiologia* + *-ico*[2].] *Adj. Anat.* Relativo à angiologia.

angiologista [De *angiologia* + *-ista.*] *S. 2 g.* Especialista em angiologia.

angioma [De *angi(o)-* + *-oma*[1].] *S. m. Patol.* Tumor devido à proliferação de vasos sanguíneos ou linfáticos.

angiomatose [De *angi(o)-* + *-omat-* + *-ose*[1].] *S. f. Patol.* Formação de múltiplos angiomas, ou na superfície cutânea, ou em órgãos profundos.

angiopatia [De *angi(o)-* + *-patia.*] *S. f. Patol.* Designação comum às doenças do sistema vascular. [Sin. (impr.): *angiose.*]

angiopático [De *angiopatia* + *-ico*[2].] *Adj. Patol.* Relativo à angiopatia.

angioplastia [De *angi(o)-* + *-plast(o)-* + *-ia*[1].] *S. f. Cir.* Correção plástica, efetuada cirurgicamente, de alteração parietal vascular.

angiorrafia [De *angi(o)-* + *-raf(i)-* + *-ia*[1].] *S. f. Cir.* Sutura de vaso[1] (6).

angiosclerose [De *angi(o)-* + *-(e)scler(o)-* + *-ose*[1].] *S. f. Med.* Esclerose de vasos sanguíneos. [Cf. *arteriosclerose.*]

angiose [De *angi(o)-* + *-ose*[1].] *S. f. Patol. Impr.* Angiopatia.

angiosperma [Adapt. do tax. *Angiospermae* (v. *angi(o)-* e *-sperma*).] *S. f. Bot.* Espécime das angiospermas, subdivisão dos espermatófitos que abrange aqueles em que os óvulos e sementes ficam encerrados no pericarpo; compreende as plantas floríferas, e reúne as classes das dicotiledôneas e a das monocotiledôneas. [Cf. *gimnosperma.*]

angiospermia [De *angi(o)-* + *-sperm(o)-* + *-ia*[1].] *S. f. Bot.* Ocorrência de sementes no interior do pericarpo. [Opõe-se a *gimnospermia.*]

angiospérmico[1] [De *angiosperma* + *-ico*[2].] *Adj. Bot.* Angiospermo.

angiospérmico[2] [De *angiospermia* + *-ico*[2].] *Adj. Bot.* Relativo à angiospermia.

angiospermo [De *angi(o)-* + *-spermo.*] *Adj. Bot.* Relativo ou pertencente às angiospermas; angiospérmico.

angiossarcoma [De *angi(o)-* + *sarcoma.*] *S. m. Patol.* Tumor maligno, derivado de células endoteliais.

angiotensina [De *angi(o)-* + rad. lat. *tens-* (de *tensio, onis*) + *-ina*[3].] *S. f. Bioquím.* Qualquer de um grupo de peptídios que atuam no controle da pressão arterial.

angite [De *angi(o)-* + *-ite*[1].] *S. f. Patol.* Inflamação de vaso[1] (6).

angledôzer [Do ingl. *angledozer.*] *S. m.* Buldôzer que pode ser girado em volta de um eixo vertical. [Pl.: *angledôzeres.*]

anglesita [Do top. *Anglesey* + *-ita*[3].] *S. f. Min.* Mineral ortorrômbico, sulfato de chumbo natural, que se extrai das minas da ilha de Anglesey (Grã-Bretanha).

▲ **angl(i)-** [Do lat. *angli, ōrum.*] *El. comp.* = 'inglês': *anglizar.* [Equiv.: *anglo-: anglófilo, anglomania.*]

anglicanismo [De *anglicano* + *-ismo.*] *S. m.* A Igreja oficial da Inglaterra desde Henrique VIII (1491-1547).

anglicano [Do ingl. *anglican* < lat. med. *anglicanu.*] *Adj.* **1.** Referente ao, ou partidário, ou seguidor do anglicanismo. ● *S. m.* **2.** Partidário ou seguidor dele.

anglicida [De *angl(i)-* + *-cida.*] *Adj. 2 g. S. 2 g.* Que, ou quem mata inglês.

anglicismo [Do fr. *anglicisme.*] *S. m. E. Ling.* **1.** Palavra ou locução inglesa introduzida noutra língua e empregada como se fora desta. **2.** Idiotismo dessa língua. **3.** Costume próprio dos ingleses. **4.** Admiração profunda a, ou tendência a imitar tudo que é inglês.

anglicizar [De *ânglico* + *-izar.*] *V. t. d.* **1.** Submeter à influência inglesa ou ânglica: *anglicizar um país.* **2.** Encher (a linguagem) de anglicismos. *P.* **3.** Sofrer influência inglesa. [Sin. ger.: *anglizar.*]

ânglico [Do lat. med. *anglicu.*] *Adj.* V. *inglês* (1).

anglizar [De *angl(i)-* + *-izar.*] *V. t. d.* Anglicizar.

anglo [Do b.-lat. *anglu.*] *Adj.* **1.** V. *inglês* (1). ● *S. m.* **2.** Inglês (2). **3.** Indivíduo dos anglos, povo germânico antigo que colonizou as partes norte e central da Inglaterra e a ela deu nome.

▲ **anglo-** Equiv. de *angl(i)-.*

anglo-americano[1] *Adj.* **1.** De, ou pertencente ou relativo à Grã-Bretanha e aos E.U.A. **2.** De origem inglesa e americana. ● *S. m.* **3.** Indivíduo de origem inglesa e americana. [Sin. ger.: *anglo-norte-americano.* Pl.: *anglo-americanos.*]

anglo-americano[2] *Adj.* **1.** Da, ou pertencente ou relativo à América inglesa. ● *S. m.* **2.** O natural ou habitante da América inglesa. [Pl.: *anglo-americanos.*]

anglo-brasileiro *Adj.* **1.** De, ou pertencente ou relativo à Grã-Bretanha e ao Brasil, concomitantemente. **2.** De origem inglesa e brasileira. ● *S. m.* **3.** Indivíduo de origem inglesa e brasileira. [Pl.: *anglo-brasileiros.*]

anglo-canadense *Adj. 2 g.* **1.** Da Grã-Bretanha e do Canadá, ou pertencente ou relativo a eles. **2.** Diz-se de canadense de origem e/ou língua inglesa. ● *S. 2 g.* **3.** Canadense de origem inglesa. [Pl.: *anglo-canadenses.*]

anglocatolicismo *S. m.* Ala da Igreja Anglicana que simpatiza com o rito e as instituições da Igreja Católica Romana. ❇

anglofilia [De *anglo-* + *-filia.*] *S. f.* Amor ou preferência à Inglaterra, aos ingleses, ou a tudo quanto seja inglês.

anglofílico [De *anglofilia* + *-ico*[2].] *Adj.* Relativo à anglofilia, ou a anglófilo.

anglófilo [De *anglo-* + *-filo*[2].] *Adj. S. m.* **1.** Que, ou aquele que tem anglofilia. **2.** *P. ext.* Que, ou aquele que é partidário da Inglaterra, em detrimento de outros países.

anglófono [De *anglo-* + *-fono.*] *Adj. S. m.* Diz-se de, ou país, ou povo, ou indivíduo, etc., que fala inglês, ou que tem o inglês como língua (4).

anglo-germânico *Adj.* **1.** De, ou pertencente ou relativo à Grã-Bretanha e à Alemanha. **2.** De origem inglesa e alemã. ● *S. m.* **3.** Indivíduo anglo-germânico. [Pl.: *anglo-germânicos.*]

anglo-indiano *Adj.* **1.** De, ou pertencente ou relativo à Grã-Bretanha e à Índia. **2.** De origem inglesa e hindu. ● *S. m.* **3.** Indivíduo anglo-indiano. [Sin. ger.: *indo-inglês.* Pl.: *anglo-indianos.*]

anglomania [De *anglo-* + *-mania.*] *S. f.* Admiração e/ou imitação exagerada de tudo quanto é inglês.

anglomaníaco [De *anglomania* + *-íaco.*] *Adj.* **1.** Relativo à, ou que tem anglomania. ● *S. m.* **2.** Aquele que a tem.

anglo-normando *Adj.* **1.** De origem inglesa e normanda. ● *S. m.* **2.** Indivíduo descendente de normandos que, após a conquista da Inglaterra, se fundiram com os anglo-saxões. [Pl.: *anglo-normandos.*]

anglo-norte-americano *Adj.* **1.** Anglo-americano[1] (1 e 2). ~ V. *ponto* — e *sistema* —. ● *S. m.* **2.** Anglo-americano[1] (3). [Pl.: *anglo-norte-americanos.*]

anglo-saxão (cs) *S. m.* **1.** Indivíduo dos povos germânicos (anglos, saxões e jutos) que invadiram a Inglaterra entre os séculos V e VI, e lá se fixaram. **2.** *Gloss.* As línguas faladas por esses povos; inglês antigo. **3.** *P. ext.* Inglês (2) ou aquele que tem origem inglesa. ● *Adj.* **4.** Pertencente ou relativo às suas línguas, à sua cultura, etc. **5.** *P. ext.* Inglês (1) ou de origem inglesa. [Pl.: *anglo-saxões.* Sin., nas acepçs. 1, 3, 4 e 5: *anglo-saxônio.*]

anglo-saxónio (cs) *S. m. Adj.* V. *anglo-saxônio.* [Pl.: *anglo-saxónios.* Uso freq. em P.]

anglo-saxônio (cs) *S. m. Adj.* Anglo-saxão (1, 3, 4 e 5). [Pl.: *anglo-saxônios.*]

angoia (ói) [De or. obscura.] *S. f. Bras. SP* Saquinho de palha, provido de alça, com sementes dentro, semelhantes ao caxixi, e que serve de instrumento musical na dança do jongo. ❖

angola[1] *S. f. Zool.* V. *galinha-d'angola* (1).

angola[2] [Do top. *Angola.*] *S. 2 g.* **1.** *Bras. Moç. Santom.* V. *angolano* (1). **2.** *Bras.* Negro (11). **3.** *Bras.* V. *banto* (3). **4.** Designação dos escravos oriundos de Angola e regiões contíguas. **5.** *Bras. Rel.* Indivíduo da hierarquia de um candomblé dito angola, ou crente desse culto; angolense. ● *S. f.* **6.** *Bras. Cap.* Tipo de toque de berimbau. **7.** *Bras. Cap.* Jogo de capoeira em que o ritmo do berimbau impõe movimentos mais lentos e maior proximidade ao chão, requerendo grande malícia (3) dos contendores. [Sin., nesta acepç.: *capoeira angola.*] ● *Adj. 2 g.* **8.** *Bras. Moç. Santom.* V. *angolano* (2). **9.** *Rel.* Diz-se do rito e do panteão (2) de alguns candomblés bantos.

angola-congo *Adj. 2 g. e 2 n. Rel.* Diz-se do rito e do panteão (2) dos candomblés angola[2] (9) e congo[1] (7).

angolanismo [De *angolano* + *-ismo.*] *S. m.* **1.** Palavra ou locução própria dos angolanos. **2.** Modismo próprio da linguagem dos angolanos.

angolano [Do top. *Angola* + *-ano*[1].] *Adj.* **1.** De, ou pertencente ou relativo a Angola (África). ● *S. m.* **2.** O natural ou habitante de Angola. [Sin. ger.: *angola, angolense.*]

angolar [Do top. *Angola* (África) + *-ar*[1].] *Adj. 2 g.* **1.** *Santom.* Que é natural do litoral sudeste da ilha de São Tomé. ● *S. 2 g.* **2.** *Santom.* Indivíduo angolar: "Encontramos, portanto, ... o reduzido núcleo de angolares (fixados em S. João dos Angolares)" (Maria Manuela Margarido, *Estudos Ultramarinos*, nº 3, p. 96). **3.** *Angol.* Unidade monetária, e moeda, de Angola, de 1928 a 1958: "com meio angolar / a gente comprava / cinco mangas madurinhas" (Ernesto Lara Filho, *Picada de Marimbondo*, p. 22).

angolense [Do top. *Angola* + *-ense.*] *Adj. 2 g.* **1.** V. *angolano* (1). ● *S. 2 g.* **2.** V. *angolano* (2). **3.** *Bras. Rel.* Angola[2] (5).

angolinha [Dim. de *angola*[1].] *S. f. Bras. Zool.* V. *galinha-d'angola* (1).

angolista [De *angola*[1] + *-ista.*] *S. f. Bras. SP Zool.* V. *galinha-d'angola* (1).

angorá [Do fr. *angora* < top. *Angora*, ant. nome de *Ancara* (Turquia).] *Adj. 2 g.* **1.** Diz-se de certa raça de gatos, cabras ou coelhos notáveis por seu pelo comprido e fino, e dos animais desta raça. **2.** Diz-se da lã natural feita com o pelo de qualquer desses animais, ou da lã sintética que a imita. **3.** *P. ext. Tec. Têx.* Diz-se de roupa ou tecido feito com essa lã: *um casaco angorá.* ● *S. m.* **4.** *Tec. Têx.* A lã ou o tecido angorá: *Este angorá tem a desvantagem de soltar muito pelo.* ● *S. 2 g.* **5.** Gato ou gata angorá: *O angorá tinha um olho verde e outro azul.*

angra [De or. controversa.] *S. f.* Enseada ou pequena baía, largamente aberta, que aparece onde há costas altas; calheta: "a direção do oceano afora, Serra do Mar abaixo, das saídas e das fugas por .... angras, barras, bancos, recifes, ilhas" (Pedro Nava, *Baú de Ossos*, p. 13).

angrense[1] *Adj. 2 g.* **1.** De, ou pertencente ou relativo a Angra dos Reis (RJ). ● *S. 2 g.* **2.** O natural ou habitante de Angra dos Reis.

angrense[2] *Adj. 2 g.* **1.** De, ou pertencente ou relativo a Angra do Heroísmo (Açores). ● *S. 2 g.* **2.** O natural ou habitante de Angra do Heroísmo.

angström [Do antr. (*A. J.*) *Angström* (1814-1874), físico sueco.] *S. m. Fís.* Unidade de medida de comprimento, equivalente a 10^{-10} m, utilizada correntemente em óptica e em técnica de raios X [símb.: Å].

angu [De or. afr.] *S. m.* **1.** *Bras.* Massa consistente de farinha de milho (fubá), de mandioca, ou de arroz, com água e sal, escaldada ao fogo. [Cf. *polenta.*] **2.** *Santom. Cul.* Massa de banana cozida com que, depois de fria, se fazem bolas que acompanham a maior parte das iguarias em que há molho: "Na hora do 'angu' / Do clássico calulu de peixe / Todos se juntam" (Alda Espírito Santo, *É Nosso o Solo Sagrado da Terra*, p. 71). **3.** *Bras. Pop.* Confusão, complicação; angu de caroço, anguzada. **4.** *Bras. Pop.* Intriga, mexerico, angu de caroço, anguzada. **5.** *Bras. Pop.* V. *rolo*[1] (16). **6.** *Bras. Zool.* V. *japacanim* (2).

angu de caroço *S. m. Bras. Pop.* **1.** V. *angu* (3 e 4). **2.** V. *rolo*[1] (16). **3.** Coisa que dá resultado contrário ao previsto. [Pl.: *angus de caroço.*] ☑

anguerense (güe) *Adj. 2 g.* **1.** De, ou pertencente ou relativo a Anguera (BA). ● *S. 2 g.* **2.** O natural ou habitante de Anguera. ❖

▲ **angui-** (güi) [Do lat. *anguis, is.*] *El. comp.* = 'cobra': *anguicida, anguiforme.* ❖

anguicida (güi) [De *angui-* + *-cida.*] *Adj. 2 g.* **1.** Que mata cobra(s). ● *S. m.* **2.** Aquilo que mata cobra(s). ● *S. 2 g.* **3.** Indivíduo que mata cobra(s). ❖

anguicomado (güi) [De *anguícomo* + *-ado*[1].] *Adj. Poét.* Coroado de serpentes; anguícomo. ❖

anguícomo (güí) [Do lat. *anguicomu*.] *Adj. Poét.* Anguicomado. ❖

anguífero (güí) [Do lat. *anguiferu*.] *Adj.* Que cria ou tem cobras. ❖

anguiforme (güi) [De *angui-* + *-forme*.] *Adj. 2 g.* V. *serpentiforme*. ❖

▲ **anguil(i)-** (güil) [Do lat. *anguĭlla, ae*.] *El. comp.* = 'enguia': *anguiliforme*[1]. ❖

anguilídeo (güi) [Adapt. do tax. *Anguillidae* (v. *anguil(i)-* e *-ídeo*[1]).] *Zool. S. m.* **1.** Espécime dos anguilídeos, família de peixes serpentiformes, alimentícios. São as enguias. ● *Adj.* **2.** Pertencente ou relativo a eles.

anguiliforme[1] (güi) [De *anguil(i)-* + *-iforme*.] *Adj. 2 g.* Que tem forma de enguia; anguilar, anguiloide. ❖

anguiliforme[2] (güi) [Adapt. do tax. *Anguiliformes*.] *Zool. S. m.* **1.** Espécime dos anguiliformes, ordem de peixes elopomorfos. ● *Adj. 2 g.* **2.** Pertencente ou relativo a eles.

anguiloide (ói) [De *anguil(i)-* + *-oide*.] *Adj. 2 g.* V. *anguiliforme*. ❖

anguípede (güí) [Do lat. *anguipede*.] *Adj. 2 g.* Que tem pés de dragão. ❖

anguite (güi) [De *angu*, poss.] *S. f. Bras. MA* Comida semelhante ao caruru. ❖

angulação [De *angular* + *-ção*.] *S. f.* Ato ou efeito de angular[2].

angulado [Do lat. *angulatu*.] *Adj.* V. *angular*[1] (2).

angular[1] [De *ângulo* + *-ar*[1].] *Adj. 2 g.* **1.** Relativo a ângulo(s). **2.** Que tem ângulo(s); angulado, anguloso. **3.** Em forma de ângulo. **4.** Que forma ângulo. ~ V. *aceleração* —, *charada* —, *coeficiente* —, *diâmetro* —, *discordância* —, *distância* —, *frequência* —, *impulsão* —, *momento* —, *pedra* — e *velocidade* —.

angular[2] [Do lat. *angulare*.] *V. int.* Andar, formando ângulo com uma linha, um objeto, uma rua; enviesar: *Acompanhava-nos com insistência, quando, de súbito, angulou para a esquerda.* [Pres. ind.: *angulo*, etc. Cf. *ângulo*, s. m., e *Ângulo*, top.]

angularidade [De *angular*[1] + *-(i)dade*.] *S. f.* Qualidade do que tem ângulo(s), do que é angular.

angulário [De *ângulo* + *-ário*.] *S. m.* Instrumento com que se medem ângulos.

angulense *Adj. 2 g.* **1.** De, ou pertencente ou relativo a Ângulo (PR). ● *S. 2 g.* **2.** O natural ou habitante de Ângulo.

angulete (ê) [De *ângulo* + *-ete* (ê).] *S. m.* **1.** Pequeno ângulo; angulozinho. **2.** Cavidade aberta em ângulo reto.

▲ **anguli-** [Do lat. *angŭlus, i*.] *El. comp.* = 'ângulo'; 'anguloso': *angulirrostro*.

angulícolo [De *anguli-* + *-colo*.] *Adj.* Que tem pescoço anguloso.

angulirrostro [De *anguli-* + *-rostro*.] *Adj.* Diz-se das aves que têm o bico anguloso.

angulista [Var. de *angolista*.] *Bras. MG Zool. S. f.* V. *galinha-d'angola*.

ângulo [Do lat. *angulu*.] *S. m.* **1.** Esquina, canto, aresta. **2.** *Geom.* Figura formada por duas retas que têm um ponto comum: *ângulo plano*; *ângulo retilíneo*. **3.** *Geom.* Medida do afastamento entre duas retas que têm um ponto comum: *ângulo plano*; *ângulo retilíneo*. [Dim. irreg.: *angulete* (ê).] **4.** *Cin. Fot. Telev.* Posição da câmara em relação ao assunto (3). **5.** *Anat.* Designação genérica do ponto de encontro de dois órgãos, ou de duas linhas imaginárias traçadas a partir de duas formações anatômicas, de duas superfícies orgânicas, etc. **6.** *Fig.* Ponto de vista; aspecto: *Considerada do ângulo científico, a obra é muito falha.* [Cf. *angulo*, do v. *angular*.] ◆ **Ângulo agudo.** *Geom.* Ângulo menor que um ângulo reto. **Ângulo central.** *Geom.* Aquele cujo vértice está no centro de uma circunferência. **Ângulo circunscrito.** *Geom.* Aquele cujos lados são tangentes a uma circunferência. **Ângulo complementar.** *Geom.* O que se deve somar a outro para se obter um ângulo reto; complemento. **Ângulo conjugado.** *Geom.* O que se deve somar a outro para se obterem 360°. [Tb. se diz apenas *conjugado*. Sin.: *ângulo replementar*, *replemento*, *ângulo explementar* e *explemento*.] **Ângulo de condução.** *Eletrôn.* Porção do ciclo de uma tensão alternada, expressa como um ângulo, durante a qual flui corrente. **Ângulo de desvio mínimo.** *Ópt.* O menor ângulo de desvio entre um raio luminoso incidente em um prisma e o raio emergente do prisma. [Tb. se diz apenas *desvio mínimo*.] **Ângulo de entrada.** *Astron.* Ângulo entre a direção da velocidade de um veículo espacial, relativamente ao meio resistente em que se move, e a vertical local. **Ângulo de fase.** *Astr.* Ângulo entre as direções planetocêntricas da Terra e do Sol. **Ângulo de Mach.** *Fís.* Ângulo do vértice da frente de onda cônica que se forma quando um corpo se desloca num fluido com velocidade superior à do som neste fluido, e cujo seno é igual ao cociente dessa velocidade pela velocidade do corpo. **Ângulo de reflexão.** *Ópt.* Ângulo entre o raio luminoso refletido por uma superfície e a perpendicular a esta superfície no ponto de incidência; ângulo entre uma frente de onda plana refletida por uma superfície e esta mesma superfície. **Ângulo de refração.** *Ópt.* Ângulo entre o raio refratado e a perpendicular à superfície de separação dos dois meios onde se verifica a refração; ângulo entre uma frente de onda plana refratada e a superfície refratora. **Ângulo de repouso.** *Fís.* O maior ângulo entre um plano material e o plano horizontal, e para o qual um corpo, sujeito à ação da gravidade, colocado sobre o plano, permanece sobre este sem deslizar. **Ângulo de segmento.** *Geom.* Numa circunferência, ângulo formado por uma tangente e por uma secante que passa pelo ponto de tangência. **Ângulo diedro.** *Geom.* Figura formada por dois planos que se interceptam. [Tb. se diz apenas *diedro*.] **Ângulo esférico.** *Geom.* Figura formada pela interseção de duas circunferências de uma esfera. **Ângulo excêntrico.** *Geom.* O que é formado por duas cordas de uma circunferência, das quais uma, pelo menos, não é um diâmetro. **Ângulo explementar.** *Geom.* V. *ângulo conjugado*. **Ângulo externo.** *Geom.* **1.** Num polígono, o ângulo formado por um lado e pelo prolongamento de outro lado, que lhe é adjacente. **2.** Qualquer dos quatro ângulos formados por duas retas coplanares e uma secante comum, e que jazem fora da região entre as retas. **Ângulo facial.** *Anat.* Ângulo compreendido entre a linha que une a glabela à raiz dos dentes incisivos medianos e a linha que vai destes até o conduto auditivo externo. **Ângulo horário.** *Náut.* Ângulo diedro que o círculo de declinação do astro faz com o meridiano celeste superior (*ângulo horário astronômico*) ou inferior (*ângulo horário civil*) do observador. **Ângulo horário astronômico.** *Náut.* V. *ângulo horário*. **Ângulo horário civil.** *Náut.* V. *ângulo horário*. **Ângulo inscrito.** *Geom.* Aquele cujo vértice está na circunferência e cujos lados são cordas. **Ângulo interno.** *Geom.* **1.** O formado por dois lados consecutivos de um polígono e situado no seu interior. **2.** Qualquer dos quatro ângulos formados por duas retas coplanares e uma secante comum, e que jazem na região entre as retas. **Ângulo limite de refração.** *Ópt.* Ângulo de refração de um raio luminoso que incide paralelamente à interface que separa dois meios ópticos. **Ângulo negativo.** *Trig.* O que tem o sentido horário. **Ângulo no polo.** *Náut.* Ângulo diedro que o círculo de declinação do astro faz com o meridiano celeste superior do observador. **Ângulo oblíquo.** *Geom.* Ângulo cuja medida não é um múltiplo de 90°. **Ângulo obtuso.** *Geom.* O que tem mais de 90°. **Ângulo orientado.** *Mat.* Aquele para cuja medida se estabelecem um sentido de rotação positivo (geralmente o oposto ao da rotação dos ponteiros de um relógio) e um negativo (geralmente o da rotação dos ponteiros do relógio). [V. *ângulo positivo* e *ângulo negativo*.] **Ângulo polar.** *Mat.* Num sistema de coordenadas polares, o ângulo orientado entre o eixo polar e o raio vetor; ângulo vetorial, amplitude, anomalia, argumento. **Ângulo poliédrico.** *Geom.* Figura formada por vários planos que se interceptam dois a dois e têm um ponto comum; ângulo sólido. **Ângulo positivo.** *Trig.* O que tem o sentido anti-horário. **Ângulo replementar.** *Geom.* V. *ângulo conjugado*. **Ângulo reto.** *Geom.* O que é formado por duas retas perpendiculares; o que mede 90°. **Ângulos adjacentes.** *Geom.* Os que têm o mesmo vértice e estão situados em regiões opostas ao seu lado comum; ângulos consecutivos. **Ângulos alternos externos.** *Geom.* Numa figura formada por duas retas coplanares e uma secante, par de ângulos externos situados em lados opostos da secante. **Ângulos alternos internos.** *Geom.* Numa figura formada por duas retas coplanares e uma secante, par de ângulos internos situados em lados opostos da secante. **Ângulos colaterais.** *Geom.* Os que têm um lado comum. **Ângulos congruentes.** *Geom.* Aqueles entre os quais há uma diferença de um múltiplo inteiro de 360°; ângulos côngruos. **Ângulos côngruos.** *Geom.* Ângulos congruentes. **Ângulos consecutivos.** *Geom.* Ângulos adjacentes. **Ângulos correspondentes.** *Geom.* V. *ângulos externo-interno*. **Ângulos externo-interno.** *Geom.* Numa figura formada por duas retas coplanares e uma secante comum, par de ângulos não adjacentes, um externo e outro interno, situados do mesmo lado da secante. [Tb. se diz *ângulos interno-externo*. Sin.: *ângulos correspondentes*.] **Ângulos interno-externo.** *Geom.* V. *ângulos externo-interno*. **Ângulo sólido.** *Geom.* **1.** Área definida sobre uma esfera unitária, e limitada pela interseção da esfera com uma superfície cônica que tem como vértice o centro da esfera e como diretriz uma curva fechada. [Sin. (p. us.): *anguloide*.] **2.** Ângulo poliédrico. **Ângulos opostos pelo vértice.** *Geom.* Ângulos não adjacentes formados por duas retas que se cortam. **Ângulo suplementar.** *Geom.* O que se deve somar a outro a fim de obter 180°; suplemento. **Ângulo vetorial.** *Mat.* V. *ângulo polar*.

anguloide (ói) [De *ângulo* + *-oide*.] *S. m. Geom. P. us.* Ângulo sólido (1). ❖

anguloso (ô) [Do lat. *angulosu*.] *Adj.* **1.** V. *angular*[1] (2). **2.** Que tem esquina ou saliências pontiagudas e irregulares. **3.** *P. ext.* Que tem os ossos muito salientes; ossudo: *rosto anguloso*; *cotovelo anguloso*. ~ V. *ponto* —.

angúni *S. 2 g.* **1.** *Etnôn.* Indivíduo dos angúnis, povo que habitava a L. do Drakensberg, em Natal e no Transkei (África do Sul): "De suas cabanas em forma de colmeia, os angúnis saíam vestidos com mantas de couro e de sandálias nos pés." (Alberto da Costa e Silva, *A Enxada e a Lança*, p. 623.) ● *S. m.* **2.** *Gloss.* A língua falada por esse povo. ● *Adj. 2 g.* **3.** Pertencente ou relativo aos angúnis ou à sua língua.

angurriado *Adj. Bras. RS* Acabrunhado, angustiado.

▲ **angusti-** [Do lat. *angŭstus, a, um*.] *El. comp.* = 'estreito', 'acuminado', 'pontudo': *angustifoliado*, *angustirrostro*.

angústia [Do lat. *angustia*.] *S. f.* **1.** Estreiteza, limite de espaço ou de tempo. **2.** Ansiedade ou aflição intensa; ânsia, agonia. **3.** *P. ext.* Sofrimento, tribulação: *A triste revelação acarretou o agravamento de suas angústias.* **4.** *Hist. Filos.* Segundo Kierkegaard (v. *kierkegaardiano*), determinação que revela a condição espiritual do homem, caso se manifeste psicologicamente de maneira ambígua e o desperte para a possibilidade de ser livre. **5.** *Hist. Filos.* Segundo Heidegger (v. *heideggeriano*), disposição afetiva pela qual se revela ao homem o nada absoluto sobre o qual se configura a existência (q. v.). [Cf. *angustia*, do v. *angustiar*.]

angustiado [Part. de *angustiar*.] *Adj.* Cheio de angústia; aflito, agoniado, atormentado, atribulado.

angustiante [Do lat. *angustiante*.] *Adj. 2 g.* Que angustia; angustioso.

angustiar [Do lat. *angustiare*.] *V. t. d.* **1.** Causar angústia, aflição ou ansiedade a; afligir, atormentar, agoniar. *P.* **2.** Sentir angústia, aflição, ansiedade; afligir-se, atormentar-se, agoniar-se. [Pres. ind.: *angustio*, *angustias*, *angustia*, etc. Cf. *angústia*.]

angustidentado [De *angusti-* + *-dent(i)-* + *-ado*[1].] *Adj.* Que tem os dentes estreitos e apertados.

angustifoliado [De *angusti-* + *-foli-* + *-ado*[1].] *Adj. Bot.* Angustifólio (q. v.).

angustifólio [De *angusti-* + *-fólio*.] *Adj. Bot.* De folhas estreitas; angustifoliado. [Opõe-se a *latifólio*.]

angustímano [De *angusti-* + *-mano*[2].] *Adj.* De mãos estreitas.

angustioso (ô) [De *angústia* + *-oso*.] *Adj.* Angustiante.

angustipene [De *angusti-* + *-pene*.] *Adj. 2 g. Zool.* De asas estreitas.

angustirrostro [De *angusti-* + *-rostro*.] *Adj. Zool.* De bico estreito.

angusto [Do lat. *angustu*.] *Adj.* Apertado, estreito: *orifício angusto*.

angustur [Alter. do tax. *Angostura* (do top. *Angostura*, na Venezuela).] *S. m. Bras. Bot.* V. *quina-do-mato*.

angustura [De *angusto* + *-ura*.] *S. f.* **1.** Passagem estreita entre ribanceiras íngremes ou entre montanhas; garganta. **2.** V. *encanado*[1] (2). **3.** *Bras. Bot.* V. *quina-do-mato*. **4.** *P. ext.* A casca da angustura (3), e de outras plantas rutáceas, de propriedades febrífugas e estomacais.

anguzada [De *angu* + *-zada*.] *S. f. Bras. N. N.E.* **1.** Mistura de coisas; mescla. **2.** V. *angu* (3 e 4). **3.** Reunião desordenada de pessoas.

anguzó *S. m.* V. *anguzô*.

anguzô [De *angu*.] *S. m.* **1.** *Bras.* Angu com caruru. **2.** *Bras.* Espécie de angu de milho. **3.** *Bras. PE* Esparregado que se come com angu. [Var. pros. *anguzó*.]

anhá [De or. indígena.] *S. m. Bras. Zool.* Peixe teleósteo siluriforme, da família dos loricariídeos (*Plecostumus agna*), de SP e PA, de coloração cinza-chumbo, cabeça e nadadeiras com pontos pretos marginados de cor alaranjada, e com 22cm de comprimento. [Var.: *anhã*. Sin.: *mãe-do-anhã*.]

anhã *S. m. Bras. Zool.* V. *anhá*.

anhambi [De or. indígena.] *S. m. Bras. Zool.* V. *veado-roxo*.

anhanga [Do tupi = 'diabo'.] *S. m. Bras.* Anhangá.

anhangá [Var. de *anhanga*.] *S. m. Bras.* **1.** Na mitologia tupi-guarani, o espírito do mal. V. *diabo* (2). **2.** Espécie de veado do AM.

anhangapa [Do tupi.] *S. f. Bras. Bot.* V. *anhangapiri*.

anhangapiri [Do tupi.] *S. f. Bras. Bot.* Planta melastomatácea (*Clidemia blepharodes*) epífita, de flores amareladas ou rosas e frutos bacáceos vermelhos, edules. [Var. e sin.: *anhangapa*, *aningapari*, *aningapiri*, *caaguiguio*.]

anhangatinga *Bras. S. 2 g.* **1.** *Etnôn.* Indivíduo dos anhangatingas, povo indígena extinto que habitava a margem direita do rio Madeira (AM). ● *Adj. 2 g.*

2. Pertencente ou relativo a esse povo. [Tb. us. como *s. 2 g. e 2 n.* (com cap.) e *adj. 2 g. e 2 n.*]

anhanguense *Adj. 2 g.* 1. De, ou pertencente ou relativo a Anhanga (PA). ● *S. 2 g.* 2. O natural ou habitante de Anhanga.

anhanguera (gue ou güe) [Do tupi = 'diabo velho'.] *S. m. Bras.* 1. V. *diabo* (2). 2. *Fig.* V. *valentão* (3). ❖

anhanguerino (gue ou güe) *Adj.* 1. De, ou pertencente ou relativo a Anhanguera (GO). ● *S. m.* 2. O natural ou habitante de Anhanguera. ❖

anhapa [Var. de *inhapa*.] *S. f. Bras. Pop.* V. *gorjeta*[1] (2).

anhara [Do umb.] *S. f. Angol.* Grande planície do S.E. angolano, onde crescem gramíneas e poucos arbustos: 📖 "embrenhara-se pelas anharas do leste." (José Eduardo Agualusa, *Estação das Chuvas*, p. 192).

anhembiense *Adj. 2 g.* 1. De, ou pertencente ou relativo a Anhembi (SP). ● *S. 2 g.* 2. O natural ou habitante de Anhembi.

anhima [Do tax. *Anhima*.] *S. f. Zool.* 1. Gênero de aves anseriformes anhimídeas, dos pântanos e banhados da América tropical e subtropical. 2. A única espécie do gênero, *Anhima cornuta*, preta no dorso e no peito, com barriga e coberteiras superiores menores das asas, brancas; tem as penas da cabeça pintadas de branco, e as do pescoço cinzentas, um espinho na testa, esporão no punho das asas e dedos longuíssimos. [Há crença generalizada de que o espinho da testa e os esporões das asas protegem contra veneno e mau-olhado, o que explica o extermínio que sofre a ave.] 3. Qualquer espécime desse gênero. [Sin., nas acepç. 2 e 3: *alicorne, anhuma, cametaú, camixi, cauintã, cavintau, cuintau, inhaúma, licorne, unicorne, unicórnio*.]

anhimídeo [Do tax. *Anhima* + *-ídeo*[1]; tax. *Anhimidae*.] *Zool. S. m.* 1. Espécime dos anhimídeos, família de aves anseriformes representada na Amaz. por apenas uma espécie, a anhuma (q. v.), e em MT pela tachã (q. v.). ● *Adj.* 2. Pertencente ou relativo a eles. [Sin. ger.: *palamedeídeo*.]

anhinga [Do tupi.] *S. f. Bras. Zool.* V. *carará*[1].

anhingídeo [Do tax. *Anhinga* (de or. tupi) + *-ídeo*[1]; tax. *Anhingidae*.] *Zool. S. m.* 1. Espécime dos anhingídeos, família de aves pelicaniformes, de bico subcilíndrico com ponta direita, afilada, e cabeça e pescoço muito finos e móveis, permitindo-lhes mergulhar com perícia para capturarem peixes, de que se alimentam. São os cararás. ● *Adj.* 2. Pertencente ou relativo a eles.

anho [Do lat. *agnu*.] *S. m.* Cordeiro (1): 📖 "Breves faz o Senhor as noites macias do mês de Nizã, quando se come em Jerusalém o anho branco de Páscoa" (Eça de Queirós, *A Relíquia*, p. 182).

anhoto (ô) *Adj. Ant. Bras.* Lento, lerdo, vagaroso.

anhuaque *Bras. S. 2 g.* 1. *Etnôn.* Indivíduo dos anhuaques, povo indígena das margens do rio Branco. ● *Adj. 2 g.* 2. Pertencente ou relativo a esse povo. [Sin. ger.: *anhuquicê*.] [Tb. us. como *s. 2 g. e 2 n.* (com cap.) e *adj. 2 g. e 2 n.*]

anhuma [Do tupi.] *S. f. Bras. Zool.* V. *anhima* (2).

anhumapoca [De *anhuma* + o tupi = 'barulhento'.] *S. f. Bras. MT Zool.* V. *tachã*.

anhumense *Adj. 2 g.* 1. De, ou pertencente ou relativo a Anhumas (SP). ● *S. 2 g.* 2. O natural ou habitante de Anhumas.

anhupoca [De *anhumapoca*, com síncope.] *S. f. Bras. MT Zool.* V. *tachã*.

anhuquicê *S. 2 g. Adj. 2 g. Bras.* V. *anhuaque*.

aniagem [Por **niagem*, alter. de *linhagem*, com prótese.] *S. f.* Pano grosseiro sem acabamento, de juta ou de outra fibra vegetal análoga, usado para confecção de fardos; serapilheira.

aniba [Do tupi; tax. *Aniba*.] *S. f. Bot.* 1. Gênero de árvores lauráceas de folhagem aromática, flores inconspícuas, e frutos suculentos; as sementes de algumas espécies têm propriedades tônicas. [Sin.: *aidendro*.] 2. Qualquer espécie desse gênero, como, p. ex., a *Aniba permollis* ou *Aydendron permollis* (v. *aiuba*). 3. Qualquer espécime desse gênero; aidendro.

anibá *Bras. S. 2 g.* 1. *Etnôn.* Indivíduo dos anibás, povo indígena extinto que habitava a margem esquerda do rio Amazonas, nas imediações do rio Urubu (AM). ● *Adj. 2 g.* 2. Pertencente ou relativo a esse povo. [Tb. us. como *s. 2 g. e 2 n.* (com cap.) e *adj. 2 g. e 2 n.*]

anicauera (ê) [De or. tupi, poss.] *S. m. Bras. Zool.* V. *peixe-cachorro* (1).

anicavara [De or. tupi, poss.] *S. f. Bras. Zool.* V. *pintassilgo-da-mata*.

anichar [De *a-*[2] + *nicho* + *-ar*[2].] *V. t. d.* 1. Pôr em nicho, ou em lugar estreito. 2. Aninhar. 3. *Fam.* Colocar em emprego rendoso: 📄 *O presidente anichou toda a família*. *P.* 4. Agachar-se; esconder-se, ocultar-se. 5. Fixar-se; arraigar-se. [Pres. ind.: *anicho*, etc. Cf. *anixo*.]

anicoré *Bras. S. 2 g.* 1. *Etnôn.* Indivíduo dos anicorés, povo indígena do rio Madeira. ● *Adj. 2 g.* 2. Pertencente ou relativo a esse povo. [Tb. us. como *s. 2 g. e 2 n.* (com cap.) e *adj. 2 g. e 2 n.*]

anictérico [De *an-* + *-icter(o)-* + *-ico*[2].] *Adj. Med.* 1. Diz-se de pacientes que, no momento em que é examinado, não apresenta icterícia. 2. Diz-se de forma clínica, em que não há icterícia, de doença que frequentemente a apresenta.

anicuense *Adj. 2 g.* 1. De, ou pertencente ou relativo a Anicuns (GO). ● *S. 2 g.* 2. O natural ou habitante de Anicuns.

anicum *Bras. S. 2 g.* 1. *Etnôn.* Indivíduo dos anicuns, povo indígena extinto que habitava as margens do rio Bois (GO). ● *Adj. 2 g.* 2. Pertencente ou relativo a esse povo. [Tb. us. como *s. 2 g. e 2 n.* (com cap.) e *adj. 2 g. e 2 n.*]

anidremia [De *anidr(o)-* + *-emia*.] *S. f.* Baixa do teor hídrico do sangue.

anidrido [De *anidr(o)-* + *-ido*[2].] *S. m. Quím.* Substância derivada de um ou mais ácidos pela eliminação de uma ou mais moléculas de água. [Var. pros. (p. us.): *anídrido*.] ◆ **Anidrido acético.** *Quím.* Derivado do ácido acético, líquido incolor com cheiro irritante [fórm.: $C_4H_6O_3$]. **Anidrido ftálico.** *Quím.* O anidrido do ácido ftálico, sólido, acicular, sedoso, droga intermediária importante em diversas sínteses [fórm.: $C_8H_4O_3$].

anídrido *S. m. Quím. P. us.* V. *anidrido*.

anidrita [De *anidr(o)-* + *-ita*[3].] *S. f. Min.* Mineral ortorrômbico, sulfato de cálcio anidro.

anidro [Var. pros. de *ânidro*.] *Adj. Quím.* Que não contém água. ~ V. *álcool* —.

▲ **anidr(o)-** [Do gr. *ánydros, os, on*, 'seco', 'sem água' (ỹ).] *El. comp.* = 'ausência de água', 'ausência de líquido': *anidrita, anidrobiose*. [Em Quím., 'anidrido de': *anidroglicose*.]

ânidro [Do gr. *ánydros*.] *Adj. Quím. P. us.* Anidro.

anidrobiose [De *anidr(o)-* + *-biose*.] *S. f. Bot.* Vida sob condições de carência hídrica, observada em muitas espécies vegetais de lugares secos.

anidroglicose [De *anidr(o)-* + *glicose*.] *S. f. Quím.* Unidade de repetição da celulose, derivada da glicose por perda de água.

anidrose [Do gr. *anídrosis*.] *S. f.* 1. *Med.* Ausência ou diminuição da secreção do suor. [Cf. *hiper-hidrose*.] 2. *Bot.* Condições de carência hídrica, em que vivem muitas plantas; seca.

anidrótico [De *anidr(ose)* + *-ótico*.] *Adj.* Relativo à anidrose.

anielagem *S. f.* V. *nigelagem*.

anielar *V. t. d.* V. *nigelar*. [Cf. *aniilar*.]

aniilar [Do lat. *annihilare*.] *V. t. d. P. P. us.* V. *aniquilar*: 📖 "Tu que das serpes o veneno anilas, / Que das plantas conheces as virtudes, / Mostrado és tu aqui como um amigo / Dos homens e do céu" (Domingos José Gonçalves de Magalhães, *A Confederação dos Tamoios*, p. 39). [Cf. *anielar*.]

anijuaganga *S. m. Bras. Zool.* Réptil lacertílio iguanídeo (*Enyalius catenatus*), da região oriental e nordestina do Brasil. Coloração verde manchada de escuro, com áreas amarelo-esverdeadas na cabeça e focinho, pernas e cauda pardo-avermelhadas, flanco com uma fita azul, parte inferior branca. Comprimento total: 30cm. Vive nas árvores.

anil[1] [Do ár. *an-nīl*, 'azul-escuro'.] *S. m.* 1. *Ópt.* Cor da radiação eletromagnética cujo comprimento de onda está situado, aproximadamente, entre 450 e 480 nanômetros. 2. A cor azul. ● *Adj. 2 g. e 2 n.* 3. Azul.

anil[2] [Do lat. *anile*.] *Adj. 2 g. P. us.* Velho, senil.

anil[3] [De *anilina*.] *S. m. Quím.* Composto heterocíclico existente em diversas plantas ou sintético, cristalino, azul, utilizado como corante, esp. nas roupas de *blue jeans*; índigo, indigotina. [fórm.: $C_{16}H_{10}O_2N_2$].

anilaçu [De *anil*[1] + *-açu*.] *S. m. Bras. Bot.* Arbusto asteráceo (*Eupatorium laeve*) de folhas glabras, serreadas, flores pálidas e frutos aquênios compridos; as folhas fornecem matéria tintória azul, como as anileiras. [Sin.: *arruda-brava*.]

anilado[1] [De *anil*[1] + *-ado*[1].] *Adj.* V. *azulado* (1).

anilado[2] [Part. de *anilar*.] *Adj.* A que se deu cor de anil; azul.

anilar [De *anil*[1] + *-ar*[2].] *V. t. d.* 1. Dar cor de anil a. 2. Tingir de azul; azular. *P.* 3. Tomar a cor de anil. 4. Mostrar-se em sua cor de anil: 📖 "Ondulam campinas verdes achamalotadas ao sol, anilam-se longínquas serras, águas crespas reboam" (Olavo Bilac, *Crítica e Fantasia*, p. 301).

anil-bravo [De *anil*[1] + *bravo*.] *S. m. Bras. Bot.* Nome comum a várias fabáceas do gênero *Tephrosia*; são plantas ou arbustos us. para tinguijar peixes em rios e lagoas [Pl.: *anis-bravos*.]

anileira [De *anil*[1] + *-eira*.] *S. f. Bras. Bot.* Nome comum a várias fabáceas do gênero *Indigofera* (v. *indigófera*) que fornecem matéria tintorial, o anil. [Sin.: *indigueiro, indigoteiro*; f. paral.: *anileiro*. Cf. *aneleira*.]

anileira-verdadeira [De *anileira* + o f. de *verdadeiro*.] *S. f. Bras. Bot.* Arbusto *fabáceo* (*Indigofera anil*) de folhas imparipenadas, pequenas flores róseas, racemosas, abundantes, fruto leguminoso; fornece anil de boa qualidade, e de propriedades inseticidas. [Sin.: *caachica, caaobi, guajaná-timbó, timbó-mirim*. Pl.: *anileiras-verdadeiras*.]

anileiro [De *anil*[1] + *-eiro*.] *S. m.* Anileira.

anilha *S. f.* 1. Pequeno aro ou argola: 📖 "as moças começam a dançar, nuas, só com o sexo tapado por um pedacito de pele, fazendo tilintar as pulseiras e as anilhas de cobre reluzente que lhes cingem os tornozelos." (Castro Soromenho, *Rajada e Outras Histórias*, p. 116). 2. Anel, com algum tipo de identificação, que se põe em animal. 3. Disco de metal, etc., com um furo central, e peso variado, próprio para ser usado em diversos aparelhos ginásticos.

anilhamento [De *anilhar* + *-mento*.] *S. m.* Técnica de marcação de animal mediante o uso de anilhas [v. anilha (2)].

anilhar [De *anilha* + *-ar*[2].] *V. t. d.* Pôr anilha (2) em.

anilho [Do esp. *anillo*.] *S. m. Bras. S.* 1. Ilhó (2). 2. Anel, de couro ou de metal, pertencente à colhera, que enlaça o pescoço do animal e é fechado por um botão.

anilida [De *anil*[3] + *-ida*[4].] *S. f. Quím.* Qualquer de certas amidas derivadas de anilina.

anilina [De *anil*[1] + *-ina*[3]; al. *Anilin*.] *S. f.* 1. *Quím.* Amina derivada do benzeno, líquido incolor, oleoso, com odor característico, largamente usada na indústria de corantes [fórm.: C_6H_7N]. 2. *P. ext.* Material corante fabricado industrialmente com anilina.

anilite *S. f. Expl.* Explosivo líquido, poderoso e de pronta explosão, constituído por uma mistura de dióxido de nitrogênio e dissulfeto de carbono ou gasolina.

anil-trepador [De *anil*[1] + *trepador*.] *S. m. Bras. Bot.* Trepadeira vitácea (*Cissus sicyoides*), cultivada como ornamental, de flores pálidas ou amarelo-esverdeadas, bagas pretas, e cujo fruto produz matéria tintorial; caavurana-de-cunhã, tinta-dos-gentios, uva-brava, cortina-de-pobre. [Pl.: *anis-trepadores*.]

➔ **anima** ['anẽma] [Lat., 'sopro'; 'alento', 'alma'.] *S. f.* Na psicologia junguiana, o princípio feminino da psique do ser humano. [Cf. *animus*.]

animação [Do lat. *animatione*.] *S. f.* 1. Ato ou efeito de animar(-se). 2. Manifestação de vivacidade, energia. 3. Atividade, movimentação, rebuliço: 📄 *a animação de uma feira*. 4. Alegria, entusiasmo: 📄 *a animação das festas carnavalescas*. 5. *Cin.* A arte, ou a técnica, de animar desenhos ou bonecos, que consiste em fotografar em sequência uma série de imagens, feitas de sorte que, ao ser projetado o filme, figuras e objetos se movam como na ação ao livre. 6. *Comun. Comp. Gráf.* Efeito de animação (5) obtido por meio de recursos de computação gráfica (q. v.), us. em produção cinematográfica, televisão, mídia digital, etc. [V. *desenho animado*.]

animado [Part. de *animar*.] *Adj.* 1. A que se deu alma ou vida, ou aparência de vida. 2. Vivo, vivaz; alegre, bem-disposto. 3. Decidido, resoluto. 4. Com muita animação (3 ou 4): 📄 *festa animada*. ~ V. *desenho* —.

animador (ô) [Do lat. *animatore*.] *Adj.* 1. Que anima; animante. ● *S. m.* 2. Aquele que anima. 3. *Cin.* Aquele que faz animação (5). 4. *Bras.* Animador de programa. ◆ **Animador de programa.** *Bras.* Indivíduo que, em rádio ou televisão, organiza e dirige programa(s), em geral de longa duração, com variados temas, e que, sempre estando presente em cena, imprime ao espetáculo seu cunho pessoal. [Tb. se diz apenas *animador*.]

animadversão [Do lat. *animadversione*.] *S. f.* 1. V. *repreensão* (1). 2. Rancor, ódio, aversão: 📖 "Certeza, tenho, não sei é explicar, fez uma pausa, chamou a si o que parecia ser um resto de animadversão" (José Saramago, *O Ano da Morte de Ricardo Reis*, p. 129).

animal [Do lat. *animale*.] *S. m.* 1. Ser vivo organizado, dotado de sensibilidade e movimento (em oposição às plantas). 2. V. *animal irracional*. 3. Pessoa muito ignorante, estúpida; animalejo, alimária. 4. Pessoa desumana, bárbara, cruel. 5. V. *cavalo*[1] (2). 6. A natureza animal, em oposição à mente ou espírito. 7. *Zool.* Ser organizado, com a forma do corpo relativamente constante, órgãos na maioria internos, tecidos banhados em solução que contém cloreto de sódio, células revestidas de membranas delicadas, com crescimento limitado, e provido de irritabilidade ou sistema nervoso, que lhe permite responder prontamente aos estímulos. 8. *Bras. PE* Égua (1). 9. Animal cavalar, principalmente o macho. [Aum.: *animalaço* e *animalão*; dim.: *animalzinho, animalejo, animálculo*.] ● *Adj. 2 g.* 10. Relativo ou pertencente aos animais: 📄 *reino animal*. 11. Proveniente de animal: 📄 *gordura animal*. 12. Próprio de animal; animalesco. 13. Material, por oposição a mental ou espiritual. 14. Sensual, lascivo, lúbrico. ~ V. *carvão —, espíritos animais, magnetismo —, psicologia —, quermes — e tração —*. ◆ **Animais fabulosos.** Animais mitológicos, ou simbólicos, frequentemente possuidores de qualidades ou formas fantasiosas.

Ex.: *quimera, esfinge, centauro, dragão*, etc. **Animal inferior.** *Zool.* Qualquer animal invertebrado. **Animal irracional.** Qualquer dos animais superiores, à exceção do homem; qualquer dos brutos. [Tb. se diz apenas *animal* ou *irracional*. Sin.: *animália, alimária*.] **Animal racional.** O homem. **Animal sem fogo.** *Bras. CE* Animal ainda não marcado. **Animal sem rabo.** *Bras.* Pessoa muito grosseira, estúpida. **Animal superior.** *Zool.* Qualquer animal do filo dos vertebrados.

animalaço [De *animal* + *-aço*.] ***S. m.*** Estupidarrão, ignorantão, animalão.

animalada [De *animal* + *-ada*[1].] ***S. f.*** *Bras. S.* Grande número de animais cavalares; alimanada: "Vancê vê que desse jeito ninguém sabia bem o que era seu, de animalada." (Simões Lopes Neto, *Contos Gauchescos e Lendas do Sul*, p. 163.)

animalão [De *animal* + *-ão*[1].] ***S. m.*** **1.** V. *animalaço*. **2.** *Bras. S.* Cavalo de boa qualidade.

animálculo [De *animal* + *-culo*.] ***S. m.*** Animal muito pequeno ou microscópico.

animalejo (ê) [De *animal* + *-ejo*.] ***S. m.*** **1.** Animal pequeno; animalzinho. **2.** *Fig. Pej.* V. *animal* (3).

animalesco (ê) [De *animal* + *-esco*.] ***Adj.*** **1.** Relativo ou pertencente aos animais; animal. **2.** Que participa da qualidade dos animais. **3.** Próprio de animal; animal: *instinto animalesco;* "Nas residências os figurantes desvestiam os trajes animalescos, humanizando-se." (Pelópidas Soares, *Cordão dos Bichos*, p. 14). **4.** Próprio de animal (5): *maneiras animalescas*.

animália [De (*reino*) *Animalia* (q. v.).] ***S. f.*** **1.** Alimária (1 e 2). **2.** Fera[1] (1).

animalidade [De *animal* + *-(i)dade*.] ***S. f.*** **1.** Caráter ou condição do que é animal. **2.** Conjunto dos atributos do animal. **3.** Manifestação da animalidade (1) no homem, em oposição à mente, aos sentimentos, etc. **4.** Teoria do séc. XIX, sem nenhuma base científica, de Johann Kasper Lavater (1741-1801) segundo a qual os homens teriam semelhança fisionômica com outros animais, donde decorreriam suas qualidades e defeitos: parecença com o burro, *burrice*; com a raposa, *esperteza*; etc. [Cf. *fisiognomonia*.]

animalismo [De *animal* + *-ismo*.] ***S. m.*** **1.** Natureza do animal. **2.** Teoria biológica segundo a qual o embrião animal seria um animálculo espermático desenvolvido.

animalista [De *animal* + *-ista*.] ***Adj. 2 g. S. 2 g.*** Diz-se de, ou artista plástico especialista em reproduzir animais: "Não se esgota aqui a arte desses homens. Foram também animalistas. No barro, os bichos são maciços, suas formas quase que apenas sugeridas." (Alberto da Costa e Silva, *A Enxada e a Lança*, p. 365.)

animalização [De *animalizar* + *-ção*.] ***S. f.*** Ato de animalizar(-se).

animalizar [De *animal* + *-izar*.] ***V. t. d.*** **1.** Converter (certos alimentos) em substância própria ao sustento ou ao desenvolvimento do animal. **2.** Tornar bruto; embrutecer, bestializar: *O excesso de álcool animaliza o homem.* ***P.*** **3.** Embrutecer-se, bestializar-se.

animante [Do lat. *animante*.] ***Adj. 2 g.*** Animador (1).

animar [Do lat. *animare*.] ***V. t. d.*** **1.** Dar alma ou vida a: *Narra a Bíblia que Deus, soprando o barro, animou o homem.* **2.** Dar vida, aparência de vida, a: *animar um quadro.* **3.** Dar ânimo, coragem, vigor, força, a. **4.** Imprimir movimento, aceleração, a. **5.** Dar animação, vivacidade, a: *animar um diálogo.* **6.** Desenvolver, fomentar: *animar a indústria, o comércio.* ***T. d. e i.*** **7.** Incitar, estimular, encorajar: *Os bons resultados o animam a prosseguir.* ***Int.*** **8.** Criar ânimo; cobrar esperança; animar-se. ***P.*** **9.** Cobrar alento, ânimo, esperança; animar. **10.** Adquirir vida, expressão, movimento: *Com a chegada dos reforços, os semblantes animaram-se;* "A estância desolada animava-se por algumas horas." (Euclides da Cunha, *Os Sertões*, p. 481). **11.** Adquirir vida, animação, vivacidade: *Passados os primeiros momentos, as conversas animaram-se.* **12.** Resolver-se, decidir-se, deliberar-se; atrever-se. [Pres. ind.: *animo*, etc. Cf. *ânimo*, s. m. e interj.]

animatismo [Do lat. *animatus*, 'animado', 'que tem vida', + *-ismo*.] ***S. m.*** *Antrop. Obsol.* Sistema de crenças ou modo de pensamento em que entidades naturais e objetos inanimados são tidos como dotados de um princípio vital impessoal ou uma força sobrenatural que lhes confere vida e atividade. [Cf. *animismo* (2).]

→**animato** [ani'mato] [It.] *Mús.* Com animação.

animatógrafo [Do lat. *animatus*, 'animado', + *-o-* + *-grafo*.] ***S. m.*** *Desus.* Cinematógrafo. [V. *cinema*.]

animável [Do lat. *animabile*.] ***Adj. 2 g.*** Que se pode animar.

→**anime** ['ænəmej][Japonês] ***S. m.*** Animação (6) japonesa, feita a partir do mangá (q. v.).

anime ***S. f.*** Resina aromática que escorre de várias árvores cesalpinioídeas, do gênero *Hymenaea*; jetaicica, goma-copal.

▲ **anim(i)-** [Do lat. *anĭma, ae*.] ***El. comp.*** = 'alma': *anímico*.

anímico [De *anim(i)-* + *-ico*[2].] ***Adj.*** Pertencente ou relativo à alma; psíquico.

animismo [De *anim(i)-* + *-ismo*; al. *Animismus*.] ***S. m.*** **1.** *Filos.* Doutrina segundo a qual uma só e mesma alma é o princípio da vida e do pensamento; monodinamismo. [Cf. *organicismo* (1).] **2.** *Antrop. Filos.* Modo de pensamento ou sistema de crenças em que se atribui a seres vivos, objetos inanimados e fenômenos naturais um princípio vital pessoal, isto é, uma alma: "Foi [E. B. Tylor] buscar a palavra animismo em velhas concepções do espírito humano, tão caras aos filósofos da Antiguidade, retomando-a, na acepção extensa de uma filosofia primitiva geral, onde, para a mente do selvagem, almas e espíritos animam todas as cousas, vivas e inertes, do Universo." (Artur Ramos, *O Negro Brasileiro*, I, p. 289.) [Cf., nesta acepç., *animatismo*.]

animista [De *animismo* + *-ista*.] ***Adj. 2 g.*** **1.** Relativo ao animismo **2.** Que é adepto ou seguidor dessa doutrina filosófica ou desse modo de pensamento. • ***S. 2 g.*** **3.** Indivíduo que tem crenças ou convicções animistas.

animizar [De *anim(i)-* + *-izar*.] ***V. t. d. P.*** Tornar(-se) animado.

ânimo [Do lat. *animu*.] ***S. m.*** **1.** Alma, espírito, mente. **2.** Gênio, índole: *homem de mau ânimo.* **3.** Disposição resoluta e inalterável, em face de situações difíceis; coragem: *cobrar ânimo para vencer.* **4.** Intenção, vontade. • ***Interj.*** **5.** Coragem, força, eia, sus. [Cf. *animo*, do v. *animar*.]

animosidade [Do lat. *animositate*.] ***S. f.*** Aversão persistente; má vontade, rancor: "Nisto, os Mestres do Romantismo não procederam, originariamente, por animosidade contra uma classe cujos modos, gostos, interesses, lhes repugnassem" (Eça de Queirós, *Notas Contemporâneas*, p. 166).

animoso (ô) [Do lat. *animosu*.] ***Adj.*** Que tem ânimo; corajoso.

anímula [De *anim(i)-* + *-ula*.] ***S. f.*** Pequena alma; alminha: "assim será enquanto esta anímula sem tempo para ser alma transitar pelas ruas da vida." (Carlos Drummond de Andrade, *A Bolsa e a Vida*, p. 166).

→**animus** ['anẹmos] [Lat., 'princípio espiritual', 'pensamento', 'mente'; 'ânimo'.] ***S. m.*** Na psicologia junguiana, o princípio masculino da psique do ser humano. [Cf. *anima*.]

→**animus abutendi** ['anẹmos abo'tendẹ] [Lat.] *Jur.* Intenção de abusar.

→**animus diffamandi** ['anẹmos dẹfa'mandẹ] [Lat.] *Jur.* Intenção de difamar.

→**animus furandi** ['anẹmos fo'r̄andẹ] [Lat.] *Jur.* Intenção de furtar.

→**animus laedendi** ['anẹmos laj'dendẹ] [Lat.] *Jur.* Intenção de ferir, ofender ou atacar.

→**animus necandi** ['anẹmos nɛ'kandẹ] [Lat.] *Jur.* Intenção de matar.

→**animus nocendi** ['anẹmos nɔ'kendẹ] [Lat.] *Jur.* Intenção de prejudicar.

→**animus rem sibi habendi** ['anẹmos r̄e 'sibẹ ħa'bendẹ] [Lat.] *Jur.* Intenção de possuir a coisa como própria.

aninar [De *a-*[4] + *ninar*.] ***V. t. d.*** Embalar, acalentar, ninar.

aninga [Do tupi.] ***S. f.*** *Bras. SP Bot.* Planta arácea (*Montrichardia linifera*) de fibras aproveitáveis para cordoalha, no fabrico de papel, etc.

aningaçu [De *aninga* + *-açu*.] ***S. f.*** *Bot. Bras.* V. *aningaúba*.

aninga-de-espinho ***S. f.*** *Bras. Bot.* V. *aningaúba*. [Pl.: *aningas-de-espinho*.]

aninga-de-macaco ***S. f.*** *Bras. Bot.* V. *aningaúba*. [Pl.: *aningas-de-macaco*.]

aninga-do-pará ***S. f.*** *Bras. Bot.* V. *aningaúba*. [Pl.: *aningas-do-pará*.]

aningaíba [De *aninga* + *-íba*.] ***S. f.*** *Bras. Bot.* V. *aningaúba*.

aningal ***S. m.*** *Bras. Bot. Pop.* Vegetação constituída de aningaúbas, comum nos furos e ilhas flutuantes da Amazônia.

aningapara [De or. tupi.] ***S. f.*** *Bras. Amaz. Bot.* Comigo-ninguém-pode.

aningapari ***S. f.*** *Bras. Bot.* V. *anhangapiri*.

aningaperê ***S. m.*** *Bras. Bot.* V. *aningaúba*.

aningapiri ***S. f.*** *Bras. Bot.* V. *anhangapiri*.

aningaúba [Var. de *aningaíba*.] ***S. f.*** *Bras. Bot.* Planta arácea (*Montrichardia arborescens*) de fibras aproveitáveis para cordoalha e no fabrico de papel, e cuja raiz é drástica e anti-hidrópica; aningaíba, aningaçu, aninga-de-espinho, aninga-de-macaco, aninga-do-pará, aningaperê, banana-de-macaco, guimberana, imbé-da-praia, imberana, sini. [Cf. *aningal*.]

aninha [De *Aninha*, dim. do antr. *Ana*, poss., por afetividade.] ***S. f.*** *Bras. Pop.* V. *cachaça* (1).

aninhar [De *a-*[2] + *ninho* + *-ar*[2].] ***V. t. d.*** **1.** Pôr ou recolher em ninho. **2.** Acolher; abrigar: *Aninhou, por muitos anos, aquela esperança.* **3.** Conchegar, acomodar. **4.** Recolher, ocultar. ***T. d. e c.*** **5.** Aninhar (1 e 3): *Aninhou a criança a um canto da poltrona.* ***Int.*** **6.** Fazer ninho; aninhar-se. **7.** Estar em ninho. ***P.*** **8.** Acolher-se em ninho. **9.** Aninhar (6). **10.** Acolher-se, agasalhar-se, abrigar-se: "Vê tu que pomba aquela, que puro seio onde se aninham os amores inocentes do paraíso terreal!" (Camilo Castelo Branco, *O Santo da Montanha*, p. 191.)

aniodol ***S. m.*** Preparado farmacêutico empregado como antisséptico. [Pl.: *aniodóis*.]

aníon ***S. m.*** *Quím.* V. *ânion*.

ânion [Do gr. *ánion*, 'aquilo que se ergue' (part. pres. de *aniénai*, 'erguer-se').] ***S. m.*** *Quím.* Átomo ou grupo de átomos com excesso de carga negativa; aníon, aniônio, anionte. [Cf. *cátion*.] ◆ **Ânion radical.** *Quím.* Qualquer substância, ger. instável, de vida curta, muito reativa, que se caracteriza pela existência, em sua estrutura, de carga negativa e um elétron desemparelhado.

aniónico ***Adj.*** *Quím.* V. *aniônico*. [Uso freq. em P.]

aniônico [De *ânion* + *-ico*[2].] ***Adj.*** *Quím.* Relativo a ou próprio de ânion.

aniónio ***S. m.*** *Quím.* V. *aniônio*. [Uso freq. em P.]

aniônio [De *ânion* + *-io*[3].] ***S. m.*** *Quím.* V. *ânion*.

anionte ***S. m.*** *P. us. Quím.* V. *ânion*.

anipnia [De *an-* + *-(h)ipn(o)-* + *-ia*[1].] ***S. f.*** *Neur. Psiq.* Insônia.

aniquilação [De *aniquilar* + *-ção*.] ***S. f.*** **1.** Aniquilamento (1). **2.** *Fís. Nucl.* V. *desmaterialização* (2).

aniquilado [Part. de *aniquilar*.] ***Adj.*** **1.** Arruinado, destruído. **2.** Abatido, prostrado.

aniquilador (ô) [De *aniquilar* + *-dor*.] ***S. m. Adj.*** Que, ou aquele que aniquila.

aniquilamento [De *aniquilar* + *-mento*.] ***S. m.*** **1.** Ato ou efeito de aniquilar(-se); aniquilação. **2.** *Fís. Nucl.* V. *desmaterialização* (2).

aniquilar [Do b.-lat. *annichilare*, do lat. tard. *annihilare*, 'reduzir a nada', 'considerar como nada'.] ***V. t. d.*** **1.** Reduzir a nada; nulificar, anular: *Impossível aniquilar direitos já consagrados.* **2.** Destruir, matar. **3.** Abater física ou moralmente; deprimir, prostrar: *A enfermidade o aniquilou;* "Ama. Vem a amargura que o aniquila." (Olegário Mariano, *Toda uma Vida de Poesia*, I, p. 146). ***T. i.*** **4.** Aniquilar (1 e 2): *Aniquilou com o adversário.* ***P.*** **5.** Abater-se, humilhar-se. [F. paral. (p. us.): *aniilar*.]

aniria [De *an-* + *íris* + *-ia*[1].] ***S. f.*** *Oftalm.* Aniridia.

aniridia [De *an-* + *-irid(o)-* + *-ia*[1].] ***S. f.*** *Oftalm.* Anomalia hereditária grave, ger. bilateral e, na maior parte dos casos, incompleta, e que consiste na ausência de íris; aniria.

anis [Do gr. *ánison*, pelo lat. *anisu* e pelo fr. *anis*.] ***S. m.*** **1.** *Bot.* Erva apiácea (*Pimpinella anisum*), originária do Egito, a qual fornece a essência de anis, us. na fabricação de licores e xaropes; erva-doce, pimpinela. **2.** V. *anisete*. **3.** *Bot.* Árvore rutácea (*Clausena anisata*) ornamental, originária da Ásia, cujo perfume lembra o do anis (1). [Pl.: *anises*.]

anisado [Part. de *anisar*.] ***Adj.*** **1.** Preparado com anis. **2.** A que se deu sabor de anis.

anisaldeído [Do ingl. *anisaldehyde*.] ***S. m.*** *Quím.* Qualquer dos três aldeídos metoxibenzoicos isômeros, esp. o isômero para us. em perfumaria [fórm.: $C_8H_8O_2$].

anisanto [De *anis(o)-* + *-anto*.] ***Adj.*** *Bot.* Diz-se das plantas cujas flores são desiguais.

anisaquíase [Do tax. *Anisakis* + *-íase*.] ***S. f.*** *Med.* Infecção, no homem e em outros animais, causada por anisaquídeo.

anisaquídeo [Adapt. do tax. *Anisakidae* (do tax. *Anisakis*).] *Zool.* ***S. m.*** **1.** Espécime dos anisaquídeos, família de nematódeos, da qual vários membros causam anisaquíase, no homem e em outros animais que ingiram peixe cru. • ***Adj.*** **2.** Relativo ou pertencente aos anisaquídeos.

anisar [De *anis* + *-ar*[2].] ***V. t. d.*** **1.** Preparar com anis. **2.** Dar o sabor de anis a.

anis-doce ***S. m.*** *Bot.* V. *funcho* (2). [Pl.: *anises-doces*.]

aniseiconia ***S. f.*** *Oftalm.* V. *anisiconia*.

anis-estrelado [De *anis* + *estrelado*.] ***S. m.*** *Bot.* Arbusto iliáceo (*Illicium anisatum*) de casca aromática, flores amarelas e frutos perfumados, us. em farmácia e perfumaria e no fabrico de licores; badiana, badiana-de-cheiro, badiana-da-china. [Pl.: *anises-estrelados*.]

aniseta (ê) ***S. f.*** *P. us. no Brasil*. V. *anisete*.

anisete [Do fr. *anisette*.] ***S. m.*** Licor de anis; anis, aniseta.

anisiconia [De *anis(o)-*[1] + *-icon(o)-* + *-ia*[1].] ***S. f.*** *Oftalm.* Fenômeno em que a imagem ocular de um objeto, vista por um olho, difere, em aspecto e em dimensão, da vista pelo outro olho. [F. menos pref., porém mais us.: *aniseiconia*.]

anisidina [Do ingl. *anisidine*.] *S. f. Quím.* Qualquer de três aminas aromáticas isômeras us. na fabricação de corantes [fórm.: C_7H_9NO].

anisiense *Adj. 2 g.* **1.** De, ou pertencente ou relativo a Anísio de Abreu (PI). ● *S. 2 g.* **2.** O natural ou habitante de Anísio de Abreu.

▲ **anis(o)-[1]** [Do gr. *aniso-* < gr. *ánisos, os, on*.] *El. comp.* = 'desigual': *anisanto, anisocéfalo*.

▲ **anis(o)-[2]** [Do lat. *anīsum*.] *El. comp.* = 'anis': *anisol*.

anisocéfalo [De *anis(o)-*[1] + *-céfalo*.] *Adj. Bot.* Diz-se das plantas cujas flores formam capítulos desiguais.

anisocitose [De *anis(o)-*[1] + *-cit(o)-* + *-ose*[1].] *S. f. Patol.* Presença de hemácias no sangue que, entre si, variam excessivamente de tamanho.

anisocoria [De *anis(o)-*[1] + *-cor(e)-* + *-ia*[1].] *S. f. Oftalm.* Diferença de diâmetro entre as duas pupilas.

anisocórico [De *anisocoria* + *-ico*[2].] *Adj. Oftalm.* Relativo à anisocoria.

anisocotilia [De *anis(o)-*[1] + *-cotil(o)-* + *-ia*[1].] *S. f. Bot.* Ocorrência de cotilédones desiguais, como nas gesneriáceas. [Opõe-se a *isocotilia*.]

anisocótilo [De *anis(o)-*[1] + *-cótilo*.] *Adj. Bot.* Diz-se das plantas, sementes, etc., que apresentam anisocotilia.

anisocromia [De *anis(o)-*[1] + *-crom(o)-* + *-ia*[1].] *S. f. Hemat.* Diferença significativa de cor entre hemácias circulantes devida a conteúdo desigual de hemoglobina.

anisofilia [De *anis(o)-*[1] + *-fil(o)-*[1] + *-ia*[1].] *S. f. Bot.* Existência, em um mesmo ramo ou região, de folhas diferentes, já pela forma, já pelas dimensões, como, p. ex., nas plantas jovens de jaqueira. [Cf. *heterofilia*.]

anisofílico [De *anisofilia* + *-ico*[2].] *Adj.* Relativo a anisofilia, ou a anisofilo.

anisofilo [De *anis(o)-*[1] + *-filo*[1].] *Adj.* Concernente à, ou que apresenta anisofilia: 📖 *espécie anisofila*.

anisogamia [De *anis(o)-*[1] + *-gam(o)-* + *-ia*[1].] *S. f.* **1.** *Antrop.* Casamento em que os cônjuges têm *status* sociais não equivalentes, pertencendo ger. a grupos diferentemente situados na hierarquia social. **2.** *Antrop.* O costume, ou prática socialmente regulamentada desse tipo de casamento. [Cf., nessas acepç., *hipergamia, hipogamia*.] **3.** *Biol.* Heterogamia (1). [Cf. *isogamia*.]

anisogâmico [De *anisogamia* + *-ico*[2].] *Adj.* **1.** *Antrop.* Anisógamo (1 e 2). **2.** *Biol.* Relativo à anisogamia (3).

anisógamo [De *anis(o)-*[1] + *-gamo*.] *Antrop. S. f.* **1.** Relativo à anisogamia, ou caracterizado por ela; anisogâmico. **2.** Diz-se de indivíduo ou de grupo que segue ou pratica a anisogamia; anisogâmico. ● *S. m.* **3.** Indivíduo anisógamo. [Cf. *isógamo*.]

anisógino [De *anis(o)-*[1] + *-gino*.] *Adj. Bot.* Que tem carpelos e sépalas em número desigual.

anisoína [De *anis(o)-*[2] + *-ina*[3].] *S. f. Quím.* Dímero do anisaldeído, cuja estrutura se relaciona à da benzoína, e que é us. como iniciador de polimerizações [fórm.: $C_{16}H_{16}O_4$].

anisol [De *anis(o)-*[2] + *-ol*[2]; fr. *anisol*.] *S. m. Quím.* Substância aromática, éter que contém metoxila, derivado do benzeno, de odor agradável, us. em perfumaria; metoxibenzeno [fórm.: C_7H_8O]. [Pl.: *anisóis*.]

anisólobo [De *anis(o)-*[1] + *-lobo*.] *Adj. Bot.* Que mostra lobos, ou peças como lacínias, etc., desiguais; anisótomo.

anisomelia [De *anis(o)-*[1] + *-mel(o)-* + *-ia*[1].] *S. f. Med.* Desigualdade flagrante entre membros homólogos.

anisomélico [De *anisomelia* + *-ico*[2].] *Adj. Med.* Referente à anisomelia.

anisômero [De *anis(o)-*[1] + *-mero*.] *Adj. Bot.* Que não tem o mesmo número de partes ou peças.

anisometropia [De *anis(o)-* + *-metr(o)-* + *-opia*.] *S. f. Oftalm.* Condição em que há diferença entre o poder de refração de cada olho.

anisomiário [De *anis(o)-*[1] + *-m(i)-* + *-ário*.] *S. m. Zool.* Molusco pelecípode com dois músculos adutores desiguais, sendo o anterior maior que o posterior; heteromiário.

anisomorfia [De *anis(o)-*[1] + *-morf(o)-* + *-ia*[1].] *S. f.* **1.** Forma irregular. **2.** *Bot.* Forma distinta de um órgão ou de parte duma planta, de acordo com a posição em que se acham.

anisomórfico [De *anisomorfia* + *-ico*[2].] *Adj.* Que apresenta anisomorfia; anisomorfo.

anisomorfo [De *anis(o)-*[1] + *-morfo*.] *Adj.* Anisomórfico.

anisopétalo [De *anis(o)-*[1] + *-pétalo*.] *Adj. Bot.* Diz-se da flor que exibe pétalas desiguais, como a do flamboaiã, a do feijoeiro, etc.

anisopia [De *anis(o)-*[1] + *-opia*.] *S. f. Oftalm.* Desigualdade de visão nos dois olhos.

anisópico [De *anisopia* + *-ico*[2].] *Adj. Oftalm.* Referente à anisopia.

anisóptero[1] [De *anis(o)-*[1] + *-ptero*.] *Adj. Bot.* Que tem asas desiguais, *i. e.*, que tem expansões laminares diferentes em dois lados: 📖 *As sâmaras são anisópteras*.

anisóptero[2] [Adapt. do tax. *Anisoptera* (v. *anisóptero*[1]).] *Zool. S. m.* **1.** Espécime dos anisópteros, subordem dos insetos odonatos, que têm asas posteriores mais largas na base do que as anteriores, e ninfas com brânquias retais. ● *Adj.* **2.** Pertencente ou relativo a eles.

anisospermo [De *anis(o)-*[1] + *-spermo*.] *Adj. Bot.* Diz-se do fruto provido de sementes desiguais. [São raríssimos os frutos anisospermos.]

anisósporo [De *anis(o)-*[1] + *-sporo*.] *Adj. S. m. Micol.* Diz-se de, ou fungo portador de esporos diferentes.

anisostémone *Adj. 2 g.* V. *anisostêmone*. [Uso freq. em P.]

anisostêmone [De *anis(o)-*[1] + *-stêmone*.] *Adj. 2 g.* Que apresenta anisostemonia. [Opõe-se a *isostêmone*.]

anisostemonia [De *anis(o)-*[1] + *-stemon(o)-* + *-ia*[1].] *S. f. Bot.* Ocorrência, nos vegetais, de um androceu formado por número de estames diverso do número de pétalas, como nas mirtáceas.

anisostilia [De *anis(o)-*[1] + *-stil(o)-*[1] + *-ia*[1].] *S. f. Bot.* Ocorrência de dois tipos de flores no mesmo indivíduo: umas que levam estiletes curtos (*flores brevistilas*) e outras com estiletes mais longos (*flores longistilas*).

anisótomo [De *anis(o)-*[1] + *-tomo*.] *Adj. Bot.* Anisólobo.

anisotropia [De *anis(o)-*[1] + *-trop(o)-* + *-ia*[1].] *S. f. Min.* Qualidade, peculiar a certas substâncias cristalizadas, de reagir diferentemente segundo a direção de propagação de um determinado fenômeno físico, como a propagação da luz ou do calor, o crescimento do cristal, a dureza, etc. [Opõe-se a *isotropia*.]

anisotrópico [De *anisotropia* + *-ico*[2].] *Adj. Min.* Anisótropo. [Opõe-se a *isotrópico*.]

anisótropo [De *anis(o)-*[1] + *-tropo*.] *Adj. Min.* Que apresenta anisotropia; anisotrópico.

anistia [Do gr. *amnestía*, 'esquecimento', pelo lat. tard. *amnestia*.] *S. f.* **1.** Perdão geral. **2.** *Jur.* Ato pelo qual o poder público declara impuníveis, por motivo de utilidade social, todos quantos, até certo dia, perpetraram determinados delitos, em geral políticos, seja fazendo cessar as diligências persecutórias, seja tornando nulas e de nenhum efeito as condenações. [Cf. *clemência* (1), *indulto* (4) e *graça* (3). F. paral.: *amnistia*.] ◆ **Anistia fiscal.** *Econ.* Perdão de penalidades, como juros e multas, decorrentes do não recolhimento de tributos no prazo devido, ger. concedido no contexto de um esforço do governo para arrecadar tributos em atraso.

anistiado [Part. de *anistiar*.] *Adj. S. m.* Que, ou aquele que teve anistia. [F. paral.: *amnistiado*.]

anistiar [De *anistia* + *-ar*[2].] *V. t. d.* **1.** Conceder anistia a. **2.** *P. ext.* Desculpar, perdoar. [F. paral.: *amnistiar*.]

anistiável [De *anistiar* + *-vel*.] *Adj. 2 g.* Que pode ou deve ser anistiado. [F. paral.: *amnistiável*.]

anistórico [De *an-* + *histórico*.] *Adj.* **1.** Não histórico; alheio à história; a-histórico. **2.** Contrário à história; anti-histórico (q. v.).

anisuria [De *anis(o)-* + *-uria*.] *S. f. Med.* V. *anisúria*.

anisúria [De *anis(o)-*[1] + *-úria*.] *S. f. Med.* Alternância de oligúria e poliúria. [F. paral.: *anisuria*.]

anita-garibaldense *Adj. 2 g.* **1.** De, ou pertencente ou relativo a Anita Garibaldi (SC). ● *S. 2 g.* **2.** O natural ou habitante de Anita Garibaldi. [Pl.: *anita-garibaldenses*.]

anitapolino *Adj.* **1.** De, ou pertencente ou relativo a Anitápolis (SC). ● *S. m.* **2.** O natural ou habitante de Anitápolis.

aniúba *S. f. Bras. Bot.* V. *aiuba*.

aniversariante [De *aniversariar* + *-nte*.] *Adj. 2 g. S. 2 g.* Que, ou quem faz anos, aniversaria.

aniversariar [De *aniversário* + *-ar*[2].] *V. int. Bras.* Ver decorrer o dia aniversário (2); fazer anos. [Pres. ind.: *aniversario*, etc. Cf. *aniversário*.]

aniversário [Do lat. *anniversariu*.] *Adj.* **1.** Diz-se do dia em que faz um ano, ou mais, que se deu certo acontecimento. **2.** Diz-se do dia em que se completa um ano, ou mais de idade. **3.** Relativo a esse dia, ou próprio dele, ou que nele se realiza: 📖 "Já de manhã lhe enviara um bilhete de cumprimentos acompanhando-o pequeno vaso de porcelana, que estava em cima de um móvel com outros presentinhos aniversários." (Machado de Assis, *Memorial de Aires*, p. 18); "aconselhou-me a ir cumprimentá-los por ocasião das festas aniversárias." (Id., *ib.*, p. 11). ● *S. m.* **4.** O dia aniversário (de um acontecimento): 📖 *o aniversário da Abolição*. **5.** O dia aniversário (de alguém); aniversário natalício; dia de anos. [Cf. (nesta acepç.): *genetlíaco* (4).] **6.** Festa comemorativa de aniversário: 📖 *Fomos ao aniversário de Lúcia — houve muitos comes e bebes, e dançou-se à vontade*. [Cf. *aniversario*, do v. *aniversariar*.] ◆ **Aniversário natalício.** V. *aniversário* (5).

anixi [De or. indígena, poss.] *S. m. Bras.* Pó que cobre, em grande parte, a superfície dos rios da Amaz., trazido pelas enxurradas e resultante de detritos que se acumulam nos igapós.

anixo [Do lat. *annixu*.] *S. m.* Gancho de ferro, em forma de S, preso a um cabo. [Cf. *anicho*, do v. *anichar*.]

anjinho [Dim. de *anjo*.] *S. m.* **1.** Anjo (4). **2.** Anjo (5). **3.** *Pej.* Inocente, ingênuo. ~ V. *anjinhos*.

anjinhos [Pl. de *anjinho*, com antífrase.] *S. m. pl.* **1.** Anéis de ferro com que se prendiam e apertavam os dedos de criminosos. **2.** *P. ext.* Algema (1): 📖 "Duas ou três prestações insatisfeitas, o publicano ia, sequestrava os bens do insolvente e passava-lhe os anjinhos aos pulsos." (Aquilino Ribeiro, *Os Avós de Nossos Avós*, p. 69.)

anjo [Do gr. *ángelos*, pelo lat. *angelu*.] *S. m.* **1.** *Rel.* Ser espiritual que, segundo a teologia cristã, a hebraica e a islâmica, serve de mensageiro entre Deus e os homens. **2.** A representação deste ser como figura alada em esculturas, pinturas, quadros, etc. **3.** Criança vestida de anjo nas procissões ou outras cerimônias católicas. **4.** Criança sossegada; anjinho. **5.** Criança morta; anjinho. **6.** Pessoa bondosa, virtuosa, caritativa. ◆ **Anjo corredor.** *Bras. AL Folcl.* Personagem fantástico representado por um homem armado de cacete ou cajado, que anda sem parar, batendo nas cancelas dos engenhos, amedrontando as crianças e as mães. **Anjo custódio.** *Rel.* Anjo da guarda (1). **Anjo da guarda.** **1.** *Rel.* Espírito celeste que se crê velar sobre cada pessoa, afastando-a do mal e inclinando-a para o bem; anjo custódio. **2.** Pessoa que protege, que defende outra. **Anjo mau.** V. *diabo* (2). [Cf. *anjo-mau*.] **Anjo rebelde.** V. *diabo* (2).

anjo-bento *S. m. Bras. MG Pop. Zool.* Mosquito branco do vale do rio Doce. [Pl.: *anjos-bentos*.]

anjo-mau *S. m. Bras. MG Pop. Zool.* Certo mosquito, de picada dolorosa, do vale do rio Doce. [Pl.: *anjos-maus*. Cf. *anjo mau*.]

anjuba *S. f. Bras. Bot.* V. *aiuba*.

anjuvino *Adj. S. m.* Angevino.

ankerita [Do antr. (*Mathias Joseph*) *Anker*, (1771-1843) mineralogista austríaco, + *-ita*[3].] *S. f. Min.* Mineral trigonal, carbonato de cálcio com ferro, magnésio e algo de manganês, branco, cinza ou avermelhado.

■ **ANN** Sigla de *Agência Nacional de Notícias*.

annabergita [Do top. *Annaberg* (Alemanha) + *-ita*[3].] *S. f. Min.* Mineral monoclínico, hidroarseniato de níquel.

ano[1] [Do lat. *annu*.] *S. m.* **1.** *Astr.* Intervalo de tempo correspondente a uma revolução da Terra em torno do Sol. **2.** *P. ext. Astr.* Período de revolução de outros astros em torno de seu principal (9): 📖 *o ano de Júpiter*. **3.** Espaço de 12 meses. **4.** Ano de idade, de existência: 📖 *Ela faz hoje 15 anos*. **5.** *Bibliol.* V. *volume* (2). [Pl.: *anos*. Cf. *ânus*.] ◆ **Ano agrícola.** O tempo que decorre entre as sementeiras e as colheitas (especialmente de cereais). **Ano anomalístico.** *Astr.* Período de uma revolução completa da Terra em torno do Sol, referido à passagem pelo periélio, e que equivale a 365 dias, 6 horas, 13 minutos e 53 segundos médios. **Ano bissêxtil.** *Astr.* Ano bissexto. **Ano bissexto.** *Astr.* O que tem 366 dias, sendo que a introdução de um dia extra no mês de fevereiro compensa a incomensurabilidade entre os períodos de translação e rotação da Terra; ano bissêxtil. [Há um de quatro em quatro anos. Por convenção, são bissextos os anos cujo milésimo é divisível por 4, com exceção dos anos seculares cujo milésimo não é divisível por 400. Ex.: o ano *1900* não foi bissexto, mas o ano *2000* foi.] **Ano capicua.** *Cronol.* Ano cujos algarismos podem ser lidos indiferentemente da esquerda para a direita ou da direita para a esquerda. Ex.: 1991, 2002. **Ano civil.** O que vai de 1º de janeiro a 31 de dezembro. **Ano climatérico.** Aquele durante o qual se crê que a vida corre perigo. [Têm este nome todos os anos que são múltiplos de sete, sendo o mais crítico o sexagésimo terceiro por ser múltiplo de sete e nove. Sin.: *ano decretório*.] **Ano comercial.** Aquele cujos meses são todos considerados como de 30 dias. **Ano corrente.** Aquele em que se está. **Ano decretório.** Ano climatérico. **Ano embolísmico.** *Cronol.* Ano do calendário grego (q. v.) e do calendário israelita (q. v.), intercalado entre outros anos de uma série para fazer coincidir o ano lunar com o ano solar. **Ano emergente.** O que se principia a contar de uma data qualquer e vai até igual data do ano seguinte. **Ano fiscal.** *Econ.* Período de 12 meses em que se executa o orçamento do Governo, e que pode não coincidir com o ano civil; ano orçamentário. **Ano grande.** *Astr.* Período de um ciclo completo dos equinócios em redor da eclíptica, e que é de aproximadamente 25.800 anos; ano platônico. **Ano letivo.** Período do ano em que funcionam os estabelecimentos de ensino. **Ano litúrgico.** *Rel.* Ciclo anual através do qual a Igreja Católica comemora todo o mistério do Cristo, e que consta de: tempo do Advento, Natal, Epifania, tempo comum, Quaresma, Semana Santa, Páscoa, tempo pascal, Pentecostes e tempo comum até encerrar-se o ciclo no primeiro domingo do Advento. **Ano lunar.** *Cronol.* Período que compreende 12 revoluções lunares. **Ano móvel.** Período de 365 dias que, para fins jurídicos, principia a correr em qualquer instante. **Ano orçamentário.** *Econ.* Ano fiscal. **Ano sabático.** Entre os judeus, o último ano de cada período de sete durante o qual não se cultivavam as terras e não se cobravam as dívidas. **Ano santo.** Jubileu (1) periódico dos católicos, determinado pela autoridade papal. **Ano secular.** *Astr.* Ano cujo milésimo termina em 00. **Ano sideral.** *Astr.* O tempo necessário para que a Terra complete uma revolução na sua órbita, em relação às estrelas fixas, e que equivale a 365, 25636 dias solares médios. **Ano solar.** *Cronol.* Período que compreende um número inteiro de dias e corresponde à revolução da Terra em torno do Sol. **Ano trópico.** O tempo necessário para que o Sol execute uma revolução aparente na eclíptica, de ponto vernal a ponto vernal. **Ano útil.** O que dura 365 dias não feriados. **Adiantado em anos.** V. *entrado em anos*: 📖 "O P.e Manuel da Nóbrega faleceu cerca de quatro meses depois deste imenso desastre, ... menos adiantado em anos (pois apenas contava cinquenta e três) que exausto e rendido de trabalho e fadigas." (João Francisco Lisboa, *Obras*, II, p. 397). **Avançado em anos.** V. *entrado em anos*: 📖 "Homero morreu respeitado, avançado em anos, mas livre." (Maria José de Queirós, *Como Me Contaram*, p. 23.) **Entrado em anos.** Idoso, velho; avançado em anos, adiantado em anos: 📖 "Viúva de pouco, já entrada em anos, mas ainda frescalhota" (Garibaldino de Andrade, *Vila Branca*, p. 160). [Tb. se diz apenas *entrado*.] **Fazer anos.** Ver decorrer a data do seu aniversário natalício; aniversariar. **Não passarem os anos por.** Estar (alguém) muito bem-conservado, sem, ou quase sem, os vestígios do passar do tempo. **Passar de ano.** Ser aprovado, por seus méritos discentes, para o período escolar, universitário, etc. imediatamente superior.

ano^{2} *S. m. P. us.* Ânus.

▲ **-an(o)-** V. *-ão^{2}*.

▲ **-ano^{1}** [Do lat. *-ānu* (de *-anus, a, um*), por via erudita.] V. *-ão^{2}*.

▲ **-ano^{2}** *Quím. Suf.* que indica hidrocarboneto saturado: *metano, colestano*. [Em certos nomes tradicionais tal regra não é seguida: *furano, uretano, dioxano*.]

ano-base *S. m. Estat.* Na descrição quantitativa da evolução dum fenômeno histórico, ano que é escolhido, convencionalmente, como a origem dos tempos, e em que as grandezas pertinentes ao fenômeno são medidas, também convencionalmente, em unidades arbitrárias iguais a cem. [Pl.: *anos-bases* e *anos-base*.]

anobiídeo [Do tax. *Anobium* + *-ídeo^{1}*; tax. *Anobiidae*.] *Zool. S. m.* **1.** Espécime dos anobiídeos, família de insetos coleópteros, que reúne pequenos insetos destruidores da madeira e dos livros. Suas larvas, pequeníssimas, são de grande voracidade. No Brasil os mais nocivos são do gênero *Anobium*. ● *Adj.* **2.** Pertencente ou relativo a eles.

ano-bom *S. m.* Ano-novo (2 e 3). [Pl.: *anos-bons*.]

ano de noivos *S. m. Ant.* Lua de mel (1): 📖 "Exprime-a [esta época] em francês a frase lua de mel: o português diz ano de noivos." (Alexandre Herculano, *Lendas e Narrativas*, II, p. 256.) [Pl.: *anos de noivos*.] ☑

anódico [De *ânodo* + *-ico^{2}*.] *Adj. Quím.* Relativo a, ou próprio de ânodo. ~ V. *raios —s*.

anodinia [Do gr. *anodynía*.] *S. f. Neur.* Insensibilidade à dor.

anódino [Do gr. *anódynos*, pelo lat. *anodynu*.] *Adj.* **1.** Que mitiga as dores (medicamento); acesódino, antalgésico, antálgico. **2.** Paliativo (2). **3.** Insignificante, medíocre. **4.** Que é pouco importante; secundário. ● *S. m.* **5.** Medicamento anódino (1).

anódio *S. m. Eletr.* V. *ânodo*.

anodização [De *anodizar* + *-ção*.] *S. f. Quím.* Ato ou efeito de anodizar.

anodizado [Part. de *anodizar*.] *Adj. Quím.* Que sofreu anodização.

anodizar [De *ânodo* + *-izar*.] *V. t. d. Quím.* Submeter (metal, esp. alumínio e magnésio) à ação eletrolítica anódica, o que promove a formação de camada superficial protetora de óxido, a qual se podem incorporar ou não substâncias corantes.

anodmia [De *an-* + gr. *odmé*, 'cheiro', + *-ia^{1}*.] *S. f. Neur.* Anosmia.

anodo (ô) *S. m. Eletr.* V. *ânodo*.

ânodo [Do gr. *ánodos*.] *S. m. Eletr.* Eletrodo positivo; eletrodo para onde se dirigem os íons negativos. [Var. pros.: *anodo*. Sin.: *anódio*. Cf. *catodo*.]

anodonte^{1} [De *an-* + *-odonte*.] *Adj. 2 g.* Sem dentes.

anodonte^{2} [Adapt. do tax. *Anodonta*.] *S. m. Zool.* Molusco pelecípode cujas valvas são internamente desprovidas de dentes; podem produzir pérolas, mas de qualidade inferior.

anodontia [De *an-* + *-odont(o)-* + *-ia^{1}*.] *S. f. Odont.* Ausência congênita de dentes, parcial ou total, e que pode atingir a dentição provisória, ou a definitiva.

ano e dia *S. m. Jur.* Fórmula adotada para exprimir o prazo necessário para aquisição de certos direitos, esp. em relação à posse de imóveis, estabelecendo distinção entre posse nova e posse velha. [Pl.: *anos e dias*.] ☑

anoético [De *a-^{3}* + *noético*.] *Adj. Psiq.* Diz-se da função ou ato psíquico diferente e independente da apreensão intelectual. Ex.: a sensibilidade.

anófele [Do tax. *Anopheles* < gr. *anophelés*, 'nocivo'.] *S. m. Zool.* **1.** Gênero de insetos dípteros, culicídeos transmissores da malária. Têm as asas recobertas de escamas; as larvas respiram mantendo o corpo paralelo à tona da água, e os adultos pousam com o corpo em ângulo inclinado com a superfície dos troncos ou paredes. Conhecem-se no Brasil cerca de 12 espécies. Os anófeles sugam, em geral, ao anoitecer. **2.** Espécie, ou espécime desse gênero.

anofelino [De *anófele* + *-ino^{1}*.] *Adj.* De, ou pertencente ou relativo a anófele.

anoftalmia [De *an-* + *-(o)ftalm(o)-* + *-ia^{1}*.] *S. f. Ter.* Ausência congênita de um ou de ambos os olhos.

anoftálmico [De *anoftalmia* + *-ico^{2}*.] *Adj. Ter.* Referente à anoftalmia.

anogueirado^{1} [De *a-^{2}* + *nogueira* + *-ado^{1}*.] *Adj.* Da cor da nogueira, ou aproximadamente dessa cor, por natureza.

anogueirado^{2} [Part. de *anogueirar*.] *Adj.* A que se deu a cor da nogueira.

anogueirar [De *a-^{2}* + *nogueira* + *-ar^{2}*.] *V. t. d.* Dar a cor da nogueira a.

anoitecer [De *a-^{2}* + *noite* + *-ecer*.] *V. int.* **1.** Ir chegando, ou cair, a noite; fazer-se noite; noitecer: 📖 "Pouco a pouco, entre as árvores, a lua / Surge trêmula, trêmula... Anoitece." (Raimundo Correia, *Poesias*, p. 108.) *T. c.* **2.** Estar ou achar-se em determinado lugar, ao anoitecer: 📄 *Anoitecemos em pleno campo.* *T. d.* **3.** Tornar escuro, cobrir de trevas; escurecer. *Pred.* **4.** Encontrar-se, achar-se (em certo estado) à noite: 📄 *Viajou todo o dia, e anoiteceu sozinho.* [Conjug.: v. *aquecer*. Como int. (na 1.ª acepç.), é unipessoal, conjugável só na 3.ª pess. do sing., com sujeito zero.] ● *S. m.* **5.** O cair da noite: 📖 "Chegamos a Jerusalém num anoitecer de violeta e ouro..." (Eugênio de Castro, *Obras Poéticas*, II, p. 152.) [F. paral.: *anoutecer*.] ◆ **Anoitecer e não amanhecer.** Eufemismo (2) que expressa que alguém morreu, ou morrerá, etc., durante a noite.

anojadiço [De *anojar* + *-diço*.] *Adj.* **1.** Que se anoja com facilidade. **2.** Irascível, agastadiço, zangadiço.

anojado^{1} *S. m. Bras. MA Zool.* V. *anujá*.

anojado^{2} [Part. de *anojar*.] *Adj.* **1.** Que está de luto. **2.** Desgostoso, triste. [Sin. ger.: *nojado*.]

anojador (ô) [De *anojar* + *-dor*.] *Adj.* Que anoja.

anojamento [De *anojar* + *-mento*.] *S. m.* Ato ou efeito de anojar(-se); anojo.

anojar [De *a-^{2}* + *nojo* + *-ar^{2}*.] *V. t. d.* **1.** Causar nojo, repulsão, náusea a; nausear, enojar. **2.** Causar dissabor, mágoa, desgosto ou pesar a; entristecer, desgostar. **3.** Cobrir de luto; enlutar. **4.** Causar tédio a; entediar, enfadar. *P.* **5.** Pôr-se de nojo ou luto; enlutar-se. **6.** Agastar-se, aborrecer-se, incomodar-se, enfadar-se. [Pres. ind.: *anojo*, etc. Cf. *anojo* (ô).]

anojo (ô) [Dev. de *anojar*.] *S. m.* Anojamento. [Pl.: *anojos* (ô). Cf. *anojo*, do v. *anojar*.]

anojoso (ô) [De *a-^{4}* + *nojo* + *-oso*.] *Adj.* V. *nojento* (1).

anóleno [De *an-* + gr. *oléne*, 'braço'.] *Adj.* Abráquio (1).

anólis [Do tax. *Anolis* (de or. fr.).] *S. m. Zool.* **1.** Gênero de pequenos lagartos pleurodontes, da família dos iguanídeos, que são ditos os camaleões americanos, pois têm a capacidade de mudar de cor, como os verdadeiros camaleões do Velho Mundo. **2.** Espécie, ou espécime desse gênero.

ano-luz *S. m. Astr.* Unidade de distância que equivale à distância percorrida pela luz, no vácuo, em um ano, à razão de 299.792 km/s, e igual a aproximadamente 9 trilhões e 450 bilhões de quilômetros. [Pl.: *anos-luz*.]

▲ **anomali-** [Do lat. *anomălus, a, um* < gr. *anṓmalos*.] Equiv. de *anomal(o)-*.

anomalia [Do gr. *anomalía*, pelo lat. *anomalia*.] *S. f.* **1.** Irregularidade, anormalidade. **2.** *Astr.* Ângulo que define a posição de um astro em sua órbita. **3.** *Astr.* Qualquer desigualdade periódica no movimento orbital de um planeta. **4.** *Mat.* V. *ângulo polar*. ◆ **Anomalia cromossômica.** *Genét.* Aberração cromossômica. **Anomalia da maré.** *Geofís.* Irregularidade na amplitude e periodicidade da maré.

anomalifloro [De *anomali-* + *-floro*.] *Adj. Bot.* Que tem flores anômalas.

anomalípede [De *anomali-* + *-pede*.] *Adj. 2 g. Zool.* Diz-se do animal de patas desiguais.

anomalístico *Adj.* Referente à evolução de um astro, tendo como origem o periastro. ~ V. *ano —*, *mês —*, *período —* e *revolução —a*.

▲ **anomal(o)-** [Do gr. *anṓmalos, os, on*.] *El. comp.* = 'inconstante'; 'irregular'; 'maldisposto'; 'que apresenta anomalia': *anomalopídeo*. [Equiv.: *anomali-*: *anomalípede, anomalifloro*.]

anómalo *Adj.* V. *anômalo*. [Uso freq. em P.]

anômalo [Do gr. *anómalos*, pelo lat. *anomalu*.] *Adj.* Que apresenta anomalia; irregular, anormal. [Cf. *atípico*.] ~ V. *dispersão —a*, *estrutura —a* e *verbo —*.

anomalopídeo [De *anomal(o)-* + *-op(e)-* + *-ídeo^{1}*; tax. *Anomalopidae*.] *Zool. S. m.* **1.** Espécime dos anomalopídeos, família de peixes teleósteos, do arquipélago malaio, caracterizados pela presença de órgão luminoso situado na pálpebra móvel, abaixo dos olhos. ● *Adj.* **2.** Pertencente ou relativo a eles.

anomérico [De *anômero* + *-ico^{2}*.] *Adj. Quím.* Próprio de, ou relativo a anômero.

anómero *S. m. Quím.* V. *anômero*. [Uso freq. em P.]

anômero [Do lat. cient. *ano-* (< gr. *an-*, *aná* [v. *an(a)-*]) + *-mero*.] *S. m. Quím.* Qualquer de dois diastereoisômeros que resultam da ciclização de uma ose.

anomia^{1} [Do gr. *anomía* (v. *a-^{3}*, *-nom(o)-* e *-ia^{1}*); fr. *anomie*.] *S. f.* **1.** Ausência de leis, de normas ou de regras de organização. **2.** *Sociol.* Situação em que há ausência ou enfraquecimento das normas que garantem a coesão social.

anomia^{2} [De *an-* + *-onom(a)-* + *-ia^{1}*.] *S. f. Neur.* Perda da capacidade de nomear os objetos.

anómico^{1} *Adj.* V. *anômico^{1}*. [Uso freq. em P.]

anómico^{2} *Adj.* V. *anômico^{2}*. [Uso freq. em P.]

anômico^{1} [De *anomia^{1}* + *-ico^{2}*.] *Adj.* Relativo à anomia^{1}, ou caracterizado por ela.

anômico^{2} [De *anomia^{2}* + *-ico^{2}*.] *Adj.* Relativo à anomia^{2}.

anominação [Do lat. *annominatione*.] *S. f. E. Ling.* Alteração intencional de uma palavra para desvirtuar-lhe o sentido.

▲ **anom(o)-** [Do gr. *ánomos, os, on*.] *El. comp.* = 'anomalia', 'irregularidade': *anomocéfalo, anomuro*.

anomocarpo [De *anom(o)-* + *-carpo*.] *Adj.* **1.** *Bot.* Diz-se das plantas cujos frutos são desiguais; heterocarpo. **2.** *Micol.* Diz-se dos fungos de frutificação irregular, fora do comum. [Opõe-se a: *isocarpo*.]

anomocéfalo [De *anom(o)-* + *-céfalo*.] *Adj.* Que tem cabeça irregular.

anomocelo [De *anom(o)-* + *-celo^{1}*; tax. *Anomocoela*.] *Zool. S. m.* **1.** Espécime dos anomocelos, subordem de anuros americanos e europeus, formada por sapos de patas achatadas e vértebras sacras procélicas; adaptados a ambientes secos, vivem em buracos escavados no solo. São os sapos-cornudos. ● *Adj.* **2.** Pertencente ou relativo a eles.

anomósporo [De *anom(o)-* + *-sporo*.] *Adj. Bot.* Provido de esporos irregulares, desiguais.

anomuro [De *anom(o)-* + *-uro*; tax. *Anomura*.] *Zool. S. m.* **1.** Espécime dos anomuros, ordem de crustáceos malacostráceos, da subclasse dos decápodes, com abdome reduzido, exposto, e cefalotórax longo, comprimido. São os tatuís e os paguros. ● *Adj.* **2.** Pertencente ou relativo a eles.

anona [Do tax. *Annona* (do esp. *anón* < *taino anon*).] *S. f. Bot.* **1.** O gênero-tipo das anonáceas, que reúne cerca de 137 espécies nativas de regiões tropicais, com frutos sincárpicos carnosos, ger. edules. **2.** Qualquer espécie desse gênero, como, p. ex., a *Annona crassiflora* [v. *araticum* (2)]. **3.** Qualquer espécime desse gênero.

anonácea [Do tax. *Annona* (v. *anona*) + *-ácea*; tax. *Annonaceae*.] *S. f. Bot.* Espécime das anonáceas, família de árvores, arbustos e trepadeiras magnoliales, de folhas simples, alternas e exstipuladas, flores bissexuais ou unissexuais grandes e belas, ger. fragrantes, com numerosos estames e carpelos, mas só três pétalas e sépalas, e frutos, secos ou carnosos, que são, ger., bagas comestíveis, apreciadíssimas. Muitas espécies são brasileiras, como as do gênero *Annona* (v. *anona*), *Duguetia* (v. *duguétia*) e *Xylopia* (v. *xilópia*).

anonáceo [De *anonácea*, com var. suf. (v. *-áceo*).] *Adj. Bot.* Pertencente ou relativo às anonáceas.

anonadar [Do esp. plat. *anonadar*.] *V. t. d. Bras.* Reduzir a nada; aniquilar.

anona-de-espinho *S. f. Bras. Bot.* V. *graviola* (1). [Pl.: *anonas-de-espinho*.]

anonário [Do lat. *annonariu*.] *Adj.* Relativo a mantimentos.

➔ **a non domino** [a non 'domęnɔ] [Lat., 'da parte de quem não é dono'.] *Jur.* Diz-se da transferência de coisas móveis ou imóveis por quem não é proprietário delas.

anónfalo *Adj.* V. *anônfalo*. [Uso freq. em P.]

anônfalo [De *an-* + *-ônfalo*.] *Adj.* A que falta umbigo.

anonimato *S. m.* **1.** Estado do que é anônimo. **2.** Hábito ou sistema de escrever sem assinar.

anonímia [Do gr. *anonymía*.] *S. f.* Qualidade do que é anônimo; anonimidade: 📖 "vaníloqua versatilidade de sentimentos e juízos do nosso homem vulgar, sobretudo quando acobertado ou disfarçado em anonímia." (Paulino Santiago, *Temas e Processos do Cancioneiro de Alagoas*, p. 68).

anonimidade [De *anônimo* + *-(i)dade*.] *S. f.* Anonímia: 📖 "Passeava minha anonimidade sem despertar a menor reação." (Carlos Drummond de Andrade, *De Notícia & Não Notícias Faz-se a Crônica*, p. 11.)

anónimo *Adj. S. m.* V. *anônimo*. [Uso freq. em P.]

anônimo [Do gr. *anónymos*, pelo lat. *anonymu*.] *Adj.* **1.** Sem o nome ou a assinatura do autor; sem denominação: *carta anônima*. **2.** Sem nome ou nomeada; obscuro: *poeta anônimo*. ~ V. *sociedade —a*. • *S. m.* **3.** Aquele que oculta o seu nome. **4.** Indivíduo obscuro, sem nome ou renome.

ano-novo *S. m.* **1.** O próximo ano; o ano entrante: "Estamos com sono, vamos dormir. Damos boa noite, bom ano-novo, eu abraço meu tio." (Ricardo Ramos, *Matar um Homem*, p. 168.) **2.** A meia-noite do dia 31 de dezembro; ano-bom. **3.** O dia 1º de janeiro; ano-bom. [Pl.: *anos-novos*.]

anopistógrafo [De *an-* + *-opisto-* + *-grafo*.] *Adj.* Diz-se da folha ou documento escrito ou impresso apenas de um lado. [Cf. *opistógrafo*.]

▲ **anopl(o)-** [Do gr. *ánoplos, os, on*.] *El. comp.* = 'sem armas', 'sem defesa': *anoplotério, anopluro*.

ânoplo [Do gr. *ánoplos*, 'sem armas', 'sem defesas'; tax. *Anopla*.] *Zool. S. m.* **1.** Espécime dos anoplos, classe de nemertinos sem estiletes na trompa. A boca é posterior ao cérebro, com uma tromba simples presente; protonemertino. • *Adj.* **2.** Pertencente ou relativo a eles.

anoplotério [De *anopl(o)-* + *-tério*[1]; tax. *Anoplotherium*.] *S. m. Zool.* **1.** Gênero de mamíferos paquidermes da época eocena que atingiam o porte de um tapir. **2.** Espécie, ou espécime desse gênero.

anopluro [De *anopl(o)-* + *-uro*; tax. *Anoplura*.] *Zool. S. m.* **1.** Espécime dos anopluros, ordem de artrópodes da classe dos insetos. São ectoparasitos de mamíferos, ápteros, sistema bucal sugador, cabeça estreita, pernas com tarsos terminados em unhas fortes; hematófagos, conhecidos vulgarmente como *piolhos-sugadores*. No grupo se incluem a muquirana, o piolho-da-cabeça e o chato, parasitos do homem. • *Adj.* **2.** Pertencente ou relativo a eles. [Sin. ger.: *áptero, lipógnato, pseudorrincoto, sifunculado*.]

anopsia [De *an-* + *-opsia*.] *S. f. Oftalm.* Desuso ou supressão da visão em um olho, como ocorre na heterotropia.

anópsico [De *anopsia* + *-ico*[2].] *Adj. Oftalm.* Relativo à anopsia.

anoque [Do ár., poss.] *S. m.* **1.** V. *curtume* (3). **2.** *Bras.* Couro quadrado, suspenso por estacas em cada ângulo, e que forma uma concavidade, onde se faz a decoada. **3.** *Bras.* Cesto suspenso, destinado ao mesmo fim. **4.** *Bras. S.* Casa ou abrigo onde se prepara e armazena a erva-mate. [Var.: *noque*.]

anoraque [Do esquimó *anoraq*.] *S. m.* **1.** Agasalho de pele com capuz, usado pelos esquimós. **2.** *P. ext.* Agasalho três-quartos com capuz, feito de pele, lã, tecido sintético, etc.

anorexia (cs) [Do gr. *anórexia*.] *S. f. Med.* Redução ou perda de apetite; inapetência. ◆ **Anorexia nervosa.** *Med.* Baixa acentuada ou perda do apetite, frequente esp. em jovens do sexo feminino, nestas observando-se amenorreia; leva a grande perda de peso e, mesmo, a caquexia. [No plano psicológico, há grande receio de ganhar peso e de evoluir para a obesidade. São comuns, em tal quadro, resistência à psicoterapia, fenômenos depressivos, diminuição da libido, etc.]

anorexiante (cs) [De **anorexiar* (< *anorexia* + *-ar*[2]) + *-nte*.] *Adj. 2 g.* Diz-se de substância que diminui o apetite.

anoréxico (cs) [De *anorexia* + *-ico*[2].] *Med. Adj.* **1.** Referente à anorexia. **2.** Que induz a perda de apetite (diz-se de substância, droga ou outro agente). **3.** Que sofre de anorexia. • *S. m.* **4.** Aquele que sofre de anorexia.

anorexígeno (cs) [De *anorexia* + *-geno*.] *Adj. S. m. Med.* Diz-se de, ou droga que provoca anorexia.

anorgânico [De *an-* + *orgânico*.] *Adj.* V. *inorgânico* (1 e 2).

anorgasmia [De *an-* + *orgasmo* + *-ia*[1].] *S. f. Med.* Ausência de orgasmo por ocasião do coito.

anori *S. m. Bras. Amaz. Zool.* Designação do macho do tracajá; anauiri.

anoriense *Adj. 2 g.* **1.** De, ou pertencente ou relativo a Anori (AM). • *S. 2 g.* **2.** O natural ou habitante de Anori.

anormal [Do fr. *anormal*, alter. de *anomal*, 'anômalo', por infl. de *norme*, 'norma'.] *Adj. 2 g.* **1.** Que não é normal; que está fora da norma ou padrão; abnorme, abnormal, anômalo: *Sua inteligência é anormal, muito superior à média*. **2.** Contrário às regras; irregular, abnorme, abnormal, anômalo: *conjugação anormal dos verbos*. **3.** Fora de costume; incomum: *O movimento da loja foi anormal*. **4.** Diz-se de indivíduo cujo desenvolvimento físico, intelectual ou mental é defeituoso. • *S. 2 g.* **5.** Aquilo que não é normal; anormalidade. **6.** Indivíduo anormal (4). **7.** *P. ext.* Tarado (6). **8.** Excepcional (6) (q. v.).

anormalidade [De *anormal* + *-(i)dade*.] *S. f.* **1.** Qualidade ou estado do que é anormal; abnormalidade, abnormidade, anomalia. **2.** Fato ou situação anormal.

anorquia [De *an-* + *-orqu(i)-* + *-ia*[1].] *S. f. Med.* Ausência congênita dos testículos; anorquidia.

anorquidia [De *an-* + *-orquid(o)-* + *-ia*[1].] *S. f. Med.* Anorquia (q. v.).

anorquídico [De *anorquidia* + *-ico*[2].] *Adj. Med.* Que tem anorquidia ou anorquia; sem testículos.

anorretal [De *ano*[2] + *reto*[1] (6) + *-al*[1].] *Adj. 2 g. Anat.* Pertencente ou relativo ao ânus e ao reto.

anorretite [De *ano*[2] + *reto*[1] (6) + *-ite*[1].] *S. f. Proct.* Inflamação que acomete o ânus e o reto.

anorrinco [De *an-* + *-o-* + *-rinco*.] *Adj. Zool.* Desprovido de nariz ou bico.

anortita [De *an-* + *-ort(o)(s)-* + *-ita*[3].] *S. f. Min.* Mineral triclínico, do grupo dos feldspatos (plagioclásio), silicato de cálcio e alumínio.

anortoclásio [De *an-* + *-ort(o)(s)-* + *-clas(i)-* + *-io*[3].] *S. m. Min.* Mineral triclínico do grupo dos feldspatos, mistura de silicato de alumínio e sódio com silicato de alumínio e potássio.

anortografia [De *an-* + *-ort(o)(s)-* + *-grafia*.] *S. f. Neur.* Perda da capacidade de escrever corretamente.

anortográfico [De *anortografia* + *-ico*[2].] *Adj.* Relativo à anortografia.

anortose [De *an-* + *-ort(o)(s)-* + *-ose*[1].] *S. f. Patol.* Perda ou ausência da propriedade de manter-se ereto (3).

anoruegado [De *a-*[2] + *noruega* + *-ado*[1].] *Adj.* Diz-se das encostas frias ou sombrias. [V. *noruega*.]

anoscopia [De *ano*[2] + *-scop-* + *-ia*[1].] *S. f. Proct.* Exame endoscópico do ânus e porção inferior do reto.

anoscópico [De *anoscopia* + *-ico*[2].] *Adj. Proct.* Relativo à anoscopia.

anoscópio [De *ano*[2] + *-scópio*.] *S. m. Proct.* Instrumento mediante o qual se realiza a anoscopia.

anosidade [Do lat. *annositate*.] *S. f.* Qualidade de anoso.

anosmia [De *an-* + *-osm(o)-*[1] + *-ia*[1].] *S. f. Neur.* Perda ou enfraquecimento do olfato; anodmia.

anósmico [De *anosmia* + *-ico*[2].] *Adj. Neur.* Relativo à anosmia.

anoso (ô) [Do lat. *annosu*.] *Adj.* Que tem muitos anos; velho: *árvore anosa*; "O anoso buriti curva a copa, e farfalha." (Humberto de Campos, *Poesias Completas*, p. 61). [M. us. em relação a coisas que a pessoas.]

anosteozoário [De *an-* + *-ost(e)(o)-* + *-zo(o)-* + *-ário*.] *Adj. S. m. Zool.* Diz-se de, ou animal desprovido de ossos.

anostomídeo [Adapt. do tax. *Anostomidae*.] *Zool. S. m.* **1.** Espécime dos anostomídeos, família de peixes caraciformes, grandes, da América do Sul, de mandíbula relativamente curta, ger. herbívoros ou detrívoros, com cerca de 110 espécies e 12 gêneros. • *Adj.* **2.** Pertencente ou relativo a eles.

anostráceo [De *an-* + *-ostrac(o)-* + *-eo*; tax. *Anostraca*.] *Zool. S. m.* **1.** Espécime dos anostráceos, ordem de artrópodes, crustáceos, branquiópodes. Corpo alongado, desprovido de carapaça; olhos pedunculados; apêndices do tronco em número de 11 a 19 pares. • *Adj.* **2.** Pertencente ou relativo a eles.

anotação [Do lat. *annotatione*.] *S. f.* **1.** Ato ou efeito de anotar. **2.** Apontamento escrito; nota: *caderno de anotações*. **3.** Comentário (1).

anotado [Part. de *anotar*.] *Adj.* Em que se fez anotação, ou anotações. ~ V. *edição —a*.

anotador (ô) [Do lat. *annotatore*.] *Adj.* **1.** Que anota. • *S. m.* **2.** Aquele que anota. **3.** Comentarista. **4.** *Bras.* V. *bicheiro*[2] (6).

anotar [Do lat. *annotare*.] *V. t. d.* **1.** Apor notas a. **2.** Esclarecer com comentários [v. *comentário* (1)]: *anotar uma obra literária*. **3.** Tomar nota ou apontamento de; apontar: *Anote o número do meu telefone*.

anótino [Do lat. *annotinu*.] *Adj.* Que tem ou dura um ano. ~ V. *folhas —as*.

anoutecer *V. int. T. d.* V. *anoitecer*.

anovelado [Part. de *anovelar*.] *Adj.* V. *enovelado*.

anovelar [De *a-*[2] + *novelo* + *-ar*[2].] *V. t. d. P.* V. *enovelar*.

anovulação [De *an-* + *ovulação*.] *S. f. Gin.* Ausência de ovulação, provocada artificialmente, ou não.

anovulatório *Adj. Gin.* **1.** Relativo a anovulação. **2.** Diz-se de medicamento que a provoca. ~ V. *ciclo —*. • *S. m.* **3.** Medicamento anovulatório.

anoxemia (cs) [De *an-* + *-ox(i)-* + *-emia*.] *S. f. Med.* Baixa de oxigenação sanguínea.

anoxêmico (cs) *Adj.* V. *anoxêmico*. [Uso freq. em P.]

anoxêmico (cs) [De *anoxemia* + *-ico*[2].] *Adj. Med.* Relativo à anoxemia.

anoxia (cs) [De *an-* + *-ox(i)-* + *-ia*[1].] *S. f. Med.* V. *hipoxia*. [Var. pros.: *anóxia*.]

anóxia (cs) *S. f. Med.* V. *anoxia*.

anoxiar (cs) [De *anoxia* + *-ar*[2].] *V. int.* Hipoxiar.

anoxibiose (cs) [De *an-* + *-ox(i)-* + *-biose*.] *S. f. Biol.* Anaerobiose.

anóxico (cs) [De *anoxia* + *-ico*[2].] *Adj. Med.* Relativo à anoxia.

anoxítono (cs) [De *an-* + *oxítono*.] *Adj. S. m. E. Ling.* Não oxítono.

anoz *S. f. Bras. Bot.* V. *amendoeira-da-praia*.

■ **Anp** Sigla de *Agência Nacional de Petróleo, Gás Natural e Biocombustíveis*.

■ **ANP** Sigla de *Agência Nacional do Petróleo*.

anquete (ê) *Bras. S. 2 g.* **1.** *Etnôn.* Indivíduo dos anquetes [ou (etnôn. bras.) *Ankêt], povo indígena extinto, da família linguística botocudo, que habitava o O. do ES, divisa com MG. • *Adj. 2 g.* **2.** Pertencente ou relativo a esse povo.

anquilosar *V. t. d. P.* V. *ancilosar*.

anquilose *S. f. Med.* V. *ancilose*.

anquilostomíase *S. f. Med.* V. *ancilostomíase*.

anquilóstomo *S. m. Zool.* V. *ancilóstomo*.

anquinhas [Dim. pl. de *anca*.] *S. f. pl.* Armação de arame com que se alteavam os quadris e estufavam as saias das mulheres; ancas postiças.

anrique [Var. de *ourinque* (q. v.).] *S. m. Ant. Marinh.* Arinque[1].

■ **Ans** Sigla de *Agência Nacional de Saúde Suplementar*.

ansa [Do lat. *ansa*, 'asa de vaso'.] *S. f.* **1.** *Ant. Poét.* V. *asa* (1). **2.** Enseada pequena e mais ou menos abrigada. **3.** *Fig.* Oportunidade, ensejo. [Cf. *hansa*.] ◆ **Ansas de Saturno.** *Astr.* Extremidades internas dos anéis de Saturno, as quais são observadas como saliências no globo desse planeta.

➔ **anschluss** ['anʃlus] [Al.] *S. f.* **1.** Anexação. **2.** *Restr.* A anexação da Áustria à Alemanha, efetuada em março de 1938 por um golpe dos nazistas e que a vitória dos Aliados na Segunda Guerra Mundial anulou. [Com cap.]

anseio [Dev. de *ansiar*.] *S. m.* **1.** Ato de padecer ânsias. **2.** Desejo ardente; anelo, ânsia: "Com sua luta, seu cansado anseio, / Seu louco amor, dissolva-se [o coração] no seio / Desse infecundo, desse amargo mar!" (Antero de Quental, *Sonetos*, p. 143.)

anselmiano *Adj. Filos.* **1.** Pertencente, relativo a, ou próprio de Santo Anselmo (1033-1109), arcebispo de Cantuária, teólogo e filósofo agostinista italiano, famoso pela fórmula *Credo ut intelligam* e pela prova da existência de Deus mediante a análise conceitual da divindade, conhecida como *argumento anselmiano* ou *argumento ontológico*. **2.** Que é adepto das concepções de Santo Anselmo ou profundo conhecedor de sua obra. ~ V. *argumento —*. • *S. m.* **3.** Seguidor de suas concepções ou profundo conhecedor de sua obra.

anseriforme[1] [Do lat. *anser, eris*, 'pato', + *-iforme*.] *Adj. 2 g.* Que tem forma de pato ou de ganso.

anseriforme[2] [Do tax. *Anser* (do lat. *anser*, 'pato') + *-iforme*; tax. *Anseriformes*.] *Zool. S. m.* **1.** Espécime dos anseriformes, ordem de aves neórnites, neógnatas, com uma série de lâminas córneas transversais, paralelas, na borda do bico, e de pernas curtas, pés palmados ou dedos livres, e com duplo esporão nas asas. São os patos, marrecos, cisnes, gansos e anhumas. • *Adj. 2 g.* **2.** Pertencente ou relativo a eles.

anserino [Do lat. *anserinu*.] *Adj.* Semelhante ou relativo ao pato ou ao ganso. ~ V. *marcha —a, pele —a* e *voz —a*.

ânsia [Do lat. tard. *anxia*.] *S. f.* **1.** Aflição, angústia: *A ausência prolongada do amigo causava-lhe ânsia*. **2.** V. *anseio* (2): "Que ânsia de amar!" (Alberto de Oliveira, *Poesias*, 2ª série, p. 273). **3.** Perturbação de espírito causada pela incerteza, ou pelo receio: *Esperava o filho em ânsia. Viria? Não viria?* [Sin. de 1 a 3: *ansiedade*.] **4.** Estertor, vasca: *Estava na ânsia da morte*. ~ V. *ânsias*.

ansiadamente [Do f. de *ansiado* + *-mente*.] *Adv.* De maneira ansiada; com ânsia: "disse-lhe ansiadamente que a menina o esperava na sala." (Camilo Castelo Branco, *Noites de Lamego*, p. 100.)

ansiado [Part. de *ansiar*.] *Adj.* **1.** Que padece ânsias. **2.** Desejado ardentemente; almejado: *A ansiada viagem por fim saíra!*

ansiar [Do lat. tard. *anxiare*.] *V. t. d.* **1.** Causar ânsia ou ansiedade a; oprimir, angustiar. **2.** Desejar ardentemente ou com ânsia; anelar, almejar: "o sem-ventura / Nada aceitava, ansiando só fugir-me." (Antônio Feliciano de Castilho, *A Primavera*, p. 222); "Sonha, deseja e anseia a luz do Oriente..." (Cruz e Sousa, *Últimos Sonetos*, p. 164). *T. i.* **3.** Desejar com veemência; anelar, almejar: "Ansiava por lhe vergastar o carão duro, inexpressivo." (Mário Braga, *Serranos*, p. 71); "Apesar de líquida, ...; você anseia pelas coisas firmes" (Nélida Piñon, *O Calor das Coisas*, pp. 165-166); "Decerto os parentes paulistas [de Álvares de Azevedo] ansiavam para admirar aquela maravilha humana, o garoto fabuloso de quem os pais, necessariamente, deviam gabar-se nas cartas familiares." (R. Magalhães Júnior, *Poesia e Vida de Álvares de Azevedo*, p. 19.) *Int.* **4.** Ter, padecer ânsias; ansiar-se. **5.** Respirar com dificuldade e ruidosamente; ofegar: "Ai! Canta a cavatina do delírio, / Ri, soluça, suspira, anseia e chora..." (Castro Alves, *Poesias Escolhidas*, p. 69.) *P.* **6.** Padecer ânsias; ansiar. **7.** Angustiar-se, agoniar-se. [Irreg. Conjug.: v. *odiar.*]

ânsias [Pl. de *ânsia.*] *S. f. pl.* Náuseas. ~ V. *ânsia.*

ansiedade [Do lat. *anxietate.*] *S. f.* **1.** Ânsia (1 a 3): "Partir! Partir também! Que ansiedade esquisita / De desaparecer pela água infinita!" (Ribeiro Couto, *Poesias Reunidas*, p. 24.) **2.** *Psiq. Med.* Sensação de receio e de apreensão, sem causa evidente, e a que se agregam fenômenos somáticos como taquicardia, sudorese, etc.

ansiforme [Do lat. *ansa*, 'asa de vaso', + *-iforme.*] *Adj. 2 g.* V. *aliforme.* [Cf. *ensiforme.*]

▲ **ansio-** [De *ansi(edade)* + *-o-*[2].] *El. comp.* = 'ansiedade': *ansiogênico, ansiógeno.*

ansiogênico [De *ansio-* + *-gênico.*] *Adj.* Que provoca ansiedade; ansiógeno.

ansiógeno [De *ansio-* + *-geno.*] *Adj.* Ansiogênico.

ansiolítico [De *ansi(edade)* + *-o-* + gr. *lytikós*, 'capaz de dissolver, de liberar'; ingl. *anxiolytic.*] *Adj. S. m. Med.* V. *tranquilizante* (2 e 3).

ansioso (ô) [Do lat. tard. *anxiosu.*] *Adj.* **1.** Que tem ânsia ou anseio: *Anda ansioso por uma viagem à Europa;* "o Coronel Chico estava ansioso para saber das notícias." (José Sarney, *Norte das Águas*, p. 173). ● *S. m.* **2.** Aquele que sofre de ansiedade (2).

anspeçada [Do it. *lancia spezzata*, 'lança despedaçada', pelo fr. *anspessade.*] *S. m.* **1.** V. *hierarquia militar.* **2.** Militar que detinha a posição hierárquica de anspeçada.

anta[1] [Do lat. *anta.*] *S. f.* **1.** Monumento megalítico formado por grande pedra horizontal que fica sobre outras, menores e verticais. [Cf. *dólmen.*] **2.** Pilastra angular de um edifício.

anta[2] [Do ár. *al-lam* + < ár.-hisp. e magrebino *lam* +.] *S. f.* **1.** *Bras. Zool.* Mamífero tapirídeo (*Tapirus terrestris*), distribuído desde a Colômbia até o N. da Argentina. Atinge até 2m de comprimento por 1m de altura, tem quatro dedos na mão e três no pé, e pesa até 180kg. Pêlo uniforme, pardacento. A cauda é muito curta, o nariz prolongado em tromba. Vive nas matas, nas proximidades de rios ou lagoas, alimentando-se de frutas e folhas. [Sin.: *anta-gameleira, anta-sapateira, antaxuré, batuvira, pororoca, tapiíra, tapir, tapira, tapiretê.*] **2.** A pele da anta. ● *S. 2 g.* **3.** *Bras. Fam.* Pessoa pouco inteligente; tolo, tapado.

antacurê [Do tupi.] *S. f. Bras. Zool.* Acuré.

antado [Part. de *antar.*] *Adj. Bras.* Preparado com pele de anta.

anta-gameleira *S. f. Bras. Zool.* V. *anta*[2](1). [Pl.: *antas-gameleiras.*]

antagônico *Adj.* V. *antagônico.* [Uso freq. em P.]

antagônico [De *antagon-*, como em *antagonista*, + *-ico*[2].] *Adj.* Oposto, contrário: *Nunca se entenderão: têm opiniões antagônicas.*

antagonismo [De *antagonista* + *-ismo.*] *S. m.* **1.** Oposição de ideias ou de sistemas. **2.** Rivalidade, incompatibilidade: "A brusca solução de continuidade entre o século XVI e a Idade Média .... revela-se nitidamente na dualidade artística, no antagonismo das duas escolas da poesia, da pintura, da arquitetura e da ourivesaria." (Teófilo Braga, *História da Literatura Portuguesa*, II, *Renascença*, p. 6.)

antagonista [Do gr. *antagonistés*, pelo lat. *antagonista.*] *Adj. 2 g.* **1.** Que atua em sentido oposto; opositor, adversário. **2.** *Anat.* Diz-se de músculo que exerce ação oposta à de outro, denominado agonista (q. v.), estando ambos na mesma região anatômica. **3.** *Anat.* Diz-se dos dentes do arco dentário superior em relação aos do arco mandibular. **4.** *Farmac.* Diz-se de substância cuja ação invalida a de outra. ● *S. 2 g.* **5.** Pessoa que é contra alguém ou algo; adversário, opositor. ● *S. m.* **6.** *Anat.* Músculo antagonista (2).

antagonístico [De *antagonista* + *-ico*[2].] *Adj.* Relativo a, ou em que há antagonismo.

antagonizar [De *antagônico* + *-izar*, seg. o padrão grego.] *V. t. d.* **1.** Fazer oposição a. *P.* **2.** Mostrar-se contrário, hostil, antagônico: "Comovi-me, mas por hipótese alguma cairia na asneira de antagonizar-me assim, tão nitidamente, com a situação vitoriosa." (Gilberto Amado, *Depois da Política*, p. 144.)

anta-gordense *Adj. 2 g.* **1.** De, ou pertencente ou relativo a Anta Gorda (RS). ● *S. 2 g.* **2.** O natural ou habitante de Anta Gorda. [Pl.: *anta-gordenses.*]

antalgesia [De *ant(i)-* + *-alges(i)-* + *-ia*[1].] *S. f. Med.* Combate à dor.

antalgésico [De *antalgesia* + *-ico*[2].] *Adj. Med.* **1.** Antálgico (1). **2.** V. *anódino* (1).

antalgia [De *ant(i)-* + *-alg(o)-*[2] + *-ia*[1].] *S. f.* Estado de combate à dor.

antálgico [De *ant(i)-* + *-alg(o)-*[2] + *-ico*[2].] *Adj. Med.* **1.** Que combate a dor; antalgésico. **2.** V. *anódino* (1).

antanáclase [Do gr. *antanáklasis*, pelo lat. *antanaclase.*] *S. f. E. Ling.* Figura que consiste em usar palavras quase semelhantes no som, mas diferentes ou opostas no sentido.

antanagoge [De *ant(i)-* + gr. *anagogé*, 'ação de puxar para cima'.] *S. f. E. Ling.* Figura pela qual se voltam contra o acusador os argumentos que lhe serviram à acusação.

antanho [Do esp. *antaño* < lat. *ante annum*, 'um ano antes'.] *Adv.* **1.** No ano passado. **2.** Nos tempos idos; antigamente, outrora: "Os formatos [dos livros modernos], que variam ordinariamente de acordo com os submúltiplos dos tipos AA e BB, adotados como padrões pelos nossos fabricantes de papel, são quase os mesmos de antanho." (Eduardo Frieiro, *Os Livros Nossos Amigos*, p. 86.)

antão *Adv. Ant. Pop.* Então: "já voltava para o Zeca Estevo, num passo ondulado e mole, quando este quis saber o nome da doença: "— Antão, meu patrão velho, o que é que eu tenho?" (Valdomiro Silveira, *Os Caboclos*, p. 71.)

■ **Antaq** Sigla de *Agência Nacional de Transportes Aquaviários.*

antar [De *anta*[2] + *-ar*[2].] *V. t. d. Bras.* Preparar com pele de anta.

antarafacial [Do gr. *Antar(es)*, lit. 'face a face com Ares (v. *ares*[2])' + *-a-* + *face* + *-ial*; ingl. *antara-facial.*] *Adj. 2 g. Quím.* Em reações pericíclicas, que se realiza pelas faces opostas de uma molécula (ou grupo desta).

antarquismo [De *ant(i)-* + *-arqu(e)-* + *-ismo.*] *S. m.* Oposição sistemática a todos os governos. [Cf. *anarquismo.*]

antarquista [De *antarquismo* + *-ista.*] *Adj. 2 g.* **1.** Relativo ao antarquismo, ou que é partidário do antarquismo. ● *S. 2 g.* **2.** Partidário dele. [Cf. *anarquista.*]

antártico [Do gr. *antarktikós*, pelo lat. *antarticu.*] *Adj.* **1.** Oposto ao polo ártico. **2.** Do polo sul. ~ V. *polo — e zona glacial —a.* ● *S. m.* **3.** *Fitogeogr.* Reino florístico que ocorre no extremo S. da América do Sul e nas ilhas aí situadas. [A região, extremamente fria, é de vegetação escassa se comparada com a da zona quente tropical; existem, aí, florestas de notófagos e de coníferas.]

anta-sapateira *S. f. Bras. Zool.* V. *anta*[2] (1). [Pl.: *antas-sapateiras.*]

antaxuré *S. f. Bras. Zool.* V. *anta*[2](1).

ante [Do lat. *ante.*] *Prep.* **1.** Diante de; em presença de; perante: "estava ainda ao piano, ante um folheto de música aberto." (Machado de Assis, *Memorial de Aires*, p. 122); "A escuridão se extingue ante a alvorada" (Francisco Mangabeira, *Poesias*, p. 255). **2.** Em consequência de; por efeito de; diante de: "— Ah, isso é que tenho de ir por força! | Ante a inabalável firmeza desta declaração, voltou a sacudir-me uma onda de cólera." (Abel Botelho, *O Livro de Alda*, p. 119.) ● *Adv.* **3.** *Ant.* Antes: "Em janeiro mete obreiro; mês meante, que não ante" (prov. lus.).

▲ **ant(e)-** [Do lat. *ante.*] *Pref.* = 'anterioridade': *anteato, antolhos.* [É seguido de hífen quando anteposto a palavra iniciada por *e* ou *h*: *ante-estreia; ante-histórico* (em tais casos, apenas o 2.º el. é flexionado na formação de plural); é grafado com *r* ou *s* duplicados quando anteposto a palavra iniciada por *r* ou *s*: *anterrepublicano, antessala.*]

anteâmbulo *S. m.* V. *prefácio* (1).

anteambulone [Do lat. *anteambulone.*] *S. m.* Escravo romano que ia à frente da liteira do senhor ou da senhora para abrir caminho entre a multidão.

ante a ré *El. s. f.* Us. na loc. prep. *ante à ré de.* ◆ **Ante à ré de.** *Mar.* Mais para ré do que (um objeto, uma peça de bordo tomada como referência): *F. está ante à ré do mastro do traquete.*

anteato [De *ant(e)-* + *ato.*] *S. m. Teatr.* Representação teatral curta, antecedente à peça principal.

anteaurora [De *ant(e)-* + *aurora.*] *S. f.* Alva[1] (1).

anteavante *El. s. f.* Us. na loc. prep. *anteavante de.* ◆ **Anteavante de.** *Mar.* Mais para vante do que (um objeto, uma peça de bordo tomada como referência): *F. está anteavante do mastro do traquete.*

anteboca (ô) [De *ant(e)-* + *boca*[1] (ô).] *S. f.* A parte anterior da boca.

antebraço [De *ant(e)-* + *braço.*] *S. m.* A parte do membro superior do homem entre o cotovelo e o punho.

antebraquial [Do lat. cient. *antebrachium* + *-al*[1].] *Adj. 2 g.* Pertencente ou relativo ao antebraço.

antecâmara [De *ant(e)-* + *câmara.*] *S. f.* **1.** Aposento anterior à câmara. **2.** Antessala (2).

antecanto [De *ant(e)-* + *canto*[2].] *S. m. Arte Poét.* Estribilho que se repete no começo de cada estrofe.

antecarga [De *ant(e)-* + *carga.*] *Adj. 2 g. S. f. Bras. Mil.* Diz-se de, ou arma de fogo de carregar pela boca.

antecedência [Do lat. *antecedentia.*] *S. f.* **1.** Ato ou efeito de anteceder(-se). **2.** Precedência, anterioridade. ◆ **Com antecedência.** Antes do tempo estabelecido; adiantadamente: *É bom chegar à estação com antecedência.*

antecedente [Do lat. *antecedente.*] *Adj. 2 g.* **1.** Que antecede; precedente. **2.** Antepassado (1). ~ V. *rio —.* ● *S. m.* **3.** *Filos.* Aquilo que, no tempo, precede de modo imediato. **4.** *E. Ling.* Unidade linguística que funciona como referente de outra, presente no enunciado depois dela. [Em *O homem que eu vi, homem* é o antecedente do relativo *que.*] [Cf., nesta acepç., *consequente* (5).] **5.** *Lóg.* Em relação de implicação (q. v.), os termos ou proposições que implicam. Ex.: no silogismo categórico, as premissas; na proposição hipotética, a proposição que é condição. [Cf., nesta acepç., *consequente* (6).] **6.** *Mat.* Numerador de uma razão. **7.** *Mat.* Numa sequência ordenada, termo que precede imediatamente um outro. **8.** *Mús.* V. *imitação* (2). **9.** *Mús.* Em um período musical, trecho que precede o consequente. ~ V. *antecedentes.*

antecedentes [Pl. de *antecedente.*] *S. m. pl.* Os fatos anteriores, que deixam prever os que hão de seguir-se: *ter bons antecedentes.* ~ V. *antecedente.*

anteceder [Do lat. *antecedere.*] *V. t. d.* **1.** Vir, estar ou ficar antes; preceder: *A revolta de Filipe dos Santos (1720) antecedeu a Conjuração Mineira (1789).* **2.** Realizar antes do tempo: *Tendo em vista o feriado, antecedeu o pagamento dos empregados.* **3.** Chegar antes de; preceder: *Um aviso antecedeu a sua vinda.* **4.** Prever, prenunciar, prognosticar: *A futurologia antecede os diferentes futuríveis. T. i.* **5.** Ser anterior; preceder: *Antecederam à doença numerosos sintomas. P.* **6.** Ser anterior; preceder, antecipar-se: *Em várias invenções os chineses antecederam-se a outros povos; Antecedeu-se a todos na solução do problema.*

antecena [De *ant(e)-* + *cena.*] *S. f. Teatr.* Proscênio.

antecessor (ô) [Do lat. *antecessore.*] *S. m.* Aquele que antecede; predecessor. ~ V. *antecessores.*

antecessores (ô) [Pl. de *antecessor.*] *S. m. pl.* V. *ancestrais.* ~ V. *antecessor.*

antécios *S. m. pl.* V. *antecos.*

antecipação [Do lat. *anticipatione.*] *S. f.* **1.** Ato ou efeito de antecipar(-se). **2.** Antecedência, anterioridade. **3.** *Jur.* Pagamento, total ou parcial, feito antes de vencida a obrigação. **4.** *Mús.* Manifestação prematura, temporariamente dissonante, de uma nota ou de um grupo de notas pertencente à harmonia do acorde seguinte àquele em que se encontram, e que o anunciam. **5.** *Mús. Concr.* Qualquer movimento que produz um som cujo efeito é registrado numa placa de disco ou sobre uma fita magnética. [Pode ser um registro de som direto, ou registros de sons obtidos com o auxílio de registros prévios.] ◆ **Antecipação bancária.** Operação de mútuo levada a efeito por banco mediante garantia real de mercadorias depositadas, ou de títulos que as representam (conhecimentos marítimos, conhecimentos e *warrants*), ou de títulos de crédito cotados em bolsa e de liquidação fácil.

antecipado [Part. de *antecipar.*] *Adj.* **1.** Que se realiza antes do tempo próprio: *pagamento antecipado.* **2.** Dito de antemão. **3.** Recebido ou pago antes do tempo: *quantia antecipada.*

antecipar [Do lat. *anticipare.*] *V. t. d.* **1.** Fazer, dizer, sentir, fruir, fazer ocorrer, antes do tempo marcado, previsto ou oportuno; precipitar: *Sabedor das manobras inimigas, o general antecipou o ataque.* **2.** Chegar antes de; anteceder: *Chegaram ontem, a tua carta os antecipou.* **3.** Prever, prenunciar: *Não antecipo problemas, afirmou o economista. T. d. e i.* **4.** Comunicar com antecipação: *Antecipou-lhe a decisão que pretendia tomar.* **5.** Tomar a dianteira: *Antecipou-o no intento caridoso. Int.* **6.** Ocorrer antes do tempo marcado, previsto ou oportuno; adiantar-se: *Teria esperado, se pudesse prever que o acontecimento acabaria por antecipar.* **7.** Dizer ou fazer alguma coisa antes do tempo oportuno; antecipar-se. *P.* **8.** Agir ou proceder com antecipação; adiantar-se: *Antecipou-se ao sócio na escolha do nome da firma.* **9.** Ir ou vir com antecipação; adiantar-se, antecipar. **10.** Tomar a dianteira; colocar-se antes.

antecipatório [De *antecipar* + *-tório.*] *Adj.* Relativo a antecipação.

antecipo [Dev. de *antecipar*, ou do esp. *anticipo.*] *S. m. Bras. S.* Adiantamento de dinheiro.

anteclássico [De *ant(e)-* + *clássico.*] *Adj.* Que precede o classicismo, ou os clássicos; pré-clássico. [Cf. *anticlássico.*]

antecontrato [De *ant(e)-* + *contrato.*] *S. m.* Contrato provisório ou convenção que antecede e assegura a celebração do contrato definitivo (promessa de compra e venda, promessa de locação, arras, etc.); pré-contrato.

antecor [De *ant(e)-* + lat. *cor*, 'coração'.] *S. m. Veter.* **1.** Tumor no peito do cavalo; loba, lobão. **2.** Carbúnculo mortífero do gado bovino. [Sin. ger.: *antecoração.*]

antecoração [De *ant(e)-* + *coração.*] *S. m.* V. *antecor.*

antecoro (ô) [De *ant(e)-* + *coro* (ô).] *S. m.* Recinto que antecede o coro, em igrejas e mosteiros. [Pl.: *antecoros* (ó).]

antecos [Do gr. *ántoikos*, pelo lat. tard. *antoecos*.] *S. m. pl.* Habitante de lugares que têm a mesma longitude, mas latitudes simétricas; antécios, antíscios. [Cf. *periecos* e *antípoda*.]

antedata [De *ant(e)-* + *data*.] *S. f.* Data anterior que se põe num escrito ou documento para fazer supor que foi feito nessa data. [Opõe-se a: *pós-data*.]

antedatado [Part. de *antedatar*.] *Adj.* Em que se pôs antedata; que se antedatou: *documento antedatado.* [Cf. *pré-datado*. Antôn.: *pós-datado*.]

antedatar [De *ant(e)-* + *datar*.] *V. t. d.* Pôr antedata em. [Cf. *pré-datar*. Antôn.: *pós-datar*.]

antediluviano [De *ant(e)-* + *dilúvio* + *-ano*[1].] *Adj.* **1.** Anterior ao dilúvio. [Antôn.: *pós-diluviano*.] **2.** *Fig.* Muito antigo ou velho: *Trajava um sobretudo antediluviano.*

antedizer [Do lat. *antedicere*.] *V. t. d.* Predizer; profetizar; prognosticar; vaticinar. [Irreg. Conjug.: v. *dizer*.]

anteduna [De *ant(e)-* + *duna*.] *S. f.* Barreira artificial que se estabelece a barlavento de uma duna para facilitar-lhe a fixação, pelo obstáculo que constitui à chegada de areia ao local.

anteface [De *ant(e)-* + *face*.] *S. f.* **1.** Véu com que se cobre o rosto: "começaram a fazer uma larga distribuição de prendas aos convidados: chapéus e barretinhas de papel, grinaldas de flores, disfarces burlescos, pequenas antefaces de seda..." (Gastão Cruls, *4 Romances*, pp. 380-381). **2.** Máscara. [Var.: *antifaz*.]

anteferir [Do lat. **anteferere*, por *anteferre*.] *V. t. d.* Preferir; antepor. [Irreg. Conjug.: v. *aderir*.]

antefirma [De *ant(e)-* + *firma*.] *S. f.* Palavras de cortesia que antecedem a assinatura ou firma de uma carta.

antefixa (cs) [Do lat. *antefixa*.] *S. f.* Cada uma das telhas que servem de anteparo às carreiras de telhas convexas que cobrem as junções das telhas ocas, nas cumeeiras ou nos beirais.

antefosso (ô) [De *ant(e)-* + *fosso* (ô).] *S. m.* Pequeno fosso aberto diante da esplanada. [Pl.: *antefossos* (ó).]

antegostar [De *ant(e)-* + *gostar*.] *V. t. d.* **1.** Gostar antecipadamente. **2.** V. *antegozar*. [Pres. ind.: *antegosto*, etc. Cf. *antegosto* (ô).]

antegosto (ô) [De *ant(e)-* + *gosto*.] *S. m.* **1.** Antegozo. **2.** Gosto que supomos ter de algo que ainda não experimentamos. [Pl.: *antegostos* (ô). Cf. *antegosto*, do v. *antegostar*.]

antegozar [De *ant(e)-* + *gozar*.] *V. t. d.* Gozar antecipadamente; prelibar, antegostar: "E, na angústia que a quebranta, / Somente espera e antegoza / A proteção milagrosa / Da Virgem Mãe de Jesus!" (Vicente de Carvalho, *Poemas e Canções*, p. 208.) [Pres. ind.: *antegozo*, etc. Cf. *antegozo* (ô).]

antegozo (ô) [De *ant(e)-* + *gozo*.] *S. m.* Ato de antegozar; gozo antecipado; antegosto. [Pl.: *antegozos* (ô). Cf. *antegozo*, do v. *antegozar*.]

anteguarda [De *ant(e)-* + *guarda*.] *S. f. P. us.* V. *vanguarda*.

ante-hipófise [De *ant(e)-* + *hipófise*.] *S. f. Anat.* V. *hipófise*.

ante-histórico *Adj.* V. *pré-histórico* (1 e 2). [Cf. *anti-histórico*.]

anteiro [De *anta*[2] + *-eiro*.] *S. m. Bras.* Cão amestrado para a caça de antas.

anteislâmico [De *ant(e)-* + *islâmico*.] *Adj.* Pré-islâmico. ❖

antejulgamento [De *antejulgar* + *-mento*.] *S. m.* Ato ou efeito de antejulgar.

antejulgar [De *ant(e)-* + *julgar*.] *V. t. d.* Julgar com antecipação: "E Raimundo antejulgava perfeitamente que aquele empenho de Manuel em negar-lhe a filha, longe de arredá-la do seu amor, mais e mais o empurrava para ela, ligando-a para sempre ao seu destino." (Aluísio Azevedo, *O Mulato*, p. 238.) [Conjug.: v. *largar*.]

antela *S. f. Bot.* Tipo de inflorescência em que os raminhos laterais são mais compridos que o eixo da inflorescência. É uma variedade de tirso, comum nas juncáceas.

antelação [Do b.-lat. *antelatione*.] *S. f. Jur.* V. *preferência* (5).

antelado [De *antela* + *-ado*[1].] *Adj.* Provido de antela.

antélice [De *ant(i)-* + *hélice*.] *S. f. Anat.* Eminência do pavilhão da orelha.

antélio [Do gr. *anthélios*.] *S. m.* Claridade refletida pelo Sol no lado oposto a ele. [Cf. *anti-hélio*.]

➔**ante litem** ['ante 'litẽ(m)] [Lat., 'antes do litígio'.] *Jur.* Diz-se da medida de caráter preliminar ou preparatório, ajuizada antes da demanda principal.

antelmíntico [De *ant(i)-* + *-(h)elmint(o)-* + *-ico*[2].] *Adj. S. m.* V. *anti-helmíntico*.

antelóquio [Do lat. *anteloquiu*.] *S. m.* V. *prefácio* (1).

antelucano [Do lat. *antelucanu*.] *Adj.* Feito antes da luz do dia.

antemanhã [De *ant(e)-* + *manhã*.] *Adv.* **1.** Pouco antes de amanhecer: "No dia aprazado, antemanhã, a Gaivota largou de rumo ao farol." (Monteiro Lobato, *Urupês, Outros Contos e Coisas*, p. 8.) ● *S. f.* **2.** O alvorecer: "as vozes dos galos esperavam nas gargantas ardentes o momento do desabrochar das roxas luzes da antemanhã." (Augusto Frederico Schmidt, *O Galo Branco*, p. 342).

antemão [De *ant(e)-* + *mão*.] *Adv. P. us.* Com antecipação; previamente, antecipadamente; de antemão: "Ideou as batatas em suas várias formas, classificou-as pelo sabor, pelo aspecto, pelo poder nutritivo, fartou-se antemão do banquete da vida." (Machado de Assis, *Quincas Borba*, p. 31.) ◆ **De antemão.** V. *antemão*: "o guarda-livros poucas vezes arriscava a sua anedota e só se determinava a isso tendo de antemão escolhido um assunto discreto e conveniente." (Aluísio Azevedo, *Casa de Pensão*, pp. 4-5).

antemeridiano [Do lat. *antemeridianu*.] *Adj.* Anterior ao meio-dia. [Antôn.: *pós-meridiano*.]

➔**ante meridiem** ['ante me'ridjẽm] [Lat.] Antes do meio-dia. [Abrev.: *a.m.*]

antemesa (ê) [De *ant(e)-* + *mesa*.] *S. f.* Pano consagrado sobre o qual dizem missa, na falta de altar, os sacerdotes do rito grego.

▲**-ântemo** [Do gr. *ánthemon, ou*.] *El. comp.* = 'flor': *argirântemo*.

antemultiplicação [De *ant(e)-* + *multiplicação*.] *S. f. Mat.* Multiplicação à esquerda.

antemultiplicar [De *ant(e)-* + *multiplicar*.] *V. t. d. Mat.* Efetuar antemultiplicação de (um elemento por outro).

antemurado [Part. de *antemurar*.] *Adj.* Fortificado com antemuros.

antemural [Do lat. tard. *antemurale*.] *Adj. 2 g.* **1.** Relativo a antemuro. ● *S. m.* **2.** V. *antemuro*.

antemuralha [De *ant(e)-* + *muralha*.] *S. f.* V. *antemuro*.

antemurar [De *antemuro* + *-ar*[2].] *V. t. d.* **1.** Fortificar com antemuros. **2.** *P. ext.* Defender; proteger.

antemuro [De *ant(e)-* + *muro*.] *S. m.* **1.** Conjunto de obras exteriores de defesa das muralhas; obra avançada de fortificação. **2.** Barbacã (1). [Sin. ger.: *antemural, antemuralha*.]

antena [Do lat. *antemna* > lat. med. *antenna*.] *S. f.* **1.** *Eng. Eletrôn.* Parte de um transmissor cujo potencial varia rapidamente, irradiando para o espaço ondas eletromagnéticas. **2.** *Eng. Eletrôn.* Parte de um receptor de rádio ou de ondas eletromagnéticas que capta a energia eletromagnética, introduzindo-a no aparelho sob forma de impulsos elétricos. **3.** *Constr. Nav.* Pau de grandes dimensões, próprio para a fabricação de mastro, verga, etc. **4.** *Marinh.* Designação genérica de verga e mastaréu sobressalente. **5.** *Marinh.* Verga duma vela bastarda. **6.** *Bot.* Cada um dos delicados prolongamentos do ginostêmio das orquídeas, sensíveis a um estímulo mecânico, que leva as anteras a reagirem, lançando as polínias. **7.** *Zool.* Apêndice cefálico sensorial dos artrópodes, em número de quatro nos crustáceos e de dois nas demais classes, e ausente nos aracnídeos, tardígrados e pentastomídeos. **8.** *P. ext.* Estrutura metálica, fio ou conjunto de fios com as mesmas funções indicadas nas acepç. 1 e 2. ◆ **Antena direcional.** *Astr.* Antena usada em radioastronomia, capaz de ser orientada para uma região determinada da esfera celeste. **Antena parabólica.** *Telec.* Antena, us. na comunicação por satélite, cuja forma permite que os sinais que a atingem se concentrem sobre um único ponto (o foco). [Tb. se diz apenas *parabólica*.] **Antena unidirecional.** *Telecom.* Antena (2) que tem o máximo de ganho numa direção bem definida. **De antena(s) ligada(s).** *Bras.* Atento ao que se passa, ao que ouve, ao que vê. **Ter antenas.** *Bras.* Perceber, com muita acuidade, o que se passa em volta.

antenado[1] [De *antena* + *-ado*[1].] *Adj.* **1.** Que tem antenas. **2.** *Bras. Fig. Gír.* Que se mantém ou procura se manter bem informado a respeito do que se passa, do que é atual; ligado, conectado.

antenado[2] [Adapt. do tax. *Antennata*.] *S. m. Adj. Zool.* V. *mandibulado*.

antenal [De *antena* + *-al*[1].] *Adj. 2 g. Zool.* Relativo a antena (7); antenífero.

antenar [De *antena* + *-ar*[2].] *V. t. d. P. Pop.* Tornar(-se) bem informado sobre tudo o que acontece ao seu redor e no mundo.

antenariídeo [Do tax. *Antennarius* (lat. *antenna* + lat. cient. *-arius*) + *-ídeo*[1]; tax. *Antennariidae*.] *Zool. S. m.* **1.** Espécime dos antenariídeos, família de peixes lofiiformes, dos mares tropicais e subtropicais. ● *Adj.* **2.** Pertencente ou relativo a eles.

antenário [De *antena* + *-ário*.] *Adj. Zool.* Diz-se de escama que recobre a antena (7).

antenar-se [De *antena* + *-ar*[2] + *se*[1].] *V. p. Bras. Pop.* Ficar atento, de antena(s) ligada(s) (q. v.): "pensar que os cariocas não tenham se antenado com as viagens sonoras desse cidadão [Itamar Assumpção] tipicamente paulista, isso é imperdoável." (Alfredo Ribeiro, em *Jornal do Brasil*, 15.11.1986).

antenatal [De *ant(e)-* + *natal*.] *Adj. 2 g.* Pré-natal (1 e 2).

▲ **anten(i)-** [Do lat. med. *antenna* < lat. *antemna, ae*.] *El. comp.* = 'antena': *antenífero, antênula*.

antenífero [De *anten(i)-* + *-fero*.] *Adj. Zool.* Antenal.

anteniforme [De *anten(i)-* + *-forme*.] *Adj. 2 g.* Que tem forma de antena.

antenista [De *antena* + *-ista*.] *S. 2 g.* Pessoa que instala e/ou conserta antenas [v. *antena* (1, 2 e 8)].

antenome [De *ant(e)-* + *nome*.] *S. m.* **1.** Título que antecede o nome. **2.** V. *prenome*.

antense[1] *Adj. 2 g.* **1.** De, ou pertencente ou relativo a Antas (BA). ● *S. 2 g.* **2.** O natural ou habitante de Antas.

antense[2] *Adj. 2 g.* **1.** De, ou pertencente a Pedra do Anta (MG). ● *S. 2 g.* **2.** O natural ou habitante de Pedra do Anta.

anténula *S. f. Zool.* V. *antênula*. [Uso freq. em P.]

antênula [De *anten(i)-* + *-ula*.] *S. f. Zool.* O segundo par de antenas dos artrópodes crustáceos.

antenupcial [Do lat. *antenuptiale*.] *Adj. 2 g.* Pré-nupcial. [Cf. *antinupcial*.]

anteocupação [Do lat. *anteoccupatione*.] *S. f.* **1.** Ato ou efeito de anteocupar. **2.** *E. Ling.* Figura pela qual se preveem e destroem as objeções do antagonista.

anteocupar [Do lat. *anteoccupare*.] *V. t. d. P. P. us.* Preocupar(-se).

anteolhos [De *ant(e)-* + o pl. de *olho* (ô).] *S. m. pl.* V. *antolhos*.

anteontem [De *ant(e)-* + *ontem*.] *Adv.* No dia anterior ao de ontem; antes de ontem: "Passando anteontem na Rua do Ouvidor, olhei dentro da chapelaria do Jacinto Lopes" (Artur Azevedo, *Contos Efêmeros*, p. 65).

antepagar [De *ant(e)-* + *pagar*.] *V. t. d.* Pagar antecipadamente. [Conjug.: v. *pagar*.]

antepaís *S. m. Geol.* Maciço rígido que, relativamente ao impulso orogênico, se situa aquém da zona de enrugamento. [Pl.: *antepaíses*.]

antepaixão [Do lat. tard. *antepassione*.] *S. f. Ant.* **1.** Preconceito. **2.** Paixão que precede a reflexão.

antepara [Dev. de *anteparar*.] *S. f. Constr. Nav.* Tabique, de qualquer material rígido, que separa cada compartimento do seu vizinho, a bordo de uma embarcação: "A guarnição arranjava o navio para a atracação, ... ajeitava defensas, limpava anteparas." (Moacir C. Lopes, *Maria de Cada Porto*, p. 282.) [Cf. *anteparo*.] ◆ **Antepara de colisão.** *Constr. Nav.* Antepara estanque que delimita o compartimento de colisão. **Antepara estanque.** *Constr. Nav.* Antepara reforçada e impermeável à água, que, nos navios de aço, constitui meio eficiente para limitar o alagamento interior do casco, se este abrir água.

anteparar [Do lat. *anteparare*.] *V. t. d.* **1.** Pôr anteparo em; cobrir. **2.** Impedir; prevenir, atalhar. **3.** Resguardar, proteger: *A prefeitura anteparou as curvas da estrada, com uma amurada.* ***T. d. e i.*** **4.** Resguardar, defender, proteger: *Antepare-o das tentações.* ***Int.*** **5.** *Ant.* Deter um pouco; entreparar; sobrestar. ***P.*** **6.** Resguardar-se, defender-se. **7.** Sustar-se, sobrestar.

anteparo [Dev. de *anteparar*.] *S. m.* **1.** Ato de anteparar. **2.** Designação genérica das peças (tabiques, biombos, guarda-ventos, etc.) que servem para resguardar ou proteger alguém ou alguma coisa. **3.** Resguardo, proteção, defesa. [Cf. *antepara*.]

anteparto [De *ant(e)-* + *parto*[1].] *S. m.* O conjunto dos sintomas precedentes ao parto, no tocante à mãe.

antepassado [Part. de *antepassar*.] *Adj.* **1.** Que passou ou aconteceu antes; antecedente. **2.** Que viveu antes: *famílias antepassadas; parentes antepassados.* ● *S. m.* **3.** Ascendente (4), especialmente o que é anterior aos avós: *Ele tem um antepassado índio.* **4.** Tipo de animal do qual outros se originam. **5.** Antecessor, predecessor: *Os antigos instrumentos de teclado são antepassados do piano.* ~ V. *antepassados*.

antepassados [Pl. de *antepassado*.] *S. m. pl.* V. *ancestrais*. ~ V. *antepassado*.

antepassar [De *ant(e)-* + *passar*.] *V. t. d.* Acontecer ou passar(-se) antes de; anteceder, preceder.

antepasto [De *ant(e)-* + *pasto* (3).] *S. m.* Iguaria que se serve antes do primeiro prato e que se destina a abrir o apetite; aperitivo, acepipe.

antepeitoral [De *ant(e)-* + *peitoral*.] *Adj. 2 g. Anat.* Situado na parte anterior do peito.

antepenúltimo [Do lat. tard. *antepaenultimu*.] *Adj.* Que precede imediatamente o penúltimo.

antepétalo [De *ant(e)-* + *-pétalo*.] *Adj. Bot.* ~ V. *estame* —.

anteplatónico *Adj.* V. *anteplatônico*. [Uso freq. em P.]

anteplatônico [De *ant(e)-* + *platônico*.] *Adj.* **1.** Anterior a Platão (v. *platonismo*). **2.** *Hist. Filos. Restr.* Pertencente ou relativo a pensador ou a escola filosófica que tenham florescido na Grécia entre o séc. VII a.C. e o advento da filosofia de Platão.

antepor [Do lat. *anteponere.*] ***V. t. d. e i.*** **1.** Pôr antes: *antepor uma palavra a outra.* **2.** Querer antes; preferir: *Antepor a honestidade a qualquer dos bens materiais.* **3.** Contrapor, opor: *À ira do marido antepunha a sua mansidão.* ***P.*** **4.** Pôr-se ou colocar-se antes. [Conjug.: v. *pôr* (q. v.). Antôn.: *pospor.*]

anteporta [De *ant(e)-* + *porta.*] ***S. f.*** **1.** Porta anterior a outra. **2.** Cortina, reposteiro.

anteportaria [De *ant(e)-* + *portaria.*] ***S. f.*** Abrigo, por via de regra alpendrado, na frente da portaria.

anteporto (ô) [De *ant(e)-* + *porto* (ô).] ***S. m.*** Abrigo à entrada de alguns portos. [Pl.: *anteportos* (ó).]

anteposição [De *antepor* + *-ção,* por anal. com *posição,* seg. o padrão erudito.] ***S. f.*** **1.** Ato ou efeito de antepor(-se). [Antôn.: *posposição.*] **2.** Precedência, preferência. **3.** *Med.* Inclinação ou deslocamento de órgão ou estrutura para a frente; anteversão.

antepositivo [Do lat. *antepositus,* part. pass. de *anteponere* (v. *antepor*), + *-ivo.*] ***Adj.*** Que se antepõe. [Antôn.: *pospositivo* (1).]

antepraia [De *ant(e)-* + *praia.*] ***S. f.*** *Ocean.* A parte da praia entre a arrebentação e o terraço (7).

antepredicamentais ***S. f. pl.*** Questões preliminares.

anteprimeiro [De *ant(e)-* + *primeiro.*] ***Adj.*** **1.** Que antecede o primeiro. **2.** Preliminar, prévio.

anteprojeto [De *ant(e)-* + *projeto.*] ***S. m.*** **1.** Estudo preparatório, ou esboço, de projeto. **2.** Preliminares de um plano.

antera [Do gr. *antherá,* fem. de *antherós,* 'florido'.] ***S. f.*** *Bot.* Porção dilatada, sacular, que se acha no ápice do filete do estame e encerra os grãos de pólen. É formada por duas tecas, unidas pelo conectivo, cada uma delas composta de dois sacos polínicos. As anteras abrem-se por fendas ou por poros para dar saída aos grãos de pólen.

anteral [De *anter(o)-* + *-al*[1].] ***Adj. 2 g.*** *Bot.* Antérico.

antericácea [Do tax. *Anthericum* (do gr. *anthérikos,* ou, 'caule do asfódelo') + *-ácea;* tax. *Anthericaceae.*] ***S. f.*** *Bot.* Espécime das antericáceas, família da ordem das asparagales que reúne cerca de 500 espécies subarbustivas ou herbáceas, rizomatosas, com folhas dispostas em espiral, inflorescências simples ou paniculadas e frutos capsulares loculicidas; são ger. nativas de regiões tropicais, e cultivadas como ornamentais.

antericáceo [De *antericácea,* com var. suf. (v. *-áceo*).] ***Adj.*** *Bot.* Pertencente ou relativo às antericáceas.

antérico [De *anter(o)-* + *-ico*[2].] ***Adj.*** *Bot.* Relativo à antera; anteral.

anteridial [De *anterídio* + *-al*[1].] ***Adj. 2 g.*** *Bot.* **1.** Relativo ao anterídio; anterídico. **2.** Próprio do anterídio.

anterídico [De *anterídio* + *-ico*[2].] ***Adj.*** *Bot.* Anteridial (1).

anteridiforme [De *anteríd(io)* + *-iforme.*] ***Adj. 2 g.*** *Bot.* Semelhante ao anterídio: *esporângio anteridiforme.*

anterídio [De *anter(o)-* + *-ídio*[3].] ***S. m.*** *Bot.* Espécie de gametângio masculino comum aos criptógamos, de forma e estrutura muitíssimo variáveis.

anteridióforo [De *anterídio* + *-o-* + *-foro.*] ***S. m.*** *Bot.* Suporte ou pedículo que sustenta os anterídios.

anterífero [De *anter(o)-* + *-ífero.*] ***Adj.*** *Bot.* Que tem antera.

anteriforme [De *anter(o)-* +*-iforme.*] ***Adj. 2 g.*** Semelhante a antera.

anterior (ô) [Do lat. *anteriore.*] ***Adj. 2 g.*** **1.** Que vem ou fica antes. **2.** Situado na frente, ou que está na frente. **3.** *Anat.* Que está situado adiante ou na parte dianteira de uma formação (5), de um órgão ou de uma estrutura; ventral. ~ V. *câmara —, futuro —* e *vogal —.* [Antôn.: *posterior.*] • ***S. f.*** **4.** *E. Ling.* Consoante anterior (q. v.). **5.** *E. Ling.* Vogal anterior (q. v.). • ***S. m.*** **6.** *E. Ling.* Tempo[1] (9) que localiza uma ação como tendo ocorrido anteriormente a algum ponto de referência, o qual pode, ou não, ser anterior ao momento da elocução.

anterioridade [De *anterior* + *-(i)dade.*] ***S. f.*** Qualidade ou estado do que é anterior. ◆ **Anterioridade cronológica.** *Filos.* Qualidade de antecedente (3). **Anterioridade lógica.** *Lóg.* Qualidade do que é princípio, premissa ou condição.

anteriormente [De *anterior* + *-mente.*] ***Adv.*** Em momento ou tempo anterior.

▲ **anter(o)-** [Do gr. *anthērós, á, ón.*] ***El. comp.*** = 'relativo a flor'; 'antera': *anterofilia, anterozoide.* [Equiv.: *-anter(o)-, -antero*: *sinantéreo*; *sinantero.*]

▲ **antero-** [De *anterior,* por anal. com pares do tipo *superior* (< lat. *superior,* oris [do lat. *superus*])/ súpero (lat. *superus, a, um*).] ***El. comp.*** = '(em posição no tempo ou no espaço) anterior': *anterodorsal, anteroexterno.*

▲ **-anter(o)-** V. *anter(o)-.*

▲ **-antero** V. *anter(o)-.*

anterodorsal [De *antero-* + *dorsal.*] ***Adj. 2 g.*** Situado na parte anterior do dorso. ✻ nota 1

anteroexterno [De *antero-* + *externo.*] ***Adj.*** Situado na parte anterior e externa. ✻ nota 1

anterofilia (è) [De *anter(o)-* + *-fil(o)-*[1] + *-ia*[1].] ***S. f.*** *Bot.* Transformação das anteras em folhas.

anterofílico (è) [De *anterofilia* + *-ico*[2].] ***Adj.*** *Bot.* Relativo à anterofilia.

anteroinferior [De *antero-* + *inferior.*] ***Adj. 2 g.*** Situado na parte anterior e inferior. ✻ nota 1

anterointerno [De *antero-* + *interno.*] ***Adj.*** Situado na parte anterior e interna. ✻ nota 1

anterolateral [De *antero-* + *lateral.*] ***Adj. 2 g.*** Localizado na parte anterior e lateral. ✻ nota 1

anteroposterior (ô) [De *antero-* + *posterior.*] ***Adj. 2 g.*** Que vai ou que está de diante para trás. ✻ nota 1

anteropulsão [De *antero-* + *-pulsão.*] ***S. f.*** *Med.* Perturbação motora característica da doença de Parkinson, constituída por uma aceleração progressiva da marcha em passos curtos.

anterossuperior [De *antero-* + *superior.*] ***Adj. 2 g.*** Situado na parte anterior e superior. ✻ nota 1

anterozoide (è...ói) [De *anter(o)-* + *-zo(o)-* + *-oide.*] ***S. m.*** *Bot.* Gameta masculino produzido nos anterídios dos fungos, algas, briófitos, pteridófitos e algumas gimnospermas, que se move por meio de flagelos cujo número varia de espécie para espécie, podendo constituir uma característica. ❖

anterrepublicano [De *ant(e)-* + *republicano.*] ***Adj.*** Pré-republicano. ❖

anterrosto [De *ant(e)-* + *rosto* (5).] ***S. m.*** *Bibliogr.* V. *falsa folha de rosto.* ❖

antes [Da prep. *ante,* com *s* paragógico, por infl. de advérbios como *depois, mais* e *menos.*] ***Adv.*** **1.** Em tempo anterior: "Todo pecado foi antes um ato religioso." (Luís da Câmara Cascudo, *Pequeno Manual do Doente Aprendiz,* p. 19.) **2.** Dantes; antigamente: *Os tempos mudaram: antes, as crianças não tinham liberdade de abrir-se com os pais.* **3.** Em lugar anterior: *Desceu do trem não em São Paulo, mas antes.* **4.** De preferência; antes de tudo: *Considera, antes, as qualidades morais dos amigos;* "Ah! minha Nossa Senhora! antes eu tivesse morrido." (Coelho Neto, *Sertão,* p. 182). **5.** Pelo contrário, ao contrário: *Não é calmo como pensas: é, antes, uma pessoa nervosíssima.* **6.** Aproximadamente mais; talvez mais: "É antes alto que baixo, e não magro." (Machado de Assis, *Memorial de Aires,* p. 97.) ◆ **Antes assim.** Melhor assim. **Antes de. 1.** Anteriormente a. **2.** À frente de. **3.** Em lugar mais próximo a. **Em antes.** Dantes. **Em antes de.** Antes de. **Ou antes.** Ou melhor; (ou) mais precisamente: "Andrade apertou a mão das duas senhoras, ou antes apertou a mão de Antônia e os dedos de Margarida." (Id., *Contos Fluminenses,* p. 17.) ◆ **Quanto antes.** Sem demora, o mais depressa possível: "A moça pedia-lhe com alma; ele hesitou por um momento; mas que fazer? era melhor fugir dali quanto antes." (Id., *Contos Esparsos,* p. 43.)

antese [Do gr. *ánthesis.*] ***S. f.*** *Bot.* Abertura dos botões florais em flores; florescência.

antessala [De *ant(e)-* + *sala.*] ***S. f.*** **1.** Aposento que antecede uma sala. **2.** Sala de espera; antecâmara. ❖

antessentir [De *ant(e)-* + *sentir.*] ***V. t. d.*** Sentir com antecipação; pressentir: "A caveira antessinto / Que serei não sentindo" (Fernando Pessoa, *Odes de Ricardo Reis,* p. 96). [Conjug.: v. *aderir.*] ❖

antessépalo [De *ant(e)-* + *-sépalo.*] ***Adj.*** *Bot.* ~ V. *estame —.* ❖

antessocrático ***Adj. S. m.*** Pré-socrático. ❖

antestérias [Adapt. do gr. *anthestéria,* 'festa das flores'.] ***S. f. pl.*** Na antiga Atenas, festas em honra do deus Dioniso, celebradas no mês de antestérion, durante três dias consecutivos.

antestério ***S. m.*** *Cronol.* V. *antestérion.*

antestérion [Do gr. *anthesterión.*] ***S. m.*** *Cronol.* O oitavo mês do calendário grego, com 29 dias, que correspondia aproximadamente ao mês de fevereiro do calendário gregoriano. [Var.: *antestério.*]

antestreia ***S. f.*** V. *pré-estreia.* [Uso freq. em P.]

antetempo [De *ant(e)-* + *tempo.*] ***Adv.*** Antes do tempo próprio; prematuramente.

antético [De *ant(ese)* + *-ético.*] ***Adj.*** *Bot.* Que pode florescer: *planta antética.*

antetítulo [De *ant(e)-* + *título.*] ***S. m.*** *Edit. Jorn.* Expressão ou palavra que antecede o título principal e que serve para introduzi-lo (como, p. ex.: *Governo cede* [antetítulo]. *Salário mínimo aumenta em março* [título]).

antetónico ***Adj.*** *E. Ling. Desus.* V. *antetônico.* [Uso freq. em P.]

antetônico [De *ant(e)-* + *tônico.*] ***Adj.*** *E. Ling. Desus.* Pretônico.

antevelhice [De *ant(e)-* + *velhice.*] ***S. f.*** Velhice antecipada: "a pele do rosto é áspera, os dentes falhados e uma espécie de antevelhice precoce de expressão" (Ribeiro Couto, *Cabocla,* p. 39).

antever [Do lat. *antevidere.*] ***V. t. d.*** **1.** Ver antes; ver com antecedência: *Remava despreocupadamente, sem antever a cachoeira que se aproximava.* **2.** Ver antecipadamente; prever, prognosticar, pressagiar, prenunciar: "antevi, em sonhos grandiosos, o largo destino da pátria republicana, e, no solo paulista, tive orgulho de ser brasileiro." (Lúcio de Mendonça, *Horas do Bom Tempo,* p. 315); *Apesar dos claros indícios, ninguém anteviu a catástrofe.* ***Transobj.*** **3.** Antever (2): *Antevia-o solitário.* [Irreg. Conjug.: v. *ver.*]

anteversão [Do lat. tard. *anteversione.*] ***S. f.*** **1.** *Gin.* Posição oblíqua do útero. **2.** *Med.* Anteposição (3).

antevéspera [De *ant(e)-* + *véspera.*] ***S. f.*** Dia precedente à véspera.

antevidência [Do lat. *antevidentia.*] ***S. f.*** Previdência.

antevisão [De *ant(e)-* + *visão.*] ***S. f.*** Ato de antever; visão antecipada; previsão.

antevocálico [De *ant(e)-* + *vocálico.*] ***Adj.*** *E. Ling.* Que está antes de vogal.

➔**anthem** ['ænθəm] [Ingl.] ***S. m.*** *Mús.* V. *antífona* (2).

➔**anti** (ân) [V. C. I.] ***Adj. 2 g. e 2 n. S. m. 2 n.*** *Quím.* Diz-se de, ou um dos dois isômeros possíveis em certos compostos que apresentam ligação dupla entre dois átomos de nitrogênio, ou entre um de carbono e um de nitrogênio. [Corresponde ao isômero *E* de um alceno. Cf. *sin.*]

▲ **ant(i)-** [Do gr. *antí.*] ***Pref.*** **1.** Com os significados de: 'em frente', 'de encontro a', 'ação contrária', 'oposição', 'contrariedade', 'contra': *antiácido, anticlerical, antidemocrático, antífen.* [É seguido de hífen quando anteposto a palavra iniciada por *h* ou *i*: *anti-histórico, anti-inflamatório* (em tais casos, apenas o 2º el. é flexionado na formação do plural); é grafado com *r* ou *s* duplicados quando anteposto a palavra iniciada por *r* ou *s*: *antirrábico, antissocial.*] **2.** É us. diante de nome de partícula elementar para designar outra partícula com algumas propriedades físicas ou simétricas, ou distintas.

▲ **anti-** ***Pref.*** **1.** *Quím.* Indica 'um isômero anti': *anti-benzaldoxima.* [Neste caso, sempre us. com hífen posposto.] **2.** Significa 'do, ou pelo lado oposto, ou face oposta'.

antiabortivo [De *ant(i)-* + *abortivo.*] ***Adj. S. m.*** Que ou substância que tem por finalidade evitar aborto.

antiaborto [De *ant(i)-* + *aborto.*] ***Adj. 2 g. e 2 n.*** **1.** Que é contrário ao aborto provocado. **2.** Antiabortivo: *tratamento antiaborto.*

antiaborto (ô) [De *ant(i)-* + *aborto.*] ***Adj. 2 g. e 2 n.*** **1.** Que é contrário ao aborto provocado. **2.** Antiabortivo: *tratamento antiaborto.*

antiácido [De *ant(i)-* + *ácido.*] ***Adj.*** **1.** Que atua contra os ácidos, neutralizando-lhes a ação. *O insumo antiácido mais barato para o tratamento da acidez do solo é o calcário.* **2.** *Restr.* Que atua contra a acidez gástrica: *medicamento antiácido.* • ***S. m.*** **3.** Aquilo que combate a acidez: *Especialistas dizem que o calcário é o antiácido da lavoura.* **4.** *Restr.* Substância que combate a acidez gástrica.

antiacoplamento [De *ant(i)-* + *acoplamento.*] ***S. m.*** *Fís.* Acoplamento negativo entre dois circuitos, realizado de maneira que o segundo circuito reage aos sinais originados no primeiro, diminuindo-lhes a intensidade.

antiaderente [De *ant(i)-* + *aderente.*] ***Adj. 2 g. S. m.*** *Tec. Quím.* Diz-se de, ou substância que, aplicada a um objeto ou utensílio, impede a adesão deste a outros.

antiaéreo [De *ant(i)-* + *aéreo.*] ***Adj.*** **1.** Que se opõe aos ataques aéreos: *defesa antiaérea.* **2.** Que protege dos ataques aéreos: *abrigo antiaéreo.* ~ V. *abrigo —.*

antiafrodisíaco [De *ant(i)-* + *afrodisíaco.*] ***Adj. S. m.*** Anafrodisíaco (q. v.). [Opõe-se a *afrodisíaco.*]

antialcalino [De *ant(i)-* + *alcalino.*] ***Adj. S. m.*** Diz-se de, ou medicamento que combate a alcalinidade.

antialcoólico [De *ant(i)-* + *alcoólico.*] ***Adj. S. m.*** Que, ou substância que anula ou modifica a ação do álcool.

antialérgico [De *ant(i)-* + *alérgico.*] ***Adj. S. m.*** Diz-se de, ou medicamento que combate a alergia.

antiamarílico [De *ant(i)-* + *amarílico.*] ***Adj.*** *Bras.* Que combate a febre amarela.

antiamebiano [De *ant(i)-* + *amebiano.*] ***Adj.*** **1.** Que combate a amebíase. **2.** Diz-se de substância que destrói amebas ou impede seu crescimento. • ***S. m.*** **3.** Medicamento ou substância antiamebiana.

antiamericanismo [De *antiamericano* + *-ismo.*] ***S. m.*** Sentimento ou atitude própria de antiamericano.

antiamericano [De *ant(i)-* + *americano.*] ***Adj. S. m.*** Que, ou aquele que é contrário aos E.U.A. ou aos americanos, seus costumes e/ou sua política.

antianémico ***Adj. S. m.*** V. *antianêmico.* [Uso freq. em P.]

antianêmico [De *ant(i)-* + *anem(ia)* + *-ico*[2].] ***Adj. S. m.*** Diz-se de, ou substância que combate a anemia.

antianti ***S. f.*** *Bras. Amaz.* Designação comum às aves do gênero *Lanus.*

antiápex (cs) [De *ant(i)-* + *ápex.*] ***S. m. 2 n.*** *Astr.* Ponto da esfera celeste oposto ao ápex, e que fica na constelação da Pomba, a cerca de 30° ao S. do cinturão de Órion.

antiapopléctico [De *ant(i)-* + *apopléctico.*] *Adj. S. m.* Diz-se de, ou medicamento que combate a apoplexia. [Var.: *antiapoplético.*]

antiapoplético *Adj. S. m.* V. *antiapopléctico.*

antiáris [Do tax. *Antiaris* < javanês *antjar.*] *S. m. 2 n. Bot.* **1.** Gênero de árvores moráceas, de origem afro-asiática, cujo látex é us. pelos indígenas de Java para envenenar flechas, e cuja madeira é empregada no fabrico de compensado. **2.** Qualquer espécie desse gênero como, p. ex., a *Antiaris toxicaria*, grande árvore sempre-verde, que se acreditava ser de tal forma venenosa que destruía quaisquer seres ou coisas em sua vizinhança, e que é vulgarmente conhecida como *árvore-da-morte.* **3.** Qualquer espécime desse gênero.

antiaristocrata [De *ant(i)-* + *aristocrata.*] *Adj. 2 g. S. 2 g.* Que, ou quem é contrário à aristocracia.

antiaristocrático [De *antiaristocrata* + *-ico*[2].] *Adj.* Contrário à aristocracia.

antiarmamentista [De *ant(i)-* + *armamentista.*] *Adj. 2 g.* **1.** Contrário ao armamentismo ou que se opõe a ele: *política antiarmamentista.* ● *S. 2 g.* **2.** Indivíduo antiarmamentista (1).

antiaromaticidade [De *antiaromático* + *-(i)dade.*] *S. f. Quím.* Propriedade de certas substâncias, como, p. ex., o ciclo-butadieno, que são muito mais instáveis que seus análogos acíclicos.

antiaromático [De *ant(i)-* + *aromático.*] *Adj. Quím.* Que tem antiaromaticidade.

antiarrítmico [De *ant(i)-* + *arritmia* + *-ico*[2].] *Adj. S. m.* Diz-se de, ou medicamento ou método que combate arritmia cardíaca.

antiarte [De *ant(i)-* + *arte*[1].] *S. f. Art. Plást.* Corrente adotada por alguns movimentos de vanguarda do séc. XX (dadaísmo, *pop art*), que nega os critérios de valor atribuídos às obras de arte e, num desafio, dá prioridade a objetos comuns fabricados em série, como latas de cerveja, rodas ou selins de bicicleta, aparelhos sanitários, etc. [O termo é atribuído a Marcel Duchamp (1887-1968).]

antiartrítico [De *ant(i)-* + *artrítico.*] *Adj. S. m.* Que, ou medicamento que combate a artrite.

antiasmático [De *ant(i)-* + *asmático.*] *Adj. S. m.* Que, ou substância que combate a asma.

antiaterogénico *Adj. S. m. Med.* V. *antiaterogênico.* [Uso freq. em P.]

antiaterogênico *Adj. S. m. Med.* Diz-se de, ou medicamento ou dieta que visa a combater a constituição de lesões ateromatosas arteriais.

antiatômico [De *ant(i)-* + *atômico.*] *Adj.* **1.** Que protege contra armas ou explosões nucleares: bunker *antiatômico.* **2.** Que previne ou busca evitar acidentes atômicos.

antiautomorfismo [De *ant(i)-* + *automorfismo.*] *S. m. Álg.* Correspondência biunívoca de um anel consigo mesmo, a qual: a) é um automorfismo em relação à soma; b) tem o produto *ab* de dois elementos *a* e *b*, que se transforma no produto *b' a'* dos elementos transformados *a'* e *b'*. [Sin.: *automorfismo recíproco.*]

antiautoritário [De *ant(i)-* + *autoritário.*] *Adj. S. m.* Que, ou quem é contrário ao autoritarismo.

antiautoritarismo [De *ant(i)-* + *autoritarismo.*] *S. m.* Doutrina, corrente ou sentimento de oposição ao autoritarismo.

antibacteriano [De *ant(i)-* + *bacteriano.*] *Adj. S. m.* Diz-se de, ou substância ou agente que combate bactérias.

antibaquio [Do gr. *antibákcheios*, pelo lat. tard. *antibacchiu.*] *Adj. S. m. Arte Poét.* Diz-se de, ou pé métrico grego ou latino formado por duas sílabas longas e uma breve. [Var. pros. impr.: *antibáquio* Cf. *baquio.*]

antibáquio *Adj. S. m. Arte Poét.* V. *antibaquio.*

antibarião *S. m. Lus. Fís. Nucl.* V. *antibárion.* [Pl.: *antibariões.*]

antibárion [De *ant(i)-* + *bárion.*] *S. m. Fís. Nucl.* Designação comum às antipartículas (v. *antipartícula*) de bárions. [Os antibárions são compostos de três antiquarks.] [Pl.: *antibárions.*]

antibelicista [De *ant(i)-* + *belicista.*] *Adj. 2 g. S. 2 g.* Que ou o que é contrário às guerras, ou ao armamentismo; pacifista: *espírito antibelicista.*

antibélico [De *ant(i)-* + *bélico.*] *Adj.* Contrário às guerras, ou ao belicismo.

antibenzaldoxima (cs) [De *anti* + *benz(o)* + *aldoxima.*] *S. f. Quím.* O isômero da benzaldoxima em que hidrogênio e hidroxila estão do lado oposto no grupo oxima.

antibéquico [De *ant(i)-* + gr. *bechikós*, 'acesso de tosse'.] *Adj. S. m.* Antitussígeno.

antibiograma [De *antibió(tico)* + *-grama.*] *S. m. Med.* Exame laboratorial feito após a cultura e o isolamento de determinado germe, para estabelecer quais são os antibióticos ativos contra ele.

antibiose [De *ant(i)-* + *-biose*, pelo modelo de *simbiose.*] *S. f.* **1.** Destruição de um ser vivo por outro ser vivo que, desta forma, assegura a sua própria existência. **2.** Relação entre duas espécies, na qual uma delas elimina a outra, como ocorre, por ex., entre bactérias. **3.** *Ecol.* Produção e difusão, no ambiente, de substâncias químicas capazes de matar ou impedir o desenvolvimento de outros organismos; alelopatia.

antibioterapia [De *antibió(tico)* + *-terapia.*] *S. f. Terap.* Uso terapêutico de substância(s) antibiótica(s).

antibiótico [De *ant(i)-* + gr. *biotikós*, 'referente à vida'.] *Adj.* **1.** Que produz a morte. ~ V. *espectro —.* ● *S. m.* **2.** *Med.* Substância produzida por seres vivos, ou mesmo por síntese, capaz de impedir o crescimento de microrganismos ou de matá-los, e de largo emprego na terapêutica contra moléstias infecciosas. [A penicilina é o protótipo das substâncias antibióticas.]

antiblenorrágico [De *ant(i)-* + *blenorrag(ia)* + *-ico*[2].] *Adj. S. m.* Diz-se de, ou substância usada contra a blenorragia.

antibotrópico [De *ant(i)-* + tax. *Bothrops* + *-ico*[2].] *Adj.* Que combate o veneno de cobras do gênero *Bothrops* (jararacuçu, quatiara, etc.).

antibrasileiro [De *ant(i)-* + *brasileiro.*] *Adj. S. m.* Que, ou aquele que é contrário ao Brasil ou aos brasileiros.

anticâncer [De *ant(i)-* + *câncer.*] *Adj. 2 g. e 2 n. S. 2 g. e 2 n.* Que ou o que se destina a combater ou a prevenir o câncer: "'Mamão dos EUA' contém droga anticâncer" (*Folha de S.Paulo*, 05.07.1992).

anticapa-zero *S. m. Fís. Nucl.* Méson de massa igual a 0,533 unidade de massa atômica, *spin* nulo, paridade negativa, carga elétrica nula, e hipercarga igual a menos um; antipartícula do méson capa-zero. [Pl.: *anticapas-zero.*]

anticapitalismo [De *ant(i)-* + *capitalismo.*] *S. m.* Atitude ou posição contrária ao capitalismo.

anticapitalista [De *anticapitalismo* + *-ista.*] *Adj. 2 g.* Contrário, ou desfavorável ao capitalismo.

anticárie [De *ant(i)-* + *cárie.*] *Adj. 2 g. Odont.* Diz-se de medida ou de substância que previne a cárie (1).

anticariogênico [De *anticárie* + *-o-*[1] + *-gen(o)-* + *-ico*[1].] *Adj. Odont.* Diz-se de, ou alimento, ou produto químico ou agente físico que impede a formação da cárie dentária.

anticarro [De *ant(i)-* + *carro.*] *Adj. 2 g. e 2 n. Exérc.* Diz-se de arma, obstáculo, mina, etc., que impede ou dificulta o movimento de carros de combate (tanques de guerra); antitanque.

anticascata *S. m. Fís. Nucl.* Antipartícula (q. v.) de cascata.

anticaspa [De *ant(i)-* + *caspa.*] *Adj. 2 g. e 2 n. S. m.* Diz-se de, ou substância que previne ou combate a caspa.

anticatodo *S. m. Fís.* O eletrodo de um tubo de raios X sobre o qual incide o feixe de elétrons, e donde são emitidos os raios X.

anticátodo *S. m. Fís. P. us.* V. *anticatodo.*

anticefalálgico [De *ant(i)-* + *cefalalg(ia)* + *-ico*[2].] *Adj. S. m.* Diz-se de, ou substância contra as cefalalgias.

anticentralismo [De *ant(i)-* + *centralismo.*] *S. m.* Em política, posição contrária ao centralismo: *O anticentralismo dos anarquistas sempre foi notório.*

anticentralista [De *anticentralismo* + *-ista.*] *Adj. 2 g.* **1.** Diz-se de posição política contrária ao centralismo. **2.** Diz-se de partidário de tal posição. ● *S. 2 g.* **3.** Partidário do anticentralismo.

anticéptico [De *ant(i)-* + *céptico.*] *Adj.* Contrário aos cépticos ou ao cepticismo. [Var.: *anticético.* Cf. *antisséptico.*]

anticético *Adj.* V. *anticéptico.*

antichoque [De *ant(i)-* + *choque*[1].] *Adj. 2 g. e 2 n.* Que se destina a amortecer ou evitar choques; a prova de choque.

anticíclico [De *ant(i)-* + *-cicl(o)-* + *-ico*[2].] *Adj. Econ.* Diz-se de fenômeno ou política econômica tendente a reduzir a amplitude de ciclos econômicos, especialmente pelo estímulo ao crescimento em fases de contração.

anticiclone [De *ant(i)-* + *ciclone.*] *S. m. Met.* Região da atmosfera onde a pressão é alta em relação às das regiões circunvizinhas, num mesmo nível; centro de alta pressão, centro de alta, alta. [Cf. *ciclone* (1).]

anticientífico [De *ant(i)-* + *científico.*] *Adj.* Que se opõe à ciência, ao espírito científico.

anticívico [De *ant(i)-* + *cívico.*] *Adj.* Contrário ao civismo, aos deveres de cidadão.

anticlássico [De *ant(i)-* + *clássico.*] *Adj.* Contrário ao classicismo ou aos clássicos. [Cf. *anteclássico.*]

anticlerical [De *ant(i)-* + *clerical.*] *Adj. 2 g.* Contrário ao clero, à clerezia.

anticlímax (cs) [De *ant(i)-* + *clímax.*] *S. m. 2 n.* **1.** *E. Ling.* Figura que consiste no emprego da gradação descendente. Ex.: É modesto, apagado, um joão-ninguém. [Opõe-se a *clímax.*] **2.** *Teatr.* Cena desnecessária ou absurda em relação ao clímax que a precede. **3.** *Teatr.* Clímax inverossímil, falso, inconvicto.

anticlinal [De *ant(i)-* + *-clin(o)-*[2] + *-al*[1].] *S. f. Geol.* **1.** Dobra cujos flancos se voltam para baixo e cuja convexidade se volta para cima; anticlíneo, anticlino. [Cf. *periclinal* (2).] ● *Adj. 2 g.* **2.** ~ V. *vale —.*

anticlíneo [De *ant(i)-* + *-clin(o)-*[2] + *-eo.*] *S. m.* **1.** *Geol.* V. *anticlinal.* ● *Adj.* **2.** *Bot.* Diz-se das paredes celulares de um órgão, perpendiculares à superfície dele.

anticlino [De *ant(i)-* + *-clino*[2].] *S. m. Geol.* V. *anticlinal.*

anticlinório [De *ant(i)-* + *-clin(o)-*[2] + *-ório.*] *S. m. Geol.* Grupo de dobras que, no conjunto, constituem uma saliência convexa, semelhante a uma grande anticlinal (q. v.).

anticloro [De *ant(i)-* + *cloro.*] *S. m. Tec. Quím.* Nas indústrias de polpa de madeira, alvejamento e tingimento, qualquer produto que sirva para neutralizar ou remover hipoclorito, ou libertar o cloro após as operações de alvejamento.

ântico *Adj. Bot.* ~ V. *apotécio —.*

anticoagulante [De *ant(i)-* + *coagular* + *-nte.*] *Adj. 2 g. S. m.* Diz-se de, ou substância que impede a coagulação.

anticódon [De *ant(i)-* + *códon.*] *S. m. Citol. Genét.* Sequência de três nucleotídeos da molécula de ácido ribonucleico transportador que se liga ao códon de uma molécula de ácido ribonucleico mensageiro durante a síntese de proteínas.

anticoincidência (o-ín) *S. f. Eletrôn.* Característica de uma montagem de detectores em que o sinal fornecido por um deles, após a detecção de uma radiação, paralisa um ou vários outros durante um intervalo de tempo.

anticolesterolêmico [De *ant(i)-* + *colesterol* + *-(h)em(o)-* + *-ico*[2].] *Med. Adj.* **1.** Diz-se de medicamento, de dieta ou de outra medida para reduzir a taxa sanguínea do colesterol. ● *S. m.* **2.** Medicamento anticolesterolêmico.

anticolinérgico *Adj. S. m.* Diz-se de, ou substância que bloqueia a ação de nervos parassimpáticos.

anticolonial [De *ant(i)-* + *colonial.*] *Adj. 2 g.* Contrário ao colonialismo ou à existência de colônias de outros países: *pensamento anticolonial africano.*

anticomania [Do lat. *antiquus*, 'antigo', + *-mania.*] *S. f.* Mania das coisas antigas; gosto excessivo de antiguidades.

anticomaníaco [De *anticomania* + *-íaco.*] *Adj.* **1.** Relativo a anticomania. **2.** Que tem anticomania; anticômano. ● *S. m.* **3.** Aquele que tem anticomania; anticômano.

anticómano *Adj. S. m.* V. *anticômano.* [Uso freq. em P.]

anticômano [Do lat. *antiquus*, 'antigo', + *-mano*[1].] *Adj. S. m.* Anticomaníaco (2 e 3).

anticomercial [De *ant(i)-* + *comercial.*] *Adj. 2 g.* Contrário aos interesses ou às normas do comércio.

anticomunismo [De *ant(i)-* + *comunismo.*] *S. m.* Sistema, opinião ou sentimento adverso ao comunismo.

anticomunista [De *ant(i)-* + *comunista.*] *Adj. 2 g.* **1.** Relativo ao, ou que é partidário do anticomunismo. ● *S. 2 g.* **2.** Partidário dele.

anticonceção *S. f.* V. *anticoncepção.* [Uso próprio de P.] ⊙

anticoncecional *Adj. 2 g. S. m.* V. *anticoncepcional.* [Uso próprio de P.] ⊙

anticoncepção [De *ant(i)-* + *concepção.*] *S. f.* Prevenção da concepção (1); contracepção.

anticoncepcional [De *anticoncepção* + *-al*[1], seg. o padrão erudito.] *Adj. 2 g. S. m.* Diz-se de, ou método ou substância que visa à anticoncepção; anticonceptivo, contraceptivo.

anticonceptivo [De *ant(i)-* + *conceptivo.*] *Adj. S. m.* V. *anticoncepcional.*

anticonformismo [De *ant(i)-* + *conformismo.*] *S. m.* Atitude de oposição ao sistema (4) e às instituições; falta de respeito aos costumes e às tradições estabelecidas.

anticonformista [De *anticonformismo* + *-ista.*] *Adj. 2 g.* Contrário ao conformismo.

anticongelante [De *ant(i)-* + *congelante.*] *Adj. 2 g.* **1.** Que impede ou dificulta o congelamento. ● *S. m.* **2.** Substância que, misturada a um líquido, faz baixar o ponto de solidificação (q. v.) deste.

anticongestionante [De *ant(i)-* + *congestionante.*] *Adj. 2 g. S. m.* Diz-se de, ou substância ou medicamento que evita a congestão (esp. a nasal).

anticonstitucional [De *ant(i)-* + *constitucional.*] *Adj. 2 g.* Contrário ao que dispõe a constituição de um país.

anticonvulsivante *Adj. 2 g. S. m.* Anticonvulsivo.

anticonvulsivo [De *ant(i)-* + *convulsivo.*] *Adj. S. m. Farmac.* Diz-se de, ou medicamento que previne ou combate convulsão; anticonvulsivante, antiepiléptico.

anticorpo (ô) [De *ant(i)-* + *corpo.*] *S. m. Imun.* Gamaglobulina formada como resposta a estímulo imunogênico e capaz de interagir com o antígeno que levou à sua síntese, ou com outro estreitamente relacionado com ele. [Cf. *antígeno.* Pl.: *anticorpos* (ó).]

anticorrosivo [De *ant(i)-* + *corrosivo.*] *Adj.* **1.** Que protege da corrosão, ou que a evita. ● *S. m.* **2.** Substância anticorrosiva.

anticrepúsculo [De *ant(i)-* + *crepúsculo*.] *S. m. Astr.* Iluminação difusa do lado oposto ao do Sol, antes do nascer e após o ocaso desse astro.

anticrese [Do gr. *antíchresis*, pelo lat. tard. *antichrese*.] *S. f. Jur.* Direito real de garantia pelo qual o devedor transfere provisoriamente a posse direta de imóvel seu ao credor, até que este, recebendo os frutos e rendimentos do bem, tenha a satisfação completa de seu crédito; consignação de rendimento. [Cf. *hipoteca* (1).]

anticresista [De *anticrese* + *-ista*.] *S. 2 g. Jur.* Credor anticrético.

anticrético [De *anticr(ese)* + *-ético*.] *Adj. Jur.* Referente à, ou da natureza da anticrese.

anticristão [De *ant(i)-* + *cristão*.] *Adj. S. m.* Contrário aos cristãos, à doutrina cristã; inimigo do cristianismo. [Fem.: *anticristã*; pl.: *anticristãos*.]

anticristo [Do lat. tard. *antichristu*.] *S. m.* **1.** Personagem que, segundo o Apocalipse, virá antes do fim do mundo, semear a impiedade até ser afinal vencido por Cristo. **2.** A personificação de tudo que se opõe a Cristo, ao cristianismo, aos cristãos. **3.** *P. ext.* Qualquer perseguidor feroz dos cristãos.

anticronismo [Do gr. *antichronismós*.] *S. m.* Anacronismo.

anticrotálico [De *ant(i)-* + *crótalo* + *-ico*[2].] *Adj.* Que combate o veneno de cobras do gênero *Crotalus* (cascavel, urutu, etc.).

anticsi *S. m. Fís. Nucl.* Antipartícula (q. v.) de bárion csi.

anticsi-mais *S. m. Fís. Nucl.* Antibárion de massa igual a 1,415 unidade de massa atômica, *spin* igual a um meio e carga igual à do próton. [Pl.: *anticsis-mais*.]

anticsi-zero *S. m. Fís. Nucl.* Antipartícula (q. v.) do csi-zero. [Pl.: *anticsis-zero*.]

antíctone [Do gr. *antíchthon*.] *S. m.* V. *antípoda* (1). [Us. quase só no pl.]

antideclamatório [De *ant(i)-* + *declamatório*.] *Adj.* Contrário à declamação; não declamatório: 📖 "A poesia antidescritiva e antideclamatória por excelência, mas profundamente subjetiva e terna, de Ribeiro Couto, era a negação do alexandrino martelado e sonoro" (Afonso Arinos de Melo Franco, *A Alma do Tempo*, p. 65).

antidemocrata [De *ant(i)-* + *democrata*.] *Adj. 2 g. S. 2 g.* Diz-se de, ou pessoa infensa à democracia. [Sobre a prosódia deste voc., v. *-crata*.]

antidemocrático [De *ant(i)-* + *democrático*.] *Adj.* Contrário à democracia: *procedimento antidemocrático; livro antidemocrático.*

antidepressante [Do ingl. *antidepressant*.] *Adj. 2 g. S. m. Angl.* Antidepressivo.

antidepressivo [De *ant(i)-* + *depressivo*.] *Adj. S. m. Psiq.* **1.** Diz-se de, ou medicamento que evita ou atenua a depressão (9). **2.** Diz-se de, ou substância que combate a depressão (9), ou que eleva o ânimo de paciente deprimido. [Sin. ger.: antidepressor.]

antidepressor (ô) [De *ant(i)-* + *depressor*.] *Adj. S. m. Psiq.* V. *antidepressivo*.

antiderivada [De *ant(i)-* + *derivada*.] *S. f. Mat.* V. *integral indefinida*.

antiderrapante [De *ant(i)-* + *derrapar* + *-nte*.] *Adj. 2 g. S. m.* Que ou o que impede a derrapagem; antideslizante: *pneu antiderrapante.*

antidescritivo [De *ant(i)-* + *descritivo*.] *Adj.* Contrário à descrição; não descritivo.

antideslizante [De *ant(i)-* + *deslizante*.] *Adj. 2 g. S. m.* Antiderrapante.

antidetonante [De *ant(i)-* + *detonante*.] *Adj. 2 g. S. m.* Diz-se de, ou aditivo acrescentado a um combustível para impedir-lhe a combustão prematura durante a compressão em um motor de combustão interna.

antideuterão *S. m. Lus. Fís. Nucl.* V. *antidêuteron*. [Pl.: *antideuterões*.]

antidêuteron *S. m. Fís. Nucl.* Antipartícula do dêuteron, composta de um antipróton e um antinêutron. [Pl.: *antidêuterons*.]

antidiabético [De *ant(i)-* + *diabete(s)* + *-ico*[2].] *Adj. S. m.* Diz-se de, ou medicamento que combate o diabetes.

antidiarreico (éi) [De *ant(i)-* + *diarreia* + *-ico*[2].] *Adj. S. m.* Diz-se de, ou medicamento que combate a diarreia. ❖

antidiftérico [De *ant(i)-* + *difter(ia)* + *-ico*[2].] *Adj. S. m.* Diz-se de, ou medicamento que combate a difteria.

antidinástico [De *ant(i)-* + *dinástico*.] *Adj.* Contrário à dinastia, ou à realeza em geral.

antidínico [De *ant(i)-* + *-din(i)-* + *-ico*[2].] *Adj. S. m.* Diz-se de, ou medicamento que combate a vertigem.

antidisentérico [De *ant(i)-* + *disenter(ia)* + *-ico*[2].] *Adj. S. m.* Diz-se de, ou medicamento que combate a disenteria.

antidispneico (éi) [De *ant(i)-* + *dispneico*.] *Adj. S. m.* Que, ou medicamento que combate a dispneia. ❖

antidisrítmico [De *ant(i)-* + *disritm(ia)* + *-ico*[2].] *Adj. S. m.* Diz-se de, ou medicamento que combate a disritmia.

antidistónico *Adj. S. m.* V. *antidistônico*. [Uso freq. em P.]

antidistônico [De *ant(i)-* + *diston(ia)* + *-ico*[2].] *Adj. S. m.* Diz-se de, ou medicamento que combate a distonia (2).

antidiurético [De *ant(i)-* + *diurético*.] *Adj. S. m. Farm.* Diz-se de, ou substância que reduz a diurese.

antidivorcista [De *ant(i)-* + *divórcio* + *-ista*.] *Adj. 2 g. S. 2 g.* Que, ou quem é contrário ao divórcio.

antidogmático [De *antidogmatismo* + *-ico*[2], seg. o padrão erudito.] *Adj.* Relativo ao, ou próprio do antidogmatismo.

antidogmatismo [De *ant(i)-* + *dogmatismo*.] *S. m.* Doutrina ou atitude oposta ao dogmatismo.

➔**antidoping** [æntɪ'dowpɪŋ] [Ingl.] *Esport. Adj. 2 g. e 2 n.* **1.** Diz-se de exame ou teste que se faz em atleta para verificar se houve uso de estimulantes ou de substância proibida pelas federações esportivas internacionais. **2.** Contrário ao uso de estimulantes. ● *S. m.* **3.** Esse tipo de exame.

antidotismo [De *antídoto* + *-ismo*.] *S. m.* Uso ou abuso de antídotos.

antídoto [Do gr. *antídoton*, *i. e.*, *phármakon antídoton*, 'remédio contra (veneno)', pelo lat. *antidotu*.] *S. m.* **1.** *Med.* Substância medicamentosa que impede a ação de uma toxina ou veneno; antitóxico, contraveneno, contrapeçonha. **2.** *Fig.* Aquilo que serve para prevenir ou combater um mal.

antidramático [De *ant(i)-* + *dramático*.] *Adj.* Contrário às regras da arte cênica ou dramática; antiteatral.

antidroga [De *ant(i)-* + *droga*.] *Adj. 2 g.* Que se destina a combater as drogas [v. *droga* (4)], o seu uso, seu comércio, etc.

antidrómico *Adj.* V. *antidrômico*. [Uso freq. em P.]

antidrômico [De *ant(i)-* + *-drom(o)-* + *-ico*[2].] *Adj.* ~ V. *condução —a*.

➔**antidumping** [æntɪ'dʌmpɪŋ] [Ingl.] *Adj. 2 g. e 2 n.* Que visa a coibir o *dumping* (q. v.): *medidas antidumping.*

antieconômico [De *ant(i)-* + *econômico*.] *Adj.* Contrário à economia (2 e 3).

antiefiáltico [De *ant(i)-* + gr. *ephiáltes*, 'pesadelo', + *-ico*[2].] *Adj. S. m. Psiq.* Diz-se de, ou medicamento que evita ou atenua pesadelo.

antielitista [De *ant(i)-* + *elitista*.] *Adj. S. m.* Diz-se de, ou aquele ou aquilo que é contrário ao elitismo.

antiembaçante [De *ant(i)-* + *embaçante*.] *Automat. S. m.* **1.** Recurso utilizado em veículos para evitar o embaçamento dos vidros, e que pode ser feito por ventilação, resistência elétrica ou aplicação de produtos líquidos. ● *Adj. 2 g.* **2.** Provido desse recurso.

antiemético [De *ant(i)-* + *emético*.] *Adj. S. m.* Diz-se de, ou substância que coíbe o vômito.

antiepicentro [De *ant(i)-* + *epicentro*.] *S. m. Geofís.* Ponto antípoda do epicentro de um sismo.

antiepiléptico [De *ant(i)-* + *epiléptico*.] *Adj. S. m. Farmac.* V. *anticonvulsivo*.

antiescorbútico [De *ant(i)-* + *escorbútico*.] *Adj. S. m.* Diz-se de, ou substância ou alimento que evita ou combate o escorbuto.

antiesgarçante [De *ant(i)-* + *esgarçante*.] *Adj. 2 g. Tec. Têx.* **1.** Diz-se da propriedade adquirida pelo tecido após tratamento específico para o aumento da sua durabilidade, com relação ao rasgo e esgarçamento. **2.** Que apresenta esta propriedade.

antiespasmódico [De *ant(i)-* + *espasmódico*.] *Adj. S. m.* Que, ou substância que evita ou alivia os espasmos.

antiesportivo [De *ant(i)-* + *esportivo*.] *Adj.* Que vai contra as regras de uma competição esportiva leal.

antiespumante [De *ant(i)-* + *espumante*.] *Adj. 2 g. S. m.* Diz-se de, ou aditivo que tem a finalidade de obstar ou diminuir a formação de espuma; antiespumífero.

antiespumífero [De *ant(i)-* + *espumífero*.] *Adj. S. m.* Antiespumante.

antiestabelecimento [De *ant(i)-* + *estabelecimento*[2].] *S. m.* Conjunto de pessoas e/ou grupos que se opõem aos grupos e/ou ideias dominantes numa sociedade.

antiestático [De *ant(i)-* + *estático*.] *Adj. S. m. Tec. Quím.* Diz-se de, ou substância que, aplicada a um objeto ou utensílio, impede o acúmulo de eletricidade estática.

antiestético [De *ant(i)-* + *estético*.] *Adj.* Contrário à estética; em que não há bom gosto nem beleza.

antiético [De *ant(i)-* + *ético*.] *Adj.* Contrário à ética. [Cf. *aético* e *anético*.]

antietimológico [De *ant(i)-* + *etimológico*.] *Adj.* Contrário à etimologia.

antifascismo [De *ant(i)-* + *fascismo*.] *S. m.* Sistema, opinião ou sentimento adverso ao fascismo.

antifascista [De *ant(i)-* + *fascista*.] *Adj. 2 g.* **1.** Relativo ao, ou que é partidário do antifascismo. ● *S. 2 g.* **2.** Partidário dele.

antifaz [Do esp., por *antefaz*.] *S. m.* V. *anteface*.

antifebril *Adj. 2 g. S. m.* V. *antitérmico*.

antifeminismo [De *ant(i)-* + *feminismo*.] *S. m.* Oposição ao feminismo ou movimento contrário a ele.

antifeminista [De *ant(i)-* + *feminista*.] *Adj. 2 g.* **1.** Contrário ao feminismo. **2.** Que é adepto do antifeminismo. ● *S. 2 g.* **3.** Aquele ou aquela que é adepto do antifeminismo.

antífen [De *ant(i)-* + *hífen*.] *S. m. Tip.* Sinal de revisão [#] que indica a necessidade de espacejamento. [Pl.: *antifens* e (p. us. no Brasil) *antífenes*.]

antifernal [Do gr. *antíphernos*, 'em lugar do dote', pelo lat. tard. *antipherna*, + *-al*[1].] *Adj. 2 g.* ~ V. *bens antifernais*.

antiferromagnetismo [De *ant(i)-* + *-ferr(o)-* + *magnetismo*.] *S. m. Fís.* Propriedade de certas substâncias, como o óxido de manganês, de possuírem *spins* atômicos antiparalelos.

antiferrugem [De *ant(i)-* + *ferrugem*.] *Adj. 2 g. e 2 n.* **1.** Diz-se de substância que impede ou faz desaparecer a ferrugem. **2.** A prova de ferrugem.

antifisético [De *ant(i)-* + gr. *physetikós*, 'que faz inchar'.] *Adj. S. m.* V. *antiflatulento*.

antiflatulento [De *ant(i)-* + *flatulento*.] *Adj. S. m.* Diz-se de, ou substância ou medicamento que dificulta a formação de gases no tubo digestório e facilita a eliminação deles; antifisético, carminativo.

antiflogístico [De *ant(i)-* + *flogístico*.] *Adj. S. m.* Anti-inflamatório.

antifogo (ô) [De *ant(i)-* + *fogo*.] *Adj.* Diz-se de material usado para impregnar outro, a fim de tornar difícil ou impossível a propagação do fogo.

antifólico [De *ant(i)-* + (*ácido*) *fólico*.] *Adj.* Diz-se de fenômeno que se opõe à ação do ácido fólico.

antífona [Do gr. *antíphonos*, pelo lat. tard. *antiphona*.] *S. f.* **1.** *Lit.* Versículo recitado ou cantado pelo celebrante, antes e depois de um salmo, e ao qual respondem alternadamente duas metades do coro. **2.** *Mús.* Composição surgida na Inglaterra no séc. XVI (*anthem*), e que apresenta a estrutura do motete latino, porém com a letra em inglês. [Em sua evolução, aproxima-se hoje da cantata.]

antifonário [Do lat. med. *antiphonariu*.] *S. m.* Livro de antífonas.

antifoneiro [De *antífona* + *-eiro*.] *S. m.* O chantre que entoa [v. *entoar* (2)] a antífona.

antifónico *Adj.* V. *antifônico*. [Uso freq. em P.]

antifônico [De *antífona* + *-ico*[2].] *Adj.* Referente à antífona.

antifotogénico *Adj.* V. *antifotogênico*. [Uso freq. em P.]

antifotogênico [De *ant(i)-* + *fotogênico*.] *Adj.* Que não fotografa [v. *fotografar* (3)] bem.

antífrase [Do gr. *antíphrasis*, pelo lat. tard. *antiphrase*.] *S. f. E. Ling.* Emprego de palavra ou frase em sentido oposto ao verdadeiro, como no famoso caso do cabo das Tormentas, cujo nome, para fugir-se ao mau agouro, foi trocado em cabo da Boa Esperança.

antifricção [De *ant(i)-* + *fricção*.] *Adj. 2 g. e 2 n. Tec.* Diz-se de liga suficientemente plástica que serve para guarnecer certos rolamentos, diminuindo o desgaste provocado pelo atrito.

antifúngico [De *ant(i)-* + *-fung(i)-* + *-ico*[2].] *Adj. S. m.* Antimicótico.

antifurto [De *ant(i)-* + *furto*.] *Adj. 2 g. e 2 n.* Diz-se de dispositivo que previne o furto ou que o impede; antirroubo.

antigaláctico [De *ant(i)-* + *-galact(o)-* + *-ico*[2].] *Adj. S. m.* Diz-se de, ou substância que diminui ou suprime a secreção do leite.

antigalha *S. f.* V. *antigualha* (1).

antigamente [Do fem. de *antigo* + *-mente*.] *Adv.* Em tempos idos; no passado; outrora.

antigenicidade [De *antigênico* + *-(i)dade*.] *S. f. Imun.* Capacidade de reagir com anticorpos resultantes de uma resposta imunológica.

antigénico *Adj.* V. *antigênico*. [Uso freq. em P.]

antigênico [De *antígeno* + *-ico*[2].] *Adj.* Relativo a antígeno. [Cf. *anti-higiênico*.]

antígeno [De *ant(i)-* + *-geno*.] *S. m. Imun.* Qualquer substância a que, em circunstâncias favoráveis, um indivíduo é exposto, e que pode produzir uma resposta imunológica específica, com a formação de anticorpos específicos ou de linfócitos T (q. v.) especificamente sensibilizados, ou ambos. [V. *anticorpo*.] ◆ **Antígeno superficial do vírus da hepatite B.** *Med.* Antígeno encontrado no soro de doentes com hepatite B e em certos indivíduos sãos, esp. dentre aqueles que receberam numerosas transfusões de sangue, hemodiálises ou tratamentos com drogas imunossupressoras. [Sigla (ingl.): *HBsAg*; sin. (desus.): *antígeno-Austrália*.] **Antígeno timo-dependente.** *Med.* Aquele que, para provocar a formação de anticorpos específicos por linfócitos B, requer a interação prévia com linfócitos T. **Antígeno timo-independente.** *Med.* Aquele que provoca a formação de anticorpos específicos por linfócitos B, sem a intervenção de linfócitos T.

antígeno-Austrália [De *antígeno* + o top. *Austrália*.] *S. m. Med. Desus.* Antígeno superficial do vírus da hepatite B (q. v.). [Pl.: *antígenos-Austrália*.]

antiginástica [De *ant(i)-* + *ginástica*.] *S. f.* Conjunto de exercícios físicos realizados em movimentos suaves, visando descontrair a musculatura e corrigir defeitos de postura.

antigo [Do lat. *antiquu.*] *Adj.* **1.** Do tempo remoto: *Só estuda as civilizações antigas, indiferente às modernas.* **2.** Que existiu no passado: *animais antigos.* **3.** Que sucedeu outrora: *as antigas conquistas do povo grego.* **4.** Que é, ou existe, desde muito tempo; velho: *Nem sempre os amigos antigos são melhores que os recentes.* **5.** Que já não está em exercício (de cargo, função, profissão, etc.): *antigo professor; antigo industrial.* **6.** *E. Ling.* Arcaico (5). [Superl. abs. sint.: *antiquíssimo* e *antiguíssimo*.] ~ V. *alfabeto hebraico —, charada —a, código —, comédia —a, — Continente, gótico —, grego —, inglês —, prussiano —, romano —* e *antigos*.

antígono [Do tax. *Antigonon.*] *S. m. Bot.* **1.** Gênero de trepadeiras poligonáceas, semilenhosas ou semi-herbáceas, dotadas de flores apétalas e cujas sépalas petaloides têm um colorido vivo. **2.** Qualquer espécie desse gênero, como, p. ex., a *Antigonon leptopus* (v. *amor-agarradinho*). **3.** Qualquer espécime desse gênero, ou a sua flor.

antigório [Do top. *Antigório* (Itália).] *S. m.* Esmalte grosseiro usado na fabricação de louça.

antigorita [Do top. *Antigorio* (Itália) + *-ita*[2].] *S. f. Min.* Mineral monocíclico, silicato básico de magnésio do grupo das serpentinas.

antigos [Pl. de *antigo*.] *S. m. pl.* Os homens do passado. ~ V. *antigo*.

antigovernamental [De *ant(i)- + governamental.*] *Adj. 2 g. S. 2 g.* Que, ou quem se opõe ao que emana do governo, aos atos governamentais, etc.

antígrafo [Do gr. *antígraphos*, pelo lat. *antigraphu.*] *S. m.* **1.** Cópia manuscrita; transcrição. **2.** *Paleogr.* Sinal arciforme, que servia para separar do texto as notas ou glosas.

antigravidade [De *ant(i)- + gravidade.*] *S. f.* **1.** *Astr.* Efeito hipotético, que constituiria na anulação da gravidade. **2.** *Fís.* Repulsão de uma massa por outra, causada pela ação de uma força de tipo gravitacional, e que implicaria a existência de uma massa negativa.

antigripal [De *ant(i)- + gripe + -al*[1].] *Adj. 2 g. S. m.* Diz-se de, ou medicamento que combate os sintomas da gripe.

antigualha [Alter. de *antiqualha*.] *S. f.* **1.** Objetos antigos; antiguidades; antigalha, antiqualha. **2.** Costume ou hábito antigo. **3.** Ferro-velho.

antiguano *Adj.* **1.** De, ou pertencente ou relativo a Antígua e Barbuda (mar das Antilhas). ● *S. m.* **2.** O natural ou habitante de Antígua e Barbuda. [Sin. ger.: *antiguense, antíguo-barbudês*.]

antiguense (güen) *Adj. 2 g. S. 2 g.* V. *antiguano*. ❖

antiguidade (gui ou güi) [Do lat. *antiquitate.*] *S. f.* **1.** Qualidade de antigo: *O quadro é valioso pela antiguidade.* **2.** Período histórico iniciado com as mais antigas civilizações e que se estende até a queda do Império Romano do Ocidente (séc. V): *Antiguidade egípcia; Antiguidade clássica.* **3.** Os povos, os homens desse período: *as crenças da Antiguidade.* [Ger. com cap., nas acepç. 2 e 3.] **4.** *Restr.* A civilização greco-romana. **5.** O tempo de serviço (num cargo, função, profissão): *Foi promovido por antiguidade.* ~ V. *antiguidades*. ❖

antiguidades (gui ou güi) [Pl. de *antiguidade*.] *S. f. pl.* Objetos antigos, raros ou de especial valor material, artístico, etc.: *loja de antiguidades.* ~ V. *antiguidade*. ❖

antiguíssimo *Adj.* Superl. abs. sint. de *antigo*; *antiquíssimo*.

antíguo-barbudês *Adj. S. m.* V. *antiguano*. [Flex.: *antíguo-barbudesa* (ê), *antíguo-barbudeses* (ê), *antíguo-barbudesas* (ê).]

anti-hadrão *S. m. Lus. Fís. Nucl.* V. *anti-hádron*. [Pl.: *anti-hadrões*.]

anti-hádron *S. m. Fís. Nucl.* Antipartícula (q. v.) de hádron. [Pl.: *anti-hádrons*.]

anti-halo [De *ant(i)- + halo.*] *Adj. Ópt.* Diz-se de camada ou superfície que absorve certas radiações e que, presente num dispositivo óptico, impede a formação de imagens refletidas.

anti-hélio [De *ant(i)- + -(h)élio.*] *S. m. Astr.* Ponto da esfera celeste diametralmente oposto ao Sol. [Cf. *antélio*.]

anti-helmíntico [De *ant(i)- + -(h)elmint(o)- + -ico*[2].] *Adj. S. m.* Diz-se de, ou processo higiênico, ou medicamento que, respectivamente, evita a penetração de helminto(s) em um hospedeiro, ou destrói helminto(s); antelmíntico, vermífugo.

anti-hemorrágico [De *ant(i)- + hemorrágico.*] *Adj. S. m.* Diz-se de, ou substância ou método que combate hemorragia.

anti-herói [De *ant(i)- + herói.*] *S. m.* Protagonista de romance, filme, peça dramática, etc., a quem faltam as qualidades físicas ou as virtudes que se atribuíam ao herói clássico.

anti-herpético [De *ant(i)- + herpético.*] *Adj. S. m.* Diz-se de, ou medicamento ou vacina, que, respectivamente, combate ou evita o aparecimento de infecção herpética.

anti-higiênico *Adj.* V. *anti-higiênico*. [Uso freq. em P.]

anti-higiênico [De *ant(i)- + higiênico.*] *Adj.* Contrário à higiene.

anti-hiperão *S. m. Lus. Fís. Part.* V. *anti-híperon*. [Pl.: *anti-hiperões*.]

anti-híperon *S. m. Fís. Nucl.* Antipartícula (q. v.) de híperon.

anti-hipertensivo [De *ant(i)- + hipertenso + -ivo.*] *Adj.* **1.** Diz-se de medicamento ou de dieta para combater hipertensão arterial. ● *S. m.* **2.** Medicamento anti-hipertensivo.

anti-hipnótico [De *ant(i)- + hipnótico.*] *Adj. S. m.* Que, ou substância que tira o sono.

anti-hipocondríaco [De *ant(i)- + hipocondríaco.*] *Adj. S. m.* Diz-se de, ou medicamento contra hipocondria.

anti-histamínico [De *ant(i)- + histamínico.*] *Adj. S. m.* Que, ou substância que combate a ação da histamina.

anti-histérico [De *ant(i)- + histérico.*] *Adj. S. m.* Diz-se de, ou medicamento aplicável contra histeria.

anti-histórico [De *ant(i)- + histórico.*] *Adj.* Contrário à história, aos seus fatos e/ou princípios; anistórico. [Pl.: *anti-históricos*. Cf. *ante-histórico*.]

anti-hitleriano [De *ant(i)- + hitleriano.*] *Adj. S. m.* V. *anti-hitlerista*.

anti-hitlerismo [De *ant(i)- + hitlerismo.*] *S. m.* Doutrina, corrente ou sentimento adverso ao hitlerismo.

anti-hitlerista [De *ant(i)- + hitlerista.*] *Adj. 2 g.* **1.** Relativo ao, ou que é adversário do hitlerismo. ● *S. 2 g.* **2.** Adversário do hitlerismo. [Sin. ger.: *anti-hitleriano*.]

anti-horário [De *ant(i)- + (sentido) horário.*] *Adj.* ~ V. *sentido —*.

anti-humanitário [De *ant(i)- + humanitário.*] *Adj.* Contrário aos princípios da humanidade.

anti-humano [De *ant(i)- + humano.*] *Adj.* Desumano, inumano: "o homem aparece como uma criatura anti-humana" (Eça de Queirós, *A Cidade e as Serras*, p. 129).

anti-ibérico [De *anti-iberismo + -ico*[2], seg. o padrão erudito.] *Adj.* Infenso ao iberismo. ❖

anti-iberismo [De *ant(i)- + iberismo.*] *S. m.* Doutrina, corrente ou sentimento contrário à fusão dos povos da Península Ibérica. ❖

anti-iberista [De *anti-iberismo + -ista.*] *Adj. 2 g.* **1.** Relativo ao, ou que é partidário do anti-iberismo. ● *S. 2 g.* **2.** Partidário dele. ❖

anti-ictérico [De *ant(i)- + ictérico.*] *Adj. S. m.* Que, ou substância que combate a icterícia. ❖

anti-imigrantista [De *ant(i)- + imigrantista.*] *Adj. 2 g.* Infenso à imigração. ❖

anti-imperialismo [De *ant(i)- + imperialismo.*] *S. m.* Doutrina, corrente ou sentimento contrário ao imperialismo. ❖

anti-imperialista [De *anti-imperialismo + -ista.*] *Adj. 2 g.* **1.** Relativo ao, ou que é partidário do anti-imperialismo. ● *S. 2 g.* **2.** Partidário do anti-imperialismo. ❖

anti-individualista [De *ant(i)- + individualista.*] *Adj. 2 g. S. 2 g.* Que, ou quem se opõe ao individualismo. ❖

anti-infeccioso (ô) [De *ant(i)-*[1] *+ infeccioso.*] *Adj. S. m.* Diz-se de, ou medicamento ou substância capaz de combater doenças infecciosas. [Pl.: *anti-infecciosos*.]

anti-inflacionário [De *ant(i)- + inflacionário.*] *Adj.* Contrário à inflação ou que a combate. ❖

anti-inflamatório [De *ant(i)- + inflamatório.*] *Adj. S. m.* Diz-se de, ou substância ou método que combate inflamação; antiflogístico. ❖

anti-intelectualismo [De *ant(i)- + intelectualismo.*] *S. m. Filos.* Irracionalismo. ❖

anti-intelectualista [De *anti-intelectualismo + -ista.*] *Adj. 2 g.* Relativo ao anti-intelectualismo, ou próprio dele; anti-intelectualístico. ❖

anti-intelectualístico [De *anti-intelectualista + -ico*[2].] *Adj.* Anti-intelectualista. ❖

antijogo (ô) [De *ant(i)- + jogo.*] *S. m.* Qualquer recurso antiesportivo em que se pretende tirar vantagem da violência ou da malícia, para retardar o andamento da partida ou desequilibrar emocionalmente o adversário: "O técnico do Náutico .... deu uma palestra a futuros treinadores, em Recife, ensinando .... usar o antijogo." (*O Globo*, 28.11.2008.)

antijuricidade [De *ant(i)- + juricidade.*] *S. f.* V. *antijuridicidade*.

antijuridicidade [De *ant(i)- + juridicidade.*] *S. f.* Ilicitude jurídica; contrariedade ao direito; antijuricidade, injuridicidade.

antijurídico [De *ant(i)- + jurídico.*] *Adj.* Contrário ao direito; injurídico; ilegal.

antikaon *S. m. Lus. Fís. Nucl.* V. *antikáon*. [Pl.: *antikaons*.]

antikáon [De *ant(i)- + káon.*] *S. m. Fís. Nucl.* Antipartícula (q. v.) de méson K.

antikaon-zero *S. m. Lus. Fís. Nucl.* V. *antikáon-zero*.

antikáon-zero [De *ant(i)- + káon-zero.*] *S. m. Fís. Nucl.* Antipartícula (q. v.) do káon-zero. [Pl.: *antikáons-zero*.]

antílabe [Do gr. *antilabé*.] *S. f. Desus.* Sentença breve.

antilambda [De *ant(i)- + lambda.*] *S. m. Paleogr.* Sinal em forma de lambda deitado com a abertura para a direita, usado para indicar citação. [Cf. *diple*.]

antilambda-zero [De *ant(i)- + lambda-zero.*] *S. m. Fís. Nucl.* Antipartícula (q. v.) do lambda-zero. [Pl.: *antilambdas-zero*.]

antileprótico [De *ant(i)- + -lepr(o)- + -ótico.*] *Adj. S. m.* Diz-se de, ou medicamento que combate a lepra; antimorfético.

antileptão *S. m. Lus. Fís. Nucl.* V. *antilépton*. [Pl.: *antileptões*.]

antilépton [De *ant(i)- + lépton.*] *S. m. Fís. Part.* Antipartícula (q. v.) de lépton. São antiléptons o pósitron, o múon positivo, o tau positivo e os antineutrinos.

antileucémico *Adj. S. m.* V. *antileucêmico*. [Uso freq. em P.]

antileucêmico [De *ant(i)- + leucem(ia) + -ico*[2].] *Adj. S. m.* Diz-se de, ou medicamento que combate a leucemia.

antileucorreico (éi) [De *ant(i)- + leucorreico.*] *Adj. S. m.* Diz-se de, ou medicamento que combate a leucorreia. ❖

antilhano *Adj.* **1.** De, ou pertencente ou relativo às Antilhas (América Central). ● *S. m.* **2.** O natural ou habitante das Antilhas.

antiliberal [De *ant(i)- + liberal.*] *Adj. 2 g. S. 2 g.* Que, ou quem é contrário ao liberalismo: *político antiliberal; Procedeu como um antiliberal.*

antiligante [De *ant(i)- + ligante.*] *Adj. 2 g. Fís.-Quím.* ~ V. *orbital —*.

antilipémico *Adj.* V. *antilipêmico*. [Uso freq. em P.]

antilipêmico [De *ant(i)- + lipêmico.*] *Adj.* Diz-se de medicamento, ou de dieta para evitar que a lipemia fique acima do normal.

antilocaprídeo [Adapt. do tax. *Antilocapridae*.] *Zool.* *S. m.* **1.** Espécime dos antilocaprídeos, família de cervídeos com um só gênero e uma única espécie, o antílope-cabra. ● *Adj.* **2.** Pertencente ou relativo a eles.

antilogaritmo [De *ant(i)- + logaritmo.*] *S. m. Mat.* Número cujo logaritmo é um número dado.

antilogia [Do gr. *antilogía*.] *S. f.* **1.** Contradição aparente de palavras ou ideias. **2.** Contradição de um autor consigo mesmo. **3.** *Filos.* No ceticismo, oposição entre argumentos, resumida na fórmula geral: a todo argumento se opõe outro de igual força. **4.** *Filos.* Disputa, ou arte de disputa, *i. e.*, arte de opor um assunto a outro. [Cf., nas acepç. 3 e 4, *antilogismo*.] **5.** *Med.* Associação de sintomas contraditórios que impossibilita a formação de diagnóstico.

antilógico [Do gr. *antilogikós*.] *Adj.* **1.** Em que se verifica antilogia. **2.** *Filos.* Diz-se de pensamento que, ou por deficiência, ou por expressa determinação, contraria regras lógicas. [Cf., nesta acepç., *ilógico* (3) e *alógico*[1] (2).]

antilogismo [De *antilógico + -ismo*, seg. o padrão erudito.] *S. m. Filos.* Atitude ou doutrina filosófica hostil à razão discursiva. [Cf. *antilogia* (3 e 4).]

antílope [Do fr. *antilope* (< ingl. *antelope* < b.-lat. *antilops* < gr. *anthálops*).] *S. m.* **1.** *Zool.* Mamífero artiodáctilo ruminante bovídeo e antilocaprídeo, de porte médio ou pequeno, chifres permanentes, longos, dirigidos para cima e para trás. São comuns na África. **2.** A pele curtida deste animal.

antílope-cabra [Do tax. *Antilocapra*.] *S. m. Zool.* **1.** Gênero-tipo dos antilocaprídeos. **2.** A espécie única desse gênero, o *Antilocapra americana*, pequeno mamífero semelhante ao antílope com pequenos chifres bifurcados, que habita as planícies do O. norte-americano. **3.** Qualquer espécime desse gênero. [Pl.: *antílopes-cabras* e *antílopes-cabra*.]

antiluético [De *ant(i)- + luético.*] *Adj. S. m.* Antissifilítico.

antimaculador (ô) [De *ant(i)- + macular + -dor.*] *Adj. S. m. Art. Gráf.* Diz-se de, ou pó, às vezes suspenso em líquido, que por meio de vaporizador se esparge nas folhas que vão sendo impressas, nelas formando uma espécie de poeira isolante, destinada a evitar repintes.

antimagnético [De *ant(i)- + magnético.*] *Adj.* Que resiste à magnetização; impérvio aos efeitos de um campo magnético. ~ V. *cinta —a*.

antimalárico [De *ant(i)- + malárico.*] *Adj. S. m.* Diz-se de, ou medicamento que tem ação terapêutica contra malária; antipalúdico, antipalustre.

antimatéria [De *ant(i)- + matéria.*] *S. f. Fís.* Átomo ou matéria constituída pelas antipartículas do próton, do nêutron, do elétron, etc. Um átomo de antimatéria em contato com o seu análogo material levaria ao aniquilamento dos dois, com as transformações destes em neutrinos e radiação gama.

antimefítico [De *ant(i)- + mefítico.*] *Adj. S. m.* Diz-se de, ou agente que neutraliza substâncias mefíticas, ou evita sua formação.

antimeridiano [De *ant(i)-* + *meridiano*.] *S. m.* Círculo de longitude oposto ao círculo de longitude local, dele diferindo, portanto, de 180° em longitude.

antimesão *S. m. Lus. Fís. Nucl.* V. *antiméson*. [Pl.: *antimesões*.]

antiméson *S. m. Fís. Nucl.* Antipartícula (q. v.) de méson.

antimetábole [Do gr. *antimetabolé*, pelo lat. *antimetabole*.] *S. f. E. Ling.* Figura que consiste em inverter os principais elementos de um enunciado para dar-lhe outro sentido; antimetalepse: *O que se deve fazer é substituir o direito da força pela força do direito.*

antimetafísico [De *ant(i)-* + *metafísico*.] *Adj.* Contrário à metafísica; de natureza oposta a ela.

antimetalepse [Do gr. *antimetálepsis*.] *S. f. E. Ling.* V. *antimetábole.*

antimetaléptico [De *antimeta(lepse)* + *-léptico*, seg. o padrão erudito.] *Adj.* Relativo a antimetalepse.

antimetátese [Do gr. *antimetáthesis*.] *S. f. E. Ling.* V. *antimetábole.*

antimicótico *Adj. S. m.* Diz-se de, ou agente que combate doenças produzidas por fungo[1]; antifúngico.

antimicrobiano [De *ant(i)-* + *microbiano*.] *Adj. S. m.* Diz-se de, ou agente que extermina micróbios; antimicróbico.

antimicróbico [De *ant(i)-* + *micróbio* + *-ico*[2].] *Adj. S. m.* Antimicrobiano.

antimilitarismo [De *ant(i)-* + *militarismo*.] *S. m.* **1.** Sistema, opinião ou sentimento contrário ao militarismo. **2.** Sentimento hostil à guerra.

antimilitarista [De *antimilitarismo* + *-ista*.] *Adj. 2 g.* **1.** Relativo ao antimilitarismo. **2.** Contrário ao militarismo. ● *S. 2 g.* **3.** Pessoa contrária ao militarismo.

antimíssil [De *ant(i)-* + *míssil*.] *Adj. 2 g.* Relativo a sistema de defesa, ou a elemento deste, que se destina a destruir míssil. [Pl.: *antimísseis*.]

antimitótico [De *ant(i)-* + *mitótico*.] *Adj. S. m.* Diz-se de, ou agente que inibe mitose.

antimoda [De *ant(i)-* + *moda* (9).] *S. f. Estat.* Numa curva de frequências ou de probabilidades, valor da abscissa cuja ordenada corresponde a um mínimo relativo.

antimonárquico [De *ant(i)-* + *monárquico*.] *Adj.* **1.** Relativo ao antimonarquismo. **2.** Contrário ao monarquismo.

antimonarquismo [De *ant(i)-* + *monarquismo*.] *S. m.* Sistema, opinião ou sentimento adverso ao governo monárquico.

antimonarquista [De *antimonarquismo* + *-ista*.] *Adj. 2 g.* **1.** Relativo ao, ou que é partidário do antimonarquismo. ● *S. 2 g.* **2.** Partidário dele.

antimoneto (ê) [De *antimon(i)-* + *-eto*[2].] *S. m. Quím.* Combinação binária de antimônio com um metal.

▲ **antimon(i)-** [Do lat. med. *antimonium*.] *Quím. El. comp.* = 'antimônio': *antimonita.*

antimonial [De *antimônio* + *-al*[1].] *Adj. 2 g.* **1.** Relativo ao, ou que contém antimônio. ● *S. m.* **2.** Medicamento que contém antimônio.

antimoniato [De *antimon(i)-* + *-ato*[2].] *S. m. Quím.* Designação genérica de sais derivados do antimônio, oxigenados em diferentes proporções.

antimónio *S. m. Quím.* V. *antimônio*. [Uso freq. em P.]

antimônio [Do lat. med. *antimoniu*.] *S. m. Quím.* Elemento de número atômico 51, com aspecto metálico, branco-azulado, utilizado em ligas e sob a forma de compostos [símb.: *Sb*].

antimonita [De *antimon(i)-* + *-ita*[3].] *S. f. Min.* Mineral ortorrômbico, sulfeto de antimônio, o mais importante dos minérios de antimônio; estibina.

antimoral [De *ant(i)-* + *moral*.] *Adj. 2 g.* Que é hostil à moral (1). [Cf. *imoral* (1).]

antimorfético [De *ant(i)-* + *morfético*[2].] *Adj. S. m.* Antileprótico.

antimuão *S. m. Lus. Fís. Nucl.* V. *antimúon*. [Pl.: *antimuões*.]

antimúon *S. m. Fís. Nucl.* Antipartícula (q. v.) de múon. [Pl.: *antimúons*.]

antinacional [De *ant(i)-* + *nacional*.] *Adj. 2 g.* Contrário à nação, aos interesses dela.

antinarcótico [De *ant(i)-* + *narcótico*.] *Adj. 2 g.* Que visa a combater o uso de drogas ou o seu tráfico: *uma campanha antinarcótico; uma operação antinarcótico.* [Sin.: *antinarcóticos*.]

antinarcóticos [De *ant(i)-* + o pl. de *narcótico*.] *Adj. 2 g. e 2 n.* Antinarcótico: *delegacia antinarcóticos.*

antinatural [De *ant(i)-* + *natural*.] *Adj. 2 g.* Oposto ou contrário à natureza; contranatural.

antinazismo [De *ant(i)-* + *nazismo*.] *S. m.* Movimento, opinião ou sentimento adverso ao nazismo.

antinazista [De *antinazismo* + *-ista*.] *Adj. 2 g. S. 2 g.* Que ou o que é contrário ao nazismo.

antineoplásico [De *ant(i)-* + *neoplásico*.] *Adj.* Que combate a neoplasia.

antinepotismo [De *ant(i)-* + *nepotismo*.] *Adj. 2 g. e 2 n.* Que visa a coibir o nepotismo: *medida antinepotismo.*

antineutrão *S. m. Lus. Fís. Nucl.* V. *antinêutron*. [Pl.: *antineutrões*.]

antineutrino [De *ant(i)-* + *neutrino*.] *S. m. Fís. Nucl.* Antipartícula (q. v.) de neutrino. [Há três tipos de antineutrinos, um associado ao elétron, um ao múon e um ao tau.]

antinêutron [De *ant(i)-* + *nêutron*.] *S. m. Fís. Nucl.* Antipartícula (q. v.) do nêutron. [O antinêutron é instável, desintegrando-se num tempo da ordem de 10^3 segundos. É composto de antiquarks *u*, *d* e *d*.]

antinó [De *ant(i)-* + *nó*.] *S. m. Fís.* V. *ventre* (8).

antinodal [De *ant(i)-* + *nodal*.] *Adj. 2 g.* ~ V. *pontos antinodais.*

antinodo [De *ant(i)-* + *nodo*.] *S. m. Fís.* V. *ventre* (8).

antinomia [Do gr. *antinomía*.] *S. f.* **1.** Contradição entre duas leis ou princípios. **2.** Oposição recíproca: "Vereis, entretanto, que a antinomia entre os dois aspectos extremos de sua vida [de Machado de Assis] é apenas aparente, pois em verdade, aqui como quase sempre, os extremos se tocam." (Moisés Velinho, *Letras da Província*, p. 178.) **3.** *Filos.* Conflito entre duas asserções demonstradas ou refutadas, aparentemente com igual rigor. [Cf., nesta acepç., *aporia* (1) e *paradoxo* (4).] **4.** *Filos.* Paradoxo (4).

antinomianismo [De *antinomiano* + *-ismo*.] *S. m.* Doutrina luterana de Johannes Schnitter, cognominado Johann Agricola (1492-1566), que afirmava ser a fé, e não os atos, a única condição de salvação; antinomismo.

antinomiano [De *antinomia* + *-ano*[1].] *Adj.* **1.** Relativo ou pertencente ao antinomianismo, ou que é sectário dele. ● *S. m.* **2.** Sectário do antinomianismo.

antinómico *Adj.* V. *antinômico*. [Uso freq. em P.]

antinômico [Do gr. *antinomikós*.] *Adj.* Que encerra antinomia; contraditório, oposto.

antinomismo [De *antinomia* + *-ismo*.] *S. m.* **1.** Antinomianismo. **2.** *Filos.* Argumentação que se desenvolve por meio de antinomias.

antinuclear [De *ant(i)-* + *nuclear*.] *Adj. 2 g.* **1.** Que se opõe ao uso e/ou à produção de energia nuclear. **2.** Hostil ao emprego de armas nucleares.

antinúcleo [De *ant(i)-* + *núcleo*.] *S. m. Fís. Nucl.* Núcleo composto de antiprótons e antinêutrons, da mesma forma que um núcleo atômico ordinário é composto de prótons e nêutrons.

antinupcial [De *ant(i)-* + *nupcial*.] *Adj. 2 g.* Infenso ao casamento. [Cf. *antenupcial*.]

antiofídico [De *ant(i)-* + *ofídico*.] *Adj. S. m.* Diz-se de, ou substância que combate o veneno de cobras.

antiômega-mais [De *ant(i)-* + *ômega-mais*.] *S. m. Fís. Nucl.* Antibárion que no estado fundamental tem massa igual a 1,800 unidades de massa atômica, *spin* igual a três meios, paridade positiva e carga positiva igual à do próton. [Pl.: *antiômegas-mais*.]

antioxidante (cs) [De *ant(i)-* + *oxidante*.] *Adj. 2 g. S. m. Quím.* Diz-se de, ou substância que impede ou dificulta reações de oxidação, ou que destrói agentes, como, p. ex., o radical livre hidroxila e o ânion radical superóxido, causadores dessas reações.

antipacifista [De *ant(i)-* + *pacifista*.] *Adj. 2 g. S. 2 g.* Que, ou quem é contrário à paz universal, se opõe ao pacifismo.

antipalúdico [De *ant(i)-* + *palúdico*.] *Adj. S. m. Terap.* V. *antimalárico.*

antipalustre [De *ant(i)-* + (*febre*) *palustre*.] *Adj. S. m. Terap.* V. *antimalárico.*

antipapa [Do lat. med. *antipapa*.] *S. m.* Falso papa, usurpador da jurisdição do legítimo.

antipapado [De *antipapa* + *-ado*[2].] *S. m.* **1.** Jurisdição de antipapa. **2.** O tempo do seu pontificado.

antipapismo [De *ant(i)-* + *papa*[1] + *-ismo*.] *S. m.* Posição daqueles que não reconhecem o verdadeiro Papa, *i. e.*, o de Roma.

antipapista [De *ant(i)-* + *papa*[1] + *-ista*.] *Adj. 2 g.* **1.** Contrário ao Papa. **2.** Que é partidário ou sectário do antipapismo. ● *S. 2 g.* **3.** Partidário ou sectário dele.

antiparalelo [De *ant(i)-* + *paralelo*.] *Adj.* Diz-se de duas grandezas a que se podem atribuir direção e sentido, que têm a mesma direção mas sentidos opostos. ~ V. *vetores —s.*

antiparasitário [De *ant(i)-* + *-parasit(o)-* + *-ário*.] *Adj. S. m.* Diz-se de, ou substância que combate parasito.

antiparástase [Do gr. *antiparástasis*.] *S. f. E. Ling.* Figura pela qual se demonstra que o acusado seria digno de louvor caso tivesse praticado a ação de que o acusam.

antipartícula [De *ant(i)-* + *partícula*.] *S. f. Fís. Nucl.* Denominação genérica das partículas elementares que apresentam mesma massa, *spin* e paridade de uma partícula, porém carga elétrica, número bariônico, número leptônico e números quânticos de estranheza, charme, beleza e *top* opostos. [Para cada partícula corresponde uma antipartícula. Algumas partículas neutras, como o fóton e o pi neutro, são suas próprias antipartículas.]

antipassiva [De *ant(i)-* + *passiva*.] *S. f. E. Ling.* Voz antipassiva (q. v.).

antipassivo *Adj. E. Ling.* Referente à voz antipassiva. ~ V. *voz —a.*

antipatário [De *ant(i)-* + *-pat(o)-* + *-ário*; tax. *Antipatharia*.] *Zool. S. m.* **1.** Espécime dos antipatários, ordem de celenterados zoantários. Têm esqueleto arborescente, ramificações formadas de material córneo com pólipos laterais e seis tentáculos; vivem em águas tropicais profundas. São os corais-pretos. ● *Adj.* **2.** Pertencente ou relativo a eles.

antipaternalismo [De *ant(i)-* + *paternalismo*.] *S. m.* Sentimento ou atitude contrária ao paternalismo.

antipaternalista [De *antipaternalismo* + *-ista*.] *Adj. 2 g. S. 2 g.* Que, ou quem é contrário ao paternalismo.

antipatia [Do gr. *antipátheia*, pelo lat. *antipathia*.] *S. f.* Aversão espontânea e instintiva; repugnância. [Antôn.: *simpatia*.]

antipaticíssimo *Adj.* Superl. abs. sint. de *antipático.*

antipático [De *antipatia* + *-ico*[2].] *Adj.* **1.** Que inspira antipatia: *Só fala de si mesmo: é muito antipático; Sua intransigência é deveras antipática.* **2.** Que sente antipatia; contrário, adverso: *Sou antipático à ideia de homenagear aquele tipo.* **3.** Discordante, discorde, desacorde, desarmônico: *temperamentos antipáticos; concepções antipáticas.* ● *S. m.* **4.** Indivíduo antipático. [Antôn.: *simpático*. Superl. abs. sint.: *antipaticíssimo*.]

antipatizar [De *antipatia* + *-izar*.] *V. t. i.* Ter ou sentir antipatia: *Antipatizo com os pedantes;* "Encontrava-o agora todos os dias em casa de Lúcia; e desde a primeira vez antipatizara com a sua enjoativa figura." (José de Alencar, *Lucíola*, p. 158). [Antôn.: *simpatizar*.]

antipatriarcalismo [De *ant(i)-* + *patriarcalismo*.] *S. m.* Sentimento, ou atitude contrária ao patriarcalismo.

antipatriarcalista [De *antipatriarcalismo* + *-ista*.] *Adj. 2 g. S. 2 g.* Que, ou quem é contrário ao patriarcalismo.

antipatriota [De *ant(i)-* + *patriota*.] *Adj. 2 g. S. 2 g.* Que, ou quem é contra a pátria; despatriota.

antipatriótico [De *ant(i)-* + *patriótico*.] *Adj.* Contrário aos interesses da pátria; despatriótico.

antipatriotismo [De *antipatriota* + *-ismo*.] *S. m.* Caráter, atitude ou sentimento próprio de antipatriota.

antipedagógico [De *ant(i)-* + *pedagógico*.] *Adj.* Contrário às normas da pedagogia.

antipêndio *S. m.* **1.** A parte dianteira do altar, entre a mesa e o solo. **2.** *P. ext.* As tábuas que formam os lados do altar.

antiperiódico [De *ant(i)-* + *periódico*.] *Adj. S. m. Med.* Diz-se de, ou agente que atua no sentido de evitar recorrência periódica de exacerbação de doença.

antiperiplanar [De *anti-* + *periplanar*.] *Adj. 2 g. Quím.* Diz-se da relação entre dois átomos, ou entre dois grupos de uma molécula, semelhante à que existe entre as metilas do butano na conformação em oposição (q. v.).

antiperistalse [De *ant(i)-* + *peristalse*.] *S. f. Fisiol. Med.* Inversão da peristalse.

antiperistáltico [De *antiperistalse* + *-ico*[2], seg. o padrão erudito.] *Adj.* Relativo à antiperistalse.

antiperístase [Do gr. *antiperístasis*.] *S. f.* Circunstância que põe em relevo uma qualidade por influência de outra oposta.

antiperspirante [De *ant(i)-* + *perspirar* + *-nte*.] *Adj. 2 g. S. 2 g.* Diz-se de, ou substância que evita a transpiração.

antipestoso (ô) [De *ant(i)-* + *peste* + *-oso*.] *Adj.* Que combate a peste.

antipirético [De *ant(i)-* + *-piret(o)-* + *-ico*[2].] *Adj. S. m.* V. *antitérmico.*

antipirina [De *antipir(ético)* + *-ina*[3].] *S. f. Med.* Medicamento antitérmico e analgésico [fórm.: $C_{11}H_{12}N_2O$].

antipleurítico [De *ant(i)-* + *pleurítico*.] *Adj.* Aplicável contra a pleuris.

antípoda [Do gr. *antípous*, *odos*.] *S. m.* **1.** Habitante que, em relação a outro do globo, se encontra em lugar diametralmente oposto; antíctone. [Us. quase só no pl. Cf. *antecos* e *periecos*.] **2.** *Fig.* O contrário, o oposto. ● *S. f.* **3.** *Bot.* Cada uma das três células que, no saco embrionário das angiospermas, se localizam no extremo oposto ocupado pelas sinérgides e pela ovocélula. ● *Adj. 2 g.* **4.** Contrário, oposto. ◆ **Antípoda óptico.** *Quím.* V. *enantiômero.*

antipodal [De *antípoda* + *-al*[1].] *Adj. 2 g. Bot.* Próprio das, ou relativo às antípodas [v. *antípoda* (3)]: *extremidade antipodal do saco embrionário.*

antipódico [De *antípoda* + *-ico*[2].] *Adj.* Relativo aos, ou próprio dos antípodas.

antipodismo [De *antípoda* + *-ismo*.] *S. m.* Qualidade ou situação de antípoda.

antipoético [De *ant(i)-* + *poético*.] *Adj.* Apoético (2).

antipoliomielítico [De *ant(i)-* + *poliomielítico*.] *Adj. Med.* Que combate a poliomielite.

antipoliorcético [De *ant(i)-* + *poliorcético*.] *S. f.* Arte da defesa de praças sitiadas.

antipoluente [De *ant(i)-* + *poluente*.] *Adj. 2 g.* **1.** Diz-se de sistema, procedimento ou substância que visa a eliminar fatores de poluição ambiental, etc. ● *S. m.* 2. Substância antipoluente.

antipoluição [De *ant(i)-* + *poluição*.] *Adj. 2 g.* 1. Contrário à poluição. 2. Antipoluente (1).

antipopular *Adj. 2 g.* 1. Que se opõe ao povo, ou ao que é popular. 2. Que contraria as expectativas e interesses do povo, ou da opinião pública. [Cf. *impopular*.]

antiprincipal [De *ant(i)-* + *principal*.] *Adj. 2 g.* ~ V. *pontos antiprincipais*.

antiprotão *S. m. Lus. Fís. Nucl.* V. *antipróton*. [Pl.: *antiprotões*.]

antiprotecionismo [De *ant(i)-* + *protecionismo*.] *S. m.* Oposição ao protecionismo.

antiprotecionista [De *antiprotecionismo* + *-ista*.] *Adj. 2 g. S. 2 g.* Diz-se de, ou aquele, ou política que se opõe ao protecionismo.

antipróton *S. m. Fís. Nucl.* Antipartícula (q. v.) do próton. [O antipróton é composto de antiquarks *u*, *u* e *d*.]

antipruriginoso (ô) [De *ant(i)-* + *pruriginoso*.] *Adj. S. m.* Diz-se de, ou medicamento contra prurido.

antipsicótico [De *ant(i)-* + *psicótico*.] *Adj. Terap.* Diz-se de, ou relativo a medicamento, ou recurso outro, que combata psicose.

antipsiquiatra [Voc. deduz. de *antipsiquiatria*.] *Adj. 2 g. S. 2 g.* Diz-se de, ou quem é partidário da antipsiquiatria.

antipsiquiatria [De *ant(i)-* + *psiquiatria*.] *S. f. Psiq.* Movimento de crítica radical à psiquiatria, tanto como ciência quanto como instituição social, e que conta com pensadores de variadas correntes filosóficas.

antipsiquiátrico [De *antipsiquiatria* + *-ico*[2].] *Adj. Psiq.* Diz-se de, ou relativo à antipsiquiatria.

antipsórico [De *ant(i)-* + gr. *psorikós*, 'sarnento'.] *Adj. S. m.* Diz-se de, ou medicamento que combate a psoríase.

antiptose [Do gr. *antíptosis*, pelo lat. tard. *antiptose*.] *S. f. E. Ling.* Emprego de um caso gramatical por outro.

antipulgas [De *ant(i)-* + o pl. de *pulga*.] *Adj. 2 g. e 2 n. S. m. 2 n.* Diz-se de, ou aquilo (substância, produto, etc.) que combate as pulgas: *coleira antipulgas, xampu antipulgas; Comprou um antipulgas muito bom.*

antipútrido [De *ant(i)-* + *pútrido*.] *Adj.* Que combate a putrefação.

antiquado [Part. de *antiquar*.] *Adj.* 1. Tornado antigo; desusado, arcaico, obsoleto. 2. Diz-se de palavra ou expressão que, embora ainda reconhecida, se usada, soa fora de época. 3. Diz-se de indivíduo que pensa ou age segundo conceitos e critérios ultrapassados.

antiqualha [Do lat. *antiquu*, 'antigo', + *-alha*.] *S. f.* V. *antigualha* (1).

antiquar [Do lat. *antiquare*.] *V. t. d.* 1. Tornar antigo ou antiquado. *P.* 2. Cair em desuso; tornar-se antiquado. [Defect. Só se conjuga nas f. arrizotônicas. Modernamente mais us. no infinitivo e no particípio.]

antiquariato [De *antiquário* + *-ato*[1].] *S. m.* 1. Conhecimentos ou atividades de antiquário. 2. Lugar onde se depositam coisas antigas. 3. Conjunto de conhecimentos relativos a objetos de arte antigos.

antiquário [Do lat. *antiquariu*.] *S. m.* 1. Estudioso, colecionador ou comerciante de antiguidades ou antigualhas. 2. Estabelecimento onde se comerciam antiguidades.

antiquark [De *ant(i)-* + *quark*.] *S. m. Fís. Part.* Antipartícula (q. v.) de *quark*. [Um antiquark tem número bariônico, carga elétrica, componente z do *isospin*, e os números quânticos de estranheza, charme, *bottom* e *top*, de sinal oposto ao do *quark* correspondente.] [Pl.: *antiquarks*.]

antiqueda [De *ant(i)-*[1] + *queda*.] *Adj. 2 g. e 2 n. S. 2 g. e 2 n.* Diz-se de, ou substância ou produto que previne ou evita a queda dos cabelos: *xampu antiqueda*.

antiquíssimo (qüís) [Do lat. *antiquissimu*.] *Adj.* Superl. abs. sint. de *antigo*. ❖

antirrábico [De *ant(i)-* + *rábico*.] *Adj.* 1. Aplicável contra a hidrofobia ou raiva: *No ano passado um novo tratamento antirrábico salvou um jovem acometido pela doença.* 2. Que evita a hidrofobia ou raiva: *vacina antirrábica.* 3. *P. ext. Fig.* Especializado no tratamento contra a hidrofobia ou em pesquisas sobre a doença: *O hospital é um centro antirrábico internacionalmente conhecido.* ❖

antirracismo [De *ant(i)-* + *racismo*.] *S. m.* Movimento, sistema, opinião ou sentimento adverso ao racismo. ❖

antirracista [De *antirracismo* + *-ista*.] *Adj. 2 g. S. 2 g.* Que, ou o que é contrário ao racismo. ❖

antirradar [De *ant(i)-* + *radar*.] *Adj. 2 g. Mil.* Que se destina a neutralizar radar. ❖

antirradiação [De *ant(i)-* + *radiação*.] *Adj. 2 g.* Que protege da radiação, esp. da radioatividade. ❖

antirraquítico [De *ant(i)-* + *raquítico*.] *Adj. S. m.* Diz-se de, ou substância que combate o raquitismo. ❖

antirreflexo [De *ant(i)-*[1] + *reflexo*.] *Adj.* Diz-se de vidro, lente, película (de proteção solar, etc.) ou óculos capazes de atenuar os reflexos da luz natural ou artificial.

antirreformismo [De *ant(i)-* + *reformismo*.] *S. m.* 1. Teoria contrária ao reformismo. 2. Sentimento ou atitude contrária às reformas políticas ou ao reformismo. ❖

antirreformista [De *antirreformismo* + *-ista*.] *Adj. 2 g.* 1. Que é contrário às reformas políticas ou ao reformismo. ● *S. 2 g.* 2. Pessoa adepta do antirreformismo. ❖

antirregimental [De *ant(i)-* + *regimental*.] *Adj. 2 g.* Contrário ao que dispõe o regimento de uma instituição. ❖

antirreligioso [De *ant(i)-* + *religioso*.] *Adj. S. m.* Que, ou quem é contrário a qualquer religião. ❖

antirrepublicano [De *ant(i)-*[1] + *republicano*.] *Adj.* 1. Contrário à república. ● *S. m.* 2. Indivíduo antirrepublicano (1).

antirressonância [De *ant(i)-* + *ressonância*.] *S. f. Fís.* A condição de um sistema oscilante (mecânico, elétrico ou eletrônico) na qual a impedância de entrada é muito grande. ❖

antirretroviral [De *ant(i)-* + *retroviral*.] *Adj. 2 g.* 1. Diz-se de medicamento, terapia, etc., que combate retrovírus. ● *S. m.* Medicamento antirretroviral.

antirreumático [De *ant(i)-* + *reumático*.] *Adj. S. m.* Diz-se de, ou medicamento que combate o reumatismo. ❖

antirrevisionismo [De *ant(i)-* + *revisionismo*.] *S. m.* Corrente política infensa ao revisionismo. ❖

antirrevisionista [De *antirrevisionismo* + *-ista*.] *Adj. 2 g.* 1. Referente ao antirrevisionismo, ou que é partidário dele. ● *S. m.* 2. Partidário do antirrevisionismo. ❖

antirrevolucionário [De *ant(i)-* + *revolucionário*.] *Adj.* 1. Contrário à revolução ou às revoluções, em geral. ● *S. m.* 2. Indivíduo antirrevolucionário. ❖

antirrino [Do tax. *Antirrhinum* (do lat. *antirrhinon, i*, do gr.).] *S. m. Bot.* 1. Gênero de ervas escrofulariáceas dotadas de flores irregulares e de cores vivas; são semelhantes às linárias, mas delas se distinguem por não terem esporas. 2. Qualquer espécie desse gênero, como, p. ex., a *Antirrhinum majus* (v. *boca-de-leão*). 3. Qualquer espécime desse gênero, ou a sua flor.

antirromântico [De *ant(i)-* + *romântico*.] *Adj. S. m.* Que, ou quem é contrário ao romantismo, ou aos românticos. ❖

antirroubo [De *ant(i)-* + *roubo*.] *Adj. 2 g. e 2 n.* Antifurto. ❖

antirrugas [De *ant(i)-* + o pl. de *ruga*.] *Adj. 2 g. e 2 n. S. m.* Diz-se de, ou produto, ou processo que se destina a prevenir ou atenuar rugas. ❖

antirruído [De *ant(i)-* + *ruído*.] *Adj.* Que não permite a propagação de ruído: *forração antirruído.* ❖

antíscios [Do gr. *antískioi*.] *S. m. pl.* V. *antecos*. [Cf. *periscios*.]

➔**antispam** [æntɪˈspæm] [Ingl.] *Inform. Adj. 2 g. e 2 n.* 1. Produzido ou usado para evitar ou combater a recepção de *spam* (diz-se de programa, filtro, processo, técnica, etc.). ● *S. m.* 2. Esse programa, filtro, etc.

antíspase [Do gr. *antíspasis*.] *S. f. Med.* V. *revulsão*.

antispástico [Do gr. *antispastikós*, pelo lat. tard. *antispasticu*.] *Adj. Terap.* V. *revulsivo* (1).

antispasto [Do gr. *antíspastos*, pelo lat. tard. *antispastu*.] *S. m.* Pé de verso grego ou latino composto de duas sílabas longas entre duas breves.

➔**antispyware** [æntɪˈspajweə̆] [Ingl.] *Inform. Adj. 2 g.* 1. Produzido ou usado para combater ou bloquear *spywares* (diz-se de programa). ● *S. m.* 2. Esse programa.

antissatélite [De *ant(i)-* + *satélite*.] *Adj. 2 g. S. m. Astron.* Diz-se de, ou satélite artificial utilizado para a destruição de outros. ❖

antissátira [De *ant(i)-* + *sátira*.] *S. f.* Sátira feita em réplica a outra. ❖

antissecretório [De *ant(i)-* + *secretório*.] *Adj. S. m.* Diz-se de, ou substância que combate a secreção. ❖

antissegregacionismo [De *ant(i)-* + *segregacionismo*.] *S. m.* Oposição ao segregacionismo. ❖

antissegregacionista [De *antissegregacionismo* + *-ista*.] *Adj. 2 g. S. 2 g.* Que, ou quem é partidário do antissegregacionismo. ❖

antissemita [De *ant(i)-* + *semita*.] *Adj. 2 g. S. 2 g.* Inimigo dos semitas, esp. dos judeus. ❖

antissemítico [De *antissemita* + *-ico*[2].] *Adj.* 1. Relativo aos antissemitas ou ao antissemitismo. 2. Contrário aos semitas, esp. judeus. ❖

antissemitismo [De *antissemita* + *-ismo*, ou de *ant(i)-* + *semitismo*.] *S. m.* 1. Qualidade de antissemita. 2. Doutrina ou movimento contra os judeus. ❖

antissepsia [De *ant(i)-* + *-seps(i)-* + *-ia*[1].] *S. f. Med.* O emprego de substâncias antissépticas; desinfecção. ❖

antisséptico *Adj.* 1. Relativo à antissepsia. 2. Diz-se de substância capaz de impedir, pela inativação ou destruição de micróbios, a proliferação deles; desinfetante. ● *S. m.* 3. Essa substância; desinfetante. [Cf. *anticéptico*.] ❖

antissequestro (qües) [De *ant(i)-* + *sequestro*.] *Adj. 2 g. e 2 n.* 1. Contra sequestro (2): *medidas antissequestro.* 2. Que se ocupa em evitar sequestro, ou em resgatar sequestrados: *Divisão antissequestro da polícia.* ❖

antissético *Adj. S. m.* V. *antisséptico*. [Uso próprio de P.] ⊙

antissifilítico [De *ant(i)-* + *sifilítico*.] *Adj. S. m.* Que, ou substância que combate a sífilis; antiluético. ❖

antissigma [Do gr. *antísigma*, pelo lat. tard. *antisigma*.] *S. m.* 1. *Fís. Nucl.* Antipartícula (q. v.) de bárion sigma. 2. *Paleogr.* Sinal de correção, em forma de sigma invertido, posto antes de palavras, versos, etc., que se devem transpor. ❖

antissigma-mais [De *ant(i)-* + *sigma-mais*.] *S. m. Fís. Nucl.* Antipartícula (q. v.) do sigma-mais. [Pl.: *antissigmas-mais*.] ❖

antissigma-menos [De *ant(i)-* + *sigma-menos*.] *S. m. Fís. Nucl.* Antipartícula (q. v.) do sigma-menos. [Pl.: *antissigmas-menos*.] ❖

antissigma-zero [De *ant(i)-* + *sigma-zero*.] *S. m. Fís. Nucl.* Antipartícula (q. v.) do sigma-zero. [Pl.: *antissigmas-zero*.] ❖

antissimétrico [De *ant(i)-* + *simétrico*.] *Adj.* V. *assimétrico*. ~ V. *determinante —*, *função —a* e *matriz —a*. ❖

antissísmico [De *ant(i)-* + *sísmico*.] *Adj.* Que se destina a resistir a sismos ou terremotos. ❖

antissistemático [De *ant(i)-* + *sistemático*.] *Adj. Filos.* Na epistemologia (q. v.), que se opõe ao espírito do sistema, à sistematização da realidade. ❖

antissistematismo [De *antissistemático* + *-ismo*, seg. o padrão erudito.] *S. m. Filos.* Caráter de antissistemático. ❖

antissocial [De *ant(i)-* + *social*.] *Adj. 2 g.* 1. Contrário à organização da sociedade como tal, ou que se opõe à ordem social vigente. 2. *Psiq.* Diz-se de comportamento daquele que tem dificuldade em respeitar as regras sociais; sociopático. ~ V. *personalidade —*. ❖

antissociável [De *ant(i)-* + *sociável*.] *Adj. 2 g.* Contrário ou indiferente à sociabilidade. ❖

antissoro (ô) [De *ant(i)-* + *soro*.] *S. m. Imun.* Soro obtido de animal imunizado, e que contém anticorpos capazes de conferir imunização passiva. [Sin. impr.: *soro-imune*.] ❖

antissubmarino [De *ant(i)-* + *submarino*.] *Adj. 2 g. e 2 n.* Diz-se da embarcação, armamento, operação tática, etc., destinados a dar combate a submarinos e destruí-los. ❖

antiste *S. m.* V. *antístite*.

antístite [Do lat. *antistite*.] *S. m.* 1. Sumo sacerdote pagão, na Antiguidade. 2. *P. ext.* Título honorífico que se dava a bispos, padres, etc: "o severo antístite não apreciava, mesmo, familiaridades entre sacerdotes e fiéis." (Ciro dos Anjos, *A Menina do Sobrado*, p. 90.) [Var. haplológica: *antiste*.]

antístrofe [Do gr. *antistrophé*, pelo lat. tard. *antistrophe*.] *S. f.* 1. *Arte Poét.* A segunda parte da ode antiga. [Cf. *estrofe* (2) e *epodo* (1).] 2. *E. Ling.* Mudança de sentido na associação de certas palavras, pela repetição delas em ordem inversa.

antistrumático [De *ant(i)-* + lat. *strumaticu*, 'escrofuloso'.] *Adj.* Diz-se de medicamento que combate escrófulas.

antitabagismo [De *ant(i)-* + *tabagismo*.] *S. m.* Movimento, política, opinião, sentimento ou tratamento contra o tabagismo.

antitabagista [De *antitabagismo* + *-ista*.] *Adj. 2 g.* 1. Relativo ao antitabagismo. ● *S. 2 g.* 2. Partidário do antitabagismo.

antitanque [De *ant(i)-* + *tanque*.] *Adj. 2 g. e 2 n. Exérc.* Anticarro.

antiteatral [De *ant(i)-* + *teatral*.] *Adj. 2 g.* Antidramático.

antitenar [Var. impr. de *antítenar*.] *S. m. Lus. Anat.* V. *antítenar*. [Pl.: *antitenares*.]

antitênar [Var. impr. de *antítenar*.] *S. m. Anat.* V. *antítenar*. [Pl.: *antitênares*.]

antítenar *S. m. Anat.* Localização oposta à palma da mão ou à planta do pé. [Pl.: *antítenares*.]

antitérmico [De *ant(i)-* + *-term(o)-* + *-ico*[2].] *Adj. S. m.* Diz-se de, ou medicamento que combate a elevação da temperatura corporal; antifebril, antipirético, febrífugo.

antiterrorismo [De *ant(i)-* + *terrorismo*.] *S. m.* Sistema, opinião ou sentimento contrário ao terrorismo.

antiterrorista [De *antiterrorismo* + *-ista*.] *Adj. 2 g.* 1. Relativo ao, ou próprio do antiterrorismo. 2. Contrário ao terrorismo. ● *S. 2 g.* 3. Indivíduo contrário ao terrorismo.

antítese [Do gr. *antíthesis*, 'oposição', pelo lat. tard. *antithese*.] *S. f.* 1. *E. Ling.* Figura pela qual se salienta a oposição entre duas palavras ou ideias; enantiose. Ex.: "Era o porvir — em frente do passado, / A Liberdade — em face à Escravidão" (Castro Alves, *Obra Completa*, p. 154); "Deixa que hoje me chame eternidade!" (Campos de Figueiredo, *Imagem da Noite*, p. 15). 2. *P. ext.* Qualquer oposição flagrante: *O branco e o preto formam uma antítese.* 3. Ser ou coisa que representa essa oposição; o oposto: *O Diabo é a antítese de Deus.* **4.** *Lóg.* Oposição por contrariedade, ou por contradição, entre dois termos ou duas proposições. [Cf., nesta acepç., *dialética* (3) e *oposição* (11).]

antitetânico [De *ant(i)-* + *tétano* + *-ico*[2].] ***Adj.*** **1.** Que combate ou evita o tétano. • ***S. m.*** **2.** Substância antitetânica.

antitético [Do gr. *antithetikós.*] ***Adj.*** Que contém ou constitui antítese.

antitipia [Do gr. *antitypía*, 'resistência', 'firmeza'.] ***S. f.*** *Filos.* Qualidade de resistência da matéria que impede um corpo de ocupar, com outro, o mesmo lugar no espaço.

antítipo [Do gr. *antítypon.*] ***S. m.*** **1.** Tipo ou figura que representa outra. **2.** *Bot.* Exemplar de herbário recolhido pela mesma pessoa que colheu o tipo[1] (8), no mesmo lugar e data. **3.** *P. ext. Bot.* Qualquer fragmento do tipo[1] (8). **4.** *Bot.* Exemplar de planta cultivada a partir de outra, considerada como típica.

antitorpédico [De *ant(i)-* + *torpedo* + *-ico*[2].] ***Adj.*** *Bras. Mar. G.* Contra torpedo(s): *defesa antitorpédica.*

antitóxico (cs) [De *ant(i)-* + *tóxico.*] ***Adj.*** **1.** Contrário aos tóxicos. • ***S. m.*** **2.** *Med.* V. *antídoto* (1).

antitoxina (cs) [De *ant(i)-* + *toxina.*] ***S. f.*** *Imun.* Anticorpo neutralizante específico contra toxina de microrganismo, zootoxina e fitotoxina. [Cf. *antiveneno.*]

antítrago [Do gr. *antítragos.*] ***S. m.*** *Anat.* Saliência anteroinferior do trago[2].

antitrigonométrico [De *ant(i)-* + *trigonométrico.*] ***Adj.*** ~ V. *função —a* e *sentido —.*

antitrinitário [De *ant(i)-* + lat. *trinitate*, 'trindade', + *-ário.*] ***Adj.*** Contrário ao dogma da Trindade.

antitrombina [De *ant(i)-* + *trombina.*] ***S. f.*** *Biol. Med.* Substância, natural ou não, que inibe a ação de trombina.

antitruste [De *ant(i)-* + *truste.*] ***Adj. 2 g.*** *Econ.* Que objetiva coibir os trustes: *legislação antitruste.*

antitussígeno [De *ant(i)-* + *tussígeno.*] ***Adj. S. m.*** Diz-se de, ou medicamento que combate a tosse; antibéquico.

antiumectante [De *ant(i)-* + *umectante.*] ***Adj. 2 g. S. m.*** *Tec. Quím.* Diz-se de, ou substância que, adicionada a pó, ou a sal, esp. alimentício, reduz as características higroscópicas deste.

antivariólico [De *ant(i)-* + *varíola* + *-ico*[2].] ***Adj.*** Aplicável contra a varíola. ~ V. *vacina —a.*

antiveneno [De *ant(i)-* + *veneno.*] ***S. m.*** *Med.* Anticorpo neutralizante específico produzido no organismo em consequência da presença de veneno. [Cf. *antitoxina.*]

antivenéreo [De *ant(i)-* + *venéreo.*] ***Adj.*** Que combate ou evita moléstia venérea.

antiverista [De *ant(i)-* + *verista.*] ***Adj. 2 g.*** Contrário ao verismo.

antiviral [Do ingl. *antiviral.*] ***Adj. 2 g. S. m.*** V. *antivirulento*: "O coquetel antiviral reduz a presença do HIV a níveis baixíssimos." (*Jornal do Brasil*, 17.11.1998.)

antivirótico [De *ant(i)-* + *-vir(o)-* + *-ótico.*] ***Adj. S. m.*** V. *antivirulento.*

antivirulento [De *ant(i)-* + lat. *virulentus*, 'peçonhento'.] ***Adj. S. m.*** Diz-se de, ou agente que extermina vírus; antiviral, antivirótico.

antivírus [De *ant(i)-* + *vírus.*] ***S. m. 2 n.*** **1.** *Biol.* Substância, ou organismo, que evita ou combate o desenvolvimento de vírus, ou de doenças virais. **2.** *Inform.* Programa (9) destinado à detecção e/ou remoção de vírus (3). • ***Adj. 2 g. e 2 n.*** **3.** *Inform.* Diz-se desse programa.

antizímico [De *ant(i)-* + *-zim(e)-* + *-ico*[2].] ***Adj.*** Que combate ou evita a fermentação.

antlerita [Do top. *Antler* (E.U.A.) + *-ita*[3].] ***S. f.*** *Min.* Sulfato básico de cobre, de cor verde-esmeralda a verde-escura, brilho vítreo.

antliado [Do lat. *antlia*, 'bomba[2]', + *-ado*[3], tax. *Antliata.*] ***S. m. Adj.*** *Zool.* V. *díptero*[2].

antlofobia [Do gr. *ántlos*, 'água do mar', + *-fobia.*] ***S. f.*** *Psiq.* Medo patológico de inundação.

antlofóbico [De *antlofobia* + *-ico*[2].] *Psiq.* ***Adj.*** **1.** Relativo a antlofobia. **2.** Que sofre de antlofobia; antlófobo. • ***S. m.*** **3.** Aquele que sofre de antlofobia; antlófobo.

antlófobo [Do gr. *ántlos*, 'água do mar', + *-fobo.*] ***Adj. S. m.*** *Psiq.* Antlofóbico (2 e 3).

▲ **ant(o)-** [Do gr. *ánthos, eos-ous.*] ***El. comp.*** = 'flor': *antófilo, antoide.* [Equiv.: *-ant(o)-*, *-anto*: *sinantia, sinantocarpo, megalanto, monanto.*]

▲ **-ant(o)-** V. *ant(o)-.*

▲ **-anto** V. *ant(o)-.*

antócero [Do tax. *Anthoceros* (v. *ant(o)-* e *-cero*).] ***S. m.*** *Bot.* **1.** O gênero-tipo das antocerotáceas, constituído por hepáticas cosmopolitas que habitam lugares úmidos. **2.** Espécie, ou espécime desse gênero.

antocerotácea [Do lat. cient. *Anthocerot-* (do tax. *Anthoceros*) + *-ácea*; tax. *Anthocerotaceae.*] ***S. f.*** *Bot.* Espécime das antoceratáceas, família da ordem das antoceratales que reúne cinco gêneros, dos quais o mais importante, *Anthoceros* (v. *antócero*), existe no Brasil.

antocerotáceo [De *antocerotácea*, com var. suf. (v. *-áceo*).] ***Adj.*** *Bot.* Pertencente ou relativo às antocerotáceas.

antocerotal [Do lat. cient. *Anthocerot-* (v. *antócero*) + *-al*[1].] ***Adj. 2 g.*** *Bot.* Pertencente ou relativo às antocerotales.

antocerotale [Do lat. cient. *Anthocerot-* (v. *antócero*) + *-ale*; tax. *Anthocerotales.*] ***S. f.*** *Bot.* Espécime das antocerotales, subclasse de hepáticas que engloba a família das antocerotáceas.

antociânico [De *antociano* + *-ico*[2].] ***Adj.*** *Quím.* Pertencente ou relativo a antociano.

antocianidina [De *ant(o)-* + *cianidina.*] ***S. f.*** *Quím.* Designação genérica dos aglicônios das antocianinas.

antocianina [De *ant(o)-* + *-cian(o)-* + *-ina*[3].] ***S. f.*** *Quím.* Qualquer dos glicosídeos flavonoides que constituem os pigmentos vermelhos, azuis ou violáceos das folhas, frutos ou flores dos vegetais; localizam-se, sobretudo, nas porções exteriores dos tecidos, e caracterizam-se por serem solúveis na água e, pois, se dissolverem no líquido intracelular; antociano. [Os matizes das antocianinas dependem da acidez ou basicidade do meio.]

antociano [De *ant(o)-* + *-ciano.*] ***S. m.*** *Quím.* Antocianina.

antódico [De *antódio* + *-ico*[2].] ***Adj.*** *Bot.* Relativo ao antódio.

antódio [Do lat. cient. *anthodium* < gr. *anthódes*, 'florido'.] ***S. m.*** *Bot.* V. *capítulo* (5).

antofagastense ***Adj. 2 g.*** **1.** De, ou pertencente ou relativo à cidade de Antofagasta (Chile). • ***S. 2 g.*** **2.** O natural ou habitante dessa cidade.

antófago [De *ant(o)-* + *-fago.*] ***Adj.*** Que come flores.

antofilia[1] [De *antofilo* + *-ia*[1].] ***S. f.*** *Bot.* Ocorrência de antofilo.

antofilia[2] [De *ant(o)-* + *-filia.*] ***S. f.*** *Psiq.* Entusiasmo exagerado por flores.

antofílico[1] [De *antofilo* + *-ico*[2].] ***Adj.*** *Bot.* Relativo a antofilia[1], ou a antofilo.

antofílico[2] [De *antofilia*[2] + *-ico*[2].] *Psiq.* ***Adj.*** **1.** Relativo a antofilia[2]. **2.** Que tem antofilia[2]; antófilo. • ***S. m.*** **3.** Aquele que tem antofilia[2]; antófilo.

antofilita [De *ant(o)-* + *-fil(o)-*[1] + *ita*[3]; al. *Anthophyllit.*] ***S. f.*** *Min.* Mineral ortorrômbico, silicato de ferro e magnésio.

antofilo [De *ant(o)-* + *-filo*[1].] ***S. m.*** *Bot.* Designação de peças florais que merecem a denominação de folhas florais, visto que, de acordo com teoria mais aceita sobre a sua origem, são apenas folhas reduzidas e modificadas no curso da evolução para a específica função da reprodução. [As pétalas e os estames, p. ex., são antofilos ou folhas florais.]

antófilo [De *ant(o)-* + *-filo*[2].] ***Adj. S. m.*** *Psiq.* Antofílico[2] (2 e 3).

antófito [Adapt. do tax. *Anthophyta.*] ***Adj. S. m.*** *Bot.* Diz-se de, ou espécime dos antófitos, grupo de plantas que, em algumas classificações, compreende as angiospermas e as gimnospermas. Equivale, no sistema lineano, ao grupo das fanerógamas.

antofobia [De *ant(o)-* + *-fobia.*] ***S. f.*** *Psiq.* Aversão patológica a flores.

antofóbico [De *antofobia* + *-ico*[2].] *Psiq.* ***Adj.*** **1.** Relativo a antofobia. **2.** Que sofre de antofobia; antófobo. • ***S. m.*** **3.** Aquele que sofre de antofobia; antófobo.

antófobo [De *ant(o)-* + *-fobo.*] ***Adj. S. m.*** *Psiq.* Antofóbico (2 e 3).

antoforídeo [Adapt. do tax. *Anthophoridae.*] *Zool.* ***S. m.*** **1.** Espécime dos antoforídeos, família de abelhas solitárias, de distribuição cosmopolita, que nidificam em ramos ou troncos de árvores, caules de plantas herbáceas, hastes de inflorescências, etc., e no chão. Algumas espécies são polinizadoras importantes. • ***Adj.*** **2.** Pertencente ou relativo a eles.

antogénese ***S. f.*** *Bot.* V. *antogênese.* [Uso freq. em P.]

antogênese [De *ant(o)-* + *-gênese.*] ***S. f.*** *Bot.* Formação de flores.

antogenético [De *antogên(ese)* + *-ético.*] ***Adj.*** *Bot.* Relativo à antogênese.

antógeno [De *ant(o)-* + *-geno.*] ***Adj.*** *Bot.* Que determina a antogênese.

antografia [De *ant(o)-* + *-grafia.*] ***S. f.*** Linguagem e descrição das flores.

antográfico [De *antografia* + *-ico*[2].] ***Adj.*** Referente à antografia.

antoide (ói) [De *ant(o)-* + *-oide.*] ***Adj. 2 g.*** *Bot.* Semelhante a flor. ~ V. *inflorescência —.* ❖

antojadiço [De *antojado* + *-(d)iço.*] ***Adj.*** Cheio de caprichos ou vontades; caprichoso.

antojado[1] [De *antojo*[2] (ô) + *-ado*[1].] ***Adj.*** Enfastiado, entediado, aborrecido, enojado.

antojado[2] [Part. de *antojar.*] ***Adj.*** **1.** Posto diante dos olhos. **2.** Representado na imaginação. **3.** Desejado, apetecido.

antojador (ô) [De *antojar* + *-dor.*] ***S. m.*** Aquele que antoja.

antojar [De *antojo*[1] (ô) + *-ar*[2].] ***V. t. d. e i.*** **1.** Pôr diante dos olhos. **2.** Representar na imaginação; figurar. **3.** Desejar, apetecer. ***P.*** **4.** Oferecer-se à vista, à imaginação, ao desejo. [Sin. ger.: *antolhar*. Pres. ind.: *antojo*, etc. Cf. *antojo* (ô).]

antojo[1] (ô) [Do esp. *antojo.*] ***S. m.*** **1.** Ato de pôr diante dos olhos. **2.** Aparência enganosa; visão. **3.** Desejo extravagante que, supostamente, acomete as mulheres grávidas. **4.** Apetite caprichoso, desarrazoado. [Sin. ger.: *antolho*. Pl.: *antojos* (ó). Cf. *antojo*, do v. *antojar*, e *antojos* (ô), pl. de *antojo*[2] (ô).]

antojo[2] (ô) [De *entejo.*] ***S. m.*** **1.** Repugnância, nojo, entejo. **2.** Tédio, fastio, aborrecimento, nojo. **3.** Aquele ou aquilo que provoca asco, irritação ou antipatia, nojo. [Pl.: *antojos* (ô). Cf. *antojo*, do v. *antojar*, e *antojos* (ó), pl. de *antojo*[1] (ô).]

antolhar ***V. t. d. e i. P.*** V. *antojar*. [Pres. ind.: *antolho*, etc. Cf. *antolho* (ô).]

antolho (ô) ***S. m.*** V. *antojo*[1]. [Pl.: *antolhos* (ó). Cf. *antolho* (ó), do v. *antolhar.*]

antolhos [De *ant(e)-* + o pl. de *olho.*] ***S. m. pl.*** **1.** Pala com que se resguardam contra a luz olhos doentes. **2.** Peças de couro ou de outra matéria opaca que se colocam ao lado dos olhos das cavalgaduras, limitando-lhes o âmbito de visão, para que não se espantem. [F. paral.: *anteolhos.*] ◆ **Ter antolhos.** Ser limitado intelectualmente.

antologia [Do gr. *anthología.*] ***S. f.*** **1.** Tratado acerca das flores. **2.** Coleção de trechos em prosa e/ou em verso; analecto, crestomatia, florilégio, espicilégio, seleta, parnaso. **3.** *P. ext.* Coleção de trechos selecionados de filmes, ou de obras musicais, etc.

antologiar [De *antologia* + *-ar*[2].] ***V. t. d.*** Coligir, reunindo em antologia.

antológico [De *antologia* + *-ico*[2].] ***Adj.*** **1.** Relativo a antologia. **2.** Digno de figurar em antologia (2 e 3): *Raquel de Queirós escreve crônicas antológicas sobre fatos corriqueiros.* **3.** *P. ext.* Notável, admirável: "Seu gol antológico podia ser assinado por Pelé" (Oldemário Touguinhó, em *Jornal do Brasil*, 13.02.1996); *Fez uma defesa antológica do réu.*

antologista [De *antologia* + *-ista.*] ***S. 2 g.*** Autor de antologia; antólogo.

antólogo [Do gr. *anthológos.*] ***S. m.*** **1.** Coleção de hinos da igreja grega. **2.** Antologista.

antomania [De *ant(o)-* + *-mania.*] ***S. f.*** V. *floromania.*

antomaníaco [De *antomania* + *-íaco.*] ***Adj. S. m.*** V. *floromaníaco.*

antómano ***Adj. S. m.*** V. *antômano.* [Uso freq. em P.]

antômano [De *ant(o)-* + *-mano*[1].] ***Adj. S. m.*** V. *florômano* (2 e 3).

antomedusa [De *ant(o)-* + *medusa*; tax. *Anthomedusae.*] ***S. f.*** *Zool.* Espécime das antomedusas, subordem de animais metazoários, celenterados, hidrozoários, que têm blastostilos não protegidos por gonângios; gimnoblasto, hidrário. [Sin.: *hidrário.*]

antomedúseo [De *antomedusa* + *-eo.*] ***Adj.*** *Zool.* Pertencente ou relativo às antomedusas; gimnoblasto, hidrário.

antomiídeo [De *ant(o)-* + *-mi(i)(o)-* + *-ídeo*[1]; tax. *Anthomyiideae.*] *Zool.* ***S. m.*** **1.** Espécime dos antomiídeos, família de insetos dípteros, que compreende as moscas comuns. São, em geral, de cor escura e têm finos pelos eretos, na superfície inferior do escutelo. Suas larvas são fitófagas e atacam o trigo e o repolho. • ***Adj.*** **2.** Pertencente ou relativo a eles.

antoniense ***Adj. 2 g. S. 2 g.*** V. *antônio-olintense.*

antonímia [De *ant(i)-* + *-onim(o)-* + *-ia*[2].] ***S. f.*** **1.** Caráter das palavras antônimas. **2.** Emprego de antônimos. [Antôn.: *sinonímia.*]

antonímico [De *antonímia* + *-ico*[2].] ***Adj.*** Relativo a antonímia.

antónimo [De *ant(i)-* + *-ônimo.*] ***Adj. S. m.*** V. *antônimo.* [Uso freq. em P.]

antônimo [Do gr. *antónymos.*] ***Adj.*** **1.** Diz-se das palavras ou locuções de significação oposta. • ***S. m.*** **2.** Palavra antônima. [Antôn.: *sinônimo*. Cf. *autônimo, homônimo* e *parônimo.*]

antoninense[1] ***Adj. 2 g.*** **1.** De, ou pertencente ou relativo a Antonina (PR). • ***S. 2 g.*** **2.** O natural ou habitante de Antonina.

antoninense[2] ***Adj. 2 g. S. 2 g.*** V. *antonino*[2].

antonino[1] ***S. m.*** Religioso de Santo Antônio.

antonino[2] ***Adj.*** **1.** De, ou pertencente ou relativo a Antonina do Norte (CE). • ***S. 2 g.*** **2.** O natural ou habitante de Antonina do Norte. [Sin. ger.: *antoninense.*]

antônio-almeidense ***Adj. 2 g.*** **1.** De, ou pertencente ou relativo a Antônio Almeida (PI). • ***S. 2 g.*** **2.** O natural ou habitante de Antônio Almeida. [Pl.: *antônio-almeidenses.*]

antônio-carlense *Adj. 2 g.* **1.** De, ou pertencente ou relativo a Antônio Carlos (MG e SC). • *S. 2 g.* **2.** O natural ou habitante de Antônio Carlos. [Pl.: *antônio-carlenses.*]

antônio-diense *Adj. 2 g.* **1.** De, ou pertencente ou relativo a Antônio Dias (MG). • *S. 2 g.* **2.** O natural ou habitante de Antônio Dias. [Pl.: *antônio-dienses.*]

antônio-gonçalvense *Adj. 2 g.* **1.** De, ou pertencente ou relativo a Antônio Gonçalves (BA). • *S. 2 g.* **2.** O natural ou habitante de Antônio Gonçalves. [Pl.: *antônio-gonçalvenses.*]

antônio-joanense *Adj. 2 g.* **1.** De, ou pertencente ou relativo a Antônio João (MS). • *S. 2 g.* **2.** O natural ou habitante de Antônio João. [Pl.: *antônio-joanenses.*]

antônio-martinense *Adj. 2 g.* **1.** De, ou pertencente ou relativo a Antônio Martins (RN). • *S. 2 g.* **2.** O natural ou habitante de Antônio Martins. [Pl.: *antônio-martinenses.*]

antônio-olintense *Adj. 2 g.* **1.** De, ou pertencente ou relativo a Antônio Olinto (PR). • *S. 2 g.* **2.** O natural ou habitante de Antônio Olinto. [Sin. ger.: *antoniense.* Pl.: *antônio-olintenses.*]

antonomásia [Do gr. *antonomasía*, pelo lat. *antonomasia.*] *S. f.* **1.** *E. Ling.* Substituição de um nome próprio por um comum ou uma perífrase. Ex.: *o cisne de Mântua* (Virgílio); *a águia de Haia* (Rui Barbosa); *o Poeta Negro* (Cruz e Sousa); ou vice-versa: *um nero* (um homem cruel); *um romeu* (um homem apaixonado). [Sin.: *pronominação.*] **2.** V. *cognome*: *Virgulino Ferreira, por antonomásia "Lampião"; Edson Arantes do Nascimento, por antonomásia "Pelé"*; "Informou-me da história das capelas .... o sacristão, conhecido pela antonomásia de Bucho de Piaba" (Alberto Rangel, *Lume e Cinza*, p. 161).

antonomástico [Do gr. *antonomastós*, adj. verbal de *antonomázein*, + *-ico*[2].] *Adj.* Em que há antonomásia.

antorismo [Do gr. *antorismós.*] *S. m. E. Ling.* Substituição de uma palavra por outra que se considera mais enérgica ou mais precisa.

antotáctico [De *anto(taxia)-* + *-tá(c)tico*, seg. o padrão erudito.] *Adj. Bot.* Relativo à antotaxia. [Var.: *antotático.*]

antotático *Adj. Bot.* V. *antotáctico.*

antotaxia (cs) [De *ant(o)-* + *-taxia.*] *S. f. Bot.* Disposição da flor na haste.

antozoário [De *ant(o)-* + *-zo(o)-* + *-ário*; tax. *Anthozoa.*] *Zool. S. m.* **1.** Espécime dos antozoários, classe de celenterados marinhos que compreende os corais, as anêmonas-do-mar, e formas relacionadas; apresentam pólipos colunares, com parede muscular e disco pedioso; a cavidade oral se expande, ao fundo, como um disco oral com abertura central provida de um ou mais tentáculos [v. *tentáculo* (2)]; o estomodeu é bem definido. A cavidade gastrovascular é dividida em compartimentos por mesentérios completos ou incompletos. São solitários ou coloniais e, ger., sedentários. • *Adj.* **2.** Pertencente ou relativo a eles. [Sin. ger.: *actinozoário, coraliário.*]

▲ **antr(a)-** [De *antraceno.*] *Quím. El. comp.* = 'núcleo do antraceno': *antranílico, antraquinona, antrona.*

antracemia [De *antrac(o)-* + *-emia.*] *S. f. Med.* **1.** Envenenamento pelo monóxido de carbono. **2.** Presença dessa substância no sangue.

antracêmico *Adj.* V. *antracêmico.* [Uso freq. em P.]

antracêmico [De *antracemia* + *-ico*[2].] *Adj.* Concernente à antracemia.

antraceno [De *antrac(o)-* + *-eno*[2].] *S. m. Quím.* Substância cristalina incolor, com leve fluorescência, obtida do alcatrão de hulha [fórm.: $C_{14}H_{10}$]. [As moléculas do antraceno podem ser vistas como formadas por dois anéis benzênicos fundidos a lados opostos de um terceiro.]

antracífero [De *antrac(o)-* + *-ífero.*] *Adj.* Que contém antracito.

antracito [De *antrac(o)-* + *-ito*[2].] *S. m.* Tipo de carvão fóssil, negro, de fratura concoidal, brilho vítreo, muito pobre em substâncias voláteis, e de grande poder calorífico.

antracnose [De *antrac(o)-* + *-nose.*] *S. f. Bot.* Designação de qualquer das doenças das plantas vascularizadas causadas por vários fungos melanconiales. [Gera nas folhas manchas escuras, deprimidas e, muitas vezes, aureoladas, que acabam tornando-se úlceras. Ataca, com grande frequência, plantas cultivadas importantes, dando consideráveis prejuízos.]

▲ **antrac(o)-** [Do gr. *anthrak-, anthrako-* < gr. *ánthrax, ánthrakos.*] *El. comp.* = 'carvão': *antracito, antracomante.*

antracoide (ói) [Do gr. *anthrakoeidés.*] *Adj. 2 g.* **1.** Semelhante ao carvão. **2.** Semelhante ao antraz. ❖

antracolítico [De *antrac(o)-* + *-lit(o)-* + *-ico*[2].] *Adj. S. m.* ~ V. *período* —.

antracologia [De *antrac(o)-* + *-logia.*] *S. f. Arqueol.* Método de estudo dos carvões vegetais descobertos em sítios arqueológicos, e pelo qual se consegue identificar espécies vegetais.

antracomancia (cí) [De *antrac(o)-* + *-mancia.*] *S. f.* Antiga adivinhação pelo exame do carvão incandescente.

antracomante [De *antrac(o)-* + *-mante.*] *S. 2 g.* Pessoa que pratica a antracomancia.

antracomântico *Adj.* Relativo a antracomancia, ou a antracomante.

antracose [Do gr. *anthrákosis.*] *S. f. Patol.* Pneumoconiose por poeira de carvão.

antracótico [De *antrac(ose)* + *-ótico.*] *Adj.* Relativo à antracose.

antranilato [De *antranil(ico)* + *-ato*[2].] *S. m. Quím.* Éster do ácido antranílico. O de metila é a essência artificial da flor de laranjeira.

antranílico [De *antr(a)-* + *anílico.*] *Adj. Quím.* ~ V. *ácido* —.

antranol [De *antra(ce)no* + *-ol*[2].] *S. m. Quím.* Fenol derivado do antraceno, us. na fabricação de corantes [fórm.: $C_{14}H_{10}O$]. [Pl.: *antranóis.*]

antraquinona [De *antr(a)-* + *quinona.*] *S. f. Quím.* Qualquer das quinonas derivadas do antraceno, esp. a 9,10-antraquinona, substância amarelo-pálida, obtida por oxidação deste hidrocarboneto, us. na obtenção de corantes [fórm.: $C_{14}H_8O_2$].

antraz [Do gr. *ánthrax* 'carvão', pelo lat. *anthrace.*] *S. m. Med.* **1.** Doença infecciosa que incide em animais e, eventualmente, no homem, devida, ger., ao *Bacillus anthracis* ou a seus esporos, e originada em pastagens infectadas, ocorrendo, diretamente, em herbívoros, ou indiretamente, em carnívoros, pela ingestão de carcaças contaminadas. Pode transmitir-se ao homem por contato ou com animais infectados, ou por produtos deles provenientes, podendo a contaminação ocorrer pelas vias cutânea, digestória, e respiratória. [Sin.: *carbúnculo.*] **2.** Infecção necrosante da pele e de tecido subcutâneo, ger. causada pelo *Staphylococcus aureus*, e que produz lesão com bordas endurecidas e vários orifícios fistulosos que eliminam secreção purulenta; pode ser considerado como um furúnculo com múltiplos focos.

antrectomia [De *antro* (4) + *-ectom-* + *-ia*[1].] *S. f. Cir.* Excisão de antro (4).

▲ **-antreno** [De *antraceno.*] *Quím. El. comp.* = 'substância relacionada ao antraceno': *fenantreno, tiantreno.*

antríbido [Do tax. *Anthribus* + *-ido*[3]; tax. *Anthribidae.*] *S. m.* **1.** Espécime dos antríbidos, família de insetos coleópteros que apresentam focinho curto e alargado, e antenas não geniculadas. São pequenos besouros, de 3 a 20mm. Ex.: o caruncho-do-café (*Araecerus fasciculatus*). • *Adj.* **2.** Pertencente ou relativo a eles.

antrite [De *antro* + *-ite*[1].] *S. f. Med.* Infecção de antro (3 e 4), especialmente o da mastoide.

antro [Do gr. *ántron*, pelo lat. *antru.*] *S. m.* **1.** Cova profunda e escura; caverna, furna, gruta: *o antro das feras.* **2.** Casa ou lugar de perdição, corrupção, vícios: *Afastou-se dos antros da malandragem, da jogatina.* **3.** *Anat.* Cavidade, geralmente dentro de osso, como o frontal, o maxilar, etc.; seio. **4.** *Anat.* Uma das porções do estômago. ◆ **Antro folicular.** *Embr.* Cavidade de folículo vesicular que contém líquido folicular.

antroduodenectomia [De *antro* + *duodeno* + *-ectom-* + *-ia*[1].] *S. f. Cir.* Excisão do antro (4), do piloro e de parte do duodeno.

antrona [De *antr(a)-* + *-ona*[2].] *S. f. Quím.* Cetona sólida, aromática, derivada do antraceno [fórm.: $C_{14}H_{10}O$].

antropagogia [De *antrop(o)-* + *-agog(o)-* + *-ia*[1].] *S. f.* Sistema pedagógico que tende a estender a ação educativa para além da escola e da família.

antropia [De *antrop(o)-* + *-ia*[1].] *S. f. Ecol.* Ação do homem sobre o meio ambiente.

antrópico [De *antrop(o)-* + *-ico*[2].] *Adj.* **1.** Relativo ao homem. **2.** Relativo à ação do homem sobre a natureza; ligado à presença humana. ~ V. *princípio* —.

antropilórico [De *antro* + *piloro* + *-ico*[2].] *Adj. Anat.* Relativo ao antro (4) e ao piloro.

▲ **antrop(o)-** [Do gr. *anthrōp-, anthrōpo-* < gr. *ánthrōpos.*] *El. comp.* = 'homem', 'ser humano': *antropônimo, antropocêntrico.* [É seguido de hífen quando anteposto a palavra iniciada por *h* ou *o*: *antropo-histografia* (em tais casos, apenas o 2º el. é flexionado na formação do plural); é grafado com *r* ou *s* duplicados quando anteposto a palavra iniciada por *r* ou *s*: *antropossociologia.*] [Equiv.: *-antrop(o)-, -antropo*: *apantropia; pitecantropo.*]

▲ **-antrop(o)-** V. *antrop(o)-.*

▲ **-antropo** V. *antrop(o)-.*

antropobiologia [De *antrop(o)-* + *biologia.*] *S. f.* Antropologia física.

antropocêntrico [De *antrop(o)-* + *-centr(o)-* + *-ico*[2].] *Adj.* **1.** Que considera o homem como o centro ou a medida do Universo, sendo-lhe por isso destinadas todas as coisas. **2.** Que concebe o Universo em termos de experiências ou valores humanos. **3.** *Filos.* Diz-se principalmente das doutrinas finalísticas que admitem que todas as coisas foram criadas por Deus para propiciar a vida humana.

antropocentrismo [De *antrop(o)-* + *-centr(o)-* + *-ismo.*] *S. m.* Atitude ou doutrina antropocêntrica.

antropocentrista [De *antropocentrismo* + *-ista.*] *Adj. 2 g.* **1.** Relativo ao, ou que é partidário do antropocentrismo. • *S. 2 g.* **2.** Partidário dele.

antropocoria [De *antrop(o)-* + *-cor(i)-* + *-ia*[1].] *S. f.* Disseminação voluntária ou involuntária, feita pelo homem, de plantas daninhas ou cultivadas.

antropocórico [De *antropocoria* + *-ico*[2].] *Adj.* Relativo à antropocoria.

antropofagia [Do gr. *anthropophagía*; v. *antrop(o)-, -fag(o)-* e *-ia*[1].] *S. f.* **1.** Estado, condição ou ato de antropófago. **2.** *Antrop.* Prática regular e institucionalizada de consumo de carne humana por seres humanos, ger. com caráter ritual; canibalismo. [Sin. ger.: *androfagia.*]

antropofágico [De *antropofag-*, como em *antropofagia* e *antropófago*, + *-ico*[2].] *Adj.* **1.** Concernente à antropofagia. **2.** Próprio de antropófago. [Sin. (p. us.), nessas acepçs.: *androfágico.*] **3.** Relativo ao movimento literário e artístico brasileiro do fim dos anos 1920, que pregava a valorização dos elementos nativos e primitivos brasileiros em combinação com a assimilação das tendências modernas do pensamento europeu e da arte de vanguarda: "Foi o *Manifesto Pau-Brasil*, assinado pelo marido [Oswald de Andrade], que inspirou a série de quadros feitos por Tarsila em 1924. Já a fase antropofágica fez o caminho inverso: surgiu das artes plásticas para se expandir na literatura." (Denise Schittine, "Programa", em *Jornal do Brasil*, 07.08.1998.)

antropófago [Do gr. *anthropophágos*, pelo lat. *anthropophagu.*] *Adj. S. m.* **1.** Que, ou aquele que come carne humana. **2.** *Restr.* Diz-se de, ou pessoa que ingere carne humana. [Cf. *canibal.* Sin. ger. (p. us.): *andrófago.*]

antropofilia [De *antrop(o)-* + *-filia.*] *S. f.* Preferência por seres humanos, relativamente aos outros animais.

antropofílico [De *antropofilia* + *-ico*[2].] *Adj.* **1.** Relativo a antropofilia. **2.** Que tem antropofilia; antropófilo. • *S. m.* **3.** Aquele que tem antropofilia; antropófilo.

antropófilo [De *antrop(o)-* + *-filo*[2].] *Adj. S. m.* Antropofílico (2 e 3).

antropófito [De *antrop(o)-* + *-fito.*] *Adj. S. m. Bot.* Diz-se de, ou qualquer espécie vegetal introduzida num determinado lugar por antropocoria.

antropofobia [De *antrop(o)-* + *-fobia.*] *S. f.* Misantropia. [Antôn.: *filantropia.*]

antropofóbico [De *antropofobia* + *-ico*[2].] *Adj.* Referente à antropofobia, ou próprio de antropófobo.

antropófobo [De *antrop(o)-* + *-fobo.*] *Adj. S. m.* Misantropo (1 e 2). [Antôn.: *filantropo.*]

antropogénese *S. f. Biol.* V. *antropogênese.* [Uso freq. em P.]

antropogênese [De *antrop(o)-* + *-gênese.*] *S. f. Biol.* **1.** Estudo da origem e do desenvolvimento da espécie humana. **2.** Estudo da geração e da reprodução humanas. [Sin. ger.: *antropogenia, antropogenesia.*]

antropogenesia [De *antrop(o)-* + *-genes(i)-* + *-ia*[1].] *S. f. Biol.* V. *antropogênese.*

antropogenético [De *antropogên(ese)* + *-ético.*] *Adj.* Relativo à antropogênese.

antropogenia [De *antrop(o)-* + *-genia.*] *S. f. Biol.* V. *antropogênese.*

antropogénico *Adj.* V. *antropogênico.* [Uso freq. em P.]

antropogênico [De *antropogenia* + *-ico*[2].] *Adj.* Provocado pelo homem.

antropogeografia [De *antrop(o)-* + *geografia.*] *S. f.* Geografia humana.

antropogeográfico [De *antropogeografia* + *-ico*[2].] *Adj.* Relativo à antropogeografia.

antropografia [De *antrop(o)-* + *-grafia.*] *S. f.* Descrição anatômica do corpo humano.

antropográfico [De *antropografia* + *-ico*[2].] *Adj.* Relativo à antropografia.

antropo-histografia [De *antrop(o-)* + *histografia.*] *S. f. Biol.* O estudo dos tecidos [v. *tecido* (5)] humanos. [Pl.: *antropo-histografias.*] ❖

antropoide (ói) [Do gr. *anthropoeidés.*] *Adj. 2 g.* V. *antropomorfo.* ❖

antropóideo [Adapt. do tax. *Anthropoidea.*] *S. m. Adj. Zool.* V. *simiiforme.*

antropólatra [Do gr. *anthropolátres*, pelo lat. tard. *anthropolatra.*] *Adj. 2 g. S. 2 g.* Que, ou quem pratica a antropolatria.

antropolatria [De *antropólatra* + *-ia*[1].] *S. f. Filos.* **1.** Culto de um ser humano a quem se empresta caráter divino. **2.** Culto de divindade que tomou a forma humana.

antropolátrico [De *antropolatria* + *-ico*[2].] *Adj.* Relativo à antropolatria.

antropologia [De *antrop(o)-* + *-logia.*] *S. f.* **1.** O estudo ou reflexão acerca do ser humano, do que lhe é específico. **2.** Designação comum a diferentes ciências ou disciplinas cujas finalidades são descrever o ser humano e analisá-lo com base nas características biológicas (v. *antropologia biológica*) e socioculturais (v. *antropologia cultural*) dos diversos grupos em que se distribui, dando ênfase às diferenças e variações entre esses grupos. ◆ **Antropologia biológica.** Ciência que tem por objeto a variação biológica do ser humano, tanto em seu desenvolvimento evolutivo quanto em sua expressão histórica e contemporânea; antropologia física. **Antropologia cultural.** Antropologia social (q. v.). **Antropologia física.** Antropologia biológica (q. v.). **Antropologia social.** Ramo da antropologia que trata das características socioculturais da humanidade (costumes, crenças, comportamento, organização social) e que se relaciona, portanto, com várias outras ciências, tais como etnologia, arqueologia, linguística, sociologia, economia, história, geografia humana; antropologia cultural. [A designação antropologia cultural é m. us. nos E.U.A., enquanto na Grã-Bretanha o termo antropologia social designa ou a etnologia, ou a antropologia cultural. Nos demais países europeus — p. ex., na França —, observa-se uma tendência para o uso dos três termos que representam os níveis de pesquisa que, gradualmente, se vêm estabelecendo nos E.U.A. dentro da antropologia cultural: etnografia, etnologia comparada, antropologia social. Os autores nacionais fazem uso de ambas as designações.]

antropológico [De *antropologia* + *-ico*[2].] ***Adj.*** Relativo à antropologia.

antropologista [De *antropologia* + *-ista*.] ***S. 2 g.*** Antropólogo.

antropólogo [Do gr. *anthropológos*, 'que fala sobre o homem'.] ***S. m.*** Especialista em antropologia; antropologista.

antropomagnético [De *antropomagnetismo* + *-ico*[2].] ***Adj.*** Referente ao antropomagnetismo.

antropomagnetismo [De *antrop(o)-* + *magnetismo*.] ***S. m.*** Magnetismo animal (q. v.) considerado quanto às relações existentes entre o homem e os outros corpos.

antropomancia (ci) [De *antrop(o)-* + *-mancia*.] ***S. f.*** Arte de adivinhar mediante o exame das vísceras humanas.

antropomante [De *antrop(o)-* + *-mante*.] ***S. 2 g.*** Pessoa que pratica a antropomancia.

antropomântico ***Adj.*** Relativo a antropomancia, ou a antropomante.

antropometria [De *antrop(o)-* + *-metria*.] ***S. f.*** **1.** Processo ou técnica de mensuração do corpo humano ou de suas várias partes. **2.** *P. ext.* Repartição (4) onde se pratica a antropometria.

antropométrico [De *antropometria* + *-ico*[2].] ***Adj.*** Relativo à antropometria. ~ V. *ficha —a*.

antropomorfia [De *antropomorfo* + *-ia*[1].] ***S. f.*** Qualidade de antropomorfo.

antropomórfico [De *antrop(o)-* + *-morf(o)-* + *-ico*[2].] ***Adj.*** **1.** V. *antropomorfo*. **2.** Relativo ao antropomorfismo, ou que é próprio dele; antropomorfista: *conceito antropomórfico*.

antropomorfismo [De *antropomorfo* + *-ismo*.] ***S. m.*** **1.** Tendência para atribuir, ou a forma de pensamento que atribui formas ou características humanas a Deus, deuses, ou quaisquer outros entes naturais ou sobrenaturais. **2.** *Filos.* Aplicação a algum domínio da realidade (social, biológico, físico, etc.) de linguagem ou de conceitos próprios do homem ou do seu comportamento.

antropomorfista [De *antropomorfismo* + *-ista*.] ***Adj. 2 g.*** **1.** Que constitui antropomorfismo, ou que incorre nele ou lhe é próprio. ● ***S. 2 g.*** **2.** Pessoa que atribui características humanas a entidades abstratas, ou a seres inanimados ou sobrenaturais; antropomorfita. **3.** *Restr.* Adepto ou seguidor de seita, doutrina ou corrente antropomorfista; antropomorfita.

antropomorfita ***S. 2 g.*** Antropomorfista (2 e 3).

antropomorfizar [De *antropomorfo* + *-izar*.] ***V. t. d.*** Emprestar forma ou atributo humano a.

antropomorfo [Do gr. *anthropómorphos*.] ***Adj. 2 g.*** Semelhante ao homem quanto à forma; antropomórfico, antropoide. ~ V. *letra —a*.

antroponímia [De *antropônimo* + *-ia*[2].] ***S. f.*** Estudo dos antropônimos.

antroponímico [De *antropônimo* + *-ico*[2].] ***Adj.*** Relativo a antroponímia, ou a antropônimo.

antropônimo ***S. m.*** V. *antropônimo*. [Uso freq. em P.]

antropônimo [De *antrop(o)-* + *-ônimo*.] ***S. m.*** Nome próprio de pessoa. Ex.: *Joaquim, Manuel, Silveira, Soares*.

antroponomia [De *antrop(o)-* + *-nom(o)-* + *-ia*[1].] ***S. f.*** Conhecimento das leis que atuam na formação do homem e nos fenômenos do seu organismo.

antroponómico ***Adj.*** V. *antroponômico*. [Uso freq. em P.]

antroponômico [De *antroponomia* + *-ico*[2].] ***Adj.*** Relativo à antroponomia.

antropopatia [De *antrop(o)-* + *-patia*.] ***S. f.*** Atribuição de sentimentos humanos à divindade, ou a outros seres ou coisas da natureza. [É empregada sobretudo pelos fabulistas.]

antropopiteco (trò) [De *antrop(o)-* + *-piteco*; lat. cient. *Anthropopithecus*.] ***S. m.*** *Paleont.* Primata hipotético apresentado em 1839 pelo naturalista francês Henri de Blainville (1777-1850) como sendo o intermediário entre o macaco e o homem.

antroposfera [De *antrop(o)-* + *-sfera*.] ***S. f.*** *Geogr.* Parte da Terra em que vive o homem; ideosfera.

antroposofia [De *antrop(o)-* + *-sofia*.] ***S. f.*** **1.** Estudo da natureza humana sob o aspecto da moral. **2.** Doutrina espiritual e mística que teve sua origem na teosofia e que se baseia, principalmente, nos ensinamentos de Rudolf Steiner (1861-1925), filósofo austríaco. [Var. pros.: *antropossofia*.]

antroposófico [De *antroposofia* + *-ico*[2].] ***Adj.*** Relativo à antroposofia. [Var. pros.: *antropossófico*.]

antroposofista [De *antroposofia* + *-ista*.] ***Adj. 2 g. S. 2 g.*** Diz-se de, ou pessoa que segue ou ensina as teorias antroposóficas. [Var. pros.: *antropossofista*.]

antropossociologia [De *antrop(o)-* + *sociologia*.] ***S. f.*** **1.** Parte da antropologia que estuda o homem no seu meio social. **2.** Estudo dos fenômenos sociológicos com base exclusivamente antropológica.

antropossociológico [De *antropossociologia* + *-ico*[2].] ***Adj.*** Referente à antropossociologia.

antropossofia ***S. f.*** V. *antroposofia*.

antropossófico ***Adj.*** V. *antroposófico*.

antropossofista ***Adj. 2 g. S. 2 g.*** V. *antroposofista*.

antropossomatologia [De *antrop(o)-* + *somatologia*.] ***S. f.*** Estudo da estrutura do corpo humano.

antropossomatológico [De *antropossomatologia* + *-ico*[2].] ***Adj.*** Relativo à antropossomatologia.

antropoteísmo [De *antrop(o)-* + *-te(o)-* + *-ismo*.] ***S. m.*** **1.** Deificação da humanidade. **2.** Representação da divindade sob forma e atributos humanos.

antropotomia [De *antrop(o)-* + *-tom(o)-* + *-ia*[1].] ***S. f.*** Dissecação de cadáver humano; anatomia do homem.

antropotómico ***Adj.*** V. *antropotômico*. [Uso freq. em P.]

antropotômico [De *antropotomia* + *-ico*[2].] ***Adj.*** Relativo à antropotomia.

antropozoico (ói) [De *antrop(o)-* + *-zoico*.] *Geol.* ***Adj.*** **1.** ~ V. *era —a*. ● ***S. m.*** **2.** Era antropozoica. ❖

antrorso [Do lat. cient. *antrorsus*.] ***Adj.*** *Bot.* Voltado para a frente ou para cima. [Opõe-se a *retrorso*.]

antrotomia [De *antro* + *-tom(o)-* + *-ia*[1].] ***S. f.*** *Cir.* Abertura cirúrgica de antro (3 e 4), especialmente o da mastoide.

antrotómico ***Adj.*** V. *antrotômico*. [Uso freq. em P.]

antrotômico [De *antrotomia* + *-ico*[2].] ***Adj.*** Relativo à antrotomia.

■ **Antt** Sigla de *Agência Nacional de Transportes Terrestres*.

antuerpiano ***Adj.*** **1.** Da, ou pertencente ou relativo a Antuérpia (Bélgica). ● ***S. m.*** **2.** O natural ou habitante de Antuérpia. [Sin. ger.: *antuerpiense*.]

antuerpiense ***Adj. 2 g. S. 2 g.*** V. *antuerpiano*.

antúrio [Do tax. *Anthurium* (v. *ant(o)-*, *-ur(o)-*[2] e *-io*[3]).] ***S. m.*** *Bot.* **1.** Gênero de ervas aráceas, tropicais, que compreende cerca de 700 espécies, muitas delas cultivadas como ornamentais, dotadas de inflorescências que consistem em brilhantes espatas que envolvem um espádice central em forma de bastão, que sustenta inúmeras flores diminutas, bissexuais. **2.** Qualquer espécie desse gênero, como, por ex., o *Anthurium andraeanum*, com hastes de até 60cm, e grandes espatas cordiformes, rosa-salmão. **3.** Qualquer espécime desse gênero.

anu [Do tupi.] ***S. m.*** **1.** *Bras. Zool.* Nome comum a aves cuculídeas, gêneros *Crotophaga* e *Guira*, de bico forte, comprimido lateralmente, cauda longa e mole, dois dedos para a frente e dois para trás, que nidificam coletivamente e são vorazes comedoras de insetos; anum. **2.** *Bras. S.* Modalidade de fandango (6). **3.** *Bras. PR Etnogr.* A primeira marca do fandango (6), em que homens e mulheres se alternam na roda, embora só os homens sapateiem, e, nos intervalos, as palmas substituem o sapateado, sendo o passo principal o *oito*, que os homens descrevem tendo por centro dos dois círculos as damas.

ânua [F. subst. de *ânuo*.] ***S. f.*** *Ant.* Carta-relatório dos sucessos ocorridos durante um ano. [Cf. *anua*, do v. *anuir*.]

anuaí [Do tupi.] ***S. m.*** *Bras. Amaz. Zool.* V. *anu-preto*.

anual [Do lat. tard. *annuale*.] ***Adj. 2 g.*** **1.** Que dura ou é válido por um ano: *assinatura anual (de jornal, revista, etc.)*. **2.** Que se realiza ou se publica uma vez por ano: *reunião anual; revista anual*. **3.** Que se paga anualmente: *contribuição anual*. [Sin., nessas acepç.: *ânuo*.] **4.** *Bot.* Diz-se da planta que completa o seu ciclo vegetativo e reprodutivo no prazo de um ano. **5.** *Bot.* Diz-se da planta que completa o seu ciclo vegetativo e reprodutivo em alguns meses. [Nos climas muito frios ou demasiado secos (desertos), as plantas anuais, simples ervas, crescem, florescem e frutificam em poucas semanas, enquanto as condições são favoráveis; depois, morrem, perpetuando-se pelas sementes, que ficarão aguardando nova estação de crescimento. Cf. *monocárpico* (2).] ~ V. *equação — e paralaxe —*.

anualidade [De *anual* + *-(i)dade*.] ***S. f.*** Anuidade (1).

anuário [De *ano* + *-uário*.] ***S. m.*** Publicação anual. ◆ **Anuário astronômico.** *Astr.* Almanaque astronômico.

anu-branco ***S. m.*** *Bras. Zool.* Ave cuculídea (*Guira guira*), com cerca de 37cm, comum em todo o Brasil e também na Bolívia, Argentina e Uruguai. Tem as penas do alto da cabeça avermelhadas e eriçadas, nuca amarelada, dorso escuro, com penas marginadas de branco, abdome branco-amarelado, tendo o peito estrias pretas, cauda tricolor, amarelada, preta e branca, bico e olhos alaranjados. Alimenta-se de insetos, pequenos anfíbios, ovos, etc. e frequenta campos e cerrados. [Sin.: *anu-do-campo, alma-de-gato, pelincho, guirá-acangatara, guiraguaçuberaba, piló, piriguá, quiriquiri, quiriri, quiriru*. Pl.: *anus-brancos*.]

anucleado [De *a-*[3] + *nucleado*.] ***Adj.*** *Biol.* Destituído de núcleo individualizado, *i. e.*, com a matéria cromática disseminada pelo protoplasma, como as bactérias e as algas azuis.

anu-coroca [De or. tupi.] ***S. m.*** *Bras. Zool.* Ave cuculídea (*Crotophaga major*) distribuída do Panamá até o N. da Argentina, com cerca de 45cm, coloração preto-azulada, dorso com brilho esverdeado; vive na beira de rios e lagos, e se alimenta de artrópodes, pequenos anfíbios, etc. [Sin.: *anu-coroia, anu-da-serra, anu-de-enchente, anu-do-brejo, anu-dourado, anu-galego, anu-grande, anuguaçu, anunguaçu, anu-peixe, anuu, coroca, coroia, groló*. Pl.: *anus-corocas*.]

anu-coroia (ói) [De or. tupi.] ***S. m.*** *Bras. Zool.* V. *anu-coroca*. [Pl.: *anus-coroias*.] ❖

anu-da-serra ***S. m.*** *Bras. Zool.* V. *anu-coroca*. [Pl.: *anus-da-serra*.]

anu-de-enchente ***S. m.*** *Bras. SP Zool.* V. *anu-coroca*. [Pl.: *anus-de-enchente*.]

anu-do-brejo ***S. m.*** *Bras. Zool.* V. *anu-coroca*. [Pl.: *anus-do-brejo*.]

anu-do-campo ***S. m.*** *Bras. CE Zool.* V. *anu-branco*. [Pl.: *anus-do-campo*.]

anu-dourado ***S. m.*** *Bras. Zool.* V. *anu-coroca*. [Pl.: *anus-dourados*.]

anúduva [Do ár. *an-nudba(t)*, 'chamamento para a guerra'; 'elegia'.] ***S. f.*** **1.** *Ant.* Convocação para a guerra. **2.** *Ant.* Obrigação de alistamento militar. **3.** *Ant.* Imposto pago pela isenção do serviço militar. **4.** *Ant.* Imposto pago ao suserano para a construção, reparo e conservação de fortificações militares. **5.** Incursão ou ataque armado; correria, corrida. [Var.: *adua*[2].]

anuência [Do lat. *annuentia*.] ***S. f.*** Ato ou efeito de anuir; consentimento, acordo, aprovação.

anuênio [De *ano* (sob a f. lat. *annu*) + *-ênio*, por analogia com *biênio, triênio*, etc.] ***S. m.*** **1.** Período de um ano. **2.** Exercício de um cargo pelo período de um ano. **3.** *Bras. Restr.* Vantagens ou benefícios concedidos a quem completou anuênio (2).

anuente [Do lat. *annuente*.] ***Adj. 2 g. S. 2 g.*** Que, ou quem anui.

anu-galego ***S. m.*** *Bras. Zool.* V. *anu-coroca*. [Pl.: *anus-galegos*.]

anu-grande ***S. m.*** *Bras. Zool.* V. *anu-coroca*. [Pl.: *anus-grandes*.]

anuguaçu [De *anu* + *-guaçu*.] ***S. m.*** *Bras. Zool.* V. *anu-coroca*.

anuí [Do tupi.] ***S. m.*** *Bras. Zool.* V. *anu-preto*. [Cf. *anui*, do v. *anuir*.]

anuidade (u-i) [De *ânuo* + *-(i)dade*; fr. *annuité*.] ***S. f.*** **1.** Quantia que se paga periodicamente para a constituição dum capital ou a amortização duma dívida, e capital e juros; anualidade. **2.** Cada um dos termos das rendas anuais. **3.** Quantia que se paga anualmente a uma instituição: *As anuidades escolares foram majoradas este ano*. [Cf. *mensalidade* (2).]

anuir [Do lat. *annuere*.] ***V. t. i.*** ***Int.*** Dar consentimento, aprovação; estar de acordo; condescender, assentir, consentir: "Os holandeses, não menos cavilosos da sua parte, anuíram de boa mente à mesma cláusula" (João Francisco Lisboa, *Obras*, IV, p. 39); "Lélio escutava, anuindo com a cabeça" (João Guimarães Rosa, *Corpo de Baile*, I, p. 267). [Pres. ind.: *anuo, anuis, anui, anuímos*, etc.; pres. subj.: *anua, anuas*, etc. Cf. *ânuo, anuí* e *ânua*.]

anuitário (u-i) ***Adj.*** Que se amortiza por anuidades.

anujá [Do tupi.] ***S. m.*** *Bras. Zool.* Peixe auquenipterídeo (*Trachycorystes galeatus*) do N. e N.E. de rios do N. e N.E. do Brasil, de coloração parda, cabeça um tanto deprimida, revestida de placas ósseas granulosas, com desenhos brancos, e cerca de 20cm de comprimento. [Sin.: *anduiá, anojado, cabeça-de-ferro, cachorrinho, cachorro-de-padre, cachorrinho-do-padre, cangati, carataí, chorão, chorãozinho, cumbaca, mandicumbá, mandizinho*.]

anulabilidade [De *anulável* + *-(i)dade*, seg. o padrão erudito.] ***S. f.*** Qualidade de anulável.

anulação [Do lat. *annullatione*.] ***S. f.*** Ato ou efeito de anular(-se).

anulador (ô) [De *anular*[2] + *-dor*.] ***Adj.*** **1.** Que anula; anulante. ● ***S. m.*** **2.** Aquele que anula.

anulante [Do lat. *annullante*.] ***Adj. 2 g.*** Anulador (1).

anular[1] [Do lat. tard. *annulare*.] ***Adj. 2 g.*** **1.** V. *aneliforme*. **2.** Em que se usa pôr anel; anelar. **3.** *Bot.* Relativo ao anel dos esporângios dos pteridófitos (samambaia, avenca, etc.), de certos vasos lenhosos. ~ V. *dedo —*, *eclipse —*, *galáxia —*, *micrômetro —*, *nebulosa —* e *protuberância —*. ● ***S. m.*** **4.** Dedo anular: "vi um homem gordo, de quarenta anos mais ou menos, com a aliança de casado no anular." (José Carlos Oliveira, *A Revolução das Bonecas*, p. 104). **5.** *Bot.* Embrião em forma de anel.

anular[2] [Do lat. *annullare*.] ***V. t. d.*** **1.** Tornar nulo; invalidar: *Anulou todas as sentenças ilegais.* **2.** Reduzir a nada; destruir, eliminar, aniquilar: *É um monstro: vive a anular animais.* **3.** Destruir o efeito de; resistir a: *Sua arte é tão viva que anula o tempo.* **4.** Fazer parecer insignificante: *Gosta de exibir a sua erudição, para anular os colegas.* ***P.*** **5.** Fazer-se nulo, imprestável: *Com o avanço da técnica se anulam máquinas dantes consideradas modernas.* **6.** Desfazer-se, destruir-se. [Sin. ger.: *nulificar*. pres. ind. *anulo*, etc. Cf. *ânulo*, s. m.]

anulatório [De *anular*[2] + *-tório*.] ***Adj.*** *Jur.* Que tem força de anular; capaz de anular: *decisão anulatória.*

anulável [De *anular*[2] + *-vel*.] ***Adj. 2 g.*** Que se pode ou deve anular; nulificável.

anuleno [De *anul(i)-* + *-eno*[2]; ingl. *annulene*.] ***S. m.*** *Quím.* Qualquer hidrocarboneto cíclico, com número de átomos de carbono par e maior que dez, poli-insaturado e totalmente conjugado.

▲ **anul(i)-** [Do lat. *annŭlus, i*.] ***El. comp.*** = 'anel': *anuloso*; *anuliforme*. [Equiv.: *anel(i)-*: *aneliforme*.]

anuliforme [De *anul(i)-* + *-forme*.] ***Adj. 2 g.*** Que tem forma de anel.

ânulo [Do lat. *annulu*.] ***S. m.*** **1.** *Arquit.* Filete colocado por sob o bocel da cornija do capitel dórico. **2.** *Bot.* Em alguns pteridófitos, anel de células situado em volta do esporângio. [Cf. *anulo*, do v. *anular*.]

anuloso (ô) [De *anul(i)-* + *-oso*.] ***Adj.*** Cheio de, ou formado por anéis.

anum [Var. de *anu*.] ***S. m.*** *Bras. Zool.* V. *anu* (1).

anunciação [Do lat. tard. *annuntiatione*.] ***S. f.*** **1.** Ato ou efeito de anunciar. [Sin., p. us.: *anunciada*.] **2.** *Teol.* Mensagem do anjo Gabriel à Virgem Maria, para lhe anunciar o mistério da encarnação (2). **3.** *Rel.* Festa (4) em que se comemora esse mistério.

anunciada [Do lat. *annuntiata*, 'anunciada'.] ***S. f.*** ***P. us.*** Anunciação (1).

anunciador (ô) [Do lat. tard. *annuntiatore*.] ***Adj.*** Anunciante (1). ~ V. *locutor —*. ● ***S. m.*** **2.** Anunciante (2).

anunciante [Do lat. *annuntiante*.] ***Adj. 2 g.*** **1.** Que anuncia; anunciador. ● ***S. 2 g.*** **2.** Quem anuncia; anunciador. **3.** *Prop.* Empresa ou indivíduo que utiliza a propaganda para anunciar um produto, um serviço, etc. ◆ **Anunciante direto.** *Prop.* O que contrata diretamente a veiculação de seu anúncio junto à empresa de comunicação.

anunciar [Do lat. *annuntiare*.] ***V. t. d.*** **1.** Promover e custear a divulgação de anúncios de (produto ou serviço). **2.** Fazer conhecer por anúncio (4); pôr anúncio de: *Anunciou o automóvel e o vendeu em dois dias.* **3.** Dar a conhecer; fazer saber; noticiar: *O Imperador anunciou que pretendia abdicar.* **4.** Noticiar, publicar: *Todos os jornais anunciaram o ocorrido.* **5.** Predizer, prenunciar, pressagiar, vaticinar: *Profetas que anunciam bons momentos;* "A alteza dos pensamentos anuncia a nobreza dos sentimentos." (Marquês de Maricá, *Máximas, Pensamentos e Reflexões*, p. 208). **6.** Iniciar; introduzir: *Nem sempre as orações subordinadas têm conjunções que as anunciem.* **7.** Indicar, prenunciar: *O céu quase negro anuncia chuva.* **8.** Prevenir da presença ou da chegada de: *O mordomo anunciou o visitante.* ***T. d. e i.*** **9.** Fazer saber; noticiar, comunicar, participar: *Anunciou à noiva que pretendia romper o trato.* **10.** Prevenir da presença ou da chegada: *O empregado anunciou a seu patrão a hóspede que chegava.* **11.** Predizer, prenunciar, pressagiar, vaticinar: *A cigana anunciou-me lindo futuro.* ***Int.*** **12.** Promover e custear a divulgação de anúncio (4): "Quem não anuncia se esconde" (*slogan* comercial). ***P.*** **13.** Fazer-se anunciar: "Profissionais de todas as categorias se anunciam." (Delso Renault, *O Rio Antigo nos Anúncios dos Jornais*, p. 234.) [Pres. ind.: *anuncio*, etc. Cf. *anúncio*.]

anunciativo [De *anunciar* + *-tivo*.] ***Adj.*** **1.** Que anuncia. **2.** Que contém anúncio.

anúncio [Do lat. tard. *annuntiu*.] ***S. m.*** **1.** Notícia ou aviso pelo qual se dá qualquer coisa ao conhecimento público. **2.** Previsão, prognóstico, vaticínio. **3.** Sinal, vestígio, indício. **4.** *Prop.* Mensagem que, por meio de palavras, imagens, música, recursos audiovisuais e/ou efeitos luminosos, pretende comunicar ao público as qualidades de um determinado produto ou serviço, assim como os benefícios que tal produto ou serviço oferece aos seus eventuais consumidores. [Cf. *anuncio*, do v. *anunciar*.] ◆ **Anúncio aberto.** *Prop.* Aquele em que o anunciante se identifica. **Anúncio aéreo.** *Prop.* Anúncio (4) que, sob forma de faixa ou cartaz, é rebocado por avião ou aeróstato em voo, à vista de concentrações de público. **Anúncio classificado.** Anúncio de pequeno formato, geralmente sem ilustração, divulgado em seções especializadas de jornais e revistas. [Tb. se diz apenas *classificado*.] **Anúncio cooperativo.** *Prop.* Anúncio que, promovendo as vendas de um produto de determinada marca, tem o seu custeio financiado cooperativamente pelo fabricante do produto e pela loja ou cadeia de lojas onde é vendido. **Anúncio de sustentação.** *Prop.* Aquele que mantém presente nos veículos de divulgação a propaganda de um produto ou serviço já existente no mercado. **Anúncio fechado.** *Prop.* Aquele em que o anunciante não se identifica.

anúncio-sanduíche ***S. m.*** *Prop.* Anúncio volante, apresentado sob a forma de dois cartazes justapostos, presos aos ombros do transportador, um à frente e outro às costas. [Tb. se diz apenas *sanduíche*. Pl.: *anúncios-sanduíches* e *anúncios-sanduíche*.]

anuncista [De *anúncio* + *-ista*.] ***S. 2 g.*** *Tip.* Gráfico encarregado de compor ou montar anúncios, em oficina de jornal.

anunguaçu [Var. de *anuguaçu* (q. v.).] ***S. m.*** *Bras. Zool.* V. *anu-coroca*.

anunzé ***S. 2 g. Adj. 2 g.*** *Bras.* V. *anunzê*.

anunzê *Bras.* ***S. 2 g.*** **1.** *Etnôn.* Indivíduo dos anunzês, povo indígena extinto, da família linguística nambiquara, que habitava a região do rio Iquê, afluente do Juruena (MT). ● ***Adj. 2 g.*** **2.** Pertencente ou relativo a esse povo. [F. paral.: *anunzé*. Tb. us. como *s. 2 g. e 2 n.* (com cap.) e *adj. 2 g. e 2 n.*]

ânuo [Do lat. *annuu*.] ***Adj.*** Anual (1 a 3): *lei ânua* (q. v.). [Cf. *anuo*, do v. *anuir*.] ~ V. *aberração —a*, *equação —a* e *paralaxe —a*.

anu-peixe ***S. m.*** *Bras. Zool.* V. *anu-coroca*. [Pl.: *anus-peixes* e *anus-peixe*.]

anu-pequeno ***S. m.*** *Bras. Zool.* V. *anu-preto*. [Pl.: *anus-pequenos*.]

anu-preto ***S. m.*** *Bras. Zool.* Ave cuculídea (*Crotophaga ani*), distribuída da Flórida à Argentina, com cerca de 35cm de comprimento, coloração preta, dorso com brilho violáceo. É insetívora e costuma viver junto ao gado, onde apanha os insetos tocados por esses animais. Ao contrário do que se diz, não se alimenta de carrapatos. Nidifica em colônia, geralmente em bambuzais ou em densas touceiras de vegetação. [Sin.: *anu-pequeno*, *anuaí*, *anuí*. Pl.: *anus-pretos*.]

anurese [De *an-* + *-ur(o)-*[1] + *-ese*.] ***S. f.*** *Patol.* **1.** Retenção da urina na bexiga. **2.** Anúria.

anurético [De *anur(ese)* + *-ético*.] ***Adj.*** Referente à anurese.

anuria [De *an-* + *-uria*.] ***S. f.*** *Med.* V. *anúria*.

anúria [De *an-* + *-úria*.] ***S. f.*** *Med.* Diminuição ou supressão da secreção urinária; anurese. [F. paral.: *anuria*.]

anúrico [De *anúria* + *-ico*[2].] ***Adj.*** *Med.* Relativo à anúria.

anuro[1] [De *an-* + *-uro*.] ***Adj.*** Sem cauda.

anuro[2] [Adapt. do tax. *Anura* (v. *anuro*[1]).] *Zool.* ***S. m.*** **1.** Espécime dos anuros, ordem de animais cordados, anfíbios, caracterizados pela cabeça fundida ao corpo, pescoço e caudas ausentes, membros locomotores posteriores mais desenvolvidos, fecundação externa, fase larvária sob forma de girino. São os sapos, rãs e pererecas. ● ***Adj.*** **2.** Pertencente ou relativo a eles. [Sin. ger.: *batráquio*, *saliêncio*.]

ânus [Do lat. *anus*.] ***S. m. 2 n.*** *Anat.* Orifício na extremidade terminal do intestino, pelo qual se expelem os excrementos. [F. paral.: *ano*[2]. Sin. (pop. ou chulos): *cu* e (bras.) *feofó* ou *fiofó*, *fiota* ou *fiote*, *finfa*, *foba*, *pevide*, *viegas*, *alvado*, *ás de copas*, *boga*, *botão*, *butico*, *fueiro*, *furico*, *oritimbó*, *rosca*, *zé de quinca*. Cf. *anos*, pl. de *ano*.] ◆ **Ânus artificial.** *Cir.* Orifício, de caráter transitório ou permanente, construído cirurgicamente, e que estabelece comunicação direta entre o intestino e o meio exterior, dando passagem a fezes.

anuscopia [De *ânus* + *-scop-* + *-ia*[1].] ***S. f.*** *Med.* Exame da superfície interna do ânus mediante o uso do anuscópio.

anuscópio [De *ânus* + *-scópio*.] ***S. m.*** *Med.* Endoscópio destinado a exame visual da superfície interna do ânus.

anuu [Do tupi.] ***S. m.*** *Bras. Zool.* V. *anu-coroca*.

anuviado [Part. de *anuviar*.] ***Adj.*** **1.** Nublado (1 e 3). **2.** *Fig.* V. *nebuloso* (5): "Giro numa dessas situações anuviadas, compreende? (Carlos Drummond de Andrade, *Caminhos de João Brandão*, p. 50).

anuviar [Do lat. *annubilare*.] ***V. t. d. P.*** V. *nublar* (1, 2, 3 e 5): "Raiva de tigre anuviou-lhe o rosto" (Gonçalves Dias, *Obras Poéticas*, II, p. 255).

anverso [Do fr. *envers*.] ***S. m.*** **1.** *Numism.* Face principal de moeda ou medalha, onde se vê a efígie, o valor (no caso de moeda) e a data. **2.** *Numism.* Parte da frente da cédula (papel-moeda), onde se vê o tema principal, o nome da autoridade emissora, o valor e a numeração de controle. **3.** A parte anterior ou principal de qualquer objeto que tenha dois lados opostos. **4.** *Edit.* V. *reto*[1] (7).

■ **Anvisa** Sigla de *Agência Nacional de Vigilância Sanitária*.

anzico ***S. 2 g.*** **1.** Povo negro do O. da República Democrática do Congo (antigo Zaire, África centro-ocidental). ● ***Adj. 2 g.*** **2.** Pertencente ou relativo a esse povo. [Sin. ger.: *batequê*, *tequê*, *tio*.]

anzol [Do lat. vulg. **hamiciolu*, dim. de *hamus*, 'gancho'.] ***S. m.*** **1.** Pequeno gancho para pescar, terminado em farpa na qual se põe a isca. **2.** Qualquer gancho com finalidade análoga à do anzol (1). **3.** *P. ext. Fig.* Isca, engodo: *A mulher servia-lhe de anzol para pegar os incautos.* [Pl.: *anzóis*.] ◆ **Cair no anzol.** V. *cair na esparrela*.

anzolado [De *anzol* + *-ado*[1].] ***Adj.*** **1.** Que tem forma de anzol (1). **2.** *Bras.* Muito magro; macérrimo.

anzolar [De *anzol* + *-ar*[2].] ***V. t. d.*** Dar forma de anzol a.

anzol-de-lontra ***S. m.*** *Bras. Amaz. Bot.* Trepadeira loganiácea (*Strychnos ericetina*) arbustiva, munida de gavinhas axilares, ramos opostos, de um cinzento aveludado, folhas aproximadamente cordiformes na base, flores de pedúnculo curto, brancas, fragrantes, e dispostas em cimeiras axilares, e fruto bacáceo, cor de laranja. A casca da raiz é amarga e contém matéria tintorial. [Pl.: *anzóis-de-lontra*.]

anzoleiro [De *anzol* + *-eiro*.] ***S. m.*** Fabricante e/ou negociante de anzóis.

ao[1] Comb. da prep. *a* com o art. *o*: *Vou ao baile;* "cantando ao cravo" (Eça de Queirós, *Notas Contemporâneas*, p. 61). [Flex.: *à*, *aos*, *às*.]

ao[2] Comb. da prep. *a* com o pron. dem. neutro *o*; àquele: *Não darei prêmio ao aluno mais inteligente, e sim ao mais aplicado; Devemos valer ao que sofre, e nunca desampará-lo.* [Flex.: *à*, *aos*, *às*. Cf. *ao*[4].]

ao[3] Comb. da prep. *a* com o pron. dem. neutro *o*; àquilo: *Não posso responder ao que me perguntas.*

ao[4] Comb. anômala da prep. *a* com o pron. dem. neutro *o*, resultante do deslocamento dessas duas palavras: *Sei bem o que quero, ao que aspiro.* ["*Ao* que aspiro" corresponde a 'o a que aspiro', *i. e.*, 'aquilo a que aspiro'. Cf. *ao*[2].]

▲ **-ão**[1] [Do lat. *-one*.] ***Suf. nom.*** = 'aumento'; '(o) que é muito ou excessivamente'; '(o) que gosta muito de'; '(o) que faz algo habitualmente, ou em excesso'; '(o) que está na faixa dos (x) anos': *figurão*, *facão*; *atrevidão*; *bailão*; *babão*; *quarentão*, *cinquentão*. [Equiv.: *-alhão*, *-arão*, *-(z)arrão*, *-eirão*: *espertalhão*, *grandalhão*; *casarão*; *homenzarrão*, *santarrão*; *boqueirão*; *toleirão*; *asneirão*. Fem.: *-ona*[1]: *atrevidona*, *adivinhona*. Note-se a ocorrência irreg. de voc. do gên. fem. + *-ão*[1], formando voc. do gên. masc. (*mulherão*), e outros, designativos, ger., de 'tipo, ou espécie de, com proporção maior', ou 'coisa, ou indivíduo, semelhante' (*blusão*, *moscão*, *palavrão*, *paredão*).]

▲ **-ão**[2] [Do lat. *-anu* (de *-ānus, a, um*), por via pop.] ***Suf. nom.*** = 'proveniência', 'origem'; 'característica'; 'ofício', 'profissão'; 'relativo a', 'partidário de', 'adepto de': *pagão* (< lat.), *coimbrão*, *aldeão*, *escrivão*, *tecelão*. [Equiv.: *-an(o)-*, *-ano*[1], *-iano*: *cornubianito*; *sergipano*; *luterano*; *metacarpiano*.]

▲ **-ão**[3] [Do lat. *-iōne* (do acus. do lat. *-io*, *ōnis*).] ***Suf. nom.*** = 'ação' ou 'resultado da ação': *arranhão*, *puxão*. [Equiv.: *-ção*, *-ição*, *-(s)são*: *nomeação* (< lat.); *absolvição*; *extensão* (< lat.), *agressão* (< lat.).]

aô boboi ***Interj. S. m.*** *Bras. Rel.* V. *arô boboi*.

■ **AOC** [Acrôn. do fr. '*Appelation d'Origine Controlée*'.] **1.** Sigla do sistema regulamentar que garante a autenticidade de um vinho oriundo de uma zona geográfica determinada. **2.** *P. ext.* Vinho produzido nessa zona. [Tb. us. apositivamente. Em Portugal, diz-se DOC, *Denominação de Origem Controlada*.]

aonde [De *a*[3] + *onde*.] ***Adv.*** **1.** A que lugar; lugar a que ou ao qual: *Aonde foste?*; "Lá vou! Não sei se saberei aonde..." (Campos de Figueiredo, *Imagem da Noite*, p. 13). ● ***Interj.*** **2.** *Bras.* Indica descrença ou dúvida ante uma afirmação: *— Morreu agora mesmo.* | *— Aonde!* [Logicamente não seria lícito confundir *aonde*, 'a que lugar', com *onde*, 'em que lugar'; e pela distinção entre um e outro se bateram, e ainda hoje se batem, muitos gramáticos e estudiosos. O uso dos melhores autores, porém, desde um Azurara, da fase arcaica da língua, até um José Régio ou um Miguel Torga, dos nossos dias, não distingue *onde* de *aonde*. Clássico dos mais reputados, Rebelo da Silva usa *aonde* por *onde* cerca de 40 vezes nos seus *Contos e Lendas*; uma delas (só para exemplificar), na pág. 20: "o cemitério aonde dormem os que nos amaram." Por vezes ocorre o emprego simultâneo de um e outro advérbio com a mesma significação: "Nise? Nise? onde estás? aonde? aonde?" (Cláudio Manuel da Costa, *Obras Poéticas*, I, p. 109); "Mas aonde te vais agora, / Onde vais, esposo meu?" (Machado de Assis, *Poesias Completas*, p. 207). Note-se, na abonação machadiana, que a métrica não se oporia à repetição de *onde*. Cf. *onde*.]

aoristo [Do gr. *aóristos*, 'indefinido', pelo lat. tard. *aoristu*.] *S. m. E. Ling.* Nalgumas línguas, como no grego e no sânscrito, forma que o verbo toma para indicar que uma ação passada é vista independentemente de noções aspectuais, como, p. ex., ter sido completada ou não, estar repetida ou não, ser duradoura ou não, etc. [É o que ocorre, p. ex., numa forma como o gr. εδουλωσε, que, embora traduzida como 'tornou-se escravo', não traz qualquer informação acerca da duração do processo.]

aorta [Do gr. *aorté*.] *S. f. Anat.* Artéria aorta.

aortalgia [De *aort(o)-* + *-alg(o)-*[2] + *-ia*[1].] *S. f. Med.* Dor produzida por lesão aórtica.

aortálgico [De *aortalgia* + *-ico*[2].] *Adj. Med.* Relativo à aortalgia.

aortectasia [De *aort(o)-* + *-ectas-* + *-ia*[1].] *S. f. Med.* Dilatação da aorta.

aortectomia [De *aort(o)-* + *-ectom-* + *-ia*[1].] *S. f. Cir.* Excisão parcial da aorta.

aórtico [De *aorta* + *-ico*[2].] *Adj.* Pertencente ou relativo à aorta.

aortite [De *aort(o)-* + *-ite*[1].] *S. f. Patol.* Inflamação da aorta.

▲ **aort(o)-** [Do gr. *aorté, ês*.] *El. comp.* = 'aorta': *aortalgia, aortoclastia*.

aortoclasia [De *aort(o)-* + *-clas(i)-* + *-ia*[1].] *S. f. Patol.* Ruptura da aorta; aortoclastia.

aortoclastia [De *aort(o)-* + *-clast(o)-* + *-ia*[1].] *S. f. Patol.* Aortoclasia.

aortoclástico [De *aortoclastia* + *-ico*[2].] *Adj. Patol.* Relativo à aortoclastia.

aortopatia [De *aort(o)-* + *-patia*.] *S. f. Med.* Qualquer doença da aorta.

aos[1] Comb. da prep. *a* com o art. *os*: 📖 "No homem .... tudo é possível. Desde as maiores canalhices aos mais absurdos sacrifícios." (Salim Miguel, *Alguma Gente*, p. 61.)

aos[2] Comb. da prep. *a* com o pron. dem. masc. *os*; àqueles: 📄 *Perdoa até aos que lhe fazem mal.*

➔ **à outrance** [a u'tɾɐ̃s] [Fr.] A todo o transe; sem tréguas; até o fim.

■ **AOVDQS** [Acrôn. do fr. *'Appelation d'Origine Vin Délimité de Qualité Supérieur'*.] Sigla atual dos vinhos *VDQS*, produzidos numa zona definida e submetidos a uma regulamentação precisa.

■ **ap** Abrev. de *apud*.

■ **AP** Sigla do Estado do Amapá.

apá[1] [De or. indígena, poss.] *S. m. Bras.* **1.** *Bot.* V. *espadeira*. **2.** Cesto, ger. pequeno, em forma de tigela, us. como coador ou para servir alimentos sólidos.

apá[2] [De *a-*[5] + *pá*.] *S. m. e f. Bras. Pop.* Pá[1] (3): 📖 "Saiu para curar uma bicheira da novilha cirigada, que levou uma estrepada na apá." (Adalberon Cavalcanti Lins, *Curral Novo*, p. 30.)

apacamã [De or. tupi, poss.] *S. m. Bras. Zool.* V. *pacamão* (1).

apacanim [Do tupi.] *S. m. Bras. Zool.* Designação comum às espécies de gavião do gênero *Spizaetus*, que ocorrem desde a América Central até o N. da Argentina, na região cisandina da América do Sul. São todos de grande porte e alimentam-se de mamíferos. Há duas espécies brasileiras, o urutaurana (*S. ornatus*), e o gavião-pega-macaco (*S. tyrannus*). [Var.: *inapacanim*.]

apache [Do ingl. *apache*, der. de um idioma indígena do Novo México, E.U.A., pelo fr. *apache*.] *S. 2 g.* **1.** *Etnôn.* Indivíduo dos apaches, grupo indígena norte-americano. ● *S. m.* **2.** *Gloss.* Língua da família atabasca, composta de um conjunto de dialetos que se estendiam do Arizona até a bacia do rio Grande (E.U.A.). ● *Adj. 2 g.* **3.** Pertencente ou relativo aos apaches, ou à sua língua. [Tb. us. como *s. 2 g. e 2 n.* (com cap.) e *adj. 2 g. e 2 n.*]

apachismo [De *apache* + *-ismo*.] *S. m.* Atitude ou ação próprias de apache.

apachorrar-se [De *a-*[2] + *pachorra* + *-ar*[2] + *se*[1].] *V. p.* Encher-se de pachorra.

apadrinhador (ô) [De *apadrinhar* + *-dor*.] *Adj. S. m.* Que, ou aquele que apadrinha.

apadrinhamento [De *apadrinhar* + *-mento*.] *S. m.* Ato ou efeito de apadrinhar(-se).

apadrinhar [De *a-*[2] + *padrinho* + *-ar*[2].] *V. t. d.* **1.** Ser padrinho de. **2.** Proteger, favorecer, defender: 📄 *Não encontrou quem apadrinhasse a sua pretensão.* **3.** Patrocinar; sustentar: 📄 *apadrinhar uma causa.* **4.** *Turfe* Fazer correr (um cavalo manso) junto a outro, ger. potro indomado, nos exercícios, para amansá-lo. *P.* **5.** Pôr-se sob proteção de. **6.** Abonar-se; autorizar-se: 📄 *Ao defender a sua tese, apadrinha-se com bons autores.*

apadroar [De *a-*[2] + *patrono* + *-ar*[2].] *V. t. d.* **1.** Ser padroeiro de. **2.** Favorecer, defender, apadrinhar [Conjug.: v. *coroar*.]

■ **Apae** Sigla de *Associação de Pais e Amigos dos Excepcionais*.

apaga [Dev. de *apagar*.] *S. f. Marinh.* Cada um dos cabos de laborar fixos às testas dos papafigos, e que, com os briós, servem para carregar essas velas, prolongando-lhes as testas com o gurutil.

apagado [Part. de *apagar*.] *Adj.* **1.** Que já não arde, não tem fogo ou luz; extinto. **2.** Que não tem brilho; embaciado. **3.** Que não sobressai; sem relevo; medíocre: 📖 "O contista e romancista admirável, ... o criador de obras-primas como 'O Alienista', seria um teatrólogo apagado e medíocre" (R. Magalhães Júnior, *Artur Azevedo e Sua Época*, p. 50). **4.** Riscado, raspado; sumido. **5.** Frustrado, baldado. **6.** *Fig.* Negro, sombrio. **7.** Que não tem cultura; inculto, ignaro. ~ V. *cal —a*.

apagador (ô) [De *apagar* + *-dor*.] *S. m.* **1.** Aquele ou aquilo que apaga: 📖 "Já se imaginava .... fingindo apagar as velas de cera com o apagador de couro preto pregado à comprida vara" (Inglês de Sousa, *O Missionário*, p. 384). **2.** Utensílio escolar de madeira, plástico, etc. com uma das faces recobertas de feltro, ou material análogo, e que se destina a apagar os traços de giz em quadros-negros ou lousas.

apagamento [De *apagar* + *-mento*.] *S. m.* Ato ou efeito de apagar(-se).

apagão [Do hisp.-amer. *apagón*.] *S. m.* **1.** Corte ou interrupção no abastecimento de energia elétrica, de grande extensão, ou o escurecimento completo que dele resulta; blecaute: 📖 "Especialista alerta para ameaça maior de apagões." (*O Globo*, 26.09.2000.) **2.** Qualquer grande obscurecimento: 📄 *Segundo o astrônomo brasileiro, a estrela* Eta Carinae *teria sofrido um apagão.* **3.** *Fig.* Interrupção (em processo, pesquisa, produção, etc.) de grandes proporções: 📄 *apagão científico.*

apaga-pó [De *apagar* + *pó*.] *S. m. Bras. BA* **1.** V. *chuvisco* (1). **2.** V. *garoa*[1] (3). [Pl.: *apaga-pós*.]

apagar [De *a-*[4] + *pagar* < lat. *pacare*, 'pacificar'.] *V. t. d.* **1.** Fazer cessar a combustão de (o fogo); extinguir (o fogo ou a luz): 📖 "O quarto estava escuro, eu ia sair e acabava de apagar a vela, quando a figura alta e magra do Elisiário apareceu à porta." (Machado de Assis, *Páginas Recolhidas*, p. 40); "À noite mandaram-no apagar a luz e dormir." (Camilo Castelo Branco, *A Mulher Fatal*, p. 15). **2.** Fazer perder o brilho; embaciar. **3.** Destruir, aniquilar, extinguir: 📄 *O ódio apagou-lhe a razão.* **4.** Desmanchar, fazer desaparecer o que está escrito, desenhado ou pintado em: 📄 *apagar o quadro-negro.* **5.** Fazer desaparecer; suprimir: 📖 "Que o tempo tudo apague. / Até mesmo o sonhado. / É preciso esquecer." (Emílio Moura, *Itinerário Poético*, p. 336.) **6.** Aplacar, abrandar, mitigar. **7.** Desvanecer, desbotar: 📄 *O sol forte apaga as cores.* **8.** Deslustrar, obscurecer. **9.** *Inform.* Eliminar ou suprimir (informação, texto, arquivo, etc.), ger. por meio de tecla ou comando específico; deletar (q. v.), excluir. **10.** *Bras. Gír.* Fazer perder os sentidos; desacordar: 📄 *Valendo-se de narcótico, apagou o sequestrado.* **11.** *Bras. Gír.* V. *matar* (1): 📄 *Pretendia apagar as testemunhas antes do julgamento.* *Int.* **12.** Extinguir-se, acabar-se, apagar-se. **13.** *Bras. Pop.* V. *morrer* (1). **14.** *Bras. Pop.* Perder o ânimo, o entusiasmo, a vivacidade: 📄 *Lá pelo fim da festa os convidados apagaram.* **15.** *Bras. Pop.* Entrar em letargia, por efeito de álcool ou droga. **16.** Perder a vivacidade; ceder ao cansaço; esmorecer, desmaiar: 📄 *Estava muito animado, e de repente apagou.* **17.** *Bras. Fam.* V. *adormecer* (1). *P.* **18.** Acabar-se, extinguir-se. **19.** Perder o brilho, embaciar-se: 📄 *Os olhos da moça apagaram-se após a desilusão.* **20.** Morrer, falecer, perecer: 📄 *Apagou-se ainda jovem.* **21.** *Bras. Pop.* Desanimar, desestimular-se. [Conjug.: v. *largar*.]

apagável [De *apagar* + *-vel*.] *Adj. 2 g.* Que se pode apagar; deletável.

ápage [Do gr. *ápage*, 'vá-se-embora', pelo lat. *apage*.] *Interj.* V. *irra*.

apagogia [Do gr. *apagogé*, 'ação de levar', + *-ia*[1].] *S. f. Lóg.* **1.** Redução de um problema a outro; abdução. **2.** Raciocínio por absurdo (q. v.). **3.** Redução ao absurdo.

apagógico [De *apagogia* + *-ico*[2].] *Adj. Lóg.* Referente à apagogia. ~ V. *raciocínio —*.

apaí [Do tupi.] *S. f. Bras. Amaz. Zool.* V. *irerê*.

apaiari [De or. tupi, poss.] *S. m. Bras. Zool.* Peixe ciclídeo (*Astronotus ocellatus*) da bacia amazônica. Coloração geral pardo-escura, com faixas transversais escuras e um ocelo característico na base da nadadeira caudal; comprimento: até 40cm, sendo o maior dos acarás brasileiros; peso: até 1,6kg. Utiliza-se, com bons resultados, em piscicultura. [Sin.: *acará-grande, acará-açu, acaraçu, acará-guaçu, acará-uaçu, acará-uçu, aiaraçu, apiari, carauaçu*.]

apaideguado [De *a-*[2] + *pai-d'égua* + *-ado*[1].] *Adj. Bras. Pop.* De proporções desconformes; muito grande; pai-d'égua: 📖 "A chegada do Neca Lourenço acabou com a prosa fiada. Tipão graúdo, apaideguado, mostrando a peitaria cabeluda e dum gordo socado, rijo." (Mário Palmério, *Vila dos Confins*, p. 138.)

apainelado[1] [De *a-*[2] + *painel* + *-ado*[1].] *Adj.* Que tem feitio de painel.

apainelado[2] [Part. de *apainelar*.] *Adj.* **1.** Dividido em painéis. **2.** Decorado com painéis: 📖 "o interior do casarão agradara-lhe também com a sua disposição apalaçada, os tetos apainelados, as paredes cobertas de *frescos*" (Eça de Queirós, *Os Maias*, I, p. 8).

apainelamento [De *apainelar* + *-mento*.] *S. m.* **1.** Ato ou efeito de apainelar. **2.** Obra de talha, de estuque, etc., que forma painéis em tetos, paredes, portas, etc.

apainelar [De *a-*[2] + *painel* + *-ar*[2].] *V. t. d.* **1.** Dar forma de painel a. **2.** Dividir em painéis. **3.** Ornar, artesoar (teto, parede, etc.) com molduras ou artesões (v. *artesão*[2]); lavrar em forma de painel.

apaiolar [De *a-*[2] + *paiol* + *-ar*[2].] *V. t. d. e c.* **1.** Meter em paiol. **2.** Guardar como que em paiol: 📄 *Apaiolou os mantimentos a um canto.*

apairandé *Bras. S. 2 g.* **1.** *Etnôn.* Indivíduo dos apairandés, povo indígena extinto, de língua pertencente ao tronco tupi, que habitava o S. do AM, divisa com RO. ● *Adj. 2 g.* **2.** Pertencente ou relativo a esse povo. [Tb. us. como *s. 2 g. e 2 n.* (com cap.) e *adj. 2 g. e 2 n.*]

apaisanado [De *a-*[2] + *paisano* + *-ado*[1].] *Adj.* Que tem modos e/ou aspecto de paisano.

apaisanar [De *a-*[2] + *paisano* + *-ar*[2].] *V. t. d.* Dar modos, aspecto de paisano a.

apaixonadamente [Do f. de *apaixonado* + *-mente*.] *Adv.* De modo apaixonado; com paixão: 📖 "Se os meus lábios calavam-se, falava / O meu olhar apaixonadamente" (Guimarães Passos, *Versos de um Simples*, p. 09).

apaixonadiço *Adj.* Que se apaixona facilmente.

apaixonado [Part. de *apaixonar*.] *Adj.* **1.** Dominado por paixão; enamorado. **2.** Que denota, ou em que há paixão: 📖 "sentava-se ao piano, e os fados tristes, as cavatinas apaixonadas gemiam instintivamente no teclado" (Eça de Queirós, *O Primo Basílio*, p. 75). **3.** Arrebatado, exaltado, entusiasta. **4.** Diz-se do indivíduo a quem a paixão impede um julgamento imparcial; parcial. ● *S. m.* **5.** Indivíduo apaixonado. **6.** V. *admirador* (3).

apaixonante [De *apaixonar* + *-nte*.] *Adj. 2 g.* Que apaixona, prende, cativa; aliciante: 📄 *problema apaixonante; enredo apaixonante; beleza apaixonante;* 📖 "O volume [*Fronteiras da Santidade*, de Otávio de Faria] reúne alguns estudos profundos e ardorosos sobre a apaixonante figura de Léon Bloy" (Mário de Andrade, *O Empalhador de Passarinhos*, p. 205).

apaixonar [De *a-*[2] + *paixão* + *-ar*[2], seg. o padrão erudito.] *V. t. d.* **1.** Inspirar paixão a; despertar amor em: 📄 *Sua graça e beleza apaixonaram o rapaz.* **2.** Entusiasmar, exaltar, arrebatar: 📖 "Com a partida de D. João [João VI] abre-se o período de agitações: a emancipação e a nacionalidade assumem formas de reivindicações que apaixonam o povo." (Delso Renault, *O Rio Antigo nos Anúncios de Jornais*, p. 45.) **3.** Consternar, prostrar: 📄 *A morte do amigo apaixonou-o.* **4.** *Bras. N.E. Pop.* Gostar de; apreciar: 📖 "Ouvi falar a este [o Visconde de Sinimbu] bastantes vezes; não apaixonava o debate, mas era simples, claro, interessante, e, fisicamente, não perdia a linha." (Machado de Assis, *Páginas Recolhidas*, pp. 163-164.) *P.* **5.** Encher-se de paixão; deixar-se dominar por sentimento profundo: 📖 "Explicou que tinha vindo a Buenos Aires para estudar .... e aqui se apaixonara por uma argentina, com quem se casara." (Maria Julieta Drummond de Andrade, *Um Buquê de Alcachofras*, p. 27). **6.** Encher-se de paixão, de vivo entusiasmo: 📖 "Na faculdade, se apaixonara [Alceu Amoroso Lima] por três autores: Anatole France, Eça de Queirós, Machado de Assis, três cépticos." (Antônio Carlos Vilaça, *O Desafio da Liberdade*, p. 31.) **7.** Encolerizar-se, irar-se, enfurecer-se.

apaixonável [De *apaixonar* + *-vel*.] *Adj. 2 g.* Capaz de apaixonar-se.

apajear [De *a-*[2] + *pajem* + *-ar*[2], com desnasalação.] *V. t. d.* **1.** Servir de pajem a: 📖 "Sobre o regaço da Tia Bá, a Mãe-Preta que apajeou todos os filhos do Neto [de Coelho Neto], a Violeta dormia." (Martins Fontes, *Terras da Fantasia*, p. 19.) **2.** Adular, lisonjear. [F. paral.: *pajear*. Conjug.: v. *frear*.]

apalaçado [De *a-*[2] + *palácio* + *-ado*[1].] *Adj.* Com aspecto ou forma de palácio: 📖 "Entraram na casa apalaçada de Ruivães, inesperadamente." (Camilo Castelo Branco, *Noites de Insônia*, II, p. 33.)

apalaçar [De *a-*[2] + *palácio* + *-ar*[2].] *V. t. d.* Dar aparência ou forma de palácio a. [Conjug.: v. *laçar*.]

apalacetado [De *a-*[2] + *palacete* + *-ado*[1].] *Adj.* Diz-se de construção com feitio de palacete.

apalachiano [Do top. *Apalaches* (América do Norte) + *-iano*.] ***Adj.*** *Geol.* Diz-se do tipo de relevo resultante do reinício da erosão, numa área anteriormente peneplanizada.
apalacianado [De *a-*[2] + *palaciano* + *-ado*[1].] ***Adj.*** Que tem modos palacianos.
apalacianar [De *a-*[2] + *palaciano* + *-ar*[2].] ***V. t. d. P.*** Tornar(-se) palaciano; afazer(-se) à vida do paço.
apaladar [De *a-*[2] + *paladar* + *-ar*[2], com síncope.] ***V. t. d.*** Dar bom sabor ou paladar a.
apalaí ***S. 2 g. Adj. 2 g.*** *Bras.* V. *aparaí*.
apalancar[1] [De *a-*[2] + *palanca* + *-ar*[2].] ***V. t. d.*** **1.** Fechar com palancas; trancar. **2.** Defender, fortificar com palancas. ***P.*** **3.** Defender-se, entrincheirar-se. [Conjug.: v. *trancar*.]
apalancar[2] [De *a-*[2] + *palanque* + *-ar*[2].] ***V. t. d.*** Guarnecer de palanques. [Conjug.: v. *trancar*.]
apalavrado [Part. de *apalavrar*.] ***Adj.*** Ajustado, combinado, convencionado.
apalavramento [De *apalavrar* + *-mento*.] ***S. m.*** Ato ou efeito de apalavrar(-se).
apalavrar [De *a-*[2] + *palavra* + *-ar*[2].] ***V. t. d. T. d. e i.*** **1.** Ajustar sob palavra; contratar; combinar, pactuar. **2.** Ajustar, acertar (negócio) sob palavra. ***P.*** **3.** Obrigar-se, comprometer-se, empenhar-se, penhorar-se, pela palavra.
apalazador (ô) [De *apalazar* + *-dor*.] ***S. m.*** *Bras. PE AL* Operário que apalaza sapatos.
apalazar *Bras. PE AL* ***V. t. d.*** **1.** Costurar os diversos pedaços de couro de (o sapato). ***Int.*** **2.** Costurar os diversos pedaços de couro do sapato.
apaleador (ô) [De *apalear* + *-dor*.] ***S. m.*** Aquele que apaleia.
apaleamento [De *apalear* + *-mento*.] ***S. m.*** Ato ou efeito de apalear.
apalear [Do esp. *apalear*.] ***V. t. d.*** Bater com pau em; espancar. [Conjug.: v. *frear*.]
apalermado [De *a-*[2] + *palerma* + *-ado*[1].] ***Adj.*** Que tem modos e/ou ar de palerma.
apalermar [De *a-*[2] + *palerma* + *-ar*[2].] ***V. t. d. P.*** Tornar(-se) palerma; atoleimar(-se).
apalmado [De *a-*[2] + *palma* + *-ado*[1].] ***Adj.*** *Heráld.* Diz-se do escudo onde há uma mão espalmada.
apalpação [De *apalpar* + *-ção*.] ***S. f.*** Ato ou efeito de apalpar(-se); apalpamento, apalpo.
apalpadeira [De *apalpar* + *-deira*.] ***S. f.*** *Lus.* Funcionária que, nos postos fiscais, ou de embarque ou desembarque de passageiros, verifica se pessoas de seu sexo conduzem objetos proibidos, como contrabando, drogas, armas, etc.
apalpadela [De *apalpar* + *-dela*.] ***S. f.*** Ato de apalpar uma vez; palpadela. ◆ **Às apalpadelas. 1.** Apalpando, tateando. **2.** Às cegas; em dúvida; com hesitação.
apalpador (ô) [De *apalpar* + *-dor*.] ***Adj. S. m.*** Que, ou aquele que apalpa.
apalpamento [De *apalpar* + *-mento*.] ***S. m.*** V. *apalpação*.
apalpão [De *apalpar* + *-ão*[3].] ***S. m.*** Apalpadela grosseira ou obscena.
apalpar [De *a-*[4] + *palpar*.] ***V. t. d.*** **1.** Tocar com a mão para conhecer pelo tato; tatear: "Fechei os olhos. Mexi os dedos, procurei as falanges, apalpei os braços, o tronco, o pescoço." (Graciliano Ramos, *Infância*, p. 175); "Ele riu apalpando os bolsos do paletó até encontrar o cigarro." (Lígia Fagundes Teles, *Antes do Baile Verde*, p. 9). **2.** Tocar com delicadeza e brandamente: "Minha mãe passava a mão pela testa, apalpava o rosto como uma tonta: | — Até que enfim .... Parece um sonho!" (Cordeiro de Andrade, *Anjo Negro*, p. 100.) **3.** Procurar, experimentar, sondar: *Apalpava um caminho na mata intrincada.* **4.** Sondar o ânimo, a capacidade, as intenções, a opinião, etc., de; tatear; sondar o terreno. **5.** Maltratar, afligir: *A longa seca assoladora apalpava a população.* **6.** Deixar vestígios em; abater: *A gripe apalpou-o.* ***P.*** **7.** Tocar-se com a mão para procurar, ou examinar alguma coisa em si mesmo: "De quando em quando, apalpava-se, e já a carne crescia gorda." (Moreira Campos, *Portas Fechadas*, p. 15.) **8.** Consultar a si mesmo; deliberar consigo: *Antes de tomar a resolução, apalpou-se.* [F. paral.: *palpar*.]
apalpo [Dev. de *apalpar*.] ***S. m.*** V. *apalpação*.
ápama *Bras.* ***S. 2 g.*** **1.** *Etnôn.* Indivíduo dos ápamas, povo indígena extinto de língua pertencente ao tronco tupi, que habitava o PA, nas imediações do rio Paru. ● ***Adj. 2 g.*** **2.** Pertencente ou relativo a esse povo. [Tb. us. como *s. 2 g. e 2 n.* (com cap.) e *adj. 2 g. e 2 n.*]
apanágio [Do fr. *apanage*.] ***S. m.*** Propriedade característica; atributo: "naquele país de montanhas [a Beira Alta] habita a mais bela, a mais laboriosa, e a mais típica raça portuguesa, poetizada por todas as melancolias da pobreza, e opulenta entretanto das virtudes familiais que foram apanágio dos antigos povos pastores." (Fialho d'Almeida, *Pasquinadas*, pp. 330-331.)
apandado [Part. de *apandar*.] ***Adj.*** Tornado pando.
apandar [De *a-*[2] + *pando* + *-ar*[2].] ***V. t. d. P.*** Tornar(-se) pando.
apandilhar [De *a-*[2] + *pandilha* + *-ar*[2].] ***V. t. d.*** **1.** Roubar (alguém) no jogo. ***P.*** **2.** Reunir-se em pandilha (1 a 3). **3.** Tornar-se vadio. **4.** Aviltar-se, envilecer, acanalhar-se, abandalhar-se; pandilhar.
apandria [De *ap(o)-* + *-andr(o)-* + *-ia*[1].] ***S. f.*** *Psiq.* Aversão mórbida ao sexo masculino.
apândrico [De *apandria* + *-ico*[2].] ***Adj.*** *Psiq.* Referente à apandria, ou que a tem.
apanha [Dev. de *apanhar*.] ***S. f.*** Ato ou efeito de apanhar; colheita, apanhação, apanhadura, apanhamento, apanho: "as mãos calejadas no eito ou na apanha do café" (Autran Dourado, *As Imaginações Pecaminosas*, p. 67).
apanhação [De *apanhar* + *-ção*.] ***S. f.*** *Bras.* V. *apanha*.
apanhadeira [De *apanhar* + *-deira*.] ***S. f.*** **1.** Mulher que apanha frutos, cereais, etc. **2.** Pá com que se apanha o lixo, junto com a vassoura.
apanhadiço ***Adj.*** Fácil ou em condições de ser apanhado.
apanhado [Part. de *apanhar*.] ***Adj.*** **1.** Que se apanhou. ● ***S. m.*** **2.** Aquilo que se apanhou ou juntou: *um apanhado de flores.* **3.** Resumo, sinopse: "livro .... em que a autora, ... , faz um apanhado da vida e da carreira da cantora (Cássia Eller)" (Eduardo Belo e Ana Cláudia Landi, *Apenas uma Garotinha*, p. 278). **4.** Nas obras de costura, panejamento colhido ou arregaçado em pregas, dobras, refegos: *A cortina formava um apanhado preso por uma larga fita.*
apanhador (ô) [De *apanhar* + *-dor*.] ***Adj.*** **1.** Que apanha. ● ***S. m.*** **2.** Aquele que apanha. **3.** *P. ext.* Qualquer máquina ou instrumento que apanha, colhe, reúne. **4.** Indivíduo que colhe o fruto maduro do café. **5.** V. *seringueiro* (1).
apanhadura [De *apanhar* + *-dura*.] ***S. f.*** V. *apanha*.
apanhamento [De *apanhar* + *-mento*.] ***S. m.*** V. *apanha*.
apanha-moscas [De *apanhar* + o pl. de *mosca*.] ***S. m. 2 n.*** **1.** Aparelho para apanhar moscas. ● ***S. f. 2 n.*** **2.** *Bot.* Planta droserácea (*Dionaea muscipara*) insetívora, cujas folhas se contraem e se fecham sobre os insetos que as tocam, digerindo-os; papa-moscas. **3.** *Bras. Zool.* V. *papa-moscas* (1).
apanha o bago [De *apanhar* + *o* + *bago*.] ***S. m.*** *Bras. BA Etnogr.* Um dos passos tradicionais do samba de roda da BA, em que o dançarino se agacha como que para apanhar o bago, ou caroço, de jaca: "Os passos do samba já estão consagrados. São apenas três: — o corta a jaca, o separa o visgo e o apanha o bago." (Edison Carneiro, *A Sabedoria Popular*, p. 187.) [Cf. *corrido* (9). Pl.: *apanha os bagos*.] ☑
apanhar [Do esp. *apañar*.] ***V. t. d.*** **1.** Colher, recolher: *Curvou-se para apanhar flores;* "Eu quinze anos levei a apanhar nas campinas / Os lírios mais gentis e as mais puras boninas" (Luís Delfino, *Posse Absoluta*, p. 65). **2.** Tomar, segurar com a(s) mão(s): *Apanhou o bebê e acariciou-o;* "Apanhou o rifle, saiu ao meio da trilha e detonou." (Coelho Neto, *Banzo*, p. 93). **3.** Segurar com força; agarrar: *O vaqueiro apanhou o novilho, imobilizando-o rapidamente.* **4.** Levantar do chão: *Apanhou, gentilmente, a luva que caíra;* "Apanhando um fio de seda que encontrara a seus pés, começou a enrolá-lo por entre os dedos." (Joaquim Manuel de Macedo, *Os Romances da Semana*, p. 15); "Caiu uma carta do baralho. Ela se curvou para apanhar a carta." (Adalberon Cavalcanti Lins, *Curral Novo*, p. 381). **5.** Caçar ou pescar com rede, armadilha, etc.: *O menino lançou a tarrafa, apanhando vários peixes.* **6.** Prender, capturar, agarrar: *A polícia apanhou o ladrão em poucas horas.* **7.** Tomar, pegar (um veículo): *Saiu e apanhou um táxi.* **8.** Levantar, arregaçar: *Apanhou o vestido para banhar os pés; Apanhou as mangas da camisa.* **9.** Apoderar-se, assenhorar-se de. **10.** Roubar, furtar: *Apanhou tudo o que pôde, no exercício do cargo.* **11.** Contrair, pegar (doença): *apanhar gripe.* **12.** Ser atingido por (chuva, vento, sol, etc.); tomar, pegar: *Saiu sem agasalho e apanhou chuva.* **13.** Receber, sofrer, tomar, levar: *Apanharás muitas lambadas pela travessura.* **14.** Conseguir, obter. **15.** Atingir, alcançar: *Correu muito, mas apanhou o fujão.* **16.** Utilizar, aproveitar: *Apanhou-lhe a ideia e desenvolveu-a.* **17.** Entender, compreender, apreender, perceber: *Apanhou rapidamente o sentido de minhas palavras.* **18.** Adquirir; pegar: *Mudou-se para São Paulo e apanhou logo o sotaque da terra.* **19.** V. *alcançar* (9). ***T. c.*** **20.** Apanhar (14): "sofreram como os demais, considerando-se felizes quando apanhavam dez ou vinte mil-réis por conta dos vencimentos atrasados." (Artur Azevedo, *Contos Cariocas*, p. 93). ***Transobj.*** **21.** Encontrar, surpreender, pegar: *Sempre que apanhava o adversário desprevenido, aplicava-lhe um soco.* ***Int.*** **22.** Fazer colheita; colher. **23.** Levar pancada; ser espancado. **24.** Perder em luta, guerra, jogo, competição desportiva, etc.: *Os italianos apanharam na II Guerra Mundial; Meu time apanhou hoje.* **25.** Demorar ou encontrar grande dificuldade em fazer, resolver, compreender, aprender alguma coisa: *Vai apanhar muito até resolver a equação.* ***P.*** **26.** Achar-se, ver-se; encontrar-se: *Apanhando-se no poder, esqueceu os velhos amigos.*
apanha-saia [De *apanhar* + *saia*.] ***S. f.*** *Bras.* V. *ganha-saia* (2). [Pl.: *apanha-saias*.]
apanho [Dev. de *apanhar*.] ***S. m.*** V. *apanha*.
apaniecra *Bras.* ***S. 2 g.*** **1.** *Etnôn.* Indivíduo dos apaniecras [ou (etnôn. bras.) *Apányekra, *Kanela-Apányekra], povo indígena da subfamília timbira, família linguística jê, tronco macro-jê, que habita a cabeceira do rio Mearim, município de Barra do Corda (MA). ● ***Adj. 2 g.*** **2.** Pertencente ou relativo a esse povo. [Sin. ger.: *aponejicrã*.]
apaniguado [Part. de *apaniguar*.] ***S. m.*** **1.** Protegido, favorito. **2.** Sectário, partidário. [Var. (p. us.): *paniguado*. Sin. bras., S., nesta acepç.: *mumbava*.]
apaniguar [De *a-*[2] + lat. *panificare*, 'fazer pão', 'dar pão'.] ***V. t. d.*** Dispensar proteção a; favorecer; sustentar. [Conjug.: v. *averiguar*.]
apantomancia (cí) [Do gr. *ápas, ápantos*, 'tudo', + *-mancia*.] ***S. f.*** Adivinhação ou previsão por meio de coisas que se apresentam imprevistamente aos olhos.
apantomante [Do gr. *ápas, ápantos*, 'tudo', + *-mante*.] ***S. 2 g.*** Pessoa que pratica a apantomancia.
apantomântico ***Adj.*** Relativo a apantomancia, ou a apantomante.
apantóptero [De *a-*[3] + *-pant(o)-* + *-ptero*; tax. *Apantoptera*.] ***Adj. S. m.*** *Zool.* V. *colêmbolo*.
apantropia [De *ap(o)-* + *-antrop(o)-* + *-ia*[1].] ***S. f.*** *Psiq.* Receio mórbido de estar acompanhado por alguém.
apantropo [De *ap(o)-* + *-antropo*.] ***Adj. S. m.*** **1.** *Desus.* V. *misantropo*. **2.** Que, ou quem sofre de apantropia.
apantufado [Part. de *apantufar*.] ***Adj.*** Que tem feitio de pantufa (1).
apantufar [De *a-*[2] + *pantufa* + *-ar*[2].] ***V. t. d.*** **1.** Dar feição de pantufa a. ***P.*** **2.** Calçar pantufas.
apaocá (a-o) [Do ior.] ***S. f.*** *Bras. BA Rel.* Jaqueira (1), objeto de culto, como orixá, em alguns candomblés. [Com cap.] [Por vezes, o assentamento (6) dessa entidade é uma gameleira-branca.]
apapá [Do tupi.] ***S. m.*** *Bras. Amaz.* **1.** *Zool.* Designação popular de várias espécies de sardinhas de água doce que ocorrem na Amaz., sobretudo as dos gêneros *Neostens, Pristigaster* e *Rhinosardinia*, de pequeno valor comercial. [Cf. *sardinha-branca, sardinha-da-água-doce, sardinha-dourada*.] **2.** *Bot.* Planta da família das ocnáceas, gênero *Elvasia*.
apapagaiado [De *a-*[2] + *papagaio* + *-ado*[1].] ***Adj.*** *Bras.* Que parece ou lembra papagaio, sobretudo pelo tom berrante do colorido.
apaparicar [De *a-*[2] + *paparico* + *-ar*[2].] ***V. t. d.*** **1.** Dar paparicos ou guloseimas a. **2.** Tratar com paparicos; acariciar, amimar, adular. **3.** Gabar, lisonjear, incensar. [F. paral.: *paparicar* (q. v.). Conjug.: v. *trancar*.]
apapocuva *Bras.* ***S. 2 g.*** **1.** *Etnôn.* Indivíduo dos apapocuvas, povo indígena guarani extinto, da família linguística tupi-guarani, tronco tupi, que habitava a região do rio Iguatemi (MS). ● ***Adj. 2 g.*** **2.** Pertencente ou relativo a esse povo. [Tb. us. como *s. 2 g. e 2 n.* (com cap.) e *adj. 2 g. e 2 n.*]
apar [Var. de *apara*[2].] ***S. m.*** *Bras. Zool.* V. *tatu-bola*. [Cf. a loc. *a par*.]
apara[1] [Dev. de *aparar*.] ***S. f.*** **1.** Fragmento de qualquer objeto que se desbasta, com serra, lima, etc.; cerceadura. **2.** *Art. Gráf.* Sobra de papel resultante da operação de aparar. **3.** *Ind. Pap.* Material refugado no processo de fabricação ou de impressão, e que é fonte de fibras a ser utilizada, parcial ou totalmente, na fabricação de papel reciclado em máquina contínua de papel. ~ V. *aparas*.
apara[2] [F. red. de *tatuapara*.] ***S. m.*** *Bras. Zool.* V. *tatu-bola*. ~ V. *aparas*.
aparabolar [De *a-*[2] + *parábola*[1] + *-ar*[2].] ***V. t. d.*** **1.** Dar feição de parábola a. **2.** Explicar por meio de parábola.
aparação [De *aparar* + *-ção*.] ***S. f.*** Aparagem.
aparadeira [De *aparar* + *-deira*.] ***S. f.*** **1.** Parteira curiosa: "Parto natural, com a aparadeira sem ter muito o que fazer." (Povina Cavalcanti, *Volta à Infância*, p. 15.) **2.** V. *comadre* (6). **3.** *Bras. AL* Vaso onde se vomita.
aparadela [De *aparar* + *-dela*.] ***S. f.*** Ato ou efeito de aparar uma vez ou de leve: *Dei uma aparadela no cabelo.*
aparado [Part. de *aparar*.] ***Adj.*** **1.** Que recebeu aparagem ou aparadela. ● ***S. m.*** **2.** *Bras.* Ponto terminal, ab-rupto, de uma serra. ~ V. *aparados*.
aparador (ô) [De *aparar* + *-dor*.] ***Adj.*** **1.** Que apara. ● ***S. m.*** **2.** Aquele ou aquilo que apara. **3.** Móvel de sala de jantar, relativamente longo, da altura da mesa de refeições, e cujo tampo serve para receber os pratos ou travessas com comida durante o almoço ou jantar; bufê, bufete: "O aparador cheio dos frascos de

cristal, dos jarros de flores, da fruteira" (Pedro Nava, *Balão Cativo*, p. 43). **4.** *Bras.* Aquele que faz partos: "Conhecia as posições fetais, ..., acompanhava bem um trabalho, conhecia os segredos de proteger e aumentar a elasticidade perineal e saí da escola, graças ao nosso Cirne, um 'aparador' razoável." (Pedro Nava, *Beira-Mar*, p. 382.)

aparados [Pl. de *aparado*.] ***S. m. pl. Bras. RS*** Os contrafortes da Serra Geral. ~ V. *aparado*.

aparafusamento [De *aparafusar* + *-mento*.] ***S. m.*** Ato ou efeito de aparafusar.

aparafusar [De *a-*[2] + *parafuso* + *-ar*[2].] ***V. t. d.*** **1.** Fixar, segurar com parafuso. **2.** Apertar (parafuso) com a respectiva chave. **3.** Firmar, fixar, imobilizar. ***T. i. Int.*** **4.** *Fig.* Meditar, cismar. [F. paral.: *parafusar*.]

aparagatar ***V. t. d.*** *Bras. Pop.* V. *apragatar*.

aparagem [De *aparar* + *-agem*[2].] ***S. f.*** Ato ou efeito de aparar; aparação.

aparaí *Bras.* ***S. 2 g.*** **1.** *Etnôn.* Indivíduo dos aparaís, povo indígena da família linguística caraíba, que habita a ilha Maçaranduba no rio Jari, próximo à desembocadura do rio Ipitinga (PA). • ***Adj. 2 g.*** **2.** Pertencente ou relativo a esse povo. [Sin. ger.: *apalaí, aparaí do Jari*. Tb. us. como *s. 2 g. e 2 n.* (com cap.) e *adj. 2 g. e 2 n.*] ◆ **Aparaí do Jari.** *Bras.* V. *aparaí*.

aparaiú [De or. tupi.] ***S. m.*** *Bras. Bot.* V. *maçaranduba* (4).

apara-lápis [De *aparar* + *lápis*.] ***S. m. 2 n.*** Apontador[1] (3).

apara-mangaba ***Adj. S. m.*** *Bras. BA Pop.* Diz-se de, ou chapéu de abas muito largas. [Pl.: *apara-mangabas*.]

aparamentar [De *a-*[2] + *paramento* + *-ar*[2].] ***V. t. d. P.*** V. *paramentar*.

aparar [De *a-*[4] + *parar*.] ***V. t. d.*** **1.** Tomar, receber, segurar (o que se tira ou o que cai): *Desajeitado, não conseguia aparar os frutos que as pessoas lhe atiravam.* **2.** Receber (ataque, golpe, coisa arremessada, etc.) resguardando-se de ser atingido. **3.** Cortar parte, porção da(s) borda(s) ou ponta(s) de: *aparar a grama.* **4.** Desbastar as asperezas de; alisar, aplainar. **5.** Aguçar, adelgaçar; apontar: *aparar um lápis.* **6.** Apurar, aperfeiçoar, polir: *aparar o estilo.* **7.** Tolerar, aceitar. **8.** *Art. Gráf.* Cortar, ger. com guilhotina (a borda de pilha de papel, ou a lateral de impressos). [Cf., nesta acepç., *refilar*[2].] **9.** *Bras.* Mimar, amimar, adular. **10.** *Bras.* Fazer o parto de (uma criança).

aparas [Pl. de *apara*[1].] ***S. f. pl.*** **1.** Sobras do queijo imprensado. **2.** Lascas de mandioca secas ao sol. **3.** Pedaços de carne que sobram de um peso grande. ~ V. *apara*.

aparatar [De *aparato* + *-ar*[2].] *P. us.* ***V. t. d.*** **1.** Tornar aparatoso. **2.** Enfeitar, adornar, ornar. ***P.*** **3.** Enfeitar-se, adornar-se, ornar-se.

aparato [Do lat. *apparatu*.] ***S. m.*** **1.** Ostentação em atos públicos ou particulares. **2.** Magnificência, luxo, pompa. **3.** Conjunto de elementos materiais específicos de que se lança mão para mostrar poder, força, erudição, etc.: *aparato bélico; edição feita com aparato crítico.* ◆ **Aparato crítico.** *E. Ling.* Numa edição crítica (q. v.), conjunto de notas explicativas em que o editor justifica as lições [v. *lição* (7)] do texto por ele escolhidas.

aparatoso (ô) [De *aparato* + *-oso*.] ***Adj.*** **1.** Feito com aparato. **2.** Em que há aparato; magnificente, luxuoso, pomposo.

aparceirar [De *a-*[2] + *parceiro* + *-ar*[2].] ***V. t. d.*** **1.** Tomar como parceiro ou sócio. **2.** Fazer entrar em sociedade. ***P.*** **3.** Entrar em sociedade ou parceria; associar-se, emparceirar-se. **4.** Mancomunar-se, abandar-se.

aparcelado[1] [Part. de *aparcelar*[1].] ***Adj.*** Disposto ou dividido em parcelas.

aparcelado[2] [Part. de *aparcelar*[2].] ***Adj.*** Cheio de parcéis (o mar).

aparcelamento[1] [De *aparcelar*[1] + *-mento*.] ***S. m.*** Ato ou efeito de aparcelar[1].

aparcelamento[2] [De *aparcelar*[2] + *-mento*.] ***S. m.*** Ato ou efeito de aparcelar[2].

aparcelar[1] [De *a-*[2] + *parcela* + *-ar*[2].] ***V. t. d.*** Dividir ou dispor em parcelas [v. *parcela* (1 e 2)]. [Cf. *parcelar*[2].]

aparcelar[2] [De *a-*[2] + *parcel* + *-ar*[2].] ***V. t. d.*** Encher de parcéis.

aparecente [Do lat. *apparescente*.] ***Adj. 2 g.*** Que principia a aparecer.

aparecer [Do lat. *apparescere*.] ***V. int.*** **1.** Principiar a ser visto; tornar-se visível; mostrar-se: *Ao raiar do dia, a terra apareceu ao longe;* "Vejo-a, e cuido uma dríada estar vendo, / Por entre os claros de uma selva basta, / Aparecendo e desaparecendo..." (Raimundo Correia, *Poesias*, p. 130). **2.** Expor-se à vista; exibir-se, mostrar-se: *A rainha finalmente apareceu.* **3.** Surgir; manifestar-se: *Nove anos após a Conjuração Mineira apareceu outro movimento em prol da independência, conhecido como "Conjuração Baiana".* **4.** Ir a reuniões; fazer vida social; comparecer. **5.** Fazer-se notar; pôr-se em evidência. ***T. c.*** **6.** Ser patente, perceptível ou sensível; mostrar-se, revelar-se: *Seu modo de pensar aparece claramente em seus escritos.* **7.** Ser publicado; sair: *Esta revista aparece aos sábados.* ***T. i.*** **8.** Comparecer; apresentar-se. **9.** Mostrar-se, apresentar-se: *Uma visão apareceu-lhe em sonho;* "De noite, quando dormia, apareceu-lhe um anjo" (Machado de Assis, *A Semana*, II, p. 287). ***Pred.*** **10.** Mostrar-se, apresentar-se: "Fora das luvas, as mãos apareciam grandes e nodosas." (Graciliano Ramos, *Viagem*, p. 40.) [Conjug.: v. *aquecer*.]

aparecidense[1] ***Adj. 2 g.*** **1.** De, ou pertencente ou relativo a Aparecida (SP). • ***S. 2 g.*** **2.** O natural ou habitante de Aparecida.

aparecidense[2] ***Adj. 2 g.*** **1.** De, ou pertencente ou relativo a Aparecida de Goiânia (GO). • ***S. 2 g.*** **2.** O natural ou habitante de Aparecida de Goiânia.

aparecidense[3] ***Adj. 2 g.*** **1.** De, ou pertencente ou relativo a Aparecida d'Oeste (SP). • ***S. 2 g.*** **2.** O natural ou habitante de Aparecida d'Oeste.

aparecidense[4] ***Adj. 2 g.*** **1.** De, ou pertencente ou relativo a Aparecida do Rio Negro (TO). • ***S. 2 g.*** **2.** O natural ou habitante de Aparecida do Rio Negro.

aparecidense[5] ***Adj. 2 g.*** **1.** De, ou pertencente ou relativo a Aparecida do Tabuado (MS). • ***S. 2 g.*** **2.** O natural ou habitante de Aparecida do Tabuado. [Sin. ger.: *tabuadense*.]

aparecidense[6] ***Adj. 2 g.*** **1.** De, ou pertencente ou relativo a Conceição da Aparecida (MG). • ***S. 2 g.*** **2.** O natural ou habitante de Conceição da Aparecida.

aparecidense[7] ***Adj. 2 g.*** **1.** De, ou pertencente ou relativo a Nossa Senhora Aparecida (SE). • ***S. 2 g.*** **2.** O natural ou habitante de Nossa Senhora Aparecida.

aparecido [Part. de *aparecer*.] ***Adj.*** **1.** Que apareceu. • ***S. m.*** **2.** Aquele ou aquilo que apareceu.

aparecimento [De *aparecer* + *-imento*.] ***S. m.*** **1.** Ato ou efeito de aparecer. **2.** Origem, princípio: *Trabalhou no jornal desde o aparecimento deste.* [Sin. ger.: *aparição*.]

aparelhado [Part. de *aparelhar*.] ***Adj.*** Que se aparelhou. ~ V. *alvenaria —a, madeira —a* e *pedra —a*.

aparelhador (ô) [De *aparelhar* + *-dor*.] ***S. m.*** **1.** Aquele que aparelha. **2.** Aquele que dirige certos trabalhos de construção.

aparelhagem [De *aparelho* + *-agem*[2].] ***S. f.*** **1.** Conjunto de aparelhos. **2.** *Carp.* Ato ou operação de aplainar, fixar, preparar madeira para ser usada em peças ou elementos da construção.

aparelhamento [De *aparelhar* + *-mento*.] ***S. m.*** **1.** Ato ou efeito de aparelhar(-se); aparelho. **2.** *Bras.* Colocação de pessoas, ditas de confiança dos chefes dos poderes Executivo, Legislativo e Judiciário, em cargos públicos, que ger. não requerem concurso público. **3.** *Bras.* A colocação maciça de membros de um partido político em empresas públicas, sem que seus membros prestem concurso público. **4.** *Bras.* O conjunto de medidas políticas ou jurídicas que viabilizam tais colocações.

aparelhar [Do lat. vulg. **appariculare* < lat. *apparare*, 'preparar'.] ***V. t. d.*** **1.** Dispor convenientemente; preparar, organizar, arranjar. **2.** Enfeitar, ornar, adornar. **3.** Arrear (a cavalgadura): "Aparelha esse cavalo preto, curador!" (Camilo Castelo Branco, *O Santo da Montanha*, p. 53.) **4.** Atrelar a(s) cavalgadura(s) a: *aparelhar uma carroça.* **5.** Prover de equipamentos, engenhos, peças, etc. **6.** Dispor as peças que hão de servir para (alguma obra). **7.** Desbastar, lavrar, aplainar (madeira ou pedra) para obra: "Seu ofício era outro, o de sapateiro. Não aquele, o de aparelhar, juntar e pregar tábuas." (Nélson de Faria, *Tiziu e Outras Estórias*, p. 137.) **8.** Dar a primeira demão de pintura ou caiação a (uma superfície). **9.** Dotar (embarcação) de todos os equipamentos, engenhos, peças, etc., necessários ao cumprimento de sua missão. ***T. d. e i.*** **10.** Preparar, dispor. ***Int.*** **11.** Preparar-se para partir. ***P.*** **12.** Preparar-se, aprontar-se, dispor-se. **13.** Armar-se; prover-se: "Co ferro o duro Pirro se aparelha" (Luís de Camões, *Os Lusíadas*, III, 131). **14.** Enfeitar-se, adornar-se. [Tem o e fechado nas f. rizotônicas. Pres. ind.: *aparelho* (ê), *aparelhas* (ê), *aparelha* (ê), ... *aparelham* (ê); pres. subj.: *aparelhe* (ê), *aparelhes* (ê), *aparelhe* (ê), ... *aparelhem* (ê).]

aparelhável [De *aparelhar* + *-vel*.] ***Adj. 2 g.*** Que pode ser aparelhado.

aparelho (ê) [Dev. de *aparelhar*.] ***S. m.*** **1.** Aparelhamento. **2.** Disposição, organização. **3.** Conjunto de mecanismos, de finalidade específica, numa máquina, engenho, etc.: *aparelho de pontaria; aparelho de inversão da marcha.* **4.** Máquina, instrumento(s), objeto(s), ou utensílio(s) para um determinado uso: *aparelho de barbear; aparelho de pesca.* **5.** Peça ou conjunto formado pelas ataduras, tala(s), gesso, etc., com que se protegem fraturas ósseas, luxações, etc.: *Ela já saiu do hospital com a perna no aparelho.* **6.** *Anat.* Designação genérica de grupo de estruturas ou de órgãos que agem em conjunto visando cumprir uma função especial. **7.** Serviço (12): *O jantar foi servido num aparelho da Companhia das Índias.* **8.** *Arquit.* Disposição ou maneira de assentar as pedras ou os tijolos na construção de paredes, arcos ou cúpulas, com objetivo de obter boa amarração. **9.** *Bras. Rel.* O médium que recebe um espírito, nas manifestações espíritas. [Cf., nesta acepç., *cavalo*[2].] **10.** *Bras. Rel.* No candomblé de caboclo, na umbanda e na encanteria, cavalo de santo (q. v.). **11.** *Bras.* Telefone (2). **12.** *Bras.* V. *latrina* (1). **13.** *Bras.* Local (casa, apartamento, etc.) destinado a reuniões de um grupo político clandestino, à guarda de material, a esconderijo ou moradia de seus membros. ◆ **Aparelho ciliar.** *Zool.* Conjunto de cílios que permitem a locomoção, em meio líquido, de protozoários cilióforos. **Aparelho de Golgi.** *Citol.* V. *complexo golgiense.* **Aparelho de laborar.** *Marinh.* Sistema composto de moitões ou cadernais, um fixo e outro móvel, e de um cabo neles passado. [Cf. *aparelho do navio*.] **Aparelho do navio.** *Marinh.* Conjunto de todas as peças que contribuem para a propulsão de um navio à vela. Subdivide-se em aparelho fixo e aparelho de laborar (q. v.). **Aparelho esporífero.** *Micol.* Órgão aéreo dos cogumelos, destinado a produzir os esporos, pelos quais se processa a reprodução; aparelho esporígeno. [Cf. *píleo* (3).] **Aparelho esporígeno.** *Micol.* Aparelho esporífero. **Aparelho fixo.** *Marinh.* Sistema de cabos e peças de poleame, tais como estais, brandais, enxárcias, etc., permanentemente ligados a mastros, mastaréus, vergas, etc. **Aparelho fonador.** *Anat.* V. *sistema fonador.* **Aparelho mitótico.** *Citol.* V. *fuso acromático.* **Aparelho sanitário.** **1.** Cada uma das peças do equipamento dos banheiros, lavabos, etc., tais como a pia, a banheira, o chuveiro, o bidê, o vaso ou *w.c.*, com os respectivos acessórios; louça sanitária. **2.** Aposento dotado do conjunto, ou de parte, de tais peças; banheiro.

aparência [Do lat. *apparentia*.] ***S. f.*** **1.** Aquilo que se mostra à primeira vista, exteriormente; aspecto, ar: *Tem aparência de pessoa fina.* **2.** Aquilo que parece realidade sem o ser; ilusão, fingimento; fachada: *Seu interesse no caso era pura aparência.* **3.** *Filos.* Simulação da realidade e, portanto, ocultamento de uma realidade diferente. **4.** *Filos.* Manifestação, total ou parcial, da realidade. ~ V. *aparências*.

aparências ***S. f. pl.*** **1.** Sinais exteriores: "As aparências enganam" (prov.). **2.** Superficialidades, exterioridades: *Ela só liga para as aparências.* ~ V. *aparência*. ◆ **Manter as aparências.** Dar demonstração externa de decoro, decência, correção, bondade, amizade, riqueza, etc.: *Apesar de empobrecida fazia qualquer sacrifício para manter as aparências.* **Salvar as aparências.** Proceder de modo que não dê a perceber uma situação embaraçosa, vergonhosa, penosa, difícil, etc.: *Os dois cunhados ainda se falavam, só para salvar as aparências.*

aparentado [Part. de *aparentar*[2].] ***Adj.*** **1.** Que tem parentesco com alguém. **2.** *P. ext.* Que tem parentes influentes.

aparentar[1] [De *aparente* + *-ar*[2].] ***V. t. d.*** **1.** Apresentar na aparência, exteriormente: *Não aparenta a idade que tem.* **2.** Inculcar (qualidade, aspecto, etc., que não tem); fingir, afetar: *É um vaidoso, e aparenta grande modéstia;* "Precisava aparentar placidez de cordeiro." (Adalberon Cavalcanti Lins, *Curral Novo*, p. 314). ***T. i.*** **3.** Ter aparência; dar ares: *Este indivíduo aparenta de pessoa honrada.* ***P.*** **4.** Dar-se aparência de; inculcar-se, fingir-se: *Gosta de aparentar-se rico.* **5.** Ter a aparência de; assemelhar-se a; parecer-se: "A política aparenta-se muito ao comércio; também ela vive dum princípio de exploração e de lucro." (Murilo Mendes, *O Discípulo de Emaús*, p. 89.) [Var. (p. us.): *parentar*.]

aparentar[2] [De *a-*[2] + *parente* + *-ar*[2].] ***V. t. d.*** **1.** Estabelecer parentesco entre. ***T. d. e i.*** **2.** Ligar por parentesco; tornar parente: *O casamento aparentou-o com pessoas ilustres.* ***P.*** **3.** Fazer-se parente; contrair parentesco.

aparente [Do lat. *apparente*.] ***Adj. 2 g.*** **1.** Que dá a aparência (1) de ser, que parece ser mas não é; falso, fingido. **2.** Que parece real ou verdadeiro, mas não existe, necessariamente, na realidade. **3.** Que parece, que se vê; visível. ~ V. *concreto —, discurso indireto —, estrutura —, horizonte —, libração —, meio-dia —, potência —* e *vento —*.

aparentemente [De *aparente* + *-mente*.] ***Adv.*** **1.** Segundo a aparência ou o que parece ser. **2.** Pelo que se sabe, pelo que se diz. [Us. para expressar a impossibilidade de atestar a veracidade de dada informação.]

➔ **a pari** [a 'pari] [Lat., 'pela mesma (razão)'.] *Lóg.* Us. na expressão *raciocínio* a pari. [Cf. *a contrario* e *a fortiori*.]

aparição [Do lat. *apparitione*.] ***S. f.*** **1.** V. *aparecimento*. **2.** V. *fantasma* (3).

aparista [De *apara*[1] + *-ista*.] ***S. 2 g.*** Negociante de aparas [v. *apara*[1] (2)]: "Estes preços, no entanto, estão todos dentro dos níveis estabelecidos no Acordo Intersetorial firmado entre a Associação dos Fabricantes de Papel e Celulose e a Associação de Aparistas de Papel" (*Folha de S.Paulo*, 17.01.1987).

aparo [Dev. de *aparar*.] ***S. m.*** **1.** Ato ou efeito de aparar. **2.** Corte que se dava na pena de ave com que se escrevia. **3.** *Lus.* Pena metálica que se adapta a uma caneta; pena.

aparoquiado [Part. de *aparoquiar*.] ***Adj.*** Que se aparoquiou.

aparoquiar-se [De *a-*^{2} + *paróquia* + *-ar*^{2} + *se*^{1}.] ***V. p.*** **1.** Tornar-se paroquiano. **2.** Estabelecer-se na paróquia.

aparrado [De *a-*^{2} + *parra* + *-ado*^{1}.] ***Adj.*** **1.** Semelhante à parra. **2.** *Fig.* Baixo e largo; atarracado.

aparreirado [Part. de *aparreirar*.] ***Adj.*** Plantado, coberto ou cercado de parreiras.

aparreirar [De *a-*^{2} + *parreira* + *-ar*^{2}.] ***V. t. d.*** Plantar, cobrir ou cercar de parreiras.

aparta [Part. de *apartar*.] ***S. f.*** *Ind. Pap.* Separação de refugo ou apara em classes, segundo a qualidade ou o tipo de fibras, a cor, etc., nas fábricas de papel.

apartação [De *apartar* + *-ção*.] ***S. f.*** **1.** Ato ou efeito de apartar(-se); apartada, apartamento. **2.** *Bras.* Ato de apartar ou separar o gado para certo fim; aparte^{2}. **3.** Vaquejada (2).

apartada [De *apartar* + *-ada*^{1}.] ***S. f.*** V. *apartação* (1).

apartado [Part. de *apartar*.] ***Adj.*** **1.** Desviado do caminho; afastado. **2.** Longínquo, remoto. • ***S. m.*** **3.** *Lus.* Caixa postal.

apartador (ô) [De *apartar* + *-dor*.] ***Adj. S. m.*** Que, ou aquele que aparta.

apartamento^{1} [De *apartar* + *-mento*.] ***S. m.*** **1.** V. *apartação* (1). **2.** *Náut.* Distância, em milhas marítimas, entre os meridianos de dois pontos da superfície terrestre, medida sobre o paralelo comum quando ambos estão na mesma latitude, e sobre o paralelo médio quando estão em latitudes diferentes.

apartamento^{2} [Do fr. *appartement*.] ***S. m.*** *Arquit.* **1.** Residência particular, servida por espaços de uso comum, em edifícios com diversas unidades. [F. red.: *apê*. Sin., lus.: *andar*.] **2.** Aposento separado; quarto; câmara. **3.** Muro divisório; cerca. ◆ **Apartamento conjugado.** *Arquit.* Apartamento^{2} (1) composto de sala e quarto reunidos em uma só peça, e de banheiro e cozinha ou quitinete (q. v.); conjugado. [Tb. se diz apenas *conjugado*.]

apartar [De *a-*^{2} + *parte* + *-ar*^{2}.] ***V. t. d.*** **1.** Desunir, separar; afastar: *Com uma alavanca, apartou as rochas que fechavam a gruta; Uma briga à toa os apartou.* **2.** Pôr de parte; separar: *Apartou as melhores cavalgaduras e ofereceu-as aos soldados.* **3.** Separar (os contendores, numa briga). **4.** Fazer cessar (uma briga), apartando os contendores. **5.** Sulcar, cortar: *apartar as ondas.* **6.** Desviar, afastar: *Ao vê-la, apartou os olhos.* **7.** *Bras. N.E. Pop.* Trocar (dinheiro) em miúdos. **8.** *Bras.* Separar (o gado) em grupos ou lotes, por ocasião das vaquejadas. ***T. d. e i.*** **9.** Separar, estremar: *apartar o bem do mal.* **10.** Separar de um grupo; segregar: *Apartei-o das más companhias.* ***Int.*** **11.** *Bras.* Secar (um rio de regime torrencial) durante a estiagem. **12.** *Bras.* Secar (o leite da vaca, até que esta dê nova cria). ***P.*** **13.** Separar-se, afastar-se: "Quando de ti me aparto, sinto logo / A desconsolação dos infelizes / Que despertam dum sonho venturoso..." (Eugênio de Castro, *Obras Poéticas*, V, p. 50). **14.** Ausentar-se, retirar-se. **15.** Divorciar-se. **16.** Ir-se, partir, separando-se de um grupo. [Pres. subj.: *aparte*, etc. Cf. a loc. adv. *à parte*.]

aparte^{1} [De *à*^{1} + *parte*.] ***S. m.*** **1.** Interrupção que se faz a um orador, no meio do seu discurso. **2.** *Teatr.* Aquilo que um ator diz em cena como se fosse unicamente para si. **3.** *Teatr.* Comentário crítico ou esclarecedor, dirigido aos espectadores por uma ou mais personagens, no decorrer da ação da peça: *os apartes do Arlequim.* [Cf. a loc. adv. *à parte*.]

aparte^{2} [Dev. de *apartar*.] ***S. m.*** *Bras. S.* Apartação (2). [Cf. a loc. adv. *à parte*.]

aparteador (ô) [De *apartear* + *-dor*.] ***Adj. S. m.*** Aparteante.

aparteante [De *apartear* + *-nte*.] ***Adj. 2 g. S. 2 g.*** Que, ou quem aparteia; aparteador.

apartear [De *aparte*^{1} + *-ear*^{2}.] ***V. t. d.*** **1.** Interromper com apartes; dirigir apartes a. ***Int.*** **2.** Interromper com apartes; dirigir apartes a alguém. [Conjug.: v. *frear*.]

➔**apartheid** [əˈpaɹtajt\əˈpaɹtejt] [Africâner.] ***S. m.*** **1.** *Obsol.* Sistema oficial de segregação racial que era praticado na África do Sul privilegiando a minoria branca. **2.** *P. ext.* Segregação racial e/ou social.

apart-hotel [Do ingl., f. red. de *apartment hotel*.] ***S. m.*** Hotel em que há apartamentos [v. *apartamento*^{2} (1)] residenciais para os quais se oferecem serviços de limpeza, lavanderia, etc.

apartidário [De *a-*^{3} + *partidário*.] ***Adj.*** **1.** Alheio ou contrário a partidos [v. *partido* (3 e 4)]. **2.** Que prefere não tomar partido a favor ou contra alguém, alguma coisa.

apartidarismo [De *apartidário* + *-ismo*.] ***S. m.*** Sistema, convicção ou pendor apartidário.

apartista [De *aparte*^{1} + *-ista*.] ***Adj. 2 g. S. 2 g.*** Que, ou quem tem a mania de apartear.

aparvalhado [Part. de *aparvalhar*.] ***Adj.*** **1.** V. *tolo* (1 a 3). **2.** Desorientado, desnorteado.

aparvalhamento [De *aparvalhar* + *-mento*.] ***S. m.*** Ato ou efeito de aparvalhar(-se).

aparvalhar [De *a-*^{2} + *parvo* + *-alhar*.] ***V. t. d. P.*** **1.** Tornar(-se) parvo, idiota, atoleimado. **2.** Tornar(-se) atrapalhado, desorientado, desnorteado; desorientar(-se), desnortear(-se). [Sin. ger.: *aparvoar*.]

aparvoado [De *a-*^{2} + *parvo* + *-oado*^{1}.] ***Adj.*** Um tanto parvo; atoleimado.

aparvoar [De *a-*^{2} + *parvo* + *-oar*.] ***V. t. d. P.*** V. *aparvalhar*. [Conjug.: v. *coroar*.]

apascaçado [De *a-*^{2} + *pascácio* + *-ado*^{1}.] ***Adj.*** *Lus.* Um tanto pascácio; tolo, simplório, abascado.

apascentador (ô) [De *apascentar* + *-dor*.] ***Adj. S. m.*** Que, ou aquele que apascenta (especialmente rebanhos).

apascentamento [De *apascentar* + *-mento*.] ***S. m.*** Ato ou efeito de apascentar(-se).

apascentar [De *a-*^{2} + lat. *pascente*, part. pres. do lat. *pascere*, 'pastar', + *-ar*^{2}.] ***V. t. d.*** **1.** Levar ao pasto ou pastagem. **2.** Guardar durante o pasto; pastorear, pastorar, apastorar. **3.** Doutrinar, ensinar; guiar, pastorear: *Cristo apascentava os seus seguidores usando de parábolas.* **4.** Recrear, deleitar, entreter: *Apascentava os olhos num grupo de belas mulheres.* **5.** Nutrir, alimentar, sustentar. ***P.*** **6.** Nutrir-se, alimentar-se, sustentar-se. **7.** Recrear-se, deleitar-se, entreter-se. [F. paral.: *pascentar*.]

apassamanado [Part. de *apassamanar*.] ***Adj.*** Guarnecido ou adornado de passamanes.

apassamanar [De *a-*^{2} + *passamanes* + *-ar*^{2}.] ***V. t. d.*** Guarnecer ou adornar com passamanes ou passamanaria; passamanar.

apassivação [De *apassivar* + *-ção*.] ***S. f.*** Ato ou efeito de apassivar; apassivamento.

apassivado [Part. de *apassivar*.] ***Adj.*** *E. Ling.* Empregado na voz passiva.

apassivador (ô) [De *apassivar* + *-dor*.] ***Adj.*** *E. Ling.* Que apassiva; apassivante. ~ V. *partícula —a*.

apassivamento [De *apassivar* + *-mento*.] ***S. m.*** Apassivação.

apassivante [De *apassivar* + *-nte*.] ***Adj. 2 g.*** *E. Ling.* Apassivador.

apassivar [De *a-*^{2} + *passivo* + *-ar*^{2}.] ***V. t. d.*** **1.** Tornar passivo, inerte ou indiferente. **2.** *E. Ling.* Pôr (verbo) na voz passiva; empregar passivamente; passivar.

apastorar [De *a-*^{4} + *pastorar*.] ***V. t. d.*** V. *pastorar*.

apatacado [De *a-*^{2} + *pataca* + *-ado*^{1}.] ***Adj.*** *Bras.* Que tem muitas patacas ou dinheiro; endinheirado, rico.

apatetado [De *a-*^{2} + *pateta* + *-ado*^{1}.] ***Adj.*** **1.** Um tanto pateta. **2.** V. *tolo* (1 a 3).

apatetamento [De *apatetar* + *-mento*.] ***S. m.*** Ato ou efeito de apatetar(-se).

apatetar [De *a-*^{2} + *pateta* + *-ar*^{2}.] ***V. t. d. P.*** Tornar(-se) pateta; atoleimar(-se).

apatia [Do gr. *apátheia*, pelo lat. *apathia*.] ***S. f.*** **1.** *Psiq.* Estado de impassibilidade, de indiferença; falta de sentimento ou ausência de afeto. **2.** Falta de energia; indolência: "Era uma insurreição .... que desejava, acima de tudo, marcar a diferença .... entre a apatia e o dinamismo" (Alceu Amoroso Lima, *Quadro Sintético da Literatura Brasileira*, p. 100). **3.** *Filos.* No cepticismo e no estoicismo, estado em que a alma se torna insensível à dor e a qualquer sofrimento. [Cf., nesta acepç., *aponia*, *ataraxia* (1), *atambia* e *eutimia*.]

apático [De *apatia* + *-ico*^{2}.] ***Adj.*** Relativo à apatia, ou que a tem.

apatifar [De *a-*^{2} + *patife* + *-ar*^{2}.] ***V. t. d. P.*** Tornar(-se) patife ou desprezível; aviltar(-se), envilecer(-se).

apatita [Do al. *Apatit*.] ***S. f.*** *Min.* Mineral hexagonal formado pela combinação de fosfato de cálcio, em maior proporção, e hidróxido, fluoreto, cloreto ou brometo de cálcio, ou misturas destes, e que é matéria-prima para a fabricação de adubo fosfatado [fórm.: $Ca_{10}(PO_4)_6(X)_2$, onde X pode ser OH, F, Cl ou Br].

apatizar [De *apatia* + *-izar*.] ***V. t. d. P.*** Tornar(-se) apático.

apatossauro [Do tax. *Apatosaurus*.] ***S. m.*** *Paleont.* **1.** Gênero de grandes dinossauros saurópodes, herbívoros, quadrúpedes, que tinham até 21m de comprimento da cabeça à cauda, e que pesavam cerca de 30 toneladas; viveram nos pântanos da América do Norte no jurássico. **2.** Espécie ou espécime desse gênero: "Os apatossauros de pescoço longo viviam em lagos e charcos, usando a água para sustentar seus gigantescos corpos, e pastavam nas praias." (*Jornal do Brasil*, 30.04.1999.) [Sin. (desus.): *brontossauro*.]

apátrida [Do gr. *ápatris, idos*, fr. *apatride*.] ***S. 2 g.*** Diz-se de, ou indivíduo que não tem nacionalidade, por haver perdido a nacionalidade de origem, em consequência de naturalização, casamento ou outro fator, e haver depois perdido a nacionalidade adquirida sem readquirir a primeira.

apatronar ***V. t. d.*** *Bras.* Laçar (o gado) a tiracolo.

apaulado (a-u) [De *a-*^{2} + *paul* + *-ado*^{1}.] ***Adj.*** Em que há paul; paludado, palustre, pantanoso.

apaular (a-u) [De *a-*^{2} + *paul* + *-ar*^{2}.] ***V. t. d. P.*** Converter(-se) em paul; fazer(-se) paludoso. [Conjug.: v. *saudar*.]

apaulistado [De *a-*^{2} + *paulista*^{1} + *-ado*^{1}.] ***Adj.*** *Bras.* Semelhante a, ou próprio de paulista: "A voz era brandíssima, um tanto apaulistada" (Machado de Assis, *Várias Histórias*, p. 83); *Tem um modo de viver apaulistado.*

apaulistar [De *a-*^{2} + *paulista* + *-ar*^{2}.] ***V. t. d. P.*** Tornar(-se) paulista; adaptar(-se) ao temperamento, à maneira, ou ao estilo paulista.

apavesar [De *a-*^{2} + *pavês* + *-ar*^{2}.] ***V. t. d. Int. P.*** V. *empavesar*.

apavonar [De *a-*^{2} + *pavão* + *-ar*^{2}, com desnasalação.] ***V. t. d. P.*** V. *empavonar*.

apavorado [Part. de *apavorar*.] ***Adj.*** Cheio de pavor; aterrorizado, pávido: *É uma criança eternamente apavorada.*

apavorador (ô) [De *apavorar* + *-dor*.] ***Adj.*** Apavorante.

apavoramento [De *apavorar* + *-mento*.] ***S. m.*** Ato ou efeito de apavorar(-se).

apavorante [De *apavorar* + *-nte*.] ***Adj. 2 g.*** Que apavora; apavorador.

apavorar [De *a-*^{2} + *pavor* + *-ar*^{2}.] ***V. t. d.*** **1.** Causar pavor a; aterrar; aterrorizar, espavorir, espantar. ***Int.*** **2.** Infundir pavor; meter medo; ser pavoroso; aterrar, aterrorizar: "Quando este mar embravece, vagalhões como montanhas despedaçam-se com fúria nas falésias maciças, ecoam nas grutas e ribombam com um estrondo que apavora." (Raul Brandão, *As Ilhas Desconhecidas*, pp. 227-228.) ***P.*** **3.** Assustar-se, aterrorizar-se, aterrar-se: "Minha mãe descobriu nódoas no chão, ... apavorou-se ao ter notícia de que elas eram sangue de tuberculoso." (Graciliano Ramos, *Infância*, p. 54.)

apazeiro (pà) [De *apá*^{1} + *-zeiro*.] ***S. m.*** *Bras. Bot.* V. *espadeira*.

apaziguador (ô) [De *apaziguar* + *-dor*.] ***Adj.*** **1.** Que apazigua; apaziguante. • ***S. m.*** **2.** Aquele que apazigua.

apaziguamento [De *apaziguar* + *-mento*.] ***S. m.*** Ato ou efeito de apaziguar(-se).

apaziguante [De *apaziguar* + *-nte*.] ***Adj. 2 g.*** Apaziguador (1).

apaziguar [De *a-*^{4} + lat. **pacificare*.] ***V. t. d. P.*** **1.** Pôr(-se) em paz; pacificar(-se). **2.** Aplacar(-se); aquietar(-se), assossegar(-se), sossegar(-se): "esta solidão, este solene silêncio, ... apazigua os sentimentos como um banho calmante" (Ramalho Ortigão, *A Holanda*, p. 161). **3.** Reconciliar(-se), harmonizar(-se). [Var.: *paziguar*. Conjug.: v. *averiguar*.]

apé [Do tupi.] ***S. m.*** *Bras. Bot.* **1.** V. *conduru-de-sangue*. **2.** V. *mururerana*. **3.** *AM* V. *vitória-régia*. [Cf. *apê* e a loc. adv. *a pé*.]

apê^{1} [Do tupi.] ***S. m.*** *Bras. Bot.* Planta arácea (*Urospatha caudata*) amazônica, de folhas grandes e lobadas, cultivadas em vaso. [Cf. *apé* e a loc. adv. *a pé*.]

apê^{2} ***S. m.*** V. *apartamento*: *Mora num apê com vista para o mar.* [Cf. *apé* e a loc. adv. *a pé*.]

apeadeira [De *apear* + *-deira*.] ***S. f.*** Poial ou tronco destinado a facilitar que alguém se apeie da cavalgadura e que a monte. [Cf. *apeadeiro*.]

apeadeiro [De *apear* + *-deiro*.] ***S. m.*** Lugar da linha férrea, em geral desprovido de estação, onde o trem às vezes para só a fim de deixar ou receber passageiros; apeadoiro, apeadouro: "Algum sumido apeadeiro, onde o trem se atardava, esfalfado, resfolgando" (Eça de Queirós, *A Cidade e as Serras*, p. 191). [Cf. *apeadeira*.]

apeadoiro [De *apear* + *-doiro*^{2}.] ***S. m.*** V. *apeadeiro*.

apeadouro [De *apear* + *-douro*^{2}; var. de *apeadoiro*.] ***S. m.*** V. *apeadeiro*.

apealar [De *a-*^{4} + *pealar*.] ***V. t. d.*** *Bras. MG SP MT* V. *pealar*.

apeanhado^{1} [De *a-*^{2} + *peanha* + *-ado*^{1}.] ***Adj.*** Semelhante a peanha.

apeanhado^{2} [Part. de *apeanhar*.] ***Adj.*** Posto em peanha.

apear [De *a-*^{2} + *pé* + *-ar*^{2}.] ***V. t. d.*** **1.** Fazer pôr o pé em terra; fazer descer; desmontar: *Tomando-a nos braços, apeou-a da cavalgadura.* **2.** Pôr abaixo; derrubar: *A verdade reconstituída apeou o ídolo que o povo criara.* ***T. d. e i.*** **3.** Fazer descer. **4.** Privar ou destituir de emprego, cargo, honraria, dignidade, etc.: *Finalmente o apearam do poder.* ***T. c.*** **5.** Hospedar-se, ao chegar de viagem; apear-se. **6.** Descer de montaria ou viatura; apear(-se): "A marquesa apeou da cadeirinha, dispensando o amparo dos padres." (Camilo Castelo Branco, *Perfil do Marquês de Pombal*, p. 16.) *Int.* 7. Apear (6): "Iam todos apeando e penetrando na sala depois de terem amarrado os animais às árvores e às estacas do cercado" (Antônio Sales, *Aves de Arribação*, p. 32). *P.* 8. Apear (5): *Apeou-se na casa do compadre.* [Conjug.: v. *frear*. Part. *apeado*. Cf. *apiado*, do v. *apiadar-se* (ant.) ou *apiedar-se* (q. v.).]

■ **Apec** Sigla de *Cooperação Econômica da Ásia e do Pacífico*.

apecu [Do tupi = 'língua de terra', 'cabo'.] *S. m. Bras.* Coroa de areia feita pelo mar. [Cf. *apecum, apicu* e *apicum*.]

apecuitá (u-i) [De or. tupi, poss.] *S. m. Bras. AM* O remo das igaras indígenas.

apecum [Do tupi.] *S. m. Bras.* Espuma de mandioca. [Cf. *apecu, apicu* e *apicum*.]

apedado *Adj. Bot.* ~ V. *folha —a*.

apedantado [De *a-*[2] + *pedante* + *-ado*[1].] *Adj.* Um tanto pedante.

apedantar [De *a-*[2] + *pedante* + *-ar*[2].] *V. t. d. P.* Tornar(-se) pedante.

apedeuta [Do gr. *apaídeutos*.] *Adj. 2 g.* 1. Sem instrução, sem educação. ● *S. 2 g.* 2. Pessoa ignorante, sem instrução: "Conhecia o essencial que um homem de cultura precisa conhecer, no Ocidente. Estava a par dos grandes temas, ... não era um apedeuta." (Antônio Carlos Vilaça, *O Nariz do Morto*, p. 41.) [F. paral.: *apedeuto*.]

apedeutismo [De *apedeuta* + *-ismo*.] *S. m.* Caráter ou condição de apedeuta; ignorância.

apedeuto *S. m.* V. *apedeuta*.

apedicelado [De *a-*[3] + *pedicelo* + *-ado*[1].] *Adj. Bot.* Desprovido de pedicelo ou de pedúnculo.

apedido [Da loc. adv. *a pedido*, com aglut.] *S. m. Bras.* Seção de jornal em que se publicam notícias, anúncios, artigos, pagos ou a pedido dos interessados. [M. us. no pl.]

apedrar [De *a-*[2] + *pedra* + *-ar*[2].] *V. t. d.* 1. Guarnecer de pedraria. 2. Empedrar, calcetar. 3. *Ant.* Apedrejar. *T. d. e i.* 4. Ornar, adornar, enfeitar. *Int.* 5. Tornar-se duro como pedra; empedernir-se.

apedregulhar [De *a-*[2] + *pedregulho* + *-ar*[2].] *V. t. d.* Entulhar ou encher de pedras miúdas ou cascalho.

apedrejado [Part. de *apedrejar*.] *Adj. S. m.* Diz-se de, ou indivíduo ferido de ou corrido a pedradas: "Atrás dos apedrejados correm as pedras" (prov.).

apedrejador (ô) [De *apedrejar* + *-dor*.] *S. m.* Aquele que apedreja.

apedrejamento [De *apedrejar* + *-mento*.] *S. m.* Ato ou efeito de apedrejar.

apedrejar [De *a-*[2] + *pedra* + *-ejar*.] *V. t. d.* 1. Atirar pedra(s) contra: "Apedreja essa mão vil que te afaga" (Augusto dos Anjos, *Eu*, p. 101). 2. Supliciar a pedradas; lapidar. 3. Ferir ou atacar, arremessando quaisquer objetos. 4. Correr à pedrada. 5. Ofender; injuriar, insultar. *Int.* 6. Atirar pedra(s): "A mão que afaga é a mesma que apedreja" (Augusto dos Anjos, *Eu*, p. 101). *P.* 7. Atirar pedras reciprocamente: "Dois homens que se medem e floreteiam a remoques são dois fundibulários que se apedrejam." (Camilo Castelo Branco, *A Mulher Fatal*, p. 9.) [Conjug.: v. *pelejar*.]

apegação [De *apegar* + *-ção*.] *S. f.* Apegamento.

apegadiço *Adj.* 1. Que pega ou se transmite com facilidade; contagioso. 2. Que se apega ou afeiçoa facilmente.

apegador (ô) [De *apegar* + *-dor*.] *Adj. S. m.* Que, ou aquele que apega.

apegamento [De *apegar* + *-mento*.] *S. m.* Ato ou efeito de apegar[1](-se); apegação.

apegar[1] [De *a-*[4] + *pegar*.] *V. t. d.* 1. Fazer aderir; juntar, colar, pegar. 2. Comunicar ou transmitir por contágio: *O doente, sem querer, apegou a moléstia.* *T. d. e i.* 3. Comunicar ou transmitir por contágio. 4. Afeiçoar, amoldar, adaptar: *A mesquinhez apega o homem a atos sórdidos.* *Int.* 5. Dar aderência; colar: *Aquela resina apega muito.* *P.* 6. Aderir, agarrar-se, prender-se: *O carrapicho apegou-se-lhe às roupas;* "O fedegoso bravo, as malícias garranchentas e irredutíveis, a apegar-se, como carrapicho, à canela do desastrado animal aventurado na vereda." (Hugo de Carvalho Ramos, *Tropas e Boiadas*, p. 19). 7. Aferrar-se, fincar-se: *Apegou-se a esta última esperança.* 8. Agarrar-se, valer-se, recorrer, procurando amparo ou patrocínio: *As beatas se apegaram ao santo milagroso.* 9. Tomar apego; afeiçoar-se, dedicar-se: *Apegou-se extremadamente ao filho adotivo;* "Chegara ali, apegara-se aos parentes" (Bárbara de Araújo, *O Bezerro de Ouro*, p. 21). 10. Comunicar-se por contágio, ou por exemplo; pegar-se. [Conjug.: v. *regar*. Pres. ind.: *apego*, etc. Cf. *apego* (ê).]

apegar[2] [De *a-*[2] + *pego*[1] + *-ar*[2].] *V. t. d.* 1. Meter em pego[1]; afundar, mergulhar. *Int.* 2. Meter-se em pego; apegar-se. 3. Formar pego: *As águas tortuosas do rio apegavam adiante da cachoeira.* *P.* 4. Meter-se no pego; afundar-se, mergulhar, apegar. [Conjug.: v. *regar*. Pres. ind.: *apego*, etc. Cf. *apego* (ê).]

apego (ê) [Dev. de *apegar*[1].] *S. m.* 1. Aferro, pertinácia, tenacidade, afinco. 2. Inclinação afetuosa; afeição: *Ter grande apego à família.* 3. Timão de charrua. [Pl.: *apegos* (ê). Dim. irreg.: *apeguilho*. Cf. *apego*, do v. *apegar*.]

apeguava *S. f. Bras. Zool.* V. *beguaba*.

apeguilho [Dim. irreg. de *apego* (ê).] *S. m.* Afeição passageira ou pouco intensa.

apeíba [Do tax. *Apeiba* (do tupi).] *S. f. Bot.* 1. Gênero de árvores tiliáceas que reúne 10 espécies nativas da América do Sul. 2. Qualquer espécie desse gênero, como, p. ex., a *Apeiba tibourbou* [v. *pau-de-jangada* (2)]. 3. Qualquer espécime desse gênero.

apeiragem [De *apeirar* + *-agem*[2].] *S. f.* O conjunto das correias necessárias para jungir bois; apeiro.

apeirar [Do lat. vulg. **appariare*, 'emparelhar'.] *V. t. d. e i.* Jungir ao carro ou à charrua. [Cf. *aperar*.]

apeiro [Dev. de *apeirar*.] *S. m.* 1. O conjunto dos instrumentos de lavoura, e de qualquer arte ou ofício: 'Em casa de ferreiro, o pior apeiro' (prov.). 2. Apeiragem. [Cf. *aperos*.]

→**ápeiron** ['apejron] [Gr., 'o indefinido'.] *S. m. Filos.* Segundo Anaximandro [v. *milésio* (4)], a físis.

apejar [De *a-*[4] + *pejar*.] *V. t. d. T. d. e i. T. i. Int. P.* V. *pejar*. [Conjug.: v. *pelejar*.]

apela [Do gr. *apellá*.] *S. f.* Em Esparta, assembleia do povo da qual participavam todos os cidadãos com trinta anos completos.

apelação [Do lat. *appellatione*.] *S. f.* 1. Ato ou efeito de apelar. [Sin., p. us.: *apelamento*.] 2. *Fig.* Recurso, remédio. 3. Chamamento, chamada. 4. *Dir. Proc.* Recurso que se interpõe das sentenças a fim de os tribunais reexaminarem e julgarem de novo as questões decididas na instância inferior. 5. *Pop.* Ação ou recurso moralmente reprovável, que visa a tirar vantagem indevida de uma situação ou pessoa.

apelado [Part. de *apelar*.] *Adj.* 1. Diz-se do litigante ou do julgamento atacado pela apelação. [Cf. *recorrido* (1 e 2).] ● *S. m.* 2. Pessoa ou entidade que responde à apelação interposta pelo apelante.

apelamento [De *apelar* + *-mento*.] *S. m. P. us.* Apelação (1).

apelante [Do lat. *appellante*.] *Adj. 2 g. S. 2 g.* Que, ou quem apela.

apelar [Do lat. *appellare*.] *V. t. i.* 1. Invocar proteção ou testemunho; pedir auxílio: *Desesperado, apelou para o Senhor onipotente.* 2. Valer-se de alguém, ou de alguma coisa: *Estando mal de vida, apelou para os amigos.* 3. *Dir. Proc.* Interpor recurso de apelação de sentença a instância judicial superior: *O advogado apelou da sentença.* 4. *Bras. Gír.* Recorrer a expediente(s) em que há, em geral, violência ou grosseria de palavras ou ações: *Não brinque com ele: quando se irrita apela para a brutalidade.* *Int.* 5. *Dir. Proc.* Recorrer por apelação a juiz ou tribunal de instância superior; interpor apelação: "O promotor Júlio Ottoni apelou, a apelação foi provida, e outro júri se realizou" (R. Magalhães Júnior, *Artur Azevedo e Sua Época*, p. 43). 6. *Bras. Gír.* Recorrer a expediente(s) em que há violência ou grosseria de palavras ou ações; apelar para a ignorância; partir para a ignorância: *Tudo ia bem, mas quando se falou no caso do desfalque, aí ele apelou.* *P.* 7. Ter o nome de; chamar-se, apelidar-se. [Pres. ind.: *apelo*, etc. Cf. *apelo* (ê), s. m., e *a pelo*, loc. adv.]

apelativo [Do lat. *appellativu*.] *Adj.* 1. Que apela; em que há, ou que denota ou envolve apelação: *argumento apelativo, olhar apelativo.* 2. *E. Ling.* Diz-se do nome comum aos indivíduos de uma classe. 3. Que se utiliza de recursos grosseiros, baixos, vis: "Se possível, esqueçamos, por um momento, as novelas, as partidas de futebol, as revistas de fofoca, os programas de auditório apelativos, toda a miríade, enfim, de irrelevâncias com que nos 'brinda' a mídia onipresente" (Cláudio Guimarães dos Santos, em *Folha de S.Paulo*, 25.04.2008). ~ V. *função —a*. ● *S. m.* 4. Nome apelativo (1).

apelatório [Do lat. *appellatoriu*.] *Adj.* Relativo a, ou que encerra apelação.

apelável [De *apelar* + *-vel*.] *Adj. 2 g.* 1. De que se pode apelar ou recorrer: *decisão apelável.* 2. A quem se pode chamar ou recorrer: "O rapazito ainda não gozava honras de criado apelável para assunto grave." (Camilo Castelo Branco, *O Bem e o Mal*, p. 85.)

apele [De *a-*[3] + *pele*.] *Adj. 2 g. Med.* 1. Não revestido de pele (tecido). 2. Não cicatrizado (ferimento cutâneo). 3. Que não tem prepúcio, ou cujo prepúcio não cobre a glande (como ocorre, p. ex., em indivíduo circuncidado).

apelidação [De *apelidar* + *-ção*.] *S. f.* Ato ou efeito de apelidar(-se).

apelidar [Do lat. *appellitare*.] *V. transobj.* 1. Designar por apelido; cognominar, denominar: *Apelidaram-no de fuinha.* *T. d. e i.* 2. Convocar, convidar. *T. d.* 3. Pôr alcunha ou apelido em; alcunhar. *P.* 4. Ter ou dar a si próprio sobrenome, apelido ou alcunha: *Apelidava-se Pereira; Após dissolver o Parlamento inglês, Oliver Cromwell, apelidando-se "Lord Protector" (1653), governou por algum tempo como senhor absoluto.*

apelido [Dev. de *apelidar*.] *S. m.* 1. Sobrenome (2): "Perguntei-lhe então se era duma família que eu conhecera, que tinha o apelido de Macário." (Eça de Queirós, *Contos*, p. 707.) 2. V. *alcunha*. 3. Designação especial de alguém ou de alguma coisa: "Mas deixemos o estreito e conhecido / Cabo de Jasque dito já Carpela / Com todo o seu terreno malquerido / Da natura e dos dões usados dela / Carmânia teve já por apelido" (Luís de Camões, *Os Lusíadas*, X, 105). 4. *Inform. Alias.* ◆ **Ser apelido.** *Bras. Gír.* Não ser (a qualidade enunciada por alguém a respeito de outrem ou de alguma coisa) a expressão inteira da verdade, estando a pessoa ou coisa muito acima ou abaixo do que foi dito: *— Que bonita moça! | — Bonita é apelido; — Que homem feio! | — Feio? Feio é apelido: ele é horroroso!;* "Tudo começou porque eu era muito magrinha. Magrinha é apelido: eu era magríssima ...., um esqueleto" (Maria Julieta Drummond de Andrade, *O Valor da Vida*, p. 150).

apelintrado [De *a-*[2] + *pelintra* + *-ado*[1].] *Adj.* 1. Que tem modos ou ares de pelintra: *indivíduo apelintrado.* 2. Próprio de pelintra: *meninas apelintradas.*

apelo (ê) [Dev. de *apelar*.] *S. m.* 1. Apelação, invocação, chamamento. 2. Convite ou sugestão para se prestar auxílio. 3. Valor ou qualidade notável atribuída a um produto, com vista a conquistar o consumidor. 4. Característica ou propriedade do que atrai, desperta o interesse. 5. *E. Ling.* Função gramatical presente em contextos nos quais o falante interpela o ouvinte, usando, em geral, o vocativo. [Pl.: *apelos* (ê). Cf. *apelo*, do v. *apelar*, e a loc. adv. *a pelo*.] ◆ **Apelo *ad ignorantiam*.** *Lóg.* V. *apelo à ignorância*. **Apelo *ad judicium*.** *Lóg.* Sofisma em que se invoca como fundamento a opinião corrente, ou senso comum. **Apelo *ad misericordiam*.** *Lóg.* Sofisma que consiste em confundir uma argumentação com elementos de piedade e compaixão. **Apelo *ad verecundiam*.** *Lóg.* V. *apelo ao respeito*. **Apelo à ignorância.** *Lóg.* 1. Sofisma em que se exige que o adversário aceite a prova apresentada se não tiver outra melhor. 2. Sofisma em que se assinala que, se certa prova não for aceita, não se terá como chegar à certeza sobre o ponto em questão. 3. Sofisma que consiste em se aproveitar o fato de o adversário ignorar acontecimento que destruiria a prova apresentada. **Apelo ao respeito.** *Lóg.* Argumento que se impõe ao adversário por invocar o peso da opinião de uma autoridade universalmente reconhecida, ou que é apresentada como tal; apelo *ad verecundiam*, argumento da autoridade.

apenado [Part. de *apenar*.] *Adj.* Condenado a pena[2]; punido.

apenar [De *a-*[2] + *pena*[2] + *-ar*[2].] *V. t. d.* 1. Condenar a pena[2]; castigar, punir. 2. Fazer sofrer; supliciar.

apenari *Bras. S. 2 g.* 1. *Etnôn.* Indivíduo dos apenaris, povo indígena das imediações dos rios Juruá e Jutaí, afluentes do Amazonas. ● *Adj. 2 g.* 2. Pertencente ou relativo a esse povo. [Tb. us. como *s. 2 g. e 2 n.* (com cap.) e *adj. 2 g. e 2 n.*]

apenas [De *a*[3] + o pl. de *pena*[2].] *Adv.* 1. A custo; dificilmente, mal: *um ruído apenas audível;* "os nossos filhos apenas veem seu pai, porque aqui não se entra quando você trabalha..." (Machado de Assis, *Quincas Borba*, p. 324); "as folhas do arvoredo apenas aflavam com o brando sopro da viração." (José de Alencar, *O Sertanejo*, p. 112). 2. Só, somente, unicamente: "um bom rapaz que tinha apenas um defeito" (Artur Azevedo, *Contos fora da Moda*, p. 130). ● *Conj.* 3. Logo que; mal: "Apenas entrou em casa examinou cuidadosamente a cadelinha." (Machado de Assis, *Contos Fluminenses*, p. 6.)

apenável [De *apenar* + *-vel*.] *Adj. 2 g.* Capaz de acarretar imposição de pena ou castigo.

apendectomia [De *apênd(ice)* + *-ectom-* + *-ia*[1].] *S. f. Cir.* 1. Excisão de apêndice (2). 2. Apendicectomia.

apender [Do lat. *appendere*.] *V. t. d. e i.* Juntar, anexar, apensar: *Apendeu ao requerimento várias certidões.*

apêndice [Do lat. *appendice*.] *S. m.* 1. Parte anexa ou acrescentada a uma obra; acréscimo, anexo, acrescentamento. 2. *Anat.* Parte acessória dum órgão, ou que lhe é contínua, porém distinta pela sua forma ou posição; apêndix. 3. *Anat.* V. *apêndice ileocecal*. 4. *Bot.* Designação de qualquer parte saliente, quase sempre curta e estreita, e de importância secundária, de um órgão ou parte da planta. [As anteras muitas vezes têm apêndices.] [Dim. irreg. de *apêndice* (1 e 4): *apendículo*.] ◆ **Apêndice ileocecal.** *Anat.* Saliência do ceco, com a forma de dedo de luva; apêndice vermiforme, apêndice. **Apêndice vermiforme.**

Anat. V. *apêndice ileocecal.* **Apêndice xifoide.** *Anat.* Apêndice alongado e cartilaginoso que termina inferiormente o esterno; apêndice xifóideo. **Apêndice xifóideo.** *Anat.* Apêndice xifoide.

apendiceado [De *apêndice* + *-ado*[1].] *Adj.* Que tem apêndice(s).

apendicectomia [De *apendic(i)-* + *-ectom-* + *-ia*[1].] *S. f. Cir.* Extirpação de apêndice (3); apendectomia.

apendicectômico *Adj.* V. *apendicectômico.* [Uso freq. em P.]

apendicectômico [De *apendicectomia* + *-ico*[2].] *Adj.* Relativo a apendicectomia.

▲ **apendic(i)-** [Do lat. *appendix, ĭcis,* 'complemento', 'acessório'; 'apêndice'.] *El. comp.* = 'apêndice': *apendiciforme, apendículo.*

apendiciforme (ên) [De *apendic(i)-* + *-forme.*] *Adj. 2 g.* Em forma de apêndice (3).

apendicite [De *apendic(i)-* + *-ite*[1].] *S. f. Med.* Inflamação do apêndice (3).

apendícula [Do lat. *appendicula.*] *S. f. P. us.* Pequeno apêndice.

apendiculação [De *apendicular*[2] + *-ção.*] *S. f.* Ato ou efeito de apendicular[2].

apendiculado [De *apendículo* + *-ado*[1].] *Adj. Bot.* Provido de apêndice ou apendículo: *anteras <u>apendiculadas</u>.*

apendicular[1] [De *apendículo* + *-ar*[1].] *Adj. 2 g.* **1.** Referente a apêndice. **2.** Que não é essencial ao todo a que pertence.

apendicular[2] [De *apendículo* + *-ar*[2].] *V. t. d.* **1.** Acrescentar como apêndice. **2.** Fazer terminar em apêndice. [Pres. ind.: *apendiculo,* etc. Cf. *apendículo.*]

apendiculário [Adapt. do tax. *Appendicularia* (do lat. *appendicula,* 'apendículo', + lat. *-aria*).] *Zool. S. m.* **1.** Espécime dos apendiculários, classe de urocordados, livre-natantes, planctônicos, diminutos, ger. de corpo alongado, que lembra o do girino. A boca fica na parte anterior do corpo e apresenta somente duas fendas branquiais. ● *Adj.* **2.** Pertencente ou relativo a eles. [Sin. ger.: *larváceo.*]

apendículo [De *apendic(i)-* + *-ulo.*] *S. m.* Pequeno apêndice (1 e 4). [Cf. *apendiculo,* do v. *apendicular.*]

apêndix (cs) [Do lat. *appendix* (nom.).] *S. m. 2 n. Anat.* Apêndice (2).

apendoado [Part. de *apendoar.*] *Adj.* Ornado, enfeitado ou guarnecido de pendões: "O milharal <u>apendoado</u> era tão alto que o homem desaparecia seguindo os carreiros cobertos de folhas secas." (Coelho Neto, *Treva,* p. 152.)

apendoamento [De *apendoar* + *-mento.*] *S. m.* Ato ou efeito de apendoar.

apendoar [De *a-*[2] + *pendão* + *-ar*[2], com desnasalação.] *V. t. d.* **1.** Ornar ou guarnecer de pendões. **2.** *P. ext.* Ornar, enfeitar. *Int.* **3.** Apresentar pendão, embandeirar-se (a planta, quando começa a botar pendão ou bandeira); pendoar: "os roçados cheios de milho <u>apendoando</u> e as várzeas cobertas de melancia ou jerimum" (Austregésilo de Ataíde, em *Discursos de Posse e Recepção na Academia Brasileira de Letras,* p. 53). [Conjug.: v. *coroar.*]

apenedado [De *a-*[2] + *penedo* + *-ado*[1].] *Adj.* **1.** Que tem muitas penhas ou penedos; apenhado. **2.** Semelhante a penedo.

apenhado [De *a-*[2] + *penha* + *-ado*[1].] *Adj.* Apenedado (1). [Cf. *apinhado.*]

apenhascado [De *a-*[2] + *penhasco* + *-ado*[1].] *Adj.* Semelhante a penhasco.

apenínico [Do top. *Apeninos* + *-ico*[2].] *Adj.* Relativo ou pertencente aos montes Apeninos (Itália).

apeninsulado [De *a-*[2] + *península* + *-ado*[1].] *Adj.* Que tem forma ou semelhança de península.

apensação [De *apensar* + *-ção.*] *S. f.* Apensamento.

apensamento [De *apensar* + *-mento.*] *S. m.* Ato ou efeito de apensar; apensação.

apensar [De *apenso* + *-ar*[2].] *V. t. d.* **1.** Juntar em apenso. *T. d. e i.* **2.** Juntar, acrescentar, adicionar, anexar; apender: *<u>Apensou</u> três documentos aos que ia remeter.*

apenso [Do lat. *appensu.*] *Adj.* **1.** Junto, anexo. ● *S. m.* **2.** Aquilo que se apensa; acréscimo, anexo.

apeou *Bras. S. 2 g.* **1.** *Etnôn.* Indivíduo dos apeous [ou (etnôn. bras.) *Apehou], povo indígena extinto que habitava o baixo rio Xingu (PA). ● *Adj. 2 g.* **2.** Pertencente ou relativo a esse povo. [Cf. *apeou,* do v. *apear.*]

apepinador (ô) [De *apepinar* + *-dor.*] *Adj. S. m. Fam. Burl.* Que, ou aquele que apepina.

apepinar [De *a-*[2] + *pepino* + *-ar*[2].] *V. t. d. Fam. Burl.* Escarnecer, troçar, ridicularizar, ridicularizar.

apepsia [Do gr. *apepsía.*] *S. f. Patol.* Ausência de função digestiva.

apéptico *Adj. Patol.* **1.** Relativo a apepsia. **2.** Que sofre de apepsia.

apequenado [De *a-*[2] + *pequeno* + *-ado*[1].] *Adj.* Um tanto pequeno ou baixo.

apequenamento [De *apequenar* + *-mento.*] *S. m.* **1.** Ato ou efeito de apequenar. **2.** *Fig.* Ação de diminuir-se perante os outros ou perante a sua própria história: *Muitos torcedores estão demonstrando insatisfação com o <u>apequenamento</u> pelo qual passam seus clubes do coração.*

apequenar [De *a-*[2] + *pequeno* + *-ar*[2].] *V. t. d.* **1.** Tornar ou fazer pequeno. **2.** Diminuir, amesquinhar: *<u>apequenar</u> os méritos de alguém. P.* **3.** Tornar-se pequeno; diminuir de volume; encolher-se. **4.** Humilhar-se, rebaixar-se, amesquinhar-se: *<u>Apequenou-se</u> diante do chefe.*

aperado [Part. de *aperar.*] *Adj. Bras. S.* **1.** Diz-se do cavalo encilhado com esmero; ajaezado. **2.** *Fig.* Bem vestido; bem-posto.

aperaltado [De *a-*[2] + *peralta* + *-ado*[1].] *Adj.* Que tem modos de peralta; ajanotado.

aperaltar [De *a-*[2] + *peralta* + *-ar*[2].] *V. t. d.* **1.** Tornar peralta; dar modos de peralta a; aperalvilhar. *P.* **2.** Tornar-se peralta; ajanotar-se, aperalvilhar-se.

aperalvilhar [De *a-*[2] + *peralvilho* + *-ar*[2].] *V. t. d. P.* Tornar(-se) peralvilho; aperaltar(-se).

aperana [Do tupi.] *S. f. Bras. Bot.* Soldanela-d'água.

aperar [Do esp. plat. *aperar.*] *Bras. S. V. t. d.* **1.** Pôr os aperos em. **2.** Encilhar com bons arreios. *P.* **3.** Vestir-se bem. [Pres. ind.: *apero,* etc. Cf. *apero* (ê), s. m., e o v. *apeirar.*]

aperceber [De *a-*[4] + *perceber.*] *V. t. d.* **1.** Aprestar, preparar, aprontar; aparelhar: *<u>Aperceberam</u> as naus para a longa travessia.* **2.** Notificar, avisar; prevenir: *Vendo que alguém se aproximava, a sentinela <u>apercebeu</u> o capitão.* **3.** Notar, ver, perceber: "pareceu-lhe <u>aperceber</u> dous vultos na escuridão." (Rebelo da Silva, *Contos e Lendas,* p. 107); "O monteiro, <u>apercebendo</u> Telo, encaminhou-se para ele." (Id., *ib.,* p. 162). *T. d. e i.* **4.** Prover, abastecer: *<u>Apercebi</u>-o do necessário.* **5.** Notificar, avisar, prevenir: *<u>Apercebeu</u> o amigo de sua próxima chegada. P.* **6.** Pôr-se em condições; preparar-se: *O castelão <u>apercebera-se</u> para um cerco prolongado.* **7.** Prover-se, munir-se. **8.** Dar-se conta; notar, perceber: "desaparece por entre o arvoredo do pomar, volvendo um olhar na direção da casa, para certificar-se que não <u>se apercebiam</u> de sua ausência." (José de Alencar, *O Sertanejo,* p. 99); "E tão grande foi a sua influência [de Filinto Elísio], que constituiu um grupo literário, sem disso <u>se aperceber</u>." (Martins de Aguiar, *Notas de Português de Filinto e Odorico,* p. 289). [É excelente — e não condenável, como querem puristas maníacos — o uso de *aperceber* nas acepç. 3 e 8.]

apercebimento [De *aperceber* + *-imento.*] *S. m.* **1.** Ato ou efeito de aperceber(-se). **2.** V. *aprestamento* (1).

aperceção *S. f.* V. *apercepção.* [Uso próprio de P.] ⊙

apercepção [Do fr. *aperception.*] *S. f.* **1.** Percepção nítida de qualquer objeto. **2.** Faculdade ou ato de apreender imediatamente pela consciência uma ideia, um juízo; intuição. **3.** *Filos.* Apropriação de uma percepção pela consciência, quer ao conferir-lhe maior clareza e distinção, quer ao privilegiar alguns dos seus aspectos, quer ao associá-la a outros conteúdos. **4.** *Psic.* Assimilação de novas experiências. [Cf. *percepção.*]

aperceptibilidade [De *aperceptível* + *-(i)dade,* seg. o padrão erudito.] *S. f.* **1.** Qualidade de aperceptível. **2.** Faculdade de aperceber(-se).

aperceptível [De *aperceber* + *-ível,* com analogia com *perceptível,* seg. o padrão erudito.] *Adj. 2 g.* Que se pode aperceber, avistar ou distinguir.

apercetibilidade *S. f.* V. *aperceptibilidade.* [Uso próprio em P.] ⊙

apercetível *Adj. 2 g.* V. *aperceptível.* [Pl.: *-veis.* Uso próprio em P.]

apereá [Do tupi.] *S. m. e f. Bras. Zool.* V. *preá.*

aperema [Do tupi.] *S. m. Bras. Amaz. Zool.* Reptil quelônio, testudinídeo (*Geomyda punctularia*), da Amaz., de coloração geral pardacenta, escudos marginais na parte inferior amarelos, plastrão amarelo com manchas escuras, duas manchas longitudinais no occipício, pés posteriores com membranas natatórias rudimentares, e quilha vertebral desenvolvida em toda a extensão; cabeua, cambéua, jabuti-aperema.

aperfeiçoado [Part. de *aperfeiçoar.*] *Adj.* Que adquiriu, ou a que se deu maior perfeição; melhorado: *É um exemplar <u>aperfeiçoado</u> das qualidades da família.*

aperfeiçoador (ô) [De *aperfeiçoar* + *-dor.*] *Adj. S. m.* Que, ou aquele que aperfeiçoa.

aperfeiçoamento [De *aperfeiçoar* + *-mento.*] *S. m.* Ato ou efeito de aperfeiçoar(-se).

aperfeiçoar [De *a-*[2] + *perfeição* + *-ar*[2], com desnasalação.] *V. t. d.* **1.** Tornar perfeito ou mais perfeito. **2.** Acabar com perfeição; concluir com esmero. **3.** Dar a última demão a; acabar, completar: *Pediu mais tempo para <u>aperfeiçoar</u> a obra.* **4.** Perfazer ou completar (o que estava incompleto). *P.* **5.** Adquirir maior grau de instrução ou aptidão: *Depois de formado, <u>aperfeiçoou-se</u> numa universidade europeia.* **6.** Emendar os próprios defeitos; corrigir-se, emendar-se. [F. paral. (p. us.): *perfeiçoar.* Conjug.: v. *coroar.*]

aperfeiçoável [De *aperfeiçoar* + *-vel.*] *Adj. 2 g.* Que se pode aperfeiçoar.

apergaminhado [De *a-*[2] + *pergaminho* + *-ado*[1].] *Adj.* Pergaminhoso: "mostrava o filho .... com pescocinho de pássaro e a pele <u>apergaminhada</u> e velhinha." (Aquilino Ribeiro, *Alemanha Ensanguentada,* p. 125.) ~ V. *papel —.*

aperiantado [De *a-*[3] + *perianto* + *-ado*[1].] *Adj. Bot.* Aclamídeo.

aperibense *Adj. 2 g.* **1.** De, ou pertencente ou relativo a Aperibé (RJ) ● *S. 2 g.* **2.** O natural ou habitante de Aperibé.

aperiente [Do lat. *aperiente.*] *Adj. 2 g.* V. *aperitivo* (2).

aperiódico [De *a-*[3] + *periódico.*] *Adj. Fís.* Diz-se de um fenômeno que não é periódico.

aperispérmico [De *a-*[3] + *perisperma* + *-ico*[2].] *Adj. Bot.* Que não tem perisperma.

aperistalse [De *a-*[3] + *peristalse.*] *S. f. Fisiol.* Ausência de ação peristáltica; aperistaltismo. [Cf. *peristalse.*]

aperistáltico *Adj.* Relativo a aperistalse.

aperistaltismo [De *a-*[3] + *peristaltismo.*] *S. m. Fisiol.* Aperistalse. [Cf. *peristaltismo.*]

aperitivo [Do lat. *aperitivu.*] *Adj.* **1.** Que abre os poros. **2.** Que abre ou estimula o apetite; aperiente, ecfrático: "O próprio soldado mudara de feição: o seu enternecimento agora era o bacalhau no fundo da marmita, com seu fio d'azeite <u>aperitivo</u>, um dente d'alho..." (Fialho d'Almeida, *O País das Uvas,* p. 90); "tonificado pelo bom ar da manhã, saudável e <u>aperitivo</u>, empurrava o pesadíssimo portão do palácio do Visconde de Montenegro." (Coelho Neto, *A Conquista,* p. 121). ● *S. m.* **3.** Aquilo que faz abrir o apetite. **4.** *P. ext.* Bebida espirituosa (vermute, uísque, gim, etc.) ou coquetel ingerido antes das refeições, supostamente como aperitivo (3), e que se faz, em geral, acompanhar de tira-gosto.

aperitório [Do fr. *apéritoire.*] *S. m.* Lâmina usada pelos fabricantes de alfinetes para igualar os arames.

apero (ê) [Do esp. plat. *apero.*] *S. m. Bras. S.* V. *aperos.* [Cf. *apero,* do v. *aperar.*]

aperolar [De *a-*[2] + *pérola* + *-ar*[2].] *V. t. d.* Dar semelhança de pérola a; perlar, perolar.

aperos (ê) [Pl. de *apero.*] *S. m. pl. Bras. S.* O conjunto das peças necessárias para encilhar o cavalo; arreios, jaez. [Tb. us. (menos) no sing. Cf. *apeiro.*]

aperrar [De *a-*[2] + *perro* + *-ar*[2].] *V. t. d.* Levantar o cão de (arma de fogo); engatilhar.

aperreação [De *aperrear* + *-ção.*] *S. f.* **1.** Ato ou efeito de aperrear(-se). **2.** Estado de muita sujeição; opressão. **3.** V. *apoquentação* (2). **4.** *Bras.* Apertura(s), apuro(s), dificuldade(s). [Sin. ger.: *aperreamento, aperreio.*]

aperreado [Part. de *aperrear.*] *Adj.* **1.** Preso, oprimido: "Dantes eram livres. / Agora <u>aperreados</u>, / pastam pelos prados / como por favor." (Sebastião da Gama, *Cabo da Boa Esperança,* p. 71.) **2.** V. *apoquentado.* **3.** *Bras.* Que vive ou se acha em aperturas financeiras; apertado. **4.** *Bras. S.* Emagrecido, enfezado.

aperreador (ô) [De *aperrear* + *-dor.*] *Adj. S. m.* Que, ou aquele que aperreia.

aperreamento [De *aperrear* + *-mento.*] *S. m.* V. *aperreação.*

aperrear [De *a-*[2] + *perro* + *-ear*[2].] *V. t. d.* **1.** Fazer perseguir por cães ou perros. **2.** V. *apoquentar:* "Trindade estava seguro na caverna, longe da zombaria dos meninos que gostavam de <u>aperreá</u>-lo, longe de toda gente" (Oto Lara Resende, *Boca do Inferno,* p. 13). *P.* **3.** V. *apoquentar.* [Conjug.: v. *frear.*]

aperreio [Dev. de *aperrear.*] *S. m. Bras. N.E.* V. *aperreação:* "— Eu só penso é nessa moça... Se for cheia de dengos, de soberbias, torcer o nariz a todos nós, há de ser um <u>aperreio</u>..." (Mário Sete, *Senhora de Engenho,* p. 93.)

aperta a cunha *S. f. 2 n. Bras. PA Jog. Inf.* Brinquedo infantil em que as crianças ficam de pé, em fila, e começam a comprimir-se umas às outras. ☑

aperta-chico *S. m. Bras. CE* V. *rolo*[1] (16). [Pl.: *aperta-chicos.*]

apertada [De *apertar* + *-ada*[1].] *S. f.* V. *aperto* (5).

apertadela [De *apertar* + *-dela.*] *S. f.* **1.** Ato ou efeito de apertar de leve, ou rapidamente. **2.** *P. ext. Fam.* Aperto (1). **3.** V. *aperto* (5).

apertado [Part. de *apertar.*] *Adj.* **1.** Que se apertou, comprimiu, cerrou, restringiu, etc., sem deixar nenhuma folga ou espaço livre: *nó <u>apertado</u>.* **2.** Bem aproximado ou unido: *A convulsão deixou-o de lábios <u>apertados</u>; Dei-lhe um abraço <u>apertado</u>.* **3.** De pouca largura; estreito: *passagem <u>apertada</u>; saia <u>apertada</u>.* **4.** De reduzidas dimensões; pouco amplo: *sala <u>apertada</u>.* **5.** *P. ext.* Ajustado, ou tão justo que desconforta: *blusa <u>apertada</u>; A fronha <u>apertada</u> tornou duro o travesseiro.* **6.** Seguro fortemente; agarrado: *Os dois tinham as mãos <u>apertadas</u>.* **7.**

Limitado, restrito: *Estou com o tempo apertado; É apertada a margem de lucro.* **8.** Em que a diferença é por pequena margem: *vitória apertada.* **9.** Difícil, dificultoso, duro: *vida apertada; jogo apertado.* **10.** Rigoroso, severo: *regime apertado.* **11.** Diz-se de pessoa em dificuldades, especialmente de ordem financeira. **12.** Aflito, angustiado: *A situação deixou-a de coração apertado.* ~ V. *voga —a.* ● **Adv. 13.** Em condições difíceis, penosas, apertadas [v. *apertado* (9)]; a custo, dificilmente: *O Vasco da Gama ganhou apertado do Fluminense.* ● **S. m. 14.** *Bras.* Lugar estreito de rio ou de caminho. [V. *encanado*[1] (2).] **15.** *Bras.* V. *aperto* (5). **16.** *Bras.* V. *brechão.* ◆ **Estar apertado.** *Pop.* Sentir forte necessidade de defecar ou urinar.

apertadoiro [De *apertar* + *-doiro*[2].] *S. m.* V. *apertadouro.*

apertador (ô) [De *apertar* + *-dor.*] *Adj.* **1.** Que aperta. ● *S. m.* **2.** Aquele ou aquilo que aperta.

apertadouro [De *apertar* + *-douro*[2]; var. de *apertadoiro.*] *S. m.* **1.** O lugar onde se aperta. **2.** Aquilo que aperta; apertador.

aperta-galha *S. m. Zool.* V. *acari-lima.* [Pl.: *aperta-galhas.*]

aperta-luvas *S. m. 2 n.* Espécie de gancho com que se abotoam as luvas.

aperta-nervos *S. m. 2 n. Encad.* V. *alicate aperta-nervos.*

apertão [De *aperto* + *-ão*[1].] *S. m.* **1.** Grande aperto. **2.** V. *aperto* (5). **3.** *Chulo* Aperto (1) com intenção libidinosa; amasso. ◆ **Dar um apertão.** *Bras.* Insistir, instar, pressionar. **Levar um apertão.** *Bras.* Ser pressionado; sofrer coação.

apertar [Do lat. tard. *appectorare*, 'estreitar contra o peito', com metátese.] *V. t. d.* **1.** Comprimir, premer, premir: "Aperta as minhas mãos geladas" (Manuel Bandeira, *Estrela da Vida Inteira*, p. 73); "Amarrei o clavinote nos coldres da sela, apertei bem o pedrês" (Afonso Arinos, *Pelo Sertão*, p. 169). **2.** Segurar, agarrar em volta, com força; constringir, restringir: *Quando sentiu que o agressor se aproximava, apertou o cabo do facão.* **3.** Cerrar, cingir, estreitar com firmeza nos braços: *Apertou estreitamente, comovido, o filho amado.* **4.** Resumir, abreviar: *Apertaram o assunto numa narrativa sucinta.* **5.** Espremer, comprimir: *Apertou a esponja úmida.* **6.** Fazer com que não esteja largo ou frouxo; ajustar: *apertar uma roupa.* **7.** Diminuir, restringir, limitar: *apertar despesas.* **8.** Tornar mais ativo, diligente; cerrar: *apertar a vigilância.* **9.** Tornar mais ligeiro; apressar: *apertar o passo.* **10.** Confranger, afligir, atormentar, angustiar: *A cena trágica apertou o coração dos que a presenciaram.* **11.** *Art. Gráf.* Reduzir os claros entre as letras, palavras ou linhas de (uma composição). [Antôn., nesta acepç.: *abrir* (27).] *T. d. e i.* **12.** Aproximar ou unir muito. **13.** Cerrar, estreitar fortemente aos braços: "A rapariga apertou o filho ao peito" (Conde de Ficalho, *Uma Eleição Perdida*, p. 200); "Eu contra o peito o aperto." (Alberto de Oliveira, *Poesias*, 3ª série, p. 248). *T. i.* **14.** Instar, insistir: *Apertou com o amigo a fim de que aceitasse o cargo.* ***Int.*** **15.** Apertar-se, unir-se, juntar-se muito. **16.** Tornar-se ou fazer-se intenso, ou mais intenso: *À noitinha o frio apertou.* **17.** Tornar-se mais estreito, mais apertado: *Depois da curva, a estrada apertava.* **18.** Aproximar-se (tempo determinado, prazo, etc.), da data preestabelecida: *O prazo está apertando.* **19.** Tornar-se mais intenso, mais forte; aumentar de intensidade: *O calor, hoje, apertou;* "E a fome aperta! Meio-dia!" (O. G. Rego de Carvalho, *Somos Todos Inocentes*, p. 105). **20.** *Bras.* Ter travo; travar: *O vinho verde aperta.* *P.* **21.** Cingir fortemente o corpo: *Apertou-se para parecer mais esbelta.* **22.** Unir-se ou cingir-se com força, mutuamente: "Daquele beijo .... nasceram outros, e as mãos se apertaram, juntaram-se as cabeças no escuro do cinema." (Jorge Amado, *Dona Flor e Seus Dois Maridos*, p. 320). **23.** Confranger-se, afligir-se, angustiar-se: "O coração se aperta, os olhos se esgazeiam na memória neblinando." (Autran Dourado, *Ópera dos Fantoches*, p. 98.) **24.** *Bras.* Ver-se em dificuldades financeiras: *Apertou-se muito, com a compra da casa.* **25.** *Bras.* Reduzir as despesas; apertar o cinto: *Para manter-se dentro deste pequeno orçamento, terá de se apertar muito.* [Pres. ind.: *aperto*, etc. Cf. *aperto* (ê).]

aperta-ruão [De *apertar* + *ruão*[3].] *S. m. Bras. Bot.* **1.** Arbusto melastomatáceo (*Leandra lacunosa*), cujas folhas são adstringentes e tônicas. **2.** Arbusto piperáceo (*Piper aduncum*), cujos frutos têm propriedades antiblenorrágicas e carminativas; erva-de-jabuti, jaborandi-do-mato, matico-falso, pimenta-de-fruto-ganchoso. [Pl.: *aperta-ruões.*]

apertinente [De *a*[3] + *pertinente.*] *Adj. 2 g.* Conciliador, harmonizador. [Cf. *pertinente.*]

aperto (ê) [Dev. de *apertar.*] *S. m.* **1.** Ato ou efeito de apertar(-se). **2.** *Fig.* Angústia, aflição. **3.** Multidão compacta de gente. **4.** Pressa, urgência. **5.** Situação difícil, aflitiva, embaraçosa, perigosa, etc.; apertada, apertadela, apertado, apertão, apertura, apuro. **6.** Estreitamento (2). **7.** *Tip.* V. *cunho* (8). [Pl.: *apertos* (ê). Cf. *aperto*, do v. *apertar.*]

➔**aperto libro** [a'pɛrto 'libro] [Lat., 'de livro aberto'.] Em qualquer página que se abra (de um livro); *ad aperturam libri*: *Grande latinista, traduz Cícero aperto libro.*

apertômetro *S. m. Ópt.* V. *apertômetro.* [Uso freq. em P.]

apertômetro [Do lat. *apert(ura)*, 'abertura' + *-o-* + *-metro.*] *S. m. Ópt.* Instrumento para medida da abertura numérica da objetiva de um microscópio.

apertura [Do lat. *apertura.*] *S. f.* V. *aperto* (5).

aperuação [De *aperuar* + *-ção.*] *S. f. Bras.* Peruação.

aperuar [De *a-*[2] + *peru*[1] + *-ar*[2].] *V. int. T. d. Bras.* V. *peruar*: "Aperuei meia hora e percebi que o rapaz era pexote e estava sendo roubado descaradamente." (Graciliano Ramos, *S. Bernardo*, p. 17.)

apesar Us. nas loc. prep. *apesar de* e na loc. conj. *apesar de que.* ◆ **Apesar de.** Não obstante; a despeito de; sem embargo de: *Saiu, apesar da chuva;* "Iam com pressa apesar de ser domingo." (Ricardo Ramos, *Os Inventores Estão Vivos*, p. 13). **Apesar de que.** Ainda que; embora: *Creio que virá, apesar de que me haja afirmado que não viria.*

apesarar [De *a-*[2] + *pesar* + *-ar*[2].] *V. t. d.* Tornar pesaroso; contristar, agoniar.

apesentar [De *a-*[2] + *peso* (ê) + *-entar.*] *V. t. d. P.* Tornar(-se) pesado.

apessoado [De *a-*[2] + *pessoa* + *-ado*[1].] *Adj. Bras.* V. *bem-apessoado*: "Senhor duns sessenta anos, homem apessoado, cabelos brancos que em vez de aparentar velhice lhe davam um ar de reinante simpatia." (Bariani Ortêncio, *Vão dos Angicos*, p. 76.)

apestanado [De *a-*[2] + *pestana* + *-ado*[1].] *Adj.* Que tem pestanas [v. *pestana* (1)], ou as tem fartas.

apestar [De *a-*[2] + *peste* + *-ar*[2].] *V. t. d. P.* V. *empestar.*

apetalado [De *a-*[3] + *-petal(o)-* + *-ado*[1].] *Adj. Bot.* Apétalo.

apetalia [De *a-*[3] + *-petal(o)-* + *-ia*[1].] *S. f. Bot.* Ausência de pétalas.

apetalifloro [De *a-*[3] + *-petal(o)-* + *-ifloro.*] *Adj. Bot.* Diz-se da planta cujas flores apresentam apetalia.

apétalo [Do gr. *apétalos.*] *Adj. Bot.* Diz-se da planta cujas flores não têm pétalas, ou da própria flor; apetalado: *As casuarinas são árvores apétalas.*

apeté *S. m. Bras. Cul.* Certa iguaria baiana: "Dona Flor, a boba, ainda prometera nas folgas de tempo lhe ensinar ao menos o vatapá, o xinxim e o apeté." (Jorge Amado, *Dona Flor e Seus Dois Maridos*, p. 387.)

apetecedor (ô) [De *apetecer* + *-dor.*] *Adj.* **1.** Que apetece ou deseja. **2.** V. *apetecível.*

apetecer [Do lat. **appetescere*, incoativo de *appetere*, 'desejar'.] *V. t. d.* **1.** Ter apetite de; desejar: *Acordou faminto, apetecendo uma lauta refeição;* "apeteceu a alface rechonchuda e crespa" (Eça de Queirós, *A Cidade e as Serras*, p. 214). **2.** Desejar intensamente; aspirar a; pretender, cobiçar, ambicionar: *Estudava com gosto: apetecia um diploma de doutor.* *T. i.* **3.** Despertar apetite ou desejo veemente: *As comidas picantes apetecem-lhe.* **4.** Agradar, interessar: "Apetecia-lhe, às vezes, um instante de repouso" (João da Silva Correia, *Farândola*, p. 42); *As riquezas nunca lhe apeteceram.* ***Int.*** **5.** Despertar ou provocar apetite: *O leitão assado apetecia.* [Conjug.: v. *aquecer.*]

apetecível [De *apetecer* + *-ível.*] *Adj. 2 g.* Digno de ser apetecido; apetecedor, apetitoso.

apetência [Do lat. *appetentia.*] *S. f.* Apetite (1). [Antôn.: *inapetência.*]

apetente [Do lat. *appetente.*] *Adj. 2 g.* Que apetece, tem apetite, deseja. [Antôn.: *inapetente.*]

apetição *S. f. Hist. Filos.* Segundo Leibniz (v. *leibniziano*) a ação do princípio interno da mônada que produz a mudança ou a passagem de uma percepção a outra.

apetitar [De *apetite* + *-ar*[2].] *V. t. d. P. us.* **1.** Causar apetite a; despertar o apetite de. **2.** Excitar o desejo de; tentar.

apetite [Do lat. *appetitu.*] *S. m.* **1.** Vontade de comer; apetência. **2.** *P. ext.* Vontade, disposição, ânimo: *Tal viagem não me desperta o apetite.* **3.** Ambição, cobiça, sofreguidão: *apetite de posições, de glória.* **4.** Gosto especial; predileção, preferência: *Tem apetite para as ciências exatas.* **5.** Sensualidade, lubricidade.

apetitivo [Do lat. *appetitivu.*] *Adj.* **1.** Que tem apetite. **2.** Sensual, lúbrico. **3.** Apetitoso (1).

apetitoso (ô) [De *apetite* + *-oso.*] *Adj.* **1.** Que desperta apetite; apetitivo. **2.** V. *apetecível.* **3.** Gostoso, saboroso: *O almoço fora muito apetitoso.* **4.** Cobiçoso, ambicioso.

apetrechar [De *apetrechos* + *-ar*[2].] *V. t. d. T. d. e c. P.* Munir ou prover de apetrechos; petrechar. [Conjug.: v. *fechar.*]

apetrecho (ê) [Do esp. *petrechos.*] *S. m.* V. *petrechos*: "duas espingardas com os respectivos apetrechos de caça" (Gilvã Lemos, *Jutaí Menino*, p. 69). [Mais us. no pl.]

ápex (cs) [Do lat. *apex.*] *S. m. 2 n.* **1.** *Astr.* Ponto da esfera celeste para o qual se dirige o Sol e todo o sistema solar, e que está situado na constelação de Hércules, a 10° S.O. da estrela Vega. **2.** *Geom.* Ponto de uma figura geométrica cuja distância a uma linha ou a um plano horizontais pertencentes à figura é máxima. **3.** *Anat.* Designação genérica de ponta de órgão: *ápex da língua; ápex do pulmão.*

apexificação (cs) [De **apexificar* (de *ápex* [3] + *-ificar*) + *-ção.*] *S. f. Odont.* Indução da formação completa da raiz dentária por meio de tratamento endodôntico.

apezinhar [De *a-*[2] + *pé* + *-z-* + *-inhar.*] *V. t. d.* V. *espezinhar.*

➔**apfelstrudel** ['apfəlʃtʀuːdəl] [Al.] *S. m. Cul.* Torta de massa folhada com recheio de maçã com açúcar e canela. [Com cap.]

▲ **ap(i)-** [Do lat. *apis, is.*] ***El. comp.*** = 'abelha': *apicida, apicultor, apicultura.*

apiabar [De *a-*[2] + *piaba* + *-ar*[2].] *V. int. Bras. Gír.* Pedir dinheiro emprestado no jogo; piabar.

apiacá[1] *S. m. Bras. MT Pop. Zool.* Espécie de marimbondo de notável agressividade, cujo nome científico ainda não está bem definido.

apiacá[2] *Bras. S. 2 g.* **1.** *Etnôn.* Indivíduo dos apiacás [ou (etnôn. bras.) *Apiaká], povo indígena da família linguística tupi-guarani, tronco tupi, que habita os municípios de Juara, Porto dos Gaúchos e Aripuanã (MT). ● *Adj. 2 g.* **2.** Pertencente ou relativo a esse povo.

apiacaense[1] (cà) *Adj. 2 g.* **1.** De, ou pertencente ou relativo a Apiacá (ES). ● *S. 2 g.* **2.** O natural ou habitante de Apiacá.

apiacaense[2] (cà) *Adj. 2 g.* **1.** De, ou pertencente ou relativo a Apiacás (MT). ● *S. 2 g.* **2.** O natural ou habitante de Apiacás.

apiácea [Do tax. *Apium* (v. *ápio*) + *-ácea*; tax. *Apiaceae.*] *S. f. Bot.* Espécime das apiáceas, família da ordem das apiales que reúne ervas providas de rizoma, cujas folhas são variáveis, e cujas flores são pequenas e sempre arrumadas em umbelas compostas. Têm, comumente, canais oleíferos, donde as espécies aromáticas. Fruto formado de dois mericarpos. Existem perto de 3.500 espécies, basicamente dos climas temperados do hemisfério norte; entre nós, fora o gênero *hydrocotyle*, que é nativo, há muitas cultivadas, como, p. ex., a erva-doce, a batata-baroa, a cenoura.

apiáceo [De *apiácea*, com var. suf. (v. *-áceo*).] *Adj. Bot.* Pertencente ou relativo às apiáceas.

apiaiense (a-i) *Adj. 2 g.* **1.** De, ou pertencente ou relativo a Apiaí (SP). ● *S. 2 g.* **2.** O natural ou habitante de Apiaí.

apial [Do tax. *Apium* (v. *ápio*) + *-al*[1].] *Adj. 2 g. Bot.* Pertencente ou relativo às apiales.

apiale [Adapt. do tax. *Apiales.*] *S. f. Bot.* Espécime das apiales, ordem de dicotiledôneas que reúne as famílias das apiáceas e das araliáceas.

apianado [De *a-*[2] + *piano* + *-ado*[1], poss.] *Adj.* De acabamento esmerado.

apiançado [Part. de *apiançar.*] *Adj. Bras. N.E. MG Pop.* **1.** Ansiado, aflito. **2.** V. *asmático* (2).

apiançar [De *a-*[2] + *piançо* + *-ar*[2].] *V. t. d. T. i. Bras. N.E. Pop.* Desejar ardentemente. [Conjug.: v. *laçar.*]

apiari [De or. tupi, poss.] *S. m. Bras. Zool.* V. *apaiari.*

apiário [Do lat. *apiariu*, por via erudita.] *Adj.* **1.** Referente às abelhas. ● *S. m.* **2.** Estabelecimento de criação de abelhas.

apiastro [Do lat. *apiastru.*] *S. m. Bot.* V. *erva-cidreira* (1).

apiçacar [De *a-*[2] + *pico* + *-açar.*] *V. t. d.* V. *espicaçar.* [Conjug.: v. *laçar.*]

apicado [Do lat. *apicatu.*] *Adj.* **1.** Que tem ápice. **2.** Que termina superiormente em pico.

apical [De *ápice* + *-al*[1].] *Adj. 2 g.* **1.** Terminado em ápice. **2.** *E. Ling.* Relativo a apical (3). ● *S. f.* **3.** *E. Ling.* Consoante apical (q. v.). [Cf., nesta acepç., *apicoalveolar, apicodental, ápico-pré-palatal.*]

ápice [Do lat. *apice.*] *S. m.* **1.** O ponto mais elevado; vértice, cume, cimo. **2.** O mais alto grau; apogeu. **3.** *Bot.* Porção terminal de folha, raiz, etc. **4.** *Odont.* Extremidade terminal de raiz dentária. **5.** *Paleogr.* Sinal de forma variada (vírgula, acento agudo, L virado), usado nas antigas inscrições latinas para indicar vogal longa. [Cf. *braquia* e *macro*[1].] ~ V. *ápices.* ◆ **Num ápice.** Num instante; num abrir e fechar de olhos: "Num ápice, ... os olhos caíram-lhe nos seus ricos pêssegos, os pêssegos que tinham custado quatro mil-réis" (João da Silva Correia, *Farândola*, p. 31). **Por um ápice.** V. *por um triz* (1).

apicectomia [De *apic(o)-* + *-ectom-* + *-ia*[1].] *S. f. Odont.* Extirpação do ápice (4).

ápices [Pl. de *ápice.*] *S. m. pl.* V. *trema.* ~ V. *ápice.*

apichar-se *V. p. Bras. RS* Acovardar-se, achicar-se.

apichelado [De *a-*[2] + *pichel* + *-ado*[1].] ***Adj.*** Que tem forma de pichel.

apichelar [De *a-*[2] + *pichel* + *-ar*[2].] ***V. t. d.*** Dar forma de pichel a.

▲ **apici-** [Do lat. *apex,* apĭcis.] ***El. comp.*** = 'ápice': *apicifloro.* [V. *apic(o)-.*]

apicida [De *ap(i)-* + *-cida.*] ***Adj. 2 g.*** **1.** Que mata abelhas. • ***S. m.*** **2.** Aquilo que mata abelhas. • ***S. 2 g.*** **3.** Indivíduo que mata abelhas.

apicifixo (cs) [De *apici-* + *-fixo.*] ***Adj.*** *Bot.* Que se acha ligado ou unido ao ápice de dado órgão ou parte: *antera apicifixa.* [Opõe-se a *basifixo.*]

apicifloro (à) [De *apici-* + *-floro.*] ***Adj.*** *Bot.* Portador de flores no ápice ou ponta dos ramos.

apiciforme [De *apici-* + *-forme.*] ***Adj. 2 g.*** Que tem forma pontiaguda.

▲ **apic(o)-** [Do lat. *apex,* apĭcis, + *-o-.*] ***El. comp.*** = 'ápex (3)': *apicodental.* [Equiv.: *ápico-*: *ápico-pré-palatal.* V. *apici-.*]

▲ **ápico-** Equiv. de *apic(o)-.*

apicoado[1] [Part. de *apicoar.*] ***Adj.*** **1.** Desbastado a picão. • ***S. m.*** **2.** *Arquit.* Acabamento tosco, produzido com o picão, em superfície de pedra ou de concreto armado.

apicoado[2] [Part. de *apicoar.*] ***Adj.*** *Bras.* Talhado a pique; empinado.

apicoalveolar (àpi) [De *apic(o)-* + *alveolar.*] *E. Ling.* ***Adj. 2 g.*** **1.** Relativo a apicoalveolar (2). ~ V. *consoante —.* • ***S. f.*** **2.** Consoante apicoalveolar (q. v.).

apicoar [De *a-*[2] + *picão* + *-ar*[2], com desnasalação.] ***V. t. d.*** Desbastar com o picão. [Conjug.: v. *coroar.*]

apicodental (àpi) [De *apic(o)-* + *dental.*] *E. Ling.* ***Adj. 2 g.*** **1.** Relativo a apicodental (2). ~ V. *consoante —.* • ***S. f.*** **2.** Consoante apicodental (q. v.).

apicogênese [De *apic(o)-* + *-gênese.*] ***S. f.*** *Odont.* Formação do ápice (4).

apícola [De *ap(i)-* + *-cola*[1].] ***Adj. 2 g.*** **1.** Pertencente ou relativo à apicultura. • ***S. 2 g.*** **2.** V. *apicultor.* [Cf. *apícula.*]

ápico-pré-palatal [De *ápico-* + *pré-palatal.*] *E. Ling.* ***Adj. 2 g.*** **1.** Relativo a ápico-pré-palatal (2). ~ V. *consoante —.* • ***S. f.*** **2.** Consoante ápico-pré-palatal (q. v.). [Pl.: *ápico-pré-palatais.*]

apicu ***S. m.*** *Bras. N.* V. *apicum.* [Cf. *apecu* e *apecum.*]

apicuí [De or. tupi.] ***S. m.*** *Bras. Zool.* V. *rola-cabocla.*

apícula [Do lat. *apicula,* por via erudita.] ***S. f.*** Abelha pequena; abelhinha. [Cf. *apícola.*]

apiculado [De *apículo* + *-ado*[1].] ***Adj.*** *Bot.* Provido de apículo: *As anteras das acantáceas são, comumente, apiculadas.*

apicular [De *apicúlo* + *-ar*[1].] ***Adj. 2 g.*** Relativo ao apículo.

apículo [Do lat. (cient.) *apiculu(s).*] ***S. m.*** Ponta aguda, rija e curta.

apicultor (ô) [De *ap(i)-* + *-cultor.*] ***Adj.*** **1.** Que cria abelhas. **2.** *P. ext.* Apícola (1). • ***S. m.*** **3.** Criador de abelhas; apícola, abelheiro, colmeeiro.

apicultura [De *ap(i)-* + *-cultura.*] ***S. f.*** Arte de criar de abelhas para obtenção de mel, cera, própolis, etc.

apicum [Do tupi.] ***S. m.*** **1.** *Bras. N.* Brejo de água salgada, à borda do mar. **2.** *Bras. MA BA* Elevação muito íngreme. **3.** *Bras. PE* Terreno formado de areia fina misturada com pouca argila, e imprestável para o plantio de cana-de-açúcar. **4.** *Bras. BA SE* Estrema de terra firme com o mangue, limite da preamar. [Var.: *apicu* e *picum.* Cf. *apecum* e *apecu.*]

apídeo [De *ap(i)-* + *-ídeo*[1]; tax. *Apidae.*] *Zool.* ***S. m.*** **1.** Espécime dos apídeos, família de insetos himenópteros que abrange 4 subfamílias (apínea, bombínea, euglossínea e meloponínea). Quase todas as espécies de abelhas-operárias desta família apresentam, na tíbia posterior, uma estrutura especial para o transporte de pólen, a corbícula. • ***Adj.*** **2.** Pertencente ou relativo a eles.

apidose [De *ap(o)-* + *-id(o)-* + *-ose*[1].] ***S. f.*** *Med.* Em uma doença (1), a etapa em que ou as características clínicas, ou as histopatológicas começam, paulatinamente, a desaparecer. [Cf. *anábase.*]

apiedado [Part. de *apiedar.*] ***Adj.*** Que se apiedou; condoído, compadecido: "Esse nojo curioso, apiedado, por um bicho numa jaula." (Caio Fernando Abreu, *Os Dragões não Conhecem o Paraíso,* p. 117.)

apiedador (ô) [De *apiedar* + *-dor.*] ***Adj. S. m.*** Que, ou aquele que se apieda, se condói.

apiedar [De *a-*[2] + *piedade* + *-ar*[2], com haplologia.] ***V. t. d.*** **1.** Mover à piedade, à compaixão; condoer. **2.** *P. us.* Tratar com piedade, dó ou compaixão. ***P.*** **3.** Ter piedade ou compaixão; condoer-se; doer-se; compadecer-se, amiserar-se, comiserar-se. [Irreg., segundo a maioria dos autores, mudando o *e* da raiz em *a* nas f. rizotônicas — 1ª, 2ª e 3ª pess. sing. e 3ª do pl. do pres. ind., do pres. subj. e do imper.: *apiado* (cf. *apeado*), *apiadas, apiada, ... apiadam*; *apiade, apiades, apiade, ... apiadem*; *apiada, apiade, apiedemos, apiedai, apiadem.* Parece-nos, porém, que deve ser considerado regular, deixando-se essas formas para o ant. *apiadar.* Portanto: *apiedo(-me),* etc., como se vê em numerosos escritores brasileiros e portugueses, entre eles Raimundo Correia, Tristão da Cunha, Carlos Drummond de Andrade, Alberto Rangel, Ronald de Carvalho, Antero de Figueiredo e Raul Brandão.]

apifobia [De *ap(i)-* + *-fobia.*] ***S. f.*** *Psiq.* Medo patológico de abelhas e de seus ferrões.

apifóbico [De *apifobia* + *-ico*[2].] *Psiq.* ***Adj.*** **1.** Relativo a apifobia. **2.** Que sofre de apifobia; apífobo. • ***S. m.*** **3.** Aquele que sofre de apifobia; apífobo.

apífobo [De *ap(i)-* + *-fobo.*] ***Adj. S. m.*** *Psiq.* Apifóbico (2 e 3).

apiforme [De *ap(i)-* + *-forme.*] ***Adj. 2 g.*** Que tem forma de abelha.

apiloamento [De *apiloar* + *-mento.*] ***S. m.*** **1.** Ato ou efeito de apiloar. **2.** *Constr.* Apisoamento (2).

apiloar [De *a-*[2] + *pilão* + *-ar*[2], com desnasalação.] ***V. t. d.*** Bater ou socar com pilão; pilar. [Conjug.: v. *coroar.*]

apimentado [Part. de *apimentar.*] ***Adj.*** **1.** Temperado com pimenta; picante. **2.** Excitante, estimulante. **3.** *Fig.* Malicioso, licencioso: *comédia apimentada.*

apimentar [De *a-*[2] + *pimenta* + *-ar*[2].] ***V. t. d.*** **1.** Temperar com pimenta. **2.** Estimular, excitar, apetitar. **3.** Tornar picante: *Apimentou o molho com vários condimentos.* **4.** *Fig.* Tornar picante, malicioso: *Apimentou a conversa, contando anedotas picantes.*

apinajé *Bras.* ***S. 2 g.*** **1.** *Etnôn.* Indivíduo dos apinajés [ou (etnôn. bras.) *Apinayé], povo indígena da família linguística jê, tronco macro-jê, que habita a margem esquerda do rio Tocantins (TO). • ***Adj. 2 g.*** **2.** Pertencente ou relativo a esse povo.

apincelar [De *a-*[2] + *pincel* + *-ar*[2].] ***V. t. d.*** **1.** Dar forma de pincel (1 e 2) a. **2.** Dar, com pincel (1), mão de tinta ou de cal a. [Cf. *pincelar.*]

apinchar [De *a-*[4] + *pinchar.*] ***V. t. d.*** *Bras. S.* Atirar fora com ímpeto; arremessar, arrojar, pinchar.

apíneo [De *ap(i)-* + *-in(o)-*[3] + *-eo*; tax. *Apinae.*] *Zool.* ***S. m.*** **1.** Espécime dos apíneos, subfamília de abelhas apídeas, melíferas, que constroem favos verticais com celas hexagonais. • ***Adj.*** **2.** Pertencente ou relativo a eles. [Sin. ger.: *apino.*]

apinhado [Part. de *apinhar.*] ***Adj.*** **1.** Completamente cheio; superlotado. **2.** Amontoado, aglomerado. [Cf. *apenhado.*]

apinhar [De *a-*[2] + *pinha* + *-ar*[2].] ***V. t. d.*** **1.** Unir, como pinhões na pinha; ajuntar. **2.** Encher ou ocupar totalmente: *O povo apinhava a praça.* **3.** *Bras.* Dar forma de pinha a. ***P.*** **4.** Unir-se muito e apertadamente; aglomerar-se: *Centenas de pessoas apinhavam-se na sala;* "o povo .... apinhava-se, cada vez mais basto, ao redor da alpendrada." (Alexandre Herculano, *Lendas e Narrativas,* I, pp. 148-149). **5.** Estar ou ficar inteiramente cheio: *As ruas apinharam-se de curiosos.*

ápio [Do tax. *Apium* (do lat. *apium, ii* [> port. *aipo*]).] ***S. m.*** *Bot.* **1.** Gênero de plantas herbáceas apiáceas, de folhas pinuladas e flores brancas ou amareladas, em umbelas compostas. **2.** Qualquer espécie desse gênero, como, p. ex., o *Apium graveolens* (v. *aipo*) e o *Apium graveolens rapaceum* (v. *aipo-rábano*). **3.** Qualquer espécime desse gênero.

apiogénico ***Adj.*** *Patol.* V. *apiogênico.* [Uso freq. em P.]

apiogênico [De *a-*[3] + *piogênico.*] ***Adj.*** *Patol.* Que não é produzido por pus.

apioide (ói) [De *a-*[3] + *-pi(o)-* + *-oide.*] ***Adj. 2 g.*** **1.** Não corrompido; puro, limpo. **2.** *Med.* Não purulento. ❖

apiol [Do lat. *apiu(m),* 'aipo', + *-ol*[3].] ***S. m.*** *Farmac.* Princípio ativo das sementes de salsa, e que tem ação emenagoga e antiperiódica. [Pl.: *apióis.*]

apipado [De *a-*[2] + *pipa* + *-ado*[1].] ***Adj.*** Que tem feitio de pipa.

apipar [De *a-*[2] + *pipa* + *-ar*[2].] ***V. t. d.*** Dar forma de pipa (1) a.

apiranga [De or. tupi.] ***S. f.*** *Bras. Bot.* Árvore melastomatácea (*Mouriri apiranga*) de folhas coriáceas, frutos bacáceos edules e madeira útil.

apirético [De *a-*[3] + *-piret(o)-* + *-ico*[2].] ***Adj.*** Sem febre.

apirexia (cs) [De *a-*[3] + *pirexia.*] ***S. f.*** *Med.* Ausência ou cessação de febre.

ápiro [Do gr. *ápyros,* 'sem fogo'.] ***Adj.*** **1.** Que não se altera ao fogo. **2.** Infusível.

apisoamento [De *apisoar* + *-mento.*] ***S. m.*** **1.** Ato ou efeito de apisoar. **2.** *Constr.* Compactação do solo com pilão ou soquete; apiloamento.

apisoar [De *a-*[2] + *pisão* + *-ar*[2], com desnasalação.] ***V. t. d.*** **1.** Apertar, lustrar ou bater (o pano) com o pisão (1); pisoar. **2.** Bater ou socar (terra) em camadas sucessivas, para compactar o solo e preparar o piso de chão batido ou o leito do contrapiso. [Conjug.: v. *coroar.*]

apisteiro [De *apisto* + *-eiro.*] ***S. m.*** Xícara com bico, semelhante a um bule, pela qual se dá caldo ou apisto a pessoa deitada.

apisto [De or. controvertida.] ***S. m.*** **1.** Caldo substancioso para doentes. **2.** *Fig.* Conforto, auxílio.

apitã ***S. m.*** *Bras. Amaz. Zool. P. us.* V. *urubu-comum.*

apitar [Voc. onom.] ***V. int.*** **1.** Tocar apito; fazer soar o apito: *O carro avançou o sinal e o guarda apitou.* **2.** Dar sinal por meio de apito: "O trem apitou" (José Lins do Rego, *Ficção Completa,* I, p. 284). **3.** *Bras. Pop.* V. *morrer* (1). **4.** Soltar a voz (a saracura). ***T. d.*** **5.** *Bras. Fut.* Marcar ou assinalar, tocando apito: *O juiz apitou a falta imediatamente.* **6.** *Bras. Fut.* Arbitrar (1): "Árbitros europeus apitando jogos de equipes europeias" (Armando Nogueira, em *Jornal do Brasil,* 19.07.1970).

apitau ***S. m.*** *Bras. AM Zool. P. us.* V. *urubu-comum.*

apito [Dev. de *apitar.*] ***S. m.*** **1.** Qualquer instrumento em que o ar, comprimido entre membranas, produz som estridente relativamente prolongado, e que serve para dirigir manobras, pedir socorro, orientar o trânsito, etc. **2.** Pequeno instrumento de metal, madeira, etc., que se faz soar por meio de sopro (3); assobio. **3.** Silvo (1): "Quando o apito / da fábrica de tecidos / vem ferir os meus ouvidos / eu me lembro de você." (De *Três Apitos,* samba de Noel Rosa). ◆ **Engolir o apito.** *Bras. Fut.* Apitar (5) (o juiz) mal o jogo. **Ganhar no apito.** *Bras. Fut.* Derrotar o adversário graças a erro ou parcialidade do árbitro. **Perder no apito.** *Bras. Fut.* Ser derrotado em consequência de um erro ou de uma atuação parcial do árbitro: "a-pesar de não haver juiz, há quem afirme que perdeu no apito." (Sérgio Porto, *O Homem ao Lado,* p. 17).

apiunense (i-u) ***Adj. 2 g.*** **1.** De, ou pertencente ou relativo a Apiúna (SC). • ***S. 2 g.*** **2.** O natural ou habitante de Apiúna.

apívoro [De *ap(i)-* + *-voro.*] ***Adj.*** Que come abelhas.

aplacação [De *aplacar* + *-ção.*] ***S. f.*** Ato ou efeito de aplacar(-se).

aplacador (ô) [De *aplacar* + *-dor.*] ***Adj.*** **1.** Que aplaca. • ***S. m.*** **2.** Aquele ou aquilo que aplaca.

aplacar[1] [Do lat. **applacare.*] ***V. t. d.*** **1.** Tornar plácido; tranquilizar, serenar, apaziguar: *Aplacaram os selvagens distribuindo quinquilharias;* "Sua mão, que aplacou a tormenta das águas / No lago, certo dia, / A toda a hora aplaca as nossas mágoas" (Alberto d'Oliveira, *Prosa e Verso,* p. 243). **2.** Abrandar; mitigar; moderar: *Não há remédio que lhe aplaque a dor;* "Quero um beijo sem fim, / Que dure a vida inteira e aplaque o meu desejo!" (Olavo Bilac, *Poesias,* p. 115). ***Int. P.*** **3.** Tornar-se plácido; aquietar(-se), serenar(-se). **4.** Diminuir em força ou intensidade; suavizar(-se), abrandar(-se): *Aquele rancor jamais aplacará; Com o tempo, sua paixão aplacou-se.* [F. paral.: *placar.* Conjug.: v. *trancar.*]

aplacar[2] [De *a-*[4] + *placar*[3].] ***V. int.*** *Moç.* Placar[3] (q. v.): "Aplacamos e esperamos que dessem 24 horas para começarmos o ataque." (Vandole Ukalioy, *Gostar de Ler,* p. 100.)

aplacável [De *aplacar* + *-vel.*] ***Adj. 2 g.*** Que se pode aplacar.

aplacentário [De *a-*[3] + *placentário.*] ***Adj.*** *Zool.* Diz-se do animal sem placenta, como, p. ex., os marsupiais e os monotremados.

aplacóforo [De *a-*[3] + *-plac(o)-* + *-foro*; tax. *Aplacophora.*] *Zool.* ***S. m.*** **1.** Espécime dos aplacóforos, subclasse de moluscos anfineuros, vermiformes, marinhos, sem concha ou sola pediosa; distribuídos universalmente, vivem no fundo, entre 20 e 2.000m. • ***Adj.*** **2.** Pertencente ou relativo a eles. [Sin. ger.: *solenogastro.*]

aplainado [Part. de *aplainar.*] ***Adj.*** **1.** Alisado com plaina: *madeira aplainada.* **2.** Aplanado: *terreno aplainado.*

aplainamento [De *aplainar* + *-mento.*] ***S. m.*** Ação ou efeito de aplainar(-se); aplanação.

aplainar [De *a-*[2] + *plaina* + *-ar*[2].] ***V. t. d.*** **1.** Alisar com plaina; aparelhar. **2.** V. *aplanar* (1 a 3): *aplainar aspereza*: "As escabrosidades / Da rima o poeta aplaina." (Luís Murat, *Ondas,* III, p. 10.) **3.** *Art. Gráf.* Assentar (13). ***P.*** **4.** V. *aplanar* (4 e 5): "uma série de acasos transformou a impossibilidade em dificuldade; esta se aplainou sem que eu tivesse feito o mínimo esforço" (Graciliano Ramos, *Viagem,* p. 7).

aplanação [De *aplanar* + *-ção.*] ***S. f.*** Aplanamento.

aplanado [Part. de *aplanar.*] ***Adj.*** Nivelado, aplainado.

aplanador (ô) [De *aplanar* + *-dor.*] ***Adj.*** **1.** Que aplana. • ***S. m.*** **2.** Aquele ou aquilo que aplana. **3.** *Tip.* V. *tamborete* (3).

aplanadora (ô) [Fem. de *aplanador.*] ***S. f.*** V. *niveladora.*

aplanamento [De *aplanar* + *-mento.*] ***S. m.*** Ato ou efeito de aplanar(-se); aplanação.

aplanar [De *a-*[2] + *plano* + *-ar*[2].] ***V. t. d.*** **1.** Tornar plano ou chão; nivelar, achanar, aplainar. **2.** Tornar fácil; facilitar, simplificar, aplainar: "O tom com que o pároco proferiu estas palavras deu uma alma nova ao Manuel da Ventosa. Imaginou logo que o padre prior tinha aplanado o negócio." (Alexandre Herculano, *Lendas e Narrativas,* II, p. 168.) **3.** Vencer, remover, superar (obstáculos, empecilhos, dificuldades, etc.); desembaraçar, aplainar. *P.* **4.** Tornar-se ou apresentar-se plano ou chão; achanar-se, aplainar-se. **5.** Resolver-se, desembaraçar-se; aplainar-se: *Após uma conversa as dificuldades entre os dois se aplanaram.*

aplanético [De *aplanet(o)-* + *-ico*^{2}.] ***Adj.*** **1.** Que só apresenta aplanósporos. **2.** *Ópt.* Referente ao aplanetismo. ~ V. *lente —a e sistema —.*

aplanetismo [De *aplanet(o)-* + *-ismo.*] ***S. m.*** *Ópt.* Propriedade dum sistema óptico em que a imagem dum objeto plano é também plana.

▲ **aplanet(o)-** [Do gr. *aplánetos, os, on.*] Equiv. de *aplan(o)-.*

▲ **aplan(o)-** [Do gr. *aplanḗs, ḗs, és.*] ***El. comp.*** = 'fixo', 'que não se move': *aplanósporo.* [Equiv.: *aplanet(o)-: aplanetismo.*]

aplanogameta [De *aplan(o)-* + *-gameta.*] ***S. m.*** *Biol. Desus.* Gameta destituído de cílios.

aplanósporo [De *aplan(o)-* + *-sporo.*] ***S. m.*** *Biol.* Esporo imóvel, *i. e.*, sem órgãos locomotores (flagelos, cílios), muito comuns nas algas.

aplasia [De *a-*^{3} + *-plas(i)-* + *-ia*^{1}.] ***S. f.*** *Ter.* Desenvolvimento incompleto ou imperfeito de qualquer parte do organismo. ◆ **Aplasia medular.** *Med.* Diminuição mais ou menos intensa da capacidade hematopoética da medula óssea.

aplásico [De *aplasia* + *-ico*^{2}.] ***Adj.*** V. *aplástico*^{2}.

aplastado [Part. de *aplastar*^{2}.] ***Adj.*** *Bras. S.* Fatigado, cansado, esfalfado (cavalo e, p. ext., pessoa).

aplastar^{1} ***V. t. d.*** Desfraldar, desferir (vela).

aplastar^{2} [Do esp. *aplastar.*] ***V. t. d. P.*** *Bras. S.* Fatigar(-se), cansar(-se), esfalfar(-se). [Us. com relação a cavalo e, p. ext., a pessoa.]

aplástico^{1} [De *a-*^{3} + *plástico.*] ***Adj.*** Que não tem plasticidade.

aplástico^{2} [De *aplasia* + *-ico*^{2}, seg. o padrão erudito (v. *-plast(o)-*).] ***Adj.*** *Patol.* Relativo à aplasia, ou que a tem.

aplaudente [Do lat. *applaudente.*] ***Adj. 2 g.*** Aplaudidor (1).

aplaudido [Part. de *aplaudir.*] ***Adj.*** A quem ou a que se dá ou deu aplauso; louvado.

aplaudidor (ô) [De *aplaudir* + *-dor.*] ***Adj.*** **1.** Que aplaude; aplaudente. ● ***S. m.*** **2.** Aquele que aplaude.

aplaudir [Do lat. *applaudere.*] ***V. t. d.*** **1.** Festejar demonstrando aprovação e louvor; dar aplauso a; aclamar. **2.** Aprovar, louvar. ***Int.*** **3.** Aprovar, louvar, elogiar alguém ou algo: "o público frequentador do teatro é .... intransigente diante da cena: vaia ou aplaude com entusiasmo." (Delso Renault, *O Rio Antigo nos Anúncios de Jornais*, p. 45). ***P.*** **4.** Ficar satisfeito consigo mesmo; gloriar-se. [Sin. ger., p. us.: *plaudir.*]

aplausível [Do lat. *applausus*, part. pass. de *applaudere* (v. *aplaudir*), + *-ível.*] ***Adj. 2 g.*** Digno de aplauso; plausível.

aplauso [Do lat. *applausu.*] ***S. m.*** **1.** Ato ou efeito de aplaudir, aclamação, ovação. **2.** V. *apoio* (3): *O empreendimento conta com o meu aplauso.* **3.** Elogio, louvor, gabo. **4.** Demonstração pública, em geral ruidosa, de aprovação: *Muito depois de findo o espetáculo ainda se ouviam os aplausos.*

aplebear-se [De *a-*^{2} + *plebe* + *-ar*^{2} + *se*^{1}.] ***V. p.*** Adquirir modos de plebeu (2). [Conjug.: v. *frear.*]

aplerótico [De *a-*^{3} + gr. *plḗr(osis)*, 'ação de encher', + *-ótico.*] ***Adj.*** Diz-se do estado vazio de oósporos dos oogônios de determinados fungos.

aplestia [Do gr. *aplestía.*] ***S. f.*** V. *bulimia* (2).

aplicabilidade [De *aplicável* + *-(i)dade*, seg. o padrão erudito.] ***S. f.*** **1.** Qualidade de aplicável. **2.** Faculdade ou propriedade daquilo que pode ser aplicado.

aplicação [Do lat. *applicatione.*] ***S. f.*** **1.** Ato ou efeito de aplicar(-se). **2.** Execução prática de uma teoria ou disciplina; emprego: *A aplicação do pensamento de Einstein.* **3.** Cumprimento, execução: *aplicação de uma pena.* **4.** Emprego, utilização, uso: *aplicação de novos métodos; aplicação de uma matéria-prima.* **5.** Administração de medicamento. **6.** Concentração do espírito, da atenção, da vontade, da atividade, etc.: *A aplicação do aluno granjeou-lhe especial menção.* **7.** Ornato que se faz separadamente para depois se aplicar à obra: *caixa de madeira com aplicações de prata.* **8.** *Cost.* Obra de bordado ou de crochê, renda, passamanaria ou outro tecido, que se aplica sobre peça de costura, como adorno; aplique: *blusa de linho com aplicações em renda.* **9.** O limite de dinheiro que um banco dá a um gerente para aplicar. **10.** *Álg.* Relação unívoca dos elementos de um conjunto com os de outro. **11.** *Econ.* Emprego de recursos financeiros com o objetivo de obter remuneração (juros, etc.): *Em períodos de crise econômica, aumentam as aplicações em papéis de menor risco, como títulos do governo.*

aplicado [Part. de *aplicar.*] ***Adj.*** **1.** Que se aplicou; aposto, justaposto, sobreposto. **2.** Voltado para o estudo, para o trabalho; zeloso, diligente; esforçado: *aluno aplicado; funcionário aplicado.* **3.** *Bot.* Diz-se da folha que está unida ao eixo, mas sem concrescência ou soldadura. ~ V. *artes —as, botânica —a, ciência —a, linguística —a e matemáticas —as.*

aplicador (ô) [De *aplicar* + *-dor.*] ***Adj.*** **1.** Que aplica; aplicante. ● ***S. m.*** **2.** Aquele que aplica. **3.** Objeto com que se aplica alguma coisa.

aplicante [Do lat. *applicante.*] ***Adj. 2 g.*** Aplicador (1).

aplicar [Do lat. *applicare.*] ***V. t. d.*** **1.** Justapor; sobrepor; apor: *aplicar um emplastro.* **2.** Pôr em prática; empregar: *Costuma aplicar métodos persuasivos.* **3.** Receitar, prescrever. **4.** Ministrar, administrar: "Fazia chás, aplicava injeção de óleo canforado e contava longas histórias de morte, de desastres, de assombrações." (João Clímaco Bezerra, *Não Há Estrelas no Céu*, p. 7.) **5.** Infligir, impor: *aplicar sanções, penalidades.* ***T. d. e c.*** **6.** Justapor, sobrepor, apor: *aplicar um emplastro nas costas.* ***T. d. e i.*** **7.** Acomodar, adaptar, adequar: *Aplicou a história às suas conveniências.* **8.** Pôr em prática; empregar: *Aplicou àquela pesquisa um novo método.* **9.** Atribuir, conferir: *Calou-se, para não lhe aplicar uma injúria.* **10.** Fazer investimento financeiro com; empregar, investir, inverter: *aplicar dinheiro na bolsa.* **11.** Infligir, impor: *Aplicou-lhes a excomunhão.* **12.** Concentrar determinado(s) sentido(s): *Aplicou a orelha à porta.* **13.** *Bras. Gír.* Dar, despegar, assentar: "Os soldados .... aplicavam bofetadas em Valdevinos." (Adalberon Cavalcanti Lins, *Curral Novo*, p. 245). ***T. i.*** **14.** Aplicar (10). ***P.*** **15.** Entregar-se com afinco a uma ocupação, estudo, etc.; consagrar-se, dedicar-se: "Não sabia ler, a pequena, nunca quisera aprender. .... Tinha horror a aplicar-se..." (Eça de Queirós, *O Crime do Padre Amaro*, p. 452.) **16.** Acomodar-se, adaptar-se, adequar-se. **17.** Ministrar, administrar a si mesmo. **18.** *Bras. Gír.* Injetar em si mesmo entorpecente intravenoso. [Conjug.: v. *trancar.*]

aplicativo [De *aplicar* + *-tivo.*] ***Adj.*** *P. us.* **1.** Aplicável. ● ***S. m.*** **2.** *Inform.* V. *programa aplicativo.*

aplicável [De *aplicar* + *-vel.*] ***Adj. 2 g.*** Que pode ser aplicado. [Sin. (p. us.): *aplicativo.*]

aplique [Do fr. *applique.*] ***S. m.*** **1.** Objeto aplicado à parede para servir de ornamento e/ou como foco de iluminação, com motivos diversos: *O espelho tem de cada lado um aplique de opalina.* **2.** *Cost.* Aplicação (8). **3.** Fios de cabelo aplicados sobre a cabeça de alguém, quase sempre com finalidade estética.

aplísia [Do tax. *Aplysia.*] ***S. f.*** *Zool.* **1.** Gênero de moluscos gastrópodes, opistobrânquios, desprovidos de concha. **2.** Qualquer espécie desse gênero, como, p. ex., a *Aplysia limacina* e a *A. depilans*, dos mares temperados. **3.** Qualquer espécime desse gênero. [Sin., nas acepç. 2 e 3: *lebre-do-mar.*]

aplisídeo [De *aplísia* + *-ídeo*^{1}; tax. *Aplysidae.*] *Zool.* ***S. m.*** **1.** Espécime dos aplisídeos, família de moluscos gastrópodes, opistobrânquios, animais de corpo alongado e desprovido de concha, verde-dourados, munidos de tentáculos orais, e com 15 a 17cm de comprimento. V. *aplísia.* ● ***Adj.*** **2.** Pertencente ou relativo a eles.

aplito [De *apl(o)-* + *-ito*^{2}.] ***S. m.*** *Geol.* Rocha magmática diferenciada, de textura fina, mais comumente siálica. [A boa forma seria *haplito.*]

▲ **apl(o)-** V. *hapl(o)-.*

➔ **aplomb** [a'plõ] [Fr.] Segurança, desembaraço, desenvoltura.

aplousobranquiado [Adapt. do tax. *Aplousobranchiata.*] *Zool.* ***S. m.*** **1.** Espécime dos aplousobranquiados, subordem de tunicados enterógonos, coloniais, providos de tórax e abdômen. ● ***Adj.*** **2.** Pertencente ou relativo a eles.

apluvião ***S. f. e m.*** *Geol.* Aplúvio.

aplúvio [Do lat. *appluere*, por analogia a *alluvio*, 'aluvião'.] ***S. m.*** *Geol.* Depósito de detritos transportados pelas águas pluviais; apluvião.

apluvionamento ***S. m.*** *Geol.* Sedimentação proveniente de aplúvios.

apneia (éi) [Do gr. *ápnoia* < gr. *ápnous*, 'que respira com dificuldade'.] ***S. f.*** *Med. Anest.* Parada da respiração. ❖

apneico (éi) [De *a-*^{3} + *-pneico.*] ***Adj.*** Relativo a apneia. ❖

apneumônio ***S. m.*** *Quím.* V. *apneumônio.* [Uso freq. em P.]

apneumônio [Do gr. *apneúmon*, 'sem respiração', + *-io*^{3}.] ***S. m.*** *Quím.* Substância aleloquímica emitida por um organismo morto.

apo^{1} [Do gr. *ápous*, 'sem pés'.] ***S. m.*** Designação antiga da *ave-do-paraíso* (q. v.), por se julgar que não tinha pés.

apo^{2} [Der. regress. de *apeiro.*] ***S. m.*** Haste de madeira à qual se prendem as peças principais do arado.

▲ **ap(o)-** [Do gr. *apó.*] ***Pref.*** = 'afastamento', 'separação'; oposição'; e, p. ext., 'aversão': *apoastro; apófase; apandria.*

apoastro [De *ap(o)-* + *astro.*] ***S. m.*** *Astr.* Ponto da órbita de um astro no qual este se encontra mais afastado do seu centro de atração. [Cf. *periastro.*]

apocalipse [Do gr. *apokálypsis*, 'revelação', pelo lat. ecles. *apocalypsis.*] ***S. m.*** **1.** *Rel.* O último livro do Novo Testamento. [Com cap., nesta acepç.] **2.** Literatura apocalíptica e escatológica, em especial a produzida pelos judeus entre 200 a.C. e 200 d.C., aproximadamente. **3.** *P. ext. Fig.* Grande cataclismo; flagelo terrível. **4.** *Fig.* Linguagem muito obscura, sibilina.

apocalíptico [Do gr. *apokalyptikós*, 'que revela'.] ***Adj.*** **1.** Relativo a apocalipse, ou ao Apocalipse (1). **2.** *Fig.* Difícil de compreender; obscuro, sibilino: *estilo apocalíptico.* **3.** Que lembra o Apocalipse (1), o fim do mundo; pavoroso, terrificante. [Var.: *apocalítico.*]

apocalítico ***Adj.*** V. *apocalíptico.*

apocárpico [De *ap(o)-* + *-carp(o)-* + *-ico*^{2}.] ***Adj.*** *Bot.* Diz-se da flor, gineceu ou fruto nos quais os carpelos se mostram livres, independentes, cada um constituindo um ovário completo. [O fruto resultante do ovário apocárpico é múltiplo, sendo formado por várias partes separadas embora aproximadas, como, p. ex., o morango, em que cada grão duro é um frutinho. Opõe-se a *sincárpico.*]

apocarpo [De *ap(o)-* + *-carpo.*] ***S. m.*** *Bot.* Fruto proveniente de um gineceu apocárpico.

apocatástase [Do gr. *apokatástasis*, pelo lat. *apocatastase.*] ***S. f.*** Origenismo (q. v.).

apocinácea [Do tax. *Apocynum* (do gr. *apókynon*, 'planta que afasta cães') + *-ácea*; tax. *Apocynaceae.*] ***S. f.*** *Bras. Bot.* Espécime das apocináceas, família da ordem das gencianales constituída de árvores, arbustos, ervas e trepadeiras, quase sempre leitosas, de folhas opostas, flores ornamentais, frutos secos ou carnosos, vários deles comestíveis, e muitas vezes com sementes pilosas. [Há perto de 1.900 espécies, nas quais o Brasil é rico, constando entre elas a mangaba e a espirradeira.]

apocináceo [De *apocinácea*, com var. suf. (v. *áceo*).] ***Adj.*** *Bot.* Relativo ou pertencente às apocináceas.

apócito [De *ap(o)-* + *-cito.*] ***S. m.*** *Biol.* Célula multinucleada. [Os vários núcleos existentes nos apócitos têm o seu próprio protoplasma, havendo verdadeira individualidade, embora sem membrana divisória. Os apócitos provêm da divisão incompleta de uma célula única inicial. Cf. *sincício.*]

apocopado [Part. de *apocopar.*] ***Adj.*** Que sofreu apócope; apocópico: *A palavra frei é forma apocopada de freire.* ~ V. *charada —a.*

apocopar [De *apócope* + *-ar*^{2}.] ***V. t. d.*** Fazer apócope em (uma palavra). [Pres. subj.: *apocope*, etc. Cf. *apócope.*]

apócope [Do gr. *apokopḗ*, pelo lat. tard. *apocope.*] ***S. f.*** **1.** *E. Ling.* Supressão de fonema ou de sílaba no fim de palavra: *bel*, por *belo* (em *bel-prazer*); *são* por *santo*; *mui* por *muito*. **2.** *Paleogr.* Suspensão (10). **3.** *Ort. Traum.* Fratura em que existe perda de substância óssea. [Cf. *apocope*, do v. *apocopar.*]

apocópico [De *apócope* + *-ico*^{2}.] ***Adj.*** **1.** Referente a apócope. **2.** Apocopado (q. v.).

apocrifia [De *apócrifo* + *-ia*^{1}.] ***S. f.*** Qualidade de apócrifo.

apócrifo [Do gr. *apókryphos*, pelo lat. tard. *apocryphu.*] ***Adj.*** **1.** Diz-se de obra ou fato sem autenticidade, ou cuja autenticidade não se provou. **2.** *Rel.* Diz-se dos livros não incluídos no cânon (11).

apócrino [De *ap(o)-* + *-crino.*] ***Adj.*** *Histol.* Diz-se do tipo de secreção (2) em que a porção apical das células é expelida juntamente com os produtos secretórios.

apócrito [Adapt. do tax. *Apocrita.*] ***S. m. Adj.*** *Zool.* V. *clistogastro.*

apocromático [De *ap(o)-* + *cromático.*] ***Adj.*** ~ V. *lente —a e objetiva —a.*

apocrústico [Do gr. *apokroustikós*, 'próprio para repelir'.] ***Adj.*** **1.** Repelente^{2} (2). ● ***S. m.*** **2.** Substância ou instrumento apocrústico (1).

apodáceo [Do tax. *Apoda* + *-áceo*; tax. *Apodacea.*] *Zool.* ***S. m.*** **1.** Espécime dos apodáceos, ordem de equinodermos holoturoides sem pés ambulacrários e com tentáculos pinados. ● ***Adj.*** **2.** Pertencente ou relativo a eles.

apodacrítico [Do gr. *apodakrytikós*, '(substância) que faz chorar'.] ***Adj.*** Que produz secreção de lágrimas.

apodador (ô) [De *apodar* + *-dor.*] ***Adj. S. m.*** Que, ou aquele que apoda.

apodar [Do lat. tard. *apputare*, 'calcular'; 'comparar'.] ***V. t. d.*** **1.** Dirigir apodos a. **2.** Escarnecer, troçar de: *Apodam-lhe, desde moço, o temperamento casmurro.* **3.** Dirigir injúrias a; apostrofar. ***Transobj.*** **4.** Alcunhar, apelidar, pejorativamente: *Apodou-o "Cebolinha".* **5.** Tachar, acoimar: *Apodaram-no de palhaço.* ***T. d. e i.*** **6.** Comparar, assemelhar: *Apodou-a com um saco de batatas, tão gorda a encontrou.* [Pres. ind.: *apodo*, etc.; pres. subj.: *apode*, etc. Cf. *apodo* (ô) e *ápode.*]

ápode[1] [Do gr. *ápous, odos.*] ***Adj. 2 g.*** Sem pés. [Cf. *ápode*, do v. *apodar.*]

ápode[2] [Adapt. do tax. *Apoda.*] ***S. m. Adj. 2 g. Zool.*** V. *gimnofiono.*

apódema [De *ap(o)-* + gr. *démas*, 'corpo'; lat. cient. *apodema.*] ***S. m. Zool.*** Invaginação da cutícula dos crustáceos que serve para aumentar a resistência do esqueleto e também da superfície de inserção dos músculos.

apodengado [De *a-*[2] + *podengo* + *-ado*[1].] ***Adj.*** Semelhante a podengo.

apoderar-se [De *a-*[2] + *poder* + *-ar*[2] + *se*[1].] ***V. p.*** Apossar-se, assenhorear-se: "Uma grande serenidade foi se apoderando de mim, me invadindo sutilmente como um perfume." (Cordeiro de Andrade, *Anjo Negro*, p. 95.)

apodia [Do gr. *apodía.*] ***S. f. Ter.*** Anomalia caracterizada pela ausência congênita de pés.

apodiamento [De or. incerta.] ***S. m. P. ext. Constr.*** V. *andaime.*

apodíctico [Do gr. *apodeiktikós*, pelo lat. tard. *apodicticu.*] ***Adj.*** **1.** *Filos.* Diz-se do que é demonstrável ou do que é evidente, valendo, pois, de modo necessário. [Cf. *juízo assertórico, juízo problemático.*] **2.** *P. ext.* Irrefutável, evidente: "Num tom excessivamente apodíctico, afirma o autor que só existem duas espécies de tradução: a literal e a livre, e pronuncia-se sem ressalvas a favor da primeira." (Paulo Rónai, *Escola de Tradutores*, p. 54.) [Var.: *apodítico.*] ~ V. *juízo — e silogismo —.*

apódida [Do tax. *Apodes* + *-ida*[1].] ***S. m. Adj. 2 g. Zool.*** V. *apodídeo.*

apodídeo [Do tax. *Apodes* + *ídeo*[1]; tax. *Apodidae.*] *Zool.* ***S. m.*** **1.** Espécime dos apodídeos, família de aves apodiformes, cosmopolitas, de porte pequeno ou médio, caracterizadas pelas asas muito grandes, pontiagudas e falciformes, que facilitam voos longos e rápidos; cauda e pernas curtas, plumagem dura, bico pequeno e largo, e os dois dedos anteriores juntos até a última articulação. São os andorinhões. ● ***Adj.*** **2.** Pertencente ou relativo a eles. [Sin. ger.: *apódida* e (desus.) *micropodídeo.*]

apodiense ***Adj. 2 g.*** **1.** De, ou pertencente ou relativo a Apodi (RN). ● ***S. 2 g.*** **2.** O natural ou habitante de Apodi.

apodiforme [Do lat. cient. *Apod-* (do tax. *Apodes, Apus*) + *-iforme*; tax. *Apodiformes.*] *Zool.* ***S. m.*** **1.** Espécime dos apodiformes, ordem de aves cujas asas pontudas, com penas secundárias pequenas, úmero curto e robusto e ulna curta, são adaptadas a voos rápidos. De porte pequeno e médio, alimentam-se sobretudo durante o voo. São os andorinhões e os beija-flores. ● ***Adj. 2 g.*** **2.** Pertencente ou relativo a eles. [Sin. ger. (desus.): *micropodiforme.*]

apodioxe (cs) [Do gr. *apodíoxis.*] ***S. f. E. Ling.*** Figura pela qual se rejeita um argumento que se considera absurdo.

apodítico ***Adj. Filos.*** V. *apodíctico.*

apodização [De *apodizar* + *-ção.*] ***S. f. Ópt.*** Num instrumento óptico, diminuição da intensidade luminosa dos anéis externos da figura de difração da imagem de um objeto pontual, por meio de diafragmas convenientemente colocados no sistema óptico.

apodizar ***V. t. d. Ópt.*** Realizar a apodização de (um sistema óptico).

apodo (ô) [Dev. de *apodar.*] ***S. m.*** **1.** Zombaria, mofa, motejo. **2.** Dito ou comparação de caráter humorístico ou depreciativo. **3.** Epíteto zombeteiro; alcunha, apelido. [Pl.: *apodos* (ô). Cf. *apodo*, do v. *apodar*, e *ápodo.*]

ápodo [Do gr. *ápous, odos*, 'sem pés', e, p. ext., 'sem haste'.] ***Adj. Bot.*** Diz-se do vegetal sem haste que lhe suporte órgão ou parte deste. [P. ex.: os vegetais sem pedicelo ou pedúnculos são ápodos.] [Cf. *apodo* (ô) e *apodo*, do v. *apodar.*]

apódose [Do gr. *apódosis*, pelo lat. tard. *apodose.*] ***S. f. E. Ling.*** **1.** A segunda parte de um período gramatical, em relação à primeira, chamada *prótase*, de cujo sentido é complemento. **2.** Numa construção condicional, a oração principal. [Cf. *prótase* (3 e 4).]

apodrecer [De *a-*[2] + *podre* + *-ecer.*] ***V. t. d.*** **1.** Tornar podre; putrefazer. **2.** Corromper, estragar moralmente; perverter. ***Int.*** **3.** Ficar podre; corromper-se. **4.** Causar podridão. **5.** Corromper-se moralmente. **6.** Permanecer, deixar-se estar, por indiligência e/ou indolência, ou por falta de proteção: *Homem de rara inteligência, apodreceu num cargo obscuro.* ***P.*** **7.** Tornar-se podre; deteriorar-se. **8.** Estragar-se, corromper-se moralmente. [Sin. ger.: *apodrentar.* Conjug.: v. *aquecer.*]

apodrecido [Part. de *apodrecer.*] ***Adj.*** **1.** Que apodreceu, apodrido, putrefato, putrefeito, podre. **2.** *Fig.* Corrompido moralmente.

apodrecimento [De *apodrecer* + *-imento.*] ***S. m.*** Ato ou efeito de apodrecer(-se).

apodrentar [De *a-*[2] + *podre* + *-entar.*] ***V. t. d. Int. P.*** V. *apodrecer.*

apodrido [Part. de *apodrir.*] ***Adj.*** V. *apodrecido* (1).

apodrir [De *a-*[2] + *podre* + *-ir.*] ***V. int.*** Principiar a apodrecer; apodrecer.

apoenzima [De *ap(o)-* + *enzima.*] ***S. f. Bioquím.*** Componente proteico que, combinado a coenzima, forma o composto funcionalmente ativo que é a enzima.

apoético [De *a-*[3] + *poético.*] ***Adj.*** **1.** Indiferente à poesia: *Objetivo cem por cento, é a mais apoética das criaturas.* **2.** Contrário à poesia; antipoético. **3.** Em que não há poesia, ou que não lhe segue as normas ou o espírito; impoético: *página apoética.*

apofântica ***S. f. Lóg.*** Teoria das proposições.

apofântico [Do gr. *apophantikós.*] ***Adj.*** **1.** *Hist. Filos.* Segundo Aristóteles (v. *aristotelismo*), diz-se de enunciados verbais suscetíveis de serem falsos ou verdadeiros, *i. e.*, dos juízos de atribuição de um predicado a um sujeito. **2.** *P. ext. Fig.* Próprio de, ou concernente ou semelhante a tais enunciados: "esse valor apofântico não pertence a qualquer palavra, mas apenas à proposição, suscetível de ser verdadeira ou falsa." (Luís Alfredo Garcia-Rosa, *Palavra e Verdade na Filosofia Antiga e na Psicanálise*, p. 76.)

apófase [Do gr. *apóphasis*, pelo lat. tard. *apophase.*] ***S. f. Filos.*** Proposição negativa; negação. [Opõe-se a *catáfase.*]

apofático [Do gr. *apophatikós.*] ***Adj.*** Relativo a, ou que encerra apófase. [Opõe-se a *catafático.*]

apófige [Do gr. *apophygé.*] ***S. f. Arquit.*** Anel que cerca o fuste da coluna logo acima da base ou abaixo do capitel.

apofilita [De *ap(o)-* + *-fil(o)-*[1] + *-ita*[3].] ***S. f. Min.*** Mineral tetragonal, fluossilicato hidratado de potássio e cálcio.

apófise [Do gr. *apóphysis*, pelo lat. *apophyse.*] ***S. f.*** **1.** *Anat.* Eminência ou saliência, sobretudo de um osso. **2.** *Bot.* Excrescência piramidal das escamas dos cones de várias coníferas. **3.** *Micol.* Nos fungos, filamento inflado na ponta, semelhante à paráfise. **4.** *Micol.* Nos fungos, porção dilatada da haste que sustenta os esporângios. **5.** *Bot.* Proliferação anômala vegetativa de certas inflorescências. **6.** *Geol.* Terminação aguçada graças à redução gradual de espessura de grande massa de rocha intrusiva. **7.** *Zool.* Saliência de qualquer segmento dos apêndices dos artrópodes. ◆ **Apófise coracoide.** *Anat.* A que termina exteriormente à borda superior da escápula; apófise coracóidea. **Apófise coracóidea.** *Anat.* Apófise coracoide. **Apófise espinhosa.** *Anat.* Apófise situada posteriormente nas vértebras (excetuada a primeira, *atlas*), e cujas saliências podem ser percebidas pela palpação, indicando a linha média do dorso do tronco. **Apófise estiloide.** *Anat.* Formação óssea pontiaguda existente na porção pétrea do osso temporal. **Apófise mastoide.** *Anat.* Parte do osso temporal, cônica, localizada por detrás do pavilhão da orelha; apófise mastóidea. **Apófise mastóidea.** *Anat.* Apófise mastoide.

apofisiário [De *apófise* + *-iário.*] ***Adj.*** Relativo a apófise.

apofisiforme [De *apófise* + *-iforme.*] ***Adj. 2 g.*** Que tem forma de apófise.

apofítico [De *apófito* + *-ico*[2].] ***Adj.*** Relativo a apófito.

apófito [De *ap(o)-* + *-fito.*] ***S. m. Bot.*** Vegetal que, embora sendo nativo, se acha fora de seu hábitat natural por ação humana.

apofonia [De *ap(o)-* + *-fon(o)-* + *-ia*[1]; fr. *apophonie.*] ***S. f. E. Ling.*** Variação em vogal de raiz ou de afixo que pode resultar em mudança de significação ou de função gramatical, como, p. ex.: lat. *infringere* (< lat. *in-* + lat. *frangere*); lat. *subripere* (< lat. *sub-* + lat. *rapere*); ingl. *sing/ sang/ sung/ song*; fr. *heureux* (masc.), *heureuse* (fem.); port. *fazer, fiz* (1.ª pess. do pret. perf.). [Sin.: *alternância vocálica* e (al.) *Ablaut.* Cf. *metafonia.*]

apofónico ***Adj.*** V. *apofônico.* [Uso freq. em P.]

apofônico [De *apofonia* + *-ico*[2].] ***Adj. E. Ling.*** Relativo à apofonia.

apoftegma ***S. m.*** V. *apotegma.*

apoftegmático ***Adj.*** V. *apotegmático.*

apoftegmatismo ***S. m.*** V. *apotegmatismo.*

apogametia [De *ap(o)-* + *-gamet(o)-* + *-ia*[1].] ***S. f. Biol.*** V. *apogamia.*

apogamia [De *ap(o)-* + *-gam(o)-* + *-ia*[1].] ***S. f. Biol.*** Tipo de apomixia (q. v.) em que o embrião se desenvolve sem a intervenção de gametas, de um núcleo do gametófito; reprodução vegetativa, apogametia.

apogâmico [De *apogamia* + *-ico*[2].] ***Adj.*** Que apresenta apogamia: *planta apogâmica.*

apogáster [Do gr. *ápous, ous, oun*, 'que não pode utilizar os pés', + *-gáster.*] ***Adj. 2 g. Zool.*** Diz-se dos moluscos cujo ventre é desprovido de pés. [Sin.: *apogástreo* e *apogastro.*]

apogástreo [De *ap(o)-* + *-gastr(o)-* + *-eo.*] ***Adj. Zool.*** V. *apogáster.*

apogastro [De *ap(o)-* + *-gastro.*] ***Adj. Zool.*** V. *apogáster.*

apogeu [Do gr. *apógeion.*] ***S. m.*** **1.** *Astr.* Posição de um satélite terrestre (a Lua ou satélite artificial) em sua órbita quando, em sua revolução em torno da Terra, se encontra mais afastado dela. **2.** *P. ext.* Posição do Sol, em sua órbita relativa aparente em redor da Terra, quando se encontra mais afastado desta. **3.** *Fig.* O mais alto grau; o auge: "A ventura das armas mocelemanas tinha chegado ao apogeu, e a sua declinação começava finalmente." (Alexandre Herculano, *Eurico, o Presbítero*, p. 286.) **4.** V. *paroxismo* (2). [Antôn.: *perigeu.*]

apogístico ***Adj.*** Relativo ao apogeu.

apográfico [De *apógrafo* + *-ico*[2].] ***Adj.*** Relativo a, ou que tem o caráter de apógrafo.

apógrafo [Do gr. *apógraphon*, pelo lat. *apographu.*] ***S. m.*** **1.** Reprodução dum escrito original; traslado. [Antôn.: *autógrafo.*] **2.** Aparelho para cópia de desenhos.

apoiado [Part. de *apoiar.*] ***Adj.*** **1.** Que recebeu apoio; aprovado. **2.** Defendido, favorecido. **3.** Fundado, fundamentado. **4.** Arrimado, formado. ● ***S. m.*** **5.** V. *apoio* (3). ● ***Interj.*** **6.** Indica aprovação, aplauso: Muito bem! Bravo! [Us. tb. como s. m.]

apoiador (ô) [De *apoiar* + *-dor.*] ***Adj.*** **1.** Que apoia. ● ***S. m.*** **2.** Aquele ou aquilo que apoia; apoiante. **3.** *Fut.* Meio de campo.

apoiamento [De *apoiar* + *-mento.*] ***S. m. P. us.*** Apoio.

apoiante [De *apoiar* + *-nte.*] ***Adj. 2 g.*** **1.** Apoiador. ● ***S. 2 g.*** **2.** Apoiador. **3.** *Lus. Esport.* V. *torcedor* (6).

apoiar [Do it. *appoggiare.*] ***V. t. d.*** **1.** Dar apoio a; aprovar: *O povo apoiou a atitude do político; O partido apoiou a sua candidatura.* **2.** Sustentar, amparar: *apoiar um pedido.* **3.** Defender, favorecer: *Os jornais não apoiaram as iniciativas do governo.* ***T. d. e i.*** **4.** Sustentar, firmar; encostar: "A velha, numa cadeira de balanço austríaca, muito arqueada, ... apoiava as mãos secas de dedos nodosos a uma bengala de jucá." (Moreira Campos, *Portas Fechadas*, p. 23) **5.** Fundar, fundamentar: *Apoiou a sua tese em pesquisas preliminares.* ***P.*** **6.** Arrimar-se, encostar-se; firmar-se, sustentar-se: "encostou a cabeça no meu ombro. Apoiou-se mais e foi levantando a perna." (Lígia Fagundes Teles, *A Disciplina do Amor*, pp. 116-117); "Chegou-se à escada, apoiou-se ao corrimão, voltado para a copa" (Graciliano Ramos, *Insônia*, p. 24); "A moça apoiava-se nas pontas dos dedos, à secretária de cabiúna" (Afonso Arinos, *Pelo Sertão*, p. 150). **7.** Prestar-se auxílio mútuo. **8.** Fundar-se, fundamentar-se.

apoídeo *Zool.* ***S. m.*** **1.** Espécime dos apoídeos, superfamília de insetos himenópteros, que engloba cerca de 20 mil espécies de abelhas. Caracterizam-se pelo pronoto curto e pela presença de pelos no corpo, pelos estes que servem para coletar o pólen das flores. ● ***Adj.*** **2.** Pertencente ou relativo a eles.

apóideo [De *ap(i)-* + *-óideo*; tax. *Apoidea.*] ***S. m. Adj. Zool.*** V. *apoídeo.*

apoio [Dev. de *apoiar.*] ***S. m.*** **1.** Tudo o que serve de sustentáculo, de suporte: *A casa, sem o apoio dos alicerces já gastos, ruiu; Sem o apoio dos amigos não conseguirá vencer.* **2.** Auxílio, socorro, amparo: *Ele faltou, quando ela mais precisava de seu apoio.* **3.** Aprovação; aplauso, apoiado: *Sua atitude conta com o meu apoio.* **4.** Fundamento (2): *Sua tese de concurso peca por falta de apoio.* **5.** Auxílio financeiro e/ou de outra natureza; subsídio, prestígio: *O evento contará com o apoio da Coordenadoria de Atividades Culturais da USP.* **6.** *Arquit.* Qualquer elemento que funcione como suporte de cargas, como, p. ex., pilares, pilastras, colunas, pilotis. [Cf. *apoio*, do v. *apoiar.*]

apois [De *a-*[4] + *pois.*] ***Conj. Pop.*** Pois.

apoitaguara [De or. tupi.] ***S. f. Bras. Bot.*** V. *quina-do-mato.*

apoitar [Var. de *apoutar* (q. v.).] ***V. t. d.*** **1.** Fundear em poita. ***Int.*** **2.** Lançar poita.

apojado [Part. de *apojar.*] ***Adj.*** **1.** Intumescido com algum líquido: *teta apojada.* **2.** *P. ext.* Cheio ao máximo; repleto.

apojadura [De *apojar* (1) + *-dura.*] ***S. f.*** **1.** Grande afluência de leite aos peitos da mulher que amamenta, ou às tetas das fêmeas animais que criam; amojo. **2.** *Bras. S.* Apojamento.

apojamento [De *apojar* + *-mento.*] ***S. m.*** Ato ou efeito de apojar. [Sin., bras., S.: *apojadura.*]

apojar [Do lat. **appodiare* < lat. *podiu*, 'pódio', 'pojo', com alter. semântica (de 'subir ao pódio', 'elevar-se', passou a significar 'crescer'; 'intumescer'), poss.] ***V. int.*** **1.** Encher-se ou intumescer-se de leite, ou de outro líquido (a mama da mulher ou a teta da fêmea). **2.** *Fig.* Encher-se ao máximo; intumescer-se, inchar; chegar ao auge. ***T. d.*** **3.** Fazer (o leite ou outro líquido) que se encha ou intumesça (a mama da mulher ou a teta das fêmeas): "O leite escasso não apojava o peito." (José de Alencar, *Iracema*, p. 149.) **4.** *Bras. Prov. port.* Fazer (o bezerro) mamar uma segunda vez, com o fim de obter o apojo. [Pres. ind.: *apojo*, etc. Cf. *apojo* (ô).]

apojatura [De *apojar* (1) + *-tura.*] ***S. f. Mús.*** Ornamento melódico representado por uma ou duas pequenas notas estranhas à harmonia e que precedem a nota real, da qual subtraem o próprio valor e a acentuação.

apojitaguara [De or. tupi.] *S. f. Bras. Bot.* V. *quina-do-mato.*

apojo (ô) [Dev. de *apojar.*] *S. m. Bras.* O leite mais grosso que se pode extrair da vaca depois de tirado o primeiro, que é pouco espesso. [Pl.: *apojos* (ô). Cf. *apojo*, do v. *apojar.*]

apolainado [De *a-*² + *polaina* + *-ado*¹.] *Adj.* **1.** Que tem forma de polainas. **2.** Revestido de polainas.

apolar [De *a-*³ + *polar.*] *Adj. 2 g. Quím.* **1.** Diz-se de substância que possui pequena constante dielétrica, ou de suas moléculas, que têm momento dipolo permanente nulo ou pequeno. **2.** Diz-se de ligação covalente formada entre dois átomos de eletronegatividades iguais ou semelhantes, ou de grupos de átomos que só contenham tais ligações. ~ V. *molécula —.*

apoldrado [De *a-*² + *poldro* + *-ado*¹.] *Adj.* Que tem ou cria poldro (diz-se de égua).

apolegar [De *a-*² + *polegar* + *-ar*², com haplologia.] *V. t. d.* Machucar com os dedos, sobretudo com o polegar. [Conjug.: v. *regar.*]

apolentador (ô) [De *apolentar* + *-dor.*] *Adj. S. m.* Que, ou aquele que apolenta.

apolentar [De *a-*² + *polenta* + *-ar*².] *V. t. d.* Engordar com polenta.

apólice [Do gr. bizantino *apodeíxis*, pelo lat. med. *apodixa*, pelo it. *polizza*, pelo fr. *police*, com aglut. do artigo *a.*] *S. f. Econ.* **1.** Título da dívida pública. **2.** Documento que formaliza um contrato de seguro.

apolinarismo *S. m.* Doutrina herética de Apolinário, bispo de Laodiceia, por volta de 350, que nega a existência de uma mente humana em Jesus Cristo, a qual teria sido substituída pela ação da divindade do Verbo.

apolinarista *Adj. 2 g.* **1.** Pertencente ou relativo a Apolinário (v. *apolinarismo*). **2.** Que é seguidor e/ou grande admirador da sua doutrina. • *S. m.* **3.** Seguidor de Apolinário.

apolíneo [Do lat. *appollineu.*] *Adj.* **1.** Relativo a, ou próprio de Apolo, deus da luz, das artes e da adivinhação, que personificava o Sol; apolínico. **2.** Que, pela beleza, lembra esse deus; apolínico: *um jovem apolíneo.* **3.** Que se caracteriza pelo equilíbrio, sobriedade, disciplina, comedimento: *as qualidades apolíneas que se exigem para um chefe de Estado.* [Antôn. (nesta acepç.): *dionisíaco*¹ (2). Cf. *apolo*¹.] ~ V. *espírito —.*

apolínico *Adj.* Apolíneo (1 e 2).

apolipoproteína [De *ap(o)-* + *lipoproteína.*] *S. f. Bioquím.* A porção proteica de uma lipoproteína, após a separação da sua parte lipídica.

apólise [Do gr. *apodeíxis.*] *S. f. Lit.* A parte final da missa grega, correspondente ao *Ite, missa est* da missa em latim.

apolítico [Do gr. *apolitikós.*] *Adj.* **1.** Que não é político: *conduta apolítica.* **2.** Que não se envolve em, ou não tem interesse por política: *indivíduo apolítico.*

apolitismo [De *apolítico* + *-ismo*, seg. o padrão erudito.] *S. m.* Qualidade, caráter ou atitude de apolítico.

apolo¹ [Do mit. *Apolo*, deus greco-romano, o mais belo dos deuses.] *S. m.* Homem belo e forte. [Cf. *apolíneo.*]

apolo² [Do tax. (*Parnassius*) *appolo.*] *S. m. Zool.* Lepidóptero do gênero *Parnassius*, papilionáceo, cujas antenas são curtas, e as asas, brancas ou amareladas, quase transparentes, têm ocelos negros ou vermelhos; ocorrem nos lugares mais frios do hemisfério norte.

apologal [De *apólogo* + *-al*¹.] *Adj. 2 g.* Referente a, ou que contém apólogo(s).

apologético [Do gr. *apologetikós*, pelo lat. ecles. *apologeticu.*] *Adj.* Que encerra apologia: *discurso apologético.*

apologia [Do gr. *apología*, pelo lat. tard. *apologia.*] *S. f.* **1.** Discurso para justificar, defender ou louvar. **2.** Encômio, louvor, elogio. [Sin. ger.: *apologismo.*]

apológico [De *apologia* + *-ico*².] *Adj.* Referente a, ou que tem caráter de apologia.

apologismo [Do gr. *apologismós*, pelo lat. tard. *apologismu.*] *S. m.* Discurso apologético; apologia.

apologista [De *apologismo* + *-ista.*] *Adj. 2 g. S. 2 g.* **1.** Que, ou quem faz apologia. **2.** Que, ou quem é prosélito ou admirador exaltado: *apologista de Castro Alves.*

apologizar [De *apologia* + *-izar.*] *V. t. d.* Fazer a apologia de.

apólogo [Do gr. *apólogos*, pelo lat. *apologu.*] *S. m.* Historieta mais ou menos longa, que ilustra uma lição de sabedoria e cuja moralidade é expressa como conclusão: "Esta história mítica, cheia de símbolos, faz parte da seleção feita por Paulo Rónai e Aurélio Buarque de Holanda das lendas, fábulas, diálogos e apólogos, parábolas, paródias, textos que podem ser considerados a origem do conto universal." (Cecília Costa, em *O Globo*, 01.05.1999.) [Cf. *fábula* (1 e 2).]

apoltronar-se¹ [De *a-*² + *poltrona* + *-ar*² + *se*¹.] *V. p.* Sentar-se em poltrona.

apoltronar-se² [De *a-*² + *poltrão* + *-ar*² + *se*¹.] *V. p.* Fazer-se ou mostrar-se poltrão; acovardar-se.

apolvilhar [De *a-*² + *polvilho* + *-ar*².] *V. t. d. T. d. e i.* V. *polvilhar*: "E no túrgido ocaso se avista / Entre a cinza que o céu apolvilha, / Um clarão momentâneo" (Gonçalves Dias, *Obras Poéticas*, II, p. 231).

apombocado [De *a-*² + *pomboca* + *-ado*¹.] *Adj. Bras.* V. *tolo* (1 a 3).

apomeiose [De *ap(o)-* + *meiose.*] *S. f. Citol.* Ameiose.

apomíctico *Adj.* Relativo a apomixia.

apomixia (cs) [De *ap(o)-* + *-mix(o)-*¹ + *-ia*¹.] *S. f. Biol.* Formação do embrião sem fecundação, pelo desenvolvimento da oosfera ou pelo desenvolvimento de uma célula vegetativa. [Cf. *apogamia.*]

apomorfina [De *ap(o)-* + *morfina.*] *S. f. Quím.* Sólido cristalino, incolor, obtido pela desidratação da morfina, usado em medicina [fórm.: $C_{17}H_{17}NO_2$].

aponejicrã *Bras. S. 2 g. Adj. 2 g.* V. *apaniecra.*

aponeurologia [De *aponeuro(se)* + *-logia.*] *S. f.* Parte da anatomia que trata das aponeuroses. [Var.: *aponevrologia.*]

aponeurológico [De *aponeurologia* + *-ico*².] *Adj.* Relativo a aponeurologia. [Var.: *aponevrológico.*]

aponeurorrafia [De *aponeuro(se)* + *-raf(i)-* + *-ia*¹.] *S. f. Cir.* Sutura de aponeurose.

aponeurose [Do gr. *aponeúrosis.*] *S. f. Anat.* Membrana fibrosa que reveste ou envolve os músculos esqueléticos e, em certos casos, os termina à guisa de tendão. [Var.: *aponevrose.*]

aponeurótico [De *aponeur(ose)* + *-ótico.*] *Adj.* Referente a aponeurose. [Var.: *aponevrótico.*]

aponevrologia *S. f.* V. *aponeurologia.*

aponevrológico *Adj.* V. *aponeurológico.*

aponevrose *S. f.* V. *aponeurose.*

aponevrótico *Adj.* V. *aponeurótico.*

aponia [Do gr. *aponía*, 'ausência de dor', 'falta de energia'.] *S. f. Filos.* No epicurismo, a ausência total de dor, que é condição da ataraxia (1). [Cf. *apatia* (3), *atambia* e *eutimia.*]

aponogéton [Do tax. *Aponogeton* (do top. lat. *Aponus* + gr. *geíton*, 'vizinho', 'vizinhança', poss.).] *S. m. Bot.* **1.** Gênero de aponogetonáceas que reúne cerca de 43 espécies aquáticas, de folhas flutuantes ou submersas, flores hermafroditas com inflorescência em espata, e frutos foliculares; algumas são cultivadas como ornamentais, esp. para aquários, e outras pelos tubérculos edules. **2.** Qualquer espécie, ou espécime desse gênero.

aponogetonácea [Do tax. *Aponogeton* (v. *aponogéton*) + *-ácea*; tax. *Aponogetonaceae.*] *S. f. Bot.* Espécime das aponogetonáceas, família da ordem das naiadales, ou das alismatales, que compreende, apenas, o gênero *Aponogeton* (v. *aponogéton*).

aponogetonáceo [De *aponogetonácea*, com var. suf. (v. *-áceo*).] *Adj. Bot.* Pertencente ou relativo às aponogetonáceas.

apontado¹ [Part. de *apontar*¹.] *Adj.* **1.** Que tem ponta; que termina em ponta. **2.** Mostrado, indicado, indigitado. **3.** Dirigido, orientado, encaminhado. ~ V. *dente —.*

apontado² [Part. de *apontar*².] *Adj.* **1.** Marcado com ponto; assinalado. **2.** Anotado, notado, registrado. **3.** Assentado, determinado, resolvido.

apontador¹ (ô) [De *apontar* ¹ + *-dor.*] *S. m.* **1.** Homem que aponta, que faz pontas de instrumentos. **2.** Ponteiro, mão ou agulha de relógio. **3.** *Bras.* Objeto para apontar ou aguçar lápis; apara-lápis. **4.** *Bras.* Indivíduo que ajuda o animal reprodutor no ato da padreação.

apontador² (ô) [De *apontar*² + *-dor.*] *S. m.* **1.** Encarregado de tomar o ponto dos operários, nas obras. **2.** *Teatr.* V. *ponto*¹ (27). **3.** *Bras.* V. *bicheiro*² (6).

apontamento [De *apontar*¹ + *-mento.*] *S. m.* **1.** Registro escrito, geralmente para uso posterior de alguma coisa ouvida, vista, lida ou pensada; nota, lembrete: *Consegui reconstituir toda a aula só com meus apontamentos.* **2.** Registro resumido, para posterior aproveitamento, de obra consultada: *Como fazer a crítica do livro se perdi a gravação com meus apontamentos?* **3.** Ato ou efeito de apontar¹ (3), de mostrar ou indicar. **4.** Indicação reduzida de obra ou trabalho por executar: *Os apontamentos do compositor já prenunciam a partitura definitiva.* **5.** *Bras.* Preparo dos engenhos de açúcar para a moagem. [M. us., nas acepçs. 1 a 3, no pl.] ~ V. *apontamentos.*

apontamentos [Pl. de *apontamento.*] *S. m. pl.* Apontamento (1 a 3). ~ V. *apontamento.*

apontar¹ [De *a-*² + *ponta* + *-ar*².] *V. t. d.* **1.** Fazer a ponta de; aguçar, pontar: *apontar um lápis.* **2.** Erguer em ponta (as orelhas); fitar: *O cachorro firmou-se nas patas traseiras e apontou as orelhas.* **3.** Mostrar, indicar, com o dedo, com um gesto, com o olhar, etc., qualquer objeto; indigitar. **4.** Citar, mencionar, indicar: *A testemunha do crime não conseguiu apontar os criminosos.* **5.** Expor, alegar, aduzir: *apontar razões. T. d. e i.* **6.** Mostrar, indicar, com o dedo, com um gesto, com o olhar, etc.: *Apontei-lhe a casa que ele procurava;* "A moça apontou a Seixas uma cadeira próxima." (José de Alencar, *Senhora*, p. 179); "O Juízo Final, com o dedo duro do Criador apontando a uns o caminho do céu e a outros o das penas eternas, confundia o espírito do menino" (Povina Cavalcanti, *Volta à Infância*, pp. 88-89). **7.** Pôr em pontaria; assestar: *Apontou a arma para o assaltante. Transobj.* **8.** Indigitar, indicar: *Apontam-no como herói de mil façanhas. T. i.* **9.** Mostrar ou indicar com o dedo, um gesto qualquer, etc.; indigitar: *Apontou imediatamente para o culpado. T. c.* **10.** Deixar-se ver; mostrar-se; aparecer: *Logo que apontou à sacada, foi prontamente ovacionado. Int.* **11.** Mostrar-se, apresentar-se, erguendo-se em ponta: *A torre da igreja apontava ao longe.* **12.** Começar a aparecer; despontar, surgir: "O sol apontou formoso e purpurino" (Camilo Castelo Branco, *A Mulher Fatal*, p. 32); "Lá vem o dia apontando..." (Paulo Setúbal, *Alma Cabocla*, p. 53). *P.* **13.** Dirigir-se com a ponta ou proa: *A embarcação apontou -se para o sul.* [Pret. imperf. ind.: *apontava*, ... *apontáveis*, *apontavam*. Cf. *apontáveis*, pl. de *apontável.*]

apontar² [De *a-* ² + *ponto* + *-ar*².] *V. t. d.* **1.** Marcar ou notar com ponto ou sinal; assinalar: *Apontou as passagens mais difíceis do livro.* **2.** Tomar apontamento de; notar, anotar: *Apontou os principais temas da reunião.* **3.** Assentar, determinar, estabelecer: *Apontou o dia da viagem.* **4.** Dirigir para um ponto. **5.** Alvitrar, sugerir: *Apontava as medidas a serem tomadas.* **6.** Coser a pontos largos. **7.** *Bras.* Preparar (o engenho de açúcar) para a moagem. **8.** *Teatr.* Acompanhar (cena, peça, etc.) como ponto¹ (27): *Apontou inúmeras vezes a cena do monólogo de Hamlet. Int.* **9.** *Teatr.* Apontar² (8); pontar. *P.* **10.** Enfeitar-se; apurar-se: "medos de catástrofes desvaneceram-se desde que vi o meu amigo apontar-se no trajar" (Camilo Castelo Branco, *A Mulher Fatal*, p. 42). **11.** Caprichar; requintar, timbrar: *Aponta-se em modéstia e simplicidade.* [Pret. imperf. ind.: *apontava*, ... *apontáveis*, *apontavam*. Cf. *apontáveis*, pl. de *apontável.*]

apontável¹ [De *apontar*¹ + *-vel.*] *Adj. 2 g.* Que pode ser apontado.

apontável² [De *apontar*² + *-vel.*] *Adj. 2 g.* Que pode ser apontado.

apontoado¹ [Part. de *apontoar*¹.] *Adj.* **1.** Seguro com pontos largos; alinhavado. • *S. m.* **2.** Conjunto de coisas desconexas.

apontoado² [Part. de *apontoar*².] *Adj.* **1.** Seguro, esteado, com pontões; especado, escorado. **2.** *Fig.* Amparado, coadjuvado.

apontoar¹ [De *a-*² + *ponto*¹ + *-oar.*] *V. t. d.* **1.** Coser ou prender com pontos largos. **2.** Citar a ponto, a propósito. [Sin. ger.: *pontoar*. Conjug.: v. *coroar.*]

apontoar² [De *a-*² + *pontão*¹ + *-ar*², com desnasalação.] *V. t. d.* **1.** Escorar (fôrmas de concreto armado, qualquer outro elemento construtivo ainda não fixado em seu lugar, ou obra em perigo de desabamento) por meio de pontaletes; especar, estear. **2.** *Fig.* Amparar, sustentar. [Conjug.: v. *coroar.*]

apopétalo [De *ap(o)-* + *-pétalo.*] *Adj.* V. *coripétalo* (1).

apópilo [De *ap(o)-* + *-pilo*¹.] *S. m. Zool.* Orifício encontrado nos poríferos, pelo qual os canais aferentes se comunicam com a cavidade atrial.

apopléctico [Do gr. *apoplektikós*, pelo lat. tard. *apoplecticu.*] *Adj.* **1.** Relativo à apoplexia. **2.** Sujeito a apoplexias. **3.** *Fig.* Irritado, acalorado. [Var.: *apoplético.*]

apoplético *Adj.* V. *apopléctico.*

apoplexia (cs) [Do gr. *apoplexía.*] *S. f. Med.* **1.** Afecção cerebral que se manifesta imprevistamente, acompanhada de privação dos sentidos e do movimento, determinada por lesão vascular cerebral aguda (hemorragia, embolia, trombose). **2.** Qualquer das afecções resultantes da formação rápida de um derrame sanguíneo ou seroso no interior de um órgão.

apoptose [De *ap(o)-* + *-ptose*; ingl. *apoptosis.*] *S. f. Citol.* Morte celular programada, em que não ocorre nem lise (2) nem dano às células vizinhas.

apoquentação [De *apoquentar* + *-ção.*] *S. f.* **1.** Ato ou efeito de apoquentar(-se). **2.** Aquilo que apoquenta, aborrece, consome, preocupa, aflige; apereação, aporreamento, aporrinhação, aporrinhamento: "Agora me achava mais ou menos tranquilo: as apoquentações da chegada evaporaram-se." (Graciliano Ramos, *Viagem*, p. 14.)

apoquentado [Part. de *apoquentar.*] *Adj.* Aborrecido, preocupado, aflito; aperreado, aporreado, aporrinhado.

apoquentador (ô) [De *apoquentar* + *-dor.*] *Adj. S. m.* Que, ou aquele que apoquenta.

apoquentar [De *a-*[2] + *pouco* + *-entar*, com redução do ditongo.] *V. t. d. P.* Aborrecer(-se) com poucas ou pequenas coisas; com certa insistência, impacientando(-se). [Sin.: *chatear(-se), consumir(-se), vexar(-se), ralar(-se), afligir(-se), aborrecer(-se), amofinar(-se), atenazar(-se), importunar(-se), molestar(-se), aporrear(-se), aporrinhar(-se),* e (bras.) *abodegar(-se), aguinir(-se), aperrear(-se), atubibar(-se), atucanar(-se), avexar(-se), azoretar(-se), azucrinar(-se), sovelar(-se).*]

apor (ô) [Do lat. *apponere.*] *V. t. d. e c.* **1.** Pôr junto; juntar, justapor: *Após, em sua obra, elegância de estilo e conteúdo dramático.* **2.** Aplicar ou dar (assinatura): "não se trata de homem que apenas aponha sua assinatura em papéis e olhe as cousas por alto." (Arnon de Melo, *África*, p. 35). *T. d. e i.* **3.** Acrescentar, juntar: *Não apôs palavra ao comentário.* **4.** Justapor; sobrepor; aplicar. **5.** Acrescentar, juntar, ligar. **6.** Aplicar ou dar (assinatura) a tratado, lei, etc.: *Não quis apor a sua assinatura a nenhum daqueles decretos.* [Irreg. Conjug.: v. *pôr* (q. v.). Pret. perf. ind.: *apus, apuseste, apôs,* etc.; part.: *aposto* (ô). Cf. *após*, adv., e *aposto*, do v. *apostar.*]

aporeano *Adj.* **1.** De, ou pertencente ou relativo a Aporé (GO). ● *S. m.* **2.** O natural ou habitante de Aporé.

aporense *Adj. 2 g.* **1.** De, ou pertencente ou relativo a Aporá (BA). ● *S. 2 g.* **2.** O natural ou habitante de Aporá.

aporética [De *aporia* + o f. de *-ético.*] *S. f.* O estudo das aporias.

aporia [Do gr. *aporía.*] *S. f.* **1.** *Filos.* Dificuldade de ordem racional, que parece decorrer exclusivamente de um raciocínio ou do conteúdo dele. [Cf. *antinomia* (3) e *paradoxo* (4).] **2.** *Hist. Filos.* Conflito entre opiniões, contrárias e igualmente concludentes, em resposta a uma mesma questão. **3.** *E. Ling.* Figura pela qual o orador finge hesitar, ter dúvidas, na escolha de uma expressão, de um rumo para o discurso. ◆ **Aporias de Zenão.** *Filos.* Aporias de Zenão de Eleia (v. *eleatismo*) em que pela primeira vez na História se emprega o raciocínio por absurdo (q. v.).

aporídeo [Do gr. *áporos*, 'sem passagem', + *-ídeo*[1]; tax. *Aporidea.*] *Zool. S. m.* **1.** Espécime dos aporídeos, ordem de animais platelmintos cestódeos, sem canais ou poros genitais, e cujo escólex tem quatro ventosas e rostelo armado. São parasitos de cisnes. ● *Adj.* **2.** Pertencente ou relativo a eles.

aporismar [De *aporismo* + *-ar*[2].] *V. t. d. Int. P.* V. *apostemar.*

aporismo [Do gr. *aporía*, 'dificuldade de passar', + *-ismo.*] *S. m. Med.* **1.** Ulceração superficial da pele. **2.** Extravasamento de sangue por secção de veia.

áporo [Do gr. *áporos*, 'sem passagem'.] *S. m.* **1.** Problema de solução difícil. **2.** *Zool.* Pólipo madrepórico que, ao contrário dos demais, forma polipeiro sem furos.

aporobrânquio (à) [Do gr. *áporos*, 'sem passagem', + *-brânquio.*] *Adj. Zool.* Que tem guelras pouco desenvolvidas.

aporreado [Part. de *aporrear.*] *Adj.* **1.** Espancado, sovado. **2.** *Fig.* V. *apoquentado.* **3.** *Bras.* Diz-se do cavalo maldomado ou indomável.

aporreamento [De *aporrear* + *-mento.*] *S. m.* **1.** Ato ou efeito de aporrear(-se). **2.** *Fig.* V. *apoquentação* (2).

aporrear [De *a-*[2] + *porra* + *-ear*[2].] *V. t. d.* **1.** Bater em; espancar, sovar. **2.** *Fig.* V. *apoquentar.* **3.** *Bras. S.* Domar (um cavalo) de modo vicioso. *P.* **4.** V. *apoquentar.* **5.** *Bras. S.* Tornar(-se) (o cavalo) velhaco, por domação imperfeita. [Conjug.: v. *frear.*]

aporrinhação [De *aporrinhar* + *-ção.*] *S. f. Pop.* **1.** Ato ou efeito de aporrinhar(-se). **2.** V. *apoquentação* (2).

aporrinhado [Part. de *aporrinhar.*] *Adj. Pop.* V. *apoquentado*: "Desculpe, não o vi. Muito boa tarde a todos. Vinha tão aporrinhado que não vi ninguém." (Graciliano Ramos, *Caetés*, p. 245.)

aporrinhamento [De *aporrinhar* + *-mento.*] *S. m. Pop.* V. *apoquentação* (2).

aporrinhar [De *a-*[2] + *porra* + *-inhar.*] *V. t. d. P. Pop.* V. *apoquentar.*

aportamento [De *aportar* + *-mento.*] *S. m.* Ato ou efeito de aportar.

aportar [Do lat. *apportare.*] *V. t. d. e c.* **1.** Conduzir (embarcação) ao porto. **2.** Encaminhar ou levar a algum lugar: *Que bons ventos te aportaram por aquelas plagas?* *T. c.* **3.** Entrar, chegar: *Aportamos ao Rio pela manhã; O navio aportou em Lisboa.* *Int.* **4.** Chegar ao porto.

aporte *S. m.* Subsídio de naturezas várias — moral, social, literária, ou científica — para algum fim: achegas, contribuição. **2.** Subsídio ou contribuição financeira. [Corresponde ao fr. *apport.*] ◆ **Aporte de capital.** Injeção de dinheiro, esp. em empresas, instituições.

aportelado [De *a-*[2] + *portela* + *-ado*[1].] *Adj.* Que tem pequenas portas, ou portelas.

aportilhar [De *a-*[2] + *portilha* + *-ar*[2].] *V. t. d.* **1.** Abrir portilhas ou portilhões em (muros, muralhas, obras de fortificação ou costados de navios). **2.** Abrir brecha em (qualquer cerca), para passar.

aportuguesado[1] [De *a-*[2] + *português* + *-ado*[1].] *Adj.* **1.** Que tem modos, feição, sotaque de português (2). **2.** Que dá ideia de, ou é próprio de português (2): *ar aportuguesado; estilo aportuguesado.*

aportuguesado[2] [Part. de *aportuguesar.*] *Adj.* Que se aportuguesou: *Há inúmeras palavras estrangeiras aportuguesadas.*

aportuguesamento [De *aportuguesar* + *-mento.*] *S. m.* **1.** Ato ou efeito de aportuguesar(-se). **2.** *E. Ling.* Adaptação fonética e morfológica, natural ou estabelecida, de vocábulo estrangeiro para o português.

aportuguesar [De *a-*[2] + *português* + *-ar*[2].] *V. t. d. P.* Tornar(-se) português; adaptar(-se) ao temperamento, maneira, ou estilo português. [F. paral. (p. us.): *portuguesar.*]

aportuguesável [De *aportuguesar* + *-vel.*] *Adj. 2 g.* Que se pode aportuguesar.

após [Do lat. *ad post.*] *Prep.* **1.** Depois de; atrás de; trás; após de: "Ano após ano, ia comprando prédios de renda" (Antunes da Silva, *O Aprendiz de Ladrão*, p. 220); "Você não sabe sentir o cheiro da terra após a chuva." (Elias José, *Inquieta Viagem no Fundo do Poço*, p. 31). **2.** Atrás de, após de (no sentido espacial): "Retirou-se orgulhosa para o corredor como se levasse após si .... todo o sol da varanda." (João de Araújo Correia, *Terra Ingrata*, p. 142); "Estamos em pleno mar... Doudo no espaço / Brinca o luar — dourada borboleta — / E as vagas após ele correm..." (Castro Alves, *Poesias Escolhidas*, p. 325). ● *Adv.* **3.** Em outro momento ou ocasião; depois: *Falaremos após, agora não posso*; "Após, como num coro de teatro, alinharam em duas ou três filas Mílquion e outros indivíduos." (Mário de Carvalho, *Um Deus Passeando pela Brisa da Tarde*, p. 223.) **4.** Atrás de si; empós: "Presa ao mastro da mezena / Saudosa bandeira acena / Às vagas que deixa após." (Castro Alves, *Obra Completa*, p. 278.) [Cf. *apôs*, do v. *apor.*] ◆ **Após de.** V. *após* (1 e 2): "o seu peito tremia, e ela estava pálida como após de uma longa noite sensual." (Álvares de Azevedo, *Obras Completas*, II, pp. 135-136).

aposentação [De *aposentar* + *-ção.*] *S. f. P. us. no Brasil.* V. *aposentadoria* (1 e 2).

aposentado [Part. de *aposentar.*] *Adj. S. m.* Que, ou aquele que se aposentou. [Sin. (lus.): *reformado.*]

aposentador (ô) [De *aposentar* + *-dor.*] *Adj. S. m.* Que, ou aquele que aposenta.

aposentadoria [De *aposentador* + *-ia*[1].] *S. f.* **1.** Ato ou efeito de aposentar. **2.** Hospedagem, albergaria, alojamento: "Foi Afonso de Teive para Lisboa. Como ia desgostoso e intratável, rejeitou a aposentadoria em casa do tio desembargador." (Camilo Castelo Branco, *Amor de Salvação*, p. 131.) [Sin., nessas acepçs.: *aposentação* (p. us. no Brasil), *aposentamento* (p. us.).] **3.** *Bras.* Estado de inatividade de funcionário público, ou funcionário de empresa particular, ao fim de certo tempo de serviço, com determinado vencimento. [Cf., nesta acepç., *inatividade* (2), *reforma* (4) e *jubilação* (2).] **4.** *Bras.* Quantia recebida mensalmente pelo beneficiário como resultado de suas contribuições a uma instituição durante certo tempo.

aposentamento [De *aposentar* + *-mento.*] *S. m. P. us.* V. *aposentadoria* (1 e 2).

aposentar [Do ant. *apousentar* < *pouso*, com redução do ditongo.] *V. t. d.* **1.** Dar aposento, pousada, a; alojar, hospedar: *Aposentou o viandante que lhe bateu à porta.* **2.** Conceder reforma ou dispensa de serviço com soldo ou ordenado por inteiro, ou parte dele a; conceder aposentadoria a. **3.** Reformar, jubilar. **4.** Pôr de parte, de lado: *Já aposentou há muito tempo esta ideia.* *T. d. e c.* **5.** Abrigar, agasalhar, acolher. *T. c.* **6.** Morar, viver, habitar: *Aposenta nesta cidade há anos.* *P.* **7.** Tomar aposento; alojar-se, hospedar-se. **8.** Fixar aposento ou residência. **9.** Abrigar-se, agasalhar-se: *Novo amor em seu peito se aposentou.* **10.** Deixar o serviço público ou de empresa particular, conservando o ordenado inteiro, ou parte dele; ficar aposentado.

aposento [Dev. de *aposentar.*] *S. m.* **1.** Residência, moradia, hospedagem. **2.** Compartimento de casa, especialmente o quarto de dormir. [Cf., nesta acepç., *cômodo* (5 e 6).] ~ V. *aposentos.*

aposentos [Pl. de *aposento.*] *S. m. pl.* Quarto(s) de uma casa, privativo(s) de determinada pessoa ou de determinado uso. ~ V. *aposento.*

após-guerra *S. m.* Período subsequente a uma guerra: "foi o tema principal da declaração do Comitê Jurídico presidido por Afrânio de Melo Franco, a declaração em que, para o restabelecimento da realidade democrática no após-guerra, se reconhecia a legalidade da difusão cultural, da liberdade de cátedra" (Guilherme Figueiredo, *Cobras & Lagartos*, p. 342). [Us. particularmente em relação à I e à II Guerras Mundiais. F. paral.: *pós-guerra.* Pl.: *após-guerras.*]

aposia [De *a-*[3] + gr. *pósis*, 'ação de beber', + *-ia*[1].] *S. f. Psiq.* Abstenção de líquidos, ou hesitação em ingeri-los.

aposição [Do lat. *appositione.*] *S. f.* **1.** Ação ou efeito de apor. **2.** Justaposição (2). **3.** Sobreposição (2). **4.** *E. Ling.* Emprego de um substantivo, ou locução substantiva, como aposto (3); uso do aposto. **5.** *E. Ling.* Designação comum a preposições [v. *preposição* (2)] e posposições [v. *posposição* (2)]. **6.** *Bot.* Crescimento em espessura da parede celular, por efeito da deposição de pequeninas lâminas sucessivas, do qual resulta a formação de uma estrutura estratificada.

aposicional [De *aposição* + *-al*[1], seg. o padrão erudito.] *Adj. 2 g.* Relativo a aposição.

aposiopese [Do gr. *aposiópesis*, pelo lat. *aposiopese.*] *S. f. E. Ling.* Interrupção intencional no meio de uma frase; reticência.

apositia [De *ap(o)-* + *-sit(o)-* + *-ia*[1].] *S. f. Psiq. Med.* Repulsão em relação a alimento.

apositico [De *ap(o)-* + *-sit(o)-* + *-ico*[2].] *Adj.* Que faz cessar o apetite. [Antôn.: *aperitivo* (2).]

apositivo [Do lat. *appositivu.*] *Adj. E. Ling.* Relativo a aposição (4), ou que a encerra.

apósito[1] [Do lat. *appositus, a, um.*] *Adj.* Adequado, conveniente, acomodado.

apósito[2] [Do lat. *appositus, us.*] *S. m.* Medicamento, emplastro, penso ou curativo posto sobre ferimento.

apossar [De *a-*[2] + *posse* + *-ar*[2].] *V. t. d.* **1.** Pôr de posse; dar posse a. **2.** Tomar posse de: *Pedro Álvares Cabral apossou, em nome do rei de Portugal, as terras que descobrira.* *P.* **3.** Tomar posse; apoderar-se, conquistar. **4.** Invadir, dominar: *Naquele momento apossou-se dele grande tristeza.*

apossear-se [De *a-*[2] + *posse* + *-ear*[2] + *se*[1].] *V. p. Bras. RS* Apossar-se. [Conjug.: v. *frear.*]

apossínclise [De *ap(o)-* + *sínclise.*] *S. f. E. Ling.* Intercalação de palavra(s) entre o verbo e o pronome átono. Ex.: *o livro que lhe eu ofereci, em vez de o livro que eu lhe ofereci*; "Quem rosas colhe sem lhe a mão sangrar?" (Antero de Quental, *Primaveras Românticas*, p. 14), em vez de *Quem rosas colhe sem a mão lhe sangrar?*; "Já se me a luz de todo anuviava" (João de Deus, *Campo de Flores*, I, 203), em vez de *Já a luz de todo se me anuviava.*

apossinclítico [De *apossíncl(ise)* + *-ítico.*] *Adj. E. Ling.* Referente à apossínclise.

apossuir-se [De *a-*[2] + *possuir* + *se*[1].] *V. p. Desus.* Apossar-se. [Conjug.: v. *atribuir.*]

aposta [F. subst. do adj. *aposto.*] *S. f.* **1.** Ajuste entre pessoas de opiniões diversas, no qual a que não acerta deve pagar à outra algo de antemão determinado; jogo. **2.** Espécie de jogo em que o ganho depende do resultado da partida, prova, competição, sorteio, etc., e dos quais, ger., o apostador não participa. **3.** A coisa ou quantia que se aposta. **4.** *P. ext.* Desafio; porfia. **5.** *Bras. MG SP* O osso, em forquilha, do peito da galinha. [Sin., nesta acepç.: *ganhador* (MA) e *jogador* (RS).] ◆ **Aposta de Pascal.** *Filos.* Argumentação de Pascal (v. *pascaliano*) em favor do assentimento à existência de Deus; argumento da aposta.

apostado[1] [Part. de *apostar*[1].] *Adj.* **1.** Que foi objeto de aposta[1]: *dinheiro apostado.* **2.** Disputado, pleiteado. **3.** Resolvido, combinado, concertado.

apostado[2] [Part. de *apostar*[2].] *Adj.* **1.** Colocado em determinado posto: *apostado à porta.* **2.** Resolvido, combinado, concertado.

apostador (ô) [De *apostar*[1] + *-dor.*] *S. m.* Aquele que aposta.

apostar[1] [De *aposta* + *-ar*[2].] *V. t. d.* **1.** Fazer aposta (1 e 2) de: *Apostou os seus últimos vinténs.* **2.** Afirmar com segurança; asseverar, sustentar: "Ela sorria... / E apostou que, submisso e vil, naquela / Mesma noite a seus pés o prostraria." (Olavo Bilac, *Poesias*, p. 136.) **3.** Disputar, pleitear: *Prepararam-se para apostar uma corrida.* **4.** Jogar, arriscar: *Apostou toda a sua fortuna.* *T. d. e i.* **5.** Fazer aposta (1 e 2): *Apostou alta soma no favorito daquele páreo*; "Apostaria uma perna em como aquele felizardo está a estas horas enfeitando a cabeça do comendador." (Valentim Magalhães, *Vinte Contos*, p. 50). **6.** Fazer por avantajar-se; porfiar. *T. i.* **7.** Estar convencido da vitória de alguém: *A maior parte do público apostava pelo africano.* **8.** Competir, empenhar-se. *P.* **9.** Aparelhar-se, aperceber-se. [Pres. ind.: *aposto*, etc. Cf. *aposto* (ô).]

apostar[2] [De *a-*[2] + *posto*[1] + *-ar*[2].] *V. t. d.* **1.** *P. us.* Fixar no seu posto; colocar, acomodar. *P.* **2.** Colocar-se em determinado posto; pôr-se a postos; colocar-se: *Aprestou a cavalgadura e apostou-se ao lado do senhor.* **3.** Preparar-se; dispor-se: *Apostaram-se para resolver o problema.*

apóstase [Do gr. *apóstasis.*] *S. f.* **1.** *Patol.* Formação de abscesso. **2.** *Med.* Final ou crise de um acesso de doença.

apostasia [Do gr. *apostasía.*] *S. f.* **1.** Separação ou deserção do corpo constituído (de uma instituição, de um partido, de uma corporação) ao qual se pertencia. **2.** Abandono da fé de uma igreja, especialmente a cristã: "Prescinde-se também, ... da apostasia, quando se desampara o Mosteiro, ou o hábito" (Pe. Manuel Bernardes, *Vários Tratados,* II, pp. 507-508). **3.** Abandono do estado religioso ou sacerdotal.

apóstata [Do gr. *apostátes,* pelo lat. tard. *apostata.*] *Adj. 2 g. S. 2 g.* Que, ou quem cometeu apostasia. [Cf. *apostata,* do v. *apostatar.*]

apostatar [De *apóstata* + *-ar*[2].] *V. t. i.* **1.** Desertar (da fé). **2.** Mudar (de religião ou de partido): *Apostatou da religião de seus pais.* *Int.* **3.** Cometer apostasia. [Pres. ind.: *apostato, apostatas, apostata,* etc. Cf. *apóstata.*]

apostema [Do gr. *apóstema,* pelo lat. *apostema.*] *S. m. Med.* Abscesso. [Var.: *postema.*]

apostemação [De *apostemar* + *-ção.*] *S. f. Med.* Formação de apostema ou abscesso.

apostemar [De *apostema* + *-ar*[2].] *V. t. d.* **1.** Produzir apostema em; infetar, infectar. **2.** Corromper, estragar, contaminar. *Int.* **3.** Criar apostema. *P.* **4.** Tornar-se purulento; supurar. **5.** Agastar-se, zangar-se, irritar-se. [Sin. ger.: *aporismar, postemar* e (bras., MG) *empostemar.*]

apostemático [Do gr. *apostematikós.*] *Adj.* Relativo a apostema; apostemoso.

apostemeira [De *apostema* + *-eira.*] *S. f. Bras.* Grande quantidade de apostemas.

apostemoso (ô) [De *apostema* + *-oso.*] *Adj.* Apostemático.

→ **a posteriori** [a pɔstɛɾ̄e̩'oɾ̄e̩] [Lat.] **1.** *Filos.* **2.** Diz-se de conhecimento, afirmação, verdade, etc., provenientes da experiência, ou que dela dependem. **3.** Diz-se de argumento, prova, raciocínio ou demonstração que passe de fatos a conclusões gerais, como os que vão do condicionado ao condicionante; empírico. [Cf. *a priori.*]

apostia [De *a-*[3] + *-post(e)-* + *-ia*[1].] *S. f. Ter.* Ausência congênita de prepúcio.

apostila [Do b.-lat. *postilla,* 'após aquelas coisas', com prótese.] *S. f.* **1.** Aditamento ou correção marginal ou interlinear de um texto (1). **2.** Nota suplementar a um diploma oficial. **3.** Recomendação à margem de um documento: escritura, requerimento, petição, etc. **4.** Acréscimo ao fim de uma carta. [Cf., nesta acepç., *pós-escrito* (3).] **5.** Pontos ou matérias de aulas publicados para uso de alunos. [Sin., nesta acepç.: *postila* (bras.), *polígrafo* e (lus.) *sebenta.* Var.: *apostilha.*]

apostilar [De *apostila* + *-ar*[2].] *V. t. d.* Fazer apostila de; transformar em apostila.

apostilb *S. m.* Unidade de luminância, igual a $(1/\pi)cd/m^2$ [símb.: *asb*].

apostilha *S. f.* V. *apostila.*

aposto (ô) [Do lat. *appositu.*] *Adj.* **1.** Que se apôs; posto sobre; adjunto. **2.** Aumentado, acrescentado. [Flex.: *aposta, apostos* (ó), *apostos.*] ● *S. m.* **3.** *E. Ling.* Nome, ou expressão equivalente, que exerce a mesma função sintática de outro elemento a que se refere. Ex.: *Joana,* irmã de Pedro, *sofreu um acidente.* **4.** *E. Ling. Desus.* Na nomenclatura gramatical latina da Idade Média, termo equivalente a predicado (3). [Cf., nesta acepç., *suposto*[2].] [Pl.: *apostos* (ó). Cf. *aposto,* do v. *apostar.*]

apostolado [Do lat. tard. *apostolatu.*] *S. m.* **1.** Missão de apóstolo. **2.** Grupo dos apóstolos. **3.** Propaganda de um credo ou doutrina.

apostolar[1] [De *apóstolo* + *-ar*[1].] *Adj. 2 g.* **1.** Próprio de, ou relativo a apóstolo. **2.** *Fig.* Moralizador, edificante.

apostolar[2] [Do lat. *apostolare.*] *V. t. d. T. i.* **1.** Pregar como apóstolo (evangelho, doutrina); evangelizar. *Int.* **2.** Exercer o ministério de apóstolo. [Sin. ger.: *apostolizar.* Pres. ind.: *apostolo,* etc. Cf. *apóstolo.*]

apostolical [De *apostólico* + *-al*[1].] *Adj. 2 g.* V. apostólico (1 a 4).

apostolicidade [De *apostólico* + *-(i)dade.*] *S. f.* **1.** Qualidade de apostólico. **2.** Conformidade de doutrina com a dos apóstolos.

apostólico [Do gr. *apostolikós,* pelo lat. tard. *apostolicu.*] *Adj.* **1.** Relativo ou pertencente aos apóstolos. **2.** Procedente dos apóstolos. **3.** Dependente da Santa Sé. **4.** Papal. [Sin. (nessas acepçs.): *apostolical.*] ~ V. *Igreja Católica —a Romana* e *letras —as.* ● *S. m.* **5.** *Ant.* O Papa.

apostolizar [De *apostólico* + *-izar,* seg. o padrão erudito.] *V. t. d. T. i. Int.* V. *apostolar*[2].

apóstolo [Do gr. *apóstolos,* 'enviado', pelo lat. *apostolu.*] *S. m.* **1.** Cada um dos 12 discípulos de Jesus Cristo. **2.** Aquele que evangeliza. **3.** Propagador de qualquer ideia ou doutrina. [Cf. *apostolo,* do v. *apostolar.*]

apostrofar[1] [De *apóstrofe* + *-ar*[2].] *V. t. d.* **1.** Dirigir apóstrofes a. **2.** Interromper com apóstrofes. [Pres. ind.: *apostrofo,* etc.; pres.subj.: *apostrofe,* etc. Cf. *apóstrofo* e *apóstrofe.*]

apostrofar[2] [De *apóstrofo* + *-ar*[2].] *V. t. d.* Pôr apóstrofo em: *Apostrofar vivalma constitui erro.* [Pres. ind.: *apostrofo;* pres. subj.: *apostrofe.* Cf. *apóstrofo* e *apóstrofe.*]

apóstrofe [Do gr. *apostrophé,* pelo lat. *apostrophe.*] *S. f.* **1.** *E. Ling.* Figura que consiste em dirigir-se o orador ou o escritor, em geral (e não sempre) fazendo uma interrupção, a uma pessoa ou coisa real ou fictícia: "Deus! ó Deus! onde estás que não respondes?" (Castro Alves, *Obra Completa,* p. 290). [Este exemplo, tomado às "Vozes d'África", e constituído pelo primeiro verso do famoso poema, é prova (e outras poderiam ser dadas) de que a apóstrofe nem sempre é uma interrupção, como em nossos dicionários se lê.] **2.** Interpelação direta e inopinada. **3.** Catilinária. [Cf. *apostrofe,* do v. *apostrofar,* e *apóstrofo.*]

apóstrofo [Do gr. *apóstrophos,* pelo lat. tard. *apostrophu.*] *S. m. Graf.* Sinal diacrítico (q. v.), em forma de vírgula (') para indicar supressão de letra(s); viracento. [Cf. *apostrofo,* do v. *apostrofar,* e *apóstrofe,* s. f.]

apostura [De *a-*[5] + *postura.*] *S. f.* **1.** *Ant.* Postura (1). **2.** Elegância, garbo. **3.** *Constr. Nav.* O último braço de cada baliza (8).

apotanasia [De *ap(o)-* + *-tanasia.*] *S. f. Med. Leg.* Adiamento da morte.

apotecial [De *apotécio* + *-al*[1].] *Adj. 2 g. Bot.* Concernente ao apotécio. ~ V. *alga —.*

apotécio [Do gr. tard. *apothékion.*] *S. m. Bot. Micol.* Nos cogumelos e nos liquens, o corpo frutífero, em forma de pequeno disco, o qual é revestido na face superior plana pelo himênio e se abre no ar. [É peculiar aos chamados *discomicetos* e *discoliquens.*] ◆ **Apotécio ântico.** *Bot.* O que fica na face superior do talo, que é também a anterior.

apotegma [Do gr. *apóphthegma.*] *S. m.* V. *aforismo.*

apotegmático [Do gr. *apophthegmatikós.*] *Adj.* V. *aforístico.*

apotegmatismo [De *apotegmático* + *-ismo,* seg. o padrão erudito.] *S. m.* Uso ou emprego de apotegmas.

apótema [Do gr. tard. *apóthema,* 'abaixamento', do v. *apotithénai,* 'depor', 'baixar', a ex. de *tema* (< gr. *tithénai,* 'pôr', 'colocar').] *S. m. Geom.* **1.** Segmento da perpendicular baixada do centro de um polígono regular sobre um lado; raio do círculo inscrito num polígono regular. **2.** Altura de qualquer dos triângulos isósceles que formam a superfície lateral de uma pirâmide regular. **3.** Altura de qualquer trapézio isósceles que compõe a superfície lateral de um tronco de pirâmide regular. **4.** Geratriz de um cone ou de um tronco de cone.

apoteosar [De *apoteose* + *-ar*[2].] *V. t. d.* Fazer a apoteose de; glorificar, apoteotizar.

apoteose [Do gr. *apothéosis,* pelo lat. tard. *apotheose.*] *S. f.* **1.** Deificação, divinização, endeusamento. **2.** Conjunto de honras ou homenagens tributadas a alguém. **3.** Glorificação; esplendor: *A volta do herói à sua terra foi uma apoteose.* **4.** Cena ou quadro final, em certas peças teatrais ou de TV, que representa uma visão de glória.

apoteótico [De *apote(ose)* + *-ótico.*] *Adj.* **1.** Referente a, ou em que há apoteose. **2.** *Fig.* Muito elogioso.

apoteotizar [De *apoteótico* + *-izar,* seg. o padrão erudito.] *V. t. d.* V. *apoteosar.*

apótese [Do gr. *apóthesis,* pelo lat. *apothese.*] *S. f. Traum.* Posição que se deve dar a um membro fraturado, uma vez reduzida a fratura.

apotianga *Bras. S. 2 g.* **1.** *Etnôn.* Indivíduo dos apotiangas, povo indígena extinto que habitava a região do rio Nhamundá (AM), na divisa com o PA. ● *Adj. 2 g.* **2.** Pertencente ou relativo a esse povo. [Tb. us. como *s. 2 g. e 2 n.* (com cap.) e *adj. 2 g. e 2 n.*]

apotó *Bras. S. 2 g.* **1.** *Etnôn.* Indivíduo dos apotós, povo indígena extinto, do tronco tupi, que habitava a região do rio Piriá (PA). ● *Adj. 2 g.* **2.** Pertencente ou relativo a esse povo. [Tb. us. como *s. 2 g. e 2 n.* (com cap.) e *adj. 2 g. e 2 n.*]

ápoto [De *a-*[5] + lat. *potu,* 'bebido'.] *Adj.* Que não deve ser bebido; impotável.

apótomo [Do gr. *apótomos,* 'dividido'.] *S. m. Ant. Mús.* Parte do tom ora maior ora menor que o semitom médio.

apotrar-se [De *a-*[2] + *potro* + *-ar*[2] + *se*[1].] *V. p. Bras. S.* **1.** Adquirir manhas de potro. **2.** Tornar-se (o cavalo) arisco. **3.** *Fig.* Zangar-se, irritar-se, encolerizar-se; embravecer: "Não te apotres, que domadores não faltam..." (Simões Lopes Neto, *Contos Gauchescos e Lendas do Sul,* p. 236.)

apotropaico [Do gr. *apotrópaios,* 'expiatório', + *-ico*[2].] *Adj.* **1.** Relativo a, ou próprio do apotropismo. **2.** Que se supõe evitar ou anular malefícios: *ritos apotropaicos.* [Var.: *apotropeico.*]

apotropeico (éi) *Adj.* V. *apotropaico.* ✥

apotropeu *S. m.* Na Grécia antiga, hino e/ou poesia que se destinavam a anular malefício(s) infligido(s) por deuses.

apotropismo [De gr. *apotropân,* frequentativo de *apotrépein,* 'deitar fora', + *-ismo.*] *S. m. Etnogr.* Ato de fazer uso de rituais mágicos, fórmulas encantatórias, etc., que se supõem capazes de evitar ou anular malefícios.

apoucado [Part. de *apoucar.*] *Adj.* **1.** Reduzido a pouco; restrito ou insuficiente. **2.** Rebaixado, humilhado, amesquinhado. **3.** A que faltam recursos, provisões, etc., ou que os tem em quantidade insuficiente. **4.** Pouco desenvolvido; acanhado, enfezado: *criança apoucada.* **5.** Diminuído, enfraquecido.

apoucador (ô) [De *apoucar* + *-dor.*] *Adj. S. m.* Que, ou aquele que apouca.

apoucamento [De *apoucar* + *-mento.*] *S. m.* **1.** Ato ou efeito de apoucar(-se). **2.** Rebaixamento, humilhação, amesquinhamento. **3.** Falta de energia; abatimento, enfraquecimento.

apoucar [De *a-*[2] + *pouco* + *-ar*[2].] *V. t. d.* **1.** Reduzir a pouco ou a poucos; restringir. **2.** Tornar menor; diminuir. **3.** Diminuir o valor, a significação, a importância, etc., de; depreciar: *Relatou o fato, apoucando, por modéstia, a sua participação nele.* **4.** Rebaixar, amesquinhar, humilhar. *T. d. e i.* **5.** Reduzir, restringir: *A crítica apoucou o talento do poeta a dimensões irrisórias.* *P.* **6.** Dar-se pouco valor; humilhar-se. **7.** Amesquinhar-se, humilhar-se: "Quem dirá que um fidalgo daquela idade e gentileza se apouque em serviços tão impróprios da sua esfera!..." (Camilo Castelo Branco, *O Santo da Montanha,* p. 44.) **8.** Reduzir-se a pouco, ou a menor número: "Apoucam-se-me os cabelos, e isto eu posso verificar com as mãos tateando a fronte cada vez mais larga" (Geir Campos, *O Vestíbulo,* p. 16). **9.** Diminuir; enfraquecer: *Sentia que suas forças se apoucavam.* **10.** *Bras. S.* Emagrecer progressivamente; definhar. [Conjug.: v. *trancar.*]

apoutar [De *a-*[2] + *pouta* + *-ar*[2].] *V. t. d. Int.* Apoitar.

apózema [Do gr. *apózema,* pelo lat. tard. *apozema.*] *S. f.* Cozimento medicinal de vegetais, ao qual se adicionam outras substâncias, que o adoçam e clarificam. [Cf. *apozema,* do v. *apozemar.*]

apozemar [De *apózema* + *-ar*[2].] *V. t. d.* Ministrar apózema a. [Pres. ind.: *apozemo, apozemas, apozema,* etc. Cf. *apózema.*]

→ **apport** [a'pɔʁ] [Fr.] *S. m.* V. *aporte.*

→ **approach** [ə'pɹowtʃ] [Ingl.] *S. m.* **1.** Maneira de abordar ou tratar um assunto, situação, problema, questão, etc.; enfoque. **2.** Modo de fazer algo. **3.** Elo, ligação. **4.** *Esport.* No golfe, tacada na direção do *green* (q. v.).

apragata *S. f. Bras. Pop.* V. *alpercata.*

apragatar [De *apragata* + *-ar*[2].] *V. t. d. Bras. Pop.* Achatar, esmagar. [Var.: *aparagatar.*]

apraxia (cs) [Do gr. *apraxía,* 'inação', 'inércia'.] *S. f. Neur.* Incapacidade de executar os movimentos apropriados a um determinado fim, conquanto não haja paralisia ou outros distúrbios, sensitivos ou motores. [Tb. us., principalmente, para designar a impossibilidade de utilizar um objeto de maneira adequada.]

apráxico (cs) [De *apraxia* + *-ico*[2].] *Adj. Neur.* Relativo a apraxia.

aprazador (ô) [De *aprazar* + *-dor.*] *S. m.* Aquele que apraza.

aprazamento [De *aprazar* + *-mento.*] *S. m.* Ato ou efeito de aprazar.

aprazar [De *a-*[2] + *prazo* + *-ar*[2].] *V. t. d.* **1.** Marcar, determinar (tempo, data) para alguma coisa: *Aprazou, afinal, o dia do casamento.* **2.** Marcar, determinar tempo ou data para: *aprazar uma reunião.* **3.** Convocar para ocasião prefixada: *Aprazou os sócios da firma a fim de estipular novas metas.* **4.** Designar, fixar (lugar certo). **5.** Delimitar o prazo de: *Aprazou três meses para o término do trabalho.*

aprazer [De *a-*[4] + *prazer.*] *V. t. i.* **1.** Causar prazer; ser aprazível; agradar, deleitar: *Apraz-lhe falar do amigo; Aquele quadro apraz à vista.* *Int.* **2.** Causar prazer; ser aprazível; agradar: *Apraz ouvi-la falar.* *P.* **3.** Sentir prazer, contentamento; contentar-se, deleitar-se. [Conquanto não seja defect., *aprazer* é m. us. nas 3.as pess.; como p., usa-se correntemente em todas as pess. Falta-lhe o *e* da 3.a pess. sing. do pres. ind.: *apraz, apraz-se.*]

aprazibilidade [De *aprazível* + *-(i)dade,* seg. o padrão erudito.] *S. f.* Qualidade de aprazível.

aprazimento [De *aprazer* + *-imento.*] *S. m.* **1.** Agrado, contentamento, deleite, prazer. **2.** Consentimento, aprovação, beneplácito.

aprazível [De *aprazer* + *-ível.*] *Adj. 2 g.* **1.** Que apraz. **2.** Diz-se do lugar onde se goza de panorama bonito e/ou de ameno clima: "Aprazível é o sítio, sombreado de velhas árvores." (Alexandre Herculano,

Lendas e Narrativas, I, p. 217.) [F. paral., p. us.: *prazível*.]

apre *Interj.* V. *irra*: "Apre! que já é forte birra!" (Abel Botelho, *Fatal Dilema*, pp. 213-214.)

apreçador (ô) [De *apreçar* + *-dor*.] *S. m.* Aquele que apreça. [Cf. *apressador*.]

apreçamento [De *apreçar* + *-mento*.] *S. m.* Ato ou efeito de apreçar. [Cf. *apressamento*.]

apreçar [De *a-*² + *preço* + *-ar*².] *V. t. d.* **1.** Perguntar o preço de: *Apreçou o terreno e achou-o caro.* **2.** Ajustar o preço de: *Os sócios discordaram ao terem de apreçar a empreitada.* **3.** Atribuir grande preço ou valor a; ter apreço a: *Apreço vivamente a honra que me dá em visitar-me.* [Conjug.: v. *começar*. Pres. ind.: *apreço*, etc. Cf. *apreço* (ê), s. m., e *apressar*.]

aprecatar *V. t. d. T. d. e i. P.* V. *precatar*.

apreciação [De *apreciar* + *-ção*.] *S. f.* **1.** Ato ou efeito de apreciar. **2.** Conceito, julgamento, opinião. **3.** Análise, exame. **4.** *Filos.* Reconhecimento do valor de uma ideia ou de um fenômeno, *i. e.*, do grau de perfeição deles relativamente a um fim determinado; crítica. [Cf., nesta acepç., *aprovação* (4) e *critério* (6).]

apreciador (ô) [De *apreciar* + *-dor*.] *Adj. S. m.* Que, ou aquele que aprecia.

apreciar [Do lat. *appretiare*.] *V. t. d.* **1.** Dar apreço, merecimento, a; estimar, prezar: *Não sabe apreciar o que recebe*; "Não aprecio livros, nem leio versos" (Moreira Campos, *Vidas Marginais*, p. 35). **2.** Julgar, avaliar: *Não me cabe apreciar o teu comportamento.* **3.** Ponderar, examinar, considerar: *Passemos a apreciar os prós e os contras.* **4.** Calcular, estimar, avaliar: *Faltam dados para apreciar o montante do prejuízo.* **5.** Extasiar-se com, admirar: "Enquanto o doutor apreciava a vista que se descortinava da pequena varanda, Sherlock e a baronesa instalaram-se numa conversadeira." (Jô Soares, *O Xangô de Baker Street*, pp. 126-127.)

apreciativo [De *apreciar* + *-tivo*.] *Adj.* Que denota apreciação. [Antôn.: *depreciativo*.]

apreciável [De *apreciar* + *-vel*.] *Adj. 2 g.* **1.** Digno de apreço ou estima; estimável. **2.** Que se pode apreciar, estimar, calcular: *Não é facilmente apreciável a extensão dos danos.* **3.** Considerável, ponderável, vultoso: *Ganhou na transação uma importância apreciável.*

apreço (ê) [Dev. de *apreçar*.] *S. m.* **1.** Valor em que é tida alguma coisa. **2.** Consideração e estima dispensadas a alguém. [Pl.: *apreços* (ê). Cf. *apreço*, do v. *apreçar*; *apresso* (ê), s. m., e *apresso*, do v. *apressar*.]

apreendedor (ô) [De *apreender* + *-dor*.] *Adj. S. m.* Que, ou aquele que apreende.

apreender [Do lat. *apprehendere*.] *V. t. d.* **1.** Apropriar-se judicialmente de: *A polícia apreendeu o contrabando.* **2.** Segurar, pegar, agarrar, prender. **3.** Assimilar mentalmente; entender, compreender: *Apreende rapidamente tudo o que lhe ensinam.* *Int.* **4.** Cismar, ruminar.

apreensão [Do lat. *apprehensione*.] *S. f.* **1.** Ato ou efeito de apreender. **2.** Receio, preocupação, cisma. **3.** *Filos.* Conhecimento imediato de um objeto relativamente simples, em oposição a processos mais elaborados, como, p. ex., a compreensão, o julgamento, o raciocínio.

apreensibilidade [De *apreensível* + *-(i)dade*, seg. o padrão erudito.] *S. f.* **1.** Qualidade de apreensível. **2.** Faculdade de apreender.

apreensível [Do lat. *apprehensibile*.] *Adj. 2 g.* Que se pode apreender.

apreensivo [Do lat. *apprehensus*, part. pass. de *apprehendere* (v. *apreender*), + *-ivo*.] *Adj.* **1.** Que apreende. **2.** Preocupado, receoso, cismático: "As aulas começarão depois de amanhã. Estou apreensivo. Foi uma temeridade haver aceitado o convite." (Ciro dos Anjos, *Abdias*, p. 4.)

apreensor (ô) [Do lat. *apprehensus* (v. *apreensivo*) + *-or*.] *Adj. S. m.* Que, ou aquele que apreende.

apreensório [Do lat. *apprehensus* (v. *apreensivo*) + *-ório*.] *Adj.* Que serve para apreender.

aprefixar (cs) [De *a-*² + *prefixo* + *-ar*².] *V. t. d.* Juntar prefixo a (palavra). [Cf. *prefixar*.]

apregoado [Part. de *apregoar*.] *Adj.* **1.** Publicado ou anunciado por pregão. **2.** Proclamado, notório.

apregoador (ô) [De *apregoar* + *-dor*.] *Adj. S. m.* Que, ou aquele que apregoa.

apregoamento [De *apregoar* + *-mento*.] *S. m.* **1.** Ato ou efeito de apregoar. **2.** *Econ.* Ato de apregoar (um operador) a compra ou venda de ações, mencionando-se o papel, o tipo, a quantidade de títulos e o preço pelo qual se pretende fechar o negócio.

apregoar [De *a-*² + *pregão* + *-ar*², com desnasalação.] *V. t. d.* **1.** Anunciar com pregão; proclamar em voz alta: "Um homem loquaz apregoa balõezinhos de cor" (Manuel Bandeira, *Estrela da Vida Inteira*, p. 98). **2.** Declarar em público; proclamar, divulgar, publicar: *Saíram da exposição apregoando o talento do artista.* *Transobj.* **3.** Proclamar, chamar: *Apregoaram-no de ladrão.* *Int.* **4.** Anunciar alguma coisa com pregão: "vencendo o rumor, a voz tonitruante de um alentado cabo-verde apregoava." (Coelho Neto, *A Conquista*, p. 445). [F. paral.: *pregoar*. Conjug.: v. *coroar*.]

apremer [Do lat. *apprimere*.] *V. t. d.* Premer, premir.

aprender [De *apreender*, com síncope.] *V. t. d.* **1.** Tomar conhecimento de: "Comecei a aprender a parte do presente que há no passado, e vice-versa." (Machado de Assis, *Páginas Recolhidas*, p. 165.) **2.** Reter na memória, mediante o estudo, a observação ou a experiência: *Aprende línguas estrangeiras com facilidade*; "tentei aprender coisas e acabei por esquecer umas poucas que sabia." (Geir Campos, *O Vestíbulo*, p. 26). **3.** *Dir. Trab.* Aquele que presta serviço mediante contrato de aprendizagem (q. v.). [Fem., p. us., nessas acepçs.: *aprendiza*.] *T. i.* **4.** Tornar-se apto ou capaz de alguma coisa, em consequência de estudo, observação, experiência, advertência, etc.: *Aprendi a falar português em seis meses.* *Bit. i.* **5.** Aprender (3): "Aprendi com meu pai a amar e compreender a velha Olinda" (Sousa Bandeira, *Evocações e Outros Escritos*, p. 61). *Int.* **6.** Tomar conhecimento de algo, retê-lo na memória, em consequência de estudo, observação, experiência, advertência, etc.: *Aprende com mais facilidade que o irmão.*

aprendiz [Do fr. ant. *apprentiz*.] *S. m.* **1.** Aquele que aprende ofício ou arte. **2.** Aquele que é pouco experiente; principiante. **3.** *Dir. Trab.* Aquele que presta serviço mediante contrato de aprendizagem (q. v.). [Fem., p. us., nessas acepçs.: *aprendiza*.] **4.** *Maç.* Primeiro grau simbólico na hierarquia maçônica, e que marca a estreia ou iniciação de um maçom; aparece em todos os ritos. **5.** *Turfe* Moço que inicia a carreira de jóquei e que passa pelos estágios de aprendiz de terceira, de segunda e de primeira, em função do número de vitórias que alcança.

aprendiza *S. f. P. us.* Fem. de *aprendiz* (1 a 3): "já andava a tratar .... dum ror de cousas a fazer, a tabuleta, os figurinos, os manequins, as aprendizas, anúncios nos jornais" (Maria Archer, *Fauno Sovina*, p. 95).

aprendizado [De *aprendiz* + *-ado*¹.] *S. m.* **1.** *Educ.* Ato ou efeito de aprender, especialmente profissão manual ou técnica. **2.** *P. ext.* O tempo que dura tal aprendizagem. **3.** O exercício ou prática inicial da matéria aprendida; experiência, tirocínio. [Sin., nessas acepçs.: *aprendizagem*.] **4.** *Bras.* Estabelecimento de ensino técnico ou profissional: *Os alunos começam a exercer a profissão no próprio Aprendizado Agrícola.*

aprendizagem [De *aprendiz* + *-agem*².] *S. f.* V. *aprendizado* (1 a 3). ◆ **Aprendizagem organizacional.** *Adm.* Termo associado à gestão do conhecimento, área da administração interessada na forma como as organizações criam, sistematizam e retêm conhecimento que as torne ainda mais aptas, no futuro, a resolver problemas semelhantes àqueles com que já se depararam antes.

aprendiz-marinheiro *S. m. Bras. Mar. G.* Aluno de qualquer das escolas que a Marinha mantém para preparação do corpo do pessoal subalterno da Armada. [Pl.: *aprendizes-marinheiros*.]

apresador (ô) [De *apresar* + *-dor*.] *Adj. S. m.* Que, ou aquele que apresa.

apresamento [De *apresar* + *-mento*.] *S. m.* Ato de apresar; presa.

apresar [De *a-*² + *presa* + *-ar*².] *V. t. d.* **1.** Tomar como presa; capturar, aprisionar, apreender. **2.** Agarrar como ave de rapina. *T. d. e i.* **3.** V. *prender* (9): "Ela apresava / Agora a pulseira ao punho." (Alberto de Oliveira, *Poesias*, 3ª série, p. 148). [F. paral.: *presar*.]

apresbiterar-se [De *a-*² + *presbítero* + *-ar*² + *se*¹.] *V. p.* Tomar as ordens de presbítero.

apresentação [De *apresentar* + *-ção*.] *S. f.* **1.** Ato ou efeito de apresentar(-se): *Exige-se, na entrada, apresentação da carteira de sócio.* **2.** *P. ext* Ato pelo qual alguém, seja por meio de escrita (em prefácio, folheto de propaganda, etc.), seja pela fala (discurso, programa de rádio ou televisão, etc.), apresenta alguém ou alguma coisa ao público. **3.** Ato ou manifestação no decurso do qual se apresenta alguma coisa ao público: *A apresentação dos modelos de inverno desagradou em cheio.* **4.** Ato de apresentar(-se) uma pessoa a outra(s), à sociedade, etc.: *Quero fazer minha apresentação: sou a nova colega; Este jantar é para a apresentação de minha noiva.* **5.** Modo por que uma coisa é apresentada: *Não gostei da apresentação das mercadorias naquele supermercado.* **6.** Aparência externa; aspecto: *O que o prejudica é sua péssima apresentação; Que bela apresentação tem este livro!* **7.** *Jur.* Ato pelo qual o sacador ou o portador de um título de crédito o entrega ao sacado para aceite ou pagamento. **8.** *Obst.* Posição do feto na ocasião do parto, em referência à parte que se apresenta na entrada do útero. **9.** *Rel.* Proposta para provimento de determinados cargos eclesiásticos. **10.** *Rel.* Cada uma de duas festas, uma celebrada a 21 de novembro, em comemoração à apresentação da Virgem Maria no Templo, e outra a 2 de fevereiro, em comemoração à apresentação do menino Jesus naquele mesmo local.

apresentado [Part. de *apresentar*.] *Bras. Pop. Adj.* **1.** Saliente, saído, espevitado: "Não era sonsa, era uma mocinha apresentada, que sorria sem malícia." (Milton Hatoum, *Dois Irmãos*, p. 21.) ● *Adj. S. m.* **2.** Que, ou aquele de quem se faz apresentação: *O meu apresentado é pessoa muito capaz.*

apresentador (ô) [De *apresentar* + *-dor*.] *Adj.* **1.** Que apresenta. ● *S. m.* **2.** Aquele que apresenta; apresentante. **3.** *Rád. Telev.* Numa transmissão de rádio ou TV, ou num espetáculo ao vivo, pessoa que apresenta o programa, os artistas e/ou os participantes, as atrações, etc. **4.** Pessoa que introduz os tópicos principais e conduz um programa de entrevistas, de debates, etc.

apresentante [De *apresentar* + *-nte*.] *S. 2 g.* **1.** Apresentador (2). **2.** Pessoa que faz apresentação de um título de crédito.

apresentar [De *a-*⁴ + *presentar*.] *V. t. d.* **1.** Pôr diante, à vista, ou na presença de. **2.** Oferecer ou expor à vista; mostrar: *A casa assaltada apresentava triste espetáculo.* **3.** Mostrar, exibir: *Apresenta seriedade.* **4.** Passar às mãos de; entregar: *apresentar credenciais.* **5.** Expor, aduzir: *apresentar razões; apresentar argumentos.* **6.** Fazer travar conhecimento ou relações sociais. **7.** Submeter à apreciação; indicar, propor: *Apresentou ontem sua candidatura.* *T. d. e i.* **8.** Pôr diante, à vista ou na presença; mostrar: *Apresentou-lhe a dádiva com um gesto de cortesia*; "Elvira ficou embevecida examinando belíssimas sedas que lhe apresentavam" (Joaquim Manuel de Macedo, *Memórias da Rua do Ouvidor*, p. 220). **9.** Dar, manifestar; exprimir, expressar: *Apresentei-lhe as minhas condolências*; "Convencido da falsidade do título de barão de Vila Rica, apresentou o comendador queixa à polícia." (R. Magalhães Júnior, *Artur Azevedo e Sua época*, p. 43). **10.** Dar a conhecer uma ou mais pessoa(s) a outra(s), pô-la(s) em contato, em presença dela(s) ou mediante carta de apresentação: *Apresento-lhe meu futuro marido; Apresento-lhe meu amigo, para quem solicito a sua atenção*; "Conheci Carlos Pereira em 1849. Apresentara-mo José Barbosa e Silva." (Camilo Castelo Branco, *A Mulher Fatal*, p. 13); "Madalena apresentou Fernando a Soares." (Machado de Assis, *Contos Recolhidos*, p. 78). **11.** Passar às mãos; entregar: *Apresentou-lhe as suas credenciais*; "Inácio estremeceu, ouvindo os gritos do solicitador, recebeu o prato que este lhe apresentava e tratou de comer" (Id., *Várias Histórias*, p. 41). **12.** Mostrar, exibir. **13.** Dar a conhecer (espetáculo, obra de arte, etc.) a. **14.** Oferecer, dar; ofertar. *Transobj.* **15.** Dar a conhecer (alguém) como: *Apresentou-a como uma amiga.* *P.* **16.** Ser presente; comparecer; mostrar-se: *Apresentou-se imediatamente ao tribunal.* **17.** Ir à presença de alguém: *Apresentou-se ao juiz.* **18.** Identificar-se, nomear-se: "Apresento-me. Chamo-me José Joaquim Marinho de Albuquerque Matos." (Luís Martins, *A Girafa de Vidro*, p. 13.) **19.** Surgir, manifestar-se: *Apresentou-se uma dificuldade inesperada.* **20.** Parecer, afigurar-se, figurar-se: *O final desta guerra apresenta-se cada vez menos provável.* **21.** Mostrar-se em público, dando impressão boa ou má, pela educação, pela maneira de vestir-se, etc.: *Costuma apresentar-se bem; Apresentou-se mal, por falta de tempo para vestir-se a rigor.* **22.** Fazer, ou participar de apresentação (3).

apresentável [De *apresentar* + *-vel*.] *Adj. 2 g.* **1.** Digno de ser apresentado. **2.** Que tem boa apresentação (6).

apresilhar [De *a-*² + *presilha* + *-ar*².] *V. t. d.* **1.** Guarnecer de presilha(s). **2.** Prender com presilha(s). [F. paral.: *presilhar*.]

apressado [Part. de *apressar*.] *Adj.* **1.** Que tem pressa; açodado: *viajante apressado*; "Bandos de aves / Passam velozes, passam apressados" (Antero de Quental, *Sonetos*, p. 307). **2.** Que requer pressa; urgente: *viagem apressada.* **3.** Que peca pela pressa, rapidez ou precipitação com que é feito, tomado, etc.: *trabalho apressado; conclusão apressada; decisão apressada.* **4.** Pronto, rápido, acelerado: *Saiu em apressada corrida atrás do assaltante.* [Sin. ger.: *apressurado*.]

apressador (ô) [De *apressar* + *-dor*.] *Adj. S. m.* Que, ou aquele que apressa. [Cf. *apreçador*.]

apressamento [De *apressar* + *-mento*.] *S. m.* Ato ou efeito de apressar(-se). [Cf. *apreçamento*.]

apressar [De *a-*² + *pressa* + *-ar*².] *V. t. d.* **1.** Dar pressa a; tornar rápido ou mais rápido; acelerar: *Apressou o passo*; "Todo o seu sangue, alvoroçado, o curso / Apressa" (Olavo Bilac, *Poesias*, p. 96). **2.** Antecipar; abreviar: *Vamos, apresse o fim da história!* **3.** Instar com; instigar, incitar; apertar: *Apressava o amigo para saírem mais cedo.* ***T. d. e i.*** **4.** Instar, instigar, induzir: *Apressei-o a partir.* ***Int.*** **5.** Dar-se pressa; apressar-se: *O receio de assalto o levou a apressar.* ***P.*** **6.** Dar-se pressa; mostrar-se apressado: *Vendo que anoitecia, apressou-se;* "Chegou Perpétua com duas cadeiras. Carlos apressou-se a tomar uma" (Camilo Castelo Branco, *A Mulher Fatal*, p. 74); *Todos apressaram-se em sair.* **7.** Tornar-se ligeiro, rápido. **8.** Aprontar-se ou preparar-se apressadamente; despachar-se. **9.** Tornar-se mais rápido; acelerar-se. [Pres. ind.: *apresso*, etc. Cf. *apresso* (ê), s. m.; *apreço*, do v. *apreçar* e este verbo; e *apreço* (ê), s. m.]

apresso (ê) [Dev. de *apressar*.] ***S. m. Ant.*** Aperto, opressão. [Pl.: *apressos* (ê). Cf. *apreço* (ê), s. m., *apresso*, do v. *apressar*, e *apreço*, do v. *apreçar*.]

apressurado [Part. de *apressurar*.] ***Adj.*** V. *apressado*.

apressuramento [De *apressurar* + *-mento*.] ***S. m.*** **1.** Ato ou efeito de apressurar(-se). **2.** Precipitação, diligência, pressa.

apressurar [Do esp. *apresurar*.] ***V. t. d. P.*** Tornar(-se) pressuroso; apressar(-se).

aprestador (ô) [De *aprestar* + *-dor*.] ***S. m.*** Aquele que apresta.

aprestamar [De *apréstamo* + *-ar*[2].] ***V. t. d. Ant.*** Dar em apréstamo. [Pres. ind.: *aprestamo*, etc. Cf. *apréstamo*.]

aprestamento [De *aprestar* + *-mento*.] ***S. m.*** **1.** Ato ou efeito de aprestar-se; apercebimento, aprontamento, apronto, approntes, apresto. **2.** Aquilo com que se apresta.

apréstamo [De *a-*[4] + *préstamo*.] ***S. m. Ant.*** **1.** Consignação de frutos, que se impunha a algumas propriedades para pagamento de certos encargos. **2.** Herdade sujeita a essa obrigação. [Pl.: *apréstamos*. Cf. *aprestamo*, do v. *aprestamar*, e *aprestamos*, do v. *aprestar*.]

aprestar [De *a-*[2] + *presto* + *-ar*[2].] ***V. t. d.*** **1.** Aprontar, preparar com prontidão. **2.** *Mar.* Prover do necessário: *Aprestou o navio para largar.* ***P.*** **3.** Dispor-se, preparar-se, aprontar-se: "a vendeira aprestava-se a fechar as portas do negócio." (Hugo de Carvalho Ramos, *Tropas e Boiadas*, p. 76); *Aprestaram-se esmeradamente para sair.* [Pres. ind.: *apresto*, *aprestas*, *apresta*, *aprestamos*, etc. Cf. *apréstamos*, pl. de *apréstamo*.]

apresto (ê) [Dev. de *aprestar*.] ***S. m.*** **1.** V. *aprestamento* (1). **2.** Utensílio, ferramenta; petrecho. [Nesta acepç., mais us. no pl.]

apresuntado [Part. de *apresuntar*.] ***Adj.*** De sabor ou aspecto semelhante ao do presunto. ● ***S. m.*** **2.** Produto alimentício industrializado, obtido a partir de recortes ou cortes de massa muscular anterior (por vezes posterior) de suínos, o qual, ger., apresenta quantidade menor de carne que o presunto e nível de gordura maior que este.

aprilino [Do lat. *aprile*, 'abril', + *-ino*[1].] ***Adj.*** **1.** De, ou próprio de abril: "Seu fino colo de aprilino encanto!" (Eugênio de Castro, *Obras Poéticas*, V, p. 110.) **2.** Viçoso, fresco: "E Fábia, a de olhos perturbantes, lassos, / E de morenas, aprilinas pomas" (Id., *ib.*, II, p. 40). [F. paral.: *abrilino*.]

aprimorado [Part. de aprimorar.] ***Adj.*** **1.** Feito com primor, esmero, apuro: *trabalho aprimorado*. **2.** *P. ext.* Perfeito, acabado, excelente: *Era ela produto aprimorado de uma educação rigorosa.*

aprimoramento [De *aprimorar* + *-mento*.] ***S. m.*** **1.** Ato ou efeito de aprimorar(-se). **2.** Perfeição, excelência, primor.

aprimorar [De *a-*[2] + *primor* + *-ar*[2].] ***V. t. d.*** **1.** Tornar primoroso; aperfeiçoar, esmerar: "Torce [o poeta], aprimora, alteia, lima / A frase" (Olavo Bilac, *Poesias*, p. 2); *Aprimorou-o a sua cultura.* **2.** Acompanhar de primor ou delicadeza: *aprimorar uma dádiva.* ***P.*** **3.** Aperfeiçoar-se, esmerar-se.

→**a priori** [a pɾẹ'ɔɾẹ] [Lat.] **1.** Diz-se de conhecimento admitido provisoriamente, ainda não suficientemente justificado, sendo incerto se o virá a ser. **2.** *Filos.* Diz-se de conhecimento que é condição de possibilidade de experiência, e que independe dela quanto à sua própria origem. [Cf. *a posteriori*.]

apriorismo [Da loc. lat. *a priori* + *-ismo*.] ***S. m. Filos.*** Aceitação, na ordem do conhecimento, de fatores independentes da experiência.

apriorista [Da loc. lat. *a priori* + *-ista*.] ***S. 2 g.*** Pessoa que raciocina *a priori*.

apriorístico [De *apriorista* + *-ico*[2].] ***Adj.*** Relativo a, ou em que há apriorismo.

apriscar [Do lat. **appressicare* < lat. *apressus*, part. pass. de *apprimere*, 'estreitar', 'apertar'.] ***V. t. d.*** *P. us.* **1.** Recolher ou encerrar no aprisco. **2.** Prender, encarcerar. [Conjug.: v. *trancar*.]

aprisco [Dev. de *apriscar*.] ***S. m.*** **1.** Curral (particularmente o que se destina às ovelhas); redil. V. *ovil*. **2.** *P. ext.* Covil, toca. **3.** *P. ext.* Abegoaria. **4.** *P. ext.* A casa; o lar.

aprisionado [Part. de *aprisionar*.] ***Adj.*** Que se aprisionou; prisioneiro, cativo.

aprisionador (ô) [De *aprisionar* + *-dor*.] ***Adj. S. m.*** Que, ou aquele que aprisiona.

aprisionamento [De *aprisionar* + *-mento*.] ***S. m.*** Ato ou efeito de aprisionar.

aprisionar [De *a-*[2] + *prisão* + *-ar*[2], seg. o padrão erudito.] ***V. t. d.*** **1.** Fazer prisioneiro; apresar. **2.** Meter em prisão; cativar; encarcerar. [Sin. ger.: *emprisionar*.]

aproamento [De *aproar* + *-mento*.] ***S. m.*** Ato ou efeito de aproar.

aproar [De *a-*[2] + *proa* + *-ar*[2].] ***V. t. d. e c.*** **1.** Pôr a proa de (embarcação) em uma dada direção: *aproar a embarcação no rumo 085;* "Vêm aproando à terra as largas velas / Ao som da voz dos tardos pescadores." (Luís Guimarães, *Sonetos e Rimas*, p. 179). ***T. c.*** **2.** Pôr (a embarcação) a proa em direção ao vento, à corrente, etc. [Sin. ger.: *proar*, *aproejar*, *emproar*. Conjug.: v. *coroar*.]

aprobativo [Do lat. *approbativu*.] ***Adj.*** **1.** Que aprova. **2.** Que envolve aprovação. [Var.: *aprovativo*; sin. ger.: *aprobatório*.]

aprobatório [Do lat. *approbatus*, part. pass. de *approbare*, 'aprovar'; 'provar', + *-ório*.] ***Adj.*** V. *aprobativo*.

aproche [Do fr. *approche*.] ***S. m. Desus.*** Entrincheiramento para facilitar a chegada às praças sitiadas.

aprochegar-se [De *apro(ximar-se)* + *chegar-se*.] ***V. p.*** Aproximar-se, achegar-se, abeirar-se: "Zeferino espiou, aprochegou-se do cavalo, e andou até o paiol." (Alaor Barbosa, *Picumãs*, p. 15.) [Conjug.: v. *chegar*.]

aproejar [De *a-*[2] + *proa* + *-ejar*.] ***V. t. d. e c. T. c.*** V. *aproar*. [Conjug.: v. *pelejar*.]

aprofundador (ô) [De *aprofundar* + *-dor*.] ***Adj. S. m.*** Que, ou aquele que aprofunda.

aprofundamento [De *aprofundar* + *-mento*.] ***S. m.*** Ato ou efeito de aprofundar(-se).

aprofundar [De *a-*[4] + *profundar*.] ***V. t. d.*** **1.** Tornar fundo ou mais fundo; escavar: *aprofundar um buraco, uma trincheira.* **2.** Meter muito para dentro; enterrar: *As marteladas aprofundaram a estaca.* **3.** Examinar ou investigar a fundo, ou com minúcia; indagar, pesquisar, perquirir: *À luz dos dados reais, os economistas aprofundavam as razões da crise;* "Não aprofundes nunca, nem pesquises / O segredo das almas que procuras" (Raul de Leoni, *Luz Mediterrânea*, p. 99). **4.** Entender, ou compreender perfeitamente; penetrar: *Tentava aprofundar os mistérios daquela alma.* ***T. d. e c.*** **5.** Aprofundar (2). ***P.*** **6.** Introduzir-se profundamente; entranhar-se: *A raiz aprofundou-se no solo.* **7.** Tornar-se mais fundo ou profundo: *Com o sofrimento, as suas rugas aprofundaram-se.* **8.** Penetrar ou adentrar-se muito; embrenhar-se: *Sem o sentir, aprofundara-se na mata.* **9.** Penetrar em um assunto, tema, ideia, etc., investigando-o a fundo. [Sin. ger.: *profundar*.]

aprofundável [De *aprofundar* + *-vel*.] ***Adj. 2 g.*** Que se pode aprofundar; profundável.

aprontamento [De *aprontar* + *-mento*.] ***S. m.*** **1.** Ato ou efeito de aprontar(-se). **2.** V. *aprestamento* (1).

aprontar [De *a-*[2] + *pronto* + *-ar*[2].] ***V. t. d.*** **1.** Pôr pronto; dispor, preparar. **2.** Aparelhar, aprestar. **3.** Concluir, terminar. **4.** Ter e pôr em prática (ideias extravagantes, ou astutas, ou danosas): *É um menino arteiro: apronta cada travessura!; Foi demitido do cargo porque aprontou uma boa confusão.* **5.** *Bras. MG Pop.* Pôr feitiço em (alguém); enfeitiçar, encantar: "Sô Tomé é que vovó mandou embora porque diz que é feiticeiro e estava aprontando Andresa com um chá de raízes para ela casar com ele." (Helena Morley, *Minha Vida de Menina*, p. 32.) **6.** Vestir, arrumar. ***T. d. e i. T. i.*** **7.** Fazer (algo impróprio, ou jocoso, ou escandaloso) para com; armar: *Ele me aprontou uma tramoia; Ela apronta com todos.* ***Int.*** **8.** Ter e pôr em prática ideias extravagantes, ou astutas ou danosas: *Não se pode confiar nesse sujeito: vive aprontando.* **9.** *Turfe* Preparar-se para uma disputa; treinar(-se). ***P.*** **10.** Preparar-se, dispor-se; aprestar-se. **11.** *Fam.* Vestir-se; arrumar-se.

approntes [Pl. de *apronte*, dev. de *aprontar*.] ***S. m. pl. Bras. RS*** V. *aprestamento* (1).

apronto [Dev. de *aprontar*.] ***S. m. Bras.*** **1.** V. *aprestamento* (1). **2.** *Turfe* Último galope de treinamento que o cavalo dá, em seus preparativos. **3.** *Esport.* Exercício final para verificação das condições técnicas, dum indivíduo ou de um grupo.

apropinquação [Do lat. *appropinquatione*.] ***S. f.*** Ação ou efeito de apropinquar; aproximação.

apropinquar [Do lat. *appropinquare*.] ***V. t. d. T. d. e i. P.*** V. *aproximar* (1, 2, 7, 10 e 12): "ó praias do país que se alonginqua, à medida que se apropínqua o turbulento país do carvão" (Adelino Magalhães, *Obras Completas*, I, p. 623). [Conjug.: v. *averiguar*.]

→**à-propos** [a pʁɔ'po] [Fr.] ***S. m.*** A propósito (s.m.). [Cf. *à propos*.]

→**à propos** [a pʁɔ'po] [Fr.] A propósito (loc.); por falar nisso. [Cf. *à-propos*.]

apropositado [Part. de *apropositar*.] ***Adj.*** **1.** Vindo a propósito; conveniente, adequado. **2.** Discreto, sensato, sisudo.

apropositar [De *a-*[2] + *propósito* + *-ar*[2].] ***V. t. d.*** **1.** Dizer ou fazer a propósito. **2.** Fazer chegar em momento ou lugar oportuno e conveniente. **3.** Conformar à razão; acomodar: *Os bons exemplos hão de apropositar seu gênio.* ***T. d. e i.*** **4.** Adaptar, apropriar, adequar: *Apropositou a situação às conveniências.* ***P.*** **5.** Vir a propósito; ser oportuno. **6.** Tomar propósito; tornar-se sensato, judicioso: *Depois de muitas cabeçadas, o jovem apropositou-se.* [Pres. ind.: *apropósito*, etc. Cf. as loc. *a propósito* e *a propósito de*.]

a propósito [Adapt. do fr. *à-propos*.] ***S. m.*** Propriedade, justeza, precisão, pertinência: "As ideias, as frases me acudiam com um a propósito, uma leveza e uma segurança que a mim mesmo surpreendiam." (Gilberto Amado, *Depois da Política*, pp. 226-227.) [Pl.: *a propósitos*. Cf. *a propósito* (loc. adv.).] ☑

apropriação [Do lat. *appropriatione*.] ***S. f.*** **1.** Ato ou efeito de apropriar(-se). **2.** Acomodação, adaptação. **3.** *Prop.* Documento que apresenta em detalhes o orçamento e demais informações relativas à veiculação de anúncio(s). **4.** *Bras.* Aplicação de verba reservada a determinada atividade. ◆ **Apropriação direta.** *Etnogr.* Atividade econômica dos povos primitivos representada pela coleta, caça e pesca rudimentares. **Apropriação do conhecimento.** *Educ.* Ato, processo ou efeito de compreender, conhecer, reter conhecimento.

apropriado [Part. de *apropriar*.] ***Adj.*** **1.** Azado, oportuno, próprio. **2.** Conveniente, adequado, útil.

apropriador (ô) [De *apropriar* + *-dor*.] ***Adj. S. m.*** Que, ou aquele que (se) apropria.

apropriagem ***S. f. Chapel.*** Na fabricação de chapéus, a fase de acabamento.

apropriar [Do lat. *appropriare*.] ***V. t. d. e i.*** **1.** Tomar como propriedade, como seu; arrogar-se a posse de: *Como ousas apropriar a ti o que não tens de direito?* **2.** Tomar como próprio ou adequado, conveniente; adequar, adaptar, acomodar: *Procurou apropriar as palavras ao estado de espírito do pai.* ***T. d.*** **3.** Tornar próprio, seu; apossar-se de. **4.** Tornar próprio (um substantivo comum). ***P.*** **5.** Tomar para si: apossar-se, apoderar-se: *Apropriou-se indebitamente de bens da família.* **6.** Adaptar-se, ajustar-se.

aprosexia (cs) [Do gr. *aprosexía*, 'desatenção'.] ***S. f. Psiq.*** Distúrbio em que ocorre incapacidade de manter a atenção, e que pode ter várias causas, retardo mental, déficit de atenção, emoções extremas ou por distúrbio auditivo.

aprosodia [De *a-*[3] + gr. *prosodía*, 'acento tônico'.] ***S. f. Neur.*** Distúrbio da fala em que o paciente não consegue imprimir a ela as variações normais de tom, de ênfase, etc.

aprosopia [De *a-*[3] + *-prosop(o)-* + *-ia*[1].] ***S. f. Ter.*** Ausência congênita, parcial ou total, de formações anatômicas faciais.

aprótico [De *a-*[3] + *prót(on)* + *-ico*[2].] ***Adj. Fís.-Quím.*** ~ V. *solvente* —.

aprovação [Do lat. *approbatione*.] ***S. f.*** **1.** Ato ou efeito de aprovar. **2.** Consentimento, beneplácito. **3.** Louvor, encômio. **4.** *Ét.* Reconhecimento de conduta ou de caráter moralmente bons. [Cf., nesta acepç., *apreciação* (4).]

aprovado [Part. de *aprovar*.] ***Adj.*** **1.** Que se aprovou ou aprova; julgado bom. **2.** Sancionado, autorizado. ● ***S. m.*** **3.** Indivíduo ou coisa aprovada.

aprovador (ô) [Do lat. *approbatore*.] ***Adj. S. m.*** Que, ou aquele que aprova.

aprovar [Do lat. *approbare*.] ***V. t. d.*** **1.** Dar aprovação a; considerar bom. **2.** Consentir em; dar a aprovação ou autorização para: *Não aprovou o casamento do filho.* **3.** Dar por habilitado, em exame (o estudante) ou em concurso (o candidato). **4.** Autorizar; sancionar, ratificar: *aprovar uma medida, um parecer.* ***Int.*** **5.** Dar prova de boa qualidade, de conveniência, etc.; ser considerado bom: *Este automóvel não aprovou.* **6.** Dar por habilitado o aluno, em exame, ou o candidato, em concurso: *Este professor aprova sempre.*

aprovativo ***Adj.*** V. *aprobativo*.

aprovável [Do lat. *approbabile*.] ***Adj. 2 g.*** Digno de aprovação.

aproveitado [Part. de *aproveitar*.] ***Adj.*** **1.** Diz-se daquilo que dá ou de que se tira proveito; vantajoso, proveitoso. **2.** *P. ext.* Econômico, poupado.

aproveitador (ô) [De *aproveitar* + *-dor*.] ***Adj.*** **1.** Que (se) aproveita. [Sin. (p.us.): *aproveitante*.] ● ***S. m.*** **2.** Aquele que (se) aproveita.

aproveitamento [De *aproveitar* + *-mento*.] ***S. m.*** **1.** Ato ou efeito de aproveitar(-se). **2.** Bom emprego ou aplicação. **3.** Adiantamento ou progresso nos estudos.

aproveitante [De *aproveitar* + *-nte*.] *Adj. 2 g. P. us.* Aproveitador (1).

aproveitar [De *a-*[2] + *proveito* + *-ar*[2].] *V. t. d.* 1. Tirar proveito, vantagem de; valer-se, utilizar-se de: *Aproveitando a distração do viajante, o ladrão roubou-lhe a bagagem.* 2. Tornar proveitoso, útil ou rendoso: *Aproveitou bem o terreno na construção da casa.* 3. Não desperdiçar: *aproveitar as horas vagas.* 4. *Restr.* Tornar utilizável o que já teve uso (roupa, comida, etc.). *T. d. e i.* 5. Dar emprego; aplicar, consagrar: *Aproveita no estudo os momentos livres T. i.* 6. Tirar proveito, vantagem; prevalecer-se, valer-se; lucrar: *Aproveitou com a mudança da administração.* 7. Ser proveitoso, útil, conveniente: *As viagens aproveitaram-lhe deveras.* 8. Ter aproveitamento; fazer progresso; adiantar-se: *Tem aproveitado muito nas aulas de alemão. Int.* 9. Tirar proveito, vantagem de alguma coisa; lucrar com alguma coisa: "Aproveita enquanto o Brás é tesoureiro!" (prov.) 10. Ter aproveitamento; fazer progressos; adiantar-se nos estudos: *Este menino aproveita muito na escola. P.* 11. Tirar proveito, vantagem; utilizar-se, prevalecer-se, valer-se: *Aproveitou-se da distração do freguês e deu-lhe o troco errado.* 12. *Bras.* Tirar vantagem (amorosa, sexual, financeira, etc.) de alguém. 13. *Bras.* Deflorar, violentar, estuprar; abusar: *Aproveitou-se da jovem desprotegida.*

aproveitável [De *aproveitar* + *-vel*.] *Adj. 2 g.* 1. Que se pode aproveitar. 2. Digno de ser aproveitado.

aprovisionador (ô) [De *aprovisionar* + *-dor*.] *Adj. S. m.* Que, ou aquele que aprovisiona.

aprovisionamento [De *aprovisionar* + *-mento*.] *S. m.* Abastecimento de provisões.

aprovisionar [Do fr. *approvisionner*.] *V. t. d.* 1. Abastecer de provisões; prover. *T. d. e i.* 2. *P. ext.* Prover, abastecer. [F. paral.: *provisionar*.]

aproximação (ss) [De *aproximar* + *-ção*.] *S. f.* 1. Ato de aproximar(-se). 2. Estimativa, avaliação. 3. Avizinhação. 4. *Mat.* Resultado aproximado. 5. *Mat.* Processo para a obtenção de um resultado aproximado, na solução de um problema numérico. 6. *Art. Gráf.* Face de aproximação (q. v.). 7. *Art. Gráf.* Claro entre duas letras, determinado pelo afastamento entre as faces de aproximação.

aproximadamente [Do fem. de *aproximado* + *-mente*.] *Adv.* Por volta de; cerca de; algo em torno de; quase: *Ele tinha aproximadamente 15 anos, quando nos conhecemos; Aproximadamente às três da manhã, o telefone tocou.* [Us. para indicar valor ou grau inexatos, mas próximos àquele ao qual o falante se refere.]

aproximado (ss) [Part. de *aproximar*.] *Adj.* 1. Que se aproxima, se avizinha; próximo. 2. Feito por aproximação (5); aproximativo: *avaliação aproximada.* 3. *Filos.* Diz-se de conhecimento considerado válido, mas ainda não definitivo, e para o qual se busca maior perfeição. ~ V. *resultado* —.

aproximante (ss) [De *aproximar* + *-nte*.] *Adj. 2 g.* 1. Que (se) aproxima. 2. ~ V. *consoante* —. ● *S. f.* 3. *E. Ling.* Consoante aproximante (q. v.).

aproximar (ss) [Do lat. *approximare*.] *V. t. d.* 1. Pôr próximo; tornar próximo; achegar, avizinhar. 2. Fazer com que (alguma coisa ou alguém) pareça estar perto ou mais perto: *O telescópio aproxima os corpos celestes.* 3. Estabelecer relações entre; relacionar, unir, ligar: *A dor comum os aproximou.* 4. Fazer chegar; apressar: *A abolição da escravatura aproximou a proclamação da República.* 5. Fazer chegar (um cálculo) o mais próximo à exatidão. 6. Pôr (ideias, fatos, coisas) em paralelo; relacionar, comparar. *T. d. e i.* 7. Tornar próximo; chegar perto; avizinhar: *Aproximou o rosto ao do namorado;* "O homeopata aproximou os lábios do ouvido de Dona Agostinha, para que os outros consulentes não ouvissem" (Mário Donato, *A Parábola das 4 Cruzes*, p. 62). 8. Pôr duas ou mais pessoas em contato; relacionar: *Esforçou-se para aproximá-lo da família.* 9. *Mat.* Efetuar um processo de aproximação. *P.* 10. Pôr-se próximo ou mais próximo; avizinhar-se, achegar-se, chegar-se, abeirar-se: "Separei-me bruscamente de Isabelita e aproximei-me do caixão." (Domingos Monteiro, *Histórias das Horas Vagas*, p. 110); "Miranda aproximou-se do piano." (Machado de Assis, *Várias Histórias*, p. 131). 11. Relacionar-se; ligar-se, unir-se. 12. Estar próximo; beirar: *Ela já se aproxima dos quarenta anos.* [Sin., p. us., nas acepç. 1, 2, 7, 10 e 12: *apropinquar*.]

aproximativa (ss) [F. subst. de *aproximativo*.] *S. f. E. Ling.* Conjunção aproximativa (q. v.).

aproximativo (ss) [De *aproximar* + *-tivo*.] *Adj.* 1. Que aproxima. 2. Aproximado (2): *cálculo aproximativo.* ~ V. *conjunção* —*a*.

aprumado [Part. de *aprumar*.] *Adj.* 1. Posto a prumo. 2. Perfeitamente vertical. 3. *Fig.* Diz-se de indivíduo correto e digno; alinhado. 4. *Fig.* Bem vestido, bem-apresentado, bem-posto, alinhado. 5. *Bras.* Melhorado de situação financeira ou de saúde, sobretudo após abalo sério de uma ou de outra.

aprumar [De *a-*[2] + *prumo* + *-ar*[2].] *V. t. d.* 1. Pôr a prumo; pôr vertical. 2. *Fig.* Tornar altivo, arrogante, orgulhoso. *Int.* 3. *Mar. Desus.* V. *prumar*. *P.* 4. Endireitar-se, empertigar-se: *A Seleção aprumou-se ao ouvir o Hino Nacional;* "Nas ameias, manchando o céu caliginoso, / Aprumam-se perfis de imóveis sentinelas." (Olavo Bilac, *Poesias*, p. 213). 5. *Bras.* Melhorar de sorte ou de saúde: *Andava mal de vida, mas ultimamente se aprumou.* 6. *Bras.* Vestir-se com apuro.

aprumo [Dev. de *aprumar*.] *S. m.* 1. Efeito de aprumar(-se). 2. Posição direita, vertical. 3. Energia, altivez. [Cf. a loc. adv. *a prumo*.]

apside (sí) [Do gr. *apsís*, 'abóbada', pelo lat. *apside*.] *S. f. Astr.* Ponto da órbita de um astro, no qual este se encontra mais afastado, ou menos afastado, de seu centro de atração.

apsiquia [De *a-*[3] + *-psiqu(e)-* + *-ia*[1].] *S. f. Psiq.* Ausência de consciência.

apterigídeo [Adapt. do tax. *Apterygidae*.] *Zool. S. m.* 1. Espécime dos apterigídeos, família de aves apterigiformes, ratitas, de pernas curtas e fortes, asas vestigiais, penas semelhantes a penugem, e cauda ausente. Têm hábitos noturnos, habitam florestas densas, alimentando-se de larvas e vermes, e nidificam em tocas no solo. São os quivis, encontrados apenas na Nova Zelândia. ● *Adj.* 2. Pertencente ou relativo a eles.

apterigiforme [Adapt. do tax. *Apterygiformes*.] *Zool. S. m.* 1. Espécime dos apterigiformes, ordem de aves neórnites, paleógnatas, de bico longo e delgado, com as narinas na extremidade, asas atrofiadas desprovidas de rêmiges, úmero vestigial, patas com quatro dedos; a plumagem do corpo é mole. São os quivis da Nova Zelândia. ● *Adj.* 2. Pertencente ou relativo a eles.

apterigoto [Adapt. do tax. *Apterygota*.] *Zool. S. m.* 1. Espécime dos apterigotos, subclasse de insetos ametabólicos, sem asas, mesmo na fase embrionária, e cujo abdome tem apêndices ventrais, além dos cercos. São os proturos, colêmbolos, dipluros e tisanuros. ● *Adj.* 2. Pertencente ou relativo a eles. [Sin. ger.: *ametábolo*.]

aptério [De *a-*[3] + *-pter(o)-* + *-io*[3].] *S. m.* Edifício sem colunas.

áptero[1] [Adapt. do gr. *ápteros*.] *Adj.* Sem asas.

áptero[2] [Adapt. do tax. *Aptera*.] *S. m. Adj. Zool.* 1. V. *anopluro*. 2. V. *tisanuro*.

apteronotídeo [Do tax. *Apteronotidae*.] *Zool. S. m.* Espécime dos apteronotídeos, família de peixes gimnotiformes, que se caracterizam pela nadadeira caudal reduzida e excrescência carnosa dorsal. São peixes elétricos distribuídos por toda a América do Sul. ● *Adj.* 2. Pertencente ou relativo a eles.

aptialia [De *a-*[3] + *-ptial(o)-* + *-ia*[1].] *S. f. Med.* Assialia.

aptiálico [De *aptialia* + *-ico*[2].] *Adj. Med.* Assiálico.

aptidão [Do lat. *aptitudine*.] *S. f.* 1. Disposição inata; queda: *Tem natural aptidão para lidar com as pessoas.* 2. Habilidade ou capacidade resultante de conhecimentos adquiridos: *É notável sua aptidão como secretária.* [Sin. ger., p us.: *aptitude*.] ◆ **Aptidão profissional.** *Adm.* Capacidade natural ou desenvolvida para executar uma atividade profissional específica.

aptigmático [De *a-*[3] + gr. ptýgma, *atos*, 'prega', 'dobra', + *-ico*[2].] *Adj. Geol.* Que não apresenta dobras ou enrugamentos.

aptitude [Do lat. *aptitudine*.] *S. f. P. us.* V. *aptidão*: "não há dúvida que bater monte e empregar meia dúzia de cartuchos .... representa uma aptitude física e técnica, em que estão empenhados todos os sentidos para lá do normal." (Aquilino Ribeiro, *O Homem da Nave*, p. 48).

apto [Do lat. *aptu*.] *Adj.* 1. Que tem aptidão inata ou adquirida; idôneo, hábil, habilitado, capaz. 2. *Jur.* Que satisfaz as condições legais. 3. *P. ext.* Apropriado, adequado: *obras aptas ao bom êxito dos meus estudos.*

apuá [De or. indígena.] *S. f. Bras.* A fêmea do siri.

apuado[1] [De *a-*[2] + *pua* + *-ado*[1].] *Adj.* Semelhante a, ou que termina em pua; pontiagudo.

apuado[2] [Part. de *apuar*.] *Adj.* 1. Cravado ou supliciado por meio de puas. 2. *Fig.* Torturado, afligido, aflito.

apuamento [De *apuar* + *-mento*.] *S. m.* Ato ou efeito de apuar.

apuar [De *a-*[2] + *pua* + *-ar*[2].] *V. t. d.* 1. Atacar com puas. 2. Armar com puas. 3. Supliciar com puas. 4. *P. ext.* Supliciar, torturar.

apuaremense *Adj. 2 g.* 1. De, ou pertencente ou relativo a Apuarema (BA). ● *S. 2 g.* 2. O natural ou habitante de Apuarema.

apuava [De or. indígena.] *Adj. 2 g. Bras.* Diz-se do cavalo espantadiço, arisco, arruá.

apucaranense *Adj. 2 g.* 1. De, ou pertencente ou relativo a Apucarana (PR). ● *S. 2 g.* 2. O natural ou habitante de Apucarana.

apucuitaua [Do tupi.] *S. m. Bras. AM* Remo[1] (1). [Cf. *apecuitá*.]

➔**apud** ['apod] [Lat., 'junto a'; 'em'.] *Prep.* Empregada geralmente em bibliografia, para indicar a fonte de uma citação indireta: *Machado de Assis, Quincas Borba, apud Álvaro Lins, Jornal de Crítica.* [Abrev.: *ap.*]

■ **APUD** [Acrôn. do ingl. *amine precursor uptake (and) decarboxilation*.] *Med. Patol.* Sistema de células distribuídas pelo organismo, que compartilham certas características bioquímicas e ultraestruturais, secretando aminas que, dentre outras funções, têm a de neurotransmissor.

➔**apud acta** ['apod 'akta] [Lat., 'nos autos'.] *Jur.* V. *procuração* apud acta.

apudoma [De *APUD* + *-oma*[1].] *S. m. Patol.* Tumor constituído por células pertencentes ao sistema APUD.

apué [De or. tupi, poss.] *S. m. Bras. S. S.O. Zool.* Designação antiga do *bodião*[1].

apuí [Do tupi.] *S. m. Bras. Bot.* 1. Árvore morácea (*Ficus fagifolia*) cuja casca, folhas e raízes têm uso medicinal; apuizeiro. 2. *AM* V. *cebola-grande-da-mata*.

apuiareense (êên) *Adj. 2 g.* 1. De, ou pertencente ou relativo a Apuiarés (CE). ● *S. 2 g.* 2. O natural ou habitante de Apuiarés.

apuiense (u-í) *Adj. 2 g.* 1. De, ou pertencente ou relativo a Apuí (AM). ● *S. 2 g.* 2. O natural ou habitante de Apuí.

apuirana (u-i) [Do tupi = 'semelhante ao apuí'.] *S. f. Bras. Bot.* Ruamom.

apuizeiro (u-i) [De *apuí* + *-zeiro*.] *S. m. Bras. Bot.* Apuí (1).

apulso [Do lat. *appulsu*.] *S. m.* 1. No direito romano, o direito de fazer o gado passar pela propriedade de outrem para chegar ao tanque comum. 2. *Astr.* Configuração celeste em que dois astros se encontram a uma distância aparente muito pequena. [Cf. a loc. adv. *a pulso*.]

apunhalado [Part. de *apunhalar*.] *Adj.* Ferido ou morto com punhal.

apunhalar [De *a-*[2] + *punhal* + *-ar*[2].] *V. t. d.* 1. Ferir ou matar com punhal; dar punhalada(s) em: *O criminoso apunhalou a vítima e fugiu;* "Apunhala um fantasma! — solta um grito / Larga o punhal, convulso e arrepiado!" (Gonçalves Dias, *Obras Poéticas*, II, p. 151). 2. Ferir com instrumento pontiagudo que lembre um punhal: "a aresta / De um seixo apunhalando o pé já todo em sangue" (Vicente de Carvalho, *Poemas e Canções*, p. 57). 3. Ofender gravemente com atos ou palavras; magoar ou melindrar muito; pungir: *Tuas injúrias apunhalaram-no.* 4. Destruir, matar: "Boia em teus olhos a esperança morta, / Que as mulheres de lá te apunhalaram." (Castro Alves, *Obra Completa*, p. 177.) 5. Enganar por traição; trair: *Apunhalou o irmão na partilha dos bens. Int.* 6. Produzir a sensação de uma punhalada: *Certas dores apunhalam. P.* 7. Ferir-se ou matar-se com punhal.

apunhar [De *a-*[2] + *punho* + *-ar*[2].] *V. t. d.* 1. V. *empunhar*: "De um leão fulvo com sanguíneos laivos / Pele talar enverga, apunha a lança." (Manuel Odorico Mendes, *Ilíada de Homero*, p. 125.) *T. i.* 2. Bater com os punhos.

apupada [De *apupar* + *-ada*[1].] *S. f.* 1. Ato ou efeito de apupar. 2. V. *vaia*. 3. *P. ext.* Vaia prolongada.

apupar [T. onom.] *V. t. d.* 1. Perseguir com apupos; escarnecer. *Int.* 2. Tocar buzina ou apupo para os monteiros se reunirem.

apupo [Dev. de *apupar*.] *S. m.* 1. V. *vaia*: "Então o Diabo, fazendo horribilíssimos biocos, ... fugiu pela igreja fora, com grandes apupos e doestos dos espectadores." (Alexandre Herculano, *Lendas e Narrativas*, I, p. 262.) 2. Buzina que produz sons desafinados.

apuração [De *apurar* + *-ção*.] *S. f.* 1. Ato ou efeito de apurar; apuramento, apuro. 2. V. *contagem* (2). 3. *Estat.* Fase de um trabalho estatístico na qual os resultados da coleta de dados são reunidos em tabelas ou modelos apropriados. 4. *Bras.* Fase final da lavagem do cascalho.

apurada [F. subst. do adj. *apurado*.] *S. f. Bras. SP* Terra roxa de grande fertilidade; terra apurada.

apurado [Part. de *apurar*.] *Adj.* 1. Em que há apuro, esmero, elegância. 2. Feito com apuro; esmerado: *encadernação apurada.* 3. Escolhido por melhor. 4. Delicado, fino, requintado: *gosto apurado.* 5. V. *aguçado* (6). 6. *Bras.* Em apuros ou dificuldades financeiras. 7. *Bras.* Sobrecarregado de serviço; abarbado. 8. *Bras.* Impaciente, sôfrego. 9. *Bras. S.* Apressado, azafamado. ~ V. *terra* —*a*. ● *S. m.* 10. Quantia que se juntou ou apurou nas vendas de um estabelecimento comercial em um dia ou noutro período de tempo.

apurador (ô) [De *apurar* + *-dor*.] ***Adj. S. m.*** Que, ou aquele que apura.

apuramento [De *apurar* + *-mento*.] ***S. m.*** **1.** V. *apuração* (1). **2.** V. *contagem* (2). **3.** *Com.* Liquidação (8).

apurar [De *a-*[2] + *puro* + *-ar*[2].] ***V. t. d.*** **1.** Tornar puro; livrar de impureza; purificar: *apurar a lã.* **2.** Tornar puro ou perfeito; aperfeiçoar, aprimorar, refinar, polir: *apurar o estilo.* **3.** Afinar (metais). **4.** Juntar, amealhar (dinheiro proveniente de venda, troca, aluguel, esmola, etc.). **5.** Cobrar, receber, arrecadar. **6.** Conhecer ao certo; averiguar, indagar: *Temos de apurar o que se passa aqui.* **7.** Aguçar, aplicar: *apurar a audição.* **8.** Tornar mais concentrado, ou saboroso, por meio do acréscimo de temperos e/ou de ebulição demorada: *apurar um molho.* **9.** *Bras.* Acelerar a marcha de. **10.** *Bras.* Lavar (o cascalho diamantífero). ***T. d. e i.*** **11.** Afinar, aguçar: "apurava o ouvido aos rumores e vozes da plateia." (Aquilino Ribeiro, *Estrada de Santiago*, p. 95). ***Int.*** **12.** Tornar-se puro; purificar-se. **13.** Esmerar-se, aperfeiçoar-se, aprimorar-se. **14.** Concentrar-se, tornar-se mais suculento, por meio de ebulição demorada: *O caldo apurou muito.* ***P.*** **15.** Tornar-se puro; purificar-se. **16.** Esmerar-se, aperfeiçoar-se, aprimorar-se. **17.** Vestir-se com primor e elegância; esmerar-se no trajar: *Quando sai, apura-se.* **18.** Perder a calma; irritar-se: *Apura-se, às vezes, com as crianças.* **19.** Caminhar apressadamente; apressar-se. **20.** *Bras.* Ficar em apuros, financeiros ou de outra natureza.

apurativo [De *apurar* + *-tivo*.] ***Adj.*** Purificante, depurativo.

apurinã *Bras.* ***S. 2 g.*** **1.** *Etnôn.* Indivíduo dos apurinãs, povo indígena da família linguística aruaque, que habita a margem direita do rio Purus (AM) e seus afluentes. • ***Adj. 2 g.*** **2.** Pertencente ou relativo a esse povo. [Tb. us. como *s. 2 g. e 2 n.* (com cap.) e *adj. 2 g. e 2 n.*]

apuro [Dev. de *apurar*.] ***S. m.*** **1.** V. *apuração* (1). **2.** Requinte, excesso: *apuro de amabilidade.* **3.** Perfeição, esmero: *apuro de linguagem; apuro no vestir.* **4.** V. *aperto* (5): *Está sem dinheiro, em verdadeiro apuro.* **5.** Soma de quantias apuradas ou arrecadadas. [Cf., nesta acepç., *apurado* (10).] **6.** *Bras. S.* Pressa, azáfama; roda-viva. ◆ **Ver-se em apuros.** Encontrar-se em situação difícil, em angústia, em miséria.

apurpurado [De *a-*[2] + *púrpura* + *-ado*[1].] ***Adj.*** V. *purpúreo.*

apuruí [De or. tupi, poss.] ***S. m.*** *Bras. Bot.* Puruí-grande (1).

■ **aq** Sigla de *molécula de água,* ou de *meio aquoso.*

▲ **aqua-** V. *aqu(i)-*.

aquacultor (ô) [De *aqua-* + *-cultor*.] ***S. m.*** V. *aquicultor.*

aquacultura [De *aqua-* + *-cultura*.] ***S. f.*** V. *aquicultura.*

aquadrilhamento [De *aquadrilhar* + *-mento*.] ***S. m.*** Ato ou efeito de aquadrilhar(-se).

aquadrilhar [De *a-*[2] + *quadrilha* + *-ar*[2].] ***V. t. d.*** **1.** Alistar ou formar quadrilha. ***P.*** **2.** Reunir-se em quadrilhas.

aquaforte [Do it. *acquaforte*.] ***S. f.*** *P. us.* Água-forte.

aquafortista [Do it. *acquafortista*.] ***S. 2 g.*** Água-fortista.

aqualirado [De *a-*[2] + *qualira* + *-ado*[1].] ***Adj.*** Efeminado (2).

aqualouco [Do lat. *aqua*, 'água', + *louco*.] ***S. m.*** *Bras.* Acrobata que, geralmente em grupo e vestido de maneira extravagante, sobretudo com maiôs meia-calça e camiseta, em peça única, à moda das primeiras décadas do séc. XX, dá saltos de trampolim sem preocupação ornamental, mas com fim de divertir, em demonstração cômica: "há um outro eu invisível que é aqualouco, patinador sobre arco-íris, menino tonto" (Rubem Braga, *Ai de Ti, Copacabana*, p. 37).

aquando [De *a*[3] + *quando*.] ***Conj.*** *Ant. Pop.* Ao tempo em que; quando. ◆ **Aquando de.** Por ocasião de: "só se haviam voltado a falar, por dever de ofício, aquando da cerimônia de apresentação das autoridades locais ao príncipe D. Luís Filipe." (Miguel Sousa Tavares, *Equador*, p. 490).

aquaplanagem [Do lat. *aqua*, 'água', + *plano* + *-agem*[2].] ***S. f.*** **1.** Pouso sobre água; amerissagem. **2.** *Gír.* Aterrissagem perigosa em pista molhada: "Dizem os comandantes que a pista de Congonhas não oferece condições mínimas de segurança quando chove. Citam vários pequenos acidentes .... conhecidos na gíria da aviação como aquaplanagem." (*Jornal do Brasil*, 19.11.1981.)

aquarela [Do it. ant. *acquarello*, atual *acquarella*.] ***S. f.*** **1.** Massa com pigmento de várias cores, que se deve dissolver em água para reduzi-la à tinta: *caixa de aquarelas; tubo de aquarelas.* **2.** Técnica de pintura sobre papel em que se emprega essa tinta, permitindo um meio de expressão delicado e transparente de difícil execução, uma vez que o aquarelista deve trabalhar rapidamente, sem se deter em minúcias e sem poder sobrepor a tinta para retoques. **3.** A pintura feita com essa técnica. **4.** *Fig.* Visão alegre ou otimista de uma época, uma situação, um lugar, etc.: A Aquarela do Brasil, *de Ari Barroso, popularizou nossa música não erudita no exterior.* [F. paral.: *aguarela*.]

aquarelado [Part. de *aquarelar*.] ***Adj.*** Pintado com aquarela.

aquarelar [De *aquarela* + *-ar*[2].] ***V. int.*** Pintar com aquarela. [F. paral.: *aguarelar*.]

aquarelista [De *aquarela* + *-ista*.] ***S. 2 g.*** Pintor de aquarelas. [F. paral.: *aguarelista*.]

aquariano [De *aquário*[1] + *-ano*[1].] ***S. m.*** **1.** Indivíduo nascido sob o signo de Aquário. • ***Adj.*** **2.** Diz-se de, ou pertencente ou relativo a aquariano (1).

aquarídio [Do astr. *Aquário* + *-ídio*[1].] ***S. m.*** *Astr.* Meteoro pertencente à chuva cujo radiante está na constelação do Aquário.

aquário[1] [Do lat. *aquariu*, 'reservatório de água'.] ***S. m.*** **1.** Depósito de água para conservar, criar ou observar animais ou plantas aquáticas, e especialmente peixes ornamentais. **2.** Viveiro (2). **3.** *Fig. Bras.* Cada um de diversos locais de trabalho, separados por divisórias de vidro, em sala de grandes dimensões, como, p. ex., numa redação (5). **4.** *P. ext. Astr.* A 11ª constelação do zodíaco, situada no hemisfério sul. [Sin. (p. us.), nesta acepç.: *Aguadeiro*.] **5.** *Astrol.* O 11º signo do zodíaco, relativo aos que nascem entre 20 de janeiro e 19 de fevereiro. [Com cap., nas acepçs. 4 e 5.]

aquário[2] [Do lat. *aquariu*, 'relativo à água'.] ***Adj.*** V. *aquático* (2).

aquariofilia (quà) [De *aquário*[1] + *-filia*.] ***S. f.*** Grande dedicação à piscicultura ornamental.

aquariófilo [De *aquário*[1] + *-o-* + *-filo*[2].] ***S. m.*** Aquele que se dedica, como especialista, ou como amador, à criação de peixes em aquários; aquarista.

aquarista [De *aquário*[1] + *-ista*.] ***S. 2 g.*** Aquariófilo.

aquartalado [De *a-*[2] + *quarto(s)* + *-a-*[1] + *-l-* + *-ado*[1].] ***Adj.*** Diz-se de cavalo de quartos desenvolvidos e baixos.

aquartelado[1] [Part. de *aquartelar*[1].] ***Adj.*** *Heráld.* Diz-se de escudo dividido em quartéis [v. *quartel*[1] (2)].

aquartelado[2] [Part. de *aquartelar*[2].] ***Adj.*** Alojado em quartéis.

aquartelamento[1] [De *aquartelar*[1] + *-mento*.] ***S. m.*** *Heráld.* Divisão do escudo em quartéis [v. *quartel*[1] (2)].

aquartelamento[2] [De *aquartelar*[2] + *-mento*.] ***S. m.*** **1.** Ato ou efeito de aquartelar(-se). **2.** V. *quartel*[2] (1).

aquartelar[1] [De *a-*[2] + *quartel*[1] + *-ar*[2].] ***V. t. d.*** *Heráld.* Dividir (o escudo) em quartéis [v. *quartel*[1] (2)].

aquartelar[2] [De *a-*[2] + *quartel*[2] + *-ar*[2].] ***V. t. d. e c. T. c. P.*** **1.** Alojar(-se) em quartéis; aboletar(-se). **2.** *P. ext.* Alojar(-se), hospedar(-se).

aquartilhar [De *a-*[2] + *quartilho* + *-ar*[2].] ***V. t. d.*** Medir ou vender aos quartilhos: "Ao pé de Guimarães há um taberneiro que fabrica em cada ano duas pipas de vinho. Com essas duas pipas taberneia, baldroca e aquartilha seis, e com isso mantém o seu giro de comércio" (Ramalho Ortigão, *As Farpas*, I, p. 54).

aquático [Do lat. *aquaticu*.] ***Adj.*** **1.** Pertencente ou relativo à água. **2.** Que vive na água ou sobre ela; aquátil, aquário. ~ V. *esqui* — e *polo* —. • ***S. m.*** **3.** *Bras.* Aquele que frequenta estações de águas minerais: "Em Caxambu ...., frequentando rodas de aquáticos, esse problema o assaltava ....: por que razão as roupas não realçavam nele?" (Ribeiro Couto, *Largo da Matriz e Outras Histórias*, p. 193.)

aquátil [Do lat. *aquatile*.] ***Adj. 2 g.*** V. *aquático* (2). [Pl.: *aquatéis*.]

aquatofana [Do it. *acqua tofana*.] ***S. f.*** Água-tofana.

aquavia [Do lat. *aqua*, 'água', + *via*.] ***S. f.*** Hidrovia.

aquaviário [De *aquavia* + *-ário*.] ***Adj.*** **1.** Relativo a, ou próprio de uma aquavia. **2.** Que compõe ou integra uma aquavia: *terminal aquaviário.*

→**aquavit** [ɑkʊɑ'ʊit] [Sueco *aqvavit* < lat. *aqua vitae*.] ***S. f.*** V. *aquavita.*

aquavita [Do lat. med. *aqua vitae*.] ***S. f.*** Aguardente escandinava feita de cereais ou de batatas, e aromatizada com algumas especiarias.

aquebrantar [De *a-*[4] + *quebrantar*.] ***V. t. d. P.*** V. *quebrantar.*

aquecedor (ô) [De *aquecer* + *-dor*.] ***Adj.*** **1.** Que aquece. • ***S. m.*** **2.** Aparelho destinado a aquecer. **3.** Aparelho doméstico para aquecer água de banhos, de pias, etc. **4.** Aparelho destinado à calefação. [Sin. ger.: *esquentador*.]

aquecer [De *a-*[4] + lat. *calescere*.] ***V. t. d.*** **1.** Transmitir calor a; tornar quente, aquentar, esquentar: *Acendeu o fogo para aquecer a comida;* "O Sol, um Sol piedoso, se levanta, / Aquecendo a modesta casinhola." (Ricardo Gonçalves, *Ipês*, p. 56); "Aquece-me com a tua mocidade!" (Olavo Bilac, *Poesias*, p. 168). **2.** Acalorar, animar, entusiasmar: *aquecer os ânimos.* **3.** Exaltar, irritar; encolerizar. **4.** Servir de consolo (ô) a; consolar; amenizar: *Esta menina aquece a velhice do avô.* **5.** Causar conforto, bem-estar a: *Sua mocidade aquece nossos corações.* **6.** *Econ.* Provocar aquecimento (3) em: *A proximidade do Dia dos Namorados aqueceu o mercado de flores; O aumento do consumo aqueceu a economia.* ***Int.*** **7.** Tornar-se quente. **8.** Exaltar-se, encolerizar-se; esquentar-se. ***P.*** **9.** Fazer-se quente; aquentar-se: *Pelas manhãs, aquecia-se ao sol.* **10.** Entusiasmar-se, animar-se. **11.** Irritar-se, exaltar-se. **12.** *Bras.* Pôr-se (o desportista), pouco antes de dar início a treinamento ou competição, em condições de atuar, executando exercícios musculares; aquecer as turbinas. [Nas f. rizotônicas apresenta as seguintes particularidades: a) no pres. ind. a 1ª pess. sing. tem o *e* fechado: *aqueço* (ê), e a 2ª do sing. (e, portanto, a mesma pess. do imperat.), a 3ª do sing. e a 3ª do pl. têm o *e* aberto: *aqueces* (é), *aquece* (é), *aquecem* (é); *aquece* (é); b) no pres. subj. o *e* é sempre fechado: *aqueça* (ê), *aqueças* (ê), etc. Muda o *c* em *ç* antes de *a* e *o*.]

aquecimento [De *aquecer* + *-imento*.] ***S. m.*** **1.** Ato ou efeito de aquecer(-se). **2.** Exercício físico que prepara o corpo para ginástica, ou o atleta para a entrada em campo, quadra, etc. **3.** *Econ.* Aumento da atividade econômica ou das vendas: *Com o aquecimento da economia, deve cair o desemprego;* "Os produtos .... como alimentos e vestuário terão um aquecimento maior nas vendas em relação aos bens mais caros, como os eletrodomésticos, preveem técnicos da equipe econômica." (*Gazeta Mercantil*, 01.07.1994, em Suplemento, p. 3). ◆ **Aquecimento central. 1.** Sistema de aquecimento de água por meio de caldeira central, que abastece quartos de banho, cozinha, máquinas de lavar roupa, etc. **2.** Sistema de aquecimento de ambiente por meio de aparelhagem central, que distribui ar quente pelos diferentes cômodos, ou faz circular água quente em radiadores neles instalados; calefação central. **Aquecimento dielétrico.** *Eletr.* Aquecimento produzido num dielétrico por meio da dissipação de energia dum campo elétrico alternado de alta frequência. **Aquecimento indutivo.** *Eletr.* O que é produzido pelas correntes de Foucault induzidas num material condutor de eletricidade. **Aquecimento por micro-ondas.** *Eletr.* Tipo de aquecimento dielétrico em que se usam campos de frequência entre 915 e 2.450 MHz, com o que se conseguem, em certos casos, elevada rapidez e grande eficiência na calefação.

aquecível [De *aquecer* + *-ível*.] ***Adj. 2 g.*** Que se pode aquecer.

aquedar [De *a-*[2] + *quedo* + *-ar*[2].] ***V. t. d.*** **1.** Tornar quedo ou sossegado; aquietar. ***Int.*** **2.** Quedar. ***P.*** **3.** Aquietar-se; acomodar-se.

aqueduto [Do lat. *aquaeductu*.] ***S. m.*** **1.** Sistema de canalização, ao ar livre ou em subterrâneo, destinado a captar e conduzir a água de um lugar a outro. **2.** *Arquit.* Aqueduto (1) muito usado outrora, e que ganhava expressão arquitetônica, ao atravessar vales ou outras depressões do terreno, graças à sua estrutura com uma ou mais ordens de arcadas superpostas. [Cf., nessas acepçs., *adutora*.] **3.** *Anat.* Denominação genérica de formação (5) com aspecto de ducto, e que atravessa estrutura ou órgão.

aquela ***Pron. dem.*** **1.** Flex. f. de *aquele*. • ***S. f.*** **2.** Pessoa do sexo feminino que não se nomeia, ou cujo nome se ignora; fulana: *Conheço bem aquela: é uma espertalhona.* [Cf. *àquela*.] ◆ **Sem mais aquela(s). 1.** Sem cerimônia, sem acanhamento. **2.** Sem mais preâmbulos ou explicações, inesperadamente, imediatamente: *Sem mais aquela, rompeu em impropérios.* "Se vos faço estorvo na casa, digam-no vocês, que me vou já, sem mais aquelas." (Fialho d'Almeida, *O País das Uvas*, p. 174).

àquela Flex. f. de *àquele* (q. v.): "Àquela hora o edifício parecia repousar em sono calmo" (Coelho Neto, *Turbilhão*, p. 27). [Cf. *aquela*.]

aquelar [De *aquele* + *-ar*[2].] ***V. t. d.*** *Lus.* Palavra-ônibus que supre um verbo que, geralmente por preguiça mental, não ocorre no momento, e significa, entre muitíssimas outras coisas, arranjar, compor; fazer, preparar; atinar com. [Pres. ind.: *aquelo, aquelas, aquela*, etc.; pres. subj.: *aquele, aqueles*, etc. Cf. *àquela, àquelas, àquele, àqueles, aquele (ê)* e *aqueles (ê)*. Equivale, aproximadamente ao v. *coisar*.]

aquele (ê) [Do lat. vulg. *eccum ille*, 'ei-lo'.] ***Pron. dem.*** **1.** Indica pessoa ou coisa mais ou menos afastada, ou como que afastada, do sujeito falante e do ouvinte, ou de quem ambos já ouviram falar (ou apenas o primeiro ouviu, e supõe que também o segundo), dando, aproximadamente, neste último caso, a ideia de 'conhecido', 'famoso': *Aquele senhor de pé, no fundo da sala, é meu pai;* "Eu sou aquele oculto e grande cabo, / A quem chamais vós outros Tormentório" (Luís de Camões, *Os Lusíadas*, V, 50). **2.** Refere-se a pessoa ou coisa dantes mencionada, e equivale a *o*[2] (3): "O grande homem, em literatura, não é aquele que se presta para as biografias; é, ao contrário, o que se constitui uma impossibilidade para o biógrafo." (Álvaro Lins, *Literatura e Vida Literária*, p. 31); "Estranho livro aquele que escreveste" (Florbela Espanca, *Sonetos Completos*, p. 40). **3.** Indica pessoa ou coisa mais ou menos afastada, no contexto: *Convivi longamente com Pedro, e nunca vi ninguém de tão bom trato como aquele homem.* **4.**

Indica afastamento no tempo: *Deliciosos foram aqueles dias que passaste conosco.* **5.** Em relação a duas pessoas ou coisas já referidas, indica a primeira delas, por oposição a *este*, que indica a mais próxima: *Gosto de João e Manuel, mas aquele é mais amigo meu do que este.* **6.** Indica afetividade: "Alô, moça da favela, aquele abraço!" (Gilberto Gil, do samba *Aquele Abraço*.) **7.** Aquele homem; aquela pessoa: "Eu sou aquele que ficou sozinho / Cantando sobre os ossos do caminho / A poesia de tudo quanto é morto!" (Augusto dos Anjos, *Eu*, p. 203). **8.** Us. a par de *este*, apresenta quase nulo o caráter demonstrativo, sendo antes um indefinido, com o valor de *tal*... [tal outro], *um*... [outro]: "um capricho puro, uma criancice, vê-la trajar de certo modo, com tais e tais enfeites, este vestido e não aquele" (Machado de Assis, *Memórias Póstumas de Brás Cubas*, p. 55). [Notem-se tb., na abonação (para reforço do que fica observado), os indefinidos *certo* e *tais*.] • ***S. m.*** **9.** Pessoa do sexo masculino que não se nomeia, ou cujo nome se ignora; fulano: *Ó aquele, vem cá!* [Flex.: *aquela, aqueles* (ê), *aquelas*. Cf. *este* (ê) e *esse* (ê); *aquele, aqueles*, do v. *aquelar*, e *àquele, àquela, àqueles, àquelas*.]

àquele (ê) Contr. da prep. *a* com o pron. dem. *aquele*: *Diga àquele rapaz que não faça tanto barulho;* "— Quê? Pois preferes o jumento àquele belo alazão? ...." (Aluísio Azevedo, *O Coruja*, p. 42); "Que acaso infeliz amarrara àquele estafermo a mulher que devia ser minha?" (Graciliano Ramos, *Caetés*, p. 253). [Flex.: *àquela, àqueles, àquelas*. Cf. *aquela, aquelas, aquele, aqueles*, do v. *aquelar*, e *aquele* (ê), pron. dem., flex. *aquela, aqueles* (ê), *aquelas*. Há muitos exemplos do emprego, corretíssimo, de *a aquele(s), aquela(s)*, sem a contração: em Cláudio Manuel da Costa, *Obras Poéticas*, I, p. 335; Matias Aires, *Reflexões sobre a Vaidade dos Homens*, p. 275; Gonçalves Dias, *Obras Poéticas*, I, p. 220; Manuel Bandeira, *Estrela da Vida Inteira*, p. 63, e *Andorinha, Andorinha*, p. 248; etc., etc.]

aqueloutro Contr. dos pron. *aquele* e *outro*: um segundo que está ali ou além. [Flex.: *aqueloutra, aqueloutros, aqueloutras*. Cf. *àqueloutro*. É lícito usar, em vez da contração, a locução correspondente: "aquele outro deixava a imaginação correr livre." (França Júnior, *Folhetins*, p. 360); "aqueles liberais; aqueles outros republicanos." (Oliveira Viana, *O Ocaso do Império*, p. 146).]

àqueloutro Contr. da prep. *a* com o pron. dem. *aqueloutro* (q. v.). [É normal o emprego de *àquele outro*.]

aquém [Do lat. vulg. *eccum hinc* (composto de *hinc*), 'de cá'.] ***Adv.*** Do lado de cá: *Não terás de atravessar o rio: a casa fica situada aquém.* [*Aquém*, como adv., pode ter todas as acepçs. do *aquém de*, loc. prep., tirando-se na definição o *de* final. Antôn.: *além*.] ◆ **Aquém de. 1.** Do lado de cá de: *O meu chalé está aquém da serra.* **2.** Abaixo de; por menos de: *O preço unitário ficará aquém do custo.* **3.** Abaixo de; menos de: *Nenhum dos livros custa aquém de 10 reais.*

▲ **aquém-** ***Pref.*** = 'aquém de', 'do lado de cá de': *aquém-mar, aquém-Pireneus*. [É sempre seguido de hífen.]

aquém-mar ***Adv.*** **1.** Aquém do mar. • ***S. m.*** **2.** As terras de aquém-mar. [Antôn.: *além-mar*. Pl. do s. m.: *aquém-mares*.]

aquém-pireneus [De *aquém-* + *pireneus*.] ***Adv.*** **1.** Aquém dos Pireneus (Europa). • ***S. m. 2 n.*** **2.** As terras de aquém-pireneus. [Antôn.: *além-pireneus*.]

aquénico ***Adj. Bot.*** V. *aquênico*. [Uso freq. em P.]

aquênico [De *aquênio* + *-ico*[2].] ***Adj. Bot.*** Referente ao aquênio: *fruto aquênico*.

aquénio ***S. m. Bot.*** V. *aquênio*. [Uso freq. em P.]

aquênio [Do lat. cient. *achaenium*.] ***S. m. Bot.*** Tipo de fruto minuto, seco, indeiscente, provido de uma só semente, a qual se acha inteiramente livre no interior do pericarpo fino, e que é característico da família das asteráceas (dália, margarida, etc.), embora apareça irregularmente em muitas outras. [Os "carocinhos" do morango e do figo são aquênios.]

aquense (qüen) ***Adj. 2 g.*** **1.** De, ou pertencente ou relativo a Aix-en-Provence, Aix-les-Bains (França) e a Aix-la-Chapelle (denominação francesa da cidade de Aachen, Alemanha). • ***S. 2 g.*** **2.** O natural ou habitante de cada uma dessas cidades.

aquentamento [De *aquentar* + *-mento*.] ***S. m.*** Ato ou efeito de aquentar(-se).

aquentar [De *a-*[4] + lat. vulg. *calentare*, frequentativo de *calere*, 'estar quente'.] ***V. t. d.*** **1.** Tornar quente; aquecer, esquentar. **2.** Dar ânimo, coragem a; animar. ***P.*** **3.** Aquecer-se, esquentar-se: *Passou a noite a aquentar-se junto ao fogo.* [Sin. ger.: *quentar*.]

áqueo (qüe) [Do lat. med. *aqueu*.] ***Adj.*** V. *aquoso*. ❖

aquerenciadeira [De *aquerenciar* + *-deira*.] ***S. f. Bras. RS*** Égua madrinha com que se acolhera outro animal para ser aquerenciado.

aquerenciado [Do hisp.-amer. *aquerenciado*.] ***Adj. Bras. RS*** Diz-se do animal acostumado a um lugar, ou a viver com outros animais. [Tb. se aplica, p. ext., às pessoas.]

aquerenciador (ô) [Do hisp.-amer. *aquerenciador*.] *Bras. RS* ***Adj.*** **1.** Que aquerencia. **2.** Diz-se do campo bom, preferido pelos animais. • ***S. m.*** **3.** Aquele que aquerencia.

aquerenciar [Do hisp.-amer. *aquerenciar*.] ***V. t. d.*** *Bras. RS* **1.** Acostumar (o animal) a determinado lugar que não o de seu pouso habitual ou de seu nascimento, ou a determinada campanha. ***P.*** **2.** Habituar-se (o animal, ou, p. ext., pessoa) a certo lugar, ou a viver com outrem.

aqueronteu [Do gr. *acherónteios*, pelo lat. tard. *acheronteu*.] ***Adj.*** *Mit.* Aquerôntico. [Fem.: *aqueronteia* (é).]

aquerôntico [De *Aqueronte* + *-ico*[2].] ***Adj.*** *Mit.* Pertencente ou relativo a Aqueronte, um dos rios do Inferno; aqueronteu.

aquesto (ês) [Do port. ant. *aquesto* (= *aquisto*) < lat. *acquisitu*, 'adquirido'.] ***Adj.*** *Jur.* ~ V. *bens —s*.

aquetóideo [Do tax. *Acheta* + *-óideo*.] ***S. m. Adj.*** *Zool.* V. *grilóideo*.

aqueu [Do lat. *achaeu*.] ***Adj.*** **1.** Da, ou pertencente ou relativo à Acaia, região da Grécia antiga, no N. do Peloponeso (v. *peloponésio*); acaio, acaico. **2.** Pertencente ou relativo aos aqueus; aquivo. • ***S. m.*** **3.** O natural ou habitante da Acaia; acaio, acaico. **4.** Indivíduo dos aqueus, ramo do povo grego antigo; aquivo. [Fem.: *aqueia*.]

aqui [Do lat. *eccum*, part. enfática, + *hic*, 'aqui'.] ***Adv.*** **1.** Neste lugar: *Reside aqui há cerca de três anos;* "Fui pescador e arrependo-me. Aqui estou." (Machado de Assis, *Contos Fluminenses*, p. 55). **2.** A este lugar: *Veio aqui a serviço;* "viemos aqui dar para ganhar um migalho de pão azedo." (Camilo Castelo Branco, *O Santo da Montanha*, p. 299). **3.** Neste momento ou ocasião; neste ponto, nisto: "Calaram-se todos, inclinaram-se os bustos, atentos, esperando. Aqui fiquei com medo." (Machado de Assis, *Várias Histórias*, p. 29.) **4.** A época ou momento atual; hoje, agora: *Até aqui ele se tem portado bem, e espero continue assim.* **5.** A este respeito; quanto a isto: *— Gosto de leitura. E você? | — Discordo do amigo em muitas coisas, mas aqui estamos de pleno acordo: é um dos meus poucos prazeres.* **6.** Até aqui; até este lugar; a este lugar: "que de Santarém aqui é uma corrida de cavalo" (Alexandre Herculano, *Lendas e Narrativas*, I, p. 250). **7.** Cá[1] (5): "Homem, eu aqui, com os patacos que arranjei, posso talvez fazer algum bem." (Luís de Magalhães, *O Brasileiro Soares*, p. 38); *O papai aqui sabe das coisas.* **8.** Usa-se, principalmente em Portugal, antes de expressões designativas de tempo decorrido: "— Já tive um [vestido] assim, aqui há anos..." (Abel Botelho, *O Livro de Alda*, p. 65); "Você sabe que as casas, aqui há anos, baixaram muito..." (Machado de Assis, *Memórias Póstumas de Brás Cubas*, p. 132). • ***S. m.*** **9.** Este lugar: *Estou em Teresópolis. Esse Rio é quente como diabo, mas aqui é muito agradável.* ◆ **Por aqui (com).** Sem paciência ou disposição para tolerar (algo ou alguém), farto (de): "— .... Estão por aqui — e fez um sinal na garganta — com a reforma agrária que o Jango prometeu." (Roberto Drummond, *Hilda Furacão*, p. 233.) [Esta express. norm. é acompanhada de gesto da mão indicativo de limite extremo.]

▲ **aqu(i)-** (qü) [Do lat. *aqua, ae*.] ***El. comp.*** = 'água': *aquicultura, aquífero*. [Equiv.: *aqua-, -aqu(i)-*: *aquacultor, aquacultura; inaquídeo*.] ❖

▲ **-aqu(i)-** (qü) V. *aqu(i)-*.

aquicer ***S. m.*** V. *alquicé*.

aquícola (qüí) [De *aqu(i)-* + *-cola*[1].] ***Adj. 2 g.*** **1.** Que vive na água. **2.** Relativo à aquicultura. • ***S. 2 g.*** **3.** Pessoa que vive na água. ❖

aquicultor (qüi...ô) [De *aqu(i)-* + *-cultor*.] ***S. m.*** *Impr.* V. *hidroponicista*. ❖

aquicultura (qüi) [De *aqu(i)-* + *-cultura*.] ***S. f.*** **1.** Arte de criar e multiplicar animais e plantas aquáticas. **2.** *Impr.* V. *hidroponia*. ❖

aquidabãense ***Adj. 2 g.*** **1.** De, ou pertencente ou relativo a Aquidabã (SE). • ***S. 2 g.*** **2.** O natural ou habitante de Aquidabã.

aquidauanense ***Adj. 2 g.*** **1.** De, ou pertencente ou relativo a Aquidauana (MS). • ***S. 2 g.*** **2.** O natural ou habitante de Aquidauana.

aqui del-rei [De *aqui* + *del*, contr. da prep. *de* com o ant. art. def. *el*, + *rei*; f. abrev. de *acudam aqui os guardas del-rei*.] ***Interj.*** Usava-se para pedir socorro: "fechou rapidamente a janela e gritou com todo o vigor dos seus pulmões juvenis: | — Aqui del-rei! os de Jacó Patacho!" (Inglês de Sousa, *Contos Amazônicos*, p. 165). ❇

aquiescência [Do lat. *acquiescentia*.] ***S. f.*** Ato ou efeito de aquiescer; anuência, consentimento, assentimento: "Aquela conquista, fato consumado pelo triunfo militar, pela aquiescência de todas as nações, ... é, neste momento, duvidosa, problemática e talvez inexequível." (Euclides da Cunha, *Contrastes e Confrontos*, p. 184.)

aquiescente [Do lat. *aquiescente*.] ***Adj. 2 g.*** Que aquiesce, consente, anui.

aquiescer [Do lat. *aquiescere*.] ***V. int. T. i.*** Consentir, assentir; concordar, anuir: *Sentindo-se constrangido, aquiesceu;* "Seu Cardoso relutou em aquiescer ao pedido da mulher." (Gastão Cruls, *De Pai a Filho*, p. 23). [Conjug.: v. *crescer*.]

aquietação [De *aquietar* + *-ção*.] ***S. f.*** Ato ou efeito de aquietar(-se); apaziguamento, calma.

aquietador (ô) [De *aquietar* + *-dor*.] ***Adj. S. m.*** Que, ou aquele que aquieta.

aquietar [De *a-*[2] + *quieto* + *-ar*[2].] ***V. t. d.*** **1.** Pôr ou tornar quieto; acalmar; apaziguar, tranquilizar. ***Int. P.*** **2.** Ficar quieto, tranquilo; acalmar(-se), serenar(-se): "— Papai verá que vai dormir. | O pai aquietou-se e esperou .... . Quem disse que o sono chegava?" (Manuel Bandeira, *Estrela da Vida Inteira*, p. 147.)

aquífero (qüí) [De *aqu(i)-* + *-fero*.] ***Adj.*** **1.** Que contém água. • ***S. m.*** *Geol.* **2.** Massa rochosa porosa e permeável capaz de acumular água em grande quantidade: *O aquífero Guarani, situado na América do Sul, é um dos maiores reservatórios de água doce do mundo.* ❖

aquifoliácea (qüi) [Do tax. *Aquifolium* (v. *aquifólio*) + *-ácea*; tax. *Aquifoliaceae*.] ***S. f. Bot.*** Espécime das aquifoliáceas, família da ordem das teales que reúne 4 gêneros e cerca de 420 espécies de pequenas árvores e arbustos com folhas alternas e inflorescências cimosas, flores pequeninas e unissexuais, e frutos pequenos e drupáceos, sem valor. Há cerca de 300 espécies, tanto dos países temperados como dos tropicais, não sendo raras no Brasil, onde domina o grande gênero *Ilex*, ao qual pertence a erva-mate. ❖

aquifoliáceo (qüi) [De *aquifoliácea*, com var. suf. (v. *-áceo*).] ***Adj. Bot.*** Pertencente ou relativo às aquifoliáceas. ❖

aquifólio (qüi) [Do tax. *Aquifolium* (v. *aqu(i)-* e *-fólio*).] ***S. m. Bot.*** **1.** O gênero-tipo da família da aquifoliáceas. **2.** Espécie, ou espécime desse gênero. **3.** V. *ílex*. ❖

áquila [Do tax. *Aquila* < lat. *aquila*.] ***S. f. Zool.*** **1.** Gênero de aves falconiformes, acipitriídeas, cosmopolitas, e que inclui dez espécies. **2.** Qualquer espécie desse gênero, como, p. ex., a *Aquila chrysaëtos*, conhecida como águia-dourada (q. v.). **3.** Qualquer espécime desse gênero.

aquilão[1] [Do lat. *aquilone*.] ***S. m.*** *Poét.* **1.** O vento norte: "O frio aumenta. Já silva, / Às refregas, o aquilão!" (Bulhão Pato, *O Livro do Monte*, p. 68.) **2.** *Ant.* O vento nordeste. **3.** A região boreal; o Norte. [F. paral.: *áquilo*, var.: *aguião*.]

aquilão[2] ***S. m.*** *Bras.* Unguento semelhante ao basilicão.

aquilária [Do tax. *Aquilaria* (do lat. *aquila, ae*, 'águia', + lat. cient. *-aria*).] ***S. f. Bot.*** **1.** Gênero de plantas fanerogâmicas, timeleáceas, de que se conhecem espécies nativas no S.O. asiático, e cuja madeira produz uma resina aromática. **2.** Qualquer espécie desse gênero, como, p. ex., a *Aquilaria malaccensis*, que fornece o agáloco (q. v.). **3.** Qualquer espécime desse gênero.

aquilatação [De *aquilatar* + *-ção*.] ***S. f.*** Ato ou efeito de aquilatar; quilatação, aquilatamento.

aquilatador (ô) [De *aquilatar* + *-dor*.] ***S. m.*** Aquele que aquilata.

aquilatamento [De *aquilatar* + *-mento*.] ***S. m.*** V. *aquilatação*.

aquilatar [De *a-*[2] + *quilate* + *-ar*[2].] ***V. t. d.*** **1.** Determinar o quilate ou o número de quilates de: *aquilatar o ouro.* **2.** Pesar no ânimo; apreciar, avaliar, julgar: *Conhecendo-o de perto, posso bem aquilatar os seus méritos.* **3.** Melhorar, aperfeiçoar, aprimorar, apurar. ***P.*** **4.** Aperfeiçoar-se, aprimorar-se, apurar-se. [Sin. ger.: *quilatar*.]

aquilégia [Do tax. *Aquilegia*.] ***S. f. Bot.*** **1.** Gênero de plantas ranunculáceas, herbáceas de flores irregulares, exuberantes, dotadas de esporas [v. *espora* (4)]. **2.** Qualquer espécie desse gênero, como, por ex., a *Aquilegia canadensis*, de flores vermelhas, e a *A. coerulea*, de flores azuis, ambas nativas da América do Norte. **3.** Qualquer espécime desse gênero.

aquileu [Do gr. *achílleios*, pelo lat. *achilleu*.] ***Adj.*** *Anat.* Relativo ao *tendão de aquiles* [denom. ant. do *tendão calcâneo* (q. v.)]. ~ V. *reflexo* –.

aquilhado [De *a-*[2] + *quilha* + *-ado*[1].] ***Adj.*** Diz-se de embarcação que tem quilha.

aquilia[1] [De *a-*[3] + *-quil(o)-*[1] + *-ia*[1].] ***S. f.*** *Patol.* Ausência ou deficiência de formação de quilo[1]. ◆ **Aquilia gástrica.** *Med.* Ausência de secreção do suco gástrico.

aquilia[2] [De *a-*[3] + *-quil(o)-*[2] + *-ia*[1].] ***S. f.*** *Ter.* Falta congênita de um lábio, ou de ambos.

aquilino [Do lat. *aquilinu*.] ***Adj.*** **1.** Pertencente à águia, ou próprio dela. **2.** Diz-se do nariz adunco como o bico da águia: "o nariz aquilino do ministro arriscava-se farejando os importunos" (Rebelo da

Silva, *De Noite Todos os Gatos são Pardos*, p. 95). **3.** Diz-se do olhar penetrante como os olhos da águia.

aquilo [Do lat. *eccum*, part. enfática, + *illud*, 'aquilo'.] ***Pron. dem.*** **1.** Aquela(s) coisa(s): "O nosso clero está longe de ser aquilo que pede a religião do cristianismo." (Machado de Assis, *Poesia e Prosa*, p. 111.) **2.** *Deprec.* , ou, ao invés, *apreciat.* Aquela pessoa: *Aquilo é um canalha; Aquilo é um anjo!* [Cf. *àquilo* e *áquilo*.]

áquilo ***S. m.*** V. *aquilão*[1]. [Cf. *aquilo* e *àquilo*.]

àquilo Contr. da prep. *a* com o pron. *aquilo*: "acrescia a veste sacra do sacerdote, que dava àquilo um ar de solenidade e consagração." (Machado de Assis, *Helena*, p. 169); "foi depois disso que deixei de dar importância àquilo." (Antônio Olinto, *Copacabana*, p. 30). [Em vez da contr., pode-se usar *a aquilo*. Cf. *aquilo* e *áquilo*.]

aquilombado [Part. de *aquilombar*.] ***Adj. Bras.*** Dizia-se do escravo refugiado em quilombo.

aquilombar [De *a-*[2] + *quilombo* + *-ar*[2].] ***Bras. V. t. d.*** **1.** Reunir (escravos fugitivos) em quilombos; amocambar. ***P.*** **2.** Refugiar-se em quilombo (1), ou como em quilombo (1): "Muitos escravos fugiam para se aquilombar nas matas vizinhas, na vizinhança de tribos índias." (E. Roquete-Pinto, *Seixos Rolados*, p. 62.)

aquilonal [Do lat. *aquilonale*.] ***Adj. 2 g.*** Do aquilão[1]; boreal, aquilonar, aquilônio.

aquilonar [Do lat. *aquilonare*.] ***Adj. 2 g.*** V. *aquilonal*.

aquilônio ***Adj.*** V. *aquilônio*. [Uso freq. em P.]

aquilônio [Do lat. *aquiloniu*.] ***Adj.*** V. *aquilonal*.

aquilotado [Part. de *aquilotar-se*.] ***Adj. Bras. N.E. Pop.*** **1.** Habituado, acostumado. **2.** Avinhado[2] (4).

aquilotar-se [De *a-*[4] + *quilotar* + *se*[1].] ***V. p. Bras. N.E. Pop.*** Habituar-se, acostumar-se; quilotar-se.

aquimenes [Do tax. *Achimenes* (do lat. *achaemenis*, 'certa planta us. em sortilégios').] ***S. m. 2 n. Bot.*** **1.** Gênero de ervas gesneriáceas que reúne 22 espécies nativas de regiões tropicais das Américas, cultivadas como ornamentais. **2.** Qualquer espécie desse gênero, como, p. ex., a *Achimenes grandiflora* (v. *violeta-de-cordão*). **3.** Qualquer espécime desse gênero, ou a flor dele.

aquinense ***Adj. 2 g.*** **1.** De, ou pertencente ou relativo a São Tomás de Aquino (MG). ● ***S. 2 g.*** **2.** O natural ou habitante de São Tomás de Aquino.

aquinhoador (ô) [De *aquinhoar* + *-dor*.] ***Adj. S. m.*** Que, ou aquele que aquinhoa.

aquinhoamento [De *aquinhoar* + *-mento*.] ***S. m.*** Ato ou efeito de aquinhoar, de repartir e/ou distribuir em quinhões.

aquinhoar [De *a-*[2] + *quinhão* + *-ar*[2], com desnasalação.] ***V. t. d.*** **1.** Dividir, repartir em quinhões. **2.** Partilhar, compartilhar: *Aquinhoamos o vosso pesar.* **3.** Contemplar, dotar, favorecer: *É um homem feliz: a fortuna o aquinhoou.* ***T. d. e i.*** **4.** Dar de quinhão; dotar: *A natureza aquinhoou-o de inúmeras qualidades.* ***T. i.*** **5.** Participar, partilhar, compartilhar: "eu te levantarei, eu aquinhoarei de tuas angústias, pois que .... das minhas próprias já não tenho alguma que possa lutar com a piedade do meu Senhor, Jesus Cristo." (Camilo Castelo Branco, *O Santo da Montanha*, p. 215). ***P.*** **6.** Apropriar-se de parte ou quinhão; servir-se de quinhão. [F. paral.: *quinhoar*. Conjug.: v. *coroar*.]

aquiqui [De or. indígena, poss.] ***S. m. Bras.*** Aguardente de milho dos índios caingangues.

aquiral [De *a-*[3] + *quiral*.] ***Adj. 2 g. Quím.*** Que não é quiral.

aquiralidade [De *aquiral* + *-(i)dade*.] ***S. f. Quím.*** Condição de aquiral.

aquirazense (quirà) ***Adj. 2 g.*** **1.** De, ou pertencente ou relativo a Aquiraz (CE). ● ***S. 2 g.*** **2.** O natural ou habitante de Aquiraz.

aquirijebó (jè) [Do ior.] ***S. 2 g. Bras. Rel.*** Frequentador assíduo de festas de vários candomblés; sete-roncós. [Cf. *aquirijibó*.]

aquirijibó [Do ior.] ***S. 2 g. Bras. Rel.*** Indivíduo que se encarrega de despachar (10), na mata ou numa encruzilhada, o ebó de Exu. [Cf. *aquirijebó*.]

aquiritivo [Do lat. *acquirere*, 'adquirir', + *-tivo*.] ***Adj.*** Próprio para a aquisição; aquisitivo.

aquisição [Do lat. *acquisitione*.] ***S. f.*** **1.** Ato ou efeito de adquirir; adquirição. **2.** Coisa adquirida: *Considero esta casa minha melhor aquisição.* **3.** *Astron.* Processo de localizar a órbita de um satélite ou engenho espacial, que permite que sejam escolhidos os dados telemétricos ou de rastreamento do veículo. **4.** *E. Ling. Psicol.* Processo de desenvolvimento de língua materna em criança. [O processo, ger., é caracterizado como tendo quatro fases: a) o balbucio (3) e silabação, até os 12 ou 15 meses; b) o estágio de uma palavra, quando surgem os primeiros vocábulos enunciados em isolado; c) o estágio de múltiplas palavras, dos 18 aos 30 meses, quando as palavras começam a constituir estruturas da língua-alvo; d) a construção de estruturas complexas com compreensão de significação e de sentido.]

aquisitivo [Do lat. *acquisitus*, part. pass. de *acquirere*, 'adquirir', + *-ivo*.] ***Adj.*** **1.** Aquiritivo. **2.** Relativo a aquisição. ~ V. *poder — e prescrição —a*.

aquista (ü) [Do lat. *aqua* + *-ista*.] ***S. 2 g. Lus.*** Pessoa que frequenta ou visita estações termais: "os aquistas das Taipas lembravam anjos a veranear numa nuvem de clorofila..." (Miguel Torga, *Portugal*, pp. 9-10).

aquistar ***V. t. d. Ant.*** Adquirir; ganhar.

aquitanense (qui ou qüi) [Do lat. *aquitanense*.] ***Adj. 2 g. S. 2 g.*** V. *aquitano*.

aquitano (qui ou qüi) [Do lat. *aquitanu*.] ***Adj.*** **1.** Da, pertencente ou relativo à Aquitânia, na Gália (atual região do S.O. da França). ● ***S. m.*** **2.** O natural ou habitante da Aquitânia. [Sin. ger.: *aquitanense*.]

aquivo [Do lat. *achivu*.] ***S. m. Adj.*** V. *aqueu* (2 e 4).

▲ **aquo-** *Quím. El. comp.* Indica uma molécula de água.

→ **a quo** [a kwo] [Lat.] **1.** Em jejum: *estar a quo.* **2.** Na ignorância: *ficar a quo.* **3.** *Jur.* Diz-se do juiz ou do tribunal de cuja sentença se recorre. **4.** Diz-se do dia em que tem início o transcurso de um prazo.

aquosidade [Do lat. *aquositate*.] ***S. f.*** Qualidade ou estado de aquoso.

aquoso (ô) [Do lat. *aquosu*.] ***Adj.*** **1.** Que contém água. [Sin. poét.: *undífero*.] **2.** Da natureza da água, ou semelhante a ela. [Sin. ger.: *áqueo*.] ~ V. *humor — e sol —*.

ar [Do gr. *aér*, pelo lat. *aere*.] ***S. m.*** **1.** Camada gasosa que envolve a Terra; atmosfera: "O ar fino e puro entrava na alma, e n'alma espalhava alegria e força." (Eça de Queirós, *A Cidade e as Serras*, p. 206); "Essa dor de tossir bebendo o ar fino, / A esmorecer e desejando tanto..." (Manuel Bandeira, *Estrela da Vida Inteira*, p. 8). **2.** *P. ext.* Vento, brisa, aragem: *Um ar quente e abafado tudo envolvia.* **3.** O espaço acima do solo: *Voaram pelo ar pedaços de louça.* **4.** *Quím.* Gás que constitui a atmosfera terrestre, constituído, aproximadamente, por oxigênio (20%), nitrogênio (79%) e quantidades ligeiramente variáveis de vapor d'água, dióxido de carbono e argônio, e outros gases nobres. **5.** V. *aparência* (1): *O ar de pobreza da moça contrastava com sua extrema beleza; A casa tinha um ar de sujeira;* "Entraste com ar cansado / Numa igreja fria e triste." (Augusto Gil, *Luar de Janeiro*, p. 31). **6.** Semblante, fisionomia: *Que ar inteligente o deste menino!; Está com um ar abatido;* "A um canto, a barba crescida, um ar idiota, ... seu Rafael parecia não enxergar o povo que invadia a sua casa" (Cordeiro de Andrade, *Anjo Negro*, p. 112). **7.** Maneiras, modos; ares: *Tem um ar acafajestado.* **8.** *Bras. Pop.* Paralisia, estupor; ar de vento. **9.** V. *respiração* (2). ~ V. *ares*. ◆ **Ar comprimido.** Ar submetido a uma pressão superior à atmosfera. **Ar condicionado.** Atmosfera confinada a que se atribuem artificialmente condições de umidade e temperatura para ser máxima a sensação de conforto das pessoas que nela estão. [Cf. *ar-condicionado*.] **Ar de família.** Semelhança de certos traços fisionômicos, de postura, de temperamento, etc., entre membros de uma família: *O ar de família dos Gomes é inconfundível: você os reconhece até pelo andar.* **Ar de poucos amigos.** V. *cara de poucos amigos*: "O peitinho da menina começara a arfar de novo, e ela olhava para as primas com ar de poucos amigos." (Cardoso de Oliveira, *Dois Metros e Cinco*, p. 115.) **Ar encanado.** V. *corrente de ar*. **Ao ar livre.** Fora de qualquer recinto coberto. **Apanhar no ar.** Apreender com muita rapidez. **Com ar de resto.** Com desprezo, com indiferença: *Tratou o velho amigo com ar de resto.* **Dar um (o) ar de sua graça.** *Fam.* Dar (em geral, numa reunião) manifestação de seu espírito, de sua pessoa: *Todo o mundo fala e ele não dá um (o) ar de sua graça.* **Estar fora do ar.** **1.** Estar temporária ou definitivamente suspenso (transmissão por canal de televisão, emissora de rádio, sistema informatizado, etc.). **2.** *P. ext.* Estar temporária ou definitivamente desativado (canal de televisão, emissora de rádio, sistema informatizado, etc.): *Depois da meia-noite este fax está fora do ar.* **3.** *Fig. Gír.* Estar ausente (4 e 5). **Ir ao ar.** *Telec.* Ser transmitido [v. *transmitir* (6)]: *A fala presidencial foi ao ar em todos os canais de televisão e emissoras de rádio.* **Mudar de ar.** Mudar de ares: "– Isso nada vale!... Diz o médico que ficarás boa, logo que mudes de ar." (Aluísio Azevedo, *Filomena Borges*, p. 211.) **No ar.** **1.** Imperfeitamente assentado; não bem combinado ou decidido: *O negócio ainda está muito no ar.* **2.** Na iminência (realmente ou aparentemente) de acontecer, sendo objeto de comentários, mais ou menos sem fundamento preciso: *A reforma do Ministério está no ar; Andam no ar muitas novidades.* **3.** Com a cabeça no ar: "Vivia no ar, tão absorta que não raro era preciso falarem-lhe duas e três vezes para que ela chegasse a responder alguma coisa" (Machado de Assis, *Contos sem Data*, p. 138). **Sair do ar.** V. *estar fora do ar*. **Tomar ar.** Passear (1). [Sin. ger.: *sair do ar*.]

■ **Ar** **1.** *Quím.* **2.** Símb. de *argônio*. **3.** Símb. genérico usual para grupo *arila*.

▲ **ar-**[1] V. *a-*[2].

▲ **ar-**[2] V. *a-*[4].

▲ **ar-**[3] V. *a-*[3].

▲ **ar-**[4] Equiv. de *a-*[5].

▲ **-ar**[1] [Do lat. *-aris, e*.] ***Suf. nom.*** = 'relação', 'pertinência'; 'origem': *alimentar, rudimentar, espetacular*. [Equiv.: *-ear*[1]: *folhear*[1], *milhear*. V. *-al*[1].]

▲ **-ar**[2] Desin. do inf. dos v. de tema em *-a*, originária do lat. *-are* ou, por analogia, de formação vernácula: *cantar* (< lat.), *amar* (< lat.); *casar, morcegar*. [Equiv.: *-uar*: *cultuar*.]

ara[1] [Do lat. *ara*.] ***S. f.*** Altar (2). [Pl.: *aras*. Cf. *haras*.] ◆ **Ara da cruz.** *Rel.* A cruz em que foi crucificado Jesus Cristo.

ara[2] [Das duas sílabas iniciais de navios do Loide Brasileiro que faziam o percurso do N. ao S. do País.] ***S. m. Obsol.*** Qualquer desses navios: *o Araraquara, Ararangua, Aratimbó, etc.* [Pl.: *aras*. Cf. *haras*.]

ara[3] [Var. de *ora*[2] (3).] ***Interj. Bras.*** Ora: "– Ara vamos lá, Sr. Padre, disse o Pedro fazendo valer a condescendência." (Inglês de Sousa, *O Missionário*, p. 216.)

ará [Do tupi.] ***S. m. Bras.*** **1.** *Zool.* Arara[1] (1). **2.** *Bot.* V. *tinhorão*.

araã [Do tupi.] ***Interj. Bras.*** Indica surpresa e saudade.

arabaiana [De or. indígena, poss.] ***S. f. Bras. Zool.*** V. *olho-de-boi* (4).

arabaiana-rato ***S. m. Bras. Zool.*** V. *ubarana-rato*. [Pl.: *arabaianas-ratos* e *arabaianas-rato*.]

árabe [Do lat. *arabe*.] ***S. 2 g.*** **1.** O natural ou habitante da Arábia, península do S. da Ásia, entre o mar Vermelho e o golfo Pérsico, e que inclui a região desértica e diversos Estados. **2.** *P. ext.* Indivíduo de qualquer dos povos semitas de origem árabe espalhados pelas regiões circunvizinhas, como, p. ex., o N. da África. ● ***S. m.*** **3.** *Gloss.* A língua semítica falada pelos árabes; arábico. [Distingue-se o árabe clássico, que tem representação escrita, das variedades coloquiais das diversas regiões do Islã, como o argelino, o egípcio, o sírio, o líbio, o marroquino. Cada uma dessas variedades convive com aquele em situação de diglossia. V. *maltês*.] **4.** Vocábulo dessa língua. ● ***Adj. 2 g.*** **5.** Da, ou pertencente ou relativo à Arábia; arábico, arábigo, arábio. **6.** Pertencente ou relativo aos, ou próprio dos árabes, sua língua, cultura, costumes, etc. **7.** Diz-se de animal cavalar originário de certa raça da Arábia. ~ V. *alfabeto —*. ◆ **Árabe do golfo.** *Gloss.* Forma do árabe utilizada nos Emirados Árabes Unidos, Coveite, Omã, Arábia Saudita, Irã, Catar, Bareine e ainda no Iraque e no Iêmen. **Árabe hispânico.** *Gloss.* Árabe (3) usado na Península Ibérica, em especial aquele que foi integrado ao domínio da língua literária. **Árabe xiita bareinita.** *Gloss.* Forma estigmatizada do árabe utilizada em Bareine e em Omã. [Seus falantes usam o árabe do golfo como segunda língua.]

arabebéu [De or. tupi, poss.] ***S. m. Bras. Zool.*** V. *cernambiguara*.

árabe-saudita ***Adj. 2 g.*** **1.** Da, ou pertencente ou relativo à Arábia Saudita, país do S.E. asiático. ● ***S. 2 g.*** **2.** O natural ou habitante desse país. [Sin. ger.: *saudi-arábico* e *saudita*. Pl.: *árabe-sauditas*.]

arabescar [De *arabesco* + *-ar*[2].] ***V. t. d.*** **1.** Ornar com arabescos. **2.** Traçar à maneira de arabescos. [Conjug.: v. *trancar*. Pres. ind.: *arabesco*, etc. Cf. *arabesco* (ê).]

arabesco (ê) [Do it. *arabesco*.] ***S. m.*** **1.** Ornato de origem árabe, no qual se entrelaçam linhas, ramagens, grinaldas, flores, frutos, etc. **2.** Rabisco, garatuja. [Pl.: *arabescos* (ê). Cf. *arabesco*, do v. *arabescar*.]

arabi [Do ár. *ar-rabbī*, 'senhor'; 'mestre', 'sábio da lei', < hebr. *rabbi* (v. *rabi*).] ***S. m.*** V. *rabino*[1].

arabia ***S. f.*** V. *aravia*.

arábias ***El. s. f. pl.*** Us. na loc. *ser das arábias*. ◆ **Ser das arábias.** Ser muito esperto. [No pl., em alusão às três Arábias: a *Feliz*, a *Pétrea* e a *Deserta*.]

arábico [Do lat. *arabicu*.] ***Adj.*** **1.** V. *árabe* (5). [Var.: *arábigo*.] ~ V. *algarismo —*. ● ***S. m.*** **2.** *Gloss.* Árabe (4).

arábigo [Var. de *arábico*.] ***Adj.*** V. *árabe* (5).

arabinose [Do lat. cient. *arabin-* (< lat. [*gummi*] *arabicum*) + *-ose*[2].] ***S. f. Quím.*** **1.** Aldopentose encontrada na goma-arábica [fórm.: $C_5H_{10}O_6H_2O$]. **2.** *Med. Patol.* Envenenamento pela arabinose (1), e que pode causar séria nefropatia.

arábio [Do lat. *arabiu*.] ***Adj.*** V. *árabe* (5): "Ungirei de claros bálsamos arábios / Tua jovem boca de purpúreos lábios!" (Luís Guimarães [Filho], *Pedras Preciosas*, p. 101.)

arabiófono [De *arábio* + *-fono*.] ***Adj. S. m.*** Diz-se de, ou país, ou povo, ou indivíduo, etc. que fala árabe, ou que tem o árabe como língua (4).

arabismo [De *árabe* + *-ismo*.] ***S. m. E. Ling.*** **1.** Palavra, expressão ou construção própria da língua árabe. **2.** Palavra ou locução árabe introduzida em outra língua, e empregada como se fosse dela. 3. Movimento ou ação em defesa da política, cultura ou valores árabes.

arabista [De *árabe* + *-ista*.] *S. 2 g.* Especialista em língua árabe.

arabizado [Part. de *arabizar*.] *Adj.* Que se arabizou.

arabizar [De *árabe* + *-izar*.] *V. t. d. P.* 1. Tornar(-se) árabe; adaptar(-se) ao temperamento, maneira ou estilo árabe. *Int.* 2. Dedicar-se ao estudo da língua árabe.

araboia (ói) [Do tupi, poss.] *S. f. Bras. Zool.* 1. V. *caninana* (1). 2. Reptil ofídio (*Chironius fuscus*), comum em toda a região equatorial do Brasil; urupiagara. ❖

arabu [Do tupi.] *S. m. Bras. N. Cul.* Iguaria feita com ovos de tartaruga ou de tracajá, farinha e açúcar.

arabutã [Do tupi.] *S. m. Bras. Bot.* V. *pau-brasil*.

arabutanense *Adj. 2 g.* 1. De, ou pertencente ou relativo a Arabutã (SC). ● *S. 2 g.* 2. O natural ou habitante de Arabutã.

araca [Do ár. *ʿaraq*, lit., 'suor (*i. e.*, a seiva que exsuda da palmeira)'.] *S. f.* Bebida alcoólica do Oriente Médio e do Extremo Oriente, espécie de vinho ou licor preparado da fermentação da seiva de palmeira ou coqueiro, do arroz, ou do melado. [Var. e f. paral.: *araque*[2] e *áraque*.]

araçá [Do tupi.] *Bras. S. m.* 1. *Bot.* V. *araçazeiro*. 2. O fruto do araçazeiro. ● *Adj. 2 g.* 3. Diz-se do bovino de pelo amarelo salpicado ou mascarado.

araçá-congonha *S. m.* 1. *Bras. Bot.* Araçazeiro arbustivo (*Campomanesia pubescens*) nativo do Brasil, de folhas oblongas, flores solitárias e aromáticas, e fruto bacáceo; araçá-do-mato, guabiroba-felpuda, guabirobinha. 2. O fruto dessa árvore. [Pl.: *araçás-congonhas* e *araçás-congonha*.]

araçá-da-anta *S. m. Bras. Bot.* Árvore melastomácea (*Bellucia grossularioides*) de flores brancas e frutos comestíveis; goiaba-de-anta. [Pl.: *araçás-da-anta*.]

aracadaini *Bras. S. 2 g.* 1. *Etnôn.* Indivíduo dos aracadainis, povo indígena das margens do rio Curiá (AM). ● *Adj. 2 g.* 2. Pertencente ou relativo a esse povo. [Tb. us. como *s. 2 g. e 2 n.* (com cap.) e *adj. 2 g. e 2 n.*]

araçá-da-praia *S. m. Bras. Bot.* V. *açucena-do-mato*. [Pl.: *araçás-da-praia*.]

araçá-de-coroa *S. m. Bras. Bot.* V. *açucena-do-mato*. [Pl.: *araçás-de-coroa*.]

araçá-de-minas *S. m. Bras. Bot.* V. *araçá-felpudo*. [Pl.: *araçás-de-minas*.]

araçá-de-são-paulo *S. m. Bras. Bot.* V. *araçá-felpudo*. [Pl.: *araçás-de-são-paulo*.]

araçá-do-brejo *S. m. Bras. Bot.* 1. V. *aimara*[1]. 2. O fruto do araçá-do-brejo. [Pl.: *araçás-do-brejo*.]

araçá-do-campo *S. m. Bras. Bot.* Araçazeiro arbustivo (*Psidium guianensis*) de folhas coriáceas, flores brancas e bagas amarelas; a casca tem uso medicinal. [Sin.: *auí, araçaí, araçaíba*. Pl.: *araçás-do-campo*.]

araçá-do-mato *S. m. Bras. Bot.* V. *araçá-congonha*. [Pl.: *araçás-do-mato*.]

araçá-do-pará [De *araçá* + *do*[1] + o top. *Pará*.] *S. m. Bras. Amaz. Bot.* Árvore mirtácea (*Campomanesia acida*), ornamental, de flores alvas e bagas amarelas, fruto comestível, e madeira útil para obras de torno, lenha e carvão. [Pl.: *araçás-do-pará*.]

araçaeiro (çà) [De *araçá* + *-eiro*.] *S. m. Bras. Bot.* V. *araçazeiro*.

araçaense[1] (çà) *Adj. 2 g.* 1. De, ou pertencente ou relativo a Araçás (BA). ● *S. 2 g.* 2. O natural ou habitante de Araçás.

araçaense[2] (çà) *Adj. 2 g.* 1. De, ou pertencente ou relativo a Nova Araçá (RS). ● *S. 2 g.* 2. O natural ou habitante de Nova Araçá.

araçá-felpudo *S. m.* 1. *Bras. Bot.* Arbusto mirtáceo (*Psidium cinereum* var. *incanescens*), de bagas comestíveis, madeira útil, e cuja casca e folhas têm propriedades medicinais adstringentes; araçá-de-minas, araçá-de-são-paulo, goiabinha, gabirobeira, guabiroba, guabirobeira. 2. O fruto dessa árvore; goiabinha, guabiroba. [Pl.: *araçás-felpudos*.]

araçagiense *Adj. 2 g.* 1. De, ou pertencente ou relativo a Araçagi (PB). ● *S. 2 g.* 2. O natural ou habitante de Araçagi.

araçá-guaçu *S. m. Bras. Bot.* V. *goiabeira*. [Pl.: *araçás-guaçus*.]

araçaí [Do tupi = 'araçá pequeno'.] *S. m. Bras. Bot.* V. *araçá-do-campo*.

araçaíba [Do tupi = 'árvore do araçá'.] *S. m. Bras. Bot.* 1. V. *araçá-do-campo*. 2. V. *goiabeira*.

araçaiense (a-i) *Adj. 2 g.* 1. De, ou pertencente ou relativo a Araçaí (MG). ● *S. 2 g.* 2. O natural ou habitante de Araçaí.

aracaju *Bras. S. 2 g.* 1. *Etnôn.* Indivíduo dos aracajus, povo indígena extinto, de língua pertencente ao tronco tupi, que habitava a região do rio Paru, afluente do rio Amazonas (PA). ● *Adj. 2 g.* 2. Pertencente ou relativo a esse povo. [Tb. us. como *s. 2 g. e 2 n.* (com cap.) e *adj. 2 g. e 2 n.*]

aracajuano *Adj.* 1. De, ou pertencente ou relativo a Aracaju, capital do Estado de Sergipe. ● *S. m.* 2. O natural ou habitante de Aracaju. [Sin. ger., p. us.: *aracajuense*.]

aracajuense *Adj. 2 g. S. 2 g. P. us.* V. *aracajuano*.

aracambé [Do tupi (v. *jaguaracambé*).] *S. m. Bras. Zool.* 1. V. *aracanguira*. 2. V. *cachorro-do-mato-vinagre*.

aracambi [Do tupi = 'forquilha'.] *S. m. Bras.* Pau encavilhado no centro da jangada. [Cf. *aracambus*.]

aracambus [Var. de *aracambi*.] *S. m. pl. Bras. N.E.* 1. Cruzeta em que descansa a verga da mezena, nas jangadas. 2. Armação, nas jangadas, onde se penduram os aparelhos de pesca. [Cf. *aracambi*.]

araçá-mirim [De *araçá* + *-mirim*.] *S. m. Bras. Bot.* V. *goiabeira*. [Pl.: *araçás-mirins*.]

aracane *Bras. S. 2 g.* 1. *Etnôn.* Indivíduo dos aracanes [ou (etnôn. bras.) *Arachane], povo indígena extinto, do tronco tupi, que habitava as imediações da lagoa dos Patos (RS). ● *Adj. 2 g.* 2. Pertencente ou relativo a esse povo.

aracanga [De *aracanga*, com haplologia.] *S. f. Bras. Zool.* V. *arara-vermelha* (1).

araçanga [Do tupi.] *S. f. Bras.* Pequeno cacete com que os jangadeiros matam os peixes já ferrados; buruçanga.

aracanguaense (guà) *Adj. 2 g.* 1. De, ou pertencente ou relativo a Santo Antônio de Aracanguá (SP). ● *S. 2 g.* 2. O natural ou habitante de Santo Antônio de Aracanguá.

aracanguira (güi) [Do tupi.] *S. m. Bras. Zool.* Peixe carangídeo (*Alectis ciliaris*), com cerca de 1m de comprimento, de distribuição circuntropical. Tem o dorso verde-azulado, o abdômen prateado e os raios das nadadeiras longos, escuros; destes, os primeiros das nadadeiras dorsal posterior e anal são mais longos que o corpo, ultrapassando a caudal. Aproxima-se, no aspecto do peixe-galo (2), não tendo porém, como este, a fronte inclinada. [Sin.: *abacataia, abacutaia, abacatuaia, abacatuia, abacatúxia, abacatina, aleto, aracambé, galo, galo-de-fita, peixe-galo-do-brasil, xaréu-branco*.] ❖

aração[1] [Do lat. *aratione*.] *S. f.* Trabalho com o arado.

aração[2] [De *arar*, calcado em *arado*[2].] *S. f. Bras.* 1. O ato de comer com sofreguidão. 2. Fome excessiva.

araçá-pedra *S. m. Bras. Bot.* Araçazeiro (*Psidium oligospermum*) de até 3m, cujos ramos saem da base do caule, a casca é acinzentada, e os frutos são bacáceos, ovoides. [Pl.: *araçás-pedras* e *araçás-pedra*.]

araçarana [Do tupi = 'semelhante ao araçá'.] *S. f. Bras. Bot.* Arbusto rubiáceo (*Tocoyena bullata*) de folhas oblongas ou lanceoladas e flores amareladas tubulares, e cuja madeira é us. em marchetaria.

araçareiro (çà) [De *araçá* + *-r-* + *-eiro*.] *S. m. Bras. Bot.* V. *araçazeiro*.

araçari [Do tupi.] *S. m.* 1. *Bras. Zool.* Ave piciforme, ranfastídea, gêneros *Pteroglossus*, *Baillonius* e *Selenidera*, das matas virgens brasileiras, cujas ventas são visíveis na superfície do bico, e que se alimentam de pequenos frutos e bagas na floresta; tucani, tucaninho, tucanuí. 2. *Bras. AM* V. *planalto*.

araçari-banana *S. m. Bras. Zool.* Ave piciforme, ranfastídea (*Baillonius bailloni*), do S.E. do Brasil. Dorso ocre com tonalidade oliva; parte ventral amarela; bico verde na ponta e azulado na parte alta, com malha cor de sangue guarnecendo-lhe a parte posterior, e rabadilha vermelha. [Sin.: *araçari-branco*. Pl.: *araçaris-bananas* e *araçaris-banana*.]

araçari-branco *S. m. Bras. Zool.* Araçari-banana. [Pl.: *araçaris-brancos*.]

araçari-de-minhoca *S. m. Bras. Zool.* Araçari-minhoca. [Pl.: *araçaris-de-minhoca*.]

araçariguamense *Adj. 2 g.* 1. De, ou pertencente ou relativo a Araçariguama (SP). ● *S. 2 g.* 2. O natural ou habitante de Araçariguama.

araçari-minhoca *S. m. Zool.* Ave piciforme, ranfastídea (*Pteroglossus aracari*), distribuída por todo o Brasil. Dorso alto, asas e cauda verdes, cabeça, pescoço e garganta negros, fita peitoral vermelha, e região abdominal amarela; bico com estria preta na cumeeira. Alimenta-se de frutas e frequenta as matas virgens. [Sin.: *araçari-de-minhoca*. Pl.: *araçaris-minhocas* e *araçaris-minhoca*.]

araçaripoca [Do tupi.] *S. m. Bras. Zool.* Ave piciforme, ranfastídea (*Selenidera maculirostris*), do S.E. do Brasil. O bico, que apresenta cinco dentes serráteis, é ornado de linhas pretas, e a nuca, de uma fita amarela. [Sin.: *saripoca*.]

araçari-preto *S. m. Bras. Zool.* Ave piciforme, ranfastídea (*Selenidera piperivora*), da margem esquerda do rio Amazonas para o N. Coloração do dorso verde-escura; cabeça e pescoço pretos, marginados na nuca por uma banda amarela; mancha da mesma cor atrás do olho; lado inferior preto, baixo-ventre e flancos verde-amarelados, crisso escarlate, bico preto com base avermelhada e bandas transversais mais escuras. Na fêmea o colar da nuca é castanho-escuro, e a parte inferior do corpo verde-acinzentada. Alimenta-se, em geral, de frutas. [Pl.: *araçaris-pretos*.]

aracaroba [Do tupi.] *S. m. Bras. Zool.* V. *xaréu-branco* (2).

aracati [Do tupi.] *S. m. Bras.* Vento que em regiões nordestinas (especialmente no CE) sopra de N.E. para S.O.: 📖 "Era o tempo em que o doce aracati chega do mar, e derrama a deliciosa frescura pelo árido sertão." (José de Alencar, *Iracema*, p. 59); "uma aragem agradável soprando constantemente — o doce aracati da hora do crepúsculo" (Raquel de Queirós, *100 Crônicas Escolhidas*, p. 45).

aracatiense *Adj. 2 g.* 1. De, ou pertencente ou relativo a Aracati (CE). ● *S. 2 g.* 2. O natural ou habitante de Aracati.

aracatu [Do tupi = 'tempo bom'.] *S. m. Bras. AM* Dia de tempo firme.

araçatubense *Adj. 2 g.* 1. De, ou pertencente ou relativo a Araçatuba (SP). ● *S. 2 g.* 2. O natural ou habitante de Araçatuba.

aracatuense *Adj. 2 g.* 1. De, ou pertencente ou relativo a Aracatu (BA). ● *S. 2 g.* 2. O natural ou habitante de Aracatu.

araçazada (çà) [De *araçá* + *-zada*.] *S. f. Bras. Cul.* Doce de araçá (2).

araçazal (çà) [De *araçá* + *-zal*.] *S. m. Bras.* Quantidade mais ou menos considerável de araçazeiros dispostos proximamente entre si.

araçazeiro [De *araçá* + *-zeiro*.] *S. m. Bras. Bot.* Nome comum a várias árvores e arbustos mirtáceos dos gêneros *Psidium* e *Campomanesia* (v. *campomanésia*), cujo tronco é malhado e os frutos são bacáceos, e se assemelham aos da goiabeira; araçá. [F. paral.: *araçaeiro* e (irregularmente formados) *araçareiro* e *araçoeiro*.]

arácea [Do tax. *Arum* (do lat. *aron* ou *arum*, *i*) + *-ácea*; tax. *Araceae*.] *S. f. Bot.* Espécime das aráceas, família da ordem das arales formada por plantas mais ou menos herbáceas, embora não raro de grande porte, e que habitam, em geral, as matas sombrias e úmidas. As flores, unissexuais, são insignificantes, mas apresentam-se reunidas em espigas, envoltas por vastas brácteas coloridas, de apreciável efeito ornamental; as plantas têm, quase sempre, rizomas tuberosos, vários deles comestíveis. Vivem sobretudo na Zona Tropical, e há quase 2.000 espécies, numerosas brasileiras. *Philodendron*, *Anthurium*, *Caladium*, *Colocasia*, etc. são gêneros importantes.

aráceo [De *arácea*, com var. suf. (v. *-áceo*).] *Adj. Bot.* Pertencente ou relativo às aráceas.

araci *Bras. S. 2 g.* 1. *Etnôn.* Indivíduo dos aracis, povo indígena que habitava o MT. ● *Adj. 2 g.* 2. Pertencente ou relativo a esse povo. [Tb. us. como *s. 2 g. e 2 n.* (com cap.) e *adj. 2 g. e 2 n.*]

araciense *Adj. 2 g.* 1. De, ou pertencente ou relativo a Araci (BA). ● *S. 2 g.* 2. O natural ou habitante de Araci.

aracimbora [Do tupi, poss.] *S. f. Bras. Zool.* V. *xaréu-branco* (2).

aracitabense *Adj. 2 g.* 1. De, ou pertencente ou relativo a Aracitaba (MG). ● *S. 2 g.* 2. O natural ou habitante de Aracitaba.

araciuirá (i-u-i) [Do tupi = 'pássaro da aurora'.] *S. m. Bras. Zool.* V. *saurá*.

▲ **aracni-** Equiv. de *aracn(o)-*.

aracnícola [De *aracni-* + *-cola*[1].] *S. 2 g.* Pessoa que se dedica à aracnicultura; aracnicultor.

aracnicultor (ô) [De *aracni-* + *-cultor*.] *S. m.* Aracnícola.

aracnicultura [De *aracni-* + *-cultura*.] *S. f.* Cultura de aranhas para aproveitamento de suas teias.

aracnídeo [De *aracn(o)-* + *-ídeo*[1]; tax. *Arachnida*.] *Zool. S. m.* 1. Espécime dos aracnídeos, classe de artrópodes, terrestres em sua maioria, que têm o corpo dividido em cefalotórax e abdome; áceros, com quelíceras, um par de palpos, e quatro pares de patas torácicas. Respiração por meio de pulmões foliáceos ou traqueias. São as aranhas, os escorpiões e os ácaros. ● *Adj.* 2. Pertencente ou relativo a eles.

▲ **aracn(o)-** [Do gr. *arachno-* < gr. *aráchnē, ēs*.] *El. comp.* = 'aranha': *aracnídeo, aracnologia*. [Equiv.: *aracni-*: *aracnícola*.]

aracnodactilia [De *aracn(o)-* + *-dactil(o)-* + *-ia*[1].] *S. f. Ter.* Anomalia caracterizada pelo desenvolvimento excessivo de dedos delgados nas mãos e nos pés.

aracnodáctilo [De *aracn(o)-* + *-dáctilo*.] *Adj. S. m. Ter.* Diz-se de, ou indivíduo que tem aracnodactilia.

aracnofobia [De *aracn(o)-* + *-fobia*.] *S. f. Psiq.* Medo mórbido de aranha.

aracnofóbico [De *aracnofobia* + *-ico*[2].] *Adj. Psiq.* 1. Relativo a aracnofobia. 2. Que sofre de aracnofobia; aracnófobo. ● *S. m.* 3. Aquele que sofre de aracnofobia; aracnófobo.

aracnófobo [De *aracn(o)-* + *-fobo*.] *Adj. S. m. Psiq.* Aracnofóbico (2 e 3).

aracnoide (ói) [Do gr. *arachnoeidés*.] *S. f.* 1. *Anat.* Membrana serosa delgada e transparente que envolve o encéfalo e a medula espinhal, e fica entre a dura-máter e a pia-máter. [V. *meninge*.] ● *Adj.* *2 g.* 2. *Bot.* Diz-se da camada medular de muitos liquens quando as hifas que a formam se acham entrelaçadas frouxamente, deixando grandes espaços vazios. 3. *Micol.* Diz-se dos micélios frouxos que se espalham como teia de aranha. ❖

aracnóideo [De *aracnoide* + *-eo*.] *Adj.* 1. Relativo a aracnoide. 2. Aranhoso.

aracnoidite [De *aracnoide* + *-ite*[1].] *S. f. Patol.* Inflamação da aracnoide (1).

aracnologia [De *aracn(o)-* + *-logia*.] *S. f. Zool.* Ramo da zoologia que estuda as aranhas e demais aracnídeos; araneologia.

aracnológico [De *aracnologia* + *-ico*[2].] *Adj.* Referente à aracnologia; araneológico.

aracnologista [De *aracnologia* + *-ista*.] *S. 2 g.* Especialista em aracnídeos; aracnólogo, araneologista, araneólogo.

aracnólogo [De *aracn(o)-* + *-logo*.] *S. m.* V. *aracnologista*.

araçoeiro *S. m. Bras. Bot.* V. *araçazeiro*.

araçoia (ói) [Do tupi.] *S. f. Bras. Amaz. Etnogr.* Saiote de penas usado pelas mulheres indígenas. [Var.: *arazoia*.] ❖

araçoiabano *Adj.* 1. De, ou pertencente ou relativo a Araçoiaba da Serra (SP). ● *S. m.* 2. O natural ou habitante de Araçoiaba da Serra.

araçoiabense *Adj. 2 g.* 1. De, ou pertencente ou relativo a Araçoiaba (PE). ● *S. 2 g.* 2. O natural ou habitante de Araçoiaba.

aracorana *S. f. Bras. Zool.* V. *galo-branco* (2).

aracruzense *Adj. 2 g.* 1. De, ou pertencente ou relativo a Aracruz (ES). ● *S. 2 g.* 2. O natural ou habitante de Aracruz.

aracu [Do tupi.] *S. m. Bras. Amaz. Zool.* V. *piaba* (1).

aracuã [Do tupi] *S. m. e f. Bras. Zool.* Nome comum a aves cracídeas, do gênero Ortalis, com doze espécies, tendo o Brasil sete. Vivem a maior parte do tempo nas árvores, raramente vindo ao chão, e alimentam-se sobretudo de pequenos frutos e vegetais em geral. O gênero é diferenciado de outros cracídeos por ter a maxila mais alta que larga, barba interior das rêmiges da mão não recortada, e garganta nua, vermelha, que, em algumas espécies, apresenta uma estria de penas no meio. [Var.: *arancuã*, *aranquã*, *araquã*.]

araçuaba *S. 2 g. Bras. BA* Mulato claro, do tipo sarará.

araçuaiava [De or. tupi, poss.] *S. f. Bras. Zool.* Sabiacica.

araçuaiense (a-i) *Adj. 2 g.* 1. De, ou pertencente ou relativo a Araçuaí (MG). ● *S. 2 g.* 2. O natural ou habitante de Araçuaí.

aracuão [Do tupi; alter. de *araquã*.] *S. m. Bras. Zool.* V. *jacu-estalo*.

aracu-branco *S. m. Bras. Zool.* Peixe anostomídeo (*Leporinus muelleri*) da Amaz., e que é a menor das espécies do gênero; aracutinga, piaba. [Pl.: *aracus-brancos*.]

araçuense *Adj. 2 g.* 1. De, ou pertencente ou relativo a Araçu (GO). ● *S. 2 g.* 2. O natural ou habitante de Araçu.

aracuí [De or. tupi, poss.] *S. m. Bras. Bot.* V. *acapu*.

aracupinima [De *aracu* + *-pinima*.] *S. m. Bras. Amaz. Zool.* Aracu-pintado (2).

aracu-pintado *S. m. Bras. Zool.* 1. Peixe anostomídeo (*Leporinus friderici*) de até 40cm, das bacias dos rios Amazonas e Paraguai, e tb. de rios do Suriname, que tem três manchas escuras ao longo da linha lateral; piaba. 2. Peixe anostomídeo (*Schizodon fasciatus*) das bacias amazônica e do Paraguai, de dorso avermelhado, pintas pelo corpo e quatro faixas verticais escuras; pode alcançar 40cm de comprimento. [Sin. (nesta acepç.): *aracupinima*.] [Pl.: *aracus-pintados*.]

aracutinga [De *aracu* + *-tinga*.] *S. m. Bras. Zool.* V. *aracu-branco*.

arada[1] [De *arar*[1] + *-ada*[1].] *S. f.* Aradura.

arada[2] [F. subst. do part. de *arar*[1].] *S. f.* Terra lavrada com arado.

▲ **-arada** *Suf. nom.* De or. expressiva, formador de vocábulos de cunho popular, equiv. de *-ada*[1] (q. v.), com noção de '(algo) em grande número, ou em número excessivo': *bicharada*, *chuvarada*, *espumarada*, *filharada*, *folharada*, *fumarada*, *gentarada*, *livrarada*, *milharada*. [V. *-aredo*.]

aradado [Part. de *aradar*.] *Adj.* Sulcado com arado: 🕮 "As terras aradadas e as incultas" (Francisco Carvalho, *Rosa dos Eventos*, p. 90).

aradar [De *arado*[1] + *-ar*[2].] *V. t. d.* Sulcar com arado: 🕮 "Pensa na mão que arada o eito" (Francisco Carvalho, *Rosa dos Eventos*, p. 46).

arado[1] [Do lat. *aratru*, com dissimilação.] *S. m.* Instrumento para lavrar a terra.

arado[2] [Part. de *arar*[2].] *Adj. Bras.* Esfomeado, varado.

arador (ô) [Do lat. *aratore*.] *S. m.* Aquele que ara; lavrador.

aradura [De *arar*[1] + *-dura*.] *S. f.* Ato ou efeito de arar; arada.

araé *Bras. S. 2 g.* 1. *Etnôn.* Indivíduo dos araés, povo indígena extinto que habitava as imediações do rio das Mortes (MT). ● *Adj. 2 g.* 2. Pertencente ou relativo a esse povo. [Tb. us. como *s. 2 g. e 2 n.* (com cap.) e *adj. 2 g. e 2 n.*]

aragarcense *Adj. 2 g.* 1. De, ou pertencente ou relativo a Aragarças (GO). ● *S. 2 g.* 2. O natural ou habitante de Aragarças.

aragem [De *ar* + *-agem*[2].] *S. f.* 1. Vento brando; brisa, viração. 2. *Fig. Pop.* Ocasião propícia; oportunidade. ◆ **Aproveitar a aragem.** Valer-se da oportunidade, tal como procedem com o vento os navegantes.

aragoianense *Adj. 2 g.* 1. De, ou pertencente ou relativo a Aragoiânia (GO). ● *S. 2 g.* 2. O natural ou habitante de Aragoiânia.

aragonês [Do esp. *aragonés*.] *Adj.* 1. Da, ou pertencente ou relativo a Aragão (N.E. da Espanha). ● *S. m.* 2. O natural ou habitante de Aragão. [Flex.: *aragonesa* (ê), *aragoneses* (ê), *aragonesas* (ê).]

aragonita [Do top. *Aragão* + *-ita*[3].] *S. f. Min.* Mineral ortorrômbico, carbonato de cálcio dimorfo com a calcita.

araguacemense *Adj. 2 g.* 1. De, ou pertencente ou relativo a Araguacema (TO). ● *S. 2 g.* 2. O natural ou habitante de Araguacema.

araguaçuense *Adj. 2 g.* 1. De, ou pertencente ou relativo a Araguaçu (TO). ● *S. 2 g.* 2. O natural ou habitante de Araguaçu.

araguaguá [Do tupi.] *S. m. Bras. Zool.* 1. V. *peixe-serra*. 2. V. *espadarte*.

araguaguai [Do tupi.] *S. m. Bras. Zool.* V. *peixe-serra*.

araguaí [Do tupi.] *S. m. Bras. Zool.* V. *maracanã*[1].

araguaianense *Adj. 2 g.* 1. De, ou pertencente ou relativo a Araguaiana (MT). ● *S. 2 g.* 2. O natural ou habitante de Araguaiana.

araguaiano[1] *Bras. Adj.* 1. Relativo ou pertencente ao rio Araguaia, ou à região por ele banhada. ● *S. m.* 2. O natural ou habitante da região desse rio.

araguaiano[2] *Adj.* 1. De, ou pertencente ou relativo a Alto Araguaia (MT). ● *S. m.* 2. O natural ou habitante de Alto Araguaia. [Sin. ger.: *alto-araguaiense*.]

araguaiano[3] *Adj.* 1. De, ou pertencente ou relativo a Conceição do Araguaia (PA). ● *S. m.* 2. O natural ou habitante de Conceição do Araguaia. [Sin. ger.: *conceiçoense*.]

araguaiano[4] *Adj. S. m.* V. *araguaiense*.

araguaiense *Adj. 2 g.* 1. De, ou pertencente ou relativo a Santana do Araguaia (PA). ● *S. 2 g.* 2. O natural ou habitante de Santana do Araguaia. [Sin. ger.: *araguaiano* e *santanense*.]

araguainense (a-i) *Adj. 2 g.* 1. De, ou pertencente ou relativo a Araguaína (TO). ● *S. 2 g.* 2. O natural ou habitante de Araguaína.

araguainhense (a-i) *Adj. 2 g.* 1. De, ou pertencente ou relativo a Araguainha (MT). ● *S. 2 g.* 2. O natural ou habitante de Araguainha.

araguapacense *Adj. 2 g. S. 2 g.* V. *araguapaense*.

araguapaense (pà) *Adj. 2 g.* 1. De, ou pertencente ou relativo a Araguapaz (GO). ● *S. 2 g.* 2. O natural ou habitante de Araguapaz.

araguari [Do tupi.] *S. f. Bras. Zool.* V. *maracanã*[1].

araguarino *Adj.* 1. De, ou pertencente ou relativo a Araguari (MG). ● *S. m.* 2. O natural ou habitante de Araguari.

araguatinense *Adj. 2 g.* 1. De, ou pertencente ou relativo a Araguatins (TO). ● *S. 2 g.* 2. O natural ou habitante de Araguatins.

araguirá [Do tupi = 'pássaro da aurora'.] *S. m. Bras. Zool.* V. *tico-tico-rei* (1).

arai *Bras. S. 2 g.* 1. *Etnôn.* Indivíduo dos arais, povo indígena extinto que habitava os sertões situados entre os rios Araguaia e Xingu. ● *Adj. 2 g.* 2. Pertencente ou relativo a esse povo. [Tb. us. como *s. 2 g. e 2 n.* (com cap.) e *adj. 2 g. e 2 n.*]

araiaué [Do tupi = 'dia assim mesmo', 'todo dia'.] *Interj. Bras. AM* Exprime tédio pela repetição de notícia já muito sabida.

araíba [Do tupi, poss.] *S. f. Bras. Bot.* V. *aroeira* (1).

araini *S. 2 g. Adj. 2 g. Bras.* V. *ariine*.

araió *Bras. S. 2 g.* 1. *Etnôn.* Indivíduo dos araiós [ou (etnôn. bras.) *Arayó], povo indígena extinto que habitava a região do rio Parnaíba (MA). ● *Adj. 2 g.* 2. Pertencente ou relativo a esse povo.

araiosense *Adj. 2 g.* 1. De, ou pertencente ou relativo a Araioses (MA). ● *S. 2 g.* 2. O natural ou habitante de Araioses.

araiú [De or. tupi, poss.] *S. m. Bras. Amaz. Zool.* Peixe actinopterígio, siluriforme, taquisurídeo (*Tachysurus oncina*), de pele flácida, coloração pardo-esbranquiçada com manchas regulares escuras, e que se movimenta à noite.

aral [Do tax. *Arum* (do lat. *aron* ou *arum*, *i*) + *-al*[1].] *Adj. 2 g. Bot.* Pertencente ou relativo às arales.

arale [Adapt. do tax. *Arales*.] *S. f. Bot.* Espécime das arales, ordem de monocotiledôneas que reúne três famílias: aráceas, acoráceas e lemnáceas.

aralha [De or. obscura.] *S. f.* Novilha de dois anos que já é empregada para lavrar ou arar.

arália [Do tax. *Aralia*.] *S. f. Bot.* 1. Grande gênero de plantas herbáceas, árvores e arbustos araliáceos vastamente distribuídos; têm folhas compostas e flores em umbelas. 2. Qualquer espécie desse gênero, como, por ex., a *Aralia spinosa*, pequeno arbusto espinhoso do L. dos E.U.A., e a *A. japonica*, arbusto de ramificação ampla, grandes folhas coriáceas, penatilobadas, pequeninas flores em capítulos, frutos esféricos, negros, racemosos, e que é cultivada como ornamental. 3. Qualquer espécime desse gênero.

araliácea [Do tax. *Aralia* (v. *arália*) + *-ácea*; tax. *Araliaceae*.] *S. f. Bot.* Espécime das araliáceas, família da ordem das apiales constituída por arbustos e árvores, estas raramente trepadeiras, providos de folhas alternas muitas vezes recortadas, sendo as flores absolutamente insignificantes, e os frutos, pequeninos e sem préstimo, bacáceos ou drupáceos. Compreende perto de 700 espécies, que habitam os países quentes, mas são mal representadas no Brasil; as espécies ornamentais, sobretudo as *Polyscias*, encontram-se, contudo, em jardins brasileiros.

araliáceo [De *araliácea*, com var. suf. (v. *-áceo*).] *Adj. Bot.* Pertencente ou relativo às araliáceas.

araliano [Do top. *Aral* + *-iano*.] *Adj.* Relativo ou pertencente ao mar de Aral (Rússia asiática), ou à região por ele banhada.

aral-moreirense *Adj. 2 g.* 1. De, ou pertencente ou relativo a Aral Moreira (MS). ● *S. 2 g.* 2. O natural ou habitante de Aral Moreira. [Pl.: *aral-moreirenses*.]

aramá[1] [Do tupi.] *S. f. Bras. Amaz. Zool.* Abelha meliponínea (*Trigona heideri* ou *Ptilotrigona lurida*) agressiva, de coloração que vai de preta a ferrugínea, asas amareladas, mais escuras no ápice, cujo ninho, largo e, às vezes, muito comprido, feito em ocos de árvores, tem a entrada construída com resina escura. [Var. de *aramã*. Sin.: *abelha-piranha*, *borá-boi*, *borá-cavalo*.]

aramá[2] *Adj. Ant.* V. *eramá*.

aramã *S. m. Bras. Zool.* V. *aramá*[1].

aramaçá [Do tupi.] *S. m. Bras. Zool.* 1. V. *linguado* (5). 2. Designação às vezes dada aos linguados marinhos, bem como aos pleuronectídeos. [Var.: *aramatá*, *aramaçã*, *arumaçá*, *arumaçá*.]

aramaçã *S. m. Bras. Amaz. Zool.* V. *aramaçá*.

aramado [Part. de *aramar*.] *Bras. Adj.* 1. Alambrado (1). ~ V. *vidro —*. ● *S. m.* 2. Alambrado (2 e 3). 3. Rede ou tela de arame: 🗎 *O aramado que cercava o galinheiro desabou com o temporal*. 4. Painel ou placa feita com fios cruzados de arame grosso.

aramador (ô) [De *aramar* + *-dor*.] *S. m. Bras.* Fabricante de aramado (3).

aramagem [De *arame* + *-agem*[2].] *S. f. Bras.* Gradeamento de arame.

aramaico [Do top. *Aram* (atual Síria) + *-aico*.] *Adj.* 1. Arameu (3). ● *S. m.* 2. *Gloss.* Língua semítica falada no Irã, no Iraque e na Síria; arameu, neoaramaico; neossiríaco. 3. Vocábulo dessa língua. 4. *Graf.* Alfabeto aramaico (q. v.). ◆ **Aramaico clássico.** *Gloss.* Língua semítica falada pelos arameus, e que atingiu o apogeu entre os anos 300 a.C. e 650 d.C. [O siríaco é um dos dialetos dessa língua.]

aramaiú *Bras. S. 2 g.* 1. *Etnôn.* Indivíduo dos aramaiús [ou (etnôn. bras.) *Aramayú], povo indígena extinto que habitava próximo ao rio Oiapoque (AP). ● *Adj. 2 g.* 2. Pertencente ou relativo a esse povo.

aramandaiá [De or. tupi, poss.] *S. f. Bras. PE PB Zool.* Besouro curculionídeo (*Rhynchophorus palmarum*), que atinge 4,5cm de comprimento e tem coloração negra, com os élitros estriados longitudinalmente; broca-dos-coqueiros, moleque.

aramar [De *arame* + *-ar*[2].] *V. t. d. Bras.* 1. Pôr grade ou tela de arame em. 2. Alambrar.

aramaré [De or. tupi.] *S. m. Bras. Zool.* V. *amboré*.

aramariense *Adj. 2 g.* 1. De, ou pertencente ou relativo a Aramari (BA). ● *S. 2 g.* 2. O natural ou habitante de Aramari.

aramaris *Bras. S. 2 g.* 1. Indivíduo dos aramarises, povo indígena do interior da BA. ● *Adj. 2 g.* 2. Pertencente ou relativo a esse povo. [Tb. us. como *s. 2 g. e 2 n.* (com cap.) e *adj. 2 g. e 2 n.*]

aramatá [Do tupi.] *S. m. Bras. Amaz. Zool.* V. *aramaçá*.

aramatiá [Do tupi.] *S. m. Bras. AM Zool.* Certo inseto fitófago.

arambareense *Adj. 2 g. S. 2 g.* V. *arambarense*.

arambarense *Adj. 2 g.* 1. De, ou pertencente ou relativo a Arambaré (RS). ● *S. 2 g.* 2. O natural ou habitante de Arambaré.

arame [Do lat. tard. *aeramen*.] *S. m.* 1. *Ant.* Liga de cobre e zinco, ou de outros metais. 2. Fio mais ou menos delgado, de metal flexível, puxado à fieira;

alambre. **3.** *Fam.* V. *dinheiro* (5). ◆ **Arame farpado.** Cabo formado por dois fios de arame enrolados, e no qual se fixam, de espaço em espaço, farpas do mesmo metal.

arameiro [Do *arame* + *-eiro.*] ***S. m. Bras.*** **1.** Indivíduo que trabalha em arame, ou que o vende, ou que vende objetos feitos com ele. **2.** Alambrador (1).

aramense ***Adj. 2 g.*** **1.** De, ou pertencente ou relativo a Arame (MA). ● ***S. 2 g.*** **2.** O natural ou habitante de Arame.

arameu [Do lat. *aramaeu.*] ***S. m.*** **1.** *Etnôn.* Indivíduo dos arameus, povo que vivia em Aram (a atual Síria) e na Mesopotâmia. **2.** *Gloss.* V. *aramaico* (2). ● ***Adj.*** **3.** Pertencente ou relativo aos arameus, a sua língua, etc.; aramaico. [Fem., nas acepçs. (1 e 3), *arameia.*]

aramida [Do ingl. *aramid* (do ingl. *ar[omatic]* + *amid[e]*).] ***S. f.*** *Tec. Têx.* Fibra sintética muito forte, resistente ao calor, constituída por poliamida em que no mínimo 85% das ligações amídicas são feitas diretamente entre dois anéis aromáticos e que é us., p. ex., em coletes balísticos.

aramídeo [Do tax. *Aramus* + *-ídeo*[1]; tax. *Aramidae.*] *Zool.* ***S. m.*** **1.** Espécime dos aramídeos, família de aves gruiformes, de porte médio ou grande, que têm as penas da cabeça ordinárias e as pernas muito alongadas, e cujos hábitos alimentares são os mesmos das garças. São os carões (v. *carão*[2]). ● ***Adj.*** **2.** Pertencente ou relativo a eles.

aramifício [De *arame* + *-i-* + *-fic(o)-*[1] + *-io*[3].] ***S. m. Bras.*** **1.** Fábrica de arame. **2.** Tela de arame.

aramina [De *arame* + *-ina*[1].] ***S. f. Bras.*** Fibra, têxtil, do carrapicho (3).

araminense ***Adj. 2 g.*** **1.** De, ou pertencente ou relativo a Aramina (SP). ● ***S. 2 g.*** **2.** O natural ou habitante de Aramina.

aramista [De *arame* + *-ista.*] ***S. 2 g.*** V. *funâmbulo* (1).

aramita *Bras.* ***S. 2 g.*** **1.** *Etnôn.* Indivíduo dos aramitas, povo indígena extinto que habitava o litoral da BA. ● ***Adj. 2 g.*** **2.** Pertencente ou relativo a esse povo. [Tb. us. como *s. 2 g. e 2 n.* (com cap.) e *adj. 2 g. 2 n.*]

aramitxó *Bras.* ***S. 2 g.*** **1.** *Etnôn.* Indivíduo dos aramitxós, povo indígena do alto rio Paru do Oeste (PA). ● ***Adj. 2 g.*** **2.** Pertencente ou relativo a esse povo. [Tb. us. como *s. 2 g. e 2 n.* (com cap.) e *adj. 2 g. 2 n.*]

arampatere (té) [Do ior., poss.] ***S. m.*** *Bras. BA Cul.* Comida feita com fígado, bofe e carne do músculo de boi.

aramudo [De *arame* + *-udo.*] ***Adj.*** *Bras. Fam.* Cheio de arame ou dinheiro; endinheirado, dinheiroso, rico.

aramuru *Bras.* ***S. 2 g.*** **1.** *Etnôn.* Indivíduo dos aramurus, povo indígena extinto que habitava a divisa entre SE e BA. ● ***Adj. 2 g.*** **2.** Pertencente ou relativo a esse povo. [Tb. us. como *s. 2 g. e 2 n.* (com cap.) e *adj. 2 g. e 2 n.*]

aranacuacena *Bras.* ***S. 2 g.*** **1.** *Etnôn.* Indivíduo dos aranacuacenas, povo indígena do AM. ● ***Adj. 2 g.*** **2.** Pertencente ou relativo a esse povo. [Tb. us. como *s. 2 g. e 2 n.* (com cap.) e *adj. 2 g. e 2 n.*]

arancim [Alter. de *iraxim.*] ***S. m.*** *Bras. SP Zool.* V. *iraxim.*

arancuã ***S. m.*** *Bras. Zool.* V. *aracuã.*

arandela [Do esp. *arandela.*] ***S. f.*** **1.** Guarda-mão da lança. **2.** Peça que se adapta ao castiçal, junto ao lugar onde se fixa a vela, e onde caem os pingos desta; bobeche. **3.** Vaso de barro cozido, em forma de aro, e que, cheio de água, se põe à volta de uma planta, para impedir a passagem de formigas. **4.** *Bras.* Suporte preso à parede para receber bico de gás, vela ou lâmpada elétrica. **5.** *P. ext.* Qualquer luminária engastada ou apoiada em parede.

aranduense ***Adj. 2 g.*** **1.** De, ou pertencente ou relativo a Arandu (SP). ● ***S. 2 g.*** **2.** O natural ou habitante de Arandu.

arânea [Do tax. *Aranea.*] ***S. f.*** *Zool.* **1.** Gênero de aracnídeos que inclui os argiopídeos. **2.** Qualquer espécie desse gênero, como, por ex., a *Aranea diademata*, conhecida vulgarmente como *aranha-de-jardim* (q. v.). **3.** Qualquer espécime desse gênero.

▲ **arane(i)-** [Do lat. *aranĕus, i.*] ***El. comp.*** = 'aranha'; 'teia de aranha': *araneífero, araneiforme.* [Equiv.: *araneo-*: *araneologia.*]

araneídeo [Do tax. *Aranea* + *-ídeo*[1]; tax. *Araneida.*] *Zool.* ***S. m.*** **1.** Espécime dos araneídeos, ordem de artrópodes aracnídeos, na maioria terrestres, popularmente chamados de aranhas. Um pedículo muito estreitado liga o cefalotórax ao abdome, sendo este não segmentado e provido de um a três pares de fiandeiras; quelíceras bissegmentadas, o segmento distal em forma de garra; sistema copulador do macho no tarso dos palpos; ovos ger. envolvidos em casulos. ● ***Adj.*** **2.** Pertencente ou relativo a eles.

araneífero [De *arane(i)-* + *-fero.*] ***Adj.*** Que tem teias de aranha.

araneiforme [De *arane(i)-* + *-forme.*] ***Adj. 2 g.*** Que tem forma de aranha, ou é semelhante a ela.

▲ **araneo-** Equiv. de *arane(i)-*.

araneologia [De *araneo-* + *-logia.*] ***S. f.*** *Zool.* Aracnologia.

araneológico [De *araneologia* + *-ico*[2].] ***Adj.*** Aracnológico.

araneologista [De *araneo-* + *-log(o)-* + *-ista.*] ***S. 2 g.*** V. *aracnologista.*

araneólogo [De *araneo-* + *-logo.*] ***S. m.*** V. *aracnologista.*

araneomorfa [De *araneo-* + *-morfa*; tax. *Araneomorpha.*] ***S. f.*** *Zool.* Espécime das araneomorfas, subordem de artrópodes aracnídeos araneídeos, com quelíceras verticais; dipnêumone, labidógnata. [Sin.: *labidógnata, dipnêumone.*]

araneomorfo [De *araneo-* + *morfo*; tax. *Araneomorpha.*] ***Adj.*** *Zool.* Pertencente ou relativo às araneomorfas; dipnêumone, labidógnato.

aranha [Do lat. *aranea.*] ***S. f.*** **1.** *Zool.* Nome comum a diversos araneídeos de cefalotórax e abdômen não segmentados, unidos por pedúnculo estreito, quelíceras terminadas em ponta para inoculação de peçonha, abdômen com glândulas ou fiandeiras que segregam seda, com a qual fazem as teias. A maioria das espécies são terrestres e predadoras de outros artrópodes. **2.** *P. ext.* Designação comum a diversos objetos cuja forma lembra a da aranha (1). **3.** Carruagem leve, de duas rodas, puxada por um cavalo: "Íamos os dois, na aranha sacolejante, ao trote largo do Paputinga" (A. S. de Mendonça Júnior, *O Anel de Brilhante e Outras Estórias*, p. 54). **4.** *Bras. Bot.* Lírio-trepadeira. **5.** *Bras. Bot.* Orquidácea epífita (*Renanthera coccinea*) de flores vermelhas, originária da Ásia. **6.** *Marinh.* Conjunto de cabos finos que irradiam do centro, como as pernas de uma aranha (1), e se fixam na cabeceira de uma maca, no espinhaço de um toldo, no terço de uma vela redonda, etc. **7.** *Bras. Fig.* Pessoa lenta e desajeitada nos movimentos ou no trabalho. **8.** *Bras. CE* Cavalo velho, que se abate para alimento das feras, nos circos. ● ***S. m.*** **9.** *Lus.* V. *voador*[2] (7). ● ***S. 2 g.*** **10.** *Bras.* V. *tolo* (8). ~ V. *aranhas.*

aranha-armadeira [De *aranha* + *armar* + *-deira.*] ***S. f.*** *Zool.* Aranha ctenídea (*Phoneutria nigriventer*), agressiva, encontrada no solo das matas e no interior de residências; armadeira. [Pl.: *aranhas-armadeiras.*]

aranha-caranguejeira ***S. f.*** *Bras. Zool.* Designação comum às grandes aranhas do gênero *Grammostola, Acanthoscurria, Lasiodora* e a outros migalomorfos terafosídeos. Errantes e solitárias, algumas delas vivem em galerias no solo; são inofensivas ao homem e a animais domésticos; o pelo, que se lhes desprende do corpo, causa irritação na pele; carnívoras, alimentam-se de toda sorte de pequenos animais, dos quais sugam o conteúdo líquido. [Sin.: *aranhuçu, caranguejeira, migala.* Pl.: *aranhas-caranguejeiras.*]

aranha-caranguejo ***S. f.*** *Bras. Zool.* Aranha heteropodídea (*Heteropoda venatoria*), de coloração parda, porte achatado, pernas dirigidas para os lados, o que lhe permite caminhar ao jeito dos caranguejos, e cuja picada, embora doa muito, não é venenosa. [Pl.: *aranhas-caranguejos* e *aranhas-caranguejo.*]

aranhaçu [De *aranha* + *-açu.*] ***S. f.*** *Bras. AM Zool.* Caranguejeira (1).

aranha de coco ***S. f.*** *Bras. MG* Cocada de coco verde cortado em tiras. [Pl.: *aranhas de coco.*] ☑

aranha-de-jardim ***S. f.*** *Zool.* Aranha argiopídea (*Aranea diademata*), ger. encontrada em jardins, ou em outros ambientes onde há vegetação. [Pl.: *aranhas-de-jardim.*]

aranha-do-mar ***S. f.*** *Zool.* Crustáceo decápode, braquiúro, oxirrinco, partenopídeo e inaquídeo, de corpo afilado na parte dianteira, prolongando-se ger. em rostro alongado, pernas em geral muito longas e finas. Muito características do grupo são as espécies do gênero *Libinia*, que vivem, de ordinário, em grandes profundidades. A espécie *Macrocheira kampferi*, das costas do Japão, pode atingir até 3m de envergadura. [Sin.: *santola.* Pl.: *aranhas-do-mar.*]

aranhagato ***S. m.*** *Bras. Bot.* V. *vinhático.*

aranhão [De *aranha* + *-ão*[1].] ***S. m.*** *Biol. Bot.* Aguaí-vermelho.

aranhão-do-mato ***S. m.*** *Bras. Bot.* V. *abelheira* (3). [Pl.: *aranhões-do-mato.*]

aranhar [De *aranha* + *-ar*[2].] ***V. int.*** *Bras. S.* **1.** Andar vagarosamente, como a aranha. **2.** Tardar, remanchar, na execução de um serviço.

aranhas ***S. f.*** *Pop.* Araneídeos. ~ V. *aranha.*

aranheiro [De *aranha* + *-eiro.*] ***S. m.*** Aranhol (1).

aranhento [De *aranha* + *-ento.*] ***Adj.*** **1.** Relativo à, ou próprio da aranha. **2.** Cheio de aranhas ou de suas teias.

aranhi *Bras.* ***S. 2 g.*** **1.** *Etnôn.* Indivíduo dos aranhis, povo indígena extinto que habitava a região do rio Parnaíba (MA) na divisa com o CE. ● ***Adj. 2 g.*** **2.** Pertencente ou relativo a esse povo. [Tb. us. como *s. 2 g. e 2 n.* (com cap.) e *adj. 2 g. e 2 n.*]

aranhiço [De *aranha* + *-(d)iço*[2].] ***S. m.*** **1.** Aranha pequena. **2.** *Fig.* Indivíduo frágil, débil. ~ V. *aranhiços.*

aranhiços [Pl. de *aranhiço.*] ***S. m. pl.*** *Arquit.* Conjunto de nervuras salientes das abóbadas do gótico flamejante. ~ V. *aranhiço.*

aranhinha [De *aranha* + *-inha.*] ***S. f.*** *Bras. RJ Zool.* Aranha teridídea (*Latrodectus geometricus*), de abdome oval pontudo e coloração cinzenta com desenhos geométricos, muito comum nos recantos das paredes, porões, garagens. Seu veneno é inócuo, e seu comprimento é de cerca de 1cm.

aranhol [De *aranha* + *-ol*[1].] ***S. m.*** **1.** Lugar onde há teias de aranha, onde as aranhas se recolhem; aranheiro. **2.** Armadilha para caçar pássaros, semelhante a uma teia de aranha. **3.** *Eletrôn. Gír.* Circuito elétrico, ou eletrônico, cuja montagem foi realizada sem cuidado e ordem, apresentando-se sob forma confusa, com cruzamentos e conexões supérfluas. **4.** *Bras.* Emaranhado (3): "Na maioria dos casos, o cientista sobe o Amazonas ou o Tocantins, enfia-se no aranhol hidrográfico, vai até às vertentes donde brotam os rios, mas não sai das margens" (Raimundo Morais, *País das Pedras Verdes*, p. 289). **5.** *Bras.* Rede de pesca, simples, sem bolsa, de fio duplo, que se arma fixando ao barranco dos rios uma das extremidades e distendendo a outra por meio de uma puíta[1]. [Pl.: *aranhóis.*]

aranhoso (ô) [De *aranha* + *-oso.*] ***Adj.*** Semelhante à aranha ou à sua teia; aracnóideo.

aranhuçu [De *aranha* + *-uçu.*] ***S. f.*** *Bras. Zool.* V. *aranha-caranguejeira.*

aranquã ***S. m. e f.*** *Bras. MT Zool.* V. *araquã.*

arantinense ***Adj. 2 g.*** **1.** De, ou pertencente ou relativo a Arantina (MG). ● ***S. 2 g.*** **2.** O natural ou habitante de Arantina.

aranzel [Do esp. *arancel*, poss.] ***S. m.*** **1.** V. *arenga* (2): "O deputado, entre sério e risonho, prolongou por três quartos de hora, em estilo declamativo, um aranzel de lugares-comuns, ... com referência à degeneração da sociedade, no capítulo casamento." (Camilo Castelo Branco, *Amor de Salvação*, p. 150.) **2.** *Bras. GO* V. *rolo*[1] (16). [Pl.: *aranzéis.*]

arão [Do gr. *áron*, pelo lat. *aron.*] ***S. m.*** *Bot.* V. *taioba* (1).

▲ **-arão** V. *-ão*[1].

arapabaca [Do tupi.] ***S. f.*** *Bras. Bot.* **1.** Designação comum a várias espécies de plantas loganiáceas do gênero *Spigelia*, de caule ereto e ramificado, e cujos frutos são cápsulas pequenas. **2.** Planta loganiácea (*Spigelia anthelmia*) catártica e vermífuga que encerra o princípio espigelina, venenoso e narcótico, mortal para o gado; espigélia, erva-lombrigueira, lombrigueira.

arapaço *Bras.* ***S. m.*** **1.** *Etnôn.* Indivíduo dos arapaços [ou (etnôn. bras.) *Arapaço-tapuya], povo indígena da família linguística tucano, que habita a região do alto rio Negro conhecida como Boca do Cachorro (AM). ● ***Adj.*** **2.** Pertencente ou relativo a esse povo.

arapaçu [Do tupi.] ***S. m.*** *Bras. Zool.* Designação comum a diversas aves passeriformes, dendrocolaptídeas, com muitas espécies no Brasil; são trepadoras, de hábitos semelhantes aos dos pica-paus. As retrizes, duras e muito pontudas, permitem que se mantenham, nos troncos, em posição vertical. [Sin.: *uirapaçu* e (Amaz.) *pica-pau-vermelho.*]

arapaçu-grande ***S. m.*** *Bras. Zool.* Ave passeriforme, dendrocolaptídea (*Dendrocolaptes platyrostris*), do S.E. do Brasil, de coloração ocre-olivácea no peito, cabeça ocra manchada de negro, abdome com manchas negras, garganta branca, cauda castanha; subideira, tarasca. [Pl.: *arapaçus-grandes.*]

arapaju [De or. obsc.] ***S. m.*** *Bras. Bot.* V. *maçaranduba* (6).

arapapá [Do tupi.] ***S. m.*** *Bras.* **1.** *Zool.* Ave ciconiiforme, coclearíidea (*Cochlearius cochlearia*), da América meridional, de coloração cinza-clara no dorso, com mancha parda tirante a vermelho na nuca, cabeça preta, flancos pretos, meio do peito e da barriga vermelhos. Os indivíduos jovens têm dorso cor de cinamomo claro. [Var. e sin.: *arapopó, ararapá, arataiá, arataiáçu, sabacu, socó-de-bico-largo, tamatiá.*] **2.** *Bot.* Planta amazonense da família das tiliáceas (*Lueheopsis violacea*).

arapapá-de-bico-comprido ***S. m.*** *Bras. Zool.* V. *taquiri.* [Pl.: *arapapás-de-bico-comprido.*]

arapari [Do tupi.] ***S. m.*** *Bras. Bot.* Árvore cesalpiniácea (*Macrolobium acaciaefolium*) de grande porte, que tem propriedades adstringentes, e cuja madeira é útil para carpintaria e caixotaria. Ocorre das Guianas ao MA e GO.

araparirana [De *arapari* + *-rana.*] ***S. f.*** *Bras. Bot.* Árvore cesalpiniácea (*Macrolobium bifolium* ou *M. multijugam*) de até 10m, folhas alternas, inflorescências em racemos axilares e terminais, e frutos leguminosos, achatados; a madeira, moderadamente pesada e pouco resistente, é us. em construção civil, caixotaria, etc.

arapari-vermelho ***S. m.*** *Bras. Amaz. Bot.* Árvore cesalpiniácea (*Elizabetha paraensis*) nativa do Brasil, de folíolos brilhantes e frutos leguminiformes avermelhados. [Pl.: *araparis-vermelhos.*]

araparizal [De *arapari* + *-zal.*] *S. m. Bras.* Quantidade mais ou menos considerável de araparis dispostos proximamente entre si.

arapati [De or. tupi, poss.] *S. m. Bras. BA Bot.* Árvore cesalpiniácea (*Arapatiella psilophylla*) de madeira nobre, vermelha; faveca-vermelha.

arapeiense (e-i) *Adj. 2 g.* **1.** De, ou pertencente ou relativo a Arapeí (SP). ● *S. 2 g.* **2.** O natural ou habitante de Arapeí.

arapiiú *Bras. S. 2 g.* **1.** *Etnôn.* Indivíduo dos arapiiús [ou (etnôn. bras.) *Arapiyu], povo indígena extinto que habitava o rio Tapajós na confluência com o rio Amazonas (AM). ● *Adj. 2 g.* **2.** Pertencente ou relativo a esse povo. [Sin. ger.: *arapium.*]

arapiraquense *Adj. 2 g.* **1.** De, ou pertencente ou relativo a Arapiraca (AL). ● *S. 2 g.* **2.** O natural ou habitante de Arapiraca.

arapium *S. 2 g. Adj. 2 g. Bras.* V. *arapiiú.*

arapoca [Do tupi = 'pau furado'.] *S. f. Bras. Bot.* Árvore rutácea (*Raputia magnifica*) ornamental, de madeira amarela, usada para obras expostas e internas, móveis torneados, etc., e cuja casca encerra propriedades medicinais; amarelinho, gema-de-ovo, guataiapoca, gurataiapoca, pau-amarelo.

arapoca-branca [De *arapoca* + o f. de *branco.*] *S. f. Bras. Bot.* Árvore rutácea (*Raputia alba*) cuja madeira é de lei, utilizável em obras hidráulicas expostas e internas e em marcenaria de luxo, tendo a casca propriedades medicinais. Ocorre da BA até SP. [Sin.: *arapoca-verdadeira.* Pl.: *arapocas-brancas.*]

arapoca-verdadeira *S. f. Bras. Bot.* Arapoca-branca. [Pl.: *arapocas-verdadeiras.*]

arapoemense *Adj. 2 g.* **1.** De, ou pertencente ou relativo a Arapoema (TO). ● *S. 2 g.* **2.** O natural ou habitante de Arapoema.

araponga [Var. de *uiraponga.*] *S. f. Bras.* **1.** *Zool.* Ave passeriforme procniatídea (*Procnias nudicollis*), do Brasil médio-oriental e centro-meridional. O macho é branco, sendo verde a zona nua da cabeça; a fêmea é verde-azeitona na parte superior, amarelada com manchas escuras do lado ventral, o vértice e a garganta pretos. Alimenta-se exclusivamente de frutos, e o seu canto lembra os sons metálicos produzidos pelo bater de ferro em bigorna. [Sin.: *ferreiro, ferrador, guiraponga, iraponga, uiraponga.*] **2.** *Fig.* Pessoa de voz estridente, ou que fala aos gritos. ● *S. 2 g. Bras. Gír.* **3.** Aquele ou aquela que trabalha em serviço de informações: "Sou apenas uma consultora, não uma araponga da Revista e muito menos uma consultora policial." (Cícero Sandroni, *O Peixe de Amarna*, p. 187.) [O termo é usado, quase sempre, em sentido pejorativo]

araponga-da-horta *S. f. Bras. Zool.* V. *araponguinha* (2). [Pl.: *arapongas-da-horta.*]

arapongagem [De *araponga* + *-agem*[2].] *S. f.* Ação ou atividade de araponga (3).

araponguense[1] *Adj. 2 g.* **1.** De, ou pertencente ou relativo a Araponga (MG). ● *S. 2 g.* **2.** O natural ou habitante de Araponga.

araponguense[2] *Adj. 2 g.* **1.** De, ou pertencente ou relativo a Arapongas (PR). ● *S. 2 g.* **2.** O natural ou habitante de Arapongas.

araponguinha [De *araponga* + *-inha.*] *S. f. Bras. Zool.* **1.** Ave passeriforme cotingídea (*Tityra cayana*), de coloração geral branco-acinzentada, e a cabeça, parte das asas e a cauda pretas, sendo a fêmea pintada de preto. **2.** Ave passeriforme cotingídea (*Tityra inquisitor*), de coloração branco-acinzentada, parte inferior branca, e o alto da cabeça, parte das asas e a cauda pretos, tendo a fêmea a fronte e região auricular avermelhadas; urubuzinho, canjica, araponga-da-horta, araponguira.

araponguira [Do tupi.] *S. f. Bras. Zool.* V. *araponguinha* (2).

arapopó [Do tupi.] *S. m. Bras. Amaz. Zool.* V. *arapapá* (1).

araporense *Adj. 2 g.* **1.** De, ou pertencente ou relativo a Araporã (MG). ● *S. 2 g.* **2.** O natural ou habitante de Araporã.

arapotiense *Adj. 2 g.* **1.** De, ou pertencente ou relativo a Arapoti (PR). ● *S. 2 g.* **2.** O natural ou habitante de Arapoti.

arapuá [Var. de *irapuá.*] *S. f. Bras.* **1.** *Zool.* V. *irapuá.* **2.** Cabeleira emaranhada.

arapuã [Var. de *irapuã.*] *S. f. Bras. Zool.* V. *irapuá.*

arapuaense *Adj. 2 g.* **1.** De, ou pertencente ou relativo a Arapuá (MG). ● *S. 2 g.* **2.** O natural ou habitante de Arapuá.

arapuar [De *arapuá* + *-ar*[2].] *V. int. P. Bras. MG Fam.* Zangar-se, abespinhar-se, irritar-se: "Quando ouviu falar em negrinhos de senzala, mamãe disse que ela arapuou e gritou para Nhonhô: 'Larga isso aí já! Se eles não querem ser negrinhos de senzala, você é que há de ser?'" (Helena Morley, *Minha Vida de Menina*, p. 67.)

arapuca [Do tupi.] *S. f. Bras.* **1.** Armadilha para apanhar pássaros pequenos, formada de pauzinhos cada vez mais curtos, dispostos em forma piramidal; urupuca: "os braços roliços de fora, o colo trigueiro à vista, armando arapucas aos pássaros pela aba do morro" (Herman Lima, *Tijipió*, p. 123). **2.** *P. ext.* Cilada, armadilha. **3.** Estabelecimento mal-afamado de crédito, seguros, sorteios, etc. **4.** Engodo, logro, embuste. **5.** *P. ext. Pop.* Negócio ou transação fraudulenta. **6.** Local ou estabelecimento em que se pratica esse tipo de negócio ou transação. **7.** Casa velha, esburacada, que ameaça ruir. **8.** Arataca (1). ◆ **Cair na arapuca.** *Bras.* Deixar-se apanhar.

arapuçá [De or. tupi, poss.] *S. f. Bras. Amaz. Zool.* Reptil quelônio, pleomedusídeo (*Podocnemis lewyana*), de coloração pardacento-escura, carapaça mais ou menos vermiculada, e malhada de preto. Tem duas bárbulas, e carapaça sem quilha dorsal, e atinge 45cm de comprimento.

arapucu *Bras. S. 2 g.* **1.** *Etnôn.* Indivíduo dos arapucus, povo indígena extinto que habitava o interior do PA. ● *Adj. 2 g.* **2.** Pertencente ou relativo a esse povo. [Tb. us. como *s. 2 g. e 2 n.* (com cap.) e *adj. 2 g. e 2 n.*]

arapuê [Do tupi, poss.] *S. m. Bras. Bot.* V. *agoniada.*

arapuqueiro [De *arapuca* (4) + *-eiro.*] *Adj. S. m. Bras. AM* Diz-se de, ou indivíduo velhaco, tratante, embusteiro.

arapuru *S. m. Bras. Amaz. Zool.* V. *uirapuru* (1).

araputanga [De or. tupi, poss.] *S. f. Bras. Bot.* V. *mogno-brasileiro.*

araputanguense *Adj. 2 g.* **1.** De, ou pertencente ou relativo a Araputanga (MT). ● *S. 2 g.* **2.** O natural ou habitante de Araputanga.

araquã [Do tupi.] *S. m. Bras. Zool.* V. *aracuã.* [Var.: *aracuã, arancuã, aranquã.*]

araquariense *Adj. 2 g.* **1.** De, ou pertencente ou relativo a Araquari (SC). ● *S. 2 g.* **2.** O natural ou habitante de Araquari.

araque[1] *S. m. Bras. Gír.* Acaso, casualidade. [Cf. *áraque.*] ◆ **De araque.** *Bras. Gír.* **1.** Por acaso; casualmente: *Fez um gol de araque.* **2.** De qualidade inferior; ordinário: *uísque de araque;* "os historiadores preferem a figura histórica de araque à figura real do estadista ou lá o que foi Pedro II." (Stanislaw Ponte Preta, *Febeapá 2*, p. 38). [Cf. *áraque.*]

araque[2] *S. m. V. araca.* [Cf. *áraque.*]

áraque [Do ár. *ʿaraq* (v. *araca*); fr. *arack* ou *araki*, ingl. *arak* ou *arrack.*] *S. m.* **1.** *P. us.* V. *araca.* **2.** *P. ext.* Bebida oriental, de alto teor alcoólico e ger. aromatizada, obtida por destilação de seiva de palmeira, ou de arroz. [Cf. *araque.*]

araqueado [De *araque* + *-eado.*] *Adj.* **1.** *Gír. Turfe* Diz-se do apostador que raramente acerta nas corridas. **2.** *Gír. Turfe* Diz-se do cavalo que perde seguidamente em consequência de fatos adversos ao seu desempenho. **3.** *Bras. Gír.* Sem sorte; azarado.

araquídico [Do lat. cient. *Arachid-* (< tax. *Arachis*, v. *aráquis*) + *-ico*[2].] *Adj. Quím.* ~ V. *ácido —.*

araquidônico *Adj. Quím.* V. *araquidônico.* [Uso freq. em P.]

araquidônico [De *araquid-* (< *araquídico*) + *-ônico.*] *Adj. Quím.* ~ V. *ácido —.*

aráquis [Do tax. *Arachis.*] *S. f. 2 n. Bot.* **1.** Pequeno gênero de ervas fabáceas, perenes, geocárpicas, que ocorrem na América do Sul desde o Amazonas até a Argentina; há vinte e duas espécies desse gênero. **2.** Qualquer espécie desse gênero, como, p. ex., a *Arachis hipogaeia* (v. *amendoim*), que é largamente cultivada, pelas sementes comestíveis e pelo óleo, tb. us. na alimentação. **3.** Qualquer espécime desse gênero.

arar[1] [Do lat. *arare.*] *V. t. d.* **1.** Lavrar, sulcar (a terra): "Os grandes homens agora já não eram somente os que limpavam a floresta, construíam a sua cabana, aravam a terra" (Viana Moog, *Bandeirantes e Pioneiros*, I, p. 10). **2.** Sulcar as águas de; navegar. [Pres. ind.: *aro, aras*, etc.; pres. subj.: *are, ares, ... arem.* Cf. *haras*, s.m. 2n. e *harém*, s. m.]

arar[2] *V. int. Bras.* Ter ou ficar com muita fome. [Pres. ind.: *aro, aras*, etc.; pres. subj.: *are, ares, ... arem.* Cf. *haras*, s.m. 2n. e *harém*, s. m.]

arara[1] [Do tupi.] *S. f.* **1.** *Zool.* Designação comum às aves psitaciformes psitacídeas, gêneros *Anodorhynchus, Ara, Cyanopsitta*, todas de grande porte, cauda longa e bico muito forte, e que se alimentam de frutas e sementes em geral; ará: "Entre as aves trepadoras sobressaem as araras, que habitam o cimo das maiores árvores, onde comem e dormem." (Raimundo Morais, *Anfiteatro Amazônico*, p. 176.) **2.** *Bras. Bot.* Espécie de amaranto. **3.** Móvel formado de uma peça roliça presa em dois suportes e onde se dependuram em lojas, etc., os cabides com roupas expostas. **4.** *Lus. Fam.* Mentira, balela. ● *S. 2 g.* **5.** *Bras.* V. *tolo* (8). ● *S. m.* **6.** *Bras. AM ao RJ Folcl.* Dança em que um dos cavalheiros não tem par e, com um sinal convencionado, toma a dama de outro que então o substitui, como o arara ou bobo, às vezes caracterizado por um capuz e um bordão. ◆ **Estar uma arara.** Ficar uma arara. **Ficar uma arara.** Ficar muito irritado; estar uma arara.

arara[2] *Bras. S. 2 g.* **1.** *Etnôn.* Indivíduo dos araras, povo indígena da família linguística caraíba, que habita a região dos rios Guariba e Aripuanã (MT); arara do aripuanã. **2.** *Etnôn.* V. *caro*[2]. **3.** *Etnôn.* V. *ucarangmã.* **4.** *Etnôn.* V. *xauanauá.* ● *Adj. 2 g.* **5.** Pertencente ou relativo a arara[2] (1 a 4). [Tb. us. como *s. 2 g. e 2 n.* (com cap.) e *adj. 2 g. e 2 n.*]

arará[1] [Do tupi, poss.] *S. m. Bras.* **1.** *Zool.* V. *cararã*[1]. **2.** *Etnogr.* Entre os índios urubus, designação comum às pulseiras e adornos plumários das saias femininas.

arará[2] [Do tupi.] *S. m. Bras. Zool.* V. *aleluia* (6).

arara-azul *S. f. Bras. Zool.* **1.** Ave psitaciforme, psitacídea (*Anodorhynchus leari*), rara, com distribuição geográfica mal conhecida. **2.** V. *araraúna.* [Pl.: *araras-azuis.*]

araracanga [Do tupi.] *S. f. Bras.* **1.** *Zool.* V. *arara-vermelha* (1). **2.** *Bot.* V. *guatambu* (3).

araracangaçu [Do tupi = 'cabeça grande de arara'.] *S. f. Bras. Amaz. Zool.* Reptil quelônio (*Podocnemis dumeriliana*), pleomedusídeo, de coloração parda no dorso, amarelada inferiormente; tem apenas uma bárbula, carapaça oval e quilha dorsal presente pelo menos na parte posterior; cabeçuda. [Cf. *tracajá.*]

arara-canindé *S. f. Bras. Zool.* Ave psitaciforme, psitacídea (*Ara ararauna*), distribuída do Panamá ao S. do Brasil, de coloração dorsal e coberteiras inferiores da cauda azuis, fronte e vértice verdes, faces nuas, com algumas estrias empenadas verde-escuras, mento enegrecido, abdome amarelo-vivo; arari, canindé. [Pl.: *araras-canindés* e *araras-canindé.*]

arara do aripuanã *S. 2 g. Adj. 2 g.* V. arara[2] (1 e 5). [Pl.: *araras do aripuanã.* Na 1ª impress. do Volp., com hífen; corrigido em errata.]

araraense *Adj. 2 g. S. 2 g.* V. *ararense*[1].

ararajuba [De *arara*[1] + *-juba.*] *S. f. Bras. Zool.* V. *guaruba.*

arara-macau *S. f. Bras. Pop. Zool.* V. *arara-vermelha* (1). [Pl.: *araras-macaus* e *araras-macau.*]

araramboia (ói) [Do tupi = cobra arara.] *S. f. Bras. Amaz. Zool.* Reptil ofídio boídeo (*Boa canina*), de coloração verde com traços ou linhas amarelas. Vive trepada em árvores e se alimenta sobretudo de pássaros miúdos; muito temida pelo povo, por ser peçonhenta; comprimento: até 2m. [Var.: *arauemboia.* Sin.: *boa, cobra-papagaio, cobra-verde, jiboia-verde, periquitamboia.*]

ararandéua [De or. tupi, poss.] *S. f. Bras. Bot.* Árvore fabácea (*Zygia cauliflora*) de caule tortuoso, casca cinza-escura, folhas bipenadas, flores brancas e frutos leguminiformes, coriáceos; ingarana, jarandéua.

ararandeuara *Bras. S. 2 g. Adj. 2 g.* V. *amanaié.*

araranguaense *Adj. 2 g.* **1.** De, ou pertencente ou relativo a Araranguá (SC). ● *S. 2 g.* **2.** O natural ou habitante de Araranguá.

ararapá [De or. tupi, poss.] *S. m. Bras. Amaz. Zool.* V. *arapapá* (1).

ararapiranga [De *arara*[1] + *-piranga.*] *S. f. Bras. Zool.* V. *arara-vermelha* (1).

ararapitiú [De or. tupi.] *S. f. Bras. Bot.* V. *fava-de-santo-inácio-falsa* (1). [No Volp., com hífen.]

arara-preta *S. f. Bras. Zool.* V. *araraúna.* [Pl.: *araras-pretas.*]

araraquarense *Adj. 2 g.* **1.** De, ou pertencente ou relativo a Araraquara (SP), ou à zona servida pela estrada de ferro homônima. ● *S. 2 g.* **2.** O natural ou habitante de Araraquara, ou desta zona.

araratucupé *S. f. Bras. Bot.* V. *araratucupi.*

araratucupi [De or. tupi.] *S. f. Bras. Bot.* Árvore mimosácea (*Parkia nitida*) de até 35m, dotada de copa arredondada, folhas compostas, bipenadas, e cuja madeira é us. na fabricação de compensados, embalagens leves e brinquedos. Ocorre na Amaz. [Var.: araratucupé. Sin.: *japacani, japacamim, japani, japanim.*]

ararau *Bras. S. 2 g.* **1.** *Etnôn.* Indivíduo dos araraus, povo indígena das margens do alto rio Jatapu (PA). ● *Adj. 2 g.* **2.** Pertencente ou relativo a esse povo. [Tb. us. como *s. 2 g. e 2 n.* (com cap.) e *adj. 2 g. e 2 n.*]

ararauа *Bras. S. 2 g.* **1.** *Etnôn.* Indivíduo dos araraua [ou (etnôn. bras.) *Ararawa], povo indígena extinto da família linguística pano que habitava a região do rio Liberdade (AC). ● *Adj. 2 g.* **2.** Pertencente ou relativo a esse povo.

araraúba [Var. de *araraúva.*] *S. f. Bras. Bot.* **1.** V. *guatambu* (3). **2.** V. *araribá.* **3.** V. *araribá-rosa.*

araraúna [Do tupi = 'arara preta'.] *S. f. Bras. Zool.* Ave psitaciforme psitacídea (*Anodorhynchus hyacinthinus*), da região dos cerrados brasileiros, sobretudo onde existem extensas formações de buritizais. Coloração azul; amarela a pele nua da cabeça. [Sin.: *arara-azul, arara-preta, araruna.*]

araraúva [Do tupi.] *S. f. Bras. Bot.* V. *araraúba.*

arara-verde *S. f. Bras. Zool.* V. *arara-vermelha* (2). [Pl.: *araras-verdes.*]

arara-vermelha *S. f. Bras. Zool.* **1.** Ave psitaciforme psitacídea (*Ara macao*), do S. do México ao Brasil, alcançando o AM, PA e N. de MT, caracterizada por ter amareladas as coberteiras superiores médias das asas; aracanga, araracanga, ararapiranga, arara-vermelha-pequena, arara-macau, macau. **2.** Ave psitaciforme psitacídea (*Ara chloroptera*), do S. da América Central até os estados meridionais do Brasil, caracterizada por ter verdes as coberteiras superiores médias das asas; arara-verde, arara-vermelha-grande. [Pl.: *araras-vermelhas.*]

arara-vermelha-grande *S. f. Zool.* V. *arara-vermelha* (2). [Pl.: *araras-vermelhas-grandes.*]

arara-vermelha-pequena *S. f. Zool.* V. *arara-vermelha* (1). [Pl.: *araras-vermelhas-pequenas.*]

ararendaense (dà) *Adj. 2 g.* **1.** De, ou pertencente ou relativo a Ararendá (CE). ● *S. 2 g.* **2.** O natural ou habitante de Ararendá.

ararense[1] *Adj. 2 g.* **1.** De, ou pertencente ou relativo a Arara (PB). ● *S. 2 g.* **2.** O natural ou habitante de Arara. [Sin. ger.: *araraense.*]

ararense[2] *Adj. 2 g.* **1.** De, ou pertencente ou relativo a Araras (SP). ● *S. 2 g.* **2.** O natural ou habitante de Araras.

arari[1] [Do tupi.] *S. m. Bras.* **1.** *Zool.* V. *arara-canindé.* **2.** *Bot.* Cururu (3).

arari[2] *Bras. S. 2 g.* **1.** *Etnôn.* Indivíduo dos araris [ou (etnôn. bras.) *Arary], povo indígena extinto que habitava as imediações do rio Preto (MG). ● *Adj. 2 g.* **2.** Pertencente ou relativo a esse povo.

arariba [De or. tupi, poss.] *S. f. Bras. Bot.* **1.** V. *folha-redonda.* **2.** V. *araribá* (1).

araribá [Do tupi = 'árvore de arara'.] *S. f. Bras. Bot.* Árvore fabácea (*Centrolobium robustum*) da floresta pluvial, caracterizada pelas grandes sâmaras providas de longos espinhos acerados, e cuja madeira, pardo-avermelhada, pesada e dura, serve para construção civil e naval, mobiliário fino e obras externas. [Var.: *arariba, iriribá.* Sin.: *araraúba, araribá-amarelo, gororoba, iriribá-amarelo, mutumiju, putumuju, putumuju-amarelo, putumuiú-iriribá.*]

araribá-amarelo *S. m. Bras. Bot.* V. *araribá.* [Pl.: *araribás-amarelos.*]

araribal [De *araribá* + *-al*[1].] *S. m. Bras.* Quantidade mais ou menos considerável de araribás dispostos proximamente entre si.

araribá-rosa *S. m. Bras. Bot.* Árvore fabácea (*Centrolobium tomentosum*), de porte elevado, e cuja madeira útil, casca e tronco fornecem líquido resinoso avermelhado, de uso em tinturaria; araraúba, araruva, carijó, iriribá-rosa, putumuju, tipiri. [Pl.: *araribás-rosas.*]

arariense *Adj. 2 g.* **1.** De, ou pertencente ou relativo a Arari (MA). ● *S. 2 g.* **2.** O natural ou habitante de Arari.

ararinha [De *arara*[1] + *-inha.*] *S. f. Bras. Zool.* **1.** V. *maracanã*[1]. **2.** Maracanã-do-buriti.

ararinha-azul *S. f. Bras. Zool.* Ave psitaciforme, psitacídea (*Cyanopsitta spixii*), arrolada entre os animais em extinção. [Pl.: *ararinhas-azuis.*]

ararinha-de-cabeça-encarnada *S. f. Bras. Zool.* Ave psitaciforme psitacídea (*Pyrrhura picta luciani*), do O. do AM e Peru. Coloração geral verde; coberteiras das rêmiges primárias, azuis; lados da nuca e orla das penas do vértice, ocre-esbranquiçados; peito verde-oliváceo mais ou menos transfaciado, seguido de uma nódoa vermelha tirante a vinho; dorso francamente rubro da região escapular à cauda; coberteiras auriculares claras; curva da asa verde. [Sin.: *marrequém, merequém, quetua, rupequeiro.* Pl.: *ararinhas-de-cabeça-encarnada.*]

araripense *Adj. 2 g.* **1.** De, ou pertencente ou relativo a Araripe (CE). ● *S. 2 g.* **2.** O natural ou habitante de Araripe.

araripinense *Adj. 2 g.* **1.** De, ou pertencente ou relativo a Araripina (PE). ● *S. 2 g.* **2.** O natural ou habitante de Araripina.

araripirá [De *arari* + *-pirá.*] *Bras. Amaz. Zool. S. m.* **1.** Peixe anostomatídeo (Leporinus moralesi) da bacia amazônica, de até 30 cm de comprimento, com manchas transversais no dorso, duas pintas e uma linha longitudinal posterior nos flancos, negras. **2.** Saragui.

araroba [De or. tupi, poss.] *S. f. Bras. Bot.* V. *angelim-araroba.*

araruá[1] [De or. tupi.] *S. m. Bras. Zool.* V. *acará-bararuá.*

araruá[2] *Bras. S. 2 g.* **1.** *Etnôn.* Indivíduo dos araruás, povo indígena da família linguística pano, das imediações do rio Japurá (AM). ● *Adj. 2 g.* **2.** Pertencente ou relativo a esse povo. [Tb. us. como *s. 2 g. e 2 n.* (com cap.) e *adj. 2 g. e 2 n.*]

araruama [Do top. *Araruama.*] *S. 2 g. Bras. RJ* V. *caipira* (1).

araruamense *Adj. 2 g.* **1.** De, ou pertencente ou relativo a Araruama (RJ). ● *S. 2 g.* **2.** O natural ou habitante de Araruama.

araruna *S. f.* **1.** *Bras. Zool.* V. *araraúna.* **2.** *Bras. RN* Certa dança folclórica.

ararunense *Adj. 2 g.* **1.** De, ou pertencente ou relativo a Araruna (PB e PR). ● *S. 2 g.* **2.** O natural ou habitante de Araruna.

araruta [Do aruaque *aru-aru*, 'farinha de farinha'.] *S. f. Bras.* **1.** *Bot.* Erva marantácea (*Maranta arundinacea*) cultivada, de fruto com sementes vermelho-claras, e de cujo rizoma se obtém fécula branca nutritiva, utilizável na alimentação; agutiguepe, araruta-caixulta, araruta-comum, araruta-especial, araruta-gigante, araruta-palmeira, araruta-raiz-redonda, araruta-ramosa, embiri. **2.** A fécula alimentar extraída da araruta.

araruta-bastarda *S. f. Bras. Bot.* V. *biru-manso.* [Pl.: *ararutas-bastardas.*]

araruta-caixulta *S. f. Bras. Bot.* V. *araruta* (1). [Pl.: *ararutas-caixultas* e *ararutas-caixulta.*]

araruta-comum *S. f. Bras. Bot.* V. *araruta* (1). [Pl.: *ararutas-comuns.*]

araruta-de-porco *S. f. Bras. Bot.* V. *biru-manso.* [Pl.: *ararutas-de-porco.*]

araruta-especial *S. f. Bras. Bot.* V. *araruta* (1). [Pl.: *ararutas-especiais.*]

araruta-gigante *S. f. Bras. Bot.* V. *araruta* (1). [Pl.: *ararutas-gigantes.*]

araruta-palmeira *S. f. Bras. Bot.* V. *araruta* (1). [Pl.: *ararutas-palmeiras* e *ararutas-palmeira.*]

araruta-raiz-redonda *S. f. Bras. Bot.* V. *araruta* (1). [Pl.: *ararutas-raízes-redondas.*]

araruta-ramosa *S. f. Bras. Bot.* V. *araruta* (1). [Pl.: *ararutas-ramosas.*]

araruva *S. f. Bras. Bot.* V. *araribá-rosa.*

aratá *Bras. S. 2 g.* **1.** *Etnôn.* Indivíduo dos aratás, povo indígena que habita região do rio Xingu. ● *Adj. 2 g.* **2.** Pertencente ou relativo a esse povo. [Tb. us. como *s. 2 g. e 2 n.* (com cap.) e *adj. 2 g. e 2 n.*]

arataca [Do tupi = 'o que cai estalando'.] *Bras. S. f.* **1.** Armadilha com que se apanham animais silvestres; arapuca. ● *S. 2 g.* **2.** *Joc.* Nortista, cabeça-chata.

arataciú [Do tupi, poss.] *S. f. Bras. Bot.* Árvore euforbiácea (*Sagotia racemosa*) cujas raízes, perfumadas, têm propriedades medicinais; as flores são racemosas e os frutos, capsulares.

arataiá [Do tupi.] *S. m. Bras. Zool.* V. *arapapá* (1).

arataiaçu [Do tupi.] *S. m. Bras. Zool.* V. *arapapá* (1).

arataná *S. m. Bras. Zool.* V. *irataúá.*

aratanha [Do tupi = 'bico de ará'.] *S. f.* **1.** *Bras. PI* Vaca pequena. **2.** *Bras. AL* Pequeno camarão de água doce.

arataquense *Adj. 2 g.* **1.** De, ou pertencente ou relativo a Arataca (BA). ● *S. 2 g.* **2.** O natural ou habitante de Arataca.

arataúá *S. f. Bras. Amaz. Zool.* V. *irataúá.*

aratibense *Adj. 2 g.* **1.** De, ou pertencente ou relativo a Aratiba (RS). ● *S. 2 g.* **2.** O natural ou habitante de Aratiba.

araticu *S. m. Bras. Bot.* V. *araticum.*

araticuense *Adj. 2 g.* **1.** De, ou pertencente ou relativo a Araticu (PA). ● *S. 2 g.* **2.** O natural ou habitante de Araticu.

araticum [Do tupi.] *S. m. Bot.* **1.** Nome comum a diversas espécies do gênero *Annona* (v. *anona*) e *Rollinia* (v. *rollínia*), ger. cultivados pelos frutos edules. **2.** Árvore anonácea (*Annona crassiflora*) nativa do cerrado, cujos frutos, enormes bagas múltiplas, edules, chegam a pesar 2 quilos, e cujas amplas flores são coriáceas. [Sin.: *araticunzeiro* e *araticuzeiro, araticum-cortiça, marolo.*] [Sin., nessas acepç.s.: *araticunzeiro* e *araticuzeiro.*] **3.** V. *coração-de-boi* (1). **4.** O fruto dessas árvores.

araticum-alvadio *S. m. Bras. Bot.* Árvore anonácea (*Rollinia exalbida*) nativa do Brasil, de frutos comestíveis, e que segrega resina de uso medicinal. [Pl.: *araticuns-alvadios.*]

araticum-apê *S. m. Bras. Bot.* Árvore anonácea (*Annona montana*) nativa do Brasil, com frutos de sementes oleaginosas. [Pl.: *araticuns-apês* e *araticuns-apê.*]

araticum-cagão *S. m. Bras. Bot.* Árvore anonácea (*Annona cacans*) ornamental, de bagas ovoides, de polpa comestível; araticum-do-campo. [Pl.: *araticuns-cagões.*]

araticum-catinga *S. m. Bras. Bot.* Árvore anonácea (*Annona foetida*) nativa do Brasil, de casca, folhas e frutos com uso medicinal. [Pl.: *araticuns-catingas* e *araticuns-catinga.*]

araticum-cortiça *S. m. Bras. Bot.* V. *araticum* (2). [Pl.: *araticuns-cortiças* e *araticuns-cortiça.*]

araticum-da-lagoa *S. m. Bras. Bot.* Árvore anonácea (*Annona paludosa*) nativa da Guiana Francesa. [Pl.: *araticuns-da-lagoa.*]

araticum-de-cheiro *S. m. Bras. Bot.* V. *coração-de-boi* (1). [Pl.: *araticuns-de-cheiro.*]

araticum-do-campo *S. m. Bras. Bot.* **1.** Araticum-cagão. **2.** V. *cabeça-de-negro* (1). [Pl.: *araticuns-do-campo.*]

araticum-do-mato *S. m. Bras. Bot.* **1.** Árvore anonácea (*Duguetia longiflora*) de longas folhas papiráceas, flores coriáceas, e fruto saboroso; aberêmoa. **2.** O fruto dessa árvore. [Pl.: *araticuns-do-mato.*]

araticum-dos-lisos *S. m. Bras. Bot.* V. *cabeça-de-negro* (1). [Pl.: *araticuns-dos-lisos.*]

araticum-grande *S. m. Bras. Bot.* V. *graviola* (1). [Pl.: *araticuns-grandes.*]

araticunzeiro [De *araticum* + *-zeiro.*] *S. m. Bras. Bot.* V. *araticum* (1 e 2).

araticuzeiro [De *araticu* + *-zeiro.*] *S. m. Bras. Bot.* V. *araticum* (1 e 2).

aratim *S. m. Bras. Zool.* V. *iraxim.*

aratinga [Do tupi = 'ará branca'; tax. *Aratinga.*] *S. f. Bras. Zool.* **1.** Gênero de aves psitacídeas, tropicais, de bico curvo, pernas curtas, coloração predominantemente verde, porte médio e cauda longa. **2.** Qualquer espécie desse gênero, como, p. ex., a *Aratinga jandaya*, do N.E. e a *A. aurea*, conhecida pelo nome de *maritaca* em MG e SP. **3.** Qualquer espécime desse gênero.

aratório [Do lat. *aratoriu.*] *Adj.* **1.** Pertencente ao arado. **2.** Referente à agricultura.

aratriforme [Do lat. *aratru* + *-iforme.*] *Adj. 2 g.* Semelhante ao arado.

aratu [Do tupi; tax. *Aratus.*] *S. m. Bras. Zool.* **1.** Gênero de artrópodes, crustáceos, malacostráceos, decápodes, braquiúros, grapsídeos. **2.** Qualquer espécie desse gênero, como, p. ex., a *Aratus pisoni* de carapaça trapezoidal e coloração acinzentada. Ocorre nos mangues, porém não mora em buracos, preferindo viver em arbustos. Tem os nomes populares de *aratu-marinheiro, aratu-da-pedra, aratupinima, aratupeba, carapinha* e *marinheiro.* **3.** *P. ext.* Denominação de outras espécies dos gêneros *Goniopsis* e *Sesarma*, de hábitos semelhantes. **4.** Qualquer espécime desses gêneros.

aratubaia [De or. tupi, poss.] *S. m. Bras. Zool.* V. *galhudo* (4).

aratubano *Adj.* **1.** De, ou pertencente ou relativo a Aratuba (CE). ● *S. m.* **2.** O natural ou habitante de Aratuba.

aratu-da-pedra *S. m. Bras. Zool.* V. *aratu* (2). [Pl.: *aratus-da-pedra.*]

aratu-do-mangue *S. m. Bras. Zool.* V. *aratu-vermelho.* [Pl.: *aratus-do-mangue.*]

aratuipense (u-i) *Adj. 2 g.* **1.** De, ou pertencente ou relativo a Aratuípe (BA). ● *S. 2 g.* **2.** O natural ou habitante de Aratuípe.

aratu-marinheiro *S. m. Bras. Zool.* V. *aratu* (2). [Pl.: *aratus-marinheiros.*]

aratupeba [Do tupi = 'aratu chato'.] *S. m. Bras. Zool.* V. *aratu* (2).

aratupinima [De *aratu* + *-pinima.*] *S. m. Bras. Amaz. Zool.* V. *aratu* (2).

aratu-vermelho *S. m. Bras. Zool.* Crustáceo decápode, braquiúro, grapsídeo (*Goniopsis curentata*), de coloração esverdeada na carapaça, pernas e quelas avermelhadas, no dorso uma área avermelhada e pequenas marcas pretas. Ocorre da Flórida ao RJ, e vive nos mangues. [Sin.: *aratu-do-mangue, aratu-vermelho-e-preto.* Pl.: *aratus-vermelhos.*]

aratu-vermelho-e-preto *S. m. Bras. Zool.* V. *aratu-vermelho.* [Pl.: *aratus-vermelhos-e-pretos.*]

araua *Bras. S. 2 g.* **1.** *Etnôn.* Indivíduo dos arauas, povo indígena extinto, da família linguística caraíba, que habitava a foz do rio Xiruã (AM). ● *Adj. 2 g.* **2.** Pertencente ou relativo a esse povo. [Tb. us. como *s. 2 g. e 2 n.* (com cap.) e *adj. 2 g. e 2 n.*]

arauá *S. m.* **1.** *Gloss.* Família linguística à qual pertencem as línguas indígenas faladas pelos povos de RO, como, p. ex., o paumari, o deni, o culina, o banauá, o jarauara e o jamamadi. ● *Adj. 2 g.* **2.** Pertencente ou relativo a arauá.

arauaense (aên) *Adj. 2 g.* **1.** De, ou pertencente ou relativo a Arauá (SE). ● *S. 2 g.* **2.** O natural ou habitante de Arauá.

arauaná [Do tupi.] *S. m. Bras. Zool.* V. *aruaná*[1].

arauaqui *Bras. S. 2 g.* **1.** *Etnôn.* Indivíduo dos arauaquis [ou (etnôn. bras.) *Arauakí], povo indígena extinto que habitava as margens do rio Negro (AM). ● *Adj. 2 g.* **2.** Pertencente ou relativo a esse povo. [Sin. ger.: *aroaqui.*]

arauari *S. f. Bras. Amaz. Zool.* V. *piraba.*

arauatu [Do caraíba.] *S. m. Bras. Amaz. Zool.* Guariba-vermelho.

araucânio *S. m. Adj.* V. *araucano* (1 e 4).

araucano *S. m.* **1.** *Etnôn.* Indivíduo dos araucanos, povo indígena do Chile; araucânio. **2.** *Gloss.* Língua amerindia da família penutiana falada em regiões do Chile e da Argentina; mapuche. 3. Vocábulo dessa língua. ● *Adj.* 4. Pertencente ou relativo a araucano (2) ou aos araucanos.

araucária [Do tax. *Araucaria* (do top. *Arauco* [Chile] + lat. cient. *-aria*).] *S. f. Bot.* 1. Pequeno gênero de árvores araucariáceas, oriundas da América do Sul e da Austrália, de folhas pequenas e aciculares, duras, flores com sexos separados, sementes (pinhões) reunidas em grandes cones e importantes como alimento, e cuja madeira, branca, tem grande utilidade. 2. Qualquer espécie desse gênero, como, p. ex., a *Araucaria angustifolia* (v. *pinheiro-do-paraná*). 3. Qualquer espécime desse gênero.

araucariácea [Do tax. *Araucaria* (v. *araucária*) + *-ácea*; tax. *Araucariaceae*.] *S. f. Bot.* Espécime das araucariáceas, família da classe das pinópsidas que reúne três gêneros e cerca de 39 espécies de grandes árvores de folhas pequenas e aciculares que habitam as zonas mais frias, mesmo nos trópicos. O gênero principal é *araucária* (q. v.), de que existe importante espécie brasileira, o *pinheiro-do-paraná*.

araucariáceo [De *araucariácea*, com var. suf. (v. *-áceo*).] *Adj. Bot.* Pertencente ou relativo às araucariáceas.

araucária-do-japão *S. f. Bot.* V. *cedro-japonês*. [Pl.: *araucárias-do-japão*.]

araucariense *Adj. 2 g.* 1. De, ou pertencente ou relativo a Araucária (PR). ● *S. 2 g.* 2. O natural ou habitante de Araucária.

araué [De or. tupi, poss.] *S. f. Bras. Amaz.* Designação comum a certas baratas da madeira.

arauemboia (ói) *S. f. Bras. Amaz. Zool.* V. *araramboia*. ❖

arauetê *Bras. S. 2 g.* 1. *Etnôn.* Indivíduo dos arauetés [ou (etnôn. bras.) *Araweté], povo indígena da família linguística tupi-guarani, tronco tupi, que habita a margem esquerda do médio rio Ipixuna (PA). ● *Adj. 2 g.* 2. Pertencente ou relativo a esse povo.

arauine (au-í) *Bras. S. 2 g.* 1. *Etnôn.* Indivíduo dos arauines [ou (etnôn. bras.) *Arawine], povo indígena extinto, tronco tupi, que habitava as imediações do rio Culuene (MT). ● *Adj. 2 g.* 2. Pertencente ou relativo a esse povo. [Outra f.: *aravine*.] ❖

arauiri (au-i) [Do tupi.] *S. m. Bras. Amaz. Zool.* V. *piraba*.

araujense (a-u) *Adj. 2 g.* 1. De, ou pertencente ou relativo a Araújos (MG). ● *S. 2 g.* 2. O natural ou habitante de Araújos.

araúna [De or. tupi.] *S. f. Bras.* 1. *Folcl.* Uma das figuras do reisado (q. v.). 2. *Zool.* V. *graúna*.

arauto [Do frâncico *heriald, 'chefe do exército', pelo fr. *héraut*.] *S. m.* 1. Nas monarquias da Idade Média, oficial que fazia as proclamações solenes, conferia títulos de nobreza, transmitia mensagens, anunciava a guerra e proclamava a paz: "Tinham um grande pendão com S. Jorge, e outros balções à mistura, livremente, pois, não havendo rei-d'armas, nem arauto, nessa corte ontem nascida no intervalo de duas batalhas, faltava a etiqueta, e cada qual se armava e preparava com as insígnias preferidas." (Oliveira Martins, *A Vida de Nun'Alvares*, p. 262.) 2. Emissário, mensageiro; pregoeiro; núncio. 3. *Fig.* V. *mensageiro* (4): "As praias e as restingas, as serras e as matas nos chamavam, enviando-nos a sua mensagem naquele trrriii insistente que saudava o Sol e o calor. E assim acostumei-me a ver nas cigarras arautos da liberdade e da alegria." (Vivaldo Coaraci, *91 Crônicas Escolhidas*, p. 90.) 4. *P. ext.* Defensor, lutador, propugnador: *José do Patrocínio foi um dos arautos da Abolição.*

aravaque *S. 2 g. Adj. 2 g. Bras.* V. *aruaque* (1 e 3).

aravari *S. f. Bras. Amaz. Zool.* V. *piraba*.

arável [Do lat. *arabile*.] *Adj. 2 g.* Que se pode arar ou lavrar.

aravela [De or. incerta.] *S. f.* Peça da charrua onde se apoia a mão de quem a dirige.

aravia [Do ár. *al-ʿarabyya(t)*.] *S. f.* Linguagem ininteligível ou deturpada; algaravia: "Pela noite, sentindo a viela deserta, vinham bater-lhe surdamente na porta, ou cantar-lhe fados de alcouce, numa aravia baixa" (Fialho d'Almeida, *A Cidade do Vício*, p. 113). [Var.: *arabia*.]

aravine *S. 2 g. Adj. 2 g. Bras.* V. *arauine*.

araxá [Do tupi.] *S. m. Bras. C.O. MG* Planalto (q. v.) em forma de tabuleiro; alto chapadão.

araxaense (xà) *Adj. 2 g.* 1. De, ou pertencente ou relativo a Araxá (MG). ● *S. 2 g.* 2. O natural ou habitante de Araxá.

araxixá *S. f. Bras. Bot.* V. *xixá*.

araxixu [Do tupi. poss.] *S. m. Bras. Bot.* V. *erva-moura*.

▲ **-araz** V. *-az*.

arazoia (ói) *S. f. Bras.* V. *araçoia*: "Não sentiram meus lábios outros lábios, / Nem outras mãos, Jatir, que não as tuas / A arazoia na cinta me apertaram." (Gonçalves Dias, *Obras Poéticas*, II, p. 17.) ❖

arbaleta (ê) [Do fr. ant. *arbaleste* < lat. tard. *arcuballista*, 'balestilha'.] *S. f. Astr.* Antigo instrumento que servia para medir alturas.

arbim [De *arabim, do ár., poss.] *S. m. Tec. Têx.* Antigo tecido de lã, grosseiro, usado como luto.

arbitração [Do lat. *arbitratione*.] *S. f.* V. *arbitragem* (1).

arbitrador (ô) [Do lat. *arbitratore*.] *Adj.* 1. Que arbitra. ● *S. m.* 2. Aquele que arbitra. 3. *Econ.* Agente do mercado financeiro, credenciado pela Bolsa de Valores, que, ao operar frequentemente na compra e venda de ativos no mercado de futuros, proporciona liquidez aos demais participantes e garante que o preço negociado de um ativo, a futuro, seja mais justo.

arbitragem [De *arbitrar* + *-agem²*.] *S. f.* 1. Ato ou efeito de arbitrar; arbitração, arbitramento. 2. O julgamento, decisão ou veredicto de árbitro(s); arbítrio. 3. *Econ.* Operação que consiste na compra (de mercadoria, moeda, título, etc.) onde o preço é mais baixo, e venda subsequente onde o preço é mais alto.

arbitral [Do lat. tard. *arbitrale*.] *Adj. 2 g.* 1. Feito por árbitros. 2. Respeitante a árbitros. ~ V. *juízo* —.

arbitramento [De *arbitrar* + *-mento*.] *S. m.* V. *arbitragem* (1).

arbitrar [Do lat. *arbitrare*.] *V. t. d.* 1. Julgar como árbitro. [Sin. (no futebol): *apitar*.] 2. Determinar, fixar (quantia) por arbítrio. 3. Decidir, resolver, segundo a própria consciência: *Arbitrou afastar-se do convívio dos amigos.* *T. d. e i.* 4. Atribuir judicialmente; adjudicar: *Vive apenas da quantia que lhe arbitraram.* [Pres. ind.: *arbitro*, etc.; fut. pret.: *arbitraria*, etc. Cf. *árbitro*, s. m., e *arbitrária*, fem. de *arbitrário*.]

arbitrariedade [De *arbitrári(o)* + *-edade*.] *S. f.* 1. Qualidade de arbitrário. 2. Ação ou procedimento arbitrário: *Tal juiz faz-se notar, lamentavelmente, pela arbitrariedade.* 3. *E. Ling.* Representação do mundo real por elementos linguísticos que carecem de correspondência física com as entidades por eles referidas. [Cf., nesta acepç.: *iconicidade* (1).]

arbitrário [Do lat. *arbitrariu*.] *Adj.* 1. Que independe de lei ou regra, e só resulta do arbítrio, ou mesmo do capricho de alguém: *decisão arbitrária*; "Desejo uma fotografia / como esta .... // Não meta fundos de floresta / Nem de arbitrária fantasia... / Não... Neste espaço que ainda resta, / ponha uma cadeira vazia." (Cecília Meireles, *Obra Poética*, p. 223). [Sin., p. us.: *arbitrativo*.] 2. Que não respeita lei ou regras, que não aceita restrições; despótico, discricionário: *indivíduo arbitrário*. 3. Não necessário; eventual; facultativo. [Fem.: *arbitrária*. Cf. *arbitraria*, do v. *arbitrar*.] ~ V. *signo* —.

arbitrarismo [De *arbitrário* + *-ismo*.] *S. m.* Qualidade do que ou de quem é arbitrário: "a tirania da massa popular, o seu arbitrarismo despótico, é tão intolerável como qualquer outra." (Álvaro Lins, *A Glória de César e o Punhal de Brutus*, p. 167).

arbitrativo [De *arbitrar* + *-tivo*.] *Adj. P. us.* Arbitrário (1).

arbítrio [Do lat. *arbitriu*.] *S. m.* 1. Resolução que depende só da vontade. 2. Arbitragem (2). 3. Parecer, opinião.

arbitrista [De *arbítrio* + *-ista*.] *S. 2 g.* 1. Pessoa que planeja meios extraordinários para atingir um fim. 2. Pessoa que regula alguma coisa ou resolve a respeito dela.

árbitro [Do lat. *arbitru*.] *S. m.* 1. Aquele que dirime questões por acordo das partes litigantes ou por designação oficial; mediador. 2. *P. ext.* Aquele que é chamado para, como juiz, dirimir dúvidas, opinar em debates, julgar ou decidir sobre alguma coisa, etc.: *Quero que seja o nosso árbitro: qual a melhor cor para o novo uniforme?* 3. *Esport.* Aquele que dirige um jogo ou prova esportiva, com direito de decisão quanto ao seu desenvolvimento ou aos fatos disciplinares. [Sin. (nesta acepç.): *juiz*.] 4. Senhor absoluto; soberano. 5. Modelo, exemplo: *É um árbitro da elegância.* [Cf. *arbitro*, do v. *arbitrar*.] ◆ **Árbitro da elegância.** Pessoa de gosto refinado, que dá o tom em coisas da moda.

➔ **arbois** [aʀˈbwa] [Fr.] *S. m.* Vinho *AOC* da região do Jura (L. da França).

arbóreo [Do lat. *arboreu*.] *Adj. Bot.* 1. Relativo ou semelhante a árvore. 2. Diz-se de planta que tem porte de árvore.

arborescência [Do lat. *arborescentia*.] *S. f. Bot.* Qualidade ou estado de arborescente. [Var.: *arvorecência*.]

arborescente [Do lat. *arborescente*.] *Adj. 2 g. Bot.* 1. Que apresenta o porte (ou hábito) de árvore: *A samambaiaçu é um feto arborescente.* 2. Diz-se do micélio cujas ramificações (hifas) se dispõem à maneira dos ramos de uma árvore: *hifas arborescentes.* [Var.: *arvorecente*.]

arborescer [Do lat. *arborescere*.] *V. int.* 1. Tornar-se árvore. 2. Crescer como a árvore; desenvolver-se. [Var.: *arvorecer*. Conjug.: v. *crescer*.]

arboreto (ê) [Do lat. *arboretu*.] *S. m.* Coleção de árvores plantadas para fins diversos, como estudos científicos, exibição ao público, etc.

▲ **arbor(i)-** [Do lat. *arbor, oris*.] *El. comp.* = 'árvore': *arborícola, arboricultura*.

arborícola [De *arbor(i)-* + *-cola¹*.] *Adj. 2 g.* 1. Que vive nas árvores; dendrobata, dendróbata. 2. Próprio do ser que nelas vive; dendrobata, dendróbata: *O sapo-ferreiro tem hábitos arborícolas.* 3. *Bot.* Diz-se dos epífitos.

arboricultor (ô) [De *arbor(i)-* + *-cultor*.] *S. m.* Especialista em arboricultura; arborista.

arboricultura [De *arbor(i)-* + *-cultura*.] *S. f.* Cultura das árvores, sobretudo de árvores frutíferas ou ornamentais.

arboriforme [De *arbor(i)-* + *-forme*.] *Adj. 2 g.* Que tem forma de árvore.

arborismo [De *arbor(i)-* + *-ismo*.] *S. m. Esport.* Esporte que consiste em subir em árvores e deslocar-se entre suas copas, com o emprego ou não de escadas, plataformas, cordas, etc.

arborista [De *arbor(i)-* + *-ista*.] *S. 2 g.* Arboricultor.

arborização [De *arborizar* + *-ção*.] *S. f.* 1. Ato ou efeito de arborizar. 2. *P. ext.* O conjunto das árvores plantadas: *Esta cidade tem uma bela arborização.* 3. *Min.* Ramificação dos veios de certos minerais semelhante à das árvores. 4. *Anat.* Aspecto ramificado de algumas extremidades de células nervosas. 5. *Anat.* Aspecto ramificado, lembrando árvore, de vasos capilares, em inflamação.

arborizado [Part. de *arborizar*.] *Adj.* Plantado ou cheio de árvores.

arborizar [De *arbor(i)-* + *-izar*.] *V. t. d.* 1. Plantar árvores em; guarnecer com árvores. *Int.* 2. *Bras. Gír.* Cair de asa-delta sobre árvore(s). *P.* 3. Encher-se de árvores.

arbovirose [De *arbovír(us)* + *-ose¹*.] *S. f. Med.* Infecção causada por arbovírus.

arbovírus [Do ingl. *arbovirus*, f. red. do ingl. *arthropod-borne virus*.] *S. m. 2 n. Microbiol.* Vírus transmitido por vetores artrópodes (p. ex.: mosquito, carrapato) e que é formado por uma partícula virótica esferoidal embutida em membrana gordurosa; é causador, p. ex., de encefalites, da febre amarela e do dengue. [Este termo não pertence à classificação taxionômica, embora a maioria dos arbovírus se distribua por cinco famílias, conforme suas propriedades físico-químicas: *Bunyaviridae, Flaviviridae, Reoviridae, Rhabdoviridae* e *Togaviridae*.]

ábrus [Do tax. *Abrus*, do gr. *habrós*, 'tenro', 'delicado'.] *S. m. Bot.* 1. Gênero das fabáceas que reúne cerca de 17 espécies originárias de regiões tropicais. 2. Qualquer espécie desse gênero, como, p. ex., a *Abrus precatorius* (v. *jequiriti*). 3. Qualquer espécime desse gênero. [Var.: *abro*.]

arbúscula [Do lat. *arbuscula*.] *S. f.* 1. *Bot.* Pequena árvore; arvoreta. 2. *Bot.* Órgão vegetal ramificado, que lembra árvore. 3. *Micol.* Em certos fungos micorrizais, cada um dos haustórios.

arbuscular [De *arbúscula* + *-ar¹*.] *Adj. 2 g.* De, ou relativo a arbúscula (2 e 3).

arbúsculo [Do lat. *arbusculu*.] *S. m. Bot.* Pequeno arbusto.

arbústeo [De *arbusto* + *-eo*.] *Adj. Bot.* Relativo a arbusto; arbustivo.

arbustiforme [De *arbusto* + *-iforme*.] *Adj. 2 g. Bot.* Em forma de arbusto.

arbustivo [Do lat. *arbustivu*.] *Adj. Bot.* 1. Da natureza do arbusto: *vegetação arbustiva.* 2. Arbústeo (1).

arbusto [Do lat. *arbustu*.] *S. m. Bot.* Vegetal lenhoso cujo caule é ramificado desde a base. Não há, portanto, um tronco indiviso como nas árvores. Os arbustos podem ser pequenos ou bastante altos, com vários metros. [Dim. irreg.: *arbúsculo*.]

arbutina [Do tax. *Arbutus* (v. *árbuto*) + *-ina³*.] *S. f. Farm.* Glicosídeo incolor que se obtém das folhas do *Arbutus urva ursi*, de muitas ericáceas, etc., antisséptico urinário poderoso e diurético; ursina.

árbuto [Do tax. *Arbutus* (do lat. *arbutus, i*).] *S. m. Bot.* 1. Gênero de arvores e arbustos ericáceos que reúne cerca de 14 espécies ger. cultivadas como ornamentais e comestíveis. 2. Qualquer espécie desse gênero, como, p. ex., o *Arbutus unedo* ou o *Arbutus menziesii* (v. *medronheiro*). 3. Qualquer espécime desse gênero.

■ **ARC** [Ingl., acrônimo de *Aids Related Complex*.] *S. m. Med.* Complexo (7) relacionado à AIDS e que compreende o conjunto de fenômenos mórbidos precoces e, muitas vezes, de aparecimento intermitente, de baixa de resistência orgânica (febre, queda ponderal, infecções por fungos, adenomegalias) em indivíduos infectados por HIV.

arca [Do lat. *arca*.] *S. f.* 1. Grande caixa, geralmente de madeira, dotada de tampa chata e destinada a guardar roupas, objetos, etc. 2. V. *cofre* (1). [Dim. irreg.: *archete*.] 3. Tesouro de uma sociedade ou instituição.

4. *Anat.* Arca do peito (q. v.). 5. *Bras. MG* A última costela flutuante. ◆ **Arca congeladora.** *Lus.* Congelador (3) horizontal. **Arca da Aliança.** *Rel.* Arca onde os hebreus guardavam as tábuas da lei. **Arca de Noé.** *Rel.* Embarcação que, segundo a Bíblia, Noé construiu por ordem de Deus, e onde se refugiou com sua família e casais de animais, para sobreviver ao dilúvio. [Cf. *arca de noé*, s.f.] **Arca do peito.** *Anat.* Cavidade torácica. [Tb. se diz apenas *arca*.]

▲ **arc(a)-** V. *arqui-*.

▲**-arca**[1] [Do lat. *-archa* < gr. *-árchēs*< gr. v. *árchein*, 'começar'; 'guiar', 'dirigir', 'comandar'.] ***El. comp.*** = 'que começa'; 'que governa', 'que comanda': *diarca*, *monarca* (< gr.), *triarca*. [Equiv.: *-arco* (q. v.). Dá-se a coexistência ou alternância de formas em *-arca* e *-arco*.]

▲ **-arca**[2] [Do gr. *archḗ, ês*.] ***El. comp.*** = 'início', 'começo': *menarca*.

arcaboiço ***S. m.*** V. *arcabouço*.

arcabouço [De *arca*.] ***S. m.*** **1.** Ossatura ou disposição do peito; tórax, peito. **2.** Esqueleto humano ou de qualquer animal. **3.** *Fig.* Traços gerais; lineamentos; esboço: *o arcabouço de uma estátua, de um quadro, de um romance.* **4.** V. *esqueleto* (4). **5.** *Constr.* V. *estrutura* (4). [F. paral.: *arcaboiço*.]

arcabuz [Do fr. *haquebuse, arquebuse* < al. *Hakenbüchse*.] ***S. m.*** Antiga arma de fogo portátil, espécie de bacamarte.

arcabuzada [De *arcabuz* + *-ada*[1].] ***S. f.*** **1.** Tiro ou sucessão de tiros de arcabuz. **2.** *P. ext.* Tiroteio (1).

arcabuzamento [De *arcabuzar* + *-mento*.] ***S. m.*** Ato ou efeito de arcabuzar.

arcabuzar [De *arcabuz* + *-ar*[2].] ***V. t. d.*** **1.** Matar a tiros de arcabuz. **2.** Ferir ou matar com espingarda; espingardear.

arcabuzaria [De *arcabuz* + *-aria*.] ***S. f.*** **1.** Tropa armada de arcabuzes. **2.** Descarga de arcabuzes.

arcabuzeiro [De *arcabuz* + *-eiro*.] ***S. m.*** **1.** Aquele que fabricava ou vendia arcabuzes. **2.** Indivíduo armado de arcabuz. **3.** Soldado cuja arma é o arcabuz.

arcada[1] [De *arco* + *-ada*[1].] ***S. f.*** **1.** *Arquit.* Abertura, em parede ou muralha, com forma de arco (3). **2.** *Arquit.* Série de arcos contíguos, sustentados por colunas ou pilares, que guarnece galeria, passagem, pórtico, etc.: "Esperei-a no vestíbulo da igreja sob arcadas franciscanas" (Antero de Figueiredo, *Miradouro*, p. 137). **3.** *Arquit.* Abóbada arqueada. [Sin., nessas acepçs., *arcaria*.] **4.** *Anat.* Designação genérica de estrutura constituída por uma série de arcos [v. *arco* (17)]. ~ V. *arcadas*. ◆ **Arcada dentária.** *Anat.* Cada uma das estruturas recurvadas em arco, uma superior e outra inferior, formadas, em estado normal, pelas coroas dos dentes.

arcada[2] [Do it. *arcata*.] ***S. f.*** *Mús.* Movimento do arco nos instrumentos de cordas friccionáveis. ~ V. *arcadas*.

arca-d'água ***S. f.*** *Constr.* Reservatório onde se junta a água que vai ser distribuída pelos chafarizes; mãe-d'água. [Pl.: *arcas-d'água*.]

arcadas [De *arca* (4) + o pl. de *-ada*[1].] ***S. f. pl.*** Movimentos anelantes do peito quando se respira com ânsia ou se vomita; arquejos. ~ V. *arcada*.

árcade [Do gr. *arkás, ádos*, pelo lat. *arcade*.] ***Adj. 2 g.*** **1.** Da, ou pertencente ou relativo à Arcádia, região da Grécia antiga, no Peloponeso central (v. *peloponésio*). **2.** Diz-se do estilo, da maneira literária dos membros das arcádias. ● ***S. 2 g.*** **3.** O natural ou habitante da Arcádia. **4.** Membro da arcádia.

arca de noé ***S. f.*** *Bras. Pop. Obsol.* A terceira classe (8) dos navios. [Pl.: *arcas-de-noé*. Cf. *arca de Noé*, loc.] ☑

arcádia [Do top. *Arcádia*, região da antiga Grécia muitas vezes escolhida como cenário da poesia bucólica.] ***S. f.*** Sociedade literária típica da última fase do classicismo, cujos membros adotavam nomes poéticos simbólicos, a primeira das quais se fundou em 1690, tendo havido muitas outras no século XVIII, como, p. ex., a *Arcádia Lusitana* e a *Nova Arcádia*: "a primeira Arcádia foi a de Roma, fundada em 1690 por quatorze poetas que se reuniram no palácio da Rainha Cristina da Suécia." (Caio de Melo Franco, *O Inconfidente Cláudio Manuel da Costa*, p. 14).

arcádico [Do lat. *arcadicu*.] ***Adj.*** **1.** Referente ou pertencente às arcádias, ou próprio delas. **2.** Bucólico, pastoril.

arcadismo [De *arcádia* + *-ismo*.] ***S. m.*** **1.** Corrente literária das arcádias. **2.** Influência dessa corrente. **3.** Bucolismo (3).

arcado [Part. de *arcar*[1].] ***Adj.*** V. *arqueado*[1] (1).

arcador (ô) [De *arcar*[1] + *-dor*.] ***S. m.*** *Chapel.* Operário que seleciona o pelo, preparando-o para a fula, nas fábricas de chapéu.

arcadura [De *arcar*[1] + *-dura*.] ***S. f.*** V. *arqueadura*.

arcaicidade [De *arcaico* + *-(i)dade*.] ***S. f.*** Qualidade, ou condição, ou caráter do que é arcaico.

arcaico [Do gr. *archaïkós*.] ***Adj.*** **1.** Relativo a épocas remotas; muito antigo. **2.** Obsoleto (1). **3.** V. *antiquado*. **4.** *E. Ling.* Diz-se de palavra ou de construção que constitui arcaísmo. **5.** *E. Ling.* Na periodização das línguas, diz-se da fase mais remota; antigo. **6.** *E. Ling.* Diz-se do português (3) do período que se situa entre o séc. IX e meados do séc. XVI. [Cf. *alcaico*.]

arcaísmo [Do gr. *archaïsmós*.] ***S. m.*** **1.** *E. Ling.* Palavra ou construção que caiu em desuso quer na fala, quer na escrita padrão, embora possa continuar a existir como forma dialetal, ou em usos especializados. **2.** Modo de falar ou de escrever antiquado. **3.** *P. ext.* Aquilo que é ultrapassado, antiquado: "a Revolução Cubana se transformou num arcaísmo, como num arcaísmo redundou a guerrilha das Farc na Colômbia" (Bóris Fausto, em *Folha de S.Paulo*, 17.06.2008).

arcaísta [De *arca(ico)* + *-ista*.] ***Adj. 2 g.*** Arcaizante (1).

arcaizante (a-i) [De *arcaizar* + *-nte*.] ***Adj. 2 g.*** **1.** Que na conversação e/ou na escrita emprega arcaísmos; arcaísta. **2.** Que está em via de arcaizar-se. ● ***S. 2 g.*** **3.** Pessoa arcaizante.

arcaizar (a-i) [Do gr. *archaïzein*.] ***V. t. d.*** **1.** Dar feição arcaica a; tornar arcaico. ***Int.*** **2.** Empregar arcaísmos. ***P.*** **3.** Tornar-se arcaico. [Conjug.: v. *ajuizar*.]

arcangelicamente (gè) [Do f. de *arcangélico* + *-mente*.] ***Adv.*** De modo arcangélico; à maneira de arcanjo: "o cavaleiro herói tomava uma fisionomia arcangelicamente indefinida." (Oliveira Martins, *A Vida de Nun'Álvares*, p. 310).

arcangélico [Do gr. *archangelikós*, pelo lat. *archangelicu*.] ***Adj.*** Relativo a, ou próprio de arcanjo: "Livre! para sentir a Natureza, / para gozar, na universal Grandeza, / fecundas e arcangélicas preguiças." (Cruz e Sousa, *Obra Completa*, p. 185.)

arcanita [Do al. *Arkanit* < lat. cient. *arcanum* (*duplicatum*), 'arcano duplo', + *-ita*[3].] ***S. f.*** *Min.* Sulfato de potássio.

arcanjo [Do gr. *archángelos*, pelo lat. *archangelu*.] ***S. m.*** **1.** Anjo de ordem superior. **2.** O primeiro dentre os anjos.

arcano [Do lat. *arcanu*.] ***S. m.*** **1.** Segredo, mistério. **2.** Lugar recôndito: "esconder nos recônditos arcanos de sua alma o amor e o nome del-rei" (Camilo Castelo Branco, *A Filha do Regicida*, p. 39). **3.** *Med.* Designação genérica de remédio secreto. ● ***Adj.*** **4.** Oculto, encoberto. **5.** Misterioso, secreto: "no encalço da ventura, / .... a arcana / Pedra filosofal busca, procura!" (Raimundo Correia, *Poesias*, p. 271).

arcão [De *arcar*[1] + *-ão*[3].] ***S. m.*** *Chapel.* Máquina empregada na indústria de chapéus.

arção [Do lat. vulg. **arcione* < lat. *arcu*, 'arco'.] ***S. m.*** Parte arqueada e saliente da sela: "surgiu na curva do caminho um homem a cavalo e de espingarda atravessada no arção da sela." (Herberto Sales, *Além dos Marimbus*, p. 105).

arcar[1] [De *arco* + *-ar*[2].] ***V. t. d.*** **1.** Arquear (1): *A idade arcou-lhe o corpo.* **2.** Guarnecer de arcos [v. *arco* (3)]. **3.** Dar a forma de arco a. **4.** *Ant. Chapel.* Curvar, arquear (a lã) com um arco, nas fábricas de chapéu. ***Int. P.*** **5.** Curvar(-se), arquear-se. [Conjug.: v. *trancar*.]

arcar[2] [De *arca* + *-ar*[2].] ***V. t. i.*** **1.** Lutar, pelejar. **2.** Lutar corpo a corpo. **3.** Responder por; responsabilizar-se: *arcar com o prejuízo.* [Conjug.: v. *trancar*.]

arcaria [De *arco* + *-aria*.] ***S. f.*** *Arquit.* Arcada[1] (1 a 3): *arcaria ogival*; "Mas dessas arcarias / Negras, e desses torreões medonhos, / Alguém se assenta sobre as lájeas frias" (Raimundo Correia, *Poesias*, p. 164).

arcatura [Do lat. *arcatura*.] ***S. f.*** *Arquit.* Pequena arcada[1] (2), real ou simulada, de efeito decorativo, aplicada sobretudo em fachadas romanas, românicas, góticas e renascentistas.

arcaz [De *arca* + *-az*.] ***S. m.*** Grande arca com gavetões, usada em sacristias, para guardar vestes e objetos sagrados: "Encanecido e curvado sobre o arcaz, ia-se despindo com lentidão, murmurando as palavras da sagrada liturgia, da casula, da estola" (Bernardo Pinheiro Pindela, *Azulejos*, p. 58).

■ **arc cos** *Mat.* Símb. de *arco cosseno* (q. v.).

■ **arc cosec** *Mat.* Símb. de *arco cossecante* (q. v.).

■ **arc cosech** *Mat.* Símb. de *arco cossecante hiperbólica* (q. v.).

■ **arc cosh** *Mat.* Símb. de *arco cosseno hiperbólico* (q. v.).

■ **arc cosv** *Mat.* Símb. de *arco cosseno verso* (q. v.).

■ **arc cot** *Mat.* Símb. de *arco cotangente* (q. v.).

■ **arc cotg** *Mat.* Símb. de *arco cotangente* (q. v.).

■ **arc cotgh** *Mat.* Símb. de *arco cotangente hiperbólica* (q. v.).

■ **arc coth** *Mat.* Símb. de *arco cotangente hiperbólica* (q. v.).

■ **arc csc** *Mat.* Símb. de *arco cossecante* (q. v.).

■ **arc csch** *Mat.* Símb. de *arco cossecante hiperbólica* (q. v.).

■ **arc ctg** *Mat.* Símb. de *arco cotangente* (q. v.).

■ **arc ctgh** *Mat.* Símb. de *arco cotangente hiperbólica* (q. v.).

■ **arc ctn** *Mat.* Símb. de *arco cotangente* (q. v.).

■ **arc ctnh** *Mat.* Símb. de *arco cotangente hiperbólica* (q. v.).

▲ **arce-** V. *arqui-*.

arcebispado [De *arcebispo* + *-ado*[2].] ***S. m.*** **1.** Dignidade arquiepiscopal. **2.** Território onde o arcebispo exerce a sua jurisdição; arquidiocese. **3.** Residência do arcebispo. [Sin. ger. (p. us.): *arquiepiscopado*.]

arcebispal [De *arcebispo* + *-al*[1].] ***Adj. 2 g.*** *P. us.* Arquiepiscopal (1).

arcebispo [Do gr. *archiepískopos*, pelo lat. *archiepiscopu*.] ***S. m.*** *Ecles.* O primeiro em dignidade entre os bispos de uma circunscrição eclesiástica; metropolita.

arceburguense ***Adj. 2 g.*** **1.** De, ou pertencente ou relativo a Arceburgo (MG). ● ***S. 2 g.*** **2.** O natural ou habitante de Arceburgo.

arcediagado [De *arcediago* + *-ado*[2].] ***S. m.*** Dignidade de arcediago.

arcediago (á) [Do gr. *archidiákonos*, pelo lat. *archidiaconu*.] ***S. m.*** **1.** *Ecles.* Eclesiástico investido pelo bispo de certos poderes de jurisdição da diocese. **2.** Na Igreja medieval, dignitário das sés que secundava o bispo nos ofícios junto com o chantre e o diácono. **3.** *Ant.* O primeiro entre os diáconos.

arcete (ê) [Do fr. *archet*.] ***S. m.*** **1.** Pequeno arco. **2.** Serra especial para pedras.

archa [Der. regress. de *archeiro*.] ***S. f.*** Arma antiga semelhante ao manchil de açougueiro, munida de cabo e usada pelos archeiros. [Cf. *arxa*, do v. *arxar*.]

➔ **arché** [ar'χe] [Gr.] ***S. f.*** *Hist. Filos.* Arqué.

archeiro [Do fr. *archer*.] ***S. m.*** **1.** Guarda do paço; alabardeiro. **2.** *Ant.* V. *arqueiro*[1].

archense ***Adj. 2 g.*** **1.** De, ou pertencente ou relativo a Governador Archer (MA). ● ***S. 2 g.*** **2.** O natural ou habitante de Governador Archer.

archete[1] (ê) [Do fr. *archette*.] ***S. m.*** Arqueta (1).

archete[2] (ê) [Do fr. *archet*.] ***S. m.*** Peça colocada por trás da padieira de uma porta ou janela, para completar a espessura da parede; contrapadieira, arquete.

archotada [De *archote* + *-ada*[1].] ***S. f.*** Cortejo noturno iluminado com archotes.

archote [Do esp. *hachote*, com epêntese.] ***S. m.*** **1.** Facho breado que se acende para iluminar, em geral ao ar livre. **2.** *Marinh.* Trabalho de marinheiro que consiste em abotoar o chicote do cabo para o seu vivo.

▲ **arci-**[1] V. *arqui-*.

▲ **arci-**[2] [Do lat. *arcus, us*.] ***El. comp.*** = 'arco': *arcífero*, *arciforme*.

arcífero [De *arci-*[2] + *-fero*.] ***Adj.*** Armado de arco.

arcifínio [Do lat. tard. *arcifiniu*.] ***Adj.*** **1.** Diz-se do limite geográfico natural. ● ***S. m.*** **2.** Esse limite.

arciforme [De *arci-*[2] + *-forme*.] ***Adj. 2 g.*** Em forma de arco; arcual.

arciprestado [De *arcipreste* + *-ado*[2].] ***S. m.*** Dignidade e jurisdição de arcipreste.

arciprestal [De *arcipreste* + *-al*[1].] ***Adj. 2 g.*** Relativo a arcipreste.

arcipreste [Do gr. archipresbýteros, pelo lat. *archipresbyteru* e pelo fr. ant. *arcipreste*.] ***S. m.*** **1.** Na Igreja medieval, chefe dos padres que compunham o clero de um bispo, ou de uma comunidade rural de clérigos. **2.** Dignidade conferida aos párocos de algumas catedrais ou colegiadas.

arco [Do lat. *arcu*.] ***S. m.*** **1.** *Geom.* Segmento de uma curva. **2.** *Geom.* Medida linear de um segmento de curva. **3.** *Arquit.* Peça curva, geralmente montada com tijolos ou aduelas de pedra, segundo o sistema de construção das abóbadas, e que se emprega para vencer vãos de portas, janelas ou outras aberturas. **4.** *Arquit.* Curvatura de abóbada. **5.** Haste de madeira, metal, etc., encurvada, com uma corda presa às suas extremidades, us. para atirar flechas. **6.** Cinta de madeira ou de metal que prende as aduelas dos barris. **7.** Cada um dos semicírculos do parêntese. [Dim. irreg., nessas acepçs.: *arcete*.] **8.** *Art. Gráf.* Lâmpada de arco (q. v.). **9.** *Eletr.* Descarga elétrica de baixa tensão e alta corrente, obtida entre dois eletrodos metálicos ou de carvão, arco elétrico, arco voltaico. **10.** *Eletr.* Fonte luminosa constituída por um arco elétrico. **11.** *Fut.* V. *gol* (1). **12.** *Mús.* Vara, ao mesmo tempo firme e flexível, com as extremidades ligadas por uma madeixa de crinas de cavalo untadas com resina, e que serve para pôr em vibração as cordas de certos instrumentos, como, p. ex., o violino. **13.** *Mús.* No fuste ou corpo principal dos tambores, tímpanos, bombos, etc., cinto circular, de madeira mole, o qual, por meio de cordagem ou de parafusos, retesa a pele que está enrolada nos arquilhos. **14.** *Tip.* Defeito da composição linotípica, quando, por má regulagem das navalhas, ela tende a abaular-se; baú. **15.** *Cin.* Refletor de grande potência, dotado de carvões, que se usa em certas filmagens. **16.** *Jog. Inf.* Brincadeira infantil que consiste em andar ou correr fazendo rolar um arco de pipa ou de barril, com o auxílio de uma haste de arame retorcida numa das pontas. **17.** *Anat.* Designação genérica de estrutura curva, em forma de arco. **18.** *Anat.* Conjunto de formações nervosas que permite a captação de um estímulo e a reação que ele provoca. **19.** Prendedor de cabelos em forma de arco (1). ◆ **Arco abatido.** *Arquit.* Aquele cujo perfil é uma curva policêntrica, formada de arcos de círculo, sendo sua flecha menor que a metade da largura do vão; arco de geração, arco de volta abatida. **Arco abaulado.** *Arquit.* O que tem por perfil um segmento de círculo menor que 180°. **Arco aviajado.** *Arquit.* Aquele cujo perfil é uma curva policêntrica formada de arcos de círculo, e que tem as nascenças paralelas entre si, mas situadas em níveis diferentes. **Arco bizantino.** *Arquit.* V. *arco mourisco.* **Arco circum-horizontal.** *Meteor.*, *Ópt.* Fenômeno óptico que consiste num arco colorido, vermelho na parte superior, causado pela refração dos raios solares através dos cristais de gelo nas nuvens de tipo cirro, situadas a vários quilômetros do solo. [Tal fenômeno pode apenas ser observado sob uma série de condições atmosféricas específicas, ger. em baixas latitudes.] **Arco coronal.** *Astr.* Arco solar (q. v.) que se estende até a coroa. **Arco cossecante.** *Mat.* Função inversa da função cossecante; cossecante inversa. [Símb.: *arc csc* e *arc cosec.* Tb. se usam, impr., *csc*-1 e *cosec*-1.] **Arco cossecante hiperbólica.** *Mat.* Função inversa da função cossecante hiperbólica; cossecante hiperbólica inversa. [Símb.: *arc csch* e *arc cosech.* Tb. se usam, impr., *csch*-1 e *cosech*-1.] **Arco cosseno.** *Mat.* Função inversa da função cosseno; cosseno inverso. [Símb.: *arc cos.* Tb. se usa, impr., *cos*-1.] **Arco cosseno hiperbólico.** *Mat.* Função inversa da função cosseno hiperbólico; cosseno hiperbólico inverso. [Símb.: *arc cosh.* Tb. se usa, impr., *cosh*-1.] **Arco cosseno verso.** *Mat.* Função inversa da função cosseno verso. [Símb.: *arc cosv.* Tb. se usa, impr., *cosv*-1.] **Arco cotangente.** *Mat.* Função inversa da função cotangente; cotangente inversa. [Símb.: *arc cot, arc ctg, arc cotg* e *arc ctn.* Tb. se usam, impr., *cot*-1, *ctg*-1, *cotg*-1 e *ctn*-1.] **Arco cotangente hiperbólica.** *Mat.* Função inversa da função cotangente hiperbólica; cotangente hiperbólica inversa. [Símb.: *arc coth, arc ctgh, arc cotgh* e *arc ctnh.* Tb. se usam, impr., *coth*-1, *ctgh*-1, *cotgh*-1 e *ctnh*-1.] **Arco cruzeiro. 1.** *Arquit.* No intradorso de uma abóbada de aresta, aquele que une diagonalmente os ângulos. **2.** *Arquit. Pop.* Arco que, nas igrejas, separa a nave da capela-mor. **Arco de Brocken.** *Met.* Fenômeno que consiste no aparecimento de um halo ao redor da sombra de um observador na neblina, quando o Sol se encontra às suas costas. **Arco de escarção.** *Arquit.* Escarção. **Arco de ferradura.** *Arquit.* V. *arco mourisco.* **Arco de ferradura apontado.** *Arquit.* Arco lanceolado. **Arco de ferradura visigótico.** *Arquit.* V. *arco mourisco.* **Arco de geração.** *Arquit.* V. *arco abatido.* **Arco de meio ponto.** *Arquit.* V. *arco pleno.* **Arco de Parry.** *Met.* Halo que surge como um arco de coloração fraca acima e abaixo do halo solar de 22°. **Arco de pleno cimbre.** *Arquit.* V. *arco pleno.* **Arco de pua.** Ferramenta manual com extremidade rotativa movida por manivela, à qual se adapta uma pua ou broca, e que serve para fazer furos em madeira, etc.; berbequim. **Arco de triunfo.** *Arquit.* Grande pórtico, geralmente ornado de figuras esculpidas, baixos-relevos e inscrições alusivas, erigido para comemorar acontecimento notável; arco triunfal. **Arco de volta abatida.** *Arquit.* V. *arco abatido.* **Arco de volta inteira.** *Arquit.* V. *arco pleno.* **Arco de volta redonda.** *Arquit.* V. *arco pleno.* **Arco diurno.** *Astr.* Arco de paralelo celeste, descrito por um astro, em seu movimento diurno, acima do horizonte. **Arco elementar.** *Mat.* Elemento de arco. **Arco elétrico.** *Eletr.* V. *arco* (9). **Arco eruptivo.** *Astr.* Proeminência solar com a forma de arco. **Arco lanceolado.** *Arquit.* Variação do arco mourisco na qual o arco é formado por duas curvas que fazem vértice no alto; arco de ferradura apontado. **Arco mourisco.** *Arquit.* Aquele cuja curvatura ultrapassa a semicircunferência, medindo mais que 180°; arco revindo, arco de ferradura, arco bizantino, arco de ferradura visigótico. **Arco ogival.** *Arquit.* Aquele cujo perfil é formado por dois segmentos de um mesmo círculo, que se cortam no alto. **Arco pleno.** *Arquit.* O que tem por perfil uma semicircunferência; arco de meio ponto, arco semicircular, arco de volta inteira, arco de volta redonda, arco de pleno cimbre. **Arco protuberancial.** *Astr.* Arco solar (q. v.) que se forma associado a uma protuberância. **Arco revindo.** *Arquit.* V. *arco mourisco.* **Arcos circunzenitais.** *Met.* Arcos coloridos semelhantes ao arco-íris, resultantes da refração e dispersão da luz solar nos cristais de gelo da alta atmosfera, tangentes nas partes superior e inferior do grande ou pequeno halo (q. v.) e que, sendo em geral muito curtos, podem acabar reduzidos a um foco luminoso. **Arcos congruentes.** *Geom.* Dois arcos de circunferência cujos comprimentos diferem de um múltiplo inteiro de 2 radianos; arcos côngruos. **Arcos côngruos.** *Geom.* Arcos congruentes. **Arcos de Lowitz.** *Met.* Arcos luminosos dispostos lateralmente entre o paraélio e o pequeno halo solar. **Arco secante.** *Mat.* Função inversa da função secante; secante inversa. [Símb.: *arc sec.* Tb. se usa, impr., *sec*-1.] **Arco secante hiperbólica.** *Mat.* Função inversa da função secante hiperbólica; secante hiperbólica inversa. [Símb.: *arc sech.* Tb. se usa, impr., *sech*-1.] **Arco semicircular.** *Arquit.* V. *arco pleno.* **Arco senil.** *Med.* Gerotoxo. **Arco seno.** *Mat.* Função inversa da função seno; seno inverso. [Símb.: *arc sen.* Tb. se usa, impr., *sen*-1.] **Arco seno hiperbólico.** *Mat.* Função inversa da função seno hiperbólico; seno hiperbólico inverso. [Símb.: *arc senh.* Tb. se usa, impr., *senh*-1.] **Arco seno verso.** *Mat.* Função inversa da função seno verso. [Símb.: *arc senv* e *arc vers.* Tb. se usam, impr., *senv*-1 e *vers*-1.] **Arco solar.** *Astr.* Matéria ejetada pela fotosfera solar sob a forma de um arco. [Cf. *arco coronal, arco eruptivo* e *arco protuberancial.*] **Arco tangente.** *Mat.* Função inversa da função tangente; tangente inversa. [Símb.: *arc tg.* Tb. se usam, impr., *tan*-1 e *tg*-1.] **Arco tangente hiperbólica.** *Mat.* Função inversa da função tangente hiperbólica; tangente hiperbólica inversa. [Símb.: *arc tgh.* Tb. se usam, impr., *tanh*-1 e *tgh*-1.] **Arco triunfal.** *Arquit.* Arco de triunfo. **Arco vertebral.** *Anat.* Formação situada posteriormente em cada vértebra, e que contribui na constituição do forame vertebral. Excetua-se a primeira vértebra que tem dois arcos vertebrais, um posterior e outro anterior. **Arco voltaico.** *Eletr.* V. *arco* (9). **Abrir o arco.** *Bras. Pop.* V. *fugir* (1 e 2). **Embandeirado em arco.** *Bras.* Muito alegre, muito feliz: *Está embandeirado em arco: conseguiu finalmente a nomeação.* **Meter o arco.** *Bras. Pop.* V. *fugir* (1 e 2).

▲ -arco [Do lat. *-archus* < gr. *-archos* < gr. v. *árchein.*] Equiv. de *-arca*[1].

arcobotante [Do fr. *arc-boutant.*] *S. m. Arquit.* Peça característica da arquitetura gótica, construída em forma de arco aviajado, que se encosta à parte externa do edifício para aliviar a parede do peso das abóbadas de cobertura, descarregando-o nos botaréus, e permitindo, assim, a abertura de grandes janelas e rosáceas.

arco-celeste *S. m.* V. *arco-íris.* [Pl.: *arcos-celestes.*]

arco da aliança [De *arco* + *da*[1] + *aliança* (a aliança que, segundo o Gênese, Deus fez com os homens, após o dilúvio).] *S. m.* V. *arco-íris.* [Pl.: *arcos da aliança.*] ☑

arco da chuva *S. m.* V. *arco-íris.* [Pl.: *arcos da chuva.*] ☑

arco-da-velha [De *arco* + *da* + *velha* (*lei*).] *S. m. Pop.* V. *arco-íris.* [Pl.: *arcos-da-velha.*]

arco de deus [De *arco* + *de* + *Deus* (o arco mandado por Deus, seg. o Gênese).] *S. m. Pop.* V. *arco-íris.* [Pl.: *arcos de deus.*] ☑

arco de flores *S. m. Bras. PR SC Folcl.* V. *balainha.* [Pl.: *arcos de flores.*] ☑

arco-de-pipa *S. m. Bras. Bot.* Árvore eritroxilácea (*Erythroxylum pulcrum*) de folhas oblongas ou elípticas, inflorescências axilares e frutos drupáceos vermelhos; cocão. [Pl.: *arcos-de-pipa.*]

arco e flecha *S. m. 2 n. Esport.* Modalidade esportiva olímpica que consiste em acertar a flecha no alvo. ☑

arcoense *Adj. 2 g.* **1.** De, ou pertencente ou relativo a Arcos (MG). ● *S. 2 g.* **2.** O natural ou habitante de Arcos.

arco-íris [De *arco* + o mit. *Íris* (a mensageira da deusa Juno), que vinha do Céu caminhando por este arco.] *S. m. 2 n. Ópt.* Fenômeno resultante da dispersão de luz solar em gotículas de água suspensas na atmosfera, e que é observado como um conjunto de arcos de circunferência (excepcionalmente como circunferências inteiras) coloridos com as cores do espectro solar; arco-celeste, arco da aliança, arco da chuva, arco-da-velha, arco de deus.

ar-condicionado *S. m.* V. *condicionador de ar*: *O ar-condicionado da sala está defeituoso.* [Pl.: *ares-condicionados.* Cf. *ar condicionado.*]

arcontado [De *arconte* + *-ado*[2].] *S. m.* **1.** Título ou cargo de arconte. **2.** A instituição dos arcontes.

arconte [Do gr. *árchon, ontos*, pelo lat. *archonte.*] *S. m.* Magistrado da Grécia antiga, primeiramente com poder de legislar, e, depois de Sólon (em c. 559 a.C.), mero executor das leis. ◆ **Arconte epônimo.** *Teatr.* Entre os gregos antigos, magistrado que se incumbia da preparação e organização dos concursos de tragédias e comédias: "Na Grécia, o arconte epônimo, a cargo de quem o Estado delegava as despesas das representações, esmava o dispêndio de cada uma em dois talentos" (Camilo Castelo Branco, *A Queda dum Anjo*, p. 44). **Arconte polemarco.** Na antiga Atenas, um dos nove arcontes, com funções originariamente militares e, depois, civis e judiciárias. [Tb. se diz apenas *polemarco.*] **Arconte rei.** Na antiga Atenas, chefe religioso da cidade, a quem incumbia cuidar dos mistérios, organizar as leneanas e presidir o areópago e os tribunais dos éfetas.

arcóseo [Do fr. *arkose.*] *S. m. Petr.* Arenito que contém quantidade apreciável de feldspato.

arcossáurio [Adapt. do tax. *Archosauria.*] *Paleont. S. m.* **1.** Espécime dos arcossáurios, grande subclasse dos reptis que compreendia os dinossauros, os pterossauros, e os crocodilianos, todos eles caracterizados por apresentarem crânio sinápsido. ● *Adj.* **2.** Pertencente ou relativo a eles.

arcossauro [Do tax. *Archosaurus.*] *S. m. Paleont.* **1.** Gênero de reptis que viveram no permiano superior, importantes por exemplificarem aspectos da evolução progressiva da classe, como, por ex., a modificação dos membros e da pélvis, que proporcionaram a afirmação de seus integrantes como vertebrados dominantes no planeta. **2.** Qualquer espécie, ou espécime desse gênero.

arcossólio [Do lat. tard. *arcosoliu.*] *S. m.* **1.** Nas catacumbas romanas, cela arqueada. **2.** Túmulo com a parte superior abobadada, disposto na espessura da parede: "o túmulo manuelino, rendilhado, filigrana de pedra no seu desenvolvimento de arcossólio e colunelos" (José Saramago, *Viagem a Portugal*, p. 192).

arcote [Do fr. *arcot.*] *S. m.* Escória do cobre.

arcoverdense[1] *Adj. 2 g.* **1.** De, ou pertencente ou relativo a Arcoverde (PE). ● *S. 2 g.* **2.** O natural ou habitante de Arcoverde.

arcoverdense[2] *Adj. 2 g.* **1.** De, ou pertencente ou relativo a Dirceu Arcoverde (PI). ● *S. 2 g.* **2.** O natural ou habitante de Dirceu Arcoverde.

■ **arc sec** *Mat.* Símb. de *arco secante* (q. v.).

■ **arc sech** *Mat.* Símb. de *arco secante hiperbólica* (q. v.).

■ **arc sen** *Mat.* Símb. de *arco seno* (q. v.).

■ **arc senh** *Mat.* Símb. de *arco seno hiperbólico* (q. v.).

■ **arc senv** *Mat.* Símb. de *arco seno verso* (q. v.).

arctação [Do lat. *arctatione.*] *S. f. Med.* Estreitamento ou contração do orifício de um meato ou ducto no organismo.

■ **arc tg** *Mat.* Símb. de *arco tangente* (q. v.).

■ **arc tgh** *Mat.* Símb. de *arco tangente hiperbólica* (q. v.).

árctio [Do tax. *Arctium* (do gr. *árktion*, ou, 'bardana').] *S. m. Bot.* **1.** Gênero de plantas herbáceas asteráceas que se caracterizam pelos capítulos homogâmicos. **2.** Qualquer espécie desse gênero, como, p. ex., a *Arctium majus* (v. *bardana*). **3.** Qualquer espécime desse gênero.

▲ -arct(o)- [Do lat. *arctus, a, um*, part. do v. lat. *arcēre*, 'conter'; 'apertar'.] *El. comp.* = 'apertado', 'estreito': *arteriarctia.*

arctogeia (éi) [Do lat. cient. *Arctogea.*] *S. f.* Região zoogeográfica que compreende os continentes setentrionais, a África e a Indochina. [Com cap. Cf. *Neogeia* e *Notogeia.*] ❖

arctos [Do gr. *árktos*, 'urso'.] *S. m. pl. Astr.* Asterismo formado pelas estrelas das constelações da Ursa Maior e Ursa Menor.

arcturo [Do lat. *arcturu.*] *S. m. Astr.* Estrela alfa do Boieiro. [Com cap.]

arcual [De *arco* + *-ual.*] *Adj. 2 g.* **1.** De, ou relativo a arco. **2.** Arciforme.

arcuália [Do lat. cient. *arcualia*, pl. neutro.] *S. f. Anat.* Conjunto de nódulos de cartilagem presentes na bainha mesenquimal contínua em íntima aposição à superfície externa do notocórdio, em embriões de vertebrados, e que ocorre em duplos pares, sendo um deles dorsilateral e outro ventrilateral, em relação ao notocórdio.

árcula [De *arco* + *-ula.*] *S. f. Zool.* Nervura transversal que está presente, nas libélulas, entre o rádio e a ulna.

■ **arc vers** *Mat.* Símb. de *arco seno verso* (q. v.).

árdea [Do tax. *Ardea.*] *S. f. Zool.* **1.** O gênero-tipo dos ardeídeos, que inclui várias espécies. **2.** Qualquer espécie desse gênero como, por ex., a *Ardea erythromela*, a garça-vermelha (v. *socó-vermelho*). **3.** Qualquer espécime desse gênero.

ar de dia *S. m. Bras. PI CE BA* Crepúsculo matutino ou vespertino. [Pl.: *ares de dia.*] ☑

árdego [Do lat. **ardicare*, 'arder'.] *Adj.* **1.** Impetuoso, arrebatado; ardente. **2.** Diz-se do cavalo muito esperto, fogoso: "montado em árdego ginete, na mão direita o rebenque de prata" (Jorge Amado, *Teresa Batista Cansada de Guerra*, p. 247). **3.** Irritável, irascível. **4.** Árduo (3).

ardeídeo [Do tax. *Ardea* (< lat. *ardea*, 'garça-real') + *-ídeo*[1]; tax. *Ardeidae.*] *Zool. S. m.* **1.** Espécime dos ardeídeos, família de aves ciconiiformes cujo bico é direito e cujo dedo posterior é articulado em posição não mais alta do que os anteriores. Vivem nos lagos, igapós, rios e alagadiços em geral, alimentando-se quase exclusivamente de peixes. São as garças, os maguaris, os taquiris e os socós. ● *Adj.* **2.** Pertencente ou relativo a eles.

ardência [Do lat. *ardentia.*] *S. f.* **1.** Qualidade, caráter ou estado de ardente; ardor: "Dezembro, verão, a ardência do sol, praia, suores" (Maria Julieta Drummond de Andrade, *Um Buquê de Alcachofras*, p. 152). **2.** Sensação provocada no paladar pela ingestão de certas substâncias acres ou picantes. 3. Sensação de queimadura na pele. [Sin., nessas acepçs.: *ardor, ardimento.*] 4. *Bras. RS Zool.* V. *noctiluca*[2].

ardenense *Adj. 2 g. S. 2 g.* V. *ardenês.*

ardenês *Adj.* 1. De, ou pertencente ou relativo à região das Ardenas (N.E. da França). • *S. m.* 2. O natural ou habitante das Ardenas. [Flex.: *ardenesa* (ê), *ardeneses* (ê), *ardenesas* (ê). Sin. ger.: *ardenense.*]

ardennita [Do top. *Ardennes* (Bélgica) + *-ita*[3].] *S. f. Min.* Mineral ortorrômbico, vanadiossilicato de alumínio e manganês.

ardente [Do lat. *ardente.*] *Adj. 2 g.* 1. Que está em chamas ou em brasa; que arde. 2. Que queima ou requeima: *o sol ardente de janeiro.* 3. Que tem sabor picante, acre ou azedo: *molho muito ardente.* 4. V. *árdego* (1). 5. Cheio de paixão; apaixonado: *um jovem ardente.* 6. Intenso, enérgico, vivo: "Porque teu nome é para mim o nome / De uma pátria distante e idolatrada, / Cuja saudade ardente me consome." (Olavo Bilac, *Poesias*, p. 59); *É ardente a sua paixão pelas letras.* 7. Diz-se da mó que não tritura o grão, mas quebra-o. 8. *Marinh.* Diz-se da embarcação à vela que tende a orçar. ~ V. *clima — e nuvem —.*

ardentia [De *ardente* + *-ia*[1].] *S. f.* 1. Bioluminescência marítima: "Lembrando o lucilar das ardentias / Pelas noites do mar." (Alberto de Oliveira, *Poesias*, 2.ª série, p. 188). 2. Ardor (1): "aroma de matas, frescuras de água corrente e ardentias de sol" (Herman Lima, *Tijipió e Garimpos*, p. 268).

ardentoso (ô) [De *ardente* + *-oso.*] *Adj.* Que provoca ardor ou pungência, como a urtiga.

arder [Do lat. *ardere.*] *V. int.* 1. Consumir-se em chamas; queimar-se: *O edifício ardeu durante a noite.* 2. Consumir-se como que em chamas; abrasar-se, inflamar-se de amor, ânsia, ódio, cólera, etc.: "Ardo em desejo na tarde que arde!" (Manuel Bandeira, *Estrela da Vida Inteira*, p. 81); "- Que queres dizer?... | Nada, minha tia. | Mas eu ardo de impaciência..." (Joaquim Manuel de Macedo, *Os Romances da Semana*, p. 127). 3. Estar como que em chamas, em brasa: *Ao crepúsculo, o céu ardia;* "Mugem soturnamente as águas. O céu arde." (Olavo Bilac, *Poesias*, p. 266). 4. Estar aceso: *A lamparina ardia à cabeceira.* 5. Ter a propriedade da combustão: *Esta madeira arde bem.* 6. Produzir sensação de ardor; queimar, abrasar: "Levantava-se mais [o Sol], brilhava, ardia, / No prado verdejante, / Na fonte e na devesa" (Gonçalves Dias, *Obras Poéticas*, II, p. 100); "Talvez que o sol abrande / O fogo que em mim arde." (Rui Cinatti, *Anoitecendo, a Vida Recomeça*, p. 67). 7. Fazer prurido. 8. Fazer grande estrago; lavrar, grassar. 9. Cintilar, brilhar: *A estrela ardia no horizonte.* 10. Sentir grande calor: *Ardia em febre.* 11. Criar ardência, ranço, sabor acre: *Esta manteiga arde, não pode ser usada.* 12. Desbaratar-se, arruinar-se, destruir-se: *A herança que lhe deixara os pais ardia lentamente.* 13. Doer, incomodar, com a sensação de ardor: *A fumaça faz com que os olhos ardam.* *T. i.* 14. Provocar sensação de ardor; ter sabor acre: *Arde-lhe muito? É pimenta-malagueta.* 15. Desejar ardentemente; ansiar, anelar: *Ardia por voltar à sua terra.*

ar de vento *S. m. Pop.* Estupor, apoplexia, ar. [Pl.: *ares de vento.*] ☑

ardidez (ê) [De *ardido*[2] + *-ez.*] *S. f.* 1. Coragem (1 e 2). 2. Gênio inquieto, insofrido. [F. paral.: *ardideza*; sin.: *ardimento*; pl.: *ardidezes* (ê).]

ardideza (ê) [De *ardido*[2] + *-eza.*] *S. f.* V. *ardidez.*

ardido[1] [Part. de *arder.*] *Adj.* 1. Queimado, crestado. 2. Em início de decomposição, e/ou fermentado. 3. *Bras.* V. *ardoso.* 4. *Bras. Pop.* Rançoso (1). • *S. m.* 5. *Bras.* Pequena irritação cutânea.

ardido[2] [Do fr. *hardi.*] *Adj.* 1. Corajoso, valente, intrépido: "Foge à estância da paz o ardido moço; / Esperança, fortuna, amor e pátria // A guerrear o levam." (Machado de Assis, *Poesias*, p. 232.) 2. Renhido, encarniçado.

ardil [Do cat. *ardit*, 'empreendimento guerreiro', com dissimilação.] *S. m.* 1. Meio astucioso a que se recorre para burlar alguém; estratagema, ardileza: "O ardil de Pelágio para resistir com vantagem aos mocelemanos, cem vezes mais numerosos que os cristãos, surtira o desejado efeito." (Alexandre Herculano, *Eurico, o Presbítero*, p. 287.) 2. V. *armadilha* (2).

ardileza (ê) [De *ardil* + *-eza.*] *S. f.* V. *ardil* (1).

ardiloso (ô) [De *ardil* + *-oso.*] *Adj.* Que usa de ardis; astucioso, manhoso, velhaco.

ardimento[1] [De **ardir* (< fr. *hardir*, 'tornar-se duro, corajoso') + *-mento.*] *S. m.* V. *ardência.*

ardimento[2] [De **ardir* (< *ard* [*ido*][2] + *-ir*) + *-mento.*] *S. m.* V. *ardidez.*

ardísia Do tax. *Ardisia* (do gr. *árdis, eos*, 'ponta').] *S. f. Bot.* Gênero de mirsináceas arbustivas de folhas coriáceas, com margens onduladas, inflorescências com pequeninas flores alvas ou róseas, e frutos bacáceos, vermelhos. 2. Qualquer espécie desse gênero, como, p. ex., a *Ardisia crenata*, ornamental. 3. Qualquer espécie desse gênero, ou a flor dele.

▲ **-ardo** *Suf. nom.* = 'aumento'; 'relação': *felizardo, moscardo; javardo*[1], *lombardo*[1].

ardômetro *S. m. Fís.* V. *ardômetro.* [Uso freq. em P.]

ardômetro [Do lat. *ardor, oris*, 'calor', + *-metro.*] *S. m. Fís.* Pirômetro de radiação total, cujo dispositivo de medida é constituído por um pequeno disco de platina que recebe a radiação e cuja temperatura é medida por um termopar.

ardor (ô) [Do lat. *ardore.*] *S. m.* 1. Calor intenso; ardentia. 2. Ardência (1). 3. Sabor acre ou picante de certas substâncias. 4. Entusiasmo, paixão. 5. Vivacidade, energia.

ardoroso (ô) [De *ardor* + *-oso.*] *Adj.* Cheio de ardor (4); apaixonado, entusiasta: *partidário ardoroso da democracia.*

ardósia [Do b.-lat. **ardesia*, de or. gaulesa, pelo fr. *ardoise.*] *S. f.* 1. *Petr.* Rocha rudimentar, cinzento-escura ou azulada, levemente metamorfizada, de granulação finíssima, separável em lâminas resistentes, cujos planos independem do plano de estratificação original, e com que se cobrem casas, etc. 2. Lousa (3).

ardosieira [De *ardósia* + *-eira.*] *S. f.* Rocha ou pedreira de ardósia (1).

ardoso (ô) [De *ardido*[1] + *-oso*, com haplologia.] *Adj. Bras.* Ardente, queimante, picante, ardido; acre: *molho muito ardoso.*

ardra [De or. jeje.] *S. 2 g.* 1. *Etnôn.* Indivíduo dos ardras, povo que habitava a região correspondente ao S. da República do Benim. 2. *Etnôn.* Indivíduo jeje (q. v.) que teve ação notável na luta contra os holandeses, no Brasil. • *Adj. 2 g.* 3. Pertencente ou relativo a ardra (1 e 2).

arduidade (u-i) [De *árduo* + *-(i)dade.*] *S. f.* Qualidade de árduo.

ardume [De *arder* + *-ume.*] *S. m. Bras.* Qualidade de ardoso; ardor, queimor.

árduo [Do lat. *arduu.*] *Adj.* 1. Escarpado, escabroso. 2. Espinhoso, áspero: *missão árdua.* 3. De difícil realização, trabalhoso, custoso: *árdua incumbência.* 4. Penoso, acerbo: *árduo sofrimento.*

are [Do fr. *are.*] *S. m.* Unidade de medida agrária, equivalente a $100m^2$ [símb.: *a*].

aré *Bras. S. 2 g.* 1. *Etnôn.* Indivíduo dos arés [ou (etnôn. bras.) *Xetá], povo indígena tupi-guarani que habita as proximidades do rio Ivaí (SC). • *Adj. 2 g.* 2. Pertencente ou relativo a esse povo.

área [Do lat. *area*; cf. *eira.*] *S. f.* 1. A medida de uma superfície. 2. Superfície plana, delimitada. 3. Extensão de terreno. 4. *Fig.* Campo de ação; esfera, domínio. 5. *Geom.* O limite da soma das áreas das faces de uma superfície poliédrica inscrita na superfície, ou circunscrita a ela, quando as arestas tendem para zero. 6. *Fut.* Grande área (q. v.): "Pepe continua avançando, dribla os dois zagueiros, invade a área, tira o goleiro da jogada..." (Fernando Sabino, *O Homem Nu*, p. 141.) 7. *Bras.* Espaço aberto no interior dum edifício, geralmente com a função de iluminar e ventilar os cômodos que abrem para ele; pátio. 8. *Bras.* Área de serviço. [Cf. *ária.*] ◆ **Área ativa.** *Astr.* Grupo (6). **Área ciclonal.** *Met.* Qualquer área da superfície da Terra sobre a qual há ciclones. **Área crítica.** *Mar. G.* Área marítima que, por sua importância estratégica, é especialmente visada pelos ataques do inimigo. [Cf. *área focal.*] **Área cultural.** *Antrop.* Território ou zona geograficamente delimitada, definida pela presença, entre a população aí estabelecida, de um conjunto de elementos culturais dados, relativos a um ou vários aspectos da vida coletiva, como a ecologia, economia, cultura material, traços de organização social ou crenças e valores culturais. **Área de afundamento.** *Geol.* Região que está sofrendo, ou sofreu, um abaixamento, em virtude de forças tectônicas, ou da erosão em terrenos calcários. **Área de construção.** *Arquit.* Soma das áreas, incluídas as paredes e os pisos [v. *piso* (3)], cobertos ou não, de todos os pavimentos de uma edificação. [Cf. *área útil.*] **Área de geração da onda.** *Ocean.* A área do oceano na qual o vento está a gerar, ou gerou, um sistema de ondas. **Área de livre comércio.** *Econ.* Associação de países caracterizada pela eliminação de obstáculos ao comércio recíproco, como tarifas alfandegárias; zona de livre comércio [Cf. *união alfandegária.*] **Área de memória.** *Inform.* Fração da memória (13), us. para armazenamento de dada informação, ou com uma finalidade específica (como, p. ex., a área de memória de vídeo). **Área de ocupação.** *Arquit.* A área da projeção horizontal da edificação, no pavimento ao nível do solo. **Área de relevante interesse ecológico.** *Ecol.* Área, privada ou pública, ger. de pequena extensão e pouca ou nenhuma ocupação humana, que abriga ecossistema importante e exemplares raros de biota regional, definida com fins de regulação de uso e conservação da natureza. **Área de responsabilidade.** *Adm.* Cada uma das unidades contábeis criadas para acumulação dos dados das transações da empresa. **Área de serviço.** *Bras.* Nos apartamentos, a parte aberta ou envidraçada destinada à lavanderia, a armários, etc., em geral anexa à cozinha, e que se comunica com as dependências de empregado e, em geral, a entrada de serviço. **Área de subsidência.** *Geol.* Região que sofreu, ou está sofrendo, um abaixamento, por efeito do peso dos sedimentos nela acumulados; bacia de subsidência. **Área de transferência.** *Inform.* Área de memória (q. v.) controlada pelo usuário, destinada ao armazenamento temporário de informações para troca entre programas, ou para uso em outras rotinas dum mesmo programa. **Área focal.** *Mar. G.* Área marítima, onde, em virtude de condições geográficas, hidrográficas ou meteorológicas, as rotas comerciais convergem ou se cruzam, apresentando partes de tráfego comum obrigatório. [Cf. *área crítica.*] **Área linguística.** *E. Ling.* Aquela em que se verifica, especificamente, um fato, ou um conjunto de fatos linguísticos. **Área nobre.** *Arquit.* Aquela que foi objeto de urbanização mais cuidada, e que é mais bem provida de serviços [v. *serviço* (19)] e comércio, encarecendo o preço dos terrenos e das edificações nela situados. **Área pública.** *Arquit.* Porção de terreno destinada ao uso público, seja com circulação de veículos, ou de pedestres, seja com a implantação de equipamentos urbanos comunitários, ou de áreas verdes. **Área útil.** *Arquit.* Área do piso (3) dos compartimentos de uma edificação, descontada a área das seções horizontais das paredes. [Cf. *área de construção.*] **Área verde.** *Urb.* Porção de terreno coberta com vegetação, ajardinada ou não, e livre de construções. **Grande área.** *Fut.* A área maior junto à meta delimitada por um retângulo, e dentro da qual as faltas cometidas por jogador de time que a defenda são punidas com pênalti. [Tb. se diz apenas *área.*] **Pequena área.** *Fut.* A área menor, retangular, mais próxima da meta, e no interior da grande área.

areação [De *arear*[1] + *-ção.*] *S. f.* Ato ou efeito de arear[1].

areadense *Adj. 2 g.* 1. De, ou pertencente ou relativo a Areado (MG). • *S. 2 g.* 2. O natural ou habitante de Areado.

areado[1] [Part. de *arear*[1].] *Adj.* 1. Esfregado ou limpo com areia ou outras substâncias. 2. Diz-se do açúcar refinado. 3. *Bras. S.* V. *pronto* (10). ~ V. *tacho —.*

areado[2] [Part. de *arear*[2].] *Adj.* 1. Absorto, alheado, estonteado, ourado. 2. Desnorteado, desorientado.

areal [De *areia* + *-al*[1].] *S. m.* 1. Trecho de terreno onde predomina a areia; areeiro. 2. Areão (1). 3. Praia. [Sin. ger. (bras., S.): *arenal.*]

arealense *Adj. 2 g.* 1. De, ou pertencente ou relativo a Areal (RJ). • *S. 2 g.* 2. O natural ou habitante de Areal.

arealvense *Adj. 2 g.* 1. De, ou pertencente ou relativo a Arealva (SP). • *S. 2 g.* 2. O natural ou habitante de Arealva.

➔ **area non aedificandi** ['arεa noŋ ajdefe'kandẹ] [Lat.] Espaço onde não é permitido construir.

areão [De *areia* + *-ão*[1].] *S. m.* 1. *Bras.* Grande areal; areal. 2. *Bras. S.* Areia grossa, com 5mm de diâmetro.

arear[1] [De *areia* + *-ar*[2].] *V. t. d.* 1. Cobrir com areia ou com matéria semelhante a areia. 2. Limpar, polir, esfregando com areia, com substância saponácea, ou outra: *arear um tacho, os talheres;* "Areei a arma bem areadinha" (Afonso Arinos, *Pelo Sertão*, p. 168). 3. Refinar (o açúcar). 4. Escovar (os dentes). *Int.* 5. Turvar-se (a vista). *P.* 6. Encher-se ou cobrir-se de areia. [Conjug. v. *frear.*]

arear[2] [De *ar* + *-ear*[2], poss.] *V. int.* 1. Perder rumo; desnortear-se, desorientar-se. 2. Turvar ou perturbar o juízo, a cabeça, as ideias, etc. 3. Ficar pateta; estontear-se, pasmar-se. [Conjug.: v. *frear.*]

areca [Do tax. *Areca* (do malaiala).] *S. f. Bot.* 1. O gênero-tipo das arecáceas, palmáceas asiáticas cultivadas em parques e jardins, das quais se extraem a goma, o palmito, o córtex, com o qual se fabricam fibras para cordas, e o coco, com que se prepara o bétele (2). 2. Qualquer espécie desse gênero, como, p. ex., a *Areca catechu* (v. *arequeira*). 3. Qualquer espécie desse gênero.

arecácea [Do tax. *Areca* + *-ácea*; tax. *Arecaceae.*] *S. f. Bot.* Espécime das arecáceas, família da ordem das arecales, de aspecto muito peculiar pelo tronco indiviso e liso, e pelas folhas enormes, penadas, sempre-verdes, situadas no ápice; as bases persistentes dos pecíolos ger. revestem o caule, chamado estipe, as flores são pequeninas, em grandes racemos, cada um deles sobre espata, e o fruto é uma drupa (noz) à qual falta um mesocarpo carnoso. Encerra cerca de 1.200 espécies tropicais, muitíssimas no Brasil, como, p. ex., a *Cocos nucifera* (v. *coqueiro-da-baía*), a *Oreodoxa oleracea* (v. *palmeira-real*), e a *Euterpe oleracea* (v. *açaí*).

arecáceo [De *arecácea*, com var. suf. (v. *áceo*).] *S. f. Bot.* Pertencente ou relativo às arecáceas.

arecal[1] [De *areca* + *-al*[1].] *S. m.* Quantidade mais ou menos considerável de arequeiras dispostas proximamente entre si.

arecal[2] [Do tax. *Areca* (v. *areca*) + *-al*[1].] *Adj. 2 g. Bot.* Pertencente ou relativo às arecales.

arecale [Adapt. do tax. *Arecales*.] *S. f. Bot.* Espécime das arecales, ordem de plantas monocotiledôneas que abrange, apenas, a família das arecáceas.

arecíneo [Do tax. *Areca* + *-in(o)-*[2] + *-eo*.] *Adj.* Pertencente ou relativo à, ou semelhante à areca.

arecolina [Do tax. *Areca* (v. *areca*) + *-ol-*[2] + *-ina*[3].] *S. f. Quím.* Alcaloide, líquido, encontrado na noz da areca [fórm.: $C_8H_{13}NO_2$].

arecuna *Bras. S. 2 g.* **1.** *Etnôn.* Indivíduo dos arecunas [ou (etnôn. bras.) *Arekuna], povo indígena da família linguística caraíba, que habita as imediações do alto rio Branco (RR). ● *Adj. 2 g.* **2.** Pertencente ou relativo a esse povo.

aredê *Bras. S. 2 g.* **1.** *Etnôn.* Indivíduo dos aredês, povo indígena extinto que habitava a serra do Espinhaço (MG). ● *Adj. 2 g.* **2.** Pertencente ou relativo a esse povo. [Tb. us. como *s. 2 g. e 2 n.* (com cap.) e *adj. 2 g. e 2 n.*]

▲ **-aredo** (ê) *Suf. nom.* de or. expressiva, formador de vocábulos de cunho popular, equiv. de *-edo* (q. v.), com a noção de '(algo) em grande número, ou em número excessivo': *bicharedo*, *chinaredo*. [V. *-arada*.]

areeiro [De *areia* + *-eiro*.] *S. m.* **1.** Vaso em que se guardava areia (1) fina para secar a escrita. **2.** Areal (1). **3.** Lugar de onde se extrai areia (1). **4.** Aquele que extrai areia. **5.** Dispositivo existente em certas locomotivas, pelo qual se pode jogar areia sobre os trilhos para melhorar as condições da aderência. **6.** *Bras. N.E.* Barco que conduz para o alto-mar areias provenientes de dragagens, no serviço dos portos. **7.** *Ind. Pap.* Canal com saliências transversais onde a massa, antes de entrar na máquina contínua, vai deixando a areia e outras impurezas sólidas que possa conter. [Cf. (nesta acepç.) *depurador*.]

areense[1] *Adj. 2 g. S. 2 g.* V. *areiense*[1]. [A melhor forma é *areense*, menos usual.]

areense[2] *Adj. 2 g. S. 2 g.* V. *areiense*[2].

areento [De *areia* + *-ento*.] *Adj.* Arenoso (1). ~ V. *ablução —a*.

arefação [Do lat. *arefa(cere)*, 'secar', + *-ção*.] *S. f.* Dessecação das substâncias que hão de ser reduzidas a pó.

areia (éi) *S. f.* Fem. de *aréu*. [Cf. *areia* (ê).] ❖

areia *S. f.* **1.** Partículas de rochas em desagregação que se apresentam em grãos mais ou menos finos, nas praias, leito de rios, desertos, etc. **2.** *P. ext.* A praia. **3.** Qualquer pó. **4.** Grânulos calcários da urina. **5.** *Constr.* Parte constituinte dos solos cujas partículas têm diâmetros compreendidos, aproximadamente, entre 0,06mm e 2mm. **6.** *Fam.* Falta de juízo; tolice; maluquice. ● *S. m.* **7.** Tonalidade de bege semelhante à cor de areia: *O areia fica muito bem em complementos.* ● *Adj. 2 g. e 2 n.* **8.** Diz-se dessa tonalidade: *Comprei um tecido de tonalidade areia.* [Cf. *areia* (é).] [Do lat. *arena*.] (ê) ◆ **Areia monazítica.** A que contém monazita. **Areia movediça.** Aquela que não oferece resistência ao peso e pode engolir pessoas, animais ou veículos que por ela transitem; areia-engolideira, areia-gulosa. **Botar areia em.** *Bras. Gír.* Atrapalhar; prejudicar: *Ela vive botando areia nos meus planos.* **Entrar areia em.** *Bras. Gír.* Surgir algo imprevisto que vem dificultar ou impossibilitar a realização de (um plano ou algo semelhante): "Parece que entrou areia no programa de TV que seria estrelado no Canal 2 pelo psicanalista Eduardo Mascarenhas." (Zózimo Barroso do Amaral, em *Jornal do Brasil*, 03.10.1981.) **Morder a areia. 1.** Cair sobre a areia. **2.** Enterrar-se na areia. **Ser muita areia para o caminhão de.** *Pop.* Estar muito acima das possibilidades de; ser bom demais para; ser muita carne para o churrasco de.

areia-branquense *Adj. 2 g.* **1.** De, ou pertencente ou relativo a Areia Branca (RN e SE). ● *S. 2 g.* **2.** O natural ou habitante de Areia Branca. [Pl.: *areia-branquenses*.]

areia-engolideira *S. f.* **1.** V. *areia movediça*. **2.** *Bras. N.* V. *areia-gulosa* (2). [Pl.: *areias-engolideiras*.]

areia-gulosa *S. f. Bras. N.* **1.** V. *areia movediça*. **2.** Banco de areia misturada com lama, onde facilmente se atola tudo quanto por ela passa; areia-engolideira, gulosa. [Pl.: *areias-gulosas*.]

areialense *Adj. 2 g.* **1.** De, ou pertencente ou relativo a Areial (PB). ● *S. 2 g.* **2.** O natural ou habitante de Areial.

areia-manteiga *S. f.* Marga argilosa de certos rios. [Pl.: *areias-manteigas* e *areias-manteiga*.]

areia-preta *S. f. Bras. MG Pop.* V. *rapé*: "Distraído, de olhos fixos, tirou a boceta de rapé, demorou-se com ela na mão, levando .... dois dedos da areia-preta às ventas." (Agripa Vasconcelos, *Fome em Canaã*, p. 96.) [Pl.: *areias-pretas*.]

areias-gordas *S. f. pl.* **1.** *Bras. Pop.* O inferno: *Vai-te para as areias-gordas, miserável!* **2.** *Bras. BA* Terreno arenoso onde medram, sem adubo especial, plantações de cereais e fumo.

areiense[1] *Adj. 2 g.* **1.** De, ou pertencente ou relativo a Areia (PB). ● *S. 2 g.* **2.** O natural ou habitante de Areia.

areiense[2] *Adj. 2 g.* **1.** De, ou pertencente ou relativo a Areias (SP). ● *S. 2 g.* **2.** O natural ou habitante de Areias.

areiopolitano *Adj. 2 g.* **1.** De, ou pertencente ou relativo a Areiópolis (SP). ● *S. 2 g.* **2.** O natural ou habitante de Areiópolis.

areísco [Var. de *arenisco*.] *S. m. Bras. N.E.* **1.** Areiusca. **2.** Arisco (4). ● *Adj.* **3.** Arisco (1 e 4).

areiusca (ei-ús) [De *areia* + *-usca*[2].] *S. f. Bras. BA SP* Terra misturada de areia; areísco. ❖

arejado [Part. de *arejar*.] *Adj.* **1.** Que se arejou. **2.** Ventilado (1): *um quarto bem arejado.* **3.** *Art. Gráf.* Diz-se do trabalho gráfico com arejamento (4). **4.** *Fig.* Diz-se de indivíduo esclarecido, que aceita o que é novo, moderno, avançado; ventilado. **5.** *Fig. Bras. Pej.* Diz-se de homossexual masculino; ventilado. ~ V. *composição —a e concreto —*.

arejamento [De *arejar* + *-mento*.] *S. m.* **1.** Ato ou efeito de arejar(-se). **2.** Renovação do ar em um recinto, por meio de aberturas, eventualmente reforçada por chaminés de tiragem. **3.** Ventilação natural. [Sin., nessas acepç.: *arejo*.] **4.** *Art. Gráf.* Ato ou efeito de arejar (3). **5.** *Bras.* Certa peste dos gados cavalar e muar.

arejar [De *ar* + *-ejar*.] *V. t. d.* **1.** Expor ao ar; ventilar: "Mãos invisíveis abrem as arcas e arejam alfaias domésticas e o fato de vestir." (Alcântara Machado, *Vida e Morte do Bandeirante*, p. 29.) **2.** Renovar o ar em; ventilar: *Abriu as janelas a fim de arejar os aposentos.* **3.** *Art. Gráf.* Introduzir claros entre os elementos de (uma composição ou de um trabalho gráfico diagramado — página, cartaz, anúncio, etc.), de forma a obter resultado visualmente harmonioso e leve. *Int.* **4.** Tomar novo ar, novo alento; espairecer; arejar-se: *Cansado, deixou por momentos o trabalho e saiu a fim de arejar. P.* **5.** Tomar ar; refrescar-se. **6.** Arejar (4). **7.** Constipar-se (o animal). [Conjug.: v. *pelejar*.]

arejo (ê) [Dev. de *arejar*.] *S. m.* Arejamento (1 a 3).

arena [Do lat. *arena*.] *S. f.* **1.** Área central, coberta de areia, nos antigos circos romanos, onde combatiam os gladiadores e as feras; circo, anfiteatro. **2.** Espaço central do circo, onde se exibem os artistas; picadeiro. **3.** Terreno circular, fechado, para corridas de touros e outros espetáculos. **4.** *Teatr.* Palco, nos teatros de arena. [Pode ser circular ou ter outra forma, desde que envolvida pelo público.] **5.** Estrado alto, para lutas de boxe. **6.** Lugar de debate; campo de discussão. **7.** Saibro (2).

arenã [De or. obscura.] *S. m. Bras. Pop.* V. *valentão* (3).

arenáceo [Do lat. *arenaceu*.] *Adj.* Relativo a, ou da natureza de areia.

arenado [Do lat. *arenatu*.] *Adj.* Coberto de areia.

arenal [Do esp. plat. *arenal*.] *S. m. Bras. S.* Areal.

arenapolitano *Adj.* **1.** De, ou pertencente ou relativo a Arenápolis (MT). ● *S. m.* **2.** O natural ou habitante de Arenápolis.

arenária [Do tax. *Arenaria* (do f. do adj. lat. *arenarius, a, um*, 'relativo a areia').] *S. f. Bot.* **1.** Gênero de cariofiláceas que reúne cerca de 150 espécies das regiões árticas e áreas temperadas do hemisfério norte; algumas são daninhas e, outras, cultivadas como ornamentais. **2.** Qualquer espécie, ou espécime desse gênero. **3.** Gênero de ciperáceas nativas de regiões tropicais das Américas, que crescem em rochas e na areia, de flores rosas e azuis; caliptrocária. **4.** Qualquer espécie, ou espécime desse gênero; caliptrocária.

arenário [De *aren(i)-* + *-ário*.] *Adj. S. m. Biol.* Arenícola.

arenático [De *aren(i)-* + *-ático*.] *Adj. S. m. Bras. Gír. Turfe* Diz-se do, ou o animal que demonstra acentuada preferência por correr em pista de areia. [Cf. *gramático*[2].]

arenato [Do lat. *arenatu*.] *Adj.* **1.** Em cuja composição entra a areia. ● *S. m.* **2.** Pedra com grãos cristalinos.

arendalita [Do top. *Arendal* (Noruega) + *-ita*[3].] *S. f. Min.* Epídoto cristalino, verde-escuro.

arenga [Do gót. **Harihrings*, 'reunião do exército', poss.] *S. f.* **1.** Alocução, discurso. **2.** Discurso prolixo e enfadonho; aranzel, lenga-lenga. **3.** Altercação, disputa. **4.** *Bras.* Intriga, mexerico, enredo. **5.** *Bras.* V. *arengada*.

arengada [De *arenga* + *-ada*[1].] *S. f. Bras.* Conversa longa, fastidiosa; arenga, lenga-lenga.

arenga de mulher *S. f. Bras. PE PI* V. *garoa*[1] (3). [Pl.: *arengas de mulher*.] ☑

arengador (ô) [De *arengar* + *-dor*.] *Adj. S. m.* Que, ou aquele que arenga.

arengar [De *arenga* + *-ar*[2].] *V. int.* **1.** Fazer arenga (1); discursar. **2.** Fazer arenga (2); discursar prolixa e enfadonhamente. **3.** Discutir, altercar, disputar: "Não conseguiram entender-se, arengaram azedos, iam-se atracando." (Graciliano Ramos, *Vidas Secas*, p. 82.) **4.** *Bras.* Fazer intriga; mexericar. **5.** *Bras. RS* Não se deixar pegar (o cavalo). *T. d.* **6.** Dirigir arenga, discurso ou oração a. *T. i.* **7.** Dirigir arenga ou discurso. **8.** Discutir, altercar, rezingar: "Essas sessões têm dado água pela barba a padre Atanásio. Aí ontem estava arengando com o Neves por causa das materializações." (Graciliano Ramos, *Caetés*, p. 92.) [Sin. ger. (bras., S.): *arenguear*. Conjug.: v. *largar*.]

arenguear [De *arenga* + *-ear*[2].] *V. int. T. d. T. i. Bras. S.* V. *arengar*. [Conjug.: v. *frear*.]

arengueiro [De *arenga* + *-eiro*.] *Adj.* **1.** Que discursa fastidiosamente; que faz arengas. **2.** Que gosta de altercar. **3.** *Bras.* Intrigante, mexeriqueiro. **4.** *Bras. RS* Diz-se do cavalo que arenga. ● *S. m.* **5.** V. *leva e traz*.

▲ **aren(i)-** [Do lat. *arēna, ae*.] *El. comp.* = 'areia': *arenário, arenícola, arenífero*.

arenícola [De *aren(i)-* + *-cola*[1].] *Adj. 2 g. S. 2 g. Biol.* Que ou o que vive em terreno arenoso; arenário.

arenífero [De *aren(i)-* + *-fero*.] *Adj.* Que contém ou leva areia.

areniforme [De *aren(i)-* + *-forme*.] *Adj. 2 g.* Semelhante à areia.

arenisco [Do lat. *arena*, 'areia', + *-isco*[2].] *Adj.* V. *arisco* (1 e 4).

arenismo [Da sigla *Arena* + *-ismo*.] *S. m. Bras.* **1.** O ideário da Arena (Aliança Renovadora Nacional), agremiação política surgida em 1965 e extinta em 1979. **2.** Filiação a esse partido, ou simpatia por ele.

arenista [Da sigla *Arena* + *-ista*.] *Bras. Adj. 2 g.* **1.** Relativo à Arena, ou ao arenismo (1). **2.** Que era partidário ou simpatizante da Arena. ● *S. 2 g.* **3.** Partidário ou simpatizante dela.

arenito [De *aren(i)-* + *-ito*[2].] *S. m. Petr.* Rocha constituída predominantemente de grãos de areia consolidados por um cimento. [Sin. desus: *grés*.]

arenopolino *Adj.* **1.** De, ou pertencente ou relativo a Arenópolis (GO). ● *S. m.* **2.** O natural ou habitante de Arenópolis.

arenoso (ô) [Do lat. *arenosu*.] *Adj.* **1.** Cheio ou coberto de areia; areento. **2.** Que tem aspecto ou cor de areia. **3.** Misturado com areia. [F. paral. (p. us.): *areoso*.]

arenque [Do frâncico *hâring*, pelo fr. *hareng* ou pelo provenç. *arenc*.] *S. m. Zool.* **1.** Peixe clupeídeo (*Clupea harengus*) com 30cm de comprimento, abundante no Atlântico norte; alimenta-se de pequenos crustáceos e desova junto à costa, onde é pescado. **2.** V. *manjuba* (1).

arensar [Voc. onom., poss.] *V. int.* **1.** Soltar a voz (o cisne): "A Lira fulge! O cisne arensa!" (Martins Fontes, *Poesias*, V, p. 164.) ● *S. m.* **2.** A voz dessa ave.

▲ **areo-**[1] [Do gr. *araiós, á, ón*.] *El. comp.* = 'fraco', 'tenro', 'tênue', 'débil', 'estreito': *areômetro*.

▲ **areo-**[2] [Do gr. *Áreios, os, on*.] *El. comp.* = 'Marte'; *p. ext.*, 'guerra': *areografia*[2], *areotectônica*.

areocêntrico [De *areo-*[2] + *-centr(o)-* + *-ico*[2].] *Adj. Astr.* Relativo ao centro do planeta Marte. ~ V. *coordenadas —as, latitude —a e longitude —a*.

areocó *S. m. Bras. Zool.* V. *vermelho-henrique*.

areografia[1] [De *área* + *-o-* + *-grafia*.] *S. f. Bot.* Parte da fitogeografia que se ocupa do estudo das áreas de distribuição das espécies botânicas.

areografia[2] [De *areo-*[2] + *-grafia*.] *S. f. Astr.* Estudo do planeta Marte.

areográfico[1] [De *areografia*[1] + *-ico*[2].] *Adj.* Relativo à areografia[1].

areográfico[2] [De *areo-*[2] + *-graf(o)-* + *-ico*[2].] *Adj.* Relativo ao disco aparente do planeta Marte. ~ V. *coordenadas —as, latitude —a e longitude —a*.

aréola [Do lat. *areola*.] *S. f.* **1.** Canteiro de jardim. **2.** *Anat. Med.* Designação genérica de área circular que, relativamente a um ponto que lhe é central, apresenta cor diferente. [Tal fenômeno pode ocorrer em condições normais, como na aréola mamária, ou patológicas, como em pústulas.] **3.** *Astr.* Área brilhante entre a coroa, o halo, e o disco do Sol ou da Lua. **4.** *Bot.* Rebordo circular à volta das pontoações dos elementos vasculares e condutores lenhosos das plantas. **5.** *Bot.* Nas cactáceas, grupo de espinhos sobre os cladódios. **6.** *Bot.* Círculo, estreito e translúcido, em torno de manchas foliares produzidas por fungos. **7.** *Bot.* Camada mucosa que circunda os poros. **8.** *Bot.* Parte circular que, num órgão vegetal, se distingue por coloração ou estrutura diversa do restante. [Cf. *auréola*.] ◆ **Aréola mamária.** *Anat.* Sulco mais ou menos escuro que circunda o mamilão.

areolado [De *aréola* + *-ado*[1].] *Adj.* **1.** Provido de aréolas. **2.** Cheio de aréolas. [Sin. ger.: *areolar*.] ~ V. *pontoação —a*.

areolar [De *aréola* + *-ar*[1].] *Adj. 2 g.* V. *areolado*. [Cf. *aureolar*.] ~ V. *tecido — e velocidade —*.

areoloplastia [De *aréola* + *-o-* + *-plast(o)-* + *-ia*[1].] *S. f. Cir. Plást.* Intervenção cirúrgica plástica em aréola (2) ou em aréola e mamilo.

areometria [De *areo-*[1] + *-metria*.] *S. f. Fís.* Técnica de medida de densidade por meio de areômetro.

areométrico [De *areometria* + *-ico*[2].] *Adj.* Relativo ao areômetro, ou à areometria.

aréometro *S. m.* V. *areômetro*. [Uso freq. em P.]

areômetro [De *areo-*[1] + *-metro*.] *S. m. Fís.* Aparelho para medição de massa específica ou de densidade de líquidos, e às vezes também de sólidos, constituído por um corpo cuja posição ao flutuar num líquido é indicadora da grandeza que se deve medir. ◆ **Areômetro de peso constante.** *Fís.* Aquele cuja massa é constante e que determina as densidades de líquidos por meio de maior ou menor imersão neles. **Areômetro de volume constante.** *Fís.* Aquele cujo volume imerso na água ou em um líquido é constante e cujo peso é, portanto, variável.

areopagita [Do gr. *areiopagítes*, pelo lat. *areopagita*.] *S. m.* Membro do areópago.

areópago [Do gr. *Áreios págos*, 'colina de Marte (Ares, na mit. gr.)', pelo lat. *Areopagu*.] *S. m.* Na antiga Atenas, o supremo tribunal, com competência também política até 462 a.C.; no séc. IV, só lhe incumbia julgar os casos de homicídio premeditado, incêndio e envenenamento: "Mnezarete, a divina, a pálida Frineia, / Comparece ante a austera e rígida assembleia / Do Areópago supremo." (Olavo Bilac, *Poesias*, p. 77).

areoso (ô) [Do lat. *arenosu*, com desnasalação.] *Adj. P. us.* V. *arenoso*. [Cf. *arioso*.]

areotectônica *S. f.* V. *areotectónica*. [Uso freq. em P.]

areotectônica [De *areo-*[2] + gr. *tektoniké, i. e., téchne tektoniké*, 'arte de construir'.] *S. f.* Arte de construir fortificações, ou de fortificar um lugar.

areotectónico *Adj.* V. *areotectônico*. [Uso freq. em P.]

areotectônico [De *areotectônica*, com var. suf. (v. *-ico*[2]).] *Adj.* Relativo à areotectônica.

arequeira [De *areca* (*c* = *qu*) + *-eira*.] *S. f. Bot.* Palmeira arecácea (*Areca catechu*) de flores brancas, comestíveis, palmito e frutos também comestíveis, folhas que têm uso medicinal e que são ainda us. para extração de fibras; areca, cachu.

arequena *Bras. S. 2 g.* **1.** *Etnôn.* Indivíduo dos arequenas, povo indígena extinto que habitava a região do rio Cachorro (PA). ● *Adj. 2 g.* **2.** Pertencente ou relativo a esse povo. [Tb. us. como *s. 2 g. e 2 n.* (com cap.) e *adj. 2 g. e 2 n.*]

ares[1] [Pl. de *ar*.] *S. m. pl.* **1.** Condições climáticas; clima: *Os ares da serra fizeram-lhe bem.* **2.** V. *ar* (7): *Assume, às vezes, ares de grã-senhora;* "Era o Vidigal um homem alto, muito gordo, com ares de moleirão" (Manuel Antônio de Almeida, *Memórias de um Sargento de Milícias*, p. 127). ~ V. *ar*. ◆ **Beber os ares por. 1.** Ter extrema dedicação a. **2.** Amar apaixonadamente. [Sin. ger.: *beber os ventos por*.] **Dar ares de sua graça.** Aparecer; manifestar-se, onde era esperado ou desejado: *Há meses que Paulo não vem aqui, que não dá ares de sua graça;* "Lá-Salete é que não dá ares de sua graça. Naufragou, por certo, naquele mar bravo de serranias." (João da Silva Correia, *Farândola*, p. 75). **Dar uns ares de.** Ser parecido com (alguém). **Ir aos ares.** Exasperar-se, enfurecer-se; ir às nuvens. **Ir pelos ares.** Ser destruído por explosão, ou por qualquer cataclismo. **Mudar de ares.** Mudar de um lugar que não oferece boas condições à saúde, tranquilidade, segurança, etc., por outro mais propício; mudar de ar.

ares[2] [Do gr. *Áres*, pelo lat. *Ares*.] *S. m.* **1.** V. *Marte* (1). **2.** *Mit.* O deus da guerra, entre os antigos gregos. [Com cap. Cf. *Marte* (2).]

aresense *Adj. 2 g.* **1.** De, ou pertencente ou relativo a Arês (RN). ● *S. 2 g.* **2.** O natural ou habitante de Arês.

aresta [Do lat. *arista*, por via pop.] *S. f.* **1.** Ângulo exterior formado por dois planos que se cortam; esquina, quina, canto. **2.** *Pop.* Saliência. **3.** Pragana (1). **4.** Coisa sem importância. **5.** Certo prego quase destituído de cabeça, muito usado pelos sapateiros e vidraceiros. **6.** Em um grafo (1), linha que liga dois nós [v. *nó* (12)] e representa algum tipo especificado de relação. ~ V. *arestas*. **7.** *Fig.* Ponto de discórdia ou de conflito: *aparar as arestas.* ◆ **Aresta de anticlinal.** *Geol.* Saliência um tanto aguda, correspondente à parte mais alta de uma dobra.

arestado [De *aresta* + *-ado*[1].] *Adj.* Que tem arestas. [Cf. *aristado*.]

arestas *S. f. pl.* Traços de temperamento ou de caráter próprios de pessoa de trato difícil, complicado. ~ V. *aresta*.

aresteiro [De *aresto* + *-eiro*.] *S. m.* Jurisconsulto que, em vez de leis, alega arestos.

arestim [Do esp. *arestín*.] *S. m.* **1.** Eczema ou tumor nos pés das cavalgaduras. **2.** *Bras.* Dermatose pruriginosa.

aresto [Var. de *arresto*.] *S. m. Dir. Proc.* Decisão de um tribunal sobre litígio submetido a sua apreciação; acórdão: "Tanto a praxe como a boa hermenêutica aconselhariam apresentar queixa em juízo contra o delinquente e prosseguir na causa, julgando-a desde o sumário até aresto final." (Alberto Rangel, *Fura-Mundo!*, p. 155.) [Cf. *arresto*.]

arestoso (ô) [Do lat. *aristosu*.] *Adj.* Cheio de arestas; arestudo. [Cf. *aristoso*.]

arestudo [De *aresta* + *-udo*.] *Adj.* Arestoso.

aretino [Do lat. *aretinu*.] *Adj.* **1.** Da, ou pertencente ou relativo à cidade de Arezzo (Itália central). ● *S. m.* **2.** O natural ou habitante de Arezzo.

aretologia [Do gr. *areté*, 'virtude', + *-o-* + *-logia*.] *S. f. Ét.* Estudo da virtude.

aretológico [De *aretologia* + *-ico*[2].] *Adj. Ét.* Relativo à aretologia.

aréu *S. m.* **1.** Aquele que não sabe o que fazer, que está confuso, atrapalhado, desorientado. ● *Adj.* **2.** Diz-se de aréu. [Fem.: *areia* (é).]

▲ **-aréu** *Suf. nom.* = 'aumento', 'coleção': *fogaréu, povaréu*.

arfada [De *arfar* + *-ada*[1].] *S. f.* **1.** Arfagem (1). **2.** Palpitação, ânsia, arquejo. **3.** *Astron.* Movimento de um veículo espacial em volta do eixo horizontal perpendicular ao eixo longitudinal desse veículo. **4.** *Marinh.* V. *arfagem* (2).

arfadura [De *arfar* + *-dura*.] *S. f. Marinh.* V. *arfagem* (2).

arfagem [De *arfar* + *-agem*[2].] *S. f.* **1.** Ato ou efeito de arfar; arfada. **2.** *Marinh.* Balanço da embarcação no sentido longitudinal, de proa a popa; arfada, arfadura. [Cf. (nesta acepç.): *caturrada* (2).] **3.** *Aer.* Movimento da aeronave em torno de seu eixo transversal.

arfante [De *arfar* + *-nte*.] *Adj. 2 g.* Que arfa.

arfar [Do lat. vulg. **arefare* < lat. *arefacere*, 'secar', poss.] *V. int.* **1.** Respirar com dificuldade; ansiar, ofegar, arquejar. **2.** Balançar, balancear, balouçar: "Tangida por brandos ventos, arfa, por vezes, a ramaria das árvores" (Rodrigo Otávio, *Contos de ontem e de hoje*, p. 211). **3.** Altear e baixar ritmadamente; pulsar, palpitar: "entre o alvo amículo e o lindo seio que arfava, escondia-se a carta do seu amante." (Camilo Castelo Branco, *Anátema*, p. 55). **4.** *Mar.* Balouçar, oscilar (a embarcação) no sentido longitudinal, erguendo a proa. [Cf. (nesta acepç.): *caturrar* (2 e 3) e *jogar* (19).] *T. d.* **5.** Ter, sofrer (palpitações, emoções, etc.).

arfil *S. m.* V. *alfim*[2].

arfir *S. m.* V. *alfim*[2].

arfvedsonita [Do antr. (*J. A.*) *Arfvedson*, químico sueco, + *-ita*[3].] *S. f. Min.* Mineral monoclínico, silicato básico de sódio, ferro, magnésio e alumínio do grupo dos anfibólios.

argali [Do mongol.] *S. m. Zool.* Carneiro selvagem da Mongólia (*Ovis ammon*), que habita as montanhas do S.E. da Sibéria; é um dos maiores que se conhece.

argali-de-crina *S. m. Zool.* Variedade de argali (*Ovis jubata*) da Mongólia, cuja lã é aproveitada industrialmente. [Pl.: *argalis-de-crina*.]

argamandel [Do esp. *argamandel* < ár. *hírca mandîl*, 'farrapo'.] *S. m. Pop.* Trapaceiro (2). [Pl.: *argamandéis*.]

argamassa [De um el. obscuro + *massa*.] *S. f. Constr.* Mistura de um aglutinante com areia e água, empregada no assentamento de alvenaria, tijolos, ladrilhos, etc., da qual resulta uma massa de consistência mais ou menos plástica, que endurece com o tempo; massa: "Botou o último tijolo, alisou a argamassa." (Marina Colasanti, *A Morada do Ser*, "Apto. 101".) ◆ **Argamassa gorda.** *Constr.* Aquela em que o material aglutinante (a cal, p. ex.) entra em alta proporção. **Argamassa hidráulica.** *Constr.* A que tem a propriedade de endurecer na água. **Argamassa magra.** *Constr.* Aquela em cuja preparação o material aglutinante entra em pequena quantidade; massa fraca.

argamassador (ô) [De *argamassar* + *-dor*.] *S. m.* Aquele que prepara argamassa e/ou que a aplica.

argamassar [De *argamassa* + *-ar*[2].] *V. t. d.* **1.** Tapar, cobrir, rebocar, ligar ou fechar com argamassa. **2.** Amassar como se faz com a argamassa.

arganaz [De or. obscura.] *S. m.* **1.** *Zool.* V. *ratazana* (2). **2.** *Fam.* V. *galalau*.

arganel [Do esp. *arganel*.] *S. m. Constr. Nav.* V. *arganéu*. [Pl.: *arganéis*.]

arganéu [Var. de *arganel*.] *S. m. Constr. Nav.* Peça de ferro, geralmente de forma circular, porém às vezes em forma de triângulo ou de oito, presa em um olhal, para engatar talha, amarra ou espia: *arganéu de âncora; arganéu de boia.*

argau [Do b.-lat. *arganu*.] *S. m.* Tubo de folha ou de cana, com que se extraem líquidos das vasilhas.

argel [Do ár. arğal.] *Adj. 2 g.* **1.** Diz-se dos equídeos cujos pés traseiros são brancos. **2.** *Bras. N. N.E.* Descuidado, desmazelado. [Pl.: *argéis*.]

argeliano *Adj. S. m.* V. *argelino*[1].

argelino[1] *Adj.* **1.** Da, ou pertencente ou relativo à Argélia (África), ou aos seus habitantes, ou ao dialeto ali falado, etc. ● *S. m.* **2.** O natural ou habitante da Argélia. **3.** *Gloss.* O dialeto árabe falado na Argélia. [Sin. ger.: *argeliano, algeriano*.]

argelino[2] *Adj.* **1.** De, ou pertencente ou relativo a Argel (Argélia). ● *S. m.* **2.** O natural ou habitante de Argel.

árgema [Do gr. *árgema*, pelo lat. *argema*.] *S. m. Oftalm. Patol.* Úlcera branca da córnea.

argemona [Do tax. *Argemona* (do gr. *argemóne, es*).] *S. f. Bot.* **1.** Gênero de plantas papaveráceas, herbáceas, americanas, de seiva amarelada, folhas híspidas, e flores exuberantes, brancas ou amarelas. **2.** Qualquer espécie desse gênero, como, por ex., a *Argemona mexicana*, herbácea anual de grandes flores amarelas. **3.** Qualquer espécime desse gênero.

argentado [Do lat. *argentatu*.] *Adj.* Prateado (1). ~ V. *papel —*.

argentador (ô) [De *argentar* + *-dor*.] *Adj. S. m.* Que, ou aquele que argenta; prateador.

argentão [Do fr. *argentan* ou *argenton*.] *S. m.* Liga de cobre, níquel e estanho.

argentar [De *argento* + *-ar*[2].] *V. t. d.* **1.** Tornar da cor de prata; pratear, argentear: "Pensas acaso no morrer da lua / Que além se esconde e argenta as folhas negras / Dos silvosos cabeços da montanha?" (Álvares de Azevedo, *Obras Completas*, I, p. 510.) **2.** Dar banho de prata em; cobrir com prata; pratear. [Fut. pret.: *argentaria*, etc. Cf. *argentária*, fem. de *argentário* (q. v.).]

argentaria [De *argento* + *-aria*.] *S. f.* Guarnição, talheres ou baixelas de prata. [Cf. *argentária*, fem. de *argentário* (q. v.).]

argentário [Do lat. *argentariu*.] *S. m.* **1.** Guarda-pratas. **2.** Indivíduo muito rico; milionário. [Fem. (na 2.ª acepç.): *argentária*. Cf. *argentaria*, do v. *argentar* e s. f.]

argentear [De *argento* + *-ear*[2].] *V. t. d.* V. *argentar* (1): "à calada da noite, quando a lua passeava no céu argenteando os campos, e a brisa rugitava nos palmares." (José de Alencar, *Iracema*, p. 50). [Conjug.: v. *frear*.]

argênteo [Do lat. *argenteu*.] *Adj.* **1.** Prateado, argentino: "todo inundado dos fluidos do luar argênteo, o céu parecia absorver em si a luz das estrelas" (Saboia Ribeiro, *Contos do Cacau*, p. 135). **2.** Feito de prata; argentino. **3.** Argentino[1] (2): "Duma sereia começava a ouvir / A argêntea voz, que lhe tirava o sono" (Eugênio de Castro, *Obras Poéticas*, V, p. 83). **4.** *Bot.* Diz-se das folhas com pelos seríceos adpressos: *A imbaúba tem folhas argênteas.*

▲ **argent(i)-** [Do lat. *argentum, i*.] *El. comp.* = 'prata': *argentífero*.

argêntico [De *argent(i)-* + *-ico*[2].] *Adj.* **1.** De, relativo a, ou que contém prata. **2.** Diz-se de composto no qual este elemento é divalente.

argentífero [De *argent(i)-* + *-fero*.] *Adj.* Que contém prata.

argentifoliado [De *argent(i)-* + *-foli-* + *-ado*[1].] *Adj. Bot.* Argentifólio.

argentifólio [De *argent(i)-* + *-fólio*.] *Adj. Bot.* Que tem folhas prateadas; argentifoliado.

argentino[1] [Do lat. *argentinu*.] *Adj.* **1.** V. *argênteo* (1 e 2). **2.** De timbre fino como o da prata (voz, som); argênteo: "A voz argentina da senhora começou a dizer as primeiras palavras; era uma demanda." (Machado de Assis, *Quincas Borba*, p. 116.)

argentino[2] *Adj.* **1.** Da, ou pertencente ou relativo à República Argentina (América do Sul). ~ V. *tango —*. ● *S. m.* **2.** O natural ou habitante da Argentina.

argentita [De *argent(i)-* + *-ita*[3].] *S. f. Min.* Mineral monométrico, sulfeto de prata, um dos minérios de prata mais preciosos e ricos.

argento [Do lat. *argentu*.] *S. m. Ant.* Prata (1). ◆ **Salso argento.** *Poét.* O mar; salso plano.

argento-vivo [Da loc. lat. *argentum vivum*.] *S. m.* Azougue (1). [Pl.: *argentos-vivos*.]

▲ **-argia** [Do gr. *argía, as*.] *El. comp.* = 'inércia', 'inação', 'repouso': *hepatargia*.

argila [Do gr. *árgilos*, pelo lat. *argilla*.] *S. f.* **1.** *Min.* Designação comum a silicatos de alumínio hidratados, que constituem os minerais ditos argilosos. **2.** *Petr.* Sedimento clássico predominantemente constituído por fragmentos inferiores a dois micra de diâmetro, e que, conforme o mineral argiloso existente, pode ser plástico; barro. [Cf., nesta acepç., *greda*.] **3.** Essa argila que, quando fofa e gordurosa, pode ser amassada com água e modelada, donde seu uso por escultores e ceramistas; barro. **4.** *Fig.* Fragilidade. ◆ **Argila gorda.** Aquela em que predomina a alumina, e que por isso é mais plástica, razão pela qual os produtos cerâmicos que dela se obtêm estão geralmente mais sujeitos a deformações. **Argila ma-**

gra. Aquela em que predomina a sílica, e que fornece produtos cerâmicos mais porosos e quebradiços.

argiláceo [Do lat. *argillaceu.*] ***Adj.*** V. *argiloso.*

argileira [De *argila* + *-eira.*] ***S. f.*** Lugar donde se extrai a argila; barreira.

▲ **argil(i)-** [Do lat. *argīlla, ae* < gr. *árgil(l)os, ou.*] Equiv. de *argil(o)-.*

argilífero [De *argil(i)-* + *-fero.*] ***Adj.*** Que contém argila.

argiliforme [De *argil(i)-* + *-forme.*] ***Adj. 2 g.*** Argiloide.

argilito [De *argila* + *-ito*^{2}.] ***S. m.*** *Geol.* Rocha sedimentar, formada pela compressão de argila.

▲ **argil(o)-** [Do gr. *árgil(l)os, ou.*] ***El. comp.*** = 'argila': *argiloide.* [Equiv.: *argil(i)-*: *argilífero, argiliforme.*]

argilofagia [De *argil(o)-* + *-fag(o)-* + *-ia*^{1}.] ***S. f.*** Hábito de comer terra; geofagia.

argilofágico [De *argilofagia* + *-ico*^{2}.] ***Adj.*** Relativo à argilofagia; geofágico.

argilófago [De *argil(o)-* + *-fago.*] ***Adj. S. m.*** Que, ou quem come terra; geófago.

argiloide (ói) [De *argil(o)-* + *-oide.*] ***Adj. 2 g.*** Semelhante a argila; argiliforme. ❖

argiloso (ô) [Do lat. *argillosu.*] ***Adj.*** **1.** Da natureza da argila. **2.** Que contém argila em abundância. [Sin. ger.: *argiláceo.*]

arginase [De *argin(ina)* + *-ase.*] ***S. f.*** *Quím.* Enzima existente no fígado e que decompõe a arginina.

arginina [Do V.C.I. *argin-* (poss. do gr. *arginóeis*, 'de um branco brilhante') + *-ina*^{3}.] ***S. f.*** *Quím.* Aminoácido natural cristalino, básico, essencial, que contém um grupo guanidina [fórm.: $C_6H_{14}N_4O_2$.]

argiope [Do tax. *Argiope.*] ***S. m.*** *Zool.* **1.** Pequeno gênero de aranhas tecedoras de teias, o gênero-tipo das argiopídeas. **2.** Qualquer espécie desse gênero, como, p. ex., a *Argiope aurantia*, uma aranha-de-jardim preta e dourada. **3.** Qualquer espécime desse gênero.

argiopídeo [Do tax. *Argiope* (v. *argiope*) + *-ídeo*^{1}; tax. *Argiopidae.*] *Zool.* ***S. m.*** **1.** Espécime dos argiopídeos, família de aracnídeos araneídeos de abdome grande e patas longas, encontrados nas regiões temperadas e quentes do globo, e conhecidos vulgarmente como *aranhas-de-jardim* (q. v.). ● ***Adj.*** **2.** Pertencente ou relativo a eles.

argirântemo [De *argir(o)-* + *-ântemo.*] ***Adj.*** *Bot.* Argirofilo.

argiria [De *argir(o)-* + *-ia*^{1}.] ***S. f.*** *Med.* Alteração de coloração de pele, de conjuntiva e de outros órgãos, que se tornam acinzentados, e que é causada pelo uso prolongado de sais de prata; argiríase, argirismo.

argiríase [De *argir(o)-* + *-íase.*] ***S. f.*** *Med.* V. *argiria.*

argírico [Do gr. *argyrikós.*] ***Adj.*** Relativo à prata.

argirismo [De *argir(o)-* + *-ismo.*] ***S. m.*** *Med.* V. *argiria.*

argiritense ***Adj. 2 g.*** **1.** De, ou pertencente ou relativo a Argirita (MG). ● ***S. 2 g.*** **2.** O natural ou habitante de Argirita.

▲ **argir(o)-** [Do gr. *árgyros, ou.*] ***El. comp.*** = 'prata': *argirismo, argirócomo.*

argirócomo [De *argir(o)-* + *-como.*] ***Adj.*** Diz-se de cometa que tem cabeleira branca.

argirofilia [De *argirofilo* + *-ia*^{1}.] ***S. f.*** Condição de argirofilo.

argirofilo [De *argir(o)-* + *-filo*^{1}.] ***Adj.*** *Bot.* Provido de folhas argênteas; argirântemo.

argirose [De *argir(o)-* + *-ose*^{1}.] ***S. f.*** *Bot.* Doença das plantas que dá aparência prateada aos órgãos afetados, e que se deve ao ataque de certos fungos ou, mesmo, à infestação por insetos.

argivo [Do lat. *argivu.*] ***Adj.*** **1.** De, ou pertencente ou relativo a Argos, antiga cidade do Peloponeso (Grécia). **2.** *Poét.* Grego (1). ● ***S. m.*** **3.** *Poét.* Grego (4).

argo [Do gr. *Argo.*] ***S. f.*** Vasta constelação austral habitualmente designada pelo nome de *Navio* e que se divide em quatro sub-regiões: *Carina* ou Proa, *Puppis* ou Popa, Vela, e *Pyxis Nautica* ou Bússola. [Com cap.]

argô ***S. m.*** V. *argot.*

argol [Do ingl. *argol, argal* (< ingl. médio *argoile*).] ***S. m.*** *Quím.* O bitartarato de potássio impuro que se obtém na fermentação de mosto de uva. [Pl.: *argóis.*]

argola [Do ár. *al-gull*, 'colar'; 'algema'.] ***S. f.*** **1.** Anel metálico para prender ou puxar qualquer coisa. **2.** *P. ext.* Qualquer objeto em forma de argola. **3.** Golilha (2). **4.** Aldrava em forma de anel. ~ V. *argolas.*

argolaço [De *argola* + *-aço.*] ***S. m.*** *Bras. RS* **1.** Argola grande e/ou vistosa. **2.** Argolada.

argolada [De *argola* + *-ada*^{1}.] ***S. f.*** Pancada com argola (4), na porta ou no portão. [Sin., no RS: *argolaço.*]

argolado [Part. de *argolar.*] ***Adj.*** Que tem argola.

argolão [De *argola* + *-ão*^{1}.] ***S. m.*** Anel inteiriço e grosso, com pedra ou sem ela, e geralmente com escudo e monograma.

argolar [De *argola* + *-ar*^{2}.] ***V. t. d.*** **1.** Prender com argolas. **2.** Munir de argolas. [Pres. ind.: *argolo*, etc. Cf. *Argolo* (ô), antr.]

argolas [Pl. de *argola.*] ***S. f. pl.*** Arrecadas. ~ V. *argola.*

argoleiro [De *argola* + *-eiro.*] ***S. m.*** Fabricante e/ou vendedor de argolas.

argolinha [De *argola* + *-inha.*] ***S. f.*** **1.** Certo jogo popular que lembra a justa medieval. **2.** Massa com feitio de argola para sopa. **3.** Biscoito pequeno, com feitio de argola.

argonaço [De or. obscura.] ***Adj.*** *Bras.* **1.** Irascível, irritadiço, zangadiço. **2.** Atrevido, insolente.

argonauta^{1} [Do gr. *argonaútes*, pelo lat. *argonauta.*] ***S. m.*** **1.** Tripulante lendário da nau mitológica Argo. **2.** *P. ext.* Navegador ousado.

argonauta^{2} [Do tax. *Argonauta* (v. *argonauta*^{1}).] ***S. m.*** *Zool.* **1.** Gênero de moluscos cefalópodes, dibranquiados, octópodes, argonautídeos. **2.** Qualquer espécie desse gênero, como, p. ex., a *Argonauta argo*, do Mediterrâneo e mares quentes, e que chega até a costa do Brasil. Apenas a fêmea apresenta concha externa, tendo tb. dois braços com dilatação apical que lhe servem de vela para locomoção. O macho tem um dos braços muito desenvolvido, o qual atua como portador de espermatóforos e se destina à fecundação. **3.** Qualquer espécime desse gênero.

argonáutico [De *argonauta*^{1} + *-ico*^{2}.] ***Adj.*** Referente a argonauta^{1}.

argonautídeo [Do tax. *Argonauta* (v. *argonauta*^{2}) + *-ídeo*^{1}; tax. *Argonautidae.*] *Zool.* ***S. m.*** **1.** Espécime dos argonautídeos, importante família de moluscos cefalópodes que apresenta machos pequenos e fêmeas muito grandes, conhecidos como argonautas (v. *argonauta*^{2}). ● ***Adj.*** **2.** Pertencente ou relativo a eles.

argónio ***S. m.*** *Quím.* V. *argônio.* [Uso freq. em P.]

argônio [Do gr. *argón*, neutro de *argós*, 'inativo', + *-io*^{3}.] ***S. m.*** *Quím.* Gás nobre, de número atômico 18, incolor e inodoro, encontrado na atmosfera terrestre e utilizado no enchimento de lâmpadas elétricas [símb.: *Ar*].

argos [De *Argos*, mit.] ***S. m. 2 n.*** **1.** *Mit.* Personagem de cem olhos. **2.** *Fig.* Pessoa de vista penetrante. **3.** Pessoa perspicaz, sagaz.

➔**argot** [aʁ'go] [Fr.] ***S. m.*** Gíria; calão.

argótico [Do fr. *argotique.*] ***Adj.*** Relativo a *argot* (q. v.).

argúcia [Do lat. *argutia.*] ***S. f.*** **1.** Agudeza de espírito. **2.** Sutileza de raciocínio ou de argumentação. [Cf. *argucia*, do v. *arguciar.*]

arguciar [De *argúcia* + *-ar*^{2}.] ***V. int. T. i.*** Usar de argúcia. [Pres. ind.: *argucio, argucias, argucia*, etc. Cf. *argúcia.*]

argucioso (ô) [De *argúcia* + *-oso.*] ***Adj.*** **1.** Que usa de argúcia. **2.** Que encerra argúcia: *razões arguciosas.*

argueireiro [De *argueiro* + *-eiro.*] ***Adj.*** **1.** Que procura argueiros [v. *argueiro* ^{1} (1)]. **2.** *Fig.* Que se preocupa com argueiros [v. *argueiro* ^{1} (2)], com minúcias ou sutilezas; minucioso.

argueiro^{1} [De or. obscura.] ***S. m.*** **1.** Partícula leve, separada de qualquer corpo; grânulo, cisco: "Ver o argueiro nos olhos dos outros e não ver a trave nos seus" (prov.). **2.** *Fig.* Coisa insignificante, de pouca monta.

argueiro^{2} ***S. m.*** *Ant.* Arqueiro^{1} (2). ◆ **Fazer de um argueiro um cavaleiro.** Emprestar muita importância a coisa insignificante.

arguente (güen) [Do lat. *arguente.*] ***Adj. 2 g. S. 2 g.*** Que, ou quem argui ou argumenta; argumentante, argumentador. ❖

arguição (güi) [De *arguir* + *-ção.*] ***S. f.*** **1.** Ato ou efeito de arguir(-se). **2.** *P. ext.* Exame (2) oral. **3.** Alegação, argumentação. ❖

arguido (güi) [Part. de *arguir.*] ***Adj. S. m.*** Que, ou aquele que se submeteu a arguição. ❖

arguidor (güi...ô) [De *arguir* + *-dor.*] ***S. m.*** Aquele que argui; examinador. ❖

arguir (güir) [Do lat. *arguere.*] ***V. t. d.*** **1.** Repreender, censurar, criminar, verberar, condenar com argumentos ou razões: *Arguiu o filho, demonstrando-lhe a sua insensatez;* "Ninguém nos lisonjeia tanto como o nosso amor-próprio, nem nos argui com mais perseverança do que a própria consciência" (Marquês de Maricá, *Máximas, Pensamentos e Reflexões*, p. 42). **2.** Revelar, inculcar, demonstrar: "A sisudeza do semblante arguia o incômodo da consciência." (Camilo Castelo Branco, *A Queda dum Anjo*, p. 158.) **3.** Examinar, questionando ou interrogando: *Na prova oral, o professor argui os alunos.* **4.** Impugnar, combater com argumentos. ***T. d. e i.*** **5.** Acusar, censurar, criminar, condenar: "Por mais de uma vez o arguiram [a Artur Azevedo] de haver-se abastecido na fonte alheia ao urdir a anedota de um conto." (Josué Montelo, *Artur Azevedo e a Arte do Conto*, p. 53.) **6.** Examinar, questionando ou interrogando. ***T. i.*** **7.** Argumentar, contender, disputar. ***Transobj.*** **8.** Acusar, acoimar: *arguiram-no de covarde;* "— Perdoa-me — disse ele, beijando-a com estremecimento. — Não me lembres o que sofreste, que eu cuidarei que me arguis de ingrato." (Camilo Castelo Branco, *O Bem e o Mal*, p. 109) **9.** Qualificar, tachar. ***Int.*** **10.** Argumentar, contender, disputar. **11.** Examinar um aluno ou concorrente, questionando ou interrogando: "Tobias fazia parte de uma banca examinadora. Ao chegar a sua vez de arguir, dissertou sobre o ponto." (Hermes Lima, *Tobias Barreto*, p. 245.) ***P.*** **12.** Acusar-se de falta; dar-se por convencido de algum erro. [Segundo o acordo ortográfico firmado entre os países lusófonos, este verbo deve ser grafado sem trema (sobre o u pronunciado) e sem acento gráfico no u tônico, donde: pres. ind.: *arguo* (ú), *arguis* (ú), *argui* (ú), *arguímos* (u:í), *arguís* (u:í), *arguem* (ú); pret. imperf. ind.: *arguía* (u:í), *arguías* (u:í), *arguía* (u:í), *arguíamos* (u:í), *arguíeis* (u:í), *arguíam* (u:í); pret. perf.: *arguí* (u:í), *arguíste* (u:í), *arguiu* (u:i), *arguímos* (u:í), *arguístes* (u:í), *arguíram* (u:í); m.-q.-perf.: *arguíra* (u:í), *arguíras* (u:í), *arguíra* (u:í), *arguíramos* (u:í), *arguíreis* (u:í), *arguíram* (u:í); fut. pres.: *arguirei* (u:i), *arguirás* (u:i), *arguirá* (u:i), *arguiremos* (u:i), *arguireis* (u:i), *arguirão* (u:i); fut. pret.: *arguiria* (u:i), *arguirias* (u:i), *arguiria* (u:i), *arguiríamos* (u:i), *arguiríeis* (u:i), *arguiriam* (u:i); pres. subj.: *argua* (ú), *arguas* (ú), *argua* (ú), *arguamos* (u-a), *arguais* (u-a), *arguam* (ú); pret. imperf. subj.: *arguísse* (u:í), *arguísses* (u:í), *arguísse* (u:í), *arguíssemos* (u:í), *arguísseis* (u:í), *arguíssem* (u:í); imperat.: *argui* (ú), *argua* (ú), *arguamos* (u:a), *arguí* (u:í), *arguam* (ú); part.: *arguido* (ü).] ❖

arguitivo (güi) [De *arguir* + *-tivo.*] ***Adj.*** **1.** Que encerra arguição. **2.** Acusatório, condenatório. ❖

arguível (güi) [De *arguir* + *-vel.*] ***Adj. 2 g.*** Que pode ser arguido. [Pl.: *arguíveis.*] ❖

argumentação [Do lat. *argumentatione.*] ***S. f.*** **1.** Ato ou processo de argumentar. **2.** Conjunto de argumentos. **3.** Discussão, controvérsia.

argumentador (ô) [Do lat. *argumentatore.*] ***Adj. S. m.*** **1.** Que, ou aquele que argumenta. **2.** V. *arguente.*

argumentante [Do lat. *argumentante.*] ***Adj. 2 g. S. 2 g.*** V. *arguente.*

argumentar [Do lat. *argumentari.*] ***V. int.*** **1.** Apresentar argumentos; aduzir os raciocínios que constituem uma argumentação. **2.** Discutir, altercar: *Argumentaram toda a noite, sem chegar a conclusão.* ***T. i.*** **3.** Tirar ilações; deduzir, concluir. **4.** Apresentar argumentos; sustentar controvérsias: *Não argumentou contra o mestre.* ***T. d. e i.*** **5.** Pregar, ensinar por meio de argumentos: "— Basta... Eu não concebo que me argumentem moral... Tenho descido da minha dignidade em ouvir-te..." (Camilo Castelo Branco, *Anátema*, p. 54). ***T. d.*** **6.** Apresentar como argumento; alegar: *Argumentou que ia mal de finanças.*

argumentativo [De *argumentar* + *-tivo.*] ***Adj.*** Que envolve argumento.

argumentista [De *argumento* + *-ista.*] ***S. 2 g.*** Pessoa que escreve argumento (6): "Gianfrancesco Guarnieri, argumentista e ator, reconheceu que teve de fazer mudanças na peça em que se baseou o filme" (*Jornal do Brasil*, 07.09.1981).

argumento [Do lat. *argumentu.*] ***S. m.*** **1.** Raciocínio, indício ou prova pelo qual se tira uma consequência ou dedução: *A gravação foi o argumento para incriminar o chantagista.* **2.** Indício, vestígio. **3.** Assunto, tema, enredo. **4.** Sumário, resumo. **5.** Discussão, contenda, altercação. **6.** *Cin.* História especialmente preparada para cinema: *O filme tem ótimo argumento.* **7.** *Mat.* Variável independente. **8.** *Mat.* Ângulo que, num diagrama de Argand, o vetor representativo de um complexo faz com o eixo real. **9.** *Mat.* V. *ângulo polar.* **10.** *E. Ling.* Numa proposição, aquilo que é nomeado, ou a cujo respeito se declara algo. [Cf., nesta acepç., *predicação* (2).] **11.** *E. Ling.* Numa oração, as posições de sujeito e objeto. **12.** *Lóg.* Raciocínio (4). **13.** *Lóg.* Conjunto de termos (nomes próprios e pronomes) que substituem as variáveis de uma função determinando-lhe o valor de verdade. ◆ **Argumento *ad auctoritatem*.** *Lóg.* V. *argumento da autoridade.* **Argumento *ad hominem*.** Argumento com que se procura confundir o adversário, opondo-lhe seus próprios atos ou palavras. **Argumento *ad judicium*.** Argumento fundamentado na opinião corrente ou no senso comum. **Argumento *ad populum*.** *Lóg.* Sofisma em que se associam ao objeto da argumentação elementos que tocam à sensibilidade, às necessidades, às aspirações, aos temores, etc., do público que se quer convencer. **Argumento *ad rem*.** Argumento relativo ao assunto em foco. **Argumento anselmiano.** *Filos.* V. *anselmiano.* **Argumento baculino.** *Hist. Filos.* **1.** Argumento que consiste em pretender provar a existência do mundo exterior golpeando o solo, ou mesmo aquele com quem se argumenta, com um bastão. **2.** *P. ext.* Demonstração ou refutação de uma tese filosófica por meio de uma ação material, como, p. ex., mover-se, para provar, aos que negam a possibilidade do movimento, que este existe. **3.** Imposição de uma tese com base no medo ou na timidez do adversário em face da superioridade física de quem argumenta. **Argumento da aposta.** *Filos.* Aposta de Pascal. **Argumento da autoridade.** *Lóg.* V. *apelo ao respeito.* **Argumento ontológico.** *Filos.* V. *anselmiano.* **Levar um argu-**

mento. *Bras. Gír.* Ter diálogo; manter conversação; tratar um assunto.

arguto [Do lat. *argutu.*] *Adj.* **1.** De espírito vivo, engenhoso, sutil. **2.** Argucioso, perspicaz. **3.** De som afinado e agudo; canoro.

▲ **-aria** [Da fusão do suf. port. *-eiro* ou do suf. lat. -arĭu (v. *-eiro*) + o suf. port. *-ia*[1] (q. v.); ou do suf. lat. -arĭa, com infl. do suf. gr. *-ía* (v. *-ia*[1]).] *Suf. nom.* tônico formador, sobretudo, de voc. com noções de: 'atividade de'; 'dignidade'; 'ramo de negócio ou de indústria', 'estabelecimento comercial'; 'local de'; 'coleção', 'conjunto', 'grande quantidade de'; 'ação própria de certos indivíduos, ou resultado dessa ação': *almocrevaria, almotaçaria; alcaiadaria; ourivesaria, gravataria, padaria, drogaria; mouraria, judiaria; pedraria, prataria, pradaria, mosquetaria, gataria; porcaria, fidalgaria, patifaria.* [Equiv.: *-eria, -oaria: infanteria, sorveteria; cordoaria.*]

ariá [Do tupi.] *S. f. Bras. Bot.* **1.** Cauaçu (1). **2.** Uariá.

ária[1] [Do it. *ária.*] *S. f. Mús.* **1.** Peça de música para uma voz cantante: "Entrou .... cantarolando não sei que ária do seu repertório italiano." (José de Alencar, *Diva*, p. 198.) **2.** Melodia, cantiga. **3.** Uma das subdivisões de uma ópera ou cantata. [Cf. *área.*]

ária[2] [Do sânscr., 'nobre'.] *S. 2 g.* **1.** *Etnôn.* Indivíduo dos árias, povo pré-histórico da Ásia central, e que teria migrado para a Europa e para a Índia. ● *Adj. 2 g.* **2.** V. *ariano*[3]. [Cf. *área.*]

▲ **-ária** [Do lat. cient. *-aria*, neutro pl. de *-arius.*] *Suf.* us. em tax., especialmente em *Bot.*: *aquilária, escrofulária.*

ariacó [Do tupi.] *S. m. Bras. Zool.* V. *vermelho-henrique.*

ariana *S. 2 g. Adj. 2 g. Bras.* V. *adzâneni.*

ariane *Bras. S. 2 g.* **1.** *Etnôn.* Indivíduo dos arianes, povo indígena extinto que habitava a região situada entre os rios Vila Nova e Maracá (AP). ● *Adj. 2 g.* **2.** Pertencente ou relativo a esse povo. [Tb. us. como *s. 2 g. e 2 n.* e *adj. 2 g. e 2n.*]

arianismo [De *ariano*[1] + *-ismo.*] *S. m.* Doutrina de Ário, famoso heresiarca de Alexandria (280-336), segundo a qual Cristo uma criatura de natureza intermediária entre a divindade e a humanidade.

ariano[1] [Do lat. *arianu.*] *S. m.* Sectário do arianismo.

ariano[2] [De *Áries* + *-ano*[1].] *S. m.* **1.** Indivíduo nascido sob o signo de Áries. ● *Adj.* **2.** Diz-se de, ou pertencente ou relativo a ariano[2] (1).

ariano[3] [De *ária*[2] + *-ano*[1].] *Adj.* **1.** Relativo ou pertencente aos árias; ária[2]. **2.** *Desus.* Relativo à família linguística indo-europeia. **3.** Entre os teóricos do racismo alemão, dizia-se dos europeus de raça supostamente pura, descendentes dos árias. ● *S. m.* **4.** *Gloss.* A língua ancestral de toda a família indo-europeia. [Sin. (desus.) nas acepçs. 1 a 4: *árico.*] **5.** *Gloss. Desus.* Indo-iraniano (3).

ariauá (i-au) [De or. tupi, poss.] *S. f. Bras. Bot.* Árvore voquisiácea (*Qualea grandiflora*) amplamente distribuída no Brasil, de madeira pouco resistente e que pode alcançar até 12m. [Sin.: *pau-terra-do-campo, pau-terra-do-cerrado.*]

ariaucane *Bras. S. 2 g.* **1.** *Etnôn.* Indivíduo dos ariaucanes, povo indígena extinto que habitava as imediações do rio Madeira (AM). ● *Adj. 2 g.* **2.** Pertencente ou relativo a esse povo. [Tb. us. como *s. 2 g. e 2 n.* (com cap.) e *adj. 2 g. e 2 n.*]

ariaxé [Do ior.] *S. m. Bras. Rel.* Nos candomblés jejes-nagôs, banho de cheiro a que se submetem os noviços durante o ritual da iniciação. [Cf. *maionga* e *aliaxé.*]

aríbalo [Do gr. arýballos.] *S. m.* Na Grécia antiga, pequeno vaso para óleo ou unguento, de forma globular, gargalo curto, uma só asa e boca estreita com borda larga e reta.

aribé *S. f. Bras. BA* Grande frigideira de barro, usada na região são-franciscana.

aricá *S. m.* Moeda de cobre que corria em Goa e Damão.

aricapu *Bras. S. 2 g.* **1.** *Etnôn.* Indivíduo dos aricapus [ou (etnôn. bras.) *Arikapu], povo indígena de língua isolada que habita as margens do rio Branco e a região do rio Guaporé (RO). ● *Adj. 2 g.* **2.** Pertencente ou relativo a esse povo.

aricari *Bras. S. 2 g.* **1.** *Etnôn.* Indivíduo dos aricaris, povo indígena extinto que habitava a costa do AP. ● *Adj. 2 g.* **2.** Pertencente ou relativo a esse povo. [Tb. us. como *s. 2 g. e 2 n.* (com cap.) e *adj. 2 g. e 2 n.*]

aricó [De or. tupi.] *S. m. Bras. Zool.* V. *vermelho-henrique.*

árico *Adj. S. m. Lus.* V. *ariano*[3] (1 a 4).

aricobé *S. 2 g. Adj. 2 g. Bras.* V. *aricoboé.*

aricoboé *Bras. S. 2 g.* **1.** *Etnôn.* Indivíduo dos aricoboés, povo indígena extinto, tronco tupi, que habitava a região do rio Grande (BA), divisa com GO. ● *Adj. 2 g.* **2.** Pertencente ou relativo a esse povo. [Tb. us. como *s. 2 g. e 2 n.* (com cap.) e *adj 2 g. e 2 n.* Sin. ger.: *aricobé.*]

aricuí *S. f. Bras. Bot.* V. *aricuri.*

aricuiá [De or. incerta.] *S. f. Bras. Bot.* V. *pacari.*

aricungo *S. m. Bras. SC Pop.* Cavalo sem serventia.

aricurana *S. f. Bras. Bot.* V. *urucurana* (1).

aricuri [Do tupi.] *S. m.* **1.** *Bras. Bot.* Palmeira arecácea (*Syagrus coronata*) de drupas comestíveis cuja medula fornece fécula e cuja semente fornece óleo alimentar. [Var.: *alicuri, aricuí, iricuri, uricuri, ouricuri, licuri, nicuri*; sin.: *urucuriiba, coco-cabeçudo, coqueiro-cabeçudo, butiá, licurizeiro.*] **2.** V. *aricuriroba.*

aricuriroba [De *aricuri* + *-roba.*] *S. f. Bot.* Palmeira arecácea (*Syagrus schizophylla*) de tronco simples, às vezes subterrâneo, folhas penadas, flores coriáceas e frutos drupáceos subglobosos, amarelos, alaranjados ou vermelhos, edules; é cultivada como ornamental. [Var.: *licuriroba, nicuriroba* e *uricuriroba.* Sin.: *aricuri, coco-babão.*]

aridez (ê) [De *árido* + *-ez.*] *S. f.* **1.** Qualidade ou estado de árido. **2.** Aspereza, rudeza. **3.** *Fig.* Falta de amenidade, suavidade, brandura, sensibilidade, etc. **4.** *Geol.* Estado atmosférico observável quando, em determinada área, a evaporação é superior às precipitações.

árido [Do lat. *aridu.*] *Adj.* **1.** Sem umidade; seco: *clima árido.* **2.** V. *estéril* (1): *terra árida.* **3.** *Fig.* Duro, insensível: *Seu árido coração não se comove nunca.* **4.** *Fig.* Desagradável, fastidioso: *conversa árida.* **5.** De compreensão difícil; pouco ameno: *assunto árido.*

■ **ARIE** *Ecol.* Sigla de *área de relevante interesse ecológico.*

arielesco (ê) [De *Ariel*, espírito do ar em *A Tempestade*, de Shakespeare (v. *shakespeariano*), + *-esco.*] *Adj. Poét.* Doce, suave; espiritual: "Mas Alceu insiste no artigo admirável, em que evoca a figura arielesca de Kopke, na infelicidade da infância." (Antônio Carlos Vilaça, *O Desafio da Liberdade*, p. 24.)

áries [Do lat. *aries*, 'carneiro'.] *S. f.* **1.** *Astr.* A primeira constelação do zodíaco, situada no hemisfério norte a 2h30min de ascensão reta e 13° de declinação norte. [Há mais de 2.000 anos a.C., o ponto vernal estava em Áries, mas, em virtude da precessão dos equinócios, agora se encontra em Peixes, mantendo-se por tradição, entretanto, a situação de Áries como primeira constelação. Sin. (p. us.): *Carneiro.*] **2.** *Astrol.* O primeiro signo do Zodíaco, relativo aos que nascem entre 21 de março e 19 de abril. [Com cap.]

arieta (ê) [Do it. *arietta.*] *S. f. Mús.* **1.** Pequena peça musical de estrutura semelhante à da ária, porém normalmente mais curta, e que se encontra na ópera ligeira ou na cantata. **2.** Curta melodia vocal que se aproxima da romança.

aríete [Do lat. *ariete.*] *S. m.* **1.** Antiga máquina de guerra para abater muralhas [cf. *vaivém* (3)]: "aríetes poderosos procuravam aluir a muralha, marrando e tornando a marrar os grossos silhares e juntoiros, ao passo que turmas de mineiros buscavam a raiz dos alicerces para provocar o desmoronamento." (Aquilino Ribeiro, *Os Avós dos Nossos Avós*, p. 115). **2.** Máquina para elevar água, acionada pela própria água. [Sin.: *carneiro hidráulico* ou apenas *carneiro.*] **3.** *Constr. Nav.* Esporão (4). [É comum, embora irregular, a pronúncia ariete (ê).]

arietino [Do lat. *arietinu.*] *Adj.* **1.** Relativo ou pertencente a aríete. **2.** Relativo a carneiro[1] (1).

arigboia (ói) [Do tupi.] *S. f. Bras. AM Zool.* V. *sucuri.* ❖

arigó *S. m.* **1.** *Bras.* Cassaco (2). **2.** *Bras. RJ C.O.* Indivíduo rústico; matuto, caipira.

arigó da vazante *S. m. Bras. PB Pop.* V. *tolo* (8). [Pl.: *arigós da vazante.*] ☑

arigofe [De or. obscura.] *S. m. Bras. BA* **1.** Homem negro. **2.** *Folcl.* Símbolo de antigo terno de reis, representado por um boneco preto.

ariídeo *Zool. S. m.* **1.** Espécime dos ariídeos, família de peixes siluriformes, ger. marinhos, de regiões tropicais e subtropicais, que apresentam nadadeira caudal bifurcada, nadadeira adiposa, um par de barbilhões na maxila, e um ou dois pares na mandíbula, e espinhos na porção anterior das nadadeiras dorsal e peitorais. Ex.: o bagre-bandeira, a guarijuba. ● *Adj.* **2.** Pertencente ou relativo a eles.

ariine *Bras. S. 2 g.* **1.** *Etnôn.* Indivíduo dos ariines [ou (etnôn. bras.) *Arihini], povo indígena que habita as imediações do rio Negro (AM). ● *Adj. 2 g.* **2.** Pertencente ou relativo a esse povo. [Sin. ger.: *araine.*]

ariine-baré *Bras. S. 2 g.* **1.** *Etnôn.* Indivíduo dos ariines-barés [ou (etnôn. bras.) *Arihini-baré], povo indígena extinto que habitava o N.O. do AM. ● *Adj. 2 g.* **2.** Pertencente ou relativo a esse povo. [Pl.: *ariines-barés.*]

▲ **aril-** *Quím. El. comp.* Indica a presença de grupo arila: *arilamina.* [Ocorre, tb., como infixo.]

▲ **-aril-** *Quím.* V. *aril-.*

arila [De *ar(omático)* + *-ila*[2].] *S. f. Quím.* Qualquer grupo derivado de um hidrocarboneto aromático por retirada de um hidrogênio.

arilado [De *arilo* + *-ado*[1].] *Adj. Bot.* Provido de arilo.

arilamina [De *aril-* + *amina.*] *S. f. Quím.* Qualquer amina aromática.

arilo [Do it. *arillo*, pelo lat. cient. *arillus.*] *S. m. Bot.* Designação comum às excrescências observadas na superfície de muitas sementes, como a noz-moscada, a mamona, etc. O arilo pode ser piloso, como no algodoeiro e na paineira.

arilocarpo [De *arilo* + *-carpo.*] *S. m. Bot.* Nas taxáceas, semente envolvida por uma espécie de arilo carnoso e às vezes fortemente colorido.

arilódio [Do lat. cient. *arillodium.*] *S. m. Bot.* Tecido semelhante ao arilo, formado pelos tegumentos, em torno da micrópila.

ariloide (ói) [De *arilo* + *-oide.*] *Adj. 2 g.* **1.** Semelhante ao arilo. *Bot.* ● *S. m.* **2.** Pequeno arilo, encontrado em muitas sementes. ❖

arimã [Do avéstico.] *S. m. Rel.* No zoroastrismo (q. v.) o princípio do mal, origem da morte e da desordem. [Com cap. Opõe-se a *Aúra-Masda.* Cf. *masdeísmo.*]

arimaru [De or. tupi, poss.] *S. f. Bras. Amaz. Bot.* Planta loganiácea (*Strychnos cogens*) arbustiva, de ramos sarmentosos, folhas opostas, de pecíolo curto, lanceoladas, grandes, acuminadas, flores dispostas em panículas axilares pilosas, e cujo fruto é uma baga amarela.

arimbá [De or. tupi, poss.] *S. m. Bras.* Boião de barro vidrado onde se guardam doces em calda.

arimética *S. f.* V. *aritmética.*

arimético *Adj. S. m.* V. *aritmético.*

arimo [Do quimb.] *S. m. Angol.* Propriedade agrícola: "Nunca no seu arimo faltou leite e coalhada ou manteiga" (Artur Queirós, *Kapitupitu — A Verdadeira Estória dum Anarquista Fuzilado*, p. 50).

ariná *Bras. S. 2 g.* **1.** *Etnôn.* Indivíduo dos arinás, povo indígena das imediações do rio Negro (AM). ● *Adj. 2 g.* **2.** Pertencente ou relativo a esse povo. [Tb. us. como *s. 2 g. e 2 n.* (com cap.) e *adj. 2 g. e 2 n.*]

arincobdélido [De *a-*[3] + *-rinc(o)-* + *-bdel(o)-* + *-ido*[3]; tax. *Arhynchobdellida.*] *S. m. Adj. Zool.* V. *gnatobdélido.*

arinense *Adj. 2 g.* **1.** De, ou pertencente ou relativo a Arinos (MG). ● *S. 2 g.* **2.** O natural ou habitante de Arinos.

aringa *S. f. Moç.* Campo fortificado, reduto dos sobas africanos.

arino *Bras. S. 2 g.* **1.** *Etnôn.* Indivíduo dos arinos [ou (etnôn. bras.) *Arinó], povo indígena extinto que habitava a região dos rios Juruena e Arinos (MT). ● *Adj. 2 g.* **2.** Pertencente ou relativo a esse povo.

arinque[1] [Var. de *ourinque* (q. v.).] *S. m. Marinh.* Linha que prende o ferro a uma boia para indicar a posição daquele quando se encontra fundeado; ourinque, anrique.

arinque[2] *S. m. Bras. SC* Espécie de espinhel.

arinta *S. f.* V. *arinto.*

arinto [De or. obsc.] *S. m.* **1.** Casta de uva branca, para vinho. **2.** O vinho feito com essa uva. [F. paral.: *arinta.*]

▲ **-ário** [Do lat. -arĭus, *a, um* ou -arĭum, *ii*, por via erudita.] *Suf. nom.* = 'que exerce certa atividade, profissão, ou certo ofício'; 'lugar onde se guardam coisas'; 'coleção'; 'relação', 'posse', 'origem'; 'árvore', 'arbusto'; 'intensidade'; 'objeto de uso'; em *Zool.* designa 'espécime de (família de animais)': *escriturário, mercenário, orquidário, berçário; anedotário; lactucário, anisomiário; antozoário, coraliário, zoantário.* [Equiv.: *-eiro* (q. v.); *-tário* (q. v.); *-iário, -uário, -ério*: *imobiliário, serventuário, textuário; beatério, elatério.*]

ariocó [De or. tupi.] *S. m. Bras. ES Zool.* V. *vermelho-henrique.*

arioso (ô) [Do it. *arioso.*] *S. m. Mús.* **1.** Fragmento melódico de estrutura aberta, apresentando elementos tanto do recitativo quanto da ária. **2.** Trecho melódico de um recitativo. **3.** Ária de sentimento patético e profundo. [Cf. *areoso.*]

aripar [De *aripo* + *-ar*[2].] *V. int.* Cavar e joeirar a areia das ostreiras a fim de recolher pérolas ou aljôfares.

aripeiro [De *aripar* + *-eiro.*] *S. m.* Aquele que aripa.

aripo [Do malaiala *arippu.*] *S. m.* Ato ou tarefa de aripar.

aripuaná *Bras. S. 2 g.* **1.** *Etnôn.* Indivíduo dos aripuanás, povo indígena extinto que habitava a região do rio Madeira (AM). ● *Adj. 2 g.* **2.** Pertencente ou relativo a esse povo. [Tb. us. como *s. 2 g. e 2 n.* (com cap.) e *adj. 2 g. e 2 n.*]

aripuanense *Adj. 2 g.* **1.** De, ou pertencente ou relativo a Aripuanã (MT). ● *S. 2 g.* **2.** O natural ou habitante de Aripuanã.

ariquém *Bras. S. 2 g.* **1.** *Etnôn.* Indivíduo dos ariquéns [ou (etnôn. bras.) *Arikém], povo indígena de tronco tupi, que habita os municípios de Ariquemes (RO) e

Aripuanã (MT). ● *S. m.* 2. *Gloss.* Família linguística do tronco tupi à qual pertencem as línguas dos povos ariquém e caritiana. ● *Adj. 2 g.* 3. Pertencente ou relativo aos ariquéns ou a ariquém (2). [Var.: *ariqueme*.]

ariqueme *S. 2 g. S. m. Adj. 2 g. Bras.* V. *ariquém*.

ariquemense *Adj. 2 g.* 1. De, ou pertencente ou relativo a Ariquemes (RO). ● *S. 2 g.* 2. O natural ou habitante de Ariquemes.

ariquena *Bras. S. 2 g.* 1. *Etnôn.* Indivíduo dos ariquenas, povo indígena que habita as margens do rio Madeira. ● *Adj. 2 g.* 2. Pertencente ou relativo a esse povo. [Tb. us. como *s. 2 g. e 2 n.* (com cap.) e *adj. 2 g. e 2 n.*]

ariramba [Do tupi.] *S. f. Bras. Amaz. Zool.* V. *martim-pescador*.

ariramba-da-mata *S. f. Bras. Zool.* V. *ariramba-da-mata-virgem*. [Pl.: *arirambas-da-mata*.]

ariramba-da-mata-virgem *S. f. Bras. Zool.* Designação comum a várias espécies de aves piciformes, galbulídeas, especialmente dos gêneros *Uregalba*, *Galbula* e *Brachygalba*, das matas virgens brasileiras. Têm aspecto de arirambas ou de beija-flores, com bico fino, longo, cores muito brilhantes, de tom metálico, verde ou azul, com variados matizes; alimentam-se exclusivamente de insetos. [Sin.: *ariramba-da-mata, arirana, beija-flor-da-mata, beija-flor-da-mata-virgem, beija-flor-do-mato-virgem, beija-flor-grande, cavadeira, cutielão, jacaió, jacamaici, jacamar, jacamarici, uirapiana*. Pl.: *arirambas-da-mata-virgem*.]

ariramba-grande *S. f. Bras. Zool.* V. *martim-pescador-grande*. [Pl.: *arirambas-grandes*.]

ariramba-miudinha *S. f. Bras. Zool.* Ariramba-miudinho. [Pl.: *arirambas-miudinhas*.]

ariramba-miudinho *S. m. Bras. Amaz. Zool.* 1. Ave alcedinídea (*Chloroceryle inda*), conhecida em quase todo o Brasil, e que se estende para o N. até a Nicarágua. Coloração verde-bronzeada escura na parte superior do corpo, rêmiges e cauda pintadas de branco; fita nucal e parte inferior do corpo cor de ferrugem. 2. Ave alcedinídea (*Chloroceryle aenea*), que apresenta fita nucal e garganta vermelho-amareladas; arirambinha. [Sin. ger.: *ariramba-miudinha*. Pl.: *arirambas-miudinhos*.]

ariramba-pequena *S. f. Bras. Zool.* Martim-pescador-pequeno. [Pl.: *arirambas-pequenas*.]

ariramba-pintada *S. f. Bras. Amaz. Zool.* Martim-pescador-pintado. [Pl.: *arirambas-pintadas*.]

ariramba-verde *S. f. Bras. Amaz. Zool.* Espécie de martim-pescador conhecida em quase toda a América meridional, América Central e L. do México (*Chloroceryle amazona*), de coloração dorsal verde-bronzeada, cauda e rêmiges pintadas de branco, garganta, fita nucal e barriga brancas, peito ferrugíneo. A fêmea é idêntica ao macho, mas tem o peito branco, pintado de verde. [Sin.: *martim-pescador-verde*. Pl.: *arirambas-verdes*.]

arirambinha *S. f. Bras. Zool.* Ariramba-miudinho (2).

arirana [Do tupi.] *S. f. Zool.* 1. V. *ariramba-da-mata-virgem*. 2. V. *martim-pescador*.

ariranha [Do tupi.] *S. f. Bras. Zool.* Mamífero carnívoro, mustelídeo (*Pteronura brasiliensis*), outrora comum na região cisandina da América do Sul, e atualmente só encontrado em regiões pouco desbravadas da Amaz. e do Brasil Central. Cauda achatada em forma de remo. Tem hábitos diurnos, e associa-se em bandos; a pele, ainda que inferior à da lontra, é muito procurada pelos caçadores; alimenta-se de peixes, que geralmente vai devorar em terra. [Sin.: *onça-d'água*.]

ariranhense *Adj. 2 g.* 1. De, ou pertencente ou relativo a Ariranha (SP). ● *S. 2 g.* 2. O natural ou habitante de Ariranha.

arireaçu *Bras. S. 2 g.* 1. *Etnôn.* Indivíduo dos arireaçus, grupo extinto de índios tapajós que habitava a região que é hoje a cidade de Santarém (PA). ● *Adj. 2 g.* 2. Pertencente ou relativo a esse povo. [Tb. us. como *s. 2 g. e 2 n.* (com cap.) e *adj. 2 g. e 2 n.*]

ariri[1] [Do tupi.] *S. m. Bras. Bot.* 1. Palmeira arecácea (*Allagoptera campestris*) de fruto drupáceo amarelo cuja parte carnosa tem propriedades febrífugas, e de folhas forrageiras, empregadas no fabrico de vassouras e trabalhos trançados; buri-do-campo, coco-de-vassoura, coqueiro-piçandó, aguirri-do-campo, imburi, piçandó ou piçandu. 2. V. *acumã*.

ariri[2] *Bras. S. 2 g.* 1. *Etnôn.* Indivíduo dos ariris, povo indígena extinto que habitava as imediações do rio Preto (MG), divisa com o RJ. ● *Adj. 2 g.* 2. Pertencente ou relativo a esse povo. [Tb. us. como *s. 2 g. e 2 n.* (com cap.) e *adj. 2 g. e 2 n.*]

ariri de festa *S. m. Bras. MA Pop.* V. *peru de festa*. [Pl.: *ariris de festa*.] ☑

arísaro [Do tax. *Arisarum* (do gr. *arísaron, ou*).] *S. m. Bot.* 1. Gênero de aráceas com três espécies nativas do Mediterrâneo. 2. Qualquer espécie desse gênero, como, p. ex., a *Arisarum vulgare* (v. *capuz-de-fradinho*). 3. Qualquer espécime desse gênero.

ariscar [De *arisco* + *-ar*[2].] *V. t. d. P. Bras. SP Pop.* 1. Tornar(-se) arisco. 2. Espantar(-se), assustar(-se), sobressaltar(-se): 📖 "Mas quando [os bois] se aproximavam da vila e do curral de concelho, nós, de largo, começávamos gritando, apupando-os, como forma de os ariscar" (Germano Almeida, *A Ilha Fantástica*, p. 48). [Conjug.: v. *trancar*.]

arisco [De *arenisco*.] *Adj.* 1. Abundante em areia; areísco, arenisco. 2. Que rejeita carinhos; arredio, tímido. 3. Esquivo, desconfiado. 4. Áspero, insociável, intratável; areísco, arenisco. 5. Diz-se do animal que não se deixa domesticar; bravio. ● *S. m.* 6. Bovino rebelde ou bravio. 7. *Bras. N.E.* Terreno sílico-humoso, muito fértil, e cuja formação se acha na região paraibana chamada *brejo*; areísco.

arista [Do lat. *arista*, por via erudita.] *S. f.* 1. *Bot.* Prolongamento ou apêndice mais ou menos rígido, frequentemente encontrado no ápice das glumas e glumelas de inflorescências das poáceas, ou em outras famílias de vegetais. [Sin. *barba*.] 2. *Zool.* Cerda característica da antena de insetos braquíceros.

aristado [Do lat. *aristatu*.] *Adj.* 1. *Bot.* Que tem arista; aristoso. 2. *Zool.* Diz-se de antena de inseto com arista (2). [Cf. *arestado*.] ~ V. *folha —a*.

aristarco [Do antr. *Aristarco*, gramático e crítico grego (séc. II a.C.).] *S. m.* Crítico ou censor severo, mas judicioso.

aristida [Do tax. *Aristida* (do lat. *arista, ae*, 'pragana').] *S. f. Bot.* 1. Gênero de poáceas dotadas de espículas com uma só flor e lemas pontiagudos e duros. 2. Qualquer espécie desse gênero, como, p. ex., a *Aristida pallens* [v. *barba-de-bode* (3)]. 3. Qualquer espécime desse gênero.

aristiforme [Do lat. *arista*, 'espiga', + *-iforme*.] *Adj. 2 g.* Que tem forma de aresta: 📄 *setas aristiformes; pelos aristiformes*.

▲ **aristo-** [Do gr. *áristos, ē, on*.] *El. comp.* = 'ótimo', 'o melhor': *aristodemocracia*.

aristocracia [Do gr. *aristokratía*.] *S. f.* 1. Tipo de organização social e política em que o governo é monopolizado por um número reduzido de pessoas privilegiadas não raro por herança. 2. Essa classe de pessoas; fidalguia, nobreza. 3. Grupo de indivíduos que se distinguem pelo saber e merecimento real; casta, nata.

aristocracismo *S. m.* Aristocratismo: 📖 "O aristocracismo de Machado, porém, ... pôs a vida a serviço da obra, a sensibilidade sob a disciplina da inteligência" (Barreto Filho, *Introdução a Machado de Assis*, p. 26).

aristocrata [Do fr. *aristocrate*.] *Adj. 2 g. S. 2 g.* 1. Que, ou quem pertence à aristocracia; nobre, fidalgo. 2. Que, ou quem tem maneiras distintas, requintadas.

aristocrático [Do gr. *aristokratikós*.] *Adj.* 1. Relativo à, ou próprio da aristocracia; nobre, fidalgo. 2. Distinto, requintado, delicado.

aristocratismo [De *aristocrata* + *-ismo*.] *S. m.* Princípios, tendências, maneiras ou procedimento de aristocrata; aristocracismo.

aristocratização [De *aristocratizar* + *-ção*.] *S. f.* Ato ou efeito de aristocratizar(-se).

aristocratizar [De *aristocrata* + *-izar*.] *V. t. d. Transobj. P.* Tornar(-se) aristocrata ou aristocrático: 📄 *O convívio com pessoas finas aristocratizou-o*; 📖 "A cultura da cana, no Nordeste, aristocratizou o branco em senhor" (Gilberto Freire, *Nordeste*, p. 123).

aristodemocracia [De *aristo-* + *democracia*.] *S. f.* 1. Governo de nobre do qual o povo participa. 2. Governo exercido pela aristocracia, mas com tendências democráticas.

aristodemocrata [De *aristo-* + *democrata*.] *Adj. 2 g. S. 2 g.* Partidário da aristodemocracia.

aristofanesco (ê) [Do antr. *Aristófanes* + *-esco*.] *Adj.* Pertencente ou relativo a Aristófanes, comediógrafo grego (séc. V-IV a.C.), ou próprio dele; aristofânico.

aristofânico [Do lat. *aristophanicu*.] *Adj.* Aristofanesco.

aristofanismo [Do antr. *Aristófanes* + *-ismo*.] *S. m.* Gênero, estilo ou influência de Aristófanes (v. *aristofanesco*).

aristolóquia [Do tax. *Aristolochia* (do gr. *aristolochía*).] *S. f. Bot.* 1. Gênero de plantas trepadeiras aristoloquiáceas. 2. Qualquer espécie desse gênero, como, p. ex., a *Aristolochia birostris* [v. *capivara* (2)]. 3. Qualquer espécime desse gênero.

aristoloquiácea [Do tax. *Aristolochia* + *-ácea*; tax. *Aristolochiaceae*.] *S. f. Bot.* Espécime das aristoloquiáceas, família de plantas trepadeiras, da ordem das aristoloquiales, caracterizadas por enormes flores de aspecto muito estranho, fortemente coloridas, e não raro malcheirosas, razão por que atraem grande número de moscas, sendo, porém, muito ornamentais. Os frutos são cápsulas com sementes algo aladas. O Brasil é rico em espécies, conhecidas, vulgarmente, por *cipó mil-homens, capivara, serpentária*, etc.

aristoloquiáceo [De *aristoloquiácea*, com var. suf. (v. *-áceo*).] *Adj. Bot.* Pertencente ou relativo às aristoloquiáceas.

aristoloquial [Do tax. *Aristolochia* + *-al*[1].] *Adj. 2 g. Bot.* Pertencente ou relativo às aristoloquiales.

aristoloquiale [Do tax. *Aristolochia* + *-ale*; tax. *Aristolochiales*.] *S. f. Bot.* Espécime das aristoloquiales, ordem de plantas vascularizadas que compreendem as famílias aristoloquiáceas, raflesiáceas e hidnoráceas.

aristoloquina [Do tax. *Aristolochia* + *-ina*[3].] *S. f.* Alcaloide extraído de sementes e raízes de certas aristolóquias.

aristoso (ô) [Do lat. *aristosu*.] *Adj.* Aristado. [Cf. *arestoso*.]

aristotélico [Do lat. *aristotelicu*.] *Adj.* 1. Pertencente ou relativo a Aristóteles, ou ao aristotelismo (q. v.), ou próprio daquele ou deste. 2. Que é partidário do aristotelismo. ~ V. *indução —a*. ● *S. m.* 3. Partidário do aristotelismo. [Sin. ger.: *peripatético*.]

aristotelismo [Do antr. *Aristóteles* + *-ismo*.] *S. m.* 1. *Filos.* O grupo das doutrinas de Aristóteles, filósofo grego (384-322 a.C.), e de seus seguidores. São temas centrais do aristotelismo a teoria da abstração e do silogismo, os conceitos de ato e potência, forma e matéria, e substância e acidente, doutrinas todas que serviram à criação da lógica formal e da ética, e que exerceram e ainda exercem enorme influência no pensamento ocidental. [Sin.: *peripatetismo*.] 2. Influência de Aristóteles na filosofia.

aristu [Do ingl. *irish stew*.] *S. m. Cul.* Prato de carne refogada com batatas, cebolas, cenouras e molho bem espesso.

aritá [De or. obsc.] *S. m. Bras. Bot.* V. *inajá* (1).

aritarai *Bras. S. 2 g.* 1. *Etnôn.* Indivíduo dos aritarais, povo indígena do AM. ● *Adj. 2 g.* 2. Pertencente ou relativo a esse povo. [Tb. us. como *s. 2 g. e 2 n.* (com cap.) e *adj. 2 g. e 2 n.*]

aritencéfalo [Do gr. *arýtaina*, 'jarro para água', + *-céfalo*.] *Adj. S. m. Antropom.* Diz-se de, ou indivíduo de cérebro grande, cuja capacidade craniana é superior a 1.450cm³.

aritenoide (ói) [Do gr. *arýtaina*, 'jarro para água', + *-oide*.] *S. f. Anat.* Cada uma das duas pequenas cartilagens existentes na laringe. ❖

aritenóideo [De *aritenoide* + *-eo*.] *Adj.* Relativo às aritenoides; aritenoidiano.

aritenoidiano [De *Aritenoide* + *-iano*.] *Adj.* Aritenóideo.

ariti *Bras. S. 2 g.* 1. Indivíduo dos aritis, nome que dão a si mesmos os índios parecis. [V. *pareci*.] ● *S. m.* 2. *Gloss.* Dialeto da língua pareci. ● *Adj. 2 g.* 3. Pertencente ou relativo aos aritis.

aritmancia (cí) *S. f.* V. *aritmomancia*.

aritmante *S. 2 g.* V. *aritmomante*.

aritmântico *Adj.* V. *aritmomântico*.

aritmética [Do gr. *arithmetiké*, i. e., *(téchne) arithmetiké*, 'a arte dos números', pelo lat. *arithmetica*.] *S. f.* 1. Parte da matemática em que se investigam as propriedades elementares dos números inteiros e racionais. 2. Tratado ou compêndio de aritmética. 3. Exemplar de um desses tratados ou compêndios. [Var.: *arimética*.]

aritmético [Do gr. *arithmetikós*, pelo lat. *arithmeticu*.] *Adj.* 1. Pertencente ou relativo à aritmética. ~ V. *média —a, número —, progressão —a, soma —a* e *unidade —a*. ● *S. m.* 2. Especialista em aritmética. [Var.: *arimético*.]

▲ **aritm(o)-** [Do gr. *arithmós, oû*.] *El. comp.* = 'número': *aritmologia, aritmomania*. [Equiv.: *-aritmo*: *logaritmo*.]

▲ **-aritmo** Equiv. de *aritm(o)-*.

aritmografia [De *aritm(o)-* + *-grafia*.] *S. f.* Arte de escrever os números exprimindo-os em expressões mais simples.

aritmográfico [De *aritm(o)-* + *-graf(o)-* + *-ico*[2].] *Adj.* Relativo à aritmografia, ou a aritmógrafo.

aritmógrafo [De *aritm(o)-* + *-grafo*.] *S. m.* Instrumento com que se fazem mecanicamente operações aritméticas.

aritmologia [De *aritm(o)-* + *-logia*.] *S. f.* Ciência que trata dos números e da medição das grandezas em geral.

aritmológico [De *aritmologia* + *-ico*[2].] *Adj.* Relativo à aritmologia.

aritmomancia (cí) [De *aritm(o)-* + *-mancia*.] *S. f.* Arte de adivinhar por meio de números. [Var.: *aritmancia*.]

aritmomania [De *aritm(o)-* + *-mania*.] *S. f. Psiq.* Impulso patológico de contar números, demonstrando ansiedade em relação a eles.

aritmomaníaco [De *aritmomania* + *-íaco*.] *Psiq. Adj.* 1. Relativo à aritmomania. 2. Que sofre de aritmomania; aritmômano. ● *S. m.* 3. Aquele que sofre de aritmomania; aritmômano.

aritmómano *Adj. S. m. Psiq.* V. *aritmômano*. [Uso freq. em P.]

aritmômano [De *aritm(o)-* + *-mano*[1].] *Adj. S. m. Psiq.* Aritmomaníaco (2 e 3).

aritmomante [De *aritm(o)-* + *-mante*.] *S. 2 g.* Pessoa que pratica a aritmomancia. [Var.: *aritmante*.]

aritmomântico *Adj.* Referente a aritmomancia, ou a aritmomante. [Var.: *aritmântico*.]

aritmómetro *S. m.* V. *aritmômetro*. [Uso freq. em P.]

aritmômetro [De *aritm(o)-* + *-metro*.] *S. m. Desus.* Máquina de calcular.

aritu [De or. tupi, poss.] *S. m. Bras. Bot.* V. *louro-pardo*.

ariú *Bras. S. 2 g.* **1.** *Etnôn.* Indivíduo dos ariús, povo indígena extinto que habitava o S. da PB. ● *Adj. 2 g.* **2.** Pertencente ou relativo a esse povo. [Tb. us. como *s. 2 g. e 2 n.* (com cap.) e *adj. 2 g. e 2 n.*]

arixenino (cs) [Adapt. do tax. *Arixenina*.] *Zool. S. m.* **1.** Espécime dos arixeninos, subordem de insetos dermápteros, cujas mandíbulas, denteadas no ápice e franjadas, com cerdas, na margem interna, não são adaptadas para a mastigação. Cercos fracamente quitinizados; ápteros, ectoparasitos de morcegos. ● *Adj.* **2.** Pertencente ou relativo a eles.

arjoz *S. m.* V. *aljorce*.

→**arkansas** [aːkinsɔː] [Ingl. < siuano.] *S. m. Gloss.* Língua siuana falada em Oklahoma (E.U.A.), e atualmente quase extinta. [Pelo censo de 1990 contava com 34 falantes.]

arlequim [Do ficcion. *Arlequim* < it. *Arlecchino*, da antiga comédia italiana (v. *commedia dell'arte*), personagem apresentado em traje multicolor, feito ger. de losangos, e cuja função era divertir o público, nos intervalos, com chistes e bufonadas.] *S. m.* **1.** *Teatr.* Personagem inspirado na figura do Arlequim da *commedia dell'arte* (q. v.). [Com cap.] **2.** *P. ext.* Fantasia carnavalesca inspirada na roupa desse personagem. **3.** Farsante, truão. **4.** *Fig.* Indivíduo irresponsável, fanfarrão, brigão. **5.** *Fig.* Amante cínico. **6.** *Bras. Zool.* Inseto coleóptero, cerambicídeo (*Acrocinus longimanus*), de colorido preto, entrecortado por um mosaico irregular de faixas cinzento-prateadas, em parte recobertas de vermelho-tijolo, quase encarnado. Tem antenas e pernas anteriores extremamente desenvolvidas, e dois espinhos longos no tórax. O comprimento do corpo vai até 9cm, e a envergadura das pernas anteriores até 30cm. Larvas em figueiras, jaqueiras, paineiras e pequiás. [Sin. (nesta acepç.): *arlequim-da-mata, arlequim-grande, besouro-da-figueira*.] **7.** *Zool.* Pintagol. **8.** *Bras. N.E. Folcl.* Personagem do bumba meu boi.

arlequim-da-mata *S. m. Bras. Zool.* V. *arlequim* (6). [Pl.: *arlequins-da-mata*.]

arlequim-grande *S. m. Bras. Zool.* V. *arlequim* (6). [Pl.: *arlequins-grandes*.]

arlequina [Fem. de *arlequim*.] *S. f. Teatr.* Personagem feminina que desempenha o papel correspondente ao do Arlequim (1). [Com cap.]

arlequinada [De *arlequim* + *-ada*[1], seg. o padrão erudito.] *S. f.* **1.** *Teatr.* Comédia em que o protagonista é arlequim. **2.** Modos típicos de arlequim. **3.** Truanice, farsada, palhaçada. **4.** Fanfarronice, gabolice.

arlequinal [De *arlequim* + *-al*[1], seg. o padrão erudito.] *Adj. 2 g.* Relativo a, ou próprio de Arlequim ou de arlequim.

arlequíneo [De *arlequim* + *-eo*, seg. o padrão erudito.] *Adj. Zool.* Diz-se de animal de cores variadas.

arlesiano [Do fr. *arlésien*.] *Adj.* **1.** Da, ou pertencente ou relativo à cidade ou à região de Arles (S. da França). ● *S. m.* **2.** O natural ou habitante dessa cidade ou região.

ar-livre [De *ar* + *livre* (4).] *S. m. 2 n.* Lugar ou espaço aberto, ao ar livre: "o muito que há de pintores aguarelistas e de ar-livre" (José Saramago, *Viagem a Portugal*, p. 182).

arma [Do lat. tard. *arma*.] *S. f.* **1.** Instrumento ou engenho de ataque ou de defesa. **2.** *P. ext.* Qualquer coisa que sirva para um desses fins, especialmente no caso de certos animais. **3.** *Exérc.* Cada uma das subdivisões básicas da tropa do Exército: infantaria, cavalaria, artilharia, engenharia, comunicações, que constituem a categoria dos combatentes. **4.** V. *arma de fogo*. **5.** *Fig.* Recurso, meio, expediente: *Para vencer, suas armas foram o caráter e a inteligência.* ~ V. *armas*. ◆ **Arma atômica.** Arma nuclear. **Arma automática.** Arma de fogo cujo recarregamento se faz de modo automático, utilizando a força expansiva dos gases da própria carga de projeção. **Arma biológica.** Arma que emprega organismos vivos, substâncias tóxicas de origem bacteriana, inibidores químicos do crescimento das plantas, etc., para produzir morte ou baixa entre homens, animais ou plantas. **Arma branca.** Qualquer arma constituída essencialmente de uma lâmina metálica e destinada a produzir ferimentos cortantes ou perfurantes, no combate a curta distância e na luta corpo a corpo. **Arma de arremesso.** Aquela que, não sendo arma de fogo, é lançada a distância, como, p. ex., lança, dardo, flecha. **Arma de curar ataques.** *Bras. MG Pop. Joc.* Carabina. **Arma de dois gumes.** *Fig.* Aquilo que, ao lado de um aspecto vantajoso, aliciante, apresenta outro, inconveniente ou perigoso. **Arma de fogo.** Toda aquela que funciona mediante a deflagração de uma carga explosiva que dá lugar à formação de gases, sob cuja ação é lançado no ar um projetil. [Tb. se diz apenas *arma*.] **Arma de repetição.** Arma de retrocarga, não automática, cujo carregamento, uma vez introduzida a munição pelo atirador no respectivo depósito, é realizado por dispositivo mecânico. **Arma de retrocarga.** Arma de fogo cujo carregamento é feito pela culatra. **Arma estriada.** Arma raiada. **Arma não automática.** Aquela cujo carregamento é feito mediante o emprego da força muscular do atirador. **Arma nuclear.** Qualquer arma cujo efeito destruidor resulta da energia liberada pelas reações respeitantes ao núcleo atômico, seja a fissão (dissociação do átomo), seja a fusão, ou sejam ambas; arma atômica. **Arma raiada.** Aquela cujo cano apresenta internamente estrias ou ranhuras helicoidais (raias) que imprimem ao projetil, quando impelido pelos gases da carga de projeção, um movimento de rotação que lhe confere grande precisão de trajetória; arma estriada. **Arma semiautomática.** A que tem funcionamento automático parcial: o carregamento é feito de maneira mecânica, mediante o aproveitamento dos gases da carga de projeção, ao passo que o tiro é dado pelo atirador. **Armas de São Francisco.** *Lus.* V. *manguito*[2]. **Com armas e bagagem.** *Bras.* De maneira total; integralmente; de mala e cuia; de armas e bagagem: *Bandeou-se para o inimigo com armas e bagagem.* [Tb. se usa a palavra *bagagem* no pl.: "numa manhã nublada, com armas e bagagens embarcaram os dois afoitos portugueses num — salve engano — galeão" (Herberto Sales, *Os Pareceres do Tempo*, p. 16).] **De armas e bagagem.** *Bras.* Com armas e bagagem. **Depor as armas.** Render-se, entregar-se; ensarilhar as armas. **Ensarilhar as armas.** *Mil.* **1.** Dispô-las em grupos de três ou quatro, formando pirâmide. **2.** Depor as armas. **3.** *Fig.* Pôr termo a uma luta. **Mostrar as armas.** *Bras. Chulo* Mostrar os órgãos genitais (o homem). **Passar pelas armas. 1.** Fuzilar (2). **2.** *Fig.* Copular com; possuir sexualmente. **Passar-se com armas e bagagem para.** Fugir, ou afastar-se, levando tudo que lhe pertence para associar-se a (adversário ou pessoa do lado contrário ao em que estava); passar-se de armas e bagagem para. **Passar-se de armas e bagagem para.** Passar-se com armas e bagagem para. **Pegar em armas.** Prestar serviço militar, ser soldado; guerrear, combater: "A paixão política, posto que forte, não o levaria a pegar em armas, se não fosse uma espécie de desafio da parte de Prazeres" (Machado de Assis, *Relíquias de Casa Velha*, p. 19). **Valente como as armas.** Muito valente.

armabutó *Bras. S. 2 g.* **1.** *Etnôn.* Indivíduo dos armabutós, povo indígena que habita o N. do AM. ● *Adj. 2 g.* **2.** Pertencente ou relativo a esse povo. [Tb. us. como *s. 2 g. e 2 n.* (com cap.) e *adj. 2 g. e 2 n.*]

armação [Do lat. *armatione*.] *S. f.* **1.** Ato ou efeito de armar(-se): *Foi rápida a armação da barraca;* "porque Clodoaldo vai jogar plantado, por ordens de Zagalo, deixando o trabalho de armação para Gérson e Rivelino." (*Correio da Manhã*, 20.06.1970). **2.** Peça ou conjunto de peças que serve(m) para sustentar, revestir, fixar, reforçar, fortalecer, unir, etc., as diversas partes de um todo: *a armação dos óculos; a armação do guarda-chuva; a armação do espelho.* **3.** *Constr.* V. *estrutura* (4). **4.** Armadura (2). **5.** Conjunto de armários, balcões, vitrinas e prateleiras de uma loja. **6.** V. *armas* (7). **7.** *Marinh.* Mastreação e velame de um navio à vela, e que o caracterizam: *armação de galera, armação de lugre, armação de patacho.* **8.** *Marinh.* Local em que se aparelhavam ou aprestavam navios para a pesca da baleia: *ponta da armação; Armação dos Búzios.* [As armações foram comuns nos litorais baiano, fluminense, paulista e catarinense.] **9.** *Bras. N.* Acumulação de nuvens espessas nas baixas camadas atmosféricas, que prenuncia chuva ou trovões, raios, relâmpagos. **10.** Os chifres ou armas dos bovídeos. **11.** *Bras. S.* Boa presença; aprumo, elegância. **12.** *Bras. Gír.* Coisa arranjada para parecer o que não é; tramoia, trapaça. **13.** *Ant. Bras. S.* Empresa bandeirante para a caça de índios. ◆ **Ter muita armação e pouco jogo.** *Bras. S.* Ter presença muito agradável, mas ser incapaz de mostrar-se útil em momentos difíceis.

armada [De *armar* + *-ada*[1].] *S. f.* **1.** *Lus. Mar. Ant.* Em começos do séc. XV, conjunto não muito numeroso de navios de guerra que navegavam juntos. [Quando o conjunto era numeroso, chamava-se *frota*.] **2.** *Lus. Mar. Ant.* Grupo de navios comandados por um capitão-mor. **3.** *Mar.* Totalidade dos navios destinados ao serviço naval, pertencentes ao Estado e incorporados à Marinha de Guerra. **4.** Companhia de monteiros para bater caça. **5.** Armadilha, ardil, cilada. **6.** *Bras. N.E.* V. *fantasma* (3). **7.** *Bras. N.E.* Proeza, façanha, artimanha. **8.** *Bras. Cap.* Golpe rodado, em que o capoeirista gira com uma das pernas estendida. **9.** *Bras. S.* Laçada corrediça com que se prende a rês. ◆ **Ser de armada grande.** *Bras. S.* Ser pachola, gabola(s), conversa-fiada; usar armada grande. **Usar armada grande.** *Bras. S.* V. *ser de armada grande*.

armadeira *S. f. Zool.* Aranha-armadeira.

armadilha [Do esp. *armadilla*.] *S. f.* **1.** Laço, engenho ou artifício para apanhar qualquer animal. **2.** *Fig.* Logro astucioso; conto, ardil, embuste, esparrela, estratagema: *Caiu na armadilha daquele vigarista.* **3.** Cilada preparada para surpreender alguém; alçapão, ratoeira: *a armadilha funcionou e foi possível flagrar o assalto.*

armadilhar [De *armadilha* + *-ar*[2].] *V. t. d.* Pôr armadilha para apanhar (animal): "do meu avô no olival a armadilhar os tordos" (Lobo Antunes, *Exortação aos Crocodilos*, p. 128).

armadilidídeo [Do esp. *armadillo*, 'tatu', + *-ídeo*[1]; tax. *Armadillidiidae*.] *Zool. S. m.* **1.** Espécime dos armadilidídeos, família de crustáceos isópodes, terrestres, capazes de curvar o corpo, formando uma bola. São os tatuzinhos. ● *Adj.* **2.** Pertencente ou relativo a eles.

armado [Part. de *armar*.] *Adj.* **1.** Munido ou provido de arma(s): *Anda armado, para garantir-se contra os malfeitores.* **2.** Munido ou dotado de armamento bélico: *forças armadas; embarcação armada.* **3.** Que se trava ou efetua com o emprego de armas: *luta armada.* **4.** Prevenido, acautelado, precatado: *Uma população armada enfrenta qualquer surpresa.* **5.** Diz-se do tecido que tem bom caimento (6). **6.** Diz-se do tecido que, embora flexível, tem textura relativamente rígida, quer pelo preparo da fibra, como, p. ex., o tafetá, o gorgorão, quer por efeito de goma. **7.** *Bot.* Provido de espinho. ~ V. *alvenaria —a, chapéu —, cimento —, concreto —* e *forças —as*. ● *S. m.* **8.** *Bras. Zool.* V. *cuiú-cuiú* (2 e 5).

armado-comum *S. m. Bras. Zool.* V. *cuiú-cuiú* (5). [Pl.: *armados-comuns*.]

armadoira *S. f.* Armadoura (q. v.).

armador[1] (ô) [Do lat. *armatore*.] *S. m.* **1.** Aquele que arma. **2.** Decorador de igrejas, salas, etc. **3.** Aquele que prepara a armadilha (1). **4.** *Bras.* Gancho de ferro em que se prende o punho da rede (18): "Paredes extraordinariamente afastadas, rede infinita, os armadores longe" (Graciliano Ramos, *Infância*, p. 30). **5.** *Bras. Fut.* Meia-armador. [Fem., nas acepç. (1 a 3 e 5): *armadora*[1] (ô).]

armador[2] (ô) [Do it. *armatore*.] *S. m.* **1.** *Mar. Merc.* Pessoa ou firma que, à sua custa, equipa, mantém e explora comercialmente embarcação mercante, podendo ser ou não o seu proprietário. **2.** *Bras. RS Lus.* Proprietário de casa mortuária. [Fem.: *armadora*[2] (ô).]

armadora[1] (ô) *S. f.* Fem. de *armador*[1] (q. v.). [Cf. *armadoura*.]

armadora[2] (ô) *S. f.* Fem. de *armador*[2]. [Cf. *armadoura*.]

armador-gerente *S. m. Dir. Com.* Aquele que gere a exploração comercial de embarcação pertencente a mais de um proprietário; caixa. [Pl.: *armadores-gerentes*.]

armador-locatário *S. m. Dir. Com.* O que explora comercialmente embarcação pertencente a outrem. [Pl.: *armadores-locatários*.]

armador-proprietário *S. m. Dir. Com.* O que explora comercialmente embarcação de sua propriedade. [Pl.: *armadores-proprietários*.]

armadoura [Var. de *armadoira*.] *S. f. Constr. Nav.* Cada uma das vigas ou sarrafos que se pregam exteriormente nas balizas, para aguentar a ossada durante a fase inicial da construção da embarcação; armadoura de construção. [Cf. *armadora* (ô), fem. de *armador*.] ◆ **Armadoura de construção.** *Constr. Nav.* Armadoura.

armadura [Do lat. *armatura*.] *S. f.* **1.** Conjunto de armas defensivas dos antigos guerreiros, especialmente aquelas que constituíam a sua vestidura e proteção direta do corpo (elmo, couraça, cota de malha, etc.): *Do séc. XIV ao séc. XVII as principais peças da armadura eram feitas de placas de ferro.* **2.** Tudo que serve para reforçar ou fortalecer qualquer obra; armação. **3.** Aquilo que o animal usa para sua defesa ou para ataque, como cornos, dentes, garras, patas, etc.; armas. **4.** *Constr.* Trançado de barras e arame de aço no concreto armado. **5.** *Eng. Elétr.* A parte móvel de uma máquina elétrica (motor ou gerador) onde é induzida uma força eletromotriz. **6.** *Eng. Elétr.* Qualquer estrutura em que uma força eletromotriz é induzida por um campo magnético, como nos motores e geradores elétricos, nos alto-falantes magnéticos, etc. **7.** *Eletr.* V. *eletrodo* (2). **8.** *Mús.* Conjunto de sustenidos ou de bemóis colocados junto à clave, numa ordem determinada, para indicar o tom e o modo em que está escrito o trecho musical. ◆ **Armadura bucal.** *Zool.* Conjunto de peças que formam o sistema mastigador de insetos e crustáceos.

armagedon [Do lat. tard. *Armagedon* (< gr. *Armageddón, Harmagedón*), cenário de uma batalha entre o Bem e o Mal que ocorreria no Juízo Final, de acordo com o *Apocalipse* 16: 14-16.] *S. m.* Guerra total, aniquiladora; conflito e destruição de tal maneira vastos que impossibilitariam quaisquer outros. [Ger. com cap.]

armamentismo [De *armamento* + *-ismo*.] *S. m.* Doutrina que preconiza o aumento do material bélico de um país ou dos países. [Cf. *desarmamentismo*.]

armamentista [De *armamentismo* + *-ista*.] *Adj. 2 g.* **1.** Referente ao, ou que é partidário do armamentismo. • *S. 2 g.* **2.** Partidário deste.

armamento [Do lat. vulg. *armamentu*.] *S. m.* **1.** Ato ou efeito de armar. **2.** Apetrechos de guerra. **3.** Depósito, e/ou conjunto de armas; armaria. **4.** *Mar. G.* Conjunto de armas de que dispõe um navio, aeronave, ou tropa.

armando *S. m.* Espécie de mingau que se dá aos cavalos debilitados.

armanhaque [Do fr. *armagnac*.] *S. m.* Espécie de conhaque da região de Armanhaque (S. da França).

armão [Do fr. *armon*.] *S. m.* **1.** O jogo dianteiro de uma viatura. **2.** Carreta de duas rodas que rebocava as peças de artilharia.

armar [Do lat. *armare*.] *V. t. d.* **1.** Munir de armas; fornecer armamento a: *Armou cinco mil soldados para a guerra.* **2.** Vestir ou cobrir com armadura ou arma defensiva: *Armou-o com um escudo.* **3.** Preparar (aparelho, engenho ou maquinismo) para funcionar: "menino do mato, armando arapuca" (Hélio Galvão, *Cartas da Praia*, p. 17). **4.** Erguer o cão de (arma de fogo), para deixá-la pronta a disparar. **5.** Aparelhar, equipar, aprestar (uma embarcação mercante). **6.** Instalar, montar: *armar uma tenda.* **7.** Erguer, edificar: *Os antigos armavam altares e templos.* **8.** Arquitetar, conceber, imaginar: *armar planos.* **9.** Suscitar, aprontar; fazer: *armar um berreiro.* **10.** Dispor ou encaixar peças ou partes de (um objeto) de determinada maneira: *O marceneiro armou a estante em 10 minutos.* **11.** *Esport.* Preparar (equipe esportiva), atribuindo-lhe uma estratégia de ação individual e coletiva, durante partida ou competição. **12.** Dar forma, consistência, corpo, a (tecido, cortina, vestido, etc.), adicionando-lhes certo produto, como, p. ex., goma, ou usando forro de material mais rígido, encorpado: *É preciso armar um pouco mais a saia do vestido.* **13.** *Bras.* Prender no armador os punhos de (rede de dormir). *T. d. e i.* **14.** Munir ou prover de armas; fornecer armamento: *Armou o povo contra os invasores.* **15.** Urdir, tecer, maquinar, tramar. *T. i.* **16.** Fazer preparativos de guerra: *armar contra o invasor.* **17.** Ter em vista; visar: "Esse patife, que intrigava armando sempre a novas graças, no desempenho de missão abjeta, era um dos inimigos de Tomás Antônio Gonzaga" (Alberto Faria, *Acendalhas*, p. 89). *Int.* **18.** Dispor ou encaixar peças ou partes de um objeto de determinada maneira: *estante de armar; brinquedo de armar.* **19.** Dispor armadilha. **20.** Apetrechar ou aparelhar embarcação. **21.** Ter o tecido, a peça de roupa, bom caimento (6): *Esta calça não arma bem. P.* **22.** Preparar-se para a guerra: *Armai-vos, que o inimigo se aproxima!* **23.** Munir-se ou prover-se de arma(s). **24.** Fazer preparativos bélicos. **25.** Vestir-se ou cobrir-se com armadura ou arma defensiva. **26.** Precaver-se, precatar-se, acautelar-se: *armar-se contra o mau tempo.* **27.** Preparar-se, formar-se: *Armou-se grande tempestade;* "De repente, armava-se uma grande briga; ouviam-se grunhidos agudos, mugidos roucos, orneios feros." (Júlio Ribeiro, *A Carne*, p. 40).

armaria [De *arma* + *-aria*.] *S. f.* **1.** Depósito ou arrecadação (2) de armas; arsenal. **2.** Conjunto de armas; armamento. **3.** A arte heráldica.

armarinheiro [De *armarinho* + *-eiro*.] *S. m. Bras.* Dono ou proprietário de armarinho.

armarinho [De *armário* + *-inho*[1].] *S. m. Bras.* Loja onde se vendem tecidos, material de costura e atavios femininos: "Com algum esforço entrou de caixeiro para um armarinho." (Machado de Assis, *Relíquias de Casa Velha*, p. 5.) [Sin.: *loja de miudezas* (bras.) e *loja de capela* (lus.).]

armário [Do lat. *armariu*.] *S. m.* Móvel de madeira, metal, etc., ou vão aberto na parede, com prateleiras e/ou gavetas e, em geral, com portas, para guardar roupas, louças, papéis, remédios, ou quaisquer outros objetos. ◆ **Armário embutido.** Aquele que se situa num vão formado por duas ou três paredes. **Sair do armário.** *Gír.* Assumir, publicamente, a condição de homossexual. [Calque (2) do ingl. *to come out of the closet*.]

armas [Pl. de *arma*.] *S. f. pl.* **1.** A profissão militar. **2.** Força militar. **3.** Feito militar. **4.** Distintivo de nobreza. **5.** Insígnias de brasão. **6.** Armadura (3). **7.** O conjunto de armas ou chifres de animais cornígeros; armação, cornos, tocos: "Era um verdadeiro boi de circo. Armas compridas e reviradas nas pontas, pernas delgadas e nervosas, indício de grande ligeireza" (Rebelo da Silva, *Contos e Lendas*, p. 177). **8.** *Maç.* Nos banquetes maçônicos, os copos e as taças. ~ V. *arma*.

armazelo (ê) [De or. *incerta*.] *S. m. Ant.* Espécie de rede ou armadilha de pescar.

armazém [Do ár. *al-maḫzan*.] *S. m.* **1.** Depósito de mercadorias, de munições, etc. **2.** V. *mercearia* (1). **3.** Grande estabelecimento comercial, geralmente atacadista, e de secos e molhados. **4.** *Tip. P. us.* V. *magazine* (4).

armazém-geral *S. m.* **1.** Estabelecimento que recebe em depósito mercadorias com garantia das quais pode emitir conhecimentos negociáveis. **2.** *Bras. N.E.* Trapiche (1). [Pl.: *armazéns-gerais*.]

armazenado [Part. de *armazenar*.] *Adj.* Retido ou guardado em armazém.

armazenador (ô) [De *armazenar* + *-dor*.] *Adj. S. m.* Que, ou aquele que armazena.

armazenagem [De *armazenar* + *-agem*[2].] *S. f.* **1.** Ato ou efeito de armazenar. **2.** Quantia que se paga pelo depósito e permanência de mercadorias em alfândegas, cais de estrada de ferro, trapiches, etc. **3.** Armazenamento.

armazenamento [De *armazenar* + *-mento*.] *S. m.* **1.** Ato de armazenar; armazenagem. **2.** Ato de armazenar informações; armazenagem.

armazenar [De *armazém* + *-ar*[2].] *V. t. d.* **1.** Guardar ou recolher em armazém: *Com a geada, foi necessário armazenar depressa o trigo.* **2.** Conter em depósito: *celeiros que armazenam o trigo.* **3.** Acumular, cumular, juntar: *armazenar sabedoria.* **4.** *Inform.* Introduzir (dados) em memória (15), em dispositivo físico, ou em sistema digital, com o objetivo de posterior recuperação. *Int.* **5.** Fazer provisões: *insetos que armazenam para o inverno.* [Fut. pret.: *armazenaria*, etc. Cf. *armazenária*, fem. de *armazenário*.]

armazenária *S. f.* Fem. de *armazenário*. [Cf. *armazenaria*, do v. *armazenar*.]

armazenário [De *armazém* + *-ário*.] *S. m. Bras. PE* **1.** Negociante de açúcar ou de algodão. **2.** Aquele que tem armazém dessas mercadorias. [Fem.: *armazenária*. Cf. *armazenaria*, do v. *armazenar*.]

armazeneiro [De *armazém* + *-eiro*.] *S. m. Bras. S.* **1.** Aquele que armazena. **2.** Proprietário de armazém.

armazenense *Adj. 2 g.* **1.** De, ou pertencente ou relativo a Armazém (SC). • *S. 2 g.* **2.** O natural ou habitante de Armazém.

armazenista [De *armazém* + *-ista*.] *S. 2 g. Bras.* Fiel ou encarregado de armazém.

armeiro [De *arma* + *-eiro*.] *S. m.* **1.** Fabricante ou vendedor de armas; alfageme, espadeiro. **2.** Aquele que conserta armas [v. *arma* (1)].

armela [Do lat. *armilla*, 'bracelete'.] *S. f.* **1.** Anel ou peça metálica por onde se enfia o ferrolho para trancar porta ou janela. **2.** Argola pela qual se puxam as portas e por onde se passa a alça do cadeado. **3.** Parafuso com cabeça em forma de argola. **4.** V. *armila* (1).

armelina *S. f.* Pele branca de armelino.

armelino [Do it. *armellino*.] *S. m.* **1.** *Zool.* Arminho (1). • *Adj.* **2.** Relativo a armelino.

arménico *Adj. S. m.* V. *armênico*. [Uso freq. em P.]

armênico *Adj. S. m. P. us.* Armênio.

arménio *Adj. S. m.* V. *armênio*. [Uso freq. em P.]

armênio [Do lat. *armeniu*.] *Adj.* **1.** Da, ou pertencente ou relativo à Armênia (Ásia), ou aos seus habitantes, cultura, etc. • *S. m.* **2.** O natural ou habitante da Armênia. **3.** *Gloss.* Língua indo-europeia falada na Armênia e na Turquia. [As mais antigas atestações do armênio datam do século V; sua origem indo-europeia está atualmente obscurecida, em virtude de grande número de empréstimos (v. *empréstimo* [5]).] **4.** Vocábulo dessa língua. [Sin. ger., p. us.: *armênico*.]

armenita [Do top. *Armen* (Noruega) + *-ita*[3].] *S. f. Min.* Mineral monoclínico, silicato hidratado de bário, cálcio e alumínio.

armental [Do lat. *armentale*.] *Adj. 2 g.* Relativo a armento.

armentio [Do lat. *armentivu*.] *S. m.* Armento: "O armentio real, que ao longe a relva / No monte anda a pascer, dirige à praia." (Antônio Feliciano de Castilho, *As Metamorfoses*, p. 110.)

armento [Do lat. *armentu*.] *S. m.* Rebanho, principalmente de gado vacum; armentio: "E no aprisco fechado o pobre armento / Pelo triste Pastor em vão balava." (Domingos dos Reis Quita, *Obras*, I, p. 144.)

armentoso (ô) [Do lat. *armentosu*.] *Adj.* Possuidor de muitos armentos ou rebanhos.

arméu [De or. obsc.] *S. m. Lus.* Manojo de lã, de estopa ou de linho, que se põe de uma vez na roca; armo.

armezim [Alter. do it. *ormezino* ou do esp. *ormesí*.] *S. m.* Espécie de tafetá leve e fosco, manufaturado na Itália no séc. XVI, e que depois passou à França.

▲ **armi-** [Do lat. *armi-* < lat. tard. *arma, ae*.] *El. comp.* = 'arma': *armífero* (< lat.), *armígero* (< lat.).

armidouto [De *armi-* + *douto*.] *Adj. S. m.* Que, ou aquele que é douto em armas.

armífero [Do lat. *armiferu*.] *Adj.* **1.** Que traz armas; armígero. • *S. m.* **2.** Aquele que traz armas; soldado. **3.** Pajem que levava as armas do cavaleiro.

armígero [Do lat. *armigeru*.] *Adj.* Armífero (1).

armila [Do lat. *armilla*.] *S. f.* **1.** *Ant.* Bracelete com que se ornavam os braços; armela, manilha. **2.** *Arquit.* Conjunto de anéis ou pequenas molduras que cercam a base de alguns tipos de colunas e o capitel da coluna dórica. **3.** *Astr.* Um dos círculos, máximos ou paralelos, de uma esfera que reproduz em modelo a esfera celeste com os seus meridianos e paralelos. **4.** *Bot.* Espécie de anel que circunda a porção superior da haste do esporóforo nos cogumelos das agaricáceas. **5.** *Med.* Engrossamento de punho. ◆ **Armila equinocial.** *Astr.* Instrumento astronômico formado essencialmente por um anel sem graduações, paralelo ao equador, e destinado a determinar o equinócio.

armilado [De *armila* + *-ado*[2].] *Adj.* Provido de armila.

armilar [De *armila* + *-ar*[1].] *Adj. 2 g.* **1.** Que tem armilas. **2.** *Astr.* Formado de armilas. ~ V. *esfera —*.

armilheiro [De *arma* + *-ilh(o)-* + *-eiro*.] *S. m.* Espécie de formão pequeno.

armim [De *armino*, com apócope.] *S. m.* Malha de pelos perto do casco das cavalgaduras, de cor diversa da do resto do corpo; armino.

arminado [De *armim* + *-ado*[1].] *Adj.* Que tem armim.

arminhado [De *arminho* + *-ado*[1].] *Adj.* **1.** Que tem guarnição de arminho. **2.** Branco, mas pontoado de negro.

arminho [Do lat. *armeniu, i. e., armenius mus*, 'rato armênio', com metafonia.] *S. m.* **1.** *Zool.* Mamífero mustelídeo das regiões polares, cuja pele é macia e alvíssima no inverno; armelino. **2.** *P. ext.* A pele ou o pelo do arminho. **3.** *Fig.* Alvura, brancura. ~ V. *arminhos*.

arminhos [Pl. de *arminho*.] *S. m. pl.* Títulos de nobreza. ~ V. *arminho*.

armino [De *arminho*.] *S. m.* Armim.

armipotente [Do lat. *armipotente*.] *Adj. 2 g.* **1.** Muito poderoso em armas. **2.** Guerreiro (2). • *S. 2 g.* **3.** Pessoa armipotente: "o general previa / Que Roma, a invicta, a forte, a armipotente, havia / De ter o mesmo fim da orgulhosa Cartago..." (Olavo Bilac, *Poesias*, p. 36).

armíssono [Do lat. *armisonu*.] *Adj. Poét.* Que soa como as armas brancas quando se entrechocam.

armista [De *arma* + *-ista*.] *S. 2 g.* Pessoa versada em armaria (3).

armistício [Do lat. mod. *armistitium* < lat. *armae*, 'armas', + lat. *stare*, 'suspender', 'parar', pelo modelo, p. ex., de *justitium* (*jus* + *stare*), 'suspensão das funções dum tribunal'.] *S. m.* **1.** Suspensão das hostilidades entre beligerantes como resultado de uma convenção, sem contudo pôr fim à guerra; trégua: "aqueles ânimos, quebrados já pela miséria, pela fome e pela doença originada de tantos cadáveres insepultos, ... depuseram as armas, erguendo as mãos e pedindo um armistício até a manhã seguinte, para se tratar da capitulação." (Alexandre Herculano, *História de Portugal*, I, p. 393). **2.** Suspensão de guerra.

armo *S. m.* Arméu.

armolão [De *armole* + *-ão*[1].] *S. m. Bot.* V. *erva-armoles*.

armoles [De or. controv.] *S. f. 2 n. Bot.* V. *erva-armoles*.

armoriado [Part. de *armoriar*.] *Adj. Heráld.* Diz-se de escudo que tem armas ou brasão pintados, esculpidos ou aplicados. ~ V. *encadernação —a*.

armorial [Do fr. *armorial*.] *Adj. 2 g.* **1.** Relativo à armaria (3) dos brasões: *Ariano Suassuna qualifica seu romance* Pedra do Reino *como romance armorial popular brasileiro.* • *S. m.* **2.** Livro onde vêm registrados os brasões.

armoriar [Do fr. *armorier*.] *V. t. d.* **1.** *Heráld.* Ornar gravando ou aplicando armas ou brasões em. **2.** Empregar os símbolos da nobreza em.

armoricano *Adj. S. m.* V. *armórico*.

armórico [Do lat. *armoricu*.] *Adj.* **1.** Da, ou pertencente ou relativo à Armórica, parte da Gália que forma a atual Bretanha (O. da França). • *S. m.* **2.** O natural ou habitante da Armórica. [Sin. ger.: *armoricano*.]

■ **ARN** *Citol. Genét.* Símb. de *ácido ribonucleico*. [A forma *RNA* (ingl.) é mais usada.]

arnabuto *Bras. S. 2 g.* **1.** *Etnôn.* Indivíduo dos arnabutos, povo indígena que habita regiões do PA. • *Adj. 2 g.* **2.** Pertencente ou relativo a esse povo. [Tb. us. como *s. 2 g. e 2 n.* (com cap.) e *adj. 2 g. e 2 n.*]

arnado [Do lat. *arenatu*, com síncope.] *S. m.* Terreno estéril e arenoso; arnedo, arneiro.

arnedo (ê) *S. m.* V. *arnado*.

arneiro [Do lat. *arenariu*, com síncope e metátese.] *S. m.* V. *arnado*.

arneiroso (ô) [De *arneiro* + *-oso*.] *Adj. Bras.* Diz-se de terreno alagado.

arneirozense *Adj. 2 g.* **1.** De, ou pertencente ou relativo a Arneiroz (CE). • *S. 2 g.* **2.** O natural ou habitante de Arneiroz.

arnela [Do lat. **arenella*, por *arenula*, 'grão de areia'.] ***S. f.*** Raiz de dente que fica na gengiva.

arnês [Do fr. ant. *herneis*, atual *harnais*.] ***S. m.*** **1.** Antiga armadura completa de um guerreiro. **2.** Arreios de cavalo. **3.** *Fig.* Proteção, abrigo, arrimo, amparo. [Pl.: *arneses* (ê). Cf. *arneses*, do v. *arnesar*.]

arnesar [De *arnês* + *-ar*[2].] ***V. t. d. P.*** Vestir(-se) com arnês. [Pres. subj.: *arnese, arneses*, etc. Cf. *arneses* (ê), pl. de *arnês*.]

arnica [Do tax. *Arnica*, do lat. bot. *arnica* (< lat. med. armica < lat. *ptarmica* < gr. *ptarmiké*, 'planta cujo cheiro provoca espirro').] ***S. f.*** **1.** *Bot.* Grande gênero de ervas asteráceas, naturais do hemisfério norte, de folhas opostas, flores dispostas em capítulos que ou são discoides, ou radiados. **2.** *Bot.* Qualquer espécie desse gênero, como a *Arnica montana*, alpestre porém cultivada no Brasil, que contém arnicina e que foi muito us. na medicina. **3.** *Bot.* Qualquer espécime desse gênero. **4.** A tintura extraída da arnica.

arnica-do-campo ***S. f.*** *Bot.* Subarbusto asteráceo (*Chionolaena latifolia*) de folhas revolutas, us. medicinalmente como substitutas da arnica (*Arnica montana*). [Pl.: *arnicas-do-campo*.]

arnica-silvestre ***S. f.*** *Bot.* V. *lanceta*[2] (2). [Pl.: *arnicas-silvestres*.]

arnicina [Do tax. *Arnica* (v. *arnica*) + *-ina*[3].] ***S. f.*** Resina que se extrai da arnica, e que é um veneno energético e abortivo.

■ **ARN-m** Sigla de *ácido ribonucleico mensageiro*. [Tb. us., em publicações científicas, a sigla (ingl.) *m-RNA*.]

■ **ARN-r** Sigla de *ácido ribonucleico ribossômico*. [Tb. us., em publicações científicas, a sigla (ingl.) *r-RNA*.]

aro[1] [Do lat. *arvu*, 'campo', 'terra lavrada', pelo lat. **aruu*, com alter. semântica no port. ant. para 'território que circunda uma cidade'.] ***S. m.*** **1.** Pequeno círculo; anel. **2.** *P. ext.* Qualquer objeto ou parte de objeto em forma de aro: *o aro da peneira; o aro das lentes dos óculos.* **3.** Armação (2) de óculos. **4.** Marco das janelas. **5.** Arredores de um lugar importante.

aro[2] [Do lat. *aru*; tax. *Arum*.] ***S. m.*** *Bot.* **1.** O gênero-tipo das aráceas, que abrange plantas herbáceas originárias da Europa e da Ásia; têm folhas cordiformes e grandes espatas com bordas involutas na base. **2.** Qualquer espécie desse gênero, como, p. ex., o *Arum maculatum*, de espatas lanceoladas e eretas e pequeno espádice purpúreo. **3.** Qualquer espécime desse gênero. **4.** V. *taioba*.

aroaqui ***S. 2 g. Adj. 2 g.*** *Bras.* V. *arauaqui*.

aroazense ***Adj. 2 g.*** **1.** De, ou pertencente ou relativo a Aroazes (PI). • ***S. 2 g.*** **2.** O natural ou habitante de Aroazes.

arô boboi [Do ior.] ***Interj. S. m.*** *Bras. Rel.* Nos terreiros nagôs, saudação dirigida a Oxumarê, quando este baixa [v. *baixar* (10)]. [Var.: *aô boboi, arô moboi, arrô bobô*.]

arocá [Do ior., poss.] ***S. m.*** *Bras. Rel.* Nos cultos afro-brasileiros, território marinho em que Iemanjá é princesa ou rainha. [Var.: *aiocá, aiucá, arucá*. Ger. com cap.]

aroeira [Do ár. *darū*, 'lentisco', + *-eira*, com aférese do *d* (que se teria confundido com o da prep. *da*, poss.).] ***S. f.*** *Bot.* **1.** Árvore anacardiácea (*Schinus molle*) nativa dos Andes peruanos e que ocorre em todo o Brasil, de folhas compostas, penadas, inflorescências paniculadas terminais, brancas ou amarelo-esverdeadas, e frutos drupáceos globosos, vermelhos; é explorada e cultivada pela madeira, compacta e pouco elástica, impregnada de terebintina, existente em seu córtex. [Var.: *aroeiro*. Sin.: *abaraíba, aguaraíba, aguaraíbá-guaçu, aguaraúba, araíba, aroeira-do-amazonas, aroeira-folha-de-salso, aroeira-salsa, corneíba, pimenteira-da-américa, pimenteira-do-peru*.] **2.** V. *urundeúva*. **3.** V. *muiraquatiara*. **4.** Nome comum a diversas outras árvores anacardiáceas.

aroeira-branca [De *aroeira* + o f. de *branco*.] ***S. f.*** *Bras. Bot.* Arbusto ou arvoreta anacardiácea (*Lithraea molleoides*) de flores pequenas e madeira útil, cujas folhas, aromáticas, são medicinais, e cujos frutos encerram óleo essencial; aroeira-brava, aroeira-de-capoeira, aroeirinha. [Pl.: *aroeiras-brancas*.]

aroeira-brava ***S. f.*** *Bras. Bot.* **1.** V. *aroeira-branca*. **2.** V. *aroeira-de-bugre*. [Pl.: *aroeiras-bravas*.]

aroeira-da-praia ***S. f.*** *Bot.* Arbusto anacardiáceo (*Pistacia lentiscus*) cultivado, originário da Europa, com folhas paripenadas e pecíolos alados, flores amarelas ou avermelhadas, e frutos drupáceos, globosos, vermelhos. Fornece uma resina amarelada, a almécega; as folhas, taníferas, são usadas para falsificar o sumagre; dos frutos se extrai óleo de emprego medicinal, útil ainda na indústria de sabões, na iluminação, etc.: o lenho fornece ótimo carvão. [Sin. (lus.): *lentisco*. Pl.: *aroeiras-da-praia*.]

aroeira-de-bugre ***S. f.*** *Bras. Bot.* Arbusto anacardiáceo (*Lithraea brasiliensis*) de casca lenticilar, folhas em geral simples, às vezes compostas, flores branco-esverdeadas, em panículas, e fruto drupáceo, globoso, branco ou verde-azeitona claro. Fornece madeira para esteios, moirões, lenha e carvão. [Sin.: *aroeira-brava, aroeira-do-mato, aroeirinha-preta, coração-de-bugre, pau-de-bugre*. Pl.: *aroeiras-de-bugre*.]

aroeira-de-capoeira ***S. f.*** *Bras. Bot.* **1.** Variedade de aroeira-vermelha (*Schinus terebenthifolius*, var. *raddiana*), de pecíolo estreitamente alado entre os folíolos. **2.** V. *aroeira-branca*. [Pl.: *aroeiras-de-capoeira*.]

aroeira-de-goiás ***S. f.*** *Bras. Bot.* V. *aroeira-do-rio-grande*. [Pl.: *aroeiras-de-goiás*.]

aroeira-do-amazonas [De *aroeira* + *do*[1] + o top. *Amazonas*.] ***S. f.*** *Bras. Bot.* V. *aroeira* (1). [Pl.: *aroeiras-do-amazonas*.]

aroeira-do-campo ***S. f.*** *Bras. Bot.* **1.** Pequeno arbusto anacardiáceo (*Schinus weinmanniaefolius*) de folhas imparipenadas, flores brancacentas em panículas axilares, e bagas vermelhas globosas, perigosas para o gado, e que provocam dermatites. Ocorre de SP ao RS. [Sin. (nesta acepç.): *aroeira-rasteira, aroeirinha-do-campo*.] **2.** V. *aroeira-do-rio-grande*. **3.** V. *gonçalo-alves*. [Pl.: *aroeiras-do-campo*.]

aroeira-do-mato ***S. f.*** *Bras. Bot.* V. *aroeira-de-bugre*. [Pl.: *aroeiras-do-mato*.]

aroeira-do-rio-grande [De *aroeira* + *do*[1] + o top. *Rio Grande* (*do Sul*).] ***S. f.*** *Bras. Bot.* Pequeno arbusto anacardiáceo (*Schinus lentiscifolius*) de folhas compostas e flores brancacentas em panículas, o qual ocorre no RS e em GO; aroeira-de-goiás, aroeira-do-campo, aroeirinha. [Pl.: *aroeiras-do-rio-grande*.]

aroeira-do-sertão ***S. f.*** *Bras. Bot.* V. *urundeúva*. [Pl.: *aroeiras-do-sertão*.]

aroeira-folha-de-salso ***S. f.*** *Bras. Bot.* V. *aroeira* (1). [Pl.: *aroeiras-folhas-de-salso* e *aroeiras-folha-de-salso*.]

aroeira-mansa ***S. f.*** *Bras. Bot.* Aroeira-vermelha (1). [Pl.: *aroeiras-mansas*.]

aroeira-mucuri ***S. f.*** *Bras. Bot.* V. *mucuri*. [Pl.: *aroeiras-mucuris* e *aroeiras-mucuri*.]

aroeira-preta ***S. f.*** *Bras. Bot.* V. *urundeúva*. [Pl.: *aroeiras-pretas*.]

aroeira-rasteira ***S. f.*** *Bras. Bot.* V. *aroeira-do-campo* (1). [Pl.: *aroeiras-rasteiras*.]

aroeira-salsa ***S. f.*** *Bras. Bot.* V. *aroeira* (1). [Pl.: *aroeiras-salsas* e *aroeiras-salsa*.]

aroeira-vermelha [De *aroeira* + o f. de *vermelho*[1].] ***S. f.*** *Bras. Bot.* **1.** Arbusto anacardiáceo (*Schinus terebenthifolius*), ornamental, de fruto drupáceo, diurético, casca febrífuga e depurativa, da qual se obtém um azeite que tem usos medicinais; aroeira-mansa. **2.** V. *gonçalo-alves* (1). [Pl.: *aroeiras-vermelhas*.]

aroeirense ***Adj. 2 g.*** **1.** De, ou pertencente ou relativo a Aroeiras (PB). • ***S. 2 g.*** **2.** O natural ou habitante de Aroeiras.

aroeirinha [De *aroeira* + *-inha*.] ***S. f.*** *Bras. Bot.* **1.** V. *aroeira-branca*. **2.** V. *aroeira-do-rio-grande*.

aroeirinha-do-campo ***S. f.*** *Bras. Bot.* V. *aroeira-do-campo* (1). [Pl.: *aroeirinhas-do-campo*.]

aroeirinha-preta ***S. f.*** *Bras. Bot.* V. *aroeira-de-bugre*. [Pl.: *aroeirinhas-pretas*.]

aroeiro ***S. m.*** *Bras. Bot.* V. *aroeira* (1).

arólio [Do lat. cient. *arolium*.] ***S. m.*** *Zool.* Lóbulo situado entre as unhas dos insetos e de certos aracnídeos.

aroma [Do gr. *ároma*, pelo lat. *aroma*.] ***S. m.*** **1.** Odor agradável de certas substâncias animais, vegetais, químicas, etc.; perfume, fragrância. **2.** *P. ext.* Cheiro bom e mais ou menos penetrante: *Toda a casa recendia com o aroma da carne assada.* **3.** Essência odorífera. [Sin. ger., p. us.: *arômata*.]

aromal [De *aroma* + *-al*[1].] ***Adj. 2 g.*** **1.** Relativo a aroma(s). **2.** V. *aromático* (1).

aromar [De *aroma* + *-ar*[2].] ***V. t. d. Int. P.*** Aromatizar: "escovando-se, enxugando-se, aromando-se, Palha imaginava o pasmo e a inveja da única testemunha do desastre" (Machado de Assis, *Quincas Borba*, p. 270).

arómata ***S. m.*** *Lus. P. us.* Aroma.

arômata ***S. m.*** *P. us.* Aroma.

aromaterapia [De *aroma* + *-terapia*.] ***S. f.*** O uso de extratos de plantas aromáticas, e de óleos essenciais, em massagens e outros tipos de tratamento.

aromaticidade [De *aromático* + *-(i)dade*.] ***S. f.*** **1.** Qualidade de aromático. **2.** *Quím.* Propriedade de certas substâncias, como, p. ex., o benzeno, que são muito mais estáveis que seus análogos acíclicos.

aromático [Do gr. *aromatikós*, pelo lat. *aromaticu*.] ***Adj.*** **1.** De perfume agradável; odorífero; aromal. **2.** *Quím.* Diz-se de uma substância cuja molécula contém um anel de benzeno, naftaleno, antraceno, etc. **3.** *Quím.* Que tem aromaticidade.

aromatização [De *aromatizar* + *-ção*.] ***S. f.*** Ato de aromatizar(-se)

aromatizado [Part. de *aromatizar*.] ***Adj.*** Que se tornou aromático; que se aromatizou.

aromatizador (ô) [De *aromatizar* + *-dor*.] ***Adj. S. m.*** Que, ou aquilo que aromatiza ou serve para aromatizar; aromatizante.

aromatizante [De *aromatizar* + *-nte*.] ***Adj. 2 g. S. m.*** Aromatizador.

aromatizar [Do lat. tard. *aromatizare* < gr. *aromatízein*.] ***V. t. d.*** **1.** Tornar aromático; impregnar de aroma; perfumar, aromar: "Ah, como as limas-da-pérsia / Aromatizam este ar!" (Paulo Setúbal, *Alma Cabocla*, p. 50.) ***Int. P.*** **2.** Tornar-se aromático; impregnar-se de aroma; perfumar-se.

arô moboi ***Interj. S. m.*** *Bras. Rel.* V. *arô boboi*.

arouargue *Bras.* ***S. 2 g.*** **1.** *Etnôn.* Indivíduo dos arouargues, povo indígena extinto que habitava o N. do AP. • ***Adj. 2 g.*** **2.** Pertencente ou relativo a esse povo. [Tb. us. como *s. 2 g. e 2 n.* (com cap.) e *adj. 2 g. e 2 n.*]

arpado [Alter. de *farpado*, poss.] ***Adj.*** Que termina em dentes miúdos como os da serra.

arpão [Do fr. *harpon*.] ***S. m.*** **1.** O conjunto formado por um ferro em feitio de seta fixado a um cabo, e que se destina a usos diversos, como a caça submarina, a pesca de peixes de grande porte, ou de cetáceos, etc. [Cf. *fisga* (1).] **2.** Certa arma indiana de arremesso. **3.** *Bras. Cap. Desus.* Movimento em que o capoeirista persegue o adversário de costas para ele, com o corpo rente ao chão, apoiando-se nas pernas estendidas e nos braços flexionados, e olhando por cima do ombro. Se o adversário não foge, geralmente com aú (q. v.), é derrubado por uma tesoura (q. v.). **4.** *Bras. Gír.* Seringa para aplicação de entorpecente ou droga. ◆ **Arpão de cabeça.** V. *cabeçada* (5).

arpar [Do fr. *harper*, de or. germânica.] ***V. t. d.*** V. *arpoar*. [Pres. ind.: *arpo, arpas, arpa*, etc. Cf. *harpa* e *harpar*.]

arpear [De *arpéu* + *-ear*[2].] ***V. t. d.*** V. *arpoar*. [Conjug.: v. *frear*. Cf. *harpear*.]

arpejar [Do it. *arpeggiare*.] ***V. int.*** **1.** Produzir arpejos. **2.** *Bras.* Soltar a voz (o uru[1]). [Conjug.: v. *pelejar*. Cf. *harpejar*.]

arpejo (ê) [Do it. *arpeggio*.] ***S. m.*** *Mús.* Execução rápida e sucessiva das notas de um acorde. [Cf. *harpejo*, do v. *harpejar*.]

arpéu [Do fr. *harpeau*, pronunciado à antiga.] ***S. m.*** **1.** Gancho de ferro utilizado na abordagem. **2.** Pequeno arpão (1). ~ V. *arpéus*.

arpéus [Pl. de *arpéu*.] ***S. m. pl.*** *Lus. Pop.* Mãos, garras, gadanhos, unhas. ~ V. *arpéu*.

arpista ***Adj. 2 g.*** *Bras.* **1.** Arisco, prevenido, desconfiado. **2.** Assustadiço, espantadiço. [Cf. *harpista*.]

arpoação [De *arpoar* + *-ção*.] ***S. f.*** Ato ou efeito de arpoar; arpoadela.

arpoadela [De *arpoar* + *-dela*.] ***S. f.*** Arpoação.

arpoador (ô) [De *arpoar* + *-dor*.] ***S. m.*** Aquele que arpoa.

arpoar [De *arpão* + *-ar*[2], com desnasalação.] ***V. t. d.*** **1.** Cravar o arpão ou o arpéu em. **2.** Ferrar com arpão ou arpéu. **3.** Lançar o arpão ou o arpéu contra. **4.** *Fig.* Seduzir; agarrar, apanhar: *Crê que o Demônio usa todos os meios para arpoar as suas vítimas.* [Sin.: *arpear* e (menos recomendável) *arpar*.] ***P.*** **5.** *Bras. CE* Manifestar, com altivez, ressentimento de alguém. [Conjug.: v. *coroar*. Cf. *arpuar*.]

arpoeira [De *arpão* + *-eira*, com desnasalação.] ***S. f.*** Corda que se prende no arpéu (2).

arpuar ***V. t. d. Int.*** *Bras. BA MG* Na região do médio São Francisco, trepar, subir. [Cf. *arpoar*.]

▲ **arqu(e)-** [Do gr. *archē-* < gr. *archḗ, é ê*.] ***El. comp.*** = 'princípio', 'origem'; 'comando'; 'autoridade': *arqueano, arquegônio* [Equiv.: *-arqu(e)-*: *nobiliarquia*.]

▲ **-arqu(e)-** Equiv. de *arqu(e)-*.

arqué [Do gr. *arché*, 'princípio', 'origem'.] ***S. f.*** *Hist. Filos.* Segundo Aristóteles (v. *aristotelismo*), princípio ou fonte ou causa. [Sin. (gr.): *archḗ*.]

arqueação [De *arquear* + *-ção*.] ***S. f.*** **1.** Ato ou efeito de arquear; arqueio. **2.** Curvatura de um arco. **3.** Medição da capacidade de vasilhas arqueadas. **4.** *Mar. Merc.* Medida da capacidade dos espaços internos de uma embarcação mercante, para efeito de pagamento de certos impostos, e que é expressa em toneladas de arqueação, sendo 1 tonelada de arqueação = 100 pés cúbicos = $2{,}832m^3$: "…. Sua Majestade, o Rei de Portugal, mandara limitar a lotação dos navios negreiros, de acordo com a arqueação deles!" (Herberto Sales, *Os Pareceres do Tempo*, p. 54).

arqueado[1] [De *arco* + *-eado*.] ***Adj.*** **1.** Que tem forma de arco; curvo, arcado, recurvo: *pernas arqueadas*; "Cílios longos. Sobrancelhas ligeiramente arqueadas." (Solange Berard Lajes, *Passagem*, p. 41). **2.** Provido de arco.

arqueado[2] [Part. de *arquear*.] ***Adj.*** Que se arqueou; curvado, dobrado: *Está velho, de costas muito arqueadas.*

arqueador (ô) [De *arquear* + *-dor*.] ***S. m.*** Aquele que arqueia.

arqueadura [De *arquear* + *-dura*.] ***S. f.*** Curvatura em arco; arqueamento, arcadura.

arqueamento [De *arquear* + *-mento*.] ***S. m.*** **1.** V. *arqueadura*. **2.** *Geol.* Movimento epirogênico de que resulta o levantamento em arco de um trecho inteiro da crosta terrestre; bombeamento.

arqueano [De *arqu(e)-* + *-ano*[1].] *Adj. S. m.* Diz-se da, ou fase mais antiga do período pré-cambriano [v. *período* (10)].

arquear [De *arco* + *-ear*[2].] *V. t. d.* **1.** Curvar em forma de arco: *Arqueou o corpo a fim de livrar-se do golpe;* "Arqueou as sobrancelhas, surpreendido" (Lígia Fagundes Teles, *A Disciplina do Amor*, p. 121). **2.** *Mar. Merc.* Medir a capacidade dos espaços internos de (uma embarcação). *P.* **3.** Curvar-se em forma de arco; dobrar-se: *Arqueou-se, num incrível passe de acrobacia;* "No alto, o céu límpido e azulado arqueava-se numa translucidez magnífica." (Virgílio Várzea, *Mares e Campos*, pp. 33-34). [Conjug.: v. *frear*.]

arqueável [De *arquear* + *-vel*.] *Adj. 2 g.* Que se pode arquear; flexível (q. v.).

arquedesmo [Do tax. *Archedesmus*.] *S. m. Paleont.* **1.** Gênero extinto de diplópodes que habitaram as primeiras praias do devoniano. **2.** Espécie ou espécime desse gênero.

arquegoniada [De *arquegônio* + *-ada*[2].] *S. f. Bot.* Planta criptogâmica em que os gametas femininos se originam no interior de um arquegônio; arquegoniófito. [São arquegoniadas os musgos e os pteridófitos.]

arquegonial [De *arquegônio* + *-al*[1].] *Adj. 2 g. Bot.* Do, ou relativo ao arquegônio; arquegônico.

arquegónico *Adj.* V. *arquegônico*. [Uso freq. em P.]

arquegônico [De *arquegônio* + *-ico*[2].] *Adj. Bot.* Arquegonial.

arquegónio *S. m. Bot.* V. *arquegônio*. [Uso freq. em P.]

arquegônio [Do lat. cient. *archegonium* < gr. *archégonos*, 'que dá origem'.] *S. m. Bot.* Pequeno órgão, geralmente em forma de garrafa, que dá origem à oosfera ou gameta feminino, nos criptógamos e nas gimnospermas. Consta de uma parte basal dilatada, o ventre, onde se acha a célula sexual feminina, e uma parte afilada que é um pequeno canal, o colo.

arquegoniofítico [De *arquegoniófito* + *-ico*[2].] *Adj. Bot.* Concernente aos arquegoniófitos.

arquegoniófito [De *arquegônio* + *-fito*.] *S. m. Bot.* Arquegoniada.

arquegonióforo [De *arquegônio* + *-foro*.] *S. m. Bot.* Haste que sustenta certos arquegônios.

arquegossauro [Do tax. *Archegosaurus* < gr. *archegós*, 'que origina', + gr. *saûros* (v. *-sauro*).] *S. m. Paleont.* **1.** Gênero de anfíbios estegocéfalos, do qual foram encontrados espécimes nos sedimentos permianos da Europa. São fósseis que mostram a transição dos peixes para os anfíbios. **2.** Espécie ou espécime desse gênero.

arqueio [Dev. de *arquear*.] *S. m.* Arqueação (1).

arqueiro[1] [De *arco* + *-eiro*.] *S. m.* **1.** Fabricante e/ou vendedor de arcos. **2.** Soldado armado com arco, ou aquele que atira com arco. [Var. (ant.) nesta acepç.: *argueiro*. Cf. *archeiro*.] **3.** *Bras. Fut.* V. *goleiro*.

arqueiro[2] [De *arca* + *-eiro*.] *S. m.* Fabricante e/ou vendedor de arcas.

arquejamento [De *arquejar*[1] + *-mento*.] *S. m.* V. *arquejo* (2).

arquejante [De *arquejar*[1] + *-nte*.] *Adj. 2 g.* Que arqueja; ofegante, anelante.

arquejar[1] [De *arca* (4) + *-ejar*.] *V. int.* **1.** Respirar com dificuldade; arfar, ofegar, ansiar: *O moribundo arquejava no leito. T. d.* **2.** Dar, soltar, arquejando: *arquejar soluços.* [Conjug.: v. *pelejar*.]

arquejar[2] [De *arco* + *-ejar*.] *V. t. d. P.* Arquear. [Conjug.: v. *pelejar*.]

arquejo (ê) [Dev. de *arquejar*[1].] *S. m.* **1.** Ato de arquejar[1]. **2.** Respiração difícil; ânsia, arfada, arquejamento. ~ V. *arquejos*.

arquejos (ê) *S. f. pl.* Arcadas. ~ V. *arquejo*.

arquélon [Do tax. *Archelon* < gr. *arché*, 'primitivo', 'original' + gr. *(che)lón(e)*, 'tartaruga'.] *S. m. Paleont.* **1.** Gênero de tartarugas gigantes, do cretáceo superior, que habitaram a América do Norte; tinham até 3, 60m de comprimento. **2.** Espécie ou espécime desse gênero.

arquêntero [De *arqu(e)-* + *-êntero*.] *S. m. Embr.* Cavidade da gástrula que constitui o intestino primitivo; gastrocele.

▲ **arque(o)-** [Do gr. *archaîos, a, on*.] *El. comp.* = 'antigo'; 'antiguidade': *arqueologia* (< gr.), *arquezoico*.

arqueoastronomia [De *arque(o)-* + *astronomia*.] *S. f. Astr.* Ciência que tem por objetivo estudar os conhecimentos astronômicos dos povos antigos, em especial os do período pré-histórico; astronomia arqueológica, arqueologia astronômica, astroarqueologia.

arqueoastronómico *Adj.* V. *arqueoastronômico*. [Uso freq. em P.]

arqueoastronômico [De *arqueoastronomia* + *-ico*[2].] *Adj.* Relativo à arqueoastronomia; astroarqueológico.

arqueobactéria [De *arque(o)-* + *bactéria*.] *S. f. Microbiol.* Grupo de bactérias aquáticas e terrestres, de formas variadas, sendo algumas aeróbias e outras anaeróbias, e que podem sobreviver em ambientes altamente inóspitos, como, p. ex., águas excessivamente salgadas, vulcões, etc.

arqueocetídeo [Adapt. do tax. *Archaeocetidae*.] *Paleont. S. m.* **1.** Espécime dos arqueocetídeos, família de mamíferos cetáceos do eoceno, com a região pós-torácica muito alongada, com mais de 30 vértebras longas, de modo que o tórax parecia pequeno; atingiam cerca de 20m de comprimento. Ex. basilossauro. ● *Adj.* **2.** Pertencente ou relativo a eles.

arqueociatídeo [Adapt. do tax. *Archaeocyathidae*.] *Paleont. S. m.* **1.** Espécime dos arqueociatídeos, família de organismos cônicos ou em forma de xícara, com grande cavidade central, formadores de recifes, que habitavam os mares cambrianos e atingiam de 3cm a 10cm. Esta família não tem posição taxonômica definida. ● *Adj.* **2.** Pertencente ou relativo a eles.

arqueografia [De *arque(o)-* + *-grafia*.] *S. f.* Descrição dos monumentos antigos.

arqueográfico [De *arqueografia* + *-ico*[2].] *Adj.* Relativo à arqueografia.

arqueologia [Do gr. *archaiología*.] *S. f.* **1.** O estudo científico do passado da humanidade, mediante os testemunhos materiais que dele subsistem. **2.** O conjunto das técnicas de pesquisa e da interpretação do que resulta da arqueologia (1). ◆ **Arqueologia astronômica.** *Astr.* V. *arqueoastronomia*.

arqueológico [Do gr. *archaiologikós*.] *Adj.* **1.** Referente à arqueologia. **2.** Consagrado a assuntos de arqueologia: *instituto arqueológico.* **3.** *P. ext.* Muito antigo ou velho; antediluviano: *um fraque arqueológico.* ~ V. *jazida —a*, *reconhecimento —*, *sítio —*, *salvamento — e vestígio —*.

arqueólogo [De *arque(o)-*, como em *arqueologia*, + *-logo*.] *S. m.* Especialista em arqueologia.

arqueomagnetismo [De *arque(o)-* + *-magnet(o)-* + *-ismo*.] *S. m. Astr.* Reconstituição indireta da história do campo magnético terrestre por intermédio da imantação fossilizada das rochas, na época de seu cozimento.

arqueópterix (cs) [Do tax. *Archaeopteryx*.] *S. m. 2 n. Paleont.* **1.** Gênero de aves que compreende a mais antiga ave conhecida, a *Archaeopteryx lithographica*. Ainda tinha dentes e três dedos em garra nas asas, mas já apresentava penas e ossos ocos. Pesava cerca de 4kg e tinha até 1m de envergadura. Carnívora, habitou o final do jurássico. **2.** Espécie ou espécime desse gênero.

arqueórnis [Do tax. *Archaeornis*.] *S. f. 2 n. Paleont.* Ave do jurássico superior, de asas longas e plumosas, e o tamanho de um pombo.

arqueozoico (ói) [De *arque(o)-* + *-zoico*.] *S. m.* **1.** Era arqueozoica. *Obsol.* ● *Adj.* **2.** ~ V. *era —a*. ❖

arquespório [De *arqu(e)-* + *-spor(o)-* + *-io*[3].] *S. m. Bot.* Cada uma das células que, nos musgos, por ulterior divisão, darão origem às células-mães dos esporos.

arqueta (ê) [De *arca* + *-eta* (ê).] *S. f.* **1.** Pequena arca (1 e 2); archete. **2.** Caixinha de esmolas usada nas igrejas: "A dádiva primeira fazem-na à chegada: ao passar pela arqueta, depositam moedas de cobre, vinténs, dez, cinco réis." (José Vieira, *Sol de Portugal*, p. 159.)

arquete[1] (ê) [De *arca* + *-ete* (ê).] *S. m.* Urna cinerária; tumba.

arquete[2] (ê) [De *arco* + *-ete* (ê).] *S. m.* **1.** *Arquit.* V. *archete*[2]. **2.** *Ant. Mús.* Pequeno arco para tocar instrumentos de corda.

arquetípico [De *arquétipo* + *-ico*[2].] *Adj.* Relativo a, ou que tem o caráter de arquétipo.

arquétipo [Do gr. *archétypon*.] *S. m.* **1.** Modelo original; paradigma, protótipo. **2.** *Filos.* Forma superior, imutável e perfeita da qual os objetos e os seres do mundo sensível são meros simulacros. [V. *ideia* (13).] **3.** *Psic.* Segundo C. G. Jung [v. *junguiano*], imagens psíquicas do inconsciente coletivo (q. v.), que são patrimônio comum a toda a humanidade: *O paraíso perdido, o dragão, o círculo são exemplos de arquétipos que se encontram nas mais diversas civilizações.*

▲ **arqui-** [Do b.-lat. *archi-* < gr. *archi-*.] *Pref.* = 'primazia'; 'proeminência'; 'superioridade': *arquidiocese*; *arquiconfraria*; *arquiprior*. [É seguido de hífen quando anteposto a palavra iniciada por *h* ou *i*: *arqui-inimigo*, *arqui-hipérbole* (em tais casos, apenas o 2.º el. é flexionado na formação do plural); é grafado com *r* ou *s* duplicados quando anteposto a palavra iniciada por *r* ou *s*: *arquirrival*, *arquisseguro*.] [Equiv.: *arc(a)-*, *arce-*, *arci-*[1]: *arcanjo*; *arcebispo*; *arcipreste*.]

▲ **-arquia** [Do gr. *-archía*.] *El. comp.* = 'governo', 'comando': *heptarquia*, *trisarquia*.

arquiabade [De *arqui-* + *abade*.] *S. m.* Superior de um grupo de abades.

arquiabadia [De *arqui-* + *abadia*.] *S. f.* O mosteiro principal de uma região.

arquiacantocéfalo [De *arqui-* + *acantocéfalo*; tax. *Archiacanthocephala*.] *Zool. S. m.* **1.** Espécime dos arquiacantocéfalos, ordem de acantocéfalos que apresentam espinhos da probóscida concêntricos e protonefrídios presentes; os machos têm oito glândulas de cemento; parasitos de hospedeiros terrestres e têm insetos e miriápodes como hospedeiros intermediários. ● *Adj.* **2.** Pertencente ou relativo a eles.

arquialaúde [De *arqui-* + *alaúde*.] *S. m. Mús.* Variante da tiorba, com a caixa maior e mais alongada; arquilaúde.

arquianelídeo [De *arqui-* + *anelídeo*; tax. *Archiannelida*.] *Zool. S. m.* **1.** Espécime dos arquianelídeos, classe de anelídeos pequenos, vermiformes, segmentação visível internamente, anéis sem cerdas ou parápodes, com dois tentáculos cefálicos. Marinhos, vivem ao longo das praias. São os poligórdios. ● *Adj.* **2.** Pertencente ou relativo a eles.

arquiavó *S. f.* Fem. de *arquiavô* (q. v.).

arquiavô [De *arqui-* + *avô*.] *S. m.* Avô muito remoto. [Pl.: *arquiavós* ou *arquiavôs*. Fem: *arquiavó*.]

arquibaldo *S. m. Bras. Joc.* Frequentador da arquibancada (1). [Cf. *geraldino* e o antr. *Arquibaldo*.]

arquibancada [De *arqui-* + *bancada*.] *S. f.* **1.** *Bras.* Série de assentos em filas sucessivas, cada uma em plano mais elevado que a outra, à maneira de escada, e que se destina a dar melhor visibilidade aos assistentes, em anfiteatros, circos, estádios, campos de futebol, auditórios, salas de demonstração, etc. **2.** Construção, circular ou não, semelhante ao anfiteatro.

arquibanco [De *arca* + *-i-* + *banco*[1].] *S. m.* Banco grande, geralmente usado em sacristia e casas antigas, dotado de espaldar, e cujo assento é a tampa de uma espécie de arca.

arquibilionário [De *arqui-* + *bilionário*.] *Adj. S. m.* Que, ou aquele que é muitas vezes bilionário.

arquicélebre [De *arqui-* + *célebre*.] *Adj. 2 g.* Muito célebre.

arquichanceler [De *arqui-* + *chanceler*.] *S. m.* Primeiro chanceler.

arquichantre [De *arqui-* + *chantre*.] *S. m.* Chantre principal.

arquiclamídea [Adapt. do tax. *Archichlamydeae*.] *S. f. Bot.* Espécime das arquiclamídeas, subclasse de dicotiledôneas caracterizadas pelo perianto primitivo, ou pela ausência total deste. [Sin. (p. us.): *coripétala*.]

arquiclamídeo [De *arquiclamídea*, com var. suf. (v. *-eo*).] *Adj. Bot.* Pertencente ou relativo às arquiclamídeas. [Sin. (p. us.): *coripétalo*.]

arquiclavo [De *arqui-* + lat. *clave*.] *S. m. Ant.* Regente de coro de mosteiro.

arquiconfraria [De *arqui-* + *confraria*.] *S. f.* Confraria principal.

arquidiocesano [De *arquidiocese* + *-ano*[1].] *Adj.* Concernente a arquidiocese.

arquidiocese [De *arqui-* + *diocese*.] *S. f.* Diocese que tem outras sufragâneas; arcebispado.

arquiducado [De *arquiduque* + *-ado*[2].] *S. m.* **1.** Dignidade de arquiduque. **2.** Território onde o arquiduque exerce a sua jurisdição.

arquiducal [De *arquiduque* + *-al*[1].] *Adj. 2 g.* Relativo ou pertencente a arquiduque, ou a arquiducado.

arquiduque [De *arqui-* + *duque*[1].] *S. m.* **1.** V. *barão* (1). **2.** Título honorífico dos príncipes da antiga família reinante da Áustria. [Fem.: *arquiduquesa*.]

arquiduquesa (ê) [De *arqui-* + *duquesa*.] *S. f.* **1.** Esposa de arquiduque. **2.** Título das princesas da Casa de Áustria.

arquiepiscopado [Do lat. *archiepiscopus*, 'arcebispo', + *-ado*[2].] *S. m. P. us.* Arcebispado.

arquiepiscopal [Do lat. *archiepiscopus*, 'arcebispo', + *-al*[1].] *Adj. 2 g.* **1.** Relativo ou pertencente a arcebispo. [Sin., p. us.: *arcebispal*.] **2.** Que é sede de arcebispado ou arquiepiscopado.

arquifonema [De *arqui-* + *fonema*.] *S. m. E. Ling.* Representação do conjunto das propriedades distintivas comuns a dois fonemas que estão em oposição neutralizável em determinado ambiente (9).

arqui-hipérbole [De arqui- + hipérbole] *S. f.* Hipérbole exagerada. [Pl.: arqui-hipérboles.]

arqui-inimigo [De *arqui-* + *inimigo*.] *S. m.* Inimigo poderoso; inimigo supremo. ❖

arquilaúde *S. m. Mús.* Arquialaúde.

arquilho [De *arco* + *-ilho*.] *S. m. Mús.* Arco delgado, de metal ou de madeira, nos tambores e nos bombos, sobre o qual se retesa a pele que outro arco comprime por meio de parafusos e cordas.

arquiloquiano *Adj.* Pertencente ou relativo a Arquíloco, poeta satírico grego (séc. VII a.C.), ou próprio dele.

arquimandrita [Do gr. *archimandrítes*, pelo lat. *archimandrita*.] *S. m.* Superior de mosteiro na Igreja Grega: "nos concílios entre bispos e arquimandritas facciosos" (João Ribeiro, *Floresta de Exemplos*, p. 33).

arquimediano *Adj.* Relativo a Arquimedes (287-212 a.C.), sábio grego, considerado o maior matemático da Antiguidade. ~ V. *empuxo —*.

arquimilionário [De *arqui-* + *milionário*.] *Adj. S. m.* Que, ou aquele que é muitas vezes milionário.

arquimosteiro [De *arqui-* + *mosteiro*.] *S. m.* O mosteiro principal de uma ordem.

arquipélago [Do it. *arcipelago*.] *S. m.* **1.** Conjunto mais ou menos numeroso de ilhas de vários tamanhos, agrupadas em determinado ponto do oceano. **2.** Reunião de dois ou mais grupos de ilhas.

arquipélago-estado *S. m.* Arquipélago que constitui um só Estado. [Pl.: *arquipélagos-estados* e *arquipélagos-estado*.]

arquiprior (ô) [De *arqui-* + *prior*.] *S. m.* **1.** O primeiro dos priores. [Fem.: *arquiprioresa*.] **2.** Título do grão-mestre dos Templários.

arquipriorado [De *arquiprior* + *-ado*^{2}.] *S. m.* Dignidade ou funções de arquiprior.

arquiprioresa (ê) *S. f.* Fem. de arquiprior (1).

arquipterígio [De *arqui-* + *-pterígio*; lat. cient. *archipterygium*.] *S. m. Zool.* Par de nadadeiras filiformes, de base estreita, que ocorre em alguns peixes.

arquíptero [De *arqui-* + *-ptero*.] *S. m. Adj. Zool.* V. *odonato*.

arquirrival [De arqui- + rival] *Adj. 2 g. S. 2 g.* Diz-se de, ou o rival mais poderoso. ❖

arquisseguro [De *arqui-* + *seguro*.] *Adj.* Muito, muitíssimo seguro: "Entre os grupos, o Lopes circulava, radiante, numa auréola de glória — a eleição estava segura, seguríssima, arquissegura!" (Conde de Ficalho, *Uma Eleição Perdida*, p. 132).

arquitetar [Do lat. *architectare*.] *V. t. d.* **1.** *Arquit.* Idear ou conceber espaço ou elemento arquitetônico. **2.** *Arquit.* Elaborar projeto de arquitetura; projetar. **3.** Edificar, construir. **4.** Idear, projetar, planear: "Durante meses e meses arquitetara, desenvolvera aquele projeto." (Jorge Amado, *Teresa Batista Cansada de Guerra*, p. 72); "Arquitetava o seu plano de vingança." (Adalberon Cavalcanti Lins, *Curral Novo*, p. 68); "Maluco, coitado, nefelibata, arquiteta fantasias desvairadas e não sabe mais distinguir entre o que é real e não é." (João Ubaldo Ribeiro, em *O Globo*, 02.05.1999). *Int.* **5.** Trabalhar como arquiteto.

arquiteto [Do gr. *architékton*, pelo lat. *architectu*.] *S. m.* **1.** Profissional legalmente habilitado para o exercício da arquitetura (1). **2.** Aquele que projeta, idealiza ou fantasia qualquer coisa. **3.** *Maç.* Irmão encarregado de arrumar a loja (4) antes das sessões, decorando-a e ornamentando-a convenientemente. ◆ **Arquiteto do Universo.** *Maç.* Deus. [Tb. se usam as formas *Grande Arquiteto do Universo* e *Supremo Arquiteto do Universo*.] **Arquiteto paisagista.** *Arquit.* Paisagista (2).

arquitetónica *S. f.* V. *arquitetônica*. [Uso freq. em P.]

arquitetônica [Do ingl. *architectonics*.] *S. f.* Arquitetura (4).

arquitetónico *Adj.* V. *arquitetônico*. [Uso freq. em P.]

arquitetônico [Do gr. *architektonikós*, pelo lat. *architectonicu*.] *Adj.* Relativo à arquitetura; arquitetural. ~ V. *desenho —, elemento —, espaço —* e *levantamento —*.

arquitetura [Do lat. *architectura*.] *S. f.* **1.** Arte de criar espaços organizados e animados, por meio do agenciamento urbano e da edificação, para abrigar os diferentes tipos de atividades humanas. **2.** O conjunto das obras de arquitetura realizadas em cada país ou continente, cada civilização, cada época, etc. **3.** Disposição das partes ou elementos de um edifício ou espaço urbano. **4.** Os princípios, as normas, os materiais e as técnicas utilizados para criar o espaço arquitetônico. [Sin., nesta acepç., *arquitetônica*.] **5.** O conjunto de conhecimentos relativos à arquitetura (4), ou que têm implicações com ela, ministrados nas respectivas faculdades. **6.** Conformação; aspecto: *A arquitetura da gruta atraía muitos visitantes.* **7.** *Fig.* Boa forma de arquitetura (3): *Um prédio imenso e caro, porém sem arquitetura.* **8.** *Fig.* Plano, projeto. **9.** *Inform.* A estrutura e organização lógica de funcionamento de um sistema computacional. [Nesta acepç., por influência do ingl.] ◆ **Arquitetura funcional.** *Arquit.* V. *funcionalismo* (4). **Arquitetura orgânica.** *Arquit.* Aquela que busca aproximar-se das características de um ser natural, seja na forma, nos materiais de construção ou no seu funcionamento, procurando também uma integração ideal com o meio ambiente natural. **Arquitetura vernacular.** *Arquit.* Aquela que utiliza os materiais disponíveis em um determinado local ou região e/ou técnicas de construção tradicionais de uma cultura.

arquitetural [De *arquitetura* + *-al*^{1}.] *Adj. 2 g.* Arquitetônico.

arquitravada [F. subst. de *arquitravado*.] *S. f. Arquit.* Cimalha sem friso.

arquitravado [De *arquitrave* + *-ado*^{1}.] *Adj.* Construído ou montado com arquitraves.

arquitrave [De *arqui-* + *trave*.] *S. f. Arquit.* **1.** Viga mestra, assentada horizontalmente sobre colunas ou pilares para vencer o vão entre eles — ou intercolúnio —, recebendo e transmitindo para os apoios as cargas de eventuais pavimentos superiores e da cobertura. **2.** Na arquitetura romana, parte do entablamento que repousa nos capitéis das colunas; epistílio. [Cf. *trave* (1).]

arquival [De *arquivo* + *-al*^{1}.] *Adj. 2 g.* Arquivístico (1).

arquivamento [De *arquivar* + *-mento*.] *S. m.* Ato ou efeito de arquivar.

arquivar [De *arquivo* + *-ar*^{2}.] *V. t. d.* **1.** Guardar em arquivo. **2.** Conservar, guardar, reter na memória; memorizar: *Consegue arquivar tudo o que aprende.* **3.** Sobrestar o andamento de (processo, inquérito, etc.): *Obedecendo a ordens superiores, o juiz arquivou o inquérito.* **4.** *Fig.* Não dar a (alguém) as oportunidades de ascensão ou de influência, realização profissional, etc.: *Que injustiça arquivarem assim o velho funcionário, sempre tão dedicado!* **5.** *Fig.* Não levar em conta; esquecer: "Sarney arquiva divergências e recebe Geisel" (*Jornal do Brasil*, 03.06.1985). *T. d. e c.* **6.** Pôr em lugar conveniente; guardar.

arquivista [De *arquivo* + *-ista*.] *S. 2 g.* Pessoa encarregada de um arquivo (1); papelista.

arquivística [F. subst. de *arquivístico*.] *S. f.* Arquivologia: "Num delírio de arquivística / organizei a memória em alfabetos / como quem conta carneiros e amansa" (Ana Cristina César, *Inéditos e Dispersos*, p. 163).

arquivístico [De *arquivista* + *-ico*^{2}.] *Adj.* **1.** Relativo a arquivo; arquival. **2.** Arquivológico.

arquivo *S. m.* **1.** Conjunto de documentos manuscritos, gráficos, fotográficos, etc., recebidos ou produzidos oficialmente por uma entidade ou por seus funcionários, e destinados a permanecer sob a custódia dessa entidade ou de seus funcionários. **2.** Lugar onde se recolhem e guardam esses documentos. **3.** *P. ext.* Conjunto organizado de recortes de jornal, de revistas, correspondência particular, anotações pessoais, etc., para consulta: *Seu arquivo sobre a literatura dos anos 80 o auxiliou muito na preparação da tese.* **4.** Móvel, geralmente de metal e com gavetas, para guardar documentos. **5.** *Inform.* Agrupamento de dados, instruções ou registros, seguindo determinada regra de estruturação, armazenado em meio digital e identificado por nome. [Sin. (lus.): *ficheiro* (3).] ◆ **Arquivo ASCII.** *Inform.* Arquivo (5) que contém exclusivamente caracteres codificados em ASCII; arquivo de texto. **Arquivo binário.** *Inform.* Arquivo (5) cujo conteúdo está codificado sob a forma de uma sequência de dígitos binários (v. *dígito binário*), sem emprego de um padrão de codificação intermediário, como o ASCII. **Arquivo de texto.** *Inform.* Arquivo ASCII. **Arquivo morto.** O que já não é consultado, ou raramente o é, pelo órgão que o originou. **Arquivo público.** Órgão que reúne, para conservação, consulta e divulgação, os documentos constitutivos de arquivos de entidades públicas e privadas. **Arquivo vertical.** Aquele em cujas gavetas os documentos são colocados na posição vertical, em pastas ou envelopes. **Arquivo vivo.** *Bras. Gír.* Testemunha de um crime. **Queimar o arquivo.** *Pop.* Tirar a vida (o mandante de um crime), por suas próprias mãos ou pelas de outrem, do executante desse crime, para evitar denúncia. [Do gr. *archeîon*, pelo lat. *archiu* ou *archivu*.]

arquivologia [De *arquivo* + *-logia*.] *S. f.* Estudo ou conhecimento dos arquivos; arquivística.

arquivológico [De *arquivologia* + *-ico*^{2}.] *Adj.* Relativo à arquivologia; arquivístico.

arquivologista [De *arquivo* + *-log(o)-* + *-ista*.] *S. 2 g.* Especialista em arquivologia.

arquivolta [Do it. *archivolto*.] *S. f. Arquit.* **1.** Moldura que guarnece um arco, esculpida nas próprias aduelas que o constituem. **2.** Série de arcos, concêntricos e decrescentes, que formam os portais de muitos edifícios românicos e góticos.

arquivonomia [De *arquivo* + *-nom(o)-* + *-ia*^{1}.] *S. f.* Conjunto de conhecimentos relativos à organização e administração dos arquivos.

arquivonómico *Adj.* V. *arquivonômico*. [Uso freq. em P.]

arquivonômico [De *arquivonomia* + *-ico*^{2}.] *Adj.* Referente à arquivonomia.

▲ **-arra** [Do vasc.] *Suf. nom.* = 'aumento': *bocarra, naviarra*. [Equiv.: *-arr(o)-, -arrão, -orra, -orro, -orr(o)-*: *adoidarrado; santarrão; cabeçorra; beatorro; peitorrear*.]

arrabalde [Do ár. ar-rabaẽ.] *S. m.* Cercanias de uma cidade ou povoação; subúrbio: "à noite pedia-me que a levasse a algum arrabalde distante da cidade" (José de Alencar, *Lucíola*, p. 155). [Var.: *arrebalde, rabalde, rebalde*.]

arrabaldeiro [De *arrabalde* + *-eiro*.] *Adj.* **1.** Relativo a arrabalde. **2.** Que vive em arrabalde. ● *S. m.* **3.** Aquele que vive em arrabalde.

arrabaldino [De *arrabalde* + *-ino*^{2}.] *Adj.* Arrabaldeiro.

arrabeca [Var. de *rabeca*.] *S. f. Mús.* Rabeca (1) ou arrabil.

arrábido *S. m.* **1.** Capucho do convento da Arrábida, em Setúbal (Portugal). ● *Adj.* **2.** Pertencente ou relativo aos arrábidos.

arrabil [Do ár. *ar-rabāb* (v. tb. etim. de *rabeca*).] *S. m. Mús.* Rabeca mourisca de uma ou duas cordas friccionáveis com arco tosco, e tampo de pele: "Pensando triste [a castelã senil] nos ditosos dias / Em que a seus pés um menestrel vibrava / O mimoso arrabil." (Gonçalves Crespo, *Obras Completas*, p. 141). [Var.: *rabil*.]

arrabileiro [De *arrabil* + *-eiro*.] *S. m.* Aquele que toca arrabil.

arrabujar-se [De *ar-*^{1} + *rabuge(m)* + *-ar*^{2} + *se*^{1}.] *V. p.* **1.** Tornar-se rabugento. **2.** Encher-se de rabugem (o cão).

arracacha [Do esp. *arracacha*.] *S. f. Bot.* V. *arracácia* (2 e 3).

arracachá [Var. de *arracacha*.] *S. f. Bot.* V. *arracácia* (2 e 3).

arracácia [Do tax. *Arracacia* (do esp. *arracacha*, de or. quíchua).] *S. f. Biol.* **1.** Gênero de apiáceas com cerca de 55 espécies, algumas delas cultivadas pelas raízes alimentícias. **2.** Qualquer espécie desse gênero, como, p. ex., a *Arracacia xanthorrhisa* (v. *batata-baroa*). **3.** Qualquer espécime desse gênero. [Sin., nas acepçs. 2 e 3: *arracacha, arracachá*.]

arraçado [De *ar-*^{1} + *raça*^{1} + *-ado*^{1}.] *Adj. S. m. Bras. BA* Diz-se de, ou mestiço alvacento, passando por branco.

arraçar [De *ar-*^{1} + *raça*^{1} + *ar*^{2}.] *V. t. d.* **1.** Obter (boas crias) cruzando animais de boa raça com outros que não o são: *Um bom reprodutor arraça a futura cria.* *Int.* **2.** Sair de boa raça. **3.** Sair à raça dos pais. [Conjug.: v. *laçar*.]

arracimado [De *ar-*^{1} + *racimo* + *-ado*^{1}.] *Adj.* Que tem forma de racimo (q. v.).

arracimar-se [De *ar-*^{1} + *racimo* + *-ar*^{2} + *se*^{1}.] *V. p.* **1.** Cobrir-se de racimos. **2.** Tomar a forma de cacho.

arraçoamento [De *arraçoar* + *-mento*.] *S. m.* Ato ou efeito de arraçoar.

arraçoar [De *ar-*^{1} + *ração* + *-ar*^{2}, com desnasalação.] *V. t. d.* **1.** Dar ração a. **2.** Dar alimento a. **3.** Dividir, repartir ou distribuir em rações. [Conjug.: v. *coroar*.]

arrafia [De *ar-*^{3} + *rafe*^{2} + *-ia*^{1}.] *S. f. Patol.* Inexistência, onde deveria ocorrer, da união de formações anatômicas simétricas.

arraia^1 [De *ar-*^{2} + *raia*^{2}.] *S. f.* **1.** Raia^2 (2 e 3): "A arraia possui um dente no céu da boca, agudo e penetrante, que arranca o xaboque da carne da pessoa atacada" (Hélio Galvão, *Cartas da Praia*, pp. 22-23). **2.** *Bras.* Papagaio (5) pequeno; raia.

arraia^2 [De *ar-*^{2} + *raia*^{1}.] *S. f.* V. *fronteira* (1).

arraia^3 [Do ár. *ar-ra*^{c}*yya(t)*, 'rebanho pastoreado'; 'os súditos', 'os governados'.] *S. f.* V. *ralé* (1).

arraia-arara *S. f. Bras. Zool.* V. *raia-pintada* (2). [Pl.: *arraias-araras* e *arraias-arara*.]

arraia-borboleta *S. f. Bras. Zool.* V. *raia-manteiga* (1 e 2). [Pl.: *arraias-borboletas* e *arraias-borboleta*.]

arraiada *S. f.* V. *alvorada* (1): "Ao quebrar da barra — a arraiada ainda hesitante." (José Américo de Almeida, *A Bagaceira*, p. 17.)

arraiado [Part. de *arraiar*.] *Adj.* Raiado (1).

arraia-elétrica *S. f. Bras. Zool.* V. *treme-treme* (1). [Pl.: *arraias-elétricas*.]

arraia-grande *S. f. Bras.* V. *boró*^{1}. [Pl.: *arraias-grandes*.]

arraial [De *ar-*^{2} + ant. *reial*, hoje *real*, 'do rei'.] *S. m.* **1.** Acampamento (2), especialmente de tropas. **2.** Lugar onde se juntam romeiros, onde há tendas provisórias, barracas de comestíveis, de jogos e diversões, e ornamentado, com música, etc. **3.** *P. ext.* Festa popular com barracas de comestíveis, jogos e diversões, etc., semelhante ao arraial (2). **4.** Povoação de caráter temporário, geralmente formada em função de certas atividades extrativas, como a lavra de minérios, ou de metais raros, etc. **5.** *Bras.* Aldeola, lugarejo.

arraialense *Adj. 2 g.* **1.** De, ou pertencente ou relativo a Arraial (PI). ● *S. 2 g.* **2.** O natural ou habitante de Arraial.

arraialesco (ê) [De *arraial* + *-esco*.] *Adj.* Referente a, ou próprio de arraial.

arraia-mijona *S. f. Bras. Zool.* Arraia^1 (2) provida de um cordão de bandeirolas. [Pl.: *arraias-mijonas*.]

arraia-miúda [De *arraia*^{3} + o f. do adj. *miúdo*.] *S. f.* **1.** V. *ralé* (1). **2.** *P. ext.* Os membros menos graduados de uma instituição: "a Secretaria de Segurança resolveu fazer uma investigação [no Desipe (Departamento de sistema penitenciário)], na qual se pretende ir muito além da arraia-miúda" (*Jornal do Brasil*, 18.04.2000). [Pl.: *arraias-miúdas*.]

arraiano^1 [De *arraia*^{2} + *-ano*^{1}.] *Adj. S. m.* Que, ou aquele que mora na arraia ou fronteira.

arraiano^2 *Adj.* **1.** De, ou pertencente ou relativo a Arraias (TO). ● *S. m.* **2.** O natural ou habitante de Arraias.

arraia-pintada *S. f. Bras. Zool.* V. *raia-pintada* (1). [Pl.: *arraias-pintadas*.]

arraiar [De *ar-*[2] + *raiar*[1].] *V. int.* V. *raiar*[1].

arraia-viola *S. f. Bras. Zool.* V. *viola*[1] (5). [Pl.: *arraias-violas* e *arraias-viola*.]

arraieira [De *arraia*[1] + *-eira*.] *S. f. Bras.* Rede de tucum para a pesca de arraias.

arraieiro [De *arraia*[1] + *-eiro*.] *S. m. Bras. BA* Pescador de arraias.

arraigada [De *arraigar* + *-ada*[1].] *S. f. Anat.* Base por onde a língua se prende ao osso hioide. ~ V. *arraigadas*.

arraigadas [Pl. de *arraigada*.] *S. f. pl. Constr. Nav.* Cabos que prendem a mastreação ao casco do navio. ~ V. *arraigada*.

arraigado [Part. de *arraigar*.] *Adj.* **1.** Que se arraigou; enraizado, radicado. **2.** *Fig.* Aferrado, obstinado.

arraigar [De *ar-*[2] + ant. *raigar*, 'criar raízes'.] *V. t. d. e c.* **1.** Firmar pela raiz; fixar, enraizar: *arraigar uma planta em terreno arenoso.* **2.** Firmar, fixar; aferrar: *Os anos de sofrimento arraigaram o ódio em seu coração. T. c. Int.* **3.** Lançar ou criar raízes; radicar-se: *As plantas arraigam dificilmente em terrenos pedregosos.* **4.** Estabelecer-se em algum lugar, com o ânimo de permanecer; fixar moradia; arraigar-se: *Mudou-se para o interior, e ali arraigou. P.* **5.** Estabelecer-se, firmar-se, fixar-se. **6.** Arraigar (4): *Indivíduo inquieto, não consegue arraigar-se em lugar algum.* [Var. *arreigar*. Conjug.: v. *largar*.]

arraio *S. m. Bras. BA MG* No médio São Francisco, chefe de pescaria de rede.

arrais [Do ár. vulg. *ar-rais*, 'chefe'; 'capitão de navio', < ár. *ar-ra'ys*, 'aquele que chefia, lidera, preside'.] *S. m. 2 n. Mar. Merc.* **1.** Marítimo com conhecimentos práticos locais de navegação. **2.** Pessoa que comanda embarcação de tráfego ou de serviço portuário: "Era uma solidão, um vasto silêncio de terra morta, apenas docemente quebrado pela cadência dos remos e pelo canto dolente do arrais..." (Eça de Queirós, *A Correspondência de Fradique Mendes*, p. 35).

arralentar [De *ar-*[1] + *ralo*[4] + *-entar*.] *V. t. d.* **1.** Tornar pouco espesso ou menos denso; tornar ralo. **2.** Desbastar (plantação).

arramalhar [De *ar-*[1] + *ramalho* + *-ar*[2].] *V. t. d.* **1.** Ramalhar (1). *T. i.* **2.** *Fig.* Orçar; beirar: *Arramalha pelos 40 anos. Int.* **3.** Ramalhar (2). **4.** Esconder-se debaixo dos ramos (reptil). **5.** Agitar-se na rede (peixe).

arramar [De *ar-*[1] + *rama*[1] + *-ar*[2].] *V. int.* **1.** Encher-se de rama. *P.* **2.** Espalhar-se; alastrar-se; ramificar-se.

arrampado [De *ar-*[1] + *rampa* + *-ado*[1].] *S. m. Bras.* Declive, talude.

arrampadoiro [De **arrampar* (< *ar-*[2] + *rampa* + *-ar*[2]) + *-doiro*[2].] *S. m.* Arrampadouro (q. v.). [Var. aferética: *rampadoiro*.]

arrampadouro [Var. de *arrampadoiro*.] *S. m. Ant.* **1.** Terra inculta e arável. **2.** *Bras.* Encosta, flanco, vertente. [Var. aferética: *rampadouro*.]

arranca [Dev. de *arrancar*.] *S. f.* **1.** V. *arrancamento* (1). **2.** *Bras.* A colheita da mandioca.

arrancada [De *arrancar* + *-ada*[1].] *S. f.* **1.** V. *arrancamento* (1). **2.** Partida súbita e violenta; arranco. **3.** Movimento inesperado ou precipitado; arrancadela, arranco. **4.** Terreno a ser cultivado, e de onde se arrancaram raízes. **5.** *Fig.* Melhor desempenho; avanço: *Para o presidente todas as condições para a arrancada do país estão postas.* ◆ **De arrancada.** V. *de arranco*.

arrancadela [De *arrancar* + *-dela*.] *S. f.* **1.** Ato de arrancar de uma vez. **2.** V. *arrancada* (3).

arrancado [Part. de *arrancar*.] *Adj.* ~ V. *voga* —.

arrancador (ô) [De *arrancar* + *-dor*.] *S. m.* **1.** Aquele que arranca. **2.** Utensílio para arrancar batatas. **3.** *Bras. SE BA* Terreno para pastoreio do gado, onde antes havia plantação de mandioca e legumes.

arrancadura [De *arrancar* + *-dura*.] *S. f.* **1.** V. *arrancamento* (1). **2.** Porção que se arranca de uma vez.

arranca-estrepe [De *arrancar* + *estrepe*.] *S. m. Bot.* Arbusto malváceo (*Pavonia spinifex*) de folhas oblongas e flores amarelas, solitárias. [Pl.: *arranca-estrepes*.]

arranca-língua [De *arrancar* + *língua*.] *S. m. Bras. GO Folcl.* Personagem lendário, representado por um vulto de homem amacacado, gigante, que surge para punir os ladrões de gado, arrancando a língua dos animais. [Pl.: *arranca-línguas*.]

arrancamento [De *arrancar* + *-mento*.] *S. m.* **1.** Ato ou efeito de arrancar; arranca, arrancada, arrancadura. **2.** *Arquit.* Ponta ou saliência deixada numa construção, para possível ampliação ou reforma.

arranca-milho [De *arrancar* + *milho*.] *S. m. Zool.* V. *pássaro-preto*. [Pl.: *arranca-milhos*.]

arranca-peito [De *arrancar* + *peito*.] *S. m. Bras. Pop.* V. *lasca-peito*. [Pl.: *arranca-peitos*.]

arrancar [De or. obscura; o galego-port. *arrincar* é, poss., cruz do lat. *eruncare*, 'arrancar', com o lat. *eradicare*, 'desarraigar', 'arrancar'.] *V. t. d.* **1.** Tirar com mais ou menos força ou violência; fazer sair, puxando; despegar: *Arrancou uma a uma as pétalas da flor;* "Arranca o Estatuário uma pedra dessas montanhas, tosca, bruta, dura, informe" (P.e Antônio Vieira, *Sermões*, III, p. 419); "O menino mordia os beiços, arrancava os cabelos, esbravejava" (Afonso Arinos, *Pelo Sertão*, p. 169). **2.** Desprender da terra; desenraizar, desarraigar. **3.** Extinguir, destruir; exterminar, erradicar: *Nada lhe disse, para não lhe arrancar as últimas ilusões.* **4.** Despertar, provocar, suscitar: *arrancar aplausos.* **5.** Desferir (voo). *T. d. e i.* **6.** Tirar ou extrair com força ou violência: "A dor vencera a raiva, o boticário não arrancou as orelhas ao alienista." (Machado de Assis, *Papéis Avulsos*, p. 75). **7.** Separar, afastar, desviar: *Nada o arrancava de sua profunda melancolia;* "Encerrou-se por alguns dias; o major Siqueira arrancou-o à solidão." (Machado de Assis, *Quincas Borba*, p. 149); "Juliana embevecida não podia arrancar os olhos do rosto de Jorge" (Joaquim Manuel de Macedo, *Os Romances da Semana*, p. 291). **8.** Obter, conseguir, à custa de insistência, ou importunação: "A mucama que a servia, apesar da familiaridade que existia entre elas, não pôde arrancar-lhe uma palavra" (Machado de Assis, *Várias Histórias*, p. 121); "Falam-lhe no pai que morreu no patíbulo, e arrancam-lhe segredos que não se perguntam a uma criança..." (Camilo Castelo Branco, *A Filha do Regicida*, p. 158). **9.** Retirar, extirpar: *Arrancou-lhe a vida sem dó.* **10.** Provocar, suscitar: *Arrancar aplausos do público. T. d. e c.* **11.** Erguer, à força ou a custo: "— E o homem, como tonto, arranca a custo os pés do solo." (Garibaldino de Andrade, *Vila Branca*, p. 23.) **12.** Tirar à força; arrebatar: *Não conseguiu arrancar a filha dos braços da mãe.* **13.** Fazer sair à força, com esforço, ou por insistência: *Com muito custo arrancou-o da cama. T. i.* **14.** Avançar com ímpeto: *Arrancou contra o inimigo.* **15.** Desprender(-se), soltar(-se): "Subitamente, porém, entesou [o balão], enfunou-se e arrancou das mãos que o tenteavam." (Manuel Bandeira, *Estrela da Vida Inteira*, p. 97.) *Int.* **16.** Partir ou sair com ímpeto ou de repente: *O touro arrancou pela cerca fora;* "E os cavalos arrancaram picados de esporas." (Herman Lima, *Tijipió*, p. 149). **17.** Desferir voo. **18.** Dar os últimos arrancos ou estertores; estertorar, agonizar. **19.** *Autom.* Pôr-se em movimento; dar partida: *Quando chegue à porta, o automóvel já arrancara.* **20.** V. *fugir* (1 e 2). *P.* **21.** Partir ou sair com ímpeto ou de repente. **22.** V. *fugir* (1 e 2). **23.** Afastar-se, retirar-se: *Ninguém o faz arrancar-se da cama antes do meio-dia;* "Quando se arrancaram dali, e se despediram uns dos outros, deu-se um fenômeno com que não contavam" (Machado de Assis, *Quincas Borba*, p. 305). **24.** Livrar-se, libertar-se: "Fez um esforço enorme, arrancou-se do feitiço que a dementava" (Júlio Ribeiro, *A Carne*, pp. 18-19). [Conjug.: v. *trancar*.]

arranca-rabo [De *arrancar* + *rabo*.] *S. m. Bras. Pop.* V. *rolo*[1] (16). [Pl.: *arranca-rabos*.]

arranca-raízes [De *arrancar* + o pl. de *raiz*.] *S. m. 2 n.* Instrumento com que se extraem raízes.

arranca-sonda [De *arrancar* + *sonda*.] *S. m.* Instrumento para puxar as sondas de mina quando ficam presas ou se partem nos furos. [Pl.: *arranca-sondas*.]

arranca-toco [De *arrancar* + o pl. de *toco* (ô).] *S. m. Pop.* **1.** *Bras. CE* V. *rolo*[1] (16). **2.** *Bras. PB* Indivíduo irritadiço, neurastênico. **3.** *Bras. MA MG* Jogo violento de futebol. [Pl.: *arranca-tocos*. Cf. *arranca-tocos*.]

arranca-tocos [De *arrancar* + *toco* (ô).] *S. m. 2 n. Bras. Pop.* **1.** V. *valentão* (3). **2.** *Bras. MG SP MT* Tecido forte, resistente. **3.** Destocador (2). [Cf. *arranca-toco*.]

arrancável [De *arrancar* + *-vel*.] *Adj. 2 g.* Que pode ser arrancado.

arranchação [De *arranchar* + *-ção*.] *S. f. Bras. SP Pop.* Morada ou residência provisória.

arranchamento [De *arranchar* + *-mento*.] *S. m.* **1.** *Bras.* Conjunto de ranchos ou casebres; rancharia. **2.** *Bras. RS* Casa de moradia no campo, com seus complementos — currais ou mangueiras, galpões, estrebarias, etc. — ou sem eles; sede de fazenda ou de estância: "Quando Maria Altina .... andava nos dezasseis anos, este arranchamento era um paraíso" (Simões Lopes Neto, *Contos Gauchescos e Lendas do Sul*, p. 140).

arranchar [De *ar-*[1] + *rancho* + *-ar*[2].] *V. t. d.* **1.** Reunir em ranchos. **2.** Dar pousada a. *T. c.* **3.** Alojar, albergar. *Int.* **4.** Reunir-se em rancho ou mesa comum. *P.* **5.** Tirar e comer o rancho (5) (no quartel). **6.** Hospedar-se ou estabelecer-se provisoriamente. **7.** Juntar-se, amasiar-se.

arrancho [Dev. de *arranchar*.] *S. m.* Pousada, pouso; rancho: "Quer repousar. Mas teme não encontrar pouso e comida, e temeroso pergunta: | — Nesta terra tem arrancho?" (P.e Antônio Vieira, *Sertão Brabo*, p. 17.)

arranco [Dev. de *arrancar*.] *S. m.* **1.** Ímpeto violento. **2.** V. *arrancada* (2 e 3). **3.** Estertor, arquejo: "E o sono sempre cortado / Pelo arranco de um finado, / E o baque de um corpo ao mar..." (Castro Alves, *Poesias Escolhidas*, p. 334). [Tb. us. no pl. nesta acepç. F. paral.: *arranque*.] **4.** *Teatr.* Exagero do ator na interpretação de um drama ou tragédia; arranco dramático. ~ V. *arrancos*. ◆ **Arranco dramático.** *Teatr.* Arranco (4). **De arranco.** De súbito; com ímpeto; de arrancada: "Levantando-se de arranco, Azarias tirou a linha da água, enrolando-a na vara" (Eduardo Canabrava Barreiros, *O Segredo de Sinhá Ernestina*, p. 11).

arrancorar-se [De *ar-*[1] + *rancor* + *-ar*[2] + *se*[1].] *V. p.* Tornar-se rancoroso; tomar-se de rancor.

arrancos *S. m. pl.* V. *arranco* (3).

arranha-céu [De *arranhar* + *céu*; trad. do ingl. amer. *skyscraper*.] *S. m.* Edifício de muitos pavimentos. [F. paral.: *arranha-céus*. Pl.: *arranha-céus*.]

arranha-céus *S. m. 2 n.* Arranha-céu (q. v.).

arranhado [Part. de *arranhar*.] *Adj.* Que sofreu arranhão.

arranhador (ô) [De *arranhar* + *-dor*.] *S. m.* **1.** Aquele que arranha [v. *arranhar* (1).] **2.** Aquele que se inicia no estudo de um instrumento musical. **3.** *Pej.* Aquele que sabe imperfeitamente qualquer matéria.

arranhadura [De *arranhar* + *-dura*.] *S. f.* **1.** Ferida leve, ou unicamente da pele; pequena escoriação. **2.** Ranhura (2) pouco profunda que causa prejuízo a uma superfície polida. [Sin. ger.: *arranhão*.]

arranhão [De *arranhar* + *-ão*[3].] *S. m.* Arranhadura.

arranhar [Do esp. *arañar*.] *V. t. d.* **1.** Raspar de leve com as unhas ou com a ponta de qualquer instrumento. **2.** Ferir ou esfolar mais ou menos de leve, com as unhas ou com qualquer outra coisa, a pele de. **3.** Conhecer pouco (uma língua, uma disciplina): "Tocava bem piano, / Arranhava francês e italiano." (Artur Azevedo, *Contos em Verso*, p. 240.) **4.** Iniciar o estudo de, ou tocar mal (um instrumento musical). **5.** Ofender, ferir moralmente: *arranhar a reputação de alguém.* **6.** Causar atrito a: *Ao dar a partida, arranhou a mudança do carro.* **7.** Ganhar, lucrar: *Nada há que arranhar ali. Int.* **8.** Ferir ou esfolar, com as unhas, a pele de alguém, ou qualquer superfície: *Os felinos arranham em defesa própria.* **9.** Produzir arranhadura: *Friccionada numa superfície, a lixa arranha.* **10.** Ser áspero, podendo produzir arranhadura: *As superfícies cimentadas arranharam.* **11.** Fazer qualquer coisa superficialmente, sem se aprofundar. *P.* **12.** Ferir-se ou esfolar-se com as unhas, com a ponta de qualquer objeto, etc.

arranjadeiro [De *arranjar* + *-deiro*.] *Adj.* Cuidadoso, metódico.

arranjado [Part. de *arranjar*.] *Adj.* **1.** Que se arranjou. **2.** *Bras.* Que tem situação financeira regular; remediado.

arranjador (ô) [De *arranjar* + *-dor*.] *Adj.* **1.** Que arranja. • *S. m.* **2.** Aquele que arranja. **3.** *Bras. Restr. Mús.* Aquele que faz arranjo (7): "Antônio Carlos Jobim foi logo empregado como arranjador pela Leeds Corporation" (José Ramos Tinhorão, *O Samba agora Vai...*, p. 105).

arranjamento [De *arranjar* + *-mento*.] *S. m.* Ato ou efeito de arranjar(-se).

arranjar [Do fr. *arranger*.] *V. t. d.* **1.** Pôr em ordem; colocar ou dispor convenientemente, com acerto e regularidade; arrumar, compor. **2.** Resolver amigavelmente; acertar, conciliar: *O advogado arranjou a questão.* **3.** Consertar, reparar, compor: *Mandei arranjar os sapatos.* **4.** Enfeitar, adornar, ataviar. **5.** Conseguir, obter, alcançar: *Arranjou um emprego, após as tentativas frustradas.* **6.** Apanhar, contrair: *Arranjou uma gripe que o pôs de molho por uma semana.* **7.** *Mús.* Fazer arranjo de (peça musical); adaptar. **8.** *Lus.* Fazer (as unhas ou o cabelo): *Ela arranja as unhas na avenida de Roma.* **9.** Preparar (comida): *arranjar um coelho para o almoço.* **10.** *Lus.* Arrumar, ajeitar; compor: "E quando .... arranjava a cara ao espelho, era sem prazer que o fazia" (Maria Judite de Carvalho, *Os Armários Vazios*, p. 73). *T. d. e i.* **11.** Conseguir, obter, alcançar: "Arranjara-lhe colocação na mercearia de um parente, na cidade." (Gilvã Lemos, *Jutaí Menino*, p. 89); "Arranjei-lhe uma casa pequena, mas pode ser que, ainda assim, passe para um estabelecimento de saúde." (Machado de Assis, *Quincas Borba*, p. 304). **12.** Colocar, empregar: *Arranjou o filho numa firma sólida. T. d. e c.* **13.** Arranjar (1): *Arranjou a louça no armário. P.* **14.** Conseguir boa situação; arrumar-se. **15.** Conseguir namorado(a), noivo(a), marido ou mulher, ou amante; arrumar-se. **16.** Governar-se bem: *Sabe arranjar-se na vida.* **17.** Obter emprego, colocação: *Desempregado desde muito tempo, agora, felizmente, arranjou-se.* **18.** Avir-se, arrumar-se: *Não seguiu o meu conselho, agora que se arranje sozinho.* **19.** Preparar-se, vestir-se: *arranjar-se para sair.*

arranjo [Dev. de *arranjar*.] *S. m.* **1.** Ato ou efeito de arranjar (1); boa ordem ou disposição. **2.** Administração e/ou arrumação doméstica. **3.** Disposição harmoniosa ou artística: *arranjo de flores.* 4. Fortuna, bens. 5. *Bibliogr. Bibliot.* Critério adotado para organização de acervos, bibliografias, etc. [Pode ser alfabético, alfanumérico, cronológico, sistemático, etc.] 6. *Mat.* Subconjunto ordenado de um conjunto finito. 7. *Mús.* Versão diferente da original, de obra ou fragmento de obra musical, feita pelo próprio compositor ou por outra pessoa. [Cf. *adaptação* (5), *harmonização* (v. *harmonizar* [3]), *instrumentação* (v. *instrumentar* [1]), *redução* (8) e *transcrição* (5).] 8. *Mús.* No *jazz*, processo de criação que procura substituir a improvisação pela anotação prévia. 9. Conserto, reparo. [M. us., nesta acepç., em Portugal.] 10. *Bras.* Vantagem, proveito: *Deu muito arranjo adiar a viagem.* 11. *Bras.* Conchavo, conluio. 12. *Bras.* Negócio fraudulento; negociata, mamata. 13. *Bras.* Emprego conseguido à custa de pistolão, etc. 14. *Bras. Gír.* V. *caso* (6). 15. *P. ext. Gír.* Amante (6). ~ V. *arranjos*.

arranjos [Pl. de *arranjo*.] *S. m. pl.* 1. Preparativos. 2. Aprestos, petrechos. ~ V. *arranjo*.

arranque [Dev. de *arrancar*.] *S. m.* 1. Arranco (1 a 3). 2. *Arquit.* Primeira aduela de arco, que se apoia diretamente na emposta; nascimento do arco. 3. *Arquit.* Ponto que determina o início de um arco ou duma abóbada, a partir do encontro (6). 4. *Autom.* V. *motor de arranque*.

▲ **-arrão** V. *-arra*.

arrapazado [De *ar-*[1] + *rapaz* + *-ado*[1].] *Adj.* 1. Que tem maneiras de rapaz. 2. Próprio de rapaz.

arraposado [Part. de *arraposar-se*.] *Adj.* Manhoso, astucioso, ao modo da raposa.

arraposar-se [De *ar-*[1] + *raposa* + *-ar*[2] + *se*[1].] *V. p.* Adquirir manhas, como as da raposa.

arras [De língua semítica, pelo gr. *arrhabón*, abreviado, no lat., em *arrhas*.] *S. f. pl.* 1. Garantia ou sinal de um contrato; penhor. 2. Bens dotais que, por contrato, o noivo assegura à esposa. 3. Prova, demonstração: "Depois daquela festa, onde tudo se unira, / Para dar ao gigante arras de um grande amor, / Tudo estava tranquilo, e tudo enfim dormira" (Luís Delfino, *A Angústia do Infinito*, p. 115).

arrás [Do top. *Arrás*.] *S. m.* Tapeçarias antigas e valiosas fabricadas em Arrás (N.O. da França). [Pl.: *arrases*.]

arrasado [Part. de *arrasar*.] *Adj.* 1. Tornado raso, plano. 2. Cheio até as bordas. 3. Devastado, destruído, assolado. 4. Muito deprimido, física ou moralmente; aniquilado, prostrado. 5. Humilhado, vexado. 6. Cansadíssimo, esfalfado, extenuado, exausto.

arrasador (ô) [De *arrasar* + *-dor*.] *Adj.* 1. Que arrasa; arrasante. ● *S. m.* 2. Aquele que arrasa. 3. V. *rasoura* (1).

arrasadura [De *arrasar* + *-dura*.] *S. f.* 1. Ato de arrasar. 2. Sobras da medida, depois de arrasada [v. *arrasar* (2).]

arrasamento [De *arrasar* + *-mento*.] *S. m.* Ato ou efeito de arrasar(-se).

arrasante [De *arrasar* + *-nte*.] *Adj. 2 g.* Arrasador (1).

arrasa-quarteirão [De *arrasar* + *quarteirão*.] *S. m.* V. *blockbuster*. [Pl.: *arrasa-quarteirões*.]

arrasar [De *ar-*[1] + *raso* + *-ar*[2].] *V. t. d.* 1. Tornar raso; nivelar, aplanar, aplainar. 2. Nivelar (a medida) com a rasoura. 3. Lançar por terra; demolir, derrubar, destroçar: *O bombardeio arrasou várias casas.* 4. Destruir, devastar, arruinar, talar: *A tempestade de granizo arrasou as plantações.* 5. Humilhar, vexar, mortificar: *Antes de despedir o empregado, arrasou-o.* 6. Abater, moral ou fisicamente, em excesso; prostrar, aniquilar: *A morte da filha arrasou-o.* 7. Encher até transbordar. 8. Dizer as últimas a; afrontar gravemente: *Arrasou o empregado responsável pelo acidente.* *T. i.* 9. Arrasar (4): *A nuvem de gafanhotos arrasou com a plantação.* 10. Dizer o diabo; dizer cobras e lagartos: *Arrasa com quem lhe contraria a opinião.* *Int.* 11. *Bras. Gír.* V. *abafar* (18). *P.* 12. Cansar-se ao extremo; esfalfar-se, extenuar-se, exaurir-se. 13. Abater-se, humilhar-se. 14. Perder os bens; arruinar-se: *Arrasou-se com a queda da bolsa.* 15. V. *rasar* (7): "Quando o coronel pôs os olhos em Celestina, arrasaram-se-lhe os olhos de lágrimas" (Machado de Assis, *Contos Esparsos*, p. 45).

arrasta *S. m. Bras.* V. *arrasta-pé*.

arrastadeira [De *arrastar* + *-deira*.] *S. f. Lus.* V. *comadre* (6).

arrastadeiro [De *arrastar* + *-deiro*.] *Adj.* V. *rasteiro* (1).

arrastadiço [De *arrastar* + *-(d)iço*[2].] *Adj.* Que se deixa facilmente arrastar ou influenciar por outrem.

arrastado [Part. de *arrastar*.] *Adj.* 1. V. *rasteiro* (1). 2. Que roça ou desliza pelo chão: *passos arrastados.* 3. Lento, pausado; frouxo: *voz arrastada.* 4. Demorado, delongado: *negócio arrastado.* 5. Miserável, humilde. ● *S. m.* 6. *Bras.* Ato ou efeito de arrastar. 7. V. *arrasta-pé* (1). 8. *Bras.* Um dos toques da viola ou da guitarra.

arrastador (ô) [De *arrastar* + *-dor*.] *S. m. Bras. N. N.E.* 1. Caminho estreito, nos matos, que os vaqueiros atravessam à procura dos pastos habituais do gado. 2. Picada tosca aberta no mato pelos sertanejos para a condução de madeiras. 3. Atalho para comunicação com as roças feitas no interior das florestas.

arrastadura [De *arrastar* + *-dura*.] *S. f.* Arrastamento.

arrastamento [De *arrastar* + *-mento*.] *S. m.* Ato de arrastar(-se); arrastadura.

arrastão [De *arrasto* + *-ão*[3].] *S. m.* 1. Esforço violento para arrastar. 2. Vara que nasce junto ao pé da videira. 3. Rede de arrastar pelo fundo, que apanha todas as espécies de peixe que encontra. 4. *Tec. Têx.* Tecido com ligamento aberto, semelhante a uma rede de pesca, muito us. na produção de meias femininas. 5. *Lus. P. ext.* Embarcação própria para a pesca com essa rede. 6. *Bras. Cap. Desus.* Pontapé que se aplica numa queda de quatro, a fim de que os pés atinjam partes vulneráveis do corpo do adversário. 7. *Bras. Cap.* Golpe desequilibrante em que o capoeirista derruba o adversário, puxando-o pelas articulações dos joelhos e, simultaneamente, empurrando-o com o ombro na altura de seu abdome. 8. *Bras. RJ Pop.* Ato de recolher do mar a rede de pesca. 9. *Bras. Pop.* Modalidade de assalto[2] em que um grupo de desordeiros se desloca em correria e age contra pessoas, estabelecimentos comerciais, etc. 10. *P. ext.* Assaltantes que agem em grupo e atacam diversas pessoas. ◆ **Ir no arrastão.** *Bras. Pop.* Deixar-se levar pela influência de outrem, pelas circunstâncias, etc.

arrasta-pé [De *arrastar* + *pé*.] *S. m. Bras. Pop.* 1. Baile popular; arrastado, bate-chinela, bate-coxa, bate-pé, bochinche, bochincho ou bachinche, biqueiro, chinfrim, choro, fobó, forrobodó, forró, fuzo, gafieira, rala-bucho, samba, serra-osso, sorongo, surungo, sumpes, sovacada, subacada. 2. Festa familiar, geralmente improvisada, em que há dança; bailarico, baileco, assustado. [F. red. *arrasta*. Pl.: *arrasta-pés*.]

arrastar [De *ar-*[1] + *rasto* + *-ar*[2].] *V. t. d.* 1. Levar ou trazer de rastos ou de rojo; arrojar: *A mãe arrastava a criança birrenta.* 2. Levar, puxar, ou mover à força, ou a custo: *Depois de várias tentativas, conseguimos arrastar o armário.* 3. Deslocar, fazer mover, sem afastar do chão: "Nisto acordou o velho, e veio a mim arrastando os pés." (Machado de Assis, *Páginas Recolhidas*, p. 95); "quis fugir, mas arrastou uns passos trôpegos, e caiu sem sentidos sobre o tapete." (José de Alencar, *Senhora*, p. 235). 4. Roçar ou roçagar pelo chão: *Andava com majestade, arrastando a cauda do vestido.* 5. Emitir (a voz) morosamente, por preguiça ou dificuldade na pronúncia. 6. Levar, viver, aguentar, suportar (vida apagada, de sofrimento, de miséria, etc.): *Arrastou longos anos aquela miserável existência.* 7. *Inform. Restr.* Numa interface gráfica (q. v.), mover (objeto [5]) na tela do computador, com o auxílio do *mouse*. *T. d. e c.* 8. Atrair, impelir, levar, conduzir: *A curiosidade o arrastara àquele local.* 9. Arrastar (2): *Arrastou o filho pela sala.* *T. d. e i.* 10. Conduzir, compelir, impelir: *A miséria pode arrastá-lo ao crime.* *Int.* 11. Ir de rojo; rastejar. 12. Roçar, roçagar pelo chão. *P.* 13. Ir ou andar a custo; rastejar: "Quando a repartição se fecha, arrasto-me até o relógio oficial" (Graciliano Ramos, *Angústia*, p. 7). 14. Andar sobre os joelhos ou com as mãos pelo chão. 15. Decorrer ou passar (o tempo) mais lentamente do que se espera ou deseja: *Ficou aflito: as horas se arrastavam, e ela não vinha;* "A noite arrasta-se em passos de cobra, lenta, pegajosa" (Ciro de Matos, *Os Brabos*, p. 24). 16. Seguir os seus trâmites, tramitar, marchar, lentamente (um processo, pleito, etc.). 17. Ter a dimensão de; estender-se: *A estrada se arrasta por cinco quilômetros.*

arraste [Dev. de *arrastar*.] *S. m. Quím.* Separação de um componente de uma mistura por meio duma corrente de fluido (geralmente vapor) que passa no seio da mistura. ◆ **Arraste a vapor.** *Quím.* Destilação por vapor (q. v.).

arrasto [Dev. de *arrastar*.] *S. m.* 1. Ato de arrastar. 2. Saco e cabos de rede de pesca. 3. Sulco nos declives das montanhas, produzido pela lenha tombada pelos lenhadores. 4. *Astron.* Força de resistência ao avanço de um veículo espacial, resultante da ação do meio. 5. *Bras. BA* Passagem estreita que liga entre si as partes amplas de uma mesma gruna. 6. *Bras. RS* Transporte de toros em zorra ou carreta.

arrátel [Do ár. *ar-raṭl*.] *S. m.* Antiga unidade de medida de peso, equivalente a 459g ou 16 onças; libra. [Pl.: *arráteis*.]

arratelar [De *arrátel* + *-ar*[2].] *V. t. d.* 1. Dividir em porções de arrátel. 2. Vender aos arráteis.

➔**array** [ə'ɹej] [Ingl.] *S. m. Inform.* Estrutura de dados em forma matricial, que pode ter uma [v. vetor (4)] ou mais dimensões; matriz.

▲ **-arraz** V. *-az*.

arrazoado [De *ar-*[1] + *razão* + *-ado*[1], com desnasalação.] *Adj.* 1. Conforme à razão; congruente, razoável. 2. Acertado, justo. ● *S. m.* 3. Discurso, oral ou escrito, com que se defende uma causa; defesa, razoado, razões. 4. V. *alegação* (2).

arrazoador (ô) [De *arrazoar* + *-dor*.] *S. m.* 1. Aquele que faz arrazoado (3); discursador. 2. V. *maçante* (2).

arrazoamento [De *arrazoar* + *-mento*.] *S. m.* Ato de arrazoar; arrazoado.

arrazoar [De *ar-*[1] + *razão* + *-ar*[2], com desnasalação.] *V. t. d.* 1. Expor ou defender (causa, assunto, argumento, etc.) alegando razões. 2. Censurar, repreender, arguir: *Arrazoou severamente o aluno faltoso.* *T. i.* 3. Altercar, disputando; discutir: *Arrazoou com o irmão durante horas, mas não chegaram a entendimento.* 4. Discorrer, falar: *Arrazoou longamente sobre o assunto.* *Bit. i.* 5. V. *arrazoar* (3): *Arrazoou com o ex-marido sobre a pensão.* *Int.* 6. Discorrer, falar. 7. V. *arrazoar* (3): *Vivem a arrazoar, sem nunca se entenderem.* 8. Cantar à viola de improviso. [Conjug.: v. *coroar*.]

arre [De or. express.; esp. *arre*, provenç. *arri* e it. *arri*.] *Interj.* 1. Designa cólera ou enfado. 2. Emprega-se para incitar as bestas a andarem.

arreação *S. f. Bras.* Série de golpes verticais com que se sangra a seringueira. [Cf. *arriação*.]

arreador (ô) [De *arrear* + *-dor*.] *S. m.* 1. Aquele que arreia; arreeiro. 2. *Bras. RS* Relho comprido com que os campeiros tocam os animais.

arreamento [De *arrear* + *-mento*.] *S. m.* 1. Ato ou efeito de arrear(-se). 2. O conjunto da mobília, alfaias, etc., de uma casa. 3. *Bras.* O conjunto de peças necessárias à montaria do cavalo; arreio, arreios.

arrear [Do lat. vulg. **arredare*, 'prover', < gót. **reths*, 'conselho'; 'provisão'.] *V. t. d.* 1. Pôr arreios em; aparelhar. 2. Pôr arreios ou enfeites em; enfeitar, adornar, ataviar. 3. Mobiliar, mobilhar. *P.* 4. Enfeitar-se, adornar-se, ataviar-se. 5. Jactar-se, gloriar-se, vangloriar-se. [Conjug.: v. *frear*. Fut. do pret.: *arrearia*, etc. Cf. *arriar*, v. e *arriaria*, s. f.]

arreata [Dev. de *arreatar*.] *S. f.* Correia ou corda com que se prendem e por onde se conduzem as bestas; reata, reate.

arreatada [De *arreata* + *-ada*[1].] *S. f.* Pancada com arreata.

arreatadura [De *arreata* + *-dura*.] *S. f.* 1. Ato de arreatar. 2. *Marinh. Ant.* Reforço aplicado a mastro ou verga que tenha estalado, feito com vigas ou barrotes de madeira bem apertados, com botões de volta redonda passados de espaço a espaço. 3. *Marinh. Ant.* Ligação de um objeto a outro com voltas redondas de cabo bem apertadas.

arreatar [De *ar-*[1] + *-re-* + *atar*[2].] *V. t. d.* Prender com arreata.

arreaz *S. m.* V. *arriaz*.

arrebalde *S. m.* V. *arrabalde*.

arrebanhador (ô) [De *arrebanhar* + *-dor*.] *S. m.* Aquele que arrebanha.

arrebanhar [De *ar-*[1] + *rebanho*[1] + *-ar*[2].] *V. t. d.* 1. Ajuntar em rebanho: *arrebanhar o gado.* 2. Reunir, juntar, recolher: *Arrebanhou todos os seus pertences e voltou para a terra natal.* 3. Varrer os últimos restos de. *P.* 4. Juntar-se, reunir-se, apinhar-se: *A multidão arrebanhara-se aos poucos.* [F. paral.: *rebanhar*.]

arrebatado [Part. de *arrebatar*.] *Adj.* 1. Que se deixa levar pelos sentimentos, sem medir as consequências; impetuoso, exaltado, irrefletido: *indivíduo arrebatado.* 2. Em que transparecem precipitação, irreflexão, etc.: *a resposta arrebatada pôs tudo a perder.* 3. Extasiado, enlevado, encantado: *amante arrebatado.* 4. Dominado pela emoção, pelo entusiasmo, etc.: *torcida arrebatada; aplausos arrebatados.*

arrebatador (ô) [De *arrebatar* + *-dor*.] *Adj.* 1. Que arrebata; arrebatante. ● *S. m.* 2. Aquele que arrebata.

arrebatamento [De *arrebatar* + *-mento*.] *S. m.* 1. Ato ou efeito de arrebatar(-se). 2. Precipitação, excitação. 3. Fúria súbita; exaltação, irritação, ira. 4. Estado de quem se acha arrebatado (3); êxtase, enlevo, transporte, arroubo, arrebato.

arrebatante [De *arrebatar* + *-nte*.] *Adj. 2 g.* 1. Arrebatador (1). 2. *Heráld.* Diz-se de animal (lobo, raposa ou ave de rapina) figurado em postura de arrebatar a presa.

arrebatar [De *ar-*[1] + *rebate* + *-ar*[2].] *V. t. d.* 1. Tirar com violência ou força; arrancar: *Arrebatou a carta e dispôs-se a lê-la.* 2. Levar, desviar, com o ímpeto: *Flores frágeis, o vento as arrebata.* 3. Raptar (1): *O apaixonado amante arrebatou a donzela.* 4. Impelir, conduzir: "Se a fé te arrebata e inflama, / Vai aonde ela te levar." (Alberto de Oliveira, *Póstuma*, p. 71). 5. Encantar, enlevar, extasiar: *A beleza do lugar arrebatou-os.* 6. Levar à ira, à cólera; irar, enfurecer, encolerizar: *O riso irônico do amigo arrebatou-o, e o desfecho foi violento.* 7. Conquistar, ganhar: *Seu time arrebatou a taça.* *T. d. e i.* 8. Tirar por força ou violência; arrancar: "Sentado à mesa, ele comigo brinca: / Eu lhe <u>arrebato</u> o seu melhor bocado" (José Bonifácio, *Poesias*, p. 67). **9.** Apossar-se por força ou violência; roubar: *<u>Arrebataram</u>-lhe todo o dinheiro que trazia consigo.* **10.** Provocar, suscitar; arrancar: *A interpretação do pianista <u>arrebatou</u> aplausos aos presentes.* ***P.*** **11.** Extasiar-se, maravilhar-se, entusiasmar-se. **12.** Enfurecer-se, irar-se, encolerizar-se. **13.** Transportar-se em êxtase místico, religioso, etc.

arrebato [Dev. de *arrebatar*.] ***S. m.*** V. *arrebatamento* (4): "não admira que tivesse [o revisor] caído na anacrônica tentação, quiçá impelido por um <u>arrebato</u> de caridade" (José Saramago, *História do Cerco de Lisboa*, p. 24).

arrebém [De *ar-*[2] + *rebém*.] ***S. m.*** *Marinh.* **1.** Cabo de meia polegada (12,7mm) de bitola. **2.** Cabo fino e velho, usado para serviços eventuais de menor importância. [V. *rebém.* Var.: *arrevém*.]

arrebenta-boi [De *arrebentar* + *boi*.] ***S. m.*** *Bras. Bot.* **1.** Erva campanulácea (*Isotoma longiflora*) originária das Antilhas, venenosa, de folhas lanceoladas e flores alvas; arrebenta-cavalo, cega-olho, jasmim-da-itália. **2.** V. *arrebenta-cavalo* (1). [Pl.: *arrebenta-bois*.]

arrebentação [De *arrebentar* + *-ção*.] ***S. f.*** **1.** Ato ou efeito de arrebentar(-se). **2.** *Ocean.* Esboroamento da onda, por instabilidade própria ou por encontrar obstáculo ao seu deslocamento (costa ou fundos rasos). **3.** *P. ext.* O lugar onde as ondas quebram de encontro à praia: *É bom não passar da <u>arrebentação</u>: o mar está puxando muito.* [F. paral., nessas acepç.: *rebentação*.] **4.** *Fam.* V. *pindaíba* (4).

arrebenta-cavalo [De *arrebentar* + *cavalo*[1].] ***S. m.*** *Bras. Bot.* **1.** Erva solanácea (*Solanum aculeatissimum*) ruderal, sublenhosa, provida de inúmeros acúleos retos, amarelos, visíveis, folhas amplas e membranosas, flores alvas, grandes frutos bacáceos, globosos, edules; é us. como medicinal. [Sin.: *arrebenta-boi, babá, bobó, juá, juá-arrebenta-cavalo, juá-bravo, juati, mata-cavalo, melancia-da-praia.*] **2.** V. *arrebenta-boi* (1). [Pl.: *arrebenta-cavalos*.]

arrebentadiço [De *arrebentar* + *-(d)iço*[2].] ***Adj.*** Fácil ou suscetível de arrebentar.

arrebentado [Part. de *arrebentar*.] ***Adj.*** **1.** Que (se) arrebentou. **2.** Sem dinheiro ou recursos; quebrado, falido. **3.** Esfalfado, estafado, exausto, estourado. [F. paral.: *rebentado*.]

arrebentamento [De *arrebentar* + *-mento*.] ***S. m.*** Ato ou efeito de arrebentar(-se).

arrebentão [De *ar-*[2] + *rebentão*.] ***S. m.*** *Bot.* V. *rebentão*.

arrebenta-panela [De *arrebentar* + *panela*.] ***S. f.*** *Bras. Zool.* V. *corcoroca* (3). [Pl.: *arrebenta-panelas*.]

arrebenta-pedra [De *arrebentar* + *pedra*.] ***S. f.*** *Bras. Bot.* Planta euforbiácea (*Phyllanthus corcovadensis*) usada em farmácia como diurético e no tratamento de cálculos biliares renais; erva-pombinha, saxífraga. [Pl.: *arrebenta-pedras*.]

arrebenta-peito [De *arrebentar* + *peito*.] ***S. f.*** **1.** *Bras.* V. *lasca-peito*. **2.** *Bras. SC Pop.* V. *cachaça* (1). [Pl.: *arrebenta-peitos*.]

arrebentar [De *ar-*[2] + *rebentar*.] ***V. int.*** **1.** V. *rebentar* (1 a 10): "Bate, <u>arrebenta</u>, assobia, / Retumba, estrondeia o mar." (Raimundo Correia, *Poesias*, p. 273). ***T. i.*** **2.** V. *rebentar* (11 a 13). **3.** Danificar (máquina, mecanismo): *<u>Arrebentei</u> com o meu carro numa estrada de terra.* ***T. d.*** **4.** V. *rebentar* (14 a 18). ***P.*** **5.** Partir-se, quebrar-se. **6.** Desgastar-se fisicamente; levar-se à exaustão: *<u>Arrebentou-se</u> na execução da árdua tarefa.* **7.** Fazer, ou praticar algo em excesso: *<u>arrebentar-se</u> de trabalhar.*

arrebento [De *ar-*[2] + *rebento*.] ***S. m.*** V. *rebento*.

arrebicar [De *arrebique* + *-ar*[2].] ***V. t. d.*** **1.** Pôr arrebiques em: *Quanto mais <u>arrebica</u> as faces, mais velha parece.* **2.** Enfeitar com exagero: *<u>Arrebicava</u> a menina a ponto de torná-la ridícula.* ***P.*** **3.** Compor o rosto com arrebiques. **4.** Enfeitar-se, ataviar-se ridiculamente. [Conjug.: v. *trancar*.]

arrebique [Do ár. *ar-rakīb*, 'mistura', com metátese.] ***S. m.*** **1.** *Desus.* Cosmético róseo para pintar o rosto. **2.** Enfeite excessivo e de mau gosto. **3.** Amaneiramento e afetação do estilo. [Var.: *rebique*.]

arrebitado [Part. de *arrebitar*.] ***Adj.*** **1.** Revirado para cima na ponta: *nariz <u>arrebitado</u>.* **2.** *Bras. Fig.* De mau gênio; irascível, genioso. **3.** *Bras. Fig.* Vivo, esperto. **4.** *Bras. Fig.* Petulante, insolente.

arrebitamento [De *arrebitar* + *-mento*.] ***S. m.*** **1.** Ato ou efeito de arrebitar(-se). **2.** *Bras.* Feitio ou procedimento de quem é arrebitado (4).

arrebitar [De *ar-*[1] + *rebite* + *-ar*[2].] ***V. t. d.*** **1.** Revirar (a ponta ou a aba) para cima: *<u>Arrebitava</u> o lábio superior, despeitado.* ***P.*** **2.** Levantar-se, altear-se. **3.** Levantar-se com altivez; emproar-se. **4.** Irritar-se, abespinhar-se. [F. paral.: *rebitar*.]

arrebita-rabo [De *arrebitar* + *rabo*.] ***S. f.*** *Bras. Zool.* V. *sabiá-do-campo*. [Pl.: *arrebita-rabos*.]

arrebite [Dev. de *arrebitar*.] ***S. m.*** Rebite (1).

arrebito [Dev. de *arrebitar*.] ***S. m.*** **1.** Configuração de coisa arrebitada. **2.** *Fig.* Petulância, insolência.

arrebol [De *ar-*[2] + lat. *rubore*, 'rubor', com dissimilação.] ***S. m.*** Vermelhidão do nascer ou do pôr do sol: "veio a loucura do <u>arrebol</u> da tarde a pôr no horizonte lumaréus de fogueira" (Adelaide Félix, *Cada Qual com Seu Milagre...*, p. 198). [Pl.: *arrebóis*.]

arrebolar[1] [De *ar-*[1] + *rebolo* (ô) + *-ar*[2].] ***V. t. d.*** **1.** Dar feitio de bola a; arredondar, abolar. **2.** Amolar no rebolo.

arrebolar[2] [De *arrebol* + *-ar*[2].] ***V. t. d.*** Dar cor de arrebol a.

arre-burrinho [De *arre* + *burrinho*.] ***S. m.*** **1.** V. *gangorra*[1] (1). **2.** *Fam.* Pessoa que se presta ao debique de todos; joguete. [Pl.: *arre-burrinhos*.]

arrecabe [Do ár. *arcub*, 'calcanhar'.] ***S. m.*** Corda para puxar os arrastões de pesca.

arrecada [De or. incerta.] ***S. f.*** Brinco (1), em geral de metal e em forma de argola: "Têm nas orelhas grossas <u>arrecadas</u>, / Nas mãos (com luvas) trinta moedas, em anéis, / Ao pescoço serpentes de cordões" (Antônio Nobre, *Só*, p. 32). [M. us. no pl., pelo menos no Brasil.] ~ V. *arrecadas*.

arrecadação [De *arrecadar* + *-ção*.] ***S. f.*** **1.** Ato ou efeito de arrecadar; arrecadamento. **2.** Lugar onde se arrecada ou guarda alguma coisa; depósito. **3.** Cobrança de renda ou tributo. **4.** Montante arrecadado de tributos: *A expansão da atividade produtiva fez aumentar a <u>arrecadação</u>.* **5.** Prisão, custódia.

arrecadado [Part. de *arrecadar*.] ***Adj.*** **1.** Posto a bom recado; guardado. **2.** Diz-se de renda ou tributo que se cobrou. **3.** Econômico, poupado, parcimonioso.

arrecadador (ô) [De *arrecadar* + *-dor*.] ***Adj. S. m.*** Que, ou aquele que arrecada.

arrecadamento [De *arrecadar* + *-mento*.] ***S. m.*** Arrecadação (1).

arrecadar [De *ar-*[2] + lat. vulg. **recapitare*, alter. de *receptare*, poss.] ***V. t. d.*** **1.** Ter ou guardar em lugar seguro; pôr a bom recado; guardar: *<u>Arrecadou</u> cuidadosamente as joias.* **2.** Cobrar (renda, tributo). **3.** Aceitar em pagamento; receber: *<u>Arrecada</u> boa gratificação mensal.* **4.** Tomar posse de: *Está às vésperas de <u>arrecadar</u> a herança materna.* **5.** Ajuntar, juntar; guardar: "A mulher, cuidadosa, juntava sementes e pedaços de casca, <u>arrecadava</u> tudo no lenço e na bolsa." (Graciliano Ramos, *Viagem*, p. 32). **6.** Segurar, prender: *<u>Arrecadou</u> a mão da amada.* **7.** Conseguir, obter, arranjar. ***T. c.*** **8.** Recolher (certa quantia): *A loteria desta semana <u>arrecadou</u> três milhões de reais.* **9.** Arrecadar (7). ***Int.*** **10.** Conseguir, alcançar, obter o que se deseja: *Tardou, mas <u>arrecadou</u>.*

arrecadas ***S. f. pl.*** V. *arrecada*.

arrecadatório [De *arrecadar* + *-tório*.] ***Adj.*** **1.** Que arrecada ou que envolve arrecadação. **2.** Relativo a arrecadação.

arrecadável [De *arrecadar* + *-vel*.] ***Adj. 2 g.*** Que se pode arrecadar (1).

arrecear [De *ar-*[2] + *recear*.] ***V. t. d. T. i. P.*** V. *recear*. [Conjug.: v. *frear*.]

arrecife [Do ár. *arracîf*.] ***S. m.*** V. *recife*: "Fico nos <u>arrecifes</u>, olhando o mar." (Hélio Galvão, *Cartas da Praia*, p. 40); "negrejavam brutos <u>arrecifes</u> recobertos de limo verde" (Herman Lima, *Tijipió*, p. 121).

arrecto [Do lat. *arrectu*.] ***Adj.*** Teso, ereto, erecto.

arrecuas ***El. s. f. pl.*** Us. na loc. *às arrecuas*. ◆ **Às arrecuas.** Andando para trás; recuando: "e as horas transcorriam .... como se o tempo andasse <u>às arrecuas</u>" (Lêdo Ivo, *Ninho de Cobras*, p. 114).

arreda [Dev. de *arredar*.] ***Interj.*** Designa ordem para alguém se afastar ou arredar: desvia, afasta, fora, para trás.

arredado [Part. de *arredar*.] ***Adj.*** **1.** Que se arredou; afastado. **2.** Longínquo, distante, remoto, apartado.

arredamento [De *arredar* + *-mento*.] ***S. m.*** **1.** Ato ou efeito de arredar(-se). **2.** Desvio, afastamento.

arredar [Do lat. **adretrare* < lat. *ad retro*, 'para trás'.] ***V. t. d. e c.*** **1.** Afastar, desviar, remover para trás; fazer recuar: *Agarrou-o pela aba do paletó para <u>arredá</u>-lo dali.* **2.** Afastar, desviar, apartar: *Ninguém consegue <u>arredá</u>-lo desta casa.* ***T. d.*** **3.** Tirar do lugar, apartar de um lugar para outro; remover: *Levantaram-se <u>arredando</u> as cadeiras.* ***T. d. e i.*** **4.** Dissuadir, demover: *Impossível <u>arredá</u>-lo de sua deliberação.* ***T. c. Int.*** **5.** Pôr-se longe; afastar-se, apartar-se: "Se volta a chover, apanham-na toda, daqui ninguém <u>arreda</u>." (José Saramago, *O Ano da Morte de Ricardo Reis*, p. 70); *O policial ordenou aos curiosos que <u>arredassem</u>.* ***P.*** **6.** Afastar-se para trás; recuar, retroceder. **7.** Afastar-se, apartar-se, retirar-se. [Pret. imperf.: *arredava, ... arredáveis, arredavam.* Cf. *arredáveis*, pl. de *arredável*.]

arredável [De *arredar* + *-vel*.] ***Adj. 2 g.*** Que pode ser arredado.

arre-diabo [De *arre* + *diabo*.] ***S. m.*** *Bras. Bot.* V. *urtiga-de-mamão*. [Pl.: *arre-diabos*.]

arredio [De *arredar* + *-io*[2].] ***Adj.*** **1.** Que vive longe dos lugares que frequentava ou das companhias que tinha. **2.** Que se afasta do trato ou do convívio social. **3.** Afastado, separado, apartado. **4.** Diz-se do gado tresmalhado, desgarrado.

arredonda-ângulos [De *arredondar* + o pl. de *ângulo*.] ***S. m. 2 n.*** *Encad.* Aparelho com que se dá aparo arredondado aos cantos do papel ou do cartão.

arredondado[1] [De *ar-*[1] + *redondo* + *-ado*[1].] ***Adj.*** Que tem forma redonda, circular ou de bola: "Presa à cintura pelo cós, desce a saia preta contornando os quadris <u>arredondados</u>." (Ana Elisa Gregori, *Os Barões da Candeia*, p. 11). ~ V. *folha —a*.

arredondado[2] [Part. de *arredondar*.] ***Adj.*** **1.** Que se arredondou. **2.** *E. Ling.* Produzido com arredondamento (2). ~ V. *vogal —a*.

arredonda-dorso [De *arredondar* + *dorso*.] ***S. m.*** *Encad.* Espécie de prensa para encurvar o dorso dos livros, em substituição ao processo manual, a martelo, dos encadernadores. [Pl.: *arredonda-dorsos*.]

arredondamento [De *arredondar* + *-mento*.] ***S. m.*** **1.** Ato ou efeito de arredondar(-se). **2.** *E. Ling.* Movimento articulatório dos lábios, que, visualmente, tomam forma arredondada, e com base no qual repousa a distinção entre sons produzidos com esse arredondamento (ditos *arredondados*), ou sem ele (ditos *não arredondados*). [V. *labialização*.] **3.** *Mat.* Num cálculo aproximado, abandono de todos os algarismos posteriores aos de uma certa ordem decimal, com eventual modificação do último algarismo conservado.

arredondar [De *ar-*[1] + *redondo* + *-ar*[2].] ***V. t. d.*** **1.** Tornar redondo; abolar. **2.** Dar figura, forma ou feição redonda, esférica ou circular a: *<u>Arredondou</u> os braços para abraçá-la;* "O vento arredondava as nuvens, punha mais distância no campo." (Augusto Meyer, *Segredos da Infância*, p. 13). **3.** Completar, inteirar: *Conseguiu, com sua economia, <u>arredondar</u> pequena fortuna.* **4.** Perfazer (conta, quantia), transformando-lhe o total em números redondos: *Para facilitar o troco, resolveu <u>arredondar</u> a conta.* **5.** Dar harmonia, sonoridade, a (frase ou período): "Expletivo, também se diz de vocábulos, geralmente mui curtos, desnecessários para o sentido, mas que servem para encher (*explere*), <u>arredondar</u> a frase." (Mário Barreto, *Novos Estudos da Língua Portuguesa*, p. 436.) **6.** *Mat.* Efetuar o arredondamento de (um número). ***Int.*** **7.** Adquirir formas redondas; engordar: *Entregou-se à gula, e <u>arredondou</u>.* **8.** *Mat.* Efetuar um arredondamento. ***P.*** **9.** Tornar-se redondo. **10.** Tomar forma arredondada: "Nutrira, <u>arredondaram-se</u> proeminências faciais." (Camilo Castelo Branco, *A Mulher Fatal*, p. 123.) ◆ **Arredondar para baixo.** *Mat.* Arredondar, sem modificar o último algarismo conservado. **Arredondar para cima.** *Mat.* Arredondar somando 1 (um) ao último algarismo conservado.

arredor [De *a-*[1] + *redor*.] ***Adv.*** **1.** Ao redor, em redor, em volta. ● ***Adj. 2 g.*** **2.** Circunvizinho, confinante. ● ***S. m.*** **3.** *P. us.* Arredores: "Quem assim falava? No <u>arredor</u> atento, / Ninguém vi" (Alberto de Oliveira, *Póstuma*, p. 24). ~ V. *arredores*.

arredores [Pl. de *arredor*.] ***S. m. pl.*** Circunvizinhança, imediações, cercanias. [Tb. us. (pouco) no sing.] ~ V. *arredor*.

arreirada[1] [De *arreeiro*[1] + *-ada*[1].] ***S. f.*** V. *arreirice*[1].

arreirada[2] [De *arreeiro*[2] + *-ada*[1].] ***S. f.*** Arreeirice[2].

arreirado[1] [De *arreeiro*[1] + *-ado*[1].] ***Adj.*** Que tem modos de arreeiro[1]; arrieirado.

arreirado[2] [De *arreeiro*[2] + *-ado*[1].] ***Adj.*** Que tem modos de arreeiro[2]; arreeirático.

arreirático [De *arreeiro*[2] + *-ático*.] ***Adj.*** **1.** Relativo a, ou próprio de arreeiro[2]. **2.** Arreeirado[2]. **3.** *P. ext.* Rude, rústico.

arreeirice[1] [De *arreeiro*[1] + *-ice*.] ***S. f.*** Ação, expressão, dito, ou comportamento próprios de arreeiro[1]; arreeirada, arrieirice, arrieirada.

arreeirice[2] [De *arreeiro*[2] + *-ice*.] ***S. f.*** Ação, expressão, dito, ou comportamento próprios de arreeiro[2].

arreeiro[1] [De *arre* + *-eiro*.] ***S. m.*** **1.** Homem que guia bestas de carga; almocreve, tropeiro. **2.** *Fig.* Indivíduo rude. [Sin. ger.: *arrieiro*.]

arreeiro[2] [De *arre-*, como em *arrear* e *arreio*, + *-eiro*.] ***S. m.*** **1.** Arreador (1) (q. v.). **2.** Condutor de bestas de carga ou de cavalgaduras, ou aquele que as aluga.

arrefeçado [Part. de *arrefeçar*.] ***Adj.*** **1.** Tornado refece; vendido por preço vil. **2.** *Fig.* Aviltado, rebaixado.

arrefeçar [De *ar-*[1] + *refece* + *-ar*[2].] ***V. t. d.*** **1.** Vender por preço vil. **2.** Tornar vil; aviltar. [Conjug.: v. *começar*. Pres. ind.: *arrefeço, arrefeças, arrefeça, ... arrefeçam.* Cf. *arrefeço* (ê), *arrefeças* (ê), *arrefeça* (ê), ... *arrefeçam* (ê), do v. *arrefecer*.]

arrefecedor (ô) [De *arrefecer* + *-dor*.] ***Adj.*** **1.** Que faz arrefecer. ● ***S. m.*** **2.** Aquele ou aquilo que faz arrefecer.

arrefecer [De *ar-*[1] + lat. *refrigescere*, 'resfriar'.] ***V. int.*** **1.** Tornar-se frio; perder o calor; esfriar: "A cinza arrefeceu sobre o brasido." (Camilo Pessanha, *Clepsidra e Outros Poemas*, p. 177); *Quando chegou à mesa, já a sopa arrefecera;* "Esse beijo da manhã, que foi quente alguns anos, arrefecera." (José Vieira, *Espelho de Casados*, p. 10). **2.** Perder a energia, o zelo, o fervor, o entusiasmo, etc.; desanimar, desalentar-se, afrouxar: *Começou trabalhando com entusiasmo, mas, quando viu que seria mal pago, arrefeceu;* "A palestra arrefecera em torno das brasas extintas. Cada qual se isolava em suas reflexões." (Godofredo Rangel, *Vida Ociosa*, p. 187). **3.** Ceder, abrandar: *Sua alta temperatura foi aos poucos arrefecendo.* ***T. d.*** **4.** Moderar (o zelo, o entusiasmo, a energia, a atividade). **5.** Fazer esfriar; fazer perder o calor. **6.** Fazer perder (zelo, fervor, entusiasmo, energia, etc.); desanimar: *Tua indiferença acabou por arrefecê-lo.* ***P.*** **7.** Tornar-se frio; perder o calor. **8.** Perder o calor, a vivacidade; esfriar. [F. paral.: *refecer*. Cf. *arrefentar*. Conjug.: v. *aquecer*. Pres. ind.: *arrefeço* (ê), *arrefeces*, *arrefece*, etc.; pres. subj.: *arrefeça* (ê), *arrefeças* (ê), *arrefeça* (ê), ..., *arrefeçam* (ê). Cf. *arrefeço*, *arrefeças*, *arrefeça*, ... *arrefeçam*, do v. *arrefeçar*.]

arrefecido [Part. de *arrefecer*.] ***Adj.*** **1.** Que arrefeceu, esfriou. **2.** Desanimado, desalentado, entibiado.

arrefecimento [De *arrefecer* + *-imento*.] ***S. m.*** **1.** Ato ou efeito de arrefecer(-se). **2.** Perda do calor; resfriamento.

arrefém ***S. m.*** V. *refém*.

arrefentado [Part. de *arrefentar*.] ***Adj.*** Um tanto frio.

arrefentar [Cruz. de *arrefecer* e *aquentar*.] ***V. t. d.*** Tornar um tanto frio. [Cf. *arrefecer*.]

arreflexia (cs) [De *a-*[3] + *reflexo* + *-ia*[1].] ***S. f. Neur.*** Ausência de reflexo(s [v. *reflexo* (12)].

ar-refrigerado ***S. m.*** V. *condicionador de ar* (2). [Pl.: *ares-refrigerados*. Cf. *ar refrigerado*.]

arregaçada [De *ar-*[1] + *regaço* + *-ada*[1].] ***S. f.*** **1.** Regaço cheio. **2.** Porção que enche o regaço. **3.** Grande porção: *uma arregaçada de rosas.*

arregaçado [Part. de *arregaçar*.] ***Adj.*** **1.** Apanhado, arrepanhado: *vestido arregaçado; mangas arregaçadas.* **2.** Levantado, por efeito de enrolamento, arqueamento, enrugamento, etc.: *Tem o lábio arregaçado.*

arregaçar [De *ar-*[2] + *regaçar*.] ***V. t. d.*** **1.** Colher a borda de (um vestido), formando regaço; apanhar, arrepanhar. **2.** Puxar, ou dobrar para cima (as calças, ou outra peça ou parte do vestuário): "Gostava de arregaçar as mangas para mostrar os braços, luxo de alvura, braços perfeitos de princesa" (Raul Pompeia, *O Ateneu*, p. 113). **3.** Levantar, contraindo-os ou arqueando-os, os lábios, mostrando, deixando ver (riso, sorriso): *Provocado, arregaçou um sorriso de desdém.* ***P.*** **4.** Levantar-se, enrolando-se, arqueando-se, contraindo-se, enrugando-se, etc.: *O lábio superior arregaçava-se por cima dos dentes.* [F. paral.: *regaçar*. Conjug.: v. *laçar*.]

arregaço [Dev. de *arregaçar*.] ***S. m. Bras.*** **1.** V. *repreensão* (1). **2.** Discussão violenta; briga, altercação. **3.** V. *rolo*[1] (16).

arregado [Part. de *arregar*.] ***Adj. Bras. Gír.*** Que pediu arrego.

arregalado [Part. de *arregalar*.] ***Adj.*** Muito aberto; esbugalhado: *olhos arregalados.*

arregalar [Do esp. ant. *arreguilar*.] ***V. t. d.*** Abrir e esbugalhar muito (os olhos), por espanto, admiração, surpresa, satisfação, etc.: "Os negociantes dinheirosos arregalavam olhos concupiscentes" (Artur Azevedo, *Contos Possíveis*, p. 25).

arreganhado [Part. de *arreganhar*.] ***Adj.*** **1.** Diz-se de dentes que ficam expostos quando os lábios se abrem pelo riso ou por expressão colérica. **2.** ***Bras. S.*** Diz-se do cavalo que em tempo de calor intenso, depois de marchas imoderadas, havendo bebido pouco, é acometido de uma espécie de espasmo, caracterizado pela contração dos maxilares e das narinas.

arreganhar [De *ar-*[2] + lat. **reganniare* (< lat. **regannium* < lat. *gannire*, 'resmungar', 'rosnar', 'latir'), poss.] ***V. t. d.*** **1.** Mostrar (os dentes) abrindo os lábios com expressão de cólera ou de riso: "A sertaneja, dengosa, arreganhou os dentes falhados" (Alberto Deodato, *Canaviais*, p. 27). **2.** Abrir, alargar, escancarar: *arreganhar os lábios.* ***Int.*** **3.** Rachar, fender, arregoar (o fruto). ***P.*** **4.** Mostrar os dentes com expressão de cólera ou de riso. **5.** ***Fig.*** Irritar-se, irar-se, encolerizar-se. **6.** Fazer chacota; escarnecer, troçar, zombar.

arreganho [Dev. de *arreganhar*.] ***S. m.*** **1.** Ato ou efeito de arreganhar. **2.** Gesto de desassombro, de intrepidez. **3.** Desassombro, audácia, intrepidez. **4.** Ação, dito, comportamento ou semblante de desafio, de ameaça; intimidação: *Não teme arreganhos.* "E .... se foi ao encontro dos amigos com decisão e arreganho." (Aquilino Ribeiro, *Andam Faunos pelos Bosques*, p. 59).

arregar-se [De *arrego* + *-ar*[2] + *se*[1].] ***V. p. Bras. Gír.*** V. *pedir penico* (1 e 2).

arregimentação [De *arregimentar* + *-ção*.] ***S. f.*** **1.** Ato ou efeito de arregimentar. **2.** Período em que um oficial serve em regimento, com o fim de perfazer tempo de comando para promoção: "Acabei indo para Quitaúna, em fins de março de 1956, para comandar um grupo de artilharia antiaérea e terminar minha arregimentação." (M. C. D'Araújo e C. Castro, *Ernesto Geisel*, p. 123).

arregimentar [De *ar-*[1] + *regimento* + *-ar*[2].] ***V. t. d.*** **1.** Alistar ou reunir em regimento. **2.** Reunir, associar, em partido, sociedade ou bando: *Arregimentou grande número de amigos para a campanha eleitoral.* ***P.*** **3.** Unir-se, associar-se: *Arregimentou-se aos colegas de classe durante a paralisação das aulas.* ***P.*** **4.** Servir (um oficial) em regimento, esp. com o fim de completar tempo de comando para promoção: "Quando o Juarez [Távora] se exonerou para ser candidato, aproveitei a circunstância para sair também e me arregimentar" (M. C. D'Araújo e C. Castro, *Ernesto Geisel*, p. 118).

arreglar [Do esp. plat. *arreglar*.] ***V. t. d. Bras. RS*** **1.** Ajustar, combinar, concertar. **2.** Pôr em ordem (assunto, negócio, etc.): *Chamou a peonada e procurou arreglar a questão.*

arreglo[1] [Do esp. *arreglo*.] ***S. m.*** Adaptação de peça teatral.

arreglo[2] [Do esp. plat. *arreglo*.] ***S. m. Bras. RS*** Ato ou efeito de arreglar; ajuste, combinação.

arrego (ê) [Der. regress. de *arregar*.] ***Bras. Gír. S. m.*** **1.** Ato de render-se, entregar-se. **2.** Dinheiro que se dá a policial corrupto, para livrar-se de multa, prisão, apreensão, etc.; suborno, propina, bola, peita. ● ***Interj.*** **3.** ***P. ext.*** Exprime impaciência ou irritação: *Arrego! Chega de chateação.* ◆ **Pedir arrego.** ***Bras. Gír.*** V. *pedir penico*.

arregoar [De *ar-*[1] + *rego* + *-oar*.] ***V. t. d.*** **1.** Abrir regos em; regoar. **2.** Molhar, inundar; regoar. ***Int.*** **3.** Abrir-se, gretar (o fruto). [Conjug.: v. *coroar*.]

arreia [De *relha* (ê), poss.] ***S. f. Bras. N.E.*** Parte terminal das rodas cheias dos carros de bois.

arreigada [F. subst. do part. de *arreigar*.] ***S. f. Marinh.*** Ligação do chicote de um cabo, ou do gato ou rabicho de um poleame, a um objeto firme. ◆ **Fazer arreigada.** ***Marinh. Ant.*** Ligar ou prender o chicote de um cabo, corrente, etc., ou o rabicho de um poleame enrabichado, em um objeto que possa aguentá-lo.

arreigar ***V. t. d. T. d. e c. T. c. P.*** V. *arraigar*. [P. us. no Brasil.]

arreio [Dev. de *arrear*.] ***S. m.*** **1.** V. *arreamento* (3). **2.** Conjunto de peças necessárias ao trabalho de carga do equídeo. [Tb. us. no pl., nessas acepç.] **3.** Enfeite, ornamento, adorno. ~ V. *arreios*. ◆ **Sacudir os arreios.** ***Bras. S.*** Opor-se a alguma coisa; rebelar-se, reclamar. **Sair vendendo os arreios.** ***Bras. RS*** Sair (o cavalo) em liberdade, em disparada campo fora, quando encilhado, fugindo do cavaleiro e espalhando as peças do arreamento. [Cf. a loc. *a reio*.]

arreios [Pl. de *arreio*.] ***S. m. pl.*** V. *arreio* (1 e 2). [Sin., bras.: *jereba*.]

arreísmo [De *ar-*[3] + *-re(o)-* + *-ismo*.] ***S. m. Geogr.*** Conjunto de condições características das regiões sem escoamento de água corrente.

arreitado [Part. de *arreitar*.] ***Adj.*** Que experimenta excitação do apetite venéreo; que sente desejos venéreos. [Var.: *arretado*.]

arreitar [Do lat. **arrectare* < lat. *arrectus*, part. pass. de *arrigere*, 'endireitar'; 'erguer', 'levantar'.] ***V. t. d.*** **1.** Excitar o apetite venéreo em. ***Int. P.*** **2.** Sentir desejos venéreos. [Var.: *arretar*. Cf. *arretar*.]

arrejeitar [De *ar-*[2] + *rejeitar*[1].] ***V. t. d. T. d. e c.*** Arremessar, atirar para longe.

arrelhada [De *relha*.] ***S. f.*** Raspadeira de ferro com que se limpa o arado.

arrelhador (ô) [De *arrelhar* + *-dor*.] ***S. m. Bras. N.*** Relho com que se ata o bezerro à perna da vaca, quando esta é ordenhada.

arrelhar [De *ar-*[1] + *relho* + *-ar*[2].] ***V. t. d. Bras. N.*** Prender (o bezerro), com o relho, à vaca, na ordenha. [Conjug.: v. *aparelhar*.]

arrelia [Dev. de *arreliar*.] ***S. f.*** **1.** Zanga, aborrecimento, irritação. **2.** Impaciência, sofreguidão. **3.** Quizila, quizília, rixa. **4.** ***Bras.*** V. *rolo*[1] (16). **5.** Mau agouro. **6.** ***Bras. N.E. Pop.*** V. *mutirão* (1): "Há, naturalmente, uma série enorme de variantes de mutirão e adjunto .... que denunciam a procedência portuguesa do costume vicinal, como arrelia, bandeira, batalhão, boi de cova .... nos Estados nordestinos." (Edison Carneiro, *A Sabedoria Popular*, p. 60).

arreliado [Part. de *arreliar*.] ***Adj.*** **1.** Dado a arrelias ou rixas; brigão, brigalhão, briguento; arreliento. **2.** Insolente, atrevido.

arreliador (ô) [De *arreliar* + *-dor*.] ***Adj.*** **1.** Que arrelia; arreliante, arrelioso. ● ***S. m.*** **2.** Aquele que arrelia.

arreliante [De *arreliar* + *-nte*.] ***Adj. 2 g.*** V. *arreliador* (1).

arreliar [De *arre* + *-l-* + *-iar*, poss.] ***V. t. d.*** **1.** Fazer ou causar arrelia a; aborrecer, irritar, zangar. ***P.*** **2.** Aborrecer-se, zangar-se; impacientar-se.

arreliento [De *arrelia* + *-ento*.] ***Adj.*** V. *arreliado* (1).

arreligioso (ô) [De *a-*[3] + *religioso*.] ***Adj.*** **1.** Que não é religioso. **2.** Que não tem interesse na problemática religiosa ou é indiferente a ela.

arrelioso (ô) [De *arrel-*, como em *arreliar*, + *-oso*.] ***Adj.*** Que arrelia, impaciente; arreliador (q. v.).

arrelique ***S. m. Bras. PB*** **1.** Medicação de efeito rápido. **2.** Coisa muito valiosa. **3.** Pedaço muito pequeno de alguma coisa.

arrelvar [De *a-*[2] + *relvar*.] ***V. t. d. P.*** **1.** Cobrir(-se) de relva; relvar: "E prosseguiu no passeio, chibatando, com ares de Tarquínio ou Pombal, as florinhas que se abriam, por entre o ervaçal que arrelvava a alameda." (Camilo Castelo Branco, *O Bem e o Mal*, p. 83). **2.** Tornar(-se) verdejante.

arremangar [De *ar-*[2] + *remangar*.] ***V. int.*** **1.** Arregaçar as mangas. **2.** Levantar a mão contra alguém, como que para atacar. **3.** Simular que trabalha. ***T. d.*** **4.** Arregaçar as mangas de; arregaçar: "Desatracou o barco, arremangou a camisa, ... travou da vara" (Camilo Castelo Branco, *Doze Casamentos Felizes*, p. 132). ***P.*** **5.** Dispor-se a fazer alguma coisa. [F. paral.: *remangar*. Conjug.: v. *largar*.]

arremansar-se [De *ar-*[2] + *remansar-se*.] ***V. p.*** Ficar em remanso; remansar-se, remansear-se.

arrematação [De *arrematar*[2] + *-ção*.] ***S. f.*** **1.** Ato ou efeito de arrematar[2]. **2.** Adjudicação em hasta pública. [F. paral.: *rematação*.]

arrematador (ô) [De *arrematar*[2] + *-dor*.] ***Adj. S. m.*** Arrematante.

arrematante [De *arrematar*[2] + *-nte*.] ***Adj. 2 g. S. 2 g.*** Que, ou quem arremata, dá lanços em uma arrematação; arrematador.

arrematar[1] [De *ar-*[2] + *rematar*.] ***V. t. d.*** **1.** Dar remate a; concluir, acabar, terminar, rematar. **2.** Dar segunda cava ou sacha a (o milho). **3.** ***Bras.*** Concluir, terminar, de maneira tosca ou imperfeita: *Apenas arrematou o trabalho, para entregá-lo mais depressa.* **4.** Fazer os acabamentos em: *A costureira ainda não arrematou o vestido.* **5.** Prender, para que não se desfaça, o último ponto de (costura, bordado, etc.); rematar. **6.** ***Fut.*** Finalizar (uma jogada) com chute ou cabeçada para o gol. **7.** Dizer, concluindo ou finalizando: *Irritadíssimo, arrematou: | — Não ponha mais os pés aqui!* ***Int.*** **8.** Terminar, finalizar. ***P.*** **9.** Acabar-se, concluir-se.

arrematar[2] [De *ramo* (9), poss.] ***V. t. d.*** **1.** Vender ou dar de arrendamento em leilão ou almoeda, aos lanços ou a quem mais der; adjudicar a quem oferece maior lanço. **2.** Comprar ou tomar de arrendamento em leilão ou almoeda. ***Int.*** **3.** Dar por vendida a coisa que se pôs em almoeda.

arremate [Dev. de *arrematar*[1].] ***S. m.*** **1.** Ato ou efeito de arrematar[1], de dar remate a. **2.** Acabamento, conclusão, remate. **3.** ***Bras. Fut.*** Lançamento para o gol, em finalização de uma jogada. [Sin. lus.: remate.]

arremeção ***S. m.*** Antiga medida agrária de 19 palmos e meio, *i. e.*, 4,30m. [Cf. *arremessão*.]

arremedador (ô) [De *arremedar* + *-dor*.] ***S. m.*** Aquele que arremeda.

arremedar [De *ar-*[2] + *remedar*.] ***V. t. d.*** **1.** Imitar grotescamente; macaquear: *Fazia caretas engraçadas, arremedando a mãe ao espelho.* **2.** Reproduzir (pessoa ou animal, ou característica daquela ou deste): *arremedar uma criança o grasnar do marreco;* "Ele arremeda o nambu, a zabelê, a galega, ... com tal precisão, que a vítima vem cair em cima de sua espingarda certeira." (Hélio Galvão, *Cartas da Praia*, p. 31). **3.** Ser semelhante a; semelhar, parecer: *canto que arremeda o dos pássaros.* [F. paral.: *remedar*. Pres. ind.: *arremedo*, etc. Cf. *arremedo* (ê).]

arremedilho [De *arremedo* + *-ilho*.] ***S. m. Lus. Teatr.*** Representação teatral curta e chistosa, de caráter popular; entremez, farsa.

arremedo (ê) [Dev. de *arremedar*.] ***S. m.*** **1.** Ato de arremedar. **2.** Cópia, imitação. **3.** Imitação ridícula ou grosseira. **4.** ***Teatr.*** Paródia (3). [F. paral.: *remedo*. Pl.: *arremedos* (ê). Cf. *arremedo*, do v. *arremedar*.]

arremessador (ô) [De *arremessar* + *-dor*.] ***S. m.*** Aquele que arremessa.

arremessamento [De *arremessar* + *-mento*.] ***S. m.*** Arremesso (1).

arremessão [De *arremessar* + *-ão*[3].] ***S. m.*** **1.** Impulso de arremessar. **2.** Aquilo que se arremessa. **3.** Arma de arremesso. [Cf. *arremeção*.]

arremessar [De *ar-*[2] + *remessar*.] ***V. t. d.*** **1.** Atirar, lançar com força para longe; arrojar. **2.** Fazer caminhar com ímpeto; impelir: "Não foge: mas espera confiado, / E o ginete belígero arremessa" (Luís de Camões, *Os Lusíadas*, III, 50). **3.** Repelir, repudiar: *Arremessa com orgulho as demonstrações de sentimentalismo.* **4.** ***Esport.*** Fazer arremesso (5); chutar. ***T. d. e c.*** **5.** Atirar, arrojar, lançar com força ou ímpeto: *As* *ondas __arremessavam__ o pescador contra as rochas; __Arremessou__ a lança contra o inimigo.* ***P.*** **6.** Atirar-se ou arrojar-se com força; lançar-se, precipitar-se. **7.** Investir, acometer, arremeter. **8.** Abalançar-se, atrever-se, aventurar-se: *Não o julgava capaz de __arremessar-se__ a tal empresa.* [F. paral.: *remessar.* Pres. ind.: *arremesso,* etc. Cf. *arremesso* (ê).]

arremesso (ê) [Dev. de *arremessar.*] ***S. m.*** **1.** Ato ou efeito de arremessar; arremessamento. **2.** Arrojo, ousadia. **3.** Acometimento, ataque, investida. **4.** Ameaça, menção: *Fez __arremesso__ de fugir.* **5.** *Basq.* No basquete, lançamento da bola em direção à cesta; chute. [F. paral.: *remesso* (ê). Pl.: *arremessos* (ê). Cf. *arremesso,* do v. *arremessar.*] ~ V. *arremessos.*

arremessos (ê) [Pl. de *arremesso.*] ***S. m. pl.*** **1.** Voos, remígios. **2.** Assomos, indícios, aparências: *Desde menino tinha uns __arremessos__ de escritor.* ~ V. *arremesso.*

arremetedor (ô) [De *arremeter* + *-dor.*] ***Adj. S. m.*** **1.** Que, ou aquele que arremete. **2.** Agressor, assaltante.

arremetedura [De *arremeter* + *-dura.*] ***S. f.*** V. *arremetida.*

arremetente [De *arremeter* + *-nte.*] ***Adj. 2 g.*** Que arremete; arremetedor.

arremeter [De *ar-*^{2} + *remeter.*] ***V. t. i.*** **1.** Arrojar-se, lançar-se, atacar com ímpeto ou fúria; investir: *Os cães, açulados, __arremeteram__ contra os bandidos;* "De um salto, __arremeteu__ contra o inimigo" (Afonso Arinos, *Pelo Sertão,* p. 27); "Porfírio __arremeteu__ furioso contra o adversário!" (Camilo Castelo Branco, *Noites de Lamego,* p. 16). **2.** Adiantar-se, com ímpeto; avançar ameaçadoramente: "O militar enfureceu-se, transfigurou-se, e tal sanha __arremeteu__ ao filho, que o teria retalhado com a espada, se ele se não lançasse por uma janela." (Camilo Castelo Branco, *Doze Casamentos Felizes,* p. 205.) **3.** Abalançar-se, arrojar-se, atrever-se; arremessar-se: *__Arremeteu__ corajosamente à empresa.* ***T. d. e c.*** **4.** Atirar com ímpeto; arremessar: *A violência da batida __arremeteu__ o carro no precipício.* ***Int.*** **5.** Avançar com ímpeto: "Sob a pressão da espora, o corcel __arremete.__ | Rompe a distância, vai, fantástico gigante..." (Olegário Mariano, *Toda uma Vida de Poesia,* I, p. 98.) **6.** Dizer em tom impetuoso, rude, muito irritado: "Feitas as apresentações .... Dona Rosilda foi logo __arremetendo__....: | — Filha minha não namora em pé de escada nem em canto de rua" (Jorge Amado, *Dona Flor e Seus Dois Maridos,* p. 79). ***T. d.*** **7.** Fazer sair com ímpeto; incitar, açular, impelir, arremessar: *Frente à fera, o caçador __arremeteu__ o cavalo.* **8.** *Aer. Av.* Desistir de prosseguir no pouso em virtude de problemas na pista ou na aeronave, retornando à atitude de voo: *O piloto, percebendo que não seria possível pousar, __arremeteu__ o avião.*

arremetida [De *arremeter* + *-ida*^{3}.] ***S. f.*** **1.** Ato ou efeito de arremeter (1); cometimento, investida, assalto. **2.** Ação temerária, arrojada. **3.** Conflito, luta. [Sin. ger.: *arremetedura, arremetimento, remetida, remetimento.*] ◆ **De arremetida.** De arranco; de súbito.

arremetimento [De *arremeter* + *-imento.*] ***S. m.*** V. *arremetida.*

arreminação [De *arreminar(-se)* + *-ção.*] ***S. f.*** *Pop.* Ato ou efeito de arreminar-se; zanga, cólera.

arreminado [Part. de *arreminar-se.*] ***Adj.*** *Pop.* Zangado, irado, encolerizado e ameaçador.

arreminar-se ***V. p.*** *Pop.* Zangar-se, irar-se, encolerizar-se, fazendo ameaças.

arrendação [De *arrendar*^{1} + *-ção.*] ***S. f.*** *P. us.* V. *arrendamento.*

arrendado^{1} [Part. de *arrendar*^{1}.] ***Adj.*** **1.** Dado ou tomado em arrendamento. **2.** Que tem boas rendas ou rendimentos. ~ V. *arrendados.*

arrendado^{2} [Part. de *arrendar*^{2}.] ***Adj.*** **1.** Rendado (1 e 2): "vestia-lhe as roupinhas finas, __arrendadas,__ com seu laçarote azul." (Maria Archer, *Fauno Sovina,* p. 93). ● ***S. m.*** **2.** *Arquit.* Lavor em forma de renda. ~ V. *arrendados.*

arrendador (ô) [De *arrendar*^{1} + *-dor.*] ***S. m.*** Aquele que dá em arrendamento. [Antôn.: *arrendatário.*]

arrendados [Pl. de *arrendado*^{2}.] ***S. m. pl.*** Ornatos miúdos e delicados que lembram renda. ~ V. *arrendado.*

arrendamento [De *arrendar*^{1} + *-mento.*] ***S. m.*** **1.** Ato ou efeito de arrendar^{1}. **2.** Aluguel do contrato pelo qual alguém cede a outrem, por certo tempo e preço, o uso e gozo de coisa não fungível (geralmente imóveis). **3.** Instrumento desse contrato. **4.** Preço estipulado para fruição da coisa arrendada. [Sin. ger. (p. us.): *arrendação.*] ◆ **Arrendamento mercantil.** *Econ.* Operação entre uma pessoa jurídica (o arrendador) e uma pessoa física ou jurídica (o arrendatário), pela qual o primeiro cede ao segundo o uso de bens (como veículos, máquinas, equipamentos, etc.) por determinado prazo, mediante o pagamento de prestações periódicas, sendo usual que ao fim do contrato o arrendatário tenha opção de compra dos bens arrendados. [Sin. (ingl.): *leasing.*]

arrendar^{1} [De *ar-*^{1} + *renda*^{1} + *-ar*^{2}.] ***V. t. d. T. d. e i.*** **1.** Dar em arrendamento: *Pretendia __arrendar__ parte de suas terras; __Arrendou__ a propriedade a um velho amigo.* **2.** Tomar em arrendamento; alugar: *Para montar o escritório __arrendou__ uma grande casa; __Arrendou__ de um médico uma bela propriedade.* [F. paral. (p. us.): *rendar.*]

arrendar^{2} [De *ar-*^{2} + *rendar*^{2}.] ***V. t. d.*** Rendar^{2}.

arrendar^{3} [Do arc. *arredrar* < *ar-*^{2} + *redrar.*] ***V. t. d.*** V. *redrar.*

arrendar^{4} [De *ar-*^{1} + ant. *renda,* 'rédea', + *-ar*^{2}.] ***V. t. d.*** Sujeitar (o cavalo) à rédea.

arrendatário [De *arrendar*^{1} + *-tário.*] ***S. m.*** Aquele que toma de arrendamento (2). [Antôn.: *arrendador.*]

arrendável [De *arrendar*^{1} + *-vel.*] ***Adj. 2 g.*** Que se pode arrendar^{1}.

arrendilhado [De *ar-*^{2} + *rendilhado.*] ***Adj.*** V. *rendilhado.*

arrenegação [De *arrenegar* + *-ção.*] ***S. f.*** **1.** Ato ou efeito de arrenegar(-se); arrenego (ê), renegação. **2.** Apostasia, abjuração. **3.** *Fam.* Enfado, irritação, zanga.

arrenegada [F. subst. de *arrenegado.*] ***S. f.*** *Ant.* V. *zanga* (5).

arrenegado [Part. de *arrenegar.*] ***Adj.*** **1.** Que arrenegou; renegado. **2.** *Fam.* Enfadado, irritado, zangado. ● ***S. m.*** **3.** *Bras. Pop.* V. *diabo* (2).

arrenegar [De *ar-*^{2} + *renegar.*] ***V. t. d. T. i.*** **1.** V. *renegar: Morreu __arrenegando__ o assassino;* "Grande cousa é liberdade, / Ter pouco, mas sem contenda, / Que __arrenega__ da fazenda, / Por quem se vende a vontade." (Francisco Rodrigues Lobo, *Églogas,* p. 63). ***P.*** **2.** Zangar-se, abespinhar-se, irritar-se, encolerizar-se: *Anda de mau humor: __arrenega-se__ por qualquer ninharia.* **3.** Ter aversão a; aborrecer. [Conjug.: v. *regar.* Pres. ind.: *arrenego,* etc. Cf. *arrenego* (ê).]

arrenego ***Interj.*** *Pop.* Tarrenego. [Cf. *arrenego* (ê).]

arrenego (ê) [Dev. de *arrenegar.*] ***S. m.*** V. *arrenegação* (1). [Pl.: *arrenegos* (ê). Cf. *arrenego,* do v. *arrenegar* e interj.]

arrentar [De *ar-*^{1} + *rente* + *-ar*^{2}.] ***V. t. d.*** *Lus.* Rondar em torno de; rentear: "O menino anda-me por aqui a __arrentar__ a porta, a ver se me desencaminha a filha" (Alberto Braga, *Contos Novos,* p. 177).

arrepanhado [Part. de *arrepanhar.*] ***Adj.*** **1.** Que forma pregas, dobras; enrugado, refegado. **2.** *Fig.* V. *avaro* (1).

arrepanhar [De *ar-*^{2} + *repanhar.*] ***V. t. d.*** **1.** Puxar, repuxar, fazendo dobras ou rugas em: "__Arrepanhando__ o vestido / De chita azul, nhá Carola / Põe feijão na caçarola / Para o almoço do marido." (Ricardo Gonçalves, *Ipês,* p. 17.) **2.** Recolher, apanhar. **3.** Poupar, economizar avaramente. **4.** *Fig.* Tirar, apanhar com violência; arrebatar. **5.** Roubar (1). ***P.*** **6.** Repuxar-se, enrugar-se. [Var.: *repanhar.*]

arrepelação [De *arrepelar* + *-ção.*] ***S. f.*** **1.** V. *arrepelão* (1). **2.** Briga, conflito.

arrepelada [De *arrepelar* + *-ada*^{1}.] ***S. f.*** V. *arrepelão* (1).

arrepelador (ô) [De *arrepelar* + *-dor.*] ***Adj.*** Que arrepela; arrepelante.

arrepelamento [De *arrepelar* + *-mento.*] ***S. m.*** V. *arrepelão* (1).

arrepelante [De *arrepelar* + *-nte.*] ***Adj. 2 g.*** Arrepelador.

arrepelão^{1} [De *arrepelar* + *-ão*^{3}.] ***S. m.*** Ato ou efeito de arrepelar(-se); arrepelação, arrepelada, arrepelamento. [Cf. *repelão.*]

arrepelão^{2} [De *ar-*^{2} + *repelão.*] ***S. m.*** V. *repelão* (1). [Cf. *repelão.*]

arrepelar [De *ar-*^{2} + *repelar.*] ***V. t. d.*** **1.** Puxar, arrancar (pelos, penas, etc.); escarapelar: "De vez em quando, parecia-lhe que uma cousa lhe __arrepelava__ os cabelos" (Afonso Arinos, *Pelo Sertão,* p. 25). **2.** *P. ext.* Puxar (1): *__Arrepelou__ as orelhas da criança desobediente.* ***P.*** **3.** Puxar os próprios cabelos ou a barba: "Chora, __arrepela-se,__ promete matar-se, se a morte não vier espontaneamente." (Camilo Castelo Branco, *Cenas da Foz,* p. 162). **4.** Lastimar-se, lamentar-se, arrependido. [F. paral.: *repelar.*]

arrepender-se [De *ar-*^{2} + ant. **repender* + *se*^{1}.] ***V. p.*** **1.** Sentir mágoa ou pesar por faltas ou erros cometidos: *__Arrependo-me__ de o haver tratado mal.* **2.** Mudar de atitude, de procedimento, de parecer; voltar atrás em relação a compromisso assumido: *__Arrependeu-se__ de se haver associado ao irmão.* **3.** *Bras.* Mudar (o tempo) de aspecto, passando de bom a chuvoso.

arrependido [Part. de *arrepender-se.*] ***Adj. S. m.*** Que, ou aquele que se arrependeu; repeso.

arrependimento [De *arrepender(-se)* + *-imento.*] ***S. m.*** **1.** Ato ou efeito de arrepender-se. **2.** Compunção, contrição. **3.** *Ét.* Insatisfação causada por violação de lei ou de conduta moral, e que resulta na livre aceitação do castigo e na disposição de evitar futuras violações.

arrepia-cabelo^{1} [De *arrepiar* + *cabelo.*] ***S. m.*** Pessoa ríspida, áspera, intratável. [Pl.: *arrepia-cabelos.*]

arrepia-cabelo^{2} [Da loc. *a arrepia-cabelo.*] ***Adv.*** Em sentido oposto ao natural; a contrapelo, a pospelo. [Tb. se diz *a arrepia-cabelo.*] ◆ **A arrepia-cabelo.** V. *arrepia-cabelo.*

arrepiado [Part. de *arrepiar.*] ***Adj.*** **1.** Diz-se de pelo, de cabelo, etc., posto em pé ou a contrapelo; eriçado, erriçado, ouriçado. **2.** Assustado, aterrorizado, apavorado. **3.** Trêmulo de frio, medo, horror, etc. **4.** *Bras.* Desconfiado, esquivo, arisco.

arrepiador (ô) [De *arrepiar* + *-dor.*] ***Adj.*** V. *arrepiante.*

arrepiadura [De *arrepiar* + *-dura.*] ***S. f.*** Arrepiamento.

arrepiamento [De *arrepiar* + *-mento.*] ***S. m.*** Ato ou efeito de arrepiar(-se); arrepiadura.

arrepiante [De *arrepiar* + *-nte.*] ***Adj. 2 g.*** Que arrepia, provoca arrepios; assustador, terrível, pavoroso, arrepiador.

arrepiar [Do lat. *horripilare.*] ***V. t. d.*** **1.** Levantar, eriçar, encrespar (cabelos, pelos, etc.). **2.** Fazer eriçar ou tremer de medo, susto, horror; causar arrepios em: *As novas que recebia do front __arrepiavam__-no.* **3.** Causar horror a; horripilar: *As ameaças de fogo eterno __arrepiavam__ os fiéis.* **4.** Fazer tremer de frio; causar arrepios em: *As lufadas de vento gélido o __arrepiavam.__* **5.** Franzir, enrugar; arregaçar: *Um sorriso irônico __arrepiava__-lhe o canto dos lábios.* **6.** Golpear e salgar (o peixe), para conserva. ***Int.*** **7.** Causar arrepios: *Seu passado de crimes __arrepia.__* **8.** Tornar-se desabrido (o tempo). **9.** *Bras. Gír.* V. *abafar* (18): *Na Olimpíada de 1996 o basquete masculino não trouxe medalha, mas o Oscar Schmidt __arrepiou.__* ***P.*** **10.** Eriçar-se, estremecer ou tremer de medo, susto, horror, etc.: *Ao ouvir infaustas novas, senti que as carnes __se__ me __arrepiavam.__* **11.** Sentir arrepios por medo, susto, frio, etc.: *__Arrepio-me__ só de pensar naquele crime.* [Var. (bras. N.E., pop.): *arrupiar.*] ◆ **De arrepiar.** Espantoso, terrível, atroz, arrepiante; de arrepiar os cabelos: *Durante a luta, houve cenas __de arrepiar;__* "O banqueiro Celestino dissera cada uma __de arrepiar,__ eta português de boca suja" (Jorge Amado, *Dona Flor e Seus Dois Maridos,* p. 327).

arrepio [Dev. de *arrepiar.*] ***S. m.*** Tremor resultante de frio, medo, etc.; calafrio, horripilação. [Var. (bras., N.E., pop.): *arrupio.*] ◆ **Ao arrepio.** Em direção oposta à normal; contra a corrente; contra a maré. **Ao arrepio de.** Ao contrário de; ao revés de: *agir __ao arrepio do__ bom senso.*

arrepolhado [De *ar-*^{1} + *repolho* + *-ado*^{1}.] ***Adj.*** **1.** Semelhante ao repolho. **2.** *Fig. Pop.* Baixo e gorducho. **3.** *Fig.* Embrulhado em muitas roupas.

arrepolhar [De *ar-*^{1} + *repolho* + *-ar*^{2}.] ***V. t. d.*** **1.** Dar a forma de repolho a. **2.** Tornar inchado; intumescer, entufar. ***Int.*** **3.** Tomar forma de repolho.

arrepsia [Do gr. *arrepsía.*] ***S. f.*** Dúvida, incerteza, irresolução.

arrequife [Do ár. *ar-rakīb,* 'aplicação'; 'engaste'; 'peça superposta ou encaixada'.] ***S. m.*** Ferro agudo que se adapta à ponta de um pau para limpar o algodão.

arrestado [Part. de *arrestar.*] ***Adj. S. m.*** Que, ou aquele que sofreu arresto.

arrestamento [De *arrestar* + *-mento.*] ***S. m.*** **1.** Ato ou efeito de arrestar. **2.** *Jur.* Arresto.

arrestante [De *arrestar* + *-nte.*] ***S. 2 g.*** Pessoa que requer arresto.

arrestar [Do lat. vulg. **arrestare* < lat. *restare,* 'deter-se', 'resistir'.] ***V. t. d.*** Fazer arresto em; embargar.

arresto [Dev. de *arrestar.*] ***S. m.*** *Dir. Proc.* Medida cautelar de constrição judicial de bens do devedor, para evitar a dilapidação do patrimônio deste e assegurar a satisfação de crédito de outrem, por meio de futura penhora e expropriação daqueles bens; embargo. [Cf. *aresto* e *sequestro* (1 e 2).]

arretado ***Adj.*** **1.** *Bras. Pop.* V. *arreitado.* **2.** *Bras. N.E. Fam. Gír.* Palavra-ônibus que indica numerosas ideias apreciativas, equivalendo a, p. ex., bonito, elegante, excelente, etc.; bacana, legal: *uma pequena __arretada;__ uma gravata __arretada;__ um discurso __arretado.__* [Sin., bras., BA (na acepç. 2): *retado.* Cf. *arreitado.*]

arretar^{1} [Do lat. **arreptare* < lat. *arreptus,* part. pass. de *arripere.*] ***V. t. d.*** **1.** Fazer retornar. **2.** Sustar a marcha de (animal, rebanho, etc.). [Cf. *arreitar.*]

arretar^{2} ***V. t. d. Int. P.*** *Bras. Pop.* V. *arreitar.*

arretrasado [De *ar-*^{2} + *retrasado.*] ***Adj.*** *Bras. Pop.* V. *atrasado* (5).

arrevém ***S. m.*** *Marinh.* V. *arrebém.*

arrevesado [Part. de *arrevesar.*] ***Adj.*** **1.** Intrincado, confuso, obscuro. **2.** Diz-se de vocábulo de pronúncia difícil.

arrevesamento [De *arrevesar* + *-mento.*] ***S. m.*** **1.** Ato ou efeito de arrevesar. **2.** Qualidade ou caráter de arrevesado. ◆ **Arrevesamento dos tempos.** *Fís.* Operação em que se trocam os sinais das coordenadas de um sistema que dependem linearmente do tempo.

arrevesar [De *ar-*^{1} + *revés* + *-ar*^{2}.] ***V. t. d.*** **1.** Pôr ao revés, às avessas. **2.** Dar sentido contrário a: *Ele não disse tal coisa; quem o ouviu __arrevesou__ suas palavras.* **3.** Tornar confuso, obscuro, intricado.

arrevessado [Part. subst. de *arrevessar*.] ***S. m.*** **1.** O vomitado; vômito. **2.** *Fig.* Erro cometido anteriormente.

arrevessar [De *ar-*^{2} + *revessar*.] ***V. t. d.*** **1.** V. *vomitar* (1): “Mal .... encheu a boca com o primeiro trago, fugiu-lhe a coragem de suicidar-se e, já arrependida de tal propósito, arrevessou de uma golfada sobre a mesa o veneno líquido” (Aluísio Azevedo, *O Coruja*, p. 170). **2.** Detestar, aborrecer, odiar. ***Int.*** **3.** V. *vomitar* (11). **4.** Tornar-se revolto (o mar). [Sin. ger.: *revessar*. Pres. ind.: *arrevesso*, etc. Cf. *arrevesso* (ê).]

arrevesso (ê) [De *ar-*^{2} + *revesso*.] ***Adj. S. m.*** V. *revesso* (ê). [Pl.: *arrevessos* (ê). Cf. *arrevesso*, do v. *arrevessar*.]

arriação [De *arriar* + *-ção*.] ***S. f.*** Ato ou operação de arriar(-se). [Cf. *arreação*.]

arriada [F. subst. de *arriado*, part. de *arriar*.] ***S. f.*** *Tec. Têx.* Ação realizada após completar um ciclo produtivo, com o objetivo de preparar as máquinas de fiação para o reinício da produção.

arriado [Part. de *arriar*.] ***Adj.*** Prostrado, por cansaço ou doença.

arriamento [De *arriar* + *-mento*.] ***S. m.*** **1.** Ato ou efeito de arriar. **2.** Condição ou estado do que está arriado.

arriar [Do cat. *arriar*.] ***V. t. d.*** **1.** Abaixar, descer (o que estava suspenso ou levantado). **2.** Colocar, deitar no chão, sobre um móvel, etc. (objeto pesado): *O carregador arriou o fardo.* **3.** Depor (armas); render-se. **4.** *Marinh.* Deixar correr pouco a pouco (um cabo que aguenta um peso). **5.** Causar abatimento, prostração a; abater, abalar: *A febre logo arriou a criança.* ***T. c.*** **6.** Deixar cair; deitar: *Arriou a cabeça no peito do irmão.* ***Int.*** **7.** Cair ou vergar sob peso; arriar-se: *Uma das estacas arriara.* **8.** Perder as forças, o ânimo; desanimar, desistir, afrouxar: *Não vás desanimar agora: nunca foste homem de arriar.* **9.** *Bras. Gír.* Ficar intensamente apaixonado, perdido de amores por alguém: *Quando viu a pequena, arriou.* **10.** *Bras. Autom.* Descarregar (17). ***P.*** **11.** Cair ou vergar sob peso; arriar: “O boticário entrou em silêncio, arriando-se na cadeira que Dulce lhe oferecia.” (O. G. Rego de Carvalho, *Somos Todos Inocentes*, p. 22). [Apresenta dois paradigmas: a) regular (apenas no Brasil) — pres. ind.: *arrio, arrias, arria, arriamos, arriais, arriam*; imperat.: *arria, arrie, arriemos, arriai, arriem*; pres. subj.: *arrie, arries, arrie, arriemos, arrieis, arriem*; b) irregular (apenas em Portugal) — pres. ind.: *arreio, arreias, arreia, arriamos, arriais, arreiam*; imperat.: *arreia, arreie, arriemos, arriai, arreiem*; pres. subj.: *arreie, arreies, arreie, arriemos, arrieis, arreiem*.]

arriaria ***S. f.*** Profissão de arrieiro. [Cf. *arrearia*, do v. *arrear*.]

arriaz [Do ár. *ar-riʾās*, ‘princípio’.] ***S. m.*** **1.** *Ant.* O punho da espada. **2.** Fivela por onde se enfiam os loros dos estribos. [Var.: *arreaz*.]

arriba^{1} [De *ar-*^{4} + *riba*.] ***S. f.*** **1.** V. *riba* (1): “Era um antigo carreiro tortuoso, ... findando ab-ruptamente em arriba sobre a estrada.” (Coelho Neto, *Rei Negro*, p. 171.) **2.** *Lus.* Falésia.

arriba^{2} [De *a*^{3} + *riba*.] ***Adv.*** **1.** Acima; adiante. • ***Interj.*** **2.** Acima, adiante.

arribaçã [De *arribação*, com apócope.] ***S. f.*** *Bras. Zool.* V. *avoante*. “no luzente céu sem nuvens passavam as arribaçãs, rumo às terras de água.” (Lêdo Ivo, *Ninho de Cobras*, p. 47).

arribação [De *arribar* + *-ção*.] ***S. f.*** **1.** Ato de arribar; arribada, arribe: “E agora estão chegando as andorinhas... / Deve ser o tempo propício à arribação.” (Clemente Luz, *Invenção da Cidade*, p. 102). **2.** *Bras. Zool.* V. *avoante*. **3.** *Bras. Cul.* Comida feita de arroz, feijão e pombas-de-arribação secas. **4.** *Bras. Amaz.* Época da vazante, quando as tartarugas põem seus ovos nas praias fluviais.

arribada [De *arribar* + *-ada*^{1}.] ***S. f.*** **1.** V. *arribação* (1). **2.** *Fam.* Melhora (2).

arribadiço [De *arribar* + *-(d)iço*^{2}.] ***Adj.*** **1.** Diz-se das aves de arribação. **2.** *Fig.* Adventício, intruso.

arribana [De or. incerta.] ***S. f.*** **1.** V. *curral* (1). **2.** V. *cabana*: “Abram-se à luz palhoças e arribanas!” (Alberto de Oliveira, *Poesias*, 2ª série, p. 215.)

arribanceirado [De *ar-*^{1} + *ribanceira* + *-ado*^{1}.] ***Adj.*** **1.** Que forma ribanceira. **2.** Que tem ribanceira.

arribar [De *ar-*^{1} + *riba* + *-ar*^{2}.] ***V. t. c.*** **1.** *Mar.* Regressar ao porto de partida ou entrar em outro que não seja o da escala ou de destino: *O navio arribou a Santos para deixar um doente grave.* **2.** *Mar.* Alterar a rota para aproximar-se de (terra ou outra embarcação): *O navio inimigo arribou sobre nós.* **3.** Subir ou chegar ao cimo de algum lugar. **4.** Sair ou ausentar-se sem licença, às ocultas, ou discretamente: *Arribou de casa a altas horas da noite.* **5.** Seguir em determinada direção: *O carro arribou para a esquerda.* ***T. i.*** **6.** Não prosseguir em coisa começada: *Arriba sempre de qualquer tarefa.* ***Int.*** **7.** *Mar.* Guinar para sota-vento; afastar a proa da embarcação da linha do vento. **8.** *Mar.* Desviar-se da rota previamente escolhida, em razão das condições de tempo ou mar. **9.** Sair ou ausentar-se sem licença, às ocultas ou discretamente. **10.** Melhorar ou restabelecer-se (o doente): *Estava muito mal, mas, graças a Deus, arribou.* **11.** Melhorar de fortuna. **12.** Mudar de pouso; migrar: *As aves europeias arribam no inverno.* **13.** *Bras.* Estourar (a boiada). ***T. d.*** **14.** Levantar, erguer: *Arribou, a custo, a pesada saca.* **15.** Alentar, incentivar: *Sua oferta arribou nossas esperanças.*

arribe [Dev. de *arribar*.] ***S. m.*** *Bras.* V. *arribação* (1).

arriçar [De *ar-*^{1} + *riço* + *-ar*^{2}.] ***V. t. d. P.*** V. *eriçar*.

arricaveiro [Do ár. *ar-rikābi*, ‘estribo’, + *-eiro*.] ***S. m.*** Estribeiro.

arrida [De *ar-*^{2} + ant. escandinavo *rif*, pelo fr. *ride*.] ***S. f.*** *Marinh.* **1.** Pedaço de linha de barca ou arrebém que prende a fasquia do toldo de embarcação miúda à borda, a fim de mantê-lo em posição horizontal. **2.** Cabo preso ao olhal ou à palmatória da aranha de cada cabeceira de uma maca, para suspendê-la.

arridar [De *arrida* + *-ar*^{2}.] ***V. t. d.*** *Marinh.* Passar arrida(s) em; segurar com arrida(s).

arrieirada [De *arrieiro* + *-ada*^{1}.] ***S. f.*** V. *arreeirice*^{1}.

arrieirado [De *arrieiro* + *-ado*^{1}.] ***Adj.*** Arreeirado^{1}.

arrieirice [De *arrieiro* + *-ice*.] ***S. f.*** V. *arreeirice*^{1}.

arrieiro [Do esp. *arriero*.] ***S. m.*** Arreeiro^{1} (q. v.): “O arrieiro decidiu aliviar o burro da carga” (Braga Montenegro, *As Viagens*, p. 164).

arriel [De *ar-*^{2} + esp. *riel*.] ***S. m.*** **1.** Argola de ouro us. por certos povos nas orelhas e nariz. **2.** Barra de ouro ou prata, vazada na rilheira. **3.** Alavanca de cavouqueiro. [Pl.: *arriéis*. Cf. *arrieis*, do v. *arriar*, e *arreeis*, do v. *arrear*.]

→ **arrière-pensée** [aʁˈjɛʁ pɑ̃ˈse] [Fr.] ***S. f.*** Segunda intenção (q. v.).

arrife [Do ár. *ar-rīf*, ‘terra fértil’; ‘região ribeirinha’, com infl. de *arrecife* (ou seu étimo ár.), poss.] ***S. m.*** **1.** Campina. **2.** Recife. **3.** *Açor.* Área com fina camada de solo, em cuja superfície aparecem, em vários pontos, as extremidades das rochas subjacentes. **4.** *Açor.* Terreno cultivado, disposto em tabuleiros socalcados numa encosta. **5.** Desbaste de arvoredo, ou área assim aberta em mata ou floresta, para facilitar a circulação, ou como defesa contra incêndios.

arrijar [De *ar-*^{1} + *rijo* + *-ar*^{2}.] ***V. t. d. Int. P.*** V. *enrijar*.

arrimadiço [De *arrimar* + *-(d)iço*^{2}.] ***Adj.*** **1.** Muito dado a arrimar-se. **2.** *Fig.* Parasito (5).

arrimador (ô) [De *arrimar* + *-dor*.] ***S. m.*** Aquele ou aquilo que arrima.

arrimar [De *ar-*^{1} + *rima*^{3} + *-ar*^{2}.] ***V. t. d.*** **1.** Pôr em rima^{3} (2). **2.** Pôr em ordem; arrumar. **3.** Servir de arrimo a; amparar, escorar, sustentar: *Estátuas arrimavam o teto em ruína; Desde que perdeu o pai, trabalha para arrimar a família.* ***T. d. e i.*** **4.** Encostar, apoiar, escorar. ***P.*** **5.** Apoiar-se, encostar-se, escorar-se: “desceu a barranca .... arrimando-se ao cajado e foi beirando o rio merencório.” (Coelho Neto, *Banzo*, p. 32). **6.** Agregar-se; aderir. **7.** Socorrer-se, valer-se de: *Arrima-se nos bens da família.* **8.** Apoiar-se, estribar-se, fundamentar-se: *Para defesa de sua tese arrimou-se a bons argumentos.*

arrimo [Dev. de *arrimar*.] ***S. m.*** **1.** Encosto, apoio, escora: *As pilastras servem de arrimo à laje; Já não dá dois passos sem servir-se de um arrimo.* **2.** *Fig.* Amparo, proteção, auxílio: *Quando lhe morreu o pai, sentiu que perdia seu único arrimo.* ◆ **Arrimo de família.** Pessoa que ampara uma família, ministrando-lhe os meios de subsistência.

arrincoar [De *ar-*^{1} + *rincão* + *ar*^{2}, com desnasalação.] ***V. t. d.*** **1.** Meter em rincão. **2.** Pôr em lugar estreito e sem saída; encurralar. ***P.*** **3.** Acantoar-se. [F. paral. (bras.): *arrinconar*. Conjug.: v. *coroar*.]

arrinconar [Do esp. plat. *arrinconar*.] ***V. t. d. P.*** *Bras.* V. *arrincoar*.

arrinia [De *a-*^{3} + *-rin(o)-* + *-ia*^{1}.] ***S. f.*** *Ter.* Ausência congênita de nariz.

arrió ***S. m.*** V. *arriós* (1).

arriol ***S. m.*** V. *arriós* (1). [Pl.: *arrióis*.]

arriós ***S. m.*** **1.** Bala de arcabuz; arrió, arriol. **2.** *Bras.* Fava amargosa, de casca grossa e cinzenta. [Pl.: *arrioses*.]

arriosca ***S. f.*** Logro, cilada, esparrela; falcatrua.

arriota ***S. f.*** *Bras. AM* Trabalho para a obtenção do látex da seringueira.

arripunar [Alter. de *repugnar*.] ***V. int.*** *Bras. PB Pop.* Sentir enjoo com a ingestão de alimentos muito doces.

arriscado [Part. de *arriscar*.] ***Adj.*** **1.** Que apresenta risco ou perigo; perigoso: *empresa arriscada.* **2.** Que se expõe a risco ou perigo; ousado, atrevido, intrépido: *combatente arriscado.*

arriscar [De *ar-*^{1} + *risco*^{2} + *-ar*^{2}.] ***V. t. d.*** **1.** Pôr em risco ou perigo; expor: *Atirou-se ao mar, arriscando a vida.* **2.** Sujeitar à sorte; aventurar: *Sabia o que arriscava, ao tomar a si a empresa.* ***T. d. e i.*** **3.** Pôr em risco ou perigo; expor: *Arriscou a vida pela salvação da pátria.* ***Int.*** **4.** Expor-se a risco, a bom ou mau sucesso; aventurar-se, arriscar-se: “Quem não arrisca não petisca” (prov.). ***P.*** **5.** V. *arriscar* (4). **6.** Aventurar-se, abalançar-se; atirar-se, expor-se. [Conjug.: v. *trancar*.]

arrispidar-se [De *ar-*^{1} + *ríspido* + *-ar*^{2} + *se*^{1}.] ***V. p.*** Tornar-se ríspido, grosseiro, intratável; ficar de mau humor.

arritmia [Do gr. *arrhythmía*.] ***S. f.*** **1.** Ausência de ritmo. **2.** Perturbação ou desvio do ritmo. **3.** *Med.* Arritmia cardíaca. [Antôn.: *euritmia*.] ◆ **Arritmia cardíaca.** *Med.* Qualquer desvio da normalidade do ritmo das contrações cardíacas. [Tb. se diz apenas *arritmia*.]

arrítmico [Do gr. *árrhythmos*, ‘sem ritmo’, + *-ico*^{2}.] ***Adj.*** **1.** Não rítmico; sem ritmo; arritmo: *movimentos arrítmicos.* **2.** Relativo a, ou que apresenta arritmia.

arritmo [Do gr. *árrhythmos*.] ***Adj.*** Arrítmico.

arritmogénico ***Adj.*** *Med.* V. *arritmogênico*. [Uso freq. em P.]

arritmogênico [Do gr. *árrythmos* + *-gen(o)-* + *ico*^{2}.] ***Adj.*** *Med.* Diz-se de fator que gera arritmia (2).

→ **arrivedérci** [a r̄iveˈder̄tʃi] [It., ‘até à vista’, da prep. it. *a* + v. it. *rivedere*, ‘rever’ + pron. it. *ci*, ‘nós’.] ***Interj.*** **1.** Usa-se como cumprimento em sinal de despedida a pessoa que se deseja rever. • ***S. m.*** **2.** Gesto ou sinal de despedida.

arrivismo [De *arrivista* + *-ismo*.] ***S. m.*** Procedimento de arrivista.

arrivista [Do fr. *arriviste*.] ***S. 2 g.*** Pessoa inescrupulosa, que quer vencer na vida a todo custo.

arrizo [Do gr. *árrhizos*.] ***Adj.*** *Bot.* Sem raiz ou radícula.

arrizófito [De *a-*^{3} + *-riz(o)-* + *-fito*.] ***Adj. S. m.*** *Bot.* Diz-se de, ou vegetal desprovido de raiz. [Opõe-se a *rizófito*.]

arrizotónico ***Adj.*** *E. Ling.* V. *arrizotônico*. [Uso freq. em P.]

arrizotônico [De *a-*^{3} + *rizotônico*.] ***Adj.*** *E. Ling.* Diz-se das formas verbais não rizotônicas. Ex.: *comprarei, amamos.*

▲ **-arr(o)-** V. *-arra*.

arroba (ô) [Do ár. *ar-rubʿa(t)*, ‘a quarta parte (*i. e.*, do quintal^{2})’.] ***S. f.*** **1.** Antiga unidade de medida de peso, equivalente a 32 arráteis, ou seja, 14,7kg, aproximadamente. **2.** Unidade ainda usada no Brasil, como medida de peso de produtos agropecuários, equivalente a 15kg; arroba métrica. [Abrev.: *a* (ger. representada na forma do símb. @).] **3.** *Inform.* Nome do sinal gráfico @, originalmente símb. da arroba (1 e 2), empregado, entre diversos outros usos, em endereçamento eletrônico, como separador entre a identificação do usuário e a designação da rede a que pertence sua conta. ◆ **Arroba métrica.** Arroba (2).

arrobação [De *arrobar*^{1} + *-ção*.] ***S. f.*** *Bras. N. N.E.* Arrobamento. ◆ **De boa arrobação.** *Bras. N. N.E.* Diz-se de rês que tem muito peso ou muita carne.

arrobamento [De *arrobar*^{1} + *-mento*.] ***S. m.*** Ato ou efeito de arrobar^{1} (1); arrobação. [Cf. *arroubamento*.]

arrobar^{1} [De *arroba* + *-ar*^{2}.] ***V. t. d.*** **1.** Pesar por arroba. **2.** *Fig.* Avaliar, à simples vista. [Pres. ind.: *arrobo, arrobas, arroba*, etc; pres. subj.: *arrobe, arrobes*, etc. Cf. *arroba* (ô), pl. *arrobas* (ô); *arrobe* (ô), pl. *arrobes* (ô); *arroubo*; e *arroubar*.]

arrobar^{2} [De *arrobe* + *-ar*^{2}.] ***V. t. d.*** Temperar com arrobe. [Pres. ind.: *arrobo, arrobas, arroba*, etc.; pres. subj.: *arrobe, arrobes*, etc. Cf. *arroba* (ô), pl. *arrobas* (ô); *arrobe* (ô), pl. *arrobes* (ô); *arroubo*; e *arroubar*.]

arrobe (ô) [Do ár. *ar-rubb* < persa *robb*, ‘mosto do vinho’.] ***S. m.*** **1.** Xarope ou compota de várias frutas. **2.** Vinho de mosto, apurado ao fogo. [Pl.: *arrobes* (ô). Cf. *arrobe, arrobes*, do v. *arrobar*, e *arroube, arroubes*, do v. *arroubar*.]

arrô bobô ***Interj. S. m.*** *Bras. Rel.* V. *arô boboi*.

arrobustar [De *ar-*^{1} + *robusto* + *-ar*^{2}.] ***V. t. d. Int. P.*** Robustecer(-se).

arrocado [De *ar-*^{1} + *roca*^{1} + *-ado*^{1}.] ***Adj.*** Rocado^{1}.

arrochada [De *arrocho* + *-ada*^{1}.] ***S. f.*** **1.** Golpe ou pancada com arrocho. **2.** *P. ext.* Paulada, bordoada, cacetada. [Cf. *arroxada*, fem. de *arroxado*.]

arrochado [Part. de *arrochar*.] ***Adj.*** **1.** Apertado com arrocho (1). **2.** Muito apertado; ajustado: “o cabelo preto escorrido e os peitinhos miúdos pulando sob o vestido arrochado...” (Dias da Costa, *Canção do Beco*, p. 79). **3.** *Fig.* Difícil, duro, apertado. [Cf. *arroxado*.]

arrochador (ô) [De *arrochar* + *-dor*.] ***Adj.*** **1.** Que arrocha. • ***S. m.*** **2.** Aquele ou aquilo que arrocha.

arrochadora (ô) [Fem. de *arrochador*.] ***S. f.*** Peça de atafona com que se aperta ou arrocha a almanjarra.

arrochadura [De *arrochar* + *-dura*.] ***S. f.*** Ato ou efeito de arrochar(-se). [Sin., ant. e pop.: *arrojadura*.]

arrochar [De or. obscura.] ***V. t. d.*** **1.** Apertar (carga) com arrocho. **2.** Apertar muito: *Arrocha exageradamente a cintura, a fim de parecer mais magra.* ***T. i. Int.*** **3.** Ser exigente com aqueles que estão sob sua dependência. **4.** Criar dificuldades. **5.** *Bras. Amaz.* Amarrar (o tronco da seringueira) para obter maior quantidade de látex. ***P.*** **6.** Apertar-se, comprimir-se: *Arrocha-se dentro de uma cinta, e ninguém diz que é tão gorda.* [Pres. ind.: *arrocho, arrochas*, etc. Cf. *arrocho* (ô), s. m., e *arroxar*.]

arrocheiro [De *arrocho* + *-eiro*.] ***S. m.*** V. *almocreve*.

arrocho (ô) [Dev. de *arrochar*.] *S. m.* **1.** Pau torto e curto com que se torcem as cordas para apertar fardos, cargas, etc. **2.** Situação difícil; dificuldade, apertura. **3.** *Bras.* Repressão policial rigorosa e permanente. **4.** *Bras. N.E.* Aparelho usado nas casas de farinha para espremer a massa da mandioca, e composto das seguintes peças: prensa, virgem, vara, fuso, mão, masseira e brinquete ou brinquetão. [Pl.: *arrochos* (ô). Cf. *arrocho*, do v. *arrochar*, e *arroxo*, do v. *arroxar*.] ◆ **Arrocho salarial.** *Bras.* Contenção drástica do nível de salários, em geral associada a medidas de contenção de despesas, ou de estabilização de preços. **Dar um arrocho em.** V. *pôr a faca no peito de*. **Levar um arrocho.** Sofrer pressão ou coação.

arrocinador (ô) [De *arrocinar* + *-dor*.] *S. m. Bras. S.* Aquele que arrocina cavalos.

arrocinar [Do esp. plat. *arrocinar*.] *V. t. d. Bras. S.* Tirar as manhas de (o cavalo), preparando-o para qualquer serviço.

arrodear [De *a-*[4] + *rodear*.] *V. t. d. P.* V. *rodear*: "Toda espécie de gente arrodeava as mesas." (Ciro Martins, *Paz nos Campos*, p. 10). [M. us. na ling. pop. Conjug.: v. *frear*.]

arrodelar [De *ar-*[1] + *rodela*[1] + *-ar*[2].] *V. t. d.* **1.** Armar, cobrir ou defender com rodela ou escudo. **2.** Dar forma de rodela a. *P.* **3.** Proteger-se, escudar-se.

arrofo (ô) [De or. obscura.] *S. m.* Orifício no remate da tarrafa. [Pl.: *arrofos* (ô).]

arrogação [Do lat. *arrogatione*.] *S. f. P. us.* Perfilhação de adulto que não tem pai.

arrogador (ô) [Do lat. *arrogatore*.] *Adj. S. m.* Que, ou aquele que arroga a si alguma coisa.

arrogância [Do lat. *arrogantia*.] *S. f.* **1.** Orgulho que se manifesta por atitudes altivas e desdenhosas; soberba. **2.** Insolência, atrevimento. [Sin. ger., desus.: *arrogo*.]

arrogante [Do lat. *arrogante*.] *Adj. 2 g.* Que tem ou revela arrogância.

arrogar [Do lat. *arrogare*.] *V. t. d.* **1.** Tomar como próprio; apropriar-se de. *T. d. e i.* **2.** Atribuir, imputar: *Arrogou a si direitos de posse. P.* **3.** Tomar como seu; atribuir a si, atribuir-se. [Conjug.: v. *largar*. Pres. ind.: *arrogo*, etc. Cf. *arrogo* (ô) e *arrugar*.]

arrogo (ô) [Dev. de *arrogar*.] *S. m. Desus.* V. *arrogância*. [Pl.: *arrogos* (ô). Cf. *arrogo*, do v. *arrogar*.]

arroiar [De *arroio* + *-ar*[2].] *V. int.* Correr ou manar mansamente, como arroio. [Conjug.: v. *apoiar*. Pres. ind.: *arroio*, etc. Cf. *arroio*.]

arroio [Do lat. vulg. **arrugiu*.] *S. m.* **1.** Pequeno curso de água, permanente ou não: "Murmurava um arroio de água pura; os medronheiros estavam cobertos de frutos maduros" (Aquilino Ribeiro, *Dom Frei Bartolomeu*, p. 58). **2.** Pequena corrente de qualquer líquido. [Cf. *arroio*, do v. *arroiar*.]

arroio-grandense *Adj. 2 g.* **1.** De, ou pertencente ou relativo a Arroio Grande (RS). ● *S. 2 g.* **2.** O natural ou habitante de Arroio Grande. [Pl.: *arroio-grandenses*.]

arroio-meense *Adj. 2 g.* **1.** De, ou pertencente ou relativo a Arroio do Meio (RS). ● *S. 2 g.* **2.** O natural ou habitante de Arroio do Meio. [Pl.: *arroio-meenses*.]

arroio-trintense *Adj. 2 g.* **1.** De, ou pertencente ou relativo a Arroio Trinta (SC). ● *S. 2 g.* **2.** O natural ou habitante de Arroio Trinta. [Pl.: *arroio-trintenses*.]

arrojadiço [De *arrojado* + *-(d)iço*[1].] *Adj.* **1.** Próprio para se arrojar. **2.** Arrojado (1).

arrojadita [Do antr. (*Miguel*) *Arrojado* (*Lisboa*), engenheiro brasileiro (1872-1932), + *-ita*[3].] *S. f. Min.* Mineral monoclínico, fosfato de ferro, manganês, etc.

arrojado [Part. de *arrojar*.] *Adj.* **1.** Que se arroja ao perigo sem medo; temerário, ousado, destemido, arrojadiço: *indivíduo arrojado*. **2.** V. *valentão* (1). **3.** Que revela, ou em que há arrojo; temerário, arriscado: *empreendimento arrojado*. **4.** Que apresenta características inovadoras; ousado: *uma obra de arte arrojada para sua época*. **5.** *Bras. N.E. GO* Em que há muita afluência, animação e alegria: "A conversa era em torno de bois, vacas, cavalos, ... Que o leilão ia ser muito arrojado, que Estevo da Estiva deu um par de novilho mestiço de zebu, um trem chique mesmo." (Bernardo Élis, *Veranico de Janeiro*, p. 77.) **6.** *Bras. N.E.* Que está em franco progresso: *cidade arrojada*. **7.** *Bras. N.E.* Que tem grande sortimento; muito sortido; bem sortido: *Montou uma casa de negócios arrojada*. ● *S. m.* **8.** V. *valentão* (3).

arrojador (ô) [De *arrojar* + *-dor*.] *S. m.* Aquele que arroja.

arrojadura [De *arrojar* + *-dura*.] *S. f. Ant. Pop.* Arrochadura.

arrojamento [De *arrojar* + *-mento*.] *S. m.* Ato ou efeito de arrojar(-se).

arrojão [De *arrojar* + *-ão*[3].] *S. m.* Empurrão violento para levar de rojo.

arrojar [Do esp. *arrojar* < *ar-*[2] + lat. **rotulare*, 'lançar rodando', < lat. *rotare*, 'rodar'.] *V. t. d.* **1.** Levar ou trazer de rojo ou de rastos; arrastar: *Tentava arrojar o ferido que jazia inerte*. **2.** Lançar com ímpeto ou força; atirar, arremessar: *Arrojou longe a arma que lhe estenderam*. **3.** Lançar (o mar) à praia. *T. d. e c.* **4.** Arrojar (2): *Arrojou o anel ao chão*. *Int.* **5.** *Bras. N. N.E. MG Pop.* V. *vomitar* (11). *P.* **6.** Andar de rojo, de rastos; arrastar-se: *É um pobre aleijado que se arroja pela rua, esmolando*. **7.** Lançar-se, arremessar-se, precipitar-se: "Ei-lo que ao rio arroja-se." (Castro Alves, *Poesias Escolhidas*, p. 267); "arrojara-se estupidamente à empresa insensata" (Graciliano Ramos, *Viagem*, p. 13). **8.** Ousar, atrever-se, arriscar-se. **9.** Abaixar-se, rebaixar-se; aviltar-se. [Pres. ind.: *arrojo*, etc. Cf. *arrojo* (ô).]

arrojo (ô) [Dev. de *arrojar*.] *S. m.* **1.** Ato de arrojar, de arremessar. **2.** Temeridade, ousadia; audácia, atrevimento: "– .... Um cabra, com o arrojo de querer mandar no seu engenho!" (José Lins do Rego, *Banguê*, p. 158.) **3.** Apresentação pomposa; aparato. **4.** *Bras. AC* Afluência de peixes em grande quantidade nos lagos ou trechos de rio. **5.** *Bras. N.E. Pop.* Animação, movimento (especialmente falando-se de festas). [Pl.: *arrojos* (ô). Cf. *arrojo*, do v. *arrojar*.]

arrolador (ô) [De *arrolar*[1] + *-dor*.] *Adj. S. m.* Que, ou aquele que arrola.

arrolamento [De *arrolar*[1] + *-mento*.] *S. m.* **1.** Ato de arrolar[1]; levantamento. **2.** Efeito de arrolar[1]; inventário, lista.

arrolante [De *arrolar*[1] + *-nte*.] *Adj. 2 g. S. 2 g.* Que, ou quem arrola pessoas e bens.

arrolar[1] [De *ar-*[1] + *rol* + *-ar*[2].] *V. t. d.* **1.** Meter em rol ou lista. **2.** Fazer relação de; inventariar. *T. d. e i.* **3.** Pôr no rol de; classificar: *Arrolaram-no entre os mais capazes*. [Pres. ind.: *arrolo*, etc. Cf. *arrolo* (ô).]

arrolar[2] [De *ar-*[1] + *rolo*[1] + *-ar*[2].] *V. t. d.* **1.** Dar forma de rolo a; enrolar. *Int.* **2.** Rolar (7): "E os trovões rolam na serra / Como vagas a arrolar!" (Antônio Nobre, *Só*, p. 98.) [Pres. ind.: *arrolo*, etc. Cf. *arrolo* (ô).]

arrolar[3] [De *arrulhar*.] *V. int.* Cantar, acalentando; arrulhar. [Pres. ind.: *arrolo*, etc. Cf. *arrolo* (ô).]

arrolhador[1] (ô) [De *arrolhar*[1] + *-dor*.] *Adj. S. m.* **1.** Que, ou aquele que arrolha, que põe rolha(s). **2.** *Bras. S.* Diz-se de, ou indivíduo medroso, poltrão.

arrolhador[2] (ô) [De *arrolhar*[2] + *-dor*.] *S. m. Bras. S.* Ervateiro que arrolha, que desfolha a erva-mate.

arrolhamento[1] [De *arrolhar*[1] + *-mento*.] *S. m.* Ato ou efeito de arrolhar[1] (1).

arrolhamento[2] [De *arrolhar*[2] + *-mento*.] *S. m. Bras. S.* Ato ou efeito de arrolhar[2] (2).

arrolhar[1] [De *ar-*[1] + *rolha* + *-ar*[2].] *V. t. d.* **1.** Colocar rolha em; rolhar. **2.** *Bras.* Fazer calar; silenciar: *Arrolharam a testemunha, subornando-a*. **3.** *Bras.* Intimidar, assustar. **4.** *Bras. S.* Vencer, derrotar (o adversário). *Int. P.* **5.** Calar-se ou fugir, vencido ou acovardado. **6.** *Bras. S.* Encolher-se (o cavalo), ameaçando corcovear. [Pres. ind.: *arrolho*, etc. Cf. *arrolho* (ô) e *arrulhar*.]

arrolhar[2] *V. int. Bras. S.* **1.** Reunir animais cavalares. **2.** Desfolhar a erva-mate. [Pres. ind.: *arrolho*, etc. Cf. *arrolho* (ô) e *arrulhar*.]

arrolho (ô) [Dev. de *arrolhar*[1].] *S. m.* Ato de arrolhar[1] (1). [Pl.: *arrolhos* (ô). Cf. *arrolho*, do v. *arrolhar*.]

arrolo (ô) *S. m.* Arrulho (3). [Pl.: *arrolos* (ô). Cf. *arrolo*, do v. *arrolar*.]

arromançar [De *ar-*[1] + *romance* + *-ar*[2].] *V. t. d.* **1.** Romancear. **2.** Traduzir em romance (1). [Conjug.: v. *laçar*.]

arromba [Dev. de *arrombar*.] *S. f. Mús.* Cantiga ruidosa para viola. ◆ **De arromba.** Extraordinário, excelente, assombroso, de espantar; de estouro: *festa de arromba*; "não imaginasse o amigo Maia, que ele tinha feito um discurso. | – Ora essa! exclamou o velho, agitando o lenço. É um dos melhores que eu tenho ouvido na Câmara! Dos de arromba!" (Eça de Queirós, *Os Maias*, I, pp. 447-448).

arrombada [De *arrombar* + *-ada*[1].] *S. f.* **1.** Arrombamento (1). **2.** *Ant. Mar.* Borda falsa de fortuna.

arrombado [Part. de *arrombar*.] *Adj.* **1.** Roto com violência. **2.** Vencido, abatido; quebrantado, humilhado. **3.** *Bras. RJ Pop.* Diz-se de quem tem muita sorte; sortudo. ● *S. m.* **4.** *Bras. Amaz.* Furo que une dois rios através de um manguezal.

arrombador (ô) [De *arrombar* + *-dor*.] *Adj. S. m.* Que, ou aquele que arromba.

arrombamento [De *arrombar* + *-mento*.] *S. m.* **1.** Ato ou efeito de arrombar; arrombada. **2.** Abertura forçada, rombo.

arromba-peito [De *arrombar* + *peito*.] *S. m. Bras. N.E. Pop.* V. *lasca-peito*. [Pl.: *arromba-peitos*.]

arrombar [De *ar-*[1] + *rombo*[1] + *-ar*[2].] *V. t. d.* **1.** Fazer rombo em; romper: *As águas arrombaram o açude*. **2.** Abrir à força: *O ladrão arrombou a porta*. **3.** Vencer, derrotar. **4.** Quebrantar; abater; humilhar: *O descaso do amigo arrombou-lhe o ânimo*. **5.** *Bras. Chulo* Desvirginar, deflorar, desflorar.

arromeno *S. m.* **1.** Indivíduo dos arromenos, povos do S. da antiga Iugoslávia, Bulgária, Albânia e Grécia setentrional. ● *Adj.* **2.** Pertencente ou relativo a eles.

arrosetado [De *ar-*[1] + *roseta*[1] + *-ado*[1].] *Adj. Bot.* Rosulado.

arrostar [De *ar-*[1] + *rosto* + *-ar*[2].] *V. t. d.* **1.** Olhar de frente, encarar, sem medo; afrontar; fazer face a. **2.** Encarar, afrontar: "Não se atreveu, todavia, a arrostar a cólera do pai e do irmão, concertados ambos num tremendo ajuste de contas." (Monteiro Lobato, *Urupês*, p. 106.) *T. i.* **3.** Arrostar (1 e 2). *P.* **4.** Defrontar-se; afrontar-se.

arrotador (ô) [De *arrotar* + *-dor*.] *S. m.* **1.** Aquele que arrota. **2.** *Fig.* V. *fanfarrão* (2).

arrotar [Do lat. *eructare*.] *V. int.* **1.** Dar arroto(s). **2.** Vangloriar-se; blasonar. *T. d.* **3.** Soltar pela boca (o ar do estômago, saturado do cheiro do que se comeu ou bebeu); bofar, baforar. **4.** Alardear, ostentar, blasonar, bofar: "– Está escondendo o leite? Faz muito bem, que isso de arrotar grandeza é transformar-se em 'fruteira': todo o mundo pega a aproveitar-se." (Monteiro Lobato, *Cidades Mortas*, p. 253.) [Pres. ind.: *arroto*, etc. Cf. *arroto* (ô).]

arroteado [Part. de *arrotear*.] *Adj.* Que se arroteou ou lavrou.

arroteador (ô) [De *arrotear* + *-dor*.] *S. m.* Aquele que arroteia.

arroteamento [De *arrotear* + *-mento*.] *S. m.* Ato ou efeito de arrotear.

arrotear [De *ar-*[1] + *roto* + *-ear*[2].] *V. t. d.* **1.** Cultivar (terreno inculto). **2.** Educar; instruir; cultivar. [F. paral.: *rotear*. Conjug.: v. *frear*. Pres. ind.: *arroteio*, *arroteias*, *arroteia*, etc. Cf. *arroteia*.]

arroteia (éi) [Dev. de *arrotear*.] *S. f.* Terra dantes inculta que se principia a lavrar. [Cf. *arroteia*, do v. *arrotear*.] ❖

arroto (ô) [Dev. de *arrotar*.] *S. m.* **1.** Erupção ruidosa de gases do estômago pela boca; eructação. **2.** Respiradouro de gruta ou caverna. [Pl.: *arrotos* (ô). Cf. *arroto*, do v. *arrotar*.]

arroto-choco (ô...ô) *S. m.* Eructação fétida, resultante de má digestão. [Pl.: *arrotos-chocos*.]

arroto de gruna *S. m. Bras. BA* Entre os garimpeiros, ponto onde aflora à superfície o curso de água subterrâneo que atravessa as grunas ou grutas cavadas no subsolo. [Pl.: *arrotos de gruna*.] ☑

arroubamento [De *arroubar* + *-mento*.] *S. m.* V. *arroubo*. [Cf. *arrobamento*.]

arroubar [De *ar-*[1] + *roubar*.] *V. t. d. P.* **1.** Extasiar(-se), enlevar(-se), arrebatar(-se). **2.** Transportar-se ou remontar-se em êxtases ou arrebatamentos: "Ascendo, arroubo-me às imensidades, / Onde estruge a aleluia das esferas..." (Raimundo Correia, *Poesias*, p. 199). [Cf. *arrobar*.]

arroubo [Dev. de *arroubar*.] *S. m.* Arrebatamento que extasia; êxtase, enlevo, encanto, arroubamento: "Recordo-me de que tive agitados arroubos de amor carnal" (Júlio Brandão, *Contos Escolhidos*, p. 185). [Cf. *arrobo*, do v. *arrobar*.]

arroupado [Part. de *arroupar*.] *Adj.* V. *enroupado* (1).

arroupar [De *ar-*[1] + *roupa* + *-ar*[2].] *V. t. d. P.* V. *enroupar*.

arroxado[1] [De *ar-*[1] + *roxo* + *-ado*[1].] *Adj.* V. *arroxeado*[1]. [Fem.: *arroxada*. Cf. *arrochado* e *arrochada*.]

arroxado[2] [Part. de *arroxar*.] *Adj.* V. *arroxeado*[2]. [Fem.: *arroxada*. Cf. *arrochado* e *arrochada*.]

arroxar [De *ar-*[1] + *roxo* + *-ar*[2].] *V. t. d. Int. P.* V. *roxear*. [Cf. *arrochar*.]

arroxeado[1] [De *ar-*[1] + *roxo* + *-eado*.] *Adj.* **1.** De cor tirante a roxo: *lábios arroxeados*. **2.** Diz-se dessa cor: *vestido de cor arroxeada*. [F. paral.: *arroxado*. Sin. ger.: *roxeado*.]

arroxeado[2] [Part. de *arroxear*.] *Adj.* Que se arroxeou; arroxado.

arroxear [De *ar-*[1] + *roxo* + *-ear*[2].] *V. t. d. Int. P.* V. *roxear*: "A alva errante / Também sumiu-se no clarão crescente, / A arroxear o levante." (Alberto de Oliveira, *Poesias*, 1.ª série, p. 14.) [Conjug.: v. *frear*.]

arroz (ô) [Do ár. *ar-ruzz*.] *S. m. Bot.* **1.** Erva poácea (*Oriza sativa*) ereta, de até 1m, com flores dispostas em espiguetas e frutos que são cariopses coriáceas; é hoje cultivada universalmente, constituindo importante base alimentar. [Sin., tupi, p. us.: *abati*.] **2.** O grão dessa planta. **3.** *Cul.* Esse grão, depois de descascado e, em geral, polido, usado cozido na alimentação: *Não dispensa o arroz no almoço e no jantar*. ◆ **Arroz à crioula.** *Cul.* Arroz (3) muito lavado, branco, cozido apenas com água e sal, sem temperos. [Cf. *arroz-crioulo*.] **Arroz à grega.** *Cul.* Arroz (3) a que se adicionam passas, pedacinhos de presunto, de toucinho defumado, de pimentão, de cebola e *petit-pois*.

arrozal [De *arroz* + *-al*[1].] *S. m.* Quantidade mais ou menos considerável de pés de arroz dispostos proximamente entre si; arrozeira.

arrozalva [De *arroz* + *alva*, fem. de *alvo*.] *S. f. Bras.* Farinha de arroz.

arroz-bravo *S. m. Bras. Bot.* Erva poácea (*Leersia hexandra*) aquática e terrestre, de grãos pequeninos, quase brancos, que podem substituir o arroz na alimentação, e folhas cortantes; ocorre nas margens dos lagos amazônicos, e é us. como forragem. [Sin.: *abatiapé, andrequicé, arroz-da-guiana, arroz-do-méxico, camará-de-cavalo, capim-andrequicé, peripomonga, serra-perna.* Pl.: *arrozes-bravos.*]

arroz-crioulo *S. m. Bras. Cul.* Arroz preparado com alho, cebola e caldo de carne, bem frito, para adquirir cor castanha e bem dourada. [Pl.: *arrozes-crioulos.* Cf. *arroz à crioula.*]

arroz-d'água *S. m. Bras. SC* Arrozeira (2). [Pl.: *arrozes-d'água.*]

arroz-da-guiana [De *arroz* + *da*[1] + o top. *Guiana.*] *S. m. Bras. Bot.* V. *arroz-bravo.* [Pl.: *arrozes-da-guiana.*]

arroz de carreteiro *S. m. Bras. Cul.* Prato típico da cozinha do S., feito de arroz ao qual se adiciona carne-seca ou carne de sol desfiada ou picada, às vezes paio e linguiça em pedaços, refogados em bastante gordura, com alho, cebola, tomate e cheiro-verde. [Tb. se diz apenas *carreteiro.* Pl.: *arrozes de carreteiro.*] ☑

arroz de casca *S. 2 g. Bras.* Pessoa muito sensível. [Pl.: *arrozes de casca.*] ☑

arroz de cuxá *S. m. Bras. Cul.* Arroz cozido em água e sal, que se come acompanhado de cuxá. [Pl.: *arrozes de cuxá.*] ☑

arroz de festa *S. m. Bras. SP Pop.* V. *peru de festa*: "Já puxou a cara umas três vezes, se pinta feito uma palhaça, virou arroz de festa e ainda namorando um moço que poderia ser seu filho!" (Lígia Fagundes Teles, *A Disciplina do Amor*, p. 136.) [Pl.: *arrozes de festa.*] ☑

arroz de forno *S. m. Cul.* Prato feito com arroz ao qual se juntam outros ingredientes (ger. ervilha ou milho, presunto, frango, etc.) e que se leva ao forno: ".... sentava-se afinal a uma mesa .... para comer .... um tenro assado de carneiro .... e mais uns legumes cozidos .... que ao pé dum fumegante arroz de forno alegravam uma travessa de prata." (Herberto Sales, *Os Pareceres do Tempo*, p. 84). [Pl.: *arrozes de forno.*] ☑

arroz de função *S. m. Bras. Cul.* V. *arroz-doce.* [Pl.: *arrozes de função.*] ☑

arroz de hauçá *S. m. Bras. Cul.* Prato típico da cozinha baiana e nordestina, preparado com arroz branco, sem outro tempero senão o sal, e que se costuma enfeitar com pedacinhos de carne do sertão, ou de charque, fritos com alho e cebola, e postos em volta do prato. [Sin. (afric.): *arroz de jalofo.* Pl.: *arrozes de hauçá.*] ☑

arroz de jalofo *S. m. Afric. Cul.* Arroz de hauçá. [Pl.: *arrozes de jalofo.*] ☑

arroz de leite *S. m. Cul.* V. *arroz-doce.* [Pl.: *arrozes de leite.*] ☑

arroz-de-rato [De *arroz* + *de* + *rato*[1].] *S. m. Bot.* Erva crassulácea (*Sedum album*) perene, sempre-verde, de flores brancas, hermafroditas, e folhas cilíndrico-oblongas que lembram um bago de arroz cozido, donde o nome; é frequente em muros e telhados. [Sin.: *arroz-de-telhado, chapéu-dos-telhados.* Pl.: *arrozes-de-rato.*]

arroz de viúva *S. m. Bras. BA Cul.* Arroz com sal e leite de coco, sem açúcar, e mais consistente que o arroz-doce: "Após o ofício, voltava a imagem em procissão para a nossa casa, onde era servida lauta mesa de doces, cuscuz, arroz-doce, arroz de viúva, ..., queijo e café com leite." (Hermano Requião, *Itapagipe*, p. 31.) [Pl.: *arrozes de viúva.*] ☑

arroz-do-campo *S. m. Bras. Bot.* Erva poácea (*Trachypogon polymorphus*) forrageira, nativa da Amaz., de folhas lanceoladas e flores vistosas. [Pl.: *arrozes-do-campo.*]

arroz-doce *S. m. Cul.* Arroz cozido no leite adoçado com açúcar, e temperado com casca de limão, canela em pau, ou água de flor de laranja, cravo, etc., e em geral polvilhado com canela; arroz de função, arroz de leite: ".... o padre Salgado, que não era de muito comer, abriu exceção para o arroz-doce polvilhado de canela .... ." (Herberto Sales, *Os Pareceres do Tempo*, p. 85). [No N. e N.E. adiciona-se leite de coco ao leite de vaca.] [Pl.: *arrozes-doces.*]

arroz-doce de festa *S. m. Bras. Pop.* V. *peru de festa.* [Pl.: *arrozes-doces de festa.*] ☑

arroz-doce de pagode *S. m. Bras. Pop.* V. *peru de festa.* [Pl.: *arrozes-doces de pagode.*] ☑

arroz-do-méxico [De *arroz* + *do*[1] + o top. *México.*] *S. f. Bras. Bot.* V. *arroz-bravo.* [Pl.: *arrozes-do-méxico.*]

arrozeira [De *arroz* + *-eira.*] *S. f.* **1.** Arrozal. **2.** *Bras. SC* Processo de cultivo do arroz mediante o aproveitamento de riachos e ribeiras, cujas águas se canalizam para submersão das plantas; arroz-d'água.

arrozeiro [De *arroz* + *-eiro.*] *S. m.* **1.** Plantador e/ou negociante de arroz. "A Polícia Federal prendeu .... o presidente da Associação dos Arrozeiros do Estado" (José Eduardo Rondon, em *Folha de S.Paulo*, 01.04.2008). • *Adj.* **2.** Que gosta muito de arroz. **3.** *Bras.* Referente à lavoura de arroz.

arruá [Var. de *aruá*[3].] *Adj. 2 g. Bras.* **1.** Espantadiço, assustadiço. **2.** Indomável, selvagem, bravio. **3.** Mau, perverso.

arruaça [De *rua.*] *S. f.* **1.** Motim de rua; assuada. **2.** V. *rolo*[1] (16).

arruação [De *arruar*[1] + *-ção.*] *S. f.* V. *arruamento.*

arruaçar [De *arruaça* + *-ar*[2].] *V. int.* Promover arruaça(s). [Conjug.: v. *laçar.*]

arruaceiro [De *arruaça* + *-eiro.*] *Adj. S. m.* Que, ou aquele que faz ou promove arruaça(s); arruador.

arruado [De *ar-*[1] + *rua* + *-ado*[1].] *S. m.* **1.** V. *arruamento*: "um arruado triste, casinholos de taipa cobertos de palha, na maioria." (Herman Lima, *Garimpos*, p. 16). **2.** *Bras. N.E.* Pequena povoação de casas à margem de uma estrada.

arruador (ô) [De *arruar*[1] + *-dor.*] *Adj.* **1.** Arruaceiro. • *S. m.* **2.** Aquele que arrua [v. *arruar* (4)]: "Foi para a turba dos apaixonados arruadores grande assombro e maior escândalo esse de verem todas as tardes, ... o rolho velhinho, conversando e brincando na maior intimidade com a menina." (José de Alencar, *Senhora*, pp. 195-196.) **3.** Arruaceiro. **4.** Vagabundo, vadio.

arruamento [De *arruar*[1] + *-mento.*] *S. m.* **1.** Traçado, demarcação e abertura de ruas. **2.** Conjunto de ruas, num loteamento. **3.** Instalação de estabelecimentos de uma mesma profissão ou atividade, na mesma rua. [Sin. ger.: *arruação, arruado.*]

arruar[1] [De *ar-*[1] + *rua* + *-ar*[2].] *V. t. d.* **1.** Traçar, demarcar e abrir (ruas) para fazer loteamento, vila ou cidade. **2.** Traçar, demarcar e fazer os caminhos ou passeios em (jardim ou parque). *Int.* **3.** Percorrer as ruas, como vadio: "um pajem que nos deixava gazear a escola, ir caçar ninhos de pássaros, ... ou simplesmente arruar, à toa, como dous peraltas sem emprego." (Machado de Assis, *Memórias Póstumas de Brás Cubas*, p. 47). **4.** Passear pelas ruas: "Hoje, já não se sabe arruar direito. Anda-se, ou melhor, corre-se pelas ruas. Os meios de transporte não favorecem esse prazer dos antigos." (Mário Sete, *Arruar*, p. 9.) **5.** Passear com pompa, com ostentação.

arruar[2] [T. onom.] *V. int.* **1.** Grunhir (o javali). **2.** Mugir (o touro).

arrubé *S. m. Bras. AM* Óleo extraído de certa variedade de mandioca.

arruçado [Part. de *arruçar.*] *Adj.* Que arruçou: *cabelo arruçado.*

arruçar [De *ar-*[1] + *ruço* + *-ar*[2].] *V. t. d. Int. P.* V. *ruçar*: "Andou, andou, já a alba arruçava a lomba dos oiteiros e o recorte das árvores" (Aquilino Ribeiro, *Estrada de Santiago*, p. 312). [Conjug.: v. *laçar.*]

arruda [Do lat. *ruta*, pelo ár. *ar-ruTâ.*] *S. f. Bot.* **1.** Nome comum a várias espécies rutáceas do gênero *Ruta* (v. *ruta*), nativas da Europa meridional. **2.** Subarbusto rutáceo (*Ruta graveolens*) lenhoso, perene, que exala forte aroma, dotado de flores amarelo-esverdeadas, folhas decompostas, de gosto amargo, e frutos capsulares; é cultivado como medicinal, como ornamental, pela madeira e pelo óleo, que fornece rutina. [Sin.: *arruda-comum, ruda, ruta-de-cheiro.*]

arruda-brava [De *arruda* + *de* + o f. de *bravo.*] *S. f. Bras. Bot.* Anilaçu. [Pl.: *arrudas-bravas.*]

arruda-comum *S. f. Bot.* V. *arruda* (2). [Pl.: *arrudas-comuns.*]

arruda-dos-muros [De *arruda* + *de* + o pl. de *muro.*] *S. f. Bras. Bot.* Planta aspleniácea (*Asplenium ruta-muraria*) nativa de regiões temperadas da Europa e Ásia. [Pl.: *arrudas-dos-muros.*]

arruela [De *ar-*[4] + *ruela*[2].] *S. f.* **1.** Chapa redonda, de aço, com furo circular, na qual se mete o parafuso a fim de que a porca não desgaste a peça que vai ser aparafusada. **2.** *Heráld.* Peça semelhante ao besante (2); roel.

arruelado [De *arruela* + *-ado*[1].] *Adj.* Que tem arruela (1).

arrufada [De *arrufar* + *-ada*[1].] *S. f. Lus.* Bolo fofo coimbrão feito com leite, farinha de trigo e ovos.

arrufadiço [De *arrufar*[2] + *-(d)iço*[2].] *Adj.* Que facilmente se arrufa; agastadiço, irritadiço.

arrufar[1] [De *ar-*[2] + *rufar*[1].] *V. t. d. Int.* V. *rufar*[1]: "No ar arrufa o pandeiro, / Todo enfeitado de fitas" (Melo Morais Filho, *Cantos do Equador*, p. 53).

arrufar[2] [De *ar-*[1] + *rufo*[2] + *-ar*[2].] *V. t. d.* **1.** Tornar irritado, agastado; irritar. **2.** Encrespar, arrepiar, rufar: *A ave arrufou a plumagem.* *P.* **3.** Tornar-se crespo; encrespar-se, arrepiar-se. **4.** Entufar-se, agastar-se, amuar-se. **5.** Mostrar mau modo; encrespar-se: *Não gostou do que lhe disseram: arrufou-se e saiu batendo a porta.*

arrufianado [De *ar-*[1] + *rufião* + *-ado*[1].] *Adj.* **1.** Que tem modos de rufião: *moço arrufianado.* **2.** Próprio de rufião: *maneiras arrufianadas.*

arrufo [Dev. de *arrufar*[2].] *S. m.* **1.** Ato ou efeito de arrufar(-se). **2.** V. *amuo* (1). **3.** Ressentimento passageiro entre pessoas que se querem bem.

arrugado [Part. de *arrugar.*] *Adj.* V. *enrugado.*

arrugadura [De *arrugar* + *-dura.*] *S. f.* V. *arrugamento.*

arrugamento [De *arrugar* + *-mento.*] *S. m.* Ato ou efeito de arrugar(-se); arrugadura, enrugamento.

arrugar [De *ar-*[1] + *ruga* + *-ar*[2].] *V. t. d. P.* V. *enrugar*: "a brisa do mar arrugava levemente a superfície do Tejo" (Camilo Castelo Branco, *Novelas do Minho*, XII, p. 73). [Conjug.: v. *largar.* Cf. *arrogar.*]

arrúgia [Do lat. *arrugia.*] *S. f.* Canal para escoamento de águas, nas minas.

arruído [De *ar-*[2] + *ruído.*] *S. m.* **1.** Barulho, ruído: "Música — uns finos, leves arruídos" (Alberto de Oliveira, *Lírica*, p. 95); "O arruído dos guizos aumentava" (Cleonice Rainho, *João Mineral*, p. 13). **2.** Clamor confuso de muitas vozes; vozearia. **3.** Desordem, tumulto, briga.

arruinação (u-i) [De *arruinar* + *-ção.*] *S. f.* V. *arruinamento.*

arruinado (u-i) [Part. de *arruinar.*] *Adj.* **1.** Reduzido a ruína(s); destruído. **2.** Reduzido à pobreza; empobrecido. **3.** Prejudicado; perdido. **4.** *Fam.* Inflamado ou apostemado: *A ferida arruinada ameaçava o pé inteiro.*

arruinador (u-i...ô) [De *arruinar* + *-dor.*] *Adj. S. m.* Que, ou aquele que arruína.

arruinamento (u-i) [De *arruinar* + *-mento.*] *S. m.* Ato ou efeito de arruinar(-se); arruinação, ruína.

arruinar (u-i) [De *ar-*[1] + *ruína* + *-ar*[2].] *V. t. d.* **1.** Causar ruína a; destruir, arrasar: *A nuvem de gafanhotos arruinou a plantação.* **2.** Reduzir a ruínas; destruir, demolir, aluir: *Os últimos temporais arruinaram as edificações.* **3.** Reduzir à miséria; empobrecer: *Perdulário, acabará arruinando a família.* **4.** Estragar, danificar: *O tráfego arruinou a estrada.* **5.** Prejudicar, abalar, estragar (a saúde, o crédito, etc.). *Int.* **6.** Cair em ruína; desmoronar-se, aluir. **7.** Estragar-se; deteriorar-se: *Toda a colheita arruinou no celeiro.* **8.** *Bras.* Infeccionar; gangrenar: *A ferida arruinou.* *P.* **9.** Cair em ruína; destruir-se, aluir-se. **10.** Ficar sem recursos; empobrecer-se: "Eram restos da classe velha, tipos que já não podiam ter escravos e se arruinavam em loucura furiosa, agarrados a prostitutas." (Graciliano Ramos, *Viagem*, p. 16.) **11.** Perder a saúde; enfermar. [Recebe acento nas f. rizotônicas: *arruíno, arruínas, arruína, arruínam, arruíne, arruínes, arruínem.*]

arruivado [De *ar-*[1] + *ruivo* + *-ado*[1].] *Adj.* Tirante a ruivo; arruivascado: *cabelos arruivados; barba de um tom arruivado;* "Ressurge a Terra enfim! O Sol quente e arruivado / Beija-a com louco amor" (Eugênio de Castro, *Obras Poéticas*, IV, p. 177).

arruivascado [De *ar-*[1] + *ruivo* + *-asc(o)-* + *-ado*[1].] *Adj.* Arruivado: "Lembro que antes das brancas eles [os cabelos] eram dum castanho arruivascado" (Pedro Nava, *Beira-Mar*, p. 84).

arrular *V. int. T. d.* V. *arrulhar*: "Rola que estás arrulando / À beira do poço fundo, / Eu também sofro e não ando / A queixar-me a todo o mundo..." (Augusto Gil, *O Craveiro da Janela*, p. 83).

arrulhar [T. onom.] *V. int.* **1.** Emitir (pombo ou rola) sua voz característica. **2.** Cantar como os pombos ou rolas; emitir arrulho(s): "Os pequenos engraxates ambulantes, os pombos que arrulham entre os pés dos transeuntes, a estátua de D. Pedro I, as cartomantes e batedores de carteira" (Lêdo Ivo, *A Morte do Brasil*, p. 10). [Sin., nessas acepçs.: *rolar, rular.*] **3.** Dizer palavras doces, amorosas, em tom meigo. **4.** Acalentar crianças. *T. d.* **5.** Exprimir com ternura (um sentimento da alma); rolar, rular: *Os namorados arrulham seu amor.* [Var.: *arrular.* Sin., nas acepçs. 1, 2 e 5: *rolar.* Aplicado em relação a animais, só se emprega nas 3.as pess. Pode-se empregar em todas as pess. nos outros casos. Cf. *arrolhar.*]

arrulho [Dev. de *arrulhar.*] *S. m.* **1.** Ato de arrulhar. **2.** Voz, canto ou gemido de rolas e pombos, ou semelhante ao destes: "Era um arrulho de juritis perdido no meio da atroadora garrulice dos melros." (Bernardo Guimarães, *O Seminarista*, p. 43.) **3.** Canto para adormecer crianças; arrolo. **4.** *E. Ling. Psicol.* V. *balbucio* (3). [Var.: *arrulo.* Sin. (1 a 3): *rulo.*]

arrulo [Dev. de *arrular.*] *S. m.* V. *arrulho.*

arrumação [De *arrumar* + *-ção.*] *S. f.* **1.** Ato ou efeito de arrumar(-se), de arranjar(-se). **2.** Boa ordem ou disposição. [Sin., nessas acepçs.: *arranjo* e (p. us.) *arrumo.*] **3.** Escrituração em ordem. **4.** Posição na carta geográfica; rumo. **5.** Emprego, colocação. **6.** *Pop.* Tratantada, traficância, arranjo.

arrumada [De *arrumar* + *-ada*[1].] *S. f.* V. *arrumadela.*

arrumadeira [De *arrumar* + *-deira.*] *S. f.* **1.** Mulher zelosa na arrumação dos objetos e móveis da sua casa. **2.** *Bras.* Criada incumbida da arrumação e limpeza da casa: "Teresinha, quando veio do interior para trabalhar como copeira e arrumadeira, ... quase não cooperou nada porque .... antes de querer ser arrumadeira, pensou em se arrumar." (Stanislaw Ponte Preta, *Febeapá 2*, p. 81.)

arrumadela [De *arrumar* + *-dela.*] *S. f.* Arrumação (1) superficial ou rápida; arrumação ligeira; arrumada.

arrumadinho [De *arrumado* (part. de *arrumar*) + *-inho*[1].] *S. m. Cul.* Prato feito à base de feijão, charque, toicinho e farofa, no qual os componentes devem ser bem dispostos para servir.

arrumado [Part. de *arrumar*.] ***Adj.*** **1.** Que se arrumou. **2.** Vestido, pronto.

arrumador (ô) [De *arrumar* + *-dor*.] ***Adj. S. m.*** Que, ou aquele que arruma.

arrumar [Do fr. *arrumer*.] ***V. t. d.*** **1.** Pôr em ordem; arranjar, compor: *Arrumou os seus trastes e deixou a casa; Arrumou os livros da biblioteca.* **2.** Dar determinado rumo a; dirigir para; rumar. **3.** Dar posição ou ocupação profissional; colocar, empregar: *Conseguiu arrumar o filho na empresa em que trabalha.* **4.** Encontrar, conseguir, obter: *Arrumou um bom emprego.* **5.** Conceber, imaginar, inventar: *Arrumou um pretexto para ausentar-se.* **6.** *Pop.* Consertar, reparar: *Ele ainda não arrumou a parte elétrica do apartamento.* **7.** *Pop.* Contrair (doença, vírus, etc.): *Ele arrumou uma gripe muito forte nas férias.* ***T. d. e i.*** **8.** Atirar, arrojar, arremessar: *Arrumaram pedras às vidraças.* ***T. i.*** **9.** Pôr de lado; acabar com; liquidar: *Estava velho e cansado; resolveu arrumar com a loja.* ***P.*** **10.** Estabelecer-se, empregar-se, colocar-se: *Desempregado há cerca de um ano, felizmente agora se arrumou.* **11.** Conseguir boa situação, sob o aspecto financeiro, sentimental, etc.; arranjar-se: *Andou meio sem sorte, mas acabou por se arrumar.* **12.** Acomodar-se, arranjar-se, ajeitar-se: "o desarranjo estava previsto e numa hora as coisas se arrumariam da melhor forma." (Graciliano Ramos, *Viagem*, p. 13). **13.** Avir-se: *Nada tenho com isso: ele que se arrume sozinho!* **14.** *Fam.* Vestir-se, aprontar-se.

arrumo [Dev. de *arrumar*.] ***S. m. P. us.*** V. *arrumação* (2).

arrunhar [Alter. de *arruinar*.] ***V. t. d.*** **1.** Aparar (a sola ao redor do calçado). **2.** Abrir, rasgar.

arrupiar ***V. t. d. Int. P. Bras. N.E. Pop.*** V. *arrepiar*.

arrupio ***S. m. Bras. N.E. Pop.*** V. *arrepio*.

▲ **ars(a)-** *Quím.* ***El. comp.*** **1.** Indica a presença, na molécula de uma substância, de um átomo de arsênio: *arsina, fenarsina.* **2.** Em certos sistemas de nomenclatura, indica a presença de um átomo de arsênio com valência 3 no lugar de um de carbono: *arsafluoreno.* [Ocorre tb. como infixo.]

▲ **-ars(a)-** *Quím.* V. *ars(a)-*.

arsafluoreno [De *ars(a)-* + *fluoreno*.] ***S. m. Quím.*** Qualquer substância derivada do fluoreno por substituição de um átomo de carbono por um de arsênio, esp. o 9-arsafluoreno (nesta substância [fórm.: $C_{12}H_9As$] o metileno do fluoreno é substituído pelo grupo divalente AsH).

arse [Do gr. *ársis*, pelo lat. tard. *arse*.] ***S. f.*** Ársis (q. v.).

arsenal [Do ár. *dār aṣ-ṣinā'a(t)*, lit., 'casa da indústria'.] ***S. m.*** **1.** Conjunto edificado, com armazéns e dependências para fabricação e/ou guarda de munições e petrechos de guerra. **2.** *Fig.* Lugar onde há muitas armas. **3.** *P. ext. Fig.* Grande porção; série, porção; conjunto: *Tem todo um arsenal de expedientes para fugir ao trabalho;* "Também ele, em criança, ... foi supersticioso, teve um arsenal inteiro de crendices" (Machado de Assis, *Várias Histórias*, p. 5). [Cf. *hoplotеca*.] ◆ **Arsenal de marinha.** *Mar.* Estaleiro situado à beira-mar.

▲ **arsen(i)-** [Do lat. cient. *arsenium*.] *Quím.* ***El. comp.*** = 'arsênio' (*arsenífero*); 'que contém o grupo -As=As-, análogo ao grupo azo' (*arsenobenzeno*); 'ácido arsênico' (*arseniato*). [F. alternativa: *arseno-*.]

arseniato [De *arsen(i)-* + *-ato*[2].] ***S. m. Quím.*** Qualquer sal do ácido arsênico.

arsenical [De *arsênico* + *-al*[1].] ***Adj. 2 g.*** Que contém arsênio ou arsênico.

arsénico[1] ***S. m. Quím.*** V. *arsênico*[1]. [Uso freq. em P.]

arsénico[2] ***Adj. Quím.*** V. *arsênico*[2]. [Uso freq. em P.]

arsênico[1] [Do gr. *arsenikón*, pelo lat. *arsenicu*.] ***S. m. Quím.*** O trióxido de arsênio, sólido, branco, pulverulento, venenoso, com diversas aplicações industriais [fórm: As_2O_3].

arsênico[2] [De *arsen(i)-* + *ico*[2].] ***Adj. Quím.*** ~ V. *ácido* —.

arsenieto (ê) [De *arsen(i)-* + *-eto*[2].] ***S. m. Quím.*** Sal binário que contém arsênio e um metal.

arsenífero [De *arsen(i)-* + *-fero*.] ***Adj.*** Que contém arsênio.

arsénio ***S. m. Quím.*** V. *arsênio*. [Uso freq. em P.]

arsênio [Do lat. cient. *arsenium*.] ***S. m. Quím.*** Elemento de número atômico 33, sólido, cristalino, acinzentado, utilizado sob a forma de compostos em medicina [símb.: *As*]. ◆ **Arsênio branco.** *Quím.* Trióxido de diarsênio, pó branco cristalino, veneno poderoso [fórm.: As_2O_3].

arsenioso (ô) [De *arsen(i)-* + *-oso*.] ***Adj. Quím.*** ~ V. *ácido* —.

arsenismo [De *arsênico* + *-ismo*, seg. o padrão gr.; ingl. *arsenism*.] ***S. m. Med.*** Envenenamento crônico causado por arsênico.

arsenito [De *arsen(i)-* + *-ito*[3].] ***S. m. Quím.*** Qualquer sal do ácido arsenioso.

▲ **arseno-** *Quím.* F. alternativa de *arsen(i)-*.

arsenobenzeno [De *arseno-* + *benzeno*.] ***S. m. Quím.*** Substância sólida cristalina de cor amarelo-pálida, análoga ao azobenzeno (q. v.), na qual dois anéis benzênicos estão unidos pelo grupo —AS=AS— e da qual certos derivados são us. em medicina [fórm.: $C_{12}H_{10}AS_2$].

arses ***S. m. 2 n. Zool.*** Ave passeriforme dentirrostra semelhante aos papa-moscas, encontrada no Senegal. [Cf. *ársis*.]

➔ **ars gratia artis** [ars ˈgɾatɪe ˈaɾtes] [Lat.] Trad. lat. da expr. *arte pela arte*.

arsina [De *ars(a)-* + *-ina*[3].] ***S. f. Quím.*** Gás tóxico, com cheiro de alho, incolor [fórm.: AsH_3].

ársis [Do gr. *ársis*, pelo lat. tard. *arsis*.] ***S. f. 2 n.*** **1.** *Mús.* Entre os gregos, o levantar do pé na dança e, em consequência, a parte não acentuada do ritmo. **2.** *Mús.* Na métrica musical, o tempo fraco do compasso. **3.** *Arte Poét.* Na versificação latina, a parte do pé (em geral uma sílaba longa) marcada pelo acento métrico. **4.** *P. ext.* Elevação do tom ou da voz. [F. paral.: *arse*. Cf. *tésis* e *arses*.]

arsol [De *ars(ênio)* + *-ol*[3].] ***S. m. Quím.*** Substância análoga ao pirrol, com um arsênio em lugar do nitrogênio, mas que possui baixa aromaticidade [fórm.: C_4H_5As].

arsónio ***S. m. Quím.*** V. *arsônio*. [Uso freq. em P.]

arsônio [De *ars(a)-* + *(am)ônio*.] ***S. m. Quím.*** O íon AsH_4^+.

arsonvalização ***S. f. Med.*** Darsonvalização (q. v.).

➔ **art déco** [aɾ deˈko] [Fr., f. red. de *arts décoratifs*, 'artes decorativas'.] ***Loc. s. m.*** **1.** Movimento nas artes decorativas que surgiu na década de 1920 e dominou a década de 1930, e que, inspirado basicamente no cubismo e nos preceitos da nova arquitetura, buscava o equilíbrio dos volumes, certa singeleza linear e uma fácil adaptação à produção industrial. ● ***Adj. 2 g. e 2 n.*** **2.** Referente a, ou próprio do *art déco*; decô: *um salão art déco.*

arte[1] [Do lat. *arte*.] ***S. f.*** **1.** Capacidade que tem o ser humano de pôr em prática uma ideia, valendo-se da faculdade de dominar a matéria: *A arte de usar o fogo surgiu nos primórdios da civilização.* **2.** A utilização de tal capacidade, com vistas a um resultado que pode ser obtido por meios diferentes: *a arte da medicina; a arte da caça; a arte militar; a arte de cozinhar; Liceu de Artes e Ofícios.* **3.** Atividade que supõe a criação de sensações ou de estados de espírito de caráter estético, carregados de vivência pessoal e profunda, podendo suscitar em outrem o desejo de prolongamento ou renovação: *uma obra de arte; as artes visuais; arte religiosa; arte popular; a arte da poesia; a arte musical.* **4.** A capacidade criadora do artista de expressar ou transmitir tais sensações ou sentimentos: *A arte do Aleijadinho é considerada a maior manifestação do barroco brasileiro.* **5.** *Restr.* As artes plásticas: *crítica de arte; mercado de arte; uma história da arte.* **6.** O conjunto das obras de arte de uma época, de um país, de uma escola: *a arte pré-histórica; a arte moderna; a arte italiana; a arte impressionista.* **7.** Os preceitos necessários à execução de qualquer arte: *a arte da marinharia; a arte de falar corretamente uma língua.* **8.** Livro, tratado ou obra que contém tais preceitos: *a Arte Poética de Boileau; a Arte da Fuga de Bach.* **9.** Capacidade natural ou adquirida de pôr em prática os meios necessários para obter um resultado: *a arte de viver; a arte de calar; a arte de ganhar dinheiro; escrever sem arte.* **10.** Dom, habilidade, jeito: *Tem a arte de comunicar-se; Esse cachorrinho tem a arte de me irritar.* **11.** Ofício, profissão (nas artes manuais, especialmente): *Naquela família a arte de entalhador é uma tradição.* **12.** Artifício, artimanha, engenho: *Não sei que artes usou para convencê-la.* **13.** Maneira, modo, meio, forma: *De tal arte envolveu o chefe que logo se tornou seu secretário;* "A podenga negra, essa sumiu-se por tal arte, que ninguém no castelo lhe tornou a pôr a vista em cima." (Alexandre Herculano, *Lendas e Narrativas*, II, pp. 14-15). **14.** *Edit. Jorn.* Editoria de arte (q. v.). **15.** *Prop.* V. *arte de propaganda*. **16.** *Bras.* Traquinada, travessura. ~ V. *artes*. ◆ **Arte abstrata.** Abstracionismo (2). **Arte cibernética.** *Art. Plást.* Qualquer manifestação artística do séc. XX que utiliza as tecnologias modernas, como informática, xerox, holografia, fax, transmissões via satélite, etc. **Arte cinética.** *Art. Plást.* Forma de arte que rompe com a imobilidade da pintura e da escultura tradicionais; as obras, em três dimensões, têm partes móveis animadas por motor, pelo movimento do ar ou por impulso manual. [Cf. *móbile*.] **Arte conceitual.** *Art. Plást.* Corrente artística surgida na década de 1960, que privilegia o conceito, a ideia (por oposição ao objeto em si) e que não se prende especificamente nem à pintura nem à escultura; o artista recorre a associações que convidam à reflexão. **Arte concreta.** Concretismo (2). **Arte culinária.** Arte de preparar alimentos segundo normas gastronômicas ou dietéticas. **Arte da gramática.** *E. Ling. Ant.* **1.** Na educação latina medieval, uma das disciplinas humanísticas que compunham o trívio (2). **2.** *P. ext.* A descrição gramatical de uma língua. **Arte de propaganda.** *Prop.* **1.** Conjunto de atividades relacionadas com a apresentação gráfico-visual de anúncios. **2.** Especialização dos artistas (leiautistas, ilustradores, fotógrafos) que trabalham na preparação de um anúncio. [Sin.: *arte publicitária*. Tb. se diz apenas *arte*.] **Arte de vanguarda.** A que apresenta características inovadoras na forma e no conteúdo, opondo-se geralmente aos padrões aceitos pelo consenso geral. **Arte do livro.** *Art. Gráf.* Parte das artes gráficas que, compreendendo a judiciosa escolha de papéis e tintas, a tipografia, a ilustração e a encadernação, tem por fim a harmoniosa integração, no livro, de sua dupla função de objeto de estudo e de objeto de arte. **Arte do marinheiro.** *Marinh.* Arte de fazer costuras em cabos e lonas, de dar nós e voltas em cabos, e de executar outros trabalhos artesanais próprios do marinheiro de convés. **Arte dramática.** V. *teatro*: "O país onde primeiro apareceu a arte dramática moderna foi a Inglaterra" (Alexandre Herculano, *Opúsculos*, IX, p. 75). **Arte informal.** *Art. Plást.* Designação comum às tendências abstratas que se manifestaram depois da II Guerra Mundial, cujas características são a espontaneidade, o uso expressivo da matéria pictórica e de materiais heterogêneos, o equilíbrio da composição. [Cf. *abstracionismo* (2).] **Arte mágica.** **1.** Magia, feitiçaria. **2.** V. *prestidigitação*. **Arte marcial.** Repertório mais ou menos sistematizado de técnicas, movimentos e exercícios corporais para defesa e ataque, com emprego de armas ou sem ele. [A maioria das técnicas assim denominadas é de origem oriental.] **Arte moderna.** V. *modernismo* (4 e 6). **Arte naval.** *Mar.* Estudo do navio, sua estrutura, equipamento, conservação, e das manobras que com ele se fazem e fainas que nele se realizam. [Cf. *marinharia* (2).] **Arte plumária.** A arte indígena de trabalhar plumas coloridas: "Só é legítimo falar em arte plumária, quando o valor estético das penas é superado por um esforço de imaginação, sensibilidade e virtuosismo, que permite construir com elas obras que valham por si próprias." (Darci Ribeiro e Berta G. Ribeiro, *Arte Plumária dos Índios Caapor*, p. 13.) [Tb. se diz apenas *plumária*.] **Arte poética.** **1.** A arte de escrever em verso, a arte da linguagem poética, e/ou o estudo, e/ou o conjunto de regras, preceitos, técnicas, meios e elementos linguísticos, retóricos e métricos relativos a, ou próprios dessa arte. **2.** Teoria geral da natureza e do objeto da poesia. **Arte publicitária.** *Prop.* V. *arte de propaganda*. **Arte real.** *Maç.* A maçonaria. **Arte rupestre.** Os desenhos, pinturas, etc., feitos nas cavernas pelos homens pré-históricos; inscrição rupestre. **Artes aplicadas.** As que se ocupam das qualidades de beleza, elegância, etc., de qualquer objeto de produção artesanal ou industrial. **Artes de reprodução.** O conjunto das artes gráficas que se realizam em duas fases distintas: a da criação de uma fôrma e a da multiplicação, por impressão, do trabalho nela executado, assim compreendidas a gravura, a tipografia e a fotogravura (1). **Artes do espetáculo.** Designação comum às artes que envolvem o espetáculo, e das quais o teatro e o cinema são as principais. **Artes gráficas.** **1.** Conjunto de processos e atividades us. para obter a reprodução, em qualquer número de cópias, de imagens e de escritos, mediante fôrma, chapa gravada ou matriz. **2.** *Restr.* Conjunto das atividades que compõem o processo industrial de produção gráfica. **Artes liberais.** Na Idade Média, designação comum às matérias de instrução e ensino ministradas sob a égide da teologia e que se dividiam em trívio (2) e quadrívio (2). **Artes mecânicas.** As que se baseiam no trabalho manual, especialmente com a utilização de ferramentas ou máquinas. **Artes menores.** Ramo da arte (3) que se ocupa da feitura de objetos em que o fator estético se alia à utilidade prática: *A cerâmica, a encadernação, o bordado são artes menores.* [Cf. *artes-menores*, pl. de *arte-menor*.] **Artes plásticas.** As que se manifestam por meio de elementos visuais e táteis, como linhas, cores, volumes, etc., reproduzindo formas da natureza ou realizando formas imaginárias; belas-artes; arte. [Compreendem o desenho, a pintura, a gravura, a colagem, a escultura, etc.] **A sétima arte.** O cinema: "O cinema falado impediu o cinema mudo de completar sua trajetória. Quando a sétima arte começava a produzir os seus clássicos — ou seja, a aproveitar toda a sua experiência como expressão — surgiu o *talkie*, e foi preciso recomeçar tudo" (Mário da Silva Brito, *Diário Intemporal*, p. 111). **Por artes de berliques e berloques.** Por artes mágicas; inexplicavelmente; milagrosamente. **Fazer arte de.** Agir de modo provocante, com determinado intuito: *Estás fazendo arte de me irritar.* **Por artes do diabo.** Por desgraça, por infelicidade.

arte[2] *S. f.* **1.** V. *arte-final*. **2.** *Prop.* Setor de uma agência de propaganda, ou de um anunciante direto, responsável pela execução de rafes (v. *rafe*[1]), leiautes, ilustrações, artes-finais, etc.

artefacto *S. m.* Artefato (q. v.).

artefato [Do lat. *arte factu*, 'feito com arte'; var. de *artefacto*.] *S. m.* **1.** Qualquer objeto manufaturado; peça. **2.** Observação ilusória durante uma medição ou experiência científica e que se deve a imperfeições no método ou na aparelhagem. ◆ **Artefato pirotécnico.** Artifício de fogo.

arte-final *S. f. Art. Gráf.* **1.** Qualquer trabalho (desenho, fotografia, ilustração, etc.) pronto para reprodução. [F. red.: *arte*.] **2.** Montagem de um trabalho gráfico (livro, anúncio, cartaz, etc.) pronta para ser fotografada e reproduzida, contendo todos os elementos do texto e ilustrações. [Pl.: *artes-finais*.]

arte-finalista [De *arte-final* + *-ista*.] *S. 2 g. Art. Gráf.* Indivíduo que executa artes-finais. [Pl.: *arte-finalistas*.]

arte-finalizar [De *arte-final* + *-izar*.] *V. t. d.* Executar arte-final de.

arteirice [De *arteiro* + *-ice*.] *S. f.* **1.** Ação de arteiro; manha, astúcia, ardil. **2.** *Bras.* Traquinada, travessura.

arteiro [De *arte*[1] + *-eiro*.] *Adj.* **1.** Que revela arte ou artifício; manhoso, astucioso, ardiloso. **2.** *Bras.* Que faz artes ou traquinices; traquinas, travesso, artioso. [Sin., bras., GO: *custoso*.]

artelho (ê) [Do lat. *articulu*.] *S. m. Anat.* V. *pododáctilo*.

arte-maior *S. f.* V. *verso de arte-maior*. [Pl.: *artes-maiores*.]

artemão [Do gr. *artémon*, pelo lat. *artemone*.] *S. m. Marinh.* **1.** Mastro de popa em um navio de três mastros. **2.** Vela mestra de navio.

arte-menor *S. f.* V. *verso de arte-menor*. [Pl.: *artes-menores*. Cf. *artes menores*.]

artêmia [Do tax. *Artemia*.] *S. f. Zool.* **1.** Gênero de pequenos crustáceos anostráceos, alguns muito tolerantes à salinidade da água. **2.** Qualquer espécie desse gênero, como, p. ex., a *Artemia salina* (v. *camarão-de-salmoura*). **3.** Qualquer espécime desse gênero.

artemigem *S. f. Bras. Bot.* V. *artemísia*.

artemija *S. f. Bras. Bot.* V. *artemísia*.

artemísia [Do gr. *artemisía* pelo lat. *artemisia*; tax. *Artemisia*.] *S. f. Bot.* **1.** Gênero de árvores e arbustos asteráceos, do qual se conhecem cerca de 250 espécies. **2.** Qualquer espécie desse gênero, como, p. ex., a *Artemisia absinthium* [v. *absinto* (1)], e a *A. dracunculus* (v. *estragão*). **3.** Qualquer espécime desse gênero, ou a flor dele. [Var., bras., nas acepç. 2 e 3: *artemigem, artemija*.] **4.** V. *abrótano*.

artemísia-verdadeira [De *artemísia* + o f. de *verdadeiro*.] *S. f. Bot.* Planta asterácea (*Artemisia vulgaris*) ramosa, aromática, de folhas muito recortadas e flores em capítulos ovoides dispostos em espiguetas paniculadas. [Pl.: *artemísias-verdadeiras*.]

artemisina [Do tax. *Artemisia* + *-ina*[3].] *S. f. Quím.* Lactona sesquiterpênica derivada da santonina [fórm.: $C_{15}H_{18}O_4$].

artemisinina [De *artemisin(a)* + *(santon)ina*.] *S. f. Quím.* Substância sólida, encontrada em artemísias, que é uma lactona sesquiterpenoide tetracíclica que contém o grupo peróxido como parte de um dos ciclos, e que é us. como antimalárico [fórm.: $C_{15}H_{22}O_5$].

artéria [Do gr. *artería*, pelo lat. *arteria*.] *S. f.* **1.** *Anat.* Cada um dos vasos que conduzem o sangue do coração a todas as partes do corpo. **2.** Grande via de comunicação: "a Rua do Ouvidor era a veia mestra, a artéria dominante." (R. Magalhães Júnior, *Artur Azevedo e Sua Época*, p. 17.) [Dim. irreg.: *arteríola*.] ◆ **Artéria aorta.** *Anat.* Principal tronco arterial do corpo, que se origina no ventrículo esquerdo. [Tb. se diz apenas *aorta*.] **Artéria carótida externa.** *Anat.* Cada uma das duas artérias que se originam de cada carótida primitiva, e que irão vascularizar o pescoço, face e crânio. **Artéria carótida interna.** *Anat.* Cada uma das duas artérias que se originam de cada carótida primitiva, e que irão vascularizar o encéfalo. **Artéria carótida primitiva.** *Anat.* Cada uma das duas artérias de onde se originam, de cada lado, uma carótida externa e uma interna. **Artéria pulmonar.** *Anat.* Vaso (6) que se origina no ventrículo direito do coração e que, embora tenha estrutura de artéria, conduz sangue venoso; vena arteriosa. **Artéria terminal.** *Anat.* A que não se ramifica, mas que se continua, diretamente, com vasos capilares sanguíneos.

arterial [De *artéria* + *-al*[1].] *Adj. 2 g.* Concernente às artérias; arterioso. ~ V. *esclerose —, hipertensão —, hipotensão —, pressão —, sangue —* e *via —*.

arterialização [De *arterializar* + *-ção*.] *S. f.* Ato ou efeito de arterializar(-se).

arterializar [De *arterial* + *-izar*.] *V. t. d.* **1.** Transformar (o sangue venoso) em arterial. *P.* **2.** Converter-se (o sangue venoso) em arterial.

arteriarctia [De *arter(i)-* + *-arct(o)-* + *-ia*[1].] *S. f. Patol.* Diminuição do calibre de uma artéria. [V. *coarctação*.]

arteriectomia [De *arter(i)-* + *-ectom-* + *-ia*[1].] *S. f. Cir.* Excisão de parte de uma artéria.

▲ **arterio-** [Do lat. *arterio-* < gr. *artērio-* < gr. *artēría*.] *El. comp.* = 'artéria': *arteriosclerose, arteriotomia* (< lat. < gr.). [Equiv.: *arter(i)-*: *arterite, arteriarctia*.]

arteriografia [De *arterio-* + *-grafia*.] *S. f. Med.* **1.** *Desus.* Descrição do sistema arterial. **2.** Visualização radiológica de uma ou mais artérias depois de se introduzir nela(s) substâncias de contraste.

arteriográfico [De *arteriografia* + *-ico*[2].] *Adj.* Relativo à arteriografia.

arteriograma [De *arterio-* + *-grama*.] *S. m. Radiol.* Radiografia contrastada de artéria.

arteríola [De *artéria* + *-ola*[1].] *S. f.* Dim. irreg. de *artéria*.

arteriologia [De *arterio-* + *-logia*.] *S. f.* Parte da anatomia que estuda as artérias.

arteriológico [De *arteriologia* + *-ico*[2].] *Adj.* Relativo à arteriologia.

arteriopatia [De *arterio-* + *-patia*.] *S. f. Med.* Qualquer doença arterial.

arterioplastia [De *arterio-* + *plastia*.] *S. f. Cir.* Reconstrução de artéria.

arteriosclerose [De *arterio-* + *-(e)scler(o)-* + *-ose*[1].] *S. f. Med. Patol.* Esclerose ou endurecimento de artéria. [Cf. *angiosclerose*.]

arterioscleroso (ô) *Adj. Med.* Arteriosclerótico.

arteriosclerótico [De *arterioscler(ose)* + *-ótico*.] *Adj. Med.* Relativo à arteriosclerose; arterioscleroso.

arterioso (ô) [De *artéria* + *-oso*.] *Adj.* Arterial (q. v.).

arteriotomia [Do gr. *arteriotomía*, pelo lat. *arteriotomia*.] *S. f. Cir.* Incisão numa artéria.

arteriotômico *Adj. Cir.* V. *arteriotômico*. [Uso freq. em P.]

arteriotômico [De *arteriotomia* + *-ico*[2].] *Adj. Cir.* Relativo à arteriotomia.

arterite [De *arter(i)-* + *-ite*[1].] *S. f. Med. Patol.* Inflamação arterial.

artes [Pl. de *arte*[1]] *S. f. pl.* Aparelhos de pesca. ~ V. *arte*.

artesa (ê) [Do gr. *ártos*, 'pão', poss.] *S. f.* Caixa de madeira, quadrilonga, que serve de amassadouro e tem outros usos caseiros.

artesã *S. f.* Fem. de *artesão*[1] (q. v.): "Aqui e acolá encontramos velhas rendeiras com seu bilros e suas almofadas. Das entrevistas com essas artesãs, chegamos à conclusão de que é do Norte e Nordeste que vêm seus conhecimentos e sua arte." (Regina Lacerda, *Papa-Ceia*, p. 16.)

artesanal [De *artesão*[1] + *-al*[1].] *Adj. 2 g.* **1.** Relativo a, ou próprio de artesão[1], ou artesanato: *indústria artesanal; obra artesanal.* **2.** *P. ext.* Feito manualmente, sem aparato industrial ou mecânico: *pesca artesanal.* **3.** *P. ext.* Diz-se daquele que realiza seu ofício manualmente, sem grandes sofisticações: *pescador artesanal.*

artesanato [De *artesão*[1] + *-ato*[1].] *S. m.* **1.** A técnica, o tirocínio ou a arte do artesão[1]: *Era a toalha uma obra do mais fino artesanato.* **2.** O conjunto ou a classe dos artesãos. **3.** *P. ext.* O produto do trabalho do artesão (2); objeto, ou conjunto de objetos feitos artesanalmente: *Via-se na praça todo o artesanato da cidadezinha; O artesanato de couro invadiu agora as lojas mais requintadas.* **4.** Local onde se pratica ou ensina o artesanato (1): *O artesanato de Paulo Afonso é conhecido pela excelência dos seus produtos.*

artesão[1] [Do it. *artigiano*.] *S. m.* **1.** Artista (4) que exerce uma atividade produtiva de caráter individual. **2.** Indivíduo que exerce por conta própria uma arte, um ofício manual. [Fem.: *artesã*. Pl.: *artesãos*.]

artesão[2] [De *artesa* + *-ão*[2].] *S. m. Arquit.* Cada um dos painéis quadrangulares ou poligonais, formados por molduras, que se aplicam na decoração de tetos, abóbadas, voltas de arcos, etc. [Pl.: *artesões*.]

artesianismo [De *artesiano* + *-ismo*.] *S. m.* O fenômeno de, nos poços artesianos, a água se elevar por si em função do equilíbrio hidrostático do lençol subterrâneo.

artesiano [Do fr. *artésien*.] *Adj.* **1.** De, ou pertencente ou relativo à Artésia (Artois, província do N. da França). **2.** Diz-se do lençol de água subterrâneo que está em regime de escoamento forçado. ~ V. *poço —*. ● *S. m.* **3.** O natural ou habitante da Artésia.

artesoado [Part. de *artesoar*.] *Adj.* Ornado com artesões (v. *artesão*[2]).

artesoar [De *artesão*[2] + *-ar*[2], com desnasalação.] *V. t. d.* Ornar com artesões (v. *artesão*[2]); artesonar. [Conjug.: v. *coroar*.]

artesonar [De *artesão*[2] + *-ar*[2].] *V. t. d.* Artesoar.

ártico *Adj.* **1.** Do norte; boreal: *polo ártico*; "Pessoas passavam, grossas de tanta roupa, quase cilíndricas nos seus capotões, como habitantes das regiões árticas." (José Geraldo Vieira, *A Mulher Que Fugiu de Sodoma*, p. 156). **2.** *Bot.* Diz-se da parte mais ao N. da zona fitogeográfica dita *circumboreal*, nas proximidades do polo norte, na qual não habitam árvores, sendo a vegetação subarbustiva e herbácea, e os líquenes, numerosos. ~ V. *frente —a, polo —* e *zona glacial —a*. [Do lat. *arcticu*.]

articulação [Do lat. *articulatione*.] *S. f.* **1.** Ato ou efeito de articular(-se). **2.** Pronunciação distinta das palavras. **3.** *Anat.* Dispositivo orgânico por meio do qual permanecem em contato dois ou mais ossos; artículo. **4.** *Bot.* Zona de conexão, distintamente demarcada, de dois órgãos ou de dois segmentos de um mesmo órgão, a qual facilita a separação das partes articuladas. [O pecíolo é comumente articulado com o ramo.] **5.** *E. Ling.* Cada uma das três fases do movimento dos órgãos fonadores na emissão de um fonema. A primeira fase de articulação, a aproximação dos lábios, chama-se *catástase, implosão* ou *intensão*; a segunda fase, a manutenção da aproximação feita, denomina-se *tensão, duração* ou *articulação sistente*; e a terceira, de retorno do órgão fonador (os lábios) à posição de repouso, diz-se *metástase, explosão* ou *distensão*. **6.** *E. Ling.* A organização da linguagem num conjunto integrado de dois planos: o que abrange os elementos desprovidos de significado, estudados pela fonologia, e o que abrange o domínio das formas significativas, e que são objeto da morfologia e da sintaxe. **7.** *Geogr.* Saliência ou reentrância do litoral e de qualquer forma de relevo. **8.** *Jur.* Exposição argumentativa encadeada por artigos ou partes em petição, libelo, etc.; articulado. **9.** *Mec.* União de duas ou mais peças de um mecanismo, de modo que realizem movimentos coordenados. **10.** *Bras. N.E.* Discussão, polêmica. **11.** *Bras. N.E.* V. *descompostura* (2). ◆ **Articulação primária.** *E. Ling.* Na produção de uma consoante em que estão envolvidos dois pontos de articulação, a articulação mais marcada. [Cf. *articulação secundária*.] **Articulação secundária.** *E. Ling.* Na produção de uma consoante, a articulação menos marcada. [V. *labialização, palatalização* e *velarização*. Cf. *articulação primária*.] **Articulação sistente.** *E. Ling.* V. *articulação* (5). **Primeira articulação.** *E. Ling.* A morfologia e a sintaxe tomadas em conjunto. [V. *articulação* (6).] **Segunda articulação.** *E. Ling.* A fonologia. [V. *articulação* (6).]

articulado[1] [Part. de *articular*[2].] *Adj.* **1.** Que tem articulações. **2.** Pronunciado de modo claro. **3.** Unido, ligado, ger. por cadeias, elos ou articulações. **4.** Que foi planejado e realizado com cuidado, sem perder um detalhe, ligando todos os pontos ou elementos de conexão: *Uma tramoia muito bem articulada.* **5.** Diz-se de quem pensa, fala e escreve com clareza, fluência. **6.** *Micol.* Diz-se, nos fungos, dos filamentos divididos por septos transversais. **7.** Diz-se daquele que se expressa com facilidade: "Além de esperto, Genivaldo é articulado." (Luís Garcia, em *O Globo*, 09.05.2008.) ~ V. *capa —a* e *linguagem —a*. ● *S. m.* **8.** *Jur.* Articulação (8).

articulado[2] [Adapt. do tax. *Articulata*, do neutro pl. do lat. *articulatum*.] *Zool. S. m.* **1.** Espécime dos articulados, classe de metazoários, braquiópodes, que têm as válvulas dorsal e ventral desiguais, constituídas por prismas calcários oblíquos, e são providos de articulação e desprovidos de ânus; testicárdines. ● *Adj.* **2.** Grupo de animais, estabelecido por Cuvier, e que inclui os anelídeos, os crustáceos, os aracnídeos e os insetos. [Sin. ger.: *testicárdine*.]

articulador (ô) [De *articular*[2] + *-dor*.] *S. m.* **1.** Aquele que articula: *Ele foi o articulador da emenda.* **2.** *E. Ling.* Cada uma das partes do trato vocal envolvida na produção de um som: a língua, os lábios, os alvéolos ou o palato mole. ● *Adj.* **3.** Que articula: *grupo articulador.* ◆ **Articulador ativo.** *E. Ling.* Cada um daqueles que se move durante a produção de um som: faringe, palato mole, lábios, mandíbula. **Articulador odontológico.** *Odont.* Dispositivo us. para simular o contato das arcadas dentárias superiores e inferiores. **Articulador passivo.** *E. Ling.* Aquele que não se move durante a produção de um som: dentes superiores, alvéolos, palato duro.

articulante [Do lat. *articulante*.] *Adj. 2 g.* **1.** Que articula. ● *S. 2 g.* **2.** *Jur.* Indivíduo que argumenta encadeando artigos ou partes.

articular[1] [Do adj. lat. *articulare*.] *Adj. 2 g.* **1.** Pertencente ou relativo às articulações. **2.** *E. Ling.* Que é da natureza do artigo (10). ~ V. *reumatismo — agudo, sistema —* e *tubérculo —*.

articular[2] [Do v. lat. *articulare*.] *V. t. d.* **1.** Unir pelas articulações. **2.** Juntar, formando cadeias. **3.** Ligar, unir, juntar: *Articulou as diversas peças do maquinismo.* **4.** Pronunciar, proferir: "via Asa Branca acocorado, batendo os queixos de febre, sem articular uma palavra." (Fran Martins, *Dois de Ouros*, p. 13). **5.** Pronunciar com distinção e clareza (palavra ou fonema): *Não consegue articular a letra r.* **6.** Expor em artigos ou parágrafos separados. **7.** Estabelecer contatos entre duas ou mais pessoas para a realização de: *Articulou um encontro para conciliar os dois amigos; Articulou a entrevista dos jornalistas com* *o presidente.* **8.** Estabelecer as bases de; organizar: *articular uma candidatura política.* **9.** Promover o movimento de articulação (2). *T. d. e i.* **10.** Ligar, unir. *T. i. Int.* **11.** *Bras. N.E. Prov. port.* Discutir, altercar. *P.* **12.** Ligar-se por cadeias. **13.** Ligar-se, unir-se, juntar-se. **14.** Entender-se, acordar-se: *Articularam-se para organizar a recepção.* **15.** Movimentar-se (a articulação [3]). [Pres. ind.: *articulo*, etc. Cf. *artículo*, s. m.]

articulatório [De *articular*[2] + *-tório*.] *Adj.* **1.** Que articula. **2.** Referente a articulação. ~ V. *fonética —a.*

articulável [De *articular*[2] + *-vel*.] *Adj. 2 g.* Que se pode articular[2].

articulista [De *artículo* + *-ista*.] *S. 2 g.* Autor de artigos de jornal, revista, etc.

artículo [Do lat. *articulu*.] *S. m.* **1.** Divisão de um trabalho escrito; artigo. **2.** *Anat.* Articulação (3). **3.** *Anat.* Segmento integrante de uma série articulada de ossos. **4.** *Bot.* Entrenó bem delimitado do caule, *i.e.*, parte distinta compreendida entre as articulações; artrômero. **5.** *Micol.* Segmento compreendido entre dois septos transversais, em um filamento miceliano ou hifa. **6.** *Bot.* Porção destacável de um fruto articulado. **7.** *Zool.* Segmento dos apêndices dos artrópodes. [Cf. *articulo*, do v. *articular*.]

articuloso (ô) [Do lat. *articulosu*.] *Adj.* Que tem, ou se compõe de artículos.

artífice [Do lat. *artifice*.] *S. 2 g.* **1.** Operário ou artesão que trabalha em determinados ofícios; artista. **2.** Operário (1). **3.** *Fig.* Autor, inventor, realizador. [Sin. ger., p. us.: *opífice*.]

artificial [Do lat. *artificiale*.] *Adj. 2 g.* **1.** Produzido pela arte ou pela indústria; não natural. **2.** Que não é espontâneo; forçado, fingido: *Exibe sempre aquele sorriso artificial.* **3.** Postiço (1): *Depois da operação, passou a usar mamas artificiais.* ~ V. *ânus —, canal —, chuva —, desintegração —, dia —, fibra —, gravidade —, hibernação —, horizonte —, inseminação —, inteligência —, língua —, linguagem —, lua —, luz —, marca-passo cardíaco —, menopausa —, perna —, pneumotórax —, radioatividade —, rim —, satélite —, seda —, sistema —, sono —* e *traqueia —.*

artificialidade [De *artificial* + *-(i)dade*.] *S. f.* Qualidade ou caráter de artificial; artificialismo.

artificialismo [De *artificial* + *-ismo*.] *S. m.* Artificialidade.

artificialização [De *artificializar* + *-ção*.] *S. f.* Ato ou efeito de artificializar.

artificializar [De *artificial* + *-izar*.] *V. t. d. P.* Tornar(-se) artificial ou não natural.

artificiar [De *artifício* + *-ar*[2].] *V. t. d.* **1.** Fazer ou executar com artifícios, com arte. **2.** Fazer com artifício ou ardil; maquinar, urdir, tramar. [Pres. ind.: *artificio*, etc. Cf. *artifício*.]

artifício [Do lat. *artificiu*.] *S. m.* **1.** Processo ou meio para se obter um artefato (1) ou um objeto artístico. **2.** Recurso engenhoso. **3.** Habilidade, perspicácia: *Usou de artifício para conseguir o que pretendia.* **4.** Ardil concebido com arte e malícia; astúcia, manha: *Se aquele choro é sincero? Não passa de artifício para comover os tolos.* **5.** Aquilo que é artificial, não natural, postiço, fingido: *Para que tanta maquiagem? Moça bonita dispensa artifício.* **6.** *Mil.* Engenho pirotécnico de guerra. **7.** *Bras. RN BA GO Pop.* Isqueiro: "O velho ficou .... enrolando o cigarrão de palha, acendendo-o no artifício." (Bernardo Élis, *O Tronco*, p. 94.) **8.** *Ant.* Engenho, mecanismo: "E assim como se ia movendo aquele artifício, e dando volta ao homem, ao chegar com o rostro ao brasido, deitava a língua fora mui comprida, e a passava pelas áscuas" (P.e Manuel Bernardes, *Vários Tratados*, II, p. 476). [Cf. *artificio*, do v. *artificiar*.] ◆ **Artifício de cálculo.** *Mat.* Processo engenhoso empregado para simplificar a demonstração de um teorema ou a resolução de um problema. **Artifício de fogo.** *Expl.* Dispositivo pirotécnico destinado a provocar, no momento desejado, a explosão de uma carga; artefato pirotécnico. [Cf. *fogo de artifício*.]

artificioso (ô) [Do lat. *artificiosu*.] *Adj.* Que encerra artifício.

artigo [Do lat. *articulu*.] *S. m.* **1.** Objeto de negócio; mercadoria: *Nesta casa vendem artigos de viagem.* **2.** *Jur.* Divisão fundamental e elementar das leis, códigos, decretos e outros atos normativos, indicada por números ordinais até a décima unidade e daí em diante por numerais cardinais. **3.** *Jur.* Parágrafo das contestações, petições e outros escritos forenses. **4.** Cada uma das partes que se quer destacar, ou pontos, de um escrito: *É bom sublinhar os principais artigos da carta, para não restarem mais dúvidas.* **5.** Escrito de jornal, revista, etc.: *Seus artigos semanais de crítica literária são muito comentados.* [Neste sentido, tem os dim. deprec.: *artiguelho* e *artiguete*.] **6.** *Restr.* Colaboração autoral publicada em revistas técnicas. **7.** Conjuntura; momento: *artigo de morte.* **8.** Ponto doutrinário: *artigo de fé.* **9.** *Ant.* V. *verbete* (3). **10.** *E. Ling.* Palavra variável que precede o substantivo, indicando-lhe o gênero e o número. É definido — *o, a, os, as* — quando se aplica a um ser determinado dentre outros da mesma espécie: *Já comprei o livro* (*i. e.*, determinado livro), e indefinido — *um, uma, uns, umas* — quando se refere a um ser qualquer dentre outros da mesma espécie: *Comprei um livro hoje cedo.* ◆ **Artigo definido.** *E. Ling.* V. *artigo* (10). **Artigo de fundo.** *Jorn.* V. *editorial* (2). **Artigo indefinido.** *E. Ling.* V. *artigo* (10). **Em artigo de morte.** Prestes a expirar; quase morrendo: "convalescendo de uma perigosa enfermidade, disse que ganhara muito com ela, porque, pondo-o em artigo de morte, o ensinara a não ser soberbo, visto como era mortal." (D. Fr. Amador Arrais, *Diálogos*, p. 109); "Estando em artigo de morte um Padre antigo do famoso deserto de Cites, os outros Monges rodeando-lhe a pobre cama, ou esteira em que jazia, choravam amargamente." (P.e Manuel Bernardes, *Nova Floresta*, I, p. 43).

artiguelho (ê) [De *artigo* + *-elho*.] *S. m. Deprec.* **1.** Artigo (5) insignificante. **2.** Escrito de caráter ofensivo publicado em jornal. [Sin. ger.: *artiguete*.]

artiguete (ê) [De *artigo* + *-ete* (ê).] *S. m.* **1.** Pequeno artigo (5). **2.** *Deprec.* V. *artiguelho.*

artilhamento [De *artilhar* + *-mento*.] *S. m.* Ato ou efeito de artilhar.

artilhar [Do fr. ant. *artiller*.] *V. t. d.* Guarnecer ou fortificar com artilharia.

artilharia [Do fr. *artillerie*.] *S. f.* **1.** Conjunto de canhões e mais bocas de fogo para lançar projetis a grande distância. **2.** Uma das armas do Exército, equipada com canhões. [V. *arma* (3).] **3.** Ciência que ensina as regras para utilização do material de artilharia. **4.** Fogo que as peças, canhões, etc., despedem. **5.** *Fig.* Poder de argumentação, riqueza de dados e informações, com que se defende uma tese ou um ponto de vista. [F. paral.: *artilheria*.]

artilheiro *S. m.* **1.** Soldado de artilharia. **2.** *Bras. Fut.* O jogador que faz o maior número de gois (em uma equipe ou numa partida ou num campeonato); goleador. **3.** *Bras. Fut.* O jogador que está sempre fazendo gois, que os faz em grande número; goleador.

artilheria *S. f.* Artilharia (q. v.): "Dura inda nos vales / O rouco som da irada artilheria." (Basílio da Gama, *O Uraguai*, p. 1); "Ouvira a quando e quando, a estremecer a terra, / Troar, saudando-a, no mar, pesada a artilheria" (Alberto de Oliveira, *Poesias*, 3.ª série, p. 96).

artilúgio [Do esp. *artilugio*, do lat. *ars, artis*, 'arte', + o rad. *lug-* (do v. lat. *lugere*, 'chorar, prantear alguém') + esp. *-io*.] *S. m.* Mecanismo ou artefacto, sobretudo aquele que é de manejo complicado: "deixemo-nos de ações psicológicas .... , de detectores de mentiras e outros artilúgios tecnológicos" (José Saramago, *Ensaio sobre a Lucidez*, p. 75).

artimanha [De *arte*[1] + *manha*.] *S. f.* Artifício astucioso; ardil, manha: "primeiro, com a simplez e tendência para a credulidade próprias dos orientais, depois com o poder da artimanha e cilada, que não lhes é menos peculiar ...., numa ceia a que o convidou, mandá-lo decapitar .... foi tão simples como beber um copo de água." (Aquilino Ribeiro, *Constantino de Bragança*, p. 379).

artinha [De *arte*[1] + *-inha*.] *S. f. Bras.* Manual de rudimentos ou noções de determinada matéria didática.

▲**artio-** [Do gr. *ártios, os, on*, 'que forma par'.] *El. comp.* = 'par', 'simetria': *artiodáctilo.*

artiodáctilo [De *artio-* + *-dá(c)tilo*; tax. *Artiodactyla*.] *Zool. S. m.* **1.** Espécime dos artiodáctilos, ordem de mamíferos herbívoros, terrestres ou anfíbios, com número par de dedos funcionais em cada membro, providos de cascos e cujo estômago é dividido em compartimentos. São os porcos, os camelos, os bovinos e as girafas. ● *Adj.* **2.** Pertencente ou relativo a eles. [Var.: *artiodátilo*.]

artiodátilo *S. m. Adj. Zool.* V. *artiodáctilo.*

artioso (ô) [De *arte*[1] + *-i-* + *-oso*.] *Adj.* V. *arteiro* (2): "ficava sentida com a desfeita que lhe faziam, quando .... insinuavam que seu filho era artioso." (Carlos Drummond de Andrade, *Caminhos de João Brandão*, p. 68).

artiozoário [De *artio-* + *(meta)zoário*.] *Zool. S. m.* **1.** Espécime dos artiozoários, designação que certos autores usavam para os animais metazoários providos de simetria bilateral, de vida livre e errante. São os vermes em geral, os moluscos, os artrópodes e os cordados. ● *Adj.* **2.** Pertencente ou relativo a eles.

artista [De *arte*[1] + *-ista*.] *S. 2 g.* **1.** Pessoa que se dedica às belas-artes, e/ou que delas faz profissão: "Europa é sempre Europa, a gloriosa!... / A mulher deslumbrante e caprichosa, / Rainha e cortesã. / Artista — corta o mármore de Carrara" (Castro Alves, *Poesias Escolhidas*, p. 341). **2.** Pessoa que revela sentimento artístico. **3.** V. *ator* (2): *artista de teatro; artista de televisão.* **4.** Pessoa que revela engenho ou talento no desempenho de suas tarefas: *Este bombeiro é um artista.* [Nesta acepç. o voc. assume, às vezes, conotação irônica.] **5.** Artífice (1): *Os artistas do cobre reuniram-se numa cooperativa.* **6.** Pessoa que, por suas habilidades especiais, se exibe em circos, feiras, etc. ● *Adj. 2 g.* **7.** Que revela sentimento ou gênio artístico. **8.** Diz-se de indivíduo engenhoso, talentoso. **9.** Astucioso, manhoso, arteiro.

artístico [De *artista* + *-ico*[2].] *Adj.* **1.** Relativo às artes, especialmente às belas-artes. **2.** Que tem arte. **3.** De lavor primoroso e original. ~ V. *anatomia —a, ginástica —a, nu —* e *patinação —a.*

➔**art nouveau** [aʀ nu'vo] [Fr., 'arte nova'.] *Loc. s. m. e f.* Estilo decorativo que floresceu aproximadamente entre 1895 e 1914, surgido como reação ao historicismo imitativo do séc. XIX, e que se caracteriza, em princípio, pela assimetria das linhas sinuosas, pelas formas orgânicas (longos cabelos, folhas, flores, etc.) e pela originalidade da imaginação. [Tb. us. apositivamente.]

artocarpo [Do tax. *Artocarpus* (do gr. *ártos*, ou, 'pão', + gr. *karpós, oû* [v. *carp(o)-*]).] *S. m. Bot.* **1.** Gênero de árvores moráceas sempre-verdes, lactescentes, de folhas íntegras ou lobadas e flores em racemos amentilhosos, a que sucedem frutos carnosos. **2.** Qualquer espécie desse gênero, como, p. ex., *Artocarpus incisa* (v. *fruta-pão*). **3.** Qualquer espécime desse gênero, ou o seu fruto.

artófago [Do lat. **artophagu* < gr. *artóphágos*.] *Adj. S. m.* Que, ou aquele que prefere pão a outro alimento.

artola [Do vasc. *artola-k*, pelo esp. plat. *artolas*.] *S. f. Bras.* Espécie de padiola.

artólatra [Do gr. *ártos*, 'pão', + *-latra*.] *S. 2 g.* Adorador de pão.

artolatria [Do gr. *ártos*, 'pão', + *-latria*.] *S. f.* Adoração do pão.

artolátrico [De *artolatria* + *-ico*[2].] *Adj.* Relativo à artolatria.

artralgia [De *artr(o)-* + *-alg(o)-*[2] + *-ia*[1].] *S. f. Med.* Dor em articulação; artrodinia.

artrálgico [De *artralgia* + *-ico*[2].] *Adj.* Relativo à artralgia.

artrite [Do gr. *arthrîtis*, 'doença nas articulações', pelo lat. *arthrite*.] *S. f. Med.* Inflamação em articulação. [Cf. *reumatismo*.] ◆ **Artrite reumatoide.** *Patol.* Doença crônica, que evolui por surtos, na qual, frequentemente, se observam febre e alteração do estado geral, e que se caracteriza por inflamações articulares, sobretudo bilaterais e simétricas, incidindo, preferencialmente, em articulações distais dos membros, e que se acompanha de dores, deformações e atitudes viciosas de membros, levando a variável impotência funcional destes.

artrítico [Do gr. *arthritikós*, pelo lat. *arthriticu*.] *Adj.* **1.** Relativo à artrite. **2.** Que sofre de artrite ou de artritismo. ● *S. m.* **3.** Aquele que sofre de artrite ou de artritismo.

artritismo [De *artrite* + *-ismo*.] *S. m. Patol.* Diátese peculiar que predispõe à artropatia.

▲**artr(o)-** [Do gr. *arthro-* < gr. *árthron, ou*.] *El. comp.* = 'juntura'; 'articulação': *artralgia, artrópode.* [Equiv.: *-artr(o)-, -artro: hemartrose; xenartro.*]

▲**-artr(o)-** V. *artr(o)-.*

▲**-artro** V. *artr(o)-.*

artrobrânquia [De *artr(o)-* + *brânquia*.] *S. f. Zool.* Brânquia presa à membrana cuticular dos crustáceos e situada entre a coxa dos apêndices locomotores e a parede do corpo.

artrocondrite [De *artr(o)-* + *-condr(o)-* + *-ite*[1].] *S. f. Med.* Inflamação de cartilagem.

artrodese [De *artr(o)-* + gr. *désis*, 'ligação'.] *S. f. Ort.* Fixação de articulação por fusão óssea, realizada cirurgicamente.

artródia [Do gr. *arthrodía*.] *S. f. Anat.* Tipo de articulação em que as superfícies articulares são planas, permitindo, apenas, movimento de deslizamento.

artrodinia [De *artr(o)-* + *-odin(o)-* + *-ia*[1].] *S. f. Med.* Artralgia.

artrodínico [De *artrodinia* + *-ico*[2].] *Adj.* Relativo a artrodinia.

artroendoscopia [De *artr(o)-* + *endoscopia*.] *S. f. Ort. Traum.* Artroscopia.

artroendoscópico [De *artroendoscopia* + *-ico*[2].] *Adj. Ort. Traum.* Relativo a artroendoscopia.

artrografia [De *artr(o)-* + *-grafia*.] *S. f. Radiol.* Visualização radiológica de articulação, após introdução de material de contraste.

artrográfico [De *artrografia* + *-ico*[2].] *Adj. Radiol.* Relativo a artrografia.

artrograma [De *artr(o)-* + *-grama*.] *S. m. Radiol.* Radiografia contrastada de articulação.

artrogripose [De *artr(o)-* + gr. *grypósis*, 'curvatura'.] *S. f. Ort.* Rigidez articular que ocorre, geralmente, em flexão, e que pode comprometer várias articulações.

artrologia [De *artr(o)-* + *-logia*.] *S. f. Med.* Estudo das articulações [v. *articulação* (3)].

artrológico [De *artrologia* + *-ico*[2].] *Adj. Med.* Relativo a artrologia.

artrômero *S. m. Bot.* V. *artrômero*. [Uso freq. em P.]

artrômero [De *artr(o)-* + *-mero*.] *S. m. Bot.* Artículo (4).

artropatia [De *artr(o)-* + *-patia*.] *S. f. Med.* Qualquer doença de articulação (3).

artropático [De *artropatia* + *-ico*[2].] *Adj. Med.* Relativo a artropatia.

artroplastia [De *artr(o)-* + *-plast(o)-* + *-ia*[1].] *S. f. Ort.* Reconstrução cirúrgica de articulação gravemente alterada por processo mórbido.

artropleono [Do tax. *Arthropleona*.] *Zool. S. m.* **1.** Espécime dos artropleonos, subordem de insetos da ordem dos colêmbolos, de corpo alongado, subcilíndrico, na maioria distintamente segmentado, e que têm urômeros em número de cinco a seis, ou quatro a seis, por vezes fundidos. ● *Adj.* **2.** Pertencente ou relativo a eles.

artrópode [De *artr(o)-* + *-pode*; tax. *Arthropoda*.] *Zool. S. m.* **1.** Espécime dos artrópodes, filo de animais invertebrados de simetria bilateral, cujo corpo é revestido de esqueleto quitinoso dividido em cabeça, tórax e abdome, com quatro ou mais pares de apêndices articulados. Tubo digestivo completo; respiração por meio de traqueias, pulmões ou brânquias; sexos geralmente separados. Terrestres ou aquáticos, de vida livre, comensais ou parasitas. [Este filo inclui os insetos, aracnídeos, crustáceos, etc.] ● *Adj. 2 g.* **2.** Pertencente ou relativo a eles.

artroprótese [De *artr(o)-* + *prótese*.] *S. f. Ort.* Prótese empregada em reconstrução de articulação.

artroscopia [De *artr(o)-* + *-scop-* + *-ia*[1].] *S. f. Ort. Traum.* Exame endoscópico articular; artroendoscopia.

artroscópico [De *artroscopia* + *-ico*[2].] *Adj. Ort. Traum.* Relativo a artroscopia.

artroscópio [De *artr(o)-* + *-scópio*.] *S. m. Ort. Traum.* Endoscópio para exame do interior de articulação, e que, além de possibilitar o diagnóstico, permite eventuais manobras terapêuticas intra-articulares.

artrose [De *artr(o)-* + *-ose*[1].] *S. f. Med. Patol.* Afecção não inflamatória, degenerativa, de uma articulação.

artrospórico [De *artrósporo* + *-ico*[2].] *Adj.* Relativo ao artrósporo.

artrósporo [De *artr(o)-* + *-sporo*.] *S. m.* **1.** *Bot.* Esporo resultante da fragmentação de uma cadeia de células articuladas. **2.** *Micol.* Esporo procedente de uma célula fúngica vegetativa que espessou a parede. [Tais elementos reprodutivos podem permanecer muito tempo em estado de vida latente.]

artrostráceo [De *artr(o)-* + *-ostrac(o)-* + *-eo*; tax. *Arthrostraca*.] *S. m. Adj. Zool.* V. *edrioftalmo*.

arturiano [Do ingl. *Arthurian*, de *Arthur*, rei bretão semilegendário do séc. VI d.C., + ingl. *-ian* (v. *-iano*).] *Adj.* De, ou pertencente ou relativo às lendas e à literatura sobre a figura do rei Artur e seus cavaleiros, os cavaleiros da Távola Redonda.

aru [Do tupi.] *S. m. Bras. AM Zool.* V. *sapo-aru*.

arua *S. 2 g.* **1.** *Etnôn.* Indivíduo dos aruas [ou (etnôn. bras.) *Aruá], povo indígena da família linguística mondé, tronco tupi, que habita as margens do rio Branco (RO). ● *Adj. 2 g.* **2.** Pertencente ou relativo a esse povo.

aruá[1] [Do tupi.] *S. m. Bras. Zool.* Molusco gastrópode, prosobranquiado, ampularídeo, gênero *Ampullaria*, com cerca de 34 formas no Brasil. Vive na água ou em locais muito úmidos, fechando-se na concha por meio de um opérculo, quando em lugares secos; aparece, sob a forma de pequenos aglomerados de ovos brancos, cor-de-rosa ou alaranjados, no caule de plantas aquáticas ou em barrancos marginais; constitui alimento específico do gavião-caramujeiro: 📖 "Nas grandes secas o povo comia <u>aruá</u> que tinha gosto de lama." (José Lins do Rego, *Meus Verdes Anos*, p. 37). [Sin.: *ampulária, aruá-do-banhado, aruá-do-brejo, caramujo-do-banhado, fuá, uruá*.] ◆ **Besta como aruá.** *Bras. N.E. Fam.* Tolo ou ingênuo em demasia: 📖 "Muito ingênuo, emprenha pelos ouvidos, inteligência de peru novo, <u>besta como aruá</u>." (Graciliano Ramos, *S. Bernardo*, p. 54.)

aruá[2] *S. m. Bras. BA Pop.* V. *aluá*[2].

aruá[3] [Do tupi.] *Adj. 2 g. Bras.* Arruá (q. v.).

aruã *S. 2 g.* **1.** *Etnôn.* Indivíduo dos aruãs, povo indígena extinto, da família linguística aruaque, que habitava a ilha de Marajó, na região do rio Tocantins (PA), no AP e no PI. ● *Adj. 2 g.* **2.** Pertencente ou relativo a esse povo. [Tb. us. como *s. 2 g. e 2 n.* (com cap.) e *adj. 2 g. e 2 n.*]

aruá-do-banhado *S. m. Bras. Zool.* V. *aruá*[1]. [Pl.: *aruás-do-banhado*.]

aruá-do-brejo *S. m. Bras. Zool.* V. *aruá*[1]. [Pl.: *aruás-do-brejo*.]

aruá-do-mato *S. m. Bras. Zool.* V. *bulimo*. [Pl.: *aruás-do-mato*.]

aruagal *S. 2 g.* **1.** *Etnôn.* Indivíduo dos aruagais, povo indígena que habita as margens do rio Negro (AM). ● *Adj. 2 g.* **2.** Pertencente ou relativo a esse povo. [Tb. us. como *s. 2 g. e 2 n.* (com cap.) e *adj. 2 g. e 2 n.*]

aruaí [De *aruá*[1] + *-í*.] *S. f. Bras.* **1.** *Zool.* Filhote do aruá[1]. **2.** V. *maracanã*[1].

aruaná[1] [Do tupi.] *S. m. Bras. Zool.* Peixe osteoglossídeo (*Osteoglossum bicirrhosum*), da bacia amazônica, de até 1 m de comprimento, coloração cinzento-prateada no dorso, amarelada no abdome, boca com fenda oblíqua, mento com dois barbilhões curtos, escamas muito grandes, prateadas, e nadadeiras dorsal e anal situadas na parte posterior do corpo; amaná, aruanã, arauaná.

aruaná[2] *S. 2 g.* **1.** *Etnôn.* Indivíduo dos aruanás, povo indígena que habita as margens do rio Juruá (AM). ● *Adj. 2 g.* **2.** Pertencente ou relativo a esse povo. [Tb. us. como *s. 2 g. e 2 n.* (com cap.) e *adj. 2 g. e 2 n.*]

aruanã *S. m.* **1.** *Bras. Zool.* V. *aruaná*[1]. **2.** *Bras. AM Etnol.* Festa dos carajás, durante a lua cheia, com danças cromáticas, em que se imitam feitos épicos e amorosos.

aruanda *S. f. Bras. Rel.* V. *aluanda*.

aruandê *S. f. Bras. Rel.* V. *aluanda*.

aruanense *Adj. 2 g.* **1.** De, ou pertencente ou relativo a Aruanã (GO). ● *S. 2 g.* **2.** O natural ou habitante de Aruanã.

aruaque *S. 2 g. Bras.* **1.** *Etnôn.* Indivíduo dos aruaques [ou (etnôn. bras.) *Aruak], designação comum a diversos povos indígenas distribuídos por vários estados do Brasil. ● *S. m.* **2.** *Gloss.* Família de línguas andino-equatoriais, faladas por povos indígenas do AM, do MT, do MS, e de RR, e ainda no Peru, na Bolívia e em regiões da Guiana, da Guiana Francesa e do Suriname. **3.** Vocábulo dessa língua. ● *Adj. 2 g.* **4.** Pertencente ou relativo aos aruaques ou a aruaque (2). [Sin., nas acepçs. 1 e 4: *coco, guque, maipure*. Outra f., nas acepçs. 1 e 4: *aravaque*]

aruau *S. 2 g.* **1.** *Etnôn.* Indivíduo dos aruaus, povo indígena extinto que habitava o PA. ● *Adj. 2 g.* **2.** Pertencente ou relativo a esse povo. [Tb. us. como *s. 2 g. e 2 n.* (com cap.) e *adj. 2 g. e 2 n.*]

aruaxi *S. 2 g.* **1.** *Etnôn.* Indivíduo dos aruaxis, povo indígena extinto que habitava a região entre os rios Branco e Apedia (RO). ● *Adj. 2 g.* **2.** Pertencente ou relativo a esse povo. [Tb. us. como *s. 2 g. e 2 n.* (com cap.) e *adj. 2 g. e 2 n.*]

arubé [Do tupi.] *S. m. Bras. N.* Massa de mandioca com sal, pimenta e alho, a qual, desfeita em molho de peixe, serve de tempero, à mesa.

arucá *S. m. Bras. Rel.* V. *arocá*. [Ger. com cap.]

arucuiana *S. 2 g.* **1.** *Etnôn.* Indivíduo dos arucuianas [ou (etnôn. bras.) *Arukuiana], povo indígena, provavelmente da família linguística caraíba, que habita a zona limítrofe do Brasil com a Guiana. ● *Adj. 2 g.* **2.** Pertencente ou relativo a esse povo.

aruega [De *noruega*, com aférese e dissimilação.] *S. f. Bras. MG* Chuvisco muito frio, acompanhado de neblina.

aruenda *S. f. Bras. PE Rel.* V. *aluanda*.

arujá *S. m. Bras. Rel.* V. *alujá*.

arujaense *Adj. 2 g. S. 2 g.* V. *arujano*.

arujano *Adj.* **1.** De, ou pertencente ou relativo a Arujá (SP). ● *S. m.* **2.** O natural ou habitante de Arujá. [Sin. ger.: *arujaense*.]

árula [Do lat. *arula*.] *S. f.* Pequeno altar.

arumã *S. 2 g. Adj. 2 g. Bras.* V. *iarumá*.

arumã [Do tupi.] *S. m. Bras. Bot.* **1.** Nome comum a várias ervas marantáceas do gênero *Ischnosiphon*. **2.** Erva marantácea (*Ischnosiphon arouma*) de folhas ovadas e flores amarelas, em espigas, cultivadas pelas fibras, us. em cestaria, e pela fécula de uso medicinal que se obtém do rizoma; arumã-membeca. **3.** Erva marantácea (*Ischnosiphon ovatus*) de caule curto, grandes folhas ovadas, flores amarelas, espiciformes, e cujas fibras se usam em cestaria.

arumaçá [De or. tupi, poss.] *S. m. Bras. Zool.* V. *aramaçá*.

arumaçã *S. m. Bras. Zool.* V. *aramaçá*.

arumã-membeca *S. f. Bras. Bot.* Arumã (2). [Pl.: *arumãs-membecas*.]

arumará [De or. tupi, poss.] *S. m. Bras. Zool.* **1.** V. *chupim* (1). **2.** V. *pássaro-preto*.

arumarana [De *arumã* + *-rana*.] *S. f. Bras. Bot.* Planta marantácea (*Thalia geniculata*) herbácea, de até 2m, que vegeta, esp., em terrenos úmidos, à margem de rios e lagoas; é útil para a indústria papeleira, de seu rizoma se obtém fécula semelhante à araruta, e suas folhas são comestíveis para o homem e us. como forragem. [Sin.: *bananeirinha-do-mato, agutiguepe-obi, caité, caeté, caraparu*.]

arumbava *Adj. S. m. Bras. SP* Protegido, apaniguado, mumbava (q. v.).

arunco [Do tax. *Aruncus* (do lat. *aruncus, i*).] *S. m. Bot.* **1.** Pequeno gênero de ervas rosáceas, de folhas compostas e vistosos cachos de flores alvas. **2.** Qualquer espécie desse gênero, como, p. ex., a *Aruncus dioicus* (v. *barba-de-cabra*). **3.** Qualquer espécime desse gênero.

arundináceo [Do lat. *arundinaceu*.] *Adj.* Arundi-noso (1).

arundíneo [Do lat. *arundineu*.] *Adj.* Feito de cana[1] (1).

arundinoso (ô) [Do lat. *arundinosu*.] *Adj.* **1.** Semelhante a cana[1] (1); arundináceo. **2.** Abundante em cana[1] (1).

arupai *S. 2 g.* **1.** *Etnôn.* Indivíduo dos arupais [ou (etnôn. bras.) *Arupáy], povo indígena extinto da família linguística tupi-guarani, tronco tupi, que habitava a região do rio Xingu (PA). ● *Adj. 2 g.* **2.** Pertencente ou relativo a esse povo.

arupanado *Adj. Bras. BA Pop.* **1.** Irrequieto, irrefletido, fogoso. **2.** Irritadiço, turbulento.

arurá [Var. de *ururau*.] *S. m. Bras. Zool.* V. *jacaré-de-papo-amarelo*.

aruru [De or. obsc.] *S. m. Bras. Amaz. Bot.* Árvore burserácea (*Protium decandrum*) cuja madeira é utilizada em construções, e cuja resina, conhecida no comércio como *incenso-de-caiena* ou *chispa*, tem propriedades diuréticas e antiblenorrágicas.

aruspicação [De **aruspicar* (< *arúspice* + *-ar*[2]) + *-ção*.] *S. f.* Arte divinatória do arúspice.

arúspice [Do lat. *haruspice*.] *S. m.* Na antiga Roma, o sacerdote que adivinhava o futuro mediante o exame das entranhas das vítimas; áuspice.

aruspicino [Do lat. *haruspicinu*.] *Adj.* Referente a arúspice, ou a classe dos arúspices.

aruspício [Do lat. *haruspiciu*.] *S. m.* Prognóstico feito por arúspice.

arval [Do lat. *arvale*.] *S. m.* **1.** Campo cultivado. **2.** *Hist. Rel.* Na antiga Roma, cada um dos doze sacerdotes que faziam sacrifícios à deusa Ceres ou aos lares (q. v.), para assegurar a fertilidade do solo.

arvense [Do lat. *arvum*, 'terra lavrada', + *-ense*.] *Adj. 2 g. Bot.* Diz-se de planta que vegeta em terras cultivadas.

▲ **arvi-** [Do lat. *arvum, i*.] *El. comp.* = 'campo', 'terra de lavoura': *arvícola, arvicultura*.

arvícola [De *arvi-* + *-cola*[1].] *Adj. 2 g.* **1.** Que habita o campo ou terra de lavoura. ● *S. 2 g.* **2.** Pessoa que habita o campo ou terra de lavoura; camponês.

arvicultor (ô) [De *arvi-* + *-cultor*.] *Adj. S. m.* Que, ou aquele que se dedica à arvicultura.

arvicultura [De *arvi-* + *-cultura*.] *S. f.* **1.** Cultura dos campos. **2.** Cultura dos cereais.

arvoado [Part. de *arvoar*.] *Adj.* Aturdido, estonteado, tonto. [Cf. *avoado*.]

arvoamento [De *arvoar* + *-mento*.] *S. m.* Ato ou efeito de arvoar(-se); aturdimento, estonteamento.

arvoar *V. t. d.* **1.** Aturdir, estontear, entontecer. *Int.* **2.** Sentir tonturas. *P.* **3.** Ficar atordoado; aturdir-se, estontear-se. [Conjug.: v. *coroar*.]

arvorado [Part. de *arvorar*.] *Adj.* **1.** Erguido, levantado. **2.** Hasteado. **3.** *Bras. PA Pop.* Metido a valente; provocador, brigão. ● *S. m.* **4.** Soldado com atribuições de cabo.

arvoragem [De *arvorar* + *-agem*[2].] *S. f.* Ato ou efeito de arvorar.

arvorar [De *árvore* + *-ar*[2].] *V. t. d.* **1.** Plantar árvores em; arborizar. **2.** Elevar ou levantar perpendicularmente; fazer subir: 📄 *O desportista <u>arvorou</u>, com orgulho, o troféu.* **3.** Hastear, içar (bandeira, insígnia, pavilhão, etc.). **4.** Fazer praça de; ostentar, alardear, estadear: 📄 *<u>Arvora</u> um sentimento de altruísmo.* **5.** *Mar. Ant.* Espigar (um mastro, mastaréu, etc.). *T. i.* **6.** Assumir por autoridade própria qualquer título, ofício, encargo, etc.: 📄 *O espião <u>arvorou</u> de general.* *Transobj.* **7.** Transformar, converter, elevando: 📄 *<u>Arvoraram</u>-no em chefe.* *Int.* **8.** *Lus.* Colocar os remos de uma embarcação miúda na vertical, com os punhos apoiados no fundo da embarcação e as pás paralelas ao plano longitudinal dela. **9.** *Bras.* Deixar de remar, mantendo as pás dos remos na horizontal. *P.* **10.** Elevar-se, erguer-se. **11.** Assumir por autoridade própria qualquer ofício, título, encargo, etc.: 📄 *<u>Arvorou-se</u> em chefe da quadrilha.* [Pres. subj.: *arvore*, etc. Cf. *árvore* e *alvorar*.]

árvore [Do lat. *arbore*.] *S. f.* **1.** *Bot.* Vegetal lenhoso cujo caule, chamado *tronco*, só se ramifica bem acima do nível do solo, ao contrário do arbusto, que exibe ramos desde junto ao solo. **2.** Qualquer estrutura (natural ou artificial) semelhante a uma árvore, ou qualquer esquema, diagrama, etc., em que há linhas com ramificações ou bifurcações sucessivas, que ligam um ou alguns elementos iniciais ou centrais a vários outros elementos derivados: 📄 *<u>árvore</u> genealógica.* **3.** *Restr. Mat.* Grafo conexo (q. v.) acíclico, us. para representar estruturas hierárquicas em que cada elemento (representado por um nó do grafo) está ligado a outro(s) por relações (representadas pelas arestas do grafo) de ascendência ou subordinação. [Numa árvore, para cada par de elementos, ou nós, há um e somente um caminho entre eles.] **4.** *Mec.* Eixo que gira transmitindo esforços de torção. **5.** *Náut.* Mastro, ou peça de mastro. [Cf. *arvore*, do v. *arvorar*.] ◆ **Árvore balanceada.** *Inform.* Árvore

(3) (esp. uma árvore binária [q. v.]), que, para todos os seus nós, mantém aproximadamente o mesmo número de nós a partir de cada um de seus descendentes diretos. **Árvore binária.** *Inform.* Árvore (3), na qual cada nó está diretamente ligado a não mais de dois nós descendentes ou subordinados (subárvores), à esquerda e à direita. **Árvore de manivelas.** *Autom.* Virabrequim. **Árvore de Natal. 1.** Pinheiro natural ou artificial, ou outra planta, ou galho de pinheiro, ou qualquer objeto, de formatos vários, que se ornamenta com bolas coloridas, luzes, etc., para decoração natalina. **2.** *Bras. Fig.* Pessoa muito enfeitada, que usa roupas, penteado e joias de feitio e cores berrantes. [Cf. *árvore-de-natal* e *árvore-do-natal.*] **Árvore de Porfírio.** *Hist. Filos.* Célebre esquema ou modelo de definição por dicotomias sucessivas, que descem do gênero mais geral às espécies ínfimas, ordenando, portanto, as ideias segundo sua compreensão crescente e extensão decrescente. **Árvore genealógica. 1.** Representação gráfica dos antepassados e dos descendentes de uma pessoa, de uma família, etc. **2.** Linhagem, estirpe, genealogia. **Em árvore seca.** *Mar. Ant.* Dizia-se do navio que, acossado por forte tormenta, recolhia todas as velas e corria com o tempo (mar e vento).

arvorecência *S. f. Bot.* Arborescência.

arvorecente *Adj. 2 g. Bot.* Arborescente.

arvorecer [De *árvore* + *-ecer.*] *V. int. Bot.* Arborescer.

árvore-copal *S. f. Biol.* V. *jatobá* (1 a 4). [Pl.: *árvores-copais.*]

árvore-da-borracha *S. f. Bot.* **1.** V. *seringueira* (2). **2.** V. *seringueira-vermelha.* **3.** V. *árvore-da-goma-elástica.* [Pl.: *árvores-da-borracha.*]

árvore-da-china [De *árvore* + *da*[1] + o top. *China.*] *S. f. Bot.* V. *cinamomo* (4): "não voltaríamos à casa nem às azáleas nem à árvore-da-china, a fazenda acabara" (Lobo Antunes, *O Esplendor de Portugal,* p. 125). [Pl.: *árvores-da-china.*]

árvore-da-cuia *S. f. Bot.* V. *cuieira* (1). [Pl.: *árvores-da-cuia.*]

árvore-da-goma-arábica [De *árvore* + *da*[1] + *goma*[1] + o f. de *arábico.*] *S. f. Bras. Bot.* Árvore fabácea (*Acacia arabica* ou *A. nilotica*) com até 20m, originária da África e do subcontinente indiano e cultivada no Brasil, esp. em São Paulo, cujos caules e ramos exsudam a goma-arábica. Sua casca tem fendas longitudinais, as folhas são compostas, de raque granuloso, as flores amarelas, em glomérulos, e os frutos leguminiformes. A madeira, dura e resistente, é us. em carpintaria e marcenaria, do líber se fazem cordas, a casca é tanífera e tônica, as vagens us. em tinturaria e curtume, e as folhas jovens são us. como forragem e, na farmacopeia, é base para todas as pastas. [Sin.: *acácia-arábica, acácia-do-nilo, acácia-do-egito, acácia-do-senegal, acácia-verdadeira.* Pl.: *árvores-da-goma-arábica.*]

árvore-da-goma-elástica [De *árvore* + *da*[1] + *goma*[1] + o f. de *elástico.*] *S. f. Bot.* Grande árvore morácea (*Ficus elastica*) de folhas coriáceas e infrutescências geminadas, e que exsuda látex de qualidade inferior; árvore-da-borracha, goma-elástica. [Pl.: *árvores-da-goma-elástica.*]

árvore-da-lã *S. f. Bot.* **1.** V. *barriguda* (3). **2.** V. *paineira* (1). **3.** V. *sumaúma* (1). [Pl.: *árvores-da-lã.*]

árvore-da-manteiga *S. f. Bot.* Árvore sapotácea (*Vitellaria paradoxa*) nativa da África tropical, cujos frutos têm polpa doce comestível e sementes das quais se extraem manteiga e óleo, us. em alimentação e cosmética; carité, cariti. [Pl.: *árvores-da-manteiga.*]

árvore-da-morte *S. f. Bot.* V. *antiáris* (2). [Pl.: *árvores-da-morte.*]

árvore-da-noite *S. f. Bot.* V. *açafrão-da-terra* (2). [Pl.: *árvores-da-noite.*]

árvore-da-paina *S. f. Bot.* V. *paineira* (1). [Pl.: *árvores-da-paina.*]

árvore-da-preguiça *S. f. Bras. Bot.* V. *embaúba* (1 e 2). [Pl.: *árvores-da-preguiça.*]

árvore-da-seda *S. f. Bot.* V. *sumaúma* (1). [Pl.: *árvores-da-seda.*]

árvore-da-vida [De *árvore* + *da*[1] + *vida,* como trad. do ingl. *arborvitae,* do lat. *arbor vitae.*] *S. f. Bot.* Árvore cupressácea (*Thuja occidentalis*) originária da América do Norte, sempre-verde, piramidal, de ápice estreito, estendendo-se os ramos até o solo; a folhagem é escamosa, os estróbilos amarelados e o tronco, por vezes, divide-se em dois, de igual altura. Atinge de 15 a 24m, e até 1,50m de diâmetro, e fornece madeira amarelada de muito boa qualidade, us. em construção civil e naval. [Sin.: *árvore-da-vida-do-leste, cedro-branco.* Pl.: *árvores-da-vida.*]

árvore-da-vida-do-leste *S. f. Bot.* V. *árvore-da-vida.* [Pl.: *árvores-da-vida-do-leste.*]

árvore-de-anoz *S. f. Bras. Bot.* V. *amendoeira-da-praia.* [Pl.: *árvores-de-anoz.*]

árvore-de-bálsamo *S. f. Bot.* V. *flor-de-coral* (4). [Pl.: *árvores-de-bálsamo.*]

árvore-de-cuia *S. f. Bras. Bot.* V. *cuieira* (1). [Pl.: *árvores-de-cuia.*]

árvore-de-incenso *S. f. Bot.* **1.** Árvore dipterocarpácea (*Vateria indica*) nativa do S. da Índia, que exsuda resina clara de cujas sementes se extrai óleo. **2.** V. *icica* (1). [Pl.: *árvores-de-incenso.*]

árvore-de-lã *S. f. Bot.* V. *árvore-da-lã.* [Pl.: *árvores-de-lã.*]

árvore-de-leite *S. f. Bras. Bot.* V. *curupitã* (2). [Pl.: *árvores-de-leite.*]

árvore-de-natal *S. f. Bot.* **1.** V. *cedro-japonês.* **2.** V. *abeto-falso.* [Pl.: *árvores-de-natal.* Cf. *árvore-do-natal* e *árvore de Natal.*]

arvoredense *Adj. 2 g.* **1.** De, ou pertencente ou relativo a Arvoredo (SC). • *S. 2 g.* **2.** O natural ou habitante de Arvoredo.

árvore-de-ranho *S. f. Bras. Bot.* V. *babosa-branca.* [Pl.: *árvores-de-ranho.*]

árvore-de-santa-luzia [De *árvore* + *de* + o hag. *Santa Luzia.*] *S. f. Bras. Bot.* V. *mata-olho* (1). [Pl.: *árvores-de-santa-luzia.*]

árvore-de-são-sebastião [De *árvore* + *de* + o hag. *São Sebastião.*] *S. f. Bot.* V. *coroa-de-cristo* (1). [Pl.: *árvores-de-são-sebastião.*]

arvoredo (ê) [Do lat. *arboretu.*] *S. m.* **1.** Aglomeração de árvores. **2.** *Constr. Nav.* Conjunto de mastros, mastaréus e vergas da embarcação.

árvore-do-dragão *S. f. Bot.* Dragoeiro. [Pl.: *árvores-do-dragão.*]

árvore-do-natal *S. f. Bras. Bot.* Árvore taxodiácea (*Cunninghamia sinensis*) originária da China e de Taiwan, e adaptada a certas regiões do Brasil; fornece madeira leve e aromática. [Pl.: *árvores-do-natal.* Cf. *árvore de Natal* e *árvore-de-natal.*]

árvore-do-papel *S. f. Bot.* Pau-papel. [Pl.: *árvores-do-papel.*]

árvore-do-papel-de-arroz *S. f. Bot.* Árvore ou arbusto araliáceo (*Tetrapanax papyriferum*) ornamental, de folhas grandes, cordadas e com até sete lobos agudos e serreados, flores alvas, mínimas, dispostas em glomérulos compactos, e cuja medula, macia e branca, é us. na fabricação de uma espécie de papel finíssimo; papel-arroz. [Pl.: *árvores-do-papel-de-arroz.*]

árvore-do-sabão *S. f. Bras. Bot.* V. *sabonete* (3). [Pl.: *árvores-do-sabão.*]

árvore-dos-pagodes [De *árvore* + o pl. de *do*[1] + o pl. de *pagode* (1).] *S. f. Bot.* **1.** Árvore fabácea (*Sophora japonica*) ornamental, de folhas verde-escuras, flores branco-amareladas e vagens carnosas. **2.** Árvore morácea (*Ficus religiosa*) originária da Índia, sagrada para os budistas, de madeira dura e compacta, e figos comestíveis, roxo-escuros; é tb. cultivada como ornamental. [Sin.: *figueira-dos-pagodes.* Pl.: *árvores-dos-pagodes.*]

árvore-do-viajante *S. f. Bot.* Árvore musácea (*Ravenala madagascariensis*) nativa de Madagascar, de folhas dísticas, coriáceas, idênticas às das bananeiras, e inflorescências grandes, com espatas que contêm flores brancas; os frutos têm sementes com arilo azul-anil. É cultivada como ornamental, em touceiras, e para extração de tintura e de óleo do arilo, de uso farmacêutico. [Sin.: *bananeira-de-madagascar.* Pl.: *árvores-do-viajante.*]

arvorejar [De *árvore* + *-ejar.*] *V. t. d.* **1.** Guarnecer de árvores; arborizar. *P.* **2.** Encher-se (o terreno) de árvores não cultivadas. [Conjug.: v. *pelejar.*]

árvore-mãe *S. f. Bot.* V. *porta-sementes* (2). [Pl.: *árvores-mães* e *árvores-mãe.*]

árvore-santa [De *árvore* + o f. de *santo.*] *S. f. Bot.* V. *cinamomo* (4). [Pl.: *árvores-santas.*]

arvoreta (ê) [De *árvore* + *-eta* (ê).] *S. f.* Pequena árvore.

árvore-triste *S. f. Bot.* V. *açafrão-da-terra.* [Pl.: *árvores-tristes.*]

arvorezinhense *Adj. 2 g.* **1.** De, ou pertencente ou relativo a Arvorezinha (RS). • *S. 2 g.* **2.** O natural ou habitante de Arvorezinha.

arxar *V. t. d.* V. *redrar.* [Pres. ind.: *arxo, arxas, arxa,* etc. Cf. *archa.*]

arzanefe *S. m.* V. *arzenefe.*

arzenefe [Do ár. *az-zirnī* < gr. *arsenikón.*] *S. m.* Arsênico[1]. [Var.: *arzanefe, azarnefe.*]

arzola [De or. obscura; do ár., poss.] *S. f. Bot.* V. *espinho-de-carneiro.*

as[1] F. pl. do art. def. *o*: *as casas.* [Cf. *às, ás* e *az.*]

as[2] F. pl. do pron. pess. *o*: *As meninas, ainda há pouco as vi.* [Cf. *ás, às* e *az.*]

as[3] F. pl. do pron. dem. *o*: *Das obras de Machado de Assis, Dom Casmurro e Quincas Borba são as que mais me agradam.* [Cf. *ás, às* e *az.*]

■ **As** *Quím.* Símb. de *arsênio.* [Cf. *ás, às* e *az.*]

▲ **as-**[1] V. *a-*[2].

▲ **as-**[2] V. *a-*[4].

▲ **as-**[3] V. *a-*[3].

▲ **as-**[4] [F. red. de *assimétrico.*] *Quím.* **El. comp.** Indica um de dois isômeros de certos alcenos, compostos cíclicos e outras substâncias [cf. *sim-*[2]]: *ácido as-butenodioico* (= *ácido trans-butenodioico*).

ás [Do lat. *asse.*] *S. m.* **1.** Carta de baralho marcada com um só ponto e que inicia (ou, conforme o jogo, termina) a sequência de cartas de cada naipe. **2.** *Fig.* Pessoa exímia em determinada atividade: *É um ás da aviação; Tornou-se um ás em física.* [Cf. *as, às* e *az.*]

às[1] (ás) Contr. da prep. *a* com o art. *as*: *Dirigiu-se às autoridades; Aspira às mais altas posições.* [Cf. *as, ás* e *az.*]

às[2] (ás) Contr. da prep. *a* com o pron. dem. *as*: *Sua poesia fala às almas, principalmente às dos humildes; Referiu-se com louvor às moças, sobretudo às que eram suas alunas;* "Às que choravam pedia que a não lastimassem, porque ela estava consolada com a esperança de descansar." (Camilo Castelo Branco, *Carlota Ângela,* p. 96). [Cf. *as, ás* e *az.*]

asa [Do lat. *ansa,* 'asa de vaso'.] *S. f.* **1.** Cada um do par de membros emplumados que, nas aves, constituem os principais órgãos do voo (como nos pássaros), ou servem de órgão auxiliar da corrida (como nas galinhas, avestruzes, etc.) ou do nado (como nos pinguins). [Sin., ant. e poét.: *ala* e *ansa.*] **2.** Cada um do par de órgãos de voo dos morcegos. **3.** Cada um do par, ou dos dois pares, de excrescências membranosas ou córneas do tórax dos insetos. [Dim., nessas acepçs.: *álula, aselha.*] **4.** Excrescência membranosa ou córnea do tórax dos insetos (um ou dois pares). **5.** Nadadeira peitoral de certos peixes. **6.** *P. ext.* Aquilo que, por sua forma ou função, se assemelha à asa: *as asas dos anjos.* **7.** Parte saliente de certos utensílios, que serve para segurá-los: *asa de xícara; as asas do cesto.* **8.** Uma das partes da dobradiça, que se liga à outra pelo pino. **9.** Cada um dos caixilhos revestidos de tela dos moinhos de vento; aspas. **10.** *Aer.* Parte da superfície do avião destinada a produzir sustentação aerodinâmica e onde ficam alojados os tanques principais de combustível. **11.** *Arquit.* Nave lateral de uma igreja. **12.** *Bot.* Expansão de certas sementes ou frutos. **13.** *Constr.* Ala (5). **14.** *Fut. Obsol.* *Half-back.* **15.** *Anat.* Designação genérica de formação (5), ou de parte dela, que se assemelha a asa. **16.** *Bras. Fam.* Os ombros ou os braços. **17.** *Bras. RS* Mau cheiro das axilas. [Cf. *aza,* do v. *azar.*] ◆ **Aparar as asas de (alguém).** Restringir-lhe as manifestações de independência ou de intimidade: *É uma criança metediça; precisamos aparar-lhe as asas.* **Arrastar a asa a.** Insinuar-se junto a (alguém) com intenções amorosas. **Bater asas.** *Pop.* V. *fugir* (1 e 2): "estavam de volta os coronéis do interior que tinham batido asas desde o fechamento dos cassinos" (Roberto Drummond, *Hilda Furacão,* p. 36). **Bater as asas.** *Pop.* V. *fugir* (1 e 2): "Mas a ideia bateu as asas e voou, sem que ele pudesse guardá-la na memória." (Machado de Assis, *Papéis Avulsos,* p. 186). **Cortar as asas de.** Refrear o comportamento (de alguém) ou restringir a ação ou evolução (de alguém ou algo): *O bloguista pergunta em seu artigo quem cortou as asas da industrialização nacional.* **Criar asas. 1.** *Bras.* Desaparecer sem deixar vestígio: *Minha bolsa criou asas; não consigo encontrá-la.* **2.** Ser furtado: *Não achei o livro; foi mais um que criou asas.* **Dar asa a.** Dar confiança ou intimidade a: *Não dê asa a este rapaz; ele é muito confiado.* **Dar asas a.** Dar expansão a; dar velas a; dar largas a: *No seu último romance deu asas à imaginação.* **Debaixo da asa.** Sob sua proteção: *pôr, botar, ter, trazer debaixo da asa.* **Estar de asa caída.** Estar entristecido ou desanimado. **Ter asas nos pés. 1.** Ser muito feliz. **2.** Andar muito rápido.

■ **ASA** [Ingl., sigla de *American Standard Association.*] *Fot.* Unidade de medida de sensibilidade de película fotográfica à luz. [Cf. *DIN.*]

asa-branca *S. f.* **1.** *Bras. Zool.* V. *pomba-trocaz*: "Lá vem a asa-branca, / no espaço voando, / vem alto, gritando... / — Meu Deus, o que é?" (Ascenso Ferreira, *Catimbó e Outros Poemas,* p. 99). **2.** *Bras. Gír.* Policial honesto: "O doutor é asa-branca, não entra no rateio do levado do bicho. Azar do seu Ilídio, levou um pé na bunda e foi posto no xadrez." (Rubem Fonseca, *Agosto,* p. 75). [Pl.: *asas-brancas.*]

asa-de-barata *S. f. Bras. Bot.* Barba-de-barata. [Pl.: *asas-de-barata.*]

asa-delta *S. f. Esport.* Asa constituída de uma armação com a forma aproximada de um triângulo (o delta maiúsculo do alfabeto grego), coberta de tecido fino, não poroso, e que tem ao centro um trapézio feito de tubos metálicos onde o praticante de voo livre se apoia e ao qual se prende por meio de tiras de lona (q. v.). [Cf. *planador.* Pl.: *asas-deltas* e *asas-delta.*]

asa-de-papagaio *S. f. Bot.* V. *flor-de-coral* (4). [Pl.: *asas-de-papagaio.*]

asa-de-telha *S. f. Bras. Zool.* Ave passeriforme, icterídea (*Molothrus badius*), do S. do Brasil, de coloração pardo-acinzentada, mais clara na parte inferior, e asas castanho-claras. Como o *chupim,* faz postura em ninhos de outras aves, sempre que para isso acha oportunidade. [Pl.: *asas-de-telha*.]

asado [Part. de *asar*.] *Adj.* **1.** Que tem asas; alado. • *S. m.* **2.** Vaso com asas. [Cf. *azado*.]

asafia [Do gr. *asápheia*, 'obscuridade'.] *S. f. Med.* Articulação viciosa e indistinta das palavras.

asáfico [De *asafia* + *-ico*[2].] *Adj. Med.* Relativo à asafia.

as-águas [De *as*, pl. de *a*[2] (2), + *águas* (4).] *S. f. pl. Cabo-verd.* V. *águas* (4): "jamais sonhou maior ventura que a Fajã nos tempos das as-águas" (Onésimo Silveira, *"Toda a Gente Fala: Sim, Senhor"*, p. 12).

asana *S. m. Hist. Filos.* Ássana.

asa-negra *S. 2 g.* Pessoa que prejudica ou embaraça outra constantemente. [Pl.: *asas-negras*.]

asa-nortista *Adj. 2 g.* **1.** Da, ou pertencente ou relativo à Asa Norte, área setentrional do plano piloto de Brasília. • *S. 2 g.* **2.** O natural ou habitante dessa área. [Pl.: *asa-nortistas*.]

asar [De *asa* + *-ar*[2].] *V. t. d.* Guarnecer de asas. [Pres. ind.: *aso*, etc. Cf. *azar* e *azo*, s. m.]

asarina [Do tax. *Asarum* + *-ina*[3].] *S. f.* Princípio ácido existente no ásaro.

ásaro [Do tax. *Asarum*.] *S. m.* **1.** Gênero de ervas acaules da família das aristoloquiáceas, nativas das regiões temperadas do hemisfério norte. **2.** Qualquer espécie desse gênero, como a *Asarum europaeum*, que habita os bosques úmidos da Europa, cujas folhas têm odor nauseabundo e as flores são externamente verdes, e vermelhas no lado interno, e que é vulgarmente conhecida como bacarija. **3.** Qualquer espécime desse gênero.

asase [Do fanti-axânti.] *S. f.* A deusa da Terra, a Mãe-Terra.

asa-sulista *Adj. 2 g.* **1.** Da, ou pertencente ou relativo à Asa Sul, área meridional do plano piloto de Brasília. • *S. 2 g.* **2.** O natural ou habitante dessa área. [Pl.: *asa-sulistas*.]

■ **Asb** *Ópt.* Símb. de *apostilb*.

asbestino [De *asbesto* + *-ino*[1].] *Adj.* Relativo ao asbesto.

asbesto (é) [Do gr. *ásbestos*, pelo lat. *asbestu*.] *S. m. Min.* Variedade de anfibólio, composta de silicato de cálcio e de magnésio, que se apresenta em massas fibrosas incombustíveis e infusíveis, de aplicação comercial, sendo o amianto sua variedade mais pura. [Cf. *amianto*.]

asbestose [De *asbesto* + *-ose*[1].] *S. f. Pneum.* Pneumoconiose produzida pela inalação de fibras de asbesto e que, além de ocasionar fibrose pulmonar, pode estar acompanhada de câncer brônquico.

asca[1] [De *asco*[1].] *S. f.* **1.** V. *asco*[1] (1). **2.** *Bras. BA* V. *bodum* (2).

asca[2] [Do gr. *askós*, 'ostra', 'odre'.] *S. f. Zool.* Envoltório de alguns animais inferiores.

▲ **-asca** V. *-asco*.

ascafilme [Do ingl. *a(ll) s(ky) ca(mera)* + *filme*.] *S. m. Geofís.* Filme obtido com uma câmara todo-céu.

ascágrafo [Do ingl. *a(ll) s(ky) ca(mera)* + *-grafo*.] *S. m. Geofís.* Aparelho utilizado para transferir, semiautomaticamente, em mapas especiais, as informações acerca das auroras polares contidas no ascagrama.

ascagrama [Do ingl. *a(ll) s(ky) ca(mera)* + *-grama*.] *S. m. Geofís.* Fotografia de aurora polar, obtida com uma câmara todo-céu.

ascalaboto [Do tax. *Ascalabota* < gr. *askalabótes*.] *Zool. S. m.* **1.** Espécime dos ascalobotos, divisão de animais cordados, reptis, escamados, em geral com mais de quatro fileiras de escamas ventrais em cada segmento do corpo, as quais, quando imbricadas, deixam larga margem posterior livre. • *Adj.* **2.** Pertencente ou relativo a eles.

→ **ascaplot** ['askəplɑt] [Do ingl. *a(ll) s(ky) ca(mera)* + ingl. *plot*.] *S. m. Geofís.* Gráfico obtido com uma câmara todo-céu.

ascaríase [De *áscaris* + *-íase*.] *S. f. Med.* V. *ascaridíase*.

ascárida [Do tax. *Ascaris* + *-ida*[1].] *S. m. Adj. 2 g. Zool.* V. *ascarídeo*.

ascarídeo [Do tax. *Ascaris* + *-ídeo*[1]; tax. *Ascaridae*.] *Zool. S. m.* **1.** Espécime dos ascarídeos, família de vermes nematódeos, fasmídeos, rabditídeos, de grande porte, boca trilabiada, esôfago claviforme, macho com dois espículos, ovos elipsoides de casca espessa. Não têm ventrículo no esôfago, nem divertículo intestinal. São as lombrigas. • *Adj.* **2.** Pertencente ou relativo a eles. [Sin. ger.: *ascárida*.]

ascaridíase [Do lat. cient. *Ascarid-* (v. *áscaris*) + *-íase*.] *S. f. Med.* Infecção por ascarídeos; ascaridose; ascaríose, ascaríase.

ascaridol [Do lat. cient. *Ascarid-* (< lat. *ascaris, idis*) + *-ol*[3].] *S. m. Quím.* Substância monoterpênica bicíclica, cuja estrutura é semelhante à do limoneno, que contém, no entanto, um grupo peróxido como parte de um dos ciclos e que é us. como anti-helmíntico [fórm.: $C_{10}H_{16}O_2$.] [Pl.: *ascaridóis*.]

ascaridose [Do lat. cient. *Ascarid-* (v. *áscaris*) + *-ose*[1].] *S. f. Med.* V. *ascaridíase*.

ascariose [De *áscari(s)* + *-ose*[1].] *S. f. Med.* V. *ascaridíase*.

ascáris [Do tax. *Ascaris*.] *S. f. e m. 2 n. Zool.* **1.** O gênero-tipo dos ascarídeos, e que compreende diversas espécies. **2.** Qualquer espécie desse gênero, como, p. ex., a *Ascaris lumbricoides* (v. *lombriga*). **3.** Qualquer espécime desse gênero.

ascendência [Do lat. *ascendentia*.] *S. f.* **1.** V. *ascensão* (1). **2.** Superioridade, preponderância, ascendente. **3.** *P. ext.* Influência, prestígio. **4.** Série de gerações anteriores a um indivíduo, e dos quais ele provém; progênie; origem, estirpe. **5.** Os antepassados, os avós: *Minha ascendência materna é portuguesa.*

ascendente [Do lat. *ascendente*.] *Adj. 2 g.* **1.** Que sobe, se eleva; ascensionário. ~ V. *letra —*, *nodo —*, *pielografia —* e *seiva —*. • *S. m.* **2.** Predomínio, preponderância, ascendência. **3.** *Astrol.* O ponto da eclíptica (ou signo do Zodíaco a que o ponto pertence) que se está elevando no horizonte, a leste, em dado momento (esp. o do nascimento de alguém), e considerado de grande influência sobre o horóscopo. • *S. 2 g.* **4.** Pessoa de quem se descende; antepassado, ancestre: *Diversas famílias de Santa Catarina têm ascendentes alemães.* • *S. f.* **5.** *Art. Gráf.* Em certas letras de caixa-baixa, a haste que se projeta para cima, como no *b* e no *d*. [Cf., nesta acepç., *letra ascendente*].

ascender [Do lat. *ascendere*.] *V. t. c. Int. P.* **1.** Subir; elevar-se: "Via-me, ao longe, ascender do chão das turbas, e remontar ao céu" (Machado de Assis, *Memórias Póstumas de Brás Cubas*, p. 12); *D. Pedro II ascendeu ao trono em 1841;* "O Sol ascende vagarosamente." (Alberto de Oliveira, *Poesias*, 1ª série, p. 14); *O balão, tremeluzindo, ascendeu;* "Ascender para a luz é ser celeste" (Cruz e Sousa, *Últimos Sonetos*, p. 99); "Eu a alma deixo voar, deixo que ela se ascenda / Ao mundo da ilusão, às regiões da quimera" (Lima Júnior, *Canções da Idade de Oiro*, p. 40). *T. i. Bit. i. T. c. Bit. c.* **2.** Atingir (certo valor, ou custo, ou patamar): *O quilo da carne ascendeu de 4 reais para 6 reais.* [Cf. *acender*.]

ascendimento [De *ascender* + *-imento*.] *S. m.* V. *ascensão* (1). [Cf. *acendimento*.]

ascensão [Do lat. *ascensione*.] *S. f.* **1.** Ato de ascender; ascendência, ascendimento, ascenso. **2.** Subida, elevação: "Para os amantes do alpinismo há a ascensão ao Itacolomi, cuja altura é de 1.752 metros." (Manuel Bandeira, *Poesias e Prosa*, II, p. 845.) **3.** V. *promoção*[1] (2). **4.** Festa eclesiástica, comemorativa da glorificação de Cristo logo após sua morte, representada geralmente como subida aos Céus. **5.** O dia dessa festa. [Cf. *acensão* e *assunção*.] ◆ **Ascensão reta.** *Astr.* Ângulo formado no polo entre o meridiano celeste do astro e o meridiano celeste do ponto vernal. [É contado de 0° a 360°, a partir do meridiano do ponto vernal, no sentido do movimento aparente do Sol.] **Ascensão reta geocêntrica.** *Astr.* Ascensão reta de um ponto da esfera celeste, referida ao centro da Terra. **Ascensão reta heliocêntrica.** *Astr.* Ascensão reta de um ponto da esfera celeste, referida do centro do Sol. **Ascensão reta selenocêntrica.** *Astr.* Ascensão reta de um ponto da esfera celeste, referida ao centro da Lua. **Ascensão reta topocêntrica.** *Astr.* Ascensão reta de um ponto da esfera celeste, referida ao ponto de observação.

ascensional [De *ascensão* + *-al*[1], seg. o padrão erudito.] *Adj. 2 g.* **1.** Relativo a ascensão. **2.** Que obriga a subir, a ascender.

ascensionário [Do lat. *ascensione*, 'ato de subir', + *-ário*.] *Adj.* Ascendente (1).

ascensionista [Do lat. *ascensione*, 'ato de subir', + *-ista*.] *S. 2 g. Bras.* Pessoa que faz excursão a pontos elevados, em balão ou de outro modo.

ascenso [Do lat. *ascensu*.] *S. m.* V. *ascensão* (1). [Antôn.: *descenso* (1). Cf. *acenso* e *assenso*.]

ascensor (ô) [Do fr. *ascenseur*.] *S. m.* Elevador (2).

ascensorista [De *ascensor* + *-ista*.] *S. 2 g. Bras.* Pessoa encarregada de manejar o ascensor; cabineiro.

ascese [Do gr. *áskesis*, 'exercício (espiritual)'.] *S. f. Ét.* Exercício prático que leva à efetiva realização da virtude, à plenitude da vida moral: "A literatura e a vida religiosa tinham para ele [Charles Du Bos] o mesmo grau de elevação, de ascese, de êxtase no seio do Criador." (João Gaspar Simões, *Crítica*, I, p. 49.)

asceta [Do b.-lat. *asceta* < gr. *asketés*, 'que pratica uma certa arte ou certo ofício'.] *S. 2 g.* Pessoa que se consagra à ascese: "Simeão por si mesmo escolheu o deserto que lhe convinha, nas terras sagradas da Palestina, ao longe de Jerusalém. Ali a princípio habitou uma laura, como lhe chamavam, espécie de aldeia de monges e ascetas separados em cabanas esparsas como ilhas de desolação e de morte." (João Ribeiro, *Floresta de Exemplos*, pp. 33-34.) [Cf. *aceta*, do v. *acetar*, e *asseta*, do v. *assetar*.]

ascetério [Do gr. *asketérion*, pelo lat. *asceteriu*.] *S. m.* **1.** Retiro de ascetas. **2.** *P. ext.* Lugar de meditação. **3.** *P. ext.* V. *convento* (1).

asceticismo [De *ascético* + *-ismo*.] *S. m.* Ascetismo.

ascético [Do fr. *ascétique* < gr. *asketikós*.] *Adj.* **1.** Relativo a ascetas ou ao ascetismo. **2.** Devoto, místico; contemplativo. [Cf. *acético* e *asséptico*.]

ascetismo [De *asceta* + *-ismo*.] *S. m. Ét.* **1.** Prática da ascese. **2.** Doutrina que considera a ascese como o essencial da vida moral. **3.** Moral que desvaloriza os aspectos corpóreos e sensíveis do homem. [Sin. ger.: *asceticismo*.]

ascetizar [De *asceta* + *-izar*.] *V. t. d. P.* Tornar(-se) asceta.

▲ **asci-** [Do lat. cient. *asci-* < lat. cient. *ascus* < gr. *askós*, *oû*, 'odre'.] Equiv. de *asco-*.

ascídia [Do tax. *Ascidia* < gr. *askídion*, 'pequeno odre'.] *S. f. Zool.* **1.** Gênero de animais cordados, protocordados, tunicados, ascidiáceos, marinhos, em geral fixos, tendo algumas espécies vida livre na areia ou na lama. **2.** Espécie ou espécime desse gênero. [F. paral.: *ascídio*. Cf. *acídia*.]

ascidiáceo [Do tax. *Ascidia* (v. *ascídia*) + *-áceo*; tax. *Ascidiaceae*.] *Zool. S. m.* **1.** Espécime dos ascidiáceos, a mais numerosa classe de urocordados; são tunicados solitários ou coloniais, sésseis na fase adulta, que ger. habitam águas litorâneas, onde se fixam em rochas, conchas, na areia, etc., havendo, porém, espécies que habitam águas profundas. Apresentam sifão bucal e atrial, por onde a corrente hídrica, necessária à troca gasosa e à alimentação, entra e sai. • *Adj.* **2.** Pertencente ou relativo a eles.

ascidiado [De *ascídio*[1] + *-ado*[1].] *Adj. Bot.* Munido de ascídio[1].

ascidiforme [De *ascídio*[1] + *-forme*.] *Adj. 2 g. Bot.* Em forma de ascídio: *folha ascidiforme.*

ascídio[1] [Do gr. *askídion*, 'pequena ostra', 'pequeno odre'.] *S. m. Bot.* Espécie de saco resultante da transformação de folha ou de limbo, peculiar a certas plantas carnívoras, como as nepentáceas, e que se destina a capturar e digerir insetos.

ascídio[2] [Do tax. *Ascidia* < gr. *askídion* (v. *ascídio*[1]).] *S. m. Zool.* V. *ascídia*.

ascífero [De *asci-* + *-fero*.] *Adj. Micol.* Portador de ascos (v. *asco*[2]); ascígero.

ascígero [De *asci-* + *-gero*.] *Adj. Micol.* Ascífero.

■ **ASCII** (ásqui) [Acrôn. do ingl. *American standard code for information interchange*, 'código padrão americano para intercâmbio de informações'.] *Inform.* Sigla que designa um esquema padronizado de representação de caracteres por meio de *bytes*, amplamente adotado em minicomputadores e microcomputadores. [O ASCII básico, introduzido em 1963, utilizava 7 *bits* para representar 128 caracteres; o ASCII estendido usa 8 *bits* e abrange um conjunto de 256 caracteres, entre os quais letras, números e sinais de pontuação.] [Tb. us. com valor adjetivo, quando antecedido de outro substantivo: *arquivo ASCII*, *caráter ASCII*.]

ascinomancia (cí) [Do gr. *axinomanteía*.] *S. f.* Adivinhação baseada na profundidade, forma e direção do golpe de um machado num tronco.

ascinomante *S. 2 g.* Pessoa que pratica a ascinomancia.

ascinomântico *Adj.* Relativo a ascinomancia, ou a ascinomante.

áscio [Do lat. *ascios*.] *S. m.* Indivíduo que habita a zona tórrida, onde, ao meio-dia, a luz do Sol não produz sombra.

ascite [Do gr. *askítes*, pelo lat. *ascite*.] *S. f. Patol.* Acúmulo de líquido na cavidade abdominal. [Sin. vulg.: *barriga-d'água*.]

ascítico [De *ascite* + *-ico*[2].] *Adj. Patol.* **1.** Relativo à ascite. **2.** Que sofre de ascite. • *S. m.* **3.** Aquele que sofre de ascite.

asclepiadácea [Do lat. cient. *Asclepiad-* (do tax. *Asclepias*, do lat. *asclepias, adis*, 'certa erva') + *-ácea*; tax. *Asclepiadaceae*.] *S. f. Bot.* Espécime das asclepiadáceas, família da ordem das gencianales que reúne plantas trepadeiras ou eretas, de pequeno porte, leitosas, com flores caracterizadas pelos grãos de pólen reunidos em massas ditas políneas, e frutos que são folículos e contêm paina. Há cerca de 1.700 espécies nos países tropicais, sendo o Brasil rico em representantes, que não têm importância prática.

asclepiadáceo [De *asclepiadácea*, com var. suf. (v. *-áceo*).] *Adj. Bot.* Pertencente ou relativo às asclepiadáceas.

asclepiadeu [Do lat. *asclepiadeu*.] *Adj. S. m.* ~ V. *verso —*.

asco[1] [Der. regres. de *ascoroso*.] *S. m.* **1.** Sentimento ou sensação de repulsa ou nojo; repugnância, asca: "A velha sentiu um frio por dentro, ... ao tocar a barriga funda de Isidoro; num asco, retirou a mão." (Bernardo Élis, *Veranico de Janeiro*, p. 39.) **2.** Tédio, enjoo.

asco[2] [Do lat. cient. *ascus* (do gr. *askós*, 'odre').] *S. m. Micol.* Pequeno órgão saciforme, encontrado nos fungos ascomicetos e nos ascoliquens, e no interior do qual se formam esporos sexuais. Têm, em geral, oito esporos, e podem ser deiscentes ou indeiscentes, conforme se abram ou não para os libertar.

▲ **asc(o)-** [Do lat. cient. *ascus* < gr. *askós, oû*, 'odre'.] ***El. comp.*** = 'asco[2]': *ascocarpo, ascóforo, ascógeno, ascolíquen*. [Equiv.: *asci-*: *ascífero, ascígero*.]

▲ **-asc(o)-** V. *-asco*.

▲ **-asco** [De or. incerta.] ***Suf.*** = 'diminuição', 'atenuação', 'depreciação'; 'semelhança'; 'aumento', 'quantidade': *verdasco*. [Equiv.: *-asca, -asc(o)-*: *nevasca*; *arruivascado*.]

ascocarpo [De *asc(o)- + -carpo*.] ***S. m.*** *Micol.* Aparelho esporífero dos cogumelos ascomicetos, de forma assaz variável.

ascóforo [De *asc(o)- + -foro*.] ***Adj.*** *Micol.* Portador de ascos (v. *asco*[2]): *forma ascófora*.

ascógeno [De *asc(o)- + -geno*.] ***Adj.*** *Micol.* De, relativo a, ou que produz *asco*[2]): *hifa ascógena*.

ascolíquen [De *asc(o)- + líquen*.] ***S. m.*** *Bot.* Classe de liquens em que a associação simbiótica é formada por um ascomiceto e uma ou mais algas. [Pl.: *ascoliquens* e (p. us. no Brasil) *ascolíquenes*.]

ascoma[1] [De *asc(o)- + -oma*[2].] ***S. m.*** *Micol.* Aparelho esporífero existente nos fungos ascomicetos, a princípio fechado, porém largamente aberto na maturidade, formado por uma massa estromática na qual se acham os ascos.

ascoma[2] [Do gr. *áskoma, atos*.] ***S. m.*** *Marinh.* Revestimento de couro preso à haste do remo, no lugar em que ela trabalha na toleteira ou na forqueta, para diminuir-lhe o desgaste.

ascomático [De *ascoma*[1] + *-ático*.] ***Adj.*** *Micol.* Relativo ao ascoma[1].

ascomiceto [De *asc(o)- + -miceto*; tax. *Ascomycetes*.] *Micol.* ***S. m.*** **1.** Espécime dos ascomicetos, classe de fungos providos de micélio pluricelular e esporos formados em ascos que, por sua vez, nascem no interior dos peritécios ou dos apotécios. Podem ser pequenos ou grandes, e vivem como saprófitos. Há muitos milhares de espécies no mundo inteiro. • ***Adj.*** **2.** Pertencente ou relativo a eles.

áscon [Do lat. cient. *ascon* < gr. *askós*, 'pele', 'couro'; 'odre'.] ***S. m.*** *Zool.* Esponja primitiva, em forma de ânfora, na qual a água penetra diretamente na cavidade gastrovascular.

asconoide (ói) [Do tax. *Ascones + -oide*.] ***Adj. 2 g.*** Diz-se de esponja cuja estrutura interna consiste em apenas uma câmara relativamente grande. [Cf. *leuconoide*.] ❖

ascorbato [De *ascorb-* (< *ascórbico*) + *-ato*[2].] ***S. m.*** *Quím.* Qualquer sal ou éster do ácido ascórbico.

ascórbico [De *a-*[3] + lat. cient. *scorb(utus)*, 'escorbuto', + *-ico*[2].] ***Adj.*** *Quím.* ~ V. *ácido —*.

ascorosidade [De *ascoroso + -(i)dade*.] ***S. f.*** V. *asquerosidade*.

ascoroso (ô) [Do lat. vulg. **ascharosu* < lat. **escharosu* < lat. *eschara*, 'escara'.] ***Adj.*** V. *asqueroso*: "Preferisse [Ariel] ser batráquio tórpido e ascoroso, planta de raízes sedentas, vivendo da química das decomposições." (Alberto Rangel, *Livro de Figuras*, p. 176.)

ascosidade [De *ascoso + -(i)dade*.] ***S. f.*** V. *asquerosidade*.

ascoso (ô) [De *asco*[1] + *-oso*.] ***Adj.*** V. *asqueroso*: "Sempre o contraste! Pássaros cantando / sobre túmu-los... flores sobre a face / De ascosas águas pútridas boiando..." (Olavo Bilac, *Poesias*, p. 119).

ascospórico [De *ascósporo + -ico*[2].] ***Adj.*** Relativo a ascósporo.

ascósporo [De *asc(o)-*[1] + *-sporo*.] ***S. m.*** *Micol.* Esporo formado no interior de asco.

ascotorácico [Do tax. *Ascothoracica*.] *Zool.* ***S. m.*** **1.** Espécime dos ascotorácicos, ordem de artrópodes, crustáceos, cirrípedes, que têm corpo com seis pares de apêndices no tronco e tubo digestivo com ramificações no manto. São parasitos do coral-preto. • ***Adj.*** **2.** Pertencente ou relativo a eles.

áscua [Do pré-romano.] ***S. f.*** **1.** Brasa viva: "Vi um grandíssimo fogo todo de áscuas mui incendidas, como troncos de carvalho mui grandes." (Pe. Manuel Bernardes, *Vários Tratados*, II, p. 475.) **2.** Chispa que se desprende do ferro em brasa ao ser malhado: "— Eu sou o Ferro. E tu? — Eu sou o homem. — Perdoa! / Teu martelo a bater nas bigornas reboa; / Torço-me, ranjo, estalo e espirro áscuas subtis, / partículas de fogo, efêmeros fuzis..." (Raimundo Correia, *Poesias*, p. 251). **3.** *Fig.* O fuzilar dos olhos de pessoa encolerizada.

ascuma [Do vasc. *askon* ou *azkona*.] ***S. f.*** *Ant.* Pequena lança que se arremessava contra o inimigo; ascuna, ascunha.

ascumada [De *ascuma + -ada*[1].] ***S. f.*** *Ant.* Golpe ou pancada com ascuma.

ascuna ***S. f.*** *Ant.* V. *ascuma*.

ascunha ***S. f.*** *Ant.* V. *ascuma*.

ascurrense ***Adj. 2 g.*** **1.** De, ou pertencente ou relativo a Ascurra (SC). • ***S. 2 g.*** **2.** O natural ou habitante de Ascurra.

ás de copas ***S. m. 2 n.*** *Bras. N.E. Pop.* V. *ânus*. ☑

às direitas ***Adj. 2 g. e 2 n.*** Justo; íntegro: *um homem às direitas*. ☑

▲**-ase** *Quím.* [De *-ase*, como em *diástase* (q. v.).] ***Suf. nom.*** = fermento', 'enzima': *maltase, protease*.

➔ **a se** [a se] [Lat.] *Filos.* Por si (4).

aseidade ***S. f.*** V. *asseidade*.

aselha (ê) [Do lat. **ansicula*.] ***S. f.*** **1.** Pequena asa. **2.** Casa (12) feita com uma alça de tecido ou com diversos fios de linha caseados juntos, e que prende um botão ou um colchete; casa de alça. • ***Adj. 2 g.*** **3.** *Lus.* Desajeitado, inábil: "o cão parecia sorrir o sorriso sabido que escapa às vezes a um pintor aselha" (Antônio Lobo Antunes, *Memória de Elefante*, p. 140).

asfaltado [Part. de *asfaltar*.] ***Adj.*** Coberto ou revestido de asfalto. ~ V. *papel —*.

asfaltador (ô) [De *asfaltar + -dor*.] ***S. m.*** Operário que asfalta, que aplica o asfalto.

asfaltagem [De *asfaltar + -agem*[2].] ***S. f.*** Asfaltamento (1).

asfaltamento [De *asfaltar + -mento*.] ***S. m.*** **1.** Ato de asfaltar; asfaltagem. **2.** Efeito de asfaltar; pavimento asfáltico; asfalto.

asfaltar [De *asfalto + -ar*[2].] ***V. t. d.*** Cobrir ou revestir (pisos, pavimentos, etc.) de asfalto ou de mistura asfáltica: *asfaltar estradas*.

asfáltico[1] [Do top. *Asfaltite* (Ásia) + *-ico*[2], com haplologia.] ***Adj.*** Relativo ao lago Asfaltite ou mar Morto.

asfáltico[2] [De *asfalto + -ico*[2].] ***Adj.*** **1.** Feito de, ou em que entra o asfalto: *pavimentação asfáltica*; *mistura asfáltica*. **2.** *Min.* Diz-se dos pirobetumes mais duros e de ponto de fusão mais alto que as asfaltitas. **3.** *Petr.* Diz-se do arenito e outras rochas que contêm impregnação de asfalto. ~ V. *betume —*, *cimento —* e *mástique —*.

asfaltita [De *asfalto + -ita*[3].] ***S. f.*** *Min.* Designação comum aos hidrocarbonetos sólidos com pontos de fusão acima de 110°C e peso específico menor que 1,20gf/cm^3, solúveis entre 0 e 60% no sulfeto de carbono.

asfalto [De or. semítica, pelo gr. *ásphaltos* e pelo lat. *asphaltu*.] ***S. m.*** **1.** Designação comum aos pirobetumes asfálticos, naturais ou artificiais, mais duros e de pontos de fusão mais altos, utilizados para pavimentação de estradas e impermeabilização. **2.** Pavimentação asfáltica; asfaltamento: *O carro deslizava sobre o asfalto*. **3.** *Fig.* Nas cidades, a parte ou ambiente urbano, em oposição ao rural, ou ao suburbano, ou ao das favelas: "Maria lava roupa lá no alto, / Lutando pelo pão de cada dia, / sonhando com a vida no asfalto, / que acaba onde o morro principia." (Luís Antônio e Jota Júnior, no samba *Lata d'Água na Cabeça*.)

asfixia (cs) [Do gr. *asphyxía*, 'parada de pulso'.] ***S. f.*** *Med.* **1.** Estado mórbido resultante da falta de oxigênio no ar respirado, e que produz grave ameaça à vida, ou a extingue. **2.** Suspensão da respiração; sufocação.

asfixiador (cs...ô) [De *asfixiar + -dor*.] ***Adj.*** **1.** V. *asfixiante*. • ***S. m.*** **2.** Aquele que asfixia.

asfixiante (cs) [De *asfixiar + -nte*.] ***Adj. 2 g.*** Que asfixia; asfixiador, asfíxico, asfixioso. ~ V. *gás —*.

asfixiar (cs) [De *asfixia + -ar*[2].] ***V. t. d.*** **1.** Causar asfixia a; privar da respiração; sufocar, abafar: *Os soluços convulsivos asfixiavam-na*. **2.** Matar por asfixia; sufocar, abafar. **3.** Oprimir, vexar: *Impôs um regulamento que asfixiava os subordinados*. ***Int.*** **4.** Não poder respirar livremente; sentir-se abafado, sufocado; abafar, sufocar: *Os presos asfixiavam na cela apertada e sem janelas*. **5.** V. *sufocar* (8): "O calor asfixia e o ar escurece." (Humberto de Campos, *Poesias Completas*, p. 61.)

asfíxico (cs) [De *asfixia + -ico*[2].] ***Adj.*** V. *asfixiante*.

asfixioso (ô) [De *asfixia + -oso*.] ***Adj.*** V. *asfixiante*.

asfodelácea [Do tax. *Asphodelus* (v. *asfódelo*) + *-ácea*; tax. *Asphodelaceae*.] ***S. f.*** *Bot.* Espécime das asfodeláceas, família da ordem das asparagales, com cerca de 750 espécies de pequenas árvores paquicaules e plantas herbáceas, por vezes tuberosas, de folhas ger. suculentas, flores ger. hermafroditas, brancas, amarelas ou vermelhas, espiciformes ou paniculadas, e frutos capsulares loculicidas; várias são cultivadas como ornamentais, e algumas como medicinais, ou para uso na indústria de cosméticos.

asfodeláceo [De *asfodelácea*, com var. suf. (v. *-áceo*).] ***Adj.*** *Bot.* Pertencente ou relativo às asfodeláceas.

asfodéleo [De *asfódelo + -eo*.] ***Adj.*** Do asfódelo, ou relativo a ele.

asfódelo [Do tax. *Asphodelus* (do gr. *asphódelos, ou*).] ***S. m.*** *Bot.* **1.** Gênero de ervas asfodeláceas perenes, com cerca de 16 espécies nativas desde o Mediterrâneo ao Himalaia. **2.** Qualquer espécie desse gênero, como, p. ex., a *Asphodelus albus* [v. *abrótea*[2] (2)]. **3.** Qualquer espécime desse gênero.

ashmoliano [Do antr. (*Elias*) *Ashmole + -iano*.] ***Adj.*** **1.** Pertencente, ou relativo a Elias Ashmole (1617-1692), sábio, alquimista e antiquário britânico, considerado o verdadeiro pai da maçonaria especulativa, desvinculando-a da maçonaria operativa, e criador dos primeiros rituais de aprendiz, companheiro e mestre da maçonaria moderna.

asianismo [De *asiano + -ismo*.] ***S. m.*** Caracterização pejorativa para a coiné alexandrina (q. v.), considerada forma de expressão linguística inferior àquela representada pelo grego clássico. [A reação ao asianismo ficou conhecida como *aticismo* (q. v.).]

asianista [De *asiano + -ista*.] ***Adj. 2 g. S. 2 g.*** **1.** Que, ou quem é versado em assuntos referentes à Ásia; orientalista. **2.** Diz-se de, ou partidário da política da Ásia para os asiáticos.

asiano [Do lat. *asianu*.] ***Adj. S. m.*** Asiático (1 e 4).

asianologia [De *asiano + -logia*.] ***S. f.*** Conjunto de conhecimentos ou estudos acerca dos povos asiáticos.

asianológico [De *asianologia + -ico*[2].] ***Adj.*** Referente à asianologia.

asianólogo [De *asiano + -logo*.] ***S. m.*** Especialista em asianologia.

asiática [F. subst. do adj. *asiático*.] ***S. f.*** *Bras. Pop.* Epidemia benigna de gripe, que grassou no Brasil na década de 50: "São Cosme e São Damião passaram o dia de hoje visitando os meninos que estão com febre e dor no corpo e na cabeça por causa da asiática, e deram muitos doces e balas aos meninos sãos." (Rubem Braga, *Ai de Ti, Copacabana!*, p. 69.)

asiaticismo [De *asiático + -ismo*.] ***S. m.*** *E. Ling.* Palavra ou expressão oriunda de alguma das línguas asiáticas; asiatismo.

asiático [Do gr. *asiatikós*, pelo lat. *asiaticu*.] ***Adj.*** **1.** Da, ou pertencente ou relativo à Ásia; asiano. **2.** Diz-se do luxo excessivo, como o que exibiam certos potentados da Ásia. **3.** *Fig. Deprec.* Indolente, preguiçoso. ~ V. *elefante —*, *estilo —*, *Sudeste Asiático*, e *tigres —s*. • ***S. m.*** **4.** O natural ou habitante da Ásia; asiano.

asiatismo [De *asiático + -ismo*, seg. o padrão erudito.] ***S. m.*** **1.** Influência da Ásia. **2.** Costume(s) ou modo(s) próprio(s) da Ásia. **3.** *E. Ling.* Asiaticismo. **4.** Sentimento de amor ou fidelidade às tradições, interesses ou ideais asiáticos. **5.** *Fig.* Estilo asiático.

asilado [Part. de *asilar*.] ***Adj. S. m.*** Diz-se de, ou aquele que está recolhido ou abrigado em asilo, ou a quem se deu asilo.

asilar [De *asilo + -ar*[2].] ***V. t. d.*** **1.** Recolher em asilo (1). **2.** Dar guarida, abrigo, proteção a; abrigar. **3.** Dar asilo (2) a. **4.** *Fig.* Acolher, recolher; abrigar: *Asilou castamente aquela paixão*. ***P.*** **5.** Abrigar-se ou albergar-se em asilo de caridade. **6.** Procurar para si mesmo amparo, abrigo ou proteção em lugar seguro; refugiar-se. **7.** Recolher-se a asilo (2).

asilo [Do gr. *ásylos*, pelo lat. *asylu*.] ***S. m.*** **1.** Casa de assistência social onde são recolhidas para sustento ou também para educação pessoas pobres e desamparadas, como mendigos, crianças abandonadas, órfãos, velhos, etc. **2.** Lugar onde ficam isentos da execução das leis os que a ele se recolhem: *Os revoltosos vencidos escolheram para asilo a embaixada do México*. **3.** *P. ext.* Guarida, abrigo, proteção.

asimina [Do tax. *Asimina* (poss. do nome indígena norte-americano).] ***S. f.*** *Bot.* **1.** Gênero de anonáceas com oito espécies, nativas do L. da América do Norte. **2.** Qualquer espécie desse gênero, como, p. ex., a *Asimina triloba*, de fruto edule. **3.** Qualquer espécime desse gênero.

➔ **a simultaneo** [a sẹmolˈtanɛɔ] [Lat.] *Filos.* Diz-se de argumento, raciocínio, prova ou demonstração que conclui pela simples consideração da essência ou da noção por demonstrar.

asinal [Do lat. *asinale*.] ***Adj. 2 g.*** V. *asinino*[1].

asinário [Do lat. *asinariu*.] ***Adj.*** V. *asinino*[1].

asinha[1] [De *asa + -inha*.] ***S. f.*** Dim. de *asa*; álula. [Cf. *azinha*.]

asinha[2] [Do lat. vulg. **agina*, 'pressa'.] ***Adv.*** *Ant.* Com brevidade, depressa: "E eu lá daquela altura que amedronta, / Sem poder abalar, correr asinha, / Vingar com mão sanhosa a dura afronta!" (Guerra Junqueiro, *Pátria*, p. 135). [Var.: *aginha*. Cf. *azinha*.]

asinino[1] [Do lat. *asininu*.] ***Adj.*** **1.** De, ou pertencente ou relativo ao asno, ou próprio dele. **2.** V. *burro* (12). [Sin. ger.: *asinal, asinário, asnal, asnático, asneiro, asnil*.]

asinino[2] [Adapt. do tax. *Asininae*.] *Zool.* ***S. m.*** **1.** Espécime dos asinimos, subfamília de animais mamíferos, da ordem dos perissodáctilos, da família dos equídeos. Compreende os jumentos, os mulos e os burros. • ***Adj.*** **2.** Pertencente ou relativo a eles.

▲ **ásio-** [Do top. *Ásia*.] ***El. comp.*** = 'asiático': *ásio-americano*.

ásio-americano [De *ásio- + americano*.] ***Adj.*** **1.** Da Ásia e do continente americano, ou pertencente ou relativo a esses dois continentes. **2.** De origem asiática e americana. • ***S. m.*** **3.** Indivíduo de origem ásio-americana. [Pl.: *ásio-americanos*.]

asir [De *asa + -ir*, significando 'agarrar pela asa'.] ***V. t. d. T. i.*** *P. us.* Tomar com a mão; segurar, agarrar, empunhar: "vendo um tição inflamado na mão de um companheiro, asiu-o, e entrou a descrever com ele, no ar, figuras caprichosas, círculos, elipses" (João Ribeiro, *A Carne*, p. 99). [Pret. imperf. ind.: *asia*, etc. Cf. *azia*, s. f., e o top. *Asia*.]

asma [Do gr. *ásthma, atos*.] *S. f. Med.* Condição que se caracteriza por acessos recorrentes de dispneia paroxística, tosse e sensação de constrição, por efeito da contração espasmódica dos brônquios. Em muitos casos é de natureza alérgica; asma brônquica. [Sin. (bras., pop.): *puxado, puxá, puxação, puxamento, puxeira*.] ◆ **Asma brônquica.** *Med.* Asma. **Asma cardíaca.** *Med.* Dispneia de caráter paroxístico que pode surgir no decurso de cardiopatia.

asmático [Do gr. *asthmatikós*, pelo lat. *asthmaticu*.] *Adj.* **1.** Relativo à asma. **2.** Que sofre de asma. [Sin., nesta acepç.: *asmento* (bras. pop.), *apiançado* e (bras., BA) *estalecido*.] ● *S. m.* **3.** Aquele que sofre de asma; asmento.

asmatiforme [Do rad. gr. *asthmat-* (v. *asma*) + *-iforme*.] *Adj. 2 g.* Semelhante à asma brônquica.

asmento [De *asma* + *-ento*.] *Adj. S. m.* V. *asmático* (2 e 3).

asmo *Adj. Pop.* V. *ázimo*.

asna [Do lat. *asina*, com síncope.] *S. f.* **1.** *Zool.* V. *burra* (1). **2.** *Constr.* Tesoura (6). **3.** *Heráld.* Ângulo formado por duas barras que partem do vértice superior do escudo, lembrando uma asna (2); chaveirão. ◆ **Asna francesa.** *Arquit.* Aquela em que a linha está a meia altura das pernas, ou no seu terço, permitindo a construção do chamado *forro de gamela*.

asnada [De *asno* + *-ada*[1].] *S. f.* **1.** Manada ou récua de asnos; asnaria. **2.** V. *asneira* (1).

asnaga *S. 2 g. Adj. 2 g.* V. *azenegue* (1 e 3): "Entre os berberes figuravam os azenegues, asnagas ou sanhajas, senhores do deserto" (Alberto da Costa e Silva, *A Enxada e a Lança*, p. 259).

asnal [De *asno* + *-al*[1].] *Adj. 2 g.* V. *asinino*[1].

asnamento [De **asnar* (< *asna* [2] + *-ar*[2]) + *-mento*.] *S. m. Constr.* Conjunto de asnas que sustentam uma cobertura; asnaria.

asnaria[1] [De *asno* + *-aria*.] *S. f.* **1.** Asnada (1). **2.** V. *asneira* (1).

asnaria[2] [De *asna* (2) + *-aria*.] *S. f.* Asnamento.

asnático [De *asno* + *-ático*.] *Adj.* V. *asinino*[1].

asnear [De *asno* + *-ear*[2].] *V. int.* **1.** Dizer ou fazer asneiras; tolejar, bobear, asneirar. **2.** Mostrar-se presumido, cheio de si. [Conjug.: v. *frear*.]

asneira [De *asno* (2) + *-eira*.] *S. f.* **1.** Ação tola, geralmente impensada; babaquice, bobagem, bobeira, besteira, bestice, bestidade, bobice, tolice, dislate, disparate, parvoíce, estupidez, burrice, burrada, burragem, burricada, burriquice, jericada, asnada, asnaria, asneirada, asnice, asnidade. **2.** Ato ou palavra obscena.

asneirada [De *asneira* + *-ada*[1].] *S. f.* **1.** Grande asneira. **2.** V. *asneira* (1).

asneirão [De *asno* + *-eirão*.] *S. m.* Asno (2) em excesso; toleirão, parvalhão. [Fem.: *asneirona*.]

asneirar [De *asneira* + *-ar*[2].] *V. int. Bras.* V. *asnear* (1).

asneirento [De *asneira* + *-ento*.] *Adj.* Que diz asneiras.

asneiro [De *asno* + *-eiro*.] *Adj.* **1.** V. *asinino*[1]. **2.** Diz-se do muar procedente de cavalo e burra. ● *S. m.* **3.** Burriqueiro. **4.** Tratador de asno.

asneirola [De *asneira* + *-ola*[1].] *S. f.* Expressão equívoca ou indecente.

asneirona *S. f.* Fem. de *asneirão*.

asnice [De *asno* (2) + *-ice*.] *S. f.* V. *asneira* (1).

asnidade [De *asno* (2) + *-(i)dade*.] *S. f.* V. *asneira* (1).

asnil [De *asno* + *-il*[1].] *Adj. 2 g.* V. *asinino*[1].

asno [Do lat. *asinu*, com síncope.] *S. m.* **1.** *Zool.* V. *jumento* (1). **2.** *Fig.* V. *burro* (8). [Aum.: *asneirão*.]

aspa [Do gót. **haspa*.] *S. f.* **1.** Instrumento de suplício, em forma de X. **2.** *Arquit.* Cruzamento de peças em forma de X, usado para garantir a estabilidade de armações ou estruturas. **3.** *Heráld.* Peça formada pela combinação da banda com a barra; sautor, sotoar. **4.** *Bras.* Chifre, no animal. [M. us. no pl.] V. *corno* (1). ~ V. *aspas*. ◆ **Estar de aspa torta.** *Bras. RS Pop.* Estar zangado, mal-humorado.

aspaço [De *aspa* (4) + *-aço*.] *S. m. Bras.* Pancada com as aspas ou chifres; chifrada, cornada.

aspado [Part. de *aspar*.] *Adj.* **1.** Aspeado. **2.** *Bras.* Furioso, furibundo.

aspar [De *aspa* + *-ar*[2].] *V. t. d.* **1.** Aspear. **2.** Atar ou crucificar na aspa (1). **3.** Lesar fisicamente; maltratar, mortificar, torturar. **4.** Riscar, eliminar; expungir. *T. d. e i.* **5.** Riscar, eliminar, expungir: *Procurava aspar da memória todos aqueles anos de sofrimento.*

asparagácea [Do tax. *Asparagus* (v. *aspárago*) + *-ácea*; tax. *Asparagaceae*.] *S. f. Bot.* Espécime da família das asparagáceas, família da ordem das asparagales, por vezes incluída entre as liliales, que reúne cerca de 150 espécies de lianas e arbustos rizomatosos, ger. com filocládios, folhas por vezes escamosas, flores solitárias, em umbelas ou racemos e frutos bacáceos; ocorrem no Velho Mundo e na América do Sul, e são cultivadas como ornamentais, ou pelos brotos comestíveis. [Sin.: *ruscácea*.]

asparagáceo [De *asparagácea*, com var. suf. (v. *-áceo*).] *Adj. Bot.* Pertencente ou relativo às asparagáceas; ruscáceo.

asparagal [Do tax. *Asparagus* (v. *aspárago*) + *-al*[1].] *Adj. 2 g. Bot.* Pertencente ou relativo às asparagales.

asparagale [Adapt. do tax. *Asparagales*.] *S. f. Bot.* Espécime das asparagales, ordem de monocotiledôneas que engloba 23 famílias, algumas de importância econômica, como as agaváceas, aliáceas, amarilidáceas e asfodeláceas.

▲ **asparag(i)-** [Do lat. asparăgus, *i*.] *El. comp.* = 'aspargo' ou 'espargo'; 'aspárago': *asparagicultura*. [Equiv.: *asparago-*: *asparagolita*.]

asparagicultura [De *asparag(i)-* + *-cultura*.] *S. f.* Cultivo ou plantação de aspargos.

asparagina [Do tax. *Asparagus* (v. *aspargo*) + *-ina*[3].] *S. f. Quím.* Aminoácido natural, cristalino, que contém um grupo amida [fórm.: $C_4H_8N_2O_3$].

▲ **asparago-** [Do gr. *aspáragos*.] Equiv. de *asparag(i)-*.

aspárago [Do tax. *Asparagus* (do lat. *asparagus* < gr. *aspáragos*).] *S. m. Bot.* **1.** Gênero de pequenos arbustos ou ervas perenes asparagáceas, dotadas de caules subterrâneos, rastejantes, e de pequeninos ramos aciculares que substituem as folhas, e que se reduzem a escamas da consistência do papel. **2.** Qualquer espécie desse gênero, como, p. ex., a *Asparagus officinalis* [v. *aspargo* (1)] e a *A. densiflorus* [v. *aspargo* (2)]. **3.** Qualquer espécime desse gênero.

asparagolita [De *asparago-* + *-lita*.] *S. f. Min.* Variedade verde-amarelada da apatita.

aspargo [Do gr. *aspáragos*, pelo lat. *aspargu*.] *S. m. Bot.* **1.** Planta asparagácea (*Asparagus officinalis*), de rizoma escamoso, com brotos carnosos, comestíveis, e cujas folhas são amarelo-esverdeadas, campanuladas e geminadas, sendo os frutos bagas vermelhas que contêm sementes escuras. **2.** Planta asparagácea (*A. densiflorus*) perene, originária da África, de caules pendentes que podem passar de 2m de comprimento, com cladódios de 2 a 3cm de comprimento, aculeiformes, flores brancas, diminutas, em glomérulos, e pequenos frutos, babáceos, vermelhos; é muito cultivada como ornamental. [Sin., nessas acepçs.: *melindre*.] **3.** Planta asparagácea (*A. setaceus* ou *A. plumosus*) perene, tb. cultivada como ornamental; aspargo-de-sala. [Var.: *espargo*.]

aspargo-de-jardim *S. m. Bot.* Planta asparagácea (*Asparagus sprengeri*) exótica e ornamental, originária da África, dotada de flores alvas, pequenas e aromáticas, dispostas em racimos axilares, e cujo fruto é uma pequena baga vermelha. [Var.: *espargo-de-jardim*. Pl.: *aspargos-de-jardim*.]

aspargo-de-sala *S. m. Bot.* Aspargo (3). [Pl.: *aspargos-de-sala*.]

aspartame [Voc. farmac.] *S. m. Quím.* Substância sintética, dipeptídio esterificado, cerca de 160 vezes mais doce do que a sacarose, us. como adoçante [fórm.: $C_{14}H_{18}N_2O_5$].

aspartato [De *aspart-* (< *aspártico*) + *-ato*[2].] *S. m. Quím.* Qualquer sal ou éster do ácido aspártico.

aspártico [Do tax. *Aspar(agus)* + *-t-* + *-ico*[2].] *Adj. Quím.* ~ V. *ácido* —.

aspas [Pl. de *aspa*.] *S. f. pl.* **1.** Asa (9). **2.** Sinais de pontuação («» ou “”), que em geral se grafam alceados, com que se abre e fecha uma citação; comas, vírgulas dobradas. [O segundo sinal de um desses pares (‘ ou ’) é us. para evitar a repetição de palavras em linhas sucessivas.] **3.** *Arquit.* Ornato em feitio de zigue-zague. ~ V. *aspa*. ◆ **Aspas alemãs.** *Tip.* Aspas que têm a forma de vírgulas, ficando na altura da linha as que abrem a citação, e invertidas e ao alto as que a fecham [„......“]. **Aspas francesas.** *Tip.* As de forma angular e alinhamento uniforme [«......»]. **Aspas inglesas.** *Tip.* As que têm a forma de vírgulas colocadas ao alto, sendo invertidas as que abrem a citação [“......”]. **Aspas simples.** Sinal de pontuação (‘ ou ’) com que se inicia e termina a tradução de uma palavra ou expressão estrangeira, uma citação dentro de outra citação, etc. **Bater aspas.** *Bras. RS* V. *bater orelha*. **Fincar as aspas.** *Bras. RS Pop.* Cair de cabeça para baixo. **Fincar as aspas no inferno.** *Bras. RS Pop.* V. *morrer* (1). [Us. com referência a pessoa indesejável.]

aspasiense *Adj. 2 g.* **1.** De, ou pertencente ou relativo a Aspásia (SP). ● *S. 2 g.* **2.** O natural ou habitante de Aspásia.

aspa-torcida *S. m. Bras. RS Pop.* V. *valentão* (3). [Pl.: *aspas-torcidas*.]

aspa-torta *S. m. Bras. RS Pop.* V. *valentão* (3). [Pl.: *aspas-tortas*.]

aspe [De *aspa*.] *S. m.* Raio de roda do engenho de açúcar movido por água.

aspeado [Part. de *aspear*.] *Adj.* Posto entre aspas; aspado.

aspear [De *aspa(s)* + *-ear*[2].] *V. t. d.* Pôr entre aspas (q. v.); aspar: *Esqueceu-se de aspear o texto transcrito.* [Conjug.: v. *frear*.]

aspecto [Do lat. *aspectu*.] *S. m.* **1.** V. *aparência* (1): *Notei-o magro, com aspecto doentio; A névoa dava um aspecto irreal à paisagem.* **2.** *P. ext.* A aparência geral de uma pessoa: *Seu aspecto é excelente.* **3.** A parte externa das coisas: *A manga tem bom aspecto, mas não sei se está saborosa.* **4.** Determinada qualidade, ou conjunto parcial de características: *Este sintoma é um aspecto da doença.* **5.** Cada um dos diversos modos com que um fenômeno, uma coisa, um assunto, etc., pode ser visto, observado ou considerado; lado, face, ângulo: *Cumpre ver todos os aspectos da questão.* **6.** *Anat.* Parte de uma superfície do corpo humano observada a partir de um determinado ponto. **7.** *Astr. P. us.* Fase (3). **8.** *E. Ling.* Categoria gramatical que expressa as diferentes maneiras de se conceber a constituição temporal interna de uma situação. [Var.: *aspeto*.] ◆ **Aspecto atélico.** *E. Ling.* Aspecto (8) indicador de um processo que não tem um fim bem definido. [*Ela canta*, p. ex., descreve um processo que pode ser interrompido a qualquer momento, porque não tem um ponto determinado para seu final.] [Tb. se diz apenas *atélico*. Cf. *télico*.] **Aspecto durativo.** *E. Ling.* Aspecto (8) que indica que uma situação se estende por determinado período de tempo. [Tb. se diz apenas *durativo*. Cf. *aspecto pontual*.] **Aspecto habitual.** *E. Ling.* Aspecto (8) que caracteriza certa situação como um fenômeno que se repete por tempo razoável. [Ex.: *Eles costumavam tomar chá todas as tardes*.] [Tb. se diz apenas *habitual*.] **Aspecto imperfectivo.** *E. Ling.* Aspecto (8) que exprime duração. [Ex.: *João chegava; João estava chegando; João sai para a escola às oito*.] [Tb. se diz apenas *imperfectivo*. Cf. *aspecto perfectivo*.] **Aspecto iterativo.** *E. Ling.* Aspecto (8) que indica a repetição de uma situação. [Ex.: *Todos os sábados ele chega atrasado às minhas aulas*.] [Tb. se diz apenas *iterativo*.] **Aspecto perfectivo.** *E. Ling.* Aspecto (8) que expressa uma situação completa, sem referência à sua constituição interna. [Ex.: *Ele dormiu o dia inteiro*.] [Tb. se diz apenas *perfectivo*. Cf. *aspecto imperfectivo*.] **Aspecto perfeito.** *E. Ling.* Aspecto (8) que relaciona um estágio temporal com alguma situação anterior, marcando a relevância desta. [Tb. se diz apenas *perfeito*.] **Aspecto pontual.** *E. Ling.* Aspecto (8) que caracteriza um evento como desprovido de duração. [Tb. se diz apenas *pontual*. Cf. *aspecto durativo*.] **Aspecto progressivo.** *E. Ling.* Aspecto (8) que expressa a duração de um processo. [Tb. se diz apenas *progressivo*.] **Aspecto télico.** Aspecto (8) indicador de um processo que evolui até um ponto além do qual não poderá ter prosseguimento. [*Ele está fazendo uma casa*, p. ex., pressupõe um momento determinado a partir do qual a casa estará terminada.] [Tb. se diz apenas *télico*. Cf. *atélico*.]

aspectual [De *aspecto* + *-ual*.] *Adj. 2 g. E. Ling.* Relativo a aspecto (8).

asperejar [De *áspero* + *-ejar*.] *V. int. Bras. S.* **1.** Tratar alguém com aspereza. **2.** Repreender alguém com violência; descompor. [Var.: *asprejar*. Conjug.: v. *pelejar*.]

aspereza (ê) [De *áspero* + *-eza*.] *S. f.* **1.** Qualidade ou estado de áspero. **2.** Saliência, desigualdade, rugosidade numa superfície. **3.** Severidade, austeridade, rispidez. **4.** Rudeza, desabrimento. [Sin. ger.: *asperidade, asperidão*.]

asperger [Do lat. *aspegere*.] *V. t. d. T. d. e c. P. P. us.* V. *aspergir*.

asperges [Da 2ª pess. do sing. do fut. ind. do lat. *aspergere*, 'aspergir'.] *S. m. 2 n.* Aspersão com água benta.

aspergido [Part. de *aspergir*.] *Adj.* Asperso.

aspergiliforme [De *aspergilo* + *-iforme*.] *Adj. 2 g. Micol.* Em forma de aparelho esporífero de aspergilo: *estigma aspergiliforme*.

aspergilo [Do tax. *Aspergillus*, alter. do lat. *aspergillum*, 'aspersório'.] *S. m. Micol.* **1.** Gênero de fungos cuja frutificação vegetativa tem a forma de um aspersório sobre o qual os esporos se acham empilhados. [É uma das formas de mofo mais comuns.] **2.** Espécie ou espécime desse gênero.

aspergiloma [De *aspergilo* + *-oma*[1].] *S. m. Patol.* Tumor (1) de natureza inflamatória, formado pela localização de aspergilos em brônquio ou em cavidade pulmonar.

aspergilose [De *aspergilo* + *-ose*[1].] *S. f. Patol.* Infecção causada por aspergilos, e em que se produzem lesões cutâneas, auditivas, oculares, pulmonares, de seios nasais, etc.

aspergimento [De *aspergir* + *-mento*.] *S. m.* Aspersão (1).

aspergir [Do lat. *aspergere*; var. da f. p. us. *asperger*.] *V. t. d. T. d. e c.* **1.** Borrifar ou respingar com gotas de água ou de outro líquido; asperger, orvalhar: *Aspergiu o tapete com essência de flores;* "irás .... ao pé da igreja onde te batizaste .... e é onde aspergirão de água benta o teu caixão de defunta." (Alberto Rangel, *Livro de Figuras*, pp. 115-116); *Aspergiu perfume por toda a sala. P.* **2.** Borrifar a si mesmo; asperger, orvalhar-se: *Aspergiu-se do mais suave perfume.* [1ª pess. do sing. do pres. ind.: *aspirjo*; pres. subj.: *aspirja, aspirjas*, etc. São muito p. us. essas formas. *Aspirjo* é substituído, não raro, por *asperjo*, do antigo v. *asperger*. Part.: *aspergido* e *asperso*.]

▲ **asperi-** [Do lat. *asper, a, um.*] ***El. comp.*** = 'áspero': *aspericomo, asperifólio.*

aspericomo (às) [De *asperi-* + *-como.*] ***Adj. Zool.*** Cujas antenas ou comas têm pelos ásperos.

asperidade [Do lat. *asperitate.*] ***S. f.*** V. *aspereza.*

asperidão [De *áspero* + *-idão.*] ***S. f.*** V. *aspereza.*

asperifólio [De *asperi-* + *-fólio.*] ***Adj. Bot.*** Diz-se do vegetal de folhas ásperas.

aspeníssimo ***Adj.*** Aspérrimo.

asperização [De *asperizar* + *-ção.*] ***S. f. Tec.*** Operação de tornar áspero.

asperizar [De *áspero* + *-izar.*] ***V. t. d. P.*** Tornar(-se) áspero.

aspermatismo [De *a-*[3] + *-spermat(o)-* + *-ismo.*] ***S. m. Med.*** Aspermia (1).

aspermatogénese ***S. f. Med.*** V. *aspermatogênese.* [Uso freq. em P.]

aspermatogênese [De *a-*[3] + *-spermat(o)-* + *-gênese.*] ***S. f. Med.*** Falta de desenvolvimento de espermatozoides.

aspermia [De *a-*[3] + *-sperm(o)-* + *-ia*[1].] ***S. f.*** **1.** *Biol.* Falta de secreção de esperma; aspermatismo. **2.** *Bot.* Ausência de sementes em frutos.

aspérmico [De *a-*[3] + *-sperm(o)-* + *-ico*[2].] ***Adj. Bot.*** Que não tem gameta reprodutivo.

aspermo [Do gr. *áspermos.*] ***Adj. Bot.*** Desprovido de sementes: *A banana é um fruto aspermo.*

áspero [Do lat. *asperu.*] ***Adj.*** **1.** De superfície desigual; acidentado, irregular: *terreno áspero.* **2.** Escarpado, escabroso, fragoso, confragoso: *região áspera.* **3.** Desagradável ao tato; não macio ou liso: *pele áspera.* **4.** De tom rude; duro: *palavras ásperas.* **5.** Diz-se do cabelo ressequido, sem oleosidade natural, sem vida. **6.** Desagradável à audição; penetrante, pungente: *som áspero.* **7.** Desagradável ao paladar; acre, azedo, ácido. **8.** Severo, austero, ríspido: *É homem áspero, mas de bom coração;* "Este, que vês, morreu num africano areal / Por vingança cruel do áspero Pombal." (Gonçalves Crespo, *Obras Completas*, p. 265). **9.** Intratável, insociável, rude, desabrido. **10.** *Bot.* Dotado de pelos curtos e rígidos, difíceis de ver à vista desarmada, mas sensíveis ao tato. ~ V. *folha —a.* [Superl. abs. sint.: *aspérrimo* e *asperíssimo.*]

aspérrimo [Do lat. *asperrimu.*] ***Adj.*** Superl. abs. sint. de *áspero*; asperíssimo: "É longa a estrada, aspérrima e difícil!" (D. J. G. de Magalhães, *Suspiros Poéticos e Saudades*, p. 75.)

aspersão [Do lat. *aspersione.*] ***S. f.*** Ato ou efeito de aspergir; aspergimento; borrifo, respingo.

asperso [Do lat. *aspersu.*] ***Adj.*** Aspergido, borrifado, respingado.

aspersor (ô) [Do lat. *aspersus*, part. pass. de *aspergere*, 'regar', 'aspergir', + *-or.*] ***Adj.*** **1.** Que asperge. ● ***S. m.*** **2.** Pequena peça com que se aspergem, automaticamente, as plantas.

aspersório [Do lat. *aspersus* (v. *aspersor*) + *-ório.*] ***S. m.*** Instrumento de metal ou de madeira com que se asperge água benta; hissope.

aspérula [Do tax. *Asperula* (do lat. *asperula*, dim. do f. do adj. *asper, -era, -erum*, 'áspero').] ***S. f. Bot.*** **1.** Gênero de ervas rubiáceas nativas do Velho Mundo, dotadas de pequenas flores, e folhas verticiladas. **2.** Qualquer espécie desse gênero, como, p. ex., a *Asperula odorata* (v. *rainha-do-bosque*). **3.** Qualquer espécime desse gênero.

asperulo [De *áspero* + *-ulo.*] ***Adj. Bot.*** Um tanto áspero: *folha aspérula.*

aspeto ***S. m.*** V. *aspecto.*

áspide [Do lat. *aspide.*] ***S. f. e m. Zool.*** Animal cordado, reptil, escamado, ofídio, viperídeo (*Vipera aspis*), da Europa, com presas anteriores ocas, com que inocula a peçonha, porém desprovido de fosseta lacrimal, como as demais víboras paleárticas: "Só nos resta, / .... / Sob a traidora rosa / O áspide esconder." (Alexandre Herculano, *Poesias*, p. 181).

▲**-aspid(i)-** Equiv. de *aspid(o)-*.

aspidistra [Do tax. *Aspidistra* (do gr. *aspís, ídos*, 'escudo').] ***S. f. Bot.*** **1.** Gênero de plantas convaláriaceas, por vezes incluídas entre as liliáceas, com cerca de dez espécies, sendo algumas cultivadas como ornamentais. **2.** Qualquer espécie deste gênero, como, p. ex., a *Aspidistra elatior*, de folhagem vistosa e flores insignificantes. **3.** Qualquer espécime desse gênero: "o fotógrafo veio retratá-la entre os vasos de aspidistras, na varanda que era ao mesmo tempo estufa." (Agustina Bessa-Luís, *Vale Abraão*, p. 16).

▲ **aspid(o)-** [Do gr. *aspís, ídos.*] ***El. comp.*** = 'escudo', 'placa': *aspidocéfalo.* [Equiv.: *-aspid(i)-*: *endaspidiano.*]

aspidobrânquio (às) [De *aspid(o)-* + *-brânquio*; tax. *Aspidobranchia.*] ***Zool. S. m.*** **1.** Espécime dos aspidobrânquios, ordem de moluscos gastrópodes, prosobrânquios. Ctenídios ausentes ou em número reduzido (um ou dois), plumosos, com duas fileiras de filamentos; coração com duas aurículas, dois nefrídios. ● ***Adj.*** **2.** Pertencente ou relativo a eles.

aspidocéfalo (às) [De *aspid(o)-* + *-céfalo.*] ***Adj. Zool.*** Que tem a cabeça guarnecida de placas.

aspidocótilo [De *aspid(o)-* + *-cótilo*; tax. *Aspidocotylea.*] ***Zool. S. m.*** **1.** Espécime dos aspidocótilos, ordem de platelmintos, trematódeos, sem ventosa oral ou órgãos adesivos, com superfície ventral com grande ventosa ou uma fileira delas, poro excretor único e posterior. São endoparasitos em um único hospedeiro. ● ***Adj.*** **2.** Pertencente ou relativo a eles. [Sin. ger.: *aspidogastro.*]

aspidogastro (às) [De *aspid(o)-* + *-gastro*; tax. *Aspidogastrea.*] ***S. m. Adj. Zool.*** V. *aspidocótilo.*

aspidoquiroto (às) [De *aspid(o)-* + *-quir(o)-* + *-oto*[2]; tax. *Aspidochirota.*] ***Zool. S. m.*** **1.** Espécime dos aspidoquirotos, ordem de animais equinodermos, holoturoides, com boca anterior, e cujo corpo é provido de numerosos tentáculos (ger. em número de 20) peltados. ● ***Adj.*** **2.** Pertencente ou relativo a eles.

aspidosperma [De *aspid(o)-* + *-sperma*; tax. *Aspidosperma.*] ***S. m. Bot.*** **1.** Gênero de árvores e arbustos apocináceos que habitam regiões tropicais, com cerca de 80 espécies, dotados de folhas alternas, flores pequenas, frutos foliculosos, sementes peltadas, comprimidas, e com asas papiráceas. **2.** Qualquer espécie desse gênero, como, p. ex., a *Aspidosperma polyneuron* (v. *peroba-rosa*). **3.** Qualquer espécime esse gênero.

aspidospermina (às) [Do tax. *Aspidosperma* (v. *aspidosperma*) + *-ina*[3].] ***S. f. Quím.*** Alcaloide indólico pentacíclico encontrado em plantas do gênero aspidosperma, que tem atividade emética [fórm.: $C_{22}H_{30}N_2O_2$].

aspidospôndilo (às) [De *aspid(o)-* + *-(e)spôndilo.*] ***Adj.*** Diz-se do tipo de vértebra arqueada dos anfíbios, na qual a ossificação é precedida por uma fase cartilaginosa.

aspília [Do tax. *Aspilia* (do gr. *a-*, 'não', 'sem', + *spílos*, ou, 'mancha', + lat. cient. *-ia*).] ***S. f. Bot.*** **1.** Gênero de ervas asteráceas, naturais de regiões tropicais da África e da América do Sul. **2.** Qualquer espécie desse gênero, como, p. ex., a *Aspilia foliacea* (v. *bem-me-quer*). **3.** Qualquer espécime desse gênero, ou a sua flor.

aspiração [Do lat. *aspiratione.*] ***S. f.*** **1.** Ato de aspirar; absorção. **2.** Desejo intenso de alcançar um objetivo, um alvo, um fim. **3.** *E. Ling.* Ruído que acompanha a articulação de um som, e que ocorre quando o volume de ar que passa pela glote não é suficiente para causar a vibração das pregas vocais. [No grego clássico, a escrita representava a aspiração com espírito forte (3) (q. v.), como em ἵππος, 'cavalo', representado na transcrição latina pelo <h> (híppos).] **4.** *Fisiol.* Ato de inalar. **5.** *Mec.* V. *admissão* (4).

aspirada [F. subst. de *aspirado.*] ***S. f. E. Ling.*** Consoante aspirada (q. v.).

aspirado [Part. de *aspirar.*] ***Adj.*** **1.** Que se aspirou; sorvido, absorvido. **2.** *E. Ling.* Que tem aspiração (3); aspirativo. ~ V. *consoante —a.*

aspirador (ô) [De *aspirar* + *-dor.*] ***Adj.*** **1.** Que aspira. ● ***S. m.*** **2.** Aparelho para aspirar (2), sobretudo a poeira, partículas de lixo, areia, etc.; aspirador de pó. **3.** *Med.* Aparelho para aspirar secreções e outras matérias. [Há aspiradores de vários tipos, com largo uso em cirurgia, em anestesiologia e em seções de tratamento intensivo.] ◆ **Aspirador de pó.** Aspirador (2).

aspirância [De *aspirar* + *-ância.*] ***S. f.*** Ato de aspirar alguma coisa.

aspirante [Do lat. *aspirante.*] ***Adj. 2 g.*** **1.** Que aspira. **2.** Que sorve ou absorve. ~ V. *bomba — e caixa —.* ● ***S. 2 g.*** **3.** F. red. de *aspirante a guarda-marinha, aspirante a oficial* ou *aspirante a oficial-aviador.* **4.** Militar que detinha a posição de aspirante. ◆ **Aspirante de marinha.** *Bras. Mar.* Aspirante a guarda-marinha.

aspirante a guarda-marinha ***S. m. Mar. G.*** Aluno da Escola Naval. [Pl.: *aspirantes a guarda-marinha.*] ☑

aspirante a oficial ***S. m. Exérc.*** **1.** V. *hierarquia militar.* **2.** Militar que detém o posto de aspirante a oficial. [Pl.: *aspirantes a oficial.*] ☑

aspirante a oficial-aviador ***S. m. Aer.*** **1.** V. *hierarquia militar.* **2.** Militar que detém o posto de aspirante a oficial-aviador. [Pl.: *aspirantes a oficial-aviador.*] ☑

aspirante-premente ***Adj. 2 g.*** ~ V. *bomba —.* [Pl.: *aspirantes-prementes.*]

aspirar [Do lat. *aspirare.*] ***V. t. d.*** **1.** Atrair (o ar) aos pulmões; respirar; inspirar: "E com os lábios entreabertos aspirou com delícia a aura impregnada de perfumes" (José de Alencar, *Cinco Minutos*, p. 74). **2.** Atrair por meio de formação de vácuo ou de rarefação do ar: *Utilizaram bombas para aspirar a água extravasada.* **3.** Aplicar o olfato a; cheirar: "Félix deu alguns passos na sala, aspirou as flores que tinham sido postas numa jarra" (Machado de Assis, *Ressurreição*, pp. 20-21); "Nos ádítos do místico pagode / O ministro de Brama aspira incensos." (Junqueira Freire, *Obras Poéticas*, I, p. 71). **4.** Sorver (por sucção), sugar: *Velhos tempos aqueles em que os médicos usavam ventosas para aspirar o sangue.* **5.** *E. Ling.* Pronunciar com aspiração (3): *Os ingleses aspiram o agá.* ***T. i.*** **6.** Desejar ardentemente; pretender: "Minha alma, ó Deus, a outros céus aspira" (Antero de Quental, *Sonetos*, p. 188); "Aspiro a ser puro e não a ser purista." (Manuel Odorico Mendes, *Ilíada de Homero*, p. 37); "Sente o sol muito longe, sente a claridade no ar que rareia. E toda a noite aspira pela luz." (Raul Brandão, *A Farsa*, p. 152). [Não admite o pronome lhe(s), mas apenas as f. analíticas *a eles, a elas*: "E a mim, que aspiro a ele [Deus], a mim, que o chamo, / Que anseio por mais vida e maior brilho, / Há de negar-me o termo deste anseio?" (Antero de Quental, *Sonetos*, p. 187); *É honraria muito cobiçada, e no entanto a ela não aspiro.*] ***Int.*** **7.** Respirar (1): "Apenas Pelágio transpôs o escuro portal da gruta, Eurico alevantou-se. Aspirava com ânsia, como se aquele ambiente tépido não bastasse a saciá-lo." (Alexandre Herculano, *Eurico, o Presbítero*, p. 265.) **8.** Soprar: *A brisa aspirava brandamente.*

aspirativo [De *aspirar* + *-tivo.*] ***Adj. E. Ling.*** **1.** Aspirado (2). **2.** Que serve para indicar aspiração (3).

aspirina [De *a-*[3] + tax. *Spir(aea) (ulmaria)* + *-ina*[3]; al. *Aspirin*, voc. cunhado pelo químico alemão Adolf von Baeyer (1835-1917), e que significa 'o que se faz sem a *Spiraea (ulmaria)*', para distinguir do ácido acetilsalicílico natural, extraído das flores daquela planta, o ácido que obteve por síntese.] ***S. f.*** **1.** *Quím.* Marca registrada do *ácido acetilsalicílico* (q. v.). **2.** *P. ext.* Comprimido de aspirina.

aspleniácea [Adapt. do tax. *Aspleniaceae* (v. *asplênio* e *-ácea*).] ***S. f. Bot.*** Espécime das aspleniáceas, família da classe das filicópsidas que abrange apenas o gênero *Asplenium* (v. *asplênio*).

aspleniáceo [De *aspleniácea*, com var. suf. (v. *-áceo*).] ***Adj. Bot.*** Pertencente ou relativo às aspleniáceas.

asplénio ***S. m. Bot.*** V. *asplênio.* [Uso freq. em P.]

asplênio [Do tax. *Asplenium* (do lat. *asplenum*, 'douradinha [4]').] ***S. m. Bot.*** **1.** Gênero de aspleniáceas de rizoma piloso, folhas com soros lineares ou oblongos dispostos irregularmente, ou não, e indúsios aderentes à nervura por uma das margens. **2.** Qualquer espécie desse gênero, como, p. ex., a *Asplenium nidus* (v. *ninho-de-passarinho*). **3.** Qualquer espécime desse gênero.

aspone [Das sílabas iniciais de *assessor de porra nenhuma.*] ***S. m. Pop.*** Funcionário público ou executivo que exerce cargo inútil ou desempenha função sem nenhuma efetividade: "Mil anos atrás, o sábio rei Canute, soberano de Inglaterra e Dinamarca, cansou-se de ouvir os aspones da corte dizerem que ele jamais seria desobedecido." (Luís Garcia, em *O Globo*, 07.01.2005.)

ásporo [Do gr. *ásporos.*] ***Adj. Bot.*** Sem esporos.

aspredinídeo [Do lat. cient. *Aspredin-* (< tax. *Aspredo* < lat. *aspredo, inis*, 'aspereza') + *-ídeo*[1].] ***Zool. S. m.*** **1.** Espécime dos aspredinídeos, família de peixes teleósteos, siluriformes, da Amazônia e das Guianas. Compreende espécies denominadas vulgarmente de bagres. Ex.: *rabeca.* ● ***Adj.*** **2.** Pertencente ou relativo a eles.

asprejar ***V. int. Bras. S. Pop.*** V. *asperejar.* [Conjug.: v. *pelejar.*]

aspudo [De *aspa* (4) + *-udo.*] ***Adj. Bras. S.*** **1.** Diz-se do animal de chifres ou aspas grandes. **2.** *Gír.* V. *corno* (11). ● ***S. m.*** **3.** *Gír.* V. *corno* (9).

asquelminto [De *asco*[2] + *-(h)elminto*; tax. *Aschelminthes.*] ***Zool. S. m.*** **1.** Espécime dos asquelmintos, filo de enterozoários, pseudocelomados, cujo corpo, ger. cilíndrico, é revestido por uma camada quitinosa, e que experimentam mudas na fase do crescimento. Têm tubo digestivo completo, e ânus posterior. ● ***Adj.*** **2.** Pertencente ou relativo a eles.

asquenaze [Do hebr. *ashquenazi*, do top. bíblico *Ashkenaz*, posteriormente atribuído à Alemanha medieval.] ***S. 2 g.*** **1.** Judeu de fala iídiche, oriundo esp. dos países da Europa central e oriental. ● ***Adj. 2 g.*** **2.** Relativo a, ou próprio dos asquenazes, ou do judaísmo da Europa central e oriental.

asquerosidade [De *asqueroso* + *-(i)dade.*] ***S. f.*** **1.** Qualidade de asqueroso; imundície; ascosidade, ascorosidade. **2.** Coisa asquerosa: *Tire da minha mesa estas asquerosidades.*

asqueroso (ô) [De *ascoroso*, com dissimilação.] ***Adj.*** Que causa asco; repelente, nauseabundo, ascoso, ascoroso.

assacadilha [De *assacar.*] ***S. f.*** Imputação aleivosa.

assacador (ô) [De *assacar* + *-dor.*] ***Adj. S. m.*** Que, ou aquele que faz assacadilhas, que assaca.

assacar [De *as-*[1] + *sacar*.] *V. t. d. e i.* Imputar ou atribuir aleivosamente: *Assacam-lhe o crime, que na verdade não praticou;* "Como podia suportar-lhe os modos sobranceiros .... e o descoco com que lhe assaca a responsabilidade de insucessos e fiascos?" (Aquilino Ribeiro, *É a Guerra*, p. 224). [Conjug.: v. *trancar*.]

assacate [De or. obscura.] *S. m.* Sebo que se extrai do mesentério das reses.

assacria [De *as-*[3] + *sacro* + *-ia*[1].] *S. f. Embr.* Ausência congênita do sacro (3).

assadeira [De *assar* + *-deira*.] *S. f.* Utensílio para assar; assadeiro, assador, tabuleiro.

assadeiro [De *assado* + *-eiro*.] *S. m.* V. *assadeira*.

assado [Part. de *assar*.] *Adj.* **1.** Que se assou. **2.** *Fig. Bras. N. Fam.* Irritado, zangado. ● *S. m.* **3.** *Cul.* Qualquer prato que conste de iguaria assada, em especial de carne assada. **4.** *Bras. S.* Pedaço de carne própria para assar. **5.** V. *assadura* (3). ~ V. *assados*. ◆ **Assado com couro.** *Bras. S.* Assado de couro. **Assado de couro.** *Bras. S.* Carne assada com o couro; assado com couro. **Assim ou assado.** De um modo ou de outro.

assador (ô) [Do lat. *assatore*.] *S. m.* **1.** Aquele que assa. **2.** V. *assadeira*. **3.** *Bras. S.* Espeto onde se enfia a carne para ser assada.

assados [Pl. de *assado*.] *S. m. pl.* Lances, dificuldades; aperto. ~ V. *assado*.

assadura [Do lat. *assatura*.] *S. f.* **1.** Ato ou efeito de assar. **2.** Pedaço de carne que se assa de uma vez. **3.** *Pop.* Inflamação cutânea devida a atrito, calor, etc.; assado. [V. *intertrigem*.]

assa-fétida [Do lat. med. *assafoetida*, *asafoetida* < persa *aza*, 'almécega', + lat. *foetida*, fem. do lat. *foetidus*, 'fétido'.] *S. f. Bot.* Nome comum às apiáceas do gênero *Ferula* (v. *férula*[2]), a *Ferula assa-foetida*, a *F. foetida* e a *F. nartex*, originárias da antiga Pérsia e das Índias Orientais; exsudam resina que ocorre em lágrimas [v. lágrima (4)], têm odor e gosto nauseantes, e tiveram uso, na medicina antiga, como antiespasmódico. [Pl.: *assa-fétidas*.]

assalariado [Part. de *assalariar*.] *Adj.* **1.** Pago ou remunerado com salário: *funcionário assalariado; trabalho assalariado.* ● *S. m.* **2.** Aquele que trabalha mediante salário. **3.** *P. ext.* Indivíduo que está a soldo de outro. [F. paral.: *salariado*.]

assalariador (ô) [De *assalariar* + *-dor*.] *Adj. S. m.* Que, ou aquele que assalaria.

assalariamento [De *assalariar* + *-mento*.] *S. m.* Ato ou efeito de assalariar.

assalariar [De *as-*[1] + *salário* + *-ar*[2].] *V. t. d.* **1.** Dar salário a; estipendiar. **2.** *Gír.* Subornar, peitar: *Assalariou o funcionário desonesto para apressar o despacho do processo.* *P.* **3.** Empregar-se por salário. **4.** *Gír.* Deixar-se subornar ou corromper.

assalmoado [De *as-*[1] + *salmão*[1] + *-ado*[1], com desnasalação.] *Adj.* V. *assalmonado*.

assalmonado [De *as-*[1] + *salmão*[1] + *-ado*[1].] *Adj.* **1.** Da cor do salmão[1]. **2.** Que tem gosto tirante a salmão[1]. [Var.: *assalmoado*.]

assaloiado [De *as-*[1] + *saloio* + *-ado*[1].] *Adj.* **1.** Semelhante a saloio. **2.** *Fig.* Rústico, rude.

assaltada [De *assalto* + *-ada*[1].] *S. f.* V. *assalto* (1).

assaltador (ô) [De *assaltar* + *-dor*.] *Adj. S. m.* Assaltante.

assaltante [De *assaltar* + *-nte*.] *Adj. 2 g. S. 2 g.* Que, ou quem assalta; assaltador.

assaltar [Do lat. vulg. **assaltare*, por *assultare*.] *V. t. d.* **1.** Atacar de repente; investir com ímpeto e de súbito: *Os comandos assaltaram a posição inimiga.* **2.** Acometer à traição: *Os bandidos o assaltaram e levaram-lhe o dinheiro.* **3.** Atacar de súbito, arrebatando bens a, mediante ameaça e/ou violência; roubar: *Assaltaram-no em pleno dia.* **4.** Praticar, ger. à mão armada, roubo em; roubar: *assaltar um banco.* **5.** Acometer, atacar: *Assaltou-a uma dor fortíssima, que a fez perder os sentidos.* **6.** Lembrar de repente; ocorrer: *Assaltou-os a ideia de que já o tinham visto.* **7.** Assediar (3): *No desembarque do deputado, os repórteres o assaltaram com perguntas.* *Int.* **8.** Assaltar (1 a 4): *Na Idade Média, bandos de malfeitores roubavam e assaltavam nas estradas.* *P.* **9.** Sentir-se como que assaltado; assustar-se, apavorar-se: *Ao ver o guarda, o gatuno assaltou-se.* [Sin. ger.: *saltear* e (p. us.) *assaltear*.]

assaltear [De *assalto* + *-ear*[2].] *V. t. d. P. us.* V. *assaltar*. [F. paral.: *saltear*. Conjug.: v. *frear*.]

assalto [Dev. de *assaltar*.] *S. m.* **1.** Ato ou efeito de assaltar; investida impetuosa; arremetida, assaltada. **2.** Ataque inesperado e com emprego de força, com o fito de roubar, sequestrar, etc.: *Não conseguiram descobrir os autores do assalto ao trem pagador.* **3.** Ataque súbito e violento, brutal, ou físico ou psíquico: *Encontraram-no semimorto, vítima do assalto dos malfeitores; Cada vez que via sua vítima, sofria o assalto de um remorso profundo; Não soube resistir ao assalto da paixão e casou com ela.* **4.** Cada investida do adversário em esgrima, duelo, etc. **5.** Cada um dos períodos de tempo em que se divide uma luta, em pugilismo, luta livre, etc. **6.** Jogo semelhante ao de damas, porém de 24 pedras contra duas. **7.** *Exérc.* Fase final do ataque (8 e 10), geralmente culminando com a luta corpo a corpo, para a conquista da posição atacada. **8.** *Bras. Fam.* Festa íntima e de improviso. **9.** *Bras. Fig.* Roubo (3): *Cem reais por esse almoço é um assalto.* ◆ **Tomar de assalto.** Ocupar um lugar por meio de um ataque inesperado e rápido.

assalvado [De *as-*[1] + *salva*[1] + *-ado*[1].] *Adj. Bot.* Afunilado, infundibuliforme: *corola assalvada*.

assamês *Adj.* **1.** De, ou pertencente ou relativo a Assã (Índia). **2.** Referente ao idioma assamês. ● *S. m.* **3.** O natural ou habitante de Assã. **4.** *Gloss.* Língua indo-europeia do ramo indo-ariano falada em Assã (N.E. da Índia), uma das 13 línguas oficiais ou constitucionais do país. [É escrita no alfabeto bengali.] **5.** Vocábulo dessa língua. [Flex.: *assamesa* (ê), *assameses* (ê), *assamesas* (ê).]

ásana [Do sânscr.] *S. m. Rel.* No sistema ioga, cada uma das posturas pelas quais se visa a obter, em última instância, a supressão da atividade intelectual consciente ou inconsciente; asana.

assanhaço [De *as-*[2] + *sanhaço*.] *S. m. Bras. Zool.* V. *sanhaço* (1).

assanhadiço [De *assanhar* + *-(d)iço*[1].] *Adj.* Que se assanha com facilidade; irascível, abespinhadiço.

assanhado [Part. de *assanhar*.] *Adj.* **1.** Cheio de sanha, enfurecido; furioso. **2.** *Bras.* Irrequieto, buliçoso. **3.** *Bras.* Inquieto, agitado, excitado. **4.** *Bras.* Erótico, lascivo. **5.** Diz-se do cabelo desgrenhado.

assanhamento [De *assanhar* + *-mento*.] *S. m.* Ato ou efeito de assanhar(-se); assanho.

assanhar [De *as-*[1] + *sanha* + *-ar*[2].] *V. t. d.* **1.** Provocar a sanha, raiva ou fúria de; encher de sanha: *Vendo-o enfurecido, calou-se para não assanhá-lo mais ainda.* **2.** Irritar, excitar. **3.** Agravar, exacerbar: *Tais lembranças assanham seu desespero.* **4.** Tornar agitado, revolto (o mar, as ondas); encrespar, encapelar. **5.** Tornar revolto; desgrenhar: "Na rua, veio uma lufada fria e assanhou os seus cabelos." (Joel Silveira, *Onda Raivosa*, p. 12.) *P.* **6.** Irritar-se, irar-se, encolerizar-se, enfurecer-se. **7.** Mostrar-se irrequieto, turbulento. **8.** Proceder de modo que revela excitação, falta de compostura ou de comedimento; alvoroçar-se, exceder-se: *É calma, mas quando está em companhia das amigas, assanha-se.* **9.** Tornar-se agitado, revolto (o mar, as ondas); encrespar-se, encapelar-se.

assanho [Dev. de *assanhar*.] *S. m.* Assanhamento.

assa-peixe [De *assar* + *peixe*.] *S. m. Bras. Bot.* Cambará-guaçu: "No desvio, assoberbava o assa-peixe tristonho, agitadas as franças cá e lá pela arribada atônica de pintassilgos, coleiros e patativas" (Hugo de Carvalho Ramos, *Tropas e Boiadas*, p. 19). [Pl.: *assa-peixes*.]

assar [Do lat. *assare*.] *V. t. d.* **1.** Submeter à ação do fogo, ou ao calor do forno, até ficar cozido ou tostado. **2.** Fazer queimar em chamas; pôr fogo a. **3.** Causar grande calor a; abrasar: *Este sol de meio-dia acabará assando-a.* **4.** Causar assadura (3) em. *Int.* **5.** Passar (o alimento) pela ação do fogo, até ficar cozido ou tostado. **6.** Consumir em chamas; arder; queimar: *O acusado de bruxaria assou na fogueira da Inquisição.* **7.** Causar grande calor; abrasar: *O sol dos trópicos assa.* **8.** Tostar-se, crestar-se. [Pres. ind.: *asso*, *assas*, *assa*, etc.; pres. subj.: *asse*, *asses*, etc.; imperat.: *assa*, *asse*, *assemos*, *assai*, *assem*. Cf. *aça*, *acém* e *açaí*.]

assaranzar *V. t. d. P. Bras.* V. *azaranzar*.

assarapantar [De *as-*[2] + *sarapantar*.] *V. t. d. Int. P.* V. *sarapantar*.

assareense (êen) *Adj. 2 g.* **1.** De, ou pertencente ou relativo a Assaré (CE). ● *S. 2 g.* **2.** O natural ou habitante de Assaré.

assaria *S. f.* Casta de uva de bago grosso.

assarilhado [De *as-*[1] + *sarilho* + *-ado*[1].] *Adj.* Que tem forma de sarilho.

assassinador (ô) [De *assassinar* + *-dor*.] *Adj. S. m. P. us.* Assassino.

assassinamento [De *assassinar* + *-mento*.] *S. m. P. us.* V. *assassínio*.

assassinar [De *assassino* + *-ar*[2].] *V. t. d.* **1.** Matar com violência ou à traição. **2.** Matar (ser humano). **3.** *Fig.* Extinguir, destruir, aniquilar: *assassinar a liberdade;* "Dão-me o repouso do corpo e assassinam-me o da alma!" (Alexandre Herculano, *Lendas e Narrativas*, I, p. 243). **4.** *Fig.* Tocar mal (um trecho de música): "Ela mandou iluminar a sala, e foi para o piano assassinar miseravelmente a marcha da *Aída*" (Artur Azevedo, *Contos fora de Moda*, p. 46). **5.** Falar mal (uma língua): *Fala passavelmente o francês, mas assassina o alemão.* **6.** *Fig.* Representar mal (uma peça ou um papel).

assassinato [Do fr. *assassinat*.] *S. m.* V. *assassínio*.

assassínio [Do it. *asesinio*.] *S. m.* Ato de assassinar; homicídio, assassinato, assassinamento.

assassino [Do ár. *ḥaššāšīn* ou *ḥaššīšīn*, 'consumidores de haxixe', persa *hassassin*, (designação dada aos membros de uma seita ou tribo ismailita do N. do Irã, que, na época das Cruzadas [séc. XII], costumavam inebriar-se com o cânhamo antes de atacar e matar líderes sunitas e cristãos), pelo fr. *assassin* e pelo it. *assassino*.] *S. m.* **1.** Aquele que tira a vida a alguém, que assassina. **2.** *Fig.* Aquele que causa perda ou ruína, que destrói, aniquila: *os assassinos da democracia.* ● *Adj.* **3.** Que produz o assassínio; mortífero: *punhal assassino.* **4.** *Fig.* Que inspira paixão veemente, que mata de amores: *olhos assassinos.* [Sin. ger. (p. us.): *assassinador*.] ◆ **Assassino em série.** Aquele que realiza uma série de homicídios, em geral com o mesmo *modus operandi*: "Assassino em série é aquele que mata duas ou mais pessoas em ocasiões diferentes, em geral valendo-se da mesma estratégia e escolhendo vítimas com alguma semelhança entre si." (Revista *Veja*, 25.11.2009.) [Calque (2) do ingl. *serial killer* (q. v.).]

assaz [Do provenç. *assatz* < lat. *ad satie*.] *Adv.* **1.** Bastante, suficientemente: "O Cruzeiro, que a linda Sofia não quis fitar, ... está assaz alto para não discernir os risos e as lágrimas dos homens." (Machado de Assis, *Quincas Borba*, p. 360.) **2.** Em alto grau; muito: *Ficou assaz irritado, a ponto de perder a cabeça.* ● *Pron. indef.* **3.** Bastante, suficiente, ou muito: "E com assaz dor de seu coração respondeu .... estas palavras" (Fr. Luís de Sousa, *Vida de D. Fr. Bertolameu dos Mártires*, I, p. 377); "com assaz liberalidade" (Id., *ib.*, I, p. 19); "com assaz segurança" (Garção-Stockler, em Sousa Caldas, *Obras Poéticas*, I, p. 182).

assazonado [De *as-*[2] + *sazonado*.] *Adj.* Maduro, sazonado.

asse [Do lat. *asse*.] *S. m.* Antiga moeda romana de cobre.

asseadaço [De *asseado* (4) + *-aço*.] *Adj. Bras. S.* Diz-se do cavalo brioso, asseado (4).

asseado [Part. de *assear*.] *Adj.* **1.** Que tem asseio, higiene; limpo: "Mr. Bauer é um homem baixo, pálido, ... asseado, barbeado, ... e com uma voz assombrosa." (Eça de Queirós, *Notas Contemporâneas*, p. 8.) **2.** Que revela asseio, higiene, limpeza: *A cozinha, de aspecto asseado, recomenda o restaurante.* **3.** Diz-se de obra, trabalho, etc., realizado com apuro, correção, esmero. **4.** *Bras. S.* Diz-se do cavalo garboso, brioso, elegante. **5.** *Bras. S. P. ext.* Diz-se do objeto elegante, belo.

assear [Do lat. vulg. **assedare*, 'pôr as coisas na sua sede, no seu lugar'.] *V. t. d.* **1.** Tornar limpo, varrendo ou lavando; limpar. **2.** *Ant.* Enfeitar, ornar, ataviar. *P.* **3.** Fazer a higiene de si mesmo; limpar-se. **4.** Vestir-se com apuro, com esmero. [Conjug.: v. *frear*.]

assecla [Do lat. *assecla*.] *S. 2 g.* Partidário, sectário, sequaz: "Falo de doutrinas constituídas em plena independência crítica pelos pensadores e não por asseclas e caudatários de déspotas, que tratam de se legitimar com vãs filosofias." (Fidelino de Figueiredo, *O Medo da História*, p. 79.)

assecuratório [Do lat. vulg. **assecurare*, 'assegurar', + *-tório*, poss.] *Adj. Bras.* Que assegura.

assedadeira [De *assedar* + *-deira*.] *S. f.* Mulher que asseda o linho.

assedador (ô) [De *assedar* + *-dor*.] *Adj.* **1.** Que asseda. ● *S. m.* **2.** Aquele que asseda o linho.

assedagem [De *assedar* + *-agem*[2].] *S. f.* Operação de assedar.

assedar [De *as-*[1] + *seda* + *-ar*[2].] *V. t. d.* **1.** Limpar (o linho) no sedeiro. **2.** Tornar macio como seda. [F. paral.: *sedar*. Pres. ind.: *assedo*, *assedas*, *asseda*, etc.; pres. subj.: *assede*, etc. Cf. o pres. ind. e o pres. subj. do v. *aceder*, e *acedares*, s. m. pl.]

assedentado [De *as-*[1] + *sedento* + *-ado*[1].] *Adj.* Sedento, sequioso.

assediador (ô) [De *assediar* + *-dor*.] *Adj.* **1.** Que assedia ou põe assédio; assediante, sitiante. ● *S. m.* **2.** Aquele que põe assédio; sitiante. **3.** *Fig.* Aquele que assedia, importuna, persegue: *A moça teve um trabalhão para livrar-se do assediador.*

assediante [De *assediar* + *-nte*.] *Adj. 2 g.* V. *assediador* (1).

assediar [De *assédio* + *-ar*[2].] *V. t. d.* **1.** Pôr assédio ou cerco a (praça ou lugar fortificado). **2.** Perseguir com insistência: *Vive a assediar a moça com intenção de namorá-la.* **3.** Importunar, molestar, com perguntas ou pretensões insistentes; assaltar: *O repórter assediou o deputado para arrancar-lhe declarações.* [Pres. ind.: *assedio*, *assedias*, *assedia*, etc. Cf. *assédio* e *acedia*.]

assédio [Do lat. *obsidiu* (< lat. *obsidere*, 'pôr-se diante'; 'sitiar'; 'atacar'), poss. com infl. do it.] *S. m.* **1.** Cerco posto a um reduto para tomá-lo; sítio: "Na Holanda, quando, ao levantar-se o cerco de Leide pelo Duque de Alba, o povo se reúne no templo para entoar o coral de Lutero, a grande multidão, dilacerada pelas resistências do assédio e pelas devastações da fome, esquece-se da sua própria dor" (Ramalho Ortigão, *Figuras e Questões Literárias*, I, pp. 128-129). **2.** *Fig.* Insistência importuna, junto de alguém, com perguntas, propostas, pretensões, etc.: "Foi, aí, ainda no limiar da adolescência, que começou a sofrer o assédio dos seres do outro sexo que a perseguiam com olhares e propostas." (Amando Fontes, *Rua do Siriri*, p. 48.) [Cf. *assedio*, do v. *assediar*.]

assegmentado [De *as-*[3] + *segmento* + *-ado*[1].] ***Adj. Zool.*** Diz-se do animal cujo corpo não apresenta segmentos ou somitos, como ocorre nos vermes trematódeos.

asseguração [De *assegurar* + *-ção*.] ***S. f.*** Ato ou efeito de assegurar(-se); asseguramento.

assegurado [Part. de *assegurar*.] ***Adj.*** **1.** Que se assegurou; garantido. **2.** Estabelecido, firmado. **3.** Sossegado, tranquilo.

assegurador (ô) [De *assegurar* + *-dor*.] ***Adj. S. m.*** Que, ou aquele que assegura.

asseguramento [De *assegurar* + *-mento*.] ***S. m.*** Asseguração.

assegurar [Do lat. vulg. *assecurare*.] ***V. t. d.*** **1.** Tornar seguro; garantir: *O desembarque das tropas aliadas assegurou a vitória.* **2.** Afirmar com segurança ou certeza; asseverar: *Interrogado, assegurou que cumprira a tarefa.* **3.** Garantir formalmente a concessão ou outorga de: "Na Holanda, o Estado assegura pensão de 1.000 florins anuais ao velho, quer tenha ou não contribuído para a Previdência Social." (Mário Filizzola, *Como Emplacar 100 Anos*, p. 31.) ***T. d. e i.*** **4.** Afirmar com segurança ou certeza; asseverar: "Posso assegurar-lhes que não havia autorizado Álvaro a denunciar uma presença que fatalmente provocaria atritos e suspeitas." (Nélida Piñon, *A Força do Destino*, p. 11.) **5.** Tornar certo ou seguro; garantir: *Sua eleição assegurará ao país dias tranquilos.* **6.** Dar, oferecer ou permitir de modo certo ou seguro: "Em pouco tempo, a orientação intelectual de Barrow assegurou a Newton uma excelente formação e o conhecimento dos grandes problemas de matemática." (Ronaldo Rogério de Freitas Mourão, *Astronomia e Astronáutica*, p. 18.) ***P.*** **7.** Firmar-se; apoiar: *Tal resolução não se pode assegurar no uso da força.* **8.** Certificar-se; convencer-se: *Para se assegurar de que suas ordens seriam cumpridas, seguiu o criado.*

assegurável [De *assegurar* + *-vel*.] ***Adj. 2 g.*** Que se pode assegurar.

asseidade [Do lat. med. *aseitate* (lat. *aseitas, atis* < lat. *a se*, 'por si', + lat. *-(i)tas, atis* [v. *-(i)dade*]).] ***S. f. Rel.*** Atributo divino fundamental, que consiste em existir por si próprio.

asseio [Dev. de *assear*.] ***S. m.*** **1.** Limpeza, higiene. **2.** *Fig.* Perfeição, apuro: *Escreve com asseio.* **3.** Esmero no vestir.

asselar [De *as-*[2] + *selar*[2].] ***V. t. d. P. us.*** **1.** Selar. **2.** Legalizar, validar; confirmar, ratificar. ***T. d. e i.*** **3.** Afirmar, assegurar.

asselvajado [De *as-*[1] + *selvage(m)*[1] + *-ado*[1].] ***Adj.*** **1.** Que tem modos de selvagem; bruto, rude. **2.** *Fig.* Brutal, estúpido, grosseiro.

asselvajamento [De *asselvajar* + *-mento*.] ***S. m.*** Ato ou efeito de asselvajar(-se).

asselvajar [De *as-*[1] + *selvage(m)*[1] + *-ar*[2].] ***V. t. d.*** **1.** Tornar selvagem, bruto, rude. ***P.*** **2.** Fazer-se grosseiro, selvagem; brutalizar-se.

assemasia [De *as-*[3] + gr. *semasía*, 'ação de sinalizar'.] ***S. f.*** *Neur.* Forma de afasia em que o indivíduo perde a capacidade de comunicação, tanto por palavras como por sinais. [Cf. *assemia*.]

→**assemblage** [asã'blaʒ] [Fr.] ***S. f.*** *Art. Plást.* Na arte contemporânea, obra tridimensional, figurativa ou não, que reúne objetos e/ou materiais diversos, não convencionais, para obter um efeito insólito e romper com as técnicas tradicionais da pintura e da escultura.

assembleia (éi) [Do fr. *assemblée*.] ***S. f.*** **1.** Reunião de numerosas pessoas para determinado fim, esp. deliberativo. **2.** Sociedade, corporação. **3.** V. *congresso* (4). ❖

→**assembler** [ə'sɛmbl] [Ingl.] ***S. m.*** *Inform.* **1.** V. *montador* (2). **2.** Linguagem de programação de baixo nível, na qual cada instrução de máquina é escrita sob a forma de um mnemônico; linguagem *assembly*.

→**assembly** [ə'sɛmblɪ] [Ingl., f. red. do ingl. *assembly (language)*.] ***S. f. e m.*** *Inform.* V. *linguagem* assembly.

→**assembly language** [ə'sɛmblɪ 'læŋgwɪdʒ] [Ingl.] ***S. f.*** V. *linguagem* assembly.

assemelhação [De *assemelhar* + *-ção*.] ***S. f.*** Ato ou efeito de assemelhar(-se).

assemelhado [Part. de *assemelhar*.] ***Adj.*** Que se assemelha; parecido, semelhante. ~ V. *assemelhados*.

assemelhados [Pl. de *assemelhado*.] ***S. m. pl.*** Produtos e artigos similares de outros: *casimira, xantungue e assemelhados.* ~ V. *assemelhado*.

assemelhar [Do lat. **similiare*, em vez de *similare*.] ***V. t. d.*** **1.** Tornar semelhante; assimilar, assimilhar: *Uma longa convivência acaba por assemelhar as pessoas.* **2.** Ser semelhante a; parecer, semelhar: "Estava medonho, assemelhava um espectro." (Arnaldo Gama, *O Balio de Leça*, p. 115); *O fogaréu, ao longe, assemelhava um pequeno ponto de luz.* ***T. d. e i.*** **3.** Tornar semelhante: "o manto preto que envolvia sua cabeça, deixando contornado o rosto muito alvo, assemelhava-a a uma monja medieval" (Hermilo Borba Filho, *O Cavalo da Noite*, p. 180). **4.** Julgar semelhante; comparar: *Não conseguia assemelhá-lo aos demais companheiros.* ***P.*** **5.** Ser semelhante; ter semelhança; parecer-se, semelhar: "Por toda a parte foram encontrando riachos cheios que se assemelhavam a rios." (Franklin Távora, *Lourenço*, p. 125.) **6.** Tornar-se semelhante; semelhar-se. [Conjug.: v. *aparelhar*.]

assemia [De *a-*[3] + *-sem(a)-* + *-ia*[1].] ***S. f.*** *Neur.* Forma de afasia em que o indivíduo é incapaz de fazer uso da fala ou de sinais, e de compreender um ou outro; incide em melancólicos, idiotas e dementes. [Cf. *assemasia*.]

assenhoreamento [De *assenhorear* + *-mento*.] ***S. m.*** Ato ou efeito de assenhorear(-se).

assenhorear [De *as-*[1] + *senhor* + *-ear*[2].] ***V. t. d.*** **1.** Dominar como senhor ou dono: *Tem em mira assenhorear toda a região.* ***P.*** **2.** Tornar-se senhor; entrar no domínio; tomar posse; apossar-se; apoderar-se; ensenhorear-se: *Assenhoreou-se de todas as terras vizinhas.* [Conjug.: v. *frear*.]

assenso [Do lat. *assensu*.] ***S. m.*** V. *assentimento*: "Nem por isso o poder temporal fica inibido de negar o seu assenso às resoluções sinodais." (Alexandre Herculano, *Opúsculos*, I, p. 286); "Tinha um assenso para tudo e um sorriso civilizado para as palavras que ouvia." (Gastão de Holanda, *O Burro de Ouro*, p. 189). [Cf.: *acenso* e *ascenso*.]

assentada [De *assentar* + *-ada*[1].] ***S. f.*** **1.** Sessão forense para inquirição de testemunhas. **2.** Termo que se lavra do depoimento de testemunhas; sessão. **3.** Tempo ininterrupto em que se está sentado. **4.** *Bras.* Esbarrada (2). **5.** *Bras. Amaz.* Alto de praia preferido pelas tartarugas para desovarem, visto ser aí o terreno sempre seco. **6.** *Bras. BA GO* V. *assentado* (8). **7.** *Bras. S.* Vez, ocasião: *Desta assentada o homem vai mesmo.* ◆ **De uma assentada.** De uma só vez; ininterruptamente: *Li o romance de uma assentada.*

assentado [Part. de *assentar*.] ***Adj.*** **1.** Que se assentou. **2.** *Restr.* Diz-se de membro de assentamento (4). **3.** Firmado, resolvido, deliberado: *Quanto a isso, não há dúvida: é matéria assentada.* **4.** Combinado, convencionado. **5.** Pousado, depositado, acamado: *borra assentada no fundo da garrafa.* ● ***S. m.*** **6.** Aquele que se assentou. **7.** Indivíduo assentado (2). **8.** *Bras.* Terreno plano no alto de morro ou de serra; assentada, assente, assento, sentada.

assentador (ô) [De *assentar* + *-dor*.] ***S. m.*** **1.** Aquele que assenta. **2.** Pau esmerilhado no qual se assenta o fio da navalha. **3.** Operário especializado no assentamento de azulejos, ladrilhos ou outro material de revestimento; colocador, ladrilheiro. **4.** *Tip.* V. *tamborete* (3). ◆ **Assentador de provas.** *Tip.* Tamborete de provas.

assenta-levanta ***S. m. 2 n.*** Levanta-assenta.

assentamento [De *assentar* + *-mento*.] ***S. m.*** **1.** Ato ou efeito de assentar(-se). **2.** Assento, anotação; registro. **3.** *Constr.* Colocação no seu devido lugar das peças de qualquer construção; ajustamento, lançamento. **4.** *Urb.* Ato ou efeito de fixar-se, *i. e.*, de estabelecer residência em determinado lugar: "O crescimento desordenado dos assentamentos irregulares, como as invasões, os condomínios e os próprios acampamentos, complicou a ação do poder público." (Sandra Beatriz Zarur, *"Vila Planalto: Um Caso de Resistência Popular"*, em *Brasília, Moradia e Exclusão*, p. 82.) **5.** *Bras. Rel.* Ato, processo ou efeito de assentar (12). **6.** *Bras. Rel.* Ser, ou objeto onde assenta [v. *assentar* (12)] a energia sagrada de qualquer entidade religiosa afro-brasileira; assento.

assenta-pau [De *assentar* + *pau*.] ***S. f. Bras. Zool.*** Designação dada a várias espécies de borboletas ninfalídeas do gênero *Ageronia*, assim chamadas por costumarem pousar nas árvores com as asas coladas ao tronco. [Pl.: *assenta-paus*.]

assentar [Do lat. vulg. **adsedentare* < lat. *sedere*, 'estar sentado'.] ***V. t. d.*** **1.** Flexionar, ou fazer flexionar, os membros inferiores, apoiando as nádegas e coxas em assento (1); assentar-se, sentar: *Cansada de carregar a filha, assentou-a.* **2.** Colocar ou dispor de modo que fique seguro: *assentar um tijolo.* **3.** Armar, instalar: *assentar barracas; assentar uma cabana.* **4.** Estabelecer, fixar, firmar: *Ainda não teve tempo para assentar suas ideias sobre o assunto.* **5.** Determinar, estipular: *assentar as condições dum negócio.* **6.** Decidir, resolver, deliberar: *Assentou mandá-la à Europa.* **7.** Fazer com que não exceda os limites da moderação, do comedimento, da circunspecção: *Os anos e a experiência assentaram-lhe o juízo.* **8.** Ter para si, persuadir-se de; julgar, achar: *Ouvindo aquela voz, assentei que era a dele; mas enganei-me.* **9.** Notar por escrito; anotar, registrar: *assentar os gastos do dia a dia.* **10.** Manter, conservar (os cabelos, o penteado) em forma: *Este preparado assenta o penteado.* **11.** *Bras.* Esbarrar (5). **12.** *Bras. Rel.* Fixar ritualmente as características e a energia sagrada de (um orixá ou entidade afim) num objeto (p. ex., pedra) ou ser (p. ex., árvore) ou na cabeça (5) da inicianda: *Ela vai ter de assentar seu santo.* **13.** *Art. Gráf.* Nivelar (os tipos de uma fôrma) com auxílio de maço e tamborete; aplainar. **14.** Dar a (indivíduo, ou grupo de indivíduos) condições para que se fixe(m) [v. *fixar* (10)]. ***T. d. e i.*** **15.** Aplicar, ajustar, adaptar: *Assentou pedra sobre pedra.* **16.** Fundar, fundamentar, basear: *Assenta seus conhecimentos em boas leituras.* **17.** *Bras. Rel.* Assentar (12): *assentar Oxum numa iaô.* **18.** *Bras. Pop.* Atacar (11 a 13): *assentar um tapa em alguém.* ***T. d. e c.*** **19.** Assentar (1): *Assentou a menina no colo.* **20.** Assentar (9): *Assentou as despesas no livro.* **21.** Assentar (14). ***T. c.*** **22.** Assentar (1): *Ao chegar, assentou no sofá.* ***T. i.*** **23.** Basear-se, firmar-se, fundar-se, fundamentar-se: "Meu receio de que a revolução ainda fosse capaz de triunfar assentava num fato personalíssimo: o emprego que eu esperava." (Ribeiro Couto, *Prima Belinha*, p. 35.) **24.** Resolver, decidir, deliberar: *Assentou de viajar, e o fez logo cedo*; "Assentou de atraí-lo suavemente acenando-lhe com a perspectiva de um rico e vantajosíssimo casamento." (Bernardo Guimarães, *A Escrava Isaura*, p. 33). **25.** Convir, concordar, anuir: *Assentou em dar o seu apoio à campanha*; "assentemos e concordemos todos em que este livro é a urna, em que determinei guardar estes pobres romances que morreram." (Joaquim Manuel de Macedo, *Os Romances da Semana*, p. VI). **26.** Condizer, combinar; harmonizar-se: *O verde não assenta com o roxo.* **27.** Ficar, ajustar-se (bem ou mal): *Este vestido assenta-lhe bem*; "Não assentam num lírio as expressões da rosa." (Félix Pacheco, *Poesias*, p. 13). ***Int.*** **28.** Tomar assento; sentar-se, assentar-se. **29.** Baixar, descer, depositando-se numa superfície qualquer: *A poeira assentou.* **30.** Tornar-se ajuizado, ponderado; assentar a cabeça, assentar o juízo: *Era um desmiolado, mas depois de velho assentou.* **31.** *Bras. Rel.* Fixar, por meio de ritos, a energia de um orixá ou entidade afim num ser, objeto ou na mente da inicianda: *Oçãe é orixá difícil de assentar.* ***P.*** **32.** Assentar (1): "Assentei-me no banco que circulava a mesa" (Aluísio Azevedo, *Demônio*, p. 153). **33.** Fazer-se inscrever; alistar-se. **34.** Fixar-se, estabelecer-se. [Pres. ind.: *assento*, etc.; part.: *assentado* e *assente*. Cf. *assento* e *acento*, s. m.]

assente [Part. irreg. de *assentar*.] ***Adj. 2 g.*** **1.** Assentado, firme: "Aprendi com meu pai a amar e compreender a velha Olinda, ..., assente nas colinas que dominam o horizonte" (Sousa Bandeira, *Evocações e Outros Escritos*, p. 61). **2.** Resolvido, firmado, deliberado. ● ***S. m.*** **3.** *Bras. SP* V. *assentado* (8).

assentimento [De *assentir* + *-mento*.] ***S. m.*** **1.** Ato ou efeito de assentir; anuência, assenso. **2.** *Filos.* Adesão mental a uma proposição, *i. e.*, aceitação da verdade dessa proposição. [Há graus diversos de assentimento, e é famosa a classificação em *certeza, crença* e *opinião*.]

assentir [Do lat. *assentire*.] ***V. t. i. Int.*** **1.** Dar consentimento ou aprovação; permitir, consentir: *Assentiu no casamento da filha; Assentiu com um movimento de cabeça.* **2.** Concordar, anuir, aquiescer: *Costuma assentir aos caprichos da mulher; Instado a ficar, assentiu, embora contrafeito.* ***T. d.*** **3.** Assentir (2): "é doloroso ao brasileiro assentir que profundamente áulico foi o pensamento político que a incitou [a independência]" (José Veríssimo, *A Educação Nacional*, p. 189). [Irreg. Conjug.: v. *sentir*.]

assento [Dev. de *assentar*.] ***S. m.*** **1.** Objeto ou lugar em que a gente se senta. **2.** Lugar em que alguma coisa está assente; base. **3.** Tampo de cadeira, banco, sofá, etc. **4.** V. *nádegas*. **5.** *P. ext. Vest.* Parte da roupa à altura das nádegas; fundilho: *Foi sentar-se na praia e ficou com o assento todo molhado.* **6.** Residência, habitação, morada. **7.** *Jur.* Anotação, registro, apontamento ou lançamento de ato ou fato para comprovação futura. **8.** Termo de qualquer ato oficial. **9.** Estabilidade, firmeza. **10.** Bom senso, ponderação, juízo. **11.** Tranquilidade de espírito, sossego, descanso. **12.** Lugar onde se erige um edifício. **13.** Face de uma pedra de cantaria que se apoia diretamente no chão ou na pedra de baixo. **14.** *Bras.*

V. *assentado* (6). **15.** *Bras. Rel.* Pequena construção retangular levantada fora do terreiro para morada de orixás. **16.** *Bras. Rel.* Assentamento (5). [Cf. *acento*, s. m.] ◆ **Assento etéreo.** O Céu; o Paraíso: "Se lá no assento etéreo, onde subiste, / memória desta vida se consente, / não te esqueças daquele amor ardente / que já nos olhos meus tão puro viste." (Luís de Camões, *Rimas*, p. 172). **De assento.** Que tem compostura; bem-comportado: "Isto foi noutro tempo. Ela agora é moça de assento." (Xavier Marques, *Praieiros*, p. 98.)

assenzalado [De *as-*[1] + *senzala* + *-ado*[1].] ***Adj.*** Semelhante a senzala.

assenzalar [De *as-*[1] + *senzala* + *-ar*[2].] ***V. t. d.*** Dar aspecto de senzala a.

assépalo [De *as-*[3] + *-sépalo*.] ***Adj.*** *Bot.* Destituído de sépalas: *flor assépala.*

assepsia [De *as-*[3] + *sepsia*.] ***S. f.*** **1.** Conjunto das medidas adotadas para evitar a chegada de germes a local que não os contenha. **2.** Ausência de germes, ou de impurezas; caráter ou condição de asséptico (2).

asseptado [De *as-*[3] + *septo* + *-ado*[1].] ***Adj.*** Desprovido de septo(s) [v. *septo* (2)].

asséptico [De *as-*[3] + *séptico*.] ***Adj.*** **1.** Relativo à assepsia. **2.** Isento de germes patogênicos. [Cf. *acético* e *ascético*.]

asserção [Do lat. *assertione*.] ***S. f.*** **1.** Afirmação, asseveração: "Como já disse alguém, um bom romance é um livro que acaba mal, assim como um bom ensaio é uma obra que deve conter certa dose de amargura. No primeiro caso, ... a asserção é bastante certa." (Eduardo Frieiro, *Torre de Papel*, p. 204.) **2.** Alegação, argumento. **3.** *Lóg.* Afirmação (5). **4.** *E. Ling.* Afirmação (8).

asserenar [De *as-*[2] + *serenar*.] ***V. t. d. Int. P.*** V. *serenar*.

asserir [Do lat. *asserere*, 'atrair para si', 'tomar'; 'afirmar'; 'libertar'.] ***V. t. d. P.*** *us.* Afirmar, asseverar. [Irreg. Conjug.: v. *aderir*.]

assertiva [F. subst. de *assertivo*.] ***S. f.*** V. *asserto*.

assertividade [De *assertivo* + *-(i)dade*.] ***S. f.*** **1.** Qualidade, característica ou atributo de assertivo. **2.** *P. ext.* Capacidade de ser claro e afirmativo em relação àquilo que se pensa, quer, sente ou faz. **3.** *Fig.* Firmeza, segurança, determinação.

assertivo [De *asserto* + *-ivo*.] ***Adj.*** **1.** Que contém ou faz um asserto; afirmativo, assertório. **2.** *Fig.* Que se mostra firme, seguro ao revelar sua posição, pensamento ou sentimento, sem, contudo, ultrapassar o limite do respeito. ~ V. *frase –a*.

asserto (ê) [Do lat. *assertu*, part. pass. de *asserere* (v. *asserir*).] ***S. m.*** Proposição afirmativa; asserção, assertiva. [Cf. *acerto*, do v. *acertar*, e *acerto* (ê).]

assertoado [Part. de *assertoar*.] ***Adj.*** *Cost.* Que se assertoou; traspassado [v. *traspassar* (3)]: *saia, paletó assertoados.*

assertoar [Do lat. *assertus*, part. pass. de *asserere*, + *-oar*, poss.] ***V. t. d.*** *Cost.* Cortar, talhar ou dispor, de modo que uma banda se sobreponha à outra. [Conjug.: v. *coroar*.]

assertórico [De *assertório* + *-ico*[2].] ***Adj.*** ~ V. *juízo –*.

assertório [Do lat. *assertus* (v. *asserto*) + *-ório*.] ***Adj.*** V. *assertivo*.

assessor (ô) [Do lat. *assessore*.] ***Adj.*** **1.** Que assessora, que presta assessoramento: *comitê assessor.* ● ***S. m.*** **2.** Adjunto, auxiliar, assistente, ajudante. **3.** *P. ext.* Organismo (5) que fornece assessoramento. [Flex.: *assessora* (ô), *assessores* (ô), *assessoras* (ô). Cf. *assessora*, *assessores* e *assessoras*, do v. *assessorar*.] ◆ **Assessor de imprensa.** Profissional, ger. jornalista, que trabalha em assessoria de imprensa (q. v.).

assessoramento [De *assessorar* + *-mento*.] ***S. m.*** **1.** Ato ou efeito de assessorar; assessoria. **2.** Assessoria (2).

assessorar [De *assessor* + *-ar*[2].] ***V. t. d.*** **1.** Servir de assessor a; assistir. **2.** Auxiliar, tecnicamente, graças a conhecimentos especializados em dado assunto. [Pres. ind.: *assessoro*, *assessoras*, *assessora*, etc.; pres. subj.: *assessore*, *assessores*, etc. Cf. *assessora* (ô), *assessoras* (ô), *assessores* (ô), flex. de *assessor*.]

assessoria [De *assessor* + *-ia*[1].] ***S. f.*** **1.** Assessoramento (1). **2.** Órgão, ou conjunto de pessoas, que assessoram um chefe; assessoramento. **3.** Escritório, ou instituição, especializado na coleta e análise de dados técnicos, estatísticos ou científicos sobre uma matéria. ◆ **Assessoria de imprensa.** **1.** Conjunto de atividades que visam promover o relacionamento entre empresa, organismo, ou indivíduo e os meios de comunicação. **2.** Departamento de uma empresa, ou escritório especializado, que se ocupa dessas atividades.

assessorial [De *assessor* + *-ial*.] ***Adj. 2 g.*** Relativo a assessor, a assessoria, ou que é próprio dele, ou dela: *atribuição assessorial.* [Sin.: *assessório*.]

assessório [Do lat. *assessoriu*.] ***Adj.*** Assessorial. [Cf. *acessório*.]

assestar [Do it. *assestare*.] ***V. t. d.*** **1.** Apontar ou dirigir (arma de fogo) para disparar. **2.** Pôr (instrumento de óptica) na direção de alguém ou de algo. ***T. d. e c.*** **3.** Apontar, dirigir: *Assestou a luneta para o céu;* "Laura, a esposa do Comendador Viana, trouxe-lhe o binóculo, que ele assestou contra o homem do caramanchão." (Artur Azevedo, *Contos fora da Moda*, pp. 197-198). [Pres. ind.: *assesto*, etc. Cf. *assesto* (ê).]

assesto (ê) [Dev. de *assestar*.] ***S. m.*** Ato ou efeito de assestar [Pl.: *assestos* (ê). Cf. *assesto*, do v. *assestar*.]

assetar [De *as-*[1] + *seta*[1] + *-ar*[2].] ***V. t. d.*** V. *assetear*. [Pres. ind.: *asseto*, *assetas*, *asseta*, etc. Cf. *aceta*, do v. *acetar*, e *asceta*.]

asseteador (ô) [De *assetear* + *-dor*.] ***Adj. S. m.*** Que, ou aquele que asseta ou asseteia.

assetear [De *as-*[1] + *seta*[1] + *-ear*[2].] ***V. t. d.*** **1.** Ferir ou matar com seta. **2.** Mortificar, martirizar, pungir. **3.** Difamar, caluniar. **4.** Vituperar, injuriar. [F. paral.: *setear*, *assetar*. Conjug.: v. *frear*.]

assético ***Adj.*** V. *asséptico*. [Uso próprio de P.] ⊙

assevandijamento [De *assevandijar* + *-mento*.] ***S. m.*** Ato ou efeito de assevandijar(-se).

assevandijar [De *as-*[1] + *sevandija* + *-ar*[2].] ***V. t. d. P.*** Reduzir(-se) a condição de sevandija; rebaixar(-se), aviltar(-se), envilecer(-se).

asseveração [Do lat. *asseveratione*.] ***S. f.*** Ato ou efeito de asseverar; afirmação segura.

asseverador (ô) [De *asseverar* + *-dor*.] ***Adj.*** Que, ou aquele que assevera.

asseverar [Do lat. *asseverare*.] ***V. t. d.*** **1.** Afirmar com certeza, segurança; assegurar: "O mouro Abolaís, ao descrever a mineralogia astronômica dos caldeus, assevera que este povo consagrava uma pedra preciosa a cada mês do ano." (Luís Guimarães, *Samurais e Mandarins*, p. 88); "asseverou que me ama extremosamente desde muito tempo." (Joaquim Manuel de Macedo, *Os Romances da Semana*, p. 25). **2.** Dar como certo; certificar; atestar, provar: *Quem assevera que o criminoso seja mesmo ele?* ***T. d. e i.*** **3.** Afirmar com certeza, segurança; assegurar: *Assevera a ele que terá o meu inteiro apoio.*

asseverativo [De *asseverar* + *-tivo*.] ***Adj.*** **1.** Que assevera. **2.** Que contém asseveração; afirmativo.

assexo (cs) [De *as-*[3] + *-sexo*.] ***Adj.*** V. *assexuado* (1).

assexuado (cs) [De *as-*[3] + *-sex(o)-* + *-uado*.] ***Adj.*** **1.** Que não tem os órgãos do sexo; assexo, insexuado: *Indivíduo assexuado.* **2.** *Biol.* V. *agâmico*. **3.** *Fig.* Desprovido de sexualidade ou de sensualidade; que não parece ter, ou não desperta impulso ou atração sexual.

assexual (cs) [De *as-*[3] + *-sex(o)-* + *-ual*.] ***Adj. 2 g.*** *Biol.* Que se efetua sem a participação de gametas: *reprodução assexual.*

assialia [De *as-*[3] + *-sial(o)-* + *-ia*[1].] ***S. f.*** *Med.* Ausência de secreção salivar; aptialia.

assiálico [De *assialia* + *-ico*[2].] ***Adj.*** *Med.* Relativo à assialia; aptiálico.

assibilar ***V. t. d. P.*** Tornar(-se) sibilante.

assidagã ***S. f.*** *Bras. Rel.* V. *ossidagã*.

assidrado [De *as-*[1] + *sidra* + *-ado*[1].] ***Adj.*** Que tem cheiro ou sabor de sidra. [Cf. *acidrado*.]

assidrar [De *as-*[1] + *sidra* + *-ar*[2].] ***V. t. d.*** Dar cheiro ou sabor de sidra a. [Cf. *acidrar*.]

assiduidade (u-i) [Do lat. *assiduitate*.] ***S. f.*** **1.** Qualidade ou caráter de assíduo. **2.** Frequência, constância: *É grande a sua assiduidade às aulas.*

assíduo [Do lat. *assiduu*.] ***Adj.*** **1.** Que está sempre, ou muito frequentemente, em um lugar: "quando voltou [Eugênio] definitivamente para a casa paterna, Margarida .... já não era tão assídua em casa do fazendeiro." (Bernardo Guimarães, *O Seminarista*, p. 28). **2.** Que comparece com regularidade e exatidão ao lugar onde tem de desempenhar seus deveres ou funções: *aluno assíduo; funcionário assíduo à repartição.* **3.** Que está sempre entregue a seu trabalho, que a ele se dedica sem interrupção; aplicado, diligente: *lavrador assíduo;* "Mostrava-se Antônio Vieira assíduo e fervoroso nos estudos" (João Francisco Lisboa, *Obras*, IV, p. 10). **4.** Constante, contínuo, aturado: *labor assíduo.*

assifonogamia [De *as-*[3] + *sifonogamia*.] ***S. f.*** *Bot.* Nos fanerógamos, tipo de fecundação em que os anterozoides se deslocam em líquido para atingir o óvulo.

assifonógamo ***Adj.*** *Bot.* Diz-se da planta que apresenta assifonogamia.

assim [Do lat. *ad* + *sic*, pelo arc. *assi*.] ***Adv.*** **1.** Deste ou desse ou daquele modo: *Não proceda assim com seu amigo;* "Nunca morrer assim! Nunca morrer num dia / Assim! de um sol assim!" (Olavo Bilac, *Poesias*, p. 170). **2.** Do mesmo modo; igualmente: *Foram premiados Manuel, Frederico, Roberto, e assim os demais alunos que alcançaram nota superior a oito.* **3.** Indica tamanho, quantidade, etc., exprimindo-se, na fala, o tamanho com um gesto característico da mão espalmada em plano horizontal, e a quantidade com os dedos apinhados: *É uma criancinha assim; A casa estava assim de gente;* "Quando o dia se alevanta, / Virgem Santa! / Fica assim de sabiá..." (Heckel Tavares e Luís Peixoto, na canção *Casa de Caboclo*). ● ***Conj.*** **4.** Deste modo; destarte; portanto; assim sendo: *Curta é a vida – assim, saibamos vivê-la.* ◆ **Assim, assim.** *Bras.* Mais ou menos; nem bem nem mal; sofrivelmente; assim: *– Como tem passado? | – Assim, assim.* **Assim como.** **1.** Do mesmo modo que; como: *Assim como ele, outros caíram no logro.* **2.** Logo que; assim que: *Assim como cheguei, fui notando novidades.* **Assim como assim.** De qualquer modo que seja; seja como for: *Assim como assim, é o melhor tratado sobre o assunto;* "Farta estou eu de ser rainha e não posso ser outra coisa, assim como assim, vou rezando para que se salve o meu marido, não vá ser pior outro que venha" (José Saramago, *Memorial do Convento*, [8ª ed.] p. 114). **Assim mesmo.** Ainda assim; todavia. **Assim ou assado.** Deste modo, ou de outro: "Eu tinha nele uma confiança cega e não havia segredo que não lhe confiasse. Conselho, orientação, fazer isto ou aquilo, proceder assim ou assado era sempre uma decisão que valia no meu espírito." (Pedro Nava, *Beira-Mar*, p. 209.) **Assim que.** Logo que, tanto que: "– Carta de seu tio Stefan – disse, assim que me viu" (Lia Luft, *A Asa Esquerda do Anjo*, p. 111). **Assim seja.** Amém.

assimbolia [De *as-*[3] + *símbolo-* + *-ia*[1].] ***S. f.*** *Psicol.* Incapacidade patológica de entender os símbolos ou signos.

assimetria [Do gr. *asymetría* (v. *a-*[3] e *simetria*).] ***S. f.*** **1.** Ausência de simetria; dessimetria, dissimetria. **2.** *Lóg.* Propriedade de relação que, afirmada entre A e B, não pode ser afirmada entre B e A sem haver uma transformação. Ex.: A é pai de B. [Cf. *simetria*.]

assimétrico [De *assimetria* + *-ico*[2].] ***Adj.*** Que não tem simetria; não simétrico; antissimétrico, dessimétrico, dissimétrico. ~ V. *aliança –a*, *carbono –* e *janicéfalo –*.

assimilabilidade [De *assimilável* + *-(i)dade*, seg. o padrão erudito.] ***S. f.*** Qualidade de assimilável.

assimilação [Do lat. *assimilatione*.] ***S. f.*** **1.** Ato ou efeito de assimilar. **2.** *Fisiol. Med.* Anabolismo (2). **3.** *E. Ling.* Modificação de um som no sentido de tornar-se mais semelhante a outro do ambiente (9): Ex. *esse* (< lat. *ipse*); *nosso* (< *nosto* < *nostro* < lat. *nostru*); *enteado* (< lat. *antenatu*); *pelo* (< *per* + *lo*). [Antôn. (nesta acepç.): *dissimilação*.] **4.** Confusão ou transformação de palavras parecidas. **5.** *Antrop. Sociol.* Processo pelo qual um grupo social, ger. minoritário e/ou subordinado, perde suas características culturais distintivas, sendo integrado ao, ou absorvido pelo grupo maior, ou mais poderoso, ou que constitui a sociedade envolvente. ◆ **Assimilação clorofiliana.** *Biol.* V. *fotossíntese*. **Assimilação do carbono.** *Biol.* V. *fotossíntese*. **Assimilação genética.** *Biol.* Fixação genética, por seleção, de um caráter evocado pelo meio.

assimilado [Part. de *assimilar*.] ***Adj.*** **1.** Que sofreu assimilação. **2.** Que resulta de assimilação (3): *A palavra* enteado *é forma assimilada do antigo* anteado. **3.** *Afric.* Dizia-se de africano negro ou mulato que, na época colonial, se beneficiava da nacionalidade portuguesa: "os negros assimilados que tinham Bilhete de Identidade assistiam ao filme em grupo" (Boaventura Cardoso, *O Signo do Fogo*, p. 260).

assimilador (ô) [De *assimilar* + *-dor*.] ***Adj.*** **1.** Que produz assimilação, assimilativo. ● ***S. m.*** **2.** Aquele ou aquilo que assimila.

assimilar [Do lat. *assimilare*.] ***V. t. d.*** **1.** Tornar semelhante, ou igual; assemelhar. **2.** Apropriar-se, compenetrar-se de (ideia, sentimento, etc.): *assimilar o estilo dum escritor.* **3.** Compenetrar-se de; fixar, apreender, aprender (ideias, ensinamentos): *Este aluno não assimila o que lhe ensinam.* **4.** Elaborar a assimilação (2) de; converter em substância própria. **5.** *E. Ling.* Dar lugar à assimilação (3) de: *Na passagem do lat.* nostru *ao port.* nosso, *o* s *assimilou o* t. ***T. d. e i.*** **6.** Tornar semelhante; assemelhar. **7.** Comparar; cotejar. ***P.*** **8.** Tornar-se semelhante ou igual; assemelhar-se.

assimilativo [De *assimilar* + *-tivo*.] ***Adj.*** **1.** Assimilador (1). **2.** Referente à assimilação: *processo assimilativo.*

assimilável [De *assimilar* + *-vel*.] ***Adj. 2 g.*** Que pode ser assimilado.

assimilhar ***V. t. d. T. d. e i. P.*** V. *assemelhar*.

assímptota [Do gr. asýmptotas.] ***S. f.*** *Mat.* Assíntota (q. v.).

assimptótico [De *assímptota* + *-ico*[2].] ***Adj.*** Assintótico (q. v.).

assinação [Do lat. *assignatione*.] ***S. f.*** **1.** Ato de assinar; assinatura. **2.** *Jur.* Notificação de um ato prestes a praticar-se. [V. *citação* (4) e *notificação* (2).] **3.** *Jur.* Determinação, consignação.

assinado [Part. de *assinar*.] ***Adj.*** **1.** Em que há assinatura. **2.** Que tem promessa de pagamento ou quitação.

~ V. *conta* —*a*. ● *S. m.* **3.** Documento autenticado com assinatura.

assinalação [De *assinalar* + *-ção*.] *S. f.* Assinalamento (1).

assinalado [Part. de *assinalar*.] *Adj.* **1.** Que tem ou leva sinal; marcado. **2.** Que se assinalou, distinguiu; célebre, notável: *varão assinalado*. **3.** Diz-se do gado marcado com assinalamento (2).

assinalador (ô) [De *assinalar* + *-dor*.] *Adj.* **1.** Que assinala; assinalativo. ● *S. m.* **2.** Aquele ou aquilo que assinala.

assinalamento [De *assinalar* + *-mento*.] *S. m.* **1.** Ato de assinalar(-se); assinalação. **2.** Recorte na orelha de um animal, pelo qual se sabe a que fazenda ele pertence. [Sin., nesta acepç., em Marajó: *bico de gavião*.]

assinalar [De *as-*^{1} + *sinal* + *-ar*^{2}.] *V. t. d.* **1.** Marcar com sinal; pôr sinal em; assinar. **2.** Dar sinal, indício, notícia ou conhecimento de: *Um cruzeiro assinala o local do desastre.* **3.** Distinguir, ilustrar, marcar: *acontecimento que assinala uma época.* **4.** Particularizar, especificar. **5.** Marcar (o gado) por meio de recortes. **6.** Afirmar, assegurar: *Assinalou que não estivera no local do crime.* ***Transobj.*** **7.** Dar a conhecer; distinguir: *O cabelo muito louro assinalava-o como estrangeiro.* ***P.*** **8.** Mostrar-se, surgir, aparecer: *Já o Sol assinalava-se no horizonte.* **9.** Distinguir-se, salientar-se, notabilizar-se, sobressair, assinar-se: *Assinala-se pela sua inteligência;* "Logo o grande de Pereira em que se encerra / Todo o valor, primeiro se assinala" (Luís de Camões, *Os Lusíadas*, IV, 30).

assinalativo [De *assinalar* + *-tivo*.] *Adj.* Assinalador (1).

assinalável [De *assinalar* + *-vel*.] *Adj. 2 g.* Que se pode ou deve assinalar.

assinante [Do lat. *assignante*.] *S. 2 g.* **1.** Pessoa que assina; subscritor. **2.** Aquele que fez uma assinatura (4).

assinar [Do lat. *assignare*.] *V. t. d.* **1.** Firmar com seu nome ou sinal (carta, documento, obra, etc.); firmar: *assinar uma escritura.* **2.** Firmar em carta, documento, etc. (o nome); assinar-se: "Seu pai [de Isaac Newton], um pequeno proprietário que não sabia sequer assinar o nome, havia morrido três meses antes." (Ronaldo Rogério de Freitas Mourão, *Astronomia e Astronáutica*, p. 16.) **3.** Marcar com sinal; pôr sinal em; assinalar. **4.** Apontar, mostrar, indicar: *Assinaram razões pouco convincentes.* **5.** Aprazar, fixar: *Assinou a data que lhe convinha.* **6.** Demarcar, delimitar: *Assinou o local da construção.* **7.** Tomar assinatura (4) de (publicação periódica, transmissão de televisão, série de espetáculos, etc.). **8.** Imprimir sua marca, desenho ou modelo em: "Cardin assina lençol paulista." (*Jornal do Brasil*, 31.08.1982.) **9.** Ter ou usar por nome; assinar-se: *Antes do casamento assinava Dolores Ramalho.* **10.** *Jorn.* Apor nome a (matéria), identificando o autor dela. ***T. d. e i.*** **11.** Destinar, estabelecer, aplicar (rendas). **12.** Atribuir, conferir, conceber: *Assinou-lhe as honrarias a que faz jus.* **13.** Demarcar, delimitar: *Assinaram um prazo aos colaboradores.* ***Int.*** **14.** Escrever em documento próprio sinal ou nome. ***P.*** **15.** Subscrever o próprio sinal ou nome em documento. **16.** V. *assinalar* (9). **17.** Assinar (9): *A ouvinte que se assina Manuela da Costa mandou-nos uma nova receita.*

assinatura [De *assinar* + *-tura*.] *S. f.* **1.** Ato ou efeito de assinar. **2.** O nome escrito; firma. **3.** Emolumentos pagos a magistrado por firmar certos papéis. **4.** Ajuste pelo qual se adquire, mediante o pagamento de certa quantia, o direito de receber, durante um tempo determinado, publicação periódica ou volumes de uma obra, de assistir a certo número de espetáculos, de utilizar serviço de telefonia ou de tevê, de viajar de trem ou outro veículo, etc. **5.** O preço desse ajuste. **6.** Estilo, marca ou sinal que permite identificar a autoria de algo: *um tailleur com a assinatura de Channel; um crime com assinatura da Máfia.* [Cf., nesta acepç., *grife*.] **7.** *Bibliogr.* Número ou letra, ou o título da obra, que se põe no pé da primeira página de cada um dos cadernos de um livro, para indicar a ordem em que devem ser alçados (v. *norma*). **8.** *Edit.* Crédito (13). **9.** *Grav.* Conjunto de indicações gravadas em talho-doce, xilogravura ou litografia, esclarecedoras dos nomes dos respectivos artistas e artesãos, e, no caso do talho-doce, das atribuições de cada um no trabalho de gravar e estampar. **10.** *Prop.* Certa forma regular e padronizada que, combinando ger. o símbolo-marca e o logotipo de uma empresa ou organização, é us. para identificação institucional em suas mensagens, produtos, papéis de correspondência, formulários, etc. [Cf., nesta acepç., *logomarca*.] **11.** *Prop.* Numa peça publicitária, identificação do anunciante ou da agência de propaganda. ◆ **Assinatura a rogo.** Assinatura aposta por alguém em documento a que é estranho, a pedido de pessoa analfabeta ou fisicamente impossibilitada de fazê-lo. **Assinatura musical.** *Prop.* Composição musical associada a programa, produto, empresa, etc. [Cf. *jingle*.] **Tomar assinatura com.** *Bras. Fam.* Caçoar constantemente de, ou implicar com (alguém), não o deixando em paz.

assinável [De *assinar* + *-vel*.] *Adj. 2 g.* Que pode ser assinado.

assincrônico *Adj.* V. *assincrônico*. [Uso freq. em P.]

assincrônico [De *as-*^{3} + *sincrônico*.] *Adj.* Que não é sincrônico; assíncrono.

assincronismo [De *as-*^{3} + *sincronismo*.] *S. m.* Ausência de sincronismo (1).

assíncrono [De *as-*^{3} + *síncrono*.] *Adj.* Que não ocorre, ou não se processa, em sincronia com algum evento ou processo, ou segundo uma taxa constante em relação a determinada referência. [Opõe-se a *síncrono*.] ~ V. *transmissão* —*a*.

assindético [De *assíndeto* + *-ico*^{2}.] *Adj.* Em que há assíndeto. [Cf. *sindético* e *polissindético*.] ~ V. *coordenação* —*a*.

assíndeto [Do gr. *asýndeton*, 'disjunção', pelo lat. *asyndeton*.] *S. m. E. Ling.* Ausência de conjunções coordenativas entre frases ou entre partes da mesma frase. Ex.: Cheguei, vi, venci; É homem rico, simpático, inteligente. [Cf. *polissíndeto* e *síndeto*. F. paral.: *assíndeton*.]

assíndeton *S. m.* V. *assíndeto*.

assinergia [De *as-*^{3} + *sinergia*.] *S. f. Med.* Falta de coordenação entre partes do organismo que normalmente funcionam em harmonia.

assinérgico [De *assinergia* + *-ico*^{2}.] *Adj. Med.* Relativo à assinergia.

assinótico [De *as-*^{3} + *sinótico*.] *Adj. Mús.* Diz-se da concepção sonora que se libertou do antigo conceito da série de sons limitada às 12 notas da escala cromática.

assintático [De *as-*^{3} + *sintático*.] *Adj.* Oposto à sintaxe; não sintático.

assintomático [De *as-*^{3} + *sintomático*.] *Adj.* Em que não se apresenta(m) sintoma(s); não sintomático.

assíntota [Do gr. *asýmptotas*, 'que não pode coincidir'; var. de *assímptota*.] *S. f. Mat.* Reta que é tangente a uma curva no infinito; reta limite da família de tangentes a uma curva quando o ponto de tangência tende para o infinito.

assintótico [Var. de *assimptótico*.] *Adj.* Referente à assíntota. ~ V. *cone* — *e liberdade* —.

assinzinho [De *assim* + *-zinho*.] *Adv. Bras. Pop.* Exatamente assim; tal qual: "Contei esta história ao Dr. Amadeu, assinzinho como estou contando agora." (Rute Guimarães, *Água Funda*, p. 199.)

assírio [Do gr. *assýrios*, 'assírio', pelo lat. *assyriu*.] *Adj.* **1.** Da, ou pertencente ou relativo à antiga Assíria (Ásia, no atual Iraque), ou à sua civilização ou ao dialeto ali falado. ● *S. m.* **2.** O natural ou habitante da Assíria. **3.** *Gloss.* Dialeto do acádio (2) que foi falado na Assíria.

assiriologia [De *assírio* + *-logia*.] *S. f.* O estudo da civilização assíria.

assiriológico [De *assiriologia* + *-ico*^{2}.] *Adj.* Referente à assiriologia.

assiriologista [De *assiriologia* + *-ista*.] *S. 2 g.* Especialista em assiriologia; assiriólogo.

assiriólogo [De *assírio* + *-logo*.] *S. m.* Assiriologista.

assisado [De *as-*^{1} + *siso* + *-ado*^{1}.] *Adj.* Que tem siso; ponderado, prudente, sensato, ajuizado, sisudo.

assis-brasilense *Adj. 2 g.* **1.** De, ou pertencente ou relativo a Assis Brasil (AC). ● *S. 2 g.* **2.** O natural ou habitante de Assis Brasil. [Pl.: *assis-brasilenses*.]

assis-chateaubriense (tô-bri) *Adj. 2 g.* **1.** De, ou pertencente ou relativo a Assis Chateaubriand (PR). ● *S. 2 g.* **2.** O natural ou habitante de Assis Chateaubriand. [Sin. ger.: *assisense*. Pl.: *assis-chateaubrienses*.]

assisense^{1} *Adj. 2 g.* **1.** De, ou pertencente ou relativo a Assis (Itália central e SP). ● *S. 2 g.* **2.** O natural ou habitante de Assis.

assisense^{2} *Adj. 2 g. S. 2 g.* V. *assis-chateaubriense*.

assisense^{3} *Adj. 2 g.* **1.** De, ou pertencente ou relativo a São Francisco de Assis (RS). ● *S. 2 g.* **2.** O natural ou habitante de São Francisco de Assis.

assísmico [De *as-*^{3} + *-sism(o)-* + *-ico*^{2}.] *Adj. Geol.* Que não apresenta abalos sísmicos, ou os apresenta fracos.

assistemático [De *as-*^{3} + *sistemático*.] *Adj.* Que não tem, ou em que não há sistema; não sistemático: "Getúlio [Vargas] só tinha velhas leituras, superficiais e assistemáticas" (Afonso Arinos de Melo Franco, *A Alma do Tempo*, pp. 377-378).

assistência [Do lat. **assistentia*.] *S. f.* **1.** Ato ou efeito de assistir. **2.** Presença atual. **3.** Conjunto de assistentes [v. *assistente* (2)]. **4.** Proteção, amparo, arrimo: *Não dá a menor assistência aos filhos.* **5.** Auxílio, ajuda: *Vim ver se a minha assistência é necessária para o fim do trabalho.* **6.** Socorro médico: *Morreu por falta de assistência.* **7.** *Dir. Proc. Civ.* Intervenção de terceiros em um processo, com o fim de auxiliar uma das partes litigantes, em cujo ganho de causa tenham legítimo interesse. [Cf. *intervenção de terceiro*.] **8.** *Dir. Proc. Penal* Intervenção da vítima, ou de seus representantes legais, no processo penal, a fim de auxiliar a acusação pública. **9.** *Dir. Civ.* Atuação dos pais, tutor, curador ou representante legal de pessoa relativamente incapaz para, juntamente com esta, praticar ato jurídico, suprindo-lhe a relativa incapacidade. [Cf. *autorização* e *representação*.] **10.** *Bras.* V. *ambulância* (3). **11.** *Bras.* Hospital de pronto-socorro; pronto-socorro. **12.** *Basq.* No basquete, passe que possibilita a um outro jogador fazer a cesta. **13.** *Fut.* No futebol, passe que possibilita a outro jogador fazer gol. ◆ **Assistência domiciliar.** *Med.* Conjunto, total ou complementar, de atividades médicas ministradas na residência do doente, e que implica a eliminação de certos riscos da estada hospitalar (infecção, trauma psicológico, etc.), além de reduzir custo financeiro. **Assistência judiciária.** *Jur.* Benefício de gratuidade de custas, despesas processuais e honorários advocatícios àqueles que não podem demandar ou defender-se em juízo, por falta de meios econômicos. **Assistência pública.** *Saúde Públ.* Serviço governamental que dá assistência médica à população, ocupando-se de casos agudos ou crônicos. **Assistência social.** Serviço gratuito, de natureza diversa, prestado aos membros da comunidade social, atendendo às necessidades daqueles que não dispõem de recursos suficientes.

assistencial [De *assistência* + *-al*^{1}.] *Adj. 2 g.* **1.** Relativo a assistência. **2.** Em que há assistência. ~ V. *direito* —.

assistente [Do lat. *adsistente*.] *Adj. 2 g.* **1.** Que assiste ou dá assistência. ● *S. 2 g.* **2.** Pessoa presente a um ato, cerimônia, espetáculo, etc. **3.** Pessoa que dá assistência a doente ou moribundo. **4.** Adjunto ou auxiliar de professor, médico, etc. **5.** Morador, residente. **6.** *Fut.* V. *bandeirinha* (1). ◆ **Assistente de arbitragem.** *Fut.* V. *auxiliar de arbitragem*. **Assistente social.** Profissional formado em Escola de Serviço Social (q. v.).

assistida [F. subst. do adj. *assistido*.] *S. f. Bras.* Mulher acompanhada e auxiliada no parto pela parteira.

assistido [Part. de *assistir*.] *Adj.* **1.** Que é amparado ou socorrido por pessoa ou entidade: *Os menores assistidos estão sendo encaminhados para certos trabalhos.* **2.** Diz-se daquele que, não tendo plena capacidade civil, depende de assistência (9). ● *S. m.* **3.** Indivíduo assistido (2).

assistir [Do lat. *adsistere*.] *V. t. i.* **1.** Estar presente; comparecer: *Assisti à cerimônia.* **2.** Comparecer, visitar: "Agora assistia à casa do comendador com mais frequência" (Aluísio Azevedo, *O Coruja*, p. 172). **3.** Acompanhar visualmente; ver, testemunhar: *Assistiu indiferente à cena;* "E eu assistira, dia e noite, a esta agonia." (Camilo Castelo Branco, *No Bom Jesus do Monte*, p. 14). **4.** Auxiliar, ajudar; socorrer: *Assiste aos pobres com humildade exemplar.* **5.** Acompanhar, principalmente em ato público, na qualidade de ajudante, assistente ou assessor: *Os chefes da Casa Civil e da Casa Militar assistiram ao Presidente da República durante a cerimônia.* **6.** Acompanhar (enfermo, moribundo, parturiente, etc.) para prestar-lhe conforto moral ou material. **7.** *P. ext. Bras.* Servir de parteiro ou parteira; partejar. **8.** Caber; competir: *Não me assistem razões para questionar a vossa ordem.* ***Bit. i.*** **9.** Assistir (4): *O secretário assistiu brilhantemente ao Ministro na assinatura do acordo internacional.* ***T. c.*** **10.** Residir, morar; habitar: *Assiste em Brasília;* "Eu separo o reinol de outro mineiro: / Quem no Brasil assiste é brasileiro." (Domingos Carvalho da Silva, *Liberdade Embora Tarde*, p. 14). [Nesta acepç., é hoje m. us. popularmente.] **11.** Estar, permanecer: *Que a paz assista em toda a Terra.* ***T. d.*** **12.** Assistir (5). ***Int.*** **13.** Assistir (9): "um arraial de mais de uma centena de casas, ... onde assistia uma população mesclada" (Afrânio Peixoto, *Maria Bonita*, p. 55). **14.** Estar presente; comparecer. [Na acepç. (1) 'estar presente', não admite o pronome *lhe(s)*, mas apenas as f. analíticas, *a ele(s)*, *a ela(s)*: "Lá vão, lá vão os frades celebrar um auto! Não serei eu que assista a ele" (Alexandre Herculano, *Lendas e Narrativas*, I, p. 256); "Não morreu sem ter uma conferência particular com os dous filhos, — tão particular, que nem o marido assistiu a ela." (Machado de Assis, *Esaú e Jacó*, p. 353); "A cerimônia foi celebrada debaixo desta impressão. Assistiram a ela todos os amigos da casa." (Machado de Assis, *Contos sem Data*, p. 93). Nota-se, no Brasil, viva tendência para o emprego do verbo em tal acepç., como transitivo direto: *Assistiu a reunião*; "Mas não mostres a tua decadência / Ao mundo que assistiu teu esplendor!" (Raul de Leoni, *Luz Mediterrânea*, p. 81); "Não assistiremos o filme de Sabu" (Osmã Lins, *Nove, Novena*, p. 54); "ia à Estação, assistia a chegada e a partida dos comboios." (L. Lavenère, *O Padre Cornélio*, p. 43); "Mas foram felizes no resto dos dias e ainda assistiram os meninos ficarem homens" (José Sarney, *Norte das Águas*, p. 46).] [Imperf. ind.: *assistia*, etc. Cf. *acistia*.]

assistolia [De *as-*[3] + *sístole* + *-ia*[1].] *S. f. Med.* Sístole imperfeita ou incompleta. [Seria melhor o t. *dissistolia*, que, porém, não é us.]

assistólico [De *assistolia* + *-ico*[2].] *Adj. Med.* Relativo à assistolia.

assitia [Do gr. *asitía*.] *S. f. Med.* Relutância em aceitar alimentação.

assoalhada [F. subst. de *assoalhado*.] *S. f.* Cada compartimento assoalhado de uma casa, excluindo-se o banheiro, a cozinha e a despensa: "o apartamento típico de um intelectual parisiense precário: uma assoalhada a abarrotar de pilhas de livros e de papéis" (António Pinto Ribeiro, *Abrigos*, p. 87).

assoalhado[1] [Part. de *assoalhar*[1].] *Adj.* Que tem soalho; soalhado.

assoalhado[2] [Part. de *assoalhar*[2].] *Adj.* **1.** Que esteve exposto ao sol. **2.** *Fig.* Divulgado, propalado.

assoalhador[1] (ô) [De *assoalhar*[1] + *-dor*.] *Adj. S. m.* Que, ou aquele que assoalha, que prega as tábuas de soalho.

assoalhador[2] (ô) [De *assoalhar*[2] + *-dor*.] *Adj. S. m.* Que, ou aquele que assoalha, que expõe.

assoalhadura[1] [De *assoalhar*[1] + *-dura*.] *S. f.* Assoalhamento[1].

assoalhadura[2] [De *assoalhar*[2] + *-dura*.] *S. f.* Assoalhamento[2].

assoalhamento[1] [De *assoalhar*[1] + *-mento*.] *S. m.* Ação ou efeito de assoalhar[1]; assoalhadura.

assoalhamento[2] [De *assoalhar*[2] + *-mento*.] *S. m.* Ato ou efeito de assoalhar[2]; assoalhadura.

assoalhar[1] [De *as-*[2] + *soalhar*[2].] *V. t. d.* **1.** Unir ou pregar as tábuas do sobrado ou soalho de (pavimento, estrado, etc.); estradar, sobradar. **2.** Cobrir à maneira de soalho. [F. paral.: *soalhar*.]

assoalhar[2] [De *as-*[2] + *soalhar*[3].] *V. t. d.* **1.** Expor ao sol; soalhar. **2.** Expor, mostrar. **3.** *Fig.* Tornar público; divulgar, propalar (o que era secreto ou íntimo): *Por mais que fosse prevenido, não tardou a assoalhar a notícia do noivado desfeito.* **4.** *Fig.* Ostentar; alardear: *assoalhar riquezas. P.* **5.** Expor-se ao sol. **6.** Mostrar-se em público; ostentar-se. **7.** Vangloriar-se, jactar-se.

assoalho [De *as-*[2] + *soalho*[1].] *S. m. Arquit.* Soalho[1].

assoante [Do lat. *assonante*.] *Adj. 2 g. E. Ling.* Assonante. ~ V. *assoantes*.

assoantes *S. f. pl. E. Ling.* Palavras que, tendo embora a mesma vogal da sílaba tônica, diferem pelas consoantes que se lhes seguem. ~ V. *assoante*.

assoar [De *as-*[2] + *soar*.] *V. t. d.* **1.** Limpar (o nariz) de mucosidade. *P.* **2.** Limpar-se do muco nasal, fazendo sair o ar com força pelas narinas: "fungou, tossiu, escarrou, assoou-se com estrépito" (José Rodrigues Miguéis, *Onde a Noite se Acaba*, p. 19). [Conjug.: v. *coroar*. Part.: *assoado*, fem. *assoada*. Cf. *assuada* e *assuar*.]

assoberbado[1] [De *as-*[1] + *soberbo* + *-ado*[1].] *Adj.* Que tem modos soberbos; altivo, arrogante.

assoberbado[2] [Part. de *assoberbar*[2].] *Adj.* **1.** Sobrecarregado de serviço; abarbado. **2.** Cheio; sobrecarregado.

assoberbador (ô) [De *assoberbar*[2] + *-dor*.] *Adj.* Assoberbante.

assoberbamento [De *assoberbar*[1] + *-mento*.] *S. m.* Ato ou efeito de assoberbar(-se).

assoberbante [De *assoberbar*[2] + *-nte*.] *Adj. 2 g.* Que assoberba; assoberbador.

assoberbar[1] [De *as-*[1] + *soberba* + *-ar*[2].] *V. t. d.* **1.** Tratar com soberba, desprezo ou arrogância; humilhar, vexar. **2.** Estar, ser ou ficar sobranceiro a: *A sua influência assoberbava a do chefe do governo.* **3.** Tornar orgulhoso; ensoberbecer: *O enriquecimento súbito assoberbou-o.* **4.** Dominar, abater, oprimir, vexar: *Aquele peso no coração o assoberbava*; "Uma enorme sede de luzir, de parecer grande, de dominar, o assoberbava ultimamente, fazendo-o esquecer-se de tudo e de todos, para só cuidar do seu nome." (Aluísio Azevedo, *O Coruja*, p. 222). *Int.* **5.** Portar-se com soberba. *P.* **6.** Tornar-se orgulhoso, ensoberbecer-se.

assoberbar[2] [De *as-*[1] + *sobarba* + *-ar*[2], com dissimilação, por infl. de *assoberbar*[1].] *V. t. d.* Abarbar, sobrecarregar de serviço.

assobia-cachorro [De *assobiar* + *cachorro*.] *S. m. Bras. RJ Zool.* V. *japacanim* (2). [Var.: *assovia-cachorro*. Pl.: *assobia-cachorros*.]

assobiada [F. subst. de *assobiado*.] *S. f.* Vaia ou apupada por meio de assobios. [Var.: *assoviada*.]

assobiadeira[1] [De *assobiar* + *-deira*.] *S. f. Bras. MT Zool.* V. *irerê*. [Var.: *assoviadeira*.]

assobiadeira[2] *S. f. Bras. RJ Zool.* V. *marreca-assobiadeira*. [Var.: *assoviadeira*.]

assobiado [Part. de *assobiar*.] *Adj.* **1.** Corrido ou vaiado a assobios; apupado. **2.** Imitado ou executado a assobio (1). [Var.: *assoviado*.]

assobiador (ô) [De *assobiar* + *-dor*.] *Adj.* **1.** Que assobia; assobiante. ● *S. m.* **2.** Aquele que assobia. **3.** *Bras. Zool.* V. *japacanim* (2). **4.** *Bras. RJ Zool.* Ave passeriforme cotingídea (*Tijuca atra*), das matas da Serra do Mar. A coloração do macho é preta, com manchas amarelas nas asas, e o bico alaranjado; a fêmea é toda verde-escura. [Sin.: *chibante, saudade, tiju, tijuca*.] **5.** *Bras. RS Zool.* V. *borralhara*. [Var.: *assoviador*.]

assobiante [De *assobiar* + *-nte*.] *Adj. 2 g.* Assobiador (1). [Var.: *assoviante*.]

assobiar [Do lat. *assibilare*.] *V. int.* **1.** Dar assobio(s): *Saiu daqui alegre, assobiando.* **2.** Zunir com um som agudo, semelhante ao do assobio; sibilar, silvar: *O vento assobiava na noite tempestuosa*; "Bate, arrebenta, assobia, / Retumba, estrondeia o mar." (Raimundo Correia, *Poesias*, p. 273); "As rajadas assobiavam nas vigas do hotel francês." (Camilo Castelo Branco, *A Mulher Fatal*, p. 33). **3.** Trinar (a ave): "E vê o melro, a assobiar, na eira, / Em cima do seu velho chapéu alto!" (Guerra Junqueiro, *A Velhice do Padre Eterno*, p. 157). *T. d.* **4.** Executar assobiando (música ou trecho de música): *assobiar um samba, uma ária.* **5.** Dar, soltar, desferir, como assobio (1 ou 2): "xexéus assobiando / gargalhadas finas" (Odilo Costa Filho, *Cantiga Incompleta*, p. 14). **6.** Exprimir, emitir, lançar, à maneira de assobio: "Muito tempo um melro nos seguiu, de azinheiro a olmo, assobiando os nossos louvores." (Eça de Queirós, *A Cidade e as Serras*, p. 206.) **7.** Apupar a assobios; vaiar: *O público, irritado, assobiou a peça.* [Var.: *assoviar*.]

assobio [Dev. de *assobiar*.] *S. m.* **1.** Som agudo produzido pelo ar comprimido entre os lábios. **2.** Silvo agudo (de algumas aves, de serpente, do vento); sibilo. **3.** Apito (2). [Var.: *assovio*.] ◆ **De três assobios.** De primeira qualidade, excelente: "– .... 'Venham até a Amália. As pupilas devem a estas horas estar a cear e têm lá um anis .... de três assobios.'" (Aquilino Ribeiro, *Lápides Partidas*, p. 34.)

assobradado [De *a-*[2] + *sobrado*[1] + *-ado*[1].] *Adj.* Diz-se de edificação com sobrado[1] (2).

assobradar [De *as-*[1] + *sobrado*[1] + *-ar*[2].] *V. t. d.* **1.** Pôr pavimento de sobrado em; ensobradar. *Int.* **2.** Fazer sobrado.

associabilidade [De *associável* + *-(i)dade*, seg. o padrão erudito.] *S. f.* Qualidade de associável.

associação [De *associar* + *-ção*.] *S. f.* **1.** Ato ou efeito de associar(-se). **2.** Combinação, união. **3.** V. *sociedade* (7). **4.** Liga, organização: *A Associação de Pais daquele colégio era das mais atuantes.* **5.** *Ecol.* Conjunto de espécies animais ou vegetais que vivem no mesmo hábitat e formam uma unidade. **6.** *Estat.* Dependência estatística entre dois atributos, a qual pode ser medida ou evidenciada pela observação da presença ou da ausência, simultâneas, dos atributos em um mesmo membro duma população. **7.** *Genét.* Presença ou ausência de determinado fenótipo, com frequência maior do que a esperada ao acaso, quando comparados casos e controles. **8.** *Psic.* Estabelecimento de relações funcionais entre estados e atividades psíquicas, no decurso da experiência individual. ◆ **Associação perfeita.** *Estat.* Aquela em que ocorre o grau máximo de dependência entre os dois atributos. **Livre associação.** *Psic. Psican.* Técnica de pesquisa da história pregressa, das atitudes e da estrutura da personalidade de um paciente através das associações que ele faz ao reagir a determinados estímulos, ger. verbais, apresentados pelo psicólogo ou psicanalista.

associacionismo [De *associação* (8) + *-ismo*, seg. o padrão erudito.] *S. m.* **1.** *Filos.* Doutrina segundo a qual os princípios do conhecimento não derivam do espírito em geral, mas se formam na experiência, por associação de ideias. **2.** *Psicol.* Teoria que reduz todas as manifestações da vida mental a um jogo de associações entre os estados psíquicos.

associacionista [De *associacionismo* + *-ista*.] *Adj. 2 g.* **1.** Referente ao, ou que é partidário do associacionismo. ● *S. 2 g.* **2.** Partidário dele.

associada [F. subst. do adj. *associado*.] *S. f. Rád. Telev.* Emissora associada (q. v.).

associado [Part. de *associar*.] *Adj.* **1.** Que se associou. **2.** V. *coligado* (2). ~ V. *emissora —a, números —s.* ● *S. m.* **3.** Sócio (1 a 4). **4.** V. *coligado* (3).

associar [Do lat. *associare*.] *V. t. d.* **1.** Agregar, unir, ajuntar (duas ou mais coisas ou pessoas). **2.** Reunir em sociedade; unir. **3.** *Mat.* Estabelecer uma correspondência entre (dois conjuntos). **4.** *Mat.* Reunir num só conjunto (dois ou mais membros de um conjunto), segundo uma norma determinada. *T. d. e i.* **5.** Juntar, unir, aliar, agregar: *Associou seu nome ao dos demais assinantes.* **6.** Tomar como sócio. **7.** Fazer partilhar: *Quis associá-lo à sua alegria, convidando-o para a festa.* **8.** Estabelecer relação; identificar como afim, semelhante, etc.: *Não se fala em Pauliceia sem associá-la a Mário de Andrade. P.* **9.** Reunir-se em sociedade; tornar-se sócio. **10.** Ajuntar-se, unir-se, reunir-se: *Associaram-se aos moradores do lugar, nos festejos populares.* **11.** Compartir, partilhar, compartilhar: *Declarou que se associava à dor do amigo por aquela perda*; "Era uma mulher de uma beleza extrema e de uma graça encantadora que .... vinha todos os dias associar-se a nossos folguedos" (Casimiro de Abreu, *Obras*, p. 407). **12.** Contribuir para; cooperar.

associatividade [De *associativo* + *-(i)dade*.] *S. f.* **1.** Qualidade ou caráter de associativo. **2.** *Mat.* Propriedade de certas operações que, efetuadas entre elementos de um conjunto, têm resultado independente da maneira por que os elementos operados são agrupados ou associados.

associativo [De *associar* + *-tivo*.] *Adj.* **1.** Dado a associação. **2.** Relativo a associação. ~ V. *operação —a*.

associável [De *associar* + *-vel*.] *Adj. 2 g.* Que pode ser associado.

associonismo [De *associação* + *-ismo*.] *S. m. Bras.* Influência ou predomínio dos princípios associativos.

assolação [De *assolar* + *-ção*.] *S. f.* Ato ou efeito de assolar, assolamento.

assolador (ô) [De *assolar* + *-dor*.] *Adj. S. m.* Que, ou aquele que assola.

assolamento [De *assolar* + *-mento*.] *S. m.* V. *assolação*.

assolapador (ô) [De *assolapar* + *-dor*.] *Adj. S. m.* Que, ou aquele que assolapa; solapador.

assolapar [De *as-*[1] + *solapa* + *-ar*[2].] *V. t. d. P.* V. *solapar*.

assolar [Do lat. *assolare*.] *V. t. d.* **1.** Arrasar; devastar; talar; destruir, arruinar: *Os árabes assolaram a Península Ibérica no século VIII*; *A peste assolou a população da região alagada.* **2.** Pôr em grande consternação; afligir, agoniar: *Aquele infortúnio assolou toda a família.* [Cf. *açular*.]

assoldadar [De *as-*[1] + *soldada* + *-ar*[2].] *V. t. d.* **1.** Ajustar por soldada; alistar a soldo; assalariar. *P.* **2.** Pôr-se a serviço de alguém, mediante soldo ou soldada; assalariar-se, alistar-se.

assoleado [Part. de *assolear*.] *Adj. Bras.* **1.** Diz-se do animal cansado, arquejante, por haver andado ou trabalhado muito ao sol quente. **2.** *P. ext.* Diz-se de indivíduo fatigado, arquejante, por haver andado ou trabalhado muito ao sol quente.

assoleamento [De *assolear* + *-mento*.] *S. m. Bras. S.* Ato ou efeito de assolear(-se).

assolear [Do esp. plat. *asolearse*.] *V. int. P. Bras. S.* Cansar-se (animal e, p. ext., pessoa) por haver andado muito ao sol. [Conjug.: v. *frear*.]

assomada [De *assomar* + *-ada*[1].] *S. f.* **1.** Ato ou efeito de assomar(-se). **2.** Cumeada, cume, cabeço: "Já das assomadas raia / O clarão dilucular" (Manuel Bandeira, *Estrela da Vida Inteira*, p. 26). **3.** Auge, apogeu, ápice: *assomada da glória*.

assomadiço [De *assomar* + *-(d)iço*[1].] *Adj.* Diz-se do indivíduo que se encoleriza ou irrita facilmente, irascível, arrebatado, assomado: "Pouco dado a cortesanias, acaso de gênio assomadiço, chegou [Camões] a ferir um servidor do Paço" (Aires da Mata Machado Filho, *Camões, Épico*, p. 6).

assomado [Part. de *assomar*.] *Adj.* **1.** Que se assoma; irritável, colérico: "Que iria fazer Alberto Torres? Sabemos que não é homem impetuoso, nem assomado." (Barbosa Lima Sobrinho, *Presença de Alberto Torres*, p. 145). **2.** *Bras.* Espantadiço, assustadiço.

assomar [De *as-*[1] + lat. *summu*, 'sumo', 'o mais alto', + *-ar*[2].] *V. t. c.* **1.** Subir a lugar elevado ou extremo: *Com a inundação o povo assomou aos montes.* **2.** Aparecer em ponto alto ou extremo: *A multidão, na praça, aguardava que o presidente assomasse à sacada do palácio.* **3.** Mostrar-se, manifestar-se, revelar-se; aparecer: *A grande mágoa lhe assomava à face.* **4.** Começar a mostrar-se; aparecer, surgir: "Estava eu .... na minha Repartição, ... quando vi assomar perto da minha mesa de amanuense o vulto simpático do amigo Pizarro." (Artur Azevedo, *Contos Possíveis*, p. 10.) *T. i.* **5.** Vir à mente; ocorrer, surgir. *Int.* **6.** Assomar (4): *Quando o dia assomava, já o encontrava de pé. T. d.* **7.** Açular, irar, assanhar, enfurecer: *Cuidaram de não assomar os cães. P.* **8.** Deixar-se ver; mostrar-se, aparecer (de um ponto elevado). **9.** Irar-se, irritar-se, enfurecer-se. **10.** Animar-se por efeito de bebida alcoólica ou outro produto inebriante. [Cf. *Açumar*, top.]

assombração [De *assombrar* + *-ção*.] *S. f. Bras. Cabo-verd.* **1.** Terror proveniente de causa inexplicável. **2.** Pavor motivado pelo encontro ou aparição imaginária de coisas sobrenaturais. **3.** V. *fantasma* (3). [Sin. ger.: *assombramento*.]

assombradiço [De *assombrar* + *-(d)iço*[2].] *Adj.* Que se assombra com facilidade; assustadiço.

assombrado [Part. de *assombrar*.] *Adj.* **1.** Coberto de sombra; sombrio: *Um recanto assombrado, muito aprazível em dias de canícula.* **2.** Cheio de assombro; espantado, admirado. **3.** Apavorado; aterrorizado. ● *S. m.* **4.** Lugar onde aparecem assombrações.

assombramento [De *assombrar* + *-mento*.] *S. m.* V. *assombração*.

assombra-pau [De *assombrar* + *pau*.] ***S. m. Bras.*** V. *cangaceiro*. [Pl.: *assombra-paus*.]

assombrar [De *as-*[1] + *sombra* + *-ar*[2].] ***V. t. d.*** **1.** Fazer sombra a; ensombrar, obumbrar, toldar. **2.** Tornar sombrio, lúgubre, triste: *A tristeza assombrava a face das crianças.* **3.** Encher de assombro, de espanto; assustar, atemorizar, aterrar, espantar: *O pio agourento da coruja assombrava os hóspedes.* **4.** Encher de assombro ou de admiração; maravilhar: *A beleza do lugar assombrava-os.* **5.** Desmerecer em; apoucar, amesquinhar: *Não quis assombrar os méritos do irmão.* ***Int.*** **6.** Causar assombro, espanto, admiração; maravilhar: *O seu gênio criador assombra.* **7.** Causar assombro, susto, terror; atemorizar: *As profundezas abissais assombram.* ***P.*** **8.** Cobrir-se de sombra: *As encostas da colina assombram-se.* **9.** Admirar-se, maravilhar-se. **10.** Assustar-se, espantar-se, sobressaltar-se.

assombreamento [De *assombrear* + *-mento*.] ***S. m.*** Ato ou efeito de assombrear; sombreamento.

assombrear [De *as-*[1] + *sombra* + *-ear*[2].] ***V. t. d. P.*** V. *sombrear* (1 a 4): "as duas altas figueiras assombreando o pátio" (Eça de Queirós, *A Cidade e as Serras*, p. 200). [Conjug.: v. *frear*.]

assombro [Dev. de *assombrar*.] ***S. m.*** **1.** Sentimento ou reação de espanto, maravilha, terror. **2.** Pessoa ou coisa que produz espanto, admiração ou terror, etc.: *Que homem inteligente! é um assombro; A memória de Paulo é um assombro.* **3.** V. *fantasma* (3).

assombroso (ô) [De *assombro* + *-oso*.] ***Adj.*** Que produz assombro.

assomia [De *assomo*[2] + *-ia*[1].] ***S. f.*** *Ter.* Condição de assomo[2].

assomo[1] [Dev. de *assomar*.] ***S. m.*** **1.** Ato de assomar ou aparecer. **2.** Indício, sinal: *assomo de cólera.* **3.** Suspeita, presunção. **4.** Irritação, zanga.

assomo[2] [De *a-*[3] + *-somo*; ingl. *asoma*.] ***Adj. S. m.*** *Ter.* Diz-se de, ou feto com anomalia de cabeça e tronco.

assonância [Do lat. *assonantia*.] ***S. f.*** **1.** Semelhança de sons. **2.** *E. Ling.* Conformidade ou aproximação fonética entre as vogais tônicas de palavras diferentes.

assonante [Do lat. *assonante*.] ***Adj. 2 g.*** Em que há assonância; assoante.

assonorentado [De *as-*[1] + **sonorento*, por *sonolento*, + *-ado*[1].] ***Adj.*** Sonolento (1).

assonsado [De *as-*[1] + *sonso* + *-ado*[1].] ***Adj.*** *Bras. SP Pop.* V. *tolo* (1 a 3).

assonsar [Do hisp.-amer. *zonzo*, poss.] ***V. int.*** *Bras. S.* **1.** Abombar um pouco. ***P.*** **2.** Cansar-se ligeiramente (o cavalo).

assopradela [De *assoprar* + *-dela*.] ***S. f.*** Ato de soprar ligeiramente.

assoprado [Part. de *assoprar*.] ***Adj.*** **1.** Em que se introduziu ar por meio de sopro. **2.** Cheio; inchado. **3.** *Fig.* Enfatuado, vaidoso.

assoprador (ô) [De *assoprar* + *-dor*.] ***S. m.*** **1.** Aquele que assopra. **2.** *Fig.* Instigador, incitador. **3.** *Bras. MT Zool.* V. *peixe-boto*.

assopradura [De *assoprar* + *-dura*.] ***S. f.*** V. *sopro* (1 a 3).

assopramento [De *assoprar* + *-mento*.] ***S. m.*** V. *sopro* (1 a 3).

assoprar [De *as-*[2] + *soprar*.] ***V. t. d. T. d. e i. Int.*** V. *soprar*: "Chico foi ao fogo arranjado no chão, deitou-lhe uns gravetos, assoprou e logo uma chama viva ergueu-se" (Vieira Pires, *Querência*, p. 39); "o brando norte assopra" (Tomás Antônio Gonzaga, *Marília de Dirceu*, p. 86). [Pres. ind.: *assopro*, etc. Cf. *assopro* (ô).]

assopro (ô) [De *as-*[2] + *sopro*.] ***S. m.*** V. *sopro* (1 a 3). [Pl.: *assopros* (ô). Cf. *assopro*, do v. *assoprar*.]

assoreamento [De *assorear* + *-mento*.] ***S. m.*** Obstrução, por areia ou por sedimentos quaisquer, de um rio, canal ou estuário, geralmente em consequência de redução da correnteza.

assorear [De *as-*[1] + *-so-* + *arear*[1].] ***V. t. d.*** **1.** Produzir assoreamento em. ***Int. P.*** **2.** Ter ou criar assoreamento. [Conjug.: v. *frear*.]

assossegar [De *as-*[2] + *sossegar*.] ***V. t. d. Int. P.*** V. *sossegar*. [Conjug.: v. *regar*. Pres. ind.: *assossego*, etc. Cf. *assossego* (ê).]

assossego (ê) [De *as-*[2] + *sossego*.] ***S. m.*** V. *sossego*. [Pl.: *assossegos* (ê). Cf. *assossego*, do v. *assossegar*.]

assovelado [De *as-*[1] + *sovela* + *-ado*[1].] ***Adj.*** Em forma de sovela.

assovelar [De *as-*[1] + *sovela* + *-ar*[2].] ***V. t. d.*** **1.** Dar forma de sovela a. **2.** Picar ou furar com sovela. **3.** *Fig.* Espicaçar, instigar, incitar, estimular; assovinar. **4.** *Fig.* V. *assovinar* (3).

assovia-cachorro [De *assoviar* + *cachorro*.] ***S. m.*** *Bras. GO Zool.* V. *assobia-cachorro*. [Pl.: *assovia-cachorros*.]

assoviada ***S. f.*** V. *assobiada*.

assoviadeira[1] ***S. f.*** *Zool.* V. *assobiadeira*[1].

assoviadeira[2] [F. red. de *marreca-assoviadeira*.] ***S. f.*** *Zool.* V. *marreca-assobiadeira*.

assoviado [Part. de *assoviar*.] ***Adj.*** V. *assobiado*.

assoviador (ô) ***Adj. S. m.*** V. *assobiador*.

assoviante ***Adj. 2 g.*** V. *assobiante*.

assoviar ***V. int. T. d.*** V. *assobiar*.

assovinar [De *a-*[2] + *sovina* + *-ar*[2].] ***V. t. d.*** **1.** Picar ou furar com sovina (2). **2.** *Fig.* Espicaçar, estimular, instigar; assovelar. **3.** Irritar, atormentar, impacientar; assovelar. ***P.*** **4.** Tornar-se sovina (4).

assovio ***S. m.*** V. *assobio*.

assovio de cobra ***S. m.*** *Bras. Gír.* V. *cachaça* (1). [Pl.: *assovios de cobra*.] ☑

assuã [De *as-*[2] + *suã*.] ***S. f.*** *Bras. SP* Suã.

assuada [De *assuar* + *-ada*[1].] ***S. f.*** **1.** Reunião de gente armada para promover desordem. **2.** Desordem, motim, arruaça. **3.** Vozearia. **4.** Vaia, apupo. [Cf. *assoada*, fem. de *assoado*, part. de *assoar*.]

assuanês ***Adj.*** **1.** De, ou pertencente ou relativo a Assuã (Egito). • ***S. m.*** **2.** O natural ou habitante de Assuã. [Flex.: *assuanesa* (ê), *assuaneses* (ê), *assuanesas* (ê).]

assuar [Do lat. *ad* + lat. *sub* + lat. *unare*.] ***V. t. d.*** Insultar com vaia; vaiar, apupar. [Cf. *assoar*.]

assubstantivar [De *as-*[1] + *substantivo* + *-ar*[2].] ***V. t. d.*** *E. Ling.* V. *substantivar*.

assucador (ô) [De *assucar* + *-dor*.] ***S. m.*** *Prov. port.* Arado de duas aivecas largas de madeira.

assucar [De *as-*[1] + *sulco* + *-ar*[2].] ***V. t. d.*** *Prov. port.* Margear (a terra) com o assucador, formando sulcos. [Conjug.: v. *trancar*. Pres. subj.: *assucare*, *assucares*, etc. Cf. *açucare*, *açucares*, do v. *açucarar*, e *açúcar*.]

assumido [Part. de *assumir*.] ***Adj.*** **1.** Diz-se daquele que assume sua ideologia, atitudes políticas e/ou posturas existenciais: *direitista assumido.* • ***S. m.*** **2.** Aquele que assume essas posições.

assumir [Do lat. *assumere*.] ***V. t. d.*** **1.** Tomar sobre si ou para si; avocar: *assumir a responsabilidade dos seus atos.* **2.** Chamar a si, assumir a responsabilidade de; ficar como responsável por: *Assumiu o passivo da firma.* **3.** Entrar no exercício de: *Assume hoje o cargo de ministro*; "A rainha [D. Maria I] enlouqueceu ...... Um filho, o infante D. João ...., assumiu o poder" (José Hermano Saraiva, *História Concisa de Portugal*, p. 259). **4.** Adotar; tomar; ostentar: *Assumir um ar de chefe.* **5.** Vir a ter; adquirir, atingir, tomar: "as dificuldades agora assumem proporções alarmantes" (Rocha Pombo, *No Hospício*, p. 261). **6.** *Filos.* Admitir (5). **7.** Aceitar (um estado, uma condição, uma situação); compenetrar-se de: *O homem moderno assume as transformações da sociedade.* **8.** Dar a conhecer; considerar-se como; revelar; declarar: *assumir a negritude.* ***T. d. e i.*** **9.** Tomar como responsabilidade própria; comprometer-se: *Assumi um compromisso com você, e vou mantê-lo.* ***Int.*** **10.** Entrar no exercício de um cargo ou função: *O governador assume hoje.* ***P.*** **11.** Aceitar a própria condição: *Assumiu-se como homem religioso.* **12.** Declarar-se, reconhecer-se. **13.** Pôr-se ereto ou em pé; endireitar-se: "Ao primeiro rumor, Arnaldo assumiu-se, vibrando a fronte." (José de Alencar, *O Sertanejo*, p. 110.)

assumpção ***S. f.*** Assunção.

assumptível ***Adj. 2 g.*** Assuntível.

assumptivo [Do lat. *assumptivu*.] ***Adj.*** Assuntivo.

assunção [Do lat. *assumptione*; var. de *assumpção*.] ***S. f.*** **1.** Ato ou efeito de assumir. **2.** Elevação a um cargo ou dignidade. **3.** *Lóg.* Proposição ou princípio admitidos em vista das consequências que deles se podem tirar, abstraindo-se a sua verdade ou falsidade intrínsecas. **4.** *Rel.* Subida do corpo e alma da Virgem Maria ao Céu. **5.** *P. ext.* A representação desta subida em quadros, estampas, etc. **6.** *Rel.* Festa católica, celebrada a 15 de agosto, em comemoração à assunção (4). [Cf. *ascensão*.]

assuncionista ***S. m.*** Membro de uma congregação religiosa masculina, fundada em 1843 por Manuel d'Alzon, em Nîmes (França).

assungar [De *as-*[2] + *sungar*.] ***V. t. d.*** *Bras.* V. *sungar* (1 e 2). [Conjug.: v. *largar*.]

assuntar [De *assunto* + *-ar*[2].] ***V. t. d.*** *Bras.* **1.** Dar ou prestar atenção a; observar: "ia para a loja de seu Bernardino, ficava assuntando os fregueses que por ali faziam ponto" (Autran Dourado, *O Risco do Bordado*, p. 14); "De olhos sem luz, imóveis, vagos, cedo / já me não vês, nem me ouves, nem me assuntas." (Da Costa e Silva, *Sangue*, p. 65). ***T. i.*** **2.** Prestar atenção. **3.** Considerar, meditar: *Ficou calado, assuntando no que ouvia.* **4.** Informar-se sobre, observando e/ou indagando: *O detetive que andava assuntando sobre o assassinato foi ameaçado de morte.* ***Int.*** **5.** Escutar ou olhar; observar; espreitar: "Assuntaram algum tempo, mas ouviram logo outro ruído igual" (Afonso Arinos, *Pelo Sertão*, p. 131); "Assuntei. A noite estava turva, o céu sem lua, aqui e ali picado de estrelinhas." (Hugo de Carvalho Ramos, *Tropas e Boiadas*, p. 5). **6.** Meditar, refletir, pensar.

assuntível [Var. de *assumptível*.] ***Adj. 2 g.*** Suscetível de ser assumido.

assuntivo [Var. de *assumptivo*.] ***Adj.*** Que se assume.

assunto [Do lat. *assumptu*.] ***S. m.*** **1.** Aquilo de que se trata, que é objeto ou matéria de observação, consideração, atenção, interesse, etc. **2.** Tema versado ou por versar: "Cícero é um assunto sempre atual." (Múcio Leão, *Emoção e Harmonia*, p. 35.) **3.** *Cin. Fot. Telev.* Conjunto de elementos que constituem o campo (19).

assurdinar-se [De *as-*[1] + *surdina* + *-ar*[2] + *se*[1].] ***V. p.*** Tornar-se (som) suave, abafado, como surdina: "Estrondos assurdinaram-se em ruídos inaudíveis." (Gilberto Amado, *Depois da Política*, p. 199.)

assurgente [Do lat. *assurgente*.] ***Adj. 2 g.*** **1.** Que surge, desponta. **2.** Que se ergue ou eleva.

assurgir [Do lat. *assurgere*.] ***V. int. T. i. T. c. T. d. Pred.*** *P. us.* Surgir. [Conjug.: v. *dirigir*.]

assustadiço [De *assustar* + *-(d)iço*[2].] ***Adj.*** Assombradiço.

assustado [Part. de *assustar*.] ***Adj.*** **1.** Que se assustou; sobressaltado, amedrontado, atemorizado. **2.** Medroso, tímido. **3.** Indeciso, hesitante, vacilante. • ***S. m.*** **4.** *Bras.* V. *arrasta-pé* (2).

assustador (ô) [De *assustar* + *-dor*.] ***Adj.*** **1.** Que assusta; assustoso. • ***S. m.*** **2.** Aquele que assusta.

assustar [De *as-*[1] + *susto* + *-ar*[2].] ***V. t. d.*** **1.** Dar ou meter susto a; amedrontar, atemorizar, intimidar: *A minha súbita aparição assustou-o*; "No pátio, ao pé da casa, a torre alta e vetusta, / Cuja lendária história os ânimos assusta" (Conde de Monsaraz, *Musa Alentejana*, p. 58). ***Int.*** **2.** Dar motivo de susto ou medo; causar susto ou medo: *As tuas ameaças já não assustam.* ***P.*** **3.** Ter susto ou medo; aterrar-se, atemorizar-se, intimidar-se, amedrontar-se: "Quando adivinha que vou vê-la, e à escada / Ouve-me a voz e o meu andar conhece, / Fica pálida, assusta-se, estremece" (Olavo Bilac, *Poesias*, p. 72); *Não te assustes, ninguém pretende fazer-te mal.*

assustoso (ô) [De *as-*[1] + *susto* + *-oso*.] ***Adj.*** Assustador (1).

astasia [Do gr. *astasía*.] ***S. f.*** *Neur.* Incapacidade de manter a postura vertical ou ereta, causada por incoordenação motora.

astático [De *ast(asia)* + *-ático*.] ***Adj.*** Relativo à astasia.

astatínio [Do ingl. *astatine* (< gr. *ástatos*, 'instável' + -io[3]] ***S. m.*** *Quím.* Elemento radioativo de número atômico 85, instável, que se obtém sinteticamente por fissão do urânio [símb.: *At*]. [Sin.: *ástato*, *astato*.]

astato ***S. m.*** *Quím.* V. astatínio.

ástato [Do gr. *ástatos*, 'instável'.] ***S. m.*** *Quím.* V. *astatínio*.

asteca [Do esp. *azteca*.] ***S. 2 g.*** **1.** *Etnôn.* Indivíduo dos astecas (ou náuatles), povo que habitava o México antes da conquista espanhola, e que dominou vasto território da América Central; astecano, asteque. • ***S. m.*** **2.** *Gloss.* Dialeto extinto do náuatle (3); náuatle clássico. • ***Adj. 2 g.*** **3.** Pertencente ou relativo ao asteca (2) ou aos astecas; astecano, asteque.

astecano [De *asteca* + *-ano*[1].] ***Adj. S. m.*** V. *asteca* (1 e 3).

asteca-tanoano ***S. m.*** **1.** *Gloss.* Bloco (8) de línguas indígenas norte-americanas que reúne o uto-asteca e o tanoano. • ***Adj.*** **2.** Relativo ao asteca-tanoano (1). [Pl. do adj.: *asteca-tanoanos*.]

asteísmo [Do gr. *asteïsmós*, pelo lat. *asteismu*.] ***S. m.*** *E. Ling.* Expressão fina e delicada, levemente irônica, com que se disfarça o louvor sob a aparência de censura.

astenia [Do gr. *asthéneia*.] ***S. f.*** *Med.* Fraqueza orgânica; debilidade, fraqueza. [Opõe-se a *estenia*.]

asténico ***Adj. S. m.*** *Med.* V. *astênico*. [Uso freq. em P.]

astênico [De *astenia* + *-ico*[2].] *Med.* ***Adj.*** **1.** Relativo à, ou que sofre de astenia. • ***S. m.*** **2.** Aquele que sofre desse mal.

▲ **asten(o)-** [Do gr. *asthenḗs, ḗs, és*.] ***El. comp.*** = 'fraqueza', 'astenia': *astenopia*, *astenosfera*. [Equiv.: *-asten(o)-*: *aerastenia*, *amiastenia*, *cerebrastenia*, *ergastenia*.]

▲ **-asten(o)-** Equiv. de *asten(o)-*.

astenopia [De *asten(o)-* + *-opia*.] ***S. f.*** *Oftalm.* Fraqueza ou cansaço rápido ocular, acompanhado de oftalmalgia, cefaleia, turvação da vista, etc.

astenópico [De *astenopia* + *-ico*[2].] *Oftalm.* ***Adj.*** **1.** Relativo à, ou que sofre de astenopia. • ***S. m.*** **2.** Aquele que sofre de astenopia.

astenosfera [De *asten(o)-* + *-sfera*.] ***S. f.*** *Geol.* Porção interior, mais plástica, da litosfera.

asteque ***S. 2 g. Adj. 2 g.*** V. *asteca* (1 e 3).

áster[1] [Do gr. *astér*, 'estrela', pelo lat. *aster*.] ***S. m.*** **1.** *Astr. Obsol.* Estrela (1). **2.** *Citol.* Conjunto de microtúbulos que convergem radialmente em direção a um centríolo. [Pl.: *ásteres*.]

áster[2] [Do tax. *Aster* (do lat. *aster, eris*, 'estrela').] ***S. m.*** *Bot.* **1.** Grande gênero de ervas asteráceas nativas de regiões temperadas, dotadas de capítulos solitários, radiados, com as flores centrais amarelas, e as periféricas, de cores variadas. **2.** Qualquer espécie desse gênero, como, p. ex., a *Aster ammelloides*

(v. *margarida-azul*). **3.** Qualquer espécime desse gênero, ou a sua flor.

▲ **-áster** Equiv. de *aster(o)-*.

asterácea [Adapt. do tax. *Asteraceae* (v. *áster*[2] e *-ácea*).] ***S. f. Bot.*** Espécime das asteráceas, família da ordem das asterales com cerca de 1.100 gêneros e 20.000 espécies de ervas rizomatosas, algumas aquáticas, e vários arbustos, que podem ser xerófitos, árvores, e trepadeiras, com folhas alternas, opostas, por vezes espiraladas, simples ou compostas, estas últimas pinadas ou palmadas; não têm estípulas, e as flores apresentam-se em capítulos e são hermafroditas tubulosas, ou unissexuais liguliformes, estando estas situadas na margem dos capítulos. Os frutos são aquênios e apresentam cípselas que têm, ger., *pappus* persistente. É a maior família de plantas vascularizadas, com mais de 14.000 espécies cosmopolitas, algumas tóxicas, agressivas, daninhas, outras medicinais, alimentícias, como a alface, a alcachofra e o girassol. Inúmeras são cultivadas pelas flores ornamentais, como as margaridas e as dálias.

asteráceo [De *asterácea*, com var. suf. (v. *-áceo*).] ***Adj. Bot.*** Pertencente ou relativo às asteráceas.

asteral [Do tax. *Aster* (v. *áster*[2]) + *-al*[1].] ***Adj. 2 g. Bot.*** Pertencente ou relativo às asterales.

asterale [Adapt. do tax. *Asterales*.] ***S. f. Bot.*** Espécime das asterales, ordem de dicotiledôneas que compreende nove famílias, entre as quais as asteráceas, as caliceráceas e as campanuláceas.

áster-da-china [De *áster*[2] + *da*[1] + o top. *China*.] ***S. m. Bot.*** Rainha-margarida. [Pl.: *ásteres-da-china*.]

astereognose [De *a-*[3] + *-(e)ster(e)(o)-* + *-gnose*.] ***S. f. Neur.*** Astereognosia.

astereognosia [De *a-*[3] + *-(e)ster(e)(o)-* + *-gnosia*.] ***S. f. Neur.*** Incapacidade de identificar objetos, ou sua forma, pelo tato; astereognose.

astéria [Do lat. *asteria* < gr. *astérios*.] ***S. f.* 1. *Min.*** Variedade de opala que apresenta asterismo (2). **2.** *Zool.* Estrela-do-mar.

asterinoide (ói) [De *aster(o)-* + *-in(o)-*[2] + *-oide*.] ***Adj. 2 g. Micol.*** Diz-se dos fungos ectoparasitos em que o micélio se desenvolve na superfície do hospedeiro, assumindo disposição radiada. ❖

▲ **asterio-** [Do gr. *astérios, a, on*.] ***El. comp.*** = 'estrelado': *asteriômetro*.

astérion [Do gr. *astérion*, neutro de *astérios*, a, on, 'estrelado'.] ***S. f. Astr.*** Estrela pequena.

asterisco [Do gr. *asterískos*, 'estrelinha', pelo lat. *asteriscu*.] ***S. m.*** Sinal gráfico em forma de estrela (*), empregado para remissão a uma nota no pé da página, ou no fim do capítulo ou do volume (podendo, nestes casos, vir entre parênteses, ou seguido de um arco de parênteses, ou isolado); para substituir um nome que não se quer mencionar (caso em que se usa em grupo de três, dispostos horizontalmente; ex.: *o Marquês* ***), para separação de períodos (podendo então ser usado simples: *, ou em grupos de três: *** ou *·*); ou, ainda, como símbolo de uma convenção. [Sin.: *estrelinha*. Não existe o s. *asterístico*.]

asterismo [Do gr. *asterismós*, 'constelação', pelo lat. *asterismu*.] ***S. m.* 1. *Astr.*** Pequeno grupo de estrelas: *As Plêiades são um asterismo na constelação do Touro.* **2.** *Geol.* Qualidade peculiar a alguns minerais, de apresentar imagem semelhante a uma estrela.

asternal [De *a-*[3] + *esterno* + *-al*[1].] ***Adj. 2 g. Anat.* 1.** Que não se insere no esterno. **2.** Que não tem esterno. ~ V. *costelas asternais*.

▲ **aster(o)-** [Do gr. *astḗr, éros*.] ***El. comp.*** = 'estrela': *asterita*. [Equiv.: *-áster*: *anfiáster*.]

asteroidal [De *asteroide*[1] + *-al*[1].] ***Adj. 2 g.*** Relativo a asteroide[1]; asteróidico. ~ V. *anel* —.

asteroide[1] (ói) [Do gr. *asteroeidés*.] ***Adj. 2 g.* 1.** Semelhante a, ou que tem forma de estrela; estrelário. • ***S. m.* 2. *Astr.*** Pequeno corpo celeste que gravita em torno do Sol. [Sin. (nesta acepç.): *planetoide* e *pequeno planeta*.] **3.** *Geom.* V. *astroide*. ❖

asteroide[2] (ói) [Adapt. do tax. *Asteroidea*.] ***Zool. S. m.* 1.** Espécime dos asteroides, subclasse de equinodermos, cujo corpo, estrelário ou pentagonal, tem de 5 até 50 braços ou raios, não separados nitidamente do disco central. Sulcos ambulacrários com duas ou quatro fileiras de tubos pediosos; ânus, quando presente, situado na face dorsal. • ***Adj. 2 g.* 2.** Pertencente ou relativo a eles. ❖

asteróidico [De *asteroide*[1] + *-ico*[2].] ***Adj.*** Asteroidal. ~ V. *anel* —.

astigmata [Do fr. *astigmate*, der. regress. do fr. *astigmatique*.] ***Adj. 2 g.*** Que sofre de astigmatismo; astigmático.

astigmático [De *astigmatismo* + *-ico*[2], seg. o padrão erudito; fr. *astigmatique*.] ***Adj.* 1.** Referente ao astigmatismo. **2.** Que tem astigmatismo. ~ V. *sistema* —.

astigmatismo [De *a-*[3] + *-(e)stigmat(o)-* + *-ismo*.] ***S. m.* 1. *Ópt.*** Aberração de um sistema óptico astigmático. [V. *sistema astigmático*.] **2.** *Oftalm.* Deformação na superfície da curvatura do globo ocular, de que resulta diferença no grau de refração dos diferentes meridianos e consequente desvio nos raios luminosos.

astilbe [Do tax. *Astilbe* (< *a-*[3] + gr. *stilbé*, 'esplendente').] ***S. m. Bot.* 1.** Gênero de plantas ornamentais saxifragáceas, de folhas pecioladas e flores dispostas em películas ou espigas. **2.** Qualquer espécie desse gênero, como, p. ex., a *Astilbe davidii*, de flores lilases. **3.** Qualquer espécime desse gênero.

astilha ***S. f.*** Lasca, estilhaço, estilha. [Cf. *hastilha*.]

astolfo-dutrense ***Adj. 2 g.* 1.** De, ou pertencente ou relativo a Astolfo Dutra (MG). • ***S. 2 g.* 2.** O natural ou habitante de Astolfo Dutra. [Pl.: *astolfo-dutrenses*.]

astomia [De *a-*[3] + *-stom(o)-* + *-ia*[1].] ***S. f. Ter.*** Ausência congênita de fenda bucal.

ástomo [De *a-*[3] + *-stomo*.] ***Adj. Bot.*** Diz-se dos musgos sem perístoma, cuja cápsula se abre irregularmente.

astorgano ***Adj.* 1.** De, ou pertencente ou relativo a Astorga (PR). • ***S. m.* 2.** O natural ou habitante de Astorga. [Sin. ger.: *astorguense*.]

astorguense ***Adj. 2 g. S. 2 g.*** V. *astorgano*.

astracã [Do top. *Astracã* (antiga U.R.S.S., atual Cazaquistão), pelo fr. *Astrakan*.] ***S. m. Tec. Têx.* 1.** Pele preta, cinza ou marrom de cordeiro caracul (q. v.) morto imediatamente depois de nascer, e que é empregada em agasalhos e enfeites: "Os menores atos de sua vida, a gola de astracã do seu casaco, o seu modo de enrolar o cigarro, ... tudo foi miudamente e clamorosamente contado ao mundo" (Eça de Queirós, *Ecos de Paris*, p. 188). **2.** Tecido que tem a textura da pelúcia, e que imita a pele desse cordeiro.

astracanita[1] ***Adj. 2 g.* 1.** De, ou pertencente ou relativo a Astracã (Cazaquistão). • ***S. 2 g.* 2.** O natural ou habitante dessa cidade.

astracanita[2] [Do top. *Astracã* (Cazaquistão) + *-ita*[3].] ***S. f. Min.*** V. *bloedita*.

astração [Do ingl. *astraction*.] ***S. f. Astr.*** Processo de troca de matéria entre as estrelas.

astragália [De *astrágalo* (2) + *-ia*[2].] ***S. f. Arquit.*** Perfil de cornija, ou de qualquer moldura, terminado em astrágalo.

astragaliano [De *astrágalo* + *-iano*.] ***Adj.*** Relativo a astrágalo.

astrágalo[1] [Do gr. *astrágalos*, pelo lat. *astragalu*.] ***S. m.* 1. *Anat.*** O osso de cada tarso, de forma quase cúbica. [Em virtude da sua forma, era usado, na Antiguidade, por soldados gregos e romanos no jogo de dados.] **2.** *Arquit.* Moldura ou filete arredondado, que contorna a parte superior do fuste de uma coluna, servindo de base ao capitel. **3.** *Arquit.* Qualquer filete ou moldura de arremate.

astrágalo[2] [Do tax. *Astragalus* (do lat. *astragalus* < gr. *astrágalos*).] ***S. m. Bot.* 1.** Grande gênero de plantas herbáceas e arbustivas fabáceas que se caracterizam pelas folhas com folíolos internos, flores com estilete glabro e estigma pequeno, e frutos deiscentes bivalvares, ger. divididos em dois lóculos. **2.** Qualquer espécie desse gênero, como, p. ex., a *Astragalus gummifer* [v. *alcatira* (1)]. **3.** Qualquer espécime desse gênero.

astral [Do lat. *astrale*.] ***Adj. 2 g.* 1.** Relativo aos astros; sideral, sidéreo, ástreo. ~ V. *fuso* — e *perturbação* —. [Cf. *austral*[1].] • ***S. m.* 2. *Rel.*** Plano intermediário entre o mundo físico e o espiritual, segundo a doutrina teosófica. **3.** *Bras. Pop.* Estado de espírito como que determinado pelos astros: *Meu astral anda excelente.* [Cf. *alto-astral* e *baixo-astral*.] **4.** *Bras. Pop.* Influência, boa ou má, que certos ambientes ou locais parecem exercer sobre as pessoas ou as coisas: *O mau astral da casa fez com que todos se afastassem dali.*

astralão [De *Astralon*, nome comercial.] ***S. m. Art. Gráf.*** Base de material plástico translúcido para montagem, na ordem e posição adequadas, dos fotolitos que serão gravados numa mesma chapa pré-sensibilizada.

astrapeia (éi) [Do tax. *Astrapaea* (do lat. *astrapaea, ae*, 'pedra preciosa').] ***S. f. Bot.*** V. *dombeia* (1 a 3). ❖

astrapotério [Adapt. do tax. *Astrapotheria*.] ***Paleont. S. m.* 1.** Espécime dos astropotérios, ordem extinta de ungulados do oligoceno e do mioceno da América do Sul; herbívoros, tinham a tromba longa e o tamanho aproximado de um rinoceronte atual. • ***Adj.* 2.** Pertencente ou relativo a eles.

astreia (éi) [Do lat. *Astraea*.] ***S. f.* 1.** Antigo nome da constelação zodiacal da Virgem. **2.** Polipeiro pétreo de superfície estrelada. **3.** *Fig.* A Justiça. **4.** *Fig.* A Paz. [Com cap. nas acepçs. 1, 3 e 4.] ❖

ástreo [De *astr(o)-* + *-eo*.] ***Adj.* 1.** V. *astral* (1). **2.** Cheio de astros; ástrico.

ástrico [Do lat. *astricu*.] ***Adj.*** Ástreo (2).

astrígero [Do lat. *astrigeru*.] ***Adj.*** Que traz astros.

astriónica ***S. f. Astron.*** V. *astriônica*. [Uso freq. em P.]

astriônica [De *astr(o)-* + *-i-* + *(eletr)ônica*.] ***S. f. Astron.*** Aplicação da eletrônica à astronáutica.

astro [Do lat. *astru*.] ***S. m.* 1. *Astr.*** Designação comum a todos os objetos celestes. **2.** *Fig.* V. *luminar* (2). **3.** Mulher formosa. **4.** *Cin. Teatr. Telev.* Ator (2) principal de um espetáculo. **5.** *Cin. Teatr. Telev.* Ator (2) que atingiu celebridade. [Fem., nas acepçs. 4 e 5: *estrela*.] ◆ **Astro acrônico.** *Astr.* Astro que nasce quando o Sol se põe, ou que se põe quando o Sol nasce. **Astro fixo.** *Astr.* Astro cuja posição na esfera celeste varia muito lentamente. [Todos os astros externos ao sistema solar, as estrelas, as nebulosas, os cúmulos e as galáxias, são astros fixos.] **Astro móvel.** *Astr.* Astro cuja posição na esfera celeste varia rapidamente. [Os astros móveis são os componentes do sistema solar (q. v.).] **O astro da noite.** *Poét.* A Lua. **O astro do dia.** *Poét.* O Sol: "Quando o astro do dia desmaia / Só brilhando com pálido lume" (Casimiro de Abreu, *Obras*, p. 99).

▲ **astr(o)-** [Do gr. *astro-* < gr. *ástron, ou*.] ***El. comp.*** = 'astro', 'corpo celeste'; 'áster': *astrofísica, astrofobia, astrosfera*.

▲ **-astr(o)-** Equiv. de *-astro*.

▲ **-astro** ***Suf. nom.*** = 'aumento'; 'depreciação': *medicastro, poetastro*. [Equiv.: *-astr(o)-*: *falastrão*.]

astroantena [De *astr(o)-* + *antena*.] ***S. f. Astr.*** Radiotelescópio.

astroarqueologia [De *astr(o)-* + *arqueologia*.] ***S. f. Astr.*** Arqueoastronomia.

astroarqueológico [De *astroarqueologia* + *-ico*[2].] ***Adj. Astr.*** Referente à astroarqueologia; arqueoastronômico.

astrobiologia [De *astr(o)-* + *biologia*.] ***S. f. Astr.*** Exobiologia.

astrobiológico [De *astrobiologia* + *-ico*[2].] ***Adj. Astr.*** Referente à astrobiologia.

astroblema [De *astr(o)-* + *-blema*.] ***S. m. Astr.*** Cicatriz produzida na crosta terrestre pela queda de um meteorito gigante; cicatriz estelar.

astrobotânica [De *astr(o)-* + *botânica*.] ***S. f. Astr.*** Ramo da astrobiologia que estuda a probabilidade de vida vegetal própria e a possibilidade de vida dos vegetais terrestres em outros astros.

astrobotânico [De *astrobotânica*, com var. suf. (v. *-ico*[2]).] ***Adj. Astr.*** Relativo à astrobotânica.

astrocário [Do tax. *Astrocaryum* (v. *astr(o)-* e *-cário*).] ***S. m. Bot.* 1.** Gênero de palmeiras arecáceas que reúne cerca de 50 espécies nativas de regiões tropicais das Américas, ger. cultivadas para a extração de fibras e óleos. **2.** Qualquer espécime desse gênero, como, p. ex., a *Astrocaryum tucuma* [v. *tucumã* (2)]. **3.** Qualquer espécime desse gênero.

astrocinológico [De *astrocinologia* + *-ico*[2].] ***Adj.*** Relativo à astrocinologia.

astrócito [De *astr(o)-* + *-cito*.] ***S. m. Histol.*** Célula do gliócito, esteliforme, caracterizada pela riqueza e dimensões de seus prolongamentos citoplasmáticos, que se distribuem em todas as direções.

astroclima [De *astr(o)-* + *clima*.] ***S. m. Astr.*** O conjunto das condições climáticas de um dado local capazes de caracterizar a qualidade das imagens observadas nos instrumentos astronômicos.

astrodinâmica [De *astr(o)-* + *dinâmica*.] ***S. f. Astron.*** Ciência e técnica de aplicação da mecânica celeste a várias atividades, principalmente a astronáutica e a geofísica.

astrodinâmico [De *astrodinâmica*, com var. suf. (v. *-ico*[2]).] ***Adj.*** Concernente à astrodinâmica.

astroesclereide [De *astr(o)-* + *esclereide*.] ***S. f. Bot.*** Esclerócio ramificado à maneira de estrela, e que tem várias pontas, comuns no mesofilo de muitas folhas.

astroetnologia [De *astr(o)-* + *etnologia*.] ***S. f.*** Etnoastronomia.

astrofanómetro ***S. m. Astr. Ant.*** V. *astrofanômetro*. [Uso freq. em P.]

astrofanômetro [De *astr(o)-* + *-fan(o)-* + *-metro*.] ***S. m. Astr. Ant.*** Instrumento destinado a calcular o nascer e o pôr dos astros.

astrofísica [De *astr(o)-* + *física*.] ***S. f.*** Estudo da constituição física e química dos astros, baseado na análise espectroscópica.

astrofísico [De *astrofísica*, com var. suf. (v. *-ico*[2]).] ***Adj.* 1.** Pertencente ou relativo à astrofísica. **2.** Que é especialista em astrofísica. • ***S. m.* 3.** Especialista em astrofísica.

astrofobia [De *astr(o)-* + *-fobia*.] ***S. f. Psiq.* 1.** Medo mórbido de trovões e relâmpagos. **2.** Medo de astros, do espaço celeste.

astrofóbico [De *astrofobia* + *-ico*[2].] ***Psiq. Adj.* 1.** Relativo a astrofobia. **2.** Que sofre de astrofobia; astrófobo. • ***S. m.* 3.** Aquele que sofre de astrofobia; astrófobo.

astrófobo [De *astr(o)-* + *-fobo*.] ***Adj. S. m. Psiq.*** Astrofóbico (2 e 3).

astrofotografia [De *astr(o)-* + *fotografia*.] ***S. f. Astr.*** Aplicação da técnica fotográfica à astronomia; fotografia celeste.

astrofotográfico [De *astrofotografia* + *-ico*[2].] ***Adj. Astr.*** Referente à astrofotografia.

astrofotometria [De *astr(o)-* + *-fot(o)-* + *-metria.*] ***S. f.*** *Astr.* Parte da astronomia que tem por fim a medição da intensidade luminosa de um astro.

astrofotométrico [De *astrofotometria* + *-ico*[2].] ***Adj.*** *Astr.* Referente à astrofotometria, ou ao astrofotômetro.

astrofotómetro ***S. m.*** *Astr.* V. *astrofotômetro*. [Uso freq. em P.]

astrofotômetro [De *astr(o)-* + *fotômetro.*] ***S. m.*** *Astr.* Fotômetro que serve para medir a luminosidade de um astro.

astrogastro [De *astr(o)-* + *-gastro.*] *Zool.* ***S. m. 1.*** Espécime dos astrogastros, designação us. até a década de 1940, para uma subclasse de aracnídeos que compreendia, então, todas as ordens, com exceção das aranhas e acarinos. ● ***Adj. 2.*** Pertencente ou relativo a eles.

astrogenia [De *astr(o)-* + *-genia.*] ***S. f.*** *Astr.* Teoria da criação ou evolução dos corpos celestes; cosmogonia estelar.

astrogénico ***Adj.*** *Astr.* V. *astrogênico*. [Uso freq. em P.]

astrogênico [De *astrogenia* + *-ico*[2].] ***Adj.*** *Astr.* Referente à astrogenia.

astrognosia [De *astr(o)-* + *-gnosia.*] ***S. f.*** *Astr.* Estudo dos astros.

astrografia [De *astr(o)-* + *-grafia.*] ***S. f.*** *Astr. P. us.* V. *astrometria*.

astrógrafo [De *astr(o)-* + *-grafo.*] ***S. m.*** *Astr.* Instrumento astronômico destinado a determinar a posição dos astros pela fotografia.

astroide (ói) [De *astr(o)-* + *-oide.*] ***S. f.*** *Geom.* Hipocicloide em que o raio da circunferência móvel é quatro vezes menor que o da fixa; asteroide, tetracúspide. ❖

astrolábio [Do gr. *astrolábion*, pelo lat. med. *astrolabiu.*] ***S. m.*** *Astr.* Instrumento astronômico inventado por Hiparco, astrônomo e matemático grego (séc. II a.C.), para medir as alturas de um astro acima do horizonte. Modernamente foi aperfeiçoado, e é um dos instrumentos fundamentais da astrometria. ◆ **Astrolábio de prisma.** *Astr.* Instrumento astronômico capaz de determinar simultaneamente a latitude e a hora pela observação do instante em que várias estrelas atingem determinada altura fixa acima do horizonte, antes ou depois da passagem meridiana, dependendo do prisma utilizado (de 45° ou de 90°).

astrólatra [De *astr(o)-* + *-latra.*] ***S. 2 g.*** Adorador dos astros.

astrolatria [De *astr(o)-* + *-latria.*] ***S. f.*** Adoração dos astros.

astrolátrico [De *astrolatria* + *-ico*[2].] ***Adj.*** Relativo à astrolatria.

astrólito [De *astr(o)-* + *-lito.*] ***S. m.*** *Astr.* V. *meteorito* (1).

astrologia [Do gr. *astrología*, pelo lat. *astrologia.*] ***S. f.*** Estudo e/ou conhecimento da influência dos astros, especialmente de signos, no destino e no comportamento dos homens; uranoscopia. ◆ **Astrologia judiciária.** Ramo do conhecimento que se ocupa do estudo das relações entre os fenômenos celestes e o destino dos indivíduos. **Astrologia natural.** Ramo do conhecimento que se ocupa da previsão dos fenômenos naturais (eclipse, etc.).

astrológico [Do gr. *astrologikós.*] ***Adj.*** Relativo à astrologia; uranoscópico.

astrólogo [Do gr. *astrológos*, pelo lat. *astrologu.*] ***S. m.*** Aquele que pratica a astrologia.

astromancia (cí) [Do gr. *astromanteía.*] ***S. f.*** Arte de adivinhar por meio dos astros.

astromante [Do gr. *astrómantis.*] ***S. 2 g.*** Pessoa que pratica a astromancia.

astromântico ***Adj.*** Relativo a astromancia, ou a astromante.

astrómetra ***S. 2 g.*** V. *astrônomo*. [Uso freq. em P.]

astrômetra [De *astr(o)-* + *-metra*[2].] ***S. 2 g.*** Especialista em astrometria; astrometrista.

astrometria [De *astr(o)-* + *-metria.*] ***S. f.*** Ramo da astronomia que trata da medição da posição, dimensões e movimentos dos corpos celestes; astronomia métrica, astronomia de posição.

astrométrico [De *astrometria* + *-ico*[2].] ***Adj.*** Relativo à astrometria. ~ V. *companheiro —*.

astrometrista [De *astrometria* + *-ista.*] ***S. 2 g.*** Astrômetra.

astronauta [De *astr(o)-* + *-nauta.*] ***S. 2 g.*** Pessoa que voa ou navega através do espaço, acima da aeropausa; cosmonauta.

astronáutica [De *astr(o)-* + *-náutica.*] ***S. f.*** Ciência e técnica do voo no espaço cósmico; cosmonáutica.

astronáutico [De *astronáutica*, com var. suf. (v. *-ico*[2]).] ***Adj.*** Relativo à astronáutica.

astronave [De *astr(o)-* + *-nave.*] ***S. f.*** V. *espaçonave*.

astronavegação [De *astr(o)-* + *navegação.*] ***S. f. 1.*** *Astron.* Técnica de orientação e dirigibilidade de veículo espacial. **2.** V. *navegação astronômica*.

astronímia [De *astr(o)-* + *-onim(o)-* + *-ia*[2].] ***S. f.*** Conhecimento ou uso de astrônimos; nomenclatura dos astros.

astrónimo ***S. m.*** V. *astrônimo*. [Uso freq. em P.]

astrônimo [De *astr(o)-* + *-ônimo.*] ***S. m.*** Nome próprio de astros em geral (estrelas, planetas, constelações, etc.). Ex.: *Vênus, Terra, Lua.*

astrônio [Do tax. *Astronium* (do gr. *ástron, on*, 'astro', 'constelação').] ***S. m.*** *Bot.* **1.** Gênero de anacardiáceas com cerca de 15 espécies originárias de regiões tropicais das Américas, várias delas do Brasil, sendo muitas cultivadas pela madeira de lei. **2.** Qualquer espécie desse gênero, como, p. ex., a *Astronium fraxinifolium* [v. *gonçalo-alves* (1)]. **3.** Qualquer espécime desse gênero.

astronomia [Do gr. *astronomía*, pelo lat. *astronomia.*] ***S. f.*** Ciência que trata da constituição, da posição relativa e dos movimentos dos astros. ◆ **Astronomia arqueológica.** V. *arqueoastronomia*. **Astronomia cometária.** *P. us.* Cometografia. **Astronomia de campo.** Ramo da astronomia que trata da determinação precisa das coordenadas geográficas de um ponto sobre a superfície da Terra. **Astronomia de posição.** *Astr.* V. *astrometria*. **Astronomia descritiva.** Ramo da astronomia que cuida da descrição do Universo; cosmografia. **Astronomia estelar.** Ramo da astronomia que estuda as estrelas. **Astronomia fundamental.** Astronomia geral. **Astronomia geral.** Ramo da astronomia que estuda os aspectos básicos dessa ciência; astronomia fundamental. **Astronomia instrumental.** Astronomia prática. **Astronomia meteórica.** *Astr.* Meteorografia (q. v.). **Astronomia métrica.** *Astr.* V. *astrometria*. **Astronomia prática.** Ramo da astronomia que trata dos instrumentos e de sua utilização; astronomia instrumental.

astronómico ***Adj.*** V. *astronômico*. [Uso freq. em P.]

astronômico [Do gr. *astronomikós*, pelo lat. *astronomicu.*] ***Adj.* 1.** Relativo à astronomia. **2.** *Fig.* Muito elevado; altíssimo: *preço astronômico.* ~ V. *almanaque —, anel —, ângulo horário —, anuário —, arqueologia —a, constante —a, coordenada —a, crepúsculo —, fenômeno —, guiamento —, horizonte —, luneta —a, navegação —a, pêndula —a, refração —a, relógio —, símbolo —, telescópio —, tempo —, triângulo —* e *unidade —a*.

astrónomo ***S. m.*** V. *astrônomo*. [Uso freq. em P.]

astrônomo [Do gr. *astronómos*, pelo lat. *astronomu.*] ***S. m.*** Aquele que professa a astronomia; especialista nessa matéria. [Sin. (p. us.): *uranógrafo* e *uranologista*.]

astroscopia [De *astr(o)-* + *-scop-* + *-ia*[1].] ***S. f.*** Estudo dos astros por meio de instrumentos.

astroscópico [De *astroscopia* + *-ico*[2].] ***Adj.*** Relativo à astroscopia.

astroscópio [De *astr(o)-* + *-scópio.*] ***S. m.*** *Ant.* Instrumento inventado, no fim do séc. XVII, para facilitar a pesquisa dos astros, composto de dois cones sobre cuja superfície as constelações com as estrelas são delineadas. [Foi inicialmente utilizado para substituir o globo celeste.]

astrosfera [De *astr(o)-* + *-sfera.*] ***S. f.*** *Citol.* Conjunto formado pelo centrossomo e pelos ásteres; anfiáster, centrosfera.

astroso (ô) [Do lat. *astrosu.*] ***Adj.*** *Ant.* **1.** Que nasceu sob a suposta influência de mau astro. **2.** Infeliz, desventurado. **3.** Fúnebre, funéreo, lúgubre.

astrosofia [De *astr(o)-* + *-sofia.*] ***S. f.*** Estudo e conhecimento dos astros.

astrosófico [De *astrosofia* + *-ico*[2].] ***Adj.*** Relativo à astrosofia.

astrostática [De *astr(o)-* + *estática.*] ***S. f.*** Parte da astronomia que estuda o volume dos astros e das respectivas distâncias.

astrostático [De *astrostática*, com var. suf. (v. *-ico*[2]).] ***Adj.*** Relativo à astrostática.

astrostatística [De *astr(o)-* + *estatística.*] ***S. f.*** Aplicação da estatística no estudo dos astros.

astrostatístico [De *astrostatística*, com var. suf. (v. *-ico*[2]).] ***Adj.*** Referente à astrostatística.

astroteologia [De *astr(o)-* + *teologia.*] ***S. f.*** Teologia natural fundada na observação dos corpos celestes.

astroteológico [De *astroteologia* + *-ico*[2].] ***Adj.*** Relativo à astroteologia.

astrozoologia [De *astr(o)-* + *zoologia.*] ***S. f.*** *Astr.* Ramo da astrobiologia que estuda a probabilidade de vida animal própria e a possibilidade de vida dos animais terrestres nos outros astros.

astrozoológico [De *astrozoologia* + *-ico*[2].] ***Adj.*** *Astr.* Referente à astrozoologia.

astúcia [Do lat. *astutia.*] ***S. f.* 1.** Habilidade em enganar; lábia, solércia, manha, artimanha, ardil. **2.** Finura, malícia, sagacidade. [Cf. *astucia*, do v. *astuciar*.]

astuciar [De *astúcia* + *-ar*[2].] ***V. t. d.* 1.** Planear ou inventar com astúcia. ***Int.* 2.** Usar de astúcia; servir-se de estratagema. [Pres. ind.: *astucio, astucias, astucia*, etc. Cf. *astúcia*.]

astucioso (ô) [De *astúcia* + *-oso.*] ***Adj.*** Que tem ou revela a astúcia; astuto.

asturiano ***Adj.* 1.** Das, ou pertencente ou relativo às Astúrias (região do N. da Espanha). ● ***S. m.* 2.** O natural ou habitante das Astúrias.

astuto [Do lat. *astutu.*] ***Adj.*** Astucioso.

asueroterapia [Do antr. (*Fernando*) *Asuero* (séc. XX), médico espanhol, + *-terapia.*] ***S. f.*** *Med.* Toque de Asuero.

■ **at** *Fís.* **1.** Símb. de *atmosfera técnica*. **2.** V. *atmosfera física*.

■ **At** *Quím.* Símb. de *astatínio*.

ata[1] [Do lat. *acta*, 'coisas feitas'.] ***S. f.* 1.** Registro escrito no qual se relata o que se passou numa sessão, convenção, congresso, etc.: *ata da convenção dos advogados.* **2.** Registro escrito de uma obrigação contraída por alguém: *O escrivão leu a ata da venda do apartamento.* **3.** *Dir. Proc.* Registro escrito de uma audiência, de um julgamento, etc.: *O relator leu a ata do processo.* **4.** *Fig.* Relato, crônica. ~ V. *atas*.

ata[2] [De or. controversa.] ***S. f.*** *Bras. N. CE MS* **1.** O fruto da ateira [v. *fruta-de-conde* (1)]. **2.** *Bot.* V. *coração-de--boi* (1). ~ V. *atas*.

ata[3] [Do tax. *Atta.*] ***S. f.*** *Zool.* **1.** Gênero de insetos himenópteros formicídeos. **2.** Qualquer espécie desse gênero, como, p. ex., a saúva (q. v.). **3.** Qualquer espécime desse gênero. ~ V. *atas*.

▲ **-ata** [Do lat. *-ata*, fem. do suf. lat. *-atus*, a, um (v. *-ado*[1]), fonte tb. do suf. *-ada*[1], com poss. infl. italiana.] ***Suf. nom.* 1.** tônico = 'ação' ou 'efeito de ação'; 'instrumento de ação'; 'ação em conjunto'; 'ação contínua', às vezes com valor irônico ou pejorativo: *carreata, ceata, chiata, dançata, girata, jogata, mamata, negociata, papata, papeata, passeata* e *tocata*[1].

atá ***El. s. m.*** Us. na loc. adv. *andar ao atá.* ◆ **Andar ao atá. 1.** Andar à toa, a esmo, sem rumo: "andamos ao atá, apanhando aqui e ali umas pedrinhas luzidias, uns seixos rolados" (Paulino Santiago, *Temas e Processos do Cancioneiro de Alagoas*, p. 61). [Aplica-se aos caranguejos, que andam desorientados no tempo da desova.] **2.** *Bras. CE Pop.* Estar sem dinheiro.

atabacado [De *a-*[2] + *tabaco* + *-ado*[1]] ***Adj.*** De cor tirante à do tabaco, ou da cor do tabaco.

atabafado [Part. de *atabafar.*] ***Adj.* 1.** Abafado, agasalhado. **2.** *Fig.* Oculto, secreto. **3.** *Fam.* Roubado.

atabafador (ô) [De *atabafar* + *-dor.*] ***Adj. S. m.*** Que, ou aquele que atabafa.

atabafar [De *abafar*[2], poss.] ***V. t. d.* 1.** Abafar, agasalhar: "apanhando a criança, atabafou-a, apagou o lampião e a candeia, fechou a porta por fora e foi-se." (Coelho Neto, *Rei Negro*, p. 194). **2.** Abafar, sufocar: *O ar viciado da sala atabafava a sua respiração.* **3.** Ocultar, esconder, encobrir; dissimular. **4.** Furtar, atabafar. ***Int.* 5.** Respirar com dificuldade. ***P.* 6.** Abafar-se, agasalhar-se: "Os pés escaldados em água quente Ana Rosa tomou a malga de erva--cidreira adoçada a mel de abelhas e atabafou-se suando copiosamente" (Coelho Neto, *Sertão*, p. 173).

atabal [Do ár. *a ṭ- ṭabl*, 'tambor'.] ***S. m.*** *Mús.* **1.** Timbale (1) (q. v.). **2.** No séc. XVIII, castanholas de cabo. **3.** V. *atabaque* (2). [Var.: *atabale*.]

atabalaque ***S. m.*** *Mús.* V. *atabaque* (2).

atabalar [De *atabal* + *-ar*[2].] ***V. int.*** Tocar ou bater o atabal.

atabale ***S. m.*** *Mús.* V. *atabal*.

atabaleiro [De *atabal* + *-eiro.*] ***S. m.*** Aquele que tangia atabales; timbaleiro.

atabalhoado [Part. de *atabalhoar.*] ***Adj.* 1.** Feito às pressas; apressado: "Só agora caio em mim e me apercebo de que me deram quinze minutos para esta palestra atabalhoada e desconexa." (Leonardo Mota, *Violeiros do Norte*, p. 30.) **2.** Atrapalhado, aturdido.

atabalhoamento [De *atabalhoar* + *-mento.*] ***S. m.*** Ato ou efeito de atabalhoar(-se).

atabalhoar [De *atabal*, poss.] ***V. t. d.* 1.** Fazer ou dizer (qualquer coisa) sem ordem nem propósito. **2.** Fazer mal e às pressas. **3.** Aturdir, embaraçar; atrapalhar. ***Int.* 4.** Proceder, agir precipitadamente. ***P.* 5.** Ficar perplexo; atrapalhar-se, confundir-se. [Conjug.: v. *coroar*.]

atabaque [Do ár. *at- ṭabaq.*] ***S. m.*** *Mús.* **1.** *Ant.* Tambor pequeno de uma só pele; atabal, atabale, timbale (1) (q. v.). **2.** *Mús.* Tambor feito com pele de animal distendida sobre um pau oco e percutida com as mãos, e que se usa para marcar o ritmo das danças religiosas e populares de origem africana ou influenciada por esta; atabal, atabalaque, atabale, tabaque, tambaque, carimbó, curimbó. **3.** Na África e na Ásia, espécie de tambor afunilado, com couro de um lado só, percutido com as mãos ou com baquetas; ilu: "cruzam-se no espaço os sons dos atabaques e as moças começam a dançar, nuas, só com o sexo tapado por um pedacito de pele, fazendo tilintar as pulseiras e as anilhas de cobre reluzente que lhes cingem os tornozelos." (Castro Soromenho, *Rajada e Outras Histórias*, p. 116).

atabaqueiro [De *atabaque* + *-eiro.*] ***S. m.*** *Mús.* Tocador de atabaque.

atabascano [Do ingl. *Athabascan, Athabaskan* < top. *Athabasca*, lago e rio do Canadá.] *S. m.* **1.** *Gloss.* Família de línguas indígenas norte-americanas faladas na região que se estendia do Alasca ao N. do México, e que inclui o navajo e os vários dialetos do apache. **2.** *Etnôn.* Indivíduo de qualquer dos povos falantes dessas línguas. [V. *na-dene.*] ● *Adj.* **3.** Relativo a atabascano (1 e 2). [Sin. ger.: *atabasco, atapasco* e *atapascano.*]

atabasco [Do top. *Athabasca.*] *Adj. S. m.* V. *atabascano.*

atabernado [De *a-*[2] + *taberna* + *-ado*[1].] *Adj.* **1.** Que tem aspecto de taberna. **2.** Próprio de taberna. [Var.: *atavernado.*]

atabernar [De *a-*[2] + *taberna* + *-ar*[2].] *V. t. d.* **1.** Vender em taberna. **2.** Vender a retalho. **3.** Transformar em taberna. **4.** *Fig.* Tornar rude, grosseiro. *P.* **5.** Tornar-se semelhante a taberna. [Var.: *atavernar.*]

atabular *V. t. d. Bras.* **1.** Apressar, estugar (o passo). *Int.* **2.** Discutir em voz alta; altercar. **3.** Falar à toa; tagarelar, alanzoar. **4.** Dar-se pressa; apressar-se.

ataca [Dev. de *atacar*[2].] *S. f.* **1.** Cordão, nastro, fita, etc., com que se aperta ou prende, unindo, duas partes de uma peça, em especial de vestuário; atacador. **2.** V. *cadarço* (3).

atacadista [De *atacado*[1] + *-ista.*] *Adj. 2 g.* **1.** Diz-se do comércio por atacado. **2.** Que explora esse tipo de comércio: *negociante atacadista; firma atacadista.* ● *S. 2 g.* **3.** Negociante atacadista (2). [Antôn.: *retalhista, varejista.*]

atacado[1] [Part. de *atacar*[1].] *Adj.* **1.** Que sofreu ataque. **2.** *Bras. Gír.* De mau humor; invocado: *Não há quem o suporte; amanheceu atacado.* ● *S. m.* **3.** Aquele que sofreu ataque: "Não ataca ninguém .... pois pode haver um tetraneto do atacado entre os assistentes." (Agripino Grieco, *Recordações de um Mundo Perdido*, p. 29.) **4.** Operação comercial de distribuição que vende produtos em grandes quantidades para outras empresas (varejistas) que, por sua vez, se encarregam de vender ao mercado consumidor. ◆ **Por atacado. 1.** Em grosso, por grosso: *vendas por atacado.* **2.** De uma vez.

atacado[2] [Part. de *atacar*[2].] *Adj.* **1.** Apertado por meio de ataca ou atacador. **2.** *P. ext.* Apertado; justo. **3.** *P. ext.* Abotoado (1): "Inspetores cruzavam-se, chapéu caído sobre a orelha, o volume do revólver sob o paletó atacado." (Moreira Campos, *Os Doze Parafusos*, p. 103.)

atacador (ô) [De *atacar*[2] + *-dor.*] *S. m.* **1.** Ataca (1). **2.** V. *cadarço* (3). **3.** *P. ext.* Qualquer cordão, corda ou correia para atacar ou atar; atilho. **4.** Instrumento de calcar pólvora no cartucho ou na arma de fogo.

atacadura [De *atacar*[2] + *-dura.*] *S. f.* Ato ou efeito de atacar[2].

atacamenho *Adj.* **1.** Do, ou pertencente ou relativo ao deserto de Atacama, no Chile. ● *S. m.* **2.** O natural ou habitante de Atacama.

atacamita [Do top. *Atacama* (v. *atacamenho*) + *-ita*[3].] *S. f. Min.* Mineral ortorrômbico, esverdeado, cloreto básico de cobre.

atacante [De *atacar*[1] + *-nte.*] *Adj. 2 g.* **1.** Que ataca; agressor, assaltante. **2.** Injurioso, ofensivo. ● *S. 2 g.* **3.** Pessoa que ataca. **4.** *Bras. Fut.* Jogador da linha de ataque. [Sin., nesta acepç.: *dianteiro* e (lus.) *avançado.*]

atacar[1] [Do it. *attaccare.*] *V. t. d.* **1.** Acometer com ímpeto; acometer; investir, assaltar. **2.** Agredir, hostilizar, acusar: *Escreveu um artigo atacando a oposição.* **3.** Ofender, injuriar: *Como ousa atacar um amigo de maneira tão vil?* **4.** Reprovar com energia; censurar, verberar: *atacar os vícios, os maus costumes.* **5.** Manifestar-se repentinamente (doença, desejo, sono, etc.) em; acometer. **6.** Manifestar-se de súbito (dúvida, receio, preocupação, etc.) em, perturbando, inquietando; apoderar-se de; acometer, assaltar: *Atacaram-no dúvidas sobre a honestidade do amigo.* **7.** Estragar, danificar; desgastar, carcomer, corroer: *A ferrugem atacou o metal.* **8.** Dar começo a, iniciar (peça musical, empreendimento, tarefa, assunto), em geral com ímpeto ou forte disposição: *Só amanhã atacará a tarefa; Hesitou, mas terminou atacando o tema;* "E o coro atacou o Introito." (Eça de Queirós, *O Crime do Padre Amaro*, p. 240). **9.** *Bras. Pop.* Começar a comer com disposição, com apetite: *Mal serviram a feijoada, ele atacou-a;* "O Sr. Porfírio atacou .... um prato seu predileto, a maniçoba, preparado com mocotós de paca e grelos de mandioca" (José Veríssimo, *Cenas da Vida Amazônica*, p. 2). **10.** *Esport.* Promover ataque a (adversário ou a sua área defensiva): *O Vasco atacou o Flamengo com garra. T. d. e i.* **11.** *Pop.* Arremessar, atirar, jogar: *As crianças atacavam pedras nos frutos.* **12.** *Pop.* Fazer chegar (a mão, o braço, o pé), com um movimento mais ou menos impetuoso de quem arremessa, batendo, espancando; mandar, meter, jogar, virar, sentar: *Atacou a mão na cara do agressor; Surpreendido pelo assaltante, atacou-lhe o pé.* **13.** *Pop.* Atear (fogo). [Sin., nas acepçs. 11, 12 e 13: *assentar.*] **14.** *Pop.* Dar, disparar: *Atacou um tiro no assaltante.* [Var. aferética, nas acepçs. 11, 12, 13 e 14: *tacar.*] **15.** *Bras.* Comprar ou vender por atacado (uma partida de qualquer mercadoria). *Int.* **16.** Efetuar um ataque (1): *Os comandos atacam de madrugada.* **17.** Empenhar-se vivamente para a obtenção de algo: *Atacou junto ao editor para a publicação de sua obra.* **18.** Exercer atividade: *F. está atacando na televisão.* **19.** *Esport.* Efetuar ataque (7): "Futebol é simples: quem tem a bola, ataca. Quem não tem, se defende." (Ivan Cavalcanti Proença, *Futebol e Palavra*, p. 86.) *P.* **20.** Investir reciprocamente: *Os contendores atacaram-se com redobrada fúria.* [Conjug.: v. *trancar.*]

atacar[2] [De or. obscura.] *V. t. d.* **1.** Prender com ataca ou atacador. **2.** *Bras. N.E.* Meter os botões, ou os colchetes, nas casas, para fechar (veste, etc.): *atacou os colchetes da blusa;* "Veste o paletó, ataca os quatro botões, formaliza-se" (Mauro Mota, *O Pátio Vermelho*, p. 62). *T. d. e i.* **3.** Encher demasiado; abarrotar. *P.* **4.** Encher-se em demasia; fartar-se, abarrotar-se. [Conjug.: v. *trancar.*]

atacável [De *atacar*[1] + *-vel.*] *Adj. 2 g.* Que pode ou deve ser atacado.

atachê [Do fr. *attaché.*] *S. m.* **1.** Adido. **2.** Pessoa agregada a um grupo do qual não faz parte: "Das outras vezes, quando saíam com Fernando, ele se sentia um simples atachê, um companheiro casual e subsidiário." (Ribeiro Couto, *Baianinha e Outras Mulheres*, p. 166.)

atacoar [De *a-*[2] + *tacão* + *-ar*[2], com desnasalação.] *V. t. d.* **1.** Pôr tacão em (calçado). **2.** Consertar atabalhoadamente; atamancar. [Conjug.: v. *coroar.*]

atáctico[1] *Adj.* V. *atáxico.*

atáctico[2] [De *a-*[3] + *-tá(c)tico.*] *Adj. Quím.* – V. *polímero* –.

atactostelia [De *atactostelo* + *-ia*[1].] *S. f. Bot.* Disposição dos feixes condutores no atactostelo.

atactostélico [De *atactostelo* + *-ico*[2].] *Adj. Bot.* Referente ao atactostelo: *caule atactostélico.*

atactostelo [De *a-*[3] + *-tact(o)-* + *-stelo.*] *S. m. Bot.* Estelo em que os feixes vasculares não guardam ordem de qualquer espécie.

atada [F. subst. do adj. *atado.*] *S. f.* Feixe ou molho que se atou; atado.

atado [Part. de *atar*[2].] *Adj.* **1.** Amarrado, ligado, preso, com atilho, cordão, etc. **2.** *Fig.* Embargado, contido: *voz atada.* **3.** *Fig.* Sem desembaraço; desajeitado: *A nova empregada era atada por demais.* **4.** *Fig.* Embaraçado, confuso, perplexo: *A presença da moça deixou-o meio atado.* ● *S. m.* **5.** Indivíduo atado (3 e 4). **6.** Embrulho, trouxa. **7.** Atada.

atador (ô) [De *atar*[2] + *-dor.*] *S. m.* Aquele que ata.

atadura [De *atar*[2] + *-dura.*] *S. f.* **1.** Ação de atar; atamento. **2.** Atilho, faixa, ligadura. **3.** Bandagem feita de faixa de tecido, ger. gaze, para envolver, prender e proteger partes lesadas, ou, ainda, manter curativos no lugar.

atafal [Do dialeto magrebino *at-tafar* < ár. aè-èafar.] *S. m.* **1.** V. *rabicho* (2). **2.** *Prov. port.* Pessoa que se comporta mal.

atafona [Do ár. *a ṭ- ṭaḥḥuna(t).*] *S. f.* **1.** Moinho manual ou movido por cavalgaduras. **2.** Azenha. [Var. (bras., RS): *tafona.*]

atafoneiro [De *atafona* + *-eiro.*] *S. m.* Aquele que tem ou dirige atafona. [Var. (bras., RS): *tafoneiro.*]

atafular-se [De *a-*[2] + *taful* + *-ar*[2] + *se*[1].] *V. p.* Tornar-se taful, casquilho, janota; ajanotar-se.

atafulhado [Part. de *atafulhar.*] *Adj.* Cheio em demasia; atochado.

atafulhamento [De *atafulhar* + *-mento.*] *S. m.* Ato ou efeito de atafulhar(-se).

atafulhar [De *atapulhar*, poss.] *V. t. d.* **1.** Encher em demasia; abarrotar: "lê caoticamente e escreve textos que atafulham a gaveta." (Cristovão Tezza, *O Filho Eterno*, p. 12). **2.** Carregar muito (o estômago). **3.** Meter, introduzir, desordenadamente ou à força. *P.* **4.** Comer até não poder mais; empanturrar-se, empanzinar-se. [Var.: *tafulhar.*]

ataganhar *V. t. d. Prov. port.* Asfixiar, apertando a garganta; estrangular, esganar.

atalaia [Do ár. *a ṭ- ṭalla'a(t)*, 'lugar alto'.] *S. f. e m.* **1.** Vigia, guarda, sentinela: "Dia e noite, os atalaias se renovavam na vigia." (João Felício dos Santos, *João Abade*, p. 231.) ● *S. f.* **2.** Ponto alto de onde se vigia. **3.** Torre de vigia. **4.** *Bras. MA* O morro mais alto de uma serra. ◆ **De atalaia.** De sobreaviso; à espera, à espreita: *estar ou ficar de atalaia.*

atalaiado [De *atalaia* + *-ado*[1].] *Adj.* **1.** Provido de atalaia; guardado, vigiado. **2.** Cheio de cautela, precavido; alerta.

atalaiador (ô) [De *atalaiar* + *-dor.*] *S. m.* Aquele que fica de atalaia, à espreita ou de vigia; sentinela.

atalaiar [De *atalaia* + *-ar*[2].] *V. int.* **1.** Vigiar, guardar. **2.** Ficar de atalaia, à espreita.

atalaiense[1] *Adj. 2 g.* **1.** De, ou pertencente ou relativo a Atalaia (AL e PR). ● *S. 2 g.* **2.** O natural ou habitante de Atalaia.

atalaiense[2] *Adj. 2 g.* **1.** De, ou pertencente ou relativo a Atalaia do Norte (AM). ● *S. 2 g.* **2.** O natural ou habitante de Atalaia do Norte.

atalantense *Adj. 2 g.* **1.** De, ou pertencente ou relativo a Atalanta (SC). ● *S. 2 g.* **2.** O natural ou habitante de Atalanta.

ataleense (èên) *Adj. 2 g.* **1.** De, ou pertencente ou relativo a Ataleia (MG). ● *S. 2 g.* **2.** O natural ou habitante de Ataleia.

ataleia (éi) [Do tax. *Attalea* (do lat. *Attalus, i*, 'Átalo, rei de Pérgamo').] *S. f. Bot.* **1.** Gênero de palmeiras arecáceas que reúne cerca de 23 espécies, nativas de regiões tropicais das Américas. **2.** Qualquer espécie desse gênero, como, p. ex., a *Attalea funifera* (v. *piaçaba*). **3.** Qualquer espécime desse gênero. [Sin., pop., nas acepçs. 2 e 3: *pindoba.*] ❖

atalhada [F. subst. do adj. *atalhado.*] *S. f.* Aceiro (5).

atalhado [Part. de *atalhar*[1].] *Adj.* **1.** Que se atalhou; cortado, sustado. **2.** Diz-se de caminho encurtado por atalho. **3.** *Bras.* Diz-se da cangalha com cavidade, para não agravar pisaduras no animal.

atalhador (ô) [De *atalhar*[1] + *-dor.*] *Adj. S. m.* Que ou o que atalha.

atalhamento [De *atalhar*[1] + *-mento.*] *S. m.* Ato ou efeito de atalhar(-se); atalho.

atalhar[1] [De *a-*[2] + *talho* + *-ar*[2], poss.] *V. t. d.* **1.** Impedir de correr, de andar, de crescer, de continuar, de propagar-se, etc.; interromper, deter, sustar, cortar: *atalhar o sangue, o incêndio, a febre.* **2.** Embaraçar o caminho a; cortar o passo de: *A sentinela atalhou o passante, pedindo-lhe os documentos.* **3.** Obstruir, fechar, vedar; atravancar, impedir: *Atalhou a entrada principal durante as obras.* **4.** *Fig.* Encurtar, abreviar, resumir: *atalhar uma conversa.* **5.** Dizer, enunciar, interrompendo: *— Basta! atalhou severamente o pai.* **6.** Encurtar (caminho), seguindo por atalho: *O caminho era longo e resolvi atalhá-lo pelo bosque. T. d. e i.* **7.** Embaraçar, estorvar, obstar: *O desabamento atalhou a passagem aos transeuntes. Int.* **8.** Encurtar caminho, passando por atalho: *Chegando à beira do rio, atalhou.* **9.** *Bras.* Fazer uma cavidade por dentro da cangalha do animal, no lugar correspondente a uma pisadura. *P.* **10.** Ficar perplexo, indeciso, envergonhado, atado.

atalhar[2] [De *a-*[4] + *talhar* (12).] *V. int. P.* Talhar(-se) (o leite).

atalho [Dev. de *atalhar*[1].] *S. m.* **1.** Atalhamento. **2.** Caminho fora da estrada comum, para encurtar distância, o tempo do percurso. [Sin., nesta acepç.: *corte, vereda* e (lus.) *canada.*] **3.** Estorvo, embaraço, empecilho. **4.** Remate, fim. **5.** *Inform.* Referência adicional a um objeto de interface, destinada a facilitar o acesso a este. **6.** *Inform.* Conjunto de teclas que, us. combinadamente, permitem executar com mais rapidez ou simplicidade certas operações, sem que seja necessário recorrer a menus ou ao *mouse*; tecla de atalho.

atamancar [De *a-*[2] + *tamanco* + *-ar*[2].] *V. t. d.* **1.** Consertar ou remendar toscamente. **2.** Fazer (algo) com precipitação e mal: *atamancar um trabalho. Int.* **3.** Agir precipitadamente, sem ordem nem método. *P.* **4.** Acontecer inesperadamente; precipitar-se: "o delírio final se atamancara numa noite" (Graciliano Ramos, *Memórias do Cárcere*, I, p. 18). [Conjug.: v. *trancar.*]

atamancum *Bras. S. 2 g.* **1.** *Etnôn.* Indivíduo dos atamancuns, povo indígena que habita as margens superiores do rio Javari (AM). ● *Adj. 2 g.* **2.** Pertencente ou relativo a esse povo. [Tb. us. como *s. 2 g.* e *2 n.* (com cap.) e *adj. 2 g. e 2 n.*]

atamarado [De *a-*[2] + *tâmara* + *-ado*[1].] *Adj.* Da cor da tâmara; datilado.

atambeirado [De *a-*[2] + *tambeiro* + *-ado*[1].] *Adj. Bras. S.* Diz-se do novilho manso, que lembra o tambeiro (3).

atambia [Do gr. **athambía*, 'coragem'.] *S. f.* **1.** Ausência de medo. **2.** *Hist. Filos.* Nos vocabulários epicurista e estoico, estado da alma que se relaciona à ataraxia (1) (q. v.) e à apatia (3) (q. v.). [Cf. *aponia* e *eutimia.*]

atambor[1] (ô) [Do ár. *a ṭ- ṭanbūr.*] *S. m.* V. *tambor* (1 a 3).

atambor[2] (ô) [Do ár. at-*at-tanbūl* ou *at-tāmūl.*] *S. m.* V. *bétele.* [Var.: *atambul.*]

atambul [Var. de *atambor*[2].] *S. m.* V. *bétele.*

atamento [De *atar*[2] + *-mento.*] *S. m.* **1.** Atadura (1). **2.** *Fam.* Falta de expediente, de desembaraço; acanhamento, embaraço, timidez.

ataná [De or. indígena, poss.] *S. f. Bras. Bot.* Paracuuba (2).

atanado [Part. de *atanar*, subst. nas acepçs. 1 e 2.] *S. m.* **1.** Casca de angico ou doutras plantas taninosas, empregada para curtir couros. **2.** O couro curtido com essa casca. ● *Adj.* **3.** Diz-se desse couro: "avançava tropeçando, rilhando os dentes, a ferragem de seus grosseiros borzeguins de couro atanado tirando faúlhas nas pedras da calçada." (Silva Guimarães, *Os Borrachos*, p. 25).

atanar [De *a-*[2] + *tan(ino)* + *-ar*[2].] ***V. t. d.*** Curtir com atanado (1).

atanazar ***V. t. d. P.*** V. *atenazar* (2, 3 e 4).

atangará [De *a-*[4] + *tangará*.] ***S. m.*** *Bras. Zool.* V. *tangará*.

atangaratinga (garà) [De *atangará* + *-tinga*.] ***S. m.*** *Bras. Zool.* V. *rendeira*[2] (2).

atanor (ô) [Do ár. *at-tanūr*.] ***S. m.*** Forno, ger. circular e feito em barro.

atapascano [Do ingl. *Athapaskan*.] ***Adj. S. m.*** V. *atabascano*.

atapasco ***Adj. S. m.*** V. *atabascano*.

ataperado[1] [De *a-*[2] + *tapera* + *-ado*[1].] ***Adj.*** Que tem, ou em que há taperas.

ataperado[2] [Part. de *ataperar*.] ***Adj.*** *Bras.* Reduzido a tapera ou ruína.

ataperar [De *a-*[2] + *tapera* + *-ar*[2].] ***V. t. d.*** *Bras.* Reduzir a tapera ou ruína.

atapetado [Part. de *atapetar*.] ***Adj.*** **1.** Coberto ou forrado de tapetes. "foi encostar o queixo à teia de pinho, pintada de branco, junto ao caminho atapetado, que a cantora devia seguir do camarim para o palco." (D. João da Câmara, *Contos*, p. 79). **2.** Coberto como por tapete: *Olhava embevecido o campo atapetado de flores.*

atapetamento [De *atapetar* + *-mento*.] ***S. m.*** Ato ou efeito de atapetar.

atapetar [De *a-*[2] + *tapete* + *-ar*[2].] ***V. t. d.*** **1.** Cobrir com tapete(s); alfombrar, alcatifar. ***P.*** **2.** Cobrir-se, revestir-se, como que de um tapete: "O chão de urzes e pedras, em que piso, / De musgo e lírios se atapeta e enflora." (Alberto de Oliveira, *Poesias*, 4ª série, p. 242.) [Sin. ger.: *tapeçar, tapetar, tapizar, entapetar, entapizar*.]

atapu [De *uatapu*, com aférese.] ***S. m.*** *Bras. N.E.* V. *búzio* (1): "Quando o som do atapu atroa correm todos à praia" (Alberto Rangel, *Papéis Pintados*, p. 250). [Esta concha serve de trombeta aos jangadeiros para chamar os companheiros ou fregueses. Var., na BA: *itapu*.]

atapulhar [De *a-*[2] + *tapulho* + *-ar*[2].] ***V. t. d.*** **1.** Meter tapulho em; tapar, arrolhar, rolhar. **2.** Tapar à força. **3.** Encher demasiado; atafulhar.

ataque [Dev. de *atacar*[1].] ***S. m.*** **1.** Ato ou efeito de atacar; acometimento, assalto, investida. **2.** Agressão, ofensa, injúria; insulto. **3.** Discussão, disputa. **4.** Acesso repentino (de doença); insulto. **5.** *Mús.* Ato de começar a emissão de um som com voz ou com um instrumento musical. **6.** *Mús.* Pequena frase de algumas notas, estranha ao tema e, com maior frequência, à resposta da fuga, servindo-lhe unicamente de entrada. **7.** *Mús.* V. *onset* (2). **8.** *Esport.* Ofensiva realizada por um ou mais jogadores de uma equipe no empenho de vencer o adversário. **9.** *Bras.* Bucha das minas de pedreira. **10.** *Patol. Psiq.* Acometimento súbito, ger. periódico, de doença ou de sintomas de doença; acesso: *ataque de asma, ataque epiléptico.* ◆ **Ao ataque.** *Bras. AM* Afrontando a força das águas (ao descer uma cachoeira ou corredeira). **Dar um ataque.** *Bras. Gír.* Ter um ataque. **Ter um ataque. 1.** *Bras. Pop.* Sofrer crise nervosa ou convulsiva, muitas vezes com perda de consciência. **2.** *Bras. Gír.* Perder a calma e exceder-se em palavras violentas ou grosseiras contra alguém. [Sin. ger.: *dar um ataque*.]

atar[1] [De or. incerta.] ***S. m.*** Perfume indiano à base de óleo de pétalas de flores, principalmente rosas.

atar[2] [Do lat. *aptare*.] ***V. t. d.*** **1.** Prender, cingir ou apertar com laçada ou nó; amarrar. **2.** Unir, ligar, vincular: *Com esta medida, pensa em atar as suas atividades várias.* **3.** Prender; conter, refrear: *Situação embaraçosa que lhe atava a língua.* **4.** Sujeitar, submeter, subjugar: *A promessa feita ao moribundo atava-o.* **5.** Enlaçar, pear, ilaquear. **6.** Expor ou redigir com nexo: *Ata bem as palavras.* **7.** *Bras. RS* Contratar, ajustar: *atar um negócio.* ***T. d. e i.*** **8.** Prender, cingir ou ligar com laçada ou nó; amarrar. **9.** Submeter, subordinar: *Atou os prisioneiros à sua vontade férrea.* **10.** Vincular, ligar: *O amor à mãe atava-o à família.* **11.** Atrelar, jungir: *Mandou atar os cavalos à carruagem.* **12.** Formar, estabelecer: *Atou relações com os novos vizinhos.* ***P.*** **13.** Prender-se, ligar-se. **14.** Sujeitar-se, submeter-se. **15.** Cingir-se, restringir-se, limitar-se. **16.** Embaraçar-se, enlear-se. **17.** Tornar-se mais estreito ou apertado; estreitar-se, apertar-se: "meu pai, a fim de que mais se atassem os vínculos de duas extremadas gerações, formou o terceiro enlace" (Camilo Castelo Branco, *O Santo da Montanha*, p. 12). [Pres. subj.: *ate, ates, ate, atemos, ateis, atem*. Cf. *atém-se* e *atêm-se*, do v. *ater-se*.] ◆ **Não atar nem desatar. 1.** Não decidir, não resolver; mostrar-se irresoluto; não beber nem desocupar o copo. **2.** Não ter desenvolvimento, ou continuidade; não chegar a um resultado, a algum lugar: "vivia .... insone, chateado com as coisas que escrevia, a biografia de Albuquerque não atava nem desatava" (Hermilo Borba Filho, *O Cavalo da Noite*, p. 60).

atarantação [De *atarantar* + *-ção*.] ***S. f.*** **1.** Ato ou efeito de atarantar(-se). **2.** Atrapalhação, perturbação; confusão.

atarantadamente [Do f. de *atarantado* + *-mente*.] ***Adv.*** De maneira atarantada, aturdida, atrapalhada; às tontas.

atarantado [Part. de *atarantar*.] ***Adj.*** Aturdido, atrapalhado, estonteado: "Maria Ida, despertando, levantou-se atarantada, sem saber o que fazer." (Pelópidas Soares, *Cordão dos Bichos*, p. 14.) [Var.: *atarentado*.]

atarantar [De *a-*[2] + *tarânt(ula)* + *-ar*[2].] ***V. t. d. P.*** Estontear(-se), confundir(-se), atrapalhar(-se), perturbar(-se), desatinar(-se).

ataraú [De or. tupi.] ***S. m.*** *Bras.* **1.** Fúria, exaltação. **2.** Mau humor; calundu.

ataraxia (cs) [Do gr. *ataraxía*, 'calma', 'tranquilidade'.] ***S. f.*** **1.** *Hist. Filos.* Nos vocabulários céptico e estoico, estado em que a alma, pelo equilíbrio e moderação na escolha dos prazeres sensíveis e espirituais, atinge o ideal supremo da felicidade: a imperturbabilidade. [Cf. *apatia* (3), *aponia, atambia* e *eutimia*.] **2.** Tranquilidade, serenidade. **3.** Apatia, indiferença: "Se tinha [Fernando Pessoa] horas de imensa euforia, ... a maior parte do tempo passava-o prostrado, numa ataraxia búdica" (João Gaspar Simões, *Vida e Obra de Fernando Pessoa*, p. 650).

ataráxico (cs) [De *ataraxia* + *-ico*[2].] ***Adj.*** **1.** Relativo à ataraxia. **2.** Diz-se do medicamento que a provoca. ● ***S. m.*** **3.** Medicamento que a provoca.

atardar [De *a-*[2] + *tarde* + *-ar*[2].] ***V. t. d. P.*** Demorar(-se), atrasar(-se), retardar(-se): "Algum sumido apeadeiro, onde o trem se atardava, esfalfado, resfolgando" (Eça de Queirós, *A Cidade e as Serras*, p. 191).

atarê [Do nagô.] ***S. f.*** *Bras. Bot.* V. *pimenta-da-áfrica*.

atarefado [Part. de *atarefar*.] ***Adj.*** Muito ocupado; sobrecarregado, azafamado.

atarefamento [De *atarefar* + *-mento*.] ***S. m.*** Ato ou efeito de atarefar(-se).

atarefar [De *a-*[2] + *tarefa* + *-ar*[2].] ***V. t. d.*** **1.** Encarregar de tarefa. **2.** Sobrecarregar de trabalho; abarbar. ***P.*** **3.** Aplicar-se, entregar-se muito ao trabalho; azafamar-se.

atarentado ***Adj.*** *Bras. PI* V. *atarantado*.

ataroucado [Part. de *ataroucar*.] ***Adj.*** Apalermado, atoleimado, idiotizado.

ataroucar [De *a-*[2] + *tarouco* + *-ar*[2].] ***V. t. d. P.*** Tornar(-se) tarouco ou idiota; imbecilizar(-se), aparvalhar(-se), atoleimar(-se). [Conjug.: v. *trancar*.]

atarracado [Part. de *atarracar*.] ***Adj.*** **1.** Muito apertado; atarraxado, arrochado. **2.** *Fig.* Diz-se de pessoa baixa e gorda; achaparrado. **3.** *P. ext.* Diz-se de animal ou coisa sem elegância, pesada: *Era feia a mesa, baixa demais, atarracada.* [Sin., bras. (nas acepç. 2 e 3): *retaco*.]

atarracador (ô) [De *atarracar* + *-dor*.] ***S. m.*** Aquele que atarraca.

atarracar [Do ár. *tarraqa*, 'martelar', 'bater'; 'forjar'; v. tb. *a-*[4] e *-ar*[2].] ***V. t. d.*** **1.** Preparar (a ferradura e o cravo) para acomodar o casco da cavalgadura. **2.** Preparar (o cravo) para pregar a ferradura. **3.** Apertar com corda ou cunha; atochar. **4.** Apertar muito; arrochar. **5.** Confundir, enlear, perturbar, embaraçar. [Conjug.: v. *trancar*.]

atarraxar [De *a-*[2] + *tarraxa* + *-ar*[2].] ***V. t. d. T. d. e c.*** **1.** Apertar com tarraxa; parafusar, entarraxar. **2.** Prender, unir, ligar fortemente. [F. paral.: *tarraxar*.]

atartarugado [De *a-*[2] + *tartaruga* + *-ado*[1].] ***Adj.*** **1.** Que tem a cor do casco da tartaruga. **2.** Semelhante à tartaruga.

atarubaqui [Do tupi.] ***S. m.*** *Bras.* Designação dada pelos índios a uma qualidade de mandioca.

atascadeiro [De *atascar* + *-deiro*.] ***S. m.*** V. *atoleiro* (1).

atascado [Part. de *atascar*.] ***Adj.*** Atolado[1].

atascal [De *a-*[2] + *tasco*[1] + *-al*[1].] ***S. m.*** *Bras.* V. *atoleiro* (1).

atascar [De *a-*[2] + *tasco*[1] + *-ar*[2].] ***V. t. d. e c.*** **1.** Meter (em atascadeiro): "O moço arrancou do seio puro o coração, esvaziou-o das lágrimas, atascou-o nas orgias e encheu-o de lama." (Camilo Castelo Branco, *A Enjeitada*, p. 234.) ***P.*** **2.** Meter-se em atoleiro; enlamear-se. **3.** Degradar-se no vício. [Conjug.: v. *trancar*.]

atasqueiro [De *atascar* + *-eiro*.] ***S. m.*** V. *atoleiro* (1).

atassalhador (ô) [De *atassalhar* + *-dor*.] ***S. m.*** Aquele que atassalha.

atassalhadura [De *atassalhar* + *-dura*.] ***S. f.*** Ato ou efeito de atassalhar.

atassalhar [De *a-*[2] + *tassalho* + *-ar*[2].] ***V. t. d.*** **1.** Fazer em tassalhos ou em pedaços; lacerar, dilacerar, rasgar, despedaçar, espedaçar. **2.** Destroçar, derrotar: *Atassalhou o inimigo.* **3.** Difamar, caluniar: *Despeitado, atassalhou a ex-noiva.* ***T. i.*** **4.** Abocanhar, abocar; morder: *Na briga, atassalhou no adversário.* ***P.*** **5.** Morder-se, abocanhar-se reciprocamente.

atático ***Adj.*** V. *atáxico*.

ataúba [De or. tupi.] ***S. f.*** *Bras. Bot.* Árvore meliácea (*Guarea tuberculata*) de flores pequenas, brancas, e fruto verrucoso, a qual fornece madeira para marcenaria e carpintaria, tendo a casca propriedades antissifilíticas depurativas; jitó, utuaúba, camboatá.

ataúde [Do ár. *at-tābūt*, 'arca'; 'tumba'; 'esquife', < hebr. *tevah* < egípcio.] ***S. m.*** **1.** V. *caixão* (2): "vejo-a no seu ataúde morta" (Júlio Belo, *Memórias de um Senhor de Engenho*, p. 21). **2.** *Fig.* V. *sepulcro* (3).

atauxiar [De *a-*[4] + *tauxiar*.] ***V. t. d.*** V. *tauxiar*.

atavanado [De *a-*[2] + *tavão* + *-ado*[1].] ***Adj.*** Preto ou castanho com malhas brancas nos ilhais ou nas espáduas (equídeo).

atavernado [Part. de *atavernar*.] ***Adj.*** V. *atabernado*.

atavernar [De *a-*[2] + *taverna* + *-ar*[2].] ***V. t. d. P.*** V. *atabernar*.

ataviado [Part. de *ataviar*.] ***Adj.*** Ornado, enfeitado.

ataviador (ô) [De *ataviar* + *-dor*.] ***S. m.*** Aquele que atavia.

ataviamento [De *ataviar* + *-mento*.] ***S. m.*** Ato ou efeito de ataviar(-se).

ataviar [Do gót. *taujar*, 'enfeitar'.] ***V. t. d.*** **1.** Ornar, adornar; enfeitar, adereçar, aformosear: "e como por castigo do Céu ficou a ilha quase toda maninha, com os cimos pelados, sem a verdura que atavia suas irmãs do arquipélago" (Xavier Marques, *Jana e Joel*, p. 05). ***P.*** **2.** Enfeitar-se, ornar-se, adornar-se; adereçar-se, aformosear-se: "Aos seus feitiços Don'Ana, / Como cúmplice, alia / O leque com que se abana, / A flor com que se atavia..." (Raimundo Correia, *Poesias*, p. 258). **3.** Vestir-se.

atávico [Do lat. *atavu*, 'quarto avô', + *-ico*[2].] ***Adj.*** Adquirido ou transmitido por atavismo.

atavio [Dev. de *ataviar*.] ***S. m.*** Adorno ou enfeite rebuscado ou vistoso.

atavismo [Do lat. *atavus*, 'quarto avô', + *-ismo*.] ***S. m.*** Reaparecimento, em um descendente, de um caráter não presente em seus ascendentes imediatos, mas, sim, em remotos: "Quanto mais homens conheceres, mais diferentes almas sentirás em ti. Folias com os alegres; sonhas com os poetas; os aristocratas, criados entre artifícios, amam em ti, pelo atavismo de seus apetites grosseiros, teus instintos rudes, e tu amas neles suas fidalgas maneiras" (Antero de Figueiredo, *Cômicos*, pp. 168-169). [Cf. *hereditariedade* (2).]

ataxia (cs) [Do gr. *ataxía*.] ***S. f.*** *Neur.* Incapacidade de coordenação dos movimentos musculares voluntários e que pode fazer parte do quadro clínico de numerosas doenças do sistema nervoso; amiotaxia. ◆ **Ataxia locomotora progressiva.** *Patol.* V. *tabe*.

ataxiafasia (cs) [De *ataxia* + *afasia*.] ***S. f.*** *Neur.* Incapacidade de ordenar as palavras em frases.

atáxico (cs) [De *ataxia* + *-ico*[2].] ***Adj.*** **1.** Em que há ataxia. **2.** Que sofre de ataxia. ~ V. *afasia —a*. [Var. *atáctico*[1], *atático*.]

▲ **ataxo-** (cs) [Do gr. *ataxía, as*, 'abandono de lugar, de posto'; 'desordem'; 'confusão'.] ***El. comp.*** = 'desordem': *ataxofobia, ataxófobo*.

ataxofobia (cs) [De *ataxo-* + *-fobia*.] ***S. f.*** *Psiq.* Medo patológico de desordem.

ataxofóbico (cs) [De *ataxofobia* + *-ico*[2].] *Psiq.* ***Adj.*** **1.** Relativo a ataxofobia. **2.** Que sofre de ataxofobia; ataxófobo. ● ***S. m.*** **3.** Aquele que sofre de ataxofobia; ataxófobo.

ataxófobo (cs) [De *ataxo-* + *-fobo*.] ***Adj. S. m.*** *Psiq.* Ataxofóbico (2 e 3).

atazanar ***V. t. d. P.*** *Pop.* V. *atenazar* (2 a 4): "José passou a atazanar Tidu, rodeando-lhe a almofada e pedindo a história do cacetinho mágico." (Reginaldo Guimarães, *Uma Blusa no Cais*, p. 51.)

até [Do ár. *hatta*.] ***Prep.*** **1.** Indica um limite de tempo, no espaço ou nas ações: "galgou ligeiramente as escadas até o segundo andar." (Artur Azevedo, *Contos fora de Moda*, p. 38.); *Trabalhou até ficar exausto; D. Pedro II reinou de 1840 até 1889.* ● ***Adv.*** **2.** Ainda, também, mesmo: *Fala bem de todos, até dos inimigos.* ◆ **Até a.** Até (1): *Chegou até ao cume.*

ateador (ô) [De *atear* + *-dor*.] ***Adj. S. m.*** Que, ou aquele que ateia.

atear [De *a-*[2] + *teia*[2] + *-ar*[2].] ***V. t. d.*** **1.** Soprar, avivar, fazer lavrar (o fogo). **2.** Excitar, provocar, fomentar (a discórdia, a guerra, as paixões, etc.). **3.** Estimular; avivar. ***T. d. e i.*** **4.** Lançar, pôr, atacar, tocar (fogo): *O suicida ateou fogo às vestes.* ***Int.*** **5.** Avivar-se, desenvolver-se, alastrar-se, grassar, atear-se (o fogo): *O fogo ateou, queimando parte da reserva florestal.* ***P.*** **6.** Atear (5). **7.** Aumentar, crescer; tornar-se mais intenso: *Ateou-se a sua paixão com o afastamento da mulher amada.* [Conjug.: v. *frear*. Pres. ind.: *ateio, ateias, ateia, ateamos, ateais, ateiam*. Cf. *ateia* e *ateias*, flex. de *ateu*.]

atecnia[1] [Do gr. *atechnía*.] ***S. f.*** Falta de técnica, de arte.

atecnia[2] [Do gr. *ateknía*.] *S. f. Med.* Esterilidade.

ateco[1] [Adapt. do tax. *Athecae*.] *Zool. S. m.* **1.** Espécime dos atecos, subordem de animais cordados, reptis, quelônios, aparentemente sem escudo protetor, cujo corpo é revestido de pele grossa, lisa, coriácea, com placas poligonais, e que têm vértebras e costelas separadas da carapaça, pernas em forma de remos, sendo as anteriores delgadas, quase tão longas quanto o corpo. São as *tartarugas-de-couro*. ● *Adj.* **2.** Pertencente ou relativo a eles.

ateco[2] [De *a*-[3] + -*teco*.] *Adj. Zool.* Diz-se de animal, principalmente quelônio, de carapaça independente do esqueleto.

atecuri (atè) [De *até* + tupi = 'logo'.] *Adv. Bras.* Até logo.

atediar [De *a*-[2] + *tédio* + -*ar*[2].] *V. t. d. P. P. us.* V. *entediar*.

ateimar [De *a*-[4] + *teimar*.] *V. t. i. T. d. Int.* V. *teimar*: "calou-se, fez um gesto de enfado, ... de fadiga; ateimei, ela disse-me que..." (Machado de Assis, *Memórias Póstumas de Brás Cubas*, p. 232).

ateira [De *ata*[2] + -*eira*.] *S. f. Bras. Angol. Moç. Bot.* V. *pinheira*.

ateiró [De *a*-[4] + *teiró*.] *S. m.* Teiró (1).

ateísmo [De *ateu* + -*ismo*.] *S. m.* **1.** Doutrina dos ateus. **2.** Falta de crença em Deus. **3.** *Filos.* Atitude ou doutrina que dispensa a ideia ou a intuição da divindade, quer do ângulo teórico (não recorrendo à divindade para se justificar ou fundamentar), quer do ângulo prático (negando que a existência divina tenha qualquer influência na conduta humana). [Cf., nesta acepç., *teísmo*[1], *panteísmo* e *acosmismo*.]

ateísta [De *ateu* + -*ista*.] *Adj. 2 g.* **1.** Ateístico. ● *S. 2 g.* **2.** Pessoa que segue o ateísmo, que acredita que não há Deus.

ateístico [De *ateísta* + -*ico*[2].] *Adj.* Relativo ao ateísmo; ateísta.

ateização [De *ateizar* + -*ção*.] *S. f.* Ato ou efeito de ateizar: "Papa pede união da Igreja contra ateização do mundo" (*Jornal do Brasil*, 02.06.1985).

ateizar [De *ateu* + -*izar*.] *V. t. d. P.* Reduzir(-se) a ou transformar(-se) em ateu: *A cidade sempre tão religiosa ateizava-se pelo carnaval.*

atelana [Do lat. *atellana*, i. e., *fabula atellana*.] *S. f. Teatr.* V. *comédia atelana*: "Quanto à atelana, curta peça no gênero da farsa, sabemos que, embora escrita, deixava larga margem à atualidade política, que era aliás a sua especialidade." (Ruggero Jacobbi, *A Expressão Dramática*, p. 17.)

atelano [Do lat. *atellanu*.] *Adj.* Da, ou pertencente ou relativo à antiga cidade de Atela (S.O. da Itália). ~ V. *comédia —a* e *fábula —a*.

atelectasia [De *atel(o)*- + -*ectas*- + -*ia*[1].] *S. f. Med.* **1.** Falta de expansão pulmonar. **2.** Expansão pulmonar incompleta, abrangendo o órgão inteiro ou parte dele, provocada, frequentemente, por obstrução brônquica, corpo estranho, tumor, etc.

atelépode [Do gr. *atelés*, 'incompleto', + -*pode*.] *Adj. 2 g. Zool.* A que falta qualquer dedo.

ateles [Do tax. *Ateles*.] *S. m. Zool.* **1.** Gênero de cebídeos que compreende, no Brasil, duas espécies e quatro subespécies. **2.** Qualquer espécie desse gênero, como, por ex., a *Ateles species*, da Amazônia (v. *cuatá*). **3.** Qualquer espécime desse gênero.

atelhamento [De *atelhar* + -*mento*.] *S. m. Bras. N.* Ato ou efeito de atelhar.

atelhar [De *a*-[4] + *telhar*.] *V. t. d. Bras. N.* Telhar. [Conjug.: v. *aparelhar*.]

atelia [Do gr. *atéleia*, 'estado de uma coisa incompleta, imperfeita' (v. *atel(o)*- e -*ia*[1]).] *S. f.* Ausência de finalidade.

atélico [De *a*-[3] + -*tel(o)*- + -*ico*[2].] *E. Ling. Adj.* **1.** ~ V. *aspecto —*. ● *S. m.* **2.** Aspecto atélico (q. v.).

ateliê [Do fr. *atelier*.] *S. m.* **1.** Oficina onde trabalham em comum certos artesãos ou operários: *ateliê de costura.* **2.** Local de trabalho de pintor, escultor, fotógrafo, etc.; estúdio. **3.** O conjunto dos artistas que trabalham sob a direção de um mestre: *Um quadro proveniente do ateliê de Rubens.*

→ **atelier** [atɔ'ljeˌ] [Fr.] *S. m.* V. *ateliê*.

▲ **atel(o)**- [Do gr. *atelés, és, és*.] *El. comp.* = 'imperfeito', 'incompleto'; 'que tem desenvolvimento incompleto': *atelectasia, atelocardia.* [Equiv.: -*atel(o)*-: *cromatelopsia*.]

▲ -**atel(o)**- Equiv. de *atel(o)*-.

atelocardia [De *atel(o)*- + -*cardia*.] *S. f. Ter.* Desenvolvimento incompleto do coração.

atelocardíaco [De *atelocardia* + -*íaco*.] *Adj. Ter.* Relativo à atelocardia.

ateloglossia [De *atel(o)*- + -*gloss(o)*- + -*ia*[1].] *S. f. Ter.* Desenvolvimento incompleto da língua.

ateloglóssico [De *ateloglossia* + -*ico*[2].] *Adj. Ter.* Relativo à ateloglossia.

atelomielia [De *atel(o)*- + -*miel(o)*- + -*ia*[1].] *S. f. Ter.* Desenvolvimento incompleto da medula espinhal.

atelomiélico [De *atelomielia* + -*ico*[2].] *Adj. Ter.* Relativo à atelomielia.

atelopodia [De *atel(o)*- + -*pod(e)*- + -*ia*[1].] *S. f. Ter.* Desenvolvimento incompleto do pé.

atelopódico [De *atelopodia* + -*ico*[2].] *Adj. Ter.* Relativo à atelopodia.

atemático [De *a*-[3] + *temático*.] *Adj.* **1.** Não temático. **2.** *E. Ling.* Que não apresenta índice temático (q. v.).

atemoia (ói) [De *ata*[2] + o hisp.-amer. *cherimoya*.] *S. f. Bot.* **1.** Planta híbrida anonácea, resultante do cruzamento das espécies *Annona cherimola* e *A. squamosa* (v. *pinheira*); dá fruto, de excelente sabor, que lembra a fruta-de-conde. **2.** O fruto da atemoia (1).

atemorização [De *atemorizar* + -*ção*.] *S. f.* Ato ou efeito de atemorizar.

atemorizador (ô) [De *atemorizar* + -*dor*.] *Adj.* **1.** Que atemoriza; assustador, atemorizante. ● *S. m.* **2.** Aquele que atemoriza.

atemorizante [De *atemorizar* + -*nte*.] *Adj. 2 g.* V. *atemorizador* (1).

atemorizar [De *a*-[2] + *temor* + -*izar*.] *V. t. d.* **1.** Causar temor ou susto a; amedrontar, assustar, intimidar; espavorir, aterrar. *P.* **2.** Sentir medo ou temor; amedrontar-se, assustar-se, intimidar-se.

atempado [De *a*-[2] + *tempo* + -*ado*[1].] *Adj. Bras. RS* Adoentado, achacado: "Andava sempre atempado: / Volta e meia... / Pontadas pelo vazio, / Dor de barriga, enxaqueca" (Amaro Juvenal, *Antônio Ximango*, p. 18).

atempar [De *a*-[2] + *tempo* + -*ar*[2].] *V. t. d.* Marcar tempo determinado ou prazo a; aprazar, atermar.

→ **a tempo** [a 'tempo] [It., 'em tempo'.] *Mús.* Loc. us. como indicação de que se deve voltar ao movimento normal depois de um trecho acelerado ou afrouxado.

atemporal [De *a*-[3] + *temporal*.] *Adj. 2 g.* Que independe do tempo.

atemporalidade [De *atemporal* + -*(i)dade*.] *S. f.* Qualidade ou caráter de atemporal.

atenazamento [De *atenazar* + -*mento*.] *S. m.* Ato ou efeito de atenazar.

atenazar [De *a*-[2] + *tenaz* + -*ar*[2].] *V. t. d.* **1.** Apertar com tenaz. **2.** *Fig.* Torturar; mortificar: "Encolhia-me, escondia o rosto no travesseiro, e a visão continuava a atenazar-me." (Graciliano Ramos, *Infância*, p. 89.) **3.** V. *apoquentar*: "tão despejadas mentiras pregou ao irmão, tanto o atenazou, tais artes teve de lhe converter as setas em grelhas, que as bichas pegaram, e Barnabé deu o sim" (Alexandre Herculano, *Lendas e Narrativas*, II, p. 236). *P.* **4.** V. *apoquentar*. [Var. nas acepç. 2 a 4: *atanazar* (com assimilação) e *atazanar* (da f. anterior com metátese).]

atença [De *ater* + -*ença*.] *S. f.* Ato ou efeito de ater-se.

atenção [Do lat. *attentione*.] *S. f.* **1.** Aplicação cuidadosa da mente a alguma coisa; cuidado, concentração, reflexão, aplicação: *Dedica atenção a tudo quanto faz.* **2.** Reparo, tento: *Não dê atenção demasiada à criança.* **3.** Ato ou palavra(s) que demonstra(m) consideração, amabilidade, urbanidade, cortesia ou devoção a ou para com alguém: *É todo atenção para com os amigos.* [M. us. no pl., nesta acepç.] ● *Interj.* **4.** Serve para advertir, recomendar cuidado, impor silêncio, etc.; pare, cuidado, olhe: *Atenção! Não atravesse a linha, que o trem se aproxima.* **5.** *Mil.* Voz de advertência (q. v.) que põe o soldado de sobreaviso para a ordem que virá depois. ◆ **Em atenção a.** Por consideração a.

atencioso (ô) [De *atenção* + -*oso*.] *Adj.* **1.** Que presta atenção. **2.** Polido, cortês, obsequioso: "Seu Manuel tinha todas as qualidades da sua boa gente lusitana: trabalhador, sério, atencioso." (Povina Cavalcanti, *Volta à Infância*, p. 29.) **3.** Feito com atenção.

atendedor (ô) [De *atender* + -*dor*.] *Adj. S. m.* Que, ou aquele ou aquilo que atende. ◆ **Atendedor de chamadas.** *Lus.* V. *secretária eletrônica*.

atendente [Do lat. *attendente*.] *S. 2 g.* **1.** *Bras.* Pessoa que, nos hospitais e consultórios, desempenha serviços auxiliares de enfermagem. **2.** Pessoa que, em empresa, órgão governamental, etc., atende ao público.

atender [Do lat. *attendere*.] *V. t. i.* **1.** Dar ou prestar atenção: *Não atendeu à observação que lhe fizeram.* **2.** Tomar em consideração; levar em conta; ter em vista; considerar: *Não atende a súplicas;* "fui hoje ver o pequeno Abdias. Demos-lhe este nome atendendo a desejo manifestado por Carlota" (Ciro dos Anjos, *Abdias*, p. 188); "Para atender a injunções paternas, Alberto Torres se inclinou para o estudo da medicina." (Barbosa Lima Sobrinho, *Presença de Alberto Torres*, p. 17). **3.** Atentar, observar, notar: *Atendia, de longe, aos acontecimentos.* **4.** Prestar auxílio a: *atender aos afogados na praia.* **5.** Responder: *Atender a um chamado.* **6.** *Bras.* Responder pelo nome ou alcunha de: *O seu nome é José Carlos, mas atende por Zeca.* *T. d.* **7.** Acolher, receber com atenção ou cortesia: *Sempre atende aqueles que o procuram.* **8.** Dar atenção a (freguês, cliente, etc.), prestando-lhe serviço; servir, aviar. **9.** Tomar em consideração; considerar: *Atende antes de tudo as suas conveniências.* **10.** Dar atenção a; seguir, acatar: *Não costuma atender os meus conselhos.* **11.** Dar audiência a; receber: *O ministro atendeu os funcionários que o aguardavam.* **12.** Dar despacho favorável a; deferir: *Atenderam as reivindicações da carta.* *Int.* **13.** Ficar ou estar atento; aguardar, esperar: *Atende, e obterás o que pretendes.* **14.** Escutar atentamente: "Olha cá, palerma; escuta; abre bem essas orelhas e atende." (Camilo Castelo Branco, *O Santo da Montanha*, p. 111.)

atendimento [De *atender* + -*imento*.] *S. m.* **1.** Ato ou efeito de atender. **2.** *Prop.* Conjunto de atividades de uma agência de propaganda, relativas ao contato com o cliente e ao acompanhamento da execução e veiculação de seus anúncios. **3.** *Prop.* Setor da agência que executa o atendimento (2).

atendível [De *atender* + -*ível*.] *Adj. 2 g.* Que merece atenção ou ser atendido.

ateneu [Do gr. *Athénaion*, 'templo de Atena', pelo lat. *Athenaeu*.] *S. m.* **1.** Lugar público onde os literatos, na Grécia antiga, liam as suas obras. **2.** Associação científica ou literária; academia. **3.** Estabelecimento de ensino.

ateniense [Do lat. *atheniense*.] *Adj. 2 g.* **1.** De, ou pertencente ou relativo a Atenas, capital da Grécia. ● *S. 2 g.* **2.** O natural ou habitante de Atenas.

atenorado[1] [De *a*-[2] + *tenor*[1] + -*ado*[1].] *Adj.* **1.** Diz-se da voz, especialmente da de barítono, com qualidades de timbre que a aproximam da do tenor. **2.** Diz-se do cantor que tem essa voz.

atenorado[2] [Part. de *atenorar*.] *Adj.* **1.** Diz-se da voz a que se deu registro de tenor. **2.** Cantado à imitação de tenor.

atenorar [De *a*-[2] + *tenor*[1] + -*ar*[2].] *V. t. d.* **1.** Dar registro de tenor a (voz). **2.** Cantar à imitação de tenor: *Para imitar Caruso, o cantor resolveu atenorar o trecho.*

atenrar [De *a*-[2] + *tenro* + -*ar*[2].] *V. t. d. P.* Tornar(-se) tenro.

atentado[1] [Do lat. *attentatu*.] *S. m.* **1.** Tentativa ou execução de crime contra pessoas, instituições, etc.: *Um atentado a bomba vitimou criaturas inocentes.* **2.** Ofensa às leis, à moral, a valores ou regras vigentes, etc.: *Seu procedimento é um atentado contra os bons costumes;* "Segundo os cânones, o suicídio é um atentado ao Criador" (Machado de Assis, *A Semana*, II, p. 178).

atentado[2] [Part. de *atentar*[1].] *Adj.* Que tem tento; avisado, atento: *É homem atentado no falar.*

atentado[3] [Part. de *atentar*[3].] *Adj.* **1.** *Bras. Pop.* De comportamento endiabrado; levado, azougado: "— Tu eras um pequeno 'atentado', 'arteiro', como eu nunca vi." (Viriato Correia, *Contos do Sertão*, p. 117.) **2.** *Bras. AM* Diz-se de quem sofre tormento moral. ● *S. m.* **3.** *Bras.* V. *diabo* (2).

atentar[1] [De *a*-*tento* + -*ar*[2].] *V. t. d.* **1.** Ver, olhar, considerar, observar com tento; reparar em: *Lê muito, mas não atenta o estilo.* **2.** Aplicar com atenção: "Baltasar não carecia de atentar a orelha para ouvir, sem perda de palavra, o diálogo." (Camilo Castelo Branco, *O Santo da Montanha*, p. 142.) **3.** Refletir sobre; considerar; ponderar: *Não quis atentar as vantagens da proposta.* *T. i.* **4.** Prestar atenção; reparar, atender: *Desconfiados, começaram a atentar no que ele fazia;* "de máscara e uniforme, perco-me entre eles, e mal atentam em minha presença." (Geir Campos, *O Vestíbulo*, p. 15). **5.** Dirigir a atenção; olhar, observar atentamente: "Um sujeito chega, atenta .... naqueles desconhecidos" (Graciliano Ramos, *Angústia*, p. 5). **6.** Cuidar de; preocupar-se com: *Deves atentar mais no teu filho.* **7.** Tomar em consideração; ter em conta; considerar, ponderar, atender: "Toda arte consciensiosa .... comporta exercícios processuais de independência, os quais não atentam em geral a regrinhas, a abusões e a ressalvas de alfaiates da correção para os figurinos mais em voga da estilística sob medida." (Alberto Rangel, *Quando o Brasil Amanhecia*, p. XV.) *Int.* **8.** Tomar alguma coisa em consideração; dar atenção, atender a alguma coisa, considerar, ponderar: *Longe do mundo, não via, não vivia, não atentava.*

atentar[2] [Do lat. *attentare*.] *V. t. d.* **1.** Empreender, cometer. *T. i. Int.* **2.** Perpetrar atentado: "A Prefeitura resolveu multar quem quer que atente contra a estética da cidade." (Nélson Vaz, *Por Amor ao Idioma*, p. 63.) **3.** Cometer atentado contra a vida, ou a integridade física: *Os presos atentaram contra o carcereiro; Não se sabe ao certo quantos prisioneiros atentaram.*

atentar[3] [De *a*-[4] + *tentar*.] *V. t. d.* **1.** *Pop.* Tentar: "Deus me perdoe se a pequena não parecia instrumento do mafarrico para me atentar." (José Cardoso Pires, *Jogos de Azar*, p. 133.) **2.** *Bras. Pop.* Importunar, provocar, aborrecer, irritar. *Int.* **3.** Importunar, aborrecer, irritar: "Era o que desse o dia, briquitando na roça com as calças grossas, pesadas, cheias de picão, ... mosquitos e formigas sempre atentando, o diabo!" (Bariani Ortêncio, *Vão dos Angicos*, p. 92.)

atentatório [De *atentar*[2] + *-tório*.] *Adj.* Em que há, ou que constitui atentado: *procedimento atentatório contra a moral*; "Receá-las [as gargalhadas], ... como atentatórias das instituições civis ou religiosas, seria dar-lhes a honra de ridicularizarem quem as teme." (Camilo Castelo Branco, *A Mulher Fatal*, p. 9).

atentivo [De *atento* + *-ivo*, poss. com infl. do fr. *attentif*.] *Adj.* V. *atento* (3): *meditação atentiva*.

atento [Do lat. *attentu*.] *Adj.* **1.** Que atende, que presta atenção; cuidadoso, atencioso: "Que ânsia de amar! E tudo a amar me ensina; / A fecunda lição decoro atento." (Alberto de Oliveira, *Poesias*, 2.ª série, p. 273.) **2.** Estudioso, aplicado. **3.** Em que há atenção ou ponderação; cuidadoso, ponderado, atentivo: *Fez um exame atento da situação*. **4.** Levado em conta; considerado, ponderado: "V. Ex.ª reconhecerá sem dúvida que, mesmo errando, devo ser absolvido, atenta a pureza das intenções que levo no meu enunciado." (Machado de Assis, *Poesia e Prosa*, p. 110.) **5.** Reverente, respeitoso.

atenuação [Do lat. *attenuatione*.] *S. f.* **1.** Ato ou efeito de atenuar(-se). **2.** Diminuição, abrandamento, enfraquecimento. **3.** *Fís.* Diminuição efetiva da intensidade de uma onda ou de um feixe de partículas que atravessa um meio material. **4.** *Eletrôn.* Num filtro, perda de potência, em decibéis, que sofre um sinal ao atravessá-lo.

atenuado [Part. de *atenuar*.] *Adj.* **1.** Diminuído, enfraquecido. **2.** Abrandado, minorado. ~ V. *folha —a*.

atenuador (ô) [De *atenuar* + *-dor*.] *Adj.* Que atenua; atenuante.

atenuante [Do lat. *attenuante*.] *Adj. 2 g.* **1.** Que atenua; atenuador. **2.** Que diminui a gravidade. **3.** *Dir. Penal* Diz-se de circunstância acidental do crime, que acarreta a diminuição da pena, respeitado o limite mínimo da cominação legal. ~ V. *luz —*. • *S. f.* **4.** *Dir. Penal* Circunstância atenuante (3).

atenuar [Do lat. *attenuare*.] *V. t. d.* **1.** Tornar tênue, delgado; fazer menos espesso; adelgaçar: *medicamentos prescritos para atenuar o sangue*. **2.** Emagrecer, emagrentar, adelgaçar: *atenuar o corpo com dietas*. **3.** Reduzir a menos; diminuir, abater: "A cana se estendendo pelos claros abertos a fogo e a machado no mato virgem atenuou o mal da devastação." (Gilberto Freire, *Nordeste*, pp. 109-110.) **4.** Tornar menos violento, ou menos grave, ou menos inconveniente; suavizar, amenizar, abrandar: *Quis atenuar a verdade, contando apenas parte do que sabia*. **5.** Reduzir a gravidade de (alguma infração ou crime). *P.* **6.** Tornar-se menos violento, ou menos grave, ou menos inconveniente; suavizar, amenizar, abrandar: "O amor é uma forma de loucura e, como a loucura, tem suas alternativas; agrava-se subitamente hoje, amanhã se atenua sem sabermos por quê." (Ciro dos Anjos, *Abdias*, p. 65.) **7.** Tornar-se mais tênue; adelgaçar-se.

ater [Do lat. *attinere*.] *V. t. d.* **1.** Fazer parar; deter, reter: "Aquele braço nu e aquela espuma / Da fofa manga atêm-me em mudo exame" (Alberto de Oliveira, *Poesias*, 2.ª série, p. 294). *P.* **2.** Encostar-se; arrimar-se; estribar-se: *Ateve-se ao ombro da amiga, ao tropeçar*. **3.** Fixar-se, prender-se, atar-se: *Costuma ater-se a ninharias, em vez de cuidar de coisas importantes*. **4.** Fiar-se, confiar-se: *Sabe a quem se pode ater*. **5.** Cingir-se, circunscrever-se, limitar-se: *Desprezou outras atividades, atendo-se às letras*. [É muito p. us. como transitivo direto. Pres. ind.: *atenho-me*, *aténs-te*, *atém-se*, *atemo-nos*, *atende-vos*, *atêm-se*. Cf. *atem*, do v. *atar*.]

aterinídeo [Adapt. do tax. *Atherinidae*.] *Zool. S. m.* **1.** Espécime dos aterinídeos, família de peixes ateriniformes, ger. marinhos, de águas tropicais e temperadas, com duas nadadeiras dorsais separadas, uma faixa prateada em cada lado do corpo e desprovidos de linha lateral. Ex.: peixe-rei. • *Adj.* **2.** Pertencente ou relativo a eles.

ateriniforme [Adapt. do tax. *Atheriniformes*.] *Zool. S. m.* **1.** Espécime dos ateriniformes, ordem de peixes teleósteos, marinhos ou de água doce, ger. com duas nadadeiras dorsais, e a anal precedida de espinho; a linha lateral, quando presente, é pouco desenvolvida. • *Adj. 2 g.* **2.** Pertencente ou relativo a eles.

atérmano [De *a-*[3] + gr. *therman-*, raiz de *thermaínein*, 'aquecer'.] *Adj.* Diz-se de qualquer corpo em que não pode penetrar o calor; atérmico.

atermar [De *a-*[2] + *termo* (ê) + *-ar*[2].] *V. t. d.* **1.** Pôr termo a; limitar. **2.** V. *atempar*. *P.* **3.** Tomar certo prazo para fazer ou resolver alguma coisa.

atermasia [De *a-*[1] + gr. *thermasía*, 'aquecimento'.] *S. f.* Grande calor.

atermia [De *a-*[3] + *-term(o)-* + *-ia*[1].] *S. f.* Ausência de calor.

atérmico [De *a-*[3] + *-term(o)-* + *-ico*[2].] *Adj.* **1.** Relativo à atermia. **2.** Atérmano.

ateroma [Do gr. *athéroma*, pelo lat. *atheroma*.] *S. m. Med.* Alteração degenerativa da camada íntima de artérias. [Em artérias de maior calibre, apresenta-se como placas salientes, brancas ou amarelas, ou como placas irregulares, podendo muitas vezes estar calcificadas.]

ateromatose [Do gr. *athéroma*, *atos*, 'ateroma', + *-ose*[1].] *S. f. Patol.* Afecção produzida pela presença de ateroma arterial.

ateromatoso (ô) [Do gr. *athéroma*, *atos*, 'ateroma', + *-oso*.] *Patol. Med. Adj.* Diz-se da parte do corpo comprometida pela presença de ateroma.

aterosclerose [De *atero(ma)* + *esclerose*.] *S. f. Med.* Arteriosclerose em que se formam ateromas nas túnicas íntima, média, e parte mais interna de artérias de grande e de médio calibre.

aterosclerótico [De *ateroscler(ose)* + *-ótico*.] *Adj. Med.* Relativo à aterosclerose.

aterrado [Part. de *aterrar*[2].] *Adj.* **1.** Que se aterrou. **2.** *Eletr.* Diz-se de circuito ligado à terra. • *S. m.* **3.** Terreno resultante de aterro; aterro. **4.** *Bras. MT* Terreno firme e enxuto, no meio de alagadiço. **5.** *Bras. MA* Terreno de aluvião situado às margens de um curso de água.

aterrador (ô) [De *aterrar*[1] + *-dor*.] *Adj.* V. *aterrorizador*.

aterragem [De *aterrar*[2] + *-agem*[2].] *S. f.* V. *aterrissagem*.

aterramento [De *aterrar*[2] + *-mento*.] *S. m.* Ato ou efeito de aterrar[2]. **2.** *Restr.* Ato ou efeito de cobrir um terreno de terra e/ou entulho, para alteá-lo e, posteriormente, nivelá-lo.

aterraplanar [Var. protética de *terraplanar*.] *V. t. d.* V. *terraplenar*.

aterraplenar [De *a-*[4] + *terraplenar*.] *V. t. d.* V. *terraplenar*.

aterrar[1] [De *a-*[4] + lat. *terrere*, com mudança de conjug.] *V. t. d. Int. P.* V. *aterrorizar*: "Aterrava-a a ideia de um encontro com o filho" (Coelho Neto, *Turbilhão*, p. 156); "O que mais aterrava o espírito patriótico de Eduardo Prado era o espetáculo da intolerância política que encheu os primeiros anos da República." (Olavo Bilac, *Crítica e Fantasia*, p. 416); "Em ronco que aterra, / Berra o sapo-boi" (Manuel Bandeira, *Estrela da Vida Inteira*, p. 51). [Pres. ind.: *aterro*, etc. Cf. *aterro* (ê).]

aterrar[2] [De *a-*[2] + *terra* + *-ar*[2].] *V. t. d.* **1.** Encher de terra. **2.** Cobrir com terra. **3.** Altear (um terreno), acumulando terra ou entulho. **4.** *Eletr.* Ligar (um circuito) à terra. *Int.* **5.** V. *aterrissar*. **6.** *Mar.* Investir (o navegante que vem do alto-mar) para reconhecimento de determinado trecho do litoral; aproximar-se do litoral, vindo do alto-mar. *P.* **7.** Cair por terra; subverter-se, soçobrar. **8.** Esconder-se (um animal) debaixo da terra, em toca; entocar-se. [Pres. ind.: *aterro*, etc. Cf. *aterro* (ê).]

aterrissagem [Do fr. *atterrissage*.] *S. f. Bras. Gal. Av. Aer.* Ato de aterrissar; aterragem, aterrizagem. [*Aterragem*, melhor f., é p. us. no Brasil.]

aterrissar [Do fr. *atterrisser*.] *V. int. Bras. Gal. Av. Aer.* **1.** Pousar em terra (aeronave); aterrizar, aterrar. **2.** Descer a terra; aterrizar, aterrar. [*Aterrar*, melhor f., é p. us. no Brasil.]

aterrizagem [De *aterrizar* + *-agem*[2].] *S. f.* V. *aterrissagem*.

aterrizar [De *a-*[2] + *terra* + *-izar*.] *V. int. Bras.* V. *aterrissar*.

aterro (ê) [Dev. de *aterrar*[2].] *S. m.* **1.** Ato ou efeito de aterrar[2]. **2.** Porção de terra ou de entulho com que se nivela ou alteia um terreno. **3.** *Bras.* Aterrado (3). [Pl.: *aterros* (ê). Cf. *aterro*, do v. *aterrar*.] ◆ **Aterro hidráulico.** *Constr.* Aterro cujo material é trazido ao local por meio de uma corrente de água, em tubos ou calhas. **Aterro sanitário.** *Ecol.* Depósito de resíduos sólidos, compactados ou dispostos em camadas, e que visa a minimizar a agressão ao meio ambiente; lixão.

aterroada [De *aterro* + *-oada*.] *S. f. Bras. Amaz.* **1.** Depressões que as patas dos animais deixam nos terrenos baixos ou alagadiços. **2.** Pequenas elevações no terreno, produzidas por minhocas, cupins, formigas.

aterro-barragem *S. m. Constr.* Maciço artificial de terra que tanto serve para dar passagem a uma estrada como para represar água. [Pl.: *aterros-barragens* e *aterros-barragem*.]

aterrorar [De *a-*[2] + *terror* + *-ar*[2].] *V. t. d. Int. P.* V. *aterrorizar*.

aterrorizado [Part. de *aterrorizar*.] *Adj.* Dominado pelo terror; apavorado.

aterrorizador (ô) [De *aterrorizar* + *-dor*.] *Adj.* Que aterroriza; pavoroso, aterrador, aterrorizante.

aterrorizante [De *aterrorizar* + *-nte*.] *Adj. 2 g.* V. *aterrorizador*.

aterrorizar [De *a-*[2] + *terror* + *-izar*.] *V. t. d.* **1.** Encher de terror; causar terror a; aterrar, terrorizar, aterrorar, terrorar: "Patkull, meu amigo, por que te deixas levar destas ideias, que me aterrorizam?" (Gonçalves Dias, *Teatro*, p. 288.) *Int.* **2.** Provocar terror; fazer medo; aterrar, aterrorar, terrorar: *Sua crueldade aterroriza*. *P.* **3.** Encher-se de terror; aterrar-se, aterrorar-se, terrorar-se.

atesar [De *a-*[2] + *teso*[2] + *-ar*[2].] *V. t. d. Int.* Tornar(-se) ou fazer(-se) teso; entesar(-se): "Se a besta refugava atesando as orelhas, Tomé Saíra, tiritando, persignava-se" (Coelho Neto, *Sertão*, p. 289).

atestação [Do lat. *attestatione*.] *S. f.* **1.** Ato ou efeito de atestar[1]. **2.** Declaração escrita e assinada sobre a verdade de um fato, para servir a outrem de documento; atestado[1], testemunho. [Cf., nesta acepç., *certidão* (1).] **3.** *E. Ling.* V. *testemunho* (5).

atestado[1] [Part. subst. de *atestar*[1].] *S. m.* **1.** Documento que contém atestação (2); certidão. **2.** *Fam.* Prova, demonstração: *Tal afirmação de sua parte é um atestado de culpa*.

atestado[2] [Part. de *atestar*[2].] *Adj.* Muito cheio; abarrotado.

atestador (ô) [Do lat. *attestatore*.] *Adj. S. m.* Que, ou aquele que atesta; atestante.

atestante [Do lat. *attestante*.] *Adj. 2 g. S. 2 g.* Atestador.

atestar[1] [Do lat. *attestare*, por *attestari*.] *V. t. d.* **1.** Afirmar ou provar em caráter oficial. **2.** Passar atestado de; certificar por escrito: *O delegado atestou os bons antecedentes do rapaz*. **3.** Dar testemunho de; testemunhar, testificar: *Trabalhamos juntos anos a fio, de modo que posso atestar a sua idoneidade*. **4.** Provar, demonstrar: "Embora as pedras do túmulo atestem que estás morta, / e repouses como repousam os cadáveres, / o teu espírito sobrevive." (Jorge de Lima, *Obra Completa*, I, p. 438.) **5.** *E. Ling.* Estabelecer o testemunho (5) de: *atestar uma língua*. *T. d. e i.* **6.** Provar, demonstrar: *Posso atestar-lhe a verdade do que afirmo*. *T. i.* **7.** Dar atestado; depor; testemunhar, testificar. *Int.* **8.** Dar atestado ou testemunho. [Pres. ind.: *atesto*, etc. Cf. *atesto* (ê).]

atestar[2] [De *a-*[2] + *testo* (ê) + *-ar*[2].] *V. t. d.* **1.** Encher até ao testo ou borda; abarrotar. **2.** Encher em excesso; abarrotar: "Os rolos de tabaco, tecidos de seda, chapéus de sol de veludo, aguardente do Reino e do Brasil, os búzios, atestavam as sumacas, corvetas e navios maiores." (Luís da Câmara Cascudo, *Prelúdio da Cachaça*, p. 31.) *P.* **3.** Comer ou beber em excesso; abarrotar-se, empanturrar-se, entulhar-se. [Pres. ind.: *atesto*, etc. Cf. *atesto* (ê).]

atestatório [De *atestar*[1] + *-tório*.] *Adj.* Que serve ou é próprio para atestar[1] ou provar: *documento atestatório da honestidade do requerente*.

atesto (ê) [Dev. de *atestar*[2].] *S. m.* Operação que consiste em encher o vazio, produzido pela evaporação, dos cascos que contêm vinho. [Pl.: *atestos* (ê). Cf. *atesto*, do v. *atestar*.]

atetose [Do gr. *áthetos*, 'sem posição', + *-ose*[1].] *S. f. Neur.* Distúrbio em que se observam movimentos involuntários lentos e de aspecto ondulante, incoordenados, e de grande amplitude, e que ocorrem, principalmente, em extremidades de membros e na face. [Pode estar associado a espasmos e, não raramente, a debilidade mental.]

ateu [Do gr. *átheos*, pelo lat. *atheu*.] *Adj.* **1.** Diz-se daquele que não crê em Deus ou nos deuses; ímpio. **2.** Próprio de ateu: "visão dos tempos de Deus, / Vem, corre, transforma, alimpa / Meus pensamentos ateus." (Junqueira Freire, *Obras Póstumas*, II, p. 64). • *S. m.* **3.** Indivíduo ateu; ímpio. [Fem.: *ateia*. Cf. *ateia*, do v. *atear*.]

ati [Do tupi.] *S. m. Bras. Zool.* V. *gaivota* (1).

atiadeu *Bras. S. 2 g.* **1.** *Etnôn.* Indivíduo dos atiadeus, povo indígena guaicuru que habita MT. • *Adj. 2 g.* **2.** Pertencente ou relativo a esse povo. [Tb. us. como *s. 2 g. e 2 n.* (com cap.) e *adj. 2 g. e 2 n.*]

atiati [Do tupi.] *S. f. Bras. Zool.* V. *gaivota* (1).

atibaiano *Adj.* **1.** De, ou pertencente ou relativo a Atibaia (SP). • *S. m.* **2.** O natural ou habitante de Atibaia.

▲ **-ática** [Do gr. *-atikḗ*, do fem. subst. de *-atikós* (v. *-ático*).] *Suf. nom.* = 'arte', 'estudo': *analemática*, *fonemática*, *glossemática*, *heuremática*. [V. *-ica*.]

atiçador (ô) [De *atiçar* + *-dor*.] *Adj.* **1.** Que atiça; provocador: *Foi ele, sim, o elemento atiçador da discórdia*. • *S. m.* **2.** Aquele que atiça: *O atiçador da briga desculpou-se com os contendores*. **3.** Instrumento para avivar o fogo; espevitador.

atiçamento [De *atiçar* + *-mento*.] *S. m.* Ato ou efeito de atiçar(-se).

aticar *V. t. d. Bras. SC Pop.* Encontrar, achar. [Conjug.: v. *trancar*. Pres. ind.: *atico*, etc. Cf. *ático*, adj. e s. m., e o antr. *Ático*.]

atiçar [Do lat. vulg. **attitiare*.] *V. t. d.* **1.** Espertar, avivar, atear (o fogo): "Abaixou-se, atiçou o fogo, apanhou uma brasa com a colher" (Graciliano Ramos, *Vidas Secas*, p. 50). **2.** Instigar, promover, fomentar: *atiçar rixas, rivalidades, dissensões*. **3.** Excitar, estimular: "não atice a coitada com essas ilusões, quanto mais ela se instruir mais infeliz será." (Lígia

Fagundes Teles, *O Jardim Selvagem*, p. 39); "Mas o ar forte demais, / com brevidade, atiça / os pecados mortais / da gula e da preguiça." (Alberto de Serpa, *Almanaque de Lembranças Luso-Brasileiro*, p. 51). **4.** Irritar, estimular (o ânimo, a atividade). **5.** Despertar, avivar (fome, sede, sensações): *O encontro com o inimigo atiçou-lhe a cólera.* ***T. d. e c.*** **6.** *Fig. Pop.* Dar; arremeter: *Atiçou um soco no adversário.* **7.** *Fig. Pop.* Atirar, jogar: *As crianças atiçavam pedrinhas no lago.* ***Int.*** **8.** Avivar-se, reanimar-se: *As chamas atiçaram.* ***P.*** **9.** Irritar-se, irar-se, exasperar-se: *Atiçou-se com os comentários irônicos a seu respeito.* [Conjug.: v. *laçar*.]

aticismo [Do gr. *attikismós*, pelo lat. *atticismu*.] ***S. m.*** **1.** *E. Ling.* Atitude purista em relação à língua grega surgida em meados do séc. I como reação ao asianismo (q. v.), e segundo a qual os escritores atenienses dos séc. V e IV a.C. constituíam o único modelo a ser seguido na prosa literária. [O aticismo está na origem da diglossia entre o grego literário e o falado. Sin. nesta acepç.: *classicismo*.] **2.** *P. ext.* Elegância, pureza e sobriedade de linguagem, de estilo.

atiço [Der. regress. de *atiçar*.] ***S. m.*** *Bras. PE* Extremidade incombusta dos paus que ficam nas covas de carvão.

ático [Do gr. *attikós*, pelo lat. *atticu*.] ***Adj.*** **1.** Da, ou pertencente ou relativo à Ática (península e região na extremidade S.E. da Grécia central). **2.** *Gloss.* Diz-se do ático (5). **3.** Relativo ao, ou que revela aticismo; elegante, sóbrio (estilo). ~ V. *ordem —a* e *sal —*. ● ***S. m.*** **4.** O natural ou habitante da Ática. **5.** *Gloss.* Dialeto falado na região da Ática, e que, como língua literária, chegou a superar os demais dialetos, sobretudo no século V a.C. [É a língua dos poetas trágicos Ésquilo (v. *esquiliano*), Sófocles (v. *sofocliano*) e Eurípides (v. *euripidiano*), do comediógrafo Aristófanes (v. *aristofanesco*), dos historiadores Tucídides (c. 460/455-404 a.C.) e Xenofonte (c. 430-354 a.C.), dos filósofos Platão (v. *platônico*) e Aristóteles (v. *aristotélico*) e de toda a oratória grega.] **6.** *Arquit.* Parte superior de uma fachada, acima do último pavimento do edifício, imitando andar de pequena altura, ou simplesmente ornada de pilastras, e que serve para ocultar ou dissimular o telhado. **7.** *Arquit.* Pavimento de menor altura e mais recuado que os demais, no topo dos edifícios, para abrigar máquinas, reservatórios, depósitos e, eventualmente, alojamentos. [Cf. *atico*, do v. *aticar*.]

▲ **-ático** [Do gr. *-atikós* (esp. de *-atos*, do genitivo de voc. em que o nom. termina em *-ma*, + gr. *-ikós*, donde, no port., *poema* [< gr. *poíema, atos*] > *poemático*), ou do lat. *-aticu*.] ***Suf. nom.*** formador de voc. eruditos ou semieruditos: 'de, próprio de, ou relativo a': *anagramático, anatemático, aneurismático, arenático*. [Note-se certa jocosidade de alguns termos, como p. ex.: *arreeirático*. V. *-ico*² e *-ético*.]

atiçoar [De *a-*² + *tição* + *-ar*², com desnasalação.] ***V. t. d.*** Queimar com tição. [Conjug.: v. *coroar*.]

atiçu [Da língua dos nhambiquaras.] ***S. m.*** *Bras. MT Etnogr.* Cesta usada pelos nhambiquaras.

aticum *Bras.* ***S. 2 g.*** **1.** *Etnôn.* Indivíduo dos aticuns [ou (etnôn. bras.) *Atikum], povo indígena que habita o município de Floresta (PE). ● ***Adj. 2 g.*** **2.** Pertencente ou relativo a esse povo. [Sin. ger.: *uamói, umão* e *urumã*.]

aticurgo [Do gr. *attikourgés*, pelo lat. *attikourges*, com infl. de formas nominais em *-urgo*.] ***Adj.*** Diz-se de estilo arquitetônico de influência ática, ou feito à moda ática: *porta aticurga.*

atigrado [De *a-*² + *tigre* + *-ado*¹.] ***Adj.*** **1.** Semelhante ao tigre. **2.** Mosqueado como a pele desse animal; tigrado.

atiídeo [Adapt. do tax. *Atydae*.] *Zool.* ***S. m.*** **1.** Espécime dos atiídeos, família de crustáceos decápodes, macruros, que habitam as corredeiras e águas doces. O seu desenvolvimento é muitíssimo curioso, pelas particularidades do crescimento. ● ***Adj.*** **2.** Pertencente ou relativo a eles.

atijolado¹ [De *a-*² + *tijolo* + *-ado*¹.] ***Adj.*** Tirante à cor do tijolo.

atijolado² [Part. de *atijolar*.] ***Adj.*** *Bras.* Pavimentado com tijolos.

atijolar [De *a-*² + *tijolo* + *-ar*².] ***V. t. d.*** *Bras.* Pavimentar com tijolos.

atilado [Part. de *atilar*.] ***Adj.*** **1.** Escrupuloso, correto. **2.** V. *atinado* (1). **3.** Sagaz, esperto, perspicaz. **4.** Elegante, apurado.

atilamento [De *atilar* + *-mento*.] ***S. m.*** **1.** Pontualidade, exatidão. **2.** Prudência, juízo, tino. **3.** Esmero, apuro.

atilar [De *a-*⁴ + *til* + *-ar*², poss.] ***V. t. d.*** **1.** Executar com cuidado e atenção. **2.** Dar a última demão em; aperfeiçoar. **3.** Tornar fino, esperto. ***P.*** **4.** Tornar-se fino, esperto, hábil. [Pres. ind.: *atilo, atilas, atila*, etc. Cf. *Átila*, antr.]

atilho [De *atar*².] ***S. m.*** **1.** Aquilo com que se ata ou amarra: fita, fio, cordel, cordão, corda, etc.; atacador. **2.** *Bras.* Feixe de espigas de milho: "Aproveitem o milho, enquanto há: é a *sustância* desses bichos. .... Aqui, vendo-o baratinho. Um atilho por um cobre" (Visconde de Taunay, *Inocência*, p. 45). [Em nota de rodapé, Taunay diz que um atilho se compõe de quatro espigas amarradas.]

atílio-vivacquense (qüen) ***Adj. 2 g.*** **1.** De, ou pertencente ou relativo a Atílio Vivacqua (ES). ● ***S. 2 g.*** **2.** O natural ou habitante de Atílio Vivacqua. [Pl.: *atílio-vivacquenses*.] ❖

atim [Do jeje.] ***S. m.*** *Bras. Rel.* Conjunto de folhas e ervas ligadas ao culto de cada orixá ou entidade afim.

atimia¹ [Do gr. *atimía*.] ***S. f.*** Na antiga Atenas, privação parcial ou total dos direitos de cidadão.

atimia² [De *a-*³ + *-tim(o)-* + *-ia*¹.] ***S. f.*** **1.** *Neur.* Ausência de sensação, ou de emoção. **2.** *Psiq.* Depressão ou melancolia. **3.** *Ter.* Ausência congênita de timo.

atimismo [De *atimia*² + *-ismo*.] ***S. m.*** *Med.* Estado decorrente de atimia², ou de excisão do timo, ou de inativação dele por outro meio, como, p. ex., radioterapia.

átimo [De *átomo*, com dissimilação.] ***S. m.*** *Bras.* Instante; momento. ◆ **Num átimo.** *Bras.* Em curto espaço de tempo; num abrir e fechar de olhos.

atinado [Part. de *atinar*.] ***Adj.*** **1.** Que tem tino e prudência; ajuizado, discreto; atilado. **2.** Inteligente, astuto.

atinar [De *a-*² + *tino*¹ + *-ar*².] ***V. t. d. i.*** **1.** Descobrir pelo tino, pelo raciocínio, por conjetura ou por indício; acertar com; dar com; achar: *Atinou desde cedo a vocação do filho.* **2.** Dar tino de; notar, compreender: *Pelo comportamento da moça atinou que ela o amava.* ***T. i.*** **3.** Descobrir pelo tino, pelo raciocínio, por conjetura ou por indício; acertar, encontrar: "Cismou algum tempo no caso; mas, como não atinava a deduzir daí uma ilação razoável, não pensou mais nisso." (Alexandre Herculano, *O Monge de Cister*, II, p. 141.) **4.** Dirigir-se, encaminhar-se, seguindo algum indício ou conjetura. **5.** Lembrar-se de, acertar (com uma coisa que escapara da memória): "Como eu invejo os que não esqueceram a cor das primeiras calças que vestiram! Eu não atino com a das que enfiei ontem." (Machado de Assis, *Dom Casmurro*, p. 476.) **6.** Encontrar, acertar, dar: *Não atinou com a entrada.* **7.** Atentar, reparar: *Lamento que você não atine para a importância deste trabalho.* ***Int.*** **8.** Dar com o que se procura; acertar.

atincal [De *a-*⁴ + *tincal*.] ***S. m.*** *Min.* V. *tincal*.

atinência [Do lat. *attinentia*.] ***S. f.*** Qualidade de atinente.

atinente [Do lat. *attinente*.] ***Adj. 2 g.*** Referente, relativo, respeitante: *os problemas atinentes a seu cargo;* "qualquer coisa de trágico, afinal, em que o pensamento já não era pensamento, mas sorte de mistificação formal das faculdades espirituais atinentes a cada homem." (João da Silva Correia, *Os Outros*, p. 196).

atinga [Do tupi.] ***S. f.*** *Bras. Zool.* V. *alma-de-gato* (1).

atingaçu [Var. de *atinguaçu*.] ***S. m.*** *Bras. Zool.* V. *alma-de-gato* (1).

atingaú [De *atinga* + o tupi = 'negro'.] ***S. f.*** *Bras. Amaz. Zool.* V. *alma-de-gato* (1).

atingir [Do lat. *attingere*.] ***V. t. d.*** **1.** Alcançar, tocar: *Não consegue atingir a última prateleira;* "Levantava os braços e atingia as estrelas." (Elias José, *Inquieta Viagem no Fundo do Poço*, p. 25). **2.** Conseguir, obter; alcançar: *atingir uma graça.* **3.** Chegar a; alcançar: *Os excursionistas atingiram o cume da montanha;* "Em Capitu, há um fundo vertiginoso de amoralidade que atinge as raias da inocência animal." (Augusto Meyer, *Machado de Assis*, p. 148). **4.** Elevar-se a; subir: *atingir um alto cargo;* "Eleva-se acima da condição humana; / Atinge os confins da divindade." (Manuel Bandeira, *Estrela da Vida Inteira*, p. 224). **5.** Afetar; abalar; tocar: *Tais ironias não me atingem.* **6.** Compreender, perceber: *Sabe atingir os defeitos do amigo.* **7.** Abranger, incluir: *As medidas de repressão atingiram todo o país.* **8.** Acertar, ferindo: *A lâmina atingiu-lhe o rosto.* ***T. d. e c.*** **9.** Atingir (8): *O tiro o atingiu no peito.* ***T. i.*** **10.** ***P.*** *us.* Alcançar, atinar, perceber: "O monarca podia atingir ao que significava aquele gesto." (Alexandre Herculano, *O Monge de Cister*, II, p. 25.) ***Int.*** **11.** Alcançar intelectualmente; aprender, compreender: *Por mais que lhe explicassem, não atingia.* [Conjug.: v. *dirigir*.]

atingível [De *atingir* + *-vel*.] ***Adj. 2 g.*** Que pode ser atingido.

atinguaçu [De *tinguaçu*, com prótese.] ***S. m.*** *Bras. Zool.* V. *alma-de-gato* (1).

atino [Part. de *atinar*.] ***S. m.*** **1.** Ato de atinar. **2.** Juízo, tino.

atintamento [De *atintar* + *-mento*.] ***S. m.*** *Art. Gráf.* V. *entintamento*.

atintar [De *a-*² + *tinta* + *-ar*².] ***V. t. d.*** *Tip.* V. *entintar*.

atipicidade [De *atípico* + *-(i)dade*.] ***S. f.*** **1.** Qualidade de atípico. **2.** *Jur.* Caráter dos fatos ou situações que não preenchem todas as características previamente fixadas em um tipo ou fatispécie legal.

atípico [De *a-*³ + *-tip(o)-* + *-ico*².] ***Adj.*** Que se afasta do normal, do típico. [Cf. *anômalo*.] ~ V. *febre —a*.

atiplar [De *a-*² + *tiple* + *-ar*².] ***V. t. d.*** Dar voz de tiple a.

atirada [De *atirar* + *-ada*¹.] ***S. f.*** Ato ou efeito de atirar ou disparar.

atiradeira [De *atirar* + *-deira*.] ***S. f.*** *Bras.* Forquilha de madeira ou de metal, munida de elástico, com que se atiram pequenas pedras. [Sin. (em vários pontos do Brasil): *baladeira, baleeira, beca, bodoque, badoque ou badogue, estilingue, funda, peteca, seta, setra*.]

atiradiço [De *atirado* + *-(d)iço*².] ***Adj.*** *Fam.* **1.** Petulante, ousado, atrevido. **2.** Dado a aventuras, em especial aventuras galantes. [Sin. ger. (bras.): *atirado*.]

atirado [Part. de *atirar*.] ***Adj.*** *Bras.* Atiradiço.

atirador (ô) [De *atirar* + *-dor*.] ***Adj.*** **1.** Que atira. ● ***S. m.*** **2.** Aquele ou aquilo que atira. **3.** Disparador de arma de fogo.

atiramento [De *atirar* + *-mento*.] ***S. m.*** Ato ou efeito de atirar(-se).

atirar [De *a-*⁴ + *tirar*.] ***V. t. d. e i.*** **1.** Arrojar, arremessar, lançar: *Atirou a lança contra o inimigo.* **2.** Disparar (projetil): "A ela, primeiro que a ninguém, atiro a bala." (Antônio Feliciano de Castilho, *O Misantropo*, p. 68.) **3.** Lançar, proferir, de súbito e com violência: *Atirava injúrias aos presentes.* **4.** Impelir, impulsionar: "a necessidade de viver o atirava num negócio de imóveis." (Orígenes Lessa, *Balbino, Homem do Mar*, p. 86). **5.** Lançar, jogar. ***T. d. e c.*** **6.** Atirar (1): *O solavanco atirou o carro no buraco.* ***T. i.*** **7.** Arrojar, arremessar, lançar, com força, ímpeto, violência: *Despiu-se exasperado, atirando com as roupas e sapatos.* **8.** Disparar arma de fogo ou de arremesso; alvejar: *atirar às aves.* **9.** Ter tendência ou propensão; tender, propender; inclinar-se: *Desde criança atirava para aquela carreira.* **10.** *Bras. CE* Nas danças de roda, convidar (o dançarino solista) uma pessoa para com ele dançar, sapateando na direção dela: "Dançando, puxa a *fieira*, / A vista corre na roda / Numa cabocla da moda, / Muito cortês atirou." (Rodolfo Teófilo, *Lira Rústica*, pp. 89-90.) ***T. d.*** **11.** Arrojar, arremessar, lançar, jogar. **12.** Estirar, estender: *Sentou-se e atirou as pernas.* **13.** *Bras.* Convidar para dançar; tirar. ***Int.*** **14.** Disparar arma de fogo ou de arremesso; fazer fogo; dar tiro(s): *Ao ser agredido, atirou;* "no meio da folhagem distingue um camaleão. Atira e o bicho cai." (Hélio Galvão, *Cartas da Praia*, pp. 56-57). **15.** *Bras. CE* Atirar (10). ***P.*** **16.** Arrojar-se, arremessar-se, lançar-se, jogar-se: "Atira-se às águas" (Gonçalves Dias, *Obras Poéticas*, II, p. 55); "saiu de casa uma noite, e foi atirar-se ao mar" (Artur Azevedo, *Contos Possíveis*, p. 51); "Tertuliano, mal que o viu, atirou-se-lhe nos braços" (Id., *Contos fora da Moda*, pp. 12-13); "Irmãos se atiram contra irmãos." (Henriqueta Lisboa, *Madrinha Lua*, p. 57). **17.** Abalançar-se; arrojar-se: *atirar-se a negócios.* **18.** Entregar-se, abandonar-se: *Atirou-se à boêmia.* **19.** Dirigir-se, encaminhar-se, com resolução: "não querendo saber de mais nada, atirei-me para casa a galope." (Joaquim Manuel de Macedo, *Os Romances da Semana*, p. 32). **20.** Dirigir galanteios; arrastar a asa: *Atirou-se à moça, mas esta não lhe deu atenção.*

atiriba [De or. tupi, poss.] ***S. f.*** *Bras. Bot.* V. *ateréua*.

atitar [De *atito* + *-ar*².] ***V. int.*** **1.** Soltar (a ave) grito agudo, quando assustada ou enfurecida: "Mas não é para ouvir como em teu seio, / Mangueira amiga, vêm, seteando a altura, / Atitar azulões e gaturamos, / Saís e encontros, que eu ali passeio" (Alberto de Oliveira, *Poesias*, 2ª série, pp. 285-286). **2.** Soltar grito agudo; silvar.

atito [Voc. onom.] ***S. m.*** **1.** Pio agudo de aves assustadas ou enfurecidas. **2.** Assobio agudo e forte; silvo.

atitude [Do it. *attitudine*, pelo fr. *attitude*.] ***S. f.*** **1.** Posição do corpo; porte, jeito, postura: *Mantém-se erecta, em atitude elegante.* **2.** Modo de proceder ou agir; comportamento, procedimento: *Qual foi a sua atitude em face do desafio?* **3.** *P. ext.* Afetação de comportamento ou procedimento: *Sua cordialidade é pura atitude;* "Tomariam lá por fora como uma atitude, aquele meu interesse pelos escravos de minha gente." (José Lins do Rego, *Banguê*, p. 74.) **4.** Propósito, ou maneira de se manifestar esse propósito: *A atitude das nações aliadas na II Guerra Mundial foi de hostilidade ao nazismo.* **5.** Reação ou maneira de ser, em relação a determinada(s) pessoa(s), objeto(s), situações, etc.: *Sua atitude negativa revela-lhe o desequilíbrio psíquico.* **6.** *Astron.* Posição de um foguete, míssil ou satélite artificial, determinada pela direção de seu eixo principal em relação a um dado sistema de coordenadas. **7.** *Mar. G. Bras.* Orientação do eixo longitudinal do projetil, ou de um dos três eixos do míssil guiado, em relação a uma referência preestabelecida. **8.** Orientação de uma aeronave determinada pela relação de seus eixos com uma linha de referência ou um plano de referência, mas não necessariamente horizontal.

atiuaçu (i-u) [Do tupi.] *S. f. Bras. Amaz. Zool.* V. *alma--de-gato* (1).

ativa [F. subst. de *ativo*.] *S. f.* **1.** A parte principal exercida em qualquer ato. **2.** Serviço ativo (q. v.). **3.** *E. Ling.* Voz ativa (q. v.).

ativação [De *ativar* + *-ção*.] *S. f.* **1.** Ação ou efeito de ativar(-se). **2.** *Eletrôn.* Processo ou série de processos empregados na manufatura de tubos eletrônicos, por meio dos quais o catodo adquire suas propriedades emissivas. **3.** *Fís. Nucl.* Formação de um isótopo radioativo artificial por meio de uma reação nuclear. **4.** *Fís.-Quím.* Aumento do poder de adsorção de um adsorvente, ou de um catalisador, por meio de tratamento físico ou químico.

ativado [Part. de *ativar*.] *Adj.* **1.** Tornado ativo ou mais ativo: *O projeto foi novamente ativado.* **2.** Que sofreu ativação (3 e 4).

ativador (ô) [De *ativar* + *-dor*.] *Adj.* **1.** Ativante (1). **2.** *Quím.* Diz-se de grupo que, ligado a uma molécula, aumenta a sua propensão a sofrer certo tipo de reação. ● *S. m.* **3.** Ativante (2). **4.** *Embr.* Substância que estimula o desenvolvimento de um tecido ou órgão embrionário. **5.** *Bioquím.* Substância que determina ou protege a ação enzimática.

ativante [De *ativar* + *-nte*.] *Adj. 2 g.* **1.** Que ativa; ativador. ● *S. 2 g.* **2.** Aquilo que ativa; ativador. ● *S. m.* **3.** *Constr.* Aditivo destinado a aumentar a adesividade de um aglomerante.

ativar [De *ativo* + *-ar*[2].] *V. t. d.* **1.** Dar atividade a. **2.** Tornar ativo ou mais ativo: *ativar as funções orgânicas.* **3.** Tornar mais ativo, mais intenso: *ativar o fogo; ativar uma paixão.* **4.** Promover ativação (2 a 4) de. *P.* **5.** Tornar-se ativo, intenso; intensificar-se.

atividade [Do lat. *activitate*.] *S. f.* **1.** Qualidade ou estado de ativo; ação: *Encontrei-o às seis da manhã já em plena atividade.* **2.** Diligência, afã: *Para que toda essa atividade?* **3.** Qualquer ação ou trabalho específico: *atividades agrícolas; A Câmara reiniciará suas atividades em março.* **4.** Meio de vida; ocupação, profissão, indústria: *Sua principal atividade é ensinar.* **5.** Energia, força, vigor, vivacidade. **6.** *Eletrôn.* Nos cristais piezelétricos, a magnitude da oscilação relativa à tensão de excitação, não havendo processo padrão para sua medida direta. **7.** *Filos.* Ação (18). **8.** *Filos.* Qualidade ou estado do agente. **9.** *Filos.* Qualidade ou estado de ser em ato. **10.** *Fís. Nucl.* Número de partículas emitidas por uma amostra, por unidade de tempo; atividade nuclear. **11.** *Fís.-Quím.* Variável termodinâmica intensiva que substitui a concentração na expressão do potencial de um componente em um sistema não ideal. A atividade de um componente em uma solução não ideal é uma medida da concentração que o componente considerado deveria ter para que a solução fosse ideal em relação a ele. **12.** *Fisiol.* Função normal do corpo, de determinado órgão, do cérebro, etc.: *Só tem um dos rins em atividade.* ◆ **Atividade geomagnética.** *Geofís.* Conjunto de fenômenos capazes de caracterizar, num determinado instante, os efeitos e o valor do magnetismo terrestre. **Atividade nuclear.** *Fís. Nucl.* Atividade (10). **Atividade óptica.** *Fís.* Propriedade de certas substâncias ou soluções de causarem uma rotação no plano de polarização dum feixe de luz polarizada que as atravessa. **Atividade solar.** *Astr.* Conjunto de fenômenos físicos localizados no Sol, e que caracterizam o estado desse astro. **Em atividade. 1.** No exercício efetivo de funções ou emprego. [Diz-se de funcionários civis, de militares, de empregados, etc. Cf., nesta acepç., *inatividade* (2).] **2.** Sem estar em repouso; em efervescência.

ativismo [De *ativo* + *-ismo*.] *S. m.* **1.** *Filos.* Doutrina que faz da atividade a essência da realidade; atualismo. **2.** *Filos.* Doutrina que admite algum tipo de oposição entre a ação (q. v.) e os domínios diversos do conhecimento, e que dá primazia à ação, primazia que comporta diferentes graus e definições. [Cf., nesta acepç., *naturalismo* (5), *humanismo* (1) e *pragmatismo*.] **3.** *Liter.* Estilo impressionista em que se empregam os gêneros literários para propaganda de ideias políticas. **4.** Militância política.

ativista [De *ativo* + *-ista*.] *Adj. 2 g.* **1.** Relativo ao, ou que é partidário do ativismo. ● *S. 2 g.* **2.** Partidário do ativismo. **3.** Militante político.

ativo [Do lat. *activu*.] *Adj.* **1.** Que exerce ação; que age, funciona, trabalha, se move, etc.: *Aos oitenta anos ainda é ativo.* **2.** Apto a agir, funcionar, etc., com rapidez, prontidão: *Seu espírito muito ativo capta de pronto o assunto de que se trata.* **3.** Que se caracteriza principalmente pela ação, pelo movimento, pela diligência; vivo, ágil, enérgico, rápido (em oposição a lento, lerdo): *Insistiu para que no futuro fosse mais ativo, mais interessado nas tarefas a seu cargo.* **4.** Que tem participação ou influência; participante, atuante: *Os positivistas exerceram papel ativo na difusão das ideias republicanas no Brasil.* **5.** Muito forte; intenso, vivo: *cheiro ativo.* **6.** Diz-se de vulcão que está ou poderá entrar em erupção. [Opõe-se, nesta acepç., a *extinto* (5).] **7.** *Bras. Pop.* Diz-se daquele que, na cópula homossexual, penetra o parceiro. **8.** *Eletr.* Diz-se de um componente em um circuito elétrico ou eletrônico que está carregado eletricamente. **9.** *Filos.* Que é, ou pode ser, agente. **10.** *Filos.* Que está em ato. [Cf., nesta acepç., *em ato*.] **11.** *Fís. Nucl.* Diz-se de um núcleo capaz de sofrer fissão. ~ V. *algolagnia —a, área —a, articulador —, centro —, circuito —, componente —, corrente —a, dívida —a, dispersão — a, escola —a, exército —, filtro —, imunidade —a, intelecto —, janela —a, potência —a, satélite —, serviço —, sítio —, substância —a,* telemarketing —, *transporte molecular — , verbo —* e *voz —a.* ● *S. m.* **12.** *Econ.* A totalidade dos bens de uma empresa ou pessoa, incluindo dinheiro, créditos, mercadorias, imóveis, investimentos, etc. **13.** *Cont.* Num balanço (7), o conjunto de contas que registram a aplicação dos recursos da empresa: edifícios e máquinas, estoques, aplicações financeiras, etc. [Cf., nesta acepç., *passivo* (5).] **14.** *Bras. Pop.* Aquele que é ativo (7). ◆ **Ativo circulante. 1.** *Cont.* Parte do ativo (13) que registra os valores imediatamente disponíveis (dinheiro, depósitos bancários) e os que podem ser convertidos em dinheiro a curto prazo. **2.** *Econ.* V. *capital de giro* (2). **Ativo financeiro.** *Cont.* Em Contabilidade Pública, parte do ativo que reúne os valores disponíveis e os realizáveis. **Ativo fixo.** *Cont.* Ativo permanente. **Ativo permanente.** *Cont.* Parte do ativo (13) que reúne os valores aplicados em imóveis, máquinas, instalações, etc., e os investimentos; ativo fixo. **Ativo realizável a longo prazo.** *Cont.* Parte do ativo (13) que reúne os valores que podem ser convertidos em dinheiro a longo prazo (em geral, mais de um ano).

■ **at.l.** *Fís.* Símb. de *atmosfera litro.*

atlanta [Do tax. *Atlanta*.] *S. f. Zool.* **1.** Gênero de moluscos heterópodes, transparentes, cosmopolitas com concha espiralada. **2.** Qualquer espécie, ou espécime desse gênero.

atlante [Do gr. *Atlas, antos*, 'titã que carregava aos ombros a abóbada celeste', pelo lat. *Atlante*.] *Adj. 2 g.* **1.** Da, ou pertencente ou relativo à Atlântida, ilha ou continente que se acreditava ter existido e submergido em local do oceano Atlântico, a O. de Gibraltar. **2.** *Fig.* Diz-se de homem muito forte, agigantado, hercúleo, atlântico. ● *S. m.* **3.** O natural ou habitante da Atlântida. **4.** *Fig.* Homem forte, atleta. **5.** *Fig.* Sustentáculo, arrimo. **6.** *Arquit.* Telamão.

atlântico [Do gr. *atlantikós*, pelo lat. *atlanticu*.] *Adj.* **1.** Relativo ou pertencente às montanhas africanas de Atlas ou ao oceano Atlântico. **2.** Diz-se do oceano que banha o oeste dos continentes africano e europeu, e o leste do americano. **3.** Que vive no oceano Atlântico, ou está situado perto dele, ou sobre ele, ou nele. **4.** *Restr.* Diz-se das nações ou regiões banhadas pelo oceano Atlântico. **5.** V. *atlante* (2). **6.** *Bot.* Diz-se do domínio florístico que compreende toda a cadeia montanhosa justamarítima brasileira. Constitui a floresta atlântica o principal tipo de vegetação aí observado, o qual apresenta intrusões para o interior, em forma de capões e florestas em galeria. ● *S. m.* **7.** O oceano Atlântico. [Com cap., nesta acepç.]

atlântico-ocidental *S. m.* **1.** *Gloss.* Subgrupo do níger--congo (q. v.), que inclui cerca de 40 línguas, faladas no Senegal, na Guiné e na Guiné-Bissau [O fulâni é uma das línguas desse subgrupo]. ● *Adj. 2 g.* **2.** Pertencente ou relativo ao atlântico-ocidental (1). [Pl.: *atlântico-ocidentais*.]

▲ **atlanto-** [Do gr. *Átlas, Átlantos*.] *El. comp.* = 'Atlântico': *atlanto-mediterrâneo.*

atlanto-mediterrâneo [De *atlanto-* + *mediterrâneo*.] *Adj.* **1.** Relativo ou pertencente ao oceano Atlântico e ao mar Mediterrâneo. ● *S. m.* **2.** O natural ou habitante da região banhada por esse oceano e esse mar. [Pl.: *atlanto-mediterrâneos*.]

atlas [Do gr. *Átlas*, pelo lat. *atlas* (v. *atlante*).] *S. m. 2 n.* **1.** Coleção de mapas ou cartas geográficas em volume. **2.** Volume que contém um conjunto coerente e completo de estampas, gráficos, quadros, etc., acompanhado de textos elucidativos: *atlas anatômico.* [Cf., nesta acepç., *álbum* (4).] **3.** *Anat.* A primeira vértebra cervical, que sustenta a cabeça. ◆ **Atlas celeste.** *Astr.* Coleção de mapas que indicam as posições das estrelas na esfera celeste, através de projeções planas.

atlasiano [Do top. *Atlas* + *-iano*.] *Adj.* Relativo à cadeia de Atlas (África do Norte) ou à região em que ela se encontra; atlásico.

atlásico [Do top. *Atlas* + *-ico*[2].] *Adj.* Atlasiano.

atled *S. m. Mat.* V. *nabla.*

atleta [Do gr. *athletés*, pelo lat. *athleta*.] *S. 2 g.* **1.** Na antiguidade greco-romana, pessoa que se exercitava na luta para entrar em combate nos jogos solenes; lutador. **2.** Pessoa forte, musculosa. **3.** Pessoa que pratica um esporte determinado, e que, geralmente, é treinada para competições esportivas. **4.** *Fig.* Defensor valoroso de uma causa ou de um partido; campeão. ● *S. m.* **5.** *Turfe Gír.* Cavalo de corrida.

atlética [F. subst. de *atlético*.] *S. f.* Arte ou profissão de atleta.

atleticano[1] *Bras. Adj.* **1.** Pertencente ou relativo ao Clube Atlético Mineiro (MG). **2.** Que é jogador ou torcedor dessa agremiação. ● *S. m.* **3.** Jogador ou torcedor dela. [Sin. ger.: *alvinegro, galo, galo carijó, atlético*.]

atleticano[2] *Bras. Adj.* **1.** Pertencente ou relativo ao Clube Atlético Paranaense (PR). **2.** Que é jogador ou torcedor dessa agremiação. ● *S. m.* **3.** Jogador ou torcedor dela. [Sin. ger.: *atlético*.]

atlético[1] [Do gr. *athletikós*, pelo lat. *athleticu*.] *Adj.* **1.** Respeitante a, ou próprio de atleta. **2.** Vigoroso, forte. ~ V. *suporte —.*

atlético[2] *Adj. S. m.* V. *atleticano*[1].

atlético[3] *Adj. S. m.* Atleticano[2].

atletismo [De *atleta* + *-ismo*.] *S. m.* **1.** Designação comum às atividades desportivas em geral, de caráter competitivo, realizadas individualmente ou entre equipes (corrida, lançamento, salto, etc.). **2.** A prática de esportes atléticos.

▲ **-atlo** [Do gr. *áthlon, ou* (ā), 'prêmio de um combate'; 'combate', 'luta'.] *El. comp.* = 'disputa', 'competição esportiva': *biatlo, decatlo, triatlo, pentatlo* (< lat. < gr.).

■ **atm** *Fís.* Símb. de *atmosfera física.*

atmã [Do sânscr.] *S. m. Rel.* No hinduísmo, o eu ou a alma individual, querendo significar, ou a totalidade das funções do organismo, ou uma entidade supracorporal que só pode ser atingida quando superada a realidade corpórea do indivíduo concreto, confundindo-se este com Brama.

▲ **atmido-** [Do gr. *atmís, ídos*.] *El. comp.* = 'vapor': *atmidômetro.*

atmidômetro *S. m.* V. *atmidômetro.* [Uso freq. em P.]

atmidômetro [De *atmido-* + *-metro*.] *S. m.* Atmômetro.

■ **atm.l.** *Fís.* Símb. de *atmosfera litro.*

▲ **atm(o)-** [Do gr. *atmós, oû*.] *El. comp.* = 'gás', 'vapor': *atmosfera.*

atmoclástico [De *atm(o)-* + *-clast(o)-* + *-ico*[2].] *Adj. Geol.* Relativo à ação erosiva da atmosfera.

atmógrafo [De *atm(o)-* + *-grafo*.] *S. m. Met.* Instrumento para registrar a evaporação através de uma superfície porosa.

atmólise [De *atm(o)-* + *-lise*.] *S. f. Quím.* Separação de dois gases mediante efusão.

atmológico [De *atm(o)-* + *-log(o)-* + *-ico*[2].] *Adj. Met.* Concernente aos fenômenos atmosféricos ou aos meteoros.

atmometamorfismo [De *atm(o)-* + *metamorfismo*.] *S. m. Geol.* Conjunto de transformações por que passam as rochas quando em contato com vapores minerais.

atmometria [De *atm(o)-* + *-metria*.] *S. f.* Medida da intensidade da evaporação.

atmométrico [De *atmometria* + *-ico*[2].] *Adj.* Relativo à atmometria.

atmómetro *S. m.* V. *atmômetro.* [Uso freq. em P.]

atmômetro [De *atm(o)-* + *-metro*.] *S. m.* Instrumento com que se mede a evaporação que se processa numa superfície porosa; atmidômetro.

atmosfera [De *atm(o)-* + *-sfera*.] *S. f.* **1.** Envoltório gasoso dos astros em geral. **2.** *Geofís.* Camada de ar que envolve a Terra. [Sin., nessas acepç.: *aerosfera*.] **3.** *P. ext.* O estado atmosférico; o tempo; o céu: *Com a chuva, a atmosfera clareou.* **4.** *Fís.* V. *atmosfera física.* **5.** *Fís.* Atmosfera técnica. **6.** *Fig.* Ambiente moral: *Vive numa atmosfera de intrigas.* ◆ **Atmosfera física.** *Fís.* Unidade de medida de pressão, igual a 1,01325 × 10^5 Pa. É equivalente à pressão exercida por uma coluna de mercúrio de 760mm de altura e de massa volumétrica igual a 13,5951g/cm^3, sujeita à aceleração normal da gravidade (980,665cm/s^2); atmosfera normal. [Tb. se diz apenas *atmosfera*. Símb.: *atm*; tb. se usa, apesar de não recomendado, *at.*] **Atmosfera livre.** *Met.* Parte da atmosfera onde o movimento do ar não sofre praticamente influência da fricção com a superfície da Terra. **Atmosfera litro.** *Fís.* Unidade de medida de energia: trabalho de expansão de um gás que se expande contra uma pressão constante de uma atmosfera, e cujo volume aumenta de um litro. Uma atmosfera (física) litro é igual a 101,3278J; uma atmosfera (técnica) litro é igual a 98,0692J. [Símb.: *atm.l.* ou *at.l.* ou *l.at.*] **Atmosfera normal.** *Fís.* V. *atmosfera física.* **Atmosfera técnica.** *Fís.* Unidade de medida de pressão, igual à de um quilograma-força por centímetro quadrado. Vale 9,80665 × 10^4 Pa. [Tb. se diz apenas *atmosfera*. Símb.: *at.*] **Atmosfera territorial.** *Jur.* Espaço aéreo situado acima do território dum Estado e respectivas águas territoriais.

atmosférico [De *atmosfera* + *-ico*².] *Adj.* Relativo à atmosfera. ~ V. *emissão —a, janela —a, maré —a, motor —, precipitação —a* e *pressão —a*.

atmosferologia [De *atmosfera* + *-o-* + *-logia*.] *S. f.* Ramo da ciência que se dedica ao estudo da atmosfera.

atmosferológico [De *atmosferologia* + *-ico*².] *Adj.* Relativo à atmosferologia.

atmoterapia [De *atm(o)-* + *-terapia*.] *S. f. Terap.* Forma de tratamento com vapores que têm propriedades medicinais.

ato [Do lat. *actu*.] *S. m.* **1.** Aquilo que se fez; feito: *Todos os seus atos foram devidamente julgados.* **2.** O que se está fazendo; ação: *Foi visto no ato de fugir.* **3.** Modo de proceder; procedimento, conduta: *Isto é ato de quem não tem compostura.* **4.** Cerimônia, solenidade: *Fez de sua posse na Academia Brasileira um ato dos mais solenes.* **5.** Documento redigido segundo determinada fórmula e susceptível de produzir consequências jurídicas. **6.** *Et.* Acontecimento que decorre de um ser dotado de vontade, que por ele se responsabiliza livre e conscientemente. [Cf., nesta acepç., *ação* (16).] **7.** *Filos.* Estado do ser presente e durável, com grau definido de realidade e de perfeição. **8.** *Filos.* Processo de criação ou de modificação dum ser. [Cf., nesta acepç., *ação* (17).] **9.** *Jur.* Documento público em que se exprime decisão de uma autoridade: *ato administrativo; ato institucional.* **10.** *Teatr.* Cada uma das maiores partes em que se divide a peça, e cujo número pode variar, ger., de um a cinco. ◆ **Ato adicional.** *Jur.* Ato político pelo qual se altera a constituição de um país, e que passa a fazer parte integrante dela. **Ato atributivo.** *Jur.* O que tem por fim transferir um direito em benefício de alguém. **Ato autêntico.** *Jur.* O que é passado perante autoridade, ou dela emanado, ou que se apresenta munido de fé pública. **Ato contínuo. 1.** Imediatamente: "Talvez a lágrima subisse do coração à pupila, mas a ardência absorvia-a ato contínuo como a areia adusta do deserto bebe sôfrega e ávida a gota do orvalho frio." (Coelho Neto, *Sertão*, p. 133.) **2.** Continuamente, sem interrupção. [Tb. se diz *em ato contínuo*.] **Ato de fala.** *E. Ling.* Enunciado analisado em termos das intenções do falante e dos efeitos provocados no ouvinte. **Ato de libidinagem.** *Jur.* A conjunção carnal ou qualquer de seus equivalentes no desafogo da libido. **Ato de variedades.** *Teatr.* V. *ato variado*: "deu ali dois espetáculos: .... o segundo, com *O Gaiato de Lisboa*, peça em dois atos, seguida de um ato de variedades." (Brito Broca, *Memórias*, p. 85). **Ato falhado.** *Psic.* Ato falho. **Ato falho.** *Psic.* Interferência, num ato intencional, de um outro acidental e aparentemente sem propósito, produzido pelos mecanismos de um desejo inconsciente, cuja intenção primária é levar a cabo esta realização acidental; ato falhado. **Ato formal.** *Jur.* Ato para cuja validade a lei exige que se revista de forma ou solenidade especial, considerados como parte da substância dele; ato solene. **Ato gratuito.** *Jur.* O proveniente de liberalidade, ou que não obriga a contraprestação. **Ato institucional.** *Jur.* Declaração solene, estatuto ou regulamento baixado pelo governo. **Ato jurídico.** *Jur.* Qualquer comportamento humano, com fundamento em manifestação da vontade, que, nos termos da lei, implique a aquisição, modificação, transmissão ou extinção de direitos. **Ato oneroso.** *Jur.* Aquele em face do qual é exigida uma contraprestação. **Ato público.** Reunião em praça pública ou em recinto fechado para tratar de assuntos de natureza política e/ou social: *ato público pelas eleições diretas; ato público em favor da ecologia.* [Cf. *comício* (1).] **Ato resolúvel.** *Jur.* Ato ou contrato que no próprio título de sua constituição menciona o prazo de seu vencimento ou a condição futura que, quando verificada, o resolve de pronto; contrato resolúvel. **Ato solene.** *Jur.* Ato formal. **Ato variado.** *Teatr.* Representação curta, com diálogos, cenas cômicas, música, dança, etc., geralmente nos intervalos da peça principal; ato de variedades. **Em ato.** *Filos.* **1.** Em processo de realização ou de transformação. **2.** Que apresenta grau determinado de realidade ou perfeição. **Em ato contínuo.** V. *ato contínuo*. **Fazer ato de presença.** Comparecer em determinado lugar, demorando-se pouco.

▲ **-ato**¹ Equiv. de *-ado*².

▲ **-ato**² *Quím. Suf.* Indica ânion (ou sal desse ânion) derivado de oxiácido de elemento que está em um de seus estados de oxidação mais altos. [Em geral de um ácido com o suf. *-ico*², como o *sulfúrico* ou o *carbônico*, vem o ânion com o suf. *-ato*², como o *sulfato* e o *carbonato*.]

▲ **-ato**³ Equiv. de *-ado*³.

à toa [De *à*¹ + *toa*.] *Adj. 2 g. e 2 n.* **1.** Impensado, irrefletido: *um gesto à toa.* **2.** Sem préstimo; inútil: *É um indivíduo à toa.* **3.** Que não exige trabalho ou esforço; fácil: *um servicinho à toa.* **4.** Desprezível, abjeto, vil: *É incapaz de uma boa ação; é mesmo um sujeito à toa.* **5.** Sem importância, insignificante; de nada: *um problema à toa;* "Ribeirãozinho à toa, corguinho de nada, que mal-mal escorria por causa dos plainos sem mudança do chapadão." (Mário Palmério, *Chapadão do Bugre*, p. 291.) **6.** Diz-se de pessoa que se prostitui. [Cf. *à toa*, loc. adv., e *atoa*, do v. *atoar*.] ☑

atoada [F. subst. do part. de *atoar*.] *S. f.* Atoarda (q. v.). [Cf. *atuada*, fem. de *atuado*, part. de *atuar*.]

atoalhado [Part. de *atoalhar*.] *Adj.* **1.** Coberto com toalha. **2.** *Tec. Têx.* Diz-se de tecido macio, felpudo em um ou em ambos os lados, obtido por laçadas de fios puxados na superfície. ● *S. m.* **3.** *Tec. Têx.* Tecido atoalhado **4.** Pano ou toalha de mesa.

atoalhar [De *a-*² + *toalha* + *-ar*².] *V. t. d.* **1.** Cobrir com toalha. **2.** Dar o lavor próprio de toalha a; tecer como toalha.

atoamente [De *à toa* + *-mente*.] *Adv. Bras.* De modo irrefletido; à toa.

atoar [De *a-*² + *toa* + *-ar*².] *V. t. d.* **1.** Levar à toa, reboque. *T. d. e c.* **2.** Levar à toa. *P.* **3.** Ligar-se com toa ou espia. [Conjug.: v. *coroar*. Pres. ind.: *atoo, atoas* (ô), *atoa* (ô), *atoamos, atoais, atoam* (ô); fut. pret.: *atoaria*, etc. Cf. *à toa*, adj. 2 g. 2n., *à toa*, loc. adv., *atuária*, s. f., e os v. *atuar* e *autuar*.]

atoarda [Var. de *atoada*.] *S. f.* Notícia vaga; boato, balela: "quando eles, partindo da atoarda .... de que o Mestre sempre fora um pouco amoroso da rainha, repetiam a si, aflitos, tais perguntas, logo se respondiam com esta solução política: | — E se nós casássemos o Mestre com Leonor?" (Antero de Figueiredo, *Leonor Teles*, p. 310).

atobá *S. m. Bras. Zool.* Ave pelicaniforme, sulídea (*Sula leucogaster*) do Atlântico tropical e subtropical, inclusive das costas e mares brasileiros; cor de café, barriga branca, e garganta e loro nus, encarnados. Os filhotes são inteiramente brancos. Alimenta-se de peixes, que captura mergulhando. [Var.: *toba*; sin.: *mergulhão, mambembo, mumbebo*.]

atocaiar [De *a-*² + *tocaia* + *-ar*².] *V. t. d. Bras.* Tocaiar.

atochado [Part. de *atochar*.] *Adj.* **1.** Completamente cheio; atulhado, entulhado. **2.** Entalado em algum lugar, sem poder mover-se; apertado.

atochador (ô) [De *atochar* + *-dor*.] *Adj.* **1.** Que atocha. ● *S. m.* **2.** Aquele ou aquilo que atocha. **3.** Atocho (2).

atochar [Do esp. *atochar*.] *V. t. d.* **1.** Segurar com atocho ou cunha. **2.** Encher com excesso; atulhar, entulhar, atravancar. *T. d. e c.* **3.** Fazer entrar com força; entalar. **4.** Apertar cingindo. [Pres. ind.: *atocho*, etc. Cf. *atocho* (ô).]

atocho (ô) [Dev. de *atochar*.] *S. m.* **1.** Ato de atochar. **2.** Cunha ou pau com que se atocha; atochador. [Pl.: *atochos* (ô). Cf. *atocho*, do v. *atochar*.]

atocia [Do gr. *atokía*.] *S. f. Gin.* Esterilidade feminina.

atócico [De *atocia* + *-ico*².] *Adj. Gin.* Relativo à atocia.

atoicinhado [De *a-*² + *toicinho* + *-ado*¹.] *Adj.* V. *atoucinhado*.

atol [Do maldivense *atolu*, pelo ingl. *atoll*.] *S. m. Ocean.* Coroa de coral erigida sobre um pilar vulcânico, e que aparece à feição de uma ilha muito rasa encerrando uma lagoa; recife de coral. [Pl.: *atóis*.]

atoladiço [De *atolar*¹ + *-(d)iço*¹.] *Adj.* Que forma atoleiro.

atolado¹ [Part. de *atolar*¹.] *Adj.* **1.** Metido em atoleiro; atascado. *Veículos atolados dificultavam o trânsito.* **2.** *Fam.* Que está repleto de serviço, ou de afazeres, obrigações, etc.: *Vivia atolado de problemas.*

atolado² [Part. de *atolar*².] *Adj.* V. *tolo* (1 a 3).

atoladoiro [De *atolar*¹ + *-doiro*².] *S. m.* V. *atoleiro* (1).

atolador (ô) [De *atolar*¹ + *-dor*.] *Adj.* **1.** Que atola. ● *S. m.* **2.** *Bras.* V. *atoleiro* (1).

atoladouro [De *atolar*¹ + *-douro*²; var. de *atoladoiro*.] *S. m.* V. *atoleiro* (1).

atolambado [De *tolo*.] *Adj.* V. *tolo* (1 a 3).

atolambar [De *tolo*.] *V. t. d.* **1.** Tornar atolambado. **2.** Causar toleima a.

atolar¹ [De or. controv.] *V. t. d. T. d. e c.* **1.** Meter ou enterrar em atoleiro; atascar; envasar. *T. c.* **2.** Ficar atolado: *O caminhão atolou na estrada.* *Int.* **3.** Meter-se em atoleiro. *P.* **4.** Ficar embaraçado, metido em atoleiro, dificuldade ou embaraço; enlear-se em situação difícil: *Está numa situação muito enredada, e cada vez se atola mais.* **5.** Entregar-se com excesso aos prazeres, às más paixões: *Não há como recuperá-lo: atolou-se mesmo no vício.*

atolar² [De *a-*² + *tolo* + *-ar*².] *V. t. d. P.* Tornar(-se) tolo; aparvalhar(-se), apatetar(-se), atoleimar(-se).

atoledo (ê) [De *atol(ar)*¹ + *-edo*.] *S. m. Bras. Amaz.* V. *atoleiro* (1).

atoleimado [Part. de *atoleimar*.] *Adj.* V. *tolo* (1 a 3).

atoleimar [De *a-*² + *toleima* + *-ar*².] *V. t. d.* **1.** Pôr ou tornar atoleimado; apatetar, atolar. *P.* **2.** Tornar-se tolo, apatetar-se, aparvalhar-se, atolar-se. **3.** Fazer-se de tolo, de parvo.

atoleiro [De *atol(ar)*¹ + *-eiro*.] *S. m.* **1.** Atolador, atoladoiro, atoladouro, atoledo, atascadeiro, atascal, atasqueiro. V. *pântano*. **2.** *Fig.* Situação que leva ao aviltamento, ao rebaixamento moral. **3.** *Fig.* Dificuldade, embaraço, apuros. ◆ **Sair do atoleiro.** Livrar-se de situação difícil, perigosa ou humilhante.

atomatar [De *a-*² + *tomate* + *-ar*².] *V. t. d.* **1.** Tornar vermelho como um tomate. **2.** Envergonhar; confundir. **3.** *Bras.* Esborrachar como a um tomate; abater; pisar.

atomicidade [De *atômico* + *-(i)dade*.] *S. f. Quím.* Número de átomos de uma molécula.

atómico *Adj.* 2 V. *atômico*. [Uso freq. em P.]

atômico [De *átomo* + *-ico*².] *Adj.* **1.** Referente ao átomo. **2.** *Fís.* Referente ao núcleo atômico. ~ V. *bomba —a, calor —, combustível —, energia —a, física —a, fissão —a, guerra —a, lixo —, massa —a, núcleo —, número —, nuvem —a, orbital —, partícula —a, peso —, pilha —a, reator —, relógio —, submarino —* e *volume —*.

atomismo [De *átomo* + *-ismo*.] *S. m. Hist. Filos.* Doutrina defendida por Demócrito (Abdera, Trácia, 460 a.C.-370 a.C.) e Epicuro (v. *epicurismo*), que sustenta ser a matéria formada de átomos [v. *átomo* (1)] que se agrupam em combinações casuais e por processos mecânicos.

atomista [De *atomismo* + *-ista*.] *Adj. 2 g.* **1.** Relativo ao, ou que é sectário do atomismo. ● *S. 2 g.* **2.** Sectário do atomismo.

atomística [De *atomista* + *-ica*.] *S. f. Quím.* Teoria da constituição atômica da matéria.

atomístico [De *atomista* + *-ico*².] *Adj.* Relativo à atomística, ou ao atomismo.

atomização [De *atomizar* + *-ção*.] *S. f. Quím.* Ação de reduzir a gotículas de dimensões muito pequenas.

atomizado [Part. de *atomizar*.] *Adj.* **1.** Reduzido a átomo, ou a dimensões pequeníssimas. **2.** Reduzido a gotículas. **3.** Borrifado com o atomizador.

atomizador (ô) [De *atomizar* + *-dor*.] *S. m.* V. *nebulizador*.

atomizar [De *átomo* + *-izar*.] *V. t. d.* **1.** Reduzir a átomo, ou a pequeníssimas dimensões. **2.** Reduzir a gotículas. **3.** Borrifar com o atomizador.

átomo [Do lat. *atomu*.] *S. m.* **1.** *Hist. Filos.* No atomismo (q. v.), elemento material, indivisível, homogênico e invisível. **2.** *Quím.* Sistema energeticamente estável, formado por um núcleo positivo que contém nêutrons e prótons, e cercado de elétrons; a menor quantidade de uma substância elementar que tem as propriedades químicas de um elemento. Todas as substâncias são formadas de átomos, que se podem agrupar, formando moléculas ou íons. **3.** Coisa pequeníssima, insignificante; partícula mínima: *um átomo de pó.* **4.** Espaço breve de tempo; momento, instante. [Var., nesta acepç., *átimo*.] ◆ **Átomo aceitador.** *Eletrôn.* V. *impureza aceitadora*. **Átomo doador.** *Eletrôn.* V. *impureza doadora*. **Átomo marcado.** *Fís. Nucl.* Átomo de um isótopo radioativo, cujo comportamento numa reação química ou num fenômeno biológico pode ser observado graças à radiação que emite. **Átomo primordial.** *Astr.* Ovo cósmico.

átomo-grama [De *átomo* + *grama*.] *S. m. Quím.* Quantidade de um elemento químico de massa em gramas igual à massa atômica do elemento. [Pl.: *átomos-gramas* e *átomos-grama*.]

atonal [De *a-*³ + *tonal*.] *Adj. 2 g. Mús.* **1.** Que não adota os princípios da tonalidade (2 e 3) (q. v.). **2.** *Mús.* No contexto da música tonal, diz-se da música sem uma tonalidade definida. ~ V. *música —*.

atonalidade [De *atonal* + *-(i)dade*.] *S. f.* **1.** Qualidade do que é atonal. **2.** *Mús.* Método moderno de composição que despreza as funções tonais clássicas, utiliza a totalidade dos recursos da escala cromática, dá predominância ao ritmo e emancipa a dissonância; atonalismo. [Cf. *dodecafonismo, harmonia* (13) e *série* (11).]

atonalismo [De *atonal* + *-ismo*.] *S. m. Mús.* Atonalidade (2) (q. v.).

atonelado [De *a-*² + *tonel* + *-ado*¹.] *Adj.* Que tem forma ou semelhança de tonel.

atonia [Do gr. *atonía*.] *S. f.* **1.** *Neur. Med.* Falta de tono ou força normais; debilidade geral; fraqueza. **2.** *P. ext.* Frouxidão, inércia.

atonicidade [De *atônico*² + *-(i)dade*.] *S. f.* Qualidade do que é átono.

atónico *Adj.* V. *atônico*. [Uso freq. em P.]

atônico¹ [De *atonia* + *-ico*².] *Adj.* Relativo a atonia. ~ V. *úlcera —a*.

atônico² [De *átono* + *-ico*².] *Adj.* Átono.

atonismo [De *Áton*, mit., + *-ismo*.] *S. m.* A primeira manifestação do monoteísmo no Egito: unificação e hierarquização das divindades egípcias antigas, feita por Akenáton no século XIV a.C.

atónito *Adj.* 2 V. *atônito*. [Uso freq. em P.]

atônito [Do lat. *attonitu*.] *Adj.* **1.** Muito espantado e quase sem ação; pasmado, estupefacto: "O goiano olhava atônito aquele xadrez de divisas, e perguntava: | — Tanta cerca, guardando o quê?" (Raquel de Queirós, *A Donzela e a Moura Torta*, p. 25.) **2.** Com as ideias confusas, atordoado, perturbado, tonto.

átono [Do gr. *átonos*.] *Adj.* Sem acento tônico; atônico: *O* me, *o* te, *o* se, *o* nos, *etc. são pronomes átonos.* ~ V. *sílaba —a* e *vogal —a*.

atontar [De *a-*[2] + *tonto* + *-ar*[2].] *V. t. d. Int.* V. *entontecer*.

atopetar [De *a-*[2] + *topete* + *-ar*[2].] *V. t. d.* **1.** Chegar ao tope de. **2.** *Mar.* Içar (bandeira, pavilhão, flâmula, etc.) até o tope do mastro ou a beijar o braço da verga; topetar. **3.** *Bras.* Encher muito; abarrotar, atestar.

atopia [De *a-*[3] + *-top(o)-* + *-ia*[1].] *S. f. Imun.* Tendência hereditária a apresentar reações de hipersensibilidade imediata a antígenos ambientais comuns, sendo as mais frequentes destas reações a rinite alérgica, a asma brônquica e a dermatite atópica.

atópico[1] [De *a-*[3] + *-top(o)-* + *-ico*[2].] *Adj.* Fora do lugar; deslocado.

atópico[2] [De *atopia* + *-ico*[2].] *Adj.* **1.** Relativo a atopia. **2.** Que apresenta atopia.

atopita [Do gr. *átopos*, 'inusitado', 'extraordinário', + *-ita*[3].] *S. f. Min.* Antimoniato de manganês, com cálcio e sódio.

atopomenorreia (éi) [De *a-*[3] + *-top(o)-* + *menorreia*.] *S. f. Gin.* Menstruação vicariante. ❖

ator (ô) *S. m.* **1.** Agente do ato. **2.** *Teatr. Cin. Telev.* Aquele que representa em peças teatrais, filmes, novelas, etc.; intérprete; artista: "quem é mais artista do que o ator? A matéria plástica a que ele imprime a sua concepção, o seu sentimento criador, não é menos digna do que o mármore, por ser o conjunto das expressões humanas." (Joaquim Nabuco, *Escritos e Discursos Literários*, p. 40). **3.** *Fig.* Homem que sabe fingir. [Fem.: *atriz*; pl. *atores* (ô). Cf. *atores*, do v. *atorar*.] [Do lat. *actore*.] ◆ **Ator de feira.** *Teatr.* **1.** Ator de teatros ambulantes. **2.** *Deprec.* Mau ator.

atora [De *a-*[5] + *tora*.] *S. f. Bras.* Tora (3).

atorácico [De *a-*[3] + *-torac(o)-* + *-ico*[2].] *Adj.* Desprovido de tórax.

atoraí *S. 2 g.* **1.** *Etnôn.* Indivíduo dos atoraís, povo indígena da família linguística aruaque, habitante da Guiana. ● *Adj. 2 g.* **2.** Pertencente ou relativo a esse povo. [Cf. *atorai*, do v. *atorar*.] [Tb. us. como *s. 2 g.* e *2 n.* (com cap.) e *adj. 2 g.* e *2 n.*]

atorar[1] [De *a-*[4] + *torar*[1].] *V. t. d.* **1.** Cortar em toras (a madeira); torar. **2.** Dividir em dois (qualquer objeto roliço). **3.** *Bras.* Fazer em pedaços; partir, cortar, torar. [Pres. subj.: *atore, atores*, etc.; imperat.: *atora, atore, atores*, ... *atorai*, etc. Cf. *atores* (ô), pl. de *ator* e *atoraí*.]

atorar[2] *V. int. Bras. SP* Ir-se embora; partir, torar. [Pres. subj.: *atore, atores*, etc.; imperat.: *atora, atore, atores*, ... *atorai*, etc. Cf. *atores* (ô), pl. de *ator*, e *atoraí*.]

atorçalado [Part. de *atorçalar*.] *Adj. Bord.* Guarnecido ou bordado com torçal: *blusa atorçalada.*

atorçalar [De *a-*[2] + *torçal* + *-ar*[2].] *V. t. d. Bord.* Guarnecer ou bordar com torçal.

atordoado [Part. de *atordoar*.] *Adj.* **1.** Que quase perdeu os sentidos ou desmaiou por efeito de pancada, queda, grande comoção, estrondo, embriaguez, etc.; tonto, aturdido, estonteado, zonzo: *A moça atordoada, de olhar vazio, parecia vítima de tóxicos.* **2.** Que não está totalmente senhor de seu juízo, de suas emoções; confuso, aturdido, estonteado. ● *S. m.* **3.** Indivíduo atordoado.

atordoador (ô) [De *atordoar* + *-dor*.] *Adj.* Que atordoa; atordoante.

atordoamento [De *atordoar* + *-mento*.] *S. m.* Ato ou efeito de atordoar(-se).

atordoante [De *atordoar* + *-nte*.] *Adj. 2 g.* V. *atordoador*.

atordoar [De *a-*[4] + *tordo* + *-oar*, poss.; v. *aturdir*.] *V. t. d.* **1.** Perturbar os sentidos de, por efeito de pancada, queda, estrondo, embriaguez, grande comoção, surpresa, etc.: confundir, aturdir; estontear, abalar: *A inesperada amabilidade do chefe atordoou-o*; "O sucesso atordoara-lhe a cabeça e secara-lhe os lacrimais" (Camilo Castelo Branco, *O Santo da Montanha*, p. 209). **2.** Amortecer, adormentar, insensibilizar: *Embriagou-se procurando atordoar o sofrimento.* **3.** Molestar os ouvidos de; perturbar, aturdir: *O barulho infernal atordoava-o.* **4.** Causar assombro, admiração, a; maravilhar. *Int.* **5.** Causar abalo ou perturbação dos sentidos: *Era um belo, comovente espetáculo, que atordoava.* **6.** Molestar os ouvidos; causar perturbação, incômodo. *P.* **7.** Ficar tonto; atordoar-se. **8.** Procurar no trabalho, no prazer, na embriaguez, no vício, etc., derivativo ou esquecimento de dores, penas, aborrecimentos: *Não gosta do álcool, bebe para atordoar-se, o infeliz.* **9.** Amortecer-se, abrandar-se: *Sua fúria foi-se aos poucos atordoando.* [Conjug.: v. *coroar*.]

atormentação [De *atormentar* + *-ção*.] *S. f.* **1.** Ação ou efeito de atormentar(-se). **2.** Sofrimento, aflição, tortura, tormento.

atormentadiço [De *atormentar* + *-(d)iço*[1].] *Adj.* **1.** Suscetível de ser atormentado. **2.** Que com pouco se aflige.

atormentado [Part. de *atormentar*.] *Adj.* **1.** Que sofre tormentos ou tortura; torturado. **2.** *Fig.* Afligido, atribulado, amofinado: *Os problemas familiares deixam-no atormentado.* ● *S. m.* **3.** Indivíduo atormentado.

atormentador (ô) [De *atormentar* + *-dor*.] *Adj. S. m.* Que, ou aquele que atormenta.

atormentar [De *a-*[2] + *tormento* + *-ar*[2].] *V. t. d.* **1.** Infligir tormento(s) a; torturar, supliciar, flagelar. **2.** Mortificar, angustiar, afligir: *Atormenta a família com sua irresponsabilidade;* "Pobre louca, que o orgulho atormenta, / Despe a bronca vaidade que tens" (Gonçalves Dias, *Obras Poéticas*, II, p. 396). **3.** Apoquentar, importunar. **4.** Agitar com violência; açoitar, fustigar: *Ondas furiosas atormentavam o barco.* *Int.* **5.** Causar tormento, tortura, suplício: *As preocupações excessivas atormentam.* *P.* **6.** Mortificar-se, torturar-se, afligir-se.

atormentativo [De *atormentar* + *-tivo*.] *Adj.* Que causa tormento, que atormenta.

ato-show *S. m.* Ato público no qual participam artistas que se exibem em espetáculo popular. [Pl.: *atos-shows* e *atos-show*.]

atossicar [Do hisp.-amer. *atoxicar*.] *V. t. d. Bras. RS* **1.** Instigar (alguém) para o mal. **2.** Dar mau(s) conselho(s) a. [Conjug.: v. *trancar*.]

atotô [Do ior.] *Interj. Bras. Rel.* Saudação que se dirige a Omolu, quando desce [v. *descer* (15) num terreiro (7) nagô].

atouaou *S. m. Bras. Bot.* V. *camboatá-branco*.

atoucado [De *a-*[2] + *touca* + *-ado*[1].] *Adj.* **1.** Em forma de, ou semelhante a touca. **2.** Coberto com touca.

atoucinhado [De *a-*[2] + *toucinho* + *-ado*[1].] *Adj.* **1.** Semelhante ao toucinho. **2.** Que tem muito toucinho; gordo. [Var.: *atoicinhado*.]

atóxico (cs) [De *a-*[3] + *tóxico*.] *Adj.* **1.** Não tóxico. **2.** Que não tem veneno.

■ **ATP** [Ingl., sigla de *adenosine triphosphate*.] *Quím.* V. *trifosfato de adenosina*.

ATP-ase [Ingl., de ATP, 'trifosfato de adenosina', + *-ase*.] *S. f. Bioquím.* Qualquer de um grupo de enzimas que hidrolisa ATP, dando ADP e fosfato.

ATP-sintase [Ingl., de ATP, 'trifosfato de adenosina', + *sintase*.] *S. f. Bioquím.* Complexo enzimático encontrado na membrana interna de mitocôndrias, na membrana de cloroplastos e na membrana plasmática das bactérias, responsável pela síntese de ATP a partir de ADP e fosfato.

atrabile *S. f.* Atrabílis (q. v.): "tudo achaques segundos da atrabile, que essa, sim, é a doença de el-rei, vá lá que não sofre das partes pudendas" (José Saramago, *Memorial do Convento*, p. 113).

atrabiliário [De *atrabíli(s)* + *-ário*.] *Adj.* **1.** Que tem atrabílis; melancólico. **2.** Propenso a se encolerizar, a brigar, a discutir; irritável, atrabilioso. **3.** Irascível, colérico, atrabilioso.

atrabilioso (ô) [De *atrabíli(s)* + *-oso*.] *Adj.* V. *atrabiliário* (2 e 3).

atrabílis [Do lat. *atra bilis*, 'bílis negra'.] *S. f. 2 n.* Humor imaginário ou bílis negra, que se julgava ser a causa da melancolia; atrabile.

atracação [De *atracar* + *-ção*.] *S. f.* Ato ou efeito de atracar(-se).

atracadela [De *atracar* + *-dela*.] *S. f.* Ato ou efeito de atracar por pouco tempo.

atracadoiro [De *atracar* + *-doiro*[2].] *S. m.* Atracadouro (q. v.).

atracador (ô) [De *atracar* + *-dor*.] *S. m.* **1.** Aquele que atraca, ou se encarrega da atracação. **2.** Cabo de atracar.

atracadouro [De *atracar* + *-douro*[2]; var. de *atracadoiro*.] *S. m.* Lugar onde se amarram embarcações.

atracamento [De *atracar* + *-mento*.] *S. m.* **1.** Ato ou efeito de atracar(-se). **2.** Briga corporal de contato direto. **3.** V. *agarramento* (4).

atracão [De *atracar*.] *S. m.* **1.** Encontrão, empuxão. **2.** Ato de acercar-se de alguém para importuná-lo com pedidos.

atração [Do lat. *attractione*.] *S. f.* **1.** Ato, processo ou poder de atrair. **2.** Poder de encantar, de seduzir; fascínio. **3.** Inclinação, pendor, propensão. **4.** Algo que se destine a entreter, divertir, distrair; divertimento, distração: *O locutor passou a anunciar a atração que deveria seguir ao seu programa.* **5.** *P. ext.* Pessoa ou coisa que suscita grande interesse, aumentando a afluência a casas de diversões, a audiência a programas de rádio, televisão, etc.: *A cantora americana foi a grande atração da noite.* **6.** Interesse que alguém sente por outro alguém. **7.** *E. Ling.* Concordância (4) que se dá com o termo mais próximo. [No português, há atração do predicativo, p. ex., na concordância de número em que o sujeito é um pronome indefinido neutro: *tudo são memórias* por *tudo é memórias*.] ◆ **Atração turística** Local, monumento, espetáculo, etc. que atrai um grande número de turistas.

atracar [Do it. *straccare*, poss.] *V. t. d.* **1.** Amarrar a terra (uma embarcação). *T. d. e c.* **2.** *Mar.* Encostar (a embarcação, a cais ou outra embarcação): *O comandante atracou o navio ao cruzador.* **3.** *Mar.* Prender (peça ou objeto) a (outra peça ou objeto). *T. c.* **4.** *Mar.* Encostar-se a (cais, etc.): *O navio atracou ao cais.* *Int.* **5.** *Mar.* Encostar-se a cais, etc.: *O navio atracou.* **6.** Fechar o contato de um relé: *Quando a voltagem atinge determinado valor, o relé atraca e uma luz acende.* **7.** *Bras.* Aproximar-se o homem da mulher para conversas amorosas. *P.* **8.** Entrar em luta corporal; engalfinhar-se: "— Não falei com você, seu idiota! | Vasco ergueu-se. A cadeira caiu. O outro também se pôs de pé, ágil. Atracaram-se." (Érico Veríssimo, *Um Lugar ao Sol*, p. 127.) **9.** *Fam.* Abraçar-se estreitamente. **10.** Abraçar-se fortemente; agarrar-se: *A criança, assustada, atracou-se ao pai.* [Conjug.: v. *trancar*.]

atraente [Do lat. *attrahente*.] *Adj. 2 g.* **1.** Que exerce atração, sedução, fascinação; encantador, fascinante: *É uma das pessoas mais atraentes que eu conheço.* **2.** Que atrai, que tem a virtude de atrair; acolhedor, simpático: *Construiu a casa num recanto atraente.*

atrafegar-se [De *a-*[2] + *tráfego* + *-ar*[2] + *se*[1].] *V. p.* Meter-se em tráfego (2); fatigar-se, sobrecarregando-se com muito trabalho. [Conjug.: v. *regar*.]

atraiçoado [Part. de *atraiçoar*.] *Adj.* **1.** Que sofreu traição; traído. **2.** Traiçoeiro; falso.

atraiçoador (ô) [De *atraiçoar* + *-dor*.] *Adj. S. m.* Que, ou aquele que atraiçoa.

atraiçoar [De *a-*[2] + *traição* + *-ar*[2], com desnasalação.] *V. t. d.* **1.** Cometer traição contra; usar de perfídia contra; trair: *O delator Joaquim Silvério dos Reis atraiçoou a causa da Conjuração Mineira.* **2.** Ser infiel a; trair, enganar: "Quando o médico teve certeza de que a mulher o atraiçoava, ... resolveu, imediatamente, matá-la." (Lúcio de Mendonça, *Horas do Bom Tempo*, p. 161.) **3.** Denunciar, trair: *Seu próprio ar amedrontado o atraiçoava.* **4.** Deixar de corresponder à expectativa; falhar, faltar: *Contava apenas com sua presença de espírito, que nunca o atraiçoava.* *P.* **5.** Acusar ou denunciar involuntariamente a si mesmo. **6.** Cometer traição contra si mesmo; trair-se. [Conjug.: v. *coroar*.]

atraimento (a-i) [De *atrair* + *-mento*.] *S. m. P. us.* Atração (1).

atrair [Do lat. *attrahere*.] *V. t. d.* **1.** Trazer, puxar ou solicitar para si; exercer atração sobre: *Sua simpatia e bondade atraem todos os que dele se aproximam.* **2.** Exercer atração sobre; seduzir, fascinar, prender: *A vida do mar sempre o atraiu;* "A loucura o atraiu sempre, como tema complexo." (Antônio Carlos Vilaça, *O Desafio da Liberdade*, p. 20). **3.** Chamar, incitar a aproximar-se: *Usou o pio para atrair a ave; Assobiou para atrair a garota que passava;* "Seu choro atraiu um guarda-civil, que a conduziu até a delegacia." (Dalton Trevisan, *O Vampiro de Curitiba*, p. 76). **4.** Provocar, mover, suscitar (opiniões, sentimentos, etc.). *T. d. e c.* **5.** Fazer aproximar; trazer, puxar: "Abrindo a blusa, despi o porta-seios, atraí para mim sua cabeça, com as duas mãos." (Osmã Lins, *Nove, Novena*, p. 66.) *T. d. e i.* **6.** Fazer aderir (a opinião, religião, partido, etc.): *Tudo fizeram para atraí-lo ao catolicismo; Atraí-o para minha tese.* **7.** Provocar; mover; suscitar: *Conseguiu atrair estima e respeito para a sua pessoa.* *Int.* **8.** Exercer atração, sedução, encantamento: "É esbelta como o ideal da formosura de então o sonhava; e tem o raro, o estranho que perturba, atrai, conquista." (Antero de Figueiredo, *Leonor Teles*, p. 37.) [Irreg. Conjug.: v. *sair*.]

atramentário [De *atramento* + *-ário*.] *Adj. Bot.* Que apresenta coloração ou aspecto de tinta preta.

atramento [Do lat. *atramentu*.] *S. m.* **1.** Espécie de verniz escuro antigo. **2.** Tinta de escrever usada pelos romanos.

atrancamento [De *atrancar* + *-mento*.] *S. m.* Ato ou efeito de atrancar(-se).

atrancar [De *a-*[4] + *trancar*.] *V. t. d.* **1.** V. *trancar*. **2.** Atravancar, atranqueirar: *atrancar uma rua com estacas.* *P.* **3.** Trancar-se. [Conjug.: v. *trancar*.]

atranqueirado [De *a-*[2] + *tranqueira* + *-ado*[1].] *Adj.* Que tem tranqueira(s).

atranqueirar [De *a-*[2] + *tranqueira* + *-ar*[2].] *V. t. d.* Tapar, barrar, impedir (rua, estrada, etc.) com tranqueira, estacas, paliçada, etc.

atrapachar [Cruz. de *atravancar* com *empachar*, poss.] *V. t. d. P. Bras.* V. *atravancar*.

atrapalhação [De *atrapalhar* + *-ção*.] *S. f.* **1.** Ato ou efeito de atrapalhar(-se). **2.** Situação ou estado de atrapalhado. **3.** Confusão, desordem. **4.** Embaraço ou perturbação por insegurança, acanhamento, timidez, etc.

atrapalhado [Part. de *atrapalhar*.] *Adj.* **1.** Incapaz de agir de maneira apropriada; perturbado, perplexo, embaraçado: *Fiquei todo atrapalhado, incapaz de contornar a situação.* **2.** Em situação embaraçosa; em dificuldades, especialmente financeiras: *Com a doença do menino, este mês fiquei atrapalhado.* **3.** Desconexo, incoerente: *Veio com uma conversa atrapalhada, que não me convenceu.* **4.** Que não está arrumado; confuso, desordenado, tumultuado: *É preciso pôr em ordem meus papéis, que estão muito atrapalhados.*

atrapalhador (ô) [De *atrapalhar* + *-dor*.] *Adj.* **1.** Que atrapalha. ● *S. m.* **2.** Aquele ou aquilo que atrapalha.

atrapalhar [De *a-*^{4} + *trapo* + *-alhar*, poss.] *V. t. d.* **1.** Confundir, perturbar, embaraçar: *Seus numerosos encargos atrapalham-no.* **2.** Fazer, produzir, engendrar, mal ou inabilmente: *Incumbiu-se da revisão, mas atrapalhou ainda mais a ortografia do livro, em vez de corrigi-la.* *Int.* **3.** Fazer trapalhices [v. *trapalhice*^{2}(2)]. **4.** Causar confusão ou embaraço: *Sua interferência, em vez de trazer qualquer benefício, atrapalhou;* "A bolsa atrapalhava, jogou-a sobre o sofá." (Edla Van Steen, *Memórias do Medo*, p. 16). *P.* **5.** Confundir-se, embaraçar-se, perturbar-se: *Atrapalhou-se todo, quando foi pedir a mão da moça.*

atrapalho [Der. regress. de *atrapalhar*.] *S. m. Bras. N. N.E. Pop. Fam.* Estado ou situação de quem se vê atrapalhado (2): "Conversa de namoro de moça solteira, de mulher casada, ... de atrapalhos financeiros, de maridos mulherengos" (Mauro Mota, *Votos e Ex-Votos*, p. 16).

atrás [De *a*^{3} + *trás*^{1}.] *Adv.* **1.** Em posição ou na parte posterior; na retaguarda, detrás: *Mesmo atrás nas pesquisas, o candidato mantém o otimismo; A mulher vinha na frente e ele atrás.* **2.** Depois, após: *Chegaram todos, porém ele deixou para vir atrás.* **3.** Antes, anteriormente, em expressões relativas a tempo anterior, ou época passada (dia, semana, mês, ano, etc.): *Estive com ele dias atrás; Meses atrás, disse-me que pretendia escrever um livro.* ◆ **Atrás de. 1.** Do lado ou lugar posterior a: *A fazenda fica atrás da montanha.* **2.** Em seguimento a; depois de (no espaço): *Caminhou todo o tempo atrás de mim.* **3.** Imediatamente depois de; em seguida a (no tempo): "fumando cigarro atrás de cigarro" (Fernanda Botelho, *Lourenço É Nome de Jogral*, p. 12). **4.** No encalço de; em busca de: *A polícia anda atrás do criminoso.* **5.** À procura de; procurando obter ou alcançar: "Por ti corri sedento atrás da glória" (Casimiro de Abreu, *Obras*, p. 49); "Agora é tempo de construção do governo, o povo todo está atrás de tijolo" (Ilza Espírito Santo Porto, *Contos do Vale de Jacarecica*, p. 13). **6.** Em posição secundária, ou de inferioridade: *É bom dançarino, mas eu não lhe fico atrás.*

atrasado [Part. de *atrasar*.] *Adj.* **1.** Antiquado, obsoleto: *ideias atrasadas; costumes atrasados.* **2.** Que está aquém do que se deseja, espera, ou considera normal: *crescimento atrasado.* **3.** Que não foi pago na época devida: *prestações atrasadas; vencimentos atrasados.* **4.** Que não se desenvolveu convenientemente; subdesenvolvido: *países atrasados.* **5.** Diz-se de data (dia, mês, ano, hora, etc.) imediatamente anterior à passada; retrasado, arretrasado: *No mês atrasado choveu muito.* **6.** Que tem ideias obsoletas: *indivíduo atrasado.* **7.** Que não está em dia com o que é novo, em matéria de conhecimentos, de cultura, de informação. **8.** Diz-se do aluno cujo aproveitamento escolar está abaixo da média de sua classe. ● *S. m.* **9.** Indivíduo atrasado.

atrasador (ô) [De *atrasar* + *-dor*.] *Adj.* **1.** Que atrasa. ● *S. m.* **2.** Aquele ou aquilo que atrasa. **3.** Peça que serve para atrasar o movimento do relógio.

atrasamento [De *atrasar* + *-mento*.] *S. m. P. us.* V. *atraso.*

atrasar [De *a-*^{2} + *trás*^{1} + *-ar*^{2}.] *V. t. d.* **1.** Pôr para trás; fazer recuar; recuar: *Para ganhar tempo, atrasou os ponteiros do relógio.* **2.** Fazer demorar; adiar, retardar, dilatar: *Atrasou a posse, para preparar melhor o discurso.* **3.** Demorar em; retardar, protelar: *Atrasou a entrega das provas; Atrasou o pagamento.* **4.** Sustar, prejudicar o desenvolvimento de: *A longa enfermidade atrasou a sua carreira de pianista.* **5.** Reduzir a tempo anterior; antecipar: *Quis atrasar a data de seu nascimento, para poder matricular-se.* **6.** Prejudicar, lesar, embaraçar: *atrasar a vida de alguém.* **7.** Causar atraso a; retardar: *Demorou-se nos preparativos e atrasou o amigo.* *Int.* **8.** Mover-se com menos presteza ou velocidade que a normal ou devida: *O relógio atrasou.* **9.** Não chegar ao destino (um veículo) no horário preestabelecido: *O avião atrasou, com o mau tempo;* "Patrão, o trem atrasou, / por isso estou chegando agora" (Paquito, Estanislau Silva e Artur Vilarinho, no samba *Patrão, o trem atrasou*). **10.** Ter, sofrer atraso: *O pagamento atrasou.* *P.* **11.** Ficar para trás; retrogradar; retroceder: *Em vez de progredir em ideias, atrasa-se cada vez mais.* **12.** Deixar de fazer alguma coisa no tempo devido: *atrasar-se no pagamento de uma prestação, na entrega de documentos,* etc. **13.** Fazer algo com menos presteza ou velocidade do que era de esperar: *Chegou tarde porque se atrasou no banho.* **14.** Não conseguir chegar a tempo: *Atrasou-se para o batizado.* **15.** Ter desenvolvimento abaixo do aceitável ou do esperado.

atraso [Dev. de *atrasar*.] *S. m.* **1.** Ação ou efeito de atrasar(-se); demora, retardamento. **2.** Falta ou demora de pagamento: *Está com um atraso de dois meses.* **3.** Falta de cultura, civilização; subdesenvolvimento: *o atraso dos povos polinésios.* **4.** Decadência, declínio: *o atraso dos povos que um dia construíram grandes civilizações.* **5.** Falta, carência, privação: *Depois de anos de separação, viam-se amiúde para compensar o atraso.* [Sin. ger. (p. us.): *atrasamento*.] ◆ **Atraso de fase.** *Fís.* Diferença de fase entre duas ondas ou oscilações. **Atraso de vida.** Aquilo ou aquele que atrapalha, embaraça, ou atrasa, retarda, prejudica. [Em geral vem antecedido de *um*.] **Tirar o atraso.** *Bras. Gír.* Fazer sexo, transar (esp. depois de um período de abstinência, voluntária ou não).

atratividade [De *atrativo* + *-(i)dade*.] *S. f.* Qualidade do que é ou de quem é atrativo.

atrativo [Do lat. *attractivu*.] *Adj.* **1.** Que tem o poder de atrair. ● *S. m.* **2.** Coisa que atrai. **3.** Que constitui incentivo, estímulo: *O ordenado alto era bom atrativo para os pretendentes ao cargo.* ~ V. *atrativos.*

atrativos [Pl. de *atrativo*.] *S. m. pl.* Graças, encantos. ~ V. *atrativo.*

atraumático [De *a-*^{3} + *traumático*.] *Adj.* Diz-se de agente que não causa trauma.

atravancador (ô) [De *atravancar* + *-dor*.] *Adj. S. m.* Que ou o que atravanca.

atravancamento [De *atravancar* + *-mento*.] *S. m.* Ato ou efeito de atravancar(-se); atravanco.

atravancar [De *a-*^{2} + *travanca* + *-ar*^{2}.] *V. t. d.* **1.** Impedir com travanca; estorvar, embaraçar, dificultando ou impossibilitando a passagem ou o acesso. **2.** Acumular muitas coisas em (um lugar): *Atravancou o quarto com a enorme bagagem.* *Int.* **3.** Ficar repleto (o trânsito), dificultando a passagem ou acesso; engarrafar. *P.* **4.** Meter-se de permeio; atravessar-se. [Sin. ger. (bras.): *atrapachar*. Conjug.: v. *trancar*.]

atravanco [Dev. de *atravancar*.] *S. m.* **1.** Atravancamento. **2.** Travanca, estorvo, embaraço.

através [De *a*^{4} + *través*.] *Adv.* De lado a lado; atravessadamente; transversalmente. ◆ **Através de. 1.** De um para outro lado de: *Para atingir sua meta, deveria passar através de rios e montanhas;* "E, através da vidraça, / espia a rua." (Austro-Costa, *Mulheres e Rosas*, p. 28). **2.** Por entre: *Conserva sempre o bom humor, através de todas as vicissitudes da vida;* "Os cabeços das serras .... negrejam através das nuvens cinzentas." (Camilo Castelo Branco, *A Mulher Fatal*, p. 19). **3.** No decurso de: *Foi sempre o mesmo homem honesto, através de anos e anos;* "E, subjugando o olvido, através das idades, / Violador de sertões, plantador de cidades, /Dentro do coração da pátria viverás!" (Olavo Bilac, *Poesias*, p. 271). **4.** Por intermédio de.

atravessadeiro [De *atravessar* + *-deiro*.] *S. m. Bras. SC* Atalho em caminhos.

atravessadiço [De *atravessar* + *-(d)iço*^{1}.] *Adj.* Que se atravessa, se opõe, estorva ou embaraça.

atravessado [Part. de *atravessar*.] *Adj.* **1.** Que não é direto; oblíquo: *Lançou-lhe um olhar atravessado.* **2.** *Fam.* Em cruz; cruzado: *dois paus atravessados.* **3.** Traspassado, varado: *Recebeu o tiro e caiu, com o peito atravessado.* **4.** Que é o resultado do cruzamento de duas raças ou espécies diversas; mestiço, raçado. **5.** *Fig.* Cheio de irritação, de rancor, de más intenções; mau, perverso: *resposta atravessada.* **6.** Inquieto, irrequieto, travesso. ● *S. m.* **7.** *Bras. GO Pop.* Cão de fila. ● *Adv.* **8.** De esguelha; de través; atravessadamente: "Pedro Torresmo, quando me encontra na rua, olha-me atravessado e ameaçador." (Jorge Amado, *Os Velhos Marinheiros*, p. 275.)

atravessadoiro [De *atravessar* + *-doiro*^{2}.] *S. m.* Atravessadouro (q. v.).

atravessador (ô) [De *atravessar* + *-dor*.] *S. m.* **1.** Aquele que atravessa. **2.** Intermediário (4): "— Quem ganha menos é o produtor, prosseguiu o senhor de engenho. O lucro vai todo para os revendedores, para os atravessadores" (Eduardo Frieiro, *O Mameluco Boaventura*, pp. 73-74). **3.** *Bras. Amaz.* Aquele que compra mercadorias por preço baixo para revendê-las com grande lucro.

atravessadouro [De *atravessar* + *-douro*^{2}; var. de *atravessadoiro*.] *S. m.* **1.** Caminho através de terreno alheio. **2.** Travessa, atalho.

atravessamento [De *atravessar* + *-mento*.] *S. m. Art. Gráf.* Defeito de impressão que consiste no traspassamento do papel pela tinta, em geral por excesso de solvente.

atravessar [De *a-*^{2} + *través* + *-ar*^{2}.] *V. t. d.* **1.** Pôr ao través, ou obliquamente: *A correnteza atravessava o pequenino barco.* **2.** Passar para o outro lado de, através ou por cima; transpor: "Andava, estacava diante de uma loja, atravessava a rua, detinha um conhecido" (Machado de Assis, *Quincas Borba*, p. 228). **3.** Abrir caminho por entre; passar entre: *O artista mal conseguia atravessar a multidão.* **4.** Ligar de um extremo ao outro, de lado a lado, de margem a margem; cortar: *Uma ponte atravessava a baía.* **5.** Estender-se ou prolongar-se no tempo; durar: *As tradições atravessam os séculos.* **6.** Passar, viver (períodos de tempos maus ou bons). **7.** Levantar obstáculo, suscitar empecilho a; interferir em, tentando frustrar ou frustrando: *Vive a atravessar os projetos do amigo.* **8.** Comprar (gêneros) por atacado, para revender mais caro. **9.** *Bras.* Vender ou negociar clandestinamente: *Atravessava carne nas épocas de racionamento.* **10.** Penetrar, perfurando: *O tiro atravessou-lhe o peito.* *T. d. e i.* **11.** Opor, contrapor, interpor: *Atravessaram obstáculos à sua carreira.* *T. c.* **12.** Andar, passar: *Atravessou por desertos e florestas.* *T. d. e c.* **13.** Fazer penetrar, perfurando: *O inimigo atravessou-lhe a espada no peito.* *Int.* **14.** Passar para o outro lado, através ou por cima. **15.** Interromper quem fala; cortar a palavra; atravessar-se. **16.** *Bras. Pop.* Alterar a sincronia do ritmo e/ou da melodia no desempenho de uma escola de samba: "O samba está atravessando e nós ainda nem saímos da quadra." (Luís Fernando Veríssimo, em Revista *Veja*, 20.02.1985.) *P.* **17.** Pôr-se ao través, ou obliquamente: *Atravessaram-se sobre a trilha estreita.* **18.** Opor-se, contrapor-se, interpor-se. **19.** Cruzar-se, encontrar-se.

atravincado [Part. de *atravincar*.] *Adj.* **1.** Fechado com travinca. **2.** *P. ext.* Bem seguro.

atravincar [De *a-*^{2} + *travinca* + *-ar*^{2}.] *V. t. d.* **1.** Fechar com travinca. **2.** Segurar com força. **3.** *Bras.* Ferrar (o cão) os dentes em. **4.** Comprimir, calcar. [Conjug.: v. *trancar*.]

atreguar [De *a-*^{2} + *trégua* + *-ar*^{2}.] *V. t. d.* **1.** Dar trégua (1) a. **2.** Dar descanso ou trégua a. *Int. P.* **3.** Ajustar ou celebrar trégua com inimigo. [Conjug.: v. *averiguar*.]

atreito [Do lat. *attractu*.] *Adj.* **1.** Sujeito; propenso: "Grande angústia é que o homem superior seja também atreito a tentações pequenas." (Fidelino de Figueiredo, *Um Colecionador de Angústias*, p. 159.) **2.** Acostumado, costumado, habituado. [F. paral.: *treito*.]

atrelado [Part. de *atrelar*.] *Adj.* **1.** Que se prendeu por meio de trela. **2.** Que se prendeu a um veículo (diz-se de animal). **3.** *Fig.* Subjugado, dominado: "Atrelados como animais indefesos a ideias que nem sequer aprovamos, somos vítimas de fantasias alimentadas e criadas pela mídia." (Lia Luft, *Perdas e Ganhos*, p. 95.) ● *S. m. Lus.* **4.** V. *reboque*^{2} (3): "saem, aqui e além, camiões e tratores com atrelados carregados de vegetais" (José Saramago, *A Caverna*, p. 13).

atrelagem [De *atrelar* + *-agem*^{2}.] *S. f.* Ato ou efeito de atrelar(-se).

atrelamento [De *atrelar* + *-mento*.] *S. m.* **1.** Ato ou efeito de atrelar(-se). **2.** Relação de grande intimidade entre pessoas que costumam estar sempre juntas. **3.** *Pej.* Relação de obediência política combinada entre partidos, na qual os coligados de um partido devem seguir o voto dos membros de outro.

atrelar [De *a-*^{2} + *trela* + *-ar*^{2}.] *V. t. d.* **1.** Prender ou levar preso pela trela. **2.** Prender (animal) à viatura; ajoujar: *Atrelou os cavalos e partiu.* **3.** Dominar, sofrear: *atrelar a soberba, o orgulho.* **4.** Ligar ou unir por vínculos fortes. *T. d. e i.* **5.** Prender; ajoujar: "O pai rosnou que sim, estava direito. E se pôs lá fora a atrelar o cavalo à carroça." (Homero Homem, *Menino de Asas*, p. 47.) **6.** *Fig.* Atrair, criando laços, vínculos: *Atrelou seus seguidores às suas convicções.* *P.* **7.** Acostar-se permanentemente a alguém: *Atrelou-se ao governador para conseguir a nomeação.*

atremado [Do tax. *Atremata* < *a-*^{3} + gr. *trêma, atos*, 'buraco'.] *Zool. S. m.* **1.** Espécime dos atremados, ordem de animais braquiópodes inarticulados, providos de pedúnculo longo e contrátil. Vivem entre as linhas de maré, enterrados na lama ou na areia. ● *Adj.* **2.** Pertencente ou relativo a eles.

atremar *V. int.* **1.** Proceder com acerto; acertar, atinar. **2.** Ter tino; raciocinar com acerto. *T. i.* **3.** Descobrir pelo tino, por conjetura; atinar.

atrepsia [De *a-*^{3} + gr. *thrépsis*, 'nutrição', + *-ia*^{1}.] *S. f.* **1.** *Patol.* Estado progressivo de desnutrição que ocorre, especialmente, em crianças, sem causa discernível; marasmo infantil, pedatrofia. **2.** Segundo o bacteriologista alemão Paul Ehrlich (1854-1915), estado de imunidade à inoculação tumoral produzida por hipotética ausência de material nutritivo especial, necessário ao crescimento de um tumor.

atréptico [De *atrepsia* + *-ico*^{2}, seg. o padrão erudito.] ***Adj. Patol.*** Relativo à atrepsia.

atresia [De *a-*^{3} + gr. *trêsis*, 'perfuração', + *-ia*^{1}.] ***S. f.*** *Patol.* **1.** Imperfuração ou ausência congênita de orifício natural do corpo, ou de órgão tubular. **2.** *P. ext.* Estreitamento ou estenose de órgão oco. ◆ **Atresia folicular.** *Embr. Histol.* Processo involutivo que ocorre na maioria dos folículos ovarianos.

atrésico [De *atresia* + *-ico*^{2}.] ***Adj. Patol.*** Relativo à atresia.

atrever-se [Do lat. *tribuere sibi*, 'atribuir-se (a capacidade de fazer algo)'; esp. ant. *treverse*.] ***V. p.*** **1.** Ter a ousadia, a coragem necessária para fazer ou tentar (alguma coisa); ousar, afoitar-se, abalançar-se: *Queria enfrentar o inimigo, mas não se atreveu; Atreveu-se a lutar com o touro.* **2.** Provocar, atacar; atirar-se. **3.** Afrontar, enfrentar, arrostar: *É tão medroso que nem a um gato se atreve.*

atrevidaço [De *atrevido* + *-aço*.] ***Adj. S. m.*** Grande atrevido; atrevidão.

atrevidão [De *atrevido* + *-ão*^{1}.] ***Adj. S. m.*** Atrevidaço. [Fem.: *atrevidona*.]

atrevidete (ê) [De *atrevido* + *-ete* (ê).] ***Adj. S. m.*** Um tanto atrevido; atrevidote.

atrevido [Part. de *atrever-se*.] ***Adj.*** **1.** Que se atreve; ousado, afoito, corajoso, audaz. **2.** Insolente, grosseiro, petulante: "— Atrevido, malcriado. Eu com sua idade já sabia obedecer." (Fernando Sabino, *A Companheira de Viagem*, p. 112.) • ***S. m.*** **3.** Indivíduo atrevido. [Aum.: *atrevidão, atrevidaço*; dim. irreg.: *atrevidete, atrevidote*.]

atrevidona ***S. f.*** V. *atrevidão*.

atrevidota ***S. f.*** Fem. de *atrevidote*.

atrevidote [De *atrevido* + *-ote*^{1}.] ***Adj. S. m.*** Atrevidete. [Fem.: *atrevidota*.]

atrevimento [De *atrever(-se)* + *-imento*.] ***S. m.*** **1.** Ação de atrever-se; ousadia, coragem, arrojo. **2.** Petulância, audácia, insolência.

▲ **atri-** [Do lat. *ater, atra, atrum*.] ***El. comp.*** = 'negro': *atricaude, atrípede*. [Equiv.: *atro-*: *atróptero*.]

atrial [De *átrio* + *-al*^{1}.] ***Adj. 2 g. Anat.*** De, ou relativo a átrio. ~ V. *fibrilação* —.

atribuição (u-i) [Do lat. *attributione*.] ***S. f.*** **1.** Ato ou efeito de atribuir. **2.** Prerrogativa, apanágio, privilégio. **3.** Faculdade inerente a um cargo. ~ V. *atribuições*. ◆ **Atribuição profissional.** Tipo de atividade que uma determinada categoria profissional pode desenvolver, levando em consideração a formação técnico-científica dos seus integrantes, as resoluções dos órgãos de classe e a legislação específica existente.

atribuições (u-i) [Pl. de *atribuição*.] ***S. f. pl.*** **1.** Direitos, prerrogativas, poderes. **2.** Jurisdição pertencente a uma autoridade. ~ V. *atribuição*.

atribuidor (u-i...ô) [De *atribuir* + *-dor*.] ***S. m.*** Aquele que atribui.

atribuir [Do lat. *attribuere*.] ***V. t. d. e i.*** **1.** Considerar como autor, como origem ou causa; imputar: "A polícia quis atribuir a Margarida a autoria intelectual do assassinato." (Adalberon Cavalcanti Lins, *Curral Novo*, p. 407); *Só posso atribuir este procedimento à sua ignorância.* **2.** Dar, conceder, conferir: *Atribuíram prêmios aos melhores alunos.* ***P.*** **3.** Reclamar, reivindicar, tomar a si; arrogar-se. [O *i* da terminação leva acento agudo quando tônico. Pres. ind.: *atribuo, atribuis, atribui, atribuímos, atribuís, atribuem*; imperf.: *atribuía*, etc.; perf.: *atribuí*, etc.; pres. subj.: *atribua, atribuas, atribua*, etc.]

atribuível [De *atribuir* + *-vel*.] ***Adj. 2 g.*** Que se pode ou deve atribuir.

atribulação [De *a-*^{4} + *tribulação*.] ***S. f.*** V. *tribulação*.

atribulado [Part. de *atribular*.] ***Adj.*** **1.** Que padece atribulação; aflito, angustiado: "Sossega, coração atribulado. / De toda a dor se apaga todo o traço" (Augusto Gil, *Luar de Janeiro*, p. 123). **2.** Adverso, infausto, trabalhoso, tormentoso: *vida atribulada.* • ***S. m.*** **3.** Indivíduo atribulado: *Eram os infelizes, os atribulados que recorriam a ele em suas aflições.*

atribulador (ô) [De *atribular* + *-dor*.] ***Adj.*** **1.** Que atribula. [Sin.: *atribulativo* (aplicado, normalmente, só em relação a coisas).] • ***S. m.*** **2.** Aquele ou aquilo que atribula.

atribular [De *a-*^{4} + *tribular*.] ***V. t. d.*** **1.** Causar tribulação ou atribulação a; angustiar; inquietar, afligir, mortificar. ***P.*** **2.** Sentir tribulações ou atribulações; afligir-se, angustiar-se, mortificar-se. [F. paral.: *tribular*.]

atribulativo [De *atribular* + *-tivo*.] ***Adj.*** Que atribula, que produz atribulação; atribulador: *situação angustiosa, atribulativa.*

atributivo [De *atributo* + *-ivo*.] ***Adj.*** **1.** Que atribui. **2.** Que indica ou serve de atributo. ~ V. *adjetivo* —, *ato* — e *verbo* —.

atributo [Do lat. *attributu*.] ***S. m.*** **1.** Aquilo que é próprio de um ser: "Ao mesmo tempo linda e graciosa, atributos nem sempre unidos." (Guilherme Figueiredo, *Cobras & Lagartos*, p. 43.) **2.** Emblema distintivo; símbolo. **3.** *Estat.* Característica, qualitativa ou quantitativa, que identifica um membro de um conjunto observado. **4.** *Estat.* Atributo homógrado. **5.** *Filos.* Caráter essencial de uma substância. **6.** *Inform.* Na modelagem conceitual (q. v.), cada uma das propriedades que definem um objeto ou entidade. [Em um banco de dados relacional (q. v.), corresponde a cada um dos campos [v. *campo* (19)] de um registro (20).] **7.** *Inform.* Item de informação indivisível, em arquivo, banco de dados, ou na modelagem conceitual. **8.** *E. Ling.* Termo que caracteriza o significado de uma palavra. **9.** *Lóg.* Caráter afirmado ou negado de um sujeito; predicado, categorema, nota, característica. [Cf., nesta acepç., *qualidade* (9).] ◆ **Atributo homógrado.** *Estat.* Aquele que só pode assumir uma de duas alternativas mutuamente exclusivas; atributo.

atrição [Do lat. *attritione*.] ***S. f.*** **1.** Desgaste provocado por atrito. **2.** Fricção enérgica sobre o corpo, para elevar o calor. **3.** *Fisiol.* Desgaste de uma formação (5), pelo uso normal ou devido a processo patológico. **4.** *Teol.* Movimento interior de arrependimento pelos pecados, mas com motivação insuficiente para produzir o perdão divino. [Nesta acepç., cf. *contrição*.]

atricaude [De *atri-* + *-caude*.] ***Adj. 2 g. Zool.*** Que tem cauda negra. [Opõe-se a *albicaude*.]

atricose [De *a-*^{3} + *-tric(o)-* + *-ose*^{1}.] ***S. f.*** V. *alopecia*.

atrigado [De *a-*^{2} + *trigo* + *-ado*^{1}.] ***Adj.*** **1.** Da cor do trigo; trigueiro. **2.** Diz-se dessa cor; trigueiro: "Os principais contrafortes da serra do Gamarão, de natureza xistoide, têm uma cor atrigada escura" (Abel Botelho, *Mulheres da Beira*, p. 3).

atrigueirado [De *a-*^{2} + *trigueiro* + *-ado*^{1}.] ***Adj.*** Tirante a, ou quase trigueiro.

atril [Do esp. *atril* < esp. ant. *latril* < b.-lat. *lectorile*.] ***S. m.*** Espécie de estante em plano inclinado, onde se põe papel ou livro aberto para se ler comodamente; leitoril. [Pl.: *atris*. Cf. *atriz*. Cf. *facistol* (1).]

atrimarginado [Part. de *atrimarginar*.] ***Adj.*** Diz-se de papel, envelope, etc., tarjado de preto, em sinal de luto; atromarginado.

atrimarginar [De *atri-* + *marginar*.] ***V. t. d.*** Tarjar de preto (papel, envelope, etc.), em sinal de luto; atromarginar.

átrio [Do lat. *atriu*.] ***S. m.*** **1.** O segundo vestíbulo, nas casas romanas. **2.** *Anat.* Câmara que dá entrada a outra estrutura ou órgão. **3.** *Anat.* Cada uma das duas cavidades do coração, uma direita e outra esquerda, situadas acima dos ventrículos homolaterais. [Sin., desus.: *aurícula*.] **4.** *Arquit.* Grande sala central, de distribuição da circulação, num edifício; vestíbulo. **5.** *Arquit.* Pátio, interno, de acesso a um edifício; vestíbulo. **6.** *Arquit.* Espaço defeso, situado na frente de edifício. **7.** *P. us.* Adro (1). **8.** *Geogr.* Depressão em forma de anfiteatro ou de meia coroa, proveniente da destruição parcial de uma cratera vulcânica. **9.** *Zool.* Espaço limitado pelos folhetos germinativos (ger. ectoderma e endoderma), onde circula a água, frequente em poríferos e nos cnidários. **10.** *Zool.* Câmara que circunda a faringe, recebendo água por suas fendas e que se abre para o exterior através do sifão atrial nos urocordados ou pelo atrióporo nos cefalocordados.

atrióporo [De *átrio* + *-poro*.] ***S. m. Zool.*** Abertura do átrio dos cefalocordados que corresponde ao sifão atrial dos urocordados.

atrioventricular (àtri) [De *átrio* + *ventricular*.] ***Adj. 2 g.*** *Anat.* Relativo a átrio e a ventrículo. ~ V. *nodo* — e *septo* —.

atrípede [De *atri-* + *-pede*.] ***Adj. 2 g. Zool.*** Que tem pés negros.

atriquia [De *a-*^{3} + *-tric(o)-* + *-ia*^{1}.] ***S. f. Med.*** V. *alopecia*.

atristar [De *a-*^{2} + *triste* + *-ar*^{2}.] ***V. t. d. Int. P.*** *P. us.* V. *entristecer*: "Com feijão, farinha e peixe / se paga a tropa, e me atrista / ver São Luís tão pobre e triste." (Stella Leonardos, *Romanceiro do Bequimão*, p. 38.)

atritar [De *atrito* + *-ar*^{2}.] ***V. t. d.*** **1.** Provocar atrito em. **2.** Magoar, atormentar, mortificar: *As injustiças do mundo atritam-no deveras.* ***T. d. e i.*** **3.** Friccionar (um corpo) em um outro; esfregar: *Atritar uma pedra a outra.* ***P.*** **4.** Friccionar-se (um corpo com outro). **5.** Ter atrito ou desinteligência: *Muito amigos, terminaram atritando-se por uma tolice.* **6.** Magoar-se, mortificar-se.

atrito [Do lat. *attritu*.] ***S. m.*** **1.** Fricção entre dois corpos. **2.** Desinteligência, desavença, divergência. **3.** *Fís.* Designação comum aos fenômenos em que o movimento relativo entre duas superfícies em contato é freado pelas forças de adesão existentes entre as superfícies. **4.** *Fís.* Força de atrito. **5.** *Teol.* Que tem atrição (4). ◆ **Atrito de escorregamento.** *Fís.* Atrito entre duas superfícies sólidas em contato e que deslizam uma sobre a outra. **Atrito de rolamento.** *Fís.* Atrito entre uma superfície sólida e outra superfície que rola sobre ela. **Atrito interno de um fluido.** *Fís.* Viscosidade (3).

atriz ***S. f.*** **1.** *Teatr. Telev. Cin.* Mulher que representa em peças teatrais, filmes, novelas, etc. **2.** *Fig.* Mulher que sabe fingir. [Cf. *atris*, pl. de *atril*.] [Do lat. *actrice*, 'aquela que faz'.]

atro [Do lat. *atru*.] ***Adj.*** **1.** Negro, escuro. **2.** Tenebroso, lúgubre, medonho: "Atra desilusão crava-me a garra adunca." (Da Costa e Silva, *Sangue*, p. 23.) **3.** *Fig.* Aziago, infausto.

▲ **atro-** V. *atri-*.

atroada [De *atroar* + *-ada*^{1}.] ***S. f.*** Grande ruído; estrondo: "debalde os garotos rouquejavam apregoando o hebdomadário, ... o povo passava indiferente, ... sem dar ouvidos à atroada dos pequenos que iam e vinham com os jornais, desanimados." (Coelho Neto, *A Conquista*, p. 307).

atroado [Part. de *atroar*.] ***Adj.*** *Bras.* **1.** Aturdido, atordoado. **2.** Que fala depressa e ruidosamente. **3.** Atoleimado, apatetado. **4.** Diz-se da cavalgadura que sofre de atroamento. **5.** *Bras. SP* Sabido, sabedor, viajado.

atroador (ô) [De *atroar* + *-dor*.] ***Adj.*** Que atroa, estronda; atroante, troante: "E quando o búzio atroador soprava, / Três mil guerreiros concorriam prestes / Ao guerreiro festim!" (Gonçalves Dias, *Obras Poéticas*, II, p. 344.)

atroamento [De *atroar* + *-mento*.] ***S. m.*** **1.** Aturdimento produzido por estrondo ou choque. **2.** Doença nos cascos das cavalgaduras. **3.** *Bras.* Falta de siso ou de critério.

atroante [De *atroar* + *-nte*.] ***Adj. 2 g.*** V. *atroador*.

atroar [De *a-*^{2} + *trom* + *-ar*^{2}, com desnasalação.] ***V. t. d.*** **1.** Fazer estremecer com o estrondo; fazer retumbar: "A chuva em torrentes tombando ruidosa / Nas grotas profundas atroa a montanha" (Bernardo Guimarães, *Poesias Completas*, p. 128). **2.** *Fig.* Aturdir, atordoar. ***Int.*** **3.** Retumbar; estrondear, estrugir. **4.** Trovejar (1). [Conjug.: v. *coroar*.]

atroari *Bras.* ***S. 2 g.*** **1.** *Etnôn.* Indivíduo dos atroaris, povo indígena da família linguística caraíba, que habita o AM, na divisa com RR. • ***Adj. 2 g.*** **2.** Pertencente ou relativo a esse povo. [Tb. us. como *s. 2 g. e 2 n.* (com cap.) e *adj. 2 g. e 2 n.*]

atrocidade [Do lat. *atrocitate*.] ***S. f.*** **1.** Qualidade de atroz: *Sua atrocidade não tem limites.* **2.** Ação atroz; crueldade, barbaridade: *Tirar da mãe uma criança tão nova foi verdadeira atrocidade.*

atrocíssimo [Do lat. *atrocissimu*.] ***Adj.*** Superl. abs. sint. de *atroz*.

atroçoar [De *a-*^{2} + *troço* (ô) + *-oar*.] ***V. t. d.*** **1.** Dividir em troços ou fragmentos. **2.** Reduzir a pó grosseiro; esmagar, machucar: *atroçoar o milho.* [Conjug.: v. *coroar*.]

atrofia [Do gr. *atrophía*, pelo lat. *atrophia*.] ***S. f.*** **1.** *Med.* Insuficiência de nutrição, que se exterioriza por desgaste ou diminuição de tamanho de célula, tecido, órgão ou estrutura do corpo. **2.** *Fig.* Definhamento, degenerescência, decadência. **3.** Falta de ação ou de energia.

atrofiado [Part. de *atrofiar*.] ***Adj.*** **1.** Que apresenta atrofia; atrófico. **2.** Que não se desenvolveu; definhado, enfraquecido, degenerado.

atrofiador (ô) [De *atrofiar* + *-dor*.] ***Adj.*** Que atrofia; atrofiante, atrófico.

atrofiamento [De *atrofiar* + *-mento*.] ***S. m.*** Ato ou efeito de atrofiar(-se).

atrofiante [De *atrofiar* + *-nte*.] ***Adj. 2 g.*** V. *atrofiador*.

atrofiar [De *atrofia* + *-ar*^{2}.] ***V. t. d.*** **1.** Causar atrofia (1) a. **2.** Não deixar desenvolver; debilitar; tolher, acanhar: *A guerra atrofiou-lhe os sentimentos humanitários.* ***Int.*** **3.** Causar atrofia: "O hábito do infortúnio parece que atrofia." (Camilo Castelo Branco, *A Mulher Fatal*, p. 107.) ***P.*** **4.** Sofrer atrofia (1). **5.** Definhar-se, enfraquecer-se, debilitar-se.

atrófico [Do lat. *atrophus*, 'atrofiado', + *-ico*^{2}.] ***Adj.*** **1.** Atrofiado (1). **2.** V. *atrofiador*.

atromarginado [Part. de *atromarginar*.] ***Adj.*** Atrimarginado.

atromarginar [De *atro-* + *marginar*.] ***V. t. d.*** Atrimarginar.

atrombetado [De *a-*^{2} + *trombeta*^{1} + *-ado*^{1}.] ***Adj.*** Semelhante a trombeta.

atroo [Dev. de *atroar*.] ***S. m.*** Ato ou efeito de atroar. ❖

átropa [Do tax. *Atropa* (do gr. *átropos os, on*, 'inflexível').] ***S. f. Bot.*** **1.** Gênero de solanáceas com quatro espécies que são esp. cultivadas para fins medicinais, pois contêm a atropina. **2.** Qualquer espécie desse gênero, como, p. ex., a *Atropa belladona* (v. *beladona*). **3.** Qualquer espécime desse gênero. [Cf. *atropa*, do v. *atropar*.]

atropar [De *a-*^{2} + *tropa* + *-ar*^{2}.] ***V. t. d.*** **1.** Guarnecer de tropas. **2.** Incorporar em tropas. ***P.*** **3.** Reunir-se em tropas. [Pres. ind.: *atropo, atropas, atropa*, etc. Cf. *átropo* e *átropa*.]

atropelação [De *atropelar* + *-ção*.] ***S. f.*** V. *atropelo* (1).

atropelada [De *atropelar* + *-ada*[1].] *S. f. Bras. Turfe* Arrancada do cavalo malcolocado, durante todo o páreo, que desenvolve na reta de chegada, conquistando, assim, posição entre os primeiros.

atropelado [Part. de *atropelar*.] *Adj.* **1.** Que sofreu atropelamento (1). **2.** Desordenado: "Trons festivais, bandeiras desfraldadas, / Girândolas, clarins, atropeladas / Legiões de povo, bimbalhar de sinos..." (Raimundo Correia, *Poesias*, p. 163); "Baralhavam-lhe o bronco cérebro um aluvião de ideias, atropeladas, confusas e maldistintas, que o traziam raivoso" (Abel Botelho, *Mulheres da Beira*, p. 27). ● *S. m.* **3.** Aquele que sofreu atropelamento (1).

atropelador (ô) [De *atropelar* + *-dor*.] *Adj.* **1.** Que atropela; atropelante. ● *S. m.* **2.** Aquele que atropela.

atropelamento [De *atropelar* + *-mento*.] *S. m.* **1.** Ato ou efeito de atropelar (1): *Numerosos pedestres são, todos os dias, vítimas de atropelamento.* **2.** V. *atropelo* (1).

atropelante [De *atropelar* + *-nte*.] *Adj. 2 g.* Atropelador (1).

atropelar [De *a-*[2] + *tropel* + *-ar*[2].] *V. t. d.* **1.** Fazer cair, derrubar, por impacto, passando ou não por cima e em geral machucando, provocando contusões leves ou graves: *O ônibus desgovernou-se e atropelou o passante.* **2.** Dar, ao passar, encontrão violento em; empurrar, empuxar: *Entrou distraído, atropelando as pessoas.* **3.** Desprezar, preterir, postergar: *Narrou o caso confusamente, atropelando a ordem dos fatos.* **4.** Atormentar, torturar, afligir, mortificar: *Problemas numerosos o atropelam.* **5.** Falar ou agir ab-ruptamente, como que atropelando. *Int.* **6.** *Turfe* Arrancar com ímpeto (o cavalo) no final de uma carreira. *P.* **7.** Reunir-se em tropel; encontrar-se confusamente: *As águas volumosas do rio atropelavam-se nas corredeiras.* **8.** Empurrar-se ou esbarrar-se mutuamente; encontroar-se, entrechocar-se, abalroar(-se). **9.** Apinhar-se ou aglomerar-se em desordem: *A multidão atropelava-se, tentando sair do recinto em chamas.* **10.** Apresentar-se desordenadamente; baralhar-se, embaralhar-se: *As ideias eram tantas que se atropelavam em sua mente.* [Pres. ind.: *atropelo*, etc. Cf. *atropelo* (ê).]

atropelo (ê) [Dev. de *atropelar*.] *S. m.* **1.** Ato ou efeito de atropelar; atropelação, atropelamento. **2.** Confusão, baralhada: *Um atropelo de gente vinha descendo escada abaixo.* **3.** *Bras. Fig.* Aflição, tormento: *Que atropelo de vida a desta pobre mulher!* [Pl.: *atropelos* (ê). Cf. *atropelo*, do v. *atropelar*.] ◆ **Aos atropelos.** De maneira atropelada; atropeladamente: "e aos atropelos, trataram de encher o buraco" (Hugo de Carvalho Ramos, *Tropas e Boiadas*, p. 81).

atropilhar [De *a-*[2] + *tropilha* + *-ar*[2].] *V. t. d.* Reunir (cavalos, muares, etc.) em tropilha.

atropina [Do tax. *Atropa* (*belladona*) (v. *átropa*) + *-ina*[3].] *S. f. Quím.* Mistura racêmica dos dois enantiômeros da hiosciamina, extraída de várias solanáceas (beladona, p. ex.), na forma de substância cristalina e incolor, venenosa, usada como antiespasmódico, sedativo, midriático e antissecretório [fórm.: $C_{17}H_{23}O_3N$].

átropo[1] [Do tax. *Atropos* < gr. *átropos*, 'inflexível'.] *S. m. Zool.* Borboleta noturna. [Cf. *atropo*, do v. *atropar*.]

átropo[2] [De *a-*[3] + *-tropo*.] *S. m. Bot.* Óvulo reto em que a micrópila está oposta ao funículo. [Cf. *atropo*, do v. *atropar*.]

atróptero [De *atro-* + *-ptero*.] *Adj. Zool.* Diz-se das aves de asas negras.

atropurpúreo [De *atro-* + *purpúreo*.] *Adj.* De cor vermelho-escura.

atroz [Do lat. *atroce*.] *Adj. 2 g.* **1.** Que não tem piedade; desumano, bárbaro, cruel. **2.** Pungente, intolerável: *dor atroz*; "Negra lembrança do passado! lento / Martírio lento e atroz!" (Olavo Bilac, *Poesias*, p. 122.) **3.** Espantoso, assombroso: *crime atroz*; *feiura atroz*. [Superl. abs. sint.: *atrocíssimo*.]

➔ **attaché** [ataˈʃe] [Fr.] *S. m.* Adido (2).

▲ **atto-** *Mat. Pref.* que, anteposto ao nome duma unidade de medida, forma o de outra 10^{-18} vezes menor: *attofarad* [símb.: *a*].

attofarad [De *atto-* + *farad*.] *S. m. Eletr.* Unidade de medida de capacitância, igual a 10^{-18} farad [símb.: *aF*].

atuá [Do tupi.] *S. m. Bras. Amaz.* V. *cogote*.

atuação [De *atuar*[1] + *-ção*.] *S. f.* **1.** Ato ou efeito de atuar[1]. **2.** *Filos.* Atualização (2). [Cf. *autuação*.]

atuado [Part. de *atuar*[1].] *Adj. Bras. Pop.* **1.** Sujeito à influência de forças ou energias desconhecidas, que levam a atitudes fora do padrão e do comportamento comuns. **2.** *P. ext.* Que apresenta desempenho fora do comum: *Jogou muito bem e goleou: estava atuado.* [Fem.: *atuada*. Cf. *atoada*, s. f.]

atuador (ô) [De *atuar*[1] + *-dor*.] *S. m. Automat.* Num servomecanismo, dispositivo que move a carga.

atual [Do lat. *actuale*.] *Adj. 2 g.* **1.** Que ocorre no momento em que se fala, no presente: *acontecimento atual.* **2.** De sua época; que não é antiquado: *um homem atual*; "É um prédio atual, prosaicamente insulso e atual, onde se hospedam hoje pessoas ilustres" (Graciliano Ramos, *Viagem*, p. 21). **3.** Imediato, efetivo, real: *assuntos de interesse atual.* **4.** *Filos.* Que está em ato. [Opõe-se, nesta acepç., a *virtual* (4) e *potencial* (3).] ~ V. *época —*, *graça —*, *infinito —* e *valor —*.

atualidade [De *atual* + *-(i)dade*.] *S. f.* **1.** Qualidade ou estado de atual. [Antôn.: *inatualidade*.] **2.** Interesse atual: *obra sem atualidade.* **3.** A época presente: *É um problema da atualidade.* **4.** Oportunidade, ensejo. ~ V. *atualidades*.

atualidades [Pl. de *atualidade*.] *S. f. pl.* Notícias ou informações acerca do momento atual. ~ V. *atualidade*.

atualismo [De *atual* + *-ismo*.] *S. m.* **1.** *Geol.* Doutrina segundo a qual os fenômenos que ocorrem no presente teriam ocorrido de modo análogo em épocas geológicas passadas. **2.** *Filos.* Ativismo (1).

atualização [De *atualizar* + *-ção*.] *S. f.* **1.** Ato ou efeito de atualizar(-se). **2.** *Filos.* O ato ou fato de tornar atual (4); atuação.

atualizado [Part. de *atualizar*.] *Adj.* **1.** Que se atualizou: *É um dicionário atualizado na parte científica.* **2.** Diz-se do indivíduo que está a par do que sucede no momento presente: *Embora muito idoso, é bastante atualizado.* ~ V. *edição —a*.

atualizador (ô) [De *atualizar* + *-dor*.] *Adj.* **1.** Que atualiza: *Fez para a sua velha obra um prefácio atualizador.* ● *S. m.* **2.** Aquele ou aquilo que atualiza.

atualizar [De *atual* + *-izar*.] *V. t. d.* **1.** Tornar atual; modernizar. **2.** Trazer, acrescentar ou fornecer a (algo ou alguém) elementos, informações, estilo, etc., mais atuais ou mais recentes. **3.** *Inform.* Substituir, total ou parcialmente, (um programa [9]), instalando uma versão mais recente ou que tem mais recursos. **4.** *Tec.* Substituir (equipamento, ou alguns de seus componentes) por outro(s) mais recente(s) e, ger., mais eficiente(s). *P.* **5.** Tornar-se atual; modernizar-se. **6.** Informar-se a respeito de novidades, inovações, ou de acontecimentos recentes.

atualmente [De *atual* + *-mente*.] *Adv.* No momento presente; hoje, presentemente.

atuante [De *atuar* + *-nte*.] *Adj. 2 g.* **1.** Que está em ato ou em exercício da sua atividade. **2.** Diz-se de quem atua, de quem age: *Nunca se omitiu: era, pelo contrário, o elemento mais atuante de seu grupo.*

atuar[1] [Do lat. *actu* + *-ar*[2].] *V. int.* **1.** Exercer atividade, ou estar em atividade; agir. **2.** *Cin. Teatr. Telev.* Desempenhar papel[1] (3); representar: *É uma atriz que sempre atua bem.* *T. i.* **3.** Exercer influência; influir: "A luz lírica da Lua / atua em qualquer ser, em qualquer cousa atua." (Gilca da Costa Melo Machado, *Poesias*, p. 194.) **4.** Fazer pressão; pressionar: *Atuou sobre a testemunha para evitar-lhe o depoimento.* **5.** *Cin. Teatr. Telev.* Atuar (2): *Guarnieri atuou em vários filmes, peças e novelas.* *T. d.* **6.** Dar atividade a; pôr em ação. [Fut. pret.: *atuaria*, etc.; part.: *atuado*, fem. *atuada*. Cf. *atuária*, s. f., *atoada*, s. f., *atoar*, v., e *autuar*, v.]

atuar[2] [De *a-*[2] + *tu* + *-ar*[2].] *V. t. d. P.* Tutear. [Fut. pret.: *atuaria*, etc.; part.: *atuado*, fem. *atuada*. Cf. *atuária*, s. f., *atoada*, s. f., *atoar*, v., e *autuar*, v.]

atuária [Fem. de *atuário*[2].] *S. f. Estat.* Parte da estatística que, a partir da análise da ocorrência passada de eventos incertos, como morte em determinadas idades, acidentes, roubos, etc., procura determinar a probabilidade de sua ocorrência no futuro, esp. no contexto do cálculo de prêmios a serem cobrados em contratos de seguro. [Cf. *atuaria*, do v. *atuar*, e *atoaria*, do v. *atoar*.]

atuarial [De *atuária* + *-al*[1].] *Adj. 2 g.* Relativo à atuária.

atuário[1] [Do lat. *actuariu*.] *S. m.* Escriba encarregado de redigir as atas das sessões do Senado romano e os documentos que eram destinados ao Álbum.

atuário[2] [Do ingl. *actuary*.] *S. m.* **1.** Especialista em atuária. **2.** Cálculo matemático muito utilizado pelas companhias de seguros para determinar o preço das apólices a partir do estudo das probabilidades de que ocorram acidentes ou sinistros. [Fem.: *atuária*. Cf. *atuaria*, do v. *atuar*.]

atuável [De *atuar*[1] + *-vel*.] *Adj. 2 g.* Sobre quem se pode atuar[1]; facilmente dirigível; dócil, influenciável.

atubibar [De *a-*[2] + *tubiba* + *-ar*[2].] *V. t. d. Bras. CE* **1.** *Pop.* Perseguir; acossar. **2.** V. *apoquentar*. *P.* **3.** V. *apoquentar*.

atucanado[1] [De *a-*[2] + *tucano*[1] + *-ado*[1].] *Adj.* Semelhante ao tucano.

atucanado[2] [Part. de *atucanar*.] *Adj. Bras. S.* Amolado, apoquentado: *A notícia má deixou-o atucanado.*

atucanar [De *a-*[2] + *tucano*[1] + *-ar*[2].] *V. t. d.* **1.** *Bras. N.* Dar bicadas em. **2.** *Bras.* V. *apoquentar*. *P.* **3.** *Bras.* V. *apoquentar*.

atueira [De *atum* + *-eira*, com desnasalação.] *S. f.* Rede com que se pescam atuns.

atufar [De *a-*[2] + *tufo*[1] + *-ar*[2].] *V. t. d.* **1.** Encher, abarrotar, atochar. **2.** Inchar, intumescer; entufar. *T. d. e i.* **3.** Encher, abarrotar, atochar. **4.** Meter, introduzir. *P.* **5.** Meter-se, internar-se; adentrar-se; embrenhar-se: "ei-lo [o sertanejo] em momentos transformado, cravando os acicates de rosetas largas nas ilhargas da montaria e partindo como um dardo, atufando-se velozmente nos dédalos inextricáveis das juremas." (Euclides da Cunha, *Os Sertões*, p. 116). **6.** Mergulhar na água: "Nas ondas se atufara o sol radioso" (Gonçalves Crespo, *Obras Completas*, p. 332). **7.** Atolar-se no lodo.

atulhado [Part. de *atulhar*.] *Adj.* V. *atochado* (1).

atulhamento [De *atulhar* + *-mento*.] *S. m.* Ato ou efeito de atulhar(-se); atulho.

atulhar [De *a-*[2] + *tulha* + *-ar*[2].] *V. t. d. P.* V. *entulhar*.

atulho [Dev. de *atulhar*.] *S. m.* Atulhamento.

atum [Do gr. *thýnnos*, pelo lat. *tunnes* e ár. *at-tūn*.] *S. m. Zool.* **1.** Nome comum aos peixes escombrídeos, do gênero *Thunnus*, de corpo grosso, nadadeiras bem desenvolvidas, sobretudo a caudal, e carne us. em indústrias de conservas. [Sin.: *albacora*, *albacorinha*.] **2.** Peixe escombrídeo (*Thunnus thynnus*) de ampla distribuição nos oceanos, principalmente no Atlântico, cujo comprimento chega a 3m, coloração azul-escura, a parte inferior cinza-prateada e a primeira nadadeira dorsal amarelada e cujo peso vai até 320kg. Conhecido desde a remota Antiguidade, nada em cardumes, e tem carne muito apreciada, sendo sua pesca de grande importância econômica.

atuma *Bras. S. 2 g.* **1.** *Etnôn.* Indivíduo dos atumas, povo indígena do alto rio Uatumã e do rio Jatapu (PA). ● *Adj. 2 g.* **2.** Pertencente ou relativo a esse povo. [Tb. us. como *s. 2 g. e 2 n.* (com cap.) e *adj. 2 g. e 2 n.*]

atumultuador (ô) [De *atumultuar* + *-dor*.] *Adj. S. m.* Que, ou aquele que atumultua.

atumultuar [De *a-*[4] + *tumultuar*.] *V. t. d. Int.* Tumultuar (q. v.).

atuneira [De *atum* + *-eira*, seg. o padrão erudito.] *S. f.* Recipiente em que se salga o atum.

atuneiro [De *atum* + *-eiro*, seg. o padrão erudito.] *Adj. S. m.* Diz-se de, ou navio aparelhado para a pesca do atum.

atuosidade [De *atuoso* + *-(i)dade*.] *S. f.* Qualidade de atuoso.

atuoso (ô) [Do lat. *actuosu*.] *Adj.* Que atua; diligente, ativo.

aturá [De or. tupi.] *S. m. Bras.* Cesto esférico de cipó, us. para o transporte de carga, e que se leva às costas, suspenso por alça passada à volta da cabeça; uruçanga.

aturado [Part. de *aturar*.] *Adj.* Constante, persistente, ininterrupto: "Aturado labor de tantos anos." (Gonçalves Dias, *Obras Poéticas*, II, p. 33.)

aturador (ô) [De *aturar* + *-dor*.] *Adj. S. m.* Que, ou aquele que atura.

aturar [Do lat. **atturare*, por **addurare* < lat. *durare*, 'durar'.] *V. t. d.* **1.** Aguentar com resignação; suportar, tolerar: "espero que de hoje em diante não terei que aturar as queixas de nenhum dos dous!" (Aluísio Azevedo, *O Coruja*, p. 210). **2.** Suportar, sofrer; aguentar (coisa ou pessoa desagradável, molesta): *Tem de aturar o mau humor do doente; Já não consegue aturar a criança voluntariosa.* **3.** Preservar, sustentar: *Rogou a Deus que o aturasse.* *T. i.* **4.** Continuar, persistir, perseverar: *Aturou anos a fio naquele serviço desagradável.* *Int.* **5.** Subsistir por longo tempo em determinada situação; perdurar: *Contrafeito embora, aturava, esperando que a situação melhorasse.* **6.** Perseverar, continuar: *A febre ainda aturou, depois dos medicamentos.*

aturável [De *aturar* + *-vel*.] *Adj. 2 g.* Que se pode aturar.

aturdido [Part. de *aturdir*.] *Adj.* **1.** Estonteado, perturbado, atordoado. **2.** Atônito, assombrado, pasmado.

aturdimento [De *aturdir* + *-mento*.] *S. m.* **1.** Ato de aturdir(-se); atordoamento. **2.** Efeito de aturdir; estado de aturdido; atordoamento. **3.** Perturbação dos sentidos; tonteira, atordoamento. **4.** Imponderação, imprudência, estouvamento.

aturdir [Do esp. *aturdir* < esp. *tordo*.] *V. t. d.* **1.** Atordoar, estontear, perturbar, confundir: *A gritaria aturde-o.* **2.** Atroar, estrugir: *Terrível bramido aturdiu os ares.* **3.** Espantar, surpreender, assombrar: *As maravilhas do lugar aturdiram-no.* **4.** Intimidar, amedrontar. *P.* **5.** Atordoar-se, perturbar-se, estontear-se: "O escravo devia, forçosamente, ingerir, todos os dias, doses de aguardente, para esquecer, aturdir-se, resistir." (Luís da Câmara Cascudo, *Prelúdio da Cachaça*, p. 26.) **6.** Estontear-se, deslumbrar-se.

aturiá [Do tupi.] *S. m.* **1.** *Bras. Bot.* Árvore fabácea (*Machaerium lunatum*) que medra no Brasil, principalmente na Amaz., nas Guianas, na América Central, Antilhas e África tropical; tem flores azuladas ou violáceas, e frutos leguminiformes. **2.** *Bras. Zool.* V. *cigana* (2).

aturiazal (turià) [De *aturiá* + *-zal*.] *S. m. Bras. Amaz.* Lugar onde medram aturiás.

atxim *S. m.* F. onom. de *espirro*: "Esgotada a escala de vozes bestiais, há ainda bimbalhar dos sinos, ranger de caxerenguengas, esternutações e atxins, tintinabulações de fazer ouvidos moucos." (João Ribeiro, *Cartas Devolvidas*, p. 60.)

■ **Au** *Quím.* Símb. de *ouro*.

aú [De or. afric., poss.] *S. m. Bras. Cap.* Floreio (6) em que o capoeirista, apoiando as duas mãos no chão, forma uma figura semelhante à letra "A" e, posteriormente, erguendo as pernas, forma uma figura semelhante à letra "U" para, em seguida, retornar ao chão, num movimento semelhante ao da estrela (14). ◆ **Aú com rolê.** *Bras. Cap.* Aú seguido de rolê (3).

auaçu *S. m. Bras. Bot.* V. *babaçu*.

auaduri [De or. obsc.] *S. m. Bras. Bot.* V. *abiurana* (1).

auaetê *Bras. S. 2 g.* 1. *Etnôn.* Indivíduo dos auaetês [ou (etnôn. bras.) *Awaeté, *Asurini, *Asurini do Xingu], povo indígena da família linguística tupi-guarani, tronco tupi, que habita a margem direita do médio rio Xingu (PA). ● *Adj. 2 g.* 2. Pertencente ou relativo a esse povo.

auaí [Do tupi; tax. *Ahouai*.] *S. m. Bras. Bot.* V. *agaí*.

auaí-guaçu [De *auaí* + *-guaçu*.] *S. m. Bras. Bot.* V. *chapéu-de-napoleão*. [Pl.: *auaís-guaçus*.]

auainamari *Bras. S. 2 g.* 1. *Etnôn.* Indivíduo dos auainamaris, povo indígena que habita o alto rio Purus. ● *Adj. 2 g.* 2. Pertencente ou relativo a esse povo. [Tb. us. como *s. 2 g. e 2 n.* (com cap.) e *adj. 2 g. e 2 n.*]

auaquê *Bras. S. 2 g.* 1. *Etnôn.* Indivíduo dos auaqués [ou (etnôn. bras.) *Auaké], povo indígena extinto, de língua isolada, que habitava a região situada entre os rios Mucujaí e Uraricuera (RR). ● *Adj. 2 g.* 2. Pertencente ou relativo a esse povo.

auari *S. m. Bras. Amaz. Zool.* V. *piraba*.

auati [Var. de *abati*.] *S. m. Bras. Bot.* V. *milho* (1).

au-au [Onom. de latido.] *S. m.* Cão, em linguagem infantil. [Pl.: *au-aus*.]

auçá (a-u) *S. m. Bras. SC Zool.* V. *caranguejo* (1).

aú-cortado *S. m. Bras. Cap.* Aú que é interrompido no alto, quando em plena execução, para transformar-se em outro golpe. [Pl.: *aús-cortados*.]

aucurui *Bras. S. 2 g.* 1. *Etnôn.* Indivíduo dos aucuruis [ou (etnôn. bras.) *Aucuruy], povo indígena extinto que habitava a margem direita do alto rio Solimões (AM). ● *Adj. 2 g.* 2. Pertencente ou relativo a esse povo.

audácia [Do lat. *audacia*.] *S. f.* 1. Impulso de ânimo que leva a cometer atos arrojados ou difíceis. 2. Ousadia, coragem, valor. 3. Atrevimento, insolência, petulância. [Sin. ger. (bras., CE, pop.): *lodaça*.]

audacioso (ô) [De *audácia* + *-oso*.] *Adj.* V. *audaz*.

audacíssimo [Do lat. *audacissimu*.] *Adj.* Superl. abs. sint. de *audaz*.

audaz [Do lat. *audace*.] *Adj. 2 g.* 1. Que tem audácia; ousado, corajoso, temerário: "Na última hora / Teus feitos memora, / Tranquilo nos gestos, / Impávido, audaz." (Gonçalves Dias, *Poesias*, II, p. 44.) 2. Em que há audácia; arriscado, temerário: *empreendimento audaz*. [Sin. ger.: *audacioso*. Superl. abs. sint.: *audacíssimo*.]

audibilidade [De *audível* + *-(i)dade*, seg. o padrão erudito.] *S. f.* 1. Qualidade do que é audível. 2. *Fís.* Intensidade de um sinal sonoro.

audição [Do lat. *auditione*.] *S. f.* 1. *Fisiol.* O sentido por meio do qual se percebem os sons. 2. Ato ou processo de ouvir, escutar; audiência. 3. *Mús.* Concerto musical, geralmente com um único executante. 4. *Mús.* Audição de alunos. ◆ **Audição de alunos.** *Mús.* Demonstração pública do grau de adiantamento dos alunos de uma classe musical; audição.

audiência [Do lat. *audientia*.] *S. f.* 1. Audição (2). 2. Atenção dada a quem fala. 3. V. *público* (9). 4. *P. ext.* O conjunto das pessoas que, num determinado momento, recebem mensagem transmitida pela mídia (1): *Seu programa é campeão de audiência*. 5. Recepção de autoridade, ou de pessoa grada, a quem deseja ser ouvido. 6. Sessão solene por determinação de juízes ou tribunais, para a realização de atos processuais; julgamento.

audiente [Do lat. *audiente*.] *Adj. 2 g. P. us.* Que ouve; ouvinte.

audimudez (ê) [De *audi(o)-* + *mudez*.] *S. f. Patol.* Mudez, em geral congênita, sem surdez.

audi(o)- [Do lat. audio, 1ª pess. do pres. ind. do v. lat. *audire*, 'ouvir'.] *El. comp.* = 'audição': *audimudez*, *audiograma* [Equiv.: *-audi(o)-*: *fonoaudiologia*.]

▲ **-audi(o)-** Equiv. de *audi(o)-*.

áudio [De *audi(o)-* (q. v.).] *S. m.* 1. *Eletrôn.* O som audível, reproduzido eletronicamente. 2. *Cin.* A parte sonora de um filme. 3. *Telev.* A parte do sinal (19) que contém as informações de som.

audioamplificador (ô) [De *audi(o)-* + *amplificador*.] *S. m. Eletrôn.* Amplificador de áudio.

audiofone [De *audi(o)-* + *-fone*.] *S. m.* Pequeno aparelho acústico para ser us. na orelha por quem ouve mal.

audiofrequência (qüên) [De *audi(o)-* + *frequência*.] *S. f. Fís.* 1. Frequência compreendida entre 20 e 20.000Hz. 2. Vibrações ou oscilações com frequências compreendidas entre 20 e 20.000Hz. ❖

audiograma [De *audi(o)-* + *-grama*.] *S. m. Otor.* Curva, construída em escala logarítmica, das intensidades limiares dos sons das diferentes frequências, perceptíveis pela orelha, em função da frequência.

audiolivro [De *audi(o)-* + *livro*.] *S. m.* Livro gravado em CD, BD ou fita-cassete, para uso geral, e também para cegos.

audiologia [De *audi(o)-* + *-logia*.] *S. f.* Ramo da medicina que se ocupa da audição em todos os seus aspectos, inclusive o terapêutico.

audiologista [De *audiologia* + *-ista*.] *S. 2 g. Terap.* Técnico em audiologia, que se ocupa da reabilitação de pessoas que não podem melhorar a audição por meios clínicos ou cirúrgicos.

audiometria [De *audi(o)-* + *-metria*.] *S. f. Otor.* Exame da capacidade auditiva por meio do acuômetro; acumetria, acuometria.

audiómetro *S. m. Med.* V. *audiômetro*. [Uso freq. em P.]

audiômetro [De *audi(o)-* + *-metro*.] *S. m. Med.* Instrumento para avaliar o poder de audição; acúmetro, acuômetro.

audiotransformador (ô) [De *audi(o)-* + *transformador*.] *S. m. Eletrôn.* Transformador de núcleo de ferro, utilizado para acoplar circuitos de audiofrequência.

audiovisual^{1} [De *audi(o)-* + *visual*.] *Adj. 2 g.* 1. Diz-se dos sistemas, meios ou veículos de comunicação que atingem o indivíduo-receptor através dos canais auditivo e visual. 2. Diz-se da mensagem constituída da combinação de som e imagem. 3. Diz-se de método pedagógico, empregado sobretudo no ensino de línguas, em que se lança mão, simultaneamente, do som e da imagem, por meio de livros, filmes, discos, televisão, etc. ~ V. *programa* —.

audiovisual^{2} *S. m.* V. *programa audiovisual*.

auditagem [De *audit(or)* + *-agem^{2}*.] *S. f.* Auditoria (3).

auditar [Do lat. *auditare*.] *V. t. d.* Fazer auditoria (3) em (empresa, instituição).

auditável [De *auditar* + *-vel*.] *Adj. 2 g.* Que é passível de ser auditado.

auditivo [Do lat. *auditus*, 'ouvido', + *-ivo*.] *Adj.* 1. Pertencente ou relativo ao ouvido [denom. atual *orelha*], ou à audição. [Sin. (desus.): *auditório*.] 2. Que assimila melhor as noções ou conhecimentos pela audição que pela visão; que aprende melhor o que ouve do que o que lê: "Em geral todos os que são mais auditivos do que visuais só em voz alta sentem o que leem, como era aliás comum entre os antigos, para quem um período era um todo fisiológico, uma respiração articulada." (Olívio Montenegro, *Retratos e Outros Ensaios*, p. 161.) [Cf. *visual* (2).] ~ V. *afasia —a*, *conduto — externo*, *fonética —a*, *linguagem —a* e *tuba —a*. ● *S. m.* 3. Pessoa auditiva (2). [Cf. *visual* (4).]

auditor (ô) [Do lat. *auditore*.] *S. m.* 1. Aquele que ouve; ouvidor. 2. Magistrado com exercício na Justiça militar e que desfruta de prerrogativas honorárias de oficial do exército. 3. Em alguns países, magistrado do contencioso administrativo, ou com funções consultivas junto a determinadas repartições. 4. *Econ.* Profissional ou empresa especialista em auditoria (3). ◆ **Auditor da nunciatura.** Assessor que conhece das causas levadas ao tribunal da nunciatura. **Auditor financeiro.** Profissional responsável por fiscalizar as operações financeiras de uma empresa.

auditorar [De *auditor* + *-ar^{2}*.] *V. t. d.* Examinar como auditor, realizar auditoria em (empresa, etc.).

auditoria [De *auditor* + *-ia^{1}*.] *S. f.* 1. Cargo de auditor. 2. Lugar ou repartição onde o auditor exerce as suas funções. 3. *Adm.* Avaliação independente dos processos ou atividades de uma empresa, com o intuito de verificar se estão de acordo com recomendações ou normas predefinidas. Ex.: auditoria da qualidade, auditoria contábil-financeira, auditoria fiscal, auditoria ambiental, auditoria de sistemas, etc. 4. *Cont.* Exame analítico e pericial que segue o desenvolvimento das operações contábeis, desde o planejamento de rotinas, processos e controles até a elaboração das demonstrações contábeis; auditagem. 5. *P. ext.* Exame sistemático das atividades de uma empresa ou organização, ou dos resultados de uma ação governamental, visando estabelecer se determinados objetivos estão sendo atingidos de forma adequada, segundo normas ou padrões preestabelecidos: *auditoria ambiental; auditoria hospitalar; auditoria de obras rodoviárias.*

auditório [Do lat. *auditoriu*.] *S. m.* 1. O conjunto das pessoas que assistem a algum discurso, audiência ou sessão; assistência. 2. V. *público* (9). 3. Edifício de tipo especial, de acústica condicionada, com cobertura ou sem ela, onde se reúnem pessoas para ouvir concertos musicais, recitais de canto, declamações, etc. 4. Sala acusticamente tratada, onde se proferem palestras, conferências, aulas especiais, etc. ● *Adj.* 5. *Desus.* Auditivo (1).

audível [Do lat. *audibile*.] *Adj. 2 g.* 1. Que se ouve. 2. Que pode ser ouvido: "Já audível, o rumorejar da cachoeira encorpava-se a cada passo avante" (Godofredo Rangel, *Vida Ociosa*, p. 234).

auê [Voc. express.] *S. m.* Tumulto, confusão.

aueti *Bras. S. 2 g.* 1. *Etnôn.* Indivíduo dos auetis [ou (etnôn. bras.) *Aweti], povo indígena do tronco linguístico tupi que habita a região dos formadores do rio Xingu (MT). ● *Adj. 2 g.* 2. Pertencente ou relativo a esse povo. [F. paral.: *auiti*.]

aú-fechado *S. m. Bras. Cap.* Aú executado com o corpo encolhido, muito us. no jogo de angola [v. *angola^{2}* (7)]. [Pl.: *aús-fechados*.]

auferir [Do lat. *auferere, por *auferre*.] *V. t. d. T. d. e i.* Colher; obter; ter, tirar: *Fez a transação, auferindo boa quantia; Auferiu lucros de seu capital.* [Irreg. Conjug.: v. *aderir*. Cf. *aferir*.]

auferível [De *auferir* + *-vel*.] *Adj. 2 g.* Que pode ser auferido. [Cf. *aferível*.]

➔ **aufklärung** ['awfklɛʁʊŋ] [Al.] *S. m. Filos.* V. *filosofia das luzes*. [É fem. em al. Com cap.]

➔ **auf Wiedersehen** [awf 'vidɐzeən] [Al.] Até à vista.

auge [Do ár. awǧ.] *S. m.* 1. O ponto mais elevado; culminância. 2. O grau mais alto; o apogeu: "A guerra é o auge dessas convulsões que sacodem periodicamente a humanidade: as crises." (Oto Maria Carpeaux, *A Cinza do Purgatório*, p. 19.) 3. V. *paroxismo* (2).

augita [Do gr. augîtis, pelo lat. *augites*.] *S. f. Min.* Mineral monoclínico do grupo dos piroxênios, metassilicato de cálcio, magnésio, ferro e alumínio.

➔ **au grand complet** [o gʀɑ̃ kõ'plɛ] [Fr.] Na totalidade, integralmente; em peso.

augueira (u-ei) *S. f. Lus.* V. *agueira*.

augueiro (u-ei) *S. m. Lus.* V. *agueiro* (1).

augural [Do lat. *augurale*.] *Adj. 2 g.* Relativo a áugure: "Um corvo passa e grasna, e deixa esparso no ar / O terror augural de encantos e feitiços." (Manuel Bandeira, *Estrela da Vida Inteira*, p. 14.)

augurar [Do lat. *augurare*.] *V. t. d.* 1. Predizer; pressagiar; prognosticar: *Acontecimento auspicioso, que augurava a vitória*. 2. Deixar entrever; dar indício ou sinal de: *O seu comportamento augurava uma reconciliação*; "Denso, cerrado, sombrio, o seu ambiente todo parece augurar as explosões do vício e do crime." (Lúcia Miguel Pereira, *História da Literatura Brasileira*, p. 169). *T. d. e i.* 3. Anunciar por agouro; vaticinar; agourar: *O profeta augurou ao país um ano propício*. 4. Fazer votos; desejar: *Augurou felicidade aos noivos*. [Pres. subj.: *augure*, etc. Cf. *áugure*.]

áugure [Do lat. *augure*.] *S. m.* 1. Sacerdote romano que tirava presságios do canto e do voo das aves; agoureiro. 2. Adivinho, vaticinador, agoureiro, áuspice. [Cf. *augure*, do v. *augurar*.]

augúrio [Do lat. *auguriu*.] *S. m.* Prognóstico, presságio, auspício, agouro: "não menos significativo é, no nosso poeta, o voo das estriges que pairam sinistramente sobre Maqueronte, como um augúrio fatídico" (Onestaldo de Pennafort, *O Festim, a Dança e a Degolação*, p. 58).

augustianismo *S. m. Hist. Filos.* V. *agostinismo*.

augustiniano *Adj. S. m. Hist. Filos.* V. *agostinista*.

augustinismo *S. m. Hist. Filos.* V. *agostinismo*.

augustinista *Adj. 2 g. S. 2 g. Hist. Filos.* V. *agostinista*.

augustinopolino *Adj.* 1. De, ou pertencente ou relativo a Augustinópolis (TO). ● *S. m.* 2. O natural ou habitante de Augustinópolis.

augusto [Do lat. *augustu*.] *Adj.* 1. Respeitável, venerando: "Salve, lindo pendão da esperança. / Salve, símbolo augusto da paz!" (Olavo Bilac, "Hino à Bandeira Nacional", em *Poesias Infantis*, p. 137.) 2. Elevado, sublime. 3. Magnífico, majestoso. ● *S. m.* 4. Título dos imperadores romanos.

augusto-correense (êen) *Adj. 2 g.* 1. De, ou pertencente ou relativo a Augusto Correia (PA). ● *S. 2 g.* 2. O natural ou habitante de Augusto Correia. [Pl.: *augusto-correenses*.]

augusto-limense *Adj. 2 g.* 1. De, ou pertencente ou relativo a Augusto de Lima (MG). ● *S. 2 g.* 2. O natural ou habitante de Augusto de Lima. [Pl.: *augusto-limenses*.]

augusto-pestanense *Adj. 2 g.* 1. De, ou pertencente ou relativo a Augusto Pestana (RS). ● *S. 2 g.* 2. O natural ou habitante de Augusto Pestana. [Pl.: *augusto-pestanenses*.]

augusto-severense *Adj. 2 g.* 1. De, ou pertencente ou relativo a Augusto Severo (RN). ● *S. 2 g.* 2. O natural ou habitante de Augusto Severo. [Pl.: *augusto-severenses*.]

auí^{1} [De or. tupi, poss.] *S. m. Bras. Bot.* V. *araçá-do-campo*.

auí² *Bras. S. 2 g.* 1. *Etnôn.* Indivíduo dos auís, povo indígena da região do rio Turunu (PA). • *Adj. 2 g.* 2. Pertencente ou relativo a esse povo. [Tb. us. como *s. 2 g. e 2 n.* (com cap.) e *adj. 2 g. e 2 n.*]

auiba (au-í) [De or. tupi.] *S. f. Bras. Bot.* Árvore flacourtiácea (*Xylosma benthami*) da Amaz., de madeira resistente, porém curta.

auiti *S. 2 g. Adj. 2 g. Bras.* V. *aueti.*

aula [Do lat. *aula.*] *S. f.* 1. *Ant.* Corte (ô) (1 e 2). 2. Sala em que se leciona; sala de aula, classe, sala. 3. Lição ou exercício ministrado pelo professor num determinado espaço de tempo. 4. Lição (3). 5. V. *classe* (14). 6. Explanação proferida por professor ou por autoridade competente perante um grupo de alunos ou um auditório. ◆ **Aula inaugural.** V. *oração de sapiência.* **Aula magna.** 1. V. *oração de sapiência.* 2. *Lus.* Salão nobre de uma universidade onde se realizam atos solenes.

auleta (ê) *S. m.* V. *aulete.*

aulete [Do gr. *auletés*, pelo lat. *aulete.*] *S. m.* Tocador de aulo; flautista. [F. paral.: *auleta.* Var. pros.: *auleta* (ê).]

aulética [Do gr. *auletiké, i. e.*, (*téchne*) *auletiké*, 'a arte de tocar o aulo'.] *S. f.* Arte de tocar flauta ou aulo, entre os antigos gregos e romanos.

aulétride [Do gr. *auletrís, ídos.*] *S. f.* Tocadora de aulo; auletriz.

auletriz [Do gr. *auletrís.*] *S. f.* Aulétride.

aulicismo [De *áulico* + *-ismo.*] *S. m. Bras.* Qualidade ou procedimento de áulico.

áulico [Do gr. *aulikós*, pelo lat. *aulicu.*] *Adj.* 1. Relativo ou pertencente à aula (1). 2. Próprio de cortesão, de áulico: 📖"E os __áulicos__ salões, onde reinavam / A mentira, a traição, o vício, e o crime" (Junqueira Freire, *Obras Poéticas*, I, p. 68). • *S. m.* 3. Cortesão, palaciano: 📖"E Fernão de Magalhães padeceu os opróbrios do rei e dos __áulicos__" (Latino Coelho, *Fernão de Magalhães*, p. 206).

aulido [Do esp. *aullido.*] *S. m.* Grito de animais; uivo: 📖"Opondo todo o seu veneno, e brio, / E com __aulidos__ fúnebres gemendo, / Quer estorvar aos pobres peregrinos / Que não prossigam seus santos destinos." (Manuel de Santa Maria Itaparica, "Eustáquidos", em Sérgio Buarque de Holanda, *Antologia dos Poetas Brasileiros da Fase Colonial*, I, p. 161.)

aulista [De *aula* + *-ista.*] *S. 2 g. P. us.* Pessoa que frequenta aulas; estudante.

aulo [Do gr. *aulós.*] *S. m. Mús.* Entre os antigos gregos, designação comum a diversos tipos de flauta.

aulodia [Do gr. *aulodía.*] *S. f. Mús.* Canto com acompanhamento de aulo.

aulodonte [Adapt. do tax. *Aulodonta.*] *Zool. S. m.* 1. Espécime dos aulodontes, ordem de animais equinodermos, equinoides, regulares, de carapaça ger. rígida, brânquias externas presentes, dentes sulcados e espinhos perfurados. • *Adj. 2 g.* 2. Pertencente ou relativo a eles.

aulostomídeo [Adapt. do tax. *Aulostomidae.*] *Zool. S. m.* 1. Espécime dos aulostomídeos, família de peixes gasterosteiformes, carnívoros, de corpo alongado, rígido, com um único gênero e três espécies, de águas tropicais do Atlântico, Índico e Pacífico. • *Adj.* 2. Pertencente ou relativo a eles.

aulóstomo [Do gr. *aulós*, 'canal', 'tubo', + *-stomo.*] *Adj.* De boca ou tromba tubulosa.

aumentação [Do lat. *augmentatione.*] *S. f.* 1. *P. us.* V. *aumento.* 2. *E. Ling.* Série de proposições que vão crescendo em importância.

aumentado [Part. de *aumentar.*] *Adj.* Que teve ou sofreu aumento. ~ V. *edição —a.*

aumentador (ô) [Do lat. *augmentatore.*] *Adj. S. m.* Que ou o que aumenta.

aumentar [Do lat. *augmentare.*] *V. t. d.* 1. Fazer maior em extensão, número, matéria, intensidade, etc.; ampliar, amplificar: 📄*Com esforço e trabalho __aumentou__ a fortuna herdada;* 📖"Tua frieza __aumenta__ o meu desejo" (Eugênio de Castro, *Obras Poéticas*, I, p. 53). 2. Fazer parecer maior: 📄*Estas lentes __aumentam__ muito os objetos.* 3. Melhorar as condições econômicas e/ou financeiras de; tornar próspero; acrescentar: 📄*Que Deus o __aumente__!* 4. Agravar, exacerbar: 📄*A chuva incessante veio __aumentar__ o seu tédio.* 5. Inventar, acrescentar: 📖"Quem conta um conto __aumenta__ um ponto." (prov.) *T. d. e i.* 6. Adicionar, acrescentar: 📄*__Aumentou__ três páginas ao discurso. T. i.* 7. Fazer progressos; prosperar, crescer: 📄*__aumentar__ em popularidade, em influência, em glória. Int.* 8. Tornar-se maior, crescer: 📄*O número de desaparecidos __aumentava__ com as buscas; Com o tempo, o seu amor __aumentava__.* 9. Progredir, desenvolver-se. 10. Agravar-se, exacerbar-se: 📄*A moléstia __aumentou__. P.* 11. Tornar-se maior; crescer. 12. Agravar-se, exacerbar-se.

aumentativar [De *aumentativo* + *-ar².*] *V. int.* Abusar de aumentativos.

aumentativo [De *aumentar* + *-tivo.*] *Adj.* 1. Que aumenta. ~ V. *charada —a* e *verbo —*. • *S. m.* 2. *E. Ling.* Categoria gramatical que se expressa como palavra ou construção de significação engrandecida em relação a outra, tomada como o grau normal; grau aumentativo. ◆ **Aumentativo analítico.** *E. Ling.* Aumentativo (2) que é formado pela adjunção de um adjetivo ou advérbio de intensidade a um nome ou adjetivo: *livro* grande; muito *bonito.* **Aumentativo sintético.** *E. Ling.* Aumentativo (2) que é formado pela aposição de um sufixo, em geral *-ão¹*, a um substantivo ou adjetivo tomados como base: *carrão; grandão.*

aumentável [De *aumentar* + *-vel.*] *Adj. 2 g.* Que pode ser aumentado.

aumento [Do lat. *augmentu.*] *S. m.* 1. Ato ou efeito de aumentar. [Sin.: *acréscimo* e (p. us.) *aumentação.*] 2. Melhoria de fortuna, de situação financeira; acréscimo de salário. 3. *Ópt.* Razão entre o ângulo de que é visto um objeto observado através de um sistema óptico e o ângulo de que é visto, à mesma distância, a olho nu. 4. *Ópt.* Ampliação (2). ◆ **Aumento de salário.** *Maç.* Promoção de um maçom a grau superior àquele em que está investido. **Ir em aumento.** Fazer progresso, progredir (alguma coisa): 📄*Sua fama __vai sempre em aumento__.*

aunar (a-u) [Do lat. *adunare.*] *V. t. d.* Ajuntar em um todo (várias coisas); unir, adunar. [Conjug.: v. *saudar.*]

auquenipterídeo [Do gr. *auchén, énos*, 'pescoço', + *-pter(o)-* + *-ídeo¹*; tax. *Auchenipteridae.*] *Zool. S. m.* 1. Espécime dos auquenipterídeos, família de peixes teleósteos, siluriformes, de água doce, que têm placas ósseas granulosas na cabeça. São bagres de corpo menos escamoso e linha lateral em zigue-zague. Ex.: o anujá. • *Adj.* 2. Pertencente ou relativo a eles.

auquenorrinco [Do gr. *auchén, énos*, 'pescoço', + *-rinco*; tax. *Auchenorrhyncha.*] *Zool. S. m.* 1. Espécime dos auquenorrincos, subordem de insetos homópteros, cujo rostro surge na parte inferior da cabeça; têm antena curta com uma cerda no ápice. • *Adj.* 2. Pertencente ou relativo a eles.

aura [Do lat. *aura*, por via erudita.] *S. f.* 1. Vento brando; brisa, aragem, sopro: 📖"__Auras__ subtis das frescas madrugadas, / Feitas de aroma e quérulo cicio" (Luís Carlos, *Colunas*, p. 113). 2. *Hist. Filos.* Cada um dos princípios sutis ou semimateriais que interferem nos fenômenos vitais. 3. *Restr.* Em certas religiões, como, p. ex., o espiritismo, suposto halo luminoso que só os iniciados veem. 4. *Neur.* Fenômenos ou sensações que precedem o início de crise paroxística, como o ataque epiléptico. 5. *Psican.* Ambiente psicológico de um acontecimento exterior. ◆ **Aura epiléptica.** *Neur.* Aura (4) que denuncia ataque epiléptico. **Aura popular.** Estima pública. **Aura vital.** Respiração, alento, anélito.

aural¹ [De *aur(i)-¹* + *-al¹.*] *Adj. 2 g.* Relativo a ouvido [denom. atual *orelha*], ou que pode ser captado por ele.

aural² [De *aura* + *-al¹.*] *Adj. 2 g. Neur.* Relativo à aura (4).

aúra-masda [Do avéstico.] *S. m. Rel.* No zoroastrismo (q. v.), o princípio do bem, luminoso, criador do mundo; Ormasde. [Com cap. Opõe-se a *Arimã.*] V. *masdeísmo.* [Pl.: *aúra-masdas.*]

aurana [Do tupi.] *S. f. Bras.* Dermatopatia em que há manchas disseminadas pelo corpo.

aurantina [Do lat. cient. *aurantium* (< lat. cient. *Citrus aurantium*) + *-ina³.*] *S. f.* Princípio amargo da casca das laranjas; aurantínea.

aurantínea [De *aurantina* + *-ea.*] *S. f.* Aurantina (q. v.).

➔ **aurea mediocritas** ['awɾea medeˈokɾętas] [Lat., 'mediocridade dourada'.] Palavras com que Horácio (v. *horaciano*) exalta as vantagens de uma condição média, equidistante da opulência e da pobreza.

aurelinense *Adj. 2 g.* 1. De, ou pertencente ou relativo a Aurelino Leal (BA). • *S. 2 g.* 2. O natural ou habitante de Aurelino Leal.

aurense *Adj. 2 g.* 1. De, ou pertencente ou relativo a Áurea (RS). • *S. 2 g.* 2. O natural ou habitante de Áurea.

áureo [Do lat. *aureu.*] *Adj.* 1. Da cor do ouro, ou a ele relativo: 📖"__Áureas__ abelhas pequenas, / Falenas, níveas falenas" (B. Lopes, *Val de Lírios*, p. 97). 2. Feito de ouro. 3. Coberto de ouro; dourado. 4. *Fig.* Brilhante, magnífico; de grande esplendor. 5. *Fig.* Muito valioso. ~ V. *columela —a, lei —a, número —* e *razão —a.*

auréola [Do lat. *aureola, i. e.*, (*corona*) *aureola*, 'coroa de ouro'.] *S. f.* 1. Círculo dourado e brilhante que, nas imagens sacras, envolve a cabeça de Cristo e dos santos; halo, resplendor, nimbo. 2. Qualquer círculo luminoso que rodeia um objeto; halo, nimbo. 3. *Fig.* Brilho ou esplendor moral; prestígio, glória, halo: 📄*__auréola__ da fama.* 4. Zona que envolve um mineral, formada pela reação deste, em suas bordas, com o magma que lhe deu origem. [Cf. *aureola*, do v. *aureolar*, e *aréola.*] ◆ **Auréola de contato.** *Geol.* Zona de modificação das rochas encaixantes por metamorfismo, provocada por intrusão magmática.

aureolar¹ [De *auréola* + *-ar¹.*] *Adj. 2 g.* Em forma de auréola. [Cf. *areolar.*]

aureolar² [De *auréola* + *-ar².*] *V. t. d.* 1. Cingir com auréola; coroar, nimbar. 2. Cingir, envolver: 📄*Os cabelos fulvos __aureolavam__ aquela cabeça.* 3. Glorificar; abrilhantar: 📄*O novo romance __aureola__ sua carreira de escritor. P.* 4. Cingir a si mesmo com auréola; coroar-se. 5. Elevar-se, glorificar-se. [Pres. ind.: *aureolo, aureolas, aureola*, etc. Cf. *auréola* e *areolar.*]

➔ **au revoir** [o ʁəˈvwaʁ] [Fr.] Até à vista.

▲ **aur(i)-¹** [Do lat. auris, *is.*] ***El. comp.*** = 'orelha', 'ouvido': *aural, auriforme.*

▲ **aur(i)-²** [Do lat. aurum, *i.*] ***El. comp.*** = 'ouro', 'cor de ouro': *áurico, auricórneo, aurívoro.* [Equiv.: *auro-¹*: *aurogástreo.*]

▲ **auri-** *Quím.* ***El. comp.*** Indica a presença de ouro trivalente num composto. [Ex.: *ácido cloroáurico* (q. v.).]

auríase [De *aur(i)-²* + *-íase.*] *S. f. Med.* Crisíase.

auriazulado [De *aur(i)-²* + *azulado.*] *Adj.* Que é, ao mesmo tempo, dourado e azul: 📖"A luz do dia __auriazulado__ e lindo / Ri-se pela vidraça, e os vidros desta, / Inda foscos de orvalho, estão-se rindo." (Alberto de Oliveira, *Poesias*, 4ª série, p. 126.)

auribranco [De *aur(i)-²* + *branco.*] *Adj.* Que é, ao mesmo tempo, dourado e branco: 📖"Descendo ao vale da miséria humana, / As asas __auribrancas__ maculaste." (Barão de Paranapiacaba, *Poesias Escolhidas*, p. 84.)

auricalcita [Do al. *Aurichalzit* < lat. *aurichalcum* + al. *-it*, '-ita³'.] *S. f. Min.* Carbonato básico de zinco e cobre, onde o zinco e o cobre se substituem mutuamente em proporções variáveis.

auricalco [Do lat. *aurichalcu.*] *S. m.* V. *oricalco*: 📖"O príncipe encantado era esperado por um rostinho de __auricalco__ semirrisonho e pudibundo" (Francisco Ribeiro Sampaio, *Renembranças*, p. 13).

auricídia [Por **aurissítia* < *aur(i)-²* + lat. *sitis*, 'sede', + *-ia¹.*] *S. f.* Sede, cobiça de ouro.

áurico [De *aur(i)-²* + *-ico².*] *Adj.* Relativo ao ouro.

auricolor (ô) [Do lat. *auricolore.*] *Adj. 2 g.* Da cor do ouro; áureo, auriginoso.

aurícomo [Do lat. *auricomu.*] *Adj.* Que tem cabelos dourados.

auricórneo [De *aur(i)-²* + *-corn(i)-* + *-eo.*] *Adj. Zool.* Que tem antenas da cor do ouro.

auricrinito [De *aur(i)-²* + *crinito.*] *Adj. Poét.* Que tem trança dourada.

aurícula [Do lat. *auricula.*] *S. f.* 1. *Anat.* Designação genérica de câmara que dá passagem de uma a outra parte de um mesmo órgão. 2. *Anat. Desus.* Átrio (3). 3. *Anat.* Orelha (1). 4. *Bot.* Pequeno apêndice na base das folhas reentrantes na parte inferior, como, p. ex., nas folhas sagitadas. 5. *Bot.* Orelha-de-urso (1). 6. *Zool.* Tufo de penas na cabeça de certas aves. 7. *Pop. Zool.* Designação vulgar de alguns moluscos do gênero *Pecten.*

auriculado [De *aurícula* + *-ado¹.*] *Adj.* Que tem aurícula(s); auriculoso. ~ V. *folha —a.*

auricular [Do lat. *auriculare.*] *Adj. 2 g.* 1. Pertencente, ou relativo ao ouvido [denom. atual *orelha*]: 📖"A publicidade fazia-se de boca em boca, no gozo lareiro, verbal e __auricular__ de indagar do alheio e o recortar." (Alberto Rangel, *Dom Pedro Primeiro e a Marquesa de Santos*, pp. 129-130.) 2. *Anat.* Relativo ou pertencente às aurículas [v. *aurícula* (1)]. 3. *Anat.* Relativo ou pertencente a pavilhão de orelha. ~ V. *confissão —, dedo —* e *testemunha —.*

▲ **auricul(i)-** [Do lat. auricŭla, *ae.*] ***El. comp.*** = 'aurícula': *auriculiforme.* [Equiv.: *auriculo-*: *auriculoventricular.*]

auriculiforme (ŭ) [De *auricul(i)-* + *-forme.*] *Adj. 2 g.* Que tem forma de orelha pequena ou aurícula.

▲ **auriculo-** Equiv. de *auricul(i)-.*

auriculoso (ô) [Do lat. *auriculosu.*] *Adj.* Auriculado.

auriculoventricular (aurì) [De *auriculo-* + *ventricular.*] *Adj. 2 g. Anat.* V. *atrioventricular.*

aurífero [Do lat. *auriferu.*] *Adj.* Que contém ou produz ouro.

aurificação [De *aur(i)-²* + *-fic(a)(r)-* + *-ção.*] *S. f.* Obturação de dentes cariados a ouro.

aurífice [Do lat. *aurifice.*] *S. m.* Aquele que trabalha em ouro; ourives.

aurífico [Do lat. *aurificu.*] *Adj.* 1. Que tem ouro. 2. V. *auricolor.* 3. Que transforma em ouro.

auriflama [Do lat. *aurea flamma*, 'chama dourada'.] *S. f.* 1. Antigo estandarte vermelho dos reis de França. 2. *Poét.* V. *bandeira* (1): 📖"Esvoaça o tênue véu, como __auriflama__ / triunfal, em torno do afogueado rosto" (Carlos Magalhães de Azeredo, *Vida e Sonho*, p. 114). [Var.: *oriflama.*]

auriflamense *Adj. 2 g.* 1. De, ou pertencente ou relativo a Auriflama (SP). • *S. 2 g.* 2. O natural ou habitante de Auriflama.

auriforme [De *aur(i)-*[1] + *-forme.*] *Adj. 2 g. Zool.* Diz-se das conchas bivalves em forma de orelha.

aurifulgente [De *aur(i)-*[2] + *fulgente.*] *Adj. 2 g.* Fulgente como o ouro; aurifúlgido: "abrindo [os beija-flores] as asas formosas, / As asas aurifulgentes." (Alberto de Oliveira, *Poesias*, I, p. 118).

aurifúlgido [De *aur(i)-*[2] + *fúlgido.*] *Adj.* Aurifulgente.

auriga [Do lat. *auriga.*] *S. m.* **1.** Entre os gregos e romanos, condutor dos carros de cavalos. **2.** *Poét.* V. *cocheiro* (1). **3.** *Astr.* Constelação boreal a E. de Perseu, vulgarmente chamada *Cocheiro*. [Com cap., nesta acepç.]

aurigastro [De *aur(i)-*[2] + *-gastro.*] *Adj. Zool.* Aurogástreo.

auriginoso (ô) [Do lat. *auriginosu.*] *Adj.* V. *auricolor.*

aurignacense *Adj. 2 g.* V. *aurignaciano* (1).

aurignaciano [Do top. *Aurignac* (França) + *-iano.*] *Adj.* **1.** Diz-se de pinturas e artefatos pré-históricos do início do paleolítico superior; aurignacense, aurinhacense. ● *S. m.* **2.** O período em que aparecem estas pinturas e artefatos. [Sin. ger.: *aurinhaciano.* Ger. com cap. nesta acepç.]

aurilandense *Adj. 2 g.* **1.** De, ou pertencente ou relativo a Aurilândia (GO). ● *S. 2 g.* **2.** O natural ou habitante de Aurilândia.

aurilavrado [De *aur(i)-*[2] + *lavrado.*] *Adj.* Que é de ouro com lavores: *taça aurilavrada*; "Cintilam como espelhos / As taças de rapé aurilavradas." (Gonçalves Crespo, *Obras Completas*, p. 77).

auriluzir [De *aur(i)-*[2] + *luzir.*] *V. int.* Luzir como ouro. [Unipess. no sentido próprio. Conjug.: v. *aduzir.*]

aurinário [Do lat. cient. *aurinarium.*] *S. m. Terap.* Preparado (3) semelhante ao supositório, para ser colocado no meato auditivo externo.

aurinevado [De *aur(i)-*[2] + *neve* + *-ado*[1].] *Adj.* Da cor do ouro e da neve; dourado e nevado: "Fogem do vento que ruge / As nuvens aurinevadas" (Gonçalves Dias, *Obras Poéticas*, II, p. 231).

aurinhacense *Adj. 2 g.* V. *aurignaciano* (1).

aurinhaciano *Adj. S. m.* V. *aurignaciano.*

auripurpúreo [De *aur(i)-*[2] + *purpúreo.*] *Adj.* Cor de ouro e de púrpura.

aurirrosado [De *aur(i)-*[2] + *rosado.*] *Adj.* Cor de ouro e cor-de-rosa; aurirróseo: "Salve, aurora! — quão donosa surges / Nos azulados topes do oriente / Desfraldando o teu manto aurirrosado!" (Bernardo Guimarães, *Poesias Completas*, p. 19.)

aurirróseo [De *aur(i)-*[2] + *róseo.*] *Adj.* Aurirrosado: "Da manhã aurirrósea à claridade, / Tumultua em cada árvore florida, / .... A orgia dionisíaca da Vida." (Alberto de Oliveira, *Poesias*, 4.ª série, p. 156.)

→**auri sacra fames** ['awrẹ 'sakra 'fames] [Lat., 'maldita fome do ouro'.] Expressão de Virgílio (v. *virgiliano*) referente à avidez, e que se tornou proverbial.

auriverde (ê) [De *aur(i)-*[2] + *verde.*] *Adj. 2 g.* Verde-amarelo (1): "Auriverde pendão da minha terra, / Que a brisa do Brasil beija e balança." (Castro Alves, *Obra Completa*, p. 283.)

aurívoro [De *aur(i)-*[2] + *-voro.*] *Adj.* **1.** *Poét.* Que devora ouro. **2.** *Fig.* Dissipador, gastador, perdulário.

▲**auro-**[1] Equiv. de *aur(i)-*[2].

▲**auro-**[2] *Quím. El. comp.* Indica a presença de ouro monovalente num composto. [Ex.: *aurocianeto* (q. v.).]

aurocianeto [De *auro-*[2] + *cianeto.*] *S. m. Quím.* O ânion $[Au(CN)_2]^-$, presente, p. ex., no aurocianeto de potássio, $KAu(CN)_2$, sal que se forma quando ouro é dissolvido em uma solução de cianeto de potássio, em presença de oxigênio.

aurogástreo [De *auro-*[1] + *-gastr(o)-* + *-eo.*] *Adj. Zool.* Diz-se dos animais que têm ventre amarelado; aurigastro.

aurônia [Do rad. lat. *auron-* (do lat. *auro, onis*, 'abrótano') + *-ia*[2].] *S. f. Bot.* V. *abrótano.*

auroque [Do al. *Auerochs*, 'boi das planícies', pelo fr. *aurochs.*] *S. m. Zool.* Mamífero artiodáctilo ruminante, da família dos bovídeos (*Bison bonasus*), antigamente muito espalhado na Europa, hoje quase extinto; bisão-europeu.

aurora [Do lat. *aurora.*] *S. f.* **1.** Período antes do nascer do Sol, quando este já ilumina a parte da superfície terrestre ainda na sombra. **2.** A claridade rósea que ilumina o céu a este, neste período. **3.** O início da vida; a infância: "Oh! que saudades que tenho / Da aurora da minha vida, / Da minha infância querida / Que os anos não trazem mais!" (Casimiro de Abreu, *Obras*, p. 93.) **4.** *P. ext.* Princípio, origem, começo. **5.** O Oriente. **6.** *Poét.* Rosicler. **7.** *Bot.* Árvore esterculiácea (*Dombeya mollis*) ornamental, nativa da África. ◆ **Aurora austral.** *Geofís.* Aurora polar observada em altas latitudes austrais. **Aurora boreal.** *Geofís.* Aurora polar observada em latitudes boreais. **Aurora polar.** *Geofís.* Luz difusa, constituída de faixas e arcos brilhantes e coloridos, que se observa quase exclusivamente em altas latitudes geográficas, e é produzida por corpúsculos emitidos pelo Sol, que agem sobre a atmosfera terrestre sob a influência do campo geomagnético.

auroral [De *aurora* + *-al*[1].] *Adj. 2 g.* **1.** Relativo ou pertencente à aurora; aurorеal. **2.** *Geofís.* Relativo às auroras polares. ~ V. *linha* —.

aurorar [De *aurora* + *-ar*[1].] *V. int.* **1.** Aurorescer. ● *S. m.* **2.** A aurora (4): *O aurorar da adolescência.*

auroreal [De *aurora* + *-eal.*] *Adj. 2 g.* Auroral (1).

aurorense[1] *Adj. 2 g.* **1.** De, ou pertencente ou relativo a Aurora (CE e SC). ● *S. 2 g.* **2.** O natural ou habitante de Aurora.

aurorense[2] *Adj. 2 g. S. 2 g.* V. *nova-aurorense.*

aurorense-do-tocantins *Adj. 2 g.* **1.** De, ou pertencente ou relativo a Aurora do Tocantins (TO). ● *S. 2 g.* **2.** O natural ou habitante de Aurora do Tocantins. [Pl.: *aurorenses-do-tocantins.*]

aurorescer [De *aurora* + *-escer.*] *V. int.* Começar a romper o dia; raiar o dia; aurorar. [Defect., conjugável só na 3.ª pess. sing. Conjug.: v. *crescer.*]

aurostibita [De *auro-*[2] + *estíbio* + *-ita*[3].] *S. f. Min.* Antimoneto de ouro em pequenos grãos, cúbicos, brancos, assemelhando-se à galena.

ausculta [Dev. de *auscultar.*] *S. f.* Auscultação.

auscultação [Do lat. *auscultatione.*] *S. f.* Ato ou efeito de auscultar; ausculta.

auscultador (ô) [Do lat. *auscultatore.*] *Adj.* **1.** Que ausculta. ● *S. m.* **2.** Aquele que ausculta. **3.** Instrumento de auscultar. **4.** Peça do telefone que, quando nos falam por ele, aplicamos à orelha.

auscultar [Do lat. *auscultare.*] *V. t. d.* **1.** *Med.* Aplicar a orelha ou o estetoscópio a (o tórax, o abdome, etc.) para conhecer ruídos que se produzem dentro do organismo de: *auscultar o doente.* [Sin., pop.: *escutar.*] **2.** Procurar conhecer; inquirir, sondar: *auscultar a opinião de alguém.*

auscultatório [De *auscultar* + *-tório.*] *Adj.* Relativo à auscultação.

ausência [Do lat. *absentia.*] *S. f.* **1.** Estado ou condição de ausente. **2.** Afastamento, apartamento (1): *A sua longa ausência deixa-nos pesarosos.* **3.** Falta de comparecimento; falta: *Na reunião comentou-se muito a sua ausência.* **4.** Carência, inexistência, falta: *Sofre com a ausência de carinho.* **5.** *Dir. Civ.* Desaparecimento da pessoa do seu domicílio, sem deixar ou dar notícia do seu paradeiro e sem deixar representante para zelar pelos seus interesses. **6.** *Psiq.* Lapso de memória. **7.** Falha do raciocínio. ◆ **Ausência de gravidade.** *Astr.* Fenômeno que ocorre em pontos do espaço suficientemente afastados de massas atrativas, e segundo o qual todos os corpos ficam destituídos de peso. **Fazer boa(s) ausência(s) de.** Dizer bem de (alguém) na sua ausência. **Fazer má(s) ausência(s) de.** Dizer mal de (alguém) na sua ausência: "Acharam-no transformado em tudo; descobriam-lhe novos dotes e novos defeitos, porém estes em número muito maior que aqueles. Fizeram-lhe boas e más ausências." (Aluísio Azevedo, *Filomena Borges*, p. 103-4.)

ausentar-se [Do lat. *absentare* + *se*[1].] *V. p.* **1.** Deixar um lugar qualquer; ir-se; retirar-se. **2.** Afastar-se, apartar-se: *Ausentou-se daquele convívio, ciente de que não lhe convinha.* **3.** Desaparecer; acabar-se: *Ganhando bem, agora, ausentaram-se-lhe as preocupações materiais.* **4.** Tornar-se ausente; ser afastado: *Sua abalizada opinião não pode ausentar-se neste debate.*

ausente [Do lat. *absente.*] *Adj. 2 g.* **1.** Não presente. **2.** Afastado, distante: "desconfiara bem do que lhe retinha o sobrinho fora de casa, tanto tempo, ausente dos primos" (Herman Lima, *Tijipió*, p. 140). **3.** *Bras. MG* Separado do cônjuge: *F. está ausente há mais de um mês.* **4.** Distraído, desatento; alheio. **5.** *Psiq.* Diz-se da pessoa que sofre de lapso de memória, que se encontra incapaz de raciocinar; esquecido, distraído. ● *S. 2 g.* **6.** Pessoa que deixou o seu domicílio e que se encontra em outro lugar. **7.** *Dir. Civ.* Pessoa cuja ausência se declara ou reconhece em juízo. ~ V. *ausentes.* ◆ **Ausente de.** Distante de: *Mora em Inhapim, ausente de Caratinga 30 quilômetros.*

ausentes [Pl. de *ausente.*] *S. 2 g. pl. Dir. Civ.* Pessoas que se encontram em lugares diversos e só podem contratar por correspondência ou por intermediário: *curador de órfãos e ausentes.* ~ V. *ausente.*

ausentino *Adj.* **1.** De, ou pertencente ou relativo a São José dos Ausentes (RS). ● *S. m.* **2.** O natural ou habitante de São José dos Ausentes.

auso [Do lat. *ausu.*] *S. m. Ant. Pop.* Ousio; ousadia.

áuspice [Do lat. *auspice.*] *S. m.* **1.** Arúspice. **2.** V. *áugure* (2).

auspiciar [De *auspício* + *-ar*[2].] *V. t. d. T. d. e i.* Fazer auspício de; augurar, predizer, prenunciar: *Tudo auspiciava bons resultados; Auspiciou-lhes um futuro próspero.* [Pres. ind.: *auspicio*, etc. Cf. *auspício.*]

auspício [Do lat. *auspiciu.*] *S. m.* **1.** V. *augúrio.* **2.** *Fig.* Promessa, voto. [Cf. *auspicio*, do v. *auspiciar.*] ◆ **Sob os auspícios de.** Sob o patrocínio de.

auspicioso (ô) [De *auspício* + *-oso.*] *Adj.* **1.** De bom augúrio. **2.** Prometedor: *um futuro auspicioso.*

austêmpera [De *aus(tenita)* + *têmpera.*] *S. f. Metal.* Tratamento térmico de têmpera para aços com alto teor de carbono, pelo qual se obtém material com dureza mais baixa que a da martensita.

austenita [Do antr. (*William C. Roberts*) *Austen* (1843-1902), engenheiro inglês, + *-ita*[3].] *S. f. Metal.* Solução sólida de carbono em ferro gama presente em diversos tipos de aço.

austenítico [De *austenita* + *-ico*[2].] *Adj. Metal.* Da natureza da austenita, ou que a contém. ~ V. *aço* —.

austenitização [De *austenitizar* + *-ção.*] *S. f. Metal.* Transformação de aço em austenita.

austenitizar [De *austenita* + *-izar.*] *V. t. d. Metal.* Realizar a austenitização de.

austereza (ê) [De *austero* + *-eza.*] *S. f. P. us.* V. *austeridade.*

austeridade [Do lat. *austeritate.*] *S. f.* **1.** Qualidade ou caráter de austero. **2.** Inteireza de caráter; severidade, rigor. [Sin. ger. (p. us.): *austereza.*]

austero (té) [Do lat. *austeru.*] *Adj.* **1.** Rígido de caráter, de costumes; severo, grave: *magistrado austero.* **2.** Duro, penoso para os sentidos: *hábitos austeros.* **3.** Ríspido, áspero: *Fez ponderações em tom austero.* **4.** Grave, ponderoso: *tom austero.* **5.** Acre, acerbo, adstringente: *iguaria de sabor austero.* **6.** Escuro, sombrio: *Veste-se de cores austeras.*

austral[1] [Do lat. *australe.*] *Adj. 2 g.* **1.** Do, ou pertencente ou próprio do austro ou sul; meridional. **2.** Que fica do lado do austro ou sul, ou que dele provém; meridional: "Para o sul, ... as pastagens infindáveis, mordidas pelos ventos austrais, corriam em ondulações meio fulvas, à maneira dum campo de milho." (Virgílio Várzea, *Contos de Amor*, p. 233.) **3.** Próprio do sul: *costumes austrais.* **4.** Que é natural ou habitante do sul: *povos austrais.* ~ V. *aurora* —, *continente* —, *Coroa* — e *hemisfério* —. [Antôn.: *boreal, setentrional*; cf. *astral.*]

austral[2] [Do top. *(ilhas) Austrais* (Polinésia Francesa).] *S. m.* **1.** *Gloss.* Língua malaio-polinésia falada nas ilhas Austrais ou Tubuai. **2.** Vocábulo dessa língua.

australásico [De *australásio* + *-ico*[2].] *Adj.* Australásio (1).

australásio *Adj.* **1.** Da, ou pertencente ou relativo à Australásia, região S.O. da Oceania; australásico. ● *S. m.* **2.** O natural ou habitante da Australásia.

australiano [Do top. *Austrália* + *-ano*[1].] *Adj.* **1.** Da, ou pertencente ou relativo à Austrália ou às línguas ali faladas. ● *S. m.* **2.** O natural ou habitante da Austrália. **3.** *Gloss.* Conjunto de cerca de 250 línguas aborígines, agrupadas em 28 famílias poss. relacionadas, e que são faladas no território australiano.

australoide (ói) *Adj. 2 g. S. 2 g.* Diz-se de, ou indivíduo pertencente ou relativo ao grupo étnico que inclui os aborígines da Austrália, além de outros povos autóctones do S.E. da Índia, e ainda outros povos do S.E. da Ásia e de ilhas do Pacífico. ❖

australopitecino [De *australopiteco* + *-ino*[2].] *S. m. Paleont.* **1.** Designação comum a vários primatas simiiformes do gênero *Australopithecus* (v. *australopiteco*), e de outros gêneros relacionados. ● *Adj.* **2.** Dos, ou relativo aos australopitecos.

australopiteco [Do tax. *Australopithecus.*] *S. m. Paleont.* **1.** Gênero de primatas simiiformes, hominídeos, que habitaram a África austral no plioceno e no início do plistoceno, e cujos vestígios foram descobertos em 1925. **2.** Qualquer espécie desse gênero, como, p. ex., a *Australopithecus robustus* e a *A. bosei.* **3.** Qualquer espécime desse gênero.

austríaco [De *Áustria* + *-íaco.*] *Adj.* **1.** Da, ou pertencente ou relativo à Áustria (Europa). ~ V. *cadeira* —*a.* ● *S. m.* **2.** O natural ou habitante da Áustria.

austrífero [Do lat. *austriferu.*] *Adj. Poét.* Que traz chuva ou vento do sul.

austro [Do lat. *austru.*] *S. m.* **1.** O sul. **2.** Entre os antigos, o vento do sul. [Antôn., nesta acepç.: *bóreas* e *setentrião.*]

▲**austro-**[1] [Do lat. *auster, austri.*] *El. comp.* = 'sul', 'meridional': *austro-africano.*

▲**austro-**[2] [Do top. *Áustria.*] *El. comp.* = 'austríaco': *austro-húngaro.*

austro-africano [De *austro-*[1] + *africano.*] *Adj.* Situado ao S. da África. [Pl.: *austro-africanos.*]

austro-americano [De *austro-*[2] + *americano*[3].] *Adj.* **1.** De, ou pertencente, ou relativo à Áustria e aos Estados Unidos. ● *S. m.* **2.** Americano de ascendência austríaca, ou vice-versa. [Pl.: *austro-americanos.*]

austro-asiático [De *austro-*[1] + *asiático.*] *Adj.* **1.** Situado ao S. da Ásia. **2.** Relativo ou pertencente ao austro-asiático (3). ● *S. m.* **3.** *Gloss.* Família de línguas faladas no S.E. da Ásia, entre a China e a Indonésia, mas também em parte da Índia, e que se subdivide em três grupos: (a) o *mon-khmer*, que inclui o *mon*, o *khmer* ou *cambojano* e o *vietnamita*; (b) o *munda*, anteriormente chamado de *colariano*, falado principalmente na Índia, e que inclui o *mundari* e o *santali*; (c) o *nicobarês*. [Pl.: *austro-asiáticos*.]

austrobaileyal [Do tax. *Austrobaileya* + *-al*[1].] *Adj. 2 g. Bot.* Pertencente ou relativo às austrobaileyales.

austrobaileyale [Adapt. do tax. *Austrobaileyales*.] *S. f. Bot.* Espécime das austrobaileyales, ordem de plantas floríferas, com cerca de 100 espécies de lianas.

austro-húngaro [De *austro-*[2] + *húngaro*.] *Adj.* Diz-se do, ou relativo, ou pertencente ao Império Austro-Húngaro (1867-1918), monarquia criada em 1867 pelo imperador austríaco Francisco José, na qual a Áustria e a Hungria tornavam-se estados autônomos com um soberano comum, e que foi dissolvida pelo Tratado de Versalhes em 1918. [Pl.: *austro-húngaros*]

austronésio [De *austro-*[1] + *(poli)nésio*.] *S. m. Gloss.* V. *malaio-polinésio* (3).

autalogamia [De *aut(o)-*[1] + *alogamia* (2).] *S. f. Biol.* Reprodução por autofecundação e alogamia. [Var. impr.: *autologamia*.]

autalogâmico [De *autalogamia* + *-ico*[2].] *Adj. Biol.* Relativo à autalogamia. [Var. impr.: *autologâmico*.]

autalógamo [De *aut(o)-*[1] + *alógamo*.] *Adj.* Produzido por autalogamia. [Var. impr.: *autológamo*.]

autarcese [De *aut(o)-*[1] + gr. *arkeîn*, 'afastar', 'repelir', + *-ese*.] *S. f. Med.* Capacidade de combater infecção pela ação de células do próprio organismo, sem que haja intervenção de anticorpos.

autarcesiologia [De *autarcese* + *-o-* + *-logia*.] *S. f. Imun.* Ramo da imunologia que trata da autarcese.

autarcético [De *autarc(ese)* + *-ético*.] *Adj. Imun.* Relativo à autarcese.

autarcia [Do gr. *autárkeia*, 'autossuficiência'.] *S. f.* **1.** *Econ.* Autossuficiência econômica de uma nação; autossuficiência; autarquia. **2.** *P. ext.* Política apoiada no princípio da autossuficiência econômica. **3.** *Fig.* Tranquilidade de espírito; calma. **4.** *Fig.* Frugalidade, temperança, sobriedade. **5.** *Hist. Filos.* Autarquia (4).

autarcoglosso [Do gr. *aútarchos*, 'que se basta', + *-glosso*; tax. *Autarchoglossa*.] *Zool. S. m.* **1.** Espécime dos autarcoglossos, divisão de animais cordados, reptis, escamados, que têm menos de quatro fileiras de escamas ventrais em cada segmento do corpo, as quais, quando imbricadas, deixam estreita margem posterior livre. ● *Adj.* **2.** Pertencente ou relativo a eles.

autarquia [Do gr. *autarchía*.] *S. f.* **1.** Poder absoluto. **2.** Governo de um Estado pelos seus concidadãos. **3.** *Econ.* Autarcia (1). **4.** *Hist. Filos.* Nos vocabulários cínico (2) e estoico (3), condição de autossuficiência do sábio, a quem basta ser virtuoso para ser feliz; autarcia. **5.** Entidade estatal autônoma, com patrimônio e receita próprios, criada por lei para executar, de forma descentralizada, atividades típicas da administração pública (p. ex.: Banco Central). [Cf. *autarcia*.]

autárquico [De *autarquia* + *-ico*[2].] *Adj.* **1.** Relativo ou pertencente a autarquia. ● *S. m.* **2.** Funcionário de autarquia (5).

autazense *Adj. 2 g.* **1.** De, ou pertencente ou relativo a Autazes (AM). ● *S. 2 g.* **2.** O natural ou habitante de Autazes.

autemesia [De *aut(o)-*[1] + *-emes(i)-* + *-ia*[1].] *S. f. Med.* Vômito de causa funcional, ou desconhecida; autoemesia.

autêntica [F. subst. de *autêntico*.] *S. f.* Certidão, atestado ou carta que faz fé. [Cf. *autentica*, do v. *autenticar*.]

autenticação [De *autenticar* + *-ção*.] *S. f.* Ato ou efeito de autenticar.

autenticado [Part. de *autenticar*.] *Adj.* Que se autenticou; legalizado.

autenticar [De *autêntico* + *-ar*[2].] *V. t. d.* **1.** Tornar autêntico; reconhecer como verdadeiro. **2.** Autorizar ou certificar segundo as fórmulas legais; legalizar. [Conjug.: v. *trancar*. Pres. ind.: *autentico*, *autenticas*, *autentica*, etc. Cf. *autêntico* e *autêntica*.]

autenticidade [De *autêntico* + *-(i)dade*.] *S. f.* Qualidade de autêntico.

autêntico [Do gr. *authentikós*, pelo lat. *authenticu*.] *Adj.* **1.** Que é do autor a quem se atribui. **2.** A que se pode dar fé; fidedigno: *um fato autêntico*. **3.** Que faz fé: "Das atas em que se lançou este singular juramento transcreveram-se diversos exemplares autênticos" (Alexandre Herculano, *História de Portugal*, III, p. 43). **4.** Legalizado, autenticado. **5.** Verdadeiro, real: *um autêntico idiota*. **6.** Genuíno, legítimo, lídimo: *um brasileiro autêntico*; "Ali haviam demorado por vários séculos alguns monges autênticos de cuja pobreza os restos do convento – acanhadíssima construção térrea de pedra e barro – perpetuavam o atestado suficiente." (M. Teixeira-Gomes, *Gente Singular*, p. 9). **7.** *Filos.* Segundo Heidegger [v. *heideggeriano*], diz-se da existência que assume sua situação de ser para a morte. [Cf. *autentico*, do v. *autenticar*.] ~ V. *ato* –, *modo* – e *testamento* –.

autígeno [Do gr. *authigenés*.] *Adj. S. m.* **1.** Diz-se de, ou aquilo que se formou no próprio lugar que ocupa. **2.** *Petr.* Diz-se de, ou partícula mineral formada por cristalização no próprio local onde ocorre.

autismo [De *aut(o)-*[1] + *-ismo*.] *S. m. Psiq.* Fenômeno patológico caracterizado pelo desligamento da realidade exterior e criação mental de um mundo autônomo.

autista [De *autismo* + *-ista*.] *Adj. 2 g. S. 2 g. Psiq.* Que, ou quem apresenta autismo. [Cf. *altista*.]

autístico [De *autista* + *-ico*[2].] *Adj. Psiq.* Relativo ao autismo.

auto[1] [Do lat. *actu*.] *S. m.* **1.** Ato público; solenidade. **2.** Registro escrito e autenticado de qualquer ato. **3.** *Teatr.* Composição dramática originária da Idade Média, com personagens geralmente alegóricas, como os pecados, as virtudes, etc., e entidades como santos, demônios, etc., e que se caracteriza pela simplicidade da construção, ingenuidade da linguagem, caracterizações exacerbadas e intenção moralizante, podendo, contudo, comportar também elementos cômicos e jocosos: "Tais autos [de Gil Vicente] são na essência o mesmo que os mistérios franceses, como eles cheios de indecências, porém ao mesmo tempo ricos de sal e chistes." (Alexandre Herculano, *Opúsculos*, IX, p. 80.) ~ V. *autos*. ◆ **Auto pastoril** *Teatr.* No teatro medieval ibérico, o auto profano, em contraposição ao sacramental. [Cf. *pastoril*.] **Auto sacramental.** *Teatr.* **1.** No antigo teatro espanhol (sécs. XVI ao XVIII), peça religiosa que tem como tema a Eucaristia. **2.** Auto de caráter puramente religioso.

auto[2] *S. m.* V. *automóvel*: "O auto rompeu outra vez na estrada." (Herman Lima, *Garimpos*, p. 16.) ◆ **Auto de praça.** Automóvel de aluguel, cujo preço da corrida é previamente combinado. [Cf. *táxi*.]

auto[3] [De *átomo*; cf. *átimo*.] *S. m. Bras.* Momento, instante; átimo.

▲ **aut(o)-**[1] [Do gr. *autós*.] *El. comp.* = 'por si próprio', 'de si mesmo': *autismo*, *autocrítica*, *autoemesia*, *automóvel*. [É seguido de hífen quando anteposto a palavra iniciada por *h* ou *o*: *auto-hipnose*, *auto-oscilação* (em tais casos, apenas o 2.º el. é flexionado na formação do plural); é grafado com *r* ou *s* duplicados quando anteposto a palavra iniciada por *r* ou *s*: *autorretrato*, *autossuficiente*.]

▲ **aut(o)-**[2] [F. red. de *automóvel*.] *El. comp.* = 'automóvel': *autódromo*, *autoestrada*. [É seguido de hífen quando anteposto a palavra iniciada por *h* ou *o*: *auto-ônibus* (em tais casos, apenas o 2.º el. é flexionado na formação do plural).]

autoabastecer-se *V. p.* Prover a si mesmo do necessário: *Isolados numa região agreste, não tinham como autoabastecer-se*. ❖

autoacusação [De *aut(o)-*[1] + *acusação*.] *S. f.* **1.** *Dir. Penal* Ação de imputar a si mesmo, perante a autoridade competente, a autoria de um fato delituoso. **2.** *P. ext.* Manifestação daquele que, por escrúpulo ou estado mórbido, se acusa de culpa ou de incapacidade. ❖

autoadesivo [De *aut(o)-*[1] + *adesivo*.] *Adj. S. m.* Diz-se de, ou etiqueta, papel ou impresso com um dos lados recobertos de substância adesiva para permitir colagem instantânea. [Sin.: *autocolante* e *colante*.] ❖

autoadmiração [De *aut(o)-*[1] + *admiração*.] *S. f.* V. *narcisismo*. ❖

autoafirmação [De *aut(o)-*[1] + *afirmação*.] *S. f. Psic.* Necessidade íntima do indivíduo de impor-se à aceitação do meio; afirmação. ❖

autoagressão [De *aut(o)-*[1] + *agressão*.] *S. f. Psic.* Consumação de atos destrutivos que têm por objeto o próprio agressor. [Cf. *heteroagressão*.] ❖

autoagressivo [De *autoagress(ão)* + *-ivo*.] *Adj.* Em que há, ou que se caracteriza por autoagressão. ❖

autoajuda [De *aut(o)-*[1] + *ajuda*.] *S. f.* Método de aprimoramento pessoal em que o indivíduo pretende buscar, sem ajuda de outrem, soluções para problemas emocionais, superação de dificuldades, etc. ❖

autoajustável [De *aut(o)-*[1] + *ajustável*.] *Adj. 2 g.* Ajustável por si mesmo. ❖

autoanalisar-se [De *aut(o)-*[1] + *analisar*[2] + *se*[1].] *V. p.* Fazer a autoanálise. ❖

autoanálise [De *aut(o)-*[1] + *análise*[2].] *S. f. Psican.* Investigação sistemática de si mesmo, mediante certos processos do método psicanalítico. ❖

autoanticorpo *S. m. Imun.* Anticorpo que reage, especificamente, contra autoantígeno do organismo que o produziu. ❖

autoantígeno *S. m. Imun.* Anticorpo que provoca, no organismo de um indivíduo de que faz parte, a formação de autoanticorpo. [Sua presença demonstra distúrbio do sistema imunitário desse indivíduo, e pode ocorrer em numerosas eventualidades, como infecções, intoxicações, tumores malignos, irradiações, etc.] ❖

autoaspirante [De *aut(o)-*[1] + *aspirante*.] *Adj. 2 g.* ~ V. *bomba* –. ❖

autoatendimento [De *aut(o)-*[1] + *atendimento*.] *S. m.* Em restaurantes, casas comerciais, bancos, etc., serviço em que o próprio cliente, ou consumidor, manipula ou utiliza determinado serviço.

autoavaliação *S. f.* **1.** Ato ou efeito de autoavaliar-se. **2.** Avaliação feita pelo próprio indivíduo de seu desempenho em determinada atividade, ou de seus atos, conduta, caráter, etc. ❖

autoavaliar-se [De *aut(o)-*[1] + *avaliar* + *se*[1].] *V. p.* Fazer a análise ou a apreciação de si mesmo; analisar-se. ❖

autobasídio [De *aut(o)-*[1] + *-basídio*.] *S. m. Micol.* Holobasídio.

autobiografar-se [De *aut(o)-*[1] + *biografar* + *se*[1].] *V. p.* Escrever autobiografia. [Pres. ind.: *autobiografo-me*, etc. Cf. *autobiógrafo*.]

autobiografia [De *aut(o)-*[1] + *biografia*.] *S. f.* Vida de um indivíduo escrita por ele mesmo.

autobiográfico [De *autobiografia* + *-ico*[2].] *Adj.* Relativo ou pertencente a autobiografia.

autobiógrafo [De *aut(o)-*[1] + *biógrafo*.] *S. m.* Autor de autobiografia. [Cf. *autobiografo-me*, do v. *autobiografar-se*.]

autobronzeador (ô) [De *aut(o)-*[1] + *bronzeador*.] *Adj. S. m.* Diz-se de, ou produto cosmético que bronzeia a pele, sem exposição à luz solar.

autocapa [De *aut(o)-*[2] + *capa*.] *S. f.* Capa usada para revestir automóveis.

autocarga [De *aut(o)-*[2] + *carga*.] *S. m. Bras.* Caminhão de carga: "O caminhão ganha em tamanho, ficando 'jamanta', nome do autocarga com extensa carroceria separada da cabina." (Marcos Vinícios Vilaça, *Em Torno da Sociologia do Caminhão*, p. 18.)

autocarro *S. m. Angol. Cabo-verd. Guin. Lus. Moç. Santom.* V. *ônibus* (1): "No eléctrico podemos ler, no autocarro é impossível por causa dos balanços." (Augusto Abelaira, *O Bosque Harmonioso*, p. 128.)

autocatálise [De *aut(o)-*[1] + *catálise*.] *S. f. Quím.* Catálise provocada por uma substância que se forma no próprio sistema reacional.

autocéfalo [De *aut(o)-*[1] + *-céfalo*.] *Adj.* **1.** Governado por si mesmo. ● *S. m.* **2.** Bispo grego não sujeito ao patriarca.

autocensura [De *aut(o)-*[1] + *censura*.] *S. f.* Faculdade de exercer censura sobre os próprios atos, atitudes ou palavras, etc.

autocentrado [De *aut(o)-*[1] + *centrado*.] *Adj.* **1.** V. *egocêntrico* (1): "não há ninguém mais autocentrado do que um maestro." (Patrícia Melo, *Valsa Negra*, p. 28). **2.** *P. ext.* Que tem a si mesmo como principal interesse: *geração autocentrada*.

autocídio [De *aut(o)-*[1] + *-cídio*.] *S. m. P. us.* V. *suicídio*.

autocinético [De *aut(o)-*[1] + *-cinet(o)-* + *-ico*[2].] *Adj.* Capaz de mover-se sozinho.

autoclavado [De *autoclave* + *-ado*[1].] *Adj.* ~ V. *madeira* –*a*.

autoclave [De *aut(o)-*[1] + lat. *clave*.] *S. f.* **1.** *Med.* Equipamento médico-hospitalar para esterilização de materiais cirúrgicos mediante sua exposição ao vapor a alta pressão e a alta temperatura; esterilizador. **2.** *Ind. Pap.* V. *cozinhador* (2).

autoclínica [De *aut(o)-*[1] + *clínica*.] *S. f.* Estudo de uma doença feito pelo próprio enfermo.

autóclise [De *aut(o)-* + *-clise*[3].] *S. f. Odont.* A limpeza da cavidade oral promovida pela ação da língua, da bochecha e da saliva.

autoclismo [De *aut(o)-*[1] + gr. *klysmós*, 'ação de lavar'.] *S. m. Lus.* Caixa de descarga: "Ricardo Reis abriu torneiras, puxou uma e outra vez o cordão do autoclismo, a casa encheu-se de rumores." (José Saramago, *O Ano da Morte de Ricardo Reis*, p. 219.)

autocolante [De *aut(o)-*[1] + *colante*.] *Adj. 2 g. S. m.* V. *autoadesivo*.

autocolimação [De *aut(o)-*[1] + *colimação*.] *S. f. Ópt.* Propriedade de um sistema óptico em que a imagem de um objeto pode coincidir com o próprio objeto.

autocolimador (ô) [De *aut(o)-*[1] + *colimador*.] *Adj.* ~ V. *sistema* –.

autocombustão [De *aut(o)-*[1] + *combustão*.] *S. f. Autom.* Funcionamento irregular do motor em marcha lenta após o seu desligamento, devido à continuação da alta temperatura na câmara de combustão.

autocomiseração [De *aut(o)-*[1] + *comiseração*.] *S. f.* Comiseração de si mesmo.

autocomiserativo *Adj.* Que resulta de autocomiseração: *atitude autocomiserativa*.

autocompatibilidade [De *aut(o)-*[1] + *compatibilidade*.] *S. f. Biol.* Possibilidade, nas plantas, de autofecundação.

autoconfiança [De *aut(o)-*[1] + *confiança*.] *S. f.* Confiança em si mesmo.

autoconfiante [De *aut(o)-*[1] + *confiante*.] *Adj. 2 g.* Que denota autoconfiança, ou que a tem.

autoconhecimento [De *aut(o)-*[1] + *conhecimento*.] *S. m. Psic.* Conhecimento de si mesmo. ◆ **Autoconhecimento organizacional.** *Adm.* Conhecimento que uma organização possui de si mesma.

autoconsciência [De *aut(o)-*[1] + *consciência*[1].] *S. f. Filos.* Consciência que adquire capacidade de refletir sobre si mesma, *i. e.*, que se reconhece como o domínio da racionalidade, do pensamento, ou dos chamados estados interiores; consciência de si.

autoconstrução [De *aut(o)-*[1] + *construção*.] *S. f.* Processo de produção de moradias de baixo custo, pela população de baixa renda[1], mediante o seu próprio trabalho.

autoconsumo [De *aut(o)-*[1] + *consumo*.] *S. m. Econ.* Consumo pelo próprio produtor (aplica-se especialmente a produtores agrícolas).

autocontemplação [De *aut(o)-*[1] + *contemplação*.] *S. f.* V. *narcisismo*.

autocontrato [De *aut(o)-*[1] + *contrato*] *S. m. Jur.* Contrato que alguém realiza consigo mesmo, na condição de mandatário de outrem.

autocontratual [De *autocontrato* + *-ual*.] *Adj. 2 g.* Referente a autocontrato.

autocontrole (ô) [De *aut(o)-*[1] + *controle*.] *S. m.* V. *equilíbrio* (6).

autocópia [De *aut(o)-*[1] + *cópia*.] *S. f.* Reprodução de um escrito ou desenho por meio do autocopista. [Cf. *autocopia*, do v. *autocopiar*.]

autocopiar [De *autocópia* + *-ar*[2].] *V. t. d.* Copiografar. [Pres. ind.: *autocopio*, *autocopias*, *autocopia*, etc. Cf. *autocópia*.]

autocopista [De *aut(o)-*[1] + *copista*[1].] *S. 2 g.* V. *copiógrafo*.

autocórico [De *aut(o)-*[1] + *-cor(o)-*[2] + *-ico*[2].] *Adj. Bot.* Diz-se do vegetal que dissemina suas sementes por meios próprios, como, p. ex., o beijo-de-frade, que as lança à distância por súbita abertura dos frutos.

autocorologia [De *aut(o)-*[1] + *corologia*.] *S. f.* Fitogeografia de uma espécie vegetal.

autocorológico [De *autocorologia* + *-ico*[2]] *Adj.* Referente à autocorologia.

autocracia [Do gr. *autokráteia*.] *S. f.* **1.** Governo de um príncipe, com poderes ilimitados e absolutos. **2.** V. *cesarismo*.

autocrata [Do gr. *autokratés*.] *Adj. 2 g. S. 2 g.* Diz-se de, ou soberano absoluto e independente. [Var. pros. (p. us.): *autócrata*.]

autócrata *Adj. 2 g. S. 2 g.* V. *autocrata*.

autocrático [De *autocrata* + *-ico*[2].] *Adj.* Pertencente ou relativo a, ou próprio de autocrata.

autocrítica [De *aut(o)-*[1] + *crítica*.] *S. f.* **1.** Crítica feita por alguém a si mesmo ou a suas próprias obras. **2.** Capacidade de exercer autocrítica (1): *Medíocre, considera-se um gênio: não tem autocrítica*.

autocriticar-se [De *aut(o)-*[1] + *criticar* + *se*[1].] *V. p.* Fazer a autocrítica. [Pres. ind.: *autocritico-me*, etc. Cf. *autocrítica*.]

autóctone [Do gr. *autóchthon*, pelo lat. *autochthone*; fr. *autochtone*.] *Adj. 2 g.* **1.** Que é oriundo de terra onde se encontra, sem resultar de imigração ou importação: *povo autóctone; cerâmica autóctone*. **2.** *P. ext.* Aborígine, indígena, nativo. ~ V. *depósito* —. • *S. 2 g.* **3.** V. *aborígine* (4): "defendia [o casal] a tese de que os seus filhos deveriam passar pelas mesmas dificuldades por que passavam os filhos dos autóctones." (Antônio Silva Graça, *Viagem ao Fim da História*, p. 188). [Opõe-se a *alóctone*.]

autoctonia [De *autóctone* + *-ia*[1].] *S. f.* Autoctonismo.

autoctonismo [De *autóctone* + *-ismo*.] *S. m.* Qualidade de autóctone; autoctonia.

autodeclaração [De *aut(o)-*[1] + *declaração*.] *S. f.* Ato ou efeito de autodeclarar-se: *autodeclaração de afrodescendência*.

autodeclarar-se [De *aut(o)-*[1] + *declarar* + *se*[1].] *V. p.* Fazer uma afirmação a respeito de si mesmo: *Muitos candidatos se autodeclararam despreparados para a prova*.

auto de fé *S. m.* Cerimônia em que se proclamavam e executavam as sentenças do Tribunal da Inquisição, e na qual os penitenciados ou abjuravam os seus erros, ou eram condenados ao suplício da fogueira. [Pl.: *autos de fé*.]

autodefender-se [De *aut(o)-*[1] + *defender* + *se*[1].] *V. p.* Defender a si mesmo.

autodefesa (ê) [De *aut(o)-*[1] + *defesa*.] *S. f.* **1.** Ato de alguém defender-se de uma agressão. **2.** *Jur.* Defesa de um direito feita pelo seu próprio titular. **3.** Resistência do indivíduo às influências exteriores.

autodefinir-se [De *aut(o)-*[1] + *definir* + *se*[1].] *V. p.* Manifestar-se, dizer o que pensa a respeito de si mesmo.

autodenominação [De *autodenominar-se* + *-ção*.] *S. f.* Ato ou efeito de autodenominar-se.

autodenominar-se [De *aut(o)-*[1] + *denominar* + *se*[1].] *V. p.* Nomear(-se) a si mesmo.

autodepuração [De *aut(o)-*[1] + *depuração*.] *S. f.* Propriedade que tem um organismo de purificar-se pelos seus próprios meios: "O fato é que a baía de Guanabara atravessa .... uma fase aguda de degeneração: sua capacidade de autodepuração foi, há muito, ultrapassada" (*Revista de Domingo*, 23.05.1982).

autodestruição (u-i) [De *aut(o)-*[1] + *destruição*.] *S. f.* Destruição, extinção, aniquilamento de si mesmo.

autodestruir-se [De *aut(o)-*[1] + *destruir* + *se*[1].] *V. p.* Destruir a si mesmo.

autodeterminação [De *aut(o)-*[1] + *determinação*.] *S. f.* **1.** Princípio segundo o qual um Estado tem o direito de escolher sua própria forma de governo e ideologia. **2.** *Filos.* Estado ou condição de agente (12 e 13) [Cf., nesta acepç., *autonomia* (5), *heteronomia* e *liberdade* (11)].

autodidata [Do gr. *autodídaktos*.] *Adj. 2 g. S. 2 g.* Que, ou quem aprendeu ou aprende por si, sem auxílio de professores.

autodidatismo [De *autodidata* + *-ismo*.] *S. m.* Autodidaxia.

autodidaxia (cs) [De *aut(o)-*[1] + gr. *dídaxis*, 'ensino', + *-ia*[1].] *S. f.* Ação de instruir-se sem professores; autodidatismo.

autodigestão [De *aut(o)-*[1] + *digestão*.] *S. f. Citol.* V. *autofagia* (2).

autodisciplina [De *aut(o)-*[1] + *disciplina*.] *S. f.* Disciplina imposta a si mesmo.

autodisciplinar-se [De *aut(o)-*[1] + *disciplinar* + *se*[1].] *V. p.* Exercer a autodisciplina.

autodomínio [De *aut(o)-*[1] + *domínio*.] *S. m.* V. *equilíbrio* (6).

autódromo [De *aut(o)-*[2] + *-dromo*.] *S. m.* Conjunto de pistas e edifícios (instalações para administração, arquibancadas, controle, oficinas de reparos, etc.), para corrida de automóveis.

autoecologia [De *aut(o)-*[1] + *ecologia*.] *S. f. Ecol.* Estudo individual de um organismo ou de uma espécie (animal ou vegetal), com relação ao seu ambiente. ❖

autoecológico [De *autoecologia* + *-ico*[2].] *Adj. Biol.* Relativo à autoecologia. ❖

autoelogio [De *aut(o)-*[1] + *elogio*.] *S. m.* Elogio feito por alguém a si mesmo. ❖

autoemesia [De *aut(o)-*[1] + *-emes(i)-* + *-ia*[1].] *S. f. Med.* Autemesia. ❖

autoenganar-se [De *aut(o)-*[1] + *enganar-se*.] *V. p.* Enganar(-se) a si mesmo. ❖

autoengano [De *aut(o)-*[1] + *engano*.] *S. m.* Crença no que é obviamente falso, que só se explica pela interferência de elementos superficiais ou subjetivos como o desejo, a paixão, o temor, etc.: "O autoengano tem uma característica que o diferencia do engano interpessoal. .... É a mente do sujeito ludibriando a si mesma." (José Maria Mayrinck, em *Jornal do Brasil*, 04.01.1998.) ❖

autoerótico [De *autoerotismo* + *-ico*[2], seg. o padrão erudito.] *Adj. Psiq.* Relativo a, ou que envolve autoerotismo. ❖

autoerotismo [De *aut(o)-*[1] + *erotismo*.] *S. m. Psiq.* **1.** Impulso sexual espontâneo, sem qualquer estímulo externo, direto ou indireto, e cuja forma típica é o orgasmo durante o sono. **2.** Masturbação. [Cf. *aloerotismo*.] ❖

autoescola [De *aut(o)-*[2] + *escola*.] *S. f.* Escola para habilitação de motoristas. ❖

autoescorvante [De *aut(o)-*[1] + *escorvar* + *-nte*.] *Adj. 2 g. Tec.* Diz-se de bomba que principia a atuar sem que seja necessário encher-lhe de fluido o corpo. ❖

autoestéril [De *aut(o)-*[1] + *estéril*.] *Adj. 2 g.* **1.** *Biol.* Diz-se de organismo incapaz de gerar descendentes a partir de autogamia. **2.** *Bot.* Diz-se de flor que não pode ser fecundada pelo próprio pólen. ❖

autoesterilidade [De *aut(o)-*[1] + *esterilidade*.] *S. f. Biol. Bot.* Condição de autoestéril; autoincompatibilidade. ❖

autoestima [De *aut(o)-*[1] + *estima*.] *S. f.* Valorização de si mesmo, amor-próprio. ❖

autoestrada [De *aut(o)-*[2] + *estrada*.] *S. f.* **1.** Estrada para veículos automóveis. **2.** *Restr.* Autoestrada (1) para grandes velocidades, com pistas duplas e acessos limitados, sem cruzamentos de nível; autopista. ❖

autoexame [De *aut(o)-*[1] + *exame*.] *S. m.* Exame que o indivíduo faz em si mesmo: *autoexame de mama; autoexame dos olhos; autoexame da pele*.

autoextermínio [De *aut(o)-*[1] + *extermínio*.] *S. m.* Extermínio praticado contra si mesmo. ❖

autofagia [De *aut(o)-*[1] + *-fag(o)-* + *-ia*[1].] *S. f.* **1.** Nutrição ou sustento de um organismo à custa de sua própria substância. **2.** *Citol.* Digestão de componentes celulares e organelas velhas ou danificadas pelos lisossomos da própria célula; autodigestão. **3.** *Fig.* Ato de autoconsumir-se, autodevorar-se: "E, em vez de comerem, eram comidos pela própria fome numa autofagia erosiva." (José Américo de Almeida, *A Bagaceira*, p. 5.)

autofágico [De *autofagia* + *-ico*[2].] *Adj.* Relativo à, ou próprio da autofagia: "Essas fases de mudança de regime costumam ser tempestuosas, contraditórias, desconcertantes, comumente autofágicas." (Barbosa Lima Sobrinho, *Presença de Alberto Torres*, p. 89.) ~ V. *vacúolo* —.

autófago [De *aut(o)-*[1] + *-fago*.] *Adj. S. m.* Que, ou aquele que revela autofagia.

autofagossoma [De *aut(o)-*[1] + *-fag(o)-* + *-soma*.] *S. m. Citol.* V. *autofagossomo*.

autofagossomo [De *aut(o)-*[1] + *-fag(o)-* + *-somo*.] *S. m. Citol.* Vesícula que contém enzimas hidrolíticas que promovem a degradação de organelas da própria célula. [Sin.: *citolisossoma*, *citolisossomo*, *vacúolo autofágico*; var.: *autofagossoma*.]

autofalência [De *aut(o)-*[1] + *falência*.] *S. f. Jur.* Falência requerida pelo próprio devedor.

autofalsificação [De *auto-* + *falsificação*.] *S. f.* Introdução dolosa de vícios na própria escrita ou assinatura; disfarce, dissimulação gráfica, simulação gráfica.

autofecundação [De *aut(o)-*[1] + *fecundação*.] *S. f. Biol.* Autogamia (1).

autofertilização [De *aut(o)-*[1] + *fertilização*.] *S. f. Biol.* V. *autogamia*.

autofilia [De *aut(o)-*[1] + *-filia*.] *S. f. Psiq.* Autoestima que, por sua grande intensidade, é patológica.

autofílico [De *autofilia* + *-ico*[2].] *Psiq. Adj.* **1.** Relativo à autofilia. **2.** Que tem autofilia; autófilo. • *S. m.* **3.** Aquele que tem autofilia; autófilo.

autófilo [De *aut(o)-*[1] + *-filo*[2].] *Adj. S. m. Psiq.* Autofílico (2 e 3).

autofinanciamento [De *aut(o)-*[1] + *financiamento*.] *S. m. Econ.* Utilização de recursos próprios por parte da empresa, esp. lucros não distribuídos, para seu financiamento.

autofinanciar [De *aut(o)-*[1] + *financiar*.] *V. t. d. P.* Atender, suprir com as próprias finanças.

autoflagelação [De *aut(o)-*[1] + *flagelação*.] *S. f.* Flagelação praticada contra si mesmo: "E se a arte tentasse disputar pau a pau com o sistema, mesmo sabendo que perde, em vez de cair nessa velha autoflagelação acusatória?" (Arnaldo Jabor, *Sanduíches de Realidade*, p. 100.)

autofobia [De *aut(o)-*[1] + *-fobia*.] *S. f. Psiq.* Medo patológico de si mesmo e de solidão.

autofóbico [De *autofobia* + *-ico*[2].] *Psiq. Adj.* **1.** Relativo a autofobia. **2.** Que sofre de autofobia; autófobo. • *S. m.* **3.** Aquele que sofre de autofobia; autófobo.

autófobo [De *aut(o)-*[1] + *-fobo*.] *Adj. S. m. Psiq.* Autofóbico (2 e 3).

autofoco [De *aut(o)-*[1] + *foco*.] *S. m. Fot.* Dispositivo destinado a focagem automática, que é acionado quando se dispara a câmara fotográfica, a filmadora, etc.

autofonia [De *aut(o)-*[1] + *-fon(o)-* + *-ia*[1].] *S. f. Med.* **1.** *Obsol.* Método de auscultação no qual, com uma orelha aplicada ao tórax do paciente, o médico escuta as vibrações provocadas por sua própria voz. **2.** Ressonância desconfortável da própria voz de quem fala, que ocorre em diversas lesões da orelha média.

autófono [De *aut(o)-*[1] + *-fono*.] *Adj.* Idiófono.

autofunção [De *aut(o)-*[1] + *função*.] *S. f.* **1.** *Mat.* Qualquer das funções *f* que satisfazem a equação $Af = cf$, na qual A é um operador linear e *c* é um número; função própria, função característica, eigenfunção. **2.** *Fís.* Função de onda associada a uma partícula e sobre a qual a ação de um operador que representa uma grandeza física observável como energia, momento angular, *spin*, resulta no espectro de valores possíveis (autovalores) para este observável; eigenfunção.

autogamia [De *aut(o)-*[1] + *-gam(o)-* + *-ia*[1].] *S. f.* **1.** *Biol.* Fusão de gametas do mesmo indivíduo; autofecundação. **2.** *Biol.* Fusão de dois núcleos haploides da mesma célula; automixia. **3.** *Bot.* Fertilização e fecundação de uma planta por meio de seu próprio pólen. [Cf., nesta acepç., *autopolinização*. Sin. ger.: *autofertilização*. Opõe-se a *alogamia*.]

autogâmico [De *autogamia* + *-ico*[2].] *Adj. Biol. Bot.* Relativo a, ou que se reproduz por autogamia; autógamo. [Opõe-se a *alogâmico*.]

autógamo [De *aut(o)-*[1] + *-gamo*.] *Adj. Biol. Bot.* Autogâmico. [Opõe-se a *alógamo*.]

autogênese *S. f. Biol.* V. *autogênese*. [Uso freq. em P.]

autogênese [De *aut(o)-*[1] + *-gênese*.] *S. f. Biol.* V. *abiogênese*.

autogenético [De *autogên(ese)* + *-ético*.] *Adj. Biol.* V. *abiogenético*.

autógeno [Do gr. *autogenés*.] *Adj. Biol.* Que se gera a si mesmo. ~ V. *solda* —*a*.

autogestão [De *aut(o)-*[1] + *gestão*.] *S. f. Econ.* Tipo de gestão em que todos os envolvidos participam das decisões administrativas em igualdade de condições. Normalmente ocorre quando os trabalhadores assumem a propriedade da organização.

autogestionário [De *autogestão* + *-ário*, seg. o padrão erudito.] *Adj.* Relativo à autogestão.

autogiro [De *aut(o)-*[1] + *giro*[1].] *S. m. Aer. Av.* Avião com rudimento de asas, cujo plano sustentador é uma hélice horizontal não motriz, e que sobe e desce em direção vertical.

autogolo *S. m. Lus.* Gol contra (q. v.).

autogovernar-se [De *aut(o)-*[1] + *governar* + *se*[1].] *V. p.* Governar a si mesmo; autorreger-se.

autografar [De *autógrafo* + *-ar*[2].] *V. t. d.* **1.** Apor autógrafo (2) a. **2.** Reproduzir por autografia. [Pres. ind.: *autografo*, etc. Cf. *autógrafo*.]

autografia [De *autógrafo* + *-ia*[1].] *S. f.* **1.** Processo de reprodução litográfica de autógrafos. **2.** Reprodução exata de um escrito. **3.** Técnica litográfica que consiste em desenhar a tinta ou lápis graxos em papel especial, o papel autográfico, de jeito que o trabalho possa ser transportado para a pedra ou para a placa de metal, geralmente com o fim de aí repetir a imagem, para mais rápida multiplicação, em uma só tiragem. **4.** Cada uma das reproduções assim transportadas.

autográfico [De *autografia* + *-ico*[2].] *Adj.* Relativo à autografia; autógrafo. ~ V. *papel* —.

autógrafo [Do gr. *autógraphos*, pelo lat. *autographu*.] *S. m.* **1.** Escrito do próprio autor. **2.** Assinatura ou grafia autêntica do próprio punho, original. [Antôn.: *apógrafo*.] ● *Adj.* **3.** Autográfico. [Cf. *autografo*, do v. *autografar*.]

autografomania [De *autógrafo* + *-mania*.] *S. f.* Mania de colecionar autógrafos.

autografomaníaco [De *autografomania* + *-íaco*.] *Adj.* **1.** Relativo a autografomania. **2.** Que tem autografomania; autografômano. ● *S. m.* **3.** Aquele que tem autografomania; autografômano.

autografómano *Adj. S. m.* V. *autografômano*. [Uso freq. em P.]

autografômano [De *autógrafo* + *-mano*[1].] *Adj. S. m.* Autografomaníaco (2 e 3).

auto-hemoterapia [De *aut(o)-*[1] + *hemoterapia*.] *S. f. Hemat.* Método terapêutico que consiste na injeção de sangue do próprio paciente. [Pl.: *auto-hemoterapias*.]

auto-hemoterápico [De *auto-hemoterapia* + *-ico*[2].] *Adj. Hemat.* Relativo a auto-hemoterapia. [Pl.: *auto-hemoterápicos*.]

auto-hemotransfusão [De *aut(o)-*[1] + *-(h)em(o)-* + *transfusão*.] *S. f. Hemat.* Transfusão de sangue em que se utiliza o sangue do próprio indivíduo. [Pl.: *auto-hemotransfusões*.]

auto-hipnose [De *aut(o)-*[1] + *hipnose*.] *S. f. Psiq.* Hipnose realizada pelo indivíduo em si mesmo.

auto-hipnótico [De *auto-hipn(ose)* + *-ótico*.] *Adj. Psiq.* Relativo à auto-hipnose.

auto-humilhação [De *aut(o)-*[1] + *humilhação*.] *S. f.* Humilhação que se causa a si mesmo.

autoico (ói) [De *aut(o)-*[1] + *-oico*[1].] *Adj.* **1.** *Biol.* Diz-se de parasita que tem apenas um hospedeiro durante o ciclo vital; monóxeno. [Cf. *heteroico* (1).] **2.** *Biol.* Diz-se de inflorescência cujas flores masculinas e femininas estão em diferentes ramos. [Cf., nesta acepç., *monoico*.] **3.** *Bot.* Diz-se de briófito que apresenta anterídios e arquegônios num mesmo indivíduo. [Cf., nesta acepç., *heteroico* (2).] ❖

autoimagem [De *aut(o)-*[1] + *imagem*.] *S. f.* A concepção que tem o indivíduo de si mesmo, ou a noção do seu próprio valor. ❖

autoimposição [De *aut(o)-*[1] + *imposição*.] *S. f.* Imposição feita por alguém a si mesmo. ❖

autoimune [De *aut(o)-*[1] + *imune*.] *Adj. 2 g. Imun.* Diz-se de reação que ocorre em um indivíduo contra tecido(s) dele mesmo. ❖

autoimunidade [De *aut(o)-*[1] + *imunidade*.] *S. f. Imun.* Num indivíduo, estado que se caracteriza por uma reação de autoanticorpos contra autoantígenos. ❖

autoimunitário *Adj. Imun.* Relativo à, ou próprio da autoimunidade. ❖

autoimunização [De *aut(o)-*[1] + *imunização*.] *S. f. Imun.* Produção, num indivíduo, de reação imunológica a tecido(s) dele próprio, e que, eventualmente, pode levar a doença; autossensibilização. ❖

autoincluir-se [De *aut(o)-*[1] + *incluir* + *se*[1].] *V. p.* Incluir(-se) a si mesmo. ❖

autoincompatibilidade [De *aut(o)-*[1] + *incompatibilidade*.] *S. f.* **1.** *Biol.* Autoesterilidade. **2.** *Bot.* Impossibilidade de autofecundação de planta que apresenta gametas viáveis, devido à ação inibidora de tecidos do estilete. ❖

autoindução [De *aut(o)-*[1] + *indução*.] *S. f. Fís.* **1.** O fenômeno da indução eletromagnética em que o campo magnético indutor é gerado pelo próprio circuito onde se estabelece a força eletromotriz induzida. **2.** *Impr.* V. *autoindutância*. ❖

autoindutância [De *aut(o)-*[1] + *indutância*.] *S. f. Fís.* Quociente da força contraeletromotriz gerada num condutor pela variação da corrente, na unidade de tempo, que circula no condutor. [Tb. se diz, impr., *autoindução*.] ❖

autoinfecção [De *aut(o)-*[1] + *infecção*.] *S. f. Patol.* Infecção produzida por germes que, já existentes num indivíduo, por período variável, sem produzir lesões, passam a causá-las, ou porque sua virulência se intensifica, ou porque a resistência do hospedeiro diminui. ❖

autoinoculação [De *aut(o)-*[1] + *inoculação*.] *S. f. Med. Imun.* Inoculação de germes provenientes do organismo do próprio indivíduo. ❖

autoinstrução [De *aut(o)-*[1] + *instrução*.] *S. f.* Método de aprendizagem em que o aluno, utilizando material instrucional adequado, estuda sem participação direta de professor e em conformidade com seu próprio ritmo ou sua disponibilidade. ❖

autointoxicação (cs) [De *aut(o)-*[1] + *intoxicação*.] *S. f. Med.* Intoxicação por substância nociva formada no organismo do próprio paciente. ❖

autólatra [De *aut(o)-*[1] + *-latra*.] *Adj. 2 g. S. 2 g.* Que, ou quem tem autolatria.

autolatria [De *aut(o)-*[1] + *-latria*.] *S. f.* **1.** Culto de si mesmo. **2.** Amor-próprio excessivo.

autolátrico [De *autolatria* + *-ico*[2].] *Adj.* Relativo à autolatria.

autolimitação [De *aut(o)-*[1] + *limitação*.] *S. f.* Restrição imposta a si mesmo.

autolimitar-se [De *aut(o)-*[1] + *limitar* + *se*[1].] *V. p.* Estabelecer limites para si mesmo.

autolimpante [De *aut(o)-*[1] + *limpante*.] *Adj. 2 g.* Diz-se daquilo que limpa a si mesmo, ou que viabiliza ou possibilita a própria limpeza: *forno autolimpante, tinta autolimpante, vidro autolimpante*.

autólise [De *aut(o)-*[1] + *-lise*.] *S. f. Citol.* Destruição de célula por suas enzimas, ger. devido a morte de animal ou remoção de tecido.

autolítico [De *autól(ise)* + *-ítico*.] *Adj. Patol.* Relativo à autólise.

autolocadora (ô) [De *aut(o)-*[2] + *locadora*.] *S. f.* Estabelecimento em que se alugam veículos automóveis.

autologamia *S. f. Biol.* V. *autalogamia*.

autologâmico *Adj.* V. *autalogâmico*.

autológamo *Adj.* V. *autalógamo*.

autológico [De *aut(o)-*[1] + *-log(o)-* + *-ico*[2].] *Adj. Lóg.* Diz-se de termo, ou locução, que se refere a si mesmo, como, p. ex., o termo *predicável*, que é predicável. [Opõe-se a *heterológico*.]

autólogo [De *aut(o)-*[1] + *-logo*.] *Adj.* **1.** Relativo ao próprio indivíduo. **2.** Relativo a substâncias ou a formações anatômicas do próprio organismo do indivíduo.

autolotação [De *aut(o)-*[2] + *lotação*.] *S. m. Bras.* Automóvel, geralmente de praça, us. no transporte coletivo, e que cobra determinada quantia, individualmente, aos passageiros. [F. red., e muito m. us.: *lotação*.]

automação [Do ingl. *automation*.] *S. f. Automat.* Sistema automático pelo qual os mecanismos controlam seu próprio funcionamento, quase sem a interferência do homem. [Seria preferível a f. *automatização* (q. v.).]

automalha *S. f. Eng. Elétr.* Malha[1] (9) constituída de um único ramo.

automasturbação [De *aut(o)-*[1] + *masturbação*.] *S. f.* Masturbação praticada em si próprio. [Cf. *heteromasturbação*.]

automática [F. subst. de *automático*.] *S. f.* Pistola automática (q. v.).

automático [Do gr. *autómatos*, 'que age por si mesmo', + *-ico*[2]; fr. *automatique*.] *Adj.* **1.** Próprio de autômato. **2.** Que se move, regula ou opera por si mesmo: *máquina automática*. **3.** Que se realiza por meios mecânicos. **4.** *Fig.* Praticado sem a intervenção da vontade ou da inteligência, ou pela força do hábito; inconsciente, involuntário, maquinal: *Alisou com as mãos os cabelos num gesto automático de vaidade*. ~ V. *arma —a*, *caneta —a*, *chuveiro —*, *margeação —a*, *piloto —*, *pistola —a* e *porta —a*. ◆ **Automático da morsa.** *Tip.* Dispositivo que interrompe a marcha do mecanismo de fundição da linotipo quando, por defeito qualquer, o primeiro elevador não repousa convenientemente na plataforma.

automatismo [Do gr. *automatismós*.] *S. m.* **1.** Qualidade ou estado do que é automático. **2.** Movimento inconsciente, involuntário. **3.** Falta de vontade própria. **4.** Atividade literária ou artística exercida sob a influência exclusiva do subconsciente. [Cf., nesta acepç., *surrealismo*.] **5.** *Psic.* Prática de atos de tipo não reflexo, sem orientação consciente por parte daquele que os executa.

automatização [De *automatizar* + *-ção*.] *S. f.* **1.** Ato ou efeito de automatizar. **2.** *Automat.* V. *automação*.

automatizado [Part. de *automatizar*.] *Adj.* **1.** Tornado automático. **2.** Em que se operou automatização (2).

automatizar [Do gr. *automatízein*.] *V. t. d.* **1.** Tornar automático. **2.** Prover de (automação). *P.* **3.** Comportar-se de modo semelhante ao de um autômato (3).

autómato *S. m.* V. *autômato*. [Uso freq. em P.]

autômato [Do gr. *autómatos*, pelo lat. *automatu*.] *S. m.* **1.** Maquinismo que se põe em movimento por meios mecânicos. **2.** Aparelho que imita os movimentos humanos. **3.** *Fig.* Pessoa que age como máquina, sem raciocínio e sem vontade própria. [Cf., nesta acepç., *fantoche* (3).] **4.** *Inform.* Mecanismo teórico desenvolvido para estudo das linguagens de programação e suas gramáticas. **5.** *Inform.* Programa ou rotina que executa algoritmos.

automedicação [De *automedicar(-se)* + *-ção*.] *S. f.* Ato ou efeito de automedicar-se.

automedicamentoso (ô) *Adj.* Relativo a automedicação.

automedicar-se [De *aut(o)-*[1] + *medicar* + *se*[1].] *V. p.* Medicar a si mesmo: "É preciso não esquecer .... os doentes que se automedicam, e que só se satisfazem quando tomam vários remédios" (Carlos Drummond de Andrade, em *Jornal do Brasil*, 02.08.1980).

automedonte [Do mit. gr. *Automédon, ontos*, cocheiro de Aquiles.] *S. m.* Cocheiro hábil.

autometamorfismo [De *aut(o)-*[1] + *metamorfismo*.] *S. m. Geol.* Conjunto de processos de que resultam modificações mineralógicas nas rochas eruptivas solidificadas, pela influência de soluções residuais que emanam dessas rochas.

automisofobia [De *aut(o)-*[1] + *misofobia*.] *S. f. Psiq.* Horror patológico à sujeira pessoal.

automisofóbico [De *automisofobia* + *-ico*[2].] *Psiq. Adj.* **1.** Relativo a automisofobia. **2.** Que sofre de automisofobia; automisófobo. ● *S. m.* **3.** Aquele que sofre de automisofobia; automisófobo.

automisófobo [De *aut(o)-*[1] + *misófobo*.] *Adj. S. m. Psiq.* Automisofóbico (2 e 3).

automixia (cs) [De *aut(o)-*[1] + *-mix(o)-*[1] + *-ia*[1].] *S. f. Biol.* Autogamia.

automobilismo [De *automóvel* + *-ismo*, seg. o padrão erudito.] *S. m.* **1.** Sistema de viação por meio de veículos automóveis. **2.** Esporte que se pratica com automóveis.

automobilista [De *automobilismo* + *-ista*.] *S. 2 g.* Pessoa que se dedica ao automobilismo (2).

automobilístico [De *automobilista* + *-ico*[2].] *Adj.* Relativo ou pertencente ao automobilismo.

automonitoração [De *aut(o)-*[1] + *monitoração*.] *S. f. Adm.* Capacidade de o indivíduo monitorar suas próprias ações com o intuito de aproximá-las do que dele é esperado.

automórfico [De *automorfismo* + *-ico*[2], seg. o padrão erudito.] *Adj. Geol.* Diz-se da rocha que apresenta automorfismo (2). ~ V. *função —a*.

automorfismo [Do gr. *autómorphos*, 'que deve a si mesmo a sua forma', + *-ismo*.] *S. m.* **1.** *Álg.* Isomorfismo de um conjunto sobre si próprio. **2.** *Geol.* Alteração de uma rocha magmática sob influência de líquidos residuais do próprio magma. ◆ **Automorfismo recíproco.** *Álg.* Antiautomorfismo.

automotivo [De *aut(o)-*[1] + *motivo* (1).] *Adj.* **1.** Dotado de mecanismo ou sistema autopropulsionado. **2.** De, relativo a, ou referente a veículos ou máquinas autopropulsionadas (como, p. ex., aviões, automóveis, barcos a motor, etc.). ~ V. *motor —*.

automotor (ô) [De *aut(o)-*[1] + *motor*.] *Adj.* **1.** V. *automóvel* (1). ● *S. m.* **2.** Aparelho ou instrumento que move certa(s) peça(s) por meios automáticos. **3.** V. *automóvel* (4).

automotriz [De *aut(o)-*[1] + *motriz*.] *S. f.* Carro ferroviário dotado de motor próprio. [Sin., bras.: *litorina*.]

automóvel [De *aut(o)-*[1] + *-móvel*.] *Adj. 2 g.* **1.** Que se locomove por seus próprios meios. **2.** Diz-se de veículo que se move mecanicamente, especialmente a motor de explosão (q. v.). **3.** Relativo aos veículos automóveis ou próprio deles: "O tráfego automóvel foi substituído pelo rumor mais convivial das multidões que continuam a circular" (João Maria Mendes, *A Mulher do Terrorista*, p. 101). ● *S. m.* **4.** Veículo automóvel destinado ao transporte de passageiros ou carga. [Sin.: *carro* e (bras., inf.) *bi-bi*. F. red.: *auto*[2].] ◆ **Automóvel conversível.** Conversível (4). **Automóvel de praça.** O que fica estacionado, ou circulando nas vias públicas, à disposição do freguês; carro de praça.

autónimo *Adj.* V. *autônimo*. [Uso freq. em P.]

autônimo [De *aut(o)-*[1] + *-ônimo*.] *Adj.* Diz-se da obra assinada com o nome do seu autor, ou do autor que assinou sua obra com seu verdadeiro nome. [Antôn.: *pseudônimo*. Cf. *antônimo*.]

autonomia [Do gr. *autonomía*.] *S. f.* **1.** Faculdade de se governar por si mesmo. **2.** Direito ou faculdade de se reger (uma nação) por leis próprias. **3.** Liberdade ou independência moral ou intelectual. **4.** Distância máxima que um veículo, um avião ou um navio pode percorrer sem se reabastecer de combustível. **5.** *Ét.* Condição pela qual o homem pretende poder escolher as leis que regem sua conduta [Cf., nesta acepç., *autodeterminação* (2), *heteronomia* (2) e *liberdade* (11)]. **6.** *Pedag.* Modo de ensino, baseado em princípios da filosofia freiriana, a qual visa a emancipação intelectual e a aprendizagem com liberdade e autonomia.

autonómico *Adj.* V. *autônomo*. [Uso freq. em P.]

autonômico [De *autonomia* + *-ico*[2].] *Adj. P. us.* Autônomo (1).

autonomista [De *autonomia* + *-ista*.] *Adj. 2 g. S. 2 g.* Partidário da autonomia (2, 3 e 5).

autonomizar [De *autônomo* + *-izar.*] ***V. t. d.*** **1.** Dar autonomia a. ***P.*** **2.** Tornar-se autônomo.

autónomo ***Adj. S. m.*** V. *autônomo.* [Uso freq. em P.]

autônomo [Do gr. *autónomos.*] ***Adj.*** **1.** Que goza de autonomia; autonômico. **2.** Diz-se de qualquer ato vital, ou movimento, que se realiza sem intervenção de forças ou agentes externos. ~ V. *guiamento —, sistema nervoso —, trabalhador —* e *veículo —.* ● ***S. m.*** **3.** Trabalhador autônomo.

auto-ônibus [De *aut(o)-*^{2} + lat. *omnibus,* 'para todos'.] ***S. m. 2 n.*** V. *ônibus.*

auto-oscilação [De *aut(o)-*^{1} + *oscilação.*] ***S. f.*** *Eletrôn.* Oscilação parasita incontrolável de um circuito eletrônico, devida a condições fortuitas, não desejadas, de seu funcionamento. [Pl.: *auto-oscilações.*]

autopatrol [De *aut(o)-*^{2} + *patrol.*] ***S. f.*** Motoniveladora. [Pl.: *autopatróis.*]

autopeça [De *aut(o)-*^{2} + *peça.*] ***S. f.*** **1.** Peça ou acessório para veículo automóvel. **2.** *P. ext.* Estabelecimento onde se vendem autopeças.

autopesador (ô) [De *aut(o)-*^{1} + *pesador.*] ***S. m.*** Balança que indica o peso automaticamente.

autopiedade [De *aut(o)-*^{1} + *piedade.*] ***S. f.*** Piedade de si mesmo: "sentia as lágrimas escorrerem pelo seu rosto, numa crise de autopiedade que podia ir até aos soluços." (Lúcia Bittencourte, *A Secretária de Borges,* p. 81).

autopista [De *aut(o)-*^{2} + *pista.*] ***S. m.*** Autoestrada.

autoplastia [De *aut(o)-*^{1} + *-plast(o)-* + *-ia*^{1}.] ***S. f.*** *Cir.* Método que consiste em substituir uma parte destruída ou defeituosa, retirando do próprio corpo a matéria necessária para esta restauração. [Cf. *anaplastia.*]

autoplástico [De *autoplastia* + *-ico*^{2}.] ***Adj.*** *Cir.* Relativo à autoplastia. [Cf. *anaplásico*^{2}.]

autoploide (ói) [De *aut(o)-*^{1} + *-ploide.*] ***Adj. 2 g.*** *Citol. Genét.* Autopoliploide. ❖

autoploidia [De *autoploide* + *-ia*^{1}.] ***S. f.*** *Citol. Genét.* Autopoliploidia.

autopolinização [De *aut(o)-*^{1} + *polinização.*] ***S. f.*** *Bot.* Polinização de estigma pelo pólen do mesmo indivíduo. [Cf. *autogamia.*]

autopoliploide (ói) [De *aut(o)-*^{1} + *poliploide.*] ***Adj. 2 g.*** *Citol. Genét.* Diz-se de célula ou organismo poliploide que se origina da multiplicação de um conjunto básico de cromossomos; autoploide. [Opõe-se a *alopoliploide.*] ❖

autopoliploidia [De *autopoliploide* + *-ia*^{1}.] ***S. f.*** *Citol. Genét.* Condição de célula ou de organismo autopoliploide; autoploidia.

autoportante [De *aut(o)-*^{1} + *portante.*] ***Adj. 2 g.*** *Tec.* Diz-se de peça que tem rigidez mecânica suficiente para sustentar-se com apoio em uma só extremidade.

autopreservação [De *aut(o)-*^{1} + *preservação.*] ***S. f.*** Preservação, esp. a instintiva, de si mesmo.

autopreservar-se [De *aut(o)-*^{1} + *preservar* + *se*^{1}.] ***V. p.*** Preservar a si mesmo; resguardar-se.

autopreservativo [De *autopreservar-se* + *-tivo.*] ***Adj.*** Em que há, ou que se caracteriza por autopreservação.

autoprodução [De *aut(o)-*^{1} + *produção.*] ***S. f.*** *Econ.* Produção (de mercadorias e serviços) para uso do próprio produtor.

autoprodutor (ô) [De *aut(o)-*^{1} + *produtor.*] ***S. m.*** *Econ.* Aquele que produz para uso próprio: "Projeto de Decreto .... regulamenta a produção de energia elétrica por produtor independente ou autoprodutor." (*Gazeta Mercantil,* 12.09.1996, p. A-9.)

autopromoção [De *aut(o)-*^{1} + *promoção*^{2}.] ***S. f.*** Ação de autopromover-se.

autopromover-se [De *aut(o)-*^{1} + *promover*^{2} + *se*^{1}.] ***V. p.*** V. *promover*^{2} (2).

autopropulsado [De *aut(o)-*^{1} + *propulsar* + *-ado*^{1}.] ***Adj.*** Autopropulsionado.

autopropulsão [De *aut(o)-*^{1} + *propulsão.*] ***S. f.*** Propulsão autônoma.

autopropulsionado [De *autopropulsão* + *-ado*^{1}, seg. o padrão erudito.] ***Adj.*** Diz-se do veículo que se locomove com seus próprios meios; autopropulsado.

autopsia [Do gr. *autopsía.*] ***S. f.*** Autópsia (q. v.). [Cf. *autopsia,* do v. *autopsiar.*]

autópsia [Var. pros. de *autopsia.*] ***S. f.*** **1.** Exame de si mesmo. **2.** *Med. Impr.* Necropsia.

autopsiar [De *autópsia* + *-ar*^{2}.] ***V. t. d.*** *Impr.* Necropsiar. [Pres. ind.: *autopsio, autopsias, autopsia,* etc. Cf. *autópsia.*]

autopsicoterapia [De *aut(o)-*^{1} + *psicoterapia.*] ***S. f.*** *Psiq.* Psicoterapia realizada em si mesmo, mediante procedimentos tais como desenvolvimento de autocontrole e de domínio da vontade.

autóptico ***Adj.*** Relativo a autópsia.

autopunição [De *aut(o)-*^{1} + *punição.*] ***S. f.*** Punição que alguém dá a si mesmo.

autopunitivo [De *aut(o)-*^{1} + *punitivo.*] ***Adj.*** Que tem o caráter de autopunição.

autor (ô) [Do lat. *auctore.*] ***S. m.*** **1.** A causa principal, a origem de: *o autor do Universo.* **2.** Inventor, descobridor: *o autor do sistema de propulsão a jato.* **3.** Criador, instituidor, fundador: *o autor do protestantismo.* **4.** Criador de obra artística, literária ou científica. **5.** O responsável por um empreendimento, um projeto, um plano: *Ele é o autor da nova iluminação nas praias.* **6.** O praticante de uma ação; agente. **7.** *Dir. Proc.* Aquele que figura no polo ativo de uma relação processual tanto civil como penal; demandante, acusador. **8.** *Dir. Penal* Agente de um delito ou contravenção. ◆ **Autor coletivo.** *Bibliogr. Bibliot.* Pessoa jurídica considerada como autor: sociedade, repartição, congresso, etc. **Autor dramático.** *Teatr.* Dramaturgo. **O autor dos seus dias.** O pai (ou a mãe), em relação aos filhos.

autoral [De *autor* + *-al*^{1}.] ***Adj. 2 g.*** De, ou relativo, ou próprio de autor (4). ~ V. *direito —.*

autorama [De *aut(o)-*^{2} + *-orama.*] ***S. m.*** Miniatura de pista automobilística em que carros de brinquedo disputam corridas: "bonecas, carrinhos de pilha, autoramas e outros brinquedos" (*Correio da Manhã,* 17.12.1969).

autoria [De *autor* + *-ia*^{1}.] ***S. f.*** **1.** Qualidade ou condição de autor. **2.** Presença do autor numa audiência. **3.** Condição ou qualidade de autor (8): *identificar a autoria do crime.*

autoridade [Do lat. *auctoritate.*] ***S. f.*** **1.** Direito ou poder de se fazer obedecer, de dar ordens, de tomar decisões, de agir, etc. **2.** Aquele que tem tal direito ou poder. **3.** Os órgãos do poder público. **4.** Aquele que tem por encargo fazer respeitar as leis; representante do poder público. **5.** Poder atribuído a alguém; domínio: *autoridade paterna.* **6.** Influência, prestígio; crédito. **7.** Indivíduo de competência indiscutível em determinado assunto: *F. é uma autoridade em física nuclear.* **8.** Permissão, autorização. **9.** *Adm.* Direito ou capacidade de comandar que funciona como a base de uma organização hierarquizada. ◆ **Autoridade formal.** *Adm.* Poder ou faculdade concedido por uma organização a um funcionário que nela exerce função de chefia em relação a outros funcionários.

autoritário [Do lat. *auctoritas* (nom.), 'autoridade', + *-ário.*] ***Adj.*** **1.** Relativo a autoridade. **2.** Que se baseia na autoridade; despótico: *sistema autoritário de governo.* **3.** Que procura impor-se pela autoridade: *É um pai autoritário.* **4.** Altivo, impositivo, dominador, arrogante. **5.** Impetuoso, violento, impulsivo. ~ V. *democracia —a.*

autoritarismo [De *autoritário* + *-ismo.*] ***S. m.*** Regime político que postula o princípio da autoridade, aplicada com frequência em detrimento da liberdade individual; despotismo, ditatorialismo.

autoritarista [De *autoritarismo* + *-ista.*] ***Adj. 2 g.*** **1.** Relativo ao, ou sectário do autoritarismo. ● ***S. 2 g.*** **2.** Pessoa autoritarista.

autorização [De *autorizar* + *-ção.*] ***S. f.*** **1.** Ato ou efeito de autorizar. **2.** Consentimento expresso; permissão. **3.** *P. ext.* Registro escrito de autorização (2): *Só poderei fazer o pagamento se apresentar a respectiva autorização.*

autorizada [F. substv. de *autorizado.*] ***S. f.*** Empresa contratada pelo fabricante (3) ou pela distribuidora (2) para, em seu nome, consertar e/ou trocar um produto (ger. aparelho, máquina, automóvel, etc.) de sua marca.

autorizadamente [Do f. de *autorizado* + *-mente.*] ***Adv.*** **1.** De modo autorizado; com autorização. **2.** Com autoridade.

autorizado ***Adj.*** **1.** Que tem autoridade ou autorização. **2.** Digno de respeito e crédito. ~ V. *capital —, edição —a.* [Part. de *autorizar.*]

autorizador (ô) [De *autorizar* + *-dor.*] ***Adj. S. m.*** Que, ou aquele que autoriza.

autorizar [Do lat. med. *auctorizare.*] ***V. t. d.*** **1.** Dar ou conferir autoridade ou poder a: "Esta doutrina sólida .... é o marfim antigo, cuja cor, por antiga, rubicunda, autoriza, enobrece .... os nossos Nazarenos" (Pe. Manuel Bernardes, *Nova Floresta,* V, p. 213). **2.** Dar, conceder autorização, permissão, licença para; consentir expressamente em; permitir: *Autorizou a publicação de suas obras completas.* **3.** Validar; confirmar, corroborar: *Seu procedimento não autoriza as suspeitas quanto à sua probidade.* **4.** Abonar; fundamentar: *O emprego de neologismo por um bom escritor autoriza o seu uso.* **5.** Dar pretexto para; justificar, abonar. ***T. d. e i.*** **6.** Dar, conferir autorização, permissão: *Autorizei-o a sair.* ***P.*** **7.** Justificar-se, abonar-se. **8.** Adquirir ou arrogar a si autoridade, ou apoiar-se nela.

autorizável [De *autorizar* + *-vel.*] ***Adj. 2 g.*** Que se pode autorizar.

autorradiografia [De *aut(o)-*^{1} + *radiografia.*] ***S. f.*** *Med. Nucl.* Técnica utilizada para determinar a presença e distribuição de substâncias radiativas numa amostra, e que se baseia na sensibilização de uma chapa fotográfica pelas radiações dessa amostra. ❖

autorradiográfico [De *autorradiografia* + *-ico*^{2}.] ***Adj.*** *Med. Nucl.* Relativo à autorradiografia. ❖

autorregeneração [De *aut(o)-*^{1} + *regeneração.*] ***S. f.*** Ação de autorregenerar-se. ❖

autorregenerar-se [De *aut(o)-*^{1} + *regenerar* + *se*^{1}.] ***V. p.*** Reconstituir-se, regenerar-se, vivificar-se: "o programa tem como objetivo criar condições para que a própria baía [da Guanabara] se autorregenere." ("Revista de Domingo", em *Jornal do Brasil,* 23.05.1982). ❖

autorreger-se [De *aut(o)-*^{1} + *reger* + *se*^{1}.] ***V. p.*** Autogovernar-se. ❖

autorregulamentação [De *autorregulamentar(-se)* + *-ção.*] ***S. f.*** Ato ou efeito de autorregulamentar-se.

autorregulamentar-se [De *aut(o)-1* + *regulamentar*^{2} + *se*^{1}.] ***V. p.*** Estabelecer os próprios regulamentos.

autorregular-se [De *aut(o)-*^{1} + *regular*^{2} + *se*^{1}.] ***V. p.*** Estabelecer as próprias regras: "O governo suíço admitiu ter perdido a confiança na capacidade de as indústrias químicas se autorregularem e prometeu mudar a legislação para controlar seu funcionamento, após o acidente que poluiu o rio Reno." (*Jornal do Brasil,* 15.11.1986.) ❖

autorreplicação [De *aut(o)-*^{1} + *replicação.*] ***S. f.*** *Genét.* Capacidade de um elemento genético de controlar a sua própria duplicação. ❖

autorreplicar-se [De *aut(o)-*^{1} + *replicar* + *se*^{1}.] ***V. p.*** *Genét.* Reproduzir-se por autorreplicação. ❖

autorreplicável [Do *aut(o)-*^{1} + *replicável.*] ***Adj. 2 g.*** *Genét.* Que se pode autorreplicar. [Pl.: *autorreplicáveis.*] ❖

autorrespeito [De *aut(o)-*^{1} + *respeito.*] ***S. m.*** Respeito de si próprio. ❖

autorretrato [De *aut(o)-*^{1} + *retrato*^{1}.] ***S. m.*** Retrato de um indivíduo feito por ele próprio. ❖

autorrevelação [De *aut(o)-*^{1} + *revelação.*] ***S. f.*** Ato ou efeito de autorrevelar-se.

autorrevelar-se [De *aut(o)-*^{1} + *revelar-se.*] ***V. p.*** Revelar a própria identidade.

autos [Pl. de *auto*^{1}.] ***S. m. pl.*** Conjunto ordenado das peças de um processo. ~ V. *auto*^{1}. ◆ **Estar pelos autos.** Concordar. **Não estar pelos autos.** Não estar de acordo, não concordar: "O Marcos, contudo, não estava pelos autos, apesar da promessa do Luz de presenteá-lo com um par novo, caso não fosse encontrado o pé que faltava." (Cardoso de Oliveira, *Dois Metros e Cinco,* p. 296.) [Tb. se usa na f. afirmativa.]

autositário [De *autosito* + *-ário.*] ***Adj.*** *Ter.* Relativo ao autosito.

autosito [Do gr. *autósitos,* 'que se alimenta à sua custa'.] ***Adj. S. m.*** *Ter.* Diz-se de, ou o maior e mais desenvolvido de dois fetos gêmeos unidos que provê o outro, dito *parasítico.*

autosmia [De *aut(o)-*^{1} + *-osm(o)-*^{1} + *-ia*^{1}.] ***S. f.*** *Neur.* Percepção do cheiro do próprio corpo.

autósporo [De *aut(o)-*^{1} + *-sporo.*] ***S. m.*** *Bot.* Esporo assexuado e imóvel que adquire os caracteres da célula vegetativa adulta já antes de sair do esporângio. Ocorre em certas algas verdes.

autosporulação [De *autosporular* + *-ção.*] ***S. f.*** *Bot.* Produção de autósporos.

autosporular [De *aut(o)-*^{1} + *espórulo* + *-ar*^{2}.] ***V. int.*** *Bot.* Produzir autósporos.

autossegmental [De *auto(nomia)* + *segmento* + *-al*^{1}.] ***Adj. 2 g.*** *E. Ling.* ~ V. *fonologia —.* ❖

autossensibilização [De *aut(o)-*^{1} + *sensibilização.*] ***S. f.*** *Imun.* Autoimunização. ❖

autosserviço [De *aut(o)-*^{1} + *serviço.*] ***S. m.*** *Mercad.* **1.** Sistema em que o próprio consumidor ou usuário se serve (em restaurante, supermercado, posto de gasolina, etc.) e paga em caixa ou utiliza mecanismo operado por moeda, ficha, cartão eletrônico, etc. **2.** Restaurante, supermercado, posto de gasolina, etc. que adota esse sistema. [Sin. ger. (ingl.): *self-service.*] ❖

autossofrimento [De *aut(o)-*^{1} + *sofrimento.*] ***S. m.*** Sofrimento que se causa a si mesmo. ❖

autossómico ***Adj.*** V. *autossômico.* [Uso freq. em P.]

autossômico [De *autossomo* + *-ico*^{2}.] ***Adj.*** *Citol. Genét.* Relativo ao autossomo.

autossomo [De *aut(o)-*^{1} + *-somo.*] ***S. m.*** *Citol. Genét.* Qualquer cromossomo, à exceção dos cromossomos sexuais.

autossoro (ô) [De *aut(o)-*^{1} + *soro* (ô).] ***S. m.*** *Terap.* Soro preparado com material colhido no próprio paciente. ❖

autossubsistência [De *aut(o)-*^{1} + *subsistência.*] ***S. f.*** Capacidade de um indivíduo, um grupo social, um país, etc., de prover a própria subsistência. ❖

autossuficiência [De *aut(o)-*^{1} + *suficiência.*] ***S. f.*** Qualidade de autossuficiente. ❖

autossuficiente [De *aut(o)-*^{1} + *suficiente.*] ***Adj. 2 g.*** Que se basta a si mesmo. ❖

autossugestão [De *aut(o)-*^{1} + *sugestão.*] ***S. f.*** *Psic.* Sugestão (6) que alguém exerce sobre si próprio. ❖

autossugestionar-se [De *aut(o)-*^{1} + *sugestionar* + *se*^{1}.] ***V. p.*** Sugestionar a si mesmo. ❖

autossugestionável [De *aut(o)-*[1] + *sugestionável*.] *Adj. 2 g.* Diz-se de pessoa sujeita a autossugestão. ❖

autossustentável [De *aut(o)-*[1] + *sustentável*.] *Adj. 2 g.* Capaz de sustentar-se [v. *sustentar* (17)] por si mesmo. ❖

autotélico [Do gr. *autotelés*, 'completo em si mesmo', + *-ico*[2].] *Adj. Filos.* Diz-se do que não tem finalidade ou sentido além ou fora de si. Ex.: a arte pela arte. [Opõe-se a *heterotélico*.]

autoterapia [De *aut(o)-*[1] + *-terapia*.] *S. f. Med.* **1.** Tratamento de si mesmo. **2.** Cura espontânea duma doença.

autoterápico [De *autoterapia* + *-ico*[2].] *Adj. Med.* Relativo à autoterapia.

autotetraploide (ói) [De *aut(o)-*[1] + *-tetr(a)-* + *-ploide*.] *Adj. 2 g. Citol. Genét.* Diz-se do indivíduo poliploide resultante da duplicação da guarnição cromossômica de um indivíduo não híbrido. ❖

autotetraploidia [De *autotetraploide* + *-ia*[1].] *S. f. Citol. Genét.* Condição de indivíduo autotetraploide.

autotipia [De *aut(o)-*[1] + *-tip(o)-* + *-ia*[1].] *S. f. Fotograv.* **1.** Processo de fotogravura em relevo no qual, para reprodução de originais em que há meios-tons, como nas fotografias comuns, a imagem é focada através de retícula, que a decompõe em pontos minúsculos, de tamanho variável, segundo a gradação de tons do original. **2.** Placa que se gravou por esse processo; clichê a meio-tom, clichê a meia-tinta, clichê de retícula. **3.** Estampa reproduzida dessa placa. ◆ **Autotipia combinada.** *Fotograv.* A que contém partes fotografadas a traço; clichê combinado. **Autotipia de alto-contraste.** *Fotograv.* A que contém áreas inteiramente desprovidas de pontos. **Autotipia dúplex.** *Fotograv.* **1.** Processo de impressão com duas autotipias obtidas do mesmo original monocromo, ou com uma autotipia e um chapado, imprimindo-se, em geral, o primeiro elemento em preto e o segundo em cor; dublê. **2.** Estampa obtida por esse processo. **Autotipia esfumada.** *Fotograv.* Aquela cujo fundo, mediante retoque, se atenua na direção das margens. **Autotipia recortada.** *Fotograv.* Aquela cujo fundo se elimina para fazer a imagem destacar-se no papel, como uma figura recortada; clichê recortado.

autotípico [De *aut(o)-*[1] + *-tip(o)-* + *-ico*[2].] *Adj.* ~ V. *rotogravura — a.*

autotitular-se [De *aut(o)-*[1] + *titular*[2] + *se*[1].] *V. p.* Chamar a si mesmo; intitular-se: 📖 "Disse-me que se autotitulara Poeta da Flor" (Carlos Drummond de Andrade, *Caminhos de João Brandão*, p. 32).

autotomia [De *aut(o)-*[1] + *-tom(o)-* + *-ia*[1].] *S. f. Zool.* Mutilação espontânea que se observa em certos animais (crustáceos, insetos, etc.), como recurso para escaparem ao inimigo que os procura reter.

autotoxemia (cs) [De *aut(o)-*[1] + *toxemia*.] *S. f. Med.* Toxemia por matéria proveniente do corpo do próprio paciente.

autotóxico (cs) [De *aut(o)-*[1] + *-tóxico*.] *Adj. Med.* Diz-se de substância produzida por um indivíduo e que tem ação tóxica sobre ele próprio.

autotoxicose (cs) [De *aut(o)-*[1] + *-toxic(o)-* + *-ose*[1].] *S. f. Med.* Envenenamento por material produzido pelo próprio corpo.

autotoxina (cs) [De *aut(o)-*[1] + *toxina*.] *S. f. Med.* Toxina gerada no próprio corpo.

autotransformação [De *aut(o)-*[1] + *transformação*.] *S. f.* Transformação de si mesmo.

autotransformador (ô) [De *aut(o)-*[1] + *transformador*.] *S. m. Eng. Eletrôn.* Transformador em que parte do enrolamento é comum aos circuitos primário e secundário.

autotransfusão [De *aut(o)-*[1] + *transfusão*.] *S. f. Med.* **1.** Transfusão em que o sangue transfundido é o do próprio indivíduo, tendo sido retirado como doação rotineira, ou obtido no curso de intervenção cirúrgica a que se está submetendo ou a que se submeteu. **2.** *Med. Impr.* Compressão dos quatro membros, mediante o uso de faixas de borracha ou de outro material adequado e executada da extremidade para a raiz de cada membro, proporcionando, assim, refluxo de sangue para a irrigação de órgãos vitais (cérebro, coração, rins, etc.).

autotransplante [De *aut(o)-*[1] + *transplante*.] *S. m. Cir. Imun.* Transplante de uma parte do organismo para outra parte dele mesmo.

autotrofia [De *aut(o)-*[1] + *-trofia*.] *S. f. Biol.* Condição de autótrofo. [C.f. *heterotrofia*.]

autotrófico [De *autotrofia* + *-ico*[2].] *Adj. Biol.* Diz-se de organismos, como, por ex., plantas verdes, capazes de sintetizar o próprio alimento, a partir de fontes inorgânicas simples, como, por ex., dióxido de carbono, água e nitratos. [C.f. *heterotrófico*.]

autotrofismo [De *autotrófico* + *-ismo*, seg. o padrão erudito.] *S. m. Biol.* Propriedade dos organismos autotróficos.

autotrófito [De *autotró(fico)* + *-fito*.] *S. m. Biol.* Organismo autotrófico. [Opõe-se a *heterotrófito*.]

autótrofo [De *aut(o)-*[1] + *-trofo*.] *Adj.* *S. m. Biol.* Diz-se de, ou organismo autotrófico. [Cf. *heterótrofo*.]

autovacina [De *aut(o)-*[1] + *vacina*.] *S. f. Terap.* Vacina produzida a partir de cultura de germes obtidos de um indivíduo a quem ela será ministrada com objetivo terapêutico.

autovacinação [De **autovacinar* (< *autovacina* + *-ar*[2]) + *-ção*.] *S. f. Terap.* Ministração de autovacina.

autovalor (ô) [De *aut(o)-*[1] + *valor*.] *S. m.* **1.** *Mat.* Qualquer dos valores que definem as autofunções de uma equação diferencial ou integral; valor próprio, valor característico, eigenvalor. **2.** *Álg.* Qualquer raiz da equação característica de uma matriz; valor próprio, valor característico, eigenvalor, raiz característica, raiz latente. **3.** *Fís.* Valor observável de grandeza física como energia, momento angular, *spin*, obtido pela ação de um operador que representa esta grandeza sobre uma função de onda que é autofunção deste operador; eigenvalor.

autovalorizar-se [De *aut(o)-*[1] + *valorizar* + *se*[1].] *V. p.* Dar valor, ou grande valor a; valorizar-se.

autovetor (ô) [De *aut(o)-*[1] + *vetor*.] *S. m. Mat.* **1.** Qualquer dos vetores *v* que satisfazem a equação A*v* = *c*.*v*, na qual A é um operador linear (p. ex., uma matriz) e *c* é um número; eigenvetor. [Diz-se que *v* é um autovetor de A.] **2.** *Fís.* Autofunção (2) definida em um espaço vetorial.

autovia [De *aut(o)-*[2] + *via*.] *S. f.* V. *rodovia*.

autozigótico [De *autozigoto* + *-ico*[2].] *Adj. Genét.* Relativo ao autozigoto.

autozigoto (ó ou ô) [De *aut(o)-*[1] + *-zigoto*.] *S. m. Genét.* Indivíduo que possui um par de alelos originário de um mesmo gene, normalmente em decorrência de endocruzamento.

autozincografia [De *aut(o)-*[1] + *zincografia*.] *S. f.* Zincografia obtida mediante fotografia direta do original sobre a placa recoberta com albumina bicromada.

autozincográfico [De *autozincografia* + *-ico*[2].] *Adj.* Relativo à autozincografia.

autuação [De *autuar* + *-ção*.] *S. f.* Ação de autuar. [Cf. *atuação*.]

autuar [De *auto*[1] + *-uar*[2].] *V. t. d.* **1.** Lavrar um auto contra (alguém). **2.** Reunir em forma de processo (a petição e documentos apresentados em juízo); processar. [Cf. *atuar*[1] e *atoar*.]

autunal [Do lat. *autumnale*.] *Adj. 2 g.* Outonal (q. v.): 📖 "A noite de ébano, cálida / de volúpia tropical, / Dorme indolente, à luz pálida / De um plenilúnio autunal." (Da Costa e Silva, *Poesias Completas*, p. 95.)

autunita [Do top. *Autun* (França) + *-ita*[2].] *S. f. Min.* V. *uranita*.

autuparana [De or. tupi, poss.] *S. f. Bras. Bot.* Árvore rubiácea (*Bathysa stipulata*) de flores amarelas e frutos capsulares elípticos; é cultivada para a extração de tintura. [Sin.: *quina-da-serra*.]

auuba *S. f. Bras. Bot.* V. *aiuba*.

auuva *S. f. Bras. Bot.* V. *aiuba*.

➔ **auvergnat** [ovɛʁ'na] [Fr.] *S. m. Gloss.* V. *alvernia-no* (3).

auxanologia (cs) [Do gr. *auxánein*, 'aumentar', + *-o-*[1] + *-logia*.] *S. f. Biol.* Estudo do crescimento dos seres vivos; auxologia.

auxese (cs) [Do gr. *aúxesis*, pelo lat. *auxese*.] *S. f.* **1.** *E. Ling.* V. *hipérbole* (1). **2.** *Citol.* Indução química ou física da mitose. **3.** *Patol.* Aumento de tamanho orgânico. **4.** *Patol.* Aumento de tamanho orgânico decorrente de aumento de tamanho celular, sem que haja acréscimo do número de células.

auxético (cs) [Do gr. *auxetikós*, 'crescente'.] *Adj.* Relativo a, que é próprio de, ou em que há auxese.

▲ **aux(i)-** (cs) [Do gr. *auxi-* < v. gr. *auxéin*, 'aumentar', 'crescer'.] *El. comp.* = 'crescimento', 'aumento'; 'estímulo'; 'aceleração': *auxina*. [Equiv.: *-aux(i)-*, *auxo-*: *actinauxismo*; *auxômetro*; *auxotrofia*.]

▲ **-aux(i)-** (cs) V. *aux(i)-*.

auxiliador (ss...ô) [Do lat. *auxiliatore*.] *Adj. S. m.* V. *auxiliar*[1] (1 e 2).

auxiliar[1] (ss) [Do lat. adj. *auxiliare*.] *Adj. 2 g.* **1.** Que auxilia; auxiliador, auxiliário. ~ V. *impulsor — , verbo — e verbo — modal.* ● *S. 2 g.* **2.** Pessoa que auxilia; auxiliador, assistente, ajudante. **3.** *E. Ling.* Verbo auxiliar (q. v.). **4.** *Fut.* V. *auxiliar de arbitragem*. ◆ **Auxiliar de arbitragem.** *Bras. Fut.* Árbitro auxiliar, encarregado de acenar com uma pequena bandeira ao observar uma infração ou a transposição da bola pelas linhas laterais e de fundos; assistente de arbitragem, auxiliar, bandeirinha, fiscal de linha. **Auxiliar de tempo.** *E. Ling.* V. *verbo semiauxiliar*. **Auxiliar modal.** *E. Ling.* V. *verbo auxiliar modal*.

auxiliar[2] (ss) [Do v. lat. *auxiliare*.] *V. t. d.* **1.** Prestar auxílio a; socorrer, ajudar. *P.* **2.** Prestar auxílio mútuo. [Pres. ind.: *auxilio*, etc. Cf. *auxílio*.]

auxiliário (ss) [Do lat. *auxiliariu*.] *Adj.* V. *auxiliar*[1] (1).

auxílio (ss) [Do lat. *auxiliu*.] *S. m.* **1.** Ação de prover alguém, uma instituição, um empreendimento, etc., do necessário; ajuda, assistência: 📄 *Seu auxílio, na execução do projeto, foi inestimável.* **2.** Amparo, proteção, socorro: 📄 *Fundou diversas obras de auxílio à infância.* **3.** *Fam.* Contribuição material; óbolo: 📄 *Nunca negou um auxílio aos pedintes.* [Cf. *auxilio*, do v. *auxiliar*.] ◆ **Auxílio à navegação.** *Náut.* Qualquer referência, natural ou artificial, que figura na carta náutica e serve para ajudar o navegante a determinar sua posição ou a livrar a navegação de perigo.

auxílio-natalidade *S. m.* No sistema de previdência social, pagamento feito aos pais em decorrência de nascimento de filho. [Pl.: *auxílios-natalidade*.]

auxina (cs) [De *aux(i)-* + *-ina*[3].] *S. f. Bot.* Hormônio ou substância natural ou sintética que promove o crescimento das plantas.

▲ **auxo-** (cs) [Do gr. *auxo-* < v. gr. *aúxein*.] V. *aux(i)-*.

auxoação (cs) [De *auxo-* + *ação*.] *S. f. Fisiol. Farmac.* Efeito acelerador ou estimulador de uma substância.

auxocrômico (cs) *Adj. Quím.* V. *auxocrômico*. [Uso freq. em P.]

auxocrômico (cs) [De *auxocromo* + *-ico*[2].] *Adj. Quím.* Próprio ou relativo a auxocromo: 📄 *grupo auxocrômico.*

auxocromo (cs) [De *auxo-* + *-cromo*.] *S. m. Quím.* Grupo que torna mais intensa a cor de uma substância, esp. um corante.

auxologia (cs) [De *auxo-* + *-logia*.] *S. f. Biol.* Auxanologia (q. v.).

auxômetro *S. m. Ópt.* V. *auxômetro*. [Uso freq. em P.]

auxômetro (cs) [De *auxo-* + *-metro*.] *S. m. Ópt.* Instrumento com que se mede o aumento produzido pelas lentes convergentes.

auxósporo (cs) [De *auxo-* + *-sporo*.] *S. m. Bot.* Produto da auxosporulação.

auxosporulação (cs) [De *auxo-* + *esporulação*.] *S. f. Bot.* Processo pelo qual, nas diatomáceas, as células readquirem as suas dimensões normais, por diminuírem gradativamente em virtude das divisões vegetativas.

auxotrofia (cs) [De *auxo-* + *-trofia*] *S. f. Genét.* Dependência nutricional com relação a um determinado nutriente, como, p. ex., vitaminas e aminoácidos.

auxotrófico (cs) [De *auxotrofia* + *-ico*[2].] *Adj. Genét.* Relativo à auxotrofia.

➔ **av** [av] [Hebr.] *S. m. Cronol.* O décimo primeiro mês do calendário judaico, que recai entre os meses de julho e agosto dos calendários juliano e gregoriano.

avacado [De *a-*[2] + *vaca* + *-ado*[1].] *Adj. Bras. RS* Diz-se do boi que tem conformação de vaca.

avacalhação [De *avacalhar* + *-ção*.] *S. f. Bras. Pop.* **1.** Ato ou efeito de avacalhar(-se). **2.** Estado ou condição de avacalhado. [Sin. ger.: *avacalhamento*.]

avacalhado [Part. de *avacalhar*.] *Adj. Bras.* **1.** *Pop.* Reduzido ao ridículo, ridicularizado, desmoralizado: 📄 *sentiu-se avacalhado e caiu em depressão.* **2.** *Pop.* De aparência descuidada; desmazelado, relaxado. **3.** *Pop.* Que revela falta de cuidado, desleixo: 📄 *Que trabalho porco, avacalhado.*

avacalhamento [De *avacalhar* + *-mento*.] *S. m. Bras.* Avacalhação.

avacalhar [De *a-*[2] + *vaca* + *-alhar*.] *Bras. V. t. d.* **1.** Pôr em ridículo; desmoralizar. **2.** Executar mal, com desleixo: 📄 *Ultimamente, costuma avacalhar as tarefas que lhe confiam.* *P.* **3.** Desmoralizar-se, degradar-se: 📖 "Um jovem deputado brasileiro, Maurício Lacerda, querendo anatematizar a Câmara por seus delíquios em face do governo, disse que ela se avacalhara." (Costa Rego, *Águas Passadas*, p. 377.) **4.** Desdizer-se, retratar-se.

avá-canoeiro *Bras. S. 2 g.* **1.** *Etnôn.* Indivíduo dos avás-canoeiros, povo indígena da família linguística tupi-guarani que habita as margens do rio Araguaia, no Parque do Araguaia (TO), e as proximidades da nascente do rio Tocantins (GO). ● *Adj. 2 g.* **2.** Pertencente ou relativo a esse povo. [Pl.: *avás-canoeiros*.] [Tb. us. como *s. 2 g. e 2 n.* (com cap.) e *adj. 2 g. e 2 n.*]

avaiense (a-i) *Adj. 2 g.* **1.** De, ou pertencente ou relativo a Avaí (SP). ● *S. 2 g.* **2.** O natural ou habitante de Avaí.

aval [Do fr. *aval* e it. *avallo*, termos comerciais, do ár. *ḥawala(t)*, 'delegação', 'mandato'; 'ordem de pagamento', 'letra de câmbio'.] *S. m.* **1.** Garantia pessoal, plena e solidária, que se dá de qualquer obrigado ou coobrigado em título cambial. **2.** *Fig.* Apoio moral ou intelectual. [Pl.: *avales* e *avais*.] ◆ **Aval completo.** V. *aval em preto*. **Aval em branco.** O que não traz o nome da pessoa em favor da qual é dado, e que consiste na mera assinatura do avalista. **Aval em preto.** O que traz o nome da pessoa em favor de quem é dado; aval pleno, aval completo. **Aval pleno.** V. *aval em preto*. **Aval sucessivo.** Aquele que se dá subsequentemente a outro dado em branco, ou que é superposto a outros. **Avales cumulativos.** Avales simultâneos. **Avales simultâneos.** Os que se fazem na mesma ocasião, em preto, em favor de um mesmo obrigado ou coobrigado; avales cumulativos.

avaladar [De *a-*[2] + *valado* + *-ar*[2].] ***V. t. d.*** Cercar de valados ou de valas.

avalancha [Do fr. *avalanche.*] ***S. f.* 1.** *Geol.* Massa de neve e gelo que desce, rápida e violentamente, pela encosta das altas montanhas, arrastando consigo fragmentos de rochas, florestas, habitações, e tudo que encontra pela frente. **2.** *Geol.* Desmoronamento violento e rápido de uma montanha, consequente a erosão; avalancha seca. **3.** *Fís.* Processo ocorrente num gás em que há um campo elétrico, e que consiste na multiplicação do número de íons e elétrons formados num evento ionizante, graças aos choques inelásticos sucessivos dos íons acelerados pelo campo com as moléculas do gás. **4.** *Fig.* Invasão súbita de gente ou de animais. **5.** *Fig.* Queda estrondosa de coisas pesadas. [Sin.: *alude*, f. preconizada pelos puristas, em vez de *avalancha* e *avalanche*, mas de uso restritíssimo. Em geral se diz *avalanche.*] ◆ **Avalancha seca.** *Geol.* Avalancha (2).

avalanche ***S. f.*** *Gal.* V. *avalancha.*

avalentoar-se [De *a-*[2] + *valentão* + *-ar*[2] + *se*[1], com desnasalação.] ***V. p.*** *Bras.* **1.** Tornar-se valentão. **2.** Insurgir-se; insubordinar-se, rebelar-se. [Conjug.: v. *coroar.*]

avaliação [De *avaliar* + *-ção.*] ***S. f.* 1.** Ato ou efeito de avaliar(-se). **2.** Apreciação, análise. **3.** Valor determinado pelos avaliadores: *A avaliação do quadro foi baixa.* **4.** *Educ.* Processo que visa interpretar dados quantitativos e qualitativos para obter um parecer ou julgamento de valor, tendo por base padrões ou critérios. ◆ **Avaliação classificatória.** Modo de avaliação com a finalidade de classificar segundo critérios previamente estabelecidos. **Avaliação de desempenho.** *Adm.* Análise sistemática do desempenho do profissional ou da empresa em função das atividades realizadas, das metas definidas e atingidas e do seu potencial de desenvolvimento futuro. **Avaliação dialógica.** A avaliação é baseada em perguntas e respostas, no diálogo entre o avaliador e avaliado. **Avaliação diagnóstica.** Modo de avaliação que visa identificar o nível de aprendizagem ou de dificuldade para aprender. **Avaliação emancipatória.** Processo de avaliação que visa possibilitar o avanço da aprendizagem, visando aprender com autonomia. **Avaliação formativa.** Processo de avaliação realizado no decorrer de um programa instrucional visando aperfeiçoá-lo. **Avaliação mediadora.** Por intermédio da avaliação o avaliador dirige ou orienta o processo de aprendizagem visando atingir os objetivos propostos. **Avaliação somativa.** Processo de avaliação final de um programa instrucional visando julgá-lo.

avaliado [Part. de *avaliar.*] ***Adj.* 1.** Que tem ou a que se deu valor determinado. **2.** Apreciado, estimado.

avaliador (ô) [De *avaliar* + *-dor.*] ***Adj. S. m.*** Que, ou aquele que avalia. [Sin., ant. e pop.: *avaluador.*]

avaliar [De *a-*[2] + *valia* + *-ar*[2].] ***V. t. d.* 1.** Determinar a valia ou o valor de: *Mandou avaliar as terras herdadas; avaliar um esforço.* **2.** Apreciar ou estimar o merecimento de: *avaliar um caráter.* **3.** Calcular, computar: *É tão rico que não pode avaliar a extensão de seus bens.* **4.** Fazer ideia de; supor: *Você não pode avaliar a falta que nos fez.* **5.** Reconhecer a grandeza, a intensidade, a força de. **6.** Fazer a avaliação (2) de: *A professora recém-formada teve dificuldade para avaliar a sua turma.* ***T. d. e i.* 7.** Determinar a valia ou o valor, o preço, o merecimento, etc.; calcular, estimar: *Pode avaliar o trabalho pela leitura de um só item.* ***T. i.* 8.** Fazer a apreciação; ajuizar: *avaliar de causas, de merecimentos;* "Aurélia, com sagacidade admirável em sua idade, avaliou da situação difícil em que se achava" (José de Alencar, *Senhora*, p. 96). ***P.* 9.** Reputar-se, considerar-se: *Avalia-se um deus.* [Sin. ger. (ant. e pop.): *avaluar.*]

avaliativo [De *avaliar* + *-tivo.*] ***Adj.*** Que avalia, ou que envolve avaliação.

avaliatório [De *avaliar* + *-tório.*] ***Adj.*** Relativo à avaliação; estimatório.

avaliável [De *avaliar* + *-vel.*] ***Adj. 2 g.*** Que pode ser avaliado.

avalista [De *aval* + *-ista.*] ***S. 2 g.*** Pessoa que avaliza.

avalizado [Part. de *avalizar.*] ***Adj.* 1.** Diz-se de cheque ou letra que tem aval. • ***S. m.* 2.** Aquele cuja obrigação cambial é garantida por aval.

avalizar [De *aval* + *-izar.*] ***V. t. d.* 1.** Obrigar-se por aval em (título, nota promissória, etc.). **2.** *Fig.* Abonar; afiançar.

avalizável [De *avalizar* + *-vel.*] ***Adj. 2 g.*** Que se pode avalizar.

➔ **à-valoir** [a val'waʁ] [Fr.] ***S. m.*** *Teatr.* Adiantamento pago pela cessão de direitos autorais, ger. por certo prazo, para a montagem de uma peça teatral.

avaluador (ô) [De *avaluar* + *-dor.*] ***Adj. S. m.*** *Ant. Pop.* Avaliador.

avaluar [Do fr. *évaluer* < fr. ant. *value*, 'valor'.] ***V. t. d. T. d. e i. T. d. P.*** *Ant. Pop.* Avaliar (q. v.).

avalvular [De *a-*[3] + *válvula* + *-ar*[1].] ***Adj. 2 g.*** Desprovido de válvula(s).

avampirar [De *a-*[2] + *vampiro* + *-ar*[2].] ***V. t. d. P.*** Tornar(-se), ou como que tornar(-se) vampiro: "De 'anjo' tornara-se 'demônio'. Os lábios quase retos, bem cerrados, como sempre, os olhos sorrindo com qualquer coisa de fixo; .... Avampirava-se." (Gilberto Amado, *Depois da Política*, p. 207.)

avança [Dev. de *avançar.*] ***S. m.* 1.** Ato de avançar e apoderar-se; assalto. **2.** *Bras. Gír.* Assalto ao bufê (2). • ***S. 2 g.* 3.** *Bras. Gír.* Pessoa que vai a festas, a banquetes, sem convite; penetra.

avançada [De *avançar* + *-ada*[1].] ***S. f.* 1.** Ato de avançar; avanço. **2.** Investida; assalto. **3.** Dianteira, vanguarda. ◆ **Às avançadas.** Pouco a pouco; aos poucos.

avançado [Part. de *avançar.*] ***Adj.* 1.** Que representa ou envolve progresso, avanço, em relação ao tempo ou ao meio em que se vive, às concepções nele vigentes: *ideias avançadas.* **2.** Que revela, no pensar e/ou no proceder, tal adiantamento, progresso ou avanço: *cientista avançado; garota avançada.* **3.** *P. ext.* Exótico, excêntrico, extravagante. ~ V. *base —a*, *guarda —a* e *posto —*. • ***S. m.* 4.** *Lus. Fut.* Atacante (4).

avançador (ô) [De *avançar* + *-dor.*] ***Adj.* 1.** Que avança. • ***S. m.* 2.** *Bras. Pop.* Depositário infiel de dinheiro ou bens; larápio.

avançamento [De *avançar* + *-mento.*] ***S. m.* 1.** Ato de avançar; avançada, avanço. **2.** *Arquit.* Balanço (11). **3.** *Bras. N.E.* Assentamento da superestrutura das vias permanentes nas estradas de ferro.

avançar [Do provenç. *avansar*, pelo esp. *avanzar.*] ***V. t. d.* 1.** Andar para a frente; adiantar-se: *Avançou um passo.* **2.** Fazer ir para diante; fazer adiantar: *Os homens avançavam, com esforço, o pesado monumento.* **3.** Superar, exceder: *Os conhecimentos do Mestre avançam, inegavelmente, os teus.* **4.** Expor, aventar (ideia, pensamento), de modo ousado ou temerário. **5.** Ir além de (o ponto permitido ou convencionado); ultrapassar: *avançar sinal; avançar uma marca.* ***T. d. e c.* 6.** Avançar (2): "estava trabalhando para mudar as divisas de sua propriedade e avançá-las sobre as de Taquara-poca." (Francisco Marins, *Gafanhotos em Taquara-Poca*, p. 51). ***T. i.* 7.** Investir, atirar-se: *Avançou contra o injuriador.* **8.** Apropriar-se com avidez: *A parentalha avançou na herança.* **9.** Alcançar, atingir; montar, subir: *Seus lucros anuais avançam a vários milhões.* ***T. c.* 10.** Prolongar-se, estender-se: *A varanda avança sobre o quintal.* **11.** Ganhar terreno; propagar-se: "A pecuária avança sobre terras de agricultura." (Revista *Veja*, 13.12.1978, p. 141.) ***Int.* 12.** Caminhar para a frente; adiantar-se: *O exército avançou sem esperar pelos reforços;* "os seus passos deslizam sem ruído — caiu-lhe o saco do farnel da ponte abaixo, ela não sente, ela não ouve, avança! avança!" (Fialho d'Almeida, *O País das Uvas*, p. 94). **13.** Decorrer, passar (o tempo). ***P.* 14.** Avançar (12): *Avançou-se sem temer o inimigo.* **15.** Dirigir-se; investir. **16.** Penetrar, internar-se: *Os bandeirantes avançaram-se pelos sertões dentro.* [Conjug.: v. *laçar.*]

avance [Dev. de *avançar.*] ***S. m.*** *P. us.* V. *avanço*: "Em todas as povoações o informavam de que o duque passara duas horas antes: era um avance de quatro léguas." (Camilo Castelo Branco, *Livro Negro de Padre Dinis*, p. 218.)

avanço [Dev. de *avançar.*] ***S. m.* 1.** Adiantamento, avançada, avançamento: *Deu ontem um bom avanço no trabalho.* **2.** Melhoria, vantagem: *Seu novo emprego representa um avanço em relação ao último.* **3.** Acrescentamento, aumento. **4.** Impulso ou marcha para a frente: *recuos alternados com avanços; A nova descoberta representa um avanço para a ciência.* [F. paral. (p. us.): *avance.*] ◆ **Avanço do periastro.** *Astr.* Deslocamento da linha das apsides, no plano da órbita. **Avanço do periélio.** *Astr.* Deslocamento, no sentido direto, do periélio dos planetas, em consequência da curvatura relativística do espaço, nas vizinhanças das massas materiais; rotação do periélio.

avanhandavense ***Adj. 2 g.* 1.** De, ou pertencente ou relativo a Avanhandava (SP). • ***S. 2 g.* 2.** O natural ou habitante de Avanhandava.

avanheenga ***S. m.*** *Bras.* V. *abanheém.*

avania [Do fr. *avanie.*] ***S. f.* 1.** Vexame ou humilhação que os turcos infligiam aos cristãos. **2.** *P. ext.* Afronta ou humilhação pública.

avantajado [Part. de *avantajar.*] ***Adj.* 1.** Que tem vantagem ou superioridade; que leva vantagem. **2.** Que excede o vulgar; que se salienta ou sobressai. **3.** Corpulento, volumoso: *indivíduo avantajado.*

avantajar [De *a-*[2] + *vantagem* + *-ar*[2].] ***V. t. d.* 1.** Levar vantagem sobre; ser superior a; exceder (em valor, interesse, extensão, etc.): *A nossa ala, a direita, sempre avantajava a esquerda.* **2.** Dar vantagem ou proveito a; favorecer: *Não há de querer avantajar a posição do inimigo.* **3.** Tornar vantajoso ou proveitoso: " [o porto livre] é uma forma de avantajar negócios." (*Correio do Povo*, 17.08.1967, p. 7). **4.** Aumentar em tamanho: *A ventania avantajava as ondas.* ***T. d. e i.* 5.** Levar vantagem; ser superior; exceder: *O primo avantajava-o em cultura.* **6.** Dar, ou pôr em vantagem; fazer ou tornar superior: *Sua vitória naquela prova avantajou-o a todos os demais competidores.* ***Int.* 7.** Contar vantagem: "em missão piedosa não tenho pejo de mentir e avantajar." (José Cândido de Carvalho, *O Coronel e o Lobisomem*, p. 156). ***P.* 8.** Levar vantagem; ser superior; sobressair: "Mostrava-se Antônio Vieira assíduo e fervoroso nos estudos, e lidava deveras por avantajar-se aos demais seus condiscípulos" (João Francisco Lisboa, *Obras*, IV, p. 10). **9.** Aperfeiçoar-se; progredir. **10.** Tornar-se maior; crescer, avultar: *Na escuridão o fogaréu parecia avantajar-se.*

avante [Do lat. vulg. *abante.*] ***Adv.* 1.** Adiante: *Mais avante começava a selva.* **2.** Para adiante, para a frente: *Marchemos, avante!* • ***Interj.* 3.** Para a frente. ◆ **Avante de.** À frente de; além de: *Seus conhecimentos não iam muito avante dos da aluna.* [Cf. *a vante de.*]

avantesma (ê) [Var. de *abantesma.*] ***S. f. e m.* 1.** V. *fantasma* (3): "Remorsos tardios encaneceram-no quando adiante do espectro da morte lhe saiu a avantesma do assassinado, com o peito aberto até as costas por um palmo de aço da choupa de um marmeleiro." (Camilo Castelo Branco, *Sentimentalismo e História*, p. 176.) **2.** *Fig.* Pessoa ou coisa que assusta ou cuja presença é desagradável ou repugnante.

➔ **avant la lettre** [av'ɑ̃ la 'lɛtʁ] [Fr., 'antes da letra'.] **1.** *Fig.* Antes de o termo existir: *um romântico* avant la lettre. **2.** Diz-se de uma gravura tirada antes de ser impressa a legenda.

➔ **avant-première** [av'ɑ̃ pʁəmj'ɛʁ] [Fr.] V. *pré-estreia.*

avaqueirado [De *a-*[2] + *vaqueiro* + *-ado*[1].] ***Adj.*** Que tem modos de, ou é semelhante a vaqueiro.

avará [Var. de *aiará.*] ***S. m.*** *Bras. Bot.* V. *tucum* (2).

avarandado [Part. de *avarandar.*] ***Adj.*** *Bras. N.* **1.** Diz-se de prédio que tem varanda. • ***S. m.* 2.** *Bras. N.* Prédio com varanda. **3.** V. *varanda* (6): "o telhado enorme que parece preparado para acolher um mundo, ... avarandado fresco, o fumo da cozinha" (Viriato Correia, *Histórias Ásperas*, p. 173).

avarandar [De *a-*[2] + *varanda* + *-ar*[2].] ***V. t. d.*** *Arquit.* **1.** Prover de varanda. **2.** Abrir ou envidraçar (um espaço interno), transformando-o em varanda.

avaré ***S. m.*** *Bras.* V. *abaré.*

avareense (èên) ***Adj. 2 g.* 1.** De, ou pertencente ou relativo a Avaré (SP). • ***S. 2 g.* 2.** O natural ou habitante de Avaré.

avaremotemo [De or. obsc.] ***S. m.*** *Bras. Bot.* Árvore fabácea (*Abarema cochliocarpum*) de casca rugosa, tuberosa, tanífera, com propriedades adstringentes; tem folhas bipenadas, flores alvo-amareladas ou esverdeadas, e frutos coriáceos. [Var.: *abaremotemo.* Sin.: *angico-barbatimão, bordão-de-velho, guaibipocaíba.*]

avarento [De *avaro* + *-ento.*] ***Adj. S. m.*** V. *avaro* (1 e 3).

avareza (ê) [Do lat. *avaritia.*] ***S. f.* 1.** Excessivo e sórdido apego ao dinheiro; esganação. **2.** Falta de generosidade; mesquinhez. **3.** *Fig.* Ciúme, zelo.

avari [Do tupi.] ***S. m.*** *Bras. Amaz. Zool.* V. *piraba.*

avaria [Do ár. *al-ᶜawar* ou *al-ᶜawir*, 'ser torto'; 'estar estragado', pelo it. *avaria.*] ***S. f.* 1.** *Mar. Merc.* Dano ou prejuízo causado a uma embarcação ou às mercadorias que transporta. **2.** *Mar. Merc.* Qualquer despesa extraordinária, não prevista, que se faça em benefício duma embarcação mercante e/ou da sua carga, durante a expedição marítima. **3.** Estrago de qualquer natureza; dano, deterioração. **4.** *Restr.* Estrago causado aos campos e propriedades por temporal, inundação, etc. **5.** Gêneros avariados, em especial cereais. **6.** *Fig.* Dano físico: "Dos vizinhos não apareceu Badejo dos Santos, por estar de costela derreada, avaria que contraiu em queda de cavalo." (José Cândido de Carvalho, *O Coronel e o Lobisomem*, p. 85.) ◆ **Avaria comum.** *Mar. Merc.* Avaria grossa. **Avaria grossa.** *Mar. Merc.* Dano ou prejuízo em que incorre deliberadamente o comandante, para evitar maior mal à embarcação, à sua carga e/ou aos demais interessados na expedição marítima; avaria comum. [Cf. *avaria simples.*] **Avaria particular.** *Mar. Merc.* Avaria simples. **Avaria simples.** *Mar. Merc.* Dano ou prejuízo devido à fortuna do mar e, pois, alheio à vontade de quem o sofreu; avaria particular. [Cf. *avaria grossa.*]

avariado [Part. de *avariar.*] ***Adj.* 1.** Que sofreu avaria. **2.** Estragado, danificado. **3.** *Fig.* Desnorteado, perturbado.

avariar [De *avaria* + *-ar*[2].] ***V. t. d. Int. P.* 1.** Causar avaria a, ou sofrê-la; fazer com que não funcione, ou parar de funcionar; danificar(-se); escangalhar(-se): *A queda avariou o liquidificador; O motor do carro avariou, e ficamos na estrada; O eletrodoméstico* *avariou-se.* **2.** Estragar(-se), deteriorar(-se): *A umidade no porão do navio avariou boa parte da carga de grãos; Os cereais avariaram(-se) no celeiro.*

avariose [Do fr. *avarie*, 'avaria', e, p. ext., 'sífilis', + *-ose*[1].] ***S. f.*** *Med.* V. *sífilis.*

avaro [Do lat. *avaru.*] ***Adj.*** **1.** Que tem avareza, que é sórdido e excessivamente apegado ao dinheiro. [Sin. (muitos deles bras. e/ou pop.): *acanhado, agarrado, amarrado, arrepanhado, avarento, cainho, canguinho, canhengue, casca, cauila, cauira, escasso, esganado, fominha, manicurto, mesquinho, migalheiro, miserável, mitra, miúdo, morrinha, muquirana, olhinho, pão-duro, pelintra, pica-fumo, piroca, resmelengo, rezina, ridico, ridículo, seguro, socancra, somítico, sórdido, sorrelfa, sovina, tacanho, tenaz, tranca, unha de fome, usurário, usureiro, vilão, zura, zuraco.*] **2.** *Fig.* Ciumento, zeloso. • ***S. m.*** **3.** Indivíduo avaro (1). [Sin. (muitos deles bras. e/ou pop.): *avarento, amarrado, cainho, cajueiro, canguinhas, canguinho, casca, casquinha, catinga, cauila, cauira, chifre de cabra, esganado, foca, fomenica, fominha, fona, forra-gaitas, forreta, fuinha, futre, gaveteiro, ginja, harpagão, manicurto, mão de finado, mão de leitão, mão de vaca, mão-fechada, mãos-atadas, migalheiro, mingolas, mirra, miserável, mitra, morrinha, morto a fome, munheca de samambaia, muquira, muquirana, olhinho, pão-duro, pica-fumo, pirão na unha, resmelengo, rezina, socancra, somítico, sorrelfa, sovina, tamanduá, tranca, unhaca, unha de fome, unhas de fome, unhas, usurário, usureiro, vilão, vinagre, zura, zuraco.*]

avascular [De *a-*[3] + *vascular.*] ***Adj. 2 g.*** *Anat. Bot.* Que não tem vasos: *criptógamo avascular.*

avassalador (ô) [De *avassalar* + *-dor.*] ***Adj.*** **1.** Que avassala; avassalante: "Dois dias depois os bichos reapareciam, multiplicados, numa impetuosidade avassaladora." (Cordeiro de Andrade, *Anjo Negro*, p. 124.) • ***S. m.*** **2.** Aquele que avassala.

avassalamento [De *avassalar* + *-mento.*] ***S. m.*** Ato ou efeito de avassalar(-se).

avassalante [De *avassalar* + *-nte.*] ***Adj. 2 g.*** Avassalador (1): "A alma se nos escapa e vai perder-se abstrata / Na avassalante paz da solidão tranquila." (Manuel Bandeira, *Estrela da Vida Inteira*, p. 23.)

avassalar [De *a-*[2] + *vassalo* + *-ar*[2].] ***V. t. d.*** **1.** Tornar vassalo; reduzir a vassalagem: *Expulsaram os invasores que os queriam avassalar.* **2.** Imperar em; dominar: *Sua figura terrível avassalara toda a região.* **3.** Oprimir, vexar: *A angústia o avassalava.* **4.** Cativar, seduzir; dominar: *Avassalou o coração da menina tímida.* **5.** Causar destruição a; arrasar: *O furacão avassalou a ilha.* ***P.*** **6.** Tornar-se vassalo.

avatar [Do sânscr. *avatara*, 'descida' (do Céu à Terra), pelo fr. *avatar.*] ***S. m.*** **1.** *Rel.* Reencarnação de um deus, e, especialmente, no hinduísmo, reencarnação do deus Vixnu. **2.** Transformação, transfiguração: "Aqui era a laranjeira-cravo junto da qual o vira, como em um avatar, como em uma transfiguração, risonho, franco, comunicativo, sob o aspecto que em um momento a cativara." (Júlio Ribeiro, *A Carne*, p. 91.) **3.** *Inform.* Cada um dos personagens de um jogo informático em que, ger., se empregam imagens gráficas animadas e outras técnicas de realidade virtual, que corresponde e é controlado por cada um dos participantes: *O avatar de Pedro no jogo é um jovem detetive.* **4.** *Inform.* Imagem, realística ou não, associada a participante de uma rede social (q. v.).

avati [Var. de *abati.*] ***S. m.*** *Bras. Bot.* V. *milho* (1).

avauai *Bras.* ***S. 2 g.*** **1.** *Etnôn.* Indivíduo dos avauais [ou (etnôn bras.) *Avahuahy], povo indígena extinto que habitava as imediações do rio Aquidauana (MS). • ***Adj. 2 g.*** **2.** Pertencente ou relativo a esse povo.

■ **AVC** Sigla de *acidente vascular cerebral.*

ave[1] [Do lat. *ave.*] ***S. f.*** **1.** *Zool.* Animal cordado, craniota, gnatostomado, tetrápode, da classe das *Aves*, de pele revestida de penas, membros anteriores transformados em asas, boca prolongada em bico, pulmões com sacos aéreos; desprovido de dentes (espécies atuais) e bexiga; ovíparo. Ex.: canários, papagaios, beija-flores, etc. [Dim.: *avezinha, avícula.* Cf. *avizinha*, do v. *avizinhar.*] **2.** Pessoa muito esperta e velhaca. **3.** *Bras.* Pessoa astuciosa e ladra. **4.** *Bras. PA* Mulher que serve e dança nos centros paraenses de pajelança. ◆ **Ave de arribação.** A que chega em determinado tempo a países temperados. **Ave de mau agouro.** Pessoa que anuncia um acontecimento funesto ou cuja chegada pressagia um acontecimento ruim. **Ave de rapina.** Ave que se distingue pelo bico adunco, garras fortes, etc.

ave[2] [Do lat. *ave.*] ***Interj.*** F. de saudação; salve: "Ave, ó Rio gigante!" (Alberto de Oliveira, *Poesias*, 2.ª série, p. 204.)

aveadado [De *a-*[2] + *veado* + *-ado*[1].] ***Adj.*** *Chulo* Efeminado (2).

aveado [De *a-*[2] + *veia* + *-ado*[1].] ***Adj.*** *Desus.* Adoidado, amalucado. [Cf. *aviado.*]

aveal [De *aveia* + *-al*[1].] ***S. m.*** Quantidade mais ou menos considerável de pés de aveia dispostos proximamente entre si.

ave-capuchinha ***S. f.*** *Bras. Zool.* V. *maú.* [Pl.: *aves-capuchinhas* e *aves-capuchinha.*]

ave do paraíso ***S. f.*** *Astr.* Constelação do hemisfério austral, próxima ao Pavão. [Com cap.] [Pl.: *aves do paraíso.*] ☑ notas 1 e 2

ave-do-paraíso ***S. f.*** *Zool.* Nome comum às aves corvídeas, onívoras, de porte pequeno a médio, da Nova Guiné, ilhas Molucas e N. E. da Austrália; têm acentuado dimorfismo sexual, enquanto a plumagem das fêmeas é cinzenta e castanha, os machos, em geral, são vivamente coloridos, com cauda longa e penas salientes na cabeça e no pescoço. [Pl.: *aves-do-paraíso.*]

ave-fria [De *ave* + o f. de *frio.*] ***S. f.*** *Zool.* V. *abibe.* [Pl.: *aves-frias.*]

aveia [Do lat. *avena*, por via pop.; v. *avena*[2].] ***S. f.*** **1.** Erva poácea cultivada (*Avena sativa*) que produz sementes ricas em substâncias nutritivas utilizadas na alimentação humana e de animais. **2.** O grão dessa planta.

aveia-estéril ***S. f.*** *Bot.* Erva poácea de colmo alto, flores em grandes espiguetes e frutos que são cariopses. É nativa da Europa e não frutifica quando cultivada. [Sin.: *balanco.* Pl.: *aveias-estéreis.*]

aveirense ***Adj. 2 g.*** **1.** De, ou pertencente ou relativo a Aveiro (PA e Portugal). • ***S. 2 g.*** **2.** O natural ou habitante de Aveiro.

avejão [De *avisione*, f. protética do lat. *visione*, 'visão', 'aparição'.] ***S. m.*** **1.** V. *fantasma* (3). **2.** Homem muito alto e feio.

avelã [Do lat. *abellana, i. e., nux abellana*, 'noz de Abela'.] ***S. f.*** O fruto da aveleira.

avelã-da-índia ***S. f.*** *Bot.* Semente do fruto da arequeira (*Areca catechu*), us. na fabricação de perfume (o megálio) e também como mastigatório (após ser preparada e enrolada na folha de bétele). [Pl.: *avelãs da índia.*]

avelal [De *avelã* + *-al*[1], com desnasalação.] ***S. m.*** V. *avelanal.*

avelanado [De *avelã* + *-ado*[1].] ***Adj.*** Da cor da avelã: "deusa [Leonor Teles], ... de cabelos avelanados e de olhos verdes" (Antero de Figueiredo, *Leonor Teles*, p. 40).

avelanal [De *avelã* + *-al*[1].] ***S. m.*** Quantidade mais ou menos considerável de avelaneiras dispostas proximamente entre si; avelal, avelar, aveleiral.

avelaneira [De *avelã* + *-eira.*] ***S. f.*** *Bot.* V. *aveleira.*

avelar[1] [De *avelanal*, pelas f. *avelanar* e *avelãar.*] ***S. m.*** V. *avelanal.*

avelar[2] [De *avelã* + *-ar*[2], com desnasalação e crase.] ***V. int.*** **1.** Endurecer como a avelã. **2.** Enrugar-se, engelhar(-se), encarquilhar(-se). **3.** *Fig.* Mostrar vigor na velhice.

avelãzeira [De *avelã* + *-zeira.*] ***S. f.*** *Bot.* V. *aveleira.*

aveleira [De *avelã* + *-eira*, com desnasalação e síncope.] ***S. f.*** *Bot.* Arbusto ou árvore pequena betulácea (*Corylus avellana*), das regiões temperadas do hemisfério norte, cujo fruto é a avelã; avelaneira, avelãzeira.

aveleiral [De *aveleira* + *-al*[1].] ***S. m.*** V. *avelanal.*

avelhacado [De *a-*[2] + *velhaco* + *-ado*[1].] ***Adj.*** **1.** Um tanto velhaco. **2.** Próprio de velhaco.

avelhado [De *a-*[5] + *velho* + *-ado*[1].] ***Adj.*** **1.** Que se tornou velho. **2.** De aspecto envelhecido. [Sin. ger.: *avelhantado, avelhentado, velhentado.*]

avelhantado [Part. de *avelhantar.*] ***Adj.*** V. *avelhado*: "panos e peças encardidas de avelhantados vestuários." (Luís Edmundo, *De um Livro de Memórias*, III, p. 659).

avelhantador (ô) [De *avelhantar* + *-dor.*] ***Adj.*** V. *avelhentador.*

avelhantar ***V. t. d. P.*** V. *avelhentar.*

avelhar [De *a-*[2] + *velho* + *-ar*[2].] ***V. t. d. P.*** V. *avelhentar.*

avelhentado [Part. de *avelhentar.*] ***Adj.*** V. *avelhado.* [Var.: *avelhantado.*]

avelhentador (ô) [De *avelhentar* + *-dor.*] ***Adj.*** Que avelhenta. [Var.: *avelhantador.*]

avelhentar [De *a-*[2] + *velho* + *-entar.*] ***V. t. d.*** **1.** Tornar velho prematuramente: *O sofrimento avelhentou-a.* **2.** Fazer parecer velho, antiquado. ***P.*** **3.** Fazer-se velho. **4.** Perder o viço, o vigor; envelhecer prematuramente. [Var.: *avelhantar.* Sin. ger.: *avelhar.*]

avelhuscado [De *a-*[2] + *velhusco* + *-ado*[1].] ***Adj.*** Um tanto velhusco: "o fazendeiro, avelhuscado por força de sucessivas decepções .... coçava cem vezes ao dia a coroa da cabeça grisalha." (Monteiro Lobato, *Urupês, Outros Contos e Coisas*, pp. 96-97); "Chegara [Lourenço da Frederica] avelhuscado, quietarrão, com inchação de membros, e arrastando de uma perna." (Godofredo Rangel, *Vida Ociosa*, p. 171).

avelinoíta [Do antr. *Avelino* (*Ignácio de Oliveira*), geólogo brasileiro, + *-ita*[3].] ***S. f.*** *Min.* Fosfato básico hidratado de sódio e ferro, piramidal.

avelino-lopense ***Adj. 2 g.*** **1.** De, ou pertencente ou relativo a Avelino Lopes (PI). • ***S. 2 g.*** **2.** O natural ou habitante de Avelino Lopes. [Pl.: *avelino-lopenses.*]

avelinopense ***Adj. 2 g.*** **1.** De, ou pertencente ou relativo a Avelinópolis (GO). • ***S. 2 g.*** **2.** O natural ou habitante de Avelinópolis.

avelórios [Do ár. al-ballūr, 'cristal', < gr. *béryllos*, 'berilo', poss.] ***S. m. pl.*** **1.** Contas de vidro; miçangas, vidrilhos. **2.** *Fig.* Ninharias, bagatelas. [Var.: *velórios.*]

avelós [De or. obsc.] ***S. m.*** *Bot.* V. *coroa-de-cristo* (1). [Pl.: *aveloses.*]

aveludado [De *a-*[2] + *veludo* + *-ado*[1].] ***Adj.*** **1.** Macio e lustroso como veludo; veludíneo, veludoso, velutíneo: "Por entre a densa vegetação do mofo nasciam agora, ... enormes cogumelos e fungões, penugentos e aveludados" (Aluísio Azevedo, *Demônios*, p. 59). **2.** *Fig.* Melodioso, suave, brando: *Tinha o contralto uma voz rara, aveludada;* "suavidades cantantes como as duma aveludada voz feminina." (Luís de Magalhães, em Guerra Junqueiro, *Vibrações Líricas*, p. 116). **3.** *Fig.* Meigo, suave: "os seus olhos negros e aveludados, cheios de ternura" (Inglês de Sousa, *O Missionário*, p. 355). **4.** *Bot.* V. *velutino.* ~ V. *vinho* —.

aveludar [De *a-*[2] + *veludo* + *-ar*[2].] ***V. t. d.*** **1.** Dar o aspecto de veludo a: *aveludar um tecido; O brilho da lua aveludava o gramado.* **2.** Tornar macio, brando, suave, como o veludo; amaciar: "A sombra já enoitava as moitas. A umidade / Aveludava o musgo." (Manuel Bandeira, *Estrela da Vida Inteira*, p. 43.) **3.** *Fig.* Tornar mais suave; mais agradável: *aveludar a voz.* ***P.*** **4.** Tornar-se macio como o veludo; amaciar-se: "E as paredes aveludavam-se de musgos, os quais coexistiam com a hera." (O. G. Rego de Carvalho, *Somos Todos Inocentes*, p. 38.) **5.** *Fig.* Tornar-se mais suave, ou mais agradável. **6.** *Fig.* Tornar-se menos acre, mais agradável ao paladar: *Com o passar dos anos, o vinho aveludou-se.*

ave-maria [De *ave*[2] + hier. *Maria.*] ***S. f.*** **1.** *Rel.* Oração católica em louvor de Nossa Senhora, e que começa com a saudação: Ave, Maria. **2.** *P. ext.* Cada uma das contas do rosário que indicam as vezes que se pronuncia tal oração, e que se alternam, em grupos de dez, com as do padre-nosso (q. v.). **3.** *Liter. Pop. Bras.* Composição poética do tipo pé-quebrado, na qual cada quadra termina com palavras da oração do mesmo nome. ~ V. *ave-marias.* [Pl.: *ave-marias.*]

ave-marias [Pl. de *ave-maria.*] ***S. f. pl.*** **1.** O toque das trindades, ao anoitecer; ângelus. **2.** O entardecer: "Eram quase ave-marias. A sombra do crepúsculo ia de manso derramando-se pelas devesas silenciosas." (Bernardo Guimarães, *O Seminarista*, p. 12.) ~ V. *ave-maria.* ◆ **Às ave-marias.** Ao entardecer; ao anoitecer; à noitinha: "Saía às ave-marias para voltar na madrugada seguinte." (Machado de Assis, *Contos Fluminenses*, p. 139.)

avena[1] [Do lat. *avena.*] ***S. f.*** *Poét.* Antiga flauta pastoril feita, em geral, do talo da aveia. [Cf. *pipia* (1).]

avena[2] [Do tax. *Avena* (do lat. *avena, ae*, 'planta gramínea e seu grão', 'flauta pastoril').] ***S. f.*** *Bot.* **1.** Gênero largamente distribuído de poáceas de inflorescências paniculadas, que portam sementes profundamente encobertas em glumas que, por vezes, aderem a elas. **2.** Qualquer espécie desse gênero, como, p. ex., a *Avena sativa* (v. *aveia*). **3.** Qualquer espécime desse gênero.

avenaína [Do tax. *Avena* (v. *avena*) + *-ina*[3].] ***S. f.*** Glute da aveia.

avenca [De *a-*[5] + lat. *vinca.*] ***S. f.*** *Bot.* **1.** Nome comum a diversas plantas filicópsidas de diferentes famílias, como, p. ex., as do gênero *Adiantum* (v. *adianto*[1]), das pteridáceas. **2.** Pteridácea (*Adiantum brasiliense*) nativa do Brasil, de pecíolo viloso e longas frondes compostas; avenca-do-brasil. **3.** Pteridácea (*Adiantum dioganum*) de frondes ásperas, nativa do C.O. do Brasil. **4.** Pteridácea (*Adiantum lunulatum*) de pecíolo preto e frondes segmentadas em lobos irregulares, nativa do Brasil; tem uso medicinal. **5.** Pteridácea (*Adiantum tenerum*) de raiz fibrosa e frondes alternadas, segmentadas; é nativa do RJ ao RS e tem uso medicinal. [Sin.: *avencão.*] **6.** Polipodiácea (*Phlebodium decumanum*) de pecíolo carnoso e frondes penadas e pendentes.

avença [Do lat. *advenentia.] ***S. f.*** **1.** Acordo entre litigantes; ajuste. **2.** Importância paga por serviços durante certo prazo. **3.** Quantia certa que se paga antecipadamente por conta de impostos de consumo, etc.: "estes [os arrematantes dos contratos], por sua vez, cobrem-se contra qualquer eventualidade por meio de avenças com os produtores" (Miran de Barros Latif, *As Minas Gerais*, p. 59).

avençado [Part. de *avençar-se.*] ***Adj.*** Que está tratado, ajustado, combinado.

avenca-do-brasil [De *avenca* + *do*[1] + o top. *Brasil.*] ***S. f.*** *Bot.* **1.** Avenca (2). [Pl.: *avencas-do-brasil.*]

avenca-do-canadá *S. f. Bot.* Capilária-do-canadá. [Pl.: *avencas-do-canadá*.]

avençal [De *avença* + *-al*^{1}.] ***S. 2 g.*** Indivíduo que fez avença ou ajuste.

avencão [De *avenca* + *-ão*^{1}.] ***S. m.*** *Bot.* Avenca (5).

avençar-se [De *avença* + *-ar*^{2} + *se*^{1}.] ***V. p.*** **1.** Fazer avença ou ajuste; acordar-se, combinar. **2.** Entender-se, avir-se. **3.** Obrigar-se por avença. [Conjug.: v. *laçar*.]

avenida [Do fr. *avenue*, pelo esp. *avenida*.] ***S. f.*** **1.** Via urbana mais larga do que a rua (1), em geral com diversas pistas para circulação de veículos. **2.** Estrada ou rua orlada de árvores, no acesso a uma casa de campo, em um parque, etc.; alameda. **3.** *Arquit.* Caminho guarnecido de colunas ou figuras esculpidas; avenida processional. **4.** *Bras.* V. *vila*^{1} (3). ◆ **Avenida processional.** *Arquit.* Avenida (3). **Abrir uma avenida em.** *Bras. RJ Gír.* Dar uma navalhada em (alguém, ou parte do corpo de alguém).

avenólito [Do lat. *avena*, 'aveia', + *-o-* + *-lito*.] ***S. m.*** *Patol.* Enterólito cujo núcleo é um grão de aveia.

aventador (ô) [De *aventar* + *-dor*.] ***S. m.*** *Bras. N.E.* Plataforma de madeira sobre a qual se retiram das fôrmas os pães de açúcar.

avental [Var. de *avantal* (f. pop.), de *avante* + *-al*^{1}.] ***S. m.*** **1.** Peça de pano, couro ou plástico, com que se resguarda a roupa. **2.** *Maç.* Ornamento, utilizado durante as reuniões maçônicas por seus membros, em que variam as inscrições e a simbologia de acordo com o grau de cada um na hierarquia: "Em princípio o direito do bispo de privar da opa, na missa, os que insistiam em cingir à noite, nas lojas, o avental maçônico era perfeito." (Joaquim Nabuco, *Um Estadista do Império*, Livro 6, p. 813.) **3.** *Teat.* V. *outer stage*.

aventar^{1} [De *a-*^{2} + *vento* + *-ar*^{2}.] ***V. t. d.*** **1.** Agitar ou mover ao vento; ventilar. **2.** Atirar, arremessar, arrojar: *aventar pedras.* **3.** Lembrar, insinuar, sugerir, aventurar (ideia, proposição, etc.): "O presidente aventou a ideia de dançar-se" (Artur Azevedo, *Contos Efêmeros*, p. 31); "Aventava hipóteses" (Rocha Pombo, *No Hospício*, p. 197). **4.** Expor, enunciar: *Aventou seu plano de ação.* **5.** Perceber ao longe; entrever, pressentir, lobrigar: *Aventava possibilidades de escapar da cela.* **6.** Descobrir pelo faro. ***Int.*** **7.** Perceber ou sentir pelo olfato. **8.** *Bras.* Retirar o pão de açúcar da fôrma. **9.** *Bras.* Abrir-se longitudinalmente (uma tábua). **10.** *Bras.* Irritar-se, abespinhar-se; aventar-se. ***P.*** **11.** Ocorrer, lembrar: *Como último expediente, aventou-se-lhe a fuga.* **12.** Irritar-se, abespinhar-se; aventar.

aventar^{2} [De *a-*^{2} + *venta* + *-ar*^{2}.] ***V. t. d.*** Segurar (animal) apertando-lhe o septo nasal com o polegar e o indicador.

aventesma [Var. de *abantesma*.] ***S. f. e m.*** V. *fantasma* (3): "Sempre fugira desses diabos como de aventesmas, duvidando de A-Lin, que os tinha na conta de bons e afáveis." (Henrique de Sena Fernandes, *Nam Van, Contos de Macau*, p. 3.)

aventura [Do lat. *adventura*, 'coisas que estão por vir'.] ***S. f.*** **1.** Empresa, empreendimento, ou experiência arriscada, perigosa, incomum, de finalidade ou decorrência incertas: *Viajar naquelas circunstâncias é uma aventura.* **2.** Acontecimento imprevisto, surpreendente; peripécia: *À pobre senhora ocorreu uma desagradável aventura.* **3.** Acaso, sorte, fortuna. **4.** Proeza de cavaleiro andante, de cavalaria. **5.** Ligação amorosa, em geral passageira e inconsequente. ◆ **À aventura.** Sem plano ou objetivo determinado.

aventurado [Part. de *aventurar*.] ***Adj.*** Que se aventura ou arrisca; ousado.

aventurança [De *aventurar* + *-ança*.] ***S. f.*** *Ant.* Ventura, destino.

aventurar [De *a-*^{2} + *ventura* + *-ar*^{2}.] ***V. t. d.*** **1.** Expor ou arriscar à ventura: *Intrépido, pouco se lhe dá de aventurar sua vida.* **2.** Ousar dizer ou fazer: *Embora mal recebido, aventurou o pedido de voto;* "Depois de alguns minutos, ... aventurei timidamente: | – V. Exª acredita nas paixões súbitas, minha senhora?" (Artur Azevedo, *Contos Possíveis*, p. 6). **3.** Lembrar, sugerir, aventar (ideia, proposição, etc.). ***T. d. e i.*** **4.** Arriscar, expor: *Aventurou às ondas a sua frágil pessoa.* ***Int.*** **5.** Tentar a sorte; arriscar. ***P.*** **6.** Expor-se a risco, perigo; arriscar-se, expor-se. **7.** Atrever-se, abalançar-se.

aventureirense ***Adj. 2 g.*** **1.** De, ou pertencente ou relativo a Santo Antônio do Aventureiro (MG). ● ***S. 2 g.*** **2.** O natural ou habitante de Santo Antônio do Aventureiro.

aventureirismo [De *aventureiro* + *-ismo*.] ***S. m.*** **1.** Qualidade ou procedimento de aventureiro. **2.** Espírito aventureiro.

aventureiro [De *aventura* + *-eiro*.] ***Adj.*** **1.** Que vive de aventuras. **2.** Que ama a aventura (1): *Seu espírito aventureiro é que o leva a repetidas viagens.* **3.** Incerto, difícil, precário, arriscado. ● ***S. m.*** **4.** Indivíduo que ama a aventura; ousado, temerário, audacioso. **5.** Aquele que não tem meios de vida, que vive de expedientes, dos acasos da sorte.

aventuresco (ê) [De *aventura* + *-esco*.] ***Adj.*** Em que há risco, aventura; arriscado, aventuroso.

aventurina [Do it. *avventurina*.] ***S. f.*** **1.** Variedade de quartzo ou de feldspato com inclusões de finas lamelas de hematita ou de outros minerais, que lhes emprestam reflexos avermelhados, graças à orientação definida das lamelas. **2.** Conta de vidro mesclado com limalha de cobre: "Leva anéis de cobre com aventurinas, / Brincos de sueiras, manto de agnelinas." (Eugênio de Castro, *Obras Poéticas*, I, p. 107.)

aventuroso (ô) [De *aventura* + *-oso*.] ***Adj.*** **1.** Que se aventura. **2.** Arriscado; aventuresco. **3.** Em que há aventura.

averbação [De *averbar*^{1} + *-ção*.] ***S. f.*** Averbamento (1).

averbamento [De *averbar*^{1} + *-mento*.] ***S. m.*** **1.** Ato ou efeito de averbar; averbação. **2.** Declaração ou nota em certos documentos.

averbar^{1} [De *a-*^{2} + *verba* + *-ar*^{2}.] ***V. t. d.*** **1.** Escrever em verba, à margem de. **2.** Declarar em nota, à margem de um título ou de um registro. **3.** Registrar; anotar. ***Transobj.*** **4.** Tachar, apodar, acoimar: *Averbou de incorreto o procedimento do amigo.*

averbar^{2} [De *a-*^{2} + *verbo* + *-ar*^{2}.] ***V. t. d.*** Formar verbo de (outra palavra): *averbar um substantivo.*

avergalhar [De *a-*^{2} + *vergalho* + *-ar*^{2}.] ***V. t. d.*** Bater com vergalho em; chicotear, azorragar.

avergar [De *a-*^{4} + *vergar*.] ***V. t. d. T. d. e i. T. i. Int.*** Vergar. [Conjug.: v. *largar*.]

avergoado [De *a-*^{2} + *vergão* + *-ado*^{1}, com desnasalação.] ***Adj.*** ~ V. *papel* –.

avergoar [De *a-*^{2} + *vergão* + *-ar*^{2}, com desnasalação.] ***V. t. d.*** **1.** Fazer vergões com látego ou açoite em. **2.** Bater em; espancar, surrar. [Conjug.: v. *coroar*.]

avergonhar [De *a-*^{2} + *vergonha* + *-ar*^{2}.] ***V. t. d. P.*** *P. us.* V. *envergonhar-se*.

averiguação [De *averiguar* + *-ção*.] ***S. f.*** **1.** Ato ou efeito de averiguar(-se). **2.** Investigação, inquérito.

averiguador (ô) [De *averiguar* + *-dor*.] ***Adj. S. m.*** Que, ou aquele que averigua; indagador, investigador.

averiguar [De *a-*^{4} + lat. *verificare*, 'verificar'.] ***V. t. d.*** **1.** Indagar, inquirir, investigar: *Mandou averiguar os antecedentes do rapaz.* **2.** Determinar a verdade de; certificar-se de; verificar, apurar: *Não conseguiu averiguar o fato em sua exatidão.* ***T. d. e i.*** **3.** Inquirir, investigar, indagar: *Averiguou dos presentes o que desejavam.* ***T. i.*** **4.** Indagar, informar-se: *Quis averiguar pessoalmente do desastre.* ***P.*** **5.** Certificar-se, convencer-se, persuadir-se. [Apresenta dois paradigmas: a) com acento fônico e gráfico no *i* das formas rizotônicas – pres. ind.: *averíguo, averíguas, averígua, averiguamos, averiguais, averíguam*; pres. subj.: *averígue* (ü), *averígues* (ü), *averígue* (ü), *averiguemos* (ü), *averigueis* (ü), *averíguem* (ü); imperat.: *averígua, ... averiguai, averíguem* (ü); b) com acento fônico, porém não gráfico no *u* das formas rizotônicas: pres. ind.: *averiguo* (ú), *averiguas* (ú), *averigua* (ú), *averiguamos*, etc.; 1ª pess. sing. pret. perf. ind.: *averiguei* (ü); pret. imperf. ind.: *averiguava, ... averiguáveis, averiguavam*; pres. subj.: *averigue* (ú), *averigues* (ú), *averigue* (ú), *averiguemos* (ü), *averigueis* (ü), *averiguem* (ú). Cf. *averiguáveis*, pl. de *averiguável*.]

averiguável [De *averiguar* + *-vel*.] ***Adj. 2 g.*** Que se pode averiguar.

avermelhado [De *a-*^{2} + *vermelho*^{1} + *-ado*^{1}.] ***Adj.*** **1.** De tonalidade tirante a vermelho; vermelhusco. **2.** Diz-se dessa tonalidade: *vestes de um tom avermelhado.* ● ***S. m.*** **3.** Essa tonalidade.

avermelhamento [De *avermelhar* + *-mento*.] ***S. m.*** Ato ou efeito de avermelhar(-se).

avermelhar [De *a-*^{2} + *vermelho*^{1} + *-ar*^{2}.] ***V. t. d. Int. P.*** Tornar-se vermelho; envermelhar(-se), envermelhecer(-se), vermelhar(-se), vermelhear(-se), vermelhecer(-se), vermelhejar(-se).

avernal [Do lat. *avernale*.] ***Adj. 2 g.*** Respeitante ao averno; infernal; avernoso, averno.

averno [Do lat. *avernu*.] ***S. m.*** **1.** Inferno (1). ● ***Adj.*** **2.** V. *avernal*.

avernoso (ô) [De *averno* + *-oso*.] ***Adj.*** V. *avernal*.

averroa Do tax. *Averrhoa* (de *Averrhoas*, latinização do antr. ár. ibn rušd (Averróis, em port.), 'médico, astrônomo e filósofo árabe [séc. XII]'; v. averroísmo).] ***S. f.*** *Bot.* **1.** Gênero de árvores oxalidáceas de folhas penadas e frutos comestíveis. **2.** Qualquer espécie desse gênero, como, p. ex., a *Averrhoa carambola* (v. *caramboleira*). **3.** Qualquer espécime desse gênero.

averroísmo [Do antr. *Averróis* (< ár. ibn rušd) + *-ismo*.] ***S. m.*** *Filos.* Doutrina de Averróis, médico e filósofo árabe (1126-1198), e de seus seguidores, caracterizada pela tendência materialística e panteística.

averroísta [De *averroísmo* + *-ista*.] ***Adj. 2 g.*** **1.** Relativo a Averróis ou ao averroísmo. ● ***S. 2 g.*** **2.** Adepto ou seguidor do averroísmo.

aversão [Do lat. *aversione*.] ***S. f.*** **1.** Ódio, rancor. **2.** Antipatia, repugnância, repulsa: "Embora deteste que o classifiquem assim, ... pela sua aversão ao patriotismo literário, ... tornou-se [Arturo Farinelli] um magistral cultor dos estudos de literatura comparada" (Agripino Grieco, *Estrangeiros*, p. 290).

aversivo [Do lat. *aversus*, 'desviado', 'afastado', + *-ivo*; ingl. *aversive*.] ***Adj.*** **1.** Que inspira ou gera aversão. **2.** Diz-se de medicamento que produz aversão à bebida, ao fumo, etc. ● ***S. m.*** **3.** Medicamento aversivo (2).

averso [Do lat. *aversu*.] ***Adj.*** Adverso.

averter [Do lat. *avertere*.] ***V. t. d.*** Desviar do seu curso.

avessada ***S. f.*** Correia com que se prendia o falcão à vara.

avessado [Part. de *avessar*.] ***Adj.*** **1.** Feito ao avesso ou às avessas. **2.** Hostil, contrário, adverso.

avessar [De *avesso* + *-ar*^{2}.] ***V. t. d.*** **1.** Fazer ao avesso ou às avessas. **2.** Contrariar, contradizer. **3.** Subornar, corromper. [Conjug.: v. *começar*. Pres. ind.: *avesso, avessas, avessa*, etc. Cf. *avesso* (ê) e as flex. *avessa* (ê), *avessas* (ê).]

avessas [F. pl. subst. do adj. *avesso*.] ***S. f. pl.*** Coisas contrárias, opostas. [Cf. *avessas* (ê), flex. do adj. *avesso* (ê).] ◆ **Às avessas.** Em sentido inverso ou oposto; ao contrário, ao revés, ao invés.

avessia [De *avesso* + *-ia*^{1}.] ***S. f.*** Qualidade de avesso.

avesso (ê) [Do lat. *adversu*.] ***Adj.*** **1.** Contrário, inverso, oposto: *o lado avesso da costura.* **2.** Mau, adverso: *A sorte foi-lhe avessa.* ● ***S. m.*** **3.** A parte oposta à principal, ao lado direito [v. *direito* (19)]; reverso, envesso: *o avesso do tecido; o avesso do casaco.* **4.** Aquilo que está oculto no caráter ou na índole das pessoas. **5.** O lado mau. **6.** Erro, incorreção, defeito. [Flex.: *avessa* (ê), *avessas* (ê), *avessos* (ê). Cf. *avesso, avessas* e *avessa*, do v. *avessar*, e *avessas*, s. f. pl.] ◆ **Virar pelo avesso.** **1.** Pôr para fora a parte interna de (algo). **2.** Tratar (assunto, caso) em todos os seus aspectos. **3.** Fazer pesquisa meticulosa em (um local, ou seus recantos mais escondidos): *Virou a casa pelo avesso em busca dos óculos.*

avesta [Do persa.] ***S. m.*** *Rel.* Conjunto de textos sagrados primitivos dos povos iranianos, de que se originou o masdeísmo (q. v.); zendavesta.

avéstico [De *avesta* + *-ico*^{2}.] ***S. m.*** **1.** *Gloss.* A língua indo-iraniana em que foi escrito o Avesta. [Sin. (desus.): *zende*.] ● ***Adj.*** **2.** Pertencente ou relativo ao Avesta, ou ao avéstico (1).

avestruz [De *ave* + port. ant. *estruz* (< oc. ant. *estrutz* < lat. *struthio, onis*).] ***S. f. e m.*** **1.** *Zool.* Ave estrutioniforme, cursora, gênero *Struthio*, com seis espécies conhecidas. Tem as asas rudimentares e apenas dois dedos em cada pé, e é onívora; vive em zonas semidesérticas, na Arábia e na África. Atualmente é a maior das aves, sendo a espécie *S. camelus* a mais comum, da África do Norte até a Arábia. **2.** *Bras. RS Impr. Zool.* Ema^{1}. **3.** No jogo do bicho (q. v.), o primeiro grupo (14), que abrange as dezenas 01, 02, 03 e 04, e é correspondente ao número 1. **4.** *Bras.* Pessoa esquisita e de reputação duvidosa. ◆ **Bancar avestruz.** *Bras.* **1.** Obstinar-se em não ver ou considerar o lado desagradável das coisas. **2.** *PE Pop.* Ingerir bebidas alcoólicas.

avestruzeiro [De *avestruz* + *-eiro*.] ***Adj. S. m.*** *Bras. S.* **1.** Que, ou aquele cuja ocupação é aprisionar avestruzes para lhes aproveitar a plumagem. **2.** Diz-se de, ou cavalo ensinado para a caça do avestruz.

avexação [De *avexar* + *-ção*.] ***S. f.*** Vexação.

avexado [Part. de *avexar*.] ***Adj.*** V. *vexado*: "Adão, o arrependido, e a arrependida / Eva, ei-los avexados, ante o iroso / Bíblico deus" (Raimundo Correia, *Poesias*, p. 21).

avexar [De *a-*^{4} + *vexar*.] ***V. t. d. P.*** V. *vexar*. [Conjug.: v. *fechar*.]

avezado [Part. de *avezar*^{1}.] ***Adj.*** Costumado, habituado.

avezar^{1} [De *a-*^{4} + *vezo* + *-ar*^{2}.] ***V. t. d. e i.*** **1.** Habituar, acostumar, afazer: *A leitura dos filósofos avezou-o à meditação.* ***P.*** **2.** Acostumar-se, habituar-se, afazer-se: "E os que conosco a trabalhar se avezam, / E aprendem nossas artes, nossos usos, / Se ufanam de saber mais do que os outros" (Domingos José Gonçalves de Magalhães, *A Confederação dos Tamoios*, p. 272). [F. paral.: *vezar*.]

avezar^{2} [De *a-*^{2} + *vez* + *-ar*^{2}, ou de *haver*, por infl. de *avezar*^{1}, poss.] ***V. t. d.*** Ter de seu; possuir: "Quem filhos tem não aveza vintém" (prov.).

▲ **avi-** [Do lat. *avis, is*.] ***El. comp.*** = 'ave': *avícola, avicultura*.

aviação [Do fr. *aviation*.] ***S. f.*** **1.** Sistema de navegação aérea por meio de aeródinos. **2.** A técnica da construção ou conservação de aeródinos. **3.** O conjunto dos aviões: *a aviação militar.* ◆ **Aviação embarcada.** *Bras. Mar. G.* Conjunto de aeronaves que operam com base em navios-aeródromos ou em outros navios de guerra. **Aviação naval.** *Mar. G.* Conjunto dos meios aéreos que integram organicamente o poder naval.

aviado [Part. de *aviar*.] ***Adj.*** **1.** Que se aviou; apressado. **2.** Desembaraçado, despachado. ● ***S. m.*** **3.** *Bras.*

Amaz. Aquele que negocia por conta de outrem. **4.** Seringueiro que tem certo número de homens trabalhando por sua conta em seringal de outrem. [Cf. *aveado*.]

aviador[1] (ô) [Do fr. *aviateur*.] *S. m. Aer.* Piloto de avião.

aviador[2] (ô) [De *aviar* + *-dor*.] *S. m.* **1.** Aquele que avia. **2.** *Bras. Amaz.* Fornecedor e comissário de seringueiros.

aviajado *Adj.* ~ V. *arco* —.

aviamento [De *aviar* + *-mento*.] *S. m.* **1.** Ato ou efeito de aviar; avio: *O aviamento da receita fora rápido.* **2.** O aparelhamento ou o material necessários à execução ou conclusão de qualquer obra. **3.** *Cost. Bord.* O conjunto do material acessório necessário ao acabamento de uma costura ou bordado, como tecido para forro, botões, fechos, colchetes, etc.; preparos: *No preço do feitio da blusa já estão incluídos os aviamentos.* **4.** Elemento essencial do estabelecimento comercial: o conjunto de aparelhamento, freguesia, crédito e reputação. **5.** Ajuda, auxílio. **6.** Andamento, prosseguimento. **7.** *Farm.* Manipulação de uma prescrição médica. **8.** *Tip.* Parte do preparo (4) que compreende as operações de alçamento e recorte, realizadas com a fôrma na prensa, e destinadas a corrigir excesso ou insuficiência de pressão. **9.** *Bras.* Engenho rústico para fabricar farinha de mandioca. **10.** *Bras. Amaz.* Mercadoria fornecida pelo aviador ao aviado. ~ V. *aviamentos*.

aviamentos [Pl. de *aviamento*.] *S. m. pl.* Avios. ~ V. *aviamento*.

avião [Do fr. *avion*.] *S. m.* **1.** *Aer. Av.* Aeródino dotado de meios próprios de locomoção, e cuja sustentação se faz por meio de asas; aeroplano: *O inventor do avião foi o brasileiro Santos Dumont.* **2.** *Bras.* Moça ou rapaz bonito. **3.** *Bras. Gír.* Aquele que vai buscar droga para o usuário; vapor, vapozeiro. ◆ **Avião a jato.** Aquele que se locomove por meio de propulsão a jato (q. v.). **Avião anfíbio.** *Ant.* Aquele que tanto pousa em terra como na água. **Avião de bombardeio.** Bombardeiro (3). **Avião de caça.** Avião militar leve dotado de grande mobilidade, e usado para interceptar o trajeto de caças e bombardeiros inimigos ou para servir de escolta aos bombardeiros amigos. [Tb. se diz apenas *caça*.] **Avião supersônico.** Aquele que alcança velocidade superior à do som. [Tb. se diz apenas *supersônico*.] **Fazer avião.** *Bras. Gír.* Ser intermediário na compra de tóxicos.

avião-suicida *S. m.* Camicase (2). [Pl.: *aviões-suicidas*.]

aviar [De *a-*[2] + *via* + *-ar*[2].] *V. t. d.* **1.** Executar, concluir: *aviar uma obra.* **2.** Preparar medicamento prescrito em (receita): "O boticário aviou a receita médica, e o C. A. B. já no dia seguinte amanheceu sem febre" (Gen. José Cândido Murici, *Parada Morta*, p. 41). **3.** Ajustar, concluir (negócio). **4.** Pôr a caminho; expedir: *Aviou um criado com a carta.* **5.** Dar cabo de; matar, assassinar. **6.** V. *atender* (8). **7.** *Bras. AM* Vender a prazo, mercadorias a, em troca de borracha. *Int.* **8.** Aprontar-se ou andar depressa; apressar-se, aviar-se. **9.** *Bras.* Vender mercadorias ao seringueiro; fornecer-lhe o de que precisa. *P.* **10.** Aprontar-se ou andar depressa; apressar-se, aviar. [Pres. ind.: *avio, avias, avia, aviamos, aviais, aviam*; fut. pret.: *aviaria*, etc.; pres. subj.: *avie, avies, avie, aviemos, avieis, aviem*; part.: *aviado*. Cf. *havia, havias, havia, havíamos, havíeis, haviam*, do v. *haver*; *aviária*, fem. de *aviário*[2]; e *aveado*.]

aviário[1] [Do s. m. lat. *aviariu*.] *S. m.* **1.** Viveiro de aves; passareira. **2.** Estabelecimento onde se vendem aves; galinheiro, avícola.

aviário[2] [Do adj. lat. *aviariu*.] *Adj.* Relativo a aves; avicular, aviculário, avícola. [Fem.: *aviária*. Cf. *aviaria*, do v. *aviar*.]

aviatório [Do rad. *aviat-*, como no fr. *aviation*, 'aviação', + *-ório*.] *Adj.* Referente à aviação.

avicênia [Do tax. *Avicennia* (do antr. *Avicenna*, 'médico e filósofo persa [980-1037] + lat. cient. *-ia*).] *S. f. Bot.* **1.** Gênero de árvores e arbustos aviceniáceos por vezes incluídos na família das verbenáceas, com cerca de sete espécies; têm folhas simples, pequenas flores hermafroditas, ger. espiciformes, e frutos capsulares, e habitam manguezais de regiões tropicais e subtropicais. Algumas espécies são nativas do Brasil. **2.** Espécie, ou espécime desse gênero.

aviceniácea [Do tax. *Avicennia* + *-ácea*; tax. *Avicenniaceae*.] *S. f. Bot.* Espécime das aviceniáceas, família da ordem das lamiales que compreende, apenas, o gênero *Avicennia* (v. *avicênia*).

aviceniáceo [De *aviceniácea*, com var. suf. (v. *-áceo*).] *Adj. Bot.* Pertencente ou relativo às aviceniáceas.

avicenismo [Do antr. *Avicena* (< ár. *ibn sīnā*) + *-ismo*.] *S. m. Filos.* Doutrina de Avicena, médico e filósofo persa (980-1037 d.C.), e de seus seguidores, caracterizada pela afirmação da unidade da ciência, da filosofia e da revelação, e pela tentativa de unificar o neoplatonismo com o aristotelismo. [Adotando posições dogmáticas, Avicena exerceu especial influência na medicina da Idade Média.]

avicenista [De *avicenismo* + *-ista*.] *Adj. 2 g.* **1.** Relativo a Avicena ou ao avicenismo. ● *S. 2 g.* **2.** Adepto ou seguidor do avicenismo.

aviceptologia [De *avi-* + *cept-*, alter. de *capt-*, do lat. *capere*, 'apreender, capturar', + *-logia*.] *S. f.* Arte de apanhar aves vivas com laços e armadilhas.

aviceptológico [De *aviceptologia* + *-ico*[2].] *Adj.* Relativo à aviceptologia.

avícola [De *avi-* + *-cola*[1].] *S. 2 g.* **1.** V. *avicultor*. ● *S. f.* **2.** *Bras. SP* V. *aviário*[1] (2). ● *Adj. 2 g.* **3.** V. *aviário*[2]. [Cf. *avícula*.]

avícula [Do lat. *avicula*.] *S. f.* Ave pequena. [Cf. *avícola*.]

avicular [De *avícula* + *-ar*[1].] *Adj. 2 g.* V. *aviário*[2].

aviculária [Do tax. *Avicularia*.] *S. f. Zool.* **1.** Gênero de aranhas de grande porte, da família dos aviculariídeos, que vivem nos trópicos, e que fabricam teias, de fios resistentes, em que capturam pequenos pássaros; migala. **2.** Qualquer espécie desse gênero, como, por ex., a *Avicularia avicularia*, que ocorre nas Antilhas, Guianas e Amazônia. **3.** Qualquer espécime desse gênero.

aviculariídeo [Do tax. *Avicularia* + *-ídeo*; tax. *Aviculariidae*.] *Zool. S. m.* **1.** Espécime dos aviculariídeos, família de aracnídeos araneídeos na qual se classificam as aranhas migalomorfas e gêneros próximos, conhecidas vulgarmente como *caranguejeiras* (gênero *Grammostola*). ● *Adj.* **2.** Pertencente ou relativo a eles.

aviculário [Do lat. *aviculariu*.] *S. m.* **1.** V. *avicultor*. **2.** Zoécio modificado dos briozoários, semelhante a um bico de gavião. ● *Adj.* **3.** V. *aviário*[2].

aviculídeo [Do tax. *Avicula* + *-ídeo*; tax. *Aviculidae*.] *Zool. S. m.* **1.** Espécime dos aviculídeos, família de moluscos pelecípodes, marinhos, de concha frágil, brilhantemente nacarada. Vivem nos mares quentes, unidos entre si e aos rochedos pelo bisso. ● *Adj.* **2.** Pertencente ou relativo a eles.

avicultor (ô) [De *avi-* + *-cultor*.] *S. m.* Aquele que se dedica à avicultura; avícola, aviculário.

avicultura [De *avi-* + *-cultura*.] *S. f.* Arte ou técnica de criar e multiplicar aves.

avidez (ê) [De *ávido* + *-ez*.] *S. f.* **1.** Desejo ardente, imoderado, veemente, de alguma coisa. **2.** Ansiedade, sofreguidão. **3.** Cobiça, ambição. **4.** Voracidade, sede.

ávido [Do lat. *avidu*.] *Adj.* **1.** Que deseja ardentemente. **2.** Ansioso, sôfrego: *Vê-se que está ávida por partir;* "sensibilidade ao mesmo tempo profunda e errante, ávida de desvendar conexões novas entre o mundo do amor e o mundo natural" (Carlos Drummond de Andrade, *Passeios na Ilha*, p. 212). **3.** Avaro, ambicioso, cobiçoso. **4.** Voraz, esfomeado, esfaimado, famélico. **5.** Sedento, sequioso. **6.** Em que há avidez (1): *Lançou-lhe um olhar ávido.*

avieirado [De *a-*[2] + *vieira* + *-ado*[1].] *Adj. Heráld.* Diz-se de campo ou de peças que têm vieiras.

avifauna [De *avi-* + *fauna*.] *S. f. Bras.* O conjunto das aves de uma região; a fauna ornitológica regional.

avigoramento [De *avigorar* + *-mento*.] *S. m.* Ato ou efeito de avigorar(-se).

avigorar [De *a-*[2] + *vigor* + *-ar*[2].] *V. t. d.* **1.** Dar vigor a; fortalecer, robustecer: *O leite materno avigora o recém-nascido.* **2.** Fortalecer; consolidar; firmar: *A solidariedade dos amigos avigorou a posição que assumira.* *P.* **3.** Tornar-se robusto, forte, vigoroso; robustecer-se. **4.** Fortalecer-se, consolidar-se: *avigoraram-se as minhas esperanças.*

ávila [De or. obsc.] *S. f.* Grande fruto carnoso da cucurbitácea *Fevilea trilobata*, originária das Antilhas e do Brasil. [Cf. *avila*, do v. *avilar*.]

avilanado [De *a-*[2] + *vilão* + *-ado*[1].] *Adj.* **1.** Que tem maneiras ou costumes de vilão. **2.** Grosseiro, rude, rústico.

avilanar-se [De *a-*[2] + *vilão* + *-ar*[2] + *se*[1].] *V. p.* Tornar-se vilão; degenerar-se, corromper-se; aviltar-se, envilecer-se.

avilar [De *a-*[2] + *vil* + *-ar*[2].] *V. t. d. P.* V. *aviltar*. [Pres. ind.: *avilo, avila, avilas, avilamos, avilais, avilam*; pres. subj.: *avile, aviles, avile, avilemos, avileis, avilem*. Cf. *ávila*, s. f., e *Ávila*, top. e antr.]

aviltação [De *aviltar* + *-ção*.] *S. f.* V. *aviltamento*.

aviltado [Part. de *aviltar*.] *Adj.* **1.** Que se aviltou; desvalorizado, envilecido: *A moeda, aviltada, já não compra coisa alguma.* **2.** Humilhado, rebaixado. **3.** Desonrado, desacreditado.

aviltador (ô) [De *aviltar* + *-dor*.] *Adj.* **1.** V. *aviltante*. ● *S. m.* **2.** Aquele que avilta.

aviltamento [De *aviltar* + *-mento*.] *S. m.* **1.** Envilecimento, desonra, descrédito. **2.** Humilhação, rebaixamento. **3.** Abjeção, vileza. [Sin. ger.: *aviltação*.]

aviltante [De *aviltar* + *-nte*.] *Adj. 2 g.* Que avilta; aviltador, aviltoso.

aviltar [De *a-*[4] + lat. *vilitare*.] *V. t. d.* **1.** Tornar vil, abjeto, desprezível; envilecer: *Há medidas drásticas que aviltam a condição do ser humano.* **2.** Desonrar, humilhar, rebaixar: *injúrias que o aviltaram.* **3.** Baixar o preço de: *aviltar os gêneros alimentícios.* *P.* **4.** Tornar-se vil, desprezível; envilecer-se: "É dura afronta, mas com essa afronta / Eu não me avilto, nem me desabono" (Laurindo Rabelo, *Poesias Completas*, p. 109). **5.** Humilhar-se, rebaixar-se. [Sin. ger.: *avilar*.]

aviltoso (ô) [De *avilt-*, como em *aviltar*, + *-oso*.] *Adj.* V. *aviltante*.

avinagrado [Part. de *avinagrar*.] *Adj.* V. *envinagrado*.

avinagrar [De *a-*[2] + *vinagre* + *-ar*[2].] *V. t. d. P.* V. *envinagrar*.

avincar [De *a-*[4] + *vincar*.] *V. t. d.* V. *vincar*: "a dor lhe avinca o grave e duro aspecto..." (Gonçalves Crespo, *Obras Completas*, p. 333). [Conjug.: v. *trancar*.]

avindo [Part. de *avir*.] *Adj.* Que se aveio; ajustado, combinado.

avindor (ô) [De *avindo* + *-or*.] *Adj. S. m.* Que, ou aquele que trata de harmonizar litigantes; mediador, medianeiro.

avinhado[1] [De *a-*[2] + *vinho* + *-ado*[1].] *S. m. Bras. Zool.* V. *curió*.

avinhado[2] [Part. de *avinhar*.] *Adj.* **1.** Que tem sabor ou cheiro de vinho. **2.** V. *embriagado* (1). **3.** Próprio de bêbedo: "Palavras que raro te soam em torno são blasfêmias e pragas avinhadas." (Carlos Magalhães de Azeredo, *Ariadne*, p. 15.) **4.** *Bras. CE Pop.* Diz-se do bebedor contumaz que se embriaga facilmente; aquilotado. **5.** Cor tirante ao vinho.

avinhar [De *a-*[2] + *vinho* + *-ar*[2].] *V. t. d.* **1.** Temperar com vinho. **2.** Dar o cheiro ou o sabor do vinho a. **3.** Acostumar ao vinho. **4.** Embriagar, embebedar. *P.* **5.** Embebedar-se, embriagar-se.

avio [Dev. de *aviar*.] *S. m.* Aviamento (1). ~ V. *avios*.

aviofobia [Do fr. avion (> *avião*) + *-fobia*, com desnasalação.] *S. f. Psiq.* Medo patológico de voar de avião, etc.

aviofóbico [De *aviofobia* + *-ico*[2].] *Psiq. Adj.* **1.** Relativo a aviofobia. **2.** Que sofre de aviofobia; aviófobo. ● *S. m.* **3.** Aquele que sofre de aviofobia; aviófobo.

aviófobo [De *avio-*, como em *aviofobia*, + *-fobo*.] *Adj. S. m. Psiq.* Aviofóbico (2 e 3).

aviolado[1] [De *a-*[2] + *viola*[1] + *-ado*[1].] *Adj.* Cujo feitio ou cujo som lembra o feitio ou som da viola.

aviolado[2] [De *a-*[2] + *viola*[2] + *-ado*[1].] *Adj.* **1.** Feito com flores de violeta. **2.** Violáceo[1] (1 e 2).

aviônica *S. f.* V. *aviônica*. [Uso freq. em P.]

aviônica [Do ingl. *avionics* < ingl. *aviation electronics*.] *S. f.* **1.** O desenvolvimento e a produção de equipamentos elétricos e eletrônicos para uso em aviação, em especial de sistemas de controle eletrônico para aeronaves e armas aerotransportadas. **2.** Os instrumentos e sistemas desenvolvidos pela aviônica (1).

aviónico *Adj.* V. *aviônico*. [Uso freq. em P.]

aviônico [Do ingl. *avionics*.] *Adj.* Diz-se de equipamento eletrônico us. em aeronáutica e astronáutica.

avios [Pl. de *avio*.] *S. m. pl. Bras. S.* Os apetrechos necessários para determinados fins; aviamentos: *avios de caça*; *avios de fogo*; *avios de mate.* ~ V. *avio*. ◆ **Avios de caça.** Os objetos necessários para fazer uma caçada: espingarda e pertences. **Avios de fogo.** Os objetos necessários para obter fogo: o isqueiro, a pederneira, etc. **Avios de mate.** Os objetos necessários para se preparar ou tomar o mate: cuia, bomba e erva.

avir [Do lat. *advenire*.] *V. t. d.* **1.** Pôr em concórdia; conciliar, harmonizar: *Não conseguiram avir os dois inimigos.* **2.** Combinar, ajustar. *T. d. e i.* **3.** Avir (1): *Conseguiu avir o tio com o amigo.* *P.* **4.** Sair-se de dificuldade; arranjar-se, haver-se: "— Deixa-os lá. Que se avenham." (Fialho d'Almeida, *Contos*, p. 102); "O 'tirador de lenha' só se avém com o que se pode chamar a nata; o plantador com a ralé" (Alberto Rangel, *Sombras n'Água*, p. 43). **5.** Pôr-se em concórdia; conciliar-se, harmonizar-se. **6.** Combinar-se, ajustar-se. [Irreg. Conjug.: v. *vir*.]

avirama *S. f. Bras. Bot.* V. *salgueiro-do-rio*.

avisado [Part. de *avisar*.] *Adj.* **1.** Que recebeu aviso. **2.** Circunspecto, discreto; sensato, sábio: "Muito sabedor e avisado filósofo elucidava-me, ... | — Pois foi no reinado do Imperador Xomu, pelo ano de 724, que o chá entrou na terra japona." (Luís Guimarães, *Samurais e Mandarins*, p. 74.) **3.** Prudente, cauteloso, cauto.

avisador (ô) [De *avisar* + *-dor*.] *Adj. S. m.* Que, ou aquele que avisa.

avisamento [De *avisar* + *-mento*.] *S. m. P. us.* Aviso (1).

avisar [Do fr. *aviser*.] *V. t. d.* **1.** Dar aviso a; fazer saber; anunciar a: *Não quis partir sem avisar os amigos.* **2.** Informar, prevenir: *Embora receoso, não deixou de avisar os correligionários.* **3.** Dar aviso ou ciência de; informar ou cientificar de: "Conversávamos alegremente sobre a colheita do ano, quando avisaram a visita do .... juiz municipal." (Inglês de Sousa, *Contos Amazônicos*, p. 112.) *T. d. e i.* **4.** Dar aviso; fazer ciente; dizer em caráter de aviso: *Avisei-o do resultado do exame.* **5.** Prevenir, informar: "duas balas de artilharia, bem apontadas, avisaram os turcos do perigo" (Camilo Castelo Branco, *O Santo da Montanha*, p. 293); "— A senhora tem em seu poder um papel, que o meu amigo lhe deu a guardar, recomendando-me que, no caso de acontecer-lhe alguma cousa, lhe avisasse para abri-lo." (José de Alencar, *Senhora*, p. 225). *T. i.* **6.** Dar aviso; fazer ciente; dizer em caráter de aviso: *Avisou de que pretendia vingar-se.* ***Bit. i.*** **7.** Fazer saber; informar, prevenir: "avisava aos dois namorados da hora de desmanchar carinhos." (J. Felício Santos, *Major Calabar*, p. 25). ***P.*** **8.** Informar-se, inteirar-se: *Avisou-se em tempo das artimanhas do inimigo.* **9.** Acautelar-se, prevenir-se, precaver-se, precatar-se: *Depois disso, há de se avisar de futuras importunações.* **10.** Tomar aviso ou conselho; aconselhar-se. ***Int.*** **11.** Advertir (10): "Quem avisa amigo é" (prov.).

aviso[1] [Dev. de *avisar*.] ***S. m.*** **1.** Ato ou efeito de avisar. [Sin. (p. us.): *avisamento*.] **2.** Notícia, informação, comunicação. **3.** *P. ext.* Documento pelo qual alguém é informado de alguma coisa: *Recebi o aviso do banco: o dinheiro chegou; O aviso do Correio chegou atrasado;* "Foi então que o Governo Imperial, em aviso de 19 de maio de 1855, proibiu a admissão de noviços aos conventos." (Afonso Arinos de Melo Franco, *Amor a Roma*, p. 33). **4.** Na linguagem burocrática, ofício de um ministro a outro. **5.** Conselho, advertência. **6.** Parecer, opinião. **7.** Discrição, juízo, tino, sabedoria: *É homem de bom aviso.* ◆ **Aviso aos navegantes.** *Náut.* Boletim diário, emitido pela repartição hidrográfica competente, e que informa os navegantes das alterações ocorridas no balizamento ou em instrução ou informação anterior referente à navegação. **Aviso do *prompt*.** *Inform.* V. *prompt*. **Aviso prévio.** *Dir. Trab.* **1.** Comunicação do empregador ao empregado, ou vice-versa, pela qual um faz saber ao outro sua intenção de resilir o contrato de trabalho dentro de determinado prazo. **2.** *P. ext.* Quantia que o empregador paga ou que do empregado é descontada, quando não observado o prazo estabelecido em lei para a extinção do contrato.

aviso[2] [Do esp. *aviso*.] ***S. m.*** **1.** *Ant.* Navio pequeno e ligeiro, destinado a transmitir ordens e mensagens entre os navios de uma força naval. **2.** *Mar. G.* Navio-auxiliar, de pequeno tamanho e fraco ou nenhum armamento.

➔ **avis rara** ['aveş 'rara] [Lat., 'ave rara'.] Parte do ditado latino 'avis rara, avis cara', que é costume citar como referência a visita rara, mas bem-vinda.

avistamento [De *avistar* + *-mento*.] ***S. m.*** **1.** Ato ou efeito de avistar. **2.** *Ecol. Tur.* Ação ou atividade de mostrar, em passeios, excursões, expedições, etc., animais no seu ambiente natural: *avistamento de baleias.* **3.** Entre ufólogos, ação de ver, de avistar um OVNI: *Na entrevista, a ufóloga relatou seu primeiro avistamento na cidade de Vassouras.*

avistar [De *a-*[2] + *vista* + *-ar*[2].] ***V. t. d.*** **1.** Alcançar com a vista; ver ao longe; entrever: *Avistou o amigo do outro lado da ponte.* **2.** Ver, enxergar: *Ao chegar, logo o avistou.* **3.** Pôr à vista. ***P.*** **4.** Ver-se reciprocamente: "por que diabo fora Mariazinha avistar-se com o solteirão nos fundos da casa, em hora tão erma?" (Ciro dos Anjos, *A Menina do Sobrado*, p. 97). **5.** Encontrar-se casualmente: *Avistaram-se depois de longo tempo.* **6.** Ter entrevista: *Ao chegar, avistou-se com os jornalistas.*

avistável [De *avistar* + *-vel*.] ***Adj. 2 g.*** Que pode ser avistado.

avitaminose [De *a-*[3] + *vitamina* + *-ose*[1].] ***S. f.*** *Med.* Distúrbio nutricional em que o paciente não recebe a mínima quantidade de vitaminas necessárias, o que provoca o aparecimento de estados mórbidos, variáveis com o tipo de carência vitamínica.

avito [Do lat. *avitu*.] ***Adj.*** Que procede dos avós ou antepassados.

avitualhamento [De *avitualhar* + *-mento*.] ***S. m.*** Ato ou efeito de avitualhar.

avitualhar [De *a-*[2] + *vitualha* + *-ar*[2].] ***V. t. d.*** Prover ou abastecer de víveres ou vitualhas.

aviú ***S. m.*** *Bras. Amaz. Zool.* **1.** Animal artrópode, crustáceo, decápode, malacostráceo, macruro, sergestídeo (*Acetes americanus*), de porte diminuto (cerca de 3cm de comprimento) e corpo muito fino. Ocorre sobretudo na foz do rio Tocantins, principalmente nos meses de julho e agosto. **2.** Designação dada também à espécie *Acetes paraguayensis*. [Ambas as espécies ocorrem em regiões tropicais e subtropicais, em litoral e estuário ou curso de grandes rios.]

avivador (ô) [De *avivar* + *-dor*.] ***Adj.*** **1.** Que aviva. ● ***S. m.*** **2.** Instrumento usado pelos douradores para avivar o ouro.

avivamento [De *avivar* + *-mento*.] ***S. m.*** Ato ou efeito de avivar(-se).

avivar [De *a-*[2] + *vivo* + *-ar*[2].] ***V. t. d.*** **1.** Tornar mais vivo; excitar, estimular: *avivar os espíritos.* **2.** Tornar mais nítido ou visível; realçar: *O dito picante avivou-lhe as rosas das faces.* **3.** Tornar mais ativo; apressar: *avivar os preparativos.* **4.** Tornar mais vivo, mais intenso; exacerbar, agravar: *Aquele encontro avivou-lhe o sofrimento.* **5.** Atiçar (o fogo). **6.** Guarnecer de vivos ou debruns. ***Int.*** **7.** Cobrar ânimo, vigor; reanimar-se: *Com o grogue quente, o ferido avivou.* **8.** Tornar mais vivo, mais intenso, mais forte; aumentar, recrudescer. ***P.*** **9.** Tornar-se mais vivo; animar-se. **10.** Tornar-se mais nítido ou visível; realçar-se: *As cores do céu avivaram-se com a aurora.* **11.** Tornar-se mais vivo, mais intenso, mais forte, etc.; crescer: "Algumas das recordações vagas que conservo se avivariam então" (Casimiro de Abreu, *Obras*, p. 406).

aviventação [De *aviventar* + *-ção*.] ***S. f.*** Ato ou efeito de aviventar(-se).

aviventador (ô) [De *aviventar* + *-dor*.] ***Adj. S. m.*** Que ou o que aviventa.

aviventar [De *a-*[2] + *vivo* + *-entar*.] ***V. t. d.*** **1.** Fomentar a vida em; vivificar. **2.** Fortalecer; reanimar; alentar: *aviventar uma esperança.* **3.** *Bras. RS* Abrir novamente (a picada fechada pela vegetação em consequência de abandono). ***P.*** **4.** Ganhar nova vida, novo vigor.

avizinhação [De *avizinhar* + *-ção*.] ***S. f.*** Ato ou efeito de avizinhar(-se); aproximação.

avizinhamento [De *avizinhar* + *-mento*.] ***S. m.*** Ato ou efeito de avizinhar(-se).

avizinhar [De *a-*[2] + *vizinho* + *-ar*[2].] ***V. t. d.*** **1.** Pôr perto; aproximar: *Estavam longe um do outro, procurei avizinhá-los.* **2.** Acercar-se, aproximar-se de: *Avizinhou-a na saída para levá-la a casa.* **3.** Estar perto de; confinar com: *A Argentina e o Uruguai são dos vários países que avizinham o Brasil.* ***T. d. e i.*** **4.** Pôr perto; aproximar: *Procurei avizinhá-la do rapaz.* ***T. i.*** **5.** Chegar para perto; aproximar-se, chegar-se: *Avizinhou com o menino para dar o recado.* ***T. c.*** **6.** Estar próximo, contíguo ou junto: *Suas terras avizinham com as do compadre.* ***Int.*** **7.** Chegar, aproximar-se, abeirar-se: *Pressentiu que a morte avizinhava.* ***P.*** **8.** Chegar-se para perto; aproximar-se, abeirar-se: *Avizinhou-se do desconhecido;* "À medida que viajava e ia se avizinhando ao lar paterno, ia-se de novo acendendo o brilho dos seus olhos" (Bernardo Guimarães, *O Seminarista*, p. 80). [Pres. ind.: *avizinho, avizinhas, avizinha*, etc. Cf. *avezinha*, dim. de *ave*.]

avo [Da term. de *oitavo*, entendida como um substantivo que indicasse parte alíquota: *oit'avos*.] ***S. m.*** **1.** *Mat.* Fração de unidade, quando dividida em mais de dez partes iguais, porém não em número potência de dez. Ex.: 1/12 — um doze avos; 3/12 — três doze avos. **2.** Moeda divisionária que representa a centésima parte da pataca (6). [Us. quase só no pl.]

avó [Do lat. **aviola*.] ***S. f.*** A mãe do pai ou da mãe. [Masc.: *avô*.] ◆ **Amanhecer com a avó atrás do toco.** *Bras. MG Pop.* Acordar irritado, de mau humor; amanhecer de chinelos trocados.

avô [Do lat. **aviolu*.] ***S. m.*** **1.** O pai do pai ou da mãe. [Fem.: *avó*. Pl.: *avós* e *avôs*, este último raramente us. hoje.] **2.** *Bras.* V. *vovô*. ~ V. *avós*. ◆ **Avô torto.** O padrasto do pai ou da mãe. **Mais velho que meu avô.** Muitíssimo velho.

avoaçar [De *a-*[2] + *voo* + *-açar*.] ***V. int.*** V. *esvoaçar*: "Chegou a apanhar uma hipótese, espécie de andorinha, que avoaça entre árvores, abaixo e acima, pousa aqui, pousa ali, arranca de novo um surto e toda se despeja em movimentos." (Machado de Assis, *Esaú e Jacó*, p. 128.) [Conjug.: v. *laçar*. Normalmente é defect., us. só nas 3.as pess.]

avoadeira [De *avoar* + *-deira*.] ***S. f.*** *Bras. GO Zool.* Nome comum a peixes anostomídeos do gênero *Leporinus*, capazes de dar grandes saltos.

avoado [Part. de *avoar*.] ***Adj.*** *Bras.* **1.** Que anda com a cabeça no ar; tonto, adoidado: "A moça, que não era avoada, hesitou longos dias se devia ou não responder" (Artur Azevedo, *Contos Cariocas*, p. 249). **2.** Confuso; atrapalhado; avoador. [Cf. *arvoado*.]

avoador (ô) [De *avoar* + *-dor*.] ***Adj.*** *Bras. Gír.* **1.** Velhaco, patife. **2.** Avoado (2).

avoamento [De *avoar* + *-mento*.] ***S. m.*** **1.** A altura máxima de um arco, medida entre o intradorso e a corda ou linha do vão; flecha. **2.** Estado ou condição de avoado (1); alheamento: "Seu avoamento em relação às coisas da profissão era absoluto." (Rui Castro, *Estrela Solitária: Um Brasileiro Chamado Garrincha*, p. 127.)

avoante [De *avoar* + *-nte*.] ***S. f.*** *Bras. Zool.* Ave columbiforme columbídea (*Zenaida auriculata virgata*), e outras subespécies, do Paraguai, e do C. e L. do Brasil. Coloração dorsal parda, lado ventral tirante a vinho-claro, alto da cabeça cinzento; duas manchas pretas junto aos olhos, outras pouco abaixo e sobre as asas: "Aprendi .... a cavar fojos à beira das poças de água, para fisgar as avoantes, aves de arribação, que descem das árvores, em chusmas de mil, a beber." (Gustavo Barroso, *O Sertão e o Mundo*, p. 155.) [Reúnem-se anualmente, em março e abril, em certas regiões do N.E., para desovar, quando são abatidas aos milhares. Sin.: *arribaçã, arribação, bairari, cardigueira, cardinheira, pairari, parari, pomba-de-arribação, pomba-de-bando, pomba-do-sertão, rabaçã, rebaçã, ribaçã*.]

avoar [De *a-*[4] + *voar*.] ***V. int.*** *Pop.* Voar (1). [Conjug.: v. *coroar*.]

avocação [Do lat. *avocatione*.] ***S. f.*** *Dir. Proc.* Ato de juiz de instância superior que traz a si a competência de julgar causa ou incidente processual de alçada de juiz ou órgão de instância inferior

avocar [Do lat. *avocare*.] ***V. t. d. e i.*** **1.** Chamar; atrair: *Avocaram os foragidos ao seu bando.* **2.** Atribuir-se, arrogar-se: *Avoca a si poderes que não tem.* **3.** Fazer voltar; fazer tornar: *Era como se o avocassem novamente à vida.* ***T. d.*** **4.** Fazer voltar, fazer tornar; despertar: *O temor avocou-lhe a razão.* **5.** Chamar (1): "um caboclo .... quebrava o silêncio nostálgico do crepúsculo avocando: | — Ô de casa!" (Herman Lima, *Tijipió*, p. 114). ***P.*** **6.** Chamar a si responsabilidade, direito, etc.; atribuir-se: *Avoca-se poderes que não tem.* [Conjug.: v. *trancar*.]

avocatório [De *avocar* + *-tório*.] ***Adj.*** **1.** Que serve para avocar. ● ***S. m.*** **2.** Documento pelo qual o juiz avoca autos ou processos.

avocatura [De *avocar* + *-tura*.] ***S. f.*** Ato de avocar.

avocável [De *avocar* + *-vel*.] ***Adj. 2 g.*** Que se pode avocar.

avoejar [De *a-*[4] + *voejar*.] ***V. t. c. Int. P.*** V. *esvoaçar* (1). [Conjug.: v. *pelejar*. Normalmente é defect., conjugável só nas 3.as pess.]

avoengo [De *avô* + *-engo*.] ***Adj.*** **1.** Procedente de avós. **2.** Herdado de avós. **3.** Relativo aos avós. ~ V. *avoengos*.

avoengos [Pl. subst. de *avoengo*.] ***S. m. pl.*** Antepassados, avós: "Orgulhava-se de contar entre os seus avoengos homens que sofreram pela independência da pátria" (Sousa Bandeira, *Evocações e Outros Escritos*, p. 51). [Muito raramente us. no sing.] ~ V. *avoengo*.

avoengueiro [De *avoengo* + *-eiro*.] ***Adj.*** **1.** Que vem de avoengos ou avós. **2.** Que tem direito avito.

➔ **à vol d' oiseau** [avɔl dwa'zo] [Fr.] Por alto; de modo muito geral.

avolumado [Part. de *avolumar*.] ***Adj.*** Que se tornou volumoso; inchado.

avolumar [De *a-*[2] + *volume* + *-ar*[2].] ***V. t. d.*** **1.** Aumentar em volume; volumar: *As vestes pregueadas avolumavam-lhe a silhueta.* **2.** Aumentar em número ou quantidade: *Tais extravagâncias avolumam suas dívidas.* **3.** Encher, obstruir, ocupando grande espaço: *Compra livros que avolumam a sua biblioteca, sem a enriquecer.* ***Int.*** **4.** Avolumar (6): "A onda de lama avoluma, / Não tem vazante a maré" (José Severiano de Resende, *Mistérios*, p. 109). **5.** Tomar muito lugar. ***P.*** **6.** Tornar-se volumoso; crescer em volume; avolumar, volumar. **7.** Aumentar em número ou em quantidade: "Mas as dúvidas se avolumaram, a fazenda se despovoou, tombaram as cercas" (Graciliano Ramos, *Infância*, p. 38).

à vontade ***S. m.*** Naturalidade, desembaraço, desteminez: "A minha falta de à vontade encheu-me de complexos e iria agravar-se se não fosse a amizade dos dois maiores cábulas da classe, que tiveram pena de tanta mazombice e vieram ter comigo." (Almeida Faria, *O Conquistador*, p. 34.) [Pl.: *à vontades*. Cf. *à vontade*, loc.] ☑

avós [Pl. de *avô*.] ***S. m. pl.*** V. *ancestrais*. ~ V. *avô*.

avosar [De *a-*[2] + *vós* + *-ar*[2].] ***V. t. d.*** *Bras.* Dar o tratamento de vós a; tratar por vós.

avozear [De *a-*[2] + *voz* + *-ear*[2].] ***V. t. d.*** Aclamar em altas vozes. [Conjug.: v. *frear*.]

avulsão [Do lat. *avulsione*.] ***S. f.*** **1.** V. *evulsão*. **2.** *Dir. Civ.* Modo de aquisição da propriedade imóvel pela superposição ou adjunção de uma porção de terra arrancada de seu lugar primitivo por força natural violenta. **3.** *Cir.* Extração de parte de um órgão por arrancamento. [Cf., nesta acepç.: *ablação* (2).]

avulsivo [Do lat. *avulsus*, 'arrancado', 'separado', + *-ivo*.] ***Adj.*** Relativo a, ou em que há avulsão, extração.

avulso [Do lat. *avulsu*.] ***Adj.*** **1.** Arrancado à força. **2.** Separado, isolado, insulado. **3.** Desligado do corpo ou da coleção de que fazia parte; desirmanado. ~ V. *folha —a*. ● ***S. m.*** **4.** Folha volante.

avultação [De *avultar* + *-ção*.] ***S. f.*** **1.** Ato ou efeito de avultar. **2.** *Pop.* Parecença, semelhança.

avultado [Part. de *avultar*.] ***Adj.*** **1.** Representado em vulto. **2.** Intensificado, aumentado. **3.** Grande, volumoso, considerável, avultoso, avultante.

avultante [De *avultar* + *-nte*.] *Adj. 2 g.* 1. Que avulta. 2. V. *avultado* (3).

avultar [De *a-*[2] + *vulto* + *-ar*[2].] *V. t. d.* 1. Representar em vulto ou em relevo. 2. Aumentar, intensificar, acentuar: *O silêncio da noite avultava os estampidos;* "A distância do equador avulta as diferenças termométricas" (Capistrano de Abreu, *Capítulos de História Colonial*, p. 49). 3. Aumentar, elevar, majorar: *avultar os preços.* 4. Engrandecer, enaltecer, exaltar: *Numerosos quadros avultam a memória de Portinari.* 5. Exagerar, aumentar: *Costuma avultar o que relata. T. i. T. c.* 6. Importar, montar; subir, elevar-se, chegar: *Sua despesa mensal avulta a 5.000 reais. Int.* 7. Crescer, aumentar, em tamanho, número, intensidade, importância, etc.; ganhar vulto: *Com o passar dos anos, sua capacidade intelectual avultava mais e mais.* 8. Fazer-se notar por seu grande vulto; sobressair, ressaltar: *Sua figura enorme avultava por entre a multidão;* "o amplo, infinito plaino das paisagens ermas e dos chapadões desertos onde só avultavam, aqui e ali, manchas brancas de fazendolas." (Herman Lima, *Garimpos*, p. 13).

avultoso (ô) [De *avult-*, como em *avultar*, + *-oso*.] *Adj.* V. *avultado* (3).

avunculado [Do lat. *avunculus*, 'tio materno', + *-ado*[2].] *S. m. Antrop.* Avunculato.

avuncular [Do lat. *avunculus*, 'tio materno', + *-ar*[1].] *Adj. 2 g.* 1. Pertencente ou relativo ao tio materno. 2. *P. ext.* Pertencente ou relativo a, ou que envolve, tio ou tia. ~ V. *casamento —*.

avunculato [Do lat. *avunculus*, 'tio materno', + *-ato*[1].] *S. m. Antrop.* Relação institucionalizada que, em muitas sociedades, vigora entre o tio materno e os filhos de sua irmã, implicando uma série variável de direitos e deveres de parte a parte; avunculado. [Cf. *amitato*.]

avunculocal (vùn) [Do lat. *avunculus*, 'tio materno', + *local*, com haplologia.] *Adj. 2 g. Antrop.* Relativo ao costume ou à regra (ou ao padrão de residência a eles associado) que estabelece que um novo casal, após o casamento, passe a viver na localidade (casa, aldeia, acampamento, etc.) do irmão da mãe do marido. [Ger. us. como equivalente a *viriavunculocal*, visto os exemplos conhecidos se enquadrarem nesse tipo de padrão de residência.] [Cf. *virilocal*.]

avunculocalidade (vùn) [De *avunculocal* + *-(i)dade*.] *S. f. Antrop.* 1. Caráter ou condição de avunculocal. 2. Regra ou padrão de residência avunculocal.

axá [Do ior.] *S. m. Bras. BA* V. *caco* (5).

axabeba [Do ár. *aš-šabbāba(t)*.] *S. f.* Flauta. [Var.: *aiabeba, xabeba, xabepa*.]

axada *S. m. Cronol.* O quarto mês do calendário hindu. [Cf. *achada*, fem. do adj. *achado*, e s. f.]

axadrezado[1] [De *a-*[2] + *xadrez* + *-ado*[1].] *Adj.* Semelhante ao tabuleiro de xadrez.

axadrezado[2] [Part. de *axadrezar*.] *Adj.* Diz-se de pano, papel, veste, etc., com quadrados dispostos como os de um tabuleiro de xadrez, em que se alternam cores diferentes; xadrez, enxadrezado.

axadrezar [De *a-*[2] + *xadrez* + *-ar*[2].] *V. t. d.* V. *enxadrezar*.

axante *S. 2 g. S. m. Adj. 2 g.* V. *axanti*.

axanti *S. 2 g.* 1. *Etnôn.* Indivíduo dos axantis, povo que habita a região do Golfo da Guiné, principalmente no território da República de Gana (O. da África). ● *S. m.* 2. *Gloss.* V. *acã* (1). ● *Adj. 2 g.* 3. Relativo ou pertencente aos axantis, ou à sua língua. [F. paral.: *achanti, achante, axante*.]

axantopsia [De *a-*[3] + *-xant(o)-* + *-opsia*.] *S. f. Oftalm.* Cegueira para a cor amarela.

axe *S. m.* Pequena ferida ou esfoladura. [Cf. *ache*, do v. *achar*, e s. m., e *axe* (cs).]

axe (cs) [Do lat. *axe*.] *S. m.* Áxis[1]. [Cf. *axe*, s. m., e *ache*, do v. *achar*.]

▲ **-axe** (cs) Equiv. de *ax(i)-*.

axé[1] *S. m. Mús.* V. *axé-music*.

axé[2] [Do ior.] *Bras. S. m.* 1. *Rel.* Entre os iorubas, o poder vital, a força, a energia de cada ser e de cada coisa. 2. *Bras. Rel.* Energia sagrada dos orixás: *O axé revigora-se com sacrifícios e oferendas.* 3. *Bras. Rel.* Objeto ou ser sobre o qual se fixa ritualmente a energia sagrada dos orixás: *Os axés de Xangô ficam no peji da casa do candomblé.* ● *Interj.* 4. Expressa votos de felicidade. 5. Queira Deus; que assim seja. ~ V. *axés*.

axelho (csê) [De *ax(ila)* + *-elho*, moldado em *pentelho*, poss.] *S. m. P. us.* Pelo das axilas: "Com a mesma tesoura tosava os cabelos da cabeça, bigodes, barbas, axelhos e pentelhos." (Pedro Nava, *Beira-Mar*, p. 78.)

axé-music [De *axé*[1] + o ingl. *music*.] *S. m. Mús.* Gênero musical, surgido nos carnavais da Bahia nos anos 1980, resultante esp. da mistura do frevo pernambucano, tocado em guitarras elétricas, com o forró, o maracatu e o *reggae*. [Tb. se diz apenas *axé*.]

axés [Pl. de *axé*.] *S. m. pl. Bras. Rel.* Conjunto mágico de aves imoladas, jornais do dia, água benta, etc., que o chefe da comunidade enterra no local onde se erguerá o poste central do barracão do candomblé e que será o alicerce místico do templo. ~ V. *axé*.

axexê [Do ior.] *S. m. Bras. Rel.* Cerimônia fúnebre nagô.

axi [Do tupi.] *Interj. Bras. Amaz.* Exprime espanto, desdém ou zombaria.

▲ **ax(i)-** (cs) [Do lat. *axis, is*.] *El. comp.* = 'eixo': *axial, axífero, axípeto*. [Equiv.: *-axe: isoaxe*.]

axial (cs) [De *ax(i)-* + *-al*[1].] *Adj. 2 g.* 1. Relativo ou pertencente a eixo. 2. V. *axiforme*. 3. Que serve de eixo. 4. *Fig.* Fundamental, primordial. ~ V. *esqueleto —, período —, raiz —* e *simetria —*.

axicarado[1] [De *a-*[2] + *xícara* + *-ado*[1].] *Adj.* Que tem, por natureza, forma de xícara.

axicarado[2] [Part. de *axicarar*.] *Adj.* A que se deu forma de xícara.

axicarar [De *a-*[2] + *xícara* + *-ar*[2].] *V. t. d.* Dar a forma de xícara a.

axículo (cs) [Do lat. *axiculu*.] *S. m.* Pequeno eixo.

axífero (cs) [De *ax(i)-* + *-fero*.] *Adj.* Provido de eixo.

axifoidia [De *a-*[3] + *xifoide* + *-ia*[1].] *S. f. Ter.* Ausência do apêndice xifoide.

axiforme (cs) [De *ax(i)-* + *-forme*.] *Adj. 2 g.* Que tem forma de eixo; axial, axoide.

axífugo (cs) [De *ax(i)-* + *-fugo*[1].] *Adj.* Que tende a sair do eixo. [Antôn.: *axípeto*.]

áxil (cs) [De *ax(i)-* + *-il*[3].] *Adj. 2 g. Bot.* Referente ao eixo de uma planta. [Pl.: *áxeis*.]

axila (cs) [Do lat. *axilla*.] *S. f.* 1. *Anat.* Cavidade na parte inferior da junção entre braço e ombro. [Sin., pop.: *sovaco, sovaqueira*.] 2. *Zool.* Ponto externo em que os membros de certos animais se unem ao corpo. 3. *Zool.* Parte interna da inserção da nadadeira peitoral, nos peixes. 4. *Bot.* Espaço situado entre um órgão e o eixo que o sustenta: *axila foliar*. [Cf. *áxila*, fem. de *áxilo*.]

axilar (cs) [De *axila* + *-ar*[1].] *Adj. 2 g.* 1. Relativo ou pertencente a axila. 2. *Bot.* Diz-se de ramo ou gema presente na axila de uma folha.

áxilo (cs) [Do gr. *áxylos*, 'a que falta madeira'.] *Adj. Bot.* Diz-se de planta que não produz madeira. [Fem.: *áxila*. Cf. *Axilo*, antr., e *axila*.]

axilose (cs) [De *axila* + *-ose*[1].] *S. f. Med.* Suor excessivo das axilas, com mau cheiro.

aximez (ê) [Do ár. *aš-šams*.] *S. m.* 1. O Sol. 2. *Arquit.* Janela larga e arqueada, dividida verticalmente em duas. [Var.: *ajimez*.]

axinita (cs) [Do gr. *axíne*, 'machado', + *-ita*[3].] *S. f. Min.* Mineral triclínico, borossilicato de alumínio e cálcio com quantidades variáveis de ferro e manganês.

axinomancia (cs...cí) [Do gr. *axinomantéia*, pelo lat. *axinomantia*.] *S. f.* Adivinhação por meio de um machado.

axinomante (cs) *S. 2 g.* Pessoa que pratica a axinomancia.

axinomântico (cs) *Adj.* Referente a axinomancia, ou a axinomante.

▲ **axi(o)-** (cs) [Do gr. *áxios, a, on*.] *El. comp.* = 'que tem peso', 'que vale'; 'que é digno de', 'digna de ser honrado'; 'justo', 'ajustado', 'conveniente (coisa)': *axiônimo*. [Equiv.: *-axi(o)-: cronaxia*.]

▲ **-ax(i)(o)-** (cs) Equiv. de *axi(o)-*.

axiologia (cs) [Do gr. *axiólogos*, 'digno de ser dito', + *-ia*[1].] *S. f. Filos.* 1. Estudo ou teoria de alguma espécie de valor, particularmente dos valores morais. 2. Teoria crítica dos conceitos de valor.

axiológico (cs) [De *axiologia* + *-ico*[2].] *Adj. Filos.* 1. Concernente à, ou que constitui uma axiologia. 2. Concernente a, ou que constitui um valor.

axioma (cs ou ss) [Do gr. *axíoma*, pelo lat. *axioma*.] *S. m.* 1. *Filos.* Premissa imediatamente evidente que se admite como universalmente verdadeira sem exigência de demonstração. 2. *P. ext.* Máxima, sentença: "É bem vulgar o axioma de que os bens não são desejados, senão quando se perdem." (Correia Garção, *Obras Poéticas e Oratórias*, p. 506.) 3. *Lóg.* Proposição que se admite como verdadeira porque dela se podem deduzir as proposições de uma teoria ou de um sistema lógico ou matemático.

axiomática (cs ou ss) [F. subst. de *axiomático*.] *S. f. Filos.* 1. Conjunto de axiomas de que se deduz uma teoria ou um sistema lógico ou matemático. 2. Estudo crítico dos axiomas.

axiomático (cs ou ss) [Do gr. *axiomatikós*.] *Adj.* 1. Que tem caráter de axioma; evidente; manifesto, incontestável: *verdade axiomática*. 2. Relativo a axioma. ~ V. *método —*.

axiómetro *S. m. Constr. Nav.* V. *axiômetro*. [Uso freq. em P.]

axiômetro (cs) [De *axi(o)-* + *-metro*.] *S. m. Constr. Nav.* Aparelho constituído de mostrador graduado e ponteiro, e que, colocado na parte superior de vante da roda do leme, indica ao timoneiro quantos graus está o leme carregado para um bordo ou para outro.

áxion (cs) [Do gr. *áxion*, neutro de *áxios*.] *S. m. Fís. Part.* Partícula subatômica hipotética, neutra e de massa menor do que 1MeV/c², postulada para preservar a invariância por certas transformações do espaço-tempo de teorias das interações fortes. [Pl.: *áxions*.]

axiónimo (cs) *S. m.* V. *axiônimo*. [Uso freq. em P.]

axiônimo (cs) [De *axi(o)-* + *-ônimo*.] *S. m.* Designação que se dá a forma cortês de tratamento, ou a expressão de reverência, como, p. ex., *Sr., Dr., Ex.*[mo] *Sr., Vossa Santidade*, etc.

axipaie *S. 2 g. Adj. 2 g. Bras.* V. *xipaia*.

axípeto (cs) [De *ax(i)-* + *-peto*.] *Adj.* Que tende para o eixo. [Antôn.: *axífugo*.]

áxis[1] (cs) [Do lat. *axis*.] *S. f. 2 n. Anat.* A segunda vértebra cervical; axoide. [F. paral.: *axe*.]

áxis[2] (cs) [Do tax. Axis.] *S. m. 2 n. Zool.* 1. Gênero-tipo de cervídeos que habitam as pastagens e florestas da Índia e do Sri Lanka, em manadas de cerca de 100 indivíduos. Têm pelagem marrom-avermelhada com manchas brancas, no dorso, e branca, no abdome e patas. 2. Qualquer espécie desse gênero, como, p. ex., a *Axis axis* ou *chital*. 3. Qualquer espécime desse gênero.

axixaense[1] (xà) *Adj. 2 g.* 1. De, ou pertencente ou relativo a Axixá (MA). ● *S. 2 g.* 2. O natural ou habitante de Axixá.

axixaense[2] (xà) *Adj. 2 g.* 1. De, ou pertencente ou relativo a Axixá do Tocantins (TO). ● *S. 2 g.* 2. O natural ou habitante de Axixá do Tocantins.

▲ **ax(o)-** (cs) V. *axon(o)-*.

axófito (cs) [De *ax(o)-* + *-fito*.] *S. m. Bot.* Haste da planta.

axogum [Do ior.] *S. m. Bras. Rel.* No candomblé e em outros ritos afro-brasileiros, ogã sacrificador dos animais votivos às divindades; mão de faca, ogã de faca.

axoide (cs...ói) [De *ax(o)-* + *-oide*.] *S. m.* 1. Áxis[1]. ● *Adj. 2 g.* 2. V. *axiforme*. ❖

axolote [Do náuatle *axolotl*.] *S. m. Zool.* Animal cordado, anfíbio, urodelo, da família dos ambistomídeos, gênero *Ambystoma*, cujas larvas, perenes ou neotênicas, se reproduzem, mesmo conservando as brânquias e outras características larvais. Ocorrem dos E.U.A. ao México, sendo conhecidas atualmente cerca de 14 espécies.

axonapraxia (cs...cs) [De *axon(o)-* + *apraxia*.] *S. f. Neur.* Neurapraxia.

axonema (cs) [De *axon(o)-* + *-nema*, com haplologia.] *S. m. Citol.* Conjunto de microtúbulos e proteínas associadas, responsável pela manutenção da estrutura e movimentação de cílios e flagelos de células eucariontes.

axónico (cs) *Adj.* V. *axônico*. [Uso freq. em P.]

axônico (cs) [De *axônio* + *-ico*[2].] *Adj.* Relativo a axônio.

axónio (cs) *S. m. Citol.* V. *axônio*. [Uso freq. em P.]

axônio (cs) [De *axon(o)-* + *-io*[3].] *S. m. Citol.* Prolongamento de neurônio que conduz impulso de corpo celular para as extremidades distais; cilindro-eixo.

▲ **axon(o)-** (cs) [Do gr. *áxōn, onos*.] *El. comp.* = 'eixo'; 'axônio': *axonometria; axonapraxia*. [Equiv.: *ax(o)-, -axon(o)-, -axono: axófito; dendraxônio; monaxono*.]

▲ **-axon(o)-** (cs) V. *axon(o)-*.

▲ **-axono** (cs) V. *axon(o)-*.

axonódromo (cs) [De *axon(o)-* + *-dromo*.] *Adj. Bot.* Diz-se das nervuras terciárias que se dispõem paralelamente às secundárias, das quais partem.

axonometria (cs) [De *axon(o)-* + *-metria*.] *S. f.* Representação de uma figura em três dimensões por projeção ortogonal ou oblíqua.

axonométrico (cs) [De *axonometria* + *-ico*[2].] *Adj.* Relativo à axonometria.

axonomorfo (cs) [De *axon(o)-* + *-morfo*.] *Adj.* ~ V. *raiz —a*.

axoplasma (cs) [De *ax(o)-* + *-plasma*.] *S. m. Histol.* Citoplasma de axônio.

axópode (cs) [De *ax(o)-* + *-pode*; lat. cient. *axopodium*.] *S. m. Zool.* Tipo de pseudópode dos protozoários, caracterizado pelo eixo rígido.

axorca [Do ár. *aš-šurka(t)*, 'cordão'.] *S. f.* Argola usada ainda por alguns povos do Oriente como adorno dos braços ou das pernas. [Var.: *ajorca*.]

axorcado [Part. de *axorcar*.] *Adj.* Adornado ou enfeitado com axorcas. [Var.: *ajorcado*.]

axorcar [De *axorca* + *-ar*[2].] *V. t. d.* Enfeitar ou adornar com axorcas. [Var.: *ajorcar*. Conjug.: v. *trancar*.]

axoxó *S. m. Bras. Cul. Rel.* V. *axoxô*.

axoxô [Do ior.] *S. m. Bras.* 1. *Cul.* Prato típico da cozinha afro-baiana, feito com feijão-fradinho cozido e servido em salada com carne-seca cozida e desfiada, temperados com cebola em rodelas finas, pimenta-do-reino, cheiro-verde, tomate e pimentão. 2. *Rel.* Comida votiva de Oxoce e de Logunedé, feita de milho cozido com pedaços de coco, ve que pode ser oferecida tb. a Oxumarê e a Oxum em seus océs [v. *océ*] anuais. [Var. pros.: *axoxó*.]

axuá [Do tupi.] ***S. m. Bras. Bot.*** **1.** Árvore humiriácea (*Sacoglottis guianensis*) de madeira clara, dura e resistente, casca rica em tanino, com propriedades medicinais, folhas ovadas, flores amarelo-esverdeadas, e frutos drupáceos, edules. **2.** Árvore humiriácea (*Saccoglotis excelsa*) cujos frutos têm polpa comestível quando maduros; cumatê, uaxuá, paruru.

axuaju [De or. afr.] ***S. m. Bras.*** Diácono do rito dos malês.

axuarana [De *axuá* + *-rana.*] ***S. f. Bras. Amaz. Bot.*** Pequena árvore humiriácea (*Vantanea cupularis*) de folhas coriáceas, flores em cimeiras paniculadas, e pequenos frutos drupáceos, lenhosos.

axumita ***S. 2 g.*** **1.** Súdito do reino de Axum, na Etiópia (L. da África): "Em pouco tempo, Axum tornou-se um importante empório do marfim e de outros artigos africanos. Dos altos planaltos do Tigre, ... os axumitas controlavam o tráfico do interior para o mar Vermelho e intermediavam entre o Nilo e Adúlis." (Alberto da Costa e Silva, *A Enxada e a Lança*, p. 172.) ● ***Adj. 2 g.*** **2.** Pertencente ou relativo aos axumitas ou ao reino de Axum.

➔ **ayahuasca** [aja'waska] [Quíchua, pelo esp.] ***S. f.*** Bebida alucinógena preparada pela decocção de ramos e folhas do caapi (q. v.) e da espécie *Psychotria*, cuja origem se atribui aos índios peruanos. Esta bebida, utilizada ritualisticamente pelas populações da Amaz., sobretudo pelas populações ribeirinhas dos vales dos rios Purus e Juruá, no AC, recebe o nome de *santo-daime*. Os indígenas do AC dão-lhe o nome de *mariri*.

ayurveda [a : jur'ʋe : dʌ] [Do sânscr. = 'conhecimento da vida, da força vital'.] ***S. m. e f.*** Sistema tradicional de medicina da Índia, caracterizado pelo holismo e que encontra adeptos entre os seguidores da medicina alternativa; medicina ayurvédica.

ayurvédico [De *ayurveda* + *-ico*[2].] ***Adj.*** Próprio ou relativo à ayurveda. ~ V. *medicina —a*.

az [Do lat. *acie.*] ***S. m.*** Ala de exército; esquadrão: "Havia vários modos de combater .... Um era o az: formatura em linha extensa a um de fundo" (Oliveira Martins, *A Vida de Nun'Álvares*, p. 156). [Cf. *ás*, *às* e *as*.]

■ **Az** ***S. m. Quím. Desus.*** Símb. de *azoto*. [Cf. *ás*, *às* e *as*.]

▲ **-az** [De or. expressiva, poss.] ***Suf. nom.*** formador de vocábulos de cunho popular, com a noção de 'aumento'; 'relação', e, por vezes, com valor irônico ou pejorativo: *lobaz*, *cartaz*. [Equiv.: *-acaz*, *-alhaz*, *-araz*, *-arraz*: *machacaz*; *facalhaz*; *montaraz*; *pratarraz*.]

▲ **aza-** ***Quím. El. comp.*** Indica a presença, na molécula de uma substância, de um átomo de nitrogênio com valência 3, em lugar de um carbono: *azaindol*. [Ocorre, tb., como infixo.]

▲ **-az(a)-** V. *aza-*.

azã [De or. afric.] ***S. m. Bras. Rel.*** Sobressaia do traje cerimonial do vodum Gu, feita de folhas de palmeira desfiadas.

azabumbado[1] [De *a-*[2] + *zabumba* + *-ado*[1].] ***Adj.*** **1.** Que tem forma de zabumba. **2.** Amassado ou batido como o zabumba.

azabumbado[2] [Part. de *azabumbar*.] ***Adj.*** Aturdido, pasmado.

azabumbar [De *a-*[2] + *zabumba* + *-ar*[2].] ***V. t. d.*** **1.** Bater com zabumba em. **2.** Aturdir, pasmar, embatucar.

azadirachtina [Do tax. *Azadirachta*, gênero-tipo, + *-ina*[3].] ***S. f. Quím.*** Substância limonoide, encontrada em certas meliáceas (*Azadirachta indica*, *Azadirachta melia*), que inibe a predação das plantas por insetos [fórm.: $C_{35}H_{44}O_{16}$].

azado [De *azo* + *-ado*[1].] ***Adj.*** Propício, oportuno, próprio. [Cf. *asado*.]

azáfama [Do ár. *az-zahma(t)*, 'tropel'.] ***S. f.*** **1.** Muita pressa; urgência. **2.** Grande afã; trabalho muito ativo: "Dentro em pouco havia azáfama pela casa, idas e vindas, arcas e cofres abertos, águas de purificação e de perfume, como se preparassem grande festim." (Afrânio Peixoto, *Viagem Sentimental*, p. 119.) **3.** Atrapalhação, agitação. [Cf. *azafama*, do v. *azafamar*.]

azafamado [Part. de *azafamar*.] ***Adj.*** **1.** Apressadíssimo. **2.** Sobrecarregado de trabalho; atarefado em excesso.

azafamar [De *azáfama* + *-ar*[2].] ***V. t. d.*** **1.** Pôr em azáfama; agitar: *A confusão e a desordem azafamavam-no.* **2.** Sobrecarregar de trabalho, de tarefas. **3.** Dar pressa a; apressar: *Azafamava os empregados para adiantar a obra.* ***P.*** **4.** Trabalhar com grande atividade. **5.** Movimentar-se, agitar-se: *Enormes saúvas azafamavam-se ao redor do formigueiro.* [Pres. ind.: *azafamo*, *azafamas*, *azafama*, etc. Cf. *azáfama*.]

azagaia [De *zagaia* (< berbere *zagaya*), com *a-*[4] (protético), ou da forma ár. (com artigo), *az-zagāya(t)*.] ***S. f.*** Lança curta de arremesso: "Dá que uma só vez descaia / Do ermo balcão do solar / Como uma ardente azagaia / O teu fuzilante olhar." (Manuel Bandeira, *Estrela da Vida Inteira*, p. 26.)

azagaiada [De *azagaia* + *-ada*[1].] ***S. f.*** Golpe de azagaia. [Var.: *zagaiada*.]

azagaiar [De *azagaia* + *-ar*[2].] ***V. t. d.*** **1.** Ferir ou matar com azagaia. **2.** Arremessar azagaia(s) em.

azaindol (a-in) [De *aza-* + *indol*.] ***S. m. Quím.*** Qualquer uma de um grupo de substâncias orgânicas, heterocíclicas, aromáticas, que podem ser consideradas como derivadas do indol por substituição de um carbono (ou metino) por nitrogênio [fórm.: $C_7H_6N_2$. Pl.: *azaindóis*.]

azalá ***S. f.*** V. *salá*: "Vinde ao azalá .... o almuadem repreende caridosamente esses outros a quem as pálpebras ainda pesam" (José Saramago, *História do Cerco de Lisboa*, p. 19).

azálea [Do tax. *Azalea* < gr. *azaléa*, fem. do gr. *azaléos*, 'seco'.] ***S. f. Bot.*** **1.** Gênero de arbustos ericáceos, de folhas decíduas e flores afuniladas, dotadas de cinco estames. [Em algumas classificações, este gênero é considerado subgênero do rododendro (q. v.).] **2.** Espécie, ou espécime desse gênero, ou subgênero, ou a flor dele.

azaleia (éi) ***S. f. Bot.*** V. *azálea*.

azamboar [De *a-*[2] + *zamboa* + *-ar*[2].] ***V. t. d.*** **1.** Tornar insípido como a zamboa. **2.** Estontear, atordoar. ***Int.*** **3.** Ficar atordoado, fatigado ou indisposto. [Conjug.: v. *coroar*.]

azambuja ***S. f.*** V. *azambujo*.

azambujal [De *azambujo* + *-al*[1].] ***S. m.*** Quantidade mais ou menos considerável de azambujeiros dispostos proximamente entre si. [Var.: *zambujal*.]

azambujeiro [De *azambujo* + *-eiro*.] ***S. m.*** Azambujo.

azambujo [Do ár. *az-zanbūğ* < berbere *azambuja*.] ***S. m.*** Espécie de oliveira brava, de madeira rija; azambujeiro, zambujeiro. [Var.: *azambuja*, *zambuja*, *zambujo*.]

azangar [De *a-*[4] + *zangar*.] ***V. t. d. P.*** **1.** *Bras.* Zangar. **2.** *Lus.* Galgar, trepar, transpor: "— .... Que o corpo é coberto de velo .... os dentes alvos, de lobo, que dá pulo que não há parede que não azangue" (Aquilino Ribeiro, *Andam Faunos pelos Bosques*, p. 78). [Conjug.: v. *largar*.]

azar[1] [Do ár. *az-zahar* ou *az-zahr*, 'flor'; '(jogo de) dado(s)'; fr. *hasard*.] ***S. m.*** **1.** Má sorte; fortuna adversa; caiporismo. **2.** Revés, fatalidade, desgraça, infortúnio. **3.** Casualidade, acaso. **4.** *Bras. RJ* V. *azarão*. [Cf. *asar*.]

azar[2] [De *azo* + *-ar*[2].] ***V. t. d.*** **1.** Dar azo, ensejo, pretexto a; ocasionar, motivar. ***P.*** **2.** Vir a jeito ou a propósito (ocasião ou acontecimento). **3.** Tornar-se oportuno, apropriado, azado. **4.** Acomodar-se, ajeitar-se. [Pres. ind.: *azo*, *azas*, *aza*, etc.; part.: *azado*. Cf. o v. *asar*; *asa*, do v. *asar* e s. f., *asado*, adj. e s. m., e *Aso*, top.]

azaração [De *azarar* + *-ção*.] ***S. f. Bras. Gír.*** Ato ou efeito de azarar; paquera.

azarado [Part. de *azarar*.] ***Adj. S. m. Bras.*** Que, ou aquele que tem azar[1] (1); caipora, infeliz, azarento.

azaranzado [Part. de *azaranzar*.] ***Adj. Bras.*** Desorientado, aturdido, atrapalhado.

azaranzar [De *a-*[2] + *zaranza* + *-ar*[2].] ***V. t. d. Bras.*** **1.** Atrapalhar, aturdir; amofinar, amolar. ***P.*** **2.** Atrapalhar-se, aturdir-se. **3.** Ficar tonto, desorientado. [Var.: *assaranzar*.]

azarão [De *azar*[1] + *-ão*[2].] ***S. m. Bras.*** **1.** Cavalo que, tendo poucas possibilidades de ganhar, não é objeto de muitas apostas; azar. **2.** *P. ext.* O que entra em disputa, etc., com pouca chance de vitória ou sucesso: "Começar como azarão e assumir-se como favorito fortaleceu o candidato [Obama], dizem especialistas." (Daniel Bergamasco, em *Folha de S.Paulo*, 31.10.2008.) **3.** Zebra (4).

azarar [De *azar*[1] + *-ar*[2].] ***V. t. d. Bras.*** **1.** Dar azar[1] (1) a; transmitir má sorte a; urubuzar. **2.** *Gír.* Cortejar, paquerar. ***P.*** **3.** Sair-se mal.

azarcão [De *a-*[4] + *zarcão*.] ***S. m.*** Zarcão.

azarento [De *azar*[1] + *-ento*.] ***Adj.*** **1.** V. *azarado*. **2.** *Bras.* Que dá azar[1] (1).

azarnefe ***S. m.*** V. *arzenefe*.

azarola ***S. f.*** V. *acerola*.

azaroleira [De *azarola* + *-eira*.] ***S. f. Bot.*** V. *acerola* (1).

azaroleiro [De *azarola* + *-eiro*.] ***S. m. Bot.*** V. *acerola* (1).

azarve ***S. m. Ant.*** Azerve (q. v.).

azatioprina [Voc. farmac.] ***S. f. Quím.*** Substância cristalina, de cor amarela, us. como medicamento imunossupressor [fórm.: $C_9H_7N_7O_2S$].

azé ***S. m. Bras. Rel.*** V. *azê*.

azê [De uma língua banta.] ***S. m. Bras. Rel.*** Filá das qualidades [v. *qualidade* (11)] de inquice correspondentes ao Omulu dos nagôs (como, p. ex., Burungunço, etc.). [Var. pros.: *azé*.]

azebibe ***S. m.*** V. *acepipe*.

azebrar [De *azebre* + *-ar*[2].] ***V. t. d.*** Cobrir de azebre. [Pres. subj.: *azebre*, *azebres*, *azebre*, etc. Cf. *azebre* (ê) e pl. *azebres* (ê).]

azebre (ê) [Do ár. *aṣ-ṣibr*, 'suco de uma erva amargosa'.] ***S. m.*** V. *azinhavre*. [Var.: *azevre*.] [Pl.: *azebres* (ê). Cf. *azebre* e *azebres*, do v. *azebrar*.]

azebuado [De *a-*[2] + *zebu* + *-uado*[1].] ***Adj. Bras.*** Diz-se do gado mestiço de zebu.

azeche [Do ár. *az-zāğ*.] ***S. m.*** Sulfato de ferro. [Var.: *aziche*.]

azeda (ê) [F. subst. de *azedo*.] ***S. f. Bot.*** V. *azeda-miúda*. [Pl.: *azedas* (ê). Cf. *azeda* e *azedas*, do v. *azedar*.]

azedado [Part. de *azedar*.] ***Adj.*** **1.** Tornado azedo. **2.** *Fig.* Irritado, agastado, exacerbado.

azeda-do-brejo ***S. f. Bras. Bot.*** V. *caruru-de-sapo*. [Pl.: *azedas-do-brejo*.]

azedador (ô) [De *azedar* + *-dor*.] ***Adj. S. m.*** Que, ou aquele que azeda, irrita.

azedamento [De *azedar* + *-mento*.] ***S. m.*** Ato ou efeito de azedar(-se).

azeda-miúda [De *azeda* + o f. de *miúdo*.] ***S. f. Bras. Bot.*** Erva poligonácea (*Rumex acetosella*) de folhas alternas biauriculadas, pequenas flores verdes, em cachos frouxos, e cariopses trígonas. Tem folhas comestíveis, que, como o espinafre, encerram ácido oxálico em abundância, e é utilizada no combate ao escorbuto. As sementes fornecem fécula. [Sin.: *azeda*, *azedinha*, *azedas-de-ovelha*, *azedinha-aleluia*, *azedinha-miúda*. Pl.: *azedas-miúdas*.]

azedar [De *azedo* + *-ar*[2].] ***V. t. d.*** **1.** Tornar azedo, amargo ou picante; acidificar, amargar: *O excesso de vinagre azedou o molho.* **2.** Tornar azedo (2); causar deterioração a; estragar: *O calor azedou a carne.* **3.** Coalhar (o leite). **4.** *Fig.* Afligir, amargurar: *A saudade azedava-a ainda mais.* **5.** *Fig.* Irritar, exasperar: *Os comentários maledicentes azedaram-no.* **6.** Atingir, tocar, afetar, ferir: "As bazófias do assassino de perdigueiros azedaram-lhe os brios." (Camilo Castelo Branco, *O Santo da Montanha*, p. 163.) **7.** *Fig.* Tornar difícil, ou custoso; complicar: "[A escravidão] foi o que azedou as relações .... entre senhores e servos em Portugal." (Gilberto Freire, *Casa Grande & Senzala*, p. 349.) ***Int. P.*** **8.** Tornar-se azedo (1). **9.** Tornar-se azedo (2); estragar-(se): *O vinho azedou(-se), fermentando.* **10.** Irritar-se, exasperar-se: "Quando se azeda [um ministro], é déspota; quando açucara-se, transige." (Carlos de Laet, *Obras Seletas*, I, p. 34.) **11.** Tornar-se difícil, áspero, custoso: *De repente a nossa conversa azedou;* "os debates azedavam-se." (Graciliano Ramos, *Memórias do Cárcere*, IV, p. 160). [Pres. ind.: *azedo*, *azedas*, *azeda*, etc. Cf. *azeda* (ê), fem. de *azedo* (ê) e s. f., pl. *azedas* (ê); *azedo* (ê), adj. e s. m.; e *Azedo* (ê), antr.]

azedas-de-ovelha ***S. f. pl. Bras. Bot.*** V. *azeda-miúda*.

azedete (ê) [De *azedo* + *-ete* (ê).] ***Adj. 2 g.*** Um tanto azedo; azedote (q. v.).

azedia [De *azedo* + *-ia*[1].] ***S. f.*** V. *azedume*.

azedinha [De *azeda* + *-inha*.] ***S. f. Bot.*** **1.** V. *azeda-miúda*. **2.** V. *trevo-azedo*. **3.** V. *caruru-azedo*. **4.** V. *bilimbi*.

azedinha-aleluia ***S. f. Bras. Bot.*** V. *azeda-miúda*. [Pl.: *azedinhas-aleluias* e *azedinhas-aleluia*.]

azedinha-da-baía ***S. f. Bras. Bot.*** **1.** Erva begoniácea (*Begonia bahiensis*) de folhas irregulares, serreadas, flores branco-róseas e fruto capsular alado. Tem propriedades medicinais. [Sin.: *azedinha-do-brejo*.] **2.** Erva oxalidácea (*Oxalis bahiensis*) de folhas superiores fasciculadas, compostas, flores amarelas e fruto capsular, dotada de propriedades medicinais. [Pl.: *azedinhas-da-baía*.]

azedinha-de-goiás ***S. f. Bras. Bot.*** Azedinha-grande (1). [Pl.: *azedinhas-de-goiás*.]

azedinha-do-brejo ***S. f. Bras. Bot.*** V. *azedinha-da-baía* (1). [Pl.: *azedinhas-do-brejo*.]

azedinha-grande ***S. f. Bras. Bot.*** **1.** Erva oxalidácea (*Oxalis cordata*) de caule arbustivo, folhas trifolioladas, e flores amarelas, em umbelas. Tem propriedades antitérmicas e emprega-se no combate ao escorbuto e contra as anginas. Ocorre em MG, GO e MT. [Sin.: *azedinha-de-goiás*.] **2.** Arbusto oxalidáceo (*Oxalis physocalix*) de folhas trifolioladas, com pelos estrelados na face ventral, flores amarelas, em glomérulos, e cápsulas ovóideas. Ocorre em SP e GO. [Pl.: *azedinhas-grandes*.]

azedinha-miúda ***S. f. Bras. Bot.*** V. *azeda-miúda*. [Pl.: *azedinhas-miúdas*.]

azedo (ê) [Do lat. *acetu*.] ***Adj.*** **1.** Que é ácido ao paladar e ao olfato; acre, acerbo: *A fruta verde tem sabor azedo; Este queijo exala um cheiro azedo.* **2.** Diz-se do alimento que a fermentação estragou; azedado, fermentado; acerbo: *leite azedo.* **3.** *Fig.* Mal-humorado, agastado, irritado, acerbo, acre: *criatura azeda; comentário azedo.* **4.** *Fig.* Violento, áspero, desabrido, acerbo, acre: *resposta azeda; discussão azeda.* **5.** Mordaz, satírico; ácido: *gênio azedo; referências azedas.* **6.** *Pop.* Amargo, amargoso: *Café sem açúcar é azedo.* ● ***S. m.*** **7.** O sabor ácido ou azedo. [Flex.: *azeda* (ê), *azedos* (ê), *azedas* (ê). Cf. *azedo*, *azedas*, do v. *azedar*.]

azedote [De *azedo* + *-ote*[1].] *Adj.* Azedete. [Fem.: *azedota*.]

azedume [De *azedo* + *-ume*.] *S. m.* **1.** V. *acidez* (1). **2.** *Fig.* Acrimônia, irritação, exasperação, acidez. [Sin. ger.: *azedia, aziúme*.]

azeirado [Alter. de *acerado*.] *Adj.* V. *acerado* (3). [Cf. *azerado*.]

azeitada [De *azeite* + *-ada*[1].] *S. f.* Grande porção de azeite.

azeitado [De *azeite* + *-ado*[1].] *Adj. Bras. N.E. Pop.* Mal-humorado, irritado, zangado, azedo; com os seus azeites: "Eu hoje amanheci azeitado! Do jeito que estou, não quero nem que olhem pra mim!" (Ariano Suassuna, *A Pena e a Lei*, pp. 62-63.)

azeitamento [De *azeitar* + *-mento*.] *S. m.* **1.** Ato ou efeito de azeitar(-se). **2.** Irritação, agastamento.

azeitão [De *azeite* + *-ão*[2].] *Bras. Adj.* **1.** Diz-se do gado de pelagem preta lustrosa. ● *S. m.* **2.** Azeite de mamona.

azeitar [De *azeite* + *-ar*[2].] *V. t. d.* **1.** Temperar com azeite. **2.** Lubrificar com azeite. **3.** Lubrificar, untar. **4.** *Pop.* V. *namorar* (1). **5.** Regular, arrumar ou ajustar (engrenagem, processo, ação, conjunto, etc.), visando fazer melhorar, crescer ou alcançar um resultado positivo: *azeitar a engrenagem comercial do país, o mercado interno; azeitar o meio de campo de um time.* *P.* **6.** Ficar nos seus azeites; irritar-se, abespinhar-se, azedar-se: *É do tipo que se azeita com facilidade.*

azeite [Do ár. *az-zayt*, 'óleo'.] *S. m.* **1.** Óleo de azeitona; azeite-doce. **2.** Óleo extraído de outras frutas, de certas plantas, ou da gordura de certos animais. **3.** *Bras. Pop.* V. *namoro* (1). ◆ **Beber azeite.** Ser muito esperto. **Com os seus azeites.** *Fam.* Aborrecido, irritado; nos seus azeites: *Hoje ele está com os seus azeites; não o provoque.* **Nos seus azeites.** *Fam.* Com os seus azeites: "Quando estou nos meus azeites, o melhor mesmo é me deixarem no meu canto." (Permínio Asfora, *Vento Nordeste*, p. 22.) **Ser mais velho que azeite ou vinagre.** Ser velhíssimo. **Vender azeite às canadas.** Ficar ou estar furioso, irritadíssimo.

azeite de bacaba *S. m. Bras.* Óleo de bacaba. [Pl.: *azeites de bacaba*.] ☑

azeite de cheiro *S. m. Bras.* V. *dendê* (3). [Pl.: *azeites de cheiro*.] ☑

azeite de dendê *S. m. Bras.* V. *dendê* (3). [Pl.: *azeites de dendê*.] ☑ nota 4

azeite de luz *S. m. Bras. BA* Óleo de rícino, usado em lamparinas. [Pl.: *azeites de luz*.] ☑

azeite-doce (ô) *S. m. Bras.* Azeite (1). [Pl.: *azeites-doces*.]

azeiteira [De *azeite* + *-eira*.] *S. f.* **1.** Almotolia (1 e 2). **2.** A galheta do azeite. **3.** *Bras. Pop.* V. *namoradeira*.

azeiteiro [De *azeite* + *-eiro*.] *S. m.* **1.** Vendedor ou fabricante de azeite: "Prometo .... escrever a favor do comércio, da indústria, da agricultura, ... dos douradores, dos empalhadores, dos azeiteiros" (Machado de Assis, *Crônicas*, I, pp. 235-236). **2.** *Bras. Pop.* V. *namorador*. **3.** *Zool.* Tubarão carcarrinídeo (*Carcharhinus porosus*) de águas costeiras do Atlântico (do golfo do México ao S.E. do Brasil) e do Pacífico (do golfo da Califórnia ao Peru), de corpo alongado, focinho pontudo e olhos grandes, de dorso cinza ou cinza azulado e abdome cinza-pálido ou branco e que alcança 1,30m de comprimento. [Sin., nesta acepç.: *cação-azeiteiro, cação-do-salgado, triaqueira* e *trisqueira*.] ● *Adj.* **4.** Referente ao azeite. **5.** *Bras. Pop.* V. *namorador* (1 e 2). [Fem., à exceção de 3: *azeiteira*.]

azeitinho [Dim. de *azeite*.] *S. m. Bras. MG SP* Óleo de rícino.

azeitona [Do ár. *az-zaytūn*.] *S. f.* **1.** O fruto da oliveira; oliva. **2.** *Bras. Gír.* Projetil de revólver, pistola, etc. ◆ **Pôr azeitona na empada de.** Ajudar sem nada receber em troca, ou até mesmo com prejuízo; favorecer. V. *fazer a cama para*: "Ou [Pelé] aceitará, para dar um tapa de luvas em seu desafeto que preside a entidade, ou não aceitará, para não pôr azeitona na empada da FIFA." (Juca Kfouri, em *Folha de S.Paulo*, 14.12.1997.)

azeitona-da-terra *S. f. Bras. Bot.* Planta litrácea (*Cuphea pseudovaccinium*) de ramos muito glandulosos, folhas opostas, oblongas, escabrosas na face dorsal, flores cor-de-rosa em espiga, e bagas ovoides comestíveis. Ocorre em PE, AL, MG e GO. [Pl.: *azeitonas-da-terra*.]

azeitonado[1] [De *azeitona* + *-ado*[1].] *Adj.* **1.** Tirante à cor da azeitona: "Havia duas ou três mulheres azeitonadas, e uma figura estranha, de lividez fusca." (Graciliano Ramos, *Viagem*, p. 18.) [Cf. *oliváceo*.] ● *S. m.* **2.** Cor tirante à da azeitona: *O sol dera-lhe à pele um belo azeitonado.*

azeitonado[2] [Part. de *azeitonar*.] *Adj.* **1.** Que adquiriu a cor da azeitona: *Queimou-se, tem agora a pele azeitonada.* **2.** A que se adicionaram azeitonas: *queijo azeitonado.*

azeitona-do-mato *S. f. Bot. Bras.* Árvore mirsinácea (*Rapanea ferruginea*) de até 7m de altura, flores alvas, e drupas carnosas, oleaginosas, comestíveis em conserva; capororocaçu, capororoca-vermelha, pororoca, camará (MG). [Pl.: *azeitonas-do-mato*.]

azeitonar [De *azeitona* + *-ar*[2].] *V. t. d.* **1.** Dar a cor de azeitona a. **2.** Adicionar azeitona(s) a. *P.* **3.** Adquirir a cor da azeitona.

azeitoneira [De *azeitona* + *-eira*.] *S. f.* Prato ou vaso em que se servem azeitonas; azeitoneiro.

azeitoneiro [De *azeitona* + *-eiro*.] *S. m.* **1.** Vendedor de azeitonas. **2.** Azeitoneira.

azêmala *S. f.* V. *azêmola*.

azemel *S. m.* Aquele que conduz as azêmolas.

azêmela *S. f. P. us.* Azêmola (q. v.).

azemeleiro [De *azêmela* + *-eiro*.] *S. m.* Tratador de azêmola(s).

azêmula *S. f.* V. *azêmola*. [Uso freq. em P.]

azêmola [Var. de *azêmela*, do ár. *az-zāmila(t)*.] *S. f.* **1.** Besta de carga, que forma récua com outras; azêmela: "Três dias depois, de noite, a Petronilha, em coche da Casa Real, seguida .... de trinta azêmolas carregadas de pratas e de alfaias, saía da corte com destino desconhecido." (Júlio Dantas, *O Amor em Portugal no Século XVIII*, p. 241.) **2.** Besta velha e cansada; azêmela. **3.** *Fig.* Pessoa curta de inteligência, ou sem préstimo; azêmela. [Outra var.: *azêmala*.]

azenegue *S. 2 g.* **1.** *Etnôn.* Indivíduo dos azenegues, povo berbere do O. do Saara, que habita principalmente a atual República Islâmica da Mauritânia (N.O. da África): "e toda a outra terra possuem estes .... Azenegues, que são pastores de cavalo e de pé, e que andam sobre os campos" (Gomes Eanes de Azurara, *Crônica do Descobrimento e Conquista de Guiné*, p. 367); "o consórcio afro-lusitano era velho, anterior mesmo ao descobrimento, porque se consumara desde o século XV, com os azenegues e jalofos" (Euclides da Cunha, *Os Sertões*, p. 90); "Entre os berberes figuravam os azenegues, asnagas ou sanhajas, senhores do deserto" (Alberto da Costa e Silva, *A Enxada e a Lança*, p. 259); "Esses azenegues tinham clara consciência do papel político do Islão" (Id., *ib.*, p. 517). ● *S. m.* **2.** *Gloss.* Dialeto berbere falado pelos azenegues; azeneguia. ● *Adj. 2 g.* **3.** De, pertencente ou relativo ao povo azenegue ou ao seu dialeto. "O grande chefe azenegue vivia no deserto" (Id., *ib.*, p. 261). [Sin., nas acepç. 1 e 3: *asnaga, sanhaja*.]

azeneguia *S. f.* V. *azenegue* (2).

azenha [Do ár. *as-sānya(t)*.] *S. f.* Moinho de roda, movido a água; atafona. [Var.: *acenha*.]

azeotrópico [De *azeótropo* + *-ico*[2].] *Adj. Fís.-Quím.* Diz-se de, ou relativo a um sistema líquido no qual pode haver a formação de um azeótropo. ~ V. *destilação —a*.

azeotropismo [De *azeótropo* + *-ismo*.] *S. m. Fís.-Quím.* Fenômeno apresentado pelas soluções que formam azeótropos.

azeótropo [De *a-*[3] + *-ze(o)-* + *-tropo*.] *S. m. Fís.-Quím.* Solução de dois ou mais componentes que, sob pressão constante, tem uma temperatura de vaporização isotérmica perfeitamente determinada. ◆ **Azeótropo de máximo.** *Fís.-Quím.* Azeótropo em que a temperatura de vaporização isotérmica é maior que a temperatura de vaporização dos componentes na mesma pressão. **Azeótropo de mínimo.** *Fís.-Quím.* Azeótropo em que a temperatura de vaporização isotérmica é menor que a temperatura de vaporização dos componentes, na mesma pressão. **Azeótropo heterogêneo.** *Fís.-Quím.* Sistema constituído por duas fases líquidas e que ferve sob pressão constante e a uma temperatura constante. **Azeótropo homogêneo.** *Fís.-Quím.* Solução constituída por uma única fase líquida e que, sob pressão constante e na temperatura de ebulição, fica em equilíbrio com uma fase vapor de composição igual à sua. **Azeótropo ternário.** *Fís.-Quím.* Azeótropo constituído por três componentes.

azepana [Do ingl. *azepan*.] *S. f. Quím.* Substância heterocíclica saturada, obtida da azepina por hidrogenação [fórm.: $C_6H_{13}N$].

azepina [Do ingl. *azepine*.] *S. f. Quím.* Substância orgânica insaturada com anel de sete átomos, sendo um de nitrogênio, da qual vários derivados são fármacos [fórm.: C_6H_7N].

azerado [Part. de *azerar*.] *Adj.* Cor de aço. [Cf. *azeirado*.]

azerar [De *acerar*, com sonorização.] *V. t. d.* **1.** V. *acerar* (1). **2.** Dar cor de aço a (caracteres impressos).

azerbaidjano *Adj. S. m.* V. *azerbaijano*.

azerbaijano [Do top. *Azerbaijão*, 'terra do fogo'.] *Adj.* **1.** De, ou pertencente ou relativo à República do Azerbaijão (S.E. da Europa). ● *S. m.* **2.** O natural ou habitante da República do Azerbaijão. **3.** *Gloss.* Língua altaica falada na República do Azerbaijão e no N.O. do Irã. [Sin. ger.: *azeri*.]

azerbe *S. m.* V. *azerve*.

azerbeidjano *Adj. S. m.* V. *azerbaidjano*.

azeredo (ê) [De **azereiredo* (*azereiro* + *-edo*), com haplologia.] *S. m.* Quantidade mais ou menos considerável de azereiros dispostos proximamente entre si.

azereiro [Do lat. **acerariu*, de *acer*, 'bordo', 'madeira de bordo'.] *S. m. Bot.* Arbusto rosáceo (*Prunus lusitanica*) ornamental, da Península Ibérica, de folhas ovais e flores em cachos erectos; ginja.

azeri *Adj. 2 g. S. 2 g. S. m.* V. *azerbaijano*.

azerola *S. f.* V. *acerola*.

azeroleira [De *azerola* + *-eira*.] *S. f. Bot.* V. *acerola* (1).

azerve [Var. da f. ant. *azarve*, do ár. *az-zarb*.] *S. m.* Resguardo ou defesa de ramos contra o vento (nas eiras). [Outra var.: *azerbe*.]

azetidina [De *az(o)-* + *-et-* + *-idina*.] *S. f. Quím.* Substância saturada cujas moléculas têm um ciclo com quatro átomos, três de carbono e um de nitrogênio [fórm.: C_3H_7N].

azevedo (ê) [De *azev(inho)* + *-edo*.] *S. m. Lus.* Quantidade mais ou menos considerável de azevinhos, dispostos proximamente entre si.

azevém [De or. obsc.] *S. m. Bot.* Erva poácea (*Lolium perenne*) originária da Europa e da Ásia, de folhas lineares e espiguetas múticas em espigas erectas. Fornece excelente forragem para o gado, é usada para relvados de jardins, para fixar terras contra a erosão, e no fabrico de papel, e o suco é coagulante do leite. [Sin.: *erva-castelhana, joio-castelhano, relva*.]

azevém-italiano *S. m. Bras. Bot.* Erva poácea (*Lolium multiflorum*) originária da Europa, de folhas compridas e espiguetas aristadas. Dá forragem que aumenta a secreção láctea das vacas. Por ser esgotante do solo é cultivada no S. do País, onde a consideram a melhor gramínea de inverno. [Pl.: *azevéns-italianos*.]

azevichado [De *azeviche* + *-ado*[1].] *Adj.* Da cor do azeviche.

azeviche [Do ár. *as-sabağ*, 'contas negras'.] *S. m.* **1.** Variedade compacta do linhito, usada em joalheria; gagata. **2.** *Fig.* Coisa muito negra.

azevieiro [Por **azebrieiro* < *azebre*, poss.] *Adj. S. m.* **1.** Esperto, ladino, finório. **2.** Libertino, devasso, desregrado.

azevim [De *azevinho*, com apócope.] *S. m. Bot.* V. *azevinho*.

azevinheiro [De *azevinho* + *-eiro*.] *S. m.* V. *azevinho*.

azevinho [Dim. de **azevo* < lat. **acifoliu*, **acifolu* < lat. *aquifoliu*.] *S. m. Bot.* Arbusto ou pequena árvore aquifoliácea (*Ilex aquifolium*) de folhas onduladas e irregularmente espinhoso-dentadas, flores alvas em cimeiras umbeliformes, e drupas globosas, vermelhas. Fornece madeira para marchetaria, xilografia, bengalas, cabos de ferramentas, chicotes, obras de torno, e usa-se também no fabrico de figas e amuletos. A raiz e a casca são emolientes, expectorantes e diuréticas; a casca é útil contra febres intermitentes e, macerada, dá cola verde resolutiva de abscessos, e emprega-se como visco para capturar pássaros. As folhas, tônicas, adstringentes, amargas, sudoríficas, febrífugas, antiartríticas, mostram-se eficazes nas doenças do estômago e ictericia. [Var.: *azevim*; sin.: *azevinheiro, pau-azevim, sombra-de-azevim, sombra-de-touro*.]

azevre *S. m.* V. *azebre*.

azia [De *azedia*, com síncope.] *S. f.* V. *pirose*. [Cf. *asia*, do v. *asir*, e *Ásia*, top.]

aziago (á) [Do lat. **aegyptiacus (dies)*, 'dia egipcíaco'.] *Adj.* **1.** De mau agouro; azarento, agourento: "Às sextas-feiras, dias aziagos, as codornas podiam vir mariscar no terreiro" (Coelho Neto, *Sertão*, p. 285). **2.** Infausto, infeliz: "Mais vale a morte que esta vida aziaga!" (João Penha, *Rimas*, p. 53.)

aziar [Do ár. *az-ziār*.] *S. m.* **1.** Instrumento com que os ferradores apertam os beiços das bestas bravas; alçaprema. **2.** *Fig.* Coisa que aflige, que atormenta.

aziche *S. m.* V. *azeche*.

azida [De *az(o)-* + *-ida*[4].] *S. f. Quím.* **1.** Qualquer sal do ácido hidrazoico. **2.** Qualquer composto orgânico que contém o grupo funcional monovalente $-N_3$.

▲ **azido-** *Quím. El. comp.* Indica a presença do grupo azida (2): *ácido azidoacético*.

azidotimidina [Voc. farmac.] *S. f. Quím.* Substância derivada da desoxitimidina, us. no tratamento da síndrome de imunodeficiência adquirida (q. v.); zidovudina [sigla AZT; fórm.: $C_{10}H_{13}N_5O_4$].

azienda [Do it. *azienda*.] *S. f. Econ. Cont.* Complexo de obrigações, bens materiais e direitos que constituem um patrimônio, representados em valores ou que podem ser objeto de apreciação econômica, considerado juntamente com a pessoa natural ou jurídica que tem sobre ele poderes de administração e disponibilidade; fazenda.

aziendal [De *azienda* + *-al*[1].] *Adj. 2 g.* Relativo a azienda.

ázigo [Do gr. *ázygos*.] *Adj.* **1.** Que não tem par. **2.** *Anat.* Diz-se da veia que estabelece comunicação entre as veias cavas superior e inferior, além de receber o sangue de veias do tronco. ● *S. f.* **3.** *Anat.* Essa veia.

azigografia [De *ázigo* + *-grafia*.] *S. f. Radiol.* Visualização radiológica do sistema da veia ázigo, mediante o uso de contraste.

azigográfico [De *azigografia* + *-ico*².] *Adj. Radiol.* De, ou relativo a azigografia.

azigósporo [Do gr. *ázygos*, 'não acasalado', + *-sporo*.] *S. m. Micol.* Esporo que se forma por partenogênese.

azigoto (ô) [De *a-*³ + *-zigoto*.] *S. m. Biol.* Organismo formado, por partenogênese, de uma célula haploide.

azilense [Do top. *(Mas d')Azil* + *-ense*.] *Adj. 2 g.* **1.** Diz-se da cultura da zona pirenaica da Era Quaternária. **2.** Próprio ou característico dessa cultura. ● *S. m.* **3.** Essa cultura. [Sin. ger.: *aziliano*.]

aziliano [Do top. *(Mas d')Azil* + *-iano*.] *Adj. S. m.* V. *azilense*.

azimia [De *a-*³ + *-zim(e)-* + *-ia*¹.] *S. f. Fisiol. Bioquím.* Ausência de enzima.

ázimo [Do gr. *ázymos*, pelo lat. *azymu*.] *Adj.* ~ V. *pão —*. [Var.: *asmo*.]

azimutal [De *azimute* + *-al*¹.] *Adj. 2 g.* Relativo ao azimute. ~ V. *efeito —* e *número quântico —*.

azimute (mú) [Do ár. ár. *as-sumūt*, pl. de *as-samt*, 'caminho', 'direção', < ár.-hisp. *simūt*.] *S. m.* **1.** *Astr.* Distância angular, medida sobre o horizonte, a partir de um ponto origem, geralmente o sul, no sentido dos ponteiros do relógio ou no sentido inverso, até o círculo vertical que passa por um dado astro. **2.** *Ópt.* Ângulo entre a perpendicular ao plano de incidência e o plano de vibração de uma radiação eletromagnética plano-polarizada. ◆ **Tomar o azimute.** *Náut.* Determiná-lo, medi-lo.

azina [De *az(o)-* + *-ina*³.] *S. f. Quím.* **1.** Qualquer substância que contém o grupo C=N-N=C, ger. formada por reação entre aldeído ou cetona com uma hidrazina. **2.** Qualquer substância que contém anel de seis átomos, sendo, no máximo, quatro de carbono e, ao menos, um de nitrogênio.

▲ **-azina** *Quím. El. comp.* = 'azina': *piridazina*.

azinha [Do lat. vulg. **ilicina*, de *ilex, icis*.] *S. f.* Fruto da azinheira. [Sin., pop.: *enzinha*. Cf. *asinha*, adv. e dim. de *asa*.]

azinhaga [Do ár. *az-zanqa(t)*.] *S. f.* Caminho estreito, fora da povoação, no campo, entre muros, valados altos, ou sebes; congosta: "Tu continuas na azinhaga; ao lado / Verdeja, vicejante, a nossa vinha." (Cesário Verde, *Obra Completa*, p. 117.)

azinhal [De *azinha* + *-al*¹.] *S. m.* Quantidade mais ou menos considerável de azinheiras dispostas proximamente entre si.

azinhavrar [De *azinhavre* + *-ar*².] *V. t. d.* **1.** Cobrir de azinhavre: *A umidade azinhavra o cobre.* *Int. P.* **2.** Cobrir-se de azinhavre: *A moeda de cobre azinhavrou.*

azinhavre [Do ár. *az-zingār* < persa *zengir*, 'matéria verde, ou ferrugem'.] *S. m.* Camada verde de carbonato de cobre que se forma nos objetos de cobre expostos ao ar e à umidade; azebre, zinabre.

azinheira [De *azinha* + *-eira*.] *S. f. Bot.* Árvore fagácea (*Quercus ilex*) nativa da Europa e do N da África, de folhas denteadas, flores masculinas em amentos, femininas em panículas, e frutos bacáceos, ovoides; azinheiro, azinho, enzinheira (pop.).

azinheiro [De *azinha* + *-eiro*.] *S. m. Bot.* V. *azinheira*.

azinho [Do lat. **ilicinu* (de *ilex, icis*, 'azinheira'), poss.] *S. m. Bot.* **1.** V. *azinheira*. **2.** A madeira dessa árvore.

azinhoso (ô) [De *azinha* + *-oso*.] *Adj.* Em que há muitos azinheiros.

▲ **-ázio** V. *-aça*.

aziridina [De *az(o)-* + *iridina*.] *S. f. Quím.* Substância saturada cujas moléculas têm um ciclo com três átomos, dois de carbono e um de nitrogênio [fórm.: C_2H_5N].

azitromicina [Do ingl. *azithromycin*.] *S. f. Quím.* Antibiótico que, à semelhança da eritromicina, é uma lactona macrocíclica [fórm.: $C_{38}H_{72}N_2O_{12}$].

aziumado (i-u) [Part. de *aziumar*.] *Adj.* **1.** Cheio de azedume ou aziúme; acre, ácido. **2.** *Fig.* Agastado, irritado.

aziumar (i-u) [De *aziúme* + *-ar*².] *V. t. d.* **1.** Causar aziúme ou azedume a; irritar, azedar. *Int.* **2.** Tornar-se azedo (1); azedar-se. [Conjug.: v. *amiudar*.]

aziúme [De *azedume*, com síncope.] *S. m.* V. *azedume*: "– O meu amiguinho nutre um certo aziúme pelo padre Teodoro." (Aquilino Ribeiro, *Andam Faunos pelos Bosques*, p. 241.)

azo¹ [Do provenç. *aize*, 'comodidade'.] *S. m.* Motivo, ensejo, pretexto, ocasião: *Sua resposta não pode dar azo a dúvidas*; "Há segredos nisto que dão azo a conjecturas vagas" (Camilo Castelo Branco, *A Enjeitada*, p. 142). [Cf. *aso*, do v. *asar*, e *Aso*, top.]

azo² *Quím.* O grupo -N=N-.

▲ **az(o)-** *Quím. El. comp.* Designa o grupo -N=N-: *azobenzeno*. [Ocorre, tb., como infixo: *-az(o)-*: *piridazol*.]

▲ **-az(o)-** V. *az(o)-*.

azoada [De *a-*⁵ + *zoada*.] *S. f.* **1.** Barulho, ruído, zoada, que causa aturdimento, atordoamento. **2.** Zanga ligeira; amolação, enfado. [Sin. ger.: *azoamento*.]

azoado [Part. de *azoar*.] *Adj.* Atordoado, tonto.

azoamento [De *azoar* + *-mento*.] *S. m.* V. *azoada*.

azoar [De *a-*⁴ + *zoar*.] *V. t. d.* **1.** Atordoar, aturdir, arvoar: "Um formigueiro de homens suados, barulho de guindastes, locomotivas arfando, vozes, gritos, apitos. Uma lida dos diabos, que azoava e atraía Severino." (Ranulfo Prata, *Navios Iluminados*, p. 18.) **2.** Irritar, agastar; aborrecer, amolar, azucrinar: *Vive a azoar os irmãos mais novos.* *Int.* **3.** Fazer azoada (1). **4.** Irritar-se, agastar-se, aborrecer-se; azoar-se: "– Um dia o velho frenético deu-lhe dois berros; você azoou e respondeu rijo." (José de Alencar, *O Sertanejo*, p. 89.) *P.* **5.** Azoar (4). [Conjug.: v. *coroar*.]

azobenzeno *S. m. Quím.* Substância cristalina, de cor alaranjada, que contém dois anéis benzênicos unidos por um grupo azo [fórm.: $C_{12}H_{10}N_2$].

azobisisobutironitrila [De *az(o)-* + *-bis-* + *-is(o)-* + *butironitrila*.] *S. f. Quím.* Nome usual de certa substância sólida que se decompõe quando aquecida, formando radicais livres, e que é us. como iniciador para certas reações de polimerização. [fórm.: $C_8H_{12}N_4$].

azocana [De *az(o)-* + *-ocana*.] *S. f. Quím.* Substância saturada cujas moléculas têm um ciclo com oito átomos, sete de carbono e um de nitrogênio [fórm.: $C_7H_{15}N$].

azocomposto (ô) [De *az(o)-* + *composto*.] *S. m. Quím.* Designação genérica usual de compostos que contêm o grupo azo.

azoeirado [De *a-*² + *zoeira* + *-ado*¹.] *Adj.* V. *azoratado* (1): "– Ora... vai um cigarro?!... – principiou o Augusto, para dar ares de sereno, mas sem ouvir o que diz, a cabeça azoeirada, onde os miolos dançavam como se os ajoeirassem num crivo." (Pina de Morais, *Sangue Plebeu*, p. 95.)

azoico (ói) [De *az(o)-* + *-oico*².] *Adj.* **1.** *Quím.* Diz-se de composto que contém o grupo azo. ~ V. *corante —* e *período —*. ● *S. m.* **2.** *Geol.* Período azoico. ❖

azoinado [Part. de *azoinar*.] *Adj.* Aturdido, atordoado, estonteado, zoina, zonzo.

azoinante [De *azoinar* + *-nte*.] *Adj. 2 g.* Que azoina.

azoinar [De *a-*² + *zoina* + *-ar*².] *V. t. d.* **1.** Importunar ou incomodar falando muito; aturdir: "Declaro-te o que sinto, em que hei sentado; / Nem mais teimem comigo, nem me azoinem." (Manuel Odorico Mendes, *Ilíada de Homero*, p. 115.) **2.** Perturbar, embaraçar, confundir, desassossegar: "Debalde Brás esforçava-se por fazê-la sair daquele estado, cuja verdadeira causa ignorava, desde que Iolanda nada lhe dissera das dúvidas e escrúpulos que lhe azoinavam o espírito" (Gastão Cruls, *4 Romances*, p. 343). **3.** Incomodar com ruído: "Os mosquitos – zim!... zim!... – .... azoinavam-lhe o ouvido" (Hugo de Carvalho Ramos, *Tropas e Boiadas*, p. 75). *Int. P.* **4.** Zangar-se, agastar-se.

azol [De *az(a)-* + *-ol*².] *S. m. Quím.* Qualquer substância heterocíclica, insaturada, com anel de cinco átomos, sendo um de nitrogênio e, ao menos mais um, de nitrogênio, oxigênio ou enxofre; azola. [Pl.: *azóis*.]

azola [De *az(a)-* + *-ola*².] *S. f. Quím.* Azol.

azombado *Adj. Bras. MG Pop.* Preocupado, inquieto, apreensivo.

azonal [De *a-*³ + *zona* + *-al*¹.] *Adj. 2 g. Pedol.* Diz-se do solo em que não se discernem horizontes distintos.

azonzado [Part. de *azonzar*.] *Adj.* Um tanto zonzo; meio zonzo: "que, apenas livre, pulou para o cupinudo, ainda meio azonzado do trompaço, manoteou-lhe nas aspas e torceu-lhe a cabeça" (Simões Lopes Neto, *Contos Gauchescos e Lendas do Sul*, p. 233).

azonzar [De *a-*² + *zonzo* + *-ar*².] *V. t. d. P.* Tornar(-se) azonzado.

azoospermia [Do gr. *ázoos*, 'sem vida', + *-sperm(o)-* + *-ia*¹.] *S. f. Biol.* Ausência de espermatozoides vivos no sêmen.

azoratado [Part. de *azoratar*.] *Adj.* **1.** Estonteado, aturdido, atordoado; azoeirado. **2.** Um tanto maluco; adoidado, aluado, amalucado. **3.** Estroina, doidivanas. [Var. (bras.): *azoretado*.]

azoratar [De *a-*² + **zorates* (de 'casa dos orates'), + *-ar*².] *V. t. d. P.* **1.** Transtornar(-se), desnortear(-se), atordoar(-se); desorientar(-se). **2.** Amalucar(-se), adoidar(-se), endoidar(-se). [Var. bras.: *azoretar*.]

azoretado [Part. de *azoretar*.] *Adj. Bras.* **1.** Que se azoretou. **2.** V. *azoratado*: "Quem não ficaria azoretado com semelhante despropósito?" (Graciliano Ramos, *Vidas Secas*, p. 38.)

azoretar [Var. de *azoratar*.] *V. t. d. P. Bras.* **1.** Azoratar. **2.** V. *apoquentar*.

azorragada [De *azorrague* + *-ada*¹.] *S. f.* Golpe de azorrague.

azorragamento [De *azorragar* + *-mento*.] *S. m.* Ato ou efeito de azorragar.

azorragar [De *azorrague* + *-ar*².] *V. t. d.* Bater com azorrague; açoitar, chicotear, fustigar, vergastar. [Conjug.: v. *largar*.]

azorrague [De or. controversa.] *S. m.* **1.** V. *açoite* (1): "Sacrificadas assim à satisfação de todas as paixões infrenes, as suas carnes palpitavam alternativamente, ou ao contacto de carícias impuras, ou aos golpes do azorrague sangrento" (João Francisco Lisboa, *Obras*, III, pp. 145-146). **2.** *Fig.* Flagelo, castigo, suplício.

azorrar [De *a-*² + *zorra*¹ + *-ar*².] *V. t. d.* Arrastar pesadamente. [Cf. *azurrar*.]

azotado [Part. de *azotar*.] *Adj.* Que contém azoto.

azotar [De *azoto* + *-ar*².] *V. t. d.* Misturar ou combinar com azoto. [Pres. ind.: *azoto*, etc.; pres. subj.: *azote*, etc. Cf. *azoto* (ô).]

azotemia [De *azoto* + *-emia*.] *S. f.* **1.** *Med.* Teor de ureia ou de outras substâncias nitrogenadas no sangue. **2.** *Impr.* Aumento de tais substâncias no sangue. **3.** *Impr.* Estado mórbido resultante desse aumento.

azotêmico *Adj.* V. *azotêmico*. [Uso freq. em P.]

azotêmico [De *azotemia* + *-ico*².] *Adj.* Relativo à azotemia.

azótico [De *azoto* + *-ico*².] *Adj. Quím.* ~ V. *ácido —*.

azoto (ô) [De *a-*³ + gr. *zoé*, 'vida'; fr. *azote*.] *S. m. Quím. Obsol.* Nitrogênio. [Cf. *azoto*, do v. *azotar*.]

azoturia [De *azoto* + *-uria*.] *S. f. Med.* V. *azotúria*.

azotúria [De *azoto* + *-úria*.] *S. f.* **1.** *Med.* Teor de ureia ou de outras substâncias nitrogenadas na urina. **2.** *Impr.* Excreção excessiva, pela urina, de substâncias azotadas. [F. paral.: *azoturia*.]

azotúrico [De *azotúria* + *-ico*².] *Adj.* Relativo à azotúria.

azougado [Part. de *azougar*.] *Adj.* **1.** Muito esperto, vivo, inquieto: *menino azougado*; "Mostraram-me um dia na roça dançando / Mestiça formosa de olhar azougado." (Gonçalves Crespo, *Obras Completas*, p. 176). **2.** Finório, ladino. **3.** *Bras.* Colérico, irritadiço.

azougar [De *azougue* + *-ar*².] *V. t. d.* **1.** Misturar com azougue (1). **2.** Tornar vivo, esperto; espertar. **3.** Desassossegar; inquietar. *Int.* **4.** Enfraquecer-se, definhar. **5.** *Lus.* Apodrecer (frutos, legumes, etc.). [Conjug.: v. *largar*.]

azougue [Do ár.-hisp. *az-zawqa(t)* < ár. cláss. *az-zi'baq*.] *S. m.* **1.** Designação vulgar do mercúrio; argento-vivo. **2.** *Fig.* Pessoa muito viva e esperta. **3.** *Bras. Bot.* Planta da família das euforbiáceas, gênero *Mercurialis*. **4.** *Pop.* V. *cachaça* (1).

azougue-do-brasil *S. m. Bras. Bot.* V. *abobrinha-do-mato* (3). [Pl.: *azougues-do-brasil*.]

azougue-do-campo *S. m. Bras. Bot.* V. *galinha-choca*. [Pl.: *azougues-do-campo*.]

azougue-dos-pobres *S. m. Bras. Bot.* **1.** V. *abobrinha-do-mato* (3). **2.** V. *cipó-azougue* (1). [Pl.: *azougues-dos-pobres*.]

■ **AZT** [Sigla de *azidotimidina*.] *Quím.* Sigla de *azidotimidina* (q. v.).

azucrim *S. m.* **1.** *Bras.* Entidade diabólica e molesta. **2.** *Bras.* Pessoa importuna, apoquentadora, amofinadora. **3.** *Bras. AL* V. *diabo* (2).

azucrinado [Part. de *azucrinar*.] *Adj. Bras.* Apoquentado, aborrecido; embaraçado; importunado.

azucrinante [De *azucrinar* + *-nte*.] *Adj. 2 g. Bras.* Que azucrina; importuno, irritante.

azucrinar [De *azucrim* + *-ar*².] *Bras. V. t. d.* **1.** V. *apoquentar*. *Int.* **2.** Causar embaraço, importunação, aborrecimento. *P.* **3.** V. *apoquentar*.

azucrinol [De *azucrinar*.] *S. m. Bras. Pop.* V. *lacerdinha*. [Pl.: *azucrinóis*.]

azuela *S. f. Bras. BA* Ordem para bater palmas e animar a festa, nos candomblés angolanos.

azul [Do arc. *azur* < ár. *lazūrdī* < ár.-hisp. < persa *lazward*.] *Adj. 2 g.* **1.** Da cor do céu sem nuvens com o Sol alto; da cor do mar profundo em dia claro; da cor da safira. **2.** Diz-se dessa cor: *camisa de cor azul*. **3.** *Fig.* Muito assustado; muito atrapalhado. **4.** V. *embriagado* (1). **5.** *Bras.* Diz-se de rês cinzenta. ~ V. *alga —*, *bilhete —*, *bode —*, *cópia —*, *doença —*, *língua —*, *sangue —* e *vitríolo —*. ● *S. m.* **6.** A cor azul em todas as suas gradações [v. *de cor* (3)]. **7.** O céu, os ares, o firmamento: *Voam pássaros pelo azul em fora.* **8.** No espectro visível (q. v.), cor da radiação eletromagnética de comprimento de onda compreendido, aproximadamente, entre 480 e 510 nanômetros. **9.** *Med.* V. *caraté*. ◆ **Azul da Prússia.** *Quím.* Substância férrica, us. como pigmento em tintas [fórm.: $Fe_4[Fe(CN)_6]_3$]. **Azul de bromofenol.** *Quím.* Substância sólida, solúvel em água, us. como indicador (amarelo em meio ácido, e azul em meio básico) [fórm.: $C_{19}H_{10}Br_4O_5S$]. **Azul de metileno.** *Quím.* Substância orgânica, cristalina, cujas soluções aquosas, de um azul intenso, são us. como corante biológico e desinfetante [fórm.: $C_{16}H_{18}ClN_3S$]. **Tudo azul.** *Bras.* Tudo excelentemente; no melhor dos mundos.

azuladinha [De *azulado* + *-inha.*] *S. f. Bras. AL Pop.* V. *cachaça* (1): "o caldo fumegante do sururu de capote inebriava consciências e estômagos já cativados pela azuladinha de Coruripe." (Lêdo Ivo, *Ninho de Cobras*, p. 86).

azulado [De *azul* + *-ado*[1].] *Adj.* 1. De cor tirante a azul; anilado, azulego: *pássaro de penas azuladas.* 2. Diz-se dessa cor: *A cor azulada do céu passara a cinza.* ~ V. *lente —a.* ● *S. m.* 3. Essa cor: *O azulado de seus cabelos tem um bonito brilho.*

azulador (ô) [De *azular* + *-dor.*] *Adj. S. m.* Que ou o que azula.

azulão [De *azul* + *-ão*[1].] *Bras. Adj. 2 g. e 2 n.* 1. De um azul vivo, forte, ger. brilhante. ● *S. m.* 2. Esse tom de azul. 3. *Zool.* Ave passeriforme, fringilídea (*Cyanocompsa cyanea*), de coloração geral azul, asas e cauda enegrecidas. As fêmeas são pardas. [Sin.: *azulão-bicudo, azulinho, guarundi-azul, gurundi-azul, tiatã.*] 4. *Zool.* V. *tié-preto.* 5. *Zool.* Inseto lepidóptero morfídeo (*Morpho laertes*), cuja lagarta se alimenta do ingazeiro e de menispermáceas. A face superior das asas da borboleta é branco-azulada. O macho e a fêmea são muito parecidos. 6. *Zool.* Inseto lepidóptero morfídeo (*Morpho catenarius*), cuja lagarta se alimenta de camboatá, e no S. do Brasil, de coronilha; borboleta-da-coronilha, janeira. 7. Zuarte (2): "Ainda conheci Salvador no engenho, de chapéu de massa na cabeça e um lápis no bolso de cima do paletó de azulão" (José Lins do Rego, *Meus Verdes Anos*, p. 63). 8. *Bras. N.E. Zool.* V. *siripuã.* [Pl.: *azulões.*]

azulão-bicudo *S. m. Bras. Zool.* V. *azulão* (1). [Pl.: *azulões-bicudos.*]

azulão-boia (ói) [De *azulão* + *boia.*] *S. m.* 1. Designação comum às espécies de reptis ofídios colubrídeos, gênero *Leptophis*, distribuídas em todo o País. A coloração azulada motivou-lhe o nome popular. 2. Reptil ofídio, colubrídeo (*Leptophis ahaetulla*), comum do C.O. para o N., de coloração bronzeada, com cabeça, pescoço e região vertebral verde-brilhantes; carenas das escamas, negras; uma listra negra na cabeça, no meio dos olhos; lábios superiores e ventre branco-amarelados. Alimenta-se de pererecas, e atinge até 1,5m de comprimento; tem hábitos arborícolas e terrestres. [Pl.: *azulões-boias* e *azulões-boia.*] *Bras.* ✣

azulão-da-serra *S. m. Bras. SP Zool.* V. *sanhaço-frade.* [Pl.: *azulões-da-serra.*]

azulão-de-cabeça-encarnada *S. m. Bras. Zool.* V. *sanhaço-frade.* [Pl.: *azulões-de-cabeça-encarnada.*]

azulão-do-campo *S. m. Bras. Zool.* V. *sanhaço-frade.* [Pl.: *azulões-do-campo.*]

azular [De *azul* + *-ar*[2].] *V. t. d.* 1. Dar cor azul a; tingir de azul; azulejar. *Int.* 2. Apresentar-se em sua cor azul ou azulada: "Além, muito além daquela serra, que ainda azula no horizonte, nasceu Iracema." (José de Alencar, *Iracema*, p. 50.) 3. *Bras. Pop.* V. *fugir* (1 e 2): *Com a porta da gaiola aberta, o passarinho azulou. P.* 4. Pôr-se ou fazer-se azul.

azul-bebê *Adj. 2 g. 2 n.* 1. De um azul de tom suave; azul-celeste: "Manhã azul-bebê. Meu filho nasceu." (Lívia Garcia-Rosa, *A Palavra Que Veio do Sul*, p. 218.) ● *S. m.* 2. V. *azul-celeste* (3). [Pl. do s. m.: *azuis-bebês* ou *azuis-bebê.*]

azul-celeste *Adj. 2 g. e 2 n.* 1. Azul da cor do céu: *vestido azul-celeste;* "fundo branco em geral, nos tectos e caixas dos camarotes, e fundo azul-celeste nas pilastras do arco do proscênio". (João Francisco Lisboa, *Obras*, IV, p. 603.) 2. Diz-se dessa cor: *blusa de cor azul-celeste.* ● *S. m.* 3. A cor azul-celeste. 4. Indumentária azul-celeste: "Hoje passou junto a mim... / Toda de azul-celeste, / Pálida como o marfim..." (Luís Guimarães [Filho], *Pedras Preciosas*, p. 51). [Sin. ger.: *azul-bebê, azul do céu, azul-fino* e *azul-pombinho.* Pl. do s. m.: *azul-celestes* e *azuis-celestes.*]

azul-claro *Adj.* ou *Adj. 2 g. e 2 n.* 1. De um tom claro de azul. ● *S. m.* 2. Essa cor. [Pl. do adj.: *azul-claros;* pl. do s. m.: *azuis-claros.*]

azul-cobalto *Adj. 2 g. e 2 n.* 1. De um azul-escuro vivo, como o do cobalto. ● *S. m.* 2. Essa cor. [Pl. do s. m.: *azuis-cobaltos* e *azuis-cobalto.*]

azul de aço *Adj. 2 g. e 2 n.* 1. Azul com tonalidade de aço: "o moço orgulhoso, de olhos azul de aço, motejadores e escarninhos" (Raquel de Queirós, *As Três Marias*, p. 11). 2. Diz-se dessa cor. ● *S. m.* 3. Essa cor. [Pl. do s. m.: *azuis de aço.*] ☑

azul do céu *Adj. 2 g. e 2 n. S. m.* V. *azul-celeste.* [Pl. do s. m.: *azuis do céu.*] ☑

azulear [De *azul* + *-ear*[2].] *V. t. d. Int.* V. *azulejar*[2]. [Conjug.: v. *frear.*]

azulecer [De *azul* + *-ecer.*] *V. t. d. Int.* V. *azulejar*[2]. [Conjug.: v. *esquecer.*]

azulego (ê) [De *azul* + *-ego.*] *Adj. Bras. S.* 1. Diz-se do animal cavalar de pelo escuro entremeado de pintas miudinhas, brancas e pretas. 2. V. *azulado* (1).

azulejador (ô) [De *azulejar*[1] + *-dor.*] *S. m.* Operário que fabrica ou assenta azulejos; azulejista, ladrilheiro.

azulejar[1] [De *azulejo* + *-ar*[1].] *Adj. 2 g.* De, ou relativo a azulejo: "apreciou o revestimento azulejar, que .... cobre todo o interior, tanto a abóbada como as paredes laterais." (José Saramago, *Viagem a Portugal*, p. 324).

azulejar[2] [De *azulejo* + *-ar*[2].] *V. t. d.* Guarnecer de azulejos. [Conjug.: v. *pelejar.*]

azulejar[3] [De *azul* + *-ejar.*] *V. t. d.* 1. Dar tom azul a; azular, azulecer, azulear: "O Sol .... oscilava nas montanhas do poente, e azulejava as grimpas dos pinheirais" (Camilo Castelo Branco, *Amor de Salvação*, p. 11). *Int.* 2. Tornar-se azul; azulecer, azulear. 3. Mostrar-se em sua cor azul; azular, azulecer, azulear. [Conjug.: v. *pelejar.*]

azulejaria [De *azulejo* + *-aria.*] *S. f.* 1. Fabricação ou fábrica de azulejos. 2. Coleção de azulejos.

azulejeiro [De *azulejar*[1] + *-eiro.*] *S. m.* V. *ladrilheiro.*

azulejista [De *azulejo* + *-ista.*] *S. 2 g.* V. *azulejador.*

azulejo (ê) [Do ár. *az-zulayğ.*] *S. m.* Ladrilho vidrado, branco ou de cor, com desenhos e relevo, ou sem eles, empregado para revestir paredes e compor painéis decorativos.

azuleno [De *azul* (6) + *-eno*[2].] *S. m. Quím.* Hidrocarboneto bicíclico, insaturado, que apresenta caráter aromático, de cor azul-escura, cujas moléculas são formadas por um ciclo de sete átomos de carbono fundido a um de cinco [fórm.: $C_{10}H_8$].

azul-escuro *Adj.* ou *Adj. 2 g. e 2 n.* 1. De um tom escuro de azul. ● *S. m.* 2. Essa cor. [Pl. do adj.: *azul-escuros;* pl. do s. m.: *azuis-escuros.*]

azul-esverdeado *Adj.* 1. De um azul tirante a verde. ● *S. m.* 2. Essa cor. [Flex. do adj.: *azul-esverdeados, azul-esverdeada(s);* pl. do s. m.: *azuis-esverdeados.*]

azul-faiança *Adj. 2 g. e 2 n.* De um tom e brilho que lembram certa faiança azul.

azul-ferrete *Adj. 2 g. e 2 n.* 1. Azul muito carregado, tirante a preto: *gravata azul-ferrete.* 2. Diz-se dessa cor: *meias de cor azul-ferrete.* ● *S. m.* 3. Essa cor: "os Derby, com as suas rendas de ouro sobre o azul-ferrete de céu tropical" (Eça de Queirós, *Os Maias*, II, p. 143). [Pl. do s. m.: *azuis-ferrete* e *azuis-ferretes.*]

azul-fino *Adj. 2 g. e 2 n. S. m.* V. *azul-celeste.* [Pl. do s. m.: *azuis-finos.*]

azulíneo [De *azulino* + *-eo.*] *Adj.* Azulino (1): "Fria, distante, lúcida era a estrela de Lúcifer, e um leve halo azulíneo cingia-lhe a fronte, como diadema." (Augusto Meyer, *A Forma Secreta*, p. 36.)

azulinha *S. f. Bras.* V. *cachaça.*

azulinho [De *azul* + *-inho*[1].] *S. m.* 1. *Bras. Zool.* V. *azulão* (3). 2. *Bras. MG MT* Entre os garimpeiros de diamantes, a claprotita e outras pedras coradas.

azulino [De *azul* + *-ino*[1].] *Adj.* 1. De cor azul, anilada; azulíneo. 2. Pertencente ou relativo ao C.S.A. (Centro Esportivo Alagoano); alviceleste, marujo. 3. Que é torcedor ou jogador dessa agremiação; alviceleste, marujo. ● *S. m.* 4. *Zool.* Certo tordo (1), da Guiana Francesa. 5. Membro, torcedor ou jogador do C.S.A. (Centro Esportivo Alagoano); alviceleste, marujo.

azul-marinho *Adj. 2 g. e 2 n.* 1. De um azul muito escuro, da cor do mar profundo: "paletó de casimira azul-marinho" (Bariani Ortêncio, *Vão dos Angicos*, p. 19). 2. Diz-se dessa cor: *gravata de cor azul-marinho.* ● *S. m.* 3. Essa cor. [F. red.: *marinho.* Pl. do s. m.: *azuis-marinhos.*]

azul-metálico *Adj.* 1. De um tom metálico de azul. ● *S. m.* 2. Essa cor. [Flex. do adj.: *azul-metálicos, azul-metálica(s);* pl. do s. m.: *azuis-metálicos.*]

azuloio (ói) *Adj. S. m.* Diz-se da, ou a cor azul-ferrete do hábito dos frades loios. ✣

azulona [De *azul* + *-ona*[1]] *S. f. Zool. Bras. MT* Designação do macuco (*Tinamus tao*) de dorso cinzento rajado de preto.

azul-piscina *Adj. 2 g. e 2 n.* 1. Azul tirante a verde como o da cor da água clorada de piscina: *vestidos azul-piscina.* 2. Diz-se dessa cor: *biquíni de cor azul-piscina.* ● *S. m.* 3. A cor azul-piscina. [Pl. do s. m.: *azuis-piscinas* e *azuis-piscina.* Sin. ger.: *verde-piscina.*]

azul-pombinho *Adj. 2 g. e 2 n. S. m.* V. *azul-celeste.* [Pl. do s. m.: *azuis-pombinhos* e *azuis-pombinho.*]

azul-purpúreo *Adj.* 1. De um azul tirante a cor da púrpura[1] (1). ● *S. m.* 2. Essa cor. [Flex. do adj.: *azul-purpúreos, azul-purpúrea(s);* pl. do s. m.: *azuis-purpúreos.*]

azul-seda *S. f. Zool.* Inseto lepidóptero papilionídeo (*Morpho anaxibia*), cujo macho é de coloração azul-clara, sendo a fêmea igual, com as bordas das asas escuras. [Sin.: *corcovado.* Pl.: *azuis-sedas* e *azuis-seda.*]

azul-sujo *Adj.* 1. De um azul denegrido e baço. 2. Diz-se dessa cor. ● *S. m.* 3. Essa cor. [Flex. do adj.: *azul-sujos, azul-suja(s)* ; pl. do s. m.: *azuis-sujos.*]

azul-turquesa *Adj. 2 g. e 2 n.* 1. Azul do tom da turquesa. 2. Diz-se dessa cor: *vestido de cor azul-turquesa.* ● *S. m.* 3. Essa cor. [Pl. do s. m.: *azuis-turquesas* e *azuis-turquesa.*]

azul-violeta *Adj. 2 g. e 2 n.* 1. De um azul tirante ao da cor da violeta (1); cardão; cárdeo. 2. Diz-se dessa cor; cardão; cárdeo: *xale de cor azul-violeta.* ● *S. m.* 3. Essa cor. [Pl. do s. m.: *azuis-violetas* e *azuis-violeta.*]

azulzinha [De *azul* + *-zinha.*] *S. f.* 1. *Bras. N.E. Pop.* V. *cachaça* (1). 2. *Zool.* Lepidóptero diurno licenídeo, de asas finas e membranosas, com escamas azuis brilhantes.

azulzinho [De *azul* + *-inho*[1].] *Adj.* De um azul-claro, suave.

azumbrado [De *azumbrar* + *-ado*[1].] *Adj.* Um tanto corcovado; corcovado.

azumbrar [Do esp. *azumbrar*, poss.] *V. int.* Ficar azumbrado.

azumbre [Do ár. *ath-thumn*, 'um oitavo'.] *S. m.* Medida de capacidade para líquidos, na Espanha.

azurado [Do fr. *azuré.*] *Adj.* 1. Diz-se do desenho preenchido com raias finas e paralelas, originalmente para representar, em heráldica, o esmalte azul. ● *S. m.* 2. Fundo constituído de linhas finas, paralelas e equidistantes, retas ou onduladas, impresso para impedir rasuras, em documentos onde se tenham de escrever quantias. [Cf. *grisado, hachura, guilhochê.*]

azurrador (ô) [De *azurrar* + *-dor.*] *Adj. S. m.* Que, ou aquele que azurra; zurrador.

azurrar [De *a-*[4] + *zurrar.*] *V. int.* V. *zurrar* (1): "O onagro fitou as orelhas e .... começou a azurrar" (Alexandre Herculano, *Lendas e Narrativas*, II, p. 38). [Cf. *azorrar.*]

Minúscula Moderna	Maiúscula Moderna	Minúscula Carolíngia	Romano	Romano	Etrusco	Grego	Grego	Fenício
b	B	b	B	ß	ꓭ	B	ꓭ	𐤁

Aos sete anos, Aurélio descobriu o gosto pela leitura, graças a um livro de Felisberto de Carvalho. O primeiro contato com um dicionário foi no cartório de Porto Calvo – era para lá que o pequeno Aurélio corria "quando queria decifrar o sentido de alguma palavra".

b (bê) *S. m.* **1.** A 2ª letra do nosso alfabeto. [Representa a consoante bilabial sonora.] **2.** A figura dessa letra, ou qualquer representação sua: *Marcou a folha com um b.* **3.** O som representado por essa letra. **4.** Conceito (6), ger. correspondente a aprovação com um grau inferior à nota máxima: *Foi aprovada com um B.* [Nesta acepç., ger. com cap.] ● *Num.* **5.** Segundo[1] (2), numa série ordenada ou hierárquica cujos elementos são designados ou representados pelas letras do alfabeto: *Adquiriu ingressos para a fileira B da plateia.* [Tb. us. adjetivamente, para denotar classificação, e significando 'de segunda categoria', 'de qualidade', 'valor ou importância inferior ao padrão': *filme de nível B* (ou simplesmente, *filme B*).] [Pl. (nas acepçs. 1 e 4) indicado graficamente pela duplicação da letra: *bb*. Cf. *bê*.]

■ **b 1.** Abrev. de *bom* (ger. us. como conceito de avaliação). [Tb. se usa maiúsculo.] **2.** *Fís.* Símb. de *bária*. **3.** *Inform.* Abrev. de *bit*. **4.** *Fís. Part.* Símb. de *bottom*. **5.** *Mat.* Representa, numa expressão, uma quantidade conhecida. [V. ■ *a* (8).]

■ **B 1.** No sistema hexadecimal de numeração, o duodécimo algarismo, equivalente ao número decimal 11. **2.** *Fís.* Símb. de *indução magnética*. **3.** *Inform.* Abrev. de *byte*. **4.** *Med.* Designação de um aglutinógeno cuja presença nas hemácias é característica de um grupo sanguíneo (q. v.), designado *grupo B*. **5.** *Mús.* Sinal com que se representa a nota si natural (v. *si*[1]), ou a escala de que ela é a tônica, ou o acorde em que é a nota fundamental. [Deriva da notação musical alfabética, conforme us. atualmente nos países anglo-saxões.] **6.** *Mús.* Sinal com que se representa, na moderna notação germânica, o *si bemol*, ou a escala de que essa nota é a tônica, ou o acorde em que ela é a nota fundamental. [Cf. ■ *H* (5).] **7.** *Quím.* Símb. de *boro*.

■ **Ba** *Quím.* Símb. de *bário*.

■ **BA** Sigla do Estado da Bahia.

■ **B.A.** V. ■ *A.B.*

bá [F. red. de *babá*[3].] *S. f. Bras.* V. *ama-seca*. [Cf. *bah*.]

baal [Do hebr. *Bahal*, 'senhor'.] *S. m.* **1.** Título divino, que exprime soberania e domínio. **2.** Na religião cananeia, uma das divindades, oposta ao monoteísmo israelita.

baamense *Adj. 2 g. S. 2 g.* V. *baamiano*.

baamiano *Adj.* **1.** Das, ou pertencente ou relativo às Baamas, ou Bahamas (arquipélago das Antilhas). ● *S. m.* **2.** O natural ou habitante das Baamas. [Sin. ger.: *baamense, bahamense, bahamiano*.]

baba[1] [Do lat. vulg. *baba.] *S. f.* **1.** Saliva que escorre da boca; babugem. **2.** Muco secretado por certos animais. **3.** *Bras. Pop.* Substância viscosa existente em certos vegetais: *a baba do quiabo.* **4.** *Bras. Gír.* Falas melífluas; lábia. ◆ **Uma baba.** *Bras. Gír.* Uma grande soma de dinheiro; uma bolada.

baba[2] *S. m.* Pequeno tambor cônico de Timor.

baba[3] *S. m. Guin.* Papai.

baba[4] *Adj. S. m.* Diz-se de, ou o descendente do sexo masculino de colono chinês, chegado a Malaca, Pinang e Singapura (S.E. da Ásia), com mulher bataque ou balinesa. [V. *malaio* (3).]

babá[1] [Do pol. *baba*, pelo fr. *baba*.] *S. m. Cul.* Bolo de farinha de trigo, leite, ovos e passas, que depois de assado é embebido em calda (1), à qual se adiciona rum, licor, etc.

babá[2] [De or. incerta.] *S. m. Bras. PI Bot.* **1.** Arbusto solanáceo (*Solanum agrarium*), de folhas aculeadas e frutos bacáceos comestíveis; bambão, canapu, melancia-da-praia. **2.** V. *arrebenta-cavalo* (1).

babá[3] [Voc. express. da ling. inf.] *S. f. Bras.* **1.** V. *ama-seca*. **2.** *P. ext.* V. *ama de leite*.

babá[4] [Do ior.] *S. m. Bras. Rel.* No culto dos eguns, designação respeitosa de espíritos de antepassados, e título do chefe do candomblé.

bababi *S. m. Bras. PE AL* **1.** V. *surra* (1). **2.** V. *rolo*[1] (16).

babaca[1] [Alter. de *tabaca*[1].] *S. f. Bras. Chulo* A vulva.

babaca[2] [Alter. de *boboca*[1], com infl. de *babaca*[1].] *Adj. 2 g. S. 2 g. Bras. Gír.* V. *tolo* (1 a 3 e 8).

babaça [Do quimb.] *S. 2 g. Bras.* Irmão gêmeo, ou irmã gêmea. [Var.: *mabaça*. Cf. *cabaça*[2].]

babaço [Do quimb.] *S. m. Bras.* **1.** Gêmeo. **2.** *Rel.* V. *Ibêji*. [Nesta acepç., ger. com cap. Var.: *mabaço*.]

babaçu [Do tupi = 'fruto grande'.] *S. m. Bras. Bot.* Palmeira arecácea (*Orbignya martiana*) de até 20m, de folhas estriadas de amarelo, espatas lanceoladas e frutos drupáceos com sementes oleaginosas e comestíveis, das quais se extrai um óleo, empregado sobretudo na alimentação. Das folhas e espatas se fabricam esteiras, cestos, chapéus, etc. [Var. e sin.: *bauaçu, baguaçu, auaçu, aguaçu, guaguaçu, oauaçu, uauaçu, coco-de-macaco, coco-de-palmeira, coco-naiá, coco-pindoba, palha-branca*.]

babaçual [De *babaçu* + *-ual*.] *S. m.* **1.** *Bras.* Quantidade mais ou menos considerável de babaçus, dispostos proximamente entre si; babaçuzal, uauaçuzal. **2.** Área ocupada por babaçual (1). [Sin. ger.: *babaçuzal, uauaçuzal*.]

babaçuê [De *Barba Suera* < hier. *Santa Bárbara*, poss.] *S. m. Bras. PA MA Rel.* Culto jeje-nagô mesclado com ritos e panteão (2) do candomblé de caboclo, da pajelança, do catimbó e da umbanda.

babaçulandense (ù) *Adj. 2 g.* **1.** De, ou pertencente ou relativo a Babaçulândia (TO). ● *S. 2 g.* **2.** O natural ou habitante de Babaçulândia.

babaçuzal [De *babaçu* + *-zal*.] *S. m. Bras.* V. *babaçual*.

baba de boi [De *baba*[1] + *de* + *boi*[1].] *S. f. Bras.* Fio resinoso, longo, semelhante à baba dos bois, produzido pela baba-de-boi. [Pl.: *babas de boi*.] ☑ notas 1 e 2

baba-de-boi [De *baba*[1] + *de* + *boi*[1].] *S. f. Bras. Bot.* V. *jerivá* (1). [Pl.: *babas-de-boi*.]

baba de moça *S. f. Bras. Cul.* Doce feito com calda de açúcar, leite de coco e gemas de ovos. [Pl.: *babas de moça*.] ☑

babadinho [De *babado*[2] + *-inho*[1].] *Adj.* **1.** Que deseja muito alguma coisa. **2.** Piegas, ridículo. **3.** Muito afetuoso; extremoso; meigo.

babado [Part. de *babar*.] *Adj.* **1.** Molhado de baba. **2.** *Fig. Fam.* Apaixonado, enrabichado, enamorado: "– Não está vendo, tolo, que estou caída por você, babada, doidinha?" (Jorge Amado, *Dona Flor e Seus Dois Maridos*, p. 391.) ● *S. m.* **3.** *Bras. Cost.* Folho (1). **4.** *Bras. Gír.* Intriguelha, mexerico, fuxico, fofoca, fofocagem. **5.** Conversa fiada; palavreado melífluo.

babadoiro [De *babar* + *-doiro*[2].] *S. m.* Babadouro (q. v.).

babador (ô) [Por *babadouro*.] *S. m. Bras.* **1.** V. *babadouro*. **2.** *PE* Peça metálica que prende as extremidades das pernas da brida dos cavalos.

babadouro [De *babar* + *-douro*[2]; var. de *babadoiro*.] *S. m. Vest.* Resguardo de pano, ou de qualquer material impermeável que, atado ao pescoço das crianças, evita que a baba ou a comida lhes suje ou umedeça a roupa. [Var.: *babador*. Sin.: *babeiro, bibe* e (lus.) *babete*.]

babá-eletrônica [De *babá* + o f. de *eletrônico*.] *S. f.* Equipamento eletrônico para monitorar crianças (e por vezes idosos), formado, ger., por transmissor e receptor, com função de áudio ou de audiovisual. [Pl.: *babás-eletrônicas*.]

babal *S. m. Bras.* Espécie de tanga usada por certos índios brasileiros.

babalaô [Do ior.] *S. m. Bras. Rel.* **1.** Sacerdote de Ifá, que fazia as vezes de guia espiritual dos candomblés jeje-nagôs, sem pertencer a sua hierarquia interna: "Os sacerdotes iorubanos chamam-se babalaôs ou ababalaôs, como ouvi em nossos dias, na Bahia." (Artur Ramos, *O Negro Brasileiro*, I, p. 59.) [Cf. *eluô*.] **2.** Em alguns terreiros, babalorixá que pratica adivinhações com búzios. [Var.: *ababaloalô, babalaú*.]

babalaú *S. m. Bras. Rel.* V. *babalaô*.

babalaxé [Do ior.] *S. m. Bras. Rel.* Em alguns candomblés jejes, o babalorixá, por ser o responsável pelos axés do templo.

babalaze [Do ronga *babalaza*.] *S. 2 g. Moç.* Ressaca (6 e 7): "Era a voz de Xilepfana rouca de babalaze" (Calane da Silva, *Xicandarinha – Na Lenha do Mundo*, p. 60).

babalorixá [Do ior.] *S. m. Bras. Rel.* Chefe espiritual e administrador de um candomblé, ou de um xangô, ou de certos centros de umbanda; babaloxá, pai de santo, pai de terreiro. [Fem.: *ialorixá*. Cf. *babalaxé*.]

babaloxá [De *babalorixá*, com síncope.] *S. m. Bras. Rel.* V. *babalorixá*.

babão [De *babar* + *-ão*[1].] *Adj. S. m.* **1.** Que, ou aquele que baba ou se baba com frequência, que vive a babar(-se); baboso. **2.** Diz-se de, ou indivíduo dengoso, amaneirado, melindroso. **3.** V. *tolo* (1 a 3 e 8). **4.** *Bras. N.E.* V. *bajulador* (1 e 2). [Fem.: *babona*.]

baba-ovo [De *babar* + *ovo* (v. *ovos*).] *S. m.* V. *bajulador* (2). [Pl.: *baba-ovos* (ó).]

babaquara [Do tupi = 'aquele que nada sabe'.] *S. 2 g.* **1.** *Bras.* V. *caipira* (1). **2.** V. *tolo* (8). **3.** *Bras. CE* Pessoa influente, poderosa, prestigiosa. ● *Adj. 2 g.* **4.** *Bras.* V. *tolo* (1 a 3). **5.** *Bras. CE* Grande, influente, poderoso.

babaquice [De *babaca*[2] + *-ice*.] *S. f.* V. *asneira* (1).

babar [De *baba*[1] + *-ar*[2].] *V. t. d.* **1.** Molhar com baba: *A criança baba a camisola;* "Dormiu quanto tempo? Babou o queixo." (Clóvis Ramalhete, *O Anjo Torto*, p. 23.) *Int.* **2.** Deitar baba; babar-se: "Na hora do enterro do menino, ... André Louco gritou desesperadamente. .... Babava, os olhos saindo faíscas, de ódio." (Bernardo Élis, *Ermos e Gerais*, p. 158.) *P.* **3.** Babar (2). **4.** Falar com dificuldade; balbuciar. **5.** *Fam.* Gostar muito de; deliciar-se com: *O João baba-se por doce de coco.* **6.** Estar apaixonado; estar enrabichado. [Pres. subj.: *babe, babemos, babeis*, etc. Cf. *babéis*, pl. de *babel*.]

babaré [Do concani *baba-rê*.] *S. m.* Barulheira, alarido, gritaria. [Var. paragógica: *babaréu*.]

babaréu *S. m.* V. *babaré*: "Pedro foi de novo distraído por uma onda de gente que despejava o beco, fazendo estrepitoso babaréu." (Xavier Marques, *O Sargento Pedro*, p. 300.)

babatar [Do quimb. *Kubabata*, 'bater de leve'.] *V. int. Bras.* Tocar nas coisas com as mãos, ou com bengala, etc., para se orientar; tatear, apalpar: "A chama do rolo apagou-se à lufada e o cuiabano ficou só, babatando na treva." (Afonso Arinos, *Pelo Sertão*, p. 22.)

babau[1] *S. m. Bras. Folcl.* Personagem fantástico da farsa popular bumba meu boi. [Com cap.]

babau[2] *S. m. Bras. PA MA Rel.* Nos babaçuês e batuques, chefe de terreiro e imolador ritual. [Sin.: *maitatá*.]

babau[3] [De or. express.] *Interj. Fam.* Acabou-se, foi-se, era uma vez: "Lindoro ficou todo feliz, ... e também aliviado, porque se Dom Bártolo tivesse desconfiado quem ele era... babau, era uma vez todo o esforço que fizera." (Cora Rónai Vieira e Paulo Rónai, *Aventuras de Fígaro*, p. 38.)

babeco *S. m. Bras. PB* V. *caipira* (1).

babeiro [De *baba*[1] + *-eiro*.] *S. m.* V. *babadouro*.

babel [Do top. *Babel*.] *S. f. Fig.* **1.** Confusão de vozes ou de línguas. **2.** Desordem, confusão, tumulto, babilônia. **3.** Algazarra, balbúrdia, vozearia, vozeria, vozerio, vozeada. **4.** Complexidade excessiva: "Levar o raciocínio a meandros inextricáveis, babéis de cálculo e cumes de alto pensamento, não é ato que agrade à natureza animal." (Pontes de Miranda, *Obras Literárias*, p. 169.) **5.** *Comun.* Ruído ou interferência resultante de um grande número de canais simultâneos de comunicação. [Pl.: *babéis*. Cf. *babeis*, do v. *babar*.]

babelesco (ê) [De *babel* + *-esco*.] *Adj.* V. *babélico*.

babélico [De *babel* + *-ico*[2].] *Adj.* **1.** Relativo a babel (1 a 4). **2.** Que lembra, ou em que há babel (1 a 3); desordenado, confuso, tumultuado. [Sin. ger.: *babelesco*.]

babelismo [De *babel* + *-ismo*.] *S. m.* Ocorrência de várias línguas [v. *língua* (3)].

babelizar [De *babel* + *-izar*.] *V. t. d.* Tornar babélico; tumultuar, desordenar.

babésia [Do antr. *Victor Babes* (-1926), bacteriologista romeno, + *-ia*[2]; tax. *Babesia*.] *S. f. Microbiol.* **1.** Gênero-tipo dos babesiídeos. **2.** Qualquer espécie desse gênero, como, p. ex., a *Babesia starcovisi*, parasito dos glóbulos vermelhos de vertebrados, com a forma de anel de elipse, e que é transmitido pela picada do carrapato, causando a babesíase (q. v.). **3.** Qualquer espécime desse gênero.

babesíase [Do tax. *Babesia* + *-íase*.] *S. f. Veter.* Infecção causada por protozoários do gênero *Babesia*, ao qual pertence o *B. bovis*, causador de doenças bovinas; babesiose. [Sin. pop.: *tristeza, mal-triste*.]

babesiídeo [Do tax. *Babesia* (v. *babésia*) + *-ídeo*[1]; tax. *Babesiidae*.] *Microbiol. S. m.* **1.** Espécime dos babesiídeos, família de hemosporídeos que compreende diminutos parasitos das hemácias dos mamíferos, e que se transmitem de hospedeiro a hospedeiro pela mordida de um hospedeiro intermediário, o carrapato, causando infecções em animais domésticos, como, p. ex., o boi (v. *babesíase*). ● *Adj.* **2.** Pertencente ou relativo a eles.

babesiose *S. f. Veter.* V. *babesíase*.

babete *S. f. Lus.* V. *babadouro*.

babiaque *S. m.* Nome comercial da casca da árvore-da-goma-arábica.

babilónia *S. f.* V. *babilônia*. [Uso freq. em P.]

babilônia [Do top. *Babilônia*, antiga e importante cidade da Mesopotâmia, capital do império do mesmo nome (c. 2100-539 a.C.), célebre pelo esplendor e pelos costumes dissolutos.] *S. f.* **1.** Cidade grande com ruas emaranhadas, sem planejamento urbano: "Por babilônias, entre falsa gente, / Entre tristeza mil e mil perigos, / De tantos vícios ver, vi-me demente!" (Eugênio de Castro, *Obras Poéticas*, V, p. 101.) **2.** V. *babel* (2). **3.** *Bras. N.E.* Casa ou edifício muito amplo.

babilónico *Adj.* V. *babilônico*. [Uso freq. em P.]

babilônico [Do lat. *babylonicu*.] *Adj.* **1.** Babilônio (1). **2.** *Fig.* Em que há grande confusão. **3.** *Fig.* Em que há grande fausto e dissolução de costumes.

babilónio *Adj. S. m.* V. *babilônio*. [Uso freq. em P.]

babilônio [Do gr. *babylónios*, pelo lat. *babyloniu*.] *Adj.* **1.** Da, ou pertencente ou relativo à cidade ou ao império da Babilônia; babilônico. **2.** Muito grande; imenso. ● *S. m.* **3.** O natural ou habitante da cidade ou império da Babilônia. **4.** *Gloss.* Dialeto do acádio (2) que, por volta de 2000 a.C., tornou-se língua franca do Oriente Próximo.

babingtonita [Do antr. (*Williams*) *Babington*, mineralogista inglês, + *-ita*[3].] *S. f. Min.* Mineral triclínico, silicato básico de cálcio, ferro e manganês do grupo dos piroxênios.

babismo [Do antr. ár. *Bāb* + *-ismo*; fr. *babisme*.] *S. m. Rel.* Movimento religioso islâmico, fundado na Pérsia, nos fins da primeira metade do séc. XIX, pelo reformador Mirza Ali Mohamed ibn Radnik (1824-1850), pretenso descendente de Maomé, que se intitulava o Bab, a porta pela qual os fiéis teriam acesso à divindade, e que pregava a igualdade entre os sexos e proibia a poligamia, o consumo de álcool e a mendicância. [Com cap. Cf. *Bahaísmo*.]

babista [De *babismo* + *-ista*.] *Adj. 2 g.* **1.** Relativo ao, ou próprio do babismo; babístico. **2.** Que é adepto dessa doutrina. ● *S. 2 g.* **3.** Adepto do babismo.

babístico [De *babista* + *-ico*[2].] *Adj.* Babista (1).

baboca *S. f. Bras. N.E.* V. *biboca* (2).

babona *S. f.* Fem. de *babão*.

baboré [De or. tupi, poss.] *S. m. Bras. MG Bot.* Arbusto solanáceo (*Solanum papillosum*) cujo caule tem pelos estrelados e cujas folhas são lanceoladas, acuminadas, ásperas e densamente cobertas de papilas, sendo as flores pequenas, tomentosas e organizadas em corimbo, e o fruto uma baga globosa e sem pelos. [Var.: *bamboré*.]

babosa [F. subst. de *baboso*.] *S. f. Bras.* **1.** *Bot.* V. *áloe* (2). **2.** *Bot.* V. *piteira*[1] (2). **3.** *Zool.* V. *amboré*

babosa-branca [De *babosa* + o f. de *branco*.] *S. f. Bras. Bot.* Árvore boraginácea (*Cordia superba*) nativa do Brasil, de folhas oblongas, grandes flores alvas, e frutos drupáceos, edules, de polpa mucilaginosa; a madeira, útil, é resistente. [Sin.: *acoaramuru, carapiá, árvore-de-ranho, grão-de-galo, grão-de-porco, jaguaramuru, jaraguamuru, jangada-do-campo, taiaçu-carapiá, tajaçu-carapiá*. Pl.: *babosas-brancas*.]

babosa-brava [De *babosa* + o f. de *bravo*.] *S. f. Bras. Bot.* V. *piteira*[1]. (2). [Pl.: *babosas-bravas*.]

baboseira [De *baboso* + *-eira*.] *S. f.* **1.** Palavra ou dito de baboso, de tolo; bobagem, tolice. **2.** Trabalho ou obra malfeita, sem apuro ou sem mérito: *Aquele romance é uma baboseira.* **3.** *Bras.* Sujeira própria de baboso (1). [Sin. ger. (bras.): *babugeira*.]

baboso (ô) *Adj. S. m.* **1.** Babão (1). **2.** Apaixonado, enrabichado. **3.** V. *tolo* (1 a 3 e 8).

babu *S. m.* **1.** Forma de tratamento hindu equivalente a *senhor*. **2.** Hindu inglesado.

babucha [Do fr. *babouche* < ár. *bābuğ*, de or. persa.] *S. f.* Chinela oriental, sem salto, de couro ou de tecido, que deixa descoberto o calcanhar: "os homens com babuchas vermelhas, turbantes de cores e cabaias brancas, moles de ademanes e sinuosos" (Aquilino Ribeiro, *Luís de Camões*, II, 20).

babuge *S. f.* V. *babugem*. [Cf. *babuje*, do v. *babujar*.]

babugeira [De *babuge(m)* + *-eira*.] *S. f. Bras.* V. *baboseira*.

babugem *S. f.* **1.** Baba[1] (1). **2.** Espuma produzida pela água agitada. **3.** Restos de comida. **4.** Quaisquer restos. **5.** V. *ninharia* (1). **6.** *Bras. N.E.* Erva que brota com as primeiras chuvas. [Var.: *babuge*. Cf. *babuje* e *babujem*, do v. *babujar*.]

babuí *Bras. S. 2 g. Adj. 2 g.* V. *uabuí*.

babuíno [Do fr. *babouin*.] *S. m. Zool.* Designação genérica para antropoides cercopitecídeos do gênero *Papio* e afins, caracterizados pelo focinho pontudo, caninos grandes, bochechas volumosas e calosidades nas nádegas. ◆ **Babuíno sagrado.** *Zool.* V. *hamadríade*[3].

babujar [De *babuge(m)* + *-ar*[2].] *V. t. d.* **1.** Sujar com babugem (1). **2.** Lisonjear servilmente; adular, bajular. **3.** Viciar, corromper, conspurcar, aviltar. *Int.* **4.** Chuviscar, borriçar. **5.** *Bras. N. N.E.* Tocar de leve na comida, beliscá-la, em geral por inapetência; lambiscar. *P.* **6.** Sujar-se de baba ou de comida. [Pres. subj.: *babuje, babujes, babuje, babujemos, babujeis, babujem*. Cf. *babuge* e *babugem*.]

babunha [De or. tupi, poss.] *S. f. Bras. Bot.* V. *pupunha* (1 e 2).

➔ **baby** ['bejbij] [Ingl.] *S. m.* Criança de peito; bebê.

➔ **baby-beef** ['bejbij bijf] [Ingl.] *S. m.* **1.** Novilho gordo, esp. o de até um ano. **2.** Corte[1] (6) especial da carne desse novilho.

➔ **baby-doll** ['bejbij dąl] [Ingl., f. red. de *baby-doll pyjamas*.] *S. m. Vest.* Traje feminino de dormir, espécie de pijama muito curto, ger. adornado com fitas e laçarotes

➔ **baby-sitter** ['bejbijsɪtə˞] [Ingl.] *S. 2 g.* Pessoa que se contrata para tomar conta de crianças temporariamente, em especial à noite, na ausência dos pais.

bacaba [Do tupi = 'fruto oleoso'.] *S. f. Bras. AM MT* **1.** *Bot.* Palmeira arecácea (*Oenocarpus circumtextus*) solitária, de espique anelado, folhas lanceoladas, lineares, flores de cor branca, tirante a ocre, em espádices de espata lenhosa, dupla, e drupas roxas; macaba. **2.** *Bot.* Palmeira arecácea (*Oenocarpus bacaba*) de espique anelado, folhas penatífidas, flores de um branco amarelado e drupas de tom rosa escuro, comestíveis, com as quais se fabrica bebida vinosa. O palmito é alimentício, e do lenho se fazem lanças e bengalas. [Sin. (nesta acepç.): *bacabaí, bacabinha, coqueiro-bacaba, macaba*.] **3.** *Bot.* Palmeira arecácea (*Oenocarpus tarampabo*) de folhas dísticas de folíolos lanceolados, lineares, salpicados de esverdeado, flores em espádice pêndulo, drupas roxas, comestíveis, e cujo palmito é usado na alimentação humana; coqueiro-tarampaba; macaba, tarampabo. **4.** *P. ext.* O fruto, oleaginoso ou comestível, das palmeiras do gênero *Oenocarpus*; macaba. **5.** Bacabada.

bacabaçu [De *bacaba* + *-açu*.] *S. f. Bras. AM GO MT Bot.* Palmeira arecácea (*Oenocarpus bacaba*) de flores branco-amareladas, cujo fruto é drupa subglobosa roxo-escura, fibrosa, de polpa alimentícia, da qual se faz o vinho de bacaba, ou iuquicé, e de cuja semente se extrai óleo semelhante ao da oliveira, o óleo de bacaba, e cujo espique é usado para esteios, lanças, ripas, etc.; bacabão.

bacabada [De *bacaba* + *-ada*[1].] *S. f. Bras. Amaz. MT* Refresco feito com a polpa do coco da bacaba; bacaba.

bacaba-de-azeite *S. f. Bras. Bot.* Palmeira arecácea (*Oenocarpus distichus*) ornamental de drupas violáceas e semente oleaginosa, e de cujos frutos se faz doce e vinho, além de se extrair óleo ou azeite. Ocorre das Guianas a MT. [Sin.: *iandibacaba*. Pl.: *bacabas-de-azeite*.]

bacabaí [De *bacaba* + *-í*.] *S. f. Bras. Bot.* **1.** V. *bacabinha* (1). **2.** V. *bacaba* (2).

bacabal [De *bacaba* + *-al*[1].] *S. m.* **1.** *Bras. AM MA* Quantidade mais ou menos considerável de bacabas dispostas proximamente entre si. **2.** Área ocupada por bacabal (1).

bacabalense *Adj. 2 g.* **1.** De, ou pertencente ou relativo a Bacabal (MA). ● *S. 2 g.* **2.** O natural ou habitante de Bacabal.

bacabamirim [De *bacaba* + *-mirim*.] *S. f. Bot.* V. *bacabinha* (1).

bacabão [De *bacaba* + *-ão*[1].] *S. m. Bras. Bot.* Bacabaçu.

bacabinha [De *bacaba* + *-inha*.] *S. f.* **1.** *Bras. Amaz. Bot.* Palmeira arecácea (*Oenocarpus minor*) de drupas comestíveis, das quais se extrai o vinho e o óleo de bacaba; bacabamirim, bacabaí. **2.** *Bras. AM MT* V. *bacaba* (2).

bacaca [De or. tupi, poss.] *S. f. Bras. Amaz. Zool.* V. *anambé-azul*.

bacáceo [Do lat. *bacca*, 'baga', + *-áceo*.] *Adj.* Semelhante à baga.

bacacu [Do tupi.] *S. m. Bras. Amaz. Zool.* Anambé-roxo.

bacacu-preto *S. m. Bras. Amaz. Zool.* V. *anambé-preto* (1). [Pl.: *bacacus-pretos*.]

bacada [De *baque* + *-ada*[1].] *S. f. Bras. S.* Baque produzido em veículo por acidente de terreno.

bacafuzada *S. f. Bras. N. N.E.* Confusão, trapalhada, desordem, balbúrdia.

bacafuzar *V. t. d. Bras. N. N.E.* Confundir, misturar, atrapalhar, complicar.

bacaiá [Do tupi.] *S. f. Bras. Bot.* V. *cana-de-macaco* (1).

bacairi (a-i) *Bras. S. 2 g.* **1.** *Etnôn.* Indivíduo dos bacairis [ou (etnôn. bras.) *Bakairi], povo indígena da família linguística caraíba, que habita os municípios de Nobres e Paranatinga (MT). ● *Adj. 2 g.* **2.** Pertencente ou relativo a esse povo.

bacalaureato [Do fr. *baccalauréat* < b.-lat. *baccalaureatu* < b.-lat. *baccalauriu, baccalariu*, 'jovem senhor'.] ***S. m.*** V. *bacharelado*[1].

bacalhau [De or. controvertida.] ***S. m.*** **1.** *Zool.* Peixe teleósteo, anacantino, gadídeo (*Gadus morrhua*), dos mares frios, cuja carne, seca e salgada, é muito utilizada na cozinha mundial. **2.** *Zool. Impr.* Mangangá-liso. **3.** *Gír. Inform.* Alteração mal planejada, feita em programa (9) ou sistema, com a finalidade de resolver um problema rapidamente. **4.** *Bras.* Pedaço de madeira ou de chapa de ferro, usado como remendo, para tapar um buraco, fresta ou veio de água. **5.** *Bras.* Chicote de couro cru torcido com que se açoitavam escravos: 📖 "Sentia uma curiosidade mordente de ver a aplicação do bacalhau, de conhecer de vista esse suplício legendário, aviltante." (Júlio Ribeiro, *A Carne*, p. 44.) **6.** *Bras.* Pessoa muito magra; magricela. **7.** *Bras. RS* Enchimento de emergência no pneumático do automóvel, quando se fura, para preservar a câmara de ar. **8.** *Bras. PE Folcl.* Vareta ou pedaço de arame para percutir o metal do surdo (13), no auto dos caboclinhos; resposta. ● ***S. 2 g.*** **9.** *Bras. Pej.* V. *vascaíno*. ● ***Adj. 2 g.*** **10.** *Bras. Pej.* V. *vascaíno*. ◆ **Bacalhau à Brás** *Cul.* Prato de origem lisboeta feito com bacalhau desfiado, ovo mexido, batata palha, cebola, azeite, alho e salsa. **Bacalhau à Gomes de Sá.** *Cul.* Prato criado no Porto; feito com bacalhau cozido que, depois cortado em lascas, é posto numa travessa e levado ao forno com rodelas de batata, cebola, ovos cozidos e azeitonas pretas, e temperado com azeite, alho e salsa picada. **Bacalhau à espanhola.** *Bras. Cul.* Prato de bacalhau com batata, cebola, tomate, azeitona, e pimentão, arrumados em camadas, com bastante azeite, que se leva ao forno. **Bacalhau à lagareiro.** *Cul.* Prato em que o peixe é levado ao forno em postas, com cebola, alho, azeitonas e azeite, e acompanhado de batatas a murro. **Bacalhau à portuguesa.** *Cul.* Bacalhoada (2). **Bacalhau à Zé do Pipo.** *Cul.* Prato de origem lisboeta em que as lascas desse peixe são cozidas no leite e depois cobertas com maionese e purê de batata, antes de ir ao forno. **Bacalhau de porta de venda.** *Bras.* Pessoa extraordinariamente magra. **Meter o bacalhau em.** *Bras.* V. *meter o pau em* (2). **Para quem é, bacalhau basta.** Diz-se de alguém que não merece maiores deferências. [Frase cuja origem remonta a uma época em que esse peixe era barato.]

bacalhoada [De *bacalhau* + *-ada*[1].] ***S. f.*** **1.** Grande porção de bacalhau. **2.** *Cul.* Prato típico da cozinha portuguesa, feito de bacalhau guisado no azeite, com batatas e couve. **3.** *Cul.* Prato preparado com bacalhau cozido com batatas, couve, cebolas inteiras, repolho e outros legumes, enfeitado com ovos cozidos e azeitonas, e temperado, ao servir, com vinagre e azeite-doce a gosto. **4.** *Bras.* Surra de bacalhau (5).

bacalhoeiro [De *bacalhau* + *-eiro*.] ***S. m.*** **1.** Negociante de bacalhau a varejo. **2.** Embarcação utilizada na pesca ou no transporte de bacalhau. ● ***Adj.*** **3.** Referente à, ou próprio da pesca de bacalhau. **4.** Que gosta de comer bacalhau. **5.** Que fede a bacalhau. **6.** *Fig.* Desleixado, negligente, lambuzão. **7.** *Fig.* Mal-educado, grosseiro, estúpido.

bacamartada [De *bacamarte* + *-ada*[1].] ***S. f.*** Tiro de bacamarte.

bacamarte [Do fr. *braquemart*.] ***S. m.*** **1.** Arma de fogo de cano curto e largo, reforçada na coronha. **2.** *Turfe* Cavalo que habitualmente chega entre os últimos colocados; punga. **3.** *Bras.* Indivíduo inútil, imprestável, pesadão. **4.** *Bras. RJ Gír.* Coisa velha; traste. [Cf. *bracamarte*.]

bacamarteiro [De *bacamarte* + *-eiro*.] ***S. m.*** Bacamartista.

bacamartista [De *bacamarte* + *-ista*.] ***S. 2 g.*** Aquele que atira com bacamarte; bacamarteiro: 📖 "Escolheu, a dedo, os mais destemidos bacamartistas das redondezas." (Amando Fontes, *Os Corumbas*, p. 4.)

bacana [Do lunfardo (2) *bácan*, com alter. semântica, poss.] *Bras. Gír.* ***Adj. 2 g.*** **1.** Palavra-ônibus que exprime, encarecendo-as, inúmeras ideias apreciativas, e equivale a bom, excelente, belo, simpático, elegante, luxuoso, bem-educado, muito leal, inteligente, culto, etc., tudo no superlativo, aplicado a pessoas e/ou coisas; formidável, legal, bárbaro, infernal, tranchã, maneiro, massa, esperto. ● ***S. 2 g.*** **2.** V. *grã-fino* (1): 📖 "Qual o trabalhador, ou mesmo o bacana, que, chegando a Madureira lá pelas sete ou oito horas da noite, ... terá coragem de voltar ao Centro ou a Copacabana para enfrentar uma peça?" (Zé Carioca, *ap.* Moli Ferreira, em *Correio da Manhã*, 17.02.1970.)

bacanal [Do lat. *bacchanale*.] ***S. f.*** **1.** Festa em honra de Baco, deus do vinho. **2.** *P. ext.* Festim licencioso com participação de várias pessoas; orgia. **3.** *P. ext.* V. *suruba* (4). ● ***Adj. 2 g.*** **4.** Báquico: 📖 "Desde o amor bacanal à mais pura paixão." (Guimarães Passos, *Horas Mortas*, p. 69.)

bacano [V. *bacana*.] ***S. m.*** *Bras. Gír.* V. *grã-fino* (1).

bacante [Do lat. *bacchante*, part. pres. de **bacchare*, por *bacchari*, 'celebrar as festas de Baco'.] ***S. f.*** **1.** Sacerdotisa de Baco; mênade, tíade. **2.** *Fig.* Mulher dissoluta, devassa, libertina: 📖 "Brancas bacantes bêbadas o beijam." (Augusto dos Anjos, *Eu*, p. 8.)

bacântico [De *bacante* + *-ico*[2].] ***Adj.*** **1.** Relativo a bacante. **2.** Orgíaco; dissoluto, devasso, libertino.

bacará [Do fr. *baccara*.] ***S. m.*** Jogo carteado, de origem francesa, em que tomam parte um banqueiro e vários jogadores, os quais apostam nas cartas tiradas para a banca (8) ou nas tiradas para o ponto (21), ganhando o grupo que, com duas ou três cartas, perfizer um total de pontos que mais se aproxime de nove.

bácara [De *bácaris*; esp. *bracara*.] ***S. f.*** *Bot.* Bácaris (3).

bacaraí ***S. m.*** *Bras.* V. *vacaraí*.

bacarija [De *bácara* (q. v.).] ***S. f.*** *Bot.* V. *ásaro* (2).

bácaris [Do tax. *Baccharis* (do lat. *baccar* ou *bacchar*, *aris*).] ***S. f. 2 n.*** *Bot.* **1.** Gênero de asteráceas que abrange cerca de 400 espécies nativas das Américas, ger. campestres, xerófilas, e muitas delas afilas. **2.** Qualquer espécie desse gênero, como, por ex., a *Baccharis trimera* [v. *carqueja* (2)] **3.** Qualquer espécime desse gênero; bácara.

baceiro [De *baço* + *-eiro*.] ***Adj.*** Pertencente ou relativo a baço (3).

bacela [Do ronga.] ***S. f.*** *Moç.* V. *quebra*[1] (11): 📖 "Cebola bonita, cebola boa, compra menina bonita que eu dou bacela." (Paulina Chiziane, *Balada de Amor ao Vento*, p. 105.)

bacelada [De *bacelo* + *-ada*[1].] ***S. f.*** Quantidade mais ou menos considerável de bacelos dispostos proximamente entre si.

bacelaense ***Adj. 2 g. S. 2 g.*** V. *bacelarense*.

bacelar ***V. t. d. Int.*** V. *abacelar*. [Pres. ind.: *bacelo*, etc. Cf. *bacelo* (ê).]

bacelarense ***Adj. 2 g.*** **1.** De, ou pertencente ou relativo a Duque Bacelar (MA). ● ***S. 2 g.*** **2.** O natural ou habitante de Duque Bacelar. [Sin. ger.: *bacelaense*.]

baceleiro [De *bacelo* + *-eiro*.] ***S. m.*** Indivíduo que planta bacelos.

bacelo (ê) [Do lat. *bacillu*, 'varinha'.] ***S. m.*** **1.** Vara de videira, que, plantada, reproduz a vinha; vide. **2.** Videira brava para enxertar. **3.** Vinha nova. [Pl.: *bacelos* (ê). Cf. *bacelo*, do v. *bacelar*.]

■ **Bacen** Sigla de *Banco Central do Brasil*.

bacento [De *baço* + *-ento*.] ***Adj.*** V. *baço* (1): 📖 "o focinho [da gata], que há dois meses era marrom, quase preto, parece claro, bacento." (Maria Julieta Drummond de Andrade, *O Valor da Vida*, p. 79).

bacharel [Do fr. *bachelier* < b.-lat *baccalariu*.] ***S. m.*** **1.** Indivíduo que concluiu o primeiro grau universitário. [Cf. *doutor* (1) e mestre (13)]: 🗎 *bacharel em Direito, em Economia.* **2.** *Bras. Restr.* Indivíduo formado em Direito. [Cf., nesta acep., *advogado* (1).] **3.** *P. us.* Aquele que concluiu o curso de ensino médio. **4.** *Fig.* Tagarela, palrador. [Pl.: *bacharéis*.]

bacharela [Fem. de *bacharel*.] ***S. f.*** **1.** Mulher que obteve o bacharelato. **2.** *Fig.* Mulher faladora; tagarela. **3.** Sabichona, sabe-tudo.

bacharelada [De *bacharel* + *-ada*[1].] ***S. f.*** Palavreado pretensioso, afetado e fastidioso; bacharelice, bacharelismo, letradice.

bacharelado[1] [De *bacharel* + *-ado*[2].] ***S. m.*** **1.** O grau de bacharel. **2.** O curso para a obtenção desse grau. [F. paral.: *bacharelato*. Sin. ger.: *bacalaureato*.]

bacharelado[2] [Part. de *bacharelar-se*.] ***Adj. S. m.*** Que, ou aquele que colou grau de bacharel.

bacharelando [De *bacharelar* + *-ando*.] ***S. m.*** Aquele que vai bacharelar-se.

bacharelar [De *bacharel* + *-ar*[2].] ***V. t. d.*** **1.** Atribuir o grau de bacharel a: 🗎 *A UFRJ já bacharelou milhares de alunos.* ***P.*** **2.** Colar grau de bacharel. ***Int.*** **3.** *Fig. Lus.* Falar muito e despropositadamente; tagarelar.

bacharelático [De *bacharel* + *-ático*.] ***Adj.*** Bacharelesco: 📖 "Hoje, mais nada tenho que esta / Vida claustral, bacharelática, funesta" (Antônio Nobre, *Só*, p. 52).

bacharelato [De *bacharel* + *-ato*[1].] ***S. m.*** V. *bacharelado*[1].

bacharelesco (ê) [De *bacharel* + *-esco*.] ***Adj.*** Relativo a, ou próprio de bacharel; bacharelático; abacharelado.

bacharelice [De *bacharel* + *-ice*.] ***S. f.*** **1.** V. *bacharelada*. **2.** V. *palavreado* (1).

bacharelismo [De *bacharel* + *-ismo*.] ***S. m.*** **1.** V. *bacharelada*. **2.** *Bras.* Predominância do bacharel (1) na vida política e cultural brasileira.

bachelardiano *Hist. Filos.* ***Adj.*** **1.** Pertencente, relativo ou próprio do filósofo francês Gaston Bachelard (1884-1962), que se notabilizou como epistemólogo. **2.** Que é adepto das concepções de Gaston Bachelard ou profundo conhecedor de sua obra. ● ***S. m.*** **3.** Seguidor de suas concepções ou profundo conhecedor de sua obra.

bachiano (qui) ***Adj.*** **1.** Pertencente ou relativo a Johann Sebastian Bach, compositor alemão (1685-1750), ou próprio dele. ● ***S. m.*** **2.** Grande admirador e/ou profundo conhecedor da obra de Bach. [Cf. *baqueano*.]

bachinche ***S. m.*** *Bras.* V. *bochinche*.

▲ **baci-** [Do lat. *bacca, ae*.] ***El. comp.*** = 'baga': *bacífero* (< lat.), *baciforme, bacívoro*.

bacia [Do lat. tard. *baccea*, pelo fr. ant. *bassie*, poss.] ***S. f.*** **1.** Vaso redondo, de bordas largas, geralmente raso, de louça, metal, plástico, etc., próprio para lavagens. [Dim. irreg.: *bacineta*.] **2.** Caldeira usada nas confeitarias para torrar amêndoas, castanhas-do-pará, etc. **3.** Fogareiro, braseiro. **4.** V. *urinol* (1). **5.** Salva ou bandeja: 🗎 *uma rica bacia de prata.* **6.** Prato de balança. **7.** Peça de metal em cuja concavidade se encontra o puxador de algumas campainhas. **8.** Designação geral das depressões de um terreno. **9.** Depressão de terreno rodeada de montes. **10.** Conjunto de vertentes que margeiam rio ou mar interior. **11.** *Anat.* Porção inferior do esqueleto do tronco, limitada, anterior e lateralmente, pelos ossos ilíacos, e, posteriormente, pelo sacro e pelo cóccix; pelve. **12.** *Arquit.* Base de pedra na qual se firma o peitoril do púlpito; bacia de púlpito. **13.** *Arquit.* Em balcões e sacadas, base saliente da fachada que serve de apoio para o guarda-corpo. **14.** *Ecles.* Nas igrejas, prato onde se depositavam esmolas: 🗎 *a bacia das almas.* **15.** *Bras.* Circo onde se realizam brigas de galo. **16.** *Bras. BA* V. *caldeirão* (6). ◆ **Bacia de afundamento.** *Bras. BA Geol.* Depressão de origem tectônica. **Bacia de captação.** *Geol.* Bacia de recepção. **Bacia de drenagem.** *Geogr.* V. *bacia fluvial*. **Bacia de janela.** *Arquit.* Pedra que serve de piso, nas janelas ou portas de sacada. **Bacia de púlpito.** *Arquit.* Bacia (11). **Bacia de recepção.** *Geogr.* Depressão do terreno, afunilada, onde as águas de escoamento superficial se acumulam, dando origem às torrentes; bacia de captação. **Bacia de subsidência.** *Geol.* Área de subsidência. **Bacia estrutural.** *Geol.* Depressão do terreno correlacionada com sua estrutura geológica. **Bacia fluvial.** *Geogr.* O conjunto das terras drenadas por um rio e por seus afluentes; bacia de drenagem, bacia hidrográfica. **Bacia hidrográfica.** *Geogr.* V. *bacia fluvial*. **Bacia oceânica.** *Ocean.* Extensa depressão do fundo, que encerra um oceano ou grande porção de oceano. **Bacia sanitária.** Vaso sanitário. **Bacia sedimentar.** *Geol.* Depressão do terreno na qual se acumulam detritos transportados por águas correntes e por enxurradas, ou depositados em período de lento rebaixamento. **Bacia submarina.** *Ocean.* Depressão no fundo do oceano. **Bacia tectônica.** *Geol.* Depressão do terreno causada por um diastrofismo, na qual se acumulam detritos provenientes das regiões vizinhas. **Bacia terminal.** *Geogr.* Depressão do terreno tomada pelo gelo e circundada por colinas morênicas. **Na bacia das almas.** *Bras. Pop. Fig.* Demasiadamente barato [v. *bacia* (13)]: 🗎 *Comprou a casa na bacia das almas; Estando mal de vida, vendeu tudo na bacia das almas.*

baciada [De *bacio* ou *bacia* + *-ada*[1].] ***S. f.*** O conteúdo que enche ou quase enche um bacio ou bacia.

bacial [De *bacio* + *-al*[1].] ***Adj. 2 g.*** *Desus.* De, ou relativo a bacio.

bacífero [Do lat. *bacciferu*.] ***Adj.*** *Bot.* Provido de baga (1).

baciforme [De *baci-* + *-forme*.] ***Adj. 2 g.*** Que tem forma de baga (1).

bacilácea [Do tax. *Bacillus* + *-ácea*; tax. *Bacillaceae*.] ***S. f.*** *Microbiol.* Espécime das baciláceas, família de bactérias que inclui os gêneros *Bacillus* (v. *bacilo*) e *Clostridium* (v. *clostrídio*), que produzem, ambos, esporos baciliformes.

baciláceo [De *bacilácea*, com var. suf. (v. *-áceo*).] ***Adj.*** *Microbiol.* Pertencente ou relativo às baciláceas.

bacilar [De *bacilo* + *-ar*[1].] ***Adj. 2 g.*** **1.** *Microbiol.* Relativo a bacilo. **2.** Longo, delgado e cilíndrico como uma varinha. ~ V. *disenteria* —.

bacilária [Do tax. *Bacillaria* (do lat. *bacillum* ou *bacillus*, 'bastonete').] ***S. f.*** *Bot.* **1.** Gênero de algas bacilariáceas (v. *diatomácea*) **2.** Espécie, ou espécime desse gênero.

bacilariácea [Do tax. *Bacillaria* (v. *bacilária*) + *-ácea*; tax. *Bacillariaceae*.] ***S. f.*** *Bot.* Diatomácea.

bacilariáceo [De *bacilariácea*, com var. suf. (v. *-áceo*).] ***Adj.*** *Bot.* Diatomáceo.

bacilariofícea [Adapt. do tax. *Bacillariophyceae* (v. *bacilária*, *-o-*[1], *-fíc(o)-*[2] e -ea).] ***S. f.*** *Bot.* Espécime das bacilariofíceas, classe de algas crisófitas que vivem em água doce e salgada, ger. em colônias, e formam grande parte do plâncton; têm carapaça silicosa rígida, que são duas valvas (*frústulas*) que se encaixam e persistem após a morte do organismo, dando origem ao diatomito. Estudos paleobotânicos são feitos mediante pesquisas em bacilariofíceas. [Sin.: *bacilariófita*.]

bacilariofíceo [De *bacilariofícea*, com var. suf. (v. *-eo*).] *Adj. Bot.* Pertencente ou relativo às bacilariofíceas; bacilariófito.

bacilariófita [Adapt. do tax. *Bacillariophyta* (v. *bacilária*, *-o-*[1] e *-fita*).] *S. f. Bot.* Bacilariofícea.

bacilariófito [De *bacilariófita*, com var. do último elemento (v. *fit(o)-*).] *Adj. Bot.* Bacilariofíceo.

bacilemia [De *bacilo* + *-emia*.] *S. f. Patol.* Presença de bacilos no sangue.

bacilémico *Adj. Patol.* V. *bacilêmico*. [Uso freq. em P.]

bacilêmico [De *bacilemia* + *-ico*[2].] *Adj. Patol.* Relativo à bacilemia.

baciliforme [De *bacilo* + *-iforme*.] *Adj. 2 g.* Em forma de bacilo ou bastonete: *esporo* *baciliforme*.

bacilo [Do tax. *Bacillus* (do lat. *bacillus*, 'bastonete').] *S. m. Microbiol.* **1.** Gênero de bacilláceas constituídas por bactérias em forma de bastonete **2.** Qualquer espécie desse gênero, como, p. ex., a *Bacillus anthracis*, causadora do antraz (1). **3.** Qualquer espécime desse gênero. ◆ **Bacilo de Ducrey.** *Microbiol.* Bactéria gram-negativa (*Haemophilus ducreyi*), causadora do cancro mole. **Bacilo de Eberth.** *Microbiol.* Bactéria gram-negativa (*Salmonella typhi*), agente etiológico da febre tifoide. **Bacilo de Hansen.** *Microbiol.* Bactéria gram-positiva (*Mycobacterium leprae*), causadora da hanseníase. **Bacilo de Koch.** *Microbiol.* Bactéria gram-positiva (*Mycobacterium tuberculosis*), agente causador da tuberculose humana.

bacilofobia [De *bacilo* + *-fobia*.] *S. f. Psiq.* Medo patológico de germes patogênicos.

bacilofóbico [De *bacilofobia* + *-ico*[2].] *Psiq. Adj.* **1.** Relativo a bacilofobia. **2.** Que sofre de bacilofobia; bacilófobo. ● *S. m.* **3.** Aquele que sofre de bacilofobia; bacilófobo.

bacilófobo [De *bacilo* + *-fobo*.] *Adj. S. m. Psiq.* Bacilofóbico (2 e 3).

bacilose [De *bacilo* + *-ose*[1].] *S. f.* **1.** *Med.* Infecção provocada por bacilos. **2.** *Impr.* Acometimento pelo germe da tuberculose, esp. da tuberculose pulmonar.

baciluria [De *bacilo* + *-uria*.] *S. f. Med.* V. *bacilúria*.

bacilúria [De *bacilo* + *-úria*.] *S. f. Med.* Presença de bacilos na urina. [F. paral.: *baciluria*.]

bacineta (ê) *S. f.* Pequena bacia. [Cf. *bacinete*.]

bacinete (ê) [Do fr. *bassinet*, com infl. de *bacia*.] *S. m.* **1.** *Anat.* Parte superior do ureter, dilatada em forma de funil, e que recebe a urina proveniente dos cálices renais; pelve renal. **2.** *Ant.* Capacete de couro ou de ferro que cobria a cabeça à feição de elmo. [Cf. *bacineta*.]

bacio [Do lat. tard. *bacchinon*, poss. pelo gascão *bassio*.] *S. m.* V. *urinol* (1).

bacívoro [De *baci-* + *-voro*.] *Adj.* Que se alimenta de bagas.

➔ **backbone** ['bækbown] [Ingl., lit. 'espinha dorsal'.] *S. m. Inform.* **1.** Rede de computadores capaz de transmitir e processar dados em alta velocidade, responsável por garantir o tráfego de informações entre redes menores a ela ligadas. **2.** A parte de uma rede de computadores, ou sua estrutura física, que suporta o maior tráfego de informações.

➔ **background** ['bækgræwnd] [Ingl.] *S. m.* **1.** Aquilo que constitui o fundo de uma cena (8) (vozes, músicas, ruídos, etc.). **2.** Os elementos ou fatos que constituem a base, os antecedentes, de um acontecimento, de uma situação, etc. **3.** O conjunto dos conhecimentos, experiência, etc., que compõem a base intelectual, técnica, etc., de alguém.

➔ **backhand** ['bækhænd] [Ingl.] *S. m. Tên.* Empunhadura (3) us. no tênis para golpear a bola com as costas da raquete.

➔ **backing vocal** ['bækiŋ 'vowkəl] [Ingl.] *Mús.* Acompanhamento vocal.

➔ **backlight** ['bæklajt] [Ingl.] *S. m.* **1.** *Prop.* Painel fotográfico translúcido iluminado por trás. **2.** *Cin. Teatr. Telev.* Fonte luminosa, colocada por trás do artista, objeto, etc., de forma a destacá-lo do fundo.

➔ **backside** ['bæksajd] [Ingl.] *S. m. Surf.* Posicionamento dorsal do surfista em relação à onda.

➔ **backup** ['bækap] [Ingl., 'substituto, reserva'.] *S. m. Inform.* **1.** Procedimento, método ou unidade empregados em caso de falha do procedimento, do método ou da unidade do computador original ou principal. **2.** Cópia de um arquivo, que é guardada como reserva para o caso de destruição ou inutilização do arquivo original; cópia de segurança. [Tb. usado adjetivamente, após um substantivo, e ligado ou não a este pela preposição *de*.] [F. aport.: *becape*.]

baclava *S. m. Cul.* **1.** V. *baclavá*.

baclavá [Do turco.] *S. m. Cul.* Doce feito de massa folhada com recheio de nozes, ou, mais raramente, amêndoas, e mel.

baco[1] *S. m. Bras.* Caixão instalado à margem dos rios para lavagem do diamante.

baco[2] *Adj. Bras.* Diz-se de bovino de pelo vermelho tirante a amarelo.

baco[3] [Do quimb. *mbaku*.] *Adj. 2 g. S. 2 g. Angol.* Diz-se de, ou indivíduo estéril: "De nós os dois, não sei quem é o baco: se sou eu, se és tu. Arranjei mais outra mulher." (Óscar Ribas, *Sunguilando*, p. 112.)

baço [Do lat. *badiu*, 'baio', 'castanho'; 'avermelhado', poss.] *Adj.* **1.** Sem brilho; embaciado, bacento: "Nós cantamos a finura, a transparência, a macieza da pele, e a pele do sapo é grossa, baça e enrugada." (Patrícia Joyce, *Anúncio de Casamento*, p. 141.) **2.** Moreno, trigueiro. ● *S. m.* **3.** *Anat.* Órgão situado no hipocôndrio esquerdo e que tem várias funções, entre as quais a de destruir glóbulos vermelhos inúteis.

bacoani *Bras. S. 2 g.* **1.** *Etnôn.* Indivíduo dos bacoanis, povo indígena extinto que habitava a região situada entre os rios Turvo e Preto, na serra da Mantiqueira (MG). ● *Adj. 2 g.* **2.** Pertencente ou relativo a esse povo. [Tb. us. como *s. 2 g. e 2 n.* (com cap.) e *adj. 2 g. e 2 n.*]

baco-baco [Voc. onom.] *S. m. Bras.* N Tropel cadenciado de cavalos em marcha. [Pl.: *baco-bacos*.]

➔ **bacon** ['bejkin] [Ingl.] *S. m.* Toicinho defumado.

bacondê *S. m. Bras. AL* V. *esconde-esconde*: "Menino de engenho, criado a ouvir histórias de Trancoso, a brincar de bacondê ...., arrepiado com as façanhas do papa-figo, do lobisomem e da caipora ...., não é de estranhar que cedo me afeiçoasse ao Folclore" (José Maria de Melo, *Enigmas Populares*, p. 13).

baconiano (bei) *Adj. Filos.* **1.** Pertencente, relativo a, ou próprio do filósofo inglês Francis Bacon (1561-1626), que, pelo teor empirista de sua reflexão e por sua teoria da indução, é considerado um dos fundadores da moderna ciência experimental. [Cf. *empirismo*.] **2.** Que é adepto das concepções de Francis Bacon ou profundo conhecedor de sua obra; baconista. ~ V. *indução —a*. ● *S. m.* **3.** Seguidor de suas concepções ou profundo conhecedor de sua obra; baconista.

baconista (bei) *Adj. 2 g. S. 2 g.* Baconiano (2 e 3).

bacopá [Do tax. *Bacopa* (de or. incerta).] *S. m. Bot.* **1.** Gênero de escrofulariáceas rasteiras, carnosas, de flores axilares, folhas opostas, amplexicaules, frutos capsulares; têm propriedades medicinais contra queimaduras, frieiras e ferimentos. Ocorrem das Guianas à BA. **2.** Qualquer espécie desse gênero, como, por ex., a *Bacopa aquatica*. **3.** Qualquer espécime desse gênero.

bacoparé *S. m. Bras. Bot.* Bacupari-miúdo (2).

bacorá *S. f. Bras. Zool.* V. *boicorá* (1).

bácora *S. f.* Fem. de *bácoro*; leitoa.

bacoral *S. f. Bras. Zool.* V. *boicorá* (1).

bacorejar [De or. obsc.] *V. t. d.* **1.** Adivinhar, prever, pressentir, pressagiar: *Se bacorejasse esta possibilidade, não teria viajado.* **2.** Ficar à espera de; esperar, aguardar. **3.** Sugerir, propor, insinuar: *Quis bacorejar uma solução, mas não o fez.* *T. i.* **4.** Parecer, afigurar-se, figurar-se: Bacorejou-lhe que a encontraria ali; "– Enfim, comendador, estimo que seja feliz; mas bacoreja-me que não faz nada." (Camilo Castelo Branco, *Eusébio Macário*, 2º vol., p. 629.) *Int.* **5.** Grunhir (o leitão). **6.** Ficar à espera de alguma novidade. [Conjug.: v. *pelejar*.]

bacorejo (ê) [Dev. de *bacorejar*.] *S. m. Fam.* Presságio de um evento; palpite.

bacorim *S. m. Bras.* V. *bacorinho*.

baçorina [Do top. *Baçorá* (Iraque) + *-ina*[3].] *S. f. Quím.* Substância gomosa, insolúvel em água, extraída de algumas gomas-resinas; bassorina.

bacorinha *S. f. Bras.* **1.** Chapéu alto, de feltro duro. **2.** *Bras. N.E.* Embrulho ou malote que forma a bagagem do cassaco (2).

bacorinho [Dim. de *bácoro*.] *S. m. Bras.* **1.** V. *leitão* (1). **2.** *Pop.* Filho pequeno; bebê. [Var.: *bacorim*.]

bácoro [De or. controvertida.] *S. m.* V. *leitão* (1).

bacorote *S. m.* Bácoro crescido.

bacteremia [De *bacter(i)-* + *-emia*.] *S. f. Patol.* V. *bacteriemia*.

▲ **bacter(i)-** V. *bacteri(o)-*.

▲ **-bacter(i)-** V. *bacteri(o)-*.

bactéria [Do tax. *Bacterium* (este do gr. *bakteríon*, 'pequeno bastão', do gr. *baktería*, 'bastão'), com infl. do fr. *bactérie*.] *S. f. Microbiol.* Nome comum a microrganismos unicelulares procariotos, desprovidos de núcleo individualizado, que habitam praticamente todos os ambientes, e podem ser, p. ex., esféricas, espiraladas ou em forma de bastão. São, na grande maioria, inofensivas, e muitas são benéficas ao homem, mas há tb. algumas patogênicas. [Cf. *micróbio*. F. paral.: *bactério*.] ◆ **Bactéria bífida.** *Microbiol.* Bactéria us. como aditivo alimentar em certos laticínios [v. *lactobacilo*].

bacteriano [De *bactéria* + *-ano*[1].] *Adj. Microbiol.* Pertencente ou relativo a bactéria(s): *produto bacteriano*. ~ V. *flora —a*.

bactericida (è) [De *bacter(i)-* + *-cida*.] *Adj. 2 g.* **1.** Que destrói as bactérias. ● *S. m.* **2.** Aquilo que destrói bactérias.

bacteriemia (tè) [De *bacter(i)-* + *-emia*.] *S. f. Patol.* Processo infeccioso generalizado, em que germes são veiculados pelo sangue sem, contudo, se multiplicarem neste. [Cf. *septicemia*.]

▲ **bacteri(o)-** [Do lat. cient. *bacterium* < gr. *baktérion*, 'pequeno bastão'.] *El. comp.* = 'bactéria': *bacteriologia*. [Equiv.: *bacter(i)-*, *-bacter(i)-*: *bacteriemia*, *acromobacteriácea*.]

bactério [Do lat. cient. *bacterium*.] *S. m. Microbiol. Desus.* Bactéria.

bacteriofagia [De *bacteri(o)-* + *-fag(o)-* + *-ia*[1].] *S. f. Microbiol.* Condição ou ato de bacteriófago. [Cf. *bacteriólise*.]

bacteriofágico (è) [De *bacteriofagia* + *-ico*[2].] *Adj. Microbiol.* Relativo à bacteriofagia.

bacteriófago [De *bacteri(o)-* + *-fago*.] *S. m. Microbiol.* Cada um de um grupo de vírus que parasitam bactérias. [F. red.: *fago*.]

bacteriólise [De *bacteri(o)-* + *-lise*.] *S. f. Microbiol.* Destruição bacteriana dentro ou fora de organismo vivo.

bacteriolisina (è) [De *bacteri(o)-* + *-lis(i)-* + *-ina*[3].] *S. f. Imun.* Anticorpo contra bactérias, que as destrói.

bacteriolítico [De *bacteriol(ise)* + *-ítico*.] *Adj. Microbiol.* Relativo à bacteriólise.

bacteriologia [De *bacteri(o)-* + *-logia*.] *S. f. Microbiol.* Ciência que trata das bactérias.

bacteriológico [De *bacteriologia* + *-ico*[2].] *Adj. Microbiol.* Referente à bacteriologia. ~ V. *guerra —a*.

bacteriologista (è) [De *bacteriologia* + *-ista*.] *S. 2 g.* Especialista em bacteriologia; bacteriólogo.

bacteriólogo (è) [De *bacteri(o)-* + *-logo*.] *S. m.* Bacteriologista.

bacteriopurpurina [De *bacteri(o)-* + *purpurina*.] *S. f. Microbiol.* Pigmento violáceo produzido por certas bactérias.

bacteriose (è) [De *bacter(i)-* + *-ose*[1].] *S. f. Patol.* Doença provocada por bactéria.

bacteriospermia (tè) [De *bacteri(o)-* + *-sperm(o)-* + *-ia*[1].] *S. f. Urol.* Presença de bactérias no esperma.

bacterióstase [De *bacteri(o)-* + *-stase*.] *S. f. Microbiol.* Inibição da multiplicação bacteriana.

bacteriostático [De *bacteriost(ase)* + *-ático*.] *Adj. S. m. Med. Microbiol.* Diz-se de, ou medicamento que evita a multiplicação bacteriana.

bacterioterapia (ctè) [De *bacteri(o)-* + *-terapia*.] *S. f. Terap.* Emprego de culturas de bactérias, vivas ou mortas, no tratamento de infecções.

bacterioterápico (ctè) [De *bacterioterapia* + *-ico*[2].] *Adj.* Relativo à bacterioterapia.

bacteriuria (è...i-u) [De *bacter(i)-* + *-uria*.] *S. f. Med.* V. *bacteriúria*.

bacteriúria (è) [De *bacter(i)-* + *-úria*.] *S. f. Med.* Presença de bactérias na urina. [F. paral.: *bacteriuria*.]

bacteriúrico (è) [De *bacteriúria* + *-ico*[2].] *Adj. Med.* Relativo à bacteriúria.

bacteroide (tè...ói) [De *bacter(i)-* + *-oide*.] *Adj. 2 g.* Semelhante a bactéria. ❖

bacti-ioga *S. f.* V. *ioga*.

báctris [Do tax. *Bactris* (do gr. *báktron*, ou, 'bastão').] *S. m. 2 n. Bot.* **1.** Gênero de palmeiras arecáceas que reúne mais de 230 espécies nativas das Américas. **2.** Qualquer espécie desse gênero, como, por ex., a *Bactris gasipaes* (v. *pupunheira*) e a *Bactris vulgaris* (v. *airimirim*). **3.** Qualquer espécime desse gênero.

bacu [Do tupi.] *S. m.* **1.** *Bras. Zool.* Peixe doradídeo (*Lithodoras dorsalis*) da bacia amazônica, de coloração pardo-amarelada, com o ventre mais claro, e que chega a 1m de comprimento; bacu-pedra. [Var.: *vacu*.] **2.** *Bras. Zool.* V. *cuiú-cuiú* (5). [Var.: *vacu*.] **3.** *Bras. Amaz. Pop.* Indivíduo barrigudo.

bacubixá *S. m. Bras. Bot.* V. *bacumixá*.

bacucu [De or. tupi, poss.] *S. m. Bras. Zool.* **1.** Molusco bivalve, mitilídeo (*Modiolus brasiliensis*), da costa brasileira. Concha grande, comprida, aproximadamente triangular, curvada para baixo, mais larga e preta na parte posterior, pardo-escura na anterior; interior azul ou verde-brilhante. Tem cerca de 7cm de comprimento. **2.** Molusco mitilídeo (*Modiolus tulipa*), frequente em praias batidas pelo mar forte.

bacuçu *S. m. Bras. BA* Canoa de um pau só, ampliada por uma borda-falsa.

bacuda *S. f. Bras. Zool.* V. *barracuda*.

bacu-de-pedra *S. m. Bras.* Peixe doradídeo (*Acanthodoras cataphractus*) de rios da Amazônia e das Guianas, delgado e alongado, com a cabeça achatada, e com cerca de 12cm de comprimento. O corpo tem coloração amarronzada, com numerosas placas que lembram pedras, donde o seu nome comum. [Sin.: *bacu-pedra*, *daqueiro*. Pl.: *bacus-de-pedra*.]

bacuejo (ê) *S. m. Bras. BA* Banho de asseio incompleto.

bacuém *Bras. S. 2 g.* **1.** *Etnôn.* Indivíduo dos bacuéns [ou (etnôn. bras. *Bakué), povo indígena extinto, da família linguística botocudo, tronco macro-jê, que habitava a margem esquerda do rio Mucuri (MG). ● *Adj. 2 g.* **2.** Pertencente ou relativo a esse povo.

baçula *S. f. Angol.* V. *bassula.*
▲ **bacul(i)-** [Do lat. *bacŭlus, i.*] ***El. comp.*** = 'báculo'; 'bastão'; 'caule': *baculiforme, baculífero.* [Equiv.: *baculo-*: *baculômetro.*]
baculífero [De *bacul(i)-* + *-fero.*] ***Adj.*** Diz-se de planta cuja haste pode servir de bastão ou de bengala.
baculiforme [De *bacul(i)-* + *-forme.*] ***Adj. 2 g.*** Que tem forma de báculo ou de bastão.
baculino ***Adj.*** ~ V. *argumento* —.
▲ **baculo-** [De *bacul(i)-* + *-o-.*] Equiv. de *bacul(i)-.*
báculo [Do lat. *baculu.*] ***S. m.*** **1.** Bastão com a extremidade superior arqueada, usado pelos bispos; crossa: 📖 "O metropolita, ..., tinha deposto o báculo de pastor para cingir a espada de guerreiro." (Alexandre Herculano, *Eurico, o Presbítero,* pp. 79-80.) **2.** *P. ext.* V. *bordão*[1] (1). **3.** *Fig.* Arrimo, amparo.
baculómetro ***S. m.*** V. *baculômetro.* [Uso freq. em P.]
baculômetro [De *baculo-* + *-metro.*] ***S. m.*** Vara graduada com que se medem terrenos declivosos ou de acesso difícil ou impossível.
bacumini *Bras.* ***S. 2 g.*** **1.** *Etnôn.* Indivíduo dos bacuminis, povo indígena extinto que habitava o vale do rio Paraíba (RJ). • ***Adj. 2 g.*** **2.** Pertencente ou relativo a esse povo. [Tb. us. como *s. 2 g. e 2 n.* (com cap.) e *adj. 2 g. e 2 n.*]
bacumixá [Do tupi.] ***S. f.*** *Bras. Bot.* Árvore sapotácea (*Sideroxylon vastum*) cuja madeira se emprega em obras internas e cuja casca é adstringente e febrífuga. [Var.: *bacubixá, bacupixá.*]
bacumixá-branca [De *bacumixá* + o f. de *branco.*] ***S. f.*** *Bras. Bot.* Arbusto mirtáceo (*Eugenia eurysepala*) de folhas membranosas, elípticas, flores alvas e frutos bacáceos. [Pl.: *bacumixás-brancas.*]
bacupari [Do tupi.] ***S. m.*** *Bras. Bot.* **1.** Arbusto eritroxiláceo (*Erythroxylum exaltatum*) de folhas elíptico-lanceoladas, cuspidadas, com estípulas, e flores alvas. **2.** Arbusto clusiáceo (*Garcinia cochinchinensis*) originário do Vietnã, de ramos quadrangulares, folhas oval-oblongas, flores alvas laterais e bagas amarelo-avermelhadas. São comestíveis as folhas e os frutos, e estes também diuréticos; o lenho é us. como combustível. [Sin.: *mangostão-amarelo* e *sacopari.*] **3.** Arbusto hipocrateáceo (*Salacia cognata*) de folhas serradas, opostas ou subopostas, e flores claras. Ocorre do AM a SP. **4.** Arbusto hipocrateáceo (*Salacia elliptica*) de folhas elípticas e flores de pétalas serradas em fascículos axilares. **5.** Arbusto hipocrateáceo (*Salacia laxiflora*) de folhas opostas, flores pálidas, em cimeiras, e bagas amarelas. Ocorre do PA a SP. **6.** Arbusto hipocrateáceo (*Salacia paniculata*) de folhas ovais, flores em panículas e drupas subglobosas. **7.** Árvore clusiácea (*Garcinia gardneriana*) de folhas coriáceas e frutos bacáceos amarelos, de polpa branca, edule; é nativa da Amaz. ao RS, e cultivada pelos frutos, pela madeira e pela resina que exsuda, de uso medicinal. [Sin.: *bacupari-miúdo.*]
bacupariaçu [De *bacupari* + *-açu.*] ***S. m.*** *Bras. Bot.* Árvore rubiácea (*Gardenia suaveolens*) de flores brancas aromáticas e bagas amarelas, tendo a casca da raiz propriedades tônicas; bacupari-grande, jasmim-do-mato, limão-do-mato.
bacupari-cipó ***S. m.*** *Bras. Bot.* Trepadeira hipocrateácea (*Salacia sylvestris*) de drupas rugosas pretas e polpa comestível, e cujas folhas, na medicina caseira, são aplicadas em inflamações; cipó-de-copacabana, saputá, tapicuri. [Pl.: *bacuparis-cipós* e *bacuparis-cipó.*]
bacupari-da-baía ***S. m.*** *Bras. BA Bot.* Arbusto hipocrateáceo (*Salacia glomerata*) cujas flores têm pétalas arredondadas em glomérulos. [Pl.: *bacuparis-da-baía.*]
bacupari-de-capoeira ***S. m.*** *Bras. Bot.* **1.** Pequena árvore hipocrateácea (*Salacia crassifolia*) de flores alvas e drupas amarelas, e polpa comestível; saputá. **2.** V. *açucena-do-mato.* [Pl.: *bacuparis-de-capoeira.*]
bacupari-do-amazonas [De *bacupari* + *do*[1] + o top. *Amazonas.*] ***S. m.*** *Bras. AM Bot.* Árvore hipocrateácea (*Salacia corymbosa*) de ramos flexuosos e flores amarelas. [Pl.: *bacuparis-do-amazonas.*]
bacupari-do-campo ***S. m.*** *Bras. GO MT BA MG ES RJ SP Bot.* Arbusto hipocrateáceo (*Salacia campestris*) habitante dos cerrados centrais, de folhas serreadas, coriáceas, flores esverdeadas, drupas de um amarelo alaranjado e polpa comestível; capicuru, japicuru, laranjinha-do-campo, saputá, tapicuri, uvacupari, vacapari, vacaparilha. [Pl.: *bacuparis-do-campo.*]
bacupari-grande ***S. m.*** *Bras. Bot.* V. *bacupariaçu.* [Pl.: *bacuparis-grandes.*]
bacupari-miúdo ***S. m.*** *Bras. Bot.* **1.** Árvore rubiácea (*Posoqueria acutifolia* ou *P. latifolia*) de grandes flores brancas, odoríferas, frutos bacáceos amarelos, e cuja madeira é us. em marcenaria e tornearia. [Sin.: *fruta-de-macaco, pau-de-macaco.*] **2.** Bacupari (7). [Pl.: *bacuparis-miúdos.*]
bacu-pedra ***S. m.*** *Bras. Zool.* **1.** V. *bacu-de-pedra.* **2.** V. *bacu* (1). **3.** V. *cuiú-cuiú* (5). [Pl.: *bacus-pedras* e *bacus-pedra.*]
bacupixá ***S. f.*** *Bras. Bot.* V. *bacumixá.*
bacupua [De or. tupi, poss.] ***S. m.*** *Bras. Zool.* Bagre ariídeo (*Netuma barba*) de dorso azul-escuro e ventre branco, com até 1m de comprimento, e que ocorre da BA à Argentina. [Sin.: *bagre-branco, bagre-cachola.*]
bacurau [Do tupi.] ***S. m.*** **1.** *Zool. Bras.* Designação comum a várias aves caprimulgiformes, caprimulgídeas, gêneros *Chordeiles Podager, Hydropsalis* e outros. [Var.: *acurau, acuraua.* Sin.: *guiraquereá, ibijaú, joão-corta-pau, joão-mede-léguas, mede-léguas, noitibó, pinta-cega.*] **2.** *Bras. Pop.* Indivíduo que só costuma sair à noite. **3.** *Bras. PE* Cova de carvão vegetal formada pelos atiços da anterior. **4.** *Bras. RJ Pop.* Indivíduo negro. **5.** *Bras. RJ* Ônibus que trafega entre uma e seis horas da manhã; sereno.
bacurau-branco ***S. m.*** *Bras. N.O. Zool.* Ave caprimulgiforme, caprimulgídea (*Chordeiles rupestris*), de coloração pardo-cinzenta clara, finamente pintado de preto, rêmiges pardo-escuras listradas de branco, retrizes laterais pela maior parte brancas; bacurau-de-bando, bacurau-da-praia. [Pl.: *bacuraus-brancos.*]
bacurau-da-praia ***S. m.*** *Bras. Zool.* V. *bacurau-branco.* [Pl.: *bacuraus-da-praia.*]
bacurau-de-bando ***S. m.*** *Bras. Zool.* V. *bacurau-branco.* [Pl.: *bacuraus-de-bando.*]
bacurau-tesoura ***S. m.*** *Bras. Zool.* V. *curiango-tesoura* (1 e 2). [Pl.: *bacuraus-tesouras* e *bacuraus-tesoura.*]
bacuri[1] [Do tupi.] ***S. m.*** *Bras. Amaz. Bot.* **1.** Árvore clusiácea (*Platonia insignis*) de fruto grande e carnoso, com polpa amarela, muito apreciado como alimento, sobretudo no PA; bacurizeiro, ibacurupari, landirana **2.** O fruto dessa árvore; landirana.
bacuri[2] ***S. m.*** *Bras. PB* Espécie de manga[3] (1).
bacuri[3] *Bras.* ***S. 2 g.*** **1.** *Etnôn.* Indivíduo dos bacuris, povo indígena das nascentes do rio Arinos (MT). • ***Adj. 2 g.*** **2.** Pertencente ou relativo a esse povo. [Tb. us. como *s. 2 g. e 2 n.* (com cap.) e *adj. 2 g. e 2 n.*]
bacuriense ***Adj. 2 g.*** **1.** De, ou pertencente ou relativo a Bacuri (MA). • ***S. 2 g.*** **2.** O natural ou habitante de Bacuri.
bacuripari [Var. de *ibacurupari.*] ***S. m.*** *Bras. Bot.* Árvore clusiácea (*Garcinia macrophylla*) de folhas coriáceas, brilhantes, agudas, com nervuras numerosas e aproximadas, e que chegam a 30 cm, pequenas flores dispostas em fascículos, e cujo fruto é uma baga ovoide, unilocular, de 6 x 4 cm e sabor ácido agradável. [Var.: *bacuripati.*]
bacuripati ***S. m.*** *Bras. Bot.* V. *bacuripari.*
bacurizeiro [De *bacuri*[1] + *-zeiro.*] ***S. m.*** *Bras. Bot.* V. *bacuri*[1] (1).
bacurubu ***S. m.*** *Bras. Bot.* V. *baquerubu.*
badadje [Do criol.] ***S. 2 g.*** *Guin. Cul.* Papa feita à base de arroz, destinada principalmente às crianças e aos convalescentes: 📖 "não posso dar-vos mais do que esse cuntango ou badadje que tu dizes não suportar." (Domingas Barbosa Mendes Samy, *A Escola,* p. 14).
badalação [De *badalar* + *-ção.*] ***S. f.*** *Bras. Pop.* Ação ou efeito de badalar (4, 7 a 9).
badalada [De *badalar* + *-ada*[1].] ***S. f.*** Som produzido pela pancada do badalo no sino, campainha, chocalho, etc: 📖 "Da mesma igreja alvadia / Evolam-se as badaladas / E a reza da Ave-Maria." (Vicente de Carvalho, *Poemas e Canções,* p. 213.)
badaladal [De *badalada* + *-al*[1].] ***S. m.*** Série ou sucessão de badaladas.
badalado [Part. de *badalar.*] ***Adj.*** *Bras. Pop.* Muito falado; comentadíssimo.
badalador (ô) [De *badalar* + *-dor.*] ***Adj.*** *Bras.* **1.** Que badala; badalativo. • ***S. m.*** **2.** Aquele que badala os sinos.
badalão [De *badalo* + *-ão*[1].] ***S. m.*** Homem desassisado e tagarela.
badalar [De *badalo* + *-ar*[2].] ***V. int.*** **1.** Dar badaladas; badalejar: 📖 "Badalam sinos." (Antônio Boto, *As Canções,* p. 131); "A sineta do portão badalara, jogada por mão impaciente e familiar" (Carlos Malheiro Dias, *Os Teles de Albergaria,* p. 210). **2.** Divulgar mexericos; fofocar: *Nem sabia ao certo o que sucedera, e já badalava por aí.* **3.** Dizer ou proclamar com entusiasmo ou ênfase: 📖 "Da elegia .... era Vadinho herói indiscutível, 'jamais outro virá tão íntimo das estrelas, dos dados e das putas, mágico jogral', badalavam os versos, numa louvação sem tamanho." (Jorge Amado, *Dona Flor e Seus Dois Maridos,* p. 46.) *T. c.* **4.** *Bras. Pop.* Comparecer a reuniões sociais, a festas, etc., de maneira mais ou menos ostentatória; exibir-se; mostrar-se; badalar-se. *T. d.* **5.** Dar badaladas em; tocar: 📖 "Comecei a inventar um sonho bonito, próprio para o vigário, cheio de anjos badalando sino, notei que ele não estava gostando" (Manuel Lobato, *Contos de Agora,* p. 18). **6.** Dar, fazer soar, por meio de badaladas: 📖 "Atravessando sozinho alguma ponte, depois dos sinos de Santo Antônio badalarem nove horas, arriscava-se a ser levado para o fundo das águas" (Gilberto Freire, *Assombrações do Recife Velho,* p. 29). **7.** *Pop.* Revelar indiscretamente; espalhar, divulgar: *Saiu badalando tudo o que vira e ouvira.* **8.** *Bras. Pop.* Propalar ou divulgar (alguma coisa), exaltando-lhe as virtudes ou criando virtudes que não tenha: *Não para de badalar o último livro do amigo.* *P.* **9.** *Bras. Pop.* V. *promover*[2] (2): *Devia ter mais autocrítica e não se badalar tanto.* **10.** *Bras. Pop.* Badalar (4): *Não perde um acontecimento social: vive a badalar-se.*
badalativo [De *badalar* + *-tivo.*] ***Adj.*** *Bras.* Que badala, que é muito dado a badalar (4, 7 a 9); badalador.
badalejar [De *badalo* + *-ejar.*] ***V. int.*** **1.** Badalar (1). **2.** Tiritar. [Conjug.: v. *pelejar.*]
badalhoca [De *badalo* + *-oca,* com palatalização.] ***S. f.*** **1.** Cardina (1). **2.** *P. ext.* Coisa pendente.
badalo [Do lat. **battuaculu,* do lat. *battuere,* 'bater'.] ***S. m.*** Peça de metal, com a extremidade grossa ou em bola, pendurada no interior de sino, chocalho, etc., para fazê-los soar. ◆ **Correr o badalo.** Falar demais, tagarelar, taramelar; dar à língua, dar de língua, dar o badalo. **Dar o badalo.** V. *correr o badalo.*
badame [Var. de *bedame,* com assimilação.] ***S. m.*** **1.** Instrumento de aço, chato e cortante numa das extremidades, utilizado por canteiros e escultores. **2.** Entre carpinteiros, o formão.
badameco [Do lat. *vade mecum,* 'vai comigo'.] ***S. m.*** **1.** *Ant.* Pasta em que os estudantes transportavam papéis e livros. **2.** *Fig.* Rapazola, adolescente. **3.** *Pej.* Pessoa insignificante. **4.** V. *joão-ninguém.* [Cf. *bandaneco.*]
badana [Do ár. *biṭana(t),* 'pelo ou couro de animal (esp. carneiro)'; 'pele us. para forrar'; 'forro'.] ***S. f.*** **1.** Ovelha magra, velha e estéril. **2.** Carne de ovelha velha. **3.** Pelanca mole e pendente. **4.** *Pop.* Barbatana (1). **5.** *Bras. S.* Pele macia e lavrada que se coloca sobre o coxinilho. **6.** *Lus.* Orelha (7). **7.** *Lus. P. ext.* Orelha (8). • ***S. 2 g.*** **8.** *Fam.* Indivíduo insignificante. [V. *joão-ninguém.*] **9.** *Irôn.* V. *tolo* (8).
badanal ***S. m.*** *Pop.* **1.** Balbúrdia, algazarra, confusão. **2.** Grande afã; azáfama, lufa-lufa. **3.** Embrulhada, trapalhada.
badaroense (òên) ***Adj. 2 g.*** **1.** De, ou pertencente ou relativo a Francisco Badaró (MG). • ***S. 2 g.*** **2.** O natural ou habitante de Francisco Badaró.
baddeleyíta [Do antr. ingl. (*Joseph*) *Baddeley* + *-ita*[3].] ***S. f.*** *Min.* Mineral monoclínico, óxido de zircônio; favas de zircônio, badeleíta, badelsita, brasilita.
badé [Do jeje, poss.] ***S. m.*** *Bras. MA Rel.* Vodum da Casa Grande das Minas, em São Luís. [Com cap. Var.: *Badê.*]
badê ***S. m.*** *Bras. Rel.* Badé. [Com cap.]
badejete (ê) [Dim. irreg. de *badejo.*] ***S. m.*** *Bras. Pop. Zool.* Badejo novo, do gênero *Mycteroperca,* que vive em fundo pedregoso ou de vegetação alta, onde se esconde.
badejo (é ou ê) [Var. de *abadejo.*] ***S. m.*** *Bras.* **1.** *Zool.* Designação comum a peixes teleósteos, serranídeos, que vivem em pequenos grupos junto à costa, ger. em recifes ou em fundos rochosos e arenosos. São muito apreciados na caça submarina, especialmente os do gênero *Mycteroperca,* com espécies na costa brasileira; abadejo. • ***Adj.*** *Bras. Pop.* **2.** Grande, enorme, baita. **3.** Incrível, extraordinário. **4.** Belo, vistoso.
badejo-bicudo ***S. m.*** *Bras. Zool.* V. *badejo-branco.* [Pl.: *badejos-bicudos.*]
badejo-branco ***S. m.*** *Zool.* Peixe teleósteo, perciforme, serranídeo (*Mycteroperca microlepis*), da costa atlântica, de coloração pérola com manchas escuras e verde-claras; badejo-bicudo, badejo-saltão, badejo-sapateiro. [Pl.: *badejos-brancos.*]
badejo-ferro ***S. m.*** *Bras. Zool.* Peixe teleósteo, perciforme, serranídeo (*Mycteroperca bonaci*). Tem manchas redondas, bronzeadas, atinge até 1m, vive em lugares pedregosos e sua carne se deteriora facilmente. [Sin.: *badejo-preto, cerigado-preto.* Pl.: *badejos-ferros* e *badejos-ferro.*]
badejo-mira ***S. m.*** *Bras. Zool.* Peixe teleósteo, perciforme, serranídeo (*Mycteroperca rubra*), do Mediterrâneo e do Atlântico, de coloração esverdeada, com largas estrias, e até 60cm de comprimento. [F. red.: *mira.* Pl.: *badejos-miras* e *badejos-mira.*]
badejo-preto ***S. m.*** *Bras. Zool.* V. *badejo-ferro.* [Pl.: *badejos-pretos.*]
badejo-sabão ***S. m.*** *Bras. Zool.* Peixe teleósteo, perciforme, serranídeo (*Rypticus saponaceus*), da costa leste do Brasil, de corpo cor de chocolate revestido de forte mucosidade, o que lhe valeu o nome popular; cerigado-sabão. [Pl.: *badejos-sabões* e *badejos-sabão.*]
badejo-saltão ***S. m.*** *Bras. Zool.* V. *badejo-branco.* [Pl.: *badejos-saltões.*]

badejo-sapateiro *S. m. Bras.* V. *badejo-branco.* [Pl.: *badejos-sapateiros* e *badejos-sapateiro.*]

badeleíta *S. f. Min.* V. *baddeleyíta.*

badelsita *S. f. Min.* V. *baddeleyíta.*

badém *S. m.* V. *bedém.*

baderna[1] [Do it. *baderna* ou do fr. *baderne.*] *S. f. Marinh.* Botão provisório que se faz no tirador de uma talha, no colhedor de uma enxárcia, em um brandal ou em qualquer cabo de laborar, a fim de que o tirador, colhedor, brandal ou cabo não corra no gorne em que labora. [Var.: *abaderna.*]

baderna[2] [Do antr. *Baderna*, de uma dançarina que esteve no Rio em 1851.] *S. f. Bras.* **1.** Grupo de rapazes alegres, barulhentos. **2.** Súcia, corja. **3.** Pândega, estroinice: 📖 "Muitas vezes a madrugada ia encontrá-lo na baderna, de onde saía bêbedo para casa" (Pelópidas Soares, *Cordão dos Bichos*, p. 11). **4.** Desordem, confusão, bagunça, bagunçada. **5.** V. *rolo[1]* (16).

badernar [De *baderna[2]* + *-ar[2]*.] *V. t. d.* **1.** Transformar em baderna[2], em confusão; anarquizar. **2.** Confundir, baralhar: 📝 *A sua inesperada visita badernou as minhas ideias. Int.* **3.** *Bras.* Fazer baderna[2]; pandegar, bagunçar, baguncear.

baderneiro [De *baderna[2]* + *-eiro.*] *Adj. S. m. Bras.* Que, ou quem é dado a baderna[2] (3 a 5); bagunceiro, badernista.

badernista [De *baderna[2]* + *-ista.*] *Adj. 2 g. S. 2 g. Bras.* V. *baderneiro.*

badiana [Do persa *bādiān*, 'anis'.] *S. f. Bot.* V. *anis-estrelado.*

badiana-da-china [De *badiana* + *da[1]* + o top. *China.*] *S. f. Bot.* V. *anis-estrelado.* [Pl.: *badianas-da-china.*]

badiana-de-cheiro *S. f. Bot.* V. *anis-estrelado.* [Pl.: *badianas-de-cheiro.*]

badico *S. m. Bras. RJ Pop. Desus.* Gratificação (quando não se considera possível nem delicado pagar os serviços de alguém).

badiense *Adj. 2 g.* **1.** De, ou pertencente ou relativo a Bady Bassitt (SP). ● *S. 2 g.* **2.** O natural ou habitante de Bady Bassitt.

badio [Do cabo-verd.] *Cabo-verd. Adj.* **1.** Da, ou pertencente ou relativo à ilha de Santiago (Cabo Verde). ● *S. m.* **2.** O natural ou habitante dessa ilha; badio de pé rachado: 📖 "E vive com um badio preto, da cor deste carro." (Teixeira de Sousa, *Xaguate*, p. 15.) [Cf. *sampadjudo.*]

badio de pé rachado *S. m. Cabo-verd. Deprec.* Badio (2): 📖 "Um caso sério, este badio de pé rachado." (Manuel Ferreira, *Morna*, p. 25.) [Cf. *sampadjudo.* Pl.: *badios de pé rachado.*] ☑

→ **badminton** ['bædmɪntn] [Ingl.] *S. m. Esport.* Jogo que lembra o tênis, em que os jogadores, munidos de raquetes, lançam uma peteca por sobre a rede.

badó *Adj. 2 g. S. 2 g. Bras.* V. *tolo* (1 a 3 e 8).

badofe [De or. afr., poss.] *S. m.* **1.** *Bras. BA Cul.* Prato da cozinha afro-baiana, com base na língua-de-vaca ou na taioba. **2.** Comida ruim.

badogue [Var. de *bodoque.*] *S. m. Bras. BA* V. *atiradeira.*

badoque [Var. de *bodoque.*] *S. m. Bras. AL* V. *atiradeira.*

badorar *V. t. d. Bras. BA Pop.* Comer avidamente; devorar.

badulaque *S. m.* **1.** *Cul.* Guisado de fígado e bofes; chanfana, bazulaque. **2.** Penduricalho; berloque; bazulaque. ~ V. *badulaques.*

badulaques [Pl. de *badulaque.*] *S. m. pl.* **1.** Coisas de pouco valor, que cada um guarda ou traz consigo; caraminguás, xurumbambos, bazulaques. **2.** *Bras. BA Pop.* Móveis ordinários. ~ V. *badulaque.*

baé[1] [De *baeco*, com apócope.] *Adj. 2 g. S. 2 g. Bras. N.E.* **1.** Diz-se de, ou uma espécie de suínos muito baixos e gordos: 📖 "Abandonara as plantas, as encomendas de costura, o porquinho baé." (Gilvã Lemos, *Jutaí Menino*, p. 107.) **2.** *Fig.* Diz-se de, ou pessoa baixa e reforçada, atarracada. [Sin. ger.: *batoré, baeco.*]

baé[2] *S. f. Luso-asiat.* Tratamento afetuoso dado a mulheres jovens, casadas ou solteiras.

baeco *Adj. S. m. Bras. N.E.* V. *baé[1]*.

baenã *Bras. S. 2 g.* **1.** *Etnôn.* Indivíduo dos baenãs, povo indígena extinto que habitava o S. da BA. ● *Adj. 2 g.* **2.** Pertencente ou relativo a esse povo. [Tb. us. como *s. 2 g. e 2 n.* (com cap.) e *adj. 2 g. e 2 n.*]

baependiano *Adj.* **1.** De, ou pertencente ou relativo a Baependi (MG). ● *S. m.* **2.** O natural ou habitante de Baependi.

baeta (ê) [Do ant. picardo *bayette.*] *S. f.* **1.** *Tec. Têx.* Tecido felpudo de lã. **2.** *Tec. Têx.* Baetilha (2). ● *S. m.* **3.** Denominação que se dava na região litoral ao habitante de MG. **4.** *Bras. RJ Desus.* Adepto ou admirador da sociedade carnavalesca Tenentes do Diabo. ◆ **Romper as baetas.** *Bras. PE* **1.** Revoltar-se, indignar-se. **2.** Inimizar-se, indispor-se.

baetal [De *baeta* + *-al[1]*.] *Adj. 2 g.* De, ou próprio de baeta (1).

baetão (a-ê) [Aum. de *baeta.*] *S. m.* **1.** Baeta (1) grossa, própria para agasalhos. **2.** *Bras.* Cobertor de lã.

baetilha (a-ê) [De *baeta* + *-ilha.*] *S. f. Tec. Têx.* **1.** Baeta (1) delgada e leve. **2.** Tecido felpudo de algodão; baeta.

baetóideo [Adapt. do tax. *Baetoidea.*] *Zool. S. m.* **1.** Espécime dos baetóideos, subordem de insetos efemerópteros, cujo tarso posterior tem quatro artículos livres e móveis, sendo o quinto artículo, quando presente, inteiramente soldado à tíbia. ● *Adj.* **2.** Pertencente ou relativo a eles.

baeúna (a-e) *Bras. S. 2 g.* **1.** *Etnôn.* Indivíduo dos baeúnas [ou (etnôn. bras.) *Bahuna, *Bahúkiwa], povo indígena da família linguística tucano que habitava o N.O. do AM. ● *Adj. 2 g.* **2.** Pertencente ou relativo a esse povo.

bafa[1] [De *bafafá*, com apócope.] *S. m. Bras. RS Gír.* V. *bafafá.*

bafa[2] [Der. de *abafar[2]*, com aférese.] *S. 2 g. Cabo-verd. Cul.* Petisco, geralmente salgado, que se serve com o grogue (q. v.): 📖 "saboreiam um grogue, com 'bafas' de moreia ou peixe com escabeche" (João Rodrigues, *Caminhos Agrestes*, p. 14).

bafafá *S. m. Bras. Fam.* **1.** V. *rolo[1]* (16). **2.** Tumulto, confusão. [F. red.: *bafa.*]

bafagem [De *bafo* + *-agem[2]*.] *S. f.* **1.** *Mar.* Vento de muito fraca intensidade, menos que aragem; bafejo, bafuge. **2.** *Fig.* Bafo[1] (1). **3.** *Fig.* V. *alento* (4). [F. paral. (ant.): *bafugem.*]

bafari *S. m. Ant.* Falcão vermelho, muito empregado na altanaria.

bafejador (ô) [De *bafejar* + *-dor.*] *Adj. S. m.* Que, ou aquele que bafeja.

bafejar [De *bafo* + *-ejar.*] *V. t. d.* **1.** Aquecer com o bafo: 📝 *Bafejava as mãos roxas de frio.* **2.** Acalentar, acariciar: 📝 *bafejar sonhos impossíveis.* **3.** Estimular, incitar, incentivar; encorajar: 📝 *Com palavras incensadoras bafejava a vaidade do amigo.* **4.** Favorecer, ajudar, proteger: 📝 *Esperava que a fortuna o bafejasse. T. d. e i.* **5.** Transmitir; inspirar: 📝 *Bafejava sentimentos baixos aos que o cercavam. Int.* **6.** Exalar bafo. **7.** *Bras. N. N.E.* Cheirar mal, tresandar (geralmente cadáver): 📖 "Era meio-dia, e já o cadáver estava 'bafejando', quando Sinhazinha Lelé soube do acontecido." (Viriato Correia, *Histórias Ásperas*, p. 182.) **8.** Soprar brandamente: 📝 *Uma leve aragem bafejava.* [Conjug.: v. *pelejar.*]

bafejo (ê) [Dev. de *bafejar.*] *S. m.* **1.** Hálito, bafo. **2.** *Fig.* Aura de sorte; favor, proteção, fortuna, bafo. **3.** *Mar.* V. *bafagem* (1).

bafiento [De *bafio* + *-ento.*] *Adj.* V. *mofento* (1).

bafio [De *bafo[1]* + *-io[2]*.] *S. m.* Cheiro característico da umidade e ausência de renovação do ar; mofo, relento, bolor: 📖 "Vai remexer no que estava sepultado há dois mil anos, no bolor e no bafio, nas paredes compactas da Sé, nos santos imóveis nos seus nichos, na inutilidade e no hábito." (Raul Brandão, *Húmus*, p. 57.)

bafo[1] [Voc. onom.] *S. m.* **1.** Ar exalado dos pulmões; hálito. [Sin. (fig.), nesta acepç.: *bafagem.*] **2.** *Fig.* V. *bafejo* (2). **3.** Abrigo, conchego, aconchego. **4.** V. *alento* (4). **5.** *Bras. Gír.* Conversa fiada; bazófia, gabolice, prosa; bafo de boca: 📖 "Quando eles fizeram aí essa revolução e falaram tudo aquilo, que iam salvar o País, que iam prender tudo que era safado, que isso, que aquilo, eu cheguei a ter uma esperançazinha. Palavra de honra! Mas logo depois eu vi que era tudo bafo." (Stanislaw Ponte Preta, *Febeapá 2*, p. 105.) ◆ **Bafo de boca.** V. *bafo[1]*(5). **Bafo de onça.** *Bras. Gír.* Hálito fétido; halitose; bafo de tigre. **Bafo de tigre.** *Bras. Gír.* V. *bafo de onça.*

bafo[2] [F. regress. de *abafar.*] *S. m. Bras.* V. *bafo-bafo.*

bafô *S. m. Bras. MG* Na região são-franciscana, briga, desordem.

bafo-bafo *S. m. Bras. RJ* Tipo de jogo que consiste em bater com a palma da mão em concha contra figurinhas (ou outros papeizinhos), dispostos em superfície plana, para desvirá-los: 📖 "Mas Nelson, que disputava figurinhas no bafo-bafo com os moleques do Posto Seis, ainda não era um Agripino Grieco." (Rui Castro, *O Anjo Pornográfico*, p. 66.) [Sin.: *bafo.* Pl.: *bafo-bafos.*]

bafômetro *S. m.* V. *bafômetro.* [Uso freq. em P.]

bafômetro [De *bafo[1]* + *-metro.*] *S. m. Pop.* Aparelho que, utilizando o bafo[1] (1) expelido pelo indivíduo, detecta e determina o grau de concentração de álcool em seu organismo.

bafor *S. m.* V. *albafar.*

baforada [De *baforar* + *-ada[1]*.] *S. f.* **1.** Golfada de fumaça de cigarro, charuto ou cachimbo. **2.** Expiração de mau hálito. **3.** Bafo[1] (1) prolongado e forte. **4.** *Fig.* Bravata, fanfarronada.

baforar *V. t. d.* **1.** Lançar fora; lançar de si; expelir: 📖 "Fez sensação na assembleia tirar Calisto de uma charuteira de prata um charuto, e baforar colunas de fumo" (Camilo Castelo Branco, *A Queda dum Anjo*, p. 158). **2.** *Pop.* V. *arrotar* (3). **3.** *Pop.* Dizer, proferir: 📝 *Irritado, baforava imprecações. Int.* **4.** Expelir (o bafo). **5.** Vangloriar-se, jactar-se.

baforeira [Do lat. vulg. **biferaria, i. e., ficus biferaria*, 'figueira bífera'.] *S. f. Bot.* Figueira-brava (1).

baforeiro [De *baforeira* (v. *-eiro*).] *Adj.* Pertencente ou relativo à baforeira.

bafuge [De *bafugem.*] *S. f. Bras. BA Pop.* V. *bafagem* (1).

bafugem *S. f. Ant.* Bafagem.

bafuntar *V. int. Bras. BA* Na região são-franciscana, v. *morrer* (1).

baga [Do lat. **baca*, por *bacca.*] *S. f.* **1.** *Bot.* Fruto carnoso, indeiscente, como, p. ex., o tomate. **2.** Gota[1] (3). **3.** *Bras.* Semente de mamona.

baga-baga [Do criol.] *S. f. Guin.* V. *cupim* (1 e 2): 📖 "Uma vez por outra cai um tronco, com fragor, corroído pela baga-baga" (Alexandre Barbosa, *Guinéus*, p. 29). [Pl.: *baga-bagas.*]

bagaça [Adapt. do tax. *Bagassa.*] *S. f. Bot.* **1.** Gênero monoespecífico de árvores moráceas. **2.** A espécie desse gênero, *Bagassa guianensis* (v. *bagaceira[2]*). **3.** Qualquer espécime desse gênero.

bagaçada [De *bagaço* + *-ada[1]*.] *S. f. Bras.* **1.** Grande porção de bagaço. **2.** Monte de lenha miúda. **3.** V. *palavreado* (1). **4.** Coisa sem valor ou préstimo.

bagaceira[1] [De *bagaço* + *-eira.*] *S. f.* **1.** Lugar ou tulha onde se junta o bagaço da uva. **2.** Aguardente do bagaço da uva; bagaço. **3.** Conjunto de coisas imprestáveis. **4.** Resto, resíduo, restolho. **5.** *Bras.* Local próximo ao engenho de açúcar onde se junta o bagaço de cana; bagaceiro. **6.** *Bras.* V. *cachaça* (1). **7.** *Bras. Fig.* O ambiente dos engenhos de cana-de-açúcar. **8.** *Bras.* Pilha de lenha, arrumada de maneira que a lenha miúda e a graúda não se misturem. **9.** *Bras.* V. *palavreado* (1). **10.** *Bras.* V. *ralé* (1).

bagaceira[2] [De *bagaça* + *-eira.*] *S. f. Bras. Bot.* Grande árvore morácea (*Bagassa guianensis*) nativa das Guianas e da Amaz., de folhas cordiformes, flores femininas sésseis, grandes frutos drupáceos, edules, adstringentes, madeira dura e resistente, us. em marcenaria e na construção civil e naval, e que fornece matéria tintória [Sin.: *amaparana, bagaça, bagaceiro, pente-de-macaco, tatajiba, tatajuba, tataúba, tatarema, tuijuva, jataíba, jataúba, moreira.*]

bagaceiro[1] [De *bagaça* + *-eiro.*] *S. f. Bras. Bot.* **1.** V. *bagaceira[2]*.

bagaceiro[2] [De *bagaço* + *-eiro.*] *Adj.* **1.** Diz-se de animal que come bem o bagaço. **2.** *Bras. S.* Diz-se daquele que vive com a bagaceira (10). ● *S. m.* **3.** *Bras.* Bagaceira (5). **4.** *Bras.* Removedor de bagaço de cana.

bagaceiro-seco *S. m. Bras.* Indivíduo que, nos engenhos, leva bagaço seco para as fornalhas. [Pl.: *bagaceiros-secos.*]

bagaceiro-verde *S. m. Bras.* Indivíduo que, nos engenhos, leva bagaço verde para as fornalhas. [Pl.: *bagaceiros-verdes.*]

bagaço [De *baga* + *-aço.*] *S. m.* **1.** Resíduo de frutos ou de outras substâncias depois de extraído o suco; engaço. **2.** *P. ext.* Coisa usada demais, velha, surrada. **3.** Pessoa muito acabada ou velha demais: 📝 *Ficou um bagaço com a morte do marido.* **4.** Bagaceira (2): 📖 "O reformado tomou um gole de café ...., e logo metade do cálice de bagaço que tinha diante de si" (José Saramago, *História do Cerco de Lisboa*, p. 132). **5.** Folguedo, folia, dança. **6.** *Chulo* Couro[1] (7). **7.** *Bras.* Conjunto de indivíduos desordeiros. **8.** *Bras.* V. *rolo[1]* (16). **9.** *Bras.* As cartas do baralho que se vão juntando sobre a mesa, nos jogos em que os parceiros compram uma carta e jogam fora outra; lixo. ◆ **Aos bagaços.** Em péssimo estado: Ao chegar ao topo do morro, estava aos bagaços. **Um bagaço.** Pessoa envelhecida, acabada, ou excessivamente abatida, cansada, etc.: 📝 *Ficou um bagaço com a morte do amigo.*

bagaçose [De *bagaço* + *-ose[1]*.] *S. f. Pneum.* Doença do sistema respiratório, proveniente da inalação de poeira de cana-de-açúcar presente no bagaço após a extração da garapa.

bagada [De *baga* + *-ada[1]*.] *S. f.* **1.** Grande porção de bagas. **2.** *Fig.* Lágrima grossa.

baga-da-praia *S. f. Bras. Bot.* V. *abutua-grande.* [Pl.: *bagas-da-praia.*]

bagageira [De *bagage(m)* + *-eira.*] *S. f.* **1.** Subsídio dado a militares e funcionários em trânsito para transporte. **2.** *Bras.* Seixo rolado, cinzento-azulado, satélite (7) do diamante. **3.** *Bras. Gír. Deprec.* Meretriz.

bagageiro [De *bagage(m)* + *-eiro.*] *S. m.* **1.** V. *carregador* (2). **2.** Carro de trem, bonde, etc. que carrega bagagens e pequenas cargas. **3.** Parelheiro que nas carreiras chega em último lugar. **4.** Soldado que serve de ordenança. **5.** *Autom.* Estrutura metálica, no teto de carros de passeio ou caminhonetes, para o transporte de volumes; porta-bagagem, bagagito. **6.** Compartimento próprio para guardar bagagem (1) em carros, ônibus, aviões, etc. **7.** *Min. Bras.*

Epídoto. 8. *Bras. PA Zool.* Ave passeriforme tiranídea (*Phaeomyias murina*), da Amaz., parda, pescoço cinza-claro, peito e abdome cinza-amarelados, barriga amarelo-clara. 9. *Bras. S.* Aquele que é dado a viver com bagagem (3). • *Adj.* 10. Que transporta bagagem: *bonde bagageiro.* 11. *Bras. S.* Que é dado a viver com bagagem (3).

bagagem [Do fr. *bagage.*] *S. f.* 1. Conjunto de objetos de uso pessoal que os viajantes conduzem em malas, etc.; equipagem. 2. *Fig.* O conjunto das obras ou realizações de um artista, um escritor, um cientista, etc. 3. *Bras. S.* V. *ralé* (1). ◆ **Bagagem literária.** Bagagem (2) de um escritor.

bagagito *S. m. Autom.* V. *bagageiro* (5).

bagajudo *Adj. S. m. Bras. BA* Diz-se de, ou cascalho grosso.

bagalhão [De *bago* + *-alhão.*] *S. m.* Bago grande.

bagalhoça [Aum. jocoso de *bago* (6).] *S. f. Pop.* V. *dinheiro* (5).

bagana *S. f. Bras.* 1. V. *guimba.* 2. *P. ext.* Cigarro. 3. Alimento de má qualidade. 4. V. *ninharia.* 5. *Bras. AL* Bolo de tabuleiro.

baganda *S. 2 g.* 1. *Etnôn.* Indivíduo dos bagandas, grupo étnico mais importante de Uganda (África). • *Adj. 2 g.* 2. Relativo ou pertencente a esse povo.

baganeiro [De *bagana* + *-eiro*, poss.] *Adj. S. m. Bras. BA* Diz-se de, ou vendedor de coisas velhas.

baganha [De *baga.*] *S. f. Bot.* 1. V. *tegme.* 2. Película que recobre a semente.

bagar *S. m.* V. *bar*[2]. [Pl.: *bagares.*]

bagarote [De *bago* (6).] *S. m.* 1. *Ant. Bras. Gír.* Nota ou moeda de mil-réis; bago. 2. V. *dinheiro* (5). [M. us. no pl.]

bagata [Do hind. *bhagata.*] *S. f. Pop.* V. *bruxaria* (1 e 2).

bagatela [Do it. *bagattella.*] *S. f.* V. *ninharia* (1 e 2): "Achavam-se os dois no corredor da casa de Luís Alves, à rua da Constituição, — que então se chamava dos Ciganos; — então, isto é, em 1853, uma bagatela de vinte anos que lá vão" (Machado de Assis, *A Mão e a Luva*, em *Obra Completa*, 1º vol., p. 318).

bagateleiro [De *bagatela* + *-eiro.*] *S. m.* Aquele que se ocupa de bagatelas.

bagauri *S. m. Bras. Zool.* V. *baguari.*

bagaxa *S. f. Deprec.* Mulher que se prostitui (v. *meretriz*): "Lavrava por toda a parte a barregania; e bagaxas houve, tão ufanas das graças do seu corpo belo e do valor das suas manhas, que mandaram abrir, na própria campa, epitáfios proclamando as loucuras de amor que os reis fizeram por elas." (Antero de Figueiredo, *Leonor Teles*, p. XXVI.)

bagdali *Adj. 2 g.* 1. De, ou pertencente ou relativo a Bagdá, capital do Iraque. • *S. 2 g.* 2. O natural ou habitante de Bagdá.

bagear *V. int.* Bajar. [Conjug.: v. *frear.* Defect. só conjugável nas 3.as pess.]

bageense (éen) *Adj. 2 g. S. 2 g.* V. *bajeense.*

bagem *S. f. Bot.* V. *vagem* (1 e 2).

baggie [Do ingl. *baggy.*] *Adj. 2 g. Vest.* Diz-se de roupa (esp. calça) folgada e solta.

bago [De *baga.*] *S. m.* 1. Cada fruto do cacho de uvas. 2. Fruto ou grão que lembre a uva. 3. Grão miúdo de chumbo. 4. Conta de rosário. 5. Bagarote (1). 6. V. *dinheiro* (5). 7. *Gír.* V. *testículo.* [Aum.: *bagalhão.*]

bagoado [De *bago* + *-oado.*] *Adj.* Que tem forma de bago.

bagralhão [De *bagre* + *-alhão.*] *S. m. Bras. Zool.* Certo peixe fluvial do MA.

bagre [De or. controversa.] *S. m.* 1. *Pop. Zool.* Designação comum a várias espécies de peixes, principalmente ariídeos e pimelodídeos, cujo corpo é couraçado e os barbilhões desenvolvidos. Marinhos e de água doce, vivem no fundo e são ger. onívoros. [Sin.: *jundiá.*] 2. *Bras. Gír.* Pessoa feia. 3. *Bras. PA Folcl.* Espécie de quadrilha (3), que se dança na marujada, na festa de São Benedito, em Bragança (PA).

bagre-amarelo *S. m. Bras. Zool.* 1. Peixe ariídeo (*Cathorops spixii*) muito comum na costa brasileira, principalmente nos estuários; tem o dorso acinzentado e o abdome branco-amarelado, e mede cerca de 30cm. [Sin.: *bagre-de-areia, bagre-de-mangue, bagre-gonguito, gonguito, iriceca, irideca.*] 2. Peixe pimelodídeo (*Rhamdia branneri*) da bacia do rio Iguaçu, que se caracteriza pela nadadeira adiposa ampla. 3. Peixe pimelodídeo (*Pimelodus clarias*) com até 40cm de comprimento, de coloração amarelada com manchas negras, largamente distribuído na América cisandina. [Sin.: *curiacica, mandi-amarelo, mandi-pintado, pintado.*] 4. V. *guarijuba.* [Pl.: *bagres-amarelos.*]

bagre-bandeira *S. m.* 1. *Bras. Zool.* Bagre ariídeo (*Bagre marinus*) do Atlântico ocidental (dos E.U.A. ao S. do Brasil), de dorso escuro, flancos mais claros e ventre branco-amarelado. As nadadeiras são claras, com as extremidades escuras. O primeiro raio da nadadeira dorsal e das peitorais é muito longo, os barbilhões mandibulares são curtos e os maxilares longos; comprimento de até 1m e peso de até 5kg; bagre-mandim, bandim. 2. Bagre ariídeo (*Bagre bagre*) do Atlântico ocidental (do Caribe ao S. do Brasil), semelhante ao anterior, porém menor; atinge cerca de 50cm de comprimento. [Sin. ger.: *bagre-de-penacho, bagre-fita, bagre-sari, bandeirado, pirá-bandeira, sargento, sarassará.* Pl.: *bagres-bandeiras* e *bagres-bandeira.*]

bagre-beiçudo *S. m. Bras. Zool.* V. *bagre-branco* (1). [Pl.: *bagres-beiçudos.*]

bagre-branco *S. m. Bras. Zool.* 1. Peixe ariídeo (*Arius grandicassis*) do Atlântico ocidental, das Guianas ao S. E. do Brasil; atinge 1m de comprimento, tem dorso pardo, ventre claro, com manchas esparsas, e dentes palatinos pequenos e viliformes. [Sin.: *bagre-beiçudo, bagre-cabeçudo, bagre-papai, bagre-urutu, boca-lisa, iritinga, papai.*] 2. Peixe pimelodídeo (*Pimelodus albicans*) com até 60cm de comprimento, dos rios Paraná e Paraguai. 3. V. *piraíba.* 4. V. *bacupua.* [Pl.: *bagres-brancos.*]

bagre-cabeçudo *S. m. Zool.* V. *bagre-branco* (1). [Pl.: *bagres-cabeçudos.*]

bagre-cachola *S. m. Zool.* V. *bacupua.* [Pl.: *bagres-cacholas* e *bagres-cachola.*]

bagre-caiacoco *S. m. Bras. PE PA Zool.* V. *guarijuba.* [Pl.: *bagres-caiacocos* e *bagres-caiacoco.*]

bagre-cambeja *S. m. Bras. Zool.* V. *cambeva* (1). [Pl.: *bagres-cambejas* e *bagres-cambeja.*]

bagre-cangatá *S. m. Bras. Zool.* V. *guarijuba.* [Pl.: *bagres-cangatás* e *bagres-cangatá.*]

bagre-cego *S. m. Bras. Zool.* Bagre pimelodídeo (*Typhlobagrus kronei*) cavernícola, da bacia hidrográfica do Vale do Ribeira (SP). Há exemplares negros e outros quase sem pigmentação; mede cerca de 15cm de comprimento. [Sin.: *ceguinho, bagre-ceguinho.* Pl.: *bagres-cegos.*]

bagre-ceguinho *S. m. Bras. Zool.* V. *bagre-cego.* [Pl.: *bagres-ceguinhos.*]

bagre-de-areia *S. m. Bras. Zool.* 1. V. *bagre-amarelo* (1). 2. V. *guarijuba.* [Pl.: *bagres-de-areia.*]

bagre-de-lagoa *S. m. Bras. Zool.* V. *mandi-chorão* (2). [Pl.: *bagres-de-lagoa.*]

bagre-de-mangue *S. m. Bras. Zool.* V. *bagre-amarelo* (1). [Pl.: *bagres-de-mangue.*]

bagre-de-manta *S. m. Zool.* V. *bagre-urutu* (2). [Pl.: *bagres-de-manta.*]

bagre-de-penacho *S. m. Bras. Zool.* V. *bagre-bandeira.* [Pl.: *bagres-de-penacho.*]

bagre-elétrico *S. m. Zool.* Peixe malapterurídeo (*Malapterurus electricus*) africano, de corpo alongado, com até 1m de comprimento, de coloração rosa escura a bege, com manchas negras irregulares, três pares de barbilhões, órgãos elétricos localizados abaixo da pele e ao longo do corpo; são desprovidos de nadadeira dorsal e apresenta a nadadeira adiposa e a anal próximas da caudal. [Pl.: *bagres-elétricos.*]

bagre-fita *S. m. Bras. Zool.* V. *bagre-bandeira.* [Pl.: *bagres-fitas* e *bagres-fita.*]

bagre-gonguito *S. m. Bras. Zool.* V. *bagre-amarelo* (1). [Pl.: *bagres-gonguitos* e *bagres-gonguito.*]

bagre-guri *S. m. Bras. Zool.* 1. V. *guarijuba.* 2. V. *bagre-urutu* (2). [Pl.: *bagres-guris.*]

bagre-guru *S. m. Bras. Zool.* V. *bagre-urutu* (2). [Pl.: *bagres-gurus* e *bagres-guru.*]

bagre-leilão *S. m. Bras. RS Zool.* V. *bagre-urutu* (2). [Pl.: *bagres-leilões* e *bagres-leilão.*]

bagre-mandi *S. m. Zool.* V. *bagre-urutu* (2). [Pl.: *bagres-mandis* e *bagres-mandi.*]

bagre-mandim *S. m. Bras. N.E. Zool.* V. *bagre-bandeira* (1). [Pl.: *bagres-mandins* e *bagres-mandim.*]

bagre-mole *S. m. Bras. Zool.* 1. V. *cambeva* (1). 2. V. *bagrinho-da-serra.* [Pl.: *bagres-moles.*]

bagre-morcego *S. m. Bras. Zool.* Peixe pimelodídeo (*Rhamdia pubescens*) do rio Paraguai, de corpo salpicado de pontos escuros, e coloração geral cinérea, amarelada no abdome; atinge 38cm de comprimento. [Pl.: *bagres-morcegos* e *bagres-morcego.*]

bagrense *Adj. 2 g.* 1. De, ou pertencente ou relativo a Bagre (PA). • *S. 2 g.* 2. O natural ou habitante de Bagre.

bagre-papai *S. m. Zool.* V. *bagre-branco* (1). [Pl.: *bagres-papais* e *bagres-papai.*]

bagre-pintado *S. m. Bras. Zool.* V. *mandi-pintado* (1). [Pl.: *bagres-pintados.*]

bagre-rajado *S. m. Bras. Zool.* V. *surubim-rajado.* [Pl.: *bagres-rajados.*]

bagre-sapo *S. m. Zool.* 1. *Bras.* Designação comum às espécies do gênero *Zungaro*, distribuídas por todo o Brasil. 2. *Bras.* Peixe pimelodídeo (*Pseudopimelodus raminus*) com até 20cm de comprimento, da bacia do rio Amazonas e Guianas, que vai do pardo-escuro ao negro, e cuja cabeça, chata e larga, lhes confere aspecto de sapo. [Sin.: *peixe-sapo.*] 3. Peixe pimelodídeo (*Rhamdia sapo*) de coloração parda, clareando na região ventral, com cerca de 25cm de comprimento, do Brasil meridional, Uruguai, Paraguai e N. da Argentina. [Sin.: *bagre-sapo-das-pedras.*] 4. *Bras. BA* V. *pacamão* (1). 5. *Bras. SP* Peixe pimelodídeo (*Pseudopimelodus roosevelti*) de coloração pardo-acinzentada, manchinhas escuras dispersas pelo corpo e até 32cm de comprimento, que ocorre no Brasil na região C.O., e em SP e no RS; brecambucu, brecumbucu, manguriú, pacamão, piacururu, piracururu. 6. *Bras.* Xaru. [Pl.: *bagres-sapos* e *bagres-sapo.*]

bagre-sapo-das-pedras *S. m. Bras. RS Zool.* Bagre-sapo (3). [Pl.: *bagres-sapos-das-pedras* e *bagres-sapo-das-pedras.*]

bagre-sari *S. m. Bras. Zool.* V. *bagre-bandeira.* [Pl.: *bagres-saris* e *bagres-sari.*]

bagre-urutu *S. m. Bras. Zool.* 1. V. *bagre-branco* (1). 2. *Bras.* Peixe ariídeo (*Genidens genidens*) do Atlântico sul ocidental, com dorso escuro e laterais e abdome claros, dentes palatinos situados em duas protuberâncias ao longo da garganta; atinge até 35cm. [Sin.: *bagre-de-manta, bagre-guri, bagre-guru, bagre-leilão, bagre-mandi, guriaçu.*] [Pl.: *bagres-urutus* e *bagres-urutu.*]

bagrinho [De *bagre* + *-inho*[1].] *S. m. Bras.* 1. *Mar. Merc. Gír.* Substituto eventual do estivador, não sindicalizado e que não goza, pois, das garantias legais. 2. *Gír.* Profissional subempregado que substitui o titular em cargo ou função, mediante remuneração inferior à que é percebida por este. 3. *Gír.* Subempregado que trabalha sem ter anotada a carteira profissional.

bagrinho-da-serra *S. m. Bras. Zool.* Peixe tricomicterídeo (*Trichomycterus brasiliensis*), do Brasil meridional, de coloração cinza-clara, com pontinhos pretos esparsos sobre o corpo, e cerca de 13cm de comprimento. [Sin.: *bagre-mole, cambeva.* Pl.: *bagrinhos-da-serra.*]

baguá[1] [Do tupi = 'morador em brejo'.] *S. m.* 1. *Bras. GO* Designação comum a certos cães mestiços. 2. *Zool.* V. *japim.*

baguá[2] *S. m. Adj. 2 g. Bras. S.* V. *bagual.*

baguaçu *S. m. Bras. Bot.* V. *babaçu.*

bagual [Do hisp.-amer. *bagual.*] *Adj. 2 g.* ou *Adj. Bras. S.* 1. Diz-se de potro arisco. 2. Diz-se de potro recém-domado. 3. Diz-se de cavalo que se tornou selvagem. 4. *Fig.* Espantadiço, assustadiço. 5. Pouco sociável; intratável. 6. *Fig.* Muito grande; desmedido; fora do comum. [Fem. (p. us.) do adj.: *baguala* (q. v.).] • *S. m.* 7. Potro ou cavalo bagual: "O bagual agachou-se a velhaquear, e, pra pior ainda, em volta, enredando-se no laço" (Simões Lopes Neto, *Contos Gauchescos e Lendas do Sul*, p. 232). [F. red.: *baguá.*]

baguala *Adj. (f.)* Fem. de *bagual* [q. v., especialmente *bagual* (6)]: "uma alegria solta, baguala, nascendo espontânea de todos" (Ciro Martins, *Paz nos Campos*, p. 13).

bagualada [Do esp. plat. *bagualada.*] *S. f. Bras. S.* 1. Manada de baguais. 2. *Fig.* Grosseria, estupidez.

bagualão [Do esp. plat. *bagualón.*] *Adj. S. m. Bras. S.* Diz-se de, ou cavalo, ou potro recém-domado, em que ainda não se pode confiar.

baguari [Do tupi.] *S. m.* 1. *Bras. Zool.* V. *maguari.* • *Adj. 2 g.* 2. Vagaroso, pesadão. [Var.: *bagauri, maguari.*]

baguear [De *bago* + *-ear*[2].] *V. int. Bras.* Segurar os bagos ou testículos de um animal, para castrá-lo. [Conjug.: v. *frear.*]

baguete [Do fr. *baguette*, 'bastão pequeno e fino'.] *S. f.* 1. *Desus.* Ornato vertical que guarnece a meia à altura do tornozelo. 2. Pão francês fino e longo. 3. *Arquit.* Moldura fina e arredondada, lisa ou ornamentada, us. como realce, num elemento arquitetônico. 4. *Min.* Diamante com a face superior retangular, lapidado com 25 facetas.

baguiche [Do criol. *baguitche.*] *S. m. Guin. Bot.* V. *caruru-azedo*: "saíra para o mato à procura de baguiche." (Fausto Duarte, *Auá*, p. 130).

baguió *S. m.* Nas Filipinas, ciclone tropical.

bagulhada [De *bagulho* + *-ada*[1].] *S. f. Pop.* Conjunto ou amontoado de bagulhos, de tralhas.

bagulhado [De *bagulho* + *-ado*[1].] *Adj.* Cheio de bagulho (6); bagulhento, bagulhoso.

bagulheiro [De *bagulho* + *-eiro.*] *S. m. Bras. Gír.* Receptador de bagulho (7).

bagulhento [De *bagulho* + *-ento.*] *Adj.* V. *bagulhado.*

bagulho [De *bago.*] *S. m.* 1. Semente de uva e de outros frutos, contida no bago; grainha. 2. V. *vasculhador.* 3. Pessoa muito feia. 4. Pessoa envelhecida, acabada, gasta. 5. V. *cacaréus.* 6. *Bras.* Objeto sem valor. 7. *Bras. Gír.* Objeto furtado ou roubado. 8. *Bras. Gír.* V. *maconha* (2).

bagulhoso (ô) [De *bagulho* + *-oso.*] *Adj.* V. *bagulhado.*

bagunça [De or. express., poss.] *S. f.* 1. *Bras.* Máquina para remover aterro. 2. *Gír.* Desordem, confusão, baderna, bagunçada. 3. *Gír.* Pândega ruidosa; bagunçada.

bagunçada [De *bagunça* + *-ada*[1].] *S. f. Bras. Gír.* V. *bagunça* (2 e 3).

bagunçado [Part. de *bagunçar.*] *Adj. Bras. Pop.* **1.** Desordenado, confuso, anarquizado: *papéis bagunçados; anotações bagunçadas.* **2.** Diz-se de pessoa malvestida, descuidada. [F. paral.: *abagunçado.*]

bagunçar [De *bagunça* + *-ar*[2].] *V. t. d. Int. Bras. Pop.* Promover bagunça ou desordem (em). [F. paral.: *abagunçar*. Sin. ger.: *baguncear*. Conjug.: v. *laçar.*]

baguncear [De *bagunça* + *-ear*[2].] *V. t. d. Int. Bras. Pop.* V. *bagunçar.* [Conjug.: v. *frear.*]

bagunceiro [De *bagunça* + *-eiro.*] *Adj. S. m. Bras. Gír.* Diz-se de, ou indivíduo dado à bagunça; desordeiro, baderneiro.

bah [Do esp. plat. *bah.*] *Interj. Bras.* Barbaridade (2): *Bah! que mulherzinha antipática!;* "Vai ver que ela amanhã resolve recomeçar as aulas e manda chamar Dom Basílio correndo. Mulheres! Bah!" (Cora Rónai Vieira e Paulo Rónai, *Aventuras de Fígaro*, p. 36). [Cf. *bá.*]

→ **baha'i** [ba'haj] [Persa, lit., 'da glória', 'do esplendor'.] *S. m.* A seita bahaísta. [Com cap.]

bahaísmo [Do persa *baha'i* (q. v.) + *-ismo.*] *S. m. Rel.* Doutrina da seita ético-religiosa *Fé no Bahá'í*, oriunda do babismo (q. v.), fundada por Mirza Husain Ali Nuri (1817-1892), o *Bahaullah*, 'esplendor de Deus', que se dizia sucessor do Bab, e pregava a fraternidade entre os homens, a unidade das religiões, o fim dos preconceitos de raça, classe ou religião, e a paz mundial.

bahaísta [Do persa *baha'i* (q. v.) + *-ista.*] *Adj. 2 g.* **1.** Do, relativo ou pertencente ao bahaísmo. **2.** Que é adepto do bahaísmo. • *S. 2 g.* **3.** Adepto do bahaísmo.

bahaístico [De *bahaísta* + *-ico*[2].] *Adj.* Relativo ao bahaísmo ou a bahaísta (3).

bahamense *Adj. 2 g. S. 2 g.* V. *baamiano.*

bahamiano *Adj. S. m.* V. *baamiano.*

bahasa-indonésio [Do malaio *bahasa*, 'língua', + *indonésio.*] *S. m. Gloss.* V. *malaio* (3).

baht [Do tailandês *thai bäht.*] *S. m.* Unidade monetária, e moeda, da Tailândia.

baia [Do quimb. *baia*, f. red. de *ribaia*, 'tábua'.] *S. f.* **1.** Compartimento ou espaço ao qual se recolhe o animal, nas cavalariças e estábulos; boxe: "Relincham em minha baia / Hacaneias de invejar." (Manuel Bandeira, *Estrela da Vida Inteira*, p. 26.) **2.** *Bras.* Área demarcada para estacionamento de ônibus e embarque e desembarque de passageiros. **3.** Pequena área de trabalho para uma pessoa, ger. demarcada por divisórias, em escritórios, repartições públicas, etc. [Cf. *baía* e o top. *Bahia.*]

baiá *S. m. Bras. MT* Caçada na qual o caçador se envolve em ramagens verdes para, assim camuflado, iludir os animais e aproximar-se deles. [Outras f.: *maiá* e *mbaiá.*]

baía [Do fr. *baie* < b.-lat. *baia*, poss.] *S. f.* **1.** Pequeno golfo, de boca estreita, que se alarga para o interior. **2.** *Bras.* Lagoa comunicante com um rio. **3.** Canal para escoamento de pântanos. [Cf. *baia* e o top. *Bahia.*]

baiacu [Do tupi.] *S. m. Bras.* **1.** *Zool.* Designação popular de espécies de peixes teleósteos, plectógnatos, que têm corpo revestido de escamas, espinhos ósseos ou placas ósseas, e vivem no mar ou em água doce. Podem inflar a barriga quando fora da água, ou para boiar e fugir à perseguição dos inimigos: alimentam-se de moluscos, crustáceos e algas, e sua carne é considerada venenosa. [Sin.: *sapo-do-mar.*] **2.** *Zool.* V. *pirupiru.* **3.** *Pop.* Indivíduo gordo e baixo. [Var.: *baiagu.*]

baiacu-ará (u-a) [De *baiacu* + *ará.*] *S. m. Bras. Zool.* V. *baiacu-arara.* [Pl.: *baiacu-arás.*]

baiacu-arara [Var. de *baiacu-ará.*] *S. m. Bras. Zool.* Peixe teleósteo, plectógnato, tetradontídeo (*Lagocephalus laevigatus*), do Atlântico, distribuído desde a Flórida até Montevidéu, de dorso azul, flancos prateados, abdome branco. Tem até 60cm de comprimento; a pele, aparentemente lisa, é áspera como lixa; baiacu-ará. [Sin.: *baiacu-dom-dom, baiacu-guaiama, baiacuguaíma, baiacuguima.* Pl.: *baiacus-araras* e *baiacus-arara.*]

baiacu-de-água-doce *S. m. Bras. Zool.* Mamaiacu. [Pl.: *baiacus-de-água-doce.*]

baiacu-de-espinho *S. m. Bras. Zool.* Designação comum aos peixes teleósteos, plectógnatos, diodontídeos, cujo corpo é revestido de espinhos ósseos, sendo os dentes unidos em duas placas. [Pl.: *baiacus-de-espinho.*]

baiacu-dom-dom *S. m. Bras. Zool.* V. *baiacu-arara.* [Pl.: *baiacus-dom-dom* e *baiacus-dom-dons.*]

baiacu-guaiama *S. m. Zool.* V. *baiacu-arara.* [Pl.: *baiacus-guaiama* e *baiacus-guaiamas.*]

baiacuguaíma (u-a-í) *S. m. Bras. Zool.* V. *baiacu-arara.*

baiacuguima *S. m. Zool.* V. *baiacu-arara.*

baiacumirim [De *baiacu* + *-mirim.*] *S. m. Zool.* Peixe teleósteo, plectógnato, de reduzidas dimensões, atingindo, em média, 10 a 12cm, e com barbas orais longas. Muito frequente em águas rasas e calmas dos rios.

baiacuru *S. m. Bras. Bot.* V. *guaicuru*[1].

baía-formosense *Adj. 2 g.* **1.** De, ou pertencente ou relativo a Baía Formosa (RN). • *S. 2 g.* **2.** O natural ou habitante de Baía Formosa. [Pl.: *baía-formosenses.*]

baiagu [Var. de *baiacu.*] *S. m. Bras.* **1.** V. *baiacu.* **2.** *Zool.* V. *pirupiru.*

baiana[1] (a-i) [F. subst. de *baiano.*] *S. f.* **1.** Mulher baiana, em especial a vendedora de quitandas, cuja indumentária consta de saia rodada, bata de renda, turbante, pano da costa, colares e balangandãs: "O cortejo de mulheres é acompanhado pelo dos meninos vendedores de balas e doces .... Eles formam, com as baianas, a guarda de honra do Senhor do Bonfim." (Jorge Amado e Alain Draeger, *Terra Mágica da Bahia*, p. 79.) **2.** Fantasia (6) inspirada na indumentária da baiana vendedora de quitanda. **3.** Figura tradicional dos desfiles de escolas de samba (q. v.) que usa obrigatoriamente essa fantasia: *a ala das baianas.* **4.** *Bras. N.* Capa de couro usada sobre a sela para transportar roupa; carona. **5.** *Bras. RJ Pop. Bot.* Bertalha. ◆ **Rodar a baiana.** *Bras. Gír.* Reagir de modo intempestivo e com estardalhaço, e dizendo tudo o que vem à mente.

baiana[2] (a-i) *S. 2 g. Adj. 2 g. Bras.* V. *pauxiana.*

baianada (a-i) [De *baiano* + *-ada*[1].] *S. f.* **1.** *Bras.* Fanfarrice, pacholice de baiano (4). **2.** *Bras. S.* Grupo de baianos [v. *baiano* (4)]. **3.** *Bras. RJ Cap.* V. *boca de calça.* **4.** *Bras. S.* Inabilidade em montar a cavalo ou em manejar o laço e as boleadeiras.

baianal *S. m. Bras. AL* V. *samba de matuto.*

baianas *S. f. pl. Bras. AL* V. *samba de matuto.*

baianca *S. f. Bras.* Quebrada entre valados.

baianense *Adj. 2 g.* **1.** De, ou pertencente ou relativo a Baía da Traição (PB). • *S. 2 g.* **2.** O natural ou habitante de Baía da Traição. [Sin. ger.: *baiense.*]

baiâni [Do ior.] *S. m. Bras. Rel.* Orixá nagô tido ora como irmão de Xangô (nesta qualidade, tb. chamado Dadá), ora como sua irmã, ora como sua mãe (Iamacê), e que usa um adê de tamanho incomum, para ocultar, segundo um mito africano, sua cabeça desproporcional. [Com cap. Var.: *Baiânim, Banhâni.*]

baianidade (a-i) [De *baiano* + *-(i)dade.*] *S. f.* Baianismo.

baiânim *S. m. Bras. Rel.* V. *Baiâni.* [Com cap.]

baianismo (a-i) [De *baiano* + *-ismo.*] *S. m.* **1.** Maneiras, atitudes, sentimento, próprios de baiano. **2.** Amor intenso à Bahia, à sua gente, aos seus costumes. [Sin. ger.: *baianidade.*]

baiano (a-i) *Adj.* **1.** Do, ou pertencente ou relativo ao Estado da BA. [Sin. (p. us.): *baiense.*] **2.** *Bras. S.* Nortista (2). **3.** *Gloss.* Nos estudos dialetológicos sobre o português do Brasil, diz-se do subfalar que abrange Bahia, Sergipe, parte de Goiás e a região setentrional de Minas Gerais. [V., nesta acepç., *falar* (29).] ~ V. *recôncavo* —. • *S. m.* **4.** O natural ou habitante da Bahia. [Sin. (nesta acepç.): *baiense* (p. us.) e *maleiro* (joc.).] **5.** *Bras. Pej.* Indivíduo fanfarrão, pachola, dado a contar vantagens. **6.** *Bras. N. Mús.* V. *baião* (1). **7.** *Bras. S.* Indivíduo que não sabe montar a cavalo. **8.** *Bras. S.* Soldado de infantaria. **9.** *Bras. MA* Sertanejo vindo da BA, do PI ou de GO, trazendo gado. **10.** *Bras. MA* Gado que chega do sertão. **11.** *Bras. PI* V. *caipira* (1). **12.** Nortista (3). **13.** *Bras. N.E.* Antiga dança de pares, espécie regional do lundu, em que os parceiros eram convidados às vezes com umbigadas, às vezes com acenos de mão ou de lenços, ou ao som de castanholas.

baianopolense *Adj. 2 g.* **1.** De, ou pertencente ou relativo a Baianópolis (BA). • *S. 2 g.* **2.** O natural ou habitante de Baianópolis.

baião [Var. de *baiano.*] *S. m. Bras. N.E. Mús.* **1.** Dança e canto popular, ao som da viola e doutros instrumentos, derivada do baiano (13); baiano, chorado, choradinho. **2.** Pequeno trecho instrumental que os contendores executam nos desafios para dar tempo ao adversário de preparar a sua resposta. [Cf., nesta acepç., *rojão*[1] (11).] **3.** Pequeno trecho de música que acompanha o canto, nos desafios e cantorias, e que, desenvolvido independentemente da cantoria, originou um gênero musical sertanejo de canto e dança.

baião de dois *S. m. Bras. CE Pop.* Prato de feijão e arroz cozinhados juntamente. [Sin. N.E.: *rubacão.* Pl.: *baiões de dois.*]

baiar [De *bailar*, com síncope.] *V. int. Bras. P. us.* Dançar (1).

baiardo [De or. obscura.] *S. m. Mar. Ant.* Espécie de defensa, constituída de toros ou pranchas colocadas vertical ou horizontalmente em cais ou costado de embarcação, para amortecer os choques de um contra o outro. ◆ **Baiardo de barcaça.** *Mar. Ant.* Pequena antena fixa no ovém da enxárcia para proteger a mesa das bigotas quando a barcaça se chega ao navio que vira de querena. **Baiardo de cais.** *Mar.* O que é preso no cais. **Baiardo de faxina.** *Mar. Ant.* O que é constituído de um feixe de canas ou varas de madeira. **Baiardo de navio.** *Mar.* O que é preso a bordo. **Baiardo flutuante.** *Mar.* O que é amarrado folgadamente ao cais, de modo que fique flutuando.

baibiri *Bras. S. 2 g.* **1.** *Etnôn.* Indivíduo dos baibiris, povo indígena das imediações do rio Juruá (AM). • *Adj. 2 g.* **2.** Pertencente ou relativo a esse povo. [Tb. us. como *s. 2 g. e 2 n.* (com cap.) e *adj. 2 g. e 2 n.*]

baiburuá *Bras. S. 2 g.* **1.** *Etnôn.* Indivíduo dos baiburuás, povo indígena das imediações do rio Juruá (AM). • *Adj. 2 g.* **2.** Pertencente ou relativo a esse povo. [Tb. us. como *s. 2 g. e 2 n.* (com cap.) e *adj. 2 g. e 2 n.*]

baicuru *S. m. Bras. Bot.* V. *guaicuru*[1].

baienense *Adj. 2 g. S. 2 g.* V. *bayeuxense.*

baiense[1] (a-i) *Adj. 2 g. S. 2 g.* V. *baianense.*

baiense[2] (a-i) *Adj. 2 g. S. 2 g. P. us.* Baiano (1 e 4).

baiete [Do tsonga.] *Interj. Moç.* Exprime saudação de respeito e submissão: "não hão-de gritar humilhados / baiete baiete baiete / à capulana vermelha e verde" (Duarte Galvão, *Poemas do Tempo Presente*, p. 67).

baila[1] [Dev. de *bailar.*] *S. f.* Baile, bailado. ◆ **Andar na baila.** Ser chamado ou citado frequentemente; estar em evidência; estar na baila: "consumado / Nas hípicas façanhas, era [Vasco] o nome / Que mais na baila andava" (Machado de Assis, *Poesias Completas*, p. 354). **Chamar à baila.** Fazer que se manifeste; provocar. **Estar na baila.** Andar na baila. **Vir à baila.** Vir a propósito; fazer-se ou ser lembrado oportunamente.

baila[2] [Do lat. *valla*, pl. de *vallum*, 'estacada'; 'trincheira', poss. pelo esp. *valla.*] *S. f.* **1.** Teia[1] (6) de torneio. **2.** V. *estacada* (2). [Var.: *balha.*]

bailada [De *bailar* + *-ada*[1].] [Var.: *balha.*] *S. f.* **1.** *Desus.* Ato de bailar (1). **2.** *Desus.* Bailarico (1). **3.** *Ant.* Certa dança do povo e de jograis. **4.** Espécie de poesia lírica da escola trovadoresca que, musicada, servia para essa dança; bailia.

bailadeira [De *bailar* + *-deira.*] *S. f.* Mulher que baila; bailarina, dançarina: "As bailadeiras começaram as suas danças." (Mário de Sá-Carneiro, *A Confissão de Lúcio*, p. 38.)

bailado [Part. de *bailar.*] *Adj.* **1.** Em que se dança. ~ V. *fandango* —. • *S. m.* **2.** Dança (1) geralmente destinada a ser apresentada em espetáculos, cerimônias rituais, etc., e da qual participam um ou mais intérpretes. **3.** V. *balé*[1] (1). **4.** *Mús.* Música composta esp. para balé (1); balé: *O concerto incluía trechos do bailado Romeu e Julieta, de Prokofief.* **5.** V. *baile* (2). **6.** Coreografia (2). **7.** *Fig.* V. *baile* (4).

bailador (ô) [De *bailar* + *-dor.*] *Adj. S. m.* Que, ou aquele que baila.

bailão [De *baile* + *-ão*[1].] *S. m.* **1.** Aquele que gosta muito de bailar. **2.** Fadista (2). [Fem.: *bailona.*]

bailar [Do lat. tard. *ballare* (< gr. *pállein*), poss. pelo oc. ant. *balar.*] *V. int.* **1.** Dançar (1). **2.** Oscilar, vacilar; tremer: *A chama da lamparina bailava.* *T. d.* **3.** Executar dançando: *Bailaram sambas;* "E bailavam [os Faunos e os Centauros]/ Uma dança fantástica e funesta" (Campos de Figueiredo, *Imagem do Dia*, p. 20). *T. c.* **4.** Agitar-se, mover-se, descrevendo curvas: "Bailando no ar, gemia inquieto vaga-lume" (Machado de Assis, *Poesias Completas*, p. 292); "pelos campos, / Por sobre as águas mortas da lagoa, / Tremeluzem, bailando, os pirilampos." (Ricardo Gonçalves, *Ipês*, p. 38).

bailareco *S. m.* V. *bailarico*: "os bailarecos à fantasia que se realizavam aqui e ali .... não eram lá coisa que valesse a pena." (Atos Damasceno, *O Carnaval Porto-Alegrense no Século XIX*, p. 17).

bailarico *S. m.* **1.** Baile de cunho popular. **2.** V. *arrasta-pé* (2). [Sin. ger., bras.: *bailareco.*]

bailarim *S. m.* V. *bailarino* (1 a 3).

bailarina *S. f.* Fem. de *bailarino* (1 e 2): "Também vi dançar a Pavlova, bailarina russa extraordinária" (Laura Oliveira Rodrigo Otávio, *Elos de uma Corrente*, p. 171).

bailarino [De *bailar* + *-ino*[1].] *S. m.* **1.** Aquele que se dedica à arte do bailado; dançarino. **2.** *P. ext.* Indivíduo que dança bem; dançarino. **3.** *Gír.* Em carteado, pessoa que joga de modo aventureiro, contando com a sorte. [F. paral., nessas acepç.: *bailarim.*] **4.** *Ind. Pap.* Cilindro oco e leve, recoberto externamente por uma tela metálica fina, e que serve para, girando sobre a mesa de fabricação da máquina contínua, entre duas caixas aspirantes, melhorar a estrutura do papel.

bailariqueiro [De *bailarico* + *-eiro.*] *S. m.* Frequentador assíduo de bailaricos.

baile [Dev. de *bailar.*] *S. m.* **1.** Reunião dançante de caráter festivo e não raro formal. **2.** Dança alegre e festiva; bailado; dança. **3.** V. *balé*[1] (1). **4.** *Fig.* Reunião ou movimentação (de pessoas) em torno de um assunto comum; dança, bailado, balé: *o baile dos* candidatos à Academia. 5. *Bras. AL Folcl.* V. *guerreiros.* ◆ **Baile nacional.** *Cabo-verd.* Baile popular: "Nhô Roberto passa a alugar a sala grande para os bailes nacionais. De pretos e brancos, ricos e pobres." (Teobaldo Virgínio, em *Arquipélago*, n.º 19, p. 15.) **Dar um baile.** *Bras.* Dar um *show* (1): *Na defesa, Garrincha deu um baile.* **Dar um baile em.** *Bras.* **1.** Mexer com; troçar de. **2.** Chamar a atenção de; repreender. **3.** Exercer domínio absoluto sobre (o adversário): *O Flamengo deu um baile no Fluminense.*

baileco [Dim. irreg. de *baile.*] *S. m. Bras.* S. V. *arrasta-pé* (2).

bailéu [Do malaio *bailai.*] *S. m.* **1.** Andaime suspenso por cordas ou por cabos de aço, que se pode mover para cima e para baixo por meio de moitões ou roldanas: "Ali passava os dias, sobre os andaimes altos e bailéus bamboantes." (Euclides da Cunha, *Os Sertões*, p. 197.) **2.** Designação geral de obras e peças em balanço, como, p. ex., sacada, aba de telhado, prateleira suspensa na parede. **3.** Palanque, tribuna. **4.** Prateleira em casernas para roupas e outros objetos. **5.** *Constr. Nav.* Pavimento parcial, abaixo do último pavimento contínuo, onde se instalam paióis e outros compartimentos semelhantes. **6.** *Bras. Mar. G. Gír.* Prisão celular; solitária; cadeia (q. v.). **7.** *Bras. N.* Piso da popa e da proa dos barcos que não têm convés corrido.

bailia[1] [De *bailio.*] *S. f. Ant.* **1.** Comenda de bailio. **2.** Esposa de bailio.

bailia[2] [Da f. ant. *bailo*, 'baile', + *-ia*[1].] *S. f. Ant.* Bailada (4).

bailio [Do fr. *bailli.*] *S. m.* **1.** Nas antigas ordens militares, comendador. **2.** Antigo magistrado provincial. [Var.: *balio.*]

bailomania [De *baile* + *-o-* + *-mania.*] *S. f.* Paixão por bailes, por danças.

bailona *S. f.* Fem. de *bailão* (q. v.).

bailundo [Do top. *Bailundo* (Angola).] *S. m. Angol.* Trabalhador originário do centro-sul de Angola: "Por esses longos caminhos, / os desertos povoando, / passam negras comitivas / de bailundos..." (Tomaz Vieira da Cruz, *Tatuagem — Poesia d'Africa*, p. 17.)

bainha (a-í) [Do lat. *vagina.*] *S. f.* **1.** Estojo onde se introduz a lâmina de arma branca. **2.** Dobra cosida na barra de um tecido a fim de que não se desfie. **3.** *Anat.* Qualquer formação que circunda órgão ou parte deste: *bainha muscular, bainha nervosa.* **4.** *Bot.* Base da folha, alargada, e que abraça, parcial ou totalmente, o ramo ou o caule. **5.** *Bot.* Em muitas algas, sobretudo cianofíceas, camada de mucilagem que envolve os filamentos. [Dim. irreg.: *vagínula.*] ◆ **Bainha aberta.** *Bord.* Trabalho manual em que o tecido é desfiado e seus fios são ligados entre si por meio de laçadas que os fixam, em pequenos feixes, novamente ao tecido, no qual formam montinhos e espaços abertos. **Bainha de mielina.** *Histol.* V. *estrato mielínico.*

bainha-de-espada *S. f. Bras.* Soroca (1). [Pl.: *bainhas-de-espada.*]

bainhar (a-i) *V. t. d.* V. *abainhar* (2).

bainheiro[1] (a-i) [De *bainha* + *-eiro.*] *S. m.* Fabricante de bainhas de espadas.

bainheiro[2] (a-i) *S. m.* Árvore da família das anacardiáceas.

bainilha *S. f. Ant. Bot.* Baunilha (q. v.).

bainita [Do antr. (*Edgar C.*) *Bain* (1891-1971), físico e metalurgista americano, + *-ita*[3].] *S. f. Metal.* Tipo de cementita obtida pela transformação da microestrutura, em baixa temperatura (200 a 550°C), da austenita.

baio [Do lat. *badiu.*] *Adj.* **1.** Que tem a cor do ouro desmaiado. **2.** Diz-se do equídeo castanho ou amarelo tirante a castanho: "Correndo vinha no cavalo baio" (Machado de Assis, *Poesias Completas*, p. 306). **3.** Amulatado. **4.** Moreno. ● *S. m.* **5.** Cavalo baio: "O sôfrego baio mastigava o freio e espumava" (José de Alencar, *O Sertanejo*, p. 30). **6.** *Bras. RS* Cigarro de palha feito com fumo crioulo.

baioco [Do it. *baiocco.*] *S. m.* V. *baioque.*

baionense *Adj. 2 g.* **1.** De, ou pertencente ou relativo a Baião (PA). ● *S. 2 g.* **2.** O natural ou habitante de Baião.

baionesa (ê) [Do top. *Baiona* (França) + o f. de *-ês.*] *Adj.* (*f.*) *S. f.* Diz-se de, ou certa casta de maçã, parda e de aroma agradável. [Var.: *baonesa.*]

baioneta (ê) [Do fr. *baïonette.*] *S. f.* **1.** V. *sabre-baioneta.* **2.** *Fot.* Sistema de encaixe da objetiva com o corpo da câmara que, comparado ao sistema de rosca, possibilita uma maior rapidez na troca de objetivas. ◆ **Baioneta calada.** A que está armada na boca do fuzil, mosquetão, etc.

baionetada [De *baioneta* + *-ada*[1].] *S. f.* Golpe de baioneta (1).

baioneta-espanhola [De *baioneta* + o f. de *espanhol.*] *S. f. Bot.* Planta agavácea (*Yucca baccata*) originária do México, com folhas verde-amareladas de até 1,20cm, e frutos capsulares amarelos com polpa saborosa, sendo as flores tb. comestíveis, e o rizoma, us. no fabrico de papel; vela-de-pureza. [Pl.: *baionetas-espanholas.*]

baioque [Do it. *baiocco*, pelo fr. *baïoque.*] *S. m.* Pequena moeda de cobre que teve curso nos Estados Pontifícios. [F. paral.: *baioco.*]

baipiri *Bras. S. 2 g.* **1.** *Etnôn.* Indivíduo dos baipiris, povo indígena do AM. ● *Adj. 2 g.* **2.** Pertencente ou relativo a esse povo. [Tb. us. como *s. 2 g. e 2 n.* (com cap.) e *adj. 2 g. e 2 n.*]

baiquara *S. 2 g. Bras. RS* V. *caipira* (1).

baiquiqui [De or. tupi, poss.] *S. m. Bras. Zool.* Molusco pelecípode, aloidídeo (*Erodona mactroides*), do S. do país, que vive em água salobra ou enterrado no lodo.

bairã [Do turco *bayram.*] *S. m. Cronol.* Designação comum a duas festas muçulmanas que se celebram, a primeira (pequeno bairã), após o ramadã (q. v.), e a segunda (grande bairã), 60 dias após; bairão. ◆ **Grande bairã.** *Cronol.* V. *bairã.* **Pequeno bairã.** *Cronol.* V. *bairã.*

bairão *S. m. Cronol.* V. *bairã.*

bairari [De or. indígena, poss.] *S. m. Bras. S. Zool.* V. *avoante.*

bairrismo [De *bairro* + *-ismo.*] *S. m.* Qualidade ou ação de bairrista.

bairrista [De *bairro* + *-ista.*] *Adj. 2 g. S. 2 g.* **1.** Que, ou quem frequenta ou habita um bairro. **2.** Defensor dos interesses do bairro ou da sua terra. **3.** *Bras.* Diz-se de, ou pessoa que, levada por uma visão estreita do patriotismo, só considera como sua pátria o estado natal e hostiliza ou menospreza tudo quanto se refere aos demais.

bairro [Do ár. coloquial *barrī* < ár. cláss. *barr(a).*] *S. m.* **1.** Cada uma das partes em que se costuma dividir uma cidade ou vila, para mais precisa orientação das pessoas e mais fácil controle administrativo dos serviços públicos. **2.** *Bras. MG* Pequeno povoado ou arraial.

bairro de lata *S. m. Lus.* Conjunto de habitações populares toscamente construídas. [Pl.: *bairros de lata.*] [Cf. *favela*[1].]

baita *Adj. 2 g. Bras.* **1.** Grande, enorme, imenso: "desembainhou uma baita faca aparelhada, de dois palmos de lâmina." (Bernardo Élis, *Ermos e Gerais*, p. 87). **2.** Crescido, desenvolvido. [P. us., pelo menos em parte do País.]

baitaca [Do tupi = 'coisa ruidosa, barulhenta'.] *S. f. Bras.* V. *maitaca.*

baitarra [Aum. irreg. de *baita.*] *S. m.* **1.** *Bras. N.* Homem muito alto e forte; homenzarrão. **2.** *Bras. SP* Tratante, velhaco, trapaceiro.

baitatá *S. m. Bras. Pop.* V. *boitatá.*

baitola (ô) *S. m. Bras. N.E. Pej.* Homossexual masculino; baitolo.

baitolo (ô) *S. m. Bras. N.E. Pej.* V. *baitola.*

baiuca (ai-ú) [Do esp. *bayuca*, de or. germ.] *S. f.* **1.** V. *biboca* (3 e 5). **2.** V. *taberna* (1).

baiuqueiro (ai-u) [De *baiuca* + *-eiro.*] *S. m.* **1.** Frequentador de baiucas. **2.** Taberneiro (1). ● *Adj.* **3.** Relativo a baiuca.

baixa [F. subst. de *baixo.*] *S. f.* **1.** Depressão de terreno; baixos. **2.** Lugar baixo. **3.** Parte pouco funda de mar ou de rio. **4.** Campo alagado. **5.** Diminuição de altura ou de valor. **6.** Abaixamento. **7.** Redução de preço. **8.** O ato de dar (algo) como visto ou como encerrado, de dar baixa. **9.** Dispensa de serviço. **10.** Isenção judicial da nota de culpa. **11.** Perda que um efetivo militar sofre, por morte, ferimento ou aprisionamento dos seus integrantes: *As tropas de assalto tiveram 20 baixas.* **12.** Pessoa morta ou gravemente ferida em consequência de ataque militar, de arruaça, motim, atos de violência ou de catástrofe. **13.** Queda, nas bolsas, na cotação das ações, mercadorias e outros valores negociáveis. **14.** *Fig.* Circunstância desfavorável; enfraquecimento; decadência. **15.** *Met.* Isóbare que liga as localidades onde ocorreram quedas de pressão atmosférica. **16.** *Met.* V. *ciclone* (1). **17.** *Ant. Mús.* Tipo de dança que se executava com passos arrastados, sem pulos nem saltos. **18.** *Mús.* Diminuição de altura ou de valor de uma nota musical. **19.** *Bras. PA* Parte do campo que fica submersa durante o inverno. ◆ **Baixa de capim.** *Bras. PE* Baixada de capim. **Dar baixa. 1.** Ser dispensado do serviço militar; ter baixa. "Foi quando dera baixa, ferido." (Pedro Nava, *Beira-Mar*, p. 31.) **2.** Registrar a saída de mercadoria(s) ou o envio ou a liberação de documento(s). **3.** Registrar, em carteira, a dispensa de um empregado do quadro de funcionários de uma empresa ou de uma firma. **4.** Dar entrada em hospital para tratamento. **5.** *Mar. G.* Ser posto (um navio) de lado por já não ter condições para operar; ter baixa. **Dar baixa em. 1.** Tornar sem efeito; cancelar. **2.** Considerar como visto ou como encerrado. **3.** Dispensar do serviço militar. **Em baixa. 1.** Que goza de pouco ou nenhum prestígio. **2.** Que sofreu grande queda ou que está em decadência, em declínio. **Ter baixa.** Dar baixa (1 e 2).

baixada [De *baixar* + *-ada*[1].] *S. f. Bras.* **1.** Planície entre montanhas. **2.** Depressão de terreno, próxima de uma lomba. [Cf. *canhada.*] ◆ **Baixada de capim.** Terreno úmido em que se cultiva capim-de-planta; baixa de capim.

baixadão [De *baixada* + *-ão*[1].] *S. m. Bras.* Baixada grande; baixão.

baixa-falésia *S. f. Geol.* Grupo de blocos acumulados no sopé de uma falésia, que a protegem da abrasão ou erosão marinha. [Pl.: *baixas-falésias.*]

baixa-grandense *Adj. 2 g.* **1.** De, ou pertencente ou relativo a Baixa Grande (BA). ● *S. 2 g.* **2.** O natural ou habitante de Baixa Grande. [Pl.: *baixa-grandenses.*]

baixa-mar [Do f. de *baixo* + *mar* (voc. fem., outrora).] *S. f.* Nível mínimo da curva da maré; maré baixa; maré vazia. [Antôn.: *preamar.* Pl.: *baixa-mares* e *baixas-mares.*]

baixão *S. m.* **1.** Instrumento de grandes dimensões e palheta dupla, da família das charamelas de madeira, que se usou, do séc. XV ao XVII, como baixo natural dos instrumentos de sopro. **2.** *Bras. MA PI BA* Baixadão.

baixar [Do lat. vulg. **bassiare.*] *V. t. d.* **1.** Abaixar (1 a 8). **2.** Expedir (aviso, ordem, instrução, portaria, lei, etc.). **3.** *Mús.* Passar (trecho, peça, etc.) para tom (13) mais grave, transportando-os [v. *transportar* (4)]; abaixar, descer: *A pedido do cantor, o pianista baixou o acompanhamento; O arranjador baixou a canção que estava originalmente escrita num tom mais agudo.* **4.** *P. ext. Inform.* Receber, através da rede de computadores (cópia de um arquivo localizado em máquina remota). [Trad., nesta acepç., do v. ingl. (*to*) *download*, da express. *to downline load*, 'carregar, seguindo o fluxo (de informações)'.] [Tb. se usam, nesta acepç., os verbos *descarregar, descer, puxar, pegar*, e a expr. *fazer um* download.] *T. d. e c.* **5.** Abaixar (10): "Baixas à terra o olhar e a terra, em outras eras, / Plena de gozo e amor, ora é de horrores plena." (Emílio de Meneses, *Últimas Rimas*, p. 149.) *T. d. e i.* **6.** Expedir, despachar (ato, ordem de serviço, etc.), segundo a hierarquia: *O Ministro baixou uma instrução para todas as seções do Ministério.* **7.** Ser expedido a uma autoridade ou repartição inferior: *Baixou um ofício do Ministério da Educação ao Instituto Nacional do Livro.* *T. c.* **8.** Descer, abaixar: *A vereda baixava ao vale.* **9.** Internar-se (em enfermaria, hospital, etc.), para tratamento, o doente: *O doente baixou à enfermaria.* **10.** *Bras.* Incorporar (11): *O orixá baixou no filho de santo.* **11.** *P. ext. Gír.* Apresentar-se em um lugar; aparecer: *Baixou aqui por volta das 8 horas.* *Int. P.* **12.** Abaixar (12 a 17). [Pres. subj.: *baixe*, ... *baixemos, baixeis, baixem.* Cf. *baixéis*, pl. de *baixel.*]

baixaria [De *baixo* + *-aria.*] *S. f. Bras. Gír.* Procedimento indigno, ou pérfido, ou sórdido, ou situação dele decorrente: "Meu tio tem uma oficina, sempre vi essas mulheres [em pôsteres de mulheres nuas]. É meio baixaria." (Domingo, em *Jornal do Brasil*, 06.08.1989.)

baixate *S. m.* Ferramenta usada por tanoeiros.

baixa-verdense *Adj. 2 g.* **1.** De, ou pertencente ou relativo a Baixa Verde, atual João Câmara (RN). ● *S. 2 g.* **2.** O natural ou habitante de Baixa Verde. [Pl.: *baixa-verdenses.*]

baixeira [De *baixa*, poss.] *S. f. Bras.* A primeira colheita do algodão. [Cf. *meeira* e *ponteira* (6).]

baixeiro [De *baixo* + *-eiro.*] *Adj.* **1.** Que se põe por baixo. **2.** *Bras.* Diz-se da xerga ou manta que se põe por baixo da carona (1). **3.** *Bras. N. N.E.* Diz-se do cavalo ensinado a andar no baixo (26). ● *S. m.* **4.** *Bras.* Manta que se coloca no lombo do cavalo por baixo da sela. **5.** *Bras. SP* Galhos internos da copa das laranjeiras, ou toda a parte da copa que fica por sob os outros galhos.

baixel [Do cat. *vaixell*, pelo esp. *bajel.*] *S. m. Ant.* Barco ou navio: "Já esses baixéis fermosos, que a tantas ondas e perigos contrastaram, dobrado enfim o cabo da Boa Esperança, avistam as espaçosas e alegres praias do Reino de Deus, e aportam ao Oriente da vida." (P.ª Manuel Bernardes, *Exercícios Espirituais*, II, p. 370.) [Pl.: *baixéis.* Cf. *baixeis*, do v. *baixar.*]

baixela [Do lat. *vascella*, nom. e acus. pl. de *vasculum*, 'vasinho', tomado como fem. sing. da 1.ª declinação, pelo fr. *vaisselle* ou pelo cat. *vaixella.*] *S. f.* **1.** O conjunto dos utensílios necessários ao serviço de mesa, em especial os de metal nobre: "E, naquele tempo, Sr. Presidente, Portugal ainda se banqueteava com a baixela d'oiro do Pegu" (Camilo Castelo Branco, *A*

Queda dum Anjo, p. 62). [Cf. *serviço* (12).] **2.** Coleção de objetos litúrgicos de valor usados numa igreja.

baixete (ê) [De *baixo* + *-ete* (ê).] *S. m.* **1.** Banco chanfrado onde repousam os barris na tanoaria. **2.** Ferramenta de tanoeiro. **3.** Canteiro². [Cf. *baxete* (ê).]

baixeza (ê) [De *baixo* + *-eza.*] *S. f.* **1.** Qualidade do que é baixo ou do que está embaixo; inferioridade. **2.** Humilhação, rebaixamento. **3.** Indignidade, torpeza, baixura.

baixia *S. f.* Baixio (1).

baixiense *Adj. 2 g.* **1.** De, ou pertencente ou relativo a Baixio (CE). ● *S. 2 g.* **2.** O natural ou habitante de Baixio.

baixinho [De *baixo* + *-inho*¹.] *Adv.* **1.** Em voz muito baixa: "— Que cantoria que fazem! dizia baixinho o Ricardo." (Fialho d'Almeida, *Contos*, p. 152.);"Arrasado, ele gania baixinho. O veterinário aplicou a anestesia." (Walcyr Carrasco, *Anjo de Quatro Patas*, p. 108.) **2.** Em segredo; reservadamente. ● *S. m.* **3.** *Bras. Fam.* Pessoa baixa.

baixio [De *baixo* + *-io*².] *S. m.* **1.** Banco de areia, sobre o qual a água do mar ou rio atinge pouca altura; baixia. **2.** *Bras. Amaz.* Enseada que, na época da vazante, os rios formam nos terrenos marginais, e onde a água se deposita. **3.** *Bras. N.E.* Depressão rodeada de serros, na qual há depósitos de águas subterrâneas. ◆ **Baixio costeiro.** *Geogr.* Baixio (1) que se estende ao longo da costa.

baixíssimo *Adj.* Superl. abs. sint. de *baixo*; ínfimo.

baixista¹ [De *baixa* (13) + *-ista.*] *Adj. 2 g.* **1.** Diz-se de corretor especulador que, nas bolsas de valores, de mercadorias, etc., manobra a fim de provocar a baixa das cotações. **2.** Diz-se de bolsista que joga na baixa. ● *S. 2 g.* **3.** Indivíduo baixista.

baixista² [De *baixo* + *-ista.*] *S. 2 g. Mús.* Pessoa que toca qualquer instrumento classificado de baixo ou contrabaixo.

baixo [Do lat. vulg. *bassu*, com infl. de *baixar*, donde o *i.*] *Adj.* **1.** De pequena estatura: *homem baixo.* **2.** Que tem pouca extensão vertical: *uma porta baixa.* **3.** A pouca altura do chão: *os ramos baixos da árvore.* **4.** Voltado para o chão: *Manteve-se de olhos baixos.* **5.** Inclinado para o chão: *Trazia a cabeça baixa.* **6.** Que está inferior ao seu nível ordinário: *O rio está baixo; A temperatura conserva-se baixa.* **7.** De baixo poder aquisitivo; humilde, quanto à posição social: *a classe baixa.* **8.** Vil, ignóbil, grosseiro, desprezível: *baixos instintos.* **9.** Reles, chulo: *Falava em baixo calão.* **10.** Que mal se ouve: *voz baixa.* **11.** Moderado: *custo baixo.* **12.** De poucos quilates: *ouro baixo.* **13.** Situado em nível ou altitude inferior à de outro: *bairro baixo.* **14.** Que está situado ao sul: *o baixo Alentejo.* **15.** Que está situado mais próximo da foz: *o baixo Amazonas.* **16.** Diz-se de época ou período histórico mais próximo do atual: *Na baixa Idade Média vigorou o estilo gótico.* **17.** *Bras. CE* Incapaz: *Você é baixo para fazer o que ameaça.* [Superl. abs. sint.: *baixíssimo* e *ínfimo*; dim.: *baixinho, baixote.*] ~ V. *caixa —a*, *— calão, câmara —a*, *centro —*, *cidade —a*, *— a comédia, direita —a*, *esquerda —a*, *estatura —a*, *— explosivo*, *—a frequência, maré —a*, *missa —a*, *nível lógico —*, *nuvem —a*, *órbita —a*, *planta —a*, *turfeira —a* e *vogal —a*. ● *S. m.* **18.** *Mús.* A mais grave das vozes masculinas. **19.** *Mús.* O cantor que tem essa voz. **20.** *Mús.* O instrumento de diapasão mais grave de cada família de instrumentos: *O clarone é o baixo da família dos clarinetes.* **21.** *Mús.* A parte mais grave das realizações harmônicas e contrapontísticas, em relação às partes superiores do conjunto e não a uma voz ou instrumento de diapasão grave. **22.** A parte inferior. **23.** *Bras.* Gesto ou dito inoportuno, deselegante; rata, gafe. **24.** *Ocean.* Designação genérica de banco, parcel, recife, restinga, etc. **25.** *Bras. Amaz.* Coroa de lama ou de areia que, na baixa-mar, fica descoberta ou quase ao nível das águas. **26.** *Bras. N. N.E.* Andadura de cavalo de sela, muito cômoda, especialmente para viagem, e da qual há diversos tipos, como o baixo legítimo, o picado, o passado, etc. ● *Adv.* **27.** Em ponto pouco elevado. **28.** Em voz baixa: "E o velho, baixo falando, / Tristemente assim dizia" (Gonçalves Dias, *Obras Poéticas*, II, p. 103). ~ V. *baixos*. ◆ **Baixo da serra.** *Bras. MS MT* (Pantanal) Terrenos mais altos da planície, situados ao pé e nos arredores de serras ou chapadas. **Baixo de pau.** *Mús.* V. *contrabaixo* (1). **Baixo harmônico.** *Mús.* Em harmonia, linha de baixo provida de acordes, definidos ou não por cifras. **Baixo legítimo.** *Bras. N. N.E.* V. *baixo* (26). **Por baixo.** Em situação má, inferior; sem prestígio; em dificuldades: *Anda tão por baixo que, se cair, é capaz de não se levantar.*

baixo-alemão *S. m. Gloss.* **1.** V. *alemão* (4). **2.** Vocábulo dessa língua. [Pl., nesta acepç.: *baixo-alemães.*]

baixo-astral *Adj. 2 g. S. 2 g.* **1.** Diz-se de, ou indivíduo que está ou vive mal-humorado, infeliz, queixoso, como que sob má influência astral. ● *S. m.* **2.** Situação ou circunstância adversa, atribuída a suposta má influência dos astros: *Coitado, está num baixo-astral incrível.* [V. *astral* (3). Opõe-se a *alto-astral.* Pl.: (do adj.) *baixo-astrais*, (do s.) *baixos-astrais.*]

baixo-cifrado *S. m. Mús.* Em harmonia, a representação de um baixo (21) através de algarismos e símbolos sobrepostos à linha do baixo. O executante realiza o baixo, dispondo à sua vontade as notas do acorde. [Pl.: *baixos-cifrados.*]

baixo-contínuo *S. m. Mús.* Em harmonia, a prática de acrescentar a parte do baixo (21) e seus respectivos acordes a qualquer composição, a fim de prover suporte harmônico às vozes. [F. red.: *contínuo*. Pl.: *baixos-contínuos.*]

baixo-latim *S. m. Gloss.* **1.** O latim, mais ou menos artificial, usado pelos monges da Idade Média, pautado na tradição gramatical do latim literário. **2.** Vocábulo dessa língua. [Pl., nesta acepç.: *baixos-latins.*]

baixo-relevo *S. m. Arquit. Art. Plást.* Escultura em que as figuras sobrelevam muito pouco o plano que lhes serve de fundo: "aquilo não era para cemitério, estava a pedir uma praça vasta, pedestal de granito e baixos-relevos alusivos." (Coelho Neto, *Treva*, p. 19). [Pl.: *baixos-relevos*. Cf. *alto-relevo.*]

baixos [Do pl. de *baixo.*] *S. m. pl.* **1.** Baixa (1). **2.** As abas ou faldas de um monte. ~ V. *baixo.*

baixota [De *baixo* + *-ota*¹.] *Adj. (f.) S. f.* Fem. de *baixote.*

baixote [De *baixo* + *-ote*¹.] *Adj. S. m.* Diz-se de, ou indivíduo um tanto baixo: "Era um negro baixote e ventrudo" (Silva Guimarães, *Os Borrachos*, p. 5). [Fem.: *baixota.*]

baixo-ventre *S. m. Anat.* Designação antiga da região hipogástrica e da cavidade pelviana, em conjunto. [Pl.: *baixos-ventres.*]

baixura [De *baixo* + *-ura.*] *S. f.* **1.** Lugar baixo e inferior ao nível do mar. **2.** *P. us.* Baixeza (3).

bajar *V. int.* Produzir ou criar bagens ou vagens; bagear.

baje *S. m. Bras. Rel.* V. *Ibêji*. [Com cap.]

bajeense (êên) *Adj. 2 g.* **1.** De, ou pertencente ou relativo a Bajé (RS). ● *S. 2 g.* **2.** O natural ou habitante de Bajé.

bajerê *S. m. Bras. MT* Informação (11) de diamantes.

bajesto *S. m. Bras.* Coisa sem valor, insignificante.

bajogar [De *jogar*, poss.] *V. t. d. Bras. MA* Lançar ou jogar fora; arremessar. [Conjug.: v. *largar.*]

bajoujar [Do lat. **baioliare*, por *bajulare.*] *V. t. d.* **1.** Adular, lisonjear. **2.** Amimar, acariciar.

bajoujice [De *bajoujo* + *-ice.*] *S. f.* Ato ou modos de bajoujo.

bajoujo [De *bajoujar.*] *Adj. S. m.* **1.** Que, ou aquele que lisonjeia ridiculamente. **2.** Apaixonado baboso; lamecha. **3.** V. *tolo* (1 a 3 e 8).

bajuda [Do criol.] *S. f. Guin.* Moça jovem e solteira; mufula: "a bajuda atingira os dezessete anos" (João Ferreira, *Uaná: Narrativa Africana*, p. 43).

bajudeza (ê) [Do criol.] *S. f. Guin.* A puberdade (1) nas mulheres.

bajulação [Do lat. *bajulatione.*] *S. f.* Ato ou efeito de bajular; adulação, bajulice, bajulismo. [Cf. *banha* (4).]

bajulador (ô) [Do lat. *bajulatore.*] *Adj.* **1.** Que bajula; adulador, adulão, aduloso, babão, cafofa, chaleira, chaleirista, incensador, lambedor, lambeta, lambeteiro, louvaminheiro, puxa-saco ou puxa-sacos, sabujo, xereta. ● *S. m.* **2.** Aquele que bajula; adulador, adulão, aduloso, babão, baba-ovo, banhista, cafofa, chaleira, chaleirista, cheira-cheira, chupa-caldo, corta-jaca, engrossador, enxuga-gelo, escova-botas, incensador, lambedor, lambe-botas, lambe-cu, lambe-esporas, lambeta, lambeteiro, louvaminheiro, puxa-saco ou puxa-sacos, sabujo, xeleléu, xereta.

bajular [Do lat. *bajulare*, 'carregar às costas', com alter. semântica.] *V. t. d.* Lisonjear, adular servilmente; sorrabar, sabujar: "Não haveria partido que me atacasse, que me espiasse, que me caluniasse, nem partido que me bajulasse, que me beijasse os pés" (Machado de Assis, *A Semana*, II, p. 53).

bajulatório [De *bajular* + *-tório*, ou do lat. *bajulatoriu*, com a mesma alter. semântica de *bajular.*] *Adj.* Que encerra ou envolve bajulação.

bajulice [De *bajul-*, como em *bajular* e *bajulação*, + *-ice.*] *S. f.* V. *bajulação.*

bajulismo [De *bajular* + *-ismo.*] *S. m.* V. *bajulação*: "Seu Amílcar, bedel, gordo e vermelho, ficou célebre pelo bajulismo ao diretor" (Marques Rebelo, *A Mudança*, p. 69).

➔ **BAL** [bij ej ɛl] [Acrôn. do ingl. *British anti-lewisite.*] *Terap.* Antídoto da levisita.

bala¹ [Do alto-alemão *Ball*, 'bola', pelo lombardo *palla* e it. *palla*, 'pelota'.] *S. f.* **1.** Projetil metálico, arredondado ou ojival, encaixado na cápsula do cartucho (9). [Sin. (bras., GO, pop.): *ameixa*. Aum. irreg.: *balaço, balázio*. Dim. irreg.: *balim, balote.*] **2.** *P. ext.* O cartucho e a bala juntos. **3.** *Bras.* Pequena guloseima de consistência firme, feita com calda de açúcar aromatizada e acrescida de corantes, ou de ingredientes com sabores diversos: *bala de limão; bala de mel.* **4.** *P. ext.* Caramelo, drope, rebuçado: *chupar bala.* [Sin. bras., BA, nesta acepç.: *queimado.*] ~ V. *balas.* ◆ **Bala de festim.** *Bras. Ant.* Bala inofensiva, usada em exercício de instrução militar, feita de papel comprimido ou de madeira rija, e que tem um canal interior, com um orifício voltado para a parte posterior, o que lhe provoca a destruição logo ao sair do cano. **Bala dum-dum.** Bala adotada pelos ingleses depois de proibido o uso de balas explosivas para armas de pequeno calibre. [A denominação *dum-dum* provém de ter sido experimentada no campo de tiro de Dum-Dum, em Calcutá, na Índia.] **Bala explosiva.** Bala cujo núcleo contém uma carga que explode ao impacto do projetil. **Bala na agulha.** *Bras. Pop.* Meios, como, p. ex., dinheiro, prestígio, poder, necessários para se alcançar determinado objetivo: *ter, ou estar com bala na agulha.* **Estar cuspindo bala.** *Bras. N.E. Pop.* **1.** Estar embriagado. **2.** *Bras. Gír.* Estar uma bala (v. *uma bala*). **Mandar bala.** *Bras. Pop.* Pôr mãos à obra com afinco. **Uma bala.** *Bras. Gír.* Em estado de grande irritação, de fúria: *Está uma bala com a reprovação; Ficou uma bala com a resposta desaforada.*

bala² [Do alto-alemão *Ballen*, '10 resmas', pelo fr. *balle.*] *S. f.* **1.** Fardo, pacote, carga. **2.** *Ind. Pap.* Fardo equivalente a 10 resmas, ou 5.000 folhas.

balabrega *S. 2 g. Bras.* Impostor, embusteiro.

balaclava [Do top. *Balaklava* (Ucrânia).] *S. f.* Espécie de capuz de malha que cobre a cabeça, o pescoço e parte dos ombros, deixando apenas os olhos de fora, us. principalmente por soldados montanheses.

balaço [De *bala*¹ + *-aço.*] *S. m.* **1.** Grande bala. **2.** Tiro de bala: "Benedito mudou o casaco e aproveitou a ocasião para mostrar-me quatro ou cinco sinais de facadas e de balaços no corpo seco e musculoso." (João do Rio, *Vida Vertiginosa*, p. 150.) [Sin., nessas acepçs.: *balázio.*] **3.** *Bras. Fut.* Bola arremessada ou chutada com muita força.

balacobaco *El. s. m.* Us. na loc. adj. *do balacobaco*. ◆ **Do balacobaco.** Excelente, ótimo (coisa ou pessoa): *A festa foi do balacobaco; Que sujeito do balacobaco!*

balacubau [T. onom.] *S. m. Bras. Amaz.* O ruído que faz o pirarucu ao saltar na água; bolocobó.

balada¹ [Do provenç. *ballada*, 'dança'.] *S. f. Mús.* Canção para dançar, de estrutura variável.

balada² [Do fr. *ballade.*] *S. f.* **1.** *Arte Poét.* Poema de origem francesa, do séc. XIII, formado de três oitavas ou três décimas, que têm as mesmas rimas e terminam pelo mesmo verso, seguidas de uma meia estrofe (quadra ou quintilha), dita *oferta* ou *ofertório*, na qual se repetem as rimas e o último verso das oitavas ou das décimas. **2.** *Arte Poét.* Poema narrativo de assunto lendário ou fantástico e de caráter simples e melancólico, típico dos povos do N. da Europa na época do pré-romantismo, e que tem sido livremente adotado em períodos posteriores: *as baladas de Schiller; "a Balada das Duas Mocinhas de Botafogo", de Vinícius de Morais.* **3.** *Mús.* Peça vocal, com acompanhamento de piano, cujo texto conserva o caráter narrativo, e que foi gênero favorito de compositores românticos de *Lieder* (v. *Lied*): *as baladas de Schubert, de Loewe, de Brahms.* **4.** *Mús.* Em fins do séc. XIX, composição para solista, coro e orquestra, inspirada no ambiente sombrio e misterioso da balada (2). **5.** *Mús.* Peça puramente instrumental, de forma livre, cultivada sobretudo pelos compositores românticos: *baladas de Chopin, Liszt, Brahms, Grieg, Fauré.* **6.** *Mús.* Canção popular romântica, de ritmo lento e melodia simples, cujo arranjo emprega instrumentos eletrônicos ou acústicos. **7.** *Bras. Gír.* Saída noturna como distração, ger. para dançar, beber, paquerar, etc.

balada³ [De *bala*¹ + *-ada*¹.] *S. f. Expl.* Cada bala colocada que o bastão ou a pistola expelem.

baladeira [De *bala*¹ + *-deira.*] *S. f. Bras. AC a PE* V. *atiradeira.*

balado [De *balar.*] *S. m. P. us.* V. *balido*: "O rio, a árida riba, os coles, vão feridos / coos balados da grei" (Antônio Feliciano de Castilho, *As Geórgicas*, p. 219).

balador (ô) [De *balar* + *-dor.*] *Adj. S. m.* Que, ou aquele que bala.

balafo *S. m. Mús.* Marimba (1) us. pelos nativos de certas regiões da África ocidental.

balafó [Do criol.] *S. m. Mús.* V. *marimba* (1).

balafom [Do criol.] *S. m. Mús.* V. *marimba* (1): "Já estava formado o orfeão dos pássaros, reunidos em volta de Mestre Jagudi que afinava o 'balafom'." (Viriato Augusto Tadeu, *Contos do Caramô*, p. 146.)

balagandã *S. m.* V. *balangandã.*

balaiada [Do pros. *Balaio* (v. *balaio*²) + *-ada*¹.] *S. f. Bras.* A revolta dos balaios, guerra civil no MA que durou de 1838 a 1841. [Com cap.]

balaieiro[1] [De *balaio*[1] + *-eiro*.] *S. m. Bras.* **1.** Fabricante de balaio[1] (1). **2.** Vendedor ambulante de hortaliças, frutas, etc., que as conduz em balaio[1]. **3.** Nas feiras livres, aquele que leva na cabeça balaio[1] com compra dos fregueses.

balaieiro[2] [De *baleia* + *-eiro*, com dissimilação.] *S. m. Bras.* Arpoador de baleias. [Cf. *baleeiro* (1).]

balainha (a-í) *S. f. Bras. PR SC Folcl.* Dança em que os pares carregam arcos floridos, com que formam um simulacro de balaio ou cabaz de flores; arco de flores, jardineira.

balaio[1] [Do fr. *balai*, poss.] *S. m.* **1.** Cesto de palha, de talas de palmeira, ou de cipó, com tampa ou sem ela, geralmente com o formato de alguidar; patuá. **2.** *Bras.* Merenda, farnel. **3.** *Bras. RS* Antiga dança, espécie de fandango, introduzida nesse estado pelos açorianos. **4.** *Bras. Chulo* Nádegas. ◆ **Balaio de tentê.** *Cabo-verd.* Balaio com que se peneira o farelo de milho, ou de outros cereais: "assim que os pardais se juntassem sob o balaio de tentê para comer o farelo do milho, ele daria um esticão na linha da armadilha" (Onésimo Silveira, *A Saga das As-Secas e das Graças de Nossenhor*, p. 189); "eu descia do terreiro com um balaio de tentê" (Id., *ib.*, p. 18).

balaio[2] *S. m. Bras.* Partidário ou sequaz do Balaio, alcunha de Manuel dos Anjos Ferreira, um dos chefes da Balaiada (q. v.).

balaio de gatos *S. m. Bras.* V. *rolo*[1] (16). [Pl.: *balaios de gatos*.] ☑

balalaica[1] [Do rus. *balalaika*, *balabaika*, pelo fr. *balalaïka*.] *S. f.* Instrumento musical de três cordas e forma triangular, muito us. pelos russos na execução de sua música popular.

balalaica[2] [De or. incerta.] *S. f. Afric. Vest.* Camisa para homens, ampla, de tecido leve e de mangas curtas, com dois ou quatro bolsos: "vestia uma camisa de manga curta caindo, larga, ao redor do busto, com um pequeno macho a cintá-la levemente atrás. Era a típica balalaica normalmente usada pelos africanistas." (Guilherme de Melo, *A Sombra dos Dias*, p. 241).

balalão *S. m. Bras.* Certo brinquedo infantil; joão-balão.

balame [De *bala*[1] + *-ame*.] *S. m.* Grande porção de balas.

balamento *S. m. Bras. AL* Tipo de poesia popular, já em desuso, cantada ao som do coco[2] (ô) (2), e que se refere a acontecimentos relevantes na vida da região onde foi composta.

balança [Do esp. *balanza*.] *S. f.* **1.** Instrumento com que se determina ou a massa ou o peso dos corpos. **2.** *Fig.* Equilíbrio, prudência, ponderação. **3.** *Fig.* Confronto, comparação. **4.** *Astr.* Libra (8) [Com cap., nesta acepç.] **5.** *Bras. AM* Instrumento de pesca formado por uma vara espetada a prumo na margem e que sustenta outra que se projeta sobre a água. **6.** V. *balança comercial*. ◆ **Balança analítica.** *Fís.* Instrumento de laboratório destinado a efetuar pesadas com uma precisão de, no mínimo, um décimo de miligrama, e constituído, em geral, por uma alavanca interfixa de braços iguais que sustenta dois pratos onde se colocam os pesos calibrados e a massa que vai ser medida, ou por um prato único e dois cutelos, dotado de sensores de alta precisão e outros dispositivos eletrônicos, que determinam o peso e o comunicam a um mostrador ger. digital. **Balança automática.** *Fís.* Balança, ger. eletrônica, que dispensa qualquer manuseio de pesos, direto ou indireto, por parte do operador. **Balança comercial.** *Econ.* Registro estatístico do valor das exportações e importações de mercadorias de um país, em determinado período. **Balança de Arquimedes.** *Fís.* Instrumento para demonstração do princípio de Arquimedes. **Balança de Coulomb.** *Eletr.* Balança de torção com que se mede a força entre duas cargas elétricas. **Balança de Jolly.** *Fís.* Balança de mola com que se mede a massa específica dos corpos, comparando seu peso no ar com o seu peso aparente quando mergulhados em um líquido. **Balança de mola.** *Fís.* Aquela em que se medem as massas por intermédio da comparação entre a força de restituição duma mola elástica e a força exercida sobre esta pelo peso do corpo de massa desconhecida. **Balança de pagamentos.** *Econ.* Balanço de pagamentos (q. v.). **Balança de serviços.** *Econ.* Registro estatístico do valor das exportações e importações de serviços [v. *serviço* (19)] de um país, em determinado período. **Balança de torção.** *Fís.* Instrumento para medir forças não muito grandes ou muito pequenas, por intermédio da comparação do momento destas com o conjugado de torção de um fio elástico. **Balança de Westphal.** *Fís.* Instrumento para determinar a massa específica ou a densidade relativa de líquidos. **Balança digital.** *Fís.* Balança, ger. eletrônica, em que o valor do peso é apresentado em um mostrador eletrônico digital, ou transferido a uma impressora ou microcomputador. **Balança eletrônica.** *Fís.* Balança, em geral de prato único, em que a determinação do peso se dá por meio de sensores eletrônicos. **Balança hidrostática.** *Fís.* Designação genérica de balanças que podem medir o empuxo que um sólido sofre quando imerso em um fluido, especialmente um líquido. **Balança magnética.** *Fís.* **1.** Balança com dispositivo de amortecimento magnético. **2.** Balança para medir a força de interação de dois corpos magnetizados. **Balança semiautomática.** *Fís.* Balança analítica que dispõe de um conjunto de pesos fracionários que se podem colocar em um de seus pratos por meio de um dispositivo mecânico acionável pelo operador. **Pôr na balança.** Comparar os méritos; examinar os prós e os contras.

balançante [De *balançar* + *-nte*.] *Adj. 2 g.* Que balança ou balouça; balangante: *andar balançante*.

balançar [De *balança* + *-ar*[2].] *V. t. d.* **1.** Fazer oscilar; balangar, balouçar: "Auriverde pendão da minha terra, / Que a brisa do Brasil beija e balança" (Castro Alves, *Poesias Escolhidas*, p. 335). **2.** Equilibrar, contrapesar; contrabalançar; abalançar: *O seu senso de justiça balançava a excessiva autoridade.* **3.** Examinar, comparando; pesar: *Vamos balançar os prós e os contras, antes de resolver.* **4.** Dar balanço (5) em; abalançar. **5.** Causar comoção, ou abalo (5) a; abalar, afetar: *A morte do pai muito o balançou.* *T. i.* **6.** Hesitar; oscilar: *Não votou porque balançava entre os dois candidatos.* *Int.* **7.** Mover-se de um para outro lado; oscilar, balangar, balouçar: "A água é tão tranquila! / E o barco balança." (Alberto de Serpa, *Rua*, p. 77.) *P.* **8.** Mover-se, oscilar; balangar(-se), balouçar(-se): "Balançando-se na cadeira do terraço, Flávio afaga o pelo de Pierrô" (Permínio Asfora, *Vento Nordeste*, p. 245); "Um pica-pau num galho se balança." (Ricardo Gonçalves, *Ipês*, p. 31). **9.** Embalar o corpo de um para outro lado; brincar em balanço (8) ou de outra maneira; balangar, embalar-se. **10.** Equilibrar-se, compensar-se; contrabalançar-se: *Felizmente as opiniões se balançam.* [Sin. (de 1 a 4 e de 7 a 10): *balancear*. Conjug.: v. *laçar*.]

balancê [Do fr. *balancer*, 'balançar'.] *S. m.* **1.** *Mús.* Passo de quadrilha, que consiste em movimentos balançados do corpo sem deslocamento dos pés. **2.** Balancim (3 e 5).

balanceado [Part. de *balancear*.] *Adj. Bras. S.* **1.** Que não é certo do juízo; meio doido; gira. **2.** Diz-se do negociante prestes a falir. **3.** Que balança; que ginga; oscilante: "A fazenda de Tinhó Caetano era tida como um centro de atividade, porque o seu compasso se regulava pela correria e berreiro do porco e não pela marcha lerda e balanceada do boi." (Amadeu de Queirós, *João*, p. 23.) **4.** Diz-se de alimentação, ração, etc., cujos componentes são equilibrados nas quantidades e qualidades adequadas. **5.** Diz-se de circuito equilibrado no qual as cargas estão igualmente distribuídas entre as fases. ~ V. *dieta –a*.

balanceador (ô) [De *balancear* + *-dor*.] *S. m.* **1.** Balancista (1). **2.** *Eletrôn.* V. *circuito* push-pull.

balanceamento [De *balancear* + *-mento*.] *S. m.* **1.** Ato de balancear(-se). [Sin. (bras. S.): *balanceio*.] **2.** *Bras. Autom.* Balanceamento de rodas (q. v.). **3.** *Quím.* Ato de balancear (5). ◆ **Balanceamento de escada.** *Arquit.* Operação pela qual se fixam as larguras dos degraus, na linha de piso, em escadas com lanços curvos. **Balanceamento de rodas.** *Bras. Autom.* O ato de equilibrar as rodas de um veículo para dar-lhe estabilidade. [Tb. se diz apenas *balanceamento*. Sin. (lus.): *equilíbrio de rodas*.]

balancear [De *balança* + *-ear*[2].] *V. t. d.* **1.** V. *balançar* (1 a 4). **2.** *Arquit.* Estabelecer (balanceamento de escada [q. v.]). **3.** *Autom.* Fazer o balanceamento (2) de. **4.** *Eletrôn.* Tornar (um sinal) eletricamente idêntico e simétrico em relação à terra (18). **5.** *Quím.* Ajustar os coeficientes de uma equação química de modo a satisfazê-la. *Int. P.* **6.** V. *balançar* (7 a 10). [Conjug.: v. *frear*.]

balanceio [Dev. de *balancear*.] *S. m.* **1.** *Bras. S.* Balanceamento (1). **2.** *Bras. N.E.* Dança originada da adaptação do balanço rítmico da dança dos conjuntos de baião, pífano e triângulo.

balanceiro[1] [De *balanço* + *-eiro*.] *S. m.* Peça que em certas máquinas tem movimento oscilatório e serve para regular o funcionamento de outras peças; balancim.

balanceiro[2] [De *balança* + *-eiro*.] *S. m. Bras.* **1.** Indivíduo encarregado de pesar mercadorias em armazém. **2.** Indivíduo encarregado de pesar canas nas usinas.

balancete (ê) [De *balanço* + *-ete* (ê).] *S. m.* **1.** Balanço parcial de uma escrituração comercial. **2.** *Fig.* Cálculo, avaliação.

balancia *S. f. Bras. Pop.* V. *melancia*.

balancim [De *balanço* + *-im*.] *S. m.* **1.** Balanceiro[1]. **2.** Peça de madeira ou de ferro, com um gancho em cada ponta, usada na atrelagem de animais às carroças e máquinas agrícolas. **3.** Antiga prensa de moedeiro, que atuava por meio de choque, sobre o metal do cunho e do contracunho, mediante rápido encontro entre a mesa fixa e a peça que descia movida por volante ou por barra horizontal com esferas nas extremidades; balancê. **4.** Aparelho análogo empregado nos processos de timbragem e relevografia. **5.** Máquina semelhante us. para cortar papelão, couro, metal, etc., por meio de molde de bordas afiadas que recebe o choque e recorta o material na forma requerida; balancê. **6.** Calcador (4). **7.** *Bras. RS* Porteira rústica formada de travessas de madeira ordenadas verticalmente e presas por fios de arame na direção horizontal. ~ V. *balancins*. ◆ **Balancim do seletor.** *Tip.* Peça que aciona a palheta de seleção, na caixa seletora da linotipo.

balancins *S. m. pl. Zool.* Formações encontradas no local onde seriam as asas posteriores dos insetos dípteros e que funcionam como giroscópios, dando estabilidade e orientação ao voo; halteres. ~ V. *balancim*.

balancista [De *balança* + *-ista*.] *S. 2 g. Bras.* **1.** Pessoa empregada na aferição de balanças; balanceador. **2.** Nos matadouros e frigoríficos, pessoa empregada na pesagem dos suínos antes de eles entrarem nas pocilgas.

balanco [De or. pré-romana, poss.] *S. m. Bot.* Aveia-estéril.

balanço *S. m.* **1.** Ato ou efeito de balançar; balouço. **2.** Movimento oscilatório; abalo, balouço. **3.** Alteração, agitação. **4.** *Fig.* Levantamento de uma situação; exame: *O técnico fez um balanço da atuação do time.* **5.** Verificação ou resumo de contas comerciais. **6.** Verificação da receita e da despesa. **7.** *Cont.* Registro contábil da posição patrimonial de uma organização, em dado momento, indicando a origem (passivo) e a aplicação (ativo) de seus recursos. **8.** Designação genérica dos aparelhos ou brinquedos que servem para as crianças se balançarem; balouço. **9.** Aparelho que consiste num assento composto de travessa, tábua e cadeirinha, suspenso pelas extremidades por cordas ou correntes, onde as pessoas se sentam para se balançarem; balouço. [Sin., lus., nesta acepç.: *embalo*.] **10.** *P. ext.* V. *retouça*. **11.** *Arquit.* Saliência ou corpo avançado do edifício, em relação às prumadas das colunas, pilastras, paredes, etc., de sustentação; avançamento. **12.** *Astron.* Movimento de um veículo espacial em torno de seu eixo longitudinal. **13.** *Constr. Nav.* Projeção ou prolongamento de uma estrutura pesada, além da sua base de sustentação. **14.** *Mar.* Movimento pendular da embarcação, causado pela agitação ou ondulação das águas em que flutua. **15.** *Tec.* Ato ou efeito de equilibrar adequadamente a intensidade dos canais de som numa gravação, transmissão ou reprodução sonora. ◆ **Balanço de massa.** *Quím.* Balanço material. **Balanço de pagamentos.** *Econ.* Registro estatístico do valor das transações efetuadas por um país com o exterior, em determinado período, abrangendo a balança comercial, a balança de serviços e os movimentos de capital; balança de pagamentos. **Balanço de popa.** *Constr. Nav.* Parte da popa que se prolonga por ante a ré da quilha. **Balanço de proa.** *Constr. Nav.* Parte da proa que se prolonga por anteavante da quilha. **Balanço longitudinal.** *Mar.* Balanço no sentido da popa e proa, ou vice-versa. **Balanço massa-energia.** *Fís. Nucl.* Numa reação nuclear, verificação da igualdade entre o somatório das massas e energias das partículas reagentes e o somatório das massas e energias das partículas produtos. **Balanço material.** *Quím.* Processo pelo qual se verifica a igualdade entre o somatório das massas das substâncias que entram num reator e o somatório das massas das substâncias que dele saem e nele se acumulam; balanço de massa. **Balanço transversal.** *Mar.* Balanço (14) de um bordo ao outro; jogo. **Dar o balanço.** *Teatr. Gír.* Verificar, mediante ensaio corrido, se os atores já dominam perfeitamente os seus papéis. [Do it. ant. *balancio* (atual *bilancio*), poss.]

balanço-d'água *S. m. Bot.* Relação entre a quantidade de água que uma planta absorve e a que elimina pela transpiração; equilíbrio hídrico. [Pl.: *balanços-d'água*.]

balandra [Do fr. *bélandre*.] *S. f.* **1.** Antiga embarcação, por vezes monóxila, de fundo chato, com coberta, aparelhada com um mastro, e destinada ao transporte de mercadorias ou ao corso. **2.** Veleiro de um mastro que enverga vela latina triangular ou vela de espicha, us. no Mediterrâneo.

balandrão [Do esp. plat. *balandrón*.] *S. m. Bras.* V. *fanfarrão* (2).

balandrau [Do lat. med. *balandrana*, poss.] *S. m.* **1.** Opa us. por algumas irmandades em cerimônias religiosas. **2.** Capa ou casaco largo e comprido. **3.** Antiga vestimenta de capuz e mangas largas. **4.** *Vest.* Roupa ampla e comprida, sem cinto. **5.** *Maç.* Capa longa, preta, us., eventuamente, nas sessões ordinárias de uma oficina. 6. *Fig.* Pessoa ou coisa grande e desajeitada. 7. *Bras. Gír.* V. *sobretudo* (1). 8. *Bras. N.E.* V. *sobrecasaca.* 9. *Bras. RS Desus.* Pala[2].

balandronada [Do esp. plat. *balandronada.*] *S. f. Bras. RS* V. *fanfarrice* (2).

balangandã [T. onom., expressivo dos ruídos feitos por objetos pendentes.] *S. m. Bras.* 1. Ornamento ou amuleto, ordinariamente de metal, em forma de figas, medalhas, chaves, etc., pendente de broche, argola ou pulseira, us. pelas baianas em dias de festa. 2. *P. ext.* V. *penduricalho* (1). [Var.: *balagandã, barangandã, berenguendém.* M. us. no pl.]

balangante [De *balangar* + *-nte.*] *Adj. 2 g.* Balançante: 📖 "Era .... desidiosa da compostura dos andrajos que abotoava ao desdém, deixando às vezes à mostra, no peito afundado em arco, o dó e a repugnância das muxibas balangantes." (Francisco Ribeiro Sampaio, *Renembranças*, p. 1.)

balangar *V. t. d. Int. P.* V. *balançar* (1, 7, 8 e 9). [Conjug.: v. *largar.*]

balanídeo [Do tax. *Balanus* + *-ídeo*[1]; tax. *Balanidae.*] *Zool. S. m.* 1. Espécime dos balanídeos, família de crustáceos cirrípedes, que se caracterizam por apresentarem os escudos e os tergos livres e móveis. São as cracas do gênero *Balanus,* observadas na maré baixa. ● *Adj.* 2. Pertencente ou relativo a eles.

balanífero [De *balan(o)-* + *-ífero.*] *Adj. Bot.* Provido de glande ou bolota como o carvalho europeu.

balanite [De *balan(o)-* + *-ite*[1].] *S. f. Urol.* Inflamação da glande (3). [A balanite acompanha com frequência a fimose.]

▲ **balan(o)-** [Do gr. *bálanos, ou.*] *El. comp.* = 'glande (1 a 3)': *balanite, balanoide* (< gr.), *balanopostite.*

bálano[1] [Do gr. *bálanos*, pelo lat. *balanu.*] *Anat.* V. *glande* (3).

bálano[2] [Do tax. *Balanus.*] *S. m. Zool.* 1. Gênero de crustáceos cirrípedes semelhantes aos perceves, dos quais diferem por serem sésseis e terem carapaça calcária contínua, fechada por opérculo composto de quatro peças tb. calcárias; vivem incrustados em rochedos marinhos, madeiras de cais, cascos de navios, ou sobre o corpo de outros animais marinhos. 2. Qualquer espécie desse gênero, como, p. ex., a *Balanus tintinnabulum,* comestível, vulgarmente conhecida como *bolota-do-mar* ou *glande-do-mar, craca,* ou *caraca,* ou *craca-das-pedras,* a *B. ovalis,* e a *B. psitacus.* 3. Qualquer espécime desse gênero.

balanoforácea [Do tax. *Balanophora* (v. *balan(o)-* e *-for(o)-*) + *-ácea*; tax. *Balanophoraceae.*] *S. f. Bot.* Espécime das balanoforáceas, família de balanoforales que reúne 18 gêneros e 44 espécies de plantas destituídas de clorofila, saprófitas ou parasitas, que vivem sobre as raízes de outras plantas, emitindo para fora destas inflorescências formadas de diminutas flores masculinas e femininas [v. *fel-da-terra* (3 e 4)]; são nativas de florestas tropicais e subtropicais, ocorrendo algumas no Brasil.

balanoforáceo [De *balanofarácea,* com var. suf. (v. *-áceo*).] *Adj. Bot.* Pertencente ou relativo às balanoforáceas.

balanoforal [Do lat. cient. *Balanophor-* (v. *balanoforale*) + *-al*[1].] *Adj. 2 g. Bot.* Pertencente ou relativo às balanoforales.

balanoforale [Do tax. *Balanophora* (v. *balanofarácea*) + *-ale*; tax. *Balanophorales.*] *S. f. Bot.* Espécime das balanoforales, ordem de dicotiledôneas que inclui apenas a família balanoforácea.

balanóforo [De *balan(o)-* + *-foro.*] *S. m. Zool.* Animal que apresenta estrutura balanoide.

balanoglosso [De *balan(o)-* + *-glosso*; tax. *Balanoglossus.*] *S. m. Zool.* 1. Gênero de animais cordados, protocordados, enteropneustos, que vivem enterrados na lama, e cujas fezes lembram o excremento humano. 2. Qualquer espécie desse gênero, como, p. ex., o *Balanoglossus gigas,* do litoral de São Paulo, de corpo muito mole e quebradiço e que ocorre, aproximadamente, a 1,5m de profundidade. 3. Qualquer espécime desse gênero.

balanoide (ói) [Do gr. *balanoeidés.*] *Adj. 2 g.* Semelhante à glande (1) ou bolota. ❖

balanopácea [Do tax. *Balanops* + *-ácea*; tax. *Balanopaceae.*] *S. f. Bot.* Espécime das balanopáceas, família da ordem das fagales que abrange árvores e arbustos de folhas alternas ou pseudoverticiladas, flores amentíferas e frutos drupáceos; compreende, apenas, o gênero *Balanops.*

balanopáceo [De *balanopácea,* com var. suf. (v. *-áceo*).] *Adj. Bot.* Pertencente ou relativo às balanopáceas.

balanoplastia [De *balan(o)-* + *-plast(o)-* + *-ia*[1].] *S. f. Urol.* Plastia da glande.

balanopostite [De *balan(o)-* + *-post(e)-* + *-ite*[1].] *S. f. Urol.* Inflamação da glande (3) e do prepúcio.

balanorreia (éi) [De *balan(o)-* + *-reia.*] *S. f. Urol.* Corrimento mucoso pela glande (3). ❖

balanorreico (éi) [De *balanor(reia)* + *-reico.*] *Adj. Urol.* Referente à balanorreia. ❖

balanquear [Do esp. plat. *balanquear.*] *V. int. Bras. RS Pop.* Blasonar, bazofiar, fanfarronar. [Conjug.: v. *frear.*]

balanta *S. 2 g.* 1. *Etnôn.* Indivíduo dos balantas, um dos povos que habitam a Guiné-Bissau: 📖 "Indiferentes ao incitamento, os balantas atracaram a jangada para onde subiu o carro" (Fausto Duarte, *Auá,* p. 3). ● *S. m.* 2. *Gloss.* A língua falada pelos balantas. ● *Adj. 2 g.* 3. Pertencente ou relativo aos balantas, ou à sua língua.

balante [Do esp. *balante.*] *Adj. 2 g.* Que bala.

balantídio [Do tax. *Balantidium* < gr. *balantídion,* 'saquinho', 'bolsinha'.] *S. m. Zool.* 1. Gênero de protozoários, ciliados, euciliados, espirotríquios, parasitos do intestino de diversos vertebrados. Têm o corpo recoberto de cílios em linhas longitudinais, e o bordo esquerdo do peristômio com cílios adorais longos. 2. Qualquer espécie desse gênero, como, p. ex., a *Balantidium coli,* cosmopolita, que é o agente patogênico da balantidiose (q. v.). 3. Qualquer espécime desse gênero.

balantidiose [Do tax. *Balantidium* + *-ose*[1].] *S. f. Med.* Infecção por protozoários do gênero *Balantidium* (v. *balantídio*); no homem o *Balantidium coli* pode causar diarreia e disenteria, com ulceração da camada mucosa.

balão [Do fr. *ballon.*] *S. m.* 1. *Aer. Av.* Aeróstato (1) cheio de um gás mais leve do que o ar, e que não precisa de aparelho de propulsão para se elevar na atmosfera. 2. Artefato de papel fino, colado de maneira que imite formas variadas, em geral de fabricação caseira, o qual se lança ao ar durante as festas juninas, e que sobe por força do ar quente produzido em seu interior por buchas amarradas a uma ou mais bocas de arame. 3. Esfera de borracha ou de plástico, de paredes muito finas, cheia de ar ou de gás mais leve do que este; bexiga. 4. Globo, bola. 5. *Pop.* Mentira, balela, peta. 6. Notícia exagerada. 7. Em lutas corporais, golpe com que o lutador lança o adversário por cima do próprio corpo. 8. *Marinh.* Defensa de forma esférica ou oval, constituída de um envoltório feito de cabo trançado, cheio com cabos velhos, e usada pendente de um cabo de comprimento variável. 9. *Quím.* Frasco esférico, de colo mais ou menos longo, usado para a realização de várias operações químicas. 10. *Bras.* Morro arredondado. 11. *Bras.* Forno primitivo de fazer carvão situado geralmente no próprio local de onde se corta, ou onde se encontra a madeira; carvoeira, caieira. 12. *Bras.* Nas histórias em quadrinhos e fotonovelas, espaço em forma de balão contornado por um traço que parte dos personagens e onde se põe a fala (ou mesmo pensamentos) deles: 📖 "Calado [Antônio Carlos Calado, escritor brasileiro (1917-1997)], cujo inglês já rivalizava com o de P. G. Wodehouse, traduzia os balões e os folhetins." (Rui Castro, *O Anjo Pornográfico,* p. 144.) 13. *Bras.* Nas ruas, estradas, etc., lugar onde os veículos fazem manobra de retorno. 14. *Bras. P. ext.* Essa manobra: 📰 *Chegou ao final da pista e fez um balão.* 15. *Fut.* Lance de habilidade em que o jogador lança a bola em trajetória curva, bem acentuada, sobre o adversário, e, deslocando-se rapidamente, volta a dominá-la adiante, no chão. ◆ **Balão cativo.** 1. Balão (1) que fica preso à terra por um cabo e é usado para observações militares e defesa contra aeronaves. 2. Balão (3) usado para fins de propaganda, e que é dotado de dispositivo análogo para que fique suspenso no ar. **Balão de anestesia.** *Anest. Impr.* Bolsa-reservatório. **Balão de destilação.** *Quím.* Balão (9) em cujo colo, longo, há um tubo lateral, inclinado para baixo. **Balão de oxigênio.** *Pop.* Conjunto formado por cilindro de aço-carbono que contém oxigênio para uso medicinal, válvula redutora, fluxômetro e máscara facial. **Balão japonês.** Balão (2) de tamanho reduzido, produzido industrialmente, e equipado com bucha de cera, que se apaga antes da queda. **Balão volumétrico.** *Quím.* Balão (9) com um traço de referência no colo, destinado à medição rigorosa de volumes de líquidos.

balão de ensaio *S. m.* 1. Pequeno balão (1) que se solta para verificar a direção dos ventos. 2. Tentativa, experiência, ensaio. 3. *Fig.* Boato que se faz circular para verificar as tendências da opinião pública. [Pl.: *balões de ensaio.*] ☑

balão-sonda *S. m. Met.* Balão (1) que conduz aparelhos meteorológicos para observações nas altas camadas da atmosfera. [Pl.: *balões-sondas* e *balões-sonda.*]

balãozinho [De *balão* + *-zinho.*] *S. m. Bot.* V. *ensacadinha.*

balar [Do lat. *balare.*] *V. int.* 1. Dar balidos (a ovelha ou o cordeiro); balir: 📖 "E no aprisco fechado o pobre armento / Pelo triste Pastor em vão balava." (Domingos dos Reis Quita, *Obras,* I, p. 144.) [Defect., normalmente só se emprega nas 3.as pess. Fut. do pret.: *balaria,* etc. Cf. *balária.*] ● *S. m.* 2. Ação de balar: 📖 "O som das flautas pastoris unia-se / Ao balar infantil dos cordeirinhos..." (Eugênio de Castro, *Obras Poéticas,* V, p. 49.)

balária [De or. obsc.] *S. f. Bot.* V. *candelária* (2). [Cf. *balaria,* do v. *balar.*]

balas [Do pl. de *bala*[1].] *S. f. pl. Tip. Ant.* Espécie de almofadas [v. *almofada* (6)] com que se entintava a fôrma, nos prelos manuais. ~ V. *bala.*

balastraca *S. f.* 1. *Bras.* Cada um dos pedaços irregulares, cortados de moedas de prata (na maioria bolivianas e peruanas), carimbadas com valor inferior ao da moeda original e que circulavam durante a Guerra do Paraguai. 2. *Bras. S.* O patacão argentino ou uruguaio.

balastragem [De *balastrar* + *-agem*[2].] *S. f. Lus.* Ação de balastrar.

balastrar [De *balastro* + *-ar*[2].] *V. t. d. Lus.* Cobrir de balastro.

balastro [Do ingl. *ballast* (< neerl. *last*), com infl. de *lastro*[2].] *S. m. Lus.* Lastro[2].

balata[1] [Do it. *ballata.*] *S. f.* V. *balada*[2] (3 a 5).

balata[2] [Do caribe insular *bálata.*] *S. f.* 1. *Bot.* Nome comum a diversas árvores sapotáceas que fornecem látex; acana, maçaranduba. 2. Grande árvore sapotácea (*Manilkara bidentata* ou *Mimusops bidentata*) nativa da Amaz., de madeira excelente, folhas ovaladas ou elípticas, pequenas flores esbranquiçadas e grandes frutos bacáceos, ovoides, edules; balata-verdadeira, balateira, maçaranduba, maparajuba, muirapiranga-roxa, pau-de-esteira. 3. V. *balata-rosada* (1). 4. O látex extraído de várias árvores sapotáceas, esp. do gênero *Manilkara* (v. *manilcara*).

balatal [De *balata* + *-al*[1].] *S. m.* Quantidade mais ou menos considerável de balatas [v. *balata* (1)] dispostas proximamente entre si.

balata-rosada [De *balata*[2] + o f. de *rosado.*] *S. f.* 1. *Bras. Bot.* Nome comum a árvores sapotáceas do gênero *Sideroxylon* (v. *sideróxilo*) nativas da Amaz., e das quais se extrai balata[2] (4) de qualidade inferior; balata, rosadinha. 2. Árvore sapotácea (*Sideroxylon resiniferum*) de até 50m, de folhas oblongas e pequenas flores esverdeadas. 3. Árvore sapotácea (*Sideroxylon cyrtobotryum*) de folhas oblongas ou elípticas, e pequenas flores globosas. [Pl.: *balatas-rosadas.*]

balata-verdadeira [De *balata*[2] + o f. de *verdadeiro.*] *S. f.* V. *balata*[2] (2). [Pl.: *balatas-verdadeiras.*]

balateira [De *balata*[2] + *-eira.*] *S. f. Bot.* V. *balata*[2] (2).

balateiro [De *balata* + *-eiro.*] *S. m. Bras. Amaz.* Aquele que se ocupa da extração do látex da balata.

balaústa [Do it. *balausta* ou do fr. *balauste,* ambos do gr. *balaústion,* 'flor da romãzeira'.] *S. f. Bot.* Pseudofruto próprio da romãzeira, cujo interior é subdividido em numerosas cavidades repletas de pequenas sementes sucosas.

balaustrada (a-u) [De *balaústre* + *-ada*[1].] *S. f.* 1. Série de balaústres. 2. Parapeito, corrimão ou grade de apoio, proteção ou vedação, com balaústre ou sem eles: 📖 "Depois entramos no terraço em frente da casa, com a sua balaustrada de pedra" (Eça de Queirós, *A Cidade e as Serras,* p. 352).

balaustrado (a-u) [Part. de *balaustrar.*] *Adj.* Cercado ou guarnecido de balaústres; gradeado.

balaustrar (a-u) [De *balaústre* + *-ar*[2].] *V. t. d.* Cercar ou guarnecer de balaústre(s). [Conjug.: v. *saudar.*]

balaústre [Do it. *balaustro.*] *S. m.* 1. *Arquit.* Colunelo de madeira, pedra ou metal, que sustenta, junto com outros iguais, regularmente distribuídos, uma travessa, corrimão ou peitoril. 2. *Arquit.* Parte lateral da voluta do capitel jônico. 3. Haste vertical de madeira ou de metal, presa no chão e no teto junto às portas ou outros pontos de acesso de veículos coletivos, para auxiliar o passageiro no embarque e desembarque. 4. Cada uma das peças torneadas que formam o espaldar de cadeira ou a cabeceira de cama. 5. *Maç.* Ata ou o relato do que se passou em uma sessão maçônica.

balázio *S. m.* V. *balaço.*

balbinense *Adj. 2 g.* 1. De, ou pertencente ou relativo a Balbinos (SP). ● *S. 2 g.* 2. O natural ou habitante de Balbinos.

balbo [Do lat. *balbu.*] *Adj.* Gago (1).

balboa (ô) [Do antr. (*Vasco Núñez de*) *Balboa* (1475-1517), conquistador espanhol que descobriu o Oceano Pacífico em 1513.] *S. m.* Unidade monetária e moeda do Panamá, que se divide em 100 centésimos.

balbuceio *S. m.* V. *balbuciação*: 📖 "a acusação formal e solene, os seus balbuceios [de Raimundo Silva] em defesa do que defendido não podia ser" (José Saramago, *História do Cerco de Lisboa,* p. 84).

balbuciação [De *balbuciar* + *-ção.*] *S. f.* Ato de balbuciar; balbuceio, balbucio.

balbuciante [De *balbuciar* + *-nte*.] ***Adj. 2 g.*** **1.** Que balbucia. **2.** *Fig.* Iniciante ou inexperiente. **3.** *Fig.* Que demonstra ou revela insegurança ou hesitação.

balbuciar [Do lat. vulg. **balbutiare*.] ***V. t. d.*** **1.** Articular imperfeitamente e com hesitação: *Balbuciou agradecimentos;* "Procuro banir esta ideia ruim do pensamento, enquanto balbucio uma oração qualquer." (Cordeiro de Andrade, *Anjo Negro*, p. 135). **2.** Exprimir-se a respeito de (assunto, tema) de modo confuso, ou sem domínio suficiente: *Apenas balbucia noções da matéria.* ***Int.*** **3.** Gaguejar, tartamudear: "Temendo a cada momento / Ofendê-la, desgostá-la, / Quer ler em seu pensamento / E balbucia, não fala..." (Manuel Bandeira, *Estrela da Vida Inteira*, p. 18.) **4.** Exprimir-se confusamente e sem domínio da matéria: *Nada dizia de concreto, apenas balbuciava.* **5.** *E. Ling. Psicol.* Produzir balbucio (3). [Pres. subj.: *balbucie*, etc. Cf. *balbúcie*.]

balbúcie ***S. f.*** Dificuldade de pronunciar; balbuciência. [Cf. *balbucie*, do v. *balbuciar*, e *balbucio*.]

balbuciência [Do lat. *balbutientia*.] ***S. f.*** Balbúcie.

balbucio [Dev. de *balbuciar*.] ***S. m.*** **1.** V. *balbuciação*. **2.** *Fig.* Tentativa, ensaio. **3.** *E. Ling. Psicol.* No processo de aquisição (4), fase em que surge a vocalização, mas que antecede as primeiras palavras. [Compreende três etapas: (a) o *arrulho*, por volta dos dois meses de idade, quando a criança apresenta as primeiras manifestações vocais; (b) o *balbucio* propriamente dito, que dura aproximadamente dos três aos seis meses; e (c) a fase *pré-linguística*, que vai dos seis aos doze meses, etapa em que a criança ainda não produz qualquer palavra, embora comece a fixar a fonologia da língua-alvo (q. v.).] [Cf. *balbúcie*.]

balbúrdia ***S. f.*** **1.** Vozearia, vozeria, vozerio, algazarra. **2.** Confusão, desordem, tumulto. [Cf. *balburdia*, do v. *balburdiar*.]

balburdiar [De or. obscura.] ***V. t. d.*** **1.** Estabelecer balbúrdia em; tornar confuso; transtornar, confundir: *Balburdiaram todos os itens do assunto.* **2.** Misturar, confundir, baralhar: *São matérias diferentes, e se balburdias não chegarás a uma conclusão.* [Pres. ind.: *balburdio*, *balburdias*, *balburdia*, etc. Cf. *balbúrdia*.]

balça [Do lat. *baltea*, pl. de *balteum*; v. *bouça*.] ***S. f.*** **1.** Mata espessa; balcedo. **2.** Cerca viva de canteiro ou jardim; sebe. [Cf. *balsa*[1].]

balcânico ***Adj.*** Relativo ou pertencente aos Bálcãs, península ao S.E. da Europa.

balcano-românico ***Adj. S. m. Gloss.*** **1.** Diz-se do, ou conjunto de variedades linguísticas que se constituíram numa evolução do latim vulgar, e que foram faladas entre os séculos V e IX na península Balcânica (S.E. da Europa). **2.** Diz-se do, ou conjunto formado pelo romeno e o dalmático. [V. *galo-românico*, *ibero-românico*, *ítalo-românico*, *reto-românico*.] [Pl.: *balcano-românicos*.]

balcão [Do germ. **balko*, pelo it. *balcone*.] ***S. m.*** **1.** *Arquit.* Varanda ou sacada, guarnecida, em geral, de grade e peitoril, e apoiada em mísulas e cachorros, à qual se assoma por uma ou mais portas de pavimentos acima do térreo, típica da arquitetura domiciliar italiana, espanhola e portuguesa, e de largo emprego na América Latina: "travou-me no braço com veemência, e levou-me para o balcão de uma janela" (Camilo Castelo Branco, *A Mulher Fatal*, p. 106). **2.** Móvel, da altura de uma mesa ou pouco mais alto, empregado em lojas, repartições ou outros estabelecimentos, para atendimento do público ou da clientela, e que eventualmente serve para expor mercadorias. **3.** *Teatr.* Localidade da plateia situada entre os camarotes e as galerias. ◆ **Balcão corrido.** *Arquit.* Aquele que serve a duas ou mais portas-janelas, apresentando-se como um estreito alpendre ou varanda elevados. **Balcão entalado.** *Arquit.* Guarda-corpo disposto entre ombreiras [v. *ombreira* (2)]. **Balcão nobre.** O balcão (3) acima dos camarotes. **Balcão simples.** Balcão (3) que fica entre o balcão nobre e as galerias.

balção [Do lat. *balteu*, 'cinta', 'cinturão', pelo provenç. *baussan*, 'bandeira', 'estandarte'.] ***S. m. Ant.*** Insígnia ou bandeira (1): "Tinham um grande pendão com S. Jorge, e outros balções à mistura, livremente" (Oliveira Martins, *A Vida de Nun'Álvares*, p. 262).

balcão-frigorífico ***S. m.*** Balcão (2) usado em mercearias, supermercados, açougues, etc. que dispõe de aparelhagem de refrigeração e serve para conservar gêneros perecíveis. [Pl.: *balcões-frigoríficos*.]

balcedo (ê) [De *balça* + *-edo*.] ***S. m.*** Balça (1) (q. v.). [Cf. *balsedo*.]

balcedoso (ô) [De *balcedo* + *-oso*.] ***Adj. Bras. PA*** Paludoso, pantanoso, alagadiço.

balceira ***S. f. Bras.*** V. *balseira*[2].

balceiro [De *balça* + *-eiro*.] ***Adj.*** **1.** Relativo a balça (q. v.). **2.** Silvestre, bravio, sáfaro. [Cf. *balseiro*[1] e *barceiro*.]

balconista [De *balcão* + *-ista*, seg. o padrão erudito.] ***S. 2 g.*** *Bras.* Empregado que atende os fregueses de loja, etc., em balcão (2): "Nas lojas, só consentia em ser atendida por balconistas que falassem o seu idioma." (Lia Luft, *A Asa Esquerda do Anjo*, p. 25.)

balda [De *baldo*[2].] ***S. f.*** **1.** Defeito habitual; mania, veneta: "pelo conjunto total das suas prendas e das suas baldas, é por excelência .... o que na familiaridade da linguagem se chama — o bom rapaz." (Ramalho Ortigão, *John Bull*, p. 12). **2.** Carta inútil para a vaza[1].

baldada [De *balde*[1] + *-ada*[1].] ***S. f.*** Porção de líquido contida num balde: "passando debaixo das janelas de Etelvina, recebeu uma baldada de água pela cabeça" (Camilo Castelo Branco, *Noites de Lamego*, p. 18).

baldado [Part. de *baldar*.] ***Adj.*** Frustrado, malogrado, inútil, vão, baldo: "Fez todo o possível para casar com ele, mas foram baldados os seus esforços" (Aluísio Azevedo, *O Mulato*, p. 16).

baldão [Do frâncico *bann*, pelo fr. ant. *bandon* e pelo esp. *baldón*.] ***S. m.*** **1.** Má sorte, azar, desventura, contrariedade: "a sua alma nunca se envenenou de malevolência contra a pátria intolerante, antes a foi servindo como pôde, através dos baldões do seu destino e da sua longa vida" (Fidelino de Figueiredo, *Aristarcos*, p. 89). **2.** Trabalho inútil, vão. **3.** Impropério, injúria. "Rosto alegre com perdão, vingança é do baldão" (prov.). **4.** Onda grande e larga. ◆ **De baldão.** V. *de roldão*. **Fazer do baldão glória.** Fazer do sambenito gala (q. v.).

baldaquim ***S. m.*** V. *baldaquino*: "É um severo desenho a dominar todo o primeiro plano; no segundo surge a porta principal, de escuros caixilhos e degraus de mármore, como a encolher-se numa solidão, sob o baldaquim de cantoneiras em arco." (Herberto Sales, *Dados Biográficos do Finado Marcelino*, p. 32.)

baldaquinado [De *baldaquino* + *-ado*[1].] ***Adj.*** Semelhante a baldaquim.

baldaquino [Do it. *baldacchino*.] ***S. m.*** Espécie de dossel sustentado por colunas, que serve de cúpula ou coroa de um altar, trono, sólio ou leito. [Var.: *baldaquim*.]

baldar [Do ár. *bátal*, 'tornar inútil', ou de *baldo*[2] + *-ar*[2].] ***V. t. d.*** **1.** Tornar baldo[2] (2), inútil; frustrar, inutilizar: *Baldou a vitória tão penosamente alcançada.* **2.** Empregar com mau resultado: *Baldou esforços para ser promovido: nada conseguiu.* **3.** No carteado, desfazer-se de (carta de baralho). ***Int.*** **4.** No carteado, desfazer-se de carta de baralho. ***P.*** **5.** Tornar-se baldo[2] (2); ser ineficaz. **6.** *Lus.* Não levar em consideração: *Baldou-se pelo dramático apelo.* [Cf. *bardar*.]

balde[1] [De or. controversa.] ***S. m.*** **1.** Vaso de metal, de plástico ou de madeira, com o feitio de tronco de cone, para tirar água de poços, receber despejos, etc. **2.** Recipiente com essa forma. **3.** *Bras. N.E.* Paredão de açude. **4.** *Bras. N.E.* Certo tipo de papagaio (5). ◆ **Chutar o balde.** Tomar uma atitude que altera ou pode alterar completamente uma situação, condição ou estado (refere-se em geral a um ato tido como de coragem, ou de intempestividade, ou de irresponsabilidade, por representar um risco).

balde[2] [Do ár. *bāṭil*, 'vão', 'inútil', 'sem valor', na expr. ár. *(fī) il-bāṭil*, '(jurar) em vão, falsamente'.] ***Adj.*** Us. na loc. adv. *em balde*. ◆ **Em balde.** *Ant.* Embalde; debalde.

baldeação [De *baldear* + *-ção*.] ***S. f.*** **1.** Ato ou efeito de baldear. **2.** Passagem de coisas (líquidos, mercadorias) de um recipiente ou compartimento para outro. **3.** Transferência de pessoas ou seus pertences, de um veículo ou aposento para outro. **4.** *Marn.* Faixa de terreno à volta das salinas, de onde se tira terra para reparo nestas.

baldear [De *balde*[1] + *-ear*[2].] ***V. t. d.*** **1.** Tirar com balde: *baldear a água de um poço.* **2.** Passar (líquidos) de um vaso para outro. **3.** Passar (mercadorias) de um para outro navio. **4.** Passar (bagagens ou passageiros) de um veículo para outro. **5.** *P. ext.* Passar de um lugar para outro; transferir: *Havia poucos cômodos, e resolveram baldear os hóspedes.* **6.** Agitar ou sacudir de um lado para outro; balançar. **7.** Molhar ou aguar com balde. **8.** *Bras. Pop.* V. *vomitar* (1). ***T. d. e i.*** **9.** Atirar, arremessar. ***Int.*** **10.** *Bras. Pop.* V. *vomitar* (11). ***P.*** **11.** Passar para outro lado. **12.** Passar (passageiros) de um veículo para outro. [Conjug.: v. *frear*.]

baldinense ***Adj. 2 g.*** **1.** De, ou pertencente ou relativo a Baldim (MG). ● ***S. 2 g.*** **2.** O natural ou habitante de Baldim.

baldio [De *baldo*[2] + *-io*[2].] ***Adj.*** **1.** Sem proveito; inútil. **2.** Inculto, agreste: "as casas iam rareando, modestas casas espalhadas sem simetria e ilhadas em vastos terrenos baldios." (Lígia Fagundes Teles, *Histórias do Desencontro*, p. 83). ● ***S. m.*** **3.** Terreno por cultivar; terréu.

baldo[1] ***S. m. Geogr.*** Barragem ou parede para represar as águas de um açude.

baldo[2] [Do ár. *bāṭil*, 'vão' (v. etim. de *balde*[2]).] ***Adj.*** **1.** Falto, falho, carecido, carente. **2.** V. *baldado*. **3.** No carteado, diz-se de quem não tem determinado naipe.

baldoar [De *baldão* + *-ar*[2], com desnasalação.] ***V. t. d.*** **1.** Insultar com baldões [v. *baldão* (3)]; injuriar, afrontar. ***Int.*** **2.** Falar aos gritos; vociferar, berrar, bradar. [Conjug.: v. *coroar*.]

baldoeiro [De or. obsc.] ***S. m.*** *Constr.* Agulheiro (4).

baldosa [Do esp. *baldosa*.] ***S. f.*** *Arquit.* Tijolo grande e quadrado.

baldosinha [De *baldosa* + *-inha*.] ***S. f.*** Tijolo quadrado, menor que a baldosa, empregado como ladrilho.

baldoso[1] (ô) [De *balde*[2] + *-oso*.] ***Adj.*** Que procede ou age debalde; que se empenha em vão.

baldoso[2] (ô) [De *balda* + *-oso*.] ***Adj. Bras.*** **1.** Diz-se do cavalo manhoso, que tem balda (1). **2.** *P. ext.* Diz-se de pessoa que tem baldas, manias, venetas.

baldrame ***S. m.*** *Constr.* **1.** Viga de concreto armado que corre sobre fundações de qualquer tipo. **2.** Peça de madeira, deitada ao longo de alicerces de alvenaria, para apoiar o barroteamento do soalho. **3.** Viga de madeira, encaixada nos esteios, para apoiar uma parede de pau a pique ou sustentar o barroteamento do soalho. **4.** Designação genérica dos alicerces de alvenaria.

baldréu [Do fr. ant. *baldré*.] ***S. m.*** Pelica para luvas.

baldroca [Voc. express.] ***S. f.*** **1.** *Pop.* Trapaça, logro. **2.** *Bras. BA* Na região são-franciscana, v. *troca* (2).

baldrocar [De *baldroca* + *-ar*[2].] ***V. t. d.*** *Pop.* **1.** Fazer baldrocas a; enganar, ludibriar. ***Int.*** **2.** Dar-se a baldrocas. [Conjug.: v. *trancar*.]

balduína [Do antr. (*Matthias William*) *Baldwin* (1795-1866), engenheiro e industrial americano.] ***S. f. Bras. Pop.*** Locomotiva (1).

balé[1] [Do fr. *ballet*.] ***S. m.*** **1.** Bailado (2) executado por diversos dançarinos. **2.** Bailado (2). **3.** *Restr.* Representação dramática em que se combinam a dança, a música e a pantomima, e que comporta um enredo suscetível de ser expressado claramente através dos gestos e movimentos da dança; bailado. **4.** O conjunto dos bailarinos que interpretam um balé. **5.** Companhia de balé. **6.** *Mús.* Música de balé. **7.** *P. ext.* Série de exercícios corporais cujo fito é o desenvolvimento físico e técnico do bailarino: *Hoje temos aula de balé.* **8.** *Fig.* V. *baile* (4). ◆ **Balé clássico.** Aquele em que os bailarinos executam uma sequência de movimentos bem definidos, e em que todos os passos começam e terminam em posições precisas; dança clássica. **Balé moderno.** Aquele que, a partir do fim do séc. XIX, abandona as regras clássicas e explora uma forma mais livre de expressão e de movimento; dança moderna.

balé[2] [Do ior.] ***S. m. Bras. Rel.*** **1.** Nos terreiros de candomblé, e em alguns de umbanda, cômodo fora do templo onde as almas repousam antes de partir para o outro mundo. **2.** Suposto plano onde ficam as almas. [Nesta acepç., ger. com cap.]

baleado [Part. de *balear*[2].] ***Adj.*** **1.** Ferido ou morto a bala. **2.** *Bras. Turfe* Diz-se do cavalo que não é são; doído. **3.** *Bras. Pop.* Cansado, debilitado. **4.** *Bras. Pop.* Em mau estado; danificado.

balear[1] ***Adj. 2 g.*** Próprio para dar impulso ou para se arremessar: "Nos ares, onde as asas equilibra, / Arde, qual arde o chumbo arremessado / Por funda balear, que voa, silva, / Na carreira se abrasa, e vai nas nuvens / Súbito fogo achar, que em si não teve." (Antônio Feliciano de Castilho, *As Metamorfoses*, p. 104.)

balear[2] [De *bala*[1] + *-ear*[2].] ***V. t. d. Bras.*** **1.** Ferir ou matar a bala: *Fugiu depois de balear um policial.* **2.** Furar com bala; atirar em: *Os marginais balearam toda a porta de entrada.* ***T. d. e c.*** **3.** Atingir com bala: *Baleou-o no ombro.* [Conjug.: v. *frear*.]

baleárico ***Adj.*** **1.** Das, ou pertencente ou relativo às Ilhas Baleares, possessão da Espanha, no Mediterrâneo ocidental. ● ***S. m.*** **2.** O natural ou habitante dessas ilhas.

baleato [Dim. irreg. de *baleia*.] ***S. m.*** *Zool.* Seguilhote.

baleba ***S. f. Bras.*** V. *gude*.

baleeira[1] [De *baleia* + *-eira*.] ***S. f.*** **1.** *Ant.* Embarcação a remo, de grande tosamento, veloz, usada na pesca de baleias, de proa e popa finas iguais. **2.** Embarcação miúda, a remo ou à vela, com as características da baleeira (1), usada na pesca, no serviço dos navios, etc.: "Íamos cedo, com o sol ainda débil ...., os pescadores ainda nas suas baleeiras estendendo a rede de arrastão" (Marques Rebelo, *O Trapicheiro*, p. 231). [Cf. *baleeiro* (2).] ◆ **Baleeira salva-vidas.** Baleeira destinada a prover a segurança do pessoal embarcado, em caso de abandono do navio, e dotada de qualidades excepcionais de flutuabilidade, estabilidade e manobra.

baleeira[2] [De *bala*[1].] ***S. f. Bras. PB*** V. *atiradeira*.

B

baleeiro [De *baleia* + *-eiro*.] ***S. m.*** **1.** Pescador de baleias. [Cf. *balaieiro*[2].] **2.** *Mar.* Navio próprio para a pesca da baleia, de popa baixa e proa elevada e lançada, com castelo armado de um canhão arremessador de arpão. [Cf. *baleeira*[1].] • ***Adj.*** **3.** Relativo a baleia.

baleia [Do lat. *balaena*.] ***S. f.*** **1.** *Zool.* Nome comum a cetáceos de corpo fusiforme, hidrodinâmico, com nadadeira caudal horizontal, orifício(s) respiratório(s) no alto da cabeça, membros anteriores modificados em nadadeiras e os posteriores ausentes; são adaptados exclusivamente à vida aquática e dividem-se em dois grupos principais: as providas de barbatanas (misticetos) e as providas de dentes (odontocetos). **2.** *P. us.* Barbatana (4). **3.** *Astr.* Constelação de vasta área, austral na maior parte, situada a O. de Erídano, a E. de Aquário, e ao S. de Áries e de Peixes. [Com cap., nesta acepç.] **4.** *Pej.* V. *gordo* (11): "O saco cheio de Juliette e suas amigas, fartas de serem tratadas como baleias assim que a gente ganha mais alguns quilos". (*Folha de S.Paulo*, 05.10.2008). **5.** *Bras. Pop.* Objeto de grandes dimensões.

baleia-anã ***S. f.*** *Bras. Zool.* Cetáceo balenopterídeo (*Balaenoptera acutorostrata*) o menor deles, cujo comprimento não ultrapassa 10m. Tem dorso cinza-escuro, flancos cinza-claros, faixa branca em cada nadadeira peitoral, sulcos longitudinais ventrais bem delineados e cerca de 250 a 350 pares de barbatanas de cor creme. [Sin.: *baleote, minke, rorqual-anã, rorqual-menor*. Pl.: *baleias-anãs*.]

baleia-assassina ***S. f.*** *Zool.* V. *orca*[2].

baleia-azul ***S. f.*** *Zool.* Cetáceo balenopterídeo (*Balaenoptera musculus*) de corpo alongado, nadadeira dorsal próxima à larga cauda fendida, sulcos longitudinais bem delineados na garganta e pelo menos 250 pares de barbatanas negras. Chega a atingir mais de 30m de comprimento e pesar 200t (fêmeas), e tudo indica que é o maior animal já existente. Seu nome provém da sua coloração azul-acinzentada com manchas azuis-claras. [Sin.: *rorqual-gigante*. Pl.: *baleias-azuis*.]

baleia-branca ***S. f.*** *Zool.* V. *beluga* (1). [Pl.: *baleias-brancas*.]

baleia-cantora ***S. f.*** *Zool.* V. *baleia-jubarte*. [Pl.: *baleias-cantoras*.]

baleia-cinzenta ***S. f.*** *Zool.* Cetáceo escrictiídeo (*Eschrichtius robustus*) de coloração cinzenta matizada de branco, desprovido de nadadeira dorsal, mas com uma pequena corcunda, e cerca de 11 a 15m de comprimento; é migrante sazonal, nas regiões setentrionais do Pacífico, e alimenta-se de anfípodes bênticos. [Pl.: *baleias-cinzentas*.]

baleia-comum ***S. f.*** *Zool.* Baleia-fin. [Pl.: *baleias-comuns*.]

baleia-corcunda ***S. f.*** *Zool.* V. *baleia-jubarte*. [Pl.: *baleias-corcundas*.]

baleia-de-bryde ***S. f.*** *Zool.* Cetáceo balenopterídeo (*Balaenoptera edeni*) de até 15m (fêmeas), de corpo esguio e cabeça larga e plana, encontrada em águas tropicais e subtropicais de todos os oceanos. [Pl.: *baleias-de-bryde*.]

baleia-de-corcova ***S. f.*** *Zool.* V. *baleia-jubarte*. [Pl.: *baleias-de-corcova*.]

baleia-espadarte ***S. f.*** *Zool.* Baleia-sei. [Pl.: *baleias-espadartes* e *baleias-espadarte*.]

baleia-fin ***S. f.*** Cetáceo balenopterídeo (*Balaenoptera physalus*) de distribuição cosmopolita, que pode atingir 26m de comprimento (a segunda em tamanho, após a baleia-azul). Tem o dorso cinza-negro, a parte inferior branca, a cabeça pontuda, a nadadeira dorsal próximo ao final do corpo e a caudal larga e triangular. [Sin.: *baleia-comum*. Pl.: *baleias-fins* e *baleias-fin*.]

baleia-franca ***S. f.*** *Zool.* Cetáceo balenídeo (*Eubalaena australis*) negro, com manchas esbranquiçadas na barriga, calosidades no alto e nas laterais da cabeça, e que que alcança cerca de 17m de comprimento. Habita o hemisfério sul. [Sin.: *baleia-preta, baleia-verdadeira*. Pl.: *baleias-francas*.]

baleia-jubarte ***S. f.*** *Zool.* Cetáceo balenopterídeo (*Megaptera novaengliae*) de coloração geral negra, ou quase negra, com manchas brancas no ventre. Têm a nadadeira dorsal pequena, as peitorais longas e protuberâncias na cabeça; alcançam, em média, 14m de comprimento, têm distribuição cosmopolita e os machos emitem sons que lembram canções [Tb. se diz apenas *jubarte*. Sin.: *baleia-cantora, baleia-corcunda, baleia-de-corcova, baleia-preta*. Pl.: *baleias-jubartes*.]

baleia-preta ***S. f.*** *Zool.* **1.** V. *baleia-jubarte*. **2.** V. *baleia-franca*. [Pl.: *baleias-pretas*.]

baleia-sei ***S. f.*** *Zool.* Cetáceo balenopterídeo (*Balaenoptera borealis*), com até 18m de comprimento, de coloração geral cinza, à exceção de parte da região inferior, praticamente coincidente com a área sulcada, de um branco manchado. Tem na cabeça uma estria central saliente e lança, pelos orifícios respiratórios, jato de água em V invertido, a cerca de dois metros e meio de altura. [Sin.: *baleia-espadarte*. Pl.: *baleias-sei*.]

baleia-verdadeira ***S. f.*** *Zool.* V. *baleia-franca*. [Pl.: *baleias-verdadeiras*.]

baleiro [De *bala*[1] + *-eiro*.] ***S. m.*** **1.** *Bras.* Vendedor de balas ou rebuçados, em tabuleiros ou caixas portáteis. **2.** Recipiente no qual se guardam balas e outras guloseimas.

balela [De *bala*[1], poss.] ***S. f.*** Notícia ou dito sem fundamento; boato: "Pessoas vindas dos morros próximos contaram que não houvera batalha alguma; desmenti esse princípio de balela, referindo tudo o que vira, que foi muito, longo e áspero." (Machado de Assis, *A Semana*, II, p. 61.).

balema [De or. obscura.] ***S. f.*** *Marinh. Ant.* Cada um dos cabos que fixam os chicotes das ostagas de gáveas às vergas respectivas.

balênida [Do tax. *Balaena* + *-ida*[1]; tax. *Balaenidae*.] ***S. m. Adj. 2 g.*** *Zool.* V. *balenídeo*.

balenídeo [Do tax. *Balaena* (do lat. *balaena*, 'baleia') + *-ídeo*[1]; tax. *Balaenidae*.] *Zool.* ***S. m.*** **1.** Espécime dos balenídeos, família de cetáceos cuja boca, vista de lado, apresenta forte curvatura; têm garganta e abdome lisos, barbatanas muito longas, nadadeira dorsal ausente, exceto no gênero *Neobalaena*. São as baleias verdadeiras. • ***Adj.*** **2.** Pertencente ou relativo a eles. [Sin. ger.: *balênida*.]

▲ **balen(o)-** [Do lat. *balāēna, ae*, ou *ballena, ae*.] ***El. comp.*** = 'baleia': *balênida, balenopterídeo*.

balenopterídeo [De *balen(o)-* + *-pter(o)-* + *-ídeo*[1]; tax. *Balaenopteridae*.] *Zool.* ***S. m.*** **1.** Espécime dos balenopterídeos, família de cetáceos misticetos, com 6 espécies e 2 gêneros, de distribuição cosmopolita, que engloba baleias de forma, coloração e tamanho diversos, mas que têm em comum a presença de sulcos longitudinais, que se estendem da parte inferior da boca ao ventre. • ***Adj.*** **2.** Pertencente ou relativo a eles.

baleote [Dim. irreg. de *baleia*.] ***S. m.*** *Zool.* **1.** V. *baleia-anã*. **2.** Filhote de baleia (1), de até 1 ano de idade.

balestilha [Do esp. *ballestilla*.] ***S. f.*** **1.** *Náut.* Instrumento, constituído de duas hastes cruzadas [o virote (3) e a soalha (2)], usado pelos antigos navegadores para observar a altura dos astros: "Com a balestilha e o oitante achava [Bocage] ao meio-dia a latitude" (Vitorino Nemésio, em *Bocage, Sonetos*, p. 13). [Var.: *balhestilha*.] **2.** *Veter.* Instrumento com várias pontas de lancetas para sangrar animais; bestilha.

balestra [Do lat. tard. *ballistra*, pelo it. *balestra*.] ***S. f.*** *Ant.* **1.** Trabuco (1). **2.** Besta (é).

balestreiro [De *balestra* + *-eiro*.] ***S. m.*** Pequena abertura nas fortificações medievais, para permitir que se atire com besta ou balestra.

baletómano ***S. m.*** V. *baletômano*. [Uso freq. em P.]

baletômano [Do fr. *balletomane*.] ***S. m.*** Aquele que tem paixão por balé.

balfourodendro [Adapt. do tax. *Balfourodendron*.] ***S. m.*** *Bot.* **1.** Gênero de plantas rutáceas com uma única espécie, a *Balfourodendron riedelianum* [v. *pau-marfim* (2)]. **2.** Qualquer espécime desse gênero.

balha ***S. f.*** V. *baila*[2].

balhestilha ***S. f.*** *Náut.* V. *balestilha* (1).

báli [Do ior.] ***S. m.*** *Bras.* V. *cemitério* (1). [Cf. *bale*, do v. *balir*.]

balido [De *balar*.] ***S. m.*** **1.** Grito de ovelha ou de cordeiro: "Nem um balido de ovelha em todo o rebanho" (Trindade Coelho, *Os Meus Amores*, p. 50). **2.** *Fig.* Queixa dos paroquianos contra o seu pároco. [Sin. ger. (p. us.): *balado*.]

balim [Dim. irreg. de *bala*[1].] ***S. m.*** **1.** Balote. **2.** *Bras.* Grão de chumbo de grande diâmetro.

balinês ***Adj.*** **1.** De, ou pertencente ou relativo a Bali (Indonésia): "O traje usado por todos é a *kanga*, sandália baixa, *topless* na praia (usado também pelas balinesas de mais de 40 anos)." (*Jornal do Brasil*, 06.01.1982.) • ***S. m.*** **2.** O natural ou habitante de Bali. [Flex.: *balinesa* (ê), *balinesas* (ê), *balineses* (ê).] **3.** *Gloss.* Língua da família austronésia, falada em Bali.

balio ***S. m.*** V. *bailio*: "Irei eu, que em mim nada se perde e em vós perde-se o lugar-tenente do balio de Leça." (Arnaldo Gama, *O Balio de Leça*, p. 69.)

balípodo [Do gr. *bállein*, 'arremessar', 'lançar', + *-podo*.] ***S. m.*** *Bras. Desus.* Termo proposto para substituir *futebol*.

balir [De *balar*, com infl. de *balido*.] ***V. int.*** **1.** Balar: "Um carneiro bale." (Manuel Bandeira, *Estrela da Vida Inteira*, p. 9.) [Defect. Em geral só se conjuga nas 3.as pess., mas, por exceção, pode-se conjugar na íntegra, exceto nas f. em que ao *l* da raiz se seguiria *o* ou *a*, *i. e.*, na 1.[a] pess. sing. do pres. ind. e em todas as pess. do pres. subj. Pres. ind.: *bale*, etc. Cf. *báli*, s. m.] • ***S. m.*** **2.** Balido (1).

balista [Do lat. *ballista* ou *balista*.] ***S. f.*** Máquina romana de guerra com que se arremessavam flechas, pedras, etc.

balística [De *balista* + *-ica*.] ***S. f.*** **1.** Ciência que estuda o movimento dos projetis, particularmente os disparados por armas de fogo. **2.** *Astron.* Ciência e técnica dos mísseis e projetis.

balístico [De *balística*, com var. suf. (v. *-ico*[2]).] ***Adj.*** **1.** Referente à balística, ou aos projetis. **2.** *Fís.* Diz-se do instrumento que mede o efeito de um impulso de energia. ~ V. *convés —, covolume —, galvanômetro —, míssil —, pêndulo —* e *projetil —*. • ***S. m.*** **3.** *Astron.* Míssil que é propelido apenas durante os estágios iniciais do voo. **4.** Projetil balístico.

balistídeo [Do tax. *Balista* (< lat. *balista*) + *-ídeo*[1]; tax. *Balistidae*.] *Zool.* ***S. m.*** **1.** Espécime dos balistídeos, família de peixes plectógnatos, de pele áspera como uma couraça, formada por peças rômbicas. De forma oblonga, comprido e boca pequena. Ex.: cangulo. • ***Adj.*** **2.** Pertencente ou relativo a eles.

balistósporo [Do lat. *ballista*, 'balista', + *-o-* + *-sporo*.] ***S. m.*** *Micol.* Tipo de esporo fúngico que, na maturidade, é projetado violentamente de seu esporóforo (2).

baliza [Do b.-lat. *palitia* (< lat. *palus*, 'pau'), poss. pelo moçárabe.] ***S. f.*** **1.** Estaca ou objeto qualquer que marca um limite. [Cf. *marco*[1] (1).] **2.** V. *limite* (2): "Baliza natural ao Norte avulta / O das águas gigante caudaloso [o rio Amazonas]" (Domingos José Gonçalves de Magalhães, *A Confederação dos Tamoios*, p. 5). **3.** Marca, sinal. **4.** Boia, estaca, etc., que serve de referência à navegação. **5.** Sinal ou marco indicativo de certas normas de trânsito, em determinado local. **6.** Meta ou marco que indica o termo da carreira em regatas, corridas de cavalo, etc. **7.** Em determinados esportes, inclusive o futebol (v. *gol*), meta, linha ou quadro a ser atingido com a bola. **8.** *Constr. Nav.* Cada uma das peças curvas de madeira ou de metal perfilado cujo extremo inferior se prende transversalmente à quilha, e que formam a ossada do navio. [Cada baliza se constitui de caverna, braços e aposturas.] **9.** *Tip.* Cada uma das peças a que se encosta o papel, na margeação à fôrma; esquadro, guia. **10.** *Bras.* Pequeno furo que se faz nos cascos das canoas em construção para, cavando, se lhes regular a espessura. **11.** *Bras.* Na derrubada das matas, árvore nova mantida de pé para garantir a formação de novas reservas florestais. **12.** *Bras.* Haste de madeira ou metal, ger. pintada alternadamente de vermelho e branco ou de preto e branco, que se finca ao solo por uma das pontas, e us. em operações topográficas para assinalar pontos do terreno. **13.** *Bras.* Rolete de estopa que os calafates deixam saliente para marcar o trabalho que está sendo feito. **14.** *Bras.* Vara ou bastão que o baliza (18) movimenta com ritmo, ao fazer evoluções. **15.** *Bras. BA* Nas lavras diamantinas, rocha de tamanho incomum. **16.** *Bras. C.O.* Elevação ou morrote de granito. • ***S. 2 g.*** **17.** Soldado que vai à frente da tropa, agitando uma arma ou vara, com a qual indica os movimentos que devem ser efetuados em conjunto. **18.** *Bras.* Indivíduo que faz evoluções à frente dos blocos carnavalescos. **19.** *Bras.* Nos desfiles esportivos e outros, pessoa que vem, em geral, à frente de banda de música, faz evoluções acrobáticas e/ou maneja um bastão, ao qual imprime movimentos rítmicos.

balizador (ô) [De *balizar* + *-dor*.] ***S. m.*** **1.** Aquele que baliza. **2.** Aquilo que serve de baliza.

balizagem [De *balizar* + *-agem*[2].] ***S. f.*** V. *balizamento*.

balizamento [De *balizar* + *-mento*.] ***S. m.*** Ato de pôr balizas; marcação, balizagem.

balizar [De *baliza* + *-ar*[2].] ***V. t. d.*** **1.** Marcar com balizas; demarcar, delimitar, abalizar. **2.** Determinar a grandeza de; orçar. **3.** Verificar por meio de furo a cavação de (as canoas). **4.** Limitar, restringir. ***T. d. e i.*** **5.** Separar; distinguir.

balizense ***Adj. 2 g.*** **1.** De, ou pertencente ou relativo a Baliza (GO). • ***S. 2 g.*** **2.** O natural ou habitante de Baliza.

baliziense ***Adj. 2 g.*** **1.** De, ou pertencente ou relativo a São João da Baliza (RR). • ***S. 2 g.*** **2.** O natural ou habitante de São João da Baliza.

balmaz ***S. m.*** V. *balmázio*.

balmázio ***S. m.*** Pequeno prego, geralmente de latão, e de cabeça convexa, empregado em diversas indústrias; balmaz, belmaz.

balneabilidade [De *balneável* (*balneabil-*) + *-(i)dade*, seg. o padrão erudito.] ***S. f.*** **1.** Qualidade ou estado de balneável. **2.** Avaliação das condições sanitárias das águas do mar, rio, lagoa, etc., para saber se estão, ou não, próprias para o banho e a prática de esportes aquáticos.

balneação [De *balnear*[2] + *-ção*.] ***S. f.*** Ato de balnear: "não há o que se chama nas praias estrangeiras *o estabelecimento dos banhos*. A balneação faz-se de um modo inteiramente primitivo." (Ramalho Ortigão, *As Farpas*, I, p. 264).

balnear[1] [Do adj. lat. *balneare*.] *Adj. 2 g.* Relativo a, ou próprio para banhos: "Em torneios de natação, no Tâmisa, em Brighton, e em outras graciosas e aristocráticas cidades balneares de Gales, da Escócia ou da Irlanda e, enfim, em toda a parte das costas britânicas, era sempre o grande vencedor" (Virgílio Várzea, *Nas Ondas*, p. 277).

balnear[2] [De *balne(o)-* + *-ar*[2].] *V. t. d.* 1. Dar banho em. *Int. P.* 2. Tomar banhos. [Conjug.: v. *frear*.]

balneário [Do lat. *balneariu*.] *Adj.* 1. Relativo a banho (1); balnear. ● *S. m.* 2. Recinto público destinado a banhos [v. *banho*[1] (1)]. 3. Estabelecimento ou edifício especialmente organizado e equipado para banhos; banhos, termas. 4. Estância balnear de águas medicinais; banhos. 5. *Lus.* V. *vestiário* (5).

balneatório [Do lat. *balneatoriu*.] *Adj.* Relativo a balneário (2 a 4).

balneável [De *balnear*[2] + *-vel*.] *Adj. 2 g.* Próprio para banhos.

▲ **balne(o)-** [Do lat. *balnĕum, i*.] *El. comp.* = 'banho': *balnear*[2], *balneologia*, *balneoterapia*.

balneologia [De *balne(o)-* + *-logia*.] *S. f. Terap.* Estudo dos banhos e de suas aplicações terapêuticas.

balneológico [De *balneologia* + *-ico*[2].] *Adj. Terap.* Referente à balneologia.

balneoterapia [De *balne(o)-* + *-terapia*.] *S. f. Terap.* Uso terapêutico de banho(s).

balneoterápico [De *balneoterapia* + *-ico*[2].] *Adj. Terap.* Referente à balneoterapia.

baloba [Do criol.] *S. f. Guin.* Local de culto animista (1): "Expulsamos a tal alma. Há muitas balobas para isso." (Abdulai Sila, *A Última Tragédia*, p. 80.)

balobeiro [Do criol. *baloberu*, com ditongação.] *S. m. Guin.* Aquele que dirige a cerimônia numa baloba: "Ao que soubemos, por vaticínio do balobeiro, feito no terreiro em presença de meu pai, o espírito do poilão era macho." (João Ferreira, *Uanã: Narrativa Africana*, p. 25.)

baloeiro [De *balão* + *-eiro*, com desnasalação.] *S. m.* 1. Fabricante de balões [v. *balão* (2)]. 2. Indivíduo que solta balões sistematicamente, como esporte e diversão. 3. *Pop.* V. *mentiroso* (4).

balofice [De *balofo* + *-ice*.] *S. f.* 1. Caráter ou qualidade de balofo. 2. Impostura, embuste, logro.

balofo (ô) [De or. obscura.] *Adj.* 1. Que tem volume desmedido em relação ao peso. 2. De consistência leve; fofo. 3. Muito grande; volumoso. 4. Que só tem aparência e nenhum conteúdo; vão, aparente. 5. Gordo, gorduroso, adiposo e (lus.) abatufado

baloiçar *V. t. d. Int. P.* V. *balouçar*. [Conjug.: v. *laçar*.]

baloiço *S. m.* V. *balouço*.

balona[1] *S. f. Ant.* Espécie de morteiro[1] (2) festivo. ~ V. *balonas*.

balona[2] [Do esp. *valona*.] *S. f. Ant.* Colarinho de camisa caído sobre os ombros. ~ V. *balonas*.

balonas *S. f. pl. Ant.* Calções com folhos largos e franzidos presos por baixo do joelho. ~ V. *balona*.

balonismo [De *balão* + *-ismo*, seg. o padrão erudito.] *S. m.* 1. Esporte que consiste em navegar em balão (1). 2. Arte ou hábito de soltar balões [v. *balão* (2)].

balonista [De *balão* (balon-) + *-ista*, seg. o padrão erudito.] *Adj. 2 g. S. 2 g.* Que, ou aquele que pratica o balonismo (1).

balordo (ô) [Do it. *balordo*.] *Adj.* 1. Sujo, imundo: "E a pança bamboleando [o porco], imbecil e balordo, / Fungando arrasta farto a obesidade bronca." (José Severiano de Resende, *Mistérios*, p. 85.) 2. Bronco, obtuso, estúpido: *tipo inculto, balordo*; "O júri absolveu o incriminado por unanimidade e um voto de abstenção. No dia seguinte estalava na imprensa forte celeuma e aranzel: uns que aplaudiam a obra da justiça, outros que verberavam as alicantinas do causídico e a sentimentalidade balorda do júri." (Aquilino Ribeiro, *Mônica*, p. 253). ● *S. m.* 3. Indivíduo balordo.

balote [De *bala*[1] + *-ote*[1].] *S. m.* 1. Bala pequena; balim. 2. Fardo de algodão.

balótica *S. f. Lus. Zool.* V. *abrótea*.

balouçante [De *balouçar* + *-nte*.] *Adj. 2 g.* Que balouça, balança.

balouçar [Do lat. **ballocciare*.] *V. t. d. Int. P.* V. *balançar* (1, 7 e 8): "andam a bambolear, balouçando como um barco" (João do Rio, *As Religiões no Rio*, p. 206); "E eram ainda as redes dos pescadores .... e os barcos ousados que balouçavam sobre ondas prateadas." (Caio de Melo Franco, *O Inconfidente Cláudio Manuel da Costa*, p. 16). [F. paral.: *baloiçar*. Conjug.: v. *laçar*.]

balouço *S. m.* 1. Balanço (1, 2, 8, 9). 2. Balancé (1). 3. V. *retouça*. [F. paral.: *baloiço*.]

balroa (ô) [Do esp. *barloa*.] *S. f. Ant. Mar.* Conjunto de arpéu e cabo ou corrente nele talingado, que se lançava no navio inimigo para o atracar e manter acostado durante o combate corpo a corpo.

balroar *V. t. d. Int. T. i. P. us.* V. *abalroar*. [Conjug.: v. *coroar*.]

balsa[1] [Do gascão, poss.] *S. f.* 1. Engaço de uva que fermenta com o mosto. 2. Dorna para pisar uvas ou facilitar a fermentação delas; balseira, balseiro. 3. Talha onde se guardam carnes curadas. 4. *Bras. RS* Porção de carne já salgada, para fazer charque. [Cf. *balça*.]

balsa[2] [De or. pré-romana, poss.] *S. f.* 1. Espécie de jangada grande, usada para transportar cargas pesadas, ger. em pequenas distâncias. 2. Flutuante constituído de dois tubulões estanques, com um estrado preso em cima, usado para transporte de carga e passageiros através da arrebentação no mar. 3. Madeira mais leve que a cortiça, usada na construção de balsas e jangadas. 4. *Bot.* V. *pau-de-balsa*. 5. *Bras.* Aglomerado de troncos, toros ou tábuas de madeira, reunidos à feição de jangada, que desce o rio e, chegado ao destino, é desmanchado, sendo a madeira vendida. 6. *Bras. Amaz.* Aglomerado de peles de borracha unidas entre si por meio de arame, que desce dos seringais rio abaixo, empurrado por condutores munidos de varejão, quando a estiagem restringe o tráfego das embarcações. [Cf. *balça*.] ◆ **Balsa de fogo.** *Ant.* Brulote (1). **Balsa salva-vidas.** *Mar.* Flutuador especial para salvamento no mar, constituído de um tubulão elíptico, de cobre ou de alumínio, forrado de lona, com um estrado suspenso por meio de uma rede.

balsamadina [Do rad. gr. *bálsam(on)* + gr. *adinós, é, ón*, 'abundante'.] *S. f. Bot.* Em certos vegetais, glândula que segrega óleo aromático.

balsamar [De *bálsamo* + *-ar*[2].] *V. t. d.* 1. Destilar bálsamo em. 2. Perfumar, aromatizar. 3. Amenizar, suavizar, aliviar. [Sin. ger.: *balsamizar*. Pres. ind.: *balsamo*, etc. Cf. *bálsamo*.]

balsame *S. m. Bras.* Carne de conserva.

balsamense *Adj. 2 g.* 1. De, ou pertencente ou relativo a Bálsamo (SP). ● *S. 2 g.* 2. O natural ou habitante de Bálsamo.

balsâmico [De *bálsamo* + *-ico*[2].] *Adj.* 1. Da natureza do bálsamo: "Um aroma balsâmico respiro" (Álvares de Azevedo, *Obras Completas*, I, p. 197). 2. Aromático, odorífico, perfumado. 3. Que balsama, suaviza, ameniza, conforta.

balsamífero [De *bálsamo* + *-ífero*.] *Adj. Bot.* Diz-se do vegetal que produz bálsamo (1).

balsamina [Do gr. *balsamíne*, 'planta que produz bálsamos', pelo fr. *balsamine*.] *S. f. Bot.* 1. Erva balsaminácea (*Impatiens balsamina*), muito cultivada em jardins brasileiros, de caule suculento e mole, flores belas, coloração variada, e não raro dobradas, e cujos frutos são bagas carnosas que se abrem explosivamente, lançando as sementes a distância. [Sin.: *beijo-de-frade, ciúmes, melindres* e *papagaios*.] 2. Erva cucurbitácea (*Momordica balsamina*) nativa das regiões tropicais, cultivada pelos frutos oblongos, vermelhos ou alaranjados, que são tidos como medicinais.

balsaminácea [Do tax. *Balsamina* (do gr. *balsamíne*) + *-ácea*; tax. *Balsaminaceae*.] *S. f. Bot.* Espécime das balsamináceas, família de plantas herbáceas, dotadas de belas flores coloridas e ornamentais, que têm cinco pétalas e cálice calcarado, e cujos frutos são cápsulas. No Brasil só existem algumas espécies cultivadas em jardins, das quais a mais conhecida é o *beijo-de-frade*.

balsamináceo [De *balsaminácea*, com var. suf. (v. *-áceo*).] *Adj. Bot.* Pertencente ou relativo às balsamináceas.

balsamina-de-purga *S. f. Bot.* Trepadeira cucurbitácea (*Momordica balsamina*) herbácea, que difere do do melão-de-são-caetano pelas folhas glabras com lobos pouco profundos e pelas brácteas denteadas da inflorescência masculina. [Pl.: *balsaminas-de-purga*.]

balsamita [Do tax. *Balsamita*.] *S. f.* 1. *Bot.* Gênero de plantas das asteráceas. 2. Qualquer espécie desse gênero, como, por ex., a *Tanacetum balsamita* (v. *hortelã-romana*). 3. Qualquer espécime desse gênero.

balsamizar [De *bálsamo* + *-izar*.] *V. t. d.* V. *balsamar*.

bálsamo [Do gr. *bálsamon*, pelo lat. *balsamu*.] *S. m.* 1. *Bot.* Líquido aromático e espesso que flui de muitas plantas, quer espontaneamente, quer por ferimento intencional. 2. *Farm.* Infusão de plantas narcóticas em azeite, que se usa em fricções, na medicina caseira; bálsamo-tranquilo. 3. *Terap.* Medicamento que tem qualidades balsâmicas. 4. Perfume, aroma, fragrância. 5. *Fig.* Conforto, lenitivo. 6. *Bras. Bot.* V. *cabriúva-do-campo*. 7. *Bras. Bot.* V. *bálsamo-de-tolu* (1). [Pl.: *bálsamos*. Cf. *balsamo*, do v. *balsamar*, e *balsamos*, do v. *balsar*.]

bálsamo de tolu [De *bálsamo-de-tolu*.] *S. m.* A substância resinosa, aromática, obtida da árvore *bálsamo-de-tolu*, e que é us. em perfumaria, farmácia e confeitaria. [Pl.: *bálsamos de tolu*.] ☑

bálsamo-de-tolu *S. m. Bot.* Árvore fabácea (*Myroxylon balsamum*) de folíolos ovados, flores brancas, racemosas e frutos que são sâmaras aromáticas; ocorre desde o México à Amaz., e ao N da Argentina, sendo cultivada pela madeira dura e resinosa, e para a extração do bálsamo de tolu. [Sin.: *pau-de-bálsamo, pau-de-incenso, pau-vermelho, óleo-vermelho*. Tb. se diz apenas *bálsamo*. Pl.: *bálsamos-de-tolu*.]

bálsamo do canadá *S. m.* Resina do *abeto-do-canadá*, líquida, amarelada e viscosa. [Pl.: *bálsamos do canadá*.] ☑ nota 4

bálsamo do peru [De *bálsamo-do-peru*.] *S. m.* Resina medicinal extraída da árvore *bálsamo-do-peru* (q. v.). [Pl.: *bálsamos do peru*.] ☑

bálsamo-do-peru [De *bálsamo* + *do*[1] + o top. *Peru*.] *S. m. Bot.* Árvore fabácea (*Myroxylum balsamum* var. *pereirae*), variedade do bálsamo-de-tolu, que fornece o *bálsamo do peru* (q. v.) [Pl.: *bálsamos-do-peru*.]

bálsamo-tranquilo (u-í) *S. m.* Bálsamo (2). [Pl.: *bálsamos-tranquilos*.] ❖

balsa-novense *Adj. 2 g.* 1. De, ou pertencente ou relativo a Balsa Nova (PR). ● *S. 2 g.* 2. O natural ou habitante de Balsa Nova. [Sin. ger.: *balsense*. Pl.: *balsa-novenses*.]

balsar *V. int.* V. *ladrar* (1). [Pres. ind.: *balso, balsamos*, etc. Cf. *bálsamos*, pl. de *bálsamo*.]

balsedo (ê) [De *balsa*[2] + *-edo*.] *S. m.* Balseiro[2] (2). [Cf. *balcedo*.]

balseira[1] [De *balsa*[1] + *-eira*.] *S. f.* V. *balsa*[1] (2).

balseira[2] [De or. controv.; se der. de *balsa*[1], a melhor grafia seria com *s*; se de *balça*, a melhor grafia seria com c.] *S. f. Bras. PE* Cana-de-açúcar de qualidade inferior.

balseiro[1] [De *balsa*[1] + *-eiro*.] *S. m.* V. *balsa*[1] (2). [Cf. *balceiro* e *barceiro*.]

balseiro[2] [De *balsa*[2] + *-eiro*.] *S. m.* 1. Aquele que arma ou dirige a jangada ou balsa[2]. 2. *Bras. Amaz.* Ilhota flutuante formada por um emaranhado de plantas; balsedo. [Cf. *balceiro* e *barceiro*.]

balsense[1] *Adj. 2 g. S. 2 g.* Balsa-novense.

balsense[2] *Adj. 2 g.* 1. De, ou pertencente ou relativo a Balsas (MA). ● *S. 2 g.* 2. O natural ou habitante de Balsas.

balso [Do lat. *balteu*, 'cinturão'.] *S. m. Marinh.* Alça especial que se dá no chicote ou no seio de um cabo para içar uma pessoa ou um objeto.

baltar *Adj. 2 g.* Diz-se duma espécie de videira brava e estéril.

baltasariano *Adj.* 1. De, ou pertencente ou relativo a Baltasar (RJ). ● *S. m.* 2. O natural ou habitante de Baltasar.

báltico *Adj.* 1. Relativo ou pertencente ao mar Báltico (Europa). 2. Relativo ou pertencente ao báltico (3). ● *S. m.* 3. *Gloss.* Grupo do ramo balto-eslavo (q. v.) que compreende o letão (q. v.), o lituano (q. v.) e várias línguas já extintas, entre elas o prussiano antigo (q. v.).

▲ **balto-** [F. red. do lat. med. *baltĭcus*.] *El. comp.* = 'báltico': *balto-eslavo*.

balto-eslavo *Adj.* 1. Pertencente ou relativo ao balto-eslavo (2). ● *S. m.* 2. *Gloss.* Ramo da família linguística indo-europeia constituído por dois grupos: o *báltico* (3) e o *eslavo* (1). [Pl.: *balto-eslavos*.]

baluarte [Do neerl. médio *bolwerc*, 'obra de fortificação feita de pranchas', pelo fr. ant. *boloart, bolouart* (atual *boulevard*).] *S. m.* 1. Bastião[1]. 2. Fortaleza inexpugnável. 3. Lugar seguro. 4. *Fig.* Suporte, apoio, sustentáculo: *Foi um baluarte da candidatura de X à Academia*.

baluchi *Adj. 2 g. S. 2 g. S. m.* V. *balúchi*.

balúchi [Do persa *balūchī*.] *Adj. 2 g.* 1. Pertencente ou relativo ao Baluchistão, região da antiga Índia Britânica Ocidental, agora província do Paquistão. ● *S. 2 g.* 2. O natural ou habitante do Baluchistão. ● *S. m.* 3. *Gloss.* Língua indo-europeia do ramo indo-iraniano, falada no Paquistão, no Afeganistão, no Irã e em Omã. [F. paral.: *baluchi, beluchi*.]

baluda [De *bala*[1] + *-uda*.] *S. f. Bras. SP* Espingarda de grosso calibre; bocuda.

baludo [De *bala*[1], poss.] *Adj. Bras. N.E. Pop.* Rico, endinheirado, dinheiroso.

balugas *S. f. pl. Ant.* Espécie de calçado: "os pés calçam balugas pontiagudas, ornadas e armadas de acicates lanceolares." (Júlio Dantas, *Abelhas Doiradas*, p. 210).

baluma [Do esp. *balumba, baluma*.] *S. f. Ant. Mar.* V. *valuma*.

baluquitério [Do tax. *Baluchitherium* < top. ingl. *Baluchi(stan)* (Baluquistão) + lat. cient. *-therium* (v. *-tério*[1]).] *S. m. Paleont.* 1. Gênero de mamíferos perissodáctilos, que lembravam rinocerontes gigantes, desprovidos de chifres, e que viveram na Ásia durante o oligoceno superior e o mioceno inferior. Mediam até 5,50m de altura, tinham pescoço longo, cabeça com 1,20m de comprimento, e pesavam cerca de 20t. 2. Espécie ou espécime desse gênero.

balúrdio *S. m. Lus. Pop.* 1. Paco. 2. Grande quantidade ou quantia.

balurdo *S. m.* Parafuso grande que suporta a pedra nos lagares de azeite.

balustrino *S. m.* Compasso de desenho com que se traçam pequenos círculos.

balzaca *S. f. Bras. Fam.* V. *balzaquiana.*

balzaciano *Adj.* Balzaquiano (1).

balzaquiana [F. subst. de *balzaquiano*; alusão ao romance *A Mulher de Trinta Anos*, de Balzac (v. *balzaquiano*).] *S. f. Bras. Fam.* Mulher de 30 anos, ou mais ou menos essa idade. [F. red.: *balzaca.*]

balzaquiano *Adj.* 1. Relativo ou pertencente ao escritor francês Honoré de Balzac (1799-1850), ou próprio dele, balzaciano. 2. Que é grande admirador e/ou profundo conhecedor da obra desse escritor. 3. Que tem 30 anos, ou mais ou menos essa idade (diz-se de mulher). • *S. m.* 4. Grande admirador e/ou profundo conhecedor da obra de Balzac.

bamba[1] *S. m. Bras.* V. *bambúrrio.*

bamba[2] [Do quimb. *mbamba.*] *Adj. 2 g.* 1. *Bras. Gír.* V. *valentão* (1). 2. *Fig.* Diz-se de autoridade em determinado assunto. • *S. 2 g.* 3. V. *valentão* (3). 4. *Fig.* Pessoa que é autoridade em determinado assunto. [Sin., nas acepç. 3 e 4: *bambambã.*]

bambá [Do quimb., poss.] *S. m. Bras.* 1. Sedimento do azeite de cheiro. 2. Dança de negros, dentro de um círculo de homens e mulheres que cantam um estribilho ao som de palmas. 3. Certo jogo de cartas. 4. V. *rolo*[1] (16). 5. Qualquer dança que termina em desordem. 6. *Bras. S.* Certo jogo, comum entre os campeiros, em que se usam quatro metades de caroços de pêssego. 7. *Bras. RS* Jogo com duas rodelas de laranja lançadas ao ar e que, segundo a face apresentada, amarela ou branca, dá a vitória a um dos jogadores.

bambaê *S. m. Bras. MA* Dança ou batuque de caixa.

bambaleadura *S. f.* V. *bamboleamento.*

bambaleamento *S. m.* V. *bamboleamento.*

bambaleante *Adj. 2 g.* V. *bamboleante.*

bambalear *V. t. d. Int. P.* V. *bambolear*: 🕮 "Avaí sorriu gingando, bambaleando o corpo" (Coelho Neto, *Treva*, p. 363). [Conjug.: v. *frear.*]

bambaleio [Dev. de *bambalear.*] *S. m.* V. *bamboleamento*: 🕮 "o maxixe brasileiríssimo, com seus longos e lúbricos e lentos bambaleios, com a sua terminologia de capadoçagem" (Martins Fontes, *A Dança*, p. 96).

bambalhão [De *bambo* + *-alhão.*] *Adj.* 1. Muito bambo. 2. *Fig.* Indolente, preguiçoso, moleirão. [Fem.: *bambalhona.*]

bambambã [F. apocopada do quimb. *mbamba-mbamba.*] *S. m. Bras.* V. *bamba*[2] (3 e 4): 🕮 "Não sabia que Telina andava, ali, de derriço com um bambambã da zona" (Manuel Bandeira, *Poesia e Prosa*, II, p. 470).

bambão *S. m.* 1. *Bras. Bot.* V. *babá*[2] (1). 2. *Bras.* O pedúnculo interno da jaca. [Sin. (na BA): *manguxo.*] 3. V. *retouça.* 4. Corda bamba. ◆ **A bambão.** *Bras. AL Pop.* 1. Em grande quantidade; à larga: *Tem livros a bambão.* 2. De modo excepcional; extraordinariamente: *Choveu a bambão.*

bambaquerê *S. m.* 1. *Bras.* A dança do bambá (2). 2. *Bras.* Dança ou função que termina em desordem. 3. *Bras.* V. *rolo*[1] (16). 4. *Bras. S.* Baile campestre.

bambar [De *bambo* + *-ar*[2].] *V. t. d. Int.* V. *bambear.*

bambara [Dessa língua.] *S. 2 g.* 1. *Etnôn.* Indivíduo dos bambaras, grupo étnico que habita a região do alto rio Níger, em especial a República de Mali. • *S. m.* 2. *Gloss.* Língua do ramo mandê, da família nigero-congolesa, falada no Mali e ainda no Senegal e na Costa do Marfim (África Ocidental). • *Adj. 2 g.* 3. Pertencente ou relativo a bambara (1 e 2).

bambaré [Do quimb.] *S. m. Bras.* 1. Confusão de vozes; vozearia, vozeria, algazarra. 2. Desordem ruidosa.

bambê [Do quimb. *mbambê.*] *S. m. Bras.* Renque de mato que forma linha divisória entre duas roças.

bambeado [Part. de *bambear.*] *Adj.* Que se bambeou; tornado bambo; esbambeado.

bambear [De *bambo* + *-ear*[2].] *V. t. d.* 1. Tornar bambo; afrouxar: *Bambeou a corda, em vez de segurá-la firme.* 2. Enfraquecer, entibiar: *Tantas desventuras bambearam-lhe o ânimo.* *Int.* 3. Tornar-se frouxo, bambo: 🕮 "Quis andar mas oscilou, bambearam-lhe as pernas." (Coelho Neto, *Banzo*, p. 94.) 4. Ficar bambo (2); vacilar, hesitar, trastejar: *Na hora da decisão, bambeou.* [F. paral.: *bambar.* Sin. ger.: *esbambear.* Conjug.: v. *frear.*]

bambelô [Do quimb.] *S. m. Bras. RN Mús.* Variedade de samba (q. v.); coco de praia, coco de zambê.

bambeza (ê) [De *bambo* + *-eza* (ê).] *S. f.* 1. Qualidade ou estado de bambo. 2. Moleza, lassidão.

bambiá *S. m. Bras. N.E. Cul.* Panelada (4).

bambinar [De *bambo*, poss.] *V. int. Bras.* Agitar-se com a aragem ou com o movimento do andar; esvoaçar.

bambinela [Do it. *bandinella*, com infl. de *bambo.*] *S. f.* Cortina, dividida em duas partes, cada uma apanhada para um lado, que se usa em janelas e portas: 🕮 "A luz brava do Sul, que as cortinas de cassa e as bambinelas mal conseguiam atenuar, chamejava no estúdio como numa eira." (Aquilino Ribeiro, *Mônica*, p. 116); "Uma aragem suave encheu as pregas grossas das bambinelas." (Eça de Queirós, *O Primo Basílio*, p. 88).

bambo [Do rad. onom. *bamb-*, como em *bambolear* (q. v.).] *Adj.* 1. Frouxo, lasso, relaxado. 2. *Fig.* Indeciso, vacilante, hesitante.

bamboante *Adj. 2 g.* V. *bamboleante.*

bamboar [De *bambo* + *-oar.*] *V. t. d. Int. P.* V. *bambolear.* 🕮 "Gonçalves Penha tapou a cara com as mãos, curvou-se bamboando a cabeça" (Camilo Castelo Branco, *Novelas do Minho*, VII, p. 43). [Conjug.: v. *coroar.*]

bambochar [Voc. deduz. de *bambochata* (v. *-ar*[2]).] *V. int. Bras.* Fazer bambochata (2) ou patuscada; patuscar, pandegar.

bambochata [Do it. *bambocciata.*] *S. f.* 1. Pintura que representa cenas populares ou burlescas. 2. Patuscada, orgia, pândega. 3. Extravagância, estroinice. 4. *Gír.* Negócio escuso, suspeito.

bambolê [Der. regress. de *bambolear.*] *S. m. Bras.* Aro de plástico ou de metal, de cerca de 1m de diâmetro, usado como brinquedo por adolescentes e crianças, que o fazem girar, com o movimento do corpo, em torno da cintura, ou na perna, ou em um braço.

bamboleadura [De *bambolear* + *-dura.*] *S. f.* V. *bamboleamento.* [Var.: *bambaleadura.*]

bamboleamento [De *bambolear* + *-mento.*] *S. m.* Ato de bambolear; bamboleadura, bamboleio. [Var.: *bambaleamento.* Sin.: *bambaleadura, bambaleio.*]

bamboleante [De *bambolear* + *-nte.*] *Adj. 2 g.* Que bamboleia. [Var.: *bambaleante, bamboante.*]

bambolear [Voc. express. de rad. onom., presente tb. no gr. *bambaínein, bambalízein*, 'gaguejar', 'tremer'.] *V. t. d.* 1. Balancear, menear: 🕮 "Eu as vejo passar todas as tardes na estrada, bamboleando os quadris." (José Vieira, *Sol de Portugal*, p. 24.) *Int. P.* 2. Menear-se com balanço do corpo; gingar: 🕮 "andam a bambolear, balançando como um barco" (João do Rio, *As Religiões do Rio*, p. 206). 3. Não estar firme; balancear, oscilar. [Var.: *bambalear, bamboar.* Sin. ger.: *esbamboar.* Conjug.: v. *frear.*]

bamboleio [Dev. de *bambolear.*] *S. m.* V. *bamboleamento*: 🕮 "Pelos bambus, em bamboleios lentos, / E na espata e nas palmas dos coqueiros / Remexiam-se os ventos..." (Raimundo Correia, *Poesias*, p. 49.)

bambolim [Do rad. *bambol-*, de *bambolear* (q. v.), + *-im.*] *S. m.* 1. Sanefa sobreposta a cortinado de porta ou de janela. 2. *Bras. C.O.* Acabamento ou adorno de certas obras de costura: 🕮 "uma larga pala branca, enfeitada de bambolins" (Hugo de Carvalho Ramos, *Tropas e Boiadas*, p. 5).

bambolina [Do rad. *bambol-*, de *bambolear* (q. v.), + *-ina*[2].] *S. f. Teatr.* Faixa de pano que, seguida de uma série de outras situadas no urdimento do palco italiano, se une aos bastidores ou reguladores para completar o contorno do espaço cênico, frequentemente fingindo teto, céu, folhagens, etc.; bambolineta.

bambolineta (ê) [De *bambolina* + *-eta* (ê).] *S. f. Teatr.* Bambolina.

bamboré *S. m. Bras. Bot.* V. *baboré.*

bambu [Do malaio, poss.] *S. m.* 1. *Bot.* Nome comum a várias poáceas que se caracterizam pela altura excepcional do colmo, em algumas espécies; é vastamente distribuída pelas zonas tropicais e subtropicais de ambos os hemisférios [v. *bambusa* (2)]. 2. *Bot.* Qualquer espécime do gênero bambusa (q. v.). [Sin. (bras.), nesta acepç.: *bambueira.*] 3. Bastão ou bengala feita da haste dessa planta. 4. Vara usada pelos acrobatas de circo em suas exibições.

bambuada [De *bambu* + *-ada*[1].] *S. f.* Pancada com bambu (3 e 4); bambucada.

bambual [De *bambu* + *-al*[1].] *S. m.* 1. Quantidade mais ou menos considerável de bambus dispostos proximamente entre si; bambuzal, bamburral: 🕮 "Vegetação bravia. A floresta é do Norte: / Coqueiros, bambuais, jequitibás frondosos" (Jorge de Lima, *Obra Poética*, I, p. 209). 2. Área ocupada por bambual (1). [Sin. ger.: *bambuzal, bamburral.*]

bambu-balde *S. m. Bot.* Poácea (*Dendrocalamus giganteus*) de colmos tão amplos que, cortados, servem de depósitos de água. [Pl.: *bambus-baldes* e *bambus-balde.*]

bambucada *S. f.* Bambuada.

bambu-comum *S. m. Bot.* 1. V. *bambu-da-índia* 2. V. *bambueira* (1). [Pl.: *bambus-comuns.*]

bambu-da-índia [De *bambu* + *da*[1] + o top. *Índia.*] *S. f. Bot.* 1. Poácea (*Bambusa arundinacea*) nativa da Índia, de colmo muito alto, folhas lineares e flores paniculadas; é coberta de espinhos rígidos e curvos, os colmos são us. em construção, os brotos são comestíveis, e fornece suco que produz aguardente e açúcar. [Sin.: *bambu-comum.*] 2. Bambueira (1). [Pl.: *bambus-da-índia.*]

bambueira [De *bambu* + *-eira.*] *S. f.* 1. *Bot.* Poácea (*Bambusa vulgaris*) de colmo muito alto, folhas lineares, agudas e ásperas, flores em espiguetas paniculadas, sendo os brotos comestíveis, e os colmos us. em construção e para obtenção da polpa; bambu-comum, bambu. 2. Rebento de bambu.

bambuiense (u-i) *Adj. 2 g.* 1. De, ou pertencente ou relativo a Bambuí (MG). • *S. 2 g.* 2. O natural ou habitante de Bambuí.

bambu-imperial *S. m. Bot.* Erva poácea (*Phyllostachys castillonis*) nativa do Japão, de colmos amarelos com listas verde-claras; é cultivada como ornamental. [Pl.: *bambus-imperiais.*]

bambu-japonês *S. m. Bras. Bot.* V. *bambuzinho.* [Pl.: *bambus-japoneses.*]

bambu-maciço *S. m. Bot.* Poácea (*Dendrocalamus strictus*) de colmos maciços, natural da Índia e de Mianmar, e que é us. na construção de pontes, por ser muito resistente. [Pl.: *bambus-maciços.*]

bamburim *S. m. Bras. PE* Jogo infantil em que se atira uma moeda e os brincantes, em competição, tentam apanhá-la.

bamburrado [Part. de *bamburrar.*] *Adj. S. m. Bras. Amaz. MT* Diz-se de, ou aquele que encontrou grande quantidade de ouro ou pedras preciosas, que ficou milionário.

bamburral [De *bamburro*[1] + *-al*[1].] *S. m.* 1. V. *bambual.* 2. *Bras. Bot.* Subarbusto lamiáceo (*Hyptis umbrosa*) de folhas elípticas, ovadas ou cordiformes, de uso medicinal, flores roxas, espiciformes, e pequeno fruto capsular; ocorre no Brasil de NE a SE. 3. *Bras. Bot.* V. *sambacuité.* 4. *Bras.* Terreno alagadiço de vegetação pobre, arbustiva, pouco aproveitada para a alimentação do gado. 5. *Bras. PA MT* Vegetação arbustiva que nasce à margem dos rios e só a custo pode ser aproveitada, por causa do emaranhado dos cipós. 6. *Bras. BA* V. *pântano* (2).

bamburrar [De *bamburro*[2] + *-ar*[2].] *V. int.* 1. *Bras. BA* Nas lavras diamantinas, fazer fortuna inesperadamente, ou encontrar diamante muito valioso. 2. *Bras. Amaz. MT* Encontrar ouro ou pedras preciosas em grande quantidade, ficando milionário.

bamburrice [De *bambúrrio* + *-ice.*] *S. f.* Ato de fazer bambúrrio (1).

bambúrrio *S. m. Fam.* 1. Fortuna inesperada. 2. Acaso, sorte. 3. Sorte no jogo, chiripa. [F. red. *bamburro.* Var. *bamba.*]

bamburrista [De *bambúrrio* + *-ista.*] *S. 2 g.* 1. Pessoa que faz bambúrrio (1), que bamburra. 2. Pessoa favorecida em tudo pela sorte.

bamburro[1] *S. m. Bras. MT* 1. Vegetação arbustiva que, de tão densa, lembra um charravascal. 2. Mato emaranhado.

bamburro[2] *S. m. Bras.* V. *bambúrrio.*

bambusa [Do tax. *Bambusa* (do hol. *bamboes*, 'bambu', alter. do malaio *bambu*).] *S. f. Bot.* 1. Gênero de poáceas que compreende os bambus. 2. Qualquer espécie desse gênero, como a *Bambusa vulgaris* [v. *bambueira* (1)] e a *B. arundinacea* (v. *bambu-da-índia*). 3. Qualquer espécime desse gênero.

bambusácea [Do tax. *Bambusa* (v. *bambusa*) + *-ácea*; tax. *Bambusaceae.*] *S. f. Bot.* V. *poácea.*

bambusáceo [De *bambusácea*, com var. suf. (v. *-áceo*).] *Adj.* V. *poáceo.*

bambuto *S. m.* 1. *Etnôn.* Indivíduo dos bambutos, povo negroide pigmeu da região do lago Alberto, na África Equatorial. • *Adj.* 2. Pertencente ou relativo a esse povo.

bambu-trepador *S. m. Bras. Bot.* V. *criciúma.* [Pl.: *bambus-trepadores.*]

bambuzal [De *bambu* + *-zal.*] *S. m. Bras.* V. *bambual.*

bambuzinho [De *bambu* + *-zinho.*] *S. m. Bras. Bot.* Erva poácea (*Olyra polipodivides* ou *O. floribunda*) de colmos cespitosos, folhas pequenas e inflorescências numerosas, curtas e racemosas; é cultivada como ornamental. [Sin.: *bambu-japonês, capim-bambu.*]

bamum *S. 2 g.* 1. *Etnôn.* Indivíduo dos bamuns, um dos maiores grupos étnicos da República de Camarões (C.O. da África). • *S. m.* 2. *Gloss.* A língua benuê-congo desse grupo. • *Adj. 2 g.* 3. Pertencente ou relativo aos bamuns ou à sua língua.

banabuiuense (uên) *Adj. 2 g.* 1. De, ou pertencente ou relativo a Banabuiú (CE). • *S. 2 g.* 2. O natural ou habitante de Banabuiú.

banal [Do fr. *banal*.] ***Adj. 2 g.*** **1.** Dizia-se da coisa pertencente a senhores feudais, e de que os vassalos se serviam pagando um foro. **2.** Vulgar, trivial, corrente, corriqueiro: 📖 "Os versos de amor que Mário [Mário Pederneiras] escreveu, ... são simples sem serem banais, e originais, sem serem escandalosos" (Rodrigo Otávio [filho], *Velhos Amigos*, p. 238).

banalidade [De *banal* + *-(i)dade*.] ***S. f.*** **1.** Uso, pelo vassalo, de coisas pertencentes ao senhor feudal. **2.** Qualidade ou caráter de banal (2); trivialidade, vulgaridade.

banalização [De *banalizar* + *-ção*.] ***S. f.*** **1.** Ato de banalizar(-se). **2.** *E. Ling.* Durante o ato de cópia, substituição de uma dificuldade na fonte (8), como um termo raro, um arcaísmo, um tecnicismo, etc., por termo ou expressão graficamente semelhante, mas de uso comum.

banalizar [De *banal* + *-izar*.] ***V. t. d. P.*** Tornar(-se) banal, vulgar; vulgarizar(-se).

banana [De or. afr.] ***S. f.*** **1.** *Bot.* O fruto de qualquer espécie do gênero *Musa* [v. *musa*[2] (1 e 2)]. **2.** *Bot.* Bananeira (1). **3.** *Zool.* V. *ubarana-rato*. **4.** *Bras. Chulo* O pênis. **5.** *Bras. Chulo* V. *manguito*[2]. ● ***S. 2 g.*** **6.** Pessoa frouxa, palerma, sem energia; banazola, banzola.

banana-anã ***S. f.*** *Bot.* V. *banana-nanica*. [Pl.: *bananas-anãs*.]

banana-anã-grande ***S. f.*** *Bot.* V. *banana-prata*. [Pl.: *bananas-anãs-grandes*.]

➔ **banana boat** [bəˈnænə bowt] [Ingl.] ***S. m.*** Estrutura flutuante inflável, ger. com formato de banana, puxada por barco a motor, sobre a qual se transportam turistas, crianças, etc., como entretenimento.

banana-branca ***S. f.*** *Bot.* V. *banana-prata*. [Pl.: *bananas-brancas*.]

banana-caru-roxa [De *banana* + *caru* (de or. obsc.) + o f. de *roxo*.] ***S. f.*** V. *banana-roxa*. [Pl.: *bananas-carus-roxas* e *bananas-caru-roxas*.]

banana-caturra ***S. f.*** *Bot.* V. *banana-nanica*. [Pl.: *bananas-caturras*.]

banana-comprida ***S. f.*** *Bot.* V. *banana-da-terra*. [Pl.: *bananas-compridas*.]

bananada [De *banana* + *-ada*[1].] ***S. f.*** *Bras.* Doce feito da polpa da banana.

banana-da-china ***S. f.*** *Bot.* V. *banana-nanica*. [Pl.: *bananas-da-china*.]

banana-d'água ***S. f.*** *Bot.* V. *banana-nanica*. [Pl.: *bananas-d'água*.]

banana-da-terra ***S. f.*** *Bot.* Cultivar de bananeira (*Musa X paradisiaca*) cujo pseudocaule alcança até 3,50m de altura; as folhas, amplas, têm cerca de 2m de comprimento, as inflorescências, pêndulas, até 1,20m, dotadas de flores reunidas em espigas bracteadas, e os frutos, cilíndricos e recurvos, têm de 0,16m a 0,30m de comprimento, tendo polpa esbranquiçada, algo adstringente, consumida preferencialmente após cozimento. [Sin.: *banana-comprida*, *banana-pacova*. Pl.: *bananas-da-terra*.]

banana-de-macaco ***S. f.*** *Bot.* V. *aningaúba*. [Pl.: *bananas-de-macaco*.]

banana-de-papagaio ***S. f.*** *Bras. Bot.* V. *janaúba* (1). [Pl.: *bananas-de-papagaio*.]

banana-de-são-tomé ***S. f.*** *Bot.* V. *banana-roxa*. [Pl.: *bananas-de-são-tomé*.]

banana-do-brejo ***S. f.*** *Bot.* Trepadeira arácea (*Xanthosoma striatipes*) bastante cultivada como ornamental, cujas folhas, grandes, apresentam várias perfurações, e cujas espigas se transformam em infrutescências carnosas, que podem ser ingeridas [Pl.: *bananas-do-brejo*.]

banana-figo ***S. f.*** *Bot.* Cultivar de bananeira (*Musa X paradisiaca*) de casca espessa, acérida, polpa amilácea de leve sabor adstringente e que é ger. consumida frita ou cozida. [Pl.: *bananas-figos* e *bananas-figo*.]

banana-inajá ***S. f.*** *Bot.* V. *banana-ouro*. [Pl.: *bananas-inajás* e *bananas-inajá*.]

bananal [De *banana* + *-al*[1].] ***S. m.*** **1.** Quantidade mais ou menos considerável de bananeiras dispostas proximamente entre si; bananeiral, pacobal ou pacoval. **2.** Área ocupada por bananal (1). [Sin. ger.: *bananeiral*, *pacobal* ou *pacoval*.]

bananalense ***Adj. 2 g.*** **1.** De, ou pertencente ou relativo a Bananal (SP). ● ***S. 2 g.*** **2.** O natural ou habitante de Bananal.

banana-maçã ***S. f.*** *Bot.* Cultivar de bananeira (*Musa X paradisiaca*) cujos frutos têm casca fina, polpa branca, macia, de sabor doce-acidulado que lembra o da maçã; têm, por vezes, pedaços de polpa endurecidos; banana-pedra. [Pl.: *bananas-maçãs* e *bananas-maçã*.]

banana-mãe ***S. f.*** Variedade de banana. [Pl.: *bananas-mães* e *bananas-mãe*.]

banana-najá ***S. f.*** *Bot.* V. *banana-ouro*. [Pl.: *bananas-najás* e *bananas-najá*.]

banana-nanica [De *banana* + o f. de *nanico*.] ***S. f.*** *Bot.* Cultivar de bananeira (*Musa X paradisiaca*) cujo pseudocaule alcança até 2m, e cujas folhas têm pecíolo curto; os frutos, grandes e roliços, são comestíveis no estado natural. [Sin.: *banana-anã*, *banana-caturra*, *banana-da-china*, *banana-d'água*. Pl.: *bananas-nanicas*.]

banana-ouro ***S. f.*** *Bot.* Cultivar de bananeira (*Musa X paradisiaca*) cujos frutos, pequenos, têm casca finíssima e polpa amarelo-ouro, de sabor muito doce; banana-inajá, banana-najá. [Pl.: *bananas-ouros* e *bananas-ouro*.]

banana-pacova ***S. f.*** *Bot.* V. *banana-da-terra*. [Pl.: *bananas-pacovas* e *bananas-pacova*.]

banana-pão ***S. f.*** *Bras. Angol. Guin. Santom.* Variedade de banana (1) de fruto com cerca de 30cm de comprimento e 5cm de diâmetro, pouco doce, que se come cozido, assado ou frito: 📖 "Banana-pão não dá preguiça / e sim pão." (Francisco José Tenreiro, *Obra Poética de Francisco José Tenreiro*, p. 123.) [Pl.: *bananas-pães* e *bananas-pão*.]

banana-pedra ***S. f.*** *Bot.* Banana-maçã. [Pl.: *bananas-pedras* e *bananas-pedra*.]

banana-prata ***S. f.*** *Bot.* Cultivar de bananeira (*Musa X paradisiaca*) de origem africana, cujo pseudocaule alcança até 6m e cujos frutos, de tamanho médio, têm polpa doce e delicada, comestível no estado natural; banana-anã-grande, banana-branca. [Pl.: *bananas-pratas* e *bananas-prata*.]

banana-real ***S. m. e f.*** *Bras.* Banana-*split*. [Pl.: *bananas-reais*.]

banana-roxa [De *banana* + o f. de *roxo*.] ***S. f.*** *Bot.* Cultivar de bananeira (*Musa X paradisiaca*) cujo pseudocaule alcança até 6m de altura; os frutos maduros são roxo-amarelados, e têm polpa amarelo-rosada, doce e aromática. [Sin.: *banana-caru-roxa*, *banana-de-são-tomé*, *quixibá*. Pl.: *bananas-roxas*.]

➔ **banana-split** [bəˈnænə splɪt] [Ingl.] ***S. m. e f.*** Banana partida ao meio, acompanhada de sorvete, creme *chantilly*, nozes ou castanhas de caju picadas, calda de chocolate ou morango, etc.; banana-real. [Pl.: *bananas-split*.]

bananeira [De *banana* + *-eira*.] ***S. f.*** **1.** *Bot.* Grande erva musácea [v. *musa*[2] (2)], cujas folhas, amplas, têm bainhas que se enrolam umas nas outras, formando um pseudocaule, e cujo verdadeiro caule é um rizoma subterrâneo, que dá origem a novas bananeiras. As flores, e depois os frutos, dispõem-se em cachos; os frutos, saborosos, e de grande poder alimentício, são bagas, cujas sementes já não existem. [Sin.: *pacobeira* ou *pacoveira*.] **2.** *Bras. Cap.* Floreio (6) em que o capoeirista apoia as mãos no chão e fica parado, verticalmente, de cabeça para baixo. ◆ **Bananeira que já deu cacho.** *Bras. Fam.* Pessoa que está em decadência, decrépita. **Plantar bananeira.** Ficar de cabeça para baixo, com o corpo apoiado nas mãos e as pernas para cima: 📖 "Roláveis pelo tapete, fazendo micagens, plantando bananeiras" (José Geraldo Vieira, *Carta a Minha Filha em Prantos*, p. 27).

bananeira-de-corda ***S. f.*** *Bot.* V. *cânhamo-de-manilha*. [Pl.: *bananeiras-de-corda*.]

bananeira-de-madagascar [De *bananeira* + *de* + o top. *Madagascar*.] ***S. f.*** *Bot.* Árvore-do-viajante. [Pl.: *bananeiras-de-madagascar*.]

bananeira-do-campo ***S. f.*** *Bot.* V. *moliana* (2). [Pl.: *bananeiras-do-campo*.]

bananeiral [De *bananeira* + *-al*[1].] ***S. m.*** V. *bananal*.

bananeirense ***Adj. 2 g.*** **1.** De, ou pertencente ou relativo a Bananeiras (PB). ● ***S. 2 g.*** **2.** O natural ou habitante de Bananeiras.

bananeirinha [De *bananeira* + *-inha*.] ***S. f.*** *Bot.* Nome comum a diversas canáceas cultivadas mundialmente como ornamentais, como, por ex., a *Canna brasiliensis*, a *C. flaccida* e a *C. indica* (v. *cana*[2]).

bananeirinha-do-mato ***S. f.*** *Bras. Bot.* V. *arumarana*. [Pl.: *bananeirinhas-do-mato*.]

bananeiro [De *banana* + *-eiro*.] ***S. m.*** **1.** *Bras.* Aquele que cultiva bananas e/ou com elas negocia. **2.** *Bras.* Vendedor ambulante de bananas. **3.** *Mar. Merc.* Navio especialmente construído para transportar banana; navio bananeiro. ● ***Adj.*** **4.** Que transporta banana. ~ V. *navio* —.

bananicultor (ô) [De *banana* + *-i-* + *-cultor*.] ***S. m.*** *Bras.* Agricultor que se dedica à bananicultura.

bananicultura [De *banana* + *-i-* + *-cultura*.] ***S. f.*** *Bras.* Plantação de bananeiras com vista à exploração comercial da banana.

bananinha [De *banana* + *-inha*.] ***S. f.*** *Bras.* **1.** *Cul.* Pequeno bolo de farinha de trigo em forma de banana. **2.** *Bot.* V. *trevo-azedo*.

bananosa [De *banana* + o f. de *-oso*, subst.] ***S. f.*** *Bras. Gír.* Embananamento. [Cf. *bananose*.]

bananose ***S. f.*** *Bras.* Farinha de banana. [Cf. *bananosa*.]

banazola ***S. 2 g.*** V. *banana* (5).

banauá *Bras.* ***S. 2 g.*** **1.** *Etnôn.* Indivíduo dos banauás, povo indígena da família linguística arauá, que habita RO. ● ***Adj. 2 g.*** **2.** Pertencente ou relativo a esse povo. [Tb. us. como *s. 2 g. e 2 n.* (com cap.) e *adj. 2 g. e 2 n.*]

banauá-iáfi *Bras.* ***S. 2 g.*** **1.** *Etnôn.* Indivíduo dos banauás-iáfis [ou (etnôn. bras.) *Banawá-yafí], povo indígena da família linguística arauá, que habita região situada na margem esquerda do rio Purus (AM). ● ***Adj. 2 g.*** **2.** Pertencente ou relativo a esse povo. [Pl.: *banauás-iáfis*.]

banazola ***S. 2 g.*** V. *banana* (5).

banca [Do it. *banca*.] ***S. f.*** **1.** Mesa de qualidade inferior. **2.** Mesa de trabalho; carteira. **3.** Escritório de advocacia. **4.** Profissão ou carreira de advogado. **5.** Banca examinadora. **6.** Certo jogo de azar. **7.** Em certos jogos de azar, fundo de apostas manipulado pelo responsável pelo jogo, para pagar aos jogadores. **8.** *Restr.* Aquele que está bancando [v. *bancar* (1)]. **9.** *Bras.* Mesa de trabalho ou de apoio com tampo de mármore, fórmica, aço inoxidável, etc., que tem, não raro, pia embutida, e é usada em cozinhas, banheiros, etc.; bancada. **10.** *Bras.* Nos mercados e feiras livres, instalação onde é exposta a mercadoria: 📝 *banca de legumes*. **11.** *Bras. MA* Mesa de jantar. **12.** *Econ.* O conjunto dos bancos [v. *banco*[2] (1)]: 📖 "sua análise e reflexão [de Antônio Barreto] sobre o que não vai bem na sociedade portuguesa, ou seja, ... o excessivo poder da banca" (*Elle*, edição portuguesa de fevereiro de 1997, p. 36). **13.** *Econ.* O movimento financeiro da banca (12). **14.** *Esport.* Em um campo de golfe, um obstáculo, frequentemente uma depressão, coberta por areia. ◆ **Banca de jornal.** *Bras.* Local onde se vendem publicações periódicas. **Banca examinadora.** Grupo de pessoas encarregadas de organizar e realizar um exame. [Tb. se diz apenas *banca*.] **Abafar a banca.** *Bras. Gír.* **1.** Ganhar, ao jogo, o dinheiro do banqueiro; levar a banca à glória. **2.** Colocar-se acima de todos; vencer totalmente; abafar. **Botar banca.** *Bras. Gír.* **1.** Vangloriar-se de uma qualidade ou posse pessoal. **2.** Fazer-se de importante, superior, mostrando-se autoritário, petulante, etc.: 📖 "Não, nada de botar banca pra cima de mim. Eu te manjo." (Vinícius de Morais, *Para Viver um Grande Amor*, p. 179.) [Sin. ger.: *pôr banca*.] **Levar a banca à glória.** Abafar a banca (1): 📖 "A originalidade da conclusão vale o registo que o viajante recusa ao mergulho no mar e que igualmente recusaria se no casino tivesse levado a banca à glória." (José Saramago, *Viagem a Portugal*, p. 175.) **Pôr banca.** *Bras. Gír.* V. *botar banca*.

bancada [De *banco*[1] + *-ada*[1].] ***S. f.*** **1.** Banco comprido em que se sentam várias pessoas. **2.** Conjunto de assentos dispostos em ordem. **3.** Espécie de mesa, ger. contendo armários sob sua superfície e revestida de material resistente, que serve de área de trabalho para uma ou mais pessoas, em laboratório, etc. **4.** O grupo de pessoas que ocupam a bancada (1, 2, 7 e 8). **5.** *Marinh.* Prancha de madeira, disposta de um a outro bordo de embarcação miúda, para assento dos remadores e travamento do casco; banco. **6.** *Surf.* Nome dado a um grande banco de areia ou de corais. **7.** *P. ext.* A representação, numa agremiação qualquer, de um estado (9), partido, facção: 📝 *Em 1975, as bancadas carioca, mineira e baiana eram as maiores da Academia Brasileira de Letras; Os votos da bancada da Aliança Democrática foram decisivos para a eleição de Tancredo Neves em 15 de janeiro de 1985.* **8.** *Bras.* Representação de um estado (9) na Câmara dos Deputados ou no Senado Federal. **9.** *Bras.* Banca (9). **10.** *Lus.* V. *arquibancada* (1).

bancal [De *banco*[1] + *-al*[1].] ***S. m.*** **1.** Pano para cobrir banco. **2.** Pano que se coloca na mesa, por baixo da toalha. **3.** *Lus.* Nos lagares de azeite, ferro chumbado.

bancar [De *banca* + *-ar*[2].] ***V. int.*** **1.** *Bras.* Ser o banqueiro, o responsável por uma banca (7). **2.** *Bras. RS* Bancar na rédea (q. v.). ***T. d.*** **3.** Fazer o papel de; fazer-se de; fingir(-se) de: 📝 *Na reunião, bancou o importante para impressionar a namorada.* **4.** Fingir, simular: 📖 "Seu Firmino é espírita. Um dia chegou lá um sabido, meteu-se no quarto com seu Firmino, bancou que estava atuado com um espírito." (Permínio Asfora, *Vento Nordeste*, p. 197.) **5.** V. *financiar*. **6.** Dar respaldo a; sustentar: 📖 "se o presidente [Lula].... bancar a candidatura da Dilma, ela passará a ser o nome mais forte." (Arlindo Chinaglia, em Revista *Veja*, 21.05.2008). [Conjug.: v. *trancar*. Fut. do pret.: *bancaria*, etc. Cf. *bancária*, fem. de *bancário*.]

bancaria[1] [De *banco*[1] + *-aria*.] ***S. f.*** Grande quantidade de bancos. [Cf. *bancária*, fem. de *bancário*.]

bancaria[2] [De *banco*[2] + *-aria*.] ***S. f.*** Intervenção dos banqueiros romanos na negociação de bulas pontifícias. [Cf. *bancária*, fem. de *bancário*.]

bancário [De *banco*[2] + *-ário*.] ***Adj.*** **1.** Referente a bancos. ~ V. *antecipação* —*a*, *casa* —*a*, *cheque* —, *conta* —*a*, *depósito* —, *efeitos bancários* e *moeda* — *a*. ● ***S. m.*** **2.** Funcionário de banco[2] (1), ou de casa bancária. [Fem.: *bancária*. Cf. *bancaria*, do v. *bancar*, e s. f.]

bancarrota (ô) [Do it. *bancarròtta*, 'banco quebrado'.] *S. f.* 1. Falência de negociante(s), ou do Estado. 2. Suspensão de pagamento por parte do(s) falido(s). 3. Falência fraudulenta. 4. *Fig.* Ruína, decadência.

bancarrotear [De *bancarrota* + *-ear*[2].] *V. int. Bras.* Abrir bancarrota (1); falir. [Conjug.: v. *frear*.]

bancarroteiro [De *bancarrota* + *-eiro*.] *S. m.* Aquele que faz bancarrota; falido.

banco[1] [Do germ. **bank*, pelo lat. vulg.] *S. m.* 1. Assento, com encosto ou sem ele, de formas variadas, rústico ou não, feito de madeira, ferro, pedra, concreto, plástico, etc., usado, sobretudo, em salas de espera, estações de embarques, igrejas, praças, parques, jardins, etc. 2. Escabelo (1). 3. Mocho[2] (7). 4. Mesa estreita e oblonga, ger. de tampo espesso, sobre a qual trabalham artífices. 5. Balcão de comércio. 6. Camada de pedra em pedreira. 7. V. *latrina* (1). 8. V. *urinol* (1). 9. *Mar.* Elevação do fundo do mar, que aflora ou quase chega à superfície, e que se pode constituir de areia, coral, lama, etc. 10. *Marinh.* Bancada (5). 11. *Mar.* Qualquer perigo consequente de elevação existente no fundo do mar e que esteja à flor da água ou a pequena profundidade. 12. *Bras.* Ilhota de aluvião. 13. *Bras. BA* V. *sambaqui*. 14. *Lus.* Ambulatório (3). • *S. 2 g.* 15. *Bras. Esport.* V. *reserva* (17). ◆ **Banco de areia.** Elevação, formada de areia, em fundo de mar ou de rio. [Cf. *barra* (10).] **Banco de assentar.** *Bras. N.E.* Banco situado no centro das jangadas de pesca. **Banco de bruma.** *Mar.* Formação de nuvens muito densas, que se dispõem próximo à superfície do mar. **Banco de governo.** *Bras. N.E.* Banco à ré das jangadas de pesca. **Banco de peixe.** Grande cardume à flor da água. **Banco de pinchar.** *Ant.* 1. *Mil.* Máquina de guerra da feição de um banco, us. como aríete. 2. *Heráld.* Figura de um banco sem costas, representada no escudo de armas dos infantes: "trazia bordado no seu escapulário de estamenha um banco de pinchar de oiro de três pendentes!" (Júlio Dantas, *O Amor em Portugal no Século XVIII*, p. 181). **Banco fotométrico.** Dispositivo sobre o qual se podem armar, com solidez e precisão, os componentes de diversos tipos de fotômetros. **Banco óptico.** *Ópt.* Dispositivo sobre o qual se põem, de maneira reprodutível e estável, os componentes de uma montagem óptica. **Alisar os bancos da academia.** Frequentar escola superior ou academia (3): "Ele pode ter alisado bastante os bancos da academia, mas não é um *home* natural, como nós." (Jaime d'Altavila, *Lógica de um Burro*, p. 15.) **Estar no banco dos réus.** Estar sendo muito criticado, muito atacado. **Não aquentar o banco.** *Bras.* S. V. *não esquentar (o) lugar*. **Não esquentar (o) banco.** V. *não esquentar (o) lugar*: "Mas Dona Clara não esquentava o banco: andava à caça dos leilões." (Augusto Meyer, *No Tempo da Flor*, p. 29.) **Sentar no banco.** *Bras. Esport.* Ficar na reserva (17).

banco[2] [Do it. *banco*.] *S. m.* 1. *Econ.* Instituição cuja atividade básica consiste em receber depósitos de dinheiro e efetuar empréstimos, podendo tb. transacionar com títulos de crédito, privados ou públicos, e prestar outros serviços de natureza financeira. 2. *Med.* Local com equipamento especial, onde se armazenam materiais humanos que servirão para serem enxertados ou transfundidos em organismo, em caso de substituição de órgão ou de transfusões. [Há bancos de sangue, de ossos, de córnea, etc.] ◆ **Banco central.** *Econ.* Instituição que regula a quantidade de dinheiro em circulação num país e o funcionamento de seu sistema bancário. **Banco comercial.** *Econ.* Banco[2] (1) que recebe depósitos e aplicações de dinheiro, faz empréstimos de curto prazo e presta serviços como o recebimento de contas e impostos. **Banco de dados.** *Inform.* 1. Coleção organizada e inter-relacionada de dados em uma estrutura definida, e da qual se podem extrair informações; base de dados. 2. Programa (9) especializado em gerenciar um banco de dados (1). **Banco de dados orientado a objetos.** *Inform.* Banco de dados (q. v.) que segue o paradigma de orientação a objetos (q. v.), o que lhe confere grande flexibilidade quanto aos tipos de dados que é capaz de armazenar. **Banco de dados relacional.** *Inform.* Banco de dados (q. v.) cuja estrutura se baseia no modelo relacional. [Nesse tipo de banco de dados, as informações são organizadas sob a forma de tabelas, sendo possível relacionar as diferentes tabelas a partir da comparação dos valores de determinadas colunas, designadas campos-chave (v. *campo-chave*).] **Banco de desenvolvimento.** *Econ.* Banco[2] (1), ger. estatal, voltado ao financiamento de atividades de especial interesse para a economia de um país ou região. **Banco de horas.** *Dir. Trab.* Mecanismo estabelecido por força de acordo ou convenção coletiva de trabalho, pelo qual fica o empregador dispensado de pagar horas extras se o excesso de horas trabalhadas em um dia for compensado pela correspondente diminuição em outro dia, de maneira que não exceda, no período máximo de um ano, à soma das jornadas semanais de trabalho previstas, nem seja ultrapassado o limite máximo de dez horas diárias de labor. **Banco de imagens.** *Edit. Iconogr.* Acervo de fotografias e outro tipo de ilustrações, disponível, p. ex., para utilização em trabalhos de arte, ger. mediante pagamento de direitos de reprodução. **Banco de investimentos.** *Econ.* Banco[2] (1) especializado na concessão de créditos de longo prazo, para financiamento de investimentos. **Banco múltiplo.** *Econ.* Banco[2] (1) autorizado a operar em várias áreas, funcionando como banco comercial, banco de investimentos, etc.

banco-d'água *S. m. Bras. Amaz.* Pequena queda-d'água. [Pl.: *bancos-d'água*.]

bancroftíase [Do tax. (*Wucheria*) *bancrofti* (< antr. [*Joseph*] *Bancroft* [-1894], médico inglês) + *-íase*.] *S. f. Med.* Infecção pela filária *Wucheria bancrofti*; bancroftose.

bancroftose [Do tax. (*Wucheria*) *bancrofti* + *-ose*[1].] *S. f. Med.* Bancroftíase.

banda[1] [Poss. do provenç. *banda*, 'lado', do gót. *bandwa*, 'estandarte'.] *S. f.* 1. Parte lateral; lado: *Caminhava pela banda da estrada.* 2. V. *lado* (7): *Foi excluído da chapa do partido porque passou para a banda dos dissidentes.* 3. Bando[1] (1). 4. *Mús.* Agrupamento músico de número de componentes e formação instrumental variada, que em geral executa música popular, ou marchas militares: *banda de pífaros; banda de coreto, banda dos fuzileiros; banda de* rock. 5. *Mar.* Inclinação mais ou menos duradoura que a embarcação toma para um dos bordos, por má distribuição de pesos ou pela força centrífuga consequente a uma guinada; adernamento. 6. *Bras.* Traseira, retaguarda. ~ V. *bandas*. ◆ **Banda cabaçal.** *Bras. N.E. Mús.* V. *terno de zabumba*. **Banda de artilharia.** Bordada de artilharia (q. v.). **Banda de cavalaria.** *Mús.* V. *fanfarra*[1] (3). **Banda de música.** *Polít.* Grupo de deputados federais da UDN [v. *udenismo* (1)] que articulou a oposição ao Governo Federal na década de 1950, até o período que antecedeu o golpe militar de 1964. **Banda marcial.** *Mús.* Banda[1] (4) em que se tocam apenas clarins e tambores. **Banda podre** *Bras.* 1. A parte ruim, corrompida de um todo: "ela estaria prestes a detonar a banda podre do mundo *fashion*" (*O Globo*, 13.04.2000). 2. *Restr.* O conjunto dos membros degenerados, corrompidos de uma organização: "após ter denunciado a presença de policiais da 'banda podre' em cargos do alto escalão da polícia." (*O Globo*, 08.04.2000). **Banda sinfônica.** Banda[1] (4) composta apenas por instrumentos de sopro, que toca repertório sinfônico, frequentemente substituindo a parte das cordas por instrumentos de sopros de madeira. **À banda.** Descaído para um lado: "Aquela, cujo amor me causa alguma pena, / Põe o chapéu ao lado, abre o cabelo à banda" (Cesário Verde, *Obra Completa*, p. 86). **Comer da banda podre.** *Pop.* 1. V. *cortar volta*. 2. Sofrer desapontamentos, obrigado pelas circunstâncias. 3. Passar privações, dificuldades. [Sin. ger.: *comer da banda ruim, comer fogo, comer insosso e beber salgado, comer jerumba, comer o pão que o diabo amassou, comer o que o diabo enjeitou, comer ruim, comer safado, comer tampado, passar o que o diabo enjeitou, passar um mau pedaço*.] **Comer da banda ruim.** *Pop.* V. *comer da banda podre*. **Dar uma banda.** *Bras. SP Gír.* Passear, dar uma volta. **Pôr de banda.** Abandonar, desprezar. **Sair de banda.** *Bras.* Escapulir-se furtivamente.

banda[2] [Do fr. *bande*, 'faixa', 'laço', < fr. ant. *bende* < frâncico **binda*.] *S. f.* 1. Barra (4). 2. Cinta dos oficiais do exército. 3. Faixa ou listra larga. 4. *Heráld.* Listão diagonal no brasão, traçado do alto, da esquerda para a direita. [Cf., nesta acepç., *barra* (14).] 5. *Fís.* Banda de energia (q. v.). 6. *Zool.* Em alguns peixes e anfíbios, conjunto de fibras formando faixas ou estrias musculares em torno de orifícios, ou distribuídas próximo a apêndices articulares. 7. *Citol. Genét.* Conjunto de faixas transversais claras e escuras alternadas, observadas nos cromossomos de células eucariontes após tratamento com corantes. 8. *Inform. Telec.* Faixa contínua de frequências, us. como portadora de dados. [Quanto maior a largura de banda (q. v.), maior a capacidade e a velocidade de transmissão de dados.] ~ V. *bandas*. ◆ **Banda A.** *Fís.* Faixa de radiofrequências de 100MHz a 250MHz. **Banda B.** *Fís.* Faixa de radiofrequências de 250MHz a 500MHz. **Banda C.** *Fís.* Faixa de frequências de micro-ondas de 500MHz a 1GHz. **Banda cambial.** Intervalo de variação da taxa de câmbio (q. v.), esp. em situações em que o Banco Central intervém na fixação dessa taxa. **Banda D.** *Fís.* Faixa de frequências de micro-ondas de 1GHz a 2GHz. **Banda de absorção.** *Fís.* Num espectro de absorção, intervalo de frequências, ou comprimentos de onda, no qual existe elevada absorção. **Banda de condução.** *Fís.* Banda de energia parcialmente preenchida, sobretudo em semicondutores, e na qual os elétrons se podem mover sem empecilhos, permitindo a passagem de uma corrente elétrica pelo material; banda de condutividade. **Banda de condutividade.** *Fís.* Banda de condução. **Banda de emissão.** *Fís.* Num espectro de emissão, conjunto de frequências situado dentro de um intervalo em que existe emissão de energia. **Banda de energia.** *Fís.* Conjunto de níveis de energia, muito pouco diferentes entre si, que os elétrons podem ocupar num cristal. [Tb. se diz apenas *banda*.] **Banda de imagem.** *Cin.* Parte da película cinematográfica destinada à reprodução de imagens. **Banda de ressonância.** *Fís.* Num espectro de emissão ou de absorção, conjunto de frequências distribuídas num intervalo limitado e agrupadas em torno de uma frequência de ressonância. **Banda de rodagem.** *Autom.* A face do pneu que se atrita diretamente com o solo. **Banda desenhada.** V. *história em quadrinhos*. **Banda de som.** *Cin.* Parte da película cinematográfica destinada à reprodução de sons. **Banda de valência.** *Fís.* Em um diagrama de energia dum cristal, a banda de energia ocupada pelos elétrons de valência. **Banda E.** *Fís.* Faixa de frequências de micro-ondas de 2GHz a 3GHz. **Banda F.** *Fís.* Faixa de frequências de micro-ondas de 3GHz a 4GHz. **Banda fundamental.** *Fís.* Banda espectral devida às transições entre o estado de menor energia de vibração de uma molécula e o primeiro estado excitado. **Banda G.** *Fís.* Faixa de frequências de micro-ondas de 4GHz a 6GHz. **Banda H.** *Fís.* Faixa de frequências de micro-ondas de 6GHz a 8GHz. **Banda I.** *Fís.* Faixa de frequências de micro-ondas de 8GHz a 10GHz. **Banda J.** *Fís.* Faixa de frequências de micro-ondas de 10GHz a 20GHz. **Banda K.** *Fís.* Faixa de frequências de micro-ondas de 20GHz a 40GHz. **Banda L.** *Fís.* Faixa de frequências de micro-ondas de 40GHz a 60GHz. **Banda larga.** *Inform.* Termo que designa a conexão de Internet em que a transmissão de dados se dá em alta velocidade. **Banda lombarda.** *Arquit.* Lesena. **Banda M.** *Fís.* Faixa de frequências de micro-ondas de 60 GHz a 100GHz. **Banda magnética.** *Cin.* Parte da fita com registro sonoro do filme produzido por meio de variação magnética. [Cf. *banda óptica*.] **Banda normal.** *Fís.* Num cristal, banda de energia que corresponde ao estado normal do sistema. **Banda ocupada.** *Fís.* Banda de energia em que cada nível está ocupado por dois elétrons de *spins* opostos. **Banda óptica.** *Cin.* Parte da fita com registro sonoro do filme produzido por meio de modulação luminosa fotográfica. [Cf. *banda magnética*.] **Banda P.** *Eletrôn.* Banda de frequência de uma onda portadora de sinais de radar com comprimento de onda central igual a um metro. **Banda passante.** *Eletrôn.* Faixa de passagem (q. v.). **Banda permitida.** *Fís.* Banda de energia que os elétrons podem ocupar num cristal. **Banda proibida.** *Fís.* Em um diagrama de energia de um cristal, faixa de energia, situada entre as bandas permitidas, que não pode ser ocupada pelos elétrons. **Banda sonora.** *Cin. Son. Telev.* V. *trilha sonora*.

banda[3] [Do quimb. *dibanda* 'pernada'.] *S. f. Bras. RJ Cap.* Rasteira executada de pé. ~ V. *bandas*. ◆ **Dar uma banda.** *Bras. Gír.* Passar a perna em (q. v.).

bandada [De *bando*[1] + *-ada*[1].] *S. f.* 1. Bando de aves. 2. Bando muito numeroso.

banda de costas *S. m. Bras. Cap.* Golpe desequilibrante em que o capoeirista atinge, com a parte posterior da perna, a perna de apoio do adversário. [Pl.: *bandas de costas*.]

banda de couro *S. f. Bras. N.E. Mús.* V. *terno de zabumba*: "A banda de couro constituída da zabumba, das cinco caixas ...., executava seus toques monótonos." (Bernardo Élis, *Veranico de Janeiro*, p. 31.) [Pl.: *bandas de couro*.]

banda de esteira *S. f. Bras. N.E.* Concubina. [Pl.: *bandas de esteira*.]

banda-forra [De *banda*[1] + o f. de *forro*[2].] *S. 2 g. Bras.* Filho de branco com negra escrava. [Pl.: *bandas-forras*.]

bandagem[1] [De *bandar*[2] + *-agem*[2].] *S. f.* Ato de bandar[2].

bandagem[2] [Do fr. *bandage*, poss.] *S. f.* 1. Faixa, atadura, ligadura. 2. *Tec. Têx.* V. *gaze* (1).

bandalha [F. regress. de *bandalheira*.] *S. f. Bras. Pop.* 1. V. *bandalheira*. 2. *Restr.* Manobra irregular no trânsito. 3. *P. ext.* Ato de cobrar preço acima da tabela ou do que marca o taxímetro em corrida de táxi. • *Adj. 2 g.* 4. Diz-se de veículo (ônibus, táxi, etc.) que circula irregularmente. 5. Diz-se de motorista que pratica bandalha.

bandalheira [De *bandalho* + *-eira*.] *S. f.* 1. Ação ou atitude própria de bandalho (2); bandalhice. 2. *Fig.* Pouca-vergonha, patifaria. [Sin. ger.: *bandalha*.]

bandalhice [De *bandalho* + *-ice*.] *S. f.* Bandalheira (1).
bandalho [De *bando*[1] + *-alho*.] *S. m.* **1.** Homem esfarrapado, maltrapilho. **2.** Indivíduo sem dignidade nem brio; patife.
bandana [Do hindi.] *S. f.* Lenço, ger. triangular ou quadrado, que se usa no pescoço ou na cabeça.
bandaneco [Alter. de *badameco* (q. v.).] *S. m. Bras. CE* Saquitel que se usa a tiracolo.
bandão [De *bando*[1] + *-ão*[1].] *S. m. Bras.* **1.** Grande bando; multidão, bandada. **2.** Grande quantidade: 📖 "com um bandão de desculpas aumentativamente grandes, Sá Januária mudara de cama" (Valdomiro Silveira, *Os Caboclos*, p. 75).
bandar[1] *S. m.* Título de príncipe ou filho de nobre, no antigo Ceilão (atual Sri Lanka).
bandar[2] [De banda[2] + *-ar*[2].] *V. t. d.* **1.** Prover (vestimenta, etc.) de banda[2] (1 e 3); embandar. **2.** Prover (o escudo) de banda[2] (4). [Pres. subj.: *bande*, ... *bandeis*, *bandem*. Cf. *bandéis*, pl. de *bandel*.]
bandar[3] [De *band-*, como em *bandagem*[2], + *-ar*[2].] *V. t. d.* Pôr bandagem[2] em (contusão, fratura, etc.). [Pres. subj.: *bande*, ... *bandeis*, *bandem*. Cf. *bandéis*, pl. de *bandel*.]
bandarilha [Do esp. *banderilla*.] *S. f.* Farpa enfeitada que se crava no cachaço dos touros, nas touradas.
bandarilhar [De *bandarilha* + *-ar*[2].] *V. t. d.* **1.** Fincar bandarilhas em: 📄 *bandarilhar um touro.* **2.** *Fig.* Criticar, satirizar: 📖 "Uma alusão eriçada .... de pontas ambíguas vale, ..., para farpear ou bandarilhar os cornacas da fama, os diretores espirituais da burguesia letrada." (Agripino Grieco, *Caçadores de Símbolos*, p. 276.) [Cf. *farpear*.]
bandarilheiro [Do esp. *banderillero*.] *S. m.* Toureiro que bandarilha touros.
bandarra [De *bando*[1] + *-arra*.] *S. 2 g.* **1.** Vadio, mandrião, vagabundo. ● *S. f.* **2.** Reunião festiva ou ruidosa.
bandarrear [De *bandarra* + *-ear*[2].] *V. int.* Levar vida de bandarra (1); vadiar, mandriar. [Conjug.: v. *frear*.]
bandas [Pl. de *banda*[1].] *S. f. pl.* **1.** Direção, rumo, lado(s): 📄 *Ouviu-se um disparo vindo das bandas da usina.* **2.** Lugar, sítio, localidade: 📄 *F. foi para outras bandas.* ~ V. *banda*.
bandeamento[1] [De *bandear*[1] + *-mento*.] *S. m.* Ato de bandear[1].
bandeamento[2] [De *bandear*[2] + *-mento*.] *S. m.* Ato de bandear[2].
bandeamento[3] [De **bandear* (< *banda*[2] + *-ear*[2]) + *-mento*.] *S. m. Citol. Genét.* Técnica de coloração de cromossomos, segundo um padrão característico de faixas ou bandas, que permite a identificação de cada par de cromossomos.
bandear[1] [De *banda*[1] + *-ear*[2].] *V. t. d.* **1.** Inclinar para o lado, para a banda[1] (1). **2.** Agitar para uma e outra banda. *T. c.* **3.** Transferir-se, mudar; passar: 📄 *Quase todo o rebanho bandeou para o pasto vizinho.* *T. i.* **4.** Hesitar entre duas bandas, partidos, facções, opiniões, etc.: 📄 *Bandeava entre o nosso grupo e o dos nossos opositores.* *Int.* **5.** Sofrer inclinação; inclinar-se: 📄 *Olhava fixamente para o mastro que bandeava.* *P.* **6.** Passar para o lado contrário, mudando de opinião ou de partido. [Conjug.: v. *frear*.]
bandear[2] [De *bando*[1] + *-ear*[2].] *V. t. d. P.* Reunir(-se) em bando; coligar(-se), abandar(-se), abandear(-se). [Conjug.: v. *frear*.]
bandeide [Aport. do ingl. *Band-aid*, marca registrada.] *S. m.* Curativo adesivo com uma gaze fina com antisséptico no centro, utilizado para proteger ferimentos leves. [Sin. lus.: *penso rápido*.]
bandeira [De *banda*[1] + *-eira*.] *S. f.* **1.** Pedaço de pano, com uma ou mais cores, às vezes com legendas, que se hasteia num pau, e é distintivo de nação, corporação, partido, etc.; balção, estandarte, pavilhão, pendão, lábaro; e (poét.) auriflama: 📖 "Existe um povo que a bandeira empresta / Pra cobrir tanta infâmia e covardia!..." (Castro Alves, *Poesias Escolhidas*, p. 335.) **2.** *Fig.* Ideia, divisa ou lema que serve de guia a grupo, partido, etc. **3.** Refletor de candeeiro. **4.** *Arquit.* Folha ou caixilho, em geral envidraçado, fixo ou basculante, colocado no alto de portas e janelas para melhorar a iluminação e/ou ventilação de um espaço interno. **5.** A panícula do milho. **6.** Cata-vento metálico instalado no alto de torres, telhados, etc. **7.** Chapa metálica do taxímetro, cujo abaixamento inicia a contagem da quantia correspondente ao percurso. **8.** *Ant.* Na legislação militar portuguesa consolidada por D. Sebastião (1554-1578), unidade militar comandada por um capitão e correspondente a companhia (9). **9.** *Tip.* Peça de cartolina que se prende a uma das varetas das minervas, na tiragem das fôrmas em que há grandes claros, para evitar que estes manchem o papel; pestana. [Cf., nesta acepç., *máscara* (20).] **10.** *Tip.* Pedaço de papel colado ao original ou à prova para permitir acréscimos; papagaio. **11.** *Tip.* Lâmina que, colocada entre o resvaladouro da linotipo e os magazines, impede a mudança destes quando há matrizes salientes na boca. **12.** *Tip.* Limpador de facas. **13.** *Bras.* Expedição armada que partindo, em geral, da capitania de São Vicente (depois, de São Paulo), desbravava os sertões (fins do séc. XVI a começos do séc. XVIII) a fim de cativar o gentio ou descobrir minas: 📖 "Ah! quem te vira assim, entre as selvas sonhando, / Quando a bandeira entrou pelo teu seio, quando / Fernão Dias Pais Leme invadiu o sertão!" (Olavo Bilac, *Poesias*, pp. 261-262.) [Cf., nesta acepç., *entrada* (23).] **14.** *Lus. Zool.* Molusco gastrópode, quenopodídeo (*Chenopus pespelecani*), do Atlântico e Mediterrâneo, de cor amarelada, concha turriculada, cônica e espessa, e que tem cerca de 5cm de comprimento; chave. **15.** *Bras.* Inflorescência da cana-de-açúcar; flecha. **16.** *Bras. N.E.* Inflorescência do milho. **17.** *Bras. N.* Grupo de trabalhadores rurais contratados por um só dia. **18.** *Bras. PB PE* Procissão religiosa, à noite, em honra de um santo, e que inclui um banho de rio ou de lagoa. **19.** *Bras.* Agremiação ou confraria de negros e mulatos libertos e escravos, em grupos escolhidos segundo seus ofícios, com um santo católico por patrono. **20.** *Bras. PB* V. *mutirão* (1). **21.** *Bras. PE* Promessa falsa para obter o que se deseja. **22.** *Bras. BA* Frutos de cacau reunidos em montículo, à medida que são derribados, e que depois se ajuntam em ruma, num determinado ponto, para facilitar os trabalhos de quebra e colheita. **23.** *Bras. BA* Grupos de canoas vindas do mesmo local, no interior, e que trazem o cacau das fazendas para o porto de embarque. **24.** *Lus. Folcl.* Pano enfeitado com fitas e laços, a modo de bandeira, que o rancho leva, à frente dos pandeireiros, para festejar o término da ceifa. ● *S. m.* **25.** *Bras.* Sinaleiro de estrada de ferro; bandeirista. **26.** *Bras. RJ Obsol.* Sinaleiro de encruzilhadas de bonde. **27.** *Bras. RJ* Auxiliar de camelô que faz o primeiro pedido para atrair o público. **28.** *Bras. RJ* O puxador de aplauso na plateia de teatro, etc. ◆ **Bandeira a meio pau.** Bandeira em funeral (q. v.). **Bandeira branca.** Pano branco que uma das partes combatentes mostra à outra como sinal de que deseja a cessação da luta. **Bandeira da proa.** *Bras. Mar. G.* Bandeira especial que os navios de guerra içam em pequeno mastro no bico de proa, quando estão fundeados, amarrados a boia ou atracados; bandeira do Cruzeiro; jeque. **Bandeira de conveniência.** *Mar. Merc.* A do país em que um navio mercante estrangeiro se registra, dadas as vantagens que lhe concede quanto à quase completa isenção de impostos e outros privilégios que concede aos armadores. **Bandeira de guerra.** *Mar.* Bandeira nacional de navio de guerra, a qual em alguns países é diferente da bandeira mercante. **Bandeira do Cruzeiro.** V. *bandeira da proa.* [É assim chamada por apresentar 21 estrelas dispostas em cruz.] **Bandeira dois.** *Bras.* Peça móvel, nos taxímetros, onde está inscrito o número 2, e que, quando levantada, indica majoração de tarifa (3). **Bandeira em funeral.** A içada a meio mastro, em sinal de luto; bandeira a meio pau. **Bandeira mercante.** Bandeira nacional usada nos navios mercantes e nas embarcações de recreio, por algumas nações que têm uma bandeira própria dos navios de guerra. **Bandeira nacional.** Pedaço de pano, ordinariamente retangular, de uma ou de diversas cores, às vezes com um emblema e até uma legenda, e que serve de distintivo da nacionalidade ou de indicativo da sua soberania. **Carregar a bandeira.** *Bras. Gír.* Adotar, defender uma causa; levantar a bandeira, levar a bandeira. **Dar bandeira.** *Bras. Gír.* **1.** Deixar transparecer (o toxicômano) que está sob o efeito de droga (4). **2.** *P. ext.* Deixar transparecer alguma coisa que deveria ficar oculta. **Dar uma bandeira.** *Bras. Gír.* Dar um fora. **Enrolar a bandeira.** *Bras.* **1.** *Gír.* Desistir de uma campanha, uma tarefa, etc. **2.** *Chulo* Suspender atividade sexual, voluntariamente ou não. **Levantar a bandeira.** *Bras. Gír.* V. *carregar a bandeira.* **Levar a bandeira.** *Bras. Gír.* V. *carregar a bandeira.* **Levar uma bandeira.** *Bras. Gír.* Levar um fora. **Não ter bandeira.** *Bras. Gír.* Fazer as coisas segundo os próprios ditames, não respeitando os princípios dos outros: 📄 *Não aceitava desculpa de ninguém: com ele não tinha bandeira.* **Virar bandeira.** V. *virar a casaca.*
bandeira-alemã *S. f. Bras. Zool.* Ulrei. [Pl.: *bandeiras-alemãs*.]
bandeirada [De *bandeira* + *-ada*[1].] *S. f.* Quantia fixa previamente marcada pelo taxímetro dos automóveis de praça, e que constitui o preço mínimo que o passageiro deverá pagar. **2.** *Esport.* Sinalização que juiz ou personalidade faz com uma bandeira quadriculada para indicar a passagem do primeiro e dos seguintes colocados de uma competição de automóvel, *kart*, motocicleta, etc.
bandeirado [De *bandeira* + *-ado*[1].] *S. m. Bras. Zool.* V. *bagre-bandeira.*
bandeira-espanhola *S. f. Bras. Zool.* Inseto lepidóptero, itomiídeo (*Placidula euryanassa*). Voa vagarosamente e próximo ao solo, e as lagartas se alimentam da trombeteira. [Pl.: *bandeiras-espanholas*.]
bandeirante [De *bandeira* (13).] *Bras. S. m.* **1.** Indivíduo pertencente a uma bandeira (13); bandeireiro, bandeirista. ● *S. f.* **2.** Menina ou moça que, integrando a Federação de Bandeirantes do Brasil, pratica o bandeirantismo (2). ● *S. 2 g.* **3.** Paulista[1] (4). **4.** *Fig.* Pioneiro, precursor. ● *Adj. 2 g.* **5.** Paulista[1] (1). **6.** Pertencente ou relativo ao bandeirantismo, ou próprio de bandeirante (1): 📖 "Esse paulista de velha cepa [Alcântara Machado] tinha a vocação bandeirante de conhecer e descobrir" (Cândido Mota Filho, *Contagem Regressiva*, p. 198).
bandeirante-do-sul *Adj. 2 g.* **1.** De, ou pertencente ou relativo a Bandeira do Sul (MG). ● *S. 2 g.* **2.** O natural ou habitante de Bandeira do Sul. [Pl.: *bandeirantes-do-sul*.]
bandeirantense *Adj. 2 g.* **1.** De, ou pertencente ou relativo a Bandeirantes (PR e MS). ● *S. 2 g.* **2.** O natural ou habitante de Bandeirantes.
bandeirantismo [De *bandeirante* + *-ismo*.] *S. m. Bras.* **1.** Bandeirismo. **2.** Sistema baseado no escotismo (q. v.), e que visa a desenvolver, entre meninas e moças, o espírito comunitário, a liberdade responsável, e as atitudes moldadas em valores éticos. [Cf., nesta acepç., *bandeirante* (2) e *escotismo*.]
bandeira-paulista *S. f. Bras. Zool.* Peixe teleósteo, cipriniforme, ciprinídeo (*Brachydanio rerio*), da Índia, muito apreciado para aquários. Coloração prateada, com cinco estrias azul-escuras longitudinais; 4 a 5cm de comprimento e nadadeiras anal e caudal com as mesmas linhas. [Sin.: *peixe-zebra*. Pl.: *bandeiras-paulistas*.]
bandeirar [De *bandeira* + *-ar*[2].] *V. int. Bras.* **1.** Ser bandeirante (1). **2.** Organizar bandeira (13).
bandeireiro [De *bandeira* + *-eiro*.] *S. m.* **1.** Fabricante e/ou vendedor de bandeiras [v. *bandeira* (1)]. **2.** *Bras.* V. *bandeirante* (1).
bandeirense *Adj. 2 g.* **1.** De, ou pertencente ou relativo a Bandeira (MG). ● *S. 2 g.* **2.** O natural ou habitante de Bandeira.
bandeiriano *Adj.* **1.** Relativo ou pertencente ao escritor brasileiro Manuel Bandeira (1886-1968), ou próprio dele. **2.** Que é seu admirador e/ou profundo conhecedor de sua obra. ● *S. m.* **3.** Admirador e/ou profundo conhecedor da obra de Manuel Bandeira.
bandeirinha [De *bandeira* + *-inha*.] *S. 2 g.* **1.** *Bras. Fut.* V. *auxiliar de arbitragem.* ● *S. f. e m.* **2.** *Zool.* Lepidóptero licenídeo, diurno, com escamas brilhantes, dispostas em faixas coloridas. **3.** *Zool.* V. *bonito-do-campo.*
bandeirismo [De *bandeira* + *-ismo*.] *S. m. Bras.* Conjunto de fatos respeitantes à época das bandeiras [v. *bandeira* (13)]; bandeirantismo.
bandeirista [De *bandeira* + *-ista*.] *S. 2 g.* **1.** *Bras.* V. *bandeirante* (1). **2.** *Bras. N.* Bandeira (25).
bandeirístico [De *bandeirista* + *-ico*[2].] *Adj. Bras.* Referente às bandeiras [v. *bandeira* (13)] ou ao bandeirismo.
bandeiro [De *bando*[1] + *-eiro*.] *Adj.* **1.** Que é sectário de um partido ou bando. **2.** Volúvel, inconstante, voltário, bandoleiro.
bandeirola [De *bandeira* + *-ola*[1].] *S. f.* **1.** Pequena bandeira; bandeirinha. **2.** Pequena bandeira empregada em trabalhos de engenharia para assinalar o ponto de um alinhamento, traçado, etc. **3.** Pequena bandeira das trombetas da cavalaria. **4.** Bandeira de seda com franjas. **5.** *Mús.* Cauda (11).
bandeirologia [De *bandeira* + *-o-* + *-logia*.] *S. f. Bras.* Tratado, estudo ou conjunto de conhecimentos acerca das bandeiras [v. *bandeira* (13)].
bandeirológico [De *bandeirologia* + *-ico*[2].] *Adj. Bras.* Concernente à bandeirologia.
bandeiroso (ô) [De *bandeira* + *-oso*.] *Adj. Bras. Gír.* Que dá bandeira (v. *dar bandeira*).
bandeja (ê) [Dev. de *bandejar*.] *S. f.* **1.** Tabuleiro (1). **2.** Tabuleiro de feitio variado, para serviço de mesa ou de copa. **3.** Grande abano de palha com que se limpa o trigo e outros cereais. **4.** Prato grande em que os marinheiros comem. **5.** *Basq.* Jogada que consiste em o atleta dar uma passada em direção à cesta, sem driblar (2). **6.** *Eng. Elétr.* Conduto (3) us. para suportar e acondicionar cabos e facilitar sua instalação e manutenção, feito, ger., de chapa metálica lisa e perfurada, ou plástico. **7.** *Mar. Merc.* Estrado de madeira ou de metal, com dimensões padronizadas, sobre o qual se arrumam os volumes de carga geral, para ser movimentada pela empilhadeira; bandeja de carga. ◆ **Bandeja de borbulhamento.** *Eng. Ind.* Prato de borbulhamento. **Bandeja de carga.** *Mar. Merc.* Bandeja (6). **Dar de bandeja.** *Bras. Gír.* **1.** Dar (alguma coisa) sem exigir remuneração ou recompensa; dar na bandeja, dar numa bandeja. **2.** Tornar fácil para;

facilitar, entregar. **Dar na bandeja.** *Bras. Gír.* V. *dar de bandeja* (1). **Dar numa bandeja.** *Bras. Gír.* V. *dar de bandeja* (1).

bandeja-d'água ***S. f.*** *Bot.* V. *lótus.* (2) [Pl.: *bandejas-d'água.*]

bandejão [De *bandeja* + *-ão*[1].] ***S. m.*** *Bras.* **1.** Refeição servida em bandeja ger. com divisão para os alimentos, que se usa em fábricas, escolas, restaurantes populares, etc. **2.** Restaurante ou refeitório em que se servem refeições dessa forma.

bandejar [De *banda*[1] + *-ejar.*] ***V. t. d.*** Aventar (1) (o trigo) com bandeja (3). [Conjug.: v. *pelejar.*]

bandel ***S. m.*** *Ant.* Bairro em que os estrangeiros podiam habitar, à semelhança das antigas mourarias e judiarias, e dos modernos guetos. [Pl.: *bandéis.* Cf. *bandeis,* do v. *bandar.*]

bandeta (ê) ***S. f.*** Chapa estreita de metal.

bandida [Fem. de *bandido.*] ***S. f.*** *Bras. Gír. P. us.* V. *piranha* (4).

bandidaço [De *bandido* + *-aço.*] ***S. m.*** *Bras.* **1.** Bandido (1 e 2) ao extremo. **2.** Indivíduo muitíssimo perigoso.

bandidada [De *bandido* + *-ada*[1].] ***S. f.*** V. *bandidagem* (2).

bandidagem [De *bandido* + *-agem*[2].] ***S. f.*** *Pop.* **1.** V. *banditismo.* **2.** A totalidade dos bandidos; bandidada.

bandidismo ***S. m.*** *P. us.* V. *banditismo.*

bandido [Do it. *bandito.*] ***S. m.*** **1.** Salteador, malfeitor, facínora, bandoleiro. **2.** *P. ext.* Pessoa sem caráter, de maus sentimentos. • ***Adj.*** **3.** Próprio de bandido, ou que encerra banditismo. **4.** *Fig.* Sem valor ou valia, ou que encerra infelicidade ou crueldade: *— Que vida bandida! gritava em desespero.* ◆ **Jogar de bandido.** *Gír.* Agir, conscientemente ou não, contra (si ou outrem, ou empreendimento, etc.). **Trabalhar de bandido contra.** *Bras. Gír.* Agir ou tramar contra (pessoa, empreendimento, etc.).

bandim ***S. m.*** *Bras. N.E. Zool.* V. *bagre-bandeira* (1). [Pl.: *bagres-mandins* e *bagres-mandim.*]

banditismo [Do it. *banditismo.*] ***S. m.*** **1.** Ação de bandido. **2.** Vida de bandido. **3.** Qualidade ou caráter de bandido. [F. paral. (p. us.): *bandidismo.* Sin. ger.: *bandidagem.*]

→ **bandleader** [bænd ˈlijdɚ] [Ingl.] ***S. m.*** *Mús.* Regente (3) de banda ou grupo de *jazz.*

bando[1] [De *banda*[1].] ***S. m.*** **1.** Grupo de pessoas ou animais; multidão: *Um bando de estudantes tomara parte no ato público;* "chalrava agora um bando de pássaros-pretos" (Hugo de Carvalho Ramos, *Tropas e Boiadas,* p. 68). **2.** As pessoas de um partido ou facção. **3.** Quadrilha de malfeitores. **4.** *Antrop.* Conjunto de famílias que vivem juntas, permanentemente associadas, constituindo uma comunidade relativamente igualitária e culturalmente homogênea. **5.** *Antrop.* Em certas teorias de desenvolvimento cultural, a organização sociopolítica de nível mais simples, fundada em laços familiares e de parentesco, e num sistema de liderança pouco formalizado. [Cf., nesta acepç., *cacicado* e *tribo.*]

bando[2] [Do frâncico **ban,* pelo fr. *ban,* com infl. do it. *bando.*] ***S. m.*** *P. us.* Pregão público; proclamação.

bandó [Do fr. *bandeau.*] ***S. m.*** **1.** Cada parte do cabelo que, em certo penteado feminino, assenta de cada lado da testa: "o seu rosto aparecia-me emoldurado por dois bandós muito lisos e negros" (Cornélio Pena, *Fronteira,* p. 51). [Var. pros.: *bandô.*] **2.** *Vest.* V. *bandô* (2 e 3).

bandô [Do fr. *bandeau.*] ***S. m.*** **1.** Faixa decorativa de tecido, madeira, etc., que arremata a parte superior de portas e janelas em geral com fim de ocultar o trilho das cortinas. **2.** *Vest.* Faixa us. como adereço na cabeça, e que, na prática de esportes, evita que os cabelos caiam sobre os olhos ou que para eles o suor escorra. **3.** *Vest.* Faixa de tecido elástico colocado em torno do busto como a peça superior do biquíni. **4.** V. *bandó* (1). [Var. pros., nas acepçs. 2 e 3: *bandó.*]

bandola[1] [De *banda*[2] + *-ola*[1].] ***S. f.*** Cinto de suspender o polvorinho.

bandola[2] [Do it. *mandola,* com infl. de *bandolim.*] ***S. f.*** *Mús.* Instrumento tenor ou barítono da família dos bandolins.

bandoleira [Do esp. *bandolera.*] ***S. f.*** Correia usada a tiracolo, à qual se prende a arma.

bandoleirismo [De *bandoleiro* + *-ismo.*] ***S. m.*** **1.** Ação de bandoleiro. **2.** Vida de bandoleiro.

bandoleiro [Do esp. *bandolero.*] ***S. m.*** **1.** V. *bandido* (1). **2.** V. *cangaceiro.* **3.** *Pop.* V. *mentiroso* (4). **4.** *Bras.* Cão que segue a todos. • ***Adj.*** **5.** *Bras.* V. *bandeiro* (2). **6.** *Bras.* Que não tem parada; errante, andejo. **7.** *Bras.* Ocioso, vadio, vagabundo. **8.** *Bras. N.* Diz-se da rês que se afasta do rebanho e se extravia.

bandoleta (ê) ***S. f.*** O alto[1] da família dos bandolins.

bandolim [Do it. *mandolino.*] ***S. m.*** *Mús.* **1.** Espécie de alaúde com quatro cordas duplas em uníssono e afinação igual à do violino, e que se toca com palheta ou ponteiro. **2.** *P. ext.* Bandolinista. [Var. (ant.): *mandolim.*]

bandolina [Do fr. *bandoline.*] ***S. f.*** Cosmético aromatizado, preparado com a mucilagem de pevides de marmelo, que era us. para alisar ou assentar o cabelo.

bandolinista [De *bandolim* + *-ista.*] ***S. 2 g.*** *Mús.* Tocador de bandolim.

bandónio ***S. m.*** *Lus. Mús.* V. *bandônio.* [Uso freq. em P.]

bandônio ***S. m.*** *Mús.* V. *bandônion.*

bandónion ***S. m.*** *Lus. Mús.* V. *bandônion.* [Uso freq. em P.]

bandônion [Do hisp.-amer. *bandoneón.*] ***S. m.*** *Mús.* Espécie de acordeão quadrado, com mecanismo e teclado semelhantes aos da concertina, muito usado no tango. [Var.: *bandônio.*]

bandulho ***S. m.*** *Pop.* Barriga, pança; intestinos. [Var. bras.: *pandulho.*]

bandurra [Do gr. *pandoûra,* pelo lat. tard. *panduriu.*] ***S. f.*** *Mús.* Espécie de guitarra de braço curto, cordas de tripa e bordões: "as bandurras malaguenhas repenicam com frenesi" (Martins Fontes, *Fantástica,* p. 147).

bandurrear [De *bandurra* + *-ear*[2].] ***V. int.*** **1.** Tocar bandurra. **2.** *Fig.* Viver ociosamente; vadiar, foliar. [Conjug.: v. *frear.*]

bandurrilha [De *bandurra* + *-ilha.*] ***S. f.*** **1.** *Mús.* Bandurra pequena. • ***S. m.*** **2.** *Fig.* Vadio, meliante, malandro. • ***S. 2 g.*** **3.** *Mús.* Bandurrista.

bandurrista [De *bandurra* + *-ista.*] ***S. 2 g.*** *Mús.* Pessoa que toca bandurra; bandurrilha.

banga[1] ***S. f.*** *Bras. SC* Casa ou abrigo malconstruído.

banga[2] [Do tsonga.] ***S. f.*** *Moç.* **1.** Lugar onde se produzem e consomem bebidas alcoólicas: "Nas bangas e tabernas é o primeiro a entrar e o último a sair" (Paulina Chiziane, *Balada de Amor ao Vento,* p. 31). **2.** Festa; farra: "Sabes que faço anos amanhã? .... Não tenciono fazer qualquer banga. A tua companhia seria o melhor para mim, hein?" (Tomás Vimaró, *Terra no Alambique,* p. 33.)

banga[3] [Do quimb. *ku-ribanga,* 'arranjar-se'.] ***S. f.*** *Angol.* Vaidade, ostentação: "afinou as cordas da viola. Tão rápido que se via mesmo já estava afinada, era só para a banga de artista." (Pepetela, *Yaka,* p. 89).

banga[4] ***Interj.*** *Bras. Fam.* Exprime zombaria, escárnio: *A namorada deu-lhe o fora, banga!*

bangalafumenga (bân) ***S. m.*** *Bras. N.E. Pop.* V. *joão-ninguém.* [Cf. *fumega.*]

bangalô [Do concani *bangló,* pelo ingl. *bungalow.*] ***S. m.*** **1.** Na Índia, casa baixa, de um andar só, geralmente com grande varanda coberta. **2.** Casa residencial cuja arquitetura lembra a do bangalô indiano.

bango ***S. m.*** *Bot.* V. *bangue.*

bangolar ***V. int.*** *Bras. N. N.E.* V. *vaguear*[1] (1 e 2).

bangu ***S. 2 g.*** *Bras.* V. *banguense* (3). ◆ **À bangu.** *Bras. RJ Pop.* **1.** À valentona, à bruta: *Ele faz tudo à bangu, sem levar nada em consideração.* **2.** Sem interesse de fazer bem feito; grosseiramente.

bangue [Do sânscr. *bhanga.*] ***S. m.*** *Bot.* Cânhamo (*Cannabis sativa*) destinado à produção do haxixe e da maconha; bango e (moç.) suruma.

banguê (güê) [De or. afric.] ***S. m.*** **1.** *Bras.* Padiola em que se conduziam cadáveres de negros escravos. "Ganhava dinheiro para transportar os corpos nos banguês ou caixões." (Ana Maria Gonçalves, *Um Defeito de Cor,* p. 559.) **2.** Padiola de cipós trançados na qual se leva à bagaceira (5) o bagaço verde da moenda. **3.** Canal ladrilhado por onde escorre a espuma das tachas de açúcar. **4.** O conjunto da fornalha e as três tachas sobre ela assentadas, nos engenhos de açúcar. **5.** Padiola empregada nas construções para levar materiais ao canteiro de obras. **6.** *Bras. N.E. P. ext.* A propriedade agrícola com canaviais e engenho de banguê. **7.** *Bras. S.* Certa liteira com teto e cortinados de couro. **8.** *Bras. MG GO MT* Cocho[1] de couro para curtume e decoada. ❖

bangue-bangue [Do ingl. *bang-bang.*] ***S. m.*** **1.** Filme que retrata cenas da conquista do O. norte-americano, em geral com muitos tiroteios, lutas, etc. [Sin.: *filme de bangue-bangue, faroeste, filme de mocinho* e *filme de faroeste,* e (ingl.) *western.*] **2.** *P. ext.* Qualquer película que retrate especialmente cenas de tiroteio, lutas, etc.; faroeste, filme de bangue-bangue, filme de faroeste, filme de mocinho, *western.* **3.** *P. ext.* Luta, briga, com pancadaria ou tiroteio; faroeste. [Pl.: *bangue-bangues.*]

bangueiro ***S. m.*** *Luso-asiat.* Homem que faz uso de haxixe, ou bangue. [Cf. *bangueiro* (güei).]

bangueiro (güei) [De *banguê* + *-eiro.*] ***S. m.*** *Bras.* **1.** Indivíduo que prepara a garapa de cana no fabrico de rapaduras. **2.** Indivíduo encarregado da limpeza do caldo de cana contido nos tachos. [Cf. *bangueiro.*] ❖

banguela [Do top. *Benguela* (Angola).] ***Adj. 2 g.*** **1.** Benguela (4). **2.** *Bras.* Diz-se de pessoa cuja arcada dentária é falha na frente; desdentado, canhanha; benguela, banguelo. • ***S. 2 g.*** **3.** Benguela (1). **4.** *Bras.* Pessoa banguela (2); caxinxa, canhanha, benguela, banguelo. **5.** Pessoa que fala incorretamente ou a modo de banguela (2); banguelo. [F. preferível a *benguela,* nas acepçs. 2, 4 e 5.] ◆ **Na banguela.** *Bras. Pop.* Com a marcha de veículo automóvel desengatada; em ponto morto: *Desceu a ladeira na banguela.*

banguelê [De or. afr., poss.] ***S. m.*** *Bras. MG* V. *rolo*[1] (16).

banguelo ***Adj. S. m.*** *Bras.* V. *banguela* (2, 4 e 5).

banguense (gu-ên) *Bras.* ***Adj. 2 g.*** **1.** Pertencente ou relativo ao Bangu Atlético Clube (RJ). **2.** Que é torcedor ou jogador dessa agremiação. • ***S. 2 g.*** **3.** Membro, torcedor ou jogador dela; bangu. [Sin. ger.: *alvirrubro.*]

banguezeiro (güe) ***S. m.*** *Bras.* Proprietário de banguê (6); banguezista. ❖

banguezista (güê) ***S. 2 g.*** *Bras.* Banguezeiro. ❖

banguina ***S. f.*** *Bras. MG* V. *égua* (1).

bangula ***S. m.*** *Bras.* Certo barco de pesca.

bangular [Alter. de *bangolar.*] ***V. int.*** *Bras. N. N.E.* V. *vaguear*[1] (1 e 2).

bangulê [Do quimb.] ***S. m.*** **1.** *Bras. RJ Folcl.* Dança negra, ao som da cuíca, com palmas, sapateados e cantigas obscenas. **2.** V. *rolo*[1] (16).

banha ***S. f.*** **1.** Gordura animal, especialmente do porco. **2.** *P. ext.* A adiposidade no homem. **3.** Pomada para o cabelo, preparada com substâncias aromáticas. **4.** *Bras. AL Gír.* Elogio interesseiro ou servil; bajulação, adulação: *Elogia muito o governador, mas aquilo é banha.* ◆ **Ficar na banha.** *Bras.* Ficar na miséria. **Passar banha em.** *Bras. AL Pop.* Elogiar servil ou interesseiramente; adular, bajular.

banhadal [De *banhado* + *-al*[1].] ***S. m.*** *Bras.* **1.** Banhado muito extenso. **2.** Terreno alagadiço; pântano, charco. **3.** Série de banhados próximos uns dos outros.

banhado [Do esp. plat. *bañado.*] ***S. m.*** *Bras. S.* **1.** Pântano coberto de vegetação. **2.** V. *pântano.*

banhâni ***S. m.*** *Bras. Rel.* V. *Baiâni.* [Com cap.]

banhar [De *banho*[1] + *-ar*[2].] ***V. t. d.*** **1.** Meter em banho[1]; dar banho a; lavar: *banhar criança.* **2.** Passar água ou outro líquido em; molhar: *banhar o rosto.* **3.** Correr por, passar em, ou junto de; regar; lavar: *O rio São Francisco banha Minas Gerais, Bahia, Sergipe, Alagoas e Pernambuco.* **4.** Estender a sua claridade através ou ao longo de: "A lua banha a solitária estrada..." (Raimundo Correia, *Poesias,* p. 111.) ***T. d. e i.*** **5.** Introduzir em água ou noutro líquido; mergulhar: *Para retirar a ferrugem, banhou as peças em óleo.* **6.** Umedecer; regar: *Abraçou o filho, banhando-o de lágrimas.* ***P.*** **7.** Tomar banho; lavar-se: "Banhei-me na água de risonhos lagos" (Augusto dos Anjos, *Eu,* p. 105). **8.** Tomar banho de asseio. **9.** Envolver-se: *A paisagem banhava-se nos últimos raios de luz.* **10.** *Bras. N.E.* Aproveitar-se, locupletar-se: *Como secretário do governo ele banhou-se.* **11.** *Bras. N.E. Chulo* Lavar as partes sexuais depois da cópula.

banheira [De *banho*[1] + *-eira.*] ***S. f.*** **1.** Mulher que prepara banhos. **2.** Aparelho sanitário, de ferro esmaltado, louça, mármore, alvenaria comum revestida de outro material, etc., para banho de imersão. **3.** *Bras. Fut. Pop.* V. *impedimento* (4). **4.** *Bras. Pop.* Automóvel muito grande: "Nelson estava no ônibus .... quando, ao lado, no sinal, encostou uma banheira preta da presidência da República." (Rui Castro, *O Anjo Pornográfico,* p. 299.)

banheiro [De *banho*[1] + *-eiro.*] ***S. m.*** **1.** *Bras.* Aposento com todo o aparelhamento de banho. [Sin. (lus.): *casa de banho.*] **2.** *Bras.* Aposento com vaso sanitário. [Sin.: *sanitário* e (ingl.) *water closet, w.c.*] **3.** *Bras.* Aparelho sanitário (2). **4.** *Lus.* Indivíduo que prepara os banhos e ajuda a tomá-los. **5.** *Lus.* Nas praias, rios e lagos, salva-vidas (2) que dá tb. aulas de natação, assistência aos banhistas, etc. "tinha-se persignado às escondidas e toda trêmula, agarrada à mão do banheiro, ... entrava na água ....". (Eça de Queirós, *O Crime do Padre Amaro,* p. 100). **6.** *Lus.* Proprietário ou administrador de estabelecimento balnear.

banhista[1] [De *banho*[1] + *-ista.*] ***S. 2 g.*** **1.** Pessoa que se banha em mar, rio, piscina, etc. **2.** Pessoa que se submete a banhos medicinais. **3.** Pessoa que dá banho em outra. **4.** *Bras. S.* V. *salva-vidas* (2).

banhista[2] [De *banha* (4) + *-ista.*] ***S. 2 g.*** *Bras. AL Gír.* V. *bajulador* (2).

banho[1] [Do lat. *balneu,* pelo lat. vulg. *baneu.*] ***S. m.*** **1.** Imersão total ou parcial do corpo em líquido, especialmente água, para fins higiênicos, terapêuticos ou lúdicos: *banho de chuveiro; banho de mar; traje de banho.* **2.** O líquido destinado ao banho. **3.** Exposição a raios solares, luminosos, etc.: *banho de sol; banho de raios ultravioleta.* **4.** Exposição a gases, vapores, etc. **5.** Líquido onde se mergulham substâncias para tingir. **6.** *Quím.* Qualquer solução em que se imergem peças, ou a que se adicionam substâncias, com o fim de efetuar uma reação ou realizar um determinado processo. **7.** *Quím.* Fluido que circunda um reator ou recipiente onde ocorre um processo químico, e cuja temperatura pode ser controlada. **8.** *Bras. Fam.* V. *surra* (3). **9.** *Bras. Fig.* Aquilo com que, pela abundância, alguém se beneficia, ou se enfara: *tomar um banho de civilização; um banho de entusiasmo; receber um banho de chateação.* **10.** *Bras. Gír.* Calote. **11.** *Bras. PA Etnogr.* Golpe de saias com que as damas cobrem os parceiros que se agacham e negaceiam diante delas, na dança do carimbó ou curimbó. ~ V. *banhos*. ◆ **Banho de água fria.** Aquilo que faz perder o entusiasmo. **Banho de asseio.** *Bras.* V. *semicúpio* (1). **Banho de assento.** V. *semicúpio* (1). **Banho de chuva.** Banho de chuveiro; ducha. **Banho de ervas.** *Bras. Etnogr.* V. *banho de cheiro*. **Banho de facão.** *Bras. N.E. Pop.* Surra de sabre. **Banho de folhas.** *Bras. Etnogr.* V. *banho de cheiro*. **Banho de loja.** Ato ou efeito de comprar muitos artigos de vestuário e/ou beleza, esp. com a finalidade de melhorar ou mudar a apresentação pessoal. **Banho de poeira.** Trambolhão (1). **Banho de sangue.** Mortandade, carnificina. **Banho eletrolítico.** *Quím.* Solução em que se realiza a eletrólise, numa operação de galvanoplastia. **Banho finlandês.** Sauna (1). **Banho salgado.** *Bras. N.E.* Banho de mar: "Tomamos 'banho salgado' (em Sergipe não se diz banho de mar)." (Gilberto Amado, *História da Minha Infância*, p. 64); "Na Bahia banho salgado é o mesmo que banho de mar." (Hermano Requião, *Itapagipe*, p. 37). **Banho turco.** O que se toma em uma estufa na qual a temperatura é muito elevada, ficando-se exposto por algum tempo à ação do vapor de água, e mergulhando-se depois em água fria.

banho^{2} [Do frâncico *ban, pelo fr. *ban*, com infl. de *banho*^{1}.] *S. m.* Proclama de casamento. [M. us. no pl., pelo menos no Brasil.] ~ V. *banhos*.

banho^{3} [Do it. *bagno*.] *S. m.* **1.** Local onde antigamente eram cumpridas as penas de trabalhos forçados. **2.** *P. ext.* Presídio, prisão. ~ V. *banhos*.

banho-cheiroso (ô) *S. m. Bras. Etnogr.* V. *banho de cheiro*. [Pl.: *banhos-cheirosos*.]

banho de cheiro *S. m. Bras. Etnogr.* Banho tomado, esp. em determinados dias, numa água a que se adicionaram ervas, folhas, raízes pulverizadas, flores, etc., e cuja finalidade é, em geral, apotropaica. [Sin.: *banho-cheiroso, banho de ervas* e *banho de folhas*. Cf. *ariaxé*. Pl.: *banhos de cheiro*.] ☑

banho de cuia *Bras. RS Fut. S. m.* V. *lençol* (4). [Pl.: *banhos de cuia*.] ☑

banho de igreja *S. m. Bras. Fam.* V. *casamento* (1 e 2). [Pl.: *banhos de igreja*.] ☑

banho-maria *S. m.* Processo de aquecer ou cozinhar lentamente qualquer substância mergulhando em água fervente o vaso que a contém. [Pl.: *banhos-marias* e *banhos-maria*.] ◆ **Em banho-maria.** Em ritmo lento; em compasso de espera.

banhos^{1} *S. m. pl.* V. *balneário* (3 e 4). ~ V. *banho*.

banhos^{2} *S. m. pl.* V. *banho*^{2}. ~ V. *banho*.

baniane [De or. indiana.] *S. m. Moç. Deprec.* Negociante indiano que professa o hinduísmo: "Depois de um tempo, eu nacionalizo tudo... Chuto o baniane no rabo." (Mia Couto, *Terra Sonâmbula*, p. 123.)

banido [Part. de *banir*.] *Adj.* **1.** Expatriado por sentença; proscrito, exilado, desterrado. **2.** Posto para fora; expulso. **3.** *Bras. CE Pop.* Alquebrado, moído. ● *S. m.* **4.** Indivíduo banido (1 e 2).

banimento [De *banir* + *-mento*.] *S. m.* Ato ou efeito de banir.

banir [Do frâncico *bannjan, pelo fr. *bannir*.] *V. t. d.* **1.** Expulsar da pátria; expatriar, desterrar. **2.** Expulsar ou excluir de uma sociedade. **3.** Afastar, afugentar: *banir uma ideia.* **4.** Eliminar, proscrever, abolir: *Aspirava a uma situação que banisse os falsos valores.* *T. d. e c.* **5.** Expulsar, desterrar: *A erupção vulcânica baniu da vila a maior parte dos seus habitantes.* **6.** Eliminar, abolir: *banir o ódio do coração.* *T. d. e i.* **7.** Expulsar, excluir: *Baniram-no da corporação.* [Defect. Faltam-lhe as f. em que ao *n* se seguiria *o* ou *a*: a 1ª pess. do sing. do pres. ind. e todas as do pres. subj.]

baníua *Bras. S. 2 g.* **1.** *Etnôn.* Indivíduo dos baníuas [ou (etnôn. bras.) *Baniwa], povo indígena da família linguística aruaque, que habita a região do alto rio Negro conhecida como Boca do Cachorro (AM). ● *Adj. 2 g.* **2.** Pertencente ou relativo a esse povo. ◆ **Baníua do Içana.** *Bras.* V. *hoódene*.

banível [De *banir* + *-vel*.] *Adj. 2 g.* Que pode ou deve ser banido.

banja^{1} *S. f.* Trapaça no jogo.

banja^{2} [Do ronga *bandla*, com palatalização.] *S. f. Moç.* Reunião, assembleia: "Não obstante a facção conservadora, a banja decidira por maioria escolher um homem mais sensato e disciplinado." (Raul Honwana, *O Algodão e o Ouro*, p. 73.)

banjista [De *banja*^{1} + *-ista*.] *Adj. 2 g. S. 2 g.* Que, ou quem faz banjas^{1}. [Cf. *banjoísta*.]

banjo [Do ingl. *bandore*.] *S. m. Mús.* **1.** Instrumento musical de quatro, cinco ou seis cordas, de origem afro-americana, com tampo de ressonância de couro. **2.** Banjoísta.

banjoísta *S. 2 g. Mús.* Tocador de banjo; banjo. [Cf. *banjista*.]

banqueiro^{1} [De *banco*^{2} + *-eiro*.] *S. m.* **1.** Aquele que realiza operações bancárias. **2.** Diretor de banco^{2} (1). **3.** Proprietário de banco^{2} (1) ou de casa bancária. **4.** *Fig.* Homem rico; capitalista.

banqueiro^{2} [De *banca* + *-eiro*.] *S. m.* **1.** Aquele que tem banca para jogo de roleta ou jogo do bicho. **2.** *Bras.* Nos engenhos de açúcar, o encarregado da casa das caldeiras durante a noite. **3.** Nos açougues, banco ou mesa do cortador da carne.

banqueta (ê) [De *banca* + *-eta* (ê).] *S. f.* **1.** Pequena banca ou mesa. **2.** Degrau acima do altar, onde se põem castiçais. **3.** Degrau atrás do parapeito de muralhas, onde sobem os soldados para atirar. **4.** *Bras.* Cata (3) pequena, aberta ao lado de uma grande. ◆ **Banqueta continental.** *Ocean.* V. *plataforma continental*.

banquete (ê) [Do it. *banquetto*, 'banquinho', pelo fr. *banquet*.] *S. m.* **1.** Refeição formal e solene, em que participam muitos convidados. **2.** Refeição lauta e festiva; festim, repasto. [Sin. ger., desus.: *convívio*.] **3.** *Maç.* Festividade maçônica para comemorar uma data ou acontecimento importante. ◆ **Banquete sagrado.** *Rel.* V. *eucaristia* (2).

banqueteador (ô) [De *banquetear* + *-dor*.] *S. m.* Aquele que (se) banqueteia.

banquetear [De *banquete* + *-ear*^{2}.] *V. t. d.* **1.** Dar banquete(s) a, ou em honra de. *P.* **2.** Participar de banquete. **3.** Gastar muito em comida ou em festas. **4.** Comer lautamente. [Conjug.: v. *frear*.]

banqueteiro [De *banquete* + *-eiro*.] *S. m.* Aquele que prepara banquetes ou refeições de culinária esmerada.

banquetense *Adj. 2 g.* **1.** De, ou pertencente ou relativo a Banquete (RJ). ● *S. 2 g.* **2.** O natural ou habitante de Banquete.

banquisa [Do escand. *bank-is*, 'campo de gelo', pelo fr. *banquise*.] *S. f.* Campo de gelo glacial flutuante, proveniente do congelamento da água do mar. [Cf. *iceberg*.]

bantabá [Do mandinga.] *S. m. Guin.* Local de reunião, ger. terreiro ou pátio, em que a população e, em particular, os homens-grandes da aldeia se encontram à noite: "O campo de futebol era como o bantabá onde toda a gente se reunia semanalmente para conversar, divertir-se e conviver." (Abdulai Sila, *A Última Tragédia*, p. 129.)

banto [De *ba-*, partícula afric. que indica plural, + *-ntu*, 'homem'; termo cunhado na década de 1850 por W.H.I. Bleek, bibliotecário do governo britânico na antiga Colônia do Cabo.] *S. m.* **1.** Indivíduo de um dos povos que falam qualquer das centenas de línguas bantas. **2.** *Gloss.* Grupo de línguas pertencentes ao benuê-congo (q. v.), e que é composto de várias centenas de línguas faladas numa área muito extensa da África, desde o paralelo 5º até a antiga Colônia do Cabo (na atual República da África do Sul). **3.** No Brasil, qualquer dos escravos chamados de *angolas, benguelas, cabindas, congos, moçambiques*. ● *Adj.* **4.** Relativo, ou pertencente a banto (1 a 3). [F. paral.: *bantu*.]

bantu *S. 2 g. S. m. Adj. 2 g.* V. *banto*.

banza^{1} [Do quimb. *mbanza*.] *S. f.* **1.** *Angol.* Senzala (q. v.) em que reside um chefe tradicional: "E foi seu sobrinho, Pinheiro Katata, regedor da banza junto do governo, quem partiu para a vila para tratar dos casos." (Rui Duarte de Carvalho, *Como se o Mundo Não Tivesse Leste*, p. 118.) **2.** Residência de soba, na África.

banza^{2} [Do quimb. *mbanza*.] *S. f. Mús.* **1.** Espécie de guitarra africana rústica, antecessora do banjo, com caixa de ressonância feita de cabaça e com quatro cordas. **2.** *Pop.* Viola, guitarra.

banzaeense (a-êen) *Adj. 2 g.* **1.** De, ou pertencente ou relativo a Banzaê (BA). ● *S. 2 g.* **2.** O natural ou habitante de Banzaê.

banzar [Do quimb. *kubanza*.] *V. t. d.* **1.** Espantar, pasmar, surpreender. *T. i. Int.* **2.** Pensar detidamente; meditar, cismar, matutar: "Um ou outro insone, vigia, com os olhos arregalados, a banzar na vida, ouvindo os grilos e os vagos rumores do ermo." (Afonso Arinos, *Histórias e Paisagens*, p. 125.)

banzativo [De *banzar* + *-tivo*.] *Adj. Bras.* Que está a banzar, meditar, cismar; pensativo, meditativo, cismativo.

banzé [De or. controversa.] *S. m. Pop.* **1.** V. *rolo*^{1} (16). **2.** Festa popular.

banzear *V. t. d.* **1.** Agitar, mover, balouçar. *Int.* **2.** Estar banzeiro. [Conjug.: v. *frear*.]

banzé de cuia *S. m. Bras. Pop.* V. *rolo*^{1} (16). [Pl.: *banzés de cuia*.] ☑

banzeiro *Adj.* **1.** Diz-se do mar que se agita vagarosamente e em pequenas ondas. **2.** Diz-se do jogo que se prolonga sem que os resultados se modifiquem sensivelmente para os jogadores. **3.** *Bras.* Triste, melancólico: "cantando com desentoo na voz apagada e rouca as modinhas banzeiras da senzala." (Francisco Ribeiro Sampaio, *Renembranças*, p. 1). **4.** *Bras. N.* Um pouco bêbado. **5.** *Bras. N.* Sem firmeza, cambaleante. ● *S. m.* **6.** *Bras. Amaz.* Sucessão de ondas provocadas pela passagem da pororoca ou de uma embarcação a vapor, no rio. **7.** *Bras. N.* Vento forte. **8.** *Bras. N.E.* V. *rolo*^{1} (16).

banzo^{1} [Dev. de *banzar*.] *S. m.* **1.** Nostalgia mortal que atacava os negros trazidos escravizados da África: "Uma moléstia estranha, que é a saudade da pátria, uma espécie de loucura nostálgica ou suicídio forçado, o banzo, dizima-os pela inanição e fastio, ou os torna apáticos e idiotas." (João Ribeiro, *História do Brasil*, p. 207.) **2.** *P. ext.* Nostalgia, tristeza. ● *Adj.* **3.** *Bras.* Triste, abatido; pensativo. **4.** *Bras. N.* Surpreendido, pasmado. **5.** *Bras. MG* Sem jeito, sem graça; encafifado: *Meteu-se a galanteador, e saiu banzo.*

banzo^{2} [De or. obsc.] *S. m.* **1.** *Arquit.* Cada uma das peças ou vigas laterais das escadas fixas e de mão, onde se apoiam os degraus. **2.** Braço do andor, do esquife. ◆ **Banzo da bomba.** Banzo externo. **Banzo externo.** Aquele que, nas escadas fixas e encostadas a uma parede, se encontra do lado oposto a esta, ou do lado da bomba; banzo da bomba. **Banzo interno.** Aquele que, nas escadas fixas, se encontra junto a uma parede.

baobá [Do ár. *buhibab*, pelo fr. *bahobab, baobab*.] *S. m. Bot.* Gigantesca árvore bombacácea (*Adansonia digitata*) muito disseminada nas savanas africanas, de tronco excessivamente espesso, rico em reservas de água, e considerado o mais grosso tronco do mundo, folhas digitadas e frutos capsulares. [Sin.: (bras. e angol.) *embondeiro*, (angol.) *imbondeiro*, (guin.) *calabaceira* e (santom.) *micondó*.]

baonesa (ê) *S. f.* V. *baiounesa*.

bapo [Do tupi.] *S. m.* V. *maracá* (1).

baquara [Do tupi = 'sabedor de coisas'.] *Adj. 2 g. S. 2 g. Bras.* Esperto, sabido, vivo.

baque [Do ár. *waqʿa(t)*, 'golpe'.] *S. m.* **1.** Ruído de um corpo ao cair ou ao embater em outro. **2.** Queda, tombo. **3.** Batida, colisão. **4.** *Fig.* Desastre súbito; revés, contratempo. **5.** *Fig.* Receio íntimo; desconfiança. **6.** *Fig.* V. abalo (5). **7.** *Bras.* Momento, instante. ◆ **Tomar baque.** *Bras. Gír.* V. *tomar (um) pico*: "— Eu tomava baque na casa de um considerado meu que vivia amigado com uma mulher feia como a fome." (Dráuzio Varela, *Estação Carandiru*, p. 67.)

baqueada [De *baquear* + *-ada*^{1}.] *S. f.* Ato ou efeito de baquear.

baqueano [Do esp. plat. *baqueano*.] *S. m. Bras. N. N.E.* V. *tapejara* (1). [Cf. *bachiano* (qui).]

baquear [De *baque* + *-ear*^{2}.] *V. int.* **1.** Cair com baque, ou repentinamente: "Mas o herói baqueou: golpe certo e profundo / Prostrara-o num momento!" (Eugênio de Castro, *Obras Poéticas*, V, p. 156); "Fendidas pelo raio, baqueavam árvores que pareciam eternas." (Xavier Marques, *A Cidade Encantada*, p. 179). **2.** Sofrer baque (3). **3.** *Fig.* Ficar sem recursos; arruinar-se, falir. **4.** *Pop.* Concordar com alguma coisa, deixando-se convencer dela. **5.** Perder o ânimo; deixar-se vencer: *Não baqueou apesar dos golpes sofridos.* *T. d.* **6.** Tornar prostrado; enfraquecer: *A doença o baqueou.* **7.** Causar baque (4) a; abalar: *O seu infortúnio baqueou toda a família.* **8.** Convencer (alguém) com argumentação irrespondível. *P.* **9.** Lançar-se por terra; prostrar-se, cair. [Conjug.: v. *frear*.]

baqueiro [De *baque* + *-eiro*.] *S. m. Bras. Gír.* Indivíduo que usa droga injetável, que toma baque.

baquelita [Do fr. *bakélite*.] *S. f. Quím.* Resina sintética obtida pela condensação de fenóis com aldeído fórmico. [Var.: *baquelite*.]

baquelite *S. f. Quím.* V. *baquelita*.

baquerubu [Do tupi.] *S. m. Bras. Bot.* Árvore cesalpiniácea (*Schizolobium parahyba*) nativa da BA a SC, largamente cultivada pela beleza e elegância, de tronco retilíneo liso, e ramificado apenas no ápice, flores amarelas e pouco visíveis, ao contrário das grandes folhas penadas, e cujo fruto é uma vagem obovada, com grandes sementes duríssimas. A madeira, branca, leve e mole, serve para caixotes e para polpa celulósica. [Var.: *bacurubu, guapurubu, guapuruvu, guapiruvu*. Sin.: *ficheiro, pau-vintém*.]

baqueta (ê) [Do it. *bacchetta*.] *S. f.* **1.** *Mús.* Pequena vara de madeira com que se percutem os tambores: "Um coxo, ... com o seu tamborzinho amarrado à barriga, passa e repassa, apressado, vibrando as baquetas estrepitosamente." (José Vieira, *Sol de Portugal*, p. 156.) [Cf. *bilro* (3).] **2.** Vareta de guarda-sol;

vaqueta. [Pl.: *baquetas* (ê). Cf. *baqueta* e *baquetas*, do v. *baquetar*.]

baquetar [De *baqueta* + *-ar*[2].] *V. int.* Tocar tambor com baquetas; baquetear. [Pres. ind.: *baqueto, baquetas, baqueta*, etc. Cf. *baqueta* (ê), e pl. *baquetas* (ê).]

baquetear [De *baqueta* + *-ear*[2].] *V. int.* Baquetar. [Conjug.: v. *frear*.]

báquico [Do gr. *bakchikós*, pelo lat. *bacchicu*.] *Adj.* **1.** Relativo ao deus grego Baco ou Dioniso (v. *dionisíaco*[1]). **2.** Relativo ao vinho. [Sin., nessas acepçs.: *bacanal, dionisíaco*.] **3.** Orgíaco, bacanal: "O vinho desencadeou o entusiasmo báquico nestas naturezas primitivas e fortes." (José Vieira, *Sol de Portugal*, p. 156.)

baquio [Do gr. *bakcheîos*, pelo lat. *bacchiu*.] *S. m. Arte Poét.* Pé de verso grego ou latino, constituído por uma sílaba breve e duas longas. [Cf. *antibaquio*.]

baquista [Do mit. *Baco*, 'deus do vinho', + *-ista*.] *Adj. 2 g. S. 2 g.* Que, ou quem é dado ao vinho, à embriaguez, ou gosta de orgias.

baquité [De or. tupi, poss.] *S. m. Bras.* Espécie de samburá.

bar[1] [Do ingl. *bar*, 'barra'; 'bar' (1)'.] *S. m.* **1.** Balcão diante do qual as pessoas, de pé ou sentadas em bancos altos, consomem bebidas e iguarias leves. **2.** Sala com tal balcão e com pequenas mesas: *o bar do clube; o bar do aeroporto.* **3.** V. *botequim*. **4.** Armário ou outro móvel onde se guardam garrafas de bebidas alcoólicas em uso. [Pl.: *bares*.]

bar[2] [Do ár. *bahār*, 'peso'; 'pimenta'; 'especiaria'.] *S. m.* Peso indiano, que varia, segundo as regiões, entre 141 e 330 quilos. [Var.: *bagar*. Pl.: *bares*.]

bar[3] [Do gr. *barýs*, 'pesado'.] *S. m. Fís.* Unidade de medida de pressão igual a 10^5 pascals, correspondente a aproximadamente 750mmHg ou 0,987 atmosfera. [Pl.: *bars*. Cf. *bária*.]

bará[1] *Bras. S. 2 g.* **1.** *Etnôn.* Indivíduo dos barás, povo indígena que habita a região da cachoeira do Amacá, alto rio Tiqué (AM). • *Adj. 2 g.* **2.** Pertencente ou relativo a esse povo. [Tb. us. como *s. 2 g. e 2 n.* (com cap.) e *adj. 2 g. e 2 n.*]

bará[2] [Do ior.] *S. m. Bras. Rel.* **1.** Qualidade (11) de Exu ligada ao destino e à divinação. • *Adj. 2 g.* **2.** Diz-se dessa qualidade. [Com cap.]

barabatana *Bras. S. 2 g.* **1.** *Etnôn.* Indivíduo dos barabatanas, povo indígena das margens do rio Apoporis. • *Adj. 2 g.* **2.** Pertencente ou relativo a esse povo. [Tb. us. como *s. 2 g. e 2 n.* (com cap.) e *adj. 2 g. e 2 n.*]

baraço [Do ár. *marasa(t)*, pelo ant. *baraça*.] *S. m.* **1.** Corda, cordel. **2.** Corda ou laço para estrangular.

barafunda *S. f.* **1.** Mistura desordenada de pessoas ou coisas. **2.** Confusão, balbúrdia, baderna. **3.** Algazarra, barulho, vozearia, vozerio. **4.** *Bord.* V. *crivo* (7).

barafustar *V. t. c.* **1.** Entrar ou meter-se com violência; embarafustar-(se): *Barafustou pela casa adentro, dando encontrões.* *Int.* **2.** Mover-se ou agitar-se desordenadamente; bracejar, espernear, estrebuchar, debater-se.

baragnose [De *bar(o)-* + *-a-*[2] + *-gnose*.] *S. f. Neur.* Incapacidade de sentir o peso dos objetos, de compará-lo com o de outros. [Cf. *barognose*.]

baraini *Adj. 2 g. S. 2 g.* V. *bareinita*.

barainita *Adj. 2 g. S. 2 g.* V. *bareinita*.

barajá [Do ior.] *S. m. Bras. Rel.* Espécie de colar grosso de búzios, de fio duplo, que os orixás Omolu, Oxumaré, Nanã e Euá usam a tiracolo, quando trajados para as festas no barracão (6).

barajuba [De or. tupi.] *S. f. Bras. Bot.* V. *murajuba* (1).

baralha[1] [De or. incerta, mas certamente relacionada com *baralhar*[1] (q. v.).] *S. f.* **1.** O que fica do baralho depois de se distribuírem as cartas. **2.** Confusão, desordem. **3.** Intriga, enredo, mexerico.

baralha[2] [De *bralha*, com suarabácti.] *S. f.* V. *bralha*[2].

baralhada [De *baralhar*[1] + *-ada*[1].] *S. f.* Desordem, confusão, barafunda.

baralhador[1] (ô) [De *baralhar*[1] + *-dor*.] *Adj. S. m.* Que, ou aquele que baralha.

baralhador[2] (ô) [De *baralhar*[2] + *-dor*.] *Adj. S. m.* Diz-se de, ou equídeo que sabe o passo chamado *baralha* ou *bralha*.

baralhamento [De *baralhar*[1] + *-mento*.] *S. m.* Ato ou efeito de baralhar(-se).

baralhar[1] [De or. incerta.] *V. t. d.* **1.** Misturar (as cartas do baralho); embaralhar. **2.** Tirar da ordem; pôr em desordem; embaralhar: *Em vez de arrumar os meus livros, baralhou-os.* **3.** Misturar, confundir; desordenar; embaralhar: *A situação confusa baralhava as ideias do rapaz.* [Sin., nessas acepçs.: *esbaralhar*.] **4.** Causar confusão a. **5.** Atrapalhar-se na identificação de; confundir: "Não sei como baralhei pessoas tão diversas" (Graciliano Ramos, *Memórias do Cárcere*, I, p. 47). *P.* **6.** Misturar-se, confundir-se; embaralhar-se: "De regresso ao hotel, sentia-me zonzo. Os acontecimentos baralhavam-se: não me seria possível guardá-los se continuasse na impossibilidade infeliz de tomar notas." (Graciliano Ramos, *Viagem*, p. 35.)

baralhar[2] [De *bralhar*, com suarabácti.] *V. int.* V. *bralhar*.

baralho [Dev. de *baralhar*.] *S. m.* **1.** Coleção formada por 52 cartas de jogar, divididas em quatro naipes, subdivididos em séries de ás a rei, com peças intermediárias numeradas até dez, e mais as figuras do valete e da dama. [Há mais uma carta, o curinga, que só é utilizada em determinados jogos.] **2.** *P. ext.* V. *tarô*.

barambaz *S. m. Fam.* **1.** Coisa que está pendente, pendurada, como, p. ex., bambolina, sanefa, etc. **2.** Certa guarnição de vestidos.

barandar *S. m.* Aparelho que serve para equilibrar pequenas embarcações quando há mar grosso.

baranga *Bras. Gír. Adj. 2 g.* **1.** De má qualidade; de pouco ou nenhum valor. • *S. f.* **2.** Mulher muito feia ou muito maltratada, sem trato.

barangandã *S. m. Bras.* V. *balangandã* (1).

barão [Do frâncico **baro*.] *S. m.* **1.** Na hierarquia nobiliárquica, o mais inferior na escala dos títulos. [Acima deste vêm os de *visconde, conde, marquês, duque* e *arquiduque*.] **2.** Indivíduo poderoso e notável pelo valor, pela posição e/ou pela riqueza: "As armas e os barões assinalados" (Luís de Camões, *Os Lusíadas*, I, 1); *os barões do café.* **3.** *Bras. Pop.* Antiga cédula de mil cruzeiros com a efígie do Barão do Rio Branco: "Venham consumir seus barões e seus florianos" (Carlos Drummond de Andrade, em *Jornal do Brasil*, 10.11.1979). **4.** *Bras. SC Folcl.* Figura fantástica do boi de mamão; arcabouço de madeira, de corpo comprido e fauces articuladas, que "engole" as crianças presentes à apresentação do folguedo. **5.** *Ant.* Homem esforçado, valoroso; varão. **6.** *Ant.* Senhor feudal. [Fem.: *baronesa*.]

barãoense *Adj. 2 g.* **1.** De, ou pertencente ou relativo a Barão de Antonina (SP). • *S. 2 g.* **2.** O natural ou habitante de Barão de Antonina.

bararuá *S. m. Bras. Amaz. Zool.* V. *acará-bararuá*.

barasano *Bras. S. 2 g.* **1.** Indivíduo dos barasanos [ou (etnôn. bras.) **Barasana*], povo indígena da família linguística tucano, que habita a região do alto rio Negro conhecida como Boca do Cachorro (AM). • *Adj. 2 g.* **2.** Pertencente ou relativo a esse povo.

barata[1] [Do lat. *blatta*, com suarabácti.] *S. f.* **1.** *Zool.* Ortóptero onívoro, de corpo achatado e oval, que põe ovos em ootecas. Pode ser silvestre ou doméstico, e tem hábitos noturnos. [v. *blatários*.] **2.** *Pop.* Mulher velha. **3.** *Desus.* Antigo automóvel conversível de duas portas, cuja parte traseira se abria para dar acesso a um banco; baratinha: "A barata vence o caminhão na carreira." (Viana Moog, *Um Rio Imita o Reno*, p. 125.) **4.** *Gír.* Irmã de caridade. **5.** *Pop.* A vulva. ◆ **Chupar uma barata.** *Pop.* Não obter o que lhe foi prometido; ser bigodeado, logrado. **Entregue às baratas.** **1.** *Fam.* Sem receber os devidos cuidados; abandonado: *Vive sem ordem, bebendo, entregue às baratas; O projeto está entregue às baratas.* **2.** Em situação ou estado deplorável (física, mental, moral ou materialmente): "Meu pai morreu de enfisema pulmonar .... E na juventude tinha sido atleta, corria até maratona. Ou pelo menos ele contava essa vantagem, quando já estava entregue às baratas." (Rubem Fonseca, *O Seminarista*, p. 140.)

barata[2] [Do fr. *baratte*.] *S. f.* Batedeira de manteiga.

barata-cascuda *S. f. Bras. Zool.* Inseto blatário, blatídeo, panclorineo (*Leucophaea maderae*), cosmopolita, de comprimento de até 45mm, asas grandes, ultrapassando o abdome, e que ataca frutas e cereais. [Pl.: *baratas-cascudas*.]

barata-d'água *S. f. Bras. Zool.* Inseto hemíptero, belostomatídeo, de hábitos predadores, tamanho médio ou grande, aspecto semelhante ao da barata, tíbias achatadas, próprias para a natação, pernas anteriores raptoras. Vive na água. [Pl.: *baratas-d'água*.]

barata-da-praia *S. f. Bras. Zool.* Animal artrópode, crustáceo, isópode, ligiídeo, gênero *Ligia*, o qual vive nas pedras à beira-mar, acompanhando o movimento das marés, e se alimenta de detritos orgânicos. A espécie mais comum no Brasil é *Ligia exotica*. [Pl.: *baratas-da-praia*.]

barata-das-palmeiras *S. f. Bras. Zool.* V. *barata-do-coqueiro*. [Pl.: *baratas-das-palmeiras*.]

barata de igreja *S. f. Bras.* V. *carola*[1] (3). [Pl.: *baratas de igreja*.] ☑

barata de sacristia *S. f. Bras.* V. *carola*[1] (3). [Pl.: *baratas de sacristia*.] ☑

barata-descascada *S. f.* **1.** *Zool.* A barata que está mudando de pele; barata-noiva. **2.** *Pop.*, *Pej.* V. *albino* (2). **3.** *Fam.* Pessoa muito pálida e desbotada. [Pl.: *baratas-descascadas*.]

barata-do-coqueiro *S. f. Bras. Zool.* Designação comum às larvas dos insetos coleópteros crisomelídeos, hispíneos (*Mecistomela marginata* e *M. quadrimaculata*), que vivem entre as folhas novas dos coqueiros; lesma-do-coqueiro, barata-das-palmeiras. [Pl.: *baratas-do-coqueiro*.]

barata-do-fígado *S. f. Bras.* V. *fascíola* (2). [Pl.: *baratas-do-fígado*.]

barata-do-mato *S. f. Bras. Zool.* Designação comum às espécies de baratas que vivem entre as folhas secas, sob pedras, sob troncos ou mesmo sobre as plantas. [Pl.: *baratas-do-mato*.]

barata-germânica [De *barata*[1] + o f. de *germânico*.] *S. f. Bras. Zool.* Baratinha (3). [Pl.: *baratas-germânicas*.]

barata-noiva *S. f. Bras. PE Zool.* Barata-descascada (1). [Pl.: *baratas-noivas* e *baratas-noiva*.]

barata-nua *S. f. Bras. Zool.* Barata-oriental. [Pl.: *baratas-nuas*.]

barata-oriental *S. f. Bras. Zool.* Inseto blatário, blatídeo, blatíneo (*Blatta orientalis*), cosmopolita, de coloração geral negra ou parda muito escura, pronoto de cor uniforme. As asas do macho são curtas, cobrindo quase a metade do abdome, e as da fêmea são atrofiadas; o comprimento é de 18 a 25mm. [Sin.: *barata-nua*. Pl.: *baratas-orientais*.]

baratar [De or. controversa.] *V. t. d. T. d. e i. Int. P.* P. us. V. *baratear*.

barataria [Do it. *baratteria*.] *S. f.* **1.** Ação de dar tendo uma retribuição em vista. **2.** Negócio especulativo. **3.** Permutação, troca, escambo. **4.** Troca dolosa de fazendas a bordo. **5.** *Jur. Obsol.* Todo ato de caráter criminoso praticado pelo capitão de um navio mercante e/ou pela sua tripulação e que acarrete grave prejuízo ao navio ou à carga; ribaldia, ribaldaria.

barata-voa *S. f. 2 n.* Espécie de jogo ou brincadeira juvenil de gosto questionável, em que um grupo de pessoas se apodera de um objeto de uma outra e, dispondo-se em círculo, passa a arremessá-lo entre os membros do grupo, desafiando o proprietário a recuperá-lo.

barateamento [De *baratear* + *-mento*.] *S. m.* Ato ou efeito de baratear; barateio.

baratear [De *barat-*, como em *baratar*, + *-ear*[2].] *V. t. d.* **1.** Vender por preço mais baixo do que aquele que vigorava anteriormente; baixar o preço de: *Obedecendo a determinações do governo, os comerciantes baratearam os gêneros alimentícios.* **2.** Dar pouco valor a; menosprezar: *Costuma baratear o trabalho dos colegas.* **3.** Questionar ou discutir o preço de; regatear. *T. d. e i.* **4.** Conceder com certa facilidade: *Surpreendeu-se quando lhe baratearam honrarias inesperadas.* *Int.* **5.** Sofrer abatimento ou redução de preço: *As roupas de inverno barateiam no verão.* **6.** Diminuir de valor. *P.* **7.** Dar a si mesmo pouco valor: *Barateou-se quando propôs a reconciliação.* [Conjug.: v. *frear*.]

barateio [Dev. de *baratear*.] *S. m.* Barateamento.

barateiro [De *barato* + *-eiro*.] *Adj.* **1.** Que vende algo barato, ou que cobra barato por um serviço. • *S. m.* **2.** Nas casas de jogo, aquele que cobra o barato (7). **3.** *Bras. RJ* Vendedor ambulante de objetos de armarinho.

barateza (ê) [De *barato* + *-eza*.] *S. f.* **1.** Qualidade do que é barato. **2.** Modicidade de preços.

baratinado [Part. de *baratinar*.] *Adj. Bras. Gír.* Mentalmente perturbado; transtornado.

baratinar [De *barata*[1].] *V. t. d. Int. P. Bras. Gír.* Perturbar(-se); transtornar(-se).

baratinha [De *barata*[1] + *-inha*.] *S. f.* **1.** *Bras. Amaz. Bot.* Arvoreta cesalpiniácia (*Cassia fastuosa*) de folhas com 10 a 25 folíolos oblongos e agudos, flores vistosas amarelas e racemosas, e legumes estreitos tomentosos, com cerca de 1cm de largura; tatuzinho. **2.** *Bot.* Tamaquaré-miúdo. **3.** *Bras. Zool.* Inseto blatídeo (*Blatella germanica*) cujo pronoto apresenta duas faixas longitudinais pardo-escuras, sendo castanho o restante do corpo, com patas um pouco mais claras. Tem o último esternito inteiro em ambos os sexos, mede cerca de 1,5cm, e é a menor das espécies domésticas. [Sin. (nesta acepç.): *barata-germânica*.] **4.** *Bras. Desus.* Barata[1] (3): "E ficava ouvindo, satisfeito, o choro das três, misturado com as buzinas das baratinhas." (Nélio Reis, *Subúrbio*, p. 21.)

baratinha-d'água *S. f. Bras. Zool.* Animal artrópode, crustáceo, isópode, oniscídeo, especialmente os do gênero *Porcellio*, o qual vive em lugares úmidos, não se enrola como os tatuzinhos, e se alimenta de matéria vegetal. [Pl.: *baratinhas-d'água*.]

barato [Dev. de *baratar*.] *Adj.* **1.** Que custa um preço baixo, módico: *Só compra coisas baratas.* [Evite dizer *preço barato*.] **2.** Que cobra, ou onde se cobra preço baixo, módico: *Preciso de um carpinteiro barato; Só frequenta diversões baratas.* **3.** Que não exige grandes despesas: *vida barata.* **4.** Comum, vulgar, banal: *ironia barata*; "tudo que há de mais barato, de mais basbaque e de mais cretino na multidão dos homens." (Rubem Braga, *O Homem Rouco*, p. 137). **5.** Que se barateia, se dá pouco valor; sem correção, sem distinção, sem linha, sem classe: *homem barato.* **6.** Que é de baixa qualidade: "Um cheiro estranho, misto de perfume barato, fartum, poeira, álcool, aquecia ainda mais o baixo instinto da promiscuidade." (João do Rio, *A Alma Encantadora das Ruas*, p. 160.) • *S. m.* **7.** Percentagem da(s) aposta(s) ou da(s) parada(s) retirada pela pessoa ou pelo clube que fornece aos jogadores local, material de jogo, etc. [Sin., nesta acepç.: *bozó.*] **8.** Favor, benefício. **9.** Permissão, concessão. **10.** Bom grado; facilidade. **11.** *Bras. Gír.* Curtição (2 e 3): "Com um chapéu desses, a gente protege os olhos e areja a cuca, um barato." (Carlos Drummond de Andrade, em *Jornal do Brasil*, 16.11.1972); "o Conde começou a enjoar da vida doméstica, e a namorar a torto e a direito, bebendo, fazendo farras, num barato de encucar." (Cora Rónai Vieira e Paulo Rónai, *Aventuras de Fígaro*, p. 59). • *Adv.* **12.** Por preço módico (no sentido material ou no moral): *Comprei esta casa muito barato.* **13.** Modicamente, moderadamente (quanto ao preço material ou moral): *Cobra barato as aulas de francês.* ~ V. *custar —.* ◆ **Cortar o barato de alguém** *Bras. Gír.* Impedir alguém de se divertir; tirar-lhe o prazer. **Dar de barato.** Admitir ou aceitar (algo) sem discussão ou questionamento.

baratômetro *S. m.* V. *baratômetro.* [Uso freq. em P.]

baratômetro [De *barata*[2]+ *-o-* + *-metro.*] *S. m.* Termômetro graduado especialmente para medir a temperatura do leite e da nata, no fabrico da manteiga.

barátrico [De *báratro* + *-ico*[2].] *Adj.* Relativo a, ou próprio de báratro.

báratro [Do gr. *bárathron*, pelo lat. *barathru.*] *S. m.* **1.** Abismo, precipício, voragem. **2.** O inferno.

baraú *Bras. S. 2 g.* **1.** *Etnôn.* Indivíduo dos baraús, povo indígena que habita a região da cabeceira do rio Xingu. • *Adj. 2 g.* **2.** Pertencente ou relativo a esse povo. [Tb. us. como *s. 2 g. e 2 n.* (com cap.) e *adj. 2 g. e 2 n.*]

barauana *Bras. S. 2 g.* **1.** *Etnôn.* Indivíduo dos barauanas, povo indígena extinto que habitava a região situada entre os rios Padauari e Araçá (AM) na fronteira com a Venezuela. • *Adj. 2 g.* **2.** Pertencente ou relativo a esse povo. [Tb. us. como *s. 2 g. e 2 n.* (com cap.) e *adj. 2 g. e 2 n.*]

baraúna [Var. de *braúna.*] *S. f. Bras. Bot.* **1.** V. *braúna.* **2.** V. *canela-braúna.*

baraúna-parda [De *baraúna* + o f. de *pardo.*] *S. f. Bras. Bot.* V. *braúna* (2). [Pl.: *baraúnas-pardas.*]

baraunense (a-u) *Adj. 2 g.* **1.** De, ou pertencente ou relativo a Baraúna (RN). • *S. 2 g.* **2.** O natural ou habitante de Baraúna.

barba [Do lat. *barba.*] *S. f.* **1.** Os pelos que crescem no rosto do homem; barbas. **2.** Pelos que nascem nas partes lateroinferiores do rosto e sob o lábio inferior. **3.** Parte inferior do rosto, abaixo dos lábios; queixo: "Como ela trazia a cabeça constantemente baixa, a parte inferior do rosto ficava na sombra. A barba fugia-lhe pelo pescoço fino e longo." (José de Alencar, *Diva*, p. 195.) **4.** *Bot.* Labíolo. **5.** *Bot.* O conjunto dos pelos dos vegetais, como ocorre nos estames do gênero *Verbascum* (v. *verbasco*). **6.** *Bot.* Arista (1). **7.** *Ind. Pap.* Rama[1] (5). **8.** *Encad.* Desigualdade apresentada pelo corte do livro não aparado. **9.** *Tip.* Partícula de metal que adere ao tipo ou à linha-bloco, nas máquinas compositoras, e produz borrão na impressão; carrapato. **10.** *Zool.* Pelos do focinho ou do bico de certos animais. **11.** *Zool.* Hastes laterais ao eixo central nas penas das aves. ~ V. *barbas.* ◆ **Barba a barba.** V. *face a face.* **Fazer barba, cabelo e bigode.** *Bras. Esport.* Vencer uma série de três jogos contra o mesmo adversário em categorias diferentes — juvenil, reserva e time principal — no mesmo dia. **Pôr as barbas de molho.** Pôr-se de sobreaviso sobre algo ou sobre alguém, que pode não ser exatamente aquilo que se espera ou acredita. **Ver-se à barba.** Ver-se assoberbado de dificuldades e/ou trabalhos; achar-se abarbado.

barba-azul [Do ficción. *Barba-azul*, personagem dum conto de Perrault que assassinava as esposas.] *S. m.* **1.** Homem que enviuvou diversas vezes. **2.** Homem que conquista, ou que tem várias mulheres. [Pl.: *barbas-azuis.*]

barbacã [Do ár. vulg. *b-al-baqára*, pelo lat. vulg. *barbacana*, com infl. de *albarrana*, 'albarrã'.] *S. f.* **1.** Muro avançado, construído diante de muralhas, e mais baixo do que elas; antemuro: "as barbacãs de velhíssimos castelos, onde houvessem embatido, outrora, assaltos sobre assaltos que os desmantelaram e aluíram" (Euclides da Cunha, *Os Sertões*, p. 268). **2.** Fresta ou seteira em muralhas, muros ou paredes de fortificações, para vigias e atiradores. **3.** *Constr.* Fresta ou orifício aberto num muro de arrimo ou de revestimento para permitir o escoamento da água de infiltração das terras que lhe ficam atrás.

barbaçana [De *barbaç(a(s)* + *-ana*[1].] *S. m.* V. *barbaças*: "uma loiraça nutrida e alva .... e um barbaçana, copiado, dir-se-ia, da estampa dum rei caldeu numa velha bíblia." (Aquilino Ribeiro, *Andam Faunos pelos Bosques*, p. 193).

barbaças *S. m. 2 n.* Indivíduo que tem barbas grandes; barbacena, barbaçana, barbarrão.

barbacena *S. m.* V. *barbaças.*

barbacenense *Adj. 2 g.* **1.** De, ou pertencente ou relativo a Barbacena (MG). • *S. 2 g.* **2.** O natural ou habitante de Barbacena.

barbaçudo *Adj.* Que tem barba cerrada: "Comprendia o Camargo, que estas minudências, inocentes para um velho barbaçudo como ele, deviam arrepiar os escrúpulos da corte." (José de Alencar, *Senhora*, p. 222.)

barbada [De *barba* + *-ada*[1].] *S. f.* **1.** O beiço inferior do cavalo. **2.** *Bras. Gír. Turfe* Cavalo que em determinado páreo, por absoluta superioridade em relação aos seus competidores, normalmente não pode perder; carne-assada. **3.** *Bras. Gír. P. ext.* Em jogos esportivos, competição que se julga fácil de vencer. **4.** *Bras. Gír. P. ext.* Qualquer competição em que a vitória é considerada fácil: *Para o candidato X a eleição é uma barbada.*

barba-de-barata [De *barba* + *de* + *barata*[1].] *S. f. Bot.* Arbusto cesalpiniáceo (*Caesalpinia pulcherrima*) ornamental, de flores vermelhas ou amarelas dispostas em cachos paniculados e eretos. É muito cultivado em jardins. [Sin.: *asa-de-barata.* Pl.: *barbas-de-barata.*]

barba de bode *S. m. Bras. Fam.* Indivíduo que usa barba longa e pontuda no queixo. [Pl.: *barbas de bode.*] ☑ notas 1 e 2

barba-de-bode [De *barba* + *de* + *bode*[1].] *S. f. Bras. Bot.* **1.** Nome comum a diversas poáceas. **2.** Poácea cespitosa (*Aristida pallens*) de folhas filiformes, flores em panículas vermelhas, e frutos cariópticos; capim-de-bode. **3.** Poácea cespitosa e estolonífera (*Eragrostis reptans*) nativa das Guianas e da Amaz., prostrada ou ereta, de flores esverdeadas, espiciformes, frutos cariópticos, globosos, amarelos, e que fornece excelente forragem. **4.** Ciperácea (*Cyperus radiatus*) de raízes fibrosas, folhas estreitas, lineares, de até 1m, flores espiciformes, em umbelas, e frutos cariópticos, ovoides; capim-cortante, tiririca-do-campo. **5.** Erva saxifragácea (*Saxifraga sarmentosa*) rasteira, de folhas pilosas, cordiformes, pequenas flores róseas manchadas de amarelo na base, e frutos capsulares; nativa da China e do Japão, é cultivada como ornamental. **6.** V. *ulmária.* [Pl.: *barbas-de-bode.*]

barba-de-cabra *S. f.* **1.** *Bot.* Planta rosácea (*Spiraea aruncus*) de grandes folhas com folíolos verde-claros, e flores alvas, paniculadas; tem propriedades medicinais. **2.** Planta rosácea (*Aruncus dioicus*) das regiões temperadas do hemisfério norte, cultivada como ornamental; arunco. [Pl.: *barbas-de-cabra.*]

barba-de-pau *Bras. Bot. S. f.* **1.** Nome comum a liquens do gênero *Usnea* (v. *úsnea*). **2.** Barba-de-velho (1). [Pl.: *barbas-de-pau.*]

barba-de-são-pedro [De *barba* + *de* + o hag. *São Pedro.*] *S. f. Bras. Bot.* Planta poligalácea (*Polygala paniculata*) de folhas e flores pequeninas, estas últimas alvas e racemosas, e cuja raiz, esmagada, recende a salicilato de metila. [Pl.: *barbas-de-são-pedro.*]

barba-de-timão [De *barba* + *de* + *timão*[1].] *S. f. Bras. Bot.* V. *barbatimão* (2). [Pl.: *barbas-de-timão.*]

barba-de-velho *S. m. Bras. Bot.* **1.** Líquen usneáceo (*Usnea barbata*) nativo do Brasil, muito ramificado, pêndulo, com apotécios disciformes; barba-de-pau. **2.** Planta epífita bromeliácea (*Tillandsia recurvata*) que ocorre em todo o Brasil; tem caule curto, folhas lineares e flores monopétalas. [Sin.: *musgo-espanhol.*] **3.** Planta bromeliácea (*Tillandsia usneoides*) de caule pendente, filiforme, cinzento, piloso, que atinge muitos metros de comprimento; tem inúmeras folhas lineares, diminutas flores amarelas, solitárias, e raízes apenas rudimentares, sendo a absorção de água e nutrientes feita por toda a planta. [Sin.: *barbino.*] **4.** V. *cipó-do-reino.* **5.** Capim-membeca (1 e 2). [Pl.: *barbas-de-velho.*]

barbadiano *Adj.* **1.** Da, ou pertencente ou relativo à ilha de Barbados (Antilhas). • *S. m.* **2.** O natural ou habitante dessa ilha.

barbadinho [De *barbado*[1] + *-inho*[1].] *S. m.* **1.** V. *capuchinho* (2). **2.** *Zool.* Designação comum a várias espécies de peixes loricariídeos, gênero *Ancistrus*, que abrange pequenos cascudos com o focinho e franja bucal repletos de filamentos, lembrando uma barba. A espécie mais largamente distribuída é *A. cirrhosus.* **3.** *Bot.* Erva fabácea (*Desmodium barbatum*) de pequeno porte, cujos legumes, produzidos na maturidade, se fragmentam em peças que aderem aos pelos dos animais e à roupa. • *Adj.* **4.** Capuchinho (4).

barbado[1] [Part. de *barbar.*] *Adj.* **1.** Que tem barba: *homem barbado.* **2.** Que apresenta a barba crescida. • *S. m.* **3.** Indivíduo que tem barba, ou que usa barba crescida. **4.** *Fam.* Adulto, marmanjo; homem: "Chegou a hora da ceia. Sentei-me na primeira mesa com os barbados. Amaro escondeu-se, e lá se foi com as moças para a segunda mesa" (Mário Brandão, *Almas do Outro Mundo*, p. 77). **5.** *Bot.* Bacelo com radículas ou barbalhos, para plantar. **6.** *Bras. Zool.* Peixe pimelodídeo (*Pinirampus pinirampu*) das bacias Amazônica, Araguaia-Tocantins e Prata, de coloração acinzentada ou acastanhada, clareando na região ventral, e com longos barbilhões achatados; atinge cerca de 1m de comprimento; piranambu, piramapu, piranampu, piraniampu, mantopaque, peixe-moela. **7.** *Zool.* Peixe polinemídeo (*Polydactylus virginicus*), do Atlântico ocidental, da Flórida à Argentina, de cor prateada, extremo das nadadeiras negro e nadadeira peitoral com raios inferiores dissociados em filamentos; atinge 30cm de comprimento; parati-barbudo. **8.** *Bras. Zool.* V. *guariba.*

barbado[2] *Bras. S. 2 g.* **1.** *Etnôn.* Indivíduo dos barbados, povo indígena extinto que habitava a região situada entre os rios Mearim e Itapicuri (MA). • *Adj. 2 g.* **2.** Pertencente ou relativo a esse povo. [Tb. us. como *s. 2 g. e 2 n.* (com cap.) e *adj. 2 g. e 2 n.*]

barbado[3] *S. m. Adj. Bras.* V. *umutina.*

barbalhada [De *barba* + *-alhada.*] *S. f. Bras. S.* Barba cerrada.

barbalhense *Adj. 2 g.* **1.** De, ou pertencente ou relativo a Barbalha (CE). • *S. 2 g.* **2.** O natural ou habitante de Barbalha.

barbalho [De *barba* + *-alho.*] *S. m. Bot.* Raiz filamentosa, ou radícula, das plantas.

barbalhoste *Adj. 2 g.* **1.** Que tem barba escassa. **2.** *Pop.* Sem préstimo. **3.** Covarde, fracalhão.

barbante [Do top. *Brabante* (Bélgica), com metátese.] *S. m.* Cordel delgado; guita. ◆ **Barbante alcatroado.** *Expl.* Material empregado em equipamentos de destruição para ligar a espoleta ao cordel detonante ou à escorva, para fixar cargas em seus lugares e para amarrar petardos de modo que formem um pacote.

barbantinho [De *barbante* + *-inho*[1].] *S. m.* **1.** Diminutivo de barbante. **2.** *Bras.* V. *barbantinho cheiroso.* ◆ **Barbantinho cheiroso.** *Bras.* Barbante impregnado de substância química que exala, quando incinerado, um cheiro forte e desagradável. [Tb. se diz apenas *barbantinho.* Sin.: *peido-alemão.*]

barbaquá [De or. amer., poss.] *Bras. S. S. m.* **1.** Carijo. • *Adj. 2 g.* **2.** Diz-se da erva-mate preparada no carijo (q. v.).

barbaquim *S. m.* **1.** Berbequim. **2.** Arco de pua.

barbar [De *barba* + *-ar*[2].] *V. int.* **1.** Começar a ter barba; embarbecer. **2.** Adquirir barbalho ou radículas (a planta). [M.-q.-perf. ind.: *barbara*, etc. Cf. *bárbara*, fem. de *bárbaro* e s. f., e o antr. *Bárbara.*]

barbará *S. m. Bras.* Cano de escoamento para as águas usadas na cozinha.

bárbara [Do hag. (*Santa*) *Bárbara*, padroeira dos artilheiros, cuja imagem era posta nesta câmara, nas antigas embarcações.] *S. f.* Câmara onde se guarda a pólvora. [Cf. *barbara*, do v. *barbar.*]

barbarense *Adj. 2 g.* **1.** De, ou pertencente ou relativo a Santa Bárbara d'Oeste (SP). • *S. 2 g.* **2.** O natural ou habitante de Santa Bárbara d'Oeste.

➔ **barbaresco** [barba'resko] [It.] *S. m. Enol.* Vinho tinto produzido na região do Piemonte (v. *piemontês*) e mais leve do que o *barolo* (q. v.).

barbaresco (ê) [Do it. *barbaresco.*] *Adj.* Próprio dos bárbaros. [Var.: *barbarisco.*]

barbaria *S. f.* **1.** Ato próprio de bárbaros; barbaridade. **2.** Selvageria, crueldade, atrocidade, barbaridade, barbarismo. **3.** Multidão de bárbaros.

barbária [Do lat. *Barbaria*, 'país estrangeiro'.] *S. f.* **1.** Para a Grécia e a Roma antigas, país estrangeiro. **2.** Qualquer das regiões habitadas por povos que não fizessem parte da comunidade linguística e cultural herdeira da civilização romana. [Cf. *românia* (3).]

barbaridade [De *bárbaro* + *-(i)dade.*] *S. f.* **1.** V. *barbaria* (1 e 2). • *Interj.* **2.** *Bras. S.* Exprime espanto, surpresa, estupefação; bah.

barbárie [Do lat. *barbarie.*] *S. f.* **1.** Estado ou condição em que não há civilização, em que não há nem lei nem ordem. **2.** Ação cruel ou desumana; atrocidade, selvageria. [Sin. ger.: *barbarismo.*]

barbarisco *Adj.* V. *barbaresco.*

barbarismo [Do gr. *barbarismós*, pelo lat. *barbarismu.*] *S. m.* **1.** Estado ou condição da gente bárbara; barbárie. **2.** Barbaridade, barbaria. **3.** *E. Ling.* Erro de pronúncia, grafia, forma gramatical ou significação: *pégada*, em vez de *pegada*; *expontâneo*, em vez de *espontâneo*; *a telefonema*, em vez de *o telefonema*; *lutulento*, na acepç. de 'fúnebre, lutuoso', em vez de *lodoso.* [V. *vício de linguagem.*]

barbarizar [Do gr. *barbarízein.*] *V. t. d.* **1.** Tornar bárbaro; embrutecer: *A convivência com malandros barbarizou-o.* **2.** Introduzir barbarismo (3) em. *Int.* **3.** Cometer barbarismo (3). *P.* **4.** Tornar-se bárbaro; embrutecer-se. [F. paral.: *abarbarizar.*]

barbarizo [Dev. de *barbarizar.*] *S. m. Ant.* Bulício, burburinho: "Que samba é este que eles dançam loucamente, rindo e cantando no silêncio do sertão, enchendo os bosques das paragens brasileiras de burburinhos, barbarizos, burundangas de horrissonâncias africanas?" (Martins Fontes, *A Dança*, p. 90.)

bárbaro [Do gr. *bárbaros*, pelo lat. *barbaru.*] *Adj.* **1.** Entre os gregos e romanos, dizia-se daquele que era estrangeiro. **2.** Sem civilização; selvagem, rude, inculto. **3.** Cruel, desumano: *tirano bárbaro.* **4.** V. *bacana* (1). ● *S. m.* **5.** Aquele que tem essas qualidades. **6.** *Hist.* Indivíduo dos bárbaros (godos, vândalos, hunos, francos, álanos, suevos, etc.), povos do N., invasores do Império Romano do Ocidente entre os sécs. III e VI de nossa era. ● *Interj.* **7.** Exprime espanto ou admiração.

barbarolexia (cs) [Do gr. *bárbaros*, 'estrangeiro', + *-lex(i)-* + *-ia*[1].] *S. f. E. Ling.* **1.** Junção de palavra estrangeira a outra vernácula. **2.** Pronúncia errônea de vocábulo estrangeiro.

barbarrão *S. m. Fam.* V. *barbaças.*

barba-ruiva *S. m. Bras. PI Folcl.* Certo duende. [Pl.: *barbas-ruivas.*]

barbas [Pl. de *barba.*] *S. f. pl.* **1.** Barba (1). **2.** *Zool.* Lâminas córneas existentes na boca da baleia. **3.** *Zool.* Os filamentos localizados de um e de outro lado da raque das penas; rama. ~ V. *barba.* ◆ **Barbas de baleia.** *Mar. Ant.* Vergas da cevadeira. **Às barbas de.** Nas barbas de. **Nas barbas de.** Na presença de, e sem considerar essa presença; às barbas de: *Os ladrões assaltaram o banco nas barbas da polícia;* "Heliodora / Pôs tolice da boca para fora / Ao lado do marido nessa aziaga / Festa, mesmo nas barbas do Gonzaga." (Domingos Carvalho da Silva, *Liberdade embora Tarde*, p. 15). **Pôr as barbas de molho.** Precaver-se contra alguma coisa. **Ter barbas.** Ser muito antigo (caso, história, anedota): "Há .... o caso de um outro — esse muito antigo — que semeava bastardos entre a criadagem e que a cada amante oferecia um lenço vermelho. Tem barbas, a história." (José Cardoso Pires, *O Delfim*, p. 160.)

barbasco [Alter. de *verbasco.*] *S. m. Bras. MG a PR Bot.* V. *verbasco* (5).

barbata [De *barba.*] *S. f.* Assento do freio na parte sem dentes da boca do cavalo.

barbatana [De *barba.*] *S. f.* **1.** *Zool.* Dobra da pele dos peixes, sustida por esqueleto ósseo ou cartilaginoso. [Sin. pop.: *badana.*] **2.** *Zool.* Dobra cutânea dos cetáceos e sirenídeos. **3.** *Zool.* Conjunto de lâminas córneas, com a parte interna guarnecida de pelos filtradores, que deixam passar a água mas retêm o alimento, na maxila das baleias misticetas. **4.** Haste flexível, originalmente feita de barbatana (3), us. na armação de peças de costura. **5.** *Lus.* V. *pé de pato* (2).

barbatão [De **bravatão* < *bravo*, poss.] *S. m. Bras.* Rês que, criada nos matos, se fez bravia; chimarrão.

barbate [De or. obsc.] *S. m. Carp.* Entalhe, em forma de ângulo reto, que se faz em caibro, etc., que serve para encaixar, transversalmente, outra peça; boca de lobo.

barbatimão [De or. controv.] *S. m. Bras. Bot.* **1.** Nome comum a árvores mimosáceas do gênero *Stryphnodendron* (v. *estrifnodendro*) e as fabáceas do gênero *Dimorphandra* (v. *dimorfandra*). **2.** Árvore mimosácea (*Stryphnodendron adstringens* ou *S. barbatiman*) de folhas bipenadas, flores avermelhadas ou esbranquiçadas, e frutos que são vagens cilíndricas indeiscentes; a madeira é própria para obras expostas, e da casca, que tem propriedades adstringentes, se extrai matéria tintorial vermelha, tida por medicinal. [Sin.: *barbatimão-verdadeiro, barba-de-timão, casca-da-virgindade, charãozinho-roxo, ibatimô, uabatimô.*] **3.** Árvore mimosácea (*Stryphnodendron pulcherrimum*) de folhas penadas, flores branco-róseas ou amarelas, ornamentais; fava-barbatimão, paricarana. **4.** V. *timbaúba* (1). **5.** V. *farinha* (3). **6.** V. *canafístula* (3). **7.** V. *caroba.*

barbatimão-de-folha-miúda *S. m. Bras. Bot.* V. *farinha* (3). [Pl.: *barbatimões-de-folha-miúda.*]

barbatimão-falso *S. m. Bot.* V. *farinha* (3). [Pl.: *barbatimões-falsos.*]

barbatimão-verdadeiro *S. m. Bras. Bot.* V. *barbatimão* (2). [Pl.: *barbatimões-verdadeiros.*]

barbato [Do lat. *barbatu.*] *S. m.* **1.** Leigo ou frade que usava barba comprida. ● *Adj.* **2.** Que tem coma[1] (1).

barbeação [De *barbear* + *-ção.*] *S. f.* Ato ou efeito de barbear(-se).

barbeado [Part. de *barbear.*] *Adj.* Com a barba feita: "Mr. Bauer é um homem .... asseado, barbeado, perfumado, delicado, e com uma voz assombrosa." (Eça de Queirós, *Notas Contemporâneas*, p. 8.)

barbeador (ô) [De *barbear* + *-dor.*] *S. m.* **1.** Aparelho de barbear. **2.** *Bras.* Barbeiro (5).

barbear [De *barba* + *-ear*[2].] *V. t. d.* **1.** Fazer a barba a. *P.* **2.** Fazer a própria barba: "Foi o diabo eu não ter tido tempo de me barbear. Os fios brancos costumam vir precocemente em minha família." (Ciro dos Anjos, *Abdias*, p. 183.) [Conjug.: v. *frear.*]

barbearia [De *barbear* + *-ia*[1].] *S. f.* **1.** Sala do convento na qual os frades faziam a barba. **2.** Loja de barbeiro; barbeiro. **3.** Profissão de barbeiro.

barbechar [De *barbecho* + *-ar*[2].] *V. t. d.* Dar o barbecho a; alqueivar. [Conjug.: v. *fechar.*]

barbecho (ê) [Do esp. *barbecho.*] *S. m.* A primeira lavra dada a um terreno; barbeito.

barbeiragem [De *barbeiro* + *-agem*[2].] *S. f. Bras.* **1.** Imperícia ou falta cometida por barbeiro (8 e 9): *Faz tantas barbeiragens que é perigoso andar em carro dirigido por ele; O eletricista fez uma barbeiragem e, quando acendeu a luz, os fusíveis se queimaram.* **2.** Qualidade ou condição de barbeiro (8 e 9): *Diz que dirige bem, mas é notória a sua barbeiragem.*

barbeiro [De *barba* + *-eiro.*] *S. m.* **1.** Homem que tem por profissão rapar ou aparar barbas e cortar cabelos. [Deprec.: *barbeirola, rapa-queixos*, e (pop.) *fígaro.*] **2.** Barbearia (2): *F. foi ao barbeiro.* **3.** *Fig.* Vento frio que parece cortar as partes do corpo expostas a ele. **4.** Certo jogo popular. **5.** *Bras.* Indivíduo que depila os suínos abatidos; barbeador. **6.** *Bras. Zool.* Inseto hemíptero, reduviídeo, triatomíneo, caracterizado por ter o rostro reto e sem impressão transversa ou constrição atrás dos olhos. São conhecidas, no Brasil, acima de 30 espécies, transmissoras da doença de Chagas. Hematófagos, têm hábitos noturnos. [Sin. pop. (nesta acepç.): *bicho-barbeiro, bicho-de-frade, bicho-de-parede, bicudo, cascudo, chupança, chupão, chupa-pinto, fincão, furão, gaudério, percevejão, percevejo-do-sertão, percevejo-gaudério, procotó, rondão, vunvum.*] **7.** *Bras. Zool.* Nome comum a peixes acanturídeos, gênero *Acanthurus*, do Atlântico, desde a América do Norte até a BA, do qual se conhecem três espécies: *A. hepatus*, vináceo, verdoengo e com 12 faixas transversais escuras; *A. bahianus*, pardo uniforme, cauda violácea, com oito estrias paralelas sobre a nadadeira dorsal, e *A. coeruleus*, azul, com margem da cauda negra. São herbívoros e vivem no fundo, entre polipeiros e rochedos e a carne é tida por venenosa; cirurgião, peixe-cirurgião, peixe-doutor. [O nome comum provém de terem um espinho móvel sobre o pedúnculo, na linha lateral, imitando lâmina de navalha, e que, eriçado, constitui arma perigosa.] **8.** Mau condutor de veículos automóveis. [Sin., bras., nesta acepç.: *munheca de pau, trevelô.*] **9.** *Bras.* Indivíduo inábil no seu ofício. **10.** *Bras. Cineg.* Caçador que regressa sem caça; sapateiro. ● *Adj.* **11.** Diz-se de barbeiro (8). **12.** Diz-se de barbeiro (9).

barbeirola [De *barbeiro* + *-ola*[1].] *S. m. Bras.* Barbeiro pouco hábil.

barbeito [Do lat. *vervactu*, 'terra deixada em pousio'.] *S. m.* **1.** Cômoro ou vale que separa uma propriedade de outra. **2.** Barbecho.

barbela [Do lat. **barbella.*] *S. f.* **1.** Pele pendente do pescoço do boi: "Palpou os bois desde os cornos até o rabo. Afagou-lhes a beiça e a barbela." (João de Araújo Correia, *A Cinza do Lar*, p. 21.) [Cf. *perfilho* (1).] **2.** Dobra adiposa por baixo do queixo. [Cf., nesta acepç., *papada.*] **3.** *Joc.* A barba ou o queixo das pessoas. **4.** Cadeia de ferro que guarnece por baixo a barbada do cavalo. **5.** Ponta farpada da agulha de meia ou de renda, e das flechas. **6.** *Zool.* V. *bárbula.* **7.** *Zool.* Excrescência carnosa, nua e colorida pendente do queixo ou da garganta de ave ou reptil. **8.** *Bras.* Farpa ou fisga do anzol. **9.** *Bras. SP* V. *barbicacho* (3).

barbelões [Do fr. *barbillons.*] *S. m. pl.* Bolhas ou tumores sob a língua do cavalo ou do boi.

➔ **barbera** [bar'bera] [It.] *S. m. Vitic.* **1.** Casta de uva tinta, muito cultivada no Piemonte (v. *piemontês*). **2.** *Enol.* Vinho produzido com essa uva.

barbeta (ê) [Do fr. *barbette.*] *S. f.* **1.** *Exérc.* Plataforma de terra, bastante elevada, para que os canhões, nela colocados, possam atirar por cima do parapeito. **2.** *Mar. Ant.* Parapeito circular de couraça fixa, que protegia um reparo de boca de fogo, a bordo de navio de combate.

▲ **barb(i)-** [Do lat. *barba, ae.*] *El. comp.* = 'barba', 'pelo': *barbicacho, barbífero.*

barbialçado [De *barb(i)-* + *alçado.*] *Adj.* **1.** De barba levantada. **2.** De fronte erguida.

barbiana *S. f. Bras.* Concubina de ladrões.

barbica *S. f.* Barbicha (2): "quando, na ópera de Gounod, Mefistófeles, no palco, ... açoitando o ar com a ponta da barbica de capro e com a pluma vermelha do gorro, entoa a ária triunfal do *Deus do Ouro*, — a ficção toma corpo" (Olavo Bilac, *Conferências Literárias*, p. 243). ~ V. *barbicas.*

barbicacho [De *barb(i)-* + *-ic(o)-* + *-acho.*] *S. m.* **1.** Cabeçada (8) de corda para cavalgaduras. **2.** *Fig.* Estorvo, empecilho, empeço. **3.** Cordão entrançado que passa por sob o queixo, segurando o chapéu. [Sin., nesta acepç., *barbela, queixinho.*] **4.** *Bras. Fig.* Sujeição, submissão. **5.** *Bras. Fig.* Condição da qual depende a realização de um negócio. ◆ **Pôr barbicacho em.** *Bras.* Prender, manter constrangido (alguém).

barbicas *S. m. 2 n. Fam.* Homem com barba escassa e aspecto insignificante; barbichas. ~ V. *barbica.*

barbicha [De *barba* + *-icha.*] *S. f.* **1.** Barba pequena e rala. **2.** Barba pequena, de ordinário em ponta; barbica. **3.** A barba do bode, estreita e comprida. ~ V. *barbichas.*

barbichas *S. m. 2 n. Fam.* Barbicas (q. v.). ~ V. *barbicha.*

➔ **barbie** ['baɪbij] [Ingl.] *S. f. Joc.* **1.** Mulher fisicamente muito atraente, segundo certos padrões, que se baseiam na aparência de uma boneca produzida, originalmente, nos Estados Unidos da América. **2.** Homem que pratica o fisiculturismo e que, pelo prazer de exibir seu corpo trabalhado [v. *trabalhar* (14)], usa trajes colantes ou sumários: "Estava reagindo contra a banalidade do fascismo do corpo das *muscle queens* (barbies no Brasil)." (*O Globo*, 04.07.1998.)

barbífero [De *barb(i)-* + *-fero.*] *Adj.* Provido de barba.

barbiforme [De *barb(i)-* + *-forme.*] *Adj. 2 g.* Que tem forma de barba.

barbilhão [Do fr. *barbillon.*] *S. m. Zool.* Apêndice carnoso que sobressai por baixo do bico de algumas aves ou da boca de certos peixes sugadores, como bagres e esturjões, e que constitui uma estrutura sensitiva, com células receptoras táteis, us. para localizar alimento; barbilho.

barbilho *S. m.* **1.** Rede ou saco de esparto que se põe no focinho de alguns animais para que não comam ou não mamem. **2.** Cordão de anafaia ou outra seda, que não é aproveitado na fiação. **3.** *Fig.* Estorvo, embaraço, obstáculo, empecilho. **4.** Barbilhão.

barbiloiro [De *barb(i)-* + *loiro*[3].] *Adj.* Barbilouro.

barbilongo [De *barb(i)-* + *-longo.*] *Adj.* Que tem barbas compridas.

barbilouro [De *barb(i)-* + *louro*[3].] *Adj.* Que tem barba loura. [F. paral.: *barbiloiro.*]

barbinegro (ê) [De *barb(i)-* + *negro.*] *Adj.* Que tem barba preta.

barbino [De *barba* + *-ino*[2].] *S. m. Bras. Bot.* Barba-de-velho (3).

barbípede [De *barb(i)-* + *-pede.*] *Adj. 2 g.* Que tem os pés guarnecidos de pelos.

barbirrostro [De *barb(i)-* + *-rostro.*] *Adj. Zool.* Que tem pelos no bico.

barbirruivo [De *barb(i)-* + *ruivo.*] *Adj.* Que tem as barbas ou as penas ruivas.

barbital [De *barbit(úrico)* + *-al*[2].] *S. m. Quím.* Sólido cristalino, branco, derivado do ácido barbitúrico, utilizado em medicina [fórm.: $C_8H_{12}N_2O_3$].

barbiteso (ê) [De *barb(i)-* + *teso*[2] (ê).] *Adj.* **1.** Que tem a barba rija, tesa. **2.** *Fig.* Forte, resistente, enérgico.

barbiturato [De *barbit(úrico)* + *-ato*[2].] *S. m. Quím.* Sal originado do ácido barbitúrico ou de qualquer de seus derivados.

barbitúrico [De *Barbit-* (f. irreg. a partir do antr. *Bárbara*) + *(ácido) úrico*, pela semelhança com aquele ácido; trad. do al. *Barbitursäure.*] *S. m.* **1.** *Quím.* Qualquer derivado do ácido barbitúrico pela substituição de um ou mais hidrogênios por grupos alquila ou arila. **2.** *P. ext.* Medicamento com base em barbitúrico. ● *Adj.* **3.** ~ V. *ácido —.*

barbiturismo [De *barbitúrico* + *-ismo*, seg. o padrão erudito.] *S. m. Patol.* Conjunto de sintomas produzidos pela intoxicação por derivados do ácido barbitúrico, e em cujo quadro clínico estão presentes calafrio, cefaleia, febre e erupções cutâneas.

barbono [De *barba.*] *S. m.* V. *capuchinho* (2).

barbosalita [Do antr. (*Aluízio L. M.*) *Barbosa*, geólogo brasileiro, + *-ita*[3].] *S. f. Min.* Fosfato básico de ferro, descoberto em Minas Gerais, onde ocorre em grãos pretos.

barbosano *Adj. 2 g.* **1.** De, ou pertencente ou relativo a Barbosa (SP). ● *S. 2 g.* **2.** O natural ou habitante de Barbosa.

barbosense[1] *Adj. 2 g.* **1.** De, ou pertencente ou relativo a Barbosa Ferraz (PR). ● *S. 2 g.* **2.** O natural ou habitante de Barbosa Ferraz.

barbosense[2] *Adj. 2 g.* **1.** De, ou pertencente ou relativo a Carlos Barbosa (RS). ● *S. 2 g.* **2.** O natural ou habitante de Carlos Barbosa.

barbotina [Do fr. *barbotine.*] *S. f.* **1.** Semente do absinto. **2.** Mistura fluida de pasta cerâmica.

barbudinho [Dim. de *barbudo.*] *S. m. Zool.* **1.** *Bras. SP* Ave passeriforme, piprídea (*Manacus m. gutturosus*), da região este-meridional do Brasil, de coloração branca, alto da cabeça, dorso inferior, asas e cauda pretos, uropígio, flancos e crisso cinzentos; rendeira, rendeiro, monge. **2.** *Bras.* V. *lacerdinha.*

barbudo [De *barba* + *-udo.*] *Adj.* **1.** Que tem muita barba. ● *S. m.* **2.** Indivíduo que tem muita barba. **3.** *Bras. Zool.* Peixe marinho (*Polydactilus virginicus*), do oceano Atlântico, que na época da desova penetra na embocadura dos rios.

bárbula [Do lat. *barbula.*] *S. f. Zool.* **1.** Cada um dos pequenos filamentos laterais das barbas das penas. **2.** *P. ext.* Cada um dos filamentos periorais de alguns répteis, como ocorre entre os quelônios. [Sin. ger.: *barbela.*]

bárbus [Do tax. *Barbus.*] *S. m. 2 n. Bras. Zool.* **1.** Gênero de peixes teleósteos, cipriniformes, ciprinídeos, comuns nos aquários do mundo inteiro, com cerca de 30 espécies. Reproduzem-se bem, e costumam devorar ovos e crias, razão por que machos devem ser separados logo após a desova. **2.** Qualquer espécie desse gênero, como, p. ex., o *Barbus partipentazona*, que é vulgarmente conhecido como bárbus-de-cinco-listras (q. v.). **3.** Qualquer espécime desse gênero.

bárbus-de-cinco-listras *S. m. 2 n. Bras. Zool.* Peixe teleósteo, cipriniforme, ciprinídeo (*Barbus partipentazona*), da Tailândia e da Malásia, comum nos aquários. Coloração prateada, com listras negras transversais, uma sobre a nuca até o olho, outra na base da nadadeira dorsal, e três sobre o corpo. As nadadeiras são vermelhas; a dorsal tem mancha triangular negra. Comprimento: 4 a 5cm.

barca [Do lat. tard. *barca.*] *S. f.* **1.** Antigo navio à vela, de mastreação constituída por gurupés e três mastros latinos; brigue-barca. **2.** Embarcação de grande boca e pouco calado, usada para transporte local de passageiros e carga em baías e enseadas. [Aum., nesta acepç.: *barcaça*. Dim.: *barquinha, barqueta.*] **3.** Designação genérica aplicada a grande variedade de embarcações marítimas ou fluviais. **4.** Canção de barqueiros. **5.** *Bras. N.E.* V. *fandango* (10). **6.** *Bras. SP Gír. Deprec.* Meretriz. ◆ **Barca de S. Pedro.** *Rel.* A Igreja Católica.

barça [Alter. de *balça.*] *S. f.* Capa de vime ou de palha com que se resguardam vidros.

barcaça *S. f.* **1.** *Constr. Nav.* Grande e sólida embarcação de madeira, semelhante à chata (q. v.), e usada para carga e descarga de navios no porto. **2.** *Bras. N.E.* Embarcação usada para transportar mercadorias, e cujo casco tem quase a forma de um caixão, de fundo chato, sem quilha, com os costados quase verticais. **3.** *Bras. BA* Tabuleiro, onde são postos a secar os caroços de cacau logo após retirados do coco: 📖 "Os trabalhadores partiam .... para as roças, a colher cacau, outros pisavam cacau mole nos cochos ou dançavam sobre o cacau seco nas barcaças" (Jorge Amado, *Terras do Sem-Fim*, p. 233). ◆ **Barcaça de desembarque.** *Bras. Mar. G.* Embarcação de desembarque.

barcacinha [Dim. de *barcaça.*] *S. f. Bras. PE AL* Barcaça (2) pequena, de dois mastros.

barcada [De *barca* + *-ada*[1].] *S. f.* Carga de barco ou barca; barcagem.

barca-d'água *S. f. Bras.* **1.** Embarcação auxiliar destinada a transportar água doce para abastecimento de navios. **2.** *Mar. Gír.* Pessoa desanimada. **3.** *Mar. Gír.* Pessoa desleixada no vestir. [Pl.: *barcas-d'água.*]

barca-farol *S. f. Mar.* Embarcação permanentemente fundeada em determinada posição, dotada de aparelho luminoso idêntico ao de um farol, e destinada a assinalar um perigo à navegação em local onde não seja possível a construção de uma instalação fixa. [Pl.: *barcas-faróis* e *barcas-farol.*]

barcafon [Do criol.] *S. m. Guin.* Saco de viagem, de couro ou de fibras vegetais, que se leva ao ombro ou a tiracolo: 📖 "Levava comigo, no barcafon, um pecúlio" (João Ferreira, *Uaná: Narrativa Africana*, p. 121).

barcagem [De *barca* + *-agem*[2].] *S. f.* **1.** Barcada. **2.** Frete pago pela passagem de rio em barco ou barca.

barcana *S. f. Geogr.* Duna em forma de crescente lunar, cuja parte convexa, situada na direção de onde sopra o vento, é suave, enquanto o outro lado é côncavo e cortado.

barca-nova *S. f. Bras. ES* Folguedo infantil, em cantiga de roda, originado do romance (3) do mesmo nome. [Pl.: *barcas-novas.*]

barcarenense *Adj. 2 g.* **1.** De, ou pertencente ou relativo a Barcarena (PA). ● *S. 2 g.* **2.** O natural ou habitante de Barcarena.

barcarola [Do it. *barcarola.*] *S. f.* **1.** Canção romântica dos gondoleiros de Veneza: 📖 "os remadores cantavam, e eu ouvia como a copla de uma barcarola nostálgica." (João do Rio, *As Religiões no Rio*, p. 212). **2.** Peça vocal ou instrumental, em andamento moderado, e cujo ritmo ternário (6/8 ou 12/8) sugere o balançar de uma barca sobre as águas. **3.** Tipo de cantiga trovadoresca de influência italiana que se referia a assuntos marítimos.

barcarolar [De *barcarola* + *-ar*[2].] *V. int.* Cantar e/ou tocar barcarola: 📖 "Eram motivos de uma barcarola, / Barcarolando em flautas, e flautins, e violas" (Alphonsus de Guimaraens, *Obra Completa*, p. 218).

barcazinha [De *barca* + *-zinha.*] *S. f.* V. *barqueta.*

barceiro [De *barça* + *-eiro.*] *S. m.* Fabricante ou vendedor de barças. [Cf. *balceiro* e *balseiro.*]

barcelense *Adj. 2 g.* **1.** De, ou pertencente ou relativo a Barcelos (AM). ● *S. 2 g.* **2.** O natural ou habitante de Barcelos.

barcelonense[1] *Adj. 2 g.* **1.** De, ou pertencente ou relativo a Barcelona (RN). ● *S. 2 g.* **2.** O natural ou habitante de Barcelona.

barcelonense[2] *Adj. 2 g. S. 2 g.* V. *barcelonês.*

barcelonês *Adj.* **1.** Da, ou pertencente ou relativo à cidade de Barcelona (N.E. da Espanha). ● *S. m.* **2.** O natural ou habitante de Barcelona. [Sin. ger.: *barcelonense.* Flex.: *barcelonesa* (ê), *barceloneses* (ê), *barcelonesas* (ê).]

barco [De *barca.*] *S. m.* **1.** Embarcação pequena, sem coberta. **2.** *P. ext.* Qualquer embarcação. ◆ **Abandonar o barco.** **1.** Desistir de um intento. **2.** Abdicar de tudo. **Ancorar o barco.** Fixar-se; parar. **Deixar o barco correr.** Deixar que as coisas sigam seu caminho normal; não interferir. **Estar no mesmo barco.** Estar diante da mesma situação difícil, sofrer as mesmas contrariedades ou tribulações. **Tocar o barco para a frente.** Ir enfrentando a vida, tratando de seus negócios, de seus problemas, em meio a vicissitudes e dificuldades: 📖 "Mas 'o pobre nasceu para sofrer' e 'o que não tem remédio remediado está'. Acompanhando esses preceitos da ignorante sabedoria popular, seu Augusto, no dia seguinte, tocava o barco para a frente, ia vivendo." (Miroel Silveira, *Bonecos de Engonço*, pp. 102-103.)

barda[1] [Do ár. *barda'a(t)*, pelo it.] *S. f.* Armadura de ferro para proteger o peito do cavalo.

barda[2] [De or. pré-romana.] *S. f.* **1.** Sebe de silvas, espinheiros ou ramos entrelaçados; bardo. **2.** Pranchão para cobrir casas rústicas e proteger a parte de cima dos muros. **3.** Montão, camada. ◆ **Em barda.** Em grande quantidade; em abundância: 📖 "Aníbal recorrera às invenções mais recentes de sítio, como mantas, fundas baleares, balistas, a tal torre móvel, que foi um dos engenhos decisivos, e catapultas em barda." (Aquilino Ribeiro, *Os Avós dos Nossos Avós*, p. 117.)

bardana [Do lat. tard. *bardana.*] *S. f. Bot.* **1.** Erva asterácea (*Arctium majus*) nativa da Europa e subespontânea no Brasil, de grandes folhas ovadas, alvacentas, pequenas flores róseas ou purpúreas e frutos capsulares revestidos de pelos em forma de ganchos que aderem às superfícies próximas; bardana-maior, pegamassa. **2.** Bardana-menor.

bardana-maior *S. f. Bot.* V. *bardana* (1). [Pl.: *bardanas-maiores.*]

bardana-menor *S. f. Bot.* Arbusto asteráceo (*Arctium minus*) de folhas ovadas, flores roxas ou rubras e frutos aquênicos revestidos de pelos em forma de ganchos que, como os da bardana (1), aderem às superfícies próximas; a raiz é alimentícia e do córtex se extraem fibras. [Tb. se diz apenas *bardana.* Sin.: *pegamassa-menor, pega-pega.* Pl.: *bardanas-menores.*]

bardar [De *barda*[2] + *-ar*[2].] *V. t. d.* Cercar de, ou cobrir com bardas. [Cf. *baldar.*]

bárdico [De *bardo*[1] (1) + *-ico*[2].] *Adj.* Pertencente ou relativo à poesia dos bardos, ou a sua época.

bardo[1] [Do celta, pelo lat. *bardu.*] *S. m.* **1.** Poeta heroico, entre os celtas e gálios. **2.** Trovador; vate, poeta: 📖 "Leva-to [o teu nome] além das passadouras eras / Do bardo misterioso o eterno canto" (Almeida Garrett, *Camões*, p. 113).

bardo[2] [Var. de *barda*[2].] *S. m.* Cerca de silvado; barda.

➔ **bardolino** [bardo'lino] [It.] *S. m. Enol.* Vinho tinto leve e frutado semelhante ao *valpolicella* e também produzido na província de Verona (N.E. da Itália).

baré *Bras. S. 2 g.* **1.** *Etnôn.* Indivíduo dos barés, povo indígena da família linguística aruaque, que habita a região do alto rio Negro, conhecida como Boca do Cachorro (AM), e a Venezuela. ● *Adj. 2 g.* **2.** Pertencente ou relativo a esse povo. [Tb. us. como *s. 2 g. e 2 n.* (com cap.) e *adj. 2 g. e 2 n.*]

barege [Do fr. *barège.*] *S. m.* Antigo tecido leve de lã: 📖 "Descida a escada, breve o corpanzil da dona enfiou pela janelícula da cela, com formidáveis rasgões na sécia de barege." (Fialho d'Almeida, *O País das Uvas*, p. 252.)

baregina [Do top. *Barèges* (França) + *-ina*[3].] *S. f.* Substância orgânica semelhante ao muco animal, encontrada nas águas minerais sulfurosas quentes, em especial nas de Barèges, cidade dos Altos Pireneus (França).

bareinita *Adj. 2 g.* **1.** De, ou pertencente ou relativo a Bareine, ou Barein, emirado situado num arquipélago do Golfo Pérsico (Oriente Médio). ~ V. *árabe xiita* —. ● *S. 2 g.* **2.** O natural ou habitante de Bareine. [Sin. ger.: *baraini, barainita.*]

barém *Bras. S. 2 g.* **1.** *Etnôn.* Indivíduo dos baréns, povo indígena da família linguística botocudo, tronco macro-jê, que habita MG. ● *Adj. 2 g.* **2.** Pertencente ou relativo a esse povo. [Tb. us. como *s. 2 g. e 2 n.* (com cap.) e *adj. 2 g. e 2 n.*]

barema [Do fr. *barême.*] *S. m.* Repertório de quadros ou tabelas numéricas que dão o resultado de certos cálculos.

barestesia [De *bar(o)-* + *-estes(i)-* + *-ia*[1].] *S. f. Neur.* Sensibilidade a peso ou pressão.

bareta (ê) *S. f.* Moldura estreita, em obras de arquitetura; meio-redondo.

barga [De or. pré-romana.] *S. f.* Espécie de rede de emalhar.

bargado[1] *Adj.* **1.** *Bras.* Que não se deixa enganar; sabido, esperto, vivo. **2.** *Bras. CE* Diz-se do gado matreiro, que não se deixa pegar. **3.** *Bras. BA* Que compra e não paga; caloteiro.

bargado[2] *Adj. Bras. N. Pop.* V. *bragado.*

barganha [Dev. de *barganhar.*] *S. f. Fam.* **1.** V. *troca* (2). **2.** Transação fraudulenta; trapaça. [Var.: *berganha.*]

barganhar [Do it. *bargagnare.*] *V. t. d.* **1.** *Fam.* Trocar, negociar. **2.** Vender com fraude. *T. d. e i.* **3.** Negociar a troca de, e/ou efetuá-la: 📖 "O coronel não barganha seu gado de guerra por cem reses do Piauí" (Lúcia Miguel Pereira, *Cabra-Cega*, p. 113). [Var.: *berganhar.*]

barganhista [De *barganha* + *-ista.*] *S. 2 g. Bras.* Pessoa que faz barganha (1); negociante. [Var.: *berganhista.*]

bargantaria [De *bargante* + *-aria.*] *S. f.* Vida, caráter ou procedimento de bargante; barganteria.

bargante [Do esp. *bergante.*] *S. 2 g.* Indivíduo de maus costumes; velhaco, patife, libertino. [Var.: *bragante.*]

bargantear [De *bargante* + *-ear*[2].] *V. int.* Levar vida de bargante; vadiar, vagabundear. [Var.: *bragantear.* Conjug.: v. *frear.*]

barganteria [De *bargante* + *-eria.*] *S. f.* Bargantaria (q. v.): 📖 "a carta de Lopo de Gamboa é uma refinada e suja barganteria." (Camilo Castelo Branco, *A Queda dum Anjo*, p. 265).

barguilha *S. f.* V. *braguilha.*

▲ **bar(i)-** [Do gr. *bary-* < gr. *barýs, eîa, ý* (ă).] *El. comp.* = 'pesado'; 'grave'; 'difícil'; 'peso', 'gravidade': *barilalia, bárion, baricentro, barimetria.* [Equiv.: *-bar(i)-*: *barbífero, isobárico.*]

▲ **-bar(i)-** Equiv. de *bar(i)-*.

bária [Do gr. *barýs*, 'pesado', pelo ingl. e fr. *barye.*] *S. f. Fís.* Microbar [símb.: *b*]. [Cf. *bar*[3].]

barião *S. m. Lus. Fís. Nucl.* V. *bárion.* [Pl.: *bariões.*]

bariatria [De *bar(i)-* + *-iatria.*] *S. f. Med.* Ramo da medicina que se ocupa do excesso de peso corporal.

bariba *S. m. Gloss.* Língua nigero-congolesa do grupo gur, falada em Benim e na Nigéria (N.O. da África).

baricentro [De *bar(i)-* + *-centro.*] *S. m. Fís.* Centro de gravidade.

bárico [De *bário* + *-ico*[2].] *Adj.* Relativo ao bário.

baridade [De *bar(i)-* + *-(i)dade.*] *S. f.* Massa específica (q. v.).

bariencefalia [De *bar(i)-* + *-encefal(o)-* + *-ia*[1].] *S. f. Psiq.* Embotamento intelectual.

barifonia [Do gr. *baryphonía*, 'voz grave ou baixa'; fr. *baryphonie.*] *S. f. Fonoaud.* **1.** Voz rouca, pesada. **2.** Voz emitida com dificuldade.

barifônico *Adj. Fonoaud.* V. *barifônico.* [Uso freq. em P.]

barifônico [De *barifonia* + *-ico*[2].] *Adj. Fonoaud.* Relativo à barifonia.

bariglossia [De *bar(i)-* + *-gloss(o)-* + *-ia*[1].] *S. f. Neur.* Lentidão em proferir as palavras.

barigui [Var. de *birigui.*] *S. m. Bras. Zool.* V. *flebótomo*[2] (2).

barilalia [De *bar(i)-* + *-lal(o)-* + *-ia*[1].] *S. f. Neur.* Indistinguibilidade das palavras devido a má articulação.

barilambda [De *bar(i)-* + gr. *lambda*, 'a 11ª letra do alfabeto grego'; tax. *Barylambda.*] *S. m. Paleont.* **1.** Gênero extinto de condilartros herbívoros, com cerca de um metro de altura, semelhantes ao carneiro, que viveram no paleoceno e no eoceno. **2.** Espécie, ou espécime desse gênero.

barimetria [De *bar(i)-* + *-metria.*] *S. f. Fís.* Medição do peso ou da gravidade.

barimétrico [De *barimetria* + *-ico*[2].] *Adj. Fís.* Referente à barimetria.

barinel [Alter. do ant. *varinel* < ant. *varino*, 'barco estreito e comprido'.] *S. m. Ant.* Embarcação de vela e remo, provavelmente de pano redondo, anterior à caravela. [Pl.: *barinéis.*]

bário [De *bar(i)-* + *-io*[3].] *S. m. Quím.* Metal alcalino-terroso, de número atômico 56, branco-prateado, maleável, que forma numerosos sais e tem poucas aplicações sob forma pura [símb.: *Ba*]. [Cf. *bárion.*]

bariolagem [Do fr. *bariolage.*] *S. f. Mús. Ant.* Modo especial de executar determinadas peças no violino, utilizando cordas soltas.

bárion [De *bar(i)-* + *-on.*] *S. m. Fís. Nucl.* Designação genérica de partículas elementares pesadas, sensíveis a interações fortes, e compostas de três quarks. [O bárion mais leve e estável é o próton. O número de bárions se conserva nas interações entre partículas.] [Cf. *bário.* Pl.: *bárions.*]

bariónico *Adj. Fís. Nucl.* V. *bariônico.* [Uso freq. em P.]

bariônico [De *bárion* + *-ico*[2].] *Adj. Fís. Nucl.* ~ V. *número —.*

bariónix *S. m. 2 n. Paleont.* V. *bariônix*. [Uso freq. em P.]

bariônix (cs) [Do tax. *Baryonix.*] *S. m. 2 n. Paleont.* **1.** Gênero de dinossauros saurísquios, terápodes, cujos registros fósseis foram descobertos em 1983 em Surrey (Inglaterra); caracterizam-se por apresentarem grandes garras curvas, com 30cm, cabeça semelhante à dos crocodilos, e cauda longa. Viveram no cretáceo, pesavam cerca de 800kg, mediam até 5m de comprimento e tinham dentes pontudos e afiados. **2.** Qualquer espécie desse gênero, como, p. ex., a *Baryonix wakery.* **3.** Qualquer espécime desse gênero.

bariri[1] [Do tupi = 'coisa agitada'.] *S. m. Bras. SP* Corrente veloz e precipitada das águas dos rios em trechos acentuadamente declivosos.

bariri[2] *Bras. Adj. 2 g.* **1.** Pertencente ou relativo ao Olaria Atlético Clube (RJ). **2.** Que é torcedor ou jogador dessa agremiação. • *S. 2 g.* **3.** Membro, torcedor ou jogador dela; olaria.

baririçó *S. m. Bras. Bot.* V. *baririçô.*

baririçô [Do tupi = 'o laxante'.] *S. m. Bras. Bot.* **1.** Erva iridácea (*Trimezia juncifolia*) bulbosa, cujo bulbo é laxativo brando; baririçô-amarelo, batata-de-purga, batatinha-do-campo, lírio-roxo-do-campo, ruibarbo-do-brejo, ruibarbo-do-campo, ruibarbo-dos-charcos. **2.** Erva iridácea (*Trimezia lurida*) bulbosa, de folhas lineares e alongadas, flores vistosas, com seis peças, e frutos capsulares; batatinha-amarela. [Var.: *baririçó, beririçó, maririçó.*]

baririçô-amarelo *S. m. Bras. L. S. Bot.* V. *baririçô* (1). [Pl.: *baririçôs-amarelos.*]

baririense *Adj. 2 g.* **1.** De, ou pertencente ou relativo a Bariri (SP). • *S. 2 g.* **2.** O natural ou habitante de Bariri.

barisfera [De *bar(i)-* + *-sfera.*] *S. f. Geofís.* V. *nife.*

barista [Do it. *barista.*] *S. 2 g.* Profissional que prepara café e outras bebidas à base de café, principalmente com cafés de alta qualidade, e que está capacitado a informar sobre a proveniência, cultivo e sabor do mesmo, a louça em que deve ser servido, o tratamento técnico das máquinas envolvidas em seu preparo, etc.

barita[1] [De *bar(i)-* + *-ita*[3].] *S. f. Min.* V. *baritina.*

barita[2] [De *bar(i)-* + *-ita*[2].] *S. f. Quím.* Hidróxido de bário.

▲ **barit(i)-** *El. comp.* = 'barita': *baritina*

baritífero [De *barit(o)-* + *-ífero.*] *Adj. Min.* Diz-se de mineral que contém bário.

baritina [De *barit(i)-* + *-ina*[1].] *S. f. Min.* Mineral ortorrômbico, sulfato de bário; barita, espato-pesado.

▲ **barit(o)-** *El. comp.* = 'bário': *baritífero.*

barítono [Do gr. barýtonos, 'de voz grave', pelo lat. *barytonu.*] *S. m. Mús.* **1.** Voz masculina entre o tenor e o baixo. **2.** Cantor que tem essa voz. **3.** O saxorne barítono. **4.** O tocador desse instrumento.

barjoleta (ê) *S. f.* V. *barjuleta.*

barjuleta (ê) [Do esp. *barjuleta.*] *S. f.* Mochila de couro ou de linhagem[2]. [Var.: *barjoleta.*]

barlaventeador (ô) [De *barlaventear* + *-dor.*] *Adj.* Que barlaventeia.

barlaventear [De *barlavento*[1] + *-ear*[2].] *V. int.* **1.** Avançar (o navio) para o lado de onde o vento sopra; seguir para barlavento. *P.* **2.** Pôr-se a barlavento de outro navio ou de alguma ilha. [Antôn.: *sota-ventear,* (ant.) *sulaventear*. Conjug.: v. *frear.*]

barlavento[1] [Do esp. *barlovento,* poss. do fr. *par le vent.*] *S. m. Mar.* **1.** Direção de onde sopra o vento. **2.** Bordo da embarcação voltado para a direção de onde o vento sopra. [Antôn.: *sota-vento.*]

barlavento[2] [Var. de *barravento,* com infl. de *barlavento* (1), poss.] *S. m. Bras. Rel.* Barravento.

➔ **barman** ['baɹmæn] [Ingl.] *S. m.* Homem que prepara bebidas em bar[1] (1).

➔ **bar mitzvah** [bar mits'va] [Hebr.] *S. m.* **1.** No judaísmo, o jovem que, ao completar 13 anos, assume a responsabilidade religiosa e civil dos seus atos, em cerimônia religiosa. **2.** *P. ext.* Essa cerimônia.

barn [Do ingl. *barn,* 'celeiro'.] *S. m. Fís. Nucl.* Unidade de área empregada para exprimir a seção de choque de um núcleo atômico, e igual a 10^{-24} cm^2. [Pl.: *barns.*]

barnabé [De *Barnabé,* nome imaginário de modesto funcionário público, ao qual se refere um samba de 1947, de Haroldo Barbosa e Antônio Almeida.] *S. m. Bras. Pop.* Funcionário público, em geral o de categoria modesta.

barnabita [Do it. *barnabita.*] *S. m.* **1.** Religioso da Ordem dos Clérigos Regulares de São Paulo, fundada em Milão em 1530. • *Adj. 2 g.* **2.** Pertencente ou relativo aos barnabitas.

▲ **bar(o)-** [Do gr. *báros, eos-ous (ă).*] *El. comp.* = 'peso'; 'pressão'; 'pressão atmosférica': *baragnose, barestesia, barômetro.* [Equiv.: *-bar(o)-, -baro, baros-: abarognose; alóbaro; barosânemo.*]

▲ **-bar(o)-** V. *bar(o)-.*

▲ **-baro** V. *bar(o)-.*

barocoria [De *bar(o)-* + *-cor(i)-* + *-ia*[1].] *S. f. Bot.* Queda dos frutos e sementes em consequência do próprio peso, produzindo disseminação a curtas distâncias.

barocórico [De *barocoria* + *-ico*[2].] *Adj. Bot.* Relativo à barocoria: *plantas barocóricas.*

barodontalgia [De *bar(o)-* + *odontalgia.*] *S. f. Odont.* Aerodontalgia.

barognose [De *bar(o)-* + *-gnose.*] *S. f. Neur.* Capacidade de reconhecer peso, tal como quando um objeto é colocado sobre a palma da mão. [Cf. *baragnose.*]

barógrafo [De *bar(o)-* + *-grafo.*] *S. m. Fís.* Instrumento que registra continuamente, em um papel, a pressão atmosférica; altígrafo; barometrógrafo.

➔ **barolo** [ba'rolo] [It.] *S. m. Enol.* Vinho tinto encorpado da região do Piemonte (v. piemontês), um dos mais reputados da Itália.

barologia [De *bar(o)-* + *-logia.*] *S. f.* Parte da física que estuda o peso.

barológico [De *barologia* + *-ico*[2].] *Adj.* Relativo à barologia.

barométrico [De *barômetro* + *-ico*[2].] *Adj.* **1.** Referente ao barômetro. **2.** Medido pelo barômetro: *pressão barométrica.* ~ V. *altura —a* e *coluna —a.*

barómetro *S. m. Fís.* V. *barômetro.* [Uso freq. em P.]

barômetro [De *bar(o)-* + *-metro.*] *S. m. Fís.* Instrumento destinado à medição da pressão atmosférica. ◆ **Barômetro aneroide.** *Fís.* Instrumento em que a medida da pressão atmosférica se baseia na deformação de um diafragma que cobre um recipiente hermético de metal. **Barômetro de Fortin.** *Fís.* Barômetro de mercúrio com dispositivo de ajuste do nível na cuba barométrica, e que permite leituras da pressão atmosférica com precisão bastante boa. **Barômetro de mercúrio.** *Fís.* Aquele em que a pressão atmosférica é equilibrada pela pressão de uma coluna de mercúrio. **Barômetro metálico.** *Fís.* Barômetro aneroide.

barometrografia [De *barômetro* + *-grafia.*] *S. f.* **1.** Descrição dos barômetros. **2.** Prática de observações barométricas.

barometrográfico [De *barometrografia* + *-ico*[2].] *Adj.* Referente à barometrografia.

barometrógrafo [De *barômetro* + *-grafo.*] *S. m.* V. *barógrafo.*

barona [De *baronesa,* com haplologia.] *S. f. Angol.* Mulher bonita e solteira: "aproveitava convencer as baronas que era de peito com peito o correcto de dançar aquela música alheia." (Arnaldo Santos, *O Cesto de Katandu e Outros Contos,* p. 22).

baronato [De *barão* + *-ato*[1].] *S. m.* Título ou dignidade de barão; baronia.

baronense[1] *Adj. 2 g.* **1.** De, ou pertencente ou relativo a Barão (SP). • *S. 2 g.* **2.** O natural ou habitante de Barão.

baronense[2] *Adj. 2 g.* **1.** De, ou pertencente ou relativo a Barão de Grajaú (MA). • *S. 2 g.* **2.** O natural ou habitante de Barão de Grajaú.

baronense[3] *Adj. 2 g.* **1.** De, ou pertencente ou relativo a Barão do Triunfo (RS). • *S. 2 g.* **2.** O natural ou habitante de Barão do Triunfo.

baronesa (ê) [Do it. *baronessa.*] *S. f.* **1.** Mulher com a dignidade de barão (1), ou casada com um barão. **2.** *Bras. Bot.* Dama-do-lago: "No rio lerdo as baronesas movem-se lentas. / Tão lentas que até parecem paradas!" (Ascenso Ferreira, *Catimbó e Outros Poemas,* p. 64.) **3.** *Bras. Pop.* V. *cachaça* (1) ~ V. *baronesas.*

baronesas (ê) [Pl. de *baronesa.*] *S. f. pl.* Brincos de ouro em forma de lira. ~ V. *baronesa.*

baronete (ê) [Do ingl. *baronet.*] *S. m.* Na Inglaterra, título de nobreza superior ao de cavaleiro e inferior ao de barão.

baronia [De *barão* + *-ia*[1].] *S. f.* **1.** Baronato. **2.** Senhorio ou terra que dava ao possuidor o título de barão. **3.** Feudo outrora dependente da coroa francesa.

baronial [De *baronia* + *-al*[1].] *Adj. 2 g.* Relativo a baronia, ou a barão.

baronista *S. 2 g.* Partidário do Barão da Boa Vista (Francisco do Rego Barros, 1802-1870), em PE.

baropatologia [De *bar(o)-* + *patologia.*] *S. f. Patol.* Estudo das condições mórbidas que têm fenômenos atmosféricos como causas, ou concausas; meteoropatologia.

baropatológico [De *baropatologia* + *-ico*[2].] *Adj. Patol.* Relativo ou pertencente à baropatologia.

▲ **baros-** V. *bar(o)-.*

barosânemo [De *baros-* + *-ânemo.*] *S. m.* Instrumento para fazer conhecer a força do vento.

baroscópio [De *bar(o)-* + *-scópio.*] *S. m.* Instrumento com que se demonstra a pressão do ar e o princípio de Arquimedes aplicado aos fluidos elásticos.

barossinusite [De *baros-* + *sinusite.*] *S. f. Otor.* Inflamação que ocorre em um ou mais seios paranasais, causada pela diferença entre a pressão do interior dele(s) e a ambiental.

barostato [De *bar(o)-* + *-stato.*] *S. m. Fís.* Regulador de pressão. [Var. pros.: *baróstato.*]

baróstato *S. m. Fís.* V. *barostato.*

barotrauma [De *bar(o)-* + *trauma.*] *S. m.* **1.** *Traum.* Traumatismo decorrente de variação de pressão atmosférica. **2.** *Otor.* Lesão auricular causada por diferença entre a pressão ambiente e a da caixa do tímpano.

barqueira[1] *S. f.* Aparelho de pesca de muitos anzóis.

barqueira[2] *S. f.* Fem. de *barqueiro.*

barqueiro [De *barco* + *-eiro.*] *S. m.* Indivíduo que governa um barco.

barquejar [De *barco* + *-ejar.*] *V. int.* **1.** Dirigir barco. **2.** Passear ou viajar em barco. [Conjug.: v. *pelejar.*]

barqueta (ê) [De *barca* + *-eta* (ê).] *S. f.* Barca pequena; barquinha, barcazinha.

barquete [Do fr. *barquette.*] *S. f. Cul.* Massa de farinha de trigo, manteiga e ovos com a forma de um barquinho, feita para ser recheada com ingredientes salgados ou doces.

barquice *S. m. Bras. Rel.* Nos candomblés angola-congo e de caboclo, o santuário do templo. [Var.: *barquiço.*]

barquiço *S. m. Bras. Rel. BA* V. *barquice.*

barquinha [Dim. de *barca.*] *S. f.* **1.** V. *barqueta.* **2.** Espécie de cesto pendente do aeróstato, e onde viaja o aeronauta. **3.** Pequeno caixão (2) em forma de berço, para crianças. **4.** *Ant. Náut.* Dispositivo com que, na época dos descobrimentos marítimos do séc. XV, se determinava a velocidade do navio.

barquino *S. m. Cabo-verd.* Odre de pele de cabra para transporte de líquidos ou, por vezes, de cereais: "Burros carregados de barquinos cheios de água da Boca da Garça." (Teobaldo Virgínio, *O Meu Tio Jonas,* p. 26.)

barra [De or. pré-romana.] *S. f.* **1.** Bloco de metal fundido, em geral de secção retangular, ainda por ser trabalhado. **2.** Peça longa, estreita e rígida, de madeira, metal ou outro material. **3.** Bloco de certos artigos de consumo que constitui uma unidade comercial: *barra de sabão, de chocolate.* **4.** *Vest.* Tira de fazenda ou doutro material que, numa roupa, serve de acabamento ou ornamento; banda. **5.** *P. ext.* Qualquer ornato ou acabamento que circunda ou guarnece alguma coisa: *as barras de um tapete; a barra de ladrilhos da parede.* **6.** Leito tosco e sem cabeceiras. **7.** Nos tribunais, grade de madeira que separa os magistrados do público. **8.** Goleta[1]. **9.** *Art. Gráf.* Traço oblíquo, usado para, entre outros fins, separar números, versos de um poema quando transcritos sem solução de continuidade, o número de um edifício ou de um apartamento dele, etc., e para abreviaturas em taquigrafia, ou fora dela (p. ex., antiga/, por *antigamente*; p/ = *por* ou *para*; para separar abreviaturas, p/c = *por conta*). **10.** *Geogr.* Acúmulo de material aluviônico, paralelo à costa, no ponto onde há o equilíbrio entre a corrente marítima e a fluvial. [Cf., nesta acepç., *banco de areia.*] **11.** *Ginást.* Barra fixa (q. v.). **12.** Haltere. **13.** Corrimão de madeira de secção circular preso horizontalmente à parede e destinado a certos exercícios. **14.** *Heráld.* Contrabanda. **15.** *Mat.* Símbolo que, colocado sobre os símbolos dos elementos de um conjunto, indica uma operação de associação desses elementos. **16.** *Estat.* Símbolo que, colocado sobre o símbolo de uma variável, indica uma estimativa da sua média aritmética. **17.** *Bras.* Banco ou coroa de areia ou de outros sedimentos trazidos pelos rios e depositados nas suas bocas e nas dos estuários. **18.** *Bras.* Foz do rio ou de riacho. **19.** *Bras. PB* Nuvem carregada que surge no horizonte ao pôr do sol. **20.** *Bras. SP* Orla inferior da copa da laranjeira, quase ao nível do chão. **21.** *Bras. Gír.* Estado de coisas; situação: *Resolveu sair de casa pouco depois de chegar, porque viu que a barra não estava nada boa.* **22.** *Jog. Inf.* Jogo infantil, de pegar, em que cada jogador corre a desafiar determinado adversário, em cuja mão bate três vezes, fugindo depois rumo ao próprio campo, perseguido pelo adversário. Tão logo nele se abriga, um dos companheiros parte no encalço do oponente que estava a persegui-lo. **23.** *Bras. Gír.* Barra-pesada (q. v.). • *S. m.* **24.** Homem possante: "queria saber até onde chega meu pulso. Talvez não seja lá dos mais fracos e ninguém está mais no caso de julgar do que o barra deste sertão." (José de Alencar, *O Sertanejo*, p. 82). ~ V. *barras*. ◆ **Barra da caixa seletora.** *Tip.* Prisma da caixa seletora da linotipo, por onde as matrizes alcançam a barra de distribuição; prisma da caixa seletora. **Barra de botões.** *Inform.* Barra de ferramentas (q. v.). **Barra de combustível.** *Eng. Nucl.* **1.** Conjunto constituído por um ou vários cartuchos de um combustível nuclear, empilhados e revestidos. **2.** Cartucho de grandes dimensões contido, em geral, num revestimento. **Barra de compasso.** *Mús.* Travessão[1] (4). **Barra de controle.** *Eng. Nucl.* Barra para controlar as reações que se produzem no reator nuclear, e capaz de absorver os nêutrons que normalmente fissionariam os núcleos do combustível. **Barra de direção.** *Autom.* Peça conectada ao volante a qual transmite seu movimento à caixa de direção. **Barra de distribuição.** *Tip.* Parte do distribuidor da linotipo constituída de barra prismática onde correm as matrizes, impulsionadas pelos fusos, na sua volta ao magazine. **Barra de ferramentas.** *Inform.* Numa interface gráfica, bloco de botões [v. *botão* (14)] e ícones clicáveis, que ger. pode ser movido dentro da janela e personalizado pelo usuário, e que visa facilitar o acesso a recursos do aplicativo; barra de botões. **Barra de menu.** *Inform.* Barra retangular apresentada por um aplicativo, usualmente no alto da tela ou da janela (7), que exibe os nomes dos vários menus de comandos disponíveis ao usuário e que permite a ativação de qualquer um deles por meio de cliques do *mouse* e/ou de combinações de teclas. **Barra de repetição.** *Mús.* Sinal que indica ao intérprete a necessidade de repetir um trecho musical específico. **Barra de sucção.** *Art. Gráf.* Aquela que, no margeador de sucção, comporta os sugadores que apanham as folhas e as levam às pinças. **Barra de transferência.** *Tip.* Barra prismática sem ranhuras, que faz parte da caixa de transferência da linotipo. **Barra dupla.** *Tip.* Paralelas (2). **Barra fixa.** *Ginást.* Aparelho que consta de uma barra roliça horizontal, de metal ou madeira, fixada nas extremidades em dois esteios verticais, a uma altura de cerca de 2,50m do solo, e que serve para o ginasta realizar movimentos de impulso e balanço, sem interrupção. [Tb. se diz apenas *barra*.] **Barra ônibus.** *Eng. Elétr.* Barra metálica us. para transportar uma grande corrente ou para fazer uma conexão comum entre vários circuitos. **Barras paralelas.** *Ginást.* Aparelho que consta de duas barras de madeira, roliças, fixadas sobre suportes a 1,70m do solo nas quais o ginasta executa movimentos combinados de impulsos e giros, com o auxílio das mãos. [Tb. se diz apenas *paralelas*.] **Aguentar a barra.** *Bras.* V. *Aguentar o rojão*. **Forçar a barra.** Insistir muito, indo além do que é conveniente ou oportuno, para alcançar um objetivo ou impor sua vontade; forçar a mão, forçar a nota: "Mas também não podia forçar a barra." (Rubem Mauro Machado, *O Executante*, p. 53.) **Limpar a barra de (alguém).** Auxiliar alguém a solucionar uma situação difícil, complicada ou perigosa. **Segurar a barra.** *Bras.* V. *Aguentar o rojão*. **Sujar a barra.** *Pop.* Criar problemas, comprometer: "O que me deixa fulo é .... um leão dar mancada e sujar a barra da gente, como o Miguelito, de Ramos." (João Antônio, *Leão de Chácara*, p. 14). **Uma barra.** *Bras. Gír.* Pessoa, coisa ou situação difícil, complicada.

barra-alegrense *Adj. 2 g.* **1.** De, ou pertencente ou relativo a Barra Alegre (RJ). ● *S. 2 g.* **2.** O natural ou habitante de Barra Alegre. [Pl.: *barra-alegrenses*.]

barra-azulense *Adj. 2 g.* **1.** De, ou pertencente ou relativo a Barra do Rio Azul (RS). ● *S. 2 g.* **2.** O natural ou habitante de Barra do Rio Azul. [Pl.: *barra-azulenses*.]

barra-bandeira [De *barra* + *bandeira*.] *S. f. Bras. PE* Brincadeira infantil em que se divide um campo em duas partes, tendo em cada uma delas uma bandeira fincada no chão da qual tentam se apoderar os adversários. [Pl.: *barra-bandeiras*.]

barra-bonitense *Adj. 2 g.* **1.** De, ou pertencente ou relativo a Barra Bonita (SP). ● *S. 2 g.* **2.** O natural ou habitante de Barra Bonita. [Pl.: *barra-bonitenses*.]

barraca [Do cat., poss. de or. pré-romana.] *S. f.* **1.** Abrigo de lona, náilon, etc., usado por soldados em campanha, por excursionistas, etc.; tenda. **2.** Construção ligeira, de remoção fácil, comumente feita de madeira e lona, e usada em feiras. **3.** Construção leve, de lona ou de madeira, onde os banhistas mudam de roupa, nas praias. **4.** Guarda-sol amplo que, fincado na areia, protege os banhistas nas praias. **5.** Barracão (2). **6.** V. *cabana*. **7.** *Fam.* V. *guarda-chuva*. **8.** *Bras.* Construção de desmonte e remoção fáceis, ger. de metal leve, ferro ou madeira, us. por vendedores ambulantes e/ou por camelôs. **9.** *Bras. S.* Estabelecimento especializado no comércio de couros, de lãs, cabelos e outros produtos da indústria pastoril. [Dim. irreg.: *barraquim*.] ◆ **De barraca armada.** *Bras. Chulo* Com o pênis ereto: "todos pensavam na Adriana: morena, corpo perfeito, cabelo comprido, ... e aquelas coxas de deixar qualquer caboclo de barraca armada." (Paulo Lins, *Cidade de Deus*, p. 168).

barracamento *S. m. Bras. RS* V. *abarracamento*.

barracão [De *barraca* + *-ão*[1].] *S. m.* **1.** Grande barraca. **2.** Abrigo ou telheiro, ou casa provisória, geralmente de madeira, para guardar utensílios ou depositar materiais de construção, num canteiro de obras; barraca. **3.** *Gloss.* Pídgin, usado nos portos de Moçambique no séc. XIX, que incluía elementos do português, do suaíli, do malgaxe e do árabe. **4.** *Bras.* Estabelecimento comercial no campo ou em lugares pouco habitados, ou em engenhos e usinas. **5.** *Bras. Amaz.* Casa de moradia do dono do seringal ou de seu administrador, e que é, ao mesmo tempo, habitação, depósito de gêneros de primeira necessidade, da borracha colhida nos centros, e loja para venda de gêneros, roupas, ferramentas e utensílios. **6.** *Bras. Rel.* No candomblé e em outros cultos afro-brasileiros, grande sala ou alpendrada, ger. retangular, onde se realizam as cerimônias religiosas públicas. **7.** *Bras. SP* Casa onde se selecionam e acondicionam as laranjas destinadas à exportação. **8.** *Bras. GO* Pequeno quarto ou depósito junto ao mercado, nos quais se armazenam produtos agrícolas. **9.** *Bras. RJ* Barraco: "E, hoje, quando do Sol a claridade / Forra meu barracão, sinto saudade / Da mulher-pomba-rola que voou..." (Orestes Barbosa, *Chão de Estrelas*, p. 274).

barração [De *barrar*[2] + *-ção*.] *S. f.* Ato ou efeito de barrar[2].

barracento *Adj.* V. *barrento*.

barra-chocense *Adj. 2 g.* **1.** De, ou pertencente ou relativo a Barra do Choça (BA). ● *S. 2 g.* **2.** O natural ou habitante de Barra do Choça. [Pl.: *barra-chocenses*.]

barraco [De *barraca*.] *S. m. Bras. RJ* Habitação tosca, improvisada, construída geralmente nos morros, com materiais de origem diversa e adaptados, coberta com palha, zinco ou telha, onde vivem os favelados; barracão: "A porta do barraco era sem trinco. / Mas a lua, furando o nosso zinco, / Salpicava de estrelas nosso chão..." (Orestes Barbosa, *Chão de Estrelas*, p. 275). ◆ **Armar (o maior) barraco.** *Bras. Pop.* V. *armar um barraco*. **Armar um barraco.** *Bras. Pop.* Criar tumulto, confusão, brigalhada, ger. por sentir-se lesado, prejudicado ou desrespeitado em algo.

barraconense *Adj. 2 g.* **1.** De, ou pertencente ou relativo a Barracão (PR e RS). ● *S. 2 g.* **2.** O natural ou habitante de Barracão.

barraconista [De *barracão* + *-ista*.] *S. 2 g. Bras. AM GO* Proprietário de barracão (4 e 7).

barra-coqueirense *Adj. 2 g.* **1.** De, ou pertencente ou relativo a Barra dos Coqueiros (SE). ● *S. 2 g.* **2.** O natural ou habitante de Barra dos Coqueiros. [Pl.: *barra-coqueirenses*.]

barra-cordense *Adj. 2 g.* **1.** De, ou pertencente ou relativo a Barra do Corda (MA). ● *S. 2 g.* **2.** O natural ou habitante de Barra do Corda. [Pl.: *barra-cordenses*.]

barracuda [Do esp. *barracuda*.] *S. f. Bras. Zool.* Peixe esfirenídeo (*Sphyraena barracuda*) com até 2m de comprimento, das águas quentes e temperadas da costa atlântica. Tem o dorso cinza-azulado, o flanco prateado, com manchas e listras negras laterais, e o ventre branco. Agressivo e voraz, nutre-se de outros peixes e sua carne é tida como tóxica. [Sin.: *bicuda-branca, bicuda-de-corso, bicuda-do-alto, bicuda-grande, bacuda, carana, gaviama, goirana, goriana*.]

barradela [De *barrar*[1] + *-dela*.] *S. f.* Ato ou efeito de barrar[1].

barrado[1] [Part. de *barrar*[1].] *Adj.* **1.** Coberto ou revestido de barro. **2.** *P. ext.* Revestido de substância mole como o barro.

barrado[2] [Part. de *barrar*[2].] *Adj.* **1.** Que tem barra. **2.** Que foi impedido de entrar em lugar ou evento: *Depois de barrados no show, decidiram voltar para casa.* **3.** *P. ext.* Impedido de fazer ou de participar de algo. **4.** *P. ext.* Rejeitado, recusado. ~ V. *espiral —a.* ● *S. m.* **5.** *Heráld.* Diz-se do campo coberto de barras [v. *barra* (14)].

barra-estivense *Adj. 2 g.* **1.** De, ou pertencente ou relativo a Barra da Estiva (BA). ● *S. 2 g.* **2.** O natural ou habitante de Barra da Estiva. [Pl.: *barra-estivenses*.]

barra-fogo *S. m. Bras. Zool.* V. *tataíra*. [Pl.: *barra-fogos*.]

barra-fundense *Adj. 2 g.* **1.** De, ou pertencente ou relativo a Barra Funda (RS). ● *S. 2 g.* **2.** O natural ou habitante de Barra Funda. [Pl.: *barra-fundenses*.]

barra-garcense *Adj. 2 g.* **1.** De, ou pertencente ou relativo a Barra do Garças (MT). ● *S. 2 g.* **2.** O natural ou habitante de Barra do Garças. [Sin. ger.: *garcense*. Pl.: *barra-garcenses*.]

barrageiro [De *barragem* + *-eiro*.] *S. m. Bras.* **1.** Aquele que trabalha na construção de barragens. **2.** Técnico que defende a construção de barragens como fontes de energia hidrelétrica.

barragem [De *barra* + *-agem*[2].] *S. f.* **1.** Paliçada feita com troncos e ramos de árvore entrelaçados, e que se arma atravessada nos rios para deter os peixes. **2.** Estrutura construída num vale e que o fecha transversalmente, proporcionando um represamento de água; represa. **3.** Obstrução, impedimento, obstáculo. ◆ **Barragem de acumulação.** *Constr.* A que se destina a represar água para utilização no abastecimento de cidades, em irrigação, ou em produção de energia. **Barragem de artilharia.** *Mil.* Bombardeio sistemático de determinada faixa de terreno, para impedir ou dificultar o avanço inimigo. **Barragem de derivação.** *Constr.* A que se destina a desviar um curso de água. **Barragem de regularização.** *Constr.* A que se destina a evitar grandes variações do nível de um curso de água, para controle de inundações, ou para melhoria das condições de navegabilidade.

barra-guaritense *Adj. 2 g.* **1.** De, ou pertencente ou relativo a Barra do Guarita (RS). ● *S. 2 g.* **2.** O natural ou habitante de Barra do Guarita. [Pl.: *barra-guaritenses*.]

barra-italiana [De *barra* + o f. de *italiano*.] *S. f. Cost.* Barra de calça ou bermuda com a dobra virada para o lado de fora. [Pl.: *barras-italianas*.]

barral *S. m.* V. *barreira*[1] (1).

barra-limpa *Adj. 2 g. S. 2 g. Bras. Gír.* Diz-se de, ou pessoa boa, camarada, muito amiga; boa-praça. [Pl.: *barra-limpas*.]

barra-longuense *Adj. 2 g.* **1.** De, ou pertencente ou relativo a Barra Longa (MG). ● *S. 2 g.* **2.** O natural ou habitante de Barra Longa. [Pl.: *barra-longuenses*.]

barra-mansense *Adj. 2 g.* **1.** De, ou pertencente ou relativo a Barra Mansa (RJ). ● *S. 2 g.* **2.** O natural ou habitante de Barra Mansa. [Pl.: *barra-mansenses*.]

barra-manteiga [De *barra* + *manteiga*.] *S. f. Bras.* Certo jogo ou brinquedo infantil de competição. [Pl.: *barra-manteigas*.]

barra-mendense *Adj. 2 g.* **1.** De, ou pertencente ou relativo a Barra do Mendes (BA). ● *S. 2 g.* **2.** O natural ou habitante de Barra do Mendes. [Pl.: *barra-mendenses*.]

barramento [De *barrar*[2] + *-mento*.] *S. m.* **1.** *Eng. Elétr.* Condutor us. em subestações de energia elétrica, a partir do qual se ramificam linhas de transmissão, equipamentos, consumidores, etc. **2.** *Eng. Civ.* Estrutura civil destinada a interceptar o curso de água de rio, visando à sua regularização, parcial ou total, e à alimentação das obras de derivação. **3.** *Inform.* No *hardware* de um computador, conjunto de vias internas que interligam componentes e periféricos. [Corresponde, nesta acepç., ao inglês *bus* (abrev. de *busbar*).]

barra-mina [De *barra*[2] + *mina*[1].] *S. f.* Haste de aço, redonda ou hexagonal, com extremidades em bisel, usada para perfurar manualmente minas em rochas brandas. [Pl.: *barra-minas*.]

barramunda *S. m. Zool.* Designação de diversos peixes ceratodídeos, ceratodiformes, como, p. ex., o *Ceratodus forsteri*, da Austrália, semelhante ao salmão.

barranca [De *barranco*.] *S. f. Bras.* Barranco (5).

barranceira *S. f.* Ribanceira (q. v.).

barranco [De or. pré-romana.] *S. m.* **1.** Escavação provocada pelos agentes naturais, ou pelo homem. [Cf. *buraco* (8).] **2.** Escavação natural. **3.** Precipício, abismo, despenhadeiro. **4.** *Fig.* Embaraço, obstáculo, estorvo. **5.** *Bras.* Ribanceira de um rio cuja margem é alta ou íngreme; barranca. **6.** *Bras. PA* Ilha flutuante de capim, que desce os rios nas correntezas do inverno.

barrancoso (ô) [De *barranco* + *-oso*.] *Adj.* Abundante em barrancos.

barrancudo [De *barranco* ou *barranca* + *-udo*, poss.] *Adj. Bras.* Valente, corajoso.

barranqueira [De *barranco* + *-eira*.] *S. f. Bras.* **1.** Barranceira, ribanceira. **2.** Grande despenhadeiro ou desbarrancado; precipício.

barranqueiro [De *barranco* + *-eiro*.] *S. m. Bras. MG* Habitante ribeirinho do rio São Francisco. [Sin. (m. us. na BA): *beiradeiro*.]

barranquenho [Do top. *Barrancos* (Portugal) + *-enho*.] *Adj.* **1.** De, ou pertencente ou relativo à região de Barrancos (Portugal). ● *S. m.* **2.** O natural ou habitante de Barrancos. **3.** *Gloss.* Dialeto do português europeu falado na região de Barrancos, no Baixo Alentejo. [V. *guadramilês*.]

barrão [Var. de *varrão*.] *S. m.* Porco novo e não castrado, que serve de reprodutor; varrasco, varrão.

barra-pesada [De *barra* + o f. de *pesado*.] *S. 2 g. Bras.* **1.** Pessoa que infunde temor, cuidado, etc., por sua tendência para atitudes violentas ou escandalosas:

Cuidado, que esse cara é barra-pesada. **2.** Aquilo que é difícil de resolver, de superar: *A prova de matemática foi barra-pesada.* • *Adj. 2 g.* **3.** Diz-se de barra-pesada (1 e 2). **4.** Que é difícil, complicado, ou até perigoso. [Tb. se diz apenas *barra*. Pl.: *barras-pesadas*.]

barraqueiro [De *barraca* + *-eiro*.] *S. m.* Dono de barraca: *Aquela mulher é barraqueira do Mercado Municipal.*

barraquim [De *barraca* + *-im*.] *S. m.* Barraca pequena.

barraquista *S. 2 g. Bras. N.E.* Proprietário de maniçobais, que os explora por intermédio dos manicobeiros.

barrar[1] [De *barro* + *-ar*[2].] *V. t. d.* **1.** Revestir de barro; rebocar. **2.** Tapar, encher ou cobrir de barro; abetumar. *T. d. e i.* **3.** Cobrir de qualquer substância mole: *Barrou o pão de manteiga.* [F. paral.: *barrear*.]

barrar[2] [De *barra* + *-ar*[2].] *V. t. d.* **1.** Atravessar com barras. **2.** Guarnecer com barras. **3.** Fundir em barras: *barrar metais.* **4.** *Bras.* Proibir; vetar: *Barraram sua matrícula por falta de um documento; barrar a entrada.* **5.** *Bras.* Ludibriar, enganar; frustrar. **6.** *Bras.* Pôr na reserva (jogador). *T. d. e i.* **7.** Embargar, impedir; obstar: *Dificuldades que barram o caminho à pesquisa científica no país; Barrou a entrada ao desconhecido.*

barra-rochense *Adj. 2 g.* **1.** De, ou pertencente ou relativo a Barra do Rocha (BA). • *S. 2 g.* **2.** O natural ou habitante de Barra do Rocha. [Pl.: *barra-rochenses*.]

barras [Pl. de *barra*.] *S. f. pl.* A primeira claridade do dia, ou a cor avermelhada do céu, ao pôr do sol. ~ V. *barra*.

barra-santanense *Adj. 2 g.* **1.** De, ou pertencente ou relativo a Barra de Santana (PB). • *S. 2 g.* **2.** O natural ou habitante de Barra de Santana. [Sin. ger.: *santanense*. Pl.: *barra-santanenses*.]

barrasco [Var. de *varrasco*.] *S. m.* Porco que já não é leitão e ainda não é barrão.

barra-turvense *Adj. 2 g.* **1.** De, ou pertencente ou relativo a Barra do Turvo (SP). • *S. 2 g.* **2.** O natural ou habitante de Barra do Turvo. [Pl.: *barra-turvenses*.]

barra-velhense *Adj. 2 g.* **1.** De, ou pertencente ou relativo a Barra Velha (SC). • *S. 2 g.* **2.** O natural ou habitante de Barra Velha. [Pl.: *barra-velhenses*.]

barravento *S. m. Bras. Rel.* Estado de perturbação e ansiedade que domina a filha de santo antes de bolar[3]. [Var.: *barlavento*.]

barreado [Part. de *barrear*[1].] *Adj.* **1.** Revestido de barro. **2.** Cujas paredes são revestidas de barro: *casa barreada.* • *S. m.* **3.** *Bras. PR Pop.* Prato típico: carne cozida em fogo brando, durante muitas horas, em panela de barro tampada e fechada.

barrear[1] [De *barro* + *-ear*[2].] *V. t. d. T. d. e i.* V. *barrar*[1]: "saiu à procura do companheiro e ambos tocaram a escolher o sítio, a desnudar árvores, a carpintejar, a barrear" (Almiro Caldeira, *Maré Alta*, p. 13).

barrear[2] [De *barra* + *-ear*[2], poss.] *V. int. Bras.* Na região são-franciscana, clarear o dia, amanhecer. [Defect. Conjug.: v. *frear*.]

barrear[3] *V. int. Bras. Gír.* V. *defecar* (5). [Conjug.: v. *frear*.]

barregã *S. f.* Concubina.

barregana [Do ár. *barrakan* < persa *bargana*.] *S. f. Tec. Têx.* Tecido de lã muito durável.

barregania [De *barregão* + *-ia*[1].] *S. f.* Estado de quem é barregão ou barregã; concubinato.

barregão *S. m.* Homem amancebado, abarregado; barregueiro. [Fem.: *barregã*.]

barregar *Pop. V. int.* **1.** Berrar, gritar; berregar. *T. d.* **2.** Dizer aos berros. [Conjug.: v. *entregar*. Pres. ind.: *barrego*, etc. Cf. *barrego* (ê).]

barrego (ê) [Dev. de *barregar*.] *S. m.* Ato de barregar. [Pl.: *barregos* (ê). Cf. *barrego*, do v. *barregar*.]

barregueiro *S. m.* Barregão.

barreguice [De *barregão* ou *barregã* + *-ice*.] *S. f.* Situação daquele que vive em barregania. [V. *concubinato*.]

barreio *S. m. Bras.* Pastagem nos barreiros salgados.

barreira[1] [De *barro* + *-eira*.] *S. f.* **1.** Local donde se extrai barro; argileira, barreiro, barral. **2.** Terreno argiloso.

barreira[2] [De *barra* + *-eira*.] *S. f.* **1.** Parapeito ou trincheira construída de paus muito próximos e alinhados; estacada. **2.** *Fig.* V. *obstáculo* (1). **3.** Alvo, ponto. **4.** Lugar escarpado e sem mato, na margem de rio ou de estrada. **5.** Posto fiscal, nos acessos de povoação ou de cidade, para controle de trânsito ou para cobrança de taxas de entrada de mercadorias, gêneros, etc. **6.** *Bras. N. N.E.* Corte produzido pelas ondas, correntes e marés no sopé das colinas que margeiam o Atlântico. **7.** *Bras. BA* Toca ou loca, cavada no barranco, sobretudo pelas águas, e que serve de morada aos peixes. **8.** *Bras. MG* Fonte perene de águas minerais. **9.** *Atlet.* Nas corridas, cada um dos obstáculos padronizados dispostos a intervalos regulares numa pista, e que os atletas têm de saltar. **10.** *Fut.* Na cobrança de um tiro livre, grupo de jogadores que se colocam em linha, a distância regulamentar de 9,15m, encobrindo o seu gol. ◆ **Barreira arquitetônica.** *Educ.* Obstáculo construído em meio urbano ou em edifícios, que impede ou dificulta a livre circulação de pessoas que apresentam alguma incapacidade física, transitória ou permanente. [Termo da educação especial.] **Barreira de gelo.** Porção de um glaciar que se estende mar adentro, parte flutuante e parte encalhada no fundo, terminado em paredões de 20 a 60m de altura, com extensões superiores a 50km. **Barreira de potencial.** *Fís.* Num campo de potencial, região em que o potencial se eleva ab-ruptamente e tem valores mais altos do que nas circunvizinhanças. **Barreira do som.** *Fís.* O conjunto de fenômenos que ocorrem quando um corpo sólido se desloca no ar com velocidade próxima ou igual à do som nesse fluido, e que compreende: o aumento da resistência, a diminuição da sustentação, a formação de uma onda de choque localizada e a produção do estrondo sônico. **Barreira social.** *Sociol.* Qualquer forma de obstáculo com que a sociedade dificulta o acesso a grupos ou a instituições e impede a mobilidade social (q. v.). **Barreira térmica.** *Astron.* Limite da velocidade em que o calor desenvolvido pelo atrito com a atmosfera inutiliza um veículo espacial, ou um foguete.

barreirar [De *barreira*[2] + *-ar*[2].] *V. t. d.* Cercar de barreira[2] (1); entrincheirar.

barreirense[1] *Adj. 2 g.* **1.** De, ou pertencente ou relativo a Barreira (CE). • *S. 2 g.* **2.** O natural ou habitante de Barreira.

barreirense[2] *Adj. 2 g.* **1.** De, ou pertencente ou relativo a Barreiras (BA). • *S. 2 g.* **2.** O natural ou habitante de Barreiras.

barreirense[3] *Adj. 2 g.* **1.** De, ou pertencente ou relativo a Barreiras do Piauí (PI). • *S. 2 g.* **2.** O natural ou habitante de Barreiras do Piauí.

barreirense[4] *Adj. 2 g.* **1.** De, ou pertencente ou relativo a Barreiros (PE). • *S. 2 g.* **2.** O natural ou habitante de Barreiros.

barreirense[5] *Adj. 2 g.* **1.** De, ou pertencente ou relativo a Santa Maria das Barreiras (PA). • *S. 2 g.* **2.** O natural ou habitante de Santa Maria das Barreiras.

barreirense[6] *Adj. 2 g.* **1.** De, ou pertencente ou relativo a São José do Barreiro (SP). • *S. 2 g.* **2.** O natural ou habitante de São José do Barreiro.

barreirinhense[1] *Adj. 2 g.* **1.** De, ou pertencente ou relativo a Barreirinha (AM). • *S. 2 g.* **2.** O natural ou habitante de Barreirinha.

barreirinhense[2] *Adj. 2 g.* **1.** De, ou pertencente ou relativo a Barreirinhas (MA). • *S. 2 g.* **2.** O natural ou habitante de Barreirinhas.

barreiro [De *barro* + *-eiro*.] *S. m.* **1.** V. *barreira*[1] (1). **2.** *Bras.* Lugar donde se extrai barro para a fabricação de tijolos e telhas. **3.** *Bras.* Eflorescência (3) salino-salitrosa dos terrenos baixos do vale do rio São Francisco, ou de mata, muito procurada pelo gado e outros animais, que vão lamber a terra por causa do sal. **4.** *P. ext. Bras.* Lugar onde se tocaiam antas. **5.** *Bras. N.* Local onde se amassa o barro para tapagem de casas de taipa. **6.** *Bras. PE AL* Fosso cavado em terreno argiloso para conservar por algum tempo as águas pluviais. **7.** *Bras.* V. *joão-de-barro*.

barrela [Do esp. *barrilla*, 'barrileira'.] *S. f.* Água onde se ferve cinza e que é usada para branquear roupa; cenrada, coada, decoada, lixívia; água de barrela. ◆ **Cair na barrela.** Ficar com a reputação enodoada, maculada; desonrar-se.

barreleiro [De *barrela* + *-eiro*.] *S. m.* **1.** Cinza utilizada na barrela. **2.** Pano que cobre a roupa na barrela.

barrense[1] *Adj. 2 g.* **1.** De, ou pertencente ou relativo a Barra (BA). • *S. 2 g.* **2.** O natural ou habitante da Barra.

barrense[2] *Adj. 2 g.* **1.** De, ou pertencente ou relativo a Barra de Santo Antônio (AL). • *S. 2 g.* **2.** O natural ou habitante de Barra de Santo Antônio.

barrense[3] *Adj. 2 g.* **1.** De, ou pertencente ou relativo a Barra de São Miguel (AL). • *S. 2 g.* **2.** O natural ou habitante de Barra de São Miguel.

barrense[4] *Adj. 2 g.* **1.** De, ou pertencente ou relativo a Barra do Bugres (MT). • *S. 2 g.* **2.** O natural ou habitante de Barra do Bugres.

barrense[5] *Adj. 2 g.* **1.** De, ou pertencente ou relativo a Barra do Jacaré (PR). • *S. 2 g.* **2.** O natural ou habitante de Barra do Jacaré.

barrense[6] *Adj. 2 g.* **1.** De, ou pertencente ou relativo a Barra do Piraí (RJ). • *S. 2 g.* **2.** O natural ou habitante de Barra do Piraí.

barrense[7] *Adj. 2 g.* **1.** De, ou pertencente ou relativo a Barra do Ribeiro (RS). • *S. 2 g.* **2.** O natural ou habitante de Barra do Ribeiro.

barrense[8] *Adj. 2 g.* **1.** De, ou pertencente ou relativo a Barra dos Coqueiros (SE). • *S. 2 g.* **2.** O natural ou habitante de Barra dos Coqueiros.

barrense[9] *Adj. 2 g.* **1.** De, ou pertencente ou relativo a Barro (CE). • *S. 2 g.* **2.** O natural ou habitante de Barro.

barrense[10] *Adj. 2 g.* **1.** De, ou pertencente ou relativo a Conceição da Barra (ES). • *S. 2 g.* **2.** O natural ou habitante de Conceição da Barra.

barrense[11] *Adj. 2 g. S. 2 g.* V. *quatro-barrense*.

barrense[12] *Adj. 2 g.* **1.** De, ou pertencente ou relativo a Sete Barras (SP). • *S. 2 g.* **2.** O natural ou habitante de Sete Barras.

barrento [De *barro* + *-ento*.] *Adj.* **1.** Que contém barro (1); barroso. **2.** Da cor do barro. [Sin. ger.: *barracento*.]

barrer *V. t. d. T. d. e i. Int. Ant. Pop.* Varrer.

barreta (ê) [De *barra* + *-eta* (ê).] *S. f.* Barra pequena.

barretada [De *barrete* + *-ada*[1].] *S. f.* **1.** Saudação que consiste em tirar da cabeça o barrete ou o chapéu. **2.** Mesura exagerada; salamaleque: "Olha. Os saloios vivos, corpulentos, / Como nos fazem grandes barretadas!" (Cesário Verde, *Obra Completa*, p. 117.) ◆ **Barretada com chapéu alheio.** Serviço ou favor feito a alguém graças ao prestígio ou trabalho de outrem.

barrete (ê) [Do it. *barreta*, pelo fr. *barrette*.] *S. m.* **1.** Cobertura que se ajusta à cabeça, e que ordinariamente é feita de tecido mole e flexível; gorro, gorra. [Cf. *carapuça* e *solidéu*.] **2.** Pequeno chapéu quadrangular usado por clérigos. **3.** Barrete (2) vermelho usado por cardeais. **4.** Obra de fortificação composta de três ângulos salientes e dois reentrantes. **5.** *Arquit.* Abóbada de barrete de clérigo. **6.** *Zool.* V. *retículo*[1] (2). ◆ **Barrete frígio.** Barrete vermelho usado na França ao tempo da primeira república, e semelhante ao que usavam os frígios.

barretear [De *barreta* + *-ear*[2].] *V. t. d. Bras. Ant.* Fundir (o ouro) em barras. [Conjug.: v. *frear*.]

barreteiro [De *barrete* + *-eiro*.] *S. m.* Aquele que faz e/ou vende barretes.

barretense *Adj. 2 g.* **1.** De, ou pertencente ou relativo a Barretos (SP). • *S. 2 g.* **2.** O natural ou habitante de Barretos.

barretina [Do esp. *barretina*, poss.] *S. f.* **1.** Antigo barrete militar, alto, cilindriforme, de feltro ou de peles. **2.** Antigo chapéu de senhora.

barrica [Do fr. *barrique*.] *S. f.* **1.** Vasilha de tanoaria em forma de pipa. **2.** *Fig. Fam.* Pessoa gorda e baixa. **3.** *Maç.* A garrafa, num banquete maçônico.

barricada [Do fr. *barricade*.] *S. f.* Entrincheiramento provisório erguido com barricas, carros, estacas, etc., em geral para defender a entrada de uma rua, porta, ou qualquer passagem; tapigo.

barricão [De *barrica* + *-ão*[1].] *S. m.* Grande barrica (1). ◆ **Ficar no barricão.** *Bras. N.E. Pop. Fam.* V. *ficar para tia*. **Ir para o barricão.** *Bras. N.E. Pop. Fam.* V. *ficar para tia*.

barricar [Voc. deduz. de *barricada* (q. v.).] *V. t. d.* Entrincheirar com barricadas. [Conjug.: v. *trancar*.]

barrido [Do lat. *barritu*.] *S. m.* Barrito.

barriga [De *barrica*.] *S. f.* **1.** V. *abdome*. **2.** Bojo, saliência, protuberância. **3.** Ventre (3). **4.** *Fig.* Qualquer saliência. **5.** *Bras.* Informação falsa divulgada por jornal, revista, etc. **6.** *Tip.* Defeito que torna a composição mais alta no centro. **7.** *Bras. RS* A lã que se retira da barriga do ovino. ◆ **Barriga da perna.** A parte posterior, carnuda, da perna, formada pelos músculos gêmeos; batata da perna, panturrilha, sura: "E o mais até .... onde, perfeita e clara, / A barriga da perna se arredonda..." (Raimundo Correia, *Poesias*, p. 30.) **Carregar uma barriga.** *Bras. MA* Estar grávida. **Chorar de barriga cheia.** Queixar-se sem ter de quê; lamentar-se sem motivo; falar de barriga cheia. [V. *de barriga cheia*.] **Chorar na barriga da mãe.** Ver tudo correr à medida dos seus desejos; ser muito feliz. **Comer barriga.** **1.** Perder uma chance, uma oportunidade ou a vez (de fazer algo); bobear, vacilar. [V. *dormir de touca*.] **2.** *Bras. Jorn.* Divulgar uma notícia falsa [v. *barriga* (5)]. **De barriga.** Em estado de gravidez; grávida: *estar, ficar de barriga*: "O falaço continuou até que a mulher apareceu de barriga. Não havia dúvida que era filho de Antônio Patrício." (José Lins do Rego, *Meus Verdes Anos*, p. 180). **De barriga cheia.** Sem ter motivo ou razão reais: *falar, reclamar de barriga cheia.* [V. *chorar de barriga cheia*.] **Empurrar com a barriga.** *Bras.* **1.** Não dar a (um caso, questão, problema, etc.) solução devida. **2.** Adiar a solução de (caso, questão, problema, etc.). **Encher barriga de corvo.** *Bras. RS* Morrer (animal): "Já encheu barriga de corvo / O meu cavalo de lei..." (Vargas Neto, *Tropilha Crioula e Gado Xucro*, p. 37.) **Estar com a barriga a dar (as) horas.** V. *estar com a barriga no espinhaço* (2). **Estar com a barriga dando (as) horas.** V. *estar com a barriga no* *espinhaço* (2). **Estar com a barriga no espinhaço. 1.** Estar muito magro. **2.** Estar esfomeado, varado de fome. [Sin., nesta acepç.: *estar com a barriga dando (as) horas, estar com a barriga a dar (as) horas, estar com o estômago dando (as) horas, estar com o estômago a dar (as) horas.*] **Falar de barriga cheia.** Chorar de barriga cheia. **Levar barriga.** *Bras. Gír. Jorn.* Divulgar (um jornal) notícia falsa. **Pegar barriga.** Ficar grávida ou prenhe; engravidar, gravidar. **Perder (a) barriga.** Tornar menor o volume abdominal de seu corpo. **Ter barriga de ema.** Não cumprir o prometido: 📖 "Mas o Brito tem barriga de ema: desprezou o aviso e mandou-me diversas cartas, as primeiras com choro, as últimas com exigências." (Graciliano Ramos, *S. Bernardo*, p. 63.) **Tirar a barriga da miséria.** Gozar largamente de alguma coisa de que até então se privara, ou de que não desfrutara: *Enriqueceu, e está tirando a barriga da miséria: só faz gastar.*

barriga-branca *S. m. Bras. CE Fam.* Calça-curta. [Pl.: *barrigas-brancas.*]

barrigada [De *barriga* + *-ada*[1].] *S. f.* **1.** Pancada na, ou com a barriga; pançada. **2.** Fartadela (de comida e/ou bebida): 📖 "Os beirões despedem-se dos dias belos, entram nas chuvaradas de dezembro festejando o céu limpo .... com barrigadas de castanha, vinho verde e o fado." (José Vieira, *Sol de Portugal*, p. 163.) **3.** *Pop.* Barriga volumosa. **4.** Vísceras de animais abatidos. **5.** *Bras.* Conjunto dos filhotes nascidos de um parto do animal. **6.** *Bras. Pop.* Gravidez.

barriga-d'água *S. f.* **1.** *Pop.* Ascite: 📖 "Manuel Fogueteiro morreu de barriga-d'água; estômago, fígado e intestinos duros que nem couro curtido de anta." (Nélson de Faria, *Cabeça-Torta*, p. 57.) **2.** *Bras. Bot.* Grande árvore tiliácea (*Hydrogaster trinervis*) própria da floresta pluvial, de tronco enorme, muito grosso, e em cujo interior existe armazenada grande quantidade de água, que sai, sob pressão, quando se perfura o tronco. **3.** *Bras. Bot.* V. *pau-de-caixa*. [Pl.: *barrigas-d'água.*]

barriga de samburá *S. 2 g. Bras. N.E.* Indivíduo sambudo. [Pl.: *barrigas de samburá.*] ☑

barrigal [De *barriga* + *-al*[1].] *Adj. 2 g.* Relativo ou pertencente à barriga (1).

barrigão [De *barriga* + *-ão*[1].] *S. m.* Barriga grande; pança.

barrigatintim *S. m. Bras. Zool.* V. *barrigudinho* (1).

barriga-verde *S. 2 g. Bras.* **1.** *Pop.* V. *catarinense*[1]. • *S. m.* **2.** Pirangueiro[2] (2). • *Adj. 2 g.* **3.** *Pop.* V. *catarinense*: 📖 "Em todos eles [os contos de Virgílio Várzea] vive e palpita a beleza simples e a graça espontânea da vida nessas pequenas populações do litoral barriga-verde." (Nereu Corrêa, *O Canto do Cisne Negro e Outros Estudos*, p. 127.) [Pl.: *barrigas-verdes.*]

barriguda [F. de *barrigudo.*] *S. f.* **1.** Mulher grávida, prenhe. **2.** *Bras. Bot.* V. *paineira* (1). **3.** *Bras. Bot.* Árvore bombacácea (*Cavanillesia arborea*) nativa do PI à BA, onde ocorre nas caatingas, de tronco muito grosso, com grande reserva de água, e flores vermelhas, sendo o fruto uma grande cápsula alada; embaré, árvore-da-lã, castanha-do-ceará. **4.** *Bras. Bot.* Árvore bombacácea (*Ceiba pubiflora*) nativa de MT, MS, MG e SC, cujo tronco tem acúleos grossos; a casca é esverdeada e a madeira, rosada. [Sin.: *barriguda-de-espinho.*]

barriguda-de-espinho *S. f. Bras. Bot.* Barriguda (4). [Pl.: *barrigudas-de-espinho.*]

barrigudinho [De *barrigudo* + *-inho*[1].] *S. m. Bras.* **1.** *Zool.* Designação comum a várias espécies de peixes teleósteos, ciprinodontes, ciprinodontídeos e rivulídeos; nos machos a nadadeira anal é transformada em gonopódio, as fêmeas têm o ventre muito volumoso, donde o nome; são, em geral, iliófagos e larvófagos e, por isso, us. em Saúde Pública. [Sin.: *barrigatintim, gargaú, guaru, guaru-guaru, bobó.*] **2.** *Fam.* Menino novo; criança: 📖 "— Compadre, s'eu morrer algum dia, por comparação, vancê'tando vivo, cuida dos barrigudinhos da gente?" (Bariani Ortêncio, *Vão dos Angicos*, p. 69.)

barrigudo [De *barriga* + *-udo.*] *Adj.* **1.** Que tem barriga volumosa; ventrudo, pançudo. **2.** Que está prenhe (diz-se de mulher). • *S. m.* **3.** Indivíduo barrigudo. **4.** *Bras. Zool.* Nome comum às espécies de primatas cebídeos, gênero *Lagothrix*, da Amaz., de pelagem macia e espessa, barriga desenvolvida, membros longos e fortes, cauda preênsil, com ponta nua, dedo polegar bem desenvolvido. Em cativeiro são os mais dóceis dos macacos do Brasil. [Sin., nesta acepç.: *caparro, caparu.*]

barrigudo-cinzento *S. m. Bras. Zool.* Espécie de primata cebídeo (*Lagothrix lagotricha*), do N.O. do AM e países limítrofes. Coloração cinza-amarelada, castanha na parte superior da cauda e escuro-avermelhada nas extremidades, sendo a cabeça nitidamente mais escura que o dorso; região peitoral e ventral com pilosidade longa e negra. [Pl.: *barrigudos-cinzentos.*]

barrigudo-pardo *S. m. Bras. Zool.* Espécie de primata cebídeo (*Lagothrix infumata*), do AM (região do rio Juruá) ao sul. Coloração pardacenta, mais escura que a do barrigudo-cinzento; cabeça de coloração igual ou quase igual à do dorso. [Pl.: *barrigudos-pardos.*]

barrigueira [De *barriga* + *-eira.*] *S. f.* **1.** *Bras.* Peça do arreio que passa em volta da barriga do cavalo; cincha: 📖 "O mascate estava apertando a barrigueira da sela para continuar viagem" (José J. Veiga, *A Máquina Extraviada*, p. 11). **2.** *Bras. S.* Couro da região da barriga do animal. **3.** *Bras. S.* A carne da barriga de uma rês.

barriguilha *S. f.* V. *braguilha*.

barril [Do fr. ant. *baril, barril* < b.-lat. **barriclu.*] *S. m.* **1.** Tonel de madeira, bojudo, feito de aduelas, geralmente para conservar ou transportar líquidos. [Dim. irreg.: *barrilete, barrilote.*] **2.** *Tec.* Medida de capacidade de líquidos, usada na indústria de petróleo e correspondente a 42 galões ou 158,9873 litros. ◆ **Barril de pólvora.** Situação delicada, tensa, de perigo latente, que está a ponto de explodir, com consequências imprevisíveis.

barrilada [De *barril* + *-ada*[1].] *S. f.* **1.** Conteúdo de um barril. **2.** *Pop.* Desordem.

barrileira [Por *barrilheira*, de *barrilha.*] *S. f.* Vasilha na qual se faz a barrela. [Cf. *barrilheira.*]

barrileiro [De *barril* + *-eiro.*] *Adj. S. m.* Que, ou aquele que fabrica ou vende barris.

barrilete (ê) [De *barril* + *-ete* (ê).] *S. m.* **1.** Pequeno barril; barrilote. **2.** Instrumento de ferro com que marceneiros e entalhadores prendem ao banco a madeira que lavram. **3.** Parte do aparelho de destilação da hulha em que se juntam os gases. **4.** *Astr.* Estojo constituído de dois anéis de bronze ou de alumínio com que se monta uma objetiva. **5.** *Constr.* Compartimento situado abaixo das instalações hidráulicas de um edifício, e que permite o acesso a essas instalações.

barrilha [Do esp. *barrilla.*] *S. f.* **1.** Haste ou cinza da barrilheira. **2.** Designação comercial dos carbonatos de sódio e de potássio.

barrilheira [De *barrilha* + *-eira.*] *S. f. Bot.* Planta quenopodiácea (*Salsola tragus*) rica em soda, e de cujas cinzas se faz lixívia. [Cf. *barrileira.*]

barrilote [De *barril* + *-ote*[1].] *S. m. Bras.* Barrilete (1).

barringtônia [Do tax. *Barringtonia* (do antr. [*D.*] *Barrington* [-1800], naturalista inglês, + lat. cient. *-ia*).] *S. f. Bot.* **1.** Gênero de árvores lecitidáceas que habitam regiões tropicais, dotadas de folhas alternas e grandes flores alvas, em espigas ou em racemos. **2.** Qualquer espécie desse gênero, como, p. ex., a *Barringtonia speciosa* (v. *boné-de-bispo*). **3.** Qualquer espécime desse gênero.

barrinhense *Adj. 2 g.* **1.** De, ou pertencente ou relativo a Barrinha (SP). • *S. 2 g.* **2.** O natural ou habitante de Barrinha.

barriqueiro [De *barrica* + *-eiro.*] *S. m. Bras.* Fabricante e/ou vendedor de barricas.

barriquinha [De *barrica* + *-inha.*] *S. f. Bras. N.E.* Cacimba[1] (3) revestida de uma barrica de madeira, sem tampa nem fundo.

barrir [Do lat. *barrire.*] *V. int.* Soltar barritos: *O elefante barriu demoradamente.* [Defect. Normalmente só se conjuga na 3.ª pess., e por exceção nas outras, menos quando ao segundo *r* do radical se seguiria *o* ou *a.*]

barrista[1] [De *barro* + *-ista.*] *S. 2 g.* Pessoa que trabalha ou modela em barro.

barrista[2] [De *barra* + *-ista.*] *S. 2 g.* Ginasta que faz acrobacias em barras fixas.

barrito [Do lat. *barritu.*] *S. m.* A voz do elefante e de alguns outros animais: 📖 "Ou será simplesmente o clangor sincopado de um *klaxon*? O barrito de algum elefante?" (Alberto Rangel, *Papéis Pintados*, p. 86.) [F. paral.: *barrido.*]

barro [De or. pré-romana.] *S. m.* **1.** Argila (2 e 3). **2.** *Constr.* Substância utilizada no assentamento da alvenaria de tijolo em obras provisórias, obtida pela mistura de argila com água. **3.** A argila como é encontrada no barreiro, própria para fabricação de tijolos e telhas. **4.** *Pop.* Objeto ou escultura de barro. **5.** Coisa sem valor. ~ V. *barros*. ◆ **Barro branco.** V. *caulim*. **Barro forte.** V. *caulim*. **Ir ao barro.** *Bras. N.E. Pop.* Cair (1): 📖 "Com uma pancada certa do chapéu de couro, aquele tico de gente ia ao barro." (Graciliano Ramos, *Vidas Secas*, p. 36.)

barroada[1] [De *barroar* + *-ada*[1].] *S. f.* Os dois ou três ganidos que solta o cão quando encontra rastro firme de veado ou depara esse animal em sua cama (8).

barroada[2] *S. f. Bras.* V. *batida* (9).

barro-altense *Adj. 2 g.* **1.** De, ou pertencente ou relativo a Barro Alto (GO). • *S. 2 g.* **2.** O natural ou habitante de Barro Alto. [Pl.: *barro-altenses.*]

barro-altino *Adj.* **1.** De, ou pertencente ou relativo a Barro Alto (BA). • *S. m.* **2.** O natural ou habitante de Barro Alto. [Pl.: *barro-altinos.*]

barroar *V. t. d. Bras.* **1.** Voltar (o cão) a encontrar o rasto de (a caça) após havê-lo perdido: 📖 "trazem cachorros grandes, cachorro onceiro .... Cachorro dobra de latir, barroa..." (João Guimarães Rosa, *Estas Estórias*, p. 131). *Int.* **2.** Soltar (o cão) alguns latidos ao descobrir o rastro do veado ou o seu esconderijo. [Normalmente é defectivo, conjugável só na 3.ª pess. do sing. e do pl. Conjug.: v. *coroar.*]

barroca [De *barro.*] *S. f.* **1.** Monte de barro ou de piçarra; barroco. **2.** *Bras.* Cova feita por enxurradas; barranco, barroco. **3.** Despenhadeiro, grota, precipício. [Pl.: *barrocas*. Cf. *barroca* (ô) e *barrocas* (ô), flex. do adj. *barroco.*]

barrocada [De *barroca* + *-ada*[1].] *S. f. Bras.* Barrocal (1).

barrocal [De *barroca* + *-al*[1].] *S. m.* **1.** Local cheio de barrocas; barrocada. **2.** *Bras. RS* Terreno desmoronado pela ação erosiva das águas.

barrocão [De *barroca* + *-ão*[1].] *S. m. Bras.* Grande barroca.

barroco[1] (ô) [De *barroca.*] *S. m.* **1.** Barroca (1 e 2). **2.** Penedo irregular e pequeno. [Pl.: *barrocos* (ô).]

barroco[2] (ô) [De or. pré-romana, poss.] *Adj. S. m.* Diz-se de, ou pérola de superfície irregular. [Pl.: *barrocos* (ô).]

barroco[3] (ô) [De *barroco*[2], com infl. do it. *barocco* e do fr. *baroque*, voc. tb. provenientes de *barroco*[2].] *Adj.* **1.** Relativo ou pertencente ao, ou característico do estilo barroco (q. v.): *arte barroca; escritores barrocos; escultura barroca; música barroca.* **2.** Muito ornamentado; sobrecarregado, exuberante: *oratória barroca; decoração barroca e pretensiosa.* [Nesta acepç. é us., não raro, depreciativamente.] **3.** *Fig.* Irregular, extravagante, estrambótico. ~ V. *estilo* —. • *S. m.* **4.** O estilo barroco (q. v.): *o barroco na literatura espanhola; o barroco na música brasileira.* **5.** O período em que floresceu o estilo barroco (q. v.) (aproximadamente dos fins do séc. XVI aos meados do séc. XVIII), caracterizado por uma atmosfera artística e cultural carregada de conflitos entre o espiritual e o temporal, entre o místico e o terreno. **6.** *P. ext.* Tendência do espírito, que se manifesta nas atividades culturais e/ou artísticas, tendo como constantes os traços característicos desse período. **7.** Barroquismo (1). [Pl.: *barrocos* (ô); fem. do adj.: *barroca* (ô). Cf. *barroca.*] ◆ **Barroco brasileiro.** Estilo próprio das produções artísticas e literárias do Brasil nos sécs. XVII, XVIII e princípios do séc. XIX, e cuja expressão principal é a arquitetura e a escultura sacra, de que foi intérprete máximo Antônio Francisco Lisboa, dito o Aleijadinho (c. 1730-1814).

barro-durense *Adj. 2 g.* **1.** De, ou pertencente ou relativo a Barro Duro (PI). • *S. 2 g.* **2.** O natural ou habitante de Barro Duro. [Pl.: *barra-durenses.*]

barrolandense *Adj. 2 g.* **1.** De, ou pertencente ou relativo a Barrolândia (TO). • *S. 2 g.* **2.** O natural ou habitante de Barrolândia.

barro-pretense *Adj. 2 g.* **1.** De, ou pertencente ou relativo a Barro Preto (BA). • *S. 2 g.* **2.** O natural ou habitante de Barro Preto. [Pl.: *barro-pretenses.*]

barroqueira [De *barroca* + *-eira.*] *S. f. Bras.* Garganta funda, em geral no meio de um vale.

barroquinhense *Adj. 2 g.* **1.** De, ou pertencente ou relativo a Barroquinha (CE). • *S. 2 g.* **2.** O natural ou habitante de Barroquinha.

barroquismo [De *barroco*[3] + *-ismo.*] *S. m.* **1.** Qualidade de barroco[3]. **2.** Modo de fazer, ou comportamento barroco[3] (1 a 3).

barros [Pl. de *barro.*] *S. m. pl.* Borbulhas da cara. ~ V. *barro*.

barros-cassalense *Adj. 2 g.* **1.** De, ou pertencente ou relativo a Barros Cassal (RS). • *S. 2 g.* **2.** O natural ou habitante de Barros Cassal. [Pl.: *barros-cassalenses.*]

barrosense *Adj. 2 g.* **1.** De, ou pertencente ou relativo a Barroso (MG). • *S. 2 g.* **2.** O natural ou habitante de Barroso.

barroso (ô) [De *barro* + *-oso.*] *Adj.* **1.** Da natureza do barro. **2.** Barrento (1). **3.** Que tem borbulhas ou espinhas no rosto; espinhento. **4.** *Bras.* Diz-se do bovino de pelo branco-amarelado e do equino com pelo da cor do barro escuro. • *S. m.* **5.** *Zool.* Cação-lixa (1 e 2).

barrotar [De *barrote* + *-ar*[2].] *V. t. d.* **1.** Prender com barrotes; barrotear. **2.** Colocar barrotes em; barrotear.

barrote [Do fr. *barrot.*] *S. m.* Peça de madeira, com cerca de 17 x 7cm de seção, maior que o caibro e menor que a vigota, na qual se pregam as tábuas dos assoalhos e tetos, usada também em armações de sobrelojas, coberturas, etc.: 📖 "Dos barrotes do soalho pendem teias d'aranha veladas de poeira em que as moscas mortas oscilam." (José Vieira, *Sol de Portugal*, p. 162.) [Dim. irreg.: *barrotim.*]

barroteamento [De *barrotear* + *-mento*.] *S. m.* **1.** Ato ou efeito de barrotear. **2.** Conjunto de barrotes assentados numa armação.

barrotear [De *barrote* + *-ear*[2].] *V. t. d.* Barrotar. [Conjug.: v. *frear*.]

barrotim [De *barrote* + *-im*.] *S. m.* Barrote pequeno, curto.

barrufada *S. f. Bras.* V. *tapa*[2] (4).

barrufar *V. t. d. Int. P. Bras. N. N.E. Prov. port. Ant. Pop.* V. *borrifar*.

barrufo[1] [Dev. de *barrufar*.] *S. m.* **1.** *Ant. Bras. N. N.E. Prov. port. Pop.* Borrifo. **2.** *Bras. Amaz.* Chuva rala e breve, que cai em janeiro e em fevereiro, e mesmo em dezembro, no baixo Amazonas.

barrufo[2] *S. m. Bras.* V. *tapa*[2] (4).

barruma *S. f. Pop.* V. *verruma*.

➔ **barsac** [bas'sak] [Fr.] *S. m. Enol.* Bordô branco licoroso semelhante ao sauternes (q. v.), produzido na margem esquerda do rio Ciron: "Mande gelar duas garrafas de champanhe, Sr. Marcaeus... Mas antes, um *barsac* velho, apenas refrescado..." (Eça de Queirós, *A Cidade e as Serras*, p. 114, ap. Dário Moreira de Castro Alves, *Era Porto e Entardecia*, p. 34).

bartedouro [De *vertedouro*, com dissimilação.] *S. m.* Vertedouro (1).

➔ **bartender** ['bɑɪˌtɛndə˞] [Ingl.] *S. m.* Profissional que prepara e serve drinques e coquetéis, em bares, clubes, *pubs*, tavernas, etc. [Modernamente, muitos destes profissionais, esp. em festas, eventos ou boates, também fazem apresentações performáticas, nas quais demonstram habilidade e agilidade ao preparar e servir drinques.]

bartholinite [Do antr. (*Casper Thomeson*) *Bartholin, Jr.* (1655-1738), anatomista dinamarquês, + *-ite*[1].] *S. f. Gin.* Inflamação de glândula vestibular maior (denom. atual de glândula de Bartholin).

bartonela [Do tax. *Bartonella* < antr. (*A. L.*) *Barton* (1871-1950), médico peruano, + lat. cient. *-ella*.] *S. f. Microbiol.* **1.** O gênero-tipo de bactérias bartoneláceas, gram-negativas. **2.** Qualquer espécie desse gênero, como, p. ex., a *Bartonella bacilliformis*, agente patológico da *doença de carrion* (q. v.). **3.** Qualquer espécime desse gênero.

bartonelácea [Do tax. *Bartonella* (v. *bartonela*) + *-ácea*; tax. *Bartonellaceae*.] *S. f. Microbiol.* Espécime das bartoneláceas, família de bactérias rickettsiales, microrganismos que invadem as células sanguíneas, e outras, do homem e de outros vertebrados; são, frequentemente, transmitidos por picadas de artrópodes hematófagos.

bartoneláceo [De *bartonelácea*, com var. suf. (v. *-áceo*).] *Adj. Microbiol.* Pertencente ou relativo às bartoneláceas.

bartonelemia [Do tax. *Bartonella* + *-emia*.] *S. f. Med.* Presença, no sangue, de microrganismos do gênero *Bartonella*.

bartonelose [Do tax. *Bartonella* + *-ose*[1].] *S. f. Med.* Doença de Carrion.

bartónia *S. f. Bot.* V. *bartônia*. [Uso freq. em P.]

bartônia [Do tax. *Bartonia* (do antr. [*Benjamin S.*] *Barton* [1776-1815], botânico americano, + lat. cient. *-ia*).] *S. f. Bot.* **1.** Gênero de ervas e subarbustos loasáceos, de folhas escabras e alternas, que habitam a América ocidental; as flores, brancas ou amarelas, são dotadas de ovário unicelular com numerosos óvulos. **2.** Espécie, ou espécime desse gênero. [Sin., nas acepç. 1 e 2: *mentzélia*.] **3.** Gênero de pequeninas ervas gencianáceas, dotadas de folhas escamiformes e pequenas flores amarelas. **4.** Espécie, ou espécime desse gênero.

baru *S. m. Bras. Bot.* V. *cumaru* (1).

barueriense *Adj. 2 g.* **1.** De, ou pertencente ou relativo a Barueri (SP). ● *S. 2 g.* **2.** O natural ou habitante de Barueri.

barulhaço [De *barulho* + *-aço*.] *S. m. Bras.* Manifestação coletiva ruidosa: "Bancários, ... professores públicos e particulares já decidiram aderir à greve nacional, que no Rio será marcada por um barulhaço ...., das 17h às 17h15min." (*Jornal do Brasil*, 10.12.1986.)

barulhada [De *barulho* + *-ada*[1].] *S. f.* Barulheira: "a barulhada dos meus passos espantou o papagaio." (Alberto Rangel, *Lume e Cinza*, p. 172).

barulhar [De **embarulhar* < *embrulhar*, com aférese.] *V. t. d.* **1.** Fazer barulho, ruído com; estrondar: "Nove igrejas, nove barulhavam sinos, / da *Misericórdia*, por defuntos ricos, / do *Rosário*, pobre, por um preto irmão." (Adelmar Tavares, *Poesias Completas*, p. 200.) **2.** Pôr em barulho, em desordem; amotinar. **3.** Misturar desordenadamente; confundir. *Int.* **4.** Fazer barulho. *P.* **5.** Misturar-se, confundir-se, tumultuosamente.

barulheira [De *barulho* + *-eira*.] *S. f.* Grande barulho (1 e 2); barulhada.

barulheiro [De *barulho* + *-eiro*.] *Adj.* Que promove barulho; barulhento.

barulhento [De *barulho* + *-ento*.] *Adj.* **1.** Barulheiro. **2.** Agitado, rumoroso, barulhoso. **3.** Que faz barulho, ruído: *criança barulhenta; máquina barulhenta.*

barulho [Dev. de *barulhar*.] *S. m.* **1.** Ruído, rumor. **2.** Tumulto, desordem, alvoroço. **3.** Motim, revolta. **4.** Mistura desordenada de objetos. **5.** Alarde, ostentação. ◆ **Comprar o barulho de (alguém).** *Pop.* Assumir problema ou pendência desse alguém, indo em sua defesa, ou em defesa de seus direitos. **Do barulho.** *Bras. Gír.* Extraordinário, excepcional: *O seu novo automóvel é do barulho;* "Esse escritor [Machado de Assis] tem uma personagem do barulho, uma mulher por nome Capitu, que tinha olhos de ressaca." (João Alphonsus, *Pesca da Baleia*, p. 54).

barulhoso (ô) [De *barulho* + *-oso*.] *Adj.* Agitado, rumoroso, barulhento.

baruria [De *bar(i)-* + *-uria*.] *S. f. Med.* V. *barúria*.

barúria [De *bar(i)-* + *-úria*.] *S. f. Med.* Eliminação de urina de alta gravidade específica. [F. paral.: *baruria*.]

barururu *Bras. S. 2 g.* **1.** *Etnôn.* Indivíduo dos barururus, povo indígena das margens do rio Barururu, afluente do rio Amazonas. ● *Adj. 2 g.* **2.** Pertencente ou relativo a esse povo. [Tb. us. como *s. 2 g. e 2 n.* (com cap.) e *adj. 2 g. e 2 n.*]

➔ **barwoman** ['bɑɹwʊmən] [Ingl.] *S. f.* Mulher que prepara bebidas em bar[1] (1) ou evento. [Pl. em ingl.: *barwomen*.]

basal [De *base* + *-al*[1].] *Adj. 2 g.* Relativo a base. ~ V. *camada —, corpúsculo —, decídua —, lâmina —, metabolismo —* e *temperatura —*.

basáltico [De *basalto* + *-ico*[2].] *Adj.* Relativo a, ou formado de basalto.

basaltícola [De *basalto* + *-i-* + *-cola*[1].] *Adj. 2 g. Bot.* Diz-se da planta que vegeta em terreno basáltico.

basaltiforme [De *basalto* + *-iforme*.] *Adj. 2 g.* Semelhante ao basalto.

basaltito [De *basalto* + *-ito*[2].] *S. m. Geol. Min.* Variedade de basalto, formado de plagioclásio e piroxênio de grão fino.

basalto [Do lat. *basalte*.] *S. m. Petr.* Rocha vulcânica, em geral porfírica ou vítrea, constituída essencialmente de plagioclásio básico e augita com ou sem olivina. [Há extensos e espessos derrames de basalto no S. do Brasil. Sin. (pop.): *pedra-ferro*.]

basbaque *Adj. 2 g.* **1.** Que fica pasmado diante de tudo. **2.** V. *tolo* (1 a 3). ● *S. 2 g.* **3.** Pessoa basbaque. **4.** V. *tolo* (8). ● *S. m.* **5.** Pescador que espreita o cardume para lançar-lhe a rede.

basbaquice [De *basbaque* + *-ice*.] *S. f.* Qualidade, modos ou procedimento de basbaque.

➔ **bas-bleu** [ba'blø] [Fr., trad. do ingl. *bluestocking*.] *S. f.* Literata pedante.

basco [Do esp. *vasco*.] *Adj.* **1.** De, ou pertencente ou relativo ao País Basco, denominação que inclui as duas vertentes dos Pireneus Ocidentais, do lado da França e da Espanha. ~ V. *flauta —a, pelota —a* e *tambor —*. ● *S. m.* **2.** O natural ou habitante do País Basco. **3.** *Gloss.* Língua isolada (q. v.), falada no País Basco (Espanha); euscara. **4.** Vocábulo dessa língua. [F. paral.: *vasco*. Sin. ger.: *euscaro, vasconço*.]

▲ **basco-** [Do esp. *vasco*.] *El. comp.* = 'vasconço', 'basco': *bascófono, basco-aragonês*. [Equiv.: *vasco-*: *vasco-aragonês*.]

bascófono [De *basco-* + *-fono*.] *Adj. S. m.* Diz-se de, ou indivíduo, ou povo que fala o basco.

báscula [Do fr. *bascule*.] *S. f.* **1.** Balança decimal. **2.** Movimento análogo ao do básculo.

basculador (ô) [De **bascular* (< fr. *basculer*) + *-dor*.] *S. m. Eletrôn.* V. *circuito flip-flop*.

basculamento *S. m. Astron.* Inclinação progressiva de um veículo espacial em redor de seu eixo de arfagem, com o objetivo de levar o eixo de empuxo a tomar uma direção determinada.

basculante [De **bascular* (< fr. *basculer*) + *-nte*.] *Adj. 2 g.* **1.** Que funciona com um movimento de básculo. ~ V. *janela —* e *porta —*. ● *S. m.* **2.** Janela basculante.

basculhadeira *S. f.* Vasculhadeira.

basculhadela *S. f.* Vasculhadela.

basculhador (ô) *S. m.* V. *vasculhador*.

basculhar *V. t. d.* V. *vasculhar*.

basculho [Dev. de *basculhar*.] *S. m.* **1.** V. *vasculhador*. **2.** V. *vassouro*.

básculo [Do fr. *bascule*.] *S. m.* **1.** Ponte levadiça, com contrapeso. **2.** Peça de ferro, móvel, apoiada num pino, para abrir e fechar ferrolho de porta, janela, etc.

base [Do gr. *básis*, 'planta do pé', pelo lat. *base*.] *S. f.* **1.** Tudo quanto serve de fundamento, apoio ou sustentáculo: *Durante as escavações descobriram a base de um templo pagão.* **2.** Parte inferior onde alguma coisa repousa ou se apoia: *a base de um copo.* **3.** O local de inserção por meio do qual uma coisa se liga à estrutura a que pertence: *a base da unha; a base da folha.* **4.** Camada que recobre uma superfície e sobre a qual se assenta outra destinada a embelezar ou a dar acabamento: *base para o esmalte de unhas; Na douração, usa-se como base e mordente o gesso; base de maquiagem.* **5.** Peça situada na parte inferior de coluna, pilastra, etc., e que constitui seu sustentáculo. **6.** *Fig.* Origem, princípio, fundamento: "A economia é a base da prosperidade" (prov.). **7.** *Fig.* Conhecimento básico: *Os alunos mostraram muita base nos exames.* **8.** Ingrediente ou substância principal de uma mistura: *A massa da porcelana tem como base o caulim; Preparou um patê com base em fígado de galinha.* **9.** O conjunto dos militantes de um partido, etc., em relação aos seus dirigentes ou representantes: *O deputado alegou que queria consultar a sua base antes de votar.* [Mais us. no plural, nesta acepç.] **10.** *Álg.* Num sistema de logaritmos, o número constante que, elevado ao logaritmo de outro, reproduz este outro. **11.** *Eletrôn.* Parte duma válvula eletrônica em que se encontram os terminais que permitem fazer as conexões elétricas com os eletrodos e, ao mesmo tempo, fixá-la numa posição determinada. **12.** *Eletrôn.* Num transistor bipolar, estreita região entre o emissor e o coletor, na qual o emissor injeta portadores minoritários; região de base. **13.** *Eletrôn.* Eletrodo (1) ligado à base (11). **14.** *Estat.* Valor de uma grandeza pertencente a uma série histórica num instante, ou num intervalo de tempo, tomado como a origem da série. **15.** *Farm.* Fármaco. **16.** *Geom.* Numa calota esférica, a face plana que a limita. **17.** *Geom.* Num cilindro, qualquer das suas faces planas. **18.** *Geom.* Num cone, a face plana. **19.** *Geom.* Num prisma, qualquer das faces contidas em um dos planos paralelos que definem o sólido. **20.** *Geom.* Num trapézio, qualquer dos seus lados paralelos. **21.** *Geom.* Num triângulo, o lado que se acha na horizontal. **22.** *Geom.* Num triângulo isósceles, o lado adjacente aos dois ângulos iguais. **23.** *Geom.* Numa pirâmide, a face plana horizontal oposta ao vértice. **24.** *Geom.* Numa zona esférica, qualquer das circunferências que a limitam. **25.** *E. Ling.* Radical (6). **26.** *E. Ling.* V. *língua lexificadora*. **27.** *Mat.* O número de algarismos usados em determinado sistema de numeração, e que equivale à razão entre a unidade de uma ordem e a unidade da ordem imediatamente inferior; base de numeração. [O sistema mais comumente us. é o decimal, cuja base é 10; em informática, são us., frequentemente, as bases 2, 8, 10 e 16.] **28.** *Mil.* Conjunto de construções, instalações e facilidades postas sob a autoridade de um comandante único, e destinadas a prestar apoio logístico às unidades que estão sediadas ou que operam em determinada área; base militar. **29.** *Mús.* Nota tônica ou fundamental de um acorde. **30.** *Petr.* Massa intersticial, amorfa ou finamente cristalizada, que envolve os fenocristais das rochas porfiríticas; pasta; massa fundamental. **31.** *Topogr.* Distância, medida no terreno com a maior precisão e rigor, a partir da qual se efetua uma triangulação topográfica ou geodésica. **32.** *Quím.* Substância que tem a tendência a receber um próton ou que dispõe de um par de elétrons não compartilhados; tais substâncias são capazes de reagir com ácidos para formar sais e, muitas delas, se dissociam em água gerando ânions hidroxila. **33.** *Tip.* V. *bloco de gaveta*. **34.** *Constr.* V. *alicerce* (1). ◆ **Base aérea.** *Mil.* Base (28) da Aeronáutica. **Base avançada.** *Mil.* Base (28) temporária, localizada em área avançada do teatro de operações, e cuja missão principal consiste em apoiar unidades engajadas nas operações em curso. **Base conjugada.** *Quím.* Composto derivado de um ácido por remoção de um próton. **Base da folha.** *Bot.* Porção inferior do limbo foliar, onde se insere o pecíolo, quando este existe. **Base de dados.** *Inform.* Banco de dados (1). **Base de lançamento.** *Mil.* Instalação ou conjunto de instalações de onde se faz o lançamento de mísseis e/ou foguetes espaciais. [Conforme o tipo de engenho, as bases têm plataformas, rampas e/ou torres de lançamento.] **Base de numeração.** *Mat.* V. *base* (27). **Base de operações.** *Mil.* Área na qual uma força militar enceta suas operações ofensivas, para a qual recua em caso de insucesso, e onde estão organizados os seus depósitos de suprimentos. **Base de tempo.** *Eletrôn.* **1.** Circuito cuja voltagem de saída é um pulso com forma de dente de serra. **2.** Pulso com forma de dente de serra. **Base de triangulação.** Linha traçada sobre o terreno, e que serve de base à construção dum sistema de triângulos de que resulta um levantamento topográfico. **Base espacial.** *Astron.* Centro de lançamento de foguetes e satélites. **Base loctal.** *Eletrôn.* Base duma válvula eletrônica que tem um pino central para prendê-la firmemente ao soquete. **Base militar.** *Mil.* Base (28). **Base monetária.** *Econ.* A parte dos meios de pagamentos cuja oferta é controlada por banco central (papel-moeda em poder do público mais a caixa dos bancos comerciais e seus depósitos em banco central). **Base naval.** *Mar. G.* Conjunto de estabelecimentos, instalações e serviços reunidos em determinada posição geográfica com a finalidade de prover de apoio logístico forças navais. **Base nitrogenada.** *Quím.* Qualquer de certas substâncias orgânicas aromáticas, heterocíclicas, nitrogenadas, que são básicas e que ocorrem, combinadas, em nucleosídeos e nucleotídeos. **Base noval.** *Eletrôn.* Base duma válvula eletrônica que tem nove pinos. **Base octal.** *Eletrôn.* Base de uma válvula eletrônica que tem oito pinos. **Base orbital.** *Astron.* Satélite artificial de grandes dimensões, destinado a servir de base de apoio à navegação no espaço. **Base ortogonal.** *Álg.* Base dum espaço vetorial em que os vetores são ortogonais entre si. **Base ortonormal.** *Mat.* Base vetorial cujos vetores são ortonormais. **Base presa.** *E. Ling.* Radical (6) que, sozinho, não constitui enunciado, como, p. ex., *-ceb-* em *receber, conceber, perceber.* **Base vetorial.** *Mat.* Num espaço vetorial, conjunto de vetores linearmente independentes que, mediante combinações lineares apropriadas, podem reproduzir qualquer vetor do espaço. **Tremer nas bases.** 1. *Bras.* Sentir-se profundamente ameaçado; ter muito medo ou receio; apavorar-se. 2. Ficar fortemente impressionado: Ao ver a beleza da moça, tremeu nas bases.

baseado[1] *S. m. Bras. Gír.* Cigarro de maconha; charo, coisa, jererê, mingote, boró, soró.

baseado[2] [Part. de *basear.*] *Adj.* 1. Firme, fundamentado, abalizado. 2. Seguro do próprio valor ou habilidade. 3. Astuto, sagaz. 4. *Bras. S.* Experimentado, experiente. 5. *Bras. N.E.* Benfeito, bem-acabado.

baseamento [De *basear* + *-mento.*] *S. m.* Sapata (7): "Efetuou-se no dia 1º o lançamento da pedra fundamental no baseamento da estátua do primeiro imperador." (Machado de Assis, *Crônicas*, I, p. 112.)

basear [De *base* + *-ear*[2].] *V. t. d.* 1. Servir de base a; ser a base de; fundamentar: *A arqueologia baseia o estudo da História. T. d. e i.* 2. Estabelecer as bases; firmar: *Baseia em importantes fatos a sua argumentação. P.* 3. Tomar como base; fundar-se, apoiar-se: *Você se baseou nos últimos dados da pesquisa para decidir?* 4. Ter como base, ou como fundamento: *A teoria da relatividade baseia-se na interdependência 'tempo e espaço'.* [Conjug.: v. *frear.*]

→ **baseball** ['bejs̯bɔl] [Ingl.] *S. m. Esport.* V. *beisebol.*

basela [Do tax. *Basella.*] *S. f. Bot.* 1. Gênero das baseláceas, que se compõe de trepadeiras herbáceas, perenes, que habitam as regiões tropicais e são originárias da Ásia e da África. 2. Qualquer espécie desse gênero, como, por ex., a *Basella alba* (v. *bertalha*). 3. Qualquer espécime desse gênero.

baselácea [Do tax. *Basella* (v. *basela*) + *-ácea*; tax. *Basellaceae.*] *S. f. Bot.* Espécime das baseláceas, família da ordem das cariofilales composta de plantas trepadeiras muitas vezes carnosas e providas de tubérculos, de flores e frutos insignificantes. Há cerca de 20 espécies, em sua maioria americanas, como, p. ex., a bertalha.

baseláceo [De *baselácea*, com var. suf. (v. *-áceo*).] *Adj. Bot.* Pertencente ou relativo às baseláceas.

→ **bas-fonds** [ba'fõ] [Fr.] *S. m. pl.* 1. Escória social; ralé. 2. Zona licenciosa de uma cidade.

▲ **bas(i)-** [Do lat. *basis, is* < gr. *básis, eōs.*] *El. comp.* = 'marcha'; 'pé'; 'base', 'pedestal'; 'base', 'fundamento'; 'nível'; 'base ou ponto central dum órgão': *basifobia, basite.* [Equiv.: *-basi(i)-, basio-, bas(o)-*; *abasia; basiotripsia, basofilia.*]

▲ **-bas(i)-** V. *bas(i)-.*

→ **basic** ['bejsɪk] [Ingl., acrôn. de *beginner's all-purpose symbolic instruction code.*] *S. m. Inform.* Linguagem de programação de alto nível, criada na década de 1960, e de fácil aprendizado para o iniciante.

basicidade [De *básico*[1] + *-(i)dade.*] *S. f.* 1. Qualidade de básico. 2. *Quím.* Número de prótons que um ácido pode ceder em solução; basidade. [De acordo com ela, os ácidos são monobásicos, dibásicos, tribásicos, etc.] 3. *Quím.* Número de ânions hidroxila libertados por molécula de base; acidez. [De acordo com ela, as bases são monobásicas, dibásicas, tribásicas, etc.] 4. *Quím.* Qualidade de básico (4): *a basicidade da amônia é maior que a da água.* 5. *Quím.* V. *acidez* (4).

básico [De *base* + *-ico*[2].] *Adj.* 1. Que serve de base; basilar: *aprendizado básico.* 2. Que entra na base. 3. Fundamental, principal, essencial. 4. *Quím.* Diz-se de substância ou grupo que se comporta como base (32), ou de solução que tem pH maior que 7; alcalino. ~ V. *aço —, catálise —a, cesta —a, ciclo —, ciência —a, clivagem —a, corante —, educação —a, escória —a, lei —a, luz —a, metabolismo —, óxido —, rocha —a, sal —, saneamento —* e *zulu —.* ● *S. m.* 5. *Bras.* V. *ciclo básico.*

basidade [De *base* + *-(i)dade.*] *S. f. Quím.* Basicidade (2).

▲ **basidio-** [Do lat. cient. *basidium.*] *El. comp.* = 'basídio': *basidiomiceto.* [Equiv.: *-basídio: clinobasídio.*]

basídio [Do lat. cient. *basidium* < gr. **basídion*, dim. de *básis*, 'base'.] *S. m. Micol.* Órgão com dentículos onde se inserem os esporos de certos fungos.

▲ **-basídio** Equiv. de *basidio-.*

basidiocárpico (ìd) [De *basidiocarpo* + *-ico*[2].] *Adj. Micol.* Referente ao basidiocarpo.

basidiocarpo (ìd) [De *basidio-* + *-carpo.*] *S. m. Micol.* Aparelho esporífero dos fungos basidiomicetos, produtor de basídios.

basidiógeno [De *basidio-* + *-geno.*] *Adj. Micol.* De, relativo a, ou que produz basídio.

basidiolíquen (ìd) [Adapt. do tax. *Basidiolichenes.*] *Bot. S. m.* 1. Espécime dos basidioliquens, grupo de liquens que reúne poucos gêneros, e nos quais o componente fúngico é um basidiomiceto. ● *Adj. 2 g.* 2. Pertencente ou relativo a eles.

basidiomiceto (ìd) [De *basidio-* + *-miceto*; tax. *Basidiomycetes.*] *Micol. S. m.* 1. Espécime dos basidiomicetos, classe de fungos, ger. filamentosos, caracterizados por apresentar basídios e pela produção de balistósporos. Reproduzem-se assexualmente, por conídios, e sexualmente. Encontram-se muito espalhados, possuindo milhares de espécies. ● *Adj.* 2. Pertencente ou relativo a eles.

basidiospórico (ìd) [De *basidiósporo* + *-ico*[2].] *Adj. Micol.* Relativo ao basidiósporo.

basidiósporo (ìd) [De *basidio-* + *-sporo.*] *S. m. Micol.* Esporo, de origem exógena, que se desenvolve num basídio. De sua germinação resulta o micélio.

basificação [De *bas(i)-* + *-fic(a)(r)-* + *-ção.*] *S. f. Quím.* Ato de tornar básico (4).

basifixo (cs) [De *bas(i)-* + *-fixo.*] *Adj.* Inserido pela base: *antera basifixa.* [Opõe-se a *apicifixo.*]

basifobia [De *bas(i)-* + *-fobia.*] *S. f. Psiq.* Medo mórbido de cair, ao andar; basiofobia, basofobia.

basifóbico [De *basifobia* + *-ico*[2].] *Psiq. Adj.* 1. Relativo a basifobia. 2. Que sofre de basifobia; basífobo, basiófobo, basófobo. ● *S. m.* 3. Aquele que sofre de basifobia; basífobo, basiófobo, basófobo. [Sin. ger.: *basiofóbico, basofóbico.*]

basífobo [De *bas(i)-* + *-fobo.*] *Adj. S. m. Psiq.* V. *basifóbico* (2 e 3).

basífugo [De *bas(i)-* + *-fugo*[1].] *Adj. Bot.* Acrópeto.

basilar [Do fr. *basilaire.*] *Adj. 2 g.* 1. Básico (1). 2. Essencial, fundamental, básico. 3. Que nasce ou está situado na base. ~ V. *placa —.*

basileense (èen) *Adj. 2 g.* 1. De, ou pertencente ou relativo a Basileia (Suíça). ● *S. 2 g.* 2. O natural ou habitante de Basileia.

basiletal [De *basileto* + *-al*[1].] *Adj. 2 g. E. Ling.* Relativo a basileto.

basileto [De *bas(i)-* + *-leto*; ingl. *basilect.*] *S. m. E. Ling.* Num contínuo pós-crioulo (q. v.), variedade mais afastada do acroleto. [Cf. *mesoleto.*]

basiliano *Adj. S. m. Rel.* Diz-se de, ou religioso que segue a regra de São Basílio.

basílica [Do lat. *basilica.*] *S. f.* 1. Entre os romanos, edifício público onde funcionavam os tribunais e se reuniam mercadores, banqueiros, etc., para tratar de negócios. 2. Igreja católica que tem certas prerrogativas honoríficas e privilégios sobre as outras, com exceção das catedrais; igreja principal. 3. Igreja, em geral da época do cristianismo primitivo, adaptada à basílica romana, ou construída segundo o plano desta. 4. Insígnia da igreja patriarcal em forma de pavilhão. 5. Umbela (3) forrada de seda que acompanha o cabido nas procissões. 6. *Ant.* Palácio real.

basilical [De *basílica* + *-al*[1].] *Adj. 2 g.* Relativo a, ou que tem o estilo de basílica.

basilicão [Do gr. *basilikón, i. e., émplastron basilikón*, 'Unguento real'.] *S. m.* 1. Unguento supurativo composto de cera, azeite, pez e resina. 2. *Bot.* V. *alfavaca* (1). 3. V. *manjericão* (2).

basilisco[1] [Do gr. *basiliskós*, pelo lat. *basiliscu.*] *S. m.* 1. *Mit.* Reptil fantástico, de oito pernas, segundo alguns em forma de serpente, capaz de matar pelo bafo, pelo contato ou apenas pela vista, e segundo outros em forma de serpente ápode com um só olho na fronte: "no encalço da ventura, / O basilisco fabuloso, a arcana / Pedra filosofal busca, procura!" (Raimundo Correia, *Poesias*, p. 271). 2. Antigo canhão de bronze que atirava pesadas balas de ferro: "Com este artifício chegaram os mouros a senhorear a cava da fortaleza, onde assentaram dezoito basiliscos, com que tiraram quinze dias contínuos" (Jacinto Freire de Andrada, *Vida de D. João de Castro*, pp. 107-108).

basilisco[2] [Do tax. *Basiliscus* (v. *basilisco*[1]).] *S. m. Zool.* 1. Gênero de reptis sáurios, iguanídeos, caracterizados pela crista serrada no dorso e pela cauda muito comprida. 2. Qualquer espécie desse gênero, como, p. ex., o *Basiliscus americanus*, que ocorre no México e que tem coloração geral verde, com manchas amarelas. 3. Qualquer espécime desse gênero.

basilossauro [Do gr. *basileús*, 'rei', + *-sauro*; tax. *Basilosaurus.*] *S. m. Paleont.* 1. Gênero extinto de mamíferos cetáceos arqueocetídeos, de origem terrestre e que, no início da era cenozoica, adaptaram-se ao mar. As espécies pequenas sucederam formas gigantes, com mais de 24m de comprimento, de corpo semelhante ao dos peixes e cabeça com 1,50m de comprimento. 2. Espécie, ou espécime desse gênero. [Sin.: *zeuglodonte.*]

▲ **basio-** V. *bas(i)-.*

básio [De *bas(i)-* + *-io*[3].] *S. m. Anat.* Ponto craniométrico localizado no meio da borda anterior do buraco occipital.

basiocestro [De *basio-* + gr. *késtros*, 'instrumento pontiagudo'.] *S. m. Obst.* Basiótribo.

basiofaríngeo (bà) *Anat. S. m.* 1. Músculo basiofaríngeo (q. v.). ● *Adj.* 2. ~ V. *músculo —.*

basiofobia [De *basio-* + *-fobia.*] *S. f. Psiq.* V. *basifobia.*

basiofóbico [De *basiofobia* + *-ico*[2].] *Adj. S. m. Psiq.* V. *basifóbico.*

basiófobo [De *basio-* + *-fobo.*] *Adj. S. m. Psiq.* V. *basifóbico* (2 e 3).

basioglosso (bà) *Anat. S. m.* 1. Músculo basioglosso (q. v.). ● *Adj.* 2. ~ V. *músculo —.*

basiótribo [De *basio-* + *-tribo.*] *S. m. Obst.* Instrumento com que se realiza a basiotripsia; basiocestro.

basiotripsia [De *basio-* + *-trips-* + *-ia*[1].] *S. f. Obst.* Deformação, mediante o uso do basiótribo, da cabeça do feto morto para facilitar a retirada deste.

basite [De *bas(i)-* + *-ite*[1].] *S. f. Med.* Processo inflamatório banal em base pulmonar.

▲ **bas(o)-** V. *bas(i)-.*

basofaria [Do cabo-verd. e do criol.] *S. f. Cabo-verd. Guin.* Bazófia, jactância, gabarolice: "eu mesmo não ouvi metade das basofarias que lá foram largadas." (Germano Almeida, *O Meu Poeta*, p. 94).

basofilia [De *bas(o)-* + *-filia.*] *S. f. Citol.* Propriedade que têm os componentes celulares de fixar somente os corantes básicos, como o carmim e a hematoxilina.

basofílico [De *basofilia* + *-ico*[2].] *Adj.* Relativo a basofilia, ou a basófilo.

basófilo [De *bas(o)-* + *-filo*[2].] *Biol. Adj.* 1. Que fixa os corantes básicos. ● *S. m.* 2. Leucócito granulócito, não fagocítico, encontrado no sangue, cujos grânulos contêm substâncias ácidas que reagem com corantes básicos.

basofo [Do cabo-verd. e do criol.] *Adj. Cabo-verd. Guin.* Que tem bazófia; bazófio: "sabia que o primo não era só basofo, era também muito invejoso." (Abdulai Sila, *A Última Tragédia*, p. 37).

basofobia [De *bas(o)-* + *-fobia.*] *S. f. Psiq.* V. *basifobia.*

basofóbico [De *basofobia* + *-ico*[2].] *Adj. S. m. Psiq.* V. *basifóbico.*

basófobo [De *bas(o)-* + *-fobo.*] *Adj. S. m. Psiq.* V. *basifóbico* (2 e 3).

basomatóforo [Adapt. do *Basommatophora.*] *Zool. S. m.* 1. Espécime dos basomatóforos, subordem de animais metazoários, moluscos gastrópodes, pulmonados, de água doce, providos de apenas dois tentáculos, na base dos quais se encontram os olhos. ● *Adj.* 2. Pertencente ou relativo a eles.

basónimo *S. m. Bot.* V. *basônimo.* [Uso freq. em P.]

basônimo [De *bas(o)-* + *-ônimo.*] *S. m. Biol.* O primeiro nome específico reconhecidamente conferido a um taxônimo, sendo, em nomenclatura binominal ou trinominal, o epíteto específico ou subespecífico que permanece, quando o taxônimo é reclassificado. [No uso técnico, é sempre acompanhado do nome do autor original.]

basquete *S. m.* 1. *Esport.* V. *basquetebol.* 2. *Bras.* V. *tênis* (2).

basquetebol [Do ingl. *basket ball.*] *S. m. Esport.* Esporte olímpico disputado por duas equipes, de cinco pessoas cada uma, e cujo objetivo é, numa partida de 40 minutos, divididos em dois tempos, somar o maior número de pontos fazendo com que uma bola de couro entre na cesta (4), usando, para isso, somente as mãos. [F. red.: *basquete*; sin.: *bola ao cesto.* Pl.: *basquetebóis.*]

basquetebolista [De *basquetebol* + *-ista.*] *S. 2 g. Bras.* 1. Jogador de basquetebol. 2. Perito em coisas de basquetebol. 3. Apaixonado desse jogo.

basquetebolístico [De *basquetebolista* + *-ico*[2].] *Adj. Bras.* Referente ao, ou próprio do basquetebol.

basquete de bolso *S. m. Bras.* V. *porrinha.* [Pl.: *basquetes de bolso.*]

basqueteira [De *basquete* + *-eira.*] *S. f. Bras.* Sapato de couro flexível e sola de borracha, para jogar basquetebol.

bassé *S. m. Cinol.* V. *bassê.*

bassê [Do fr. *basset.*] *S. m. Cinol.* Cachorro de certa raça cujos espécimes têm pernas curtas, pelo curto e orelhas grandes e pendentes. [Sin., bras., fam.: *salsicha.*]

bassorina [Do ingl. *bassorin* < ingl. *bassora gum* (< top. *Bassorah*, 'Baçorá' [Iraque]) + *-ina*[3].] *S. f. Quím.* V. *baçorina.*

bassoura *S. f. Ant. Pop.* V. *vassoura.*

bassula [Do quimb.] *S. f. Angol.* Golpe, semelhante à rasteira, que provoca a queda do adversário; baçula. ◆ **À bassula.** *Angol.* Com bassula: "os problemas se resolviam à murro, à bassula" (Pepetela, *Yaka*, p. 140).

basta[1] [Do germ. **bastjan*, 'pespontar', 'cerzir'.] *S. f.* **1.** Cada um dos pontos grossos com que se atravessa o colchão, coxim ou almofada para prender o enchimento. **2.** O remate desses pontos. **3.** Barra de vestido.

basta[2] [De *bastar*.] *Interj.* **1.** Não mais; cessar: *Basta! não é preciso dizer mais nada*; "Já me não amas? Basta!" (Olavo Bilac, *Poesias*, p. 182). ● *S. m.* **2.** Us. na loc. *dar o basta*. ◆ **Dar o basta.** Pôr termo.

bastante [De *bastar* + *-nte*.] *Adj. 2 g.* **1.** Que basta; que satisfaz; suficiente: *Em sua tese há provas bastantes de seus conhecimentos; Tem dinheiro bastante para a viagem.* ● *Pron. indef.* **2.** Muito, numeroso, copioso; basto: *Conversamos bastantes vezes a esse respeito; É riquíssimo: tem bastantes prédios alugados*; "Nasci aqui, na Foz Velha, não muito longe do apartamento que tenho vindo a habitar com algumas intermitências e bastantes impaciências." (Vasco Graça Moura, *Partida de Sofonisba às Seis e Doze da Manhã*, p. 7). ● *Adv.* **3.** Em quantidade suficiente: *Está mais descansado: hoje dormiu bastante.*

bastão[1] [Do lat. med. *bastone* < lat. tard. *bastum*.] *S. m.* **1.** Pedaço de madeira longo, de forma aproximadamente cilíndrica, que se pode segurar com a mão, e que tem diferentes usos. **2.** V. *bordão*[1] (1). **3.** Bastão (1) utilizado como arma ou insígnia de comando. **4.** Vara em que se enfiam as meadas para tingir. **5.** Forma dada a inúmeros produtos industriais, como, p. ex., o lacre. **6.** *Maç.* Vara de madeira ou metal com joias próprias em sua extremidade superior. **7.** *Tip.* Lineal (3). ◆ **Bastão de Molière.** *Teatr.* Estaca de madeira que se utiliza para as *pancadas de Molière* (q. v.). **Passar o bastão.** Transferir uma incumbência, uma tarefa, etc.

bastão[2] *S. m.* Medida das Maldivas [arquipélago, e país no Oceano Índico], equivalente a 25 alqueires.

bastão[3] [De *basto*[2] + *-ão*[1].] *Adj.* Muito basto; denso, espesso.

bastão-de-são-josé *S. m. Bot.* V. *palma-de-são-josé*. [Pl.: *bastões-de-são-josé*.]

bastão-de-velho [De *bastão*[1] + *de* + *velho*.] *S. m. Bras. AM Bot.* Trepadeira mimosácea (*Mimosa spruceana*), de folhas compostas e vagens articuladas. [Pl.: *bastões-de-velho*.]

bastão-do-imperador [De *bastão*[1] + *do*[1] + *imperador*.] *S. m. Bot.* Planta zingiberácea (*Etlingera elatior*) rizomatosa, entouceirada, ereta, com até 4m, de folhas alongadas e grandes inflorescências de forma cônica, em hastes grossas, com brácteas vermelho-rosadas, cerosas, flores vermelhas e com lábio amarelo; originária da Indonésia, é cultivada em locais úmidos, sendo indicada para os trópicos. [Sin.: *flor-da-redenção*. Pl.: *bastões-do-imperador*.]

bastar [Do gr. *bastázein*, 'sustentar (um peso)', pelo lat. vulg. **bastare*.] *V. int.* **1.** Ser bastante, suficiente: *Não basta o prejuízo: há, ainda por cima, o sofrimento*; "Basta saberes que és feliz, e então / Já o serás na verdade muito menos" (Raul de Leoni, *Luz Mediterrânea*, p. 71). *T. i.* **2.** Ser bastante, suficiente: *Pouco lhe bastará para esta viagem: tem hábitos módicos.* **3.** V. *satisfazer* (11). **4.** Determinar, ou desejar o término de; chegar: *Basta de violência; Basta de proteger delinquentes.* *P.* **5.** Ser suficiente; ter suficiência própria: *Creem que se bastarão para toda a vida.*

bastarda [F. de *bastardo*.] *S. f.* **1.** Lima[1] (1) que tem a picagem média, mais grossa que a da murça e mais fina que a da grosa. **2.** *Caligr.* V. *letra chanceleresca.* ◆ **Bastarda grossa.** Lima[1] (1) que tem a picagem quase tão grossa quanto a da grosa.

bastardear [De *bastardo* + *-ear*[2].] *V. t. d. P.* Abastardar. [Conjug.: v. *frear*.]

bastardia [De *bastardo* + *-ia*[1].] *S. f.* **1.** Qualidade ou condição de bastardo (1 e 2). **2.** Ramo bastardo de uma família. **3.** Degeneração, abastardamento.

bastardinha [Dim. de *bastarda*.] *S. f.* Lima[1] (1) cuja picagem é mais fina que a da bastarda, porém mais grossa que a da murça.

bastardinho [Dim. de *bastardo*.] *S. m. Caligr. Tip.* Espécie de bastardo de módulo menor e traçado mais corrente: "Na capa do maço estavam escritas em bastardinho estas palavras" (José de Alencar, *Senhora*, p. 221).

bastardo [Do fr. ant. *bastart*.] *Adj.* **1.** Diz-se de filho que nasceu fora do matrimônio. **2.** Degenerado da espécie a que pertence. **3.** Diz-se de bastarda (1). **4.** *Genét.* Diz-se dos híbridos ou mestiços, formas resultantes do cruzamento de duas espécies bem definidas ou, mesmo, de variedades. **5.** *Tip.* Diz-se do tipo, espaço, etc., que não obedecem aos sistemas tipométricos usuais. **6.** *Tip.* Diz-se do tipo fundido sobre matriz discordante do corpo, como o de 10 pontos fundido sobre oito. ~ V. *filho —, letra —a, trombeta —a, vagão-tanque —, vela —a* e *viola —a.* ● *S. m.* **7.** Filho bastardo. **8.** *Agr.* Variedade de uvas us. no fabrico de vinho. **9.** *Caligr. Tip.* Letra de talhe meio inclinado, com ligaturas, e cujo desenho participa do rondo (q. v.) e da letra inglesa (q. v.). [Cf., nesta acepç., *letra bastarda*.] **10.** *Marinh.* Cada um dos cabos de que se compõem os enxertários das vergas de gávea. **11.** *Marinh.* Pequeno cabo munido de caçoilos e destinado a aguentar a boca de lobo da carangueja ou retranca de encontro ao mastro. **12.** *Mar.* V. *vela de bastardo.*

bastear [De *basta*[1] + *-ear*[2].] *V. t. d.* Pôr bastas[1] em. [Conjug.: v. *frear*.]

bastecer [De *basto*[2] + *-ecer*.] *V. t. d. T. d. e i. P.* V. *abastecer*. [Conjug.: v. *aquecer*.]

basteira *S. f. Bras. S.* Basteiras (q. v.).

basteirado [De *basteira(s)* + *-ado*[1].] *Adj. Bras. S.* Diz-se de animal com sinal de basteiras no lombo.

basteirar [Do esp. plat. *basterear*.] *V. t. d. Bras. S.* Provocar (o lombilho) sinais de basteiras (3) em (o lombo do cavalo).

basteiras [De *bastos* + o pl. de *-eira*.] *S. f. pl. Bras. S.* **1.** V. *bastos* (1). **2.** Parte do lombo do cavalo (de cada lado da espinha) em que assentam os bastos do lombilho. **3.** Manchas de pelo branco ou escoriações oriundas do atrito do lombilho com a pele. [Tb. us. no sing.]

bastense *Adj. 2 g.* **1.** De, ou pertencente a Bastos (SP). ● *S. 2 g.* **2.** O natural ou habitante de Bastos.

bastiães *S. m. pl. Ant.* Trabalhos em relevo, de ouro e prata, que em geral representam animais. ~ V. *bastião*.

bastião[1] [Do it. *bastione*.] *S. m.* Parte da fortificação que avança e forma ângulo saliente, permitindo vigiar a face externa da muralha e atirar contra os assaltantes que tentam escalá-la; baluarte. [Pl.: *bastiães* e *bastiões*.] ~ V. *bastiães*.

bastião[2] [De (*Dom*) *Sebastião*, com aférese.] *S. m.* **1.** Antiga moeda de prata, do valor de 300 réis, cunhada em Goa, com a efígie de D. Sebastião, rei de Portugal (1554-1578). **2.** *Bras. N.E. Folcl.* Personagem do auto popular bumba meu boi, companheiro inseparável do Mateus (q. v.). [Com cap., nesta acepç. Pl.: *bastiões*.] ~ V. *bastiães*.

bastião[3] *S. m. Bras. BA Zool.* V. *vi-vió*. [Pl.: *bastiões*.] ~ V. *bastiães*.

bastida [Do ant. *bastir* < germ. **bastjan*, 'tecer', 'trançar'.] *S. f.* **1.** Trincheira de paus muito unidos; paliçada. **2.** Ripado (1). **3.** Bastidão[2] (2). **4.** *Ant.* Antiga torre sobre rodas, usada para assaltos a fortalezas.

bastidão[1] [De *basto*[2] + *-idão*.] *S. f.* Qualidade do que é basto[2]; espessura.

bastidão[2] [De *bastida*.] *S. f.* Conjunto de pessoas ou de objetos bem unidos; bastida, bastura.

bastidor (ô) [Do ant. *bastir* < germ. **bastjan*, 'tecer', 'trançar', + *-dor*.] *S. m.* **1.** *Bord.* Espécie de caixilho de madeira que segura o tecido para se bordar. **2.** *Bras. Mar. G.* Armação, em geral metálica, que serve de suporte para unidades de equipamento elétrico ou eletrônico. **3.** *Teatr.* Armação de cenário, feita de madeira e pano, por vezes representando um detalhe do ambiente, e que se coloca nas partes laterais do palco para estabelecer, em conjugação com as bambolinas, o âmbito que se quer dar ao espaço cênico; corrediça, regulador. ~ V. *bastidores*.

bastidores (ô) [Pl. de *bastidor*.] *S. m. pl.* **1.** *Teatr.* Os espaços intermediários entre um bastidor e outro, da série disposta no palco. **2.** *Teatr.* Os corredores que contornam a cena, no palco do teatro; caixa do palco, coxias. **3.** *Fig.* O lado encoberto, oculto, que age no interior de certas organizações, e que, como no teatro, não se acha ao alcance do público: *os bastidores da política, dos negócios.* ~ V. *bastidor*.

bastilha [Do fr. *bastille*.] *S. f. Ant.* Fortaleza (1).

bastimento *S. m. P. us.* Abastecimento (1).

bastita [Do top. *Baste* + *-ita*[3].] *S. f. Min.* Silicato hidratado de magnésio do grupo das serpentinas.

bastnasita [Do top. *Bastnas* (Suécia) + *-ita*[3].] *S. f. Min.* Mineral trigonal, fluorcarbonato de metais de terras-raras, de cor amarela ou marrom.

basto[1] [Do esp. plat. *basto*.] *S. m.* No jogo do voltarete, o ás de paus. ~ V. *bastos*.

basto[2] [De *bastar*.] *Adj.* **1.** Espesso, denso, cerrado: "Vejo-a, e cuido uma dríada estar vendo, / Por entre os claros de uma selva basta" (Raimundo Correia, *Poesias*, p. 130); "Leonardo Palhares, alto, enxuto de carnes, de bastos bigodes, formara o espírito na escola liberal dos ingleses." (Daniel de Carvalho, *De Outros Tempos*, p. 13). **2.** Numeroso, copioso: *Estivemos juntos bastas vezes.* ~ V. *bastos*.

bastonada [De *bastão*[1] + *-ada*[1].] *S. f.* Bordoada com bastão.

bastonete (ê) [De *bastão*[1] (*baston-*) + *-ete* (ê), seg. o padrão erudito.] *S. m.* **1.** Pequeno bastão; varinha. **2.** *Biol.* Bastonete retiniano. **3.** *Citol.* Neutrófilo jovem com núcleo em forma de bastonete (1) curvo. **4.** *Microbiol.* Bactéria em forma de bastonete (1); bacilo. ◆ **Bastonete retiniano.** *Biol.* Célula nervosa sensível à luz, mesmo a luz muito fraca, presente na retina dos vertebrados, responsável pela visão noturna e registro de movimento. [Tb. se diz apenas *bastonete*.]

bastos [Do esp. plat. *bastos*.] *S. m. pl. Bras. S.* **1.** As partes acolchoadas do lombilho que assentam no lombo da cavalgadura; basteiras, suadeira, bata. **2.** O lombilho (1). ~ V. *basto*.

bastura *S. f. P. us.* V. *bastidão*[2].

bata[1] [De or. germ., poss.] *S. f.* **1.** Vestido de mulher, solto e largo. **2.** Blusa de mulher, larga, geralmente usada por cima da saia: "os olhos dele sondavam-na .... com solicitudes antigas, numa satisfação de a verem galante com sua bata de renda cingida à cintura fina." (Fialho d'Almeida, *A Cidade do Vício*, p. 202). **3.** Blusa folgada e solta usada por fora da saia ou da calça. **4.** *Ant.* Roupão de homem. **5.** *Bras.* Veste, em geral de tecido branco e leve, usada por médicos, dentistas, professores, etc., no exercício de suas funções; blusa. **6.** *Bras.* Os bastos (1).

bata[2] [Do hindustâni *bhata*.] *S. f.* **1.** Ração de comida. **2.** Gratificação, propina.

bata[3] [De or. indiana, poss.] *S. f. Gír. P. us.* Mão[1] (1).

bata[4] [Do quimb.] *S. f. P. us.* Habitação (2).

▲ **-bata**[1] [Do gr. *-bátēs* ou *-batós* (ă) < v. gr. *baínein*, 'andar', 'caminhar'.] *El. comp.* = 'que anda', 'que caminha', 'que se move': *acrobata* (< fr. < gr.), *aerobata*, *nefelibata*. [A pronúncia correta dos voc. formados com este elemento é a proparoxítona, mas o uso consagrou a acentuação paroxítona (talvez por infl. do fr.), donde a variação prosódica: *cremnóbata/cremnobata* (< gr.), *dendróbata/dendrobata*, *nictóbata/nictobata*. Cf. *-bata*[2].]

▲ **-bata**[2] [Do gr. *-bathḗs* (como no gr. *apeirobathḗs*, 'de profundidade infinita') < gr. *báthos*, *eos-ous* (ă).] V. *bato-*[1]. [Cf. *-bata*[1].]

batá [Do ior.] *S. m. Bras. Rel.* Pequeno tambor fechado em ambas as extremidades, que o tocador leva pendurado no pescoço e que é us. no culto de Xangô.

batacaço [Do esp. plat. *batacazo*.] *S. m. Bras. RS* Nas corridas, cavalo que paga uma grande pule.

batácea [Do tax. *Batis* (v. *bátis*) + *-ácea*; tax. *Bataceae*.] *S. f. Bot.* Espécime das batáceas, família da ordem das batidales que inclui, apenas, o gênero *Batis* (v. *bátis*). [Sin.: *batidácea*.]

batáceo [De *batácea*, com var. suf.] *Adj. Bot.* Pertencente ou relativo às batáceas; batidáceo.

batacotô *S. m. Bras. BA* Tambor de guerra, afro-brasileiro, grande, muito usado nos levantes de escravos da BA.

bataguaçuense *Adj. 2 g.* **1.** De, ou pertencente ou relativo a Bataguaçu (MS). ● *S. 2 g.* **2.** O natural ou habitante de Bataguaçu.

bataiporãense *Adj. 2 g.* **1.** De, ou pertencente ou relativo a Bataiporã (MS). ● *S. 2 g.* **2.** O natural ou habitante de Bataiporã.

batalha[1] [Do lat. tard. *battualia*, 'esgrima', pelo it. *battaglia* ou pelo fr. *bataille*.] *S. f.* **1.** Ato essencial da guerra, constituído por um conjunto de combates simultâneos ou sucessivos travados pelas diversas armas, e em que toma parte a totalidade ou a maioria das forças que atuam num teatro de operações. **2.** Qualquer combate. **3.** *Fig.* Luta, peleja. **4.** Esforço, empenho. **5.** Discussão violenta; controvérsia. **6.** Certo jogo de cartas para duas pessoas. ◆ **Batalha campal.** A que se trava e desenvolve em campo aberto.

batalha[2] *S. f. Bras. Bot.* V. *canela-batalha*.

batalhação [De *batalhar* + *-ção*.] *S. f. Fam.* Persistência de esforços; porfia, teima.

batalhador (ô) [De *batalhar* + *-dor*.] *Adj.* **1.** Que batalha; batalhante. **2.** Lidador, lutador. **3.** Defensor fervoroso de qualquer ideia, princípio, partido, etc. **4.** *Bras. Restr.* Que batalha, que se esforça para conseguir o que quer; lutador. ● *S. m.* **5.** Aquele que batalha.

batalha-naval *S. f.* Jogo (1) em que dois parceiros simulam uma batalha naval fixando, cada qual, num papel quadriculado, a posição das respectivas esquadras que o adversário desconhece e procura destruir mediante salva de três tiros. [Pl.: *batalhas-navais*.]

batalhante [De *batalhar* + *-nte*.] *Adj. 2 g.* **1.** Batalhador (1). **2.** *Heráld.* Diz-se de animal figurado em atitude de combate: "Entre castelos serpes batalhantes, / E águias de negro, desfraldando as asas, / Que realça de oiro um colar de besantes!" (Camilo Pessanha, *Clepsidra e Outros Poemas*, p. 186.)

batalhão [Do fr. *bataillon* < it. *battaglione*.] *S. m.* **1.** Unidade tática de infantaria ou de cavalaria que faz parte dum regimento e se subdivide em companhias. **2.** *Fam.* Grande número de pessoas; magote, quantidade: "A velha aceitou e lá foi .... alojar-se em casa do genro, com um batalhão de moleques, suas crias" (Aluísio Azevedo, *O Mulato*, p. 14). **3.** *Bras. BA SE* V. *mutirão* (1).

batalhar [De *batalha* + *-ar*[2].] *V. int.* **1.** Dar batalha; entrar em batalha; combater, pelejar: *Batalharam até o fim, sem se entregarem.* **2.** *Bras. Gír.* Trabalhar (1). *T. i.* **3.** Fazer diligências; esforçar-se: *Batalhou para que lhe dessem o emprego.* **4.** Discutir, argumentar, disputar. **5.** Lutar, ou agir, em defesa de: *Batalhava pelos pobres da comunidade.* **6.** Opor-se; resistir: *batalhar contra o vício.* *T. d.* **7.** Travar (batalha): "batalham cristãos e mouros / batalha de grã temer." (Antônio Feliciano de Castilho, *O Outono*, p. 249). **8.** *Bras.* Tentar conseguir, esforçar-se por: *batalhar um emprego.*

batalheira [De *batalha* + *-eira*.] *S. f.* **1.** Grande batalha; luta, peleja. **2.** *Bras. SP* Terra pouco fértil, onde abundam as batalhas [v. *batalha* (7)].

batalhense *Adj. 2 g.* **1.** De, ou pertencente ou relativo a Batalha (AL e PI). • *S. 2 g.* **2.** O natural ou habitante de Batalha.

batanca [Do cabo-verd.] *S. f. Cabo-verd. Cul.* Bolacha de farinha de milho amassada com ovos e frita em banha de porco, ou azeite: "Certas famílias adoptam o costume de polvilhar as batancas com açúcar em pó, exteriormente." (Luís Romano, *Cabo Verde — Renascença de uma Civilização no Atlântico Médio*, p. 150.)

bataque[1] [Dessa língua.] *S. 2 g.* **1.** *Etnôn.* Indivíduo dos bataques, povo que habita a região do lago Toba (Sumatra, Indonésia). • *S. m.* **2.** *Gloss.* Língua austronésia desse povo. • *Adj. 2 g.* **3.** Relativo a bataque[1] (1 e 2).

bataque[2] *S. 2 g.* **1.** *Etnôn.* Indivíduo dos bataques, povo que habita a ilha Palauan (Filipinas). • *Adj. 2 g.* **2.** Pertencente ou relativo a esse povo.

batará [Do tupi (v. *mbatará*).] *S. m. Bras. Zool.* **1.** V. *borralhara*. **2.** V. *choca*[4]. [Outras f.: *matará* e *mbatará*.]

bataria [Var. de *bateria*.] *S. f.* **1.** Ruído, barulho. **2.** Tagarelagem, tagarelice. **3.** *Lus.* V. *bateria* (7).

batata[1] [Do taíno.] *S. f.* **1.** O tubérculo comestível da batata-inglesa. **2.** *P. ext.* Qualquer tubérculo, comestível ou não. **3.** V. *batata-inglesa*. **4.** Erro de pronúncia; solecismo; asnice. **5.** Bíceps muito desenvolvido. **6.** Nariz muito grosso e chato. **7.** *Bras.* Inchação provocada pelo bicho-de-pé. **8.** *Bras. Zool.* Peixe malacantídeo (*Lopholatilus villarii*) do Atlântico Sul, do Ceará à Argentina, com cerca 1,20cm de comprimento, coloração parda, quase violácea no dorso e brancacenta no abdome, flancos pardo-violáceos com manchas amarelas pouco maiores que as escamas, e uma tarja amarela no dorso até o pedúnculo. A cabeça chega a atingir um terço do comprimento do animal, que é de cerca de 1m. ◆ **Batata da perna.** V. *barriga da perna*: "Uma [bala] pegou na batata da perna" (Fran Martins, *Dois de Ouros*, p. 14). **Batata frita.** *Cul.* Batata-inglesa, cortada em palitos, de espessura variável, ou em rodelas finas, frita no óleo fervente e servida como petisco ou guarnição de algum prato (2). **Batata quente.** *Bras. Fam.* Lance difícil, de solução trabalhosa e/ou complicada. **Batata *sauté*** *Cul.* Batata, ger. cortada em fatias ou pequenos cubos, cozida e depois posta a dourar levemente na manteiga, à qual se pode acrescentar pimenta do reino e salsinha. **Batata *soufflée*.** *Cul.* Batata cortada em rodelas e estufada em gordura de modo que seu interior fique oco, o que é conseguido por meio de uma dupla fritura. **Estar com a batata assando.** *Bras.* Estar prestes a sofrer algum revés, como, por ex., ser despedido de um emprego, destituído de um cargo, etc.: "Inteligente, safo, sabe que a batata dele está assando, nem precisava que eu falasse" (Permínio & Lúcio Asfora, *Confidências no Largo da Segunda-Feira*, p. 140.) **Falar com batatas na boca.** Falar sem articular bem as palavras. **Ir plantar batatas.** V. *ir às favas*. **Morder a batata.** *Bras. CE Pop.* Ingerir bebida alcoólica; mudar a camisa, mudar o colarinho. **Na batata.** *Bras. Gír.* **1.** Com plena certeza. **2.** Pontualmente. **Ser batata.** *Bras. Gír.* Não falhar, não deixar de dar-se.

batata[2] *S. f. Bras. RJ Zool.* V. *batata-da-pedra*.

batata-baroa *S. f. Bot.* Planta apiácea (*Arracacia xanthorrhiza*), originária dos Andes e largamente cultivada em toda a América do Sul. É erva robusta, com grandes raízes tuberosas amarelas, utilizada na alimentação do homem e como forragem. [Sin. (bras.): *arracachá, batata-cenoura, batata-salsa, batata-suíça, mandioca-baroa, mandioquinha*. Pl.: *batatas-baroas*.]

batata-brava [De *batata*[1] + o f. de *bravo*.] *S. f. Bot.* **1.** *Bras.* V. *abutua-grande*. **2.** *Bras. L. S.* Trepadeira menispermácea (*Cissampelos fasciculata*) cujos frutos, preto-avermelhados, são comestíveis, e cuja raiz tem propriedades adstringentes e febrífugas; batata-da-uva-do-mato, batatinha-caapeba, abutua-de-batata, butua, erva-mãe-boa. [Pl.: *batatas-bravas*.]

batata-cenoura *S. f. Bras. MG Bot.* V. *batata-baroa*. [Pl.: *batatas-cenouras* e *batatas-cenoura*.]

batatada [De *batata*[1] + *-ada*[1].] *S. f.* **1.** Grande quantidade de batatas. **2.** Doce de batata. **3.** *Bras.* Sequência de batatas [v. *batata*[1] (4)].

batata-da-ilha *S. f. Bot.* V. *batata-doce*. [Pl.: *batatas-da-ilha*.]

batata-da-pedra *S. f. Bras. Zool.* Peixe malacantídeo (*Caulolatilus crysops*) da costa atlântica ocidental, semelhante à batata[1](7) por ter abaixo dos olhos mancha alongada, amarelo-enxofre, e outra, da mesma cor, na axila das nadadeiras peitorais, e que alcança até 60cm de comprimento. [F. red. (us. no RJ): *batata*[2]. Pl.: *batatas-da-pedra*.]

batata-da-terra *S. f. Bot.* V. *batata-doce*. [Pl.: *batatas-da-terra*.]

batata-da-uva-do-mato *S. f. Bot.* V. *batata-brava* (2). [Pl.: *batatas-da-uva-do-mato*.]

batata-de-caboclo [De *batata*[1] + *de* + *caboclo*[1].] *S. f. Bras. AM MG RJ SP PR SC RS Bot.* Trepadeira bignoniácea (*Bignonia exoleta*) cujas raízes têm tubérculos comestíveis dos quais se pode extrair matéria tintorial para aquarela; batata-miúda, jeticarana, unha-de-morcego. [Pl.: *batatas-de-caboclo*.]

batata-de-purga [De *batata*[1] + *de* + *purga*.] *S. f. Bras. Bot.* **1.** Designação comum a duas trepadeiras convolvuláceas (*Ipomoea altissima* e *I. operculata*) cujas raízes têm propriedades purgativas e depurativas. **2.** Jalapão (1). **3.** V. *bariríçó* (1). [Pl.: *batatas-de-purga*.]

batata-de-rama [De *batata*[1] + *de* + *rama*[1].] *S. f. Bot.* Cará-do-ar. [Pl.: *batatas-de-rama*.]

batata-do-campo [De *batata*[1] + *do*[1] + *campo*.] *S. f. Bras. MG SP PR SC RS Bot.* Erva gesneriácea (*Gesneria allagophylla*) de raiz tuberosa e venenosíssima; batatinha-do-campo. [Pl.: *batatas-do-campo*.]

batata-doce [De *batata*[1] + *doce*.] *S. f. Bot.* Erva convolvulácea (*Ipomoea batatas*) originária das Américas, de raízes tuberosas, largamente usadas na alimentação, frutos capsulares e folhas medicinais; batata-da-terra, batata-da-ilha, jatica, jetica. [Pl.: *batatas-doces*.]

batata-do-inferno [De *batata*[1] + *do*[1] + *inferno*.] *S. f. Bot.* V. *tártago*. [Pl.: *batatas-do-inferno*.]

batata-do-rio [De *batata*[1] + *do*[1] + o top. *Rio* (*de Janeiro*).] *S. f. Bras. RJ SP PR SC RS Bot.* Trepadeira malpighiácea (*Sigmaphyllon littorale*) de flores amarelas e raiz de tubérculos fortes. [Pl.: *batatas-do-rio*.]

batataense *Adj. 2 g.* **1.** De, ou pertencente ou relativo a Batatais (SP). • *S. 2 g.* **2.** O natural ou habitante de Batatais.

batata-inglesa [De *batata*[1] + o f. de *inglês*.] *S. f. Bras. Bot.* Erva solanácea (*Solanum tuberosum*) originária da América do Sul, cujos tubérculos subterrâneos são mundialmente usados na alimentação humana, e da qual se extrai fécula, também de largo emprego na alimentação; batata. [Sin. (bras. us. em certos pontos do Brasil): *batatinha* (bras., GO), *escorva* e (bras., RS) *papa*. Pl.: *batatas-inglesas*.]

batatal [De *batata*[1] + *-al*[1].] *S. m.* **1.** Quantidade mais ou menos considerável de batateiras dispostas proximamente entre si; batateiral. **2.** Área ocupada por batatal (1). [Sin. ger.: *batateiral*.]

batata-miúda *S. f. Bras. Bot.* V. *batata-de-caboclo*. [Pl.: *batatas-miúdas*.]

batatão[1] *S. m. Bras.* V. *boitatá*.

batatão[2] *S. m. Bras. Bot.* V. *batatão-amarelo*.

batatão-amarelo [De *batatão* (de *batata*[1] + *-ão*[1]) + *amarelo*.] *S. m. Bras. AM GO Bot.* Trepadeira convolvulácea (*Ipomoea pterodes*) de flores amarelas e frutos capsulares globosos. [F. red.: *batatão*[2]. Pl.: *batatões-amarelos*.]

batata-palha *S. f. Cul.* Batata que, antes da fritura, é ralada, ou cortada, em palitos muito finos. [Pl.: *batatas-palhas*, *batatas-palha*.]

batatarana [De *batata*[1] + *-rana*.] *S. f. Bras. N. a SP Bot.* Trepadeira fabácea (*Vigna repens*) de flores amarelas e vagens quase cilíndricas e da qual se colhe forragem para cavalos; feijão-da-praia.

batata-roxa [De *batata*[1] + o f. de *roxo*.] *S. f. Bot.* Variedade de batata-doce (*Ipomoea batatas* var. *porphyrorhiza*) cujos tubérculos alimentícios, roxos na parte externa, são muito us. no preparo de doces. [Pl.: *batatas-roxas*.]

batata-salsa *S. f. Bot.* V. *batata-baroa*. [Pl.: *batatas-salsas* e *batatas-salsa*.]

batata-silvestre [De *batata*[1] + *silvestre*.] *S. f. Bras. RS Bot.* Planta solanácea (*Solanum commersonii*) herbácea, de flores alvas e bagas globosas, tubérculos subterrâneos e também aéreos, empregados na alimentação. [Pl.: *batatas-silvestres*.]

batata-suíça [De *batata*[1] + o f. de *suíço*.] *S. f. Bot.* V. *batata-baroa*. [Pl.: *batatas-suíças*.]

batateira [De *batata*[1] + *-eira*.] *S. f. Bot.* Pé de batata; batateiro.

batateiral [De *batateira* + *-al*[1].] *S. m.* V. *batatal*.

batateiro [De *batata*[1] + *-eiro*.] *S. m.* **1.** *Bot.* Batateira. **2.** Vendedor de batatas. • *Adj.* **3.** Que gosta muito de batatas. **4.** *Bras.* Que pronuncia mal ou fala incorretamente; que comete batatas [v. *batata*[1] (4)].

batatinha [Dim. de *batata*[1].] *S. f. Bras.* **1.** *Bot.* V. *batata-inglesa*. **2.** Batata[1] (1) muito pequena, usada no preparo de certas iguarias. **3.** *Bot.* V. *cipó-mil-homens* (1).

batatinha-amarela [De *batatinha* + o f. de *amarelo*.] *S. f. Bras. Bot.* **1.** V. *açafrão-da-terra* (1). **2.** V. *bariríçó* (2). [Pl.: *batatinhas-amarelas*.]

batatinha-caapeba *S. f. Bras. Bot.* V. *batata-brava* (2). [Pl.: *batatinhas-caapebas* e *batatinhas-caapeba*.]

batatinha-d'água *S. f. Bras. Bot.* Erva isoetácea (*Isoetes martii*) aquática, de folhas filiformes e esporângios indeiscentes na face ventral da bainha da folha dilatada. [Pl.: *batatinhas-d'água*.]

batatinha-de-cobra [De *batatinha* + *de* + *cobra*[1].] *S. f. Bot. Pop.* V. *cipó-de-cobra* (3). [Pl.: *batatinhas-de-cobra*.]

batatinha-do-campo *S. f. Bras. Bot.* **1.** Erva amarilidácea (*Cypella herberti*) ornamental e cultivada, cujas flores são amarelo-alaranjadas e cujo bulbo é laxativo brando; batatinha-purgativa, vareta, ruibarbo-do-campo. **2.** Batata-do-campo. **3.** V. *bariríçó* (1). [Pl.: *batatinhas-do-campo*.]

batatinha-frita *S. f. Bras.* Jogo infantil em que um dos participantes tapa os olhos e conta até três enquanto os outros, situados a certa distância, procuram aproximar-se sem que sejam vistos em movimento. [Pl.: *batatinhas-fritas*.]

batatinha-purgativa *S. f. Bras. Bot.* V. *batatinha-do-campo* (1). [Pl.: *batatinhas-purgativas*.]

batatudo [De *batata*[1] + *-udo*.] *Adj.* **1.** Que tem o aspecto de, ou que lembra a batata[1]. **2.** Cuja panturrilha é por demais proeminente (diz-se de perna).

batauá *S. m. Bras. Bot.* V. *patauá*.

batávico *Adj.* V. *batavo* (1).

batavo (tá) *Adj.* **1.** Da, ou pertencente ou relativo à Batávia, nome antigo da Holanda; holandês, batávico. **2.** Dos, ou pertencente ou relativo aos batavos. • *S. m.* **3.** O natural ou habitante da Batávia; holandês. **4.** Indivíduo dos batavos, antigos habitantes dos Países Baixos.

➔ **batch** [bætʃ] [Ingl.] *S. m. Inform.* **1.** Conjunto de registros, documentos e programas que, para efeito de processamento no computador, se considera como uma só unidade. **2.** Lote de programas e arquivos a serem processados de forma sequencial em computador.

bateada [De *bateia* + *-ada*[1].] *S. f.* O conteúdo de uma bateia.

bateador (ô) [De *batear* + *-dor*.] *S. m.* Aquele que bateia; bateeiro.

batear [De *bateia* + *-ar*[2].] *V. t. d.* Lavar na bateia. [Conjug.: v. *frear*.]

bate-barba [De *bater* + *barba*.] *S. m.* V. *bate-boca* (2): "só vejo que houve muita rezinga e altercação, acabando o bate-barba .... com o triunfo completo da trunfa" (José de Alencar, *Guerra dos Mascates*, p. 39). [Pl.: *bate-barbas*.]

bate-bate [Da 3ª pess. do sing. de *bater*, repetida.] *S. m. Bras.* **1.** Movimento constante de dois objetos que se chocam: "Batuque. Bate-bate de latas." (Arnon de Melo, *África*, p. 357.) **2.** V. *surra* (1). **3.** *Bras. AL* Espécie de batida (11). [Pl.: *bates-bate* e *bates-bates*.]

bate-baú [De *bater* + *baú*[1].] *S. m. Bras.* Modalidade de samba baiano. [Pl.: *bate-baús*. Cf. *corrido* (9).]

bate-bico *S. m. 2 n. Zool.* Estaladeira.

bate-boca [De *bater* + *boca*[1] (ô).] *S. m. Bras.* **1.** Vozerio de briga. **2.** Discussão, contenda, altercação, bate-barba, batibarba. **3.** Conversa simples, despretensiosa; bate-papo, papo: "Gostávamos de ficar conversando sobre cousa nenhuma, neste ingênuo bate-boca de menino." (José Lins do Rego, *Ficção Completa*, I, p. 150.) [Pl.: *bate-bocas*.]

bate-bola [De *bater* + *bola*[1].] *S. m.* **1.** Jogo informal geralmente com os times incompletos: "o chão estava macio, a terra fria, ideal para um bate-bola." (Gilvã Lemos, *Jutaí Menino*, p. 100). **2.** *Fut.* Troca de passes antes do jogo, para aquecimento. **3.** *Fut.* Troca de passes em que os jogadores procuram fazer malabarismos com a bola, como simples passatempo. **4.** *Bras. SP Fig.* Manobras protelatórias de um negócio ou de uma demanda. [Pl.: *bate-bolas*.]

bateca *S. f.* V. *albudeca*.

bate-chapa [De *bater* + *chapa*.] *S. 2 g. Lus.* Operário especializado em desempenar chapas de metal, mediante golpes de martelo; bate-chapas. [Pl.: *bate--chapas*.]

bate-chapas [De *bater* + o pl. de *chapa*.] *S. m. 2 n. Lus.* Bate-chapa.

bate-chinela [De *bater* + *chinela*.] *S. m. Bras. N. N.E. Pop.* V. *arrasta-pé* (1). [Pl.: *bate-chinelas*.]

bate-coxa [De *bater* + *coxa* (ô).] *S. m.* **1.** *Bras. Gír.* V. *arrasta-pé* (1). **2.** Baile, dança. **3.** *Bras. BA* Regiões do rio São Francisco. Cap. V. *pernada* (7). **4.** *Bras. Chulo* O ato sexual; cópula, coito. [Pl.: *bate-coxas*.]

bate-cu [De *bater* + *cu*.] *S. m.* **1.** Pancada que se dá com as nádegas ao cair. **2.** Pancada com as mãos nas nádegas. **3.** *Bras. RJ Zool.* V. *tuim*. [Pl.: *bate-cus*. Cf. *baticum*.]

batedeira [De *bater* + *-deira*.] *S. f.* **1.** Aparelho que bate o leite para fazer manteiga. **2.** Aparelho para bater o melado, nos engenhos de açúcar. **3.** Aparelho, manual ou elétrico, para bater misturas, massas, ovos, etc. **4.** *Bras.* Doença febril infecciosa que ataca os suínos. **5.** *Bras.* V. *malária*.

batedela [De *bater* + *-dela*.] *S. f.* Ação de bater de leve, ou rapidamente, ou uma vez.

batedoiro [De *bater* + *-doiro*[2].] *S. m.* Batedouro (q. v.).

batedor (ô) [De *bater* + *-dor*.] *S. m.* **1.** Aquele que bate. **2.** Objeto ou instrumento que serve para bater (sovar ou mexer, misturar): *batedor de carne*. **3.** Cunhador (de moeda). **4.** Explorador (do campo). **5.** Aquele que bate o terreno para levantar a caça. **6.** Cada um dos policiais ou soldados encarregados da guarda pessoal de autoridades, ou de pessoas importantes, e que, em automóveis ou motocicletas, precede, ladeia e segue os autos oficiais. **7.** Instrumento para esmiuçar e lavar o grão da fécula. **8.** *Fig.* Precursor (5). **9.** *Ant. Tip.* Operário que, no prelo manual, entintava a fôrma com balas (q. v.). **10.** *Tip.* Tipógrafo expedito. **11.** *Bras.* Instrumento para debulhar milho. **12.** *Bras.* Aquele que bate as palmas da carnaubeira para lhes extrair a cera. **13.** *Bras. N.* Local em que se reúne o gado perseguido por mosca. **14.** *Bras. BA* Campo onde o gado pasta constantemente, e que é, por isso, de forragem escassa. **15.** *Bras. GO* Sítio de passagem habitual do gado, a caminho da aguada. ● *Adj.* **16.** Que bate. ~ V. *rolo* —.

batedora (ô) [De *bater* + *-dora*.] *S. f. Bras. RS* Colher de retirar água do barco.

batedouro [De *bater* + *-douro*[2]; var. de *batedoiro*.] *S. m.* **1.** Pedra que as lavadeiras usam para bater a roupa. **2.** Local onde se batem ou sacodem tapetes, etc.

batedura [De *bater* + *-dura*.] *S. f.* Ato ou efeito de bater.

bateeiro [De *bateia* + *-eiro*.] *S. m. Bras.* Nas lavras auríferas e diamantíferas, trabalhador que maneja a bateia; bateador.

bate-enxuga [De *bater* + *enxugar*.] *S. m. 2 n. Bras. Fam.* **1.** *Vest.* Roupa única, ou pela qual se tem especial predileção, e que, portanto, se usa constantemente. [Cf. *bate não quara*.] **2.** Objeto de uso constante.

bate-estaca [De *bater* + *estaca*.] *S. m.* Aparelho destinado a cravar, por percussão, estacas no solo. [Pl.: *bate-estacas*.]

bate-folha [De *bater* + *folha*[1] (ô).] *S. m.* **1.** Artífice que reduz metais dúcteis e maleáveis a folhas tenuíssimas. **2.** V. *funileiro* (2). [Pl.: *bate-folhas*.]

batega *S. f.* V. *albudeca*.

bátega *S. f.* **1.** Espécie de bacia metálica, antiga: "Esses tipos principais [de vasilhas portuguesas] são a talha, o pote, o cântaro, o caneco, o tenor, a tarefa, a púcara, o gomil, a escudela, a tigela, ... a bátega, a pichorra, a botija, a cabaça, a malga, etc." (Ramalho Ortigão, *O Culto da Arte em Portugal*, p. 148.) **2.** Porção de líquido que essa bacia continha. **3.** Pancada (de chuva): "E as bátegas vieram, furiosas, em cordas-d'água a prumo, como devia ser no chuveiro bíblico do dilúvio universal." (Monteiro Lobato, *Urupês, Outros Contos e Coisas*, p. 292.) **4.** Aguaceiro forte e grosso. ~ V. *bátegas*.

bátegas [Pl. de *bátega*.] *S. f. pl. Mús.* Espécie de pratos. ~ V. *bátega*.

bateia (éi ou êi) [Do ár. *batya(t)*, poss.] *S. f.* Gamela de madeira que se usa na lavagem das areias auríferas ou do cascalho diamantífero: "Não verás separar ao hábil negro / do pesado esmeril a grossa areia, / e já brilharem os granetes de oiro / no fundo da bateia." (Tomás Antônio Gonzaga, *Marília de Dirceu*, p. 167.)

bateira *S. f. Lus.* Pequena embarcação de pesca fluvial, de fundo chato, propelida à vela e/ou a remo: "Disseminadas ao longe, as velas das bateiras e botes de pesca .... diminuíam pouco a pouco" (Policarpo Feitosa, *Gisinha*, p. 74).

bateiro *Adj.* Que apenas cobre os canteiros do arrozal (diz-se de água).

batel [Do fr. ant. *batel*, atual *bateau*.] *S. m.* **1.** Pequeno barco: "Num rio, que ali sai ao mar aberto, / Batéis de vela entravam e saíam" (Luís de Camões, *Os Lusíadas*, V, 75); "Sobre as ondas oscila o batel docemente..." (Olavo Bilac, *Poesias*, p. 79). **2.** *Náut.* Peça de madeira em forma de setor, presa na parte curva da barquinha (4) para poder flutuar na vertical. **3.** *Lus.* Embarcação de pesca. **4.** *Lus.* Embarcação miúda, usada nas naus e galeões. [Pl.: *batéis*. Cf. *bateis*, do v. *bater*.]

batelada [De *batel* + *-ada*[1].] *S. f.* **1.** Carregamento de um batel. **2.** V. *quantidade* (3): *uma batelada de livros*. ◆ **Às bateladas.** Em grande quantidade; a mancheias: "Era-lhe preciso pão grátis para a escumalha e oiro às bateladas para regalo dos seus patrícios." (Aquilino Ribeiro, *Os Avós dos Nossos Avós*, p. 255.)

batelão [Aum. de *batel*.] *S. m.* **1.** *Mar. G.* Embarcação robusta, de ferro ou de madeira, fundo chato, com propulsão própria ou sem ela, usada para desembarque ou transbordo de carga. [Cf. *alvarenga*.] **2.** *Bras. Amaz.* Barcaça impelida a remo ou rebocada ao costado das lanchas, e usada no comércio do regatão ou no transporte de gado. **3.** *Bras. MT* Canoa pequena.

bateleiro [De *batel* + *-eiro*.] *S. m.* **1.** Aquele que governa batel. **2.** Proprietário de batel.

bate não quara [De *bater* + *não* + *quarar*.] *S. f. 2 n. Bras. Vest.* Roupa de uso diário. [Cf. *bate-enxuga* (1).] ☑

batente [De *bater* + *-nte*.] *S. m.* **1.** Rebaixo ou ombreira onde porta ou janela se encaixa ao fechar. **2.** A própria ombreira de porta ou de janela de folhas. **3.** A folha que fecha primeiro, nas portas e janelas de duas folhas. **4.** A régua que se fixa nessa folha, formando o rebaixo para a outra. **5.** Aldrava (3). **6.** Lugar onde a maré bate e se quebra. **7.** *Constr. Nav.* Entalhe feito na madre do leme para limitar o ângulo de deslocamento para cada bordo. **8.** *Tip.* Haste de aço que, percutida pelo martelo, aciona os escapes da linotipo. **9.** *Bras. Gír.* Trabalho efetivo, com o qual se ganha a vida: "Na minha terra, ... muita gente boa assim distribui a existência: durante o dia, no batente, no trabalho ....; de noite, na doce despreocupação, entre amigos e prazeres" (Aires da Mata Machado Filho, *Dias e Noites em Diamantina*, p. 7). ● *Adj. 2 g.* **10.** Que bate.

bate-orelha [De *bater* + *orelha* (ê).] *S. m. Fam.* **1.** Burro, asno. **2.** Homem de inteligência curta, estúpido, burro. [Pl.: *bate-orelhas*.]

batepandé *S. m. Bras. SE* Cabra-cega (1).

bate-papo [De *bater* + *papo*.] *S. m. Bras. Fam.* Conversação amigável, simples e despretensiosa; cavaco, cavaqueira, papo e (lus.) laracha. [Pl.: *bate-papos*.] ◆ **Bate-papo *on-line*.** *Inform.* V. *chat*. **Bate-papo virtual.** *Inform.* V. *chat*.

bate-pau [De *bater* + *pau*.] *S. m.* **1.** *Bras. GO* Indivíduo armado e posto a serviço da polícia rural: "Joana, ..., já contava que o Louco estava armado com as carabinas dos bate-paus e vinha fuzilando gato e cachorro." (Bernardo Élis, *Ermos e Gerais*, p. 144.) **2.** *Bras. GO* Aquele que presta serviços policiais em regiões onde não existe ou é deficiente a força pública. **3.** *Bras. Amaz.* Informante da polícia; alcaguete: "A camionete do Bracinho — bate-pau da polícia, segundo o povo de Ribeirão Bonito — chegara um pouco antes" (Edilson Martins, *Nós, do Araguaia*, p. 172). **4.** *Bras. GO Folcl.* Dança de pares em que os dançarinos, munidos de cacetes, os chocam ritmadamente com os dois pares à frente e dos lados. [Pl.: *bate-paus*.]

bate-pé [De *bater* + *pé*.] *S. m. Bras.* **1.** V. *sapateado* (4). **2.** V. *arrasta-pé* (1). [Pl.: *bate-pés*.]

bate-prego [De *bater* + *prego*.] *S. m. Bras.* Sinal que marca, por meio de marteladas, o início ou a suspensão dos trabalhos para os operários de obras [v. *obra* (4)]. [Pl.: *bate-pregos*.]

bate-pronto [De *bater* + *pronto* (13).] *S. m. Bras. Fut.* Chute executado no instante em que a bola toca no chão.

batequê *S. 2 g. Adj. 2 g.* V. *anzico*.

bater [Do lat. **battere*, por *battuere*.] *V. t. d.* **1.** Dar sucessivas pancadas ou golpes em: *Os penitentes batiam os peitos e gemiam*. **2.** Dar choque(s) ou pancada(s) com: *Para chamar atenção, bateu o pé, irritado*. **3.** Dar pancadas para lavar, limpar, etc.: "Junto de um ipê florido, / Bate roupa a lavadeira." (Ricardo Gonçalves, *Ipês*, p. 19.) **4.** Fechar, empurrando ou puxando com força: *Saiu irritado, batendo a porta*. **5.** Premer com o dedo botão de (campainha), tecla de (máquina), etc. **6.** Bater à máquina; datilografar: "Eu estava bem intencionadíssima, quando me sentei para bater esta crônica." (Malu de Ouro Preto, *Siri na Noite sem Lua*, p. 119.) **7.** Sovar, socar: *O padeiro bate a massa*. **8.** Marcar o tempo de (compasso). **9.** Percorrer (terreno, mato, caminho, etc.) em observação, exploração, passeio, etc.: *Bateu a serra toda à procura do novilho perdido*. **10.** Agitar ou mover (dentes, queixo, etc.) por frio, medo, raiva, etc.: *Encontrei-o exposto ao frio, batendo os dentes*. **11.** Cunhar (moeda), malhando o ferro: "Era direito real bater moeda, criar capitães na terra e no mar, fazer oficiais de justiça, do ínfimo ao pino da carreira" (Capistrano de Abreu, *Capítulos de História Colonial*, p. 61). **12.** Agitar (as asas). **13.** Agitar fortemente; remexer: *bater ovos*. **14.** Vencer, derrotar: *Em 1945, as nações aliadas bateram os países do Eixo*. **15.** Percutir; ferir: *bater o tambor*. **16.** Atacar ou alcançar com tiros de artilharia (praça, fortificação, etc.). **17.** Superar, sobrepujar: "há no centro da cidade e fora dele mesmo construções que têm dez, doze e quinze andares, de forma que S. Paulo continuando assim é capaz de bater a própria Nova Iorque." (Antônio de Alcântara Machado, *Cavaquinho e Saxofone*, p. 4). **18.** Ultrapassar (marca, limite): *bater um recorde*. **19.** Comprimir (obra de costura) com ferro quente: *bater uma bainha, uma gola*. **20.** Tirar (16): *bater uma foto*. **21.** Soar, indicando (as horas): "O relógio de parede da sala de jantar batia as nove horas." (José Condé, *Como uma Tarde em Dezembro*, p. 209.) **22.** *Bras.* Comer; devorar, traçar: *Num instante o pequeno bateu o prato de comida*. **23.** Usar diariamente, no trivial: *Bateu o terno azul durante todo o ano*. **24.** *Fig.* Repisar (2), repetir: *Tanto bateu a lição, que a decorou*. **25.** *Bras. Gír.* Furtar, surripiar, surrupiar: *bater uma carteira*. **26.** *Bras.* Tecer (uma rede). *T. d. e i.* **27.** Superar, sobrepujar: "Em duas coisas São Bento batia as outras cidades do interior: na banda de música e no sino da igreja matriz." (Gilvã Lemos, *Jutaí Menino*, p. 114.) *T. d. e c. T. i. e c.* **28.** Dar, acidentalmente ou não, com (parte do corpo) em: *Bateu (com) a cabeça no armário*. *T. i.* **29.** Dar pancada(s); surrar: *Bate nas crianças sem dó nem piedade*; "Não lhe batia, porque nunca tocava nele, como se tivesse nojo" (Mário Donato, *A Parábola das 4 Cruzes*, p. 95). **30.** Bater (1) (em porta ou janela) com os nós dos dedos, ou fazer qualquer outro sinal, para que a abram: *Bateu à porta demoradamente, e ninguém abriu*; "A cem portas bati por noite agreste" (Eugênio de Castro, *Obras Poéticas*, V, p. 180). **31.** Ser igual; coincidir: *Os números da minha pesquisa não batem com os da sua*. *T. c.* **32.** Ir de encontro; chocar-se. **33.** Dirigir-se apressadamente: *Mal soube o que acontecera, bateu para São Paulo*. **34.** *Bras.* Chegar, parar, depois de caminhada longa, incerta ou difícil: *Andando, andando, foi bater num lugar desconhecido*. **35.** Ir parar em; ser arrastado a: *Tantas fez que foi bater na cadeia*. **36.** V. *cair* (27): "Principiando estas minhas notas pessoalíssimas sobre Álvares de Azevedo, cujo centenário de nascimento bate no mês que vem, creio que vou determinar especialmente o mal-estar que me causa pensar nele." (Mário de Andrade, *Táxi e Crônicas no Diário Nacional*, p. 417); *O carnaval deste ano bate no dia 1.º de março*. *Int.* **37.** Dar pancada(s): "As janelas batem e rangem, abrindo-se e mostrando-me, a espaços, o seu interior cheio de miséria e de sombras fugidias." (Cornélio Pena, *Fronteira*, p. 8); "Bate, arrebenta, assobia, / Retumba, estrondeia o mar." (Raimundo Correia, *Poesias*, p. 273). **38.** Dar pancada(s) em alguém; surrar, espancar: *É perverso, gosta de bater*. **39.** Palpitar, pulsar: "Sofra o coração, embora! / Sofra! Mas viva! Mas bata / Cheio, ao menos, da alegria / De viver, de viver!" (Raimundo Correia, *Poesias*, p. 7.) **40.** Dar sinal ou fazer barulho, para que abram a porta: "Entrou sem bater" (Dalcídio Jurandir, *Ponte do Galo*, p. 8). **41.** Tanger, tocar: "Batiam os sinos" (Cecília Meireles, *Obra Poética*, p. 817.) **42.** *Bras. Rel.* No candomblé e em outros cultos afro-brasileiros, celebrar rito ou cerimônia, ao som de atabaques: *Os terreiros não batem na Quaresma*. **43.** Em carteado, ganhar uma parada: *Bateu três vezes durante a partida*. **44.** Soar, dar (horas): "Batiam três horas da tarde." (Machado de Assis, *Histórias sem Data*, p. 167); "Bateram nove horas no sino da Igreja." (Ribeiro Couto, *Poesias Reunidas*, p. 214). **45.** Bater (31): *Os cálculos estavam corretos, as duas contas bateram*. *P.* **46.** Lutar, combater, pelejar: *Batia-se não só pela pátria, mas também por um ideal*. **47.** Sustentar polêmicas ou discussões: *Bate-se desde jovem pela reforma do ensino*. **48.** Pôr-se de viagem; mandar-se, botar-se: "Heloísa bateu-se de São Paulo, veio passar dois meses comigo" (Laura Oliveira Rodrigo Otávio, *Elos de uma Corrente*, p. 164). [Pres. ind.: *bato*, ... *batemos*, *bateis*, *batem*. Cf. *batéis*, pl. de *batel*.] ◆ **Não bater bem.** *Bras.* Não regular[3] (10); ser ruim da bola: "Mas esse monhé não está bom da cabeça, o gajo não bate bem." (Mia Couto, *Terra Sonâmbula*, p. 136.)

bateria [Do fr. *batterie*.] *S. f.* **1.** Fortificação com peças assestadas. **2.** Conjunto dos utensílios de cozinha. **3.** *Eletr.* Conjunto de acumuladores ou de pilhas elétricos associados com ligações em série ou em paralelo, com o fim de produzir uma diferença de potencial maior, no primeiro caso, ou maior durabilidade, no segundo; acumulador. **4.** *Eletr.* Pilha eletroquímica

(q. v.). 5. *Eletr.* Qualquer conjunto de componentes elétricos iguais, associados para a obtenção de um efeito aditivo de suas propriedades: *bateria de condensadores.* 6. *Exérc.* Subunidade básica de artilharia, comandada por capitão, com quatro ou seis canhões ou obuseiros e elementos de apoio. 7. *Bras. Mar. G.* Conjunto de canhões de características idênticas (bateria de grosso calibre, bateria de médio calibre, etc.) ou de idêntica finalidade (bateria antiaérea), instalados a bordo de um navio de guerra. [Var. (lus.): *bataria.*] 8. *Mús.* O conjunto dos instrumentos de percussão de uma orquestra, de uma banda, etc. 9. *P. ext. Mús.* Conjunto articulado de bombo, pratos, caixa e vassourinha, etc., tocados por um só músico. 10. *Bras. Mús.* Ritmo (8). 11. *Bras. Mús.* O conjunto dos músicos executantes de cada um dos instrumentos de bateria (10): *A bateria da escola de samba desfilou, impecavelmente.* 12. *Maç.* Ritual de golpear com as mãos para manifestar alegria durante a sessão, variando o número de pancadas conforme o grau em que se trabalha. 13. *Bras.* Rosário de bombas que se queima em festas de igreja. 14. *Bras. N.* Processo empregado pelos seringueiros para extrair o látex, utilizando uma ordem dupla de tigelas. 15. *Bras.* Grande quantidade: *Fiz uma bateria de exames quando estava com pneumonia.* 16. *Bras.* Número determinado: *A psicóloga submeteu a menina à bateria de testes.* ◆ **Bateria chumbo-ácido.** *Autom.* Acumulador (3) cujos eletrodos são chumbo metálico e dióxido de chumbo e o eletrólito é uma solução aquosa a 33% de ácido sulfúrico. [É a que ger. é us. em automóveis.] **Bateria primária.** *Fís.-Quím.* Aquela em que a produção de energia elétrica resulta de reações químicas irreversíveis, e que não pode ser carregada de eletricidade como um acumulador. **Bateria secundária.** *Fís.-Quím.* Acumulador (3). **Romper as baterias.** Dar começo a uma campanha, a uma polêmica, a manifestações de hostilidade: *Perdeu a calma e rompeu as baterias contra os seus detratores.*

baterista [De *bateria* + *-ista*.] *S. 2 g. Bras. Mús.* 1. Pessoa que toca bateria (8 e 9); ritmista. 2. Ritmista (2).

bate-saco [De *bater* + *saco* (13).] *S. m. Bras. Chulo* O ato sexual; cópula, coito. [Pl.: *bate-sacos.*]

bate-sela [De *bater* + *sela*.] *S. 2 g. Bras.* Mau cavaleiro. [Var.: *batissela.* Pl.: *bate-selas.*]

batestesia [De *bat(i)-* + *-estes(i)-* + *-ia*[1].] *S. f. Neur.* Sensibilidade profunda: a das partes do organismo que estão abaixo da superfície dele.

batetê [Do ior., poss.] *S. m. Bras. Rel.* Comida votiva de Ogum feita de inhame cru, azeite de dendê e sal.

bate-testa [De *bater* + *testa*.] *S. m. Bras. Bot.* Timbó-do-rio-de-janeiro. [Pl.: *bate-testas.*]

bate-virilha [De *bater* + *virilha*.] *S. m. Bras. SP Chulo* O ato sexual; coito. [Pl.: *bate-virilhas.*]

bathoniano [Do top. *Bath* (Inglaterra) + *-iano*; ingl. *bathonian.*] *Adj. S. m.* Diz-se de, ou subdivisão do período jurássico europeu que se caracteriza pela agregação de grânulos oolíticos no qual predominam braquiópodes, amonites e outros moluscos e moluscoides fósseis; batoniano.

▲ **bati-** [Do gr. *bathýs, eîa, y.* = *El. comp.* = 'profundo': *batestesia, batisfera.* [É seguido de hífen quando anteposto a palavra iniciada por *i* ou *h*: *bati-hiperestesia* (em tais casos, apenas o 2.º el. é flexionado na formação do plural); é grafado com *r* ou *s* duplicados quando anteposto a palavra iniciada por *r* ou *s*: *batirrinco, batissismo.*] [Equiv.: *-bat(i)-, bato-*[2]: *orobatimétrico; batocromo.*]

▲ **-bat(i)-** V. *bat(i)-*.

batial [De *bat(i)-* + *-al*[1].] *Adj. 2 g. Geol.* Diz-se da zona marinha compreendida entre 200 e 2.000m de profundidade. É a região em que a plataforma continental inclina-se, da parte mais rasa para a mais profunda, abissal.

batianestesia [De *bat(i)-* + *anestesia*.] *S. f. Med.* Perda da sensibilidade profunda.

batianestésico [De *batianestesia* + *-ico*[2].] *Adj. Med.* Relativo à batianestesia.

batibarba [De *bater* + *barba*.] *S. m.* 1. Pancada com a mão por baixo da barba. 2. V. *bate-boca* (2). 3. *Fig.* Repreensão grosseira.

batição *S. f. Bras. N.* V. *moponga.*

baticardia [De *bat(i)-* + *-cardia*.] *S. f. Card.* Localização demasiado baixa do coração, decorrente de condições anatômicas e não patológicas.

baticárdico [De *baticardia* + *-ico*[2].] *Adj. Card.* Relativo à baticardia.

baticum *S. m.* 1. *Bras.* Ruído de sapateado e palmas, como nos batuques. 2. *P. ext.* Sucessão de marteladas. 3. *Bras. Pop.* Pulsação forte do coração e das artérias. 4. *Bras. AM* Barulho provocado pela queda de um corpo pesado na água. 5. *Bras. N.E.* Discussão acalorada. 6. *Bras. N.E.* Falatório, falario. [Cf. *bate-cu.*]

batida [De *bater* + *-ida*[3].] *S. f.* 1. Ato ou efeito de bater; batido, batimento. 2. V. *repreensão* (1). 3. V. *montaria*[1] (2). 4. Exploração do campo, do terreno. 5. *Edit.* Toque (15). 6. *Mús.* Andamento (4). 7. *Surf.* Manobra na qual o surfista leva sua prancha de encontro à crista da onda. 8. *Teatr.* No desenrolar da intriga de uma peça, cada uma das marcações que antecedem imediatamente o desencadear de um processo contínuo de intensificação ou de declínio das ações e intenções dos atores. 9. *Bras.* Colisão de veículo(s). 10. *Bras.* Diligência policial feita em locais considerados suspeitos. 11. *Bras.* Bebida preparada com cachaça, açúcar e outro ingrediente, em geral suco de fruta, misturados como coquetel. 12. *Bras.* Polpa de fruta batida: *batida de abacate.* [Sin. (lus.), nesta acepç.: *batido.*] 13. *Bras.* Gemada. 14. *Bras.* Ato de bater (42). 15. *Bras. N.E.* Trilha aberta na mata. 16. *Bras. N. N.E.* Rastro, pista. 17. *Bras. N. N.E.* Rapadura esbranquiçada, perfumada com erva-doce ou cravo-da-índia. 18. *Bras. RS* Briga de galos, durante o seu treinamento, realizada para se aquilatar o valor de um deles, ou de ambos. ◆ **Batida de prova.** *Tip.* Revisão batida por meio de decalque, para conferir emendas. **De batida.** Às pressas, à pressa; apressadamente.

batidácea [Do lat. cient. *Batid-* (< tax. *Batis* [v. *bátis*]) + *-ácea*; tax. *Batidaceae.*] *S. f. Bot.* Batácea.

batidáceo [De *batidácea*, com var. suf. (v. *-áceo*).] *Adj. Bot.* Batáceo.

batidal [Do lat. cient. *Batid-* (v. *batidácea*) + *-al*[1].] *Adj. 2 g. Bot.* Pertencente ou relativo às batidales.

batidale [Do lat. cient. *Batid-* (v. *batidácea*) + *-ale*.] *S. f. Bot.* Espécime das batidales, ordem de dicotiledôneas incluída, por vezes, entre as caparidales, e que compreende, apenas, as batáceas.

batido [Part. de *bater*.] *Adj.* 1. Espancado, sovado, socado. 2. Comprimido, calcado: *terra batida.* 3. Envelhecido, gasto. 4. Que foi amoedado ou cunhado: *moeda batida.* 5. Derrotado, vencido. 6. Vulgar, cediço. 7. Usado em demasia: *um vestido batido.* 8. Diz-se de mulher cujo busto tem pouco relevo. ~ V. *fandango —, ferro —* e *terra —a.* ● *S. m.* 9. V. *batida* (1): "Ouvia mentalmente o longo batido das porteiras, ecoando na Serra do Ouro ou se alongando pelas várzeas." (A. S. de Mendonça Júnior, *O Anel de Brilhante e Outras Estórias*, p. 38.) 10. *Bras. MA Tec. Têx.* Tecido para redes [v. *rede* (18)]. 11. *Bras. BA* Ato de bater o cascalho para tirar-lhe a areia, no serviço de leito de rio. 12. *Lus.* Batida (12).

batimento [De *bater* + *-imento*.] *S. m.* 1. V. *batida* (1). 2. Choque impetuoso; embate. 3. *Med.* Pulsação (3). 4. *Fís.* Superposição de duas ondas em que se produz uma variação periódica da amplitude com uma frequência igual à diferença entre as frequências das ondas iniciais. ◆ **Batimento de arrebentação.** *Ocean.* Flutuação de longo período (vários minutos) da arrebentação na praia, produzida pela chegada de grupos de onda.

batimetria [De *bat(i)-* + *-metria*.] *S. f.* 1. *Ocean.* Determinação do relevo do fundo de uma área oceânica, ou lacustre, fluvial, etc. 2. Representação gráfica desse relevo. [Sin. (desus.) ger.: *batometria.*]

batimétrico [De *batimetria* + *-ico*[2].] *Adj. Ocean.* Relativo à batimetria, ou ao batímetro. [Sin. (desus.): *batométrico.*]

batímetro [De *bat(i)-* + *-metro*.] *S. m. Ocean.* Instrumento com que se efetua a batimetria (1). [Sin. (desus.): *batômetro.*]

batina [De *abatina* (q. v.), com aférese.] *S. f.* 1. Veste talar dos abades, padres e estudantes de algumas escolas; loba. 2. *P. ext. Pop.* A vida religiosa. ● *S. m.* 3. *Bras. Pop.* Padre (1).

batinga [Do tupi; f. aferética de *ubatinga*.] *S. f.* 1. *Bras. Bot.* Pequena árvore mirtácea (*Eugenia durissima*) nativa do S. do Brasil e do Uruguai, de pequeninas folhas, flores aromáticas, frutos bacáceos, e cuja madeira, útil, fornece tinta vermelha. 2. Pequena árvore mirtácea (*Eugenia opaca*) tb. nativa do S. do Brasil e do Uruguai, e de flores tb. aromáticas; ubatinga. 3. V. *açoita-cavalo* (2).

batiplancto [De *bat(i)-* + *plancto*.] *S. m.* Plancto de origem animal encontrado em águas oceânicas médias e profundas; batiplâncton.

batiplâncton *S. m.* Batiplancto.

batipneia (éi) [De *bat(i)-* + *-pneia*.] *S. f. Med.* Respiração profunda. ❖

batiputá [Var. aferética e metatética de *jabutapitá*.] *S. m.* 1. *Bras. Bot.* Arbusto ocnáceo (*Ouratea parvifolia*) nativo do Brasil, de flores amarelas, frutos drupáceos, folhas com propriedades estomáquicas, amargas e tônicas, e de cuja semente se extrai a manteiga de batiputá, empregada na medicina popular. [Outras var.: *abatiputá, aiabutipitá, ajabutipitá, ajubatipá, jabutapitá.*] 2. V. *canafístula* (3).

batique [Do malaio *batik*.] *S. m. Tec. Têx.* 1. Técnica artesanal de estamparia, originária da Índia e da Indonésia, que consiste em isolar com cera quente as partes do tecido que não devem ser tingidas. 2. O tecido estampado por esse processo.

bátis [Do tax. *Batis* (do gr. *batís, ídos*, 'planta espinhosa').] *S. m. 2 n. Bot.* 1. Gênero de arbustos batáceos, nativos de ilhas do Pacífico e das costas das Américas. 2. Qualquer espécie desse gênero, como, por ex., a *Batis maritima*, dioica, nativa do Havaí, do S.O. dos E.U.A., do Caribe e da costa atlântica da América do Sul; tem folhas carnosas us. na alimentação. 3. Qualquer espécime desse gênero.

batiscafo [De *bat(i)-* + *-scafo*.] *S. m. Ocean.* Pequeno submarino capaz de imergir a grandes profundidades (mais de 500m e até 12.000m), e destinado a levar cientistas para observações científicas. [É sustentado pela flutuabilidade de um líquido mais leve que a água do mar, e afundado por lastro sólido, e tem, normalmente, pequena capacidade de movimento horizontal.]

batisfera [De *bat(i)-* + *-sfera*.] *S. f.* Esfera metálica de 1,45m de diâmetro, presa a um cabo, dentro da qual pode o homem ir a grandes profundidades na exploração do fundo do mar.

batisférico [De *batisfera* + *-ico*[2].] *Adj.* Relativo à batisfera.

batismal [De *batismo* + *-al*[1].] *Adj. 2 g.* Relativo a batismo. ~ V. *pia —.*

batismo [Do gr. *baptismós*, 'imersão', pelo lat. *baptismu*.] *S. m.* 1. *Rel.* Sacramento da Igreja Católica Apostólica Romana, no qual a ablução, a imersão ou a simples aspersão com água significam um renascer espiritual, com purificação de todas as culpas e pecados. 2. *Rel.* Administração desse sacramento. [Var. (pop.) ant., nessas acepçs.: *bautismo.* Sin., nesta acepç.: *batizado* e, p. us., *batizamento.*] 3. Iniciação religiosa. 4. *Rel.* Admissão solene a uma igreja ou a um culto religioso. 5. Ato de dar nome a uma pessoa ou coisa. 6. Ablução; imersão. 7. Adulteração do vinho ou do leite pela adição de água. 8. Cerimônia de lançamento de navio, avião, etc., em que são benzidos solenemente, após o quê, em geral, se quebra de encontro a eles uma garrafa de champanha. 9. *Bras. Cap.* Ritual de iniciação no qual os alunos jogam com os mestres, ou capoeiristas antigos, e recebem os apelidos pelos quais serão conhecidos na roda (22). ◆ **Batismo de fogo.** 1. A primeira campanha em que um militar toma parte: *Os pracinhas da F.E.B. tiveram o seu batismo de fogo na Itália.* 2. *P. ext.* O primeiro ferimento de guerra. 3. *P. ext.* A primeira dificuldade enfrentada por alguém que se inicia numa profissão ou função. **Batismo de linha.** *Mar.* Cerimônia tradicional que consiste em fazer mergulhar numa piscina, ou num tanque improvisado a bordo, os que cruzam pela primeira vez o equador; batismo de mar. **Batismo de mar.** *Mar.* Batismo de linha. **Batismo de sangue.** Martírio dos catecúmenos.

batissela [De *bater* + *sela*.] *S. 2 g.* V. *bate-sela.*

batissismo [De *bat(i)-* + *sismo*.] *S. m. Geofís.* Sismo que se origina em grandes profundidades, e que pode ser registrado em sismógrafos localizados no mundo inteiro.

batista[1] [Do gr. *baptistés*, pelo lat. *baptista*.] *S. m.* 1. Aquele que batiza. 2. *Restr.* Antonomásia de S. João, que batizou Cristo. ● *S. 2 g.* 3. Indivíduo da seita dos batistas, na qual o batismo só é ministrado aos adultos. ● *Adj. 2 g.* 4. Relativo aos batistas.

batista[2] [Do fr. *batiste*.] *S. f. Tec. Têx.* Tecido fino, semelhante à cambraia, de linho ou de algodão: "Era um lenço novo, de fina batista, ainda engomado." (José Rodrigues Miguéis, *Léah e Outras Histórias*, p. 234.)

batistério [Do gr. *baptistérion*, pelo lat. *baptisteriu*.] *S. m.* 1. Lugar onde se acha a pia batismal. 2. *Bras. Pop.* Certidão de batismo.

batité [Do tupi, 'milho verdadeiro'.] *S. m. Bras.* V. *catete.*

batizado [Part. de *batizar*.] *Adj.* 1. A quem se administrou o batismo: *criança batizada.* 2. *Fig.* Diz-se de certos líquidos, especialmente o leite, adulterados pela adição de água ou de outro líquido. ● *S. m.* 3. *Rel.* V. *batismo* (2). 4. Festa com que se celebra o batismo. 5. Indivíduo a quem se administrou o batismo. [Var. (pop.) ant.: *bautizado.*]

batizamento [De *batizar* + *-mento*.] *S. m. P. us. Rel.* V. *batismo* (2).

batizando [De *batizar* + *-ando*.] *S. m.* Aquele que vai ser batizado.

batizante [De *batizar* + *-nte*.] *Adj. 2 g.* Que batiza.

batizar [Do gr. *baptízein*, pelo lat. *baptizare*.] *V. t. d.* 1. Administrar o batismo a. 2. Pôr nome, alcunha ou epíteto a. 3. Adulterar (certos líquidos) adicionando-lhes água ou outro líquido: *batizar o leite.* 4. Oferecer o primeiro lanço no leilão de. 5. Benzer solenemente (algum objeto ou ser profano). 6. Proceder ao batismo (8) de: *batizar um navio, um avião.* 7. Usar (algo adquirido recentemente) pela primeira vez; estrear: *Batizou o vestido no dia em que o comprou.* **8.** *Fam.* Molhar (2): *O bebê batizou a madrinha durante a cerimônia.* ***T. d. e i.*** **9.** Nomear, denominar: *Batizaram a escola poética com o nome de parnasianismo.* ***Transobj.*** **10.** Apelidar, alcunhar: *Por ser dentista de profissão, batizaram-no Tiradentes.* [Var. (pop.) ant.: *bautizar*.]

→ **bat mitzvah** [bat mits'va] [Hebr., lit. 'filha do mandamento'.] ***S. f.*** **1.** Nas congregações judaicas reformistas ou liberais, a jovem que, ao completar 12 anos, assume a responsabilidade religiosa e civil dos seus atos, em cerimônia religiosa. **2.** *P. ext.* Essa cerimônia.

▲ **batmo-** [Do gr. *bathmós, oû*, 'degrau'.] ***El. comp.*** = 'degrau (de escada)'; 'grau': *batmofobia, batmófobo, batmotropismo.*

batmofobia [De *batmo-* + *-fobia*.] ***S. f.*** *Psiq.* Medo patológico de escadas ou de ladeiras altas.

batmofóbico [De *batmofobia* + *-ico*[2].] *Psiq.* ***Adj.*** **1.** Relativo a batmofobia. **2.** Que sofre de batmofobia; batmófobo. ● ***S. m.*** **3.** Aquele que sofre de batmofobia; batmófobo.

batmófobo [De *batmo-* + *-fobo*.] ***Adj. S. m.*** *Psiq.* Batmofóbico (2 e 3).

batmotrópico [De *batmo-* + *-trop(o)-* + *-ico*[2].] ***Adj.*** Diz-se de agente que tenha influência, na resposta a estímulos, sobre tecidos e órgãos.

batmotropismo [De *batmo-* + *-trop(o)-* + *-ismo*.] ***S. m.*** *Fisiol.* Ação sobre excitabilidade muscular.

bato [Da 1ª pess. sing. do pres. ind. de *bater*.] ***S. m.*** Jogo infantil em que se manejam cinco pedrinhas.

▲ **bato-**[1] [Do gr. *báthos, eos-ous (ă)*.] ***El. comp.*** = 'profundidade': *batografia, batólito, batômetro.* [Equiv.: *-bata*[2], *-bat(o)-*: *isóbata; euribático*.]

▲ **bato-**[2] V. *bat(i)-*.

▲ **bato-**[3] [Do gr. *batos, ĕ̄s, ón*.] ***El. comp.*** = 'transitável', 'acessível': *batofobia*[2], *batófobo*[2].

▲ **-bat(o)-** Equiv. de *bato-*[1].

batoca ***S. f.*** *Lus.* Casta de uva.

batocaço [De *batoque* + *-aço*.] ***S. m.*** *Bras. S.* Golpe desferido pelo galo com os batoques.

batocada [De *batoque* + *-ada*[1].] ***S. f.*** *Bras. N.E.* **1.** Prejuízo vultoso. **2.** Despesa grande e inesperada. [Cf. *batucada*.]

batocar [De *batoque* + *-ar*[2].] ***V. t. d.*** **1.** Pôr batoque (1) em. **2.** Fechar com batoque (2). [Conjug.: v. *trancar*. Cf. *batucar*.]

batocrómico ***Adj.*** *Quím.* V. *batocrômico*. [Uso freq. em P.]

batocrômico [De *batocromo* + *-ico*[2].] ***Adj.*** *Quím.* **1.** Relativo a, ou próprio de batocromo. **2.** Diz-se do deslocamento de bandas de absorção para comprimento de onda maior. ~ V. *efeito* —.

batocromo [De *bato-*[2] + *-cromo*.] ***S. m.*** *Quím.* Grupamento de átomos que, introduzido numa molécula portadora de cromóforo, provoca um deslocamento das bandas de absorção para regiões de maior comprimento de onda.

batofobia[1] [De *bato-*[2] + *-fobia*.] ***S. f.*** *Psiq.* Horror a lugares profundos, ou como que profundos.

batofobia[2] [De *bato-*[3] + *-fobia*.] ***S. f.*** *Psiq.* Medo patológico de passar perto de ou entre estruturas altas, como edifícios, montanhas, etc.

batofóbico[1] [De *batofobia*[1] + *-ico*[2].] *Psiq.* ***Adj.*** **1.** Relativo à batofobia[1]. **2.** Que sofre de batofobia[1]; batófobo. ● ***S. m.*** **3.** Aquele que sofre de batofobia[1]; batófobo[1].

batofóbico[2] [De *batofobia*[2] + *-ico*[2].] *Psiq.* ***Adj.*** **1.** Relativo à batofobia[2]. **2.** Que sofre de batofobia[2]; batófobo. ● ***S. m.*** **3.** Aquele que sofre de batofobia[2]; batófobo[2].

batófobo[1] [De *bato-*[2] + *-fobo*.] ***Adj. S. m.*** *Psiq.* Batofóbico[1] (2 e 3).

batófobo[2] [De *bato-*[3] + *-fobo*.] ***Adj. S. m.*** *Psiq.* Batofóbico[2] (2 e 3).

batografia [De *bato-*[1] + *-grafia*.] ***S. f.*** *Geogr.* Estudo descritivo do relevo submarino.

batográfico [De *batografia* + *-ico*[2].] ***Adj.*** *Geogr.* Relativo à batografia.

batoídeo [Adapt. do tax. *Batoidea*.] *Zool.* ***S. m.*** **1.** Espécime dos batoídeos, superordem de peixes elasmobrânquios que se caracterizam por terem a boca e as cinco, ou seis, fendas branquiais na superfície ventral, amplas nadadeiras peitorais, unidas à cabeça, e os olhos e os espiráculos no alto da cabeça; são ger. marinhos, e de distribuição cosmopolita. Há quatro ordens exstantes e mais de quinhentas espécies. ● ***Adj.*** **2.** Pertencente ou relativo a eles. [V. *miliobatiforme, pristiforme, rajiforme* e *torpediniforme*.]

batóideo ***Adj. S. m.*** *Zool.* V. *batoídeo*.

batólito [De *bato-*[1] + *-lito*.] ***S. m.*** *Geol.* Grandes corpos de rochas plutônicas contínuas na profundidade, em geral com mais de $100km^2$ de extensão.

batologia [Do gr. *battología*, pelo lat. *battologia*.] ***S. f.*** Repetição inútil de uma palavra, frase ou pensamento.

batológico [De *batologia* + *-ico*[2].] ***Adj.*** Relativo à batologia.

batom [Do fr. *bâton*.] ***S. m.*** **1.** Cosmético em forma de pequeno bastão, que serve para colorir os lábios. **2.** *Bras. RJ Pop.* Pênis de tamanho reduzido.

batometria [De *bato-*[1] + *-metria*.] ***S. f.*** *Desus.* Batimetria.

batométrico [De *batometria* + *-ico*[2].] ***Adj.*** *Desus.* Batimétrico.

batómetro ***S. m.*** V. *batômetro*. [Uso freq. em P.]

batômetro [De *bato-*[1] + *-metro*.] ***S. m.*** *Desus.* Batímetro.

batoniano ***Adj. S. m.*** V. *bathoniano*.

batoque [De or. incerta.] ***S. m.*** **1.** Boca ou buraco no bojo de pipas, tonéis, etc.; gargaleira. **2.** A rolha que a veda. **3.** *Fam.* Homem atarracado. **4.** Sinal circular na orelha das reses. **5.** *Bras.* Botoque (q. v.). **6.** Indivíduo de baixa estatura. **7.** *Bras. S.* Esporões do galo, quando ainda não desenvolvidos ou quando rombudos. **8.** *Bras. S.* Aparelho de proteção que se põe nos galos para lhes proteger os esporões ou batoques. **9.** *Cin.* Suporte cilíndrico em que se enrola a película cinematográfica.

batoqueira ***S. f.*** *Bras. N.E.* Trilha na caatinga.

batoré [De or. indígena.] ***Adj. 2 g. S. 2 g.*** *Bras. N.E.* V. *baé*[1].

batota [De or. controversa.] ***S. f.*** **1.** Trapaça no jogo. **2.** Casa de jogo. **3.** Certo jogo de azar. **4.** V. *logro* (2).

batotar [De *batota*[1] + *-ar*[2].] ***V. int.*** **1.** Fazer batota[1] (1). **2.** Jogar batota[1] (3). [Sin. ger.: *batotear*.]

batotear [De *batota*[1] + *-ear*[2].] ***V. int.*** Batotar. [Conjug.: v. *frear*.]

batoteiro [De *batota*[1] + *-eiro*.] ***Adj. S. m.*** **1.** Que, ou aquele que faz batota[1] (1); patoteiro. **2.** Que, ou aquele que frequenta assiduamente os jogos de azar.

▲ **batrac(o)-** [Do gr. *bátrachos, ou*.] ***El. comp.*** = 'rã', 'batráquio': *batracofobia, batracoide.*

batracofobia [De *batrac(o)-* + *-fobia*.] ***S. f.*** *Psiq.* Medo mórbido de batráquios.

batracofóbico [De *batracofobia* + *-ico*[2].] *Psiq.* ***Adj.*** **1.** Relativo à batracofobia. **2.** Que sofre de batracofobia; batracófobo. ● ***S. m.*** **3.** Aquele que sofre de batracofobia; batracófobo.

batracófobo ***Adj. S. m.*** *Psiq.* Batracofóbico (2 e 3).

batracoide (ói) [De *batrac(o)-* + *-oide*.] ***Adj. 2 g.*** Relativo ou semelhante a rã. ❖

batracoidídeo [Do tax. *Batrachoides* + *-ídeo*[1]; tax. *Batrachoididae*.] *Zool.* ***S. m.*** **1.** Espécime dos batracoidídeos, família de peixes teleósteos de pequeno porte, pele viscosa, que vivem em grandes profundidades, nos mares quentes. A espécie tipo *Batrachus greeniens*, do mar das Antilhas, é conhecida pelo ruído que faz movimentando os opérculos. ● ***Adj.*** **2.** Pertencente ou relativo a eles.

batracoidiforme [Do tax. *Batrachoides* + *-iforme*; tax. *Batrachoidiformes*.] *Zool.* ***S. m.*** **1.** Espécime dos batracoidiformes, ordem de peixes actinopterígios marítimos, de fundo, de corpo alongado, com cabeça grande e achatada, nadadeiras ventrais jugulares, escamas reduzidas ou ausentes, e apenas três arcos branquiais. No grupo se incluem os peixes-sapos do Atlântico Norte. ● ***Adj. 2 g.*** **2.** Pertencente ou relativo a eles. [Sin. ger.: *haplódoco*.]

batracóstomo [Do tax. *Batrachostomus*.] ***S. m.*** *Zool.* **1.** Gênero de aves podargídeas, caprimulgiformes, cujo bico, curvo, apresenta abertura larga. **2.** Espécie ou espécime desse gênero.

batráquio [Do tax. *Batrachium* < gr. *batrácheios*, 'relativo à rã'.] ***S. m. Adj.*** *Zool.* V. *anuro*[2].

batucada [De *batucar* + *-ada*[1].] ***S. f.*** *Bras. Angol. Cabo-verd. Guin. Moç. Santom. Mús.* **1.** Ato ou efeito de batucar; batuque. **2.** Ritmo ou canção do batuque. **3.** Reunião popular, geralmente nas ruas, onde se toca o samba em instrumentos de percussão, com acompanhamento vocal ou sem ele. **4.** Batuque (2). [Cf. *batocada*.]

batucador (ô) [De *batucar* + *-dor*.] ***S. m.*** *Bras.* Mau tocador de piano.

batucajé [De *batuque* + elemento de or. afric., poss.] ***S. m.*** *Bras. BA* **1.** Dança profana ao som de tambores. **2.** O ruído produzido pelo toque dos atabaques.

batucar [De *batuque* + *-ar*[2].] ***V. int.*** **1.** Dançar e cantar o batuque (1). **2.** Fazer barulho ritmado com pancadas. **3.** Bater repetidamente com força; martelar. **4.** *Bras.* Tocar piano mal. ***T. d.*** **5.** *Bras.* Dar o ritmo de, percutindo: *Batucava um samba na caixa de fósforos;* "começou a batucar um ritmo estranho com os dedos, na ponta da mesa." (Marisa Raja Gabaglia, *Milho pra Galinha, Mariquinha*, p. 11). **6.** Tocar (música popular ritmada) ao piano: *O pianista da boate batucava um maxixe.* [Conjug.: v. *trancar*. Cf. *batocar*.]

batueira ***S. f.*** *Bras.* V. *batuera*.

batuera (ê) [Do tupi = 'que foi milho'.] ***S. f.*** *Bras.* Sabugo de milho; tamboera, tamboeira. [Var.: *batueira*.]

batuíra [Do tupi.] ***S. f.*** *Bras. Zool.* **1.** V. *agachada* (10). **2.** V. *maçarico* (4). **3.** V. *maçarico-de-coleira*.

batuíra-do-campo ***S. f.*** *Bras. Zool.* **1.** Ave caradriiforme, caradriídea (*Pluvialis dominica*), que procria nas terras árticas da América setentrional, de onde anualmente emigra para o S. até a Argentina, com ocorrência nos campos e margens de rios do interior do Brasil. Coloração pardo-enegrecida pintada de amarelo, cauda e rêmiges pardas, e parte inferior parda misturada de branco. No verão, o meio do abdome fica preto. **2.** Ave caradriiforme, escolopacídea (*Bartramia longicauda*), de coloração preta, cabeça com estria amarela no meio, garganta branca, peito amarelo-avermelhado pintado de preto. [Sin. ger.: *batuiruçu*. Cf. *maçarico* (5). Pl.: *batuíras-do-campo*.]

batuíra-do-mar-grosso ***S. f.*** *Bras. Zool.* V. *pirupiru*. [Pl.: *batuíras-do-mar-grosso*.]

batuirão (u-i) [De *batuíra* + *-ão*[1].] ***S. m.*** *Bras. Zool.* V. *narcejão*.

batuirinha (u-i) [De *batuíra* + *-inha*.] ***S. f.*** *Bras. Zool.* **1.** Maçarico-pequeno. **2.** Ave caradriiforme, escolopacídea (*Actilis macularia*), de coloração pardo-esverdeada clara, coberteiras das asas listradas de escuro, rêmiges da mão pardo-escuras, e parte inferior branca.

batuiruçu (u-i) [De *batuíra* + *-uçu*.] ***S. f.*** *Bras. SP Zool.* V. *batuíra-do-campo*.

batuituí (u-ituí) ***S. m.*** *Bras. Zool.* V. *maçarico-de-coleira*.

batum ***S. 2 g. Adj. 2 g.*** *Bras.* V. *batuno*.

batumado [Var. de *betumado*, part. de *betumar*.] ***Adj.*** *Bras.* V. *encarapinhado*.

batume [Var. de *betume*.] ***S. m.*** *Bras.* Parede de cera feita pelas abelhas.

batuno *Bras.* ***S. 2 g.*** **1.** *Etnôn.* Indivíduo dos batunos, povo indígena extinto que habitava MG. ● ***Adj. 2 g.*** **2.** Pertencente ou relativo a esse povo. [Tb. us. como *s. 2 g. e 2 n.* (com cap.) e *adj. 2 g. e 2 n.* Outra f.: *batum*.]

batuque [De *bater*.] ***S. m.*** **1.** Designação comum a certas danças africanas e brasileiras acompanhadas de cantigas e de instrumentos de percussão: "Entrou na roda do batuque e bailou e cantou toda a noite." (Castro Soromenho, *Rajada e Outras Histórias*, p. 92.) **2.** Baile popular ao som de instrumentos de percussão; batucada. **3.** *Mús.* Batucada (1). **4.** O ato de bater repetidamente, de martelar, de fazer barulho. **5.** *Bras. BA Cap.* V. *pernada* (7). **6.** *Bras. PA MA Rel.* Culto, relacionado com o babaçuê, que incorpora ao ritual jejê-nagô elementos rituais e entidades dos candomblés de caboclo, da pajelança, do catimbó e da umbanda. **7.** *Bras. RS Rel.* Pará.

batuque-boi ***S. m.*** *Bras. Cap.* V. *pernada* (7). [Pl.: *batuques-bois* e *batuques-boi*.]

batuqueiro [De *batuque* + *-eiro*.] ***S. m.*** **1.** *Bras.* Frequentador de batuques. **2.** *Bras.* Aquele que dança batuques. **3.** *Bras. BA Cap.* Aquele que pratica batuque (5). **4.** *Bras. Zool.* Ave passeriforme fringilídea (*Saltator atricollis*), do C.O. e N.E. do Brasil, de coloração verde-azeitonada no dorso, mais clara na parte inferior, e com algumas estrias pretas que ornam a cabeça. Diferencia-se das outras espécies por ter o pescoço anterior preto e bico muito forte.

batuquira [Do tupi amazonense, poss.] ***S. m.*** *Bras. Amaz. Zool.* V. *japacanim* (2).

baturité *Bras.* ***S. 2 g.*** **1.** *Etnôn.* Indivíduo dos baturités, povo indígena extinto que habitava a região do rio Choró (CE). ● ***Adj. 2 g.*** **2.** Pertencente ou relativo a esse povo. [Tb. us. como *s. 2 g. e 2 n.* (com cap.) e *adj. 2 g. e 2 n.*]

baturiteense (èên) ***Adj. 2 g.*** **1.** De, ou pertencente ou relativo a Baturité (CE). ● ***S. 2 g.*** **2.** O natural ou habitante de Baturité.

batuta[1] [Do it. *battuta*, 'compasso'.] ***S. f.*** *Mús.* Bastão delgado e leve, de uns 50cm de comprimento, com que os maestros regem as orquestras: "O regente ...., descrevendo com a batuta um quarto de circunferência, fez sinal às rabecas, que logo começaram tocando muito piano, em uníssono." (D. João da Câmara, *Contos*, p. 84).

batuta[2] *Bras.* ***S. 2 g.*** **1.** V. *valentão* (3). ● ***Adj. 2 g.*** **2.** V. *valentão* (1).

batuté *Bras.* ***S. 2 g.*** **1.** *Etnôn.* Indivíduo dos batutés, povo indígena do CE. ● ***Adj. 2 g.*** **2.** Pertencente ou relativo a esse povo. [Tb. us. como *s. 2 g. e 2 n.* (com cap.) e *adj. 2 g. e 2 n.*]

batuvira [Do tupi = 'de pelo cinzento'.] ***S. f.*** *Bras. Zool.* V. *anta*[2] (1).

bau [De or. obsc.] ***S. m.*** *Açor.* Estrada de macadame.

baú[1] [Do fr. ant. *baiul*, atual *bahut*.] ***S. m.*** **1.** Caixa ou mala, de folha de metal ou de madeira (e neste caso, em geral, recoberta de couro), com tampa convexa. [F. ant., nesta acepç.: *baul*.] **2.** *P. ext.* Arca (1), mala, etc.: *Na tampa do baú que ficava a bandeja de chá.* **3.** A parte traseira fechada, de caminhão de mudança e outros. **4.** *Fig.* Repositório: "caixão e cadáver .... pronto [o piano] a se jogar na cova por suas próprias rodas, pesado em seu baú de graves e agudos."

(Ana Maria Machado, *Tropical Sol da Liberdade*, p. 87). **5.** Arquivo de assuntos, lembranças, etc.: *baú teatral*. **6.** *Bras. Gír.* Pessoa riquíssima: *Casou-se com o maior baú da cidade*. ◆ **Não ser baú.** *Fam.* Não guardar, ou não sentir-se obrigado a guardar, segredo de ninguém.

baú[2] *S. m. Bras. Zool.* V. *siri-baú*.

bauá [T. onom.] *S. m. Bras. N.E. Zool.* V. *guaxe* (1).

bauaçu *S. m. Bras. Bot.* V. *babaçu*.

bauana (ba-u) *Bras. S. 2 g.* **1.** *Etnôn.* Indivíduo dos bauanas [ou (etnôn. bras.) *Bawana], povo indígena extinto que habitava a região dos rios Catrimani (RR) e Araçá, afluentes do rio Negro (AM). ● *Adj. 2 g.* **2.** Pertencente ou relativo a esse povo.

baud [Do antr. (*Jean Maurice Emile*) *Baudot* (1845-1903), engenheiro francês que inventou um sistema de impressão por telegrafia.] *S. m. Inform.* Unidade de velocidade de fluxo de informações digitais codificadas, tipicamente utilizada na transmissão remota de dados, equivalente ao fluxo de um elemento codificado por segundo. [A velocidade medida em *bauds* nem sempre coincide com a medida em *bits* por segundo (v. *bps*), pois é possível codificar mais de um *bit* em cada elemento transmitido.]

baudelairiano (bô-de-lè) *Adj.* **1.** Pertencente ou relativo ao poeta francês Charles Baudelaire (1821-1867), ou próprio dele. **2.** Que é admirador e/ou profundo conhecedor de sua obra. ● *S. m.* **3.** Admirador e/ou profundo conhecedor da obra de Charles Baudelaire.

bauepuate (ba-u) *Bras. S. 2 g.* **1.** *Etnôn.* Indivíduo dos bauepuates [ou (etnôn. bras.) *Baepuat], povo indígena extinto que habitava a região do rio Barão de Melgaço (RO). ● *Adj. 2 g.* **2.** Pertencente ou relativo a esse povo.

➔ **bauhaus** [ˈbawhaws] [Al., lit. 'casa de arquitetura'.] *Adj. 2 g. e 2 n.* De, ou pertencente ou relativo a Bauhaus, escola de arquitetura e artes decorativas fundada na Alemanha em 1919 e extinta em 1933, cujo ensino valorizava o funcionalismo (3) e as pesquisas no campo das diferentes artes, e cuja influência foi marcante entre arquitetos e artistas de vanguarda. [Com cap.]

bauhínia [Do antr. (*Jean* e *Gaspard*) *Bauhin* (1541-1613 e 1560-1624, respectivamente), botânicos suíços, + *-ia*[2]; tax. *Bauhinia*.] *S. f. Bot.* **1.** Gênero de árvores, arbustos e trepadeiras cesalpiniáceos, de largo uso, particularmente na indústria. **2.** Qualquer espécie desse gênero, como, p. ex., a *Bauhinia forficata*, usada na arborização de ruas [v. *mororó* (1 e 2)]. **3.** Qualquer espécime desse gênero.

baul (a-ul) *S. m. Ant.* Baú[1] (1).

baulé *S. 2 g. Adj. 2 g.* V. *baulê*.

baulê *S. 2 g.* **1.** *Etnôn.* Indivíduo dos baulês, povo negro da Costa do Marfim (O. da África): "as pequenas placas de ouro, a figurarem o rosto humano, que os achantis e os baulês trazem ao peito" (Alberto da Costa e Silva, *A Enxada e a Lança*, p. 365). ● *Adj. 2 g.* **2.** Pertencente ou relativo a esse povo. [F. paral.: *baulé*.]

bauleiro (a-u) [De *baul* + *-eiro*.] *S. m.* Fabricante ou vendedor de baús.

bauleto [De *baul* + *-eto*[1].] *S. m.* Pequeno baú ou cofre que se fixa ao bagageiro de motocicleta.

baúna [De or. tupi, poss.] *Bras. Zool. S. f.* Peixe actinopterígio, perciforme, lutjanídeo (*Lutjanus jocu*), distribuído das Antilhas ao N. do Brasil, de dorso oliváceo, abdome pálido e vermelho-cobre, nadadeiras amarelas, com tons alaranjados e dourados, nadadeira peitoral vermelho-escura. Frequenta canais que circundam os mangues em PE. [Sin.: *baúna-de-fogo*, *baúna-do-alto*, *baúna-fogo*.]

baúna-de-fogo *S. f. Bras. Zool.* V. *baúna*. [Pl.: *baúnas-de-fogo*.]

baúna-do-alto *S. f. Bras. Zool.* V. *baúna*. [Pl.: *baúnas-do-alto*.]

baúna-fogo *S. f. Bras. Zool.* V. *baúna*. [Pl.: *baúnas-fogo* e *baúna-fogo*.]

baunilha [Do esp. *vainilla*.] *S. f.* **1.** *Bot.* Planta orquidácea (*Vanilla planifolia*) muito ornamental, de flores verde-amareladas, e cujo fruto é uma vagem alongada; baunilheira. **2.** A vagem seca dessa planta empregada em confeitaria e perfumaria. **3.** A essência preparada com essa vagem ou produzida sinteticamente: *creme de baunilha*. **4.** *Bras. Bot.* Planta orquidácea (*Vanilla palmarum*) de flores avermelhadas e fruto considerado afrodisíaco. Ocorre no L. e em SP.

baunilha-do-peru [De *baunilha* + *do*[1] + o top. *Peru*.] *S. f. Bras. Bot.* Subarbusto boragináceo (*Heliotropium peruvianum*) de flores violáceas, us. em perfumaria, folhas comestíveis, e que, sucedânea da quinina, se emprega como febrífugo; baunilha-dos-jardins, flor-de-baunilha. [Pl.: *baunilhas-do-peru*.]

baunilha-dos-jardins [De *baunilha* + o pl. de *do*[1] + o pl. de *jardins*.] *S. f. Bras. Bot.* V. *baunilha-do-peru*. [Pl.: *baunilhas-dos-jardins*.]

baunilha-falsa [De *baunilha* + o f. de *falso*.] *S. f. Bras. SP RS Bot.* Planta orquidácea (*Maxillaria picta*) ornamental, dotada de flores amarelo-creme com manchas roxas. [Pl.: *baunilhas-falsas*.]

baunilhazinha [De *baunilha* + *-zinha*.] *S. f. Bras. PA Bot.* Planta orquidácea (*Selenipedium isabelianum*) de folhas lanceoladas e flores amarelo-claras.

baunilheira [De *baunilha* + *-eira*.] *S. f. Bot.* Baunilha (1).

baurim *Bras. S. 2 g.* **1.** *Etnôn.* Indivíduo dos baurins, povo indígena da família linguística mundurucu, que habita as margens do rio Tapajós (PA). ● *Adj. 2 g.* **2.** Pertencente ou relativo a esse povo. [Tb. us. como *s. 2 g. e 2 n.* (com cap.) e *adj. 2 g. e 2 n.*]

bauru [Do top. *Bauru*, terra natal de Casemiro Pinto Neto, o provável criador desse sanduíche.] *S. m. Bras. Cul.* Sanduíche originalmente composto de rosbife, queijo e tomate, e que hoje, conforme a região, apresenta algumas alterações de ingredientes, como, p.ex., ovo e alface.

bauruense (a-u) *Adj. 2 g.* **1.** De, ou pertencente ou relativo a Bauru (SP). ● *S. 2 g.* **2.** O natural ou habitante de Bauru.

bautismo *S. m. Ant. Pop. Rel.* Batismo (1 e 2).

bautizado *S. m. Ant. Pop.* Batizado.

bautizar *V. t. d. T. d. e i. Transobj. Ant. Pop.* Batizar.

bauxita (cs) [Do top. *Baux* (França) + *-ita*[2].] *S. f. Min.* Rocha com aparência de argila, mas sem plasticidade, constituída essencialmente de óxidos e hidróxidos de alumínio de mistura com argilas, hidróxidos de ferro, fosfato de alumínio, etc. É o principal minério de alumínio, a matéria-prima para a fabricação de sulfato de alumínio, cimento aluminoso e refratários aluminosos. [É comum a pronúncia *bauxita* (ch).]

bávaro *Adj.* **1.** Da, ou pertencente ou relativo à Baviera (região do S.O. da Alemanha). ● *S. m.* **2.** O natural ou habitante da Baviera. **3.** *Gloss.* V. *alemão* (4).

➔ **bavarois** [bavaˈʁwa] [Fr.] *S. m. Cul.* Sobremesa à base de creme de leite batido, gelatina e creme de frutas, perfumada com essências.

baxá *S. m.* Paxá: "Este [o Grão-Turco] nomeava e demitia os baxás, na qualidade de soberano da cidade e sua província." (Aquilino Ribeiro, *Aventura Maravilhosa*, p. 129.)

baxalato *S. m.* Paxalato.

baxete (ê) [Dim. de *baxo*, f. ant. e pop. de *baixo*.] *S. m. Bras. N. N.E.* Rapadura pequena. [Cf. *baixete* (ê).]

baxiará *Bras. S. 2 g.* **1.** *Etnôn.* Indivíduo dos baxiarás, povo indígena do rio Juruá (AM). ● *Adj. 2 g.* **2.** Pertencente ou relativo a esse povo. [Tb. us como *s. 2 g. e 2 n.* (com cap.) e *adj. 2 g. e 2 n.*]

bayeuxense (baiêên) *Adj. 2 g.* **1.** De, ou pertencente ou relativo a Bayeux (PB). ● *S. 2 g.* **2.** O natural ou habitante de Bayeux.

bazar[1] [Do persa *bazar*.] *S. m.* **1.** Nos países do Oriente Médio, mercado ou rua com barracas e lojas. **2.** Loja de comércio de objetos variados, sobretudo quinquilharias, louças, brinquedos. **3.** Loja de comércio de objetos raros, exóticos. **4.** Pavilhão ou barraca, em festas beneficentes, onde se expõem e sorteiam artigos diversos. **5.** Exposição e venda de determinados artigos, especialmente peças artesanais, em geral para fins beneficentes. **6.** *Fig.* Cidade ou grande centro comercial. **7.** *Moç.* Mercado, feira, ou praça: "A mãe dele tem banca no bazar de Xincadjuanine" (Aldino Muianga, *A Noiva de Kebera*, p. 27).

bazar[2] [De or. obscura.] *V. int. Angol. Cabo-verd. Moç. Santom.* Ir embora; fugir, escapar-se, escapulir-se: "como resolver esses problemas, sem quadros, quando muitos enfermeiros, médicos e técnicos estrangeiros e mesmo angolanos, tinham bazado?" (Uanhenga Xitu, *O Ministro*, p. 260).

bazareiro [De *bazar*[1] + *-eiro*.] *S. m.* Mercador de bazar[1].

bazé *S. m. Bras.* Fumo de qualidade inferior: "Apanhou o tolete de fumo de rolo, alisou a palha. Nervosamente, picou o bazé." (Nélson de Faria, *Bazé*, p. 110.)

bazófia [Do it. *bazzoffia*.] *S. f.* **1.** V. *vanglória*: "Não o queria formado em escolas modernas, como o outro, o Vasques, ... e vários outros que saíam dos estudos, dizia, cheios de bazófia, com muitas farfalhices modernas, e o doente que lhes caísse nas unhas era defunto." (Camilo Castelo Branco, *História e Sentimentalismo*, p. 189.) **2.** V. *fanfarrice*. **3.** Guisado feito com sobras de comida. [Cf. *bazofia*, do v. *bazofiar*.]

bazofiador (ô) [De *bazofiar* + *-dor*.] *Adj. S. m.* Que, ou aquele que bazofia; fanfarrão.

bazofiar [De *bazófia* + *-ar*[2].] *V. int.* **1.** Mostrar bazófia; ostentar, blasonar. *T. i.* **2.** Jactar-se, vangloriar-se; blasonar: *bazofiar de façanhas imaginárias*. *T. d.* **3.** Alardear, gabar-se de: *Gosta de bazofiar virtudes que não tem*. [Pres. ind.: *bazofio*, *bazofias*, *bazofia*, etc. Cf. *bazófio* e *bazófia*.]

bazófio *Adj.* **1.** Que tem bazófia. V. *fanfarrão* (1). **2.** Em que há, ou que revela bazófia: *atitude bazófia*. ● *S. m.* **3.** Aquele que tem bazófia. V. *fanfarrão* (2). [Fem.: *bazófia*. Cf. *bazofio* e *bazofia*, do v. *bazofiar*.]

bazuca [Do ingl. *bazooka*.] *S. f.* Arma antitanque, posta em uso na II Guerra Mundial, operada por duas pessoas, e constituída por um tubo em que se provoca o acendimento e orientação do início da trajetória de uma granada-foguete.

bazulaque *S. m.* **1.** V. *badulaque* (1 e 2). **2.** *P. us.* Qualquer produto de beleza (q. v.). **3.** Pessoa gorda e baixa. [Cf., nesta acepç., *buzarate* (1).] **4.** *Bras.* Doce de coco ralado e mel. ~ V. *bazulaques*.

bazulaques [Pl. de *bazulaque*.] *S. m. pl.* V. *badulaques* (1). ~ V. *bazulaque*.

■ **BB** **1.** *Ind. Pap.* Formato BB (q. v.). **2.** *Mar.* Abrev. de *bombordo*.

■ **BBS** [Ingl., acrôn. de *Bulletin Board System*.] *Inform.* Serviço oferecido a grupos de usuários de computadores, que permite a troca de mensagens e dados através de computador(es) que centraliza(m) informações e que é (são) acessado(s) por linha telefônica.

■ **B.C.G.** [Sigla de *Bacilo de Calmette e Guérin*.] *Med.* Cepa atenuada de bacilo tuberculoso de origem bovina tornado inofensivo e us. para vacinação antituberculosa em crianças e adolescentes, ou ainda como estimulante de defesas imunológicas.

■ **BD** Abrev. do ingl. *blu-ray disc* (q. v.).

bdélio [Do gr. *bdéllion*, pelo lat. *bdellium*.] *S. m. Quím.* Goma-resina de cheiro agradável, semelhante à mirra, extraída de várias árvores burseráceas do gênero *Commiphora* (p. ex., *Commiphora africana*, tb. conhecida como *Balsamodendron africanum*), us. em perfumaria.

▲ **bdel(o)-** [Do lat. cient. *bdello-* < gr. *bdello-* < gr. *bdélla*, *ēs*.] *El. comp.* = 'sanguessuga'; 'sugar (o sangue)': *bdelóideo*, *bdelômetro*. [Equiv.: *-bdel(o)-*: *acantobdélido*.]

▲ **-bdel(o)-** Equiv. de *bdel(o)-*.

bdelóideo [De *bdel(o)-* + *-óideo*; tax. *Bdelloida*.] *Zool. S. m.* **1.** Espécime dos bdelóideos, ordem de animais asquelmintos, rotíferos, nadadores ou reptantes, com a extremidade anterior retrátil e órgão trocal com duas coroas ciliares; antenas laterais ausentes. O seu movimento lembra o das sanguessugas. ● *Adj.* **2.** Pertencente ou relativo a eles.

bdelómetro *S. m.* V. *bdelômetro*. [Uso freq. em P.]

bdelômetro [De *bdel(o)-* + *-metro*.] *S. m.* Instrumento para extrair sangue, e que permite calcular a quantidade extraída e regular a emissão.

bdelonemertino [De *bdel(o)-* + *nemertino*; tax. *Bdelonemertini*.] *Zool. S. m.* **1.** Espécime dos bdelonemertinos, ordem de animais nemertinos, com probóscida sem estiletes e intestino sinuoso, sem divertículos. Parasitos no manto de moluscos marinhos. ● *Adj.* **2.** Pertencente ou relativo a eles. [Sin. ger.: *mesonemertino*.]

■ **Be** *Quím.* Símb. de *berílio*.

■ **BE** *Bras. Mar.* Abrev. de *boreste*.

bê *S. m.* A letra *b*. [Pl.: *bês*. Cf. *b*.]

bê-á-bá *S. m.* **1.** V. *á-bê-cê* (1, 2 e 4). **2.** *Fig.* As noções preliminares de algum assunto. [Pl.: *bê-á-bás*.]

➔ **beach-la-mar** [bislaˈma] [Bislamá, do fr. *bêche-de-mer* < port. *bicho do mar*.] *S. m. Gloss.* V. *bislamá*.

➔ **beach-soccer** [bitʃ ˈsakər] [Ingl.] *S. m. Esport.* Modalidade de futebol praticado na praia, ou em quadra artificial de areia, por equipes com cinco jogadores, e com regras semelhantes às do futebol-soçaite (q. v.).

beafada *S. 2 g.* **1.** *Etnôn.* Indivíduo dos beafadas, um dos povos que habitam a Guiné-Bissau: "quatro beafadas seguram o corpo sem vida" (Alexandre Barbosa, *Guinéus*, p. 42). ● *S. m.* **2.** *Gloss.* A língua nigero-congolesa dos beafadas. ● *Adj. 2 g.* **3.** Pertencente ou relativo aos beafadas, ou à sua língua.

➔ **beagle** [ˈbiɡəl] [Ingl.] *S. m. Cinol.* Cão pequeno, de pelo macio, ger. malhado, pernas curtas e orelhas longas.

➔ **béarnaise** [beaʁˈnɛz] [Fr.] *S. f. Cul.* V. *molho bearnês*.

bearnês *Adj.* **1.** Do, ou pertencente ou relativo ao Béarn (região do S.O. da França). ~ V. *molho* ~. ● *S. m.* **2.** O natural ou habitante do Béarn. [Flex.: *bearnesa* (ê), *bearneses* (ê), *bearnesas* (ê).]

➔ **beat** [bijt] [Ingl.] *Adj. 2 g. e 2 n.* **1.** Relativo aos *beatniks* (q. v.), ou próprio deles. **2.** Da *beat generation*, movimento que surgiu nos E.U.A. nos anos 50, formado por jovens artistas e intelectuais que se declaravam contra o modo de vida burguês e os valores da sociedade de consumo, ou relativo a esse movimento. ● *S. 2 g.* **3.** Beatnik.

beata[1] [Do lat. *beata*, f. de *beatus*.] *S. f.* **1.** Mulher a quem foi concedida a beatificação (2). **2.** Mulher muito devota; beguina.

beata[2] *S. f. Pop.* **1.** V. *guimba*. **2.** *Bras. Restr.* Guimba de cigarro de maconha.

beata[3] *S. f. Lus. Pop.* Moeda de cinco réis.

beatão [De *beato*[2] + *-ão*[1].] *S. m.* **1.** V. *beato*[2] (4). **2.** Hipócrita; santarrão. [Fem.: *beatona.*]

beataria [De *beato*[2] ou *beata*[1] + *-aria.*] *S. f.* **1.** Multidão de beatas [v. *beata*[1] (1)]e/ou beatos [v. *beato*[2] (4)]; beatério. **2.** V. *beatice.*

beateiro [De *beato*[2] ou *beata*[1] + *-eiro.*] *Adj. S. m.* Que, ou aquele que convive com beatos [v. *beato*[2] (4)] e beatas [v. *beata*[1] (2)].

beatério *S. m.* **1.** Beataria. **2.** Práticas ou devoções de pessoas beatas. **3.** Sistema ou partido que sustenta a posição religiosa ou a opinião de pessoas excessivamente devotas. **4.** V. *beatice.*

beatice [De *beato*[2] ou *beata*[1] + *-ice.*] *S. f.* Devoção afetada e fingida; hipocrisia religiosa; beataria, beatério.

beatificação [De *beatificar* + *-ção.*] *S. f. Ecles.* **1.** Ato ou efeito de beatificar(-se). **2.** Inclusão, pela autoridade pontifícia, de uma pessoa falecida, de reconhecidas virtudes, no rol dos bem-aventurados. **3.** A cerimônia eclesiástica na qual o Papa, assistido do colégio dos cardeais, torna público esse ato. [Cf. *canonização* (2 e 3).]

beatificado [Part. de *beatificar.*] *Adj.* **1.** V. *bem-aventurado* (2). **2.** *Teol.* Que recebeu a beatificação (2).

beatificador (ô) [De *beatificar* + *-dor.*] *Adj. S. m.* Que, ou aquele que beatifica.

beatificar [Do lat. *beatificare.*] *V. t. d.* **1.** Declarar, o Papa, que (um indivíduo católico) seja venerado embora com determinadas restrições: *A Igreja beatificou o Padre José de Anchieta.* **2.** Tornar ou declarar beato[2] ou bem-aventurado; conduzir à bem-aventurança. **3.** Tornar feliz: *Ao declarar-lhe que o amava, ela o beatificou.* **4.** Louvar com exagero: *Vive a beatificar o filho.* **5.** Fazer passar por santo, por bom. *P.* **6.** Tornar-se feliz, bem-aventurado. [Conjug.: v. *trancar*. Pres. ind.: *beatifico,* etc. Cf. *beatífico.*]

beatífico [Do lat. *beatificu.*] *Adj.* **1.** Que torna bem-aventurado. **2.** Que produz êxtase, ou dele resulta. [Cf. *beatifico,* do v. *beatificar.*]

beatinha [De *beata*[1] + *-inha.*] *S. f. Bras. PE Zool.* V. *mangangá* (1).

beatíssimo [Do lat. *beatissimu.*] *Adj.* **1.** Superl. de *beato*[2] (1 e 2). **2.** Tratamento dado ao Papa[1] (1).

beatitude [Do lat. *beatitudine.*] *S. f.* **1.** Felicidade eterna e suprema; bem-aventurança. **2.** Gozo da alma dos que se absorvem em contemplações místicas. **3.** Felicidade tranquila e serena; bem-estar. ◆ **Vossa Beatitude.** Tratamento honorífico dado ao Papa[1] (1).

beatlemania [Do ingl. *Beatle(s)* + *-mania.*] *S. f.* Grande interesse e admiração pelo conjunto de rock inglês Beatles.

beatlemaníaco [De *beatleman(ia)* + *-íaco.*] *Adj. S. m.* Diz-se de, ou aquele que tem grande admiração pelo conjunto de rock inglês Beatles.

➔ **beatnik** ['bijtnɪk] [Ingl.] *S. 2 g.* **1.** Membro da *beat generation* [v. *beat* (2)]; *beat.* **2.** *P. ext.* Jovem que, pelo seu modo de vida, comportamento, trajes, etc., demonstra contestação à moral vigente e aos valores tradicionais. • *Adj. 2 g. e 2 n.* **3.** Diz-se do estilo de vestimenta dos *beatniks* [v. *beatnik* (2)].

beato[1] *S. m. Bras.* Fio que se destrama dos tecidos.

beato[2] [Do lat. *beatu.*] *Adj.* **1.** V. *bem-aventurado* (2). **2.** Excessivamente devoto; fanático. • *S. m.* **3.** Aquele que foi beatificado pela Igreja Católica: *o Beato José de Anchieta.* **4.** Homem muito devoto. [Aum. deprec. (nesta acepç.): *beatão* e *beatorro.*]

beatona *S. f.* Fem. de *beatão.*

beatorro (ô) [De *beato*[2]+ *-orro.*] *S. m.* V. *beato*[2] (4).

beatriz [Alter. de *beatinha.*] *S. f. Bras. Zool.* V. *mangangá* (1).

➔ **beaufort** [bo'fɔʁ] [Fr.] *S. m. Cul.* Queijo de leite de vaca semelhante ao *gruyère,* fabricado na Saboia (v. *saboiano*); tem a forma de um grande disco e chega a pesar até 70kg.

➔ **beaujolais** [boʒo'lɛ] [Fr.] *S. m. Enol.* Vinho da região de Beaujolais (ao S. da Borgonha), feito com uva *gamay.*

➔ **beaumont** [bo'mõ] [Fr.] *S. m. Cul.* Queijo de leite de vaca mole e cremoso, de 20cm de diâmetro e 4 a 5cm de espessura, fabricado na Sabóia (v. *saboiano*).

beaumôntia [Do tax. *Beaumontia* (do antr. [*Diana*] *Beaumont* [-1831], + lat. cient. *-ia*; v. *-ia*[2]).] *S. f. Bot.* **1.** Pequeno gênero de trepadeiras apocináceas, lenhosas com grandes flores exuberantes, brancas, e que são cultivadas como ornamentais, nas regiões quentes. **2.** Qualquer espécie desse gênero, como, p. ex., a *Beaumontia grandiflora* [v. *bomôncia*]. **3.** Qualquer espécime desse gênero.

beba (ê) [Dev. de *beber.*] *S. f. Bras. PE Pop.* V. *bebedeira* (1).

▲ **-beba** V. *-peba.*

bebaça [De *bêbado.*] *S. m. Bras. PE Pop.* V. *ébrio* (8).

bebaço [De *bêbado.*] *S. m. Bras. Pop.* V. *ébrio* (8).

bêbado *Adj. S. m.* V. *bêbedo*: "O meu amante morreu bêbado, / E meu marido morreu tísico!" (Manuel Bandeira, *Estrela da Vida Inteira,* p. 55.)

bebé [Var. de *bebê.*] *S. m.* V. *nenê*[1].

bebê [Do antr. fr. *Bébé,* nome de famoso anão (1739-1764) da corte de Estanislau Leczynski.] *S. m.* V. *nenê*[1]. [Var. pros.: *bebé.*] ◆ **Bebê de proveta.** *Obst.* O que resulta da gravidez decorrente da colheita de óvulo da mãe e fecundação *in vitro,* com sêmen paterno, sendo o ovo resultante introduzido posteriormente, em época adequada, no útero materno.

bebê-conforto (ôr) [De *bebê* + *conforto*[1].] *S. m.* Cadeira acoplável ao banco do automóvel, para transporte de bebê. [Pl.: *bebês-confortos.*]

bebedeira [De *beber* + *-deira.*] *S. f.* **1.** Estado de bêbedo, de quem se embriagou; água, bebedice, beba, borracheira, bruega, cachaceira, camoeca ou camunheca, carapanta, cardina, carraspana, champurrião, chuva, ema, fogo, ganso, gata, jorna, lequéssia, mela, moafa, mona, perua, piela, pifão, pileque, piteira, porco, porre, prego, pua, raposeira, rasca, rosca, tachada, tiaporanga, tiorga, trabuzana, tronco, truaca, vinhaça, vinho, xumberga, zangurriana, zangurrina e (*lus.*) osga. **2.** Ato de embebedar-se, de embriagar-se.

bebedice [De *bêbedo* + *-ice.*] *S. f.* **1.** O vício da embriaguez. **2.** V. *bebedeira* (1).

bêbedo [Do lat. *bibitu.*] *Adj.* **1.** V. *embriagado* (1). **2.** V. *ébrio* (2). **3.** Atordoado, zonzo, tonto: *Estava bêbedo de sono durante a festa; A pancada na cabeça deixou-a completamente bêbeda.* • *S. m.* **4.** V. *embriagado* (4). **5.** V. *ébrio* (7 e 8). [Var.: *bêbado.*]

bebedoiro [De *beber* + *-doiro*[2].] *S. m.* Bebedouro (q. v.).

bebedor (ô) [Do lat. *bibitore.*] *Adj.* **1.** Que bebe: *É o menino mais bebedor de refrigerantes que eu já vi.* **2.** V. *ébrio* (2). • *S. m.* **3.** Aquele que bebe: *É grande bebedor de cerveja.* **4.** V. *ébrio* (8). **5.** *Bras. CE* V. *cacimba*[1] (2).

bebedourense *Adj. 2 g.* **1.** De, ou pertencente ou relativo a Bebedouro (SP). • *S. 2 g.* **2.** O natural ou habitante de Bebedouro.

bebedouro [De *beber* + *-douro*[2]; var. de *bebedoiro.*] *S. m.* **1.** Designação genérica de diferentes tipos de aparelhos ligados à rede hidráulica de edifícios, que fornecem água a temperatura normal ou gelada, e que permitem beber sem necessidade de copo. São muito utilizados em escolas, fábricas, escritórios, lojas, etc. **2.** Vasilha ou tanque onde se põe água para os animais beberem. **3.** *Bras. N. N.E.* Bebida (4).

bebe em branco [De *beber* + *em* + *branco.*] *Adj. 2 g. e 2 n. S. 2 g. e 2 n. Bras.* Diz-se de, ou animal cavalar de focinho branco.

bebeerina *S. f.* Beberina (q. v.).

bebeeru [De or. indígena, poss.] *S. m. Bras. Bot.* V. *beberu.*

bebe-gás [De *beber* + *gás.*] *S. m. Bras. PE Pop.* V. *chupa-gás.* [Pl.: *bebe-gases.*]

bebemorar [De *bebe(r)* + *(come)morar.*] *V. t. d.* Comemorar bebendo, em especial, bebidas alcoólicas: "Sábado, domingo e segunda também vou beber minha cervejinha, comemorar o feriado (quase que eu digo bebemorar ....)." (Luís Gonzaga Vieira, "Música Contemporânea", em *Suplemento Literário do Minas Gerais,* 28.03.1987.)

bebé-proveta *S. 2 g. Lus.* Bebê de proveta. [Pl.: *bebés-proveta.*]

beber [Do lat. *bibere.*] *V. t. d.* **1.** Engolir (líquido); ingerir: "dava a lição, bebia café" (Raquel de Queirós, *A Donzela e a Moura-Torta,* p. 64); "bebeu um gole de água do copo" (Maria Julieta Drummond de Andrade, *Um Buquê de Alcachofras,* p. 17). **2.** Ingerir o conteúdo de: *Bebeu uma garrafa de uísque.* **3.** Despender ou gastar em bebidas: *Bebeu quase toda a herança paterna.* **4.** Impregnar-se de; absorver; sorver: *A esponja bebeu toda a água*; "Vai beber o pleno ar..." (Manuel Bandeira, *Estrela da Vida Inteira,* p. 22); "Oh! eu quero viver, beber perfumes / Na flor silvestre que embalsama os ares" (Castro Alves, *Obra Completa,* p. 96); "o desejo de estar outra vez com ela, beber-lhe o olhar e o sorriso" (Ciro dos Anjos, *Abdias,* p. 65). **5.** Sofrer, suportar, aguentar: *beber desgostos.* **6.** Receber (conhecimentos): *Estudou anos no seminário, onde bebeu o seu latim.* *T. i.* **7.** Brindar à saúde, etc., de alguém: "Jirigodes bebeu à destreza cinegética do abade, mais certo a meter um tiro que a rezar o padre-nosso" (Aquilino Ribeiro, *Andam Faunos pelos Bosques,* pp. 28-29). *Int.* **8.** Engolir líquidos, em especial bebidas alcoólicas: "Meu pai, que a bordo fora sempre sóbrio, bebia agora imenso, embebedava-se." (Antônio Patrício, *Serão Inquieto,* p. 111); "um bom rapaz que tinha apenas um defeito, mas um grande defeito: bebia." (Artur Azevedo, *Contos fora da Moda,* p. 130). **9.** Embriagar-se. **10.** Ser bêbedo. **11.** *Bras. Autom.* Consumir gasolina, ou outro combustível: *O seu automóvel bebe muito.* [M.-q.-perf.: *bebera* (ê), *beberas* (ê), *bebera* (ê), *bebêramos, bebêreis, beberam* (ê); fut. subj.: *beber, beberes* (ê), ... *beberem* (ê). Cf. *bebera, beberas, beberamos, beberam, beberes, bebéreis* e *beberem,* do v. *beberar,* e *bêbera,* s. f., pl. *bêberas.*]

bêbera [Do lat. *bifera, i. e., ficus bifera,* 'figueira bífera'.] *S. f.* Variedade de figo temporão, grande, preto e alongado. [Pl.: *bêberas.* Cf. *bebera* (ê), *beberas* (ê), do v. *beber,* e *bebera, beberas,* do v. *beberar.*]

beberagem [Do fr. *breuvage.*] *S. f.* **1.** Cozimento medicinal. [Sin., na BA: *mixilanga.*] **2.** Bebida desagradável. **3.** Água enfarelada, para animais.

beberar *V. t. d. T. d. e i. P.* V. *abeberar* (1 a 5). [Pres. ind.: *bebero, beberas, bebera, beberamos, beberais, beberam*; pres. subj.: *bebere, beberes,* .... *bebereis, beberem.* Cf. *bebera* (ê), *beberas* (ê), *bebêramos, bebêreis, beberam* (ê), *beberes* (ê) e *beberem* (ê), do v. *beber,* o s. m., pl. *beberes* (ê) e *bêbera,* s. f., pl. *bêberas.*]

bebereira [De *bêbera* + *-eira.*] *S. f.* Figueira que dá bêberas.

beberes (ê) *S. m. pl.* V. *bebes.* [Cf. *beberes,* do v. *beberar.*]

beberete (ê) [De *beber.*] *S. m.* **1.** Bebidas em geral. **2.** *P. ext.* Tira-gosto.

beberibense[1] *Adj. 2 g.* **1.** De, ou pertencente ou relativo a Beberibe (CE). • *S. 2 g.* **2.** O natural ou habitante de Beberibe.

beberibense[2] *Adj. 2 g.* Pertencente ou relativo ao rio Beberibe (PE), ou à região por ele banhada.

bebericação [De *bebericar* + *-ção.*] *S. f.* Ato de bebericar. [Var.: *beberricação.*]

bebericador (ô) [De *bebericar* + *-dor.*] *Adj. S. m.* Que, ou aquele que é dado a bebericar. [Var.: *beberricador.*]

bebericar [De *beber* + *-icar.*] *V. t. d.* **1.** Beber a goles, aos poucos: "pôs-se a bebericar uísque puro" (Dalton Trevisan, *Desastres do Amor,* p. 109). *Int.* **2.** Beber pouco, mas frequentemente. [Var.: *beberricar.* Conjug.: v. *trancar.*]

beberina [Var. de *bebeerina* < *bebeeru* + *-ina*[3].] *S. f.* Alcaloide que se extrai do córtex do beberu.

beberrão [De *beber.*] *Adj.* **1.** Que bebe muito. **2.** V. *ébrio* (2). • *S. m.* **3.** V. *ébrio* (8). [Fem.: *beberrona.*]

beberraz [De *beber.*] *Adj. S. m.* V. *ébrio* (2 e 8).

beberrica [Dev. de *beberricar.*] *Adj. 2 g. S. 2 g. Pop.* Diz-se de, ou pessoa que bebe com frequência.

beberricação *S. f.* V. *bebericação.*

beberricador (ô) *Adj. S. m.* V. *bebericador.*

beberricar *V. t. d. Int.* V. *bebericar*: "Amelinha beberricou o seu cálice de licor" (Aluísio Azevedo, *Casa de Pensão,* p. 119). [Conjug.: v. *trancar.*]

beberrona *S. f.* Fem. de *beberrão* (q. v.).

beberronia [De *beberrão* + *-ia*[1], seg. o padrão erudito.] *S. f.* **1.** Qualidade de beberrão. **2.** Reunião de beberrões.

beberrote [De *beber.*] *S. m. Pop.* V. *ébrio* (8).

beberu [Var. de *bebeeru.*] *S. m. Bras. Amaz. Bot.* Árvore laurácea (*Ocotea rodioei*) cuja casca, embora considerada venenosa, tem propriedades adstringentes, tônicas e febrífugas, sendo a madeira usada na construção naval e em marcenaria de luxo. [Var. e sin.: *bibiru, canela-bibiru, canela-limão, coração-verde, seperu, sipeira, sipiri.*]

bebes [Dev. de *beber,* no pl.] *S. m. pl.* Aquilo que se bebe; bebidas, beberes.

bebezaina [De *beber,* por infl. de *comezaina.*] *S. f.* Ingestão abundante de bebidas: "meu antecessor se nutria das bebezainas e comezainas suculentas e talvez excessivas de sua terra natal." (Lêdo Ivo, *Cadeira 10,* p. 13).

bebida [F. subst. de *bebido.*] *S. f.* **1.** Qualquer líquido bebível. **2.** Líquido alcoólico para beber: *Havia muita bebida na festa.* **3.** Ato de beber: "As chagas da boca e a inchação dos beiços dificultavam-lhe a comida e a bebida." (Graciliano Ramos, *Vidas Secas,* p. 103.) **4.** *Bras. N. N.E.* Depósito natural de águas pluviais, onde bebem animais; bebedouro. ~ V. *bebida.*

bebidas [Pl. de *bebida.*] *S. f.* V. *bebes.* ~ V. *bebida.*

bebido [Part. de *beber.*] *Adj.* **1.** Que se bebeu: *refresco bebido.* **2.** Que bebeu: *Está bem comido e bem bebido.* **3.** V. *embriagado* (1): *Já tomou uns 10 uísques, está muito bebido.*

bebível [Do lat. *bibibile.*] *Adj. 2 g.* Que pode ser bebido; potável.

bebum *Adj. 2 g. S. 2 g. Bras.* V. *ébrio* (2 e 8).

beca[1] [De or. controv.] *S. f.* **1.** *Vest.* Veste talar, preta, usada por magistrados, advogados, funcionários judiciais, catedráticos e formandos de grau superior. **2.** *Fig.* A magistratura. **3.** *Bras. Fam.* Roupa, traje. • *S. m.* **4.** Magistrado ou bacharel em direito: "O que aumenta ainda o meu espanto, é que, sendo apenas um beca, este homem [Francia] capitaneou soldados com o pulso de um rijo cabo de guerra, e, para adquirir tamanho ascendente sobre eles, o seu meio não foi a avidez, mas a disciplina." (Rui Barbosa, *Cartas de Inglaterra,* p. 257.)

beca[2] *S. f. Bras. BA* V. *atiradeira.*

beça [De or. controv.] *El. s. f.* Us. na loc. *à beça*. ◆ **À beça.** *Bras. Fam.* **1.** Em grande quantidade; em quantidade; à farta: 📖 "Naquele tempo havia gato à beça nos muros, nos telhados." (Lígia Fagundes Teles, *A Disciplina do Amor*, p. 13); 📄 *Ele tem livro à beça.* **2.** Ao extremo; muito; extremadamente: 📄 *Gostei à beça daquele filme.*

beçangana [Do quimb. *beça*, *ngana*, 'a sua bênção, senhora'.] *S. f. Angol.* Mulher luandense, vestida à maneira tradicional. [Var. ortograf.: *bessangana*.]

becape [Aport. do ingl. *backup*.] *S. m. Inform.* V. *backup*.

bechamel [Do antr. (*Louis de*) *Béchamel*, cortesão de Luís XIV (1643-1715).] *S. m.* V. *molho bechamel*. [Pl.: *bechaméis*.]

➔ **bêche-de-mer** [beʃ də mɛʀ] [Fr., 'certo caramujo do gênero holotúria', < port. *bicho do mar*.] *S. m. Gloss.* V. *bislamá*.

bécher [Do al. *Becher*.] *S. m. Quím.* Copo de vidro, cilíndrico, utilizado em laboratórios; copo químico. [Var.: *béquer*. Pl.: *bécheres*.]

bechuano *Adj.* **1.** De, ou pertencente ou relativo a Botsuana (antiga Bechuanalândia, África austral). ● *S. m.* **2.** O natural ou habitante de Botsuana. [Sin. ger.: *betchuano*.]

beco (ê) [Do lat. *via*, 'via', 'caminho', 'rua', + *-eco*[1], poss.] *S. m.* **1.** Rua estreita e curta, geralmente fechada num extremo. **2.** *Bras. CE* Esquina. ◆ **Beco sem saída.** **1.** Dificuldade insuperável. **2.** Situação muito embaraçosa; grande aperto ou apertura. **Desinfetar o beco.** *Pop.* **1.** Sair, afastar-se, retirar-se. **2.** V. *morrer* (1). [Sin. ger.: *desocupar o beco*.] **Desocupar o beco.** *Pop.* V. *desinfetar o beco*.

becquerel [Do antr. (*Henri*) *Becquerel* (1852-1908), físico francês.] *S. m. Fís.* Unidade de medida de radioatividade definida como a atividade de um material radioativo no qual se produz uma desintegração nuclear por segundo [símb.: *Bq*]. [Pl.: *becquerels*.]

bedame [Do fr. *bédane*.] *S. m.* Badame.

bedear *V. int. Bras. MG* Mentir, enganar. [Conjug.: v. *frear*.]

bedegueba (güe) *S. m.* **1.** *Bras. N.E.* Patrão; chefe. **2.** *Bras. PB PE Folcl.* O velho do pastoril. ❖

bedel [Do frâncico **bidil*, pelo fr. ant. *bedel*, atual *bedeau*.] *S. m.* **1.** Chefe de disciplina em escolas. [Sin., bras.: *censor*.] **2.** Empregado subalterno da secretaria das faculdades. [Pl.: *bedéis*.]

bedelhar [De *bedelho* + *-ar*[2].] *V. int.* **1.** Meter o bedelho, intrometer-se numa conversa. **2.** Conversar familiarmente. [Conjug.: v. *aparelhar*.]

bedelho (ê) [De or. obsc.] *S. m.* **1.** Tranqueta ou ferrolho de porta, que se levanta por meio de aldrava ou de báscula. **2.** No jogo de cartas, trunfo pequeno. **3.** Rapazelho; criançola. [Var. sincopada, nesta acepç.: *belho*.] ◆ **Meter o bedelho em.** Intrometer-se importunamente em (conversa ou assunto que não lhe diz respeito); meter o nariz em, meter a colher em, meter a sua colherada em. 📖 "em coisas que cheirem a política nunca mais meterei o bedelho!" (Aluísio Azevedo, *Filomena Borges*, p. 210.)

bedém [Var. de *badém*, do ár. *badan*.] *S. m.* **1.** Túnica mourisca, curta e sem mangas. **2.** Capa de junco ou esparto usada como resguardo contra a chuva.

beduí *S. m. Desus.* V. *beduíno*.

beduim (u-ím) *S. m. Desus.* V. *beduíno*.

beduíno [Do ár. *badawī* ou *badwī*.] *S. m.* **1.** Árabe do deserto. ● *Adj.* **2.** Relativo ou pertencente a, ou próprio de beduíno. [As f. *beduí* e *beduim*, preferíveis a *beduíno*, são desus.]

beethoveniano *Adj.* **1.** Pertencente ou relativo a Ludwig van Beethoven (1770-1827), compositor alemão, ou próprio dele. ● *S. m.* **2.** Grande admirador e/ou profundo conhecedor da obra de Beethoven.

bege [Do fr. *beige*.] *Adj. 2 g. e 2 n.* **1.** De cor amarelada como a da lã em seu estado natural: 📖 "encontrei você lá, de terninho bege, esperando tranquilamente ser atendida." (Maria Julieta Drummond de Andrade, *Um Buquê de Alcachofras*, p. 25); "As meias grossas, beges, protegem as pernas brancas" (Ana Elisa Gregori, *Os Barões da Candeia*, p. 11). ● *S. m.* **2.** Essa cor. [Cf. *beje* (ê), s. m., e *beije*, do v. *beijar*.]

begma [Do gr. *bêgma*, 'expectoração'.] *S. f. Med.* Matéria de proveniência pulmonar, que é eliminada pela tosse.

begônia *S. f. Bot.* V. *begônia*. [Uso freq. em P.]

begônia [Do fr. *bégonia* (< antr. [*Michel de*] *Bégon* (1646-1706), intendente francês em São Domingos, + fr. *-ia* [v. *-ia*[2]]); tax. *Begonia*.] *S. f. Bot.* **1.** Gran-de gênero de ervas ou, raramente, subarbustos suculentos, begoniáceos, nativos dos trópicos mas largamente cultivados pela beleza de suas flores e folhagens; as folhas são assimétricas, e às flores monoicas sucedem frutos capsulares trialados. Algumas espécies têm propriedades antitérmicas. **2.** Qualquer espécie desse gênero, como, p. ex., a *Begonia salicifolia*, vulgarmente conhecida como *begônia-de-folha-estreita* (q. v.). **3.** Qualquer espécime desse gênero.

begoniácea [De *begônia* + *-ácea*; tax. *Begoniaceae*.] *S. f. Bot.* Espécime das begoniáceas, família da ordem das violales que reúne plantas herbáceas com folhas grandes e coloridas, muitíssimo ornamentais. Flores unissexuais, comumente alvas ou róseas; frutos capsulares, com muitas sementes pequeninas. Vivem, quase sempre, à sombra e na umidade das florestas. Há quase 1.000 espécies, muitas delas brasileiras; o gênero *Begonia* (v. *begônia*), por si só, encerra cerca de 800 representantes.

begoniáceo [De *begoniácea*, com var. suf. (v. *-áceo*).] *Adj. Bot.* Pertencente ou relativo às begoniáceas.

begónia-de-folha-estreita *S. f. Bot.* V. *begônia-de-folha--estreita*. [Pl.: begónias-de-folha-estreita. Uso freq. em P.]

begônia-de-folha-estreita [De *begônia* + *de* + *folha* + o f. de *estreito*.] *S. f. Bras. Bot.* Planta begoniácea (*Begonia salicifolia*) de flores róseas e fruto capsular de sementes trialadas. [Pl.: *begônias-de--folha-estreita*.]

begónia-real *S. f. Bot.* V. *begônia-real* . [Pl.: begónias--reais. Uso freq. em P.]

begônia-real [De *begônia* + *real*[2].] *S. f. Bras. Bot.* Planta begoniácea (*Begonia rex*) originária da Índia, dotada de flores róseas, a mais bela e cultivada do gênero. [Pl.: *begônias-reais*.]

begónia-sangue *S. f. Bot.* V. *begônia-sangue*. [Pl.: begónias-sangues ou begónias-sangue. Uso freq. em P.]

begônia-sangue *S. f. Bras. RJ SP Bot.* Planta begoniácea (*Begonia sanguinea*) de flores vermelhas, cultivada, e que tem propriedades diuréticas e antitérmicas; erva-de-sapo-vermelha. [Pl.: *begônias-sangues* e *begônias-sangue*.]

beguaba [Do tupi.] *S. f. Bras. Zool.* Molusco bivalve, donacídeo (*Donax halleyanus*), distribuído do RJ ao PR, e cuja concha, chanfrada em um dos bordos, lhe dá um contorno triangular característico. É procurado como alimento. [Var. e sin.: *apeguava*, *beguava*, *beguira*, *peguaba*, *peguira*.]

beguava *S. f. Bras. Zool.* V. *beguaba*.

beguina [Do fr. *béguine*.] *S. f.* **1.** Religiosa dos Países Baixos e da Bélgica, que, sem pronunciar votos, vive em conventos, onde cada uma ocupa o seu aposento à parte. **2.** *P. ext.* Beata[1] (2).

beguinaria *S. f.* Vida penitente de clausura das beguinos e beguinas.

beguino [Do fr. *béguin*.] *S. m.* **1.** Frade mendicante. **2.** Homem de vida penitente.

beguira *S. m. Bras. Zool.* V. *beguaba*.

behaviorismo [Do ingl. *behaviourism*, *behaviorism* (amer.).] *S. m. Psic.* Restrição da psicologia ao estudo objetivo dos estímulos e reações verificadas no físico, com desprezo total dos fatos anímicos; condutismo.

behaviorista [Do ingl. *behaviorist* (amer.).] *Adj. 2 g.* **1.** Pertencente ou relativo ao behaviorismo. **2.** Que o segue ou com ele simpatiza. ● *S. 2 g.* **3.** Pessoa que é adepta e/ou simpatizante do behaviorismo.

bei [Do turco *beg*, 'senhor', 'príncipe'.] *S. m.* **1.** Título dos oficiais superiores e altos funcionários otomanos. **2.** *Ant.* Título de governadores de província e soberanos vassalos do sultão: 📖 "De outra vez, ... o bei de Túnis e o rei de Granada, aliados ao Marroquino, queriam de novo atacar Ceuta." (Oliveira Martins, *A Vida de Nun'Álvares*, p. 426.) [Pl.: *beis*.]

beiça *S. f. Pop.* **1.** Beiço caído. **2.** O beiço inferior: 📖 "Palpou os bois desde os cornos até o rabo. Afagou-lhes a beiça e a barbela." (João de Araújo Correia, *Cinza do Lar*, p. 21.)

beiçada [De *beiço* + *-ada*[1].] *S. f.* **1.** Beiços dos animais. **2.** Beiços grossos e pendentes.

beicinho [Dim. de *beiço*.] *El. s. m.* Us. na loc. *fazer beicinho*. ◆ **Fazer beicinho.** *Fam.* **1.** Dispor-se para chorar; fazer bico, fazer biquinho. **2.** Amuar-se; agastar-se; fazer beiço, fazer biquinho.

beiço [Do céltico **baikkion*, poss.] *S. m.* **1.** Lábio (2). [Aum. irreg.: *beiçola*, *beiçoca*, *beiçorra*.] **2.** Os bordos de uma ferida. [Cf. *lábio* (1).] **3.** Rebordo; ressalto. ◆ **Andar de beiço caído por.** Estar vivamente enamorado de, apaixonado por (alguém). **Dar o beiço.** V. *passar o beiço*. **De beiço.** *Bras. Gír.* De graça; gratuitamente, grátis; no beiço. **Estar pelo beiço.** Estar enamorado, apaixonado. **Fazer beiço.** *Fam.* V. *fazer beicinho* (2). **Lamber os beiços.** *Fam.* Ficar ou mostrar-se contente. **Morder os beiços.** Mostrar-se despeitado, ressentido. **No beiço.** *Bras. Gír.* V. *de beiço*. **Passar o beiço.** Deixar de pagar dívida; calotear; dar o beiço. **Trazer pelo beiço.** V. *embeiçar* (1). **Trazer preso pelo beiço.** V. *embeiçar* (1).

beiçoca *S. f.* V. *beiçola* (1).

beiço-de-negra [De *beiço* + *de* + o f. de *negro*.] *S. m. Bras. MG SP Bot.* Planta eriocaulácea (*Eriocaulon vaginatum*) de folhas lanceoladas e flores claras. [Pl.: *beiços-de-negra*.]

beiço de pau *S. 2 g. Adj. 2 g. Bras.* V. *tapaiuna*[1]. [Pl.: *beiços de pau*.] ☑

beiçola [De *beiço* + *-ola*[1] (q. v.).] *S. f.* **1.** Beiço grande, grosso e proeminente; beiçoca, beiçorra. ● *S. 2 g.* **2.** Beiçudo (2).

beiçolada [De *beiçola* + *-ada*[1].] *S. f. Bras. PE* Pancada violenta, de mão aberta, sobre os beiços.

beiçorra (ô) *S. f.* V. *beiçola* (1).

beiçudo [De *beiço* + *-udo*.] *Adj.* **1.** Que tem beiços grossos: 📖 "meia dúzia de crianças amarelas e beiçudas" (Graciliano Ramos, *Caetés*, p. 233). ● *S. m.* **2.** Aquele que tem beiços grossos; beiçola. **3.** *Bras. Pop.* V. *diabo* (2).

beidelita [Do top. *Beidele* (E.U.A.) + *-ita*[3].] *S. f. Min.* Mineral monoclínico, aluminossilicato básico hidratado de sódio e cálcio do grupo da montmorilonita.

➔ **beige** [bɛ:ʒ] [Fr.] *Adj. 2 g. e 2 n. S. m.* V. *bege*.

beija [Dev. de *beijar*.] *S. m. Bras.* Ato ou cerimônia de beijar estátuas ou imagens sagradas: 📖 "Percorridas todas as escalas das ladainhas, todas as contas dos rosários, ... restava ainda a cerimônia final do culto, remate obrigado daquelas. | Era o 'beija' das imagens." (Euclides da Cunha, *Os Sertões*, p. 202).

beijador (ô) [De *beijar* + *-dor*.] *Adj.* **1.** V. *beijoqueiro*. ● *S. m.* **2.** V. *beijoqueiro*. **3.** *Zool.* Peixe-beijador.

beija-flor [De *beijar* + *flor*.] *S. m.* **1.** *Zool.* Designação comum às aves apodiformes, troquilídeas, de voo muito veloz, e que se alimentam de néctar das flores e de insetos minúsculos [Sin.: *binga*, *chupa-flor*, *chupa-mel*, *colibri*, *cuitelo* (m. us. em Portugal), *guainumbi*, *guanambi*, *guanumbi*, *guinumbi*, *pica-flor*]. **2.** *Bras. Cap.* Floreio (6) e/ou golpe do jogo da capoeira, no qual o jogador, com o apoio de uma das mãos no chão, projeta o tronco sobre a cabeça e, simultaneamente, impulsiona uma das pernas à frente, na direção do adversário. [Pl.: *beija-flores*.]

beija-flor-d'água *S. m. Bras. Zool.* V. *bico-de-agulha*. [Pl.: *beija-flores-d'água*.]

beija-flor-da-mata *S. m. Bras. Zool.* V. *ariramba-da--mata-virgem*. [Pl.: *beija-flores-da-mata*.]

beija-flor-da-mata-virgem *S. m. Bras. Zool.* V. *ariramba--da-mata-virgem*. [Pl.: *beija-flores-da-mata-virgem*.]

beija-flor-de-papo-branco *S. m. Zool.* Papo-branco. [Pl.: *beija-flores-de-papo-branco*.]

beija-flor-do-mato *S. m. Bras. Zool.* Ave apodiforme, troquilídea (*Rhamphodon naevius*), do S.O. do Brasil, de dorso verde-dourado, penas marginadas de amarelo, estria pardo-amarelada acima e por trás dos olhos, prolongando-se no pescoço, mancha preta atrás dos olhos, e o meio da garganta e o abdome negros, orlados de branco. O bico do macho é curvo na ponta. [Sin.: *beija-flor-pardo*. Pl.: *beija-flores-do--mato*.]

beija-flor-do-mato-virgem *S. m. Bras. Zool.* V. *ariramba--da-mata-virgem*. [Pl.: *beija-flores-do-mato-virgem*.]

beija-flor-grande *S. m. Bras. Zool.* **1.** V. *ariramba-da--mata-virgem*. **2.** V. *bico-de-agulha*. [Pl.: *beija-flores--grandes*.]

beija-flor-pardo *S. m. Bras. CE Zool.* Beija-flor-do--mato. [Pl.: *beija-flores-pardos*.]

beija-flor-rubi *S. m. Zool.* Papo-de-fogo. [Pl.: *beija--flores-rubis*.]

beija-flor-vermelho *S. m. Bras. CE Zool.* Ave apodídea, troquilídea (*Chrysolampis elatus*), do N. e L. da América do Sul, de cabeça, cauda e coberteiras inferiores da cauda vermelhas, com brilho vivo, dorso verde--escuro, garganta cor de cobre com tons dourados, e abdome escuro. A fêmea tem colorido menos acentuado. [Pl.: *beija-flores-vermelhos*.]

beija-mão [De *beijar* + *mão*[1].] *S. m.* Ato ou cerimônia de beijar a mão. [Pl.: *beija-mãos*.]

beija-pé [De *beijar* + *pé*.] *S. m.* Ato ou cerimônia de beijar o pé. [Pl.: *beija-pés*.]

beijar [Do lat. *basiare*.] *V. t. d.* **1.** Dar beijo em; oscular. **2.** Tocar de leve: 📖 "Auriverde pendão da minha terra, / Que a brisa do Brasil beija e balança" (Castro Alves, *Obra Completa*, p. 283); 📄 *A fímbria de seu vestido beijava o chão.* **3.** Inclinar-se até tocar em: 📄 *Vendo ante si o monarca, beijou o chão.* **P. 4.** Trocar beijos: 📖 "Beijemo-nos! que o mar, / Nossos beijos ouvindo, em pasmo a voz levante!" (Olavo Bilac, *Poesias*, p. 117.) [Pres. subj.: *beije*, etc. Cf. *beje* (ê), s. m., e *bege*, adj. 2 g. e 2 n. e s. m.] ◆ **A beijar.** *Mar.* Até encostar; a beijo: 📄 *içar a beijar.*

beijinho [De *beijo* + *-inho*[1].] *S. m.* **1.** Beijo leve, terno. **2.** A melhor parte de qualquer coisa; a flor, a nata. **3.** *Bras. Cul.* Beijo de sinhá. [Cf. *bejinho*.]

beijo [Do lat. *basiu*.] *S. m.* **1.** Ato de tocar com os lábios em alguém ou alguma coisa, fazendo leve sucção; ósculo. **2.** Contato suave: 📄 *Sentia, ao andar, o beijo da aragem vespertina.* **3.** Pessoa notável pela doçura e/ou beleza: 📖 "Carlota é um beijo. Faz-me todas as vontades." (Antônio Nobre, *Só*, p. 166); "Adoro-te muito e muito / E sei que também me queres, / És o beijo das mulheres, / Mas sofro por ser tão feio!" (Gonçalves Crespo, *Obras Completas*, p. 362). ◆ **A beijo.** *Mar.* A beijar: *estar uma bandeira a beijo no tope.*

beijoca [De *beijo* + *-oca*.] *S. f. Fam. Pop.* Beijo em que os lábios se abrem, fazendo estalido.

beijocador (ô) [De *beijocar* + *-dor*.] *Adj. S. m.* V. *beijoqueiro.*

beijocar [De *beijoca* + *-ar*[2].] *V. t. d.* **1.** Beijar amiúde e com ruído; dar beijocas em. **2.** Dar beijos amorosos em: "Que escrúpulo pode ter uma mulher em beijocar um terceiro entre os lençóis conjugais, se o mundo chama isso sentimentalmente um romance ....?" (Eça de Queirós, *Os Maias*, II, p. 64). *P.* **3.** Trocar beijos ou beijocas: "Era amiga de Juliana, beijocavam-se muito, diziam-se sempre finezas." (Id., *O Primo Basílio*, p. 214.) [Conjug.: v. *trancar*.]

beijo-de-frade [De *beijo* + *de* + *frade*[1].] *S. m. Bras. Bot.* V. *balsamina.* [Pl.: *beijos-de-frade*.]

beijo-de-freira *S. m. Bras. Bot.* Planta cariofilácea (*Lychnis coronaria*), originária da Europa, de flores vermelhas e frutos capsulares. [Pl.: *beijos-de-freira*.]

beijo de judas *S. m.* Demonstração de afeto, enganadora e traiçoeira. [Pl.: *beijos de judas*.] ☑

beijo de moça *S. m. Bras. Cul.* Certo doce de ovos que, em geral, se apresenta envolto em papel. [Pl.: *beijos de moça*.] ☑ notas 1 e 2

beijo-de-moça *S. m. Bras. Bot.* V. *amor-de-moça.* [Pl.: *beijos-de-moça*.]

beijo-de-palmas [De *beijo* + *de* + o top. *Palmas*.] *S. m. Bras. Bot.* V. *crista-de-galo* (1). [Pl.: *beijos-de-palmas*.]

beijo de sinhá *S. m. Bras. Cul.* Docinho cuja massa, feita de açúcar e um ingrediente básico (coco, nozes, amendoim), é cozida e moldada e depois levada a fritar; beijinho. [Pl.: *beijos de sinhá*.] ☑

beijoeiro *S. m. Bot.* V. *benjoeiro.*

beijoim (o-ím) *S. m.* V. *benjoim*: "A alva rede, que Iracema perfumara com a resina do beijoim, guardava-lhe um sono calmo e doce." (José de Alencar, *Iracema*, p. 56.)

beijoqueiro [De *beijoca* + *-eiro*.] *Adj. S. m.* Que, ou aquele que é dado a beijar ou a beijocar; beijador, beijocador.

beiju [Do tupi.] *S. m. Bras. Cul.* Bolo de massa de tapioca ou de mandioca, do qual há numerosas espécies. [Sin.: *beijuaçu* ou *beijuguaçu*, *beijucica* ou *beijuxica*, *beijucuruba*, *beiju-membeca*, *beiju-moqueca* ou *beiju-poqueca*, *beijuteica*, *biroró*, *cascalho*, *malcasado*, *sarapó*, *sola* e *tapioca*.Var.: *biju*.]

beijuaçu [De *beiju* + *-uaçu*.] *S. m. Bras. Cul.* V. *beiju.*

beijucaba [De *beiju* + *caba*.] *S. f. Bras. Zool.* V. *marimbondo-chapéu.*

beijucaua *S. f. Bras. Zool.* V. *marimbondo-chapéu.*

beijucica [De *beiju* + *cica*.] *S. m. Bras. Cul.* V. *beiju*: "no tabuleiro alegre das vendedeiras, o peixe frito, a maniçoba, o tacacá, a panelada, o beijucica" (Raimundo Morais, *País das Pedras Verdes*, p. 201).

beijucuruba [De *beiju* + o tupi, 'gretado'.] *S. m. Bras. Cul.* V. *beiju.*

beijueira [De *beiju* + *-eira*.] *S. f. Bras.* Mulher que faz beijus.

beijueiro [De *beiju* + *-eiro*.] *S. m. Bras.* Indivíduo que faz beijus.

beijuguaçu [De *beiju* + *-guaçu*.] *S. m. Bras. Cul.* V. *beiju.*

beiju-membeca *S. m. Bras. Cul.* V. *beiju.* [Pl.: *beijus-membecas*.]

beiju-moqueca *S. m. Bras. Cul.* V. *beiju.* [Pl.: *beijus-moquecas* e *beijus-moqueca*.]

beijupirá *S. m. Bras. Zool.* V. *bijupirá.*

beiju-poqueca *S. m. Bras. Cul.* V. *beiju.* [Pl.: *beijus-poquecas* e *beijus-poqueca*.]

beijuteica [De or. tupi.] *S. m. Bras. Cul.* V. *beiju.*

beijuxica [Var. de *beijucica*.] *S. m. Bras. Cul.* V. *beiju.*

beilhó *S. m. e f. Cul.* Filhó de farinha e abóbora. [Var.: *beilhós*.]

beilhós *S. m. 2 n. S. f. 2 n. Cul.* V. *beilhó.*

beira [De or. incerta.] *S. f.* **1.** Borda, margem, orla: *a beira do rio.* **2.** Proximidade, vizinhança: *Sentia-se à beira da morte.* **3.** *Constr.* Nos beirais que têm apenas uma ordem de telhas, estas telhas, dispostas em balanço. ◆ **À beira de.** Perto do limite extremo de; à borda de, à margem de. **À beira de um abismo.** Às vésperas de uma catástrofe: *estar, achar-se, encontrar-se à beira de um abismo.*

beirã *S. f.* V. *beirão.*

beira-campo *S. m. Bras. SP PR* Terreno entre o limite de um campo com o mato e o ponto a 600 braças daquele. [Pl.: *beira-campos*.]

beira-corgo *S. 2 g.* **1.** *Bras. SP Pop.* V. *caipira* (1). ● *Adj. 2 g.* **2.** Diz-se do cavalo comum. [Pl.: *beira-corgos*.]

beirada [De *beira* + *-ada*[1].] *S. f.* **1.** Beira, margem, borda. **2.** V. *beiral.* **3.** *Bras.* Uma parte de um todo; um bocado: *Não quero todo o bife: só uma beirada; Se eu fechar o negócio, você ganha uma beirada.* **4.** *Bras. N.* Arredores.

beiradear [De *beirada* + *-ear*[2].] *V. t. d.* **1.** *Bras.* Caminhar pela beira ou margem de (um rio). **2.** Perlongar; costear; contornar: "É um sítio bonito mesmo / Beiradeando o trem de ferro" (Mário de Andrade, *Poesias Completas*, p. 141). [Sin. ger.: *beiradejar.* Conjug.: v. *frear*.]

beiradeiro [De *beirada* + *-eiro*.] *S. m.* **1.** *Bras. CE* V. *caipira* (1). **2.** *Bras. PB* Pessoa rústica que mora na circunvizinhança das vilas sertanejas. **3.** *Bras. PE* Pequeno comerciante das margens das estradas de ferro. **4.** *Bras. BA* V. *barranqueiro.*

beiradejar [De *beirada* + *-ejar*.] *V. t. d. Bras.* V. *beiradear.* [Conjug.: v. *pelejar*.]

beirado [De *beira* + *-ado*[1].] *S. m. Constr.* V. *beiral*: "Gosto de ti, ó chuva, nos beirados, / Dizendo coisas que ninguém entende!" (Florbela Espanca, *Sonetos Completos*, p. 107.)

beira-estrada *S. f.* Beira da estrada. [Pl.: *beira-estradas*.] ◆ **À beira-estrada.** Junto à estrada: "À beira-estrada, / À beira-rio, / Conforme calha, / Sempre no mesmo / Leve descanso / De estar vivendo." (Fernando Pessoa, *Odes de Ricardo Reis*, p. 14.)

beiral [De *beira* + *-al*[1].] *S. m. Constr.* Prolongamento do telhado além da prumada das paredes; beirado; beirada: "escutou as andorinhas que, na frescura e silêncio, começavam a cantar sobre o beiral do telhado." (Eça de Queirós, *Contos*, p. 152). ◆ **Beiral quebrado.** *Constr.* Beiral que forma uma superfície inclinada, em relação à água do telhado da qual faz parte.

beira-mar [Abrev. da loc. *beira do mar*.] *S. f.* **1.** A costa marítima; o litoral, a praia. **2.** Cantiga popular amorosa. [Pl.: *beira-mares*.] ◆ **À beira-mar.** Junto ao mar; no litoral; na praia: "Viver numa casita à beira-mar / Feita no gosto inglês, / Casa de um só andar / E sem balcão chinês" (Guerra Junqueiro, *A Musa em Férias*, p. 193).

beirante [De *beirar* + *-nte*.] *Adj. 2 g.* Que beira.

beirão *Adj.* **1.** Da, ou pertencente ou relativo à Beira (Portugal): "É muito frequente no falar descuidado, pelo menos na região interamnense e beirã, desaparecer um *r* final diante da consoante inicial da palavra seguinte" (J. Leite de Vasconcelos, *Opúsculos*, II, p. 199); "o hirsuto recolhimento das serranias beirãs." (Vitorino Nemésio, *A Mocidade de Herculano*, II, p. 142); "os vales estreitos dessa terra beirã." (Mário Braga, *Serranos*, p. 50). ● *S. m.* **2.** O natural ou habitante da Beira. **3.** *E. Ling.* O falar (29) dessa região. [Sin. de (1 e 2): *beirense.* Fem.: *beiroa* (ô) e (menos us.) *beirã*.]

beirar [De *beira* + *-ar*[2].] *V. t. d.* **1.** Caminhar, ou movimentar-se, à beira ou margem de: "Ei-los que vão, beirando precipícios" (Venceslau Queirós, *Poesias Escolhidas*, p. 85). **2.** Ficar situado à beira ou margem de: *A casa beira o rio*; "De luz o vácuo se inunda! / A estrada, beirando a mata, / Parece agora uma larga, / Imensa faixa de prata." (B. Lopes, *Val de Lírios*, p. 126). **3.** Abeirar-se, aproximar-se de: "Vivia em companhia de sua mãe, velhinha encarquilhada, beirando os noventa." (Moreira Campos, *Portas Fechadas*, p. 23); "O peixe-boi está beirando o seu fim" (Tiago de Melo, *Mormaço na Floresta*, p. 92); "aquela cabecinha alongada e trepidante [das lagartixas], os dedinhos vertiginosos me causavam um desgosto que beirava o horror." (Maria Julieta Drummond de Andrade, *O Valor da Vida*, p. 89). *T. c.* **4.** Confinar, limitar(-se): *A mata beirava com o ranchinho.* **5.** Ter aproximadamente; orçar: *Beira pelos 60 anos.*

beira-rio *S. f.* Beira do rio. [Pl.: *beira-rios*.] ◆ **À beira-rio.** Junto ao rio: "A beira-estrada, / À beira-rio, / Conforme calha, / Sempre no mesmo / Leve descanso / De estar vivendo." (Fernando Pessoa, *Odes de Ricardo Reis*, p. 14.)

beira-seveira *S. f. Constr.* V. *sobeira.* [Pl.: *beiras-severas*.]

beira-sobeira *S. f. Constr.* V. *sobeira.* [Pl.: *beiras-sobeiras*.]

beirense *Adj. 2 g. S. 2 g.* V. *beirão.*

beiroa (ô) *S. f.* V. *beirão.*

beiru *S. m. Bras. Zool.* V. *saguiru.*

beirute [Do top. *Beirute*.] *S. m. Cul.* Sanduíche feito com pão sírio ou árabe.

beisebol [Do ingl. *baseball*.] *S. m. Esport.* Jogo para duas equipes de 9 componentes cada uma, muito popular nos E.U.A., em que um jogador rebate com um bastão a bola lançada por um adversário e, em seguida, tenta correr à volta do campo, triunfando a equipe que mais voltas completar. [Tb. se usa o ingl. *baseball*.]

beiupirá *S. m. Bras. Zool.* V. *bijupirá.*

bejaqui *S. m. Bras. RS Zool.* V. *pirupiru.*

beje (ê) [Do ior. *ibeji*.] *S. m. Bras. Rel.* V. *Ibêji.* [Com cap. Cf. *bege* (é), adj. 2 g. e 2 n., e *beije*, do v. *beijar*.]

bejense [Do taino, pelo esp. *bejuco*.] *Adj. 2 g.* **1.** De, ou pertencente ou relativo a Beja (Portugal). ● *S. 2 g.* **2.** O natural ou habitante de Beja.

bejinho [Dim. de *beje*.] *S. m. Bras. Rel.* V. *Ibêji.* [Com cap.; cf. *beijinho*.]

bejuco [Do taino, pelo esp. *bejuco*.] *S. m. Bot.* **1.** *Bras. Amaz. RJ MT* Arbusto ou trepadeira bignoniácea (*Callichlamys latifolia*) de flores amarelas e frutos capsulares. **2.** *Bras. Amaz. a SC* Trepadeira bignoniácea (*Paragonia pyramidata*) de flores amarelo-enxofre, róseas ou violáceas, e frutos capsulares.

bel [Do antr. (*Alexander Graham*) Bell (1847-1922), inventor norte-americano.] *S. m. Fís.* Unidade convencional para medir a relação entre grandezas associadas a movimentos periódicos, e que é igual ao logaritmo decimal do cociente das duas grandezas. [Pl.: *bels*.]

bela [F. subst. de *belo*.] *S. f.* Mulher bela, e/ou amada: *Decantava em versos a sua bela*; "Lá verás a minha bela / Sentada no seu jardim" (Casimiro de Abreu, *Obras*, p. 102); "E o cavaleiro já de sua bela / À porta se apeava" (Bernardo Guimarães, *Poesias Completas*, p. 136). ~ V. *belas.*

belacíssimo *Adj.* Extremamente belicoso; muito aguerrido.

bela-cruzense *Adj. 2 g.* **1.** De, ou pertencente ou relativo a Bela Cruz (CE). ● *S. 2 g.* **2.** O natural ou habitante de Bela Cruz. [Pl.: *bela-cruzenses*.]

beladona [Do it. *belladonna* (tax. *Atropa belladonna*).] *S. f. Bot.* Planta solanácea (*Atropa belladonna*) venenosa, originária da Europa, dotada de folhas grandes, elípticas, flores solitárias, campanuliformes, violáceas por fora e amareladas por dentro, e frutos bacáceos, negros e brilhantes. As folhas têm propriedades diaforéticas e diuréticas, e fornecem a atropina (q. v.).

bela-emília [Do f. de *belo* + *emília* (planta do gên. *Emilia*).] *S. f. Bot.* Subarbusto plumbagináceo (*Plumbago auriculata*) originário do S. da África, de flores azuis a violáceas, róseas, ou vermelhas; é muito cultivado como ornamental. [Sin.: *dentelária-do-cabo*, *jasmim-azul*, *jasmim-do-cabo*, *plumbago*. Pl.: *belas-emílias* e *bela-emílias*.]

bela-margarida [Do f. de *belo* + *margarida* (planta e flor).] *S. f. Bot.* Erva asterácea (*Bellis perennis*) acaule, muito cultivada, de flores alvas, róseas, vermelhas ou variegadas, e cujas folhas, tidas como vulnerárias e laxativas, podem ser comidas; bonina, mãe-de-família, margaridinha, margarida-inglesa, margarida-rasteira. [Pl.: *belas-margaridas*.]

belarmino [Do antr. *Belarmino*.] *S. m. Gír.* V. *tolo* (8).

belas *S. f. pl. Bras. Bot.* V. *cipó-de-são-joão.* ~ V. *bela.*

belas-artes *S. f. pl.* Designação comum às artes plásticas, especialmente a pintura, a escultura e a arquitetura.

belas-letras *S. f. pl.* A gramática, a eloquência, a poesia, a literatura, etc., ensinadas ou estudadas especialmente pelo prazer de ordem estética que possam proporcionar.

belatriz [Do lat. *bellatrice*.] *Adj. (f.) S. f.* Diz-se de, ou mulher belicosa, guerreira.

belauano *Adj. S. m.* V. *palauano.*

bela-vistano *Adj.* **1.** De, ou pertencente ou relativo a Bela Vista de Minas (MG). ● *S. m.* **2.** O natural ou habitante de Bela Vista de Minas. [Pl.: *bela-vistanos*.]

bela-vistense[1] *Adj. 2 g.* **1.** De, ou pertencente ou relativo a Bela Vista (MS). ● *S. 2 g.* **2.** O natural ou habitante de Bela Vista. [Pl.: *bela-vistenses*.]

bela-vistense[2] *Adj. 2 g.* **1.** De, ou pertencente ou relativo a Bela Vista de Goiás (GO). ● *S. 2 g.* **2.** O natural ou habitante de Bela Vista de Goiás. [Pl.: *bela-vistenses*.]

bela-vistense[3] *Adj. 2 g.* **1.** De, ou pertencente ou relativo a Bela Vista do Paraíso (PR). ● *S. 2 g.* **2.** O natural ou habitante de Bela Vista do Paraíso. [Pl.: *bela-vistenses*.]

bela-vistense[4] *Adj. 2 g.* **1.** De, ou pertencente ou relativo a São José da Bela Vista (SP). ● *S. 2 g.* **2.** O natural ou habitante de São José da Bela Vista. [Pl.: *bela-vistenses*.]

bela-vistense[5] *Adj. 2 g.* **1.** De, ou pertencente ou relativo a São Sebastião da Bela Vista (MG). ● *S. 2 g.* **2.** O natural ou habitante de São Sebastião da Bela Vista. [Pl.: *bela-vistenses*.]

belbute [Do ingl. *velvet*.] *S. m. Tec. Têx.* Tecido de algodão aveludado: "Trajava gibão de veludo escuro, já muito sovado e pelado; .... calções de belbute, com os fundilhos remendados" (Olavo Bilac, *Crítica e Fantasia*, p. 286).

belbutina [Do ingl. *velveteen*.] *S. f.* Belbute fino: "Às portas havia grandes reposteiros de belbutina preta, com galões dourados" (Inglês de Sousa, *O Coronel Sangrado*, p. 257).

belchior (xiór) [Do antr. *Belchior*, de alguém que estabeleceu no Rio de Janeiro a primeira casa de compra e venda de roupas e objetos usados.] *S. m. Bras.* **1.** Mercador de objetos velhos e usados; adeleiro, ferro-velho. **2.** Alfarrabista.

beldade [Do provenç. *beltat.*] *S. f.* **1.** Qualidade de belo; beleza. **2.** Mulher bela.

beldosa [Do esp. *baldosa.*] *S. f. Bras. RS* Tijolo vermelho para pavimentação.

beldroega [Do moçárabe **berdoloca* < moçárabe *berdilaqa* < lat. *portulaca* (de portula, 'portinha').] *S. f. Bot.* **1.** Erva urticácea (*Pilea serpyllifolia*) de flores branco-róseas, ocorrente em lugares úmidos. **2.** Erva portulacácea (*Portulaca halimoides*) de folhas comestíveis, e que ocorre no litoral. ~ V. *beldroegas.*

beldroega-da-praia *S. f. Bras. BA ES RJ SP PR SC RS Bot.* Planta aizoácea (*Sesuvium portulacastrum*) de flores róseas, brancacentas ou purpúreas e frutos capsulares, que ocorre nas praias; beldroega-miúda. [Pl.: *beldroegas-da-praia.*]

beldroega-de-cuba [De *beldroega* + *de* + o top. *Cuba.*] *S. f. Bot.* Erva portulacácea (*Claytonia perfoliata*) multicaule, originária de Cuba (América Central), de flores alvas e folhas comestíveis, mucilaginosas, usadas na medicina popular como emoliente; espinafre-de-cuba. [Pl.: *beldroegas-de-cuba.*]

beldroega-grande *S. f. Bras. L. S. Bot.* Planta portulacácea (*Talinum racemosum*), de flores amareladas, brancas ou rosadas, fruto capsular, com sementes pretas e folhas comestíveis. [Pl.: *beldroegas-grandes.*]

beldroega-miúda *S. f. Bras. BA ES RJ SP PR SC RS Bot.* Beldroega-da-praia. [Pl.: *beldroegas-miúdas.*]

beldroega-pequena [De *beldroega* + o f. de *pequeno.*] *S. f. Bras. Bot.* Erva portulacácea (*Portulaca oleracea*) de flores amarelas ou alaranjadas, fruto capsular com sementes pretas, e cujas folhas novas, bem como os brotos, são usadas na alimentação, sendo os caules, as folhas e as sementes vermífugos e diuréticos; beldroega-verdadeira, caaponga, caatiaia, lobrobô, ora-pro-nóbis, porcelana. [Pl.: *beldroegas-pequenas.*]

beldroegas [Pl. de *beldroega.*] *S. m. 2 n. Pop.* **1.** V. *tolo* (8). **2.** V. *joão-ninguém.* ~ V. *beldroega.*

beldroega-verdadeira *S. f. Bras. Bot.* V. *beldroega-pequena.* [Pl.: *beldroegas-verdadeiras.*]

beleguim *S. m.* Agente de polícia; esbirro, galfarro, malsim, mastim, meirinho, quadrilheiro, tira: "Na casa de Gustavo Orlando nem as senhoras foram respeitadas pelos beleguins na madrugada da prisão." (Marques Rebelo, *A Mudança*, p. 520.)

beleléu *El. s. m.* Us. na loc. *ir* [ou *ir-se*] *para o beleléu.* ◆ **Ir para o beleléu.** *Bras. Pop.* **1.** V. *morrer* (1). **2.** Desaparecer, sumir(-se). **3.** *Fig.* Frustrar-se, malograr-se, fracassar. **Ir-se para o beleléu.** *Bras. Pop.* V. *ir para o beleléu.*

belemita [Do lat. *bethleemite.*] *Adj. 2 g.* **1.** De, ou pertencente ou relativo a Belém (Cisjordânia). ● *S. 2 g.* **2.** O natural ou habitante de Belém.

belendengue [Do esp. plat. *blandengue.*] *S. m. Bras. RS* Miliciano de cavalaria que guarda as fronteiras.

belenense[1] *Adj. 2 g.* **1.** De, ou pertencente ou relativo a Belém (PB e capital do Estado do Pará). ● *S. 2 g.* **2.** O natural ou habitante de Belém. [Sin. ger. (Belém, AL): *canudense.*]

belenense[2] *Adj. 2 g.* **1.** De, ou pertencente ou relativo a Belém de Maria (PE) ● *S. 2 g.* **2.** O natural ou habitante de Belém de Maria.

belenense[3] *Adj. 2 g.* **1.** De, ou pertencente ou relativo a Belém de São Francisco (PE). ● *S. 2 g.* **2.** O natural ou habitante de Belém de São Francisco.

belenense[4] *Adj. 2 g.* **1.** De, ou pertencente ou relativo a Belém do Brejo do Cruz (PB). ● *S. 2 g.* **2.** O natural ou habitante de Belém do Brejo do Cruz.

belenense[5] *Adj. 2 g.* **1.** De, ou pertencente ou relativo a Nova Belém (MG). ● *S. 2 g.* **2.** O natural ou habitante de Nova Belém.

belenite [Adapt. do tax. *Belemnites.*] *Paleont. S. m.* **1.** Espécime dos belenites, ordem extinta de moluscos cefalópodes de concha interna dividida em septos, do tipo fragmocone, atravessada pelo sifão; tinham bolsa tintória e grande semelhança com os atuais cefalópodes decápodes. Surgiram no carbonífero e persistiram até o fim do cretáceo. ● *Adj. 2 g.* **2.** Pertencente ou relativo a eles.

belenzada (ẽin) *S. f.* Revolta política ocorrida em Portugal em 4 de novembro de 1836.

beletrista [Do al. *belletrist.*] *S. 2 g.* Pessoa que cultiva as belas-letras.

beletrística [Do al. *Belletristika.*] *S. f.* Obras que formam a literatura amena.

beleza (ê) [Do lat. vulg. **bellitia*, poss. pelo it. *belleza.*] *S. f.* **1.** Qualidade de belo. **2.** Pessoa bela. **3.** Coisa bela ou muito agradável, ou muito gostosa: *A festa foi uma beleza; Que beleza este bolo!* **4.** *Fís. Part.* Número quântico introduzido para caracterizar propriedades de certos tipos de partículas que contêm pelo menos um *bottom* (q. v.). [Por convenção, o *bottom* tem beleza -1. Tradução, nesta acepç., do ingl. *beauty.*] **5.** *Maç.* Uma das três colunas simbólicas que sustentam uma loja (4). [Cf. *força* (19) e *sabedoria* (6).] ◆ **Cansar a beleza de.** *Fam.* Causar aborrecimento a; amolar.

belezama [De *beleza* + *-ama.*] *S. f.* Conjunto ou multidão de pessoas belas.

belezaria [De *beleza* + *-aria.*] *S. f.* Conjunto de coisas ou pessoas belas: "toda aquela belezaria de Espanha, mantilhas, toucados, trançados de fios de seda, cabeleiras frouxas ou apertadas nos torçais" (Gilberto Amado, *Depois da Política*, p. 198).

belezinha [De *beleza* + *-inha.*] *S. f.* **1.** *Bot.* Trepadeira timeleácea (*Lophostoma dinizii*) lenhosa, de grandes folhas que se agregam nas pontas dos ramos e flores mínimas, monoclamídeas, reunidas em compridos cachos. **2.** *Bras.* V. *pega-rapaz* (1): "na testa da jovem 'melindrosa', você notaria um 'pega-rapaz', ou antes, uma 'belezinha', feita com uns poucos fios de cabelo." (Vinícius de Morais, *Para Viver um Grande Amor*, p. 177).

belezoca [De *beleza* + *-oca.*] *S. 2 g. Bras. Fam.* Pessoa bela, bonita; beleza.

belezura [De *beleza* + *-ura.*] *S. f. Pop.* Pessoa bela ou coisa bela ou benfeita: *A moça era uma belezura; O trabalho ficou uma belezura.*

belfa [De *belfo.*] *S. f.* Excrescência carnosa que certos galináceos têm por baixo da cabeça. ~ V. *belfas.*

belfas [Pl. de *belfa.*] *S. f. pl.* Bochechas. V. *bochecha* (1). ~ V. *belfa.*

belfo [Do lat. *bifidu*, 'partido em dois'.] *Adj. S. m.* **1.** Que, ou aquele que tem o beiço inferior pendente ou muito mais volumoso que o superior; belfudo. **2.** Diz-se de, ou beiço inferior que tem essa característica.

belford-roxense *Adj. 2 g.* **1.** De, ou pertencente ou relativo a Belford Roxo (RJ). ● *S. 2 g.* **2.** O natural ou habitante de Belford Roxo. [Pl.: *belford-roxenses.*]

belfudo [De *belfo* + *-udo.*] *Adj.* **1.** Belfo (1). **2.** Que tem beiços volumosos.

belga [Do lat. *belga.*] *Adj. 2 g.* **1.** Da, ou pertencente ou relativo à Bélgica (Europa). ● *S. 2 g.* **2.** O natural ou habitante da Bélgica. **3.** *Bras.* Certo candeeiro de grandes dimensões, que se usa suspenso do teto.

belgradino *Adj.* **1.** De, ou pertencente ou relativo a Belgrado, capital da Sérvia. ● *S. m.* **2.** O natural ou habitante de Belgrado.

belho (ê) *S. m. Pop.* V. *bedelho* (3).

▲ **beli-** [Do lat. *bellum, i.*] *El. comp.* = 'guerra': *belígero* (< lat.). [Equiv.: *belo-*: *belonave.*]

belial [Do hebr. *belia'al*, poss. de *beli*, 'sem', + *ya'al* 'uso', 'valor'.] *S. m.* Designação da inutilidade, ou da indignidade, ou da maldade, como muitas vezes personificadas no Velho Testamento (q. v.). [Ger. com cap.]

beliche *S. m.* **1.** Conjunto de duas ou três camas superpostas fixadas numa armação (2) única; cama-beliche. [Cf. *tricama.*] **2.** *Mar.* Cama estreita e de fixação especial, própria para uso a bordo: "Apenas embarcado no *Caimão*, corria a esconder no beliche a minha dor." (Eça de Queirós, *A Relíquia*, p. 112.) **3.** Câmara ou compartimento de camarote, nos navios.

belicismo [De *bélico* + *-ismo.*] *S. m.* Tendência para a guerra; espírito belicoso.

belicista [De *bélico* + *-ista.*] *Adj. 2 g. S. 2 g.* Partidário da guerra e/ou do armamentismo. [Opõe-se a *pacifista.*]

bélico [Do lat. *bellicu.*] *Adj.* Relativo ou pertencente à, ou próprio da guerra: *material bélico*; "Ali soou a bélica trombeta" (Luís Murat, *Ondas*, II, p. 208). ~ V. *satélite —.*

belicosidade [De *belicoso* + *-(i)dade.*] *S. f.* Qualidade de belicoso.

belicoso (ô) [Do lat. *bellicosu.*] *Adj.* **1.** Que tem ânimo aguerrido; guerreiro. **2.** Habituado à guerra. **3.** Que incita à guerra: *discurso belicoso.* **4.** Preparado para a guerra. **5.** Revolto, agitado. [Sin. ger.: *belígero.*]

belicuete (ê) *S. m. Bras.* Pequeno espaço edificado, malventilado e mal-iluminado, útil apenas como depósito pouco visitado.

belida [Do lat. *velu*, 'véu', poss.] *S. f.* Névoa ou mancha esbranquiçada na córnea; albugem.

beligerância [Do lat. *belligerantia.*] *S. f.* Estado, qualidade ou caráter de beligerante.

beligerante [Do lat. *belligerante.*] *Adj. 2 g. S. 2 g.* Que, ou aquele que faz guerra, ou está em guerra.

belígero [Do lat. *belligeru.*] *Adj.* **1.** Que serve na guerra. **2.** V. *belicoso.*

belila [Do lat. cient. *Bellilla.*] *S. f. Bras. Bot.* Trepadeira rubiácea (*Mussaenda frondosa*) ornamental, cultivada, originária da Ásia e da Oceania, dotada de flores, com propriedades febrífugas, tônicas e diuréticas, e bagas carnosas.

belipotente [Do lat. *bellipotente.*] *Adj. 2 g.* Que é poderoso na guerra.

belisária [De *belisário*[1].] *S. f.* Quantia que o jogador de sorte dá ao que perdeu tudo, para que este ainda possa apostar; estia.

belisário[1] [Do antr. *Belisário* (*Sousa*) (1838-1889), ministro da Fazenda de 1886 a 1888.] *S. m. Bras. Ant.* Moeda de níquel de 50 réis, do tempo do ministro Belisário de Sousa.

belisário[2] [Do antr. *Belisário*, general de Justiniano (527-565), o qual, após brilhantes vitórias, veio a ser destituído de seu posto e, cego, esmolava pelas ruas.] *Adj.* Pobre, desventurado, infortunado.

beliscada *S. f. Bras. PE Pop.* Caminhão, coberto ou descoberto, empregado no transporte de passageiros.

beliscado [Part. de *beliscar.*] *Adj.* **1.** Que recebeu beliscadura. **2.** Um pouco irritado. **3.** Excitado, estimulado. **4.** Ofendido, injuriado: *dignidade beliscada.*

beliscadura [De *beliscar* + *-dura.*] *S. f.* V. *beliscão.*

beliscão *S. m.* Ato ou efeito de beliscar (1). [Sin.: *beliscadura, belisco* e (bras.) *morsegão, muçunga, muçungão, muxicão.*]

beliscão de frade *S. m.* Beliscão aplicado com os nós dos dedos indicador e médio. [Pl.: *beliscões de frade.*] ☑

beliscar [Por **pelliscar*, de *pele*, poss.] *V. t. d.* **1.** Apertar a pele de, com as pontas dos dedos polegar e indicador; estorcegar. **2.** Arrancar com as pontas dos dedos uma porção mínima de: *Beliscou o pão.* **3.** Estimular, excitar: *A beleza do espetáculo beliscou a sua veia criadora.* **4.** Ferir de leve; ofender levemente: *Gosta de beliscar a reputação alheia.* **5.** Apertar com o bico; bicar: *O pintassilgo beliscava-lhe os dedos sem ferir.* **6.** Comer uma porção mínima de; debicar, lambiscar, peniscar: *Nunca engordará: apenas belisca os alimentos.* **Int. 7.** Comer pouco; debicar, lambiscar; peliscar: *Não comeu ao jantar, apenas beliscou.* **8.** Comer petisco (2); petiscar. ***P.* 9.** Beliscar-se mutuamente; trocar beliscões: "A expectativa é grande demais, ... e os garotos pulam, se empurram, se beliscam, dão pontapés nas paredes, às gargalhadas." (Maria Julieta Drummond de Andrade, *O Valor da Vida*, p. 47.) [Conjug.: v. *trancar.*]

belisco [Dev. de *beliscar.*] *S. m.* V. *beliscão.*

beliz [Do ár. *iblīs*, 'diabo'.] *Adj. 2 g.* **1.** Esperto, ladino, endiabrado, sagaz. ● *S. 2 g.* **2.** Pessoa muito viva e sagaz.

belizenho *Adj.* **1.** De, ou pertencente ou relativo a Belize (antiga Honduras Britânica, América Central). ● *S. m.* **2.** O natural ou habitante de Belize.

➔ **belle époque** [bɛl e'pɔk] [Fr.] *S. f.* **1.** A época relativa à última década do séc. XIX e aos primeiros anos do séc. XX, considerada como de uma vida agradável e fácil. ● *Adj. 2 g. e 2 n.* **2.** Diz-se dos costumes, das tendências, dos objetos, etc., característicos dessa época. **3.** *Vest.* Diz-se de um estilo de vestimenta feminina que predominou na Inglaterra entre 1890 e 1910, caracterizado pelo uso do espartilho e de peças de alfaiataria, criando a chamada linha "S", cheia no busto e na parte de trás das saias, blusas de colarinhos altos, com rendas, pregas, laços, etc., mangas longas e bufantes e saias ajustadas nos quadris e amplas a partir do joelho.

belmaz *S. m.* V. *balmázio.*

belmirense *Adj. 2 g.* **1.** De, ou pertencente ou relativo a Belmiro Braga (MG). ● *S. 2 g.* **2.** O natural ou habitante de Belmiro Braga.

belmontense[1] *Adj. 2 g.* **1.** De, ou pertencente ou relativo a Belmonte (BA). ● *S. 2 g.* **2.** O natural ou habitante de Belmonte.

belmontense[2] *Adj. 2 g.* **1.** De, ou pertencente ou relativo a São José do Belmonte (PE). ● *S. 2 g.* **2.** O natural ou habitante de São José do Belmonte.

belo [Do lat. *bellu.*] *Adj.* **1.** Que tem forma perfeita e proporções harmônicas: "Rouba-lhe a idade, pérfida e assassina, / Mais do que a vida, o orgulho de ser bela!" (Olavo Bilac, *Tarde*, p. 54); "Sonho o que jamais pude: / — Belo como Davi, forte como Golias..." (Manuel Bandeira, *Estrela da Vida Inteira*, p. 29). **2.** Que é agradável aos sentidos. **3.** Elevado; sublime: "Pela pátria morrer é nobre, é belo!" (Marquesa de Alorna, *Poesias*, p. 117.) **4.** Majestoso, grandioso, imponente: "Mar, belo mar selvagem / Das nossas praias solitárias!" (Vicente de Carvalho, *Poemas e Canções*, p. 137.) **5.** Bom, generoso: *Tem um belo coração.* **6.** Ameno, aprazível, sereno. **7.** Próspero, feliz. **8.** Considerável pelo número, quantidade ou dimensões: *Tem uma bela criação: mais de 10.000 cabeças.* **9.** De que resulta lucro, vantagem; vantajoso: *Trabalhou muito, mas alcançou belo resultado — deram-lhe o emprego.* **10.** De que resulta glória; honroso: *Foi uma bela vitória, a da seleção brasileira!* **11.** Tem, por vezes, um sentido indefinido, próximo ao de certo (9): *Um* <u>*belo*</u> *dia aparece de volta.* ~ V. *o — sexo.* • *S. m.* **12.** Caráter ou natureza do que é belo. **13.** *Estét.* Qualidade atribuída a obras humanas — sendo discutível se se aplica também à natureza — que por isso são dotadas de caráter estético. [Esta qualidade se anuncia por meio de fatores subjetivos (emoção estética, sentimento e percepção do belo, e todos os fenômenos psicológicos ligados à sua criação) que levam à busca da definição das demonstrações concretas que os suscitam (a análise das obras de arte, dos conceitos de gosto, harmonia, equilíbrio, perfeição, etc.). Cf. *arte*[1] (3) e *estética* (2).] • *Interj.* **14.** Muito bem!

▲ belo- Equiv. de *beli-.*

belo-campense *Adj. 2 g.* **1.** De, ou pertencente ou relativo a Belo Campo (BA). • *S. 2 g.* **2.** O natural ou habitante de Belo Campo. [Pl.: *belo-campenses.*]

belo-horizontino *Adj.* **1.** De, ou pertencente ou relativo a Belo Horizonte, capital do Estado de Minas Gerais. • *S. m.* **2.** O natural ou habitante de Belo Horizonte. [Pl.: *belo-horizontinos.*]

belo-jardinense *Adj. 2 g.* **1.** De, ou pertencente ou relativo a Belo Jardim (PE). • *S. 2 g.* **2.** O natural ou habitante de Belo Jardim. [Pl.: *belo-jardinenses.*]

belo-montense *Adj. 2 g.* **1.** De, ou pertencente ou relativo a Belo Monte (AL). • *S. 2 g.* **2.** O natural ou habitante de Belo Monte. [Pl.: *belo-montenses.*]

belona [Do mit. lat. *Bellona*, a deusa da guerra.] *S. f. Poét.* A guerra.

belonave [De *belo-* + *-nave.*] *S. f. Bras.* Navio de guerra: "desenhava dois navios de guerra, um diante do outro, enchia-os de marinheiros .... e içava nas duas as <u>belonaves</u> as bandeiras da França, da Itália, ou da Alemanha" (Humberto de Campos, *Memórias*, p. 184).

belonesita [Do gr. *belóne*, *es*, 'agulha', + *-ita*[3].] *S. f. Min.* Mineral tetragonal, molibdato de magnésio, branco, transparente.

belonídeo [De *belon(o)-* + *-ídeo*[1]; tax. *Belonidae.*] *Zool. S. m.* **1.** Espécime dos belonídeos, família de peixes beloniformes, ger. marinhos, que apresentam tanto a maxila quanto a mandíbula alongadas, formando bico. Ex.: peixe-agulha. • *Adj.* **2.** Pertencente ou relativo a eles.

beloniforme [De *belon(o)-* + *-iforme*; tax. *Beloniformes.*] *Zool. S. m.* **1.** Espécime dos beloniformes, ordem de peixes teleósteos, marinhos ou de água doce, de corpo estreito e alongado, com as nadadeiras dorsal, única, e anal situadas bem próximo à cauda e as pélvicas com seis raios; a linha lateral situa-se na porção ventral do corpo. Abrange cinco famílias, entre elas a belonídea, a exocetídea e a hemiranfídea. • *Adj. 2 g.* **2.** Pertencente ou relativo a eles.

▲ belon(o)- [Do gr. *belono-* < gr. *belónē, ēs.*] *El. comp.* = 'agulha': *belonídeo, beloniforme.*

belonofobia [Do gr. *belóne*, 'agulha', + *-fobia.*] *S. f. Psiq.* Medo patológico de agulhas e objetos similares.

belonofóbico [De *belonofobia* + *-ico*[2].] *Psiq. Adj.* Relativo a belonofobia. **2.** Que sofre de belonofobia; belonófobo. • *S. m.* **3.** Aquele que sofre de belonofobia; belonófobo.

belonófobo [Do gr. *belóne*, 'agulha', + *-fobo.*] *Adj. S. m. Psiq.* Belonofóbico (2 e 3).

belontiídeo [Adapt. do tax. *Belontiidae.*] *Zool. S. m.* **1.** Espécime dos belontiídeos, família de peixes actinopterígios, perciformes, da África e do S.O. da Ásia, caracterizados por ter linha lateral vestigial, boca protuberante e presença de órgão respiratório acessório, o labirinto (8). Os machos constroem ninhos e cuidam dos ovos e dos alevinos nos primeiros dias de vida. Ex.: o peixe-de-briga e o peixe-do-paraíso. • *Adj.* **2.** Pertencente ou relativo a eles.

belo-orientino *Adj.* **1.** De, ou pertencente ou relativo a Belo Oriente (MG). • *S. m.* **2.** O natural ou habitante de Belo Oriente. [Pl.: *belo-orientinos.*]

belóstoma [Do tax. *Belostoma* (< gr. *bélos*, 'dardo', + gr. *-stóma, atos* [v. *estomat(o)-*]).] *S. m. Zool.* **1.** Gênero de insetos hemípteros, belostomatídeos, dos quais algumas espécies vivem nas águas correntes. **2.** Qualquer espécie desse gênero, como, p. ex., a *B. indicum*, da Ásia oriental, e a *B. grande*, da América do Sul, que mede de 9 a 10cm (v. *barata-d'água*). **3.** Qualquer espécime desse gênero. [Var.: *belóstomo.*]

belostomatídeo [Do lat. cient. *Belostomat-* (< tax. *Belostoma* [v. *belóstoma*]) + *-ídeo*[1]; tax. *Belostomatidae.*] *Zool. S. m.* **1.** Espécime dos belostomatídeos, família de insetos hemípteros à qual pertencem grandes insetos castanhos, de olhos salientes, terceiro par de patas alargadas e chatas. Vulgarmente chamados *barata-d'água*, alimentam-se de peixinhos, girinos, caramujos e outros insetos. • *Adj.* **2.** Pertencente ou relativo a eles. [Sin. ger.: *belostômida* e *belostomídeo.*]

belostômida *S. m. Adj. 2 g. Zool.* V. *belostomatídeo.*

belostomídeo [Do tax. *Belostoma* (v. *belóstoma*) + *-ídeo*[1].] *S. m. Adj. Zool.* V. *belostomatídeo.*

belóstomo *S. m. Zool.* V. *belóstoma.*

belota [Var. de *bolota.*] *S. f. Bot.* V. *glande* (1).

belo-valense *Adj. 2 g.* **1.** De, ou pertencente ou relativo a Belo Vale (MG). • *S. 2 g.* **2.** O natural ou habitante de Belo Vale. [Pl.: *belo-valenses.*]

bel-prazer [De *bel*, f. apocopada de *belo*, + *prazer.*] *S. m.* Vontade própria; talante; arbítrio. [Pl.: *bel-prazeres.*] [Us. em loc. adv., como: *fez tudo a seu bel-prazer.*]

belterrense *Adj. 2 g.* **1.** De, ou pertencente ou relativo a Belterra (PA). • *S. 2 g.* **2.** O natural ou habitante de Belterra.

beltrandense *Adj. 2 g.* **1.** De, ou pertencente ou relativo a Engenheiro Beltrão (PR). • *S. 2 g.* **2.** O natural ou habitante de Engenheiro Beltrão. [Sin. ger.: *engenheiro-beltrense.*]

beltrano [Alter. do antr. *Beltrão*, com infl. de *fulano.*] *S. m.* Certa pessoa indeterminada, que se menciona depois de outra, designada por fulano. [Tb. se usa *beltrão.*]

beltrão *S. m.* Beltrano (q. v.).

beltronense *Adj. 2 g.* **1.** De, ou pertencente ou relativo a Francisco Beltrão (PR). • *S. 2 g.* **2.** O natural ou habitante de Francisco Beltrão.

beluário [Do lat. *bellua*, 'animal corpulento', + *-ário.*] *S. m. Ant.* Gladiador que combatia com feras no circo romano.

beluchi *Adj. 2 g. S. 2 g. S. m.* V. *balúchi.*

beluga [Do russo *byeluga* (do russo *belyi*, 'branco').] *S. f. Zool.* **1.** Cetáceo monodontídeo (*Delphinapterus leucas*) das regiões ártica e subártica, com cerca de 3 a 5m de comprimento, de coloração geral branca, cabeça pequena, provida de pequeno bico. [Sin.: *baleia-branca, golfinho-branco.*] **2.** Esturjão branco (*Acipenser huso*) do mar Negro e do mar Cáspio e seus tributários, de cujas ovas se faz o caviar (q. v.).

beluíno [Do lat. *belluinu.*] *Adj.* **1.** De, ou pertencente ou relativo a feras: "ante seus olhos lumes fátuos fagulhavam, ... e ele tomava-os pela fosforescência iriada das pupilas <u>beluínas</u>." (Coelho Neto, *Banzo*, pp. 129-130). **2.** *Fig.* Selvagem, rude, brutal.

belveder (dê) *S. m.* V. *belvedere.* "O Parque Eduardo VII, o Jardim do Príncipe Real, o <u>belveder</u> de São Pedro de Alcântara" (Almeida Faria, *O Conquistador*, p. 84).

belvedere (dê) [Do it. *belvedere.*] *S. m.* **1.** Pequeno mirante de onde se descortina um vasto panorama. **2.** Terraço em local elevado. [Var.: *belveder* e *belver.*]

belver (ê) *S. m.* V. *belvedere.*

belverde *S. m. Bot.* V. *valverde.*

belzebu [Do hebr. *Ba'al zebuh*, 'deus das moscas'.] *S. m.* O príncipe dos demônios, segundo o Novo Testamento [v. *diabo* (2)]: "As milícias de <u>Belzebu</u> compõem-se, segundo os mais rigorosos demonologistas, de 6.666 legiões, formada cada uma de 6.666 demônios." (Olavo Bilac, *Conferências Literárias*, p. 156.) [Var.: *berzebu, berzabu, berzabum, brazabum.*]

bem [Do lat. *bene.*] *S. m.* **1.** *Ét.* Qualidade atribuída a ações e a obras humanas que lhes confere um caráter moral. [Esta qualidade se anuncia através de fatores subjetivos (o sentimento de aprovação, o sentimento de dever) que levam à busca e à definição de um fundamento que os possa explicar. Cf. *ética.*] **2.** Austeridade moral; virtude: *Tem uma disposição inata para o* <u>*bem.*</u> **3.** Felicidade; ventura: *Aconselhava-o para seu próprio* <u>*bem*</u>*;* "Se és feliz e o não sabes, tens na mão / O maior <u>bem</u> entre os mais <u>bens</u> terrenos" (Raul de Leoni, *Luz Mediterrânea*, p. 71). **4.** Favor, benefício: "Faze o <u>bem</u> sem olhar a quem" (prov.). **5.** Utilidade, vantagem, proveito: *— Afinal, que* <u>*bem*</u> *lhe adveio com ação tão discutível?* **6.** Pessoa muito querida, amada: "eu quero a rosa mais linda que houver, / quero a primeira estrela que vier, / para enfeitar a noite do meu <u>bem</u>." (Dolores Duran, no samba-canção *A Noite do Meu Bem*). **7.** *Econ.* Aquilo que pode satisfazer uma necessidade ou desejo humano (tanto objetos com existência física, como alimentos ou casas, quanto coisas intangíveis, como idas ao cinema ou consultas médicas). **8.** *Econ. Restr.* Bem econômico tangível; mercadoria: *O PIB mede o valor dos bens e serviços produzidos no país.* • *Adv.* **9.** Muito; bastante: "Marocas despediu todos os seus namorados, e creio que não perdeu pouco; tinha alguns capitalistas <u>bem</u> bons." (Machado de Assis, *Histórias sem Data*, p. 47); *Mesmo devagar, conseguiu ir* <u>*bem*</u> *longe.* **10.** Convenientemente: *Portou-se* <u>*bem.*</u> **11.** Com afeição: *A esposa trata-o* <u>*bem.*</u> **12.** Com saúde: *Após uma semana de repouso, estava* <u>*bem.*</u> **13.** Com perfeição; lindamente: *O flautista toca* <u>*bem.*</u> **14.** Acertadamente: *O júri decidiu* <u>*bem.*</u> **15.** Claramente, nitidamente, distintamente: *Dali se via* <u>*bem.*</u> **16.** Seguramente, certamente: "Era <u>bem</u> meio-dia quando chegaram." (O. G. Rego de Carvalho, *Somos Todos Inocentes*, p. 103.) **17.** Exatamente, precisamente: *O tiro foi* <u>*bem*</u> *no coração;* "Os olhos dela não eram <u>bem</u> negros, mas escuros" (Machado de Assis, *Páginas Recolhidas*, p. 83). • *Pron. indef.* **18.** Muito; bastante: "E com <u>bem</u> mágoa / Pedi a Deus / Um pingo de água / Dos olhos seus." (João de Deus, *Campo de Flores*, I, p. 16); "<u>Bem</u> vezes revoltavam-lhe a alma as indignidades de que era vítima" (José de Alencar, *Senhora*, p. 227); "A mão fina, ideal, calçada em luva clara, ... <u>bem</u> vezes, também, me alvoroça e agita o sangue." (Cruz e Sousa, *Obra Completa*, p. 407). • *Adj. 2 g. e 2 n.* **19.** Pertencente à alta sociedade: *É uma moça* <u>*bem*</u>*;* "Ter brasão era ser nobre. Era ser gente <u>bem</u>." (P.e Antônio Vieira, *Sertão Brabo*, p. 16). ◆ **Bem comum.** Assim como; da mesma forma que: *Naquele dia,* <u>*bem como*</u> *nos seguintes, esteve mal.* **Bem comum.** Conjunto de condições sociais que possibilitam a felicidade coletiva. **Bem cultural.** Bem, material ou não, significativo como produto e testemunho de tradição artística e/ou histórica, ou como manifestação da dinâmica cultural de um povo ou de uma região. [Podem-se considerar como bens culturais obras arquitetônicas, ou plásticas, ou literárias, ou musicais, conjuntos urbanos, sítios arqueológicos, manifestações folclóricas, etc.] **Bem de capital.** *Econ.* Bem de produção (máquinas e equipamentos, mas não matérias-primas) não consumido no processo produtivo. **Bem de consumo.** *Econ.* Bem econômico que se destina ao consumo individual (como alimentos, roupas, eletrodomésticos). **Bem de consumo durável.** *Econ.* Bem de consumo que é us. durante certo período de tempo (como um automóvel ou um eletrodoméstico). **Bem de consumo não durável.** *Econ.* Bem de consumo que é gasto no ato do consumo (como alimentos). **Bem de família.** Prédio destinado por chefes de família para domicílio desta, e que está isento de execução por dívidas (salvo as fiscais e ale referentes) no decorrer da vida dos cônjuges e até a maioridade dos filhos. **Bem de produção.** *Econ.* Bem econômico que se destina a produzir outros bens (como máquinas e matérias-primas de uma fábrica). **Bem de salário.** *Econ.* Bem de consumo típico do dispêndio de um trabalhador assalariado. **Bem econômico.** *Econ.* Bem escasso, em geral produzido com esforço humano, e que é objeto de compra e venda. **Bem feito.** *Interj.* de aplauso us. ironicamente; exprime satisfação por algo de mau ocorrido a outrem: <u>*Bem feito!*</u> *Todos te avisaram para não correr.* [Cf. *benfeito.*] **Bem integrado.** *Arquit. Art. Plást.* Elemento artístico que, por sua natureza, se integra à obra arquitetônica, não devendo, portanto, ser desmembrado desta (p. ex., a pia batismal de uma igreja; retábulos; pinturas murais e de forro, lápides tumulares ou comemorativas). **Bem intermediário.** *Econ.* Bem manufaturado us. na produção de outros bens. **Bem livre.** *Econ.* Bem disponível sem custo, como o ar que se respira. **Bem natural.** Obra da natureza, de excepcional valor do ponto de vista estético e/ou científico. [Podem-se considerar como bens naturais as formações físicas, ou biológicas, ou geológicas, ou o hábitat de espécies animais e/ou vegetais ameaçadas, etc.: p. ex., a serra do Mar, tombada em SP como tal.] **Bem público.** *Econ.* Bem econômico consumido e custeado de forma coletiva (como os serviços da polícia e do sistema judiciário). **Bem que.** Ainda que; posto que; se bem que: "tenho visto que a audácia acaba muitas vezes por dar na cabeça, <u>bem que</u> em alguns casos seja uma virtude preciosa." (Machado de Assis, *Crônicas*, I, p. 118). **A bem da verdade.** Para não faltar à verdade; por respeito a ela. **De bem com.** Em relações amistosas com: *F. está* <u>*de bem com*</u> *o Paulo.* **Falar bem de.** Falar favoravelmente de; elogiar. **Nem bem.** Logo que, assim que; mal: "<u>Nem bem</u> as primeiras árvores começaram a ser podadas, levantou-se um agudo protesto popular, que os jornais apoiaram." (Maria Julieta Drummond de Andrade, *O Valor da Vida*, p. 68.) **Querer bem a.** Ter afeição a; gostar de; amar. **Se bem que.** V. *bem que.*

▲ bem- [Do lat. *bene.*] *Pref.* = 'bem', 'excelentemente'; 'felizmente'; 'agradavelmente'; 'com sensatez'; 'abundantemente': *bem-aventurado, bem-criado, bem-dito, bem-ditoso, bem-dizer, bem-estar, bem-falante, bem-humorado, bem-mandado, bem-me-quer, bem-nascido, bem-sucedido, bem-vestido, bem-vindo, bem-visto.* [É ger. seguido de hífen, ainda que, em muitos compostos, apareça aglutinado ao 2.º el., quer este tenha ou não vida à parte: *benfazejo, benfazer, benfeito, benfeitor, benfeitoria, benquerença, benquerer, benquistar, benquisto.*] [Equiv.: *ben-.*]

bem-acabado *Adj.* Feito com vista à perfeição; bem executado. [Pl.: *bem-acabados.* Antôn.: *mal-acabado.*]

bem-aceito *Adj.* V. *bem-visto* (2). [Pl.: *bem-aceitos.*]

bem-afamado *Adj.* Que goza de boa fama, de boa reputação, de bom renome; bem-conceituado. [Pl.: *bem-afamados*. Antôn.: *mal-afamado*.]

bem-afortunado *Adj.* Feliz, próspero, afortunado. [Pl.: *bem-afortunados*. Antôn.: *mal-afortunado*.]

bem-agradecido *Adj.* Grato, reconhecido; agradecido. [Pl.: *bem-agradecidos*. Antôn.: *mal-agradecido*.]

bem-ajambrado *Adj. Bras.* Bem-vestido, bem-apresentado. [Pl.: *bem-ajambrados*. Antôn.: *mal-ajambrado*.]

bem-amado *Adj.* **1.** Que é objeto de afeto ou amor particular. ● *S. m.* **2.** O querido, o predileto. [Pl.: *bem-amados*.]

bem-apanhado *Adj. Bras. Gír.* Bonito, alinhado, benfeito: *uma pequena bem-apanhada*; "Aquele sujeito, nas suas barbas, garantiu que um elefante era mais bem-apanhado do que eu." (José Cândido de Carvalho, *Um Ninho de Mafagafes Cheio de Mafagafinhos*, p. 23). [Pl.: *bem-apanhados*. Antôn.: *mal-apanhado*.]

bem-apessoado *Adj.* Que tem boa aparência; bem-parecido, apessoado: "Por que você não quis nunca se casar, Cora? Pretendente nunca faltou, você era bem-apessoada e bonita." (Autran Dourado, *As Imaginações Pecaminosas*, p. 89.) [Pl.: *bem-apessoados*. Antôn.: *mal-apessoado*.]

bem-apresentado *Adj.* Que tem boa apresentação (6); bem-posto. [Pl.: *bem-apresentados*. Antôn.: *mal-apresentado*.]

bem-arranjado *Adj.* Bem-vestido, bem-posto, bem-apresentado, bem-arrumado: "a porta do quarto se abriu e D. Eduviges se apresentou bem-arranjada, o cabelo apanhado e com o vestido melhor" (Moreira Campos, *Portas Fechadas*, p. 215). [Pl.: *bem-arranjados*. Antôn.: *mal-arranjado*.] ◆ **Estar bem arranjado** *Irôn.* Estar em maus lençóis: "A gente não pode, de jeito nenhum, prestigiar esses Cantadores e folheteiros! Você está bem arranjado com esses Mestres!" (Ariano Suassuna, *A Pedra do Reino*, p. 180.)

bem-arrumado *Adj.* Bem-vestido, bem-posto, bem-arranjado: "Moço vistoso e bem-arrumado, conversando diversos assuntos, apareceu um tal Raimundo" (Bariani Ortêncio, *Vão dos Angicos*, p. 88). [Pl.: *bem-arrumados*. Antôn.: *mal-arrumado*.]

bem-aventurado *Adj.* **1.** Muito feliz: "Seu Irineu Boaventura não era tão bem-aventurado assim, pois sua saúde não era lá para que se diga." (Stanislaw Ponte Preta, *Febeapá 2*, p. 97.) **2.** Diz-se daquele que, depois da morte, desfruta da felicidade celestial e eterna; santo; beatificado, beato: *os bem-aventurados apóstolos*. ● *S. m.* **3.** Pessoa bem-aventurada. [Antôn., na acepç. 1: *mal-aventurado*. Pl.: *bem-aventurados*.]

bem-aventurança *S. f.* **1.** Grande felicidade, a glória, a felicidade perfeita. **2.** *Teol.* A felicidade eterna, que os santos gozam no Céu. [Pl.: *bem-aventuranças*.] ~ V. *bem-aventuranças*.

bem-aventuranças [Pl. de *bem-aventurança*.] *S. f. pl.* Us. na expr. *bem-aventuranças evangélicas*. ~ V. *bem-aventurança*. ◆ **Bem-aventuranças evangélicas.** *Rel.* As máximas de vida promulgadas por Jesus Cristo nos Evangelhos, e que significam a vida segundo as finalidades últimas e a sorte final do homem junto de Deus.

bem-aventurar *V. t. d.* Tornar ditoso; dar a felicidade celeste a.

bem-avindo *Adj.* Que está em boas relações (com outro); conciliado, amigável. [Pl.: *bem-avindos*. Antôn.: *mal-avindo*.]

bem-avisado *Adj.* Que procede com acerto e reflexão, com aviso; prudente, sensato, discreto. [Pl.: *bem-avisados*. Antôn.: *mal-avisado*.]

bemba *S. 2 g.* **1.** *Etnôn.* Indivíduo dos bembas, povo que habita a Zâmbia e o N.E. do Zimbabué (África Meridional). ● *S. m.* **2.** *Gloss.* Língua banta falada na Zâmbia, na República Democrática do Congo (antigo Zaire), na Tanzânia e no Zimbábue. ● *Adj. 2 g.* **3.** De, pertencente, ou relativo aos bembas, ou à sua língua.

bembé [De or. tupi, poss.] *S. m. Bras. Amaz. Zool.* V. *maruim*.

bêmber [De or. obsc.] *S. m. Tec. Têx.* Tecido sintético usado em geral para forro em peças de vestuário. [Pl.: *bêmberes*.]

bem-bom *S. m. Bras.* Bem-estar; comodidade: "declarou .... que ia morrer e recolheu-se ao leito, onde ficou sendo paparicado pela mulher e pelos quatorze filhos. Esse bem-bom durou vinte anos" (Pedro Nava, *Baú de Ossos*, p. 288). ◆ **Estar no bem-bom.** *Bras.* Estar à vontade.

bem-casado *S. m. Cul.* V. *casadinho*. [Pl.: *bem-casados*.]

bem-casados [De *bem-* + o pl. de *casado*.] *S. m. 2 n.* **1.** *Bot.* V. *cavalinho-d'água*. **2.** *Bot.* V. *dois-irmãos* (1). **3.** *Cul.* Casadinhos feitos com massa de pão de ló e unidos com ovos-moles ou doce de leite.

bem-comportado *Adj.* Que se comporta ou procede bem; bem-procedido; comportado. [Antôn.: *mal-comportado*. Pl.: *bem-comportados*.] ~ V. *função —a*.

bem-composto *Adj.* Bem-posto, bem-apresentado, elegante: "concorreu à partida do desembargador aquele Vasco da Cunha, galanteador de Adelaide, mancebo bem-composto de sua pessoa, sisudo, e muito católico." (Camilo Castelo Branco, *A Queda dum Anjo*, p. 131). [Pl.: *bem-compostos*.]

bem-conceituado *Adj.* Bem-afamado (q. v.). [Antôn.: *malconceituado*. Pl.: *bem-conceituados*.]

bem-conformado *Adj.* De boa conformação; elegante, harmonioso; benfeito: "alto, ágil, de talhe robusto e bem-conformado" (José de Alencar, *Til*, p. 17). [Opõe-se a *malconformado*. Pl.: *bem-conformados*.]

bem-cortado *Adj.* Que é benfeito; que veste bem: *um terno bem-cortado*. [Pl.: *bem-cortados*.]

bem-criado *Adj.* **1.** V. *bem-educado*. [Antôn.: *malcriado* (1).] **2.** Gordo; nédio: *porco bem-criado*. [Pl.: *bem-criados*.]

bem de fala *S. m.* Maneira desafetada de falar; linguagem simples e sincera. [Pl.: *bens de fala*.] ☑

bem-disposto (ô) *Adj.* Com boa disposição. [Antôn.: *maldisposto*. Pl.: *bem-dispostos*.]

bem-dormido *Adj.* **1.** Que dormiu bem; que dormiu bastante e/ou tranquilamente. **2.** Em que houve um sono reparador: *noites bem-dormidas*. [Antôn.: *maldormido*. Pl.: *bem-dormidos*.]

bem-dotado *Adj.* **1.** Cheio de dotes, prendas, aptidões; prendado. **2.** *Chulo* Que tem pênis considerado grande. ● *S. m.* **3.** Indivíduo bem-dotado (2): "o poeta é um bem-dotado. Será que nasceu em Itu?" (Roberto Drummond, *Hilda Furacão*, p. 101). [Pl.: *bem-dotados*. Antôn.: *maldotado*.]

bem-educado *Adj.* Quem tem ou demonstra boa educação; delicado, cortês; bem-criado, educado. [Pl.: *bem-educados*. Antôn.: *mal-educado*.]

bem-encarado *Adj.* **1.** Que tem boa cara. **2.** Que revela boa índole. [Pl.: *bem-encarados*. Antôn.: *mal-encarado*.]

bem-estar *S. m.* Estado de perfeita satisfação física ou moral; conforto; bem-bom. [Pl.: *bem-estares*. Antôn.: *mal-estar*.]

bem-fadado *Adj.* Feliz, ditoso, afortunado. [Pl.: *bem-fadados*. Antôn.: *malfadado*.]

bem-fadar *V. t. d.* **1.** Fadar bem. **2.** Vaticinar boa fortuna a. [Antôn.: *malfadar*.]

bem-falante *Adj. 2 g. S. 2 g.* Que, ou quem fala bem; que, ou quem é eloquente: "Condoía-se .... de que um homem como aquele, cheio de vida, inteligente, bem-falante, ... não passasse de um reles impostor." (Josué Montelo, *A Noite sobre Alcântara*, p. 197.) [Pl.: *bem-falantes*. Cf. *malfalante*.]

bem-fazer *v. t. d. i.* V. *benfazer*. [Conjug.: v. *fazer*.]

bem-figurado *Adj.* **1.** Que apresenta condições ou probabilidades de sair a contento, de concretizar-se: *É um vencedor: seus negócios andam bem-figurados*. **2.** De bom aspecto físico; apessoado: *Tem a quem sair: seu pai era também um homem bem-figurado*. [Pl.: *bem-figurados*. Antôn.: *malfigurado*.]

bem-humorado *Adj.* Que está de, ou tem bom humor (4). [Pl.: *bem-humorados*. Antôn.: *mal-humorado* (2).]

bem-ido *Adj.* Que vai ou parte bem, tranquilo, a salvo: "— Bem-ido seja o hóspede, como foi bem-vindo à cabana de Araquém." (José de Alencar, *Iracema*, p. 69.) [Pl.: *bem-idos*.]

bem-intencionado *Adj. S. m.* Diz-se de, ou indivíduo munido de boas intenções. [Pl.: *bem-intencionados*. Antôn.: *mal-intencionado*.]

bem-lançado *Adj.* **1.** Oportuno, apropositado: "Abundam em seus escritos [de Tobias Barreto] observações bem-lançadas sobre o mecanismo da vida social." (Hermes Lima, *Tobias Barreto*, p. 138.) **2.** Benfeito (2): "Sorria diante de mim aquela moça feita, bonitona, bem-lançada, chique." (Genolino Amado, *O Reino Perdido*, p. 28.) [Pl.: *bem-lançados*.]

bem-mandado *Adj.* Que é obediente, submisso; bem-ouvido. [Pl.: *bem-mandados*. Antôn.: *malmandado*.]

bem-me-quer *S. m. Bot.* Erva asterácea (*Aspilia foliacea*) de flores amarelas e frutos pilosos; malmequer. [Pl.: *bem-me-queres*.]

bem-nado *Adj.* V. *bem-nascido*. [Pl.: *bem-nados*.]

bem-nascido *Adj.* **1.** Que nasceu para o bem, ou sob bons auspícios. **2.** De família rica ou nobre: "Sou bem-nascido. Menino, / Fui, como os demais, feliz." (Manuel Bandeira, *Estrela da Vida Inteira*, p. 5.) [Sin. ger.: *bem-nado*. Pl.: *bem-nascidos*. Antôn.: *malnascido*.]

bemol [Do it. *bemolle*.] *S. m. Mús.* **1.** Sinal (♭) que indica dever ser abaixada de um semitom a nota que está à sua direita. ● *Adj. 2 g.* **2.** Diz-se da nota (18) que foi afetada por bemol (1). [Pl.: *bemóis*. Cf. *bequadro* e *sustenido*.]

bem-ordenado *Adj.* Que se ordenou ou dispôs bem. ~ V. *conjunto —*. [Pl.: *bem-ordenados*.]

bem-ouvido *Adj.* Que atende às ordens ou aos conselhos recebidos; que os ouve; obediente, dócil; bem-mandado. [Pl.: *bem-ouvidos*. Antôn.: *mal-ouvido*.]

bem-parado *Adj.* Em situação favorável, propícia: *Seus negócios andam muito bem-parados*. [Pl.: *bem-parados*. Antôn.: *malparado*.]

bem-parecido *Adj.* De boa aparência; bonito, formoso, elegante. [Pl.: *bem-parecidos*. Antôn.: *malparecido*.]

bem-pensante [Adapt. do fr. *bien pensant*.] *Adj. 2 g.* **1.** Que pensa de acordo com a ordem estabelecida, ou a ela é favorável; conservador: "Os outros municípios mineiros continuavam bem-pensantes e até que se escandalizavam um pouco com aquele colégio sem latim, nenhum catecismo e excesso de esportes." (Pedro Nava, *Balão Cativo*, p. 118.) ● *S. 2 g.* **2.** Pessoa bem-pensante (1). [Pl.: *bem-pensantes*.]

bempostano *Adj.* **1.** De, ou pertencente ou relativo a Bemposta (RJ). ● *S. m.* **2.** O natural ou habitante de Bemposta.

bem-posto (ô) *Adj.* **1.** Garboso nos movimentos. **2.** Bem-vestido, bem-apresentado, elegante: "No claro do terreiro, as raparigas e os rapazes, bem-postos e felizes nos seus trajes festivos, agrupam-se em ranchos." (José Vieira, *Sol de Portugal*, pp. 156-157.) [Antôn. (nesta acepç.): *malposto*. Pl.: *bem-postos*.]

bem-procedido *Adj.* Que tem bom procedimento; bem-comportado: "Depois é que o mundo fala / E se mete com a vida / De quem às vezes se cala / Por ser mais bem-procedida" (João de Deus, *Campo de Flores*, I, p. 277). [Pl.: *bem-procedidos*. Antôn.: *malprocedido*.]

bem-proporcionado *Adj.* V. *proporcionado*. [Pl.: *bem-proporcionados*. Antôn.: *malproporcionado*.]

bem-querer *V. t. i.* **1.** Querer bem; dedicar grande estima: *Bem-quer tanto ao avô como ao pai*. *P.* **2.** Amar-se, estimar-se reciprocamente: *Bem-querem-se desde crianças*. [Irreg. Conjug.: v. *querer*. Part.: *benquerido* e *benquisto*. Antôn.: *malquerer* (1).] ● *S. m.* **3.** V. *benquerença*: "Até que me queria bem demais, mas era um bem-querer calado." (Odilo Costa Filho, *História de Seu Tomé Meu Pai e Minha Mãe Maria*, pp. 8-10.) **4.** Pessoa a quem se ama; o bem-amado. [Var.: *benquerer*. Antôn., nesta acepç.: *malquerer* (2). Pl. do s. m.: *bem-quereres*.]

bem-querido *Adj.* V. *benquisto*: "Vai-lhe morrer, morrer nos próprios braços, / Morrer de fome, o filho bem-querido" (Vicente de Carvalho, *Poemas e Canções*, p. 60). [Pl.: *bem-queridos*. Antôn.: *malquerido*.]

bem-resolvido [De *bem* + o part. de *resolver*.] *Adj.* **1.** Diz-se de indivíduo realizado emocional, psicológica e/ou financeiramente. **2.** Que está bem consigo mesmo, que superou seus traumas, limites e dificuldades. **3.** Próprio de indivíduo bem-resolvido (1 e 2): *Na matéria, afirma-se que a ex-modelo está num momento bem-resolvido*. **4.** *Gír.* Diz-se de automóvel ou marca de automóvel que tem bom desempenho e cuja mecânica não costuma apresentar problemas. [Pl.: *bem-resolvidos*.]

bem-soante *Adj. 2 g.* Bem-sonante. [Pl.: *bem-soantes*. Antôn.: *malsoante*.]

bem-sonante *Adj. 2 g.* Que soa bem; eufônico; bem-soante: "afinadinha, bem-sonante, expressiva — nos metais, nas palhetas, na pancadaria — que rica música!" (João da Silva Correia, *Farândola*, p. 70). [Pl.: *bem-sonantes*. Antôn.: *malsonante*.]

bem-sucedido *Adj.* Que teve bom sucesso, bom êxito. [Antôn.: *malsucedido*. Pl.: *bem-sucedidos*.]

bem te vi *S. m. Bras.* **1.** Partido político formado no MA no período da Regência. **2.** Membro ou sequaz desse partido. [Pl.: *bem te vis*.] ☑ notas 1 e 2

bem-te-vi *S. m. Bras. Zool.* **1.** Ave passeriforme tiranídea (*Pitangus sulphuratus*), largamente distribuída no Brasil, e com pelo menos quatro subespécies. Coloração pardo-olivácea, asas e cauda marginadas de vermelho, cabeça preta com uma mancha amarela no vértice, sobrancelhas prolongadas numa fita nucal, garganta branca, peito e abdome amarelos. [Sin.: *pituã*, *triste-vida*. Cf. *siririca*[1] (2).] **2.** V. *bem-te-vi-de-coroa*. [Pl.: *bem-te-vis*.]

bem-te-vi-carrapateiro *S. m. Bras. BA Zool.* V. *bem-te-vi-do-gado*. [Pl.: *bem-te-vis-carrapateiros*.]

bem-te-vi-cavaleiro *S. m. Bras. AM Zool.* V. *bem-te-vi-escuro*. [Pl.: *bem-te-vis-cavaleiros*.]

bem-te-vi-de-cabeça-rajada *S. m. Bras. Zool.* V. *bem-te-vi-escuro*. [Pl.: *bem-te-vis-de-cabeça-rajada*.]

bem-te-vi-de-coroa *S. m. Bras. Zool.* Ave passeriforme, tiranídea (*Pitangus sulphuratus maximiliani*), que ocorre do MA para o S. Coloração parda na parte superior, amarela na inferior, vértice amarelo orlado de preto, garganta, cílios e nuca brancos. Seu nome provém da coloração da cabeça. [Sin.: *pitanguá*, *bem-te-vi, pitanguá-açu, pitauá.* Pl.: *bem-te-vis-de--coroa.*]

bem-te-vi-de-gamela *S. m. Bras. CE Zool.* V. *birro*¹. [Pl.: *bem-te-vis-de-gamela.*]

bem te vi de igreja *S. m. Bras.* Indivíduo que frequenta as igrejas para se exibir. [Pl.: *bem te vis de igreja.*]

bem-te-vi-do-bico-chato *S. m. Bras. Zool.* Ave passeriforme, tiranídea (*Megarynchus pitangua*), comum em todo o Brasil. Coloração pardo-esverdeada, asas e cauda marginadas de vermelho-claro, uma mancha amarela no vértice, sobrancelhas, garganta e coberteiras inferiores da cauda brancas, peito e abdome amarelos. [Sin.: *bem-te-vi-do-bico-largo, bem-te-vi--do-mato-virgem, nei-nei, pitangaçu, pitanguá.* Pl.: *bem-te-vis-do-bico-chato.*]

bem-te-vi-do-bico-largo *S. m. Bras. Zool.* V. *bem-te-vi--do-bico-chato.* [Pl.: *bem-te-vis-do-bico-largo.*]

bem-te-vi-do-gado *S. m. Bras. CE Zool.* Ave passeriforme, tiranídea (*Machetornis rixosa*). Coloração azeitonada no dorso, e asas e cauda escuras, amarelas inferiormente. O vértice vermelho caracteriza bem a espécie. Gosta de permanecer junto ao gado, donde o nome comum e a concepção errada de que se alimenta de carrapatos. [Sin.: *bem-te-vi-carrapateiro, suiriri-do-campo.* Pl.: *bem-te-vis-do-gado.*]

bem-te-vi-do-mato *S. m. Bras. PA Zool.* V. *siriritinga.* [Pl.: *bem-te-vis-do-mato.*]

bem-te-vi-do-mato-virgem *S. m. Bras. Amaz. Zool.* V. *bem-te-vi-do-bico-chato.* [Pl.: *bem-te-vis-do-mato--virgem.*]

bem-te-vi-escuro *S. m. Zool.* Ave passeriforme, tiranídea (*Myiodynastes maculatus*), da Amaz., de coloração pardo-escura, retrizes e coberteiras superiores da cauda vermelhas com uma estreita estria parda no meio, asas marginadas de tons tirantes a branco e a vermelho, e uma mancha amarela no vértice; bem-te-vi-cavaleiro, bem-te-vi-rajado, bem--te-vi-de-cabeça-rajada. [Pl.: *bem-te-vis-escuros.*]

bem-te-vi-gamela *S. m. Bras. CE Zool.* V. *bem--te-vi-pequeno.* [Pl.: *bem-te-vis-gamelas* e *bem-te-vis--gamela.*]

bem-te-vi-miúdo *S. m. Bras. Amaz. Zool.* 1. V. *maria-é--dia* (1). 2. Ave passeriforme tiranídea (*Myiozetetes sclater*), menor do que os outros representantes da espécie. [Pl.: *bem-te-vis-miúdos.*]

bem-te-vi-pequeno *S. m. Bras. Zool.* 1. Ave passeriforme, tiranídea (*Legatus leucophaius*), com larga distribuição no Brasil. Coloração pardo-esverdeada no dorso, sobrancelha e garganta brancas e peito e abdome amarelo-claros, com pontinhos cinzentos. 2. Ave passeriforme, tiranídea (*Myiozetetes similis*), da Amaz., de coloração parda, dorso oliváceo, rêmiges com margem interior amarelo-esbranquiçada, uma mancha alaranjada no vértice, sobrancelha e garganta brancas, peito e abdome amarelos; bem-te-vizinho. 3. Ave passeriforme, tiranídea (*Pitangus lictor*), muito semelhante ao bem-te-vi, porém muito menor, tendo a asa menos de 0,10m de comprimento. [Sin. ger.: *bem-te-vi-gamela, filho-de--bem-te-vi, bem-te-vizinho.* Pl.: *bem-te-vis-pequenos.*]

bem-te-vi-preto *S. m. Bras. RS Zool.* V. *siriritinga.* [Pl.: *bem-te-vis-pretos.*]

bem-te-vi-rajado *S. m. Bras. Zool.* V. *bem-te-vi-escuro.* [Pl.: *bem-te-vis-rajados.*]

bem-te-vi-riscado *S. m. Bras. Zool.* V. *siriritinga.* [Pl.: *bem-te-vis-riscados.*]

bem-te-vizinho *S. m. Zool.* 1. *Bras.* Ave passeriforme, tiranídea (*Myiozetetes cayanensis*), distribuída da Amaz. ao PR., coloração parda, dorso oliváceo, rêmiges marginadas de vermelho-claro nas barbas interiores, mancha no vértice alaranjada, sobrancelha e garganta brancas, peito e abdome amarelos. 2. *Bras.* V. *bem-te-vi-pequeno* (2 e 3). 3. *Bras. RS* Ave passeriforme, tiranídea (*Empidonomus varius*), de coloração parda, cauda e coberteiras superiores da cauda marginadas de vermelho, mancha no vértice amarela, peito e abdome amarelo-claros pintados de pardo. Ocorre no Brasil central e meridional. [Pl.: *bem-te-vizinhos.*]

bem-vestido *Adj.* Trajado com apuro e elegância. [Pl.: *bem-vestidos.*]

bem-vestir *V. int. P.* Trajar(-se) com apuro, elegância, bom gosto.

bem-vindo *Adj.* 1. Que chegou a salvo, que chegou bem. 2. Bem recebido, bem acolhido à chegada: "Bem--vindo sejas, poeta, / A estas praias brasileiras!" (Casimiro de Abreu, *Obras*, p. 290.) [Pl.: *bem-vindos.* Cf. *Benvindo*, antr.]

bem-visto *Adj.* 1. Bem-conceituado; considerado. 2. Benquisto, bem-aceito: *É muito querido de todos, muito bem-visto.* [Pl.: *bem-vistos.* Antôn.: *malvisto.*]

▲ **ben-** Equiv. de *bem-*.

benção *S. f. Ant. Pop.* Bênção (q. v.): "Lançou-lhe mil bençoes o devoto Prelado" (Fr. Luís de Sousa, *Vida de D. Fr. Bertolameu dos Mártires*, II, p. 317). [Pl.: *bençoes.* Benção (oxítono) seria a boa forma, mas hoje é só us. pelo povo.]

bênção [Do lat. *benedictione*, atr. de várias f. arcaicas e antigas, a última das quais é *benção*, ainda vigente na linguagem pop.; houve recuo da acentuação tônica.] *S. f.* 1. Ação de benzer, ou de abençoar; bendição. 2. Graça divina. 3. Palavras e sentimentos de gratidão. 4. *Bras. Cap.* Golpe traumatizante e desequilibrante em que o capoeirista levanta uma perna e a impulsiona à frente com violência, a fim de atingir o adversário no tronco com a sola do pé. [Pl.: *bênçãos.*] ◆ **Tomar a bênção a cachorro.** Achar-se em extrema pobreza ou humilhação; chamar a gato meu tio.

bênção-de-deus *S. f. Bot.* 1. *Bras. L. S.* Arbusto malváceo (*Abutilon bedfordianum*) de flores de um róseo violáceo e frutos capsulares. 2. *Bras. S.* Arbusto malváceo (*Abutilon atropurpureum*) cujas flores, purpúreas, se comem cozidas ou em saladas; campainha. [Pl.: *bênçãos-de-deus.*]

➔ **benchmarking** ['bentʃmaːkɪŋ] [Ingl.] *S. m. Adm.* Processo por meio do qual uma empresa adota e/ou aperfeiçoa os melhores desempenhos de outras empresas em determinada atividade. ◆ ***Benchmarking* interno.** *Adm.* Comparação dos processos de um setor ou área da organização com os de outro setor ou área, para identificar as melhores práticas internas e disseminá-las para toda a organização. ***Benchmarking* competitivo.** *Adm.* Comparação dos processos de uma organização aos de um concorrente considerado como possuidor de melhores práticas, com o intuito de compreender as fontes da sua vantagem e eliminá-las por meio de um processo mimético. ***Benchmarking* funcional.** *Adm.* Comparação dos processos de determinada área de uma organização com os de outra organização que execute atividades semelhantes e tenha um melhor desempenho nessa área específica, embora não atue no mesmo segmento de mercado. [O fato de não haver concorrência direta pode facilitar a obtenção de informações.]

➔ **benday** ['bendej] [Ingl., do antr. *Ben(jamin) Day* (1838-1916), técnico gráfico americano que desenvolveu este processo.] *S. m. Art. Gráf.* Processo de aplicação de padrões de ponto ou linha na reprodução de arte-final a traço, para se obterem tonalidades ou sombreados.

bendazol [Voc. farmac.] *S. m. Quím.* Substância cristalina, derivada do benzimidazol, us. em medicina como vasodilatador [fórm.: $C_{14}H_{12}N_2$]. [Pl.: *bendazóis.*]

bendengó [Do tupi = 'vindo do céu'.] *S. m. Bras.* 1. Certo aerólito caído no sertão da Bahia, e que se conserva no Museu Nacional do Rio de Janeiro. 2. *P. ext.* Coisa descomunal. 3. *Bras. N.E.* Certo penteado.

bendenguê [De or. afr.] *S. m. Bras. RJ Mús.* V. *caxambu* (1).

bendiapá *Bras. S. 2 g.* 1. *Etnôn.* Indivíduo dos bendiapás [ou (etnôn. bras.) *Ben-dyapá], povo indígena extinto, da família linguística catuquina, que habitava a região do rio Purus (AM). ● *Adj. 2 g.* 2. Pertencente ou relativo a esse povo.

bendição *S. f.* Bênção (1).

bendito (ẽin) [Do lat. *benedictu.*] *Adj.* 1. Diz-se daquele ou daquilo a quem se abençoou, que é abençoado: *filhos benditos.* 2. Bom, bondoso, benfazejo: *criaturas benditas.* 3. Feliz, ditoso: *Bendita a hora em que a vi!* [Antôn.: *maldito.*] ● *S. m.* 4. Oração que principia por aquela palavra. 5. *Bras. MG Zool.* V. *louva-a-deus.* ◆ **Bendito dos penitentes.** *Bras. BA Folcl.* Em Pilão Arcado, romaria exclusiva de homens que, na sexta-feira santa, saem do cemitério de dorso nu, ou enrolados em lençóis, todos com um pano branco na cabeça, e um deles carregando uma cruz, percorrem a cidade até a matriz, entoando benditos de alerta contra pecado e estimulando a penitência.

bendizente (ẽin) [De *bendizer* + *-nte.*] *Adj. 2 g.* Que bendiz ou louva. [Antôn.: *maldizente.*]

bendizer (ẽin) [Do lat. *benedicere.*] *V. t. d.* 1. Dizer bem de; elogiar, gabar, louvar: *Ela sempre bendiz o bom gênio do marido.* 2. V. *abençoar* (1): *O capelão da Armada bendisse as terras descobertas.* 3. V. *abençoar* (2): *Bendigam os fados a nossa pátria.* 4. Glorificar, louvar, abendiçoar: "E eu bendigo, envergonhado, / Esse amor, avô do meu..." (Manuel Bandeira, *Estrela da Vida Inteira*, p. 18). [Antôn.: *maldizer.* Irreg. Conjug.: v. *dizer.*]

➔ **bénédictine** [ˌbenedikˈtin] [Fr.] *S. f.* Licor de coloração amarelada, com teor alcoólico de 43 graus, originalmente fabricado num mosteiro beneditino a partir de uma fórmula secreta de 27 plantas. [Us. como masculino no português.]

➔ **benedictus** [beneˈdiktos] [Lat., 'bendito'.] *S. m. 2 n. Rel.* Parte da missa (1) que se inicia com essa palavra de oração de ação de graças, recitada ou cantada. [Com cap. V. *liturgia da missa.*]

beneditense *Adj. 2 g.* 1. De, ou pertencente ou relativo a São Benedito (CE). ● *S. 2 g.* 2. O natural ou habitante de São Benedito.

beneditinense *Adj. 2 g.* 1. De, ou pertencente ou relativo a Beneditinos (PI). ● *S. 2 g.* 2. O natural ou habitante de Beneditinos.

beneditino [Do antr. *Benedictus* (nome latino de *São Bento*) + *-ino*¹.] *S. m.* 1. Monge da Ordem de São Bento. 2. *Rel.* Religioso que vive segundo a regra de São Bento. 3. *P. ext.* Homem erudito. ● *Adj.* 4. Pertencente ou relativo aos beneditinos. 5. Referente aos, ou próprio dos beneditinos: *paciência beneditina;* "Foi um trabalho beneditino, exaustivo, ao mesmo tempo cheio de surpresas, de deslumbramentos" (José Maria d'Eça de Queirós, *em* Eça de Queirós, *A Capital*, p. IX).

benedito [Do antr. *Benedito*, poss.] *S. m. Bras. Zool.* V. *pica-pau-do-mato-virgem.*

benedito-novense *Adj. 2 g.* 1. De, ou pertencente ou relativo a Benedito Novo (SC). ● *S. 2 g.* 2. O natural ou habitante de Benedito Novo. [Pl.: *benedito-novenses.*]

benefactivo [Do lat. *benefactus*, part. pass. de *benefacere*, + *-ivo.*] *Adj. S. m. E. Ling.* Diz-se de, ou categoria gramatical que indica o beneficiário da ação verbal: *Deu o livro* ao irmão.

benefe [Do ár.] *S. f. Bot.* Erva violácea (*Viola sylvestris*) vivaz, que habita terras arenosas da Europa, esp. de Portugal. [Sin.: *violeta-brava, benefe-da-beira, alcaria.*]

benefe-da-beira *S. f. Lus. Bot.* V. *benefe.* [Pl.: *benefes--da-beira.*]

beneficência [Do lat. *beneficentia.*] *S. f.* 1. Ato, hábito ou virtude de fazer o bem. 2. Caridade, filantropia. [Antôn.: *maleficência.*]

beneficente [Do lat. *beneficente.*] *Adj. 2 g.* Que beneficia; beneficiador. [Antôn.: *maleficente.*]

beneficentíssimo *Adj.* Superl. abs. sint. de *benéfico.*

beneficiação [De *beneficiar* + *-ção.*] *S. f.* 1. Ato ou efeito de beneficiar; beneficiamento. 2. Benfeitoria ou reparo em propriedade. 3. Aguardentação de vinho.

beneficiado [Part. de *beneficiar.*] *Adj.* 1. V. *beneficiário* (1). 2. *Bras.* Diz-se do animal castrado, ferrado ou assinalado. 3. Pessoa que tem benefício eclesiástico. 4. Pessoa ou instituição para quem reverte a totalidade ou parte do produto de um espetáculo de benefício. 5. Que sofreu beneficiação [v. *beneficiar* (4)]: *arroz beneficiado.* ● *S. m.* 6. V. *beneficiário* (2).

beneficiador (ô) [De *beneficiar* + *-dor.*] *Adj.* 1. Beneficente. ● *S. m.* 2. Aquele que faz benefícios. 3. *Bras.* Indivíduo que castra, ferra ou assinala reses. 4. Aquele que beneficia produtos agrícolas.

beneficial [Do lat. *beneficiale.*] *Adj. 2 g. Ecles.* Respeitante a benefício eclesiástico.

beneficiamento [De *beneficiar* + *-mento.*] *S. m.* 1. Beneficiação (1). 2. *Arquit.* Conjunto de intervenções que visam a melhorar ou reparar determinados aspectos de um imóvel. 3. *Tec.* Conjunto de operações que conferem a um produto, ou a uma matéria-prima, melhores características para o consumo, ou para o processamento industrial posterior.

beneficiar [De *benefício* + *-ar*².] *V. t. d.* 1. Fazer benefício a; favorecer: *O recente decreto beneficia os funcionários públicos.* 2. Melhorar; reparar, consertar: *beneficiar um velho edifício.* 3. Lavrar, cultivar, amanhar: *beneficiar a terra.* 4. Submeter (produtos agrícolas, etc.) a processos destinados a dar-lhes condições de serem consumidos ou utilizados, como, p. ex., descascar cereais, descaroçar algodão, etc. 5. *Tec. Têx.* Fazer passar por determinados processos de aprimoramento (fibras, fios ou tecidos). 6. Apurar (metais). 7. Castrar, ferrar ou assinalar (rês ou outro animal). *T. d. e i.* 8. Prover em (benefício eclesiástico). *P.* 9. Proporcionar benefícios a si mesmo: *Beneficiou-se durante a administração do amigo.* [Pres. ind.: *beneficio*, etc.; fut. pret.: *beneficiaria*, etc; Cf. *beneficiário*, s. m., e *beneficiaria*, fem. de *beneficiário*, adj. e s. m.]

beneficiário [Do lat. *beneficiariu.*] *Adj.* 1. Diz-se daquele que recebe ou usufrui benefício ou vantagem; beneficiado, favorecido. ~ V. *herdeiro — e parte —a.* ● *S. m.* 2. Aquele que recebe ou usufrui um benefício ou vantagem; beneficiado, favorecido. [Fem.: *beneficiária.* Cf. *beneficiaria*, do v. *beneficiar.*]

beneficiável [De *beneficiar* + *-vel.*] *Adj. 2 g.* Que pode ser beneficiado.

benefício [Do lat. *beneficiu.*] *S. m.* 1. Serviço ou bem que se faz gratuitamente; favor, mercê, graça. 2. Vantagem, ganho, proveito. [Sin. bras. e ant. (nessas acepç.): *benfeitoria.* Antôn.: *malefício* (1).] 3. Espetáculo cuja renda reverte em favor de algum artista da companhia, ou de outra pessoa, ou de uma instituição: "Artur Azevedo .... estava sempre solidário com todas as festividades teatrais e 'benefícios' destinados a angariar fundos para a libertação de escravos." (R. Magalhães Júnior, *Artur Azevedo e Sua*

Época, p. 122.) **4.** Melhoramento; benfeitoria. **5.** Direito conferido a alguém. **6.** Auxílio monetário, por força de legislação social. **7.** *Ecles.* Cargo eclesiástico, na Igreja Católica Apostólica Romana, ao qual se anexa o uso ou fruição de um bem. [Cf. *beneficio*, do v. *beneficiar*.] ◆ **Benefício de desoneração.** *Dir. Civ.* Desobrigação do fiador em virtude de moratória ou novação de contrato combinada, à sua revelia, entre o credor e o devedor. **Benefício de divisão.** *Dir. Civ.* Cláusula contratual que restringe a responsabilidade dos cofiadores a uma parte alíquota da dívida afiançada. **Benefício de excussão.** *Dir. Civ.* Direito conferido ao fiador para só ser obrigado a pagar ao credor quando todos os bens do devedor principal houverem sido executados. **Benefício de inventário.** *Dir. Civ.* Faculdade que algumas legislações estrangeiras, bem como o direito brasileiro anterior ao Código Civil (1916), concedem aos herdeiros, de promoverem o inventário antes de aceitarem a herança ou de renunciarem a ela. **A benefício de inventário.** *Dir. Civ.* Com a concessão deste direito: "Deixou [Castilho] arcas de riquezas filológicas; mas há pouco quem não renuncie herança a benefício de inventário." (Camilo Castelo Branco, *Serões de S. Miguel de Ceide*, I, p. 75.)

benéfico [Do lat. *beneficu*.] ***Adj.*** **1.** Que faz bem; benigno, salutar: *clima benéfico.* **2.** Bondoso, generoso: *atitude benéfica.* **3.** Favorável, propiciador, propício: *Ventos benéficos impeliam a galera.* [Superl. abs. sint.: *beneficentíssimo*. Antôn.: *maléfico*. Cf. *venéfico*.]

beneleitense ***Adj. 2 g.*** **1.** De, ou pertencente ou relativo a Benedito Leite (MA). • ***S. 2 g.*** **2.** O natural ou habitante de Benedito Leite.

benemerência [De *benemerente*.] ***S. f.*** Qualidade ou ato de benemérito.

benemerente [Do lat. *bene*, 'bem', + *merente*, part. pres. de *merere*, 'merecer'.] ***Adj. 2 g.*** Benemérito (1 e 2).

benemérito [Do lat. *bene*, 'bem', + lat. *meritu*, part. de *merere*, 'merecer'.] ***Adj.*** **1.** Que merece o bem; benemerente. **2.** Digno de honras, recompensas e aplausos por serviços importantes ou por procedimento notável; benemerente. **3.** Ilustre, distinto, ínclito. • ***S. m.*** **4.** Indivíduo benemérito.

beneplácito [Do lat. *beneplacitu*.] ***S. m.*** Consentimento, licença, aprovação, aprazimento: "Não há mulher alguma civilizada que se atreva a atar uma gravata, a calçar uma botina, ... a pregar um alfinete no vestido sem que a parisiense lhe tenha dado primeiro o seu conselho ou o seu beneplácito." (Ramalho Ortigão, *Em Paris*, p. 159.)

benesse (né) ***S. f. e m.*** **1.** Emolumento paroquial; pé de altar: "As ventanias, as chuvas, as noitadas através das serras revertiam inteiramente, como a côngrua e os benesses, em benefício, se não do corpo, ao menos da alma do reverendo prior." (Alexandre Herculano, *Lendas e Narrativas*, II, p. 132.) V. *direitos de estola*. **2.** Lucro gratuito; sinecura.

benetnache ***S. f.*** *Astr.* V. *Alcaide* (4). [Com cap.]

beneventino ***Adj.*** **1.** De, ou pertencente ou relativo à antiga cidade de Benevente, atual Anchieta (ES). • ***S. m.*** **2.** O natural ou habitante dessa cidade.

benevidense ***Adj. 2 g.*** **1.** De, ou pertencente ou relativo a Benevides (PA). • ***S. 2 g.*** **2.** O natural ou habitante de Benevides.

benevolência [Do lat. *benevolentia*.] ***S. f.*** **1.** Boa vontade para com alguém. **2.** Complacência, condescendência. **3.** Afeto, estima. [Antôn.: *malevolência*.]

benevolente [Do lat. *benevolente*.] ***Adj. 2 g.*** V. *benévolo*. [Antôn.: *malevolente*.]

benevolentíssimo [Do lat. *benevolentissimu*.] ***Adj.*** Superl. abs. sint. de *benévolo*. [Antôn.: *malevolentíssimo*.]

benévolo [Do lat. *benevolu*.] ***Adj.*** **1.** Que tende a fazer o bem; bondoso, benfeitor. **2.** Que tem disposições favoráveis; benéfico, benigno. **3.** Complacente, indulgente, benigno. **4.** Benquerente. [Sin. ger.: *benevolente*. Superl. abs. sint.: *benevolentíssimo*. Antôn.: *malévolo*.]

benfazejo (ẽin...ê) ***Adj.*** **1.** Que faz o bem; caritativo, caridoso: "Há longos anos ele arqueja / Em aflitiva escuridão. / Sê compassiva e benfazeja. / Dá-lhe o melhor que ele deseja: / — Teu grave e meigo coração." (Manuel Bandeira, *Estrela da Vida Inteira*, p. 38.) **2.** Útil, benéfico: "A chuva cai. A chuva aumenta. / Cai, benfazeja, a bom cair!" (Id., *ib.*, p. 37); *influência benfazeja*. [Antôn.: *malfazejo*.]

benfazer ***V. t. d.*** **1.** Fazer bem a; beneficiar. ***Int.*** **2.** Praticar o bem: "Mestre Amaro, ... incansável em benfazer, recolheu um recém-nascido numa daquelas manadas humanas." (Lauro Palhano, *O Gororoba*, p. 13.) [Irreg. Conjug.: v. *fazer*, mas é p. us., exceto no inf. pess. e no gerúndio. Antôn.: *malfazer*.] • ***S. m.*** **3.** Caridade; benefício; favor. **4.** Disposição benéfica. [Pl.: *benfazeres*.] ❖

benfeito ***Adj.*** **1.** Bem-acabado; esmerado. **2.** De belas formas; de proporções perfeitas; bem-lançado: *corpo benfeito.* **3.** Elegante, gracioso. [Antôn.: *malfeito*. Cf. *bem feito*. No B. e em P., a forma da tradição lexicográfica era *bem-feito*.] ❖

benfeitor (ẽin...ô) [Do lat. *benefactore*.] ***S. m.*** **1.** Aquele que faz o bem. **2.** Aquele que faz benfeitorias. • ***Adj.*** **3.** V. *benévolo* (1). [Antôn.: *malfeitor*.]

benfeitoria (ẽin) [De *benfeitor* + *-ia*[1].] ***S. f.*** **1.** Obra útil realizada em propriedade, e que a valoriza. **2.** Obra feita em coisas móveis ou imóveis com o fim de as conservar, melhorar ou embelezar. **3.** *Bras. Ant.* Benefício (1 e 2). [Antôn. (nesta acepç.): *malfeitoria*.] ◆ **Benfeitorias necessárias.** *Dir. Civ.* As que conservam a coisa ou impedem sua deterioração. **Benfeitorias úteis.** *Dir. Civ.* As que aumentam ou facilitam o uso da coisa. **Benfeitorias voluptuárias.** *Dir. Civ.* As que não aumentam o uso habitual da coisa, constituindo simples deleite ou recreio.

benfeitorizar (ẽin) [De *benfeitoria* + *-izar*.] ***V. t. d.*** Fazer benfeitoria(s) em.

benfiquista *Lus.* ***Adj. 2 g.*** **1.** Pertencente ou relativo ao *Sport* Lisboa e Benfica (Portugal). **2.** Que é torcedor ou jogador dessa agremiação. • ***S. 2 g.*** **3.** Membro, torcedor ou jogador dela.

bengala[1] [Do top. *Bengala*.] ***S. f.*** *Tec. Têx.* Tecido de seda e lã, originariamente trazido de Bengala (Índia).

bengala[2] [F. red. de *cana de Bengala*.] ***S. f.*** Bastão de madeira, cana-da-índia, etc., us., principalmente, como apoio. ◆ **Bengala branca.** Bengala usada por cegos para tatear o caminho e identificar-se como tal. **Bengala de estoque.** Bengala que oculta em seu interior uma espada ou um estoque.

bengalada [De *bengala*[2] + *-ada*[2].] ***S. f.*** Bordoada com bengala[2].

bengalão [De *bengala* + *-ão*[1].] ***S. m.*** *Bras.* Suruba (2).

bengaleiro [De *bengala*[2] + *-eiro*.] ***S. m.*** **1.** Fabricante e/ou vendedor de bengalas [v. *bengala*[2]]. **2.** Empregado que, à entrada dos teatros, guardava as bengalas dos espectadores. **3.** Móvel para guardar bengalas.

bengalês ***Adj.*** **1.** Da, ou pertencente ou relativo à República Popular de Bangladesh (parte L. da região de Bengala, no C.S. da Ásia). • ***S. m.*** **2.** O natural ou habitante deste país. [Flex.: *bengalesa* (ê), *bengaleses* (ê), *bengalesas* (ê). Cf. *bengali*.]

bengali [Dessa língua.] ***Adj. 2 g.*** **1.** Do, ou pertencente ao Estado de Bengala (Índia, parte oeste da região de Bengala), ou ao bengali (2). • ***S. m.*** **2.** *Gloss.* Língua indo-ariana falada na região do delta do rio Ganges, no Estado de Bengala (Índia) e em Bangladesh, onde é língua oficial. **3.** Vocábulo dessa língua. **4.** *Graf.* Alfabeto bengali (q. v.). **5.** O natural ou habitante do Estado de Bengala. [Cf. *bengalês*.]

bengasiano ***Adj.*** **1.** De, ou pertencente ou relativo a Bengasi (Líbia). • ***S. m.*** **2.** O natural ou habitante de Bengasi.

bengo[1] [Do top. *Bengo* (Angola).] ***S. m.*** *Bras. PE* **1.** Viela estreita e tortuosa; betesga. **2.** Caminho escuso. **3.** Qualquer lugar pouco frequentado e/ou malfrequentado. **4.** Casa comercial de ínfima categoria.

bengo[2] ***S. m.*** *Bras. SE Zool.* Preá (1 e 2).

bengue ***S. m.*** *Bras. RS Bot.* V. *maconha*.

benguela [Do top. *Benguela*.] ***S. 2 g.*** **1.** Indivíduo dos benguelas, povo da região de Benguela (Angola), que limava os dentes incisivos; banguela. **2.** *Bras.* V. *banguela* (4). • ***S. f.*** **3.** *Bras. Cap.* Variação de angola[2] (6) tocada com um andamento mais rápido. • ***Adj. 2 g.*** **4.** Relativo ou pertencente aos benguelas; banguela. **5.** V. *banguela* (2).

beni ***S. 2 g. Adj. 2 g.*** V. *benim*.

benignidade [Do lat. *benignitate*.] ***S. f.*** Qualidade de benigno. [Antôn.: *malignidade*.]

benigno [Do lat. *benignu*.] ***Adj.*** **1.** V. *benévolo* (1 a 3). **2.** Suave, brando, agradável. **3.** Não perigoso nem maligno: *A doença é benigna, sem gravidade.* [Antôn.: *maligno*.] ~ V. *tumor* —.

benim ***S. 2 g.*** **1.** *Etnôn.* Indivíduo dos benins, povo famoso por sua escultura em metal, oriundo de um antigo reino ao S. da Nigéria (África). • ***Adj. 2 g.*** **2.** De, ou relativo ao reino de Benim ou aos benins. [Var.: *beni*, *bini*.]

benincasa [Do tax. *Benincasa* < antr. it. (*Giuseppe*) *Benincasa* (séc. XVI).] ***S. f.*** *Bot.* **1.** Pequeno gênero de trepadeiras cucurbitáceas, originárias da Ásia, dotadas de grandes flores amarelas e frutos carnosos, edules. **2.** Qualquer espécie desse gênero, como, p. ex., a *Benincasa cerifera*, de flores amarelas e baga cilíndrica, a qual exsuda matéria cerífera esbranquiçada, e cujo fruto, a abóbora-branca, é comestível. **3.** Qualquer espécime desse gênero.

beninense ***Adj. 2 g.*** **1.** De, ou pertencente ou relativo à República de Benim (África Ocidental). • ***S. 2 g.*** **2.** O natural ou habitante de Benim.

beniquê [Do antr. (*Pierre-Jules*) *Béniqué* (1806-1851), cirurgião francês.] ***S. m.*** *Cir.* Sonda metálica us. outrora no cateterismo dilatador da uretra.

benjamim[1] [Do antr. bíblico *Benjamim*, filho mais novo de Jacó e Raquel.] ***S. m.*** **1.** O filho preferido (em geral o mais moço). **2.** O membro mais jovem de uma associação.

benjamim[2] ***S. m.*** Extensão dupla ou tripla para tomadas elétricas.

benjamim-constantense ***Adj. 2 g.*** **1.** De, ou pertencente ou relativo a Benjamim Constant (AM). • ***S. 2 g.*** **2.** O natural ou habitante de Benjamim Constant. [Pl.: *benjamim-constantenses*.]

benjaminita [Do antr. (*Marcus*) *Benjamin*, mineralogista americano, + *-ita*[3].] ***S. f.*** *Min.* Sulfobismuteto de chumbo, cobre e prata, de cor cinza, e brilho metálico.

benjoeiro [De *benjo(im)* + *-eiro*.] ***S. m.*** *Bot.* **1.** *Bras.* Planta estiracácea (*Styrax aureum*) de flores alvas, cuja madeira é us. em obras internas e construção civil, e que produz uma resina aromática empregada em farmácia; estoraque. **2.** *Bras. L. a SP* Arbusto estiracáceo (*Styrax ferrugineus*) tortuoso, de flores alvas e frutos drupáceos, e que fornece resina igual à anterior; estoraque, limoeiro-do-campo, pindaíba, pindaubuna, pindauvuna. [Var.: *beijoeiro*.]

benjoí ***S. m.*** *Bras. Zool.* V. *mandaguari*.

benjoim (o-im) [Do ár. *lubān gāwiī*, lit. 'resina de Java'.] ***S. m.*** **1.** Bálsamo aromático, amarelo, extraído do estoraque (1), utilizado na fabricação de perfumes e em farmácia; calamita, estoraque, lobão. **2.** *Bras. Zool.* V. *mandaguari*. [Var.: *beijoim*.]

bennettitácea [Do tax. *Bennettites* (< antr. [*John Joseph*] *Bennett*, botânico inglês) + *-ácea*; tax. *Bennettitaceae*.] *Paleont.* ***S. f.*** Espécime das bennettitáceas, família de gimnospermas fósseis que viveram, em abundância, na era mesozoica, e muitas das quais eram de grande porte e integravam os depósitos carboníferos.

bennettitáceo [De *bennettitácea*, com var. suf. (v. *-áceo*).] ***Adj.*** *Paleont.* Pertencente ou relativo às bennettitáceas.

bennettital [Do lat. cient. *Bennettit-* (v. *bennettitácea*) + *-al*[1].] ***Adj. 2 g.*** *Paleont.* Pertencente ou relativo às bennettitales.

bennettitale [Do tax. *Bennettites* (v. *bennettitácea*) + *-ale*; tax. *Bennettitales*.] ***S. f.*** *Paleont.* Espécime das bennettitales, classe de gimnospermas inteiramente extintas, que viveram no mesozoico, e conhecidas graças a muitos restos fósseis. Tinham porte muito variado; as folhas eram penadas, e as flores femininas possuíam apenas um óvulo e folhas carpelares reduzidíssimas. Formavam uma família dita bennettitáceas.

▲ **beno-** [Do gr. *baínein*, 'marchar', 'andar'.] ***El. comp.*** = 'que marcha': *benodáctilo*.

benodáctilo [De *beno-* + *-dá(c)tilo*.] ***Adj.*** *Zool.* Diz-se dos animais que caminham sobre os dedos. [Var.: *benodátilo*.]

benodátilo ***Adj.*** *Zool.* V. *benodáctilo*.

benquerença (ẽin) [De *ben-* + *querença*.] ***S. f.*** O querer bem; bem-querer; benquerer; estima, benevolência. [Antôn.: *malquerença*.]

benquerente (ẽin) [De *ben-* + *querente*.] ***Adj. 2 g.*** Que quer bem a outrem; que consagra a outrem viva afeição; benévolo. [Antôn.: *malquerente*.]

benquerer ***V. t. i. e p. S. m.*** V. *bem-querer*.

benquerido ***Adj.*** V. *bem-querido*.

benquistar (ẽin) [De *benquisto* + *-ar*[2].] ***V. t. d. e i.*** **1.** Tornar querido, benquisto; conciliar: *Nada pôde benquistar o rei tirano com os seus súditos.* ***P.*** **2.** Fazer-se benquisto; granjear amizades. [Antôn.: *malquistar*.]

benquisto (ẽin) [De *ben-* + *quisto*[2].] ***Adj.*** **1.** Querido, estimado por todos. **2.** Bem-aceito, bem-visto. [Sin. ger.: *bem-querido*. Antôn.: *malquisto*.]

bens [Pl. de *bem*.] ***S. m. pl.*** O que é propriedade de alguém; possessão; domínio. ~ V. *bem*. ◆ **Bens alodiais.** *Jur.* Imóveis isentos de encargos, foros, pensões, vínculos ou ônus. **Bens antifernais.** *Jur.* Os doados pelo marido à mulher na escritura antenupcial. **Bens aquestos.** *Jur.* Os adquiridos na vigência do matrimônio. **Bens castrenses.** *Ant.* Pecúlio adquirido pelo menor em virtude de prestação de serviços militares, que é excluído da administração dos pais. **Bens colacionáveis.** *Jur.* Os recebidos pelos herdeiros em vida dos pais, a título de liberalidade, e que devem ser repostos no monte para restabelecer igualdade dos quinhões a serem partilhados. **Bens comuns.** *Jur.* **1.** Os de propriedade e uso geral: o mar, o ar, etc. **2.** Os que pertencem a duas ou mais pessoas, encontrando-se em estado de indivisão. V. *condomínio*. **3.** Os que pertencem ao marido e à mulher, em virtude do regime matrimonial. **Bens de mão-morta.** *Jur.* Bens inalienáveis, como são os das agremiações religiosas, dos hospitais, etc. [Tb. se diz apenas *mão-morta*.] **Bens de raiz.** *Jur.* Os imóveis de qualquer natureza. **Bens divisos.** *Jur.* Aqueles que foram objeto de divisão. **Bens dominicais.** *Jur.* Aqueles que formam o patrimônio da União, dos estados ou dos municípios como objeto de direito real ou pessoal de cada uma dessas entidades. **Bens fungíveis.** *Jur.* Os substituíveis por outros da mesma espécie, qualidade e quantidade. **Bens imóveis.** *Jur.* Os que, por natureza ou por destino, não podem ser removidos de um lugar para outro sem perda de sua forma e substância. **Bens incomunicáveis.** *Jur.* Os próprios de um dos cônjuges, excluídos do regime da comunhão. **Bens indivisos.** *Jur.* Os que não foram objeto de divisão. **Bens litigiosos.** *Jur.* Os que são objeto de demanda. **Bens livres.** *Jur.* Os de que o proprietário pode dispor livremente, visto não se acharem sujeitos a encargos ou ônus de qualquer natureza. **Bens móveis.** *Jur.* Os que podem ser removidos de um lugar para outro sem perda de sua forma e substância, como alfaias, esculturas, gado, etc. **Bens parafernais.** *Jur.* Os que, no regime dotal do casamento, constituem propriedade da mulher, que sobre eles exerce administração, gozo e livre disponibilidade, não podendo, contudo, alienar os imóveis. **Bens profetícios.** *Jur.* Os que fazem parte do dote constituído pelo pai, mãe, ou qualquer ascendente; dotes profetícios. **Bens semoventes.** *Jur.* **1.** Os constituídos por animais selvagens, domesticados ou domésticos. **2.** *Ant.* Os escravos. **Bens vagos.** *Jur.* Os que não têm dono conhecido, ou, se o têm, foram por ele abandonados. **Bens vinculados.** *Jur.* Os que, por lei ou por disposição de alguém, são inalienáveis, impenhoráveis e incomunicáveis, podendo tais restrições apresentar-se em conjunto ou separadamente.

bentém [Do criol.] ***S. m.*** *Guin.* **1.** Estrado de troncos ou de bambus, ger. disposto à sombra de uma árvore frondosa da aldeia, onde os homens se sentam para conversar: 📖 "Na morança Djaló, esse bentém é feito debaixo de uma laranjeira" (Domingas Barbosa Mendes Samy, *A Escola*, p. 29). **2.** Nos campos, estrado alto, coberto, de onde se vigiam as colheitas. **3.** Estrado em que se dispõem os cereais colhidos, para melhor conservá-los.

bentererê [Voc. onom.] ***S. m.*** *Bras.* V. *joão-teneném*.

bêntico [De *bento*[3]+ *-ico*[2].] ***Adj.*** *Ecol.* **1.** De, relativo a, ou que ocorre na profundidade de oceano ou lago. **2.** De, relativo a, ou que, em ambientes aquáticos, ocorre associado ao substrato. ~ V. *vida —a*.

bentinho [Dim. de *bento*[2].] ***S. m.*** V. *bentinhos*.

bentinhos [Pl. de *bentinho*.] ***S. m. pl.*** Objeto de devoção formado por dois pequenos quadrados de pano bento, com orações escritas ou uma relíquia, que os devotos trazem ao pescoço. [No Brasil é us., ou m. us., no sing. Sin.: *breve, escapulário, patuá*.]

bento[1] ***S. m.*** Móvel oriental antigo, espécie de contador (6).

bento[2] [Do gr. *bénthos*.] ***S. m.*** *Ecol.* V. *bentos*.

bento[3] [Do lat. *benedictu*.] ***Adj.*** **1.** Benzido. ● ***S. m.*** **2.** Frade beneditino. 📖 "Eis aqui por que Dinis de Ataíde não quis ser bento, nem jerônimo, nem cartuxo, e se foi meter frade franciscano." (Almeida Garrett, *Viagens na Minha Terra*, p. 146.)

bento-abreuense ***Adj. 2 g.*** **1.** De, ou pertencente ou relativo a Bento de Abreu (SP). ● ***S. 2 g.*** **2.** O natural ou habitante de Bento de Abreu. [Pl.: *bento-abreuenses*.]

bento-fernandense ***Adj. 2 g.*** **1.** De, ou pertencente ou relativo a Bento Fernandes (RN). ● ***S. 2 g.*** **2.** O natural ou habitante de Bento Fernandes. [Pl.: *bento-fernandenses*.]

bento-gonçalvense ***Adj. 2 g.*** **1.** De, ou pertencente ou relativo a Bento Gonçalves (RS). ● ***S. 2 g.*** **2.** O natural ou habitante de Bento Gonçalves. [Pl.: *bento-gonçalvenses*.]

bentónico ***Adj.*** V. *bentônico*. [Uso freq. em P.]

bentônico [Do ingl. *benthon*, alter. do gr. *bénthos*, 'profundidade', + ingl. *-ic* (v. *-ico*[2]).] ***Adj.*** *Ecol.* Diz-se de animal ou vegetal que vive no fundo de mar, lago ou lagoa.

bentonita [Do top. *Benton* (E.U.A.) + *-ita*[4].] ***S. f.*** *Quím.* Silicato de alumínio hidratado coloidal, natural, us. para absorver soluções aquosas ou como emulsificante de óleos.

bentoplancto [De *bento*[3] + *plancto*.] ***S. m.*** *Bot.* Variedade de plancto peculiar aos charcos e brejos; bentoplâncton.

bentoplâncton ***S. m.*** *Bot.* Bentoplancto.

bentos [Do gr. *bénthos*, 'profundidade'.] ***S. m. 2 n.*** *Ecol.* O conjunto dos seres vivos bentônicos; bento.

benuê-congo [Dos top. *Benuê* e *Congo*, rios da África.] ***S. m.*** *Gloss.* O maior dos ramos do níger-congo (q. v.) em extensão geográfica, uma vez que se estende da fronteira entre Benim e Nigéria até o Quênia, já na costa do oceano Índico, e ao qual pertencem cerca de 700 línguas, entre as quais as línguas bantas, de que são exemplo o congolês, o macua, o ruanda, o suaíli, o cosa e o zulu.

benuê-congolês [Do top. *Benuê*, rio da África, + *congolês*.] ***Adj.*** Relativo ao benuê-congo.

benzadeira ***S. f.*** *Pop.* V. *benzedeira*.

benzaldeído [De *benz(o)-* + *aldeído*.] ***S. m.*** *Quím.* Aldeído benzoico.

benzaldoxima (cs) [De *benzald(eído)* + *oxima*.] ***S. f.*** *Quím.* A oxima derivada do aldeído benzoico, e que pode existir sob a forma de dois isômeros, anti e sin [fórm.: C_7H_7NO].

benzeção [De *benzer* + *-ção*.] ***S. f.*** Ato ou efeito de benzer(-se), ger. por repetidas vezes.

benzedeira [De *benzer* + *-deira*.] ***S. f.*** **1.** Mulher que pretende curar doenças e anular feitiços por meio de benzeduras. **2.** Bruxa, feiticeira. [Var. pop.: *benzadeira*.]

benzedeiro [De *benzer* + *-deiro*.] ***S. m.*** **1.** Homem que exerce a mesma função da benzedeira; benzedor, abençoadeiro. **2.** Bruxo, feiticeiro. [Sin. ger.: *benzilhão*.]

benzedor (ô) [De *benzer* + *-dor*.] ***S. m.*** V. *benzedeiro* (1).

benzedrina [Voc. farmac.] ***S. f.*** *Quím.* Anfetamina (1).

benzedura [De *benzer* + *-dura*.] ***S. f.*** Ato de benzer (1), acompanhado de rezas supersticiosas.

benzénico ***Adj.*** *Quím.* V. *benzênico*. [Uso freq. em P.]

benzênico [De *benzeno* + *-ico*[2].] ***Adj.*** *Quím.* Relativo ao, ou próprio do benzeno, ou que o contém.

benzeno [De *benz(o)-* + *-eno*[2].] ***S. m.*** *Quím.* Líquido incolor, com cheiro característico, volátil, cuja molécula tem uma estrutura cíclica típica, aromática, us. como solvente e matéria-prima para obtenção de vários outros compostos [fórm.: C_6H_6]. [Sin., impr.: *benzol*.]

benzenossulfónico ***Adj.*** *Quím.* V. *benzenossulfônico*. [Uso freq. em P.]

benzenossulfônico ***Adj.*** *Quím.* ~ V. *ácido —*.

benzer [Do lat. *benedicere*.] ***V. t. d.*** **1.** Fazer o sinal da cruz sobre (pessoa ou coisa), recitando certas fórmulas litúrgicas, para consagrá-la ao culto divino ou chamar sobre ela o favor do Céu; abençoar. **2.** Tornar próspero; coroar com bom resultado: *Que os Céus benzam os teus intentos!* **3.** Fazer benzeduras em. ***Int.*** **4.** Fazer benzeduras. ***P.*** **5.** Fazer o sinal da cruz, tocando com a ponta dos dedos a testa, o peito, o ombro esquerdo e o direito: 📖 "Um sino toca às almas. O arrieiro tira o chapéu. Benze-se. Beija as costas da mão direita." (João de Araújo Correia, *Sem Método*, p. 91.) **6.** Admirar-se; espantar-se. **7.** *Bras. Cap.* Executar ritual ao pé do berimbau para invocar proteção divina. [Part.: *benzido* e *bento*.]

benzidina [De *benz(ina)* + *-idina*.] ***S. f.*** *Quím.* Diamina aromática, sólida, amarelo-acinzentada, usada como reagente e na indústria de corantes [fórm.: $C_6H_8N_2$].

benzido [Part. de *benzer*.] ***Adj.*** Consagrado pela bênção eclesiástica; bento.

▲ **benzidril-** [De *benzidr(ol)* + *-il-*.] *Quím.* ***El. comp.*** Indica o grupo benzidrila: *benzidrilamina*.

benzidrila [De *benz(o)-* + *-idr(o)-* + *-ila*[2].] ***S. f.*** *Quím.* Grupo $-CH(C_6H_5)_2$, derivado de metila por substituição de dois átomos de hidrogênio desta por grupos fenila.

benzidrilamina [De *benzidril-* + *amina*.] ***S. f.*** *Quím.* Amina aromática, líquida [fórm.: $C_{13}H_{13}N$].

benzidrol [De *benz(o)-* + *-idr(o)-* + *-ol*[2].] ***S. m.*** *Quím.* Álcool secundário aromático, sólido, incolor, obtido por redução da benzofenona [fórm.: $C_{13}H_{12}O$]. [Pl.: *benzidróis*.]

▲ **benzil-** [De *benz(o)-* + *-il-*.] *Quím.* ***El. comp.*** Indica a presença do grupo benzila: *benzilamina*.

benzila [De *benz(o)-* + *-ila*[2].] ***S. f.*** *Quím.* **1.** Grupo $(C_6H_5)CH_2-$, derivado do tolueno por retirada de um hidrogênio da metila existente neste composto. **2.** Dicetona aromática, formada por duas benzoílas ligadas [fórm.: $C_{14}H_{10}O_2$].

benzilamina [De *benzil-* + *amina*.] ***S. f.*** *Quím.* Amina aromática, derivada do tolueno [fórm.: C_7H_9N].

benzilhão ***S. m.*** V. *benzedeiro*.

benzimento [De *benzer* + *-imento*.] ***S. m.*** Ato ou efeito de benzer(-se).

benzimidazol [De *benz(o)-* + *imidazol*.] ***S. m.*** *Quím.* **1.** Substância cristalina, base heterocíclica aromática [fórm.: $C_7H_6N_2$]. **2.** Qualquer derivado do benzimidazol. [Pl.: *benzimidazóis*.]

benzina [De *benz(o)-* + *-ina*[3]; al. *Benzin*.] ***S. f.*** *Quím.* Fração de destilação do petróleo, constituída sobretudo por hexano e heptano, com faixa de ebulição abaixo de 85°C, us. como solvente industrial. [Sin.: *éter de petróleo*.]

benzinho-amor ***S. m.*** *Bras.* Bailarico, espécie de fandango. [Pl.: *benzinhos-amores*.]

benzino [De *benz(o)-* + *-ino*[4].] ***S. m.*** *Quím.* Hidrocarboneto aromático contendo uma ligação tripla, instável, que ocorre como intermediário em certas reações químicas [fórm.: C_6H_4].

▲ **benz(o)-** [De *benzoico* (q. v.).] *Quím.* ***El. comp.*** **1.** Indica substância relacionada ao benzeno, ou ao ácido benzoico: *benzaldeído*. **2.** Indica anel benzênico fundido a outro ciclo através de um lado comum: *benzofurano*. [Ocorre, tb., como infixo: *-benz(o)-*: *antibenzaldoxima*.]

▲ **-benz(o)-** *Quím.* V. *benz(o)-*.

benzoato [De *benz(o)-* + *-ato*[2].] ***S. m.*** *Quím.* Qualquer sal ou éster derivado do ácido benzoico.

benzocaína [De *benz(o)-* + *-caína*.] ***S. f.*** *Quím.* Substância derivada do isômero para do ácido aminobenzoico, us. como anestésico [fórm.: $C_9H_{11}NO_2$].

benzodiazepina [De *benz(o)-* + *diazepina*.] ***S. f.*** *Quím.* **1.** Substância orgânica aromática da qual certos derivados são tranquilizantes [fórm.: $C_9H_8N_2$]. **2.** *P. ext.* Qualquer desses derivados.

benzodiazepínico [De *benzodiazepina* + *-ico*[2].] *Quím.* ***Adj.*** **1.** Relativo ou análogo à benzodiazepina. ● ***S. m.*** **2.** Qualquer substância que se pode considerar derivada da benzodiazepina, esp. certos medicamentos ansiolíticos.

benzofenona [De *benz(o)-* + *-fen(o)-* + *-ona*[2].] ***S. f.*** *Quím.* Substância sólida, cristalina, cetona aromática formada por dois anéis benzênicos ligados a carbonila, us. em perfumaria e na fabricação de medicamentos e inseticidas [fórm.: $C_{13}H_{10}O$].

benzofurano [De *benz(o)-* + *furano*.] ***S. m.*** *Quím.* Substância oleosa, encontrada no alcatrão, us. na preparação de certas resinas; cumarona [fórm.: C_8H_6O].

benzoico (ói) [Do rad. *benz-*, do lat. cient. *benzoinum*, 'benjoim', + *-oico*[2].] ***Adj.*** *Quím.* ~ V. *ácido —*. ❖

benzoil (o-il) [De *benz(o)-* + *-il*[2]; al. *Benzoil*.] ***S. m.*** *Quím.* O grupo benzoíla.

▲ **benzoil-** (o-il) [De *benz(o)-* + *-il-*.] *Quím.* ***El. comp.*** Indica a presença do grupo benzoíla: *benzoilacetona*.

benzoíla [De *benz(o)-* (I) + *-ila*[2].] ***S. f.*** *Quím.* O grupo C_6H_5CO-, acila derivada do ácido benzoico.

benzoilacetona [De *benzoil-* + *acetona*.] ***S. f.*** *Quím.* Substância sólida, incolor, dicetona aromática [fórm.: $C_{10}H_{10}O_2$].

benzoína [Do tax. *Benzo(in)* + *-ina*[3].] ***S. f.*** *Quím.* Substância cristalina, aromática, que tem as funções álcool e cetona e dois grupos fenila [fórm.: $C_{14}H_{12}O_2$].

benzol [De *benz(o)-* + *-ol*[3].] ***S. m.*** *Quím.* **1.** Mistura de benzeno, tolueno e xileno, em proporções variáveis, usada como solvente industrial. **2.** *Impr.* Benzeno. [Pl.: *benzóis*.]

benzonitrila [De *benz(o)-* + *nitrila*.] ***S. f.*** *Quím.* Líquido incolor, cujo odor lembra o de óleo de amêndoa, nitrila aromática, com o grupo ciano (-CN) ligado diretamente a anel benzênico [fórm.: C_7H_5N].

benzopireno [De *benz(o)-* + *pireno*.] ***S. m.*** *Quím.* Designação de certos hidrocarbonetos aromáticos isômeros, um deles extremamente cancerígeno, que ocorrem no alcatrão e podem estar presentes em ambientes poluídos [fórm.: $C_{20}H_{12}$].

benzoquinona [De *benz(o)-* + *quinona*.] ***S. f.*** *Quím.* Quinona (1).

beócio [Do gr. *boiótios*, pelo lat. *boeotiu*.] ***Adj.*** **1.** Da, ou pertencente ou relativo à Beócia, região da Grécia central. **2.** *Fig.* Curto de inteligência; ignorante, boçal. **3.** *Fig.* Simplório, ingênuo. ● ***S. m.*** **4.** O natural ou habitante da Beócia. **5.** *Gloss.* O dialeto dessa província. **6.** Indivíduo beócio (2 e 3).

beotarca [Do gr. *boiotárches*, pelo lat. *boeotarches*.] ***S. m.*** Na Grécia antiga, título dos chefes políticos e militares da confederação da Beócia, eleitos anualmente.

bequadro [Do it. *bequadro*.] ***S. m.*** *Mús.* Sinal (♮) que anula o efeito dos sustenidos e bemóis, e repõe no seu tom natural a nota elevada ou abaixada.

beque[1] [Do fr. *bec*, us. no fr. ant. em vez de *avant*.] ***S. m.*** **1.** *Constr. Nav.* Estrutura saliente, em geral inclinada para fora, que forma a parte alta da proa dos navios antigos, a fim de servir de apoio ao gurupés. **2.** *Pop.* V. *narigão* (2).

beque[2] [Do ingl. *back*.] ***S. m.*** *Fut.* Zagueiro.

beque[3] [De or. obsc.] ***S. m.*** *Bras. Amaz. Bot.* Arvoreta acantácea (*Trichantera gigantea*), do interior da floresta pluvial, de flores grandes e vistosas, com a corola urceolada, e cujos frutos são cápsulas com sementes discoides. É a única árvore brasileira desta família, pois as demais espécies são herbáceas. [Sin.: *canela-de-garça*.]

beque de roça ***S. m.*** *Gír. Fut.* Zagueiro de baixo nível técnico. [Pl.: *beques de roça*.] ☑

béquer ***S. m.*** *Quím.* V. *bécher*. [Pl.: *béqueres*.]

béquico [Do gr. *bechós*, 'tosse', + *-ico*[2].] ***Adj.*** **1.** Relativo à tosse. **2.** *Impr.* Que a combate; antitussígeno. ● ***S. m.*** **3.** *Impr.* Antitussígeno.

bequilha [Do fr. *béquille*.] ***S. f.*** *Aer.* Órgão auxiliar do trem de aterragem de avião anfíbio ou terrestre, instalado seja na parte anteroinferior, seja na posteroinferior da fuselagem.

bequimãoense *Adj. 2 g. S. 2 g.* V. *bequimoense.*

bequimoense *Adj. 2 g.* **1.** De, ou pertencente ou relativo a Bequimão (MA). • *S. 2 g.* **2.** O natural ou habitante de Bequimão. [Sin. ger.: *bequimãoense.*]

berba[1] [Dessa língua.] *S. m. Gloss.* Uma das línguas faladas no Benim (África Ocidental), classificada na família nigero-congolesa (v. *nigero-congolês*).

berba[2] *S. m. Bras. Chulo* O ânus.

berbequim [Do fr. *vilebrequin.*] *S. m.* **1.** Furadeira. **2.** Arco de pua. [F. paral.: *barbaquim.*]

berber *S. 2 g. S. m. Adj. 2 g.* V. *berbere.*

berbere (bé) [Do ár. *barbar.*] *S. 2 g.* **1.** Indivíduo dos berberes, qualquer dos povos nômades que habitam as regiões norte-africanas da antiga Barbária (Marrocos, Argélia, Tunísia, Líbia e Egito) e do Saara: "A posse do dromedário alteraria completamente a vida dos berberes do deserto, permitindo que eles, de certa forma, o ocupassem." (Alberto da Costa e Silva, *A Enxada e a Lança*, p. 249); "os berberes continuaram a morar em tendas e a levar de estepe em estepe os seus rebanhos." (Id., *ib.*, p. 249). • *S. m.* **2.** *Gloss.* Ramo da família camito-semita, composto por cerca de 20 línguas, faladas, principalmente, na Argélia e em Marrocos, entre elas o *cabila*, o *rifenho* e o *tuaregue* [v. *líbico* (3)]. • *Adj. 2 g.* **3.** De, pertencente ou relativo a berbere (1 e 2). [F. paral.: *berber.*]

berberidácea [Do lat. cient. *Berberid-* (< tax. *Berberis* < lat. med. *barbaris*) + *-ácea*; tax. *Berberidaceae.*] *S. f. Bot.* Espécime das berberidáceas, família de plantas da ordem das ranales, herbáceas ou lenhosas, não raro espinhosas, que ocorrem, de preferência, nos climas temperados, e levam flores hermafroditas e frutos bacáceos. [Existem cerca de 250 espécies, das quais apenas o gênero *Berberis* se encontra no Brasil, nas altas montanhas.]

berberidáceo [De *berberidácea*, com var. suf. (v. *-áceo*).] *Adj. Bot.* Pertencente ou relativo às berberidáceas.

berberina [Do tax. *Berberis* (v. *bérberis*) + *-ina*[3].] *S. f. Quím.* Alcaloide cristalino extraído da hidraste ou de certas berberidáceas, usado como febrífugo e tônico estomacal [fórm.: $C_{20}H_{19}O_5N$].

bérberis [Do tax. *Berberis* (do ár. *berberys*).] *S. f. 2 n. Bot.* **1.** Grande gênero de arbustos berberidáceos nativos da zona temperada setentrional, e da região desde os Andes à Terra do Fogo; têm caule espinhoso e flores amarelas a que sucedem bagas vermelhas. **2.** Qualquer espécie desse gênero, como, p. ex., a *Berberis laurina* (v. *espinho-de-são-joão*). **3.** Qualquer espécime desse gênero.

berbero-etiópico *Adj.* **1.** Pertencente ou relativo aos berberes e aos etíopes. **2.** Que é de origem berbere e etiópica. [Flex.: *berbero-etiópicos, berbero-etiópica, berbero-etiópicas.*]

berbigão [De or. incerta.] *S. m.* **1.** *Lus. Zool.* Amêijoa (3). **2.** *Bras. Zool.* V. *mija-mija.* **3.** *Bras.* Molusco bivalve, cardiídeo (*Anomalocardia brasiliana*) da costa atlântica americana; sarro-de-pito. [Cf. *cernambi* (1).] **4.** *Lus. Chulo* Clitóris.

berbigueira *S. f. Bras.* V. *sambaqui.*

berça (ê) [Var. de *verça.*] *S. f.* **1.** *Bot.* V. *couve*: "duma tentação irreprimível para o seu passadio de pároco pobre e frugal, obrigado às berças da horta e aos legumes de sequeiro." (Aquilino Ribeiro, *Andam Faunos pelos Bosques*, p. 269). **2.** *Cul.* Caldo verde.

berçar [De *berço* + *-ar*[2].] *V. t. d.* Embalar, ninar: "Pressinto-o [o mar], todavia, por ali tudo à volta, taciturno e longo, berçando aquele navio que, inconsciente da sua enorme fragilidade, passeia sobre ele como um feixe de luzes flutuantes." (Vinícius de Morais, *Para Viver um Grande Amor*, p. 26.)

berçário [De *berço* + *-ário.*] *S. m. Bras.* Seção, nas maternidades, onde ficam os berços com as crianças recém-nascidas.

→ **berceuse** [bɛʀˈsøz] [Fr.] *S. f.* V. *acalanto.*

berço (ê) [Do fr. ant. *bers*, de que o *berceau* atual é dim.] *S. m.* **1.** Pequeno leito para criança de colo, geralmente armado com dispositivo para embalar. **2.** Lugar de nascimento de alguém; pátria. **3.** A primeira infância: *Conheço-o desde o berço.* **4.** Lugar onde alguma coisa teve origem, donde procede: *A Grécia é o berço da civilização ocidental.* **5.** Almofada com tinta para carimbos de borracha. **6.** Peça de madeira, metal, etc., à qual se prende o mata-borrão (1), para mais fácil manuseio; buvar: "Vários lápis de cor, as canetas, o tinteiro de cristal, o berço do mata-borrão" (Pedro Nava, *Beira-Mar*, p. 34). **7.** Em certos aparelhos de telefone, lugar onde repousa o auscultador quando o aparelho está desligado. **8.** *Constr. Nav.* Armação de madeira sobre a qual, na carreira de construção, se assenta o navio para lançá-lo ao mar. **9.** *Constr. Nav.* Armação sobre a qual assenta a embarcação a fim de ser içada para o seco, na carreira de reparação. **10.** *Mar. G.* Suporte preso a um convés, estrado, etc., para nele apoiar-se uma peça móvel. **11.** *Mar. Merc.* Local do porto próprio para se atracar navios. **12.** *Tip.* Defeito da composição linotípica, que consiste em tender ela a encurvar-se por efeito da má regulagem das navalhas que cortam demasiadamente o lado do olho da linha. **13.** *Ant.* Boca de fogo pequena e curta, que atirava balas de ferro de três libras. ◆ **Berço da máquina.** *Constr. Nav.* Base metálica, presa à estrutura do casco, sobre a qual assenta determinada máquina. **Berço do canhão.** *Mar. G.* Peça de boca de fogo que lhe sustenta as peças recuantes. **Nascer em berço de ouro.** Nascer muito rico. **Ter berço.** **1.** Ter nascimento ilustre; ter nascimento. **2.** Nascer em boa família, em família de nome, de tradição.

berçudo *Adj.* V. *verçudo.*

berdamerda *S. 2 g. Bras. Chulo* V. *joão-ninguém.*

bereba *S. f. Bras.* V. *pereba.*

beré-beré *S. m. Bras. Pop.* V. *joão-ninguém.* [Pl.: *beré-berés.*]

berenguendém [Var. de *barangandã.*] *S. m. Bras.* V. *balangandã* (1).

bererê *S. m. Bras.* **1.** Revolta, motim, desordem, barulho. **2.** V. *rolo*[1] (16). [Cf. *bererê.*]

bererê [De or. tupi, poss.] *S. m. Bras. SP Zool.* V. *flebótomo*[2] (2). [Cf. *bererê.*]

beréu *S. m. Bras. PB Pop.* V. *zona* (11).

bereva *S. f. Bras.* V. *pereba.*

bergamasco *Adj.* **1.** De, pertencente ou relativo a Bérgamo, Itália. • *S. m.* **2.** O natural ou habitante de Bérgamo.

bergamota [Do turco *beg armudi*, 'pera do príncipe', pelo it. *bergamotta.*] *S. f. Bot.* **1.** Certa pera sumarenta. **2.** *Bras. SC RS* V. *tangerina.* [Var.: *vergamota.*]

bergamoteira [De *bergamota* + *-eira.*] *S. f. Bras. SC RS Bot.* V. *tangerineira.*

berganha *S. f.* V. *barganha.*

berganhar *V. t. d. T. d. e i.* V. *barganhar.*

berganhista *S. 2 g. Bras.* V. *barganhista.*

bergantim [Do it. *brigantino.*] *S. m.* Antiga embarcação à vela e a remo, esguia e veloz, com um ou dois mastros de galé e oito a 10 bancos para os remadores, usada no Oriente pelos portugueses. ◆ **Bergantim real.** Bergantim luxuosamente equipado, com toldo à popa, destinado ao serviço exclusivo do monarca.

→ **bergère** [bɛʀˈʒɛʀ] [Fr.] *S. f.* Poltrona cujo encosto, alto, se prolonga para os lados numa espécie de orelha. [Sin. (lus.): *cadeirão de orelha.*]

bergsoniano *Adj.* **1.** Pertencente ou relativo a, ou próprio de Bergson [v. *bergsonismo*]: "É a ubiquidade do pensamento humano de estar aqui e além, representado pelo pensamento bergsoniano." (Bella Jozef, *Jorge Luis Borges*, p. 124.) **2.** Que é adepto do bergsonismo. • *S. m.* **3.** Adepto dessa doutrina.

bergsonismo *S. m. Hist. Filos.* Doutrina do filósofo francês Henri Louis Bergson (1859-1941), caracterizada pelo anti-intelectualismo, vitalismo e evolucionismo.

beri [Do tupi.] *S. m. Bras. Bot.* V. *biru-manso.*

beribá [Var. de *biriba*[1].] *S. m. Bras.* Comprador de cavalos. [Var. *berivá.* Cf. *biribá.*]

beribebum *S. m. Bras.* V. *ébrio* (8).

beribéri [Do cingalês *beri*, 'fraco', intensificado pela repetição.] *S. m. Patol.* Doença decorrente da deficiência de vitamina B_1 (v. *tiamina*), e que apresenta polineurite, edema e cardiopatia. [Sin. (em MG): *perneira.*]

beribérico [De *beribéri* + *-ico*[2].] *Adj.* **1.** Relativo a, ou que é doente de beribéri. • *S. m.* **2.** Doente de beribéri.

bericídeo [Do lat. cient. *Beryc-* (< tax. *Beryx*) + *-ídeo*[1]; tax. *Berycidae.*] *Zool. S. m.* **1.** Espécime dos bericídeos, família de peixes actinopterígios, marinhos, cujas nadadeiras ventrais, multirradiadas, têm espinho bem desenvolvido. • *Adj.* **2.** Relativo ou pertencente a eles.

bericiforme *S. m. Adj. 2 g. Zool.* V. *bericomorfo.*

bericimorfo [Do lat. cient. *Beryc-* (< tax. *Beryx*) + *-i-* + *-morfo*; tax. *Berycimorphi.*] *S. m. Adj. Zool.* V. *bericomorfo.*

bericomorfo [Do lat. cient. *Beryc-* (< tax. *Beryx*) + *-o-* + *-morfo*; tax. *Berycomorphi.*] *Zool. S. m.* **1.** Espécime dos bericomorfos, ordem de peixes actinopterígios, marinhos, com duas famílias significativas: *bericídeos* e *holocentrídeos.* • *Adj.* **2.** Pertencente ou relativo a eles. [F. paral.: *bericiforme, bericimorfo.*]

berilense *Adj. 2 g.* **1.** De, ou pertencente ou relativo a Berilo (MG). • *S. 2 g.* **2.** O natural ou habitante de Berilo.

berílio [Do lat. cient. *beryllium* < gr. *berýllion*, dim. de *béryllos.*] *S. m. Quím.* Elemento de número atômico 4, cristalino, metálico, levíssimo, utilizado em ligas leves; glucínio [símb.: *Be*].

beriliose [De *berílio* + *-ose*[1].] *S. f. Patol.* Intoxicação pelo berílio, que compromete, em geral, pulmões, além de outros órgãos. Sua principal característica é a formação de granulomas.

berilo [Do lat. *beryllu* < gr. *béryllos.*] *S. m. Min.* Mineral hexagonal, silicato de alumínio e glucínio, pedra semipreciosa.

berimbau [Do quimb. *mbirimbau.*] *S. m. Mús.* **1.** Pequeno instrumento de ferro, semelhante a uma ferradura, no centro do qual há uma lingueta, e que se toca pondo a parte curva entre os dentes e fazendo vibrar com o indicador a extremidade livre da lingueta; marimbau. **2.** *Bras.* Instrumento de percussão, de origem africana, com o qual se acompanha a capoeira[2] (4), e que é uma haste de madeira arqueada por um fio de arame, com uma cabaça presa ao dorso da extremidade inferior. [O arame é percutido com uma varinha, que o tocador segura com uma mão juntamente com o caxixi (q. v.), enquanto a outra mão aproxima e afasta da corda uma moeda, a fim de obter sons diferentes. Simultaneamente, aproxima-se ou afasta-se do corpo a abertura da cabaça, para modificar a intensidade do som. Sin.: *berimbau de barriga, bucumbumba, gobo, macungo, marimba, marimbau, matungo, mutungo, uricungo, urucungo.*]

berimbau de barriga *S. m. Bras.* V. *berimbau* (2). [Pl.: *berimbaus de barriga.*]

berimbau de boca *S. m. Bras. BA* Tipo de berimbau outrora usado por velhos angoleses, e cuja corda, de cipó-timbó, era dedilhada ou percutida com uma faca ou uma vareta, à medida que o tocador corria os dentes por ela para obter efeitos variados de som. [Pl.: *berimbaus de boca.*]

berimbela *S. f. Pop.* V. *berimbelo.*

berimbelo [De or. incerta.] *S. m. Pop.* **1.** Penduricalho. **2.** Acessório que se coloca na roupa. [Var.: *berimbela.*]

berinjela [Do ár. *bādinǧan*, do persa *badnjan.*] *S. f. Bot.* **1.** Planta solanácea (*Solanum melongena*) originária da Índia, de flores violáceas e grandes frutos bacáceos roxos, que têm largo uso na alimentação. **2.** O fruto desta planta. [Var.: *brinjela.* Sin. ger.: *berinjela-roxa, peito-de-moça.*]

berinjela-branca *S. f. Bot.* Variedade hortícola de berinjela, de frutos brancos, curvos, um tanto esféricos que podem atingir 20cm de comprimento; berinjela-comprida-da-china. [Pl.: *berinjelas-brancas.*]

berinjela-brissial *S. f. Bot.* Variedade hortícola de berinjela, de frutos piriformes, variegados, oblongos, ornamentais de jardins. [Pl.: *berinjelas-brissiais.*]

berinjela-comprida-da-china *S. f. Bot.* Berinjela-branca. [Pl.: *berinjelas-compridas-da-china.*]

berinjela-roxa [De *berinjela* + o f. de *roxo.*] *S. f. Bot.* V. *berinjela.* [Pl.: *berinjelas-roxas.*]

beripoconês *Bras. S. 2 g.* **1.** *Etnôn.* Indivíduo dos beripoconeses, povo indígena extinto que habitava o MT. • *Adj.* **2.** Pertencente ou relativo a esse povo. [Tb. us. como *s. 2 g. e 2 n.* (com cap.) e *adj. 2 g. e 2 n.*]

beririçó *S. m. Bras. Bot.* V. *baririçó.*

berivá *S. m. Bras.* V. *beribá.*

berkelianismo [De *berkeliano* (q. v.) + *-ismo.*] *S. m. Filos.* Imaterialismo (q. v.).

berkeliano *Adj.* **1.** Pertencente ou relativo ao, ou próprio do filósofo idealista irlandês George Berkeley (1685-1753). **2.** Que é adepto de sua filosofia ou profundo conhecedor de sua obra. • *S. m.* **3.** Seguidor da filosofia de Berkeley, ou profundo conhecedor de sua obra.

berlinda[1] [Do fr. *berline* < top. *Berlim* (Alemanha), onde se construíram os primeiros coches.] *S. f.* **1.** Pequeno coche de quatro rodas, com quatro a seis lugares, suspenso entre dois varais. **2.** Maquineta (2) para imagens de santos.

berlinda[2] [Do it. *berlina*, 'gracejo'.] *S. f.* Certo jogo infantil em que um dos participantes é alvo de comentários que lhe são transmitidos anonimamente, e dentre os quais escolherá um, fazendo quem o formulou seu substituto na berlinda. ◆ **Estar na berlinda.** **1.** Ser alvo de comentários, no jogo de berlinda. **2.** Ser alvo de motejos ou objeto de comentários. **3.** Estar na ordem do dia.

berlinde *S. m. Lus.* Bola de gude (v. *gude*).

berlinense *Adj. 2 g.* **1.** De, ou pertencente ou relativo a Berlim (Alemanha). • *S. 2 g.* **2.** O natural ou habitante de Berlim. [Sin. ger.: *berlinês.*]

berlinês *Adj. S. m.* V. *berlinense.* [Flex.: *berlinesa* (ê), *berlineses* (ê), *berlinesas* (ê).]

berlinita [Do antr. (*N. J.*) *Berlin* + *-ita*[3].] *S. f. Min.* Fosfato de alumínio maciço, compacto, incolor, cinzento, rosado ou vermelho.

berliques *El. s. m. pl.* Us. na expr. *berliques e berloques.* ◆ **Berliques e berloques.** Arte ou habilidade misteriosa; escamoteação; artimanha; intrujice.

berloque [Do fr. ant. *berloque*, atual *breloque.*] *S. m.* Pequeno enfeite de matéria e forma variadas, que se traz pendente da cadeia do relógio, da pulseira, etc.; pingente, penduricalho.

berma *S. f.* 1. Caminho estreito entre um molhe e a borda de um canal. 2. *Lus.* Acostamento (2). 3. *Lus.* V. *meio-fio* (1): "Parado na berma do passeio, Ricardo Reis olha indeciso" (José Saramago, *O Ano da Morte de Ricardo Reis*, p. 271). 4. *Bras. Constr.* Alargamento que se faz nos aterros assentados sobre terrenos lodosos para impedir o refluxo destes.

bermuda [Do ingl. *Bermuda shorts*.] *S. f. Bras.* Tipo de *short* que vai, ger., até os joelhos.

bermudão [De *bermuda* + *-ão*[1].] *S. m. Bras.* Bermuda longa e ger. folgada.

bermudense *Adj. 2 g.* 1. Das, ou pertencente ou relativo às ilhas Bermudas (situadas no Oceano Atlântico, a L. dos E.U.A.). ● *S. 2 g.* 2. O natural ou habitante dessas ilhas. [Sin. ger.: *bermudês*.]

bermudês *Adj. S. m.* V. *bermudense*. [Flex.: *bermudesa* (ê), *bermudeses* (ê), *bermudesas* (ê).]

bernarda[1] [F. red. de *Maria Bernarda*, denominação que se deu à revolta que ocorreu em Braga, Portugal, em 1862.] *S. f. Fam.* Revolta popular; motim, desordem.

bernarda[2] *S. f. Bot.* Variedade de pera.

bernardense[1] *Adj. 2 g.* 1. De, ou pertencente ou relativo a Bernardo Sayão (TO). ● *S. 2 g.* 2. O natural ou habitante de Bernardo Sayão.

bernardense[2] *Adj. 2 g.* 1. De, ou pertencente ou relativo a Presidente Bernardes (MG e SP). ● *S. 2 g.* 2. O natural ou habitante de Presidente Bernardes.

bernardense[3] *Adj. 2 g.* 1. De, ou pertencente ou relativo a São Bernardo (MA). ● *S. 2 g.* 2. O natural ou habitante de São Bernardo.

bernardice [De *bernardo* + *-ice*.] *S. f.* 1. Estupidez, asneira, tolice, dislate. 2. Discurso tolo e disparatado.

bernardinense *Adj. 2 g.* 1. De, ou pertencente ou relativo a Bernardino de Campos (SP). ● *S. 2 g.* 2. O natural ou habitante de Bernardino de Campos.

bernardo *Adj. S. m.* 1. Diz-se de, ou frade da Ordem de Cister, fundada no séc. XII por S. Bernardo de Clairvaux (1090-1153). 2. *Fig.* Tolo e glutão.

bernardo-eremita *S. m. Bras. Zool.* V. *paguro* (2). [Pl.: *bernardos-eremitas*.]

berne[1] *S. m. Zool.* Larva de mosca díptera estrídea, a qual põe ovos em pleno voo, em dípteros hematófagos. [Os ovos, depois de maduros, transformam-se em larvas, que abandonam os dípteros e penetram na pele de outros animais, onde permanecem até 45 dias; penetram, depois, no solo, onde permanecem em estado de pupa até 70 dias, após os quais nasce a mosca. Var.: *berno*; sin.: *ura, torcel*.]

berne[2] [De *bérnio* (q. v.).] *Adj. 2 g.* 1. Diz-se de certo pano vermelho, o bérnio (q. v.). ● *S. m.* 2. Esse pano; bérnio.

bernense *Adj. 2 g. S. 2 g.* V. *bernês*.

bernento [De *berne*[1] + *-ento*.] *Adj. Bras.* 1. Atacado, cheio de berne[1]. 2. Diz-se do local onde proliferam os bernes.

bernês *Adj.* 1. De, ou pertencente ou relativo a Berna, capital da Suíça. ● *S. m.* 2. O natural ou habitante de Berna. [Flex.: *bernesa* (ê), *berneses* (ê), *bernesas* (ê). Sin. ger.: *bernense*.]

bernicida [De *berne*[1] + *-i-* + *-cida*.] *Adj. 2 g.* 1. Que combate o berne[1]. ● *S. m.* 2. Substância bernicida.

bérnio [De *hibérnio*, com aférese.] *S. m.* Pano vermelho que era importado da Irlanda e se usava em reposteiros e balandraus. [Var.: *berne*.]

berno *S. m. Bras.* V. *berne*[1].

bernunça *S. f. Bras. SC Folcl.* V. *bernúncia*.

bernúncia *S. f. Bras. SC Folcl.* Figura fantástica do boi de mamão (q. v.): armação de madeira, com a forma de um animal comprido, de grandes fauces articuladas, que "come" os meninos presentes. [Var.: *bernunça, bernunza, brenunça, brenunza, abrenunza*.]

bernunza *S. f. Bras. SC Folcl.* V. *bernúncia*.

berô *S. m. Bras. MG* Cobertor ordinário.

beroba *S. f. Bras.* V. *égua* (1).

beroé [Do tax. *Beroë* (< mit. gr. *Beróe*, uma das ninfas).] *S. m. Zool.* 1. Gênero vastamente distribuído que compreende ctenóforos iridescentes, dedaliformes. 2. Qualquer espécie desse gênero, como, p. ex., o *Beroë ovata*. 3. Qualquer espécime desse gênero.

beroídeo [Do tax. *Beroë* (v. *beroé*) + *-ídeo*[1]; tax. *Beroida*.] *Zool. S. m.* 1. Espécime dos beroídeos, ordem de ctenóforos transparentes, com seis franjas ciliadas, muito comuns nos mares tropicais. ● *Adj.* 2. Pertencente ou relativo a eles.

berôncio *S. m. Bras. PE Fam.* Indivíduo retraído, desconfiado.

beronha *S. f. Bras. Zool.* V. *beruanha*.

berquélio [Do lat. cient. *berkelium* < top. *Berkeley* (Califórnia, E.U.A.) + lat. cient. *-ium* (v. *-io*[3]).] *S. m. Quím.* Elemento de número atômico 97, radioativo, artificial, do qual só se obtiveram quantidades diminutas [símb.: *Bk*].

berra [Dev. de *berrar*.] *S. f.* Cio dos veados; brama. [Cf. *cio* (1).] ◆ **Andar na berra.** 1. Estar em voga. 2. Ser muito falado; ser famoso. "Sim, por um lado sorri ver o nome em letra redonda, ser popular, andar na berra: por outro há que ganhar a vida." (Aquilino Ribeiro, *Lápides Partidas*, p. 70.)

berra-boi [De *berrar* + *boi*.] *S. m.* 1. *Bras.* V. *zunidor* (2). 2. *Bras. RJ Cap.* Gunga[1]. [Pl.: *berra-bois*.]

berraçada *S. f. Bras. RS* V. *berreiro*.

berrador (ô) [De *berrar* + *-dor*.] *Adj.* 1. Que berra; berrante. ● *S. m.* 2. Aquele que berra.

berrante [De *berrar* + *-nte*.] *Adj. 2 g.* 1. Berrador (1). 2. Diz-se de cor muito viva, intensa, que ofende a vista; espantado. 3. Diz-se de vestuário ou peça de vestuário de cor berrante (2); espantado: *camisa berrante; gravata berrante*. 4. Diz-se do que chama muita atenção ou do que é muitíssimo evidente. ● *S. m.* 5. *Bras. Gír.* V. *revólver*. 6. *Bras. MG GO* Buzina de chifre com que os boiadeiros tangem o gado: "a poeira da boiada / e o berrante cortando e dando nó..." (Gilberto Mendonça Teles, *Saciologia Goiana*, p. 34).

berrantemente [De *berrante* + *-mente*.] *Adv.* De modo berrante; gritantemente.

berrar [Da onom. *bé*, da voz da cabra, poss.] *V. int.* 1. Soltar berros (os animais bovinos, os caprinos, etc.): "Cabras berravam, dois bois, uma vaca, apareciam nédios, pastando na vertente da colina" (Coelho Neto, *Sertão*, p. 168). 2. Falar muito alto; gritar: *Ao telefone berrava, procurando ser entendido.* 3. Chorar alto e forte; gritar: *O recém-nascido berrou toda a noite.* 4. Bramir, rugir: *O vendaval berrava na noite tempestuosa.* *T. i.* 5. Chamar ou falar aos berros; gritar: *Berrava pela mãe; Berrava com a mulher, sem conseguir sossegá-la.* 6. Pedir com muita instância: *Os trabalhadores berravam por aumento.* *T. d.* 7. Dizer berrando, gritando; gritar: "E os homens .... urram de dor. Berram ofensas." (Léu Vítor, *Círculo de Giz*, p. 136); *Berrou que não admitia réplica.* 8. Soltar (grito, berro): "Os vendedores berram um berro cantado." (Antônio de Alcântara Machado, *Pathé-Baby*, p. 146.) *T. d. e i.* 9. Dizer aos berros: "Pôs-se a berrar do púlpito barbaridades contra a república e o casamento civil" (Godofredo Rangel, *Os Humildes*, p. 111).

berraria [De *berrar* + *-ia*[1].] *S. f.* V. *berreiro*.

berregante [De *berregar* + *-nte*.] *Adj. 2 g.* Que berrega; berrante.

berregar *V. int.* 1. Berrar muito e frequentemente; barregar. 2. Balar (a ovelha). [Conjug.: v. *regar*. Pres. ind.: *berrego*, etc. Cf. *berrego* (ê).]

berrego (ê) [Dev. de *berregar*.] *S. m.* 1. Ato de berregar. 2. Grito, berro. [Pl.: *berregos* (ê). Cf. *berrego*, do v. *berregar*.]

berreiro [De *berro*[1] + *-eiro*.] *S. m.* 1. Berros contínuos e altos; gritaria. 2. Choro muito ruidoso. [Sin. ger.: *berraria* e (no RS) *berraçada*.] ◆ **Abrir no (ou o, ou um) berreiro.** *Bras. Pop.* Chorar muito; abrir o bué.

berrichão *Adj.* 1. Do, ou pertencente ou relativo ao Berry (região da França central). ● *S. m.* 2. O natural ou habitante dessa região. 3. *Gloss.* Dialeto do francês falado nessa região.

berrida *S. f. Angol.* 1. Fuga, evasão: "de repente oiço a turbamulta a correr, a berrida em todo o lado" (José Luandino Vieira, *Nós, os do Makulusu*, p. 55). 2. Afugentamento, rechaço: "O Miranda pensava, porém, nas berridas do guarda, e não se convencia." (Arnaldo Santos, *Quinaxixe*, p. 14.)

berro[1] [Dev. de *berrar*.] *S. m.* 1. Grito de certos animais; rugido. 2. Grito rude e alto de uma pessoa. 3. Brado, exclamação. 4. *Bras. Gír.* V. *revólver*.

berro[2] [De or. obsc.] *S. m. Bras. Bot.* Planta escrofulariácea (*Mimulus luteus*) comestível, de flores amarelas e fruto capsular.

berruga *S. f. Bras. Pop.* V. *verruga*.

berrugoso (ô) *Adj. Bras. Pop.* V. *verrugoso*.

berruguento *Adj. Bras. Pop.* V. *verruguento*.

berrumeira *S. f. Bras. ES Zool.* V. *narceja*.

berta [Do antr. *Bertha* (*Krupp von Bohlen und Halbach*) (1886-1957), proprietária das indústrias Krupp, de base e de armamentos, fabricantes deste tipo de canhão.] *S. m.* Canhão de grosso calibre (42cm) e longuíssimo alcance (mais de 100km), usado pelos alemães na I Guerra Mundial para bombardear Paris.

bertalha [De or. controv.] *S. f. Bot.* Trepadeira baselácea (*Basella alba*) muito cultivada como hortaliça, de flores esverdeadas, e cujos frutos são bagas negras. A planta é toda suculenta, mole e rica em água, e utilizam-se as pontas de ramo. [Sin., bras., RJ: *baiana*.]

bertangil *S. m.* Bretangil (q. v.).

berthierina [Do antr. *Berthier* (v. *berthierita*) + *-ina*[1].] *S. f. Min.* Aluminossilicato básico de ferro e magnésio.

berthierita [Do antr. (*Pierre*) *Berthier*, químico francês, + *-ita*[3].] *S. f. Min.* Sulfoantimoneto de ferro, cinza-escuro.

bertholido [V. *berthollido*.] *S. m. Quím.* Qualquer de certos compostos em que as proporções de elementos constituintes podem variar, como ocorre, p. ex., em cerâmicas.

berthollido [Do antr. (*Claude L.*) *Berthollet* (-1822), químico francês, + *-ido*[2].] *S. m. Quím.* V. *bertholido*.

bertoldice [Do antr. *Bertoldo*, tipo simplório de uma história de cordel, + *-ice*.] *S. f. Bras.* Asneira, calinada, bernardice, besteira, parvoíce.

bertolinense *Adj. 2 g.* 1. De, ou pertencente ou relativo a Bertolínia (PI). ● *S. 2 g.* 2. O natural ou habitante de Bertolínia.

bertopolitano *Adj. 2 g.* 1. De, ou pertencente ou relativo a Bertópolis (MG). ● *S. 2 g.* 2. O natural ou habitante de Bertópolis.

bertrandita [Do antr. (*E.*) *Bertrand* (séc. XIX) + *-ita*[3].] *S. f. Min.* Mineral ortorrômbico, hidrossilicato de berílio, brilhante, incolor, branco ou amarelado.

beruanha [Do tupi.] *S. f. Bras. N. Zool.* V. *mosca-dos-estábulos*. [Var.: *beronha, bironha, meruanha, muruanha*.]

beruriense *Adj. 2 g.* 1. De, ou pertencente ou relativo a Beruri (AM). ● *S. 2 g.* 2. O natural ou habitante de Beruri.

berzabu *S. m.* V. *belzebu*.

berzabum [De *belzebu*, poss.] *S. m. Bras. S.* 1. Confusão, balbúrdia, baderna. 2. V. *rolo*[1] (16). 3. V. *belzebu*.

berzebu *S. m.* V. *belzebu*.

berzelianita [Do antr. (*J. J.*) *Berzelius* (-1848), químico sueco, + *-an(o)-* + *-ita*[3].] *S. f. Min.* Seleneto de cobre, muito semelhante à calcopirita.

berzelita [Do antr. (*J. J.*) *Berzelius* (v. *berzelianita*) + *-ita*[3].] *S. f. Min.* Arseniato de magnésio, manganês, cálcio e sódio, friável, amarelo, maciço.

besantar [De *besante* + *-ar*[2].] *V. t. d.* Abesantar.

besante [Do lat. *byzantiu*, 'moeda de Bizâncio', pelo fr. *besant*.] *S. m.* 1. *Numism.* Moeda de ouro cunhada durante o Império Bizantino e nas Cruzadas. 2. *Heráld.* Peça discoide semelhante a uma moeda, lisa, que se coloca no escudo para diferençar armas de linhagem não real: "Entre castelos serpes batalhantes, / E águias de negro, desfraldando as asas, / Que realça de oiro um colar de besantes!" (Camilo Pessanha, *Clepsidra e Outros Poemas*, p. 186.)

besigue [Do fr. *bésigue*.] *S. m.* Certo jogo de cartas.

besoiragem *S. f.* V. *besouragem*.

besoiral *Adj. 2 g.* V. *besoural*.

besoiro *S. m. Zool.* V. *besouro*.

besouragem [De *besouro* + *-agem*[2].] *S. f.* Intriga, trica, enredo. [Var.: *besoiragem*.]

besoural [De *besouro* + *-al*[1].] *Adj. 2 g.* Próprio de, ou semelhante a besouro. [Var.: *besoiral*.]

besouro [De or. controversa.] *S. m.* 1. *Bras. Zool.* Designação comum aos insetos coleópteros, holometabólicos, cujas asas anteriores são córneas. O sistema bucal é mastigador. [Sin.: *cascudo*.] 2. *Bras. PE* Estilhaço de rebarbas das brocas, escopros, etc., originadas da percussão dos malhos ou martelos. 3. *Bras. RS* O grão da mamona. 4. *Bras.* V. *busca-pé*. [Var.: *besoiro*.]

besouro-da-figueira *S. m. Bras. Zool.* V. *arlequim* (6). [Pl.: *besouros-da-figueira*.]

besouro-saltador *S. m. Bras. Zool.* Inseto coleóptero, alticídeo (*Exartematopus coccineus*), cujos adultos atacam espécies de *Anthurium*, e que tem o fêmur posterior muito dilatado, podendo saltar facilmente. [Pl.: *besouros-saltadores*.]

besouro-verde *S. m. Bras. Zool.* Inseto coleóptero, eumolpídeo (*Iphimeis dives*), de coloração verde, e cujos adultos atacam a jabuticabeira. [Pl.: *besouros-verdes*.]

bespa (ê) *S. f. Pop.* V. *vespa*[1].

bessangana *S. f. Angol.* V. *beçangana*: "àquela hora do dia, os seus panos de bessangana já lhe faziam calor." (Arnaldo Santos, *Tempo de Munhungo*, p. 102).

bessarábio *Adj.* 1. De, pertencente ou relativo à antiga república soviética da Bessarábia, atual Moldávia ou Moldova. ● *S. m.* 2. O natural ou habitante da Bessarábia.

besta [Do lat. *balista*.] *S. f.* Arma antiga, formada de arco, cabo e corda, com que se disparavam pelouros ou setas; balestra. [Pl.: *bestas*. Cf. *besta* (ê) e pl. *bestas* (ê).]

besta (ê) [Do lat. *bestia* (lat. tard. *besta*).] *S. f.* 1. Quadrúpede, principalmente de grande porte. 2. Animal de carga. 3. *Zool.* V. *mulo*. 4. *Fig.* Pessoa muito curta de inteligência. 5. *Bras. N.* V. *égua* (1). ● *S. 2 g.* 6. Indivíduo tolo, simplório. 7. *Bras.* Indivíduo pretensioso, pedante, presunçoso. ● *Adj. 2 g.* 8. Tolo, simplório. 9. *Bras.* Pretensioso, pedante, presunçoso. 10. *Bras. Fam.* Insignificante; sem importância, à toa: *Uma febrezinha besta, mas que não passa.* [Pl.: *bestas* (ê). Cf. *besta*, s. f., pl. *bestas*, e *besta*, *bestas*, do v. *bestar*.] ◆ **Besta de carga.** Animal empregado no transporte de fardos ou de outras cargas; cargueiro. **Besta qua-**

drada *Pop.* Pessoa extremamente burra, estúpida, tola. **Metido a besta.** *Bras. Gír.* Cheio de empáfia; vaidoso, convencido, pretensioso: "o menino era metido já a besta, achava aquele um trabalho menos digno" (Rubem Mauro Machado, *O Inimigo na Noite*, p. 43). [Tb. se diz apenas *metido.*]

besta-fera [De *besta* (ê) + *fera.*] ***S. 2 g.*** **1.** Animal feroz. **2.** *Fig.* Pessoa cruel ou selvagem. [Pl.: *bestas-feras.*]

bestagem [De *besta* (ê) + *-agem*[2].] ***S. f.*** *Bras.* Besteira, bestice. [V. *asneira* (1).]

bestalhão [De *besta* (ê) (4, 6 e 8) + *-alhão.*] ***Adj. S. m.*** **1.** *Bras.* Paspalhão, toleirão, parvo, pateta. **2.** Ignorante, inculto, rústico. [Fem.: *bestalhona.*]

bestalhona ***S. f.*** V. *bestalhão.*

bestar [De *besta* (ê) + *-ar*[2].] ***V. int.*** *Bras.* **1.** Dizer asneira(s). **2.** Praticar inconveniências. **3.** V. *vaguear*[1] (1 e 2): *Saiu rua fora, bestando.* [Pres. ind.: *besto, bestas, besta,* etc.; fut. ind.: *bestarei, bestarás, bestará, bestaremos, bestareis, bestarão.* Cf. *besta* (ê), pl. *bestas* (ê), e *bestaréis,* pl. de *bestarel.*]

bestarel [Cruz. de *besta* (ê) com *bacharel.*] ***S. m.*** *Bras. Gír. Deprec.* Bacharel (1). [Pl.: *bestaréis.* Cf. *bestareis,* do v. *bestar.*]

besteira [De *besta* (ê) + *-eira.*] ***S. f.*** **1.** *Bras.* V. *asneira* (1). **2.** *Bras.* Coisa ou quantia insignificante; besteirinha: *Pagou uma besteira pela casa — ótimo negócio!* **3.** *Bras. MG* V. *grampo* (3).

besteirada [De *besteira* + *-ada*[1].] ***S. f.*** *Bras.* Série de besteiras, de asneiras.

besteirinha [De *besteira* + *-inha.*] ***S. f.*** *Bras.* Besteira (2).

besteiro (ès) [De *besta* + *-eiro.*] ***S. m.*** **1.** Soldado armado de besta. **2.** Aquele que fazia bestas.

besteirol [De *besteira* + *-ol*[1].] ***S. m.*** **1.** Comédia teatral, cinematográfica, etc., em que predominam falas e situações grotescas, ridículas. **2.** Palavreado oco, grotesco ou sem sentido.

béstia [Do lat. *bestia.*] ***S. f.*** *Bras. Fam.* V. *bestialógico* (2).

bestiaga [De *besta* (ê).] ***S. f.*** **1.** Besta de pouca estimação. **2.** *Fig.* Indivíduo bronco, estúpido, burro. [Sin. ger.: *bestiola.*]

bestiagem [Do lat. *bestia,* 'besta (ê)', + *-agem*[2].] ***S. f.*** Conjunto de bestas (ê).

bestial [Do lat. *bestiale.*] ***Adj. 2 g.*** **1.** Próprio de besta (ê). **2.** Grosseiro, brutal; boçal. **3.** Feio, repugnante.

bestialidade [De *bestial* + *-(i)dade.*] ***S. f.*** **1.** Qualidade ou ação bestial; bestidade. **2.** Prática de atos libidinosos com animais; bestialismo. [Cf. (nesta acepç.): *zooerastia.*]

bestialismo [De *bestial* + *-ismo.*] ***S. m.*** Bestialidade (2).

bestialização [De *bestializar* + *-ção.*] ***S. f.*** Ato ou efeito de bestializar.

bestializar [De *bestial* + *-izar.*] ***V. t. d.*** **1.** V. *bestificar* (2). ***P.*** **2.** Tornar-se estúpido, ou irracional: "Quem não faz nada disso é apagado, quase que se bestializa" (Orígenes Lessa, *Eu Era Cego e Agora Vejo*, p. 41).

bestialogia [Do lat. *bestia,* 'besta (ê)', + *-logia.*] ***S. f.*** Faculdade de proferir bestialógicos.

bestialógico [Do lat. *bestia,* 'besta (ê)', + *-log(o)-* + *-ico*[2].] *Bras.* ***Adj.*** **1.** *Fam.* Asneirento, disparatado, despropositado, bombástico. • ***S. m.*** **2.** Discurso despropositado. [F. red., nesta acepç.: *béstia.*]

bestiário[1] [Do s. m. lat. *bestiariu.*] ***S. m.*** **1.** *Ant.* Gladiador que lutava no circo com as feras. **2.** Livro em que, na Idade Média, se reuniam descrições e histórias de animais, reais ou imaginários, geralmente com ilustrações: "Que muito! se todos os selvagens, quase todos, tinham o seu totem, se reputavam descendentes de um bicho; se os brasões dos seus avós se confundiam com o bestiário das suas paisagens nativas!" (João Ribeiro, *O Folclore*, p. 16.)

bestiário[2] [Do adj. lat. *bestiariu.*] ***Adj.*** Relativo a bestas (ê).

bestice [De *besta* (ê) + *-ice.*] ***S. f.*** V. *asneira* (1).

bestidade [De *besta* (ê) + *-(i)dade.*] ***S. f.*** **1.** Bestialidade (1). **2.** Dito estúpido, disparatado. **3.** *Bras. N. N.E.* V. *asneira* (1).

bestificação [De *bestificar* + *-ção.*] ***S. f.*** Ato ou efeito de bestificar-se.

bestificado [Part. de *bestificar.*] ***Adj.*** **1.** Que se bestificou. **2.** Pasmo, perplexo, abestalhado.

bestificante [De *bestificar* + *-nte.*] ***Adj. 2 g.*** Que bestifica.

bestificar [De *besta* (ê) + *-ificar.*] ***V. t. d.*** **1.** Tornar como besta (ê); abestar, abestalhar, bestializar. **2.** Tornar estúpido; abestalhar, abestar, bestializar. **3.** Causar pasmo a; embasbacar: *Suas proezas bestificaram os amigos.* **4.** Aparvalhar, imbecilizar, abestalhar, abestar. ***P.*** **5.** *Fam.* Tornar-se burro, besta; abestalhar, abestar-se, burrificar-se. [Conjug.: v. *trancar.*]

bestilha ***S. f.*** Balestilha (2).

bestiola ***S. f.*** V. *bestiaga.*

➔ **best-seller** [bɛst ˈsɛlɚ] [Ingl.] ***S. m.*** Livro que é um sucesso de livraria, que vende muito.

bestunto [De *besta* (ê).] ***S. m.*** *Pop.* **1.** V. *cabeça* (8). **2.** Cabeça de curto alcance, ou estúpida.

besuntadela [De *besuntar* + *-dela.*] ***S. f.*** **1.** Ato ou efeito de besuntar. **2.** V. *lambuzada* (3).

besuntão [De *besuntar* + *-ão*[1].] ***S. m.*** **1.** Indivíduo que se deixa besuntar, que anda com a roupa cheia de nódoas de gordura. **2.** Indivíduo muito sujo; porcalhão. [Fem.: *besuntona.*]

besuntar [De *bis-* + *untar.*] ***V. t. d.*** **1.** Untar muito. **2.** Sujar, lambuzar: *Besuntou as mãos de graxa.*

besuntona ***S. f.*** Fem. de *besuntão.*

beta[1] [Do gr. *bêta,* pelo lat. *beta.*] ***S. m.*** **1.** A 2ª letra do alfabeto grego (Β, ß), e que corresponde ao nosso *b.* **2.** *Fís. Nucl.* Partícula beta. [Tem valor adjetivo, quando posposto a nome de processo relacionado às partículas beta: *desintegração beta, radiação beta.*] **3.** *Quím.* Designação de átomo (ou substituinte a este ligado) ligado a um átomo alfa (1). **4.** *Quím.* Designação da face superior de certas moléculas quando estas estão representadas de forma convencionada. **5.** *Quím.* Designação da configuração espacial de moléculas que contêm grupos especialmente importantes na face beta. [Nas acepçs. 3 a 5, o voc., posposto a outro substantivo, tem valor adjetivo, e, tb., se usa a letra grega ß: *glicosídeo de configuração beta.* Pl.: *betas.* Cf. *beta* (ê) e pl. *betas* (ê).]

beta[2] [Do tax. *Beta* (de or. celta, poss.).] ***S. f.*** *Bot.* **1.** Pequeno gênero de ervas quenopodiáceas, suculentas, glabras, de flores esverdeadas e frutos múltiplos. **2.** Qualquer espécie desse gênero, como, p. ex., a *Beta vulgaris* (v. *acelga*). **3.** Qualquer espécime desse gênero.

beta (ê) [Do lat. *vitta,* pelo cat. veta e pelo esp. *veta, beta.*] ***S. f.*** **1.** Em tecido, penas de aves, ou pelo de animal, lista em fundo de cor diferente. **2.** Veio ou filão, em geral de origem hidrotérmica, que contém minerais metálicos. **3.** Mancha comprida. **4.** Pequeno feixe de fios. **5.** *Marinh.* Qualquer cabo, de qualquer bitola, usado a bordo. **6.** *Marinh.* Qualquer cabo de laborar: *beta da talha.* **7.** *Bras. MG* Escavação profunda feita nas rochas de onde se extrai ouro. [Pl.: *betas* (ê). Cf. *beta* e *betas,* do v. *betar,* e *beta,* s. f., pl. *betas.*] ◆ **Ver-se em betas.** *Bras. S.* Encontrar-se em apuros, em situação difícil.

▲ **beta-** *Quím.* ***Pref.*** **1.** Indica, numa molécula, átomo ou grupo beta[1] (4): *ácido beta-hidroxi-carboxílico.* **2.** Designa, segundo critérios mais ou menos arbitrários, uma entre várias moléculas relacionadas: *betaionona.* **3.** Indica uma configuração beta[1] (5): *beta-(D)-glicopiranose.* **4.** Indica, em lactona ou lactama, anel de quatro átomos: *beta-lactona.* [Em todos os casos, tb. é us. a letra grega, ß.]

beta-adrenérgico ***Adj.*** V. *betadrenérgico.* [Pl.: *beta-adrenérgicos.*] ❖

betabloqueador (ô) [De *beta-* + *bloqueador.*] ***Adj. S. m.*** Diz-se de, ou droga que bloqueia receptores betadrenérgicos.

betacam [Nome comercial.] ***Adj. 2 g. e 2 n. S. m.*** *Telev.* **1.** Diz-se de, ou sistema de gravação de alta qualidade. **2.** *P. ext.* Diz-se de, ou fita de vídeo para gravação us. nesse sistema. [Com cap.]

betacaroteno [De *beta-* + *caroteno.*] ***S. m.*** *Quím.* O mais abundante e importante dos isômeros do caroteno (q. v.), tem cor alaranjada e está presente, p. ex., na cenoura, em frutas, verduras, leite e manteiga; possui ação antioxidante e é a mais importante das provitaminas da vitamina A [fórm.: $C_{40}H_{56}$]. [Tb. são us. as formas *beta-caroteno, ß-caroteno* ou, simplesmente, *caroteno.*]

betacismo [De *beta*[1] (1) + a term. de *(lambda)cismo.*] ***S. m.*** *E. Ling.* Esvaimento da oposição entre os fonemas /b/ e /v/, em favor de /b/, como em *berter* por *verter.*

beta-(D)-glicopiranose ***S. m.*** *Quím.* O anômero da glicopiranose da (D)-glicose que possui a hidroxila anomérica na mesma face em que se encontra o grupo $-CH_2OH$. [Cf. *alfa-(D)-glicopiranose.* Pl.: *beta-(D)-glicopiranoses.*]

betadrenérgico [De *beta-* + *adrenérgico.*] ***Adj.*** *Fisiol.* Diz-se de receptor (6) que responde a adrenalina e a agentes que têm a capacidade de bloqueá-lo; beta-adrenérgico.

betaemissor (ô) [De *beta*[1] (2) + *emissor.*] ***S. m.*** *Fís. Nucl.* Nuclídeo que se desintegra emitindo uma partícula beta. [Var.: *betemissor.*]

betaína [Do lat. betula; tax. *Beta* (*vulgaris*) (v. *beterraba*) + *-ina*[3].] ***S. f.*** *Quím.* **1.** Substância sólida, natural, que ocorre em sucos vegetais, que é um íon dipolar derivado da glicina por metilação [fórm.: $C_5H_{11}NO_2$]. **2.** Designação genérica de compostos derivados de aminoácidos por alquilação e, tb., de certos intermediários formados por reação de ilídios com aldeídos ou cetonas.

betalactama [De *beta-* + *lactama.*] ***S. f.*** *Quím.* **1.** Lactama cujo anel tem quatro átomos [fórm.: C_3H_5NO]. **2.** *P. ext.* Composto que tem anel de betalactama em sua estrutura, esp. antibiótico (2), como a penicilina. [Tb. se usa *beta-lactama* e β-*lactama.*]

betalactâmico [De *betalactama* + *-ico*[2].] ***Adj.*** *Quím.* Próprio de ou relativo a betalactama.

betalaína [Do tax. *Beta (vulgaris)* + *ala(nina)* + *-ina*[3].] ***S. f.*** *Quím.* Qualquer de certos pigmentos encontrados em plantas, como, p. ex., na beterraba.

betamax (cs) ***Adj. 2 g. e 2 n. S. m. 2 n.*** *Telev.* **1.** Diz-se de, ou formato de fita de videocassete de utilização doméstica. **2.** *P. ext.* Diz-se de, ou fita de vídeo de formato Betamax. [Com cap.]

betametasona [Voc. farmac.] ***S. f.*** *Quím.* Substância cristalina, sintética, esteroide, corticoide, isômero da dexametasona, us. como anti-inflamatório [fórm.: $C_{22}H_{29}FO_5$].

betaniense ***Adj. 2 g.*** **1.** De, ou pertencente ou relativo a Betânia (PE). • ***S. 2 g.*** **2.** O natural ou habitante de Betânia.

betanina [De *beta-* + *(cia)nina.*] ***S. f.*** *Quím.* Glicosídeo, betalaína, que é o pigmento vermelho da beterraba [fórm.: $C_{24}H_{26}N_2O_{13}$].

betão [Do fr. *béton.*] ***S. m.*** *Lus.* Formigão[2].

betar [De *beta* (ê) + *-ar*[2].] ***V. t. d.*** **1.** Fazer betas em; listrar de cor diferente. ***T. d. e i.*** **2.** Listrar; matizar. ***T. i.*** **3.** Ajustar-se, combinar-se, condizer, harmonizar-se: *A fina educação da moça betava com a sua beleza.* [Pres. ind.: *beto, betas, beta,* etc. Pres. subj.: *bete, betes,* etc. Cf. *beta* (ê) e pl. *betas* (ê), e *bétis.*]

betara ***S. f.*** *Bras. Zool.* **1.** V. *castanha* (12). **2.** V. *papa-terra* (3).

betaru-amarelo ***S. m.*** *Bras. Bot.* V. *espinho-de-vintém.* [Pl.: *betarus-amarelos.*]

beta-teste [De *beta*[1] + *teste.*] ***S. m.*** *Inform.* Uma das últimas fases do desenvolvimento de um *software*, em que uma versão já operacional (designada *versão beta*) é oferecida a usuários seletos, para que a testem em condições normais de uso e possam reportar defeitos ou dar sugestões. [Pl.: *beta-testes.*]

betatópico ***Adj.*** *Quím.* Diz-se do conjunto de dois elementos cujos números atômicos diferem de uma unidade.

betatrão ***S. m.*** *Fís. Nucl. Lus.* V. *betatron.* [Pl.: *betatrões.*]

betatron [De *beta*[1] (3) + *-tron.*] ***S. m.*** *Fís. Nucl.* Acelerador a indução de elétrons, no qual as partículas se movem em órbitas de raio constante e são aceleradas pela variação rápida do campo magnético; bétatron, betatrão. [Essa forma, *betatron,* embora menos boa, é a de maior uso. Pl.: *betatrons.*]

bétatron ***S. m.*** *Fís. Nucl.* V. *betatron.*

betchuano ***Adj. S. m.*** V. *bechuano.*

bete [Do ingl. *bat,* 'maça de arremesso'.] ***S. m.*** *Bras. PR* Certo jogo infantil, calcado no beisebol.

beteco [De or. afr.] ***S. m.*** *Guin.* Pilão para descascar arroz.

bétel ***S. m.*** *Bot.* V. *bétele.* [Pl.: *bételes.*]

bétele [Do malaiala *vettila.*] ***S. m.*** **1.** *Bot.* Planta piperácea (*Piper chavica betel*) sarmentosa e aromática, cujas folhas são utilizadas para mascar, e cuja noz, por produzir cor vermelha, é empregada em tinturaria. **2.** Mistura em que entram as folhas dessa planta, tabaco e o fruto da areca, e que é usada para mastigar em algumas regiões tropicais. [Sin. (var. entre si): *atambor*[2], *atambul.* Var.: *bétel.*]

betemissor (ô) ***S. m.*** *Fís. Nucl.* V. *betaemissor.*

➔ **bête noire** [bɛt nwaʁ] [Fr.] ***S. f.*** Pessoa mais odiada ou coisa mais detestada; tormento, pesadelo.

beterraba [Do fr. *betterave.*] ***S. f.*** *Bot.* **1.** Erva quenopodiácea (*Beta vulgaris*) originária do Velho Continente, dotada de grossa raiz tuberosa us. na alimentação; da variedade branca das terras temperadas se extrai açúcar idêntico ao da cana-de-açúcar (v. *sacarose*). Também as suas folhas têm alto valor nutritivo. **2.** A raiz, comestível, dessa planta.

beterrabal [De *beterraba* + *-al*[1].] ***S. m.*** **1.** Quantidade mais ou menos considerável de pés de beterraba, dispostos proximamente entre si. **2.** Área ocupada por beterrabal (1).

beterrabeiro [De *beterraba* + *-eiro.*] ***S. m.*** **1.** Aquele que cultiva ou vende beterrabas. **2.** Indivíduo que gosta muito de beterrabas.

betesga (ê) [De or. obscura.] ***S. f.*** **1.** Rua estreita: "Vai passar no Cais das Naus e nas sombrias betesgas da encosta de Alcáçova o fúnebre cortejo de um rei moribundo, com a alma em farrapos!" (Antero de Figueiredo, *Leonor Teles*, p. 251.) **2.** Beco sem saída. **3.** Corredor escuro. [Var.: *bitesga.*]

betilho ***S. m.*** Cabresto que prende a boca do boi, impedindo-o de comer o grão na eira; bocal.

betilídeo [Do tax. *Bethylus* (do gr. *bethylos,* 'certo pássaro') + *-ídeo*[1]; tax. *Bethylidae.*] *Zool.* ***S. m.*** **1.** Espécime dos betilídeos, família de insetos himenópteros que compreende vespas pequenas de coloração escura, e cujas fêmeas são destituídas de asas e parecem formigas. Atacam mariposas e besouros. ● *Adj.* 2. Pertencente ou relativo a eles.

betímetro *S. m. Eletrôn.* Instrumento us. para medir o ganho de corrente de transistores em configuração emissor-comum (q. v.).

betinense *Adj. 2 g.* 1. De, ou pertencente ou relativo a Betim (MG). ● *S. 2 g.* 2. O natural ou habitante de Betim.

betinho *S. m. Lus. Gír.* Mauricinho.

bétis [De or. incerta.] *S. f. 2 n. Bras. Bot.* Planta piperácea (*Piper eucalyptifolium*), originária das Guianas e da Amaz., cujas folhas são analgésicas; alfavaca-de--cobra, jaborandi. [Var.: *betre* e *bétris*. Cf. *betes*, do v. *betar*.]

betonada [De *betão* + *-ada*[1], seg. o padrão erudito.] *S. f.* Quantidade de concreto ou betão misturado de uma só vez na betoneira.

betonar [De *betão* + *-ar*[2], seg. o padrão erudito.] *V. t. d.* Construir, revestir ou encher com betão.

betoneira [Do fr. *bétonnière*.] *S. f. Constr.* Máquina destinada ao preparo do concreto, pela adequada mistura dos materiais, previamente dosados, que entram na sua composição; misturador.

betónica *S. f. Bot.* V. *betônica* . [Uso freq. em P.]

betônica [Do lat. *betonica* ou *vittonica*; tax. *Betonica*.] *S. f. Bot.* 1. Pequeno gênero de lamiáceas de origem eurasiana, dotadas de corola tubuliforme que, em tamanho, muito excede o cálice. [São, frequentemente, incluídas no gênero *Stachys* (v. *estaque*).] 2. Espécie, ou espécime desse gênero; estaque.

betre *S. f. Bras. Bot.* V. *bétis*.

bétris *S. f. 2 n. Bras. Bot.* V. *bétis*.

➔ **betting** ['betɪŋ] [Ingl.] *S. m. Turfe* Modalidade de jogo dos concursos [v. *concurso* (7)], cujas apostas só podem ser feitas nos parelheiros dos três últimos páreos de cada reunião, combinando os vencedores e os segundos colocados de cada um deles.

betu [De or. tupi, poss.] *S. m. Bras.* V. *linguarudo* (3). [Cf. *bitu*[1].]

bétula [Do tax. *Betula* (do lat. *betula, ae*, 'vidoeiro').] *S. f. Bot.* 1. Gênero de árvores e arbustos betuláceos que habitam as regiões árticas e as regiões setentrionais temperadas, cuja madeira é dura e compacta, as folhas são alternas e denteadas, as flores monoicas, em amentos, e o fruto é uma pequena sâmara. 2. Qualquer espécie desse gênero, como, p. ex., a *Betula alba*, ou vidoeiro, cuja madeira, branca, é us. como lenha, e cuja seiva fornece açúcar e uma bebida alcoólica. 3. Qualquer espécime desse gênero.

betulácea [Do tax. *Betula* (v. *bétula*) + *-ácea*; tax. *Betulaceae*.] *S. f. Bot.* Espécime das betuláceas, família de arbustos e árvores da ordem das fagales, das regiões frias do hemisfério norte, a qual conta perto de 70 espécies, de flores insignificantes, ordenadas em amentos ou espigas pêndulas, compridas, unissexuais, cujo pólen é conduzido pelo vento. Os frutos são secos e indeiscentes.

betuláceo [De *betulácea*, com var. suf. (v. *-áceo*).] *Adj. Bot.* Pertencente ou relativo às betuláceas.

betulíneo *Adj. Bot.* Relativo a bétula.

betumado [De *betume* + *-ado*[1].] *Adj.* ~ V. *papel* —.

betumar [Do lat. *bituminare*.] *V. t. d.* Tapar ou pegar com betume.

betume [Var. de *bitume*.] *S. m.* 1. *Quím.* Mistura líquida, sólida ou semissólida de hidrocarbonetos, solúvel em solventes orgânicos, natural ou obtida em processo de destilação; pez mineral. 2. Massa para pegar vidros aos caixilhos. 3. Massa para tapar junturas nas pedras. ◆ **Betume asfáltico.** *Quím.* Betume, natural ou artificial, que contém hidrocarbonetos pouco voláteis e grande proporção de seus derivados oxigenados e/ou sulfurados, em geral viscoso e sempre solúvel em sulfeto de carbono. **Betume da Judeia.** *Quím.* Substância sólida, negra, com fratura concoidal, originada possivelmente de transformação do petróleo, e usada na indústria de tintas e vernizes. **Betume de petróleo.** *Quím.* Asfalto proveniente de destilação de petróleo. **Betume natural.** *Quím.* Asfalto obtido por processo natural.

betuminado *Adj.* ~ V. *papel* —.

betuminoso (ô) [Do lat. *bituminosu*.] *Adj.* Que contém betume, ou é da natureza dele. ~ V. *concreto* — e *ligante* —.

▲ **-béua** V. *-peba*.

▲ **-beva** V. *-peba*.

bexiga [Do lat. **vessica*, por *vesica*.] *S. f.* 1. *Anat.* Reservatório musculomembranoso situado na parte inferior do abdome e que recebe a urina vinda dos ureteres, lançando-a na uretra. 2. Bexiga (1) (de boi ou de porco) seca e cheia de ar, us. em brincadeiras infantis e, antigamente, nos festejos de carnaval. 3. *P. ext.* Balão (3). 4. Tubo de tinta a óleo para pintura. 5. *Pop.* Varíola. 6. Os sinais deixados por essa doença. [Nas duas últimas acepçs. tb. se usa no pl.] ◆ **Bexiga natatória.** *Zool.* Órgão que, nos peixes, permite a ascensão e descida na água, e que é uma bolsa controlada pela musculação periférica, na qual se acumulam gases. Nos peixes dipnoicos, como a piramboia, funciona como pulmão no período estival. [Sin.: *vesícula natatória*.] **Da bexiga.** *Bras. N.E. Pop.* Em grande intensidade; muito, deveras: *É um sujeito bom da bexiga*. **Estar com a bexiga.** *Bras. N.E. Pop.* Estar com a molesta. **Pedir bexiga.** *Bras. Gír.* V. *pedir penico*.

bexigada [De *bexiga* + *-ada*[1].] *S. f.* 1. Pancada dada com uma bexiga (2). 2. *Teatr. Bras. Gír.* Caco (8).

bexiga do cacau *S. f. Bras. BA* Mal que ataca os frutos do cacaueiro, produzindo-lhes lesões; cancro, mal de chupança. [Pl.: *bexigas do cacau*.]

bexigar [De *bexiga* + *-ar*[2].] *V. int.* Caçoar, zombar. [Var. protética (lus.): *abexigar*. Conjug.: v. *largar*.]

bexigoso (ô) [De *bexiga* + *-oso*.] *Adj. S. m.* Que, ou aquele que tem bexiga (5 e 6); bexiguento.

bexiguento [De *bexiga* + *-ento*.] *Adj. S. m.* Bexigoso: "Casa de bexiguento era queimada e às vezes carregavam o doente para o meio do mato, deixando-o morrer à míngua." (José Lins do Rego, *Meus Verdes Anos*, p. 331.)

bezerra (ê) [Fem. de *bezerro*.] *S. f.* Vitela, novilha.

bezerrada [De *bezerro* + *-ada*[1].] *S. f.* Quantidade ou conjunto de bezerros.

bezerrão [De *bezerro* + *-ão*[1].] *S. m. Bras.* Menino grande e gordo.

bezerreiro [De *bezerro* + *-eiro*.] *S. m. Bras. CE* Aquele que cuida de bezerros ou os cria.

bezerrense *Adj. 2 g.* 1. De, ou pertencente ou relativo a Bezerros (PE). ● *S. 2 g.* 2. O natural ou habitante de Bezerros.

bezerro (ê) [Do lat.-hisp. *ibice*, 'camurça (1)', poss.] *S. m.* 1. Vitelo, novilho. 2. A pele curtida deste animal. 3. *Bras. Amaz.* Filhote de peixe-boi. ◆ **Botar bezerro.** *Bras. AL Pop.* V. *vomitar* (11). **Chorar como bezerro desmamado.** *Bras.* Chorar com grande alarido. **O bezerro de ouro.** O dinheiro: "o milagre dessa riqueza colossal .... enchia de admiração não só os neófitos no culto do bezerro de ouro, como os mesmos negociantes já possuidores de algumas centenas de contos." (José de Alencar, *Sonhos d'Ouro*, p. 124).

bezoar [Do persa *pādzahr*, 'antídoto', pelo ár. *bādzahr, bāzahr*.] *S. m. Patol.* Concreção que pode ser encontrada no estômago ou nos intestinos do homem ou de outros animais. Pode constituir-se de cabelo (*tricobezoar*), vegetais (*fitobezoar*), cabelo e vegetais (*tricofitobezoar*), ou fragmentos de goma-laca.

■ **Bh** *Quím.* Símb. de *bóhrio*.

■ **BHA** *Quím.* Abrev. de *butil-hidroxianisol*.

■ **BHC** [Sigla do ingl. *benzene hexachloride*.] *Quím.* Lindano (q. v.).

■ **BHQ** *Quím.* Abrev. de *dibutil-hidroquinona*.

■ **BHT** Abrev. de *dibutil-hidroxitolueno*.

bi[1] [F. red. de *bilhão*.] *S. m. 2 n. Bras. Fam.* Um bilhão (referindo-se a dinheiro): *ganhou um bi de herança*.

bi[2] *Adj. 2 g. e 2 n. S. 2 g. e 2 n. Bras. Pop.* V. *bissexual* (3 e 5).

■ **Bi** *Quím.* Símb. de *bismuto*.

▲ **bi-**[1] [Do lat. *bi-* < lat. *bis*, adv.] *Pref.* Equiv. de *bis-*. [É seguido de hífen quando anteposto a palavra iniciada por *h* ou *i*: *bi-hidroquinona*, *bi-iodeto* (em tais casos, apenas o 2.º el. é flexionado na formação do plural); é grafado com *r* ou *s* duplicados quando anteposto a palavra iniciada por *r* ou *s*: *birrelativo*, *bissexual*.]

▲ **bi-**[2] [Do V.C.I.] *Quím. Pref.* Indica, em uma substância, proporção duas vezes maior (do que aquela que seria a us. para reação completa) de um componente; no caso de sal de um ácido diprótico, corresponde à presença de um hidrogênio ácido remanescente: *bicarbonato*. [*Hidrogeno-* é us. como el. comp. alternativo, com o mesmo fim: *hidrogenocarbonato*.]

▲ **-b(i)-** [V. *bi-*[1].] *Quím. El. comp.* Designa, na nomenclatura sistemática dos elementos transférmicos (q. v.), a presença do dígito 2 no número atômico do elemento. Ex.: *unúmbio*.

▲ **-bi-** *Quím. El. comp.* Designa, na nomenclatura sistemática dos elementos transférmicos (q. v.), a presença do algarismo 2 no número atômico do elemento.

bia [Do ingl. *beer*.] *S. f. Bras. N. N.E. Pop.* V. *cerveja*.

biaba *S. f. Bras. Pop.* 1. V. *bordoada*. 2. V. *surra* (1).

biaculeado [De *bi-*[1] + *acúleo* + *-ado*[1].] *Adj. Bot.* Que tem dois acúleos.

biafrense *Adj. 2 g.* 1. De, ou pertencente ou relativo a Biafra (África). ● *S. 2 g.* 2. O natural ou habitante de Biafra.

bialado [De *bi-*[1] + *alado*.] *Adj.* Que tem duas asas.

bianda [De *vianda*, pelo criol.] *S. f. Guin.* Comida, refeição: "Guiné / és tu / camponês de Bedanha teimosamente / procurando a bianda na bolanha" (Tony Tcheka, *Noites de Insônia na Terra Adormecida*, p. 80).

biango *S. m. Bras.* V. *casinhola*.

biangulado [De *bi-*[1] + *ângulo* + *-ado*[1].] *Adj.* Que tem ou forma dois ângulos.

biangular [De *bi-*[1] + *ângulo* + *-ar*[1].] *Adj. 2 g.* Que contém dois ângulos.

bianual [De *bi-*[1] + *anual*.] *Adj. 2 g.* V. *bienal* (1 a 3).

biari [Do top. *Biar*, região ao N.O. da Índia, fronteira com Bangladesh.] *S. m. Gloss.* Língua indo-europeia do ramo indo-iraniano falada em Bangladesh e em parte do Nepal. [É escrita no alfabeto devanagárico.]

biaribi [De or. tupi.] *S. m. Bras.* Processo peculiar aos indígenas de cozinhar a caça ou o peixe em covas na terra: "Outras [velhas] cavam o chão, e nos buracos / Lançam a carne ou peixe envolto em folhas, / Depois de terra os cobrem, sobre a terra / Fogo acendem; destarte as carnes torram, / E a isto dão de biaribi o nome." (Domingos José Gonçalves de Magalhães, *A Confederação dos Tamoios*, p. 68.) [Var.: *biaribu*.]

biaribu *S. m. Bras.* V. *biaribi*.

biaristado [De *bi-*[1] + *arista* + *-ado*[1].] *Adj.* Que tem duas arestas ou praganas.

biarmónico *Adj.* V. *biarmônico*. [Uso freq. em P.]

biarmônico [De *bi-*[1] + *harmônico*.] *Adj.* ~ V. *operador* —.

biaro [Do top. *Biar*, região ao N.O. da Índia, fronteira com Bangladesh.] *Adj.* 1. Do, ou relativo ou pertencente ao estado de Biar (Índia). ● *S. m.* 2. O natural ou habitante dessa região.

biarticulado [De *bi-*[1] + *articulado*.] *Adj.* Que tem duas articulações; articulado em dois pontos; biarticular.

biarticular [De *bi-*[1] + *articular*[1].] *Adj. 2 g.* Biarticulado.

➔ **bias** ['bajɪs] [Ingl.] *S. m.* 1. Tendência ou inclinação que leva a preferir ou privilegiar uma pessoa, elemento, etc. em detrimento de outro. 2. *P. ext.* Parcialidade do juízo ou da opinião. 3. *Estat.* Distorção em pesquisa, etc., devida, por exemplo, a preconceito, má condução das entrevistas, etc., por parte do entrevistador ou pelas respostas falsas, falta de respostas, etc., por parte do entrevistado, ou ainda por problemas na amostra. 4. *Eletrôn.* Tensão de polarização (q. v.). [Pl.: *biases*.]

bias-fortense *Adj. 2 g.* 1. De, ou pertencente ou relativo a Bias Fortes (MG). ● *S. 2 g.* 2. O natural ou habitante de Bias Fortes. [Pl.: *bias-fortenses*.]

biatatá *S. m. Bras.* V. *boitatá*.

biatlo [De *bi-*[1] + *-atlo*.] *S. m. Esport.* Competição que reúne duas modalidades esportivas. [F. paral.: *biátlon*.]

biátlon *S. m. Esport.* V. *biatlo*.

biatómico *Adj. Quím.* V. *biatômico*. [Uso freq. em P.]

biatômico [De *bi-*[1] + *atômico*.] *Adj. Quím.* Diz-se do elemento constituído por moléculas, cada qual formada por dois átomos: *O nitrogênio e o oxigênio são elementos biatômicos*.

biatorino *Adj. Bot.* Diz-se dos apotécios liquênicos de consistência mole e coloração viva.

biauriculado [De *bi-*[1] + *auriculado*.] *Adj.* Que tem duas aurículas.

biauricular [De *bi-*[1] + *auricular*.] *Adj. 2 g.* Relativo às duas aurículas, ou aos dois ouvidos.

biaxial (cs) [De *bi-*[1] + *axial*.] *Adj. 2 g.* Dotado de dois eixos. ~ V. *cristal* —.

biaxífero (cs) [De *bi-*[1] + *axífero*.] *Adj. Bot.* Diz-se da inflorescência e de outros órgãos, de alguns vegetais, que têm dois eixos.

bibarrense *Adj. 2 g.* 1. De, ou pertencente ou relativo a Duas Barras (RJ). ● *S. 2 g.* 2. O natural ou habitante de Duas Barras.

bibe [Do ingl. *baby*.] *S. m.* 1. Espécie de avental para crianças, com mangas: "Essa rocha, em que eu me sentei em criança, com .... o meu bibe e cheirando ao algodão novo azul e branco da fábrica do Bolhão" (Ramalho Ortigão, *As Farpas*, I, p. 262). 2. V. *babadouro*.

bibelô [Do fr. *bibelot*.] *S. m.* 1. Pequeno objeto de adorno que se põe sobre a mesa, aparador, etc. 2. Objeto ordinário e de pouco valor.

bibelotista (ô) [Do fr. *bibelot*, 'bibelô', + *-ista*.] *S. 2 g.* Artista que trabalha em bugigangas.

biberão [Do fr. *biberon*.] *S. m.* Mamadeira (2).

bibi[1] [De or. indígena, poss.] *S. f. Bras. Bot.* Erva iridácea (*Cypella plumbea*) de pequeno porte, de flores grandes, frutos capsulares, e provida de bolbo, do qual nascem as folhas e o escapo floral.

bibi[2] [Do persa.] *S. f.* Princesa ou grande senhora muçulmana, no Oriente.

bi-bi [Voc. onom., reduplicação do som de uma *buzina*.] *S. m. Bras. Inf.* V. *automóvel* (4). [Pl.: *bi-bis*.]

bibiano [Do antr. *Bibiano*.] *S. m. Bras. N.E.* V. *periquito*[1] (6).

bibico [De *bi-*^{1} + *bico*^{1}.] *Bras. S. m.* **1.** Chapéu cuja aba forma dois bicos ou pontas. **2.** Gorro de soldado, de costura única, e reta em cima, fazendo dois bicos, um à frente e outro atrás: 🕮 "Sargento Josimar, na portaria, bibico escondendo a testa estreita, bateu continência." (Marques Rebelo, *O Simples Coronel Madureira*, p. 51.) ● *Adj.* **3.** Diz-se desse chapéu ou desse gorro.

bibiru *S. m. Bras. Amaz. Bot.* V. *beberu*.

▲ **bibl(i)-** V. *biblio-*.

bíblia [Do lat. ecles. *biblia* < gr. *biblíon*.] *S. f.* **1.** O conjunto dos livros sagrados do Antigo e do Novo Testamento; Escritura, Sagrada Escritura, Escrituras. [Com cap.] **2.** Livro em que se reúne esse conjunto. **3.** Exemplar de bíblia (2): 🕮 "estive .... três anos, nove meses e quinze dias na cadeia, onde aprendi leitura com o Joaquim sapateiro, que tinha uma bíblia miúda, dos protestantes." (Graciliano Ramos, *S. Bernardo*, p. 14). **4.** *Fig.* Livro de importância capital e/ou ao qual se tem predileção incomum: 🕮 "Ele próprio [Coelho Neto] dizia que a sua bíblia era o Elucidário de Viterbo." (Josué Montelo, *Estante Giratória*, p. 54); "Eu andava então pelos meus dezessete anos. Nesse tempo era minha bíblia o secular *Rubayiáti*" (Joel Silveira, *Onda Raivosa*, p. 76). ● *S. 2 g.* **5.** *Bras. Pop.* V. *protestante* (6).

bibliáco [De *bibl(i)-* + *-íaco*.] *Adj.* Relativo a livros. [Cf. *livreiro* (1).]

bibliátrica [De *bibl(i)-* + *-iatr(a)-* + *-ica*.] *S. f.* Arte de restauração e conservação de livros: 🕮 "A arte de restaurar velhos livros, chamada bibliátrica, é uma arte delicada e difícil" (Eduardo Frieiro, *Os Livros Nossos Amigos*, p. 128).

bibliátrico [De *bibliátrica*, com var. suf. (v. *-ico*^{2}).] *Adj.* Relativo à bibliátrica.

biblicismo [De *bíblico* + *-ismo*.] *S. m.* O conjunto das teorias ou doutrinas da Bíblia; biblismo.

biblicista [De *bíblico* + *-ista*.] *S. 2 g.* Especialista em assuntos bíblicos; biblista: 🕮 "O biblicista Joviniano me ensinou os capítulos e versículos do Velho e do Novo Testamento." (Fernando Ramos, *Os Enforcados*, p. 193.)

bíblico [De *bíblia* + *-ico*^{2}.] *Adj.* Relativo ou pertencente à, ou próprio da Bíblia (1), ou de bíblia.

biblidácea [Do lat. cient. *Byblid-* (do tax. *Byblis*, v. *bíblis*) + *-ácea*; tax. *Byblidaceae*.] *S. f. Bot.* Espécime das biblidáceas, pequena família de ervas e pequenos arbustos ericales carnívoros, relacionados às droseráceas, e cujo gênero-tipo é o *Byblis* (v. *bíblis*).

biblidáceo [De *biblidácea*, com var. suf. (v. *-áceo*).] *Adj. Bot.* Pertencente ou relativo às biblidáceas.

▲ **biblio-** [Do gr. *biblio-* < gr. *biblíon, ou*.] *El. comp.* = 'livro'; 'obra': *bibliófilo, bibliografia* (< gr.), *biblioteca* (< gr.). [Equiv.: *bibl(i)-*, *-bíblio*: *bibliátrica; tetrabíblio*. V. *bibliotec(o)-*.]

▲ **-bíblio** V. *biblio-*.

bibliocanto [De *biblio-* + *canto*^{1}.] *S. m.* Chapa de metal dobrada em ângulo reto, com a qual se amparam os livros em prateleiras não inteiramente ocupadas, sobre uma mesa, etc.

biblioclasta [De *biblio-* + *-clasta*.] *S. 2 g.* Adversário e destruidor de livros.

bibliocIepta [De *biblio-* + *-clepta*.] *S. 2 g. Psiq.* Aquele que sofre de bibliocleptomania.

bibliocleptomania [De *biblio-* + *cleptomania*.] *S. f. Psiq.* Inclinação mórbida para roubar livros.

bibliocleptomaníaco [De *bibliocleptomania* + *-íaco*.] *Psiq. Adj.* **1.** Relativo à bibliocleptomania. **2.** Que tem bibliocleptomania; bibliocleptômano. ● *S. m.* **3.** Aquele que tem bibliocleptomania; bibliocleptômano.

bibliocleptómano *Adj. S. m. Psiq.* V. *bibliocleptômano*. [Uso freq. em P.]

bibliocleptômano [De *biblio-* + *-clepto-* + *-mano*^{1}.] *Adj. S. m. Psiq.* Bibliocleptomaníaco (2 e 3).

bibliocriso [De *biblio-* + *-criso*.] *S. m.* Livro estampado e decorado a ouro.

bibliofagia [De *biblio-* + *-fag(o)-* + *-ia*^{1}.] *S. f.* Qualidade de bibliófago.

bibliofágico [De *bibliofagia* + *-ico*^{2}.] *Adj.* Referente à bibliofagia.

bibliófago [De *biblio-* + *-fago*.] *Adj. S. m.* Diz-se de, ou inseto que se alimenta de livros.

bibliofilaxia (cs) [De *biblio-* + *-filax-* + *-ia*^{1}.] *S. f.* Cuidados com os livros.

bibliofilia [De *biblio-* + *-filia*.] *S. f.* **1.** Amor aos livros. **2.** Arte de colecionar livros tendo em vista circunstâncias especiais ligadas à publicação deles. [Antôn.: *bibliofobia*.]

bibliofílico [De *bibliofilia* + *-ico*^{2}.] *Adj.* **1.** Relativo à bibliofilia. **2.** Que tem bibliofilia; bibliófilo. ● *S. m.* **3.** Aquele que tem bibliofilia; bibliófilo. [Antôn.: *bibliofóbico*.]

bibliofilme [De *biblio-* + *filme*.] *S. m. P. us.* Microfilme de livro.

bibliófilo [De *biblio-* + *-filo*^{2}.] *Adj. S. m.* Bibliofílico (2 e 3).

bibliofobia [De *biblio-* + *-fobia*.] *S. f.* Aversão aos livros. [Antôn.: *bibliofilia*.]

bibliofóbico [De *bibliofobia* + *-ico*^{2}.] *Adj.* **1.** Relativo a bibliofobia. **2.** Que tem bibliofobia; bibliófobo. ● *S. m.* **3.** Aquele que tem bibliofobia; bibliófobo. [Antôn.: *bibliofílico*.]

bibliófobo [De *biblio-* + *-fobo*.] *Adj. S. m.* Bibliofóbico (2 e 3).

bibliogénese *S. f.* V. *bibliogênese*. [Uso freq. em P.]

bibliogênese [De *biblio-* + *-gênese*.] *S. f.* Origem, criação ou formação do livro ou de um livro.

bibliognosia [De *biblio-* + *-gnosia*.] *S. f.* Ciência dos livros.

bibliognosta [De *biblio-* + gr. *gnóstes*, 'conhecedor'.] *S. 2 g.* Pessoa que conhece a fundo a história dos livros, seus títulos, datas e lugares de edições, etc.: 🕮 "Nada! Esta só palavra em si resume tudo: / Ciência difusa em mil papiros e alfarrábios; / Obras de que é a traça o bibliognosta mudo, / E onde se expande à larga a estupidez dos sábios..." (Raimundo Correia, *Poesias*, p. 292.)

bibliografia [De *biblio-* + *-grafia*.] *S. f.* **1.** *Bibliogr.* Documento que apresenta lista de referências bibliográficas, us. em ordem alfabética, relativas a um ou mais assuntos. **2.** *Bibliogr. Bibliot. Edit.* Parte de uma obra na qual se listam, em ordem alfabética, cronológica ou sistemática, as referências bibliográficas de documentos consultados, de obras recomendadas para leitura complementar, etc. **3.** *E. Ling.* Estudo da transmissão (6) de documentos. **4.** *E. Ling.* Catálogo de obras que noticia, para cada uma daquelas nele arroladas, o conteúdo da folha de rosto, as partes em que se divide, os caracteres empregados, o formato do livro, dados sobre a oficina tipográfica ou o *scriptorium*, paginação, assinaturas, tipo de papel empregado, conteúdo, além de anotações que possam tornar mais clara a história do livro e do registro dos exemplares examinados. **5.** *Jorn.* Seção destinada ao registro das publicações recebidas. [Cf. *bibliologia*.] ◆ **Bibliografia material.** *E. Ling.* Análise e interpretação das características materiais do livro impresso.

bibliográfico [De *bibliografia* + *-ico*^{2}.] *Adj.* Relativo à bibliografia, ou a livros. [Cf. *livreiro* (1).] ~ V. *nota —a, notas —as* e *referência —a*.

bibliógrafo [De *biblio-* + *-grafo*.] *S. m.* **1.** Aquele que é versado em bibliografia. **2.** Compilador de repertório bibliográfico.

bibliólatra [De *biblio-* + *-latra*.] *Adj. 2 g.* **1.** Respeitante à, ou que tem bibliolatria. ● *S. 2 g.* **2.** Pessoa que a tem.

bibliolatria [De *biblio-* + *-latria*.] *S. f.* Gosto apaixonado dos livros, particularmente da Bíblia ou de outro livro sagrado.

bibliolátrico [De *bibliolatria* + *-ico*^{2}.] *Adj.* Concernente à bibliolatria.

bibliologia [De *biblio-* + *-logia*.] *S. f.* **1.** Conjunto de conhecimentos e técnicas que abrangem a história do livro, a biblioteca, a bibliografia, a biblioteconomia e a bibliofilia, e se relacionam com a origem, evolução, produção, publicação, descrição, enumeração, conservação e restauração dos livros, e a organização deles em coleções gerais ou especiais para uso público ou privado. **2.** *Desus.* A história do livro. [Cf. *documentação* (2) e *bibliografia*.]

bibliológico [De *bibliologia* + *-ico*^{2}.] *Adj.* Relativo à bibliologia.

bibliólogo [De *biblio-* + *-logo*.] *S. m.* Aquele que é versado em bibliologia.

bibliomancia (ci) [De *biblio-* + *-mancia*.] *S. f.* Adivinhação por meio de um livro, que se abre ao acaso.

bibliomania [De *biblio-* + *-mania*.] *S. f.* Mania de acumular livros.

bibliomaníaco [De *bibliomania* + *-íaco*.] *Adj.* **1.** Relativo à bibliomania. **2.** Diz-se daquele que é dado à bibliomania; bibliômano. ● *S. m.* **3.** Aquele que é dado à bibliomania; bibliômano.

bibliómano *S. m.* V. *bibliômano*. [Uso freq. em P.]

bibliômano [De *biblio-* + *-mano*^{1}.] *S. m.* Bibliomaníaco (2 e 3).

bibliomante [De *biblio-* + *-mante*.] *S. 2 g.* Pessoa que pratica a bibliomancia.

bibliomântico *Adj.* Referente à bibliomancia, ou a bibliomante.

bibliomapa [De *biblio-* + *mapa*.] *S. m.* Livro composto de cartas geográficas e textos explicativos.

bibliónimo *S. m.* V. *bibliônimo*. [Uso freq. em P.]

bibliônimo [De *biblio-* + *-ônimo*.] *S. m.* **1.** Qualquer dos nomes de livros que, pela sua importância universal, devam incluir-se na onomástica geral da língua: *Bíblia, Alcorão, Odisseia, Eneida, Ilíada*, etc. **2.** *P. ext.* Qualquer nome de livro.

bibliopirata [De *biblio-* + *pirata*.] *S. 2 g.* Pessoa dada à bibliopirataria: 🕮 "O colecionador de livros raros, preciosos ou singulares, esse .... costuma ser um bibliopirata, quando não é um biblioclepta, que satisfaz o seu vício onde pode e como pode." (Eduardo Frieiro, *Os Livros Nossos Amigos*, p. 64.)

bibliopirataria [De *biblio-* + *pirataria*.] *S. f.* Produção fraudulenta, falsificação ou apropriação indébita de livros.

bibliopola [Do gr. *bibliopóles*, pelo lat. *bibliopola*.] *S. 2 g.* Vendedor de livros; livreiro.

biblіorreia (éi) [De *biblio-* + *-reia*.] *S. f. Deprec.* Produção abundante de livros. ❖

bibliossanidade [De *biblio-* + *sanidade*.] *S. f. Bibliol.* Sanidade dos livros, especialmente no tocante a medidas de proteção contra os insetos.

bibliotáfio [De *biblio-* + *-taf(o)-* + *-io*^{3}.] *S. m.* Lugar, numa biblioteca, onde se conservam as obras mais raras e preciosas.

biblioteca [Do gr. *bibliothéke*, 'lugar onde se guardam os livros'; 'estante', pelo lat. *bibliotheca*.] *S. f.* **1.** Coleção pública ou privada de livros e documentos congêneres, organizada para estudo, leitura e consulta. **2.** Edifício, ou recinto, ou local onde se instala essa coleção. **3.** Estante ou outro móvel onde se guardam, ordenam ou arquivam livros, fitas magnéticas, etc. **4.** *Inform.* Coleção ordenada de modelos, rotinas, programas ou dados, para reutilização. **5.** *Inform.* Conjunto organizado de informações afins, armazenado com o objetivo de consulta ou utilização posterior. ◆ **Biblioteca digital.** *Bibliot.* Acervo de documentos eletrônicos que permite acesso ao seu conteúdo à distância. **Biblioteca circulante.** *Bibliot.* Aquela cujos livros se destinam a empréstimos domiciliares.

bibliotecal [Do lat. *bibliothecale*.] *Adj. 2 g.* Bibliotecário (1).

bibliotecário [Do lat. *bibliothecariu*.] *Adj.* **1.** Relativo a biblioteca; bibliotecal. ● *S. m.* **2.** Aquele que superintende uma biblioteca.

bibliotecnia [De *biblio-* + *-tecn(o)-* + *-ia*^{1}.] *S. f.* Conjunto de conhecimentos respeitantes à parte material do livro e à sua produção, em especial no tocante à escolha de papel, formato, composição, ilustração, processo de impressão, acabamento, etc.

bibliotécnico [De *bibliotecnia* + *-ico*^{2}.] *Adj.* **1.** Relativo à bibliotecnia. ● *S. m.* **2.** Especialista em bibliotecnia.

▲ **bibliotec(o)-** [Do gr. *bibliothéke, es* < gr. *biblíon, ou*.] *El. comp.* = 'biblioteca': *bibliotecologia, biblioteconomia, biblioteconômo, bibliotecosofia*. [V. *biblio-*.]

bibliotecologia [De *bibliotec(o)-* + *-logia*.] *S. f.* Estudo ou conhecimento das bibliotecas.

bibliotecológico [De *bibliotecologia* + *-ico*^{2}.] *Adj.* Relativo à bibliotecologia.

biblioteconomia [De *bibliotec(o)-* + *-nom(o)-* + *-ia*^{1}.] *S. f.* Disciplina de nível universitário, referente à organização e administração de bibliotecas.

biblioteconómico *Adj.* V. *biblioteconômico*. [Uso freq. em P.]

biblioteconômico [De *biblioteconomia* + *-ico*^{2}.] *Adj.* Relativo à biblioteconomia.

biblioteconomista [De *biblioteconomia* + *-ista*.] *S. 2 g.* Especialista em biblioteconomia; bibliotecônomo.

bibliotecónomo *S. m.* V. *bibliotecônomo* . [Uso freq. em P.]

bibliotecônomo [De *bibliotec(o)-* + *-nomo*.] *S. m.* Biblioteconomista.

bibliotecosofia [De *bibliotec(o)-* + *-sofia*.] *S. f.* Ciência das bibliotecas.

bibliotecosófico [De *bibliotecosofia* + *-ico*^{2}.] *Adj.* Relativo à bibliotecosofia.

biblioterapêutica [De *biblio-* + *terapêutica*.] *S. f.* **1.** Biblioterapia (1). **2.** *Bibliol.* Tratamento dos livros danificados por insetos ou por outros agentes; biblioterapia.

biblioterapêutico [De *biblio-* + *terapêutico*.] *Adj.* Biblioterápico.

biblioterapia [De *biblio-* + *-terapia*.] *S. f.* **1.** Utilização da leitura como recurso terapêutico; biblioterapêutica. **2.** *Bibliol.* Biblioterapêutica (2).

biblioterápico [De *biblioterapia* + *-ico*^{2}.] *Adj.* Da, ou relativo à biblioterapia; biblioterapêutico.

bíblis [Do tax. *Byblis* (do lat. *Byblis, ides*, do mit. gr. *Byblís, idos*).] *S. m. 2 n. Bot.* **1.** Gênero de ervas biblidáceas cujos caules e folhas são dotados de pelos glandulíferos que segregam substância pegajosa a qual atrai e captura insetos; as flores, pentapétalas, são, ger., purpúreas. **2.** Qualquer das duas espécies desse gênero, ambas originárias da Austrália e da Nova Guiné. **3.** Qualquer espécime desse gênero.

biblismo [De *bíblia* + *-ismo*.] *S. m.* Biblicismo.

biblista [De *biblismo* + *-ista*.] *S. 2 g.* Biblicista.

biboca [Do tupi.] *S. f.* **1.** *Bras.* Escavação ou fenda de terreno, em geral produzida por enxurrada; cova. **2.** *Bras.* Vale profundo e de acesso difícil; baboca, boboca, buraco, grota. **3.** *Bras.* Habitação pequena, pobre, modesta; baiuca, buraco, toca: 📖 "Em torno de mim, as velhas taperas, as medonhas bibocas do morro, fechadas, silenciosas, fúnebres, desfaziam-se em miasmas." (Olavo Bilac, *Crítica e Fantasia*, pp. 289-290.) **4.** *Bras. N.E. SP* Casa humilde, com cobertura de palha. **5.** *Bras.* Pequena venda ou botequim modesto; baiuca, bodega. **6.** *Bras. ES* Habitação afastada, remota.

bibocal [De *biboca* + *-al*[1].] ***S. m.*** *Bras.* Lugar cheio de bibocas; biboqueira.

bibocão [De *biboca* + *-ão*[1].] ***S. m.*** *Bras.* Grande biboca.

biboqueira [De *biboca* + *-eira*.] ***S. f.*** *Bras.* Bibocal.

bibra ***S. f.*** *Bras.* V. *víbora* (2 e 3).

bibracteado [De *bi-*[1] + *bráctea* + *-ado*[1].] ***Adj.*** *Bot.* Que tem duas brácteas.

bibracteolado [De *bi-*[1] + *bractéola* + *-ado*[1].] ***Adj.*** *Bot.* Que apresenta duas bractéolas.

bíbulo [Do lat. *bibulu*.] ***Adj.*** **1.** Que bebe; que absorve líquidos. **2.** Passento.

bica [De *bico*[1].] ***S. f.*** **1.** Tubo, meia-cana, pequeno canal ou telha por onde corre e cai água. **2.** Fonte ou chafariz de água potável: 📄 *A bica da Rainha, na cidade do Rio de Janeiro, data do séc. XIX.* **3.** *Bras. Fig.* Qualquer coisa de que se tiveram bons proveitos. **4.** *Bras. Gír.* Grande número de aprovações, merecidas ou não, em exames. [Cf., nesta acepç., *jacá*[1] (3).] **5.** *Lus.* V. *café expresso.* **6.** *Açor.* Parte da azenha por onde cai o grão. ◆ **Bica italiana.** *Lus.* V. *café expresso.* [Tb. se diz apenas *bica*.] **Estar na bica.** Estar prestes a ser, a acontecer, etc.: 📄 *Estava na bica para ministro, quando veio a guerra; O noivado estava na bica quando brigaram.* [Sin. (lus.): *estar na calha*.] **Suar em bica.** Transpirar copiosamente. [Tb. se diz *suar em bicas*.] **Suar em bicas.** V. *suar em bica*: 📖 "Quando o homenzinho, afogueado, suando em bicas, deu por finda a arenga, o secretário respondeu" (Coelho Neto, *A Conquista*, p. 435).

bicaço [De *bico*[1] + *-aço*.] ***S. m.*** *Bras. RS* V. *bicada*[1] (1).

bicada[1] [De *bico*[1] + *-ada*[1].] ***S. f.*** **1.** Picada com o bico; bicorada, bicaço. **2.** Aquilo que uma ave leva de uma vez ao bico. **3.** Entrada de um bosque. **4.** A extremidade longitudinal de uma serra. **5.** *Bras. Pop.* Porção de aguardente que se ingere duma só vez; bicula, chamada, cipoada, gornope, ripada. ~ V. *bicadas*.

bicada[2] [De *bica* + *-ada*[1].] ***S. f.*** *Bras.* Grande bica ou calha. ~ V. *bicadas*.

bicadas ***S. f. pl.*** As ramas das árvores. ~ V. *bicada*.

bicado[1] [De *bico*[1] + *-ado*[1].] ***Adj.*** *Heráld.* Diz-se de ave cujo esmalte do bico é diferente do do corpo.

bicado[2] [Part. de *bicar*.] ***Adj.*** *Bras.* V. *alegre*[2] (6).

bical [De *bico*[1] + *-al*[1].] ***Adj. 2 g.*** Bicudo (1).

biçalão ***S. m.*** *Guin.* V. *bissalão*.

bicama [De *bi-*[1] + *cama*.] ***S. f.*** Móvel constituído por uma cama, de altura comum, e outra mais baixa, que se encaixa sob a primeira, a qual é afastada quando alguém se quer deitar; sofá-bicama.

bicamada [De *bi-*[1] + *camada*.] ***S. f.*** *Quím.* Camada constituída pela superposição de duas monocamadas. ◆ **Bicamada lipídica.** *Quím.* Aquela formada por duas monocamadas de lipídios anfifílicos, de tal forma que as partes lipofílicas destes estão orientadas para o interior da bicamada e as partes hidrofílicas, para o exterior. [É a estrutura fundamental das membranas celulares.]

bicame [De *bica* + *-ame*.] ***S. m.*** **1.** *Bras.* Conjunto de condutores das águas pluviais que escorrem pelo telhado das casas: 📖 "todas as águas perenes, todas as torrentes pluviais estão dirigidas, encanadas, por calhas de pedras, de tijolos de juntas tomadas, por bicames de madeira." (Júlio Ribeiro, *A Carne*, p. 136). **2.** *Bras. MG* Álveo de madeira para passagem de rio ou de riacho.

bicameral [De *bi-*[1] + *câmera* + *-al*[1]; ingl. *bicameral*.] ***Adj. 2 g.*** Diz-se do, ou relativo ao sistema político em que o poder legislativo se divide em duas câmaras, o bicameralismo; bicameralista.

bicameralismo [De *bicameral* + *-ismo*.] ***S. m.*** O sistema político bicameral.

bicameralista [De *bicameral* + *-ista*.] ***Adj. 2 g.*** **1.** Bicameral. **2.** Que é partidário do bicameralismo. ● ***S. 2 g.*** **3.** Partidário dele.

bicampeã ***S. f.*** Fem. de *bicampeão* (q. v.).

bicampeão [De *bi-*[1] + *campeão*.] ***Adj. S. m.*** Diz-se de, ou indivíduo, clube, etc., que é campeão em competição ou modalidade esportiva, ou em concurso, pela segunda vez. [Fem.: *bicampeã*.]

bicampeonato [De *bi-*[1] + *campeonato*.] ***S. m.*** Campeonato alcançado pela segunda vez.

bicanca [De *bico*[1].] ***S. f.*** **1.** V. *narigão* (2). **2.** Bicarra. **3.** *Bras. Fut.* Chute dado com o bico da chuteira. [Sin., nesta acepç.: *bico, biqueirada* e (no MA) *bicudo*.]

bicão [De *bicar* + *-ão*[1].] ***S. m.*** **1.** Indivíduo intrometido, bisbilhoteiro; furão. **2.** V. *penetra* (2). **3.** *Bras. Gír.* Indivíduo aproveitador, que é dado a viver à custa de outrem. **4.** *Bras. Gír.* Chute potente, dado, com o bico da chuteira, ger. na intenção de isolar (3) a bola.

biçapa ***S. m.*** *Angol.* V. *bissapa*.

bicapsulado [De *bi-*[1] + *cápsula* + *-ado*[1].] ***Adj.*** *Bot.* Bicapsular.

bicapsular [De *bi-*[1] + *cápsula* + *-ar*[1].] ***Adj. 2 g.*** **1.** *Bot.* Que tem duas cápsulas; bicapsulado. **2.** *Anat.* Diz-se de estrutura (11) que tem duas cápsulas [v. *cápsula* (8)].

bicaquense ***Adj. 2 g.*** **1.** De, ou pertencente ou relativo a Coronel Bicaco (RS). ● ***S. 2 g.*** **2.** O natural ou habitante de Coronel Bicaco.

bicar [De *bico*[1] + *-ar*[2].] ***V. t. d.*** **1.** Dar bicadas em; picar com o bico. **2.** Beber aos golinhos; bebericar: 📄 *Bicava o seu conhaque calmamente.* **3.** *Fam.* Provar, experimentar (bebida ou alimento). ***Int.*** **4.** Dar bicadas. **5.** *Bras.* Ficar um pouco ébrio, bicado; bicar-se. ***P.*** **6.** *Bras.* Bicar (5). [Conjug.: v. *trancar*.]

bicarbonado [De *bi-*[1] + *-carbon(i)-* + *-ado*[1].] ***Adj.*** *Quím.* Que contém dois átomos de carbono.

bicarbonato [De *bi-*[2] + *carbonato*.] ***S. m.*** *Quím.* Qualquer sal que contém o ânion (HCO_3)$^-$, obtido por neutralização parcial do ácido carbônico; hidrogenocarbonato.

bicarburação [De *bi-*[1] + *carburação*.] ***S. f.*** Sistema que permite o uso alternado de dois carburantes [v. *carburante* (2)].

bicarenado [De *bi-*[1] + *carena* + *-ado*[1].] ***Adj.*** *Bot.* Provido de duas quilhas ou linhas salientes que percorrem longitudinalmente o órgão.

bicaria [De *bico*[1] + *-aria*, poss.] ***S. f.*** *Bras. Gír.* Exibição, fita, ostentação.

bicaró ***S. m.*** Bico ou ponta de renda.

bicarpelar [De *bi-*[1] + *carpelo* + *-ar*[2].] ***Adj.*** *Bot.* Que apresenta dois carpelos [v. *carpelo*].

bicarra [De *bico*[1] + *-arra*.] ***S. f.*** Grande bico; bicanca.

bicaudado [De *bi-*[1] + *-caud(i)-* + *-ado*[1].] ***Adj.*** Que tem duas caudas ou dois apêndices caudais.

bicéfalo [De *bi-*[1] + *-céfalo*.] ***Adj.*** **1.** *Biol.* Que tem duas cabeças; dicéfalo. **2.** *Bot.* Que traz dois capítulos, o que sucede com plantas asteráceas; bicípite.

bicelular [De *bi-*[1] + *-celul(i)-* + *-ar*[1].] ***Adj. 2 g.*** *Biol.* Que tem duas células.

bicentenário [De *bi-*[1] + *centenário*.] ***Adj.*** **1.** Que tem dois séculos; que tem duzentos anos. ● ***S. m.*** **2.** O segundo centenário (4): 📄 *Em 1989, foi comemorado o bicentenário da Revolução Francesa.*

bíceps [Do lat. *biceps*.] ***S. m. 2 n.*** **1.** *Anat.* Designação comum a alguns músculos que têm dois ligamentos ou cabeças na parte superior. **2.** *Restr.* Bíceps braquial. [F. paral., nessas acepçs.: *bicípite*.] **3.** *Fig. Gír.* Força muscular.

bicha [De *bicho* (q. v.).] ***S. f.*** **1.** *Bras.* V. *lombriga*. **2.** *Bras.* V. *sanguessuga* (1). **3.** Dança na qual todos os pares se enfileiram, dando-se as mãos. **4.** *Lus. Bras. RS* V. *fila*[1] (2): 📖 "Na exposição do corpo [de Sidónio Pais] na Câmara Municipal, uma bicha enorme, uma bicha a quatro de largo, prolongava-se pela Rua dos Capelistas, ascendendo até ao catafalco." (Raul Brandão, *Vale de Josafá*, p. 99.) **5.** *Ant.* Escaler da alfândega usado na fiscalização. **6.** Galão ou divisa na manga de um uniforme ou farda. **7.** Brinquedo de crianças, que imita um lagarto ou uma cobra. **8.** *Bras.* Diabinho-maluco. **9.** *Bras. RJ* Serpentina de alambique, nos engenhos de açúcar. **10.** *Bras. N.E. Gír.* V. *cachaça* (1). **11.** *Bras. Gír. Chulo* Efeminado (6). **12.** *Fam.* Mulher muito irritadiça. **13.** *Gír.* Febre amarela. ~ V. *bichas*. ◆ **Bicha de rabear.** *Bras.* Fogo de artifício que descreve rápidas voltas pelo chão; mosquito. **Fazer bichas.** *Bras.* Praticar travessuras.

bicha-cadela ***S. f.*** *Lus. Zool.* V. *lacrainha*. [Pl.: *bichas-cadelas*.]

bicha de sete cabeças ***S. f.*** **1.** *Mit.* A hidra de Lerna. **2.** Bicho de sete cabeças (q. v.). [Pl.: *bichas de sete cabeças*.] ☑

bichado [Part. de *bichar*.] ***Adj.*** Que foi atacado pelo bicho (14): 📄 *feijão bichado*; 📖 "de vez em quando um pomo bichado tombava com um baque surdo na terra fofa." (José Rodrigues Miguéis, *Léah*, p. 302). [Sin.: *bichoso* e (no RS) *bichoco*.]

bichador (ô) [De *bichar* + *-dor*.] ***S. m.*** *Bras. S.* Pauzinho semelhante a espátula, com o qual se tiram os vermes das bicheiras das reses.

bicha-louca ***S. f.*** *Bras. Chulo* Efeminado (6) cheio de ademanes, de afetação. [Pl.: *bichas-loucas*.]

bicha-louquice [De *bicha-louca* + *-ice*.] ***S. f.*** *Bras. Chulo* Ação ou modos de bicha-louca. [Pl.: *bicha-louquices*.]

bichanada [De *bichano* + *-ada*[1].] ***S. f.*** Muitos gatos.

bichanar [Voc. onom.] ***V. int.*** **1.** Falar em voz baixa, ciciando as palavras. ***T. d. T. d. e i.*** **2.** Dizer em segredo, em voz baixa; segredar: 📄 *Vive a bichanar novidades; Bichanou ao patrão intimidades da vida do vizinho.*

bichancrice [De *bichancros* + *-ice*.] ***S. f.*** Ato de fazer bichancros.

bichancros ***S. m. pl.*** Modos ou ademanes ridículos.

bichano [De *bicho*.] ***S. m.*** Gato (1), especialmente novo.

bichão [De *bicho* + *-ão*[1].] ***S. m.*** *Bras.* **1.** V. *valentão* (3). **2.** Indivíduo experiente. **3.** Homem forte, corpulento. **4.** V. *bicho* (13).

bichar [De *bicho* + *-ar*[2].] ***V. int.*** **1.** Criar bicho (14) (madeiras, livros, cereais, frutas, etc.). **2.** *Bras. MT Pop.* Ganhar dinheiro. ***T. d.*** **3.** Fazer criar bichos em; estragar: 📄 *A umidade do porão bichou quase todo o móvel.*

bichará [De or. incerta.] ***S. m.*** *Bras. RS* **1.** *Tec. Têx.* Tecido de lã grossa. **2.** *Vest.* Poncho ou cobertor dessa lã.

bicharada [De *bicho* ou *bicha* + *-arada*.] ***S. f.*** **1.** Grande número de bichos. [Sin.: *bicharia* e (bras., S.) *bicharedo*.] **2.** *Bras. Chulo* Bicharia (3).

bicharedo (ê) [De *bicho* ou *bicha* + *-aredo*.] ***S. m.*** *Bras. S.* **1.** V. *bicharada* (1). **2.** Praga de vermes, insetos, etc.

bicharia [De *bicho* ou *bicha* + *-aria*.] ***S. f.*** **1.** V. *bicharada* (1). **2.** *Burl.* Ajuntamento de pessoas. **3.** *Bras. Chulo* Porção de bichas [v. *bicha* (11)]; bicharada.

bicharoca [De *bicha* (11), com infl. de *bicharoco*, poss.] ***S. f.*** *Bras. Chulo* Efeminado (6): 📖 "No velho Teatro Santa Isabel, único da capital pernambucana, iria se exibir um time de bicharocas" (Stanislaw Ponte Preta, *Febeapá 2*, p. 12).

bicharoco (ô) ***S. m.*** Bicho grande e/ou repugnante.

bichas [Pl. de *bicha*.] ***S. f. pl.*** Brincos que se usam sobre o lobo da orelha, e ornados por um só brilhante. ~ V. *bicha*.

bicheira [De *bicho* + *-eira*.] ***S. f.*** Bras. **1.** Ferida nos animais, cheia de bichos, de vermes. **2.** Designação comum às larvas vermiformes, acéfalas e ápodes, dos insetos dípteros, especialmente dos cuterebrídeos calipterados, cocliomídeos e sarcofagídeos, que depositam os ovos nas bicheiras, nas carnes em putrefação, no charque, nos couros, etc.; morotó, tapicuru, tapuru, coró, bicho-de-vareja.

bicheiro[1] [De *bicha* + *-eiro*.] ***S. m.*** Frasco onde se guardavam bichas ou sanguessugas.

bicheiro[2] [De *bicho* + *-eiro*.] ***Adj.*** **1.** Que se alimenta de bichos. **2.** *Fig.* Que procura muito. **3.** Que é muito minucioso; que se ocupa de ninharias. **4.** Muito versado, muito entendido (em alguma coisa): 📄 *É bicheiro em cardiologia.* ● ***S. m.*** **5.** Vara ou arame com anzol ou gancho na ponta, para pescar (especialmente polvo). **6.** *Bras.* No jogo do bicho (q. v.), aquele que anota a(s) aposta(s) em talão; anotador, apontador. **7.** *Bras.* No jogo do bicho (q. v.), indivíduo, dito gerente, que recebe o dinheiro pelas apostas. **8.** *Bras.* Aquele que banca nesse jogo.

bichento [De *bicho* + *-ento*.] ***Adj.*** *Bras.* **1.** V. *cambado* (3). **2.** V. *cambaio* (1).

bichice [De *bicha* (11) + *-ice*.] ***S. f.*** *Bras. Gír. Chulo* Ação ou modos de efeminado (6). ~ V. *bichices*.

bichices [De *bicho* + o pl. de *-ice*.] ***S. f. pl.*** *Fam.* Afagos, carinhos, meiguices. ~ V. *bichice*.

bichinha [De *bicha* + *-inha*.] ***S. f.*** **1.** Bolo de farinha, açúcar e ovos. **2.** *Bras.* Mulher nova; mocinha.

bichinho [Dim. de *bicho*.] ***El. s. m.*** Us. na loc. s. m. *meu bichinho.* ◆ **Meu bichinho.** *Bras.* V. *meu negro*.

bicho [Do lat. vulg. *bestiu*, do lat. *bestia*.] ***S. m.*** **1.** Qualquer dos animais terrestres, à exceção do homem. **2.** Pessoa muito feia. **3.** Pessoa intratável, grosseira. **4.** Indivíduo que sabe; sabedor. **5.** Pessoa de grande valor ou habilidade. **6.** Qualquer inseto bibliófago. **7.** *Fut.* Gratificação distribuída aos jogadores e ao técnico em virtude de um resultado favorável. **8.** *Fam.* Piolho (1). **9.** *Pop.* Cancro, câncer. **10.** *Chulo* O pênis. **11.** *Bras.* Indivíduo valente, enérgico, corajoso. **12.** *Bras. Gír.* Calouro (1). 📖 "os bichos tiveram duas horas para se esconder, antes que os veteranos desencadeassem a sua tradicional versão da Noite de São Bartolomeu." (Rubem Mauro Machado, *Lobos*, p. 161). **13.** *Bras. Gír.* Tratamento cordial, dado, geralmente, a pessoas íntimas; meu amigo, meu chapa; amigo, bichão: 📄 *Como vai, bicho?* [Us. apenas como vocativo.] **14.** *Bras. Pop.* Designação comum a alguns tipos de insetos, como o cupim, a traça e outros, que, introduzindo-se na madeira, nos tecidos, no papel, nas frutas, nos cereais, etc., neles abrem buracos que os deformam, inutilizam ou destroem: 📄 *O bicho atacou as vigas do casarão; Não coma essa maçã, que tem bicho.* **15.** *Bras. Pop. Zool.* V. *bicho-do-pé*. **16.** *Bras.* O jogo do bicho. **17.** *Bras.* V. *diabo* (2). ◆ **Bicho da cozinha.** Serviçal da cozinha. **Matar o bicho.** *Bras. Gír.* Ingerir aguardente ou qualquer outra bebida alcoólica. **Matar o bicho do ouvido a alguém.** Importuná-lo com pedidos ou relatos cansativos: 📖 "Se, para cúmulo, resvalou na indigência, e mata o bicho do ouvido ao próximo com a antiguidade e grandeza dos avós, e faz a cada passo estendal dos pergaminhos desbotados, além de hilare, torna-se insuportável." (Cavaleiro de Oliveira, *Recreação Periódica*, 1º vol., p. 180). **Que bicho te deu?** Indagação que denota estranheza diante de um comportamento imprevisto e por vezes hostil; que bicho te mordeu. **Que bicho te mordeu?** V. *que* *bicho te deu?* **Ser o bicho.** *Bras.* Ser muito bom, muito legal: *Em xadrez, ele é o bicho; Não perca aquele filme: é o bicho.* **Ver que bicho dá.** *Bras. Gír.* Esperar pelo resultado, pelas consequências dum ato, dum procedimento. **Virar bicho.** *Bras. Gír.* Zangar-se, enfurecer-se, encolerizar-se; mostrar-se agressivo: "Nas imediações do Café Pátria .... um cabo do Exército, polvilhado e esguichado por um magote de foliões afoitos, virava bicho." (Atos Damasceno, *O Carnaval Porto-Alegrense no Século XIX*, p. 108.).

bicho-barbeiro *S. m. Zool.* V. *barbeiro* (6). [Pl.: *bichos-barbeiros* e *bichos-barbeiro.*]

bicho-bola *S. m. Bras. RJ SP Zool.* V. *embuá.* [Pl.: *bichos-bolas* e *bichos-bola.*]

bicho-bolo *S. m. Bras. Zool.* V. *escaravelho* (1). [Pl.: *bichos-bolos* e *bichos-bolo.*]

bichoca[1] [De *bicho* + *-oca*, como em *minhoca*.] *S. f.* **1.** *Bras. Pop. Zool.* V. *minhoca* (1). **2.** *Bras. Fam.* Pênis de criança. **3.** Furúnculo pequeno.

bichoca[2] [De *bicha* (11) + *-oca*.] *S. f. Bras. Pop.* Efeminado (6).

bichoca (ô) *S. f. Lus.* V. *bichoca[1]* (3).

bicho-cabeludo *S. m. Bras. Zool.* V. *tatarana.* [Pl.: *bichos-cabeludos.*]

bichocar [De *bichoca[1]* + *-ar[2]*.] *V. int.* **1.** Tornar-se bichoso. **2.** Criar bichocas. [Conjug.: v. *trancar.*]

bicho-careta *S. m.* V. *joão-ninguém*: "Essa menina .... namora a torto e a direito, dá corda a quanto bicho-careta lhe arreganha os dentes!" (Artur Azevedo, *Contos Cariocas*, p. 67.) [Pl.: *bichos-caretas* e *bichos-careta.*]

bicho-carpinteiro *S. m. Zool.* V. *escaravelho* (1). [Pl.: *bichos-carpinteiros.*] ◆ **Ter bicho-carpinteiro.** Não poder estar quieto; não parar em lugar nenhum.

bichoco (ô) [Do esp. plat. *bichoco.*] *Adj.* **1.** *Bras. S.* Diz-se do cavalo inutilizado pela gordura, ou de mãos inchadas por falta de exercício. **2.** *Bras. RS* V. *bichado.*

bicho-colorado *S. m. Bras. RS Zool.* V. *micuim* (1). [Pl.: *bichos-colorados.*]

bicho da consciência *S. m.* V. *remorso.* [Pl.: *bichos da consciência.*] ☑

bicho-da-seda *S. m. Zool.* Designação comum ao *Bombyx mori*, inseto lepidóptero bombicídeo, e a outros da região paleártica e da região oriental, incluídos no mesmo gênero. A criação da espécie referida acima constitui um ramo da zootecnia, a sericicultura. As larvas crisalidam dentro de um casulo de seda fina, utilizada industrialmente no mundo inteiro, em especial no Oriente. [v. *bômbix.* Pl.: *bichos-da-seda.*]

bicho-das-frutas *S. m. Bras. Zool.* Mosca-das-frutas. [Pl.: *bichos-das-frutas.*]

bicho-da-terra *S. m. Bras. Zool.* V. *grilo-toupeira* (1). [Pl.: *bichos-da-terra.*]

bicho da toca *S. m. Fam.* Pessoa acanhada, bisonha, tímida. [Pl.: *bichos da toca.*] ☑

bicho de buraco *S. m. Fig.* V. *bicho do mato* (2). [Pl.: *bichos de buraco.*] ☑

bicho-de-cesto *S. m. Bras. RS Zool.* Designação comum às larvas do inseto lepidóptero psiquídeo (*Oiketicus kirbyi*), cuja lagarta é polífaga. As lagartas e as fêmeas vivem em saquinhos alongados, de tecido especial, lembrando um pequeno cesto. No RS e na Argentina são muito prejudiciais às fruteiras e às árvores ornamentais. [Pl.: *bichos-de-cesto.*]

bicho de coco *S. m. Bras. Amaz.* Indivíduo prudente, cauteloso, de poucas palavras. [Pl.: *bichos de coco.*] ☑ notas 1 e 2

bicho-de-coco *S. m. Bras. Zool.* Bicho-do-coco. [Pl.: *bichos-de-coco.*]

bicho de concha *S. m. Fig.* V. *bicho do mato* (2). [Pl.: *bichos de concha.*] ☑

bicho-de-conta *S. m. Lus. Zool.* V. *tatuzinho* (1): "enrolado como um bicho-de-conta, deixou-se afundar na escuridão do gabinete" (José Saramago, *Todos os Nomes*, p. 100). [Pl.: *bichos-de-conta.*]

bicho-de-esterco *S. m. Bras. Zool.* V. *coró* (1). [Pl.: *bichos-de-esterco.*]

bicho-de-frade *S. m. Bras. SC Zool.* V. *barbeiro* (6). [Pl.: *bichos-de-frade.*]

bicho-de-ouvido *S. m. Bras. Zool.* V. *embuá.* [Pl.: *bichos-de-ouvido.*]

bicho-de-parede *S. m. Bras. N.E. Zool.* V. *barbeiro* (6). [Pl.: *bichos-de-parede.*]

bicho-de-pau *S. m. Bras. Zool.* V. *bicho-pau* (1). [Pl.: *bichos-de-pau.*]

bicho-de-pau-podre *S. m. Bras. Zool.* V. *coró* (1). [Pl.: *bichos-de-pau-podre.*]

bicho-de-pé *S. m. Bras. Zool.* V. *bicho-do-pé.* [Pl.: *bichos-de-pé.*]

bicho-de-porco *S. m. Bras. Zool.* V. *bicho-do-pé.* [Pl.: *bichos-de-porco.*]

bicho de sete cabeças *S. m. Bras.* Coisa muito difícil, muito complicada. [Pl.: *bichos de sete cabeças.* Sin., p. us.: *bicha de sete cabeças.*] ☑

bicho-de-taquara *S. m. Bras. Zool.* A larva da borboleta *Myelobia smerintha*, que se cria no oco dos bambus. Serve de alimento aos quatipurus, e os índios brasileiros também a procuravam para o mesmo fim. [Pl.: *bichos-de-taquara.*]

bicho de toca *S. m. Fig.* V. *bicho do mato* (2). [Pl.: *bichos de toca.*] ☑

bicho-de-vareja *S. m. Bras. Zool.* V. *bicheira* (2). [Pl.: *bichos-de-vareja.*]

bicho-do-coco *S. m. Bras. Zool.* Inseto coleóptero, bruquídeo (*Pachymerus necleorum*), de pernas posteriores grossas e tíbias recurvadas, o qual é caruncho das sementes da carnaúba, do babaçu, do coco-da-baía, da piaçava e de outros coqueiros; bicho-de-coco. [Pl.: *bichos-do-coco.*]

bicho do mato *S. m. Bras.* **1.** Fera (1). **2.** *Fig.* Indivíduo solitário, esquivo; esquisitão; urso, bicho de buraco, bicho de concha, bicho de toca. [Pl.: *bichos do mato.*] ☑

bicho-do-pé [De *bicho* + *do[1]* + *pé.*] *S. m. Bras. Zool.* Inseto sifonáptero, hectopsilídeo (*Tunga penetrans*) da região neotrópica, cuja fêmea, fecundada, penetra na pele do porco ou do homem, onde seu abdome se infla, repleto de ovos; originário da América do Sul, atualmente é encontrado tb. na África. [Sin.: *bicho, bicho-de-pé, bicho-de-porco* ou *bicho-do-porco, espinho-de-bananeira, jatecuba, nígua, pulga-da-areia, sico, taçura, taçuru, tunga, xiquexique, zunga, zunja,* (angol.) *bitacaia* e (angol., moç. e santom.) *matacanha.* Pl.: *bichos-do-pé.*]

bicho-do-porco *S. m. Zool.* V. *bicho-do-pé.* [Pl.: *bichos-do-porco.*]

bicho-gordo *S. m. Zool.* V. *pão-de-galinha.* [Pl.: *bichos-gordos.*]

bicho-grilo *S. 2 g.* Pessoa com estilo de vida não convencional, amante da natureza, adepta de uma alimentação natural e do *slogan* "Paz e Amor" dos *hippies.* [Pl.: *bichos-grilos.*]

bicho-homem *S. m.* O homem enquanto animal (1): "Já ninguém anda pelos caminhos a pé e desarmado. O bicho-homem motorizou-se" (Aquilino Ribeiro, *O Homem da Nave*, p. 87). [Pl.: *bichos-homens* e *bichos-homem.*]

bicho-mouro *S. m. Bras. RS Zool.* Carrapato-do-chão (2). [Pl.: *bichos-mouros.*]

bichona [De *bicha* + *-ona[1]*.] *S. f. Bras. Chulo* Efeminado (6).

bicho-papão *S. m.* V. *papão* (1). [Pl.: *bichos-papões.*]

bicho-pau *S. m. Bras. Zool.* **1.** Designação comum a vários insetos fasmídeos e filídeos, de corpo semelhante a graveto, cabeça curta e antenas longas. Vivem em plantas e árvores, onde permanecem imóveis por longo tempo, e alimentam-se de folhas e brotos, mas sem causar danos às plantações. [Sin.: *bicho-de-pau, cipó-seco, chico-magro, joão-magro, mané-magro, manuel-magro, maria-seca, taquarinha.*] **2.** Designação comum aos insetos ortópteros, proscopiídeos, de cabeça muito longa, antenas curtas e fêmures apropriados para o salto. Vivem pousados nas extremidades dos galhos e quase não se defendem quando apanhados. [Sin.: *maria-seca, maria-mole, gafanhoto-de-jurema, gafanhoto-de-marmeleiro.*] [Pl.: *bichos-paus* e *bichos-pau.*]

bicho-preguiça *S. m. Bras. Zool.* V. *preguiça* (5): "Nós o víamos rondar o coreto da praça das Acácias, depois sentar num banco e desenhar um bicho-preguiça, uma garça, o rosto de um transeunte." (Milton Hatoum, *Cinzas do Norte*, p. 14.) [Pl.: *bichos-preguiças* e *bichos-preguiça.*]

bicho-preto *S. m. Bras. N.E.* V. *diabo* (2). [Pl.: *bichos-pretos.*]

bichoso (ô) [De *bicho* + *-oso.*] *Adj.* V. *bichado.*

bicho-verde *S. m. Turfe* Totalizador (3). [Pl.: *bichos-verdes.*]

bicicleta (é) [Do fr. *bicyclette.*] *S. f.* **1.** Veículo constituído por um quadro (20), montado em duas rodas, ordinariamente grandes, alinhadas uma atrás da outra e com raios metálicos, e que é dotado de selim e manobrado por guidom e pedais. [Sin.: *gangorra* (PE), *camelo* (gír., RJ), *burra* (moç.) e *ginga* (moç.).] **2.** *Fut.* Jogada em que o jogador salta e chuta a bola no ar, para trás, por cima da própria cabeça. ◆ **Bicicleta ergométrica.** Instrumento semelhante à bicicleta (1), us. para avaliar função cardíaca pela medição de efeitos musculares, metabólicos e respiratórios, a partir de exercícios nele efetuados, e que se destina, tb., à exercitação para perda ou para manutenção de peso.

bicicletaria [De *bicicleta* + *-aria.*] *S. f.* Loja especializada em bicicletas, peças e acessórios especiais para a prática de bicicross, ciclismo, etc.

bicicletário [De *bicicleta* + *-ário.*] *S. m. Bras.* Lugar onde se guardam bicicletas.

bicicleteiro [De *bicicleta* + *-eiro.*] *S. m. Bras. GO* V. *biciclетista.*

bicicletista [De *bicicleta* + *-ista.*] *S. 2 g.* Pessoa que anda de bicicleta; ciclista. [Sin. (bras., GO): *bicicleteiro.*]

bicíclico [De *bi-[1]* + *-cicl(o)-* + *-ico[2]*.] *Adj. Quím.* Diz-se de composto que tem dois anéis na sua estrutura, com ao menos um átomo em comum.

biciclo [Do ingl. *bicycle.*] *S. m.* Velocípede, em desuso, de duas rodas desiguais.

▲ **biciclo-** *Quím. El. comp.* Designa composto bicíclico: *biciclobutano.* [Ocorre, tb., como infixo.]

▲ **-biciclo-** *Quím.* V. *biciclo-.*

biciclobutano [De *biciclo-* + *butano.*] *S. m. Quím.* Hidrocarboneto saturado, bicíclico, formado por dois anéis de três átomos de carbono com um lado em comum; é o mais simples dos compostos bicíclicos [fórm.: C_4H_6].

bicicross [De *bici(cleta)* + ingl. *(moto)cross*, para trad. o ingl. *BMX* (*Bicycle Motocross*).] *S. m. Esport.* Modalidade esportiva que consiste na prática de corridas de bicicletas feitas esp. para terrenos e relevos acidentados.

bicipital [De *bicípite* + *-al[1]*.] *Adj. 2 g.* Relativo a bíceps ou bicípite.

bicípite [Do lat. *bicipite.*] *Adj. 2 g.* **1.** *Bot.* Bicéfalo (2). **2.** *Poét.* Que tem dois cumes, duas cabeças; dicéfalo. ● *S. m.* **3.** *Anat.* Bíceps (1 e 2).

bicitiacape *Bras. S. 2 g.* **1.** *Etnôn.* Indivíduo dos bicitiacapes [ou (etnôn. bras.) *Bicitiacap], povo indígena extinto que habitava a região do rio Pimenta Bueno (RO). ● *Adj. 2 g.* **2.** Pertencente ou relativo a esse povo.

bicloreto (ê) [De *bi-[2]* + *cloreto.*] *S. m. Quím.* Designação eventual de alguns cloretos que contêm dois cloros, como, p. ex., o cloreto mercúrico; dicloreto.

bico[1] [Do gaul., pelo lat. *beccu.*] *S. m.* **1.** *Zool.* Proeminência córnea da boca das aves e doutros animais. **2.** *P. ext.* Ave doméstica. **3.** Extremidade aguçada ou delgada de inúmeros objetos; ponta: *o bico do sapato; o bico da faca; chapéu de três bicos.* **4.** Ângulo ou curva pronunciada que se delineia numa superfície ou nela se recorta; ponta: *galão com bicos.* **5.** Pena de escrever. **6.** *Fam.* A boca humana (particularmente o órgão da fala): *Bico calado, nada de novidades!* **7.** Embriaguez, ebriez. **8.** Renda que de um dos lados termina em pontas ou bicos. **9.** *Tip.* V. *obra de bico.* **10.** No jogo do truque, carta de menor valor (o dois e o três). **11.** *Bras. Fam. Obsol.* Mil-réis; bico de coruja: *O terno custou-me 200 bicos.* **12.** *Bras.* V. *chupeta* (2). **13.** *Bras. Fam.* Pequenos ganhos avulsos e/ou tarefa ocasional que os possibilita; biscate, gancho, galho, viração. **14.** *Bras. Fam.* Emprego subsidiário, pouco rendoso; gancho. **15.** *Bras. Gír.* V. *cachaça.* (1). **16.** *Bras. Fut.* V. *bicanca* (3). ● *Interj.* **17.** *Bras.* Caluda, psiu. ~ V. *bicos.* ◆ **Bico de Bunsen.** *Quím.* Pequeno queimador de gás combustível, de forma cilíndrica e dotado de regulagem para a admissão de ar, us. como fonte de aquecimento, em laboratório químico. **Bico de diamante.** *Arquit.* Ornato semelhante ao talhe do diamante lapidado, característico da arquitetura românica; ponta de diamante, diamante. **Bico de gás.** Tubo por onde sai o gás de iluminação que se destina a ser queimado. **Bico de mocho.** *Arquit.* Pequeno filete saliente na parte inferior da cornija, para impedir que as águas pluviais corram pela parede; pingadeira. **Bico de proa.** *Constr. Nav.* Extremo superior da proa da embarcação. [Cf. *bico de proa*, s. m.] **Bico do peito.** Mamilo (1). **Abrir o bico.** *Bras. Gír.* **1.** Falar, dizer. **2.** Delatar, denunciar; despejar o saco. **3.** Confessar. **4.** Dar (o atleta) mostras de cansaço. **Baixar o bico.** *Bras.* Comer ou beber em excesso. **De bico.** *Gír. Fut.* Com a ponta da chuteira. **Molhar o bico.** *Bras. Pop.* V. *embriagar* (4). **Não ser para o bico de.** *Bras. Fam.* Não ser para o gozo, a fruição de. **Pegar no bico da chaleira.** *Bras.* Adular, lisonjear, bajular.

bico[2] *S. m.* Monge budista que vive de esmolas. ~ V. *bicos.*

bicó [De *rabicó*, com aférese.] *Adj. 2 g. Bras. N.E.* V. *suru* (1).

bico-aberto [De *bico[1]* + *aberto.*] *S. m. Zool.* Ave ciconiídea (*Anastomus lamellingerus*), africana, pernalta; plumagem negra com zonas de reflexos verdes e acobreados, bico esbranquiçado e patas pretas. [Pl.: *bicos-abertos.*]

bico-agudo [De *bico[1]* + *agudo.*] *S. m. Zool.* Ave passeriforme (*Oxyruncus cristatus*) oxiruncídea. [Pl.: *bicos-agudos.*]

bico-blanco *Adj. S. m. Bras. S.* Bico-branco. [Pl.: *bicos-blancos.*]

bico-branco [De *bico[1]* + *branco.*] *Adj. S. m. Bras. S.* Diz-se de, ou cavalo que tem a ponta do focinho branca. [F. paral.: *bico-blanco.* Pl.: *bicos-brancos.*]

bico-de-agulha *S. m. Bras. Zool.* Ave piciforme, galbulídea (*Galbula rufoviridis*), que ocorre nas matas virgens de quase todo o País. Coloração verde-metálica; garganta branca no macho e vermelha na fêmea; abdome ferrugíneo. Diferencia-se das outras do gênero por ter as retrizes laterais vermelhas, marginadas de verde. [Sin.: *beija-flor-d'água, beija-flor-grande* e *jacamacira.* Pl.: *bicos-de-agulha.*]

bico-de-arara *S. f. Bras. Bot.* **1.** V. *sananduva* (2). [Pl.: *bicos-de-arara.*]

bico-de-brasa *S. m. Bras. Zool.* **1.** Ave piciforme, buconídea (*Monasa morphoeus*), distribuída por quase todo o Brasil, de cor cinzento-escura, rêmiges e cauda pretas, fronte e parte anterior da garganta branco-amareladas, e bico vermelho. **2.** Ave piciforme, buconídea (*Morphus nigrifrons*), que difere da anterior apenas por ter a fronte preta e a parte inferior cinzento-escura. [Sin. ger.: *bico-de-fogo, bico-de-cravo, juiz-do-mato, sauni, tamburipará* ou *tamburupará, tamuripará, tungurupará,* e (na Amaz.) *tangurupará.* Pl.: *bicos-de-brasa.*]

bico de candeeiro *S. m. Bras. BA* V. *fimose.* [Pl.: *bicos de candeeiro.*]

bico de clarinete *S. m.* Corte oblíquo num ramo, especialmente num garfo de enxertia. [Pl.: *bicos de clarinete.*]

bico de coruja *S. m. Bras. N.E. Fam.* Bico[1] (11). [Pl.: *bicos de coruja.*]

bico-de-corvo *S. m. Bras. Bot.* V. *fedegoso* (2). [Pl.: *bicos-de-corvo.*]

bico-de-cravo *S. m. Bras. Zool.* V. *bico-de-brasa.* [Pl.: *bicos-de-cravo.*]

bico-de-ferro *S. m. Bras. Zool.* V. *pixarro.* [Pl.: *bicos-de-ferro.*]

bico de fogo *S. m. Bras. AL Pop.* Lábios excessivamente pintados. [Pl.: *bicos de fogo.*] notas 1 e 2

bico-de-fogo *S. m. Bras. Zool.* V. *bico-de-brasa.* [Pl.: *bicos-de-fogo.*]

bico-de-furo *S. m. Bras. Zool.* V. *curió.* [Pl.: *bicos-de-furo.*]

bico de gavião *S. m. Bras. PA* Assinalamento (2). [Pl.: *bicos de gavião.*]

bico de jaca *S. m.* **1.** Tipo de lapidação de cristal de que resultam pequenas pirâmides justapostas, as quais, no conjunto, lembram a casca áspera da jaca. **2.** Objeto de cristal assim lapidado. **3.** Cristal ou vidro moldado à imitação do bico de jaca (1). [Pl.: *bicos de jaca.*]

bico-de-lacre *S. m. Bras. Zool.* Ave passeriforme ploceídea (*Estrilda cinerea*), originária da África, de coloração parda, um pouco mais clara no ventre, apenas marginadas de escuro, dando ao conjunto da plumagem um aspecto ondulado, e bico vermelho-coral. Alimenta-se de sementes de capins, e é mais comum no S.E. do País, tendo sido introduzida também noutros países tropicais. [Pl.: *bicos-de-lacre.*]

bico de lamparina *S. m. Bras. MG* V. *fimose.* [Pl.: *bicos de lamparina.*]

bico de obra *S. m.* Mão de obra (4): "Convencer o mestre de obras é .... um bico de obra." (Aquilino Ribeiro, *Mônica,* p. 155.) [Pl.: *bicos de obra.*]

bico de papagaio *S. m.* **1.** Nariz adunco. **2.** *Reum.* Osteófito na coluna vertebral, responsável por dores e fenômenos reflexos. [Pl.: *bicos de papagaio.*] notas 1 e 2

bico-de-papagaio *S. m. Bot.* **1.** Planta cactácea (*Rhipsalis salicornioides*) ornamental, da América do Sul, muito ramificada, de flores terminais, campanuladas, vermelhas, alaranjadas ou amarelas, e cujo fruto é uma baga branca com ápice avermelhado. **2.** V. *folha-de-sangue.* [Pl.: *bicos-de-papagaio.*]

bico de pato *S. m. Bras.* **1.** Arado de relha achatada e simétrica. **2.** *Cost. Vest.* Certo remate de bainha us. geralmente em *lingerie* ou em roupa de bebê. [Pl.: *bicos de pato.*]

bico-de-pato[1] *S. m. Bras. Bot.* F. red. de *jacarandá-bico-de-pato.* [Pl.: *bicos-de-pato.*]

bico-de-pato[2] *S. m. Zool.* V. *jurupensém.* [Pl.: *bicos-de-pato.*]

bico de pena *S. m.* **1.** Técnica de desenhar a traços numerosos e destacados, feitos com pena de bico muito fino, usando tinta de escrever, especialmente nanquim. **2.** A obra assim executada: "Jorge Lacerda me presenteia com um bico de pena de Clóvis Graciano." (Ascendino Leite, *Passado Indefinido,* p. 100.) [Pl.: *bicos de pena.*]

bico-de-pimenta *S. m. Bras. Zool.* Ave passeriforme fringilídea (*Pitylus fuliginosus*), do S.E. do País, de cor parda, garganta e peito pretos, bico alaranjado ou encarnado. [É costume dar tb. esse nome a outros pássaros de bico avermelhado.] [Sin.: *bico-pimenta, pimentão, guaranicinga, puxicaraim.* Pl.: *bicos-de-pimenta.*]

bico-de-prata *S. m. Bras. Amaz. Zool.* V. *pipira* (1). [Pl.: *bicos-de-prata.*]

bico de proa *S. m. Bras.* Cada uma das extremidades das jangadas de pesca. [Pl.: *bicos de proa.* Cf. *bico de proa* (loc.).]

bico-de-veludo *S. m. Bras. Zool.* Ave passeriforme traupídea (*Schistochlamys ruficapillus*), do S. do País, cinzenta, tendendo ao chumbo na região dorsal e ferruginosa na inferior, alto da cabeça branco, e negras a fronte e a região anterior aos olhos. Costuma frequentar palmáceas, motivo por que é confundida com o sanhaço-de-coqueiro. [Sin.: *sanhaço-do-campo, sanhaço-pardo.* Pl.: *bicos-de-veludo.*]

bico de viúva *S. m. Bras.* Forma particular do nascimento do cabelo, o qual se apresenta com um bico avançando no meio da testa. [Pl.: *bicos de viúva.*]

bico-doce [De *bico*[1] + *doce.*] *S. m.* **1.** *Bras.* Arte de seduzir ou convencer; astúcia, manha. **2.** *Bras. Pop.* Conquistador, galanteador. **3.** *Zool.* V. *ameiva.* **4.** *Zool.* V. *gralha-do-campo.* **5.** *Bras. Zool.* V. *tubarão-azul.* ● *S. 2 g.* **6.** *Bras.* Pessoa que tem bico-doce (1): "— Zélia vai se apaixonar por esse cara, tomem nota. Ele é um bico-doce irresistível." (Fernando Sabino, *Zélia, uma Paixão,* p. 138.) **7.** *Bras. MA* Pessoa dada a bebidas alcoólicas, sobretudo à cachaça. [Pl.: *bicos-doces.*]

bico-encarnado [De *bico*[1] + *encarnado.*] *S. m. Bras. Amaz. Zool.* Ave passeriforme tanagrídea (*Pitylus erythromelas*), de coloração encarnado-clara, cabeça preta; fêmea verde-oliva no dorso, lado inferior amarelo tendendo ao alaranjado, cabeça preta. [Pl.: *bicos-encarnados.*]

bicolateral [De *bi-*[1] + *colateral.*] *Adj. 2 g. Bot.* Diz-se dos feixes vasculares das plantas nos quais o lenho está associado a dois grupos de líber, um externo e outro interno, como sucede na família das cucurbitáceas.

bicolor (ô) [Do lat. *bicolore.*] *Adj. 2 g.* **1.** Que tem duas cores: *sapato bicolor.* **2.** *Art. Gráf.* Diz-se da prensa que imprime simultaneamente em duas cores.

bicolorido [De *bi-*[1] + *colorido.*] *Adj.* Colorido duas vezes.

bico-miúdo [De *bico*[1] + *miúdo.*] *S. m. Bras. Zool.* Ave caradriiforme, rostratulídea (*Nycticriphes semicollaris*), parda, de bico verdoengo e curvo, abdome branco; tem grande mancha branca nos lados do peito, sobrancelhas e uma faixa na base da asa tirante ao ocre. Vive em terrenos alagadiços e alimenta-se de animais aquáticos. [Pl.: *bicos-miúdos.*]

bicomposto (ô) [De *bi-*[1] + *composto.*] *Adj. E. Ling.* Denominação do vocábulo que é composto de outro vocábulo já composto. [Ex.: *desenfrear,* em cuja composição entram o prefixo *des-* e o verbo *enfrear,* já composto, por sua vez, de *en-* + *frear.*]

bicôncavo [De *bi-*[1] + *côncavo.*] *Adj.* Côncavo pelos dois lados; que tem duas concavidades. ~ V. *lente —a.*

bicondicional [De *bi-*[1] + *condição* + *-al*[1], seg. o padrão erudito.] *Adj. 2 g. Lóg.* Diz-se da relação de equivalência (q. v.).

bicônico *Adj.* V. *bicônico.* [Uso freq. em P.]

bicônico [De *bi-*[1] + *-con(i)-*[1] + *-ico*[2].] *Adj.* Que tem dois cones opostos.

bicontinentalidade [De *bi-*[1] + *continentalidade.*] *S. f.* Caráter daquilo que tem ou ocupa dois continentes.

bicontínuo [De *bi-*[1] + *contínuo.*] *Adj. Mat.* Diz-se de injeção que é contínua nos dois sentidos.

biconvexo (cs) [De *bi-*[1] + *convexo.*] *Adj.* Convexo pelos dois lados. ~ V. *lente —a.*

bico-pimenta [De *bico*[1] + *pimenta.*] *S. m. Bras. Zool.* V. *bico-de-pimenta.* [Pl.: *bicos-pimentas* e *bicos-pimenta.*]

bicorada [De *bicorar* + *-ada*[1].] *S. f. Bras.* V. *bicada*[1] (1).

bicorar [De *bicar,* com suf. que denota iteração.] *V. t. d. Bras.* **1.** Dar bicadas ou bicoradas em; bicar: "— Arara, papagaio, periquito, tucano estão bicorando os cachos" (Nunes Pereira, *Moronguetá,* I, p. 65). **2.** Comer, ingerir: "Às vezes, sem nada a bicorar, o estômago vazio, ardiam-me os olhos no calor da insônia que eu forçava." (Gilberto Amado, *Minha Formação no Recife,* p. 49.)

bico-rasteiro [De *bico*[1] + *rasteiro.*] *S. m. Bras. Zool.* **1.** V. *narceja.* **2.** V. *talha-mar* (4). [Pl.: *bicos-rasteiros.*]

bicorcovado [De *bi-*[1] + *corcova* + *-ado*[1].] *Adj.* Que tem duas corcovas.

bico-revolto [De *bico*[1] + *revolto.*] *S. m. Bras.* Pernilongo (2). [Pl.: *bicos-revoltos.*]

bicorne [Do lat. *bicorne.*] *Adj. 2 g.* **1.** Que tem dois cornos. **2.** Que termina em duas pontas. [Sin., nessas acepç.: *bicornuto.*] ● *S. m.* **3.** *Mat.* Curva quadrática cuja forma lembra a do perfil de um chapéu de dois bicos.

bicornuto [De *bi-*[1] + *cornuto.*] *Adj.* Bicorne (1 e 2).

bicos *S. m. pl. Bras.* **1.** Restos de alguma coisa. **2.** Quantia insignificante. ~ V. *bico.*

bicos de alfaiate *S. m. pl. Pint.* Bolhas de ar ou de vapor do dissolvente que aparecem, temporária ou permanentemente, na película de uma tinta ou verniz.

bicota [Dim. (afetivo e jocoso) de *bico*[1].] *S. f. Bras.* Beijo com estalo.

bicotar [De *bicota* + *-ar*[2].] *V. t. d. Bras.* Dar bicota em; beijocar.

bico-vermelho [De *bico*[1] + *vermelho*[1].] *S. m. Bras. Zool.* Ave passeriforme fringilídea (*Sporophila leucoptera cinereola*), do N.E. do Brasil, de coloração cinzenta, asa e cauda mais escuras, um espelho branco na asa, a parte inferior mais clara. [Pl.: *bicos-vermelhos.*]

bicromado [De *bi-*[1] + *-crom(o)-* + *-ado*[1].] *Adj. Art. Gráf.* Feito por bicromia.

bicromato [De *bi-*[1] + *cromato.*] *S. m. Quím.* Dicromato.

bicromia [De *bi-*[1] + *-crom(o)-* + *-ia*[1].] *S. f. Art. Gráf.* **1.** Processo de impressão com duas matrizes, obtidas por fotogravura de um mesmo original meio-tom monocromo, entintadas com cores diferentes. [Cf. *tricromia.* V. *autotipia dúplex.*] **2.** Estampa obtida por esse processo. **3.** Impressão em meio-tom, a duas cores, feita a partir de uma imagem preto e branco; *doublé.*

bicuda [F. subst. de *bicudo.*] *S. f.* **1.** *Bras. Zool.* Designação genérica a espécies de ofídios de focinho afilado como a *Oxybelis fulgidus* (v. *paranaboia*) e a *O. aeneus* (v. *cobra-cipó-bicuda*). **2.** *Bras. Zool.* Peixe esfirenídeo (*Sphyraena picudilla*), da costa atlântica ocidental (da Flórida ao Uruguai). Tem coloração prateada, duas faixas laterais amarelas e o ventre mais claro. Mede cerca de 50cm e forma cardumes. **3.** *Bras. Zool.* V. *pirapucu* (1). **4.** *Bras. PA Zool.* V. *mosquito*[1] (1). **5.** *Bras. Fut.* V. *bomba* (23). **6.** *Bras. Pop.* V. *lambedeira* (3).

bicuda-branca *S. f. Zool.* V. *barracuda.* [Pl.: *bicudas-brancas.*]

bicuda-de-corso *S. f. Bras. Zool.* V. *barracuda.* [Pl.: *bicudas-de-corso.*]

bicuda-do-alto *S. f. Zool.* V. *barracuda.* [Pl.: *bicudas-do-alto.*]

bicuda-grande *S. f.* V. *barracuda.* [Pl.: *bicudas-grandes.*]

bicudez (ê) [De *bicudo* + *-ez.*] *S. f.* Qualidade do que é bicudo (3 e 4).

bicudinha [De *bicuda* + *-inha.*] *S. f. Bras.* V. *jandaia* (3).

bicudo [De *bico*[1] + *-udo.*] *Adj.* **1.** Que tem bico; bical. **2.** Pontiagudo, aguçado. **3.** Difícil, complicado, árduo: *questão bicuda.* **4.** Difícil, duro, apertado: *Os tempos andam bicudos.* **5.** *Bras. Fam.* Zangado, amuado, trombudo. **6.** *Bras. MG Fam.* V. *embriagado* (1). ● *S. m.* **7.** *Zool.* V. *pirapucu* (1). **8.** *Bras. Zool.* V. *agulhão-bandeira.* **9.** *Bras. N.E. Zool.* V. *barbeiro* (6). **10.** *Bras. Zool.* Ave passeriforme fringilídea (*Oryzoborus crassirostris*), largamente distribuída no País. O macho é preto, com um espelho branco na asa; a fêmea, parda, com a parte inferior pardo-avermelhada e o pescoço mais claro. Alimenta-se de sementes de capim, e é muito apreciada como ave de gaiola. [Sin., nesta acepç.: *bicudo-do-norte, bicudo-maquiné, maquiné, cuitelão.*] **11.** *Bras. MA* V. *bicanca* (3). **12.** *Bras. MT* Alcunha dada aos portugueses no tempo da Independência. V. *galego* (4).

bicudo-do-norte *S. m. Bras. SP Zool.* V. *bicudo* (10). [Pl.: *bicudos-do-norte.*]

bicudo-encarnado *S. m. Bras. Zool.* Ave passeriforme fringilídea (*Periporphyrus erythromelas*), da Amaz., de dorso vermelho-escuro, abdome vermelho-claro, cabeça negra, tendo a fêmea dorso oliváceo, abdome amarelo e cabeça negra, como a do macho. Alimenta-se de sementes de capim. [Pl.: *bicudos-encarnados.*]

bicudo-maquiné *S. m. Bras. CE Zool.* V. *bicudo* (10). [Pl.: *bicudos-maquinés* e *bicudos-maquiné.*]

bicudo-preto *S. m. Zool.* Ave passeriforme fringilídea (*Oryzoborus crassirostris maximiliani*), do Brasil central e oriental. O macho é preto com uma malha branca na asa; a fêmea, parda, de bico escuro; os jovens, pardos. [Pl.: *bicudos-pretos.*]

bicuíba [Do tupi.] *S. f. Bras. Bot.* **1.** V. *bicuíba-de-folha-miúda.* **2.** V. *urucuíba.* [Var.: *ibicuíba.*]

bicuíba-branca [De *bicuíba* + o f. de *branco.*] *S. f. Bras. L. Bot.* Árvore miristicácea (*Myristica gardneri*) cuja madeira é us. em obras internas e construção civil; bicuibaçu. [Pl.: *bicuíbas-brancas.*]

bicuibaçu (u-i) [De *bicuíba* + *-açu.*] *S. f. Bras. Bot.* **1.** Bicuíba-branca. **2.** V. *bicuíba-redonda.*

bicuíba-de-folha-miúda [De *bicuíba* + *de* + *folha*[1] + o f. de *miúdo.*] *S. f. Bras. L. S. Bot.* Árvore miristicácea (*Myristica bicuhyba*) de flores apétalas e bagas verde-alaranjadas, cuja madeira se usa para vigas, marcenaria e ripas, sendo a seiva do caule e a casca empregadas na medicina popular; bicuíba, bicuíba-vermelha, bocuba, bocuuvaçu, bocuiabá, bucuuva. [Pl.: *bicuíbas-de-folha-miúda.*]

bicuíba-redonda [De *bicuíba* + o f. de *redondo.*] *S. f. Bras. L. S. Bot.* Árvore miristicácea (*Myristica officinalis*) dotada de flores apétalas e de drupas, cuja madeira é própria para marcenaria e carpintaria, e de cuja semente se extrai um óleo empregado na medicina e na fabricação de velas; bicuibaçu, moscadeira-do-brasil, noz-moscada-do-brasil. [Pl.: *bicuíbas-redondas.*]

bicuíba-vermelha *S. f. Bras. Bot.* **1.** V. *bicuíba-de-folha-miúda.* **2.** V. *urucuíba.* [Pl.: *bicuíbas-vermelhas.*]

bicula [De *bicada,* por afetividade.] *S. f. Bras. PE Pop.* V. *bicada*[1] (5).

bicuspidado [De *bi-*[1] + *cuspidado*.] *Adj. Bot.* Dotado de duas pontas alongadas.

bicúspide [De *bi-*[1] + *cúspide*.] *Adj. 2 g.* **1.** Que tem duas pontas ou termina em duas partes divergentes. **2.** *Anat.* Diz-se de válvula com duas lâminas, como ocorre no coração. **3.** *Zool.* Diz-se de dente com dois tubérculos ou cúspides. ~ V. *valva* —.

■ **BID** Sigla de *Banco Interamericano de Desenvolvimento*.

bidão [Do fr. *bidon*.] *S. m. Lus.* V. *bujão* (5 e 6). [Pl.: *bidões*.]

bidé *S. m.* V. *bidê*.

bidê [Do fr. *bidet*.] *S. m.* **1.** Aparelho sanitário, com feitio de bacia oblonga, para lavagem das partes inferiores do tronco. **2.** Pequeno móvel com bacia, para o mesmo fim. **3.** *Bras. N.E. RS* V. *mesa de cabeceira* (1). [Var. pros.: *bidé*.]

bidentado [De *bi-*[1] + *-dent(i)-* + *-ado*[1].] *Adj.* **1.** Que tem dois dentes. **2.** *Quím.* Diz-se de certas substâncias que possuem dois sítios diferentes onde podem sofrer o mesmo tipo de reação.

bidestilado [De *bi-*[1] + *destilado*.] *Adj.* ~ V. *água* —*a*.

bidigitado [De *bi-*[1] + *-digit(i)-* + *-ado*[1].] *Adj.* Que tem dois dedos.

bidimensional [De *bi-*[1] + *dimensão* + *-al*[1], seg. o padrão erudito.] *Adj. 2 g.* Que tem duas dimensões.

bidirecional [De *bi-*[1] + *direção* + *-al*[1], seg. o padrão erudito.] *Adj. 2 g.* Referente a, ou que funciona em duas direções, de ordinário opostas.

bidjogo *Guin. S. m.* **1.** *Etnôn.* V. *bijagó* (1). ● *Adj.* **2.** Pertencente ou relativo a eles.

bidó *S. m. Bras. Amaz. Cul.* Bolo de macaxeira.

bidogue *S. m. Bras. BA* V. *caldeirão* (6).

bidu [De or. incerta.] *Adj. 2 g. S. 2 g. Bras. Pop.* Diz-se de, ou pessoa astuta, esperta ou adivinha.

bíduo [Do lat. *biduu*.] *S. m.* O espaço de dois dias.

biebdomadário [De *bi-*[1] + *hebdomadário*.] *Adj. S. m.* Que, ou o que aparece ou se efetua duas vezes por semana.

bieberita [Do top. *Bieber* (Alemanha) + *-ita*[3].] *S. f. Min.* Mineral monoclínico, sulfato hidratado de cobalto vítreo, vermelho.

biela [Do fr. *bielle*.] *S. f.* Peça de máquina que faz a ligação do pistão com o eixo de manivelas, e cuja função é transformar o movimento retilíneo alternado do pistão em movimento circular contínuo do eixo motor.

bielídeo *S. m. Astr.* Andromedídeo.

bielorrusso *Adj.* **1.** Da, ou pertencente ou relativo à antiga Bielorrússia ou Rússia Branca, atual República de Belarus. ● *S. m.* **2.** O natural ou habitante da antiga Bielorrússia. **3.** *Gloss.* Língua indo-europeia do ramo balto-eslavo falada em Belarus. **4.** Vocábulo dessa língua. [Sin. ger.: *russo-branco*.] ❄

bienal [Do lat. *biennale*.] *Adj. 2 g.* **1.** Relativo a um biênio. **2.** Que dura dois anos; bisanual. **3.** *Bot.* Diz-se da planta monocárpica que completa o ciclo vegetativo em dois anos. [No primeiro ano desenvolve-se a parte vegetativa, e no segundo floresce e frutifica.] [Sin., nessas acepç.: *bianual*.] ● *S. f.* **4.** Exposição ou outro evento que se realiza de dois em dois anos: *A primeira Bienal de arte de São Paulo ocorreu em 1951.*

biénico *Adj. Bot.* V. *biênico*. [Uso freq. em P.]

biênico [De *biênio* + *-ico*[2].] *Adj. Bot.* Diz-se do organismo (planta) que vive dois anos e morre; bimo.

biénio *S. m.* V. *biênio*. [Uso freq. em P.]

biênio [Do lat. *bienniu*.] *S. m.* Período de dois anos seguidos.

biergol *S. m. Astron.* Propulsante constituído por duas substâncias que reagem espontaneamente entre si. [Pl.: *biergóis*.]

biestável [De *bi-*[1] + *estável*.] *Adj. 2 g. Eletrôn.* Diz-se de sistema que tem dois pontos de equilíbrio ou de funcionamento estável. ~ V. *multivibrador* —.

biestipulado [De *bi-*[1] + *estípula* + *-ado*[1].] *Adj. Bot.* Que tem duas estípulas.

bifacial [De *bi-*[1] + *face* + *-ial*.] *Adj. 2 g.* Que apresenta duas faces ou lados; ambilátero.

bifada[1] [De *bife* + *-ada*[1].] *S. f. Fam.* Porção de bifes.

bifada[2] *S. f. Bras. Pop.* Mau hálito; bafo mau.

bifana [De *bife* + *-ana*[1].] *S. f. Lus. Cul. Pop.* Sanduíche de carne de porco.

bifar[1] [Do fr. *biffer*, 'suprimir'.] *V. t. d.* **1.** Tirar dissimuladamente; furtar; surripiar. *T. d. e i.* **2.** Subtrair: 📖 "o padre Jesuíno marralhava com o padre António de Santa Maria por mor duma capelinha que este lhe bifara." (Aquilino Ribeiro, *Andam Faunos pelos Bosques*, p. 84).

bifar[2] [De *bife* + *-ar*[2].] *V. t. d. Bras. Pop.* Tirar um bife (5 a 7) de.

bifário *Adj. Biol. P. us.* Dístico[2].

bifásico [De *bi-*[1] + *-fas(i)-* + *-ico*[2].] *Adj.* Que tem duas fases; difásico. ~ V. *chave* —*a*.

bife [Do ingl. *beef*.] *S. m.* **1.** *Cul.* Fatia, em geral arredondada, de carne bovina, cortada, por via de regra, do filé (1), da alcatra ou de outro peso macio, que é frita, salteada ou grelhada, e servida individualmente, com o molho da própria carne ou com outro; bifesteque, bisteca, filé. [Cf. *chatobriã*, *medalhão*[2], *turnedô*, *escalope* e *rosbife*.] **2.** *P. ext. Cul.* Pedaço de vitela, porco, fígado, etc., preparado de forma semelhante. **3.** *P. ext. Cul.* Qualquer preparação culinária feita de carne cortada como bife (1), mas tratada de modo diferente. **4.** *Desus. Deprec.* Indivíduo de nacionalidade inglesa. **5.** *Bras. Gír.* Partícula de pele que é cortada inadvertidamente quando alguém se barbeia, faz as unhas, etc. **6.** *Bras. Gír.* O corte praticado em tais circunstâncias. **7.** *Bras. Gír.* Corte que o estudante de medicina faz, por imperícia, em lugar indevido, ao dissecar um cadáver. **8.** *Bras. RJ Gír.* Comissão dada ao motorista de coletivo sobre a féria do dia. **9.** *Bras. Teatr. Gír.* Fala muito longa de um só personagem. ● *Adj. 2 g.* **10.** *Desus. Deprec.* Inglesado. ◆ **Bife a cavalo.** *Cul.* Bife (1) com ovo(s) frito(s): 📖 "Com qualquer nota de vinte ou com um bife a cavalo e uma cerveja se arranja o negócio." (Érico Veríssimo, *Noite*, p. 35.) **Bife à Camões.** *Bras. SP Cul.* Bife (1) com um só ovo frito. **Bife à milanesa.** *Cul.* Fatia de carne passada no ovo e na farinha de rosca, e frita; bife panado. **Bife a pé.** *Bras. RS Cul.* Bife (1) com ovos e batatas fritas. **Bife de carne moída.** *Cul.* V. *hambúrguer*. **Bife de chapa.** *Cul.* Bife (1) preparado ao calor de chapa de metal, ou de frigideira, com pouquíssima gordura. **Bife de panela.** *Cul.* Preparação culinária que consta de fatias de carne refogadas e cozidas em molho. **Bife enrolado.** *Cul.* Bife (3) cortado fino, enrolado com toucinho, cenoura, etc., e ensopado; bife rolê, rolê, *braciola* (it.) **Bife panado.** *Cul.* Bife à milanesa. **Bife rolê.** *Cul.* V. *bife enrolado*.

bifeira [De *bife* + *-eira*.] *S. f.* Utensílio de preparar bife (1).

bifendido [De *bi-*[1] + *fendido*.] *Adj.* **1.** Aberto ao meio. **2.** *Bot.* Bífido, porém podendo alcançar a base: *corola bifendida*. [Cf. *bífido* (3).]

bifenila [De *bi-*[2] + *fenila*.] *S. f. Quím.* Hidrocarboneto aromático formado por dois anéis benzênicos ligados, cujos derivados clorados eram us. em transformadores, e constituíam grave problema ambiental [fórm.: $C_{12}H_{10}$].

bifenileno [De *bifenila-* + *-eno*[2].] *S. m. Quím.* Hidrocarboneto totalmente insaturado, cujas moléculas são formadas por dois anéis benzênicos fundidos a lados opostos de um ciclobutadieno [fórm.: $C_{12}H_8$].

bífero [Do lat. *biferu*.] *Adj.* **1.** Que frutifica duas vezes ao ano. **2.** *Mús.* Que dá dois tons simultaneamente.

bifesteque [Do ingl. *beef-steak*.] *S. m.* V. *bife* (1).

bífido [Do lat. *bifidu*, 'fendido em dois'.] *Adj.* **1.** *Anat.* Fendido em duas partes. **2.** *Bot.* Fendido em duas partes, em geral na porção superior ou, no máximo, até a metade: *estigma bífido*. [Cf., nesta acepç., *bifendido* (2).] **3.** *Poét.* Bifendido, bipartido. ~ V. *bactéria* —*a* e *espinha* —*a*.

bifidobactéria (bi) [Adapt. do tax. *Bifidobacterium*.] *S. f. Microbiol.* **1.** Gênero de bactérias bifidobacteriáceas, que compreende organismos que se apresentam como bastões corados irregularmente em forma de Y ou de V, ou claviformes, ou espatulados. **2.** Espécie ou espécime desse gênero.

bifidobacteriácea (bi) [Do tax. *Bifidobacterium* + *-ácea*; tax. *Bifidobacteriaceae*.] *S. f. Microbiol.* Espécime das bifidobacteriáceas, família de bactérias gram-positivas, anaeróbicas, ger. não patogênicas.

bifidobacteriáceo (bi) [De *bifidobacteriácea*, com var. suf. (v. *-áceo*).] *Adj. Microbiol.* Pertencente ou relativo às bifidobacteriáceas.

biflexo (cs) [Do lat. *biflexu*.] *Adj.* Dobrado para dois lados.

bifloro [De *bi-*[1] + *-floro*.] *Adj. Bot.* Provido de duas flores ou grupos de duas flores.

bifocal [De *bi-*[1] + *foco* + *-al*[1].] *Adj. 2 g.* **1.** Que tem dois focos. **2.** Diz-se de lente, ou de óculos, que possui duas distâncias focais diferentes: a parte superior serve para visão a distância, e a inferior, para visão próxima. ~ V. *lente* —. ● *S. m.* **3.** Óculos bifocais.

bifoliado [De *bi-*[1] + *-foli-* + *-ado*[1].] *Adj. Bot.* Que tem duas folhas; bifólio.

bifolículo [De *bi-*[1] + *folículo*[2].] *S. m. Bot.* Folículo duplo, proveniente de uma flor cujo ovário leva dois carpelos independentes, embora unidos. [Tipo de fruto próprio das asclepiadáceas e apocináceas.]

bifólio [De *bi-*[1] + *fólio*.] *Adj.* **1.** *Bot.* Bifoliado. ● *S. m.* **2.** *Art. Gráf.* Caderno (6) formado pela dobragem de uma folha de papel em dois fólios. **3.** *Mat.* Podária da tricúspide em relação a um vértice; fólio duplo.

bifoliolado [De *bi-*[1] + *folíolo* + *-ado*[1].] *Adj. Bot.* Que tem dois folíolos.

bífore [Do lat. *bifore*.] *Adj. 2 g.* Diz-se do portal com duas portas ou dois batentes.

biforme [Do lat. *biforme*.] *Adj. 2 g.* **1.** Que tem duas formas. **2.** *Fig.* Que pensa de duas maneiras diferentes ao mesmo tempo; que tem duas opiniões. ~ V. *charada* —. [Cf. *dimorfo*.]

bifosfato [De *bi-*[2] + *fosfato*.] *S. m. Quím.* Qualquer sal do ácido fosfórico em que dois hidrogênios foram substituídos; hidrogenofosfato, fosfato ácido.

bifronte [Do lat. *bifronte*.] *Adj. 2 g.* **1.** Que tem duas caras. **2.** *Fig.* Falso, traiçoeiro, volúvel. ~ V. *charada* —.

bifum *S. m. Cul.* Macarrão oriental, mais fino do que a aletria (q. v.), feito com farinha de arroz.

bifuncional [De *bi-*[1] + *função* + *-al*[1].] *Adj. 2 g. Quím.* Diz-se de composto que tem duas funções químicas na sua estrutura.

bifurcação [De *bifurcar* + *-ção*.] *S. f.* **1.** Ato de bifurcar. **2.** Ponto em que alguma coisa se divide em dois ramos, ao modo de uma forquilha: *Encontrava-se na bifurcação do caminho*. [Sin. ger.: *forqueadura*.]

bifurcado [Part. de *bifurcar*.] *Adj.* Que se bifurca: *estigma bifurcado*.

bifurcar [Do lat. *bifurcus*, 'bifurcado', + *-ar*[2].] *V. t. d.* **1.** Separar, abrir em dois ramos, ou em duas partes. *P.* **2.** Dividir-se em dois ramos, ou em duas partes. **3.** Montar abrindo as pernas. [Sin. ger.: *forquear*. Conjug.: v. *trancar*.]

➔ **big** [bɪg] [Ingl., 'grande'.] *Adj. 2 g. e 2 n. Gír.* **1.** Grande (1). **2.** *Fig.* Notável, extraordinário.

biga [Do lat. *biga*.] *S. f.* Carro romano de duas ou quatro rodas, puxado por dois cavalos.

bigamia [De *bígamo* + *-ia*[1].] *S. f.* Estado ou crime de bígamo.

bigamizar [De *bigamia* + *-izar*.] *V. int.* Cometer bigamia.

bígamo [Do lat. med. *bigamu*.] *S. m.* Aquele que tem dois cônjuges simultaneamente. [Tb. us. (menos) como adj.]

➔ **big-bang** [bɪg bæŋ] [Ingl.] *S. m. Cosm.* V. *grande explosão*.

➔ **big-crunch** [bɪg kɹʌntʃ] [Ingl.] *S. m. Cosm.* V. *grande implosão*.

bigémeo *Adj. Bot.* V. *bigêmeo*. [Uso freq. em P.]

bigêmeo [De *bi-*[1] + *gêmeo*.] *Adj. Bot.* Diz-se do órgão vegetal que cresce com outro sobre um pecíolo ou pedúnculo comum.

bigeminado [De *bi-*[1] + *geminado*.] *Adj. Bot.* Com quatro folíolos dispostos dois a dois, *i. e.*, duplamente geminado.

bigeminismo [De *bi-*[1] + lat. *geminus, a, um*, 'duplo', + *-ismo*.] *S. m. Med.* **1.** Ocorrência em par. **2.** *Med.* Fenômeno em que, com intervalo de tempo inferior ao normal, uma pulsação sucede à precedente, separado este primeiro par do subsequente por intervalo de tempo superior ao normal. ◆ **Bigeminismo ventricular.** Distúrbio de ritmo cardíaco, e em que, repetidamente, um complexo ventricular prematuro é seguido por um batimento normal.

bigênere [Do adj. lat. *bigenere*.] *Adj. 2 g. Genét.* Diz-se dos híbridos resultantes do cruzamento de espécies de gêneros diferentes, eventualidade raramente observada.

bigénito *Adj.* V. *bigênito*. [Uso freq. em P.]

bigênito [De *bi-*[1] + *-gênito*.] *Adj.* Gerado duas vezes. [Diz-se de Baco (v. *báquico*).]

bigla [De *bi-*[1] + a term. de *sigla*.] *S. f.* Vocábulo composto com as duas primeiras letras de cada palavra fundamental de uma denominação dada. [Cf. *trigla* e *sigla* (4).]

bigladuloso (ô) [De *bi-*[1] + *glândula* + *-oso*.] *Adj. Anat.* Que tem duas glândulas.

bigle [Do ingl. *beagle*.] *S. m. Cinol.* Cão de caça pequeno, de pernas curtas e pelagem macia.

bignónia *S. f. Bot.* V. *bignônia*. [Uso freq. em P.]

bignônia [Do antr. (*J. P.*) *Bignon* (1662-1743), bibliotecário real francês, + *-ia*[2]; tax. *Bignonia*.] *S. f. Bot.* **1.** Pequeno gênero de bignoniáceas, que abrange trepadeiras lenhosas, da América e do Japão; têm folhas compostas, flores tubuliformes, exuberantes, um tanto irregulares, e em racemos; são cultivadas como ornamentais. **2.** Qualquer espécie desse gênero, como, p. ex., a *Bignonia velutina*. **3.** Qualquer espécime desse gênero.

bignoniácea [Do tax. *Bignonia* (v. *bignônia*) + *-ácea*; tax. *Bignoniaceae*.] *S. f. Bot.* Espécime das bignoniáceas, grande família de plantas da ordem das escrofulariales, principalmente tropicais, que engloba árvores e trepadeiras de flores grandes, coloridas, com corola gamopétala, quatro estames acompanhados de um estaminódio, e frutos capsulares. Há mais de 500 espécies, sendo numerosas as brasileiras; os ipês são representantes típicos.

bignoniáceo [De *bignoniácea*, com var. suf. (v. *-áceo*).] *Adj. Bot.* Pertencente ou relativo às bignoniáceas.

bigode [De or. controversa.] *S. m.* **1.** Os pelos que nascem sobre o lábio superior; bigodes. **2.** Certo jogo de cartas. **3.** *Fam.* V. *descompostura* (2). **4.** *Tip.* V. *filete inglês*. **5.** *Bras. Zool.* V. *bigodinho*. **6.** *Bras.* Friso de água e espuma aberto pela proa da embarcação em movimento nas águas. 7. Friso de espuma no copo de cerveja, chope, etc. ~ V. *bigodes*. ◆ **Bigode de sopa.** Bigode basto caído sobre os cantos da boca e, em geral, quase sobre os lábios. **Dar um bigode. 1.** Matar a caça em que outrem não acertou. 2. V. *pregar uma partida* (2). **Emendar os bigodes.** *Bras. N.E.* Pôr-se em luta corporal. **Encostar os bigodes.** Igualar-se (duas pessoas) em habilidade, inteligência, mérito qualquer.

bigodear [De *bigode* + *-ear*[2], poss.] *V. t. d. Gír.* **1.** Iludir, enganar, lograr, embair. **2.** Fazer pouco de; escarnecer. [Conjug.: v. *frear*.]

bigode de arame *S. m. Pop.* Indivíduo de bigodes retorcidos e em ponta. [Pl.: *bigodes de arame*.] ☑

bigode de gato *S. m. Eletrôn.* Fio pequeno e pontiagudo, usado para fazer contato sobre um ponto da superfície dum semicondutor. [Pl.: *bigodes de gato*.] ☑

bigodeira [De *bigode* + *-eira*.] *S. f.* Bigode (1) farto.

bigodeiro [De *bigode* + *-eiro*.] *S. m. Bras. Zool.* V. *bigodinho*.

bigodes [Pl. de *bigode*.] *S. m. pl.* Bigode (1). ~ V. *bigode*.

bigodete (ê) [Por **bigodete* (ê) < *bigode* + *-ete* (ê).] *S. m. Bras. PB Pop.* Rapazola (1).

bigodinho [De *bigode* + *-inho*[1].] *S. m. Bras. Zool.* Ave passeriforme, fringilídea (*Sporophila lineola*), do N. e C. do Brasil. O macho é preto, com estrias no meio da cabeça, fita transversal no dorso baixo, e espelho, peito e abdome brancos; a fêmea, olivácea, clara na parte inferior. [Sin.: *bigode* e *bigodeiro*.]

bigodudo [De *bigode* + *-udo*.] *Adj. S. m.* Diz-se de, ou indivíduo de bigodes bastos.

bigorna [Do lat. *bicornia*, pl. neutro de *bicorne*, 'que tem dois cornos'.] *S. f.* **1.** Peça de ferro, com o corpo central quadrangular e as extremidades em ponta cilíndrica, cônica ou piramidal, sobre a qual se malham e amoldam metais; incude: 📖 "uma velha oficina de ferreiro com o fole esburacado e a bigorna ainda em pé." (Afonso Arinos, *Pelo Sertão*, p. 18). **2.** *Anat.* Ossículo de orelha média, situado entre o martelo e o estribo. ◆ **Entre a bigorna e o martelo.** Entre duas grandes dificuldades, dois perigos, sem saber como evitá-los.

bigorrilha *S. 2 g.* **1.** Indivíduo reles, vil, desprezível; bigorrilhas, bigorrilho. **2.** *Bras. RS* Sujeito fraco metido a valentão.

bigorrilhas *S. 2 g. e 2 n.* V. *bigorrilha* (1): 📖 "Ela cá virá, quando o bigorrilhas do amante der cabo dos contos que apanhou à sua infeliz irmã." (Camilo Castelo Branco, *História e Sentimentalismo*, p. 268.)

bigorrilho *S. m.* V. *bigorrilha* (1).

bigota [Do it. *bigotta*.] *S. f. Marinh. Ant.* Poleame surdo, de madeira, de forma lenticular biconvexa, com uma goivadura na orla para receber uma alça de fixação, e três furos de face a face, usado aos pares, com um colhedor ligando-os, empregado para tesar ovéns, brandais, estais, etc.

bigotismo [Do fr. *bigotisme*.] *S. m.* Falsa devoção.

bigu *S. m. Bras. N.E.* Viagem clandestina ou de favor em qualquer viatura. V. *carona* (2).

biguá [Do tupi = 'pé redondo'.] *S. m. Bras. Zool.* **1.** Ave passeriforme, falacrocoracídea (*Phalacrocorax olivaceus*) que ocorre nos grandes rios e costas marítimas da América central e meridional, de coloração preta, dorso alto e parte das rêmiges do braço cinzento-escuros, penas marginadas de preto. Na época da incubação tem dois penachos na cabeça e algumas penas brancas na sobrancelha e na nuca. [Sin.: *corvo-marinho* e *pata-d'água*.] **2.** Ave passeriforme, falacrocoracídea (*Phalacrocorax b. brasilianus*) de coloração marrom ou preta. Chega a 1m de comprimento. Tem o pescoço longo e, sob o bico, mancha amarela que se alonga até os olhos. [Sin., nesta acepç.: *mergulhão*.]

biguaçuense *Adj. 2 g.* **1.** De, ou pertencente ou relativo a Biguaçu (SC). ● *S. 2 g.* **2.** O natural ou habitante de Biguaçu.

biguana *S. f. Bras.* V. *faca*[1] (1).

biguancha *S. f. Bras. S.* V. *piguancha*.

biguane [Do ingl. *big one*.] *Adj. 2 g. Bras. N. N.E. Pop.* Grande, vasto, enorme. [Var.: *biguano*.]

biguano *Adj. Bras. N. N.E. Pop.* V. *biguane*.

biguar [De *biguá* + *-ar*[2].] *V. int. Bras. MT* Procurar diamantes nas areias do leito dos rios, mergulhando. [Conjug.: v. *averiguar*.]

biguatinga [De *biguá* + *-tinga*.] *S. f. Bras. Zool.* V. *cararâ*[1].

bigue-bangue [Do ingl. *big-bang*.] *S. m. Cosm.* V. *grande explosão*. [Pl.: *bigue-bangues*.]

bigume [De *bi-*[1] + *gume*.] *Adj. 2 g.* Bigúmeo.

bigúmeo [De *bi-*[1] + *gume* + *-eo*.] *Adj.* Que tem dois gumes; bigume: 📖 "Era uma lâmina curta e bigúmea, encravada em chifre preto." (Vieira Pires, *Querência*, p. 71.)

bi-ilíaco [De *bi-* + *ilíaco*.] *Adj.* Que se situa entre os dois pontos mais proeminentes das cristas ilíacas. [Pl.: *bi-ilíacos*.]

bijagó [Do top. *Bijagós*, arquipélago da costa da Guiné-Bissau (África).] *S. 2 g.* **1.** *Etnôn.* Indivíduo dos bijagós, um dos povos que habitam a Guiné-Bissau: 📖 "Sim, velho Samba, respondeu Malam satisfeito por ter encontrado uma boa cama, como só os bijagós sabem fazer" (Fausto Duarte, *Auá*, p. 26); "Saíam os bijagós de suas ilhas, em longas embarcações adornadas na proa com a cabeça esculpida de um boi, para piratear o continente." (Alberto da Costa e Silva, *A Enxada e a Lança*, pp. 617-618.) [Sin. (guin.): *bidjogo*, *bijuca*. Var.: *bissagó*.] ● *S. m.* **2.** *Gloss.* Língua nígero-congolesa do grupo atlântico falada no arquipélago dos Bijagós. ● *Adj. 2 g.* **3.** Pertencente ou relativo aos bijagós, ou à sua língua.

bijanilo [De or. indígena (de língua da América do Sul), poss.] *S. m. Bras. PA Bot.* Planta marantácea (*Calathea contamanensis*) ornamental, de flores amarelado-ocráceas, em panículas.

bijeção [De *bi-*[1] + a term. de *injeção* (q. v.).] *S. f. Mat.* Correspondência biunívoca de um conjunto sobre outro; função bijetora.

bijetor (ô) *Adj.* ~ V. *função —a*.

biju [Var. de *beiju*.] *S. m.* **1.** *Bras.* V. *beiju*. **2.** *Bras. RJ Bot.* V. *flor-de-noiva*.

bijuca *Guin. S. 2 g.* **1.** *Etnôn.* V. *bijagó* (1). ● *Adj. 2 g.* **2.** Pertencente ou relativo aos bijucas.

bijugado [De *bi-*[1] + *jugo* + *-ado*[1].] *Adj. Bot.* Diz-se das folhas compostas que levam dois pares de folíolos.

bíjugo [Do lat. *bijugu*.] *Adj.* Puxado por dois cavalos.

bijuí *S. f. Bras. Zool.* V. *mandaguari*.

bijungarias *S. f. pl. Bras. S.* V. *iguaria* (1).

bijupirá [Do tupi.] *S. m. Bras. Zool.* Peixe teleósteo, perciforme, de profundidade, raquicentrídeo (*Rachycentron canadus*), do Atlântico, desde Nova Jérsei (E.U.A.) até SC, marrom-claro, com ventre alvadio, uma linha mediana mais escura do focinho à cauda, seguida de outra mais fina, mais abaixo, na mesma direção. Comprimento: até 2m; peso: até 40kg. São peixes de primeira qualidade, e alimentam-se de outros peixes e de crustáceos. A pesca é feita com linha de mão ou de fundo e espinhel. [Var.: *beijupirá*, *beiupirá*; sin.: *canado*, *cação-de-escamas*, *chancarona*, *peixe-rei*, *pirabiju*, *parabiju*, *parambiju*.]

bijutaria *S. f.* V. *bijuteria*.

bijuteria [Do fr. *bijouterie*.] *S. f.* **1.** Pequeno objeto feito em geral com primor e delicadeza, próprio para enfeite e ornato, como, p. ex., alfinetes, brincos, berloques. **2.** *Vest.* Adorno (colar, pulseira, anel, etc.) que imita joia, feito com metal não precioso, pedra(s) não preciosa(s) ou semipreciosa(s), material sintético, sementes, etc.

➔ **bike** [bajk] [Ingl.] *S. f.* **1.** Bicicleta, esp. as esportivas. **2.** *Esport.* Modalidade esportiva, em que se usa *bike* (1).

bil [Do ingl. *bill*.] *S. m.* **1.** Na Inglaterra, o projeto de lei apresentado ao Parlamento. **2.** A lei promulgada.

▲ **-bil-** Equiv. de *-vel*.

bila *S. f. Bras. CE* V. *gude*.

bilabiado [De *bi-*[1] + *lábio* + *-ado*[1].] *Adj. Bot.* Que tem dois lábios: 📖 *cálice bilabiado*.

bilabial [De *bi-*[1] + *labial*.] *Adj. 2 g.* **1.** ~ V. *consoante —*. ● *S. f.* **2.** *E. Ling.* Consoante bilabial (q. v.).

bilaminado [De *bi-*[1] + *lâmina* + *-ado*[1].] *Adj.* Que tem duas lâminas.

bilaquense *Adj. 2 g.* **1.** De, ou pertencente ou relativo a Bilac (SP). ● *S. 2 g.* **2.** O natural ou habitante de Bilac.

bilaquiano *Adj. Bras.* **1.** Relativo ou pertencente ao poeta e prosador brasileiro Olavo Bilac (1865-1918), ou próprio dele. **2.** Que é seu admirador e/ou profundo conhecedor de sua obra. ● *S. m.* **3.** Admirador desse poeta e/ou profundo conhecedor de sua obra.

bilateral [De *bi-*[1] + *-later(o)-* + *-al*[1].] *Adj. 2 g.* **1.** Que tem dois lados. **2.** Referente a lados opostos. **3.** Que se faz ou realiza entre duas nações, instituições ou pessoas. **4.** *Antrop.* Cognático. **5.** *Antrop.* Diz-se de, ou relativo a parentesco pela parte do pai e também da mãe, simultaneamente. **6.** *Bot.* Que se dispõe em duas séries ou fileiras. [Cf. *ambilateral* e *biliteral*.] ~ V. *casamento —*, *contrato —*, *paralisia —*, *primo cruzado —* e *simetria —*.

bilateralidade [De *bilateral* + *-(i)dade*.] *S. f.* Caráter ou condição de bilateral.

bilateralismo [De *bilateral* + *-ismo*.] *S. m. Econ.* Prática de acordos entre dois países para estimular o comércio recíproco, com concessão de privilégios não estendidos a terceiros países; comum em épocas de crise, como a década de 1930. [Opõe-se a *multilateralismo*.]

bilatério [De *bi-*[1] + *-later(o)-* + *-io*[3]; tax. *Bilateria*.] *Zool. S. m.* **1.** Espécime dos bilatérios, divisão de animais enterozoários com simetria bilateral pelo menos em uma fase da vida. Possuem celoma, são triploblásticos, e têm, geralmente, tubo digestivo completo, com ânus. O corpo pode ser dividido em duas metades, por um plano mediano; essas metades são, aproximadamente, imagens especulares uma da outra. ● *Adj.* **2.** Pertencente ou relativo a eles.

bilbaíno [Do esp. *bilbaíno*.] *Adj.* **1.** De, ou pertencente ou relativo a Bilbau (capital da província basca de Biscaia, Espanha). ● *S. m.* **2.** O natural ou habitante de Bilbau.

bilbode [Do fr. *billebaude*.] *S. m.* Fogo de bilbode (q. v.).

bilboqué *S. m.* V. *bilboquê*. [Uso próprio de P.]

bilboquê [Do fr. *bilboquet*.] *S. m.* Brinquedo que consiste numa bola de madeira com um furo, amarrada por um cordel a um bastonete pontudo, no qual deve ela encaixar, quando impulsionada.

➔ **bildungsroman** [bildun'gʁoman] [Al.] *S. m.* Romance que relata a juventude do personagem principal, com ênfase no processo de seu amadurecimento moral, psicológico, político, etc.; romance de formação. [Com cap.]

bile *S. f.* Bílis.

bilha [Do frâncico, pelo fr. *bille*, poss.] *S. f.* **1.** Pequena vasilha bojuda e de gargalo estreito, de barro, etc., própria para conter líquidos potáveis. **2.** *Bras. MA MG* V. *moringa*[1] (1). **3.** Pequena esfera, geralmente de aço. **4.** *Lus.* V. *bujão* (5 e 6). ◆ **Dar bilha de leite por bilha de azeite.** Trocar uma coisa menos valiosa por outra mais valiosa; prestar um pequeno favor em troca de outro maior.

bilhão [Do fr. *billion*.] *Num. S. m.* Mil milhões; 10^9. [F. paral.: *bilião*.]

bilhar [Do fr. *billard*.] *S. m.* **1.** Jogo, originalmente com três bolas de marfim (uma vermelha e duas brancas), impelidas com um taco de madeira sobre uma mesa revestida de feltro verde, com tabelas e sem caçapas, e no qual marca um ponto, e joga de novo, o jogador que fizer uma carambola (2); bilhar francês. **2.** Mesa retangular, com tabelas ou rebordos de borracha, salientes e estofados, forrada de feltro verde, para jogar bilhar. **3.** Casa ou sala onde se joga o bilhar. ◆ **Bilhar francês.** Bilhar (1). **Bilhar inglês.** Sinuca (1).

bilharda [Do fr. *billard*.] *S. f.* Jogo infantil em que se emprega um pequeno pau, que se faz pular para dentro de um círculo traçado no chão, por meio de outro pau mais comprido.

bilhardar[1] [Do fr. *billarder*.] *V. int.* No jogo de bilhar, dar duas vezes na bola com o taco, ou jogar duas bolas simultaneamente.

bilhardar[2] [De *bilharda* + *-ar*[2].] *V. int.* **1.** Jogar a bilharda. **2.** *Pop.* Vadiar, mandriar.

bilhardeiro [De *bilharda* + *-eiro*.] *S. m.* **1.** Jogador de bilharda. **2.** *Pop.* Vadio, mandrião.

bilharista [De *bilhar* + *-ista*.] *S. 2 g. Adj. 2 g.* Jogador (1 e 2) de bilhar.

bilhárzia [Do tax. *Bilharzia* < antr. (*Theodor Maximilian*) *Bilharz* (1825-1862) + lat. cient. *-ia* (v. *-ia*[2]).] *S. f. Patol.* Esquistossoma.

bilharzioma [Do tax. *Bilharzia* (v. *bilhárzia*) + *-oma*[1].] *S. m. Patol.* Tumor cutâneo ou de membrana mucosa, produzido por esquistossoma.

bilharziose [Do tax. *Bilharzia* (v. *bilhárzia*), + *-ose*[1].] *S. f. Patol.* V. *esquistossomose*.

bilhestre [De or. obsc.] *S. m. Lus. Pop.* Dinheiro; nota de pouco valor: 📖 "— .... Fiquei de me encontrar com o Paulo Ramos no *Gelo*. Tens bilhestres?" (Aquilino Ribeiro, *Lápides Partidas*, p. 51.)

bilheta (ê) [Do fr. *billette*.] *S. f. Arquit.* Ornato composto de pequenos cilindros ou rolos aderidos a uma superfície ou nela esculpidos, dispostos alternadamente em duas ou três fiadas.

bilhetaria *S. f.* V. *bilheteria*.

bilhete (ê) [Do fr. *billet*.] *S. m.* **1.** Carta breve e simples. **2.** Pequena mensagem escrita. **3.** Senha de admissão em espetáculos, reuniões, etc. **4.** Cartão impresso que dá direito a fazer determinado percurso em veículo coletivo; passagem. **5.** Cédula numerada, de habilitação em jogos de rifa, loteria, etc. **6.** *Jur. P. us.* Título de obrigação, nominal ou ao portador. ◆ **Bilhete azul.** Dispensa do emprego. **Bilhete branco.** Bilhete (5) que não foi premiado. **Bilhete de bagagem.** Conhecimento de bagagem, ou nota de bagagem. **Bilhete de banco.** Documento ao portador, emitido por banco devidamente autorizado pelo governo, com promessa de reembolso em espécie metálica (moeda). **Bilhete de depósito.** Documento comprobatório do recebimento de mercadorias; conhecimento de depósito. **Bilhete de loteria.** Impresso dividido em vinte frações, o qual contém um número que, sendo sorteado no dia preestabelecido, dá ao portador direito ao prêmio estipulado ou à fração dele correspondente ao número de vigésimos que o portador possui. **Bilhete de visita.** V. *cartão de visita*.

bilheteira [De *bilhete* + *-eira*.] *S. f.* **1.** Prato ou salva para cartões de visita. **2.** Fem. de *bilheteiro*. **3.** *Lus.* V. *bilheteria*.

bilheteiro [De *bilhete* + *-eiro*.] *S. m.* **1.** Aquele que vende ingressos nos teatros, cinemas, estádios, etc. **2.** Vendedor de bilhetes de loteria.

bilhete-postal *S. m.* V. *cartão-postal*: "lá embaixo, a imensa baía de Santorini, água azul de bilhete-postal" (Augusto Abelaira, *O Bosque Harmonioso*, p. 34). [Pl.: *bilhetes-postais*.]

bilheteria [De *bilhete* + *-eria*.] *S. f. Bras.* Espaço, boxe ou guichê onde se vendem bilhetes para entrada em espetáculos públicos, passagens, etc. [F. paral. (p. us.): *bilhetaria*; sin. (lus): *bilheteira*.]

bilhostre *S. 2 g.* **1.** *Deprec.* Pessoa estrangeira. **2.** Biltre, patife.

▲ **bil(i)-** [Do lat. *bīlis, is*.] *El. comp.* = 'humor liquoso do corpo humano'; 'bílis'; 'via biliar'; 'biliar': *bilirrubina, biliverdina; bilidigestivo; bilirraquia* [Equiv.: *-bil(i)-*: *atrabiliário*.]

▲ **-bil(i)-** Equiv. de *bil(i)-*.

bilião [Do fr. *billion*.] *Num. S. m.* V. *bilhão*.

biliar [De *bil(i)-* + *-ar*[1].] *Adj. 2 g.* V. *biliário*. ~ V. *vesícula —*.

biliardário *Adj. S. m.* V. *bilionário*.

biliário [De *bil(i)-* + *ário*.] *Adj.* Relativo à bílis; biliar, bilioso. ~ V. *litíase —a*.

bilidigestivo (bì) [De *bil(i)-* + *(tubo) digestivo*.] *Adj.* Relativo a via biliar e ao tubo digestivo.

biligulado [De *bi-*[1] + *lígula*[2] + *-ado*[1].] *Adj. Bot.* Que tem duas lígulas [v. *lígula*[2] (1 e 2)].

bilimbi [Do malaio *balimbing*.] *S. m. Bot.* Árvore oxalidácea (*Averrhoa bilimbi*) cultivada, de flores vermelho-claras, bagas verdes ou amareladas, frutos comestíveis, e madeira útil. [Var.: *bilimbim, bilimbino*; sin.: *caramboleira-amarela, limão-de-caiena, groselheira, azedinha*.]

bilimbim *S. m. Bras. Bot.* V. *bilimbi*.

bilimbino *S. m. Bras. Bot.* V. *bilimbi*.

bilina *S. f. Teatr.* Entre os russos, representação popular, originária da Idade Média, com diálogos em verso, e inspirada em feitos heroicos de personagens históricas.

bilinear [De *bi-*[1] + *linear*.] *Adj. 2 g.* **1.** Relativo a, ou que apresenta duas linhas. **2.** *Antrop. Impr.* Cognático (2). **3.** *Antrop.* Relativo a, ou que envolve a combinação de descendência (2) matrilinear e patrilinear. ~ V. *equação —*.

bilinearidade [De *bilinear* + *-(i)dade*.] *S. f.* Caráter ou condição de bilinear.

bilingue *Adj. 2 g. S. 2 g.* V. *bilíngue*. [Uso freq. em P.]

bilíngue (güe) [Do lat. *bilingue*.] *Adj. 2 g.* **1.** *E. Ling.* Diz-se de indivíduo, ou comunidade, que faz uso regular de duas línguas. **2.** Escrito em duas línguas. **3.** *Fig.* Que fala com fingimento ou ambiguidade. • *S. 2 g.* **4.** Indivíduo bilíngue. [Var. lus.: *bilingue*.] ❖

bilinguismo (güis) [De *bilíngue* + *-ismo*.] *S. m. E. Ling.* Utilização regular de duas línguas por indivíduo, ou comunidade, como resultado de contato linguístico. [Cf. *multilinguismo*.] ❖

bilionário [De *bi-*[1] + *(mi)lionário*, ou de *bilhão* + *-ário*, por anal.] *Adj. S. m. Bras.* **1.** Diz-se de, ou aquele que é duas vezes milionário. **2.** Multimilionário. [Sin. ger.: *biliardário* e *miliardário*.]

bilionésimo *S. m.* **1.** *Mat.* Fração ordinária cujo numerador é a unidade e o denominador um bilhão. **2.** *Mat.* Número ordinal correspondente a um bilhão. **3.** Aquilo ou aquele que ocupa o bilionésimo lugar.

bilioso (ô) [Do lat. *biliosu*.] *Adj.* **1.** Que tem muita bílis. **2.** V. *biliário*. **3.** Provocado pela bílis. **4.** Da cor da bílis: *palidez biliosa*. **5.** *Fig.* De mau gênio; irascível, colérico.

biliro *S. m. Bras. PB PE* Espécie de grampo para cabelo.

bilirraquia (bì) [De *bil(i)-* + *-raqui(o)-* + *-ia*[1].] *S. f. Neur.* Presença de pigmentos biliares no líquido cefalorraquiano.

bilirrubina (bì) [De *bil(i)-* + lat. *rub(er)*, 'vermelho', + *-ina*[3].] *S. f. Bioquím.* Pigmento vermelho, presente na bílis e nas fezes, cuja estrutura contém quatro anéis pirrólicos, sem que estes, porém, formem um macrociclo [fórm.: $C_{33}H_{36}N_4O_6$].

bilirrubinemia (bì) [De *bilirrubina* + *-emia*.] *S. f. Med.* Teor de bilirrubina no sangue.

bilirrubinuria (bì) [De *bilirrubina* + *-uria*.] *S. f. Med.* V. *bilirrubinúria*.

bilirrubinúria (bì) [De *bilirrubina* + *-úria*.] *S. f. Med.* Presença de bilirrubina na urina. [F. paral.: *bilirrubinuria*.]

bilirrubinúrico (bì) [De *bilirrubinúria* + *-ico*[2].] *Adj. Med.* Relativo à bilirrubinúria.

bílis [Do lat. *bilis, is*.] *S. f. 2 n.* **1.** Líquido esverdeado, amargo e viscoso, segregado pelo fígado e que, por meio de sistema próprio de canais, é levado ao duodeno, participando, de modo importante, da digestão. **2.** *Fig.* Mau humor, irascibilidade, hipocondria. [F. paral.: *bile*; sin. ger. (pop.): *fel*.]

biliteral [De *bi-*[1] + lat. *littera*, 'letra', + *-al*[1].] *Adj. 2 g.* Que tem duas letras; bilítero. [Cf. *bilateral*.]

bilítero [De *bi-*[1] + lat. *littera*, 'letra'.] *Adj.* Biliteral (q. v.).

biliuria (bì) [De *bil(i)-* + *-uria*.] *S. f. Med.* V. *biliúria*.

biliúria (bì) [De *bil(i)-* + *-úria*.] *S. f. Med.* Presença de pigmentos biliares na urina. [F. paral.: *biliuria*.]

biliverdina (bì) [De *bil(i)-* + *verde* + *-ina*[3].] *S. f. Bioquím.* Pigmento verde, derivado da bilirrubina, de que difere pela presença de uma dupla ligação [fórm.: $C_{33}H_{34}N_4O_6$].

bilobado [De *bi-*[1] + *-lob(o)-* + *-ado*[1].] *Adj.* Que tem dois lobos ou lóbulos; bilobulado.

bilo-bilo [Voc. onom.] *S. m. Bras.* Bilu-bilu. [Pl.: *bilo-bilos* e *bilos-bilos*.]

bilobulado [De *bi-*[1] + *lóbulo* + *-ado*[1].] *Adj.* Bilobado.

biloca *S. f. Bras. GO* Jogo em que os contendores, usando o polegar e o indicador, procuram, como num piparote, atirar botões num pequeno buraco.

bilocal [De *bi-*[1] + *local*.] *Adj. 2 g. Antrop.* **1.** Relativo à regra ou ao costume institucionalizado, ou ao padrão de residência associado, segundo o qual um novo casal, após o casamento, passa a viver junto às famílias do marido e da mulher. **2.** *Impr.* Ambilocal.

bilocalidade [De *bilocal* + *-(i)dade*.] *S. f. Antrop.* Caráter ou condição de bilocal.

bilocular [De *bi-*[1] + *lóculo* + *-ar*[1].] *Adj. 2 g. Bot.* Provido de duas lojas ou lóculos: *antera bilocular*.

bilofodonte [De *bi-*[1] + *lofodonte*.] *S. m. Zool.* Dente molar com duas cristas, presente ger. nos mamíferos ungulados.

bilola (ô) *S. f. Bras. AL Fam.* V. *bimba*[2] (1).

biloma [De *bil(i)-* + *-oma*[1].] *S. m. Patol.* Acúmulo encapsulado de bile dentro da cavidade peritonial.

bilontra[1] [De or. obsc.] *S. f. Bras. RJ* A madeira do tamanco, antes de se lhe prender o couro ou pano.

bilontra[2] [De or. controv.] *Adj. 2 g. S. m.* **1.** Velhaco, patife, espertalhão: "afirmava que o vizinho era um bilontra, que se escondia ali para escapar aos credores." (Artur Azevedo, *Contos Cariocas*, p. 248). **2.** *Bras.* Diz-se de, ou indivíduo dado a conquistas amorosas: "nada sentiria se não se consumisse ralada de ciúmes pelo marido, ... que tudo fazia prever fosse um bilontra de marca" (Gastão Cruls, *4 Romances*, p. 470). **3.** *Bras.* Frequentador de prostíbulos.

bilontragem [De *bilontra*[2] + *-agem*[2].] *S. f.* **1.** Ato ou procedimento de bilontra[2]. **2.** Grupo de bilontras.

bilontrar [De *bilontra*[2] + *-ar*[2].] *V. int.* Proceder como bilontra[2].

bilosca *S. f. Bras. MG* V. *gude*.

biloto (ô) [Do fr. *billot*.] *S. m.* **1.** Cepo (2). **2.** *Bras.* Excrescência carnosa semelhante a verruga.

biloura *S. f. Bras. PB Pop.* V. *síncope* (1).

bilrar [De *bilro* + *-ar*[2].] *V. int.* Trabalhar com bilros [v. *bilro* (1)].

bilreira [De *bilro* + *-eira*.] *S. f. Bras. Zool.* V. *rendeira*[2] (2).

bilreiro [De *bilro* + *-eiro*.] *S. m. Bot.* V. *carrapeta* (2).

bilro [De or. controversa.] *S. m.* **1.** Peça de madeira ou de metal, semelhante ao fuso (1), usada para fazer rendas de almofada: "Era o branco da linha, e a renda que lhe dá / graça e forma, ao crescer sob os bilros cantantes." (Valdemar Lopes, *Elegia para Joaquim Cardoso*, p. 9.) **2.** *Fig.* Homem pequenino e janota. **3.** *Mús.* Baqueta delgada e flexível com que se percutem os tímpanos. **4.** *Bras. Zool.* V. *birro*[1].

biltra [Fem. de *biltre*.] *S. f.* **1.** Mulher desprezível. **2.** Mulher de má condição.

biltre [Do fr. *bélître, blitre*.] *S. m.* Homem vil, abjeto, infame: "tenho amigos que me intrigam, uns ganhadores, que querem ver se o partido me repele e se me tomam o lugar... Uns biltres!" (Machado de Assis, *Quincas Borba*, p. 186).

bilu-bilu [Voc. onom.] *S. m. Bras.* Brinquedo que consiste em mover com os dedos os lábios de uma criança, provocando um som parecido com essa palavra: "Enquanto os outros de sua idade já procuravam engatinhar e brincavam de bilu-bilu, ele continuava a rolar tristemente no colchão, gemendo baixo, com cólica." (Raquel de Queirós, *100 Crônicas Escolhidas*, p. 43.) [F. paral.: *bilo-bilo*. Pl.: *bilus-bilus* e *bilu-bilus*.]

bilunga *S. f. Bras. AL* V. *bimba*[2] (1).

bimaculado [De *bi-*[1] + *maculado*.] *Adj.* Que tem duas malhas ou manchas.

bímano [Do fr. *bimane*.] *Adj.* Que tem duas mãos. ~ V. *bímanos*.

bímanos [Pl. de *bímano*.] *S. m. pl.* A espécie humana; os homens. ~ V. *bímano*.

bímare [Do lat. *bimare*.] *Adj. 2 g.* Situado entre dois mares; banhado por dois mares.

bimarginado [De *bi-*[1] + *-margin(i)-* + *-ado*[1].] *Adj.* Que tem duas margens.

bimba[1] *S. f. Chulo* Coxa.

bimba[2] *S. f. Bras. N.E.* **1.** Pênis de criança; pimbinha, bilola, bilunga. **2.** Pênis pouco desenvolvido. **3.** O pênis. [Sin. (na BA), nesta acepç.: *bimbinha, pimba*.]

bimbada [De *bimba*[2] + *-ada*[1].] *S. f. Bras. Chulo* Ato de bimbar[2]; contato carnal; coito, trepada.

bimbalhada [De *bimbalhar* + *-ada*[1].] *S. f.* Toque simultâneo de muitos sinos.

bimbalhar [T. onom.] *V. int.* **1.** Repicar, soar (o[s] sino[s]): "Vivamente outros sinos .... bimbalharam" (Coelho Neto, *Turbilhão*, p. 59). • *S. m.* **2.** Ato de bimbalhar: *Ouvia-se o bimbalhar dos sinos*.

bimba-n'água [De *bimba* + *na* + *água*[1].] *S. f. Bras. AL Pop.* Pesca que se realiza na lagoa do Norte, e na qual os pescadores arrastam a rede mergulhados até à cintura. [Pl.: *bimbas-n'água*.]

bimbar[1] [De *bimba*[1] + *-ar*[2].] *V. t. d. T. d. e i.* **1.** Entrechocar (as coxas). **2.** Bater uma coisa contra (outra).

bimbar[2] [De *bimba*[2] + *-ar*[2].] *Int. Bras. Chulo* Copular (2).

bimbarra *S. f.* **1.** Grande alavanca de madeira; cabrilha. **2.** Espécie de engenho constituído de um pau comprido e um balde para tirar água dos poços. **3.** *Bras. MG* Pipa (1) grande para conduzir cachaça: "Só então há de ser vazada [a cachaça] em bimbarras de cedro vermelho e só bebida daí a dois anos..." (Agripa Vasconcelos, *Fome em Canaã*, p. 63.) [Dim. irreg.: *bimbarreta*.]

bimbarreta (ê) *S. f.* Dim. irreg. de *bimbarra*.

bimbinha [De *bimba*[2] + *-inha*.] *S. f. Bras. BA* V. *bimba*[2] (3).

bimbo *S. m. Gír.* **1.** Provinciano ingênuo. **2.** V. *recruta* (1).

bimembre [Do lat. *bimembre*.] *Adj. 2 g.* Que tem dois membros.

bimensal [De *bi-*[1] + *mensal*.] *Adj. 2 g.* Que aparece ou se efetua duas vezes por mês; quinzenal: *publicação bimensal; sessões bimensais*.

bimestral [De *bimestre* + *-al*[1].] *Adj. 2 g.* **1.** Que dura dois meses; bimestre. **2.** Que aparece ou se realiza de dois em dois meses: *publicação bimestral*.

bimestre [Do lat. *bimestre*.] *Adj. 2 g.* **1.** Bimestral (1). • *S. m.* **2.** O período de dois meses.

bimetálico [De *bi-*[1] + *metal* + *-ico*[2].] *Adj.* **1.** Relativo ao bimetalismo. **2.** Diz-se de peça constituída por dois metais soldados ou justapostos. ~ V. *chapa —a* e *lâmina —a*.

bimetalismo [Do fr. *bimétallisme*.] *S. m. Econ.* Sistema monetário que usa dois metais (ger. ouro e prata) como padrão monetário (q. v.). [Cf. *monometalismo*.]

bimetalista [De *bimetalismo* + *-ista*.] *Adj. 2 g.* **1.** Referente ao bimetalismo. **2.** Que é partidário do bimetalismo. • *S. 2 g.* **3.** Partidário dele.

bimilenar [De *bi-*[1] + *milenar*.] *Adj. 2 g.* Bimilenário (1).

bimilenário [De *bi-*[1] + *milenário*.] *Adj.* **1.** Duas vezes milenário; bimilenar. • *S. m.* **2.** Transcurso e/ou comemoração do segundo milênio ou milenário.

bimo [Do lat. *bimu*.] *Adj. Bot.* Biênico.

bimolecular [De *bi-*[1] + *molécula* + *-ar*[1].] *Adj. 2 g. Quím.* **1.** Relativo a, ou formado por duas moléculas. **2.** Diz-se de reação, ou de processo químico em geral, que exige a participação de duas moléculas.

bimotor (ô) [De *bi-*[1] + *motor*.] *Adj. S. m.* Diz-se de, ou veículo de dois motores.

bina [Acrôn. de "B. identifica o número de A", forjado pelo inventor do aparelho, Nélio José Nicolai.] *S. m.* Equipamento ou dispositivo eletrônico que, nos telefones ou computadores, identifica o número de origem das chamadas.

binacional [De *bi-*[1] + *nação* + *-al*[1], seg. o padrão erudito.] *Adj. 2 g.* **1.** Pertencente ou relativo a duas nações. **2.** Que se efetua entre duas nações: *acordo binacional*. • *S. f.* **3.** Empresa binacional.

binadeira [De *binar* + *-deira*.] *S. f. Tec. Têx.* Máquina de fiação us. no processo de preparação para retorção, com o objetivo de juntar dois ou mais fios.

binado [De *bin(i)-* + *-ado*[1].] *Adj.* ~ V. *folha —a*.

binagem [De *binar* + *-agem*[2].] *S. f.* Operação de binar (1).

binapacril [Voc. farmac.] *S. m. Quím.* Substância sólida, éster aromático com dois grupos nitro, us. como inseticida, principalmente na cultura de frutas e legumes [fórm.: $C_{15}H_{18}N_2O_6$].

binar [Do b.-lat. **binare*, poss. pelo esp. *binar*.] *V. t. d.* **1.** Em sericicultura, juntar dois fios a (o fio já torcido do casulo). **2.** *Agr.* Dar segundo amanho a (um terreno). *Int.* **3.** Celebrar (o sacerdote) duas missas no mesmo dia, com permissão superior. [Fut. pret.: *binaria*, etc. Cf. *binária*, fem. de *binário* e s. f.]

binária [F. subst. de *binário*.] *S. f. Astr.* V. *estrela binária*. [Cf. *binaria*, do v. *binar*.]

binário [Do lat. *binariu*.] *Adj.* **1.** Que tem duas unidades, dois elementos. [Fem.: *binária*. Cf. *binaria*, do v. *binar*.] ~ V. *circuito lógico —*, *código —*, *compasso —*, *dígito —*, *divisão —a*, *estrela —a*, *letra —a*, *logaritmo —*, *nomenclatura —a*, *numeração —a*, *número —*, *operação —a* e *sistema —*. • *S. m.* **2.** *Fís.* V. *conjugado* (6).

binascido [De *bi-*[1] + *nascido*.] *Adj.* Nascido duas vezes; biparido. [Designação aplicada ao deus Baco (v. *báquico*).]

binde [Do cabo-verd. e do criol.] *S. m. Cabo-verd. Guin.* Cuscuzeiro (1) de barro: "É vê-la pilar o milho, peneirar a farinha e preparar o binde. Ritual que só quem se levanta cedo pode observar." (Manuel Lopes, *O Galo Que Cantou na Baía*, p. 85.)

bindheimita [Do antr. (*Johann J.*) *Bindheim* (1750-1825), químico alemão, + *-ita*[3].] *S. f. Min.* Mineral isométrico, hidroantimoniato de chumbo, amorfo, us. para obtenção de antimônio.

binervado [De *bi-*[1] + *-nerv(i)-* + *-ado*[1].] *Adj. Bot.* V. *binérveo*.

binerval [De *bi-*[1] + *-nerv(i)-* + *-al*[1].] *Adj. 2 g. Bot.* V. *binérveo*.

binérveo [De *bi-*[1] + *-nerv(i)-* + *-eo*.] *Adj. Bot.* Diz-se da folha que leva duas nervuras e de alguns órgãos foliáceos menos importantes; binervado, binerval.

binga [Do quimb. *mbinga*.] *S. f. e m. Bras.* **1.** V. *corno* (1). **2.** Tabaqueiro de chifre. **3.** Espécie de piçarra ou cascalho. **4.** Lampião de querosene: "Escutava-se .... a voz pigarrosa do caipira, batendo fogo, assoprando o chumaço da binga" (Hugo de Carvalho Ramos, *Tropas e Boiadas*, p. 23). **5.** Isqueiro tosco, usado no interior. **6.** *Zool.* V. *beija-flor* (1). • *S. f.* **7.** *Bras. BA* O pênis. **8.** *Bras. PB* Bosta (1 a 3).

bingo [Do ingl. *bingo*.] *S. m.* Jogo semelhante ao loto, no qual, além dos números, aparecem letras nos cartões e pedras.

bini *S. 2 g. Adj. 2 g.* V. *benim*.

▲ **bin(i)-** [Do lat. *bini, ae, a*.] *El. comp.* = 'par', 'dois': *binar, binoculado*.

biniú [De dialeto bretão, pelo fr. *biniou*.] *S. m.* Pequena gaita de foles da Bretanha.

binoculado [De *bin(i)-* + *-ocul(i)-* + *-ado*[1].] *Adj.* Que tem dois olhos.

binocular[1] [De *bin(i)-* + *-ocul(i)-* + *-ar*[1].] *Adj. 2 g.* **1.** Que serve aos dois olhos. **2.** Relativo a ambos os olhos. **3.** *Ópt.* Diz-se dum instrumento óptico que dispõe de duas oculares e permite observação simultânea com os dois olhos do observador.

binocular[2] [De *binóculo* + *-ar*[2].] *V. t. d. T. i. Int. Bras.* Binocularizar. [Pres. ind.: *binoculo*, etc. Cf. *binóculo*.]

binocularizar [De *binóculo* + *-izar*.] *V. t. d. T. i. Int.* **1.** Olhar com o binóculo. **2.** Ver pelo binóculo. [Sin. ger.: *binocular*.]

binóculo [Do lat. cient. *binoculu*.] *S. m. Ópt.* Instrumento óptico composto de duas lunetas focalizáveis simultaneamente e dotadas de dois sistemas de prismas inversores que, além de permitirem a formação de uma imagem completa, diminuem o afastamento da objetiva e da ocular. [Cf. *binoculo*, do v. *binocular*.]

binodal [De *bi-*[1] + *-nod(i)-* + *-al*[1].] *Adj. 2 g.* ~ V. *curva* —.

binomial [De *binômio* + *-al*[1].] *Adj. 2 g.* ~ V. *série* —.

binômico *Adj.* V. *binômico*. [Uso freq. em P.]

binômico [De *binômio* + *-ico*[2].] *Adj.* Relativo a binômio.

binómino *Adj.* V. *binômino*. [Uso freq. em P.]

binômino [Do lat. *binominis, e*.] *Adj.* Que tem dois nomes.

binómio *S. m. Adj.* V. *binômio*. [Uso freq. em P.]

binômio [Do lat. cient. *binomiu*.] *S. m.* **1.** Nome científico (aplicado às plantas e aos animais) composto de dois nomes: um substantivo que designa o gênero e um adjetivo que designa a espécie. P. ex. (em Bot.): *Phaseolus vulgaris* — o feijoeiro. **2.** *Mat.* Polinômio constituído por dois termos. • *Adj.* **3.** ~ V. *equação —a*. ◆ **Binômio de Newton.** *Mat.* Potência inteira positiva de um binômio, desenvolvida segundo o teorema do binômio de Newton.

binormal [De *bi-*[1] + *normal*.] *S. f. Mat.* **1.** Numa curva reversa, reta perpendicular ao plano osculador, a qual forma, juntamente com a tangente e com a normal, um triedro ortonormal direto; vetor binormal. • *Adj. 2 g.* **2.** ~ V. *vetor* —.

binubo [Do lat. *binubu*.] *Adj. S. m.* Que, ou quem é casado em segundas núpcias.

▲ **bi(o)-** [Do gr. *bíos, ou*.] *El. comp.* = 'vida'; 'biológico': *biografia; bioterrorismo*. [O AOLP prescreve o uso do hífen nos casos de anteposição deste pref. a palavra iniciada por *h* ou *o*; é escrito com *r* ou *s* duplicados quando anteposto a *r* ou *s*: *biorritmo, biossatélite*.] [Equiv.: *-bi(o)-*, *-bio*: *trofobiose, aeróbio*.]

▲ **-bi(o)-** V. *bi(o)-*.

▲ **-bio** V. *bi(o)-*.

bioacabamento [De *bi(o)-* + *acabamento*.] *S. m. Tec. Têx.* Beneficiamento final de tecido ou peça do vestuário mediante o uso de celulases e que, em combinação com ação mecânica, resulta em maior suavidade e lisura, e melhor qualidade e aparência.

bioafinidade [De *bio(molécula)* + *afinidade*.] *S. f. Quím.* Atração específica entre uma biomolécula e outra molécula, biológica ou não. [V. *cromatografia por bioafinidade*.]

bioastronáutica [De *bi(o)-* + *astronáutica*.] *S. f. Astron.* Ciência de aplicação da biologia aos voos espaciais.

bioastronáutico [De *bioastronáutica*, com var. suf. (v. *-ico*[2]).] *Adj. Astron.* Relativo à bioastronáutica.

bioastronomia [De *bi(o)-* + *astronomia*.] *S. f.* Ciência cujo objetivo é o estudo das atividades biológicas em outros sistemas planetários e das moléculas no espaço interestelar.

bioastronómico *Adj.* V. *bioastronômico*. [Uso freq. em P.]

bioastronômico [De *bioastronomia* + *-ico*[2].] *Adj.* Relativo à bioastronomia.

biobibliografia [De *bi(o)-* + *bibliografia*.] *S. f.* Biografia de uma pessoa, acompanhada da relação de suas obras.

biobibliográfico [De *biobibliografia* + *-ico*[2].] *Adj.* Referente à biobibliografia.

biobjetivo [De *bi-*[1] + *objeto* + *-ivo*.] *Adj.* ~ V. *verbo* —.

biocenose [De *bi(o)-* + *-cen(o)-*[2] + *-ose*[1].] *S. f. Ecol.* Conjunto de organismos em interação em um mesmo biótopo, em um determinado período de tempo; comunidade.

biocenótico [De *biocen(ose)* + *-ótico*.] *Adj. Ecol.* Concernente à biocenose.

biociclo [De *bi(o)-* + *-ciclo*.] *S. m.* **1.** *Biol.* Conjunto de etapas por que passa um determinado ser vivo, do nascimento à morte [Sin.: *ciclo biológico* e *ciclo vital*]. **2.** *Ecol.* V. *biosfera*. **3.** *P. ext.* Cada uma das porções distintas da biosfera. V. *epinociclo, limnociclo* e *talassociclo*.

biocida [De *bi(o)-* + *-cida*.] *Adj. 2 g.* **1.** Que inibe o crescimento de microrganismo ou que os extermina. • *S. m.* **2.** Designação genérica de substância biocida.

biociência [De *bi(o)-* + *ciência*.] *S. f.* Designação genérica da investigação científica dos seres vivos, nos seus diversos aspectos interdisciplinares.

biócito [De *bi(o)-* + *-cito*.] *S. m. Biol.* Qualquer célula viva.

bioclima [De *bi(o)-* + *clima*.] *S. m. Ecol.* Tipo de clima definido em relação ao desenvolvimento dos seres vivos em uma dada localidade.

bioclimatologia [De *bi(o)-* + *-climat(o)-* + *-logia*.] *S. f. Ecol.* Estudo das relações dos seres vivos com o clima.

bioclimatológico [De *bioclimatologia* + *-ico*[2].] *Adj. Ecol.* Relativo à bioclimatologia.

bioco (ô) [De **veoco*, dim. de *véu*, poss.] *S. m.* **1.** Mantilha para envolver o rosto: "atravessou o mercado, muito hirta, corpo a gotejar um suor frio, bioco descido quase até à ponta do nariz" (Adelaide Félix, *Cada qual com Seu Milagre...*, p. 177). **2.** V. *capuz* (1): "Alguém lhe tirara o capote de cima dos ombros, e da cabeça o bioco de burel que a encapuchava." (Fialho d'Almeida, *Aves Migradoras*, pp. 84-85.) **3.** *Fig.* Simulação de modéstia ou de virtude: "Os solteiros aceitam, sem biocos de honra, as mulheres infamadas que lhes estimulam o cio ou o interesse." (Camilo Castelo Branco, *Maria da Fonte*, p. 70.) **4.** *Fig.* Gesto para assustar; ameaça vã: "Então o Diabo, fazendo horribilíssimos biocos, ... fugiu pela igreja fora, com grandes apupos e doestos dos espectadores." (Alexandre Herculano, *Lendas e Narrativas*, I, p. 262). **5.** *Cabo-verd. P. ext.* Careta, esgar; momice: "riam-se dos seus ditos e dos biocos que fazia" (Manuel Lopes, *Chuva Braba*, p. 177). [Pl.: *biocos* (ó).]

biocoloide (ói) [De *bi(o)-* + *Coloide*.] *S. m. Bioquím.* Coloide aquoso presente nos organismos vivos, como, p. ex., o sangue e o leite. ❖

biocombustível [De *bi(o)-* + *combustível*.] *S. m. Quím.* Combustível produzido por organismo vivo, inclusive a partir de rejeitos ou despejos orgânicos.

biocompatibilidade [De *bi(o)-* + *compatibilidade*.] *S. f. Biol.* **1.** Qualidade ou caráter de biocompatível.

biocompatível [De *bi(o)-* + *compatível*.] *Adj. 2 g. Odont.* Diz-se de material natural ou sintético que, implantado parcial ou integralmente num organismo vivo (tecido, órgão), não provoca qualquer reação adversa, por rejeição ou contaminação: "O dentista enquanto fazia isso falava .... da maravilha que era o titânio, um metal biocompatível com os tecidos do organismo" (Rubem Fonseca, *O Seminarista*, p. 129.)

bioconversão [De *bi(o)-* + *conversão*.] *S. f. Biol.* Transformação por meio de processo(s) biológico(s) ou bioquímico(s). [O termo é us. esp. para a produção de materiais úteis — p. ex., combustíveis, como o metano — a partir de lixo ou outros resíduos.]

biocoro [De *bi(o)-* + *-coro*.] *S. m. Ecol.* Meio geográfico básico, caracterizado por certa vegetação adaptada a determinadas condições; características físicas de um biociclo. [O biociclo terrestre engloba os seguintes biocoros: tundra, deserto, pradaria, savana e floresta.]

biocromatologia [De *bi(o)-* + *-cromat(o)-* + *-logia*.] *S. f. Biol.* Estudo das cores dos seres vivos.

biocromatológico [De *biocromatologia* + *-ico*[2].] *Adj. Biol.* Referente à biocromatologia.

biocromatologista [De *biocromatologia* + *-ista*.] *S. 2 g. Biol.* Especialista em biocromatologia.

biodegradabilidade [De *biodegradável* + *-(i)dade*, seg. o padrão erudito.] *S. f.* Condição de biodegradável.

biodegradação [De *bi(o)-* + *degradação*.] *S. f. Ecol.* Processo de decomposição de substância biodegradável por organismos.

biodegradável [Do ingl. *biodegradable* (*substance*).] *Adj. 2 g. Quím.* Diz-se de substância que não persiste no meio ambiente, por ser suscetível de decomposição pela ação dos micróbios (ou outros organismos) comumente encontrados.

biodiesel [De *bi(o)-* + *diesel*.] *S. m. Quím.* Combustível de origem vegetal ou animal, que possui propriedades, quanto ao emprego em motores, semelhantes às do óleo diesel. [Geralmente é produzido submetendo um triacilglicerídeo, óleo ou gordura, a reação de transesterificação com álcool etílico ou metílico.]

biodigestor (ô) *S. m. Quím.* Equipamento onde se realiza, controladamente, a fermentação anaeróbica de biomassa, a fim de obter biogás.

biodinâmica [De *bi(o)-* + *dinâmica*.] *S. f.* Fisiologia dos processos vitais do organismo.

biodinâmico [De *biodinâmica*, com var. suf. (v. *-ico*[2]).] *Adj.* Referente à biodinâmica.

biodisponibilidade [De *bi(o)-* + *disponibilidade*.] *S. f. Farm.* A quantidade de um fármaco que chega ao sistema circulatório do paciente, relativa ao total que lhe foi administrado em uma dose de medicamento. [Por via intravenosa é, por definição, de 100%.]

biodiversidade [De *bi(o)-* + *diversidade*.] *S. f. Ecol.* Variedade de espécies, ou de outras categorias taxonômicas (como gêneros, etc.) de plantas, animais e microrganismos, relacionadas à quantidade de indivíduos e seu material genético, em uma dada região.

biodiverso [De *bi(o)-* + *diverso*.] *Adj.* Que apresenta biodiversidade: "A Mata Atlântica é também uma das florestas tropicais mais biodiversas do planeta" (Marcelo Leite, em *Folha de S.Paulo*, 18.06.2008).

bioelemento [De *bi(o)-* + *elemento*.] *S. m. Biol.* Qualquer elemento químico encontrado na constituição de um organismo vivo. [No ser humano, os bioelementos mais comuns são o oxigênio, o carbono, o hidrogênio, o nitrogênio, o cálcio e o fósforo.]

bioeletricidade [De *bi(o)-* + *eletricidade*.] *S. f. Biol.* O conjunto de fenômenos elétricos produzidos pelos seres vivos.

bioelétrico [De *bi(o)-* + *elétrico*.] *Adj. Biol.* Pertencente ou relativo a bioeletricidade.

bioeletrónica *S. f.* V. *bioeletrônica*. [Uso freq. em P.]

bioeletrônica [De *bi(o)-* + *eletrônica*.] *S. f.* Estudo e aplicação dos conhecimentos e métodos da eletrônica a sistemas biológicos, ou da integração entre componentes eletrônicos e biológicos.

bioeletrónico *Adj.* V. *bioeletrônico*. [Uso freq. em P.]

bioeletrônico [De *bi(o)-* + *eletrônico*.] *Adj.* Próprio de, ou relativo a bioeletrônica.

bioenergética [De *bi(o)-* + *energética*.] *S. f.* **1.** *Biol.* Estudo das transformações da energia nos seres vivos (produção de movimento, luz, calor, eletricidade). **2.** *Psic.* Teoria criada por Alexander Lowen (1910-2008), a qual considera a personalidade em termos do corpo e seus processos energéticos (produção da energia através da respiração e do metabolismo e descarga de energia pelo movimento). **3.** *Psic.* Método terapêutico baseado nessa teoria e que combina o trabalho com o corpo e com a mente, para ajudar a resolver problemas emocionais.

bioenergético[1] [De *bioenergética*, com var. suf. (v. *-ico*[2]).] *Adj.* Relativo à bioenergética, ou próprio dela: *estudos bioenergéticos; análise bioenergética*.

bioenergético[2] [De *bioenergia* + *-ético*.] *Adj.* Relativo a bioenergia.

bioenergia [De *bi(o)-* + *energia*.] *S. f.* **1.** *Ecol.* Energia obtida pela transformação química da biomassa. **2.** *Biol.* Energia produzida em processos biológicos. **3.** Energia vital (q. v.).

bioengenharia [De *bi(o)-* + *engenharia*.] *S. f.* **1.** *Genét.* Designação genérica de técnicas que visam a realçar certos traços genéticos de seres vivos com o objetivo de desenvolver espécies mais úteis para certas finalidades (cultivo agrícola, p. ex.) ou mais resistentes aos ataques de pragas ou à hostilidade do meio. **2.** Aplicação da engenharia à adaptação de equipamentos às necessidades dos organismos vivos (em geral, humanos), e que visa, p. ex., a criar sistemas de proteção à vida para missões submarinas e espaciais, aparelhagem para substituir ou complementar, temporária ou permanentemente, a função de um órgão, instrumental para monitorizar funções biológicas várias, como circulação e respiração, etc.

bioensaio [De *bi(o)-* + *ensaio*.] *S. m. Ecol.* Experimento padronizado que serve para investigar os efeitos de determinada substância sobre um organismo vivo.

bioequivalência [De *bi(o)-* + *equivalência*.] *S. f. Farm.* Equivalência, quanto às propriedades farmacológicas e de biodisponibilidade, de medicamentos diferentes que têm um mesmo fármaco como princípio ativo.

bioestatística [De *bi(o)-* + *estatística.*] ***S. f.*** Parte da estatística que investiga os atributos quantitativos biológicos das populações humanas a fim de estabelecer relações gerais válidas para determinados agrupamentos.

bioestatístico [De *bioestatística*, com var. suf. (v. *-ico*[2]).] ***Adj.*** Referente à bioestatística.

bioética [De *bi(o)-* + *ética.*] ***S. f.*** O estudo dos problemas éticos suscitados pelas pesquisas biológicas e pelas suas aplicações por pesquisadores, médicos, etc.

biófago [De *bi(o)-* + *-fago.*] ***Adj. S. m.*** *Biol.* Que, ou aquele que se nutre à custa de um organismo vivo.

biofarmácia [De *bi(o)-* + *farmácia.*] ***S. f.*** *Farmac.* Ramo da farmacologia que estuda a relação entre as propriedades físico-químicas dos medicamentos e sua biodisponibilidade.

→ **biofeedback** [ˌbajowˈfijdbæk] [Ingl.] ***S. m.*** *Fisiol.* Procedimento em que, ger. por meio auditivo ou visual, se fornecem a um indivíduo dados relativos a certos fenômenos fisiológicos dele próprio, tais como pressão arterial, temperatura cutânea, etc., o que lhe possibilita, muitas vezes, o controle voluntário, até certo ponto, desses fenômenos.

biofilia [De *bi(o)-* + *-filia.*] ***S. f.*** Instinto de conservação; amor à vida.

biofílico [De *biofilia* + *-ico*[2].] ***Adj.*** **1.** Referente a biofilia. **2.** Que tem biofilia; biófilo. ● ***S. m.*** **3.** Aquele que tem biofilia; biófilo.

biofilme [De *bi(o)-* + *filme.*] ***S. m.*** *Biol. Ecol.* Comunidade estruturada de microrganismos que recobre uma superfície.

biófilo [De *bi(o)-* + *-filo*[2].] ***Adj. S. m.*** Biofílico (2 e 3).

biofísica [De *bi(o)-* + *física.*] ***S. f.*** Estudo dos fenômenos biológicos pelos métodos e teorias da física.

biofísico ***Adj.*** **1.** Relativo à biofísica. **2.** Diz-se dos processos físicos ocorrentes nos organismos vivos. ● ***S. m.*** **3.** Especialista em biofísica.

biófito [De *bi(o)-* + *-fito.*] ***S. m.*** *Bot.* Planta biófaga.

biofobia [De *bi(o)-* + *-fobia.*] ***S. f.*** Horror mórbido à vida.

biofóbico [De *biofobia* + *-ico*[2].] ***Adj.*** *Psiq.* **1.** Relativo a biofobia. **2.** Que sofre de biofobia; biófobo. ● ***S. m.*** **3.** Aquele que sofre de biofobia; biófobo.

biófobo [De *bi(o)-* + *-fobo.*] ***Adj. S. m.*** *Psiq.* Biofóbico (2 e 3).

biofotogénese ***S. f.*** *Bioquím.* V. *biofotogênese.* [Uso freq. em P.]

biofotogênese [De *bi(o)-* + *-fot(o)-* + *-gênese.*] ***S. f.*** *Bioquím.* Bioluminescência.

biogás [De *bi(o)-* + *gás.*] ***S. m.*** *Quím.* Gás resultante da decomposição anaeróbica de biomassa, como, p. ex., lixo urbano ou resíduos agrícolas, que pode ser us. como combustível devido ao seu alto teor de metano.

biogénese ***S. f.*** *Biol.* V. *biogênese.* [Uso freq. em P.]

biogênese [De *bi(o)-* + *-gênese.*] ***S. f.*** *Biol.* Princípio segundo o qual todo ser vivo provém de outro ser vivo preexistente.

biogenético [De *biogên(ese)* + *-ético.*] ***Adj.*** *Biol.* Relativo à biogênese.

biogenia [De *bi(o)-* + *-genia.*] ***S. f.*** *Biol.* Estudo da evolução dos seres vivos.

biogénico ***Adj.*** *Biol.* V. *biogênico.* [Uso freq. em P.]

biogênico [De *biogenia* + *-ico*[2].] ***Adj.*** *Biol.* Relativo à biogenia.

biogeocenose [De *bi(o)-* + *-geo-* + *-cen(o)-*[2] + *-ose*[1].] ***S. f.*** *Ecol.* Ecossistema.

biogeografia [De *bi(o)-* + *geografia.*] ***S. f.*** Estudo da distribuição geográfica dos seres vivos no passado e no presente, através da sua história e relações com os outros seres e o ambiente. ◆ **Biogeografia descritiva.** *Ecol.* A que descreve a atual localização dos seres vivos. **Biogeografia ecológica.** *Ecol.* A que estuda a distribuição dos organismos, com base na capacidade de que têm de colonizar novas áreas. **Biogeografia histórica.** *Ecol.* A que estuda a evolução dos seres vivos, suas relações filogenéticas e os eventos geológicos e geográficos associados.

biogeográfico [De *biogeografia* + *-ico*[2].] ***Adj.*** Relativo à biogeografia.

biogeógrafo [De *bi(o)-* + *geógrafo.*] ***S. m.*** Especialista em biogeografia.

biogeoquímica [De *bi(o)-* + *geoquímica.*] ***S. f.*** Parte da geoquímica que estuda a influência dos seres vivos sobre a composição química da Terra.

biogeoquímico [De *bi(o)-* + *-ge(o)-* + *químico.*] ***Adj.*** Relativo à biogeoquímica. ~ V. *ciclo —.*

biognose [De *bi(o)-* + *-gnose.*] ***S. f.*** Estudo ou ciência da vida.

biognosia [De *bi(o)-* + *-gnosia.*] ***S. f.*** Conhecimento da vida.

biografado [Part. de *biografar.*] ***Adj. S. m.*** Diz-se de, ou aquele de quem se fez a biografia.

biografagem [De *biografar* + *-agem*[2].] ***S. f.*** **1.** Ação de biografar. **2.** Arte ou modo de fazer biografias.

biografar [De *bi(o)-* + *-graf(o)-* + *-ar*[2].] ***V. t. d.*** **1.** Fazer a biografia de. ***P.*** **2.** Escrever a própria biografia: 📖 *Em* Minha Formação, *Joaquim Nabuco* biografa-se. [Pres. ind.: *biografo*, etc. Cf. *biógrafo.*]

biografia [De *bi(o)-* + *-grafia.*] ***S. f.*** **1.** Descrição ou história da vida de uma pessoa. **2.** Livro que constitui uma biografia (1).

biográfico [De *biografia* + *-ico*[2].] ***Adj.*** **1.** Relativo à biografia. **2.** Que contém biografias: 📖 *dicionário biográfico.*

biografismo [De *biografia* + *-ismo.*] ***S. m.*** Tendência abusiva para a biografia.

biografista [De *biografia* + *-ista.*] ***S. 2 g.*** Biógrafo.

biógrafo [De *bi(o)-* + *-grafo.*] ***S. m.*** Autor de biografia(s); biografista. [Cf. *biografo*, do v. *biografar.*]

bioincrustração [De *bi(o)-* + *incrustação.*] ***S. f.*** *Biol.* Crescimento de microrganismos, algas e invertebrados, sobre estruturas submersas em água.

bioindicador [De *bi(o)-* + *indicador.*] ***S. m.*** *Ecol.* Organismo us. para monitorar a saúde de um ecossistema, pois as respostas às perturbações que este apresenta, como, p. ex., acúmulo de toxinas, modificação estrutural, ou até seu desaparecimento, são pistas importantes sobre as condições do ambiente.

bioindústria [De *bi(o)-* + *indústria.*] ***S. f.*** **1.** Conjunto de atividades industriais em que se empregam matérias-primas e/ou processos biológicos de transformação. **2.** Empresa que exerce tais atividades.

biointegração [De *bi(o)-* + *integração.*] ***S. f.*** *Biol.* O primeiro estágio da união bioquímica do tecido ósseo vivo à superfície de um implante inserido no organismo.

bioisosterismo [De *bi (o)-* + *isosterismo.*] ***S. m.*** *Quím.* Semelhança de propriedades, esp. as biológicas, entre compostos análogos que diferem por alguns átomos ou grupos diferentes.

bioisóstero [De *bi (o)-* + *isóstero.*] ***Adj.*** *Quím.* Que apresenta bioisosterismo.

biojoia [De *bi(o)-* + *joia.*] ***S. f.*** Joia feita de matéria-prima vegetal, esp. de sementes (jarina, buriti, etc.), fibras e cascas de coco, etc., que são coletadas sem causar prejuízo à natureza.

biólise [De *bi(o)-* + *-lise.*] ***S. f.*** *Biol.* Morte de matéria viva e sua subsequente degradação.

biolítico [De *biól(ise)* + *-ítico.*] ***Adj.*** *Biol.* **1.** Relativo à biólise. **2.** Diz-se de substância ou resíduo produzido por biólise.

biólito [De *bi(o)-* + *-lito.*] ***S. m.*** *Petr.* Rocha sedimentar constituída de restos de organismos animais ou vegetais.

biologia [De *bi(o)-* + *-logia.*] ***S. f.*** Estudo dos seres vivos e das leis da vida. ◆ **Biologia diferencial.** V. *biotipologia.* **Biologia geral.** Estudo dos seres vivos como um todo, sem particularização animal ou vegetal; estudos das leis gerais da vida; estudo das características gerais dos seres vivos. **Biologia molecular.** Área de conhecimento na fronteira entre a biologia e a química ou, mais especificamente, a bioquímica, e na qual são estudadas as estruturas, as funções e os mecanismos de atuação dos biopolímeros, esp. proteínas e ácidos nucleicos. **Biologia social.** Conjunto de estudos em que se aplicam os conhecimentos biológicos à análise e solução de problemas de natureza social (como poluição, superpopulação, etc.). [Cf. *sociobiologia.*]

biológico [De *biologia* + *-ico*[2].] ***Adj.*** Relativo à biologia. ~ V. *antropologia —a, arma —a, buraco —, ciclo —, ciências —as, corrosão —a, forma —a, guerra —a, oceanografia —a, química —a, saída —a* e *vetor —.*

biologista [De *biologia* + *-ista.*] ***S. 2 g.*** Biólogo.

biólogo [De *bi(o)-* + *-logo.*] ***S. m.*** Especialista em biologia; biologista.

bioluminescência [De *bi(o)-* + *luminescência.*] ***S. f.*** *Bioquím.* Quimiluminescência que ocorre em organismos vivos; biofotogênese.

bioluminescente [De *bi(o)-* + *luminescente.*] ***Adj. 2 g.*** *Bioquím.* Que produz bioluminescência.

bioma [De *bi(o)-* + *-oma*[2].] ***S. m.*** *Ecol.* Grande comunidade, ou conjunto de comunidades [v. *comunidade* (11)], distribuída numa extensa área geográfica, caracterizada por um tipo de vegetação dominante, e em que os organismos que nela vivem são adaptados às condições climáticas a ela associadas. [São exemplos de bioma a floresta tropical, a tundra, etc.]

biomarcador [De *bi(o)-* + *marcador.*] ***S. m.*** *Ecol.* Qualquer modificação bioquímica, histológica, fisiológica, etc., num organismo que surge como resposta a uma alteração do meio ambiente, como, por ex., a poluição.

biomassa [De *bi(o)-* + *massa*; ingl. *biomass.*] ***S. f.*** **1.** Qualquer matéria de origem vegetal, us. como fonte de energia. [Diversamente das fontes fósseis de energia (como, p. ex., o petróleo, o carvão de pedra, etc.), as biomassas oferecem a vantagem de serem renováveis em intervalos relativamente curtos de tempo.] **2.** *Ecol.* A quantidade de matéria viva de um ecossistema. [É ger. expressa em massa por unidade de área ou de volume.]

biomaterial [De *bi(o)-* + *material.*] ***S. m.*** *Med.* Qualquer material, de natureza diversa (metal, cerâmica, coral, etc.), cujas características o tornam apto a ser us. na composição de prótese, em órgão artificial, ou de instrumento destinado a exame, ou a ministração de medicamento (como cateteres, neste último caso), etc.

biombo [Do jap. *biobu.*] ***S. m.*** **1.** Anteparo móvel feito de caixilhos ou de folhas, ger. na vertical, articuladas por dobradiças, e empregado para, num cômodo, dividir ou isolar um espaço. **2.** Compartimento de peças de madeira ou de pano, fácil de armar e desarmar.

biomecânica [De *bi(o)-* + *mecânica* (4).] ***S. f.*** **1.** O estudo dos fundamentos mecânicos das atividades biológicas, em especial as musculares. **2.** *Teatr.* Princípio da representação (17) fundado na acrobacia, na dança e na estilização excessiva, visando ao desempenho não realista e reteatralizado, posto em prática nos anos 1920 pelo diretor e encenador russo V. Y. Meyerhold (1874-1942).

biomecânico [De *biomecânica*, com var. suf. (v. *-ico*[2]).] ***Adj.*** **1.** Relativo à biomecânica. ● ***S. m.*** **2.** Especialista nessa matéria.

biomedicina [De *bio(ciência)* + *medicina.*] ***S. f.*** A biociência que estuda as aplicações das ciências naturais, esp. a bioquímica e a biofísica, à medicina.

biomédico [De *bi(o)-* + *médico*[2].] ***Adj.*** **1.** De, ou pertencente ou relativo à biomedicina. ● ***S. m.*** **2.** Especialista em biomedicina.

biômetra [De *bi(o)-* + *-metra*[2].] ***S. 2 g.*** Especialista em biometria.

biometria [De *bi(o)-* + *-metria.*] ***S. f.*** **1.** Ramo da ciência que estuda a mensuração dos seres vivos. **2.** Cálculo da duração provável da vida nos seres vivos. **3.** Biometria estatística. ◆ **Biometria estatística.** Parte da estatística que investiga atributos biológicos quantitativos pertinentes a uma população de seres vivos. [Tb. se diz apenas *biometria.*]

biométrico [De *biometria* + *-ico*[2].] ***Adj.*** Referente à biometria.

biomolécula [De *bi(o)-* + *molécula.*] ***S. f.*** *Bioquím.* Qualquer das moléculas que formam a estrutura de um organismo, ou que, nele, participam de processos bioquímicos.

biomórfico [De *bi(o)-* + *-morf(o)-* + *-ico*[2].] ***Adj.*** Diz-se de estrutura (p. ex., nas artes plásticas ou nas artes gráficas) cuja forma lembra a dos seres vivos.

biomorfismo [De *bi(o)-* + *-morf(o)-* + *-ismo.*] ***S. m.*** Caráter biomórfico que uma obra gráfica ou de arte pode apresentar.

biomorfose [De *bi(o)-* + *-morf(o)-* + *-ose*[1].] ***S. f.*** *Biol.* Alteração morfológica decorrente da associação de dois organismos, como, p. ex., a causada em plantas por certos parasitas.

biomorfótico [De *biomorf(ose)* + *-ótico.*] ***Adj.*** *Biol.* Respeitante à biomorfose.

biongo ***S. m.*** *Bras.* **1.** Pequena venda ou botequim. **2.** Casa de palha; choça.

biónica ***S. f.*** V. *biônica.* [Uso freq. em P.]

biônica [De *bi(o)-* + *(eletrô)nica*; adapt. do ingl. *bionics.*] ***S. f.*** *Biol.* O estudo das funções, características e fenômenos observados nos seres vivos, a fim de aplicar tais conhecimentos na idealização de novas técnicas e construção de novos aparelhos e máquinas, em especial no campo da eletrônica.

biónico ***Adj.*** V. *biônico.* [Uso freq. em P.]

biônico [De *biônica*, com var. suf. (v. *-ico*[2]).] ***Adj.*** **1.** Pertencente ou relativo à biônica, ou obtido por aplicação de seus conhecimentos. **2.** *Bras. Joc. Obsol.* Diz-se de senador, etc., não eleito, mas, sim, nomeado por imposição ou segundo disposição não democrática. ● ***S. m.*** **3.** *Bras. Joc.* Aquele que é nomeado para cargo por sua natureza eletivo.

biónimo ***S. m.*** V. *biônimo.* [Uso freq. em P.]

biônimo [De *bi(o)-* + *-ônimo.*] ***S. m.*** Nome de um ser vivo.

bionte [De *bi(o)-* + rad. gr. *-ont* < part. pres. de *eînai*, 'ser'; ingl. *biont.* Cf. *-bionte.*] ***S. m.*** *Biol.* Ser vivo, uno e independente.

▲ **-biont(e)-** Equiv. de *-bionte.*

▲ **-bionte** [Do V.C.I. *-biont* < gr. *biount-*, part. pres. de *bioûn*, 'viver'.] ***El. comp.*** = 'que vive', 'que apresenta modo de vida específico': *aerobionte.* [Equiv.: *-biont(e)-*: *aerobiontia.* Cf. *bionte.*]

biôntico [De *bionte* + *-ico*[2].] ***Adj.*** Relativo a bionte, ou próprio dele.

biopirataria [De *bi(o)-* + *pirataria.*] ***S. f.*** Exploração fraudulenta de recursos biológicos, ou de conhecimentos científicos, de um país, contrariando as regras internacionais da Convenção de Diversidade Biológica de 1992.

bioplastia [De *bi(o)-* + *-plast(o)-* + *-ia*[1].] *S. f.* Técnica de tratamento estético da face e/ou do corpo, que consiste na aplicação de substância biocompatível (esp. o metacrilato) para preenchimento, p. ex., de rugas e sulcos.

biopolímero [De *bi(o)-* + *polímero*.] *S. m. Quím.* Qualquer dos polímeros (p. ex., polissacarídeos, polipeptídeos e ácidos nucleicos) formados no organismo (1) ou preparados por biotecnologia.

biopse [De *bi(o)-* + *-opse*.] *S. f. Med.* V. *biopsia*.

biopsia [De *bi(o)-* + *-opsia*.] *S. f. Med.* Retirada de um fragmento de tecido de organismo vivo para o exame da natureza das alterações nele existentes; biopse. [A pronúncia corrente é *biópsia*.]

biópsia *S. f. Med.* V. *biopsia*.

biopsiar [De *biopsia/biópsia* + *-ar*[2].] *V. t. d. Patol.* Efetuar biópsia em.

biópsico [De *biopsia* + *-ico*[2].] *Adj.* V. *bióptico*.

biopsíquico [De *bi(o)-* + *-psiqu(e)-* + *-ico*[2].] *Adj.* Psicossomático.

bióptico [De *bi(opsia)* + *-óptico*, seg. o padrão erudito.] *Adj.* Relativo a biopsia. [F. paral.: *biópsico*.]

biopulpectomia [De *bi(o)-* + *pulpectomia*.] *S. f. Odont.* Esvaziamento da cavidade pulpar com a polpa dentária ainda viva.

bioquice [De *bioco* (ô) + *-ice*.] *S. f.* Afetação de pudor ou modéstia; hipocrisia.

bioquímica [De *bi(o)-* + *química*.] *S. f.* Ramo da química que trata das reações que ocorrem em organismos vivos; química biológica, química fisiológica.

bioquímico [De *bioquímica*, com var. suf. (v. *-ico*[2]).] *Adj.* **1.** Relativo à bioquímica. ● *S. m.* **2.** Especialista em bioquímica.

biorana *S. f. Bras. Bot.* V. *abiurana*.

biorreceptor (ô) [De *bi (o)-* + receptor.] *S. m. Bioquím.* Estrutura molecular em biomolécula, ger. proteína, que é o local responsável pela interação específica com um ligante.

biorredutor (ô) [De *bi(o)-* + *redutor*.] *Adj. S. m. Ecol.* Decompositor.

biorrítmico [De *biorritmo* + *-ico*[2].] *Adj. Biol.* Relativo a biorritmo.

biorritmo [De *bi(o)-* + *ritmo*.] *S. m. Biol.* Ritmo próprio a determinado processo biológico, num indivíduo ou numa espécie.

▲ **-biose** [Do gr. *-bíōsis* < gr. *bíōsis, eōs* < gr. *bioûn*, 'viver'.] *El. comp.* = 'modo de vida'; 'meio de vida': *acantobiose, anidrobiose, antibiose, ortobiose, simbiose* (< gr.).

biosfera [De *bi(o)-* + *-sfera*.] *S. f. Ecol.* Conjunto de todos os ecossistemas da Terra; biociclo, ecosfera.

biossatélite [De *bi(o)-* + *satélite*.] *S. m. Astron.* Satélite destinado a transportar seres vivos.

biossegurança [De *bi(o)-* + *segurança*.] *S. f. Med.* O conjunto de estudos e procedimentos que visam a evitar ou controlar os eventuais problemas suscitados por pesquisas biológicas e/ou por suas aplicações.

biossesto *S. m. Ecol.* V. *abiosséston*.

biosséston [De *bi(o)-* + *séston*.] *S. m. Ecol.* V. *séston*. [Var.: *biossesto*.]

biossíntese [De *bi(o)-* + *síntese*.] *S. f. Bioquím.* Síntese, ger. em várias etapas, de substância ou conjunto de substâncias, pelo metabolismo de um organismo.

biossintético [De *biossínt(ese)* + *-ético*.] *Adj. Bioquím.* Relativo a, ou próprio de, ou originado por biossíntese.

biossistema [De *bi(o)-* + *sistema*.] *S. m. Ecol.* Os componentes bióticos de um ecossistema.

biossocial [De *bi(o)-* + *social*.] *Adj. 2 g.* Relativo à interação de fatores biológicos e sociais, à combinação deles, ou que acarreta uma, ou outra: *seleção biossocial*.

biossociologia [De *bi(o)-* + *sociologia*.] *S. f. Biol.* Estudo das comunidades vivas como sistemas integrados.

biossociológico [De *biossociologia* + *-ico*[2].] *Adj. Biol.* Relativo à biossociologia.

biota [Do gr. *bioté*.] *S. f. Ecol.* O conjunto dos seres vivos de uma região.

biotáctico [De *bi(o)-* + *-tá(c)tico*.] *Adj.* Relativo à biotaxia; biotaxinômico. [Var.: *biotático*.]

biotático *Adj.* V. *biotáctico*.

biotaxia (cs) [De *bi(o)-* + *-taxia*.] *S. f.* V. *biotaxinomia*.

biotáxico (cs) [De *biotaxia* + *-ico*[2].] *Adj.* V. *biotáctico*.

biotaxinomia (cs) [De *bi(o)-* + *taxinomia*.] *S. f. Biol.* Classificação dos seres vivos; biotaxia, biotaxionomia, biotaxonomia.

biotaxinómico (cs) *Adj.* V. *biotaxinômico*. [Uso freq. em P.]

biotaxinômico (cs) [De *biotaxinomia* + *-ico*[2].] *Adj.* Relativo ou pertencente à biotaxinomia; biotaxionômico, biotaxonômico.

biotaxionomia (cs) [De *bi(o)-* + *taxionomia*.] *S. f.* V. *biotaxinomia*.

biotaxionómico (cs) *Adj.* V. *biotaxionômico*. [Uso freq. em P.]

biotaxionômico (cs) *Adj.* V. *biotaxinômico*.

biotaxonomia (cs) [De *bi(o)-* + *taxonomia*.] *S. f.* V. *biotaxinomia*.

biotaxonómico (cs) *Adj.* V. *biotaxonômico*. [Uso freq. em P.]

biotaxonômico (cs) [De *biotaxonomia* + *-ico*[2].] *Adj.* V. *biotaxinômico*.

biotecnia [De *bi(o)-* + *-tecn(o)-* + *-ia*[1].] *S. f.* **1.** A arte e a técnica de adaptar os organismos vivos às necessidades do homem. **2.** Aplicação da biotecnia (1) à engenharia e ao *design*.

biotécnico [De *biotecnia* + *-ico*[2].] *Adj.* Relativo ou pertencente à biotecnia.

biotecnologia [De *bi(o)-* + *-tecn(o)-* + *-logia*.] *S. f.* Aplicação de processos biológicos à produção de materiais e substâncias para uso industrial, medicinal, farmacêutico, etc.

biotecnológico [De *biotecnologia* + *-ico*[2].] *Adj.* Relativo ou pertencente à biotecnologia.

biotério [De *bi(o)-* + *-tério*[2].] *S. m. Bras.* Viveiro de cobaias e outros animais empregados em experiências de laboratório, produção de soros, vacinas, etc.

bioterrorismo [De *bi(o)-* + *terrorismo*.] *S. m.* Modalidade de terrorismo em que se faz uso de arma biológica: 📖 "Assustados com a constatação de que o bioterrorismo pode dizimar a população de uma metrópole, as cidades americanas estão começando a tomar uma série de medidas para reagir a possíveis ataques." (*O Globo*, 19.03.1998.)

biótico [De *bi(o)-* + *-ótico*.] *Adj. Ecol.* Relativo aos seres vivos, ou induzido, ou causado por eles. ~ V. *componente* —.

biotina [Do gr. *bíotos*, 'meios de existência', 'recursos', + *-ina*[3].] *S. f. Quím.* Substância cristalina que é uma das vitaminas do complexo vitamínico B (vitamina B_7) [fórm.: $C_{10}H_{16}N_2O_3S$].

biotípico [De *biótipo* + *-ico*[2].] *Adj.* Referente a biótipo.

biótipo [De *bi(o)-* + *-tipo*.] *S. m.* **1.** *Ecol.* Conjunto de indivíduos cujos patrimônios genéticos muito se assemelham. **2.** *Med.* Tipo constitucional. [A pronúncia corrente no Brasil é *biotipo*.]

biotipologia [De *bi(o)-* + *-tip(o)-* + *-logia*.] *S. f.* Estudo das constituições, temperamentos e caracteres; biologia diferencial; tipologia.

biotipológico [De *biotipologia* + *-ico*[2].] *Adj.* Referente à biotipologia; tipológico.

biotita [Do antr. (*Jean Baptiste*) *Biot* (1774-1862), naturalista francês, + *-ita*[3].] *S. f. Min.* Mineral monoclínico, sulfato hidratado de sódio e magnésio; astracanita.

biotomia [De *bi(o)-* + *-tom(o)-* + *-ia*[1].] *S. f. Biol.* Dissecação ou corte em um ser vivo.

biotómico *Adj. Biol.* V. *biotômico*. [Uso freq. em P.]

biotômico [De *biotomia* + *-ico*[2].] *Adj. Biol.* Relativo à biotomia.

biótopo [De *bi(o)-* + *-topo*.] *S. m. Ecol.* Área física na qual os biótipos adaptados a ela e às condições ambientais se apresentam praticamente uniformes.

biotoponímia [De *bi(o)-* + *-top(o)-* + *-onim(o)-* + *-ia*[1].] *S. f.* Toponímia que tira a sua origem de nomes de seres vivos animais ou vegetais.

biotoponímico [De *biotoponímia* + *-ico*[2].] *Adj.* Relativo à biotoponímia.

biotopónimo *S. m.* V. *biotopônimo*. [Uso freq. em P.]

biotopônimo [De *bi(o)-* + *-top(o)-* + *-ônimo*.] *S. m.* Topônimo originário do nome de um ser vivo.

biotransformação [De *bi(o)-* + *transformação*; ingl. *biotransformation*.] *S. f. Bioquím.* Qualquer conversão química de substâncias, que seja mediada por organismos vivos ou por enzimas derivadas desses organismos.

biotropismo [De *bi(o)-* + *tropismo*.] *S. m.* **1.** *Biol.* Movimento orientado, realizado por alguns vegetais, segundo estímulos do ambiente. [Cf., nesta acepç., *fototropismo* e *geotropismo*.] **2.** Afinidade pelos seres vivos. **3.** *Med.* Diminuição da resistência orgânica que permite a ativação de infecção latente. **4.** *Med.* A facilidade de exercer-se a atividade reprodutora de agentes microbianos no organismo, por efeito nocivo de outro agente.

biovulado [De *bi-*[1] + *-ovul(i)-* + *-ado*[1].] *Adj. Biol.* Provido de dois óvulos: *ovário biovulado*.

biovular [De *bi-*[1] + *-ovul(i)-* + *-ar*[1].] *Adj. 2 g.* Que deriva de dois óvulos.

bioxalato [De *bi-*[2] + *oxalato*.] *S. m. Quím.* Sal do ácido oxálico com apenas um hidrogênio ácido substituído; oxalato ácido.

bióxido (cs) [De *bi-*[2] + *óxido*.] *S. m. Quím.* Dióxido.

bipar [De *bipe* + *-ar*[2].] *V. t. d.* Contatar (alguém) mediante o uso do bipe: *Já bipei o médico e o estou aguardando*.

biparido [De *bi-*[1] + *parido*.] *Adj.* Binascido.

bíparo [De *bi-*[1] + *-paro*.] *Adj. Bot.* Diz-se das inflorescências que apresentam ramificações bipartidas.

bipartição [De *bipartir* + *-ção*.] *S. f.* **1.** Ato ou efeito de bipartir(-se). **2.** *Biol.* Divisão em duas partes; cissiparidade. **3.** *Fís.-Quím.* Repartição de um soluto entre dois solventes imiscíveis e postos em contato.

bipartidário [De *bi-*[1] + *partido* + *-ário*.] *Adj.* Referente ao bipartidarismo.

bipartidarismo [De *bi-*[1] + *partidarismo*.] *S. m.* Situação política de um Estado onde só existem ou só têm importância dois partidos políticos.

bipartidarista [De *bipartidarismo* + *-ista*.] *Adj. 2 g. S. 2 g.* Diz-se de, ou pessoa partidária do bipartidarismo.

bipartido [Part. de *bipartir*.] *Adj.* **1.** Partido ou dividido em duas partes. **2.** Dividido ao meio.

bipartir [Do lat. *bipartire*.] *V. t. d.* **1.** Dividir em duas partes. **2.** Dividir ao meio. *P.* **3.** Dividir-se em duas partes; bifurcar-se.

bipatente [Do lat. *bipatente*.] *Adj. 2 g.* Aberto de dois lados, ou para dois lados.

bipe [Do ingl. *beep*, voc. onom.] *S. m.* **1.** Sinal sonoro, breve, produzido por certos aparelhos eletrônicos. **2.** Equipamento de telecomunicações que produz o bipe (1). [Cf. *pager*.]

bipedal[1] [Do lat. *bipedale*.] *Adj. 2 g.* Que tem dois pés de largura, comprimento ou espessura.

bipedal[2] [De *bípede* + *-al*[1].] *Adj. 2 g.* Relativo aos bípedes.

bípede [Do lat. *bipede*.] *Adj. 2 g.* **1.** Que tem ou anda em dois pés; dípode. ● *S. m.* **2.** Animal que anda sobre dois pés.

bipedestação [Do lat. *bipede* + lat. *statione*.] *S. f.* Posição ereta com apoio nos dois pés: *a bipedestação do ser humano*.

bipeltado [De *bi-*[1] + *pelta* + *-ado*[1].] *Adj.* Que tem duas couraças ou escudos.

bipenado [De *bi-*[1] + *-pen(i)-* + *-ado*[1].] *Adj. Bot.* V. *folha* —*a*.

bipene[1] [Do adj. lat. *bipennis, e*.] *Adj. 2 g.* Biplume.

bipene[2] [Do s. f. lat. *bipennis, is*.] *S. f.* Machadinha com dois gumes.

biperfurado [De *bi-*[1] + *perfurado*.] *Adj.* Com dois furos; duas vezes perfurado.

bipetalado [De *bi-*[1] + *-petal(o)-* + *-ado*[1].] *Adj. Bot.* V. *bipétalo*.

bipetalar [De *bi-*[1] + *-petal(o)-* + *-ar*[1].] *Adj. 2 g. Bot.* V. *bipétalo*.

bipétalo [De *bi-*[1] + *-pétalo*.] *Adj. Bot.* Que tem duas pétalas; bipetalado, bipetalar.

bipinária [Do lat. cient. *bipinnaria* (*larva*).] *S. f. Zool.* Larva de equinoderno asteroide.

bipirâmide [De *bi-*[1] + *pirâmide*.] *S. f. Geom.* Sólido formado por duas pirâmides justapostas pela base.

biplano [De *bi-*[1] + *plano*.] *Adj. S. m.* Diz-se de, ou aeroplano cujas asas de sustentação são formadas por dois planos paralelos.

biplume [De *bi-*[1] + *-plume*.] *Adj. 2 g.* Que tem duas asas; bipene.

bipolar[1] [De *bi-*[1] + *polo*[1] + *-ar*[1].] *Adj. 2 g.* **1.** Que tem dois polos. **2.** Que ocorre nas duas regiões polares, ou é relativo ou pertencente a elas. **3.** *Biol.* Diz-se do fuso que, durante a cariocinese, apresenta dois polos. **4.** Que tem elementos de natureza ou características completamente opostas. **5.** *Psiq.* Que padece de transtorno bipolar. ● *S. 2 g.* **6.** *Psiq.* Pessoa bipolar (5). ~ V. *transtorno* —.

bipolar[2] [De *bipolo* + *-ar*[1].] *Adj. 2 g.* **1.** *Eletr.* Que tem ou que requer o uso de um bipolo. **2.** *Eletrôn.* Diz-se de dispositivo cuja operação depende essencialmente de elétrons e buracos como portadores de carga. ~ V. *chave* —, *tecnologia* — *e transistor* —.

bipolaridade [De *bipolar*[1] + *-(i)dade*.] *S. f. Fís.* **1.** Existência de dois polos contrários num corpo. **2.** Qualidade ou condição de bipolar.

bipolarização [De **bipolarizar* (*bipolar*[2] + *-izar*) + *-ção*.] *S. f. Eletr.* Ato ou efeito de tornar bipolar.

bipolo [De *bi-*[1] + *polo*[1].] *S. m. Eng. Elétr.* Dispositivo elétrico com dois terminais diretamente acessíveis.

biporoso (ô) [De *bi-*[1] + *-por(o)-* + *-oso*.] *Adj.* Provido de dois poros ou aberturas: *antera biporosa*.

bipotencial [De *bi-*[1] + *potência* + *-al*[1].] *Adj. 2 g.* Que tem ação ou potência em dois sentidos opostos.

bipotencialidade [De *bipotencial* + *-(i)dade*.] *S. f.* Qualidade de bipotencial.

biprisma [De *bi-*[1] + *prisma*.] *S. m.* **1.** *Fís.* Prisma de vidro, com ângulo próximo de 180°, idealizado por Augustin Jean Fresnel (1788-1827), físico francês, e usado no estudo da interferência luminosa, para produzir duas imagens de uma fonte. **2.** *Geom.* Sólido formado por dois prismas justapostos pela base.

bipropelente [De *bi-*[1] + *propelente*.] *S. m. Astron.* Propelente composto de duas substâncias, geralmente líquidas, que no princípio estão separadas.

biquadrada [F. subst. de *biquadrado*.] *S. f. Álg.* Equação biquadrada (q. v.).

biquadrado [De *bi-*[1] + *quadrado.*] ***Adj.*** Duas vezes quadrado. ~ V. *equação —a.*

biquara [De *abiquara*, com aférese.] ***S. f.*** *Bras. N. N.E. Zool.* V. *corcoroca* (2 e 3).

biquartzo [De *bi-*[1] + *quartzo.*] ***S. m.*** *Ópt.* Placa de quartzo constituída por duas metades, uma levogira e a outra dextrogira, com os eixos ópticos perpendiculares ao seu plano, e utilizada em polarimetria; placa de Soleil.

biqueira [De *bico*[1] + *-eira.*] ***S. f.* 1.** Remate que se ajusta à ponta de alguma coisa; ponteira. **2.** Calha ou tubo que sobressai à fachada de um edifício e serve para despejar longe da parede as águas pluviais recolhidas do telhado. **3.** Peça metálica colocada na ponta do sapato, ou apenas na ponta da sola, para reforço. [Sin., nesta acepç.: *chapinha.*] **4.** *P. ext.* O bico do sapato: 📖 "na bota, flores vermelhas e folhas verdes, em relevo no couro; biqueira de prata, com três tachinhas de ouro" (Carlos Drummond de Andrade, *A Bolsa & a Vida*, p. 143). **5.** *Bras. S.* V. *boquilha* (1). **6.** *Bras. S.* Embornal que se põe no focinho dos animais a fim de não pastarem; trompa.

biqueirada [De *biqueira* + *-ada*[1].] ***S. f.*** *Bras. Fut.* V. *bicanca* (3).

biqueiro [De *bico*[1] + *-eiro.*] ***Adj.* 1.** *Bras. Fam.* Que come pouco, ou que é difícil de agradar no comer; que tem má boca: 📖 "as cunhãs me trazendo tudo na mão, ... fazendo comidinha especial porque eu era biqueira." (Raquel de Queirós, *Memorial de Maria Moura*, p. 168). **2.** *Bras. BA RJ* Que bebe pouco. ● ***S. m.* 3.** *Bras. Gír.* V. *arrasta-pé* (1).

biquense ***Adj. 2 g.* 1.** De, ou pertencente ou relativo a Bicas (MG). ● ***S. 2 g.* 2.** O natural ou habitante de Bicas.

biquilha [De *bi-*[1] + *quilha.*] ***S. f.*** *Surf.* Prancha que tem duas quilhas.

biquinhense ***Adj. 2 g.* 1.** De, ou pertencente ou relativo a Biquinhas (MG). ● ***S. 2 g.* 2.** O natural ou habitante de Biquinhas.

biquinho ***S. m.*** Dim. de *bico*[1]. ◆ **Fazer biquinho.** *Fam.* V. *fazer beicinho.*

biquíni [Do top. *Bikini*, ilha do Oceano Pacífico onde, em 1946, se realizaram experiências com bombas atômicas, que a tornaram conhecida.] ***S. m.*** *Vest.* **1.** Maiô (q. v.) de duas peças de dimensões bastante reduzidas. **2.** Roupa de banho feminina, de duas peças (calcinha e sutiã), com dimensões bem reduzidas. **3.** Calcinha mais ou menos cavada, que cinge o corpo na altura dos quadris.

biquotidiano [De *bi-* [1] + *quotidiano.*] ***Adj.*** Que ocorre duas vezes por dia.

bira ***S. f.*** *Bras.* Buraco cavado pelas crianças para o jogo do pião.

biraia ***S. f.*** *Bras.* **1.** Megera (1). **2.** *Deprec.* Meretriz.

birapaçapara *Bras.* ***S. 2 g.* 1.** *Etnôn.* Indivíduo dos birapaçaparas, povo indígena extinto que habitava a bacia do rio Juruena (MT). ● ***Adj. 2 g.* 2.** Pertencente ou relativo a esse povo. [Tb. us. como *s. 2 g. e 2 n.* (com cap.) e *adj. 2 g. e 2 n.*]

birbante [Do it. *birbante.*] ***Adj. 2 g. S. 2 g.*** Patife, tratante.

■ **Bird** Sigla de *Banco Internacional de Reconstrução e Desenvolvimento — Banco Mundial.*

➔ **birdie** ['bɜdij] [Ingl.] ***S. m.*** *Esport.* No golfe, jogada em que se atinge o buraco com uma tacada a menos que o par (21).

biri [De or. tupi, poss.] ***S. m.*** *Bras. Bot.* **1.** Designação comum a diversas canáceas silvestres do gênero *Canna* (v. *cana*[2]) cultivadas como ornamentais pelas grandes flores de corola branca, vermelha, alaranjada ou rósea, reunidas em espigas terminais. [Sin.: *cana-da-índia.*] **2.** A semente de qualquer dessas espécies.

biriba[1] [Do tupi = 'pequeno', 'pouco'.] ***S. 2 g.* 1.** *Bras.* O habitante da região serrana do RS. **2.** *Bras.* O natural de SP. **3.** *Bras. S.* V. *caipira* (1). **4.** *Bras. RS* Tropeiro de mula. **5.** *Bras.* Égua pequena, porém já apta para o trabalho. ● ***Adj. 2 g.* 6.** *Bras.* V. *caipira* (3 e 4). **7.** *Bras.* Cheio de melindres; desconfiado. [Var.: *biriva.*]

biriba[2] [De *biribá*, poss.] ***S. f.*** *Bras.* V. *cacete* (1).

biriba[3] ***S. m.*** *Bras.* **1.** Jogo carteado, originário da canastra[2] (1), no qual se distribuem, além das 11 cartas a cada jogador, mais duas mãos completas, que ficam à parte e constituem o biriba propriamente dito. [O objetivo do jogo é bater com rapidez a fim de pegar o biriba e descartá-lo inteiramente antes que os parceiros o façam.] **2.** Cada uma das duas mãos completas distribuídas além das dos parceiros no jogo do biriba; morto.

biribá [Do tupi.] ***S. m.*** *Bras. Bot.* **1.** Biribazeiro. **2.** O fruto dessa árvore. [Cf. *beribá.*]

biribada [De *biriba*[1] + *-ada*[1].] ***S. f.* 1.** Grupo ou ajuntamento de biribas (v. *biriba*[1]). **2.** Ação própria de biriba[1].

biribá-de-pernambuco ***S. m.*** *Bras. N.E. L. C. Bot.* V. *biribá-verdadeiro.* [Pl.: *biribás-de-pernambuco.*]

biribarana [De *biribá* + *-rana.*] ***S. f.*** *Bras. AM Bot.* Arvoreta anonácea (*Duguetia spixiana*) de folhas lanceoladas, cuspidadas e pilosas inferiormente, flores vistosas e solitárias, e cujo fruto, que alcança o tamanho de uma cabeça de criança, tem muitas sementes e é comestível. A madeira, leve, serve para caixas, boias e forros.

biribá-verdadeiro ***S. m.*** *Bras. N.E. L. C. Bot.* Árvore anonácea (*Duguetia marcgraviana*) dotada de fruto amarelo, e de polpa comestível, de uso medicinal, tal como as sementes. É usada para fazer vinho, e sua madeira é útil para obras internas e para estopa. [Sin.: *biribá-de-pernambuco, jaca-de-pobre.* Pl.: *biribás-verdadeiros.*]

biribazeiro (bà) [De *biribá* + *-zeiro.*] ***S. m.*** *Bras. Bot.* Árvore anonácea (*Annona lanceolata*) frutífera, originária da América Central e cultivada no Brasil, de folhas lanceoladas e pilosas, flores trímeras e grandes, e cujo fruto, baga múltipla, rica em polpa saborosa e doce, contém numerosas sementes; biribá.

biri-biri [De or. tupi, poss.] ***S. m.*** *Bras. Zool.* Peixe anostomídeo (*Leporinus nigrutaeniatus*), da Amaz. e Guianas, com até 40cm de comprimento, de coloração cinza-prateada com faixas escuras. [Pl.: *biri-biris.*] ❖

biricera ***S. f.*** *Bras.* Coisa pequena, de pouco valor, insignificante.

birigui [Do tupi = 'mosca pequena'.] ***S. m.*** *Bras. Zool.* V. *flebótomo*[2] (2). [Var.: *barigui.* Cf. *Birigui* (güi), top.]

biriguiense (güi) ***Adj. 2 g.* 1.** De, ou pertencente ou relativo a Birigui (SP). ● ***S. 2 g.* 2.** O natural ou habitante de Birigui. ❖

birinaite [De *biri(ta)* + ingl. *night*, 'noite'.] ***S. m.*** *Gír.* Birita (2).

birita [Do ingl. *beer*, poss.] ***S. f.*** *Bras. RJ Pop.* **1.** V. *cachaça* (1). **2.** *P. ext.* Qualquer bebida alcoólica.

biritado [Part. de *biritar.*] ***Adj.*** V. *embriagado* (1).

biritar [De *birita* + *-ar*[2].] ***V. int.*** *Bras. Pop.* Beber birita.

biriteiro [De *birita* + *-eiro.*] ***Adj. S. m.*** *Bras. RJ* V. *ébrio* (2 e 8).

biritibano ***Adj.* 1.** De, ou pertencente ou relativo a Biritiba-Mirim (SP). ● ***S. m.* 2.** O natural ou habitante de Biritiba-Mirim.

biritinguense ***Adj. 2 g.* 1.** De, ou pertencente ou relativo a Biritinga (BA). ● ***S. 2 g.* 2.** O natural ou habitante de Biritinga.

biriva ***S. 2 g. Adj. 2 g.*** *Bras. S.* V. *biriba*[1].

birmã ***Adj. 2 g. S. 2 g. S. m.*** V. *birmanês.*

birmane ***Adj. 2 g. S. 2 g. S. m.*** V. *birmanês.*

birmanês ***Adj.* 1.** Da, ou pertencente ou relativo à antiga Birmânia (atual Mianmar, S.E. da Ásia). ● ***S. m.* 2.** O natural ou habitante desse país. **3.** *Gloss.* Língua sino-tibetana falada em Mianmar. [Sin. ger.: *birmane* e *birmã.* Flex.: *birmanesa* (ê), *birmaneses* (ê), *birmanesas* (ê).]

biró [Do concani *vidó.*] ***S. m.*** *Bras.* V. *bocado* (1).

birô [Do fr. *bureau.*] ***S. m.* 1.** Escrivaninha com gavetas. **2.** Repartição, agência. **3.** *Edit.* Empresa comercial que oferece serviços de editoração eletrônica, esp. os de pré-impressão; birô eletrônico. ◆ **Birô eletrônico.** *Edit.* Birô (3).

biroca [De or. incerta; corrupt. de *buraco*, poss.] ***S. f.*** *Bras. Inf.* O buraco no jogo de bolinha de gude.

birola ***S. f.*** *Bras.* Certo pano de algodão.

birolo (ô) ***S. m.*** *Bras. SP* Boia-fria (1).

bironha [Var. de *beruanha.*] ***S. f.*** *Bras. Zool.* V. *mosca-dos-estábulos.*

biroró [De or. tupi, poss.] ***S. m.*** *Bras. RJ* V. *beiju.*

birosca ***S. f.* 1.** *Bras. MG* V. *gude.* **2.** *Bras. RJ* Estabelecimento comercial modesto, ger. instalado em comunidades pobres, e no qual se vendem gêneros de primeira necessidade e bebidas alcoólicas.

birosqueiro [De *birosca* + *-eiro.*] ***S. m.*** *Bras. RJ* Dono de birosca (2).

birote ***S. m.*** *Bras.* V. *cocó*: 📖 "Mesmo no escuro se vê o cabelo branco. Enrodilhado no alto da nuca. Prendendo o birote o pente de tartaruga." (Ana Elisa Gregori, *Os Barões da Candeia*, p. 11.)

birquênia [Do tax. *Birkenia* < top. *Birken(head)* (Escócia) + lat. cient. *-ia.*] ***S. m.*** *Paleont.* **1.** Gênero de vertebrados pisciformes, ágnatos, de água doce, com cerca de 12cm de comprimento, encontrado em terrenos silurianos da Escócia e da Noruega (Europa). **2.** Espécie, ou espécime desse gênero.

➔ **birr** [bir] [Afr.] ***S. m. 2 n.*** Unidade monetária, e moeda, da Etiópia (África), que se divide em 100 centavos.

birra[1] [Do esp. *birria.*] ***S. f.* 1.** Teima, teimosia, obstinação. **2.** Amuo, arrufo; zanga. **3.** Vício de cavalgaduras, que consiste em ferrarem os dentes nalguma coisa.

birra[2] [Do it. *birra.*] ***S. f.*** V. *cerveja.*

birra[3] ***S. f.*** *Bras. Amaz.* V. *maconha* (2).

birrada [De *birro*[2] + *-ada*[1].] ***S. f.*** *Bras. N.* Pancada com birro[2]; cacetada.

birradical [De *bi-*[1] + *radical.*] ***Adj. 2 g. S. m.*** *Quím.* **1.** Diz-se de, ou molécula que contém dois elétrons desemparelhados: 📄 *O oxigênio molecular, O_2, comporta-se como birradical.* **2.** *P. ext.* Diz-se de, ou substância com moléculas birradicais.

birradicaloide (ói) [De *birradical* + *-oide.*] ***Adj. 2 g.*** *Quím.* **1.** Diz-se de, ou próprio de, ou semelhante a birradical. ● ***S. m.* 2.** Substância birradicaloide. ❖

birradicular [De *bi-*[1] + *radicular.*] ***Adj. 2 g.*** *Odont.* Diz-se de dente que apresenta duas raízes.

birrar [De *birra*[1] + *-ar*[2].] ***V. int.* 1.** Ficar ou mostrar-se birrento; embirrar. **2.** Revelar birra[1] (3): 📄 *A égua birrou.*

birreator (ô) [De *bi-*[1] + *(turbo)reator.*] ***S. m.*** Aeronave que tem dois turborreatores.

birrefração [De *bi-*[1] + *refração.*] ***S. f.*** *Ópt.* V. *birrefringência.*

birrefringência [De *bi-*[1] + *refringência.*] ***S. f.*** *Ópt.* Propriedade de cristais anisotrópicos que transmitem luz com velocidades de propagação que dependem da direção de propagação; propriedade de cristais que, para certos ângulos de incidência, dividem o raio refratado em dois, com diferentes direções e diferentes estados de polarização; birrefração, dupla refração. ◆ **Birrefringência circular.** *Ópt.* Propriedade das substâncias opticamente ativas de transmitirem, com diferentes velocidades, luz circularmente polarizada, dextrogira ou levogira. **Birrefringência elétrica.** *Ópt.* A que é provocada pela ação de um campo elétrico sobre um dielétrico, e se observa no efeito Kerr. **Birrefringência magnética.** *Ópt.* A provocada pela ação de um campo magnético sobre uma substância.

birrefringente [Voc. deduz. de *birrefringência.*] ***Adj. 2 g.*** Que dá lugar à birrefringência.

birrelativo [De *bi-*[1] + *relativo.*] ***Adj.*** *E. Ling.* ~ V. *verbo —.*

birreme [Do lat. *bireme.*] ***S. f.* 1.** Na Antiguidade clássica, galé (q. v.) cujos remos se dispunham em dois pavimentos, de modo que os do pavimento superior, mais compridos, trabalhavam nos intervalos dos que ficavam no pavimento inferior. [Cf. *trirreme* e *quadrirreme.*] ● ***Adj. 2 g.* 2.** Diz-se dessa embarcação. **3.** Diz-se de apêndices dos crustáceos quando terminados por dois braços ou ramos.

birremo [De *bi-*[1] + *remo.*] ***S. m.*** V. *birreme.*

birrento [De *birra*[1] + *-ento.*] ***Adj.*** Que tem ou demonstra birra[1]; embirrento.

birrepetente [De *bi-*[1] + *repetente.*] ***Adj. 2 g.* 1.** Que repete algo duas vezes. **2.** Diz-se do aluno que perde o ano duas vezes. ● ***S. 2 g.* 3.** Aluno birrepetente.

birretângulo [De *bi-*[1] + *retângulo.*] ***Adj.*** ~ V. *triângulo —.*

birro[1] ***S. m.*** *Bras. C.O. L. Zool.* Ave passeriforme, tiranídea (*Hirundinea bellicosa*), do Brasil oriental e central, de cor escura, mais clara no uropígio e na cauda, tendo esta pontas pretas. Frequenta as habitações humanas e se alimenta de insetos. [F. paral.: *bilro*; sin.: *gibão-de-couro, bem-te-vi-de-gamela.*]

birro[2] ***S. m.* 1.** *Bras. N.* Bengala pesada e grossa. **2.** V. *cacete* (1). **3.** *Bras. MA Chulo* O pênis.

birro-branco ***S. m.*** *Bras. Zool.* Ave piciforme, picídea (*Leuconerpes candidus*), de grande parte do Brasil, de cor branca, dorso, asas e estria nos lados do pescoço pretos, meio da barriga amarelo, fita nucal (no macho) amarela. [Sin.: *pica-pau-branco.* Pl.: *birros-brancos.*]

birrostrado [De *bi-*[1] + *rostro* + *-ado*[1].] ***Adj.*** *Zool.* Que tem dois esporões.

birrudo [De *birro*[2] + *-udo.*] ***Adj.*** *Bras. Chulo* Que tem pênis grande.

birsônima ***S. f.*** *Bot.* V. *birsônima.* [Uso freq. em P.]

birsônima [Do tax. *Byrsonima.*] ***S. f.*** *Bot.* **1.** Gênero de árvores e arbustos malpighiáceos, de folhas opostas ou verticilares, flores dispostas em pequenas umbelas, e frutos samariformes. **2.** Qualquer espécie desse gênero, como a *Byrsonima verbascifolia* ou murici-cascudo, e a *Byrsonima crispa* ou murici-da-mata. **3.** Qualquer espécime desse gênero. [Sin., nas acepç., 2 e 3: *murici, muruci.*]

biru[1] [De *boiru* (q. v.).] ***S. f.*** *Bras. Zool.* V. *jararacuçu-do-brejo.*

biru[2] [Do tupi, 'mosca'.] ***S. f. e m.* 1.** *Bras. SP* Entre os caipiras, a mosca-varejeira. **2.** *Bras. Zool.* V. *saguiru.*

biruba ***S. m.*** *Bras. Zool.* V. *saguiru.*

biru-manso ***S. m.*** *Bras. Bot.* Canácea ornamental (*Canna indica*) de flores vermelho-violáceas e fruto capsular carnoso, e de cujos rizomas se extrai fécula comestível; beri, embiri, meru, araruta-bastarda, araruta-de-porco. [Pl.: *birus-mansos.*]

biruta[1] [Do esp. plat. *viruta.*] ***S. f.*** *Bras. RS* Aparas de madeira; maravalhas.

biruta[2] ***S. f.* 1.** *Aer.* Aparelho que indica a direção dos ventos de superfície, empregado nos aeródromos para orientação das manobras dos aviões, e que tem a forma de uma sacola cônica, instalada perpendicularmente à extremidade dum mastro. ● ***S. 2 g.* 2.**

Bras. Gír. Pessoa irrequieta, amalucada. ● ***Adj. 2 g.*** 3. *Bras. Gír.* V. *amalucado* (1).

birutice [De *biruta*[2] + *-ice.*] ***S. f.*** *Bras. Gír.* Ação de biruta[2] (2); maluquice.

bis [Do lat. *bis.*] ***S. m.*** 1. Repetição: "Assim que a música parou, foi um barulho ensurdecedor. Todos queriam bis." (Viana Moog, *Um Rio Imita o Reno*, p. 153.) ● ***Adv.*** 2. Duas vezes. ● ***Interj.*** 3. Outra vez.

▲ **bis-** [Do lat. *bis*, adv.] ***Pref.*** = 'repetição', 'duas vezes'; 'dois': *bisneto, bisavô.* [Em Quím., indica, numa molécula, a existência de dois grupos (ger. formados por muitos átomos) iguais: *bis(dimetilamino)naftaleno.* Ocorre, tb., como infixo: *azobisisobutironitrila.*] [Equiv.: *bi-*[1] (exceto em quím.): *bibico, bicampeão, bimilenário, bimotor.*]

▲ **-bis-** V. *bis-*.

bisa[1] ***S. f.*** V. *bisavó.*

bisa[2] ***S. m.*** V. *bisavô.*

bisabol [Do uolofe, pelo ingl.] ***S. m.*** Resina semelhante à verdadeira mirra, e que se extrai de duas árvores africanas (*Commifora kataf* e *C. erythraea*). [Pl.: *bisabóis.*]

bisabolano [De *bisabol* + *-ano*[2].] ***S. m.*** *Quím.* Hidrocarboneto cíclico sesquiterpenoide saturado que contém anel de seis átomos [fórm.: $C_{15}H_{30}$].

bisaboleno [De *bisabol* + *-eno*[2].] ***S. m.*** *Quím.* Qualquer de três sesquiterpenos (α-bisaboleno, β-bisaboleno e γ-bisaboleno) que contêm três ligações duplas (uma delas em anel de seis átomos); o γ-bisaboleno é constituinte do óleo de mirra [fórm.: $C_{15}H_{24}$].

bisaco ***S. m.*** *Bras. N.E.* Bornal; mochila: "O caçador meteu-se na estrada, ... e assim que o sol nasceu abriu o bisaco e o encontrou cheio de pedras preciosas e moedas de ouro." (Luís da Câmara Cascudo, *Contos Tradicionais do Brasil*, p. 32); "botaram a tiracolo os velhos bisacos de caça" (Luís Jardim, *Maria Perigosa*, p. 19); "começou a guardar as pedras no bisaco" (Hermilo Borba Filho, *Sol das Almas*, p. 69); "Havia até cédulas de mil no bisaco." (Osmã Lins, *Nove, Novena*, p. 153). [Poderiam citar-se outros exemplos: mais dois de Câmara Cascudo, *ib.* (que, aliás, grafa a palavra com *z*); mais um de Osmã Lins, *ib.*, p. 169; quatro de Newton Navarro, *in* Nei Leandro de Castro, *Contistas Norte-Rio-Grandenses*, pp. 69, 70, 73 (duas vezes); e (transcritos da poesia popular) de Rodrigues de Carvalho, *Cancioneiro do Norte*, pp. 77 (com *z*) e 148, e Leonardo Mota, *Sertão Alegre*, p. 102 (com *z*). Veja-se o que a respeito da f. *bisaco* afirma (*Notas de Português de Filinto e Odorico*, p. 62) Martins de Aguiar: "*Bisaco* .... é vivacíssimo no Ceará e provavelmente noutras partes do Brasil, se não em todo ele ..... *Bissaco* não existe senão como correção indevida, com apoio no francês."]

bisado [Part. de *bisar.*] ***Adj.*** De que se pediu a repetição.

bisagra [Do esp. *bisagra.*] ***S. f.*** V. *dobradiça* (1).

bisalho [Do lat. **bisaculu*, por *bisacculu* < lat. *bis*, 'duas vezes', + lat. *sacculus*, dim. de *saccus*, 'saco'.] ***S. m.*** *Ant.* Bolsinha para joias ou relíquias. ~ V. *bisalhos.*

bisalhos ***S. m. pl.*** Adornos femininos de pouco valor; vidrilhos. ~ V. *bisalho.*

bisanual [De *bis-* + *anual.*] ***Adj. 2 g.*** 1. Bienal (2). 2. Que ocorre de dois em dois anos.

bisão [Do lat. *bison, ontis* < gr. *bíson*, 'boi selvagem'; tax. *Bison.*] ***S. m.*** *Zool.* 1. Gênero de mamíferos ruminantes, bovídeos, de cor parda com tons acinzentados, e pescoço, cabeça e elevação da parte anterior do dorso cobertos de longos pelos. 2. Qualquer espécie desse gênero, como, p. ex., o *Bison bison*, o bisão-americano, e o *Bison bonasus*, ou auroque, o bisão-europeu. 3. Qualquer espécime desse gênero. [Sin., nas acepçs. 2 e 3: *bisonte.*]

bisão-americano ***S. m.*** *Zool.* V. *bisão* (2). [Pl.: *bisões-americanos.*]

bisão-europeu ***S. m.*** *Zool.* Auroque [v. *bisão* (2)]. [Pl.: *bisões-europeus.*]

bisar [De *bis* + *-ar*[2].] ***V. t. d.*** 1. Pedir a repetição de (cena de uma peça, trecho de música, número qualquer de um espetáculo, etc.), gritando bis: *Emocionado, o público bisou a cena final do primeiro ato do drama.* 2. Repetir (cena de uma peça, etc.), atendendo ao pedido de bis: *A artista bisou a ária.* 3. Dizer, repetindo: "– Por que o negócio? / – São animais decadentes. / – Decadentes! .... – bisou com ar sardônico." (Humberto Crispim Borges, *Cacho de Tucum*, p. 149). 4. *P. ext.* Repetir, tornar a praticar (uma vitória, uma façanha, etc.): *É de esperar que Pelé bise no próximo jogo a proeza do anterior.* [Pres. subj.: *bise*, ... *biseis, bisem.* Cf. *biséis*, pl. de *bisel.*]

bisarma [Do fr. ant. *wisarme*, atual *guisarme.*] ***S. f.*** 1. *Ant.* Espécie de alabarda. 2. *Fig.* Pessoa ou coisa de tamanho acima do normal.

bisarrona ***S. f.*** *Bras. Pop.* V. *bujarrona.*

bisavó [De *bis-* + *avó.*] ***S. f.*** Mãe do avô ou da avó. [F. red.: *bisa*[1].]

bisavô [De *bis-* + *avô.*] ***S. m.*** Pai do avô ou da avó. [Fem.: *bisavó.* Pl.: *bisavôs* e *bisavós.* F. red.: *bisa*[2].]

bisbilhante [De *bisbilhar* + *-nte.*] ***Adj. 2 g.*** Que bisbilha; murmurante.

bisbilhar [Do it. *bisbigliare*, de or. onom.] ***V. int.*** Murmurar, sussurrar: "Bisbilhar é uma bela onomatopeia que o autor [Heli Menegale] empregа duas vezes: 'a fonte que bisbilha' e 'regato que bisbilha'." (Aires da Mata Machado Filho, *Crítica de Estilos*, p. 97.)

bisbilho [Der. regress. de *bisbilhar.*] ***S. m.*** *Bras.* Ato de bisbilhar; murmúrio, sussurro: "Bebe [a girafa] a luz de mais perto, o ar tênue absorve, estranha / Ao bisbilho da moita, o ouvido entanto atento / Ao rumor da floresta e aos ecos da montanha." (José Severiano de Resende, *Mistérios*, p. 81.)

bisbilhotar [De *bisbilhar*, com suf. que denota iteração.] ***V. int.*** 1. Andar em mexericos e intrigas; mexericar, intrigar, coscuvilhar. 2. Investigar com curiosidade: *Bisbilhotou tanto que acabou sabendo o que desejava.* 3. Falar em segredo. ***T. d.*** 4. Investigar com curiosidade; examinar, esquadrinhar: *Vive a bisbilhotar todos os papéis que encontra.* [Var. (bras., pop.): *esbilhotar.*]

bisbilhoteiro [Do it. *bisbigliatore.*] ***Adj.*** 1. Mexeriqueiro, intrigante, coscuvilheiro. 2. Curioso, metediço, intrometido. ● ***S. m.*** 3. Indivíduo bisbilhoteiro.

bisbilhoteria ***S. f.*** Bisbilhotice.

bisbilhotice [De *bisbilhot-*, como em *bisbilhoteiro* e *bisbilhotar*, + *-ice.*] ***S. f.*** 1. Ato de bisbilhotar. 2. Qualidade de bisbilhoteiro. 3. Mexerico, enredo, intriga, coscuvilhice. [Sin. ger.: *bisbilhoteria.*]

bisbórria [De *bis-* + *borra* (ô), poss.] ***S. 2 g.*** Indivíduo ridículo, desprezível, sem importância.

bisca [Do it. *bisca*, poss.] ***S. f.*** 1. Denominação de vários jogos de cartas. 2. *Fam.* Alusão mordaz; remoque, picuinha. 3. Pessoa de mau caráter e dissimulada. [Us. de ordinário, nesta acepç., precedido de *boa*: *F. é uma boa bisca.*] 4. *Deprec.* Meretriz. 5. *Bras.* Golpe com a mão espalmada, em geral na cabeça.

biscaia ***S. f.*** *Bras. N.E.* 1. V. *égua* (1). 2. Mulher libertina, impudica. 3. *Deprec.* Meretriz.

biscainho (a-í) [Do esp. *vizcaíno.*] ***Adj.*** 1. Da, ou pertencente ou relativo à província basca de Biscaia (Espanha). ● ***S. m.*** 2. O natural ou habitante da Biscaia.

biscaio ***S. m.*** *Bras. RS* Facão grande usado pelos mateiros no Alto Uruguai.

biscate [De or. express., poss.] ***S. m.*** 1. Trabalho de pouca monta. 2. *Bras.* V. *bico*[1] (13): "Desistira dos estudos e, como não tinha profissão, não conseguira emprego fixo: vivia de biscates." (Maria Julieta Drummond de Andrade, *Um Buquê de Alcachofras*, p. 27.) 3. *Bras. SP Gír.* Prostituta. [Cf. *biscato.*]

biscateador (ô) [De *biscatear* + *-dor.*] ***S. m.*** *Bras.* Biscateiro.

biscatear [De *biscate* + *-ear*[2].] ***V. int.*** 1. Fazer biscates. 2. Viver de biscates. [Conjug.: v. *frear.*]

biscateiro [De *biscate* + *-eiro.*] ***S. m.*** *Bras.* Aquele que faz biscates ou vive deles; biscateador.

biscato ***S. m.*** O que as aves levam no bico para os filhos comerem. [Cf. *biscate.*] ~ V. *biscatos.*

biscatos [Pl. de *biscato.*] ***S. m. pl.*** Pequenos restos; fragmentos. ~ V. *biscato.*

biscoitada [De *biscoito* + *-ada*[1].] ***S. f.*** 1. Porção de biscoitos. 2. Iguaria feita com biscoitos. [F. paral.: *biscoutada.*]

biscoitar [De *biscoito* + *-ar*[2].] ***V. t. d.*** V. *abiscoitar.* [F. paral.: *biscoutar.*]

biscoiteira [De *biscoito* + *-eira.*] ***S. f.*** Vaso onde se guardam biscoitos. [F. paral.: *biscouteira.*]

biscoiteiro [De *biscoito* + *-eiro.*] ***S. m.*** Fabricante ou vendedor de biscoitos. [F. paral.: *biscouteiro.*]

biscoito [Do lat. *biscoctu*, 'cozido duas vezes'.] ***S. m.*** 1. *Cul.* Bolinho de farinha de trigo, ou aveia, ou maisena, ou queijo, etc., com açúcar ou sem ele, ovos, etc., bem cozido no forno, em geral com o feitio de pequenos quadrados, retângulos, discos, etc. 2. *Fam.* Bofetada, bolacha. 3. *Bras.* Nos pneus, as partes salientes entre as ranhuras, localizadas na quina que a face de rodagem faz com a face lateral. 4. *Açor.* Terreno formado por resíduos piroclásticos. ● ***Adj. 2 g. e 2 n.*** 5. *Bras. Autom.* Diz-se do pneu próprio para rodar em pista molhada: "o bicampeão Mika Hakkinen, que já usava pneus biscoito (de chuva)." (Renato Maurício Prado, em *O Globo*, 03.08.2000). [F. paral.: *biscouto.*] ◆ **Molhar o biscoito.** *Bras. Chulo* Ter cópula (2) (em se tratando de um homem).

biscoutada [De *biscouto* + *-ada*[1].] ***S. f.*** V. *biscoitada.*

biscoutar [De *biscouto* + *-ar*[2].] ***V. t. d.*** V. *abiscoitar.*

biscouteira [De *biscouto* + *-eira.*] ***S. f.*** V. *biscoiteira.*

biscouteiro [De *biscouto* + *-eiro.*] ***S. m.*** V. *biscoiteiro.*

biscouto ***S. m.*** V. *biscoito.*

➔ **biscuit** [bis'kwi] [Fr.] ***S. m.*** Porcelana branca e fosca, duas vezes cozida, que na cor e no aspecto imita o mármore branco.

bis(dimetilamino)naftaleno [De *bis-* + *-di-* + *-metil-* + *-amin(o)-* + *naftaleno.*] ***S. m.*** *Quím.* Qualquer substância derivada do naftaleno por substituição de dois átomos de hidrogênio por grupos dimetilamino, sendo uma delas base bastante forte, mas muito pouco nucleofílica [fórm.: $C_{14}H_{18}N_2$].

➔ **biseauté** [bizo'te] [Fr.] ***Adj.*** Cortado obliquamente (vidro de espelho).

bisegre [Do fr. *bisaigüe.*] ***S. m.*** Utensílio usado pelos sapateiros para brunir os saltos e rebordos da sola do calçado.

biseiro [De *bis* + *-eiro.*] ***Adj.*** Diz-se de pessoa ou coisa que efetua duas vezes a mesma operação.

bisel [Do fr. ant. *bisel*, atual. *biseau.*] ***S. m.*** 1. Borda de peça de madeira, pedra, etc., cortada obliquamente, isto é, sem aresta ou quina viva. [Cf. *chanfradura* (2).] 2. Engaste de pedra de anel. 3. *Grav.* Chanfradura feita nas bordas de placa de metal, para evitar que na ocasião da tiragem as arestas rompam o papel. 4. *Grav.* Marca deixada no papel por essa chanfradura; testemunha, vinco. 5. *Tip.* Chanfradura que se faz nas bordas do clichê para permitir que ele se fixe ao bloco; faceta. [Pl.: *biséis.* Cf. *biseis*, do v. *bisar.*]

biselador (ô) [De *biselar* + *-dor.*] ***Adj.*** ***S. m.*** Que, ou aquele ou aquilo que bisela.

biseladora (ô) [De *biselar* + *-dora.*] ***S. f.*** Aparelho para biselar clichês.

biselamento [De *biselar* + *-mento.*] ***S. m.*** Ato ou efeito de biselar.

biselar [De *bisel* + *-ar*[2].] ***V. t. d.*** Dar o corte de bisel a.

biselho (ê) ***S. m.*** *Tip.* Cada uma das quatro contrachavetas que prendem a armação da morsa ao fuste do primeiro elevador da linotipo.

bisesdrúxulo [De *bis-* + *esdrúxulo.*] ***Adj.*** *E. Ling.* Diz-se de conjunto fonético em que o acento tônico recai na pré-antepenúltima sílaba; sobresdrúxulo, sobredáctilo. Ex.: *tomávamo-lo, erguia-se-lhe.*

bisfenol A [De *bis-* + *fenol.*] ***S. m.*** *Quím.* Substância cristalina, com leve odor fenólico, us. na fabricação de policarbonatos e resinas epóxi [fórm.: $C_{15}H_{16}O_2$]. [Pl.: *bisfenóis A.*]

bislamá [De *bêche-de-mer* (q. v.), pela f. *beach-la-mar.*] ***S. m.*** *Gloss.* Pídgin de base inglesa, us. como língua nacional de Vanuatu (ant. Novas Hébridas) e falado, também, nas ilhas Salomão e Fiji (Pacífico sul). [Sin.: *neo-melanésio.* Tb. se diz *bêche-de-mer* e *beach-la-mar.*]

bismela [Do ár. *bism Allah*, 'em nome de Deus'.] ***S. f.*** Cerimônia muçulmana de invocação de Alá antes de empreender-se algum ato ou de se matar um animal para comer.

bismutado [De *bismuto* + *-ado*[1].] ***Adj.*** Que contém bismuto; bismutífero.

bismutífero [De *bismuto* + *-ífero.*] ***Adj.*** Bismutado.

bismutinita ***S. f.*** *Min.* Mineral ortorrômbico, sulfeto de bismuto.

bismuto [Do al. *Bismut* (f. obsol.), atual *Wismut.*] ***S. m.*** *Quím.* Elemento de número atômico 83, metálico, cristalino, com brilho branco-avermelhado, utilizado como medicamento sob a forma de compostos [símb.: *Bi*]. ◆ **Bismuto amarelo.** *Quím.* O trióxido de bismuto.

bisnaga [Do lat. *pastinaca*, pelo moçárabe *bistináqa, bisnâqa.*] ***S. f.*** 1. Tubo de plástico ou de chumbo empregado na embalagem de tinta a óleo, pasta dentifrícia, cosméticos em creme, vaselina, etc. 2. Pequeno esguicho com água aromatizada, usado nas antigas folias carnavalescas; seringa. 3. Tipo de pão comprido e cilíndrico, afinado nas pontas.

bisnagada [De *bisnagar* + *-ada*[1].] ***S. f.*** Ato de bisnagar.

bisnagar [De *bisnaga* + *-ar*[2].] ***V. t. d.*** Aplicar o conteúdo de bisnaga (2) em. [Conjug.: v. *largar.*]

bisnau [De or. incerta; poss. do lat. *avis mala*, pelo port. arc. *avezimau* (Gil Vicente), donde *pássaro vismau* e, daí, *pássaro-bisnau.*] ***S. m.*** V. *pássaro-bisnau.*

bisneto [De *bis-* + *neto*[1].] ***S. m.*** Filho de neto ou de neta.

bisonharia [De *bisonho* + *-aria.*] ***S. f.*** Bisonhice.

bisonhice [De *bisonho* + *-ice.*] ***S. f.*** Qualidade, maneiras ou procedimento de quem é bisonho; bisonharia.

bisonho [Do it. *bisogno.*] ***Adj.*** 1. Pouco adestrado em qualquer mister; inexperiente, inexperto; inábil: "O recrutamento do reino produzira apenas 9.000 soldados bisonhos, bando de gente miserável e perdida" (Oliveira Martins, *História de Portugal*, II, p. 60). 2. Novato, principiante. 3. Acanhado, tímido: "Eu contava apenas dezasseis a dezassete anos, era um rapaz bisonho e sem nenhum uso do mundo" (Ramalho Ortigão, *Banhos de Caldas e Águas Minerais*, p. 86). ● ***S. m.*** 4. Recruta inexperiente.

bisonte [Do lat. *bisonte.*] ***S. m.*** *Zool.* V. *bisão* (2 e 3).

bisotado [De **bisotar*, 'biselar', + *-ado*[1].] ***Adj.*** Cortado obliquamente, como o bisel (1).

bisotê [Do fr. *biseauté.*] ***Adj. 2 g.*** V. *bisotado.*

bispada ***S. f.*** *Bras. RJ* Bispado[2].

bispado[1] [De *bispo* + *-ado*[2].] *S. m.* **1.** Território da jurisdição espiritual de um bispo; diocese. **2.** Duração da jurisdição de um bispo. **3.** Dignidade episcopal. [Sin. ger.: *episcopado.*]

bispado[2] *S. m. Bras. RJ* Lance de rede malogrado, do qual não vem peixe; bispada.

bispal [De *bispo* + *-al*[1].] *Adj. 2 g. P. us.* Episcopal (1).

bispar [De *bispo* + *-ar*[2].] *V. t. d.* **1.** Avistar ao longe; entrever; lobrigar. **2.** Observar ou espiar atentamente: 📖 "Um dia apareceu no engenho um caboclo espadaúdo, cheio de valentia. Bispou a menina." (A. J. de Figueiredo, *Conceição, Minha Namorada*, p. 17.) **3.** *Bras. PE Prov. port.* Furtar, surripiar. **4.** *Bras. N.E.* Iludir a vigilância de; enganar. *Int.* **5.** Exercer a dignidade de bispo: 📖 "Veloso cônego e pregador, Soares com uma grande vigararia, Vasconcelos a caminho de bispar" (Machado de Assis, *Histórias sem Data*, pp. 185-186). **6.** *Bras. MG* Esturrar, queimar-se (o feijão).

bispar-se *V. p.* V. *vispar-se*.

bispicida [De *bispo* + *-i-* + *-cida.*] *S. 2 g.* Pessoa que mata bispo(s).

bispicídio [De *bispo* + *-i-* + *-cídio.*] *S. m.* Assassínio de bispo.

bispiralado [De *bi-*[1] + *espiral* + *-ado*[1].] *Adj.* Duplamente espiralado.

bispo [Do lat. *episcopu.*] *S. m.* **1.** *Rel.* Padre que recebeu a plenitude do sacramento da ordem, na Igreja Católica Apostólica Romana. **2.** Prelado que exerce o governo espiritual de uma diocese. **3.** V. *presbítero* (2). **4.** *Pop.* Uropígio, mitriforme, dalgumas aves. **5.** *Pop.* Esturro (na comida). **6.** Peça do jogo de xadrez somente movimentada em diagonal, representada por uma figura feita de madeira, osso ou qualquer outro material; delfim. [Cf., nesta acepç., *alfim*[2].] ◆ **Deixar entrar o bispo.** Deixar queimar-se um alimento. **Ir queixar-se ao bispo** V. *ir às favas*. **Mandar queixar-se ao bispo.** V. *mandar às favas*. **Trabalhar para o bispo.** Trabalhar sem receber a devida remuneração ou recompensa.

bispotada [De *bispote* + *-ada*[1].] *S. f.* Aquilo que o bispote contém; penicada.

bispote [De *bispo* + *-ote*, poss.] *S. m.* V. *urinol* (1).

➔ **bisque** [bisk] [Fr.] *S. f. Cul.* Sopa à base de crustáceos temperada com vinho branco e conhaque, à qual se adiciona creme de leite fresco.

bissaco *S. m.* V. *bisaco*: 📖 "— Para pôr vocês no meu bissaco, preciso lá de ninguém!" (José Vieira, *Vida e Aventura de Pedro Malasarte*, p. 181.)

bissagó *S. 2 g.* V. *bijagó* (1).

bissapa [Do umbundu *ovisapa*, com aférese.] *S. f. Angol.* Emaranhado de ramas, habitualmente rasteiras: 📖 "emergiam talos secos de capim, tortulhos desidratados e bissapas persistentes." (Rui Duarte de Carvalho, *Como Se o Mundo Não Tivesse Leste*, p. 46). [M. us. no pl.; outra f.: *biçapa.*]

bisseção [De *bis-* + *seção*; var. de *bissecção*.] *S. f.* Divisão em duas partes iguais.

bissecção [De *bis-* + *secção*.] *S. f.* V. *bisseção*.

bissecto [De *bis-* + *-secto*.] *Adj. Bot.* Dividido profundamente em dois segmentos. [Var.: *bisseto.*]

bissector (ô) *Adj. S. m.* Bissetor (q. v.).

bissectriz *S. f. Geom.* Bissetriz (q. v.).

bissecular [De *bi-*[1] + *secular*.] *Adj. 2 g.* Que tem dois séculos.

bissegmentação [De *bissegmentar* + *-ção*.] *S. f.* Ato ou efeito de bissegmentar.

bissegmentado [Part. de *bissegmentar*.] *Adj.* Dividido em dois segmentos.

bissegmentar [De *bi-*[1] + *segmentar*[2].] *V. t. d.* Dividir em dois segmentos.

bissemanal [De *bi-*[1] + *semanal*.] *Adj. 2 g.* Que se publica ou se realiza duas vezes por semana; semi-hebdomadário.

bisseriado [De *bi-*[1] + *seriado*.] *Adj.* **1.** *Bot.* Disposto em duas séries ou fileiras: 📄 *catafilos bisseriados.* **2.** *Zool.* Diz-se de estruturas ou apêndices de animais quando dispostos em duas camadas sucessivas ou em duas linhas.

bisserreado [De *bi-*[1] + *serreado*.] *Adj. Bot.* Diz-se de folha dotada de margem duplamente serreada.

bisseto *Adj. Bot.* V. *bissecto*.

bissetor (ô) [De *bi-*[1] + *setor*; var. de *bissector*.] *Adj. S. m. Geom.* Diz-se de, ou plano que passa pela interseção de outros dois, formando, com estes, ângulos diedros iguais.

bissetriz [Fem. de *bissetor*; var. de *bissectriz*.] *S. f. Geom.* **1.** Reta que divide um ângulo ao meio. **2.** Segmento de reta que liga um vértice de um polígono a um lado e divide ao meio o ângulo do vértice.

bissexo (cs) [De *bis-* + *-sexo*.] *Adj.* V. *bissexual* (1 a 3).

bissextil (ês) *Adj. 2 g.* V. *bissêxtil*.

bissêxtil (ês) [Do lat. *bisextile*.] *Adj. 2 g.* ~ V. *ano* —. [Pl.: *bissêxteis*.]

bissexto (ês) [Do lat. *bisextu*.] *Adj.* **1.** *Bras. Neol.* Diz-se daquele, e em especial do poeta, que se dedica esporadicamente à literatura, produzindo pouco e lembrando, por essa escassez, os anos bissextos: 📄 *Existe uma ótima* Antologia dos Poetas Brasileiros Bissextos Contemporâneos, *organizada por Manuel Bandeira.* ~ V. *ano* —. ● *S. m.* **2.** O dia que de quatro em quatro anos se acrescenta ao mês de fevereiro. **3.** *Bras. Neol.* Poeta ou prosador bissexto.

bissexuado (cs) [De *bis-*[1] + *-sex(o)-* + *-uado*.] *Adj.* Que tem ou apresenta caracteres dos dois sexos.

bissexual (cs) [De *bis-* + *-sex(o)-* + *-ual*.] *Adj. 2 g.* **1.** *Biol.* V. *hermafrodito* (1). **2.** Relativo ao comportamento sexual que se caracteriza pela atração por indivíduos de ambos os sexos. **3.** Que tem esse comportamento. ● *S. 2 g.* **4.** *Biol.* V. *hermafrodito* (2). **5.** Indivíduo bissexual (3). [F. red. (nas acepç. 3 e 5): *bi*.]

bissexualidade (cs) [De *bissexual* + *-(i)dade*.] *S. f.* Caráter ou qualidade de bissexual; bissexualismo.

bissexualismo (cs) [De *bissexual* + *-ismo*.] *S. m.* **1.** Prática do comportamento bissexual. **2.** Bissexualidade.

bissilábico [De *bissílabo* + *-ico*[2].] *Adj. E. Ling.* Dissilábico.

bissílabo [Do lat. *bissyllabu*.] *Adj. E. Ling.* V. *dissílabo* (1).

bissilão [Do criol.] *S. m. Guin. Bot.* Árvore meliácea (*Khaya senegalensis*) de grande porte cuja madeira é muito apreciada para obras de marcenaria; mogno-da-guiné: 📖 "Um quarto de casal com guarda-roupa e cama colonial, em bissilão, oferecida por Kapeli." (João Ferreira, *Uaná: Narrativa Africana*, p. 98.)

bissimétrico [De *bis-* + *simétrico*.] *Adj.* Que tem simetria bilateral.

bissinose [Do gr. *býssinos*, 'de bisso', + *-ose*[1].] *S. f. Pneum.* Pneumoconiose observada em trabalhadores de indústria têxtil de algodão que aspiram esta matéria-prima, a qual se deposita em seus pulmões.

bisso [Do gr. *býssos*, pelo lat. *byssu*.] *S. m.* **1.** *Ant.* Material têxtil, espécie de linho finíssimo, que se tingia de púrpura e do qual se fabricavam ricos tecidos. **2.** *Bot.* Secreção filamentosa de certos criptógamos, que dá origem ao bolor de lugares úmidos. **3.** *Zool.* O conjunto dos filamentos sedosos secretados por glândula de certos moluscos bivalves e que servem para fixá-los a rochas; ablaca, seda do mar.

bissociação [Do ingl. *bisociation*.] *S. f.* Associação mental simultânea de uma ideia ou objeto com dois campos que normalmente não se consideram como relacionados. Ex.: o trocadilho.

bissociativo [Do ingl. *bisociative*.] *Adj.* Relativo à bissociação, ou próprio dela.

bissogênico *Adj. Zool.* V. *bissogênico*. [Uso freq. em P.]

bissogênico [De *bisso* + *-gen(o)-* + *-ico*[2].] *Adj. Zool.* Diz-se de glândula dos moluscos pelecípodes na qual se produz o bisso (3).

bissoide (ói) [De *bisso* + *-oide*.] *Adj. 2 g.* Diz-se de estrutura semelhante ao bisso (2), como, p. ex., o micélio de certos fungos. ❖

bissoníquio [Do tax. *Bisonychia*.] *S. m. Paleont.* **1.** Gênero de pelecípodes do ordoviciano, que habitavam o oceano Atlântico. **2.** Espécie, ou espécime desse gênero.

bissulfato [De *bis-* + *sulfato*.] *S. m. Quím.* Sal do ácido sulfúrico com apenas um hidrogênio substituído; sulfato ácido, hidrogenossulfato.

bissulfeto (ê) [De *bis-* + *sulfeto*.] *S. m. Quím.* Sal do ácido sulfídrico com apenas um hidrogênio substituído; hidrogenossulfeto, hidrossulfeto.

bissulfito [De *bis-* + *sulfito*.] *S. m. Quím.* Sal do ácido sulfuroso com apenas um hidrogênio substituído; hidrogenossulfito.

bisteca [Do ingl. *beef-steak*.] *S. f.* V. *bife* (1).

bistequeira [De *bisteca* (*c* = *qu*) + *-eira*.] *S. f.* Panela de baixa estatura, formato retangular e cabo médio a longo, feita ger. de ferro ou alumínio e revestida com antiaderente, com a qual se cozinha, frita, grelha ou assa alimentos (esp. carnes).

bistorta [Do lat. *bi-* (v. *bi-*[1]) + o f. do lat. *tortus, a, um* (> *torto*).] *S. f. Bot.* Planta poligonácea (*Polygonum bistorta*) habitante de montanhas pouco elevadas, e cuja raiz é duas vezes retorcida sobre si mesma, donde o nome.

bistrado [De *bistre* + *-ado*[1].] *Adj.* **1.** Que contém bistre. **2.** Da cor de bistre; trigueiro.

bistre [Do fr. *bistre*.] *S. m.* **1.** Mistura de fuligem e goma, empregada em pintura. **2.** O roxo das olheiras.

bistrô [Do fr. *bistrot*.] *S. m.* Restaurante pequeno e simples, mas aconchegante.

➔ **bistrot** [bis'tʀo] [Fr.] *S. m.* V. *bistrô*.

bisturi [Do fr. *bistouri*.] *S. m.* Instrumento cirúrgico de corte, do qual há vários modelos, de diferentes tamanhos. ◆ **Bisturi elétrico.** Bisturi que simultaneamente corta tecidos e coagula o sangue, mediante aplicação de corrente elétrica.

bisturi-do-mato *S. m. Bras. Bot.* V. *sumaré*. [Pl.: *bisturis-do-mato*.]

bisultor (ô) [Do lat. *bisultore*.] *Adj. S. m.* Que, ou aquele que é duas vezes ultor (q. v.) ou vingador. [Fem.: *bisultriz*.]

bisultriz *S. f.* Aquela que é duas vezes ultriz (q. v.).

➔ **bit** [bɪt] [Ingl., comb. das iniciais de *bi(nary) (digi)t*, 'dígito binário'.] *S. m. Inform.* Unidade mínima de informação em um sistema digital, que pode assumir apenas um de dois valores (ger. 0 ou 1). [Abrev.: *b*.] ◆ ***Bit* de paridade.** *Inform.* Numa sequência de *bits*, aquele que é adicionado ao final e que deve forçar um número par de *bits* com valor 1, a fim de verificar a existência de erros na transmissão de dados. ***Bit* quântico.** *Inform.* Unidade de informação us. em computador quântico (q. v.) que pode representar simultaneamente, pela superposição de dois estados quânticos, os estados zero e um us. para codificar dados. [Abrev.: *q-bit*.]

bita [Do ingl. *beater*.] *S. f. Bras. PE* Utensílio com que se soca o lastro sob os dormentes das estradas de ferro.

bitaca *S. f. Bras. MG* V. *vendola*.

bitacaia [Do umbundu *ovitakaya* (pl. de *otikaya*), com aférese.] *S. f. Angol.* V. *bicho-do-pé*: 📖 "apareceu no seu consultório solicitando que o operasse a um dos pés — tinha bitacaias." (José Eduardo Agualusa, *Estação das Chuvas*, p. 50).

bitácula [Do lat. *habitaculu*, 'habitação', 'morada', com mudança de gênero.] *S. f.* **1.** *Marinh.* Caixa com cobertura de vidro e capacete metálico de resguardo, colocada em pedestal fixo no passadiço, e que encerra a bússola e os corretores dos desvios desta. **2.** *Pop.* Nariz (1). **3.** *Bras. MG* Pequena venda; botequim: 📖 "os viandantes, que não deixavam de apear-se à porta da bitácula da tia Umbelina, a fim de tomarem alguns refrescos" (Bernardo Guimarães, *O Seminarista*, p. 16). ◆ **Levar nas bitáculas.** *Pop.* Levar bofetadas.

bitalha *S. f.* Mantimento, munições, vitualha.

bitartarato [De *bi-*[2] + *tartarato*.] *S. m. Quím.* Qualquer sal ácido derivado do ácido tartárico; hidrogenotartarato.

bitatá *S. m. Bras. S. Pop.* V. *boitatá*.

biteca [De *bi-*[1] + *teca*[2]; lat. cient. *bitheca*.] *S. f. Paleont.* Teca dos fósseis graptólitos que, poss., continha o zooide masculino.

bitegumentado [De *bi-*[1] + *tegumento* + *-ado*[1].] *Adj.* Portador de dois tegumentos: 📄 *óvulo bitegumentado.*

biteiro [De *bita* + *-eiro*.] *S. m. Bras. PE* Aquele que trabalha com a bita.

bitemático [De *bi-*[1] + *temático*.] *Adj. Mús.* ~ V. *sonata* — *a*.

biternado [De *bi-*[1] + *ternado*.] *Adj. Bot.* Duplamente ternado. [A folha biternada tem nove folíolos dispostos três a três em pecíolos inseridos no pecíolo comum.]

bitesga (ê) *S. f.* V. *betesga*.

bito *S. m.* Tipo de queijo italiano feito de leite de vaca a que se adicionou leite de cabra.

bitola [De or. controversa.] *S. f.* **1.** Medida reguladora; padrão, estalão, modelo, norma, craveira. **2.** Distância que separa os trilhos de uma via férrea; via. **3.** Espessura ou diâmetro de um perfil metálico ou de um vergalhão de construção. **4.** *Cost.* Pedaço de cartolina no qual se faz um corte profundo, em *V*, para marcar a largura exata de bainhas, pregas, pespontos, etc. **5.** *Marinh.* Grossura de um cabo. **6.** *Cin.* Medida padronizada da largura de um filme cinematográfico, como 8mm, 16mm, 35mm, etc. ◆ **Bitola estreita. 1.** Bitola métrica. **2.** *P. ext.* Bitola ferroviária igual ou inferior à bitola métrica. **Bitola larga.** Bitola ferroviária de largura superior à bitola métrica, e que, no Brasil, é de 1,60m. **Bitola métrica.** Bitola ferroviária de 1m; bitola estreita. **Bitola normal.** Bitola ferroviária de 1,435m.

bitolado [Part. de *bitolar*.] *Adj.* Que tem visão ou compreensão muito limitada; estreito.

bitolar [De *bitola* + *-ar*[2].] *V. t. d.* **1.** Medir com bitola (1); abitolar. **2.** Estabelecer em bitola. **3.** *Fig.* Avaliar, julgar, medir. **4.** Tornar bitolado, ou limitado. *P.* **5.** Tornar-se bitolado.

bitonal [De *bi-*[1] + *tonal*.] *Adj. 2 g. Mús.* Diz-se de peça musical composta em duas tonalidades diferentes.

bitonga *S. 2 g.* **1.** *Etnôn.* Indivíduo dos bitongas, um dos povos que habitam a província de Inhambane (Moçambique). ● *S. m.* **2.** *Gloss.* A língua falada pelos bitongas, pertencente ao grupo banto: 📖 "antes da partida conversavam animadamente em bitonga" (Etelvino de Aguiar, em *Xiphefo*, nº 16, p. 6). ● *Adj. 2 g.* **3.** Pertencente ou relativo aos bitongas, ou à sua língua: 📖 "São mulheres de origem bitonga" (Manuel Récio, *Homens do Mato*, p. 85).

bitoque [De *bifesteque*, poss.] *S. m. Lus. Cul.* Prato composto de um bife de carne bovina ou, mais raramente, suína, acompanhado de arroz, ovo frito e salada.

bitransitivo (zi) [De *bi-*[1] + *transitivo*.] *Adj. E. Ling.* ~ V. *verbo — e verbo — indireto.*

bitre *S. m. Bras. Bot.* V. *capeba-cheirosa.*

bitributação [De *bi-*[1] + *tributação*.] *S. f.* Dupla incidência de um mesmo imposto sobre o mesmo contribuinte.

bitributar [De *bi-*[1] + *tributar*.] *V. t. d.* Impor a bitributação a.

➔ **bitter** ['bɪtɚ] [Ingl.] *S. m.* Bebida alcoólica feita com ervas, raízes, etc., amargas, us. em aperitivos, no gim, em molhos, etc., ou como estimulante do apetite, digestivo, etc.

bitu[1] [De *sabitu*, com aférese.] *S. m. Zool.* Designação comum aos insetos himenópteros, formicídeos, gênero *Atta*, do sexo masculino, alados, bem menores que as tanajuras, e que morrem após o voo nupcial. [Var. e sin.: *vitu, cabitu, savitu, içabitu, sabitu, escumana*. Cf. *betu*.]

bitu[2] *S. m.* **1.** *Bras.* Cantiga popular. **2.** *Bras. MG* Cobertor de algodão. **3.** *Bras.* V. *papão*[1] (1). [Cf. *betu*.]

bituca *S. f. Bras.* V. *guimba*: 📖 "Quase se queimou com a bituca de cigarro presa nos dedos." (Marcelo Rubens Paiva, *Não Es Tu, Brasil*, p. 143.)

bitume [Do lat. *bitumine*.] *S. m.* V. *betume.*

bituruna *Bras. S. 2 g.* **1.** *Etnôn.* Indivíduo dos biturunas, povo indígena extinto que habitava a cabeceira do rio Peixe (SC) e as margens do rio Xapim (PR). ● *Adj. 2 g.* **2.** Pertencente ou relativo a esse povo. [Tb. us. como *s. 2 g. e 2 n.* (com cap.) e *adj. 2 g. e 2 n.*]

biturunense *Adj. 2 g.* **1.** De, ou pertencente ou relativo a Bituruna (PR). ● *S. 2 g.* **2.** O natural ou habitante de Bituruna.

bituva [De or. tupi, poss.] *S. m. Bras. SP Zool.* Peixe teleósteo, siluriforme, loricariídeo (*Harttia kronei*), de coloração preta, corpo afilado para a cauda, focinho grande e arredondado.

biú *S. m. Bras.* Farinha de mandioca.

biuncinado (i-un) [De *bi-*[1] + *uncinado*.] *Adj. Bot.* Que termina por dois ganchinhos.

biunivocidade (i-u) [De *biunívoco* + *-(i)dade*.] *S. f.* **1.** *Mat.* Relação entre dois conjuntos em que cada elemento do primeiro conjunto corresponde apenas a um elemento do segundo, e vice-versa. **2.** *E. Ling.* Relação que se estabelece entre dois conjuntos de elementos *A* e *B*, de modo que a cada elemento de *A* corresponda um único elemento de *B* e vice-versa.

biunívoco (i-u) [De *bi-*[1] + *unívoco*.] *Adj.* **1.** Relativo à biunivocidade. **2.** *Mat.* Diz-se da relação, ou da correspondência, entre dois conjuntos em que cada elemento do primeiro conjunto corresponde a apenas um elemento do segundo, e vice-versa. [Cf. *unívoco*.] ~ V. *função —a.*

biurá (i-u) [De or. tupi, poss.] *S. m. Bras. Bot.* Poácea (*Coix lacryma-jobi*) muito difundida, de cujos frutos, duríssimos e cinzentos, se fazem rosários, colares, etc.; conta-de-santa-maria, lágrima-de-nossa-senhora, lágrima-de-santa-maria, rosário.

biurana *S. f. Bras. Bot.* V. *abiurana.*

biva *S. f.* Espécie de alaúde japonês.

bivacar [De *bivaque* + *-ar*[2].] *V. int.* Estacionar uma tropa em bivaque. [Conjug.: v. *trancar*.]

bivalência [De *bi-*[1] + *valência*.] *S. f.* Qualidade ou condição de bivalente.

bivalente [De *bi-*[1] + *valente*.] *Adj. 2 g.* **1.** *Lóg.* Diz-se da lógica formal que admite, e só admite, dois valores de verdade: verdadeiro (V) e falso (F); divalente. [Cf. polivalente.] **2.** *Quím.* V. *divalente.* ● *S. m.* **3.** *Citol. Genét.* Tétrade (2).

bivalvar [De *bi-*[1] + *valva* + *-ar*[1].] *Adj. 2 g.* Que tem, ou que se abre em duas valvas; bivalve.

bivalve[1] [De *bi-*[1] + *-valve*.] *Adj. 2 g.* **1.** Bivalvar. **2.** *Zool.* Diz-se de molusco cuja concha é formada por duas peças simétricas.

bivalve[2] [Adapt. do *Bivalvia*.] *S. m. Adj. 2 g. Zool.* V. *pelecípode.*

bivaque [Do al. *Beiwache*, do suíço alemão *Biwatch*, pelo fr. *bivouac*.] *S. m.* **1.** *Exérc.* Área ou modalidade de estacionamento em que a tropa só dispõe de abrigos naturais, especialmente árvores. [Cf. *acampamento* (7) e *acantonamento* (2).] **2.** *Exérc.* Tropa que está bivacando. **3.** *Lus. Mil.* Espécie de barrete us. por soldado.

biventricular [De *bi-*[1] + *ventrículo* + *-ar*[1].] *Adj. 2 g.* Relativo aos dois ventrículos.

biviário [De *bívio* + *-ário*.] *Adj.* Situado em um bívio (1).

bívio [Do lat. *biviu*.] *S. m.* **1.** Lugar onde se unem dois caminhos. **2.** Caminho que, bifurcando-se, vai ter a pontos diferentes.

bixa (cs) [Do tax. *Bixa* (do taino *bixa*).] *S. f. Bot.* **1.** Gênero de bixáceas, originário da América tropical, que abrange árvores de folhas cordiformes e grandes flores róseas ou purpúreas. **2.** Qualquer espécie desse gênero, como, p. ex., a *Bixa orellana* (v. *urucuzeiro*). **3.** Qualquer espécime desse gênero.

bixácea (cs) [Do tax. *Bixa* (v. *bixa*) + *-ácea*; tax. *Bixaceae*.] *S. f. Bot.* Espécime das bixáceas, família das malvales que reúne 3 gêneros e 16 espécies de árvores, arbustos e ervas rizomatosas, que habitam os trópicos, dotados de folhas alternas, flores perfeitas, ovário súpero e cápsulas valvares; o gênero-tipo é a bixa (q. v.).

bixáceo (cs) [De *bixácea*, com var. suf. (v. *-áceo*).] *Adj. Bot.* Pertencente ou relativo às bixáceas.

bixina (cs) [Do tax. *Bixa* (v. *bixa*) + *-ina*[3].] *S. f. Quím.* Substância poli-insaturada, carotenoide, vermelha, principal corante do urucu[1], usada para colorir alimentos e em filtros solares [fórm.: $C_{25}H_{30}O_4$].

bizantinar-se [De *bizantino* + *-ar*[2] + *se*[1].] *V. int. P.* Tornar-se bizantino (4 e 5).

bizantinice [De *bizantino* + *-ice*.] *S. f.* **1.** Bizantinismo (2). **2.** Asneira, tolice.

bizantinismo [De *bizantino* + *-ismo*.] *S. m.* **1.** Estudo da história e da civilização bizantina. **2.** *Fig.* Interesse por discussões frívolas ou insignificantes, sem resultado prático, como as questões tratadas pelos teólogos bizantinos; bizantinice.

bizantino [Do lat. *byzantinu*.] *Adj.* **1.** De, ou pertencente ou relativo a Bizâncio, cidade europeia, situada às margens do Bósforo, fundada pelos gregos no séc. VII a.C., que se tornou a capital do Império Romano do Oriente, ou Império Bizantino (330 a 1453), tomando o nome de Constantinopla, atual Istambul: 📄 *as instituições bizantinas; O último imperador bizantino foi Constantino XI Paleólogo.* **2.** Diz-se das manifestações da civilização, da cultura e das artes que floresceram e se desenvolveram no Império Bizantino e que, por sua continuidade, transmitiram ao Ocidente a herança da Antiguidade enriquecida pelo contato com o Oriente e pela prática do cristianismo: 📄 *o direito bizantino; os mosaicos bizantinos.* **3.** *Fig.* Que tem características de bizantinismo (2). **4.** *Deprec.* Diz-se da atitude ou ponto de vista que denota bizantinismo (2). **5.** Pretensioso, tolo. ~ V. *arco —, discussão —a, coiné —a* e *grego —.* ● *S. m.* **6.** O natural ou habitante da cidade de Bizâncio ou do Império Bizantino. **7.** Estilo bizantino.

bizarraço [De *bizarro* + *-aço*.] *Adj.* Muito bizarro, muito garboso.

bizarrear [De *bizarro* + *-ear*[2].] *V. int.* **1.** Proceder com bizarria. **2.** Jactar-se; vangloriar-se. *T. d.* **3.** Narrar com jactância; bravatear. [Conjug.: v. *frear*.]

bizarria [De *bizarro* + *-ia*[1].] *S. f.* **1.** Qualidade, característica, modos ou ação de bizarro; bizarrice, bizarrismo. **2.** V. *fanfarrice* (1 e 2). **3.** Elegância nos modos ou boa postura; garbo. **4.** Gentileza no agir, no proceder; fidalguia. **5.** Nobreza de ação; atitude ou ação generosa. **6.** Coragem ou valentia no agir; brio. **7.** Arrogância, bazófia. **8.** Ostentação, aparato, pompa. **9.** *Fam.* Estado de saudável; boa saúde. **10.** *Pop.* Característica ou comportamento de esquisito, excêntrico; esquisitice, bizarrice.

bizarrice [De *bizarro* + *-ice*.] *S. f.* **1.** V. *bizarria* (1 e 10). **2.** V. *fanfarrice* (1 e 2).

bizarrismo [De *bizarro* + *-ismo*.] *S. m.* V. *bizarria* (1 e 10).

bizarro [Do it. *bizzarro*, pelo esp. *bizarro*.] *Adj.* **1.** Gentil, nobre, generoso. **2.** Bem-apessoado, bem-parecido; garboso. **3.** Vestido com elegância; bem vestido. **4.** Fanfarrão, jactancioso. **5.** Extravagante, esquisito.

bizogue *S. m. Bras. N. Zool.* V. *sauá.*

bizu [De or. obsc.] *S. m. Bras. Gír.* **1.** Dica, macete: 📖 "A imobilidade militar pode causar tontura, por falta de circulação do sangue. O 'bizu' (dica) é mexer só os dedos dos pés." (Rafael Gomide, em *Folha de S.Paulo*, 18.05.2008.)

■ **Bk** *Quím.* Símb. de *berquélio.*

blá-blá [Do *forró*[2].] *S. m. Santom. Cul.* Prato preparado com peixe, óleo de palma e vários legumes: 📖 "Vai comer blá-blá que eu fiz p'rá senhor..." (Maria Olinda Beja, *15 Dias de Regresso*, p. 63.) [Pl.: *blá-blás*.]

blá-blá-blá [Do fr. *bla-bla-bla* ou *blablabla*, do v. fr. *blaguer* (de or. onom.).] *S. m. Bras. Gír.* Conversa oca, sem conteúdo; conversa fiada. 📖 "Uma coisa real. Comida .... um ponto de apoio de vida, depois do blá-blá-blá do coquetel". (Ana Maria Machado, *Alice e Ulisses*, p. 22.) [Pl.: *blá-blá-blás*.] ❇

➔ **black-tie** [blæk taj] [Ingl.] *S. m. Smoking* (q. v.).

blague [Do fr. *blague*.] *S. f.* Dito espirituoso; pilhéria.

blandícia [Do lat. *blanditia*.] *S. f.* **1.** Meiguice, brandura. **2.** Afago, mimo, carícia. **3.** *P. ext.* Palavra afetuosa, carinhosa: 📖 "A linda e airosa moça sorria feliz e pagava, com excessos de ternura, os carinhos do seu donzel, trazendo-o sempre aconchegado ao colo farto, a dizer-lhe blandícias" (Coelho Neto, *Treva*, p. 15). [F. paral.: *blandície*.]

blandície [Do lat. *blanditie*.] *S. f.* Blandícia.

blandicioso (ô) [De *blandícia* + *-oso*.] *Adj.* Que tem ou faz blandícia; que afaga; meigo, carinhoso, carinhoso.

blandífluo [Do lat. *blandifluu*.] *Adj.* Que flui ou corre brandamente, suavemente.

blandiloquentíssimo (qüen) *Adj.* Superl. abs. sint. de *blandíloquo.* ❖

blandíloquo [Do lat. *blandu*, 'brando', + *-i-* + *-loquo*.] *Adj.* **1.** Que fala com brandura. **2.** Que tem voz suave. [Superl. abs. sint.: *blandiloquentíssimo*.]

➔ **blank verse** [blæŋk vɚs] [Ingl.] *S. m. Arte Poét.* O verso da tragédia e da epopeia inglesas, de cinco pés, sem rima.

blanqueta [Do fr. *blanchet*.] *S. f. Art. Gráf.* Película de borracha que reveste o cilindro impressor, no sistema ofsete.

➔ **blanquette** [blã'ket] [Fr.] *S. f. Cul.* Fricassê, ger. de carne branca (ave e, às vezes, peixe).

➔ **blasé** [bla'ze] [Fr.] *Adj.* (*m.*) **1.** Diz-se de homem entediado de tudo, ou na realidade, ou por afetação. **2.** Diz-se do ar, do procedimento, do comportamento, etc., que revelam tédio, indiferença. ● *S. m.* **3.** Indivíduo *blasé*. [Fem.: *blasée*.]

blasfemador (ô) [De *blasfemar* + *-dor*.] *Adj. S. m.* Blasfemo (1 e 3).

blasfemante [De *blasfemar* + *-nte*.] *Adj. 2 g.* Blasfematório (2).

blasfemar [Do gr. *blasphemein*, pelo lat. *blasphemare*.] *V. int.* **1.** Dizer blasfêmias: 📄 *Velho e nervoso, só faz resmungar e blasfemar.* *T. i.* **2.** Proferir palavras blasfemas e ultrajantes: 📄 *Blasfemava contra a má sorte que o pusera naquele estado.* *T. d.* **3.** Ultrajar com blasfêmias: 📄 *Blasfemava o nome de todos os santos.*

blasfemativo [De *blasfemar* + *-tivo*.] *Adj.* Que denota ou encerra blasfêmia.

blasfematório [De *blasfemar* + *-tório*.] *Adj.* **1.** Que encerra ou constitui blasfêmia; blasfemo: 📄 *palavras blasfematórias.* **2.** Próprio de quem blasfema, blasfemante: 📄 *tom blasfematório.*

blasfémia *S. f.* V. *blasfêmia.* [Uso freq. em P.]

blasfêmia [Do gr. *blasphemía*, pelo lat. *blasphemia*.] *S. f.* **1.** Palavras que ultrajam a divindade ou a religião. **2.** Ultraje dirigido contra pessoa ou coisa respeitável.

blasfemo (ê) [Do gr. *blásphemos*, pelo lat. *blasphemu*.] *Adj.* **1.** Que blasfema; blasfemador. **2.** Blasfematório (1). ● *S. m.* **3.** Aquele que blasfema; blasfemador.

blasonador (ô) [De *blasonar* + *-dor*.] *Adj. S. m.* **1.** Que, ou aquele que blasona. **2.** V. *fanfarrão.*

blasonar [Do esp. *blasonar*.] *V. t. d.* **1.** Mostrar com alarde; alardear: 📄 *Blasona a alta posição que conseguiu à custa de amigos influentes.* **2.** Brasonar (1). **3.** Descrever o escudo ou brasão de. *Transobj.* **4.** Apregoar, proclamar. *Int.* **5.** Jactar-se, fanfarronar-se, vangloriar-se, brasonar, bravatear. *T. i.* **6.** Jactar-se; vangloriar-se: 📄 *Blasonava de sua intimidade com o ministro.* [Fut. pret.: *blasonaria, blasonarias, blasonaria*, etc. Cf. *blasonaria*, s. f.]

blasonaria *S. f.* Ato ou caráter de blasonador. [Cf. *blasonaria*, do v. *blasonar*.]

blasónico *Adj.* V. *blasônico.* [Uso freq. em P.]

blasônico [De *blasão*, f. ant. de *brasão*, + *-ico*[2].] *Adj.* Relativo a brasão.

➔ **blast** [blæst] [Ingl.] *S. m.* **1.** Deslocamento violento de ar produzido por explosão, e que ocasiona uma onda de alta pressão seguida por outra de pressão diminuída, dando origem a efeito de sucção. **2.** *Traum.* Lesão pulmonar e de outros órgãos torácicos e abdominais, dos ouvidos e, em grau menor, do sistema nervoso central, provocada por *blast* (1).

blastema [Do gr. *blástema*, 'broto'.] *S. m. Biol.* Agregado de células embrionárias ainda não diferenciadas, mas que são identificáveis como a origem de um órgão ou estrutura.

blastemático [De *blastema* + *-ático*.] *Adj. Biol.* Relativo a blastema.

blasto [Do gr. *blastós*, 'broto'.] *S. m. Bot.* **1.** Parte do embrião que se desenvolve por efeito da germinação. **2.** Plúmula e radícula do embrião vegetal.

▲ **blast(o)-** [Do gr. *blastós, oû*.] *El. comp.* = 'germe'; 'célula'; 'germinação'; 'cristal formado durante o metamorfismo': *blastoderma, blástula.* [Equiv.: *-blast(o)-, -blasto*: *triblástico, cristaloblástico; idioblasto*.]

▲ **-blast(o)-** V. *blast(o)-.*

▲ **-blasto** V. *blast(o)-.*

blastobasídeo [De *blast(o)-* + *-basid(i)-* + *-eo*.] *Zool. S. m.* **1.** Espécime dos blastobasídeos, família de insetos lepidópteros; são pequenas mariposas de asas posteriores lanceoladas, e cujas larvas parasitam plantas, causando prejuízos graves, como, p. ex., no fruto seco do cafeeiro. ● *Adj.* **2.** Pertencente ou relativo a eles.

blastocárpico [De *blast(o)-* + *-carp(o)-* + *-ico*[2].] *Adj. Bot.* Diz-se das sementes que germinam no interior do fruto, como as do mangue, que, ao cair, já trazem o embrião em desenvolvimento.

blastocarpo [De *blast(o)-* + *-carpo.*] *Adj. Bot.* Diz-se do fruto cuja semente germina antes de sair do pericarpo.

blastocele [De *blast(o)-* + *-cele*[2].] *S. f. Embr.* Cavidade central da blástula; cavidade blastocística.

blastocinese [De *blast(o)-* + *-cinese.*] *S. f. Embr.* Movimento do embrião, em especial o dos insetos, dentro do ovo.

blastocístico [De *blastocisto* + *-ico*[2].] *Adj. Embr.* Referente a blastocisto. ~ V. *cavidade —a.*

blastocisto [De *blast(o)-* + *-cisto.*] *S. m. Embr.* Estágio do desenvolvimento embrionário dos mamíferos no qual ocorre a implantação do zigoto na parede uterina e que, então, é formado por uma camada de células periféricas, o trofoblasto, um maciço celular interno, o embrioblasto, e uma cavidade, a blastocele. [Sin.: *blástula.*]

blastócito [De *blast(o)-* + *-cito.*] *S. m. Embr. Desus.* Blastômero.

blastoderma [De *blast(o)-* + *-derma.*] *S. m.* **1.** *Bot.* Membrana germinativa que dá origem aos órgãos do embrião. **2.** *Embr.* Disco embrionário formado por duas camadas celulares — o endoderma e o ectoderma — que darão origem a todos os constituintes do embrião; disco embrionário. [Var.: *blastoderme.*]

blastoderme *S. m. Bot. Embr.* V. *blastoderma.*

blastoma [De *blast(o)-* + *-oma*[1].] *S. m. Patol.* Tumor formado por células embrionárias oriundas do blastema de um órgão ou tecido.

blastomania [De *blast(o)-* + *-mania.*] *S. f. Bot.* Desenvolvimento excessivo, e produção anormalmente elevada, de gemas vegetativas.

blastomaníaco [De *blastomania* + *-íaco.*] *Adj. Bot.* Relativo a blastomania.

blastomatoide (ói) [De *blast(o)-* + *-omat-* + *-oide.*] *Adj. 2 g. Patol.* Semelhante a blastoma. ❖

blastomatose [De *blast(o)-* + *-omat-* + *-ose*[1].] *S. f. Patol.* Formação de blastomas.

blastomatoso (ô) [De *blast(o)-* + *-omat-* + *-oso.*] *Adj.* Relativo a blastoma, ou da natureza dele.

blastómero *S. m. Embr.* V. *blastômero.* [Uso freq. em P.]

blastômero [De *blast(o)-* + *-mero.*] *S. m. Embr.* Célula indiferenciada originária da segmentação do zigoto.

blastomicose [Do tax. *Blastomyces* + *-ose*[1].] *S. f. Patol.* Infecção produzida por organismo do gênero *Blastomyces.*

blastóporo [De *blast(o)-* + *-poro.*] *S. m. Embr.* Fosseta primitiva (q. v.).

blastósporo [De *blast(o)-* + *-sporo.*] *S. m. Bot.* Cada um dos tipos de esporo que multiplicam a planta por gemação, tal como sucede nas leveduras.

blastostilo [De *blast(o)-* + *-stilo*[2].] *S. m. Zool.* Zooide coluniforme dos hidrozoários, que suporta os gonóforos; gonomerídeo.

blástula [De *blast(o)-* + *-ula.*] *S. f. Embr.* Blastocisto.

blata [Do tax. *Blatta* (< lat. *blatta*, 'barata').] *S. f. Zool.* **1.** O gênero-tipo dos blatídeos. **2.** Qualquer espécie desse gênero, como, p. ex., a *Blatta orientalis*, barata marrom-escura, de tamanho médio, que é poss. originária da Ásia, mas tornou-se quase cosmopolita em regiões quentes e temperadas, e habita esp. as cidades, infestando habitações e outras áreas construídas. **3.** Qualquer espécime desse gênero.

blatário [Do tax. *Blatta* (v. *blata*) + *-ário*; tax. *Blattariae.*] *Zool. S. m.* **1.** Espécime dos blatários, ordem de artrópodes, da classe dos insetos, ortópteros. Têm o corpo achatado, a cabeça pequena, parcialmente escondida sob o protórax, e antenas longas; as fêmeas são desprovidas de ovipositor, e põem os ovos em ootecas; são onívoros. Há espécies domésticas, conhecidas pelo nome popular de barata. ● *Adj.* **2.** Pertencente ou relativo a eles. [Sin. ger.: *blatóideo, cursório.*]

blatelídeo [Adapt. do tax. *Blattellidea.*] *Zool. S. m.* **1.** Espécime dos blatelídeos, família de insetos blatóideos; são baratas pequenas e algumas espécies são pragas domésticas. ● *Adj.* **2.** Pertencente ou relativo a eles.

blateração [De *blaterar* + *-ção.*] *S. f.* **1.** Ato ou efeito de blaterar. **2.** Voz confusa ou mal-articulada. **3.** Ruído semelhante à voz do camelo.

blaterar [Do lat. *blaterare.*] *V. t. d.* **1.** Falar muito; tagarelar, parolar. **2.** Falar ou clamar com violência contra pessoas ou coisas; deblaterar. **3.** *Bras.* Xingar, descompor. *Int.* **4.** Soltar a voz (o camelo). **5.** Falar ou clamar com violência contra pessoas ou coisas; vociferar; deblaterar.

blatídeo [Do tax. *Blatta* (v. *blata*) + *-ideo*[1]; tax. *Blattidae.*] *Zool. S. m.* **1.** Espécime dos blatídeos, família de insetos ortópteros, blatários, corredores. ● *Adj.* **2.** Pertencente ou relativo a eles.

blatíneo [Do tax. *Blatta* (v. *blata*) + *-in(o)-*[3] + *-eo.*] *S. m. Zool.* **1.** Espécime dos blatíneos, subfamília de insetos ortópteros, blatídeos, que compreende as baratas. ● *Adj.* **2.** Pertencente ou relativo a eles. V. *blatídeo.*

blatóideo [Do tax. *Blatta* (v. *blata*) + *-óideo.*] *S. m. Adj. Zool.* V. *blatário.*

blau [Do frâncico **blao*, pelo fr. ant. *blau*, atualmente *bleu.*] *Adj. 2 g. S. m. Heráld.* Diz-se da, ou a cor azul do esmalte dos brasões.

➔ **blazer** ['blejzər] [Ingl.] *S. m.* Paletó esporte masculino ou feminino.

blecaute [Do ingl. *black-out.*] *S. m.* **1.** Apagão: 📖 "Sudeste, Sul e partes do Centro-Oeste sofrem maior <u>blecaute</u> em 14 anos, avançando pela madrugada" (*Jornal do Brasil*, 12.03.1999). **2.** Expediente de deixar tudo às escuras, como precaução contra bombardeios aéreos, usado na guerra moderna.

blefado [Part. de *blefar.*] *Adj. Bras.* Diz-se daquele que perdeu tudo no garimpo; arruinado, falido.

blefaia *S. f. Bras. BA MG* V. *gorjeta*[1] (2).

blefar [De *blefe* + *-ar*[2].] *V. int.* **1.** Iludir no jogo, apostando e/ou agindo como se tivesse boas cartas. **2.** Esconder uma situação precária ou desvantajosa: 📄 *Está desempregado mas continua <u>blefando</u> em casa. T. d.* **3.** Enganar, lograr: 📄 *<u>Blefou</u> a vigilância do hospital e saiu sem ter alta.*

blefaradenite [De *blefar(o)-* + *-aden(o)-* + *-ite*[1].] *S. f. Oftalm.* Inflamação de glândulas meibomianas.

blefarectomia [De *blefar(o)-* + *-ectom-* + *-ia*[1].] *S. f. Oftalm.* Excisão de porção palpebral que contém lesão.

blefaredema [De *blefar(o)-* + *edema.*] *S. m. Patol.* Presença de edema em pálpebra(s).

blefarismo [De *blefar(o)-* + *-ismo.*] *S. m. Oftalm.* Espasmo do músculo orbicular do olho, que leva ao piscar incessante do mesmo; blefaroespasmo.

blefarite [De *blefar(o)-* + *-ite*[1].] *S. f. Patol.* Presença de inflamação em pálpebra(s). [Sin.: *palpebrite, tarsite*, e bras., pop., *sapiranga.*]

▲ **blefar(o)-** [Do gr. *blépharon, ou* (ă).] *El. comp.* = 'pálpebra'; 'cílio'; 'flagelo': *blefarite, blefaroplegia, blefaroblasto.* [Equiv.: *-blefar(o)-, -bléfaro*: *ablefaria; abléfaro.*]

▲ **-blefar(o)-** V. *blefar(o)-.*

▲ **-bléfaro** V. *blefar(o)-.*

blefaroblasto (blè) [De *blefar(o)-* + *-blasto.*] *S. m. Zool.* V. *cinetoplasto.*

blefaroespasmo [De *blefar(o)-* + *espasmo.*] *S. m. Oftalm.* Blefarismo.

blefaroplastia (blè) [De *blefar(o)-* + *-plast(o)-* + *-ia*[1].] *S. f. Cir.* Intervenção cirúrgica plástica em pálpebra.

blefaroplástico[1] (blè) [De *blefaroplasto* + *-ico*[2].] *Adj.* Relativo a blefaroplasto.

blefaroplástico[2] (blè) [De *blefaroplastia* + *-ico*[2].] *Adj. Cir.* Relativo a blefaroplastia.

blefaroplasto (blè) [De *blefar(o)-* + *-plasto.*] *S. m.* **1.** *Bot.* Corpúsculo cromatinoide situado fora do núcleo e ligado à base dos flagelos, em certas algas unicelulares. **2.** *Bot.* Faixa helicoidal sobre a qual se inserem os cílios nos anterozoides das zamiáceas e gincoáceas. **3.** *Zool.* Corpúsculo cilíndrico basal dos protozoários flagelados, composto de hastes paralelas e periféricas ligadas aos filamentos axiais dos flagelos.

blefaroplegia (blè) [De *blefar(o)-* + *-pleg-* + *-ia*[1].] *S. f. Oftalm.* Paralisia palpebral.

blefaroplégico (blè) [De *blefaroplegia* + *-ico*[2].] *Adj. Oftalm.* Relativo a blefaroplegia.

blefaroptose (blè) [De *blefar(o)-* + *-ptose.*] *S. f. Oftalm.* Ptose palpebral.

blefarorrafia (blè) [De *blefar(o)-* + *-raf(i)-* + *-ia*[1].] *S. f. Oftalm.* Sutura de uma pálpebra à outra do mesmo lado.

blefaróstato [De *blefar(o)-* + *-stato.*] *S. m. Oftalm.* Instrumento que serve para manter as pálpebras afastadas, ger. us. em exames ou intervenções oculares.

blefarotomia (blè) [De *blefar(o)-* + *-tom(o)-* + *-ia*[1].] *S. f. Oftalm.* Incisão praticada em pálpebra.

blefe (é ou ê) [Do ingl. *bluff.*] *S. m.* Ato ou efeito de blefar.

blefista [De *blefe* + *-ista.*] *Adj. 2 g. S. 2 g. Bras.* Que, ou quem blefa, dá blefes.

blefоré *S. m. Bras. BA* Festa e dança de baixa classe, frequentada por boêmios.

▲ **-blema** Equiv. de *blem(o)-.*

▲ **blem(o)-** [Do gr. *bláma, atos.*] *El. comp.* = 'lançamento (de dados, de projetis)'; 'tiro', 'projetil'; 'ferida': *blemômetro.* [Equiv.: *-blema*: *astroblema.*]

blemómetro *S. m.* V. *blemômetro.* [Uso freq. em P.]

blemômetro [De *blem(o)-* + *-metro.*] *S. m.* Instrumento para medir a intensidade da explosão nas armas de fogo.

blenadenite [De *blen(o)-* + *-aden(o)-* + *-ite*[1].] *S. f. Patol.* Inflamação de glândula mucosa.

blenda [Do al. *Blende* < al. *blenden*, 'ofuscar'.] *S. f. Min.* Sulfeto de zinco, natural, de cristais negros ou castanhos; esfalerita.

blenémese *S. f. Med.* V. *blenêmese.* [Uso freq. em P.]

blenêmese [De *blen(o)-* + *-êmese.*] *S. f. Med.* Vômito mucoso.

blenenterite [De *blen(o)-* + *-enter(o)-* + *-ite*[1].] *S. f. Med.* Diarreia mucosa.

bleniídeo [Do tax. *Blennius* + *-ídeo*[1]; tax. *Blenniidae.*] *Zool. S. m.* **1.** Espécime dos bleniídeos, família de peixes teleósteos, acantopterígios, com pele ger. desprovida de escamas e sempre viscosa, nadadeiras pélvicas inseridas sob o pescoço, nadadeira dorsal ocupando todo o comprimento do dorso e dentes muito agudos e fortes. ● *Adj.* **2.** Pertencente ou relativo a eles.

▲ **blen(o)-** [Do gr. *blénnos, eos-ous.*] *El. comp.* = 'muco'; 'catarro': *blenenterite, blenorragia.* [Equiv.: *-blen(o)-*: *iscoblenia.*]

▲ **-blen(o)-** Equiv. de *blen(o)-.*

blenoftalmia [De *blen(o)-* + *oftalmia.*] *S. f. Oftalm.* Oftalmia purulenta.

blenógeno [De *blen(o)-* + *-geno.*] *Adj. Med.* Que produz muco.

blenoide (ói) [De *blen(o)-* + *-oide.*] *Adj. 2 g.* Semelhante a muco. ❖

blenorragia [De *blen(o)-* + *-ragia.*] *S. f. Med.* **1.** Eliminação excessiva de muco. **2.** V. *gonorreia.*

blenorrágico [De *blenorragia* + *-ico*[2].] *Adj. Med.* Referente a blenorragia ou da natureza dela; gonorreico.

blenorreia (éi) [De *blen(o)-* + *-reia.*] *S. f. Med.* Eliminação de matéria proveniente de membranas mucosas, em especial a eliminação gonorreica uretral ou vaginal. ❖

blenóstase [De *blen(o)-* + *-stase.*] *S. f. Med.* Detenção de eliminação excessiva de muco.

blenostático [De *blenost(ase)* + *-ático.*] *Adj. Med.* Relativo a blenóstase.

blenuria [De *blen(o)-* + *-uria.*] *S. f. Med.* V. *blenúria.*

blenúria [De *blen(o)-* + *-úria.*] *S. f. Med.* Presença de muco na urina. [F. paral.: *blenuria.*]

blenúrico [De *blenúria* + *-ico*[2].] *Adj. Med.* Relativo a blenúria.

bleomicina *S. f. Quím.* Qualquer de vários glicopeptídios antibióticos, naturais, antineoplásicos.

▲ **-bleps-** [Do gr. *blépsis, eōs.*] *El. comp.* = 'visão': *hipnoblepsia, monoblepsia.*

▲ **-bléptico** [Do gr. *bleptikós, é, ón*, 'relativo à visão'.] *El. comp.* formador de adj. referentes a palavras em **-blepsia* (de *-bleps* + *-ia*[1]): *abléptico, quionabléptico.*

blesidade [De *bleso* + *-(i)dade.*] *S. f. E. Ling.* Vício de pronúncia que consiste em substituir uma consoante forte por outra fraca.

bleso [Do lat. *blaesu.*] *Adj.* **1.** Que tem o vício da blesidade. **2.** Que gagueja ou fala de modo confuso.

➔ **bleu** [blø] [Fr.] *S. m. Cul.* Queijo de leite de vaca cuja massa, de textura macia, comporta um bolor azulado característico: <u>*bleu*</u> *d'Auvergne*, <u>*bleu*</u> *de Bresse*, etc.

➔ **blimp** [blɪmp] [Ingl.] *S. m.* Cobertura à prova de som para câmaras de filmar. [Tb. ocorre a f. aport. *blimpe.*]

blimpado [De *blimpe* + *-ado*[1].] *Adj. Cin.* Diz-se de câmara de filmar cujo mecanismo de gravação está protegido por blimpe.

blimpe *S. m.* Blimp (q. v.).

blindado [Part. de *blindar.*] *Adj.* **1.** Revestido de chapa de aço; couraçado: 📄 *carro <u>blindado</u>.* **2.** *Fig.* Protegido, defendido, imunizado. ● *S. m.* **3.** Carro blindado: 📖 "trezentos soldados com o apoio de <u>blindados</u> invadiram o território libanês" (*Correio da Manhã*, Rio, 26.10.1969).

blindagem [De *blindar* + *-agem*[2].] *S. f.* **1.** Ato ou efeito de blindar. **2.** *Eletr.* Condutor metálico, geralmente ligado à terra, que envolve o componente de um circuito ou um circuito inteiro, com o fim de isolá-lo da influência de campos elétricos externos. **3.** *Eletr.* Malha metálica us. nos cabos coaxiais. **4.** *Fís. Nucl.* Para proteger observadores e instrumentos, proteção colocada em torno de uma fonte de radiação. ◆ **Blindagem de calor.** *Astron.* Dispositivo que protege contra o calor um veículo espacial, seja por dissipação, reflexão ou ablação. **Blindagem magnética.** *Fís.* Anteparo ou envoltório feito de material de alta permeabilidade magnética, e que se usa para proteger de campos magnéticos indesejáveis um circuito ou um aparelho.

blindar [Do al. *blenden*, 'cegar', 'ofuscar', pelo fr. *blinder.*] *V. t. d.* **1.** Revestir de chapas de aço; couraçar. **2.** Pôr ao abrigo (edifício, passagem, etc.). **3.** *Fís.* Proteger (um circuito) da ação de campos elétricos ou magnéticos. *T. d. e i.* **4.** Proteger, resguardar: 📄 *<u>blindar</u> um organismo contra os perigos da contaminação.* **5.** Revestir; cobrir. *P.* **6.** Proteger-se, resguardar-se: 📖 "A Europa <u>se blinda</u> cada vez mais contra estrangeiros que queiram se estabelecer por lá." (Ricardo Noblat, em *O Globo*, 10.03.2008.)

blini [Do russ. *blini*, pl. de *blin*.] ***S. m. Cul.*** Pequena panqueca servida com queijo cremoso, caviar, etc.

blíster [Do ingl. *blister*.] ***S. m.*** Cartela em que pequenos produtos — como drágeas, canetas, pilhas — são encerrados em cavidades moldadas em uma peça de plástico semirrígido, transparente, selada a quente com folha de alumínio, papel, etc., revestida de resina, verniz ou plástico.

blitácea [Do tax. *Blitum* (do gr. *blíton*, 'acelga') + *-ácea*; tax. *Blitaceae*.] ***S. f. Bot.*** V. *quenopodiácea*.

blitáceo [De *blitácea*, com var. suf. (v. *-áceo*).] ***Adj. Bot.*** V. *quenopodiáceo*.

→ **blitz** [blɪts] [Do al. *Blitzkrieg*, 'guerra-relâmpago'.] ***S. f.*** **1.** Blitzkrieg (q. v.). [Em al., com cap. nesta acepç.] **2.** *Bras.* Qualquer operação de fiscalização ou combate, realizada pela polícia (militar ou civil) sem aviso à população. **3.** *P. ext. Bras.* Operação de vigilância, fiscalização ou combate a algo, realizada, sem aviso à população, por instituição ou órgão público não militar. [Pl.: *Blitze* (al.).]

→ **blitzkrieg** [ˈblɪtskʁik] [Al.] ***S. m.*** Guerra-relâmpago. [Tb. us. abreviadamente: *Blitz*. Com cap.]

→ **blizzard** [ˈblɪzɚd] [Ingl.] ***S. m.*** Furacão de vento e neve que, com frequência, obscurece a paisagem polar.

blocado [Part. de *blocar*.] ***Adj. Art. Gráf.*** Diz-se de texto justificado.

blocagem [De *blocar* + *-agem*[2].] ***S. f. Art. Gráf.*** **1.** Ato ou efeito de blocar. **2.** Num estabelecimento gráfico, seção onde se fazem blocos de papel.

blocar [De *bloco* + *-ar*[2].] *Art. Gráf.* ***V. int.*** **1.** Fazer blocos de papel. ***T. d.*** **2.** Justificar (7) (linhas de uma composição). [Cf., nesta acepç., *alinhar* (4). Conjug.: v. *trancar*.]

blocause ***S. m.*** V. *blocausse*.

blocausse [Do al. *Blockhaus*, 'casa fortificada'.] ***S. m.*** **1.** Primitivamente, fortaleza improvisada com troncos de árvores esquadriados, barras de ferro, etc., formando uma espécie de cabana protegida de paliçada. **2.** Hoje, construção blindada ou fortificada, feita de cimento armado, para defesa de um ponto particular.

→ **blockbuster** [ˈblɑkˌbʌstɚ] [Ingl.] ***S. m.*** Filme, livro, etc. muitíssimo bem-sucedido em termos de repercussão, popularidade, arrecadação ou venda; arrasa-quarteirão: "Com ou sem nudez, nossos filmes têm sido incapazes de enfrentar a cultura do blockbuster" (Inácio Araújo, em *Folha de S.Paulo*, 13.10.2008).

bloco [Do neerl. médio *bloc*, pelo fr. *bloc*.] ***S. m.*** **1.** Massa volumosa e sólida de uma substância: *bloco de gelo*. **2.** Reunião de folhas de papel presas por um dos lados e destacáveis. **3.** V. *edifício* (1): *Alguns edifícios de Brasília são chamados blocos e identificados por letras, dentro de cada superquadra.* **4.** Cada um dos edifícios [v. *edifício* (2)] que formam um conjunto de prédios. **5.** Agrupamento (de pessoas, países, etc.) tomado em seu conjunto: *o bloco dos países exportadores de petróleo; o bloco de deputados ruralistas.* **6.** *Constr.* Fundação isolada, de concreto simples ou ciclópico, de grande altura em relação à base. **7.** *Constr.* Estrutura em que não há predominância duma dimensão sobre as outras. **8.** *E. Ling.* Unidade superior em que se classificam duas ou mais famílias linguísticas a partir das semelhanças que apresentam entre si. [Cf., nesta acepç., *família* (8), *filo* (2), *grupo* (9), *ramo* (13).] **9.** *Estat.* Numa experiência de caráter estatístico que envolve diversos fatores, cada uma das unidades experimentais em que se divide o assunto em estudo com o objetivo de controlar estatisticamente a influência de cada fator. **10.** *Rád. Telev.* Conjunto de notícias transmitidas sem intervalo em um programa jornalístico. [Cf., nesta acepç., *segmento* (8).] **11.** *Rád. Telev.* Conjunto de mensagens publicitárias transmitidas em um intervalo comercial. **12.** *Tip.* Chapa de metal ou de madeira onde se fixam os clichês para ficarem em tipo-altura na composição. **13.** *Bras.* Grupo de foliões que, durante o carnaval, dançam e cantam nas ruas ao som de bateria. **14.** *Bras.* Bloco (13) organizado em sociedade carnavalesca. ◆ **Bloco amortecedor.** *Autom.* Bloco (1) de borracha que amortece os golpes do eixo no chassi quando as molas são forçadas em demasia. **Bloco continental.** *Geogr.* Grande extensão de terras emersas e imersas, que abrange um continente e sua plataforma continental (q. v.). **Bloco de cilindros.** *Autom.* A parte mais volumosa do motor, na qual estão as perfurações dos cilindros em que se movem os pistões. **Bloco de decomposição.** *Geol.* Grande pedra solta, ainda não inteiramente decomposta, formada pela decomposição da rocha. **Bloco de facas.** *Tip.* V. *bloco de navalhas*. **Bloco de gaveta.** *Tip.* Peça de aço com ranhura onde se encaixa a matriz-gaveta, destinada a fundir fios e orlas, na linotipo; bloco-matriz, base. **Bloco de justificação.** *Tip.* **1.** Talão de justificação (q. v.). **2.** Martelo justificador (q. v.). **Bloco de navalhas.** *Tip.* Conjunto de duas lâminas ajustáveis ao corpo desejado, entre as quais se aparam as costelas da linha-bloco, ao sair do molde da linotipo para o galeão; bloco de facas, caixa de navalhas. **Bloco de ranhuras.** *Tip.* Bloco metálico com ranhuras diagonais onde correm unhas que prendem os clichês em qualquer posição, para imprimir. **Bloco econômico.** *Econ.* Bloco (5) de países que mantêm entre si relações econômicas esp. estreitas, como numa área de livre comércio (q. v.). **Bloco errático.** *Geol.* Bloco transportado, ger. pelos gelos, a grande distância do ponto de origem. **Bloco oscilante.** *Geogr.* Matacão ou fragmento de rocha de grandes proporções, que se encontra numa encosta, em equilíbrio instável; bloco suspenso. **Bloco sistemático.** *Tip.* Bloco (12) formado pela reunião de peças metálicas ciceradas, a fim de se adaptar a diferentes tamanhos de clichês. **Bloco suspenso.** *Geogr.* Bloco oscilante. **Bloco testemunho.** *Arqueol.* Testemunho (4). **Bloco vulcânico.** *Geol.* Grande massa rochosa de forma irregular, projetada por um vulcão. **Botar o bloco na rua.** *Bras. Pop.* **1.** V. *morrer* (1). **2.** Agir com franqueza, com objetividade; tomar providências decisivas. **Em bloco.** Em conjunto: sem minucioso exame: *Considerou a questão em bloco.*

bloco-diagrama ***S. m.*** Representação gráfica do relevo de uma região, em relação com a sua estrutura. [Pl.: *blocos-diagramas* e *blocos-diagrama*.]

bloco-matriz ***S. m.*** *Tip.* V. *bloco de gaveta*. [Pl.: *blocos-matrizes* e *blocos-matriz*.]

bloedita [Do antr. (*Carl A.*) *Bloede*, químico alemão, + *-ita*[3].] ***S. f. Min.*** Mineral monoclínico, sulfato hidratado de sódio e magnésio; astracanita.

→ **blog** [blɔg][Ingl., abrev. de *Web log*.] ***S. m. Inform.*** **1.** Na *Web*, serviço que permite ao internauta criar e manter uma página em que as informações são apresentadas em ordem cronológica reversa (as mais recentes aparecem primeiro), tendo cada publicação sua data e hora de inserção, e tb. um espaço onde outros internautas podem incluir comentários associados. [Inicialmente foi us. como diário, mas, com a popularização, tornou-se tb. um meio para publicação de notícias, divulgação de ideias, etc.] **2.** A página por esse serviço disponibilizada para um usuário e por este mantida: "Em duas semanas, o *blog* do senador Cristovão Buarque .... já recebeu quase 30 mil visitas." (Anselmo Góis, em *O Globo*, 02.09.2004.) [Aport.: *blogue*.]

blogar [Do ingl. *blog* + *-ar*[2].] ***V. int. Inform.*** Manter (o internauta) um *blog*. [Conjug.: *rogar*.]

blogosfera [Do ingl. *blog* (q. v.) + *-o-*[1] + *-sfera*.] ***S. f. Inform.*** Conjunto de blogues que compõem o universo virtual de uma rede de computadores interconectados.

blogue [Aport. do ingl. *blog*.] ***S. m. Inform.*** V. *blog*.

blogueiro [Do ingl. *blog* + *-eiro*.] ***Adj. Inform.*** **1.** Diz-se de quem navega pelos blogues de uma rede virtual de computadores interconectados. **2.** Que produz blogues. • ***S. m. Inform.*** **3.** Internauta que navega na blogosfera. **4.** Aquele que cria ou que mantém um blogue.

blondeliano ***Adj. Filos.*** **1.** Pertencente ou relativo a Maurice Blondel (1861-1949), filósofo francês, ou próprio dele. **2.** Que é partidário do sistema criado por ele. • ***S. m.*** **3.** Partidário desse sistema.

→ **bloody mary** [ˈblʌdij ˈmɛɹij] [Ingl.] ***S. m.*** Coquetel composto de vodca e suco de tomate.

bloqueado [Part. de *bloquear*.] ***Adj.*** **1.** Fechado com bloqueio. **2.** *Psiq.* Que sofre de bloqueio (9).

bloqueador (ô) [De *bloquear* + *-dor*.] ***Adj.*** **1.** Que bloqueia; bloqueante. • ***S. m.*** **2.** Aquele ou aquilo que bloqueia. **3.** Dispositivo que impede comunicação telefônica. **4.** *Farmac.* Droga que bloqueia determinada atividade orgânica.

bloqueante [De *bloquear* + *-nte*.] ***Adj. 2 g.*** Bloqueador (1).

bloquear [Do fr. *bloquer*, do fr. *bloc*, 'bloco'.] ***V. t. d.*** **1.** Pôr bloqueio a; cercar, sitiar. *As tropas inimigas bloquearam a entrada da cidade.* **2.** Impedir o movimento ou a circulação de. **3.** Obstar, dificultar, impedir: *Árvores caídas bloqueavam a passagem.* **4.** Conter, refrear, inibir: *Sua timidez excessiva bloqueava-lhe os passos.* **5.** Restringir ou impedir a movimentação ou a manipulação de: "Justiça bloqueia bens e quebra sigilo de funcionários do INCRA no Pará" (*O Globo*, 20.02.2008). **6.** Impedir o acesso de algo ou alguém a (sistema, operação, *site*, etc.) **7.** Desabilitar ou interromper o uso de (cartão, conta bancária, telefone celular, etc.) **8.** *Esport.* Neutralizar ou defender (ataque ou atacante adversário) em bloqueio. **9.** *Med. Psiq.* Causar bloqueio (8 e 9) a. [Conjug.: v. *frear*.]

bloqueio [Dev. de *bloquear*.] ***S. m.*** **1.** Ato ou efeito de bloquear. **2.** Cerco ou operação militar com que se procura cortar a uma praça ou a um porto as comunicações com o exterior. **3.** Interrupção no desenvolvimento de algo. **4.** *Anest.* Interrupção da condutibilidade de uma via nervosa. **5.** Isolamento de um país por outro(s) no campo econômico, político, etc. **6.** *Eletrôn.* Numa válvula de vácuo, corte da corrente de placa por uma polarização negativa conveniente da grade. **7.** *Esport.* No voleibol, parede de mãos erguidas pelos jogadores para tentar neutralizar o ataque adversário. **8.** *Fisiol. Farmac.* Impedimento, mediante administração de droga, de fenômeno fisiológico ou de efeito de outra droga. **9.** *Psiq.* Parada súbita na execução de um ato ou de um gesto, ou na emissão de uma palavra, ou detenção súbita e transitória do curso do pensamento, sem comprometimento intelectual ou sensorial, sintoma frequente em certas doenças mentais, especialmente na esquizofrenia. **10.** *Bras. CE Fig.* Cota pecuniária para qualquer festividade. **11.** *Bras. CE P. ext.* Cota de pagamento do baralho, em jogo de cartas.

bloquista [De *bloco* + *-ista*.] ***S. 2 g. Art. Gráf.*** Gráfico que se ocupa da confecção de blocos e talões de papel; taloneiro.

→ **blow-up** [ˈblowəp] [Ingl.] ***S. m. Fot.*** Ampliação de detalhe de uma fotografia.

→ **blue chip** [bluw tʃɪp] [Ingl.] *Econ.* Ação de firma confiável, de rentabilidade segura.

→ **blue jean** [bluw dʒijn] [Ingl.] V. *blue jeans*.

→ **blue jeans** [bluw dʒijnz] [Ingl.] ***S. m. 2 n.*** **1.** *Jeans* tingido com anil. ***Adj. 2 g. e 2 n.*** **2.** Feito de *blue jean* (q. v.): *saia blue jeans*. [Tb. se diz apenas *jeans*.]

→ **blues** [bluz] [Ingl.] ***S. m. 2 n. Mús.*** **1.** Canção popular dos negros norte-americanos, em tom menor, e de caráter melancólico e andamento lento. **2.** Modalidade de foxtrote (q. v.) de andamento lento, surgida no fim da década de 1920; *fox-blue*.

→ **bluetooth** [ˈbluw tuwθ] [Ingl.] ***S. m. Inform.*** Tecnologia que permite a conexão de dispositivos sem uso de cabos.

blufo [Do balanta.] ***S. m. Guin.*** **1.** Rapaz que ainda não foi circuncidado: "Por fim, até um blufo espigadote, com tufos de cabelo retorcido e a penderem para a testa, também proclamou o seu entusiasmo" (Alexandre Barbosa, *Guinéus*, p. 49). **2.** Jovem inexperiente. **3.** *Deprec.* Pessoa estúpida, mal-educada: "Era um blufo, aquele branco. Um blufo grande que não conhecia olhos nem um bocadinho." (Abdulai Sila, *A Última Tragédia*, p. 54.) **4.** Dança ritual que é executada durante a circuncisão. • ***Adj.*** **5.** Diz-se de indivíduo blufo.

blumenauense ***Adj. 2 g.*** **1.** De, ou pertencente ou relativo a Blumenau (SC). • ***S. 2 g.*** **2.** O natural ou habitante de Blumenau.

→ **blu-ray disc** [ˈbluwɹej dɪsk] [Ingl.] ***S. m. Inform.*** Formato de disco de alta capacidade utilizado para armazenamento de conteúdo em alta definição. [Possui as mesmas dimensões de um disco DVD, a forma de armazenamento e a tecnologia aplicada à leitura de dados, porém, são diferentes.]

→ **blu-ray player** [ˈbluwɹej ˈplejɚ] [Ingl.] ***S. m. Inform.*** Aparelho para reproduzir discos no formato *blu-ray*.

blusa [Do fr. *blouse*.] ***S. f.*** **1.** Veste larga, com mangas ou gola, ou sem elas, usada por operários, colegiais, médicos, artistas, etc.; bata, avental. **2.** Espécie de camisa de feitios diversos, usada por baixo ou por cima de saia, calça, *shorts*, etc. **3.** Parte superior da indumentária feminina que vai dos ombros até a cintura. **4.** Jaqueta de seda, de cores vivas, usada pelos jóqueis nas corridas.

blusão [De *blusa* + *-ão*[1].] ***S. m. Vest.*** **1.** Blusa folgada, esportiva, unissex, us. por fora de calça ou saia até o comprimento do quadril. **2.** Agasalho com mangas compridas ou não, fechado por zíper ou botões; jaqueta: *blusão de couro; blusão de ganga.*

→ **blush** [ˈblʌʃ] [Ingl.] ***S. m.*** V. *ruge*.

B-mais ***S. m. 2 n. Fís. Part.*** Antipartícula (q. v.) do B-menos [símb.: *B+*].

B-menos ***S. m. 2 n. Fís. Part.*** Méson de massa 5278,7 MeV/c^2, *isospin* 1/2, *spin* zero, paridade negativa, carga elétrica igual à do elétron e beleza -1, composto de um *quark b* e um antiquark *u* [símb.: *B-*]. [Seus *isospin* e *spin*, previstos pelo modelo de *quarks*, necessitam de confirmação experimental.]

■ **BNDES** Sigla de *Banco Nacional de Desenvolvimento Econômico e Social*.

■ **B.O.** Abrev. de *boletim de ocorrência* (q. v.): "Uma vez fiquei duas horas na delegacia para concluir o B.O. de um carro batido." (Walcyr Carrasco, *Anjo de Quatro Patas*, p. 125.)

boa[1] (ô) [Do tax. *Boa* (< lat. *boa*, 'cobra aquática').] ***S. f. Zool.*** **1.** O gênero-tipo da família dos boídeos, que compreende os ofídios não venenosos das regiões tropicais da América. **2.** Qualquer espécie desse gênero, como, p. ex., a *Boa constrictor*, que ocorre numa grande extensão de hábitats, desde o México até a Argentina, e em algumas ilhas da Índia ocidental, mas que raramente entra na água. V. *jiboia*, *araramboia* e *cobra-de-veado*. **3.** Qualquer espécime desse gênero: 📖 "Um tigre a dormitar, com a língua rubra o pelo / De veludo lustrando, ou, em calma, um novelo / De boas, digerindo o touro devorado..." (Olavo Bilac, *Poesias*, p. 104); "Vezes algumas, / sinto, meu belo ausente, os teus abraços, / como boas de plumas, / contornarem-me o busto atando-me em seus laços." (Gilca da Costa Melo Machado, *Mulher Nua*, p. 38).

boa^{2} (ô) [Do lat. *bona*.] *Adj. (f.)* **1.** Fem. de *bom*. **2.** *Gír.* Diz-se de mulher de físico provocante; boazuda. ● *S. f.* **3.** *Fam. Irôn.* Situação embaraçosa, complicada, confusa, arriscada: *Meteu o amigo em boa; Envolveu-se em boa;* 📖 "Pois escapamos de boa." (Pedro Nava, *Beira-Mar*, p. 181.) **4.** Mulher boa (2); boazuda. **5.** *Bras. RJ Pop.* V. *cachaça* (1). **6.** *Bras. SP a RS* Na víspora, a partida final, que se joga como última esperança para quem perdeu. ~ V. *boas*. ◆ **Escapar de boa.** Livrar-se de situação difícil. **Fazer uma boa. 1.** Pregar uma peça. **2.** Fazer algo que prejudique ou desagrade (a outrem). **Na boa.** *Bras. Pop. Fam.* **1.** Numa boa (q. v.). **2.** Sem dificuldade, sem esforços: 📖 "Cabelos presos na nuca, blusa de seda preta, ..., uma moça com olhos de quem está suportando, na boa, uma noite extremamente chata" (Caio Fernando Abreu, *Os Dragões não Conhecem o Paraíso*, p. 103). **Numa boa.** *Bras. Pop. Fam.* Numa situação em que se experimenta grande prazer; em situação vantajosa deste ou daquele ponto de vista, particularmente feliz.

boá [Do fr. *boa*.] *S. m.* Estola (2) de pele ou de pluma, estreita e comprida, usada pelas mulheres em volta do pescoço.

boaba [De *emboaba*, com aférese.] *Adj. 2 g. S. 2 g. Bras. SP PR RS* Boava (q. v.).

boaço [De *bom*.] *Adj. Prov. port.* Diz-se do tempo agradável.

boa-esperancense^{1} *Adj. 2 g.* **1.** De, ou pertencente ou relativo a Boa Esperança (PR). ● *S. 2 g.* **2.** O natural ou habitante de Boa Esperança. [Pl.: *boa-esperancenses*.]

boa-esperancense^{2} *Adj. 2 g.* **1.** De, ou pertencente ou relativo a Boa Esperança do Sul (SP). ● *S. 2 g.* **2.** O natural ou habitante de Boa Esperança do Sul. [Pl.: *boa-esperancenses*.]

boa-fé [De *boa^{2}*+ *fé*.] *S. f.* **1.** Certeza de agir com o amparo da lei, ou sem ofensa a ela. **2.** Ausência de intenção dolosa. **3.** Sinceridade, lisura: 📖 "A vida tem necessidades que você desconhece, na sua boa-fé de rapaz" (Luís de Magalhães, *O Brasileiro Soares*, p. 15). [Pl.: *boas-fés*.] ◆ **À boa-fé.** Com toda a franqueza; em verdade; certamente. [Var., ant.: *bofé*.]

boana *S. f.* **1.** Tábua delgada; casquinha. **2.** Cardume de peixes miúdos.

boanari *Bras. S. 2 g.* **1.** *Etnôn.* Indivíduo dos boanaris, povo indígena extinto da família linguística caraíba, que habitava a região do rio Jatapu, afluente do rio Amazonas (AM). ● *Adj. 2 g.* **2.** Pertencente ou relativo a esse povo. [Tb. us. como *s. 2 g.* e *2 n.* (com cap.) e *adj. 2 g.* e *2 n.*]

boança *S. f. Arc.* Bonança.

boane *Bras. S. 2 g.* **1.** *Etnôn.* Indivíduo dos boanes [ou (etnôn. bras.) *Bohane], povo indígena da região do PR e do rio da Prata. ● *Adj. 2 g.* **2.** Pertencente ou relativo a esse povo.

boa-noite [De *boa^{2}* + *noite*.] *S. m.* **1.** Cumprimento que se dirige a alguém de noite. [Tb. se usa no pl.] ● *S. f.* **2.** *Bot.* Trepadeira convolvulácea (*Ipomea bona-nox*) ornamental, de flores alvas, de cálices comestíveis e frutos capsulares com sementes pretas; cipó-café, coirana, flor-do-norte. **3.** *Bot.* Trepadeira convolvulácea (*Calonyction bona-nox*) ruderal e ornamental, de folhas amplas e cordiformes, e flores enormes, muito brancas e perfumadas, que se abrem apenas ao anoitecer, fechando-se ao clarear do dia. ~ V. *boas-noites*. [F. paral.: *boa-noute*. Pl.: *boas-noites*.]

boa-noite-cinderela *S. m. 2 n. Bras. Gír.* Golpe (10) em que a vítima é levada a ingerir sonífero, ou outra droga soporífera: 📖 "caiu numa velha armadilha conhecida .... como boa-noite-cinderela e facilitou a fuga de dez prisioneiras" (*Jornal do Brasil*, 30.06.1998).

boa-noute *S. m. e f.* V. *boa-noite*. [Pl.: *boas-noutes*.]

boa-novense *Adj. 2 g.* **1.** De, ou pertencente ou relativo a Boa Nova (BA). ● *S. 2 g.* **2.** O natural ou habitante de Boa Nova.

boa-peça *Adj. 2 g. S. 2 g. Irôn.* Diz-se de, ou pessoa que tem maus costumes; tratante. [Pl.: *boas-peças*.]

boa-pinta *Adj. 2 g. S. 2 g.* **1.** *Bras. Pop.* Diz-se de, ou pessoa elegante, bem-posta, que causa boa impressão: 📖 "um italiano alegre e boa-pinta" (Antônio Celso Alves Pereira, *Rua do Quenta-Sol*, p. 45). **2.** Diz-se de, ou pessoa bonita. [Pl.: *boas-pintas*.]

boa-praça *Adj. 2 g. S. 2 g. Bras. Fam. Pop.* **1.** Diz-se de, ou pessoa boa, agradável, simpática, comunicativa: 📖 "As famílias europeias fecharam-se em copas, ante o convite: ou não lhes agrada o noivo fotógrafo, aliás boa-praça, ou qualquer coisa nos Windsor não lhes apraz." (Carlos Drummond de Andrade, *A Bolsa & a Vida*, p. 170.) **2.** Barra-limpa. [Pl.: *boas-praças*.]

boar *V. int. T. c. Arc.* V. *voar*. [Conjug.: v. *coroar*.]

boas (ô) [Pl. subst. de *boa^{2}* (1).] *El. s. f. pl.* Us. na loc. adv. *às boas*. ~ V. *boa*. ◆ **Às boas.** Amigavelmente, pacificamente. **Às boas com.** Em relações amistosas com; de bem com. **Vir às boas.** Falar em tom amistoso para resolver questão pendente, depois de haver apelado para a violência.

boas-entradas *S. f. pl.* Cumprimentos e felicitações por ocasião do princípio do ano.

boa-serás [De *boa* + o v. *ser*.] *S. f. 2 n. Lus.* Mulher simplória, de bom gênio: 📖 "Tenho-me na conta de boa-serás, mas vulgaridades daquelas não as tolero." (Aquilino Ribeiro, *Maria Benigna*, p. 196.)

boas-festas *S. f. pl.* Cumprimentos e felicitações por ocasião do Natal ou do Ano-Bom.

boas-horas *S. m. 2 n. S. f. pl. Cabo-verd.* Saudação que se emprega entre as 10 e 13 horas: 📖 "Depois dum 'boas-horas' aos presentes .... sentei-me no lugar que o dono da casa indicou" (Manuel Lopes, *O Galo Que Cantou na Baía*, p. 143).

boas-noites [Do pl. de *boa^{2}* + o pl. de *noite*.] *S. m. pl.* **1.** Boa-noite (1). ● *S. f. pl.* **2.** *Bot.* Erva apocinácea (*Vinca rosea*) ruderal e ornamental, muito dispersa no Brasil, de folhas oblongas, moles e pilosas, flores vistosas, alvas ou róseas, com folículos compridos e finos. Encerra vários alcaloides e é muito tóxica. [Sin., nesta acepç., *vinca* (2).] [F. paral.: *boas-noutes*.]

boas-noutes *S. m. e f. pl.* V. *boas-noites*.

boas-vindas *S. f. pl.* Expressão de contentamento ou felicitação pela chegada de alguém.

boatar [De *boato* + *-ar^{2}*.] *V. int.* Lançar ou propalar boatos.

boa-tarde [De *boa^{2}* + *tarde*.] *S. f.* **1.** *Bot.* Círio-do-norte. **2.** *Bot.* V. *flor-de-cardeal*. **3.** *Bot.* V. *congorsa* (1). ● *S. m.* **4.** Cumprimento que se dirige a alguém, de tarde: *Dei-lhe um boa-tarde muito cordial.* [Tb. us., nesta acepç., no pl.: *boas-tardes*.]

boataria [De *boato* + *-aria*.] *S. f.* Grande porção, ou difusão, de boatos: 📖 "Na cidade, a boataria atingia o máximo." (Jorge Amado, *Gabriela, Cravo e Canela*, p. 344.)

boate [Do fr. *boîte*.] *S. f.* Estabelecimento comercial, que funciona de noite e, em geral, consta de bar, pista de dança e palco para apresentação de atrações artísticas; casa noturna: 📖 "Jantaram e resolveram ir dançar. Mendonça não foi até a boate." (Osvaldo França Júnior, *Um Dia no Rio*, p. 45.)

boateiro [De *boato* + *-eiro*.] *Adj. S. m.* Diz-se de, ou aquele que veicula boatos.

boatice [De *boato* + *-ice*.] *S. f.* **1.** Mania dos boatos. **2.** V. *boato*.

boato [Do lat. *boatu*, 'mugido ou berro de boi'.] *S. m.* Notícia anônima que corre publicamente sem confirmação. [Sin.: (bras.) *boatice*, *atoarda*, *balela*, *falaço*, *ruído*, *rumor*, *voz*, *zum-zum*, *zum-zum-zum* e (angol.) *mujimbo*.]

boava [Var. de *boaba* (q. v.).] *Adj. 2 g. S. 2 g. Bras. SP PR SC* Diz-se de, ou qualquer indivíduo estrangeiro, especialmente o português. [Cf. *emboaba*.]

boa-ventura *S. f. Desus.* V. *bem-aventurança*. [Pl.: *boas-venturas*.]

boa-venturense^{1} *Adj. 2 g.* **1.** De, ou pertencente ou relativo a Boa Ventura (PB). ● *S. 2 g.* **2.** O natural ou habitante de Boa Ventura. [Pl.: *boa-venturenses*.]

boa-venturense^{2} *Adj. 2 g.* **1.** De, ou pertencente ou relativo a Boa Ventura de São Roque (PR). ● *S. 2 g.* **2.** O natural ou habitante de Boa Ventura de São Roque. [Pl.: *boa-venturenses*.]

boa-viagense *Adj. 2 g.* **1.** De, ou pertencente ou relativo a Boa Viagem (CE). ● *S. 2 g.* **2.** O natural ou habitante de Boa Viagem. [Pl.: *boa-viagenses*.]

boa-vida *S. 2 g. Bras.* Pessoa que, pouco afeita ao trabalho, procura viver do modo mais agradável com o mínimo de esforço: 📖 "— É um boa-vida. — Um folgado." (César Coelho, *"Striptease" da Cidade*, p. 19.) [Pl.: *boas-vidas*.]

boa-vistanense *Adj. 2 g. S. 2 g.* V. *boa-vistense^{3}*. [Pl.: *boa-vistenses*.]

boa-vistense^{1} *Adj. 2 g.* **1.** De, ou pertencente ou relativo a Boa Vista, capital do Estado de Roraima. ● *S. 2 g.* **2.** O natural ou habitante de Boa Vista. [Pl.: *boa-vistenses*.]

boa-vistense^{2} *Adj. 2 g.* **1.** De, ou pertencente ou relativo a Boa Vista da Aparecida (PR). ● *S. 2 g.* **2.** O natural ou habitante de Boa Vista da Aparecida. [Pl.: *boa-vistenses*.]

boa-vistense^{3} *Adj. 2 g.* **1.** De, ou pertencente ou relativo a Boa Vista das Missões (RS). ● *S. 2 g.* **2.** O natural ou habitante de Boa Vista das Missões. [Sin. ger.: *boa-vistanense*. Pl.: *boa-vistenses*.]

boa-vistense^{4} *Adj. 2 g.* **1.** De, ou pertencente ou relativo a Boa Vista do Buricá (RS). ● *S. 2 g.* **2.** O natural ou habitante de Boa Vista do Buricá. [Pl.: *boa-vistenses*.]

boa-vistense^{5} *Adj. 2 g.* **1.** De, ou pertencente ou relativo a Nova Boa Vista (RS). ● *S. 2 g.* **2.** O natural ou habitante de Nova Boa Vista. [Pl.: *boa-vistenses*.]

boa-vistense^{6} *Adj. 2 g.* **1.** De, ou pertencente ou relativo a Santa Maria da Boa Vista (PE). ● *S. 2 g.* **2.** O natural ou habitante de Santa Maria da Boa Vista. [Pl.: *boa-vistenses*.]

boa-vistense^{7} *Adj. 2 g.* **1.** De, ou pertencente ou relativo a São José da Boa Vista (PR). ● *S. 2 g.* **2.** O natural ou habitante de São José da Boa Vista. [Pl.: *boa-vistenses*.]

boa-vistense^{8} *Adj. 2 g.* **1.** De, ou pertencente ou relativo a São Sebastião da Boa Vista (PA). ● *S. 2 g.* **2.** O natural ou habitante de São Sebastião da Boa Vista. [Pl.: *boa-vistenses*.]

boazuda *Adj. (f.) S. f. Bras. Gír.* Boa^{2} (2 e 4).

boba (ô) [F. de *bobo* (ô).] *S. f.* Mulher idiota ou aparvalhada. [Pl.: *bobas* (ô). Cf. *boba* e *bobas*, do v. *bobar*, e *bouba*, pl. *boubas*.]

bobagem [De *bobo* (ô) + *-agem^{1}*.] *S. f.* **1.** V. *bobice* (1 e 3). **2.** *Bras.* V. *asneira* (1). **3.** *Bras.* Fato ou palavra inconveniente. ◆ **De bobagem.** Sem importância; insignificante: 📖 "Anjo errado, malcaído, satãzinho à toa. Luciferzinho de bobagem!" (Gilberto Amado, *Depois da Política*, p. 209.)

bobajada [De *bobagem* + *-ada^{1}*.] *S. f. Bras. Fam.* **1.** Chorrilho de bobagens ou bobices. **2.** Grande bobagem.

bobalhão [De *bobo* (ô) + *-alhão*.] *S. m. Bras.* Indivíduo muito bobo, muito ridículo, ou palerma. [Fem.: *bobalhona*.]

bobalhona *S. f. Bras.* Fem. de *bobalhão*.

bobar [De *bobo* (ô) + *-ar^{2}*.] *V. int. Bras. N. N.E.* V. *bobear*. [Pres. ind.: *bobo*, *bobas*, *boba*, etc. Cf. *bobo* (ô) e *boba* (ô), pl. *bobas* (ô), e *bouba*, pl. *boubas*.]

bobeada [De *bobear* + *-ada^{1}*.] *S. f. Bras. Fam.* Descuido, cochilo, vacilada, vacilo. ◆ **Dar uma bobeada.** *Bras. Pop.* V. *dormir de touca*.

bobear [De *bobo* (ô) + *-ear^{2}*.] *V. int.* **1.** Fazer ou dizer bobices; portar-se como bobo. **2.** *Bras.* V. *dormir de touca*. [F. paral. (no N. e N.E.): *bobar*. Conjug.: v. *frear*. Pres. ind.: *bobeio*, *bobeias*, *bobeia*, *bobeamos*, *bobeais*, *bobeiam*. Cf. *bobeia* e pl. *bobeias*.]

bobeche [Do fr. *bobèche*.] *S. m. e f.* Arandela (2).

bobeia (éi) *S. f.* **1.** Tolice, palhaçada, bobice. **2.** V. *migalha* (1 e 2). [Pl.: *bobeias*. Cf. *bobeia* e *bobeias*, do v. *bobear*.] ❖

bobeira [De *bobo* (ô) + *-eira*.] *S. f. Bras. Pop.* **1.** Comportamento de bobo: 📖 "Sempre esqueço o nome dos conhecidos e troco o dos amigos mais íntimos num fenômeno .... que só a loucura mesma explicaria ou então a bobeira nata que Deus me deu." (Millor Fernandes, *Lições de um Ignorante*, p. 14.) **2.** V. *asneira* (1). ◆ **Marcar bobeira.** *Bras. Gír.* **1.** V. *dormir de touca*. **2.** V. *vacilar* (6): *Quis dar uma de esperto e acabou marcando bobeira com o filho do dono do morro.*

bobes *S. m. pl. Bras. MG* Lucro vindo de uma barganha.

bóbi [Do ingl. *bob*.] *S. m. Bras.* V. *rolo^{1}* (11): 📖 "Faltava soltar os bóbis, queria o cabelo bem soltinho, sedoso e perfumado" (Édla Van Steen, *Memórias do Medo*, p. 34).

bobice [De *bobo* (ô) + *-ice*.] *S. f.* **1.** Gracejo de bobo; bobagem. **2.** V. *asneira* (1). **3.** Coisa sem importância ou supérflua; bobagem: 📖 "— Gelo... manteiga... Quanta bobice inútil e dispendiosa..." (Dionélio Machado, *Os Ratos*, p. 3.)

bobiciada [De *bobice* + *-iada*.] *S. f. Bras.* Chorrilho de bobices.

bobina [Do fr. *bobine*.] *S. f.* **1.** Carrinho de madeira ou de metal para enrolar fio. **2.** *Fís.* Agrupamento de espiras de um condutor elétrico, enroladas em torno de um suporte ou de um núcleo de material ferromagnético, e que, num circuito, funciona como indutor. **3.** *Art. Gráf.* Grande rolo de papel contínuo, usado nas prensas rotativas. **4.** *Cin. Fot. Son. Telev.* Espécie de carretel (1) no qual se enrola filme ou fita magnética. [Cf., nesta acepç., *batoque* (9), *magazine* (3), *chassi* (2), *cassete* (1).] ◆ **Bobina de campo.** *Eng. Elétr.* A que se emprega para produzir o campo magnético em motores elétricos, geradores, alto-falantes eletrodinâmicos, etc. **Bobina de convergência.** *Eng. Elétr.* Num tubo de televisão de três cores, cada um dos eletromagnetos que asseguram a focalização precisa do feixe eletrônico sobre os pontos sensíveis da tela. **Bobina de FI.** *Eng. Elétr.* Num circuito super-heteródino, transformador que é utilizado na frequência intermediária. **Bobina de indução.** *Eng. Elétr.* Instrumento constituído, essencialmente, por dois enrolamentos sobre um núcleo de ferro e por um sistema destinado a interromper, periodicamente, a passagem da corrente em um deles, o que induz uma tensão elétrica muito elevada no outro. **Bobina de reatância.** *Eng. Elétr.* Indutor inserido num circuito a fim de apresentar uma impedância relativamente alta para corrente alternada.

bobinadeira [De *bobinar* + *-deira*.] ***S. f.*** *Ind. Pap.* V. *rebobinadeira*.

bobinado [De *bobina* + *-ado*[1].] ***S. m.*** *Eng. Elétr.* Conjunto de condutores que formam um mesmo circuito elétrico num aparelho ou numa máquina elétrica; enrolamento.

bobinador (ô) [De *bobinar* + *-dor*.] ***S. m.*** *Ind. Pap.* Operário que bobina, que trabalha a bobinadeira.

bobinagem [De *bobinar* + *-agem*[2].] ***S. f.*** *Ind. Pap.* Ato ou efeito de bobinar.

bobinão [De *bobina* + *-ão*[1].] ***S. m.*** *Ind. Pap.* Rolo de papel bruto formado na enroladeira da máquina contínua de papel, e que seguirá depois para uma máquina de acabamento.

bobinar [De *bobina* + *-ar*[2].] ***V. t. d.*** Enrolar em bobina (papel, filme, fita, etc.); embobinar.

bobinete (ê) [Do fr. *bobinette*.] ***S. m.*** V. *filó*.

bobinosa [De *bobin-*, como em *bobinar*, + o f. de *-oso*.] ***S. f.*** *Ind. Pap.* V. *rebobinadeira*.

bobo (ô) [Do lat. *balbu*, 'gago'.] ***S. m.*** **1.** Aquele que, na Idade Média, divertia os reis e grandes senhores com as suas chalaças e momices; truão, maninelo. **2.** V. *tolo* (8). **3.** *Bot.* Arvoreta asterácea (*Tessaria integrifolia*), de seis a oito metros, folhas lanceoladas e agudas, e cujos capítulos, cimosos, se ordenam em panículas, com uma flor hermafrodita e 30 outras femininas. **4.** *Bras. RS Zool.* Ave procelariiforme, procelariídea (*Puffinus puffinus*), que ocorre no Atlântico, desde o mar Ártico até as costas meridionais do Brasil, de coloração que vai do preto ao plúmbeo tirante a cinza na parte superior. Alimenta-se de peixes. **5.** *Bras. RJ Gír.* Relógio (1). • ***Adj.*** **6.** V. *tolo* (1 a 3). **7.** *Bras.* Sem importância; insignificante: *É apenas uma operaçãozinha boba.* **8.** *Bras. S.* Diz-se do cavalo há pouco domado, que ainda não obedece bem aos freios. [Flex.: *boba* (ô), *bobos* (ô), *bobas* (ô). Cf. *bobo*, *boba* e *bobas*, do v. *bobar*, e *bouba*, s. f., pl. *boubas*.]

bobó[1] [De or. afr.] ***S. m.*** **1.** *Bras. Cul.* Comida africana feita com feijão mulatinho e azeite de dendê, servida com inhame ou aipim. **2.** *Bras. BA Cul.* V. *bobó de camarão*. **3.** *Bras.* V. *arrebenta-cavalo* (1). **4.** *Bras. AM* O bofe do gado posto à venda. **5.** *Bras. MA* Vinagreira batida com quiabo. **6.** *Bras. BA* Começo de gravidez. ◆ **Bobó de camarão.** *Bras. Cul.* Camarão refogado ao qual se adiciona leite de coco, azeite de dendê e um creme feito de aipim refogado. [Tb. se diz apenas *bobó*.]

bobó[2] [De *bobo* (ô).] ***S. m.*** **1.** *Bras. BA Zool.* V. *barrigudinho* (1). **2.** *Bras. S.* V. *tolo* (8). • ***Adj.*** *Bras. S.* **3.** V. *tolo* (1 a 3).

boboca[1] ***Adj. 2 g. S. 2 g.*** *Bras.* Diz-se de, ou pessoa muito boba, muito tola. V. *tolo* (1 a 3 e 8).

boboca[2] [De *bobo* (ô), com suf. pejorativo.] ***S. f.*** *Bras. N.* V. *biboca* (2).

boburé *Bras.* ***S. 2 g.*** **1.** *Etnôn.* Indivíduo dos boburés, povo indígena das cachoeiras do rio Tapajós. • ***Adj. 2 g.*** **2.** Pertencente ou relativo a esse povo. [Tb. us. como *s. 2 g. e 2 n.* (com cap.) e *adj. 2 g. e 2 n.*]

boc (ó) [De bocar.] ***Interj.*** Voz com que se chamam cães para que apanhem qualquer objeto com a boca[1] (ô) (1). [Cf. *boca* (ô).]

boca[1] (ô) [Do lat. *bucca*.] ***S. f.*** **1.** Cavidade na parte inferior da face (ou da cabeça), entrada do tubo digestivo, pela qual os seres humanos e outros animais ingerem os alimentos. **2.** A parte exterior dessa cavidade, constituída pelos lábios: *Deu-lhe um beijo na boca.* **3.** *Anat.* Abertura proximal do tubo digestivo, situada na parte inferior da face e limitada anteriormente pelos lábios; contém a língua e os dentes, e nela se processa o início da digestão. **4.** Qualquer abertura ou corte que dê ideia de boca[1] (1). **5.** Abertura na extremidade inferior da calça, por onde passam as pernas. **6.** Abertura no tampo do fogão, por onde a panela ou outro recipiente fica em contato com o fogo. **7.** Abertura de garrafa, frasco, etc.; bocal. **8.** Abertura do saco. **9.** Recorte numa aresta; mossa. **10.** Entrada; princípio: *boca do túnel*. **11.** Entrada de rua. **12.** Barra (de rio ou de baía); foz, embocadura: "Para a defesa do Amazonas, quer nas suas bocas, quer no seu curso, não é de fortalezas que mais carecemos" (Tavares Bastos, *O Vale do Amazonas*, p. 49). **13.** Garganta que dá acesso a um planalto. **14.** *Fam.* Pessoa que come: *Tinha em casa cinco bocas para alimentar.* **15.** Abertura do tubo ou do cano da arma de fogo por onde sai a bala. **16.** *Constr. Nav.* A maior largura de casco (da embarcação). **17.** *Constr. Nav.* A largura (de qualquer seção transversal) do casco da embarcação. **18.** *Tip.* Chapa que fecha o cachimbo do crisol da linotipo e através de cujos furos o chumbo se projeta no molde. **19.** *Tip.* Abertura do cilindro das prensas plano-cilíndricas, onde se prende o revestimento e funcionam as pinças. **20.** *Zool.* Boca[1] (1) nos animais superiores, ou, nos inferiores, abertura por onde entra o alimento. [Pl.: *bocas* (ô). Aum.: *bocaça*, *bocarra*, *boqueirão*.] **21.** *Bras. N.E.* V. *calote*. • ***Interj.*** **22.** Silêncio. [Cf. *boca*, interj., e *boca*, *bocas*, do v. *bocar*.] ◆ **Boca a boca. 1.** Transmitido ou difundido oralmente, de uma pessoa para outra: *publicidade boca a boca*. **2.** V. *de boca em boca*: *A peça foi divulgada boca a boca.* [Cf. *boca a boca*, adj. 2 g. 2 n. e sm. 2 n.] **Boca da noite. 1.** O princípio da noite, o anoitecer; à boca da noite, à boquinha da noite. **2.** *Bras. BA* O planeta Vênus quando é visível ao entardecer. [Com cap., nesta acepç.] **Boca da serra.** *Bras. S.* Desfiladeiro ou garganta que dá acesso ao planalto. **Boca de cena.** A parte anterior do palco de um teatro, próxima da plateia. **Boca de pito.** Aquilo que se bebe ou se come como aperitivo, ou que propicia o desejo de algo mais: "Tomamos café, mas café é só boca de pito, para acender a vontade do cigarro." (João Antônio, *Casa de Loucos*, p. 24.) **Boca de sertão.** *Bras. SP* Cidade, ou simples povoado, que antecede uma região não desbravada. **Boca do estômago.** *Pop.* Parte externa e anterior do corpo, correspondente à cárdia. **À boca cheia.** Sem reservas, abertamente, francamente: "torná-lo suspeito de andar envolvido em conluios com aqueles de quem à boca cheia se declarava inimigo figadal" (Aquilino Ribeiro, *Os Avós dos Nossos Avós*, pp. 235-236). **À boca da noite.** V. *boca da noite* (1). **À boca fechada.** *Mús.* Suprimindo a pronúncia de palavras e emitindo os sons através dos lábios fechados, para imitar instrumentos. [Tb. us. a f. it. *bocca chiusa*.] **À boca miúda.** V. *à boca pequena*: "Como se de repente .... descobrisse que era reparado atentamente na cidade e que se comentava e se maldava à boca miúda e às escâncaras o seu comportamento, Emílio Amorim caiu das nuvens" (Autran Dourado, *As Imaginações Pecaminosas*, p. 51). **À boca pequena.** Em voz baixa, às caladas, em surdina, em segredo; à boca miúda: "Fora, no salão mais próximo, D. Pulquéria Dias, levada pelo arrastamento da festa, dava grandes risadas, ... aventuras picarescas de certa senhora, de quem já se falava à boca pequena." (Afonso Arinos, *Pelo Sertão*, p. 149.) **Abrir a boca.** Falar (1), dizer: *Expliquei-lhe a razão da minha insistência, mas ele não abriu a boca.* [M. us. negativamente.] **Adoçar a boca a alguém.** Agradar uma pessoa para dela obter alguma coisa; iludi-la com modos cativantes; fazer a boca doce a alguém. **Arrebentar a boca do balão.** *Pop.* **1.** Fazer muito sucesso, ter um ótimo desempenho; estourar a boca do balão: *O último filme da Xuxa arrebentou a boca do balão.* **2.** Botar para quebrar, mandar brasa: "Que o nosso amor inflame a noite inteira / Rasteiro ou no chão / A gente se esquenta / E arrebenta a boca do balão." (Morais Moreira, Zeca Barreto e Fred Góis, na canção *Boca do Balão*). **Bater boca.** *Bras.* Discutir, altercar: "Ele não só não concordou, como ficou ainda mais junto dela – e, tendo questionado e batido boca muito tempo (uns dois minutos), entraram na picada." (Valdomiro Silveira, *Os Caboclos*, pp. 95-96.) **Botar a boca no mundo.** Dar gritos; gritar, bradar; pôr a boca no mundo: "Um hóspede do quarto contíguo botara a boca no mundo a berrar loucamente: 'Socorro! .... O homem matou a mulher!" (Mário Brandão, *Almas do Outro Mundo*, p. 26.) **Botar a boca no trombone.** *Bras. Pop.* **1.** Denunciar, delatar: *Botou a boca no trombone sobre a negociata.* **2.** Reclamar, protestar. [Sin. ger.: *pôr a boca no mundo*, *pôr a boca no trombone*.] **Cair na boca do povo.** *Fam.* Ser alvo de maledicência; tornar-se falado. **Com a boca na botija.** Em flagrante na prática de ato ilícito; com as calças na mão: *pegar, apanhar, surpreender com a boca na botija.* **De boca.** Sem comprovação por escrito; oralmente: *Tratou de boca a nova secretária.* **De boca aberta. 1.** Muito surpreendido; espantado, pasmado: *O desquite do amigo deixou-o de boca aberta.* **2.** *Constr. Nav.* Diz-se de embarcação que não tem convés (2). **De boca em boca.** Oralmente, de uma pessoa para outra; boca a boca (us. em referência a notícia, boato, informação, etc.): "O caso de Marta tinha começado a correr de boca em boca" (Fialho d'Almeida, *O País das Uvas*, p. 272). **De boca suja.** Dado a usar palavrões; desbocado: "O banqueiro Celestino dissera cada uma de arrepiar, eta português de boca suja" (Jorge Amado, *Dona Flor e Seus Dois Maridos*, p. 327). **Duro de boca.** *Bras.* Diz-se do equídeo que não obedece bem ao freio, obrigando o cavaleiro a usar de força; duro de queixo. **Encher a boca (com).** Falar em alguém ou em algo com muito orgulho e de modo enfático: "Realmente, nosso grupo, além de viver enchendo a boca com os nomes do próprio Moréas, de Verlaine, Rimbaud, faz aparecer nas páginas de *A Revista* períodos sugestivos." (Pedro Nava, *Beira-Mar*, p. 219.) **Estourar a boca do balão.** *Pop.* V. *arrebentar a boca do balão*. **Falar da boca pra fora.** *Bras. Pop.* Falar sem convicção, ou sem maior preocupação com a verdade; falar por falar. **Falar pela boca de um anjo.** Falar algo de bom como predição. **Fazer a boca doce a alguém.** V. *adoçar a boca a alguém*. **Fazer boca de pito.** Beber ou comer algo antes de fumar como que para aumentar o desejo de fazê-lo. **Na boca do cofre.** Imediatamente. **Na boca do mundo.** Sendo objeto de maledicência, sendo malfalado: "foi capaz, e aí está minha filha na boca do mundo, exposta a mil comentários, talvez rejeitada por mais de um pretendente" (Machado de Assis, *Contos sem Data*, p. 150). **Pedir por boca.** Pedir com a certeza de ser atendido: "O comendador, se quer casar-se, pode escolher, à vontade, uma fidalga. E ir a Lisboa, à corte, e pedir por boca – filhas de condes, aposto!" (Camilo Castelo Branco, *Sentimentalismo e História*, p. 224.) **Pôr a boca no mundo. 1.** Botar a boca no mundo: "eu tentava conter as crianças. Eliana se agarrava às pernas da mesa e os dois bebês, despejados do berço, punham a boca no mundo, rolando de cá para lá." (Fernando Sabino, *O Gato Sou Eu*, p. 9). **2.** V. *botar a boca no trombone*. **Pôr a boca no trombone.** V. *botar a boca no trombone*: "O objetivo .... seria, antes de pôr a boca no trombone, passar qualquer acusação ou suspeita pelo crivo das cabeças mais moderadas da nova equipe." (Luís Garcia, em *O Globo*, 01.03.2005.) **Quebrado da boca. 1.** *Bras. N.E.* V. *quebrado* (6). **2.** *Bras. RS* Diz-se do cavalo que, por muito sensível de boca, à menor pressão do freio ergue desordenadamente a cabeça, perturbando-se no andar. **Ser de boa boca.** *Bras.* Ter boa boca. **Tapar a boca.** Calar-se. **Ter boa boca.** Gostar de qualquer alimento, de tudo; ser de boa boca. **Ter má boca.** Ser biqueiro (1).

boca[2] (ô) ***S. f.*** *Bras. Gír.* V. *boca-de-fumo*. [Pl.: *bocas* (ô). Cf. *boca*, interj., e *boca*, *bocas*, do v. *bocar*.]

boca[3] (ô) *Bras.* ***S. 2 g.*** **1.** *Etnôn.* Indivíduo dos bocas, povo indígena extinto, que habitava a região da foz do rio Tocantins (PA). • ***Adj. 2 g.*** **2.** Pertencente ou relativo a esse povo. [Pl.: *bocas* (ô). Cf. *boca*, interj., e *boca*, *bocas*, do v. *bocar*.] [Tb. us. como *s. 2 g. e 2 n.* (com cap.) e *adj. 2 g. e 2 n.*]

boça [Do fr. ant. *boce*, atual *bosse*.] ***S. f.*** *Marinh.* **1.** Designação genérica de cabo ou corrente destinados a prender ou segurar certos objetos a bordo, ou outros cabos, amarras, etc. **2.** Cabo destinado a amarrar embarcação miúda no pau de surriola, em boia ou em outro lugar. [Cf. *bossa* e *bouça*.]

boca-aberta [De *boca*[1] (ô) + o f. de *aberto*.] ***S. 2 g.*** **1.** Pessoa que se surpreende com tudo; palerma. **2.** Pessoa indolente e sem cuidados. [Pl.: *bocas-abertas*.]

boca a boca ***Adj. 2 g. e 2 n.*** **1.** *Med.* Diz-se de método de respiração artificial, aplicado em situações de extrema urgência, em que aquele que o ministra insufla seu próprio ar, à razão de 15 vezes por minuto, na boca do recipiendário, cuja cabeça é empurrada para trás e cujas narinas são ocluídas. • ***S. m.*** **2.** Esse método. **3.** *Bras. Pop.* Boataria, falatório, disse me disse: "o índice de leitura por exemplar era de quatro pessoas e o jornal gerava muito boca a boca, de forma que a repercussão era imensa" (Roberto Drummond, *Hilda Furacão*, p. 169). [Cf. *boca a boca*.]

boca-acrense ***Adj. 2 g. S. 2 g.*** V. *boca-acriano*.

boca-acriano ***Adj.*** **1.** De, ou pertencente ou relativo a Boca do Acre (AM). • ***S. m.*** **2.** O natural ou habitante de Boca do Acre. [Pl.: *boca-acrianos*. Sin. ger.: *boca-acrense*.]

bocaça [De *boca*[1] (ô) + *-aça*.] ***S. f.*** V. *bocarra* (1).

bocada[1] [De *boca*[1] (ô) + *-ada*[1].] ***S. f.*** **1.** Boca de saco, nos aparelhos de pesca de arrastar para terra. **2.** *Bras.* Mordedura, mordedela, mordidela.

bocada[2] [De *bocado*.] ***S. f.*** V. *bocado* (1).

boca-d'água ***S. m.*** *Bras. PA Zool.* V. *sauá*. [Pl.: *bocas-d'água*.]

boca-de-barro ***S. m.*** *Bras. Zool.* Nome comum a abelhas meliponíneas que costumam nidificar em cupins abandonados em ocos de pau, sendo a entrada do ninho construída com barro. [Pl.: *bocas-de-barro*. Cf. *abelha-de-cupim*.]

boca de calça ***S. f.*** *Bras. Cap.* Queda no adversário, que se aplica puxando a bainha das calças; baianada. [Pl.: *bocas de calça*.]

boca de cano ***S. f.*** *Bras. PE AL Pop.* Negócio vantajoso; pechincha. [Pl.: *bocas de cano*.]

boca-de-colher ***S. m.*** *Bras. Zool.* V. *jurupoca* (1). [Pl.: *bocas-de-colher*.]

boca-de-dragão [De *boca*[1] + *de* + *dragão*.] *S. f. Bras. Bot.* Nome comum a diversas orquidáceas do gênero *Epidendrum* (v. *epidendro*[1]). [Pl.: *bocas-de-dragão*.]

boca de fogo *S. f.* Peça de artilharia. 📖 "Dispunha de quatro boca<u>s de fogo</u>, prontas para a ação. Se me atacassem de noite, veriam a resposta." (José Lins do Rego, *Banguê*, p. 156.) [Pl.: *bocas de fogo*.] ☑ notas 1 e 2

boca-de-fogo *S. m.* **1.** *Bras. Zool.* V. *corcoroca* (2 e 3). **2.** *Bras. Zool.* Peixe ciclídeo (*Acaronia nassa*) da região amazônica, de até 25cm comprimento e coloração amarelo-esverdeada, com algumas manchas negras, capaz de grande abertura bucal; acará-boca-de-fogo. [Pl.: *bocas-de-fogo*.]

boca de forno *S. f. Bras.* Certo brinquedo infantil. [Pl.: *bocas de forno*.] ☑

boca de fumo *S. f. Bras. Gír.* Ponto de venda de droga (4): 📖 "Em disputa de uma <u>boca de fumo</u> no Morro do Castro, dois grupos armados trocaram tiros durante vários minutos" (*Jornal do Brasil*, 23.10.1981). [F. red.: *boca*[2]. Pl.: *bocas de fumo*.] ☑

boca de incêndio *S. m. Lus.* Hidrante. [Pl.: *bocas de incêndio*.] ☑

boca de lagarto *S. f. Bras.* Certo sinal na orelha do gado. [Pl.: *bocas de lagarto*.] ☑

boca-de-leão [De *boca*[1] + *de* + *leão*.] *S. f. Bras. Bot.* Trepadeira escrofulariácea (*Antirrhinum majus*) ornamental, muito cultivada, cujas flores têm larga corola carnosa, amarelada ou esverdeada e provida de dois lábios, dos quais o inferior apresenta uma abóbada que fecha no interior da corda, recordando a abóbada palatina da garganta; boca-de-lobo. [Pl.: *bocas-de-leão*.]

boca de lobo *S. f.* **1.** *Carp.* Barbate. **2.** *Marinh.* Volta empregada para encurtar um estropo ou um cabo, ou para amassar um cabo pelo seio ou pelo chicote a um gato fixo. **3.** *Marinh.* Semicírculo ou meia braçadeira por meio da qual o pé da carangueja ou da retranca se apoia ao mastro. **4.** *Marinh.* Cavado semicircular feito na parte média da telha de uma verga, e pelo qual ela se apoia ao mastro. **5.** *Bras. MA SP* Bueiro (3). **6.** A tampa gradeada dos bueiros. [Pl.: *bocas de lobo*.] ☑ notas 1 e 2

boca-de-lobo *S. f. Bras. Bot.* Boca-de-leão. [Pl.: *bocas-de-lobo*.]

boca-de-moça *S. f. Bras. Zool.* V. *borboleta-listrada*. [Pl.: *bocas-de-moça*.]

boca de moela *Bras. Pop. S. f.* **1.** Boca desdentada. ● *S. 2 g.* **2.** Pessoa que a tem. [Pl.: *bocas de moela*.] ☑

boca-de-sapo [De *boca*[1] + *de* + *sapo*.] *S. f. Bras.* **1.** *Bot.* Erva gencianácea (*Deianira erubescens*) que vive nos cerrados, de folhas decussadas, arredondadas e perfolhadas, flores especiosas, tubulosas, róseas, ordenadas em fascículos axilares, e cujos frutos são cápsulas pequenas. **2.** *Zool.* Abelha meliponínea (*Partamona helleri*), agressiva, que constrói ninhos aéreos, cuja entrada, feita de barro, lembra a boca de um sapo; cupira. **3.** *Zool.* V. *jararaca-pintada*. [Pl.: *bocas-de-sapo*.]

boca de sino *Adj. 2 g. e 2 n.* **1.** Diz-se das calças ou da manga que se vão alargando para as extremidades, num formato que lembra o do sino. ● *S. f.* **2.** Manga ou calça boca de sino. **3.** *Bras. N. N.E. Ant.* Bacamarte de boca larga. [Pl. do s. f.: *bocas de sino*.] ☑

boca de siri *S. f. Bras. Fam.* **1.** Silêncio; discrição; reserva: 📄 *Contou a novidade, mas recomendou <u>boca de siri</u>.* [Pl.: *bocas de siri*.] ● *Interj.* **2.** Serve para pedir silêncio, discrição. ◆ **Fazer boca de siri.** *Bras. Fam.* Calar-se, silenciar-se, sobre determinado assunto. ☑

boca de urna *S. f. Bras.* **1.** Propaganda de candidato a cargo eletivo em dia de votação, e, esp., nas proximidades do local em que se vota: 📖 "A proibição da <u>boca de urna</u> não atrapalhou o clima da festa ...., todo mundo encontrou uma forma de continuar a campanha .... para tentar convencer os últimos indecisos a votar em seu candidato." (*Jornal do Brasil*, 16.11.1986.) **2.** Local, próximo a zona eleitoral, em que se faz boca de urna (1). [Pl.: *bocas de urna*.] ☑

boca-de-velha [De *boca*[1] + *de* + *velha*.] *S. f.* **1.** *Bras. N. Bot.* Árvore hipocrateácea (*Salacia grandiflora*), de frutos drupáceos, globosos, amarelos, comestíveis e flores em fascículos; uaimirijuru, uaimiuru, saputá. **2.** *Bras. ES Zool.* V. *corcoroca* (2 e 3). [Pl.: *bocas-de-velha*.]

bocadinho [De *bocado* + *-inho*[1].] *S. m.* **1.** Breve espaço de tempo; pouco tempo: 📄 *Ele chega daqui a <u>bocadinho</u>.* **2.** Pequeno pedaço ou porção: 📄 *Por favor, só quero um <u>bocadinho</u> de feijão.* [Sin. (bras., pop.): *poucadinho*.] ◆ **Um bocadinho de.** Um pouquinho, um poucochinho de: 📄 *Sabe <u>um bocadinho de</u> grego.*

bocado [De *boca*[1] (ô) + *-ado*[1].] *S. m.* **1.** Porção de alimento que se leva de uma vez à boca. [Sin. (bras.): *bocada*, *biró*.] **2.** Pedaço, porção. **3.** Pequena quantidade de qualquer coisa. **4.** Intervalo de tempo. **5.** Parte do freio que fica dentro da boca da cavalgadura; bocal. **6.** Passadio, sustento.

boca do lixo *S. f. Bras.* Zona onde, numa cidade, se aglomeram marginais, prostitutas, viciados e traficantes de drogas. [Pl.: *bocas do lixo*.] ☑

bocagem [De *boca*[1] (ô) + *-agem*[2].] *S. f.* **1.** *Pop.* V. *palavreado* (1 e 2). **2.** *Bras.* Palavra imoral; palavrão.

bocagiano *Adj.* **1.** Pertencente ou relativo ao poeta português Manuel Maria Barbosa du Bocage (1765-1805), ou próprio dele. **2.** Que é grande admirador e/ou profundo conhecedor de sua obra. ● *S. m.* **3.** Grande admirador e/ou profundo conhecedor da obra de Bocage.

bocaina [De *boca*[1] (ô) + *-ana*[1], com *i* epentético.] *S. f.* **1.** *Bras.* Depressão numa serra. **2.** Vale ou canhada entre duas elevações do terreno. **3.** *Bras. S.* Entrada de canal ou de rio. **4.** *Bras. AM* Braço de água ou furo que liga um lago a um igarapé. **5.** *Bras. MA* Baía ampla e profunda.

bocainense[1] *Adj. 2 g.* **1.** De, ou pertencente ou relativo a Bocaina (SP e PI). ● *S. 2 g.* **2.** O natural ou habitante de Bocaina.

bocainense[2] *Adj. 2 g.* **1.** De, ou pertencente ou relativo a Bocaina de Minas (MG). ● *S. 2 g.* **2.** O natural ou habitante de Bocaina de Minas.

bocaiú *Bras. S. 2 g.* **1.** *Etnôn.* Indivíduo dos bocaiús, povo indígena extinto que habitava a região de Pomba (MG). ● *Adj. 2 g.* **2.** Pertencente ou relativo a esse povo. [Tb. us. como *s. 2 g. e 2 n.* (com cap.) e *adj. 2 g. e 2 n.*]

bocaiuva (ai-ú) [Do tupi.] *S. f. Bras. Bot.* **1.** Palmeira arecácea (*Acrocomia mokayayba*) encontrada em MT e MS, dotada de frutos drupáceos globosos, comestíveis, e espique de até 7m de altura; mocajaíba. **2.** Palmeira arecácea (*Acrocomia odorata*), encontrada em MT e MS, de frutos drupáceos doces, e caule liso e fino; bocaiuva-de-são-lourenço, bocaiuva-dos-pantanais. **3.** V. *coco-de-catarro*. ❖

bocaiuva-de-são-lourenço (ai-ú) *S. f. Bras. Bot.* V. *bocaiuva* (2). [Pl.: *bocaiuvas-de-são-lourenço*.] ❖

bocaiuva-dos-pantanais (ai-ú) *S. f. Bras. Bot.* V. *bocaiuva* (2). [Pl.: *bocaiuvas-dos-pantanais*.] ❖

bocaiuvano *Adj. S. m.* V. *bocaiuvense*[2].

bocaiuvense[1] *Adj. 2 g.* **1.** De, ou pertencente ou relativo a Bocaiuva (MG). ● *S. 2 g.* **2.** O natural ou habitante de Bocaiuva.

bocaiuvense[2] *Adj. 2 g.* **1.** De, ou pertencente ou relativo a Bocaiuva do Sul (PR). ● *S. 2 g.* **2.** O natural ou habitante de Bocaiuva do Sul. [Sin. ger.: *bocaiuvano*.]

bocal [De *boca*[1] (ô) + *-al*[1].] *S. m.* **1.** Abertura de vaso, candeeiro, frasco, castiçal, etc.; boca. **2.** Betilho. **3.** Bocado (5). **4.** Punho de casaco ou casaca. **5.** *Arquit.* Muro ou mureta que serve de parapeito à volta de poços e cisternas. **6.** Peça móvel, em forma de pequeno funil, ordinariamente de metal, que serve de embocadura a certos instrumentos de sopro (corneta, trompete, trompa, trombone, tuba, etc.). **7.** Parte inferior dos tubos do órgão, onde se produz o som. **8.** *Bras. RS* Peça oca de metal ou de couro, na qual se introduz o loro do estribo. **9.** Tubo curto que se adapta a orifício feito em um reservatório, e destinado a regularizar um jato de água. [Cf. *buçal*.]

boçal [Do esp. *bozal*, 'buçal' (q. v.); 'simples', 'rude', 'ignorante'; '(negro) recém-capturado, trazido há pouco da África'.] *Adj. 2 g.* **1.** Estúpido, rude, grosseiro; ignorante. **2.** *Bras.* Dizia-se do escravo negro ainda não ladino, recém-chegado da África e desconhecedor da língua do país; caramutanje. ● *S. m.* **3.** Escravo boçal; negro-novo, caramutanje. ● *S. 2 g.* **4.** Indivíduo boçal. [Cf. *buçal*.]

boçalidade [De *boçal* + *-(i)dade*.] *S. f.* **1.** Qualidade de boçal (1). **2.** Procedimento ou dito de indivíduo boçal (1).

boca-lisa *S. f. Bras. Zool.* V. *bagre-branco* (1). [Pl.: *bocas-lisas*.]

boca-livre [De *boca*[1] (ô) + *livre*.] *S. 2 g. Bras. Pop.* **1.** Reunião de entrada livre e na qual se servem comidas e bebidas. **2.** *P. ext.* Utilização fraudulenta ou abusiva dos serviços públicos, ou de benefícios outros. [Pl.: *bocas-livres*.]

boca-mole *S. m. Bras. Zool.* V. *goete* (1). [Pl.: *bocas-moles*.]

boca-negra *Bras. S. 2 g.* **1.** *Etnôn.* Indivíduo dos bocas-negras [ou (etnôn. bras.) *Bocca-preta], povo indígena extinto da bacia do Madeira (RO). ● *Adj. 2 g.* **2.** Pertencente ou relativo a esse povo. [Pl.: *bocas-negras*.]

boca-preta *S. m.* **1.** *Bras. Zool.* V. *macaco-de-cheiro*. **2.** *Bras. MA Bot.* V. *feijão-fradinho*. [Pl.: *bocas-pretas*.]

bocar [De *abocar*, com aférese.] *V. t. d.* Abocar (1 a 3). [Conjug.: v. *trancar*. Pres. ind.: *boco*, *bocas*, *boca*, etc. Cf. *boca* (ô), pl. *bocas* (ô), e *boco* (ô).]

boçarda *S. f. Constr. Nav.* Cada uma das peças cravadas horizontalmente, pela parte interna do costado, junto à roda de proa, ao cadaste ou ao painel de popa, a fim de reforçar nessas partes a estrutura do casco da embarcação.

boca-rica [De *boca*[1] (ô) + o f. de *rico*.] *S. 2 g. Bras. Pop.* Pessoa que tem muito dinheiro. [Pl.: *bocas-ricas*.]

boca-rota [De *boca*[1] (ô) + o f. de *roto* (ô).] *Adj. 2 g. S. 2 g.* Boquirroto. [Pl.: *bocas-rotas*.]

bocarra [De *boca*[1] (ô) + *-arra*.] *S. f.* **1.** Boca muito grande ou muito aberta; bocaça, boqueirão: 📖 "Tigres e leões de <u>bocarras</u> escancaradas mostram as presas agudas, rosnando." (Léu Vítor, *Círculo de Giz*, p. 136.) **2.** *Bras. Zool.* Saicanga (1).

boca-torta [De *boca*[1] (ô) + o f. de *torto*.] *S. f. Zool.* **1.** *Bras.* V. *goete* (1) **2.** *Bras. BA* V. *oveva*. [Pl.: *bocas-tortas*.]

bocaxim [Do turco *bogasy*, 'entretela', poss. pelo árabe.] *S. m. Tec. Têx.* Tela engomada, para entretela; tarlatana.

➔ **bocca chiusa** ['bok.ka 'kjuza] [It.] *Mús.* V. *à boca fechada*.

bocejador (ô) [De *bocejar* + *-dor*.] *Adj. S. m.* Que, ou aquele que boceja.

bocejar [De *boca*[1] (ô) + *-ejar*.] *V. int.* **1.** Dar bocejos; oscitar, boquejar. **2.** Abrir a boca em sinal de aborrecimento ou de tédio; oscitar, boquejar: 📄 *Todos <u>bocejavam</u>, ao final da conferência.* *T. d.* **3.** Proferir por entre bocejos, ou com aborrecimento: 📄 *<u>Bocejou</u> que não pretendia sair àquela hora.* [Conjug.: v. *pelejar*.]

bocejo (ê) [Dev. de *bocejar*.] *S. m.* Abrimento espasmódico da boca, com aspiração seguida de expiração prolongada do ar; oscitação.

bocel [Do fr. ant. *bosel*.] *S. m. Arquit.* **1.** Moldura estreita, em meia-cana, de diversas aplicações, entre elas o envolvimento da parte inferior de fustes de colunas. **2.** Parte do piso de um degrau que se projeta cerca de três centímetros além da face do espelho (5). [Pl.: *bocéis*.]

bocelão [Aum. de *bocel*.] *S. m.* Moldura larga, com a mesma forma ou o mesmo perfil do bocel.

bocelar [De *bocel* + *-ar*[2].] *V. t. d.* **1.** Ornar com bocéis. **2.** Dar forma de bocel a.

bocelim [De *bocel* + *-im*.] *S. m. Arquit.* V. *bocelino*.

bocelinho [De *bocel* + *-inho*[1].] *S. m. Arquit.* V. *bocelino*.

bocelino [De *bocel* + *-ino*[2].] *S. m. Arquit.* **1.** A parte mais delgada da coluna, na transição entre o fuste e o capitel. **2.** Moldura de pequena seção, que separa o fuste do capitel de uma coluna. [F. paral.: *bocelim*, *bocelinho*.]

boceta (ê) [Dim. do lat. vulg. *buxis*, *idis* (< lat. *pyxis*, *idis*, 'caixinha'), poss. pelo occitano *boissa*, com infl. do esp. *bujeta*, *bucheta*.] *S. f.* **1.** Caixinha redonda, oval ou oblonga: 📖 "<u>Bocetas</u> atochadas de pastilhas e docinhos perfumados." (Fialho d'Almeida, *Lisboa Galante*, p. 85.) **2.** Caixa de rapé: 📖 "tirou a <u>boceta</u> de rapé, demorou-se com ela na mão, levando, um pouco trêmulo, dois dedos da areia-preta às ventas." (Agripa Vasconcelos, *Fome em Canaã*, p. 96). **3.** *Bras.* Certo aparelho de pesca. **4.** *Bras. Chulo* A vulva. ◆ **Boceta anatômica.** *Anat.* Tabaqueira anatômica. **Boceta de Pandora.** A origem de todos os males; algo que, sob uma aparência sedutora, pode ocultar aborrecimentos ou calamidades; algo em que não se deve tocar, sob pena de provocar desgraças; caixa de Pandora. [Na mitologia grega, Pandora é a primeira mulher, e corresponde à Eva bíblica.]

boceta-de-mula [De *boceta* + *de* + *mula*[1].] *S. f. Bras. Bot.* Árvore esterculiácea (*Sterculia urens*) da floresta pluvial, de folhas muito grandes, flores pequenas, e cujo fruto é um grande folículo lenhoso e arredondado, com três a cinco sementes negras, que encerram 16% de um óleo amarelo e se acham recobertas de pelos ruivos muito irritantes para a pele; tacacazeiro. [Pl.: *bocetas-de-mula*.]

bocete (ê) [Do fr. *bossette*.] *S. m.* **1.** Peça de metal com o feitio de cabeça de prego. **2.** Ornato feito nas interseções das nervuras dos tetos artesoados.

boceteira [De *boceta* + *-eira*.] *S. f. Bras. PE Ant.* Vendedora ambulante de miudezas e rendas, acomodadas em bocetas [v. *boceta* (1)].

bocetinha [De *boceta* (4) + *-inha*.] *S. f. Bras. PE AL SE BA Deprec.* V. *piranha* (4).

bocha [Do esp. plat. *bocha*.] *S. f. Bras. S.* **1.** Jogo em que cada parceiro, com três bolas de madeira, as atira a certa distância, tentando aproximá-las tanto quanto possível de outra, pequena, denominada *chico* ou *bolim*. **2.** A bola usada nesse jogo.

boche[1] [Do fr. *boche*.] *Adj. S. m. Deprec. Desus.* Alemão (1 e 2). [Cf. *boxe*.]

boche[2] *El. s. m.* Us. na loc. adv. *a boche*. [Cf. *boxe*.] ◆ **A boche.** *Bras. RS* Em grande quantidade, ou intensidade; à beça.

bochecha (ê) [De or. controversa.] *S. f.* **1.** *Anat.* Cada uma das duas paredes laterais da boca. **2.** *Anat.* Cada uma das duas regiões laterais da face, e que se estende da base de cada órbita à mandíbula; maçã do rosto (denom. ant.). **3.** *Constr. Nav.* Parte curva do costado na proa, desde a linha-d'água até o convés principal; amura. **4.** *Bras. CE Pop.* Logro, burla, intrujice. ◆ **Entrar de bochecha.** *Bras. CE Pop.* Entrar sem pagar ingresso, de carona. **Nas bochechas de.** Na presença de (alguém); na cara de; nas barbas de, nas ventas de. ◆ **Atirar às bochechas de.** V. *lançar em rosto a* (1).

bochechada [De *bochecha* + *-ada*[1].] *S. f.* **1.** Bochecho (1). **2.** Bochechão.

bochecha-de-velho *S. f. Bras. AM Bot.* Cipó hipocrateáceo (*Salacia polyanthomaniaca*) de flores insignificantes e dispostas em cimeiras axilares, e cujos frutos são bagas amarelas, triloculares, que contêm uma polpa branca e sem gosto. [Pl.: *bochechas-de-velho.*]

bochechão [De *bochecha* + *-ão*[3].] *S. m.* Palmada na face ou na bochecha; bochechada.

bochechar [De *bochecha* + *-ar*[2].] *V. t. d.* **1.** Agitar (líquido com ação medicamentosa, ou sem ela) na boca, movimentando as bochechas: "Bochechou a água e borrifou-a em volta, com gosto." (Moreira Campos, *Portas Fechadas*, p. 13.) *Int.* **2.** Agitar na boca, movimentando as bochechas, líquido com ação medicamentosa, ou sem ela: "apanhou o vidro de água-de-colônia, derramou algumas gotas num copo com água, bochechou, gargarejou" (Dinah Silveira de Queirós, *As Noites do Morro do Encanto*, p. 197). [Conjug.: v. *fechar.*]

bochecho (ê) [Dev. de *bochechar.*] *S. m.* **1.** Ato de bochechar; bochechada. **2.** Porção de líquido com ação medicamentosa, ou sem ela, para bochecho (1).

bochechudo [De *bochecha* + *-udo.*] *Adj. S. m.* Que, ou aquele que tem bochechas [v. *bochecha* (1)] grandes.

bochicho *S. m.* V. *bochinche.*

bochinchada [De *bochinche* + *-ada*[1].] *S. f. Bras. S.* Ato de promover bochinche ou conflito.

bochinche [Do esp. plat. *bochinche.*] *S. m. Bras. S.* **1.** V. *arrasta-pé* (1). **2.** Divertimento popular. **3.** V. *rolo*[1] (16). [Var.: *bachinche, bochicho* e *bochincho.*]

bochincheiro [Do esp. plat. *bochinchero.*] *Adj. S. m. Bras. S.* **1.** Frequentador de bochinches [v. *bochinche* (1)]. **2.** Diz-se de, ou aquele que promove bochinches ou conflitos; desordeiro, arruaceiro.

bochincho *S. m. Bras. S.* V. *bochinche.*

bochornal [De *bochorno* (ô) + *-al*[1].] *Adj. 2 g.* **1.** Quente, calorento. **2.** Abafadiço, sufocante. [Sin. ger.: *bochornoso.*]

bochorno (ô) [Do esp. *bochorno.*] *S. m.* **1.** Ar abafadiço, sufocante. **2.** Vento quente.

bochornoso (ô) [Do esp. *bochornoso.*] *Adj.* V. *bochornal.*

bócio [Do fr. ant. *boce*, atual *bosse.*] *S. m. Endocr.* V. *tireomegalia.*

➔ **bock** [bɔk] [Al.] *S. f.* Cerveja de cor marrom-escura, levemente doce e de teor alcoólico mais forte.

boco (ô) [De *boca*[1] (ô).] *S. m. Bras. RS* V. *imba.* [Pl.: *bocos* (ô). Cf. *boco*, do v. *bocar.*]

bocó[1] [Alter. de *mocó*[1].] *S. m. Bras.* Alforje ou mala pequena de couro não curtido, ainda com o pelo do animal, usado para guardar fumo, palha de cigarro, canivete, etc.

bocó[2] [De *boca*[1] (ô).] *Adj. 2 g. Bras.* **1.** Acriançado, infantil. **2.** V. *tolo* (1 a 3). ● *S. 2 g.* **3.** V. *tolo* (8).

bocório[1] [De *boca*[1] (ô) + *-ório.*] *S. m. Bras. RS* Bate-boca, discussão forte; altercação.

bocório[2] *Adj. S. m. Bras.* Diz-se de, ou indivíduo reles, desprezível; patife.

boçoroca [Do tupi.] *S. f. Bras.* Fenda cavada pelas enxurradas. [Cf. *voçoroca.*]

boçu *S. f. e m. Bot.* V. *buiuçu.*

bocuba *S. f. Bras. Bot.* V. *bicuíba-de-folha-miúda.*

bocuda [De *boca*[1] (ô) + *-uda.*] *S. f. Bras.* Baluda.

bocué *Bras. S. 2 g.* **1.** *Etnôn.* Indivíduo dos bocués, povo indígena extinto que habitava o vale do Jequitinhonha (MG) até fins do séc. XIX. ● *Adj. 2 g.* **2.** Pertencente ou relativo a esse povo. [Tb. us. como *s. 2 g. e 2 n.* (com cap.) e *adj. 2 g. e 2 n.*]

bocuiabá *S. f. Bras. Bot.* V. *bicuíba-de-folha-miúda.*

bocuvaçu *S. f. Bras. Bot.* V. *bicuíba-de-folha-miúda.*

boda (ó) [De *bode*[1] (3).] *S. f. Bras. RS* Mulata, mestiça. [Pl.: *bodas* (ó). Cf. *boda* (ô), pl. *bodas* (ô), *boda* (ó) e *bodas* (ó), do v. *bodar.*]

boda (ô) [Do lat. *vota*, pl. de *votum*, 'promessa, voto'.] *S. f.* **1.** Celebração de casamento. **2.** Festa com que se celebra casamento. **3.** *P. ext.* Banquete, festim. [Pelo menos no Brasil, é m. us. no pl. Cf. *boda* (ó), s. f., e *boda*, do v. *bodar.*]

bodar [De *bode*[1] + *-ar*[2].] *V. int. Bras. Gír.* Ficar em estado de bode. [Pres. ind.: *bodo, bodas, boda*, etc. Cf. *boda* (ô), pl. *bodas* (ô), *boda* (ó), s. f., pl. *bodas* (ó).]

bodas (ô) [Pl. de *boda* (ô).] *S. f. pl.* V. *boda.* [Cf. *bodas* (ó), do v. *bodar, bodas*, pl. de *boda*, e *jubileu.*] ◆ **Bodas de brilhante. 1.** O 75º aniversário de casamento. **2.** Festa comemorativa desse aniversário. **Bodas de Caná** *Rel.* Passagem do Novo Testamento que relata o milagre feito por Jesus de transformar água em vinho durante uma cerimônia de casamento, atendendo ao apelo de sua mãe, Maria. **Bodas de coral. 1.** O 35º aniversário de casamento. **2.** Festa comemorativa desse aniversário. **Bodas de cristal. 1.** O 15º aniversário de casamento. **2.** Festa comemorativa desse aniversário. **Bodas de diamante. 1.** O 60º aniversário de casamento. **2.** Festa comemorativa desse aniversário. **Bodas de esmeralda. 1.** O 40º aniversário de casamento. **2.** Festa comemorativa desse aniversário. **Bodas de estanho. 1.** O 10º aniversário de casamento. **2.** Festa comemorativa desse aniversário. **Bodas de madeira. 1.** O 5º aniversário de casamento. **2.** Festa comemorativa desse aniversário. **Bodas de ouro. 1.** O 50º aniversário de casamento. **2.** Festa comemorativa desse aniversário. **Bodas de pérola. 1.** O 30º aniversário de casamento. **2.** Festa comemorativa desse aniversário. **Bodas de platina. 1.** O 65º aniversário de casamento. **2.** A festa comemorativa desse aniversário. **Bodas de porcelana. 1.** O 20º aniversário de casamento. **2.** Festa comemorativa desse aniversário. **Bodas de prata. 1.** O 25º aniversário de casamento. **2.** Festa comemorativa desse aniversário. **Bodas de rubi. 1.** O 45º aniversário de casamento. **2.** Festa comemorativa desse aniversário.

bode[1] [De or. incerta.] *S. m.* **1.** O macho da cabra; cabrão. [Sin., poét.: *capro.*] **2.** Caprino em geral. **3.** *Pej.* V. *mestiço* (3). **4.** Caixinha envernizada, em geral para guardar dinheiro. **5.** Matula, farnel. **6.** Confusão, complicação, encrenca. **7.** V. *rolo*[1] (16). **8.** *Fig.* Homem muito feio. **9.** *Bras.* Indivíduo libidinoso; sátiro. **10.** *Bras. Pej.* V. *maçom* (2). **11.** *Bras. N.E. Pop.* V. *protestante* (6). **12.** *Pop.* Cada uma das figuras do baralho, esp. o valete. **13.** *Gír. Ant.* Mil-réis. **14.** *Bras. Gír.* Estado depressivo, ou de sonolência, provocado por droga (4), ou não. **15.** *Bras. Gír.* Situação embaraçosa, difícil, complicada ou deprimente. **16.** *Bras.* Papagaio (5) grande. ◆ **Bode expiatório.** Pessoa sobre quem se faz recair as culpas alheias ou a quem são imputados todos os reveses. **Amarrar o bode.** *Bras. Fam.* **1.** Ficar de cara amarrada; ficar sério. **2.** Ficar mal-humorado. **Amarrar um bode.** *Bras. Gír.* Deprimir-se, ger. sob efeito de droga (4); entrar em fossa (6). **De bode amarrado.** *Bras. Fam.* Amuado, mal-humorado: *estar, andar, ficar de bode amarrado.*

bode[2] [Do ingl. *body*, 'corporação', 'corpo (9)'.] *S. m. Bras. Mar. G. Gír.* **1.** Designação comum a quatro especialidades profissionais, que se distinguem umas das outras pelo emprego de adjetivos relativos a cores: *bode azul* (comunicações), *bode preto* (máquinas), *bode verde* (hidrografia) e *bode vermelho* (armamento). **2.** Segredo, mistério, de que os elementos de uma especialidade profissional procuram cercar os seus atos: *Lá vem você com bode, deixe disso e fale claro.* ◆ **Bode azul.** *Bras. Mar. G. Gír.* V. *bode*[2] (1). **Bode preto.** *Bras. Mar. G. Gír.* V. *bode*[2] (1). [Cf. *bode-preto.*] **Bode verde.** *Bras. Mar. G. Gír.* V. *bode*[2] (1). **Bode vermelho.** *Bras. Mar. G. Gír.* V. *bode*[2] (1). **Fazer bode.** *Bras. Mar. G. Gír.* Fazer mistério a respeito de um assunto; esconder o jogo. **Ser do bode.** *Bras. Mar. G. Gír.* Ser da mesma especialidade. [V. *bode*[2] (1).]

bodeado [De *bode*[1] + *-eado.*] *Adj. Gír.* Amolado, chateado: "Dei a volta por cima. A gente tem que ser forte, nada de baixo astral, de ficar bodeado, remoendo aporrinhações." (Rubem Fonseca, *Vastas Emoções e Pensamentos Imperfeitos*, p. 68.)

bodeco [De *bode*[1] + *-eco.*] *S. m. Bras. Amaz.* V. *pirarucu.*

bodega [Do gr. *apothéke*, pelo lat. *apotheca*, com sonorização e deglutinação.] *S. f.* **1.** V. *taberna* (1). **2.** *Bras.* Pequeno armazém de secos e molhados. [Sin. (no RS): *boliche.*] **3.** *Fam.* Comida grosseira e malfeita. **4.** Coisa suja; porcaria, imundície. **5.** *Bras. Gír.* Coisa insignificante, reles ou imprestável; bodeguice. ● *Interj.* **6.** Exprime descontentamento, irritação.

bodegão [De *bodega* + *-ão*[1].] *S. m.* Bodegueiro.

bodegueiro [De *bodega* + *-eiro.*] *S. m.* **1.** Aquele que tem bodega (1). **2.** Aquele que frequenta bodega. **3.** *Fig.* Indivíduo sujo, imundo, porcalhão. **4.** *Fig.* Indivíduo que não se apura no que faz. [Sin. ger.: *bodegão.*]

bodeguice [De *bodega* + *-ice.*] *S. f.* Bodega (5).

bodeguim [De **bodego* (< *bode*[1]) + *-im.*] *S. m. Bras.* Bode[1] (1) bravo.

bodejar [De *bode*[1] + *-ejar.*] *V. int. Bras.* **1.** Emitir a voz (o bode). **2.** Gaguejar. **3.** Dirigir galanteios libidinosos. [Conjug.: v. *pelejar.*]

bodejo (ê) [Dev. de *bodejar.*] *S. m. Bras.* **1.** Ato de bodejar. **2.** A voz do bode.

bodelha [Do ár. (este fonte do lat. cient. *Abutilon*).] *S. f. Bot.* Alga fucácea (*Fucus vesiculosus*) marinha, que, assim como outras espécies, forma sargaços. [Sin.: *alga vesiculosa, botilhão, botilhão vesiculoso.*]

bode-preto *S. m. Bras.* **1.** *Pop.* V. *diabo* (2). **2.** *Pej.* V. *maçom* (2). [Pl.: *bodes-pretos.* Cf. *bode preto.*]

bodiano *S. m. Zool.* V. *bodião*[1].

bodião[1] *S. m. Bras. Zool.* Nome comum a peixes labrídeos e escarídeos, que diferem, fundamentalmente, pela estrutura dentária e pelos hábitos alimentares. [Var.: *bodiano, budião, gudião.*]

bodião[2] [Do pros. *Bodião de Escama*, de um personagem, popularíssimo, que existiu no Recife na 2ª metade do séc. XIX.] *S. m. Bras. PE* Orador empolado e asneirento.

bodião-arara *S. m. Bras. Zool.* V. *bodião-vermelho.* [Pl.: *bodiões-araras* e *bodiões-arara.*]

bodião-papagaio *S. m. Bras. Zool.* **1.** Peixe labrídeo (*Bodianus rufus*) do Atlântico ocidental, de Bermuda a Santa Catarina, com até 60cm de comprimento, de coloração amarela, com parte da cabeça, região dorsal e inferior do corpo variando do azul ao vermelho. [Sin: *pretucano.*] **2.** V. *bodião-vermelho.* [Pl.: *bodiões-papagaios* e *bodiões-papagaio.*]

bodião-preto *S. m. Bras.* V. *papagaio-preto.* [Pl.: *bodiões-pretos.*]

bodião-sabonete *S. m. Bras. Zool.* V. *bodião-vermelho.* [Pl.: *bodiões-sabonetes* e *bodiões-sabonete.*]

bodião-tucano *S. m. Bras. Zool.* V. *bodião-vermelho.* [Pl.: *bodiões-tucanos* e *bodiões-tucano.*]

bodião-una *S. m. Bras.* V. *papagaio-preto.* [Pl.: *bodiões-unas.*]

bodião-vermelho *S. m. Bras. Zool.* Peixe labrídeo (*Bodianus pulchellus*), do Atlântico ocidental, da Flórida à Santa Catarina, de coloração vermelha, com a parte posterior da nadadeira dorsal e a maior parte da nadadeira caudal amarelas, e uma faixa branca que vai da mandíbula à nadadeira caudal. [Sin.: *bodião-papagaio, bodião-arara.* Pl.: *bodiões-vermelhos.*]

bodinho [De *bode*[1] + *-inho*[1].] *S. m. Bras. Zool.* V. *sebastião* (1).

bodionice [De *bodião*[2] + *-ice.*] *S. f. Bras. PE* **1.** Tropo bombástico. **2.** Frase disparatada, sem nexo.

bodiônico [De *bodião*[2] + *-ico*[2].] *Adj. Bras. PE* Bombástico, empolado, despropositado, disparatado.

bodisatva [Do sânscr. *bodhisattva.*] *S. m.* **1.** No budismo hinaiana (q. v.), aquele que, por sua virtude e sabedoria, pode vir a ser um Buda, devendo, por isso, dedicar-se exclusivamente às práticas que conduzem ao conhecimento essencial. **2.** No budismo maaiana (q. v.), aquele que pode vir a ser um Buda e que, por isso, sem prejuízo das práticas que conduzem ao mais alto conhecimento, deve voltar-se para a salvação dos homens.

bodo (ô) [Do lat. *votu.*] *S. m.* **1.** Distribuição de alimentos, roupas e dinheiro aos pobres em dia festivo: "ele desfilaria .... até ao adro da igreja, onde um bezerro era solto e morto à vista de todos, para ser oferecido em bodo aos pobres e velhos e tolhidos da freguesia." (Almeida Faria, *O Conquistador*, p. 30). **2.** Iguaria, comida. **3.** Refeição lauta; banquete. [Pl.: *bodos* (ô).]

bodocada [De *bodoque* + *-ada*[1].] *S. f. Bras.* **1.** Tiro de bodoque. **2.** *Fig.* Insinuação indireta; indireta.

bodocar [De *bodoque* + *-ar*[2].] *V. t. d.* Acertar ou ferir com bodoque: "Houvera tempo, assim, para bodocar passarinhos nos paus-pretos das redondezas, armar alçapões e brincar no rego da água." (Ciro dos Anjos, *A Menina do Sobrado*, p. 29.)

bodocoense (cò) *Adj. 2 g.* **1.** De, ou pertencente ou relativo a Bodocó (PE). ● *S. 2 g.* **2.** O natural ou habitante de Bodocó.

bodoni *S. m. Art. Gráf.* Denominação de tipo, ou de família de caracteres, criado pelo impressor italiano Giambattista Bodoni (1740-1813), que, a par do *didot* (2), constitui um dos primeiros exemplos do estilo romano moderno.

bodoniano *Adj.* Pertencente ou relativo a Giambattista Bodoni (1740-1813), impressor italiano, ou próprio dele.

bodoque [Do ár. *bunduq* < gr. *pontikón* (*káryon*), '(noz) do Ponto (*i. e.*, a avelã)'.] *S. m.* **1.** *Ant.* Bola de barro que se disparava com besta. **2.** *Bras.* Arco para atirar bolas de barro endurecidas ao fogo, pedrinhas, etc. **3.** *Bras.* Qualquer dessas bolas. **4.** *Bras.* V. *atiradeira.*

bodoqueiro [De *bodoque* + *-eiro.*] *S. m. Bras.* Atirador de bodoque.

bodoquenense *Adj. 2 g.* **1.** De, ou pertencente ou relativo a Bodoquena (MS). ● *S. 2 g.* **2.** O natural ou habitante de Bodoquena.

bodoso (ô) [De *bode*[1] + *-oso.*] *Adj. Bras.* Sujo, imundo.

bodum [De *bode* + *-um*[1].] *S. m.* **1.** Exalação fétida de bode não castrado. **2.** Transpiração malcheirosa de outros animais, e também humana; asca, catinga, xexéu, xexéu do mangue, inhaca, iaca. [Cf., nesta acepç., *hircismo.*] **3.** V. *fartum* (3). **4.** *Zool.* V. *opilião* (2).

➔ **body** ['bɑdij] [Ingl.] *S. m. Vest.* Roupa inteiriça, ger. de malha ou outro tecido colante ao corpo com ou sem mangas que cobre o tronco, indo da virilha ou das coxas ao ombro.

➔ **body-board** ['bɑdij bɔːd] [Ingl.] *S. m. Esport.* Pequena prancha us. na prática do *body-boarding.*

→ **body-boarding** [ˈbadij ˈbɔɹdɪŋ] [Ingl.] *S. m. Esport.* Modalidade de surfe que utiliza prancha curta e sem quilhas, sobre a qual o surfista se deita.

boedrômias [Adapt. do gr. *Boedromia*.] *S. f. pl.* Na antiga Atenas, festas celebradas no mês de boedrômion, em comemoração da vitória de Teseu (v. *teseias*) sobre as amazonas (q. v.).

boedrômio *S. m. Cronol.* V. *boedrômion*.

boedrômion [Do gr. *Boedromión*.] *S. m. Cronol.* O terceiro mês do calendário grego, com 29 dias, que correspondia aproximadamente ao mês de setembro do calendário gregoriano.

boehmita [Do antr. (*Johannes*) *Böhm* (1857-1938), químico alemão, + *-ita*[3].] *S. f. Min.* Mineral ortorrômbico, óxido de alumínio hidratado, cinza, marrom ou avermelhado, dimorfo do diásporo, e constituinte da bauxita.

boemia [De *boêmio* + *-ia*[1].] *S. f. Bras.* V. *boêmia*.

boémia *S. f.* V. *boêmia*. [Uso freq. em P.]

boêmia [Do top. Boêmia.] *S. f.* **1.** Vida alegre e despreocupada; vida airada. **2.** Vadiagem, pândega, estúrdia, estroinice. [F. paral.: *boemia*.]

boémio *Adj. S. m.* V. *boêmio*. [Uso freq. em P.]

boêmio *Adj.* **1.** Do, ou pertencente ou relativo ao antigo reino da Boêmia, região atualmente incorporada à República Checa. **2.** Que leva vida desregrada; vadio, pândego, estúrdio, estroina. **3.** Alegre e despreocupado do futuro: *É um artista boêmio.* **4.** Próprio de boêmio (2 e 3): *temperamento boêmio; Leva uma vida boêmia.* • *S. m.* **5.** O natural ou habitante da antiga Boêmia. **6.** V. *cigano* (1). **7.** Indivíduo boêmio (2 e 3). **8.** *Gloss.* Checo (6). [Fem.: *boêmia*. Cf. *boemia*.]

bôer [Do hol. *boer*.] *Adj. 2 g. S. 2 g.* Diz-se de, ou relativo a, ou sul-africano descendente dos colonizadores holandeses da República da África do Sul. [Pl.: *bôeres*. Cf. *africânder*.]

bofada *S. f. Bras. N.* V. *bofetada* (1).

bofar *V. t. d.* **1.** Lançar do bofe; golfar. **2.** V. *arrotar* (3 e 4). *Int.* **3.** Sair às golfadas. [Cf. *bufar*.]

bofe [Dev. de *bofar*.] *S. m.* **1.** *Pop.* V. *pulmão*. **2.** *Bras.* Pessoa feia, sem atrativos. [F. (burl.): *bofélia*.] **3.** *Bras. Deprec.* Meretriz de baixa classe; boi. **4.** *Bras. Gír.* Homem (4). ~ V. *bofes*.

bofé *Adv. Interj. Ant.* V. *à boa-fé*.

bofélia [Cruz. de *bofe* com o antr. *Ofélia*.] *S. f. Bras. Burl.* Bofe (2).

bofes [Pl. de *bofe*.] *S. m. pl.* **1.** A fressura dos animais. **2.** *Fig.* Gênio, caráter: *pessoa de maus bofes.* **3.** *Fig. Ant.* Renda ou tira de pano franzido, pregueado ou tufado, usada como enfeite na indumentária, sobretudo em punhos e peitilhos de camisa. ~ V. *bofe*. ◆ **Deitar os bofes pela boca.** Estar ofegante por ter andado ou corrido muito; pôr os bofes pela boca, pôr os bofes para fora: "Quando o caseiro, a deitar os bofes pela boca, apareceu a dar notícia do achado da criança no Tâmega, estavam as senhoras e mais o cônego e o irmão a jogar a sueca." (Camilo Castelo Branco, *Novelas do Minho*, VII, p. 9.) **De maus bofes.** De maus fígados. **Pôr os bofes para fora.** **1.** V. *deitar os bofes pela boca*. **2.** Dizer tudo o que lhe vai na alma: "Enquanto o gás toma conta do ambiente, enquanto o guaraná com formicida faz o efeito libertário, o sujeito senta-se à mesa, pega a caneta e põe os bofes para fora." (Joaquim Ferreira dos Santos, em *O Globo*, 03.07.2009.) **Pôr os bofes pela boca.** V. *deitar os bofes pela boca*. **Ter maus bofes.** Ter maus fígados.

bofetada [De *bofete* + *-ada*[1].] *S. f.* **1.** Tapa com a mão espalmada no rosto. [Sin.: *bofada, caqueirada, lampana, latada, panázio, peteleca* e (lus.) *lapa* e *lapada*.] **2.** *Fig.* Insulto, injúria, afronta. ◆ **Bofetada com luvas de pelica.** Revide com fina ironia. **Bofetada sem mão.** Insulto verbal; desfeita.

bofetão [De *bofete* + *-ão*[1].] *S. m.* **1.** Grande bofetada (1). **2.** *Bras.* Furto, roubo.

bofete (é) [De *bofar* (1).] *S. m. Pop.* Bofetada leve; tabefe. [Var. pros.: *bofete* (ê). A pronúncia brasileira (ao menos a mais corrente) é *bofete*, com *é* aberto. Cf. *bufete*.]

bofete (ê) *S. m. Pop.* V. *bofete* (é). [Cf. *bufete*.]

bofetear [De *bofete* + *-ear*[2].] *V. t. d.* V. *esbofetear*. [Conjug.: v. *frear*.]

bofetense *Adj. 2 g.* **1.** De, ou pertencente ou relativo a Bofete (SP). • *S. 2 g.* **2.** O natural ou habitante de Bofete.

boga *S. f.* **1.** *Bras. MA PI* Canário que não serve para briga. **2.** *Bras. MA PI* Pássaro que não canta. **3.** *Bras. N.E. Pop.* V. *ânus*. **4.** *Bras. Zool.* V. *piapara* (1).

boga-lisa *S. f. Bras. Zool.* Ferreirinha. [Pl.: *bogas-lisas*.]

boganga [Var. de *moganga*.] *S. f. Bot.* V. *abóbora-moganga*.

bogango [Var. de *moganga*.] *S. f. Bot.* V. *abóbora-moganga*: "Só de bogango e abóbora é que nasce menino" (prov.).

bogari [Do sânscr. *mugdara*, pelo concani *mogri*, **mogari*.] *S. m. Bot.* Arbusto oleáceo (*Jasminum sambac*) trepador, cultivado em jardins pelo seu valor ornamental, e que apresenta flores compostas, caule flexuoso, e muitas flores alvas, e perfume notavelmente penetrante: "Já solta o bogari mais doce aroma" (Gonçalves Dias, *Obras Poéticas*, II, p. 17). [Var.: *bogarim, mogarim*. Sin.: *mosqueta*.]

bogarim *S. m. Bot.* V. *bogari*: "A rosa e o bogarim, o cravo e o malmequer" (José Veríssimo, *Cenas da Vida Amazônica*, p. 343).

bogó *S. m.* **1.** *Bras. BA* Vaso de couro com que se tira água de cacimba. **2.** *Bras. BA MG* Copo de couro usado no jogo de dados.

bogotano *Adj.* **1.** De, ou pertencente ou relativo a Bogotá, capital da Colômbia (América do Sul). • *S. m.* **2.** O natural ou habitante de Bogotá.

bogue *S. m. Bras. N.E.* V. *murro*.

bóhrio [Do antr. (*Niels*) *Bohr* (1885-1962), físico dinamarquês, + *-io*[3].] *S. m. Quím.* Elemento transférmico (q. v.) de número atômico 107; unilséptio [símb.: *Bh*].

boi[1] [Do lat. *bove*.] *S. m.* **1.** *Zool.* Animal mamífero, artiodáctilo, ruminante, bovídeo, pertencente ao gênero *Bos*. Os chifres são em par, ocos, não ramificados, permanentes. Incluem-se no gênero as raças domésticas, largamente utilizadas pelo homem. [Cf. *touro* (1) e *vaca* (1).] **2.** O touro castrado usado no trabalho de carga e na alimentação. **3.** *Bras. N.E. Folcl.* V. *bumba meu boi* (1). **4.** *Bras.* A principal personagem animal do bumba meu boi (q. v.). **5.** *Bras.* Instrumento musical feito com couro. **6.** *Bras.* Tenda rústica feita pelos barranqueiros nas coroas do rio São Francisco. **7.** *Bras.* Cobertura de canoas. **8.** *Bras.* Croque usado pelos barqueiros do rio Tocantins. **9.** *Bras. Mar.* Lanchão. **10.** *Bras. Gír. Deprec.* Meretriz. **11.** *Bras. N.E.* V. *menstruação* (1). **12.** *Bras. Pop. Deprec.* V. *gordo* (11). **13.** *Bras. MA* Maricas (3). [Cf. *bói*.] ◆ **Boi carreiro.** Qualquer dos bois que puxam o carro. **Boi da guia.** Animal que, em um carro de boi, faz parte da dupla dianteira. **Boi de ano.** Bovino ainda novo, porém castrado. **Boi de cambão.** Boi (1) acostumado a puxar o carro. **Boi de corte.** Boi (1) destinado ao matadouro. **Boi de lote.** *Bras.* O touro. **Boi de piranha.** *Bras.* **1.** Boi (1) que o vaqueiro faz atravessar o rio antes da boiada para saber se há ou não piranhas. **2.** *P. ext.* Pessoa que, em um grupo, é submetida ou se submete a um sacrifício ou experiência para favorecer os companheiros. **Boi de quarta.** *Bras. S.* Cada um daqueles que, nos carros puxados por mais de duas juntas, vão entre os da ponta e os do coice. **Boi de sela.** *Bras. PA BA MT* Bovino utilizado como animal de montaria; boi-cavalo. **Boi de tronco.** Boi do coice. **Boi do coice.** Animal que, num carro de bois, faz parte da dupla que se acha diretamente ligada ao veículo; boi de tronco. **Boi em pé.** Boi de corte, ainda nas invernadas. **Boi marrequeiro.** *Bras.* Boi (1) atrás do qual se esconde o caçador, para se aproximar de caça miúda (marrecos, jaçanã, etc.). **Amolar o boi.** *Bras. Fam.* Amolar (4) outra pessoa que não a que fala. **Apanhar como boi ladrão.** *Bras.* Apanhar muito. **Estar de boi.** *Bras. N.E.* Estar menstruada. **Pegar o boi pelos chifres.** *Bras.* Enfrentar situação difícil com disposição.

boi[2] [Do tupi (v. *mboi*).] *S. f. Bras. Zool.* V. *cobra*[1] (1). [Outras f.: *mboi* e *moi*.]

▲ **boi-** [Do tupi *mboi*.] *El. comp.* = 'cobra': *boipiranga, boiuna*. [Equiv.: *-boia, boj-*: *boioçuboia; bojobi*.]

bói[1] [Do ingl. *boy*.] *S. m. Mar.* Mancebo (6). [Cf. *boi*.]

bói[2] [Da f. red. do ingl. *office-boy*.] *S. m. Bras.* Aquele que exerce funções de contínuo[1] (4), mensageiro e outras. [Cf. *boi*.]

boia[1] (ói) [Do frâncico **baukan*, 'sinal', por uma var. ant. ou dial. do fr. *bouée*.] *S. f.* **1.** *Mar.* Flutuador cilíndrico, esférico, cônico, etc., usado para vários fins, tais como balizamento, amarração de navios, e outros, e aguentado no seu lugar fundeado ou amarrado. **2.** Peça de material flutuante (cortiça, isopor, etc.) adaptada às redes de pesca para que não afundem. **3.** Cortiça ou outro material flutuante ligada à corda em que se apoiam aqueles que aprendem a nadar. **4.** *P. ext.* Qualquer objeto flutuante sobre a água e que auxilie a natação. **5.** Peça flutuante existente nas caixas-d'água, que serve para vedar a entrada do líquido quando o reservatório se enche. **6.** *Bras.* Etapa (1) de soldados. **7.** Comida, refeição, rancho. **8.** Grão de café chocho que sobrenada nos lavadouros. **9.** Sobra de mercadoria que não foi vendida. **10.** *Bras. Bot.* V. *xixá*. ◆ **Boia cega.** *Náut.* Boia empregada em balizamento e que não tem aparelho iluminativo. **Boia luminosa.** *Náut.* Boia empregada em balizamento e que mostra um sinal luminoso, em geral montado no topo de uma torre ou armação metálica. **Boia salva-vidas.** *Marinh.* Objeto feito de cortiça ou de outro material de grande flutuabilidade, ou constituído de uma câmara de borracha inflável com ar ou com outro gás, e destinado a sustentar alguém à tona da água. **Boia sonora.** *Náut.* Boia empregada em balizamento, em local de frequentes nevoeiros, e munida de dispositivo (apito, sino, etc.) que produz um sinal sonoro. ❖

boia[2] (ói) [Do tupi (v. *mboia*).] *S. f. Bras. Zool.* V. *cobra*[1] (1). [Outras f.: *mboia* e *moia*.] ❖

▲ **-boia** V. *boi-*. ❖

boiaca *S. f. Constr.* Calda (4).

boiaçu *S. f.* **1.** *Bras. Folcl.* V. *mãe-d'água* (1). **2.** *Bras. Bot.* V. *buiuçu*. **3.** *Bras. AM Zool.* V. *sucuri*.

boiada [De *boi*[1] + *-ada*[1].] *S. f.* Manada de bois; boiama.

boiadão [De *boiada* + *-ão*[1].] *S. m. Bras.* Boiada grande.

boiadeiro[1] [De *boiada* + *-eiro*.] *S. m.* **1.** Tocador de boiada. **2.** Capataz de gado. **3.** *Bras.* Comprador de gado para revenda. **4.** Marchante (1). **5.** *Bras. Zool.* V. *chupim* (1). **6.** *Bras. Rel.* Nos candomblés de caboclo e em outros cultos (como, p. ex., o babaçuê e o batuque [6]), encantado de inspiração regional. [Nesta acepç., com cap.]

boiadeiro[2] [De *boiar* + *-deiro*.] *S. m. Bras. AM* V. *boiadouro*.

boiadoiro [De *boiar* + *-doiro*[2].] *S. m. Bras. AM* Boiadouro (q. v.).

boiador (ô) [De *boiar* + *-dor*.] *S. m. Bras. AM* V. *boiadouro*.

boiadouro [De *boiar* + *-douro*[2]; var. de *boiadoiro*.] *S. m. Bras. AM* Trecho de rio, em geral remansoso, onde emergem e boiam as tartarugas; boiadeiro, boiador.

boia-fria *S. 2 g. Bras.* **1.** Trabalhador agrícola que se desloca diariamente para propriedade rural, ger. para executar tarefas sob empreitada. **2.** *P. ext.* Pessoa que come no local de trabalho a comida que leva de casa. [Sin. (SP): *birolo* (ô). Pl.: *boias-frias*.] ❖

boiama [De *boi*[1] + *-ama*.] *S. f.* Boiada.

boiante [De *boiar* + *-nte*.] *Adj. 2 g.* Que boia; flutuante: "Embaixo, ... vê-se uma jangada de quatro paus boiantes." (Euclides da Cunha, *À margem da História*, p. 91.)

boião[1] [Do mal. *buyong*, poss.] *S. m.* **1.** Vaso bojudo de barro, vidro, etc., de boca larga, usado para guardar doces, conservas, etc. **2.** *Bras.* Fogão para defumar a borracha.

boião[2] [De *boi*[1] + *-ão*[1].] *Adj. S. m. Bras. Pop.* Diz-se de, ou indivíduo fraco, sem resistência.

boiar [De *boia*[1] + *-ar*[2].] *V. t. d.* **1.** Pôr a flutuar, prendendo a boia[1]: *Boiou as redes para tentar a sorte, e nada de peixe.* *T. c.* **2.** Flutuar, sobrenadar: "Como ao rijo soprar das ventanias / Os mortos boiam sobre as águas frias!" (Fagundes Varela, *Poesias Completas*, I, p. 145.) *Int.* **3.** Boiar (2): *Aprendeu a boiar e a nadar muito cedo.* **4.** Balançar, oscilar: *Penduradas, as roupas boiavam ao vento.* **5.** Estar irresoluto; hesitar. **6.** Sobrar, restar (mercadoria que não se conseguiu vender). **7.** *Bras. Gír.* Não entender; ficar na mesma: *Explicou-me de que se trata, mas continuei boiando.* **8.** *Bras.* Tomar a boia[1] (6 e 7); comer. [Conjug.: v. *apoiar*.]

boiardo [Do rus. *boyare*, pl. de *boyarin*, 'grande senhor', 'nobre', pelo fr. *boyard*.] *S. m.* **1.** Designação dada aos membros da aristocracia russa que se seguiam, na hierarquia nobiliárquica, aos príncipes reinantes, e que tinham vários privilégios até que Ivã IV, o Terrível (1530-1584), os reduziu drasticamente. **2.** Antiga denominação de membros de uma classe privilegiada de proprietários rurais, na Romênia (Europa).

boi-barroso (ô) *S. m. Bras. RS Folcl.* Toada gaúcha muito popular, ligada aos romances de gado. [Pl.: *bois-barrosos*.]

boi-bento *S. m. Lus. Folcl.* Boi (1) que toma parte nos festejos de São João, levado pelos fiéis. [Pl.: *bois-bentos*.]

boi-bumbá *S. m. Bras. N. Folcl.* V. *bumba meu boi* (1). [Pl.: *bois-bumbás* e *bois-bumbá*.]

boiça *S. f.* V. *bouça*.

boicaá [Do tupi = 'erva de cobra' (v. *boi-* e *-caá*).] *S. f. Bras. Bot.* V. *mentastro* (1).

boi-calemba *S. m. Bras. N.E. Folcl.* V. *bumba meu boi* (1). [Pl.: *bois-calembas* e *bois-calemba*.]

boi-calumba *S. m. Bras. RN Folcl.* V. *bumba meu boi* (1). [Pl.: *bois-calumbas* e *bois-calumba*.]

boiçar *V. t. d.* V. *bouçar*. [Conjug.: v. *laçar*.]

boi-cavalo *S. m. Bras. PA MA BA MT* Boi de sela (q. v.). [Pl.: *bois-cavalos* e *bois-cavalo*.]

boiceira *S. f.* **1.** A primeira estopa que se tira do linho. **2.** V. *tasco*[2] (1). [Var.: *bouceira*.]

boicininga [De or. tupi.] *S. f. Bras. Amaz. Zool.* V. *cascavel* (3): "Iracema silvou como a boicininga; e arrojou-se contra a fúria do guerreiro tabajara." (José de Alencar, *Iracema*, p. 97.)

boicipó [De *boi-* + *cipó*.] *S. f. Bras. Zool.* V. *cobra-cipó*.

boicoatiara [De *boi-* + *coatiara*.] *S. f. Bras. Zool.* V. *cotiara*[1].

boi com folhagens *S. m. Bras. RJ Pop.* Bife com alface. [Pl.: *bois com folhagens*.] ☑

boicorá [De *boi-* + *corá*, f. pop. de *coral*.] *S. f. Bras. Zool.* **1.** Designação comum a duas espécies de reptis ofídios, colubrídeos (*Pseudoboa rhombifera* e *P. trigemina*), comuníssimos em todo o Brasil. A primeira tem coloração amarela, com manchas escuras azuladas no dorso, as quais se estendem, em ponta, para o lado, formando triângulos de cor vermelho-coral, e lado inferior brancacento ou amarelado; a segunda é avermelhada com anéis ou faixas azuladas ou negras, e entre estas uma de cor amarela; focinho amarelado. Comprimento de ambas: até 1m; têm hábitos arborícolas. [Sin.: *bacorá, bacoral, boicoral.*] **2.** V. *cobra-coral* (1).

boicoral *S. f. Bras. Zool.* V. *boicorá* (1).

boicotagem [De *boicotar* + *-agem*[2].] *S. f.* Ato ou efeito de boicotar; boicote.

boicotar [Do antr. (*Charles Cunningham*) *Boycott* (1832-1897), proprietário de terras irlandês a quem se impuseram sanções comerciais, por se ter recusado a baixar aluguéis, + *-ar*[2].] *V. t. d.* **1.** Punir, constranger (pessoa, classe, estabelecimento, país), geralmente em represália, recusando sistematicamente relações sociais ou comerciais. **2.** Criar embaraços aos negócios ou interesses de. [Sin. ger.: *boicotear.*]

boicote [Do antr. (*Charles C.*) *Boycott* (v. *boicotar*).] *S. m.* Boicotagem.

boicotear [De *boicote* + *-ear*[2].] *V. t. d.* V. *boicotar.* [Conjug.: v. *frear.*]

boicotiara [Do tupi = 'cobra pintada'.] *S. f. Bras. SP PR Zool.* V. *cotiara*[1].

boiçu [Do tupi.] *S. f. Bras. AM Zool.* V. *sucuri.*

boiçununga [Var. de *boicininga.*] *S. f. Bras. Amaz. Zool.* V. *cascavel* (3).

boi de cova *S. m. Bras. BA* V. *mutirão* (1). [Pl.: *bois de cova.*] ☑

boi-de-guará *S. m. Bras. MA Zool.* V. *cascudo*[2] (2). [Pl.: *bois-de-guará.*]

boi de mamão *S. m. Bras. PR SC Folcl.* V. *bumba meu boi* (1). [Pl.: *bois de mamão.*] ☑

boi de matraca *S. m. Bras. MA Folcl.* Boi de orquestra. [Pl.: *bois de matraca.*] ☑

boi de melão *S. m. Bras. SC Folcl.* V. *bumba meu boi* (1). [Pl.: *bois de melão.*] ☑

boídeo [Do tax. *Boa* (v. *boa*[1]) + *-ídeo*[1]; tax. *Boidae.*] *Zool.* *S. m.* **1.** Espécime dos boídeos, família de grandes ofídios escamados, serpentes, que habitam regiões tropicais, e que matam as presas por constrição. Têm crânio flexível, dois pulmões e escamas ventrais aumentadas; pélvis e membros posteriores rudimentares presentes, sob a forma de esporões anais. Esta família inclui os pítons (v. *píton*[2]), as boas (v. *boa*[1]) e as anacondas ou sucuris. ● *Adj.* **2.** Pertencente ou relativo a eles.

boi de orquestra *S. m. Bras. MA Folcl.* Bumba meu boi (1) mais recente e de música faceira, cabriolante; boi de matraca. [Pl.: *bois de orquestra.*] ☑

boi de reis *S. m. Bras. N.E. Folcl.* V. *bumba meu boi* (1). [Pl.: *bois de reis.*] ☑

boi de zabumba *S. m. Bras. MA Folcl.* Bumba meu boi (1) de ritmo mais lento, apoiando-se em grandes tambores enfiados em varas que dois homens carregam, e o músico caminha ao lado, batendo-lhes com um macete. [Pl.: *bois de zabumba.*] ☑

boieira [De *boi* + *-eira.*] *S. f.* **1.** Mulher que cuida dos bois ou os guia. **2.** *Zool.* V. *lavandeira* (3). **3.** *Pop.* A estrela-d'alva.

boieiro [De *boi* + *-eiro.*] *S. m.* **1.** Guardador e condutor de bois. **2.** *Astr.* Constelação do hemisfério norte, facilmente reconhecível pela estrela Arcturo. [Com cap., nesta acepç.]

boi-espácio *S. m. Bras. N.E. MG* V. *boi-espaço.* [Pl.: *bois-espácios* e *bois-espácio.*]

boi-espaço *S. m. Bras. N.E. MG* Boi de chifres muito abertos, entre os quais, portanto, há um espaço incomum. [Var.: *boi-espácio.* Pl.: *bois-espaços* e *bois-espaço.* Cf. *espácio.*]

boi-gordo [De *boi* + *gordo.*] *S. m. Bras. L. Bot.* Arbusto cesalpiniáceo (*Senna rugosa*) ornamental, de flores amarelas, grandes, dotadas de propriedades medicinais purgativas. [Sin.: *amendoeirana, alcaçuz-bravo, cabo-verde* (MG), *mendubi, mendubi-bravo, raiz-de-corvo, volácio, paratudo* (SP), *raiz-preta* (SP), *infalível* (MT). Pl.: *bois-gordos.*]

boiguaçu [De *boi-* + *-guaçu.*] *S. f. Bras. AM Zool.* V. *sucuri.*

➔ **boiler** ['bɔjlə] [Ingl.] *S. m.* Caixa-d'água dotada de mecanismo termelétrico, a qual se destina a fornecer água quente.

boimé *Bras. S. 2 g.* **1.** *Etnôn.* Indivíduo dos boimés, povo indígena extinto que habitava SE, próximo da costa. ● *Adj. 2 g.* **2.** Pertencente ou relativo a esse povo. [Tb. us. como *s. 2 g. e 2 n.* (com cap.) e *adj. 2 g. e 2 n.*]

boi-melão *S. m. Bras. Folcl.* V. *bumba meu boi* (1). [Pl.: *bois-melões* e *bois-melão.*]

boina (ôi ou ói) [Do basco, pelo esp. *boina.*] *S. f.* Espécie de boné chato, sem costura e sem pala, comumente de lã. ❖[Af. com ditongo aberto era acentuada, antes do acordo]

boi na vara *S. m. Bras. SC Folcl.* Costume que consiste em enfurecer um boi amarrado a uma vara resistente, mas flexível, que lhe permite certa liberdade de arremeter contra os seus perseguidores, os quais, ao verem-no completamente esgotado, o matam e o repartem entre si. [Pl.: *bois na vara.*] ☑

boina-verde *S. m.* Membro das Forças Especiais do Exército dos E.U.A. [Pl.: *boinas-verdes.*]

boiobi *S. f. Bras. Zool.* V. *cobra-cipó.*

boioçu [De *boi-* + *-oçu.*] *S. m. Bras. Zool.* V. *sucuri.*

boioçuboia (ói) [De *boioçu* + *-boia.*] *S. f. Bras. AM Zool.* V. *sucuri.* ❖

boiola [De or. incerta.] *S. m. Bras. Pej.* Homossexual masculino.

boiota[1] [De *boi*, poss.] *S. f. Bras.* Testículos muito desenvolvidos, ou com hidrocele.

boiota[2] [De or. obsc.] *S. 2 g.* **1.** *Bras. BA* V. *bolha* (4). **2.** *Bras. GO* Alienado, mentecapto, idiota.

boiote [De *boi* + *-ote*[1].] *S. m. Bras. N.* **1.** Boi novo; garrote, novilho. **2.** Bezerro castrado.

boipeba [Var. de *boipeva.*] *S. f. Bras. Zool.* **1.** V. *boipeva.* **2.** V. *jabutiboia.*

boipeva [Do tupi = 'cobra chata'.] *S. f. Bras. Zool.* Designação comum a algumas espécies de reptis ofídios, colubrídeos, gênero *Xenodon*, especialmente *X. merremii*, muito comum em todo o Brasil, de coloração escura, com escamas amarelas formando desenhos geométricos indistintos, e cujo comprimento vai até 2m. Quando irritada, a boipeva achata o corpo, sobretudo o pescoço. [Var.: *boipeba.* Sin.: *capitão-do-campo, capitão-do-mato, cobra-chata, cabeça-chata, chata, jararacambeva, jararacuçu-tipiti, pepéua, pepeva.*]

boipevaçu [De *boipeva* + *-açu.*] *S. f. Bras. Zool.* Reptil ofídio colubrídeo (*Cyclagras gigas*), do MT, N.E. de SP, até PA e AM, de dorso amarelado ou castanho, com faixas transversais escuras, um traço negro de cada lado da cabeça, e a porção ventral anterior com manchas longitudinais pardo-escuras. Tem o comprimento de até 2m, hábitos aquáticos, e se alimenta sobretudo de anuros. [Sin.: *surucucu-do-pantanal.*]

boi-pintadinho *S. m. Bras. RJ Folcl.* V. *bumba meu boi* (1). [Pl.: *bois-pintadinhos.*]

boipiranga [De *boi-* + *-piranga.*] *S. f. Bras. Zool.* V. *cobra-coral.*

boiquatiara [De or. tupi.] *S. f. Bras. Zool.* V. *cotiara*[1].

boiquira [De or. tupi.] *S. f. Bras. S. S.E. Zool.* V. *cascavel* (3).

boirel *S. m.* Pequena boia[1] de cortiça. [Pl.: *boiréis.*]

boiru [Do tupi, 'cobra', + o tupi = 'comer'.] *S. f. Bras. SE Zool.* V. *muçurana* (1).

boi-surubi *S. m. Bras. N.E. Folcl.* V. *bumba meu boi* (1). [Pl.: *bois-surubis* e *bois-surubi.* Var.: *boi-surubim.*]

boi-surubim *S. m. Folcl.* Boi-surubi (q. v.). [Pl.: *bois-surubins* e *bois-surubim.*]

boitatá [Do tupi; var. de *baitatá.*] *S. m. Bras. Pop.* **1.** V. *fogo-fátuo* (1). **2.** *Folcl.* Gênio que protege os campos contra os incêndios; cobra-de-fogo. **3.** *Folcl.* Touro furioso que lança fogo pelas ventas e queima tudo. **4.** *Folcl.* V. *papão*[1] (1). [Outras var.: *baitatá; biatatá, bitatá, batatão.*]

boitiaboia (ói) *S. f. Bras. N.E. Zool.* V. *acutimboia* (2). ❖

boitiapoia (ói) *S. f. Bras. N.E. Zool.* V. *sucuri.* ❖

boituvense *Adj. 2 g.* **1.** De, ou pertencente ou relativo a Boituva (SP). ● *S. 2 g.* **2.** O natural ou habitante de Boituva.

boiubu *S. f. Bras. Zool.* V. *cobra-cipó.*

boiuçu *S. m.* **1.** *Bras. Bot.* V. *buiuçu.* **2.** *Bras. AM Zool.* V. *sucuri.*

boiuna [Do tupi (v. *boi-* e *-una*).] *S. f. Bras. Amaz.* **1.** *Folcl.* Figura mitológica indígena, temida por sua maldade, e que toma a forma de cobra, que faz virar as embarcações, ou a da própria embarcação, levando os náufragos para o fundo do rio. [Sin.: *cobra-grande, cobra-maria, mãe do rio, senhora das águas.*] **2.** *Zool.* V. *sucuri.* ❖

boiunense *Adj. 2 g.* **1.** De, ou pertencente ou relativo a Boa Vista de Ramos (AM). ● *S. 2 g.* **2.** O natural ou habitante de Boa Vista de Ramos.

boiuno *Adj.* Bovino (1). ❖

boi-vivo *S. m. Bras. Cul.* Guisado com os testículos do boi. [Pl.: *bois-vivos.*]

boiz (o-í) *S. f.* V. *aboiz* (1). [Pl.: *boízes.*]

boizinho [Dim. de *boi.*] *S. m. Bras. RS Folcl.* V. *bumba meu boi* (1).

boizinho de são marcos *S. m. Lus. Folcl.* Boi que os membros da Irmandade de São Marcos, na festa de seu padroeiro, levam até o altar-mor, tangido por uma varinha e com cantigas profanas. [Pl.: *boizinhos de são marcos.*] ☑

▲ **boj-** V. *boi-.*

bojador (ô) [De *bojar* + *-dor.*] *Adj. S. m.* Que, ou aquele que boja.

bojamento [De *bojar* + *-mento.*] *S. m.* **1.** Ato ou efeito de bojar. **2.** *Eng. Ind.* Protuberância abaulada, que ocorre nas superfícies de tubos ou vasos de pressão em consequência de deformação plástica do metal, pela ação de agentes mecânicos ou da pressão de gás; abaulamento.

bojante [De *bojar* + *-nte.*] *Adj. 2 g.* Que boja, que faz bojo.

bojar [Do esp. *bojar.*] *V. t. d.* **1.** Tornar bojudo; enfunar. **2.** Fazer sobressair, formando bojo; salientar: *Os ornatos de pedra bojavam o portal.* *Int.* **3.** Apresentar bojo ou saliência arredondada; bolhar: "vi .... um papagaio de papel, alto e largo, preso de uma corda imensa, que bojava no ar" (Machado de Assis, *Várias Histórias*, p. 214). [Pres. ind.: *bojo*, etc. Cf. *bojo* (ô).]

bojarda [De *bojo*, poss.] *S. f.* Variedade de pera sumarenta e doce.

bojo (ô) [Dev. de *bojar.*] *S. m.* **1.** Saliência arredondada; barriga: *O couro mal-esticado formou um bojo bem nas costas do sofá.* **2.** Capacidade; envergadura: *Falta-lhe bojo para executar a tarefa que se propôs.* **3.** A parte mais íntima de uma coisa; âmago, cerne: *O relatório apresentado traz no bojo a solução do problema.* **4.** *Constr. Nav.* A parte mais arredondada e convexa da carena, formada pelo contorno de transição entre sua parte quase horizontal e sua parte quase vertical. **5.** *Bras. PB* V. *vaso sanitário.* [Pl.: *bojos* (ô). Cf. *bojo*, do v. *bojar.*]

bojobi [De *boj-* + o tupi = 'verde'.] *S. f. Bras. Zool.* V. *cobra-cipó.*

bojudo [De *bojo* + *-udo.*] *Adj.* Que tem bojo (1); arredondado.

bojuí [Var. de *bijuí.*] *S. f. Bras. Zool.* V. *mandaguari.*

bola [Do lat. *bulla*, pelo provenç. ant. *bola.*] *S. f.* **1.** Qualquer corpo esférico. **2.** *P. ext.* Qualquer coisa a que se dá, ou que toma feitio ou forma de bola (1): *Fez uma bola com a carta e jogou-a fora.* **3.** Artefato esférico de borracha ou de outro material, frequentemente envolto em couro, feltro, etc., que, em geral, salta por efeito da elasticidade, e é usado em diversos esportes: *bola de futebol, de tênis, de golfe, de pingue-pongue.* **4.** *Bras.* Jogada em esportes com bola (3): *A bola de Pelé propiciou o gol.* **5.** *Bras.* O futebol. **6.** *Fam.* Cabeça. **7.** *Fam.* Juízo, siso. **8.** Pessoa baixa e gorda. **9.** *Bras.* Dito espirituoso; piada. **10.** *Bras.* Pessoa engraçada: *F. é uma bola.* **11.** *Bras.* Comida envenenada para matar cães. **12.** *Bras. Gír.* Peita (2). **13.** *Bras. N.E. S.* Bala, rebuçado. **14.** *Bras. RS* V. *boliche* (1). ~ V. *bolas.* ◆ **Bola da vez.** Em certas modalidades de sinuca, a bola de menor valor, ainda sobre a mesa, e que deve ser encaçapada em primeiro lugar. **Bola de fogo primordial.** *Cosm.* O quente, denso e primeiro estágio do universo, previsto pela teoria do bigue-bangue (q. v.), que existiu quando o universo era predominantemente cheio de radiação muitíssimo energética, o qual subsequentemente se expandiu e esfriou. O resíduo dessa radiação é registrado como radiação de fundo cósmico. **Bola pra frente.** Siga (ou sigamos) adiante, vá (ou vamos) em frente (diz-se ger. para estimular alguém ou a si mesmo a superar uma situação difícil): "O Brasil não tem jeito. Mas o negócio é bola pra frente." (Rubem Fonseca, *Histórias de Amor*, p. 107.) **Baixar a bola.** Tornar-se menos pretensioso: "O governo vai acabar baixando a bola nessa discussão sobre mudanças na lei para extração futura de petróleo que pode existir na chamada camada do pré-sal" (George Vidor em *O Globo*, 18.08.2008). **Bater bola.** *Bras. Fut.* Praticar bate-bola (2). **Bater uma bola.** *Bras. Fut.* Jogar futebol. **Boa bola.** *Bras.* Piada feliz, espirituosa. **Bom da bola.** *Bras.* Que tem bom juízo, tino, discernimento; certo da bola. "Zé Leão saiu assustado, foi depois dizer ao mano que eu não andava bom da bola" (Ciro dos Anjos, *A Menina do Sobrado*, p. 287.) **Certo da bola.** *Bras.* Bom da bola. **Comer a bola.** *Bras. Fut.* Jogar muito bem, primorosamente; bater um bolão; estar com a bola cheia, estar com a bola redonda; jogar um bolaço, ser bom de bola. [Cf. *comer bola.*] **Comer bola.** *Bras. Gír.* Levar bola. [Cf. *comer a bola.*] **Como bola sem manicla.** *Bras. RS* Sem rumo, a esmo, às tontas. **Dar bola a.** *Bras. Gír.* **1.** Dar confiança a; dar entrada a, para namoro. [Aplica-se, em geral, às moças.] **2.** Dar atenção a; ligar importância a. **3.** Peitar, subornar. **Dar uma bola.** *Bras. SP Gír.* Fumar maconha. **Encher a bola de alguém.** Enaltecê-lo, elogiá-lo. **Engolir a bola.** *Bras.* Fazer excelente exibição; ter bom desempenho. **Ensebar a bola.** Dourar a pílula. **Entrar com bola e tudo.** *Bras. Fut.* Driblar os defensores adversários, inclusive o goleiro, entrando com a bola no gol. **Estar com a bola cheia.** **1.** Ter muito prestígio ou cartaz: "Quem está com a bola cheia é Roberto Carlos, que está seguindo hoje para a Europa, onde o espera uma intensa programação." (*Jornal do Brasil*, 15.05.1982.) **2.** *Bras. Fut.* V. *comer a bola.* **Estar com a bola redonda.** *Bras. Fut.* V. *comer a bola.* **Estar pela bola sete.** *Bras. Pop.* **1.** Estar pendente de alguma coisa, ou esperando por ela. **2.** Estar prestes a morrer. **Levar bola.** *Bras. Gír.* Deixar-se peitar; ser subornado; comer bola. **Não ir à bola de.** *Lus.* Não simpatizar com: "O diretor .... não ia muito à bola dos republicanos." (Aquilino Ribeiro, *Lápides Partidas*, p. 14.) **Pentear a bola.** *Bras. Fut. Gír.* Passar o pé sobre a bola para dominá-la antes de dar seguimento à jogada. **Pisar na bola.** *Bras. Gír.* Cometer um engano; dar um fora, uma mancada. "a sua frase de desculpas para o gesto constrangedor: 'pisei na bola'" (João Moreira Sales, em *O Globo*, 31.03.2000). **Ruim da bola.** *Bras. Fam.* Amalucado, adoidado, pancada; virado da bola. **Ser a bola da vez.** Estar prestes a ser objeto de análise, crítica, exclusão, etc. **Ser bom de bola.** *Fut.* V. *comer a bola.* **Sofrer da bola.** *Bras.* Ser ruim da bola. **Ter bola de cristal.** Ser adivinho, poder prever o futuro. **Trocar as bolas.** Dizer ou fazer alguma coisa em lugar de outra (à maneira do jogador de bilhar que, por engano, joga com a bola do parceiro); cair em erro; enganar-se. [Tb. se usa, jocosamente, neste sentido, e talvez mais, *bolar as trocas*.] **Virado da bola.** *Bras. Fam.* V. *ruim da bola.*

bola (ô) [De *bolo*, poss.] ***S. f.*** *Lus.* **1.** *Cul.* Broa feita de milho ou centeio. **2.** *Cul.* Queijo grande e arredondado, feito de leite de cabra. **3.** *Cul.* Bolo salgado feito com presunto cru, pão, ovos e carnes variadas **4.** *Cul.* V. *fogaça*[1]. **5.** *Açor. Cul.* Pão feito de raiz da junça e de centeio. **6.** *Pop.* Golpe dado com palmatória; bolo.

bola ao alto ***S. f.*** *Basq.* Alçamento da bola entre dois jogadores adversários, no centro da quadra no princípio de cada tempo, ou na cabeça do garrafão, ou no centro da quadra, quando a bola é reposta em jogo no decorrer da partida. [Pl.: *bolas ao alto*.] ☑

bola ao cesto [Trad. do ingl. *basketball*.] ***S. f.*** *Basq.* V. *basquetebol*. [Pl.: *bolas ao cesto*.] ☑

bola ao chão ***S. f.*** *Fut.* Situação no jogo de futebol em que o árbitro reinicia uma partida, interrompida por ele mesmo, fazendo a bola cair no chão para ser disputada por dois adversários. [Pl.: *bolas ao chão*.] ☑

bolação [De *bolar*[2] + *-ção*.] ***S. f.*** *Bras.* Ato ou efeito de bolar[2] (2 e 3).

bolacha [De *bolo*[2] (ô).] ***S. f.*** **1.** Biscoito achatado de farinha, geralmente em forma retangular ou de disco, às vezes com açúcar. **2.** *Fam. Pop.* Bofetada, bolachada: "Ninguém é capaz de me tirar da cabeça que a minha vida ainda se endireitava a tempo, se eu tenho ferrado uma bolacha nas ventas de Alzira" (Fialho d'Almeida, *Lisboa Galante*, p. 136). **3.** *Bras.* Lâmina fina de borracha. **4.** *Bras. RS* V. *repreensão* (1). **5.** *Bras.* Descanso (8) para copos e garrafas. **6.** *Bras.* Papelão em forma de disco ou quadrangular usado nos bares ou restaurantes para contar os chopes bebidos; rodelinha. **7.** *Bras. BA Zool.* Corrupio (4). **8.** *Bras. Gír.* Lésbica.

bolachada [De *bolacha* + *-ada*[1].] ***S. f.*** *Fam. Pop.* V. *bolacha* (2).

bolacha-d'água ***S. f.*** Bolacha (1) salgada e sem gordura; bolacha-d'água e sal. [Pl.: *bolachas-d'água*.]

bolacha-d'água e sal ***S. f.*** Bolacha-d'água. [Pl.: *bolachas-d'água e sal*.] ☑

bolacha-quebrada ***S. f.*** *Bras. BA MG Pop.* V. *ninharia*. [Pl.: *bolachas-quebradas*.]

bolachar [De *bolacha* + *-ar*[2].] ***V. t. d.*** *Gír.* Dar, ou aplicar bolachas [v. *bolacha* (2)] em: "você me acha o rei dos otários? Devia te bolachar por essa." (Plínio Marcos, *Navalha na Carne*, p. 91).

bolacheiro [De *bolacha* + *-eiro*.] ***S. m.*** **1.** Fabricante e/ou vendedor de bolachas. • ***Adj.*** **2.** *Fam.* Bolachudo.

bolachudo [De *bolacha* (1) + *-udo*.] ***Adj.*** *Fam.* Que tem faces gordas ou rechonchudas; bolacheiro.

bolaço[1] [De *bola* + *-aço*.] ***S. m.*** **1.** *Bras. S.* Pancada ou golpe dado com as bolas ou boleadeiras. **2.** *Esport.* Jogada ou passe (6) bem realizado; bolão. ◆ **Jogar um bolaço.** *Bras. Fut.* Jogar muito bem, excelentemente: *Garrincha jogou um bolaço.*

bolaço[2] [De *bolo*[1] + *-aço*.] ***S. m.*** V. *bolada*[2].

bolada[1] [De *bola* + *-ada*[1].] ***S. f.*** **1.** Pancada com bola (3). **2.** *Bras. S.* Vez, ocasião: *Desta bolada ele vai vencer.*

bolada[2] [De *bolo*[1] + *-ada*[1].] ***S. f.*** **1.** Monte de dinheiro ou bolo (7), no jogo. **2.** Grande soma de dinheiro; bolão. [Sin. ger.: *bolaço*.]

bola de berlim ***S. f.*** *Lus. Cul.* Sonho (9). [Pl.: *bolas de berlim*.] ☑

bola de milho ***S. f.*** *Bras. N.E.* V. *peteca* (1). [Pl.: *bolas de milho*.] ☑

bola-de-neve ***S. f.*** *Bot.* Arbusto caprifolídeo (*Viburnum opulus*) de folhas palmatilobadas, grandes flores brancas, em cimeiras corimbiformes, e drupas vermelhas, edules. [Pl.: *bolas-de-neve*.]

bola de neve ***S. f.*** Coisa que vai crescendo, ou situação que se agrava paulatinamente, à semelhança de uma bola de neve, que, rolando, aumenta pela incorporação de novas camadas. [Pl.: *bolas de neve*.] ☑

bolado [De *bola* + *-ado*[1].] ***Adj.*** *Bras. Gír.* **1.** Diz-se de indivíduo sob efeito de tóxicos. **2.** Preocupado; grilado, amolado.

bolaina [De or. obsc.] ***S. f.*** *Bras. Amaz. Bot.* Árvore esterculiácea (*Guazuma rosea*) de folhas ovadas, acuminadas, serreadas e pilosas, e flores róseas, pequenas, com estames monadelfos, e dispostas em panículas frouxas.

bolandas [Do esp. *volandas*.] ***S. f. pl.*** Us. na expr. *em bolandas*. ◆ **Em bolandas. 1.** A toda a pressa. **2.** Aos tombos; aos baldões; aos trancos e barrancos. **3.** De um lugar para outro: "Tantas vezes o pobre cordão andou em bolandas que o alma do diabo já nem sabia quando estava em casa ou no prego." (Aquilino Ribeiro, *Lápides Partidas*, p. 116.)

bolandeira [Do esp. *volandera*.] ***S. f.*** **1.** *Bras.* Grande roda dentada do engenho de açúcar; volandeira. **2.** *Bras. Tip.* Placa de metal, geralmente de zinco, que constitui o fundo móvel da galé de bolandeira; moldandeira. **3.** *Bras. Tip. P. ext.* Galé (2). **4.** *Bras. N. N.E.* Máquina de descaroçar algodão. **5.** *Bras. N. N.E.* Grande roda, puxada por animais, que move o rodete de ralar mandioca.

bolandismo [Do fr. *bollandisme*.] ***S. m.*** Atividade ou movimento teológicos, iniciados pelo jesuíta Jean Bolland, ao dar início, a partir da obra *Acta Sanctorum*, ao estudo crítico da vida e história dos santos católicos.

bolandista [Do antr. (*Jean*) *Bolland* + *-ista*.] ***S. 2 g.*** **1.** Cada um dos jesuítas, que participaram da compilação e publicação da *Acta Sanctorum*, coleção hagiográfica iniciada pelo padre Jean Bolland (1596-1665): "eu acredito tanto nos bolandistas como no cavalo de Troia!" (Aquilino Ribeiro, *Andam Faunos pelos Bosques*, p. 93). **2.** *P. ext.* Adepto ou seguidor do bolandismo. • ***Adj. 2 g.*** **3.** Relativo ou pertencente a Jean Bolland ou ao grupo de eclesiásticos que deram seguimento ao seu trabalho.

bolanha [Do criol.] ***S. f.*** *Guin.* Planície alagadiça onde se cultiva o arroz: "Ia a caminho da bolanha, onde se juntava toda a água da chuva que caía naquela zona antes de tomar a direção do mar." (Abdulai Sila, *Mistida*, p. 125.)

bolão[1] [De *bola* + *-ão*[1].] ***S. m.*** **1.** Grande bola (1). **2.** *Bras. Esport.* Bolaço[1] (2). **3.** *Bras. RS* V. *boliche* (1). **4.** *Bras. RS* Boliche (3). ◆ **Bater um bolão.** *Bras. Gír.* **1.** *Fut.* V. *comer a bola.* **2.** *P. ext.* Ser exímio em qualquer atividade que desenvolva.

bolão[2] [Aum. de *bolo*[1].] ***S. m.*** *Bras.* **1.** Bolo[1] (9). **2.** Bolada[2] (2).

bolapé [Do esp. plat. *vuelo a pic*.] ***S. m.*** *Bras. S.* Vau, quando o rio apenas dá passagem aos cavalos.

bola-presa ***S. f.*** *Basq.* Infração cometida por dois jogadores adversários que seguram a bola ao mesmo tempo. [Pl.: *bolas-presas*.]

bolar[1] [De *bola* ou *bolo*[1] + *-ar*[1].] ***Adj. 2 g.*** Que pode ser reduzido a bola ou bolo: *terra bolar.* [Cf. *bular*.]

bolar[2] [De *bola* + *-ar*[2].] ***V. t. d.*** **1.** Tocar com a bola (1); acertar com a bola (1). **2.** *Bras. Pop.* Arquitetar, conceber; mentar: "Devia ser [a alegria de Mário de Andrade] porque bolara um balé baseado na cosmogonia indígena, coisa mais linda para o Mignone musicar." (Mário da Silva Brito, *Ângulo e Horizonte*, p. 121.) ***Int.*** **3.** *Bras.* Formular uma ideia; conceber, arquitetar um trabalho: *Passou a tarde inteira no quarto bolando, e não conseguiu escrever a carta.* [Pres. ind.: *bolo, bolas, bola*, etc. Cf. *bolo* (ô) e *bular*.]

bolar[3] [De *embolar*[1] (2), com aférese.] ***V. t. i.*** *Bras. Rel.* **1.** Entrar em transe de incorporação de (orixá ou entidade afim.) ***Int.*** **2.** Cair em transe de incorporação de um orixá ou entidade afim: *O ritmo do adarrum leva as filhas de santo a bolar.* [Pres. ind.: *bolo, bolas, bola*, etc. Cf. *bolo* (ô) e *bular*.]

bolas [Pl. de *bola*.] ***S. f. pl.*** **1.** Rodelas de carvão amassadas com barro, para conservar o calor nos fogareiros. **2.** *Bras. RS* V. *boleadeiras*. • ***S. 2 g. e 2 n.*** **3.** Indivíduo imprestável, por covarde ou estúpido. • ***Interj.*** **4.** Designa enfado ou reprovação. [Sin., nesta acepç.: *ora bolas; ora pipocas; pipocas*.] ~ V. *bola*. ◆ **Ora bolas.** V. *bolas* (4).

bolbáceo ***Adj.*** *Bot.* V. *bulbáceo*.

bolbífero [De *bolb(o)-* + *-ífero*.] ***Adj.*** *Bot.* V. *bulbífero*.

bolbiforme [De *bolb(o)-* + *-iforme*.] ***Adj. 2 g.*** *Bot.* Bulbiforme.

bolbígero [De *bolbi-* + *-gero*.] ***Adj.*** *Bot.* Bulbígero.

bolbilho ***S. m.*** *Bot.* V. *bulbilho*.

bolbilífero [De *bolbilho* + *-ífero*.] ***Adj.*** *Bot.* V. *bulbilífero*.

bolbo (ô) [Do lat. *bulbu*.] ***S. m.*** *Bot.* V. *bulbo* (1 e 2).

▲ **bolb(o)-** [Do gr. *bolbós, oû*, 'cebola'.] ***El. comp.*** = 'bolbo', 'tubérculo': *bolbífero, bolbiforme*.

bolboide (ói) [De *bolb(o)-* + *-oide*.] ***Adj. 2 g.*** *Bot.* V. *bulboide*. ❖

bolbomania [De *bolb(o)-* + *-mania*.] ***S. f.*** *Bot.* V. *bulbomania*.

bolboso (ô) ***Adj.*** V. *bulboso*.

bolçar [Do lat. **vomitiare*.] ***V. t. d. T. d. e c.*** **1.** Lançar fora; arrojar. **2.** V. *vomitar* (1): *bolçar sangue;* "abaixando-se, bolçou para o chão grosso jato de sangue, que o deixou pouco menos de asfixiado." (Valdomiro Silveira, *Mixuangos*, p. 84). [Var. protética: *abolçar*. Cf. *bolsar*.]

bolchevique [Do rus. *bol'shevik* < rus. *bol'she*, 'maior' (comp. de *bol'shoi*, 'grande').] ***Adj. 2 g.*** **1.** Diz-se da ala majoritária do Partido Operário Social Democrata da Rússia que, com Lenin (v. *leninismo*), liderou a revolução de 1917, e por fim passou a constituir-se no Partido Comunista da antiga União Soviética. **2.** Relativo aos bolcheviques. • ***S. 2 g.*** **3.** Membro da ala bolchevique, ou adepto do bolchevismo. [Sin. ger.: *bolchevista* e *maximalista*. Cf. *menchevique*.]

bolchevismo ***S. m.*** **1.** Sistema político dos bolcheviques; maximalismo. **2.** *P. ext.* Comunismo. [Cf. *mencheviquismo*.]

bolchevista ***Adj. 2 g.*** **1.** V. *bolchevique*. **2.** *P. ext.* Comunista (2). • ***S. 2 g.*** **3.** V. *bolchevique*. **4.** *P. ext.* Comunista (3). [Cf. *menchevista*.]

bolchevizar [De *bolchevismo* + *-izar*.] ***V. t. d.*** **1.** Implantar o bolchevismo ou sovietismo em; sovietizar. **2.** *P. ext.* Implantar o socialismo em; socializar, sovietizar. ***P.*** **3.** Tornar-se bolchevique.

➔ **bold** [bowld] [Ingl.] ***Adj. S. m.*** *Tip.* Negrito.

boldina [De *boldo* + *-ina*[3].] ***S. f.*** *Quím.* Substância cristalina, principal alcaloide encontrado no boldo [fórm.: $C_{19}H_{21}NO_4$].

boldo (ô) [Do espn. *boldo* (do araucano, poss).] ***S. m.*** *Bot.* Arbusto monimiáceo (*Peumus boldus*) sempre-verde, originário do Chile, cujas folhas e caules são considerados medicinais. [Pl.: *boldos* (ô).]

boldrié [Do fr. *baudrier*.] ***S. m.*** **1.** Correia a tiracolo, à qual se prende a espada ou outra arma; talim, talabarte, tiracolo: "Fica-lhe bem [a Camões] o veludo negro da coura e do calção de corte; e a longa espada fina, de bainha preta e copos de aço polido, pendente do boldrié chapeado de prata, condiz harmonicamente com a linha altiva do seu porte dominativo" (Ramalho Ortigão, *Figuras e Questões Literárias*, I, p. 160). **2.** Cinturão.

boleadeira [De *bolear*[1] + *-deira*.] ***S. f.*** *Tec.* Equipamento us. em padarias, que tem por finalidade dar à massa do pão o formato de uma bola. ~ V. *boleadeiras*.

boleadeiras [Adapt. do esp. plat. *boleadoras*.] ***S. f. pl.*** *Bras. RS Obsol.* Aparelho empregado pelos campeiros para laçar animais, ou como arma de guerra, constituído por três bolas (de ferro, pedra ou marfim) envolvidas num couro espesso (*retovo*) e ligadas entre si por cordas de couro, duas das quais são de igual tamanho, sendo a terceira, menor, a manicla ou manica, a que o boleador empunha para manejar o conjunto; bolas, pedras, três-marias. ~ V. *boleadeira*.

boleado [De *bola* + *-eado*.] ***Adj.*** **1.** Que tem superfície arredondada; bombeado: "desconfio .... que o meu hóspede e amigo desconhece a história daquela raparigaça de cabelos de ouro e ancas boleadas" (Camilo Castelo Branco, *Noites de Insônia*, II, p. 20). **2.** *Bras. RS* V. *amalucado* (1).

boleador (ô) [Do esp. plat. *boleador*.] ***S. m.*** *Bras. RS* Indivíduo que maneja as boleadeiras.

boleamento [De *bolear*[1] + *-mento*.] ***S. m.*** Ato ou efeito de bolear[1]; boleio.

bolear[1] [Do esp. plat. *bolear*.] ***V. t. d.*** **1.** Dar forma de bola a; arredondar, tornear. **2.** Retorcer em meneios; bambolear, rebolar: *bolear os quadris.* **3.** Polir, aprimorar: *bolear uma frase, um período.* **4.** *Fig.* Cativar com boas maneiras; conquistar. **5.** *Bras. S.* Arremessar as bolas (2) e envencilhar (o animal). ***Int.*** **6.** Rebolar(-se), bambolear(-se), bolear-se. ***P.*** **7.** Rebolar(-se), bambolear(-se); bolear. **8.** *Bras. S.* Atirar-se (o cavalo com o cavaleiro). [Conjug.: v. *frear*. Pres. ind.: *boleio, boleias, boleia, boleamos, boleais, boleiam*. Cf. *boleia*, s. f., pl. *boleias*, e *boleia, boleias*, do v. *bolear*[2].]

bolear[2] [De *boleia* + *-ar*[2].] ***V. t. d.*** Conduzir à boleia (2 a 4). [Conjug.: v. *idear*. Pres. ind.: *boleio, boleias, boleia*, etc. Cf. *boleia* e *boleias*, do v. *bolear*[1], e *boleio*.]

bole-bole [Reduplicação da 3ª pess. do sing. do pres. do ind. de *bulir*.] ***S. m.*** *Bras. Pop.* Requebro, rebolado, remelexo. [Pl.: *boles-boles* e *bole-boles*.]

boleeiro [De *boleia* + *-eiro*.] ***S. m.*** **1.** V. *cocheiro* (1). **2.** Aquele que dirige à boleia, montando a besta da sela.

boleia (éi) ***S. f.*** **1.** Peça de pau fixa na lança da carruagem, e à qual se prendem os tirantes. **2.** Assento do cocheiro. **3.** A parte fronteira superior de uma diligência. **4.** A cabine do motorista, no caminhão. **5.** *Lus.* V. *carona* (2). [Pl.: *boleias*. Cf. *boleia* e *boleias*, do v. *bolear*[1].] ❖

boleima ***S. f.*** **1.** Bolo grosseiro. • ***S. 2 g.*** **2.** *Fig.* Pessoa idiota, palerma, atoleimada.

boleio [Dev. de *bolear*^{1}.] ***S. m.*** Boleamento. [Cf. *boleio*, do v. *bolear*^{2}.]

boleira [De *bolo*^{1} (ô) + *-eira*.] ***S. f.* 1.** Aquela que faz bolos, esp. a que os faz para vender. **2.** Recipiente para guardar bolo, formado ger. por um prato plano e uma tampa alta. **3.** *Lus. Pej.* Mulher homossexual.

boleiro^{1} [De *bolo*^{1} (ô) + *-eiro*.] ***Adj. S. m.* 1.** *Bras. Pop.* Que, ou aquele que dá o bolo (v. *dar o bolo*). **2.** Confeiteiro especializado em fazer bolos.

boleiro^{2} [De *bola* + *-eiro*.] ***S. m.* 1.** Aquele que leva bola (v. *levar bola*). **2.** *Bras. Esport.* V. *gandula* (2). **3.** *Bras. Esport.* Jogador de futebol.

bolero (é) [Do esp. *bolero*.] ***S. m.* 1.** Dança espanhola, ao som de castanholas e guitarras. **2.** Música que acompanha essa dança, em compasso ternário. **3.** Canção e dança cubanas, de ritmo binário e docemente sincopado. **4.** Espécie de casaco curto, com mangas ou sem elas, usado por cima de blusa ou camisa: "Num estrado alto .... as pastoras cantam, ... laços nos cabelos, ... boleros vermelhos ou azuis, com medalhinhas de ouro e bordados de vidrilhos." (Osmã Lins, *Nove, Novena*, p. 51). • ***Adj.* 5.** ~ V. *seguidilha* –.

boleta (ê) ***S. f.*** V. *bolota* (3). [Pl.: *boletas* (ê). Cf. *boleta* e *boletas*, do v. *boletar*.]

boletar [De *boleto*^{1} + *-ar*^{2}.] ***V. t. d. T. d. e c. P.*** V. *aboletar*. [Pres. ind.: *boleto, boletas, boleta*, etc. Cf. *boleto* (ê), *boleta* (ê) e pl. *boletas* (ê).]

boletim [Do it. *bolletino*.] ***S. m.* 1.** Publicação periódica que, em geral, constitui órgão de divulgação de entidade oficial ou privada. **2.** Pequeno escrito noticioso, as mais das vezes contido em simples folha manuscrita ou dactilografada, para circulação interna ou comunicação pública, e que pode também aparecer inserto num periódico: *boletim meteorológico.* **3.** Resenha noticiosa de operações militares. **4.** V. *folha volante*. **5.** Caderneta escolar onde se registram as notas mensais e finais, e certas ocorrências disciplinares. **6.** Comunicação telegráfica. ◆ **Boletim de ocorrência.** Registro, em órgão da Polícia Civil ou Militar, de ocorrência criminal: "Sei que é errado, mas nem fiz boletim de ocorrência." (Walcyr Carrasco, *Anjo de Quatro Patas*, p. 124.) [Abrev.: *BO*.] **Boletim individual.** *Dir. Penal* Peça do processo criminal que contém todos os dados relativos à pessoa processada e aos crimes e contravenções por ela cometidos.

boletineiro [De *boletim* + *-eiro*.] ***S. m.*** Indivíduo cuja função é ser portador de boletins, especialmente telegramas.

boleto^{1} (ê) [Do it. ant. *bolletta*, pelo esp. *boleta*, com mudança de gênero.] ***S. m.* 1.** *Mil.* Ordem escrita ou requisição para que alguém dê alojamento a um ou mais militares. **2.** *Econ.* Nas bolsas de valores, documento que registra os dados relativos a uma transação. **3.** *Com.* Lâmina de pagamento (q. v.). [Pl.: *boletos* (ê). Cf. *boleto*, do v. *boletar*.]

boleto^{2} (ê) [Do tax. *Boletus* (do lat. *boletus*).] ***S. m.*** *Micol.* **1.** Gênero de fungos basidiomicetos comestíveis ou venenosos. Nos comestíveis, a polpa, branca, não se altera em contato com o ar, enquanto nos venenosos ela passa a uma coloração azul muito viva. **2.** Espécie, ou espécime desse gênero. [Pl.: *boletos* (ê). Cf. *boleto*, do v. *boletar*.]

boleto^{3} (ê) [Do fr. *boulet*.] ***S. m.* 1.** A parte superior de um trilho ferroviário, sobre a qual se apoiam e deslocam as rodas dos veículos. **2.** Articulação arredondada da perna do cavalo, acima do pé, entre a cauda e a quartela. [Pl.: *boletos* (ê). Cf. *boleto*, do v. *boletar*.]

boléu [Do esp. *voleo*.] ***S. m.* 1.** Queda, baque, trambolhão. **2.** *Bras.* Tombo que se dá no animal laçado. ◆ **Aos boléus.** Aos trambolhões; aos encontrões.

bolha (ô) [Do lat. *bulla*.] ***S. f.* 1.** Vesícula ou empola na pele. **2.** Glóbulo de ar, vapor ou gás que se forma nos líquidos quando agitados em ebulição ou em estado de fermentação. **3.** *Econ.* Aumento cumulativo no preço de um ativo financeiro, causado principalmente pela demanda de especuladores, na expectativa de que o preço continue a subir. [É um processo intrinsecamente insustentável: a partir de certo ponto o preço irá baixar – a bolha se rompe] • ***S. 2 g.* 4.** *Bras. Gír.* Pessoa amolante, enfadonha; boiota, bolhudo. • ***Adj. 2 g.* 5.** *Bras. Gír.* Diz-se de pessoa bolha; bolhudo. [Pl.: *bolhas* (ô). Cf. *bolha* e *bolhas*, do v. *bolhar*.]

bolhante [De *bolhar* + *-nte*.] ***Adj. 2 g.*** Que forma bolhas, que bolha.

bolhão [De *bolha* (ô) + *-ão*^{1}.] ***S. m.*** Borbotão de água ou outro líquido; borbulhão. [Pl.: *bolhões*. Cf. *bulhão*, s. m., pl. *bulhões*, e *Bulhões*, antr.]

bolhar [De *bolha* (ô) + *-ar*^{2}.] ***V. int.* 1.** Apresentar ou formar bolhas; borbulhar. **2.** Bojar (3). [Pres. ind.: *bolho, bolhas, bolha*, etc. Cf. *bolha* (ô), pl. *bolhas* (ô), e o v. *bulhar*.]

bolhelho (ê) [De *bolha* (ô) + *-elho* (ê).] ***S. m.* 1.** Porção de sujeira que se forma nas mãos quando as esfrega quem as tem sujas e úmidas. **2.** *Cul.* Bolo de açúcar, ovos, leite e farinha de trigo.

bolhoso (ô) [De *bolha* (ô) + *-oso*.] ***Adj.*** Que tem ou está cheio de bolhas.

bolhudo (ô) [De *bolha* (ô) + *-udo*.] ***Adj. S. m.*** *Bras. Gír.* V. *bolha* (4 e 5).

bolichar [De *bolichear*, com. var. suf. (v. *-ar*^{2}).] ***V. int.*** *Bras. RS* Bolichear.

boliche [Do esp. plat. *boliche*.] ***S. m.* 1.** *Bras.* Jogo que consiste em atirar uma bola de madeira ou de outro material pesado por uma pista estreita, visando a derrubar um conjunto de balizas de madeira com o feitio de garrafas. [Sin. (no RS): *bola, bolão*. Cf. *jogo da bola*.] **2.** *Bras.* A bola de madeira usada nesse jogo. **3.** *Bras.* Estabelecimento em que se joga boliche (1). [Sin. (no RS): *bolão*.] **4.** *Bras. RS* Bodega (2).

bolichear [Do esp. plat. *bolichear*.] ***V. int.* 1.** *Bras. RS* Exercer a profissão de bolicheiro. **2.** Vender a pequeno varejo; mascatear. [F. paral.: *bolichar*. Conjug.: v. *frear*.]

bolicheiro [Do esp. plat. *bolichero*.] ***S. m.*** *Bras. RS* **1.** Proprietário de boliche. [V. *boliche* (3 e 4).] **2.** Frequentador de boliches.

bólide [Do gr. *bolís, ídos*, pelo lat. *bolide*.] ***S. f.*** *Astr.* Meteorito de volume acima do comum que, ao penetrar na atmosfera terrestre, produz ruído e se torna muito brilhante, podendo deixar um rastro luminoso. [F. paral.: *bólido*. Cf. *meteorito*.]

bólido ***S. m.*** V. *bólide*.

bolim [De *bola* + *-im*.] ***S. m.*** A bola menor, no jogo da bocha (1) (q. v.).

bolina [Do ingl. *bowline*, pelo fr. *bouline*.] ***S. f.* 1.** *Mar. Ant.* Cada um dos cabos que puxavam para vante a testa de barlavento das velas de papafigo, gávea e joanete, a fim de que o vento fosse mais bem aproveitado na navegação à bolina e não incidisse por anteavante da vela. **2.** *Mar.* Ato ou efeito de bolinar (1). **3.** *Constr. Nav.* Chapa plana e resistente, colocada verticalmente por baixo da quilha, nas embarcações de vela, para reduzir a inclinação e o abatimento da embarcação quando navegando à vela. **4.** *Bras. N.E.* Prancha que se mergulha na água para sustentar a embarcação quando se bordeja; espadela. **5.** *Bras. Chulo* V. *bolinagem*. • ***S. m.* 6.** *Bras. Chulo* Indivíduo que bolina [v. *bolinar* (2)]; bolinador. ◆ **Meter à bolina.** *Mar.* Começar a navegar à bolina. **Navegar à bolina.** *Mar.* Navegar (a embarcação de vela) com a proa bem cingida à linha do vento; abolinar, bolinar.

bolinação [De *bolinar* + *-ção*.] ***S. f.*** *Bras. Chulo* V. *bolinagem*.

bolinador (ô) [De *bolinar* + *-dor*.] ***S. m.*** *Bras. Chulo* Bolina (6).

bolinagem [De *bolinar* + *-agem*^{2}.] ***S. f.*** *Bras. Chulo* Ato de bolinar (2); bolina, bolinação, esfregação, fuxicação, sarro, xumbregação.

bolinar [De *bolina* + *-ar*^{2}.] ***V. int.* 1.** *Mar.* V. *navegar à bolina*. **2.** *Bras. Chulo* Procurar contatos voluptuosos, sobretudo em aglomeração de pessoas, em veículos, cinema, etc.; tirar um sarro, sarrar, xumbregar, amassar, passarinhar. ***T. d.* 3.** *Bras.* Enganar, lograr, burlar. **4.** *Bras. Chulo* Procurar estabelecer contatos voluptuosos com (alguém), sobretudo em aglomeração de pessoas, em veículo, cinema, etc.; sarrar, xumbregar, amassar, passarinhar: "à noite, ... escrevia poemas que ardiam de paixão, enquanto os meus colegas .... bolinavam mocinhas no Cinema Politeama" (Rocha Filho, *ap.* Romeu de Avelar, *Antologia de Contistas Alagoanos*, p. 150).

bolineiro [De *bolina* + *-eiro*.] ***Adj. S. m.*** *Mar.* Diz-se de, ou embarcação que navega bem à bolina.

bolinete (ê) [De *molinete* (ê), poss.] ***S. m.* 1.** *Constr. Nav.* Molinete (8). **2.** Vaso de madeira para lavagem das areias auríferas. [Cf. *bulinete*.]

bolinha [De *bola* + *-inha*.] ***S. f.*** *Bras.* **1.** *Gír.* Medicamento em pílulas, ingerido com objetivo não terapêutico. **2.** Jogo com bola de gude.

bolinho [Dim. de *bolo*^{1} (ô).] ***S. m.*** Pequena porção de massa de forma arredondada, preparada com qualquer ingrediente culinário, e geralmente frita: *bolinho de bacalhau; bolinho de arroz.* ◆ **Bolinho de chuva.** *Cul.* Bolinho feito com farinha de trigo, ovos, leite e fermento, e depois frito em óleo bem quente, e, ger., polvilhado com canela e açúcar. **Ser de fritar bolinho(s).** Ser mais de falar do que de agir; não ser de nada; ser covarde ou fraco: *O senador afirmou que o presidente do país vizinho era de fritar bolinho;* "os oficiais envolvidos nas conspirações contra o governo eram mais de 'fritar bolinhos'. Expressão da malandragem, variante da velha conversa fiada, referia-se às mulheres que tricotavam a vida alheia enquanto vigiavam suas frituras." (Elio Gaspari, *A Ditadura Derrotada*, p. 132).

bolita [Do esp. plat. *bolita*.] ***S. f.*** *Bras. RS* V. *gude*.

bolívar [Do antr. *Bolívar* (v. *bolivariano*).] ***S. m.*** Unidade monetária, e moeda, da Venezuela, que se divide em 100 cêntimos. [Pl.: *bolívares*.]

bolivariano ***Adj.* 1.** Pertencente ou relativo a Simón Bolívar (1783-1830), cognominado o *Libertador*, militar e homem de Estado que liderou as guerras pela independência de larga parte da América Espanhola. **2.** Que é adepto ou admirador das ideias de Simón Bolívar. • ***S. m.* 3.** Adepto ou admirador das ideias de Simon Bolívar.

boliviano ***Adj.* 1.** Da, ou pertencente ou relativo à Bolívia (América do Sul). • ***S. m.* 2.** O natural ou habitante da Bolívia. **3.** Unidade monetária desse país, a qual se divide em 100 centavos [v. *peso* (14).] **4.** *Bras. S.* Moeda boliviana, de prata, que circulou no RS. **5.** *Bras. RS* Cavalo teatino.

bollywoodiano [De *Bollywood* (do top. *Bombaim* [atual *Mumbai*, cidade da Índia] + o top. *Hollywood*) + *-iano*.] ***Adj.*** *Cin.* De ou referente a Bollywood, a indústria de filmes da Índia (v. *indiano*).

bolo [De *bolo*^{1} (ô).] ***S. m.*** Jogo do solo^{3} em que o feito^{1} (4) deve fazer todas as vazas. [Pl.: *bolos*. Cf. *bolo* (ô) e pl. *bolos* (ô).]

bolo^{1} (ô) [De *bola*, por causa do feitio arredondado de muitos bolos (ô).] ***S. m.* 1.** Bola (2): *As linhas se embaraçaram formando um bolo.* **2.** *Cul.* Iguaria doce feita com massa (5), a que, em geral, se adicionam ovos, gordura, açúcar, etc., e que é assada em fôrma (8). **3.** *Cul.* Iguaria salgada feita de batata cozida, ou carnes moídas, reduzidas a pasta, e então assada ou frita: *bolo de peixe; bolo de batata com carne.* **4.** Ajuntamento confuso de gente. **5.** Confusão, desordem. **6.** *Fam.* Palmatoada. **7.** Quantia formada por entradas, apostas, multas e perdas dos parceiros no jogo. **8.** *Turfe* Modalidade de aposta incluída entre os concursos [v. *concurso* (7)]. **9.** *Bras. Pop.* Aposta conjunta de diversas pessoas; bolão. **10.** *Bras.* Peso de barro cozido das redes de pesca. **11.** *Bras. Pop.* Logro, burla, engano. **12.** *Restr. Lus. Cul.* V. *doce* (12). [Pl.: *bolos* (ô). Cf. *bolo*, do v. *bolar*, e s. m., e pl. *bolos*.] ◆ **Dar bolo em.** *Bras.* Saber mais do que, ser mais competente que (alguém). **Dar (o ou um) bolo (em alguém).** Deixar de comparecer a um encontro: "'O teu coronel hoje deu o bolo? Foi por isso que você veio aqui?'" (Rubem Fonseca, *Agosto*, p. 27.) **Dar um bolo.** *Bras.* Dar um desfalque. **Levar (um) bolo.** Ficar esperando em vão: *Ontem levou (um) bolo da nova namorada.*

bolo^{2} (ô) [Do gr. *bólos*, 'massa informe', 'torrão', pelo lat. cient. *bolus*.] ***S. m.*** *Farmac.* Pílula volumosa, ger. de consistência mole. ◆ **Bolo alimentar.** *Fisiol.* Massa de alimentos que se forma desde o início do processo digestivo, a partir, portanto, da orofaringe. **Bolo histérico.** *Med.* Sensação de opressão que ocorre em caso de histeria ou em outras perturbações psicológicas. [Sin., lat.: *bolus hystericus*.]

bolo-arménio ***S. m.*** V. *bolo-armênio*. [Uso freq. em P. Pl.: *bolos-arménios*.]

bolo-armênio [Do fr. *bol d'Arménie*.] ***S. m.*** Mordente (3) que é uma espécie de argila utilizada para aparelhar as superfícies que devem ser douradas. [Pl.: *bolos-armênios*.]

bolocobó ***S. m.*** *Bras. Amaz.* V. *balacubau*.

bolo de rolo [De *bolo*^{1} (ô) + *de* + *rolo*^{1}.] ***S. m.*** *Bras. N.E. Cul.* Rocambole (1) de massa delgada, recheado, em geral, com doce de goiaba. [Pl.: *bolos de rolo*.]

bolodório ***S. m.*** *Bras. BA* **1.** Palavreado, palavrório, palanfrório: "Tampouco a satisfizeram as brilhantes análises científicas de Dona Gisa, com a boca cheia de nomes ininteligíveis, bolodório para doutor de Faculdade: complexos, libido, subconsciente, recalques, tabu" (Jorge Amado, *Dona Flor e Seus Dois Maridos*, p. 288). **2.** Conversa, papo, bate-papo: "na janela em prosa com os vizinhos, ..., em longos bolodórios com dona Gisa, enchendo de movimento e alegria o lar e a rua." (Id., *ib.*, p. 140).

bológrafo [Do gr. *bolé*, 'ação de arremessar', + *-o-* + *-grafo*.] ***S. m.*** *Fís.* **1.** Bolômetro registrador. **2.** Registro fotográfico produzido por ele.

bololô [De *bolo*^{1} (ô) (4).] ***S. m.*** *Bras.* **1.** V. *rolo*^{1} (16). **2.** Coisa confusa, intrincada, complicada.

bolómetro ***S. m.*** *Fís.* V. *bolômetro*. [Uso freq. em P.]

bolômetro [Do gr. *bolé*, 'ação de arremessar', + *-o-* + *-metro*.] ***S. m.*** *Fís.* Instrumento muito sensível, para medir calor radiante, e que se baseia na comparação da resistência de um elemento de platina enegrecida que recebe a radiação com a de outro elemento que é mantido em condições padronizadas.

bolonhês ***Adj.* 1.** Da, ou pertencente ou relativo à cidade de Bolonha (Itália). • ***S. m.* 2.** O natural ou habitante dessa cidade. [Flex.: *bolonhesa* (ê), *bolonheses* (ê), *bolonhesas* (ê).]

bolónio ***Adj. S. m.*** V. *bolônio*. [Uso freq. em P.]

bolônio [Do top. *Bolonha*.] ***Adj. S. m.*** *Pop.* V. *tolo* (1 a 3 e 8).

bolo-podre [De *bolo*[1] (ô) + *podre*.] *S. m. Bras. Cul.* Bolo de tapioca, farinha de trigo ou de mandioca, ovos, etc. [Pl.: *bolos-podres*.]

bolor (ô) [Do lat. *pallore*, 'palor', 'palidez', pela f. *balor*, ainda existente como prov. port.] *S. m.* **1.** *Micol.* Denominação vulgar de fungos que vivem de matérias orgânicas por eles decompostas; mofo: "Grandes manchas de umidade e bolor crescem no teto." (Almeida Fischer, *10 Contos Escolhidos*, p. 60.) **2.** *Fig.* Velhice, decrepitude, decadência. **3.** V. *bafio*.

bolo-rei *S. m. Lus.*, *Cul.* Bolo feito com massa levedada, recheado com frutas cristalizadas; é servido entre o Natal e o dia de Reis. [Pl.: *bolos-reis*.]

bolorência *S. f.* Estado ou qualidade de bolorento.

bolorento [De *bolor* + *-ento*.] *Adj.* **1.** Coberto de bolor. **2.** *Fig.* Velho, antiquado, decadente. **3.** Que tem bafio.

bolota [Do ár.-hisp. *balluta(t)*.] *S. f.* **1.** V. *glande* (1). [Var., nesta acepç.: *belota*.] **2.** Borla[1] (1). **3.** Qualquer penduricalho. **4.** Caroço (6): *O mingau está cheio de bolotas.* **5.** *Bot.* O capítulo floral, globoso, da fava-de-bolota (1 e 2).

bolotada [De *bolota* + *-ada*[1].] *S. f.* Grande porção de bolotas.

bolotado [De *bolota* + *-ado*[1].] *Adj.* Cevado com bolotas [v. *bolota* (1)].

bolota-do-mar *S. f. Zool.* V. *bálano*[2] (2). [Pl.: *bolotas-do-mar*.]

bolotal [De *bolota* + *-al*[1].] *S. m.* **1.** Quantidade mais ou menos considerável de pés de bolota dispostos proximamente entre si. **2.** Área ocupada por bolotal (1).

boloteca [De *bala* + *loteca*, com dissimilação.] *S. f. Bras. RJ Gír.* Tiroteio em que as balas, atiradas a esmo, podem atingir qualquer um.

boloteira [De *bolota* + *-eira*.] *S. f. Bras. Bot.* V. *fava-de-bolota* (1).

bolsa[1] (ô) [Do gr. *býrsa*, 'odre de vinho', pelo lat. *bursa*.] *S. f.* **1.** Saquinho de couro, pano, etc., para portar dinheiro em moedas. **2.** O dinheiro nele contido. **3.** *P. ext.* Recursos financeiros; dinheiro: *Na crise, apelou para a bolsa do amigo.* **4.** Qualquer de vários tipos de saco com alça ou sem ela, de tamanho adaptado ao seu uso, e feitios diversos, ou de carteira (1 e 2), em geral com fecho, us. para guardar dinheiro, documentos, lenço, objetos de toalete, etc., e que podem ser feitos de couro, tecido, metal, plástico, etc. **5.** Pensão gratuita concedida a estudantes ou pesquisadores para estudos ou viagem cultural; bolsa de estudo. **6.** *Biol.* Cavidade que contém secreção, ou outro fluido. **7.** *Econ.* Instituição, pública em alguns países, privada em outros, destinada a operar em fundos públicos, ações e obrigações de companhias, e outros títulos de crédito, e bem assim em mercadorias; bolsa de valores. **8.** Local onde se reúnem os corretores para essas operações financeiras. **9.** *Zool.* Cavidade saciforme. **10.** *Bibliol. Bibliot.* Bolso (3). **11.** *Geol.* Grande cavidade de rocha cheia de substâncias minerais: "Os operadores andavam alerta, fazendo um trabalho caprichado, vagaroso, certos de encontrar bolsas de águas-marinhas." (Nélson de Faria, *Cabeça-Torta*, p. 137.) **12.** *Lus.* Caçapa. ● *S. 2 g.* **13.** Tesoureiro ou caixa de uma corporação. [Pl.: *bolsas* (ô). Cf. *bolsa* e *bolsas*, do v. *bolsar*.] ~ V. *bolsas*. ◆ **Bolsa copulatória.** *Anat.* Saco que recebe espermatozoides durante a cópula. **Bolsa de colostomia.** *Med.* Recipiente destinado a coletar matéria fecal eliminada através de colostomia. **Bolsa de estudo.** Bolsa[1] (5). **Bolsa de mercadorias.** *Econ.* Instituição onde se negociam mercadorias, especialmente *commodities* (v. *commodity*). **Bolsa de valores.** Bolsa (7). **Bolsa escrotal.** *Anat.* V. *escroto*. **Bolsa gular.** *Zool.* Bolsa[1] (9) distensível, situada abaixo do maxilar inferior do bico das aves pelicaniformes, us. para reter o peixe antes da deglutição. **Bolsa tintória.** *Zool.* Bolsa (8) que, na maior parte dos cefalópodes, como, p. ex., na lula, segrega fluido tintório que é ejetado a partir de ducto localizado na parte terminal do reto. **Bater bolsa.** *Bras. Gír.* Exercer a prostituição. **Puxar pela bolsa.** Puxar pelos cordões da bolsa: "Borges .... : depois das suas adversidades, ficara econômico e desconfiado. - Mas enfim! ora adeus!... Quem precisa tem que puxar pela bolsa!" (Aluísio Azevedo, *Filomena Borges*, p. 182.)

bolsa[2] (ô) *S. f.* V. *bolsa-d'água*. [Pl.: *bolsas* (ô). Cf. *bolsa* e *bolsas*, do v. *bolsar*.]

bolsa-d'água *S. f.* V. *saco amniótico*. [F. red.: *bolsa*[2]. Pl.: *bolsas-d'água*.]

bolsa-de-pastor *S. f. Bot.* **1.** V. *braço-de-preguiça*. **2.** V. *chapéu-de-frade* (3). **3.** V. *bucho-de-boi*. [Pl.: *bolsas-de-pastor*.]

bolsão [De *bolsa* (ô) ou de *bolso* (ô) + *-ão*[1].] *S. m.* **1.** Bolsa[1] (4) grande: "Saiu da janela, tirou do bolsão um canivete, uma lanterna .... e o único livro que trouxera." (Maria Julieta Drummond de Andrade, *O Valor da Vida*, p. 144). **2.** Bolso grande. **3.** Aquilo que, por determinadas circunstâncias, se encontra isolado do todo a que pertence e envolvido por elementos antagônicos, ou hostis: *Um bolsão de tropas foi aprisionado pelo inimigo.* **4.** Aquilo que se destaca do todo em que está inserido, por ter características opostas: *Aquela região é um bolsão de fertilidade em meio à seca.*

bolsar (ô) [De *bolso* (ô) + *-ar*[2].] *V. int.* **1.** Fazer bolsos ou papos (o vestido). *T. d.* **2.** V. *entufar* (1). [Pres. ind.: *bolso*, *bolsas*, *bolsa*, etc. Cf. *bolso* (ô), *bolsa* (ô) e pl. *bolsas* (ô), e o v. *bolçar*.]

bolsa-reservatório *S. f. Anest.* Recipiente us. como reservatório de oxigênio e gases anestésicos. [Sin., impr.: *balão de anestesia*. Pl.: *bolsas-reservatórios* e *bolsas-reservatório*.]

bolsas (ô) [Pl. de *bolsa* (ô).] *S. f. pl.* Alforjes (v. *alforje*). ~ V. *bolsa*.

bolseiro [De *bolsa* (ô) + *-eiro*.] *S. m.* **1.** Aquele que faz bolsas e/ou negocia com elas. **2.** *Lus.* Bolsista (3).

bolselho (ê) [De *bolso* (ô) + *-elho* (ê).] *S. m. Marinh.* Cada um dos pequenos bolsos que se formam no pano carregado mas não ferrado.

bolsinho (ô) [De *bolso* (ô) + *-inho*[1].] *S. m.* Quantia destinada a pequenos gastos pessoais.

bolsista [De *bolsa* (ô) + *-ista*.] *Adj. 2 g.* **1.** Relativo às atividades mercantis desenvolvidas na bolsa[1] (7 e 8). ● *S. 2 g.* **2.** Pessoa que habitualmente faz especulações na bolsa[1] (7 e 8). **3.** *Bras.* Pessoa que recebeu uma bolsa de estudos ou de viagem. [Sin., lus., nesta acepç.: *bolseiro*.]

bolso (ô) [De *bolsa* (ô).] *S. m.* **1.** *Vest.* Pequeno saco de pano cosido interna ou externamente à roupa, e que serve para guardar objetos pessoais, ou como enfeite; algibeira. **2.** *Bras.* V. *papo*[1] (3). **3.** *Bibliol. Bibliot.* Espécie de envelope que se põe na contracapa de um livro para conter mapas, diagramas, amostras, formulários de controle de empréstimo, etc.; bolsa. **4.** *Marinh.* Pequena superfície de pano que fica sujeita à ação do vento depois de carregada, mas não ferrada, a vela. **5.** *Marinh.* Balão ou seio que a vela forma quando cheia e esticada pelo vento. [Pl.: *bolsos* (ô). Cf. *bolso*, do v. *bolsar*.] ◆ **Botar no bolso.** *Bras. Pop.* **1.** Enganar, burlar, lograr. **2.** Ser superior a; avantajar-se a: *Botou no bolso todos os adversários.* **De bolso.** De pequenas dimensões; pequeno: *livro de bolso; teatro de bolso.* **Do bolso do colete.** *Fam.* **1.** Solução tomada de súbito, sem hesitação. **2.** Resposta pronta que serve para tudo.

➔ **bolus hystericus** ['bolos hys'teɾekos] [Lat.] *S. m. Med.* V. *bolo histérico*.

bom [Do lat. *bonu*.] *Adj.* **1.** Que tem todas as qualidades adequadas à sua natureza ou função: *bom carro; boa vaca.* **2.** Benévolo, bondoso, benigno: *Tem bom coração.* **3.** Misericordioso, caritativo. **4.** Rigoroso no cumprimento de suas obrigações: *bom pai de família.* **5.** Que alcançou alto grau de proficiência; eficiente, competente, hábil: *bom médico; bom pintor.* **6.** Digno de crédito; seguro, garantido: *bom investimento.* **7.** Que funciona bem (órgão ou sistema). **8.** Próprio, adequado: *água boa para beber.* **9.** Favorável, lucrativo, proveitoso: *bom negócio.* **10.** Perfeito, completo: *Fez um bom negócio.* **11.** Grande, amplo. **12.** Agradável, aprazível: *Passamos um bom fim de semana.* **13.** Afável, cortês: *Tem bom gênio.* **14.** Gostoso, saboroso: *Comeu-se uma boa peixada.* **15.** Válido, legal: *O cheque não é falso: é bom.* **16.** *Bras. Pop.* Muito disposto; corajoso, valente, bravo: *cabra bom.* **17.** Tem, por vezes, um sentido intensivo, reforçando a ideia contida no substantivo ou na expressão que antecede: *Fiquei um bom quarto de hora à sua espera;* "Eu trazia boas horas de marcha, num burrico trotão, pelos tortuosos caminhos mineiros" (Rodrigo Otávio, *Contos de Ontem e de Hoje*, p. 19); "tinha em armas uma dezena de cabras ...., alguns foragidos vindos de longe, outros que atravessaram o rio de pena já cumprida, todos trazendo nas costas seus bons crimes de morte." (Freitas Cavalcanti, *A Profecia das Águas*, p. 32). **18.** Antecedido da prep. *a* e seguido de verbo no infinitivo (com valor de substantivo), dá ideia da intensidade com que se realiza o fato indicado pelo verbo: "A chuva cai. A chuva aumenta. / Cai, benfazeja, a bom cair!" (Manuel Bandeira, *Estrela da Vida Inteira*, p. 37); "A Delmira ria a bom rir" (Irene Lisboa, *Voltar atrás para quê?*, p. 115); "Andou a bom andar por largo tempo" (Manuel Antônio de Almeida, *Memórias de um Sargento de Milícias*, p. 237); *Dorme a bom dormir.* [Fem.: *boa*; superl. abs. sint.: *boníssimo*, *ótimo*; comp. de super.: *melhor*.] ~ V. *boa bola*, *boa changa*, *boas entradas*, *boa espada*, *boas maneiras*, *cabelo* —, *colesterol* —, — *gosto*, *mato* —, *o* — *Samaritano* e — *senso*. ● *S. m.* **19.** Aquele que é honrado, que possui excelência de caráter, que é virtuoso: *Os bons serão recompensados.* ● **Interj.** **20.** Exprime admiração, aprovação, surpresa, incredulidade, etc. ◆ **Achar bom.** **1.** Us. para dizer que se aprova algo, ou que concorda com aquilo que alguém diz. **2.** Us. para aconselhar apresentando noção de valor, ou seja, o falante julga (algo) aconselhável, ou o tem como acertado: *Acho bom você estudar bem este ponto porque ele deve cair na prova final.* **Do bom.** Do bom e do melhor. **Do bom e do melhor.** Daquilo que é da mais alta qualidade no gênero; do que existe de melhor na categoria: *Come, sempre, do bom e do melhor; Em sua biblioteca, é tudo do bom e do melhor.* [Tb. se diz apenas *do bom*.] **Estar bom.** Estar com saúde. **Ser bom de.** *Bras.* Ser muito apto, muito capaz, muito hábil, em (alguma coisa): *É bom de briga; É bom de bola;* "Ia .... levar homens para o quarto. Como era boa de cama, pagar-lhe-iam muito bem." (Clarice Lispector, *A Via-Crúcis do Corpo*, p. 24). **Ser bom em.** *Bras.* Ser muito competente, ser profundo, em (determinado ramo de conhecimento): *O homem é bom em português.*

bomba [Do it. *bomba*, poss. do lat. *bombu*, 'ruído', 'estrépito', < gr. *bombós*, voc. onom.] *S. f.* **1.** Projetil que provoca destruição e/ou danos por detonação de uma carga explosiva e arremesso de fragmentos, por dispersão de uma mistura incendiária. **2.** Artefato explosivo que provoca danos ou destruição. **3.** *Fig.* Acontecimento inesperado, escandaloso, que suscita grandes falatórios: *A renúncia do Presidente foi uma bomba.* **4.** Máquina us. para movimentar fluidos — gases ou líquidos —, geralmente ao longo de tubulações. **5.** Aparelho para extrair leite da mama das mulheres. **6.** Aparelho com que se esgota a água dos navios. **7.** Aparelho com que se enchem as câmaras de ar de um pneu, de uma bola, etc. **8.** Para-choques dos carros das linhas férreas. **9.** Espaço vazio ao lado de escada que, pelo outro lado, se engasta numa parede. **10.** Espaço vazio compreendido entre dois lanços de sentidos opostos, numa escada. **11.** *Arquit.* Caixa de escada (q. v.). **12.** *Mús.* Pequeno tubo móvel que aumenta o comprimento dos instrumentos de metal, baixando, assim, o diapasão. **13.** *Mús.* Tubo de metal que se introduz na parte superior da flauta, com o mesmo fim. [Cf., nesta acepç., *trombone* (1).] **14.** *Desus.* Posto[1] (7). **15.** *Bras. Fam.* Coisa ruim, de má qualidade: *O filme em cartaz é uma bomba.* **16.** *Bras. Fam.* Indivíduo desagradável, enfadonho, incômodo. **17.** *Bras.* Reprovação em exame; pau: *O aluno levou bomba em matemática.* **18.** *Bras. Cul.* Certo doce de forma cilíndrica ou esférica, feito de massa cozida e assada, e glaçado na parte superior; ecler. **19.** *Bras.* Trabalho mal-acabado. **20.** *Bras. PB PE* Bueiro de estrada de ferro. **21.** *Bras. AL Pop.* V. *dinheiro* (5). **22.** *Bras.* Dispositivo pirotécnico constituído por uma carga de pólvora negra e um estopim, num invólucro redondo, oval ou cilíndrico; bomba de São João. **23.** *Bras. Fut.* Chute forte, violento; balaço, bicuda, pelotaço, petardo, pitomba, tijolo, tijolo-quente, tiranteço. **24.** *Bras. S.* Canudo de metal ou de madeira para se tomar o chimarrão, e em cuja extremidade inferior há uma espécie de ralo, destinado a evitar a passagem do pó da erva; bombilha. **25.** *Bras. Esport. Gír.* Substância que contém esteroide(s) e anabolizante(s) e que é usada para desenvolver e/ou fortalecer massa muscular, incrementar o desempenho atlético, etc. ◆ **Bomba A.** *Fís.* Bomba atômica. **Bomba a jato.** *Tec. Mec.* Aquela em que o elemento motor é um jato de fluido que, em circunstâncias apropriadas, arrasta o fluido que deve ser bombeado. **Bomba alternativa.** *Tec. Mec.* Aquela em que o elemento impulsor efetua um movimento alternado, impelindo o fluido numa metade ou nas duas metades do ciclo[1] (10). **Bomba aspirante.** *Tec. Mec.* Bomba (4) que cria um vácuo na entrada, de modo a permitir a impulsão do fluido pela pressão atmosférica. Pode ser rotativa ou alternativa. **Bomba aspirante-premente.** *Tec. Mec.* A que impulsiona o fluido não só pela ação positiva do elemento motor (rotor ou pistão), mas também pela criação, na entrada, de um vácuo que possibilita o deslocamento do fluido em virtude da pressão atmosférica. **Bomba atômica.** *Fís. Nucl.* Engenho explosivo de emprego bélico, cuja liberação violenta de energia resulta da desintegração ou fissão de átomos pesados, como, p. ex., do urânio; bomba A. **Bomba autoaspirante.** *Tec. Mec.* A que é capaz de criar um vácuo na entrada, de modo que aspire espontaneamente o fluido a impelir. **Bomba calorimétrica.** *Fís.-Quím.* Calorímetro em que se medem calores de combustão. **Bomba centrífuga.** *Tec. Mec.* Bomba (4) em que a impulsão do fluido se faz em virtude do movimento de um rotor que o impele do orifício central de entrada para o orifício periférico de saída. **Bomba de ação dupla.** *Tec. Mec.* Aquela em que o elemento alternativo impele o fluido nas duas metades do ciclo[1] (10). **Bomba de ação simples.** *Tec. Mec.* Bomba (4) alternativa em que a impulsão do fluido só se dá numa metade do ciclo[1] (10). **Bomba de aceleração.** *Autom.* Dispositivo automático destinado a fornecer aos cilindros uma mistura mais rica, para proporcionar acelerações rápidas e potentes; bomba injetora. **Bomba de condensação.** *Fís.* Bomba de difusão. **Bomba de diafragma.** *Tec. Mec.* Bomba (4) em que a impulsão do fluido é proporcionada pelo movimento alternativo de uma membrana elástica. **Bomba de difusão.** *Fís.* Bomba (4) de vácuo na qual um jato de vapor de mercúrio, ou de óleo, extrai as moléculas do gás do recipiente por evacuar, comunicando-lhes uma velocidade para fora do recipiente; bomba de condensação. **Bomba de efeito moral.** *Mil.* Artefato explosivo de baixa potência, que não se destina a ferir, porém produz forte estampido e intenso clarão. **Bomba de engrenagem.** *Tec. Mec.* Bomba (4) em que a impulsão do fluido se faz pela rotação de engrenagens cujos dentes recolhem, sucessivamente, frações da massa fluida, lançando-as para a frente na canalização. **Bomba de esgoto.** *Tec. Mec.* Pequena bomba (4) do tipo centrífuga, que opera na vertical, usada para drenar reservatórios rasos e esgotos. **Bomba de fogo.** *Mil.* Artifício us. à noite nas praças de guerra para alumiar as muralhas. **Bomba de fumaça.** Bomba (1) que dispersa uma nuvem de fumaça para tolher a visão do inimigo ou esconder os movimentos dos que a lançam. **Bomba de fusos.** *Tec. Mec.* Bomba (4) em que os elementos motores do fluido são fusos helicoidais que giram com as ranhuras acopladas, de forma a empurrar o líquido num certo sentido. **Bomba de gás.** Bomba (1) que dispersa gases nocivos. **Bomba de gasolina.** *Autom.* Em motores a gasolina, bomba (4) aspirante-premente (q. v.), do tipo de diafragma, que aspira a gasolina do tanque, enviando-a ao carburador. **Bomba de hidrogênio.** Bomba (1) termonuclear (q. v.) que usa o hidrogênio como substância explosiva; bomba H. **Bomba de incêndio.** Bomba aspirante-premente (q. v.), guarnecida de mangueira, para lançar água sobre focos de incêndio. **Bomba de óleo.** *Autom.* Bomba (4) que faz que o óleo lubrificante circule em um motor, atingindo todos os pontos que requeiram lubrificação, com pressão suficiente e a qualquer momento. **Bomba de parede.** *Bras. SP* Bomba transvaliana (q. v.). **Bomba de profundidade.** *Mar. G.* Bomba (2) antissubmarino muito usada nas duas guerras mundiais, e que era largada pela popa da embarcação antissubmarino, ou arremessada pelos bordos por meio de morteiros, e explodia ao atingir determinada profundidade. **Bomba de São João.** Bomba (22). **Bomba de seringa.** *Quím.* Dispositivo dotado de uma seringa cujo êmbolo é deslocado de maneira programada, us. para adicionar um reagente no decurso de uma reação química. **Bomba de vácuo.** *Fís.* Máquina, rotativa ou não, empregada para evacuar o interior de um recipiente ou de um sistema. **Bomba eletromagnética.** *Fís.* Equipamento para bombear metais fundidos, no qual uma corrente elétrica passa através do metal num encanamento situado entre os polos de um eletroímã, provocando, assim, uma força que impele o metal. **Bomba enfeitada.** *Bras.* Aprovação de exame, com ínfima nota. **Bomba H.** Bomba de hidrogênio (q. v.). **Bomba hidráulica.** *Tec. Mec.* A que é projetada para impelir água. **Bomba incendiária.** Bomba (1) que, ao detonar, liberta matérias incendiárias (fósforo branco, gasolina gelatinosa, etc.). **Bomba injetora.** *Autom.* Bomba de aceleração. **Bomba nuclear.** Designação comum às bombas atômicas e às termonucleares. **Bomba peristáltica.** *Quím.* Dispositivo que impele um fluido dentro de um tubo flexível fixo, por meio de ciclos de compressão deste num ponto e deslocamento dessa compressão por uma pequena distância, em direção ao escoamento. **Bomba premente.** *Tec. Mec.* Bomba (4) que impele o fluido pela ação impulsionadora de um elemento motor (rotor ou pistão). **Bomba química.** *Tec. Mec.* A que é projetada para impelir fluidos de processos químicos e fabricada em material resistente à corrosão e ao ataque químico. **Bomba real.** *Bras.* Foguete de grande estampido. **Bomba rotativa.** *Tec. Mec.* Aquela em que o elemento impulsor efetua um movimento de rotação. **Bomba submarina.** *Bras. Mar. G.* Designação genérica das bombas de profundidade. [V. *bomba-foguete* e *bomba-granada*.] **Bomba submersível.** *Tec. Mec.* A que opera imersa na massa fluida de onde aspira a corrente que impele. **Bomba termonuclear.** Engenho explosivo de emprego bélico, cuja liberação violenta de energia resulta da fusão nuclear de átomos leves, como, p. ex., do hidrogênio, do hélio, etc. **Bomba transvaliana.** *Bras. N.E.* Espécie de bomba (22), us. nos festejos de S. João, que explode ao chocar-se com alguma coisa. [Sin. (em SP): *bomba de parede*. Tb. se diz apenas *transvaliana*.] **Bomba vulcânica.** Fragmento de lava, mais ou menos do tamanho de um punho, e cuja forma é arredondada, em virtude do movimento de rotação quando expelido. **Cair como uma bomba.** *Fig.* Acontecer de surpresa. **Tocar bomba.** *Jog. Inf.* Brincadeira infantil em que os ocupantes de um banco se empurram uns aos outros para expulsar quem está nas pontas.

bombacácea [[Do lat. cient. *Bombac-* (do tax. *Bombax*, v. *bômbax*) + *-ácea*; tax. *Bombacaceae*.] *S. f. Bot.* Espécime das bombacáceas, família tropical de árvores dotadas de flores muito grandes, e amplíssimas folhas compostas digitadas, e cujos frutos, ditos *paina*, são enormes cápsulas repletas de sementes e de pelos longos. No Brasil, muitas das 140 espécies são cultivadas nas ruas e jardins como ornamentais, como, p. ex., a *Pachyra aquatica*.

bombacáceo [De *bombacácea*, com var. suf. (v. *-áceo*).] *Adj. Bot.* Pertencente ou relativo às bombacáceas.

bombachas [Do esp. plat. *bombachas*.] *S. f. pl.* **1.** *Ant.* Calções largos que se atavam por sob os joelhos. **2.** *Bras. S.* Calças muito largas em toda a perna, salvo no tornozelo, onde são presas por botões, típicas, sobretudo, do vestuário regional gaúcho.

bombacho [De *bomba* + *-acho*.] *S. m.* Bomba (4) pequena para tirar ou elevar água.

bombada *S. f.* **1.** Cada movimento completo da bomba (4) ao movimentar fluidos [v. *fluido* (7)], etc. **2.** Quantidade de líquido, ar, etc., que a bomba (4) lança de cada vez. **3.** *Fig. Bras.* Prejuízo, perda: *levar uma bombada*.

bomba-d'água *S. f.* **1.** *Automat.* Unidade impulsionadora da água, no sistema de refrigeração dos motores arrefecidos a água. **2.** *Bras.* Precipitação volumosa e repentina de água em chuvas de trovoada; aguaceiro forte. [Tb. us., nesta acepç., popularmente, o sin. *tromba-d'água*. Pl.: *bombas-d'água*.]

bomba-foguete *S. f. Mar. G. Bras.* Arma antissubmarino, largamente usada na II Guerra Mundial, constituída de um recipiente carregado com explosivo, lançado pela proa da embarcação antissubmarino por meio de foguete, e que explodia ao chocar-se contra uma superfície resistente. [Pl.: *bombas-foguetes* e *bombas-foguete*.]

bomba-granada *S. f. Mar. G. Bras.* Bomba antissubmarino, usadíssima na II Guerra Mundial, e constituída de um recipiente carregado com explosivo, lançado pela proa da embarcação antissubmarino mediante dispositivo que emprega uma carga explosiva de arremesso. [Pl.: *bombas-granadas* e *bombas-granada*.]

bombalão [Do criol.] *S. m. Guin.* Bombolom.

bomba-parafuso *S. f. Tec. Mec.* Bomba elevatória em que o elemento motor é um parafuso de Arquimedes. Utiliza-se para operar com suspensões [v. *suspensão* (2)], como o esgoto. [Pl.: *bombas-parafusos* e *bombas-parafuso*.]

bombar [De *bomba* + *-ar*[2].] *V. t. d.* **1.** V. *bombear*. *T. i.* **2.** *Bras.* Ser reprovado (em exame). *Int.* **3.** *Bras. Gír.* Ser um sucesso estrondoso: "O que faz um artista 'bombar' no mundo de hoje?" (Ronaldo Lemos, em *Folha de S.Paulo*, 23.02.2010.)

bombarda [Do fr. *bombarde*.] *S. f.* **1.** Antiga máquina de guerra com que se arremessavam grandes blocos de pedra. **2.** Antiga peça de artilharia, de cano curto e grosso calibre, que atirava grandes bolas de ferro ou de pedra: "As bombardas horríssonas bramavam" (Luís de Camões, *Os Lusíadas*, II, 100). **3.** *Mús.* Antigo instrumento (5) de palheta dupla, semelhante a um oboé rústico. **4.** *Mús.* Tubo de órgão (5) de palheta. **5.** *Ant. Lus.* Navio de dois mastros, com vela bastarda no de vante e vela latina quadrangular no de ré, e que servia para transportar artilharia.

bombardada [De *bombarda* + *-ada*[1].] *S. f. Ant.* Tiro de bombarda.

bombardão [Do it. *bombardone*.] *S. m. Mús.* **1.** *Ant.* Baixo de bombarda (3). **2.** *Bras.* Bombardino (1). **3.** *Bras.* V. *tuba*[1] (2).

bombardeado [Part. de *bombardear*.] *Adj.* **1.** Que foi alvo de bombardeio. **2.** *Fam.* Muito cansado, exausto. **3.** *Fam.* Mal de saúde; adoentado.

bombardeador (ô) [De *bombardear* + *-dor*.] *Adj. S. m.* Que, ou aquilo ou aquele que bombardeia.

bombardeamento [De *bombardear* + *-mento*.] *S. m.* V. *bombardeio*. ◆ **Bombardeamento de área.** *Mil.* O que bate indiscriminadamente toda uma área de dimensões relativamente grandes. [Cf. *bombardeio de precisão*.]

bombardear [De *bombarda* + *-ear*[2].] *V. t. d.* **1.** Arremessar bombas ou projetis de artilharia contra; canhonear; bombear: *Os aviões alemães bombardearam Londres maciçamente quando da II Guerra Mundial*. **2.** Combater com perguntas e argumentos; condenar com razões; arguir: *A oposição bombardeou o Ministro no Congresso*. **3.** Prejudicar, boicotar: *Este feriado veio bombardear os meus planos!* **4.** *Fís. Nucl.* Expor (um alvo) a um feixe de partículas aceleradas, com o fim de obter reações nucleares. *T. d. e i.* **5.** *Fig.* Atacar, agredir verbalmente: *Bombardeou-o com impropérios*. [Conjug.: v. *frear*.]

bombardeio [Dev. de *bombardear*.] *S. m.* **1.** Ato ou efeito de bombardear. **2.** *Fís. Nucl.* Ato ou efeito de atingir um alvo por um fluxo de partículas. [Sin. ger.: *bombardeamento*.] ◆ **Bombardeio de precisão.** *Mil.* O que é dirigido para um ponto ou para um alvo de dimensões relativamente pequenas. [Cf. *bombardeamento de área*.] **Bombardeio de saturação.** *Mil.* Bombardeio denso, concentrado contra uma área limitada que se deseja arrasar.

bombardeira[1] [De *bombarda* + *-eira*.] *S. f.* **1.** *Fort.* Troneira. **2.** *Ant. Mar. G.* Embarcação armada de bombarda (2).

bombardeira[2] [Do cabo-verd. e do criol. *bombardera*.] *S. f. Bot.* Arbusto apocináceo (*Calotropis procera*) de regiões desérticas desde a Índia à África do Norte, e hoje largamente distribuído em outras partes do mundo, e cujos frutos globosos, ocos, contêm suco muito amargo, de gosto adstringente.

bombardeiro [De *bombarda* + *-eiro*.] *S. m.* **1.** *Ant.* Artilheiro de bombarda (1). **2.** *Ant.* Marinheiro que guiava a bombarda (2). **3.** Avião de grande porte empregado nas ações de bombardeio; avião de bombardeio. ● *Adj.* **4.** Referente a bombarda.

bombardino [Do it. *bombardino*.] *S. m. Mús.* **1.** O saxofone baixo; bombardão. **2.** Trombone de pistons. **3.** O executante desses instrumentos: *João é um mau bombardino*.

bomba-relógio *S. f.* **1.** Bomba (2) com um dispositivo que provoca sua detonação após um tempo prefixado. **2.** *Fig.* Situação difícil ou desastrosa que está prestes a acontecer (num tempo próximo), por não terem sido tomadas as providências necessárias. [Pl.: *bombas-relógios* e *bombas-relógio*.]

bombástico [Do ingl. *bombastic*.] *Adj.* **1.** Estrondoso, altissonante. **2.** *Fig.* Empolado, extravagante, pretensioso: *estilo bombástico; discurso bombástico; orador bombástico*.

bomba-turbina *S. f. Tec. Mec.* Bomba rotativa em que o rotor tem a forma de um rotor de turbina, e que impele o fluido por uma ação centrífuga e também axial. [Pl.: *bombas-turbinas* e *bombas-turbina*.]

bômbax [Do tax. *Bombax* (do tax. *Bombax*, do lat. med. *bombax*, 'algodão', alter. do gr. *bómbyx*, 'bicho-da-seda').] *S. m. 2 n. Bot.* **1.** Grande gênero de árvores bombacáceas nativas da América do Sul, Índia, e África, dotadas de folhas digitadas e vistosas flores brancas, ou vermelhas. **2.** Qualquer espécie desse gênero, como, p. ex., a *Bombax aquaticum* ou *Pachira aquatica* (v. *mamorana*). **3.** Qualquer espécime desse gênero. [Sin. ger.: *paquira*.]

bombazina [Do b.-lat. *bombacina*, por *bombycina*, 'de seda', com alteração semântica.] *S. f. Tec. Têx.* Tecido de algodão, em riscas, imitante a veludo: "vestiu logo pela manhã as suas calças e jaqueta de bombazina .... e o seu colete vermelho" (Alexandre Herculano, *Lendas e Narrativas*, II, p. 226).

bombeação [De *bombear*[1] (4) + *-ção*.] *S. f. Bras.* Ato de bombear[1] (4).

bombeado [Part. de *bombear*[1].] *Adj.* **1.** Boleado (1). **2.** *Bras.* Reprovado em exames.

bombeador[1] (ô) [De *bombear*[1] + *-dor*.] *Adj. S. m.* Diz-se de, ou professor que gosta de bombear[1] (3).

bombeador[2] (ô) [Do esp. plat. *bombeador*.] *S. m. Bras.* Aquele que age ou se comporta como bombeiro[3].

bombeamento [De *bombear*[1] + *-mento*.] *S. m.* **1.** Ato de bombear[1]; bombeio. **2.** *Geol.* Arqueamento (2).

bombear[1] [De *bomba* + *-ear*[2].] *V. t. d.* **1.** V. *bombardear* (1). **2.** Dar forma redonda a; bolear. **3.** Reprovar em exames. **4.** *Bras.* Extrair (fluidos) com bomba (4 a 7). *T. d. e i. Bras. Fig.* **5.** Abastecer, alternadamente como o faz uma bomba quando movimenta fluidos: "O Banco do Japão .... deve não só bombear dinheiro para os mercados" (Paul Krugman, em *O Globo*, 15.05.2000). *Int.* **6.** Manobrar bomba (4 a 7). [Conjug.: v. *frear*.]

bombear[2] [Do esp. plat. *bombear*.] *V. t. d.* **1.** *Bras.* Espionar (o campo inimigo). **2.** *Bras. PE* Seguir disfarçadamente (alguém), buscando ocasião para lhe falar ou pedir obséquio. **3.** *Bras. C.O. RS* Observar com atenção; espreitar. "Andava bombeando o camarada, à espreita .... , que nem cachorro onceiro em rastro de macharrão." (M. Cavalcanti Proença, *Manuscrito Holandês*, p. 80.) [Conjug.: v. *frear*.]

bombeio *S. m.* Bombeamento (1).

bombeiro[1] [De *bomba* + *-eiro*.] *S. m.* **1.** *Ant.* Soldado que atirava bombas. **2.** Indivíduo que pertence a uma instituição de assistência pública encarregada de combater incêndios, fazer salvamentos e socorrer acidentados em outros tipos de sinistros. **3.** *Bras. Fam.* Criança que sofre de enurese. **4.** *Bras.* V. *encanador*. **5.** *Bras. RJ* Vendedor ambulante. **6.** *Bras. BA MG* O prático em trilhas e encruzilhadas dos gerais

(q. v.). ◆ **Bombeiro hidráulico.** *Bras.* V. *encanador.* [Tb. se diz apenas *bombeiro.*]

bombeiro[2] [De *bombo* + *-eiro.*] *S. m. Bras.* Tocador de bombo (1); bombo.

bombeiro[3] [Do esp. plat. *bombero.*] *S. m. Bras. RS* **1.** Espião ou explorador de campo inimigo. **2.** Indivíduo que observa os atos de outrem.

bômbice [Do gr. *bómbyx*, 'inseto zumbidor', pelo lat. *bombyce.*] *S. m.* V. *bômbix* (2 e 3).

bombicídeo [Do lat. cient. *Bombyc-* (do tax. *Bombyx* [v. *bômbix*]) + *-ídeo*[1]; tax. *Bombycidae.*] *Zool. S. m.* **1.** Espécime dos bombicídeos, família de lepidópteros noturnos, originários da Ásia, que atualmente abrange um único gênero, o *bômbix* (q. v.). ● *Adj.* **2.** Pertencente ou relativo a eles.

bombicino [De *bômbice* + *-ino*[1].] *Adj. Bot.* Diz-se dos órgãos e partes vegetais que apresentam pelos em forma de filamentos de seda.

bombilha [Do esp. plat. *bombilla.*] *S. f. Bras.* Bomba (24).

bombíneo *Zool. S. m.* **1.** Espécime dos bombíneos, subfamília de abelhas apídeas, que contém dois gêneros (*Bombus* e *Psithyrys*), de aparência similar: cerca de 30mm de comprimento e densa pilosidade preta e amarela. Ex.: mamangaba. ● *Adj.* **2.** Pertencente ou relativo a eles.

bombista [De *bomba* + *-ista.*] *Lus. Adj. 2 g.* **1.** De, ou relativo a bomba. ● *S. 2 g.* **2.** Terrorista que faz uso de explosivos.

bômbix (cs) [Do tax. *Bombyx* < lat. *bombyx*, 'bicho-da-seda'.] *S. m. 2 n. Zool.* **1.** O gênero-tipo dos bombicídeos. **2.** Qualquer espécime desse gênero, como, p. ex., a *Bombyx mori*, vulgarmente conhecida como bicho-da-seda (q. v.), cuja mariposa adulta é branco-cremosa. **3.** Qualquer espécime desse gênero. [F. paral., nas acepç. 2 e 3: *bômbice.*]

bombo [Do it. *bombo.*] *S. m.* **1.** *Mús.* Tambor (2) de grandes dimensões e sonoridade grave, percutido com macetas, tocado com as peles em posição vertical, e usado em bandas militares e orquestras, bem como para marcar o ritmo na música popular. [Var.: *bumbo.* Sin.: *zabumba* ou *zambumba*, *caixa grande*; *bumba* (CE), *zambê* (RN).] **2.** Bombeiro[2]. **3.** *Tip.* Tambor (12).

bombó [Do quimb. *mbombo.*] *S. m. Angol.* Mandioca descascada amolecida em água e, em seguida, assada nas brasas: 📖 "Estava, portanto, já naquela meia modorra provocada pela digestão do funje de <u>bombó</u>, do óleo de palma" (Antônio Cardoso, *A Fortuna, Novela de Amor*, p. 23).

bom-bocado *S. m. Cul.* Doce feito de açúcar, gemas de ovo, leite de coco ou amêndoas pisadas, etc.: 📖 "A respeito do amor .... do Barão [Barão do Rio Branco] aos <u>bons-bocados</u> à portuguesa e às boas peixadas à baiana, as informações que possuo são de um seu sobrinho" (Gilberto Freire, *Pessoas, Coisas e Animais*, p. 137). [Pl.: *bons-bocados.*]

bombolom [Do criol.] *S. m. Guin.* Tronco de árvore escavado, utilizado como tambor para transmitir mensagens; bombalão: 📖 "os <u>bombolons</u> clamaram vingança, / Para que a Guiné acordasse." (Agnelo Regalla, em *Antologia Poética da Guiné-Bissau*, p. 117).

bombom [Do fr. *bonbon.*] *S. m.* Guloseima de chocolate, ger. com recheio de frutas, licores, etc.

bombona [Do fr. *bonbonne*, com alter. semântica.] *S. f.* **1.** Reservatório metálico, geralmente de ferro, de paredes espessas, destinado a armazenar gases comprimidos; torpedo. **2.** Recipiente, de vidro ou de outro material, com capacidade de cinco litros.

bombonaça [De or. obsc.] *S. f. Bras. L. S. Bot.* Erva ciclantácea (*Carludovica palmata*) que tem o porte e aspecto de uma palmeira em forma de leque. As flores dispõem-se em espigas, bem como os frutos; as folhas, grandes, coriáceas e bífidas, servem para fabricar os chamados *chapéus-do-chile.* [Sin.: *jipijapá.*]

bomboneira [De *bombom* + *-eira.*] *S. f.* Recipiente com tampa para se guardarem bombons.

bombordo [Do neerl. *bak boord*, 'bordo das costas, do dorso' (do timoneiro, quando o governo da embarcação se fazia com um comprido remo colocado a estibordo), pelo fr. *babord*, talvez com infl. de *bom.*] *S. m. Mar.* O lado esquerdo da embarcação para quem, da popa, olha para a proa. [V. *estibordo* e *boreste.*]

bom-despachense *Adj. 2 g.* **1.** De, ou pertencente ou relativo a Bom Despacho (MG). ● *S. 2 g.* **2.** O natural ou habitante de Bom Despacho. [Pl.: *bom-despachenses.*]

bom-dia *S. m.* **1.** Saudação que se dirige a alguém na primeira metade do dia, na parte da manhã; bons-dias: 📄 *Deu-me um <u>bom-dia</u> afetuoso.* **2.** *Bot.* V. *glória-da-manhã.* [Pl.: *bons-dias.*]

bom-dia-seu-chico *S. m. 2 n. Bras. SP Zool.* V. *trinca-ferro.*

bom-é [Voc. onom.] *S. m. Bras. CE Zool.* V. *japim.* [Pl.: *bom-és.*]

bom-jardinense[1] *Adj. 2 g.* **1.** De, ou pertencente ou relativo a Bom Jardim (MA, PE e RJ). ● *S. 2 g.* **2.** O natural ou habitante de Bom Jardim. [Pl.: *bom-jardinenses.*]

bom-jardinense[2] *Adj. 2 g.* **1.** De, ou pertencente ou relativo a Bom Jardim da Serra (SC). ● *S. 2 g.* **2.** O natural ou habitante de Bom Jardim da Serra. [Pl.: *bom-jardinenses.*]

bom-jardinense[3] *Adj. 2 g.* **1.** De, ou pertencente ou relativo a Bom Jardim de Goiás (GO). ● *S. 2 g.* **2.** O natural ou habitante de Bom Jardim de Goiás. [Pl.: *bom-jardinenses.*]

bom-jardinense[4] *Adj. 2 g.* **1.** De, ou pertencente ou relativo a Bom Jardim de Minas (MG). ● *S. 2 g.* **2.** O natural ou habitante de Bom Jardim de Minas. [Pl.: *bom-jardinenses.*]

bom-jesuense[1] *Adj. 2 g.* **1.** De, ou pertencente ou relativo a Bom Jesus (PB, PI, RN e RS). ● *S. 2 g.* **2.** O natural ou habitante de Bom Jesus. [Pl.: *bom-jesuenses.*]

bom-jesuense[2] *Adj. 2 g.* **1.** De, ou pertencente ou relativo a Bom Jesus da Penha (MG). ● *S. 2 g.* **2.** O natural ou habitante de Bom Jesus da Penha. [Pl.: *bom-jesuenses.*]

bom-jesuense[3] *Adj. 2 g.* **1.** De, ou pertencente ou relativo a Bom Jesus da Serra (BA). ● *S. 2 g.* **2.** O natural ou habitante de Bom Jesus da Serra. [Pl.: *bom-jesuenses.*]

bom-jesuense[4] *Adj. 2 g.* **1.** De, ou pertencente ou relativo a Bom Jesus de Goiás (GO). ● *S. 2 g.* **2.** O natural ou habitante de Bom Jesus de Goiás. [Pl.: *bom-jesuenses.*]

bom-jesuense[5] *Adj. 2 g.* **1.** De, ou pertencente ou relativo a Bom Jesus do Itabapoana (RJ). ● *S. 2 g.* **2.** O natural ou habitante de Bom Jesus do Itabapoana. [Pl.: *bom-jesuenses.*]

bom-jesuense[6] *Adj. 2 g.* **1.** De, ou pertencente ou relativo a Bom Jesus do Amparo (MG). ● *S. 2 g.* **2.** O natural ou habitante de Bom Jesus do Amparo. [Pl.: *bom-jesuenses.*]

bom-jesuense[7] *Adj. 2 g.* **1.** De, ou pertencente ou relativo a Bom Jesus do Galho (MG). ● *S. 2 g.* **2.** O natural ou habitante de Bom Jesus do Galho. [Pl.: *bom-jesuenses.*]

bom-jesuense[8] *Adj. 2 g.* **1.** De, ou pertencente ou relativo a Bom Jesus do Sul (PR). ● *S. 2 g.* **2.** O natural ou habitante de Bom Jesus do Sul. [Pl.: *bom-jesuenses.*]

bom-jesuense-do-norte *Adj. 2 g.* **1.** De, ou pertencente ou relativo a Bom Jesus do Norte (ES). ● *S. 2 g.* **2.** O natural ou habitante de Bom Jesus do Norte. [Pl.: *bom-jesuenses-do-norte.*]

bom-jesuíno *Adj. 2 g.* **1.** De, ou pertencente ou relativo a Bom Jesus do Tocantins (TO). ● *S. 2 g.* **2.** O natural ou habitante de Bom Jesus do Tocantins. [Pl.: *bom-jesuínos.*]

bom-mocismo [De *bom-moço* + *-ismo.*] *S. m. Irôn.* Qualidade, modos ou atos de bom-moço: 📖 "E é nessa simpatia, ... nesse nosso <u>bom-mocismo</u> (que torna o convívio com o brasileiro individualmente tão agradável), que reside nossa desgraça como nação!" (Érico Veríssimo, *O Senhor Embaixador*, p. 386.) [Pl.: *bom-mocismos.*]

bom-moço *S. m. Irôn.* Indivíduo hipócrita, fingido. [Pl.: *bons-moços.*]

bom-nome *S. m. Bras. N.E. Bot.* Arvoreta ramnácea (*Maytenus rigida*) típica da caatinga. O pequeno tronco é muito duro; as folhas, minutas e arredondadas. Há longos espinhos nos ramos; as flores são inconspícuas. [Sin.: *pau-de-colher.* Pl.: *bons-nomes.*]

bomôncia [Alter. do tax. *Beaumontia.*] *S. f. Bot.* Grande trepadeira apocinácea (*Beaumontia grandiflora*) originária da África, e cultivada como ornamental. Folhas opostas e coriáceas; flores grandes, alvas, perfumadas, congregadas em cimeiras; os frutos são folículos.

bom-principiense *Adj. 2 g.* **1.** De, ou pertencente ou relativo a Bom Princípio (RS). ● *S. 2 g.* **2.** O natural ou habitante de Bom Princípio. [Pl.: *bom-principienses.*]

bom-repousense *Adj. 2 g.* **1.** De, ou pertencente ou relativo a Bom Repouso (MG). ● *S. 2 g.* **2.** O natural ou habitante de Bom Repouso. [Pl.: *bom-repousenses.*]

bom-retirense[1] *Adj. 2 g.* **1.** De, ou pertencente ou relativo a Bom Retiro (SC). ● *S. 2 g.* **2.** O natural ou habitante de Bom Retiro. [Pl.: *bom-retirenses.*]

bom-retirense[2] *Adj. 2 g.* **1.** De, ou pertencente ou relativo a Bom Retiro do Sul (RS). ● *S. 2 g.* **2.** O natural ou habitante de Bom Retiro do Sul. [Pl.: *bom-retirenses.*]

bom-serás [De *bom* + o v. *ser.*] *S. m. 2 n. Lus.* Indivíduo simplório, de bom gênio.

bom-sucessense[1] *Adj. 2 g.* **1.** De, ou pertencente ou relativo a Bom Sucesso (MG, PB e PR). ● *S. 2 g.* **2.** O natural ou habitante de Bom Sucesso. [Pl.: *bom-sucessenses.*]

bom-sucessense[2] *Adj. 2 g.* **1.** De, ou pertencente ou relativo a Bom Sucesso de Itararé (SP). ● *S. 2 g.* **2.** O natural ou habitante de Bom Sucesso de Itararé. [Pl.: *bom-sucessenses.*]

bom-sucessense[3] *Adj. 2 g.* **1.** De, ou pertencente ou relativo a Bom Sucesso do Sul (PR). ● *S. 2 g.* **2.** O natural ou habitante de Bom Sucesso do Sul. [Pl.: *bom-sucessenses.*]

bom-tom *S. m.* Trato distinto, delicado, fino, próprio de pessoas requintadas. [Pl.: *bons-tons.*] ◆ **De bom-tom.** Conforme ao gosto e comportamento de pessoas requintadas: 📄 *Usar perfume francês é <u>de bom-tom</u>*; 📖 "porque não era <u>de bom-tom</u> ir de chapéu a velório." (Guilherme Figueiredo, *A Pluma e o Vento*, p. 174).

bonachão [De *bom* + *-ach(o)-* + *-ão*[1].] *Adj. S. m.* Que, ou aquele que tem bondade natural e é simples, ingênuo e paciente; bonacheirão: 📖 "E Arminda furiosamente agarrou-lhe ambas as orelhas ao passo que ele abria um riso desconforme, <u>bonachão</u>, mostrando a alma afetiva à flor do rosto." (Godofredo Rangel, *Os Humildes*, p. 54.) [Fem.: *bonachona.*]

bonacheirão *Adj. S. m.* Bonachão. [Fem.: *bonacheirona.*]

bonacheirice *S. f.* Qualidade ou caráter de bonacheirão.

bonacheirona *S. f.* Fem. de *bonacheirão* (q. v.).

bona-chira *S. f.* V. *bona-xira.* [Pl.: *bona-chiras.*]

bonachona *S. f.* Fem. de *bonachão* (q. v.).

bonaerense *Adj. 2 g. S. 2 g.* V. *portenho.*

➔ **bona fide** ['bona 'fide] [Lat.] De boa-fé.

bonança [Do lat. vulg. **bonancia*, alter. do lat. *malacia* < gr. *malakía*, 'brandura', 'calmaria', 'bonança'; 'malacia', deve-se esta alter. ao fato de julgar-se que em *malacia* existisse o el. *malus.*] *S. f.* **1.** Bom tempo no mar; tempo favorável à navegação. **2.** *Fig.* Sossego, tranquilidade, serenidade. ● *Adj. 2 g. e 2 n.* **3.** V. *bonançoso*: 📄 *mar <u>bonança</u>; tempo <u>bonança</u>.*

bonançar [De *bonança* + *-ar*[2].] *V. int.* Estar em bonança. [Conjug.: v. *laçar.* Normalmente é defect.]

bonançoso (ô) [De *bonança* + *-oso.*] *Adj.* Que está em bonança; tranquilo, sereno, calmo, sossegado; bonança.

bonapartismo [Do antr. *Bonaparte* (v. *bonapartista*) + *-ismo.*] *S. m.* Doutrina, ou opinião daqueles que eram pelo governo imperial francês, fundado por Napoleão I, e pela dinastia napoleônica.

bonapartista *Adj. 2 g.* **1.** Relativo a Napoleão Bonaparte (1769-1821), ou ao bonapartismo. ● *S. 2 g.* **2.** Partidário de Napoleão Bonaparte ou do bonapartismo.

bonari *Bras. S. 2 g.* **1.** *Etnôn.* Indivíduo dos bonaris, povo indígena que habitava a margem esquerda do rio Amazonas. ● *Adj. 2 g.* **2.** Pertencente ou relativo a esse povo. [Sin. ger.: *burenari.*] [Tb. us. como *s. 2 g. e 2 n.* (com cap.) e *adj. 2 g. e 2 n.*]

bona-xira [Do fr. *bonne chère.*] *S. f.* Mesa farta; bom passadio. [Pl.: *bona-xiras.*]

➔ **bonbonnière** [bɔ̃bɔ'njɛʀ] [Fr.] *S. f.* Loja onde se vendem bombons, balas, etc.

bondade [Do lat. *bonitate.*] *S. f.* **1.** Qualidade ou caráter de bom. **2.** Benevolência, indulgência, benignidade, clemência: 📄 *A <u>bondade</u> do pároco era reconhecida por todos.* **3.** Boa ação. **4.** Brandura, doçura. [Antôn., nessas acepç.: *maldade.*] **5.** *Bras. N. N.E. Pop.* Orgulho, soberba: 📄 *Gosto do Dr. Paulo, é um rico sem <u>bondade</u>.*

bondadoso (ô) [De *bondade* + *-oso.*] *Adj. P. us.* V. *bondoso* (1).

bondar [Do lat. *abundare*, com aférese.] *V. int. T. i. Lus.* Ser suficiente, bastar: 📖 "Louvores ao Altíssimo, quando nós morrermos, ainda acharás nesta casa pão que te <u>bonde</u> para a velhice." (Aquilino Ribeiro, *Andam Faunos pelos Bosques*, p. 106.)

bonde [Do ingl. *bond*, 'título de dívida', com alter. semântica.] *S. m. Bras.* **1.** Veículo elétrico de transporte urbano, para passageiros ou carga, que se move sobre trilhos e pode ser fechado ou aberto, com estribo corrido e bem perpendicular a este; elétrico. **2.** *Gír.* Mau negócio; logro. **3.** *Gír.* Mulher feia, sem atrativos; bofe, bagulho. **4.** *Fut.* Jogador ruim. **5.** *Bras. Gír.* Comboio (1) us. por bandidos para fazer grande assalto, transportar drogas e/ou armas, ou atacar quadrilha rival. **6.** *Bras. Gír.* Grupo ou quadrilha. **7.** *Bras. Gír.* Nos bailes *funk*, trenzinho formado por pessoas que evoluem ao som da música. ◆ **Comprar bonde.** *Bras. Gír.* **1.** Cair em conto do vigário. **2.** Fazer mau negócio. **Pegar o bonde andando.** *Bras. Pop.* **1.** Chegar-se a um grupo de pessoas e tomar parte na conversa, sem saber o que ocorreu, ou o que se disse até então. **2.** Chegar a determinado evento (sessão de cinema, de teatro, conferência, etc.) quando já iniciado: 📄 *Fomos ao cinema e <u>pegamos o bonde andando</u>; o filme já ia pela metade.* **Perder o bonde.** Deixar a ocasião escapar: 📖 "'A UDN acabou', disse Rosalvo. 'Nunca vai ser governo neste país. <u>Perdeu o bonde</u>.'" (Rubem Fonseca, *Agosto*, p. 331.) **Tocar o**

bonde. Seguir em frente. **Tomar (o) bonde errado.** *Bras. Pop.* **1.** Tomar uma coisa por outra, enganar-se: "– Ah, ele saiu com um travesti no carnaval, hem? .... tem muita gente que toma bonde errado com esse negócio de travesti" (João Ubaldo Ribeiro, *Sempre aos Domingos*, p. 32). **2.** Enganar-se quanto ao resultado de negócio ou de aventura; malograr(-se), frustrar(-se); errar de porta.

bondeco [De *bonde* (1) + *-eco*[1].] *S. m.* Bondinho: "tratou de comprar um anelão de ouro com grosso brilhante, que ostentava nos bondecos de burros" (Agripino Grieco, *Recordações de um Mundo Perdido*, p. 212).

bondinho [Dim. de *bonde* (1).] *S. m.* **1.** Pequeno bonde, bondeco. **2.** *Bras. RJ Restr.* O teleférico do morro do Pão de Açúcar.

bondoso (ô) [De *bondadoso*, com haplologia.] *Adj.* **1.** Que tem bondade; benévolo. [Sin. (p. us.): *bondadoso*.] **2.** Em que há bondade. **3.** *Bras. N. Pop.* Soberbo, orgulhoso.

bonduque [Do fr. *bonduc* (do árabe).] *S. m. Bot.* Arbusto cesalpiniáceo (*Caesalpinia bonduc*) escandente, dotado de folíolos amplos, e cujos frutos são cápsulas aculeadas; é natural de regiões tropicais. [Sin.: *olho-de-gato* e (bras.) *inimbó*.]

boné [Do fr. *bonnet*.] *S. m.* Peça de vestuário para a cabeça, de copa redonda, com uma pala sobre os olhos. [No Brasil, o t. é us. na Marinha; no Exército e na Aeronáutica, usa-se *quepe*.] ◆ **Apanhar boné.** *Turfe* Terminar (o cavalo) um páreo entre os últimos colocados. **Botar o boné em.** *Bras. N. N.E. Pop.* Ser infiel a, trair.

boneca [Do esp. *muñeca*, poss.] *S. f.* **1.** Figura de trapo, louça, madeira, plástico, etc., que imita uma forma feminina e serve como brinquedo de criança ou enfeite. [Sin. (fam.): *nena*.] **2.** *Fig.* Mulher excessivamente enfeitada e/ou de corpo pequeno e benfeito. **3.** Mulher charmosa e bonita. **4.** *Encad.* Pequeno chumaço de algodão envolvido em pano, usado para envernizar, passar óleo no couro das encadernações antes da douração, entintar gravura para tiragem em cores, etc. **5.** Peça de ferro, vertical, na boleia dos carros. **6.** Peça de madeira para resguardar internamente o cano das espingardas. **7.** *Bras.* A espiga de milho ainda em formação. **8.** *Bras.* Chapuz que se prega nas escoras dos cimbres dos arcos. **9.** *Bras. Art. Gráf.* Boneco (5). **10.** *Bras.* Pequena trouxa ou saquinho de pano, para uso doméstico, dentro do qual se coloca o anil, ou especiarias, ou temperos, ou cinzas, etc., de acordo com o fim a que se destina, como, p. ex., clarear a roupa lavada, adicionar gosto a uma iguaria, etc., sem deixar resíduos naquilo em que foi usado. **11.** *Bras. Pej.* Efeminado (6). **12.** *Bras. Fam.* Palavra que se diz a quem dá notícia já sobejamente conhecida, e às vezes acompanhada de gesto de arrepanhar alguma parte da roupa e mostrá-la ao interlocutor. **13.** *Constr.* Saliência de alvenaria, nas paredes internas, onde são fixados os marcos das portas. ~ V. *bonecas*.

bonecada [De *boneca* + *-ada*[1].] *S. f.* Porção de bonecas.

bonecar [De *boneca* + *-ar*[2].] *V. int. Bras.* Produzir bonecas ou espigas (o milho); embonecar. [Conjug.: v. *trancar*. Normalmente é defect.]

bonecas [Pl. de *boneca*.] *S. f. pl. Bras.* **1.** Peças do torno, entre as quais se coloca a madeira ou o metal para serem trabalhados. **2.** *Geol.* Concreções, em geral de sílex, de forma arredondada. ~ V. *boneca*.

boneco [De *boneca*.] *S. m.* **1.** Figura de trapo, louça, madeira, plástico, etc., que imita uma forma masculina e serve como brinquedo de criança ou enfeite. **2.** *Inf.* Desenho ou estampa que representa homens ou animais. **3.** *Fig.* Peralvilho, peralta, janota. **4.** *Fig.* V. *fantoche* (3). **5.** *Art. Gráf.* Volume constituído ger. de folhas em branco que se utiliza para dar ideia do aspecto que terá uma publicação quando impressa, com relação a formato, espessura, acabamento, disposição dos cadernos, tipo de papel, etc.; boneca. **6.** *Gír.* Entre repórteres, retrato de protagonista de fatos policiais. **7.** *Bras. Gír.* Homem charmoso, bonito. **8.** *Bras. Pop.* V. *degas* (1). ◆ **Boneco de alcorça.** Coisa ou pessoa muito delicada, bela, encantadora. [Tb. se diz apenas *alcorça*.] **Boneco de engonço.** **1.** Boneco (1) com articulações, que se move ao ser puxado por um cordel, ou quando se lhe dá corda. **2.** V. *fantoche* (2).

boné-de-bispo *S. m. Bot.* Árvore grande lecitidácea (*Barringtonia speciosa*) procedente do litoral da Índia, de flores vistosas, com pétalas alvas e estames purpúreos, e reunidas em racemos, folhas obovaes, sésseis, nítidas, e agregadas na ponta dos ramos. É cultivada como ornamental. [Sin.: *boné-quadrado*. Pl.: *bonés-de-bispo*.]

bonense *Adj. 2 g.* **1.** De, ou pertencente ou relativo a Bonn, cidade da Alemanha. ● *S. 2 g.* **2.** O natural ou habitante de Bonn.

boné-quadrado *S. m. Bot.* Boné-de-bispo. [Pl.: *bonés-quadrados*.]

bonete *S. m. Ant.* Boné.

bonfinense[1] *Adj. 2 g.* **1.** De, ou pertencente ou relativo a Bonfim (MG e RR). ● *S. 2 g.* **2.** O natural ou habitante de Bonfim.

bonfinense[2] *Adj. 2 g.* **1.** De, ou pertencente ou relativo a São José do Bonfim (PB). ● *S. 2 g.* **2.** O natural ou habitante de São José do Bonfim.

bonfinense[3] *Adj. 2 g.* **1.** Do, ou pertencente ou relativo ao Senhor do Bonfim (BA). ● *S. 2 g.* **2.** O natural ou habitante do Senhor do Bonfim.

bonfinopolino *Adj.* **1.** De, ou pertencente ou relativo a Bonfinópolis (GO). ● *S. m.* **2.** O natural ou habitante de Bonfinópolis.

bonfinopolitano *Adj.* **1.** De, ou pertencente ou relativo a Bonfinópolis de Minas (MG). ● *S. m.* **2.** O natural ou habitante de Bonfinópolis de Minas.

bongar [Do quimb. *kubonga*, 'buscar'.] *V. t. d. Bras. RJ* **1.** Apanhar catando, procurando cuidadosamente, de grão em grão. **2.** Procurar, buscar. [Conjug.: v. *largar*.]

bongô [Do afr.] *S. m. Mús.* Instrumento de percussão, de origem africana, constituído de dois pequenos tambores geminados, de afinações diferentes, e tocados com os dedos.

bonicos *S. m. pl. Pop.* Excremento miúdo de animais.

bonifaciano *Adj.* **1.** De, ou pertencente ou relativo a José Bonifácio (SP). ● *S. m.* **2.** O natural ou habitante de José Bonifácio.

bonificação [De *bonificar* + *-ção*.] *S. f.* **1.** Concessão de bônus. **2.** *Econ.* Distribuição gratuita de ações novas aos acionistas de uma sociedade anônima, por ocasião de aumentos de capital resultantes de incorporação de lucros ou reavaliação do ativo. **3.** Concessão que o vendedor faz ao comprador, diminuindo o preço da coisa vendida ou entregando quantidade maior do que a estipulada.

bonificar [De *bom* + *-ificar*, seg. o padrão erudito.] *V. t. d.* **1.** Dar bonificação a. **2.** Gratificar, premiar. **3.** *Ant.* Beneficiar, melhorar. [Conjug.: v. *trancar*.]

bonifrate [Do lat. *boni fratres*, 'bons irmãos', poss.] *S. m.* **1.** V. *fantoche* (2): "A decadência do teatro espanhol e o custo proibitivo da ópera italiana para uma parte do público dos antigos *pátios* fomentou ainda outro tipo novo de espetáculo: o teatro de bonecos articulados, ou bonifrates" (Antônio José Saraiva e Oscar Lopes, *História da Literatura Portuguesa*, p. 493). **2.** *Fig.* V. *fantoche* (3).

➔ **boni mores** ['bonę 'moɾes] [Lat.] Bons costumes.

bonina [Do esp. *bonina*.] *S. f. Bot.* **1.** V. *bela-margarida*. **2.** V. *maravilha* (5).

boninal [De *bonina* + *-al*[1].] *S. m.* **1.** Quantidade mais ou menos considerável de boninas dispostas proximamente entre si. **2.** Área ocupada por boninal (1).

boninalense *Adj. 2 g.* **1.** De, ou pertencente ou relativo a Boninal (BA). ● *S. 2 g.* **2.** O natural ou habitante de Boninal.

boníssimo *Adj.* Superl. abs. sint. de *bom*.

bonita [F. subst. de *bonito*[4], poss.] *S. f. Cul. Bras.* V. *doce de pimenta*.

bonitaço [De *bonito*[4] + *-aço*.] *Adj. Bras. S.* Bonitão (1).

bonitão [De *bonito*[4] + *-ão*[1].] *Adj.* **1.** Muito bonito. [Sin. (no S. do Brasil): *bonitaço*.] ● *S. m.* **2.** Indivíduo muito bonito. [Fem.: *bonitona* (q. v.).]

bonitense[1] *Adj. 2 g.* **1.** De, ou pertencente ou relativo a Bonito (BA, MS, PA, PE). ● *S. 2 g.* **2.** O natural ou habitante de Bonito.

bonitense[2] *Adj. 2 g.* **1.** De, ou pertencente ou relativo a Bonito de Santa Fé (PB). ● *S. 2 g.* **2.** O natural ou habitante de Bonito de Santa Fé.

bonitete (ê) [De *bonito*[4] + *-ete* (ê).] *Adj. 2 g.* Bonitote.

boniteza (ê) [De *bonito*[4] + *-eza*.] *S. f.* Qualidade de bonito[4].

bonitinha [F. subst. do dim. de *bonito*[4].] *S. f. Bras. MG Fam.* Conjuntivite infecciosa.

bonito[1] *S. m.* Bacia de barba.

bonito[2] *S. 2 g. Bras.* **1.** *Etnôn.* Indivíduo dos bonitos, indígenas pertencentes ao aldeamento da Imaculada Conceição do Rio Doce (MG). ● *Adj. 2 g.* **2.** Pertencente ou relativo a esses indígenas. [Tb. us como *s. 2 g. e 2 n.* (com cap.) e *adj. 2 g. e 2 n.*]

bonito[3] [Do b.-lat. *boniton*.] *S. m. Zool.* V. *bonito-pintado*.

bonito[4] [Do esp. *bonito*, 'bonzinho'; 'bonito' (dim. do esp. *bueno*, 'bom'), poss.] *Adj.* **1.** Que é agradável aos sentidos ou ao espírito, sem ser propriamente belo: *casa bonita; recanto bonito; música bonita.* **2.** Formoso, belo: *rosto bonito.* **3.** Bom, vantajoso: *Fechou um bonito negócio.* **4.** Que revela nobreza; nobre, generoso: *um bonito gesto.* **5.** Brilhante, magnífico, excelente: *O aluno fez um bonito papel.* **6.** Diz-se de dia claro, de sol. **7.** *Irôn.* Censurável, lamentável: *Que bonito papel fez você!* ● *S. m.* **8.** Aquilo que é bonito. **9.** Ação brilhante, nobre, bonita. **10.** *P. us.* Brinquedo (1): "o tenro e suave bambino do presépio, cercado de amores, de cânticos, de festas, de dádivas, de bonitos" (Ramalho Ortigão, *As Farpas*, I, p. 88). **11.** *Bras. Zool.* V. *gaturamo*. ● *Interj.* **12.** Indica aprovação, ou censura. ● *Adv.* **13.** *Pop.* De modo bonito; bem: *O orador falou bonito.*

bonito-cachorro *S. m. Bras. Zool.* Peixe teleósteo, perciforme, escombrídeo (*Auxis thazard*), do Atlântico, de dorso azul, com manchas sinuosas azul-escuras ocupando a região livre do corselete, abdome prateado, e flancos azul-claros. Comprimento: cerca de 35cm. [F. red.: *cachorro*. Sin.: *serra*. Pl.: *bonitos-cachorros*.]

bonito-canário *S. m. Bras. Zool.* V. *gaturamo-rei* (1). [Pl.: *bonitos-canários* e *bonitos-canário*.]

bonito-do-campo *S. m. Bras. Zool.* Ave emberizídea traupínea (*Chlorophonia cyanea*) com cerca de 10cm de comprimento, que ocorre na América do Sul andina, no Brasil (da BA ao RS) e Paraguai; o macho tem cabeça e garganta verdes, dorso e uropígio e anel que circunda os olhos azuis, peito, ventre e flancos amarelos; a fêmea tem o ventre e flancos esverdeados. [Sin.: *bandeirinha, canário-assobio, gaturamo-bandeira, gaturamo-filó, gaturamo-verde*. Pl.: *bonitos-do-campo*.]

bonito-fogo *S. m. Bras. Zool.* V. *gaturamo-rei* (1). [Pl.: *bonitos-fogos* e *bonitos-fogo*.]

bonitona *S. f.* Fem. de bonitão.

bonito-pintado [De *bonito*[2] + *pintado*.] *S. m. Zool.* Peixe escombrídeo (*Euthynus alleteratus*) dos mares tropicais e subtropicais; coloração azul no dorso, prateada no abdome, com cinco a sete manchas escuras, que lhe valeram o nome popular; o comprimento médio é de 50 a 60cm; o peso, de 3 a 6kg. [F. red.: *bonito*. Sin.: *curuatá-pinima*. Pl.: *bonitos-pintados*.]

bonitote [De *bonito*[4] + *-ote*[1].] *Adj. 2 g.* Um tanto bonito ou formoso; bonitete. [Fem.: *bonitota*.]

➔ **bon mot** [bõ mo] [Fr.] Dito espirituoso.

bonobo [De or. obscura.] *S. m. Zool.* Chimpanzé (*Pan paniscus*) que habita as florestas úmidas do Zaire. Tem tamanho e coloração semelhante à do *Pan troglodytes* (v. *chimpanzé*), dele diferindo por ter membros maiores. O comportamento social e sexual dos bonobos são também similares aos dos humanos, tendo alguns primatologistas comparado a sua organização grupal com o modelo de padrões primitivos da dos hominídeos. [Sin.: *chimpanzé-pigmeu*.]

bonomia [Do fr. *bonhomie*.] *S. f.* Qualidade de quem é bom, simples, crédulo, ou pachorrento, fleumático.

bonotom [De *bom-tom*, poss.] *S. m. Bras. AM* Resina do jutaí, aromatizada pelos indígenas.

bonsai [Do jap. *bon*, 'vaso', + jap. *sai*, 'árvore'.] *S. m.* **1.** Árvore decorativa anã, cultivada em vasos baixos, e obtida por métodos especiais (como poda das raízes, condução dos galhos, etc.) a partir de espécimes normais. **2.** A arte de cultivar tais árvores.

bons-dias [Do pl. de *bom* + o pl. de *dia*.] *S. m. 2 n.* **1.** Bom-dia (q. v.). ● *S. m. pl.* **2.** *Bot.* Designação comum a várias plantas convolvuláceas (gêneros *Calystegia* e *Ipomoea*).

bonsuça *Adj. 2 g. S. 2 g. Bras. Pop.* V. *bonsucesso*.

bonsucesso *Bras. Adj. 2 g.* **1.** Pertencente ou relativo ao Bonsucesso Futebol Clube (RJ). **2.** Que é torcedor ou jogador dessa agremiação. ● *S. 2 g.* **3.** Membro, torcedor ou jogador dela. [F. red. (pop.): *bonsuça*.]

bónus *S. m. 2 n.* V. *bônus*. [Uso freq. em P.]

bônus [Do lat. *bonus*, 'bom'.] *S. m. 2 n.* **1.** *Econ.* Vantagem dada por empresa a seus acionistas, como, p. ex., dividendos extraordinários ou distribuição gratuita de ações. **2.** *Econ.* Prêmio, ou vantagem, concedido a empregados, compradores, etc. **3.** *Econ.* Título de crédito emitido por entidade pública ou privada, ger. de prazo superior a um ano. [Cf., nesta acepç., *apólice* (1) e *debênture*.] **4.** *Market.* Prêmio (8). ◆ **Bônus do Tesouro Nacional.** *Econ.* Título da dívida pública brasileira, criado em maio de 1989 e extinto em janeiro de 1991, cujo valor reajustável foi us., nesse período, como indexador de débitos fiscais, contratos privados, etc. [Sigla: *BTN*. Cf. *Obrigação Reajustável do Tesouro Nacional* e *Taxa Referencial de Juros*.]

➔ **bon vivant** [bõ vi'vã] [Fr.] Homem de disposição alegre, que sabe gozar a vida.

bonza [F. de *bonzo*.] *S. f.* Monja budista.

bonzão *Adj. Bras. Pop.* Muito bom; ótimo: *sujeito bonzão, amigo excelente; cabra bonzão.* [Geralmente us. com relação a pessoas.]

bonzo [Do jap. *bonzo*.] *S. m.* **1.** Sacerdote budista; saí: "É natural que absorvesse, intactas, todas as tendências do homem extraordinário do qual a aparência proteica – de santo exilado na Terra, de fetiche de carne e osso e de bonzo claudicante – estava adrede talhada para reviver os estigmas degenerativos de três raças." (Euclides da Cunha, *Os*

Sertões, p. 190.) **2.** *Bras. Fig.* Indivíduo impassível. **3.** *Bras. Pej.* Dissimulado, sonso.

bonzó *S. m. Bras.* Cautela de rifa. [Var. pros.: *bonzô*.]

bonzô *S. m. Bras.* V. *bonzó*.

➔ **book**[1] [buk] [Ingl., f. red. de *bookmaker*.] *S. m.* V. *bookmaker*.

➔ **book**[2] [buk] [Ingl.] *S. m.* Tipo de porta-fólio que reúne fotos (diz-se então *book* fotográfico), ou imagens de vídeo (dito *videobook*), de modelo fotográfico, manequim ou intérprete.

➔ **bookmaker** [ˈbukmejkɚ] [Ingl.] *S. m. Turfe* Pessoa que aceita apostas clandestinas em corrida de cavalos. [F. red.: *book*[1]. Sin.: *clandestino*.]

➔ **bookmark** [ˈbukmaɹk] [Ingl.] *S. m. Inform.* Referência a um documento em sistema hipermídia (p. ex., a *Web*), compilada por um usuário com a intenção de facilitar posterior retorno a ele. [Uma lista de *bookmarks* constitui, ela mesma, um documento hipermídia, em que cada elemento é tb. um elo (4) para o documento por ele referido.]

booliano (bu) [Do antr. *Boole* + *-iano*.] *Adj.* **1.** Relativo ao matemático inglês George Boole (1815-1864), ou aos seus trabalhos em lógica e matemática (v. *álgebra booliana*). **2.** *Mat. Inform.* Pertencente ou relativo à lógica booliana. ~ V. *álgebra —a*, *lógica —a* e *operador —*. [Na 1ª impress. da 5ª ed. do Volp, sem hífen; corrigido em errata virtual; correção questionável, porém, seg. a Base XVI (prefixação).]

➔ **boom** [buwm] [Ingl.] *S. m.* **1.** Rápida expansão de atividade(s) econômica(s), caracterizada por expectativas otimistas. **2.** O período durante o qual ocorre tal expansão.

bosco (ô) *S. m. Arc.* Bosque, mata.

➔ **boot** [buwt] [Ingl., abrev. de *bootstrap*, lit., 'correia de bota', us. na expr. *by one's own bootstraps*, 'por seus próprios meios'.] *S. m. Inform.* V. *iniciação* (8). ◆ **Dar** *boot*. *Inform.* V. *iniciar* (3).

boqueada [De *boquear* + *-ada*[1].] *S. f.* Ato ou efeito de boquear.

boquear [De *boqu(i)-* + *-ear*[2].] *V. int.* **1.** Abrir a boca, respirando a custo. **2.** V. *boquejar* (7). **3.** V. *agonizar* (1). [Conjug.: v. *frear*.]

boqueira [De *boqu(i)-* + *-eira*.] *S. f. Pop.* Quilite comissural; boqueiro, canto de passarinho, canto de sabiá, sabiá.

boqueirão [De *boqu(i)-* + *-eirão*.] *S. m.* **1.** V. *bocarra* (1). **2.** Abertura em costa marítima, rio ou canal. **3.** Covão (1). **4.** Rua ou viela que dá sobre um rio ou praia. **5.** Quebrada de serra. **6.** Foz de um rio. **7.** *Bras. N.E.* Abertura ou garganta na serra, onde corre um rio. **8.** *Bras. MA* Braço de mar, entre uma ilhota e a costa esbarrancada. **9.** *Bras. BA* Terreno úmido e fértil, bom para a cultura de cacau. **10.** *Bras. S.* V. *brechão*. **11.** *Bras. RS* Saída larga para um campo, após uma estrada estreita ou um desfiladeiro.

boqueirãoense *Adj. 2 g.* **1.** De, ou pertencente ou relativo a Boqueirão (PB). ● *S. 2 g.* **2.** O natural ou habitante de Boqueirão.

boqueiro [De *boqu(i)-* + *-eiro*.] *S. m. Pop.* **1.** V. *boqueira*. **2.** V. *maconheiro* (2).

boquejadura [De *boquejar* + *-dura*.] *S. f.* Boquejo.

boquejar [De *boqu(i)-* + *-ejar*.] *V. t. d.* **1.** Proferir entre dentes; murmurar: *Chamou-me a um canto e boquejou umas poucas palavras.* *T. d. e i.* **2.** Dizer, falar, contar: *Boquejou para o amigo tudo quanto eu lhe havia contado.* *T. i.* **3.** Dizer, falar, contar. **4.** Falar mal: *Ao que dizem, costuma boquejar dos amigos;* "E a boquejar em Don'Ana, / Ninguém despertar tenta / Do Otelo a cólera insana..." (Raimundo Correia, *Poesias*, p. 258). **5.** Travar discussão; discutir: "Um dia de cabeça quente, boquejei com Laércio" (João Guimarães Rosa, *Os Dez Mandamentos*, p. 281). *Int.* **6.** V. *bocejar* (1 e 2). **7.** Falar baixo; murmurar. [Conjug.: v. *pelejar*.]

boquejo (ê) [Dev. de *boquejar*.] *S. m.* Ato ou efeito de boquejar; boquejadura.

boquelho (ê) [De *boqu(i)-* + *-elho*.] *S. m.* Pequena abertura junto à boca do forno.

boquete *S. m. Bras. Gír. Chulo* Felação (q. v.).

boquete (ê) [De *boqu(i)-* + *-ete* (ê).] *S. m.* **1.** *Bras.* Início de uma zona apertada entre terrenos altos. **2.** Entrada ou abertura estreita.

▲ **boqu(i)-** [De *boca*[1] (ô).] *El. comp.* = 'boca': *boquear*, *boquiaberto*, *boquirroto*.

boquiaberto [De *boqu(i)-* + *aberto*.] *Adj.* **1.** De boca aberta. **2.** Muito admirado; pasmado.

boquiabrir [De *boqu(i)-* + *abrir*.] *V. t. d.* **1.** Causar grande admiração, pasmo, a: "récuas e récuas de palavras antigas, postas de propósito para boquiabrir .... o pobre-diabo." (Fialho d'Almeida, *Os Gatos*, VI, p. 118). *P.* **2.** Ficar pasmado, boquiaberto. [Part. irreg.: *boquiaberto*.]

boquifendido [De *boqu(i)-* + *fendido*.] *Adj.* Cuja boca é largamente fendida; boquirrasgado.

boquilargo [De *boqu(i)-* + *largo*.] *Adj.* Que tem a boca larga.

boquilha [Do esp. *boquilla*.] *S. f.* **1.** Tubo de gesso, ou marfim, ou plástico, etc., ao qual se adapta o cigarro ou a cigarrilha para fumar. [Sin.: no Brasil em geral, *piteira*, e, no S., *biqueira*.] **2.** Parte do cachimbo que fica entre os dentes. **3.** Encaixe para unir caixilhos de portas e janelas. **4.** Peça de madeira que serve de embocadura ao clarinete, ao saxofone e a instrumentos congêneres, e sobre a qual se fixa a palheta por meio de braçadeira. **5.** *Tip.* Nariz (7).

boquilheiro [De *boquilha* + *-eiro*.] *S. m. Lus.* Estojo para boquilha (1).

boquim [De *boqu(i)-* + *-im*.] *S. m.* Bocal de instrumentos de sopro.

boquinegro (ê) [De *boqu(i)-* + *negro* (ê).] *Adj.* **1.** Cuja boca é preta. **2.** *Fig.* Que pinta as coisas com cores negras.

boquinense *Adj. 2 g.* **1.** De, ou pertencente ou relativo a Boquim (SE). ● *S. 2 g.* **2.** O natural ou habitante de Boquim.

boquinha [Dim. de *boca*[1] (ô).] *S. f.* **1.** *Bras. Fam.* Beijo: "dê-lhe um abraço por mim, um belisco e uma boquinha." (Franklin Távora, *O Cabeleira*, p. 249); "eu machucada e chorosa, ... ele passando meizinha nas feridas, arrependido, me dando boquinhas no meu cangote" (Nélson de Faria, *Tiziu e Outras Estórias*, p. 22). **2.** *Bras. PE* Refeição ligeira. **3.** *Bras. AM* Som de beijo. **4.** *Bras. AM* V. *chupa* (2). ◆ **À boquinha da noite.** V. *boca da noite* (1): "À boquinha da noite, as badaladas das Ave-Marias" (Antero de Figueiredo, *Jornadas em Portugal*, pp. 103-104). **Fazer boquinha.** Franzir os lábios em sinal de contrariedade. **Fazer uma boquinha.** *Bras.* Fazer uma refeição leve; comer um pouco.

boquirense *Adj. 2 g.* **1.** De, ou pertencente ou relativo a Boquira (BA). ● *S. 2 g.* **2.** O natural ou habitante de Boquira.

boquirrasgado [De *boqu(i)-* + *rasgado*.] *Adj.* Boquifendido.

boquirroto (ô) [De *boqu(i)-* + *roto* (ô).] *Adj. S. m. Bras.* Que, ou aquele que fala muito, que é muito indiscreto, incapaz de guardar segredo; boca-rota.

boquissumido [De *boqu(i)-* + *sumido*.] *Adj.* De boca sumida, pouco aparente, metida para dentro, tal como aqueles a quem faltam os dentes dianteiros.

bora *Bras. S. 2 g.* **1.** *Etnôn.* Indivíduo dos boras, povo indígena de língua isolada que habita o AM e regiões do Peru e da Colômbia. ● *Adj. 2 g.* **2.** Pertencente ou relativo a esse povo. [Tb. us como *s. 2 g. e 2 n.* (com cap.) e *adj. 2 g. e 2 n.*]

borá[1] [Do marata *bhará*.] *S. m.* Medida de capacidade para secos, na Índia.

borá[2] [Do tupi = 'o que há de ter' (mel).] *S. m. Bras.* **1.** *Zool.* Abelha meliponínea (*Tetragona* (*Trigona*) *clavipes*) amplamente distribuída no Brasil, que nidifica em ocos de árvores, e é moderadamente agressiva. [Var.: *vorá*. Sin.: *jataizão*.] **2.** V. *saburá*.

borá[3] *S. m. Bras.* Som produzido pelo sopro entre os polegares das mãos unidas e fechadas em concha.

borá-boi *S. m. Bras. MT Zool.* V. *aramá*[1]. [Pl.: *borás-bois* e *borás-boi*.]

borá-cavalo *S. m. Bras. MT Zool.* V. *aramá*[1] [Pl.: *borás-cavalos* e *borás-cavalo*.]

borace [Do lat. med. *borace*.] *S. m. Quím.* V. *bórax*.

boraceense (êen) *Adj. 2 g.* **1.** De, ou pertencente ou relativo a Boraceia (SP). ● *S. 2 g.* **2.** O natural ou habitante de Boraceia.

boracita [Do lat. cient. *borac-* (< lat. med. *borax*) + *-ita*[3].] *S. f. Min.* Mineral ortorrômbico, pseudocúbico, que é um cloreto e borato de magnésio.

boraense *Adj. 2 g.* **1.** De, ou pertencente ou relativo a Borá (SP). ● *S. 2 g.* **2.** O natural ou habitante de Borá.

boraginácea [Do lat. cient. *Boragin-* (do tax. *Borago*, v. *borago*) + *-ácea*; tax. *Boraginaceae*.] *S. f. Bot.* Espécime das boragináceas, família da ordem das lamiales, composta de plantas herbáceas, arbustivas e, às vezes, arbóreas, espalhadas por todo o mundo e representando umas 1.600 espécies. Têm folhas alternas, flores actinomorfas e pentâmeras, e frutos drupáceos. Algumas espécies são ornamentais. [Var.: *borraginácea*.]

boragináceo [De *boraginácea*, com var. suf. (v. *-áceo*).] *Adj. Bot.* Pertencente ou relativo às boragináceas. [Var.: *borragináceo*.]

borago [Do tax. *Borago* (do b.-lat. *bor(r)ago, aginis*).] *S. m. Bot.* **1.** Gênero de plantas herbáceas, anuais, boragináceas, dotadas de grandes folhas oblongas e ásperas, e cachos pendentes de flores esteliformes, de um azul brilhante, ou brancas, ou róseas. **2.** Qualquer espécie desse gênero, como, p. ex., a *Borago officinalis*, nativa da região mediterrânea, subespontânea no Brasil, e cultivada na Europa e na América do Norte, por vezes us. na alimentação como verdura, pois tem sabor semelhante ao do pepino, e tb. us. como medicinal. Tem flores e frutos insignificantes. [Sin., nesta acepç.: *borragem* e (no S. do Brasil) *borracha*.] **3.** Qualquer espécime desse gênero.

borajuba [De or. tupi, poss.] *S. f. Bras. Amaz.* Certa madeira de lei.

boral *S. m. Eng. Nucl.* Material constituído por uma dispersão de carbureto de boro em alumínio que, tendo uma seção de choque de absorção de nêutrons térmicos muito elevada, é utilizado em blindagens.

borano [De *boro* + *-ano*[2].] *S. m. Quím.* Composto de boro e hidrogênio, análogo a um hidrocarboneto.

borasso [Do tax. *Borasso* (do gr. *bórassos*, *ou*, 'fruto de palmeira').] *S. m. Bot.* **1.** Gênero de palmeiras arecáceas nativas da África, cuja seiva é rica em açúcar, e cuja madeira é dura e resistente. **2.** Qualquer espécie desse gênero, como, p. ex., a *Borassus aethiopum* (v. *cibe*), e a *B. flabellifer* (v. *palmira*). **3.** Qualquer espécime desse gênero.

borato [De *bór(ax)* + *-ato*[2].] *S. m. Quím.* Qualquer sal do ácido bórico.

bórax (cs) [Do persa *burah*, *borah*, pelo ár. *buraq*, pelo lat. med. *borax*.] *S. m. 2 n. Quím.* O borato de sódio decaidratado, cristalino, usado como antisséptico. [F. paral.: *borace*.]

borbaense *Adj. 2 g. S. 2 g.* V. *borbense*.

borbense *Adj. 2 g.* **1.** De, ou pertencente ou relativo a Borba (AM). ● *S. 2 g.* **2.** O natural ou habitante de Borba. [Sin. ger.: *borbaense*.]

borboleta (ê) [Do lat. **belbellita* < lat. *bellu*, 'bom', 'belo', poss.] *S. f.* **1.** *Zool.* Designação comum aos insetos lepidópteros diurnos, cujas antenas são clavadas. As larvas das borboletas não tecem casulos, passando o período ninfal sob forma de crisálidas. [Sin.: *panapaná*, *panapanã*. Cf. *mariposa* (1).] **2.** *Zool.* Nome comum a peixes quetodontídeos do Atlântico, de corpo ovalado e comprimido. **3.** *Zool.* V. *raia-manteiga* (1 e 2). **4.** *Bot.* Nome comum a ervas solanáceas, ornamentais, do gênero *Schizanthus*, originárias do Chile, de folhas membranáceas e flores coloridas, mais ou menos maculadas, com a corola bilabiada e laciniada; as cápsulas, tb. membranáceas, encerram muitas sementes. **5.** Ferragem com feitio de borboleta, fixada nas ombreiras, para manter suspensas as folhas das janelas de guilhotina. **6.** *Tip.* Alça de grifo (q. v.). **7.** *Tip.* Baliza feita com tira de cartolina dobrada, que se cola ao padrão das minervas; mosca. **8.** *Constr. Nav.* Cada uma das peças de metal com dois pernos ou com uma alça que gira em um perno roscado, usadas para atracar tampa de gaiuta, porta estanque, vigia, etc. **9.** *Fig.* Pessoa inconstante, volúvel. **10.** *Bras.* Molinete (2) usado sobretudo nas entradas das estações de estrada de ferro e nos ônibus para contagem de passageiros, e em cinemas, teatros, estádios, etc., para contagem dos espectadores; catraca, roleta, rodízio, torniquete. **11.** *Bras.* No jogo do bicho (q. v.), o 4º grupo (14), que abrange as dezenas 13, 14, 15 e 16, e corresponde ao número quatro.

borboleta-branca [De *borboleta* + o f. de *branco*.] *S. f. Bras. Zool.* Peixe gasteropelecídeo (*Gasteropelecus levis*) do baixo Amazonas, ornamental, de coloração prateada, com cerca de 6cm de comprimento, com o abdome grande e achatado e as nadadeiras peitorais largas e levantadas. Alimenta-se ger. de insetos e suas larvas. [Sin.: *peixe-borboleta*, *peixe-galo*. Pl.: *borboletas-brancas*.]

borboleta-coruja *S. f. Zool.* Caligo (2) (q. v.). [F. red.: *coruja*[2]. Pl.: *borboletas-corujas* e *borboletas-coruja*.]

borboleta-da-coronilha *S. f. Bras. Zool.* V. *azulão* (6). [Pl.: *borboletas-da-coronilha*.]

borboleta-jandaia *S. f. Bras. Zool.* V. *jandaia* (3). [Pl.: *borboletas-jandaias* e *borboletas-jandaia*.]

borboleta-listrada [De *borboleta* + o f. de *listrado*.] *S. f. Zool.* Peixe quetodontídeo (*Chaetodon striatus*) ornamental, do Atlântico ocidental e oriental, de coloração geral branco-amarelada, com riscas nos flancos, faixas verticais e nadadeiras escuras, estas com as margens brancas; as formas jovens têm coloração geral marrom-amarelada, e uma mancha ocelada na parte posterior do corpo, que visa enganar possíveis predadores. Habita ger. águas rasas, e alimenta-se de pólipos de coral, vermes, anêmonas e às vezes de pequenos crustáceos. [Sin.: *boca-de-moça*, *carapiçaba*, *castanhola*, *freire*, *parum*, *paru-mulato*, *peixe-borboleta*, *quebra-prato*. Pl.: *borboletas-listradas*.]

borboleta-transparente *S. f. Bras. Zool.* Designação comum às espécies de lepidópteros, satirídeos, e especialmente as do gênero *Cithaerias*, *Hetaera* e *Callitaera*, que têm asas transparentes, as posteriores com ocelos coloridos. Voam nas matas, a pequena altura. [Pl.: *borboletas-transparentes*.]

borboleteador (ô) [De *borboletear* + *-dor*.] *Adj. S. m.* Que, ou aquele que borboleteia; borboleteante.

borboleteamento [De *borboletear* + *-mento*.] *S. m.* Ato ou efeito de borboletear; borboleteio.

borboleteante [De *borboletear* + *-nte*.] *Adj. 2 g. S. 2 g.* Borboleteador.

borboletear [De *borboleta* + *-ear*[2].] *V. int.* 1. Adejar como as borboletas. 2. *Fig.* Devanear, fantasiar: *Incapaz de fixar a atenção, passava horas a borboletear. T. c.* 3. Borboletear (1): "Como podia fazer dessa ave corpulenta uma abelha que borboleteasse entre as florinhas de um jardim?" (José de Alencar, *Sonhos d'Ouro*, p. 130.) 4. Vagar, vaguear, divagar: *Durante toda a festa, borboleteava alegre pelos salões.* [Conjug.: v. *frear*.]

borboleteio [Dev. de *borboletear*.] *S. m.* Ação de borboletear; borboleteamento: "A 'forma livre' de um Sterne ou de um Xavier de Maistre, como escreve [Machado de Assis] pela pena de Brás Cubas, serviu de modelo e sugestão ao seu borboleteio em torno de si mesmo" (Augusto Meyer, *Machado de Assis*, pp. 25-26).

borboletice [De *borboleta* + *-ice*.] *S. f.* 1. Capricho, fantasia. 2. Modos de borboleta: "Veio [a borboleta] por ali fora, modesta e negra, espairecendo as suas borboletices" (Machado de Assis, *Memórias Póstumas de Brás Cubas*, p. 100).

borbonês *Adj.* 1. Relativo a Bourbonnais (região que corresponde à antiga província da França central). • *S. m.* 2. O natural ou habitante dessa região. 3. *Gloss.* Dialeto do francês falado nessa região. [Flex.: *borbonesa* (ê), *borboneses* (ê), *borbonesas* (ê).]

borborema *S. f. Bras. N.E.* Lugar despovoado, estéril.

borboremense *Adj. 2 g.* 1. De, ou pertencente ou relativo a Borborema (PB e SP). • *S. 2 g.* 2. O natural ou habitante de Borborema.

borborigmo [Do gr. *borborigmós*.] *S. m. Med.* Ruído de maior ou menor intensidade produzido, no abdome, pelo deslocamento de gases em meio de líquidos do tubo gastrintestinal. [Var.: *borborismo*.]

borborismo *S. m.* V. *borborigmo*.

borboró *Adj. 2 g. S. 2 g. Bras. N. Pop.* V. *gago*.

borbotado [Part. de *borbotar*.] *Adj.* Arremessado em borbotões.

borbotão [T. onom.; cf. *borbotar*.] *S. m.* Jato impetuoso; jorro, golfada, cachão, borbulhão: "Com a convulsa mão súbito arranca / A lâmina fulgente da bainha, / E sobre o duro ferro penetrante / Arroja o tenro cristalino peito: / E em borbotões de espuma murmurando / O quente sangue da ferida salta" (Correia Garção, *Obras Poéticas e Oratórias*, p. 383). ◆ **Aos borbotões.** Aos jatos; às golfadas; aos jorros: "Vê que inda, negro, da ferida / Aos borbotões o sangue cai..." (Olavo Bilac, *Poesias*, p. 208.)

borbotar [Cruz. de *borbulhar* com *brotar*.] *V. t. d.* 1. Lançar em borbotões: "Ao luzir das espadas baqueavam / No chão as virgens, borbotando sangue / Pelos seios de neve." (Araújo Porto-Alegre, *Colombo*, p. 266.) 2. Dizer ou fazer em profusão: *Saiu furioso, borbotando ameaças. Int.* 3. Sair em borbotões; jorrar com ímpeto: *A água borbotava da pedra, formando uma pequena cachoeira.* 4. Formar botões (a planta); abotoar, borbulhar. [F. paral.: *borbotoar*.]

borbotoante [De *borbotoar* + *-nte*.] *Adj. 2 g.* Que borbotoa ou jorra; jorrante.

borbotoar [De *borbot-*, como em *borbotar*, + *-oar*.] *V. t. d. Int.* V. *borbotar*: "arrebatadamente, em voz ríspida, silvante disse aos arrancos, com lágrimas borbotoando: | '— Gente, ocês tão vendo?'" (Coelho Neto, *Banzo*, pp. 97-98). [Conjug.: v. *coroar*.]

borbulha [Dev. de *borbulhar*.] *S. f.* 1. Bolha de fluido. 2. *Bot.* V. *gema* (3). 3. *Bot.* Gema (3) para enxerto de plantas. 4. Vesícula na epiderme, de conteúdo aquoso ou purulento. [Sin. (bras., pop.), nesta acepç.: *pipoca*, *papoca*, *curuba*.] 5. *Fig.* Mácula, defeito.

borbulhagem [De *borbulha* + *-agem*[2].] *S. f.* Grande porção de borbulhas [v. *borbulha* (4)].

borbulhante [De *borbulhar* + *-nte*.] *Adj. 2 g.* 1. Que borbulha. • *S. f.* 2. *Bras. SE Pop.* V. *cachaça* (1).

borbulhão [De *borbulha* + *-ão*[1].] *S. m.* 1. V. *borbotão*. 2. Bolhão.

borbulhar [Do esp. *borbollar*.] *V. t. c.* 1. Sair em borbulhas, bolhas, ou gotas frequentes: "gotas de suor borbulhavam na raiz de seus belos cabelos negros." (José de Alencar, *Senhora*, p. 232). 2. Sair em magotes, com ímpeto: *Ao toque de incêndio a multidão borbulhou pelas saídas. Int.* 3. Borbulhar (1). 4. Apresentar-se em ebulição; fervilhar: *Pediu-me que a avisasse quando a água estivesse borbulhando.* 5. Formar borbulhas ou gêmulas (a planta); borbotar. *T. d.* 6. Fazer germinar. 7. Soltar, proferir aos borbotões: *Borbulhava quantas pragas lhe vinham à mente.*

borbulhento [De *borbulha* + *-ento*.] *Adj.* Que tem borbulhas; borbulhoso.

borbulhoso (ô) [De *borbulha* + *-oso*.] *Adj.* 1. Borbulhento. 2. Que sai em bolhas, ou que as forma.

borcar [Do lat. **volvicare* < lat. *volvere*, 'virar'.] *V. t. d. Lus.* 1. V. *emborcar* (1). *Int.* 2. Vomitar, lançar. [Pres. ind.: *borco*, etc. Cf. *borco* (ô).]

borco (ô) [Dev. de *borcar*.] *El. s. m.* Us. na loc. adv. *de borco*. [Cf. *borco*, do v. *borcar*.] ◆ **De borco.** De barriga para baixo.

borda [Do frâncico *borda*.] *S. f.* 1. A extremidade de uma superfície; beira, margem, orla, fímbria: *borda da mesa; bordas de um lençol.* 2. Margem, praia: *borda do rio.* 3. *Constr. Nav.* Numa embarcação, a parte mais alta do costado, em toda a sua periferia. ◆ **À borda de.** V. *à beira de*: "À borda do mar ficava o mosteiro" (Fialho d'Almeida, *Contos*, p. 339). **Dar à borda.** *Mar.* Inclinar-se demasiado, e com risco, para um dos bordos, por efeito de vento ou mar súbito.

bordada [De *borda* + *-ada*[1].] *S. f.* 1. Ato ou efeito de bordejar. 2. Banda, borda, beira. 3. Espécie de vela de navio. 4. *Mar.* Cada uma das pernadas da rota de uma embarcação que bordeja; bordejo. ◆ **Bordada de artilharia.** *Mar. G.* Salva disparada com todos os canhões de uma mesma bateria e de um mesmo bordo; banda de artilharia. **Despejar a bordada.** *Mar.* Terminar a bordada à vela em que a embarcação seguira, a fim de iniciar outra.

bordadeira [De *bordar*[1] + *-deira*.] *S. f. Bord.* Mulher que borda.

bordado [Part. de *bordar*[1].] *Adj.* 1. Que é ornado de bordadura, orla ou bordado: *a praia bordada de espuma; um vestido bordado.* • *S. m.* 2. *Bord.* Lavor manual ou mecânico, feito com linha, fios de lã, etc., sobre estofo ou pano, e que cria desenhos em relevo. ◆ **Bordado de Penélope.** V. *teia de Penélope*. **Bordado inglês.** *Bord.* Tira de tecido, ger. de algodão, com bordados, us. como cercadura (2) em roupa íntima, roupa de cama, camisolas, vestidos e blusas.

borda do campo *S. f. Bras.* Limite do campo com a mata. [Pl.: *bordas do campo*.] ☑

bordador (ô) [De *bordar*[1] + *-dor*.] *Adj. S. m.* Que ou o que borda.

bordadura [De *bordar*[1] + *-dura*.] *S. f.* 1. Efeito de bordar. 2. Cercadura, orla, bordamento. 3. Borda-falsa das canoas. 4. *Arquit.* Ornato, moldura, que limita uma superfície de piso, de teto ou de parede, num baixo-relevo, numa almofada, etc. 5. Cercadura vegetal, nas divisões ou canteiros de um jardim. 6. *Mús.* Ornamento, ornato, floreio. 7. *Mús.* Nota de ornato, a um intervalo de segunda, maior ou menor, superior ou inferior, da nota real, e que, em vez de prosseguir, volta a essa nota.

borda-falsa *S. f. Constr. Nav.* Parapeito que se eleva acima do castelo, tombadilho ou convés superior de certas embarcações, e tem por fim proteger do mar o pessoal e o material. [Pl.: *bordas-falsas*.]

bordaleiro [Do esp. *burdo*, *burdallo*, 'tosco', 'grosseiro'; 'basto', donde *lana burda*, 'lã crespa'.] *Adj. S. m.* Diz-se de, ou certo carneiro de lã crespa. [Cf. *bordeleiro*.]

bordalengo [Do esp. *burdallo*, 'tosco', 'grosseiro', + *-engo*.] *Adj.* 1. Tosco, grosseiro. 2. Ignorante, estúpido, imbecil. [Cf. *bordelengo*.]

bordalês *Adj.* 1. V. *bordelês* (1). ~ V. *calda —a*. • *S. m.* 2. V. *bordelês* (2). [Flex.: *bordalesa* (ê), *bordaleses* (ê), *bordalesas* (ê).]

bordalesa (ê) [Var. de *bordelesa*, f. de *bordelês*.] *S. f.* 1. *Bras.* Barril para vinhos de Bordéus. 2. *Quím.* V. calda bordalesa.

bordalete (ê) *S. m. Zool.* Cutidura.

borda-livre *S. f. Mar. Merc.* Faixa do costado situada entre a linha de flutuação e o convés da borda-livre; bordo-livre. [Pl.: *bordas-livres*.]

bordalo *S. m. Zool.* V. *robalinho*.

borda-mar [De *borda* + *mar*[1].] *S. f. Desus.* Beira-mar. [Pl.: *borda-mares*.] ❖

borda-matense *Adj. 2 g.* 1. De, ou pertencente ou relativo a Borda da Mata (MG). • *S. 2 g.* 2. O natural ou habitante de Borda da Mata. [Pl.: *borda-matenses*.]

bordamento [De *bordar*[1] + *-mento*.] *S. m.* V. *bordadura* (2).

bordana *S. f. Prov. port.* Parede de torrões e pedra em torno de um poço.

bordão[1] [Do lat. vulg. *burdone*, 'mula'.] *S. m.* 1. Pau grosso, de arrimo; cajado, báculo, bastão, vara, vara-pau. 2. V. *cacete* (1). 3. *Fig.* Proteção, amparo, arrimo. 4. Palavra ou frase que se repete a cada passo na conversa ou na escrita. ◆ **Fazer bordão.** *Bras. PE* Sustentar com as rédeas a andadura do equídeo.

bordão[2] [Do fr. *bourdon*, onom. do zumbido do besouro ou do zangão.] *S. m. Mús.* 1. Nota grave, prolongada e invariável, que caracteriza certos instrumentos (gaita de foles, sanfona, etc.) 2. Corda (2) de tripa ou de aço, coberta com fio metálico, que lhe aumenta a grossura e permite maior tensão. 3. Corda dupla estendida sobre a pele inferior de alguns tambores. 4. *Mús.* Cada uma das notas mais graves de qualquer instrumento. 5. Cada um dos tubos tapados do órgão. 6. Registro de órgão, de diapasão grave, geralmente 16 ou 32 pés, e que se atribui à pedaleira. 7. O sino mais grave de qualquer igreja ou capela.

bordão[3] [De *bordo* (ô), poss.] *S. m. Bot.* Palmeira arecácea (*Raphia textilis*) cujas pernadas são us. para confecção de varas, mobílias ligeiras, gaiolas para pássaros, etc.: "sobe a colina em direção à sua casa — uma larga e airosa residência de bordão, construída com painéis pré-fabricados" (Henrique Abranches, *Misericórdia para o Reino do Kongo!*, p. 71).

bordão-de-velho [De *bordão*[1] + *de* + *velho*.] *S. m. Bras. Bot.* V. *avaremotemo*. [Pl.: *bordões-de-velho*.]

bordar[1] [Do germ. **bruzdôn*, **brosdar*, pela f. **brodare*.] *V. t. d.* 1. Fazer bordado (2) em: *bordar uma toalha.* 2. Fazer bordadura (2) em; ornar, guarnecer: *Um belo jardim borda as margens do lago.* 3. Criar na fantasia, fantasiar agrupando (ideias, comentários, etc.), por escrito ou oralmente, tecer: "A sociedade .... não lhe conhecia .... uma aventura sobre a qual pudesse bordar o mais minúsculo e o menos ferino dos comentários." (Benjamim Costallat, *Modernos...*, pp. 14-15.) *Int.* 4. Fazer bordado (2): "A menina .... sabia coser, bordar" (Bernardo Guimarães, *O Seminarista*, p. 28). [Pres. ind.: *bordo*, etc.; pres. subj.: *borde*, ... *bordemos*, *bordeis*, *bordem*. Cf. *bordo* (ô), s. m., e *bordéis*, pl. de *bordel*.]

bordar[2] [Do ingl. *board*.] *V. int. Açor.* Receber hóspedes. [Pres. ind.: *bordo*, etc.; pres. subj.: *borde*, ... *bordemos*, *bordeis*, *bordem*. Cf. *bordo* (ô), s. m., e *bordéis*, pl. de *bordel*.]

bordear [De *bordo* + *-ear*[2].] *V. int. T. c. T. d. P. us.* V. *bordejar*. [Conjug.: v. *frear*.]

→ **bordeaux** [bɔʁˈdo] [Fr.] *S. m. Enol.* V. *bordô* (3).

bordeira [Do cabo-verd. *bordera*.] *S. f. Cabo-verd.* 1. Borda, beira: "alçou o braço até a bordeira da cama" (Gabriel Mariano, *Vida e Morte de João Cabafume*, p. 139); "Da bordeira da Ribeira Grande se podia contemplar o indomável estendal de água barrenta" (João Lopes Filho, *Estória, Estória... Contos Cabo-Verdianos*, p. 60). 2. Caminho íngreme: "subiu a bordeira, de novo, com o *Picaroto* no coice de rabo entre as pernas e meteu-se pelos campos despovoados do planalto" (Manuel Lopes, *Os Flagelados do Vento Leste*, p. 117).

bordejar [De *bordo* + *-ejar* ou do it. *bordeggiare*.] *V. int.* 1. *Marinh.* Navegar em zigue-zague, à vela, recebendo o vento ora por um bordo, ora por outro; voltear: "Aos solavancos, o veleiro bordejava, cortando as ondas em zigue-zagues medidos" (Reginaldo Guimarães, *Uma Blusa no Cais*, p. 27). 2. *Bras. Gír.* Andar à cata de aventuras amorosas. *T. c.* 3. Ir de um lado para outro: "O padre bordejava talvez por ali." (Graciliano Ramos, *Memórias do Cárcere*, I, p. 142.) 4. V. *cambalear* (3): *Tonto de sono, bordejou até o quarto. T. d.* 5. Andar ao redor de. 6. Situar-se, ou estar, à borda ou margem de: "olhou ansiosa para a estrada que bordejava o rio." (Aníbal M. Machado, *A Morte da Porta-Estandarte e Outras Histórias*, p. 176). [Sin. ger., p. us.: *bordear*. Conjug.: v. *pelejar*.]

bordejo (ê) [Dev. de *bordejar*.] *S. m.* 1. *Mar.* Ato ou efeito de bordejar. 2. *Bras. Gír.* Passeio à cata de aventuras amorosas.

bordel [Do fr. *bordel*, 'casinha', 'cabana'; a princípio os bordéis se localizavam em cabanas isoladas.] *S. m.* V. *prostíbulo*. [Pl.: *bordéis*. Cf. *bordeis*, do v. *bordar*.]

bordeleiro [De *bordel* + *-eiro*.] *Adj.* 1. Relativo a bordel. • *S. m.* 2. Frequentador de bordéis. [Sin. bras. (nesta acepç.): *bordelengo*. Cf. *bordaleiro*.]

bordelengo *S. m. Bras.* Bordeleiro (2). [Cf. *bordalengo*.]

bordelense *Adj. 2 g. S. 2 g.* V. *bordelês*.

bordelês [Do fr. *bordelais*.] *Adj.* 1. De, ou pertencente ou relativo à cidade de Bordéus (S.O. da França) • *S. m.* 2. O natural ou habitante de Bordéus. [Var.: *bordalês*. Sin. ger.: *bordelense*, *burdegalense*. Flex.: *bordelesa* (ê), *bordeleses* (ê), *bordelesas* (ê).]

→ **borderline** [ˈbɔrdɚlajn] [Ingl.] *Adj. 2 g.* V. *personalidade —*.

borderô [Do fr. *bordereau*.] *S. m. Econ.* Relação de títulos de crédito entregues a um banco para desconto ou cobrança.

bordo [Do germ. *bord*.] *S. m.* 1. Ato ou efeito de bordejar. 2. *Fig.* Disposição de espírito. 3. *Bot.* Margem (6): *bordo foliar.* 4. *Constr. Nav.* Cada uma das duas partes simétricas em que o casco da embarcação é dividido pelo seu plano longitudinal. 5. *Marinh.* Cada uma das duas zonas em que o espaço em torno da embarcação é dividido pelo plano longitudinal dela. 6. *Bras. N.E.* Na jangada (4), cada um dos dois paus roliços, mais grossos, presos por fora das mimburas. 7. *Bras. Fam.* Passeio, volta, giro. [Pl.: *bordos* (ó). Cf. *bordo* (ô) e pl. *bordos* (ô).] ~ V. *bordos*. ◆ **Bordo claro.** *Astr.* Bordo iluminado. **Bordo escuro.** *Astr.* Limite externo do disco de um planeta ou de um satélite, na sua região não iluminada; bordo não iluminado. **Bordo iluminado.** *Astr.* Limite externo do disco de um planeta ou satélite, na sua região iluminada; bordo claro. **Bordo não iluminado.** *Astr.* Bordo escuro. **A bordo. 1.** *Mar.* Na embarcação; dentro da embarcação: *estar a bordo.* **2.** *P. ext.* Dentro de veículo de transporte coletivo (como trem, avião, etc.). **Aos bordos.** Fazendo zigue-zagues; zigue-zagueando: *Ia aos bordos, de tão bêbado.* **De alto bordo. 1.** *Mar.* Diz-se de navio de grande porte, de borda alta, próprio para navegar no alto-mar. **2.** *Fig.* De alta categoria; excelente: *Trata-se de pessoa de alto bordo.* **Virar de bordo. 1.** *Mar.* Manobrar a embarcação à vela de modo que receba o vento pelo bordo contrário àquele em que o recebia. **2.** *Fig.* Voltar-se para o lado oposto.

bordo (ô) [De or. controv.; poss. de bordo, com mudança de timbre.] *S. m. Bot.* Árvore aceráceas (*Acer saccharinum*) nativa da América do Norte. Uma vez ferida, dela escorre uma seiva rica em açúcar, que pode ser extraída; a madeira é de largo emprego em marcenaria. [Cf. *bordo*, do v. *bordar*, e s. m., e pl. *bordos*.]

bordô [Do fr. *bordeaux*.] *Adj. 2 g. e 2 n.* **1.** Que tem a cor do vinho tinto: *vestido bordô.* **2.** Diz-se dessa cor: *fazenda de cor bordô.* • *S. m.* **3.** *Enol.* Vinho, tinto ou branco, da região de Bordéus (v. *bordelês*). **4.** A cor desse vinho: *O bordô voltou a ser usado em complementos femininos.* **5.** Roupa bordô: *A jovem gosta de usar bordô.* [Cf., nas acepç. 1 e 4, *vinho* (4 e 7) e *grená*.]

bordoa (ô) *S. f.* Bordão pequeno.

bordoada [De *bordão*[1] + *-ada*[1], com desnasalação.] *S. f.* Pancada com bordão; cacetada, paulada. [Sin., bras., pop.: *biaba*.]

bordoeira [De *bordão*[1] + *-eira*.] *S. f. Bras.* V. *surra* (1).

bordo-livre *S. m. Mar. Merc.* Borda-livre. [Pl.: *bordos-livres*.]

bordos [Pl. de *bordo*.] *S. m. pl. Bras. N.E.* Paus de jangada (4) colocados entre os dois extremos e o do centro. ~ V. *bordo*.

borduna *S. f. Bras.* Designação genérica das armas indígenas feitas de madeira dura usadas para dar bordoadas.

bordunada [De *borduna* + *-ada*[1].] *S. f.* Pancada com borduna.

boré [Do tupi.] *S. m. Bras.* **1.** Toré (1): "Se as matas estrujo / Coos sons do boré, / Mil arcos se encurvam, / Mil setas lá voam, / Mil gritos reboam" (Gonçalves Dias, *Obras Poéticas*, I, p. 25). **2.** O mastro da jangada. [Cf. *buré*.]

boreal [Do lat. *boreale*.] *Adj. 2 g.* **1.** Do lado do norte; situado ao norte; setentrional: "Cruzando os oceanos polares durante o verão, quer nas regiões boreais, quer nas austrais, esse gigante das vagas, desde que casara, ... encetara o comando de navios baleeiros" (Virgílio Várzea, *Contos de Amor*, p. 73). **2.** *Bot.* Diz-se das plantas próprias do hemisfério norte. ~ V. *aurora —*. [Antôn.: *austral, meridional*.]

bóreas [Do mit. gr. *Bóreas*, deus que personifica o vento norte, pelo lat. *Boreas*.] *S. m. 2 n. Poét.* Entre os antigos, o vento norte. [Antôn.: *austro* e *noto*.]

boreliano *Adj. Mat.* ~ V. *tribo —a*.

boresca *S. f. Bras. Pop.* V. *cachaça* (1).

boreste [De *estibordo*, com supressão da sílaba final e transposição da penúltima para o começo.] *S. m. Bras. Mar.* Lado direito da embarcação para quem, da popa, olha para a proa. [A Marinha de Guerra do Brasil adotou, em 1884, este termo em vez de estibordo, para, nas vozes de manobra, evitar confusão com *bombordo*.]

boretação [De *boretar* + *-ção*.] *S. f. Metal.* Aquecimento do aço em presença de compostos de boro, a fim de produzir o enriquecimento superficial neste elemento, o que confere ao produto alta resistência à abrasão.

boretar [De *boreto* + *-ar*[2].] *V. t. d. Metal.* Realizar a boretação de.

borga [De or. obsc.] *S. f. Lus.* V. *orgia* (3).

borgiano *Adj.* **1.** Relativo ou pertencente ao escritor argentino Jorge Luis Borges (1899-1986), ou próprio dele: "O universo borgiano, de arquitetura específica, construído pelo intelecto e constituído na realização privilegiada de uma linguagem, reflete visão particular do mundo e do homem." (Bella Jozef, *Jorge Luis Borges*, p. 52.) **2.** Que é seu admirador e/ou conhecedor profundo de sua obra. • *S. m.* **3.** Admirador e/ou conhecedor profundo da obra de Borges.

borgo [Do ár. *borghot*.] *S. m. Ant.* Véu com que as mulheres muçulmanas se mostravam em público.

borgonha *S. m. Enol.* Vinho, tinto ou branco, da Borgonha (v. borgonhês).

borgonhês *Adj.* **1.** Da, ou pertencente ou relativo à Borgonha (região do L. da França). • *S. m.* **2.** O natural ou habitante da Borgonha. [Sin. ger.: *borguinhão*. Flex.: *borgonhesa* (ê), *borgonheses* (ê), *borgonhesas* (ê).]

borguinhão [Do fr. *bourguignon*.] *Adj. S. m.* V. *borgonhês*. [Fem.: *borguinhona*.]

borguinhona *S. f.* Fem. de *borguinhão*.

borguista [De *borga* + *-ista*.] *Adj. 2 g. S. 2 g. Lus.* Diz-se de, ou aquele que vive na borga.

bori [Do ior.] *S. m. Bras. Rel.* No candomblé e em outros cultos afins, rito penitencial e purificatório ao fim do qual se banha a cabeça do crente com sangue do animal sacrificado. [Var.: *obori*.]

boricado [De *bórico* + *-ado*[1].] *Adj. Quím.* Que contém ácido bórico em dissolução. ~ V. *água —a*.

bórico *Adj. Quím.* ~ V. *ácido —*.

boridreto (ê) [De *boro* + *-idr(o)-* + *-eto*[2].] *S. m. Quím.* O ânion BH_4^-, ou qualquer sal que contenha esse ânion.

boriena [Do tax. *Borhyaena*.] *S. m. Paleont.* **1.** Gênero de carnívoros marsupiais, com espécimes do tamanho de um lobo, e que habitaram a América do Sul do paleoceno até o plioceno. **2.** Espécie, ou espécime desse gênero.

borjaca *S. f.* V. *burjaca*.

borla[1] [Do lat. **burrula*, 'floco de lã'.] *S. f.* **1.** Obra de passamanaria formada por um suporte em forma de campânula, do qual pendem inúmeros fios; bolota: "Rubião suspirou, cruzou as pernas, e bateu com as borlas do chambre sobre os joelhos." (Machado de Assis, *Quincas Borba*, pp. 3-4.) **2.** Barrete doutoral. **3.** Rodela ou disco ornamental no topo dos mastros ou de paus de bandeira. **4.** *Arquit.* Ornato em forma de campânula, ger. us. em associação a outros ornatos. [Dim. irreg.: *borleta*.] **5.** *Bot.* Árvore esterculiácea (*Dombeya tiliacea*), de origem africana e bastante cultivada, dado o seu alto valor ornamental. É de pequeno porte e tem madeira mole; as folhas são grandes, lobadas, pilosas e membranáceas; as flores, róseas, rosadas ou alvas, agregam-se em compactas inflorescências globosas, de grande tamanho e de efeito ornamental.

borla[2] [De *burla*.] *S. f.* **1.** V. *logro* (2). **2.** *Lus.* V. *molagem*. ◆ **De borla.** *Lus.* De molagem.

borlanda *S. f. Bras.* Bagaço que resta da destilação do milhão[2].

borleta (ê) [De *borla*[1] + *-eta* (ê).] *S. f.* Pequena borla[1]. [Cf. *burleta*.]

borlista [De *borla*[2] + *-ista*.] *Adj. 2 g. S. 2 g. Lus.* Diz-se de, ou aquele que obtém borlas [v. *borla*[2] (2)].

borlunga *S. f. Moç.* Bebida que se obtém pela fermentação do milhão[2].

bornal [De or. incerta.] *S. m.* **1.** Saco de pano, couro, etc., em geral utilizado a tiracolo, para transportar provisões, ferramentas, etc.: "O bornal de couro curtido, ..., dividia-se em compartimentos." (Ciro dos Anjos, *A Menina do Sobrado*, p. 118.) [Sin., bras., SP.: *mucuta*.] **2.** Saco que se pendura ao focinho de cavalgaduras para que nele comam; mochila, cevadeira. [Sin. ger.: *embornal*.]

bornano [De *born(eol)* + *-ano*[2].] *S. m. Quím.* Hidrocarboneto monoterpenoide, saturado, bicíclico, em ponte, produzido sinteticamente; canfano [fórm.: $C_{10}H_{18}$].

borne[1] [Do fr. *born*.] *S. m.* Peça metálica que se liga ao quadro de eletricidade, e em cuja parte superior há um parafuso destinado a fixar o fio que a atravessa.

borne[2] *S. m. Bot. Pop.* Alburno.

bornear *V. t. d.* **1.** Alinhar com a vista; verificar se está no nível. **2.** Mover em derredor. [Conjug.: v. *frear*.]

borneio [Dev. de *bornear*.] *S. m.* **1.** Movimento circular horizontal para acertar a pontaria (de canhão). **2.** Lança antiga, usada em justas.

borneira *S. f.* **1.** Pedra negra usada para fazer mó. **2.** Mó feita dessa pedra. [Cf. *burneira*.]

borneiro *Adj.* Moído na borneira (o trigo).

borneol [Do top. *Bornéu* (Oceania) + *-ol*[2].] *S. m. Quím.* Álcool monoterpênico derivado da cânfora [fórm.: $C_{10}H_{18}O$]. [Pl.: *borneóis*.]

bornita [Do antr. (*Ignatius von*) *Born* (1742-1791), mineralogista austríaco, + *-ita*[3].] *S. f. Min.* Mineral monométrico, sulfeto de cobre e ferro, minério de cobre.

bornu [De *Bornu*, nome de antigo reino que coincide em grande parte com as atuais repúblicas de Níger e da Nigéria (N. da África).] *S. 2 g. Adj. 2 g.* V. *canúri*.

boro [Der. regress. de *bórax*.] *S. m. Quím.* Elemento de número atômico 5, não metálico, sólido, aparentemente amorfo, pouco reativo [símb.: *B*].

boró[1] *S. m. Bras. Zool.* Peixe elasmobrânquio, hipotremado, paratrigonídeo (*Paratrygon motoro*), dos rios Amazonas e Paraguai, de coloração pardacenta, com numerosos círculos negros, com centros amarelos, irregularmente dispersos no corpo. [Var. pros.: *boró*; sin.: *raia-grande, arraia-grande, motoro*.] ~ V. *borós*.

boró[2] *S. m. Bras.* **1.** Ficha (1). **2.** *Bras.* Moeda divisionária emitida por municipalidades ou por particulares. **3.** *Bras. CE* Muamba; contrabando. **4.** *Bras. PA* Bilhete de bonde que circulava como dinheiro. **5.** *Bras. N.E.* Fumo de qualidade inferior. **6.** *Bras. N.E. Gír.* V. *baseado*[1]. ~ V. *borós*.

borô *S. m. Bras.* V. *boró*[1].

boroa (ô) [Do port. ant. *borona*.] *S. f.* Broa (q. v.).

borocotó [Do tupi.] *S. m. Bras.* **1.** Terreno escabroso, com muitos altos e baixos, escavado ou obstruído de pedras. **2.** Sulco irregular aberto por águas pluviais em ruas sem calçamento. [Var.: *brocotó*.]

borocoxô *Adj. 2 g. S. 2 g. Bras. Gír.* Diz-se de, ou pessoa sem coragem, mole, fraca, ou envelhecida.

boroeiro [De *boroa* + *-eiro*.] *Adj.* **1.** Que se alimenta de broa (1) ou boroa. **2.** *Fig.* Grosseiro, rude.

borófago [Do tax. *Borophagus*.] *S. m. Paleont.* **1.** Gênero de mamíferos primitivos, semelhantes às hienas atuais, que viveram na América do Norte, no pleistoceno. **2.** Espécie, ou espécime desse gênero.

borogodó [De or. express., poss.] *S. m. Bras. Pop.* Atrativo físico muito peculiar, especialíssimo. "Em *Mulheres Apaixonadas*, Marina (Paloma Duarte) dizia que a mãe, Sílvia (Natália do Vale), tinha borogodó, razão pela qual atraía tantos olhares." (Manuel Carlos, em Revista *Veja Rio*, 27.10.2004.)

bororé [De or. tupi, poss.] *S. m. Bras.* Veneno com que os indígenas brasileiros empeçonhavam as flechas.

bororo (ôro) *Bras. S. 2 g.* **1.** *Etnôn.* Indivíduo dos bororos, povo indígena da família linguística bororo, tronco macro-jê que habita os municípios de Poxoréu, Rondonópolis, Barra do Garça, General Carneiro, Barão de Melgaço e Santo Antônio de Leverger (MT). [Tb. us. como *s. 2 g. e 2 n.* (com cap.)] • *S. m.* **2.** *Gloss.* Família linguística do tronco macro-jê à qual pertencem as línguas faladas por povos indígenas do MT. • *Adj. 2 g.* **3.** Pertencente ou relativo aos bororos ou a bororo (2). [Nesta acepç., tb. us. como *adj. 2 g. e 2 n.* Sin., nas acepç. 1 e 3: *otuque*.]

bororó[1] [De or. indígena.] *S. m. Zool.* **1.** *Bras.* V. *veado-roxo*. **2.** *Bras. BA* V. *roncador* (3).

bororó[2] *S. 2 g. Adj. 2 g. Bras.* V. *bororo* (1 e 3).

borós *S. m. pl. Bras. N. Gír.* V. *dinheiro* (5). ~ V. *boró*.

borossilicato [De *boro* + *silicato*.] *S. m. Quím.* **1.** Qualquer de um grupo de sais oxigenados contendo boro e silício, us. na produção de vidros resistentes a variações de temperatura. **2.** *P. ext.* O vidro assim produzido; pírex.

borotungstato [De *boro* + *tungst(ênio)* + *-ato*[2].] *S. m. Quím.* Qualquer sal oxigenado que contenha boro e tungstênio.

borquilho *Adj. S. m. Bras. RS* Diz-se de, ou aquele que tem as pernas tortas, que é cambaio.

borra [Dev. de *borrar*] *S. f. Chulo* V. *diarreia*. [Pl.: *borras*. Cf. *borra* (ô) e pl. *borras* (ô).]

borra (ô) [Do lat. *burra*.] *S. f.* **1.** Substância sólida que, depois de haver estado em suspensão num líquido, se depositou; sedimento, lia, fezes. **2.** Resíduo de seda que não se aproveita durante a fiação, e de que se fazem tecidos mais grosseiros. **3.** V. *ralé* (1). **4.** *Pop.* V. *ninharia*. [Pl.: *borras* (ô). Cf. *borra*, s. f., pl. *borras*, e *borra, borras*, do v. *borrar*.] ◆ **De borra.** *Chulo* Reles, ordinário; de merda, merdoso: *É um doutor de borra.*

borra-botas [De *borrar* + pl. de *bota*[1].] *S. 2 g. e 2 n.* **1.** *Desus.* Mau engraxate. **2.** *Fig.* V. *joão-ninguém*. **3.** *Fig.* Indivíduo reles, desprezível; biltre.

borraçal [De *borra* (ô) + *-aç(a)-* + *-al*[1].] *S. m.* Terreno pantanoso com pastagem; lameiro.

borraceiro [De *borra* (ô), poss.] *Adj.* **1.** Diz-se do tempo ligeiramente chuvoso; borriceiro. **2.** Que tem muita borra (ô); pouco limpo. • *S. m.* **3.** V. *chuvisco* (1).

borracha[1] [Do esp. *borracha*, 'odre para vinho'; passou à acepç. nº 2 por se fazerem borrachas com o látex.] *S. f.* **1.** Odre de couro bojudo, com bocal, para conter líquido: "os rapazes, fazendo-se sisudos, vêm desarrolhar as borrachas. E o vinho novo jorra a espumar nas canecas de loiça." (José Vieira, *Sol de Portugal*, p. 163). **2.** *Quím.* Substância elástica feita do látex coagulado de várias plantas, como, p. ex., a seringueira, o caucho, a goma-elástica, etc., ou obtida por processos químico-industriais. **3.** Esse látex beneficiado, para a indústria. **4.** Pedaço de borracha (3) apropriado para apagar traços do desenho e da escrita. **5.** Reservatório oco, piriforme, dessa matéria, com bico, que se enche de líquido por injetar, como seringa. **6.** *Bras.* V. *mangueira*[1]. **7.** *Bras.* Cassetete. ◆ **Borracha butílica.** *Quím.* Substância polimérica, copolímero de isobuteno e um dieno (p. ex., o isopreno) que é um elastômero sintético. **Entrar na borracha.** *Bras. Pop.* Ser surrado com cassetete. **Passar uma borracha em.** Passar uma esponja em; esquecer, perdoar.

borracha[2] [Alter. de *borragem*.] *S. f. Bras. Bot.* V. *borogo* (2).

borrachada [De *borracha*[1] + *-ada*[1].] *S. f. Bras.* **1.** Clister aplicado com seringa de borracha[1]. **2.** Pancada com borracha[1] (7).

borrachão[1] [De *borracha*[1] + *-ão*[1].] ***S. m. Bras.*** Chifre com fundo tapado, e aberto na ponta, para conduzir líquidos.

borrachão[2] [Aum. de *borracho*[2].] ***S. m.*** V. *ébrio* (8). [Fem.: *borrachona*.]

borracharia [De *borracha*[1] + *-aria*.] ***S. f.*** Estabelecimento onde se consertam e se vendem pneumáticos; borracheiro.

borracheira [De *borracho*[2] + *-eira*.] ***S. f.*** **1.** V. *bebedeira* (1). **2.** Palavras ou comportamento de bêbado. **3.** Grosseria, indelicadeza. **4.** Despropósito, disparate. **5.** Obra malfeita. **6.** *Bras. SP* Alteração da consciência produzida pela ingestão de infusão feita de plantas alucinógenas. [Sin. ger.: *borrachice*.]

borracheiro [De *borracha*[1] + *-eiro*.] ***S. m.*** **1.** *Bras.* Indivíduo que se dedica à venda e/ou conserto de pneumáticos. **2.** Borracharia. **3.** *Bras. MG* Indivíduo que extrai o leite da mangabeira.

borrachento [De *borracha*[1] + *-ento*.] ***Adj.*** Que lembra a consistência ou a textura da borracha.

borrachice [De *borracho*[2] + *-ice*.] ***S. f.*** V. *borracheira*.

borrachífero [De *borracha*[1] + *-ífero*.] ***Adj.*** Que produz borracha[1].

borracho[1] ***S. m.*** **1.** Pombo implume, ou que ainda não voa: "Eu derrubei o pombal, matei os borrachos." (Coelho Neto, *Treva*, p. 160.) **2.** *Bras. MA Lus.* Menina-moça bonita e atraente.

borracho[2] [Do esp. *borracho*.] ***Adj. S. m.*** V. *ébrio* (2 e 8): "Bebendo esse licor, fiquei borracho / E depois doido." (Eugênio de Castro, *Obras Poéticas*, III, p. 125.)

borrachona ***S. f.*** Fem. de *borrachão*[2].

borrachudo [De *borracha*[1] + *-udo*.] ***Adj.*** **1.** Inchado como borracha[1] (1) cheia. ~ V. *cheque* —. • ***S. m.*** **2.** *Bras. Zool.* Designação comum aos insetos dípteros simuliídeos, nematóceros, de pequeno porte (até 6mm de comprimento); os olhos são contíguos no macho, sem ocelos; a nervura costal ou costa não contorna a asa; o primeiro artículo tarsal é mais longo que os seguintes; as larvas e pupas são aquáticas, preferindo cachoeiras e corredeiras. Só as fêmeas são hematófagas e diurnas. Transmitem a oncocercose ao homem. [Sin. (nesta acepç.): *pium*, *promotor*.]

borrada [De *borrar* + *-ada*[1].] ***S. f.*** **1.** Ato ou efeito de borrar. **2.** Derramamento de borra (ô) (1). **3.** Porcaria, imundície, sujeira. **4.** Ação indecorosa, indigna. [Cf. *burrada*.]

borradela [De *borrar* + *-dela*.] ***S. f.*** **1.** Camada de tinta aplicada grosseiramente. **2.** V. *borrão*[1] (1).

borrador (ô) [De *borrar* + *-dor*.] ***S. m.*** **1.** Livro onde os comerciantes anotam, dia a dia, as suas operações, e que serve de base para a escrituração regular; costaneira, borrão. **2.** Caderno de rascunho. **3.** V. *borra-tintas* (1). **4.** Mau escritor; escrevinhador.

borradura [De *borrar* + *-dura*.] ***S. f.*** Ato ou efeito de borrar.

borragem [Do b.-lat. *borragine*.] ***S. f. Bot.*** V. *borago* (2).

borraginácea ***S. f. Bot.*** V. *boraginácea*.

borragináceo ***Adj. Bot.*** V. *boragináceo*.

borraina [De *borra* (ô) (2), poss.] ***S. f.*** **1.** Almofada interior dos arções das selas: "Basta dizer que a água me chegou quase às borrainas da sela e, do outro lado, cavalo, cavaleiro e defunto — tudo pingava!" (Afonso Arinos, *Histórias e Paisagens*, p. 16.) **2.** *Arquit.* Dobra ou pestana feita nas bordas das placas de chumbo, empregada no revestimento de terraço ou numa laje de cobertura, quando se quer unir as placas sem o uso de solda.

borralha [De *borra* (ô) + *-alha*.] ***S. f.*** **1.** V. *borralho* (1 a 3). **2.** V. *cinza* (1).

borralhara [Alter. de *brujarara*, poss., com infl. de *borralha*.] ***S. f. Bras. S. Zool.*** Ave passeriforme, formicariídea (*Mackenzienae eachii*). O macho é negro, com manchas brancas arredondadas nas penas do dorso, no abdome estrias da mesma cor, e cauda larga longa; a fêmea, bruna, e tem manchas e estrias amareladas. [Sin.: *brujarara*, *brurajara*, *brijara*, *papa-ovo*, *papa-pinto*, *assobiador*, *chororó*, *mbatará*. Cf. *choca*[4].]

borralhara-pintada ***S. f. Bras. Zool.*** Chocão. [Pl.: *borralharas-pintadas*.]

borralheira [De *borralho* + *-eira*.] ***S. f.*** Lugar onde se acumula a cinza ou borralha; borralheiro.

borralheiro [De *borralho* + *-eiro*.] ***Adj.*** **1.** Que gosta de ficar junto ao borralho, na cozinha. **2.** Que sai pouco de casa. • ***S. m.*** **3.** Borralheira.

borralhento [De *borralha* + *-ento*.] ***Adj.*** Que tem a cor da borralha (2); cinzento.

borralho [De *borra* (ô) + *-alho*.] ***S. m.*** **1.** Brasido coberto de cinzas. **2.** Brasido quase apagado. **3.** Cinzas quentes, rescaldo. [Sin., nessas acepçs.: *borralha*.] **4.** *Fig.* Lar, lareira. • ***Adj.*** **5.** Diz-se do touro de pelo cinzento.

borrão[1] [De *borrar* + *-ão*[3].] ***S. m.*** **1.** Mancha de tinta; borratão, borradela. **2.** Rascunho, minuta[1]. **3.** Esboço, debuxo. **4.** *Fig.* Ação indecorosa; desdouro. [Cf. *burrão*.]

borrão[2] [De *borrar* + *-ão*[1].] ***S. m.*** **1.** V. *borrador* (1). **2.** *Bras. Pop.* Indivíduo medroso. [Cf. *burrão*.]

borra-papéis [De *borrar* + o pl. de *papel*.] ***S. 2 g. e 2 n.*** Mau escritor; escrevinhador.

borra-portas [De *borrar* + o pl. de *porta*.] ***S. m. 2 n. Pop.*** V. *caiador*.

borrar [De *borra* (ô) + *-ar*[2].] ***V. t. d.*** **1.** Deitar borrões em; sujar; enodoar. **2.** Riscar (o escrito) para torná-lo ininteligível; rabiscar. **3.** Pintar grosseiramente. **4.** *Chulo* Sujar com fezes; defecar em. ***Int.*** **5.** *Chulo* V. *defecar* (5). ***P.*** **6.** *Chulo* V. *defecar* (6). **7.** *Chulo* Ficar apavorado; morrer de medo. [Pres. ind.: *borro*, *borras*, *borra*, etc. Cf. *borro* (ô), *borra* (ô) e pl. *borras* (ô).]

borrasca [Do gr. ático *Borrâs*, var. de *Boréas*, 'bóreas', poss. pelo it. *burrasca*.] ***S. f.*** **1.** Vento forte e súbito acompanhado de chuva. **2.** Tempestade no mar. **3.** *Fig.* Ocorrência súbita de contrariedade, desgosto. **4.** Acesso de fúria com palavras e gestos descomedidos.

borrascoso (ô) [De *borrasca* + *-oso*[1].] ***Adj.*** **1.** Que traz ou promete borrasca. **2.** Em que há borrasca.

borratão ***S. m.*** **1.** V. *borrão*[1] (1). **2.** Tinta alastrada.

borra-tintas [De *borrar* + o pl. de *tinta*.] ***S. 2 g. e 2 n.*** *Bras. S.* **1.** Pessoa que pinta mal; borrador, troca-tintas. **2.** *P. ext.* Mau profissional; oficial imperito; sarrafaçal.

borrazopolitano ***Adj.*** **1.** De, ou pertencente ou relativo a Borrazópolis (PR). • ***S. m.*** **2.** O natural ou habitante de Borrazópolis. [Sin. ger.: *catugiense*.]

borrega (ê) [F. de *borrego* (ô).] ***S. f.*** Ovelha com menos de um ano. [Pl.: *borregas* (ê). Cf. *borrega* e *borregas*, do v. *borregar*.]

borregã ***S. f. Bras.*** Lã tirada de borrego (1).

borregada [De *borrego* (ê) + *-ada*[1].] ***S. f.*** Rebanho ou porção de borregos. [Sin. (bras.): *borregagem*.]

borregagem [De *borrego* (ê) + *-agem*[2].] ***S. f. Bras.*** Borregada.

borregar [De *borrego* (ê) + *-ar*[2].] ***V. int.*** Emitir som semelhante ao emitido pelo borrego. [Conjug.: v. *regar*. Pres. ind.: *borrego*, *borregas*, *borrega*, etc. Cf. *borrega* (ê), pl. *borregas* (ê), *borrego* (ê) e *burrego* (ê), pl. *burregos* (ê).]

borrego (ê) [De *borro* (ô) + *-ego*.] ***S. m.*** **1.** Cordeiro com menos de um ano. **2.** *Fam.* Indivíduo sossegado, manso, pacífico. [Pl.: *borregos* (ê). Cf. *borrego*, do v. *borregar*, e *burrego*.]

borregueiro [De *borrego* (ê) + *-eiro*.] ***S. m.*** Pastor de borregos.

borreguice [De *borrego* (ê) + *-ice*.] ***S. f.*** **1.** Indolência, preguiça. **2.** Estultícia, parvoíce, tolice.

borrelho (ê) [De *borra* (ô) + *-elho*, poss.] ***S. m. Lus. Zool.*** Molusco gastrópode, litorinídeo (*Littorina littorea*), do Mediterrâneo e do Atlântico, castanho-esverdeado, com linhas transversais esbranquiçadas e negras, e abertura esbranquiçada.

borrélia [Do tax. *Borrelia* (do antr. [*Amédée*] *Borrel* [1867-1936], bacteriologista francês, + lat. cient. *-ia*, v. *-ia*[2]).] ***S. f. Microbiol.*** **1.** Gênero de microrganismos espiroquetáceos, que parasitam diversos animais, causando, muitos deles, febre recorrente em aves, no homem, e noutros mamíferos, e do qual foram descritas trinta e seis espécies. **2.** Qualquer espécie desse gênero, como, p. ex., a *Borrelia neotropicalis* e a *B. burgdorferi*. **3.** Qualquer espécime desse gênero.

borreliose [De *borrélia* + *-ose*[1].] ***S. f. Patol.*** Infecção causada por qualquer variedade do gênero borrélia.

borrento [De *borra* (ô) + *-ento*.] ***Adj.*** Que tem borra (ô).

borriçar [De *borriço* + *-ar*[2].] ***V. int.*** V. *chuviscar*. [Conjug.: v. *laçar*. Defect., unipess. Pres. subj.: *borrice*. Cf. *burrice*.]

borriceiro [De *borriço* + *-eiro*, ou var. de *borraceiro*.] ***Adj. S. m.*** Borraceiro (1 e 3).

borriço [De *borra* (ô) + *-iço*.] ***S. m.*** V. *chuvisco* (1).

borrifador (ô) [De *borrifar* + *-dor*.] ***Adj.*** **1.** Que borrifa. • ***S. m.*** **2.** Aquilo ou aquele que borrifa. **3.** V. *regador* (3).

borrifar [De *borrifo* + *-ar*[2].] ***V. t. d.*** **1.** Molhar com borrifos; orvalhar, rociar; esborrifar: "As gotas esparsas borrifavam-lhe o rosto como punhados de alfinetes." (José Américo de Almeida, *A Bagaceira*, p. 179.) **2.** Molhar com pequeninas gotas, à maneira de borrifos; salpicar: *O padre tomou do aspersório e borrifou os fiéis.* ***T. d. e c.*** **3.** Espalhar, esparzir, à maneira de borrifos: *borrifar cores em um painel;* "Bochechou a água e borrifou-a em volta, com gosto." (Moreira Campos, *Portas Fechadas*, p. 13). ***Int.*** **4.** V. *chuviscar*. ***P.*** **5.** Molhar-se com borrifos: "Antes de subir, joga água em si mesma, apressadamente, borrifando-se no rosto, no vestido, como mulher que se perfuma." (Aníbal M. Machado, *Histórias Reunidas*, p. 251.)

borrifo [De *borra*, poss.] ***S. m.*** **1.** Difusão de gotas; esborrifo. **2.** Pequenas gotas de chuva ou de orvalho. **3.** Conjunto de pequenos fios de água que passam pelo crivo do regador. **4.** Pequenos pontos semelhantes a gotas.

borriscar [Cruz. de *borrão* com *rabiscar*.] ***V. t. d. Bras. Pop.*** Rabiscar (3). [Conjug.: v. *trancar*.]

borriscos [De *borriscar*.] ***S. m. pl. Bras. Pop.*** V. *rabiscos*.

borro (ô) [Do lat. *burru*, 'ruço'.] ***S. m.*** Carneiro de entre um e dois anos. [Pl.: *borros* (ô). Cf. *borro*, do v. *borrar*.]

borrusquê [Do antr. *Barrus*, negociante francês que no séc. XIX introduziu em Diamantina (MG) o vale deste nome.] ***S. m. Bras. MG*** Vale que era emitido por negociantes, industriais, instituições beneficentes, para suprir a falta de troco, e circulava como dinheiro: "Vovó, todos os sábados, manda um de meus irmãos ao Palácio, que é perto da Chácara, trocar uma nota em borrusquês do Bispo." (Helena Morley, *Minha Vida de Menina*, p. 12.)

→ **borsalino** [borsa'lino] [It.] ***S. m. Vest.*** Calçado de couro de duas cores: biqueira e calcanhar escuros, e o restante branco.

→ **borsch** [bɔrʃtʃ] [Rus., tb. transliterado *borshch*.] ***S. m. Cul.*** Sopa de beterraba, que se serve fria ou quente, ger. com creme de leite.

bort [Do hol. *boort*.] ***S. m.*** Variedade fibrorradiada de diamante, de estrutura pouco conhecida.

bortalá ***S. m. Bras.*** Capuz para fazer medo às crianças.

borzeguim [Do fr. ant. *brouzequin* (hoje *brodequin*).] ***S. m.*** Botina cujo cano é fechado com cordões: "E avançava tropeçando, ... a ferragem de seus grosseiros borzeguins de couro atanado tirando faúlhas nas pedras da calçada." (Silva Guimarães, *Os Borrachos*, p. 25). ◆ **Entrar de borzeguins.** *Bras. Pop.* V. *entrar de sola* (2).

bós [Do tax. *Bos*.] ***S. m. Zool.*** **1.** Gênero de mamíferos ruminantes que compreende animais selvagens e domésticos; são corpulentos e têm chifres curvos e ocos, inseridos lateralmente no crânio. **2.** Espécie, ou espécime desse gênero. [Sin. ger.: *tauro*[2].]

bosão ***S. m. Lus. Fís. Nucl.*** V. *bóson*. [Pl.: *bosões*.]

bosboque [Do lat. *bos*, 'boi', + al. *Bock*, 'bode'.] ***S. m. Zool. Ant.*** Bisão.

boscagem [De *bosque* + *-agem*[2].] ***S. f.*** Mata, floresta, bosque.

boscarejo (ê) ***Adj.*** **1.** Relativo a bosque. **2.** Que vive nos bosques.

bosniano ***Adj. S. m.*** V. *bósnio*.

bósnio ***Adj.*** **1.** Da, ou pertencente ou relativo à República da Bósnia Herzegóvina. • ***S. m.*** **2.** O natural ou habitante da República da Bósnia Herzegóvina. [Sin. ger.: *bosniano*.]

bóson [Do antr. (*Satyendranath*) *Bose* (1894-1974), físico indiano, + *-on*; ingl. *boson*.] ***S. m. Fís. Nucl.*** Qualquer partícula elementar de *spin* inteiro, como, p. ex., os mésons e os fótons, cujo comportamento é descrito pela estatística de Bose-Einstein (q. v.). [Pl.: *bósons*.] ◆ **Bóson de *gauge*.** *Fís. Part.* Partícula elementar mediadora das interações entre partículas, nas teorias de *gauge*. O fóton, os bósons W e Z-zero, o glúon e o gráviton são os bósons de *gauge* das interações eletromagnéticas, fracas, fortes e gravitacionais, respectivamente; bóson intermediário. **Bóson intermediário.** *Fís. Part.* Bóson de *gauge* (q. v.).

bóson w *Fís. Part.* Bóson de massa 80,22 GeV/c^2, *spin* 1, com estados de carga elétrica igual à do próton ou à do elétron. [É mediador das interações fracas, descoberto em 1983. Representa-se por *W+* ou *W-*, conforme a carga elétrica.]

bosque [Do cat. ou do occitano *bosc*.] ***S. m.*** **1.** Quantidade de mais ou menos considerável de árvores dispostas proximamente entre si. **2.** Mata, selva, floresta. **3.** Aglomeração de objetos (mastros, armas, etc.) semelhantes a árvores. [Dim. irreg.: *bosquete*.]

bosquejado [Part. de *bosquejar*.] ***Adj.*** **1.** Que se bosquejou. **2.** Esboçado, delineado, tracejado.

bosquejar [Do cat. *bosquejar*, pelo esp. *bosquejar*.] ***V. t. d.*** **1.** Fazer bosquejo de; esboçar: *Bosquejou o quadro antes de pintá-lo.* **2.** Descrever a traços largos, sem desenvolver; resumir. [Conjug.: v. *pelejar*.]

bosquejo (ê) [Dev. de *bosquejar*.] ***S. m.*** **1.** Primeiros traços, imprecisos ainda, que antecedem o plano geral de uma obra, e iniciais no processo de criação. **2.** Esboço, rascunho. **3.** Descrição sumária; resumo, síntese: "São vários os princípios da moral positivista; seria impossível em pequeno bosquejo condensar toda a obra harmônica de conceito de Augusto Comte." (A. Austregésilo, *Obras Completas*, V, p. 200.)

bosquete (ê) [De *bosque* + *-ete* (ê).] ***S. m.*** Pequeno bosque; bosquezinho: "desces, com lentos passos, ao caro jardim, ao bosquete / de louros e camélias, à predileta vinha." (Carlos Magalhães de Azeredo, *Odes e Elegias*, p. 51).

bosquimano ***S. m. Adj.*** V. *bosquímano*.

bosquímano [Do africâner *boschjesman*, 'homem da mata'.] ***S. m.*** **1.** *Etnôn.* Indivíduo dos bosquímanos, povo nômade que habita principalmente o deserto de Calaári (Botsuana e Namíbia, no S.O. da África); sã, coissã. [Esta última denominação procura refletir a estreita relação entre os bosquímanos e os coicois ou hotentotes.] 2. *Gloss.* Língua da família coissã falada em Angola e Namíbia (África); sã, haicom. 3. Vocábulo dessa língua. ● *Adj.* 4. Pertencente ou relativo aos bosquímanos, ou a bosquímano (2). [F. paral.: *boximane, boxímano.*]

bossa [Do fr. *bosse.*] *S. f.* 1. Inchação resultante de contusão; inchaço, galo. 2. V. *corcunda* (1). 3. Protuberância natural no dorso de certos animais, como, p. ex., o camelo; corcova, giba, geba. 4. Pequena elevação de uma superfície. 5. Formação esférica na matéria vitrificada. 6. *Fig.* Aptidão, queda, pendor, vocação: *Tem bossa para música.* 7. *Anat. Med.* Saliência arredondada presente em osso, ou em neoplasma. 8. *Obst.* Derrame serossanguíneo decorrente de atrito da cabeça ou de nádega do feto contra a pelve materna, por ocasião do início do período de expulsão. 9. *Bras. Gír.* Atributo ou qualidade peculiar a pessoa ou coisa, que faz que elas agradem, chamem a atenção, se distingam de uma ou de outra: *Este vestido é caro, mas tem muita bossa; A loura que o acompanhava, além de bonita, tinha bossa.* [Cf. *boça* e *bouça.*] ◆ **Bossa nova.** *Bras.* Movimento da música popular brasileira criado no final da década de 50 e caracterizado pela renovação rítmica, melódica e harmônica, por uma forma de samba suave e pausado, diferente do tradicional, com marcada influência do jazz, e pela valorização das letras, abordando temáticas urbanas relacionadas, principalmente, à zona sul do Rio de Janeiro. [Cf. *bossa-nova.*]

bossagem [Do fr. *bossage.*] *S. f. Arquit.* 1. Saliência, com feitio de almofada, praticada na superfície de uma parede. 2. Pedra, tijolo ou bloco de madeira que ressai da parede; relega. [Sin. ger.: *abossadura.*]

bossa-nova *Adj. 2 g. e 2 n. Bras. Pop.* 1. Relativo ou pertencente à, ou próprio da, ou criado pela bossa nova (q. v.): *música bossa-nova.* 2. *P. ext.* Maneira recente de fazer alguma coisa; nova moda: *teatro bossa-nova; É uma concepção bossa-nova.* [Cf. *bossa nova.*]

bossa-novista [De *bossa-nova* + *-ista.*] *Adj. 2 g. S. 2 g. Bras. Pop.* Partidário ou admirador da bossa nova. [Pl.: *bossa-novistas.*]

bossoroquense *Adj. 2 g.* 1. De, ou pertencente ou relativo a Bossoroca (RS). ● *S. 2 g.* 2. O natural ou habitante de Bossoroca.

bosta [Do port. arc. **bostal* < lat. tard. *bostar*, 'curral de bois'.] *S. f.* 1. Excremento do gado bovino. 2. Excremento de qualquer animal. 3. Merda (1). [Sin., nessas acepçs.: *binga.*] 4. Coisa malfeita, de má qualidade, ou reles; titica. ● *S. m.* 5. *Fig.* Indivíduo reles, insignificante ou desprezível; titica. ● *Interj.* 6. Indica desagrado, desprezo, contrariedade.

bosta de barata *S. f. Bras.* V. *informação* (11). [Pl.: *bostas de barata.*] ☑

bosta de cabra *S. f. Bras.* Variedade de cascalho diamantífero. [Pl.: *bostas de cabra.*] ☑

bosta de rola *Adj. 2 g. e 2 n. Bras.* V. *encarapinhado.* ☑

bosta de rolinha *Adj. 2 g. e 2 n. Bras. PB* V. *encarapinhado.* ☑

bostar [De *bosta* + *-ar*[2].] *V. t. d. Chulo* 1. Sujar com bosta. 2. *P. ext.* Emporcalhar, sujar, lambuzar, enlambuzar. [Sin. ger.: *embostar, embostear.*]

bostejar [De *bosta* + *-ejar.*] *V. int. Bras. MA Chulo* Dizer tolices. [Conjug.: v. *pelejar.*]

bostela [Do lat. *pustella*, por *pustula.*] *S. f.* Pequena ferida com crosta; pústula.

bostelento [De *bostela* + *-ento.*] *Adj.* Que tem bostela(s) ou pústula(s).

bostífero *Adj. Bras. MA Chulo* Reles, ordinário.

bóston [Do top. *Boston* (E.U.A.).] *S. m.* 1. Modalidade de carteado para quatro parceiros. 2. Certo tipo de valsa. [Pl.: *bóstons.*]

bostoniano *Adj.* 1. De, ou pertencente ou relativo a Boston (E.U.A.). ● *S. m.* 2. O natural ou habitante de Boston.

bostricoide (ói) [Do lat. cient. *bostric-* (< lat. cient. *bostrix*) + *-oide.*] *Adj. 2 g. Bot.* Semelhante ao bóstrix. ❖

bostriquídeo [Do tax. *Bostrychus* (do gr. *bóstrychos*, 'anel de cabelo') + *-ídeo*[1]; tax. *Bostrychidae.*] *Zool. S. m.* 1. Espécime dos bostriquídeos, família de coleópteros à qual pertencem insetos pequenos, de cabeça arredondada, alongados, espalhados por toda a América. Sob forma larvar destroem madeiras secas ou caules. ● *Adj.* 2. Pertencente ou relativo a eles.

bóstrix (cs) [Do lat. cient. *bostryx*, alter do gr. *bóstrychos*, 'anel de cabelo'.] *S. m. 2 n. Bot.* Inflorescência cimosa unípara em que as flores sucessivas se desenvolvem sempre do mesmo lado, mas em planos diferentes.

bosvélia [Do tax. *Boswellia* (do antr. [*James*] *Boswell* [1740-1795], escritor escocês, + lat. cient. *-ia*).] *S. f. Bot.* 1. Gênero de árvores burseráceas que exsudam resina aromática. 2. Qualquer espécie desse gênero, como, por ex., a *Boswellia serrata* [v. *incenso* (2)]. 3. Qualquer espécime desse gênero.

bota[1] [Do fr. *botte.*] *S. f.* 1. Calçado de couro ou borracha que envolve o pé, a perna e, às vezes, a coxa. 2. *Bras.* Composição ruim de gravador, pintor, etc. 3. *Bras.* Obra malfeita. 4. *Bras. S.* Jogo infantil, de pegar, em que uma enorme bota, riscada no chão, serve de pique[1] (4). 5. *Lus. Esport.* Chuteira. [Pl.: *botas.* Cf. *bota* (ô) e *botas* (ô), flex. de *boto*[3] (ô).] ◆ **Bota ortopédica.** *Ort.* Calçado em forma de bota (1) us. para corrigir ou amenizar defeitos nos pés. **Bater a bota.** *Pop.* V. *morrer* (1). **Bater as botas.** *Pop.* V. *morrer* (1): "recebeu um tiro na costela e bateu as botas ali mesmo na estrada" (Graciliano Ramos, *São Bernardo*, p. 35). **Descalçar uma (ou esta, ou aquela, etc.) bota.** *Bras.* Sair-se de uma dificuldade; superar um obstáculo: *Vamos ver como ele descalça aquela bota.* **Lamber as botas de.** Lisonjear servilmente; adular, bajular; limpar as botas de. **Limpar as botas de.** V. *lamber as botas de.* **Meter as botas em.** Falar mal de; criticar acrimoniosamente.

bota[2] [Do lat. tard. *buttis*, 'tonel', 'odre'.] *S. f.* 1. Espécie de tonel com capacidade de três quartos de pipa. 2. Saco de couro. 3. Vasilha para vinho. [Pl.: *botas.* Cf. *bota* (ô) e *botas* (ô), flex. de *boto*[3] (ô).]

bota[3] *S. f.* V. *carapeta* (3). [Pl.: *botas.* Cf. *bota* (ô) e *botas* (ô), flex. de *boto*[3] (ô).]

botada[1] [De *bota*[1] + *-ada*[1].] *S. f.* Golpe com o pé calçado de bota[1] (1).

botada[2] [De *botar*[1] + *-ada*[1].] *S. f.* 1. Ato ou efeito de botar[1]. 2. Investida, agressão. 3. *Bras.* Ocasião, vez: *Daquela botada não hesitou: agiu como devia.* 4. *Bras.* O início da moagem dos engenhos e usinas de açúcar: "De setembro para outubro era a botada do engenho, o início da moagem." (Carlos de Gusmão, *Boca da Grota*, p. 416.) [Antôn. (nesta acepç.): *peja.*] 5. *Bras. S.* Cotejo entre dois parelheiros ou dois galos de briga.

bota de elástico *Adj. 2 g. S. 2 g.* Que, ou quem é muito apegado aos padrões tradicionais; quadrado. [Pl.: *botas de elástico.*] ☑

botado [Part. de *botar*[2].] *Adj.* ~ V. *vinho* —.

bota-fogo [De *botar*[1] + *fogo* (ô).] *S. m.* 1. *Expl.* Pau ou bastão em cuja ponta se põe a mecha para iniciar, à distância, a ignição dos fogos de artifício. 2. O homem que executa a ignição do fogo de artifício. 3. *Expl. Mil. Ant.* Pau com morrão com que se deitava fogo às peças de artilharia. 4. *Expl. Mil. Ant.* O artilheiro que deitava fogo às peças. 5. *Fig.* Indivíduo que provoca desordens. [Pl.: *bota-fogos.* Cf. *botafogo*, e *Botafogo*, antr. e top.]

botafogo (ô) *Adj. 2 g. S. 2 g. Bras.* 1. V. *botafoguense*[2]. 2. V. *botafoguense*[3]. [Cf. *bota-fogo.*]

botafoguense[1] *Adj. 2 g.* 1. De, ou pertencente ou relativo a Botafogo, bairro do Rio de Janeiro (RJ). ● *S. 2 g.* 2. O natural ou habitante desse bairro.

botafoguense[2] *Bras. Adj. 2 g.* 1. Pertencente ou relativo ao Botafogo de Futebol e Regatas (RJ). 2. Que é torcedor ou jogador dessa agremiação. ● *S. 2 g.* 3. Membro, torcedor ou jogador dela. [Sin. ger.: *alvinegro, bota, botafogo.*]

botafoguense[3] *Bras. Adj. 2 g.* 1. Pertencente ou relativo ao Botafogo Futebol Clube (Ribeirão Preto, SP, e João Pessoa, PB). 2. Que é torcedor ou jogador dessa agremiação. ● *S. 2 g.* 3. Membro, torcedor ou jogador dela. [Sin. ger.: (PB e SP) *botafogo*; (PB) *botinha*; (SP) *fogão* e *panterino.*]

bota-fora [De *botar*[1] + *fora.*] *S. m. 2 n.* 1. Ato ou festa com que se despede uma ou mais pessoas, acompanhando-a(s) até a partida: "As viagens de um viajante comercial não comportam bota-foras, despedidas, adeuses, salvo de um ou outro freguês que está atrasado com a Casa e quer nos agradar." (João Alphonsus, *Pesca da Baleia*, p. 50.) [Também usado, mais raramente, com s. m., conforme se vê neste exemplo de João Alphonsus.] 2. Lançamento de um navio à água. 3. *Constr.* Material excedente em serviços de terraplenagem, escavado em cortes e não aproveitado em aterros, o qual é depositado fora do local das obras.

botaló [De *botar*[1] + *a*[3] + *ló*[1].] *S. m. Mar.* 1. *Ant.* Pontalete com que os navios afastavam os inimigos que tentassem abordá-los. 2. Pau que sai pela popa de embarcação de vela que usa catita, para caçá-la.

bota-mesa [De *botar*[1] + *mesa* (ê).] *S. m. Bras. Amaz. Zool.* Designação comum a alguns insetos aquáticos. [Pl.: *bota-mesas.*]

botânica [Do gr. *botaniké*, subst. do fem. do gr. *botanikós*, 'relativo a ervas, a plantas', pelo fr. *botanique.*] *S. f.* Parte da biologia que estuda as plantas; estudo da morfologia e da fisiologia dos vegetais. A botânica moderna teve início com Karl von Linné (1707-1778), botânico sueco. Os muitos ramos em que se divide esta ciência podem-se agrupar em dois fundamentais: a *botânica pura* (q. v.) e a *botânica aplicada* (q. v.). Há mais de 30 ramos especializados, que é costume distribuir em dois grupos: a *botânica descritiva* (q. v.) e a *botânica experimental* (q. v.), baseados sobretudo, respectivamente, na observação e na experimentação. [Sin., desus.: *fitologia.*] ◆ **Botânica agrícola.** V. *botânica aplicada.* **Botânica aplicada.** Grande divisão da botânica, que estuda as plantas sob o aspecto das relações que elas demonstram ter com a vida humana, como, p. ex., botânica agrícola, ligada às atividades da agricultura; botânica farmacêutica, relacionada aos usos em medicina e em farmácia; fitopatologia, que abrange pesquisas acerca das moléstias causadas nas plantas úteis ao homem. **Botânica descritiva.** O conjunto dos ramos da botânica que usam a observação como o principal método de pesquisa. [As numerosas disciplinas da morfologia constituem ramos descritivos, bem como as da botânica sistemática.] **Botânica especial.** Grande subdivisão da botânica, relativa aos aspectos particulares do estudo dos vegetais: classificação (*botânica sistemática*), distribuição (*fitogeografia*) e anomalias (*teratologia*), e que, por sua vez, podem subdividir-se em ramos mais restritos e especializados. **Botânica experimental.** O conjunto dos ramos da botânica que empregam a experimentação como o principal método de pesquisa. [A *fisiologia*, com suas numerosas subdivisões, constitui o grupo de disciplinas botânicas experimentais mais importantes.] **Botânica farmacêutica.** V. *botânica aplicada.* **Botânica geral.** Grande subdivisão da botânica, que se ocupa dos aspectos gerais do estudo das plantas: forma (*morfologia*), função (*fisiologia*) e desenvolvimento desde a fecundação (*embriologia*). [Cada uma dessas partes, contudo, compreende múltiplos ramos de âmbito menor e especializados: a palinologia, p. ex., interessa-se pelos grãos de pólen, vindo a ser, portanto, um ramo ou disciplina da morfologia.] **Botânica pura.** Grande subdivisão da botânica, que estuda as plantas do ângulo puramente científico, sem qualquer intuito de aplicação, e engloba as disciplinas referentes aos aspectos gerais dos organismos vegetais (*botânica geral*) e aos aspectos particulares (*botânica especial*). **Botânica sistemática.** Parte da botânica que trata da classificação dos vegetais, ordenando-os segundo as famílias, gêneros e espécies, num esquema geral do reino vegetal, dito *sistema*; taxionomia.

botânico [Do gr. *botanikós*, 'referente às ervas'.] *Adj.* 1. Relativo à botânica. ~ V. *jardim* —. ● *S. m.* 2. Especialista em botânica.

▲ **botano-** [Do gr. *botanē, ēs.*] *El. comp.* = 'planta', 'vegetal': *botanomante.*

botanomancia (cí) [De *botano-* + *-mancia.*] *S. f.* Arte de adivinhar por meio de plantas.

botanomante [De *botano-* + *-mante.*] *S. 2 g.* Pessoa que se dedica à botanomancia.

botanomântico *Adj.* Referente a botanomancia, ou a botanomante.

botão [Do fr. ant. *boton*, atual *bouton.*] *S. m.* 1. *Bot.* V. *gema* (3). 2. *Bot.* A flor antes de desabrochar. 3. *Fig.* Aquilo que ainda não se desenvolveu de todo: *Está no botão da mocidade.* 4. Pequena peça, quase sempre arredondada, que se usa para fechar o vestuário, fazendo-a entrar numa casa ou presilha, e também como ornato. 5. Maçaneta ou puxador de portas, gavetas, etc., arredondado. 6. Nas campainhas, pequena peça que se comprime para fazê-las soar. 7. Pequena bola de ferro incandescente para cauterizar. 8. Bola de madeira ou de couro que se coloca na ponta do florete para que a estocada não fira. 9. Peça fixa ou móvel presa a um objeto, um instrumento, ou um mecanismo, e que serve para segurar ou premer: *o botão da tampa de panela; os botões do elevador.* 10. Jogo em que se utilizam botões de vestuário ou outros semelhantes, especialmente fabricados para este fim, e que simula uma partida de futebol. 11. Brinco de orelha sem pingente. 12. *Derm.* Pequena saliência cutânea arredondada, purulenta ou não. 13. *Caligr.* Espessamento ovalado da extremidade da haste de certas letras. 14. *Inform.* Numa interface gráfica, objeto que ger. se aciona por intermédio de *mouse*, e que provê de maneira rápida e simples a execução de uma ação. 15. *Marinh.* Série de voltas redondas, dadas com arrebém, linha, merlim ou fio de vela, em torno de duas seções de cabo ou de duas antenas ou hastes, a fim de as unir permanentemente. 16. *Radiotéc.* Peça redonda presa ao extremo de um eixo, usada para o controle do volume da sintonia, nos receptores de rádio; manete. 17. *Bras. MT* Designação comum a concreções de sílica com óxido de ferro, que acusam a presença do diamante. 18. *Chulo Bras. MG* V. *ânus.* ~ V. *botões.* [Cf. *Butão*, top.]

botão de ar *S. m. Lus. Autom.* Afogador (5). [Pl.: *botões de ar*.]

botão-de-farda *S. m. Bras. Bot.* Arbusto amarantáceo (*Alternanthera puberula*), piloso, nativo de MG e RJ, de folhas elípticas, flores brancacentas, em capítulos, e sementes pardas. [Pl.: *botões-de-farda*.]

botão-de-oiro *S. m. Bot.* V. *botão-de-ouro*. [Pl.: *botões-de-oiro*.]

botão-de-ouro *S. m.* **1.** *Bot.* Erva xiridácea (*Xyris laxifolia*) dos campos mais úmidos, de folhas lineares, muito estreitas; as flores, pequenas, inserem-se em espigas muito compactas, cujas brácteas são imbricadas e de cor amarela. **2.** *Bras. Zool.* Anfíbio anuro, braquicefalídeo (*Brachycephalus ephipium*), distribuído desde as Guianas até o RJ, de coloração dourada uniforme e cujo comprimento é de cerca de 1cm, sendo, assim, um dos menores vertebrados. Vive na mata, entre folhas secas e bromélias epífitas. [F. paral.: *botão-de-oiro*. Pl.: *botões-de-ouro*.]

botar[1] [Do fr. ant. *boter* (atual *bouter*), 'empurrar'; 'golpear'; 'pôr', pelo gascão *botar*.] *V. t. d.* **1.** Deitar, atirar, lançar fora; expelir: *A fonte botava água continuamente; O doente botou muito sangue.* **2.** Vestir, calçar, pôr: *Botou o paletó e as luvas, e saiu.* **3.** Preparar, arranjar; pôr: *Botamos a mesa e jantamos.* **4.** Estabelecer, montar; pôr: *Botou uma loja de eletrodomésticos.* **5.** Pôr sobre si como trajo ou adorno; usar como enfeite ou atavio; pôr, usar: *Botou um belo traje de noite.* *T. d. e c.* **6.** Pôr, colocar: *Botar o livro na estante.* **7.** Deitar, estender: *Botou a toalha sobre a relva.* **8.** Guardar, depositar; pôr: *Botou as economias no banco.* **9.** Fazer entrar; introduzir, enfiar: *A criança quis botar o dedo no buraco da fechadura.* **10.** Usar como adorno, enfeite, ou atavio: "Vestia sempre muita fita e renda, / Botava sempre rosas no cabelo..." (Paulo Setúbal, *Alma Cabocla*, p. 96.) *T. d. e i.* **11.** Fazer ficar; deixar: *O amigo botou-o em má situação.* **12.** Pôr, colocar: *botar um cargo à disposição; Sabe como botar seus quadros à venda.* **13.** Declarar ou proclamar a existência de (defeito, falta, falha): *Costuma botar defeito em todas as pessoas.* **14.** Pôr; trasladar: *Botou a obra em verso.* **15.** Traduzir, trasladar: *Com rapidez espantosa botou a inscrição em francês.* **16.** *Bras. N.* Deitar à conta de; atribuir, imputar: *Botou o crime para aquele tipo mal-encarado.* *T. c. e i.* **17.** Oferecer como preço para a compra, à maneira de lanço (3): "Padilha botou sete contos na casa e quarenta e três em S. Bernardo." (Graciliano Ramos, *S. Bernardo*, p. 25.) **18.** Aplicar, investir: *Já botou 2 milhões na construção da casa, e ainda está longe de terminá-la.* *Int.* **19.** Formar saliência; estender-se: *A longa faixa de terra bota pelo mar adentro.* *T. i.* **20.** Dar começo a; pôr-se a; iniciar, principiar: *O menino botou a chorar.* *Int.* **21.** *Bras.* Principiar a moer (o engenho ou a usina de açúcar): "E a [usina] Bom Jesus botou, cresceu, o açúcar dera dinheiro como nunca." (José Lins do Rego, *Usina*, p. 46.) [Antôn. (nesta acepç.): *pejar*.] **22.** Frutificar, florescer. **23.** Pôr ovos. *P.* **24.** Lançar-se, arremessar-se, atirar-se. **25.** Atrever-se, arrojar-se: *Botou-se à perigosa empresa.* **26.** Deslocar-se de um lugar para outro; ir(-se): "Nunca fez uma viagem .... Só se botava à Paraíba para vender açúcar, comprar enxadas." (José Lins do Rego, *Banguê*, p. 11); "Tomava água no pote e botava-se para a rua." (Humberto Crispim Borges, *Cacho de Tucum*, p. 186). [Pres. ind.: *boto, botas, bota*, etc. Cf. *boto* (ô), flex. *bota* (ô), *botas* (ô), e *Boto* (ô), antr.] ◆ **Botar fora. 1.** Pôr fora; gastar, desperdiçar: *Bota fora tudo quanto ganha.* **2.** Afastar; rejeitar: "Esta observação, porém, que valeria alguma coisa em outro espírito, depressa a botei fora" (Machado de Assis, *Páginas Recolhidas*, p. 80). **3.** Abortar voluntariamente: *Botou fora o filho sem nenhum medo ou escrúpulo.* **Botar para quebrar. 1.** Tomar a frente de um empreendimento com pulso firme, fazendo que as coisas se decidam. **2.** Introduzir formas radicais; revolucionar. **3.** Agir com violência e radicalmente. **Botar-se a tudo.** Atirar-se a um empreendimento com disposição de tudo arriscar; empenhar-se com todas as forças numa ação.

botar[2] [De *boto*[3] (ô) + *-ar*[2].] *V. t. d. Desus.* Embotar. [Pres. ind.: *boto, botas, bota*, etc. Cf. *boto* (ô), flex. *bota* (ô), *botas* (ô), *Boto* (ô), antr.]

botar[3] [De *desbotar*, com aférese.] *V. t. d. Int. P. Desus.* Desbotar. [Pres. ind.: *boto, botas, bota*, etc. Cf. *boto* (ô), flex. *bota* (ô), *botas* (ô), *Boto* (ô), antr.]

botara [Do tupi.] *S. f. Bras.* Armadilha para caça graúda ou para animais bravios.

botaréu [Do esp. *botarel*.] *S. m. Arquit.* Obra maciça de alvenaria, para reforçar paredes sujeitas a grandes empuxos laterais: "Com a pouca espessura relativa das paredes .... e a ausência .... de botaréus, escoras ou quaisquer obras de reforço, internas ou externas, a manutenção da gigantesca igreja em pé, parece assombro" (Fialho d'Almeida, *Estâncias d'Arte e de Saudade*, p. 188).

botar-se *V. p.* Turvar-se (o vinho).

botas de elástico [Do pl. de *bota* + *de* + *elástico*.] *Adj. 2 g. e 2 n. S. 2 g. e 2 n.* V. *bota de elástico*: "O diretor era o raio dum homem peguilhento, botas de elástico em política e religião, e que não ia muito à bola dos republicanos." (Aquilino Ribeiro, *Lápides Partidas*, p. 14.)

bota-sela [De *botar*[1] + *sela*.] *S. m. Exérc.* Voz de comando ou toque de corneta para os militares selarem e arrearem os cavalos. [Pl.: *bota-selas*.]

bote[1] [Do ingl. ant. *boot* (atual *boat*), pelo fr. ant. *bot*.] *S. m.* **1.** Escaler pequeno, de formas cheias, destinado a trabalhos leves, ou a pequenos serviços de navios no porto. **2.** *Bras. PE* Jangadinha que, na pesca de agulhas, os pescadores levam dentro da jangada grande.

bote[2] [Dev. de *botar*[1].] *S. m.* **1.** Golpe com arma branca. **2.** *P. ext.* Ataque, investida. **3.** *Bras.* Salto do animal sobre a presa. ◆ **Errar o bote.** Falhar em tentativa mal-intencionada.

boteco[1] *S. m. Bras. Pop.* O globo ocular.

boteco[2] [Der. regress. de *botequim*.] *S. m.* **1.** *Bras. S. Fam.* e/ou *Deprec.* V. *botequim*. **2.** *Bras. BA* Barraca que se arma em volta dos barracões das feiras.

boteiro [De *bote*[1] + *-eiro*.] *S. m.* **1.** Fabricante de botes (v. *bote*[1]). **2.** *Bras. S.* Aquele que guia bote. [Cf. *buteiro*.]

botelha (ê) [Do fr. *bouteille*.] *S. f.* **1.** Garrafa, frasco: "meu espírito repousa, como o vinho nas velhas botelhas." (Augusto Frederico Schmidt, *Poesias Completas*, p. 345); "Leva a candeia e vê se os alumia / E traze uma botelha de aguardente." (Domingos Carvalho da Silva, *Liberdade embora Tarde*, p. 34). **2.** Porção de líquido contido numa garrafa.

botelharia [De *botelha* (ê) + *-aria*.] *S. f.* Frasqueira (2).

botelheiro [De *botelha* (ê) + *-eiro*.] *S. m.* Aquele que cuida dos vinhos engarrafados.

botelhense *Adj. 2 g.* **1.** De, ou pertencente ou relativo a Botelhos (MG). ● *S. 2 g.* **2.** O natural ou habitante de Botelhos.

botequeiro [De *boteco*[2] + *-eiro*.] *Adj.* **1.** De, ou relativo a boteco[2]: "Minas exporta *know-how* botequeiro para Rio e Brasília" (*Folha de S.Paulo*, 24.04.2008.) ● *S. m.* **2.** Frequentador de boteco[2].

botequim [Por **botiquim*, dim. de *botica* (1).] *S. m.* Estabelecimento comercial onde se servem bebidas em geral (bebidas alcoólicas, refrigerantes, café, etc.) e pequenos lanches; bar. [Sin., bras.: *boteco*. Cf. *café* (4).]

botequineiro [De *botequim* + *-eiro*.] *S. m.* Dono ou administrador de botequim.

botequinesco [De *botequim* + *-esco*.] *Adj.* Referente a, ou próprio de botequim: *Com as mesas nas calçadas, o restaurante ganhou um ar botequinesco.*

botica [Do gr. *apothéke*, 'depósito', pelo lat. *apotheca*.] *S. f. Desus.* Farmácia (2).

boticada [De *botica* + *-ada*[1].] *S. f.* Medicamento preparado em botica.

boticão [De *botar*[1], poss.] *S. m.* Tenaz para arrancar dentes; saca-molas. [Cf. *rizagra*.]

boticária [Fem. de *boticário*.] *S. f.* **1.** Dona de botica. **2.** Mulher de boticário.

boticário [Do lat. *apothecariu*, 'encarregado da despensa, do depósito'.] *S. m.* **1.** Dono de botica. **2.** Preparador e vendedor de medicamentos na botica; farmacêutico.

botija [Do esp. *botija*.] *S. f.* **1.** Vaso cilíndrico, de grés, de boca estreita, gargalo curto e uma pequena asa. **2.** *Marinh.* Entrançado feito com linha, merlim, cordão branco, etc., para revestir um cabo ou outro objeto; embotijo. **3.** *Fig.* Pessoa gorda. **4.** *Bras.* Tesouro enterrado.

botijão [De *botija* + *-ão*[1].] *S. m. Bras.* Bujão (5 e 6).

botilhão [Alter. do lat. cient. *Abutilon*, que designa vegetal de outro gênero.] *S. m. Bot. Prov. port.* V. *bodelha*. ◆ **Botilhão vesiculoso.** *Bot.* V. *bodelha*.

botim [De *bota*[1] + *-im*.] *S. m.* Bota[1] (1) de cano curto, o qual termina logo após o tornozelo. [Cf. *butim*.]

botina[1] [Do fr. *bottine*.] *S. f.* Bota[1] (1) de cano curto.

botina[2] *S. f.* Mulher de boto[1] (ô).

botinha [Dim. de *bota*[1].] *S. f. Bras.* Botina[1] (1) para senhora ou criança.

botinudo [De *botina* + *-udo*.] *S. m.* V. *perna de pau* (2): "Sem a ameaça da suspensão, qualquer botinudo (licença para usar seu termo, amigo Celso Garcia) pode ir tirando do jogo todos os craques, um a um." (*Jornal do Brasil*, 22.01.1998.)

botirão *S. m.* Rede de vime para a pesca de lampreia.

boto[1] (ô) [Do concani *bhat*, poss.] *S. m. Luso-asiat.* Sacerdote do hinduísmo. [Fem.: *botina*. Pl.: *botos* (ô). Cf. *boto*, do v. *botar*.]

boto[2] (ô) *S. m.* **1.** *Zool.* V. *peixe-boto*. **2.** *Zool.* V. *boto-da-baía-de-guanabara*. **3.** *Bras. Gír.* Coisa volumosa. [Pl.: *botos* (ô). Cf. *boto*, do v. *botar*.]

boto[3] (ô) [Do esp. *boto*.] *Adj.* De gume embotado; rombo. [Flex.: *bota* (ô), *botos* (ô), *botas* (ô). Cf. *boto*, do v. *botar*, e *bota*, *botas*, do mesmo v. e s. f.]

botoado *S. m. Bras. Zool.* V. *cuiú-cuiú* (5)

boto-amarelo [De *boto*[2] (ô) + *amarelo*.] *S. m. Zool. Bras.* Pequeno cetáceo platanistídeo (*Stenodelphis blainvillei*) que habita as costas da América do Sul, desde o rio Doce (ES) até o rio Negro, na Argentina. Alimenta-se de lulas e pequenos peixes, vivendo aos pares ou em pequenos grupos. [Sin.: *boto-franciscano*, *franciscano* e *toninha-amarela*. Pl.: *botos-amarelos*.]

botoaria [De *botão* + *-aria*, com desnasalação.] *S. f.* Fábrica ou indústria de botões [v. *botão* (4)].

boto-branco [De *boto*[2] + *branco*.] *S. m. Bras. Amaz. Zool.* Mamífero cetáceo, iniídeo (*Inia geoffroyensis*), do rio Orinoco e da bacia amazônica, que pode variar de cor em decorrência dos hábitos alimentares e do hábitat. São mais claros na parte inferior e quase todos cor-de-rosa na parte ventral. [Sin.: *boto-cor-de-rosa, boto-preto, boto-vermelho, iara, uiara*. Pl.: *botos-brancos*.]

botocar *V. int. Bras.* Saltar para fora; sair. [Cf. *butucar*. Conjug.: v. *trancar*.]

boto-cor-de-rosa *S. m. Bras. Amaz. Zool.* Designação dada pelo oceanógrafo francês Jacques Costeau (1910-1997) ao boto-branco (q. v.). [Pl.: *botos-cor-de-rosa*.]

botocudismo [De *botocudo* + *-ismo*.] *S. m. Bras.* Procedimento de botocudo (4); rudeza.

botocudo *Bras. S. m.* **1.** *Etnôn.* Indivíduo dos botocudos, povo indígena extinto que habitava a região da divisa do ES com MG, e o Estado de Santa Catarina, na região dos rios Itaiaí, Canoas, Pelotas e Iguaçu. **2.** *Gloss.* Família linguística à qual pertencem línguas faladas por povos indígenas, e que se prende ao tronco macro-jê. **3.** *Pop.* V. *caipira* (1). **4.** *Fig.* Indivíduo rude, rústico. ● *Adj.* **5.** Pertencente ou relativo aos botocudos. **6.** Pertencente ou relativo a botocudo (2). [Tb. us. como *s. 2 g.* e *2 n.* (com cap.) na acepç. 1, e *adj. 2 g. e 2 n.*, na acepç. 5.]

boto-da-baía-de-guanabara *S. m. Bras. Zool.* Pequeno cetáceo delfinídeo (*Sotalia brasiliensis*), que mede até 2m e é conhecido somente no interior da baía de Guanabara. Cabeça volumosa, rostro curto, nadadeira dorsal alongada, dorso escuro e flancos alaranjados. [Sin.: *boto, golfinho, toninha*. Pl.: *botos-da-baía-de-guanabara*.]

botoeira [De *botão* + *-eira*, com desnasalação.] *S. f.* **1.** Casa (12). **2.** *P. ext.* Casa (12) no alto da lapela, que não se destina a um botão (4), mas para nela se fixar condecoração, distintivo, flor ou ramo de flor, etc. **3.** Mulher que fabrica ou faz botões. **4.** *Cir. Desus.* Pequena incisão para acesso a uma cavidade (2), ger. com objetivo de diagnóstico.

botoeiro [De *botão* + *-eiro*, com desnasalação.] *S. m.* Aquele que fabrica botões [v. *botão* (4)].

botões [Pl. de *botão* (4).] *S. m. pl.* Us. nas loc. *aos seus botões, com seus botões*, etc. ~ V. *botão*. ◆ **Aos seus botões.** V. *com (os) seus botões*: "o Eduardo dizia aos seus botões: — Fiz mal em não acompanhá-la" (Artur Azevedo, *Contos Possíveis*, p. 83). **Com (os) seus botões.** Consigo mesmo; de si para si; entre si; aos seus botões: "Quando acho que censurar na nossa terra, digo com meus botões: Há de haver males nas terras alheias" (Machado de Assis, *A Semana*, II, p. 370); "– Que mulher singular! – considerou Gaspar com os seus botões" (Aluísio Azevedo, *A Condessa Vésper*, p. 53).

boto-franciscano *S. m. Bras. Zool.* V. *boto-amarelo*. [Pl.: *botos-franciscanos*.]

bóton [Aport. do ingl. *button*.] *S. m.* Espécie de broche circular de plástico, metal, etc., que exibe *slogan*, nome, etc., us. com fins promocionais.

botoneira [De *botão* (*boton-*) + *-eira*, seg. o padrão erudito.] *S. f.* Dispositivo com botões que servem para acionar um semáforo, um elevador, etc.

botoneiro [De *botão* (*boton-*) + *-eiro*, seg. o padrão erudito.] *S. m.* Jogador de futebol de botão: "Para o analista de sistemas Sérgio Castro, uma das principais habilidades .... que o botoneiro precisa ter é paciência." (Revista *O Globo*, 07.06.2009.)

botonista [De *botão* + *-ista*, seg. o padrão erudito.] *S. 2 g.* Praticante do futebol de botão.

boto-preto [De *boto*[2] + *preto*.] *S. m. Bras. Amaz. Zool.* **1.** V. *boto-branco*. **2.** V. *tucuxi*. [Pl.: *botos-pretos*.]

botoque [Var. de *batoque*, por infl. de *bodoque*.] *S. m.* **1.** Adorno facial em forma de disco ou botão, feito de madeira leve e provido ou não de pendentes (como varetas, contas ou plumas), que se prende a um furo no lábio ou na orelha; us. por indígenas brasileiros, especialmente os de língua jê; batoque. [Cf. *labrete, tembetá*.] **2.** *P. ext.* Adorno semelhante, us. entre outros povos; batoque.

botori *S. m.* Pequeno maracá (1).

boto-tucuxi *S. m. Bras.* V. *tucuxi*. [Pl.: *botos-tucuxis* e *botos-tucuxi*.]

boto-vermelho [De *boto*[2] + *vermelho*[1].] *S. m. Bras. Zool.* V. *boto-branco*. [Pl.: *botos-vermelhos*.]

botox [Do ingl. *botox*, do ingl. *bo(tulinum) tox(in)*, 'toxina botulínica'.] *S. m. 2 n.* **1.** *Quím.* Nome comercial de uma substância sintética derivada da toxina botulínica, proteína produzida pela bactéria *Clostridium botulinum* que, em condições apropriadas à sua reprodução, cresce e produz sete diferentes sorotipos de toxina, um dos quais, o sorotipo A, purificado, é us. em forma injetável que, aplicada em pequenas doses, interfere na capacidade de contração da musculatura. **2.** *Cir. Plást.* Intervenção cosmética em que se faz uso de botox (1), a fim de atenuar rugas, suavizando as linhas de expressão da face. **3.** *Med.* Qualquer intervenção em que se faz uso de botox (1).

▲ **botr(i)-** Equiv. de *botri(o)*-[1].

botriado [De *botri(o)*-[2] + *-ado*[1].] *Adj. Zool.* Que é provido de bótrio.

botrião [Do gr. *bóthrion*, 'fosseta'.] *S. m. Patol.* Pequena úlcera, rasa e arredondada, da córnea.

▲ **botri(o)-**[1] [Do gr. *bótrys, yos*.] *El. comp.* = 'cacho de uvas': *botrioide, botriomorfo*. [Equiv.: *botr(i)-*: *botrítico*.]

▲ **botri(o)-**[2] [Do gr. *bóthrion, ou*, 'fosseta'.] *El. comp.* = 'ventosa', 'bótrio': *botriocefalíase*. [Equiv.: *-bótrio*: *acantobótrio*[1].]

bótrio [Do gr. *bóthrion*, 'fosseta'.] *S. m. Zool.* Ventosa alongada de certos cestódeos.

▲ **-bótrio** Equiv. de *botri(o)*-[2].

botriocefalíase (bò) [De *botri(o)*-[2] + *-cefal(o)-* + *-íase*.] *S. f. Med.* Difilobotríase.

botrioide (ói) [De *botri(o)*-[1] + *-oide*.] *Adj. 2 g.* **1.** Que tem forma de cacho. **2.** *Min.* Diz-se da concreção pedregosa que tem grosseiramente o aspecto de cacho de uvas. ❖

botriomicoma [De *botri(o)*-[1] + *-mic(o)-* + *-oma*[1].] *S. m. Med.* Pequeno tumor pediculado, de evolução benigna, e cujo aspecto lembra o de uma framboesa; situa-se em qualquer parte da mão e da face, sangra a pequenos traumatismos e aparece em sequência a leve ferimento.

botriomorfo (bò) [De *botri(o)*-[1] + *-morfo*.] *Adj. Bot.* Em forma de cacho; racemiforme.

botrítico [De *botr(i)-* + *-ítico*.] *Adj. Bot.* **1.** Racemoso. **2.** Diz-se da inflorescência caracterizada pela presença de ramos laterais em número indefinido, e cujo eixo principal não termina em flor.

botruco *S. m. Bras. SC* Cachaça misturada com outra qualquer bebida.

botsuanês *Adj.* **1.** De, ou pertencente ou relativo a Botsuana (África). ● *S. m.* **2.** O natural ou habitante de Botsuana. [Flex.: *botsuanesa* (ê), *botsuaneses* (ê), *botsuanesas* (ê).]

→ **bottom** ['batəm] [Ingl.] *S. m. Fís. Part.* Quark com carga elétrica -1/3, *spin* 1/2, número bariônico 1/3 e com beleza -1 [símb.: *b*]. [A primeira evidência experimental deste tipo de *quark* ocorreu em 1977, com a descoberta do méson úpsilon.]

botucatuense *Adj. 2 g.* **1.** De, ou pertencente ou relativo a Botucatu (SP). ● *S. 2 g.* **2.** O natural ou habitante de Botucatu.

▲ **botul(i)-** [Do lat. *botŭlus, i*.] *El. comp.* = 'chouriço'; 'salsicha': *botuliforme*.

botuliforme [De *botul(i)-* + *-forme*.] *Adj. 2 g.* Que apresenta forma cilíndrica e levemente arqueada; alantoide: *bactéria __botuliforme__*.

botulina [De *botul(i)-* + *-ina*[3].] *S. f. Quím.* Toxina produzida pela bactéria *Clostridium botulinum*, e que causa o botulismo.

botulínico [De *botulina* + *-ico*[2].] *Adj.* Relativo à botulina, ou que a contém: *toxina __botulínica__*.

botulismo [Do tax. (*Clostridium*) *botul(inum)* + *-ismo*; *fr. botulisme*.] *S. m. Med.* Envenenamento alimentar produzido por alimentos inadequadamente enlatados ou conservados, e que se deve a uma neurotoxina produzida pelo *Clostridium botulinum*; alantíase.

botumirinense *Adj. 2 g.* **1.** De, ou pertencente ou relativo a Botumirim (MG). ● *S. 2 g.* **2.** O natural ou habitante de Botumirim.

botuporãense *Adj. 2 g.* **1.** De, ou pertencente ou relativo a Botuporã (BA). ● *S. 2 g.* **2.** O natural ou habitante de Botuporã.

botuveraense *Adj. 2 g.* **1.** De, ou pertencente ou relativo a Botuverá (SC). ● *S. 2 g.* **2.** O natural ou habitante de Botuverá.

bouba [De **buba*, der. regress. de *bubão*.] *S. f. Med.* **1.** Doença infecciosa causada pelo *Treponema pertenue*, e que determina alterações semelhantes às da sífilis; framboésia. **2.** Epitelioma contagioso dos galináceos. [Pl.: *boubas*. Cf. *boba* (ô) e pl. *bobas* (ô), e *boba, bobas*, do v. *bobar*.]

boubento [De *bouba* + *-ento*.] *Adj. S. m.* Doente de bouba.

bouça [Do lat. *baltea*, pl. neutro de *balteum*, 'que cinge', tomado como fem.] *S. f.* Terreno inculto e montanhoso: "Somente a flor amarela dos matos quebrava nas __bouças__ a melancolia da paisagem." (Bernardo Pinheiro Pindela, *Azulejos*, p. 85.) [Var.: *boiça*. Cf. *boça e bossa*.]

bouçar [De *bouça* + *-ar*[2].] *V. t. d.* Roçar e queimar (mato) para lavoura. [Var.: *boiçar*. Conjug.: v. *laçar*.]

bouceira *S. f.* Boiceira (q. v.).

→ **bouchonné** [buʃo'ne] [Fr.] *Adj. Enol.* **1.** Diz-se do vinho afetado por um tipo de bolor que ataca a cortiça. **2.** Que tem aroma e gosto de cortiça.

→ **boudoir** [bu'dwaʁ] [Fr.] *S. m.* Pequeno quarto de senhora, decorado com elegância.

bougainvíllea [Do tax. *Bougainvillaea* (do antr. [*LouisAntoinede*] *Bougainville* [1729-1811], navegador francês, + lat. cient. *-ea*).] *S. f. Bot.* **1.** Pequeno gênero de trepadeiras nictagináceas, lenhosas tropicais, dotadas de brácteas vermelhas ou purpúreas, brilhantes, muito cultivadas como ornamentais. **2.** Qualquer espécie desse gênero, com, p. ex., a *Bougainvillaea spectabilis* (v. *sempre-lustrosa*). **3.** Qualquer espécime desse gênero. [F. paral.: *bougainvíllia*. Var.: *buganvílea* e *buganvília*.]

bougainvíllia [Do tax. *Bougainvillia*.] *S. f. Bot.* V. *bougainvíllea*. [Var.: *buganvília*.]

→ **bougon** [bu'gõ] [Fr.] *S. m. Cul.* Queijo de leite de cabra e de vaca fabricado no Poitou (O. da França), de aspecto semelhante ao do *camembert*.

→ **bouillon** [bu'jõ] [Fr.] *S. m. Cul.* Caldo, ger. de carne de vaca ou de legumes cozidos.

→ **boulé** [bu'le:] [Gr.] *S. f.* Na antiga Atenas, conselho constituído de quinhentos membros escolhidos anualmente por sorteio, e cuja principal função era preparar leis para serem discutidas na eclésia; bule.

→ **bouquet garni** [bu'ke gaʁ'ni] [Fr.] *S. m. Cul.* Tempero com raminhos de tomilho, salsa e louro, amarrados.

→ **bourbon** ['bɜ·bən] [Ingl., do top. *Bourbon* (E.U.A.).] *S. m.* Uísque americano que contém 51% de milho, além de malte e cevada.

bournonita [Do antr. (*J. L.*) *Bournon* (1751-1825), mineralogista francês, + *-ita*[3].] *S. f. Min.* Mineral ortorrômbico, sulfeto de chumbo, cobre e antimônio.

→ **boursin** [buʁ'sẽ] [Fr.] *S. m. Cul.* Queijo de leite de vaca, mole e cremoso, de 8cm de diâmetro, fabricado na Normandia (v. *normando*).

→ **boutade** [bu'tad] [Fr.] *S. f.* Dito espirituoso.

→ **boutique** [bu'tik] [Fr.] *S. f.* V. *butique*.

→ **boutonné** [buto'ne] [Fr.] *S. m. Tec. Têx.* Tecido produzido com fio de mesmo nome, que apresenta pequeninas bolas de fibras enroladas.

bovarismo [Do fr. *bovarysme*, t. criado por Jules de Gautier (*Le Bovarysme*, 1902) com base no ficcion. *Emma Bovary*, do romance *Madame Bovary*, de Flaubert (v. *flaubertiano*).] *S. m.* **1.** *Psiq.* Insatisfação neurótica que se observa em mulheres, sobretudo jovens, decorrente da mistura de vaidade, imaginação e ambição, e que resulta em aspirações acima do permitido pelas condições sociais que ocupam. **2.** Tendência de certos espíritos romanescos para emprestarem a si mesmos uma personalidade e/ou condição fictícia e desempenharem um papel que não combina com a realidade. **3.** *P. ext.* Ilusões que alimentam a respeito de si mesmos os homens e os povos.

bovarista [De *bovarismo* + *-ista*.] *Adj. 2 g.* **1.** Relativo ao bovarismo ou que mostra tendências para ele. ● *S. 2 g.* **2.** Pessoa que mostra essa tendência.

■ **Bovespa** Sigla de *Bolsa de Valores do Estado de São Paulo*.

bóvida [Do lat. cient. *Bov-* (< tax. *Bos*) + *-ida*[1].] *S. m. Adj. 2 g. Zool.* V. *bovídeo*.

bovídeo [Do lat. cient. *Bov-* (< tax. *Bos* < lat. *bos, bovis*, 'boi', 'vaca') + *-ídeo*[1]; tax. *Bovidae*.] *Zool. S. m.* **1.** Espécime dos bovídeos, família de mamíferos artiodáctilos, ruminantes, com dedos protegidos por cascos, e providos de chifres. Estritamente herbívoros, de grande importância econômica na indústria de couros, alimentos, farinha de ossos, ou adubos, etc. ● *Adj.* **2.** Pertencente ou relativo a eles. [Sin. ger.: *bóvida*.]

bovino [Do lat. *bovinu*.] *Adj.* **1.** Relativo ou pertencente ao, ou próprio do boi; boiuno: *lentidão __bovina__; olhar __bovino__*. **2.** Constituído por bois. ~ V. *varíola — a*. ● *S. m.* **3.** Animal bovino; bovídeo.

▲ **bovino-** [Do lat. *bovīnus, a, um* < lat. *bos*, 'boi', 'vaca'.] *El. comp.* = 'relativo à espécie bovina': *bovinocultor, bovinocultura, bovinotecnia, bovinotécnico*.

bovinocultor (ô) [De *bovino-* + *-cultor*.] *S. m.* Aquele que se dedica à bovinocultura.

bovinocultura [De *bovino-* + *-cultura*.] *S. f.* Criação de animais bovinos, de gado vacum.

bovinotecnia [De *bovino-* + *-tecn(o)-* + *-ia*[1].] *S. f.* Parte da zootecnia que trata dos bovinos.

bovinotécnico [De *bovinotecnia* + *-ico*[2].] *Adj.* Concernente à bovinotecnia.

→ **bowl** [bowl] [Ingl.] *S. m.* Recipiente us. em várias culturas para servir comida, bebida, etc., ger. de formato redondo ou geométrico, que vai diminuindo da boca (7), mais larga, até o fundo.

boxador (cs...ô) *S. m. Bras.* V. *boxeador*.

boxar (cs) [De *boxe* + *-ar*[2].] *V. int. P.* V. *boxear*: "bêbados cambaleiam e __boxam-se__" (Eça de Queirós, *Notas Contemporâneas*, p. 54).

boxe (cs) [Do ingl. *box*.] *S. m.* **1.** Jogo de murro, à inglesa, em que dois contendores, usando luvas especiais, se defrontam; pugilismo. **2.** Armadura metálica que se enfia nos dedos e serve para dar socos; soqueira. **3.** Cada um dos compartimentos de uma cavalariça; baia. **4.** *P. ext.* Cada um de uma série de compartimentos separados entre si por divisões de madeira ou de outro material, em mercado, garagem, banheiros públicos, etc. **5.** *Arquit.* Compartimento do banheiro destinado ao banho de chuveiro. **6.** *Edit.* Parte de uma página impressa, diferenciada do resto da página graças, basicamente, à utilização de fios ou cercadura. [Sin., nesta acepç.: *caixa*. Cf. *boche*[1].] ◆ **Boxe tailandês.** Luta esportiva em que se usam luvas, como no boxe, mas na qual são permitidos golpes com os pés, joelhos, cotovelos, etc.

boxeador (cs...ô) [De *boxear* + *-dor*.] *S. m.* Lutador de boxe; boxador, boxista, pugilista.

boxear (cs) [De *boxe* + *-ear*[2].] *V. int.* **1.** Jogar o boxe. **2.** Ser boxeador. *P.* **3.** Esmurrar-se duas ou mais pessoas entre si, à maneira de boxe (1). [Sin. ger.: *boxar*. Conjug.: v. *frear*.]

bóxer (cs) [Do ingl. *boxer*.] *S. m. Cinol.* Cão de estatura variável (entre 52cm e 63cm), mandíbula recurvada e maior que a maxila, focinho largo, pelo curto, pescoço maciço e musculoso. Serve de guardião, defensor e guia.

boximane *S. 2 g. Adj. 2 g.* V. *bosquímano*.

boxímane *S. 2 g. Adj. 2 g.* V. *bosquímano*.

boxímano *S. m. Adj.* V. *bosquímano*.

boxista (cs) [De *boxe* + *-ista*.] *S. 2 g. Bras.* V. *boxeador*.

→ **boy** [bɔj] [Ingl., f. red. de *office boy*.] *S. m.* V. *bói*[2].

bozerra (ê) *S. f. Bras.* **1.** Monte de excremento, de bosta. **2.** *Fig.* Indivíduo mole, preguiçoso, indolente.

bozó [De or. afr.] *S. m.* **1.** Jogo de dados em que estes são atirados dentro de um cilindro de folhas de flandres ou de um copo de couro, só se descobrindo o lance depois de feitas as apostas. **2.** Esse cilindro, nesse jogo ou em jogos análogos: "Alguém derrubou o tabuleiro de gamão: __bozó__, pedras e dados por baixo das cadeiras." (Moreira Campos, *Portas Fechadas*, p. 159.) **3.** *Bras.* Determinada quantia que dois ou mais parceiros combinam deixar de lado cada vez que um deles ganha, e que, findo o jogo, será dividida entre os participantes da combinação. **4.** *Bras. Gír.* V. *nádegas*. **5.** *Bras. PE* Barato (7). **6.** *Bras. BA Pop.* V. *bruxaria* (1 e 2).

→ **bœuf bourguignon** [bœf buʁgi'ɲõ] [Fr.] *Loc. s. m. Cul.* Prato originário da Borgonha, feito com pedaços de carne de vaca cozida em vinho tinto, ao qual se acrescentam cebolas pequenas, cogumelos e toicinho.

■ **bps** *Inform.* Sigla de *bit* por segundo, que é uma unidade de velocidade de fluxo de informação digital, tipicamente utilizada na transmissão remota de dados. [Cf. *baud*.]

■ **Bq** *Fís.* Símb. de *becquerel*.

■ **Br** *Quím.* Símb. de *bromo*.

brabanção [Do fr. *brabançon*.] *Adj.* **1.** Do, ou pertencente ou relativo ao Brabante (Bélgica). ● *S. m.* **2.** O natural ou habitante do Brabante. [Sin. ger.: *brabantês*. Fem.: *brabançona*.]

brabançona *S. f.* Fem. de brabanção (q. v.).

brabantês *Adj. S. m.* Brabanção (q. v.). [Flex.: *brabantesa* (ê), *brabanteses* (ê), *brabantesas* (ê).]

brabeza (ê) [De *brabo* + *-eza*.] *S. f. Bras. Cabo-verd. Guin.* **1.** V. *braveza*. ● *Adj. 2 g. e 2 n.* **2.** Feroz, selvagem: "— Pois é: o menino saiu com o copinho dele para o pai encher de leite, e tinha um marruco __brabeza__ do sertão que ninguém num lembrava." (Bernardo Élis, *Veranico de Janeiro*, p. 22.)

brabo [De *bravo*[1].] *Adj.* **1.** *Bras. Cabo-verd. Guin.* V. *bravo*[1] (1 a 3): "Os cavalos __brabos__, crinas sem cortes, enchiam os currais." (Adonias Filho, *Léguas da Promissão*, p. 35.) **2.** V. *valentão* (1). **3.** Sem educação, treino ou preparo adequado; bisonho e/ou incompetente: *O frango não está bom: a cozinheira é meio __braba__*. **4.** *P. ext.* Feito sem apuro; malfeito, ruim: *A comida hoje está __braba__*. **5.** Muito forte; intenso: *calor __brabo__; uma gripe das __brabas__*. **6.** Nocivo, danoso, daninho: *erva __braba__*: "Na passagem do século um cometa __brabo__ percorreria o céu e extinguiria a criação: homens, bichos, plantas." (Graciliano Ramos, *Infância*, p. 69). **7.** Violento, impetuoso, arrebatado: *Que homem __brabo__!* **8.** Espesso, denso: *matagal __brabo__*. ~ V. *ferida — a*. ● *S. m.* **9.** *Bras.* Caibro que se amarra aos dois extremos da mesa do carro de bois. **10.** *Bras. Amaz.* Trabalhador recém-chegado aos seringais.

brabura [De *brabo* + *-ura*.] ***S. f.*** *Bras. RJ* V. *braveza.*

braça [Do lat. *brachia*, pl. de *brachiu*, 'braço'.] ***S. f.*** *Metrol.* **1.** Antiga unidade de medida de comprimento equivalente a dez palmos [v. *palmo* (2)], ou seja, 2,2m. **2.** Unidade de comprimento do sistema inglês, equivalente a cerca de 1,8m. ◆ **Braça quadrada.** *Bras.* Medida agrária que se usa em MT e MS, igual à tarefa (5), de AL e SE: 3.052m^2. [Cf. *tarefa* (5).]

braçada [De *braço* + *-ada*[1].] ***S. f.*** **1.** Aquilo que se pode abranger com os braços; braçado: *uma braçada de flores.* **2.** Cada um dos movimentos coordenados dos braços, em natação. ◆ **Braçada de peito.** *Nataç.* Nado de peito. **Às braçadas.** Em grande quantidade, em quantidade.

braçadeira [De *braço* + *-a-* + *-deira*.] ***S. f.*** **1.** Correia ou argola fixada na parte de trás do escudo (1) e por onde se enfia o braço; embraçadura. **2.** Presilha que segura o apanhado lateral de cortina, reposteiro, etc.; embraçadura. **3.** Distintivo, geralmente em forma de faixa, que se usa no braço, sobre a manga; embrace. **4.** Tira de couro ou de outro material, no interior de automóvel, para o passageiro manter o equilíbrio do corpo. **5.** Argola metálica que liga o cano da espingarda à coronha; embraçadura. **6.** Ferragem para reforçar peças ensambladas; embraçadura. **7.** Qualquer anilho ou chapa metálica que abraça duas ou mais peças de uma armação, conservando-as unidas; embraçadura. **8.** *Bot.* V. *cipó-violeta.* **9.** *Arquit.* Peça metálica que serve para ligar as pernas da tesoura da cobertura à linha ou tirante. **10.** *Mús.* Anel duplo e aberto, de metal, com dois parafusos, que prende a palheta à boquilha de certos instrumentos de sopro (clarinete, saxofone, etc.). **11.** *Ant.* Espécie de bainha de couro que, nos tambores e bombos, cinge as cordas, duas a duas, para se comprimir o arquilho sobre a pele. **12.** *Bras.* Correia ou faixa elástica, com que os atletas ou pessoas que carregam peso, cingem o pulso; embraçadeira.

braçado [De *braço* + *-ado*[1].] ***S. m.*** Braçada (1).

braçagem [De *braço* + *-agem*[2].] ***S. f.*** **1.** Trabalho braçal; braceagem. **2.** *Bras.* Força de braço. **3.** *Bras.* Barra de ferro horizontal que une todas as manivelas das locomotivas.

bracaiá [Do tupi.] ***S. m.*** *Bras. Zool.* V. *jaguatirica.*

bracajá ***S. m.*** *Bras. Zool.* V. *tracajá.*

braçal [De *braço* + *-al*[1].] ***Adj. 2 g.*** **1.** Pertencente ou relativo ao(s) braço(s); braquial. **2.** Diz-se da ocupação material, em que se utiliza a força muscular, em especial a dos braços ou a das mãos: *trabalho, serviço, tarefa braçal.* [Opõe-se, nesta acepç., a ocupação *intelectual*.] **3.** *P. ext.* Diz-se daquele que executa trabalhos braçais; braceiro. ~ V. *serra* — e *trabalho* —. ● ***S. m.*** **4.** Na armadura, a parte que defendia o braço; braceleira. **5.** *Fig.* Indivíduo forçudo.

braçalote ***S. m.*** *Marinh.* V. *brinco* (8).

bracamarte [Do fr. *braquemarte*.] ***S. m.*** Espadagão antigo, que era brandido com ambas as mãos. [Cf. *bacamarte*.]

bracarense [Do lat. *bracarense*.] ***Adj. 2 g.*** **1.** De, ou pertencente ou relativo a Braga, capital da província do Minho (Portugal). ● ***S. 2 g.*** **2.** O natural ou habitante de Braga. [Sin. ger.: *brácaro* e *braguês*.]

braçaria [De *braço* + *-aria*.] ***S. f.*** Arte de arremessar projetis com o braço.

brácaro ***Adj. S. m.*** V. *bracarense.*

bracatinga [De or. tupi.] ***S. f.*** **1.** *Bras. S. Bot.* Árvore mimosácea (*Mimosa escrabella*) que se agrupa tão densamente que chega a formar quase verdadeiras matas. É de pequeno porte e, como cresce muito depressa, é importante para a produção de lenha para carvão. **2.** *Bras. SC* Mata aberta, quase sem vegetação arbustiva ou subarbustiva.

bracatingal [De *bracatinga* + *-al*[1].] ***S. m.*** **1.** *Bras.* Quantidade mais ou menos considerável de bracatingas [v. *bracatinga* (1)], dispostas proximamente entre si. **2.** Área ocupada por bracatingal (1).

braceador (ô) [De *bracear* (2) + *-dor*.] ***Adj.*** *Bras. RS* Diz-se do cavalo que braceia [v. *bracejar* (7)].

braceagem [De *bracear* + *-agem*[2].] ***S. f.*** **1.** Ato ou efeito de bracear. **2.** Braçagem (1). **3.** V. *moedagem.*

bracear [De *braço* + *-ear*[2].] ***V. t. d.*** **1.** *Marinh.* Fazer girar (a verga) no plano horizontal, alando pelos braços [v. *braço* (21)], para que a vela fique convenientemente disposta em relação ao vento. ***Int.*** **2.** Bracejar (6 e 7): "Mas explicai-vos ou primeiro ouvi-me, / Que a um tempo assim braceando, assim gritando, / Assim chorando, não nos entendemos." (Alberto de Oliveira, *Poesias*, 3.ª série, p. 94). [Conjug.: v. *frear*.]

braceiro [De *braço* + *-eiro*.] ***Adj.*** **1.** Que tem força nos braços. **2.** Braçal (3). **3.** *Bras. MG* Diz-se do cavalo que levanta muito as patas dianteiras. ● ***S. m.*** **4.** Aquele que dá o braço a uma senhora. **5.** Indivíduo que executa trabalhos braçais. **6.** *Bras. MG* Cavalo braceiro (3).

bracejador (ô) [De *bracejar* + *-dor*.] ***Adj.*** Que braceja.

bracejamento [De *bracejar* + *-mento*.] ***S. m.*** Ato ou efeito de bracejar; bracejo.

bracejar [De *braço* + *-ejar*.] ***V. t. d.*** **1.** Estender para um e outro lado, como se fossem braços; agitar, balançar. **2.** Estender, expandir; difundir, propagar (braços ou ramos): *A enchente bracejou os rios; A terra fértil bracejava as árvores.* ***T. c.*** **3.** Brotar, romper, surgir: *Desses troncos bracejam tênues ramos.* **4.** Expandir-se, estender-se, como braços: *O oceano bracejava pelas angras e enseadas.* ***Int.*** **5.** Estender os braços, ramos ou apêndices. **6.** Mover ou agitar os braços; gesticular; bracear: *Bracejava do cais, tentando chamar a atenção do passageiro.* **7.** Agitar (o cavalo) as patas dianteiras; bracear. **8.** Agitar-se, mover-se, como braços: "Contra os muros esverdeados de musgo bracejam os limoeiros doces e azedos." (Ramalho Ortigão, *As Farpas*, I, p. 117.) **9.** Deitar braços ou ramos; germinar, vicejar. [Sin. ger.: *esbracejar*. Conjug.: v. *pelejar*.]

bracejo (ê) [Dev. de *bracejar*.] ***S. m.*** Bracejamento.

braceleira [De *braçal* + *-eira*.] ***S. f.*** Braçal (4).

bracelete (ê) [Do fr. *bracelet*.] ***S. m.*** **1.** Pulseira (1). **2.** *Restr. Gír.* Algema (1). **3.** *Lus.* Pulseira (1) de relógio.

bracelote [De *braço*, poss.] ***S. m.*** *Marinh.* V. *brinco* (8).

➔ **braciola** [bra'tʃɔla] [It.] ***S. f.*** *Cul.* V. *bife enrolado.*

braco [Do germ. *brakko*, 'cão de caça', pelo provenç. ant. *brac*.] ***S. m.*** *Cinol.* Cão de certa raça de perdigueiros.

▲ **-braco** Equiv. de *braqui-*.

braço [Do gr. *brachíon*, pelo lat. *brachiu*.] ***S. m.*** **1.** *Anat.* Segmento de membro superior que se estende da espádua ao cotovelo. **2.** Cada um dos membros dianteiros nos quadrúpedes. **3.** V. *paleta* (4). **4.** *Zool.* Cada um dos tentáculos dos cefalópodes e dos celenterados. **5.** *Bot.* Ramo de árvore. **6.** Cada uma das partes horizontais da cruz. **7.** Cada uma das partes da alavanca, entre o ponto de apoio e o de resistência, e entre o ponto de apoio e o de potência. **8.** Cada uma das duas partes do travessão da balança, desde o fulcro até o ponto de suspensão. **9.** Cada uma das peças laterais de poltrona, sofá, etc., que serve de apoio para os braços. **10.** Cada uma das varas a que se prendem as velas dos moinhos. **11.** Barra ou haste afixada a qualquer objeto, para sustentação ou manuseio. **12.** Ramificação de montanha. **13.** *Fig.* O homem, como trabalhador braçal: *Faltavam braços para a lavoura.* **14.** *Fig.* Trabalho, energia, força. **15.** Coragem, bravura, intrepidez. **16.** *Fig.* Poder, autoridade, jurisdição. **17.** *Mús.* A parte superior, mais ou menos alongada, dos instrumentos de corda. **18.** Cada uma das partes do paletó, do casaco ou da camisa que corresponde a um braço (1). **19.** *Citol.* Cada uma de duas porções de um cromossomo, localizadas ao lado do centrômero. **20.** V. *esteiro*[1]: "entreviram .... a pastora, sentada à borda de um regato, que devia ser um braço da ribeira das várzeas" (Camilo Castelo Branco, *Noites de Lamego*, p. 89). **21.** *Astr.* Cada ramo das espirais de uma galáxia. **22.** *Marinh.* Cada um dos cabos singelos ou dobrados que, presos aos laises das vergas redondas, se destinam a dar-lhes movimento no sentido horizontal e a aguentá-las para ré. ~ V. *braços.* ◆ **Braço da alavanca.** *Fís.* A menor distância orientada de um ponto à reta suporte do vetor representativo duma força. **Braço da âncora.** *Marinh.* Cada uma das duas partes recurvadas da âncora, no extremo inferior da haste, que formam a cruz e terminam pelas patas. **Braço da verga.** *Marinh.* Cada um dos cabos ou teques presos às extremidades da verga e que servem para fazê-la girar no plano horizontal. [Cf. *amantilho* (2).] **Braço direito.** Pessoa que se põe a serviço de outrem com a máxima dedicação. **Braço espiral.** *Astr.* Parte de uma galáxia em forma de braço. **Braço oscilante.** *Art. Gráf.* Faca oscilante (q. v.). **A braços com.** Em luta ou porfia com: "A braços com os seus maiores sofrimentos, Hermes era sempre um homem atento às suas amizades." (Povina Cavalcanti, *Hermes Fontes*, p. 197.) **Abrir os braços a. 1.** Receber bem; chamar a si; acolher. **2.** Assistir, auxiliar. **Cruzar os braços.** Furtar-se ao trabalho; ficar inativo. **Dar o braço.** Arqueá-lo ou dobrá-lo para que outrem nele se apoie: "Dei-lhe o braço, entramos na sege" (Camilo Castelo Branco, *A Mulher Fatal*, p. 195). **Dar o braço a torcer.** *Bras.* Mudar de opinião, ante a evidência do erro; confessar-se vencido, derrotado: "– (....) Gostava com saudade, sem dar o braço a torcer, mas com saudade, muita." (Odilo Costa Filho, *Histórias da Beira do Rio*, p. 144.) **De braço dado.** Apoiando-se nos braços mutuamente (duas ou mais pessoas): "Cantam, de braço dado, uns tristes bebedores." (Cesário Verde, *Obra Completa*, p. 110.) **De braços abertos. 1.** Com alegria, afeição e interesse. **2.** Com ânimo de ajudar, auxiliar: "Estava [Mário de Andrade] sempre de braços abertos, sempre pronto para a palavra pedida." (Pedro Nava, *Beira-Mar*, p. 193.) **De braços cruzados.** Sem manifestar interesse ou vontade de ação; sem atividade; inerte: *ficar, estar, continuar de braços cruzados.* **Descer o braço em.** *Bras.* Meter o braço em. **Empinar o braço.** *Bras. RS* Dar-se à embriaguez. **Meter o braço em.** *Bras.* Dar pancada, bater, em (alguém); descer o braço em. **Não dar o braço a torcer.** Insistir na opinião que tem; não se confessar vencido. **Um braço.** Disposto ao trabalho; forte.

braço de ferro ***S. m.*** **1.** Homem enérgico e que faz valer a sua autoridade. **2.** V. *queda de braço.* [Pl.: *braços de ferro*.] ☑

braço-de-mono ***S. m.*** *Bras. Bot.* Erva solanácea (*Solanum martii*) de grande porte, de folhas herbáceas, oblongas, flores pequenas e alvas, de estames amarelos, e cujos frutos são bagas sucosas, que contêm grandes sementes. [Pl.: *braços-de-mono*.]

braço-de-preguiça ***S. m.*** *Bras. L. S. Bot.* Arbusto solanáceo (*Solanum cernuum*) arborescente, dotado de flores brancas ou pardas e bagas amarelas, e cuja raiz tem propriedades depurativas e diuréticas, sendo as folhas usadas para chá; bolsa-de-pastor, caapuera-branca, panaceia, velame-do-mato. [Pl.: *braços-de-preguiça*.]

braçola ***S. f.*** *Constr. Nav.* Pranchão de madeira, ou chapa metálica, disposto verticalmente e no sentido de proa a popa, na borda de uma escotilha, a fim de impedir a entrada de água para o compartimento inferior. [Cf. *contrabraçola*.]

braçolada ***S. f.*** *Bras. RS* Pequeno pedaço de linha do espinhel, em cuja extremidade se prende o anzol.

braconídeo [Do tax. *Bracon* (alter. do gr. *brachýs*, 'curto') + *-ídeo*[1]; tax. *Braconidae*.] *Zool.* ***S. m.*** **1.** Espécime dos braconídeos, família de insetos himenópteros, pequenas vespas que normalmente parasitam larvas de borboletas: as fêmeas põem nelas os seus ovos, e cada uma serve de nutrição a cerca de 100 novos indivíduos. ● ***Adj.*** **2.** Pertencente ou relativo a eles.

braço-nortense ***Adj. 2 g.*** **1.** De, ou pertencente ou relativo a Braço do Norte (SC). ● ***S. 2 g.*** **2.** O natural ou habitante de Braço do Norte. [Pl.: *braço-nortenses*.]

braços [Pl. de *braço*.] ***S. m. pl.*** *Constr. Nav.* As partes das balizas que ficam entre as cavernas e as aposturas. ~ V. *braço.*

bráctea [Do lat. *bractea*.] ***S. f.*** *Bot.* Folha da inflorescência, quase sempre de forma modificada, de dimensões reduzidas e coloração viva, embora também as haja verdes. [Dim. irreg.: *bractéola*.]

bracteado [De *bracte(i)-* + *-ado*[1].] ***Adj.*** *Bot.* Que tem brácteas.

▲ **bracte(i)-** [Do lat. *bractea, ae*.] ***El. comp.*** = 'bráctea': *bracteiforme.* [Equiv.: *-brácteo*: *oxibrácteo*.]

bracteífero [De *bracte(i)-* + *-fero*.] ***Adj.*** *Bot.* Portador de brácteas: *cacho bracteífero.*

bracteiforme [De *bracte(i)-* + *-forme*.] ***Adj. 2 g.*** Semelhante a uma bráctea.

▲ **-brácteo** V. *bracte(i)-*.

bracteoide (ói) [De *bracte(i)-* + *-oide*.] ***Adj. 2 g.*** *Bot.* Semelhante a uma bráctea: *sépala bracteoide.* ❖

bractéola [De *bracte(i)-* + *-ola*.] ***S. f.*** *Bot.* Pequena bráctea que se acha inserida junto ao pedicelo floral ou sobre ele. [Cf. *profilo*.]

bracteolado [De *bractéola* + *-ado*[1].] ***Adj.*** *Bot.* Que tem bractéola.

bracteolar [De *bractéola* + *-ar*[1].] ***Adj. 2 g.*** *Bot.* Relativo à bractéola.

bracteoloide (ói) [De *bractéola* + *-oide*.] ***Adj. 2 g.*** **1.** Semelhante à bractéola. ● ***S. m.*** **2.** *Bot.* Pequenino órgão foliáceo que, nos carófitos, se situa em torno dos órgãos femininos. ❖

bracteoso (ô) [De *bracte(i)-* + *-oso*.] ***Adj.*** *Bot.* Que possui muitas brácteas: *cacho bracteoso.*

braçudo [De *braço* + *-udo*.] ***Adj.*** Que tem braços robustos.

bracuí [Do tupi.] ***S. m.*** *Bras.* **1.** *Bot.* V. *angelim-pedra.* **2.** *Amaz.* Pó de madeira.

bradado [Part. de *bradar*.] ***Adj.*** **1.** Dito ou divulgado em alta voz; exclamado, gritado. ● ***S. m.*** **2.** Brado, grito, clamor. **3.** *Mús.* Canto litúrgico do ofício da Paixão, que reproduz as palavras de Pilatos no texto evangélico.

bradador (ô) [De *bradar* + *-dor*.] ***Adj. S. m.*** Que, ou aquele que brada; bradante.

bradante [De *bradar* + *-nte*.] ***Adj. 2 g. S. 2 g.*** Bradador.

bradar [Do lat. *blaterare*, poss. pelo lat. vulg. **balat(e)rare*.] ***V. t. d.*** **1.** Dizer em brados; exclamar, gritar: *A multidão bradava o nome do vencedor;* "Com grandes golpes bato à porta e brado: / Eu sou o Vagabundo, o Deserdado..." (Antero de Quental, *Sonetos*, p. 133). **2.** Divulgar em alta voz; apregoar, pregoar: *O arauto bradou o edito real.* **3.** Pedir, reclamar, em altas vozes: *Os presos bradavam que lhes des-*

sem o que comer. T. d. e i. **4.** Bradar (3): *Bradava ao rei que lhe poupasse a vida.* **5.** Dar ou transmitir bradando: "bradava ordens ao pessoal; ralhava" (João da Silva Correia, *Farândola*, p. 49). *T. i.* **6.** Gritar, clamar: *Os náufragos bradavam por socorro.* **7.** Pedir, reclamar: *Bradam os presos por justiça.* **8.** Protestar, levantar-se, insurgir-se: *A multidão bradava contra os assassinos.* **9.** Chamar em voz alta; gritar: *A menina chorava, bradando pela mãe. Int.* **10.** Soltar brados; gritar, bradejar. **11.** Rugir, bramir: "Bramindo, o negro mar de longe brada / Como se desse em vão nalgum rochedo" (Luís de Camões, *Os Lusíadas*, V, 38).

bradejar [De *brado* + *-ejar*.] *V. int.* V. *bradar* (10). [Conjug.: v. *pelejar*.]

▲ **bradi-** [Do gr. *bradýs, eîa, ý.* = *El. comp.* = 'lento', 'pesado', 'vagaroso': *bradiacusia, bradifasia.*

bradiacusia [De *bradi-* + *-acus(i)-* + *-ia*[1].] *S. f. Otor.* Embotamento da audição.

bradiartria [De *bradi-* + *-artr(o)-* + *-ia*[1].] *S. f. Neur.* V. *bradilalia.*

bradicardia [De *bradi-* + *-cardia.*] *S. f. Card.* Redução dos batimentos cardíacos para 60 ou menos por minuto.

bradicardíaco [De *bradicardia* + *-íaco.*] *Adj. Med.* Relativo à bradicardia.

bradicárdico [De *bradicardia* + *-ico*[2].] *Adj. Card.* Relativo à bradicardia, ou que a tem.

bradicinesia [Do gr. *bradykinesía.*] *S. f.* Lentidão anormal dos movimentos.

bradicinina [De *bradi-* + *-cin(e)-* + *-ina*[2].] *S. f. Bioquím.* Peptídio formado pela combinação de nove aminoácidos, que tem papel importante na regeneração de tecido lesado; está presente, normalmente, em pequena quantidade no sangue, e aumenta por ação do veneno da *Bothrops jararaca* [v. *jararaca* (1)] [fórm.: $C_{50}H_{73}N_{15}O_{11}$].

bradifasia [De *bradi-* + *-fas(i)-* + *-ia*[1].] *S. f. Neur.* V. *bradilalia.*

bradilalia [De *bradi-* + *-lal(o)-* + *-ia*[1].] *S. f. Neur.* Distúrbio em que o indivíduo pronuncia as palavras de modo anormalmente lento; bradiartria, bradifasia.

bradilogia [De *bradi-* + *-logia.*] *S. f. Psiq.* Lentidão na pronúncia de palavras, decorrente de lentidão de pensamento devida a transtorno (5).

bradimenorreia (éi) [De *bradi-* + *menorreia.*] *S. f. Gin.* Menstruação por tempo prolongado. ❖

bradipepsia [Do gr. *bradypepsía.*] *S. f. Med.* Digestão lenta e difícil.

bradipneia (éi) [De *bradi-* + *-pneia.*] *S. f. Med.* Respiração anormalmente lenta. ❖

bradipódida [De *bradi-* + *-pod(o)-* + *-ida*[1].] *S. m. Adj. 2 g. Zool.* V. *bradipodídeo.*

bradipodídeo [De *bradi-* + *-pod(o)-* + *-ídeo*[1]; tax. *Bradypodidae.*] *Zool. S. m.* **1.** Espécime dos bradipodídeos, família de mamíferos desdentados, arborícolas, de corpo recoberto de pelagem muito espessa, membros muito longos, com unhas fortes e pontudas. Possuem cinco molares superiores e quatro inferiores. São fitófagos, conhecidos pelo nome popular de *preguiça.* ● *Adj.* **2.** Pertencente ou relativo a eles. [Sin. ger.: *bradipódida.*]

bradisfigmia [De *bradi-* + *-(e)sfigm(o)-* + *-ia*[1].] *S. f. Med.* Lentidão de pulso periférico.

bradisseísmo [De *bradi-* + *-seísmo.*] *S. m. Geol.* Bradissismo.

bradissismo [De *bradi-* + *-sismo.*] *S. m. Geol.* Movimento lento da crosta terrestre; bradisseísmo.

brado [Der. regress. de *bradar.*] *S. m.* **1.** V. *clamor* (2). **2.** Grito (1). ◆ **Dar brado.** Adquirir grande fama; tornar-se muito falado; notabilizar-se: "Nas matas de Sila tinha sido cometido um assassínio que deu brado, pelo mistério que revestiu" (Aquilino Ribeiro, *Os Avós dos Nossos Avós*, p. 312).

brafoneira [Do esp. ant. *brafonera.*] *S. f.* Parte das armaduras antigas que protegia a região superior do braço e os ombros. [Var.: *bravoneira.*]

braga [Do lat. *braca.*] *S. f.* **1.** Calção, geralmente curto e largo, que se usava outrora. [M. us. no pl.] **2.** *Marinh.* Gato de escape ou manilha, com que se prende o chicote da amarra à paixão[2] (q. v.), no paiol da amarra. **3.** V. *cavaquinho* (1). ~ V. *bragas.*

bragada [De *braga* + *-ada*[1].] *S. f.* **1.** Parte da perna coberta pela braga. **2.** Parte interna da coxa dos animais. ~ V. *bragadas.*

bragadas [Pl. de *bragada.*] *S. f. pl.* Veias da perna do cavalo onde este é sangrado. ~ V. *bragada.*

bragado [Do lat. *bracatu.*] *Adj.* **1.** Diz-se do animal cujas pernas têm cor diferente da do resto do corpo. **2.** *Bras.* Que tem malhas ou manchas brancas atravessadas na barriga [aplica-se especialmente a bois e cavalos]: "juntas de dez bois, formada cada junta, a capricho, de animais de pelo igual: ou todos pretos, ou alvações, laranjos, malhados, bragados, caraças." (Xavier Marques, *As Voltas da Estrada*, p. 16). ~ V. *malacara — e picaço —.* [Var. metatética: *bargado.*]

bragadura [De *bragado* + *-ura.*] *S. f.* Malha de animal bragado.

bragal [De *braga* + *-al*[1].] *S. m.* **1.** A roupa branca de uma casa. **2.** Pano grosso com que se faziam bragas.

bragançã *S. f.* Fem. de *bragançào* (q. v.).

bragançano *Adj. S. m.* V. *bragantino*[1] (1 e 4).

bragançào *Adj. S. m.* V. *bragantino*[1] (1 e 4). [Fem.: *bragançã* e *bragançona.*]

bragancês *Adj. S. m.* V. *bragantino*[1] (1 e 4). [Flex.: *bragancesa* (ê), *braganceses* (ê), *bragancesas* (ê).]

bragançona *S. f.* Fem. de *bragançào* (q. v.).

braganense *Adj. 2 g.* **1.** De, ou pertencente ou relativo a Braganey (PR). ● *S. 2 g.* **2.** O natural ou habitante de Braganey.

bragante *S. m.* V. *bargante.*

bragantear *V. int.* V. *bargantear.* [Conjug.: v. *frear.*]

bragantino[1] *Adj.* **1.** De, ou pertencente ou relativo a Bragança (Portugal); bragançào, bragançano, bragancês, brigantino. **2.** De, ou pertencente ou relativo a Bragança (PA). **3.** Relativo à dinastia portuguesa dos Braganças. ● *S. m.* **4.** O natural ou habitante de Bragança (Portugal); bragançào, bragançano, bragancês; brigantino. **5.** O natural ou habitante de Bragança (PA). **6.** Membro da dinastia portuguesa dos Braganças.

bragantino[2] *Adj.* **1.** De, ou pertencente ou relativo a Bragança Paulista (SP). ● *S. m.* **2.** O natural ou habitante de Bragança Paulista.

bragas [Pl. de *braga.*] *S. f. pl.* Braga (1). ~ V. *braga.*

bragueiro [De *braga* + *-eiro.*] *S. m.* **1.** Cinta ou funda para hérnias e rupturas. **2.** Cueiro, fralda.

braguense *Adj. 2 g.* **1.** De, ou pertencente ou relativo a Braga (RS). ● *S. 2 g.* **2.** O natural ou habitante de Braga.

braguês *Adj.* **1.** V. *bracarense* (1). ~ V. *viola —a.* ● *S. m.* **2.** V. *bracarense* (2). [Flex.: *braguesa* (ê), *bragueses* (ê), *braguesas* (ê).]

bragueta (ê) *S. f. Arquit.* Moldura convexa, cujo perfil é determinado por dois arcos de círculo com raios e centros distintos.

braguilha [De *braga* + *-ilha.*] *S. f.* **1.** *Ant.* Abertura dianteira das bragas; portinhola. **2.** *P. ext.* Abertura dianteira de qualquer calça, calção, ceroula, etc. [Sin., nesta acepç., no PR: *vista.* Var.: *barguilha, barriguilha.*]

braguinha *S. m. Mad.* V. *cavaquinho* (1).

braile [Do antr. (*Louis*) *Braille* (1809-1852).] *S. m.* Sistema de escrita em relevo para cegos, inventado pelo francês Louis Braille, que perdeu a visão aos três anos de idade. [Cf. *ectipografia.*]

braille *S. m.* V. *braile.*

➔ **brainstorming** ['bɹejnstɔɹmɪŋ] [Ingl.] *S. m.* Técnica de reunião em que os participantes, usualmente de diferentes especialidades, expõem livremente suas ideias, em busca de solução criativa para um dado problema, uma campanha publicitária, etc.

➔ **brake light** ['bɹejklajt] [Ingl.] *S. m.* Terceira luz do freio, situada, em ger., na parte de cima da traseira do carro.

brala *S. f.* V. *bralha*[1].

bralha[1] *S. f.* Templo budista; pagode. [Var.: *brala.*]

bralha[2] *S. f. Bras.* Marcha ligeira e macia dos animais de montada. [Var.: *baralha.*]

bralhar *V. int. Bras.* Andar a passo de bralha[2]. [Var.: *baralhar.*]

brama[1] [Der. regress. de *bramar.*] *S. f.* **1.** V. *berra.* **2.** V. *cio* (1).

brama[2] [De *Brahma*, nome comercial registrado.] *S. f. Bras. Pop.* Qualquer cerveja.

bramadeiro [De *bramar* + *-deiro.*] *S. m.* Lugar onde se juntam os veados que estão na brama[1] (1).

bramador (ô) [De *bramar* + *-dor.*] *Adj. S. m.* Que, ou aquele que dá bramidos; bramante.

bramanas *S. m. pl. Filos.* Tratados em prosa que explicam e codificam os ritos sacrificais extraídos dos Vedas.

brâmane [Do sânscr. *brāhmana.*] *Rel. S. m.* **1.** Entre os hindus, membro da mais alta das quatro castas, tradicionalmente votado ao sacerdócio, e que se ocupava do estudo e do ensino dos Vedas (v. *veda*[2]). ● *Adj. 2 g.* **2.** Pertencente ou relativo aos brâmanes. [Cf. *xátria, vaixá* e *pária* (1). Var.: *brâmine.*]

brâmani *S. f.* Mulher da casta brâmane.

bramanismo [De *brâmane* + *-ismo.*] *S. m.* Organização religiosa, política e social dos brâmanes, voltada à utilização litúrgica dos Vedas.

bramanista [De *bramanismo* + *-ista.*] *Adj. 2 g.* **1.** Pertencente ou relativo ao bramanismo. **2.** Que é adepto dele. ● *S. 2 g.* **3.** Adepto do bramanismo.

bramante[1] [Do top. *Brabante* (Bélgica).] *S. m. Bras. N.E. Tec. Têx.* V. *cretone.*

bramante[2] [De *bramar* + *-nte.*] *Adj. 2 g. S. 2 g.* Bramador.

bramar [Do rad. onom. **bram-*, comum às línguas românicas meridionais e a outras indo-europeias.] *V. int.* **1.** Dar bramidos (o veado, o tigre, o boi, etc.); berrar, bramir, rugir. **2.** Estar no cio (o veado e, p. ext., outros animais). **3.** Soltar bramidos; berrar, gritar, bradar. **4.** Zangar-se, irritar-se, enfurecer-se: *O juiz bramou ante as violências.* **5.** *Bras.* Protestar com veemência, aos gritos; bradar: *O réu, inocente, bramava sem parar.* **6.** Fazer grande ruído; bramir, estrondear: "Embaixo as águas referven-do bramam..." (Raimundo Correia, *Poesias*, p. 18.) *T. i.* **7.** Acusar com violência; vituperar: *O lesado bramava contra o ladrão.* **8.** Rogar, suplicar em altas vozes: "Por ele a ti rogando choro e bramo" (Luís de Camões, *Os Lusíadas*, II, 40).

bramido [Part. subst. de *bramir.*] *S. m.* **1.** Rugido de feras. **2.** Grito muito forte; clamor, berro, brado. **3.** Grande ruído ou som muito forte; estrondo.

bramidor (ô) [De *bramir* + *-dor.*] *Adj. S. m.* Que ou o que brame.

brâmine *Adj. 2 g. S. m.* V. *brâmane.*

bramir [Do rad. onom. **bram-* (v. *bramar*) + *-ir.*] *V. int.* **1.** Dar bramidos (a fera); rugir, bramar. **2.** Soltar bramidos; clamar, berrar, bradar: *As vítimas bramiam de dor.* **3.** Fazer grande estrondo; estrondear, retumbar, ribombar: "Bramindo o negro mar, de longe brada / Como se desse em vão nalgum rochedo" (Luís de Camões, *Os Lusíadas*, V, 38); "Inverno. O temporal, colérico e bravio, / Brame sinistramente" (Mateus de Albuquerque, *Visionário*, p. 71). *T. d.* **4.** Dizer em altos brados; exclamar, bradar: *A multidão bramia impropérios.* [Defect. Não se conjuga nas f. em que ao *m* da raiz se seguiria *o* ou *a*: a 1ª pess. sing. do pres. ind. e as do pres. subj.]

bramoso (ô) [De *bram-*, como em *bramar* e *bramir*, + *-oso.*] *Adj.* **1.** Que brama; bramador, bramante. **2.** Raivoso, enfurecido.

bramota [De *brama*[2] + *-ota*[1].] *S. f. Bras. BA Pop.* Brama[2]: "xingamentos e tabefes às mesas dos bares, onde, em torno de geladas bramotas, reuniam-se noite adentro os incompreendidos talentos jovens" (Jorge Amado, *Dona Flor e Seus Dois Maridos*, p. 45).

branca[1] [F. subst. de *branco.*] *S. f.* **1.** Cabelo branco; cã: "Seus cabelos já começavam a rarear apesar de não terem brancas" (Pedro Nava, *Beira-Mar*, p. 45). [M. us. no pl.] **2.** *Bras. Pop.* V. *cachaça* (1): "entregue o boi à multidão, os laçadores subiram até à casa do Vidal, a tomar uma pinga da branca." (Virgílio Várzea, *Histórias Rústicas*, p. 162). ~ V. *brancas.*

branca[2] *S. f.* V. *calceta* (1). ~ V. *brancas.*

brancacento *Adj.* Quase branco; alvacento, branquicento.

brancagem *S. f.* Antigo imposto sobre o pão e a carne vendidos a retalho.

brancão *S. m. Bras. PB Pop. Deprec.* Homem branco de mau procedimento.

brancarana [De *branca*, fem. de *branco*, + *-rana.*] *S. f. Bras.* Mulata clara.

brancarão [De *brancarana.*] *Adj. S. m. Bras.* Diz-se de, ou indivíduo um tanto mulato; mulato claro. [Var.: *brancarrão*, com infl. do sufixo de aumentativo. Fem.: *brancarona.*]

brancaria [De *branco* + *-aria.*] *S. f.* Branquearia.

brancarona *S. f. Bras.* Fem. de *brancarão* (q. v.). [Var.: *brancarrona.*]

brancarrão *Adj. S. m. Bras.* V. *brancarão.* [Fem.: *brancarrona.*]

brancarrona *S. f. Bras.* Fem. de *brancarrão* (q. v.).

brancas *S. f. pl.* V. *branca*[1] (1).

branca-ursina [Do lat. tard. *branca ursina*, 'garra de urso'.] *S. f. Bot.* V. *canabrás.* [Pl.: *brancas-ursinas.*]

branco [Do germ. *blank*, 'luzidio', 'brilhante', acepç. que sobrevive na expr. *arma branca.*] *Adj.* **1.** Diz-se da impressão produzida no órgão visual pelos raios da luz não decomposta. **2.** Da cor da neve, do leite, da cal; alvo, cândido. **3.** Diz-se das coisas que, não sendo brancas, têm cor mais clara do que outras da mesma espécie: *pão branco; madeira branca.* **4.** Claro, translúcido. **5.** Pálido, descorado: *Ficou branco de susto.* **6.** Prateado, argentado, argênteo: *metal branco.* **7.** Que tem cãs; encanecido: *Sua cabeça está branca.* **8.** Diz-se de indivíduo de pele clara. **9.** *Fig.* Sem mácula; inocente, puro, cândido, ingênuo: *alma branca.* **10.** Que não surtiu o efeito desejado ou esperado. ~ V. *açúcar —, aguaceiro —, anã —a, arma —a, arsênio —, bandeira —a, barro —, bengala —a, bilhete —, buraco —, cabidela —a, carta —a, casamento —, cimento —, coroa —a, elefante —, escravatura —a, festa —a, ferro fundido —, geada —a, glóbulo —, greve —a, linha —a, magia —a, mancha —a, material —, molho —, ouro —, página —a, ponte —a, raios X —s, sessão —a, substância —a, terror —, tumor —, umbanda —a, uva —a, verniz —, versos —s, vinho —, vitelo — e viúva —a.* ● *S. m.* **11.** A cor branca. **12.** Substância com que se tinge de branco. **13.** Homem de pele clara. **14.** Espaço entre linhas escritas ou impressas. **15.** Incapacidade de raciocinar ou de recordar-se de algo; claro, vazio: *Deu um branco na cabeça do aluno, e ele nada respondeu.* **16.** Antiga moeda de prata. **17.** *Gír.* Homem tolo, ingênuo, papalvo. **18.** *Bot.* Alburno, entrecasca. **19.** *Encad.* Mordente preparado com gesso, para dourar seda, veludo ou material semelhante. **20.** *Quím.* Ensaio ou experiência em que todos os reagentes e condições de uma determinada análise são empregados, entretanto sem a presença da amostra a ser analisada. **21.** *Teatr.* Buraco (20). **22.** *Tip.* Claro (27) maior que o deixado nos impressos pelo espacejamento ou pelo entrelinhamento comuns. **23.** *Tip.* Qualquer peça de material branco. **24.** *Tip.* O lado do papel que se imprime em primeiro lugar. [V. *retiração* (4).] **25.** *Tip.* Fôrma de branco. **26.** *Bras.* No jogo de dominó, a parte da pedra sem pontos marcados. **27.** *Bras.* Senhor, patrão. **28.** *Cabo-verd.* Pessoa de alto nível social: "Morávamos numa casa baixa e por isso não éramos brancos." (Teixeira de Sousa, *Xaguate*, p. 20.) ◆ **Branco do olho.** *Anat.* V. *esclera.* **Branco do ovo.** A clara. **Branco fixo.** *Quím.* Pigmento branco constituído por sulfato de bário. **Em branco. 1.** Não escrito. **2.** Em jejum. **3.** Sem haver estudado nada. **4.** Sem haver dormido; em claro. **Tirar de branco.** *Tip.* Imprimir o primeiro lado da folha de papel. [Cf. *retirar* (17).]

branco-acinzentado *Adj.* **1.** De um branco tirante a cinza. ● *S. m.* **2.** Essa cor. [Flex. do adj.: *branco-acinzentados, branco-acinzentada(s)*; pl. do s. m.: *brancos-acinzentados.*]

branco-amarelado *Adj.* **1.** De um branco tirante a amarelo. *S. m.* **2.** Essa cor. [Flex. do adj.: *branco-amarelados, branco-amarelada(s)*; pl. do s. m.: *brancos-amarelados.*]

branco da baia *S. m. Bras. N. Irôn.* Mulato (1). [Pl.: *brancos da baía.*]

branco de giz *Adj.* Branco da cor da cal. [Pl.: *brancos de giz.*]

branco-prateado *Adj.* **1.** De um branco tirante a prateado. ● *S. m.* **2.** Essa cor. [Flex. do adj.: *branco-prateados, branco-prateada(s)*; pl. do s. m.: *brancos-prateados.*]

brancoso (ô) [De *branco* + *-oso.*] *Adj. Bras.* Diz-se de indivíduo muito branco ou muito pálido.

branco-sujo *Adj.* **1.** De um branco denegrido e baço. **2.** Diz-se dessa cor. ● *S. m.* **3.** Essa cor. [Flex. do adj.: *branco-sujos, branco-suja(s)*; pl. do s. m.: *brancos-sujos.*]

brancura [De *branco* + *-ura.*] *S. f.* Qualidade de branco; branquidade, branquidão, alvura.

brandal [Do cat. *brandal*, poss.] *S. m. Marinh.* **1.** Cada um dos cabos que aguentam os mastaréus, para um e outro bordo e um pouco para ré. **2.** Cada um dos cabos que aguentam os mastros de embarcação miúda para um e outro bordo e um pouco para ré. [Cf. *estai.*]

brandalhão [De *brando* + *-alhão.*] *Adj.* **1.** Muito brando. **2.** *Fig.* Indolente, preguiçoso. [Fem.: *brandalhona.*]

brandamente [Do f. de *brando* + *-mente.*] *Adv.* De maneira branda; com brandura; suavemente: "Os ventos brandamente respiravam" (Luís de Camões, *Os Lusíadas*, I, 19).

brandão [Do frâncico **brand*, 'tição', pelo cat. *brandó.*] *S. m.* Grande vela de cera; círio, tocha: "milhares de brandões de cera .... para serem empunhados, acesos, ao longo dos caminhos, à passagem do féretro" (Antero de Figueiredo, *D. Pedro e D. Inês*, p. 216).

brande [Aport. do ingl. *brandy.*] *S. m.* **1.** Aguardente de uva semelhante ao conhaque (q. v.): "os colegas da Cotonang .... varreram num segundo todo o brande da despensa" (Lobo Antunes, *O Esplendor de Portugal*, p. 54). **2.** *Bras. Impr.* Aguardente, cachaça.

brandear [De *brando* + *-ear*[2].] *V. t. d.* **1.** Tornar brando; abrandar. **2.** *Marinh.* Folgar (um cabo, uma espia, uma amarra, etc.). **3.** *Marinh.* Dar seio (13) a (um cabo, uma corrente, etc., distendidos). [Conjug.: v. *frear.*]

brandemburguês *Adj.* **1.** Do, ou pertencente ou relativo a Brandemburgo (Alemanha). ● *S. m.* **2.** O natural ou habitante de Brandemburgo. [Flex.: *brandemburguesa* (ê), *brandemburgueses* (ê), *brandemburguesas* (ê).]

brandiloquentíssimo (qüen) *Adj.* Superl. abs. sint. de *brandíloquo.*

brandíloquo [De *brando* + *-i-* + *-loquo.*] *Adj.* Que fala brandamente; de voz branda, suave. [Superl. abs. sint.: *brandiloquentíssimo.*]

brandimento [De *brandir* + *-mento.*] *S. m.* Ação de brandir.

brandir [Do fr. *brandir.*] *V. t. d.* **1.** Erguer (a arma) antes da arremetida ou disparo: *brandir a espada;* "Quando a lança brandis heroicamente / No floriodo verdor da gentileza, / Vos prognosticam todos na destreza / De general o cargo preminente" (Manuel Botelho de Oliveira, *Música do Parnasso*, I, p. 109). **2.** Agitar (a mão, o pulso): *Brandiu os pulsos para lutar.* **3.** Acenar com; menear: *Brandiu a bengala, no seu último adeus.* *Int.* **4.** Agitar-se, vibrar, oscilar: *Os ramos das árvores brandiam com o vento.* [Defect. Não se conjuga nas f. em que ao *d* se seguiria *o* ou *a*: 1ª pess. sing. do pres. ind. e todo o pres. subj.]

brando [Do lat. *blandu.*] *Adj.* **1.** Que cede facilmente à pressão; mole, tenro, macio; flexível. **2.** Meigo, manso: *os brandos olhos da menina.* **3.** Suave, doce, ameno: *vento brando.* **4.** Que não tem, ou em que não há energia; frouxo: *atitudes brandas.* **5.** Lento, vagaroso, frouxo: *Anda a passos brandos.* ~ V. *verniz* —. ● *S. m.* **6.** *Marinh.* Cabo em seio, sem pressão para trabalho. ◆ **Colher o brando de.** *Marinh.* Alar ou rondar (um cabo, amarra, etc.) até que fique esticado, mas sem tensão; rondar o brando de. **Rondar o brando de.** *Marinh.* Colher o brando de.

brandura [De *brando* + *-ura.*] *S. f.* **1.** Qualidade ou caráter de brando; maleabilidade. **2.** Suavidade, maciez. **3.** Mansidão, afabilidade, doçura. **4.** Pouca energia; fraqueza. **5.** Lentidão, vagar. ~ V. *branduras.*

branduras [Pl. de *brandura.*] *S. f. pl.* **1.** Palavras meigas, afáveis, carinhosas. **2.** Afagos, carícias. ~ V. *brandura.*

→ **brandy** ['bɹændi] [Ingl.] *S. m.* V. *brande.*

branqueação [De *branquear* + *-ção.*] *S. f.* V. *branqueamento.*

branqueado [Part. de *branquear.*] *Adj.* Que se tornou branco; que tem cor aproximadamente branca: "Uma cabeça branqueada surgia agora da terra, ao pé do morto" (Hugo de Carvalho Ramos, *Tropas e Boiadas*, p. 66). [Cf. *branquiado.*]

branqueador (ô) [De *branquear* + *-dor.*] *Adj.* **1.** Que branqueia ● *S. m.* **2.** Aquele ou aquilo que branqueia. **3.** Limpador das carnes para os talhos, os açougues; esfolador. **4.** Alvejante (4). ◆ **Branqueador óptico.** *Quím.* Alvejante óptico.

branqueadura [De *branquear* + *-dura.*] *S. f.* V. *branqueamento.*

branqueamento [De *branquear* + *-mento.*] *S. m.* **1.** Ação ou efeito de branquear(-se); branqueação, branqueadura. **2.** *Lus.* V. *lavagem de dinheiro.*

branquear [De *branco* + *-ear*[2].] *V. t. d.* **1.** Tornar branco ou mais branco; alvejar: "Depois... a Lua branqueava o píncaro / Das serranias." (Alberto de Oliveira, *Poesias*, 1ª série, p. 298). **2.** Cobrir com substância branca; pintar de branco. **3.** Limpar, assear. **4.** *Bras. RS* Caiar. *Int.* **5.** Tornar-se branco; branquejar, alvejar: *Os campos branquearam com a neve.* **6.** Mostrar-se em sua cor branca; alvejar, branquejar: *Branqueia a casinha na colina.* **7.** Criar cãs; encanecer: *Branqueou cedo; negócios malsucedidos foram a causa.* *P.* **8.** Tornar-se branco. **9.** Limpar-se, purificar-se. [Conjug.: v. *frear.* Pres. ind.: *branqueio, branqueias, ... branqueais, branqueiam.* Cf. *branquiais*, pl. de *branquial.*]

branquearia *S. f.* Lugar onde se procede ao branqueamento de vários materiais, como tecidos, fibras, papel, etc.; brancaria.

branquejante [De *branquejar* + *-nte.*] *Adj. 2 g.* V. *alvejante.*

branquejar [De *branco* + *-ejar.*] *V. t. d.* **1.** Branquear (1): "O suor pingava da sua face pálida, o pó branquejava as pregas do seu brial" (Eça de Queirós, *Últimas Páginas*, p. 421). *int.* **2.** V. *branquear* (5 e 6): *Branquejam as velas dos barcos;* "Ela quis saber o nome de uma povoação que branquejava ao longe" (Id., *Os Maias*, II, pp. 144-145). [Normalmente só se conjuga nas 3ªs pess. Conjug.: v. *pelejar.*]

branquelo [De *branco* + *-elo.*] *Adj. S. m. Deprec.* Diz-se de, ou indivíduo de cor branca, de tez pálida.

branqueta (ê) [De *branco* + *-eta* (ê).] *S. f. Tip. Ant.* Pano de lã que, preso pelo timpanilho ao tímpano do prelo manual, serve para abrandar a pressão da platina contra a fôrma; frisa. [Cf. *almofada* (6).]

brânquia [Do gr. *branchía*, pelo lat. *branchia.*] *S. f. Zool.* Órgão respiratório de animais aquáticos que nos peixes atinge seu desenvolvimento máximo. [V. *guelra.*]

▲ **-brânquia** V. *branqui(o)-.*

branquiado [De *brânquia* + *-ado*[1].] *Adj. Zool.* Que tem brânquias ou guelras. [Cf. *branqueado.*]

branquial [De *branqui(o)-* + *-al*[1].] *Adj. 2 g. Zool.* Relativo ou pertencente às brânquias. [Pl.: *branquiais.* Cf. *branqueais*, do v. *branquear.*]

branquicento *Adj.* V. *brancacento.*

branquidade [De *branco* + *-(i)dade.*] *S. f. Bras.* **1.** V. *brancura.* **2.** Preocupação de dizer-se branco, de ostentar suposta pureza de sangue, ou fidalguia.

branquidão [De *branco* + *-idão.*] *S. f.* V. *brancura.*

branquilho [De *branco* (c = qu) + *-ilho.*] *S. m. Bras. L. S. Bot.* Alto arbusto euforbiáceo (*Sebastiania klotzchiana*) cujos ramos são providos de espinhos. As folhas, insignificantes, dispõem-se em curtas espigas, delgadas, paucifloras e que medem 3cm; os frutos são cápsulas trivalvares.

branquinha [F. subst. do dim. de *branco.*] *S. f.* **1.** *Bras. Zool.* Designação comum a vários peixes caraciformes caracídeos e curimatídeos, esp. os do gênero *Curimata.* **2.** *Bras. Zool.* Peixe caracídeo (*Charax gibbosus*), da Amaz., Guiana e Suriname, de coloração prateada com mácula negra atrás do opérculo e acima da linha lateral; alcança até 13cm de comprimento, tem o dorso fortemente arqueado, e a nadadeira anal ocupa a maior parte do abdome. **3.** *Bras. N.* Ardil, fraude. **4.** *Bras. Pop.* V. *cachaça* (1). **5.** *Bras. SP* V. *geada branca.*

branquinhense *Adj. 2 g.* **1.** De, ou pertencente ou relativo a Branquinha (AL). ● *S. 2 g.* **2.** O natural ou habitante de Branquinha.

branquinho *S. m. Bras. Zool.* V. *piramutaba.*

▲ **branqui(o)-** [Do gr. *branchio-* < gr. *branchía*, pl. do gr. *bránchion, ou*, 'barbatana'.] *El. comp.* = 'brânquia(s)': *branquiópode.* [Equiv.: *-brânquia; -branqui(o)-, -brânquio: podobrânquia; abranquial*[1]; *adelobrânquio.*]

▲ **-brânquio** V. *branqui(o)-.*

branquiópode [De *branqui(o)-* + *-pode*; tax. *Branchiopoda.*] *Zool. S. m.* **1.** Espécime dos branquiópodes, subclasse de animais metazoários, artrópodes, crustáceos, ger. de água doce, com os apêndices do tronco de estrutura uniforme, ger. foliáceos. ● *Adj.* **2.** Pertencente ou relativo a eles. [Sin. ger.: *filópode.*]

branquiostegial [De *branqui(o)-* + *-steg(o)-* + *-ial.*] *Adj. 2 g.* **1.** Diz-se da membrana que recobre as brânquias nos peixes. **2.** Diz-se da parte lateral da carapaça dos crustáceos que recobre a câmara branquial.

branquiostegídeo [Do tax. *Branchiostegus* + *-ídeo*[1]; tax. *Branchiostegidae.*] *S. m. Adj. Zool.* V. *malacantídeo.*

branquiostomídeo [Adapt. do *Branchiostomidae.*] *Zool. S. m.* **1.** Espécime dos branquiostomídeos, família de cefalocordados com um único gênero, o *Branchiostoma*, que engloba os anfioxos. ● *Adj.* Pertencente ou relativo a eles.

branquir *V. t. d.* Branquear (metais, especialmente a prata e o ouro). [Conjug.: v. *averiguar.*]

braquete [Aport. do ingl. *bracket*, 'suporte'.] *S. m. Odont.* Dispositivo para fixar a parte ativa do aparelho ortodôntico nos dentes.

▲ **braqui-** [Do gr. *brachýs, eîa*, (ă).] *El. comp.* = 'curto', 'breve': *braquícero*[1]. [Equiv.: *-braco: anfíbraco* (q. v.).]

braquia [Do gr. *bracheîa*, 'breve'.] *S. f. Graf.* Pequeno traço em formato de meia-lua us. sobre vogal, para indicar que tem quantidade breve: *ă, ĕ, ĭ, ŏ, ŭ.* [Cf. *ápice* (4) e *macro*[1].]

braquiação [Do ingl. *brachiation.*] *S. f. Zool.* Forma de locomoção, observada nos primatas arborícolas, esp. nos gibões e gorilas, na qual o animal se desloca segurando-se pelas mãos, alternadamente, de galho em galho.

braquial [Do lat. *brachiale.*] *Adj. 2 g.* Braçal (1).

braquialgia [De *braqu(i)(o)-* + *-alg(o)-* + *-ia*[1].] *S. f. Med.* Dor em braço.

braquianticlinal [De *braqui-* + *anticlinal.*] *S. f. Geol.* V. *domo* (6).

braquiblasto [De *braqui-* + *-blasto.*] *S. m. Bot.* Ramo curto especial que sustenta um molho de folhas, característico das coníferas.

braquicefalia [De *braqui-* + *-cefal(o)-* + *-ia*[1].] *S. f.* Caráter ou condição de braquicéfalo.

braquicefalídeo [De *braqui-* + *-cefal(o)-* + *-ídeo*[1]; tax. *Brachycephalidae.*] *Zool. S. m.* **1.** Espécime dos braquicefalídeos, anfíbios da subclasse dos anuros, bufoniformes, de cor amarelo-pálida ou laranja. São sapos do N. do Brasil e da Guiana. ● *Adj.* **2.** Pertencente ou relativo a eles.

braquicéfalo [De *braqui-* + *-céfalo.*] *Adj. S. m. Antropom.* Diz-se de, ou indivíduo cujo crânio, observado de cima, apresenta a forma de um ovo, porém mais curto e arredondado posteriormente. [O índice cefálico vai de 84 a 85,9. Cf. *dolicocéfalo* e *mesaticéfalo.*]

braquicêntrico [De *braqui-* + *-centr(o)-* + *-ico*[2].] *Adj.* Que tem acículas ou acúleos curtos.

braquícero[1] [De *braqui-* + *-cero.*] *Adj. Zool.* Que tem antenas ou chifres curtos.

braquícero[2] [Adapt. do *Brachycera.*] *Zool. S. m.* **1.** Espécime dos braquíceros, subordem de insetos dípteros, cujas antenas são mais curtas que o tórax, em geral com três segmentos, a terceira junta, às vezes complexa, com anéis mais ou menos distintos. ● *Adj.* **2.** Pertencente ou relativo a eles.

braquícito [De *braqui-* + *-cito.*] *S. m. Bot.* Célula notavelmente curta da epiderme das folhas das poáceas.

braquíclado [De *braqui-* + *-clado.*] *Adj. Bot.* De ramos curtos ou pouco desenvolvidos.

braquidactilia [De *braquidáctilo* + *-ia*[1].] *S. f. Ter.* Anomalia caracterizada pela presença de dedos curtos. [Var.: *braquidatilia.*]

braquidáctilo [Do gr. *brachydáktylos.*] *Adj. S. m. Ter.* Diz-se de, ou indivíduo que tem braquidactilia. [Var.: *braquidátilo.*]

braquidatilia *S. f.* V. *braquidactilia.*

braquidátilo *Adj.* V. *braquidáctilo.*

braquídeo [De *braqu(i)(o)-* + *-ídeo*[3].] *Adj.* Em forma de braço.

braquiélitro [De *braqui-* + *élitro*.] *Adj.* Que tem élitros curtos.

braquiesclereide [De *braqui-* + *esclereide*.] *S. f. Bot.* V. *esclereide*.

braquigrafia [De *braqui-* + *-grafia*.] *S. f.* **1.** *Paleogr.* Ramo da paleografia que estuda as abreviaturas [v. *abreviatura* (3)]. [Os sistemas braquigráficos podem expressar-se: (a) por suspensão, como em *C.*, para o prenome latino *Gaius*; (b) por contração, como em *ama*, para o latim *anima*, ou por letras sobrepostas, como *a*[a], *'alia'*; (c) por aférese, como em *g.*, para *ergo*; (d) por sinais especiais, como para as formas do verbo latino *esse*. As formas mais antigas de sistemas braquigráficos são as siglas (v. *sigla* [1]), os *nomina sacra* (q. v.) e as *notae iuris* (q. v.).] [Cf. *notas tironianas*.] **2.** *Paleogr.* Escrita que contém abreviaturas. **3.** *P. ext.* Redução vocabular, tais como abreviações, abreviaturas, siglas, acrografias e símbolos.

braquigráfico [De *braquigrafia* + *-ico*[2].] *Adj.* Relativo à braquigrafia.

braquigrama [De *braqui-* + *-grama*.] *S. m.* Redução braquigráfica.

braquilogia [De *braqui-* + *-logia*.] *S. f. E. Ling.* Redução de uma palavra, expressão ou giro fraseológico, sem prejuízo do sentido da forma plena: *moto* por *motocicleta*; *molar* por *dente molar*; *Fizemos o que urgia*, por *Fizemos o que urgia que fizéssemos*.

braquilógico [De *braquilogia* + *-ico*[2].] *Adj. E. Ling.* Referente à braquilogia.

▲ **braqu(i)(o)-** [Do gr. *brachíōn, onos*.] *El. comp.* = 'braço': *braquídeo, braquiotomia*. [Equiv.: *-braqu(i)(o)-*, *-bráquio*: *abraquia; abráquio*.]

▲ **-braqu(i)(o)-** V. *braqu(i)(o)-*.

▲ **-bráquio** V. *braqu(i)(o)-*.

braquiópode [De *braqu(i)(o)-* + *-pode*; tax. *Brachiopoda*.] *Zool. S. m.* **1.** Espécime dos braquiópodes, filo de animais moluscoides, marinhos, providos de concha bivalve, dois braços bucais espiralados e sistema cardiovascular complexo. ● *Adj. 2 g.* **2.** Pertencente ou relativo a eles.

braquióptero [De *braqu(i)(o)-* + *-ptero*.] *Adj. S. m. Zool.* V. *braquíptero*[1].

braquiossauro [De *braqu(i)(o)-* + *-sauro*; tax. *Brachiosaurus*.] *S. m. Paleont.* **1.** Gênero de grandes dinossauros que mediam cerca de 24m, incluindo a cauda, e cujos membros anteriores eram muito longos; habitavam os pântanos da América do Norte e da África, no jurássico. **2.** Espécie ou espécime desse gênero.

braquiotomia [De *braqu(i)(o)-* + *-tom(o)-* + *-ia*[1].] *S. f. Cir. Obsol.* Seção ou amputação do braço.

braquiotómico *Adj. Cir. Obsol.* V. *braquiotômico*. [Uso freq. em P.]

braquiotômico [De *braquiotomia* + *-ico*[2].] *Adj. Cir. Obsol.* Referente à braquiotomia.

braquipétalo [De *braqui-* + *-pétalo*.] *Adj. Bot.* Que apresenta pétalas curtas.

braquipneia (éi) [De *braqui-* + *-pneia*.] *S. f. Patol.* Respiração curta, na qual o volume de ar inspirado e expirado é pequeno, abaixo do normal. ❖

braquíptero[1] [De *braqui-* + *-ptero*.] *Adj. Zool.* Que tem asas curtas; braquipene; braquióptero.

braquíptero[2] [Do tax. *Brachipterus*.] *S. m. Zool.* **1.** Gênero de coleópteros nitidulídeos, que compreende insetos cujos élitros são muito curtos. **2.** Qualquer espécie desse gênero, como, p. ex., o *Brachypterus gravidus* e o *B. quadratus*, que ocorrem na Europa. **3.** Qualquer espécime desse gênero.

braquissinclinal [De *braqui-* + *-sin-* + *-clin(o)-*[2] + *-al*[1].] *S. f. Geol.* Dobra do terreno na qual o comprimento e a largura da concavidade são idênticos.

braquistilia [De *braqui-* + *-stil(o)-*[1] + *-ia*[1].] *S. f. Bot.* Ocorrência de estilete curto nas flores.

braquistilo [De *braqui-* + *-stilo*[1].] *Adj. Bot.* Que apresenta braquistilia.

braquistócrona [F. subst. de *braquistócrono*.] *S. f. Mat.* V. *curva braquistócrona*.

braquistócrono [Do gr. *bráchistos*, 'brevíssimo', + *-crono*.] *Adj. Mat.* V. *curva —a*.

braquiterapêutico [De *braqui-* + *terapêutico*.] *Adj.* Relativo à braquiterapia, ou realizado mediante ela.

braquiterapia [De *braqui-* + *terapia*.] *S. f. Radiol.* Forma de radioterapia com radiação ionizante, cuja fonte é aplicada à superfície corporal a ser tratada, ou a pequena distância dela.

braquiúro[1] [De *braqui-* + *-uro*.] *Adj. Zool.* Que tem a cauda curta.

braquiúro[2] [Adapt. do *Brachyura*.] *Zool. S. m.* **1.** Espécime dos braquiúros, subordem de animais decápodes, que reúne crustáceos cujo abdome é atrofiado, curto, e oculto sob o tórax. São os siris e caranguejos. ● *Adj.* **2.** Pertencente ou relativo a eles.

brasa [De or. incerta; poss. pré-romana.] *S. f.* **1.** Carvão incandescente. **2.** Qualidade ou estado de incandescente; incandescência. **3.** Ardência, queimor; afogueamento. **4.** *Fig.* Ardor, paixão; entusiasmo, excitação. **5.** *Fig.* Inquietação, ansiedade, aflição. **6.** *Fig.* Cólera, ira. **7.** *Bras. AM Bot.* Trepadeira convolvulácea (*Maripa scandens*) ornamental, lactescente, que habita as matas pantanosas do estuário do rio Amazonas. Folhas grandes, cordadas e moles; flores vistosas, campanuladas, róseas e dispostas em grandes panículas; os frutos são cápsulas finas e secas. **8.** *Bras. Gír.* V. *cachaça* (1). **9.** *Bras. Gír.* Pessoa atraente, sedutora, viva. **10.** *Bras. PB* V. *tapa*[2] (4). ◆ **Bater a brasa.** *Bras. MG* Disparar arma de fogo. **Chegar a brasa à sua sardinha.** Puxar a brasa para a sua sardinha (q. v.). **Estar em brasa(s).** Estar furioso e/ou ansioso e/ou excitado. 📖 "O pessoal do laboratório estava em brasas para saber o que houvera." (Marques Rebelo, *A Estrela Sobe*, p. 95.) **Mandar brasa.** *Bras. Gír.* **1.** Agir com disposição firme, ou com veemência, agressividade, etc.; tacar ficha; mandar ver: 📖 "metade do que se faz aqui é bobagem! Mas como temos mesmo que fazer, vamos mandar brasa!" (Marques Rebelo, *O Simples Coronel Madureira*, p. 87); "puxo da faca, do fuzil, da garrucha, do que achar e mando brasa." (Fernando Ramos, *Os Enforcados*, p. 169). **2.** Praticar ato libidinoso. **Pisar em brasa.** Viver uma situação extremamente difícil, embaraçosa, etc. **Puxar a brasa para a sua sardinha.** Procurar as suas conveniências ou vantagens; chegar a brasa à sua sardinha. 📖 "– O senhor puxa demais a brasa para a sardinha dele, seu Anastácio." (Permínio Asfora, *Vento Nordeste*, p. 62.)

brasa-escondida *S. f. Bras. S.* Pessoa dissimulada. [Pl.: *brasas-escondidas*.]

brasagem [De *brasa* + *-agem*[2].] *S. f. Metal.* Tipo de solda com base em liga de cobre e zinco, usada para fixação de peças pouco espessas de cobre, de ferro ou de aço. ◆ **Brasagem por indução.** *Metal.* Aquela em que se utiliza um aquecimento indutivo, sendo o calor gerado dentro das peças, através de um campo eletromagnético.

brasão [Do fr. *blason*.] *S. m.* **1.** Insígnia ou distintivo de pessoa ou família nobre, conferidos, em regra, por merecimento; escudo de armas. **2.** *P. ext.* Divisa, emblema. **3.** *Fig.* Honra, glória: 📖 "Sê duro guerreiro, / Robusto, fragueiro, / Brasão dos tamoios / Na guerra e na paz." (Gonçalves Dias, *Obras Poéticas*, II, p. 43.) **4.** *Heráld.* Conjunto de peças, figuras e ornatos dispostos no campo do escudo, ou fora dele, e que representam as armas de uma nação, de um soberano, de uma família, de uma corporação, cidade, etc., e, mais raramente, de um indivíduo.

brasa-viva [De *brasa* + o f. de *vivo*.] *S. f. Bras. Bot.* Arbusto mirtáceo (*Calyptranthes grandifolia*) de 3m a 4m, de casca lisa e descamante, folhas oblongas, acuminadas, discolores e coriáceas; flores pequenas e reunidas em cimeiras, que se dispõem em panículas. Os frutos são bagas globosas, violáceo-escuras, pubescentes, aromáticas e de sabor ácido. [Pl.: *brasas-vivas*.]

braseira [De *brasa* + *-eira*.] *S. f.* V. *braseiro*.

braseiro [De *brasa* + *-eiro*.] *S. m.* **1.** Vaso de metal ou de louça para brasas. **2.** Fogareiro, bacia. **3.** Fogo brando de brasas. **4.** Grande porção de brasas ou de objetos incendiados; brasido: 📖 "Fazia o toucinho chiar no braseiro" (Chico Anísio, *Teje Preso*, p. 166). [Sin. ger.: *braseira*.]

brasense *Adj. 2 g.* **1.** De, ou pertencente ou relativo a Venceslau Brás (PR). ● *S. 2 g.* **2.** O natural ou habitante de Venceslau Brás.

brasido *S. m.* **1.** Braseiro (4): 📖 "teriam à tarde a alegria de um brasido coruscante nos fogões pobres" (Alcides Maia, *Tapera*, pp. 58-59). **2.** Calor forte do lume.

brasiguaio [De *brasi(leiro)* + *(para)guaio*.] *Adj.* **1.** Próprio de brasileiros e paraguaios. **2.** Diz-se de, ou relativo ou pertencente a brasileiro que vive no Paraguai, esp. como proprietário ou trabalhador rural. ● *S. m.* **3.** Indivíduo brasiguaio (2). **4.** O portunhol da fronteira do Brasil com o Paraguai.

brasil [Der. ant. de *brasa*, pela cor vermelha do pau-brasil, poss.] *S. m.* **1.** *Bras. P. us. Bot.* Pau-brasil. **2.** *Bras. Ant.* A cor do pau-brasil; encarnado, vermelho. **3.** *Bras. Ant.* Tintura fabricada com a madeira do pau-brasil, usada em tinturaria e pintura, e também para dar o vermelho das miniaturas e iluminuras dos manuscritos. ● *S. 2 g.* **4.** Indígena do Brasil. **5.** O natural ou habitante do Brasil. [Nas acepç. 4 e 5, m. us. no pl.] ~ V. *brasis*.

brasilaçu [De *brasil* + *-açu*.] *S. m. Bras. Bot.* Árvore cesalpiniácea (*Caesalpinia brasiliensis*) de folhas penadas e flores dispostas em racemos subpaniculados; a madeira, dura e compacta, fornece matéria tintorial. [Sin.: *brasilete, brasileto, brasil-rosado*.]

brasilandense[1] *Adj. 2 g.* **1.** De, ou pertencente ou relativo a Brasilândia (MS). ● *S. 2 g.* **2.** O natural ou habitante de Brasilândia.

brasilandense[2] *Adj. 2 g.* **1.** De, ou pertencente ou relativo a Nova Brasilândia (MT). ● *S. 2 g.* **2.** O natural ou habitante de Nova Brasilândia.

brasilandense[3] *Adj. 2 g.* **1.** De, ou pertencente ou relativo a Nova Brasilândia d'Oeste (RO). ● *S. 2 g.* **2.** O natural ou habitante de Nova Brasilândia d'Oeste.

brasilandiense *Adj. 2 g.* **1.** De, ou pertencente ou relativo a Brasilândia do Sul (PR). ● *S. 2 g.* **2.** O natural ou habitante de Brasilândia do Sul.

brasileense (èe) *Adj. 2 g.* **1.** De, ou pertencente ou relativo a Brasileia (AC). ● *S. 2 g.* **2.** O natural ou habitante de Brasileia. [Cf. *brasiliense*.]

brasileína [De *(pau)-brasil* + *-eína*.] *S. f. Quím.* Substância, de um vermelho intenso, us. antigamente como corante para roupas e como tinta de escrever, e que é formada por oxidação espontânea da brasilina (q. v.) [fórm.: $C_{16}H_{12}O_5$].

brasileira [F. de *brasileiro*.] *S. f. Bras.* V. *cachaça* (1).

brasileirice [De *brasileiro* + *-ice*.] *S. f.* **1.** Coisa própria de brasileiro (2). **2.** Ação ou modos próprios de brasileiro (2). **3.** Expressão abrasileirada.

brasileirismo [De *brasileiro* + *-ismo*.] *S. m.* **1.** *E. Ling.* Palavra ou locução própria de brasileiro (2). **2.** *E. Ling.* Modismo próprio da linguagem dos brasileiros. **3.** *E. Ling.* Idiotismo do português do Brasil. **4.** *Bras.* Caráter distintivo do brasileiro e/ou do Brasil. **5.** *Bras.* Sentimento de amor ao Brasil; brasilidade.

brasileiro [Do top. *Brasil* + *-eiro*.] *Adj.* **1.** De, ou pertencente ou relativo ao Brasil. ~ V. *barroco —, colonial —, complexo —, fila —, inversão —a, norma —a e palmo —*. ● *S. m.* **2.** O natural ou habitante do Brasil. [Sin. (nessas acepç.): *brasiliano, brasiliense, brasilense, brasílico, brasílio*.] **3.** Alcunha com que os portugueses designam os seus compatriotas que voltam ricos do Brasil.

brasilense *Adj. 2 g. S. 2 g.* V. *brasileiro* (1 e 2).

brasilete (ê) [De *brasil* + *-ete* (ê).] *S. m. Bras. Bot.* **1.** V. *pau-brasil*. **2.** V. *brasilaçu*.

brasileto (ê) [De *brasil* + *-eto* (ê).] *S. m. Bras. Bot.* **1.** V. *pau-brasil*. **2.** V. *brasilaçu*

brasiliana [F. de *brasiliano*.] *S. f.* Coleção de livros, publicações, estudos, acerca do Brasil.

brasilianista [Do ingl. *brazilianist*.] *S. 2 g.* Estrangeiro especialista em, ou estudioso de assuntos brasileiros.

brasiliano [Do top. *Brasil* + *-iano*.] *Adj. S. m.* V. *brasileiro* (1 e 2).

brasílico [Do top. *Brasil* + *-ico*[2].] *Adj.* **1.** Diz-se de gente e coisas indígenas do Brasil. **2.** V. *brasileiro* (1). ~ V. *etnônimo — e língua —a*. ● *S. m.* **3.** V. *brasileiro* (2).

brasilidade [Do top. *Brasil* + *-(i)dade*.] *S. f. Bras.* **1.** Propriedade distintiva do brasileiro e do Brasil. **2.** Brasileirismo (5).

brasiliense[1] *Adj. 2 g. S. 2 g. P. us.* V. *brasileiro* (1 e 2). [Cf. *brasileense*.]

brasiliense[2] *Adj. 2 g.* **1.** De, ou pertencente ou relativo a Brasília (DF). ● *S. 2 g.* **2.** O natural ou habitante de Brasília. [Cf. *brasileense*.]

brasiliense[3] *Adj. 2 g.* **1.** De, ou pertencente ou relativo a Brasília de Minas (MG). ● *S. 2 g.* **2.** O natural ou habitante de Brasília de Minas. [Cf. *brasileense*.]

brasilina [De *(pau)-brasil* + *-ina*[3].] *S. f. Quím.* Substância cristalina, amarela, existente no lenho do pau-brasil que, ao ser extraída e exposta ao ar e à luz, sofre oxidação e se transforma em brasileína (q. v.) [fórm.: $C_{16}H_{14}O_5$].

brasilíndio [Do top. *Brasil* + *índio*[2].] *S. m. Bras. Neol.* Nome aceito por poucos autores, para designar o indígena brasileiro.

brasílio *Adj.* **1.** V. *brasileiro* (1): 📖 "Cantos de sabiá, brasílio rouxinol" (Luís Delfino, *A Angústia do Infinito*, p. 114). ● *S. m.* **2.** V. *brasileiro* (2). **3.** *Bras.* Certo metal descoberto no ES.

brasilita [Do top. *Brasil* + *-ita*[3].] *S. f. Min.* V. *baddeleyíta*.

brasilografia [Do top. *Brasil* + *-o-* + *-grafia*.] *S. f.* Ciência que trata do Brasil; brasilologia.

brasilográfico [De *brasilografia* + *-ico*[2].] *Adj.* Relativo à brasilografia; brasilológico.

brasilógrafo [Do top. *Brasil* + *-o-* + *-grafo*.] *S. m.* Especialista em brasilografia; brasilólogo.

brasilologia [Do top. *Brasil* + *-o-* + *-logia*.] *S. f.* Brasilografia.

brasilológico [De *brasilologia* + *-ico*[2].] *Adj.* Brasilográfico.

brasilólogo [Do top. *Brasil* + *-o-* + *-logo*.] *S. m.* Brasilógrafo.

brasil-rosado *S. m. Bras. Bot.* **1.** V. *pau-brasil*. **2.** V. *brasilaçu*. [Pl.: *brasis-rosados*.]

brasino [De *brasa* + *-ino*[1].] *Adj. Bras. S.* **1.** Da cor da brasa. **2.** Diz-se dos cães ou do gado cujo pelo é avermelhado com listas pretas ou muito escuras: 📖 "esqueci de dizer-lhe que andava comigo um cachorrinho brasino" (Simões Lopes Neto, *Contos Gauchescos e Lendas do Sul*, p. 125).

brasis [Do top. *Brasil*, no pl.] *S. m. pl.* **1.** As terras do Brasil: *Viajamos muitos meses por esses brasis.* ● *S. 2 g.* **2.** V. *brasil* (4 e 5). ~ V. *brasil.*

brasnortense *Adj. 2 g.* **1.** De, ou pertencente ou relativo a Brasnorte (MT). ● *S. 2 g.* **2.** O natural ou habitante de Brasnorte.

brasonado [Part. de *brasonar.*] *Adj.* Que tem brasão; ornado com brasão. ~ V. *encadernação —a.*

brasonar [De *brasão* + *-ar*[2], seg. o padrão erudito.] *V. t. d.* **1.** Ornar com brasão; blasonar: *Seus antepassados brasonavam todos os vestíbulos.* *Int.* **2.** V. *blasonar* (5): *Brasonam longe do perigo e fogem quando têm de enfrentá-lo.*

brasopolense *Adj. 2 g.* **1.** De, ou pertencente ou relativo a Brasópolis (MG). ● *S. 2 g.* **2.** O natural ou habitante de Brasópolis.

brás-pirense *Adj. 2 g.* **1.** De, ou pertencente ou relativo a Brás Pires (MG). ● *S. 2 g.* **2.** O natural ou habitante de Brás Pires. [Pl.: *brás-pirenses.*]

→ **brasserie** [bʀas'ʀi] [Fr.] *S. f.* Cervejaria.

brássica [Do tax. *Brassica* (do lat. *brassuca, ae,* 'couve').] *S. f. Bot.* **1.** Gênero de ervas brassicáceas perenes, dotadas de raiz axonomorfa e de caules ramificados, flores ger. amarelas e com quatro pétalas. **2.** Qualquer espécie desse gênero, como, p. ex., a *Brassica oleracea* (v. *couve* e *repolho*). **3.** Qualquer espécime desse gênero.

brassicácea [Do tax. *Brassica* (v. *brássica*) + *-ácea*; tax. *Brassicaceae.*] *S. f. Bot.* Espécime das brassicáceas, família da ordem das caparidales que reúne cerca de 3.250 espécies de plantas herbáceas, poucas arbustivas, com folhas ger. dispostas em espiral, simples e penatissectas, de flores bissexuais e tetrâmeras, em racemos solitários e frutos ger. siliquiformes, secos e deiscentes. Têm distribuição cosmopolita e são cultivadas para a alimentação, como, p. ex., a couve e o repolho. [Sin.: *crucífera.*]

brassicáceo [De *brassicácea*, com var. suf. (v. *-áceo*).] *Adj. Bot.* Pertencente ou relativo às brassicáceas; crucífero.

brassinolídeo [Do lat. cient. *brass-* (< tax. *Brassica* [v. *repolho*]) + *-in(o)-*[1] + *-olídeo.*] *S. m. Quím.* Lactona natural, esteroides, que é um hormônio vegetal [fórm.: $C_{28}H_{48}O_6$].

brassolíneo [Adapt. do *Brassolinae.*] *Zool. S. m.* **1.** Espécime dos brassolíneos, subfamília de ninfalídeos que compreende o gênero caligo (q. v.). ● *Adj.* **2.** Pertencente ou relativo a eles.

brasume [De *brasa* + *-ume.*] *S. m.* **1.** Ardência, ardor, queimor. **2.** Paixão, entusiasmo, ardor: *Que brasume é aquele que o faz abraçá-la tão afoito?* **3.** *Bras.* A cor viva da brasa.

braulino *Adj. S. m. Bras. MG* Diz-se de, ou feijão cozido sem gordura.

braúna [Do tupi.] *S. f. Bot.* **1.** Árvore cesalpiniácea (*Melanoxylon brauna*) que vive em floresta pluvial, de folhas imparipenadas, grandes flores amarelas, paniculadas, frutos leguminosos, e de madeira de lei preta, duríssima, usada em obras externas e hidráulicas. [Var. e sin., nesta acepç.: *graúna, guaraúna, braúna-preta, maria-preta.*] **2.** Árvore anarcadiácea (*Schinopsis brasiliensis*) muito comum na caatinga, onde atinge até 12m, de folhas aromáticas, ramos espinhosos, pequeninas flores alvas e fruto alado; a madeira, muito dura, serve para dormentes. [Sin.: *braúna-parda, maria-preta-da-mata.*] **3.** V. *canela-braúna.* **4.** A madeira dessas árvores. [Var.: *baraúna.*]

braúna-parda [De *braúna* + o f. de *pardo*[2].] *S. f. Bras. Bot.* V. *braúna* (2). [Pl.: *braúnas-pardas.*]

braúna-preta [De *braúna* + o f. de *preto.*] *S. f. Bras. Bot.* V. *braúna* (1). [Pl.: *braúnas-pretas.*]

braúnea [Do lat. cient. *Brownea* (*grandiceps*).] *S. f. Bras. Bot.* V. *rosa-da-montanha.*

braunense[1] (a-u) *Adj. 2 g.* **1.** De, ou pertencente ou relativo a Braúna (SP). ● *S. 2 g.* **2.** O natural ou habitante de Braúna.

braunense[2] (a-u) *Adj. 2 g.* **1.** De, ou pertencente ou relativo a Braúnas (MG). ● *S. 2 g.* **2.** O natural ou habitante de Braúnas.

bráunia *S. f. Bot.* V. *brównia.*

braunita [Do antr. (*K.*) *Braun* (1790-1872), mineralogista alemão, + *-ita*[3].] *S. f. Min.* Mineral tetraédrico, silicato de manganês, friável, marrom-escuro a cinza; é um dos principais minerais de manganês.

bravata [Do it. *bravata.*] *S. f.* **1.** Intimidação ou ameaça arrogante. **2.** V. *fanfarrice* (2).

bravateador (ô) [De *bravatear* + *-dor.*] *Adj. S. m.* Que, ou aquele que bravateia; bravateiro.

bravatear [De *bravata* + *-ear*[2].] *V. int.* **1.** Dizer bravatas; jactar-se de valente; fanfarronar, blasonar. *T. d.* **2.** Dizer com arrogância; ameaçar: *Bravateava que, se não cumprissem suas ordens, os puniria severamente.* **3.** Dizer, dirigir (ameaças). [Conjug.: v. *frear.*]

bravateiro [De *bravat-*, como em *bravatear*, + *-eiro.*] *Adj. S. m.* Bravateador.

bravejar [De *bravo*[1] + *-ejar.*] *V. int. T. i. T. d.* V. *esbravejar.* [Conjug.: v. *pelejar.*]

braveza (ê) [De *bravo*[1] + *-eza.*] *S. f.* **1.** Fereza, ferocidade, selvajaria, sanha. **2.** Bravura, intrepidez, coragem. **3.** Impetuosidade, arrebatamento. [F. paral.: *brabeza*; sin., bras.: *brabura.*]

bravio [De *bravo*[1] + *-io*[2].] *Adj.* **1.** Bruto, selvagem; bravo: *animal bravio.* **2.** Feroz, sanhudo, bravo: *um homem bravio, de má catadura.* **3.** Agreste, silvestre, bravo: *selva bravia.* **4.** Rude, rústico, alarve: *povo bravio.* **5.** Áspero, árduo, íngreme: *terrenos bravios.* **6.** Bravo[1] (5): "Verdes mares bravios da minha terra natal" (José de Alencar, *Iracema*, p. 49). ● *S. m.* **7.** Terreno inculto, apenas coberto de rasteira vegetação.

bravo[1] [Do lat. *barbaru*, 'selvagem'.] *Adj.* **1.** Corajoso, valente, intrépido, valoroso, brabo: *O bravo soldado morreu lutando.* **2.** Irritadiço, colérico, iracundo, brabo. **3.** Furioso, irado; brabo: *Por que ficou tão bravo com a moça?* **4.** V. *bravio* (1 a 3). **5.** Muito agitado; tumultuoso, tempestuoso; bravio: *mar bravo.* **6.** Extraordinário, admirável. **7.** *Bot.* Diz-se da planta espontânea, em oposição à cultivada. ~ V. *almoço —.* ● *S. m.* **8.** Homem bravo[1] (1). **9.** *Açor. Mús.* Modinha cantada nas ilhas.

bravo[2] [Do it. *bravo.*] *Interj.* Indica aplauso, admiração; muito bem. [Us. tb. como s. m.:] "um bravo pronto nos órgãos berradores e as mãos estendidas para uma descarga de palmas." (Camilo Castelo Branco, *Dispersos*, I, p. 469).

bravoíta [Do antr. (*José Y.*) *Bravo* + *-ita*[3].] *S. f. Min.* Mineral isométrico, sulfeto de ferro e níquel, contendo aprox. 20% de níquel; minério de níquel.

bravoneira *S. f.* V. *brafoneira.*

bravura [De *bravo*[1] + *-ura.*] *S. f.* **1.** Qualidade ou caráter de bravo. **2.** Ação de bravo[1] (1).

brazabrantino *Adj.* **1.** De, ou pertencente ou relativo a Brazabrantes (GO). ● *S. m.* **2.** O natural ou habitante de Brazabrantes.

brazabum *S. m.* V. *belzebu.*

brazileína *S. f. Quím.* V. *brasileína.*

breado [Part. de *brear.*] *Adj.* **1.** Coberto ou revestido de breu; alcatroado. **2.** *Bras. N.E.* Sujo, emporcalhado, labreado. **3.** *Bras. AL* Bêbado, embriagado.

breadura [De *brear* + *-dura.*] *S. f.* **1.** Ato ou efeito de brear. **2.** Revestimento com uma camada de breu (1). [Sin. ger.: *embreadura.*]

→ **break-even point** [bɹeɪk ijvin pɔjnt] [Ingl.] *Econ.* Nível de produção de uma empresa em que a receita de vendas iguala os custos de produção; ponto de equilíbrio.

→ **break-point** [bɹeɪk pɔjnt] [Ingl.] *S. m. Tên.* Ponto que indica uma possível quebra de serviço (q. v.).

brear [De *breu* + *-ar*[2].] *V. t. d.* **1.** Cobrir ou revestir de breu (1); embrear. **2.** *Bras. N.E. MG Pop.* V. *sujar* (1). [Conjug.: v. *frear.*]

breca *S. f.* **1.** V. *cãibra.* **2.** *Ant.* Sanha, furor, ira. ◆ **Com a breca.** Exprime admiração, descontentamento ou espanto; com os diabos. **Ir-se com a breca.** Perder-se para sempre. **Levado da breca.** Muito levado, muito travesso; levado da carepa, levado da casqueira, levado do diabo, levado dos diabos. **Levar a breca.** Morrer; desaparecer: *Se não fosse a injeção, ele teria levado a breca.*

brecada [De *brecar* + *-ada*[1].] *S. f. Bras.* Ação ou efeito de brecar.

brecambucu [Do tupi.] *S. m. Bras. Zool.* V. *bagre-sapo* (5).

brecar [De *breque*[2] + *-ar*[2].] *Bras. V. t. d.* **1.** Frear (2). **2.** Conter, reprimir, refrear: *Brecaram-lhe as pretensões.* *Int.* **3.** Frear (3 e 4). [Conjug.: v. *trancar.*]

brecha [Do médio alto-alemão *brecha* 'fratura', pelo fr. *brèche.*] *S. f.* **1.** Fenda ou abertura em alguma coisa. **2.** Espaço vazio; lacuna. **3.** Ferida ou corte largo e profundo. **4.** Depressão profunda e estreita entre rochedos ou montanhas; quebrada. **5.** *Fig.* Dano, perda, prejuízo. **6.** *Geol.* Fragmento anguloso, consolidado por cimento, e que pode resultar do quebramento de uma rocha por processos tectônicos, ou de fragmentos de blocos vulcânicos, ou de cascalhos angulosos sedimentados. ◆ **Brecha calcária.** *Geol.* Conglomerado de seixos ou cascalhos arredondados, soldados e angulosos, de algum valor ornamental. **Brecha de atrito.** *Geol.* V. *brecha de falha.* **Brecha de declive.** *Geol.* Brecha de talude. **Brecha de falha.** *Geol.* Material rochoso, de forma irregular, que se acumula ao longo de uma linha de falhas; brecha de atrito, brecha de fricção. **Brecha de fricção.** *Geol.* V. *brecha de falha.* **Brecha de talude.** *Geol.* Material rochoso que se acumula no sopé das vertentes ou encostas; brecha de declive. **Brecha meteórica.** *Geol.* Material rochoso fragmentado que se acumula no próprio local onde ocorreu sua desagregação. **Estar na brecha. 1.** Estar sempre pronto para a luta. **2.** Estar em via: *Estava na brecha para ser nomeado.*

brechado [Part. de *brechar.*] *Adj.* Que se brechou.

brechão [De *brecha* + *-ão*[1].] *S. m. Bras. SP PR* Parte do curso de um rio apertada entre montanhas e que corre em uma garganta ou canhão. [Sin. (em outros pontos do Brasil): *apertado, boqueirão, fundão, grotão, rasgão.*]

brechar [De *brecha* + *-ar*[2].] *V. t. d.* **1.** Abrir brecha em: *O aríete brechou a muralha.* **2.** *Bras. N.E. Gír.* Espiar, espionar, espreitar: "as comadres postaram-se desavergonhadas no passeio do argentino, brechando a sala de visitas da Escola de Culinária." (Jorge Amado, *Dona Flor e Seus Dois Maridos*, p. 316). *Int.* **3.** *Lus. Gír.* Pagar despesa a outrem. [Conjug.: v. *flechar.*]

brechó [Alter. de *belchior* (q. v.).] *S. m. Pop.* Loja onde se vendem roupas e objetos usados: "Atualmente é dona de um brechó e mora num treme-treme da Rua Paim." (Maria Han, em *Folha de S.Paulo*, 10.04.1989.)

brechtiano *Adj.* **1.** Pertencente ou relativo ao poeta e dramaturgo alemão Bertolt Brecht (1898-1956), ou à sua obra, ou próprio dele. ● *S. m.* **2.** Grande admirador e/ou profundo conhecedor da obra de Bertolt Brecht.

brecumbucu [Do tupi.] *S. m. Bras. Zool.* V. *bagre-sapo* (5).

bredo (ê) [Do gr. *blíton*, pelo lat. *blitu.*] *S. m.* **1.** *Bot.* Erva amarantácea (*Amaranthus virides*) muito difundida como planta ruderal e às vezes cultivada como alimentícia, pois as folhas, ovadas e tenras, são usadas como verdura. Flores insignificantes, verdes, reunidas em espigas densas. [Sin.: *caruru, bredo-verdadeiro.*] **2.** *Bras. N. N.E.* Mato, brenha. **3.** *Bras. PE BA* V. *namoro* (1). ◆ **Cair no bredo.** *Bras. N. N.E.* V. *fugir* (1 e 2). **Ganhar o bredo.** *Bras. N. N.E.* Tomar rumo ignorado; desaparecer, sumir.

bredo-de-espinho *S. m. Bot.* Erva amarantácea (*Amaranthus spinosus*) semelhante ao bredo, porém dotada de espinhos e não utilizada na alimentação. [Pl.: *bredos-de-espinho.*]

bredo-de-namorado *S. m. Bot.* V. *crista-de-galo* (1). [Pl.: *bredos-de-namorados.*]

bredo-fedorento *S. m. Bot.* Erva caparidácea (*Cleome polygama*) alta, que, triturada, exala cheiro desagradável. As folhas têm folíolos lanceolados e herbáceos; as flores são vistosas, alvas ou rosadas, com longos estames. [Pl.: *bredos-fedorentos.*]

bredo-verdadeiro *S. m. Bot.* V. *bredo* (1). [Pl.: *bredos-verdadeiros.*]

bredo-vermelho *S. m. Bot.* V. *crista-de-galo* (1). [Pl.: *bredos-vermelhos.*]

brega[1] [Do gót. *brikan*, pelo esp. *brega.*] *S. f. Taur.* Toureação.

brega[2] *S. m. e f.* **1.** *Bras. N.E. Pop.* V. *zona* (11). ● *S. 2 g.* **2.** *Bras. Pop.* Pessoa brega. ● *Adj. 2 g.* **3.** *Bras. Pop.* Deselegante, cafona.

bregma [Do gr. *brégma*, pelo lat. *bregma.*] *S. m. Anat.* Local, na superfície do crânio, em que se juntam as suturas sagital e coronal.

bregmático [De *bregma* + *-ático.*] *Adj. Anat.* Relativo ao bregma.

breguece *Adj. 2 g. S. 2 g. Bras. BA MG* Diz-se de, ou pessoa impertinente.

bregueço *S. m. Bras.* Traste sem importância; bagatela.

brejado [De *brejo* + *-ado*[1].] *Adj.* ~ V. *caatinga —a, capoeira —a* e *casa —a.*

brejal [De *brejo* + *-al*[1].] *S. m. Bras.* **1.** Brejo grande; brejão. **2.** *Zool.* Ave passeriforme fringilídea (*Sporophila albogularis*), distribuída da BA ao RJ, e que muito se assemelha à coleira-do-brejo; tem faixa curva ou colar no peito, de coloração negra, face e nuca da mesma cor, e garganta, lados do pescoço e abdome branco-acinzentados. É ave canora apreciadíssima. [Sin.: *coleira-do-brejo.*]

brejão [De *brejo* + *-ão*[1].] *S. m. Bras.* Brejal (1).

brejaúba *S. f. Bras. Bot.* V. *airi.*

brejaúva *S. f. Bras. Bot.* V. *airi.*

brejeira [F. subst. de *brejeiro.*] *S. f.* **1.** *Bras. N.* Masca de fumo. **2.** *Bras. N. N.E.* V. *ferida* (1). **3.** *Bras. PB* Cachaça (v.) originária da região do Brejo.

brejeirada [De *brejeiro* + *-ada*[1].] *S. f.* **1.** V. *brejeirice.* **2.** Grupo de brejeiros.

brejeiral [De *brejeiro* + *-al*[1].] *Adj. 2 g.* Próprio de brejeiro (7 a 10).

brejeirar [De *brejeiro* + *-ar*[2].] *V. int.* Praticar ações de brejeiro; garotar, tunar, vadiar.

brejeirice [De *brejeiro* + *-ice.*] *S. f.* Ação ou palavra de brejeiro; garotice, brejeirada.

brejeiro [De *brejo* + *-eiro.*] *Adj.* **1.** Vagabundo, vadio, tunante. **2.** Travesso, garoto, patusco, brincalhão. **3.** Malicioso, impudico, lúbrico. **4.** Patife, tratante. **5.** Relativo ou pertencente a brejo: *terreno* brejeiro. 6. *Bras. PB* De, ou pertencente ou relativo à região do Brejo (N.E.). ● *S. m.* 7. Vagabundo, vadio, tunante. 8. Indivíduo travesso, patusco, brincalhão. 9. Indivíduo malicioso, impudico, lúbrico. 10. Patife, tratante. 11. *Bras. PB* O natural ou habitante da região do Brejo (N.E.). 12. *Bras. N. Ant.* Brejo, pântano.

brejense[1] *Adj. 2 g.* 1. De, ou pertencente ou relativo a Brejo (MA). ● *S. 2 g.* 2. O natural ou habitante de Brejo.

brejense[2] *Adj. 2 g.* 1. De, ou pertencente ou relativo a Brejo da Madre de Deus (PE). ● *S. 2 g.* 2. O natural ou habitante de Brejo da Madre de Deus.

brejense[3] *Adj. 2 g. S. 2 g.* V. *brejo-cruzense.*

brejento [De *brejo* + *-ento.*] *Adj.* Brejoso (1).

brejereba [De or. tupi, poss.] *S. f. Bras. Zool.* V. *prejereba.*

brejinhense *Adj. 2 g.* 1. De, ou pertencente ou relativo a Oliveira dos Brejinhos (BA). ● *S. 2 g.* 2. O natural ou habitante de Oliveira dos Brejinhos.

brejo [De or. controv.] *S. m.* 1. V. *pântano.* 2. Terreno sáfaro, agreste, que só dá urzes; urzal. 3. *P. ext.* Lugar úmido, frio e ventoso. 4. *Bras. N.E.* Terreno onde os rios se conservam mais ou menos permanentes, e em geral fértil em virtude dos transbordamentos anuais, por ocasião das chuvas. 5. *Bras. MA* Qualquer lugar baixo onde há nascentes, olhos-d'água, cacimbas. 6. *Bras. BA* Plantação de arroz. ◆ **Ir para o brejo.** *Bras.* Ser malsucedido; falhar, fracassar; ir para o buraco: *Apesar do esforço comum, a fábrica foi para o brejo.* "Até porque confiar nesta economia de merda, que um dia destes acaba de degringolar de vez, junto com tudo mais, chega a ser maluquice e, se o sujeito não se cuidar, vai no mesmo caminho que o país, ou seja, para o brejo." (João Ubaldo Ribeiro, *O Sorriso do Lagarto*, p. 242.)

brejo-cruzense *Adj. 2 g.* 1. De, ou pertencente ou relativo a Brejo do Cruz (PB). ● *S. 2 g.* 2. O natural ou habitante de Brejo do Cruz. [Sin. ger.: *brejense.* Pl.: *brejo-cruzenses.*]

brejoense *Adj. 2 g.* 1. De, ou pertencente ou relativo a Brejões (BA). ● *S. 2 g.* 2. O natural ou habitante de Brejões.

brejo-grandense[1] *Adj. 2 g.* 1. De, ou pertencente ou relativo a Brejo Grande (CE). ● *S. 2 g.* 2. O natural ou habitante de Brejo Grande. [Pl.: *brejo-grandenses.*]

brejo-grandense[2] *Adj. 2 g.* 1. De, ou pertencente ou relativo a Brejo Grande do Araguaia (PA). ● *S. 2 g.* 2. O natural ou habitante de Brejo Grande do Araguaia. [Pl.: *brejo-grandenses.*]

brejolandense *Adj. 2 g.* 1. De, ou pertencente ou relativo a Brejolândia (BA). ● *S. 2 g.* 2. O natural ou habitante de Brejolândia.

brejonense *Adj. 2 g.* 1. De, ou pertencente ou relativo a Brejão (PE). ● *S. 2 g.* 2. O natural ou habitante de Brejão.

brejo-santense[1] *Adj. 2 g.* 1. De, ou pertencente ou relativo a Brejo dos Santos (PB). ● *S. 2 g.* 2. O natural ou habitante de Brejo dos Santos. [Pl.: *brejo-santenses.*]

brejo-santense[2] *Adj. 2 g.* 1. De, ou pertencente ou relativo a Brejo Santo (CE). ● *S. 2 g.* 2. O natural ou habitante de Brejo Santo. [Pl.: *brejo-santenses.*]

brejoso (ô) [De *brejo* + *-oso.*] *Adj.* 1. Cheio de brejos; brejento. 2. Semelhante ao brejo. 3. Que vive em brejos: *ervas brejosas.*

➔ **bremsstrahlung** [bʀemʃˈtʀalʊŋ] [Al.] *S. m. Fís.* Radiação emitida quando uma partícula carregada eletricamente se desacelera; radiação de frenamento, radiação de frenagem. [Com cap.]

brenha [De or. pré-romana, poss.] *S. f.* 1. Mata espessa e emaranhada; matagal. 2. *Fig.* Confusão, complicação. 3. *Fig.* Segredo, arcano, recesso: *Não podiam prosseguir: estacaram ante as brenhas do futuro.*

brenhoso (ô) [De *brenha* + *-oso.*] *Adj.* Cheio de brenhas.

brenunça *S. f. Bras. SC Folcl.* V. *bernúncia.*

brenunza *S. f. Bras. SC Folcl.* V. *bernúncia.*

breque[1] [Do ingl. *break.*] *S. m.* Carruagem de quatro rodas, que tinha à frente um assento alto, e atrás, de ordinário, dois bancos longitudinais, fronteiros um ao outro.

breque[2] [Do ingl. *brake.*] *S. m. Bras.* V. *freio* (2).

breque[3] [Der. regress. de *brecar.*] *S. m. Bras.* V. *samba de breque.*

brequefesta [Do ingl. *breakfast*, por anal. com *festa*, poss.] *S. m. Pop.* Pândega, comezaina: "Andou-se um bom migalho no brequefesta infernal até que o mestre pôde filar o cabo." (Aquilino Ribeiro, *A Batalha sem Fim*, p. 295). [Mais us. em Port.]

brequefeste [Do ingl. *breakfast*, 'desjejum'.] *S. m.* V. *desjejum.*

brequista [De *breque*[2] + *-ista.*] *S. 2 g.* Empregado ferroviário encarregado dos freios; guarda-freios.

bresciense *Adj. 2 g.* 1. De, ou pertencente ou relativo a Nova Bréscia (RS). ● *S. 2 g.* 2. O natural ou habitante de Nova Bréscia.

bressanense *Adj. 2 g.* 1. De, ou pertencente ou relativo a Oscar Bressane (SP). ● *S. 2 g.* 2. O natural ou habitante de Oscar Bressane.

bretã *S. f.* Fem. de *bretão* (q. v.).

bretangil [Var. de *bertangil.*] *S. m. Tec. Têx.* Tecido de algodão fabricado pelos cafres.

bretanha [Do top. *Bretanha*, província francesa donde vinha o tecido.] *S. f. Tec. Têx.* Antigo tecido fino, de linho ou de algodão.

bretão [Do lat. *britannu.*] *Adj.* 1. De, ou pertencente ou relativo à Grã-Bretanha (ou à Inglaterra). 2. Da, ou pertencente ou relativo à Bretanha (região do O. da França). ● *S. m.* 3. O natural ou habitante da Grã-Bretanha (ou da Inglaterra). 4. O natural ou habitante da Bretanha (França). 5. *Gloss.* Língua céltica dessa província francesa. [V. *celta* (2).] 6. Vocábulo dessa língua. [Fem. de 1 a 4: *bretã.*]

brete (ê) [Do gót. **brid*, 'tábua', pelo provenç. *bret.*] *S. m.* 1. Armadilha, feita com dois paus, para pássaros. 2. Logro, engano. [Pl.: *bretes.* Cf. *brete* (ê) e pl. *bretes* (ê).]

brete (ê) [Do esp. plat. *brete.*] *S. m. Bras. S.* 1. Pequeno curral onde se recolhem ovelhas, etc., para a tosquia. 2. Corredor estreito, num curral, que liga a mangueira à balança e/ou a outro(s) aparelho(s), e onde se segura a rês para curativo, vacina, marcação, etc. 3. Nas charqueadas e matadouros, corredor estreito onde se abate a rês. [Pl.: *bretes* (ê). Cf. *brete* e pl. *bretes.*]

bretschneiderácea [Do tax. *Bretschneidera* (do antr. [*Emil*] *Bretschneider* [séc. XIX], naturalista alemão) + *-ácea*; tax. *Bretschneideraceae.*] *S. f. Bot.* V. *caparidácea.*

bretschneideráceo [De *bretschneiderácea*, com var. suf. (v. *-áceo*).] *Adj. Bot.* V. *caparidáceo.*

breu [Do fr. *brai*, do gaulês **braca.*] *S. m.* 1. *Quím.* Substância escura, inflamável, obtida de secreções resinosas de várias plantas, esp. de coníferas, como algumas do gênero *Pinus* (v. *pinus*), ou da destilação do alcatrão; breu-de-colofônia, colofônia, colofônio. 2. Resina odorífera que exsuda do tronco de várias burseráceas; almécega, elemi, icica. [Tem vários usos domésticos e industriais, como substância medicamentosa ou como componente na produção de incenso, tintas e impermeabilizantes.] 3. *Bot.* V. *icica* (1). 4. *Bras. RJ* Espécie de bote que atraca aos vapores mercantes para vender fruta. 5. O tripulante desse bote. 6. *Fig.* Escuridão; trevas: "Fiquei estatelada, muito mais estatelada do que quando encontrei vocês dois enlaçados no breu de nossa varanda" (Cecília Costa, *Damas de Copas*, p. 156). ◆ **Escuro como breu.** Muitíssimo escuro: "Chegava .... a enfiar os calções, mas recaía na cama, ao ver ou, antes, ao não ver que era escuro como breu." (Alexandre Herculano, *Lendas e Narrativas*, II, p. 171.)

breu-branco *S. m. Bras. Bot.* 1. Nome comum a várias árvores burseráceas, ger. amazônicas, fornecedoras de madeira para construção civil, marcenaria e carpintaria, assim como resina balsâmica que tem aplicações medicinais e industriais: a *Protium carana*, a *P. heptaphyllum*, a *Crepidospermum rhoifolium* são exemplos destas burseráceas. 2. V. *icica* (1). [Pl.: *breus-brancos.*]

breu-branco-verdadeiro *S. m. Bot.* V. *almecegueira* (2). [Pl.: *breus-brancos-verdadeiros.*]

breu-de-colofônia *S. m. Quím.* V. *breu* (1). [Pl.: *breus-de-colofônia.*]

breu-jauaricica [De *breu* + o tupi = 'resina de onça'.] *S. m. Bras. Bot.* V. *icica* (1). [Pl.: *breus-jauaricicas* e *breus-jauaricica.*]

breunnerita [Do antr. *Breunner* + *-ita*[2].] *S. f. Min.* Carbonato de magnésio, ferro e manganês, us. no fabrico de tijolos refratários.

breu-preto *S. m. Bras. Bot.* V. *icica* (1). [Pl.: *breus-pretos.*]

breve [Do lat. *breve.*] *Adj. 2 g.* 1. De pouca duração; rápido, transitório: "Afirmam que a vida é breve, / Engano, — a vida é comprida" (Antônio Boto, *As Canções*, p. 81). 2. De pouca extensão ou tamanho; pequeno, curto: *espaço breve; nariz breve.* 3. Leve, ligeiro: *refeição breve; passo breve.* 4. Conciso, lacônico, resumido: *breve discurso.* 5. *E. Ling.* Em línguas que têm na duração (5) um traço distintivo, diz-se de vogal, consoante ou sílaba cuja realização é cerca de 50% menos demorada do que a de outra que, à exceção desse traço, lhe é idêntica. ~ V. *sílaba —.* ● *S. m.* 6. Rescrito papalino que contém uma decisão de caráter particular. 7. *Bras.* Escapulário que contém uma oração. 8. *Bras.* V. *bentinhos.* 9. *Mús.* Figura equivalente a duas semibreves. ● *S. f.* 10. *E. Ling.* Som ou sílaba breve (5). ● *Adv.* 11. Em pouco tempo; cedo, brevemente: *Breve partirei daqui.* ◆ **Breve contra a luxúria.** Pessoa feiíssima; bagulho, bofe. **Em breve.** Dentro de pouco tempo; dentro em pouco; daqui a pouco, ou daí a pouco: *O jantar será servido em breve.* **Ser breve.** Expressar-se, falando ou escrevendo, em poucas palavras.

brevê [Do fr. *brevet.*] *S. m. Aer.* 1. Diploma conferido aos que terminam o curso de aviação. 2. Distintivo que é um par de asas estilizado, afixado no uniforme, ger., na altura do peito. [Var.: brevete.]

brevense *Adj. 2 g.* 1. De, ou pertencente ou relativo a Breves (PA). ● *S. 2 g.* 2. O natural ou habitante de Breves.

brevetado [Part. de *brevetar.*] *Adj.* Diplomado em curso de aviação; que recebeu o brevê.

brevetar [Do fr. *breveter.*] *V. t. d. P.* Diplomar(-se) em curso de aviação.

brevete *S. m. Lus.* V. *brevê.*

▲ **brevi-** [Do lat. *brevis, e.*] *El. comp.* = 'curto', 'breve': *brevicaule, breviflorо, brevilíneo.*

breviador (ô) *S. m.* Brevista.

breviário [Do lat. *breviariu.*] *S. m.* 1. *Rel.* Forma breve do ofício divino, ou prece da Igreja, para uso dos clérigos. 2. *Rel.* Livro das leituras e orações cotidianas, prescrito pela Igreja Católica a sacerdotes e religiosos: "e o bom abade de S. José, com os dedos entre o breviário fechado, movia os lábios, numa lenta, murmurosa reza" (Eça de Queirós, *A Cidade e as Serras*, p. 257). 3. *Fig.* Livro predileto. 4. Sinopse, resumo. ◆ **Ler pelo mesmo breviário.** Ter as mesmas ideias e inclinações que outrem; rezar pelo mesmo breviário. **Rezar pelo mesmo breviário.** Ler pelo mesmo breviário.

brevicaude [De *brevi-* + *-caude.*] *Adj. 2 g. Zool.* Que tem cauda curta.

brevicaule [De *brevi-* + *-caule.*] *Adj. 2 g. Bot.* Dotado de caule curto.

brevidade [Do lat. *brevitate.*] *S. f.* 1. Qualidade do que é breve. 2. *Bras. BA a SP MT Cul.* Bolinho de polvilho, açúcar, ovos, etc., assado ao forno: "— Então pague [o presente] com uma xícara de café bem quentinho... olhe, as brevidades estão no forno..." (Afrânio Peixoto, *Bugrinha*, p. 87).

breviflоro [De *brevi-* + *-floro.*] *Adj. Bot.* Que tem flores curtas.

brevifoliado [De *brevi-* + *-foli-* + *-ado*[1].] *Adj. Bot.* Que tem folhas curtas.

brevilíneo [De *brevi-* + *-líneo.*] *Adj.* 1. De linhas breves, pouco alongadas. 2. Diz-se do tipo morfológico humano ou animal caracterizado por linhas relativamente curtas. ● *S. m.* 3. Pessoa ou animal brevilíneo. [Antôn.: *longilíneo.*]

brevilingue *S. m. Adj. 2 g.* V. *brevilíngue.* [Uso freq. em P.]

brevilíngue (güe) [Adapt. do tax. *Brevilinguae.*] *Zool. S. m.* 1. Espécime dos brevilíngues, subordem de animais metazoários, cordados, reptis, escamados, sáurios, cuja língua é curta e sulcada na extremidade. ● *Adj.* 2. Pertencente ou relativo a eles. [Var. lus.: *brevilingue.*] ❖

breviloquente (qüen) [Do lat. *breviloquente.*] *Adj. 2 g.* Conciso, lacônico. ❖

➔ **brevi manu** [ˈbrɛve ˈmano] [Lat.] Sem formalidades; sumariamente.

brevipeciolado [De *brevi-* + *pecíolo* + *-ado*[1].] *Adj. Bot.* Que tem pecíolo curto.

brevípede [De *brevi-* + *-pede.*] *Adj. 2 g. Zool.* Que tem pés curtos. [Antôn.: *longípede, macópode.*]

brevipedicelado [De *brevi-* + *pedicelo* + *-ado*[1].] *Adj. Bot.* Que tem o pedicelo curto.

brevipene [De *brevi-* + *-pene.*] *S. m. Zool.* Braquíptero[1]. [Antôn.: *longipene.*]

brevirrostro [De *brevi-* + *-rostro.*] *Adj. Zool.* Que tem bico curto. [Antôn.: *longirrostro.*]

brevista [De *breve* + *-ista.*] *S. m.* O encarregado dos breves pontifícios; breviador.

brevistilo [De *brevi-* + *-stilo*[1].] *Adj.* Que tem estilete curto: *flor brevistila.*

brial [Do provenç. ant. *blial.*] *S. m.* 1. Túnica feminina, presa na cintura. 2. Espécie de camisola que usavam os antigos cavaleiros: "Pelo passadiço .... não tardou a entrar uma turba de cavaleiros vestidos simplesmente de briais, espécie de túnicas cingidas por uma faixa de lã" (Alexandre Herculano, *O Bobo*, p. 308).

briba *S. f.* 1. *Bras. Pop.* Víbora. 2. *Bras. CE PB Pop. Zool.* V. *lagartixa* (1).

brica [De or. incerta.] *S. f. Heráld.* Espaço quadrado, de esmalte diferente do do campo do escudo, localizado junto ao canto direito do chefe, e que serve para diferençar as linhagens dos filhos segundos das dos primogênitos.

bricabraque [Do fr. *bric-à-brac.*] *S. m. Bras.* 1. Conjunto de diversos e velhos objetos de arte ou artesanato, antiguidades, móveis, vestuários, bijuterias, etc. 2. Estabelecimento comercial que compra e vende tais objetos; brique: "A luz do candeeiro dava um ar esfumado à sala, ao espelho chinês — aquele espelho que o pai descobrira num bricabraque"

(José-Augusto França, *Despedida Breve e Outros Contos*, p. 170).

bricabraquista [De *bricabraque* + *-ista*.] *S. 2 g.* Negociante de bricabraque. [Cf. *adeleiro*.]

briche *S. m. Tec. Têx.* Tecido de lã, castanho, felpudo, semelhante à saragoça porém mais fino que ela: "Calisto Elói vestia de briche da Golegã, e dos alfaiates de Miranda." (Camilo Castelo Branco, *A Queda dum Anjo*, p. 53.)

bricolagem [Do fr. *bricolage*.] *S. f.* Trabalho ou conjunto de trabalhos manuais ou de artesanato doméstico.

brida [Do alto-alemão *brîdel*, 'rédea', pelo fr. *bride*.] *S. f.* **1.** Rédea (1). **2.** *Anat.* Membrana fibrosa que se estende de uma parede a outra duma cavidade. **3.** *Med.* Formação fibrosa devida, muitas vezes, a intervenção cirúrgica anterior, e que, frequentemente, leva a obstrução intestinal. ◆ **A toda a brida.** À desfilada; à disparada, em disparada: "cessara a chuva, e apenas umas nuvens brancas, com grandes manchas duma cor mais carregada, formavam castelos fantásticos, entre os quais corria a luz a toda a brida." (D. João da Câmara, *Contos*, p. 95).

bridão [De *brida* + *-ão*[1].] *S. m.* **1.** Brida grande. **2.** Peça semelhante ao freio (1), porém de ação mais branda que a deste. **3.** *P. ext.* Jóquei que usa o bridão (2).

bridar [De *brida* + *-ar*[2].] *V. t. d.* **1.** Embridar (1). **2.** *Fig.* Refrear, reprimir, coibir.

bridectomia [De *brida* + *-ectom-* + *-ia*[1].] *S. f. Odont.* Corte ou correção de brida (3) em cavidade bucal.

bridge [Do ingl.] *S. m.* Jogo de cartas em que se distribui um baralho completo de 52 cartas entre quatro jogadores, que, dois a dois como parceiros, depois de haver sido determinado se a jogada é com trunfo ou sem ele, tentarão fazer o número de vazas que se propuseram. [Elevado à categoria de esporte em 1960, não é considerado jogo de azar, e vários colégios o adotam como matéria para estímulo à memória e ao raciocínio.]

bridgista [De *bridge* + *-ista*.] *S. 2 g.* Jogador de bridge: "Cento e quatro bridgistas brasileiros prestigiaram a iniciativa do Hotel do Frade, que realizou seu primeiro torneio de bridge em agosto último." (Lizzie Murtinho, "Domingo", em *Jornal do Brasil*, 05.10.1980.)

➔ **brie** [bɾi] [Fr.] *S. m. Cul.* Queijo de leite de vaca, fermentado, de consistência macia, originário da província de Brie (França); tem a forma de um disco, quase sempre com 35 a 36cm de diâmetro e 3 a 3,5cm de espessura.

➔ **briefing** ['bɹiːfɪŋ] [Ingl.] *S. m.* **1.** Conjunto de informações básicas, instruções, diretrizes, etc., elaborado para a execução de um determinado trabalho, ou missão militar, etc.: *briefing de uma campanha publicitária*. **2.** *P. ext.* Reunião onde se definem essas instruções, diretrizes, etc.

briga [Do lat. vulg. **briga* < got. *brikan*, 'romper'; 'contender'.] *S. f.* **1.** Luta, combate, peleja, confronto. **2.** Disputa, rixa, contenda. **3.** Quebra de boas relações; dissensão, desavença. ◆ **Briga de foice.** *Bras.* Briga ou questão muito renhida. [Há tb. as f. intensivas *briga de foice em noite escura* e *briga de foice em noite de escuro*.] **Comprar briga.** Meter-se em complicações, sem necessidade ou proveito.

brigada [Do it. *brigata*, pelo fr. *brigade*.] *S. f.* **1.** *Exérc.* Unidade tática de combinação das armas do exército, que é a menor unidade composta de todas as armas e dos serviços essenciais para conduzir, por seus próprios meios, operações terrestres. **2.** *Av.* Grupamento tático constituído de dois a quatro grupos [v. *grupo* (6)].

brigadeirista *Adj. 2 g. S. 2 g.* Partidário do Brigadeiro Eduardo Gomes (1896-1981), ex-candidato à presidência da República do Brasil, em 1945 e 1950.

brigadeiro [De *brigada* + *-eiro*.] *S. m.* **1.** V. *hierarquia militar*. **2.** Oficial que detém o posto de brigadeiro. **3.** *Bras.* Denominação comum a *tenente-brigadeiro*, *major-brigadeiro* e *brigadeiro do ar*. **4.** *Bras. Cul.* Docinho redondo, feito com leite condensado cozido ao qual se adiciona chocolate.

brigadeiro do ar *S. m.* **1.** V. *hierarquia militar*. **2.** Oficial que detém o posto de brigadeiro do ar. [Tb. se diz, no Brasil, apenas *brigadeiro* (v. *brigadeiro* [3]).] ☑

brigadista [De *brigada* + *-ista*.] *S. m.* Soldado de brigadas.

brigador (ô) [De *brigar* + *-dor*.] *Adj.* **1.** Que briga; brigante. ● *S. m.* **2.** Aquele que briga. **3.** Galo de briga.

brigalhada [De *briga* + *-alhada*.] *S. f. Bras.* Briga longa ou generalizada.

brigalhão [De *briga* + *-alhão*.] *Adj. S. m. Bras.* V. *brigão*. [Fem.: *brigalhona*.]

brigalhona *S. f.* Fem. de *brigalhão* (q. v.).

brigante [De *brigar* + *-nte*.] *Adj. 2 g.* **1.** Brigador (1). **2.** Dado a brigas; brigão.

brigantino [Do lat. **brigantinu*.] *Adj. S. m.* V. *bragantino*[1] (1 e 4).

brigão [De *briga* + *-ão*.] *Adj. S. m.* Que, ou aquele que é dado a brigas; rixoso, bulhento, brigalhão. [Fem.: *brigona*.]

brigar [Do lat. vulg. **brigare* < gót. *brikan*. V. *briga*.] *V. int.* **1.** Lutar, combater, braço a braço. **2.** Não se harmonizar; discordar, divergir: *Em política, suas opiniões brigam sob muitos aspectos*. *T. i.* **3.** Disputar, contender: *Brigou comigo e perdeu*. **4.** Não se harmonizar; discordar, destoar: *A cor da parede briga com a dos móveis*. *T. d.* **5.** Disputar, pleitear: "E um ano inteiro sem cessar lutaram, / Cheios de bizarria, / Como dois crocodilos que brigassem / Dum rio a primazia!" (Gonçalves Dias, *Obras Poéticas*, I, p. 17.) [Conjug.: v. *largar*.]

brigona *S. f.* Fem. de *brigão* (q. v.).

brigue [Do ingl. *brig.*, f. red. de *brigantine*, do it. *brigantino*.] *S. m.* Antigo navio à vela, de mastreação constituída de gurupés e dois mastros de brigue, o de ré envergando também vela latina quadrangular e com velas de entremastros (v. *vela de entremastros*): "E à sinfonia disparatada e louca da tormenta infrene, o brigue rolara, dia e noite, aos boléus, sobre as vagas rugidoras." (Virgílio Várzea, *Contos de Amor*, p. 180.) [v. *bergantim*.]

brigue-barca *S. m. Bras. Ant.* Barca (1). [Pl.: *brigues-barcas*.]

brigue-escuna *S. m.* Antigo navio à vela, de mastreação constituída de gurupés e dois mastros: o de vante, mastro de brigue; o de ré, mastro de escuna. [Pl.: *brigues-escunas* e *brigues-escuna*.]

brigueira *S. f. Mar.* Rede de pescar.

briguela *S. m.* **1.** *Teatr.* Personagem cômica da *commedia dell'arte* (q. v.). **2.** *Teatr. Bras.* V. *fantoche* (2).

briguento [De *briga* + *-ento*.] *Adj.* Dado a brigas; brigão.

brijara *S. f. Bras. N. Zool.* V. *borralhara*.

brilhância [De *brilhar* + *-ância*.] *S. f. Fotom.* Razão entre a intensidade do fluxo luminoso emitido por uma superfície em uma dada direção e a área da superfície emissora projetada sobre um plano perpendicular à direção considerada; luminância; brilhância fotométrica. ◆ **Brilhância fotométrica.** *Fotom.* V. *brilhância*.

brilhante [De *brilhar* + *-nte*.] *Adj. 2 g.* **1.** Que brilha; luzidio, reluzente, cintilante. [Sin., bras.: *brilhoso*.] **2.** Que se salienta e distingue; famoso, célebre: *político brilhante*. **3.** Magnífico, pomposo, suntuoso; imponente, majestoso: *brilhantes festividades*. **4.** Envolvente, cativante; fascinante: *pessoa brilhante*. **5.** Inteligente, talentoso: *espírito brilhante*. **6.** Feliz, ditoso, próspero: *futuro brilhante*. ● *S. m.* **7.** Diamante lapidado.

brilhantina [De *brilhante* + *-ina*[1].] *S. f.* **1.** Pó com partículas reluzentes que se polvilha numa superfície para dar-lhe brilho. **2.** Cosmético para tornar lustrosos e assentar o cabelo e a barba. **3.** *Bras. Bot.* Erva crassulácea (*Sedum rhodiola*) originária da Europa, de flores alvas, amareladas ou purpúreas, e folhas comestíveis; erva-pinheira-de-rosa, mil-grãos.

brilhantina-brasileira [De *brilhantina* + o f. de *brasileiro*.] *S. f. Bras. Bot.* Planta urticácea (*Pilea hyalina*) de caule ereto, hialino e suculento, com folhas opostas e flores dispostas em glomérulos sésseis. [Pl.: *brilhantinas-brasileiras*.]

brilhantismo [De *brilhante* + *-ismo*.] *S. m.* **1.** Qualidade do que é brilhante; resplandecência, cintilação, brilho. **2.** V. *brilho* (4, 6 e 7).

brilhantura [De *brilhante* + *-ura*.] *S. f.* **1.** Ato ou efeito de brilhar. **2.** V. *brilhareto* (1).

brilhar [Do it. *brillare*, pelo esp. *brillar*.] *V. int.* **1.** Ter brilho; ser ou mostrar-se brilhante; luzir, reluzir, resplandecer, fulgurar, cintilar: *As estrelas brilhavam no céu escuro; Seus olhos brilharam de alegria*. *T. c.* **2.** Alcançar grande sucesso em; distinguir-se, destacar-se, sobressair; notabilizar-se, luzir: *Sófocles brilhou na antiga dramaturgia grega*. **3.** Dar-se a conhecer; revelar-se, manifestar-se; transparecer, transluzir: *O ódio brilhava nos seus olhos*. *Pred.* **4.** Obter sucesso, ou ser reconhecido, como; distinguir-se, destacar-se: "quero também brilhar como professor" (Ariano Suassuna, *A Pedra do Reino*, p. 541). *T. d.* **5.** Ostentar, estadear, pompear: "A qual [moça] ia mui acompanhada de servos, sentada em um jumentinho ricamente adereçado, toda brilhando telas, e exalando âmbares" (P.[e] Manuel Bernardes, *Nova Floresta*, I, p. 168).

brilhareco (é) *S. m.* V. *brilhareto* (2).

brilharete (ê) [De *brilhar* + *-ete* (ê).] *S. m. Bras.* V. *brilhareto*.

brilhareto (ê ou é) [De *brilhar* + *-eto*.] *S. m.* **1.** Ação brilhante; êxito, sucesso, brilhantura, brilhatura: *Seu exame foi um brilhareto*. **2.** *Deprec.* Ostentação, alarde; brilhareco: *Vive fazendo brilhareto com sua falsa cultura*. [F. paral.: *brilharete*.]

brilhatura [De *brilhar* + *-tura*.] *S. f. P. us.* V. *brilhareto* (1).

brilho [Der. regress. de *brilhar*.] *S. m.* **1.** Luz viva; cintilação, resplandecência, brilhantismo: *o brilho das estrelas, do fogo*. **2.** Luz refletida de um corpo que é natural ou artificialmente brilhante: *o brilho dos metais, da madeira envernizada*. **3.** Viveza, claridade, limpidez: *o brilho de uma cor*. **4.** *Fig.* Vivacidade, expressividade; brilhantismo: *brilho de linguagem*. **5.** *Fig.* Engenho, habilidade, talento: *Há brilho em sua argumentação*. **6.** *Fig.* Esplendor, suntuosidade, magnificência, pompa; brilhantismo: *O brilho da corte de Luís XIV*. **7.** *Fig.* Celebridade, glória, fama, lustre; brilhantismo: *O filho deu brilho à família*. **8.** *Astr.* Luminosidade aparente de um corpo celeste; magnitude aparente. **9.** *Astr.* Luminosidade irradiada por objeto ou corpo celeste. **10.** *Fotom.* Sensação subjetiva associada à brilhância de uma superfície, e que permite distinguir se essa superfície reflete luz especularmente ou a difunde. **11.** *Bras. Gír.* V. *pó* (4). ◆ **Brilho especular.** Brilho semelhante ao do espelho. **Brilho litoide.** O brilho característico das pedras. **Brilho metálico.** O brilho característico de uma superfície metálica polida, provocado pelas propriedades eletromagnéticas do metal, especialmente pela elevada condutividade elétrica.

brilhoso (ô) [De *brilho* + *-oso*.] *Adj. Bras.* **1.** V. *brilhante* (1). **2.** Lustroso, reluzente: "o roupão brilhoso, as ramagens coloridas" (Autran Dourado, *O Risco do Bordado*, p. 20).

brim [Do fr. *brin*.] *S. m. Tec. Têx.* Tecido com ligamento de sarja, grosso e resistente, ger. de algodão ou de linho, us. na confecção de calças, jaquetas, uniformes, etc.: "Fabiano, apertado na roupa de brim branco ...., procurava erguer o espinhaço, o que ordinariamente não fazia." (Graciliano Ramos, *Vidas Secas*, p. 87).

brincadeira [De *brincar* + *-deira*.] *S. f.* **1.** Ato ou efeito de brincar; brinco. **2.** Divertimento, sobretudo entre crianças; brinquedo, jogo. **3.** Passatempo, entretimento, entretenimento, divertimento: *Passaram a noite em alegres brincadeiras*. **4.** Gracejo, pilhéria. **5.** Caçoada, galhofa, zombaria. **6.** Coisa que se faz irrefletidamente, ou por ostentação, e que pode causar prejuízo, aborrecimento, etc. **7.** Folgueado, festa, festança. **8.** *Bras.* Diversão carnavalesca; folia: *Entrou na brincadeira no sábado e só voltou na quarta-feira*. **9.** *Bras. Fam.* Coisa de pouca importância: *Não se preocupe: a operação vai ser uma brincadeira*. **10.** *Bras. Fam.* Festa informal ou improvisada. ◆ **Brincadeira de mau gosto.** *Fig.* Ato que causa dano, desagrado ou mal-estar. **Não ser brincadeira.** *Fam.* **1.** Ser difícil de executar: *Este trabalho não é brincadeira*. **2.** Ser sério, grave: *Sua queda não foi brincadeira*.

brincado [Part. de *brincar*.] *Adj.* **1.** Cheio de ornatos; enfeitado. ● *S. m.* **2.** Ornato ou lavor caprichoso, rendilhado.

brincador (ô) [De *brincar* + *-dor*.] *Adj. S. m.* Que, ou aquele que sempre está disposto a brincar; brincalhão.

brincalhão [De *brincar* + *-alhão*.] *Adj. S. m.* Que, ou aquele dado a brincar, a fazer brincadeira (2 a 4). [Fem.: *brincalhona*.]

brincalhona *S. f.* Fem. de *brincalhão* (q. v.).

brincante [De *brincar* + *-nte*.] *S. 2 g. Bras. Folcl.* Participante de folguedo popular.

brincar [De *brinco* + *-ar*[2].] *V. int.* **1.** Divertir-se infantilmente; entreter-se em jogos de crianças. **2.** Divertir-se, recrear-se, entreter-se, distrair-se, folgar: *Em qualquer circunstância está sempre bem-humorado, brincando*. **3.** Agitar-se alegremente; foliar, saltar, pular, dançar: *Corriam pelo mato e brincavam como animais*; "O cabrito montês brinca nos cimos mais altos." (Manuel Bandeira, *Estrela da Vida Inteira*, p. 225). **4.** Dizer ou fazer algo por brincadeira; zombar, gracejar: *Não me leve a sério; estou brincando*. **5.** Divertir-se pelo carnaval, tomando parte nos folguedos carnavalescos: "Com dinheiro ou sem dinheiro, meu amor, eu brinco" (Pedro Caetano e Claudionor Cruz, na marcha carnavalesca *Eu Brinco*). **6.** Tremer, oscilar, agitar-se: *Seus cabelos brincavam ao vento*. **7.** *Bras.* Ter relações sexuais; copular: "Depois de brincarem três feitas, correram mato fora fazendo festinhas um pro outro." (Mário de Andrade, *Macunaíma*, p. 13.) *T. i.* **8.** Gracejar, zombar, mexer: *Se brincares com ele, sair-te-ás mal*. **9.** Entreter-se, distrair-se, ocupar-se: *O gatinho brincava com a bola de papel*. **10.** Entreter-se, agindo como se estivesse a vivenciar certa situação: *brincar de dentista*; "é capaz de brincar de jacaré dentro da banheira" (Raquel de Queirós, *O Caçador de Tatu*, p. 62). *T. d.* e *i.* **11.** Dizer, ou fazer algo, jocosamente: "Hoje não tem nada pra senhora, não! — brincou meu pai com Dona Clara." (Homero Homem, *Cabra* *das Rocas*, p. 57.) ***T. c.*** **12.** Agitar-se alegremente: *brincar nas águas de um rio.* ***T. d.*** **13.** Tomar parte em (folguedos carnavalescos): *Brinquei o carnaval no Rio.* **14.** Enfeitar, ataviar, ornamentar, adornar em excesso. **15.** Dizer ou fazer por brincadeira: "Carlos resmungou, depois brincou que estava certo de que devia haver coisas terríveis escritas contra ele" (Otávio de Faria, *Ângela ou As Areias do Mundo*, p. 59). [Conjug.: v. *trancar*.] ◆ **Brincando, brincando.** Sem maior esforço; como quem não quer. **Brincar de esconder.** Brincar de esconde-esconde (q. v.). **Brincar de pegar.** Brincar de pique[1] (3).

brincas [F. pl. de *brinco*.] ***S. f. pl.*** Calosidades externas ao ânus (1).

brinco [Do lat. *vinculu*.] ***S. m.*** **1.** Adorno ou joia que se usa presa ao lobo da orelha ou pendente dela. [Cf. *arrecada, pingente* (2) e *bichas*.] **2.** *P. ext.* Pessoa ou coisa delicada, fina, elegante, muito bonita. **3.** Coisa feita, arrumada, etc., com muito apuro; primor, perfeição: *Depois de arrumada, a casa ficou um brinco.* **4.** Brincadeira (1). **5.** *P. us.* Brinquedo (1 e 2). **6.** Gracejo, zombaria, brincadeira. **7.** *Marinh.* Porção de amarra que forma seio num ferro encepado ou entoucado. **8.** *Marinh.* Cabo que prende ao lais da verga o moitão do braço da verga, deixando-o suficientemente afastado do lais para que opere convenientemente; braçalote, bracelote. **9.** *Marinh.* Pedaço de cabo de aço ou de amarreta fixado por um dos chicotes a um cabeço, olhal ou outra peça bem firme, e que tem no outro chicote um gato de escape para engatar em um cabo de reboque. **10.** *Bras. S.* Sinal que se faz nas orelhas do gado vacum dando-lhes golpes de que resulta ficarem pendentes retalhos de couro. **11.** *Bras. S.* Apêndice gorduroso do maxilar dos porcos e do pescoço de ovinos e caprinos.

brinco-de-princesa ***S. m.*** *Bot.* Designação comum a várias espécies de arbustos enoteráceos do gênero *Fuchsia* (v. *fúchsia*), mais ou menos escandentes, muito apreciados como plantas ornamentais para jardins, graças às flores vistosas e vivamente coloridas de vermelho e violáceo; fúcsia. [Pl.: *brincos-de-princesa*.]

brinco-de-sagui (güi) ***S. m.*** *Bras. Bot.* V. *favela-branca.* [Pl.: *brincos-de-sagui*.] ❖

brindar [De *brinde* + *-ar*[2].] ***V. t. d.*** **1.** Dirigir um brinde (1) a; beber à saúde de, ou pelo bom êxito de: *Os convivas brindaram o homenageado; Brindaram o empreendimento.* **2.** Dar ou oferecer brinde (3) a; presentear, mimosear: *A empresa anualmente brinda seus clientes.* ***T. d. e i.*** **3.** Dar brinde (3); mimosear: *Brindaram-na com uma salva de prata.* **4.** Conceder ou fazer algo que favoreça a (alguém): *O crítico brindou-o com alguns elogios.* **5.** *Irôn.* Castigar, punir: *Brindou o mau aluno com três dias de suspensão.* ***T. i.*** **6.** Erguer brindes: *Brindaram várias vezes à democracia.* ***P.*** **7.** Trocar brindes: *Levantaram as taças e brindaram-se.*

brinde [Do al. *ich bringe dir's*, 'ofereço-te', pelo it. *bríndisi* ou pelo fr. *brinde*.] ***S. m.*** **1.** Palavras de saudação a alguém no ato de beber. **2.** *P. ext.* Qualquer discurso de saudação. **3.** Objeto que se oferece, esp. como sinal de cortesia; presente.

brinhola [Do cabo-verd.] ***S. f.*** *Cabo-verd. Cul.* Bolinho preparado com farinha de milho, banana madura, ovos, açúcar e frito em azeite: "vou fritar bananas para o meu jantar e das minhas filhas. Das mais maduras farei brinholas" (Orlanda Amarílis, *Facécias e Peripécias*, p. 32).

brinjela ***S. f.*** *Bot.* V. *berinjela.*

brinquedo (ê) [De *brincar*.] ***S. m.*** **1.** Objeto que serve para as crianças brincarem: *brinquedo mecânico; loja de brinquedos.* **2.** Jogo (1) de crianças; brincadeira: *brinquedo de amarelinha; brinquedo de pegar.* [Sin., p. us., nessas acepçs.: *brinco*.] **3.** Divertimento, passatempo, brincadeira: *Os jovens distraíam-se com brinquedos de adivinhação e mímica.* **4.** Festa, folia, folguedo, brincadeira: *Entrou no brinquedo com muita animação.* ◆ **Brinquedo cantado.** Brincadeira infantil que envolve gestos corporais aliados a uma canção ou frase rítmica.

brinquete (ê) ***S. m.*** *Bras. CE* Brinqueto.

brinqueto (ê) ***S. m.*** *Bras. PE* Pequena viga colocada verticalmente ao arrocho (4) para transmitir à masseira a pressão da vara. [F. paral. (us. no CE): *brinquete*.]

brinquinharia [De *brinquinho* + *-aria*.] ***S. f.*** *Desus. no Brasil.* Fábrica ou oficina de brinquedos para crianças.

brinquinheiro [De *brinquinho* + *-eiro*.] ***S. m.*** *Desus. no Brasil*. Fabricante de brinquedos para crianças.

brinquinho [Dim. de *brinco*.] ***S. m.*** *P. us. no Brasil*. Brinquedo (1).

brio [Do celta **brigos*, 'força', 'coragem'.] ***S. m.*** **1.** Sentimento da própria dignidade; pundonor. **2.** Ânimo, coragem, valentia. **3.** Galhardia, garbo. **4.** Vibração, entusiasmo, ânimo, fogo: *Tocou a sonata com muito brio.* [M. us. no pl.] ◆ **Meter em brios.** Estimular (alguém) a agir da melhor maneira possível.

▲ **brio-** [Do gr. *brýon, ou*.] ***El. comp.*** = 'musgo': *briófito, briologia.* [Equiv.: *-bri(o)-*, *-brio*: *isobriale*.]

▲ **-bri(o)-** Equiv. de *brio-*.

brió ***S. m.*** *Bras. SE Zool.* V. *chupim* (1).

brioche [Do fr. *brioche*.] ***S. m.*** *Cul.* Pãozinho muito fofo, feito de farinha de trigo, fermento, manteiga, sal e ovos.

briofilo [De *brio-* + *-filo*[1].] ***S. m.*** *Bot. P. us.* Folha de musgo.

briófilo [De *brio-* + *-filo*[2].] ***Adj.*** *Bot.* Diz-se dos organismos que se desenvolvem sobre briófitos: *líquen briófilo.*

briófita [Adapt. do tax. *Bryophyta*.] ***S. f.*** *Bot.* V. *briófito* (1).

briófito [Adapt. do tax. *Bryophyta*.] ***S. m.*** **1.** *Bot.* Diz-se de, ou espécime dos briófitos, divisão do reino vegetal que abrange plantas terrestres ou epífitas, raramente aquáticas, e que se caracterizam pela presença de clorofila e ausência de vasos; exibem alternância de gerações, reproduzindo-se por esporos e células sexuais, como ocorre, p. ex., nos musgos e nas hepáticas. ● ***Adj.*** **2.** Pertencente, ou relativo a eles.

briol [Do esp. *briol*.] ***S. m.*** **1.** *Marinh.* Cada um dos cabos fixos nas esteiras das velas redondas destinados a carregar o pano de encontro às vergas respectivas. **2.** *Pop. Desus. no Brasil*. Vinho (1). [Pl.: *briois*.]

briologia [De *brio-* + *-logia*.] ***S. f.*** Parte da botânica que estuda as briófitas.

briológico [De *briologia* + *-ico*[2].] ***Adj.*** Relativo à briologia.

briologista [De *briologia* + *-ista*.] ***S. 2 g.*** Especialista em briologia; briólogo.

briólogo [De *brio-* + *-logo*.] ***S. m.*** Briologista.

briónia ***S. f.*** *Bot.* V. *briônia.* [Uso freq. em P.]

briônia [Do tax. *Bryonia* (do gr. *bryonía*, 'serpentária').] ***S. f.*** *Bot.* **1.** Gênero de plantas herbáceas cucurbitáceas, em sua maioria trepadeiras, nativas da Eurásia. **2.** Qualquer espécie desse gênero, como, p. ex., a *Bryonia dioica* (v. *norça-branca*). **3.** Qualquer espécime desse gênero. [Sin.: *colubrina*.]

briosa [F. subst. de *brioso*.] ***S. f.*** **1.** *Bras.* Apelido da antiga Guarda Nacional: "ele passava o dia distribuindo objetos, jogando fora roupas velhas, suas fardas da briosa, suas espadas ferrugentas" (Pedro Nava, *Beira-Mar*, p. 13). **2.** *Bras. MA* Apelido da Polícia Militar. **3.** *Bras. Mar. G.* Banda de música; fanfarra. **4.** *Mar. G.* Taifa em conjunto.

brioso (ô) [De *brio* + *-oso*.] ***Adj.*** **1.** Que tem brio (1); pundonoroso. **2.** Valente, corajoso. **3.** Liberal, generoso. **4.** Altivo, orgulhoso; garboso. **5.** Fogoso, garboso (o cavalo).

brioteca [De *brio-* + *-teca*.] ***S. f.*** *Micol.* Coleção de musgos, devidamente classificados.

briozoário [De *brio-* + *-zo(o)-* + *-ário*; tax. *Bryozoa*.] *Zool.* ***S. m.*** **1.** Espécime dos briozoários, filo de animais enterozoários, coloniais, de simetria bilateral que se apresentam em forma de incrustações nas rochas, ou de massas gelatinosas, ou de plantas. Cada indivíduo é isolado dentro de um zoécio; são hermafroditos, de vida livre, marinhos ou de água doce. ● ***Adj.*** **2.** Pertencente ou relativo a eles. [Sin. ger.: *polizoário*.]

brique[1] ***S. m.*** *Bras. RS* V. *bricabraque* (2).

brique[2] [Do fr. *brique*.] ***Adj. 2 g.*** **1.** Da cor vermelha do tijolo; testáceo, tijolo. ● ***S. m.*** **2.** Essa cor.

briquetagem [De *briquetar* + *-agem*[2].] ***S. f.*** Ato ou efeito de briquetar.

briquetar [De *briquete* + *-ar*[2].] ***V. int.*** Fazer briquetes. [Pres. subj.: *briquete, briquetes*, etc. Cf. *briquete* (ê), pl. *briquetes* (ê), e o v. *briquitar*.]

briquete (ê) [Do fr. *briquette*.] ***S. m.*** Massa ou tijolo composto de carvão em pó e de um aglutinante (piche, breu, alcatrão), us. como combustível. [Pl.: *briquetes* (ê). Cf. *briquete* e *briquetes*, do v. *briquetar*.]

briquitar ***V. int.*** *Bras. C.O. MG SP* **1.** Mourejar, pelejar, trabalhar, lidar: *Ali estão os lavradores briquitando sem parar.* **2.** Mourejar em coisas miúdas; penar com ninharias: *A velha resmungona briquitava na cozinha.* **3.** Matar o tempo; entreter-se. **4.** Cismar, ruminar: *Acocorado num canto, o matuto briquitava.* **5.** Brigar, contender. [Cf. *briquetar*.]

brisa [Do fr. *brise*.] ***S. f.*** **1.** Vento brando e fresco; viração; aragem, aura. **2.** *Geogr.* Vento periódico, típico das regiões marítimas ou até onde vai a influência do mar. **3.** *Bras. N.E. Gír.* Falta de dinheiro; quebradeira, prontidão, pindaíba. [Cf. *briza*.] ~ V. *brisas.* ◆ **Brisa da pororoca.** *Bras.* Vento brando ocasionado pela pororoca. **Brisa marinha.** *Geogr.* Brisa marítima. **Brisa marítima.** *Geogr.* A que sopra do mar para o continente, em virtude do mais rápido aquecimento das terras; brisa marinha. **Brisa terrestre.** *Geogr.* A que sopra do continente para o mar, quando este se acha mais aquecido que aquele. **Uma brisa.** *Bras.* Uma ova. **Viver de brisa.** Não dispor de recursos para a sobrevivência.

brisança ***S. f.*** *Expl.* Brisância.

brisância [Do ingl. *brisance* < fr. *brisant* (v. *brisante*).] ***S. f.*** *Expl.* O poder de quebrar, de reduzir massas a fragmentos, que um explosivo tem; brisança.

brisante [Do fr. *brisant*, poss.] ***Adj. 2 g.*** ~ V. *explosivo* —.

brisas [Pl. de *brisa*.] ***Pron. indef.*** *Bras. Gír.* Coisa nenhuma; nada, bulhufas, bulufas. ~ V. *brisa.*

brisca [Do pol. *briska* ou do russo *briska*.] ***S. m. e f.*** Caleche de viagem, descoberta: "vejo duas possantes e nédias mulas castelhanas, jungidas a um veículo que .... me parece .... mais cômodo e elástico do que o mais aéreo brisca da princesa Helena." (Almeida Garrett, *Viagens na Minha Terra*, p. 17).

➔ **brise-bise** [bʁiz biz] [Fr.] ***S. m.*** Cortina leve para tapar a parte inferior de uma janela.

➔ **brise-soleil** [bʁiz sɔˈlɛij] [Fr.] ***S. m.*** *Arquit.* Conjunto de chapas de material fosco que se põe nas fachadas expostas ao sol para evitar o aquecimento excessivo dos ambientes sem prejudicar a ventilação e a iluminação. [Sin.: *quebra-sol*.]

brístol [Do top. *Bristol*.] ***S. m.*** **1.** Espécie de pano de lã grosseiro, originalmente fabricado na cidade do mesmo nome (S.O. da Inglaterra). **2.** Papel forte, geralmente branco, usado para desenho, diversos tipos de cartão, embalagens, etc. [Pl.: *brístoles*.] ● ***Adj. 2 n.*** **3.** ~ V. *cartão* —.

brita [Der. regress. de *britar*.] ***S. f.*** *Eng. Civ. Constr.* Material resultante do britamento de pedra, com diâmetros máximos compreendidos entre 4,8mm e 100mm e que tem inúmeras aplicações; pedra britada: "A passo lento, pés descalços na brita cortante, atravessou a vereda" (João da Silva Correia, *Farândola*, p. 56). ◆ **Brita corrida.** *Constr.* Brita não classificada por peneiramento.

britadeira [De *britar* + *-deira*.] ***S. f.*** **1.** Mulher que brita pedra. **2.** *Constr.* Britador (2).

britado [Part. de *britar*.] ***Adj.*** Reduzido a fragmentos; quebrado, partido. ~ V. *pedra* —*a*.

britador (ô) [De *britar* + *-dor*.] ***Adj.*** **1.** Que brita. [Fem.: *britadeira*.] ● ***S. m.*** **2.** *Constr.* Máquina usada nas pedreiras para produzir pedra britada; britadeira. ◆ **Britador de mandíbulas.** *Tec.* Tipo de equipamento de britagem em que mandíbulas pivotantes esmagam o material contra uma bigorna fixa. **Britador giratório.** *Tec.* Equipamento de britagem constituído por um pilão cônico que gira excentricamente, preso por uma extremidade, dentro de uma cuba também cônica, esmagando o material por pressão e cisalhamento.

britagem [De *britar* + *-agem*[2].] ***S. f.*** Britamento.

britamento [De *britar* + *-mento*.] ***S. m.*** Ação de britar; britagem.

britânico [Do lat. *britannicu*.] ***Adj.*** **1.** Da, ou pertencente ou relativo à Grã-Bretanha (Europa) ou à Comunidade de Nações (antigo Império Britânico); inglês. **2.** Diz-se de certos traços de temperamento ou de gosto ligados às ideias de calma ou discrição que se admitem, em geral, como típicas dos ingleses: *serenidade britânica; elegância britânica.* ~ V. *pontualidade* —*a*. ● ***S. m.*** **3.** O natural ou habitante da Grã-Bretanha; inglês.

britaniense ***Adj. 2 g.*** **1.** De, ou pertencente ou relativo a Britânia (GO). ● ***S. 2 g.*** **2.** O natural ou habitante de Britânia.

britanismo [De *britânico* + *-ismo*, seg. o padrão erudito.] ***S. m.*** Qualidade ou feitio de britânico (3).

britanizar [De *britânico* + *-izar*, seg. o padrão erudito.] ***V. t. d. P.*** Dar feição britânica ou inglesa a, ou adquiri-la; adaptar(-se) ao temperamento, ou à maneira, ou ao estilo britânico ou inglês; inglesar(-se).

brita-ossos ***Adj. 2 g. e 2 n.*** *Zool.* V. *xofrango-brita-ossos.*

britar [De or. germ.; poss. do anglo-saxão *bryttion*, 'dividir em fragmentos'.] ***V. t. d.*** **1.** Partir, quebrar, despedaçar; fragmentar, triturar: *britar nozes*; "estrepitam, britando e esfarelando as pedras, torrentes de cascos pelos tombadores" (Euclides da Cunha, *Os Sertões*, p. 128). **2.** Quebrar (pedra), por processo mecânico ou não, produzindo fragmentos de dimensões especificadas. **3.** Esmagar, moer, macerar; contundir, machucar: *Britou-lhe o corpo com a surra.* **4.** *Fig.* Reduzir a nada; destruir, anular, invalidar: *britar os princípios; britar a lei.* **5.** Romper, arrombar, derribar: *Os assaltantes britaram todas as portas.*

britónico ***S. m.*** *Gloss.* V. *britônico.* [Uso freq. em P.]

britônico [Do lat. *britone* + *-ico*[2].] ***S. m.*** *Gloss.* V. *celta* (2).

brivana ***S. f.*** *Bras. CE Pop.* V. *égua* (1).

briza [Do tax. *Briza* (do gr. *bríza*, 'centeio').] ***S. f.*** *Bot.* **1.** Gênero de plantas poáceas, perenes, nativas da América do Sul e da Europa, que se caracterizam pelos colmos eretos, de cerca de 60cm de altura, dotados de panículas. **2.** Qualquer espécie desse gênero, como, p. ex., a *Bryza brachycaeta* e a *B. viridis* [v. *treme-treme* (4)]. **3.** Qualquer espécime desse gênero, ou a sua flor.

brizomancia (cí) [Do gr. *brízein*, 'estar sonolento', + *-mancia*.] ***S. f.*** Oniromancia.

brizomante [De *brizo-*, como em *brizomancia*, + *-mante*.] ***S. 2 g.*** Pessoa que se dedica à brizomancia; oniromante.

brizomântico ***Adj.*** Relativo a brizomancia, ou a brizomante; oniromântico.

bró ***S. m.*** *Bras. Cul.* Comida própria de regiões sertanejas, feita com os tubérculos do umbuzeiro e de outros vegetais.

broa (ô) [De or. pré-romana, pelo port. ant. *borona*, com desnasalação e síncope, poss.] ***S. f.*** **1.** Pão arredondado, feito de fubá de milho ou de arroz, de cará, de polvilho, etc. **2.** *Fam.* Pessoa gorducha. [Var.: *boroa*.]

→ **broadcast** ['bɹɔdkæst] [Ingl.] ***S. m.*** *Rád. Telev.* **1.** Transmissão de programa (7), mensagem publicitária, notícia, etc., destinados ao público em geral, através de ondas eletromagnéticas, cabo, etc.; *broadcasting*. • ***Adj. 2 g. e 2 n.*** **2.** Diz-se da alta qualidade dos padrões e sistemas us. profissionalmente em *broadcast* (1): *qualidade* broadcast.

→ **broadcasting** ['bɹɔdkæstɪŋ] [Ingl.] ***S. m.*** *Rád. Telev.* *Broadcast* (1).

→ **broadside** ['bɹɔdsajd] [Ingl.] ***S. m.*** *Market.* Folheto de lançamento de um produto, ou de explicações acerca de campanhas de venda.

broca[1] [Do cat. *broca*.] ***S. f.*** **1.** Instrumento que, com movimento de rotação, abre orifícios circulares; verruma, pua. **2.** Instrumento munido de barra de aço ou de verruma com que se abrem buracos nas pedreiras ou se perfura o solo. **3.** O furo feito pela broca nas pedras, no qual se introduz a dinamite. **4.** Furo, buraco; orifício. **5.** Eixo da fechadura em que penetra a chave. **6.** Falha na alma de uma boca de fogo. **7.** *Cir.* Instrumento que age por movimentos rotativos e que se destina a perfurar superfície óssea. **8.** *Odont.* Pequeno instrumento rotatório e cortante, acionado por motor para perfurar, limpar e regularizar cavidade dentária. **9.** *Tip.* Janela (11). [Pl.: *brocas*. Cf. *broca* (ô) e *brocas* (ô), flex. de *broco* (ô).] ◆ **Broca de mineiro.** Ferramenta para perfuração de minas em terreno argiloso, e que consiste numa haste que tem numa das extremidades uma broca em espiral e na outra, uma barra transversal para fazê-la girar.

broca[2] [Alter. de *bruco* (q. v.), poss. com infl. de *broca*[1].] ***S. f.*** *Zool.* Designação comum a todos os insetos, adultos ou suas larvas e lagartas, que corroem ou perfuram a madeira e outros materiais. Vários deles atacam produtos armazenados, sobretudo sementes, inflorescências, raízes e outras partes das plantas, cavando galerias ou pequenos buracos. [Cf. *caruncho* (1).] [Pl.: *brocas*. Cf. *broca* (ô) e *brocas* (ô), flex. de *broco* (ô).]

broca[3] ***S. f.*** **1.** *Bras.* Moléstia que afeta o casco dos equinos e asininos. **2.** *Bras.* Moléstia que dá na parte interior dos chifres dos bovinos. **3.** *Bras.* Espécie de joeira com que se limpa o café em grão. **4.** *Bras.* Mato rasteiro entre árvores corpulentas. **5.** *Bras.* V. *mentira* (1). **6.** *Bras. N.* Ato de cortar arbustos ou mato preparando terreno para a roça; roçada. [Sin., nesta acepç., no N.E.: *brocagem*.] **7.** *Bras. S.* Vontade de comer; fome. [Pl.: *brocas*. Cf. *broca* (ô) e *brocas* (ô), flex. de *broco* (ô).]

broca-da-cereja-do-café ***S. f.*** *Bras. Zool.* V. *broca-do-café*. [Pl.: *brocas-da-cereja-do-café*.]

broca-das-ervilhas ***S. f.*** *Bot.* V. *bruco* (2). [Pl.: *brocas-das-ervilhas*.]

brocadilho [De *brocado*[1] + *-ilho*.] ***S. m.*** *Ant.* Brocado[1] (1) simples, leve, e de qualidade inferior.

brocado[1] [Do it. *broccato*.] ***S. m.*** *Tec. Têx.* **1.** Rico tecido de seda com desenhos em relevo realçados por fios de ouro ou de prata. **2.** *P. ext.* Qualquer tecido que, por seu lavor, se assemelha ao brocado (1), ou o faz lembrar.

brocado[2] [Part. de *brocar*[1].] ***Adj.*** Furado com broca[1]. [Sin.: *broqueado*[1].]

brocado[3] [Part. de *brocar*[2].] ***Adj.*** **1.** Atacado por broca[2]: *café brocado*. **2.** Carcomido, corroído; desgastado; destruído. [Sin. ger.: *broqueado*[2].]

brocado[4] [Part. de *brocar*[3].] ***Adj.*** *Bras.* Cortado com foice; roçado. [Sin.: *broqueado*[3].]

broca-do-café ***S. f.*** *Bras. Zool.* Inseto coleóptero, curculionídeo (*Hypothenemus hampei*), originário da África e introduzido em outros países, entre os quais o Brasil, depois de 1910. Adulto, preto, de porte diminuto, tem o bordo apical do protórax com quatro ou mais dentes, cerdas dos élitros filiformes, e pontoação relativamente larga e profunda. Completa o seu ciclo evolutivo médio em 28 dias, e durante o ano podem aparecer até sete gerações completas. [Sin.: *broca-paulista, broca-da-cereja-do-café, caruncho-do-café, caruncho-da-cereja-do-café*. Pl.: *brocas-do-café*.]

broca-do-coqueiro ***S. f.*** *Bras. Zool.* V. *aramandaiá*. [Pl.: *brocas-do-coqueiro*.]

brocador (ô) [De *brocar*[3] + *-dor*.] ***S. m.*** *Bras. N.* Aquele que corta ou derruba mato.

broca-dos-coqueiros [De *broca*[2] + o pl. de *do*[1] + o pl. de *coqueiro*.] ***S. f.*** *Bras. Zool.* V. *aramandaiá*.

brocagem [De *brocar*[3] + *-agem*[2].] ***S. f.*** *Bras. N.E.* V. *broca*[3] (6).

broca-paulista ***S. f.*** *Bras.* V. *broca-do-café*. [Pl.: *brocas-paulistas*.]

brocar[1] [De *broca*[1] + *-ar*[2].] ***V. t. d.*** **1.** Furar com broca[1]: *brocar uma rocha*. **2.** Fazer broca[1] (4), ou brocas, em; furar, esburacar. [Sin. ger.: *broquear*[1]. Conjug.: v. *trancar*. Pres. ind.: *broco, brocas, broca*, etc.; pres. subj.: *broque, ... broqueis, broquem*. Cf. *broco* (ô) e as flex. *broca* (ô), *brocas* (ô), e *broquéis*, pl. de *broquel*.]

brocar[2] [De *broca*[2] + *-ar*[2].] ***V. t. d.*** Carcomer, corroer; estragar: *As larvas brocaram os troncos das árvores*. [Sin.: *broquear*[2]. Conjug.: v. *trancar*. Pres. ind.: *broco, brocas, broca*, etc.; pres. subj.: *broque, ... broqueis, broquem*. Cf. *broco* (ô) e as flex. *broca* (ô), *brocas* (ô), e *broquéis*, pl. de *broquel*.]

brocar[3] [De *broca*[3] + *-ar*[2].] ***V. t. d.*** *Bras.* **1.** Limpar, joeirar (o café). **2.** Cortar (mato miúdo) com foice; roçar. ***Int.*** **3.** Mentir, lorotar. [Sin. ger.: *broquear*[3]. Conjug.: v. *trancar*. Pres. ind.: *broco, brocas, broca*, etc.; pres. subj.: *broque, ... broqueis, broquem*. Cf. *broco* (ô) e as flex. *broca* (ô), *brocas* (ô), e *broquéis*, pl. de *broquel*.]

brocardo [Do lat. med. *brocardu*, alter. do antr. *Burchardus*.] ***S. m.*** **1.** Axioma jurídico. **2.** Axioma, aforismo, máxima, sentença, provérbio: "Tens uma árvore e um livro: falta um filho / — clama a sábia exigência do brocardo." (Hermes-Fontes, *Ciclo da Perfeição*, p. 63.)

brocatel [Do it. *broccatello*, pelo cat. *brocatell*.] ***S. m.*** *Tec. Têx.* **1.** Tecido imitante ao brocado[1] (1), porém de menor valor. **2.** Tecido adamascado. [Pl.: *brocatéis*.]

brocatelo [Do it. *broccatello*.] ***S. m.*** Mármore de granulação fina, semelhante a brecha (6).

brocha [Do fr. *broche*.] ***S. f.*** **1.** Prego curto, de cabeça larga e chata; tacha. **2.** Cunha ou chaveta de madeira ou de ferro, que se põe nas extremidades dos eixos dos carros a fim de segurar as rodas. **3.** Correia de couro que cinge o pescoço do boi pela parte inferior da canga. **4.** Corda que liga os fueiros do carro para segurar a carga. **5.** Correia com que se ajustam sandálias, alpercatas, etc. **6.** *Ant.* Broche (5). **7.** *Bras. AL Lus. Pop.* Estado de quem se acha apertado, abarbado, muito atarefado. [Cf. *broxa*.]

brochadeira [De *brochar* + *-deira*.] ***S. f.*** Mulher que brocha livros.

brochado [Part. de *brochar*[2].] ***Adj.*** ~ V. *livro* —. [Cf. *cartonado, encadernado* e *broxado*.]

brochador (ô) [De *brochar* + *-dor*.] ***S. m.*** Aquele que brocha livros, que faz brochuras. [Fem.: *brochadeira*.]

brochagem [Do fr. *brochage*.] ***S. f.*** *Art. Gráf.* Operação de brochar livros; brochura.

brochantita [Do antr. (*J. M.*) *Brochant* (*de Villiers*) (1772-1840), geólogo e mineralogista francês, + *-ita*[3].] ***S. f.*** *Min.* Sulfato básico de cobre, maciço ou em pequenos cristais prismáticos, verde-claros, de brilho vítreo.

brochar[1] [De *brocha* + *-ar*[2].] ***V. t. d.*** **1.** Cravar brochas em; fixar, pregar: *O sapateiro brocha as solas com firmeza*. **2.** *Ant.* Prender ou fechar com brocha ou broche; fechar, abotoar, abrochar: *brochar o manto; brochar o estojo*. **3.** *Bras. RS* Cingir a brocha (3) ao pescoço do boi, atrelando-o à carga. **4.** *Bras. Amaz. RJ* V. *surrar* (2). [Cf. *broxar*.]

brochar[2] [Do fr. *brocher*.] ***V. t. d.*** *Art. Gráf.* Prender as folhas ou cadernos de (livro) mediante costura, grampeamento, etc., formando um bloco, que se cobre com uma capa de papel ou cartolina colada ao dorso. [Cf. *encadernar* (2), *cartonar* (1) e *broxar*.]

broche [Do fr. *broche*.] ***S. m.*** **1.** Adorno de metal e/ou pedraria, provido de alfinete e fecho, que as mulheres usam como joia, geralmente ao peito, em lapela, ou para prender peças de vestuário: "Glória usava no peito um broche com um medalhão de duas faces." (Raquel de Queirós, *As Três Marias*, p. 9.) [Sin., nesta acepç., *alfinete* e *pregadeira* (lus.).] **2.** Espécie de colchete com que se fecham livros ou pastas. **3.** Colchete para guarnecer cintos, ligas, etc. **4.** *Ant.* Peça de armadura com que se afivelam as demais. **5.** *Ant.* Fecho (2); brocha. [Cf. *broxe*, do v. *broxar*. Sin. lus.: *alfinete* e *pregadeira*.]

brochete (é) [Do fr. *brochette*.] ***S. f.*** **1.** Preparação culinária: pedaços de carne, ou de miúdos, de camarões, etc., enfiados em espetinhos, alternadamente com toucinho defumado, cebola, etc., para fritar, ou cozer na grelha ou no forno. **2.** *P. ext.* Cada um dos espetos usados nessa preparação. [Sin. ger. (lus.): *pincho*.]

brochiense ***Adj. 2 g.*** **1.** De, ou pertencente ou relativo a Brochier (RS). • ***S. 2 g.*** **2.** O natural ou habitante de Brochier.

brochote ***S. m.*** *Bras. CE* **1.** V. *joão-ninguém*. **2.** Rapazola atrevido.

brochura [Do fr. *brochure*.] ***S. f.*** *Art. Gráf.* **1.** Ação ou efeito de brochar livros; brochagem. **2.** Livro brochado (q. v.): "fui encontrar o infeliz amigo estirado no sofá, junto à mesa coberta de papéis, brochuras, pedaços de lacre" (Graciliano Ramos, *Infância*, p. 229). **3.** Folheto ou opúsculo brochado. [Cf. *broxura*.]

broco (ô) ***Adj.*** **1.** *Bras. N. N.E.* Diz-se de rês que tem um dos chifres pequeno e rugoso, ou ambos. **2.** *Bras.* Amalucado ou abobalhado em razão da idade e/ou de doença. [Flex.: *broca* (ô), *brocos* (ô), *brocas* (ô). Cf. *broco, brocas, broca*, do v. *brocar*; *broca*, s. f., pl. *brocas*; *Broca*, antr.; e *brocos*, var. de *brócolos*.]

brocoió ***S. m.*** **1.** *Bras.* V. *caipira* (1). **2.** *Bras. N.E.* Casa onde se vende exclusivamente caldo de cana.

brócolis ***S. m. pl.*** *Bot.* V. *brócolos*.

brócolos [Adapt. do it. *broccoli* (pl. de *broccolo*).] ***S. m. pl.*** *Bot.* Erva brassicácea (*Brassica oleracea*) amplamente cultivada como verdura, e cuja parte característica se constitui das inflorescências novas, verdes e muito compactas, conquanto se utilize a planta inteira. [F. paral. (m. us. no Brasil): *brócolis*; var.: *brocos*.]

brocos ***S. m. pl.*** *Bot.* V. *brócolos*. [Cf. *brocos* (ô), pl. de *broco* (ô).]

brocotó ***S. m.*** *Bras.* V. *borocotó*.

bródio [Do it. *brodo*, poss.] ***S. m.*** **1.** Refeição alegre; comezaina: "calvário no claustro, para os fiéis, e bródio de amêndoas e vinho para os irmãos, na sacristia" (Fialho d'Almeida, *Pasquinadas*, p. 129). **2.** Pândega, bagunça, barulho. **3.** *Ant.* Caldo que se dava aos pobres à porta dos conventos. **4.** *Bras. AM* Interior carcomido das árvores.

brodista [De *bródio* + *-ista*.] ***S. 2 g.*** **1.** Frequentador de bródios. **2.** Galhofeiro, pândego, folião.

→ **brodo** ['bɹɔdo] [It.] ***S. m.*** V. *caldo* (1).

brodosquiano (òs) ***Adj.*** **1.** De, ou pertencente ou relativo a Brodósqui (SP). • ***S. m.*** **2.** O natural ou habitante de Brodósqui.

broeiro [De *broa* + *-eiro*.] ***Adj.*** **1.** Que gosta e/ou se alimenta de broas. **2.** Rude, rústico, grosseiro. • ***S. m.*** **3.** Aquele que gosta e/ou se alimenta de broas; pica-milho. **4.** Aquele que faz e/ou vende broas.

brogúncias ***S. f. pl.*** *Bras. N. Pop.* **1.** Coisas ou negócios miúdos; miudezas, bugigangas, ninharias, quinquilharias. **2.** V. *cacaréus*.

broma[1] [Do gr. *brôma*, 'ação de devorar'; 'o que é comido ou roído', com alter. semântica.] ***S. f.*** **1.** Inseto ou verme que rói a madeira. • ***S. 2 g.*** **2.** Pessoa estúpida, grosseira. • ***Adj. 2 g.*** **3.** De qualidade inferior; ordinário, grosseiro. **4.** Grosseiro, malcriado.

broma[2] [Do esp. *broma*.] ***S. f.*** *Bras. RS* Gracejo, brincadeira, chalaça, troça.

bromação [De *bromar* + *-ção*.] ***S. f.*** **1.** *Quím.* Ato ou efeito de bromar[2]. **2.** Reação, ou operação de bromar (uma substância).

bromado[1] [Part. de *bromar*[2].] ***Adj.*** *Quím.* Diz-se de substância que contém bromo.

bromado[2] ***S. m.*** *Bras. SP* V. *brumado* (2).

bromar[1] [De *broma*[1] + *-ar*[2].] ***V. t. d.*** **1.** Roer (a madeira) [a *broma*[1] (1)]. **2.** Corroer como a broma; brocar, carcomer: *As traças bromaram o livro*. **3.** Deitar a perder; estragar. **4.** *Bras.* Estragar (o açúcar, nos engenhos), tornando-o broma ou ordinário. ***Int.*** **5.** Estragar-se, desvalorizar-se. **6.** *Bras.* Dar para trás; não ser bem-sucedido; falhar, gorar, malograr-se: *Se não bromar, pode chegar a ser alguém*. **7.** *Bras.* Degenerar-se, corromper-se, perder-se.

bromar[2] [De *bromo* + *-ar*[2].] ***V. t. d.*** *Quím.* Tratar (uma substância) pelo bromo, ou por um de seus derivados, visando a obter composto bromado.

bromato [De *brom(o)-* + *-ato*[2].] ***S. m.*** *Quím.* **1.** Qualquer sal do ácido brômico. **2.** *Restr.* O bromato de potássio que, ao ser adicionado à massa de pão comercial, aumenta o volume desta, com resultados questionáveis para a qualidade do produto e para a saúde do consumidor: *pão com bromato*.

▲ **bromato-** [Do gr. *brôma, atos*.] ***El. comp.*** = 'alimento'; 'refeição': *bromatologia*.

bromatologia (brô) [De *bromato-* + *-logia*.] ***S. f.*** Ciência que estuda os alimentos; química bromatológica.

bromatológico (brô) [De *bromatologia* + *-ico*[2].] ***Adj.*** Relativo à bromatologia. ~ V. *química* —*a*.

bromatologista (brô) [De *bromatologia* + *-ista*.] ***S. 2 g.*** Bromatólogo.

bromatólogo [De *bromato-* + *-logo*.] ***S. m.*** Especialista em bromatologia; bromatologista.

bromelaína [Do ingl. *bromelain* (alter. do ingl. *bromelin*).] ***S. f.*** *Bioquím.* Bromelina.

bromélia [Do tax. *Bromelia* < antr. (*Olaf*) *Bromel* (1639-1705), botânico sueco, + lat. cient. *-ia* (v. *-ia*[2]).] *S. f. Bot.* **1.** Gênero-tipo das bromeliáceas, que ocorre desde as Antilhas até a Argentina; são vegetais xerófitos, rastejantes, de bagas por vezes comestíveis. **2.** Qualquer espécie, ou espécime desse gênero.

bromeliácea [Do tax. *Bromelia* (v. *bromélia*) + *-ácea*; tax. *Bromeliaceae*.] *S. f. Bot.* Espécime das bromeliáceas, família da ordem das bromeliales constituída de ervas rosuladas, de folhas rígidas, flores actinomorfas, coloridas, com cálice e corola distintos, seis estames, fruto bacáceo ou capsular, que vivem sobre pedras ou árvores. Há cerca de 1.000 espécies tropicais, muitas delas apreciadas como plantas ornamentais. O Brasil é rico em representantes dessa família, dos quais é o abacaxi o mais importante.

bromeliáceo [De *bromeliácea*, com var. suf. (v. *-áceo*).] *Adj. Bot.* Pertencente ou relativo às bromeliáceas.

bromélia-imperial *S. f. Bot.* Grande bromeliácea (*Alcantarea imperialis*) acaule, nativa do Brasil, de folhas coriáceas, longas, que se dispõem em grande roseta, inflorescência terminal ereta, ramificada, com brácteas brilhantes, de um marrom tirante ao vermelho, e numerosas folhas amarelas; atinge a altura média de 3m, em 10 anos. [Pl.: *bromélias-imperiais*.]

bromelial [Do tax. *Bromelia* (v. *bromélia*) + *-al*[1].] *Adj. 2 g. Bot.* Pertencente ou relativo às bromeliales.

bromeliale [Adapt. do tax. *Bromeliales*.] *S. f. Bot.* Espécime das bromeliales, ordem de plantas monocotiledôneas que abrange, apenas, a família das bromeliáceas.

bromelina [Do tax. *Bromelia* (v. *bromélia*) + *-ina*[3].] *S. f. Bioquím.* Mistura de enzimas proteolíticas extraída do suco fresco do abacaxi, usada como vermífugo e como amaciante de carnes; bromelaína.

brometo (ê) [De *brom(o)-* + *-eto*[2].] *S. m. Quím.* **1.** Qualquer sal do ácido bromídrico. [Sin. (obsol.): *bromidrato*.] **2.** *Restr.* Qualquer de certos brometos, como os de sódio, potássio e amônio que, adicionados à alimentação em prisões, navios de guerra, etc., eram us. como sedativos, e de uso, hoje em dia, condenado. [V. *bromismo*.] ◆ **Brometo de metila.** *Quím.* Bromometano.

brómico *Adj. Quím.* V. *brômico*. [Uso freq. em P.]

brômico [De *brom(o)-* + *-ico*[2].] *Adj. Quím.* Relativo ao bromo. ~ V. *ácido* —.

bromidrato [De *brom(o)-* + *-idr(o)-* + *-ato*[2].] *S. m. Quím. Obsol.* Brometo (1).

bromídrico [De *brom(o)-* + *hidro(gênio)* + *-ico*[2].] *Adj. Quím.* ~ V. *ácido* —.

bromidrina [De *bromo* + *-idr(o)-* + *-ina*[3].] *S. f. Quím.* **1.** Álcool bromado que se forma pela reação de um alceno com o ácido hipobromoso; a bromidrina mais simples é a derivada do eteno [fórm.: C_2H_5BrO].

bromidrose [De *brom(o)-* + *hidrose*.] *S. f. Med.* Secreção de suor que, por ação bacteriana, se torna fétido.

bromidrosefobia [De *bromidrose* + *-fobia*.] *S. f. Psiq.* Medo patológico de odores corporais, com percepções ilusórias quanto a eles.

bromidrosefóbico [De *bromidrosefobia* + *-ico*[2].] *Psiq. Adj.* **1.** Relativo a bromidrosefobia. **2.** Que sofre de bromidrosefobia; bromidroséfobo. ● *S. m.* **3.** Aquele que sofre de bromidrosefobia; bromidroséfobo.

bromidroséfobo [De *bromidrose* + *-fobo*.] *Adj. S. m. Psiq.* Bromidrosefóbico (2 e 3).

bromismo [De *brom(o)-* + *-ismo*.] *S. m. Med.* Intoxicação crônica pelo bromo e seus compostos, e que apresenta distúrbios neurológicos, erupções cutâneas e mau cheiro do ar expirado.

bromo [Do gr. *brômos*, 'mau cheiro'.] *S. m. Quím.* **1.** Elemento de número atômico 35, pertencente à família dos halogênios [símb.: *Br*]. **2.** Líquido vermelho-escuro, com vapores vermelhos irritantes, muito reativo e venenoso e que é a forma usual do bromo elementar [fórm.: Br_2].

▲ **brom(o)-** [Do gr. *brômos*, ou.] *El. comp.* = 'mau cheiro'; 'bromo': *bromidrose*, *bromismo*, *bromofórmio*. [Ocorre, tb., como infixo: *-brom(o)-*: *hipobromoso*.]

▲ **-brom(o)-** V. *brom(o)-*.

bromoalcano [De *brom(o)-* + *alcano*.] *S. m. Quím.* Haloalcano no qual o halogênio é o bromo.

bromodermia [De *brom(eto)* + *-o-* + *-derm(o)-* + *-ia*[1].] *S. f. Med.* Erupção cutânea que decorre do uso de brometos.

bromofórmio [De *brom(o)-* + *-fórmio*, como em *clorofórmio*.] *S. m. Quím.* Líquido tóxico com propriedades anestésicas [fórm.: $CHBr_3$].

bromomenorreia (éi) [De *brom(o)-* + *menorreia*.] *S. f. Gin.* Menstruação que se distingue pelo mau cheiro. ❖

bromometano [De *brom(o)-* + *metano*.] *S. m. Quím.* Substância incolor, tóxica, gasosa à temperatura ambiente, us. como pesticida, mas que é condenado, por causar danos à camada de ozônio; brometo de metila [fórm.: CH_3Br].

bromuro [Do it. *bromuro*.] *S. m. Art. Gráf.* Cópia fotográfica de baixo custo us. para indicar a posição, o tamanho e o corte da imagem na produção gráfica.

bronca *S. f. Bras. Gír.* **1.** Repreensão, reprimenda, carão: *O pai deu uma bronca tremenda no garoto*; "— Tem dia que chega gente aqui, eu informo que não tem elevador e levo a maior bronca." (Stanislaw Ponte Preta, *Febeapá 2*, p. 105). **2.** Protesto, reclamação: *O professor deu as notas e disse que não admitia bronca*. **3.** Confusão, trapalhada.

bronco [Do lat. vulg. **bruncu*.] *Adj.* **1.** Tosco, áspero, agreste: *rochas broncas*. **2.** Rude, rústico, inculto; ignorante, ignaro: *camponês bronco*. **3.** V. *burro* (12).

▲ **bronco-** [Do lat. tard. *broncho-* < gr. *broncho-* < gr. *brónchos, ou*, 'traqueia', 'traqueia-artéria'; 'garganta'.] *El. comp.* = 'traqueia'; 'garganta'; 'brônquio(s)': *broncocele* (< gr.), *broncocélico* (< gr.), *broncoscopia*, *broncopneumonia*. [Equiv.: *-bronco-*, *bronqu(i)-* (q. v.), *bronquio-* (q. v.): *egobroncofonia*, *bronquite*, *bronquiocele*.]

▲ **-bronco-** V. *bronco-*.

broncoalveolar [De *bronco-* + *alvéola* + *-ar*[1].] *Adj. 2 g.* Relativo a brônquio(s) e a alvéolo(s) pulmonar(es). ❖

broncocele [Do gr. *bronchokélé*.] *S. f. Pneum.* Dilatação circunscrita de um brônquio.

broncodilatador (ô) [De *bronco-* + *dilatador*.] *Adj. S. m. Med.* Diz-se de, ou aquilo que provoca dilatação brônquica.

broncoespasmo [De *bronco-* + *espasmo*.] *S. m. Med.* Contração espasmódica de parede brônquica ger. observada em doenças respiratórias agudas, como a bronquiolite, ou crônicas, como a asma brônquica e a bronquite crônica, e que se manifesta, na ausculta pulmonar, como um ruído fraco.

broncografia [De *bronco-* + *-grafia*.] *S. f. Radiol.* Radiografia dos brônquios, feita após instilação endotraqueal de substância de contraste.

broncográfico [De *broncografia* + *-ico*[2].] *Adj. Radiol.* Referente a broncografia.

broncopneumonia [De *bronco-* + *pneumonia*.] *S. f. Pneum.* Inflamação pulmonar que se inicia, geralmente, nos bronquíolos terminais. É uma complicação de doenças várias, como infecções das vias aéreas superiores, ou de afecções que debilitam acentuadamente o estado geral.

broncoscopia [De *bronco-* + *-scop-* + *ia*[1].] *S. f. Pneum.* Exame realizado com o broncoscópio.

broncoscópio [De *bronco-* + *-scópio*.] *S. m. Pneum.* Endoscópio com que se realiza o exame de interior de brônquio.

broncostenose [De *bronco-* + *-(e)sten(o)-* + *-ose*[1].] *S. f. Pneum.* Estreitamento brônquico; bronquiarctia.

broncotomia [De *bronco-* + *-tom(o)-* + *-ia*[1].] *S. f. Cir.* Incisão de brônquio.

broncotómico *Adj. Cir.* V. *broncotômico*. [Uso freq. em P.]

broncotômico [De *broncotomia* + *-ico*[2].] *Adj. Cir.* Relativo à broncotomia.

broncótomo [De *bronco-* + *-tomo*.] *S. m. Cir.* Instrumento com que se faz a broncotomia.

brongo *S. m. Bras. BA* Grota profunda, de encostas com a forma de funil.

bronha *S. f. Bras. Chulo* Automasturbação masculina.

bronquear [De *bronca* + *-ear*[2].] *V. t. i. Int. Bras. Gír.* Dar bronca: *Bronqueou com o empregado por causa do serviço malfeito*; "— Espere aí, ... — atalhou D. Eufrosina. — Você já está querendo bronquear de novo, Raul?" (Herberto Sales, *Histórias Ordinárias*, p. 73). [Conjug.: v. *frear*.]

▲ **bronqu(i)-** [Do lat. cient. *bronchi-* < lat. tard. *bronchium* (v. *brônquio*).] *El. comp.* V. *bronco-*.

bronquial [De *bronqu(i)-* + *-al*[1].] *Adj. 2 g.* Brônquico.

bronquiarctia [De *bronqu(i)-* + *-arct(o)-* + *-ia*[1].] *S. f. Pneum.* Broncostenose.

bronquice [De *bronco* + *-ice*.] *S. f.* Qualidade ou caráter de quem é bronco; ignorância, estupidez, obtusidade.

brônquico [De *bronqu(i)-* + *-ico*[2].] *Adj.* Relativo ou pertencente a brônquio; bronquial.

bronquiectasia [De *bronqu(i)-* + *-ectas-* + *-ia*[1].] *S. f. Pneum.* Dilatação de brônquio, que leva a expectoração mucopurulenta, paroxismo de tosse, etc.

▲ **bronquio-** [Do lat. cient. *bronchio-* < lat. tard. *bronchium* (v. *brônquio*).] *El. comp.* V. *bronco-*.

brônquio [Do lat. tard. *bronchium* < gr. *brónchion*, dim. do gr. *brónchos* (v. *bronco-*).] *S. m. Anat.* Cada um dos dois canais em que se bifurca a traqueia, e que se ramificam nos pulmões.

bronquiocele [De *bronquio-* + *-cele*[1].] *S. f. Patol.* Dilatação ou tumefação de bronquíolo.

bronquiolite [De *bronquíolo* + *-ite*[1].] *S. f. Patol.* Inflamação dos bronquíolos.

bronquíolo [Do lat. cient. *bronchiolum*, do dim. do lat. tard. *bronchium* (v. *brônquio*).] *S. m. Anat.* Cada uma das subdivisões mais finas da ramificação da árvore brônquica.

bronquite [De *bronqu(i)-* + *-ite*[1].] *S. f. Pneum.* Inflamação brônquica. [Sin. (bras., pop.): *carregação do peito*.]

bronquítico [De *bronquite* + *-ico*[2].] *Adj. Med.* Que sofre de bronquite.

bronteu [Do gr. *bronteíon* < gr. *bronté*, 'trovão'.] *S. m. Teatr.* No antigo teatro grego, grande vaso de bronze ao qual se atiravam pedras e pedaços de ferro para se obter o som do trovão.

▲ **bront(o)-** [Do gr. *bronto-* < gr. *bronté, ês*.] *El. comp.* = 'trovão'; 'trovoada': *brontofobia*, *brontossauro*.

brontofobia [De *bront(o)-* + *-fobia*.] *S. f. Psiq.* Medo mórbido de trovão.

brontofóbico [De *brontofobia* + *-ico*[2].] *Psiq. Adj.* **1.** Relativo a brontofobia. **2.** Que sofre de brontofobia; brontófobo. ● *S. m.* **3.** Aquele que sofre de brontofobia; brontófobo.

brontófobo [De *bront(o)-* + *-fobo*.] *Adj. S. m. Psiq.* Brontofóbico (2 e 3).

brontope [De *bront(o)-* + *-ope*; tax. *Brontops*.] *S. m. Paleont.* **1.** Gênero de mamíferos perissodáctilos, próximos dos brontotérios, com cerca de 4,50m de comprimento. Taxonomicamente, aproxima-se do cavalo. **2.** Espécie, ou espécime desse gênero.

brontossauro [De *bront(o)-* + *-sauro*; tax. *Brontosaurus*.] *S. m. Paleont.* V. *apatossauro*.

brontotério [De *bront(o)-* + *-tério*; tax. *Brontotherium*.] *S. m. Paleont.* **1.** Gênero de mamíferos perissodáctilos semelhantes ao rinoceronte, mais próximos, entretanto, dos hipomorfos. Tinham o crânio longo, o cérebro pequeno e chifres, mais desenvolvidos nos machos, aos pares nas laterais da cabeça, e no nariz. Compreende vários animais que surgiram no eoceno da América do Norte e que, no oligoceno, dispersaram-se pela Ásia e Europa. [Sin.: *titanotério*.] **2.** Espécie, ou espécime desse gênero.

bronzagem [Do fr. *bronzage*.] *S. f.* Operação pela qual se dá a cor do bronze a objetos de metal, gesso, etc.; bronzeamento.

bronze [Do it. *bronzo*, pelo fr. *bronze*.] *S. m.* **1.** *Quím.* Liga metálica de cobre e estanho. **2.** Escultura em bronze (1). **3.** Peça, ou as peças, da artilharia. **4.** Sino[1] (1): "Deram agora seis horas / Nos bronzes / Da enorme catedral" (Antônio Boto, *As Canções*, p. 33). **5.** Moeda ou medalha de bronze (1). **6.** *Pop.* V. *dinheiro* (5). **7.** *Fig.* Dureza; insensibilidade. **8.** *Bras.* Peça de bronze sobre a qual trabalha a manga dos eixos [v. *eixo*[1] (6)] para lhes evitar o rápido desgaste e atenuar o aquecimento. **9.** *Bras. Mús.* V. *violão* (1). **10.** *Gír.* Bronzeado[1] (4). **11.** *Lus. Gír.* Mulher bonita, atraente. ◆ **Bronze de alumínio.** *Quím.* Liga metálica de alumínio e cobre.

bronzeado[1] [De *bronze* + *-eado*.] *Adj.* **1.** Da cor do bronze (1); bronzeo: *uma pequena de pele bronzeada*. **2.** Naturalmente moreno, e/ou queimado do sol. ● *S. m.* **3.** Cor semelhante à do bronze. **4.** *Bras.* Cor da pele queimada pelo sol: *Pegou um lindo bronzeado no verão*. [Sin., nesta acepç.: *bronze*.]

bronzeado[2] [Part. de *bronzear*.] *Adj.* **1.** A que se deu a cor do bronze: *escultura bronzeada*. **2.** Que foi guarnecido ou coberto de bronze. **3.** Que adquiriu tom de bronze. **4.** Tostado, escurecido: *Como leva muito sol, tem a cútis bronzeada*.

bronzeador (ô) [De *bronzear* + *-dor*.] *S. m.* **1.** Aquele que bronzeia objetos de arte, armas, etc. **2.** Substância própria para bronzear. ● *Adj.* **3.** Que bronzeia: *óleo bronzeador*.

bronzeamento [De *bronzear* + *-mento*.] *S. m.* **1.** Ato ou efeito de bronzear(-se). **2.** Bronzagem. **3.** *Eng. Ind.* Processo de recobrimento superficial em metais que lhes dá aspecto de bronze.

bronzear [De *bronze* + *-ear*[2].] *V. t. d.* **1.** Dar cor de bronze a; tornar semelhante ao bronze na cor; abronzar: *O artífice bronzeia as esculturas de gesso*; *O sol bronzeia a pele*. **2.** Guarnecer ou cobrir de bronze: *O soldado bronzeou o escudo*. *Int.* **3.** Escurecer mediante a ação do sol: *Este óleo bronzeia bem*. **4.** Tomar tons de bronze. *P.* **5.** Tostar-se, escurecer-se: *Seu belo corpo dourado bronzeou-se ao sol*. [F. paral.: *abronzear*. Conjug.: v. *frear*.]

brônzeo [De *bronze* + *-eo*.] *Adj.* **1.** Respeitante ao bronze. **2.** Feito de bronze: *brônzeos canhões*. **3.** Da cor do bronze; bronzeado. **4.** Da natureza do bronze, ou próprio dele: *consistência brônzea*; *brônzeos sons*. **5.** *Fig.* Duro, rijo, inflexível: *caráter brônzeo*.

bronzina [De *bronze* + *-ina*[1].] *S. f. Autom.* Bucha de bronze do motor automotivo, que dá apoio ao eixo em rotação, permitindo movimento com o mínimo de desgaste e de atrito.

bronzista [De *bronze* + *-ista*.] *S. 2 g.* Artífice que executa trabalhos em bronze.

bronzita [De *bronze* + *-ita*[3].] *S. f. Min.* Mineral ortorrômbico, silicato de magnésio com 5% a 14% de óxido ferroso, do grupo dos piroxênios.

brookita (bru) [Do antr. (*Henry J.*) *Brooke* (1771-1857), mineralogista inglês, + *-ita*[3].] *S. f. Min.* Mineral trigonal, hidróxido de magnésio.

broque *S. m.* Nos fornos de fundição, tubo de tiragem de ar.

broqueado[1] [Part. de *broquear*[1].] *Adj.* V. *brocado*[2].

broqueado[2] [Part. de *broquear*[2].] *Adj.* V. *brocado*[3].

broqueado[3] [Part. de *broquear*[3].] *Adj.* V. *brocado*[4].

broqueado[4] [De *broca*[3] (1 e 2) + *-eado*.] *Adj. Bras. Fig.* Chagado, ulcerado, fistuloso; broquento.

broquear[1] [De *broca*[1] + *-ear*[2].] *V. t. d.* V. *brocar*[1]. [Conjug.: v. *frear*.]

broquear[2] [De *broca*[2] + *-ear*[2].] *V. t. d.* V. *brocar*[2]. [Conjug.: v. *frear*.]

broquear[3] [De *broca*[3] + *-ear*[2].] *V. t. d. Int. Bras.* V. *brocar*[3]. [Conjug.: v. *frear*.]

broquel [Do fr. ant. *bocler* (atual *bouclier*).] *S. m.* **1.** Escudo antigo, redondo e pequeno: 📖 "Conquistadores chegam na planura: / Passa um penacho de elmo e a cor de um brial! / Ora um fulgor de esplêndida armadura, / Ora um broquel de ouro polido!" (Goulart de Andrade, *Poesias*, p. 158.) **2.** *Constr.* V. *desempenadeira* (1). **3.** *Fig.* Proteção, defesa, amparo, escudo. [Pl.: *broquéis*. Cf. *broqueis*, do v. *brocar*.]

broquelar *V. t. d. T. d. e i. P.* V. *abroquelar*.

broqueleiro [De *broquel* + *-eiro*.] *S. m.* **1.** Fabricante de broquéis. **2.** Aquele que se armava de broquel.

broquento [De *broca*[3] + *-ento*.] *Adj.* V. *broqueado*[4].

broquidódromo [Do lat. cient. *brochidodromus* < gr. *brochís, ídos*, 'pequeno laço', + lat. *-dromus* (v. *-dromo*).] *Adj. Bot.* Diz-se das nervuras secundárias que se curvam e anastomosam antes de atingirem o bordo da folha.

brósimo [Do tax. *Brosimum* (do gr. *brósimos, os, on*, 'comestível').] *S. m. Bot.* **1.** Gênero de moráceas dotadas de seiva lactescente, flores monécias, e que inclui várias espécies economicamente importantes. **2.** Qualquer espécie desse gênero, como, p. ex., a *Brosimum leicointei* (v. *aitá*). **3.** Qualquer espécime desse gênero.

brosladura [De *broslar* + *-dura*.] *S. f. Ant.* Ato ou efeito de broslar; bordado.

broslar [Do germ. **bruzdôn*.] *V. t. d. Ant. P. us.* Bordar, guarnecer, ornar.

brossa [Do fr. *brosse*.] *S. f.* **1.** *Tip.* Escova com que o impressor limpa a fôrma. **2.** Escova de limpar animais. [Var., nesta acepç.: *brussa*.]

brossador (ô) [De *brossar* + *-dor*.] *S. m. Tip.* Aquele que brossa as fôrmas.

brossar [De *brossa* + *-ar*[2].] *V. t. d. Tip.* Limpar com brossa.

brota[1] [De *abrótea*, com apócope e aférese.] *S. f. Zool.* V. *abrótea*[1].

brota[2] [Dev. de *brotar*.] *S. f. Bras.* Lugar onde a água brota; nascente, fonte, olho-d'água.

brotação [De *brotar* + *-ção*.] *S. f. Bras.* **1.** V. *brotamento* (1). **2.** *Bot.* V. *broto* (2). **3.** *Bot.* V. *gema* (3).

brotado [Part. de *brotar*.] *Adj.* Coberto ou cheio de brotos; abrolhado.

brotadura [De *brotar* + *-dura*.] *S. f.* **1.** V. *brotamento* (1). **2.** *Bot.* V. *broto* (2). **3.** *Bot.* V. *gema* (3).

brotamento [De *brotar* + *-mento*.] *S. m.* **1.** Ação ou efeito de brotar; brotação, brotadura. **2.** *Biol.* V. *gemação* (2). **3.** *Bot.* V. *broto* (2). **4.** *Microbiol.* Liberação de um vírus envelopado através de membrana plasmática de célula animal.

brotar [Do esp. *brotar* ou do provenç. *brotar*, estes do gót. **brutôn*.] *V. t. d.* **1.** *Bot.* Lançar, produzir, o vegetal (rebentos, ramos, folhas, flores): *A árvore brotou novos ramos; A planta brotou uma bela flor.* **2.** Lançar de si; dar saída a; expelir, segregar: *Seus olhos sofridos já não brotam lágrimas.* *T. c.* **3.** Proceder; emanar: *De sua boca brotaram pesadas injúrias; O amor brotava de sua fala.* **4.** Jorrar, manar, borbotar: *O sangue brotava das feridas.* *T. i.* **5.** Proceder, derivar, resultar: *Da longa reflexão brotou-lhe a engenhosa ideia.* **6.** Romper, irromper: *brotar em prantos.* *Int.* **7.** *Bot.* Desabrochar, abrolhar, germinar, rebentar (o vegetal). **8.** Nascer, surgir, aparecer, desabrochar: *Novas ideias estão brotando.* **9.** Jorrar, manar, borbotar. **10.** *Bras. N.E.* Gabar-se de valentia; bazofiar, fanfarrear, fanfarronar, blasonar: *Brota, brota, mas na hora H se encolhe.* [Pres. ind.: *broto*, etc. Cf. *broto* (ô).]

brote [Do hol. *brood*, 'pão', introduzido na época do domínio holandês no N.E. do Brasil (1630-1654).] *S. m. Bras. N.E.* Biscoito ou bolacha pequena, torrada, feita de farinha de trigo. [Cf. *proto*[1].]

brotense[1] *Adj. 2 g.* **1.** De, ou pertencente ou relativo a Brotas (SP). ● *S. 2 g.* **2.** O natural ou habitante de Brotas.

brotense[2] *Adj. 2 g.* **1.** De, ou pertencente ou relativo a Brotas de Macaúbas (BA). ● *S. 2 g.* **2.** O natural ou habitante de Brotas de Macaúbas.

brotense[3] *Adj. 2 g.* **1.** De, ou pertencente ou relativo a Santo Amaro das Brotas (SE). ● *S. 2 g.* **2.** O natural ou habitante de Santo Amaro das Brotas.

brotinho [Dim. de *broto*.] *S. m. Bras. Gír.* **1.** Moça ou rapaz no começo da adolescência; broto: 📖 "os velhos procuram nas Lolitas, nos brotinhos, o rejuvenescimento por indução: amar o que é novo remoça-nos." (José Rodrigues Miguéis, *Gente da Terceira Classe*, p. 235). **2.** Brotoeja (2).

broto (ô) [Der. regress. de *brotar*.] *S. m.* **1.** *Bot.* V. *gema* (3). **2.** *Bot.* Órgão vegetal novo, como rebento (1), ramo, folha ou flor, no início do desenvolvimento; abrolho, brotação, brotadura, brotamento, gomo, rebento, refilho, renovo, vergôntea. **3.** *Bot.* Planta jovem. **4.** Grelo (2). **5.** *Bras. Pop.* V. *brotinho*. **6.** *Bras. Gír.* Namorado ou namorada. [Pl.: *brotos* (ô). Cf. *broto*, do v. *brotar*.]

brotoeja (ê) [De *broto* + o f. de *-ejo*.] *S. f.* **1.** Erupção cutânea formada por pequenas vesículas pruriginosas. **2.** *Bras. Gír. Joc.* Menina entre 12 e 15 anos; brotinho.

➔ **brousse** [bʀus] [Fr.] *S. f. Geogr.* Formação estépica da África, caracterizada pela presença de vegetação rasteira de gramíneas misturada com algumas árvores e arbustos. [Sin. (ingl.): *bush*.]

brouweriano *Adj. Filos.* **1.** Pertencente ou relativo ao, ou próprio do lógico e matemático holandês Luitzen Egbertus Jan Brouwer (1881-1966), um dos criadores da escola intuicionista da lógica e da matemática. [V. *intuicionismo*. Cf. *formalismo* e *logicismo*.] **2.** Que é adepto das concepções de Luitzen Egbertus Jan Brouwer, ou profundo conhecedor de sua obra. ● *S. m.* **3.** Seguidor de suas concepções, ou profundo conhecedor de sua obra.

brównia [Do tax. *Brownea* (do antr. [*Patrick*] *Browne* [1720-1790], médico e botânico irlandês, + lat. cient. *-ia*).] *S. f. Bot.* **1.** Gênero de pequenas árvores cesalpiniáceas nativas de regiões tropicais das Américas, dotadas de folhas persistentes, alternas, pinuladas, e flores vistosas, vermelhas ou róseas. **2.** Qualquer espécie desse gênero, como, p. ex., a *Brownea grandiceps* (v. *rosa-da-montanha*). **3.** Qualquer espécime desse gênero, ou a sua flor. [Var.: *bráunia*.]

browniano (brau) *Adj.* ~ V. *movimento* —.

➔ **brownie** ['bɹæwnij] [Ingl.] *S. m. Cul.* Bolo de chocolate, muito fino, ger. com nozes, e cortado em retângulos.

➔ **browser** ['bɹæwzɚ] [Ingl.] *S. m. Inform.* Navegador (5).

broxa [Do fr. *brosse*.] *S. f.* **1.** Pincel grande, de pelos ordinários, empregado em caiação e noutros tipos de pintura pouco apurada. ● *S. m.* **2.** *Bras. Chulo* Indivíduo sem potência sexual. ● *Adj. 2 g.* **3.** *Bras. Chulo* Diz-se de indivíduo broxa. [Cf. *brocha*.]

broxado [Part. de *broxar*.] *Adj.* Pintado com broxa (1). [Cf. *brochado*.]

broxante [De *broxar* + *-nte*.] *S. m.* **1.** Aprendiz de pintor, encarregado de preparar as tintas, transportá-las e dar as primeiras demãos. ● *Adj. 2 g.* **2.** *Bras. Chulo* Que torna broxa (2). **3.** *Bras. Chulo* Cansativo, importuno.

broxar [De *broxa* + *-ar*[2].] *V. t. d.* **1.** Pincelar, pintar com broxa. *Int.* **2.** *Bras. Chulo* Perder, ocasional ou definitivamente, a potência sexual; tornar-se broxa (2). **3.** *P. ext. Fig.* Perder o entusiasmo; desanimar. [Pres. subj.: *broxe*, etc. Cf. *broche*, s. m., e o v. *brochar*.]

broxura [De *broxa* + *-ura*.] *S. f. Bras. Chulo* Estado de broxa (2); impotência sexual. [Cf. *brochura*.]

bruaá [Do fr. *brouhaha*.] *S. m.* Ruído confuso que se eleva na multidão: 📖 "Passa a turba em farândola envolvente, / Num doido bruaá febricitante..." (Olegário Mariano, *Toda uma Vida de Poesia*, I, p. 36.)

bruaca [De *burjaca*, com metátese (**brujaca*) e síncope.] *S. f. Bras.* **1.** Saco ou mala de couro cru, para transporte de objetos e mercadorias sobre bestas. [Var., MG: *buraca*[2].] **2.** Bolsa de couro. [Cf. (nessas acepç.) *priaca*.] **3.** *Deprec.* V. *bruxa* (2). **4.** *Deprec.* Meretriz. ◆ **Bater bruacas.** *Bras. S.* Sair a viajar, a andar à toa.

bruaqueiro [De *bruaca* + *-eiro*.] *Bras. Adj.* **1.** Diz-se do animal de carga que transporta bruacas. ● *S. m.* **2.** Animal que transporta bruacas. **3.** Roceiro que conduz víveres das fazendas para os mercados das povoações. **4.** Tropeiro, arrieiro. **5.** V. *caipira* (1). **6.** *BA* Garimpeiro inábil.

brúcea [Do tax. *Brucea* (do antr. [*James*] *Bruce* [1730-1794], explorador escocês, + lat. cient. *-ea*).] *S. f. Bot.* **1.** Gênero de trepadeiras e arbustos loganiáceos, lenhosos. **2.** Qualquer espécie desse gênero, como, p. ex., a *Brucea antidysenterica*, na qual se considerou, erroneamente, estar presente a brucina (q. v.). **3.** Qualquer espécime desse gênero.

brucelose [Do tax. *Brucella* (< antr. [*David*] *Bruce* [1855-1931], médico australiano, + lat. cient. *-ella*) + *-ose*[1].] *S. f. Med.* Moléstia infecciosa causada por bactérias do gênero *Brucella*, comum aos bovinos, caprinos e suínos, por eles transmitida ao homem, e que provoca febre, anemia, nevralgias, dores articulares e suores; febre de Malta, febre do Mediterrâneo, febre ondulante.

brucina [Do tax. *Bruc(ea)* + *-ina*[3].] *S. f. Quím.* Alcaloide existente na noz-vômica, cristalino, branco, muito amargo, venenoso, usado em medicina [fórm.: $C_{23}H_{26}N_2O_4$].

brucita [Do antr. (*Archibald*) *Bruce* (1777-1818), mineralogista norte-americano, + *-ita*[3].] *S. f. Min.* Mineral trigonal, hidróxido de magnésio.

bruco [Do lat. *bruchu*, 'larva', 'lagarta', 'besouro'; tax. *Bruchus*.] *S. m. Zool.* **1.** Gênero-tipo dos bruquídeos, pequenos coleópteros, cujas larvas infestam sementes, como, p. ex., a ervilha e o feijão. V. *broca*[2]. **2.** Qualquer espécie desse gênero, como, p. ex., o *Bruchus pisorum*, a broca-das-ervilhas. **3.** Qualquer espécime desse gênero. **4.** *Pop.* V. *caruncho* (1).

bruços *El. s. m. pl.* Us. na loc. adv. *de bruços*. ◆ **De bruços.** Com o ventre e o rosto voltados para baixo, em posição horizontal.

brucutu[1] *S. m. Bras.* **1.** Veículo blindado us. pela polícia para dispersar manifestantes, em comícios, passeatas, etc: 📖 "A polícia foi acionada pela cúpula do Governo federal, e usou até brucutu — conhecido carro de combate a manifestações populares usado pelos governos militares — para dispersar a resistência àquele ato [leilão da Telebrás] lesivo à nação." (Walter Pinheiro, em *O Globo*, 27.07.1999.) **2.** Indivíduo grosseiro; grosseirão.

brucutu[2] *Interj. Bras.* Indica rápida tomada de posição, ou decisão súbita.

bruega [De or. obsc.] *S. f.* **1.** *P. us.* Chuva miúda e passageira. **2.** *Pop.* V. *bebedeira* (1). **3.** *Bras.* V. *rolo*[1] (16). ● *S. m.* **4.** *Pop.* V. *ébrio* (8).

brugalhau [De *burgalhau*, com metátese.] *S. m. Bras.* **1.** V. *burgalhau*. **2.** V. *seixo rolado*.

brugalheira [De *brugalh(au)* + *-eira*.] *S. f. Bras. SP* Terra difícil de cultivar por conter muitos brugalhaus.

brúgia [Do top. *Bruges* (Bélgica) + *-ia*[2].] *S. f. Tec. Têx.* Tecido grosseiro de lã semelhante à estamenha.

brugueia (éi) *S. f. Bras. PB* **1.** Cova nas serras e nos outeiros. **2.** Lugar de acesso difícil. ❖

bruguelo *S. m. Bras. N.E.* **1.** Menino muito novo. **2.** Filhote implume de passarinho.

brujarara [De or. tupi.] *S. f. Bras. Zool.* V. *borralhara*.

brulho [De **borbulho*, por *borbulha*, poss.] *S. m.* Bagaço de azeitonas.

brulote [Do fr. *brûlot*.] *S. m.* **1.** *Ant.* Embarcação carregada de matérias inflamáveis e explosivas, e destinada a levar fogo aos navios inimigos; balsa de fogo. **2.** Banca de pouco dinheiro (no jogo do monte). **3.** *Fig.* Pessoa de opiniões exaltadas.

bruma [Do lat. *bruma*.] *S. f.* **1.** Nevoeiro, cerração. **2.** Cerração pouco densa (especialmente no mar). **3.** Turvação da transparência atmosférica, causada pela poeira, fumaça, poluição, etc.; névoa seca. **4.** *Fig.* Falta de nitidez, de clareza: *Suas lembranças perdem-se na bruma do passado.*

brumaça [De *bruma* + *-aça*.] *S. f.* Bruma espessa.

brumaceiro [De *brumaça* + *-eiro*.] *Adj.* V. *brumoso* (1).

brumadense *Adj. 2 g.* **1.** De, ou pertencente ou relativo a Brumado (BA). ● *S. 2 g.* **2.** O natural ou habitante de Brumado.

brumadinhense *Adj. 2 g.* **1.** De, ou pertencente ou relativo a Brumadinho (MG). ● *S. 2 g.* **2.** O natural ou habitante de Brumadinho.

brumado [De *bruma* + *-ado*[1].] *Adj.* **1.** Brumoso, nevoento. ● *S. m.* **2.** *Bras. SP* Moita cerrada e baixa. [Var. (nesta acepç.): *bromado*[2].]

brumal [Do lat. *brumale*.] *Adj. 2 g.* **1.** Relativo ou pertencente a bruma. **2.** *Fig.* Triste, sombrio, melancólico.

brumário [Do fr. *brumaire*.] *S. m. Cronol.* V. *calendário republicano*.

brum-brum *Adj. 2 g. Bras.* Que fala de maneira atrapalhada e ininteligível por não saber a língua. [Pl.: *brum-bruns*.] ❖

brumoso (ô) [Do lat. *brumosu*.] *Adj.* **1.** Em que há bruma; nevoento, brumaceiro: 📖 "as manhãs um pouco brumosas e os dias de chuva" (Carlos de Gusmão, *Boca da Grota*, p. 10). **2.** *Fig.* Maldelineado; vago, incerto: *os primeiros e brumosos passos de filosofia grega.*

➔ **brunch** [bɹʌntʃ] [Ingl. *br(eakfast)* + *(l)unch*.] *S. m.* Refeição farta e substanciosa, ingerida esp. nos fins de semana e feriados, e que substitui o desjejum e o almoço.

bruneano [Do top. *Brune(i)* + *-ano*[1].] ***Adj. S. m.*** **1.** De, ou pertencente ou relativo a Brunei, sultanato na costa noroeste da ilha de Bornéu (Ásia). **2.** O natural ou habitante de Brunei.

bruneliácea [Do antr. (*G.*) *Brunelli*, botânico italiano do séc. XVIII, + *-ácea*; tax. *Brunelliaceae*.] ***S. f. Bot.*** Espécime das bruneliáceas.

brunelliácea [Do tax. *Brunellia* (do antr. [*G.*] *Brunelli*, botânico italiano do séc. XVIII) + *-ácea*; tax. *Brunelliaceae*.] ***S. f. Bot.*** Espécime das bruneliáceas, família da ordem das rosales, constituída por plantas lenhosas, de folhas opostas ou verticiladas e flores inconspícuas, que encerra apenas 18 espécies de um único gênero, e não ocorre no Brasil.

brunelliáceo [De *brunelliácea*, com var. suf. (v. *-áceo*).] ***Adj. Bot.*** Pertencente ou relativo às brunelliáceas.

→ **brunello** [bru'nɛl.lo] [It.] ***S. m.*** **1.** *Vitic.* Casta de uva tinta próxima do *sangiovese*, esplêndida em Montalcino, na Toscana (v. *toscano*). **2.** *Enol.* Vinho produzido com essa uva.

brunete (ê) [De *bruno* + *-ete* (ê).] ***Adj. 2 g.*** Um tanto acastanhado, tirante a escuro.

brunfélsia [Do tax. *Brunfelsia* (do antr. [*Otto*] *Brunfels* [séc. XVI], botânico alemão, lat. cient. *-ia*).] ***S. f. Bot.*** **1.** Gênero de solanáceas com cerca de 40 espécies nativas de regiões tropicais das Américas, e que são cultivadas como ornamentais, ou como medicinais. **2.** Qualquer espécie desse gênero, como, por ex., a *Brunfelsia hopeana* ou *B. uniflora* [v. *manacá* (2)]. **3.** Qualquer espécime desse gênero, ou a sua flor.

brunhir ***V. t. d.*** *P. us.* V. *brunir*.

bruniácea [Do tax. *Brunia* (do antr. [*Cornelius*] *Bruni* [1652-1719], pintor e botânico holandês), + *-ácea*; tax. *Bruniaceae*.] ***S. f. Bot.*** Espécime das bruniáceas, família da ordem das rosales, composta de subarbustos providos de flores pequeninas dispostas em inflorescências capituliformes. Tem 75 espécies, não ocorrentes no Brasil.

bruniáceo [De *bruniácea*, com var. suf. (v. *-áceo*).] ***Adj. Bot.*** Pertencente ou relativo às bruniáceas.

brunido [Part. de *brunir*.] ***Adj.*** **1.** Polido, lustrado, brilhante, luzidio: *unhas brunidas*. **2.** *Vest.* Diz-se de roupa ou tecido engomado, lustroso. **3.** *P. ext.* Bem-acabado, acabado, esmerado, aprimorado. **4.** *Fig.* Pedantesco, afetado, engomado: *frase brunida*.

brunidor (ô) [De *brunir* + *-dor*.] ***Adj.*** **1.** Que brune. • ***S. m.*** **2.** Aquele que brune. **3.** Utensílio ou instrumento próprio para brunir; polidor. **4.** *Grav.* Instrumento de aço, encabado e mais ou menos longo, usado pelos gravadores para anular no metal os traços defeituosos, ou formar meios-tons nas placas gravadas à maneira-negra. **5.** *Encad.* Peça lisa de aço, de feitios variados, e encabada, que se usa para lustrar o couro das encadernações. **6.** *Encad.* V. *brunidor de ágata*. ◆ **Brunidor de ágata.** *Encad.* Instrumento constituído por um cabo ao qual se fixa uma ponta de ágata, às vezes recurva, e usado para lustrar o corte dos livros após a douração. [Tb. se diz apenas *brunidor*; sin.: *ágata, dente de lobo, pedra de brunir*.] **Brunidor de polé.** *Tip.* Roldana com escovas, para a limpeza mecânica das matrizes linotípicas.

brunidura [De *brunir* + *-dura*.] ***S. f.*** **1.** Ato ou efeito de brunir. **2.** O brilho obtido com o brunidor.

brunimento [De *brunir* + *-mento*.] ***S. m.*** **1.** Ato ou efeito de brunir. **2.** *P. ext.* Acabamento, aperfeiçoamento; escamel.

brunir [Do fr. *brunir*, 'tornar moreno'; 'polir', 'lustrar'.] ***V. t. d.*** **1.** Tornar brilhante, luzidio; polir, lustrar: *brunir a espada*; "Outra gema era um esplêndido ônix, representando Minerva, distraída, tendo nos braços Amor, que esfregava e brunia a couraça da deusa para mirar-se como num espelho." (João Ribeiro, *Crepúsculo dos Deuses*, pp. 55-56). **2.** Dar lustre a (roupa engomada). **3.** Aprimorar, esmerar, aperfeiçoar; apurar: *brunir o estilo*. [Defect. Não se conjuga na 1ª pess. sing. do pres. ind., nem no pres. subj., derivado daquela pessoa. Var.: *brunhir* (p. us.), com palatalização, e *burnir*, com metátese.]

bruno [Do frâncico *brûn*, pelo provenç. *bruno*.] ***Adj.*** **1.** *P. us.* Escuro, sombrio. **2.** *Fig.* Sombrio, tristonho. **3.** Castanho.

brunoniácea [Do tax. *Brunonia* (do antr. [*Robert*] *Brown* [1773-1858], botânico escocês, + lat. cient. *-ia*) + *-ácea*; tax. *Brunoniaceae*.] ***S. f. Bot.*** Espécime das brunoniáceas, família da ordem das campanulales, ou das asterales, formada apenas por uma espécie australiana do gênero *Brunonia*. É erva perene, com folhas rosuladas e flores em capítulo terminal.

brunoniáceo [De *brunoniácea*, com var. suf. (v. *-áceo*).] ***Adj. Bot.*** Pertencente ou relativo às brunoniáceas.

bruquídeo [Do tax. *Brucus* (< lat. *bruchus*, 'besouro', 'larva') + *-ídeo*[1]; tax. *Bruchidae*.] *Zool.* ***S. m.*** **1.** Espécime dos bruquídeos, família de coleópteros, à qual pertencem pequenos insetos de corpo curto e forte, cabeça prolongada anteriormente, com os últimos cinco a sete segmentos antenais alargados. As larvas vivem nas sementes de leguminosas; são brocas do feijão e da ervilha. • ***Adj.*** **2.** Pertencente ou relativo a eles.

brurajara ***S. f.*** *Bras. Zool.* V. *borralhara*.

brusca [Cruz. do lat. *ruscu*, 'gilbarbeira', com o lat. hisp. **brocciu, *broccu, *bruccu*, 'urze', poss.] ***S. f.*** *Bot.* Arbusto ramnáceo (*Discaria americana*) lenhoso, muito ramificado e espinhoso, quase desprovido de folhas, com abundantes flores racemosas e frutos capsulares.

→ **bruschetta** [brus'ketta] [It.] ***S. f.*** *Cul.* Fatia de pão tostada na grelha e condimentada com alho, azeite, sal e pimenta.

brusco [De or. incerta; poss. pré-romana.] ***Adj.*** **1.** Áspero, severo, ríspido, desabrido: *Homem brusco; observação brusca*. **2.** Precipitado, inconsiderado, arrebatado: *gesto brusco; palavras bruscas*. **3.** *P. ext.* Repentino, imprevisto, inesperado, súbito: *mudança brusca; vento brusco*. **4.** Desagradável, incerto (tempo). **5.** Áspero, violento: *ruído brusco; mar brusco*.

brusquense ***Adj. 2 g.*** **1.** De, ou pertencente ou relativo a Brusque (SC). • ***S. 2 g.*** **2.** O natural ou habitante de Brusque.

brusquidão [De *brusco* + *-idão*.] ***S. f.*** Qualidade de brusco; brusquidez.

brusquidez (ê) [De *brusquid-*, como em *brusquidão*, + *-ez*.] ***S. f.*** Brusquidão: "Esta renúncia é uma prova, entre muitas, da brusquidez do temperamento de Feijó." (Oliveira Viana, *Pequenos Estudos de Psicologia Social*, p. 194.)

brussa ***S. f.*** V. *brossa* (2).

→ **brut** [bʁyt] [Fr.] ***Adj.*** Muito seco (diz-se de vinhos efervescentes com pouquíssimo teor de açúcar).

bruta [F. subst. de *bruto*.] ***El. s. f.*** Us. na loc. adv. *à bruta*. ◆ **À bruta.** Com brutalidade; violentamente, desabridamente; brutalmente: "uma vez que Mirandão quis agarrar uma negrinha à bruta, no areal do União, eu não deixei..." (Jorge Amado, *Dona Flor e Seus Dois Maridos*, p. 433).

brutal [Do lat. *brutale*.] ***Adj. 2 g.*** **1.** Próprio de bruto (13); da natureza do bruto; animal, bestial: *instinto brutal; paixão brutal*. **2.** Cruel, desumano, perverso, bárbaro: *crime brutal*. **3.** Impetuoso, bravio, violento, rude, irrefreável: *temperamento brutal*. **4.** Violento, medonho, terrível: *Uma tempestade brutal*. **5.** Grosseiro, rude, chocante: *franqueza brutal; realismo brutal*. **6.** Bruto (9): *coragem brutal; choque brutal*.

brutalidade [De *brutal* + *-(i)dade*.] ***S. f.*** **1.** Qualidade de brutal. **2.** Ação brutal; selvageria, violência. **3.** Grosseria, incivilidade: *Não diga brutalidades*. [Sin. ger.: *brutidade, bruteza, brutidão*.]

brutalismo [Do fr. *brutalisme*.] ***S. m.*** *Arquit.* Movimento e estilo arquitetônicos que floresceram nos anos 1960 e 1970, e que tiveram por base o funcionalismo (4); nele se procura obter um efeito estético pelo emprego deliberado, explícito, de materiais e procedimentos os mais eficazes tecnicamente (volumes maciços de concreto aparente, encanamentos e conduítes não embutidos, etc.). [O termo originou-se do fr. *béton brut* (concreto aparente), que o arquiteto francês Le Corbusier (1887-1965) introduziu em suas edificações.]

brutalista [De *brutalismo*, com var. suf. (v. *-ista*).] ***Adj. 2 g.*** *Arquit.* Relativo ao, ou que faz uso do brutalismo em seus projetos arquitetônicos.

brutalizar [De *brutal* + *-izar*.] ***V. t. d.*** **1.** Tornar bruto ou brutal; embrutecer, brutificar: *A falta de estudos e as más companhias brutalizaram-no*. **2.** Tratar com brutalidade; maltratar, seviciar: *Não castigava os filhos: brutalizava-os*. ***P.*** **3.** Tornar-se bruto ou brutal; embrutecer-se, brutificar-se.

brutamonte ***S. m.*** V. *brutamontes*.

brutamontes [De *bruto*.] ***S. m. 2 n.*** **1.** Homem muito alto, corpulento, monstruoso. **2.** Indivíduo muito bruto (6 a 8). [Var.: *brutamonte*.]

brutelo [De *bruto*, poss.] ***S. m.*** *Bras. GO Zool.* V. *surubim-pintado*.

brutesco (ê) [De *bruto* + *-esco*.] ***Adj.*** **1.** Feito canhestramente; tosco: *desenho brutesco*. **2.** Bruto, selvagem, agreste. **3.** Ridículo, grotesco: *os ademanes brutescos do novo-rico*. • ***S. m.*** **4.** *Ant.* Representação artística de coisas brutas ou agrestes, como animais, plantas, rochas, etc.

bruteza (ê) [De *bruto* + *-eza*.] ***S. f.*** V. *brutalidade*.

brutidade [De *bruto* + *-(i)dade*.] ***S. f.*** V. *brutalidade*.

brutidão [De *bruto* + *-idão*.] ***S. f.*** **1.** V. *brutalidade*. **2.** Estado do que é bruto (1): "se o engenho não engenhasse maneiras de tornar fácil o difícil, mais valia ter deixado o mundo na sua primeira brutidão." (José Saramago, *Memorial do Convento*, p. 321).

brutificador (ô) [De *brutificar* + *-dor*.] ***Adj.*** Que brutifica.

brutificar [De *bruto* + *-ificar*.] ***V. t. d. P.*** **1.** Tornar(-se) bruto; embrutecer(-se), brutalizar(-se). **2.** Bestificar(-se), estupidificar(-se), aparvalhar(-se), pasmar(-se). [Conjug.: v. *trancar*.]

bruto [Do lat. *brutu*.] ***Adj.*** **1.** Tal como é encontrado na natureza: *matéria bruta; mineral bruto*. **2.** Não trabalhado ou modificado ou manufaturado; em bruto: *madeira bruta; granito bruto; lã bruta*. **3.** Não lapidado ou polido: *diamante bruto*. **4.** Grosseiro, tosco, rude, abrutalhado: *feições brutas; móvel bruto*. **5.** Agreste, inculto, selvagem, bravio: *terreno bruto*. **6.** Rude, rústico, selvagem, bárbaro: *povo bruto*. **7.** Sem educação; grosseiro, rude, incivil, grosso (*pop.*): *sujeito bruto*. **8.** Violento, brutal, bárbaro: *crime bruto; capanga bruto*. **9.** Desmedido, excessivo, brutal: *Teve um bruto choque ao ler a notícia*. **10.** Sem decréscimo ou abatimento; inteiro, completo, total, integral: *peso bruto; renda bruta*. [Cf., nesta acepç., *líquido* (2 e 3).] **11.** Fora do comum; extraordinário: "abre a janela, / olha o curral: / – um bruto sossego no curral!" (Jorge de Lima, *Obra Completa*, I, p. 300). **12.** Repugnante, asqueroso, repelente: "Apodrecia c'um fétido e bruto / cheiro, que o ar vizinho inficionava" (Luís de Camões, *Os Lusíadas*, V, p. 82). ~ V. *dado –, diamante –, força –a, fórmula –a, investimento –, lucro –, madeira –a, pedra –a, produto nacional –, seda –a, sertão –* e *tonelagem –a*. • ***S. m.*** **13.** O animal irracional (por oposição ao homem). **14.** Indivíduo bruto (7 e 8). ◆ **Em bruto. 1.** Bruto (2): *algodão em bruto*. **2.** Não cultivado ou desenvolvido: *inteligência em bruto*.

bruxa [De or. pré-romana, poss.] ***S. f.*** **1.** Mulher que faz bruxarias; feiticeira, maga, mágica: *As bruxas eram perseguidas e castigadas pela Inquisição*. **2.** *P. ext.* Mulher feia e/ou rabugenta; bruaca, canhão, carcaça, coruja, cuca, jabiraca, medusa, megera, muxiba, seresma, serpe, serpente, urucaca, xaveco. **3.** *Bras.* Boneca de pano. **4.** Pavio de lamparina. **5.** *Bras. Zool.* V. *mariposa* (1). **6.** *Bras. GO Folcl.* A última das sete filhas de um mesmo casal que não foi batizada pela irmã mais velha, e que vira coruja, e, à noite, entra pelo telhado e pelas janelas para chupar o sangue de crianças, bebe cachaça e pia forte, voando e soltando gargalhadas.

bruxaria [De *bruxa* + *-aria*.] ***S. f.*** **1.** Suposto exercício de poderes sobrenaturais. **2.** Acontecimento que se atribui a artes diabólicas ou a espíritos sobrenaturais. [Sin. (bras. na maioria), nessas acepçs.: *bagata, bozó, bruxedo, caborje, carochas, coisa-feita, feitiçaria, feitiço, fungu, macumba, malfeito, mandinga, mandraca, mandraquice, mocô* ou *mocó, mundrunga, sacaca, salgação, sortilégio, trabalho*.] **3.** Ação maléfica atribuída a bruxos ou magos; magia negra. **4.** *P. ext.* V. *magia* (1).

bruxear [De *bruxa* + *-ear*[2].] ***V. int.*** Fazer bruxarias. [Conjug.: v. *frear*.]

bruxedo (ê) ***S. m.*** V. *bruxaria* (1 e 2).

bruxelense ***Adj. 2 g.*** **1.** De, ou pertencente ou relativo a Bruxelas, capital da Bélgica (Europa). • ***S. 2 g.*** **2.** O natural ou habitante de Bruxelas. [Sin. ger.: *bruxelês*.]

bruxelês ***Adj. S. m.*** Bruxelense. [Flex.: *bruxelesa* (ê), *bruxeleses* (ê), *bruxelesas* (ê).]

bruxismo [De *brux-*, como em *bruxomania*, + *-ismo*.] ***S. m.*** *Med.* Ação de ranger os dentes durante o sono.

bruxo [De *bruxa*.] ***S. m.*** **1.** Aquele que faz bruxarias. **2.** V. *mago* (3). **3.** *Bras.* Boneco de pano usado para trabalhos maléficos de bruxaria. ◆ **Bruxo do Inferno.** V. *diabo* (2).

bruxomania [Adapt. irreg. do gr. *brýchein*, 'ranger os dentes', + *-o-* + *-mania*.] ***S. f.*** *Psiq.* Sintoma de neurose que se caracteriza pelo excessivo ranger de dentes.

bruxomaníaco [De *bruxomania* + *-íaco*.] *Psiq.* ***Adj.*** Relativo à bruxomania.

bruxuleante [De *bruxulear* + *-nte*.] ***Adj. 2 g.*** Que bruxuleia.

bruxulear [Do esp. *brujulear*.] ***V. int.*** **1.** Oscilar frouxamente (chama ou luz): *A lamparina bruxuleava noite adentro*. **2.** Brilhar fracamente; lançar trêmulas cintilações; tremeluzir: *Bruxuleiam as longínquas estrelas*. **3.** Ir-se extinguindo (chama ou luz): *A última das velas bruxuleava*. **4.** *Fig.* Produzir os últimos estertores; agonizar: *A antiga paixão bruxuleava*. ***T. d.*** **5.** Fazer oscilar frouxamente (a chama ou a luz): "São lamparinas de azeite, que bruxuleiam uma luz morta" (Maurício de Medeiros, *Homens Notáveis*, p. 127). [Conjug.: v. *frear*.]

bruxuleio [Der. regress. de *bruxulear*.] ***S. m.*** Ato ou efeito de bruxulear.

bruzundanga ***S. f.*** *Bras.* V. *burundanga*.

bs ***S. m.*** *Fís. Part.* Méson pesado de massa 5375 MeV/c^2, de *isospin* 1/2, *spin* nulo, paridade negativa, carga elétrica nula, composto de um *quark* estranho e um antiquark *bottom*. Tem números quânticos de beleza +1 e estranheza -1 [símb.: *B*]. [Seu *isospin* e *spin*, previstos pelo modelo de *quarks*, necessitam de confirmação experimental.]

■ **BTN** *Econ.* V. *Bônus do Tesouro Nacional.*

■ **btu** [Acrôn. de *British Thermal Unit.*] *S. m. Fís.* Unidade de medida de energia, igual à necessária, sob forma térmica, para elevar a temperatura de uma libra de água de 39°F a 40°F, e que corresponde a 1060,4 J.

bu *Bras. S. 2 g.* **1.** *Etnôn.* Indivíduo dos bus, povo indígena extinto do MA. ● *Adj. 2 g.* **2.** Pertencente ou relativo a esse povo. [Tb. us. como *s. 2 g. e 2 n.* (com cap.) e *adj. 2 g. e 2 n.*]

▲ **bu-** [Do gr. *boûs.*] *El. comp.* = 'boi': *buftalmia.*

buágana *Bras. S. 2 g.* **1.** *Etnôn.* Indivíduo dos buáganas [ou (etnôn. bras.) *Buhágana], povo indígena da família linguística tucano, que habitava as imediações do alto rio Tiquié e do rio Piraparaná (AM). ● *Adj. 2 g.* **2.** Pertencente ou relativo a esse povo.

buana [De or. obsc.] *S. f. Lus.* V. *adubo* (2).

bubalino[1] [Do lat. *bubalino.*] *Adj.* Pertencente ou relativo ao búbalo[1].

bubalino[2] *Adj.* Pertencente ou relativo ao búbalo[2] e gêneros correlatos.

bubalinocultura [De *bubalino*[2] + *-cultura.*] *S. f.* Criação de búfalos para produção de carne e leite, fornecimento de couro, aproveitamento dos chifres, etc.

búbalo[1] [Do gr. *boúbalos*, pelo lat. *bubalo.*] *S. m. Zool.* Espécie de antílope africano que tem os cornos em forma de *U* ou de lira e mede cerca de 1,30m.

búbalo[2] [Do tax. *Bubalus* (v. *búbalo*[1]).] *S. m. Zool.* **1.** Gênero de bovídeos da Ásia, animais que vivem chafurdados na lama, e que inclui tb. espécies extintas, e, em certas classificações, os búfalos da África. **2.** Espécie ou espécime desse gênero. [Cf. *búfalo.*]

bubão [Do gr. *boubón*, pelo lat. med. *bubone.*] *S. m. Patol.* V. *íngua.*

bubo *S. m. Patol.* V. *íngua.*

bubonalgia [De *bubon(o)-* + *-alg(o)-*[2] + *-ia*[1].] *S. f. Med.* Dor na virilha.

bubônica *S. f.* V. *bubônica.* [Uso freq. em P.]

bubônica [F. subst. de *bubônico.*] *S. f. Impr.* Peste bubônica.

bubónico *Adj. Patol.* V. *bubônico.* [Uso freq. em P.]

bubônico [De *bubão* + *-ico*[2].] *Adj.* Pertencente ou relativo a bubão. ~ V. *peste —a.*

bubónida *S. m. Adj. 2 g. Zool.* V. *bubônida.* [Uso freq. em P.]

bubônida [Do lat. cient. *Bubon-* + *-ida*[1].] *S. m. Adj. 2 g. Zool.* V. *estrigídeo.*

bubonídeo [Do lat. cient. *Bubon-* (< tax. *Bubo*) + *-ídeo*[1]; tax. *Bubonidae.*] *S. m. Adj. Zool.* V. *estrigídeo.*

▲ **bubon(o)-** [Do gr. *boubṓn,ônos.*] *El. comp.* = 'virilha': *bubonalgia.*

bubonocele [Do gr. *boubonokḗle.*] *S. f. Patol.* Hérnia inguinal.

bubu[1] [Do malinquê, pelo fr. *boubou.*] *S. m.* Túnica (3) longa e larga, de uso na África negra: 📖 "Jorge costuma vestir-se em casa com folgadíssimos e confortáveis bubus" (Zélia Gattai Amado, "Histórias e Fatos de uma Vida", em *Jorge Amado — Fotobiografia*, p. 9).

bubu[2] *S. m. Bras. Inf.* V. *bunda*[1] (1 e 2).

bubu[3] *S. m. Bras. PB Pop.* V. *chupeta* (2).

bubuia [Do tupi.] *S. f. Bras. Amaz.* **1.** Ação de bubuiar. **2.** Coisa leve e flutuante. ◆ **De bubuia.** *Bras. Amaz.* Boiando ao sabor da corrente; flutuando: 📖 "Carregam [as águas], de bubuia, a colheita flutuante, para espalhá-la, erraticamente, em outros lugares, numa tarefa inconsciente de reflorestamento." (Raul Bopp, *Putirum*, p. 204.)

bubuiar [De *bubuia* + *-ar*[2].] *V. int. Bras. Amaz.* Boiar no sentido da correnteza das águas; flutuar, sobrenadar.

bubuituba [De *bubuia* + o tupi = 'muito'.] *S. f. Bras. Amaz.* Boia[1], flutuador.

bucã *Bras. S. 2 g.* **1.** *Etnôn.* Indivíduo dos bucãs, povo indígena que habitava MG. ● *Adj. 2 g.* **2.** Pertencente ou relativo a esse povo. [Tb. us. como *s. 2 g. e 2 n.* (com cap.) e *adj. 2 g. e 2 n.*]

buçá *S. m. Bras. MG* Cabresto de couro cru, usado no adestramento dos equinos.

bucal [Do lat. *bucca*, 'boca', + *-al*[1].] *Adj. 2 g.* Relativo ou pertencente à boca; oral (q. v.). [Cf. *boçal.*] ~ V. *armadura —, fenda —* e *maçarico —.*

buçal [Do esp. *bozal.* V. *boçal.*] *S. m.* **1.** *Bras. S.* Arreio da cabeça e do pescoço do cavalo. [Compõe-se de focinheira, cabeçada, fiador e cedeira.] **2.** *Bras. SP* Cabresto simples. **3.** *Bras. MG* Saquinho em que se dá milho a animais, para alimentá-los ou atraí-los. [Dim. irreg.: *buçalete.* Cf. *boçal.*]

buçalar [De *buçal* + *-ar*[2].] *V. t. d. Bras. S.* Pôr o buçal em; embuçalar.

buçalete (ê) [De *buçal* + *-ete* (ê).] *S. m. Bras. S.* **1.** Pequeno buçal. **2.** Cabresto aperfeiçoado.

bucaneiro [Do fr. *boucanier.*] *S. m.* **1.** Pirata, dos que infestavam as Antilhas nos sécs. XVI e XVII. **2.** Caçador de bois selvagens. **3.** Espingarda usada pelo bucaneiro (1 e 2).

bucaré [De or. incerta.] *S. m. Bras. Bot.* **1.** V. *açacurana.* **2.** V. *sananduva* (2).

bucarestense *Adj. 2 g. S. 2 g.* Bucarestino.

bucarestino *Adj.* **1.** De, ou pertencente ou relativo a Bucareste, capital da Romênia (Europa). ● *S. m.* **2.** O natural ou habitante de Bucareste. [Sin. ger.: *bucarestense.*]

búcaro *S. m.* Púcaro.

bucéfalo [Do gr. *Bouképhalos*, nome do cavalo de Alexandre Magno (v. *alexandrino*[2]).] *S. m.* **1.** Corcel de batalha. **2.** Cavalo fogoso. **3.** *Pop.* Cavalo ordinário; sendeiro, pileca. **4.** *Fig.* Indivíduo estúpido, grosso; cavalo.

bucelar [Do lat. *buccella*, 'boca pequena', + *-ar*[1].] *Adj. 2 g.* Em forma de pequena boca.

bucelário[1] [Do lat. tard. *buccellariu.*] *S. m. Ant.* Homem livre adjunto a uma família poderosa que o patrocinava e até mesmo o sustentava, a troco de certos serviços, principalmente militares: 📖 "No império godo os bucelários vinham a ser o mesmo que os *clientes* dos romanos, homens livres adictos às famílias poderosas" (Alexandre Herculano, *Eurico, o Presbítero*, p. 305).

bucelário[2] [Do lat. *buccella*, 'boquinha', + *-ário.*] *Adj.* Que tem forma de pequena boca.

bucelas [Do top. *Bucelas.*] *S. m. 2 n. Enol.* Vinho branco produzido nos arredores de Lisboa (Portugal): 📖 "a cada gole de bucelas, refrescava-se languidamente com o seu grande leque negro" (Eça de Queirós, *Os Maias*, 1.º vol., p. 97.)

bucentauro [Do veneziano *bucintoro.*] *S. m.* **1.** *Mit.* Centauro com corpo de boi. **2.** Galeão suntuoso, com essa figura esculpida à proa, e em que embarcava o doge de Veneza por ocasião das suas núpcias simbólicas com o mar.

bucha [Do fr. ant. *bousche.*] *S. f.* **1.** Pedaço de madeira ou de outro material, que serve para tapar rombos, orifícios, fendas, etc.; tampão. **2.** Chumaceira (1). **3.** Qualquer luva de metal de baixa fricção destinada a apoiar uma peça em rotação. **4.** Pau roliço com que se brunem as solas dos calçados. **5.** Bocado de pão ou de outra comida. **6.** Comida que empanturra e de pouco valor alimentício. **7.** Pessoa ou coisa muito incômoda, desagradável, importuna, ou sem valor. **8.** Engano, logro, burla. **9.** *Eng. Elétr.* Isolador singelo ou múltiplo, ger. de forma alongada, com um ou mais furos longitudinais através dos quais passa um ou mais condutores, e que isola ou protege na travessia de obstáculos como paredes, tanques de transformadores, etc. **10.** *Ind. Pap.* Estanga (2). **11.** *Bras. Bot.* Planta cucurbitácea (*Luffa cylindrica*) trepadeira ou prostrada, cultivada e subespontânea, de origem africana. O fruto é uma baga muito comprida que, na maturidade, apresenta no interior uma rede lenhosa, a qual extraída e lavada fornece esponja para banho; os frutos verdes ainda não têm tal rede, e são comestíveis como legume, assim como os brotos. [Sin., nesta acepç.: *bucha-dos-paulistas, bucha-dos-pescadores, fruta-dos-paulistas, gombô-grande, esfregão.*] **12.** *Bras. Bot.* Material fibroso oriundo do fruto seco dessa planta, usado na fabricação de bolsas, tapetes, chinelos e outras peças de artesanato. **13.** *Bras.* Espécie de esfregão feito com esse material. **14.** *Bras.* Pedaço de madeira, plástico, etc., que se embute numa parede ou noutra superfície, para nela se introduzirem pregos ou parafusos destinados a sustentar ou prender algo pesado; chapuz. **15.** *Bras.* Círculo de couro, borracha, plástico, etc., empregado na obturação do conduto de registros ou torneiras. **16.** *Bras.* Pedaço de pano, estopa ou outro material, que se põe na parte inferior, e aberta, dos balões [v. *balão* (2)], para se lhe atear fogo e, pelo aquecimento do ar interior, fazê-los subir. ◆ **Em cima da bucha.** *Bras. Fam.* V. *na bucha.* **Na bucha.** *Bras. Fam.* No mesmo momento; sem demora; em cima da bucha, em cima da sovela, em cima do lance, na fumaça da pólvora.

buchada[1] [De *bucha* + *-ada*[1].] *S. f.* **1.** Grande bucha. **2.** Grande maçada; estopada. **3.** Grande prejuízo.

buchada[2] [De *bucho* + *-ada*[1].] *S. f.* **1.** Bucho e entranhas de animais. **2.** *Fig.* Grande quantidade; fartadela. **3.** *Bras. N. N.E. Cul.* Panelada das vísceras e intestinos do carneiro (ou do bode) cuidadosamente preparados. **4.** *Bras. BA* Grupo ou reunião de indivíduos feios.

bucha-dos-caçadores *S. f. Bras. PE Bot.* V. *buchinha.* [Pl.: *buchas-dos-caçadores.*]

bucha-dos-paulistas [De *bucha* + o pl. de *do*[1] + o pl. de *paulista.*] *S. f. Bras. Bot.* **1.** Planta cucurbitácea (*Gurania paulista*) de flores alaranjadas e fruto com propriedades purgativas. **2.** V. *bucha* (11). **3.** V. *buchinha.* [Pl.: *buchas-dos-paulistas.*]

bucha-dos-pescadores *S. f. Bras.* V. *bucha* (11). [Pl.: *buchas-dos-pescadores.*]

bucheiro[1] [De *bucha* (6) + *-eiro.*] *S. m. Pop.* Indivíduo que tem por hábito comer qualquer coisa como pretexto para beber. [Cf. *buxeiro.*]

bucheiro[2] [De *bucho* + *-eiro.*] *S. m.* V. *tripeiro* (1). [Cf. *buxeiro.*]

buchela [Do fr. *bouchelle*, poss.] *S. f.* Pequena tenaz ou alicate de que se utilizam os ourives, joalheiros, etc.

buchinha [De *bucha* + *-inha.*] *S. f. Bras. Bot.* Trepadeira cucurbitácea (*Luffa operculata*) de flores amarelo-claras e fruto drástico. [Sin.: *abobrinha-do-norte, purga-dos-paulistas, bucha-dos-paulistas* e *bucha-dos-caçadores* (PE), *purga-de-joão-pais* (AM e CE), *cabacinho, cabacinha* (SP).]

büchner [Do *antr.* (*Eduard*) *Büchner* (1860-1917), químico alemão.] *S. m. Quím.* V. *funil de Büchner.*

bucho *S. m.* **1.** Estômago dos mamíferos e dos peixes. **2.** *Pop.* O estômago do homem. **3.** *Bras. Pop.* Ventre, barriga. **4.** *Bras. Gír.* Mulher muito feia e/ou velha. **5.** *Bot.* V. *chapéu-de-frade* (3). **6.** *Bras. AM Pop.* Prostituta reles. **7.** *Bras. RS Pop. Deprec.* Meretriz. [Cf. *buxo.*] ◆ **De bucho.** Em estado de gravidez.

bucho-de-boi [De *bucho* + *de* + *boi*[1].] *S. m. Bras. L. Bot.* Árvore bignoniácea (*Zeyheria tuberculosa*) de flores amarelas manchadas de púrpura, fruto capsular e madeira usada para construção civil. [Sin.: *bolsa-de-pastor, mandioquinha, marfim* e *velame-do-mato.* Pl.: *buchos-de-boi.*]

bucho de piaba *S. m. Bras. Fam.* Pessoa que não guarda segredos; bucho-furado. [Pl.: *buchos de piaba.*] ☑

bucho-furado *S. m. Bras. Fam.* Bucho de piaba. [Pl.: *buchos-furados.*]

buchudo [De *bucho* + *-udo.*] *Adj. Bras. Pop.* **1.** Que tem ventre ou bucho proeminente; barrigudo. **2.** Que está prenhe (diz-se de mulher, ou de qualquer fêmea).

bucim *S. m. Mar.* Peça em forma de anel chanfrado, colocada no fundo de algumas caixas de gaxeta para forçar a gaxeta contra a haste ou eixo que ela abraça, impedindo que por aí vaze vapor, água, óleo, etc.

bucinador (ô) [Do lat. *buccinatore*, 'tocador de corneta'.] *S. m.* **1.** *Anat.* Músculo bucinador. ● *Adj.* **2.** ~ V. *músculo —.*

buckminsterfulereno [Do antr. (*R.*) *Buckminster Fuller* (1895-1983), arquiteto norte-americano, + *-eno*[2].] *S. m. Quím.* Substância estável, cujas moléculas são aproximadamente esféricas, ocas, formadas por átomos de carbono unidos em ciclos adjacentes de cinco e seis átomos (como uma bola de futebol), existente, p. ex., na fuligem e no espaço interestelar e que é considerada por alguns um alótropo (3) do carbono [fórm.: C_{60}]. [V. *fulereno.*]

buckminsterfullereno *S. m. Quím.* V. *buckminsterfulereno.*

bucle [Do fr. *boucle* (do lat. *buccula*, dim. de *bucca*, fonte do port. *boca*).] *S. m.* **1.** Anel que formam os cabelos frisados. **2.** Pequena mecha de cabelo enrolada em forma de caracol. [Var.: *bucre.* Cf. *buclê.*]

buclê [Do fr. *bouclé*, part. do v. fr. *boucler*, 'encaracolar'; 'formar laços', este do fr. *boucle* (v. *bucle*).] *Tec. Têx.* *S. m.* **1.** Tecido com superfície crespa, produzida por fios retorcidos por efeito de nós e laçadas. ● *Adj.* **2.** Diz-se desse tecido. [Cf. *bucle.*]

bucnemia [Do lat. cient. *bucnemia.*] *S. f. Med.* Tumefação difusa e tensa da perna, de origem inflamatória.

buco [Do tax. *Bucco.*] *S. m. Bot.* Designação comum a duas plantas rutáceas medicinais: *Parapetalifera betulina* e *P. serratifolia.*

▲ **buco-** [Do lat. *bucca, ae.*] *El. comp.* = 'boca': *bucofaringe.*

buço [Do lat. **bucceu* < lat. *bucca*, 'boca'.] *S. m.* **1.** Penugem no lábio superior do homem e de algumas mulheres; lanugem, penugem. **2.** Pelos do focinho de vários animais.

bucobu *Bras. S. 2 g.* **1.** *Etnôn.* Indivíduo dos bucobus, povo indígena do Tocantins. ● *Adj. 2 g.* **2.** Pertencente ou relativo a esse povo. [Tb. us. como *s. 2 g. e 2 n.* (com cap.) e *adj. 2 g. e 2 n.*]

bucofaringe [De *buco-* + *faringe.*] *S. f. Anat.* Orofaringe.

bucofaríngeo [De *bucofaringe* + *-eo.*] *Adj. Anat.* Relativo à bucofaringe.

bucolabial [De *buco-* + *labial.*] *Adj. 2 g.* Referente à boca e aos lábios.

bucólica [Do lat. *bucolica(carmina)*, 'versos pastoris', < gr. *(tà)boukaliká (épe)*.] *S. f.* V. *écloga.*

bucólico [Do gr. *boukolikós*, pelo lat. *bucolicu.*] *Adj.* **1.** Pertencente ou relativo à vida e aos costumes do campo e dos pastores; campestre, pastoril. **2.** *P. ext.* Da, pertencente ou relativo à natureza ou à vida natural; campestre: 📄 *paisagem bucólica.* **3.** Que gosta do campo ou da natureza. **4.** Que canta ou exalta as belezas do campo, da vida campestre, da natureza; pastoril: 📖 "Cabras andam à cata de poetas bucólicos que as celebrem." (Agripino Grieco, *São Francisco de Assis e a Poesia Cristã*, p. 8.) **5.** Simples, singelo; puro, ingênuo. ● *S. m.* **6.** Indivíduo bucólico; bucolista.

bucolismo *S. m.* **1.** Qualidade de bucólico. **2.** Poesia bucólica [v. *bucólico* (4)]. **3.** Caráter bucólico, pastoril, de certas obras artísticas ou literárias; arcadismo.

bucolista [Do lat. *bucolista*.] *S. 2 g.* **1.** Poeta ou poetisa que escreve bucólicas. **2.** Bucólico (6).

bucolizar [De *bucólico* + *-izar*, seg. o padrão erudito.] *V. int.* Fazer bucólicas ou bucolismo.

bucónida *S. m. Adj. 2 g. Zool.* V. *bucônida*. [Uso freq. em P.]

bucônida *S. m. Adj. 2 g. Zool.* V. *buconídeo*.

buconídeo [Do lat. cient. *Buccon-* (< tax. *Bucco*) + *-ídeo*[1]; tax. *Bucconidae*.] *Zool. S. m.* **1.** Espécime dos buconídeos, família de aves piciformes, insetívoras, de bico mais ou menos grosso, maxila curvada na extremidade, e plumagem sem cores brilhantes. Vivem isoladas ou aos bandos, nas florestas tropicais das Américas do Sul e Central. São, entre outras, o joão-bobo, o bico-de-brasa e o urubuzinho. ● *Adj.* **2.** Pertencente ou relativo a eles. [Sin. ger.: *bucônida*.]

bucrânio [Do gr. *boukránion*, pelo lat. *bucraniu*.] *S. m.* Ornamento arquitetônico greco-romano inspirado numa cabeça descarnada de boi.

bucre *S. m.* V. *bucle*: "Ela: — graciosa e gárrula, no seu vestido de anquinhas, rococó; .... coroada por bucres encaracolados e nevados" (Martins Fontes, *A Dança*, p. 51).

bucu [De or. tupi, poss.] *S. m. Bras. N.E.* Tubérculo radicular de plantas como o imbuzeiro, a maniçoba e outras.

buçu [Do tupi.] *S. f. Bras. AM Bot.* Palmeira arecácea (*Manicaria saccifera*) cujo estipe alcança 3 a 5m de altura e 3cm de espessura. As folhas atingem 5 a 7m, e suas bainhas secas persistem sobre o caule; o espádice é grande e ramificado, indo de 1 a 1,5m e o fruto é uma drupa esférica e suberosa por fora, e que contém de 1 a 3 sementes. [Var.: *ubuçu*.]

bucumbumba *S. m. Bras.* V. *berimbau* (2).

bucuuva *S. f. Bras. Bot.* V. *bicuíba-de-folha-miúda*.

bucuva *Adj. 2 g. S. 2 g. Bras.* Simplório, parvo, pateta, sandeu.

buda [Do sânscr. *buddha*, 'o que despertou', 'o iluminado'.] *S. m.* **1.** Título dado a cada um dos mestres religiosos, passados e futuros, que, por sua sabedoria, virtude e desprendimento, foram e serão considerados encarnações da divindade, embora se refira, comumente, ao fundador do budismo (q. v.), o Buda Siddhartha Gautama. [Com cap.] **2.** Representação, ger. em estátua ou estatueta, do Buda Siddhartha Gautama.

budapestense *Adj. 2 g.* **1.** De, ou pertencente ou relativo a Budapeste, capital da Hungria (Europa). ● *S. 2 g.* **2.** O natural ou habitante de Budapeste. [Sin. ger.: *budapestino*.]

budapestino *Adj. S. m.* Budapestense.

buddleia (éi) [Do tax. *Buddleia* (do antr. [*Adam*] *Buddle* [1660-1715], vigário e botânico inglês, + lat. cient. *-ia*; v. *-ia*[2]).] *S. f. Bot.* **1.** Gênero de arbustos e árvores buddleiáceos, exuberantes, que habitam regiões quentes e têm folhas opostas e racemos terminais de flores amarelas ou violáceas. **2.** Qualquer espécie desse gênero, como, p. ex., a *Buddleia japonica*, originária do Japão, e de flores lilases. **3.** Qualquer espécime desse gênero. ❖

buddleiácea [Do tax. *Buddleia* (v. *buddleia*) + *-ácea*; tax. *Buddleiaceae*.] *S. f. Bot.* Espécime das buddleiáceas, família da ordem das escrofulariales, desmembrada das loganiáceas, com cerca de 120 espécies arbóreas ou arbustivas, poucas herbáceas, que habitam regiões de clima tropical e subtropical, sendo algumas cultivadas como ornamentais; têm escamas e pelos ramificados, folhas simples, opostas ou verticiladas, flores bissexuadas, com cálice e corola tubulares, e frutos poucas vezes indeiscentes e carnosos, ger. capsulares e septicidas, sendo as sementes, muitas vezes, aladas.

buddleiáceo [De *buddleiácea*, com var. suf. (v. *-áceo*).] *Adj. Bot.* Pertencente ou relativo às buddleiáceas.

→ **budget** ['bədʒit] [Ingl. (< fr. ant. *bougette*, 'pequena bolsa de couro').] *S. m.* Cálculo das receitas e despesas de um Estado ou de uma comunidade qualquer (em geral), e, p. ext., de um particular; orçamento.

budião *S. m. Bras. Zool.* V. *bodião*[1].

búdico *Adj.* Budístico.

budismo [De *Buda* + *-ismo*.] *S. m. Filos.* Sistema ético, religioso e filosófico fundado por Siddhartha Gautama, o Buda (Ásia central, 563-483 a.C.), difundido por todo o L. asiático, e que consiste fundamentalmente no ensinamento de como, pela conquista do mais alto conhecimento, se escapa da roda dos nascimentos e se chega ao nirvana. Por volta do séc. III separaram-se dois ramos diferentes do budismo: o budismo hinaiana e o budismo maaiana. [V. *darsana*.] ◆ **Budismo hinaiana.** *Filos.* Ramo ortodoxo do budismo, também chamado *pequeno veículo*, e que se espalhou pelo S. da Ásia. [Tb. se diz apenas *hinaiana*.] **Budismo maaiana.** *Filos.* Ramo do budismo, também chamado *grande veículo*, difundido principalmente por todo o N. da Ásia, e que se opõe ao budismo primitivo por considerar que, muito embora a aspiração final deva ser o nirvana, deve este, por compaixão, ser adiado, a fim de que o sábio possa dedicar-se a ensinar aos outros o caminho da salvação. [Tb. se diz apenas *maaiana*.] **Budismo zen.** *Filos.* V. *zen*.

budista [De *budismo* + *-ista*.] *Adj. 2 g.* **1.** Pertencente ou relativo ao budismo. **2.** Que é adepto do budismo. ● *S. 2 g.* **3.** Adepto desse sistema.

budístico [De *budista* + *-ico*[2].] *Adj.* Relativo ao, ou próprio do budismo; búdico.

buduna [Alter. de *borduna*.] *S. f. Bras. PE Pop.* **1.** V. *cacete* (1). **2.** V. *surra* (1).

bué[1] [Voc. onom. de choro de criança.] *S. m. Bras. Pop.* Berreiro de criança; choradeira. ◆ **Abrir o bué.** *Bras. Pop.* Abrir no berreiro: "Margarida abriu o bué, perdendo-se, em seguida, em convulsões de tosse." (Humberto Crispim Borges, *Chico Melancolia*, p. 43.)

bué[2] [De or. obscura.] *Pron. indef.* **1.** *Lus.* V. *muito* (2). ● *Adv.* **2.** *Angol. Lus.* V. *muito* (4): "Nos custou bué!" (Eduardo Fernandes Pimenta, *Dipanda*, p. 28.)

bueira [De *bueiro*.] *S. f.* **1.** Abertura no telhado para dar saída à fumaça. **2.** *Constr. Nav.* Orifício circular feito no fundo da embarcação miúda, junto à quilha, na altura da seção mestra, e que se fecha com o bujão, para que as águas aí acumuladas possam escoar-se ao ser a embarcação içada ou posta em seco. [Cf. *bueiro* (6).]

bueiro [Do lat. *bua*, 'água', voc. inf., + *-eiro*, poss.] *S. m.* **1.** Abertura, natural ou construída, por onde escoam águas. **2.** Tubulação que atravessa os muros ou paredões de sustentação (de terrenos, ruas ou estradas) e serve para dar escoamento às águas subterrâneas, pluviais, ou de rios e riachos. **3.** Conjunto de caixa e tampa de ferro grelhada, localizado nas sarjetas, e pelo qual entram as águas pluviais das ruas que escorrem para os coletores subterrâneos. [Sin. (nesta acepç.) no MA e SP: *boca de lobo*.] **4.** Tubulação de esgoto. **5.** Respiradouro de fornalha. **6.** *Constr. Nav.* Orifício feito nas hastilhas, de um ou de outro lado da sobrequilha, ou nas longarinas, a fim de permitir o escoamento das águas para a rede de esgoto, no fundo do navio. [Cf. *bueira*.] **7.** *Bras. N.E.* Chaminé de engenho, usina ou fábrica; catimplora: "O engenho de Seu Lula mostrava o seu bueiro pequeno, com um pedaço caído." (José Lins do Rego, *Ficção Completa*, I, p. 287.)

buenacho [Var. de *buenaço*.] *Adj. Bras. RS* **1.** Muito bom; excelente. **2.** Afável, amável. **3.** Bondoso, generoso.

buenaço [Do esp. plat. *buenazo*.] *Adj. Bras. RS* Buenacho.

buena-dicha [Do esp. *buena dicha*, 'boa sorte'.] *S. f.* Sorte, sina. [Pl.: *buenas-dichas*.] ◆ **Ler a buena-dicha de.** V. *ler a sorte de*.

buenairense *Adj. 2 g.* **1.** V. *portenho* (1). **2.** De, ou pertencente ou relativo a Buenos Aires (PE). ● *S. 2 g.* **3.** V. *portenho* (2). **4.** O natural ou habitante de Buenos Aires (PE).

bueno-brandense *Adj. 2 g.* **1.** De, ou pertencente ou relativo a Bueno Brandão (MG). ● *S. 2 g.* **2.** O natural ou habitante de Bueno Brandão. [Pl.: *bueno-brandenses*.]

buenopolense *Adj. 2 g.* **1.** De, ou pertencente ou relativo a Buenópolis (MG). ● *S. 2 g.* **2.** O natural ou habitante de Buenópolis. [Sin. ger.: *buenopolitano*.]

buenopolitano *Adj. S. m.* V. *buenopolense*.

bueraremense *Adj. 2 g.* **1.** De, ou pertencente ou relativo a Buerarema (BA). ● *S. 2 g.* **2.** O natural ou habitante de Buerarema.

buererê [Der. de *bué*.] *Adv. Angol.* Muitíssimo: "confusão é buererê, gente a vir" (Boaventura Cardoso, *O Fogo da Fala*, p. 57).

buetnéria [Do tax. *Buettneria* (do antr. [*David S. A.*] *Buettner* [-1768], botânico alemão, + lat. cient.*-ia*).] *S. f. Bot.* **1.** Gênero de plantas esterculiáceas que habitam regiões tropicais das Américas. **2.** Qualquer espécie desse gênero, como, p. ex., a *Buettneria catalpaefolia* (v. *butereiro*). **3.** Qualquer espécime desse gênero.

buettnéria *S. f. Bot.* V. *buetnéria*.

bufa [Dev. de *bufar*.] *S. f. Pleb.* Ventosidade que se escapa pelo ânus sem ruído.

bufã [Do fr. *bouffant*, 'bufante'.] *Adj. 2 g.* ~ V. *papel* —.

bufadienolídeo [Do ingl. *bufadienolide*.] *S. m. Quím.* Qualquer de certas lactonas esteroidais semelhantes aos cardenolídeos, porém com anel lactônico com seis átomos.

bufador (ô) [De *bufar* + *-dor*.] *Adj.* **1.** Que bufa. **2.** *Bras.* V. *fanfarrão* (1). ● *S. m.* **3.** Aquele que bufa. **4.** *Bras.* V. *fanfarrão* (2). **5.** *Bras. BA* Respiradouro da baleia.

bufalino [De *búfalo* + *-ino*[1].] *Adj.* Relativo ou pertencente a búfalo.

búfalo [Do lat. tard. *bufalus* (láss. *bubalus* < gr. *boúbalos*).] *S. m.* **1.** *Zool.* Mamífero ruminante, cavicórneo, boi selvagem de pelo fulvo e ralo, cauda curta, crânio rijo, e chifres achatados e acabanados. [Cf. *búbalo*[2].] **2.** O couro curtido desse animal: *bolsa de búfalo.* **3.** O chifre desse animal, de que se fazem vários objetos.

bufante [Do fr. *bouffant(e)*.] *Adj. 2 g. Vest.* Diz-se de vestimenta, ou de parte dela, franzida e inflada, que fica folgada e afastada do corpo: *blusa bufante.* ~ V. *manga* —.

bufão [Do it. *buffone*.] *S. m.* **1.** *Teatr.* V. *bufo*[3] (1). **2.** V. *fanfarrão* (2).

bufar [Da onom. *buf*, correspondente a 'sopro', + *-ar*[2].] *V. int.* **1.** Expelir fortemente o ar pela boca e/ou pelo nariz: *O leão, acuado, bufava; Sentou-se exausto, bufando.* **2.** Expelir fumaça ou vapores; fumegar: *A locomotiva bufa, assobia e parte.* **3.** Enfurecer-se, encolerizar-se. **4.** Mostrar-se soberbo ou valente; fanfarronar, fanfarrear, blasonar. **5.** *Bras.* Dar bufas. *T. d.* **6.** Soprar com força; expelir pela boca e/ou nariz: *O dragão bufava chamas.* **7.** *P. ext.* Expelir (fumaça ou outra emanação): *A chaminé bufava rolos de fumo; O sol bufa intenso calor.* **8.** Alardear, ostentar: *bufar façanhas.* *T. i.* **9.** Vangloriar-se, jactar-se; bazofiar: *bufar de valente.* [Var., bras., S.: *bufir*. Cf. *bofar*.]

bufarinhas [Da onom. *buf*, do sopro, pela forma **bufaria*.] *S. f. pl.* Objetos pouco valiosos, vendidos pelos negociantes ambulantes; bugigangas.

bufarinheiro [De *bufarinhas* + *-eiro*.] *S. m.* **1.** Vendedor ambulante de bufarinhas: "uma caixa de pinho chata e quadrada, em que os bufarinheiros trazem as agulhas, ... a coleção dos sabonetes." (Ramalho Ortigão, *Banhos de Caldas e Águas Minerais*, p. 63). **2.** V. *adeleiro*.

bufê [Do fr. *buffet*.] *S. m. Bras.* **1.** V. *aparador* (3). **2.** Mesa para servir iguarias, bebidas, etc., em casamentos, bailes, coquetéis e outras reuniões. **3.** *P. ext.* O serviço de iguarias, bebidas, etc., quer fixo, quer volante, em tais reuniões: *Encomendou-se o bufê a um dos melhores hotéis da cidade.* **4.** *P. ext.* O conjunto das iguarias servidas nessas reuniões: *O bufê estava muito variado.* **5.** Compartimento onde se servem comidas e bebidas, em estações de viagem, teatros, cinemas, etc.; bar. [Var.: *bufete*. Cf. *bofete*.] ◆ **Bufê frio.** Aquele do qual só constam iguarias servidas frias.

bufete (ê) [Do fr. *buffet*.] *S. m.* V. *bufê*. [Cf. *bofete*.]

→ **buffer** ['bʌfə] [Ingl.] *S. m.* **1.** *Inform.* Dispositivo de armazenamento de caráter transitório, utilizado durante uma operação de transferência ou transmissão de dados entre unidades de armazenamento ou de processamento que operam com tempos de acesso, velocidades ou formatos distintos. **2.** *Eletrôn.* Circuito com alta impedância de entrada e baixa impedância de saída, e que se interpõe entre dois outros circuitos para minimizar o efeito de carregamento da impedância de entrada de um deles na saída do outro; circuito isolador. **3.** *Eletrôn.* Amplificador seguidor de emissor, ou amplificador seguidor de fonte, ou amplificador seguidor de tensão, us. como *buffer* (2).

bufido *S. m. Bras. S.* Bufo[1] (2).

bufir *V. int. T. d. T. i. Bras. S.* V. *bufar*.

bufo[1] [Dev. de *bufar*.] *S. m.* **1.** Ação de bufar. **2.** Som que se produz bufando; bufido.

bufo[2] [Do lat. vulg. *bufo* < lat. láss. *bubo*, 'mocho', 'coruja'.] *S. m.* **1.** *Zool.* Ave noturna, estrigídea; murucututu. **2.** *Fig.* Homem avarento, usurário. **3.** *Fig.* Indivíduo misantropo.

bufo[3] [Do tax. *Bufo*.] *S. m. Zool.* **1.** Grande gênero, o gênero-tipo dos bufonídeos, que abrange os sapos comuns da América e da Europa, e que ocorre em todos os continentes, à exceção da Austrália. **2.** Qualquer espécie desse gênero, como, p. ex., o *Bufo marinus*, nativo da América Central; tem hábitos vorazes que o tornam valioso, pois aniquila insetos que disseminam doenças. **3.** Qualquer espécime desse gênero.

bufo[4] [Do it. *buffo*.] *S. m.* **1.** *Teatr.* Ator ou personagem de comédia ou farsa encarregado de fazer rir o público com mímicas, esgares, etc.; bufão, truão, saltimbanco, mimo, momo, gracioso. **2.** *Lus. Gír.* V. *alcaguete* (3): "Luís Bernardo sentiu um assomo de raiva ao ouvir isto: aquele Germano André Valente era mesmo um 'bufo' infiltrado, ao serviço dos roceiros." (Miguel Sousa Tavares, *Equador*, p. 347.) ● *Adj.* **3.** Cômico, burlesco, farsesco: "Aqui, uma sucessão de aventuras, de lances bufos, de episódios burlescos findava em drama, sangue" (Nunes Pereira, *Moronguetá*, 1º vol., p. 7).

bufogenina [De tax. *Bufo (vulgaris)* + *-gen(o)-* + *-ina*[3].] *S. f. Quím.* Qualquer de vários bufadienolídeos tóxicos encontrados na pele de certos sapos [p. ex., bufogenina B: fórm.: $C_{24}H_{34}O_5$].

bufonada [De *bufão* + *-ada*[1], seg. o padrão erudito.] *S. f.* Bufonaria.

bufonaria [De *bufão* + *-aria*, seg. o padrão erudito.] *S. f.* 1. Dito ou ação de bufo[3] (1) ou bufão. 2. Palhaçada, chocarrice. [Sin. ger.: *bufonada*.]

bufonear [De *bufão* + *-ear*[2], seg. o padrão erudito.] *V. int.* 1. Representar o papel de bufo[3] (1) ou bufão: *Os farsistas da Idade Média bufoneavam de cidade em cidade.* 2. Agir como bufo ou bufão; dizer ou fazer bufonarias; truanear, chocarrear. *T. d.* 3. Representar burlescamente: *Os momos romanos bufoneavam as comédias de Terêncio.* [Conjug.: v. *frear*.]

bufonídeo [Do lat. cient. *Bufon-* (do tax. *Bufo*, do lat. *bufo, onis*, 'sapo') + *-ídeo*[1]; tax. *Bufonidae*.] *Zool. S. m.* 1. Espécime dos bufonídeos, família de anfíbios anuros, faneroglossos, que têm órgãos auditivos completamente desenvolvidos, pupilas verticais, boca desprovida de dentes, pele áspera coberta de verrugas glandulares, as quais produzem um líquido acre. São os sapos-bois e os sapos-cururus. ● *Adj.* 2. Pertencente ou relativo a eles.

bufoniforme [Do lat. *bufo, onis*, 'sapo', + *-forme*.] *Adj. 2 g. Zool.* Que tem características semelhantes às dos anuros, *i. e.*, a pele fortemente verrugosa e hábitos noturnos de predação.

bufotalina [Do tax. *Bufo (vulgaris)* + *(digi)talina*.] *S. f. Quím.* Bufadienolídeo que é produto de hidrólise parcial da bufotoxina e que ocorre, tb., em certas plantas, sob forma de glicosídeo [fórm.: $C_{26}H_{36}O_6$].

bufotenina [Do tax. *Bufo (vulgaris)* + *-ten-* + *-ina*[3].] *S. f. Quím.* Substância alucinógena encontrada em secreções da pele de alguns sapos e em certas plantas do gênero *Anadenanthera*, us. sob a forma de rapé por índios da Amazônia [fórm.: $C_{12}H_{16}N_2O$].

bufotoxina (cs) [Do tax. *Bufo (vulgaris)* + *toxina*.] *S. f. Quím.* Substância venenosa, encontrada na pele de certos sapos [fórm.: $C_{40}H_{60}N_4O_{10}$].

buftalmia [De *bu-* + *-(o)ftalm(o)-* + *-ia*[1].] *S. f. Med.* Aspecto que assume o globo ocular distendido no glaucoma congênito, e que se assemelha ao do globo ocular bovino.

buftálmico [De *buftalmia* + *-ico*[2].] *Adj. Med.* Relativo à buftalmia.

buftalmo [Do gr. *boúphthalmon*, 'olho-de-boi'; tax. *Buphthalmum*.] *S. m. Bot.* 1. Gênero de asteráceas, herbáceas, perenes, eurasianas, cultivadas em jardins pelas suas belas flores liguladas, e de um amarelo claro. 2. Qualquer espécie desse gênero, como, p. ex., a *Buphthalmum salicifolium* [v. *olho-de-boi* (1)]. 3. Qualquer espécime desse gênero.

bufunfa [De or. express.] *S. f. Pop.* V. *dinheiro* (5): "Apesar da dimensão da crise, a turma da bufunfa continua poderosa." (Paulo Nogueira Batista Jr., em *Folha de S.Paulo*, 15.01.2009.)

→ **bug** [bʌg] [Ingl.] *S. m. Inform.* 1. Erro de programação. 2. Defeito de execução de um programa (ger. causado por inconsistência no seu código ou por incompatibilidade com outros programas, que estejam simultaneamente em execução).

bugalho *S. m.* 1. *Bot.* Galha arredondada ou coroada de tubérculos que se forma nos carvalhos. 2. *Bot.* Noz de galha. 3. Qualquer objeto de forma aproximadamente esférica. 4. *P. ext. Pop.* O globo ocular: "a infeliz se torcia gemendo, os bugalhos doloridos fixos nas crianças" (Graciliano Ramos, *Infância*, p. 127).

bugalhudo [De *bugalho* + *-udo*.] *Adj.* 1. Que tem forma de bugalho. 2. Arregalado, esbugalhado: *olhos bugalhudos*.

buganvílea *S. f. Bot.* V. *bougainvíllea*.

buganvília [Var. de *bougainvíllea*.] *S. f. Bot.* 1. V. *bougainvíllea*. 2. V. *sempre-lustrosa*.

buge *Bras. S. 2 g.* 1. *Etnôn.* Indivíduo dos buges, povo indígena das margens do rio Juruá (AM). ● *Adj. 2 g.* 2. Pertencente ou relativo a esse povo. [Tb. us. como *s. 2 g. e 2 n.* (com cap.) e *adj. 2 g. e 2 n.*]

→ **buggy** ['bʌgi] [Ingl.] *S. m.* Automóvel conversível, por vezes montado sobre chassi ou motor de outro veículo, us. em todo tipo de terreno, esp. em praias e dunas.

bugia[1] [Do top. *Bugia*, cidade da Argélia donde vinham estas velas.] *S. f.* 1. Pequena vela de cera. 2. Castiçal pequeno. 3. *Cir.* Sonda para a uretra.

bugia[2] *S. f.* A fêmea do bugio.

bugiado [De *bugio* + *-ado*[1].] *Adj.* Diz-se do equídeo cuja cor lembra a do bugio.

bugiar [De *bugio* + *-ar*[2].] *V. int.* Fazer bugiarias. [Cf. *ir bugiar e mandar bugiar*.]

bugiaria [De *bugio* + *-aria*.] *S. f.* 1. Gestos ou trejeitos que lembram os do bugio; momice, macaquice. 2. V. *bugiganga* (1 e 2).

bugiganga [Do esp. ant. *boxiganga*.] *S. f.* 1. Objeto de pouco ou nenhum valor ou utilidade; quinquilharia, bugiaria. 2. V. *ninharia*. 3. Espécie de rede de pescar; cerco. 4. *Teatr.* Pequena companhia volante de farsantes, no teatro espanhol do século XVI. 5. *Teatr. Ant.* Mogiganga (1).

bugio [Do top. *Bugia* (Argélia).] *S. m.* 1. *Bras. Zool.* V. *guariba*. 2. *P. ext. Zool.* V. *macaco* (1). 3. *Fig.* Indivíduo que imita os outros; macaqueador. 4. Macaco (4). 5. *Bras.* Indivíduo feio e engraçado. 6. *Bras. SP* Engenhoca primitiva de fabricação de açúcar. ● *Adj.* 7. *Bras.* Feio e engraçado.

bugio-preto *S. m. Bras. Zool.* V. *guariba-preto*. [Pl.: *bugios-pretos*.]

bugle *S. m. Bras.* Cada um dos dois tipos mais agudos (*sopranino* em mi bemol e *soprano* em si bemol) da família dos saxornes.

buglossa [Do lat. *buglossa*.] *S. f. Bot.* Língua-de-vaca (1).

bugra *S. f. Bras.* Fem. de *bugre*.

bugrada [De *bugre* + *-ada*[1].] *S. f.* 1. *Bras. S.* Grupo de índios ou bugres; bugraria. 2. *Bras.* Ação de bugre, ou própria de bugre.

bugraria [De *bugre* + *-aria*.] *S. f. Bras.* 1. Bugrada (1). 2. Região habitada por bugres.

bugre [Do fr. *bougre*, 'sodomita', < b.-lat. *bulgaru*.] *S. m. Bras.* 1. *Etnôn.* Indivíduo dos bugres, povo indígena do S. do Brasil, que habita entre os rios Iguaçu e Piquiri e a região da cabeceira do rio Uruguai. [Tb. us. como *s. 2 g. e 2 n.* (com cap.).] 2. *Fig.* Designação genérica dada ao índio, especialmente o bravio e/ou aguerrido. 3. *Fig.* Indivíduo desconfiado, arredio. 4. *Fig.* Indivíduo rude, inculto. 5. *Bot.* V. *coração-de-negro* (1). ● *Adj. 2 g.* 6. Pertencente ou relativo a bugre (1). [Tb. us., nesta acepç., como *adj. 2 g. e 2 n.*] [Fem.: *bugra*.]

bugreiro [De *bugre* + *-eiro*.] *S. m. Bras. S.* Caçador de bugres [v. *bugre* (1 e 2)].

bugrinho [De *bugre* + *-inho*[1].] *S. m. Bras. Bot.* V. *chá-de-bugre*.

bugrismo [De *bugre* + *-ismo*.] *S. m. Bras.* 1. Ascendência índia. 2. Interesse pelos bugres; indianismo. 3. Ação de bugre (4); rudeza.

búgula [Do fr. *bugle* < lat. med. *bugula*.] *S. f. Bot.* V. *língua-de-boi*.

buí [Do quicongo, poss.] *S. m. Bras. Bot.* Erva asterácea (*Solidago chilensis* ou *S. microglossa*) muito difundida, considerada medicinal, e cujas pequeninas flores se reúnem em capítulos amarelos, os quais, por seu turno, se congregam em bonitas panículas. [Sin.: *erva-lanceta, lanceta*; outras f.: *mbuí* e *muí*.]

buído [Part. de *buir*.] *Adj.* Puído, polido.

buinho (u-í) [Do lat. **budinu* < lat. *buda*, 'certa erva dos pântanos'.] *S. m.* Vime (1).

buiquense (u-i) *Adj. 2 g.* 1. De, ou pertencente ou relativo a Buíque (PE). ● *S. 2 g.* 2. O natural ou habitante de Buíque.

buir [Var. de *puir*.] *V. t. d.* Puir; polir: *buir a lâmina da espada*; "Já o trigo aloirava pela seara e as ceifeiras buíam na pedra as suas setoiras recurvas, quando, uma tarde, ... se notou que ele [o rouxinol] partira." (José Vieira, *Sol de Portugal*, p. 40); "Em cima da rocha / Me assento ferino / Com gesto assassino / Buindo um punhal." (Junqueira Freire, *Obras Poéticas*, I, p. 94).

buítra *S. f.* Peça dos antigos prelos, que servia para dar firmeza à árvore da prensa.

buiuçu [Do tupi.] *S. m. Bras. PA Bot.* Árvore fabácea (*Ormosia coutinhoi*), de folhas compostas e flores roxas; boiaçu, boiuçu, boçu.

bujamé [De or. afr.] *S. m.* 1. Instrumento de sopro, usado por povos angolanos. 2. *Bras. CE* Mulato claro, do tipo sarará. 3. *Bras.* Menino que ajudava na cozinha. ● *Adj. 2 g.* 4. *Bras.* Diz-se de gado bovino, ou de bovídeo, de certa pelagem escura.

bujão [Do fr. *bouchon*.] *S. m.* 1. Bucha com que se tapam buracos. 2. Cunha pequena para apertar cavilhas. 3. *Tip.* Cada um dos pinos que, na unidade fundidora da monotipo, trancam as queixadas e dispõem a caixa de matrizes na posição desejada. 4. *Bras.* Tampa de atarraxar, metálica ou de outro material, usada para vedação de orifícios em tonéis, tanques, veículos automóveis, etc. 5. *Bras.* Recipiente metálico ou de outro material, usado para armazenar produtos voláteis: *bujão de gasolina*. 6. *Bras.* Recipiente metálico, usado para entrega de gás em domicílio. [Sin., nas acepç. 5 e 6: *botijão* e (lus.) *bidão* e *bilha*.]

bujarrona *S. f.* 1. *Marinh.* Vela triangular içada entre o mastro de vante e o gurupés ou a proa da embarcação à vela: "A toalha de espuma, rasgada para um lado e para outro, tufou, ferveu, subiu, alcançou parte do convés, molhou a bujarrona" (Josué Montelo, *Cais da Sagração*, p. 159). [Cf. *vela de estai e giba* (2).] 2. *Fig.* Insulto; afronta. 3. *Bras.* Papagaio de papel, em forma de polígono regular. 4. *Bras. Mar. G. Gír.* Colarinho de ponta virada, que se usa com casaca. [Var. (pop., bras.): *bisarrona*.]

bujaruense *Adj. 2 g.* 1. De, ou pertencente ou relativo a Bujaru (PA). ● *S. 2 g.* 2. O natural ou habitante de Bujaru.

bujé[1] *S. m. Bras. Bot.* V. *folha-redonda*.

bujé[2] *Bras. S. 2 g.* 1. *Etnôn.* Indivíduo dos bujés, povo indígena do AM, habitante das margens dos rios Juruá e Jutaí, afluentes do rio Solimões. ● *Adj. 2 g.* 2. Pertencente ou relativo a esse povo. [Tb. us. como *s. 2 g. e 2 n.* (com cap.) e *adj. 2 g. e 2 n.*]

buji [Do cariri.] *S. m.* 1. *Bras. SP* Erva tenra que brota com as primeiras chuvas. 2. *Bras. CE* Capinzal.

bujiguara [De *buji* + o tupi = 'o que come'.] *S. m. Bras. SP* Espécie de sapinhos (1).

bula [Do lat. *bulla*.] *S. f.* 1. Pequeno amuleto de ouro, prata ou outro metal, formado de duas semiesferas ocas e unidas, que os filhos dos patrícios romanos traziam ao pescoço até a idade viril: "Quando, aos treze anos, abandonei bula e pretexta ...., o meu pai .... determinou que eu passasse uma noite no santuário de Apolo" (Mário de Carvalho, *Um Deus Passeando pela Brisa da Tarde*, pp. 91-92). 2. Antigo selo de ouro, prata ou chumbo, pendente de documentos emitidos por papas e outros soberanos, e que resultava da compressão do metal entre dois cunhos. 3. *Ecles.* Na Igreja Católica Apostólica Romana, carta pontifícia de caráter especialmente solene. 4. *Farm.* Impresso que acompanha um medicamento e contém informações acerca de sua composição, posologia, indicações, contraindicações, etc. ~ V. *bulas*. ◆ **Bula da cruzada.** 1. *Ecles.* Outrora, bula papal que concedia indulgências a quem contribuía com armas ou dinheiro para combater os infiéis. 2. *Ecles.* Concessão de indulgência a quem contribui materialmente para a fundação de seminários, reparação de edifícios eclesiásticos, etc. **Bula timpânica.** *Zool.* Nos mamíferos carnívoros, osso timpânico muito desenvolvido.

bula-bula [Do tsonga *ku-bula*, 'conversar'.] *S. 2 g. Moç.* V. *conversa mole* (2): "Novamente a bula-bula mexeriqueira dos vizinhos." (Calane da Silva, *Xicandarinha — Na Lenha do Mundo*, p. 31.) [Pl.: *bula-bulas*.]

bular [De *bula* + *-ar*[2].] *V. t. d. Ant.* Selar com bula (1). [Cf. *bolar*.]

bulário [Do lat. med. *bullariu*.] *S. m. Ecles.* 1. Coleção de bulas pontifícias. 2. Antigo funcionário eclesiástico encarregado da compilação e registro das bulas; bulista.

bulas [Pl. de *bula*.] *S. f. pl.* Habilitações, qualificações, títulos: *Com que bulas pretende ele ser nomeado embaixador?* ~ V. *bula*.

bulático [Do lat. med. *bullaticu*.] *Adj.* 1. Relativo a bula. 2. Diz-se da forma de letra em que foram escritas as bulas papais até 1878.

bulbáceo [De *bulbo* + *-áceo*.] *Adj. Bot.* Semelhante a bulbo (1 e 2). [Var.: *bolbáceo*.]

bulbar *Adj. 2 g.* 1. De, ou relativo ao bulbo (3): *paralisia bulbar*. 2. V. *bulboso*. ~ V. *oliva — e pirâmide —*.

▲ **bulbi-** [Do lat. *bulbus, i* < gr. *bolbós, oû*. V. *bolbo-*.] *El. comp.* = 'tubérculo': *bulbífero*.

bulbífero [De *bulbi-* + *-fero*.] *Adj. Bot.* Portador de bulbo (1 e 2): *planta bulbífera*. [F. paral.: *bolbífero*.]

bulbiforme [De *bulbi-* + *-forme*.] *Adj. 2 g. Bot.* Em forma de bulbo (1 e 2). [Var.: *bolbiforme*.]

bulbígero [De *bulbi-* + *-gero*.] *Adj. Bot.* Que forma bulbo (1 e 2): *espécie bulbígera*. [F. paral.: *bolbígero*.]

bulbilho [Do lat. cient. *bulbillu*, dim. do lat. *bulbu*.] *S. m. Bot.* 1. Pequeno bulbo imaturo que nasce na base ou nos catafilos de um bulbo adulto. 2. *P. ext.* Qualquer tubérculo pequeno, como os de algumas begônias e aspargos. 3. Gema (3) aérea que nasce na axila da folha, sobre esta, ou na inflorescência, e origina um novo indivíduo. [Var.: *bolbilho*.]

bulbilífero [Do lat. cient. *bulbillus*, dim. do lat. *bulbus*, + *-ífero*.] *Adj. Bot.* Que produz bulbilho: *escapo bulbilífero*. [Var.: *bolbilífero*.]

bulbilogema [Do lat. cient. *bulbillu* + *gema*.] *S. f. Bot.* Gema axilar em forma de bulbilho.

bulbo [Do lat. *bulbu*.] *S. m.* 1. *Bot.* Tipo de caule, subterrâneo ou aéreo, dominado por grande gema terminal suculenta colocada sobre um eixo encurtado basal. Ocorre, p. ex., na cebola. 2. *Bot.* Dilatação globosa existente na base do talo de certas algas feofíceas. [Var., nessas acepç.: *bolbo*.] 3. *Anat.* V. *bulbo raquiano*. 4. *Anat.* Qualquer parte orgânica globulosa: *bulbo ocular*. 5. *Astr.* Parte central, saliente, de uma galáxia espiral. 6. *Constr. Nav.* Protuberância do casco junto à roda de proa, adicionada para reduzir a resistência ao avanço do navio. 7. *Eletrôn.* Envoltório metálico ou de vidro, de uma válvula eletrônica. 8. *Quím.* Pequeno globo ou dilatação em tubo, ger. de vidro. [Dim. irreg.: *bulbilho.*] ◆ **Bulbo raquiano.** *Anat.* Segmento do sistema nervoso central que, em direção ascendente, continua a medula espinhal e, por sua vez, se comunica com a ponte, estando situado adiante do cerebelo; bulbo raquidiano. [Tb. se diz apenas *bulbo.*] **Bulbo raquidiano.** *Anat.* V. *bulbo raquiano.*

bulboide (ói) [De *bulbo* + *-oide.*] *Adj. 2 g. Bot.* Em forma de bulbo. [Var.: *bolboide.*] ❖

bulbomania [De *bulbo* + *-mania.*] *S. f. Bot.* Produção anormalmente elevada de bulbos. [Var.: *bolbomania.*]

bulboso (ô) [Do lat. *bulbosu.*] *Adj.* Que tem bulbo; bulbar. [Var.: *bolboso.*]

bulbul [Do persa, pelo ingl.] *S. m. Zool.* Certa ave canora da Índia: "os bandos doudejantes / De pardais e bulbuis cantam nas faias" (Luís Delfino, *Algas e Musgos*, p. 153). [Pl.: *bulbuis.*]

bulcão [Var. de *vulcão.*] *S. m.* 1. Nevoeiro espesso que precede a borrasca: "Os bulcões conglobados corriam um para o outro e multiplicavam-se, vomitando novos castelos de nuvens, que se difundiam, flutuando enoveladas com formas incertas." (Alexandre Herculano, *Eurico, o Presbítero*, p. 52.) 2. Redemoinho de vapores, líquidos ou partículas sólidas em suspensão: *O vulcão agitava densos bulcões.* 3. Nuvem (2): "Chaminés enormes .... atiram aos ares bulcões de fumo, enovelados, densos." (Júlio Ribeiro, *A Carne*, p. 136.) 4. Trevas, escuridão.

buldogue [Do ingl. *bull-dog.*] *S. m. Cinol.* Cão originário da Grã-Bretanha, musculoso, de altura em torno de 34cm, cabeça volumosa e maciça, focinho curto e achatado, pescoço arqueado e com barbela, orelhas pequenas e pelo curto de cor fulva e branca ou branca e mosqueada.

buldôzer [Do ingl. *bulldozer.*] *S. m.* Equipamento de terraplenagem que consiste numa lâmina de aço adaptável a um trator, e destinado a escavar e deslocar, a pequenas distâncias, terras e outros materiais. [Pl.: *buldôzeres.*]

bule[1] [Do malaio *búli*, 'frasquinho de louça da Índia, de gargalo estreito'.] *S. m.* Recipiente com tampa, asa e bico, em que se serve chá, café, chocolate, etc.

bule[2] *S. f.* V. *boulé.*

bule-bule *S. m. Jog. Inf.* Jogo de roda, iniciado por uma criança, que se volta para o vizinho da direita e, repetindo algum gesto com as mãos (como agitá-las, p. ex.), pergunta-lhe: "— Quer comprar um bule-bule?" — ao que a outra indaga: "— Que bule-bule?" —, tendo como resposta: "— Aquele que bole, bole." Põe-se, então, a segunda a imitar o gesto da primeira (que continua a fazê-lo), dirigindo-se à terceira da roda para com ela travar o mesmo diálogo, e assim por diante, até que todas fiquem gesticulando igualmente, cabendo à primeira recomeçar a brincadeira com um novo movimento. [Pl.: *bules-bules* e *bule-bules.*]

buleiro [Do lat. med. *bullariu.*] *S. m. Ecles.* Antigo funcionário eclesiástico que distribuía a bula da cruzada (q. v.).

bulevar [Do fr. *boulevard.*] *S. m.* Rua larga, arborizada; avenida.

bulevardismo [Do fr. *boulevard*, 'bulevar', + *-ismo.*] *S. m.* Caráter, espírito, ambiente, criatividade própria dos bulevares (especialmente os de Paris): "Este homem, que há vinte anos trilha o Bulevar, não tem (louvado ele seja, e por tal louvor louve ele a Deus!) um traço mínimo de bulevardismo." (Eça de Queirós, *Notas Contemporâneas*, p. 554.)

bulgariana [Do top. *Bulgária* + o f. de *-ano*[1].] *S. f. Tec. Têx. Bras.* Tecido ordinário, comumente em padronagem de xadrez, usado em blusões e vestidos: "ela despe o vestido de bulgariana, caminha para as ondas" (James Amado, *Chamado do Mar*, p. 16).

búlgaro [Do fr. ant. *bou(l)gre*, 'herético', 'sodomita' < b.-lat. *bulgaru.*] *Adj.* 1. De, ou pertencente ou relativo à Bulgária (Europa). ● *S. m.* 2. O natural ou habitante desse país. 3. *Gloss.* Língua indo-europeia do ramo balto-eslavo, falada na Bulgária. [V. *eslavo* (1).] 4. Vocábulo dessa língua.

bulha [Do esp. *bulla.*] *S. f.* 1. Confusão de sons; barulho, ruído: "uma bulha de passos apagando-se, mais e mais, a cada volta da escada" (D. João da Câmara, *Contos*, p. 131). 2. Gritaria confusa; vozearia: "Assim a transporto comigo, na bulha dum comboio aceso, repleto de gente" (Aquilino Ribeiro, *Filhas de Babilônia*, p. 18). 3. Altercação, briga; rixa; desordem. ◆ **Bulha cardíaca.** *Med.* O ruído cardíaco normal à ausculta.

bulhão [De *bulhar* + *-ão*[1].] *Adj. S. m.* V. *bulhento* (1 e 3). [Fem.: *bulhona.* Cf. *bolhão.*]

bulhar [De *bulha* + *-ar*[2].] *V. int.* 1. Fazer bulha, motim, desordem: *Os boêmios bulharam durante a noite inteira.* 2. Discutir, brigar, altercar. *T. i.* 3. Ter bulhas; brigar, rixar: *bulhar com um desafeto.* [Cf. *bolhar.*]

bulharaça [De *bulha* + *-r-* + *-aça.*] *S. f. Pop.* Grande bulha; barulheira, barulhada; inferneira.

bulhento [De *bulha* + *-ento.*] *Adj.* 1. Que faz bulha, que é dado a bulhas; desordeiro, arruaceiro, bulhão. 2. Ruidoso, barulhento: *As ruas do meu bairro são agitadas e bulhentas.* ● *S. m.* 3. Aquele que faz ou é dado a bulhas; desordeiro; arruaceiro, bulhão.

bulhona *S. f.* Fem. de *bulhão* (q. v.).

bulhufas [Por **bolhufas* < *bolha* (ô), poss.] *Pron. indef. Bras. Gír.* Coisa nenhuma; nada, brisas: "— Para lhe ser franco, não estou entendendo bulhufas do que você está dizendo." (Adovaldo Fernandes Sampaio, *O Sol na Rede*, p. 13.) [Var.: *bulufas* (q. v.).]

buli [Do cabo-verd. e do criol.] *S. m. Cabo-verd. Guin.* Cabaça us. para guardar ou transportar líquidos, e para fazer manteiga: "bebia um gole de água do buli amarrado à cinta" (Manuel Lopes, *Chuva Braba*, p. 71).

▲-bulia [Do gr. *-boulía, as* (como no gr. *dysboulía*) < gr. *boulé, ês*, 'vontade'; 'determinação', + gr. *-ía* (v. *-ia*[1]).] *El. comp.* = 'vontade': *disbulia* (< gr.), *hipobulia.*

bulício [De *bulir.*] *S. m.* 1. Rumor contínuo e indefinido de coisas ou de vozes; burburinho: *o bulício das feiras.* 2. Sussurro ou murmúrio contínuo: *o bulício das folhagens, do riacho.* 3. Ausência de tranquilidade; agitação, movimentação de coisas e pessoas; burburinho: "Ficamos em Nice, num hotel sossegado rodeado de árvores, longe do bulício das avenidas do litoral." (Gilberto Amado, *Depois da Política*, p. 53.) 4. Tumulto, agitação; desordem.

buliçoso (ô) [Por **bulicioso* < *bulício* + *-oso.*] *Adj.* 1. Que bole ou se move sem parar; agitado, movediço: *ramos buliçosos; ondas buliçosas.* 2. Desenvolto, ativo, vivo, esperto: *espírito buliçoso.* 3. Turbulento, irrequieto, travesso: *crianças buliçosas.*

bulideiro [De *bulir* + *-deiro.*] *Adj.* Que bole, que se agita.

buliforme [Do lat. *bulla* + *-iforme.*] *Adj. 2 g.* Que tem forma de ampola.

bulimia [Do gr. *boulimía*, 'fome de boi', 'fome devoradora'.] *S. f.* 1. *Psiq.* Distúrbio (3) que predomina em mulheres e que começa, ger., na adolescência ou no início da fase adulta, caracterizando-se por episódios de ingestão excessiva de alimentos, que provocam dor ou desconforto abdominal, a que se segue comportamento inadequado para evitar obesidade, como, p. ex., indução ao vômito. [Sin.: *bulimia nervosa.*] 2. Aumento exagerado de apetite. [Sin., nesta acepç.: *abarcia, aplestia, cinorexia, licorexia* e (pop.) *fome canina.* Cf. *hiperorexia.*] ◆ **Bulimia nervosa.** *Psiq.* Bulimia (1).

bulímico [De *bulimia* + *-ico*[2].] *Adj. S. m.* Que, ou quem apresenta bulimia.

bulimídeo [Adapt. do tax. *Bulimidae.*] *Zool. S. m.* 1. Espécime dos bulimídeos, família de caramujos terrestres que inclui espécimes grandes de cores variegadas. ● *Adj.* 2. Pertencente ou relativo a eles.

bulimo [Do tax. *Bulimus.*] *S. m. Zool.* 1. Gênero de pequenos caramujos de água doce, gênero-tipo dos bulimídeos. 2. Qualquer espécime desse gênero, como, p. ex., o *Bulimus fuchsianus*, o principal hospedeiro intermediário do trematódeo *Fasciola hepática*, que parasita o fígado de mamíferos. 3. Qualquer espécime desse gênero. 4. *Obsol.* Gênero de moluscos gastrópodes estrofoquelídeos. 5. *Obsol.* Qualquer espécie desse gênero, como as vulgarmente conhecidas como *aruá-do-mato, caramujo-do-mato.* 6. *Obsol.* Qualquer espécime desse gênero.

bulinete (ê) [Var. de *bolinete.*] *S. m. Bras.* Bicame onde se deita o cascalho diamantino para o lavrar. [Cf. *bolinete.*]

bulir [Do lat. *bullire*, 'ferver'.] *V. t. i.* 1. Mover, agitar, balançar de leve: *Anda bulindo com os quadris.* 2. Tocar, mexer, mover de leve: *Acordou mal buliram no ferrolho da janela.* 3. Pôr as mãos; tocar: *Antes de sair, recomendou que não bulissem nos livros.* 4. Mover, movimentar: "Quem com muitas pedras bole, uma na cabeça lhe cai" (prov.). 5. Falar, tocar: *Não bula nesse assunto.* 6. Caçoar, mexer: "o ancião aparecia possesso, gaguejando, sem saber o que falar. Já sabíamos por quê — os meninos da rua haviam bulido com ele" (Reginaldo Guimarães, *Uma Blusa no Cais*, p. 50). 7. *Bras.* Seduzir, deflorar: *Buliu com a moça.* 8. Comover, sensibilizar, tocar: *A triste melodia buliu com ela, deixando-a aos prantos.* *T. d.* 9. Mover, agitar de leve: *A brisa bulia as folhas das palmeiras.* *Int. P.* 10. Mexer-se, agitar-se de leve; mudar de posição: *Tinha tal medo de cair de cima da escada que mal ousava bulir; Aterrorizado, nem se bulia.* [Conjug.: v. *acudir.* Irreg. Muda o *u* da raiz em *o* na 2ª e 3ª pess. sing. e 3ª pess. pl. do pres. ind., e na 2ª pess. sing. do imperat.: *boles, bole, bolem; bole.*]

bulista *S. m.* Bulário (2).

➔ **bullying** ['buliʃıŋ] [Ingl.] *S. m.* Em estabelecimentos escolares, etc., provocação, intimidação, ou agressão, física ou verbal, feita por indivíduo mais desinibido, mais velho, mais forte, etc., a outro mais tímido, mais novo, mais fraco, etc.

bulufas *Pron. indef. Bras. Gír.* V. *bulhufas*: "— Mas, Susana, não estou entendendo bulufas. | — Deus me livre, que cara mais tapado!" (Cora Rónai Vieira e Paulo Rónai, *Aventuras de Fígaro*, p. 61.)

bululu[1] [Voc. onom.] *S. m. Bras. Amaz.* Bolhas de ar produzidas pelos haustos da respiração dos peixes grandes e da tartaruga.

bululu[2] [Do esp. *bululú.*] *S. m. Teatr.* Ator ambulante do teatro espanhol do séc. XVI, que representava sozinho, de cidade em cidade, comédias, entremezes, ou loas.

bum[1] [Do ingl. *boom.*] *S. m. Telev.* Braço de extensão móvel para o microfone ou câmara de TV usada em estúdio.

bum[2] [Voc. onom.] *Interj.* Imitativa de estrondo, estampido, queda, pancada, etc.

bumba[1] [Var. de *bombo.*] *S. m. Bras. CE Pop. Mús.* V. *bombo* (1).

bumba[2] [Voc. onom.] *Interj.* 1. Imitativa de pancada, estouro, queda, etc. 2. Zás. ● *S. m.* 3. *Bras. PB PE Folcl.* V. *bumba meu boi* (1).

bumba-boi [De *bumbar* + *boi.*] *S. m. Bras. MA Folcl.* V. *bumba meu boi* (1). [Pl.: *bumba-bois.*]

bumba meu boi [De *bumbar* + *meu* + *boi.*] *S. m. 2 n.* 1. *Bras. Folcl.* Bailado popular cômico-dramático, organizado em cortejo, com personagens humanos (Pai Francisco, Mateus, Bastião, Arlequim, Catirina, Capitão-Boca-Mole, etc.), animais (o Boi, a Ema, a Cobra, o Cavalo-Marinho, etc.) e fantásticos (a Caipora, o Diabo, o Morto carregando o vivo, o Babau, o Jaraguá, etc.), cujas peripécias giram em torno da morte e ressurreição do boi. [Sin.: *boi, boi-bumbá, boi-calemba, boi-calumba, boi de mamão, boi de melão, boi-melão, boi de reis, boi-pintadinho, boi-surubi(m), boizinho, bumba*[2]*, bumba-boi, cavalo-marinho, rei de boi, reis de boi, reisado cearense.*] 2. *Bras. PA* Grande panela em que se prepara comida para muita gente. ☑

bumbar [De *bumba*[2] + *-ar*[2].] *V. t. d. Bras. N.* Surrar, espancar, esbordoar.

bumbo *S. m. Mús.* V. *bombo* (1).

bumbum *S. m. Bras. Fam.* V. *bunda*[1] (1 e 2).

bum-bum [Voc. onom.] *S. m.* 1. Estrondo contínuo, repetido. 2. Som de zabumba. [Pl.: *bum-buns.*]

bumerangue [De um dial. indígena australiano, pelo ingl. *boomerang.*] *S. m.* 1. Arma de arremesso usada pelos indígenas australianos, feita de madeira escavada e arqueada, e que, após descrever curvas, volta a um ponto próximo daquele de onde foi atirada. ● *Adj.* 2. ~ V. *cheque* —.

bunda[1] [Do quimb. *mbunda.*] *S. f.* 1. As nádegas (q. v.) e o ânus. [Sin.: *cu, traseiro*, e (bras., AL) *jaca.*] 2. A parte carnosa do corpo formada pelas nádegas. [Sin. (bras.), nessas acepç.: *bubu* (inf.), *bumbum* (fam.).] ● *S. 2 g.* 3. *Bras. Chulo* Indivíduo reles, ordinário; bunda-suja. 4. *Bras. Chulo* V. *joão-ninguém.* [P. us. em Portugal.] ● *Adj. 2 g.* 5. Reles, ordinário, sem valor. ◆ **Bunda de tanajura.** *Bras. Chulo* Bunda grande e/ou muito protuberante: "Era uma bunda e tanto, das de tanajura." (Jorge Amado, *Dona Flor e Seus Dois Maridos*, p. 391.) **Nascer com a bunda para a Lua.** *Bras. Pop.* Ter muita sorte; nascer empelicado.

bunda[2] *Adj. 2 g. S. 2 g.* V. *bundo* (3, 5 e 6).

bundá [De or. afr.] *S. m. Bras.* V. *cacaréus.*

bundaça [De *bunda*[1] + *-aça.*] *S. f. Bras.* V. *bundona.*

bunda-de-mulata *S. f. Bras. Bot.* V. *amarelinha*[1] (1). [Pl.: *bundas-de-mulata.*]

bunda-mole [De *bunda*[1] + *mole*[2].] *S. 2 g. Bras.* Pessoa moleirona, sem coragem, pusilânime; bundão. [Pl.: *bundas-moles.*]

bundana [De *bunda*[1] + *-ana*[1].] *S. f. Bras.* V. *bundona.*

bundão [De *bunda*[1] + *-ão*[1].] *S. m. Bras.* 1. V. *bundona.* 2. V. *bunda-mole.* ~ V. *bundões.*

bunda-suja [De *bunda* + o f. do adj. *sujo.*] *S. 2 g. Bras. Chulo* 1. V. *bunda*[1] (3). 2. V. *joão-ninguém.* [Pl.: *bundas-sujas.*]

bundear [De *bunda*[1] + *-ear*[2], com infl. de *vagabundear.*] *V. int. Bras. Pop.* Andar ao léu, vagabundear (q. v.). [Conjug.: v. *frear.*]

bundo [Do quimb. *mbŭndu*, 'negros'.] *S. m.* 1. *Etnôn.* Indivíduo dos bundos, indígenas bantos de Angola; ambundo, quimbundo. 2. *Gloss.* V. *quimbundo* (1). 3. *P. ext. Gloss.* Qualquer língua de negros; bunda. 4. Maneira incorreta de exprimir-se; linguagem estropiada. ● *Adj.* 5. Pertencente ou relativo aos bundos; bunda, ambundo, quimbundo. 6. Diz-se da língua bunda; bunda, ambundo, quimbundo. 7. Diz-se da maneira estropiada ou incorreta de exprimir-se.

▲-bundo [Do lat. *-bŭndus, a, um.*] *Suf.* = 'que pratica a ação': *meditabundo* (< lat.), *pensabundo.*

bundões *S. m. pl. Bras. BA GO* Grupo de garimpeiros, jagunços e criminosos do sertão baiano que, filiados a uma facção política, cometiam as maiores violências. ~ V. *bundão*.

bundona [De *bunda* + *-ona*[1].] *S. f. Bras.* Bunda[1] (2) grande; bundaça, bundana, bundão.

bundudo [De *bunda*[1] + *-udo*.] *Adj.* Que tem bundona; ancudo, quartudo: "as meninas do Manuel do Carmo, Chico Lisboa e Maneta, umas roxas peitudas e bundudas" (Bernardo Élis, *Veranico de Janeiro*, p. 24).

buneva *S. m. Bras. Zool.* V. *anduiá* (1).

bungar *V. int. Bras. N.E.* V. *tibungar*. [Conjug.: v. *largar*.]

→ **bungee-jump** ['bʌndʒij dʒʌmp] [Ingl.] *S. m. Esport.* Modalidade de salto praticada em lugares bem altos (esp. em pontes), na qual o praticante se lança no ar, preso pelos pés (e pernas) a uma corda elástica própria para aguentar-lhe o peso e evitar o impacto contra o solo. [Melhor forma em ingl., porém menos us. no Brasil: *bungee-jumping*.]

→ **bungee-jumping** ['bʌndʒij 'dʒʌmpɪŋ] [Ingl.] *S. m. Esport.* V. *bungee-jump*.

bungular [Do quimb. *ku-bungula*, 'dançar requebrando-se'.] *V. int. Angol.* Remexer o corpo, saracotear-se, para incorporar uma divindade: "só os feiticeiros é que deslizavam à noite pelas cercanias do cemitério para bungular" (Arnaldo Santos, *Quinaxixe*, p. 54).

bunho *S. m. Lus.* V. *tabua*.

→ **bunker** ['bʌŋkɚ] [Ingl., do Al., 'armazém ou paiol de carvão'.] *S. m.* **1.** Abrigo subterrâneo, fortificado de modo a resistir a bombas e projetis em período de guerra. [V. *casamata*. F. aport., nesta acepç.: *búnquer*.] **2.** *Esport.* Banca de areia no campo de golfe. [Pl.: *bunkers*.]

bunodonte[1] [Do gr. *bounós*, 'colina'; p. ext. 'saliência', + *-odonte*.] *Zool. Adj. 2 g.* Diz-se de dente molar dos vertebrados que apresenta tubérculos arredondados.

bunodonte[2] [Adapt. do tax. *Bunodonta*.] *Zool. S. m.* **1.** Espécime dos bunodontes, divisão dos artiodáctilos, em certas classificações. ● *Adj. 2 g.* **2.** Pertencente ou relativo a eles.

búnquer *S. m.* V. *bunker*. [Pl.: *búnqueres*.]

→ **bunraku** [bunraku] [Jap.] *S. m. Teatr.* Teatro de bonecos japonês, anterior à influência ocidental. Conhecido como *ningeyô-jôruri* (ou apenas *jôruri*), nos sécs. XVII e XVIII, sobreviveu graças ao conjunto *Bunraku-za*, ainda ativo no séc. XX, e que acabou por dar seu nome ao próprio gênero.

buñuelesco *Adj.* **1.** De, ou pertencente ou relativo a Luis Buñuel, cineasta espanhol (1900-1983), ou próprio dele. **2.** Próprio dos personagens burgueses, grotescos, hipócritas e/ou cruéis da filmografia desse cineasta: "a indiferença ao .... desagrado dos seus humores, opiniões, buñuelescas ferocidades, fazem do seu mundo [de Lobo Antunes] uma espécie de .... contramundo da tão decantada 'sensibilidade lusitana'." (*Jornal de Letras, Artes e Ideias*, 08.10-21.10.1997, p. 12).

bupivacaína *S. f. Quím.* Substância cristalina, amida aromática que contém um grupo amina terciária cíclica, us. como anestésico local [fórm.: $C_{18}H_{28}N_2O$].

buprestídeo [Do tax. *Buprestis* (< lat. *buprestis*, 'certo inseto') + *-ídeo*[1]; tax. *Buprestidae*.] *Zool. S. m.* **1.** Espécime dos buprestídeos, família de insetos coleópteros, muitos deles notáveis por suas cores cambiantes. ● *Adj.* **2.** Pertencente ou relativo a eles.

buque [Do frâncico *bûk*, pelo cat. *buc* e pelo esp. *buque*.] *S. m.* **1.** Embarcação empregada especialmente como auxiliar de galeão de pesca: "Um pequenino barco .... cruza com o Cap. Polônio. Correrias pelo tombadilho para ver o buque passar." (Jaime Adour da Câmara, *Oropa, França e Bahia*, p. 29.) **2.** *Lus.* Grande lancha, mais rasa que o galeão, sem coberta e com uma vela bastarda, empregada na pesca com cerco[1] (10). **3.** *Bras. Gír.* V. *cadeia* (3).

buquê [Do fr. *bouquet*.] *S. m.* **1.** V. *ramalhete* (1). **2.** Reunião de pequenas coisas que formam como que um ramalhete. **3.** *Enol.* Perfume agradável de um bom vinho de mesa, resultante da combinação de aromas das essências preexistentes na própria uva e da evolução desses aromas no correr do processo de vinificação.

buquê-de-noiva *S. m. Bras. Bot.* V. *flor-de-noiva*. [Pl.: *buquês-de-noiva*.]

buquinar [Do fr. *bouquiner*.] *V. int. Gal.* Procurar livro(s) em sebo: "Buquinemos, amiga, neste sebo." (Carlos Drummond de Andrade, *Viola de Bolso*, p. 27.)

buquinista [Do fr. *bouquiniste*.] *S. 2 g.* Indivíduo que vende livros usados; sebista.

buraba *S. f. Bras. S.* V. *burara*.

buraca[1] *S. f.* Grande buraco. [Cf. *búraca*.]

buraca[2] [De *bruaca*, com metátese.] *S. f. Bras. MG* Pequeno saco de couro usado pelos tropeiros. [Cf. *búraca*.]

búraca *S. f. Bras. RJ* V. *gude*. [Cf. *buraca*.]

buracada [De *buraco* + *-ada*[1].] *S. f. Bras.* V. *buraqueira*[1] (1).

buracama [De *buraco* + *-ama*.] *S. f. Bras. S.* V. *buraqueira*[1] (1): "Que disparada! Por tacuruzais e buracama de tuco-tuco, ... por lançantes de coxilhas e moles de canhadas" (Simões Lopes Neto, *Contos Gauchescos e Lendas do Sul*, p. 227).

buraçanga [Do tupi.] *S. f. Bras.* **1.** Pedaço cilíndrico de madeira com que se bate roupa, quando esta é lavada. **2.** Cacete com que o jangadeiro mata o peixe. **3.** Pau de bater algodão.

buracão [Aum. de *buraco*.] *S. m. Bras. SP* Voçoroca (q. v.).

buraco *S. m.* **1.** Depressão natural ou artificial da superfície externa de um corpo; cavidade: *Os buracos da estrada quebraram a mola do carro; Seu rosto é cheio de buracos, porque teve varíola.* **2.** Abertura de certa extensão feita numa superfície; escavação: *A Prefeitura abriu buracos na rua para instalação de esgotos.* **3.** Abertura natural ou artificial que traspassa uma superfície ou um corpo sólido: *o buraco da agulha; o buraco da fechadura.* **4.** Pequena abertura artificial, ordinariamente de forma arredondada; furo: *um buraco de golfe; O cigarro fez um buraco no tecido.* **5.** Qualquer orifício: *o buraco de um dente; um buraco no teto.* **6.** Espaço oco na parte interna de um corpo, e que pode atingir ou não o exterior: *Ainda não instalaram os trilhos no buraco do metrô.* **7.** Racha, fenda, frincha, greta: *Espreitava o vizinho pelo buraco da parede.* **8.** Depressão mais ou menos considerável de um terreno: *Ao começar o terremoto, viu abrir-se um buraco à sua frente.* [Cf., nesta acepç., *barranco* (1).] **9.** Cova (3): *O rato escondeu-se no buraco.* **10.** V. *biboca* (2 e 3). **11.** Abrigo, refúgio: *O velho sábio descobriu um buraco inacessível aos importunos.* **12.** Vazio, vácuo: *Vou almoçar, pois sinto um buraco no estômago.* **13.** Jogo carteado semelhante à canastra[2] (1), porém mais simplificado, pois nem sempre exige que se faça a canastra[2] (2) para bater. **14.** *Fig.* Falha de memória; lacuna. **15.** *Chulo* O ânus. **16.** Buraqueira[1] (2). **17.** *Anat.* Termo que designa abertura natural, esp. em osso. **18.** *Esport.* No surfe, onda que quebra sobre pouca quantidade de água. **19.** *Fís.* Num semicondutor, vacância móvel na banda de valência, que funciona como uma carga positiva com massa positiva e equivale a um pósitron; lacuna. **20.** *Teatr.* Quebra de continuidade ou de ritmo, pelos atores, na representação de uma peça; branco. **21.** *Teatr.* Situação ou diálogo supérfluo, sem relação com a intriga. **22.** *Bras. Fig.* Coisa difícil, complicada; complicação: *Esta vida é um buraco.* **23.** *Bras. Gír.* V. *fossa* (6). ◆ **Buraco biológico.** *Eng. Nucl.* Num reator nuclear, cavidade que permite a colocação de animais ou plantas próximos da região ativa, para experiência sobre os efeitos da radiação ou bombardeio de nêutrons; saída biológica. **Buraco branco.** *Cosm.* Região teórica de intensa gravidade, que compreende uma singularidade (5) e um horizonte de eventos (q. v.) do qual a matéria e a energia emergem. **Buraco cinza.** *Astr.* Região de intensa gravidade que consiste em uma singularidade (5) e um horizonte de eventos (q. v.) fora da qual a matéria momentaneamente pode emergir antes de implodir. **Buraco coronal.** *Astr.* Região da coroa solar onde as emissões do extremo ultravioleta e de raios X são anormalmente baixas ou ausentes; lacuna coronal. **Buraco do feixe.** *Eng. Nucl.* Buraco na blindagem e, às vezes, no refletor de um reator, por onde escapa, para fins experimentais, o feixe de radiação, particularmente o de nêutrons rápidos. **Buraco escuro.** *Astr.* Horizonte do espaço-tempo de concepção relativista, atrás do qual um astro sofre o colapso gravitacional, desaparecendo de modo irreversível à vista de um observador externo. **Buraco negro.** *Cosm.* **1.** Região do espaço-tempo intensamente curva, que consiste numa singularidade (q. v.) cercada por um horizonte de eventos (q. v.). **2.** Estado que a matéria atinge ao sofrer um colapso gravitacional no qual nem a luz, a matéria ou qualquer outro tipo de sinal podem escapar. [Forma-se um buraco negro quando o campo gravitacional se torna tão imenso que a velocidade de escape do corpo se aproxima da velocidade da luz. Correspondе ao ingl. *black hole*.] **Buraco negro estelar.** *Astr.* Buraco negro resultante da implosão de uma estrela que devido ao envelhecimento sofreu o esgotamento do seu combustível nuclear. **Buraco óptico.** *Anat.* Cada uma de duas aberturas no osso esfenoide, uma de cada lado, pelas quais transita o nervo óptico do mesmo lado. **Ir para o buraco.** Ir para o brejo. **Tapar buraco. 1.** V. *pagar dívida* (1). **2.** Remediar uma situação difícil. [Sin. ger.: *tapar um buraco*.] **Tapar um buraco.** V. *tapar buraco*.

buraco de minhoca *S. m. Astr.* Conexão no espaço-tempo entre dois pontos de um mesmo universo, ou entre dois universos distintos, unidos por uma singularidade (5); ponte de Einstein-Rosen. [Pl.: *buracos de minhoca*.] ☑

buraco de ozônio *S. m.* V. *buraco de ozônio*. [Pl.: *buracos de ozônio*. Uso freq. em P.] ☑

buraco de ozônio *S. m.* Região da camada de ozônio (q. v.) sobre o polo sul, onde, anualmente, ocorre uma redução pronunciada dessa camada, possivelmente devido à poluição atmosférica. [Pl.: *buracos de ozônio*.] ☑

buraco-soturno *S. m. Bras. MT* Gruta, lapa, furna. [Pl.: *buracos-soturnos*.]

buranhém [Do tupi.] *S. m.* **1.** *Bras. Bot.* Árvore sapotácea (*Pradosia lactescens*) de bagas carnosas, comestíveis, cuja madeira se usa em carpintaria e marcenaria, e cuja casca é adstringente e fornece substância corante; guranhém, guaranhém, guraém, embiraém, emiraém, ivuranhê, pau-de-remo, pau-doce. **2.** *Bras. Bot.* V. *monésia*. **3.** *Bras. N.E.* Cabo de relho[2]. **4.** *Bras. N.E.* O relho[2].

buraquara [De or. tupi, poss.] *S. f. Bras. Amaz.* Pesca fluvial de peixes e moluscos (como os acaris e os chaves) que se acoitam nos leitos, burgalhões ou troncos submersos.

buraqueira[1] [De *buraco* + *-eira*.] *S. f.* **1.** *Bras.* Terreno muito alcantilado e cheio de depressões; terreno esburacado; buracada, buracama, buraqueiro. **2.** *Bras.* Lugar ermo, distante das cidades e povoações; buraco. **3.** *Bras. SP Pop.* Aperto, apertura, quebradeira.

buraqueira[2] *S. f. Bras. Zool.* V. *codorna-buraqueira*.

buraqueiro [De *buraco* + *-eiro*.] *S. m.* V. *buraqueira*[1] (1).

burara [Do tupi.] *S. f. Bras. BA* **1.** Emaranhado produzido pelos ramos caídos no meio da mata, ou árvore tombada que dificulta o trânsito. **2.** Pequena fazenda ou roça de cacaueiros. **3.** Lamaçal no interior das plantações de cacau. **4.** Fazendola sem benfeitorias. [Var.: *buraba*.]

burareiro [De *burara* + *-eiro*.] *S. m.* Dono de burara ou fazendolas, que mantém a propriedade somente com a ajuda das pessoas de casa, ou seja, sem administrador ou qualquer encarregado.

burarema [Do tupi = 'madeira fétida'.] *S. f. Bras. Bot.* V. *pau-d'alho* (1).

buratéua [De or. indígena, poss.] *S. f. Bras. PR* Trecho de um braço de mar ou de um manguezal onde se amontoam certos vegetais halófilos, que formam um emaranhado de galhos e raízes.

burbom [Do top. *Bourbon* (atual ilha da Reunião, produtora de certa qualidade de café).] *S. m. Bras.* Variedade de cafeeiro e do grão de café.

burburejar [Voc. onom.] *V. int.* Rumorejar como a água em cachão. [Conjug.: v. *pelejar*. Defect., conjugável só nas 3.as pess.]

burburinhar [De *burburinho* + *-ar*[2].] *V. int.* Fazer burburinho; rumorejar: "As ruas da Capital estão movimentadas, os restaurantes repletos, os cafés burburinham." (Atos Damasceno, *O Carnaval Porto-Alegrense no Século XIX*, p. 125.)

burburinho [Voc. onom.] *S. m.* **1.** Som confuso e prolongado de muitas vozes; rumorejo, bulício: "Do lugar em que nascera, pouca coisa ficara em sua memória infantil: a vida calma na fazenda Boa Vista; o burburinho das ruas do Ipu, em dia de feira ou em noite de festa" (Tadeu Rocha, *Delmiro Gouveia*, p. 35). **2.** Murmúrio, murmulho: "O silêncio é um burburinho confuso, um sopro monótono." (Graciliano Ramos, *Insônia*, p. 15.) **3.** V. *bulício* (3).

burca [Do ár. *burqu*[c], 'véu'.] *S. f.* Veste us. em público por algumas mulheres muçulmanas da Ásia, a qual envolve o corpo, inclusive a cabeça, e tem, na altura dos olhos, um dispositivo que permite à mulher ver sem ser vista.

burdegalense [Do lat. *burdegalense*.] *Adj. 2 g. S. 2 g.* V. *bordelês*.

burdo [Do esp. *burdo*, poss.] *Adj.* De má qualidade; grosseiro.

buré [Alter. de *purê*, poss.] *S. m. Bras.* Mingau de milho verde. [Cf. *boré*.]

→ **bureau** [by'ʁo] [Fr.] *S. m.* V. *birô*.

burel [Do fr. ant. *burel*, atual *bure*.] *S. m.* **1.** *Tec. Têx.* Tecido grosseiro de lã: "Dize que o Religioso bom, não o fazem os hábitos de pano, ou de burel, senão os das virtudes." (P.e Manuel Bernardes, *Os Últimos Fins do Homem*, p. 151.) **2.** Hábito de frade ou de freira: "Os filhos, ... ou fugiam renunciando a todos os direitos na casa paterna, se eram homens, ou se amortalhavam para sempre, se eram mulheres, num hábito humilde de capucha ou num burel branco de carmelita calçada." (Júlio Dantas, *O Amor em Portugal no Século XVIII*, p. 190.) **3.** *Ant.* Burel (1) usado como luto. **4.** *Fig.* Luto, tristeza, pesar. [Pl.: *buréis*.]

B

burela [Do fr. *burelle* ou *burèle*.] ***S. f. Heráld.*** Peça em forma de faixas estreitas, ger. em número de cinco ou mais, que atravessam o campo do escudo.

burelado [De *burela* + *-ado*[1].] ***Adj. Heráld.*** Diz-se de escudo cujas burelas são da mesma largura da do espaço que as separa.

burelina [De *burel* + *-ina*[1].] ***S. f. Tec. Têx.*** Tecido ordinário de lã, mais fino que o burel (1).

burenari ***S. 2 g. Adj. 2 g. Bras.*** V. *bonari*.

bureta (ê) [Do fr. *burette*.] ***S. f.*** Aparelho (empregado especialmente em química) de medição de volume, quer de soluções, quer de gases, constituído por um tubo cilíndrico de seção uniforme, graduado em mililitros ou em centímetros cúbicos, com uma torneira por onde escoa o fluido.

bureva [De or. indígena.] ***S. f. Bras. Zool.*** V. *anduiá* (1).

burgalês ***Adj.*** **1.** De, ou pertencente ou relativo a Burgos (Espanha). • ***S. m.*** **2.** O natural ou habitante de Burgos. [Flex.: *burgalesa* (ê), *burgaleses* (ê), *burgalesas* (ê).]

burgalhão [Aum. de **burgalho*, por *burgau*.] ***S. m.*** Banco de conchas, seixos, cascalho, areia, etc., no fundo do mar ou dos rios; burgalhau.

burgalhau [De *burgalhão*, com desnasalação.] ***S. m. Bras.*** **1.** V. *burgau* (4). **2.** Burgalhão. [Var.: *brugalhau*.]

burgau [Do fr. *burgau*.] ***S. m.*** **1.** *Zool.* Molusco gastrópode, de concha univalve, da qual se extrai um nácar; burrié. **2.** A concha desse molusco. **3.** Burgaudina. **4.** Cascalho ou pedra miúda que geralmente vem misturada com a areia grossa; burgalhau, burgo, burgó.

burgaudina [Do fr. *burgaudine*.] ***S. f.*** Nácar que se extrai do burgau (2); burgau.

burgo[1] [Do germ. **burc, burg*, 'pequena cidade', pelo b.-lat. *burgu*, 'fortaleza'.] ***S. m.*** **1.** *Ant.* Em Roma, local fortificado. **2.** Na Idade Média, castelo, ou casa nobre, ou mosteiro, etc., e suas cercanias, rodeados por muralha de defesa, muitos dos quais vieram a transformar-se em cidades. **3.** *P. ext.* Arrabalde de cidade, vila ou aldeia. **4.** Povoação menor que cidade ou vila, especialmente a que se caracteriza por sua tranquilidade ou pouca importância. **5.** Na Inglaterra, cidade ou vila que tem direito a eleger um ou mais representantes no Parlamento. ◆ **Burgo podre. 1.** Na Inglaterra, até 1832, burgo cujos eleitores vendiam facilmente os seus votos a candidato do Parlamento. **2.** *P. ext.* Reduto de um partido político onde este exerce domínio discricionário.

burgo[2] ***S. m.*** V. *burgau* (4).

burgó ***S. m.*** V. *burgau* (4).

burgomestre [Do al. *Bürgermeister*.] ***S. m.*** O magistrado principal, nalguns municípios da Bélgica, Alemanha, Suíça, Holanda, etc.

burgravado [De *burgrave* + *-ado*[2].] ***S. m.*** Dignidade ou jurisdição de burgrave.

burgrave [Do al. *Burggraf*, 'conde de uma fortaleza'.] ***S. m.*** Antigo título de hierarquia feudal, na Alemanha.

burguês [Do b.-lat. *burgense*.] ***S. m.*** **1.** Indivíduo que se estabeleceu nos burgos [v. *burgo*[1] (2)], e posteriormente nas cidades medievais em que estes se transformaram, e que se caracterizava pelas suas atividades lucrativas e por não exercer trabalho braçal ou artesanal. **2.** Membro da burguesia (1): *Chama-se* O Burguês Fidalgo *uma célebre comédia de Molière.* **3.** *Deprec.* Indivíduo sem elevação ou largueza de ideias, apegado a valores materiais, a hábitos e tradições convencionais: *Artista de vanguarda na juventude, com a idade se transformou num burguês empedernido.* • ***Adj.*** **4.** Pertencente ou relativo a burgo[1], a burguês (1), ou a burguesia (1 e 2). **5.** Próprio de burguesia (1 e 2), ou de burguês (1 e 2). **6.** *Deprec.* De gosto duvidoso, ou de mau gosto; vulgar, com pretensão a requintado: "Um gatinho faz pipi./ .... / Encobre cuidadosamente a mijadinha. / Sai vibrando com elegância a patinha direita: / — É a única criatura fina na pensãozinha burguesa." (Manuel Bandeira, *Estrela da Vida Inteira*, p. 105.)

burguesada [De *burguês* + *-ada*[1].] ***S. f.*** **1.** *Pej.* Ato ou procedimento de burguês; burguesice. **2.** *Pej.* Conjunto de burgueses. **3.** Os burgueses.

burguesia [De *burguês* + *-ia*[1].] ***S. f.*** **1.** Classe social que surge na Europa em fins da Idade Média, com o desenvolvimento econômico e o aparecimento das cidades, e que vai, gradativamente, infiltrando-se na aristocracia, e passa a dominar a vida política, social e econômica a partir da Revolução Francesa, firmando-se no correr do séc. XIX. [Com o tempo veio a diversificar-se em *alta burguesia*, detentora dos meios de produção, e *média* e *pequena burguesia* (no séc. XX designadas como *classe média*), que engloba os que exercem profissões liberais e todos aqueles cujos interesses ou atividades estão ligados, de uma forma ou de outra, às altas esferas econômicas e às classes dirigentes.] **2.** *Ant.* Na Europa, a classe social constituída pelos burgueses [v. *burguês* (1)]. **3.** Qualidade ou condição de burguês. ◆ **Alta burguesia.** V. *burguesia* (1). **Média burguesia.** V. *burguesia* (1). **Pequena burguesia.** V. *burguesia* (1).

burguesice [De *burguês* + *-ice*.] ***S. f. Pej.*** Burguesada (1).

buri [Do tupi.] ***S. m. Bras. N.E. L. Bot.*** Palmeira arecácea (*Polyandrococos caldescens*) que vive de preferência na faixa litorânea. O estipe alcança de 4 a 7m de altura e de 0,20 a 0,30m de diâmetro, as folhas medem de 3 a 4m, o espádice chega a 1m de comprimento, e os frutos, drupáceos, medem cerca de 0,5m de diâmetro.

búrica ***S. f. Bras. RJ*** V. *gude*.

buricica [Do tupi = 'pau de resina'.] ***S. f. Bras. Bot.*** V. *icica* (1).

buri-da-praia ***S. m. Bras. Bot.*** Palmeira arecácea (*Allagoptera arenaria*) ornamental, de frutos amarelo-laranja, cujas folhas são utilizadas para cestos e balaios; coqueiro-da-praia, coqueiro-guriri, guriri, guri, imburi, pissandó, coqueiro-anão. [Pl.: *buris-da-praia*.]

buri-do-campo ***S. m. Bras. Bot.*** V. *ariri*[1] (1). [Pl.: *buris-do-campo*.]

buriel ***S. m.*** Boia de cortiça, nas redes de pesca.

buriense ***Adj. 2 g.*** **1.** De, ou pertencente ou relativo a Buri (SP). • ***S. 2 g.*** **2.** O natural ou habitante de Buri.

buril [Do cat. *burí*.] ***S. m.*** **1.** Instrumento de gravador, usado na execução de gravuras em metal e em madeira de topo (q. v.), constituído de barra de aço especialmente temperado, de seção quadrada, triangular ou romboidal, com uma extremidade biselada, losângica, e a outra metida em cabo achatado. **2.** Instrumento semelhante para lavrar pedra. **3.** Gravura a buril (1). **4.** *Fig.* Modo ou arte de gravar a buril (1). **5.** *Fig.* Estilo (7) acerado, cortante. **6.** *Maç.* O lápis e a caneta na maçonaria. [Pl.: *buris*.] ◆ **Buril lentiforme.** *Grav.* Onglete. **Buril raiado.** *Grav.* Buril terminado em várias pontas, usado para produzir talhos paralelos na gravura em madeira de topo (q. v.).

burilada [De *buril* + *-ada*[1].] ***S. f.*** Golpe ou traço de buril.

burilador (ô) [De *burilar* + *-dor*.] ***Adj. S. m.*** Que, ou aquele que burila. [Cf. *burilista*.]

burilar [De *buril* + *-ar*[2].] ***V. t. d.*** **1.** Gravar, lavrar ou abrir com buril. **2.** Apurar, retocar, esmerar; aprimorar, aperfeiçoar: *burilar um poema; burilar a linguagem.* ***T. d. e i.*** **3.** Burilar (1): *burilar um brasão na prata.* **4.** Gravar, fixar, imprimir, infundir, incutir: *Aplicava-se em burilar naquelas mentes os princípios da doutrina.*

buril-escopro ***S. m. Grav.*** Buril acanelado à maneira de goiva, que serve para produzir talhos mais largos na gravura em madeira de topo (q. v.); língua de gato. [Pl.: *buris-escopros* e *buris-escopro*.]

burilista [De *buril* + *-ista*.] ***S. 2 g.*** Artista que grava a buril. [Cf. *burilador*.]

burindangas ***S. f. pl. Bras. S.*** V. *burundangas*.

burinídeo [Do tax. *Burhinus* (do gr. *boús* [v. *bu-*] + lat. cient. *-rhinus* [v. *-rino*]) + *-ídeo*[1]; tax. *Burhinidae*.] *Zool.* ***S. m.*** **1.** Espécime dos burinídeos, família de aves caradriiformes, caracterizadas pelas narinas largas, arredondadas, do tipo holorrino. Os pés são semipalmados, com três dedos. Têm hábitos noturnos ou crepusculares, preferindo terrenos arenosos, e alimentam-se de sapos e pequenos roedores. • ***Adj.*** **2.** Pertencente ou relativo a eles.

buriqui [Var. de *muriqui* < tupi *myra'ki*, 'aquele que balança'.] ***S. m. Bras.*** Macaco cebídeo (*Eriodes arachnoides*). É o maior dos macacos da América, medindo cerca de 70cm de corpo e igual extensão de cauda. Tem polegar reduzido a um simples coto sem unha, pelo amarelo desbotado e vive em bandos nas matas de SP e ES. [Var.: *buriquim*. Sin.: *mariquina, mariquinha, mariquinhas, muriquina, muriquinha*. Cf. *mono* (1).]

buriquim ***S. m. Bras.*** V. *buriqui*.

buritamense ***Adj. 2 g.*** **1.** De, ou pertencente ou relativo a Buritama (SP). • ***S. 2 g.*** **2.** O natural ou habitante de Buritama.

buriti ***S. m. Bras. PA a SP Bot.*** **1.** Palmeira arecácea (*Mauritia vinifera* ou *Mauritia flexuosa*) dotada de fruto amarelo do qual se extrai óleo, e broto terminal comestível, e com o espique e espádices se fabrica o vinho de buriti; os pecíolos das folhas fornecem material us. em artesanato. [Sin.: *buriti-do-brejo, buritizeiro, carandá-guaçu, carandaí-guaçu, coqueiro-buriti, miriti, moriti, muriti, muritim, muritizeiro, palmeira-dos-brejos*.] **2.** O fruto dessa palmeira.

buriti-alegrense ***Adj. 2 g.*** **1.** De, ou pertencente ou relativo a Buriti Alegre (GO). • ***S. 2 g.*** **2.** O natural ou habitante de Buriti Alegre. [Pl.: *buriti-alegrenses*.]

buriti-bravense ***Adj. 2 g.*** **1.** De, ou pertencente ou relativo a Buriti Bravo (MA). • ***S. 2 g.*** **2.** O natural ou habitante de Buriti Bravo. [Pl.: *buriti-bravenses*.]

buriti-bravo ***S. m. Bras. PA CE Bot.*** Palmeira arecácea (*Mauritia armata*) de flores grandes e bagas globosas comestíveis, das quais se extrai bebida vinosa; buritimirim, buritinana, buritirana, caraná. [Pl.: *buritis-bravos*.]

buriti-do-brejo ***S. m. Bras. Bot.*** V. *buriti* (1). [Pl.: *buritis-do-brejo*.]

buritiense[1] ***Adj. 2 g.*** **1.** De, ou pertencente ou relativo a Buriti (MA). • ***S. 2 g.*** **2.** O natural ou habitante de Buriti.

buritiense[2] ***Adj. 2 g.*** **1.** De, ou pertencente ou relativo a Buriti dos Lopes (PI). • ***S. 2 g.*** **2.** O natural ou habitante de Buriti dos Lopes. [Sin. ger.: *buriti-lopense*.]

buritiense[3] ***Adj. 2 g.*** **1.** De, ou pertencente ou relativo a Dois Irmãos do Buriti (MS). • ***S. 2 g.*** **2.** O natural ou habitante de Dois Irmãos de Buriti.

buritiguara ***Bras. S. 2 g.*** **1.** *Etnôn.* Indivíduo dos buritiguaras, povo indígena extinto que habitava a bacia do rio Araguaia (MT). • ***Adj. 2 g.*** **2.** Pertencente ou relativo a esse povo. [Tb. us como *s. 2 g. e 2 n.* (com cap.) e *adj. 2 g. e 2 n.*]

buriti-lopense ***Adj. 2 g. S. 2 g.*** V. *buritiense*[2]. [Pl.: *buriti-lopenses*.]

buritimirim [De *buriti* + *-mirim*.] ***S. m. Bot.*** **1.** *Bras. Amaz.* Palmeira arecácea (*Mauritia pumila*) de fruto comestível, cuja polpa dissolvida na água é refrigerante; caranaí-mirim. **2.** V. *buriti-bravo*.

buritinana ***S. m. Bras. Bot.*** V. *buriti-bravo*.

buriti-palito ***S. m. Bras. Bot.*** Palmeira arecácea (*Trithrinax acanthocoma*), com espique de até 2m de altura, em cujo ápice há uma coroa de filamentos, os quais se usam como palito (1). [Pl.: *buritis-palitos* e *buritis-palito*.]

buritiramense ***Adj. 2 g.*** **1.** De, ou pertencente ou relativo a Buritirama (BA). • ***S. 2 g.*** **2.** O natural ou habitante de Buritirama.

buritirana [De *buriti* + *-rana*.] ***S. f. Bras. Amaz. Bot.*** **1.** Palmeira arecácea (*Mauritia aculeata*) ornamental, cultivada cujas folhas se empregam em trabalhos trançados, esteiras, redes e chapéus; caraná, caranaí, carandaí, cauaiá, uliiá. **2.** *Bras.* V. *buriti-bravo*.

buritisense ***Adj. 2 g.*** **1.** De, ou pertencente ou relativo a Buritis (MG). • ***S. 2 g.*** **2.** O natural ou habitante de Buritis.

buriti-tocantino ***Adj.*** **1.** De, ou pertencente ou relativo a Buriti do Tocantins (TO). • ***S. m.*** **2.** O natural ou habitante de Buriti do Tocantins. [Pl.: *buriti-tocantinos*.]

buritizada [De *buriti* + *-zada*.] ***S. f. Bras.*** Doce feito com a polpa do buriti (2).

buritizal [De *buriti* + *-zal*.] ***S. m. Bras.*** Quantidade mais ou menos considerável de buritizeiros dispostos proximamente entre si: "Súbito, no fundo da estrada, junto à nascente que os buritizais assombreavam, adensou uma nuvem de pó" (Hugo de Carvalho Ramos, *Tropas e Boiadas*, p. 79). [Var.: *muritizal* e *muritinzal*.]

buritizalense ***Adj. 2 g.*** **1.** De, ou pertencente ou relativo a Buritizal (SP). • ***S. 2 g.*** **2.** O natural ou habitante de Buritizal.

buritizeirense ***Adj. 2 g.*** **1.** De, ou pertencente ou relativo a Buritizeiro (MG). • ***S. 2 g.*** **2.** O natural ou habitante de Buritizeiro.

buritizeiro [De *buriti* + *-zeiro*.] ***S. m. Bras. Bot.*** V. *buriti* (1).

buritizinho [De *buriti* + *-zinho*.] ***S. m. Bras. Bot.*** Palmeira arecácea (*Mauritia martiana*) de frutos ovoides, cujas folhas se usam para cobrir choupanas e cujas fibras são têxteis; caraná, caranaí, carandaizinho, cariná, ripa.

burizal [De *buri* + *-zal*.] ***S. m. Bras.*** Quantidade mais ou menos considerável de buris dispostos proximamente entre si.

burjaca [Do provenç. *boljas*, pelo esp. *burjaca*.] ***S. f.*** **1.** Antigo saco de couro usado pelos caldeireiros ambulantes. **2.** *Pop.* Jaquetão largo e comprido. [Var.: *borjaca*.]

burla ***S. f.*** **1.** V. *logro* (2). **2.** Zombaria, escárnio, motejo. [Sin. ger.: *burlaria*.]

burlado [Part. de *burlar*.] ***Adj.*** Que é ou foi vítima de burla.

burlador (ô) [De *burlar* + *-dor*.] ***Adj. S. m.*** V. *burlão*.

burlante [De *burlar* + *-nte*.] ***Adj. 2 g. S. 2 g.*** V. *burlão*.

burlantim [De *volantim*, com infl. de *burla*.] ***S. m. Bras. S.*** **1.** V. *funâmbulo* (1). **2.** Circo de cavalinhos.

burlão [De *burla* ou de *burlar* + *-ão*[1].] ***Adj.*** **1.** Que pratica burla; burloso. • ***S. m.*** **2.** Aquele que pratica burla; trapaceiro, trampolineiro. [Sin. ger.: *burlador, burlante, burlista*. Fem.: *burlona*.]

burlar [De *burla* + *-ar*[2].] ***V. t. d.*** **1.** Praticar burla contra; fraudar, defraudar, lesar: *O espertalhão burlava o povo descaradamente.* **2.** Lograr, enganar, ludibriar: *Falsos amigos burlaram-no em seus planos.* **3.** *Ant.* Motejar, escarnecer, zombar de.

burlaria [De *burla* + *-aria*.] ***S. f.*** V. *burla*.

burlequeador (ô) [De *burlequear* + *-dor*.] ***Adj. S. m. Bras. S.*** Que, ou aquele que burlequeia; vadio, vagabundo.

burlequear *V. int. Bras. S.* V. *vaguear*^{1} (1 e 2). [Conjug.: v. *frear*.]

burlesco (ê) [Do it. *burlesco*.] ***Adj.*** **1.** Cômico (1). **2.** Que provoca riso; cômico. **3.** Ridiculamente cômico; grotesco, caricato: “Tão enfático e pedantesco é o esdrúxulo que ainda hoje é largamente explorado nas composições cômicas e nos versos burlescos.” (João Ribeiro, *A Língua Nacional*, p. 13.) **4.** Satírico, escarnecedor, chocarreiro, zombeteiro. • ***S. m.*** **5.** Aquilo que provoca riso; cômico. **6.** O modo ou o estilo burlesco. **7.** *Teatr.* Espécie de revista teatral difundida no séc. XX nos Estados Unidos e que consiste, atualmente, quase que só em números de *strip-tease*.

burlesquear [De *burlesco* + *-ear*^{2}.] ***V. int.*** **1.** Proceder ou falar de modo burlesco; chocarrear, truanear: *Aquele doidivanas está sempre burlesqueando.* ***T. d.*** **2.** Representar burlescamente; bufonear: *O comediante burlesqueava a cena com rara vivacidade.* [Conjug.: v. *frear*.]

burleta (ê) [Do it. *burletta*.] ***S. f.*** *Teatr.* Comédia ligeira, originária do teatro italiano do séc. XVI, menos caricatural que a farsa, e geralmente musicada: “deixou [o compositor carioca Custódio de Mesquita] centenas de composições, além de burletas, revistas e operetas” (Nestor de Holanda, *Memórias do Café Nice*, p. 195). [Cf. *borleta*.]

burlista ***Adj. 2 g. S. 2 g.*** V. *burlão*.

burlona ***S. f.*** Fem. de *burlão* (q. v.).

burloso (ô) [De *burla* + *-oso*.] ***Adj.*** **1.** Que encerra burla: *contrato burloso*. **2.** V. *burlão* (1).

burmanniácea [Do tax. *Burmannia* (do antr. [*Johannes*] *Burmann* [1707-1779], médico e botânico holandês, + lat. cient. *-ia*) + *-ácea*; tax. *Burmanniaceae*.] ***S. f.*** *Bot.* Espécime das burmanniáceas, família de plantas floríferas, monocotiledôneas, da ordem das microspermas, formada de pequenas ervas saprofíticas do chão florestal, que levam flores vistosas com perianto gamofilo e seis estames, e frutos capsulares. Congrega cerca de 60 espécies nas regiões tropicais, possuindo o Brasil algumas delas.

burmanniáceo [De *burmanniácea*, com var. suf. (v. *-áceo*).] ***Adj.*** *Bot.* Pertencente ou relativo às burmanniáceas.

burneira ***Adj. (f.)*** Que tem muito viço (diz-se de uva). [Cf. *borneira*.]

burnir ***V. t. d.*** V. *brunir*.

burnu [Var. de *bornus*.] ***S. m.*** V. *albornoz*.

burnus [Do ár. *burnus*.] ***S. m.*** V. *albornoz*.

burocracia [Do fr. *bureaucratie*.] ***S. f.*** **1.** *Adm.* Forma de administração em que procedimentos padronizados são criados para definir a estrutura da organização, a hierarquia, a divisão do poder e do trabalho administrativo, as relações entre suas subdivisões e a organização para o trabalho. **2.** *P. ext.* Poder excessivo da burocracia (1), complicando ou tornando moroso o desempenho do serviço administrativo: *Os computadores têm simplificado muitos problemas de burocracia.* **3.** Grande influência ou prestígio de uma estrutura complexa de departamentos na administração da coisa pública: *A burocracia no mundo moderno vai cedendo lugar à tecnocracia.* **4.** A classe dos burocratas.

burocracial [De *burocracia* + *-al*^{1}.] ***Adj. 2 g.*** Burocrático.

burocracismo [De *burocracia* + *-ismo*.] ***S. m.*** Burocratismo.

burocrata [Do fr. *bureaucrate*.] ***S. 2 g.*** **1.** Funcionário que faz parte da burocracia, em especial aquele que segue mecanicamente as normas impostas pelo regulamento da administração. **2.** Funcionário ou empregado administrativo que, imbuído da importância do cargo que ocupa, abusa de sua posição nos contatos com o público. **3.** *Deprec.* Qualquer funcionário ou empregado administrativo que se conduz como burocrata (1 e 2). [Sobre a prosódia deste voc., v. *-crata*.]

burocrático [De *burocrata* + *-ico*^{2}.] ***Adj.*** Relativo à, ou próprio da burocracia; burocracial.

burocratismo [De *burocrata* + *-ismo*.] ***S. m.*** Influência abusiva da burocracia; burocracismo.

burocratização [De *burocratizar* + *-ção*.] ***S. f.*** Ação ou efeito de burocratizar(-se).

burocratizado [Part. de *burocratizar*.] ***Adj.*** **1.** A que se deu aspecto burocrático. **2.** Em que impera a burocracia.

burocratizar [De *burocrata* + *-izar*.] ***V. t. d.*** **1.** Dar caráter ou feição burocrática a. ***P.*** **2.** Adquirir hábitos de burocrata; tornar-se burocrata.

burquinabê ***Adj. 2 g. S. 2 g.*** Burquinense.

burquinense ***Adj. 2 g.*** **1.** De, ou pertencente ou relativo a Burquina Faso (ex-Alto Volta, África ocidental). • ***S. 2 g.*** **2.** O natural ou habitante de Burquina Faso. [Sin. ger.: *burquinabê*.]

burra ***S. f.*** **1.** A fêmea do burro (1); jumenta, asna. [Sin. (no RS): *guexa*.] **2.** V. *cofre* (1): “Vai muitas vezes à burra, que está na alcova de dormir, com o único fim de fartar os olhos nos rolos de ouro e maços de títulos.” (Machado de Assis, *Histórias sem Data*, p. 132.) **3.** Escadinha que dá acesso a uma adega. **4.** Burro (4). **5.** *Bras. BA* Nas lavras diamantinas, grande bloco rochoso. **6.** *Açor.* Armação de base quadrangular na qual se colocam os molhos de maçarocas de milho para secagem. **7.** *Moç.* V. *bicicleta* (1). ◆ **Lavar a burra.** *Bras.* V. *lavar a égua* (3).

burrada [De *burro* + *-ada*^{1}.] ***S. f.*** **1.** Ajuntamento de burros; burrama, burricada, jericada. **2.** V. *asneira* (1). [Cf. *borrada*, fem. de *borrado*, e s. f.]

burra-de-leite ***S. f.*** *Bras. Bot.* Burra-leiteira (1). [Pl.: *burras-de-leite*.]

burra de padre ***S. f.*** *Bras. Folcl.* V. *mula sem cabeça*. [Pl.: *burras de padre*.] ☑

burragem [De *burro* + *-agem*^{2}.] ***S. f.*** *Bras.* V. *asneira* (1).

burra-leiteira [De *burra* + o f. de *leiteiro*.] ***S. f.*** *Bras. Bot.* **1.** Arbusto euforbiáceo (*Sapium sceleratum*) nativo do Brasil, dotado de folhas de pecíolos purpúreos, e que exsuda látex, o qual produz fortes queimaduras; burra-de-leite. **2.** V. *leiteira* (4). [Pl.: *burras-leiteiras*.]

burrama [De *burro* + *-ama*.] ***S. f.*** *Bras.* V. *burrada* (1): “A burrama aliviada da carga, com ração de milho nos embornais, permanece em frente aos armazéns de compra de algodão e cereais” (Freitas Cavalcanti, *A Profecia das Águas*, p. 29).

burrão [De *burro* + *-ão*^{1}.] ***S. m.*** **1.** Burro (1) grande. **2.** *Fig.* Grande burro (8); asneirão, toleirão. [Fem. (nesta acepç.): *burrona*.] **3.** *Fig.* Agastamento, amuo, casmurrice; emburramento; burrice. **4.** *Bras. PA ao RS Bot.* Erva poácea (*Chloris bahiensis*) forrageira, de nós vermelho-escuros e inflorescência em espigas; capim-burrão, grama-de-jacobina, graminha-de-jacobina. • ***Adj.*** **5.** Muito burro (12): *É burrão, mas é pessoa de confiança.* [Fem. (nesta acepç.): *burrona*. Cf. *borrão*.]

burrego (ê) [De *burro* + *-ego*.] *Bras.* ***S. m.*** **1.** V. *burrico* (1). **2.** Burro fraco ou ordinário. **3.** V. *burro* (8). • ***Adj.*** **4.** V. *burro* (12). [Pl.: *burregos* (ê). Cf. *borrego* (ê), pl. *borregos* (ê); e *borrego*, do v. *borregar*.]

burreza (ê) [De *burro* + *-eza*.] ***S. f.*** V. *burrice* (1).

burrica ***S. f.*** **1.** Dim. de *burra* (1). **2.** *Bras. PE* V. *gangorra*^{1} (1).

burricada [De *burrico* + *-ada*^{1}.] ***S. f.*** **1.** V. *burrada* (1). **2.** V. *asneira* (1).

burrical [De *burrico* + *-al*^{1}.] ***Adj. 2 g.*** Referente a burro (1 e 8).

burricar [De *burrico* + *-ar*^{2}.] ***V. t. d. P.*** V. *burrificar(-se)*. [Conjug.: v. *trancar*.]

burrice [De *burro* + *-ice*.] ***S. f.*** **1.** Qualidade de burro (8); falta de inteligência: parvoíce, asnice, estupidez, burreza, burriquice. **2.** Ação própria de burro (8); burriquice [v. *asneira* (1)]: *Foi burrice casar tão cedo.* **3.** V. *burrão* (3). [Cf. *borrice*, do v. *borriçar*.]

burrico [Do lat. *burricu*, ‘cavalo pequeno’.] ***S. m.*** **1.** Burro pequeno; burrinho, burrego. **2.** *Bras.* V. *jumento* (1). **3.** *Bras. MT Zool.* V. *potó*^{2}.

burrié [De or. incerta.] ***S. m.*** *Zool.* Burgau (1).

burrificar [De *burro* + *-ificar*.] ***V. t. d. P.*** Tornar(-se) burro; burricar(-se), bestificar(-se), embrutecer(-se), estupidificar(-se). [Conjug.: v. *trancar*.]

burrinha [De *burra* + *-inha*.] ***S. f.*** *Bras. CE* **1.** Jangada de uma vela só. • ***S. m.*** **2.** *Bras. Folcl.* Figura do bumba meu boi: armação de madeira, semelhante a uma alimária, que o brincante põe em volta da cintura, de modo que parece montado nela.

burrinho [De *burro* + *-inho*.] ***S. m.*** **1.** V. *burrico* (1). **2.** Bomba para aspirar líquidos. **3.** *Bras.* Bomba do freio hidráulico (dos automóveis). **4.** *Bras. Zool.* Vaquinha (2).

burriqueiro [De *burrico* + *-eiro*.] ***Adj.*** **1.** Que aluga e/ou negocia burros e jumentos. **2.** Diz-se de condutor de burros. • ***S. m.*** **3.** Indivíduo burriqueiro; asneiro.

burriquete (ê) [De *burrico* + *-ete* (ê).] ***S. m.*** *Bras.* **1.** *Ant.* Vela triangular de ré da garoupeira. **2.** *Zool.* Exemplar jovem da piraúna (1).

burriquice [De *burrico* + *-ice*.] ***S. f.*** V. *burrice* (1 e 2).

burro [Der. regress. de *burrico* (q. v.).] ***S. m.*** **1.** V. *jumento* (1). **2.** V. *mulo*. **3.** Pontalete que mantém a posição horizontal de um carro. **4.** Triângulo ou cavalete de pau que sustém a madeira que se vai serrar; burra. **5.** Versão literal de autor clássico, para uso de estudantes de línguas antigas. **6.** Certo jogo de cartas, de regras muito simples. **7.** O perdedor nesse jogo. **8.** Indivíduo bronco, curto de inteligência; asno, burrego, estúpido, imbecil, jerico, jegue, jumento, orelhudo. **9.** *Bras.* No jogo do bicho (q. v.), o 3º grupo (14), que abrange as dezenas 09, 10, 11 e 12, e que corresponde ao número três. **10.** *Bras.* Aparelho para torcer fumo em corda. **11.** *Bras. SP* Certa prensa de mandioca. • ***Adj.*** **12.** Curto de inteligência; bronco, estúpido, imbecil, burrego, asinino: “Homem feio tem esta vantagem: mulher burra não o persegue.” (Gilberto Amado, *Depois da Política*, p. 254.) **13.** *Bras. Pop.* Grande, extraordinário. [Aplicado geralmente a coisas, nesta acepç.] ◆ **Burro da retranca.** *Marinh.* Cada uma das pequenas talhas engatadas no lais da retranca e nas alhetas do navio, uma por bordo, e destinadas a aguentá-la quando a vela estiver caçada. **Burro de carga. 1.** Animal asinino ou muar utilizado como cargueiro. **2.** *Fig.* Pessoa que recebe tarefa excessiva, que a outrem deveria caber. **Dar com os burros n’água.** *Bras.* **1.** Perder um negócio. **2.** Não se conter; perder o autodomínio. **3.** Fazer tolice, asneira. (V. *levar na cabeça*.) **Pra burro.** *Gír.* Em grande quantidade ou intensidade; muito; pra cachorro. *Tem dinheiro pra burro; Trabalha pra burro;* “uma russa idosa, baronesa, feia pra burro” (Gilberto Amado, *Depois da Política*, p. 30).

burro-burreiro ***S. m.*** *Bras. RS* Burro inteiro que serve de padreador em lotes de burras. [Pl.: *burros-burreiros*.]

burro-choro [De *burro* + *choro*, alter. de *hechor*, por erro de audição.] ***S. m.*** *Bras. RS* Hechor. [Pl.: *burros-choros* e *burros-choro*.]

burrocracia [De *burro* + *-cracia*.] ***S. f.*** *Irôn. Deprec.* Burocracia pouco esclarecida, em especial quando se consideram os seus desvios e aspectos socialmente negativos e nefastos: uso excessivo de papelada, excesso de formalidades, perda de contato com as realidades da vida, etc.

burroide (ói) [De *burro* + *-oide*.] ***S. m.*** *Bras.* Zebroide (3). ❖

burrona ***S. f.*** Fem. de *burrão* (2 e 5).

burro sem rabo ***S. m.*** *Bras. RJ Pop.* **1.** Carreta de transporte de coisas, provida de dois varais e movida por um homem. **2.** O homem que a move: “no boteco em que entrei, perto da esquina, um burro sem rabo estava tomando uma cerveja” (Lêdo Ivo, *A Morte do Brasil*, p. 63). [Pl.: *burros sem rabo*.] ☑

bursa [Do lat. *bursa*.] ***S. f.*** *Anat.* Bolsa, ou cavidade em forma de bolsa, que contém líquido viscoso, e situada em locais em que, sem a sua presença, ocorreria atrito.

bursectomia [De *bursa* (q. v.) + *-ectom-* + *-ia*^{1}.] ***S. f.*** *Ort.* Excisão de bursa.

burserácea [Do tax. *Bursera* (do antr. [*Joachim*] *Burser* [1583-1649], médico alemão) + *-ácea*; tax. *Burseraceae*.] ***S. f.*** *Bot.* Espécime das burseráceas, família da ordem das sapindales, constituída de árvores florestais dotadas de folhas compostas, frutos capsulares, flores insignificantes, e canais produtores de resinas e bálsamos olorosos utilizados na indústria. Existem cerca de 600 espécies, próprias das regiões tropicais, sendo o Brasil rico em representantes.

burseráceo [De *burserácea*, com var. suf. (v. *-áceo*).] ***Adj.*** *Bot.* Pertencente ou relativo às burseráceas.

bursícula [Do lat. med. *bursa*, ‘bolsa’, + *-i-* + *-cula*.] ***S. f.*** *Bot.* Pequena bolsa membranácea, na flor das orquídeas, existente no clinândrio e no interior da qual se encontra o retináculo.

bursicular [De *bursícula* + *-ar*^{1}.] ***Adj. 2 g.*** **1.** Relativo ou pertencente à bursícula. **2.** Semelhante a uma pequena bolsa: *cápsula bursicular*.

bursite [De *bursa* + *-ite*^{1}.] ***S. f.*** *Reum.* Processo inflamatório de bursa.

buruçanga [Var. de *buraçanga*, com assimilação.] ***S. f.*** *Bras.* Araçanga.

burué *Bras.* ***S. 2 g.*** **1.** *Etnôn.* Indivíduo dos burués, povo indígena extinto que habitava a região situada entre os rios Jutaí e Juruá (AM). • ***Adj. 2 g.*** **2.** Pertencente ou relativo a esse povo. [Tb. us como *s. 2 g. e 2 n.* (com cap.) e *adj. 2 g. e 2 n.*]

burundanga [Do esp. *burundanga*.] ***S. f.*** **1.** Palavreado confuso; algaravia. **2.** Mistura de coisas imprestáveis; mixórdia. **3.** Confusão, embrulhada, trapalhada. **4.** Cozinhado malfeito, ou sujo e repugnante. **5.** *Bras. Amaz.* Mezinhas empregadas na feitiçaria. ~ V. *burundangas*. [Var. (bras.): *bruzundanga*.]

burundangas [Pl. de *burundanga*.] ***S. f. pl.*** V. *ninharia*. ~ V. *burundanga*. [Var. (bras., S.): *burindangas*.]

burundinês ***Adj.*** **1.** De, ou pertencente ou relativo a Burundi (África central). • ***S. m.*** **2.** O natural ou habitante de Burundi. [Flex.: *burundinesa* (ê), *burundineses* (ê), *burundinesas* (ê).]

burundum ***S. m.*** *Bras.* **1.** Rumor surdo: *o burundum dos tambores.* **2.** Indivíduo que é grande entusiasta da caça.

burungunço [De uma língua banta.] ***S. m.*** *Bras. Rel.* Inquice correspondente ao Omulu dos nagôs.

bururu *Bras.* ***S. 2 g.*** **1.** *Etnôn.* Indivíduo dos bururus, povo indígena da margem esquerda do rio Amazonas. • ***Adj. 2 g.*** **2.** Pertencente ou relativo a esse povo. [Tb. us como *s. 2 g. e 2 n.* (com cap.) e *adj. 2 g. e 2 n.*]

buruso [Do esp. *burujo*.] ***S. m.*** Resíduo de frutos espremidos; bagaço, burusso.

burusso ***S. m.*** V. *buruso*.

bus ***S. m.*** **1.** *P. us.* Coisa nenhuma; nada. • ***Pron. indef.*** **2.** *P. us.* V. *nada* (1). [V. *chus*.]

busano[1] *S. m.* Mármore de terrenos cretáceos médios, muito usado em edificações.

busano[2] [De *gusano.*] *S. m. Bras. Zool.* V. *teredo* (2 e 3).

busardo [Do fr. *busard.*] *S. m. Zool.* Ave rapace diurna, falconídea, de grandes asas e longa cauda, do gênero *Circus* (como, p. ex., as espécies *Circus pygargus* e *Circus aeruginosus*) conhecida vulgarmente, no Brasil, como *gavião.*

busca [Der. regress. de *buscar.*] *S. f.* **1.** Ato ou efeito de buscar. **2.** Procura com o fim de encontrar alguma coisa; procura: *a busca do ouro; a busca de objetos arqueológicos.* **3.** Investigação cuidadosa; pesquisa, exame: *A busca de documentos originais para elaboração de um ensaio.* **4.** Procura minuciosa; revista, exame: *Preciso fazer uma busca nos armários para encontrar a joia perdida.* **5.** Movimento íntimo para alcançar um fim: *a busca da felicidade.* **6.** Pessoa ou cão que procura e levanta a caça; buscante. **7.** *Inform.* Em um conjunto de dados, execução de um comando ou rotina para localizar determinado item de informação. [Cf. *consulta* (5).] ● *Interj.* **8.** *Bras.* Exclamação com que se instiga o cachorro a perseguir a caça. ◆ **Dar busca.** Percorrer um local à procura de determinada pessoa ou objeto. **Em busca de.** À procura de.

buscado [Part. de *buscar.*] *Adj.* **1.** Que é objeto de busca ou procura; procurado: *livros muito buscados.* **2.** V. *rebuscado* (2).

buscador (ô) [De *buscar* + *-dor.*] *Adj.* *S. m.* Que, ou aquele que busca.

busca-fundo [De *buscar* + *fundo.*] *S. m. Ocean.* Aparelho que é descido ao fundo do mar para colher uma amostra de material do fundo. [Pl.: *busca-fundos.*]

buscante [De *buscar* + *-nte.*] *Adj. 2 g.* **1.** Que busca; buscador. ● *S. m.* **2.** *Ant.* O encarregado de levantar a caça; busca.

busca-pé [De *buscar* + *pé.*] *S. m. Expl.* Dispositivo pirotécnico, preso a uma pequena haste de madeira, que sai ziguezagueando rente ao chão e termina, geralmente, em um estouro; besouro, cu de breu. [Pl.: *busca-pés.* Cf. *diabinho-maluco.*]

buscar [De or. incerta.] *V. t. d.* **1.** Tratar de descobrir, de encontrar; procurar: *No escuro, em vão buscava a saída.* **2.** Tratar de trazer ou levar: *Diga a seu pai que o mande buscar no sábado.* **3.** Ir ter a, dirigir-se para (alguma parte): *Os rios buscam os oceanos;* "Onde vai [a jangada] como branca alcíone buscando o rochedo pátrio nas solidões do oceano?" (José de Alencar, *Iracema*, p. 49.) **4.** Tratar de conhecer; investigar, pesquisar, perquirir: *O filósofo buscava os fundamentos daquele conceito.* **5.** Tratar de obter, de adquirir, de conquistar: *Esforça-se, e medita, e busca a sabedoria.* **6.** Esforçar-se por; empenhar-se em: *Buscava atrair para a causa todos os amigos.* **7.** Esforçar-se por; tentar, procurar: *Buscou esquecê-la, mas em vão.* **8.** Engendrar, imaginar, idear, planear: *Sua fantasia busca mil novidades.* **9.** Recorrer a: *Vai buscar o auxílio do amigo.* *T. i.* **10.** Buscar (1): *Buscou longos anos pelo irmão desaparecido.* *P.* **11.** Recorrer a si mesmo: *Procure buscar-se: verá como é grande a sua reserva de energia.* [Conjug.: v. *trancar.*]

busca-vida [De *buscar* + *vida.*] *S. m. Marinh.* Fateixa sem patas, cujos braços terminam em ponta, usada para rocegar objetos que se perdem no fundo do mar; garateia. [Pl.: *busca-vidas.*]

➔ **busdoor** [ˈbʌsdɔɪ] [Ingl.] *S. m. Prop.* Publicidade adesiva, que se fixa na parte superior da traseira dos ônibus.

➔ **bush** [bʊʃ] [Ingl.] *S. m. Geogr.* Brousse.

busilhão *S. m.* **1.** *Pop.* Monte de roupa suja. **2.** V. *monturo* (2). **3.** Pessoa que anda suja e maltrajada.

busílis [Da frase latina (*in die*) *bus illis*, 'naqueles dias', com sílabas erroneamente separadas, poss.] *S. m. 2 n.* O ponto principal da dificuldade em resolver uma coisa; o xis da questão: *Aí é que está o busílis;* "Aqui está o busílis. Alinhar palavras é fácil; mais difícil é alinhar ideias." (João Gaspar Simões, *Crítica*, I, p. 315).

busquipani *S. 2 g.* **1.** *Etnôn.* Indivíduo dos busquipanis [ou (etnôn. bras.) *Buskipani], povo indígena da família linguística pano, que habita a região de fronteira entre o AC e o Peru. ● *Adj. 2 g.* **2.** Pertencente ou relativo a esse povo.

bussarda *S. f. Bras. RS* A parte mais larga da canoa de pesca.

bússola [Do lat. vulg. **buxula*, 'caixinha', pelo it. *bussola.*] *S. f.* **1.** Agulha magnética móvel em torno de um eixo que passa pelo seu centro de gravidade, montada, geralmente, em caixa com limbo graduado, e usada para orientação; agulha magnética, agulha. **2.** A caixa que contém essa agulha. **3.** *Astr.* Constelação austral, a O. da Ântlia, a E. da Popa, ao N. da Vela e ao S. da Hidra. [Com cap., nesta acepç.] **4.** *Fig.* Tudo que serve de guia ou norte. [Cf. *bussola*, do v. *bussolar.*] ◆ **Bússola de declinação.** A que, montada com eixo vertical, permite determinar a declinação magnética no local onde se encontra. **Bússola de inclinação.** A que tem o eixo horizontal e permite determinar a inclinação magnética.

bussolar [De *bússola* + *-ar*[2].] *V. int.* Guiar, nortear, orientar. [Pres. ind.: *bussolo, bussolas, bussola*, etc. Cf. *bússola*, s. f., e *Bússola*, astr.]

bustiê [Do fr. *bustier.*] *S. m. Vest.* Peça de roupa, íntima ou não, que cobre o busto feminino.

busto [Do lat. *bustu*, 'monumento fúnebre', pelo it. *busto.*] *S. m.* **1.** A parte superior do tronco humano, que vai da cintura ao pescoço; torso. **2.** Escultura ou pintura que representa a parte da figura humana que consta da cabeça, do pescoço e de uma parte do peito. **3.** As mamas da mulher.

bustrofédon [Do gr. *boustrophedón.*] *S. m. Graf.* Sistema de escrita em que as linhas se alternam em direções opostas. [P. ex., uma linha da direita para a esquerda, e a seguinte da esquerda para a direita, como nas inscrições gregas mais antigas.]

bustrofedónico *Adj. Graf.* V. *bustrofedônico.* [Uso freq. em P.]

bustrofedônico [De *bustrofédon* + *-ico*[2].] *Adj. Graf.* Relativo a bustrofédon.

bustuário[1] [De *busto* + *-uário.*] *S. m.* Artista que faz bustos.

bustuário[2] [Do lat. *bustuariu.*] *S. m. Ant.* Gladiador que combatia em redor das fogueiras onde se queimavam os mortos.

▲ **but-** *Quím. Pref.* Indica cadeia de quatro átomos de carbono, em grupamento ou substância: *butil, butanol.*

butadieno [De *buta(no)* + *dieno.*] *S. m. Quím.* Substância gasosa, dieno conjugado, usada na preparação de certos polímeros [fórm.: C_4H_6].

butanal [De *butano* + *-al*[2].] *S. m. Quím.* V. *aldeído butírico.*

butanês *Adj.* **1.** De, ou pertencente ou relativo ao Reino do Butão (Ásia meridional). ● *S. m.* **2.** O natural ou habitante do Butão. **3.** *Gloss.* Língua da família tibeto-birmanesa, falada no Reino do Butão; *dzonga.* [Flex.: *butanesa* (ê), *butaneses* (ê), *butanesas* (ê).]

butano [De *but(írico)* + *-ano*[2].] *S. m. Quím.* Hidrocarboneto saturado, gasoso, incolor, com leve odor, principal constituinte do gás liquefeito de petróleo, utilizado como combustível [fórm.: C_4H_{10}].

butanoico (ói) *Adj. Quím.* ~ V. *ácido* —. ❖

butanol [De *butano* + *-ol*[2].] *S. m. Quím.* Álcool butílico (q. v.). [Pl.: *butanóis.*]

butanona [De *butano* + *-ona*[2].] *S. f. Quím.* Substância líquida, cetona, us. como solvente industrial; metil-etil-cetona [fórm.: C_4H_8O].

butanonitrila [De *butano* + *nitrila.*] *S. f. Quím.* Butironitrila.

butargas [Do it. *buttagra.*] *S. f. pl.* Ovas salgadas de peixe, em conserva.

bute [Do ingl. *boot.*] *S. m.* **1.** Bota militar; coturno. **2.** *P. ext.* Bota pesada, semelhante a bute (1). **3.** *Bras.* V. *diabo* (2). **4.** *Lus. Gír.* Pé. **5.** *Lus.* V. *gude.* **6.** *Lus.* Remendo em bute ou sapato. **7.** *P. ext.* Remendo em roupa: *É alfaiate, mas não faz butes.* ◆ **A butes.** *Lus. Gír.* A pé. **Não ligar butes.** *Lus. Gír.* Não ligar a mínima importância.

buteiro [De *bute* + *-eiro.*] *S. m. Bras.* **1.** Alfaiate de consertos; remendão. **2.** *P. ext.* Aquele que faz quaisquer remendos (em roupas, etc.). [Cf. *boteiro.*]

butelo *S. m. Bras. N. C.O.* **1.** V. *galalau.* **2.** Objeto grande.

buteno *S. m. Quím.* Substância gasosa, alceno com quatro átomos de carbono, usada em petroquímica e na produção de polímeros; butileno [fórm.: C_4H_8].

butenodioico (ói) *Adj. Quím.* ~ V. *ácido* —. ❖

butenolídeo [De *butenol* + *-ideo*[2].] *S. m. Quím.* **1.** Lactona insaturada com anel de cinco átomos, dos quais quatro de carbono e um de oxigênio [fórm.: $C_4H_4O_2$]. **2.** Qualquer substância cujas moléculas se podem considerar derivadas de butenolídeo (1). [F. paral.: *butenolido.*]

butenolido *S. m. Quím.* V. *butenolídeo.*

búteo [Do tax. *Buteo.*] *S. m. Zool.* **1.** Gênero de aves falconiformes, acipitrídeas e falconídeas, dotadas de largas asas arredondadas e cauda flabeliforme, que pairam e volteiam a grande altura. **2.** Qualquer espécie desse gênero, vulgarmente conhecidas como *gavião* (q. v.). **3.** Qualquer espécime desse gênero.

butereiro [De or. incerta.] *S. m. Bras. Bot.* Trepadeira esterculiácea (*Buettneria catalpaefolia*) de flores pálidas pequenas, e frutos capsulares, com sementes vermelhas.

butiá [Do tax. *Butia* (do tupi = 'dente encurvado', poss.).] *S. m. Bot.* **1.** Palmeira arecácea (*Butia capitata*) de até 7m, nativa do Paraguai, Argentina, Uruguai e Brasil (MG a RS), de estipe us. no fabrico de papel, folhas que fornecem fibras, frutos dos quais se fazem geleia, licor e vinagre, e sementes que fornecem óleo útil. [Sin.: *butiá-açu, butiá-azedo, butiá-de-vinagre, butiazeiro, cabeçudo, coqueiro-azedo, guariroba-do-campo.*] **2.** V. *butiá-verdadeiro.* **3.** V. *jataí* (3). **4.** V. *aricuri.*

butiá-açu *S. m. Bras. Bot.* V. *butiá* (1). [Pl.: *butiás-açus.*]

butiá-azedo *S. m. Bras. Bot.* V. *butiá* (1). [Pl.: *butiás-azedos.*]

butiá-da-serra *S. m. Bras. Bot.* V. *butiá-verdadeiro.* [Pl.: *butiás-da-serra.*]

butiá-de-corvo *S. m. Bras. Bot.* V. *periquiteira* (1).

butiá-de-vinagre *S. m. Bras. Bot.* V. *butiá* (1). [Pl.: *butiás-de-vinagre.*]

butiaense *Adj. 2 g.* **1.** De, ou pertencente ou relativo a Butiá (RS). ● *S. 2 g.* **2.** O natural ou habitante de Butiá.

butiatuba (i-à) [Do tupi.] *S. f. Bras.* Butiazal.

butiá-verdadeiro *S. m. Bras. Bot.* Palmeira arecácea (*Butia eriospatha* ou *Cocos eriospatha*) nativa do Brasil, do PR ao RS, de folhas forrageiras e que fornecem fibras, frutos drupáceos, amarelos, e flores em espádice; butiá, butiá-da-serra, butiazeiro, jataí, coqueiro-jataí, iataí, macumã. [Pl.: *butiás-verdadeiros.*]

butiazal (i-à) [De *butiá* + *-zal.*] *S. m. Bras.* Quantidade mais ou menos considerável de butiás, dispostos proximamente entre si; butiatuba.

butiazeiro (i-à) [De *butiá* + *-zeiro.*] *S. m. Bras. Bot.* **1.** V. *butiá* (1). **2.** V. *butiá-verdadeiro.* **3.** V. *jataí* (3).

butico *S. m. Bras. PB Pop.* V. *ânus.*

▲ **butil-** *Quím. El. comp.* Indica a presença do grupo butila: *butilamina, butílico, butil-hidroxianisol.* [Ocorre tb. como infixo: *-butil-.*]

▲ **-butil-** *Quím.* V. *butil-.*

butila *S. f. Quím.* O grupo monovalente $-C_4H_9$.

butileno [De *butil-* + *-eno*[2].] *S. m. Quím.* Buteno.

butil-hidroxianisol (cs) [Do ingl. *butylhydroxyanisol* ou *butylhydroxianisol.*] *S. m. Quím.* Fenol derivado do anisol, mais precisamente, o 2-(t-butil)-4-metoxi-fenol, us. como antioxidante em alimentos [fórm.: $C_{11}H_{16}O_2$]. [Abrev.: *BHA.*] [Pl.: *butil-hidroxianisóis.*]

butílico [De *butil-* + *-ico*[2].] *Adj. Quím.* Diz-se de composto cuja molécula contém butila. [Cf. *butírico.*] ~ V. *álcool* — e *borracha* — *a.*

butilo *S. m. Lus. Quím.* V. *butila.*

butim [Do frâncico, pelo fr. *butin.*] *S. m.* **1.** Despojo do inimigo, de que o vencedor se apropria; saque, pilhagem. **2.** O produto de um saque, de um roubo: "Como fortuna de jogo ou do narcotráfico, como butim ou herança eventual, aquele é um tipo de dinheiro que pede para ser esbanjado." (Chico Buarque, *Benjamim*, p. 92.) **3.** Produto de caçada. **4.** *Pop.* Proveito, lucro. [Cf. *botim.*]

butinha *S. m. Bras. Bot.* V. *abutua* (1).

bútio *S. m.* **1.** Tubo que, nas minas, comunica o ar aos foles. **2.** Tubo de água, nas fábricas de papel.

butique [Do fr. *boutique.*] *S. f.* **1.** Loja pequena, onde se vendem sobretudo artigos de vestuário e bijuterias: "Já vestira a filha. ..... O filho também, na roupa melhor comprada na butique." (Moreira Campos, *Os Doze Parafusos*, p. 76.) **2.** *P. ext.* Loja.

butiráceo [De *butir(o)-* + *-áceo.*] *Adj.* Relativo à, ou que tem as propriedades da manteiga; butiroso.

butirada [De *butir(o)-* + *-ada*[1].] *S. f.* Bola ou bolo de manteiga.

butiraldeído [De *butir(o)-* + *aldeído.*] *S. m. Quím.* V. *aldeído butírico.*

butírico [De *butir(o)-* + *-ico*[2].] *Adj. Quím.* ~ V. *ácido* — e *aldeído* —. [Cf. *butílico.*]

butirila [De *butir(o)-* + *-ila*[2].] *S. f. Quím.* O grupo monovalente $-COCH_2CH_2CH_3$, acila do ácido butírico.

▲ **butir(o)-** [Do gr. *boútyron*, ou.] *El. comp.* = 'manteiga': *butirômetro.* [Em Quím., 'relativo a ácido butírico': *butiraldeído, butironitrila.*]

butirofenona [De *butir(o)-* + *-fen(o)-* + *-ona*[2].] *S. f. Quím.* Cetona aromática, conjugada, em que um grupo butirila está ligado a anel benzênico [fórm.: $C_{10}H_{12}O$].

butirometria [De *butir(o)-* + *-metria.*] *S. f.* Emprego do butirômetro; a arte de empregá-lo.

butirométrico [De *butirometria* + *-ico*[2].] *Adj.* Relativo à butirometria.

butirómetro *S. m.* V. *butirômetro.* [Uso freq. em P.]

butirômetro [De *butir(o)-* + *-metro.*] *S. m.* Instrumento com que se avalia a quantidade de manteiga existente no leite.

butironitrila [De *butir(o)-* + *nitrila.*] *S. f. Quím.* Líquido incolor, altamente tóxico, nitrila de cadeia linear com quatro átomos de carbono; butanonitrila [fórm.: C_4H_7N].

butiroso (ô) [De *butir(o)-* + *-oso.*] *Adj.* Butiráceo.

butô [Do jap., palavra composta pelos ideogramas chineses *bu*, 'dança', e *tô*, 'bater o pé', 'andar pesadamente'.] *S. m. Teatr.* Movimento (7) que combina dança e teatro performáticos, criado por dois japoneses, Tatsumi Hijikata (1927-1986) e Kazuo Ohno (1906), em meados dos anos 50. [Marcado pela experiência nuclear, o butô funda-se numa estética que proclama o 'belo-horrível' e expõe o lado obscuro e simultaneamente sublime da natureza humana.]

butomácea [Do tax. *Butomus* (v. *bútomo*) + *-ácea*; tax. *Butomaceae.*] *S. f. Bot.* Espécime das butomáceas, família da ordem das alismatales, composta de ervas aquáticas de folhas amplas e flores grandes coloridas, cujo androceu e gineceu têm número apreciável de partes, e frutos foliculares e polispermos. São relativamente poucas as espécies, algumas brasileiras.

butomáceo [De *butomácea*, com var. suf. (v. *-áceo*).] *Adj. Bot.* Pertencente ou relativo às butomáceas.

bútomo [Do tax. *Butomus* (do gr. *boútomos*, 'certa planta aquática').] *S. m. Bot.* **1.** Gênero de plantas butomáceas, ornamentais. **2.** Qualquer espécie desse gênero, como, p. ex., o *Butomus umbellatus* (v. *junco-florido*). **3.** Qualquer espécime desse gênero.

butre *S. m. Desus.* Abutre.

→ **button** ['bʌtin] [Ingl.] *S. m.* V. *bóton.*

butua *S. f. Bras. Bot.* **1.** V. *abutua* (1). **2.** V. *batata-brava* (2). **3.** V. *cipó-de-cobra* (3).

butua-catinguenta [De *butua* + o f. de *catinguento.*] *S. f. Bras. Amaz. Bot.* Arbusto menispermáceo (*Cocculus imene*) de frutos drupáceos, raiz venenosa com propriedades eméticas, e cujos frutos, seiva e sementes contêm coculina, tóxico que pode ser mortífero; imene. [Pl.: *butuas-catinguentas.*]

butuá-de-corvo *S. m. Bras. L. C.O. Bot.* Arbusto bixáceo (*Cochlospermum insigne*) ornamental, de flores fulvas ou amarelas, fruto capsular e raiz medicinal; algodão-cravo, algodão-do-campo, algodão-do-mato, algodoeiro-do-campo, pacoté, periquiteira, periquiteira-do-campo, ruibarbo-do-campo, sumaúma-do-igapó. [Pl.: *butuás-de-corvo.*]

butuca [Do tupi.] *S. f. Bras.* **1.** Espora (1). **2.** *Zool.* Mutuca (1).

butucada [De *butuca* + *-ada*[1].] *S. f. Bras.* **1.** Ferroada de butuca ou mutuca. **2.** Esporada (1).

butucar [De *butuca* + *-ar*[2].] *V. t. d. Bras.* Esporear (1). [Cf. *botocar.* Conjug.: v. *trancar.*]

butucari *Bras. S. 2 g.* **1.** *Etnôn.* Indivíduo dos butucaris, povo indígena das imediações do rio Jacuí (RS). • *Adj. 2 g.* **2.** Pertencente ou relativo a esse povo. [Tb. us como *s. 2 g. e 2 n.* (com cap.) e *adj. 2 g. e 2 n.*]

butucum [De or. indígena, poss.] *S. m. Bras. SP* Saco que se conduz a tiracolo.

butuinha (u-í) [De *butua* + *-inha.*] *S. f. Bras. Bot.* **1.** V. *abutua* (1). **2.** V. *cipó-de-cobra* (3).

buva [De or. obsc.] *S. f. Bras. L. SP Bot.* Erva asterácea (*Baccharis erigeroides*), de folhas lineares e flores dispostas em capítulos.

buvar [Do fr. *buvard.*] *S. m. Bras.* Berço (6).

buvuari [De or. tupi, poss.] *S. m. Bras. Zool.* V. *acará-bandeira.*

buxácea [Do tax. *Buxus* (do lat. *buxus*, 'buxo') + *-ácea*; tax. *Buxaceae.*] *S. f. Bot.* Espécime das buxáceas, família de plantas floríferas, composta de espécies lenhosas, com folhas inteiras, flores inconspícuas, solitárias ou agregadas em racemos, e fruto bacáceo ou drupáceo. Há quase 30 espécies dos países temperados, nenhuma delas no Brasil.

buxáceo [De *buxácea*, com var. suf. (v. *-áceo*).] *Adj. Bot.* Pertencente ou relativo às buxáceas.

buxal [De *buxo* + *-al*[1].] *S. m.* Quantidade mais ou menos considerável de buxos dispostos proximamente entre si.

buxeiro [De *buxo* + *-eiro.*] *S. m. Bot.* Arvoreta buxácea (*Buxus sempervirens*) dotada de flores pequenas e alvas, frutos capsulares, e de madeira útil para marchetaria, torno, instrumentos musicais de sopro e instrumentos de desenho. [Cf. *bucheiro.*]

buxina [Do tax. *Buxus* + *-ina*[1].] *S. f. Quím.* Alcaloide pulverulento, branco, extraído das folhas e ramos do buxo [fórm.: $C_{19}H_{21}NO_3$].

buxiqui *S. m. Bras.* V. *noctiluca*[2] (2).

buxo [Do lat. *buxu* (< gr. *pýxos*); tax. *Buxus.*] *S. m. Bot.* **1.** Gênero-tipo das buxáceas, com arbustos e arvoretas, originários da Europa e da Ásia. **2.** Qualquer espécie desse gênero, como, p. ex., *Buxus sempervirens* (v. *buxeiro*). **3.** Qualquer espécime desse gênero. [Cf. *bucho.*]

buxuari [De or. tupi, poss.] *S. m. Bras. Amaz. Zool.* V. *acará-bandeira.*

buzanfã *S. m. Bras. RJ Gír.* Nádegas, bunda.

buzarate [Do provenç. *buzara*, 'barriga'.] *Adj. S. m.* **1.** Diz-se de, ou homem corpulento, barrigudo. [Cf. *bazulaque* (3).] **2.** *Ant. Pop.* Fátuo, fanfarrão, gabarola.

buzegar *V. int.* Ventar com salpicos de chuva: *Estava buzegando quando acordei.* [Conjug.: v. *regar.* Defect., impess.]

buzeno *S. m.* Antiga medida portuguesa, equivalente a quatro alqueires.

buzina [Do lat. *bucina*, por *buccina.*] *S. f.* **1.** Designação comum a diversos tipos de trombeta de corno ou metal retorcido que produzem um único som, forte; corno, trompa. **2.** Grande búzio, de que se tira um som semelhante ao dessas trombetas. **3.** Corneta de caça; trompa de caça; corno. **4.** Porta-voz metálico, em forma de corneta, usado a bordo para se falar à distância. **5.** Corneta metálica provida de uma esfera de borracha que se comprime com a mão para dar saída ao ar, produzindo forte ruído. [Era usada como meio de advertência nos primitivos automóveis, e ainda hoje se usa em bicicletas e outros veículos não acionados a motor.] **6.** *P. ext.* Aparelho elétrico sonoro, munido de placa vibratória, de que são dotados os automóveis e veículos congêneres para dar sinais de advertência. **7.** Qualquer aparelho sonoro que produz som estridente. **8.** *Pop.* Ursa Menor [v. *Ursa* (2)]. [Com cap., nesta acepç.] **9.** *Bras. Constr. Nav.* Conduto de ferro, fixo no convés, por onde passa a amarra dos navios. **10.** *Bras. RS* Orifício no centro da roda de carro, onde se embebe o eixo. **11.** *Bras. ES Bot.* A flor da bananeira, quando ainda em botão, antes de se lhe verem os dedos [v. *dedo* (6)]. **12.** *Bras. N.* Zoada, gritaria. • *S. 2 g.* **13.** *Bras. RS* Pessoa raivosa, irascível, irritadiça. **14.** *Bras.* Pessoa atrevida, petulante, insolente. **15.** *Bras.* Valentão, fanfarrão, gabarola. • *Adj. 2 g.* **16.** *Bras. RS* Raivoso, irascível, irritadiço, zangadiço. **17.** *Bras.* Atrevido, petulante, insolente. **18.** *Bras.* Valentão, fanfarrão, gabarola. ◆ **Ficar buzina.** *Bras. RS* Irritar-se, irar-se, abespinhar-se, encolerizar-se.

buzinação [De *buzinar* + *-ção.*] *S. f.* Ato ou efeito de buzinar.

buzinaço [De *buzina* + *-aço*, por infl. do esp. *cacerolazo.*] *S. m.* Ruído de diversas buzinas postas a soar ao mesmo tempo.

buzinada [De *buzina* + *-ada*[1].] *S. f.* Toque de buzina; buzinadela.

buzinadela [De *buzinada* + *-ela.*] *S. f.* Buzinada curta.

buzinar [De *buzina* + *-ar*[2].] *V. int.* **1.** Tocar ou fazer soar a buzina: "Os automóveis buzinavam pedindo caminho." (Ciro Martins, *Paz nos Campos*, p. 15.) **2.** Soprar com força, emitindo sons como o da buzina: *O menino buzinava, imitando o vento.* **3.** Mostrar-se colérico; zangar-se, irritar-se; enfurecer-se, encolerizar-se: *Ao ouvir o desaforo, saiu buzinando.* [Nesta acepç., é us., em geral, no gerúndio, precedido de verbo em modo finito.] *T. d.* **4.** Fazer soar a buzina de: *buzinar os cornos.* **5.** *Bras.* Alardear, apregoar, trombetear: "Por mais que tente impedir, iremos todos buzinar .... as qualidades humanas de Dona Helena." (Carlos Drummond de Andrade, em *Jornal do Brasil*, 23.03.1972.) *T. d. e i.* **6.** Dizer com insistência: repetir muitas vezes; reiterar: *Inutilmente a professora buzinava aos ouvidos a lição do dia.* **7.** Gritar, berrar: *O comandante buzinava as suas ordens aos soldados.* *T. i.* **8.** Dizer com insistência ou impertinência; repetir muitas vezes: *Para que aprendesse, era preciso buzinar aos seus ouvidos.* [F. paral.: *abuzinar.*]

buzinote [De *buzina* + *-ote*[1].] *S. m.* Pequeno cano ou calha que dá saída à água que cai ou é lançada em balcão ou terraço, vertendo-a no solo, para evitar a umidade na parede.

buzinudo [De *buzina* + *-udo.*] *Adj. Bras. RS* **1.** Que tem grandes buzinas [v. *buzina* (10)](diz-se de roda). **2.** Que rechina muito (diz-se de carreta por se acharem folgadas as suas buzinas).

búzio [Do lat. *buccinu.*] *S. m.* **1.** Designação comum às conchas de moluscos gastrópodes, como, p. ex., a da espécie *Cassis tuberos*, distribuída desde a América do Norte até SP, e que é us. pelos pescadores e jangadeiros para o sopro com que anunciam sua chegada ao porto, ou transmitem notícias no mar. É uma concha piramidal, com linhas longitudinais e transversais, e três fiadas de nódulos na parte superior da espiral do corpo. Comprimento: até 18cm. A concha é usada para camafeus artísticos. [Var.: *buzo*; sin.: *atapu, guatapi, itapu, uatapu, vapuaçu, vatapu.*] **2.** *Lus. Zool.* Designação comum a duas espécies dos muricídeos: *Murex brandaris*, de coloração amarelo-clara, com o bordo do labro e o interior da abertura alaranjados, e *M. trunculus*, de cor castanho-avermelhada, atravessado por faixas castanhas escuras visíveis no interior da abertura. Servem ambos de alimento. **3.** *Zool.* Designação comum aos tritonídeos, especialmente ao *Triton nodiferus*, de coloração branca, com grandes manchas acastanhadas. Concha vultosa, sólida, oval alongada, provida de nódulos. Vive bem em aquários, e é utilizado como alimento. **4.** Buzina, corneta, trombeta. **5.** *Pop.* Mergulhador que debaixo da água apanha conchas, pérolas, peixes, ou executa qualquer trabalho. **6.** *Bras. Pop.* Concha do mar, outrora usado, como moeda na África ocidental, durante a escravidão. ~ V. *búzios.*

búzios *S. m. pl. Gír.* Os ouvidos. ~ V. *búzio.*

buzo [De or. afr, poss.] *S. m.* **1.** *Bras.* Jogo popular com rodelas de casca de laranja, grãos de milho, etc. **2.** *Bras. RS Mús.* V. *violão* (1). **3.** *Bras. N.E.* V. *búzio* (1).

buzo-fêmea *S. m. Bras. BA Zool.* Molusco gastrópode, cipreídeo (*Pustularia spurca*), da costa brasileira, us. em práticas de macumba. [Sin.: *cauri.* Pl.: *buzos-fêmeas.*]

buzo-macho *S. m. Bras. BA Zool.* Molusco gastrópode, cipreídeo (*Pustularia cinerea*), da costa brasileira, us. em práticas de macumba. [Sin.: *cauri.* Pl.: *buzos-machos.*]

buzugo *S. m. Bras.* Coisa malfeita, mal-acabada.

■ **BVRJ** Sigla de *Bolsa de Valores do Rio de Janeiro.*

→ **bye-bye** [baj'baj] [Ingl.] *Interj.* Adeus.

→ **by-pass** ['bajpæs] [Ingl.] *S. m.* **1.** Desvio, circuito, contorno. **2.** *Cir.* V. *derivação* (3).

byroniano (bai) *Adj.* **1.** Relativo ou pertencente a Lord Byron (1788-1824), poeta inglês, ou próprio dele. **2.** Que é seu admirador e/ou conhecedor de sua obra. • *S. m.* **3.** Admirador e/ou profundo conhecedor da obra de Byron. [Sin. ger.: *byrônico.*]

byrônico *Adj. S. m.* V. *byrônico.* [Uso freq. em P.]

byrônico *Adj. S. m.* V. *byroniano.*

→ **byte** [bajt] [Ingl., do ingl. *b(inar)y te(rm)*, 'termo binário'.] *S. m. Inform.* **1.** Sequência constituída de um número fixo de *bits* adjacentes, considerada como a unidade básica de informação, e cujo comprimento geralmente é constituído de 8 *bits*; octeto. **2.** Unidade de quantidade de informações, us. (ger. na forma de seus múltiplos, *kilobyte, megabyte* e *gigabyte*) na especificação da capacidade de memória de computadores, tamanho de arquivos, etc. [Abrev.: *B.*]

bytownita (baitau) [Do top. *Bytown* (atual Ottawa [Canadá]) + *-ita*[2].] *S. f. Min.* Mineral triclínico do grupo dos feldspatos (plagioclásio), mistura isomorfa de albita e anortita, variando esta entre 70 e 90%.

b-zero *S. m. 2 n. Fís. Part.* Méson de massa 5279,0MeV/c², *isospin* 1/2, *spin* nulo, paridade negativa, carga elétrica nula, beleza +1, composto de um *quark d* e um *antiquark b* [símb.: B^0]. [Seu *isospin* e *spin*, previstos pelo modelo de *quarks*, necessitam de confirmação experimental.]

Minúscula Moderna | Maiúscula Moderna | Minúscula Carolíngia | Romano | Romano | Etrusco | Grego | Grego | Fenício

A curiosidade e a vocação aproximaram Aurélio do universo das palavras. Nem o ambiente familiar, cercado de dificuldades, nem o escolar

o orientaram para o estudo da língua portuguesa. Começou a lecionar com 15 anos.

c (cê) *S. m.* 1. A 3ª letra do nosso alfabeto. [Representa a consoante oclusiva velar surda (soa como /k/; p. ex.: *casa, corda, curva, aclamar, criado, pacto, infeccionar*), com as seguintes exceções: a) soa como /s/ (consoante fricativa alveolar surda), quando seguido de *e* ou *i* (*céu, cipó*) ou quando cedilhado (*ç*), antes de *a, o* e *u* (*ação, aço, açúcar*); b) quando seguido de *h*, formando o grupo *ch*, que representa a consoante fricativa palatal surda (*chão, cheiro*).] 2. A figura dessa letra, ou qualquer representação sua: *Pintaram um c na porta da casa.* 3. O som representado por essa letra. 4. Conceito (6), ger. correspondente a nota ou grau mediano. [Nesta acepç., ger. com cap.] 5. *Inform.* Linguagem de programação estruturada (q. v.), muito us. na geração de *software* para microcomputadores, que combina estruturas de controle e de dados de uma linguagem de alto nível (q. v.) com a capacidade de acessar o *hardware* em nível próximo ao da linguagem *assembly*, sem, no entanto, a restrição de ser específica para cada plataforma. [Com cap., nesta acepç.] ● *Num.* 6. Terceiro (1), numa série ordenada ou hierárquica, cujos elementos são designados ou representados pelas letras do alfabeto: *Mora no bloco C do condomínio; Um programa que tem muita audiência entre a classe C.* [Tb. us. adjetivamente, para denotar classificação e significando 'de terceira categoria', 'de baixa qualidade', 'de valor ou importância bastante inferior'.] [Pl. (nas acepçs. 1 a 4) indicado graficamente pela duplicação da letra: *cc.*]

■ **c** 1. Abrev. de *cerca*[2] (2), ou *cerca de.* 2. Abrev. de *com.* [Ger. grafado com barra (9).] 3. Abrev. de *centi-*[2] (q. v.). 4. Abrev. de *correto.* 5. *Fís.* Símb. de *velocidade da luz no vácuo.* 6. *Fís. Part.* Símb. de *charme* (2). 7. *Mat.* Representa, numa expressão, uma quantidade conhecida. [V. ■ *a* (7).] 8. *Mús.* Sinal que indica compasso quaternário.

■ **C** 1. Na numeração romana, símb. do número 100. 2. No sistema hexadecimal de numeração, o décimo terceiro algarismo, equivalente ao número decimal 12. 3. Abrev. de *copirraite.* [Ger. representado no interior de um círculo, formando o símb.©.] 4. *Fís.* Símb. de *Celsius*, indicando a escala termométrica de uma medida de temperatura (v. *escala Celsius*). 5. *Fís.* Símb. de *coulomb.* 6. *Mat.* Símb. do conjunto de números complexos [v. *número complexo* (2)]. 7. *Mús.* Sinal com que se representa a nota dó (v. *dó*[2]), ou a escala de que o dó é a tônica, ou o acorde em que essa é a nota fundamental. [Deriva da notação musical alfabética, ainda us. nos países germânicos e anglo-saxões.] 8. *Mús.* Quando cortado [¢], us. como indicação de compasso binário. 9. *Quím.* Símb. de *carbono.*

■ **°C** *Fís.* Símb. de *grau Celsius.*

■ **C++** *Inform.* Linguagem de programação de alto nível, orientada a objetos [cf. *orientação a objetos*] derivada da linguagem C [v. c (5)].

■ **^{13}C**[1] *Quím.* Abrev. de *carbono 13* (q. v.).

■ **^{14}C**[2] *Quím.* Abrev. de *carbono 14* (q. v.).

▲**-c-** Consoante de ligação: *potocar*[1].

ca *Conj. Arc.* Que, porque, pois. [Cf. *cá.*]

c.a *Edit.* Abrev. de *caixa-alta.* [Tb. é us. a f. *C. a.*]

c.a. [Abrev. de *curso de alfabetização.*] *S. m. Bras. RJ* O último ano da pré-escola (q. v.), no qual se dão a alfabetização e as primeiras noções de matemática.

■ **Ca** *Quím.* Símb. de *cálcio.*

■ **CA** *Eletr.* Sigla de *corrente alternada.* [V. ■ *AC*[2].]

▲**ca-** V. *caa-* (aà).

cá[1] [Alter. do lat. vulg. *eccum hac*, 'eis aqui'.] *Adv.* 1. Lugar próximo ou junto ao em que se está; neste ou para este lugar; aqui: *Mandou-o vir cá*; "Vinde cá, meu tão certo secretário / dos queixumes que sempre ando fazendo" (Luís de Camões, *Rimas*, p. 241). 2. Neste país; nesta terra: "Minha terra tem primores, / Que tais não encontro eu cá" (Gonçalves Dias, *Obras Poéticas*, I, p. 21). 3. No interior de; dentro: *O que eu cá pensei, não o transmiti.* 4. Esta época, este tempo; agora: "Desde então para cá fiquei sombrio!" (Augusto dos Anjos, *Eu*, p. 105.) 5. Partícula de realce ou reforço que, posposta ao pron. oblíquo referente à 1ª pess., imprime ideia de afirmação; aqui: "Minha amiga, cá vou no meu sossego. / Tu tens um belo emprego! / Tu sustentas-te a fava, e eu a troços! Tu lá serves el-rei, e eu um moleiro!" (João de Deus, *Campos de Flores*, I, p. 372.); *Repete-me cá o que disseste.* [Com os pron. oblíquos referentes à 2ª e à 3ª pess., aplicam-se os advérbios *lá* e *acolá*: *Tu lá entendes disso?*; *Eles acolá decidiram tudo na surdina.*] [Cf.: *ca, Ca* (símb. de *cálcio*) e *CA* (abrev. de *corrente alternada*).] ◆ **De cá para lá.** De um lado para o outro.

cá[2] *S. m.* 1. A letra *k.* 2. Capa[2]. [Cf.: *ca, Ca* (símb. de *cálcio*) e *CA* (abrev. de *corrente alternada*).]

cã[1] [V. *cãs.*] *S. f.* Cabelo branco. [M. us. no pl.] ~ V. *cãs.*

cã[2] [Do turco *hān*, ou *khan*, 'senhor, chefe, sultão', pelo mongol, pelo persa e pelo ár. (poss., de conotação deprec., em ár., dado o rigor do jugo mongol).] *S. m.* 1. Título de alguns chefes ou soberanos orientais. 2. Título do imperador da China, na Idade Média. [Sin. ger., ant. e lus.: *cão.*]

▲**caa-** (aà) [Do tupi.] *El. comp.* = 'erva', 'planta', 'mato': *caatinga.* [Equiv.: *ca-, caá-, -caá*: *cacundê*; *caá-açu*; *picacaá.*]

caá [Do tupi.] *Bras. S. f.* 1. *Bot.* V. *mate*[2] (1). 2. Chá ou infusão de erva-mate (2). ● *S. m.* 3. *Etnogr.* Capa do prepúcio ou estojo peniano, feita de certas folhas, usada pelos índios parintintins.

▲**caá-** V. *caa-* (aà).

▲**-caá** V. *caa-* (aà).

caã *Bras. S. 2 g.* 1. *Etnôn.* Indivíduo dos caãs, povo indígena da região dos rios Igatimi, Escopil e Miamaia. ● *Adj. 2 g.* 2. Pertencente ou relativo a esse povo. [Tb. us como *s. 2 g. e 2 n.* (com cap.) e *adj. 2 g. e 2 n.*]

caá-açu [De *caá-* + *-açu.*] *S. m. Bras. Bot.* V. *caaguaçu.* [Pl.: *caá-açus*]

caaba [Do ár. *ka'ba(t)*, 'habitação quadrada ou em forma de cubo'.] *S. f. Rel.* 1. Edificação em pedra, de formato aproximadamente cúbico, localizada em Meca (Arábia Saudita), venerada como o mais sagrado santuário do Islã, e que é o centro da peregrinação religiosa dos muçulmanos. 2. A pedra sagrada que se encontra nesse templo.

caabopoxi [Do tupi = 'folha de mato', + o tupi = 'feio'.] *S. f. Bras. SP MT Bot.* Trepadeira convolvulácea (*Ipomoea malvaeoides*) de folhas partidas e flores roxas.

caacambuí [De *caa-* + o tupi = 'leite', + *-í.*] *S. m. Bras. Bot.* 1. Erva euforbiácea (*Euphorbia serpens*) de caule filiforme e frutos capsulares; erva-de-cobra. 2. V. *erva-de-santa-luzia* (3 e 4).

caachica (caà) [De or. tupi.] *S. f. Bras. Bot.* V. *anileira-verdadeira.*

caacica [Do tupi.] *S. f. Bras. Bot.* 1. V. *erva-de-santa-luzia* (4). 2. V. *erva-de-santa-maria.*

caacó [De or. tupi.] *S. f. Bras. Bot.* V. *dormideira* (2).

caaçu [Do tupi.] *S. m. Bras. Bot.* V. *caaguaçu.*

caá-diapá *Bras. S. 2 g.* 1. *Etnôn.* Indivíduo dos caas-diapás [ou (etnôn. bras.) *Kaha-dyapá], povo indígena que habitava a margem esquerda do rio Juruá (AM), na divisa com AC. ● *Adj. 2 g.* 2. Pertencente ou relativo a esse povo. [Pl.: *caás-diapás.*]

caaeé [Do tupi.] *S. m. Bras. MG SP MT Bot.* Subarbusto asteráceo (*Stevia collina*) de flores dispostas em capítulos, e que contém glicirrizina e é tido como edulcorante.

caaetê [De *caa-* + o tupi = 'verdadeiro'.] *S. m. Bras.* 1. *Fitogeogr.* Na mata amazônica, região que só se inunda quando das grandes enchentes. 2. *Bot.* V. *erva-mate.* [Cf. *caetê, caeté* e *caité.*]

caagambá [De *caa-* + *gambá*, poss.] *S. m. Bras. Bot.* V. *manacá* (2).

caaguá *Bras. S. 2 g.* 1. *Etnôn.* Indivíduo dos caaguás, povo indígena extinto que habitava o L. do RS. ● *Adj. 2 g.* 2. Pertencente ou relativo a esse povo. [Tb. us. como *s. 2 g. e 2 n.* (com cap.) e *adj. 2 g. e 2 n.*]

caaguaçu (caà) [De *caá-* + *-guaçu.*] *S. m. Bras. MG SP PR GO* Planta eriocaulácea (*Eriocaulon sellowianum*) ornamental, cultivada, com folhas lanceoladas e flores brancacentas em capítulos globosos; caá-açu, caaçu.

caaguiguio [Do tupi.] *S. m. Bras. Bot.* V. *anhangapari.*

caaigapó (a-i) [De *caa-* + o tupi = 'lago'.] *S. m. Bras. Amaz.* **1.** Trecho inundável da floresta. **2.** Mata inundada permanentemente.
caaingá (a-in) [De *caa-* + *ingá*.] *S. m. Bras. SP PR Bot.* Árvore fabácea (*Zygia sanguinea*) de flores roxas ou róseas, e madeira útil para construção civil e carroçaria.
caajacara [De or. tupi.] *S. f. Bras. Bot.* V. *tamearama*.
caajuçara [De *caa-* + o tupi = 'comichão'.] *S. f. Bras. Amaz. Bot.* Arbusto rubiáceo (*Duroia saccifera*) dotado de flores em cimeiras e bagas grandes; folha-de-comichão.
caamanha [Do tupi.] *S. f. Bras. Folcl.* Ente fantástico habitante da mata, e que se admite ser o próprio curupira (q. v.).
caamembeca [Do tupi = 'folha mole'.] *S. f. Bras. PA Bot.* Arbusto poligaláceo (*Polygala spectabilis*) de folhas ovais ou oblongas e flores grandes.
caami [Do tupi = 'planta pequena (o mate)'.] *S. m. Bras. Bot.* **1.** Arbusto aquifoliáceo (*Ilex nigro-punctata*) de folhas com glândulas negras. **2.** Arbusto aquifoliáceo (*Ilex amara*) de folhas lanceoladas, com pelos rígidos; caaxi, erva-mate-amarga-de-mato-grosso, mate-bastardo, mate-espúrio.
caaobi [De *caa-* + o tupi = 'verde'; 'azul'.] *S. m.* **1.** *Bras. Amaz.* A mata virgem. **2.** *Bras. Bot.* V. *anileira-verdadeira*.
caapeba [De *caa-* + *-peba*.] *S. f. Bras. Bot.* V. *abutua* (1).
caapená [De or. tupi.] *S. f. Bras. Bot.* V. *capeba-do-norte*.
caapi [Do tupi.] *S. m. Bras. Bot.* Cipó malpighiáceo (*Banisteriopsis caapi*), de ramos longos, com folhas opostas e oblongas, das quais se extrai um alcaloide, a harmina, e flores róseas e racemosas. Cultivado por vários povos indígenas da Amazônia, é tido como estupefaciente e empregado em atividades de fundo religioso, como, por exemplo, na cerimônia do santo-daime.
caapiá [Do tupi.] *S. m. Bras. Bot.* Designação comum a várias espécies moráceas do gênero *Dorstenia*: ervas tenras, leitosas, providas de uma espécie de rizoma e de flores insignificantes, que se inserem num amplo receptáculo discoide. [Var.: *caiapiá, capiá*. Cf. *carapiá*.]
caapiá-açu [De *caapiá* + *-açu*.] *S. m. Bras. Bot.* **1.** Erva morácea (*Dorstenia multiformis*) encontrada no interior da floresta atlântica, de tamanho avantajado, e cujas folhas, grandes, sagitadas e membranáceas, têm pecíolo muito longo; caapiá-do-grande, caapiá-preto. **2.** V. *caapiá-verdadeiro*. [Pl.: *caapiás-açus*.]
caapiá-do-grande *S. m. Bras. Bot.* V. *caapiá-açu* (1). [Pl.: *caapiás-do-grande*.]
caapiá-mirim *S. m. Bras. Bot.* Erva morácea (*Dorstenia tubicina* var. *opifera*) comum no interior das florestas, de tamanho muito reduzido, folhas elípticas, e cujo rizoma, dessecado e moído, é perfumado e serve para aromatizar tabaco. [Pl.: *caapiás-mirins*.]
caapiá-preto *S. m. Bras. Bot.* V. *caapiá-açu* (1). [Pl.: *caapiás-pretos*.]
caapiá-verdadeiro *S. m. Bras. Bot.* Erva morácea (*Dorstenia brasiliensis*) de folhas cordiformes e oblongas, ou palmatilobadas, grandes receptáculos em pedúnculos muito maiores que os pecíolos, e rizoma aromático, com inúmeras propriedades medicinais; caapiá-açu, carapeto, chupa-chupa, contra-erva, tarope, tejuaçu, tiú. [Pl.: *caapiás-verdadeiros*.]
caapina *Bras. S. 2 g.* **1.** *Etnôn.* Indivíduo dos caapinas, povo indígena extinto que habitava próximo do rio Caicuru, afluente do Amazonas (PA). ● *Adj. 2 g.* **2.** Pertencente ou relativo a esse povo. [Tb. us. como *s. 2 g. e 2 n.* (com cap.) e *adj. 2 g. e 2 n.*]
caapiranguense *Adj. 2 g.* **1.** De, ou pertencente ou relativo a Caapiranga (AM). ● *S. 2 g.* **2.** O natural ou habitante de Caapiranga.
caapitiú [Do tupi = 'erva fedorenta'.] *S. m. Bras. Bot.* Arvoreta monimiácea (*Siparuna guianensis*) rofa e tomentosa, de folhas amplas, oblongas, acuminadas e pubérulas, flores mínimas, apétalas, unissexuais, e pequenos frutos drupáceos. Exala odor que lembra o do limão.
caapitiú-fedorento *S. m. Bras. Bot.* Arvoreta monimiácea (*Siparuna foetida*) muito semelhante ao caapitiú. [Pl.: *caapitiús-fedorentos*.]
caapomonga [De *caá-* + o tupi = 'visgo'.] *S. f. Bras. Bot.* Trepadeira ou arbusto plumbagináceo (*Plumbago scandens*) semiescandente, ornamental, de folhas ovadas, membranáceas, flores alvas ou azuis, com cálice glanduloso, corola afunilada, e fruto capsular dotado de cinco sulcos. [Sin.: *erva-de-louco, louco, queimadeira*.]
caaponga [Do tupi.] *S. f. Bras. Bot.* V. *beldroega-pequena*.
caapor (ó) [De or. tupi.] *S. 2 g. Adj. 2 g. Bras.* V. *urubu-caapor*.
caapora [Do tupi = 'habitante do mato'.] *S. 2 g.* **1.** *Bras. Amaz.* Entre os índios, o homem do mato, roceiro. V. *caipira* (1). **2.** *Bras.* Caipora (1).
caaporãense *Adj. 2 g.* **1.** De, ou pertencente ou relativo a Caaporã (PB). ● *S. 2 g.* **2.** O natural ou habitante de Caaporã.
caapuã [Do tupi = 'mato redondo'.] *S. m. Bras. Bot.* **1.** Árvore simplocácea (*Symplocos celastrinea*) de flores alvas e frutos drupáceos. **2.** V. *capão*[2].
caapuera-branca *S. f. Bras. Bot.* V. *braço-de-preguiça*. [Pl.: *caapueras-brancas*.]
caarapoense (pòên) *Adj. 2 g.* **1.** De, ou pertencente ou relativo a Caarapó (MS). ● *S. 2 g.* **2.** O natural ou habitante de Caarapó.
caarina *S. f. Bras.* Designação indígena da raiz da mandioca.
caaró *Bras. S. 2 g.* **1.** *Etnôn.* Indivíduo dos caarós, povo indígena extinto que habitava o O. do RS. ● *Adj. 2 g.* **2.** Pertencente ou relativo a esse povo. [Tb. us como *s. 2 g. e 2 n.* (com cap.) e *adj. 2 g. e 2 n.*]
caataia [Do tupi = 'planta que arde'.] *S. f. Bras. Bot.* **1.** V. *douradinha* (5). **2.** V. *beldroega-pequena*. **3.** V. *casca-de-anta* (1). **4.** V. *capitiçoba*. [Var.: *cataia, acataia*.]
caatibense *Adj. 2 g.* **1.** De, ou pertencente ou relativo a Caatiba (BA). ● *S. 2 g.* **2.** O natural ou habitante de Caatiba.
caatiguá [Do tupi.] *S. m. Bras. Bot.* Planta meliácea (*Trichilia caatigua*) que ocorre na caatinga e formações adjacentes, de folhas penadas, com folíolos oblongos e de ápice agudo, pequeninas flores dispostas em panículas, e fruto capsular.
caatinga [De *caa-* + *-tinga*.] *S. f.* **1.** *Bras.* Tipo de vegetação característico do N.E. brasileiro, mas que alcança o N. de MG e o MA, formado por pequenas árvores, comumente espinhosas, que perdem as folhas no curso da longa estação seca [entre elas ocorrem numerosas plantas suculentas, sobretudo cactáceas]: 🕮 "Andou como renegado no mato, furando as caatingas, farejando grotas" (José Lins do Rego, *Usina*, p. 21). **2.** *Bras.* Zona cuja vegetação é de caatinga. **3.** *Bras. Amaz.* Formação vegetal rarefeita, constituída por árvores de porte reduzido. **4.** *Bras. Bot.* V. *cana-de-macaco* (2). **5.** *Bras. Bot.* Arvoreta bignoniácea (*Tabebuia pedicellata*) cujas folhas têm cinco folíolos digitados, oblongos, acuminados, com pelos e escamas nas duas faces; as flores vistosas, amarelas, de 3,5 a 5cm, e congregadas em umbelas multifloras, e os frutos são cápsulas delgadas, de sementes aladas. [Var.: *catinga*. Cf. *catinga*.] ◆ **Caatinga brejada.** *Bras. PB* O trecho mais úmido e fértil da caatinga (2), onde é praticável a agricultura. **Caatinga do igapó.** *Bras. Amaz.* Terreno alagadiço com vegetação escassa. **Caatinga do rio Negro.** *Bras.* Tipo de vegetação própria de certas áreas da floresta amazônica, caracterizado por pequenas árvores perenifólias que possuem folhas rígidas. Vivem sobre areia rica em água.
caaueti [Do tupi.] *S. f. Bras. Bot.* V. *açoita-cavalo* (2).
caavurana [Do tupi.] *S. f. Bras. N.E. L. Bot.* Arbusto solanáceo (*Solanum caavurana*) de flores alvas e bagas violáceas ou avermelhadas, do qual se extrai anil.
caavurana-de-cunhã *S. f. Bras. Bot.* V. *anil-trepador*. [Pl.: *caavuranas-de-cunhã*.]
caaxarama [Do tupi.] *S. f. Bras. Amaz. Bot.* Palmeira arecácea (*Bactris chloracantha*) provida de frutos violáceos, e de cujo lenho se fazem bengalas. [Var.: *caxarama* e *caxirama*.]
caaxi [Do tupi.] *S. f. Bras. Bot.* V. *caami* (2).
caaxió [Do tupi.] *S. f. Bras. PA Bot.* Árvore laurácea (*Cryptocarya guianensis*) de flores pequenas e frutos excitantes e carminativos, e cuja madeira é útil para carpintaria e marcenaria.
caaxira [Do tupi.] *S. f. Bras. Bot.* Planta rubiácea (*Oldenlandia corymbosa*) guianense, de flores alvas e frutos capsulares, de propriedades febrífugas e vermífugas, e de cuja raiz se extrai matéria corante.
caaxixá [Do tupi, poss.] *S. m. Bras. Bot.* V. *erva-moura*.
caba [Do tupi.] *S. f. Bras. Amaz. Zool.* Designação dada aos insetos himenópteros, vespídeos [v. *marimbondo* (1)]: 🕮 "A igreja fora bem varrida, haviam-se queimado muitos ninhos de caba e espanado os altares" (Inglês de Sousa, *O Missionário*, p. 102).
cabaça[1] [De or. pré-romana, poss.] *S. f.* **1.** *Bot.* V. *cuieira* (1). **2.** *Bot.* V. *cabaceiro-amargoso*. **3.** *Bot.* V. *porongo*[1] (1 e 2): 🕮 "Uma cabaça foi posta contra os seus lábios, e bebeu dela, avidamente." (Eça de Queirós, *Últimas Páginas*, p. 317.) **4.** V. *cabaço*[1]. **5.** *Bras. BA Mús.* Cabaço[1] coberto de um rendilhado de lágrimas-de-nossa-senhora, us. como instrumento musical nos candomblés; agê, aguê, piano de cuia. [F. paral.: *cabaço*.]
cabaça[2] [Do quimb. *kabasa*.] *S. m. Bras.* **1.** Criança gêmea que nasce em segundo lugar. [Cf. *babaça*.] **2.** Palerma, idiota. V. *tolo* (8).
cabaça-amargosa [De *cabaça*[1] + o f. de *amargoso*.] *S. f. Bras. Bot.* V. *cabaceiro-amargoso*. [Pl.: *cabaças-amargosas*.]
caba-caçadeira *S. f. Bras. Zool.* V. *marimbondo-caçador*. [Tb. se diz apenas *caçadeira*. Pl.: *cabas-caçadeiras*.]
cabaçada [De *cabaça*[1] + *-ada*[1].] *S. f.* Porção que uma cabaça[1] (3) ou um cabaço[1] (2) pode conter.
cabaça-de-trombeta [De *cabeça*[1] + *de* + *trombeta*.] *S. f. Bras. Bot.* V. *cabaceiro-amargoso*. [Pl.: *cabaças-de-trombeta*.]
cabaçal [De *cabaça*[1] + *-al*[1].] *Bras. N.E. Mús. S. m.* **1.** V. *terno de zabumba*. ● *Adj. 2 g.* **2.** ~ V. *banda* —.
cabaça-purunga [De *cabaça*[1] + *purunga*.] *S. f. Bras. Bot.* V. *cabaceiro-amargoso*. [Pl.: *cabaças-purungas*.]
caba-cega [De *caba* + o f. de *cego*.] *S. f. Bras. Amaz. Zool.* V. *marimbondo-chapéu*. [Pl.: *cabas-cegas*.]
cabaceira [De *cabaça*[1] + *-eira*.] *S. f. Bras. Bot.* V. *cuieira* (1).
cabaceirense[1] *Adj. 2 g.* **1.** De, ou pertencente ou relativo a Cabaceiras (PB). ● *S. 2 g.* **2.** O natural ou habitante de Cabaceiras.
cabaceirense[2] *Adj. 2 g.* **1.** De, ou pertencente ou relativo a Cabaceiras do Paraguaçu (BA). ● *S. 2 g.* **2.** O natural ou habitante de Cabaceiras do Paraguaçu.
cabaceiro [De *cabaça*[1] + *-eiro*.] *S. m.* **1.** *Bras. Bot.* Árvore asterácea (*Stifftia parviflora*) de flores alvas ou amareladas e madeira útil para caixotaria e fabrico de papel. **2.** V. *cuieira* (1).
cabaceiro-amargoso *S. m. Bras. Bot.* Erva cucurbitácea (*Lagenaria vulgaris*) originária da Índia e da Abissínia, de flores alvas e fruto cuja polpa, amarga, é purgativa e drástica; cabaça, cabaça-amargosa, cabaça-de-trombeta, cabaça-purunga, cabaço-amargoso, calabaça, cuietezeira ou cuietezeiro, taquera, colombro, cocombro. [Pl.: *cabaceiros-amargosos*.]
cabacinha [De *cabaça*[1] + *-inha*.] *S. f. Bras.* **1.** *Bot.* V. *abobrinha-do-mato* (3). **2.** *Bot.* V. *buchinha*. **3.** *Bot.* Estefânia. **4.** *Bras.* Bola de cera cheia de água, que se usava como projetil nas brincadeiras de entrudo.
cabacinha-do-campo *S. f. Bras. MG Bot.* Arbusto mirtáceo (*Eugenia klotzchiana*) de flores alvas e bagas pardo-amareladas, comestíveis; pereira-do-campo. [Pl.: *cabacinhas-do-campo*.]
cabacinha-do-mato *S. f. Bras. MG* Arbusto mirtáceo (*Eugenia theodorae*), de flores com muitos estames e bagas esféricas. [Pl.: *cabacinhas-do-mato*.]
cabacinha-riscada [De *cabacinha* + o f. de *riscado*.] *S. f. Bras. Bot.* V. *abobrinha-do-mato* (3). [Pl.: *cabacinhas-riscadas*.]
cabacinha-verrugosa [De *cabacinha* + o f. de *verrugoso*.] *S. f. Bras. Bot.* V. *abobrinha-do-mato* (3). [Pl.: *cabacinhas-verrugosas*.]
cabacinho [De *cabaço*[1] + *-inho*[1].] *S. m. Bras. Bot.* V. *buchinha*.
cabaço[1] [De *cabaça*[1].] *S. m.* **1.** O fruto da cabaceira. **2.** Vaso feito desse fruto seco, despojado do miolo. [F. paral.: *cabaça*. Sin. ger.: *cuia*.]
cabaço[2] [Do quimb.] *S. m. Chulo* **1.** O hímen. **2.** A virgindade da mulher. **3.** A mulher virgem. **4.** *P. ext.* Homem casto. ◆ **Tirar o cabaço de.** *Chulo* Desvirginar, descabaçar.
cabaço-amargoso [De *cabaço*[1] + *amargoso*.] *S. m. Bras. Bot.* V. *cabaceiro-amargoso*. [Pl.: *cabaços-amargosos*.]
cabaçu [Do tupi = 'caba grande'.] *S. m. Bras. Zool.* V. *tatu-de-rabo-mole*. [Var.: *cabuçu*.]
cabaçuano *Adj.* **1.** De, ou pertencente ou relativo a Cabaçu (RJ). ● *S. m.* **2.** O natural ou habitante de Cabaçu.
cabaçuda *S. f. Bras. Chulo* Mulher que é virgem, que tem cabaço[2] (1).
cabaçudo [De *cabaço*[1] + *-udo*.] *Adj. Bras. Chulo* **1.** Que é virgem, que tem cabaço (diz-se de mulher). **2.** Diz-se de homem simples e ingênuo, que lembra a mulher virgem inexperiente. ● *S. m.* **3.** Homem cabaçudo (2).
caba-de-igreja *S. f. Bras. Zool.* V. *marimbondo-caboclo*. [Pl.: *cabas-de-igreja*.]
caba-de-ladrão *S. f. Bras. Zool.* V. *marimbondo-chapéu*. [Pl.: *cabas-de-ladrão*.]
cabadonga [De or. obsc.] *S. f. Bras. Bot.* V. *castanha-mineira* (1).
cabagem [De *cabo*[2] + *-agem*[2].] *S. f.* Conjunto de fios e cabos elétricos e eletrônicos de uma máquina, equipamento ou veículo.
cabaia [Do ár. dial. *qabaia* < ár. *qabba(t)*.] *S. f.* **1.** *Tec. Têx.* Tecido de seda muito leve. **2.** *Vest.* Túnica desse tecido, aberta dos lados, de mangas largas, usada por alguns povos asiáticos: 🕮 "uma holandesa pálida, anêmica, ... olha indiferente e nostálgica para a água do canal, em que um diligente letrado chinês, de cabaia e óculos, navega em piroga" (Ramalho Ortigão, *A Holanda*, p. 290).
cabal [De *cabo*[1] + *-al*[1].] *Adj. 2 g.* **1.** Completo, pleno, inteiro, perfeito: 🕮 "E que a entonação .... reconstituí a ingênita simplicidade, na cabal inteligência da frase." (Aires da Mata Machado Filho, *Crítica de Estilos*, p. 221). **2.** Rigoroso, severo.
cabala [Do hebraico *qabbalah*, 'tradição', t. aplicado à interpretação do Velho Testamento (q. v.), pelo

lat. med. *cabbala.*] *S. f.* **1.** *Filos.* Tratado filosófico-religioso hebraico, que pretende resumir uma religião secreta que se supõe haver coexistido com a religião popular dos hebreus. **2.** O conteúdo desse tratado, particularmente a decifração de um sentido secreto da Bíblia e uma teoria e um simbolismo dos números e das letras. **3.** Designação comum a movimentos místicos e esotéricos europeus do séc. XII em diante. **4.** Conluio secreto entre indivíduos ou facções que trabalham para um mesmo fim; maquinação, trama, conspiração. **5.** Nos meios editoriais e teatrais, maquinação de um grupo para forjar um sucesso ou um fracasso.

cabalar [Do fr. *cabaler.*] *V. int.* **1.** Fazer cabala (4); intrigar, conspirar, enredar. **2.** Aliciar eleitores. *T. d.* **3.** Conseguir (votos em uma eleição) com pedidos ou ardis.

cabaleta (ê) [Do it. *cabaletta.*] *S. f. Mús.* **1.** Pequena ária de ritmo simples, com repetições. **2.** No séc. XIX, a última seção, de caráter brilhante e andamento animado, de uma grande ária ou de um dueto. [V. *cavatina.*]

cabalino [Do lat. *caballinu.*] *Adj. Poét.* Referente a Pégaso, cavalo alado mitológico que feriu a Terra com o casco, fazendo brotar a fonte de Hipocrene.

cabalista [Do fr. *cabaliste.*] *S. 2 g.* **1.** Pessoa versada na cabala (1 e 2) ou noutra ciência oculta. **2.** *Bras.* Pessoa que cabala, que faz cabala (4) ou conluio.

cabalístico [De *cabalista* + *-ico*[2].] *Adj.* **1.** Relativo à cabala (1 e 2): *interpretação cabalística.* **2.** Relativo às ciências ocultas: *número cabalístico.* **3.** *Fig.* Secreto, misterioso, obscuro: "Sinal de sua passagem .... só um cofrezinho .... fechado com cadeado de segredo cabalístico" (Visconde de Taunay, *Ao Entardecer*, pp. 38-39).

cabamirim [De *caba* + *-mirim.*] *S. f. Bras. Zool.* V. *enxuí.*

cabamoatim [Do tupi = 'vespa', + o tupi = 'que aponta o ferrão', 'que tem ferrão'.] *S. m. Bras. Zool.* V. *enxu-da-beira-do-telhado.*

cabana [Do lat. tard. *capanna.*] *S. f.* Habitação precária e rústica. [Sin. (bras. na maioria): *arribana, casebre, choça, choupana, colmado, barraca, capuaba, caluje, copé, ipuada, mocambo, mocambinho, moquiço, quimbembe, tapiri, tugúrio.* Cf. *palhoça* (2).]

cabanada [De *cabano*[2] + *-ada*[1].] *S. f. Bras.* Revolta que irrompeu em PE em 1832 e se alastrou por AL, onde tomou o nome de *revolta de panelas.*

cabanagem [De *cabano*[2] + *-agem*[2].] *S. f. Bras. N.* **1.** Ato de cabano[2]; selvageria, atrocidade. **2.** Revolta que ocorreu na província do Grão-Pará de 1835 a 1836.

cabanal [De *cabana* + *-al*[1].] *S. m. Prov. port.* Alpendre coberto, no qual se guardam lenha e utensílios agrícolas: "Avançou o alferes pelo cabanal dentro" (Aquilino Ribeiro, *Andam Faunos pelos Bosques*, p. 213).

cabaneiro[1] [De *cabana* + *-eiro.*] *S. m.* **1.** Indivíduo que mora em cabana. **2.** Homem pobre e rústico.

cabaneiro[2] [De *cabano*[1] + *-eiro.*] *S. m.* Grande cesto de vime; cabano.

cabanga [Do chuabo *kabanga.*] *S. f. Moç.* Bebida fermentada, feita de farinha de milho: "Outras latas se sucedem e o *madala*, que já vinha encharcado em cabanga, desbobina toda a história da sua vida" (Nuno Bermudes, *O Círculo de Luz*, p. 86).

cabanha [Do esp. *cabaña.*] *S. f. Bras. RS* Estabelecimento dedicado em particular à pecuária, com métodos aperfeiçoados de criação, pasto para cada espécie, galpão confortável. [Algumas cabanhas se especializaram na criação de reprodutores ovinos e bovinos que alcançam no mercado boas cotações.]

cabano[1] [De *cabana*, poss.] *S. m.* Cabaneiro[2].

cabano[2] [De *cabana.*] *S. m. Bras.* Membro de facções políticas que houve, durante a Regência, em PE, AL, PA e MA. [Na última dessas províncias, os adversários dos cabanos eram os bem-te-vis.]

cabano[3] [De or. obscura.] *Adj.* **1.** Diz-se do bovino de chifres levemente inclinados para baixo, ou horizontais, e do equino de orelhas derrubadas. **2.** Diz-se da cavalgadura vagarosa e sonolenta, mas de grande resistência. **3.** *Bras. RS* Diz-se da cavalgadura que tem uma das orelhas caída. **4.** Diz-se de chapéu de palha de abas largas e caídas: "chapéu cabano d'abas abatidas" (Coelho Neto, *Banzo*, p. 66). • *S. m.* **5.** Esse chapéu. **6.** *Bras. MG Zool.* Caiana[1].

cabapiranga [De *caba* + *-piranga.*] *S. f. Bras. Zool.* V. *marimbondo-caboclo.*

cabapitã [Do tupi.] *S. m. Bras. Zool.* V. *marimbondo-caboclo.*

cabaré [Do fr. *cabaret.*] *S. m.* Casa de diversões onde se bebe e dança e, em geral, se assiste a espetáculos de variedades.

cabareteiro [Do fr. *cabaretier.*] *S. m.* Dono ou empregado de cabaré: "cidadãos internacionais, que vacilam entre o pirata levantino e o cabareteiro de Budapeste." (Agripino Grieco, *Amigos e Inimigos do Brasil*, p. 143).

→ **cabaretier** [kabaʁe'tje] [Fr.] *S. m.* Indivíduo que, num espetáculo de variedades, anuncia os números.

cabarradas [De or. obsc.] *S. m. pl. Lus. Folcl.* Jogo em que se atira de mão em mão às pessoas em círculo um cântaro ou uma panela de barro, perdendo aquele que a deixar cair e que pagará prêmio dantes combinado.

cabatã [Do tupi = 'caba dura, valente'.] *S. f. Bras. Zool.* V. *marimbondo-caboclo.*

cabatatu [De *caba* + *tatu.*] *S. f. Bras. Amaz. Zool.* V. *marimbondo-tatu.*

cabaú [Do tupi = 'comida de caba'.] *S. m. Bras. PE SE* V. *mel-cabaú.*

cabaz [Do provenç. *cabas.*] *S. m.* **1.** Cesto de verga, junco, vime, etc., de variadas formas, ger. com tampa e asa. **2.** Caixa cilíndrica de lata, para transporte de alimentos. **3.** Bebida preparada com vinho, café, açúcar e canela.

cabazada [De *cabaz* + *-ada*[1].] *S. f.* **1.** Porção que o cabaz (1 e 2) pode conter. **2.** *Fig.* V. *quantidade* (3).

cabazeiro [De *cabaz* + *-eiro.*] *S. m.* Fabricante e/ou vendedor de cabazes.

cabe [F. red. de *cabide*, poss.] *S. m. Bras. MG* Paletó (1).

cabear [De *cabo*[2] + *-ear*[2].] *V. t. d.* **1.** Prover de cabo(s) [v. *cabo*[2] (5)] para conexão ou interconexão de equipamentos eletrônicos de telefonia, etc. *Int.* **2.** Mover (o cavalo) o cabo[2] (2), quando o picam. [Conjug.: v. *frear*. Como int. é unipess.]

cabeça (ê) [Do lat. vulg. *capitia.*] *S. f.* **1.** *Anat.* Extremidade superior do corpo humano e que contém órgãos, como os que formam o encéfalo, os da visão, os da audição, os do olfato, etc. [Aum.: *cabeçorra, cabeção.* Sin. (pop. e gír.): *chocolateira, coco* (ô), *cuca, cuia, grimpa, ideia, quengo, sinagoga.*] **2.** *Anat.* A divisão correspondente, superior ou anterior, do corpo de outros animais. **3.** *Anat.* Nome comum a certas extremidades arredondadas, como, p. ex., em ossos. **4.** *Pop.* A parte da cabeça (1) coberta pelo couro cabeludo: *Ontem, lavei a cabeça.* **5.** *Fam.* Crânio (1): *A pancada quebrou-lhe a cabeça.* **6.** Juízo, prudência, tino: *Não fará loucuras: tem cabeça.* **7.** A sede da razão, do raciocínio, etc.: *Não tem cabeça para matemática.* **8.** A sede da memória, das lembranças, do pensamento, etc.: *Não me sai da cabeça o desastre de ontem.* [Sin. (pop)., nesta acepç.: *bestunto, cachimônia, cachola.*] **9.** A sede das sensações: *Acordei com a cabeça pesada; Fiquei com a cabeça leve depois que resolvi o problema; O vinho me deixou de cabeça tonta.* **10.** Elucubração, imaginação: *Tal ideia só poderia sair da cabeça de um gênio.* **11.** Pessoa muito inteligente e/ou culta: *É uma das maiores cabeças do Brasil.* **12.** Pessoa ou animal, considerados como unidade, em um todo: *A despesa saiu a vinte reais por cabeça; São 200 cabeças de gado.* **13.** A extremidade mais dilatada de um objeto, etc.: *cabeça de um prego.* **14.** A frente de um cortejo. **15.** Primeira(s) linha(s) de folha impressa ou escrita; cabeceira: *Seu nome está na cabeça da lista.* **16.** Face plana de uma pedra irregular. **17.** Cidade principal de um país ou de uma região; capital. **18.** *Pop.* A glande do pênis. **19.** *Arquit.* Pedra maior e mais resistente, que se coloca em pontos submetidos a maiores esforços, nos maciços de alvenaria. **20.** *Astr.* Conjunto formado pelo núcleo e pela coma de um cometa. **21.** *Bibliol.* A parte superior do livro, de sua encadernação ou de sua lombada, de uma página ou de uma tabela. **22.** *Mar.* Proa (1). **23.** *Quím.* Primeira fração (5), a mais volátil, de uma destilação. **24.** *Tec.* Dispositivo que, num gravador, transforma os sinais elétricos em magnéticos, e vice-versa. **25.** *Tip.* Peça que compõe o espaçador da linotipo e onde desliza o cursor. **26.** *Turfe* Diferença, correspondente ao tamanho aproximado de uma cabeça, que distancia um cavalo de outro, no final de um páreo: *O primeiro páreo foi ganho por cabeça.* **27.** *Bras.* A parte superior da queda-d'água, quando separada da inferior, denominada *rabo da cachoeira* (q. v.), por um trecho mais ou menos longo não encachoeirado. **28.** *Bras. BA* Coroa (18) submersa formada de pedras calcárias. **29.** *Bras.* V. *gorjeta*[1] (2). • *S. 2 g.* **30.** O chefe; o dirigente; o líder: *o cabeça da revolta;* "O alfaiate, cercado de outros cabeças do tumulto da véspera, encaminhou-se para a alpendrada de S. Domingos" (Alexandre Herculano, *Lendas e Narrativas*, I, p. 103). ◆ **Cabeça a cabeça.** *Turfe* Na mesma linha; emparelhadamente: *Três dos cavalos chegaram cabeça a cabeça.* **Cabeça de apagamento.** *Eng. Elétr.* Num gravador magnético, cabeça magnética que produz uma magnetização uniforme do material magnético, apagando o sinal que estiver gravado. **Cabeça de bater sola.** *Bras. CE Pop.* Cabeça chata. **Cabeça de destilação.** *Quím.* Peça componente de uma aparelhagem para destilação, que se une ao topo da coluna e ao condensador e que, ger., porta um termômetro e um dispositivo para regular a razão de refluxo. **Cabeça de distrito.** Vila ou povoação sede de um distrito. **Cabeça de gravação.** *Eng. Elétr.* Cabeça magnética us. para gravar o sinal na fita dum gravador magnético. **Cabeça de página.** *Tip.* Cabeço (8). **Cabeça de ponte.** *Quím.* Átomo comum a várias pontes. **Cabeça de proa.** *Bras. Folcl.* Carranca (6). **Cabeça de reprodução.** *Eng. Elétr.* Cabeça magnética us. para reproduzir o sinal da fita dum gravador magnético; cabeça magnética. **Cabeça forte.** *Fig.* Talento, engenho, grande inteligência. **Cabeça fria.** Calma de espírito; tranquilidade, serenidade: *É preciso cabeça fria para encontrar a solução.* **Cabeça magnética.** **1.** *Eng. Elétr.* Eletroímã us. para gravar, reproduzir ou apagar o sinal da fita dum gravador magnético; cabeçote. **2.** *Inform.* Num computador eletrônico, componente destinado a ler, escrever ou apagar informações em um dispositivo de armazenamento. **Andar com a cabeça ao léu.** Andar sem chapéu. **Assentar a cabeça.** Assentar (21). **Bater cabeça.** **1.** *Bras. Pop.* V. *dar uma cabeçada* (1 e 2): "– (....) Andou batendo cabeça, quando largou o Gabriel e, ainda assim, saía sempre pra outra." (Permínio & Lúcio Asfora, *Confidências no Largo da Segunda-Feira*, p. 140.) **2.** *Bras. Gír.* Agir de modo confuso, descoordenado; estar desnorteado, sem saber o que fazer: "Os líderes e o presidente da Câmara .... continuam batendo cabeça por causa do funcionamento da Câmara durante a campanha eleitoral." (*O Globo*, 16.07.2008.) **3.** *Bras. Rel.* Na umbanda, candomblé, etc., fazer reverência ou cumprimento ao altar, à ialorixá ou ao babalorixá, etc. **Cair de cabeça.** *Bras. Gír.* **1.** Envolver-se totalmente em ou com alguma coisa; cair de cabeça. **2.** Meter a cabeça (q. v.). **Com a cabeça no ar.** Alheado, desatento, distraído; no ar. **Cortar a cabeça de.** Demitir de posto ou função, por motivos políticos, interesses pessoais, etc. **Dar à cabeça.** V. dar tratos à imaginação: "o Quaresma dava à cabeça, sem dizer bus." (Aquilino Ribeiro, *Andam Faunos pelos Bosques*, p. 90). **Dar de comer à cabeça.** *Bras. Rel.* Realizar o bori (q. v.). **De cabeça.** **1.** Sem o auxílio de cálculo escrito ou mecânico; mentalmente: *Só faz contas de cabeça.* **2.** *Fam.* De memória, de cor. **3.** *Fut.* Atingindo a bola apenas com a cabeça: *Fez um gol de cabeça.* **De cabeça alta.** Com altivez; sobranceiramente; de cabeça erguida. **De cabeça baixa.** Com submissão; humildemente. **De cabeça erguida.** V. *de cabeça alta.* **De cabeça inchada.** *Bras. Gír.* **1.** Triste, acabrunhado. **2.** Ressentido, magoado. **Duro de cabeça.** Teimoso, casmurro, cabeçudo. **Enterrar a cabeça do boi.** *Bras. N.E.* Prolongar os festejos natalinos até o primeiro domingo seguinte a eles. **Entrar de cabeça.** *Bras. Pop.* Dedicar-se profundamente; entregar-se com toda a disposição. **Esquentar a cabeça.** *Fam.* Preocupar-se, inquietar-se, afligir-se. "eu não esquento a cabeça com isso, o sistema é assim, eu não vou reformar o mundo." (Rubem Mauro Machado, *O Executante*, p. 52). [Tb. se diz apenas *esquentar.*] **Fazer a cabeça.** *Bras. Rel.* **1.** Desenvolver (9) e cruzar (9) (o iniciando) em terreiro de umbanda, tendo um guia como chefe espiritual. **2.** *Pop.* Embriagar(-se) e/ou drogar(-se). **Fazer a cabeça de.** *Bras. Fam.* Alterar ou modificar o procedimento ou convicções de (outrem). **Fazer cabeça.** *Mar.* Desviar (a embarcação) a proa para um ou outro bordo, ao arrancar o ferro, ou largar da boia. **Ir para as/pras cabeças.** **1.** Arriscar tudo. **2.** Ficar entre os três primeiros lugares em competição, torneio, concurso. **Levantar a cabeça.** Reconquistar posição; recuperar-se moral e/ou financeiramente. **Levar na cabeça.** Tomar um prejuízo; entrar bem. [V. *dar com os burros n'água.*] **Meter a cabeça.** *Bras. Gír.* Ir em frente em algo; aventurar-se; cair de cabeça. **Meter de cabeça.** *Bras. N.E.* Corcovear, corcovar, curvetear. **Meter na cabeça.** Aprender de cor; decorar. **Meter na cabeça de.** **1.** Insinuar, sugerir. **2.** Despertar o desejo de: *Por que meteste na cabeça do rapaz essas ideias?; Quem meteu na cabeça do homem ser governador?* **Perder a cabeça.** Perder o controle da razão, o autodomínio; endoidar, endoidecer: "E então, perdeu a cabeça, endoidou mesmo." (Odilo Costa Filho, *História de Seu Tomé Meu Pai e Minha Mãe Maria*, p. 13.) **Quebrar a cabeça.** Pensar demoradamente; refletir, ruminar. **Querer a cabeça de.** Exigir a exoneração de (alguém) de posto ou função, ger. por motivos políticos, ou outros. **Saber onde tem a cabeça.** Ter juízo; ser maduro; ter a cabeça no lugar. **Subir à cabeça.** **1.** Fazer com que alguém se sinta engrandecido, poderoso, melhor que os outros; experimentar sensação de poderio, de glória: "Não imaginei que você viesse... Pensei que o sucesso tinha lhe subido à cabeça." (Rubem Fonseca, *Agosto*, p. 52.) **2.** Perturbar a razão, a inteligência: *O vinho subiu-lhe à cabeça.* **Ter a cabeça no lugar.** Saber onde tem a cabeça. **Tomar na cabeça.** V. *levar na cabeça.* **Usar a cabeça.** Agir ou proceder com inteligência, com reflexão. **Virar a cabeça.** Apresentar mudança para pior no seu procedimento; tornar-se insensato.

Virar a cabeça de. Fazer que alguém vire a cabeça (v. *virar a cabeça*).

cabeça-amarga *S. f. Bras. RS Zool.* V. *joaninha* (2). [Pl.: *cabeças-amargas.*]

cabeça-baixa *S. 2 g. Bras. CE Pop.* Porco ou porca; suíno: 📖 "nenhum matuto chama ao porco senão '<u>cabeça-baixa</u>', por pensar que a palavra porco é suja, e não deve ser dita." (Gustavo Barroso, *O Sertão e o Mundo*, p. 294). [Pl.: *cabeças-baixas.*]

cabeça-branca *S. f. Bras. Zool.* V. *uirapuru-de-cabeça--branca.* [Pl.: *cabeças-brancas.*]

cabeça-chata [De *cabeça* + o f. de *chato.*] *S. 2 g.* **1.** *Bras. S.* Alcunha dada aos cearenses e, p. ext., aos nortistas: 📖 "— Você já viu algum carioca imitar tão bem o sotaque desses <u>cabeças-chatas</u> que infestam o Rio?" (Herberto Sales, *Histórias Ordinárias*, p. 151.) **2.** *Bras. Zool.* V. *boipeva.* [Pl.: *cabeças-chatas.*]

cabeçada [De *cabeça* + *-ada*[1].] *S. f.* **1.** Pancada com a cabeça. **2.** Tolice, asneira, desatino, disparate: *Aquele casamento foi uma <u>cabeçada</u>.* **3.** *Encad.* Certo debrum colorido que o encadernador cola na cabeça e no pé do bloco de cadernos costurados, como acabamento e reforço dessas partes do livro. [Sin., nesta acepç.: *cabeçado, cabeceado, cabeceira, requife, sobrecabeceado* e (p. us.) *trancafio, tranchefilas, trincafio.*] **4.** *Fut.* Ato de atirar ou rebater a bola com a cabeça. **5.** *Bras. Cap.* Golpe traumatizante em que o capoeirista se lança de cabeça contra o adversário, visando a atingir o plexo ou o rosto, tal como um aríete; arpão de cabeça. **6.** *Mar.* Pancada da proa do navio no mar. **7.** *Mar.* Ação de baixar a proa, à qual se segue a subida desta, por efeito das ondas. **8.** *Bras.* Cabresto ou focinheira, adornado com fitas ou tiras de chita, e provido de campainhas, que leva o animal que vai na frente amadrinhando a tropa. **9.** *Bras.* Conjunto de couro e metal que, ajustado à cabeça do cavalo, serve para melhor sustentar a embocadura: 📖 "No quartel, os cavalos estavam encilhados nas baias, selas com equipamento de campanha, as <u>cabeçadas</u> de freio penduradas ali." (M. Cavalcanti Proença, *Manuscrito Holandês*, p. 97.) [Nesta acepç., v. *buçal* (1).] ◆ **Dar cabeçada.** *Bras. Pop.* V. *dar uma cabeçada* (1 e 2). **Dar cabeçadas.** *Mar.* Dar pancadas com a proa no mar, em virtude do balanço de popa a proa; cabecear. **Dar uma cabeçada. 1.** Fazer mau negócio. **2.** Fazer asneira. [Sin., nessas acepçs.: *bater cabeça, dar cabeçada, dar uma topada.*] **3.** Dar um mau passo (q. v.).

cabeça-d'água *S. f.* **1.** *Bras. N.E.* Enxurrada produzida pelas grandes chuvas da entrada do inverno no alto sertão, e que desce pelo leito dos rios, estendendo-se de uma a outra margem com a altura média de 1 a 2m. **2.** *Bras.* Crescimento súbito do nível das águas dos rios, devido a chuva na cabeceira. **3.** A maré grande de março e setembro, correspondente aos equinócios do outono e da primavera. **4.** *Pop.* Hidrocefalia. [Pl.: *cabeças-d'água.*]

cabeça de alho chocho *S. 2 g.* Cabeça-oca: 📖 "O D.S. mandou apanhá-lo em Búzios, mas ele é um <u>cabeça de alho chocho</u>, como dizia a minha mãe, e não sabe onde meteu as chaves." (Rubem Fonseca, *O Seminarista*, p. 120.) [Pl.: *cabeças de alho chocho.*] ☑

cabeça de área *S. m. Fut.* Meio-campo (2) que atua na frente dos zagueiros, protegendo a entrada da área; médio-volante. [Sin., ant.: *center-half.* Pl.: *cabeças de área.*] ☑

cabeça de arroz *S. 2 g. Bras.* Pessoa fútil, frívola, leviana. [Pl.: *cabeças de arroz.*] ☑

cabeça de bagre *S. m. Bras.* **1.** *Fut. Pop.* Jogador de futebol medíocre. **2.** Indivíduo estúpido, idiota, imbecil. [Pl.: *cabeças de bagre.*] ☑

cabeça-de-boi [De *cabeça* + *de* + *boi*[1].] *S. f. Bras. Amaz. a SP Bot.* **1.** Planta orquidácea (*Stanhopea insignis*) ornamental, cultivada, com flores amarelas de labelo branco, em cachos pêndulos. **2.** Flor-de-vaca. [Pl.: *cabeças-de-boi.*]

cabeça de camarão *S. 2 g. Bras.* Cabeça-dura. [Pl.: *cabeças de camarão.*] ☑

cabeça de campo *S. m. Bras. N.E.* O vaqueiro que dirige a vaquejada. [Pl.: *cabeças de campo.*] ☑

cabeça de carneiro *S. m. Bras. BA* Calcário extraído de bancos submersos e usado no fabrico de cal. [Pl.: *cabeças de carneiro.*] ☑

cabeça de casal *S. m.* O chefe da sociedade conjugal. [Pl.: *cabeças de casal.*] ☑

cabeça de cavalo *S. f. Bras. N.E.* Cano de madeira que conduz a água aos cubos das rodas dos engenhos copeiros. [Pl.: *cabeças de cavalo.*] ☑

cabeça de chapa *S. 2 g.* Pessoa, partido político, etc., que, numa eleição, disputa o cargo principal. [Pl.: *cabeças de chapa.* Us. mormente no fem.] ☑

cabeça de chave *S. 2 g.* **1.** *Esport.* Em campeonatos e torneios, a equipe ou o competidor mais forte de uma chave (18). **2.** *Bras. Turfe* Cavalo ou égua cujo número no páreo é o primeiro da chave (q. v.) que lhe corresponde, e que tem, ger., mais chance do que os colocados abaixo na mesma chave: 📖 "Rhone, o melhor cavalo nacional do momento, é o <u>cabeça de chave</u> do GP Dezesseis de Julho" (*Jornal do Brasil*, 12.07.1972). [Pl.: *cabeças de chave.*] ☑

cabeça-de-coco (côco) *S. 2 g. Zool.* V. *maria-nagô.* [Pl.: *cabeças-de-coco.*]

cabeça de coco (côco) *S. 2 g. Bras.* Pessoa desmiolada, ou muito distraída. [Pl.: *cabeças de coco.*] ☑

cabeça de cuia *S. m. Bras.* Segundo a crendice popular, ente fantástico que vive nas águas do rio Parnaíba e de sete em sete anos devora uma moça chamada Maria. [Pl.: *cabeças de cuia.*] ☑

cabeça-de-ferro *S. m. Bras. Zool.* **1.** V. *cangati* (1). **2.** V. *anujá.* **3.** *Zool.* V. *casca-grossa* (3). [Pl.: *cabeças-de--ferro.*]

cabeça-de-fogo *S. m. Bras. MG SP Zool.* **1.** Pássaro canoro fringilídeo (*Coryphospingus cucullatus*). **2.** V. *canário-da-terra.* [Pl.: *cabeças-de-fogo.*]

cabeça-de-frade [De *cabeça* + *de* + *frade*[1].] *S. f. Bras. Bot.* **1.** Planta asterácea (*Pithecoseris pacourinoides*) de folhas sésseis e flores dispostas em capítulos. **2.** Cardo-melão. [Pl.: *cabeças-de-frade.*]

cabeça de galo *S. f. e m. Bras. N.E.* Papa[2] (1) de farinha de mandioca, água e temperos, na qual se diluem ovos. [Pl.: *cabeças de galo.*] ☑

cabeça de jacaré *S. m. Bras. AM PA* V. *jacaré* (11). [Pl.: *cabeças de jacaré.*] ☑

cabeça-de-leão *S. m. Bras. Zool.* Designação comum aos peixes actinopterígios, cipriniformes, ciprinídeos, como, p. ex., *Carassius auratus*, cuja cabeça apresenta ampliações cefálicas ou verrugas; cabeça-de-tomate. [Pl.: *cabeças-de-leão.* Cf. *peixe--vermelho.*]

cabeça de lobo *S. f. Pop.* Osso da parte dianteira dos animais. [Pl.: *cabeças de lobo.*] ☑

cabeça de medusa *S. f. Patol.* Aspecto peculiar que se pode observar na parede anterior do abdome, por efeito da dilatação, causada por estase, em veias subcutâneas que parece irradiarem-se da área umbilical. [Sin., lat.: *caput medusae.* Pl.: *cabeças de medusa.*] ☑

cabeça-de-monge *S. f. Bras. AM Bot.* Planta litrácea (*Lafoensia acuminata*) ornamental, de flores em racemos e frutos capsulares globosos. [Pl.: *cabeças--de-monge.*]

cabeça de negro *S. f. Expl.* Bomba (1) de alto poder de detonação; cabeção de nego. [Pl.: *cabeças de negro.*] ☑ notas 1 e 2

cabeça-de-negro *S. f.* **1.** *Bras. L. SP MT Bot.* Arbusto anonáceo (*Annona coriacea*) de flores amarelas, carnosas, e bagas compostas, e cujas sementes são tidas por antidiarreicas; araticum-do-campo, araticum--dos-lisos, marolinho. **2.** *Bras. Bot.* V. *canafístula* (3). [Pl.: *cabeças-de-negro.*]

cabeça de nós todos *S. f. Bras. N.E. Fam.* **1.** Cabeça enorme. • *S. 2 g.* **2.** Pessoa de cabeça muito grande. [Pl.: *cabeças de nós todos.*] ☑

cabeça-de-pedra *S. f. Bras. Zool.* V. *jaburu-moleque.* [Pl.: *cabeças-de-pedra.*]

cabeça de ponte *S. f. Mil.* Posição que um escalão de vanguarda de uma tropa atacante ocupa em terreno inimigo, no lado oposto ao de algum obstáculo natural (geralmente rio ou desfiladeiro), ou numa praia, para assegurar o espaço necessário ao prosseguimento das operações. [Pl.: *cabeças de ponte.* Cf. *cabeça de praia.*] ☑

cabeça de porco *S. f. Bras. RJ Pop.* V. *cortiço* (2): 📖 "no alto do morro desvendou-se a triste casa de José, que .... era um corredor de <u>cabeça de porco</u>" (Carlos Drummond de Andrade, *Fala, Amendoeira*, p. 180). [Pl.: *cabeças de porco.*] ☑

cabeça de praia *S. f. Mil.* Área que determinada força ocupa em litoral inimigo, para garantir o desembarque contínuo de tropa e material e assegurar o espaço necessário ao prosseguimento das operações. [Pl.: *cabeças de praia.* Cf. *cabeça de ponte.*] ☑

cabeça-de-prata *S. f. Bras. Zool.* V. *rendeira*[2] (2). [Pl.: *cabeças-de-prata.*]

cabeça-de-prego *S. f. Bras. Zool.* Larva ou pupa aquática de certos mosquitos. [Pl.: *cabeças-de-prego.*]

cabeça de prego *S. f. Bras.* Pequeno abscesso cutâneo. [Pl. *cabeças de prego.*] ☑

cabeça-de-preguiça *S. f. Bras. PA MA Bot.* Árvore tiliácea (*Apeiba tibourbou*) de flores alvas e frutos capsulares; uácima, uaicima. [Pl.: *cabeças-de--preguiça.*]

cabeça de rede *S. f. Rád. Telev.* Principal emissora de uma rede (17). [Pl.: *cabeças de rede.*] ☑

cabeça-de-tomate *S. m. Bras. Zool.* Cabeça-de-leão. [Pl.: *cabeças-de-tomate.* Cf. *peixe-vermelho.*]

cabeça de turco *S. m. Lus.* Bode expiatório: 📖 "O pior do pior era que, quando tinha de arremeter contra alguém, me escolhia sempre a mim como <u>cabeça de turco</u>." (Aquilino Ribeiro, *Lápides Partidas*, p. 87.) [Calque (2) do fr. *tête de turc.*] [Pl.: *cabeças de turco.*] ☑

cabeça-de-urubu [De *cabeça* + *de* + *urubu*[1].] *S. f. Bras. Bot.* Árvore esterculiácea (*Theobroma obovatum*) frutífera, nativa da Amazônia. [Pl.: *cabeças-de--urubu.*]

cabeça de vento *S. 2 g.* Pessoa leviana, imprudente, estouvada; doidivanas: 📖 "tratou de comer, debaixo de uma trovoada de nomes, malandro, <u>cabeça de vento</u>, estúpido, maluco." (Machado de Assis, *Várias Histórias*, p. 41). [Pl.: *cabeças de vento.*] ☑

cabeçado [De *cabeça* + *-ado*[1].] *S. m. Encad.* V. *cabeçada* (3).

cabeça do prazo *S. m.* O principal quinhoeiro duma propriedade indivisa. [Sin. (ant.): *cabecel.* Pl.: *cabeças do prazo.*] ☑

cabeça-dura *S. 2 g.* **1.** Pessoa rude, estúpida, curta de inteligência. **2.** Pessoa teimosa, relutante, obstinada, que não se rende a argumentos, ponderações ou conselhos: "Quero ficar a sós com a Babai, ver se aquela <u>cabeça-dura</u> me escuta" (Adélia Prado, *Manuscritos de Felipa*, p. 36). [Sin., nessas acepçs.: *cabeça de camarão.*] • *S. m.* **3.** *Zool.* V. *casca-grossa* (3). [Pl.: *cabeças-duras.*]

cabeça-dura-focinho-de-rato *S. f. Bras. ES Zool.* V. *canguá* (1). [Pl.: *cabeças-duras-focinhos-de-rato.*]

cabeça-dura-prego *S. f. Bras. ES Zool.* V. *canguá* (1). [Pl.: *cabeças-duras-pregos* e *cabeças-duras-prego.*]

cabeça-encarnada *S. m. Bras. AM Zool.* V. *uirapuru-de--cabeça-encarnada.* [Pl.: *cabeças-encarnadas.*]

cabeça-feita *Adj. 2 g. S. 2 g. Bras. Pop.* Diz-se de, ou indivíduo de personalidade formada, que não se deixa influenciar por outrem.

cabeça-inchada *S. f. Bras. N.E. MG* **1.** Grande paixão amorosa. **2.** Adversidades no amor. **3.** V. *dor de cotovelo.* **4.** Despeito de quem foi vencido, de quem perdeu. [Pl.: *cabeças-inchadas.*]

cabeçal [De *cabeça* + *-al*[1].] *S. m.* **1.** Lugar para recostar a cabeça; almofada: 📖 "chorou lágrimas sinceras, abafando os soluços no <u>cabeçal</u> de linho branco do seu humilde catre de convento" (Antero de Figueiredo, *Leonor Teles*, p. 353). **2.** Chumaço em torno de uma ferida, sob a ligadura. **3.** Compressa medicamentosa que se aplica na cabeça.

cabeçalho [De *cabeça* + *-alho.*] *S. m.* **1.** Timão do carro, do qual pende a canga. **2.** Título de jornal ou de outra publicação periódica, que compreende data, número, periodicidade, etc.; cabeço. **3.** Título destacado de artigo, notícia, etc. **4.** Título de capítulo. **5.** Dizeres que encimam as colunas e casas de uma tabela, as páginas de um livro em branco, ou certos formulários e fichas. [Cf., nesta acepç., *entrada* (22).] ◆ **Cabeçalho de assunto.** *Bibliol. Bibliot.* Cabeçalho convencionalmente estabelecido para indicar a matéria de que trata o documento catalogado. **Cabeçalho de autor.** *Bibliol. Bibliot.* O que é representado pelo nome do autor da publicação, tendo como palavra de ordem o sobrenome; entrada de autor.

cabeção [De *cabeça* + *-ão*[1].] *S. m.* **1.** Cabeça grande; cabeçorra. **2.** Gola de capa, casaco, camisa ou vestido, larga e geralmente branca: 📖 "travou-lhe do <u>cabeção</u> do vestido e, de relance, ergueu o montante" (Alexandre Herculano, *Lendas e Narrativas*, II, p. 73); "— Dá-me; dá-me! pedia Marieta, soerguendo o busto, mal guardado pelo <u>cabeção</u> rendado da camisa" (Valentim Magalhães, *Vinte Contos*, p. 59). **3.** Gola dos eclesiásticos, à qual se prende o colarinho: 📖 "caminhou para casa a passo leve, ... a despir o <u>cabeção</u> de seminarista que o asfixiava." (Aquilino Ribeiro, *Estrada de Santiago*, p. 58). [Cf., nesta acepç., *pescocinho.*] **4.** *Bras. BA* A parte superior da camisa do traje de baiana; cotoco. **5.** Cabresto com duas rédeas e um arco de ferro, para governar o cavalo sem lhe ferir a boca. **6.** *Tip.* V. *cabecel* (2).

cabeça-oca [De *cabeça* + o f. de *oco.*] *S. 2 g.* Pessoa pouco inteligente ou desmemoriada; cabeça de alho chocho. [Pl.: *cabeças-ocas.*]

cabeção de nego *S. m. Bras. RJ* V. *cabeça de negro.* [Pl.: *cabeções de negos.*] ☑

cabeça-quente [De *cabeça* + *quente.*] *S. 2 g.* Pessoa irritadiça, irascível, esquentada: 📖 "Numa dessas tardes .... quem aparecеu .... foi o Mauro .... , o mais irreverente e destemperado de todos, registrando no currículo algumas brigas e desavenças domésticas que acabaram na delegacia ou, no mínimo, com a intervenção dos vizinhos. Um <u>cabeça-quente</u>, como se costuma dizer." (Manuel Carlos, em Revista *Veja Rio*, 27.08.2008.) [Pl.: *cabeças-quentes.*]

cabeça-rapada [De *cabeça* + o f. de *rapado.*] *S. m. Bras. Deprec.* V. *padre* (1): 📖 "Fora o padre! até os <u>cabeças--rapadas</u> nos querem disputar o terreno! Fora o coroa!" (João Ribeiro, *Crepúsculo dos Deuses*, p. 30.) [Pl.: *cabeças-rapadas.*]

cabeçaria [De *cabeça* + *-aria.*] *S. f.* Conjunto de pedras grosseiramente aparelhadas, empregadas na construção de alicerces de paredes de alvenaria.

cabeça-seca [De *cabeça* + o f. de *seco.*] *S. f.* **1.** *Bras. Zool.* V. *jaburu-moleque.* • *S. m.* **2.** *Bras. SP* V. *mata-*

-*cachorro* (2). ● *S. 2 g.* **3.** *Ant. Bras. PE* Alcunha depreciativa dos negros escravos. [Pl.: *cabeças-secas.*]

cabeça-tonta [De *cabeça* + o f. de *tonto.*] *S. 2 g.* Pessoa estouvada, desmiolada ou leviana. [Pl.: *cabeças-tontas.*]

cabeça-vermelha [De *cabeça* + o f. de *vermelho*[1].] *S. f. Bras. Zool.* V. *cardeal* (3). [Pl.: *cabeças-vermelhas.*]

cabeceado [De *cabeça* + *-eado.*] *S. m. Encad.* V. *cabeçada* (3).

cabeceador (ô) [De *cabecear* + *-dor.*] *Adj. S. m.* Que, ou aquele que cabeceia.

cabecear [De *cabeça* + *-ear*[2].] *V. int.* **1.** Menear a cabeça: *Adquiriu o estranho tique de cabecear todo o tempo.* **2.** Deixar pender a cabeça por efeito de sono; escabecear: "A mamãe cochila. / O papai cabeceia. / O relógio badala." (Jorge de Lima, *Obra Completa*, I, p. 226.) **3.** *Fut.* Atirar ou rebater a bola com a cabeça: *É quem melhor cabeceia na Seleção.* **4.** *Mar.* Levantar e baixar a proa e a popa alternadamente no balanço de popa a proa, quer surto, quer navegando; dar cabeçadas. **5.** *Mar.* Inclinar a proa ora a um, ora a outro bordo, quando fundeado e portando pela amarra. *T. c.* **6.** Mudar de direção; desviar-se; escabecear: *A manada de porcos cabeceou para a estrada. T. d.* **7.** Fazer (gesto ou sinal) com a cabeça: *Cabeceou um cumprimento.* **8.** *Encad.* Fazer ou colar cabeçada; encabeçar, sobrecabecear. **9.** *Fut.* Bater em (a bola) com a cabeça. [Conjug.: v. *frear.*]

cabeceio [Dev. de *cabecear.*] *S. m.* Ato ou efeito de cabecear.

cabeceira [De *cabeça* + *-eira.*] *S. f.* **1.** A parte da cama onde se deita a cabeça. **2.** Almofada ou travesseiro para descansar a cabeça. **3.** Em mesa retangular ou oval, cada uma das extremidades. **4.** Lugar (ger., a cabeceira [3]) ocupado pelo anfitrião e/ou convidado(s) de honra, num banquete ou refeição formal. **5.** Pedra que se coloca a prumo sobre uma sepultura, do lado da cabeça do cadáver, e na qual se escrevem dados sobre o morto e o epitáfio. **6.** Nas igrejas, o espaço onde está situado o altar-mor. **7.** O lado da cabeça; frente, dianteira. **8.** Cabeça (15). **9.** *Encad.* V. *cabeçada* (3). **10.** *Bras.* Lugar onde nasce um rio ou riacho; nascente. [M. us. no pl., nesta acepç.] **11.** *Bras. MT* Lugar coberto de buritis, em que há uma nascente (5). **12.** *Bras. PA* Parte do campo onde pasta o gado, distante do corpo da fazenda. **13.** *Bras. MA Folcl.* Toada ou cantiga tirada pelo amo (4), no bumba meu boi. ● *S. m.* **14.** *Bras.* O vaqueiro que vai à frente da boiada, logo após o guia (21). **15.** *Ant.* Chefe, caudilho, cabeça. ◆ **Desponțar cabeceiras.** **1.** *Bras. C.O. S.* Contornar as nascentes dos rios, procurando sempre terreno enxuto. **2.** *Bras. GO* Contornar mata onde não há passagem pelo centro.

cabeceirense *Adj. 2 g.* **1.** De, ou pertencente ou relativo a Cabeceiras (GO). ● *S. 2 g.* **2.** O natural ou habitante de Cabeceiras.

cabeceiro [De *cabeça* + *-eiro.*] *S. m. Bras.* Nos matadouros, aquele que descarna as cabeças dos animais, rachando-as e tirando-lhes os miolos.

cabecel [De *cabeça* + *-el.*] *S. m.* **1.** *Ant.* Cabeça do prazo. **2.** *Tip.* Ornato formado por uma ou mais vinhetas, por gravura, clichê, etc., ocupando o alto de uma página de começo; cabeção, encabeçamento. [Pl. *cabecéis.*]

cabecilha [Do esp. *cabecilla.*] *S. 2 g.* Chefe de um bando; caudilho: "um jacobino que, como ele mesmo confessa, passou a sua mocidade a fazer revoltas contra o antigo Cristiano, e a ser preso como cabecilha irreconciliável." (Eça de Queirós, *Ecos de Paris*, p. 163).

cabecinha [De *cabeça* + *-inha.*] *S. f.* Pedra aparelhada, para cobrir o topo de um muro de pedra irregular.

cabecinha-castanha [Do dim. de *cabeça* + o f. de *castanho.*] *S. f. Bras. RS Zool.* Pioró. [Pl.: *cabecinhas-castanhas.*]

cabeço (ê) [De *cabeça.*] *S. m.* **1.** Cume arredondado de monte: "O trabalho retoma o curso quotidiano, / Enquanto doura o sol o cabeço dos cerros / Longínquos" (Barreto Cardoso, *ap.* Ad. Marroquim, *Terra das Alagoas*, p. 283). **2.** Monte pequeno e arredondado; outeiro. **3.** *Mar.* Coluna de ferro, de altura reduzida, encravada à beira de um cais, para nela se dar volta à espia de amarração. **4.** *Mar.* Pequeno banco de areia, ou pedra, ou outro acidente, de forma arredondada. **5.** *Tip.* Dizeres impressos ao alto de envelope, papel de carta, fatura, etc., e que contêm o endereço e a indicação da atividade do usuário. [Cf., nesta acepç., *timbre* (15).] **6.** *Tip.* Título de tabela ou de outra composição tipográfica. **7.** Cabeçalho (2). **8.** *Tip.* Linha que se põe no alto das páginas de livro ou de periódico, com o título corrente (q. v.), nome do autor e fólio; cabeça de página.

cabeçorra (ô) [De *cabeça* + *-orra.*] *S. f.* **1.** *Pop.* Cabeça grande; cabeção. **2.** *Bras. MG SP Folcl.* Tipo de máscara de papelão, de grandes proporções, que os brincantes acomodam sobre os ombros para acompanhar os gigantões.

cabeçorro (ô) [De *cabeço* + *-orro.*] *S. m.* Grande cabeço (2); morro.

cabeçote [De *cabeça* + *-ote*[1].] *S. m.* **1.** Cada uma das testeiras do banco sobre o qual trabalham marceneiros e carpinteiros. **2.** Cada uma das duas peças de ferro que fixam o objeto que se torneia. **3.** *Zool.* V. *girino.* **4.** *Autom.* Parte superior do motor, de ferro ou de liga de alumínio, onde se encontram as câmaras de compressão ou de combustão, que são prolongamentos dos cilindros. **5.** *Eng. Elétr.* Cabeça magnética. **6.** *Tip.* Placa da cabeça do guindaste da linotipo, onde fica presa a barra do prisma. **7.** *Bras.* Parte saliente e vertical de cada uma das duas forquilhas que formam a cangalha, e que tem na extremidade uma orla saliente, destinada a evitar que escapem as aselhas dos cambitos ou caçuás: "Trazia o velho tão caída a cabeça para diante, que quase chegava com o queixo recurvado ao cabeçote da cangalha." (Franklin Távora, *O Cabeleira*, p. 264.) **8.** *Bras.* Cepilho da sela. **9.** *Bras. N.E. Zool.* Em certas regiões, o cupim; caçote.

cabeçuda [F. subst. do adj. *cabeçudo.*] *S. f. Zool.* **1.** *Bras. Amaz.* Designação comum a algumas espécies de quelônios, pelomedusídeos, gênero *Podocnemis*, esp. a araracangaçu (q. v.); iuraracangaçu. **2.** *Bras.* V. *saúva.*

cabeçudo [De *cabeça* + *-udo.*] *Adj.* **1.** Que tem cabeça grande. **2.** *Fig.* Teimoso, obstinado; pertinaz. ● *S. m.* **3.** Aquele que tem cabeça grande. **4.** *Fig.* Indivíduo obstinado, caturra; cabeça-dura. **5.** *Bot.* V. *butiá* (1). **6.** *Bras. BA Zool.* V. *xaréu-branco* (2). **7.** *Zool.* V. *mandipinima.*

cabedais *S. m. pl.* Réguas de aresta viva que os carpinteiros usam para verificar o aplainamento das tábuas. ~ V. *cabedal.*

cabedal [Do lat. *capitale*, por via pop.] *S. m.* **1.** O conjunto dos bens que formam o patrimônio de alguém; riqueza, acervo. **2.** Patrimônio constituído em dinheiro; capital. **3.** *Fig.* O conjunto dos bens intelectuais ou morais. **4.** Estimativa que se faz de coisas ou pessoas. **5.** O que é objeto de algum comércio. **6.** Poder, força. **7.** Couro manufaturado para calçados; sola: "os sapatos, com os quais conseguira andar sem fazer barulho, eram ainda de cabedal português, com pestanas que lhe subiam pelos tornozelos" (Cornélio Pena, *A Menina Morta*, p. 29). ~ V. *cabedais.* ◆ **Fazer cabedal de.** Ligar importância a; ligar a: "Pardalo ria-se de rios; pontes fazia tanto cabedal delas como de um retraço de palha." (Alexandre Herculano, *Lendas e Narrativas*, II, p. 49.)

cabedelense *Adj. 2 g.* **1.** De, ou pertencente ou relativo a Cabedelo (PB). ● *S. 2 g.* **2.** O natural ou habitante de Cabedelo.

cabedelo (ê) [Do lat. *capitellu.*] *S. m.* **1.** Pequeno cabo[1] (5). **2.** Pequeno monte de areia que se forma junto à foz dos rios.

cabeio [Dev. de *caber.*] *S. m. Bras.* Movimento violento e rápido da cauda do cavalo.

cabeira [De *cabo*[2] + *-eira.*] *S. f. Carp.* **1.** Moldura de arremate, nos tetos de madeira. **2.** Moldura de madeira incorporada ao rodapé; encabeira. [Sin. ger.: *tabeira.*]

cabeiro[1] [De *cabo*[2] + *-eiro.*] *S. m.* Aquele que faz cabos de madeira.

cabeiro[2] [De *cabo*[1] + *-eiro.*] *Adj.* Que está ou vem no cabo[1] (4); último, derradeiro.

cabeladura *S. f.* V. *cabeleira*[1] (1).

cabelama [De *cabelo* + *-ama.*] *S. f.* **1.** *Bras.* Grande porção de cabelos; cabeleira. **2.** *Bras. S.* Pelos compridos e hirsutos. **3.** *Bras. RS* Conjunto de cabelos e pelos de animal ou de homem.

cabelame [De *cabelo* + *-ame.*] *S. m. Pop.* V. *cabeleira*[1] (1).

cabeleira[1] [De *cabelo* + *-eira.*] *S. f.* **1.** O conjunto dos cabelos da cabeça, quando compridos; cabeladura, cabelame, encabeladura. **2.** Conjunto de cabelos postiços dispostos como os naturais; chinó, peruca, acrescente. **3.** *Zool.* Crina (1). **4.** *Astr.* Coma[1] (4). **5.** *Bot.* O conjunto das raízes fibrosas das plantas em que não há raiz axial. ● *S. m. e f.* **6.** Indivíduo que usa cabelos muito compridos. **7.** Indivíduo muito apegado a ideias antigas.

cabeleira[2] [Do pros. *Cabeleira*, bandido nordestino, personagem-título de um romance de Franklin Távora (1842-1888).] *S. m. Bras. N.E.* **1.** Indivíduo perverso. **2.** Criminoso, salteador.

cabeleira de vênus *S. f.* Inclusões aciculares e douradas de rutílio no quartzo. [Pl. *cabeleiras de vênus.*] ☑

cabeleireiro [De *cabeleira*[1] + *-eiro.*] *S. m.* **1.** Aquele que faz e/ou conserta cabeleiras. **2.** Aquele que, profissionalmente, corta ou penteia o cabelo dos outros (muito especialmente, de senhoras, no Brasil); penteador. **3.** Estabelecimento comercial onde profissionais se dedicam, em especial, ao trato e penteado dos cabelos, e secundariamente a outros cuidados de beleza. [Cf. *salão de beleza.*] **4.** *Bras. SP Zool.* Crustáceo decápode comum nas praias arenosas; grauçá.

cabelo (ê) [Do lat. *capillu.*] *S. m.* **1.** Conjunto de pelos da cabeça (4) humana. **2.** *P. ext.* Pelos que nascem em qualquer parte do corpo humano. **3.** Pelos de alguns animais. **4.** Cada pelo da cabeça ou de outra parte do corpo. **5.** Mola de aço delgada que regula o movimento dos relógios pequenos e lhe assegura o isocronismo. **6.** *Eletr.* Pequena mola espiral que fornece o par mecânico de restituição num galvanômetro de ponteiro. ◆ **Cabelo agastado.** *Fam.* V. *carapinha* (1). **Cabelo bom.** *Bras. Pop.* Cabelo liso. **Cabelo cocô de rola.** *Bras. BA* Cabelo crespo, curto e enrolado, comum em certos mestiços afro-brasileiros. [Tb. se diz apenas *cocô de rola.*] **Cabelo de cupim.** *Bras. N.E. Pop.* V. *carapinha* (1). **Cabelo de espeta-caju.** *Bras. N.E. Pop.* Cabelo muito eriçado. **Cabelo de fuá.** *Bras. N.E. Pop.* Pixaim assanhado. **Cabelo ruim.** *Bras. Pop.* V. *carapinha* (1). **Arrancar os cabelos.** Afligir-se, desesperar-se: "— Maldição! — bradou Leôncio, batendo com o pé no chão e arrancando os cabelos." (Bernardo Guimarães, *A Escrava Isaura*, p. 161.) **Assentar o cabelo.** *Bras. N.E. Gír.* V. *morrer* (1): "Antes de o pescador assentar o cabelo, o coração ainda quente, corta-lhe o membro e os testículos com a versatilidade e perícia que usava na castração dos garrotes." (Freitas Cavalcanti, *A Profecia das Águas*, p. 89.) **Assentar o cabelo de.** V. *matar* (1). **Até os cabelos.** Totalmente, completamente: *endividado ou empenhado até os cabelos; corar até os cabelos.* **De arrepiar o cabelo.** V. *de arrepiar.* **De arrepiar os cabelos.** V. *de arrepiar.* **De cabelo na venta.** **1.** Enérgico, vigoroso. **2.** Bravo, valente; ter cabelo na(s) venta(s). **3.** Brigão, rixento, rixoso; ter cabelo na(s) venta(s). **Em cabelo.** Com a cabeça descoberta: "Às portas, em cabelo, enfadam-se os lojistas!" (Cesário Verde, *Obra Completa*, p. 104.) **Não fazer bom cabelo.** **1.** Não convir; não servir: "mas acho que não faz bom cabelo andar uma moça, quase uma menina ainda, à mercê das más-línguas." (Antônio Sales, *Aves de Arribação*, p. 107). **2.** Não combinar bem; não se harmonizar: *Cão e gato não fazem bom cabelo.* **3.** Não agradar a: "O Melo chamava-lhe a rir 'Casal de pombinhos' e outras cousas que à matronaça não faziam bom cabelo, a julgar pelas suas olhadelas, repreensivas e cheias de conveniência, atiradas contra aquele." (Aluísio Azevedo, *A Condessa Vésper*, p. 175.) **Pelos cabelos.** **1.** De má vontade; a contragosto. **2.** Com sacrifício. **3.** Com muita pressa. **4.** Em estado de irritação; zangado: *Ficou pelos cabelos ao saber daquela sujeira.* **5.** *Mar.* Posição da âncora fora da água e aguentada pela amarra. **Procurar cabelo em ovo.** Complicar o que é simples. **Ter cabelo na palma da mão.** *Bras. N.E. MG Pop.* Ser dado à automasturbação. **Ter cabelo na(s) venta(s).** *Bras.* V. *de cabelo na venta* (2 e 3). **Ter cabelo no céu da boca.** *Bras. Pop.* V. *ter cabelo no coração* (3). **Ter cabelo(s) no coração.** *Bras. Pop.* **1.** Ter coragem extraordinária. **2.** Ter disposição para qualquer empresa perigosa. **3.** V. *ter (o) coração de pedra.* **Ter cabelo(s) no céu da boca.** *Bras. Pop.* V. *ter cabelo no coração* (3).

cabelo de anjo *S. m. Bras. MG RJ SP* V. *aletria* (1). [Pl.: *cabelos de anjo.*] ☑

cabelo-de-negro *S. m. Bras. L. SP MT Bot.* **1.** Arbusto eritroxiláceo (*Erythroxylun campestre*) de flores pequenas e frutos drupáceos vermelhos de propriedades purgativas, e cuja madeira é útil para construção civil, carpintaria e marcenaria; coca-do-paraguai, fruta-de-tucano. **2.** V. *galinha-choca.* **3.** V. *canafístula* (3). [Pl.: *cabelos-de-negro.*]

cabeloiro *S. m. Bras. Zool.* V. *cabelouro.*

cabelo-loiro *S. m. Bras.* V. *cabelo-louro.* [Pl.: *cabelos-loiros.*]

cabelo-louro [De *cabelo* + *louro*[3].] *S. m. Bras.* V. *cabelouro.* [Var.: *cabelo-loiro.* Pl.: *cabelos-louros.*]

cabelos-de-vênus *S. m. pl. Bot.* Dama-entre-verdes.

cabelouro [De *cabelo-louro*, com haplologia e aglutinação.] *S. m. Bras.* Tendão ou ligamento que vai da cabeça à extremidade vertebral do boi ou de outros animais: "Matar boi a sangue-frio era covarde. No saladeiro um sujeito lhes cravava a choupa no cabelouro e o animal caía no mesmo lugar." (M. Cavalcanti Proença, *Manuscrito Holandês*, p. 91.) [Var.: *cabeloiro.*]

cabelo-vivo *S. m. Pop. Zool.* Designação genérica de animais asquelmintos nematomorfos (q. v.). [Sin.: *cobra-de-cabelo.* Pl.: *cabelos-vivos.*]

cabeluda[1] [F. subst. do adj. *cabeludo*[1].] *S. f. Bras. PA Zool.* Preguiça (5).

cabeluda[2] [De *cabeludo*[2].] *S. f. Bras. Bot.* **1.** V. *cabeludo*[2]. **2.** Arbusto mirtáceo (*Myrcia tomentosa*) ornamental, cultivado, de flores alvas, bagas amarelas, folhas e sementes adstringentes; cabeludeira. **3.** O fruto de qualquer dessas árvores.

cabeludeira [De *cabeluda*[2]+ *-eira*.] ***S. f.*** *Bras.* Cabeluda[2] (2).

cabeludo[1] [De *cabelo* + *-udo*.] ***Adj.*** **1.** Que tem muito cabelo: *peito* *cabeludo*. **2.** *Bras.* Intricado, complicado, difícil: *caso cabeludo*. **3.** Obsceno, imoral, indecente: *história cabeluda; anedota cabeluda*. ~ V. *couro* —. • ***S. m.*** **4.** Indivíduo que tem muito cabelo ou que os tem longos. **5.** *Bras. Zool.* Cebídeo (*Pithecia hirsuta*) com até 70cm de comprimento, corpo e cauda cobertos por pelagem longa, densa e crespa. **6.** *Bras.* Membro dos cabeludos (q. v.). ~ V. *cabeludos*.

cabeludo[2] [Do tax. (*Eugenia*) *cabelludo*.] ***S. m.*** *Bras. Bot.* Árvore ou arbusto mirtáceo (*Eugenia cabelludo*) ornamental cultivado, de flores alvas e bagas amarelas comestíveis; cabeluda. ~ V. *cabeludos*.

cabeludos [Pl. de *cabeludo*.] ***S. m. pl.*** *Bras.* Partido governista de Alagoas, formado logo após a maioridade de D. Pedro II (1840). [Cf. *lisos*.] ~ V. *cabeludo*.

cabense ***Adj. 2 g.*** **1.** Do, ou pertencente ou relativo ao Cabo (PE). • ***S. 2 g.*** **2.** O natural ou habitante do Cabo.

caber [Do lat. *capere*.] ***V. t. c.*** **1.** Poder ser contido; poder estar dentro: *Estes objetos não caberão na sacola;* "Há numa vida humana cem mil vidas, / Cabem num coração cem mil pecados!" (Olavo Bilac, *Poesias*, p. 174). **2.** Poder entrar; passar: *Não creio que caiba por aquela porta.* **3.** Poder realizar-se, exprimir-se, suceder, dentro de um certo tempo: *Esta conferência não caberá em apenas uma hora.* **4.** Ser compatível: *Suas ideias não cabiam na sua época.* ***T. i.*** **5.** Competir, pertencer: *Cabe a você esperar pelo melhor;* "Coube ao cristianismo operar a primeira revolução na essência e na existência do amor" (San Tiago Dantas, *D. Quixote*, p. 55). **6.** Pertencer ou tocar; ser privilégio: "Cabe a Ortega y Gasset ter dito a palavra que encaminha a explicação da comicidade do Quixote." (San Tiago Dantas, *D. Quixote*, p. 22.) **7.** Pertencer como partilha ou quinhão: *Por que haverá de caber-lhe a maior parte dos bens?* ***Int.*** **8.** Vir a propósito; ter cabimento: "Tantas horas passamos lado a lado. Cabe perguntar se alguma vez estivemos realmente juntos." (Mário da Silva Brito, *O Fantasma sem Castelo*, p. 121.) **9.** Ser admissível ou oportuno; ter cabimento: *Tua dúvida cabe perfeitamente; A esta altura, cabe uma observação.* ***T. d.*** **10.** Comportar (3): "O ônibus não cabia mais ninguém. A bem dizer, não cabia nem o pessoal que se espremia lá dentro em estado de sardinha." (Carlos Drummond de Andrade, *O Poder Ultrajovem*, p. 5.) [Irreg. Muda o *a* do radical em *ai*, na 1.ª pess. sing. do pres. ind. (*caibo*) e, portanto, em todo o pres. subj.: *caiba, caibas, caiba*, etc.; pret. perf. ind.: *coube, coubeste*, etc.; m.-q.-perf.: *coubera, couberas*, etc.; imperf. subj.: *coubesse, coubesses*, etc.; fut.: *couber, couberes*, etc. Por sua significação, não tem imperativo.] ◆ **Não caber em si de.** Experimentar grande alegria, felicidade, etc.: "Minha mãe não cabia em si de contente." (Pedro Nava, *Balão Cativo*, p. 121.)

➔**cabernet franc** [kabɛʁ'ne fʁã] [Fr.] ***S. m.*** **1.** *Vitic.* Casta nobre de uva tinta presente em vários vinhos do vale do Loire; associado ao *merlot* e ao *cabernet-sauvignon* na região de Bordéus (v. *bordelês*). **2.** *Enol.* Vinho produzido com a uva *cabernet franc*.

➔**cabernet-sauvignon** [kabɛʁ'ne sovĩ'ɲõ] [Fr.] ***S. m.*** **1.** *Vitic.* Casta nobre de uva tinta, predominante no S.O. da França, mas presente também em outras regiões e em outros países, com a qual se produzem vinhos que envelhecem bem. **2.** *Enol.* Vinho produzido com essa uva.

cabeua ***S. m.*** *Bras. Zool.* V. *aperema*.

cabiçulinha ***S. f.*** *Bras. CE* **1.** Gude (1): "O menino traçou com o graveto a linha na terra. Depois, a três passos de distância, ajudado por uma pedra, cavou um buraco raso .... . Repetiu a operação mais duas vezes, guardando entre as covas o mesmo espaço. Estava pronta a cancha para a cabiçulinha." (Alberto da Costa e Silva, *Espelho do Príncipe*, p. 57.) **2.** Gude (2): "Os guris mantinham os bolsos das calças ou do macacão pesados de cabiçulinhas." (Id., *ib.*, p. 58.)

cabide [Do ár. *qābbid*, 'que prende'; 'coletor', ou *qibāḍ*, 'que prende com firmeza'.] ***S. m.*** **1.** Móvel com pequenos braços, onde se penduram roupas, chapéus, etc. [Sin. (bras.): *estaqueira, cambito*, e, no N. E., *ombreira*.] **2.** Espécie de gancho ou pequeno braço de madeira, ou de outro material, que se fixa à parede e serve para pendurar roupas, toalhas, arreios, armas, etc. **3.** Peça alongada de madeira, ou de outro material, aproximadamente da largura das espáduas, com uma parte arqueada à maneira destas, onde se pendura o paletó, e, que tem, por vezes, outra parte horizontal, onde se penduram as calças. [Sin. nesta acepç. (bras., N. e N. E., e lus.): *cruzeta*.] **4.** *Constr. Nav.* Armação fixa ou portátil, com orifícios ou braços nos quais se introduzem ou penduram instrumentos, armas e outros objetos de bordo. **5.** *Bras. S.* Cavalo magríssimo, com ossos à mostra. ◆ **Cabide ambulante.** *Bras. RS Pop.* Pessoa muito magra.

cabide de empregos ***S. m.*** **1.** *Bras. Pop.* Pessoa que acumula vários empregos, esp. se os ocupa de forma apenas nominal, recebendo salários sem exercer as funções respectivas. **2.** Órgão ou instituição, esp. no serviço público, que emprega mais pessoas do que o necessário, em decorrência de nomeações por influência política. [Pl.: *cabides de empregos*.] ☑

cabidela [De or. controv.] ***S. f.*** **1.** Os miúdos (q. v.) da ave. **2.** *Cul.* Guisado que se faz com esses miúdos e o sangue da ave. **3.** *Bras. N.E. Lus. Cul.* Galinha refogada, cujo molho leva o sangue da própria ave dissolvido com vinagre; galinha ao molho pardo. ◆ **Cabidela branca.** *Cul.* Cabidela (2) sem o sangue.

cabido[1] [Do lat. *capitulu*.] ***S. m.*** **1.** *Ecles.* Conjunto ou corporação dos cônegos de uma catedral: "veio o bispo de Coimbra, solenemente, ... acolitado pelo seu cabido" (Antero de Figueiredo, *D. Pedro e D. Inês*, p. 16). **2.** Qualquer outra corporação ou assembleia.

cabido[2] [Part. de *caber*.] ***Adj.*** Que tem cabimento; compatível; oportuno.

cabila [Do ár. *qabīla(t)*, 'tribo', 'linhagem'.] ***Adj. 2 g.*** **1.** Da, ou pertencente ou relativo à Cabília (Argélia). • ***S. 2 g.*** **2.** O natural ou habitante da Cabília. • ***S. m.*** **3.** *Gloss.* Língua berbere da região de Cabília (Argélia, N. da África) [v. *berbere* (2)].

cabilda [Var. de *cabila*.] ***S. f.*** **1.** Designação comum a diversas tribos nômades da África setentrional. **2.** *P. ext.* Tribo. **3.** Bando, malta, súcia, cáfila.

cabimento [De *caber* + *-imento*.] ***S. m.*** **1.** Aceitação, valimento, recebimento. **2.** Oportunidade, conveniência, propriedade: *Essa proposta não tem cabimento*.

cabina [Do fr. *cabine*.] ***S. f.*** V. *cabine*.

cabinda [Do top. *Cabinda* (África).] ***S. 2 g.*** **1.** *Etnôn.* Indivíduo dos cabindas, povo banto (q. v.) da região de Cabinda (Angola). • ***S. f.*** **2.** *Bras. PE Folcl.* Dança mímica popular afro-brasileira, parte de certos maracatus (v. *maracatu*), em que os participantes cantam pulando de cócoras à maneira de sapos. [Cf., nesta acepç., *cambindas*.] • ***Adj. 2 g.*** **3.** Pertencente ou relativo aos cabindas, ou ao cabinda (2). [Var.: *cambinda*.]

cabine [Do fr.] ***S. f.*** **1.** Camarote (3). **2.** Nos trens, compartimento, com camas ou sem elas, destinado aos passageiros. **3.** Nos aviões, compartimento onde se acham os instrumentos de controle e de navegação aérea, e onde ficam piloto e copiloto; carlinga. **4.** Compartimento, boxe ou guarita, nas centrais telefônicas, em lojas, repartições, etc., ou mesmo na via pública, para se falar ao telefone. **5.** Boxe, à prova de som, em lojas de discos, discotecas, etc., onde se pode ouvir a música escolhida, sem perturbar outros clientes. **6.** Compartimento, em lojas, ateliês de costura, etc., onde os clientes provam as roupas; provador. **7.** Pequeno compartimento; cubículo. **8.** *Bras.* Posto, abrigo, guarita, para vigia ou sinaleiro, nas estradas de ferro. [F. paral., menos us. no Brasil: *cabina*.]

cabineiro [De *cabine* ou *cabina* + *-eiro*.] ***S. m.*** *Bras.* **1.** Indivíduo que dirige uma cabine (8). **2.** Guarda ou vigia de cabine (2). **3.** Ascensorista.

cabíri [Do top. *Kabiri* (Angola).] ***Adj. 2 g.*** **1.** *Angol.* Sem raça determinada (diz-se, esp., de cães e galinhas): "ficou sentada à porta, penteando os cabelos e falando com seu cão cabíri." (Luandino Vieira, em Garibaldino de Andrade, *Novos Contos d'África*, p. 173). • ***S. m.*** **2.** *Angol.* Vira-lata (1): "o sono ainda não se havia levantado na pequena aldeia de pescadores, por onde tinham passado, entre latidos de cabíris." (Mário Antônio, *Farra no Fim de Semana*, p. 76). • ***S. f.*** **3.** *Angol.* Galinha cabíri: "andava já no quintal, se ouvia na voz dela a chamar a criação, duas cabíris e um galo de pescoço pelado" (José Luandino Vieira, *Estória da Baciazinha de Quitaba*, p. 8).

cabirismo [De *cabiro* + *-ismo*.] ***S. m.*** Crença nos cabiros.

cabiro [Do gr. *Kábeiros*, pelo lat. *Cabiru*.] ***S. m.*** Gênio misterioso da Grécia antiga, que, em grupos de dois, três ou quatro, era adorado sobretudo nas ilhas de Samotrácia e de Lemnos, e até no Egito.

cabisbaixo [Adapt. do esp. *cabisbajo*, f. sincopada de *cabecibajo*.] ***Adj.*** **1.** De cabeça baixa, curvada. **2.** *Fig.* Abatido, envergonhado, humilhado, vexado.

cabista ***Adj. 2 g.*** **1.** De, ou pertencente ou relativo a Arraial do Cabo (RJ). • ***S. 2 g.*** **2.** O natural ou habitante de Arraial do Cabo.

cabitu ***S. f.*** *Bras. Zool.* V. *bitu*[1].

cabiú [Do tupi, poss.] ***S. m.*** *Bras.* Sumo espesso da mandioca.

cabiúna [Do tupi = 'mato verde-escuro'.] ***S. f.*** **1.** *Bras. L. MT Bot.* Árvore fabácea (*Machaerium incorruptibile*) de flores em racemos e madeira útil para obras hidráulicas, construção naval e civil, marcenaria e carpintaria; jacarandá-cabiúna, jacarandá-preto. • ***S. 2 g.*** **2.** *Bras.* O escravo desembarcado clandestinamente no litoral brasileiro, após a lei de repressão ao tráfico. • ***Adj. 2 g.*** **3.** *Bras.* Cor de cabiúna; escuro, preto. [Var.: *caviúna*.]

cabiúna-do-campo ***S. f.*** *Bras. PI a SP Bot.* Árvore fabácea (*Dalbergia miscolobium*) dotada de flores roxas e madeira útil; jacarandá-cabiúna, pau-preto, uraúna, emiraúna. [Pl.: *cabiúnas-do-campo*.]

cabível [De *caber* + *-ível*.] ***Adj. 2 g.*** Que cabe, que tem cabimento.

cabixi [Do tupi.] ***S. m.*** **1.** *Bras. Amaz. Zool.* V. *cauxi*. • ***S. 2 g.*** **2.** *Bras. MT* Indivíduo dos cabixis, grupo indígena pareci. [Tb. us. como *s. 2 g. e 2 n.* (com cap.).] • ***Adj. 2 g.*** **3.** Pertencente ou relativo aos cabixis. [Tb. us. como *adj. 2 g. e 2 n.*]

cabixiense ***Adj. 2 g.*** **1.** De, ou pertencente ou relativo a Cabixi (RO). • ***S. 2 g.*** **2.** O natural ou habitante de Cabixi.

cablar [Do fr. *câbler*.] ***V. int.*** *Bras.* Telegrafar pelo cabo submarino.

cabo[1] [Do lat. *caput*, 'cabeça'.] ***S. m.*** **1.** V. *hierarquia militar*. **2.** Militar que detém a posição hierárquica de cabo. **3.** Comandante, chefe, cabeça. **4.** Término, fim, limite. **5.** Ponta de terra que entra pelo mar; promontório, ponta. **6.** *Bras. PE* Administrador de propriedade canavieira. ◆ **Cabo eleitoral.** Pessoa cuja função é angariar votos para um candidato à eleição. **A cabo de.** Ao cabo de: "O redemoinho capilar do Moreira, a cabo de coçadelas, sugeriu-lhe um engenhoso plano mistificatório" (Monteiro Lobato, *Urupês, Outros Contos e Coisas*, p. 97). **Ao cabo de.** No final; no fim de; a cabo de. **Ao cabo de contas.** V. *no frigir dos ovos*. **Dar cabo de. 1.** V. *matar* (1). **2.** Extinguir, destruir, acabar. **3.** V. *levar a cabo*. **Dar cabo do canastro a. 1.** Espancar: "Se tua mãe o sabe, dá-te cabo do canastro, rapariga. | Não lhe bateu, porque estava sempre às avessas da mulher." (Camilo Castelo Branco, *Novelas do Minho*, VII, p. 48.) **2.** V. *matar* (1). [Sin. ger.: *dar cabo do canastro de*.] **Dar cabo do canastro de.** V. *dar cabo do canastro a*. **De cabo a cabo.** De uma extremidade a outra; de cabo a rabo. **De cabo a rabo. 1.** Do princípio ao fim. **2.** De cabo a cabo. **Dobrar o cabo.** Ultrapassar uma idade já madura; dobrar o cabo da Boa Esperança. **Dobrar o cabo da Boa Esperança.** Dobrar o cabo. **Levar a cabo.** Completar, concluir, arrematar, finalizar; dar cabo de.

cabo[2] [Do lat. *capulu*, 'corda'.] ***S. m.*** **1.** Extremidade pela qual se segura um objeto ou instrumento: *o cabo da panela; o cabo da faca*. **2.** Rabo, cauda. **3.** Feixe de fios metálicos. **4.** *Constr.* Ornato com feitio de estrias em espiral, semelhante aos cabos ou cordas empregadas nos navios; calabre. **5.** *Eng. Elétr.* Condutor formado por um feixe de fios, ou por um conjunto de grupos de fios, não isolados entre si; cabo elétrico. **6.** *Marinh.* Qualquer corda utilizada a bordo, exceto a corda do sino, que é chamada *corda*. **7.** *Bras. Pop.* Ventre, barriga, intestino. **8.** *Bras. Pop.* O ânus. ◆ **Cabo calabroteado.** *Marinh.* Cabo formado por três ou mais cabos de massa convenientemente cochados entre si. **Cabo coaxial.** *Tec. Eletrôn.* Cabo elétrico, constituído por dois condutores concêntricos, separados por um dielétrico. **Cabo de fibra óptica.** *Tec. Eletrôn.* Cabo óptico, constituído por uma fibra de plástico ou, mais frequentemente, de vidro, coberta por um fino revestimento isolante, e por onde a luz é conduzida. **Cabo de laborar.** *Marinh.* Cabo que trabalha em poleame com roldana. [Cf. *cabo fixo*.] **Cabo de manilha.** *Bras. Marinh.* Cabo feito de fibra de abacá ou, p. ext., de qualquer fibra vegetal. **Cabo de massa.** *Marinh.* Cabo de fibra constituído por uma torcida de três ou quatro cordões. **Cabo de par trançado.** *Tec. Eletrôn.* Cabo elétrico, constituído por dois a quatro pares de fios entrelaçados, isolando cada fio do ruído de rádio frequência. **Cabo elétrico.** *Eng. Elétr.* Cabo[2] (5). **Cabo fixo.** *Marinh.* Qualquer cabo empregado em segurar a mastreação ou outra peça de embarcação, e que permanece no seu lugar, preso permanentemente pelos chicotes. [Cf. *cabo de laborar*.] **Cabo solteiro.** *Marinh.* Cabo sem aplicação específica, que fica à mão para ser utilizado em qualquer eventualidade. **Cabo submarino.** Cabo telegráfico estendido abaixo do nível do mar. **Dar cabo a machado.** *Bras. CE Pop.* Expor-se a contrariedades desnecessariamente.

cabo[3] [Dev. de *caber*.] ***S. m.*** Lugar onde uma pessoa ou coisa cabe ou está.

caboatã [Do tupi.] ***S. m.*** *Bras. Bot.* V. *camboatã*.

cabochão [Do fr. *cabochon*.] ***S. m.*** Pedra preciosa ou não, talhada, comumente arredondada, polida, mas não facetada: "Segue-o o cardeal de Toledo, de refulgente mitra, onde brilham cabochões de esmeraldas e balaios de pedras citrinas" (Antero de Figueiredo, *Toledo*, p. 165). [Cf. *cabuchão*.]

cabocla (ô) [F. de *caboclo*[1].] ***S. f.*** *Bras. Bot.* Erva asterácea (*Zinnia multiflora*) ornamental, de caule piloso, folhas opostas, e flores amarelas ou vermelhas reunidas em capítulos terminais, solitários. [Sin.: *caboila*.]

caboclada [De *caboclo*[1] + *-ada*[1].] ***S. f. Bras.*** Grupo ou bando de caboclos.

caboclina [De *cabocla* (q. v.) + *-inha*.] ***S. f.*** V. *chininha*.

caboclinho [De *caboclo*[1] + *-inho*[1].] ***S. m. Bras. Zool.*** Ave passeriforme, fringilídea (*Sporophila bouvreuil*), do Brasil setentrional e oriental. O macho é vermelho--claro, com o alto da cabeça preto, asas, cauda e coberteiras superiores da cauda pretas, em parte marginadas de pardo-claro; a fêmea, pardo-olivácea, a parte inferior mais clara, com tons de ocre. [Var.: *cabocolinho*. Sin.: *caboclinho-do-norte* e *caboclinho--da-baía*.] ~ V. *caboclinhos*.

caboclinho-da-baía ***S. m. Bras. Zool.*** V. *caboclinho*. [Pl.: *caboclinhos-da-baía*.]

caboclinho-do-norte ***S. m. Bras. Zool.*** V. *caboclinho*. [Pl.: *caboclinhos-do-norte*.]

caboclinhos [Pl. de *caboclinho*.] ***S. m. pl. Bras. N.E. Folcl.*** V. *cabocolinhos*. ~ V. *caboclinho*.

caboclismo [De *caboclo*[1] + *-ismo*.] ***S. m. Bras.*** Ação, dito, modos ou sentimento de caboclo[1].

caboclo[1] (ô) [Do tupi.] ***S. m. Bras.*** **1.** Mestiço de branco com índio; cariboca, carijó. **2.** Antiga denominação do indígena. **3.** Caboclo[1] (1) de cor acobreada e cabelos lisos; caburé, tapuio. **4.** V. *caipira* (1). **5.** *Pej.* Pessoa desconfiada. **6.** Entre os garimpeiros, qualquer seixo tinto por óxido de ferro. **7.** *Bras.* Indivíduo indeterminado: "todos pensavam na Adriana: morena, corpo perfeito, cabelo comprido, ... e aquelas coxas de deixar qualquer caboclo de barraca armada." (Paulo Lins, *Cidade de Deus*, p. 169). **8.** *Bras. Rel.* V. *encantado* (6). **9.** *Restr. Bras. Rel.* Qualquer encantado (5) que personifique um mito indígena, ou o próprio índio brasileiro. **10.** *Bras. PE Folcl.* Dançador do maracatu real. ● ***Adj.*** **11.** Da cor de caboclo; acobreado. **12.** Pertencente ou relativo a caboclo. **13.** Próprio de caboclo. **14.** Relativo a caboclo[1] (8 e 9). ~ V. *vala —a*. ◆ **Caboclo do Mato.** *Rel.* Nos candomblés angola e de caboclo, Oxoce (q. v.). [Com cap.] **Caboclo Malembá.** *Rel.* Nos candomblés de caboclo, Oxalá (q. v.). [Com cap. Tb. se diz apenas *Malembá*.] **Caboclo velho.** *Bras. N. N.E. Fam.* F. de tratamento empregada como vocativo: *Como vai, caboclo velho?* [Cf. *caboclo-velho*.]

caboclo[2] (ô) ***S. m. Bras. Zool.*** V. *marimbondo-caboclo*.

caboclo-d'água ***S. m. Bras. BA Folcl.*** Ente fantástico que à noite vira canoas e assombra barranqueiros, no rio São Francisco; moleque-d'água. [Pl.: *caboclos--d'água*.]

caboclo-lustroso ***S. m. Min. Bras.*** V. *limonita*. [Pl.: *caboclos-lustrosos*.]

caboclo-retorcido ***S. m. Bras.*** O seixo rolado de jaspe ferruginoso estratificado. [Pl.: *caboclos-retorcidos*.]

caboclote [De *caboclo*[1] + *-ote*[1].] ***S. m. Bras.*** Caboclo pequeno; caboclinho.

caboclo-velho ***S. m. Bras. AM Zool.*** Ave piciforme, capitonídea (*Capito auratus hypochondriacus*), da região entre o Solimões e o rio Negro, de dorso preto mesclado de alaranjado, fronte amarela com tons escarlate, e peito amarelo e alaranjado. [Pl.: *caboclos-velhos*. Cf. *caboclo velho*.]

caboclo-vermelho ***S. m. Bras.*** Nas lavras diamantinas, a hematita. [Pl.: *caboclos-vermelhos*.]

cabocó [Var. de *cavouco*.] ***S. m. Bras.*** **1.** Pequeno canal, calha ou levada, por onde corre a água que sai dos cubos das rodas hidráulicas, em engenho de cana; cobocó, covocó, cavouco. **2.** Variedade de queijo, tipo prato, de feitio aproximadamente esférico.

cabocolinho ***S. m. Bras.*** V. *caboclinho*. ~ V. *cabocolinhos*.

cabocolinhos [Var. de *caboclinhos*.] ***S. m. pl. Bras. N.E. Folcl.*** Folguedo originário dos cucumbis: desfile carnavalesco, uma ou outra vez com representação, de brincantes paramentados segundo o modelo indígena popularizado pela literatura indianista: "O reisado vai dançar na casa-grande. A chegança. O maracatu. O fandango. Os cabocolinhos. Os quilombos." (Carlos de Gusmão, *Boca da Grota*, p. 5.) [Sin. (em MG e SP): *caiapós*. Cf. *cucumbi*.] ~ V. *cabocolinho*.

cabodá [De or. obsc.] ***S. m. Bras. Constr.*** Orifício, nas paredes de taipa de pilão, originado pela retirada das agulhas [v. *agulha*[1] (20)].

cabo de esquadra [De *cabo*[1] + *de* + *esquadra*.] ***S. m.*** **1.** V. *hierarquia militar*. **2.** Militar que detinha a posição hierárquica de cabo de esquadra. [Pl.: *cabos de esquadra*.] ◆ **Ser de cabo de esquadra.** Ser um disparate, uma estupidez ou uma grande ingenuidade.

cabo de guerra[1] [De *cabo*[1] + *de* + *guerra*.] ***S. m.*** Antigo oficial superior do exército: "Cabrera .... era incontestavelmente um cabo de guerra de mérito superior e de bravura leonina." (Bulhão Pato, *Memórias*, I, p. 21.)

cabo de guerra[2] [De *cabo*[2] + *de* + *guerra*.] ***S. m. Bras.*** Jogo ou competição em que duas equipes puxam em direções opostas as pontas de uma corda grossa, vencendo a que conseguir arrastar a outra. [Pl.: *cabos de guerra*.]

cabo-de-lança [De *cabo*[2] + *de* + *lança*.] ***S. m. Bras. MT Bot.*** Árvore acatocarpácea (*Achatocarpus bicornutus*) cuja madeira é útil para as obras internas e se emprega como lenha e carvão. [Pl.: *cabos-de-lança*.]

cabo-de-machado [De *cabo*[2] + *de* + *machado*.] ***S. m. Bras. Bot.*** Quina-de-rego. **2.** V. *acá* (1). [Pl.: *cabos-de--machado*.]

cabo de tropa [De *cabo*[1] + *de* + *tropa*.] ***S. m. Bras.*** O chefe de uma bandeira (13), nos tempos coloniais. [Pl.: *cabos de tropa*.]

cabodifusão [De *cabo*[2] + *difusão*.] ***S. f.*** Transmissão de notícia por meio de cabo submarino.

cabo-friense ***Adj. 2 g.*** **1.** De, ou pertencente ou relativo a Cabo Frio (RJ). ● ***S. 2 g.*** **2.** O natural ou habitante de Cabo Frio. [Pl.: *cabo-frienses*.]

cabograma [Adapt. do ingl. *cablegram*.] ***S. m.*** Telegrama expedido por cabo submarino: "batem na porta. .... Era um mensageiro, com um cabograma do marido." (Nélson Rodrigues, *100 Contos Escolhidos. A Vida como Ela É*, II, p. 21).

cabo-guia [De *cabo*[2] + *guia*.] ***S. m. Marinh.*** **1.** Cabo de pequena bitola, que é amarrado ao chicote de uma amarra ou de um virador para que se torne mais fácil levá-lo até o arganéu de uma boia. **2.** Cabo fino, de aço, que se prende ao homem que entra em compartimento onde lavre incêndio, ou cheio de fumaça, e destinado a prestar-lhe socorro em caso de necessidade. [Pl.: *cabos-guias* e *cabos-guia*.]

caboila ***S. f. Bras. Bot.*** Cabocla.

caboje (ó) ***S. m. Bras.*** Parte dos gomos extremos do rebolo da cana-de-açúcar que se inutiliza para apressar a germinação dos brotos; vigário: "Chupar cana no picadeiro do engenho e chupar caboje no plantio da safra nova." (Carlos de Gusmão, *Boca da Grota*, p. 4.) [Cf. *caborje*.]

cabolocoço ***Interj. Angol.*** V. *cabolocosso*.

cabolocosso [Do quimb.] ***Interj. Angol.*** E mais isto, e mais aquilo; etc.: "eu sei a resposta evangélica: ganhar o mundo, perder a alma, cabolocosso!" (José Luandino Vieira, *João Vêncio: os Seus Amores*, p. 101).

cabomba [Do tax. *Cabomba*.] ***S. f. Bot.*** Gênero de ninfeáceas que reúne cinco espécies de ervas aquáticas que são us. em aquários como oxigenadoras. **2.** Qualquer espécie desse gênero, como, p. ex., a *Cabomba aquatica* [v. *mururé* (4)]. **3.** Qualquer espécime desse gênero.

cabonde [De or. obsc.] ***Lus. Adj.*** **1.** Bastante, suficiente: "As paredes deitaram sombra cabonde para se estirarem duas vezes nela" (Aquilino Ribeiro, *Andam Faunos pelos Bosques*, pp. 184-185). ***Adv.*** **2.** Bastante (3).

caboquena ***Bras. S. 2 g.*** **1.** *Etnôn.* Indivíduo dos caboquenas, povo indígena extinto que habitava as margens do rio Urubu, afluente do Amazonas (AM). ● ***Adj. 2 g.*** **2.** Pertencente ou relativo a esse povo. [Tb. us. como *s. 2 g. e 2 n.* (com cap.) e *adj. 2 g. e 2 n.*]

caboré ***S. m. Bras.*** V. *caburé*.

caborje [De or. afr., poss.] ***S. m. Bras.*** **1.** V. *bruxaria* (1 e 2). **2.** Espécie de bentinho (q. v.). [Cf. *caboje*.]

caborjeiro [De *caborje* + *-eiro*.] ***Bras. S. m.*** **1.** Feiticeiro, mandingueiro, bruxo. ● ***Adj.*** **2.** Diz-se de caborjeiro (1).

caborjudo [De *caborje* + *-udo*.] ***Adj. Bras. SP Pop.*** **1.** Que tem o corpo fechado graças a feitiço ou caborje (1). **2.** V. *valentão* (1).

caboroca [De *caá-* + o tupi = 'rebentar', com haplologia.] ***S. f. Bras. ES*** Corte dos arbustos e cipós de uma mata para o plantio do cacau.

caborocar [De *caboroca* + *-ar*[2].] ***V. t. d. Bras. ES*** Praticar a caboroca em (a mata). [Conjug.: v. *trancar*.]

cabortar [De *cabort(eiro)* + *-ar*[2].] ***V. int. Bras. S.*** V. *cabortear*.

cabortear [De *cabort(eiro)* + *-ear*[2].] ***V. int. Bras. S.*** **1.** Proceder como caborteiro (1); mentir, lograr. **2.** Comportar-se (o cavalo) como caborteiro (2). [Sin. ger.: *cabortar*. Conjug.: v. *frear*.]

caborteirice [De *caborteiro* + *-ice*.] ***S. f. Bras. S.*** Ação de indivíduo ou animal caborteiro ou cavorteiro. [F. paral.: *cabortice*, *cavortice* e *cavorteirice*.]

caborteiro [Do esp. plat. *cabortero*.] ***Adj. S. m. Bras. S.*** **1.** Diz-se de, ou indivíduo velhaco, manhoso, mentiroso, que vive de expedientes. **2.** Diz-se de, ou cavalo arisco, falso, velhaqueador, cheio de manhas. [Var.: *cavorteiro*.]

cabortice [De *cabort-*, como em *carboteiro*, + *-ice*.] ***S. f. Bras. S.*** V. *caborteirice*.

cabos-brancos ***Adj. 2 g. e 2 n. S. 2 g. e 2 n. Bras. Hip.*** Diz--se de, ou equídeo que tem as quatro patas brancas.

cabos-negros ***Adj. 2 g. e 2 n. S. 2 g. e 2 n. Bras. Hip.*** Diz--se de, ou equídeo que tem as quatro patas negras.

cabotagem [Do fr. *cabotage*.] ***S. f. Mar. Merc.*** Navegação de cabotagem (q. v.). ◆ **Grande cabotagem.** *Mar. Merc.* Navegação mercante entre portos de um mesmo país. **Pequena cabotagem.** *Mar. Merc.* Navegação mercante entre pontos afastados no máximo 250 milhas, e dentro de 15 milhas da costa.

cabotar [Do fr. *caboter*.] ***V. int.*** Fazer navegação de cabotagem. [Pres. ind.: *caboto*, etc. Cf. *caboto* (ô), s. m., e *Caboto* (ô), antr.]

cabotinagem [De *cabotino* + *-agem*[2].] ***S. f.*** V. *cabotinismo*: "Bilac [Olavo Bilac], na sua juventude, foi um dos 'boêmios' mais completos que a vida de jornal, de literatura, de botequim e de cabotinagem tem engendrado, no Brasil." (Amadeu Amaral, *O Elogio da Mediocridade*, p. 90.)

cabotinice [De *cabotino* + *-ice*.] ***S. f.*** V. *cabotinismo*.

cabotinismo [De *cabotino* + *-ismo*.] ***S. m.*** Ação, modos, costumes ou vida de cabotino; cabotinagem, cabotinice.

cabotino [Do fr. *cabotin*.] ***S. m.*** **1.** Cômico ambulante. **2.** Mau comediante. **3.** *Fig.* Indivíduo presumido, de maneiras afetadas, que procura chamar a atenção, ostentando qualidades reais ou fictícias. ● ***Adj.*** **4.** *Fig.* Que procede como cabotino (3).

caboto (ô) ***S. m. Bras. BA*** Braço de mar, que vazante, pode ficar seco. [Pl.: *cabotos* (ô). Cf. *caboto*, do v. *cabotar*.]

caboucador (ô) ***S. m.*** V. *cavoucador*.

caboucar ***V. t. d.*** V. *cavoucar*. [Conjug.: v. *trancar*.]

cabouco ***S. m.*** V. *cavouco*.

cabouqueiro ***S. m.*** V. *cavouqueiro*.

cabo-verde [Do top. *Cabo Verde* (África).] ***S. 2 g.*** **1.** Cabo-verdiano (4). **2.** *Bras.* Mestiço de negro e índio; cafuzo: "vencendo o rumor, a voz tonitruante de um atendido cabo-verde apregoava." (Coelho Neto, *A Conquista*, p. 445). ● ***S. m.*** **3.** *Bras. Zool.* Certo díptero tabânida (*Lepidoselaga lepidota*). **4.** *Bras. L. a S. Bot.* Arvoreta cesalpiniácea (*Senna macranthera*) cujas folhas têm quatro folíolos subsésseis, oblongos ou lanceolados, obtusos e grandes, e cujas flores, amarelas, com pétalas de até 4cm, são dispostas em amplas panículas, sendo o fruto um legume cilíndrico, negro, brilhante, que vai até 30cm. **5.** *Bot.* V. *boi-gordo*. [Pl.: *cabos-verdes*.]

cabo-verdense ***Adj. 2 g.*** **1.** De, ou pertencente ou relativo a Cabo Verde (MG). ● ***S. 2 g.*** **2.** O natural ou habitante de Cabo Verde. [Pl.: *cabo-verdenses*.]

cabo-verdianismo [De *cabo-verdiano* + *-ismo*.] ***S. m.*** **1.** Palavra ou locução própria dos cabo-verdianos. **2.** Modismo próprio da linguagem dos cabo-verdianos.

cabo-verdiano [Do top. *Cabo Verde* + *-iano*.] ***Adj.*** **1.** Do, ou pertencente ou relativo ao arquipélago de Cabo Verde (África). **2.** *E. Ling.* Diz-se de palavra ou locução do português (3) própria(s) dos cabo-verdianos. **3.** *E. Ling.* Diz-se de palavra ou locução do crioulo do Cabo Verde (q. v.). ● ***S. m.*** **4.** O natural ou habitante desse arquipélago; cabo-verde. **5.** Vocábulo cabo--verdiano (2 e 3). [Pl.: *cabo-verdianos*.]

cabra [Do lat. *capra*.] ***S. f.*** **1.** *Zool.* Mamífero ruminante, a fêmea do bode. **2.** Cábrea. **3.** *Pop.* Mulher devassa. **4.** *Fig.* Mulher de mau gênio, irritadiça, escandalosa. **5.** *Astr. P. us.* Capricórnio (1). [Com cap., nesta acepç.] ● ***S. m.*** **6.** *Bras. Santom.* Mestiço de mulato e negro. **7.** V. *capanga* (4). **8.** V. *cangaceiro*. **9.** Morador de propriedade rural. **10.** Indivíduo, sujeito: *João é um cabra inteligente; Que cabra disposto!* **11.** *Bras.* No jogo do bicho (q. v.), o 6º grupo (14), que abrange as dezenas 21, 22, 23 e 24, e corresponde ao número seis. ◆ **Amarrar a cabra.** *Bras. PE Pop.* V. *embriagar* (4).

cabra-cabriola ***S. f. Bras. N. N.E. Folcl.*** Figura fantástica dos contos populares que penetra nas casas para devorar as crianças travessas. [Pl.: *cabras-cabriolas*.]

cabra-cega ***S. f.*** **1.** Brincadeira em que uma criança, vendada, tenta agarrar outra, para ser por esta substituída. [Sin. (em SE): *batepandé*.] **2.** *Bras. PA Zool.* Certa libélula. [Pl.: *cabras-cegas*.]

cabrada [De *cabra* + *-ada*[1].] ***S. f.*** Rebanho de cabras.

cabra da peste ***S. m. Bras. N.E.*** Indivíduo valente, disposto, ou digno de admiração por outro motivo. [Pl.: *cabras da peste*.]

cabra da rede rasgada ***S. m. Bras. N.E. Pop.*** Indivíduo desabusado, atrevido, insolente. [Pl.: *cabras da rede rasgada*.]

cabra de chifre ***S. m. Bras. AC*** V. *cangaceiro*. [Pl.: *cabras de chifre*.]

cabra de peia ***S. m.*** **1.** *Bras.* Indivíduo desclassificado. **2.** *Bras. N.E.* V. *valentão* (3). **3.** *Bras. AL* V. *capanga* (4). [Pl.: *cabras de peia*.]

cabrado [Part. de *cabrar*.] ***Adj.*** **1.** Diz-se do voo em que o nariz do avião se inclina para cima. **2.** Diz-se do avião em tal situação. [Cf. *picado* (6 e 7).]

cabra-feio ***S. m. Bras.*** V. *valentão* (3). [Pl.: *cabras feios*.]

cabrálea [Do tax. *Cabralea*.] ***S. f. Bot.*** **1.** Gênero monoespecífico de árvores e arbustos meliáceos, polimórficos. **2.** A espécie desse gênero, *Cabralea canjerana* [v. *canjerana* (2)]. **3.** Qualquer espécime desse gênero.

cabralhada [De *cabra* + *-alhada*.] ***S. f. Bras. N.*** V. *cabroeira*.

cabraliano[1] *Adj.* V. *cabralino.*

cabraliano[2] [Do antr. (*João*) *Cabral* (*de Melo Neto*) + *-iano.*] *Adj.* **1.** Relativo ou pertencente ao poeta brasileiro João Cabral de Melo Neto (1920-1999), ou próprio dele. **2.** Que é seu admirador e/ou profundo conhecedor de sua obra. • *S. m.* **3.** Admirador e/ou profundo conhecedor da obra de João Cabral de Melo Neto.

cabraliense *Adj. 2 g.* **1.** De, ou pertencente ou relativo a Cabrália Paulista (SP). • *S. 2 g.* **2.** O natural ou habitante de Cabrália Paulista.

cabralino *Adj.* Relativo ou pertencente a Pedro Álvares Cabral (*c.* 1467/68-1520 ou 1526), navegador português, dito o descobridor do Brasil; cabraliano.

cabra-macho *S. m. Bras.* V. *valentão* (3). [Pl.: *cabras-machos.*]

cabramo [Do lat. **capulamine* < lat. *capulu*, 'rédea'.] *S. m.* **1.** Peia com que se amarra o pé de animal bovino, caprino, etc., a um dos chifres, para que não fuja. **2.** *P. ext.* Peia com que se amarra animal bovino, caprino, etc., pelos cornos, a uma estaca, etc.

cabrão [De *cabra* + *-ão*[1].] *S. m.* **1.** Bode[1] (1). **2.** *Pop.* V. *corno* (9). **3.** Criança que berra muito.

cabra-onça *S. m. Bras. Pop.* V. *valentão* (3). [Pl.: *cabras-onças* e *cabras-onça.*]

cabrar *V. int. Aer. Av.* Elevar (o avião) o nariz em voo. [Cf. *picar* (30).]

cabra-sarado *S. m. Bras. Pop.* Indivíduo esperto, vivo, astuto. [Pl.: *cabras-sarados.*]

cabra-seco *S. m. Bras. SP* V. *valentão* (3). [Pl.: *cabras-secos.*]

cabra-selvagem *S. f. Zool.* Mamífero ruminante artiodáctilo, bovídeo, de *habitat* montanhoso, natural da Europa e da Ásia; tem cerca de 90cm de altura, pelagem marrom-acinzentada mais escura no abdome, e o macho é provido de grandes chifres semicirculares, com superfícies estriadas transversalmente, e barba. [Sin.: *íbex.* Pl.: *cabras-selvagens.*]

cabra-topetudo *S. m. Bras. Pop.* V. *valentão* (3). [Pl.: *cabras-topetudos.*]

cabre [Do fr. dial. ant. *caable* (< fr. ant. *chaable*, poss. do lat. *capulu*, 'corda'), pelo port. ant. *caabre.*] *S. m. Ant. Marinh.* Calabre (2).

cábrea [Do lat. *caprea*, 'cabra montês'.] *S. f.* Espécie de guindaste, com duas ou três pernas convergentes no topo, onde há uma roldana para apoiar o cabo, e que serve para levantar materiais, nas construções; cabra. ◆ **Cábrea flutuante.** Embarcação, jangada ou caixão flutuante sobre o qual se instala uma cábrea, para embarcar ou desembarcar grandes pesos de navios e doutras embarcações.

cabrear-se [De *cabra* + *-ear*[2] + *se*[1].] *V. p.* V. *empinar* (8).

cabreiro [Do lat. *caprariu.*] *S. m.* **1.** Pastor que guarda cabras. **2.** Indivíduo ativo, diligente. • *Adj.* **3.** Que guarda cabras. **4.** Esperto, vivo, atilado. **5.** Diz-se de uma espécie de queijo picante português, da região do Ribatejo, feito de leite de cabra. **6.** *Bras. Pop.* Manhoso, astuto, sonso. **7.** *Bras. Pop.* Desconfiado. "– Mas então – diz Tita – Guedali voltou do Marrocos. Meio cabreiro ainda: não quis voltar para casa." (Moacir Scliar, *O Centauro no Jardim*, p. 241.)

cabrejar [De *cabra* + *-ejar.*] *V. int.* Emitir gritos (a cabra). [Conjug.: v. *pelejar*. Norm. só se conjuga nas 3.as pess.]

cabrema [De *cabre*, poss.] *S. f.* **1.** *Bras.* Corda com uma forquilha ou gancho de madeira, empregada para amarrar a parte dianteira das cargas de cana transportadas em muares. **2.** *Bras. RN* Corda com que se prende a mão do boi ladrão ao chifre para lhe reduzir os movimentos.

cabrestante [De or. incerta.] *S. m. Constr. Nav.* Máquina destinada a içar a amarra da âncora, e que consiste num tambor que gira à volta de um pião ou eixo vertical. [Cf. *molinete* (8) e *guincho*[2] (2).]

cabrestão [De *cabresto* + *-ão*[1].] *S. m.* Cabresto (1) reforçado.

cabresteador (ô) [Do esp. plat. *cabresteador.*] *Adj. Bras. S.* V. *cabresteiro* (2 e 3).

cabrestear [Do esp. plat. *cabrestear.*] *V. int. Bras. S.* **1.** Caminhar (o cavalo) pelo cabresto, sem que seja preciso espantá-lo. **2.** Obedecer docilmente à tração do laço. **3.** *Fig.* Deixar-se guiar ou conduzir por outrem em qualquer assunto. [Conjug.: v. *frear.*]

cabresteira [De *cabresto* + *-eira.*] *S. f. Marinh.* Pedaço de amarra que, em uma amarração fixa, tem um dos chicotes manilhado ao anilho da amarração, e outro ao arganéu inferior da boia.

cabresteiro [De *cabresto* + *-eiro.*] *S. m.* **1.** Fabricante e/ou vendedor de cabrestos. • *Adj.* **2.** Que se deixa levar pelo cabresto (1); cabresteador. **3.** Que se deixa conduzir docilmente; submisso, dócil, cabresteador.

cabrestilhado [De *cabrestilho* + *-ado*[1].] *Adj.* Com cabrestilho (2): *bota cabrestilhada.*

cabrestilho [De *cabresto* + *-ilho.*] *S. m.* **1.** Cabresto pequeno. **2.** *Bras. S.* Correia de couro, estreita, ou corrente de metal, que segura a espora ao pé.

cabresto (ê) [Do lat. *capistru*, com metátese.] *S. m.* **1.** Espécie de buçal (1) mais grosso, com todos os componentes da cabeçada (9), exceto a embocadura. **2.** Boi manso que serve de guia aos touros. **3.** *Pop.* Freio (4). **4.** *Constr. Nav.* Cada uma das correntes de ferro que aguentam o gurupés para a roda de proa. **5.** *Bras.* Reforço de linha, ou de arame fino, aplicado na extremidade da vara ou caniço de pesca. **6.** *Bras. N.E.* Ligamento de cordas que prendem os bancos à jangada. ◆ **Sentar no cabresto.** *Bras. RS Hip.* **1.** Tentar (o cavalo) arrebentar o cabresto, atirando-se para trás com violência. **2.** *Fig.* Recusar-se obstinadamente a alguma coisa. **Trazer (alguém) pelo cabresto.** Exercer total domínio sobre (alguém).

cabreúva *S. f. Bras. Bot.* V. *cabriúva* (1).

cabreuvano (e-u) *Adj.* **1.** De, ou pertencente ou relativo a Cabreúva (SP). • *S. m.* **2.** O natural ou habitante de Cabreúva.

cabrião[1] [Do ficciôn. *Cabrion*, da obra *Os Mistérios de Paris*, de Eugène Sue (1804-1857), romancista francês.] *S. m.* Indivíduo que importuna ou molesta sem cessar.

cabrião[2] *S. m. Bras. RS Zool.* V. *anfineuro* (1).

cabril[1] [Do lat. *caprile.*] *S. m.* Curral de cabras.

cabril[2] [De *cabra* + *-il*[1].] *Adj. 2 g.* Áspero, agreste.

cabrilha [De *cabra* + *-ilha.*] *S. f.* **1.** *Marinh.* Aparelho de força, composto de duas vigas que se cruzam em tesoura, mantido em pé por meio de guardins [v. *guardim* (2)], e munido de um aparelho de içar pesos (teque, estralheira, etc.) preso na junção das vigas. **2.** Bimbarra (1).

cabrim [De *cabra* + *-im.*] *S. m.* Pele curtida, de cabra ou de cabrito.

cabrinete (ê) [De *cabra.*] *S. m. Bras.* Indivíduo que usa cavanhaque.

cabrinha [De *cabra* + *-inha.*] *S. f. Bras.* **1.** *Zool.* Designação comum a peixes actinopterígios, triglídeos, esp. *Prionotus caprella*, do Atlântico, de dorso esverdeado, abdome branco, corpo com pontos ferrugíneos, nadadeira dorsal grande e alta, e a peitoral com três acúleos [v. *acúleo* (6)] que auxiliam na locomoção; peixe cabra. **2.** *Bras. BA* Variedade de manga.

cabriola [Do it. *capriola.*] *S. f.* **1.** Salto de cabra. **2.** *P. ext.* Salto, pulo. **3.** V. *cambalhota* (1): "atirava as mãos para o chão, dava uma cabriola, repulava sobre os pés" (Eça de Queirós, *A Capital*, p. 507). **4.** *Fig.* Mudança repentina de opinião ou de partido.

cabriolante [De *cabriolar* + *-nte.*] *Adj. 2 g.* Que cabriola.

cabriolar [De *cabriola* + *-ar*[2].] *V. int.* **1.** Dar cabriolas: "Uma seca ventania de procela sublevava as águas – e o *Leivádia*, o grande iate do imperador da Rússia, cabriolava no cimo alto das ondas" (Virgílio Várzea, *Nas Ondas*, p. 93). **2.** Dar voltas; voltear, ondular, serpear.

cabriolé [Do fr. *cabriolet.*] *S. m.* **1.** Carruagem leve, de duas rodas, com capota móvel, puxada por um cavalo. **2.** Tipo de carroceria de automóvel conversível, de dois ou três lugares.

cabrita [F. de *cabrito.*] *S. f.* **1.** Cabra pequena. **2.** *Ant.* Máquina de guerra com que se arremessavam pedras. **3.** Empunhadura da serra braçal. **4.** *Bras.* Mestiça ainda nova. **5.** *Bras. Gír.* Mulher no começo da adolescência. [Cf. *brotinho* (1).]

cabritada [De *cabrita* + *-ada*[1].] *S. f. Bras.* Bando ou grupo de cabritos, de pequenos bodes.

cabritar [De *cabrito* + *-ar*[2].] *V. int.* Saltar, ou andar, ou movimentar-se, saltando como os cabritos; pular: "vinha mal-humorado daquelas cinco léguas de fordinho cabritando na estrada péssima." (Mário de Andrade, *Contos Novos*, p. 71). [Sin. ger. (bras.): *cabritear.*]

cabritear [De *cabrito* + *-ear*[2].] *V. int. Bras.* V. *cabritar.* [Conjug.: v. *frear.*]

cabriteiro[1] [De *cabrito* + *-eiro.*] *S. m.* Aquele que cuida de cabritos.

cabriteiro[2] [De *cabrita* (2) + *-eiro.*] *S. m. Ant.* Aquele que fazia as cabritas [v. *cabrita* (2)].

cabritilha [Do esp. plat. *cabretilla.*] *S. f. Bras. RS* Couro curtido de cabrito, próprio para calçados.

cabritinho [De *cabrito* + *-inho*[1].] *S. m. Bras. S.* Indivíduo muito moreno, ou mulato.

cabritino [De *cabrito* + *-ino*[1].] *Adj.* Relativo a cabrito (1).

cabritismo [De *cabrito* + *-ismo.*] *S. m.* **1.** *Bras.* Sensualidade, lascívia, lubricidade, libidinagem. **2.** *Moç.* Corrupção; suborno: "Elegia ao Cabritismo Generalizado" (Momed Kadir, em *Xiphefo*, n.º 16, p. 12).

cabrito [Do lat. tard. *capritu.*] *S. m.* **1.** Pequeno bode[1] (1). **2.** Iguaria feita com cabrito. **3.** Moreno, mulato. **4.** *Fam.* Menino. **5.** *Angol. Santom.* Indivíduo mulato, de pele muito clara: "Mulatona... nem cabrita é... – insultava-a furioso à tardinha quando regressava a casa." (Arnaldo Santos, *Quinaxixe*, p. 47.)

cabriúva [Do tupi = 'árvore do caburé'.] *S. f. Bras.* **1.** *Bot.* Árvore fabácea (*Myrocarpus frondosus*) da floresta atlântica, de folhas com cinco a nove folíolos oblongos, acuminados e muito finos, flores verde-amareladas, actinomorfas, dispostas em racemos, e cujos frutos são sâmaras elípticas e monospermas. A madeira, pardo-escura com tons avermelhados, aromática, pesada e resistente, é utilizada em construções em geral, móveis e canoas. [Sin.: *cabreúva, cabriúva-parda, cabrué, cabureíba, óleo-cabureíba, óleo-pardo, pau-bálsamo.*] **2.** Certa bebida feita com açúcar, gengibre e aguardente. **3.** Fritada de ovos preparada com aguardente.

cabriúva-do-campo *S. f. Bras. PA a SP MT Bot.* Árvore fabácea (*Myrocarpus fastigiatus*) de flores alvas e folhas compostas, cuja madeira é útil para construção civil e naval, obras hidráulicas e marcenaria, e da qual se obtém essência oleosa; bálsamo, cabriúva-preta, cabriúva-vermelha, cabriuvinha-do-campo, cabureíba, óleo-de-macaco, óleo-pardo. [Pl.: *cabriúvas-do-campo.*]

cabriúva-parda [De *cabriúva* + o f. de *pardo.*] *S. f. Bras. Bot.* V. *cabriúva* (1). [Pl.: *cabriúvas-pardas.*]

cabriúva-preta [De *cabriúva* + o f. de *preto.*] *S. f. Bras. Bot.* V. *cabriúva-do-campo.* [Pl.: *cabriúvas-pretas.*]

cabriúva-vermelha [De *cabriúva* + o f. de *vermelho*[1].] *S. f. Bras. Bot.* V. *cabriúva-do-campo.* [Pl.: *cabriúvas-vermelhas.*]

cabriuvinha-do-campo (i-u) *S. f. Bras. Bot.* V. *cabriúva-do-campo.* [Pl.: *cabriuvinhas-do-campo.*]

cabro [Do lat. *capru.*] *S. m. P. us.* Bode[1] (1).

cabroada [De *cabrão* + *-ada*[1].] *S. f.* Chusma de cabrões.

cabrobó [De or. incerta.] *S. m. Bras. BA Pej.* Indivíduo muito pobre.

cabroboense (bò) *Adj. 2 g.* **1.** De, ou pertencente ou relativo a Cabrobó (PE). • *S. 2 g.* **2.** O natural ou habitante de Cabrobó.

cabroca [Dev. de *cabrocar.*] *S. f. Bras. BA* Ato ou efeito de cabrocar. [Var.: *cabruca.*]

cabrocado [Part. subst. de *cabrocar.*] *S. m. Bras. BA* V. *roça* (5). [Var.: *cabrucado.*]

cabrocar *V. t. d.* **1.** *Bras.* Roçar, cortar (o mato, a capoeira). **2.** *Bras. BA* Cortar (certo número de árvores), para plantio do cacaueiro. [Var.: *cabrucar.* Conjug.: v. *trancar.*]

cabrocha [De *cabra* (6).] *S. 2 g.* **1.** V. *mulato* (1). **2.** *P. ext.* Qualquer mestiço escuro, de lábios grossos e cabelo pixaim; cabroche. **3.** *Bras. AM* Mestiço de índio e mulato. • *S. f.* **4.** Mulata jovem.

cabrochão [Aum. de *cabrocha* (1).] *S. m. Bras.* Mulato corpulento.

cabroche *S. m. Bras.* Cabrocha (2): "um tal João Cacheado, cabroche pernóstico e contador de histórias antigas" (Valdomiro Silveira, *Os Caboclos*, p. 150).

cabroeira [De *cabra* + *-oeira.*] *S. f. Bras.* Chusma de cabras; cabralhada. [Sin. (no CE): *cabroeiro.*]

cabroeiro [De *cabra* + *-oeiro.*] *S. m. Bras. CE* V. *cabroeira.*

cabronaz [De *cabrão* + *-az.*] *S. m.* Grande cabrão.

cabruca [Dev. de *cabrucar.*] *S. f. Bras.* V. *cabroca.*

cabrucado *S. m. Bras.* V. *cabrocado.*

cabrucar *V. t. d. Bras.* V. *cabrocar.* [Conjug.: v. *trancar.*]

cabrué *S. m. Bras. S. Bot.* V. *cabriúva* (1).

cabrum [Do lat. tard. *caprunu.*] *Adj. 2 g.* **1.** *Zool.* V. *caprino* (2): "O gado ovelhum e cabrum é de 145 cabeças" (Afonso Arinos, *Histórias e Paisagens*, p. 177). **2.** *Bras.* V. *corno* (9).

cabu *Adj. 2 g. S. m. Bras.* Entre galistas, diz-se de, ou galo cinzento.

cabuchão [De *cabucho* + *-ão*[2].] *S. m. Bras.* Aquilo que tem forma cônica. [Cf. *cabochão.*]

cabucho *S. m.* **1.** Ponta cônica dos pães de açúcar. **2.** Tipo de lapidação com essa forma. **3.** *Bras. N.E.* Açúcar de cristalização imperfeita, e que precisa voltar ao cozimento.

cabuçu [Var. de *cabaçu.*] *S. m.* **1.** *Bras. Zool.* V. *tatu-de-rabo-mole.* **2.** *Bras. PA a SP GO Bot.* Arbusto poligonáceo (*Coccoloba martii*) de flores brancacentas, e cujos frutos têm propriedades refrigerantes e adstringentes; guajabara, guajuvira. **3.** *Bras. Bot. Amaz. a SP GO MT* Arbusto poligonáceo (*Coccoloba mollis*) de flores brancacentas e bagas drupáceas.

cabuçuano *Adj.* **1.** De, ou pertencente ou relativo a Cabuçu (RJ). • *S. m.* **2.** O natural ou habitante de Cabuçu.

cabueta (ê) *S. 2 g. Bras. N.E. Pop.* V. *alcaguete* (3 e 4).

cabuetagem [De *cabueta* + *-agem*[2].] *S. f. Bras. N.E. Pop.* V. *alcaguetagem.*

cabuetar [De *cabueta* + *-ar*[2].] *V. t. d. T. d. e i. Bras. N.E. Pop.* V. *alcaguetar.*

cabuim (u-ím) *S. m. Bras. Bot.* V. *mundaú.*

cabula *S. f. Bras. Rel.* Culto secreto afro-brasileiro, com influências malês, bantas e espíritas, poss. precursor da umbanda, e que surgiu, nos últimos anos do séc. XIX, na Bahia. [Sobreviveu no ES, em MG e no RJ.]

cábula [De or. obscura.] *S. m.* **1.** Estudante pouco assíduo; gazeteiro. • *S. f.* **2.** Falta às aulas. **3.** *Bras.* V. *caiporismo.* **4.** Ardil para esquivar-se a obrigações. • *S. 2 g.* **5.** Indivíduo astuto, manhoso. [Cf. *cabula*, do v. *cabular.*]

cabular [De *cábula* + *-ar*[2], poss.] *V. t. d.* **1.** Faltar a (aula, trabalho, etc.). ***Int.*** **2.** Cabular (1). **3.** Usar de cábula (4). [Pres. ind.: *cabulo, cabulas, cabula,* etc. Cf. *cábula.*]

cabuleté *S. m. Bras.* Indivíduo reles, desprezível, vagabundo.

cabulice [De *cábula* + *-ice.*] *S. f.* **1.** Ação de cábula (1 e 5). **2.** Mandriice nos deveres escolares.

cabuloso (ô) [De *cábula* + *-oso.*] ***Adj. Bras.*** **1.** Que tem ou dá cábula (3) ou azar; azarento. **2.** Aborrecido, aborrecível, importuno. **3.** *Gír.* Ameaçador, perigoso: *uma situação cabulosa; um sujeito cabuloso.*

cabumbo-de-azeite *S. m. Bras. AM Bot.* Árvore burserácea (*Protium insigne*) medicinal, oleaginosa, dotada de flores em racemos e frutos drupáceos, globosos. [Pl.: *cabumbos-de-azeite.*]

cabundá *S. m. Bras. Ant.* Escravo fujão e dado ao roubo.

cabungo [Do quimb. *kibungu.*] *S. m. Bras.* **1.** Recipiente de matérias fecais, feito de madeira: "Antônio Ximango evoca um Porto Alegre quase fabuloso, com sarjetas de água verde, cabungos e pipas de água" (Augusto Meyer, *Prosa dos Pagos*, p. 210). **2.** *V. urinol* (1). **3.** Indivíduo pouco asseado e/ou a quem não se liga nenhuma importância; cabungueiro.

cabungueiro [De *cabungo* + *-eiro.*] *S. m. Bras.* **1.** Indivíduo que limpa ou carrega o cabungo (1). **2.** Cabungo (3). **3.** Aquele que só serve para ofício, humilde.

cabúqui [Do jap. *kabuki.*] *S. m. Teatr.* Gênero dramático japonês, de origem popular, que floresceu no séc. XVII, e que, ao contrário do nô (q. v.), se caracteriza pelo maior realismo dos argumentos e diálogos (cuja estrutura se aproxima da do teatro ocidental), pelo uso mais amplo da música, do canto, de danças (de origem folclórica) e de indumentárias de gosto popular, apresentando, porém, um traço comum ao nô: a atuação exclusiva de homens, inclusive nos papéis femininos; teatro cabúqui.

caburaíba *S. f. Bras. Bot.* V. *cabureíba.*

caburé [Do tupi = 'que vive no mato'.] *S. m. Bras.* **1.** Cafuzo (1). **2.** V. *caboclo*[1] (3). **3.** V. *caipira* (1). **4.** Pequeno vaso de barro vidrado, bojudo no centro e estreito na base: "Em volta de um fogareiro, sobre brasas a miúdo ateadas, fumava num caburé meio d'água espessa chamada de cera fundida." (Melo Morais Filho, *Festas e Tradições Populares do Brasil*, pp. 124-125.) **5.** Vaso utilizado na prática de feitiço (4). **6.** *Bras. BA* Vaso de barro, ligeiramente comprido, usado para coar o café. **7.** Indivíduo atarracado, achaparrado. **8.** Pessoa que só sai de noite. **9.** Pessoa feia e de ar tristonho. **10.** Bolo de mandioca e trigo. **11.** *Bras. Zool.* Designação comum às pequenas espécies de corujas com tufo na cabeça, especialmente ao *Glaucidium brasilianum*, da América do Sul, de dorso pardo, cabeça e coberteiras das asas pintadas de branco, rêmiges e cauda listradas de pardo-amarelado, e a parte inferior branca raiada de pardo; caburé-do-sol: "Noites de junho. O caburé com frio, / Ao luar, sobre o arvoredo, piando, piando" (Da Costa e Silva, *Sangue*, p. 41). [Var.: *caboré.*]

caburé-de-orelha *S. m. Bras. Zool.* **1.** Corujinha-do-mato. **2.** Ave estrigiforme, estrigídea (*Otus Watsonii*), da Amaz., de dorso pardo pintado de preto, algumas penas pintadas de branco, fronte e sobrancelhas cinzentas, pouco distintas, e lado inferior cinzento-amarelado, pintado de preto. [Pl.: *caburés-de-orelha.*]

caburé-do-campo *S. m. Bras. Zool.* V. *coruja-do-campo.* [Pl.: *caburés-do-campo.*]

caburé-do-sol *S. m. Bras. Zool.* Caburé (11). [Pl.: *caburés-do-sol.*]

cabureíba [Do tupi = 'árvore do caburé'.] *S. f. Bras. Bot.* **1.** V. *cabriúva* (1). **2.** V. *cabriúva-do-campo.* [Var.: *caburaíba.*]

caburicena *Bras. S. 2 g.* **1.** *Etnôn.* Indivíduo dos caburicenas, povo indígena extinto que habitava a região do rio Negro (AM). ● ***Adj. 2 g.*** **2.** Pertencente ou relativo a esse povo. [Tb. us. como *s. 2 g. e 2 n.* (com cap.) e *adj. 2 g. e 2 n.*]

■ **CAC** *Eletrôn.* Abrev. de *controle automático de cor.*

caca *S. f. Fam.* **1.** Excremento, fezes. **2.** Imundície, porcaria. [F. paral. (bras.): *cacá.*]

cacá *S. f. e m. Bras. Fam.* V. *caca.* [Na 5.ª ed. do Volp., com hífen; corrigido em errata.] ◆ **Fazer cacá.** *Bras. Fam.* V. *defecar* (5).

caça [Dev. de *caçar.*] *S. f.* **1.** Ato de caçar; caçada: *A caça era muito difundida entre os nobres.* **2.** Animais caçados: *Durante muito tempo o homem viveu da caça.* **3.** Os animais que podem ser caçados: *A caça estava praticamente extinta naquela região.* **4.** Caça (3) comestível. **5.** Busca, perseguição, acossamento: *A caça ao criminoso teve lances horríveis.* **6.** Procura, busca, investigação. ● *S. m.* **7.** Avião de caça. [Cf. *cassa*, do v. *cassar*, e s. f.] ◆ **Caça às bruxas. 1.** Perseguição sistemática a adversários. **2.** *Restr. Polít.* Perseguição política ou campanha punitiva, ger. caluniosa, contra pessoas ou grupos que discordam da ordem, princípios ou governo estabelecidos. [Calque (2) do ingl. *witch-hunt*: expressão alusiva às mulheres presas e condenadas a morrer na fogueira no séc. XVII sob a acusação de feitiçaria, e que, em meados do séc. XX, serviu para designar as perseguições e os expurgos promovidos pelo senador Joseph McCarthy (v. *macarthismo*) contra esquerdistas e comunistas.] **Caça submarina.** Esporte que consiste em apanhar o peixe no seu próprio elemento, mediante mergulho e com o uso de arpão (1); pesca submarina. **Espantar a caça.** Levar ao fracasso ou prejudicar um negócio, um plano, uma causa, etc. esp. por precipitação ou deslealdade.

caça-bombardeiro [De *caça* (7) + *bombardeiro* (3).] *S. m.* Avião de bombardeio leve, que transporta bombas pequenas e é dotado de grande mobilidade. [Pl.: *caças-bombardeiros.*]

cacaborrada [De *caca* + *borrada.*] *S. f. Pop.* **1.** Grande asneira; despropósito. **2.** Coisa malfeita, mal-acabada. [Var.: *cancaborrada.*]

caçada[1] [De *caca* + *-ada*[1].] *S. f. Pop.* Porção de caca (1).

caçada[2] [De *caco* + *-ada*[1].] *S. f.* Cacaria[1] (1).

caçada [De *caçar* + *-ada*[1].] *S. f.* Ato ou efeito de caçar; caça. [Cf. *cassada*, fem. de *cassado.*]

caçadeira[1] [De *caçar* + *-deira.*] *S. f.* **1.** Espingarda de caça: "pôs-se a cavalo do muro, com um cacho de malvasia nos dentes e a caçadeira atravessada nas coxas." (José Rodrigues Miguéis, *Onde a Noite Se Acaba*, p. 43). **2.** Jaquetão de caçador. ● ***Adj. (f).*** **3.** *Pop.* Que caça, procura: "Eu sou .... caçadeira de chifre na cabeça de cavalo, caçadeira de indaca." (Adélia Prado, *Solte os Cachorros*, p. 54.)

caçadeira[2] *S. f. Bras. Zool.* V. *caba-caçadeira.*

caçadeiro [De *caçar* + *-deiro.*] ***Adj.*** **1.** Próprio para caçar ou transportar a caça. **2.** Que gosta de caça.

caçado [Part. de *caçar.*] ***Adj.*** Aprisionado ou morto na caça. [Cf. *cassado.*]

caçador (ô) [De *caçar* + *-dor.*] ***Adj.*** **1.** Que caça. ● ***S. m.*** **2.** Aquele que caça, que exercita a caça (1). [Fem., nas acepç. 1 e 2: *caçadora.*] **3.** *Mil.* Soldado de infantaria. **4.** Na região do São Francisco, aparelho de pesca constituído de boia, anzol e poita. **5.** *Ant. Astr.* Órion. ~ V. *caçadores.*

caçadora (ô) [F. subst. do adj. *caçador.*] ***El. s. f.*** Us. na loc. adv. *à caçadora.* ◆ **À caçadora.** *Cul.* À maneira dos caçadores, isto é, refogado com vinho branco, cogumelos, e legumes como ervilha, cenoura, tomate e cebolas miúdas.

caçador-coletor ***Adj. S. m.*** *Antrop.* Que, ou aquele que vive da caça, pesca e coleta (4), esp. como atividades econômicas exclusivas ou principais do grupo social ou étnico. [Pl.: *caçadores-coletores.*]

caçador-de-aranha *S. m. Bras. Zool.* V. *marimbondo-caçador.* [Pl.: *caçadores-de-aranha.*]

caçadorense ***Adj. 2 g.*** **1.** De, ou pertencente ou relativo a Caçador (SC). ● ***S. 2 g.*** **2.** O natural ou habitante de Caçador.

caçadores (ô) [Pl. de *caçador.*] *S. m. pl. Bras.* Toletes encavilhados numa travessa de madeira fixa nos paus da jangada, na popa, e que são inclinados para fora, servindo para amarrar a escota da vela. ~ V. *caçador.*

caça-dotes [De *caçar* + o pl. de *dote.*] *S. 2 g. e 2 n. Bras.* Indivíduo pobre que procura enriquecer casando com pessoa rica.

caça-fecho [De *caçar* + *fecho*, poss.] *S. m. Bras. SP Pop.* V. *vagabundo* (7). [Pl.: *caça-fechos.*]

cacaieiro [De *cacaio* + *-eiro.*] ***Adj. S. m.*** *Bras. BA MG* Que, ou aquele que conduz cacaio.

cacaio [Do quimb., poss.] *S. m. Bras. BA MG* Alforje ou saco de viagem que se traz preso por baixo dos braços e pendurado às costas.

cacajau [Do tupi; tax. *Cacajao.*] *S. m. Bras. Amaz. Zool.* **1.** Gênero de mamíferos primatas, cebídeos, nativos do N.O. da Amazônia. São os únicos macacos sul-americanos de cauda curta, não chegando sua extensão à da metade do corpo. Vivem em pequenos bandos, e dificilmente se adaptam ao cativeiro. **2.** Qualquer espécie desse gênero, como, p. ex., a *Cacajao rubicundus*, conhecida como *uacari-vermelho* (q. v.). [Sin. (pop.), nesta acepç.: *acari, guacari, macaco-inglês, uacari.*] **3.** Qualquer espécime desse gênero.

cacália-amarga [Do lat. *cacalia* + o f. de *amargo.*] *S. f. Bot.* V. *carqueja-amargosa.* [Pl.: *cacálias-amargas.*]

caçamba [Do quimb. *kisambu.*] *S. f. Bras.* **1.** Alcatruz (1). **2.** Balde preso a uma corda para tirar água dos poços. **3.** *P. ext.* Qualquer balde. **4.** Estribo fechado, em forma de chinela: "Passam, a cavalo, homens do campo, de botas enlameadas, pés nos estribos ou em caçambas que, apesar do pó que as cobre, brilham como prata, se o sol incide no metal lavrado." (Thiers Martins Moreira, *Os Seres*, pp. 93-94.) **5.** Carrocinha (1). **6.** *Constr.* Lata ou balde em que os serventes transportam a argamassa para os pedreiros. **7.** *Bras.* Recipiente de escavadeiras, caminhões, etc., destinado a conter ou transportar terra, areia, pedra, lixo, etc. ◆ **Arear caçamba.** *Bras. MG SP MT Pop.* **1.** Vadiar, vagabundear. **2.** Agradar para obter vantagens; adular, bajular.

caçambada [De *caçamba* + *-ada*[1].] *S. f. Bras.* **1.** O conteúdo de uma caçamba. **2.** Bordoada, cacetada.

caçambar [De *caçamba* + *-ar*[2].] *V. t. d. Bras. SP Pop.* Delatar, denunciar.

caçambeiro [De *caçamba* + *-eiro.*] *Bras.* ***Adj.*** **1.** Adulador, bajulador, puxa-saco. [Por alusão àquele que pega na caçamba (4) para outro montar.] ● ***S. m.*** **2.** Indivíduo caçambeiro. **3.** Operário que conduz as caçambas. **4.** Indivíduo que se emprega como companheiro de viagem.

cacamecra *Bras. S. 2 g.* **1.** *Etnôn.* Indivíduo dos cacamecras, povo indígena extinto da subfamília linguística jê, tronco macro-jê, que habitava a região do rio Mearim (MA). ● ***Adj. 2 g.*** **2.** Pertencente ou relativo a esse povo. [Tb. us. como *s. 2 g. e 2 n.* (com cap.) e *adj. 2 g. e 2 n.*]

caça-minas [De *caçar* + o pl. de *mina*[1].] *S. m. 2 n.* **1.** *Bras. Mar. G.* Tipo de navio de guerra destinado a localizar a posição de minas submarinas lançadas pelo inimigo, a fim de as destruir por meio de homens-rãs ou de engenhos submarinos especiais. [Cf. *navio-varredor.*] **2.** *Exérc.* Rolo compressor colocado à frente de um carro de combate com o fim de destruir, fazendo-as explodir, as minas anticarro postas no caminho pelo inimigo.

cacana [Do ronga *nkakana.*] *S. f. Moç.* **1.** *Bot.* Trepadeira cucurbitácea, muito amarga, usada com amendoim, para fazer certo molho. **2.** Esse molho: "Não mais voltou a estar sentada debaixo da mafurreira a descascar amendoim ou a retirar pauzinhos da cacana que adorava comer." (Lina Magaia, *Delehta, Pulos na Vida*, p. 169.)

caçanar *S. m.* Sacerdote de cristãos siríacos do Malabar.

caçaneira *S. f.* A mulher do caçanar (q. v.).

caça-níqueis [De *caçar* + o pl. de *níquel*[1].] *S. m. 2 n. Bras.* Máquina que funciona introduzindo-se-lhe uma moeda, e que pode ou não proporcionar um prêmio a quem a introduziu, como num jogo de azar; caça-níquel.

caça-níquel *S. m. Bras.* Caça-níqueis. [Pl.: *caça-níqueis.*]

caçanje [Do top. *Caçanje.*] *S. m.* **1.** *Gloss. Deprec.* Forma pidginizada do português, falada em Angola. **2.** *P. ext.* Português mal falado ou mal escrito.

caçanjista *S. m. Bras. MG Pej.* Designação dada pelos boiadeiros ao seus colegas paulistas que compram gado na região serrana de MT.

caçante [De *caçar* + *-nte.*] ***Adj. 2 g.*** **1.** Que caça. **2.** *Heráld.* Diz-se do animal, ger. figurado de perfil, que se apresenta em atitude de caça.

cação[1] [De *caçar* + *-ão*[1].] *S. m.* **1.** *Zool.* V. *tubarão*[1] (1). **2.** *Bras. Pop. Deprec.* Meretriz.

cação[2] *S. m. Bras. AM PA MA* Chibé em que se põe sal, em vez de açúcar, além de pimenta.

cação-alegrim *S. m. Bras. Zool.* V. *cação-frango.* [Pl.: *cações-alegrins* e *cações-alegrim.*]

cação-anequim *S. m. Bras. Zool.* V. *tubarão-branco.* [Pl.: *cações-anequins* e *cações-anequim.*]

cação-angolista *S. m. Bras. Zool.* V. *sebastião* (1). [Pl.: *cações-angolistas.*]

cação-anjo *S. m. Bras. Zool.* **1.** Peixe elasmobrânquio, pleurotremado, esquatinídeo (*Squatina squatina*), cosmopolita, de dorso pardo-oliváceo, parte inferior clara, e corpo achatado. As nadadeiras peitorais são muito grandes, a caudal é pequena e a anal, ausente. Mede até 1,5m de comprimento. **2.** Designação comum aos peixes elasmobrânquios, pleurotremados, esquatinídeos. [Cf., nesta acepç., *cação-bagre.* Pl.: *cações-anjos* e *cações-anjo.*]

cação-azeiteiro *S. m. Bras. Zool.* V. *azeiteiro* (3). [Pl.: *cações-azeiteiros* e *cações-azeiteiro.*]

cação-bagre *S. m. Bras. Zool.* Peixe elasmobrânquio, pleurotremado, esqualídeo (*Squalus fernandinus*) do Atlântico, Pacífico e Mediterrâneo. Dorso pardo, abdome brancacento, nadadeiras dorsais providas de acúleo escuro; é desprovido de nadadeira anal e seu comprimento não ultrapassa 50cm. Alimenta-se de peixinhos que vivem na superfície do mar, e não oferece nenhum perigo. [Sin.: *cação-de-espinho, cação-prego.* Pl.: *cações-bagres* e *cações-bagre.* Cf. *cação-anjo* (2).]

cação-branco *S. m. Zool.* V. *tubarão-branco.* [Pl.: *cações-brancos.*]

cação-da-areia *S. m. Zool.* V. *cação-mangonga.* [Pl.: *cações-da-areia.*]

cação-de-bico-doce *S. m. Bras. RS Zool.* **1.** V. *sebastião* (1). **2.** V. *cação-frango.* [Pl.: *cações-de-bico-doce.*]

cação-de-escamas *S. m. Bras. Zool.* V. *bijupirá.* [Pl.: *cações-de-escamas.*]

cação-de-espinho *S. m. Bras. Zool.* V. *cação-bagre.* [Pl.: *cações-de-espinho.*]

cação-de-fundo *S. m. Bras. Zool.* V. *cação-garoupa.* [Pl.: *cações-de-fundo.*]

cação-de-rio *S. m. Bras. Zool.* Marraxo. [Pl.: *cações-de-rio.*]

cação-do-salgado *S. m. Zool.* V. *azeiteiro* (3) [Pl.: *cações-do-salgado.*]

cação-fiúzo *S. m. Bras. RS Zool.* V. *sebastião* (1). [Pl.: *cações-fiúzos.*]

cação-frango *S. m. Zool.* Peixe carcarriníneo (*Scoliodon terrae-novae*) de águas tropicais e subtropicais do Atlântico; tem coloração marrom-acinzentada com o ventre branco e nadadeiras dorsais e caudal com as bordas escuras. Pode alcançar até 1m. [Sin. (bras.): *cação-alegrim, cação-de-bico-doce, cucuri, frango.* Pl.: *cações-frangos* e *cações-frango.*]

cação-galhudo *S. m. Zool.* V. *galha-branca*. [Pl.: *cações-galhudos.*]

cação-garoupa *S. m. Bras. Zool.* Peixe carcarríneo (*Carcharhinus limbatus*), de águas tropicais e subtropicais do Atlântico, Pacífico e Índico, de coloração cinza-escura ou azul-acinzentada no dorso, faixa branca nos flancos e ventre branco; as nadadeiras peitorais, dorsais, pélvicas e caudal têm as pontas escuras. Pode alcançar cerca de 3m comprimento, e é conhecido pelos pescadores como ladrão de iscas nos espinhéis. [Sin.: *cação-peru, cação-de-fundo, cação-sicuri, corta-garoupa, galha-preta, sicuri-de-galha-preta, serra-garoupa.* Pl.: *cações-garoupas* e *cações-garoupa.*]

cação-jaguara *S. m. Zool.* V. *tintureira*. [Pl.: *cações-jaguaras* e *cações-jaguara.*]

cação-lixa *S. m. Bras. Zool.* **1.** Peixe elasmobrânquio, pleurotremado, orectolobídeo (*Nebriuscirratum*), do Atlântico, de coloração parda quando adulto, com pintas quando jovem; as duas últimas aberturas branquiais são mais juntas que as outras, pele grossa e muito áspera, e comprimento de 2 a 3m. **2.** Designação comum aos peixes elasmobrânquios pleurotremados, orectolobídeos, gênero *Gynglimostoma*. [Sin. ger.: *barroso.* Pl.: *cações-lixas* e *cações-lixa.*]

cação-magonga *S. m. Zool.* V. *cação-mangonga*. [Tb. se diz apenas *magonga*. Pl.: *cações-magongas.*]

cação-mangona *S. m. Zool.* V. *cação-mangonga*. [Tb. se diz apenas *mangona*. Pl.: *cações-mangonas.*]

cação-mangonga *S. m. Zool. Bras.* Peixe odontaspidídeo (*Odontaspis taurus*) que alcança até 3,20m, de dorso pardo-acinzentado, com manchas escuras e região ventral branca; no adulto as manchas tornam-se esmaecidas. [Tb. se diz apenas *mangonga*. Sin. e var.: *cação-da-areia, cação-magonga, cação-mangona, mangona.* Pl.: *cações-mangongas.*]

cação-martelo *S. m. Bras. Zool.* **1.** V. *chapéu-armado* (2). **2.** V. *pata*[1] (2). **3.** V. *tubarão-martelo* (2). [Pl.: *cações-martelos* e *cações-martelo.*]

cação-panã *S. m. Bras. Zool.* V. *pata*[1] (2). [Pl.: *cações-panãs* e *cações-panã.*]

cação-peru *S. m. Zool.* V. *cação-garoupa*. [Pl.: *cações-perus* e *cações-peru.*]

cação-pinto *S. m. Zool.* Peixe atlântico, elasmobrânquio, lamniforme, ciliorrinídeo (*Scyliorhinus haekelli*), de pequeno porte e movimentos lentos, corpo cinzento, coberto por manchas que formam nove regiões transversais mais escuras. [Sin.: *gata, pintadinho, pinto.* Pl.: *cações-pintos* e *cações-pinto.*]

cação-prego *S. m. Bras. Zool.* V. *cação-bagre*. [Pl.: *cações-pregos* e *cações-prego.*]

cação-rodela *S. m. Bras. Zool.* V. *pata*[1] (2). [Pl.: *cações-rodelas* e *cações-rodela.*]

cação-sicuri *S. m. Bras. Zool.* V. *cação-garoupa*. [Pl.: *cações-sicuris* e *cações-sicuri.*]

cação-torrador *S. m. Bras. ES Zool.* V. *sebastião* (1). [Pl.: *cações-torradores.*]

caçapa *S. f.* Cada um dos seis buracos da mesa de sinuca, com as bolsas de couro ou de malha que recolhem as bolas. [Sin. (lus.): *bolsa.*]

caçapavano *Adj.* **1.** De, ou pertencente ou relativo a Caçapava do Sul (RS). ● *S. m.* **2.** O natural ou habitante de Caçapava do Sul.

caçapavense *Adj. 2 g.* **1.** De, ou pertencente ou relativo a Caçapava (SP). ● *S. 2 g.* **2.** O natural ou habitante de Caçapava.

caçapo [De *caça*.] *S. m.* **1.** Coelho novo; láparo. **2.** *Fig.* Homem baixo e gordo, acaçapado.

caçapó [De *caçar* + *pó*[1], poss.] *S. f. Bras. Zool.* V. *saúva*.

caçar [Do lat. **captiare*, por *captare*, freq. de *capere*, 'apossar-se', 'apoderar-se'.] *V. t. d.* **1.** Perseguir (animais silvestres) a tiro, a laço, a rede, etc., para os aprisionar ou matar: *caçar veados, elefantes.* **2.** *Marinh.* Alar a(s) escota(s) de (uma vela), para que fique com a superfície exposta ao vento. **3.** *Bras.* Procurar, buscar: "O café pegava preço, o açúcar também, e todo ano eram novas levas de colonos a vir caçar serviço na fazenda." (Mário Palmério, *Chapadão do Bugre*, p. 25); "E se viessem me caçar ali, me tocassem fogo na cabana?" (Raquel de Queirós, *Memorial de Maria Moura*, p. 168). **4.** *Bras. Pop.* Perseguir como se faz às feras: *A polícia caçou o criminoso. Int.* **5.** Andar à caça (1): *Perdeu-se no mato quando caçava.* **6.** Afastar-se do rumo; garrar. [Conjug.: v. *laçar*. Pres. ind.: *caço, caças, caça*, etc. Cf. *cassar*, v. *cassa*, s. f. e *casso, cassado*, adj.]

cacará [Der. regress. de *cacaracá*.] *S. m. Bras.* Indivíduo reles, desprezível.

cacaracá [Voc. onom.] *El. s. m.* Us. na loc. adj. *de cacaracá.* ◆ **De cacaracá.** De pouca monta; insignificante: "para saber se eles e o pai, aquele alemão de cacaracá, agiota, judeu, soldado mercenário e aventureiro saído não se sabia de onde – podiam sequer limpar-lhe as botas." (Pedro Nava, *Baú de Ossos*, p. 148).

cacarear *V. int. T. d.* V. *cacarejar*.

cacareco *S. m. Bras.* **1.** Traste velho e/ou muito usado. **2.** Coisa de pouco valor. ~ V. *cacarecos*.

cacarecos [De *cacaréus*.] *S. m. pl. Bras.* V. *cacaréus*. ~ V. *cacareco*.

cacarejador (ô) [De *cacarejar* + *-dor*.] *Adj.* **1.** Cacarejante (1). ● *S. m.* **2.** O que cacareja.

cacarejante [De *cacarejar* + *-nte*.] *Adj. 2 g.* **1.** Que cacareja; cacarejador. **2.** *Fig.* Chocalheiro, mexeriqueiro, bisbilhoteiro.

cacarejar [T. onom.] *V. int.* **1.** Cantar (a galinha e outras aves de canto semelhante): "Uma galinha cacareja, anunciando o ovo." (Mauro Mota, *O Pátio Vermelho*, p. 174.) **2.** Palrar monotonamente; tagarelar, enfadando. *T. d.* **3.** Fazer alarde de (coisa de pouca importância): *Cacareja qualquer novidadezinha que ouve.* **4.** Dar, soltar (risada, gargalhada). [F. paral.: *cacarear, caquerejar*. Conjug.: v. *pelejar*. Normalmente não se usa nas 1ªs pess.]

cacarejo (ê) [Dev. de *cacarejar*.] *S. m.* **1.** Ato de cacarejar. **2.** O canto da galinha. **3.** *Fig.* Tagarelice, garrulice.

caçarema [Do tupi = 'a que não quer planta (ou seja, a que não se alimenta de planta)'.] *S. f. Bras. Zool.* Formiga-asteca.

caçareta (ê) [De *caçar* + *-eta* (ê).] *S. f.* Caçarete.

caçarete (ê) [De *caçar* + *-ete* (ê).] *S. f.* Espécie de rede de arrasto; caçareta.

cacaréu [De *caco* + *-aréu*.] *S. m.* V. *cacaréus*.

cacaréus *S. m. pl.* Trastes e utensílios velhos: "A velha .... lá foi, ... alojar-se em casa do genro, com um batalhão de moleques, suas crias, e com os cacaréus ainda do tempo do defunto marido." (Aluísio Azevedo, *O Mulato*, 14.) [Sin. (bras. na grande maioria): *afavecos, cacarecos, cacaria, cacaréu, bagulho, brogúncias, bundá, candibá, caraminguás, muafos, mucufos, mucumbagem, mucumbu, quibembes, tralha, tralhada, xurumbambo.*] ~ V. *cacaréu*.

cacaria[1] [De *caco* + *-aria*.] *S. f.* **1.** Monte de cacos; cacada. **2.** V. *cacaréus*.

cacaria[2] [Do antr. *Caco* (v. *cova de Caco*) + *-aria*.] *S. f. Bras.* **1.** Corja de ladrões. **2.** Antro de ladrões.

caçaroba [Do tupi = 'pomba amargosa'.] *S. f. Bras. Zool.* V. *pomba-legítima*.

caçarola [Do fr. *casserole*.] *S. f.* Panela de metal com bordas altas, cabo e tampa: "Põe feijão na caçarola / Para o almoço do marido." (Ricardo Gonçalves, *Ipês*, p. 11.)

caçarolada [De *caçarola* + *-ada*[1].] *S. f.* **1.** Golpe com caçarola. **2.** O conteúdo de uma caçarola.

caçarova *S. f. Bras. Zool.* V. *pomba-legítima*.

cacarucai *S. 2 g. Bras. Rel.* V. *cacurucaio*.

caça-submarino [De *caçar* + *submarino*.] *S. m. Bras. Mar. G.* Navio de combate, pequeno (menos de 300t.), de grande mobilidade, para operações de patrulha antissubmarino, escolta de comboios ou defesa costeira. [Pl.: *caça-submarinos.*]

caça-talentos [Da 3ª pess. do v. *caçar* + o pl. de *talento*.] *S. 2 g. 2 n.* Profissional ou empresa especializados em localizar profissionais e estudantes de talento, que correspondam às necessidades e aos interesses de firma ou instituição contratante: "A empresa inglesa de caça-talentos *Hays Executive* publicou anúncio .... para selecionar um novo diretor de Aviação Civil do Reino Unido." (Anselmo Góis, em *O Globo*, 07.08.2007.)

caça-torpedeira [De *caçar* + *torpedeira*.] *S. f. Bras. Mar. G. Desus.* V. *contratorpedeiro*. [Pl.: *caça-torpedeiras.*]

cacatua [Do tax. *Cacatua* < mal. *kakatūwa*.] *S. f. Zool.* **1.** Gênero de psitacídeos maiores que o papagaio, cuja plumagem pode ser branca, ou branca com manchas róseas, acinzentada, vermelha, ou negra, conforme a espécie. Têm o bico volumoso, a cauda curta, e um penacho grande e erétil. **2.** Qualquer espécie desse gênero, como, p. ex., a *Cacatua sulphurea.* **3.** Qualquer espécime desse gênero. [Var. pop., nas acepç. 2 e 3: *catatua.*]

cacau [Do náuatle *kakáwa*, rad. de *kakáwatl*, 'caroço de cacau', pelo esp. *cacao*.] *S. m.* **1.** O fruto do cacaueiro. **2.** A semente desse fruto. **3.** Pó solúvel feito com essa semente, usado na alimentação, e que é a matéria-prima para a fabricação do chocolate. **4.** *P. ext.* Cacaueiro.

caçaú [Do tupi, poss.] *S. m. Bras. Bot.* Designação comum a duas trepadeiras aristoloquiáceas (*Aristolochia labiata* e *A. cymbifera*).

cacaual [De *cacau* + *-al*[1].] *S. m.* Quantidade mais ou menos considerável de cacaueiros, dispostos proximamente entre si. **2.** Área ocupada por cacaual (1). [Var.: *cacoal.*]

cacau-azul *S. m. Bras. PA Bot.* Arvoreta esterculiácea (*Theobroma spruceanum*) que habita o interior da floresta úmida, de flores pequenas pardo-avermelhadas, claras, inseridas sobre os ramos menores, e frutos verde-azulados ainda quando maduros, de polpa comestível, doce, não aromática. [Pl.: *cacaus-azuis.*]

cacau-branco *S. m. Bras. AM Bot.* Árvore flacourtiácea (*Carpotroche longifolia*) de flores caulinares e frutos capsulares. [Pl.: *cacaus-brancos.*]

cacau-da-nova-granada *S. m. Bot.* V. *cacau-do-peru*. [Pl.: *cacaus-da-nova-granada.*]

cacau-de-caracas [De *cacau* + *de* + o top. *Caracas*.] *S. m. Bras. AM Bot.* Árvore esterculiácea (*Theobroma glaucum*) de frutos capsulares e sementes com sabor de cacau; cacau-verde-da-colômbia. [Pl.: *cacaus-de-caracas.*]

cacau-do-mato *S. m. Bras. AM Bot.* Arvoreta esterculiácea (*Theobroma sylvestris*) que habita o interior da floresta densa, e cujas folhas são largamente ovadas, desiguais na base, trinérveas, acuminadas, onduladas, e rufas e tomentosas na face interior. Não fornece chocolate. [Pl.: *cacaus-do-mato.*]

cacau-do-mico [De *cacau* + *do*[1] + *mico*[1].] *S. m. Bras. AM Bot.* Arvoreta esterculiácea (*Theobroma angustifolium*) habitante da floresta pluvial, de folhas grandes, oblongas ou obovadas, cuminadas, e cujas flores pequeninas se inserem isoladamente ou aos grupos de duas a três. Não fornece chocolate. [Pl.: *cacaus-do-mico.*]

cacau-do-peru [De *cacau* + *do*[1] + o top. *Peru*.] *S. m. Bot.* Arvoreta esterculiácea (*Theobroma bicolor*) peculiar à floresta tropical, de folhas largas, cordiformes e membranáceas, flores pequenas, violáceas, presas ao tronco, e cujo fruto é grande, com casca grossa, lenhosa e reticulada, o qual contém uma polpa doce, aromática, podendo as sementes substituir o cacau verdadeiro na fabricação de chocolate; cacau-da-nova-granada, cupuaçu, macambo. [Pl.: *cacaus-do-peru.*]

cacaué [Do tupi, poss.] *S. m. Bras. PA Zool.* V. *quijuba*.

cacaueiro [De *cacau* + *-eiro*.] *S. m. Bras. Bot.* Arvoreta esterculiácea (*Theobroma cacao*) muito cultivada na Amaz. e na BA, dentro da floresta rarefeita, de folhas grandes, oblongas e membranáceas, e cujas pequenas flores se inserem sobre o tronco, onde também surgem os frutos, grandes, alongados, que medem de 10 a 25cm, podem pesar até 1kg, e contêm uma polpa doce, acidulada e de sabor agradável; as sementes, em número de 15 a 56, encerram 45 a 55% de uma gordura dita *manteiga de cacau* e servem, depois de torradas, para preparar o chocolate. [Sin.: *cacauzeiro* e *cacoeiro.*]

cacauí [De *cacau* + *-í*.] *S. m. Bras. Bot.* Arvoreta esterculiácea (*Theobroma speciosum*) que vive na floresta úmida, de flores vermelho-escuras, que desprendem odor de limão e se organizam em cachos inseridos no tronco, e cujo fruto é pequeno, até uns 10cm, elipsoide, amarelo e revestido de pelos, com polpa doce, comestível e inodora; as sementes fornecem chocolate de boa qualidade.

cacauicultor (au-i... ô) [De *cacau* + *-i-* + *-cultor*.] *S. m. Bras.* Lavrador que se ocupa da cacauicultura; plantador de cacau; cacaulista.

cacauicultura (au-i) [De *cacau* + *-i-* + *-cultura*.] *S. f. Bras.* Plantação ou cultura de cacau.

cacauista (au-ís) [De *cacau* + *-ista*.] *S. 2 g.* O proprietário de fazenda de cacau. ✥

cacau-jacaré *S. m. Bras. Bot.* V. *cacaurana* (1). [Pl.: *cacaus-jacarés* e *cacaus-jacaré.*]

cacaulandense *Adj. 2 g.* **1.** De, ou pertencente ou relativo a Cacaulândia (RO). ● *S. 2 g.* **2.** O natural ou habitante de Cacaulândia.

cacaulista [De *cacau* + *-l-* + *-ista*.] *S. 2 g. Bras.* **1.** Cacauicultor. **2.** Negociante de cacau.

cacaurana [De *cacau* + *-rana*.] *S. f. Bras. Bot.* **1.** Arvoreta esterculiácea (*Theobroma microcarpum*) da floresta pluvial, de pequenos frutos arredondados, cobertos de pelos e escamas, sulcados longitudinalmente, reticulados, polpa doce e comestível, e cujas sementes fornecem chocolate de qualidade superior; macacaacá, macacaacau, cacau-jacaré. **2.** O fruto dessa arvoreta.

cacau-selvagem *S. m. Bras. Bot.* V. *mamorana*. [Pl.: *cacaus-selvagens.*]

cacau-verde-da-colômbia *S. m. Bot.* Cacau-de-caracas. [Pl.: *cacaus-verdes-da-colômbia.*]

cacauzeiro [De *cacau* + *-zeiro*.] *S. m. Bot.* V. *cacaueiro*.

caçava [Var. de *caçave* < esp. *cazabe* < taino *caçabi.*] ***S. f. Bras.*** Farinha de mandioca. [Cf. *cassava*, do v. *cassar.*]

caçave ***S. m. Bras.*** Caçava (q. v.).

cácea [Dev. de *cacear*, poss.] ***S. f.*** Caceia (1). [Cf. *cássia*, s. f., e *Cássia*, antr. f. e top.]

cacear [De *caçar.*] ***V. int. Mar. Ant.*** Garrar, descair (a embarcação). [Conjug.: v. *frear.*]

caceia [Dev. de *cacear.*] ***S. f.* 1.** Ato de cacear; cácea. **2.** O conjunto das redes que, amarradas entre si, os barcos de pesca lançam no alto-mar. ◆ **À caceia.** *Mar. Ant.* À garra.

cacequiense ***Adj. 2 g.* 1.** De, ou pertencente ou relativo a Cacequi (RS). ● ***S. 2 g.* 2.** O natural ou habitante de Cacequi.

cacerenga ***S. f. Bras. AL SE*** V. *caxirenguengue*: 📖 "tirou da bolsinha de couro um nacô de fumo escuro, ... picou-o com uma cacerenga" (Jaime d'Altavila, *Lógica de um Burro*, p. 11).

cacerense ***Adj. 2 g.* 1.** De, ou pertencente ou relativo a Cáceres (MT e Espanha). ● ***S. 2 g.* 2.** O natural ou habitante de Cáceres.

caceta[1] (ê) [Do cat. *casseta*, pelo esp. *caceta.*] ***S. f.*** Espécie de vaso com um ralo no fundo, usado nas farmácias. [Pl.: *cacetas* (ê). Cf. *caceta* e *cacetas*, do v. *cacetar.*]

caceta[2] (ê) [De *cacete.*] ***S. f. Bras. Chulo*** O pênis; cacete. [Pl.: *cacetas* (ê). Cf. *caceta* e *cacetas*, do v. *cacetar.*]

cacetada [De *cacete* + *-ada*[1].] ***S. f.* 1.** Pancada com cacete; bordoada, paulada, porrada. **2.** *Bras.* V. *amolação* (3): 📖 "Dizia de um modo trágico que me amava, quase a fazer o favor de amar-me. Uma cacetada, enfim." (Geraldo França de Lima, *Branca Bela*, p. 100.) **3.** *Bras. Fut.* Chute muito forte; pedrada. ◆ **E cacetada.** *Bras. Gír.* V. *e lá vai fumaça*.

cacetar [De *cacete* + *-ar*[2].] ***V. t. d.*** Espancar, bater em, com cacete; cacetear. [Pres. ind.: *caceto, cacetas, caceta*, etc., pres. subj.: *cacete, cacetes*, etc. Cf. *caceta* (ê), pl. *cacetas* (ê), e *cacete* (ê), pl. *cacetes* (ê).]

cacete (ê) [Dim. de *caço* (por alusão ao cabo), poss.] ***S. m.* 1.** Pedaço de pau com uma das pontas mais grossa que a outra; biriba, birro, bordão, buduna, cachamorra, cacheira, manguara, moca, porrete, quiti. ● ***S. 2 g.* 2.** V. *maçante* (2). **3.** *Bras. Pop.* O pênis; caceta. ● ***Adj. 2 g.* 4.** V. *maçante* (1): 📖 "Demorada, cacete, a tal reunião do diretório." (Mário Palmério, *Vila dos Confins*, p. 28.) **5.** Diz-se do cavalar sem qualquer sinal no pelo nem nas partes encobertas. [Pl.: *cacetes* (ê). Cf. *cacete* e *cacetes*, do v. *cacetar.*] ● ***Interj.* 6.** *Chulo* Exprime espanto, impaciência, desagrado, etc.

caceteação [De *cacetear* + *-ção.*] ***S. f. Bras.*** V. *amolação* (3).

caceteado [Part. de *cacetear.*] ***Adj.*** Chateado, amolado, aborrecido.

cacetear [De *cacete* + *-ear*[2].] ***V. t. d.* 1.** Cacetar. **2.** *Bras.* Maçar, importunar, chatear: 📖 "Vim passar convosco uma hora alegre, e não cacetear-vos, enfeixando fotos e datas .... que .... se encontram em todas as enciclopédias" (Martins Fontes, *A Dança*, p. 19). ***P.* 3.** Maçar-se, importunar-se, chatear-se. [Conjug.: v. *frear.*]

caceteiro [De *cacete* + *-eiro.*] ***S. m.* 1.** V. *maçante* (2). **2.** *Bras.* V. *porreiro* (2 e 3).

cacetinho [De *cacete* + *-inho*[1].] ***S. m. Bras. AL*** Biscoito que tem mais ou menos o tamanho e feitio de um dedo.

cacha [Dev. de *cachar*[1].] ***S. f.* 1.** *Ant.* Manha, estratagema, ardil. **2.** *Lus.* Notícia dada em primeira mão num jornal, em noticiário radiofônico, de televisão, etc. [Sin. (bras.): *furo*. Cf. *caxa* e *caixa.*] ◆ **Fazer cacha.** Envidar (1) sem ter jogo para ganhar; blefar.

cachaça [De or. controvertida.] ***S. f. Bras.* 1.** Aguardente que se obtém mediante a fermentação e destilação do mel[1] (4), ou borras do melaço. [Sin. (pop. ou de gír., e bras. na maioria, muitos deles regionais): *abre, abrideira, aca, aço, a do ó, água-benta, água-bruta, água de briga, água de cana, água que gato não bebe, água que passarinho não bebe, aguardente, aguardente de cana, aguarrás, águas de setembro, alpista, aninha, arrebenta-peito, assovio de cobra, azougue, azuladinha, azulzinha, bagaceira, baronesa, bicha, bico, birita, boa, borbulhante, boresca, branca, branquinha, brasa, brasileira, caiana, calibrina, cambraia, cana, cândida, canguara, canha, caninha, canjebrina, canjica, capote de pobre, catuta, caxaramba, caxiri, caxirim, cobreira, corta-bainha, cotreia, cumbe, cumulaia, danada, delas-frias, dengosa, desmancha-samba, dindinha, dona-branca, ela, elixir, engasga-gato, espírito, esquenta por dentro, filha de senhor de engenho, fruta, gás, girgolina, goró, gororoba, gramática, guampa, homeopatia, imaculada, já-começa, januária, jeribita ou jurubita, jinjibirra, junça, jura, legume, limpa, lindinha, lisa, maçangana, malunga, malvada, mamãe de aluana ou mamãe de aruana, mamãe de luana, mamãe de luanda, mamãe-sacode, mandureba ou mundureba, marafo, maria-branca, mata-bicho, meu-consolo, minduba, miscorete, moça-branca, monjopina, montuava, morrão, morretiana, não sei quê, óleo, orotanje, otim, panete, parati, patrícia, perigosa, pevide, piloia, pinga, piribita, prego, porongo, pura, purinha, quebra-goela, quebra-munheca, rama, remédio, restilo, retrós, roxo-forte, samba, sete-virtudes, sinhaninha, sinhazinha, sipia, siúba, sumo da cana, suor de alambique, supupara, tafiá, teimosa, terebintina, tira-teima, tiúba, tome-juízo, três-martelos, uca, veneno, xinapre, zuninga.*] **2.** *P. ext. Pop.* Qualquer bebida alcoólica. [M. us. no pl.] **3.** Dose (3) de cachaça. **4.** *Bras.* Espuma grossa que, na primeira fervura, se tira do suco da cana na caldeira. **5.** *Fig.* Paixão, inclinação, gosto (por pessoa ou coisa): 📄 *Tem uma cachaça pela pequena!; O cinema é a sua cachaça.* ● ***S. m.* 6.** *Bras.* V. *ébrio* (8). ◆ **Cachaça da cabeça.** *Bras.* Aguardente da cabeça.

cachação [De *cachaço* + *-ão*[1].] ***S. m.*** Pancada ou empurrão no cachaço (1).

cachaçaria [De *cachaça* + *-aria.*] ***S. f. Bras.*** Bar onde se vende principalmente cachaça.

cachaceira[1] [De *cachaço* + *-eira.*] ***S. f.* 1.** Grande cachaço (1). **2.** Tirante de couro da cabeçada (8) do cavalo, que lhe envolve a nuca.

cachaceira[2] [De *cachaça* + *-eira.*] ***S. f.* 1.** *Bras.* Lugar onde se apara e junta a cachaça (4) tirada das caldeiras de açúcar. **2.** V. *bebedeira* (1).

cachaceiro[1] [De *cachaça* + *-eiro.*] ***Bras. S. m.* 1.** *Bot.* Arvoreta rutácea (*Hortia excelsa*) rara, que habita a floresta pluvial. Tem belo aspecto, e as folhas chegam a 1m de comprimento; a casca, no momento em que é retirada, desprende odor de cachaça; a madeira é branco-amarelada e sem préstimo. **2.** Aquele que é dado ao uso excessivo da cachaça ou de outra bebida alcoólica; canista, biriteiro. [V. *ébrio* (8).] ● ***Adj.* 3.** Que é dado ao uso exagerado da cachaça ou de outra bebida alcoólica; biriteiro. [V. *ébrio* (2).]

cachaceiro[2] [De *cachaço* + *-eiro.*] ***Adj. S. m.*** V. *cachaçudo* (2).

cachacista [De *cachaça* + *-ista.*] ***Adj. 2 g. S. 2 g. Bras.*** V. *ébrio* (2 e 8).

cachaço [De *cacho*[2] + *-aço.*] ***S. m.* 1.** A parte posterior do pescoço: 📖 "Tinha um cachaço alentado, vermelhusco, com um não sei quê de bovino na lombada e na inclinação." (Maria Archer, *Fauno Sovina*, p. 7.) [Sin. (desus.): *cacho.*] **2.** *Bras.* Reprodutor suíno. V. *barrão*.

cachaçudo [De *cachaço* + *-udo.*] ***Adj. S. m.* 1.** Que, ou aquele que tem cachaço grande e grosso. **2.** Orgulhoso, soberbo, arrogante, cachaceiro.

cachada ***S. f.*** Queimada de mato.

cachado [Part. de *cachar*[2].] ***Adj. Bras. N.E.*** Cacheado.

cachalote [De **cacholote* (de *cachola*), com assimilação.] ***S. m. Zool.*** Cetáceo fiseterídeo (*Phiseter catadon*), de coloração cinza-escura a negra, cosmopolita, de grande porte, a maior das baleias odontocetas, que pode chegar a 20m. A cabeça, com um terço do comprimento do corpo, contém o maior cérebro entre os dos animais, e os dentes cônicos, espessos, com 18cm de comprimento, encontram-se presentes apenas na mandíbula. É capaz de mergulhar a grandes profundidades, inclusive para se alimentar da lula-gigante que ali vive. [Sin. (na BA): *cacharréu.*]

cachamorra (ô) ***S. f.*** V. *cacete* (1). [Var. (pop): *cachaporra.*]

cachamorrada [De *cachamorra* + *-ada*[1].] ***S. f.*** Pancada com cachamorra; cacetada, paulada. [Var. (pop): *cachaporrada.*]

cachamorreiro [De *cachamorra* + *-eiro.*] ***S. m.*** Aquele que usa cachamorra. [Var. (pop.): *cachaporreiro.*]

cachão[1] [Do lat. *coctione*, 'cocção'.] ***S. m.* 1.** V. *borbotão*: 📖 "Da água os turvos cachões mugem pela devesa." (Carlos D. Fernandes, *Canção de Vesta*, p. 7.) **2.** *Bras. MG* Cachoeira alta e volumosa; tombo. [Cf. *caixão.*]

cachão[2] ***S. m.*** Vento que sopra entre o Sri Lanka e a Índia. [Cf. *caixão.*]

cachaporra (ô) [De or. obscura.] ***S. f. Pop.*** V. *cachamorra*.

cachaporrada [De *cachaporra* + *-ada*[1].] ***S. f. Pop.*** V. *cachamorrada*.

cachaporra-do-gentio ***S. f. Bras. C.O. Bot.*** Designação comum a duas arvoretas combretáceas (*Terminalia argentea* e *T. fagifolia*) amplamente dispersas no cerrado, de folhas membranáceas e agregadas na ponta dos ramos, flores pequeninas, amareladas e racemosas, e cujas drupas, duríssimas, são providas de grossas asas coriáceas. [Pl.: *cachaporras-do-gentio.*]

cachaporreiro [De *cachaporra* + *-eiro.*] ***S. m. Pop.*** V. *cachamorreiro*.

cachar[1] [Do fr. *cacher.*] ***V. t. d.*** *Desus.* **1.** Esconder, disfarçar, ocultar, tapar. ***Int.* 2.** Armar ciladas; atraiçoar. **3.** Praticar um ato às ocultas. [Pres. ind.: *cacho, cachas, cacha*, etc. Cf. *caxa.*]

cachar[2] [De *cacho*[1] + *-ar*[2].] ***V. int. Bras. N.E.*** Cachear (3). [Pres. ind.: *cacho, cachas, cacha*, etc. Cf. *caxa.*]

cacharolete (ê) ***S. m.*** Mistura de várias bebidas alcoólicas.

cacharréu ***S. m. Bras. BA Zool.*** Cachalote.

➔**cache** [kæʃ] [Ingl., f. red. de *cache memory*, do ingl. *cache*, 'depósito secreto' (fr. *cacher*, 'esconder') + ingl. *memory*, 'memória'.] ***S. m. Inform.*** Dispositivo de memória (15), de capacidade reduzida e alta velocidade, que funciona associado a um dispositivo de armazenamento de grande capacidade, porém mais lento, mantendo cópia temporária de dados acessados com mais frequência ou mais recentemente, com o objetivo de agilizar o processamento de tais dados. [Cf. *cachê* e *cachés.*]

caché ***S. m.*** V. *cachê*. [Uso próprio de P.]

cachê [Do fr. *cachet.*] ***S. m.* 1.** Ordenado de qualquer integrante de companhia teatral, cinematográfica, de televisão, etc.: 📖 "— Bom dia. Eu sou o cantor Vitor Bacelar. Venho oferecer minha última gravação. | Fez freguesia certa. Ganhava o cachê de cantor e a comissão de vendedor." (Nestor de Holanda, *Memórias do Café Nice*, p. 130.) **2.** Pagamento feito a qualquer pessoa que se apresente em espetáculo público ou que participe de anúncio. [Cf. *cache* e *cachés.*]

cacheada ***S. f. Bras. BA*** Espécie de reisado.

cacheado [Part. de *cachear.*] ***Adj. Bras.*** Diz-se do cabelo ondeado e anelado, formando cachos; cachado: 📖 "metido numa sobrecasaca cor de rapé, cabelo negro, longo e cacheado" (Machado de Assis, *Várias Histórias*, p. 62).

cachear [De *cacho*[1] + *-ear*[2].] ***V. int.* 1.** Cobrir-se de cachos; produzir cachos. [Aplica-se, em geral, com relação aos vegetais quando começam a abotoar inflorescência em racemos ou cachos.] **2.** Espigar (o arroz). **3.** *Bras.* Tornar-se cacheado (o cabelo); cachar. ***T. d.* 4.** *Bras.* Fazer cachos em (cabelo): 📄 *Usou um produto novo para cachear os cabelos.* [Conjug.: v. *frear*. Nas acepç. 1 a 3, é unipess.]

cachecol [Do fr. *cache-col.*] ***S. m.*** Manta longa e estreita para agasalhar o pescoço. [Pl.: *cachecóis* e (lus.) *cachecoles.*]

cachecole ***S. m. Lus.*** V. *cachecol*: 📖 "A tosse de um velho embrulhado num cachecol até às orelhas" (Manuel da Fonseca, *Aldeia Nova*, p. 77); "dos dois cachecoles que tem, o leve" (José Saramago, *História do Cerco de Lisboa*, p. 158). [Pl.: *cachecoles.*]

cacheira [De *cacho*[2] + *-eira.*] ***S. f.* 1.** V. *cacete* (1). **2.** Pau tosco. [Cf. *caixeira*, fem. de *caixeiro.*]

cacheirada [De *cacheira* + *-ada*[1].] ***S. f.*** Pancada com cacheira; cacetada, paulada. [Cf. *caixeirada.*]

cacheiro[1] [De *cacho*[2] + *-eiro.*] ***S. m.*** Cacheira. [Cf. *caixeiro*, do v. *caixear* e s. m.]

cacheiro[2] [De *cachar*[1] + *-eiro.*] ***Adj. S. m.*** Que, ou aquele que se cacha ou esconde. [Cf. *caixeiro*, do v. *caxeirar* e s. m.]

cachené ***S. m.*** V. *cachenê*. [Uso próprio de P.]

cachenê [Do fr. *cache-nez.*] ***S. m.*** Manta comprida e estreita para agasalhar o rosto até o nariz.

cachepô [Do fr. *cache-pot.*] ***S. m.*** Recipiente de metal, cerâmica, madeira, fibra, etc., dentro do qual se colocam vasos de plantas.

cachés ***S. m. pl. Bras. SC*** Cascas secas de pinheiro. [Cf. *cachés*, pl. de *caché*, e *caches*, pl. de *cache.*]

➔**cache-sexe** [kaʃ sɛks] [Fr.] ***S. m.*** Pequena peça de vestuário que apenas cobre os órgãos sexuais; tapa-sexo.

cacheta (ê) [De *cacha* + *-eta* (ê).] ***S. f. Bras.* 1.** No jogo de sete e meio, o ficar em ponto baixo, calculadamente. **2.** Jogo carteado semelhante ao pife-pafe (q. v.) jogado, porém, com oito cartas e um curinga imaginário (q. v.). [Pl.: *cachetas* (ê). Cf. *cacheta*, *cachetas*, do v. *cachetar*; *caxeta* (ê), pl. *caxetas* (ê); e *caixeta*, pl. *caixetas.*]

cachetar [De *cacheta* + *-ar*[2].] ***V. t. i. Bras.*** Caçoar, zombar, brincar. [Pres. ind.: *cacheto, cachetas, cacheta*, etc. Cf. *cacheta* (ê), pl. *cachetas* (ê); *caxeta* (ê), pl. *caxetas* (ê); *caixeta* (ê), pl. *caixetas* (ê), e *Caixeta* (ê), antr., pl. *Caixetas* (ê).]

cachia ***S. f. Bot.*** Flor da esponjeira; esponja. [Pl.: *cachias*. Cf. *caxias*, s. 2 g. e 2 n. e *Caxias*, top. e antr.]

cachichola ***S. f. Bras. CE*** V. *cochicholo*.

cachico [Do quimb.] ***S. m. Angol.*** Indivíduo subserviente; pau-mandado: 📖 "Eles avariam as máquinas que têm e depois nós é que ficamos aqui de cachicos fotocópia." (Manuel Rui, *Crônica de um Mujimbo*, p. 72.)

cachimana [De *cachimanha*, com despalatalização.] ***S. f.*** Ardil, artimanha, astúcia; cachimanha.

cachimanha [De *cachar*[1] + *manha.*] ***S. f.*** V. *cachimana*.

cachimbada [De *cachimbo* + *ada*[1].] ***S. f.* 1.** Porção de tabaco que se põe no cachimbo. **2.** Ato de aspirar a fumaça do cachimbo: 📄 *dar uma cachimbada.* **3.** Fumaça de cachimbo. ◆ **Tomar uma cachimbada.** *Bras.* Beber um trago de cachimbo (12).

cachimbador (ô) [De *cachimbar* + *-dor.*] ***Adj. S. m.*** Que, ou aquele que cachimba.

cachimbar [De *cachimbo* + *-ar*[2].] *V. int.* **1.** Fumar cachimbo (1): 📖 "Imagens do avô, do avô vivo e forte cachimbando ao canto do fogão" (Eça de Queirós, *Os Maias*, II, p. 495). **2.** Lançar ou exalar vapores; vaporar; fumegar: 📖 "Os paus-d'arco, floridos, salpicavam a mata de pontos amarelos; de manhã a serra cachimbava" (Graciliano Ramos, *S. Bernardo*, p. 95). *T. d.* **3.** *Fig.* Votar ao desprezo: não fazer caso de. **4.** *Bras.* Meditar, ponderar.

cachimbau [De or. incerta.] *S. m. Bras. Zool.* V. *peixe-trombeta* (2).

cachimbo [Do quimb., mas de étimo incerto.] *S. m.* **1.** Aparelho para fumar, composto de um fornilho, onde se põe o tabaco, e de um tubo, por onde se aspira o fumo. [Sin. (bras.) *pito* e (cabo-verd. e guin.) *canhoto*.] **2.** Buraco do castiçal onde se encaixa a vela. **3.** Peça fêmea da dobradiça, em que entra o gonzo ou o espigão do leme, da porta ou da janela. **4.** Grande porção de terra, de forma prismática, separada de uma barranca vertical por dois fundos talhos laterais, e que, nos desaterros, se faz cair, solapando-a. **5.** Aparelho de contenção para cavalos e bezerros, em geral para impedir que mamem. **6.** *Constr. Nav.* Peça em forma de olhal, fixada em mastro, costado, amurada ou braçola de escotilha, para receber o perno de fixação de um pé de retranca, pau de surriola, pau de carga, etc. **7.** *Constr. Nav.* Castanha inferior de sustentação do turco (4). **8.** *Constr. Nav.* Tubo em forma de cachimbo (1), que se instala atravessando um convés, a fim de enviar ar fresco para ventilação das cobertas. **9.** *Tip.* Canal do crisol da linotipo, por onde a liga em fusão atinge o molde. **10.** *Bras. Bot.* Designação comum a diversas plantas gesneriáceas, gêneros *Gesneria*, *Gloxinia* e *Siningia*. **11.** *Bras. N.E. Gír.* V. *mata-cachorro* (2). **12.** *Bras. N.E.* Bebida preparada com cachaça e mel de abelha: 📖 "E bebia cachimbo, mistura de aguardente e mel de abelha dos cortiços pendurados no beiral do alpendre." (Graciliano Ramos, *Infância*, p. 124.) **13.** *Bras. PB* Reunião em geral regada a cachimbo (12), em que se festeja o nascimento de uma criança. **14.** *Bras. N.E.* Guarda à paisana que se incorpora a uma diligência policial. ◆ **Bater o cachimbo.** *Bras. N.E. Pop.* V. *morrer* (1): 📖 "havia lá um empregado superior muito doente, que, sem dúvida, bateria o cachimbo por todos aqueles três meses" (Aluísio Azevedo, *O Mulato*, p. 265). **Fumar o cachimbo da paz.** Reconciliar-se; fazer as pazes.

cachimbó [De or. indígena, poss.] *S. m. Bras. Zool.* Ave passeriforme, furnariídea (*Phleocryptes melanops*), do S.E. do País, de dorso pardo, com manchas pretas nas costas e no vértice, asas e cauda escuras, com manchas cor de canela, e lado inferior esbranquiçado. Frequenta lugares alagadiços. [Sin.: *tico-tico-do-biri*, *tico-tico-do-piri*.]

cachimbo-de-jabuti *S. m. Bras. Bot.* Árvore voquisiácea (*Erisma calcaratum*) comuníssima nas várzeas e igapós, ornamental, em vista de suas belas e abundantes flores azuis que se dispõem em panículas de grande tamanho. O fruto lembra um cachimbo, e contém uma amêndoa com 50% de gordura branca e aproveitável; a madeira, branca e leve, só se usa na fabricação de polpa para papel. [Tb. se diz apenas *jabuti*. Pl.: *cachimbos-de-jabuti*.]

cachimbo-de-turco *S. m. Bras. Bot.* V. *serpentária*. [Pl.: *cachimbos-de-turco*.]

cachimónia *S. f.* V. *cachimônia*. [Uso freq. em P.]

cachimônia [Do rad. de *cachola*.] *S. f. Pop.* **1.** V. *cabeça* (8). **2.** Paciência, calma: 📕 *Não me faça perder a cachimônia.*

cachinada [De *cachinar* + *-ada*[1].] *S. f.* Gargalhada zombeteira: 📖 "Explodiram risinhos e cachinadas, ditos zombeteiros" (Coelho Neto, *Miragem*, p. 113).

cachinador (ô) [De *cachinar* + *-dor*.] *Adj. S. m.* Que, ou aquele que cachina.

cachinar [Do lat. *cachinnare*.] *V. int.* Rir às gargalhadas, por escárnio. 📖 "e, enquanto teus pais discutiam, tu fugias, e tua mãe cachinava de tanto nervosismo" (Milton Hatoum, *Cinzas do Norte*, p. 252).

cacho[1] [Do lat. vulg. **cacculu* < lat. *caccabu*, 'vasilha de barro para cocção de alimentos', com alter. de suf., e alter. semântica para 'vasilha', 'fragmento de vasilha', 'fragmento', 'caco', 'parte de algo'; 'racemo'.] *S. m.* **1.** *Bot.* Inflorescência formada de uma haste de crescimento indefinido, e que tem, aos lados, pedúnculos florais dispostos alternadamente. **2.** *Bot.* Conjunto de flores ou frutos pedunculados e dispostos num eixo comum. **3.** Conjunto de coisas dispostas em forma de cacho (1 e 2). **4.** Anel ou canudo de cabelo. **5.** *Bras. RS* A cauda (do cavalo). **6.** *Bras.* V. *caso* (7). ◆ **Bêbedo como um cacho.** Muito bêbedo.

cacho[2] [Do esp. *cacha* (< lat. **cappula* < lat. *capula*), com alter. semântica, no port. ant. = 'pescoço', esp. 'o pescoço do touro'.] *S. m. Desus.* Cachaço (1).

cachoante [De *cachoar* + *-nte*.] *Adj. 2 g.* Que cachoa.

cachoar [De *cachão*[1] + *-ar*[2], com desnasalação.] *V. int.* Formar cachão[1] ou cachoeira; borbotar. [Conjug.: v. *coroar*. Normalmente é defect., só conjugável nas 3.as pess.]

cacho-de-mosquitos [De *cacho*[1] + *de* + o pl. de *mosquito*.] *S. m. Bras. Bot.* Pequena erva orquidácea (*Cirrhae dependens*) constituída de ramos pêndulos sobre árvores da floresta atlântica. As folhas, mínimas, inserem-se muito apertadamente, e as flores são pouco perceptíveis. [Pl.: *cachos-de-mosquitos*.]

cachoeira [De *cachão*[1] + *-eira*, com desnasalação.] *S. f.* **1.** V. *queda-d'água*. **2.** *Bras. MA* V. *corredeira* (1). [Var. (bras., ES): *cachoeiro*.]

cachoeira-altense *Adj. 2 g.* **1.** De, ou pertencente ou relativo a Cachoeira Alta (GO). ● *S. 2 g.* **2.** O natural ou habitante de Cachoeira Alta. [Pl.: *cachoeira-altenses*.]

cachoeira-douradense *Adj. 2 g.* **1.** De, ou pertencente ou relativo a Cachoeira Dourada (MG). ● *S. 2 g.* **2.** O natural ou habitante de Cachoeira Dourada. [Pl.: *cachoeira-douradenses*.]

cachoeirano[1] *Adj.* **1.** De, ou pertencente ou relativo a Cachoeira (BA). ● *S. m.* **2.** O natural ou habitante de Cachoeira.

cachoeirano[2] *Adj.* **1.** De, ou pertencente ou relativo a Cachoeiras (RJ). ● *S. m.* **2.** O natural ou habitante de Cachoeiras.

cachoeirano[3] *Adj. S. m.* Leopoldinense[3].

cachoeirar [De *cachoeira* + *-ar*[2].] *V. t. d. P.* Encachoeirar.

cachoeirense[1] *Adj. 2 g.* **1.** De, ou pertencente ou relativo a Cachoeira da Prata (MG). ● *S. 2 g.* **2.** O natural ou habitante de Cachoeira da Prata.

cachoeirense[2] *Adj. 2 g.* **1.** De, ou pertencente ou relativo a Cachoeira de Goiás (GO). ● *S. 2 g.* **2.** O natural ou habitante de Cachoeira de Goiás.

cachoeirense[3] *Adj. 2 g.* **1.** De, ou pertencente ou relativo a Cachoeira de Minas (MG). ● *S. 2 g.* **2.** O natural ou habitante de Cachoeira de Minas.

cachoeirense[4] *Adj. 2 g.* **1.** De, ou pertencente ou relativo a Cachoeira de Pajéu (MG). ● *S. 2 g.* **2.** O natural ou habitante de Cachoeira de Pajeú.

cachoeirense[5] *Adj. 2 g.* **1.** De, ou pertencente ou relativo a Cachoeira do Arari (PA). ● *S. 2 g.* **2.** O natural ou habitante de Cachoeira do Arari.

cachoeirense[6] *Adj. 2 g.* **1.** De, ou pertencente ou relativo a Cachoeira dos Índios (PA). ● *S. 2 g.* **2.** O natural ou habitante de Cachoeira dos Índios.

cachoeirense[7] *Adj. 2 g.* **1.** De, ou pertencente ou relativo a Cachoeira Dourada (GO). ● *S. 2 g.* **2.** O natural ou habitante de Cachoeira Dourada.

cachoeirense[8] *Adj. 2 g.* **1.** De, ou pertencente ou relativo a Cachoeira Paulista (SP). ● *S. 2 g.* **2.** O natural ou habitante de Cachoeira Paulista.

cachoeirense[9] *Adj. 2 g.* **1.** De, ou pertencente ou relativo a Cachoeiras de Macacu (RJ). ● *S. 2 g.* **2.** O natural ou habitante de Cachoeiras de Macacu.

cachoeirense[10] *Adj. 2 g.* **1.** De, ou pertencente ou relativo a Cachoeiro de Itapemirim (ES). ● *S. 2 g.* **2.** O natural ou habitante de Cachoeiro de Itapemirim.

cachoeirense[11] *Adj. 2 g.* **1.** De, ou pertencente ou relativo a Carmo da Cachoeira (MG). ● *S. 2 g.* **2.** O natural ou habitante de Carmo da Cachoeira.

cachoeirense-do-sul *Adj. 2 g.* **1.** De, ou pertencente ou relativo a Cachoeira do Sul (RS). ● *S. 2 g.* **2.** O natural ou habitante de Cachoeira do Sul. [Pl.: *cachoeirenses-do-sul*.]

cachoeirinhense *Adj. 2 g.* **1.** De, ou pertencente ou relativo a Cachoeirinha (PE, RS e TO). ● *S. 2 g.* **2.** O natural ou habitante de Cachoeirinha.

cachoeirista *S. 2 g. Bras. Amaz.* Indivíduo que tem prática de viajar nos rios cheios de corredeiras, encachoeirados.

cachoeiro [De *cachoeira*.] *S. m. Bras. ES* V. *queda-d'água*.

cachola [De *cacho*[2] + *-ola*[1], poss.] *S. f. Pop.* V. *cabeça* (8): 📖 "A impressão entrou-lhe impetuosa pela cachola" (Cardoso de Oliveira, *Dois Metros e Cinco*, p. 13). [Cf. *caixola*.]

cacholeta (ê) [De *cachola* + *-eta* (ê), poss.] *S. f.* **1.** Pancada (com as mãos cruzadas) na cabeça: 📖 "Deixa estar que lhe ia pregar uma! E foi, pé ante pé, devagarinho, para lhe dar uma cacholeta." (Viriato Correia, *Contos do Sertão*, p. 244.) **2.** V. *repreensão* (1).

cachonda [F. subst. de *cachondo*.] *S. f. Lus.* Fêmea no cio, esp. a cadela.

cachondice [De *cachondo* + *-ice*.] *S. f. Lus.* Luxúria, desejo venéreo: 📖 "Estas cabras .... julgam que um sacerdote as pode curar da cachondice." (Aquilino Ribeiro, *Andam Faunos pelos Bosques*, p. 151).

cachondo [Do esp. *cachondo*.] *Adj. Lus.* Diz-se de animal no cio (esp. a fêmea do cão).

cachopa[1] (ô) [Fem. de *cachopo*[1].] *S. f. Lus.* Moça, rapariga: 📖 "um rapagão valente e decidido que costumava namorar as cachopas de cravo vermelho na boca" (João da Silva Correia, *Farândola*, p. 104).

cachopa[2] (ô) [De *cacho*[1], poss.] *S. f. Bras. RS Mad.* Cacho[1] (1) na extremidade de um ramo.

cachopice [De *cachopo*[1] + *-ice*.] *S. f.* **1.** Ação ou atitude de cachopo[1]. **2.** Qualidade de cachopo[1].

cachopo[1] (ô) [De *cacho*[1], poss.] *S. m. Lus.* Rapaz. [Pl.: *cachopos* (ô).]

cachopo[2] (ô) [De or. obscura.] *S. m.* **1.** Escolho, abrolho: 📖 "Minúsculos cachopos salientes erguiam-se dum ar d'espumas, com os interstícios de pedras tomados de vegetação em tufos de renda verde." (Virgílio Várzea, *O Brigue Flibusteiro*, p. 75.) **2.** Obstáculo perigoso. [Pl.: *cachopos* (ô).]

cachorra (ô) [Fem. de *cachorro*[1].] *S. f.* **1.** Cadela ainda nova. **2.** *Bras. Zool.* V. *peixe-cachorro* (1). **3.** *Fig.* Mulher de mau gênio. **4.** Mulher desavergonhada, cínica, devassa. **5.** *Bras.* Qualquer cadela. **6.** *Bras. S. Gír.* V. *dor de cotovelo*. ◆ **Cachorra aferente.** *Arquit.* Peça de madeira ou cachorro de beirada, que se apoia numa cimalha da alvenaria, para obter maior balanço. **Com a cachorra.** *Bras. Gír.* **1.** De péssimo humor; furioso; danado: 📕 *ficar com a cachorra*. **2.** Fazendo o diabo (v. *fazer o diabo*): 📖 "— Os japoneses estão com a cachorra! Manilha está virando pó." (Marques Rebelo, *A Mudança*, p. 583). **Comer uma cachorra insossa.** *Bras. N.E.* Passar sérias dificuldades: 📖 "Impressionado com aquela pobreza, exclamei: — Diabo! Vocês comeram uma cachorra insossa." (Graciliano Ramos, *São Bernardo*, p. 118.)

cachorrada [De *cachorro*[1] + *-ada*[1].] *S. f.* **1.** Bando de cachorros. **2.** Conjunto de cachorros [v. *cachorro*[1] (6)] de uma beirada, sacada ou outra parte de edifício. **3.** Malta, súcia, caterva. **4.** V. *cachorrismo*.

cachorra da palmeira *S. f. Bras. AL Folcl.* Personagem lendário, representado por uma jovem que disse não acreditar no Padre Cícero, blasfemando contra ele, e que se transforma em cachorra. [Pl.: *cachorras da palmeira*.] ☑

cachorrado [De *cachorro*[1] + *-ado*[1].] *Adj. Arquit.* Diz-se do beiral ou balcão sustentado por cachorros [v. *cachorro*[1] (6)].

cachorrão [De *cachorro*[1] + *-ão*[1].] *S. m.* V. *cachorro*[1] (5).

cachorreiro [De *cachorro*[1] + *-eiro*.] *S. m. Bras.* **1.** Criador ou tratador de cães de caça. **2.** Indivíduo que dirige os cães durante a caçada e levanta o rastro da caça.

cachorrice [De *cachorro*[1] + *-ice*.] *S. f. Bras.* V. *cachorrismo*.

cachorrinho [De *cachorro* + *-inho*[1].] *S. m. Bras.* **1.** *Zool.* V. *anujá*. **2.** Tipo de nado que lembra o do cachorro, e no qual o nadador movimenta só as mãos. **3.** *Bras. Gír.* V. *delator*.

cachorrinho-da-areia *S. m. Bras. CE Zool.* V. *grilo-toupeira* (1). [Pl.: *cachorrinhos-da-areia*.]

cachorrinho-d'água *S. m. Bras.* **1.** *Zool.* V. *grilo-toupeira* (1). **2.** *Folcl.* Animal encantado, do rio São Francisco, de cabelos brancos e estrela na testa, e que dá sorte e riqueza a quem o vê. [Pl.: *cachorrinhos-d'água*.]

cachorrinho-do-mato *S. m. Bras. Zool.* Furão[1] (2). [Pl.: *cachorrinhos-do-mato*.]

cachorrinho-do-padre *S. m. Bras. Zool.* V. *anujá*. [Pl.: *cachorrinhos-do-padre*.]

cachorrismo [De *cachorro*[1] + *-ismo*.] *S. m. Bras.* Ação má; canalhice, canalhismo, indignidade, cachorrada, cachorrice.

cachorro[1] (ô) [Do lat. vulg. **cattulu* < lat. *catulu*, 'cão pequeno'.] *S. m.* **1.** Cão novo e pequeno. **2.** *Bras. Cabo-verd. Guin.* Qualquer cão. **3.** Cria de lobo, hiena, onça, leão, etc.: 📖 "a dedicação do Coruja pelo amigo parecia crescer de instante para instante. Uma leoa não defenderia os seus cachorros com mais amor e mais zelos." (Aluísio Azevedo, *O Coruja*, p. 48); "E alguém se afouta a penetrar no abrigo, / Onde esconde a pantera os seus cachorros" (Santa Rita Durão, *Caramuru*, p. 55). **4.** Indivíduo indigno; canalha, cafajeste. **5.** Menino travesso, turbulento, levado; cachorrão. **6.** *Arquit.* Peça em balanço, de madeira ou de pedra, que sustenta ou aparenta sustentar beirais de telhados e pisos de sacadas ou balcões, etc.: 📖 "Eis que surge-lhe pela beirada do telhado a cabeça do estouvado rapaz, trepado na pinheira, donde conseguira alcançar com a mão as travessas ou cachorros, como lhes chamam os carpinteiros." (José de Alencar, *Guerra dos Mascates*, p. 51.) **7.** *Mar. G. Ant.* Cada um dos canhões que podiam ser empregados quando o navio atirava em caça (*cachorros da proa*) ou em retirada (*cachorros da popa*). **8.** *Bras.* No jogo do bicho (q. v.), o 5.º grupo (14) que abrange as dezenas 17, 18, 19 e 20, e corresponde ao número cinco. **9.** *Bras.* Haste da espora que sustém a roseta: 📖 "Em pontas de pé, dissimulando o tilintar das rosetas no cachorro das esporas, Zeca Menino alcançou o alpendre" (Hugo de Carvalho Ramos, *Tropas e Boiadas*, p. 28). **10.** *Bras. Gír. Desus.* Cédula de cinco cruzeiros. **11.** *Bras. PE* Balsa de buriti, descoberta, usada no transporte de carga no rio Parnaíba. ◆ **Cachorro da popa.** *Mar. G. Ant.* V. *cachorro*[1] (7). **Cachorro da proa.** *Mar. G. Ant.* V. *cachorro*[1] (7). **Cachorro espritado.** *Bras. N.E. Pop.* Cão hidrófobo.

Matar cachorro a grito. *Bras. Gír.* Encontrar-se numa situação aflita e/ou desesperadora. **Mentiroso que só cachorro de preá.** *Bras. Pop.* Muito mentiroso. **Pra cachorro.** *Bras. Gír.* V. *pra burro.* **Soltar os cachorros.** Mostrar-se hostil, agressivo. **Soltar os cachorros em cima de.** *Bras. Pop.* **1.** Insultar, apostrofar: *Soltou os cachorros em cima do açougueiro que lhe vendera carne estragada.* **2.** Discutir acaloradamente com; altercar com.

cachorro[2] (ô) ***S. m.*** *Zool.* V. *bonito-cachorro.*

cachorro[3] (ô) ***S. m.*** V. *cachorro-quente.*

cachorro-d'água ***S. m.*** *Bras. Zool.* V. *lontra* (2). [Pl.: *cachorros-d'água.*]

cachorro-de-padre ***S. m.*** *Bras. Zool.* V. *anujá.* [Pl.: *cachorros-de-padre.*]

cachorro-do-mato ***S. m.*** *Bras. Zool.* Mamífero carnívoro, canídeo (*Dusicyon thous*), com três subespécies brasileiras. De coloração pardo-cinzenta, tem o dorso, cauda, focinho e garganta negros. Mede 70cm de comprimento e 30cm de cauda, e alimenta-se de pequenos mamíferos, aves, frutos, e até de insetos, sobretudo coleópteros. [Sin. *aguaraxaim, graxaim, guaraxaim.* Pl.: *cachorros-do-mato.*]

cachorro-do-mato-vinagre ***S. m.*** *Bras. Zool.* Mamífero carnívoro, canídeo, de cor pardacenta (*Speothos venaticus*), distribuído das Guianas até o Paraguai. Difere dos demais do gênero *Cânis* (q. v.), por ter um único molar superior e dois inferiores, num total de apenas 38 dentes. Mede até 70cm de comprimento, cauda grossa, com apenas 15cm e alimenta-se de pequenos mamíferos e aves. [Sin.: *aracambé, jaguaracambé, jaguacininga, janauira, januaíra.* Pl.: *cachorros-do-mato-vinagre.*]

cachorrona [Do cabo-verd.] ***S. m.*** *Cabo-verd.* Fantasma que é representado por um enorme cão: "Os cachorronas, era chamá-los pelo nome de qualquer outro cão conhecido. Bem tratados, pelo caminho, às vezes, até se transformavam em defesas." (Teobaldo Virgínio, *Distância*, p. 12.)

cachorro-quente [De *cachorro* + *quente*, para trad. do ingl. amer. *hot dog.*] ***S. m.*** *Bras.* Salsicha quente, com ou sem molho, servida num pão macio, ger. alongado. [F. red.: *cachorro.* Tb. se usa o ingl. *hot dog.* Pl.: *cachorros-quentes.*]

cacho-vermelho [De *cacho*[1] + *vermelho*[1].] ***S. m.*** *Bras. AM Bot.* Arvoreta verbenácea (*Amazonia punicea*) que vive na floresta pluvial. É de alto valor ornamental para jardins, em virtude da beleza de suas flores amarelas e brácteas vermelho-sanguíneas. [Pl.: *cachos-vermelhos.*]

cachu [Do port. arc. cacho (poss. do tâmil *kâsu*, 'variedade de acácia'; 'substância extraída de sua madeira'.] ***S. m.*** *Bot.* V. *arequeira.*

cachucha [Do esp. *cachucha.*] ***S. f.*** Dança popular andaluza, ligeira e acompanhada de castanholas, de coreografia igual à do fandango e à do bolero.

cachucho [Do esp. *cachucho.*] ***S. m.*** **1.** Medula das penas. **2.** Papelote para o cabelo. **3.** *Lus.* Anel grosso ou anel com brilhante.

cachudo [De *cacho*[1] + *-udo.*] ***Adj.*** Que dá cachos grandes.

cachupa [Do cabo-verd.] ***S. f.*** *Cabo-verd. Cul.* Iguaria feita de milho esfarelado, toucinho, peixe ou carne, hortaliças, feijão, e que é considerada o prato nacional de Cabo Verde: "O povo miúdo, esse tem ainda como único ideal garantir a cachupa do dia." (Germano Almeida, *O Meu Poeta*, p. 254.) ◆ **Cachupa guisada.** *Cabo-verd. Cul.* A que é servida no dia seguinte ao de sua preparação, ao desjejum, refogada em azeite ou gordura e, ger., acompanhada de ovos fritos: "Dessa receita se extrai o caldo que serve para sopa e, na manhã seguinte, pode-se saborear a 'Cachupa guisada' ao café, que substitui o pão, nas casas de menor recurso." (Luís Romano, *Cabo Verde — Renascença de uma Civilização no Atlântico Médio*, p. 147.)

cacica [Do tupi.] ***S. f.*** *Bras. Cul.* Cairi.

cacicada [De *cacique* + *-ada*[1].] ***S. f.*** *Fig. Pej.* Cacicaria.

cacicado [De *cacique* + *-ado*[2].] ***S. m.*** *Antrop.* Tipo de sociedade intermediária entre a tribo e o Estado, quanto ao nível de integração sociopolítica, apresentando a instituição da chefia bastante desenvolvida. [É um conceito empregado em teorias neoevolucionistas de desenvolvimento cultural: implica chefia hereditária, surgimento de estratificação social e formação de elites religiosa e política. Cf. *bando*[1] e *tribo.*]

cacical [De *cacique* + *-al*[1].] ***Adj. 2 g.*** *Bras.* Relativo a, ou próprio de cacique.

cacicar [De *cacique* + *-ar*[2].] ***V. int.*** *Bras.* Praticar atos de cacique. [Conjug.: v. *trancar.* Pres. ind.: *cacico*, etc.; pres. subj.: *cacique*, etc. Cf. *cassico* e *cacique*, s. m.]

cacicaria [De *cacique* + *-aria.*] ***S. f.*** *Fig. Pej.* O grupo dos caciques; os caciques [v. *cacique* (2)].

cacifar [De *cacife* + *-ar*[2].] ***V. int.*** **1.** *Bras.* Recolher, no jogo, o cacife. ***T. d.*** **2.** Aumentar o cacife (2) de: *O partido faz tudo para cacifar o seu candidato a prefeito.* ***P.*** **3.** Adquirir cacife (2): "Quando Marta tentou sem sucesso a reeleição, os caciques se acotovelavam por cargos no governo Lula e, sobretudo para se cacifar à sucessão." (Melquíades Filho, em *Folha de S.Paulo*, 19.03.2008.) [Pres. ind.: *cacifo*, etc.; pres. subj.: *cacife*, etc.]

cacife [Do ár. *qafīz*, poss. com infl. de *cacifo* (q. v.).] ***S. m.*** **1.** *Bras.* Quantia correspondente, no jogo, à entrada de cada jogador. **2.** *Fig.* Prestígio, força (eleitoral, econômica, etc.).

cacifeiro [De *cacife* + *-eiro.*] ***S. m.*** *Bras.* Indivíduo que recolhe os cacifes.

cacifo [Do ár. *qafīz*, 'medida de secos' (cf. *cafiz*), com metátese.] ***S. m.*** **1.** *Ant.* Cafiz. **2.** Pequeno cofre; caixa. **3.** *Desus.* Gaveta. **4.** Buraco onde entra a bola, em certos jogos. **5.** Pequeno armário aberto em parede. **6.** Quarto ou recanto pequeno e escuro, numa casa. **7.** *Med.* Depressão produzida na pele pela pressão de dedo do examinador e que, cessada a pressão, permanece. **8.** *Bras. PE Tip.* Caixotim (1). [Var.: *cacifro.* Cf. *cacifo*, do v. *cacifar.*]

cacifro ***S. m.*** V. *cacifo*: "Vinte anos a dormir em cacifros, ... a comer os restos, a vestir trapos velhos" (Eça de Queirós, *O Primo Basílio*, p. 101).

cacigara *Bras.* ***S. 2 g.*** **1.** *Etnôn.* Indivíduo dos cacigaras [ou (etnôn. bras.) *Cacygara], povo indígena extinto que habitava a região do rio Juruá (AM). • ***Adj. 2 g.*** **2.** Pertencente ou relativo a esse povo.

cacilda [De *cacete* (6), com eufemismo.] ***Interj.*** *Pop.* Indica admiração, espanto, etc.: "Olhou distraidamente para o relógio e deu um pulo na cadeira: Ih, cacilda, quatro e meia da manhã!" (Fernando Sabino, *O Gato Sou Eu*, p. 45.)

cacim [De *caço* + *-im.*] ***S. m.*** Pequeno vaso, usado por tintureiros.

cacimba[1] [Do quimb. *kixima.*] ***S. f.*** **1.** Cova que recolhe a água dos terrenos pantanosos. **2.** *Bras. Angol.* Poço cavado até um lençol de água. [Sin. (bras., CE), nesta acepç.: *bebedor.*] **3.** *Bras. N.E.* Escavação em baixadas úmidas ou no leito de um rio, na qual a água se acumula como num poço. **4.** *Bras. S.* Olho-d'água, fonte. [Sin. (no CE), nesta acepç.: *cacimbão.*]

cacimba[2] [Do quimb.] ***S. f.*** V. *cacimbo.*

cacimbado [Part. de *cacimbar.*] ***Adj.*** *Bras.* **1.** Diz-se do terreno onde há cacimbas ou poços. **2.** Diz-se do terreno encharcado nuns pontos e em outros não. **3.** Diz-se do terreno que tem barro próprio para olaria.

cacimbão [De *cacimba*[1] + *-ão*[1].] ***S. m.*** *Bras.* **1.** Grande cacimba[1] (2). **2.** *Bras. CE* Cacimba[1] (4).

cacimbar [De *cacimba*[1] + *-ar*[2].] ***V. int.*** *Bras.* **1.** Encher-se (um terreno) de poços ou cacimbas. **2.** Formar-se [a cacimba[1] (1)].

cacimbareiense ***Adj. 2 g. S. 2 g.*** V. *cacimbense*[1].

cacimbeiro [De *cacimba*[1] + *-eiro.*] ***S. m.*** Aquele que faz cacimbas.

cacimbense[1] ***Adj. 2 g.*** **1.** De, ou pertencente ou relativo a Cacimba de Areia (PB). • ***S. 2 g.*** **2.** O natural ou habitante de Cacimba de Areia. [Sin. ger.: *cacimbareiense.*]

cacimbense[2] ***Adj. 2 g.*** **1.** De, ou pertencente ou relativo a Cacimba de Dentro (PB). • ***S. 2 g.*** **2.** O natural ou habitante de Cacimba de Dentro.

cacimbense[3] ***Adj. 2 g.*** **1.** De, ou pertencente ou relativo a Cacimbinhas (AL). • ***S. 2 g.*** **2.** O natural ou habitante de Cacimbinhas.

cacimbo [Do quimb. *Kixibu.*] ***S. m.*** **1.** *Angol. Santom.* Nevoeiro; garoa: "acordou com água na cara. Pingava da pedra, saturada do cacimbo da madrugada." (Filipe Correia de Sá, *Tala Mungongo*, p. 33); "agora que conheces os depressivos dias de cacimbo, com baixas nuvens e chuva miúda decerto iguais aqui [em Luanda] e no Rio, imaginas a melancolia de não te ter comigo." (Almeida Faria, *Cavaleiro Andante*, p. 91). **2.** *Angol.* Estação seca, relativamente fria (de maio a setembro): "ao escurecer, mesmo no cacimbo — e se faz frio naquela região! — ele desafiava os companheiros" (Gabriela Antunes, *Estórias Velhas, Roupa Nova*, p. 18).

cacinheiro [De *cacinhar*, freq. de *caçar*, + *-eiro.*] ***Adj.*** *Bras.* Diz-se do cão de caça que corre várias caças.

cacique [Do aruaque, pelo esp. *cacique.*] ***S. m.*** **1.** V. *morubixaba* (1). **2.** *Fig. Pej.* V. *mandachuva.*

caciquense ***Adj. 2 g.*** **1.** De, ou pertencente ou relativo a Cacique Double (RS). • ***S. 2 g.*** **2.** O natural ou habitante de Cacique Double.

caciquismo [De *cacique* + *-ismo.*] ***S. m.*** **1.** Arbitrariedade própria de cacique (2). **2.** Regime de predomínio dos caciques [v. *cacique* (2)].

cacite [De *caço.*] ***S. m.*** *Bras.* Vaso especial para a decoada.

caciz [Do ár. *qasīs.*] ***S. m.*** Sacerdote, entre os mouros.

caco [Do lat. vulg. *cacculu* < lat. *caccabu.* V. *cacho*[1].] ***S. m.*** **1.** Fragmento de louça, vidro, etc. **2.** Objeto ordinário, estragado, sem valor; caqueiro. **3.** *Fam.* Cabeça, juízo, entendimento. **4.** Pessoa envelhecida, doente, encarquilhada: *Tem apenas 60 anos, e já está um caco.* **5.** Pó a que se reduz o fumo depois de torrado e moído em um caco de louça; tabaco-de-caco, axá. **6.** *Arquit.* Fragmento de cerâmica, ladrilho, mármore, etc., empregado em pavimentação. **7.** *Arquit. P. ext.* A pavimentação ou o tipo de pavimentação feita com esses fragmentos. **8.** *Teatr. Gír.* Palavra ou frase que o ator, geralmente de improviso, introduz em qualquer de suas falas, para substituir outra do texto original e/ou produzir efeito cômico; bexigada. **9.** *Bras.* Dente profundamente cariado. **10.** *Bras.* Pessoa sem encantos, ou que os perdeu: "Mesmo Filipa, hoje um caco, ainda conserva um vislumbre de galhardia" (Jorge Amado, *Teresa Batista Cansada de Guerra*, p. 70). **11.** *Bras. S.* Arreio de montaria; espécie de lombilho (1). **12.** *Cabo-verd.* Copo de bebida alcoólica: "O melhor é a gente ir tomar um caco para esquecer o assunto e comemorarmos o nosso encontro. Há muito que não tomamos um caco juntos." (Nicolau de Tope Vermelho, em *Ponto & Vírgula*, nº 10/11, p. 36.) ◆ **Cuspir fora do caco.** *Bras. Chulo* V. *mijar fora do caco.* **Estar um caco.** *Bras. Gír.* Estar muito cansado, esgotado, física, mental e/ou emocionalmente. **Mijar fora do caco.** *Bras. Chulo* **1.** Faltar ao cumprimento das obrigações. **2.** Não andar na linha. [Sin. ger.: *cuspir fora do caco.*]

▲**cac(o)-[1]** [Do gr. *kakós, ḗ, ón.*] ***El. comp.*** = 'mau', 'irregular', 'disforme': *cacografia, cacoépia.* [Equiv.: *-cac(o)-: omartrocacia.*]

▲**cac(o)-[2]** [Do gr. *kákkē, ēs.*] ***El. comp.*** = 'excrementos', 'fezes': *cacófago.*

▲**-cac(o)-** Equiv. de *cac(o)-*[1].

caço [Do ár., pelo esp. *cazo.*] ***S. m.*** *P. us.* **1.** Vasilha com cabo. **2.** Concha (7). [Cf. *casso*, do v. *cassar* e adj.]

caçoada [De *caçoar* + *-ada*[1].] ***S. f.*** **1.** V. *zombaria.* **2.** V. *graça* (6).

caçoador (ô) [De *caçoar* + *-dor.*] ***Adj.*** **1.** Que caçoa, que gosta de caçoar; caçoante, caçoísta, trocista. • ***S. m.*** **2.** Aquele que caçoa, que é dado a caçoar; caçoísta, trocista.

cacoal ***S. m.*** *Bras.* V. *cacaual*: "Pelos lados e por detrás da casa estendia-se o cacoal sombrio" (José Veríssimo, *Cenas da Vida Amazônica*, p. 12).

cacoalense ***Adj. 2 g.*** **1.** De, ou pertencente ou relativo a Cacoal (RO). • ***S. 2 g.*** **2.** O natural ou habitante de Cacoal.

caçoante [De *caçoar* + *-nte.*] ***Adj. 2 g.*** V. *caçoador* (1).

caçoar [De or. controversa.] ***V. t. i.*** **1.** Fazer caçoada; zombar, troçar, escarnecer: *Caçoavam do pobre idiota.* ***T. d.*** **2.** Pôr em rídiculo; fazer de (alguém) objeto de riso; fazer caçoada de; zombar de: "Estes, caçoo-os e depeno-os." (Manuel Bandeira, *Estrela da Vida Inteira*, p. 56.) ***Int.*** **3.** Fazer caçoada; gracejar: *Tinha a mania de caçoar.* [Conjug.: v. *coroar.*]

cacodemomania [F. red. de *cacodemonomania.*] ***S. f.*** *Psiq.* Distúrbio mental caracterizado pela ilusão de estar possuído por maus espíritos.

cacodemomaníaco [F. red. de *cacodemonomaníaco.*] *Psiq.* ***Adj.*** **1.** Relativo a cacodemomania. **2.** Que sofre de cacodemomania; cacodemômano. • ***S. m.*** **3.** Aquele que sofre de cacodemomania; cacodemômano.

cacodemómano ***Adj. S. m.*** *Psiq.* V. *cacodemômano.* [Uso freq. em P.]

cacodemômano [F. red. de *cacodemonômano.*] ***Adj. S. m.*** *Psiq.* Cacodemomaníaco (2 e 3).

cacodemonomania [De *cac(o)-*[1] + *-demon(o)-* + *-mania.*] ***S. f.*** *Psiq.* Cacodemomania (q. v.).

cacodemonomaníaco [De *cacodemonomania* + *-íaco.*] ***Adj. S. m.*** *Psiq.* Cacodemomaníaco (q. v.).

cacodemonómano ***Adj. S. m.*** *Psiq.* V. *cacodemonômano.* [Uso freq. em P.]

cacodemonômano [De *cac(o)-*[1] + *-demon(o)-* + *-mano*[1].] ***Adj. S. m.*** *Psiq.* Cacodemômano (q. v.).

caco-de-prato ***S. m.*** *Bras. Zool.* V. *jandaia* (3). [Pl.: *cacos-de-prato.*]

caco de telha ***S. m.*** *Bras.* Lâmina de itabirito. [Pl.: *cacos de telha.*] ☑

cacodilo [Do lat. cient. *cacod-* (< gr. *kakódes*, 'de odor desagradável') + *-ilo.*] ***S. m.*** *Quím.* Composto de arsênio, líquido, incolor, com odor nauseante [fórm.: $C_4H_{12}As_2$].

caçoeira [De *caçar* + *-oeira.*] ***S. f.*** *Bras.* **1.** Rede de arrasto usada na pesca em mar alto. **2.** Jangada utilizada na pesca com essa rede.

cacoeiro ***S. m.*** *Bot.* V. *cacaueiro*: "Era uma excelente propriedade de dois mil pés de cacoeiros e campos de criação nos fundos." (José Veríssimo, *Cenas da Vida Amazônica*, p. 11.)

cacoepia [Do gr. *kakoépeia.*] ***S. f.*** *E. Ling.* Pronúncia contrária às regras da ortofonia. [A melhor forma, segundo a derivação grega, é *cacoepia*, mas a var. pros. *cacoépia* é a f. mais usada. Antôn.: *ortoepia.*]

cacoépia [Do gr. *kakoépeia.*] ***S. f.*** *E. Ling.* V. *cacoepia.*

cacoépico [De *cacoepia* + *-ico*[2].] ***Adj.*** *E. Ling.* Relativo a cacoepia.

cacoete (ê) [Do gr. *kakoéthes*, pelo lat. tard. *cacoethe*.] *S. m.* **1.** Movimento ou contrações repetidas e involuntárias de músculos; tique: "encontrou o homem amarelo, ... aquele que tanto a intrigava com o seu cacoete de olhos piscos." (Xavier Marques, *Jana e Joel*, p. 96). **2.** Hábito próprio de uma pessoa ou de um grupo; sestro, mania: "adotando cacoetes postos em moda de 1922 a 1930" (Graciliano Ramos, *Linhas Tortas*, p. 151).

cacoeteiro [De *cacoete* + *-eiro*.] *Adj. S. m.* Que, ou aquele que tem cacoete (1).

cacofagia [De *cac(o)-*² + *-fag(o)-* + *-ia*¹.] *S. f. Psiq.* Estado mórbido em que o indivíduo é levado a ingerir matérias fecais ou outras imundícies.

cacofágico [De *cacofagia* + *-ico*².] *Adj. Psiq.* Referente a cacofagia.

cacófago [De *cac(o)-*² + *-fago*.] *Adj. S. m.* Que, ou aquele que sofre de cacofagia.

cacófato [Do gr. *kakóphaton*, pelo lat. *cacophaton*.] *S. m. E. Ling.* Som desagradável, palavra obscena ou palavra distinta, proveniente da união das sílabas finais de uma palavra com as iniciais da seguinte; cacofonia, cacófaton. Ex.: *vi ela, alma minha, ela tinha, nunca ganha, nunca gostou*, etc.

cacofatomania [De *cacófato* + *-mania*.] *S. f. Psiq.* Mania de identificar cacófatos inexistentes.

cacofatomaníaco [De *cacofatomania* + *-íaco*.] *Psiq. Adj.* **1.** Relativo a cacofatomania. **2.** Que tem cacofatomania; cacofatômano. • *S. m.* **3.** Aquele que tem cacofatomania; cacofatômano.

cacofatômano *Adj. S. m. Psiq.* V. *cacofatômano*. [Uso freq. em P.]

cacofatômano [De *cacófato* + *-mano*¹.] *Adj. S. m. Psiq.* Cacofatomaníaco (2 e 3).

cacófaton *S. m. E. Ling.* V. *cacófato*.

cacofonia [Do gr. *kakophonía*.] *S. f. E. Ling.* **1.** Encontro ou repetição de sons que desagrada à audição. **2.** Cacófato: "um tipo histórico-cultural ou, para evitar a cacofonia e usar a terminologia mais corrente, uma civilização com seu tipo morfológico, específico e essencial." (Fidelino de Figueiredo, *Entre Dois Universos*, p. 123).

cacofoniar [De *cacofonia* + *-ar*².] *V. int. Bras.* Cometer cacofonia(s); cacofonizar.

cacofónico *Adj.* V. *cacofônico*. [Uso freq. em P.]

cacofônico [De *cacofonia* + *-ico*².] *Adj. E. Ling.* Em que há cacofonia: *verso cacofônico*; *A frase participei da reunião é cacofônica.*

cacofonista [De *cac(o)-*¹ + *-fon(o)-* + *-ista*.] *S. 2 g. Bras.* Pessoa que cacofoniza.

cacofonizar [De *cacofonia*+ *-izar*.] *V. int. Bras.* Cacofoniar.

cacofonofobia [De *cac(o)-*¹ + *-fon(o)-* + *-fobia*.] *S. f. Bras.* Aversão às cacofonias.

cacofonofóbico [De *cacofonofobia* + *-ico*².] *Adj. Bras.* **1.** Relativo a cacofonofobia. **2.** Que tem cacofonofobia; cacofonófobo. • *S. m.* **3.** Aquele que tem cacofonofobia; cacofonófobo.

cacofonófobo [De *cac(o)-*¹ + *-fon(o)-* + *-fobo*.] *Adj. S. m. Bras.* Cacofonofóbico (2 e 3).

cacogeusia [De *cac(o)-*¹ + gr. *geûsis*, 'gosto', 'sabor', + *-ia*¹.] *S. f. Psiq. Neur.* Gosto desagradável que pode ocorrer, ou em epilépticos, ou com o uso de certos medicamentos, ou, em algumas psicoses, representar fenômeno ilusório.

cacografar [De *cac(o)-*¹ + *-graf(o)-* + *-ar*².] *V. t. d. Bras.* Escrever cometendo cacografia(s): *Cacografou* empecilho e cetim, *escrevendo-os com* i *e* s *iniciais.*

cacografia [De *cac(o)-*¹ + *-grafia*.] *S. f. E. Ling.* Grafia errada; cacografismo.

cacográfico [De *cacografia* + *-ico*².] *Adj. E. Ling.* Relativo a, ou em que há cacografia(s).

cacografismo [De *cac(o)-*¹ + *-graf(o)-* + *-ismo*.] *S. m. E. Ling.* **1.** Prática da cacografia. **2.** Cacografia.

caçoila *S. f.* V. *caçoula*.

caçoilo [De *caçoila*, poss.] *S. m. Marinh.* Pequena peça de madeira, cilíndrica, com um rebaixo em meia-cana para ajustar-se a uma enxárcia ou estai.

caçoísta [De *caçoar* + *-ista*.] *Adj. 2 g. S. 2 g.* V. *caçoador*: "Mas não é preciso falar mal de ninguém para falar bem de Rita Lee, o que é simpático nela é ser tão caçoísta, como se dizia antigamente: até de si mesma caçoa." (Rubem Braga, *As Boas Coisas da Vida*, p. 99.)

cacolalia [De *cac(o)-*¹ + *-lal(o)-* + *-ia*¹.] *S. f. Neur.* Incorreção da fala, com deturpação e troca de palavras e erros sintáticos, e que ocorre em afasias e catatonias.

cacolálico [De *cacolalia* + *-ico*².] *Adj. Neur.* Relativo a cacolalia.

caçoleta (ê) [Por **caçouleta*, de *caçoula* + *-eta* (ê).] *S. f.* **1.** Pequena caçoula. **2.** Fuzil (4) de espingarda de pederneira. **3.** Cápsula de matéria fulminante, nas armas de percussão. **4.** Cadinho de ourives. **5.** Pequena frigideira. **6.** *Bras.* Medalha que se usa ao pescoço, ou como berloque na corrente de relógio. **7.** *Arquit.* Peça ornamental com feitio de vaso terminado em chama, colocado sobre frontão ou na terminação de ornatos jônicos e coríntios. ◆ **Bater a caçoleta.** *Bras. N.E. Pop.* V. *morrer* (1): "ficou com a barriga que nem tábua de pirulito: mais de meia dúzia de furos. Entretanto, não bateu a caçoleta." (Manuel Lobato, *Garrucha 44*, p. 79).

cacologia [De *cac(o)-*¹ + *-logia*.] *S. f. E. Ling.* Erro de sintaxe ou de construção gramatical; solecismo.

cacológico [De *cacologia* + *-ico*².] *Adj. E. Ling.* Em que há cacologia.

cacólogo [De *cac(o)-*¹ + *-logo*.] *S. m. E. Ling.* Aquele que comete cacologia(s).

cacomelia [De *cac(o)-*¹ + *-mel(o)-* + *-ia*¹.] *S. f. Ter.* Deformidade de um membro, de natureza congênita.

cacomorfose [De *cac(o)-*¹ + *-morf(o)-* + *-ose*¹.] *S. f. Ter.* V. *má-formação* (3).

cacondense *Adj. 2 g.* **1.** De, ou pertencente ou relativo a Caconde (SP). • *S. 2 g.* **2.** O natural ou habitante de Caconde.

cacongo *S. m. Zool.* Espécie de salmão africano.

cacopatia [De *cac(o)-*¹ + *-patia*.] *S. f. Med.* Doença cujo prognóstico é ruim.

cacopático [De *cacopatia* + *-ico*².] *Adj. Med.* Relativo a cacopatia.

cacope [Do tax. *Cacops*.] *S. m. Paleont.* **1.** Gênero extinto de anfíbios estegocéfalos do permiano inferior, totalmente adaptados ao meio terrestre; crânio sólido, cérebro pequeno e movimentos muito lentos. Encontrados na América do Norte. **2.** Espécie, ou espécime desse gênero.

cacório [De *caco* (3) + *-ório*.] *Adj. Bras. Pop.* Astuto, vivo, esperto.

cacorrafiofobia [Do gr. *kakorraph-* (do v. gr. *kakorrapheîn*, 'conspirar', 'tramar') + *-o-*¹ + *-fobia*, poss.] *S. f. Psiq.* Medo patológico de fracassar.

cacorrafiofóbico [De *cacorrafiofobia* + *-ico*².] *Psiq. Adj.* **1.** Relativo a cacorrafiofobia. **2.** Que sofre de cacorrafiofobia; cacorrafiófobo. • *S. m.* **3.** Aquele que sofre de cacorrafiofobia; cacorrafiófobo.

cacorrafiófobo [De *cacorrafio-*, como em *cacorrafiofobia*, + *-fobo*.] *Adj. S. m. Psiq.* Cacorrafiofóbico (2 e 3).

cacosmia [De *cac(o)-*¹ + *-osm(o)-*¹ + *-ia*¹.] *S. f. Neur. Psiq.* **1.** Perversão que leva o indivíduo a apreciar cheiros desagradáveis. **2.** Alucinação que induz a perceber habitualmente um cheiro mau.

cacósmico [De *cacosmia* + *-ico*².] *Adj. Neur. Psiq.* Referente a cacosmia.

cacostomia [De *cac(o)-*¹ + *-stom(o)-* + *-ia*¹.] *S. f. Med.* V. *halitose*.

cacóstomo¹ [Do gr. *kakóstomos*.] *Adj. E. Ling.* Que tem vícios de pronunciação.

cacóstomo² [De *cac(o)-*¹ + *-stomo*.] *Adj. Med.* Que tem cacostomia.

cacotanasia [Do gr. *kakothanasía*.] *S. f. Med.* Cacotanásia (q. v.).

cacotanásia [Var. pros. de *cacotanasia*.] *S. f. Med.* Morte com dor e angústia.

caçote¹ [Do quimb. *risote*, com troca do pref. por *ka*, 'râzinha'.] *S. m.* **1.** *Bras. N.E.* Designação popular para os anuros (sapos e pererecas) de pequeno porte. **2.** *Bras. GO* Rã (3).

caçote² *S. m. Bras.* Cabeçote (9).

cacotecnia [De *cac(o)-*¹ + *-tecn(o)-* + *-ia*¹.] *S. f.* Ausência de arte.

cacotécnico [De *cacotecnia* + *-ico*².] *Adj.* Referente a cacotecnia.

cacotimia¹ [Do gr. *kakothymía*.] *S. f. Psiq.* Perturbação das faculdades morais.

cacotimia² [De *cac(o)-*¹ + *-tim(o)-* + *-ia*¹.] *S. f. Neur.* Condição mórbida produzida por alteração do timo.

cacotímico¹ [De *cacotimia*¹ + *-ico*².] *Adj.* **1.** Relativo a, ou que tem cacotimia¹. • *S. m.* **2.** Aquele que a tem.

cacotímico² [De *cacotimia*²+ *-ico*².] *Adj.* **1.** Relativo a, ou que tem cacotimia². • *S. m.* **2.** Aquele que a tem.

cacotipia [De *cac(o)-*¹ + *-tip(o)-* + *-ia*¹.] *S. f. Tip.* Defeito de composição tipográfica.

cacotrofia [De *cac(o)-*¹ + *-trofia*.] *S. f. Med.* **1.** Má alimentação. **2.** Distúrbio nas funções de nutrição. [Cf. *distrofia* (1).]

cacotrófico [De *cacotrofia* + *-ico*².] *Adj. Med.* Relativo a cacotrofia.

caçoula [Do esp. *cazuela*, poss.] *S. f.* **1.** Vaso cilíndrico de barro ou de metal para cozinha; caçarola. **2.** Vaso de porcelana onde se queimam resinas ou plantas aromáticas. [Var.: *caçoila*.]

cacre [Do criol.] *S. m. Guin. Zool.* Pequeno caranguejo comestível (*Cuca tangeri*), de cor escura, que vive na vasa da beira dos rios: "a mamã só sabe fazer todas as tardes cuntango de camarão fumado ou badadje de cacre, já não suporto mais essa comida." (Domingas Barbosa Mendes Samy, *A Escola*, p. 14).

cactácea [Do tax. *Cactus* (v. *cacto*) + *-ácea*; tax. *Cactaceae*.] *S. f. Bot.* Espécime das cactáceas, família da ordem das cariofilales que reúne plantas peculiarmente destituídas de folhas, mas que têm caule muito engrossado, em virtude das amplas reservas de água. Quase sempre conduzem espinhos; flores grandíssimas, ornamentais, dotadas de numerosas pétalas e estames e frutos bacáceos, por vezes comestíveis. Há pelo menos 1.500 espécies americanas, inúmeras delas no Brasil.

cactáceo [De *cactácea*, com var. suf. (v. *-áceo*).] *Adj. Bot.* Pertencente ou relativo às cactáceas.

cactal [Do tax. *Cactus* + *-al*¹.] *Adj. 2 g. Bot.* V. *cariofilal*.

cactale [Do tax. *Cactus* + *-ale*; tax. *Cactales*.] *S. f. Bot.* V. *cariofilale*.

cactiforme [De *cacto* + *-iforme*.] *Adj. 2 g. Bot.* Diz-se de planta cujo aspecto lembra o das cactáceas; cactoide: *euforbiácea cactiforme*.

cacto [Do gr. *káktos*, pelo lat. *cactu*.] *S. m. Bot.* Designação comum a diferentes plantas da família das cactáceas, e cujos gêneros mais representativos são o *Cactus* [v. *cáctus* (2)], o *Cereus* (v. *céreo*) e o *Opuntia* (v. *opúncia*).

cactoide (ói) [De *cacto* + *-oide*.] *Adj. 2 g. Bot.* Cactiforme. ❖

cáctus [Do tax. *Cactus*.] *S. m. 2 n. Bot.* **1.** Gênero-tipo das cactáceas, constituído de plantas de caule esférico ou anguloso, ou de peças globulares articuladas. **2.** Qualquer espécie desse gênero como, p. ex., a *Cactus speciosissimus*, natural do México. [V. *cacto*.] **3.** Qualquer espécime desse gênero.

caçuá [Do tupi.] *S. m. Bras.* Cesto grande e oblongo, feito de cipós rijos, vime ou fasquias de bambu, com asselhas, pelas quais se prende às cangalhas, e usado no transporte de gêneros em alimárias.

caçuense *Adj. 2 g.* **1.** De, ou pertencente ou relativo a Caçu (GO). • *S. 2 g.* **2.** O natural ou habitante de Caçu.

caçueto (ê) *S. m. Bras. Rel.* **1.** No rito omolocô, filho de santo que recebe espíritos da natureza ainda não encarnados na Terra. **2.** Na umbanda branca, médium desenvolvido (5).

cacuia [Por alusão ao *cemitério da Cacuia*, situado na Ilha do Governador (RJ).] *El. s. f.* Us. na loc. *ir para a Cacuia*. [Com cap.] ◆ **Ir para a Cacuia.** *V. morrer* (1).

caçuiroba (u-i) [Do tupi.] *S. f. Bras. Zool.* V. *pomba-amargosa*.

caçuirova (u-i) *S. f. Bras. Zool.* V. *pomba-amargosa*.

caçula¹ [Do quimb. *kusula*.] *S. f. Bras.* **1.** Movimento alternado que fazem duas pessoas ao pilão, quando socam milho, café, etc. [Var. (aferética), bras., N.: *sula*.] **2.** A faina da caçula¹ (1): "A quantidade de milho quebrado que se via dentro do alguidar, e o suor que aljofrava o rosto e as espáduas das mulheres ...., revelavam que a caçula .... estava perto de acabar." (Franklin Távora, *Lourenço*, p. 104).

caçula² [Do quimb. *kasule*.] *Bras. Angol. S. 2 g.* **1.** O mais moço dos filhos, ou dos irmãos: "A tosse de guariba, que matou uns quatro meninos, incluído o caçula de Siá Maricota, não causou ao enjeitado dano maior que o aumento da salivação." (Nélson de Faria, *Tiziu e Outras Estórias*, p. 178); *A mãe faz todas as vontades da caçula; Dos quatro irmãos, ele é o caçula.* [Var.: *caçulo* e (p. us.) *caçulê*.] • *Adj. 2 g.* **2.** Diz-se do mais moço dos filhos ou dos irmãos. [Sin. ger.: (angol.) *cassule* e (cabo-verd., guin. e santom.) *codé*.]

caçulê *S. m. P. us.* V. *caçula*² (1).

caculeense (èen) *Adj. 2 g.* **1.** De, ou pertencente ou relativo a Caculé (BA). • *S. 2 g.* **2.** O natural ou habitante de Caculé.

caculense V. *caculeense*.

caculo¹ *S. m. Lus. Zool.* Ave (*Scopus capensis*) da África tropical.

caculo² [Var. de *coculo*.] *S. m. Bras. Pop.* V. *cogulo*.

caçulo *S. m. Bras.* V. *caçula*² (1).

caculucaje *S. m. Bras. MG Bot.* V. *quitoco*.

cacumbi [Do tupi, poss.] *S. m. Bras.* Cesto afunilado, muito oblongo, feito de varas finas e flexíveis. [Cf. *nassa* e *cacumbu*.]

cacumbu [Do quimb. *ka*, 'pequeno', + *kimbu*, 'machado'.] *S. m. Bras. S. MT* **1.** V. *caxirenguengue*. **2.** Machado ou enxada já gasta e imprestável. **3.** Metade do dia santo, que vai da quinta à sexta-feira da semana santa.

cacunda [Do quimb. *kakunda*.] *S. f. Bras.* **1.** Dorso, costas. [Sin. (bras.): *canastra*.] **2.** V. *corcunda* (1). • *S. 2 g.* **3.** V. *corcunda* (2). **4.** *Fig.* Protetor, acoitador.

cacundê [De *ca-* + tupi = 'entrelaçado', 'entretecido'.] *S. m. Bras.* Bordado de fitas ou de tiras de chita aplicadas em tecido, cobrindo um desenho em forma de folhagem. [Sin., no RJ: *picado*.]

cacundeiro [De *cacunda* + *-eiro*.] *S. m. Bras.* **1.** Carregador que transporta a carga na cacunda (1). **2.** Animal que, na tropa, costuma andar atrás dos outros. **3.** Homem de classe social baixíssima. **4.** V. *capanga* (3).

cacundo *S. m. Bras.* **1.** *Pop.* V. *corcunda* (2). **2.** *Zool.* V. *carapicuaçu*.

caçununga [Do tupi = 'caba' + o ger. do v. tupi = 'ressoar', 'rumorejar'.] *S. f. e m. Bras.* Inseto social, vespídeo, gênero *Polybia vicina*.

caçununguçu [De *caçununga* + *-uçu*.] *S. m. Bras.* V. *marimbondo-caçador*.

cacuri [Do tupi.] *S. m. Bras. N.* **1.** Jequi (1). **2.** V. *curral* (2).

cacurucaio [Do quimb.] *S. m. Bras. Rel.* **1.** Alma de escravo negro, cultuada em algumas manifestações religiosas, como, p. ex., a macumba. **2.** Na comunidade do terreiro (7), indivíduo idoso. [Var.: *cacarucai, cucurucaio*.]

cacuruto *S. m. Bras. MG BA* V. *cocuruto* (1).

cacutu *S. m. Bras. PA* V. *mandachuva*.

■**CAD** [Sigla do ingl. *Computer-Aided Design/Computer-Aided Manufacturing*, 'projeto auxiliado por computador, fabricação auxiliada por computador'.] *Inform.* Conjunto de técnicas, programas e equipamentos especializados, us. para a realização computadorizada de projetos de arquitetura ou de engenharia.

cada [Do gr. *katá*, 'conforme', 'segundo', pelo lat. tard. *cata*.] ***Pron. indef. 2 g.*** **1.** Palavra com que se designa uma unidade num grupo de pessoas, animais ou coisas de que é parte, ou um conjunto, constituído de duas ou mais partes, desse grupo: 🕮 "Prova. Olha. Toca. Cheira. Escuta. / Cada sentido é um dom divino" (Manuel Bandeira, *Estrela da Vida Inteira*, p. 20); "Receitou xarope, uma colher cada duas horas." (Dalton Trevisan, *Novelas nada Exemplares*, p. 10); 🗎 *Em cada 10 alunos, um revelava inteligência acima do normal.* **2.** Também é us. com valor intensivo: 🕮 "Estou contente com a minha [roseira]; / Cada botão! cada rosa!" (Alberto de Oliveira, *Poesias*, 3ª série, p. 36); 🗎 *Na praia se vê cada pequena!* ◆ **Cada qual.** Cada um (1). **Cada um. 1.** Todo homem; cada qual: 🗎 *Cada um puxa a brasa para sua sardinha.* **2.** Uma unidade, num conjunto: 🗎 *Comprou os livros e teve de examinar cada um separadamente.*

cadafalso [Do provenç. *cadalfac*, sendo o *s* oriundo da f. do pl.] *S. m.* **1.** Tablado ou estrado erguido em lugar público, para sobre ele se executarem condenados; patíbulo: 🕮 "O cadafalso, construído durante a noite, estava úmido. As rodas e as aspas dos tormentos gotejavam sobre o pavimento de pinho." (Camilo Castelo Branco, *Perfil do Marquês de Pombal*, p. 15.) **2.** V. *forca* (1). **3.** Palanque, tablado, estrado. **4.** *Constr.* V. *andaime*. **5.** *Açor.* Tablado para encenação de Pentecostes. [Cf. *catafalco*.]

cadaleno [De *cad(ineno)* + *(naft)aleno*.] *S. m. Quím.* Substância líquida aromática que é um derivado do naftaleno, e que se forma por desidrogenação de cadineno [fórm.: $C_{15}H_{18}$].

cadarço [Do gr. *(serikón) katharteón*, '(seda) que se deve purificar', pelo lat. **catharteu*.] *S. m.* **1.** Cordão ou tecido de anafaia. **2.** Nastro: 🕮 "O cetim distendeu-se pelos lados, pregado pelos cadarços e galões bordados a fios de prata." (Nélson de Faria, *Tiziu e Outras Estórias*, p. 137.) **3.** Cordão com que se ajusta o sapato aos pés: 🕮 "E os laços dos cadarços de suas botinas tinham uma expressão muito peculiar." (Cecília Meireles, *Obra Poética*, p. 1.033.) [Sin., nesta acepç.: *ataca, atacador, cordão* e (bras.) *enfia, enfiador*.] ~ V. *cadarços*.

cadarços [Pl. de *cadarço*.] *S. m. pl. Art. Gráf.* Conjunto das fitas que, nas prensas, mantêm o papel aderente ao cilindro, enquanto é impresso, e o transportam à mesa receptora, ou, nas dobradoras, o conduz ao mecanismo de dobragem; fitas, nastros. [V. *cordões*.] ~ V. *cadarço*.

cadaste [Do lat. *catasta*.] *S. m. Constr. Nav.* Peça semelhante à roda de proa, e que fecha na popa o esqueleto da embarcação.

cadastragem [De *cadastro* + *-agem*².] *S. f.* Organização de cadastro(s); cadastramento.

cadastral [De *cadastro* + *-al*¹.] *Adj. 2 g.* Relativo a cadastro.

cadastramento [De *cadastrar* + *-mento*.] *S. m.* **1.** Ato de cadastrar(-se), ou o resultado deste ato; fornecimento de dados para cadastro. **2.** Cadastragem.

cadastrar [De *cadastro* + *-ar*².] *V. t. d.* **1.** Fazer o cadastro de. *P.* **2.** Fornecer dados para o próprio cadastro.

cadastro [Do fr. *cadastre*.] *S. m.* **1.** Registro público dos bens imóveis de determinado território. **2.** Registro que bancos ou casas comerciais mantêm de seus clientes, da probidade mercantil e situação patrimonial deles, etc. **3.** Registro policial de criminosos ou contraventores. **4.** Conjunto das operações pelas quais se estabelece este registro. **5.** Censo, recenseamento. **6.** *Bibliot.* Registro de dados referentes a documentos, usuários, fornecedores, editores, etc. **7.** *Market. Rel. Públ.* Relação segmentada [v. *segmentar*² (3)] de nomes e endereços, utilizada para envio de mala-direta (2), publicações, convites, etc.; lista.

cadáver [Do lat. *cadaver* (nom.).] *S. m.* **1.** O corpo sem vida de homem ou de animal; defunto. **2.** Pessoa muito doente e/ou de mau aspecto físico: 🗎 *Não o reconheceria nunca: está um cadáver.* **3.** *Bras. Gír.* Credor (2): 🗎 *Como não paga as dívidas, vive perseguido pelos cadáveres.* [Pl.: *cadáveres*.]

cadavérico [De *cadáver* + *-ico*².] *Adj.* **1.** De, ou próprio de cadáver; mortuoso, cadaveroso: 🗎 *lividez cadavérica* (q. v.); *rigidez cadavérica.* **2.** Que se faz ou realiza em cadáver: 🗎 *exame cadavérico.* ~ V. *lividez —a* e *rigidez —a*.

cadaverina [De *cadáver* + *-ina*³; al. *Kadaverin*.] *S. f. Quím.* Diamina encontrada nos tecidos animais putrefatos [fórm.: $C_5H_{14}N_2$].

cadaverização [De *cadaverizar* + *-ção*.] *S. f.* Ato ou efeito de cadaverizar.

cadaverizar [De *cadáver* + *-izar*.] *V. t. d.* **1.** Reduzir a cadáver. **2.** Extinguir a ação vital de (um órgão, etc.).

cadaveroso (ô) [Do lat. *cadaverosu*.] ***Adj.*** V. *cadavérico* (1): 🗎 *odor cadaveroso.*

■ **CAD/CAM** [Sigla do ingl. *Computer-Aided Design/Computer-Aided Manufacturing*, 'projeto auxiliado por computador, fabricação auxiliada por computador'.] *Inform.* Conjunto de técnicas, programas e equipamentos us. na realização computadorizada de projetos e controle da produção industrial.

➔**caddie** ['kædij] [Ingl.] *S. 2 g. Esport.* No golfe, carregador de tacos que, muitas vezes, orienta o golfista na escolha do taco adequado.

➔**caddy** ['kædij] [Ingl.] *S. m.* V. *caddie*.

cadê *Bras. Fam. Pop.* V. *quede*²: 🕮 "Ó Fulô? Ó Fulô? / Cadê meu lenço de rendas, / cadê meu cinto, meu broche, / cadê meu terço de ouro / que teu Sinhô me mandou?" (Jorge de Lima, *Obra Completa*, I, p. 293); "Foi dali à pia... e cadê água?" (Moreira Campos, *Portas Fechadas*, p. 203).

cadeado [Do lat. *catenatu*.] *S. m.* **1.** Fechadura portátil, cujo aro, móvel, se introduz em duas argolas fixas às peças que se quer unir ou fechar. **2.** Cadeia (1), composta de elos ou anéis, para prender qualquer objeto. **3.** Brinco sem pingente. **4.** *Fig.* Obstáculo, estorvo, impedimento, empecilho.

cadeeiro [De *cadeia* + *-eiro*.] *Adj.* **1.** Diz-se de indivíduo que passa parte da sua vida na cadeia (3), seja como prisioneiro, seja como funcionário. ● *S. m.* **2.** Esse indivíduo.

cadeia [Do lat. *catena*.] *S. f.* **1.** Corrente de anéis ou de elos de metal; grilhagem, grilhão. **2.** V. *grilhão* (3). **3.** Casa de detenção. [Sin., nesta acepç. (alguns pop. ou de gír.): *buque, calabouço, cana, cárcere, catita, cubículo, dita, gaiola, grades, jejé, pote, presídio, prisão, xadrez, xilindró*.] **4.** Cativeiro, escravidão, sujeição. **5.** Conjunto de fatos ou fenômenos que ocorrem sucessivamente: 🗎 *uma cadeia de explosões.* **6.** Série ininterrupta de objetos semelhantes. **7.** Conjunto de lojas ou estabelecimentos pertencentes a uma mesma firma: 🗎 *cadeia de supermercados.* **8.** Rede de emissoras de rádio e/ou televisão que difundem o mesmo programa. **9.** *Álg.* Conjunto linearmente ordenado. **10.** *Arquit.* Pilastra para reforçar paredes, empregada, em geral, na sustentação das vigas dos sobrados. **11.** *Arquit.* Sistema de cruzamento de vigas em sobrados, que deixa espaço livre para uma escada ou para a passagem de uma chaminé. **12.** *Fís.* Sucessão de fenômenos de caracteres análogos, em que cada um cria os elementos necessários ao desenvolvimento do seguinte. **13.** *Geogr.* Série ininterrupta de montanhas. **14.** *Quím.* Série de átomos ininterruptamente ligados entre si, em geral numa molécula orgânica. [Dim. irreg.: *catênula*.] ◆ **Cadeia alimentar.** *Ecol.* Conjunto de organismos de um ecossistema, organizados hierarquicamente segundo suas fontes de alimento e que consta, fundamentalmente, de três elementos: os produtores (seres autótrofos), os consumidores (seres heterotróficos) e os decompositores; cadeia trófica. **Cadeia colateral.** *Fís. Nucl.* Série colateral. **Cadeia de crateras.** *Astr.* Catena. **Cadeia de montanhas.** *Astr.* Conjunto de montanhas que compõem uma formação tipicamente lunar onde, em virtude de ausência de erosão hídrica, não existem vales. **Cadeia de suprimentos.** *Adm.* Conjunto de empresas que envolve desde os fornecedores de matérias-primas, passando pelos fabricantes de peças e componentes, fabricantes ou montadores de produtos acabados, distribuidores, atacadistas, varejistas, operadores logísticos e quaisquer outros agentes que de alguma forma colaboram para que um produto final chegue às mãos do consumidor. **Cadeia de remate.** *Encad.* Parte da costura que passa nas serrotagens de remate, onde se dão os nós que prendem os cadernos entre si. **Cadeia de união.** *Maç.* Corrente de maçons que se forma para a comunicação da palavra semestral (q. v.), ou, no final dos banquetes ritualísticos, para o ósculo da paz, ou em pompas fúnebres. **Cadeia evolutiva.** *E. Ling.* Sequência histórica das formas linguísticas que uma palavra assumiu desde o étimo até sua forma atual. **Cadeia J.** *Bioquím.* Polipeptídio de 15 kilodaltons, encontrados em todos os polímeros de imunoglobulinas. **Cadeia lateral.** *Quím.* Fragmento de uma molécula (ger. o menor) que se liga ao resto em uma ramificação (6); ramificação (7). **Cadeia nacional.** *Rád. Telev.* Cadeia (8) formada por todas as emissoras de um país. **Cadeia polinucleotídica.** *Genét.* Polímero formado pela ligação de nucleotídeos. **Cadeia polipeptídica.** *Genét.* Polímero formado pela ligação de aminoácidos. **Cadeia respiratória.** *Citol.* Conjunto, presente em mitocôndrias, formado por enzimas e por compostos não enzimáticos ligados a elas, e cuja função é transportar elétrons em direção ao oxigênio que é o aceptor final. **Cadeia trófica.** *Ecol.* Cadeia alimentar. **Puxar cadeia.** *Bras. Gír.* Passar determinado tempo encarcerado: 🕮 "Foi o caso de Tutuca, Inferninho e Martelo, e daqueles que puxaram cadeia juntos." (Paulo Lins, *Cidade de Deus*, p. 33.)

cadeião [De *cadeia* + *-ão*¹.] *S. m. Bras.* Peça transversal das mesas dos carros de bois, que une as chedas.

cadeira [Do gr. *kathédra*, pelo lat. *cathedra*.] *S. f.* **1.** Peça de mobiliário que consiste num assento com costas, e, às vezes, com braços, dobrável ou não, para uma pessoa. **2.** Disciplina ministrada em estabelecimento escolar; matéria, cátedra: 🗎 *Sua cadeira é literatura.* **3.** Funções de professor: 🗎 *Fez concurso para a cadeira de matemática;* 🕮 "Se eu pudesse conseguir a cadeira de história no externato Meireles..." (Coelho Neto, *Turbilhão*, p. 199). **4.** *Ecles.* Dignidade eclesiástica. **5.** Lugar ocupado por membro de corporação política, científica ou literária: 🗎 *cadeira de senador; cadeira de acadêmico.* **6.** Cada um dos lugares individuais de determinada parte de uma casa de espetáculos, estádio, ginásio, etc., normalmente mais bem situados e mais confortáveis que os demais. **7.** Bilhete de ingresso próprio para esse lugar: 🗎 *Comprou uma cadeira no Maracanã para o jogo Flamengo x Fluminense.* **8.** *Bras. Cap.* Posição básica em que os pés estão paralelos e as pernas semifletidas e na qual o capoeirista tanto pode esquivar-se de um golpe como contra-atacá-lo. ● ***Adj. 2 g.*** **9.** *Bras. SP Pop.* De pernas bambas; descadeirado. ~ V. *cadeiras*. ◆ **Cadeira austríaca.** Cadeira de linhas características, recurvadas, com a estrutura de madeira roliça e vergada, e assento e encosto de palhinha, um dos primeiros exemplos de móvel produzido em série. **Cadeira cativa.** Cadeira (6) a que alguém tem direito exclusivo, por oferta ou por compra: 🕮 "Tinha cadeira cativa na igreja, controle total das quermesses no Largo do Jardim" (Lígia Fagundes Teles, *A Disciplina do Amor*, p. 111). **Cadeira curul.** Cadeira de marfim onde se sentavam os altos magistrados, na Roma antiga. [Tb. se diz apenas *curul*.] **Cadeira de arruar.** Liteira que se usava para transporte de pessoas distintas nas ruas da cidade; cadeirinha. **Cadeira de balanço.** Cadeira, geralmente de braços, apoiada em armação curva, e que se faz oscilar ou balançar com apenas um leve movimento do corpo. [Sin.: *cadeira de embalo* e (lus.) *cadeira de baloiço*.] **Cadeira de baloiço.** *Lus.* V. *cadeira de balanço.* **Cadeira de braços.** Aquela que tem peças laterais para apoiar os braços. **Cadeira de campanha.** *Bras. Ant.* Certo assento baixo, de couro: 🕮 "Quem passasse por aí em qualquer dia útil dessa abençoada época veria sentado em assentos baixos, então usados, de couro, e que se denominavam — cadeiras de campanha — um grupo mais ou menos numeroso dessa nobre gente" (Manuel Antônio de Almeida, *Memórias de um Sargento de Milícias*, pp. 108-109). **Cadeira de embalo.** V. *cadeira de balanço.* **Cadeira de São Pedro. 1.** O trono ou sólio pontifício. **2.** A sede do governo da Igreja Católica Romana; cadeira pontifícia. **Cadeira do dragão.** *Bras.* Espécie de cadeira elétrica que, em certo período da ditadura militar no Brasil (1964-1984), foi usada como instrumento de tortura pelas forças de repressão do Estado: 🕮 "você chegou à sala de torturas, no terceiro andar do DOPS [Departamento de Ordem Política e Social] .... havia uma mulher miúda, morena, sentada na cadeira do dragão .... e o marido dela, alto, magro estava dependurado no pau de arara, levando choque como ela" (Frei Beto, *Batismo de Sangue*, p. 195). **Cadeira elétrica. 1.** Cadeira ligada a alta tensão (4), e que serve para a eletrocução de condenados nos E.U.A. **2.** Pena de morte por eletrocução. **Cadeira episcopal.** Espécie de trono com dossel, que fica ao lado do evangelho, junto ao primeiro degrau do altar-mor, e que nas sés episcopais serve para o bispo sentar-se. **Cadeira gestatória.** Espécie de andor no qual se conduz o Papa nas solenidades pontificais. **Cadeira pontifícia.** Cadeira de São Pedro (2). **Cadeira preguiçosa.** *Bras.* V. *espreguiçadeira* (2): 🕮 "Um armário, uma cadeira preguiçosa e várias cadeiras simples completavam o trastejamento." (Júlio Ribeiro, *A Carne*, p. 83.) [Tb. se diz apenas *preguiçosa*.] **De cadeira. 1.** Em posição privilegiada. **2.** Com autoridade: 🕮 "Eu, nessa história de beijos, / Posso falar de cadeira" (Guimarães Passos, *Horas Mortas*, p. 23). **Ter cadeira cativa.** Ser um frequentador habitual: 🗎 *O poeta sempre teve cadeira cativa naquele bar.* [Cf. *cadeira cativa*.]

cadeirada [De *cadeira* + *-ada*¹.] *S. f.* Pancada ou golpe com cadeira: 🕮 "A Câmara Municipal de Maracanã .... foi invadida .... por um grupo de manifestantes, resultando do incidente .... cadeiradas e exibição de armas" (*Jornal do Brasil*, 31.10.1981).

cadeirado [De *cadeira* + *-ado*[1].] *S. m.* **1.** Série de cadeiras ligadas entre si, geralmente encostadas a uma parede, usada em coros de igrejas, conventos, etc. ● *Adj.* **2.** *Bras.* Cadeirudo.

cadeirante [De **cadeirar* + *-nte*.] *Adj. 2 g.* **1.** Diz-se de deficiente físico que utiliza cadeira de rodas. ● *S. 2 g.* **2.** Deficiente físico cadeirante: 🕮 "Cadeirante tem dificuldade na Av. Paulista." (*Folha de S.Paulo*, 06.10.2008.)

cadeirão [De *cadeira* + *-ão*[1].] *S. m.* Cadeira mais alta que o comum, cujo assento, com proteção em seu contorno e bancada móvel, é próprio para bebê ou criança pequena receber alimento.

cadeiras [Pl. de *cadeira*.] *S. f. pl.* Os quadris [v. *quadril* (1)]: 🕮 "Rubião admirou-lhe ainda uma vez .... o busto bem talhado, estreito embaixo, largo em cima, emergindo das cadeiras amplas, como uma grande braçada de folhas sai de dentro de um vaso." (Machado de Assis, *Quincas Borba*, p. 61.) ~ V. *cadeira*.

cadeireiro [De *cadeira* + *-eiro*.] *S. m.* **1.** Fabricante e/ou vendedor de cadeiras. **2.** *Bras.* Cada um daqueles que conduziam uma cadeirinha (1).

cadeirinha [Dim. de *cadeira*.] *S. f.* **1.** Espécie de liteira antiga conduzida por homens: 🕮 "com os varões pousados nos ombros fortes dos negros, lá iam as cadeirinhas navegando no ar, sem conceder nunca, na sua mobilidade, o favor de um repouso aos olhos que espreitavam..." (Caio de Melo Franco, *O Inconfidente Cláudio Manuel da Costa*, p. 27). **2.** Andilhas. **3.** Brincadeira em que duas pessoas somam forças para carregar uma terceira, dobrando o braço direito e apoiando-o sobre o esquerdo estendido, o qual, por sua vez, se apoia no braço dobrado do parceiro; maria-cadeira. **4.** Cruzeta formada pelas mãos de duas pessoas, para que outra se sente.

cadeirudo [De *cadeira* + *-udo*.] *Adj. Bras.* Diz-se de pessoa de cadeiras largas; cadeirado: 🕮 "aquela morena cadeiruda que está descendo a ladeira" (Nélson de Faria, *Tiziu e Outras Estórias*, p. 46).

cadeixo [Cruz. de *cadarço* com *madeixa*.] *S. m.* **1.** Negalho de linha ou retrós. **2.** Madeixa de cabelo.

cadela [Do lat. *catella*, 'cadelinha'.] *S. f.* **1.** A fêmea do cão. [Sin., p. us.: *perra*.] **2.** *Pop. Deprec.* Mulher de procedimento censurável, desavergonhada. **3.** *Deprec.* Meretriz.

cadelinha [Dim. de *cadela*.] *S. f. Lus. Zool.* Molusco bivalve, donacídeo (*Donax trunculus*), do Atlântico, de coloração branca manchada de violáceo, com raios da mesma cor. Internamente é branco, manchado de violáceo junto ao bordo anterior, ou todo violeta, salvo os bordos das valvas, que são brancos. Comprimento: até 3,6cm.

cadena [Do esp. plat. *cadena*.] *S. f. Bras.* **1.** Meio empregado para tirar dos chifres do touro, sem perigo, o laço que o prende. **2.** Entrelaçamento dos pares no fandango (1).

cadência[1] [Do lat. *cadentia*.] *S. f.* **1.** Compasso e harmonia na disposição das palavras. **2.** Regularidade de movimentos ou de sons; compasso, ritmo. **3.** Suavidade de estilo. **4.** Vocação, tendência; talento: 📄 *O rapaz tem cadência para a matemática.* [Cf. *cadencia*, do v. *cadenciar*.]

cadência[2] [Do it. *cadenza*.] *S. f. Mús.* **1.** Sucessão de harmonias com caráter de repouso provisório ou de conclusão de uma frase musical, de um período, ou de uma composição. **2.** Num concerto, trecho de virtuosidade intercalado, numa cadência harmônica, antes da conclusão de um movimento, e executado pelo solista sem acompanhamento orquestral. **3.** *P. ext.* Trecho virtuosístico com essas características, porém situado em qualquer ponto da composição. **4.** Conclusão dos longos trinados que caracterizam certas composições, sobretudo na música francesa do séc. XVII. [Cf. *cadencia*, do v. *cadenciar*.]

cadenciado [Part. de *cadenciar*.] *Adj.* **1.** Que tem cadência; cadencioso, ritmado. **2.** Pausado (2): 🕮 "Abalou em passo cadenciado e bamboleante" (Almiro Caldeira, *Maré Alta*, p. 17).

cadenciar [De *cadência*[1] + *-ar*[2].] *V. t. d.* Dar cadência ou ritmo a; ritmar. [Conjug.: v. *negociar* (Bras. e Port.). Pres. ind.: *cadencio*, *cadencias*, *cadencia*, etc. Cf. *cadência*.]

cadencioso (ô) [De *cadência*[1] + *-oso*.] *Adj.* V. *cadenciado* (1): 🕮 "o ritmo cadencioso da marcha a cavalo" (Afonso Arinos, *Pelo Sertão*, p. 90).

cadente [Do lat. *cadente*.] *Adj. 2 g.* **1.** Que vai caindo. **2.** Que tem cadência[1] (2); cadenciado, ritmado: 🕮 "O patear cadente dos cavalos fazia um ruído cavo na terra empapada pela chuva." (Camilo Castelo Branco, *Perfil do Marquês de Pombal*, p. 15.) [Cf. *candente*.] ~ V. *estrela* —.

cadequili *Bras. S. 2 g.* **1.** *Etnôn.* Indivíduo dos cadequilis [ou (etnôn. bras.) *Kadekili-dyapá, *Kadyu-dyapá], povo indígena extinto, da família linguística catuquina, que habitava a margem esquerda do rio Juruá (AM). ● *Adj. 2 g.* **2.** Pertencente ou relativo a esse povo.

caderna [Do lat. *quaterna*, 'de quatro a quatro'.] *S. f. Heráld.* V. *quaderna* (1).

cadernal [Do lat. *quaterni*, *ae*, *a*, 'em número de quatro', + *-al*[1].] *S. m. Marinh.* Poleame de laborar constituído de uma caixa achatada de madeira ou de metal, com duas ou mais fendas no sentido do comprimento, em cada uma das quais há uma roldana móvel em torno de um eixo comum. [Cf. *moitão*[1] (2). F. paral.: *quadernal*.]

caderneta (ê) [De *caderno* + *-eta* (ê).] *S. f.* **1.** Caderno ou livrete de apontamentos ou lembranças; canhenho. **2.** Livrete onde se registram o serviço e o procedimento dos militares. **3.** Registro, para uso do professor, das notas de frequência e comportamento de alunos. **4.** Livrete em que se escriturava o movimento das contas de depósitos em estabelecimentos de crédito. **5.** Pequeno caderno onde se anotam as compras feitas a crédito em armazéns. **6.** V. *papeleta* (3). **7.** *Bibliol. Bibliot. Lus.* V. *fascículo* (5). ◆ **Caderneta de poupança.** *Bras. Econ.* **1.** Conta bancária na qual são creditados periodicamente juros e correção monetária; conta de poupança. **2.** O certificado correspondente a tal conta (antigamente, uma caderneta). [Tb. se diz apenas *poupança*.]

caderno [Do lat. *quaternu*.] *S. m.* **1.** Qualquer conjunto de folhas de papel cortadas, coladas ou cosidas, formando livro de anotações, de exercícios escolares, etc. **2.** Conjunto de cinco folhas de papel em branco, ou pautado, ou quadriculado, dobradas e metidas uma na outra. **3.** No comércio de papel, unidade de venda composta de cinco, seis ou 12 folhas. **4.** Publicação periódica ou seriada. **5.** Parte de jornal constituída por folhas encasadas: 📄 *caderno feminino*; *caderno literário*. **6.** *Art. Gráf.* A folha de impressão depois de dobrada no acabamento (8); um caderno contém usualmente 8, 16 ou 32 páginas impressas, dependendo dos formatos da folha e do livro. ◆ **Caderno de encargos.** Descrição minuciosa dos serviços que se devem executar na construção de uma obra, e dos materiais, tipos de acabamento, aparelhos elétricos e sanitários, etc., que se devem empregar, tudo em condições de informar corretamente os contratos com construtores e fornecedores, e de orientar os trabalhos no canteiro. **Caderno de espiral.** Livrete ou livro em branco, pautado, etc., cujas folhas são presas por espiral de arame, plástico, etc.; livro de espiral.

cadete[1] (ê) [Do gascão *capdet*, 'chefe', 'oficial', pelo fr. *cadet*.] *S. m.* **1.** Aluno de escola militar superior do Exército e da Aeronáutica; aspirante a oficial. **2.** Soldado de família nobre, que passava a oficial sem seguir os postos inferiores. **3.** Filho segundo de casa ilustre. ● *S. 2 g.* **4.** *Bras.* V. *são-cristovense*[3] (3). ● *Adj. 2 g.* **5.** *Bras.* São-cristovense[3] (1 e 2).

cadete[2] (ê) [Do esp. plat. *cadete*.] *S. m. Bras. RS* Pessoa amiga do estancieiro e familiar da estância, que presta serviços por ocasião dos rodeios.

cádi [Do ár. *qāḍī*.] *S. m.* Juiz, entre os muçulmanos.

cadiguê *Bras. S. 2 g.* **1.** *Etnôn.* Indivíduo dos cadiguês, povo indígena extinto que habitava em MS, fronteira com o Paraguai. ● *Adj. 2 g.* **2.** Pertencente ou relativo a esse povo. [Tb. us. como *s. 2 g. e 2 n.* (com cap.) e *adj. 2 g. e 2 n.*]

cadilho [Do esp. *cadillo*.] *S. m. Bras.* Tigelinha com que se recolhe a seiva da seringueira. ~ V. *cadilhos*.

cadilhos [Pl. de *cadilho*.] *S. m. pl.* **1.** Os primeiros e os últimos fios do urdume, sem trama, e que formam uma espécie de franja. **2.** Franja de toalhas, tapetes, etc. ~ V. *cadilho*.

cadimo [Do ár. *qadīm*, 'velho', 'antigo'.] *Adj.* **1.** Destro; hábil, ágil. **2.** Ardiloso, manhoso, esperto. **3.** *Ant.* Usual, habitual.

cadinano [Do lat. cient. *cadin(us)* (< fr. *cade*, nome vulgar do tax. *Juniperus oxycedrus*) + *-ano*[2].] *S. m. Quím.* Hidrocarboneto bicíclico saturado que contém dois anéis hexagonais fundidos [fórm.: $C_{15}H_{18}$].

cadineno [Do lat. cient. *cadin(us)* (v. *cadinano*) + *-eno*[2].] *S. m. Quím.* Qualquer de certos sesquiterpenos bicíclicos que contêm duas ligações duplas e ocorrem em óleos essenciais como o de cedro [fórm.: $C_{15}H_{24}$].

cadinhar [De *cadinho* + *-ar*[2].] *V. t. d.* Fundir em cadinho.

cadinho [Do lat. *catinu*.] *S. m.* **1.** *Quím.* Vaso metálico ou de material refratário, utilizado em operações químicas a temperaturas elevadas; crisol: 🕮 "A arte não é invenção pura; o artista é como que um cadinho em que se realiza a mistura dos ingredientes que são o pó da experiência." (Adolfo Casais Monteiro, *De Pés Fincados na Terra*, p. 132.) **2.** *Fig.* Lugar onde as coisas se misturam, se fundem.

cadinol [Do lat. cient. *cadin(us)* (v. *cadinano*) + *-ol*[2].] *S. m. Quím.* Qualquer de certos alcoóis sesquiterpênicos, derivados de cadineno [fórm.: $C_{15}H_{26}O$]. [Pl.: *cadinóis*.]

cadista [De *CAD* + *-ista*.] *S. 2 g. Pop.* Operador de programas de CAD (q. v.). [O cadista vem substituindo o desenhista tradicional de arquitetura, que trabalhava em prancheta.]

cadiuéu *Bras. S. 2 g.* **1.** *Etnôn.* Indivíduo dos cadiuéus [ou (etnôn. bras.) *Kadiweu], povo indígena da família linguística guaicuru, que habita região situada na margem esquerda do rio Paraguai (MS). ● *Adj. 2 g.* **2.** Pertencente ou relativo a esse povo.

cadivo [Do lat. *cadivu*.] *Adj. P. us.* **1.** Muito maduro; caduco. **2.** *Fig.* Senil.

cadixe *S. m.* Cavalo árabe, de raça especial.

cadmia [Do lat. *cadmia* (< gr. *kadméia*).] *S. f. Quím. Desus.* Óxido de zinco. [Deposita-se nas chaminés dos fornos durante a fusão desse metal ou de latão.]

cadmiagem [De *cadmiar* + *-agem*[2].] *S. f. Quím.* Operação de cadmiar.

cadmiar [De *cádmio* + *-ar*[2].] *V. t. d. Quím.* Recobrir (uma superfície) com uma película de cádmio, em geral por processo eletrolítico. [Pres. ind.: *cadmio*, etc. Cf. *cádmio*.]

cádmio [Do lat. cient. *cadmium*.] *S. m. Quím.* El. de número atômico 48, metálico, azul-acinzentado, utilizado em ligas [símb.: *Cd*]. [F. paral.: *cádmium*. Cf. *cadmio*, do v. *cadmiar*.]

cadmiose [De *cádmio* + *-ose*[1].] *S. f. Pneum.* Pneumoconiose consequente à inalação de poeira que contém cádmio.

cádmium *S. m. Quím.* V. *cádmio*.

cado [Do hebr. *Kad*, 'balde', pelo gr. *kádos* e pelo lat. *cadu*.] *S. m. Ant.* Vaso de barro para guardar vinho, azeite e outras bebidas.

cadorna *S. f. Bras. Zool.* V. *codorna*.

cadoz (ó) [Do ár. *qadus*, pelo esp. *arcaduz*.] *S. m.* **1.** No jogo da pela, buraco onde a caída da bola acarreta a desclassificação do jogador. **2.** Covil, toca, esconderijo. **3.** Lugar donde não se pode sair. **4.** Depósito de lixo; monturo.

caduca *S. f.* Brinco usado por bailarinas hindus.

caducagem [De *caduco* + *-agem*[2].] *S. f.* V. *caducidade* (1).

caducante [De *caducar* + *-nte*.] *Adj. 2 g.* **1.** Que caduca. **2.** Decadente, declinante.

caducar [De *caduco* + *-ar*[2].] *V. int.* **1.** Perder a força, decair, declinar; tornar-se caduco; prescrever: 📄 *Não se convence de que os ideais de sua geração caducaram.* **2.** Cair em desuso; prescrever; desaparecer: 🕮 "Entramos numa era socializante, em que vão caducando as distinções de castas" (Ciro dos Anjos, *Abdias*, p. 2). **3.** *Bras.* Perder parcialmente a razão, o tino, por senilidade. **4.** *Jur.* Perder vigência ou efeito (contrato, legado, direito, etc.) por haver findado o prazo para o exercício de um direito ou não se terem cumprido as condições. [Conjug.: v. *trancar*. Fut. pret.: *caducaria*, etc. Cf. *caducária*, fem. de *caducário*.]

caducário [Do lat. *caducariu*.] *Adj.* **1.** Relativo a coisas ou direitos caducos. **2.** Respeitante a bens que deixaram de ter dono. [Fem.: *caducária*. Cf. *caducaria*, do v. *caducar*.]

caduceu [Do lat. *caduceu*.] *S. m.* **1.** Bastão com duas serpentes enroscadas e com duas asas na extremidade superior. [Insígnia do deus Mercúrio (mensageiro dos deuses), de arautos e de antigos parlamentários]: 🕮 "Na destra o caduceu, nos pés as plumas, / O Deus remonta ao ar" (Antônio Feliciano de Castilho, *As Metamorfoses*, p. 103). **2.** Esta insígnia que, a partir do séc. XVI, foi adotada como símbolo da Medicina.

▲**caduci-** [Do lat. *cadūcus*, *a*, *um*.] *El. comp.* = 'que cai'; 'caduco': *caducifloro*, *caducifólio*.

caducidade [De *caduco* + *-(i)dade*.] *S. f.* **1.** Qualidade ou estado de caduco; velhice, caduquez, caduquice. **2.** Estado de decadência. [Sin.: *caducagem*.]

caducifloro [De *caduci-* + *-floro*.] *Adj. Bot.* Diz-se das plantas cujas flores caem depois de abertas.

caducifólio [De *caduci-* + *-fólio*.] *Adj. Bot.* Diz-se das plantas ou vegetações que não se mantêm verdes durante o ano todo, perdendo as folhas na estação seca ou no inverno. [Opõe-se a *perenifólio*.]

caduco [Do lat. *caducu*, 'que está a cair'.] *Adj.* **1.** Que cai; que está prestes a cair. [Sin.: *caidiço*, *caideiro*.] **2.** Que perdeu as forças, ou o viço ou a capacidade mental; decrépito. **3.** Que se anulou. **4.** Transitório, passageiro. **5.** *Bot.* Diz-se do órgão cuja duração é limitada (*cálice caduco*), ou cujas folhas, no inverno, são decíduas: 🕮 "Tudo bonito! — as aroeiras, ipês, faveiras, braúnas, todos os arbustos e árvores de folhas caducas recobrindo-se de roupagens novas." (Nélson de Faria, *Cabeça-Torta*, p. 63.) [Cf., nesta acepç., *persistente* (2).] **6.** *Bras.* Que perdeu em parte a razão, o tino, em consequência de idade avançada e/ou por outra razão.

caduquez (ê) [De *caduco* + *-ez*.] *S. f.* V. *caducidade* (1).

caduquice [De *caduco* + *-ice*.] *S. f.* **1.** V. *caducidade* (1). **2.** *Bras.* Estado ou ação de caduco (5).

caenense (a-è) *Adj. 2 g.* **1.** De, ou pertencente ou relativo a Caém (BA). ● *S. 2 g.* **2.** O natural ou habitante de Caém.

caetanense *Adj. 2 g.* **1.** De, ou pertencente ou relativo a Caetanos (BA). ● *S. 2 g.* **2.** O natural ou habitante de Caetanos.

caetano *S. m.* **1.** Frade da ordem fundada em 1524 por São Caetano (1480-1547), com o auxílio do Arcebispo de Teati (atual Chieti), Itália central. V. *teatino* (1). ● *Adj.* **2.** Relativo ou pertencente a essa ordem.

caetanopolitano *Adj.* **1.** De, ou pertencente ou relativo a Caetanópolis (MG). ● *S. m.* **2.** O natural ou habitante de Caetanópolis.

caeté[1] [Do tupi.] *S. m. Bras. Bot.* Designação comum a plantas marantácea herbáceas e ornamentais, de caule ramoso e folhas peninérveas, esp. dos gêneros *Calathea* (v. *calateia*) e *Thalia* (v. *tália*).

caeté[2] *Bras. S. 2 g.* **1.** *Etnôn.* Indivíduo dos caetés, povo indígena extinto, do tronco tupi, que habitava a costa da PB e de PE e AL. ● *Adj. 2 g.* **2.** Pertencente ou relativo a esse povo. [Tb. us. como *s. 2 g.* e *2 n.* (com cap.) e *adj. 2 g. e 2 n.*] [Cf. *caaetê, caeté* e *caité.*]

caetê [De *ca-* + o tupi = 'verdadeiro'.] *S. m. Bras.* Mata virgem. [Cf. *caaetê, caeté* e *caité.*]

caeteense[1] (êen) *Adj. 2 g.* **1.** De, ou pertencente ou relativo a Caeté (MG). ● *S. 2 g.* **2.** O natural ou habitante de Caeté.

caeteense[2] (êen) *Adj. 2 g.* **1.** De, ou pertencente ou relativo a Caetés (PE). ● *S. 2 g.* **2.** O natural ou habitante de Caetés.

caetiteense (eèn) *Adj. 2 g.* **1.** De, ou pertencente ou relativo a Caetité (BA). ● *S. 2 g.* **2.** O natural ou habitante de Caetité.

■ **c.a.f.** [Fr., abrev. de *coût assurance fret*, 'custo', 'seguro', 'frete'.] Us. na expr. *cláusula c.a.f.* (q. v.).

■ **CAF** Abrev. de *controle automático de frequência.*

cafajestada [De *cafajeste* + *-ada*[1].] *S. f. Bras.* **1.** Procedimento de cafajeste; cafajestagem, cafajestice, cafajestismo. **2.** Grupo de cafajestes. **3.** Os cafajestes: 📖 "Passava horas nos botequins da cafajestada, onde se excedia nas libações" (Godofredo Rangel, *Andorinhas*, p. 88).

cafajestagem [De *cafajeste* + *-agem*[2].] *S. f. Bras.* V. *cafajestada* (1).

cafajeste [De or. controvertida.] *S. m. Bras.* **1.** Indivíduo de baixa condição. **2.** Indivíduo sem maneiras, vulgar. **3.** Indivíduo infame, desprezível; biltre, canalha. ● *Adj. 2 g.* **4.** Que procede como cafajeste. **5.** Que tem ou denota cafajestada (1).

cafajestice [De *cafajeste* + *-ice.*] *S. f. Bras.* V. *cafajestada* (1).

cafajestismo [De *cafajeste* + *-ismo.*] *S. m. Bras. Pop.* V. *cafajestada* (1).

cafanga [De or. afr., poss.] *S. f. Bras.* **1.** Melindre, suscetibilidade. **2.** Recusa falsa ou simulada. **3.** *Bras. CE MG* V. *defeito* (1). ◆ **Botar cafanga.** *Bras. CE Pop.* Inventar defeitos.

cafangada [De *cafanga* + *-ada*[1].] *S. f. Bras. CE* V. *defeito* (1).

cafangar [De *cafanga* + *-ar*[2].] *V. t. d.* **1.** *Bras.* Notar defeito em quem não os tem; falar mal de. **2.** Ameaçar, gabando-se de proezas. **3.** Zombar, escarnecer de. [Conjug.: v. *largar.*]

cafangoso (ô) [De *cafanga* + *-oso.*] *Adj. Bras. CE MG* Cheio de cafangas, de defeitos: 📖 "um sujeitinho gago e cafangoso." (Nélson de Faria, *Tiziu e Outras Estórias*, p. 52).

cafarnaú *S. m. Bras. N.E.* V. *cafarnaum.*

cafarnauense (a-u) *Adj. 2 g.* **1.** De, ou pertencente ou relativo a Cafarnaum (BA). ● *S. 2 g.* **2.** O natural ou habitante de Cafarnaum.

cafarnaum (na-úm) [Do top. *Cafarnaum*, cidade tumultuosa da Galileia antiga.] *S. m. Bras.* **1.** Depósito de coisas velhas. **2.** Lugar de tumulto ou de desordem. **3.** Confusão, miscelânea, mistifório: 📖 "a lufa-lufa das gentes que entravam e saíam, nacionais, estrangeiros, estes de vária casta, franceses, ingleses, alemães, argentinos, italianos, uma confusão de línguas, um cafarnaum de chapéus, de malas, cordoalhas, sofás, binóculos a tiracolo" (Machado de Assis, *Quincas Borba*, pp. 244-245). **4.** V. *cafundó* (3). [Var.: *cafarnaú.*]

café [Do ár. *qahwa(t)*, pelo turco *qahuyé*, pelo fr. *café* e pelo it. *caffè.*] *S. m.* **1.** O fruto do cafeeiro; drupa elipsoide ou globosa, vermelha ou amarela, com escassa polpa adocicada e duas grandes sementes, as quais constituem a matéria-prima para o preparo do café (2). [Estas sementes, secas e torradas, tomam a cor marrom-escura.] **2.** Infusão desse fruto, depois de torrado e moído, a que, em geral, se adiciona um adoçante; moca[1]. **3.** *P. ext.* A porção de café (2) que se serve em xícara, caneca, etc.: *Tomei três cafés antes do almoço.* **4.** Estabelecimento comercial dotado de balcão e/ou de pequenas mesas onde se toma café e outras bebidas. [Cf., nesta acepç., *botequim.*] **5.** *Bot.* V. *cafeeiro.* **6.** A cor do café torrado. **7.** *Bras.* Infusão de certas plantas, que pela cor lembra o café: 📖 "Note-se que a *Cassia occidentalis*, da família das leguminosas, à qual se dá no Brasil setentrional o nome de *manjerioba*, é o mesmo fedegoso, com que também se prepara um café medicinal (carminativo), na Bahia, em Minas e no Rio de Janeiro." (Basílio de Magalhães, *O Café na História, no Folclore e nas Belas-Artes*, p. 206.) ● *Adj. 2 g. e 2 n.* **8.** Que tem a cor do café torrado. **9.** Diz-se dessa cor. ◆ **Café comprido.** *Bras. S.* Café ralo. **Café expresso.** Café (2) que se extrai de máquina de origem italiana, na qual a água quente, sob pressão, atravessa uma massa compacta de pó de café. [Tb. se diz apenas expresso. Sin. (lus.): *bica, bica italiana.*] **Café pequeno.** *Bras.* **1.** Cafezinho (1). **2.** *Fig.* Coisa fácil de se realizar, coisa simples. **3.** Coisa ou pessoa de pouca ou nenhuma importância: 📖 "O tipo louro / vale um tesouro, / mas perto do moreno / é café pequeno" (Antônio Nássara e Alberto Ribeiro, na marcha carnavalesca *Tipo 7*). **Café preto.** Café (2) sem leite: 📖 "Levantam-se às cinco horas, tomam um gole de café preto e vão para o roçado." (Raquel de Queirós, *O Caçador de Tatu*, p. 58.)

cafearense *Adj. 2 g.* **1.** De, ou pertencente ou relativo a Cafeara (PR). ● *S. 2 g.* **2.** O natural ou habitante de Cafeara.

café-beirão *S. m. Bras. Bot.* Café-do-pará. [Pl.: *cafés-beirões.*]

café-bravo *S. m. Bras. Bot.* Arbusto rubiáceo (*Palicourea longipedunculata*) de folhas elípticas, flores vermelhas, paniculadas, e pequenos frutos bacáceos; é considerado tóxico para ruminantes e roedores. [Pl.: *cafés-bravos.*]

café-caneca *S. m. Bras. Pop.* Botequim de baixa categoria. [Pl.: *cafés-canecas* e *cafés-caneca.*]

café-cantante [Do fr. *café-chantant.*] *S. m.* Café-concerto. [Pl. *cafés-cantantes.*]

café com isca *S. m. Bras. CE* V. *café com mistura.* [Pl.: *cafés com isca.*] ☑

café com leite *Adj. 2 g. e 2 n. Bras. Pop.* **1.** Que tem a cor tirante a bege, característica da mistura do café com leite: 📖 "chama-se vulgarmente 'café com leite' tanto a mulata, quanto o casal de preto e branca" (Basílio de Magalhães, *O Café na História, no Folclore e nas Belas-Artes*, p. 187); "seu pelo café com leite está menos lustroso, e o focinho, que há dois meses era marrom, ... parece claro, bacento." (Maria Julieta Drummond de Andrade, *O Valor da Vida*, p. 79). ● *S. m. 2 n.* **2.** Essa cor. **3.** *Bras.* Política de alternância de poder na chefia do governo federal, estabelecida mediante acordo tácito, nas três primeiras décadas do século passado, pelos Estados de São Paulo (cuja economia se baseava na cultura de café e exportação de café) e Minas Gerais (também grande produtor de café, e de laticínios): 📖 "Outra tentativa de luta contra os grandes Estados — sem resultados positivos — é a de formar coligação dos Estados do Nordeste, para contrabalançar a preponderância da política do café com leite." (Edgard Carone, *A República Velha*, I, p. 313); "Venceslau Brás serviu no Brasil por quatro anos o suculento café com leite que fortaleceu a República Velha" (Wilson Figueiredo, em *Jornal do Brasil*, 17.07.1983). ☑

café com mistura *S. m. Bras.* Café acompanhado de iguarias; café com isca, café-conosco, café de duas mãos, café-gordo, café-mastigado. [Pl.: *cafés com mistura.*] ☑

café-concerto [Do fr. *café-concert.*] *S. m.* Casa de diversões onde o público bebe ouvindo canções, sainetes, etc.; café-cantante: 📖 "Consistia este [divertimento] no café-concerto, onde houvesse anafadas mulheres estrangeiras e saracoteios de raparigas no palco." (Lima Barreto, *Vida e Morte de M. J. Gonzaga de Sá*, p. 226.) [Pl.: *cafés-concertos* e *cafés-concerto.*]

café-conosco *S. m. Bras. S.* V. *café com mistura.* [Pl.: *cafés-conosco.*]

café da manhã *S. m.* A primeira refeição do dia; dejua, dejejua, dejejuadouro, dejejum, dejuação, desjejua, pequeno almoço, brequefeste. [Sin. (afric.): *mata-bicho.*] [Pl.: *cafés da manhã.*] ☑

café-de-bugre *S. m. Bras. Bot.* V. *café-do-mato* (2). [Pl.: *cafés-de-bugre.*]

café de duas mãos *S. m. Bras. S.* V. *café com mistura.* [Pl.: *cafés de duas mãos.*] ☑

café-do-diabo *S. m. Bras. AM Bot.* Arvoreta flacourtiácea (*Casearia guianensis*) da floresta amazônica, de folhas pequenas, membranáceas, serreadas, com pontos e traços translúcidos, flores pequenas, alvacentas, ordenadas em densos fascículos axilares, e fruto capsular, sendo a casca do tronco adstringente; fruta-de-saíra. [Pl.: *cafés-do-diabo.*]

café-do-mato *S. m. Bras. Bot.* **1.** V. *gueirana.* **2.** Árvore boraginácea (*Cordia coffeoides* ou *C. ecalyculata*) de folhas simples, membranáceas, glabras, tidas como medicinais, e frutos drupáceos vermelhos, suculentos; café-de-bugre, laranja-aperu. **3.** Árvore boraginácea (*Cordia salicifolia*) de flores alternas, lanceoladas, glabras, tidas como medicinais, flores alvas, em corimbos, e frutos drupáceos vermelhos. **4.** Arvoreta meliácea (*Trichilia pallida*) de folhas pecioladas com folíolos opostos, e flores alvas, em panículas curtas. [Pl.: *cafés-do-mato.*]

café-do-pará [De *café* + *do*[1] + o top. *Pará.*] *S. m. Bras. Bot.* Cipó fabáceo (*Mucuna pluricostata*) existente nas matas das margens de rios e nas capoeiras. As folhas têm três folíolos grandes e membranáceos; as flores, avermelhadas, são grandes e vistosas; os frutos são legumes que contêm sementes grandes e duras. [Sin.: *café-beirão.* Pl.: *cafés-do-pará.*]

cafedório *S. m. Pop.* Café aguado e sem sabor: 📖 "O viajante ficava com a boca doce, esperando refrescar-se com o cafedório do João Pinheiro." (Inglês de Sousa, *O Missionário*, p. 91.)

cafeeiral [De *cafeeiro* + *-al*[1].] *S. m.* Cafezal (2).

cafeeiro [De *café* + *-eiro.*] *S. m.* **1.** *Bot.* Arbusto rubiáceo (*Coffea arabica*) originário da Arábia e muito cultivado no S. do Brasil para obtenção das sementes que fornecem o pó aromático chamado *café.* Folhas opostas, elípticas, membranáceas e glabras; flores pequenas, alvas, perfumadas e reunidas em glomérulos; frutos drupáceos, vermelhos, com 1 a 1,5cm de diâmetro, os quais encerram duas sementes esverdeadas que, depois de secas, são torradas e moídas, fornecendo o pó, que é produto comercial. [Sin.: *cafezeiro, café.*] ● *Adj.* **2.** Pertencente ou relativo ao café (1), à indústria ou ao comércio do café.

café-gordo *S. m. Bras. CE* V. *café com mistura.* [Pl.: *cafés-gordos.*]

▲**cafei-** [De *café* (q. v.) + *-i-.*] *El. comp.* = 'café': *cafeicultor; cafeicultura.* [Equiv.: *cafeo-*: *cafeocracia.*]

cafeicultor (e-i... ô) [De *cafei-* + *-cultor.*] *S. m. Bras.* Plantador de café; cafezista.

cafeicultura (e-i) [De *cafei-* + *-cultura.*] *S. f. Bras.* Lavoura de café.

cafeína [De *café* + *-ina*[3]; al. *Kaffein* (atual *Koffein*).] *S. f. Quím.* Alcaloide encontrado no café, no chá e no guaraná, cristalino, branco, amargo [fórm.: $C_8H_{10}N_4O_2$].

cafeinado (e-i) [Part. de *cafeinar.*] *Adj.* A que se adicionou cafeína.

cafeinar (e-i) [De *cafeína* + *-ar*[2].] *V. t. d.* Adicionar cafeína a.

cafeinismo (e-i) [De *cafeína* + *-ismo.*] *S. m. Med.* Intoxicação crônica pelo café ou por outros produtos de origem vegetal que contêm cafeína.

cafelana (è) [De *café* + *-l-* + *-ana*[2].] *S. f. Bras.* Cafezal extenso.

cafelandense *Adj. 2 g.* **1.** De, ou pertencente ou relativo a Cafelândia (PR e SP). ● *S. 2 g.* **2.** O natural ou habitante de Cafelândia.

cafelar [De *cafelo* (ê) + *-ar*[2].] *V. t. d.* Rebocar com cafelo.

cafelista [De *café* + *-l-* + *-ista.*] *S. 2 g. Bras.* Cafezista: 📖 "Otacílio estava fora, em São Paulo, participando de reunião de cafelistas." (Francisco Marins, ... *E a Porteira Bateu!*, p. 164.)

cafelo (ê) [De or. obsc.] *S. m. Constr.* Argamassa empregada no emboçamento de parede, teto ou outro elemento de construção; massa grossa.

café-mastigado *S. m. Bras.* V. *café com mistura.* [Pl.: *cafés-mastigados.*]

▲**cafeo-** [De *café* + *-o-.*] Equiv. de *cafei-.*

cafeocracia (è-o) [De *cafeo-* + *-cracia.*] *S. f. Bras.* Predomínio político dos grandes cafeicultores.

caferana (fè) [De *café* + *-rana.*] *S. f. Bras. Bot.* **1.** Arvoreta simarubácea (*Picrolemma sprucei*) das matas úmidas de folhas compostas, com muitos folíolos coriáceos, flores insignificantes e pouco aparentes; os frutos são drupas vermelho-vivas e as raízes, castanho-amarelas, são muito amargas. A infusão de qualquer parte da planta contém quassinoides (v. *quassinoide*) e é considerada febrífuga, além de possuir outras atividades biológicas. [Sin.: *tupurapo.*] **2.** V. *raiz-de-jacaré-açu.*

cafestol [Voc. farmac.] *S. m. Quím.* Substância sólida cristalina, que é um diol diterpenoide tetracíclico que contém, tb., um anel furânico, e está presente no óleo essencial do café [fórm.: $C_{20}H_{28}O_3$]. [Pl.: *cafestóis.*]

cafetã [Do fr. *cafetan* < ár. *qaftān* < persa *khaftan.*] *S. m.* **1.** Veste talar usada sobretudo pelos povos árabes e turcos; espécie de túnica larga, ricamente bordada, podendo ser forrada de ricas peles. **2.** Túnica longa, sem cinto, geralmente bordada em torno do decote e nas barras, inspirada no cafetã (1). [F. paral.: *caftã, caftan.* Cf. *cafta, cáften.*]

cafetão *S. m. Bras. Gír.* V. *cáften.*

cafeteira [Do fr. *cafetière.*] *S. f.* **1.** Recipiente em que se serve ou se faz o café (2). **2.** Vaso semelhante onde se ferve água ou outro líquido.

cafeteiro [De *cafet-*, como em *cafeteria*, + *-eiro.*] *S. m. Bras.* Proprietário de café (4).

cafeteria *S. f.* Estabelecimento comercial onde se vende sobretudo cafezinho (1), e, ainda, sanduíches, etc.

cafetina *S. f. Bras. Gír.* V. *caftina.*

C

cafezal (fè) [De *café* + *-zal.*] ***S. m.*** **1.** Quantidade mais ou menos considerável de cafeeiros dispostos proximamente entre si. **2.** Plantação de cafeeiros; cafeeiral.

cafezalense ***Adj. 2 g. S. 2 g.*** V. *cafezalense-do-sul.*

cafezalense-do-sul ***Adj. 2 g.*** **1.** De, ou pertencente ou relativo a Cafezal do Sul (PR). • ***S. 2 g.*** **2.** O natural ou habitante de Cafezal do Sul. [Sin. ger.: *cafezalense*. Pl.: *cafezalenses-do-sul.*]

cafezeiro (fè) [De *café* + *-zeiro.*] ***S. m.*** **1.** *Bot.* V. *cafeeiro.* **2.** *Bras.* Lavrador ou fazendeiro de café.

cafezeiro-do-mato ***S. m.*** *Bras. Bot.* V. *guaçatunga* (2). [Pl.: *cafezeiros-do-mato.*]

cafezinho (fè) [De *café* + *-zinho.*] ***S. m.*** **1.** Café (2) servido em pequenas xícaras; café pequeno. **2.** *Bras. MT Zool.* V. *jaçanã* (1). **3.** *Bras. Bot.* Designação comum a diversas espécies vegetais, como, p. ex., a celastrácea *Maytenus alaternoides* ou a melastomatácea *Mouriri chamissoana* [v. *mandapuçá* (2)].

cafezista (fè) [De *café* + *-z-* + *-ista.*] ***S. 2 g.*** **1.** Pessoa que gosta muito de café. **2.** *Bras.* Cafeicultor. **3.** *Bras.* Proprietário de plantações de café. [Sin. ger.: *cafelista.*]

cafifa[1] [De *cafife.*] ***S. 2 g.*** *Bras. Pop.* **1.** Pessoa de má sorte no jogo. **2.** Pessoa a quem o jogador atribui a sua má sorte. **3.** V. *caiporismo*. **4.** Importunação, impertinência. **5.** V. *papagaio* (5). [Var.: *cafinfa* e *canfinfa.*]

cafifa[2] ***S. m.*** *Bras. RJ Gír.* Cáften.

cafifar [De *cafifa*[1] ou de *cafife* + *-ar*[2].] ***V. t. d.*** *Bras.* **1.** Dar má sorte ou cafifa[1] (3) a, azarar (o jogador). **2.** Fazer infeliz. [Sin. ger.: *encafifar.*]

cafife [Do quimb. *kafife.*] ***S. m.*** *Bras.* **1.** Série de contrariedades. **2.** Contínua falta de êxito. **3.** Falta de ânimo; mal-estar.

cafifento [De *cafife* + *-ento.*] ***Adj.*** *Bras.* **1.** Diz-se daquele que facilmente se encafifa. • ***S. m.*** **2.** Aquele que tem má sorte no jogo.

cafifice [De *cafife* + *-ice.*] ***S. f.*** *Bras.* Estado de quem tem cafife (2); cafifismo.

cafifismo [De *cafife* + *-ismo.*] ***S. m.*** *Bras.* Cafifice.

cáfila [Do ár. *qāfila(t)*, 'caravana', 'coluna'; 'cáfila'.] ***S. f.*** **1.** Grande quantidade de camelos que transportam mercadorias: "Cada uma das tribos procurava controlar a passagem das cáfilas, para lhes cobrar proteção e direitos sobre as mercadorias que conduziam." (Alberto da Costa e Silva, *A Enxada e a Lança*, p. 441.) **2.** Caravana de mercadores na Ásia e na África. **3.** *Fig.* Corja, súcia; bando: "Vejam a cáfila de vates sem miolo e sem leitura, sonâmbulos e pálidos" (Fialho d'Almeida, *Figuras de Destaque*, p. 121).

cafinfa ***S. 2 g.*** *Bras. Pop.* V. *cafifa*[1].

cafiote ***S. m.*** *Bras. CE* Mala ou baú velho.

cafioto (ô) [De or. afr.] ***S. m.*** *Bras.* Adepto ou frequentador da macumba.

cafiroto (ô) ***El. s. m.*** Us. na loc. adv. *de cafiroto aceso.* ◆ **De cafiroto aceso.** *Bras.* De candeia às avessas com (q. v.).

cafiz [Do ár. *qafīz*, esp. e port. arc. *cahiz.*] ***S. m.*** *Ant.* **1.** Medida de capacidade, us. para grãos, equivalente a 16 alqueires. **2.** Medida de capacidade equivalente a 8 alqueires, tb. chamada *cafiz pequeno* ou *cafiz menor*. [Sin. (var. entre si): *cacifo, cacifro.*]

cafofa ***S. f.*** **1.** *Bras. CE* Iguaria preparada com carne--seca frita e farinha de mandioca. **2.** *Bras. RN* V. *bajulador* (2). • ***Adj. 2 g.*** **3.** *Bras. RN* V. *bajulador* (1).

cafofo (ô) ***S. m.*** **1.** *Bras. MG* Terreno pantanoso onde a decomposição de matérias orgânicas ocasiona exalações características das águas apodrecidas em charcos: "As águas minguaram tanto que os cafofos recendiam a bicho morto, em decomposição." (Nélson de Faria, *Tiziu e Outras Estórias*, p. 58.) **2.** *Bras.* V. *sepultura* (1).

cafona *Bras. Gír.* ***Adj. 2 g.*** **1.** Diz-se da pessoa que, com aparência ou pretensão de elegância, foge ao que convencionalmente é de bom gosto; fajuto, farjuto, jeca, miquelino. **2.** Diz-se de tudo aquilo que é reputado como de mau gosto: *vestido cafona, casa cafona*. **3.** V. *caipira* (5). • ***S. 2 g.*** **4.** Pessoa cafona.

cafonagem [De *cafona* + *-agem*[2].] ***S. f.*** Cafonice (2 e 3).

cafonice [De *cafona* + *-ice.*] ***S. f.*** *Bras. Pop.* **1.** Qualidade de cafona (4): *Não aguentei a cafonice dele.* **2.** Ato ou atitude de cafona (4). **3.** Aquilo que é cafona (2): *Voltou da Europa carregado de cafonices.* [Sin. nas acepçs. 2 e 3: *cafonagem.*]

cafoto (ô) [Do quimb. *kafoto.*] ***S. m.*** *Bras.* **1.** V. *latrina* (1). **2.** Água apertada entre pedras. **3.** Pequena entrada entre pedras.

cafraria [De *cafre* + *-aria.*] ***S. f.*** **1.** A região dos cafres. **2.** Multidão de cafres.

cafre [Do ár. *kafr* ou *kufr*, 'infiel'.] ***S. 2 g.*** **1.** Nome dado pelos islamitas aos gentios e idólatras, e por ext., aos negros pagãos da África oriental; aplica-se, sobretudo, às populações bantas de Moçambique, da África do Sul e dos demais países do S.E. da África. **2.** O natural ou habitante da Cafraria, denominação que, no passado, se dava à região entre o rio Kei e os limites da província de Natal, na África do Sul; xossa. **3.** *Fig.* Pessoa rude, bárbara, ignorante. • ***S. m.*** **4.** *Gloss.* Forma pidginizada do africâner, com léxico extraído basicamente de línguas bantas e do inglês. • ***Adj. 2 g.*** **5.** Pertencente ou relativo aos cafres [v. *cafre* (1 e 2)]. ◆ **Cafre das minas.** *Gloss.* V. *zulu básico.* **Cafre de cozinha.** *Gloss.* V. *zulu básico.*

cafrice [De *cafre* + *-ice.*] ***S. f.*** **1.** Procedimento de cafre (3). **2.** Crueldade, selvageria, barbaridade.

cafta [Do ár. *kufta(t)*, 'bolinho de carne'.] ***S. f.*** Prato (2) árabe preparado com carne moída, pimenta síria, sal, cominho, cebolinha e hortelã picadas, e cebola branca bem batida, e que pode ser servido cru ou cozido.

caftã [Do fr. *caftan.*] ***S. m.*** V. *cafetã.*

caftan ***S. m.*** V. *cafetã.*

cáften [Do lunfardo *cáften.*] ***S. m.*** *Bras.* **1.** Aquele que vive à custa de meretrizes; rufião. **2.** Empresário de prostíbulos que faz comércio explorando a prostituição; alcoviteiro, proxeneta. [Sin. ger.: *cafetão*, *cafifa* e (lus.) *chulo*. Fem.: *caftina*. Pl.: *caftens*. Cf. *cafetã.*]

caftina ***S. f.*** *Bras.* Mulher que explora o comércio de meretrizes. [Var.: *cafetina.*]

caftinagem [De *caftina* + *-agem*[2].] ***S. f.*** *Bras.* Atividade de cáften ou de caftina; caftinismo, caftismo. V. *lenocínio.*

caftinar [De *caftina* + *-ar*[2].] ***V. int.*** *Bras.* Exercer a caftinagem.

caftinismo [De *caftina* + *-ismo.*] ***S. m.*** *Bras.* V. *caftinagem.*

caftismo ***S. m.*** *Bras.* V. *caftinagem.*

cafua [De or. afr., poss.] ***S. f.*** **1.** Antro, cova, caverna, esconderijo. **2.** Habitação miserável. **3.** *Bras.* Quarto escuro onde se prendiam os alunos castigados; cafundó. [Sin. ger.: *cafurna.*]

cafuana *Bras.* ***S. 2 g.*** **1.** *Etnôn.* Indivíduo dos cafuanas, povo indígena extinto que habitava a região do rio Japurá (AM). • ***Adj. 2 g.*** **2.** Pertencente ou relativo a esse povo. [Tb. us. como *s. 2 g. e 2 n.* (com cap.) e *adj. 2 g. e 2 n.*]

cafubá ***Adj. 2 g.*** *Bras. S.* Diz-se de vacum que tem certa cor (cinza-escuro na BA).

cafubira ***S. f.*** *Bras. MG Pop.* V. *prurido* (1).

cafuca ***S. f.*** *Bras.* Cova onde se queima a lenha para carvão.

cafuçu [De or. incerta.] ***S. m.*** **1.** *Bras. N.E. Pop.* V. *diabo* (2). **2.** *Bras. N.E.* Indivíduo grosseiro, inábil. **3.** *Bras. GO* Roceiro asselvajado.

cafuleta (ê) ***S. f.*** **1.** Cofre de madeira com tampa de couro, usado nas jangadas. **2.** Recipiente de madeira com que se mede a ração de farinha nas baleeiras.

cafuleteiro [De *cafuleta* + *-eiro.*] ***S. m.*** *Bras.* Tripulante da baleeira encarregado da cafuleta (2).

cafumango ***S. m.*** **1.** *Bras.* Negro cozinheiro. **2.** *Bras.* Sujeito desclassificado: "Histórias! mauezas de cafumangos que não têm preceito e falam dos dentes pra fora." (Valdomiro Silveira, *Os Caboclos*, p. 154.) **3.** *Bras.* V. *vagabundo* (7). **4.** *Bras. SP Pop.* V. *caipira* (1).

cafunar [De *cafuné* + *-ar*[2].] ***V. t. d.*** *Bras.* Impelir (a castanha de caju) com um piparote, em certo jogo infantil.

cafundó [De or. afr., poss.] ***S. m.*** *Bras.* **1.** V. *cafua* (3). **2.** Baixada estreita, entre lombadas sensivelmente altas e íngremes. **3.** Lugar ermo e afastado, de acesso difícil, normalmente entre montanhas. [Sin. (vários deles bras.): *cafundoca, cafundório, cafarnaú* ou *cafarnaum, cafundó-de-judas, cafundó do judas, caixa-pregos, calcanhar de judas, cornimboque do diabo, cornimboque do judas, cu de judas, cu do conde, cu do mundo, deus-me-livre, fim de mundo* ou *fim do mundo, fundo, meio de mundo* ou *meio do mundo, tifa*].

cafundoca ***S. m.*** *Bras. MA* V. *cafundó* (3).

cafundó de judas ***S. m.*** *Bras.* V. *cafundó* (3). [Pl.: *cafundós de judas.*] ☑

cafundó do judas ***S. m.*** *Bras.* V. *cafundó* (3): "era uma pequena cidade, quase inexistente, metida nos cafundós do judas." (Nélson Rodrigues, *100 Contos Escolhidos. A Vida como Ela É*, II, p. 23). [Pl.: *cafundós do judas.*] ☑

cafundório ***S. m.*** *Bras.* V. *cafundó* (3).

cafuné [Do quimb.] ***S. m.*** *Bras. Angol.* Ato de coçar levemente a cabeça de alguém para fazê-lo adormecer.

cafungar[1] [De or. afr., poss.] ***V. t. d. Int.*** *Bras. Procurar minuciosamente; esmiuçar, catar.* [Conjug.: v. *largar.*]

cafungar[2] [De *fungar.*] ***V. t. d.*** *Bras.* **1.** *Gír.* Fungar (1). **2.** Aspirar pelo nariz, cheirar (cocaína). ***Int.*** **3.** *Gír.* Fungar (3). **4.** Aspirar pelo nariz, cheirar cocaína. [Conjug.: v. *largar.*]

cafunje [De or. afr., poss.] ***S. m.*** *Bras.* Moleque travesso e larápio.

cafuringa ***S. m.*** *Bras. BA Pop.* Coisa miúda, insignificante.

cafurna [Cruz. de *cafua* com *furna.*] ***S. f.*** V. *cafua.*

cafus [De *(lus)co-fus(co)*, poss.] ***El. s. m. pl.*** Us. na loc. adv. *pelos cafus.* ◆ **Pelos cafus.** *Bras. AL Pop.* Ao cair da tarde; ao anoitecer; ao lusco-fusco. [Cf. *cafuz.*]

cafute ***S. m.*** *Bras. Pop.* V. *diabo* (2).

cafuz ***S. 2 g. Adj. 2 g.*** *Bras.* V. *cafuzo* (1, 2 e 4). [Cf. *cafus.*]

cafuzo [F. sincopada de *carafuzo.*] ***S. m.*** **1.** *Bras. Angol. Moç.* Mestiço de negro e índio; caburé: "Território habitado por uma nação de caboclos e pardos, cafuzos, gente de pouca pabulagem e de muito agir" (Jorge Amado, *Teresa Batista Cansada de Guerra*, Introdução). **2.** *Bras. Angol. Moç.* Mestiço de cor negra ou quase negra, cabelo corrido e grosso. **3.** *Bras. Amaz. Bot.* Erva ciperácea (*Cyperus lanciformis*) que habita os terrenos altos e arenosos. Alcança uns 30cm a 50cm de altura e tem um pendão florífero de cerca de 1m de comprimento, sendo as flores mínimas e paleáceas. É considerada uma forragem ordinária. • ***Adj.*** **4.** *Bras. Angol. Moç.* Pertencente ou relativo a cafuzo. [Sin., bras. (nas acepçs. 1, 2 e 4): *cafuz, carafuz, carafuzo.*]

■ **CAG** *Eletrôn.* Abrev. de *controle automático de ganho* (q. v.).

caga [Dev. de *cagar.*] ***S. m.*** *Chulo* **1.** Indivíduo lamecha. **2.** Indivíduo que se irrita com um motejo. **3.** Indivíduo displicente, desleixado.

caga-baixinho [De *cagar* + *baixinho*, dim. do adv. *baixo.*] ***S. m. 2 n.*** *Bras. CE Chulo* V. *catatau*[2] (3).

cagaço [De *cagar* + *-aço.*] ***S. m.*** *Chulo* Medo, susto: "Está com essa de valentia agora! Lá, parece que estou vendo o cagaço que deu!" (Ariano Suassuna, *A Pena e a Lei*, p. 192.)

cagada [De *cagar* + *-ada*[1].] ***S. f.*** *Bras. Chulo* **1.** Ato ou efeito de cagar. **2.** Coisa malfeita, porcaria. **3.** Grande sorte; ocorrência muito feliz.

cagado [Part. de *cagar.*] ***Adj.*** *Bras. Chulo* **1.** Que se cagou; sujo de fezes. **2.** V. *sortudo* (1). [Cf. *cágado.*]

cágado [De or. controvertida.] ***S. m.*** **1.** *Bras. Zool.* Designação de várias espécies de reptis quelônios, quelídeos, especialmente as dos gêneros *Hydraslis*, *Platemys* e *Hydro medusa*, que vivem em lagoas rasas e terrenos pantanosos, e de pescoço tão longo quanto a coluna vertebral. Alimentam-se de vermes, moluscos, pequenos peixes, e vegetais. [Sin.: *acangapara, cágado-d'água-doce, cangapara, sapo-concho*, e, na BA, *ajapá.*] **2.** Chapuz para os cabos do leme. **3.** Indivíduo lerdo, vagaroso, moleirão. [Cf. *cagado*, part. de *cagar* e adj.]

cágado-d'água-doce ***S. m.*** *Bras. Zool.* V. *cágado* (1). [Pl.: *cágados-d'água-doce.*]

caga-fogo [De *cagar* + *fogo.*] ***S. m.*** *Bras. Pop.* **1.** *Zool.* V. *pirilampo*: "Só os caga-fogos se mostravam, mas eram como se fossem fósforos que o vento apagasse de repente." (José Lins do Rego, *Banguê*, p. 79.) **2.** Qualquer arma de fogo. **3.** *Zool.* V. *tataíra.* [Pl.: *caga--fogos.*]

cagafum ***S. m.*** *Bras. BA Pop.* Festa popular de baixa categoria.

cagaita [De *cagar*, poss.] ***S. f.*** *Bot.* O fruto da cagaiteira.

cagaiteira [De *cagaita* + *-eira.*] ***S. f.*** *Bras. C.O. Bot.* Árvore mirtácea (*Eugenia dysenterica*) abundante nos cerrados, de folhas oblongas e coriáceas, flores pequenas, alvas e dispostas em curtas inflorescências cimosas, e cujos frutos, as cagaitas, são bagas amarelas, muito sucosas, de sabor agradável, mas que, comidas em excesso, produzem diarreia.

cagalhão [De *cagar* + *-alhão.*] ***S. m.*** *Pleb.* Matéria fecal sólida; tolete. [Sin. (bras., N.E.): *troçulho.*]

caga-lume [De *cagar* + *lume.*] ***S. m.*** *Bras. Zool.* V. *pirilampo*. [Pl.: *caga-lumes.*]

caga na telha [De *cagar* + *na*[1] + *telha.*] ***S. 2 g. e 2 n.*** *Bras. BA Pop.* Pessoa insignificante, reles, pífia; caga no caquinho. ☑

caganeira ***S. f.*** *Pop.* V. *diarreia.*

caganifância [Cruz. de *cagar* com *insignificância.*] ***S. f.*** **1.** Coisa insignificante; bagatela. **2.** Fricote, impertinência.

caga no caquinho [De *cagar* + *no*[1] + o dim. de *caco.*] ***S. 2 g. e 2 n.*** *Pop.* Caga na telha. ☑

cagão [De *cagar.*] ***Adj. S. m.*** *Pop.* **1.** Que, ou aquele que tem muito medo, que é tímido em excesso. **2.** Que, ou aquele que tem muita sorte. [Fem.: *cagona.*]

cagar [Do lat. *cacare.*] ***V. int.*** *Chulo* **1.** V. *defecar* (5). **2.** Dar sorte. ***T. d.*** **3.** *Fam. Pop.* Dizer; soltar, com fanfarrice, pacholice ou leviandade: *cagar regras; cagar lorotas;* "e Justiniano bravateando na calçada, cagando goma." (Fran Martins, *Dois de Ouros*, p. 15). ***T. i.*** **4.** *Fam. Pop.* Não dar atenção; não ligar importância: *O rapaz caga para os conselhos do amigo.* ***P.*** **5.** V. *defecar* (6): "berrava, cagando-se de medo e raiva." (Adalberon Cavalcanti Lins, *Curral Novo*, p. 30). **6.** Sentir cagaço. [Conjug.: v. *largar*. Part.: *cagado*. Cf. *cágado.*]

caga-raiva [De *cagar* + *raiva.*] ***S. 2 g.*** *Bras. CE Chulo* Indivíduo de mau gênio, irascível. [Pl.: *caga-raivas.*]

caga-regras [De *cagar* + o pl. de *regra.*] ***S. 2 g. e 2 n.*** *Bras. Chulo* Pessoa que se julga sabichã, a dona da verdade. [Cf. *cagar regras.*]

cagarolas [De *cagar.*] ***S. 2 g. e 2 n.*** *Pleb.* Indivíduo covarde, medroso.

cagarra *S. f. Cabo-verd. Zool.* Ave marinha (*Procellaria puffinus*), palmípede, e noturna: 📖 "As cagarras voavam nas trevas vindas do mar, soltando as suas vozes como gargalhadas." (Manuel Lopes, *Os Flagelados do Vento Leste*, p. 219.)

caga-sebinho [Dim. de *caga-sebo*.] *S. m. Bras. Zool.* **1.** V. *alegrinho*. **2.** Ave passeriforme, tiranídea (*Phyllomyias fasciatus*), do Brasil este-setentrional. Coloração verde-azeitonada em cima e amarela embaixo e garganta esbranquiçada. [Sin. ger. (bras., PE e AL): *caga-sebite*. Pl.: *caga-sebinhos*.]

caga-sebista [De *cagar* + *sebo* (3) + *-ista*.] *S. 2 g. Bras.* Dono de sebo (3); alfarrabista. [Pl.: *caga-sebistas*.]

caga-sebite [De *cagar* + *sebite*.] *S. m. Zool.* **1.** *Bras. PE AL* V. *caga-sebinho* (2). **2.** *Bras.* V. *alegrinho*. [Pl.: *caga-sebites*.]

caga-sebito [De *cagar* + *sebito*.] *S. m. Bras. PE AL Zool.* V. *alegrinho*. [Pl.: *caga-sebitos*.]

caga-sebo [De *cagar* + *sebo*.] *S. m.* **1.** *Bras. Zool.* Ave passeriforme, tiranídea (*Todirostrum poliocephalum*), do Brasil este-meridional. Coloração verde-azeitonada no dorso, vértice escuro com mancha amarela de cada lado da fronte e bico achatado. [Sin.: *joão-de--cristo, teque-teque* e *sebinho*.] **2.** *Bras. PE* Sebo (3). [Pl.: *caga-sebos*.]

cagatório [De *cagar* + *-tório*.] *S. m. Pop.* V. *latrina* (1).

cagoã *Bras. S. 2 g.* **1.** *Etnôn.* Indivíduo dos cagoãs, povo indígena extinto que habitava SP. • *Adj. 2 g.* **2.** Pertencente ou relativo a esse povo. [Tb. us. como *s. 2 g. e 2 n.* (com cap.) e *adj. 2 g. e 2 n.*]

cagona *S. f.* **1.** Fem. de *cagão* (q. v.). **2.** *Bras. BA* Moça ou mulher cheia de luxo (q. v.).

cagosanga *S. f. Bras. Bot.* V. *ipecacuanha*.

cagotilho [Por *cogotilho* (q. v.), com dissimilação.] *S. m. Bras.* Epizootia que ataca os muares. [Var.: *cangotilho*.]

cagueta (güe) [F. aferética de *alcagueta*.] *S. 2 g.* V. *alcaguete* (2 e 3): 📖 "– Tem sempre um cagueta ...., doutor." (Dráuzio Varela, *Estação Carandiru*, p. 113.)

caguetagem (güe) *S. f. Bras. Gír.* V. *alcaguetagem*. ❖

caguetar (güe) *V. t. d. T. d. e i. Bras. Gír.* V. *alcaguetar*. [Pres. subj.: *caguete*, etc. Cf. *caguete* (ê).] ❖

caguete (güê) *S. 2 g.* **1.** *Bras. Gír.* V. *alcaguete* (3 e 4). • *S. m.* **2.** *Bras. Gír.* V. *alcaguete* (2). ❖

caguincha [De *cagar*.] *Adj. 2 g.* **1.** Medroso, covarde. **2.** Fraco, anêmico. **3.** De corpo pequeno. • *S. 2 g.* **4.** Pessoa que tem essas características: 📖 "O que deixa a gente dessossegado é ver uma prenda dessas dada a um caguincha daqueles, sujeitinho sem talento para aguentar o rojão." (Nélson de Faria, *Bazé*, p. 102.) • *S. m.* **5.** O dois de paus nos baralhos. [Tb. se diz (bras.) *caguincho*.]

caguincho *S. m. Bras.* V. *caguincha*.

caguira [De *cagar*.] *S. f. Bras.* **1.** Azar no jogo. **2.** V. *caiporismo*. **3.** Medo, receio. • *S. m.* **4.** Indivíduo imprestável.

caiabana [De or. indígena.] *S. f. Bras.* Variedade de mandioca.

caiabi *Bras. S. 2 g.* **1.** *Etnôn.* Indivíduo dos caiabis [ou (etnôn. bras.) *Kayabi], povo indígena da família linguística tupi-guarani, tronco tupi, que habita o alto curso do rio Xingu, margens do rio Arinos (MT) e a margem direita do rio São Manuel, no S.O. do Pará. • *Adj. 2 g.* **2.** Pertencente ou relativo a esse povo.

caiabuense *Adj. 2 g.* **1.** De, ou pertencente ou relativo a Caiabu (SP). • *S. 2 g.* **2.** O natural ou habitante de Caiabu.

caiação [De *caiar* + *-ção*.] *S. f.* Ato ou efeito de caiar; caiadura, caio.

caiadela [De *caiar* + *-dela*.] *S. f.* Ato ou efeito de caiar ligeiramente.

caiado [Part. de *caiar*.] *Adj.* **1.** Revestido de cal. **2.** Alvejado com cosméticos. ~ V. *sepulcros —s*.

caiador (ô) [De *caiar* + *-dor*.] *S. m.* Indivíduo que faz caiações; caieiro, borra-portas.

caiadura [De *caiar* + *-dura*.] *S. f.* **1.** V. *caiação*. **2.** Mão[1] (12) de cal; caio.

caiala [De or. afr.] *S. f. Bras. BA Rel.* Iemanjá, nos candomblés conguenses.

caiana[1] [De or. indígena, poss.] *S. m. Bras. Zool.* Morcego (*Pleocotus andira*) da região do rio São Francisco. [Sin., MG: *cabano*.]

caiana[2] [F. red. de *cana-caiana*.] *S. f.* **1.** *Bot.* V. *cana-caiana*. **2.** *Bras. Pop.* V. *cachaça* (1).

caianense[1] *Adj. 2 g.* **1.** De, ou pertencente ou relativo a Caiana (MG). • *S. 2 g.* **2.** O natural ou habitante de Caiana.

caianense[2] *Adj. 2 g.* **1.** De, ou pertencente ou relativo a São José de Caiana (PB). • *S. 2 g.* **2.** O natural ou habitante de São José de Caiana.

caiapiá [Var. de *caapiá*.] *S. m. Bras.* **1.** Certa raiz medicinal. **2.** *Bot.* V. *caapiá*.

caiapó[1] [De or. indígena.] *S. m. Bras.* **1.** *Zool.* Designação vulgar da formiga *Atta sexdens*. V. *tanajura* (1). **2.** *Bot.* V. *taiuiá* (1). ~ V. *caiapós*.

caiapó[2] *Bras. S. 2 g.* **1.** *Etnôn.* Indivíduo dos caiapós [ou (etnôn. bras.) *Kayapó], povo indígena formado pelos subgrupos *A'ukre, *Gorotire, *Kararaô, *Kikretum, *Kokraimoro, *Kubenkokre, *Kubenkragnotire, *Kuben-kran-ken, *Mebegnokre, *Mekragnotire, *Metuktire, *Pukanu e *Xikrin, e que habita as margens do médio rio Xingu e seus tributários, em MT e PA. • *S. m.* **2.** *Gloss.* Subgrupo linguístico da família jê, tronco macro-jê. • *Adj. 2 g.* **3.** Pertencente ou relativo aos caiapós ou a caiapó[2] (2). ~ V. *caiapós*.

caiaponiense *Adj. 2 g.* **1.** De, ou pertencente ou relativo a Caiapônia (GO). • *S. 2 g.* **2.** O natural ou habitante de Caiapônia.

caiapós *S. m. pl. Bras. MG SP Folcl.* Cabocolinhos. ~ V. *caiapó*.

caiaque [Do esquimó *qajaq*, pelo ingl. *kayak*.] *S. m.* **1.** Pequena embarcação feita de peles de foca, costuradas sobre uma armação de ossos de baleia ou de madeira envolvendo toda a embarcação, inclusive por cima, e que é amarrada na cintura do remador. **2.** Embarcação para lazer ou esporte, semelhante ao caiaque (1), feita de fibra de vidro, plástico, etc., para um ou dois remadores. [Cf. *caíque*.]

caiar [De *calear*, poss.] *V. t. d.* **1.** Pintar com tinta feita de cal, água e cola: 📖 "Ladrilharam, rebocaram e caiaram o prédio" (Graciliano Ramos, *Infância*, p. 224). **2.** Dar cor branca a: 📖 "As guitarras soluçosas tornam a noite sonora, como se o luar cantasse, caiando as searas, caleando os pinheirais..." (Martins Fontes, *A Dança*, p. 72.) **3.** Encobrir; disfarçar, mascarar. [Sin., p. us., nas acepç. 2 e 3: *calear*.] **4.** *Bras.* Maquilar exageradamente (o rosto) com pó de arroz ou outro cosmético: 📄 *Caiou a cara de tal forma que mal a conheci.*

caiarara [Do tupi.] *S. m. Bras. Amaz. Zool.* Designação comum a algumas espécies do gênero *Cebus* (os micos), esp. a *Cebus nigrivittatus*, do N. do rio Amazonas, das Guianas e da Venezuela. Mede cerca de 0,45m de comprimento, com outro tanto de cauda; cor pardo-escura, quase preta na ponta da cauda, mãos e pés; tem na cabeça uma negra mancha piriforme, cujo ápice avança pela testa até quase a base do nariz; sairara, macaco-inglês: 📖 "Entre os símios repontavam as guaribas ....; o caiarara, louro, focinho vermelho, crismado de macaco-inglês" (Raimundo Morais, *País das Pedras Verdes*, p. 58). [Cf. *mico*[1], *macaco-prego*.]

caiarara-branco *S. m. Bras. Zool.* Primata cebídeo (*Cebus albifrons unicolor*), do S. do rio Amazonas. Colorido acinzentado, extremidades amarelo-esbranquiçadas; mancha na cabeça, prolongando-se em estreita fita até a base do nariz; porção ventral mais clara. [Sin.: *saitauá*. Pl.: *caiararas-brancos*.]

caiaué (ai-au) [Do tupi.] *S. m. Bras. AM Bot.* Palmeira arecácea (*Elaeis melanococca*) muito disseminada nas margens do rio Amazonas, de estipe frequentemente recurvado, e raízes adventícias. Da polpa de seus frutos se extrai um óleo dourado-avermelhado, espesso, utilizável em culinária e semelhante ao azeite de dendê (q. v.) e da amêndoa uma gordura igualmente comestível. [Sin.: *coqueiro-caiaué*.]

caíba [De *ca-* + o tupi = 'ruim'.] *S. f. Bras. SC* Caíva (q. v.).

cáiba *S. f.* Cada uma das partes laterais do freio (1). [Var.: *câimba*.]

caibateense (èen) *Adj. 2 g.* **1.** De, ou pertencente ou relativo a Caibaté (RS). • *S. 2 g.* **2.** O natural ou habitante de Caibaté.

caibiense *Adj. 2 g.* **1.** De, ou pertencente ou relativo a Caibi (SC). • *S. 2 g.* **2.** O natural ou habitante de Caibi.

câibra [Do frâncico *krampa, pelo fr. *crampe*.] *S. f. Med.* Contração espasmódica e dolorosa de músculos. [Var.: *câimbra*. Sin., pop.: *breca*.] ◆ **Câibra de dedo.** *Med.* Dactilospasmo. **Câibra de escrivão.** *Med.* Contração espasmódica dos músculos da mão (inclusive quirodáctilos) e do antebraço, acompanhada de neuralgia nesses locais, e que sobrevém durante a tentativa de escrever.

caibral [De *caibro* + *-al*[1].] *Adj. 2 g. Constr.* Relativo a caibro. ~ V. *prego —*.

caibramento [De *caibrar* + *-mento*.] *S. m.* Conjunto dos caibros de uma armação de telhado, soalho, teto, etc.

caibrar [De *caibro* + *-ar*[2].] *V. t. d.* **1.** Assentar ou pôr caibros em. **2.** Fixar com caibros.

caibro [Do lat. *capreu < lat. *caprea*, 'cabra montês'.] *S. m. Constr.* Peça de madeira de seção retangular, com cerca de 5x7cm, empregada em armações de telhados, soalhos, forros, etc. ◆ **Caibro corrido** *Constr.* Beiral com madeiramento aparente, de modo a deixar à vista os caibros que se projetam além das paredes. V. *cachorro*[1] (6).

câibro *S. m.* Par de coisas unidas, em especial duas espigas de milho presas por uma só palha. [Var.: *câimbro*.]

caiçaca [Do tupi, poss.] *S. f. Bras. BA MG ES RJ Zool.* Ofídio solenóglifo (*Bothrops atrox*), de dorso róseo--pardacento e ventre amarelo-claro com manchas negras nos bordos. É uma das espécies de jararaca.

caicaco *S. m. Bras. S.* Homem decaído da posição social, ou empobrecido: 📖 "O carreiro vivia murcho, fazendo negócios de trama, sem rompante nenhum: era um caicaco sossegado..." (Valdomiro Silveira, *Os Caboclos*, p. 88.)

cai-cai [Reduplic. do v. *cair*.] *S. m. 2 n. Lus.* Tomara que caia (q. v.). [Cf. *caicaí*[2].]

caicai[1] *Bras. S. 2 g.* **1.** *Etnôn.* Indivíduo dos caicais, povo indígena extinto que habitava a margem esquerda do rio Itapicuru, no MA. • *Adj. 2 g.* **2.** Pertencente ou relativo a esse povo. [Tb. us. como *s. 2 g. e 2 n.* (com cap.) e *adj. 2 g. e 2 n.*]

caicaí[2] [Da reduplicação da 3ª pess. sing. do pres. ind. do verbo *cair*, poss.] *S. m. Bras.* Rede para pesca do camarão. [Cf. *cai-cai*.]

caicanha [De or. tupi, poss.] *S. f. Bras. Zool.* Peixe hemulídeo (*Genyatremus luteus*) do Atlântico, desde as Antilhas até SP. Coloração azulada no dorso, argênteo-amarelada no abdome. [Sin.: *carcanha, choupa, corcoroca, sanhoá, saguá*.]

caiçara [Do tupi.] *S. f.* **1.** *Bras.* Estacada de proteção, à volta das tabas ou aldeias indígenas. **2.** *Bras.* Cerca feita de varas ou galhos. **3.** *Bras.* Ramos de árvores, postos dentro da água como armadilha de peixe; curral. **4.** *Bras.* Galhos de árvores abatidas no corte de madeira. **5.** *Bras.* Cercado de madeira, à margem de um rio ou igarapé navegável, para embarque de gado. **6.** *Bras.* Palhoça, junto à praia, para abrigar as embarcações ou apetrechos dos pescadores. **7.** *Bras.* Cerca tosca de troncos e galhos, em torno de uma roça, para impedir a entrada do gado. **8.** *Bras.* Recesso onde o caçador se embosca. • *S. m.* **9.** *Bras. Zool.* V. *sardinha-laje*. **10.** *Bras.* Malandro, vagabundo. • *S. 2 g.* **11.** *Bras. RJ SP* V. *caipira* (1). **12.** *Bras. SP* V. *praiano*[1] (1). **13.** O natural ou habitante de Cananeia (SP). • *Adj. 2 g.* **14.** De, ou pertencente ou relativo a Cananeia (SP).

caiçarada [De *caiçara* (10 a 12) + *-ada*[1].] *S. f. Bras.* **1.** Conjunto de caiçaras. **2.** Dito ou ato de caiçara.

caiçarense *Adj. 2 g.* **1.** De, ou pertencente ou relativo a Caiçara (PB e RS). • *S. 2 g.* **2.** O natural ou habitante de Caiçara.

caiçarense-do-rio-do-vento *Adj. 2 g.* **1.** De, ou pertencente ou relativo a Caiçara do Rio do Vento (RN). • *S. 2 g.* **2.** O natural ou habitante de Caiçara do Rio do Vento. [Pl.: *caiçarenses-do-rio-do-vento*.]

caicau [De or. tupi, poss.] *S. m. Bras. AM Bot.* Árvore morácea (*Ficus maclellandi*) da floresta amazônica, cujo látex fornece uma espécie de borracha, podendo a madeira servir para marcenaria.

caicó [De or. tupi, poss.] *S. m. Bras. N.E.* V. *mulato--velho*.

caicoense (ô) *Adj. 2 g.* **1.** De, ou pertencente ou relativo a Caicó (RN). • *S. 2 g.* **2.** O natural ou habitante de Caicó.

caiçuma [De or. tupi, poss.] *S. f.* **1.** *Bras.* Bebida fermentada, de frutos ou de milho cozido, fabricada por alguns indígenas: 📖 "Meu cunhado Jonas dizia que Ozélia era índia, porque não falava português .... e tomava uma bebida numa cuia, caiçuma" (Milton Hatoum, *Cinzas do Norte*, p. 154). **2.** *Bras. PA* Molho de tucupi engrossado com goma de mandioca, fécula de batata, etc.

caicumana [De or. tupi, poss.] *S. m. Bras. Bot.* Murumuru.

caicurá [De or. tupi, poss.] *S. f. Bras.* Fogueira grande.

caicuxiana *Bras. S. 2 g.* **1.** *Etnôn.* Indivíduo dos caicuxianas [ou (etnôn. bras.) *Kaikuxiana], povo indígena extinto que habitava a margem esquerda do rio Jari, no O. do AP. • *Adj. 2 g.* **2.** Pertencente ou relativo a esse povo.

caída [De *cair* + *-ida*[2].] *S. f.* **1.** Queda[1] (1). **2.** Decadência, declínio. **3.** *Med.* Ptose, prolapso. **4.** *Bras.* V. *vertente* (3).

caideiro (a-i) [De *cair* + *-deiro*.] *Adj. Pop.* V. *caduco* (1).

caidiço (a-i) *Adj.* V. *caduco* (1).

caidinho [De *caído* + *-inho*[1].] *Adj. Bras.* **1.** Muito cansado, triste ou abatido: 📄 *Após a injeção, o bebê ficou caidinho.* **2.** Completamente apaixonado por alguém: 📖 "— Por ela, coitada! estou garantido! — considerava o Barradinhas, pensando nos olhares prometedores de Filomena. — Está caidinha!" (Aluísio Azevedo, *Filomena Borges*, p. 25.)

caído [Part. de *cair*.] *Adj.* **1.** Lançado por terra, derrubado. **2.** Abatido, prostrado, enfraquecido. **3.** Triste, deprimido, desanimado. **4.** Envelhecido. **5.** Que é devido, ou cujo pagamento se atrasou. **6.** *Bras.* Rendido, vencido, subjugado. **7.** *Bras.* Enamorado, apaixonado. ~ V. *caídos, espinhela — e terra —a*.

caidor (a-i... ô) [De *cair* + *-dor*.] *Adj.* **1.** Que cai. • *S. m.* **2.** *Bras. S.* Lugar onde o gado entra ou cai no rio para atravessá-lo a vau.

caídos [Pl. subst. de *caído*.] *S. m. pl.* **1.** Rendimentos vencidos e não pagos. **2.** Desperdícios, restos. **3.**

Bras. Inclinação sentimental; afeição, caimentos: "gênio violento, ... altivo e arrebatado, de par com muitos <u>caídos</u> .... com quem lhe caía no goto" (Visconde de Taunay, *Ao Entardecer*, p. 34). ~ V. *caído*.

caieira [De *caleira*^{2}, poss.] *S. f.* **1.** Fábrica de cal. **2.** Forno onde se calcina o calcário para a fabricação da cal. **3.** *Bras.* Forno de olaria construído com os próprios tijolos que se vão cozer. **4.** *Bras.* V. *sambaqui*. **5.** *Bras. SP* V. *carvoeira* (1). **6.** *Bras.* V. *balão* (11).

caieirense *Adj. 2 g.* **1.** De, ou pertencente ou relativo a Caieiras (SP). • *S. 2 g.* **2.** O natural ou habitante de Caieiras.

caieiro [De *caiar* + *-eiro*.] *S. m.* **1.** Caiador. **2.** Servente de pedreiro.

caiena [Do top. *Caiena* (v. *caienense*).] *S. f.* V. *cana-caiana*.

caienense *Adj. 2 g.* **1.** De, ou pertencente ou relativo a Caiena (Guiana Francesa). • *S. 2 g.* **2.** O natural ou habitante de Caiena.

caiense (a-i) *Adj. 2 g.* **1.** De, ou pertencente ou relativo a São Sebastião do Caí (RS). • *S. 2 g.* **2.** O natural ou habitante de São Sebastião do Caí.

caiguá [Do guar.] *Adj. 2 g. Bras. RS* Silvestre, selvático, bravio.

caim^{1} (a-ím) [Do antr. *Caim*, personagem bíblico, filho de Adão e Eva e que, segundo o Velho Testamento (q. v.), assassinou o irmão Abel.] *S. m.* **1.** Fratricida (1 e 2). **2.** *Fig.* Homem mau, perverso.

caim^{2} (a-ím) [T. onom.] *S. m.* O latido de dor do cão.

caimacão [Do ár. *qāim maqām*, 'lugar-tenente'; 'substituto', de *qāim*, 'reto', 'autêntico', 'firme', e *maqām*, 'lugar', 'situação'; 'cargo'.] *S. m.* Lugar-tenente do grão-vizir, na antiga Turquia.

caimão [Do esp. *caimán*, poss. do taino.] *S. m. Zool.* **1.** Gênero de reptis anfíbios, aligatorídeos, que vivem nas margens de rios e lagoas da América do Sul e América Central. **2.** Qualquer espécie desse gênero, como, p. ex., a *Caiman latirostris*, conhecida popularmente como *jacaré-de-papo-amarelo*. **3.** Qualquer espécime desse gênero.

caimbá (a-i) *S. m. Bras.* Designação que os índios pataxós dão ao dinheiro, designação esta já usada pela população não indígena da região.

câimba *S. f. Bras.* V. *cãiba*: "Pegou nas <u>câimbas</u> do freio; vergastou de rijo as duas ancas do saino." (Valdomiro Silveira, *Os Caboclos*, p. 26.)

caimbé^{1} (a-im) [Do tupi = 'erva rasteira'.] *S. m. Bras. Bot.* V. *sambaíba-de-minas-gerais*.

caimbé^{2} (a-im) *Bras. S. 2 g.* **1.** *Etnôn.* Indivíduo dos caimbés [ou (etnôn. bras.) *Kaimbé], povo indígena que habita o município de Euclides da Cunha, N. da BA. • *Adj. 2 g.* **2.** Pertencente ou relativo a esse povo.

caimberana (bè) [De *caimbé*^{1} + *-rana*.] *S. m. Bras. Bot.* V. *aitá*.

caimbezal (a-im-bè) [De *caimbé*^{1} + *-zal*.] *S. m.* **1.** *Bras. Amaz.* Quantidade mais ou menos considerável de caimbés (v. *caimbé*^{1}) dispostos proximamente entre si. **2.** Área ocupada por caimbezal (1).

câimbra *S. f.* V. *cãibra*: "permanecia no mesmo lugar, sentindo um começo de <u>câimbra</u> no braço esquerdo" (Josué Montelo, *Janelas Fechadas*, p. 226).

câimbro *S. m.* V. *cãibro*.

caimento (a-i) [De *cair* + *-mento*.] *S. m.* **1.** Inclinação, declive, queda: *<u>caimento</u> de telhado; <u>caimento</u> do piso.* **2.** *Fig.* Prostração, languidez, abatimento. **3.** *Mar.* Andamento lateral da embarcação por efeito do vento ou da corrente. **4.** *Mar.* Inclinação maior ou menor do mastro para ré. **5.** *Bras.* Forte inclinação amorosa; paixão. **6.** *Bras.* Grau maior ou menor de flexibilidade ou consistência que o tecido, ou a peça confeccionada, ou parte dela, apresenta, e que o faz cair com elegância no sentido vertical; queda: *Esta seda tem bom <u>caimento</u>; As pregas da saia não ficaram com bom <u>caimento</u>; O <u>caimento</u> da cortina está perfeito.* ~ V. *caimentos*.

caimentos (a-i) [Pl. de *caimento*.] *S. m. pl. Bras.* V. *caídos* (3). ~ V. *caimento*.

caimiteiro [De *caimito* + *-eiro*.] *S. m. Bot.* V. *abieiro*.

caimito [Do aruaque haitiano *caymito*.] *S. m. Bot.* **1.** Árvore sapotácea (*Chrysophyllum cainito*) nativa das Antilhas, de folhas elípticas, flores campanuliformes, em fascículos axilares, e grandes frutos bacáceos, azuis ou roxos, com polpa branca gelatinosa, doce; as sementes são tidas como emolientes, sendo cultivadas por elas, pelos frutos, pela madeira, e pela casca, de propriedades tônicas e excitantes. É us. em arborização. [Var.: *cainiti*, *cainito*. Sin.: *abiu-do-pará, abiu-roxo, folha-dourada, guaraíto*.] **2.** Árvore sapotácea (*Chrisophylum oliviforme*) de folhas ovaladas, flores em fascículos axilares e frutos apreciados pelos macacos. **3.** V. *abieiro*. **4.** O fruto dessas árvores.

caimito-do-monte *S. m. Bras. Bot.* Arvoreta poligalácea (*Moutabea aculeata*) muito frondosa e coberta de espinhos, que vive na floresta pluvial, e cujo fruto, do tamanho de uma maçã, tem polpa amarela, comestível. [Pl.: *caimitos-do-monte*.]

caimo *S. m. Bot.* V. *abieiro*.

▲**-caína** [Do al. *-kain*, de *Kokain*, 'cocaína'.] ***El. comp.*** = 'que tem certas características moleculares, e ação anestésica, análogas às da cocaína': *benzocaína*.

cainamé *S. m. Bras. AM Etnogr.* Duende maléfico dos índios macuxis do alto rio Uraricuera (RR).

cainana *S. f. Bras. Zool.* V. *caninana* (1).

cai não cai [De *cair* + *não* + *cair*.] *S. m. 2 n. Bras. N.E.* Rede muito pensa. ☑

cainca (a-ín) [Do hisp.-amer. *caínca*.] *S. f. Bras. Bot.* Arbusto rubiáceo (*Chiococca brachiata*) escandente, de folhas opostas e estipuladas, flores pequeninas, alvas e congregadas em racemos, e cujo fruto é uma baga branca e pequena. A casca da raiz fornece uma infusão muito amarga, considerada tóxica. [Sin.: *raiz-de-frade*.]

cainça (a-ín) [Do lat. **canitia* < lat. *canis*, 'cão'.] *S. f.* V. *canzoada* (1).

cainçada (a-in) [De *cainça* + *-ada*^{1}.] *S. f.* **1.** V. *canzoada* (1). **2.** *Bras.* Latidos, ladridos.

cainçalha (a-in) [De *cainça* + *-alha*.] *S. f.* V. *canzoada* (1).

caindo das molas [Do ger. do v. *cair* + o pl. de *da*^{1} + o pl. de *mola*^{1}.] *S. m. 2 n. Bras. PE Folcl.* Passo do frevo que serve de ligação entre o dançarino de pé e agachado, com total flexão das pernas, abaixando o corpo apoiado alternativamente nos calcanhares e nas pontas dos pés. ☑

caingangue (a-in) *S. 2 g. Bras.* **1.** *Etnôn.* Indivíduo dos caingangues [ou (etnôn. bras.) *Kaingang], povo indígena que habita SP, PR, SC e RS. • *S. m.* **2.** *Gloss.* Subgrupo da família linguística jê, tronco macro-jê, que inclui, além do caingangue, o xoclengue (SC). • *Adj. 2 g.* **3.** Pertencente ou relativo a caingangue (2) ou aos caingangues.

cainhar^{1} (a-i) [De *caim*^{2} + *-ar*^{2}.] *V. int.* Latir dolorosamente (o cão): "Um cachorro continuava latindo .... . Depois deu um ganido e fugiu <u>cainhando</u>." (Bernardo Élis, *O Tronco*, p. 109.) [Norm. é unipess.]

cainhar^{2} (a-i) [De *cainho*^{2} + *-ar*^{2}.] *V. int. Bras.* **1.** Fazer mesquinharias. **2.** Recusar-se a ceder a outrem qualquer coisa de pouca ou nenhuma importância.

cainheza (a-i... ê) [De *cainho*^{2} + *-eza*.] *S. f.* Qualidade ou procedimento de cainho^{2}; avareza, mesquinharia, somiticaria.

cainho^{1} (a-í) [Do lat. *caninu*.] *Adj.* Próprio de cão.

cainho^{2} (a-í) *Adj. S. m.* V. *avaro* (1 e 3).

cainiti *S. m. Bot.* V. *caimito* (1).

cainito *S. m. Bot.* V. *caimito* (1).

cainotério [Do tax. *Cainotherium*.] *S. m. Paleont.* **1.** Gênero extinto de mamíferos herbívoros, pequenos, com molares de coroa alta, ancestrais dos atuais camelídeos. **2.** Espécie ou espécime desse gênero.

caio [Dev. de *caiar*.] *S. m.* **1.** V. *caiação*. **2.** Caiadura: "Ia fora a garoa matinal esgarçando-se e acentuando os contornos do casario, que principiava a debuxar-se dentre o <u>caio</u> alvacento das fachadas" (Hugo de Carvalho Ramos, *Tropas e Boiadas*, p. 68).

caiongo *Adj. Bras.* **1.** V. *avelhentado*. **2.** Enfraquecido, debilitado: "Estava <u>caiongo</u>, inútil, aleijado" (Nélson de Faria, *Tiziu e Outras Estórias*, p. 150).

caiová *Bras. S. 2 g.* **1.** *Etnôn.* Indivíduo dos caiovás, subgrupo indígena guarani cujos remanescentes vivem no litoral de SP, ao S. de Santos, no PR e em SC. • *Adj. 2 g.* **2.** Pertencente ou relativo a esse subgrupo. [Tb. us. como *s. 2 g. e 2 n.* (com cap.) e *adj. 2 g. e 2 n.*]

caipira [De or. controversa; tupi, poss.] *S. 2 g.* **1.** *Bras. S.* Habitante do campo ou da roça, particularmente os de pouca instrução e de convívio e modos rústicos e canhestros. [Sin., sendo alguns regionais: *araruama, babaquara, babeco, baiano, baiquara, beira-corgo, beiradeiro, biriba* ou *biriva, botocudo, brocoió, bruaqueiro, caapora, caboclo, caburé, cafumango, caiçara, cambembe, camisão, canguaí, canguçu, capa-bode, capiau, capicongo, capuava, capurreiro, cariazal, casaca, casacudo, casca-grossa, catatuá, catimbó, catrumano, chapadeiro, curau, curumba, groteiro, guasca, jeca, jacu, macaqueiro, mambira, mandi* ou *mandim, mandioqueiro, mano-juca, maratimba, mateiro, matuto, mixanga, mixuango* ou *muxuango, mocorongo, moqueta, mucufo, pé-duro, pé no chão, pioca, piraguara, piraquara, queijeiro, restingueiro, roceiro, saquarema, sertanejo, sitiano, tabaréu, tapiocano, urumbeba* ou *urumbeva*.] • *S. m.* **2.** *Bras. N.E.* Jogo de parada, com um dado apenas, ou roleta, entre gente de condição humilde. • *Adj. 2 g.* **3.** *Bras.* Diz-se do caipira (1); biriba ou biriva, matuto, sertanejo. **4.** *Bras.* Pertencente ou relativo a, ou próprio de caipira (1); biriba ou biriva, jeca, matuto, roceiro, sertanejo. **5.** *Bras.* Diz-se do indivíduo sem traquejo social; cafona, casca-grossa. **6.** *Bras.* Diz-se das festas juninas e do traje típico usado nessas festas. [Cf. (nas acepçs. 1, 3, 4 e 5) *provinciano*.] ~ V. *pagode —*.

caipirada [De *caipira* + *-ada*^{1}.] *S. f. Bras.* **1.** Grupo ou ajuntamento de caipiras. **2.** Ação, atitude, modos, costumes, próprios de caipira (1); caipirice, caipirismo, caipiragem.

caipiragem [De *caipira* + *-agem*^{2}.] *S. f. Bras.* V. *caipirada* (2).

caipirice [De *caipira* + *-ice*.] *S. f. Bras.* V. *caipirada* (2).

caipirinha [De *caipira* + *-inha*.] *S. f.* **1.** *Bras.* Bebida feita com limão em rodelas ou macerado, açúcar e gelo, batidos com aguardente. **2.** *Bras. RJ* Pequeno botequim, sem mesas, onde se servem bebidas e salgadinhos no balcão.

caipirismo [De *caipira* + *-ismo*.] *S. m. Bras.* V. *caipirada* (2).

caipiríssima [De *caipira* + *-íssima*, do f. de *-íssimo*, formador de superlativos.] *S. f.* Caipirinha em que, em vez de cachaça, se usa vodca; caipivodca.

caipivodca [Cruz. de *caipi(rinha)* + *vodca*.] *S. f.* Caipiríssima.

caipora [Do tupi = 'morador do mato'.] *S. m. e f. Bras.* **1.** *Folcl.* Ente fantástico oriundo da mitologia tupi, representado, segundo as regiões, ou com a forma de uma mulher unípede que anda aos saltos, ou como uma criança de cabeça grandíssima, ou como um caboclinho encantado, ou como um homem agigantado, montado num porco-do-mato, ou com um pé só, redondo, seguido do cachorro papa-mel, etc.; caapora: "Ouvia muitas vezes dizerem que se aplacava a ira dos <u>caiporas</u>, deixando-lhes nas encruzilhadas fumo de corda." (Povina Cavalcanti, *Volta à Infância*, p. 88); "Menino de engenho, criado a ouvir histórias de Trancoso, ... arrepiado com as façanhas do papa-figo, do lobisomem e da <u>caipora</u> ...., não é de estranhar que cedo me afeiçoasse ao Folclore" (José Maria de Melo, *Enigmas Populares*, p. 13). • *S. m.* **2.** *Rel.* Nos candomblés de caboclo e seus afins, encantado (6) que corresponde à Oçânhim dos nagôs. • *S. 2 g.* **3.** Indivíduo que pela simples presença provoca infelicidade, azar. **4.** Indivíduo azarado, infeliz. • *S. f.* **5.** V. *caiporismo*. • *Adj. 2 g.* **6.** Diz-se do indivíduo sem sorte e/ou que dá azar; azarado.

caiporice [De *caipora* + *-ice*.] *S. f. Bras.* V. *caiporismo*.

caiporismo [De *caipora* + *-ismo*.] *S. m. Bras.* Má sorte ou infelicidade constante em acontecimentos fortuitos ou em tudo que se intenta; caipora, caiporice, azar, cábula, cafifa, canfinfa, caguira, enguiço, galinhaço, inhaca, jetatura, macaca, mofina, pé, pé-frio, peso, tanglomanglo ou tangolomango, urucubaca.

caíque [Do turco, poss. pelo it. *caicco* e pelo fr. *caïque* (ant. *caïc* e *caïq*).] *S. m.* **1.** *Lus.* Embarcação de pesca ou de carga, com dois mastros que envergam velas bastardas quadrangulares, de proa elevada, popa de painel, e convés corrido, e usualmente com quatro escotilhas. **2.** Embarcação miúda, comprida e estreita, de proa e popa elevadas. **3.** *Bras.* Pequena embarcação para transporte a curtas distâncias, para recreio, etc. **4.** *Bras. RS* Pequena embarcação de dois mastros. [Cf. *caiaque*.]

cair [Do lat. *cadere*.] *V. int.* **1.** Ir ao chão, em virtude do próprio peso, por desequilíbrio, etc.: *Tanto se debruçou na janela, que <u>caiu</u>.* **2.** Descer sobre a terra: *<u>Caíam</u> chuvas torrenciais;* "A chuva <u>cai</u>." (Manuel Bandeira, *Estrela da Vida Inteira*, p. 36). **3.** Sucumbir, morrer: *Ergueu-se um monumento aos soldados que <u>caíram</u> durante a batalha.* **4.** Descer, abaixar, arriar: *O pano <u>cai</u> ao fim de cada ato.* **5.** Ter caimento (6): *Esta cortina <u>cai</u> bem; Este tecido <u>cai</u> mal para calças.* **6.** Ser bem aceito; descer bem (ger. bebida alcoólica): "Este conhaque <u>caiu</u> redondinho, Vitória" (Chico Buarque de Holanda, *Ópera do Malandro*, p. 153). **7.** Deixar de estar fixo pela raiz: *Com a tintura, seus cabelos <u>caíram</u>.* **8.** Diminuir de nível, ou de valor; sofrer redução; baixar, diminuir: *<u>cair</u> a temperatura; <u>cair</u> a produção; Os preços <u>caíram</u> muito nos últimos meses.* **9.** Desvalorizar-se (moeda, título, etc.). **10.** Perder a força, ou a intensidade; fraquejar, decair: *No início do terceiro ato, sua voz <u>caíra</u> sensivelmente;* "Lembrou-se da vez em que ela estivera doente, muito mal, quase morrera, emagrecera muito, ia <u>caindo</u> cada vez mais" (Antônio Olinto, *Copacabana*, p. 25). **11.** Perder a qualidade; tornar-se pior, ou aquém das expectativas: *O ensino <u>caiu</u> muito, naquele colégio.* **12.** Perder a graça, ou a importância, a vivacidade; esmorecer: *Depois do almoço, a conversa <u>caiu</u>.* **13.** Ser interrompido (ligação telefônica, ou outro tipo de sistema de comunicação a distância por meio de equipamentos elétricos ou eletrônicos): *A linha <u>caiu</u> e não pudemos continuar a conversa por telefone.* **14.** Apresentar falha ou interrupção no seu sistema de comunicação, deixando, assim, de funcionar. **15.** Ser destituído de poder, cargo, função, etc.: *O governador <u>caiu</u>; Espera-se que o atual Ministério <u>caia</u>.* **16.** Ser dominado, tomado pelo inimigo: *Após seis dias de cerco, a cidade <u>caiu</u>.* **17.** Ser vítima de logro: *Armaram-lhe uma cilada e ele <u>caiu</u>; <u>Caiu</u> como um patinho.* **18.** Abrandar, serenar, amainar: *O vento <u>caiu</u>.* **19.** Ceder em detrimento do dever ou da virtude, ou da honra. **20.** Entregar-se à prostituição: *Quantas mulheres caem, arrastadas pela miséria!* **21.** Perder a validade, ou a legalidade; tornar-se nulo: *Essa portaria já caiu há alguns anos.* **22.** Cair de moda (q. v.): *A maxissaia caiu em pouco tempo.* **23.** Não ter bom êxito, desagradar (peça teatral): "— Cousas do teatro, disse Evaristo ao autor, para consolá-lo. Há peças que caem. Há outras que ficam no repertório." (Machado de Assis, *Várias Histórias*, p. 207.) *T. c.* **24.** Vir, chegar, descendo: *Seus cabelos caíam até a cintura.* **25.** Romper com ímpeto; desencadear: *Grandes tempestades caíram sobre o Rio.* **26.** Descer sobre; envolver: *Uma grande tristeza caiu por toda a vila.* **27.** Ocorrer, dar-se (em determinada época); bater: *O Natal do ano passado caiu numa quarta-feira; O carnaval daquele ano caíra em fevereiro.* **28.** Desaparecer, sumir, ou perder-se, em: "O capitão caiu na caatinga não faz duas semanas" (José Lins do Rego, *Cangaceiros*, p. 20); *Caiu no mundo aos vinte anos.* **29.** Cair (1) de certa altura; despencar: *Caiu do 10º andar e sobreviveu.* **30.** Atirar-se, jogar-se: *cair na piscina; cair nos braços da amada.* **31.** Estar suspenso ou pendente; pender: *Um belíssimo lustre caía do teto; Os cabelos caíam-lhe sobre os olhos.* **32.** Chegar a: *Como a minha correspondência caiu nas suas mãos?* **33.** *Esport.* Movimentar-se, buscando o jogo em (certo ponto do campo ou da quadra); jogar: *Um time não pode cair todo pelo meio do campo.* *T. i.* **34.** Tocar; caber; recair: *A escolha final caiu no candidato mais bem dotado.* **35.** Atacar (o inimigo) inesperada e violentamente, impossibilitando-lhe, desta forma, a defesa. **36.** Pôr-se repentinamente; começar: *De repente a criança caiu a chorar; cair num sono profundo.* **37.** Chegar, sobrevir, inesperadamente. **38.** Incorrer, incidir: *cair em falta;* "E Jesus? O poeta Schmidt [Augusto Frederico Schmidt] recusa estudá-lo para não cair em heresia" (Osório Borba, *A Comédia Literária*, p. 110). **39.** Ceder a (sentimento intenso); ser dominado por: *cair em desespero; cair na tristeza.* **40.** *Pop.* Participar ativamente de; entrar: *cair na farra.* **41.** Condizer, combinar; harmonizar-se; ir: *Esta gravata cai muito bem com o terno.* **42.** *Pop.* Sentir-se fortemente atraído por; apaixonar-se: *Caiu pela noiva do amigo.* **Bit. c.** **43.** Cair (8): *Ontem a temperatura caiu de 21 para 14 graus.* **Pred.** **44.** Ficar, tornar-se: *Infelizmente, toda a tropa caiu prisioneira.* [Irreg. Pres. ind.: *caio, cais, cai, caímos, caís, caem*; pret. imp.: *caía*, etc.; perf.: *caí, caíste, caiu*, etc.; pres. subj.: *caia*, etc. Cf. a 2ª pess. pl. do fut. do pres., *caireis*, com *cairéis*, pl. de *cairel*, e *cais*, s. m. 2 n.] ◆ **Cair bem.** Ser bem aceito; agradar; soar bem. **Cair de quatro.** **1.** Cair de joelhos e com as mãos de encontro ao chão, a sustentarem o corpo. **2.** *Fig.* Ter uma surpresa muito grande; espantar-se, surpreender-se ao extremo: *Ao ler o nome do filho entre os dos contraventores, caiu de quatro.* **Cair doente.** Adoecer, enfermar: "Cair doente e passar a vida inteira / Com a boca junto de uma escarradeira, / Pintando o chão de coágulos sanguíneos" (Augusto dos Anjos, *Eu*, p. 53). **Cair em si.** **1.** Reconhecer o seu erro. **2.** Voltar à realidade; deixar de estar abstraído, distraído, ausente: *Só depois de José sair foi que Zuzu caiu em si e procurou enfrentar a nova situação.* **Cair fora.** V. *fugir* (2). **Cair mal.** Não ser bem aceito; desagradar; soar mal: *O discurso do ministro caiu mal.* **Cair matando.** *Bras. Gír.* Avançar; atirar-se: "Todos estavam famintos e caíram matando em cima dos salgadinhos." (Jorge Bastos Moreno, em *O Globo*, 25.11.2006.) **Cair redondamente.** **1.** Estatelar-se, esparramar-se. **2.** Ser logrado, enganado; cair na esparrela. **O cair das flores.** *Poét.* V. *outono* (1): "Para a Espanha, em outubro, na partida / Da primavera, no cair das flores, / Segui..." (Raimundo Correia, *Poesias*, p. 113). **O cair das folhas.** *Poét.* V. *outono* (1): "Ouvi estes carmes que eu compus no exílio, / Ouvi-os vós todos, meus bons portugueses! / Pelo cair das folhas, o melhor dos meses" (Antônio Nobre, *Só*, p. 10).

cairara [De or. indígena, poss.] *Adj. 2 g. Bras.* Muito grande; enorme.

cairé *S. m. Bras. Zool.* V. *sanhaço-frade.*

cairel [Do provenç. *cairel.*] *S. m.* **1.** Fita ou galão estreito para debruar; debrum. **2.** Borda, beira: "O lavrador, já no cairel do abismo, vendidas as melhores propriedades, quis reagir." (Camilo Castelo Branco, *Novelas do Minho*, III, pp. 49-50.) [Pl.: *cairéis*. Cf. *caireis*, do v. *cair*.]

cairelar [De *cairel* + *-ar*².] *V. t. d.* V. *acairelar.*

cairi [De or. afr., poss.] *S. m. Bras. Cul.* Galinha refogada com azeite de dendê, pimenta e pevide de abóbora; cacica.

cairina *S. f. Bras. Zool.* V. *pato-do-mato.*

cairiri *S. 2 g. Adj. 2 g. Bras.* V. *cariri*¹ (1 e 3).

cairo [Do tâmil *kayiru*.] *S. m.* Fibra extraída da casca seca de cocos, de que se fazem cordas, cabos, amarras, etc.

cairomónio *S. m. Quím.* V. *cairomônio.* [Uso freq. em P.]

cairomônio [Do ingl. *kairomon* < gr. *kairós*, 'o que é conveniente, ou oportuno, ou favorável', + ingl. *(hor)mone*.] *S. m. Quím.* Substância aleloquímica cuja ação beneficia o organismo receptor.

cairota *Adj. 2 g.* **1.** Do, ou pertencente ou relativo ao Cairo, capital do Egito. ● *S. 2 g.* **2.** O natural ou habitante do Cairo.

cairuçu [Do tupi = 'a queimada grande'.] *S. m. Bras. Bot.* Designação comum às várias apiáceas do gênero *Hydrocotyle*, ervas rasteiras providas de folhas arredondadas e pequenas flores alvas.

cairuense *Adj. 2 g.* **1.** De, ou pertencente ou relativo a Cairu (BA). ● *S. 2 g.* **2.** O natural ou habitante de Cairu.

cais [Do gaulês, pelo fr. *quai*.] *S. m. 2 n.* **1.** Parte de um porto¹ (q. v.), na qual se efetua o embarque e desembarque de passageiros e carga. **2.** *P. ext.* Plataforma para embarque e desembarque, nas estações ferroviárias. [Cf. *caís*, do v. *cair*.] ◆ **Cais acostável.** Cais onde as embarcações podem acostar, geralmente a uma muralha que arrima um terrapleno. **Cais de saneamento.** Muralha de contenção de um aterro lançado sobre terreno pantanoso ou sujeito a enchentes ou marés.

cáiser [Do al. *Kaiser*.] *S. m.* Designação do imperador na Alemanha, depois de sua unificação, no séc. XIX, até a instituição da república, pelo fim da I Guerra Mundial. [Pl.: *cáiseres*.]

caitatu *S. m. Bras. Zool.* V. *caititu* (1).

caité [Var. de *caeté*, poss.] *S. m. Bot.* V. *arumarana.* [Cf. *caeté, caaetê* e *caetê*.]

caité-pena-de-pavão [De *caité* + *pena*¹ + *de* + *pavão*.] *S. m. Bras. Bot.* Maranta-pavão. [Pl.: *caités-penas-de-pavão* ou *caités-pena-de-pavão*.]

caité-roxo *S. m. Bras. Bot.* Marantácea (*Calathea louisae* ou *Maranta louisae*) rizomatosa, acaule, perene, com até 60cm; tem folhagem ornamental, com o dorso arroxeado, e pequeninas flores alvas, em inflorescências que crescem a partir da bainha. [Pl.: *caités-roxos*.]

caité-vermelho *S. m. Bras. Bot.* Musácea (*Heliconia bihai*) com até 3m; tem folhas grandes, glabras, com longo pecíolo e nervação paralela, curvilínea, inflorescências eretas, com duas séries de brácteas rijas, e pequeninas flores alvas. [Sin.: *pássaro-de-fogo*. Pl.: *caités-vermelhos*.]

caitité [De or. indígena, poss.] *S. m. Bras. BA Zool.* V. *serelepe* (1).

caititu [Do tupi.] *S. m. Bras.* **1.** *Zool.* Mamífero artiodáctilo, taiaçuídeo (*Tayassu tajacu*), da região cisandina da América do Sul. Pelagem anelada de branco, ou amarelo e negro, ou castanho-claro, resultando numa coloração rosada; linha de longos pelos no pescoço, e patas pretas, com faixa característica em forma de colar branco cingindo o pescoço até os ombros. [Var.: *caitatu, caitetu, taititu*. Sin.: *cateto, tateto, pecari*, e (impr.) *porco-do-mato*.] **2.** Peça principal do aparelho de ralar mandioca: um cilindro de madeira ao longo do qual se adaptam serrilhas metálicas, com uma das extremidades conformada em roldana de gorne para a passagem da correia ou corda que imprime a rotação; rodete. **3.** *Bras. Pop.* Pessoa que, por meio de visitas, insistência verbal, distribuição gratuita de discos e partituras, e até pelo suborno, busca promover, em lojas de discos, estações de rádio, estações de televisão, festas de clubes, etc., a execução de composições musicais (populares) suas ou de outrem.

caitituada [De *caititu* (3) + *-ada*¹.] *S. f. Bras. Pop.* **1.** Esforço levado a cabo pelo caititu (3). **2.** O resultado desse esforço.

caitituagem [De *caititu* (3) + *-agem*².] *S. f. Bras. Pop.* Ato ou efeito de caitituar.

caitituar [De *caititu* (3) + *-ar*².] *V. int. Bras. Pop.* Agir como caititu (3).

caiuense *Adj. 2 g.* **1.** De, ou pertencente ou relativo a São João do Caiuá (PR). ● *S. 2 g.* **2.** O natural ou habitante de São João do Caiuá. [Sin. ger.: *são-joanense*.]

caíva [Var. de *caíba*.] *S. f. Bras. S.* **1.** Mato carrasquento. **2.** *P. ext.* Terreno pobre, impróprio à cultura.

caixa [Do lat. *capsa*, pelo cat. *caixa*.] *S. f.* **1.** Recipiente ou receptáculo de madeira, papelão, metal, ou outro material, com tampa ou sem ela, com faces geralmente retangulares ou quadradas, como uma arca, um cofre, um estojo, etc. [Aum. irreg.: *caixão*. Dim. irreg.: *caixeta, caixote, caixola*.] **2.** O conteúdo de uma caixa: *Tomou uma caixa de injeções.* **3.** Peça ou objeto que resguarda ou contém outra peça ou objeto: *caixa de marchas; caixa de engrenagens.* **4.** Seção de bancos, casas comerciais, repartições públicas, etc., destinada a efetuar pagamentos ou recebimentos de dinheiro, cheques, valores, etc. **5.** *P. ext.* Local onde trabalha o encarregado dessas operações. **6.** *Cont.* Título da conta que registra o movimento de dinheiro. **7.** *Econ.* Disponibilidade em dinheiro; encaixe: *A empresa aplica seus excedentes de caixa no mercado financeiro.* **8.** *Eng.* Parte da estrada onde se lança a brita. **9.** *Jur. Com.* Armador-gerente. **10.** Designação comum a vários instrumentos de percussão do gênero tambor (q. v.): *O menino tocava caixa na banda do colégio.* **11.** *Teatr.* V. *palco* (3). **12.** *Tip.* Cada uma das gavetas do cavalete, divididas horizontalmente em duas seções (caixa alta e caixa baixa), subdividindo-se estas em vários caixotins, onde se distribuem os tipos, separados por sortes. **13.** V. *caixote* (3). **14.** *Edit.* Boxe (6). ● *S. m.* **15.** Livro comercial auxiliar onde se registram entradas e saídas de dinheiro. ● *S. 2 g.* **16.** Pessoa que tem a seu cargo a caixa (4). [Cf. *cacha*, do v. *cachar* e s. f., e *caxa*.] ◆ **Caixa acústica.** *Eletrôn.* Sonofletor (q. v.). **Caixa alta.** *Tip.* Seção superior da caixa tipográfica, em cujos caixotins se distribuem as letras maiúsculas. [Cf. *caixa-alta*.] **Caixa aspirante.** *Ind. Pap.* Cada um dos aparelhos colocados por baixo da tela da máquina de papel, para apressar, por meio de sucção, a secagem da folha; caixa de sucção, caixa-bomba. **Caixa automático.** V. *caixa eletrônico.* **Caixa baixa.** *Tip.* Seção inferior da caixa tipográfica, em cujos caixotins se distribuem as letras minúsculas. [Cf. *caixa-baixa*.] **Caixa cega.** *Tip.* A que não tem subdivisões, usada para guardar clichês ou tipos de grande corpo. **Caixa chata.** *Mús.* V. *tarol.* **Caixa craniana.** *Anat.* Porção óssea da cabeça que contém o encéfalo. **Caixa das almas.** Pequeno cofre, nas igrejas ou noutros locais, onde se depositam esmolas. **Caixa de ar.** Espaço ventilado que fica entre o solo e o soalho de um edifício; porão. **Caixa de brancos.** *Tip.* Caixa tipográfica para guardar espaçaria; caixa de espaços. **Caixa de cambas.** *Tip.* Parte da linotipo onde fica o conjunto das cambas que acionam o mecanismo de escape. **Caixa de câmbio.** *Mec.* V. *caixa de marchas.* **Caixa de cena.** *Teatr.* V. *palco* (3). **Caixa de descarga.** Pequeno depósito, embutido ou simplesmente fixado na parede, ou apoiado no aparelho sanitário, e destinado à retenção da água da lavagem das bacias de privadas. **Caixa de diálogo.** *Inform.* Numa interface gráfica, janela apresentada por programa para exibir ou solicitar informações a serem fornecidas pelo usuário. **Caixa de distribuição.** *Tip.* Caixa seletora (q. v.). **Caixa de emendas.** *Tip.* Pequena caixa tipográfica onde se transporta o material necessário a emendas de máquina; caixotim de correção. **Caixa de entrada.** *Ind. Pap.* Recipiente que, constituindo o primeiro elemento da máquina de papel, recebe a massa saída do depurador e a despeja, de modo regular e contínuo, sobre a mesa de fabricação, onde começa a formar-se a folha. **Caixa de escada.** *Arquit.* Espaço ocupado por uma escada, desde o pavimento inferior até o último pavimento; bomba. **Caixa de espaços.** *Tip.* Caixa de brancos. **Caixa de grão.** Câmara de madeira usada no processo de gravura a água-tinta, e dentro da qual se faz circular resina em pó, que depois se deixa lentamente pousar sobre a placa, em camada mais ou menos rarefeita, para obtenção do meio-tom. **Caixa de marchas.** *Mec.* Conjunto de engrenagens que permitem a variação adequada das marchas de um veículo; caixa de mudanças, caixa de câmbio, caixa de velocidades: "Então o 'Hudson' volveu a dar prejuízo, ... rebentava diariamente as câmaras de ar, ... a caixa de marchas estava desarranjada..." (Jorge de Lima, *Salomão e as Mulheres*, p. 115.) **Caixa de matrizes.** *Tip.* Caixilho móvel de metal que encerra as matrizes da monotipo. **Caixa de mudanças.** *Mec.* V. *caixa de marchas.* **Caixa de música.** *Mús.* Instrumento mecânico, geralmente de pequenas dimensões, que, posto em movimento, executa uma ou mais melodias. **Caixa de navalhas.** *Tip.* V. *bloco de navalhas.* **Caixa de Pandora.** V. *boceta de Pandora.* **Caixa de pesos.** *Fís.* Conjunto de pesos aferidos, destinados a servir de padrões de comparação nas pesadas, e que de ordinário são calibrados em massa. **Caixa de reserva.** *Tip.* V. *caixa de sobras.* **Caixa de ressonância.** **1.** Nos teatros e salas de concerto, espaço vazio, em geral debaixo da orquestra, deixado pelos arquitetos para reforço dos sons. **2.** O corpo principal da maior parte dos instrumentos de corda. **Caixa de rufo.** *Mús.* Tambor-surdo de tipo médio e fuste mais alto que a caixa-clara; caixa de guerra, tambor militar. **Caixa de sobras.** *Tip.* Grande caixa tipográfica, que serve de depósito para reabastecimento das caixas comuns; caixa de sortes, caixa de reserva. **Caixa de sorte.** *Tip.* V. *caixa de sobras.* **Caixa de sucção.** *Ind. Pap.* V. *caixa aspirante.* **Caixa de teatro.** *Teatr.* V. *palco* (3). **Caixa de transferência.** *Tip.* Parte da linotipo onde a linha de matrizes passa do primeiro para o segundo elevador. [V. *caixa seletora*.] **Caixa de velocidades.** *Mec.* V. *caixa de marchas.* **Caixa do catarro.** *Bras. Pop.* Os pulmões. **Caixa do expulsor.** *Tip.* Parte da linotipo onde se movem as lâminas que transferem ao galeão as linhas fundidas. **Caixa dois.** *Com. Ind.* Controle de recursos desviados da escrituração legal, com o objetivo de sonegá-los à tributação fiscal. [Cf. *economia invisível* e *contabilidade paralela*.] **Caixa do molde.** *Tip.* Abertura do molde das máquinas compositoras, onde se fundem os tipos ou as linhas-blocos. **Caixa do palco.** *Teatr.* V. *bastidores* (2). **Caixa dos espaçadores.** *Tip.* Conjunto de peças da linotipo que recebem os espaçadores, coletados pela pinça (8), e os transferem ao componedor. **Caixa do teatro.** *Teatr.* V. *palco* (3). **Caixa do tímpano.** *Anat.* Em cada orelha, a parte situada entre a membrana do tímpano e a parede externa do labirinto. **Caixa do tinteiro.** *Art. Gráf.* A parte principal do tinteiro das prensas: espécie de calha metálica dentro da qual gira um cilindro de aço que distribui a tinta ao rolo tomador. **Caixa econômica.** 1. *Econ.* Estabelecimento bancário governamental, inicialmente concebido com o objetivo de captar pequenas poupanças. 2. *Turfe Gír.* Cavalo que chega seguidamente entre os primeiros colocados, levantando para seu proprietário boa soma de dinheiro em prêmios. **Caixa eletrônico.** Designação popular do equipamento que, conectado a um sistema de computador, presta serviços bancários a usuários através de comunicação interativa; caixa automático: "Aposentados não sacarão R$ 151,00 em caixas eletrônicos." (*O Globo*, 03.04.2000.) [Ger. realiza várias operações bancárias: fornece saldo, extrato, dinheiro vivo; atualiza a conta; recebe depósitos, etc.] **Caixa grande.** *Mús.* V. *bombo* (1). **Caixa pequena.** *Bras.* O total da moeda manual de uma firma, que é utilizado em emergências ou para gastos e compras de pequeno vulto. **Caixa postal.** Pequena caixa ou nicho, com porta e chave, nas agências postais, onde se deposita a correspondência destinada a pessoa, instituição ou empresa locatária da caixa. [Sin. (lus.): *apartado*.] **Caixa registradora.** V. *máquina registradora*. **Caixas de ressonância.** *E. Ling.* V. *ressonância* (5). **Caixa seletora.** *Tip.* No distribuidor da linotipo, a parte onde se processa a passagem das matrizes do segundo elevador para os fusos distribuidores; caixa de distribuição. [V. *caixa de transferência*.] **Caixa torácica.** *Anat.* Gaiola torácica (q. v.). **Bater caixa.** *Bras.* 1. Anunciar fato auspicioso. 2. Contar vantagens. **Calar a caixa.** Calar a boca, deixar de falar: "Um quartilho de vinho a quem lhe fizer calar a caixa! — gritou o Quaresma para os patuleias da sua terra." (Aquilino Ribeiro, *Andam Faunos pelos Bosques*, p. 66.) **De caixa.** Diz-se do regime contábil no qual os pagamentos ou recebimentos são lançados na data em que são efetuados. **De caixa alta.** *Bras. Gír.* Com muito dinheiro: *Hoje pago tudo: estou de caixa alta*. **De caixa baixa.** *Bras. Gír.* Com pouco dinheiro: *Agora ando de caixa baixa*. **Em caixa.** Diz-se de importância monetária prontamente disponível: *dinheiro em caixa*.

caixa-alta [De *caixa* + o f. de *alto*[2].] *S. f.* 1. *Tip.* V. *letra de caixa-alta*. ● *S. 2 g.* 2. *Bras. Gír.* Pessoa riquíssima. ● *Adj. 2 g.* 3. *Bras. Gír.* Diz-se de pessoa muito rica. [Pl.: *caixas-altas*. Cf. *caixa alta*.]

caixa-baixa [De *caixa* + o f. de *baixo*.] *S. f. Tip.* V. *letra de caixa-baixa*. [Pl.: *caixas-baixas*. Cf. *caixa baixa*.]

caixa-bomba *S. f. Ind. Pap.* V. *caixa aspirante*. [Pl.: *caixas-bombas* e *caixas-bomba*.]

caixa-clara [De *caixa* + o f. de *claro*.] *S. f. Mús.* Tambor (3) de fuste médio, com bordões na membrana inferior, o que lhe confere uma sonoridade vibrante, e cujo registro (contralto ou soprano) depende das dimensões do instrumento; caixa de guerra, tambor de guerra. [Pl.: *caixas-claras*.] [Cf. *tarol*.]

caixa-d'água *S. f.* 1. Reservatório de água, quer para abastecimento de uma cidade ou bairro, quer de um edifício. ● *S. m.* 2. *Bras.* V. *ébrio* (8). [Pl.: *caixas-d'água*.]

caixa de catarro *S. f. Bras. Pop.* O nariz; pau de catarro. [Pl.: *caixas de catarro*.]

caixa de fósforos *S. m.* 1. *Bras.* Bonde pequeno. 2. *Bras.* Recinto muito pequeno: *Mora numa caixa de fósforos*. 3. *Bras. SP* V. *favela*[1] (1). [Pl.: *caixas de fósforos*.]

caixa de guerra *S. f. Mús.* 1. V. *caixa-clara*. 2. V. *caixa de rufo*. [Pl.: *caixas de guerra*.]

caixa de óculos *S. 2 g.* Pessoa que usa óculos; caixa-d'óculos. [Pl.: *caixas de óculos*.]

caixa de rua *S. f. Urb.* Parte dos logradouros [v. *logradouro*[2] (1)]destinada ao rolamento de veículos. [Pl.: *caixas de rua*.]

caixa-d'óculos *S. 2 g.* Caixa de óculos. [Pl.: *caixas-d'óculos*.]

caixa-forte *S. f.* Dependência de banco, estabelecimento comercial, repartição pública, etc., à prova de fogo e de roubo, destinada à guarda de dinheiro, documentos e/ou outros valores; cofre-forte. [Pl.: *caixas-fortes*.]

caixana *Bras. S. 2 g.* 1. *Etnôn.* Indivíduo dos caixanas [ou (etnôn. bras.) *Kaixana], povo indígena que habita o AM. ● *Adj. 2 g.* 2. Pertencente ou relativo a esse povo.

caixão [De *caixa* + *-ão*[1].] *S. m.* 1. Caixa grande. 2. Caixa comprida, geralmente de tampa abaulada, para depositar o corpo dos mortos e conduzi-los à sepultura; caixão de defunto, féretro, ataúde, esquife, tumba, urna funerária. 3. Caixa onde o servente deposita a argamassa que o pedreiro aplica. 4. Artesão[2] de teto, de abóbada, etc. 5. Mesa de trabalho do ourives. 6. *Bras. Constr.* V. *marco*[1] (5). 7. *Bras.* V. *caixote* (3). 8. *Bras. AM PA* O fundo do rio. [Quando o rio está muito seco, diz-se que *está no caixão*. Cf. *cachão*.] ◆ **Caixão de defunto.** V. *caixão* (2). [Cf. *caixão-de-defunto*.] **Caixão do reator.** *Eng. Nucl.* Recipiente principal que envolve o núcleo de um reator nuclear; recipiente do reator, vaso do reator. **Estar no caixão.** *Bras. N. N.E.* V. *caixão* (8): "Era perigoso avançar: podíamos encalhar. O rio estava no caixão." (Peregrino Júnior, *A Mata Submersa*, p. 302.)

caixão-de-defunto *S. m. Bras. Zool.* Inseto lepidóptero, papilionídeo (*Papilio thoas brasiliensis*), cuja coloração preta e amarelada lhe valeu o nome. As lagartas têm o corpo liso, com tubérculos ou apêndices carnosos, e no segmento anterior à cabeça um osmetério, pelo qual exalam cheiro desagradável quando são irritadas. [Pl.: *caixões-de-defunto*. Cf. *caixão de defunto*.]

caixa-pregos *S. m. 2 n. Bras.* V. *cafundó* (3): *Mora lá em caixa-pregos*.

caixa-preta (ê) [De *caixa* + o f. de *preto*.] *S. f.* 1. *Cibern.* Qualquer sistema cujas funções internas são desconhecidas e cujo funcionamento é estudado mediante avaliação das relações entre valores de entrada (*input*) e de saída (*output*). 2. *Aer.* Sistema blindado que registra as mensagens trocadas entre tripulantes de aeronaves e órgãos de controle de voo, além de gráficos das reações aerodinâmicas da aeronave em voo. [É colocada, em geral, na empenagem, para facilidade de resgate em caso de acidente e constitui subsídio valioso para elucidação das causas deste. Apesar do nome, tem, normalmente, cor alaranjada ou vermelha.] 3. *P. ext.* Qualquer aparelho ou processo tecnológico vendido ou licenciado para uso, sem que seja permitido ao usuário conhecer os detalhes de seu funcionamento ou interferir neste.

caixaria[1] [De *caixa* + *-aria*.] *S. f.* 1. Grande porção de caixas. 2. *Bras.* Lugar de depósito do açúcar em caixas (e depois em sacos), nos engenhos.

caixaria[2] [De *caix(eiro)* + *-aria*.] *S. f.* Profissão de caixeiro.

caixa-surda [De *caixa* + o f. de *surdo*.] *S. f. Mús.* V. *tambor-surdo*. [Pl.: *caixas-surdas*.]

caixeirada [De *caixeiro* + *-ada*[1].] *S. f. Deprec.* 1. A classe dos caixeiros, dos balconistas. 2. Conjunto de caixeiros. [Cf. *cacheirada*.]

caixeiragem [De *caixeiro* + *-agem*[2].] *S. f. Bras. PE* A profissão de caixeiro (1).

caixeiral [De *caixeiro* + *-al*[1].] *Adj. 2 g.* 1. Relativo a, ou próprio de caixeiro (1). 2. *Bras. RS* Comercial (2).

caixeirar [De *caixeiro* + *-ar*[2].] *V. int. Bras.* Exercer a profissão de caixeiro (1). [Pres. ind.: *caixeiro*, *caixeiras*, *caixeira*, etc. Cf. *cacheiro*, *caixeiro*, s. m., *cacheira* e *caixeira*, fem. de *caixeiro*.]

caixeiro [De *caixa* + *-eiro*.] *S. m.* 1. Empregado em casa de comércio que vende ao balcão; balconista: "Teria um namorado, decerto o caixeiro da venda" (Ribeiro Couto, *Cabocla*, p. 25). 2. Aquele que entrega a domicílio as mercadorias compradas; entregador. 3. Operário que faz caixas. 4. *Bras. PB a AL Pop.* Pequena toalha para asseio depois das relações sexuais. [Fem. (1 a 3): *caixeira*. Cf. *cacheiro*, *cacheira*; *caixeiro*, *caixeiras* e *caixeira*, do v. *caixeirar*.]

caixeiro-viajante *S. m.* Empregado que promove a venda dos produtos de um estabelecimento comercial em localidades não compreendidas na praça desse estabelecimento. [Tb. se diz apenas *viajante*; sin., bras.: *cometa* e *alabama*. Pl.: *caixeiros-viajantes*.]

caixeta (ê) [De *caixa* + *-eta* (ê).] *S. f.* 1. Caixa pequena [v. *caixa* (1)]. 2. *Bot.* V. *caxeta*. 3. *Bras.* Pequena fôrma de papel, de contorno pregueado, para acondicionar e servir docinhos, empadinhas, etc., em unidades individuais. [Pl.: *caixetas* (ê). Cf. *caxeta* (ê) e pl. *caxetas* (ê); *cacheta* (ê) e pl. *cachetas* (ê); e *cacheta*, *cachetas*, do v. *cachetar*.] ◆ **Caixeta de recepção.** *Art. Gráf.* Parte da rotativa onde se vão acumulando os exemplares impressos.

caixeta-amarela [De *caixa* + o f. de *amarelo*.] *S. f. Bras. Bot.* V. *aguaí* (2). [Pl.: *caixetas-amarelas*.]

caixilharia [De *caixilho* + *-aria*.] *S. f.* Conjunto de caixilhos: "uma grande janela de sacada .... com a sua caixilharia feita à máquina" (Ramalho Ortigão, *As Farpas*, I, p. 49).

caixilho [De *caixa* + *-ilho*.] *S. m.* 1. *Constr.* A parte de uma esquadria onde se fixam os vidros. 2. Moldura (1).

caixinha [Dim. de *caixa*.] *S. f. Bras. Pop.* 1. Caixa (1) onde se depositam gorjetas para atendentes como, p. ex., em feiras livres, restaurantes e bares onde não se cobra o serviço (10), etc. 2. *P. ext.* V. *gorjeta*[1] (2). 3. *P. ext.* Dinheiro arrecadado informalmente para obras beneficentes, financiamento de campanha eleitoral, etc.

caixinheira [De *caixinha*, dim. de *caixa*.] *S. f. Bras. BA* Vendedora de rendas e bicos de almofadas e outras miudezas, a qual carregava a sua mercadoria num pequeno baú de folha de flandres.

caixista [De *caixa* + *-ista*.] *S. 2 g. Tip.* V. *compositor de cheio*.

caixola [De *caixa* + *-ola*[1].] *S. f.* Caixa pequena [v. *caixa* (1)]. [Cf. *cachola*.]

caixonete (ê) [De *caixão* + *-ete* (ê).] *S. m.* Caixão (6) pequeno, de porta interna.

caixotão [De *caixote* + *-ão*[1].] *S. m. Arquit.* Vão, geralmente quadrado e artesoado, entre o madeiramento de sustentação de tetos, ou entre as nervuras de lajes de teto.

caixotaria [De *caixote* + *-aria*.] *S. f.* 1. Casa onde se fazem e/ou vendem caixotes. 2. Fabricação de caixotes. 3. Grande quantidade de caixotes.

caixote [De *caixa* + *-ote*[1].] *S. m.* 1. Caixa pequena [v. *caixa* (1)]. 2. Caixa pequena e tosca. 3. *Bras.* Caixa de madeira destinada a embalagem; caixa, caixão. 4. *Bras. Pop.* Onda-caixote (q. v.).

caixoteiro [De *caixote* + *-eiro*.] *S. m.* Carpinteiro de caixas e caixotes.

caixotim [De *caixote* + *-im*.] *S. m. Tip.* 1. Cada um dos compartimentos da caixa tipográfica: "Os compositores .... precipitavam os dedos nos caixotins, enchendo os componedores com um trepidar metálico de gotas d'água em zinco." (Coelho Neto, *Turbilhão*, p. 9.) [Sin. (em PE): *cacifo*.] 2. Caixeta onde ficam dispostas as matrizes manuais da linotipo e similares. ◆ **Caixotim de correção.** *Tip.* Caixa de emendas. **Caixotim do pastel.** *Tip.* Aquele onde o tipógrafo vai pondo os tipos danificados ou empastelados, para posterior destinação.

cajá [Do tupi.] *S. m. Bras. Bot.* 1. O fruto da cajazeira; cajá-mirim, cajá-pequeno, cajazinha, taperebá, tapiriba. 2. V. *cajazeira*. 3. V. *cajá-manga*.

cajã [Do ingl. *Cajan* ou *Cajun* < ingl. *Acadian*.] *S. 2 g.* 1. Indivíduo nativo da Louisiana (E.U.A.), descendente dos franceses ditos acadianos [v. *acadiano*[1] (2)], que foram obrigados a deixar a Acádia em 1755 pelos conquistadores britânicos. ● *S. m.* 2. *Gloss.* Dialeto do francês, por vezes classificado como língua, falado pelos cajãs; acadiano, francês-cajã. [Embora um falante de cajã possa compreender, ao menos parcialmente, o francês padrão, o cajã é quase incompreensível para um falante do francês padrão.] ● *Adj. 2 g.* 3. Relativo aos cajãs. 4. *Restr.* Relativo à condimentada e picante culinária dos cajãs.

cajá-açu [De *cajá* + *-açu*.] *S. m. Bras. Bot.* V. *cajá-manga*. [Pl.: *cajás-açus*.]

cajadada [De *cajado* + *-ada*[1].] *S. f.* Pancada com cajado.

cajado [Do lat. vulg. hisp. *cajatu < lat. tard. *caja*, 'pau', 'bordão'.] *S. m.* 1. Bordão de pastor, com a extremidade superior arqueada. 2. *P. ext.* V. *bordão*[1] (1).

cajal [Do hindi., conexo com o ár.] *S. m.* Cosmético de origem oriental, esp. indiana, us. em pó ou em bastão para delinear os olhos e preencher as falhas da sobrancelha.

cajaléu *S. m. Bras. Zool.* V. *peixe-voador*.

cajá-manga [De *cajá* + *manga*[3].] *S. m. Bras. Bot.* 1. Árvore anacardiácea (*Spondia dulcis* ou *S. cytherea*) de folhas alternas, imparipenadas, com folíolos oblongos, acuminados, serreados, pequenas flores brancacentas, paniculadas, e frutos drupáceos ovoides, amarelo-esverdeados, edules; acaiacarana, cajazeira-de-fruto-grande. 2. O fruto dessa árvore. [Sin. ger.: *cajá*, *cajá-açu*, *cajarana*, *taperebá-açu*, *taperebá-do-sertão*. Pl.: *cajás-mangas* e *cajás-manga*.]

cajamarense *Adj. 2 g.* 1. De, ou pertencente ou relativo a Cajamar (SP). ● *S. 2 g.* 2. O natural ou habitante de Cajamar.

cajá-mirim [De *cajá* + *-mirim*.] *S. m. Bras. Bot.* 1. V. *cajá* (1). 2. V. *cajazeira*. [Pl.: *cajás-mirins*.]

cajá-pequeno [De *cajá* + *pequeno*.] *S. m. Bras. Bot.* 1. V. *cajá* (1). 2. V. *cajazeira*. [Pl.: *cajás-pequenos*.]

cajapioense (ò) *Adj. 2 g.* 1. De, ou pertencente ou relativo a Cajapió (MA). ● *S. 2 g.* 2. O natural ou habitante de Cajapió.

cajarana (já) [De *cajá* + *-rana*.] *S. f. Bras. Bot.* V. *cajá-manga*.

cajariense *Adj. 2 g.* 1. De, ou pertencente ou relativo a Cajari (MA). ● *S. 2 g.* 2. O natural ou habitante de Cajari.

cajaro *S. m. Bras. Zool.* V. *pirarara*.

cajati [Do tupi.] *S. m. Bras. Bot.* Árvore laurácea (*Cryptocarya mandioccana*) que habita a floresta atlântica, de folhas coriáceas e oblongas, flores muito pequenas e arranjadas em curtas inflorescências e frutos muito aromáticos. A madeira é amarela e de odor agradável.

cajazeira (jà) [De *cajá* + *-zeira*.] *S. f. Bras. Bot.* Árvore anacardiácea (*Spondias mombin*) de até 25m, tronco curto e muito ramificado, folhas compostas, pinadas, flores paniculadas, aromáticas, frutos drupáceos amarelo-alaranjados, de polpa edule, ácida, e cuja casca tem propriedades adstringentes e eméticas; a madeira, branca, resistente, é muito us. na região norte para a construção de pequenas embarcações. [Sin.: *acaiá, acaiaba, acajá, acajaíba, ambaló, ambaró, cajá, cajá-mirim, cajá-pequeno, cajarana, cajazeiro, cajazeiro-miúdo, cajazinha, catona, guegue, ibametara, imbuzeiro, minguengue* (angol.), *moxubiá, muguenga* (angol.), *muguengue* (angol.), *taperebá, taperibá*.]

cajazeira-de-fruto-grande *S. f. Bras. Bot.* V. *cajá-manga* (1). [Pl.: *cajazeiras-de-fruto-grande*.]

cajazeirense (jà) *Adj. 2 g.* **1.** De, ou pertencente ou relativo a Cajazeiras (PB). ● *S. 2 g.* **2.** O natural ou habitante de Cajazeiras.

cajazeiro (jà) [De *cajá* + *-zeiro*.] *S. m. Bras. Bot.* V. *cajazeira*.

cajazeiro-miúdo [De *cajazeiro* + *miúdo*.] *S. m. Bras. Bot.* V. *cajazeira*. [Pl.: *cajazeiros-miúdos*.]

cajazinha [De *cajá* + *-zinha*.] *S. f. Bras. Bot.* **1.** V. *cajá* (1). **2.** V. *cajazeira*.

cajetilha [Do esp. plat. *cajetilla*.] *S. m. Bras. RS* Rapaz da cidade, vestido no rigor da moda e um tanto presumido. [O *j* pronuncia-se com som velar, tal como no espanhol.]

cajila *S. f. Bras. AM* Ser ou coisa que traz boa sorte, que dá felicidade.

cajobiense *Adj. 2 g.* **1.** De, ou pertencente ou relativo a Cajobi (SP). ● *S. 2 g.* **2.** O natural ou habitante de Cajobi.

caju[1] [Do tupi.] *S. m.* **1.** Pedicelo tuberizado, comestível, do fruto do cajueiro (q. v.). **2.** *Moç.* Bebida fermentada feita de caju espremido: 📖 "Nunca mais beber caju / Na minha sombra do Chibuto" (Orlando Mendes, *Véspera Confiada*, p. 62). **3.** *Bras.* Ano de existência: 🖹 *Tem os seus cajus*. ◆ **De caju em caju.** *Bras.* De ano a ano.

caju[2] [Do top. *Ponta do Caju*.] *S. m. Bras. RJ* Vento forte de N.O., prenunciador de mudança de tempo, que sopra eventualmente na baía de Guanabara (RJ).

cajuaçu [De *caju*[1] + *-açu*.] *S. m. Bras. Bot.* **1.** Árvore anacardiácea (*Anacardium giganteum*) de folhas amplas e obovadas, e flores muito pequenas e inaparentes. Os frutos, de tamanho menor que o usual dos cajus, são vermelho-escuros, suavemente perfumados, de sabor ácido, servem para preparar um refresco vermelho e agradável, e sua casca encerra tanino. Ocorre na floresta pluvial em toda a Amazônia. **2.** O fruto dessa árvore. [Sin. ger.: *caju-do-mato*.]

cajuada [De *caju*[1] + *-ada*[1].] *S. f. Bras.* **1.** Refresco feito com o suco do caju[1] (1). **2.** Doce de caju[1] (1). **3.** *Fig.* Confusão, tumulto, balbúrdia.

cajual [De *caju*[1] + *-al*[1].] *S. m.* **1.** *Bras.* Quantidade mais ou menos considerável de cajueiros dispostos proximamente entre si; cajueiral. **2.** Área ocupada por cajual (1). [Sin. ger.: *cajueiral*.]

caju-amigo [De *caju*[1] + *amigo*.] *S. m. Bras. Pop.* **1.** Uma dose de cachaça e outra de suco de caju[1] (1) tomadas alternadamente. **2.** A bebida assim tomada. **3.** *P. ext.* Reunião em que se serve, principalmente, o caju-amigo. [Pl.: *cajus-amigos*.]

cajubi [Do tupi = 'folha verde' (azul).] *S. m. Bras. Amaz. Zool.* V. *cujubim*. [Cf. *Cajobi*, top.]

cajubim *S. m. Bras. Amaz. Zool.* V. *cujubim*.

cajuçara [De *ca-* + o tupi = 'comichão'.] *S. m. Bras. PA Bot.* Arbusto euforbiáceo (*Croton cajucara*) que atinge 6m de altura, de folhas lanceoladas, agudamente acuminadas, membranáceas, com duas glândulas no pecíolo e pelos estrelados esparsos, flores minutas unissexuais, e arrumadas em racemos pubescentes e terminais, e frutos tricocos.

caju-do-mato *S. m. Bras. Bot.* Cajuaçu. [Cf. *cajueiro-do-mato*. Pl.: *cajus-do-mato*.]

cajueiral [De *cajueiro* + *-al*[1].] *S. m. Bras.* Cajual.

cajueirense *Adj. 2 g.* **1.** De, ou pertencente ou relativo a Cajueiro (AL). ● *S. 2 g.* **2.** O natural ou habitante de Cajueiro.

cajueiro [De *caju*[1] + *-eiro*.] *S. m.* **1.** *Bras. Bot.* Árvore anacardiácea (*Anacardium occidentale*) de folhas grandes, coriáceas, obovadas ou oblongas, flores minutas, reunidas em amplas inflorescências bastante frouxas, e muito cultivada para obtenção do fruto, chamado vulgarmente *castanha*, uma noz que contém um óleo muito cáustico e uma amêndoa que, torrada, é apreciadíssima por seu sabor. A parte comestível, erroneamente considerada como fruto, é o caju, com o qual se preparam doces e bebidas. [Var.: *cajuzeiro*.] **2.** *Bras. MA Folcl.* A última parte do lelê[3], já dançado ao amanhecer, quando os brincantes saúdam os músicos, o dono da casa e as pessoas presentes, desenvolvendo uma coreografia variada, com evoluções denominadas *juntar as castanhas* e *entregar o caju*. **3.** *Bras. CE Pop.* V. *avaro* (3).

cajueiro-bravo *S. m. Bot.* **1.** *Bras. N. N.E. MG MT GO* V. *sambaíba-de-minas-gerais*. **2.** *Bras.* V. *cauaçu* (3). [Pl.: *cajueiros-bravos*.]

cajueiro-bravo-do-campo *S. m. Bras. Bot.* V. *sambaíba-de-minas-gerais*. [Pl.: *cajueiros-bravos-do-campo*.]

cajueiro-do-campo *S. m. Bras. Bot.* **1.** Arbusto anacardiáceo (*Anacardium humile* ou *A. subterraneum*) de caule tortuoso, subterrâneo, folhas simples, ovado-lanceoladas, flores brancas, róseas ou amareladas, e frutos drupáceos edules; cajuí. **2.** Arbusto anacardiáceo (*Anacardium nanum*) de folhas obovadas, flores brancas, e frutos com pedúnculo carnoso pequeno, docíssimo; cajuí, caju-rasteiro, cajurana. **3.** Árvore sapindácea (*Cupania emarginata*) nativa do Brasil, de folhas paripenadas, flores brancas e frutos capsulares; camboatã. [Pl.: *cajueiros-do-campo*.]

cajueiro-do-mato *S. m. Bras. Bot.* V. *sambaíba-de-minas-gerais*. [Cf. *caju-do-mato*. Pl.: *cajueiros-do-mato*.]

cajueiro-japonês *S. m. Bras. Bot.* Árvore ramnácea (*Hovenia dulcis*) originária da Ásia, que às vezes é cultivada como frutífera e se caracteriza pela tuberização dos pedúnculos florais, cheios de um suco verde. [Pl.: *cajueiros-japoneses*.]

cajuí [Do tupi = 'caju pequeno'.] *S. m. Bras. Bot.* **1.** Árvore anacardiácea (*Anacardium occidentale*) de até 6m, muito semelhante ao cajueiro, mas com frutos menores. **2.** Cajueiro-do-campo (1). **3.** V. *cajueiro-do-campo* (1 e 2).

cajuína [De *caju*[1] + *-ina*[5].] *S. f. Bras.* Bebida feita com suco de caju filtrado, clarificado e pasteurizado.

cajurana [Do tupi = 'semelhante ao caju' (nas folhas).] *S. f. Bras. Bot.* **1.** *Amaz.* Arvoreta simarubácea (*Simaruba guianensis* ou *Quassia guianensis*), cujas folhas têm muitos folíolos coriáceos; as flores são insignificantes e inaparentes e a madeira amarelo-clara, leve, macia e fácil de trabalhar, é us. em marcenaria e para fazer polpa celulótica. **2.** V. *cajueiro-do-campo* (2).

caju-rasteiro [De *caju*[1] + *rasteiro*.] *S. m. Bras. Bot.* V. *cajueiro-do-campo* (2). [Pl.: *cajus-rasteiros*.]

cajuriense *Adj. 2 g.* **1.** De, ou pertencente ou relativo a Cajuri (MG). ● *S. 2 g.* **2.** O natural ou habitante de Cajuri.

cajuru *S. m. Bras. SP Folcl.* A última volta, e a mais importante, na dança da festa de S. Gonçalo Violeiro.

cajuruense[1] *Adj. 2 g.* **1.** De, ou pertencente ou relativo a Cajuru (SP). ● *S. 2 g.* **2.** O natural ou habitante de Cajuru.

cajuruense[2] *Adj. 2 g.* **1.** De, ou pertencente ou relativo a Carmo do Cajuru (MG). ● *S. 2 g.* **2.** O natural ou habitante de Carmo do Cajuru.

cajuzeiro [De *caju*[1] + *-zeiro*.] *S. m. Bras. Bot.* V. *cajueiro* (1).

cajuzinho [De *caju* + *-zinho*.] *S. m. Cul.* Doce feito com amendoim torrado e moído, com a forma de um caju pequeno.

cal [Do lat. *cale*, acus., do lat. vulg. hisp. *cals, is*, por *calx, calcis*, 'pedra calcária'.] *S. f.* **1.** Substância branca, grosseiramente granulada, obtida pela calcinação do carbonato de cálcio e usada em argamassas, na indústria cerâmica e farmacêutica, na clarificação e desodorização de óleos [fórm.: CaO]. [É o óxido de cálcio com maior ou menor teor de impurezas.] **2.** Nome vulgar do hidróxido de cálcio, resultante da ação da água sobre o óxido de cálcio [fórm.: $Ca(OH)_2$]. [Pl.: *cales* e *cais*.] ◆ **Cal aérea.** V. *cal extinta*. **Cal apagada.** V. *cal extinta*. **Cal extinta.** A cal virgem que foi submetida à ação da água com a consequente transformação do óxido de cálcio em hidróxido; cal aérea, cal apagada. **Cal gorda.** Cal com elevado teor de óxido de cálcio, que reage rápida e energicamente com a água, dando massa muito ligante. [Cf. *cal magra*.] **Cal hidráulica.** Mistura de cal, sílica, alumínio e óxido de ferro, que dá pega mais ou menos rápida com a água. **Cal magra.** Cal com elevado teor de matéria impurificante (em geral mais do que 4%), resultante da calcinação de calcários magnesianos ou impuros, que reage lentamente com a água, dando massa pouco ligante. [Cf. *cal gorda*.] **Cal misturada.** V. *cal terçada*. **Cal sodada.** Mistura de cal com hidróxido de sódio, usada em diversos procedimentos químicos. **Cal terçada.** Mistura de uma parte de cal com três de areia, para formar argamassa; cal misturada, cal traçada. **Cal traçada.** V. *cal terçada*. **Cal virgem.** A que não sofreu a ação da água; cal viva. **Cal viva.** Cal virgem.

■ **cal** *Fís.* Símb. de *caloria*.

cala[1] [De or. pré-romana.] *S. f.* **1.** Pequena enseada entre rochedos. **2.** Qualquer passagem estreita. **3.** *Tec. Têx.* Espaço por onde os fios entram no tear.

cala[2] [Der. regress. de *calar*[1].] *S. f.* **1.** O fato de estar calado. **2.** Silêncio; calada.

cala[3] [Der. regress. de *calar*[2].] *S. f.* **1.** Abertura, corte, em fruto, queijo, etc., para prova; calado. **2.** O pedaço cortado à fruta, ao queijo, etc.

cala[4] [Do tax. *Calla*.] *S. f. Bot.* **1.** Gênero de plantas aráceas, herbáceas, ger. paludícolas, dotadas de folhas cordadas e espatas com face superior branca que envolvem espádice curto e cilíndrico. **2.** Qualquer espécie desse gênero, como, p. ex., a *Calla palustris* (v. *copo-de-leite*). **3.** Qualquer espécime desse gênero, ou a sua flor.

cala[5] [De *calão*[2].] *S. f.* Corda de esparto para alar ou arrastar certas redes de pesca fixadas no calão[2].

cala[6] [De *calão*[1].] *S. 2 g.* Pessoa astuta, velhaca.

calaariano *Adj.* De, ou pertencente ou relativo ao deserto de Calaári (Botsuana, Namíbia e África do Sul).

calabaça[1] [Do esp. *calabazo*.] *S. f. Bot.* **1.** V. *cabaceiro-amargoso*. **2.** V. *porongo*[1] (1 e 2).

calabaça[2] *Bras. S. 2 g.* **1.** *Etnôn.* Indivíduo dos calabaças, povo indígena extinto que habitava as margens do rio Salgado (CE). ● *Adj. 2 g.* **2.** Pertencente ou relativo a esse povo. [Tb. us. como *s. 2 g. e 2 n.* (com cap.) e *adj. 2 g. e 2 n.*]

calabaceira [Do criol. *calabacera*, com ditongação.] *S. f. Guin. Bot.* V. *baobá*: 📖 "Foi ao mato, colheu o fruto da calabaceira, tirou-lhe a polpa e fez um grande cabaço" (Viriato Augusto Tadeu, *Contos do Caramô*, p. 21).

calabar *S. m. Gloss.* Língua nigero-congolesa falada na região do delta do rio Níger; efique.

cala-boca (ô) [De *calar*[1] + *boca*[1] (ô).] *S. m.* **1.** *Bras. MG Pop.* Cacete grosso e curto. **2.** *Bras. Gír.* Dinheiro, ger. miúdo, para pequenos subornos. [Pl.: *cala-bocas*.]

calaboiço *S. m.* V. *calabouço*.

calabouço [Do esp. *calabozo*.] *S. m.* **1.** Prisão subterrânea; cárcere: 📖 "Metiam-me em calabouços, atavam-me correntes aos pés" (Luís Jardim, *As Confissões do Meu Tio Gonzaga*, p. 233). **2.** *P. ext.* V. *cadeia* (3). **3.** *Fig.* Lugar úmido, sombrio. [Var.: *calaboiço*.]

calabre [Do port. ant. *caabre* (v. *cabre*), poss. com infl. do port. ant. *calabre*, 'catapulta'.] *S. m.* **1.** Corda grossa: 📖 "Diz Cristo que é mais fácil entrar um calabre pelo fundo de... a agulha, que entrar um avarento no Reino do Céu" (P.ᵉ Antônio Vieira, *Sermões*, II, p. 259). **2.** *Marinh.* Amarra de cabo; cabre. **3.** *Constr.* Cabo[2] (4).

calabreada [Do top. *Calábria* + *-eada*, em virtude da má fama dos calabreses à época da formação do voc. e de seus correspondentes nas demais línguas.] *S. f.* Ato ou operação de calabrear.

calabrear [Do top. *Calábria* + *-ear*[2]; v. *calabreada*.] *V. t. d.* **1.** *Desus.* Adubar (vinhos), em geral adulterando-os. **2.** *P. ext.* Temperar, adubar. **3.** Confundir; misturar. **4.** Mudar para pior; perverter. *T. d. e i.* **5.** Mudar, transformar. [Conjug.: v. *frear*.]

calabrês *Adj.* **1.** Da, ou pertencente ou relativo à região da Calábria (S. da Itália). ● *S. m.* **2.** O natural ou habitante da Calábria. [Flex.: *calabresa* (ê), *calabreses* (ê), *calabresas* (ê).]

calabresa (ê) [F. subst. de *calabrês*.] *S. f.* V. *linguiça calabresa*.

calabrote [De *calabre* + *-ote*[1].] *S. m.* **1.** Corda de pequena grossura. **2.** *Marinh.* Cabo[2] (6) de pequena bitola: 📖 "Atrás dos soldados chegaram marujos a .... brandir calabrotes e chuços" (Xavier Marques, *O Sargento Pedro*, p. 135).

calabroteado [Part. de *calabrotear*.] *Adj. Marinh.* ~ V. *cabo* —.

calabrotear [De *calabrote* + *-ear*[2].] *V. int. Marinh.* Formar um cabo[2] (6) cochando entre si três cabos de massa. [Conjug.: v. *frear*.]

calabura [Do lat. cient. (*Muntingia*) *calabura*.] *S. f. Bot.* Árvore tiliácea (*Muntingia calabura*) que habita as várzeas e os terrenos argilosos do Amazonas, e notável pelo fato de, quando se lhe rompe com violência um pedaço da casca, as fibras tomarem o aspecto de uma renda de seda. Os frutos são bagas vermelhas, doces e comestíveis, e a madeira é leve e serve para fazer tonéis. [Sin.: *pau-de-seda*.]

calaca [Do cabo-verd.] *S. f. Cabo-verd.* Rasteira (1 e 3): 📖 "sempre achava jeito de meter a sua calaca para derrubar o adversário." (Baltasar Lopes, *Chiquinho*, p. 48). ◆ **Passar (uma) calaca.** **1.** *Cabo-verd.* Tentar derrubar: 📖 "Um miúdo magricela passou-lhe uma calaca e Norberto desequilibrou-se." (Orlanda Amarílis, *A Casa dos Mastros*, p. 68.) **2.** *Fig.* Enganar, lograr: 📖 "resolveu comemorar a enorme calaca que passara ao senhor administrador." (Euclides de Menezes, *Toti Cadabra e Novas Estórias*, p. 92).

calaçaria [Do port. ant. *calaça*, 'porção de carne de porco que se pagava de foro', + *-aria*.] *S. f.* **1.** Ociosidade, indolência, mandriice, preguiça: 📖 "A narrativa o arrancara de chofre àquela calaçaria monótona em que jazia, bem nutrido, dormindo noites sem cuidado, passando dias sem trabalho nem preocupações" (Inglês de Sousa, *O Missionário*, p. 362). **2.** *Bras. S.* Grupo de calaceiros.

calacear [Do port. ant. *calaça* (v. *calaçaria*) + *-ear*[2].] *V. int.* Viver na ociosidade, na calaçaria, ou à custa de outrem; mandriar, preguiçar. [Conjug.: v. *frear*.]

calaceirice [De *calaceiro* + *-ice*.] *S. f.* Qualidade ou procedimento de calaceiro.

calaceiro [De *calacear* + *-eiro*.] *S. m.* Mandrião, preguiçoso, vadio.

calacre [De or. obscura.] *S. m.* **1.** Dívida não paga; calote. **2.** Apuros em matéria de dinheiro.

calada [De *calar*[1] + *-ada*[1].] *S. f.* **1.** Cessação de ruído; silêncio total; cala: ▣ *Na calada da noite os ladrões assaltaram a joalheria;* 📖 "só o eco / De sua voz lhe responde / Na calada / Da alta noite" (Manuel Bandeira, *Estrela da Vida Inteira*, p. 254). **2.** *Bras. BA* Na região ribeirinha do São Francisco, calmaria que indica temporal próximo. ◆ **Às caladas.** V. *pelas caladas* (1). **Pelas caladas. 1.** Às escondidas, às ocultas, a ocultas, às caladas. **2.** Sem ruído; em silêncio.

caladão [De *calado*[3] + *-ão*[1].] *Adj. S. m.* Diz-se de, ou indivíduo muito calado, de pouca conversa; quietarrão. [Fem.: *caladona*. Cf. *calado*[3].]

caládio [Do tax. *Caladium*.] *S. m. Bot.* **1.** Gênero de aráceas de folhas ger. peltadas e sagitadas, de colorido variegado e espatas naviculares. **2.** Qualquer espécie desse gênero, como, p. ex., a *Caladium bicolor* (v. *tinhorão*). **3.** Qualquer espécime desse gênero.

calado[1] *S. m. Constr. Nav.* **1.** Distância vertical entre a superfície da água em que a embarcação flutua e a face inferior da sua quilha. **2.** Profundidade mínima de água necessária para a embarcação flutuar; calado-d'água.

calado[2] [Part. subst. de *calar*[2] (6).] *S. m.* Cala[3] (1).

calado[3] [Part. de *calar*[1].] *Adj.* **1.** Diz-se do indivíduo que não fala, ou que fala pouco; silencioso. ~ V. *missa —a.* ● *S. m.* **2.** Indivíduo calado. **3.** Silêncio (1). [Cf. *caladão*.] ◆ **Dar o calado como resposta.** *Bras.* Nada responder.

calado[4] [Part. de *calar*[3] (2).] *Adj.* ~ V. *baioneta —a.*

calado-d'água *S. m. Constr. Nav.* Calado[1] (2). [Pl.: *calados-d'água*.]

caladona *S. f.* Fem. de *caladão*.

caladura [De *calar*[2] + *-dura*.] *S. f.* Ato ou efeito de calar[2].

calafanje *S. m. Bras.* Homem ordinário, reles, desprezível.

calafate [Do gr. tard. *kalaphátes*, 'aquele que calafeta', ou dev. de *calafatar*, ant. f. de *calafetar*.] *S. m.* **1.** Indivíduo cujo ofício é calafetar. **2.** *Bot.* Arbusto berberidáceo (*Berberis ruscifolia*) ramoso, provido de acúleos, com folhas alternas, flores amarelas e frutos comestíveis; calafate-da-patagônia. **3.** *Zool.* Ave passeriforme (*Padda orysivora*), fringilídea, do S. da Ásia e parte da África, de cabeça preta com manchas laterais brancas e bico forte e avermelhado. [Sin., nesta acepç.: *pardal-de-java*.] **4.** *Zool.* Certo peixe da costa de Angola. **5.** *Bras. RJ* Vento leste que às vezes sopra nas costas do estado.

calafate-da-patagonia *S. m. Bot.* V. *calafate-da-patagônia* . [Pl.: calafates-da-patagonia. Uso freq. em P.]

calafate-da-patagônia [De *calafate* + *da*[1] + o top. *Patagônia*.] *S. m. Bot.* Calafate (2). [Pl.: *calafates-da-patagônia*.]

calafetação [De *calafetar* + *-ção*.] *S. f.* V. *calafetagem* (1).

calafetado [Part. de *calafetar*.] *Adj.* Que se calafetou; em que se fez calafetagem.

calafetador (ô) [De *calafetar* + *-dor*.] *S. m.* **1.** Instrumento que se usa para calafetar. **2.** Abetumador.

calafetagem [De *calafetar* + *-agem*[2].] *S. f.* **1.** Ato ou efeito de calafetar; calafetação, calafetamento. **2.** Estopa ou outro material com que se calafeta; calafeto.

calafetamento [De *calafetar* + *-mento*.] *S. m.* V. *calafetagem* (1).

calafetar [Do cat. *calafatar*, 'calafetar', pelo esp. ant. *calafetar*.] *V. t. d.* **1.** Vedar com estopa alcatroada (as junturas, buracos ou fendas de uma embarcação). **2.** Tapar, vedar com pano, papel, massa, etc. (fenda ou buraco de tonéis, assoalhos, tabiques, etc.). **3.** Tapar ou vedar as fendas ou buracos de: ▣ *Calafetou as janelas para que não passasse o ar frio.* [Pres. ind.: *calafeto*, etc. Cf. *calafeto* (ê).]

calafeto (ê) [Dev. de *calafetar*.] *S. m.* Calafetagem (2). [Pl.: *calafetos* (ê). Cf. *calafeto*, do v. *calafetar*.]

calafona [De or. obsc.] *S. 2 g. Açor.* Emigrante repatriado, ger. vindo do estado da Califórnia (E.U.A.).

calafriado [De *calafrio* + *-ado*[1].] *Adj. Bras.* Que sente calafrio.

calafrio [Var., por assimilação, da f. ant. e pop. *calefrio*, composta de dois elementos de sentidos opostos (à maneira de *vaivém*), o primeiro proveniente da raiz do lat. *calere*, 'esquentar', e o segundo do lat. *frigidu*, 'frio'; ou seja, *quente* e *frio*.] *S. m.* **1.** *Med.* Contração involuntária dos músculos voluntários, acompanhada de palidez cutânea e sensação de frio. [Sin., pop.: *arrepio*.] **2.** Tremor e bater de dentes, com frio, antes de um acesso febril. [Var. (ant. e pop.): *escalafrio*.]

calagem[1] [De *cal* + *-agem*[2].] *S. f.* Operação de adubar ou corrigir o solo com cal.

calagem[2] [De *calar*[2] + *-agem*[2], poss.] *S. f.* **1.** Ato ou efeito de calar[2]. **2.** Ato de colocar um instrumento em posição conveniente, regulando-o.

calaim (a-ím) *S. m.* Calim[1].

calajar [De or. obsc.] *S. m. Bot.* V. *noz-vômica* (1).

calamar [Do it. dial. *calamaro* (it. *calamaio*), 'tinteiro', pela tinta que este molusco expele.] *S. m.* V. *lula*.

calamariácea [Do lat. *calamarius*, 'relativo à pena de escrever', + *-ácea*; tax. *Calamariaceae*.] *S. f. Paleont.* V. *calamitácea*.

calamariáceo [De *calamariácea*, com var. suf. (v. *-áceo*).] *Adj. Paleont.* V. *calamitáceo*.

calambauense *Adj. 2 g.* **1.** De, ou pertencente ou relativo a Calambau (MG). ● *S. 2 g.* **2.** O natural ou habitante de Calambau.

▲**calam(i)-** [Do lat. *calămus*, *i* < gr. *kálamos, ou*.] Equiv.: *calamo-*.

calamidade [Do lat. *calamitate*.] *S. f.* **1.** Desgraça pública; catástrofe, flagelo: 📖 "É a Guerra aquela calamidade composta de todas as calamidades, em que não há mal algum, que ou se não padeça, ou se não tema" (P.^e^ Antônio Vieira, *Sermões*, XIV, p. 9). **2.** Grande desgraça; infelicidade, infortúnio: ▣ *A morte do pai foi para ela uma calamidade.* **3.** *Fam.* Coisa ou pessoa caracterizada por defeito(s) ou inconveniente(s); desgraça: ▣ *O tráfego no Rio é uma calamidade; Rubião, com aquela verborragia, é uma calamidade.* ~ V. *calamidades*.

calamidades *S. f. pl. Moç.* Doações (comida, roupa, utensílios usados) da comunidade internacional: 📖 "Tinha sempre roupa das calamidades vinda da Austrália." (Grandal Nkepe, *Casa da Justiça*, p. 261.) ~ V. *calamidade*.

calamídeo [De *calam(i)-* + *-ídeo*[3].] *Adj.* Que tem a forma de pena.

calamífero [De *calam(i)-* + *-fero*.] *Adj. Bot.* Que tem colmo.

calamiforme [De *calam(i)-* + *-forme*.] *Adj. 2 g. Bot.* Diz-se dos caules ou ramos que se parecem ao colmo das gramíneas.

calamina [Do fr. *calamine* < b.-lat. *calamina*.] *S. f.* Mineral ortorrômbico, silicato básico de zinco; hemimorfita.

calamistrado [Do lat. *calamistratu*.] *Adj.* Que tem o cabelo crespo, frisado.

calamistrar [De *calamistro* + *-ar*[2].] *V. t. d.* Tornar crespo, frisar (o cabelo); encalamistrar.

calamistro [Do lat. *calamistru*.] *S. m. Desus.* Ferro de frisar o cabelo.

calamita [Do fr. *calamite* < b.-lat. *calamita*.] *S. f.* V. *benjoim* (1). [Cf. *calamite*.]

calamitácea [Do tax. *Calamites* + *-ácea*; tax. *Calamitaceae*.] *Paleont. S. f.* Espécime das calamitáceas, família de vegetais extintos, que assumiram grande desenvolvimento no período devoniano e tinham aspecto semelhante a uma cavalinha gigantesca; calamariácea, calamodendrácea.

calamitáceo [De *calamitácea*, com var. suf. (v. *-áceo*).] *Adj. Paleont.* Pertencente ou relativo às calamitáceas; calamariáceo, calamodendráceo.

calamite [Do lat. cient. *calamites* < gr. *kalamítes*.] *S. f. Paleont.* Planta fóssil dos terrenos carboníferos. [Cf. *calamita*.]

calamitoso (ô) [Do lat. *calamitosu*.] *Adj.* Que traz, ou em que há calamidade; infeliz, funesto, catastrófico.

▲**calamo-** [Do gr. *kálamos, ou*.] *El. comp.* = 'caniço', 'cana', 'junco', 'colmo'; 'pena'[1]: *calamodendrácea*. [Equiv.: *calam(i)-*: *calamiforme*, *calamídeo*.]

cálamo [Do gr. *kálamos*, pelo lat. *calamu*.] *S. m.* **1.** *Bot.* O caule das poáceas e doutras plantas. **2.** *Bot.* V. *ácoro* (2). **3.** Pedaço de cana ou caniço talhado em ponta, apincelada ou rachada, outrora us. como instrumento de escrita em papiro, pergaminho, etc. **4.** *Fig.* Estilo (2) escrito; pena. **5.** *Fig. Poét.* Flauta (1). [Pl.: *cálamos*. Cf. *calamos*, do v. *calar*.]

cálamo-aromático *S. m. Bot.* V. *ácoro* (2). [Pl.: *cálamos-aromáticos*.]

calamocada *S. f.* **1.** *Pleb.* Pancada na cabeça. **2.** *Fig.* Dano, prejuízo.

calamocar *V. t. d. Pleb.* Bater na cabeça de; ferir. [Conjug.: v. *trancar*.]

calamodendrácea [De *calamo-* + *-dendr(o)-* + *-ácea*; tax. *Calamodendraceae*.] *S. f. Paleont.* V. *calamitácea*.

calamodendráceo [De *calamodendrácea*, com var. suf. (v. *-áceo*).] *Adj. Paleont.* V. *calamitáceo*.

calamofitácea [De *calamo-* + *-fit(o)-* + *-ácea*; tax. *Calamophytaceae*.] *Paleont. S. f.* Espécime das calamofitáceas, família de fetos articulados, providos de caule repetidamente bifurcado e de folhas cuneiformes, bífidas.

calamofitáceo [De *calamofitácea*, com var. suf. (v. *-áceo*).] *Adj. Paleont.* Pertencente ou relativo às calamofitáceas.

cálamo-selvagem *S. m. Bot.* V. *lírio-amarelo* (3). [Pl.: *cálamos-selvagens*.]

calâncoe [Do tax. *Kalanchoe*.] *S. m. Bot.* **1.** Gênero de plantas crassuláceas, herbáceas suculentas, originárias da África e da Austrália, de folhas opostas e lanceoladas e flores vermelhas, amarelas ou alaranjadas reunidas em racemos terminais. **2.** Qualquer espécie desse gênero, como, p. ex., a *Kalanchoe blossfeldiana*, de largo uso decorativo. **3.** Qualquer espécime desse gênero, ou a flor dele.

calândar [Do persa *kalandar*, 'homem tosco', pelo ár. *qalandar* e pelo persa *qalandar*.] *S. m.* Calênder. [Pl.: *calândares*.]

calandra[1] [Do gr. *kálandra*, 'cotovia', pelo lat. *calandra*.] *S. f. Zool.* **1.** Ave alaudídea (*Melanocorypha calandra*) que habita a Europa meridional, de grande porte, plumagem escura, notável pela sua habilidade em imitar a voz de outras aves, e pelo canto melodioso. **2.** Ave alaudídea (*Alauda arvensis*), conhecida como cotovia-dos-campos, igualmente notável pelos trinados melodiosos. **3.** V. *sabiá-do-campo*. [Var.: *calhandra*.]

calandra[2] [Do fr. *calandre* < fr. ant. *colandre*, com assimilação, e este do b.-lat. **colendra*, adapt., com mudança de gênero, do lat. *cylindru*.] *S. f.* **1.** *Ind. Pap.* Conjunto vertical de cilindros de aço (usualmente cinco), situado no fim da parte seca da máquina contínua, e destinado a fechar os poros e alisar o papel, que entre eles passa em tira sem fim; calandra lisa, lisa, acetinadeira. [V. *supercalandra*.] **2.** *Tec. Têx.* Máquina composta por dois cilindros de aço aquecidos, por entre os quais passa o tecido para receber brilho, lustre, etc. **3.** Máquina para curvar e desempenar chapas. ◆ **Calandra lisa.** *Ind. Pap.* V. *calandra*[2] (1).

calandrado [Part. de *calandrar*.] *Adj.* ~ V. *papel —.*

calandragem [De *calandrar* + *-agem*[2].] *S. f.* Ato, operação ou efeito de calandrar.

calandrar [De *calandra*[2] + *-ar*[2].] *V. t. d.* **1.** *Ind. Pap.* Acetinar na calandra; cilindrar. **2.** *Tip.* Matizar na calandra. [Cf. *acetinar* (2).]

calandreiro [De *calandra*[2] + *-eiro*.] *S. m. Ind. Pap.* Acetinador que trabalha na calandra; calandrista. [Cf. *acetinador*.]

calandrini [Do antr. (*Jean Louis*) *Calandrini* (1703-1758), botânico suíço.] *S. f. Bot.* Erva poácea (*Dactyloctenium aegyptium*) que vive em terrenos arenosos à volta das habitações. É um capim baixo, rasteiro, que serve de forragem para cavalos e de grama para jardins.

calandrínia [Do tax. *Calandrinia* (do antr. [*Jean Louis*] *Calandrini* [-1758], botânico suíço, + lat. cient. *-ia*, v. *-ia*[2]).] *S. f. Bot.* **1.** Grande gênero de plantas portulacáceas, herbáceas suculentas, que habitam, principalmente, a América do Sul e a Austrália, e que têm folhas basais ou alternas e flores efêmeras, purpúreas, em racemos ou em panículas bracteadas. **2.** Qualquer espécie desse gênero, como, p. ex., a *Calandrinia umbellata* originária do Peru, de folhas lineares e pilosas, flores violáceas, brilhantes, dispostas em corimbos, e frutos capsulares. Medra em lugares ensolarados, é cultivada para fins ornamentais, e alcança de 10 a 15cm de altura. **3.** Qualquer espécime desse gênero, ou a flor dele.

calandrista [De *calandra*[1] + *-ista*.] *S. 2 g.* **1.** *Tip.* Estereotipista que matriza em calandra. **2.** *Ind. Pap.* Calandreiro.

calango [Do quimb.] *S. m.* **1.** *Bras. Zool.* Designação comum a vários reptis lacertílios, teídeos, principalmente os de pequeno porte, *Cnemidophorus*, *Arthroseps*, *Colobosaura* e outros, que vivem ger. no solo, na terra ou em pedreiras, alimentando-se de pequenos artrópodes ou vermes. **2.** *Bras. Zool.* Designação comum a alguns iguanídeos pequenos. **3.** *Bras. Pop.* O bíceps. **4.** *Bras.* Membro de um grupo de salteadores que invadiram o CE entre 1873 e 1880. **5.** *Bras. N.E. Zool.* V. *peixe-lagarto*. **6.** *Bras. SP Pop. Zool.* Bezerro novo, pequeno. [Sin., nessas acepç.: *calangro*.] **7.** *Bras. PA Pop.* V. *mata-cachorro* (2). **8.** Versão mineira do coco de embolada (v. *coco*[2]), originário de Alagoas.

calangro *S. m. Bras.* V. *calango* (1 a 6).

calanguear [De *calango* + *-ear*[2].] *V. int. Bras. MG* Cantar no estilo do calango (8). [Conjug.: v. *frear*.]

calangueiro [De *calango* + *-eiro*.] *S. m. Bras. MG* Aquele que canta ou tira calango (8).

calão[1] [Do esp. *caló* < dial. cigano *caló*, 'cigano'.] *S. m.* **1.** Gíria (4) caracterizada pelo uso de termos baixos e grosseiros. **2.** *Gloss.* Caló (1). ◆ **Baixo calão.** Palavra ou expressão grosseira ou obscena.

calão[2] *S. m.* **1.** Embarcação comprida e larga, usada especialmente na pesca do atum. **2.** Telha grande, usada para revestir o fundo de regos de água. **3.** *Bras.* Pedaço de pau roliço, nas extremidades do qual se suspendem os objetos que se devem transportar ao ombro. **4.** *Bras.* Vara curta que se amarra de cada lado da rede de pesca. **5.** *Bras.* Rede de pesca com três lados retos e um curvo, e munida de pesos.

calão-brasileiro [De *calão*[1] + *brasileiro.*] *S. m. Gloss.* Variedade do português usada pelos ciganos no Brasil.

calão-português [De *calão*[1] + *português.*] *S. m. Gloss.* Variedade do português usada pelos ciganos em Portugal.

calapa [Do tax. *Calappa.*] *S. m. Zool.* **1.** Gênero-tipo dos calapídeos. **2.** Espécie ou espécime, desse gênero.

calapalo *Bras. S. 2 g.* **1.** *Etnôn.* Indivíduo dos calapalos [ou (etnôn. bras.) *Kalapalo], povo indígena da família linguística caraíba, que habita a região dos formadores do rio Xingu (MT). ● *Adj. 2 g.* **2.** Pertencente ou relativo a esse povo.

calapídeo [Do tax. *Calappa* (v. *calapa*) + *-ídeo*[1]; tax. *Calappidae.*] *Zool. S. m.* **1.** Espécime dos calapídeos, família de crustáceos dos mares tropicais, com carapaça arredondada na parte anterior, e pinças grandes e achatadas que se dobram contra ela, e patas curtas e fortes. ● *Adj.* **2.** Pertencente ou relativo a eles.

calar[1] [Do lat. vulg. **callare*, 'baixar', esp. 'baixar a voz', < gr. *chalân*, 'soltar', 'fazer baixar'.] *V. int.* **1.** Estar em silêncio; não falar: "Ouve, vê e cala, viverás vida folgada" (prov.). **2.** Cessar de falar; emudecer; calar-se: "Calei-me. / Quem cala consente." (Artur Azevedo, *Contos Possíveis*, p. 5.) **3.** Não divulgar o que sabe; emudecer: *Embora torturados, os prisioneiros calaram.* **4.** Não ter voz ativa: *É digno de pena: cala de todo, perante os poderosos.* **5.** Deixar de fazer som ou ruído; calar-se: *O violão calou e nada mais se ouviu no silêncio da noite. P.* **6.** Cessar de falar; emudecer; calar: "— Ah! já sei: estás apaixonado! / Calei-me." (Artur Azevedo, *Contos Possíveis*, pp. 4-5.) **7.** Deixar de fazer som ou ruído; calar: "Quando ela fala, parece / Que a voz da brisa se cala" (Machado de Assis, *Poesias Completas*, p. 57). **8.** Cessar de manifestar-se: *Ao rever o amigo, sentiu calar-se a sua mágoa. T. d.* **9.** Impor silêncio a; fazer calar: *Debalde quiseram calar os manifestantes.* **10.** Não dizer; ocultar: *Embora provocado, calou a sua raiva.* **11.** Impedir a manifestação de; abafar: *Só a muito custo calou os seus escrúpulos.* [Pres. ind.: *calo, calas, cala, calamos*, etc.; pres. subj.: *cale, cales*, etc. Cf. *cálamos*, pl. de *cálamo*; *cáli*, s. m., pl. *cális*; e *cálix*, s. m.]

calar[2] [Do lat. *calare*, 'fazer baixar', 'fazer penetrar', < gr. *chalân*, 'soltar', 'baixar'.] *V. t. d.* **1.** *Ant.* Abaixar, abater, arriar: *calar os mastros*; *Calou a viseira.* **2.** *Ant.* Tirar dos reparos (peça de artilharia), arriando-a. **3.** Fazer penetrar, encaixar (a baioneta) no fuzil. **4.** *Mar.* Arriar, baixar (vela[1]). **5.** *Mar.* Colocar (o leme) no seu lugar. **6.** Cortar pedaço de (algo) para prová-lo; abrir cala[3] (1) em. *T. i.* **7.** Penetrar fundo; gravar: "O conceito do biógrafo de Manuel Jacinto Nogueira da Gama, Marquês de Baependi, e que tanto calou no espírito de Rio Branco, pode aplicar-se ao próprio Justiniano José da Rocha" (Elmano Cardim, *Justiniano José da Rocha*, p. 5). [Pres. ind.: *calo, calas, cala, calamos*, etc.; pres. subj.: *cale, cales*, etc. Cf. *cálamos*, pl. de *cálamo*; *cáli*, s. m., pl. *cális*; e *cálix*, s. m.]

▲**calas-** [Do gr. *chálasis, eōs.*] *El. comp.* = 'relaxamento'; 'separação': *calasia.* [Equiv.: *-calas-*: *acalasia.*]

▲**-calas-** Equiv. de *calas-*.

calasia [De *calas-* + *-ia*[1].] *S. f. Patol.* Relaxamento de um esfíncter corporal, como, p. ex., a cárdia.

calasíris [Do gr. *kalásiris.*] *S. m. 2 n. Vest.* Veste longa e larga usada por ambos os sexos no antigo Egito, feita de uma peça retangular de tecido que tinha duas vezes o tamanho desejado para o traje, com uma abertura na parte superior, para a cabeça, e duas laterais, para os braços.

calastogastro [Do gr. tard. *chalastos*, 'solto', 'frouxo', + *-gastro*; tax. *Chalastogastra.*] *Zool. S. m.* **1.** Espécime dos calastogastros, subordem de insetos himenópteros cujo abdome é ligado ao tórax sem afilamento; a larva é semelhante à lagarta, e se alimenta de plantas. ● *Adj.* **2.** Pertencente ou relativo a eles. [Sin. ger.: *fitófago, sessiliventre, sínfito.*]

calateia [Do tax. *Calathea.*] *S. f. Bot.* **1.** Gênero de marantáceas perenes de grandes folhas basais, ovaladas, ornamentais, e pequeninas flores em cachos. **2.** Qualquer espécie desse gênero, como, p. ex., a *Calathea louisae* ou *Maranta louisae* (v. *caité-roxo*). **3.** Qualquer espécime desse gênero.

calátide [Do gr. *kalathídos*, 'cestinha'.] *S. f. Bot.* V. *capítulo* (5).

calau-d'abissínia *S. m. Zool.* Grande ave pernalta, caraciforme (*Bucorvus abyssinicus*), de bico forte e muito desenvolvido, penas brancas e pretas; calau-grande. [Sin. (guin.): *alma-beafada, alma-de-beafada.* Pl.: *calaus-d'abissínia.*]

calau-grande *S. m. Zool.* V. *calau-d'abissínia.* [Pl.: *calaus-grandes.*]

calaveira [Do esp. plat. *calavera.*] *S. m. Bras. S.* V. *vagabundo* (7).

calaveirada [Do esp. plat. *calaverada.*] *S. f. Bras. S.* **1.** Procedimento de calaveira; velhacada. **2.** Vagabundagem, vadiagem.

calaverita [Do top. *Calaveras* (E.U.A.) + *-ita*[2].] *S. f. Min.* Telureto de ouro, com 43,59% de Au, cinza-esverdeado, muito denso, com brilho metálico e sem clivagem.

calaza [Do lat. cient. *chalaza* < gr. *chálaza*, 'granizo'.] *S. f.* **1.** *Bot.* Base da nucela do óvulo, onde termina o feixe vascular que passa pelo do funículo. **2.** *Zool.* Membrana albuminosa espessa que, no ovo das aves, liga a gema a cada um dos dois polos do ovo.

calazal [De *calaza* + *-al*[1].] *Adj. 2 g. Bot.* Relativo a calaza.

calazar [Do assamês *kala-azar*, 'febre negra', pelo ingl. *kalazar.*] *S. f. Med.* Doença causada pelo protozoário *Leishmania donovani*, e incidente sobretudo nas costas mediterrâneas, na África ocidental, Índia, S. da Rússia, Américas do Sul e Central, e que apresenta altos índices de mortalidade.

calázio [Do lat. cient. *chalazion* (do gr. *chalázion*).] *S. m. Oftalm.* Pequeno tumor de borda palpebral livre.

▲**calazo-** [Do gr. *chalazo-* < gr. *chálaza, ēs*, 'granizo'; 'grão transparente que se forma à pálpebra', 'calázio'; 'grão duro', 'grão duro na gema do ovo'.] *El. comp.* = 'granizo'; 'calázio'; 'calaza': *calazogamia.*

calazogamia [De *calazo-* + *-gam(o)-* + *-ia*[1].] *S. f. Bot.* Penetração do tubo polínico no óvulo através da calaza (1). [Opõe-se a *porogamia.*]

calazogâmico [De *calazogamia* + *-ico*[2].] *Adj. Bot.* Relativo à calazogamia.

calazógamo [De *calazo-* + *-gamo.*] *Adj. Bot.* Diz-se do vegetal em que a fecundação se processa por calazogamia.

calca [Dev. de *calcar.*] *S. f.* V. *calcadura.*

calça [Do lat. vulg. **calcea*, do lat. *calceu*, 'sapato'.] *S. f.* **1.** *Ant.* Meia ou malha que cobria as pernas. **2.** Peça externa do vestuário tanto masculino quanto feminino, que parte da cintura, ou de logo abaixo dela, e, contornando o corpo, se fecha no centro junto às virilhas, dividindo-se em duas partes, que irão contornar e cobrir separadamente as pernas, descendo, por via de regra, até os tornozelos. **3.** Peça interna do vestuário feminino semelhante à anterior, mas que parte da cintura ou dos quadris, indo apenas até às virilhas ou às coxas; calcinha, calcinhas. [Sin., nesta acepç.: (N.E.) *calçolas* e (lus.) *cueca, cuequinha.* M. us. no pl. nas acepçs. 2 e 3. Cf. *biquíni* (2).] **4.** Atilho que se põe nas pernas das galinhas e doutros pequenos animais domésticos para distingui-los dos alheios. ~ V. *calças.* ◆ **Calça *baggie* (ou *baggy*).** *Vest.* Calça unissex de cintura alta, folgada, que se afunila na altura dos tornozelos. [Tb. se diz apenas *baggie* (ou *baggy*).] **Calça *capri*.** *Vest.* Calça feminina com pernas retas ou afuniladas, e que chega até o tornozelo. **Calça *cargo*.** *Vest.* Calça feminina de tecido forte e resistente, de diferentes comprimentos, grandes bolsos atrás, na altura das coxas, e com fivelas e cintos como adorno. **Calça *cigarrette*.** *Vest.* Calça feminina estreita, de corte reto até o tornozelo, e ger. sem bolsos. **Calça comprida.** *Vest.* Calça (2) que, ger., vai até o tornozelo ou um pouco abaixo dele. **Calça meia-coronha.** *Bras. N.E. Pop. Vest.* V. *calça pesca-siri.* [Tb. se diz apenas *meia-coronha.*] **Calça odalisca.** *Vest.* Calça feminina inspirada nas das mulheres turcas do início do século XIX, muito amplas e semelhantes a uma saia, porém com pernas divididas, e presas ao tornozelo por faixas adornadas. **Calça pega-frango.** *Bras. MG Pop. Vest.* V. *calça pesca-siri.* [Tb. se diz apenas *pega-frango.*] **Calça pega-marreco.** *Bras. N. N.E. Pop. Vest.* V. *calça pega-siri.* [Tb. se diz apenas *pega-marreco.*] **Calça pescador.** *Bras. Vest.* V. calça pesca-siri. **Calça pesca-siri.** *Bras. Pop. Vest.* Calça (2) que é, ou ficou, mais curta que a calça comprida; calça meia-coronha, calça pega-frango, calça pega-marreco, calça pescador. [Tb. se diz apenas *pesca-siri.*] **Calça *Saint Tropez*.** *Vest.* Calça feminina de cintura baixa, que assenta nos quadris, deixando o umbigo à mostra. **Abaixar as calças.** *Pop.* Submeter-se de maneira humilhante; arriar as calças. **Arriar as calças.** *Pop.* V. *abaixar as calças.* **Com as calças na mão.** *Pop.* V. *com a boca na botija.* **Meter-se em calças pardas.** Ficar em apuros: "os quais [os mais jovens], de pouco siso, se metiam em camisas de onze varas, e até em calças pardas" (Carlos Drummond de Andrade, *Caminhos de João Brandão*, p. 67). **Pegar de calças curtas.** Pegar desprevenido. **Usar calças.** *Bras. Pop. Fam.* Ser másculo e valente: *Não me insulte, que eu uso calças.*

calça-curta *S. m. Bras. Pop.* **1.** Marido dominado pela mulher. [Sin., no CE: *barriga-branca.*] **2.** Indivíduo frouxo, covarde. [Pl.: *calças-curtas.*]

calçada [Do lat. vulg. *calciata*, poss. do lat. vulg. *cals*, lat. láss. *calx, cis*, 'cal', 'pedra calcária'.] *S. f.* **1.** Caminho ou rua revestida de pedras. **2.** *Bras.* Caminho pavimentado para pedestres, quase sempre mais alto que a parte da rua destinada aos veículos, e geralmente limitado pelo meio-fio; passeio. **3.** *Bras.* Faixa pavimentada em torno de edifícios, junto às paredes, para evitar a penetração de umidade nos alicerces ou no subsolo. **4.** *Lus.* Ladeira (2).

calçadão [De *calçada* + *-ão*[1].] *S. m. Bras.* Calçada ou passeio extenso e excepcionalmente largo, de belo efeito urbanístico: *os calçadões da Avenida Atlântica* [Rio de Janeiro, RJ].

calcadeira [De *calcar*[2] + *-deira.*] *S. f.* Pau com que os moleiros calcam a farinha nos sacos.

calçadeira [De *calçar* + *-deira.*] *S. f.* Utensílio com que se facilita calçar os sapatos, etc.; descalçadeira, descalçador.

calçadense[1] *Adj. 2 g.* **1.** De, ou pertencente ou relativo a Calçado (PE). ● *S. 2 g.* **2.** O natural ou habitante de Calçado.

calçadense[2] *Adj. 2 g.* **1.** De, ou pertencente ou relativo a São José do Calçado (ES). ● *S. 2 g.* **2.** O natural ou habitante de São José do Calçado.

calçadista [De *calçado* + *-ista.*] *Bras. Adj. 2 g.* **1.** Que fabrica calçados: *a indústria calçadista.* ● *S. 2 g.* **2.** *Bras.* Fabricante de calçados: "segundo o industrial, o preço do couro se tornou proibitivo e está estrangulando os calçadistas e curtumeiros ...." (*Jornal do Brasil*, 19.02.1979).

calcado [Part. de *calcar*[2].] *Adj.* **1.** Que se calcou; comprimido. **2.** Acalcanhado (1).

calçado [Part. de *calçar.*] *Adj.* **1.** Diz-se de terreno, rua, etc., que se calçou ou pavimentou. **2.** Diz-se dos animais que têm as patas de cor diferente da do resto do corpo. ● *S. m.* **3.** Peça do vestuário, feita de couro ou outro material, que serve para cobrir e proteger os pés. [Sin. (bras., pop.), nesta acepç.: *pisante, calcante.*]

calcadoiro [De *calcar*[2] + *-doiro*[2].] *S. m.* Calcadouro (q. v.).

calcador (ô) [De *calcar*[2] + *-dor.*] *Adj.* **1.** Que calca. ● *S. m.* **2.** Aquele que calca. **3.** Peça das máquinas de costura com a qual se segura o tecido que se cose. **4.** *Art. Gráf.* Peça que prende o papel ou papelão durante o corte, na guilhotina, ou no tesourão; balancim.

calcadouro [De *calcar*[2] + *-douro*[2]; var. de *calcadoiro.*] *S. m.* **1.** Lugar onde se calca. **2.** Eira para debulha de cereais. **3.** Cereais que estão na eira por debulhar. **4.** Ato de calcar repetidamente.

calcadura [De *calcar*[2] + *-dura.*] *S. f.* Ato ou efeito de calcar; calcamento, calca.

calça-fecho (fê) [De *calçar* + *fecho.*] *S. m. Bras. S. Pop.* V. *vagabundo* (7). [Pl.: *calça-fechos.*]

calça-foice [De *calçar* + *foice.*] *S. m. Bras. S. Pop.* V. *vagabundo* (7). [Pl.: *calça-foices.*]

calcamento [De *calcar*[2] + *-mento.*] *S. m.* V. *calcadura.*

calçamento [De *calçar* + *-mento.*] *S. m.* **1.** Ato ou efeito de calçar. **2.** Pavimentação de terrenos, ruas, etc., com pedras, asfalto, concreto, etc.

calcâneo [Do lat. *calcaneu.*] *Adj.* **1.** Relativo ao calcanhar. ~ V. *esporão —, osso —* e *tendão —.* ● *S. m.* **2.** *Anat.* Osso calcâneo.

calcanha [De *calcar*[2], com infl. de *calcanhar*, poss.] *S. f. Bras. N.E.* Mulher que varre os engenhos de açúcar.

calcanhar [Do lat. vulg. **calcaneare*, ou poss. do esp. *calcañar.*] *S. m.* **1.** A parte posterior do pé, cuja estrutura óssea é formada pelo calcâneo; coice. **2.** Parte do calçado correspondente a essa parte do pé. [Cf. (nesta acepç.) *tacão* (1 e 2).] **3.** *Constr. Nav.* Saliência para ré, que alguns navios apresentam na junção do cadaste com a quilha. ◆ **Dar aos calcanhares.** *Pop.* V. *fugir* (1 e 2). **Estar no(s) calcanhar(es) de alguém.** Segui-lo por toda a parte, não lhe dar trégua. **Não chegar aos calcanhares de.** V. *não chegar aos pés de.*

calcanhar de aquiles *S. m.* Lado ou aspecto, seja físico, moral ou intelectual, por onde alguém é vulnerável; ponto fraco: *A matemática é o seu calcanhar de aquiles; Inteligentíssimo, o caráter é o seu calcanhar de aquiles; É linda, mas as pernas finas são o seu calcanhar de aquiles.* [Pl.: *calcanhares de aquiles.*] ☑

calcanhar de judas *S. m. Bras.* V. *cafundó* (3). [Pl.: *calcanhares de judas.*] ☑

calcanheira [De *calcanh(ar)* + *-eira.*] *S. f. Bras. Cap.* Golpe semelhante ao chapa (17), em que se atinge o corpo do adversário com o calcanhar.

calcante [De *calcar*[2] + *-nte.*] *Adj. 2 g.* **1.** Que calca. ● *S. m.* **2.** *Pop.* O pé. **3.** *Bras. Pop.* Calçado (3). [Tb. us., nesta acepç., no pl.] ~ V. *calcantes.* ◆ **No calcante.** *Bras. Gír.* A pé: "Dentro da cidade era no calcante, pisando poeira tempo seco ou amassando barro se havia chuva." (Pedro Nava, *O Círio Perfeito*, p. 219.)

calcantes [Pl. de *calcante.*] *S. m. pl.* V. *calcante* (3).

calção [De *calça* + *-ão*[1].] ***S. m.*** **1.** *Ant.* Calça (2) curta e entufada que ia da cintura às virilhas, depois até o meio da coxa e, por fim, até o joelho. **2.** Calça (2) de bocas um tanto largas, que não ultrapassa o meio da coxa. [Sin. (ingl.), nesta acepç.: *shorts*.] ◆ **Calção de banho.** Calça (2) para uso masculino, de tecido ou de malha, que ultrapassa as virilhas e é próprio para natação.

calção de coiro ***S. m.*** *Bras.* Calção de couro. [Pl.: *calções de coiro*.] ☑

calção de couro [Var. de *calção de coiro*.] ***S. m.*** *Bras.* Indivíduo valente e pertinaz. [Pl.: *calções de couro*.] ☑

calção-de-velho ***S. m.*** *Bras. Bot.* V. *verbasco* (5). [Pl.: *calções-de-velho*.]

calcar[1] [Do lat. cient. *calcare*, 'espora', < lat. *calce*, 'calcanhar'.] ***S. m.*** *Bot.* Espora que se encontra no cálice ou na corola, e constituída por uma sépala ou pétala.

calcar[2] [Do v. lat. *calcare*, 'calcar', 'pisar com os pés'.] ***V. t. d.*** **1.** Pisar com os pés, comprimindo: *Calcou o lugar que havia escavado, procurando não deixar vestígios.* **2.** Apertar com força; comprimir: *Calcou o braço do amigo para chamar-lhe a atenção.* **3.** *Fig.* Oprimir; humilhar, vexar: *Suas palavras ásperas calcaram o coração do pai.* **4.** Reprimir, conter: *Sabe calcar os maus impulsos.* **5.** Não dar importância a; desprezar: *calcar as leis.* **6.** Decalcar (1). ***T. d. e c.*** **7.** Esticar e fixar com força; comprimir: *Passou cola no cartaz e calcou-o contra a parede.* **8.** V. *vazar* (16). ***T. d. e i.*** **9.** *Fig.* Tomar como base, ou como modelo; ter e/ou seguir como exemplo: *Calcou toda a sua formação na escola europeia.* [Conjug.: v. *trancar*. Fut. pret.: *calcaria*, etc. Cf. *calcária*, fem. de *calcário*.]

calçar [Do lat. *calceare*.] ***V. t. d.*** **1.** Revestir os pés de (botas, sapatos, chinelos, meias, etc.): "calcei as meias de fio d'Escócia e os sapatos de verniz" (Artur Azevedo, *Contos Possíveis*, p. 12); "— Não vá molhar os pés. Calce os tamancos." (José Carlos Cavalcanti Borges, *O Assassino*, p. 16.) **2.** Revestir as pernas de (calças ou calções, etc.). **3.** Revestir as mãos de (luvas): "Calçou as luvas sem impaciência" (Machado de Assis, *Contos sem Data*, p. 132). **4.** Fornecer calçado a: *É o avô que a veste e calça.* **5.** Usar (calçados) de determinado tamanho, de certo número: *Ele calça sapatos nº 42.* **6.** Empedrar (rua, calçada, etc.); calcetar: "De cócoras, em linha, os calceteiros, / Com lentidão, terrosos e grosseiros, / Calçam de lado a lado a longa rua." (Cesário Verde, *Obra Completa*, p. 98.) **7.** Formar o calçamento de; pavimentar: *Grandes lajes que calçam o pátio.* **8.** Revestir de aço (a ferramenta). **9.** Pôr calço ou cunha em: *Calçou a roda do carro com uma pedra.* ***Int.*** **10.** Ajustar-se, adaptar-se (aquilo que se calça): *Este sapato calça bem.* ***P.*** **11.** Revestir os pés de calçado, as pernas de meias, ceroulas, etc., as mãos de luvas. **12.** Abastecer-se normalmente de calçado: *Calça-se no melhor sapateiro da cidade.* [Conjug.: v. *laçar*.]

calcarado [De *calcar*[1] + *-ado*[1].] ***Adj.*** *Bot.* Diz-se dos órgãos ou partes vegetais semelhantes ao calcar[1]: *antera calcarada.*

calcariforme [De *calcar*[1] + *-iforme*.] ***Adj. 2 g.*** *Bot.* Que tem forma de calcar[1]: *sépala calcariforme.*

calcário[1] [Do lat. *calcariu*, 'relativo a cal'.] ***Adj.*** **1.** Que contém cálcio; cálcico: *águas calcárias.* **2.** Da natureza da cal. [Fem.: *calcária*. Cf. *calcaria*, do v. *calcar*.] ~ V. *brecha —a* e *pedra —a*. ● ***S. m.*** **3.** Designação comum às rochas constituídas essencialmente de carbonato de cálcio; pedra calcária. ◆ **Calcário litográfico.** V. *pedra litográfica*.

calcário[2] [De *calc(i)-* + *-ário*; tax. *Calcarea*.] ***S. m.*** *Zool.* **1.** Espécime dos calcários, classe de animais poríferos de corpo quebradiço, cujas espículas calcárias têm três ou quatro raios. Vivem ger. em águas rasas; persistentes, existem desde o cambriano (v. *áscon*, *sícon* e *lêucon*); calcispôngia. ● ***Adj.*** **2.** Pertencente ou relativo aos calcários.

calças ***S. f. pl.*** V. *calça* (2 e 3). ~ V. *calça*.

calcedónia ***S. f.*** *Min.* V. *calcedônia*. [Uso freq. em P.]

calcedônia [Do adj. (fem.) lat. *chalcedonia*, 'da Calcedônia', < top. *Calchedon* (gr. *Kalkedón*), de onde provinha a pedra.] ***S. f.*** *Min.* Variedade de sílica microcristalina, transparente ou translúcida.

calcedónio ***Adj.*** V. *calcedônio*. [Uso freq. em P.]

calcedônio [Do lat. *chalcedoniu*.] ***Adj.*** Semelhante à calcedônia.

▲**calcei-** [Do lat. *calcĕus, i*.] ***El. comp.*** = 'sapato': *calceiforme*.

calceiforme [De *calcei-* + *-forme*.] ***Adj. 2 g.*** Que tem forma de sapato: *labelo calceiforme.*

calceiro [De *calça* + *-eiro*.] ***S. m.*** Aquele que fabrica ou faz calças.

calcemia [De *calc(i)-* + *-emia*.] ***S. f.*** *Med.* Teor de cálcio no sangue.

calcémico ***Adj.*** V. *calcêmico*. [Uso freq. em P.]

calcêmico [De *calcemia* + *-ico*[2].] ***Adj.*** *Med.* Relativo à calcemia.

calceolária (àl) [Do tax. *Calceolaria* (do lat. *calceolus*, dim. de *calceus*, 'sapato', + lat. cient. *-ária*); tax. *Calceolaria*.] ***S. f.*** *Bot.* **1.** Gênero de subarbustos escrofulariáceos, ornamentais, originário da América tropical, mas sem representantes no Brasil, e dotados de flores irregulares, com corola bilabiada, folhas ovado-lanceoladas, glabras, crespas, denteadas e membranáceas, e fruto capsular polispérmico. **2.** Qualquer espécie desse gênero como, p. ex., a *Calceolaria integrifolia*, originária do Chile, de flores amarelas, vistosas, reunidas em grupos terminais, ramificados e frouxos. **3.** Qualquer espécime desse gênero.

calcês [Do it. *calcese* < lat. vulg. **calcese* < lat. cláss. *carchesiu*.] ***S. m.*** *Marinh.* Parte de seção retangular, no extremo superior de um mastro ou mastaréu, logo acima da romã. [Pl.: *calceses* (ê).]

calceta (ê) [Do esp. *calceta*.] ***S. f.*** *Ant.* **1.** Argola de ferro fixada no tornozelo do prisioneiro, ligada à cintura dele, ou ao pé de outro prisioneiro, por uma corrente de ferro; branca. **2.** *P. ext.* A pena de trabalhos forçados. ● ***S. 2 g.*** **3.** Indivíduo condenado à calceta (2); forçado: "O Código Criminal, quanto à natureza da questão, era omisso, mesmo porque não podia cogitar de como aplicar a pena ao prelado [D. Vital], nem os trabalhos forçados que lhe devia exigir reduzindo-o à condição de calceta." (Jorge de Lima, *Obra Completa*, I, p. 1131.) [Sin. ger. (ant.): *grilheta*. Pl.: *calcetas* (ê). Cf. *calceta* e *calcetas*, do v. *calcetar*.]

calcetar ***V. t. d.*** Calçar ou revestir com pedras justapostas; empedrar, calçar. [Pres. ind.: *calceto*, *calcetas*, *calceta*, etc. Cf. *calceta* (ê) e pl. *calcetas* (ê).]

calcetaria [De *calcet-*, como em *calceteiro*, + *-aria*.] ***S. f.*** Profissão de calceteiro.

calceteiro [De *calceta* + *-eiro*, ou do esp. *calcetero*.] ***S. m.*** Operário que calça as ruas com pedras justapostas; empedrador: "De cócoras, em linha, os calceteiros, / Com lentidão, terrosos e grosseiros, / Calçam de lado a lado a longa rua." (Cesário Verde, *Obra Completa*, p. 98.)

▲**calc(i)-** [Do lat. *calx*, *cálcis*, 'cal', 'pedra calcária'.] ***El. comp.*** = 'cal'; 'cálcio': *calcita*, *calciúria*. [Equiv.: *calcio-*, *calcic(o)-*, *-calc(i)-*: *calciotermia*, *calcicossilicose*, *hipercalcemia*.]

▲**-calc(i)-** V. *calc(i)-*.

▲**calcic(o)-** [De *cálcico* < *calc(i)-* + *-ico*[2].] V. *calc(i)-*.

cálcico [De *calc(i)-* + *-ico*[2].] ***Adj.*** Calcário[1] (1).

calcícola [De *calc(i)-* + *-cola*[1].] *Bot.* ***Adj. 2 g.*** **1.** Diz-se do vegetal que vive, facultativa ou obrigatoriamente, em solo calcário; calcípeta. ● ***S. m.*** **2.** Vegetal calcícola. [Sin. ger.: *calcífilo*.]

calcicose [De *calcic(o)-* + *-ose*[1].] ***S. f.*** *Pneum.* Pneumoconiose devida à inalação de poeira de mármore.

calcicossilicose (càl) [De *calcic(o)-* + *-silic(i)-* + *-ose*[1].] ***S. f.*** *Pneum.* Pneumoconiose devida à inalação de poeira que contém cal e sílica.

calcidídeo [Do lat. cient. *Chalcid-* (< tax. *Chalcis* < gr. *chalkós* [v. *calc(o)-*]), + *-ídeo*[1]; tax. *Chalcididae*.] *Zool.* ***S. m.*** **1.** Espécime dos calcidídeos, família de insetos himenópteros, de ovopositor curto, asas não dobradas longitudinalmente quando em repouso e com 2 a 7mm de comprimento. Parasitam outros himenópteros e dípteros, coleópteros e lepidópteros. ● ***Adj.*** **2.** Pertencente ou relativo a eles.

calciferol [De *calcífero* + *(ergoster)ol*.] ***S. m.*** *Quím.* V. ergocalciferol. [Pl.: *calciferóis*.]

calcificação [De *calcificar* + *-ção*.] ***S. f.*** **1.** Depósito de sais de cálcio no esqueleto durante o processo de ossificação. **2.** *Patol.* Deposição de cálcio em qualquer parte do organismo. **3.** *Bot.* Deposição de carbonato de cálcio nas paredes celulares, que se tornam rígidas.

calcificado [Part. de *calcificar*.] ***Adj.*** Que sofreu calcificação.

calcificar [De *calc(i)-* + *-ficar*.] ***V. t. d.*** **1.** Dar consistência de cal a. ***Int. P.*** **2.** Sofrer um processo de calcificação. [Conjug.: v. *trancar*.]

calcífilo [De *calc(i)-* + *-filo*[2].] ***Adj. S. m.*** *Bot.* V. *calcícola*.

calcífugo [De *calc(i)-* + *-fugo*[1].] ***Adj.*** *Bot.* Diz-se dos vegetais que não toleram solos ricos em cálcio.

calcinabilidade [De *calcinável* (*calcinabil-*) + *-(i)dade*, seg. o padrão erudito.] ***S. f.*** Qualidade ou condição do que é calcinável.

calcinação [De *calcinar* + *-ção*.] ***S. f.*** **1.** Ato ou efeito de calcinar. **2.** *Quím.* Aquecimento de um composto em que se lhe provoca a decomposição sem oxidação.

calcinado [Part. de *calcinar*.] ***Adj.*** **1.** Reduzido a cal. **2.** Reduzido a cinzas ou carvão. **3.** Muito seco; estorricado.

calcinador (ô) [De *calcinar* + *-dor*.] ***Adj.*** **1.** Que calcina; calcinante. ● ***S. m.*** **2.** Aquilo que calcina.

calcinante [De *calcinar* + *-nte*.] ***Adj. 2 g.*** Que calcina; calcinador: *soprava um vento abrasador, calcinante.*

calcinar [Do fr. *calciner*.] ***V. t. d.*** **1.** Transformar (o carbonato de cálcio), a uma temperatura elevada, em óxido de cálcio, para obter a cal. **2.** *P. ext.* Submeter a temperatura muito elevada; aquecer em altíssimo grau; abrasar. **3.** Reduzir a cinzas ou carvão. **4.** *Fig.* Inflamar; excitar. ***Int.*** **5.** Aquecer em altíssimo grau; abrasar.

calcinatório [De *calcinar* + *-tório*.] ***Adj.*** Que serve para calcinação.

calcinável [De *calcinar* + *-vel*.] ***Adj. 2 g.*** Que pode ser calcinado.

calcinha [De *calça* + *-inha*.] ***S. f.*** **1.** V. *calça* (3). ● ***S. m.*** **2.** *Afric. Pej.* Calcinhas (2): "fora um calcinha do Sul quem o metera na encrenca." (Aníbal Aleluia, *Mbelele e Outros Contos*, p. 182). ~ V. *calcinhas*.

calcinhas [Pl. de *calcinha*.] ***S. f. pl.*** **1.** V. *calça* (3): "de calcinhas e corpinho, toda faceira, Zilda Rabo-Quente escondia o rosto entre as mãos em concha." (José Condé, *Como uma Tarde em Dezembro*, p. 7). **2.** *Afric. Pej.* Colonizado que, vestindo-se à europeia, pretendia mudar de *status* social; calcinha: "E também os calcinhas de Luanda, lá no meio a darem palmadinhas nas costas dos alemães. Esses que aprenderam a ler nas missões protestantes..." (Pepetela, *Yaka*, p. 79.) ~ V. *calcinha*.

calcinose [De *calc(i)-* + *-nose*.] ***S. f.*** *Patol.* Fenômeno que se caracteriza pela deposição de sais de cálcio em diversos tecidos do organismo.

▲**calcio-** [Do V.C.I. *calcio-* < lat. cient. *calcium* < lat. *calx*, *cálcis*, 'cal'.] V. *calc(i)-*.

cálcio [Do lat. cient. *calcium* < lat. *calx*, *cis*, 'pedra calcária', + lat. cient. *-ium*.] ***S. m.*** *Quím.* Elemento de número atômico 20, prateado, mole, leve e maleável, pertencente aos metais alcalinoterrosos [símb.: *Ca*].

calcioterapia (càl) [De *calcio-* + *-terapia*.] ***S. f.*** *Terap.* Tratamento de doenças por meio de administração de cálcio, por vias diversas.

calcioterápico (càl) [De *calcioterapia* + *-ico*[2].] ***Adj.*** *Terap.* Relativo à calcioterapia.

calciotermia (càl) [De *calcio-* + *-term(o)-* + *-ia*[1].] ***S. f.*** Procedimento de obtenção do urânio pela redução do hexafluoreto em presença de cálcio.

calciotérmico (càl) [De *calciotermia* + *-ico*[2].] ***Adj.*** Relativo à calciotermia.

calcipenia [De *calc(i)-* + *-penia*.] ***S. f.*** *Med.* Baixo teor de cálcio no sangue.

calcipénico ***Adj.*** *Med.* V. *calcipênico*. [Uso freq. em P.]

calcipênico [De *calcipenia* + *-ico*[2].] ***Adj.*** *Med.* Relativo à calcipenia.

calcípeta [De *calc(i)-* + *-peta*.] ***Adj. 2 g.*** *Bot.* V. *calcícola* (1).

calcispôngia [De *calc(i)-* + *-spôngia*; tax. *Calcispongiae*.] ***S. f.*** *Zool.* Calcário[2] (1).

calcita [De *calc(i)-* + *-ita*[3].] ***S. f.*** *Min.* Mineral trigonal, carbonato de cálcio; espato da islândia.

calcitonina [Do V.C.I.; ingl. *calcitonin*.] ***S. f.*** *Bioquím.* Hormônio secretado pela glândula tireóidea, e cuja ação diminui a calcemia.

calcitrar [Do lat. *calcitrare*.] ***V. int. T. i. T. d.*** V. *recalcitrar*.

calciuria (i-u) [De *calc(i)-* + *-uria*.] ***S. f.*** *Med.* V. *calciúria*.

calciúria [De *calc(i)-* + *-úria*.] ***S. f.*** *Med.* Teor de cálcio na urina. [F. paral.: *calciuria*.]

calciúrico [De *calciúria* + *-ico*[2].] ***Adj.*** *Med.* Relativo à calciúria.

calco [Dev. de *calcar*[2].] ***S. m.*** *Lus.* **1.** V. *decalque* (1 a 3). **2.** *E. Ling.* Calque (2).

▲**calc(o)-** [Do gr. *chalko-* < gr. *chalkós*, *oû*, 'cobre'; 'bronze'; 'ferro'.] ***El. comp.*** = 'cobre'; 'bronze'; '(qualquer) metal': *calcografia*, *calcopirita*. [Equiv.: *calcos-*: *calcosina*, *calcosita*.]

calço [Dev. de *calcar*.] ***S. m.*** **1.** Cunha, pedra, pedaço de madeira, etc., que se coloca debaixo de um objeto para o firmar, elevar ou nivelar, ou junto às rodas de um veículo estacionado em ladeira para impedir que saia do lugar. **2.** *Tip.* Alça[1] (9). **3.** *Tip.* Reforço que se põe sob clichê ou tipo que não tem a altura dos demais elementos da fôrma. **4.** *Bras.* Movimento ardiloso de quem, com o pé ou a perna, intercepta a passagem de outrem, provocando-lhe a queda. **5.** *Bras.* V. *rasteira* (1).

calçoenense ***Adj. 2 g.*** **1.** De, ou pertencente ou relativo a Calçoene (AP). ● ***S. 2 g.*** **2.** O natural ou habitante de Calçoene.

calcogêneo ***S. m.*** V. calcogênio.

calcogénio ***S. m.*** *Quím.* V. *calcogênio*. [Uso freq. em P.]

calcogênio [De *calc(o)-* + *-gen(o)-* + *-io*[3].] ***S. m.*** *Quím.* Denominação dada a qualquer destes elementos: o oxigênio, o enxofre, o selênio, o telúrio e o polônio e, presumivelmente, o ununéxio.

calcografar [De *calc(o)-* + *-graf(o)-* + *-ar*[2].] ***V. t. d.*** *P. us.* Gravar em cobre ou em qualquer metal. [Pres. ind.: *calcografo*, etc. Cf. *calcógrafo*.]

calcografia [De *calc(o)-* + *-grafia*.] ***S. f.*** *P. us.* Arte de gravar em cobre ou em qualquer metal. [V. *gravura a entalhe*.]

calcográfico [De *calcografia* + *-ico*[2].] ***Adj.*** *P. us.* Relativo à calcografia. ~ V. *gravura —a* e *impressão —a*.

calcógrafo [De *calc(o)-* + *-grafo*.] *S. m. P. us.* Gravador em metal. [Cf. *calcografo*, do v. *calcografar*.]

calçolas *S. f. pl. Bras. N.E.* V. *calça* (3).

calcolítico [De *calc(o)-* + *-lit(o)-* + *-ico*[2].] *Adj. Geol.* ~ V. *período* —.

calcopirita [De *calc(o)-* + *pirita*.] *S. f. Min.* Mineral tetragonal, sulfeto de cobre e ferro, o mais importante dos minérios de cobre [fórm.: $CuFeS_2$].

calcorreador (ô) [De *calcorrear* + *-dor*.] *Adj. S. m.* Que, ou aquele que calcorreia; caminhante, caminhador: "o viajante sentiu que estava a viver um dos grandes momentos deste seu ofício de calcorreador." (José Saramago, *Viagem a Portugal*, p. 125).

calcorrear [Do esp. *calcorrear*, poss.] *V. int. Pop.* **1.** Andar a pé. **2.** Caminhar muito. *T. d.* **3.** Percorrer a pé: "pus-me a procurar no dicionário da memória uma palavra onde pudesse caber a serra do Roboredo, que calcorreei o dia inteiro." (Miguel Torga, *Diário*, X, p. 168). [Conjug.: v. *frear*.]

▲ **calcos-** [Do gr. *chalkós, oû*.] Equiv. de *calc(o)-*.

calcosina [De *calcos-* + *-ina*[3].] *S. f. Min.* Calcosita.

calcosita [De *calcos-* + *-ita*[3].] *S. f. Min.* Sulfeto de cobre de cristais ortorrômbicos, que é um importante minério desse metal; calcosina.

calçudo [De *calça* + *-udo*.] *Adj.* **1.** Que tem calças compridas, ou compridas em excesso. **2.** *Zool.* Diz-se de ave cujas pernas são cobertas de penas.

calculabilidade [De *calculável* (*calculabil-*) + *-(i)dade*, seg. o padrão erudito.] *S. f.* Qualidade ou condição do que é calculável.

calculado [Part. de *calcular*.] *Adj.* **1.** Determinado por meio de cálculo. **2.** Computado, contado. **3.** Avaliado, estimado. **4.** Imaginado, presumido, suposto.

calculador (ô) [Do lat. *calculatore*.] *Adj.* **1.** Que calcula ou faz cálculos; calculante. ● *S. m.* **2.** Aquele que calcula. **3.** *Fig.* Indivíduo previdente, ou interesseiro. [Sin. ger.: *calculista*.]

calculadora (ô) [F. subst. do adj. *calculador*.] *S. f.* Qualquer mecanismo, instrumento ou dispositivo (como programa computacional) que realiza cálculos matemáticos. [Cf. *máquina de calcular*.]

calculante [De *calcular* + *-nte*.] *Adj. 2 g.* V. *calculador* (1).

calcular [Do lat. *calculare*.] *V. t. d.* **1.** Determinar por meio de cálculo (1); computar, contar: *Calculou rapidamente a duração do voo; Fez as contas, calculando a importância que lhe restava receber.* **2.** Avaliar, estimar: *Calculando a distância, disparou a arma.* **3.** Fazer ideia de; imaginar, avaliar: *Calcule só a minha decepção.* **4.** Conjeturar, presumir, supor, prever: *Não podia calcular que fosse dar motivo a tanta mágoa.* **5.** Preparar; aprontar: *Enroscando-se, a serpente calculava o bote.* *T. d. e i.* **6.** Avaliar, estimar: *Calculou em trinta o número de feridos.* *T. i.* **7.** Ter em conta; contar: *Não calculara com a timidez da noiva.* *Int.* **8.** Fazer cálculo (1): *Costuma calcular bem, e de cabeça.* [Pres. ind.: *calculo*, etc. Cf. *cálculo*, s. m.]

calculável [De *calcular* + *-vel*.] *Adj. 2 g.* Que pode ser calculado.

calculismo [De *cálculo* + *-ismo*.] *S. m.* Atitude ou comportamento de quem é calculista, interesseiro.

calculista [De *cálculo* + *-ista*.] *Adj. 2 g. S. 2 g.* **1.** V. *calculador*. **2.** Diz-se de, ou indivíduo interesseiro, que age sempre visando os seus interesses.

cálculo [Do lat. *calculu*, 'pedrinha', 'pedra na bexiga'.] *S. m.* **1.** Realização de uma operação ou uma combinação de operações sobre números ou símbolos algébricos; cômputo. **2.** Avaliação, conjetura. **3.** *Fig.* Sentimento de cobiça; interesse. **4.** *Patol.* Concreção que se forma em reservatórios musculomembranosos (bacinete, vesícula biliar, bexiga, etc.) e nos canais excretores de glândulas; pedra. **5.** *Mat.* V. *cálculo diferencial e integral*. [Cf. *calculo*, do v. *calcular*.] ◆ **Cálculo das probabilidades.** *Mat.* V. *cálculo de probabilidade*. **Cálculo das variações.** Parte da análise matemática que investiga os máximos e os mínimos de integrais em que o argumento envolve variáveis independentes e dependentes, assim como suas derivadas, e procura determinar a dependência funcional que deve existir entre essas variáveis para que a integral assuma um valor extremo; cálculo variacional. **Cálculo de diferenças.** *Mat.* Cálculo de diferenças finitas. **Cálculo de diferenças finitas.** *Mat.* Parte da matemática na qual se investigam as propriedades das diferenças finitas de funções, os processos de interpolação, de extrapolação e de somação baseados nessas diferenças, e a resolução de equações em que elas figurem; cálculo de diferenças. **Cálculo de probabilidade.** *Mat.* Parte da matemática em que se investigam os processos e fenômenos aleatórios e se procura descobrir as regularidades e leis que os caracterizam; cálculo de probabilidades, cálculo das probabilidades. **Cálculo de probabilidades.** *Mat.* V. *cálculo de probabilidade*. **Cálculo diferencial e integral.** *Mat.* Parte fundamental da análise matemática, sobre a qual se apoiam outros domínios dessa ciência, e em que se investigam as propriedades das derivadas e diferenciais, os processos de obtê-las, e a operação de integração, suas propriedades e métodos de obtenção de primitivas. [Tb. se diz apenas *cálculo*. Sin.: *cálculo infinitesimal*.] **Cálculo dos predicados.** *Lóg.* Cálculo funcional. **Cálculo funcional.** *Lóg.* Parte da lógica que trata da estrutura das proposições; cálculo dos predicados. [Cf. *lógica formal* (2).] **Cálculo infinitesimal.** *Mat.* V. *cálculo diferencial e integral*. **Cálculo matricial.** Parte da álgebra moderna que trata das matrizes, suas operações, transformações, etc. **Cálculo motorial.** *Mat.* Parte do cálculo vetorial em que se operam motores. [Compreende a álgebra motorial e a análise motorial.] **Cálculo numérico. 1.** *Inform.* Cálculo relativo ao processamento de fórmulas e expressões matemáticas, muitas vezes iterativas, em computadores digitais. **2.** Estudo de algoritmos, convergências e propagações de erros numéricos, associados à realização de cálculos em computadores. **Cálculo operacional.** *Mat.* Resolução de equações diferenciais mediante a transformada de Laplace. **Cálculo proposicional.** *Lóg.* Parte da lógica formal (2) que trata das relações interproposicionais; cálculo sentencial. **Cálculo sentencial.** *Lóg.* Cálculo proposicional. **Cálculo tensorial.** *Mat.* Parte da matemática que investiga as relações funcionais que se mantêm invariantes nas transformações dos sistemas de coordenadas. [Compreende a *álgebra tensorial* e a *análise tensorial*.] **Cálculo variacional.** *Mat.* Cálculo das variações. **Cálculo vetorial.** *Mat.* Parte da matemática que investiga as propriedades dos vetores, as operações que com eles se realizam e as suas transformações. [Compreende a *álgebra vetorial* e a *análise vetorial*.]

calculose [De *cálculo* (4) + *-ose*[1].] *S. f. Med. Patol.* Estado mórbido caracterizado pela presença de cálculos [v. *cálculo* (4)].

calcutaense (tà) *Adj. 2 g.* **1.** De, ou pertencente ou relativo a Calcutá (Índia). ● *S. 2 g.* **2.** O natural ou habitante de Calcutá.

calda [Do lat. *calda*, 'água quente'.] *S. f.* **1.** Solução de açúcar e água fervidos conjuntamente; xarope. **2.** Sumo de qualquer fruta fervido com açúcar. **3.** Incandescência do ferro. **4.** *Constr.* Argamassa fluida que, por gravidade, preenche os orifícios, frestas, etc., inacessíveis à argamassa comum; boiaca. **5.** *Bras. N.E.* Resíduos industriais das usinas de açúcar. ~ V. *caldas*. ◆ **Calda bordalesa.** *Quím.* Mistura de sulfato de cobre e cal, diluída em água, usada como fungicida.

caldaico [Do gr. *chaldaïcós*.] *Adj. S. m.* Caldeu.

caldário [Do lat. *caldariu*.] *Adj.* **1.** Referente a águas termais. ● *S. m.* **2.** Nas antigas termas romanas, sala destinada ao banho quente, grande e bem iluminada.

caldas [Pl. de *calda*.] *S. f. pl.* **1.** Águas termais. **2.** Resíduo da destilação do álcool ou da aguardente. ~ V. *calda*.

caldas-brandense *Adj. 2 g.* **1.** De, ou pertencente ou relativo a Caldas Brandão (PB). ● *S. 2 g.* **2.** O natural ou habitante de Caldas Brandão. [Pl.: *caldas-brandenses*.]

caldeação [De *caldear*[1] + *-ção*.] *S. f.* Caldeamento (1).

caldeador (ô) [De *caldear*[1] + *-dor*.] *Adj.* Que caldeia, amalgama.

caldeamento [De *caldear*[1] + *-mento*.] *S. m.* **1.** Ato ou efeito de caldear[1]; caldeação. **2.** V. *miscigenação*.

caldear[1] [De *calda* + *-ear*[2].] *V. t. d.* **1.** Tornar incandescente, pôr em brasa (o ferro, o vidro, etc.). **2.** Soldar, ligar (metais em brasa), reforçando-os. **3.** Converter em calda ou massa. **4.** *Fig.* Mestiçar: *caldear raças.* *T. d. e i.* **5.** Amalgamar; misturar: *caldear o puro com o impuro.* **6.** *Fig.* Caldear (4). [Conjug.: v. *frear*. Pres. ind.: *caldeio, caldeias, caldeia*, etc. Cf. *caldeia*, f. de *caldeu*, e *Caldeia*, top.]

caldear[2] [De *caldo* + *-ear*[2].] *V. int. Bras. RS* Tomar caldo (2). [Conjug.: v. *frear*. Pres. ind.: *caldeio, caldeias, caldeia*, etc. Cf. *caldeia*, f. de *caldeu*, e *Caldeia*, top.]

caldeia (éi) [Do lat. *chaldaea*.] *S. f.* Fem. de *caldeu*. ✣

caldeira [Do lat. *caldaria*, 'estufa'.] *S. f.* **1.** Grande tanque ou recipiente de metal para aquecer água ou outro líquido, produzir vapor, etc.: *caldeira do engenho; caldeira da locomotiva.* **2.** Depressão de terreno no fundo de lagoa, cisterna, tanque, etc. **3.** Depressão em volta do pé das árvores para depósito de adubo ou água das chuvas ou das regas. **4.** *Geol.* Grande cratera formada pelo colapso da parte central dum edifício vulcânico. [Cf. (nesta acepç.) *caldeirão* (3).] **5.** *Tip.* Crisol (4) (q. v.).

caldeirada [De *caldeira* + *-ada*[1].] *S. f.* **1.** O líquido que uma caldeira contém; chapeirada. **2.** Porção de líquido que se despeja num recipiente. **3.** *Cul.* Guisado de peixe, feito, em geral, com diversas espécies deles, e em caldeirão, típico dos pescadores; tigelada.

caldeirão [De *caldeira* + *-ão*[1].] *S. m.* **1.** Espécie de panela (1) grande, mais alta que larga, comumente dotada de alças. **2.** Escavação nas rochas, feita pelas águas, na qual se encontram ouro e diamante. **3.** *Geol.* Cova lisa e redonda formada pelos remoinhos, no leito de rio. [Cf., nesta acepç., *caldeira* (4).] **4.** *Bras. Mús.* Fermata (1). **5.** *Bras. AM* Lugar de um rio onde se forma turbilhão ou remoinho. **6.** *Bras. BA* Concavidade nos lajedos, da qual se retira o cascalho, nestes casos quase sempre rico. [O caldeirão (6) diz-se *bidogue* ou *casco de burro* quando pequenino, e *bacia* quando raso.] **7.** *Bras. BA GO* Tanque natural nos lajedos, onde se reúne a água da chuva. **8.** *Bras. MG* Grande cárie no dente molar. **9.** *Bras. S.* Cavidade aberta nas estradas pelas enxurradas ou pelo pisar dos animais. **10.** *Paleogr.* Sinal de pontuação em forma de um *C* com barra vertical, e que indicava, nos textos medievais e nos primeiros impressos, uma nova unidade do texto, como, p. ex., um novo capítulo ou parágrafo. **11.** *Zool.* V. *orca*[2].

caldeirão-grandense *Adj. 2 g.* **1.** De, ou pertencente ou relativo a Caldeirão Grande (BA). ● *S. 2 g.* **2.** O natural ou habitante de Caldeirão Grande. [Pl.: *caldeirão-grandenses*.]

caldeiraria [De *caldeira* + *-aria*.] *S. f.* Oficina de caldeireiro.

caldeireiro [De *caldeira* + *-eiro*.] *S. m.* **1.** Artífice que faz caldeiras e outros utensílios de cobre ou de outro metal. **2.** *Pop.* Aquele que anuncia chuva. **3.** *Bras.* Aquele que trabalha nas caldeiras dos engenhos de açúcar.

caldeireta (ê) [De *caldeira* + *-eta* (ê).] *S. f.* Copo com o duplo da capacidade dos comuns, geralmente usado para servir chope.

caldeirinha [De *caldeira* + *-inha*.] *S. f.* **1.** Vaso para água benta. **2.** *Bras.* Copo de viagem que se traz a tira-colo.

caldeiro [Do s. lat. *caldariu*, 'caldeirão para esquentar água'.] *S. m.* **1.** Vaso para tirar água dos poços. **2.** Caldeirão (1) de cobre.

caldense[1] *Adj. 2 g.* **1.** De, ou pertencente ou relativo a Caldas (MG). ● *S. 2 g.* **2.** O natural ou habitante de Caldas.

caldense[2] *Adj. 2 g.* **1.** De, ou pertencente ou relativo a Caldas Novas (GO). ● *S. 2 g.* **2.** O natural ou habitante de Caldas Novas.

caldeu [Do lat. *chaldaeu* < gr. *chaldaîos*.] *Adj.* **1.** De, ou pertencente ou relativo à Caldeia (antiga região da Ásia). ● *S. m.* **2.** O natural ou habitante da Caldeia. [Sin. ger.: *caldaico*; fem.: *caldeia*. Cf. *caldeia*, do v. *caldear*.]

caldo [Subst. do lat. *caldu* < lat. *calidu*, 'quente', com prov. infl. de *calda*.] *S. m.* **1.** Alimento líquido à base de água, na qual são cozidos carne, peixe, ou outra substância alimentícia, geralmente com temperos. [Sin. (it.): *bròdo*.] **2.** *Bras.* Suco extraído, por compressão, da polpa dos frutos ou de outras partes de certas plantas: *caldo de abacaxi; caldo de cana.* **3.** *Bras.* Mergulho forçado que, ger. por brincadeira, se dá em quem está nadando. ◆ **Caldo verde.** *Cul.* Sopa de origem portuguesa, engrossada com batata, feita com folhas de couve cortadas em tiras muito finas, linguiça (ou paio), por vezes pedaços de lombo, e temperada com sal e azeite. **Entornar o caldo.** Provocar o malogro, o insucesso de algo; deitar tudo a perder.

caldo de cana *S. m. Bras.* Botequim onde se vende caldo de cana [v. *caldo* (2)]. [Pl.: *caldos de cana*.] ☑

caldo de cultura *S. m.* **1.** Líquido para cultura de microrganismos. **2.** *Fig.* Condições propícias ao desenvolvimento de algo: "todo esse concerto de cores, sons e movimento foram o caldo de cultura em que foi lançado Constantino de Carvalho .... para que nascesse este admirável exemplo de luso-brasileiro que ele é." (Pedro Nava, *O Círio Perfeito*, p. 245). [Pl.: *caldos de cultura*.] ☑

caldo-de-feijão *S. m. Bras. Zool.* V. *rola-cabocla*. [Pl.: *caldos-de-feijão*.]

caldoso (ô) [De *caldo* + *-oso*.] *Adj.* Que tem muito caldo: *fruto caldoso.*

cale [Do lat. *canale*.] *S. m.* Rego ou calha de madeira por onde corre água. [Pl.: *cales*. Cf. *cáli*, pl. *cális*, e *cálix*.]

calé [Do cabo-verd.] *Interj. Cabo-verd.* Exprime desapontamento, desagrado, desdém, incredulidade: "Ah, calé! Um homem da sua idade já não é o mesmo que aos quarenta." (Teixeira de Sousa, *Capitão de Mar e Terra*, p. 19.)

calear [De *cal* + *-ear*[2].] *V. t. d. P. us.* Caiar (2 e 3): "As guitarras soluçosas tornam a noite sonora, como se o luar cantasse, caiando as searas, caleando os pinheirais..." (Martins Fontes, *A Dança*, p. 72.) [Conjug.: v. *frear*.]

caleça [Do it. *calesse* < tcheco *kolesa*.] *S. f. Bras.* Caleche: "A velha caleça de praça, em que pela primeira vez passeaste com a mulher amada, fechadinhos ambos, vale o carro de Apolo." (Machado de Assis, *Várias Histórias*, p. 8.)

caleceiro [De *caleça* + *-eiro*.] *S. m.* Cocheiro de caleça.

caleche [Do fr. *calèche*.] *S. f. e m.* Carruagem de quatro rodas e dois assentos, puxada por uma parelha de cavalos: "Com as chicotadas rijas do cocheiro, os animais levavam a caleche aos trancos." (Coelho Neto, *Treva*, p. 31.) [Sin. (bras.): *caleça*.]

caledoniano [Do top. *Caledônia* + *-ano*[1]] *Adj.* **1.** Caledônio (1). ● *S. m.* **2.** *Geol.* Orogenia do fim do período siluriano.

caledónio *Adj. S. m.* V. *caledônio*. [Uso freq. em P.]

caledônio [Do lat. *caledoniu* < top. lat. *Caledonia*.] *Adj.* **1.** Da, ou pertencente ou relativo à Caledônia, província dos antigos bretões, atual Alta Escócia (Highlands) no N. da Escócia; caledoniano. ● *S. m.* **2.** O natural ou habitante da Caledônia.

calefação [Do lat. *calefactione*.] *S. f.* **1.** *Fís.* Fenômeno que consiste na formação duma camada de vapor entre uma superfície aquecida e um líquido. **2.** Sistema de aquecimento de espaços internos para neutralizar a ação do frio. ◆ **Calefação central.** Aquecimento central (2).

calefaciente [Do lat. *calefaciente*.] *Adj. 2 g.* Que faz aquecer.

calefator (ô) [Do lat. *calefactus*, part. de *calefacere*, 'aquecer', + *-or*.] *S. m.* Aparelho de aquecimento.

calefrio *S. m. Ant. Pop.* Calafrio (q. v.): "Corre-lhe à flor da pele um calefrio" (Olavo Bilac, *Poesias*, p. 96).

caleidoscópio *S. m.* V. *calidoscópio*.

caleira[1] [De *cale* + *-eira*.] *S. f.* **1.** V. *calha* (1). **2.** Canal descoberto, em terrenos ou construções, aberto para escoamento de águas.

caleira[2] [De *cal* + *-eira*.] *S. f. Bras.* V. *sambaqui*.

calejado [Part. de *calejar*.] *Adj.* **1.** Que tem calos ou calosidades; caloso: *mãos calejadas*. **2.** *Fig.* Experiente, experimentado: *profissional calejado*. **3.** *Fig.* Endurecido, empedernido (o coração, a alma).

calejar [De *calo*[1] + *-ejar*.] *V. t. d.* **1.** Produzir calos em; tornar caloso: *Calejou as mãos no trabalho de enxada*. **2.** Tornar insensível; endurecer, empedernir: *O sofrimento calejou-lhe a alma*. *Int. P.* **3.** Criar calo(s). **4.** Tornar-se insensível; endurecer, empedernir-se: *Participou em tantos peculatos que a sua consciência calejou; Habituou-se à crueldade, seu coração calejou-se.* [Conjug.: v. *pelejar*.]

calema [Do quimb. *kalemba*, 'tempestade'.] *S. f. Angol. Cabo-verd. Santom.* Forte agitação do mar, particularmente na altura dos equinócios: "Só o estrondo das vagas contra os rochedos fazia adivinhar a calema que se aproximava. Era abril, tempo ainda das calemas." (Pepetela, *A Geração da Utopia*, p. 189.)

calembur [Do fr. *calembour*.] *S. m.* V. *trocadilho* (1).

calemburar [De *calembur* + *-ar*[2].] *V. int.* Fazer calembur(es).

calemburgo [Var. de *calembur*.] *S. m.* V. *trocadilho* (1).

calemburista [De *calembur* + *-ista*.] *S. 2 g.* Pessoa que faz calembures; trocadilhista.

calendar [Do lat. *calendare*.] *Adj. 2 g.* Relativo às calendas.

calendárico [De *calendário* + *-ico*[2].] *Adj.* Referente a calendário.

calendário [Do lat. *calendariu*.] *S. m.* **1.** Folha impressa ou folheto onde se indicam os dias, semanas e meses do ano, as fases da Lua, as festas religiosas e os feriados nacionais. [Cf. *agenda* (1), *almanaque* e *folhinha* (1).] **2.** *P. ext.* Datas prefixadas para a realização de determinados eventos: "Secretaria de Educação divulga o calendário do supletivo." (*Jornal do Brasil*, 26.04.1973.) **3.** *Cronol.* Sistema de divisão do tempo em que se aplica um conjunto de regras baseadas na astronomia e em convenções próprias, capazes de fixar a duração do ano civil e de suas diferentes datas: "O calendário maia consiste em três sistemas simultâneos de contagem de dias: um, de interesse civil, com um período de 365 dias; outro, religioso, de 260 dias; e um terceiro de longo curso." (Ronaldo Rogério de Freitas Mourão, *Astronomia e Astronáutica*, p. 57.) ◆ **Calendário civil.** *Cronol.* Aquele em que se considera o ano como formado de um número inteiro de dias e meses, segundo as regras próprias de cada povo ou nação. **Calendário cósmico.** *Astr.* Cronologia cósmica que procura condensar a vida do universo, desde a Grande Explosão até o tempo atual, em um ano. **Calendário eclesiástico.** *Cronol.* O baseado nas festas móveis das igrejas cristãs. **Calendário egípcio.** *Cronol.* Calendário usado no antigo Egito, formado por anos de 365 dias grupados em 12 meses de 30 dias e cinco dias epagômenos que o completavam. **Calendário grego.** *Cronol.* Calendário usado na Grécia antiga, originário de Atenas, com um ano do tipo lunissolar. Era formado de 12 meses de 29 e 30 dias, alternados, começando próximo do solstício do verão, e mais curto cerca de 11 dias que o ano solar. Essa diferença se acumulava, de modo que em oito anos havia um excesso de 87 dias, que eram compensados com o aparecimento de três anos de 13 meses em cada oito anos, os denominados *anos embolísmicos* de 383 dias. **Calendário gregoriano.** *Cronol.* O resultante da reforma do calendário juliano introduzida pelo Papa Gregório XIII (1502-1585), e no qual em cada quatro anos há um ano bissexto, com exceção dos anos seculares, em que o número formado pelos algarismos das centenas e dos milhares não é divisível por 4. **Calendário israelita.** *Cronol.* Calendário lunar constituído de 12 meses de 29 e 30 dias, que principiam sempre na lua nova; calendário judaico. [O ano civil israelita tem 354 dias, e para fazê-lo coincidir com o ano solar se introduzem sete anos embolísmicos de 13 meses em cada grupo de 19 anos.] **Calendário judaico.** *Cronol.* Calendário israelita. **Calendário juliano.** *Cronol.* O resultante da reforma do calendário romano introduzida por Júlio César (102?- 44 a. C.) no ano de 45 a. C., no qual em cada quatro anos há um ano bissexto, de 366 dias. **Calendário lunar.** *Cronol.* Calendário organizado com base específica na revolução lunar. **Calendário lunissolar.** *Cronol.* Calendário que leva em conta simultaneamente as revoluções da Lua em torno da Terra, e desta em torno do Sol. **Calendário muçulmano.** *Cronol.* Calendário lunar constituído de 12 meses de 30 e 29 dias, que principiam sempre na lua nova. [O ano civil muçulmano tem 354 ou 355 dias, e o início do ano retrograda de 10 a 11 dias em relação ao ano do calendário gregoriano.] **Calendário perpétuo.** *Cronol.* Calendário formado de jeito que as datas do ano são fixas em relação aos dias da semana. [Proposto várias vezes, sob diversas formas, ainda não foi adotado, em razão das dificuldades que uma reforma mundial teria de enfrentar.] **Calendário republicano.** *Cronol.* Calendário instituído na França pela Convenção, na Revolução Francesa, em 24.10.1793, tendo sido novamente substituído pelo calendário gregoriano em 01.01.1806, e no qual o ano tinha 12 meses de 30 dias cada um, acrescidos de cinco dias complementares, dedicados às festas republicanas, e começava no equinócio do outono do hemisfério norte (22 de setembro). Eis, por ordem, os nomes dos meses: *vendemiário, brumário, frimário, nivoso, pluvioso, ventoso, germinal, floreal, prairial, messidor, termidor* e *frutidor*. [Convencionou-se que o ano I da República teria começo em 22 de setembro de 1792.] **Calendário romano.** *Cronol.* Calendário utilizado na antiga Roma antes da criação do calendário juliano (q. v.), e que não obedecia a regras fixas, tendo 10 meses de 20 ou de 55 dias, variando de acordo com os trabalhos da agricultura e as ideias políticas e religiosas dominantes. **Calendário solar.** *Cronol.* Calendário organizado com vista especificamente à revolução da Terra em torno do Sol.

calendarista [De *calendário* + *-ista*.] *S. 2 g.* Pessoa que compõe calendários.

calendas [Do lat. *calendae*.] *S. f. pl.* O primeiro dia de cada mês romano, na Antiguidade. ◆ **Calendas gregas.** V. *dia de São Nunca*. **Para as calendas.** Para tempo que nunca há de vir; para as calendas gregas. **Para as calendas gregas.** *Irôn.* Para as calendas, porque os gregos não tinham calendas (q. v.): "Quando se fizer a lei de responsabilidade ministerial, para as calendas gregas, eu hei de propor que cada ministro seja obrigado a viajar por este seu reino de Portugal ao menos uma vez cada ano, como a desobriga." (Almeida Garrett, *Viagens na Minha Terra*, pp. 20-21.)

calênder [Var. de *calândar*.] *S. m.* Daroês mendigo; calândar. [Pl.: *calênderes*.]

calêndula [Do b.-lat. *calendula*, dim. do lat. *calendae*, 'calendas', poss. pelo uso da planta, na medicina pop., contra distúrbios menstruais; tax. *Calendula*.] *S. f. Bot.* **1.** Pequeno gênero de plantas asteráceas, herbáceas, originárias de regiões temperadas, de folhas alternas simples, oblongas a ovais, e flores em grandes capítulos ligulados, em vários tons de amarelo. **2.** Qualquer espécie desse gênero, como, p. ex., a *Calendula officinalis*, ornamental e de uso farmacêutico, de flores amarelas ou brancas. **3.** Qualquer espécime desse gênero, ou a flor dele.

calentura [Do esp. *calentura*.] *S. f. Med.* V. *intermação*.

calepino [Do antr. (*Ambrogio*) *Calepino* (1435-1511), de um monge italiano cujo dicionário, publicado pela primeira vez em 1502, inicialmente monolíngue, e plurilíngue a partir de 1545-6, se tornou o mais difundido em toda a Europa até o séc. XVIII.] *S. m. P. us.* **1.** O dicionário de Ambrogio Calepino: "O Calepino é, na origem, e ao longo de cerca de setenta edições iniciais, até meados do século XVI, um dicionário monolíngue de latim" (Telmo Verdelho, *As Origens da Gramaticografia e da Lexicografia Latino-Portuguesas*, p. 328). **2.** Vocabulário, léxico. **3.** Caderno de anotações.

calete *S. 2 g. Adj. 2 g.* V. *caleto*. [Pl.: *caletes*. Cf. *calete* (ê) e pl. *caletes* (ê).]

calete (ê) *S. m. P. us.* **1.** Gênero, qualidade, categoria: "Danam-se comigo porque eu sou franco, mas se é do meu calete?!" (Jaime d'Altavila, *Lógica de um Burro*, p. 15.) **2.** *Bras. N.E. Ant.* Constituição física; compleição: *É homem de bom calete*. [Pl.: *caletes* (ê). Cf. *calete* e pl. *caletes*.]

caleto (lé) *S. m.* **1.** Indivíduo dos caletos, antigo povo da Gália. ● *Adj.* **2.** Pertencente ou relativo a esse povo. [Var.: *calete*.]

calha [Do lat. **canalia*, do lat. *canalis*, 'cano', 'canal'.] *S. f.* **1.** Cano de zinco, de cobre, ou de outro material, aberto na parte de cima, lembrando um sulco, e que recebe as águas pluviais, especialmente as dos telhados; caleira, goteira. **2.** *P. ext.* Rego ou sulco para facilitar o curso de substância líquida ou granulada. **3.** *Eng. Elétr.* Conduto (3) fechado, com tampa removível, destinado à instalação aparente de condutores elétricos; eletrocalha. **4.** *Art. Gráf.* Parte oposta ao dorso de um livro. **5.** *Teatr.* Abertura móvel e estreita, feita no palco, para permitir a descida de elementos cenográficos ao porão. **6.** *Tip.* V. *trilho*[2] (3 e 4). ◆ **Estar na calha.** *Lus.* Estar na bica (q. v.): "Wim Wenders .... que concorre com *Buena Vista Social Club*, está na calha para a lista dos vencedores" (*Jornal de Letras Artes e Ideias*, 22.03 a 04.04.2000).

calhamaço [Por **canhamaço* < *cânhamo* + *-aço*, poss.] *S. m. Pop.* **1.** Livro ou caderno volumoso, ou antigo, ou velho. [Cf. *alfarrábio*.] **2.** *Pej.* Pessoa feia e gorducha.

calhambeque *S. m.* **1.** Barco velho e que não inspira confiança; xaveco. **2.** *Fig.* Automóvel velho; galipão, lata, caranguejola. **3.** Traste velho e sem valor. [Sin. (bras., pop.): *casqueta*.]

calhambola *S. m. Bras.* V. *quilombola*.

calhambora *S. m. Bras.* V. *quilombola*.

calhança [De *calhar* + *-ança*.] *S. f. Tip.* Qualquer ocorrência que, na composição, beneficia o caixista ou o linotipista de jornal, ou, p. ext., qualquer tarefeiro.

calhandra [Do esp. *calandria*, poss.] *S. f. Zool.* V. *calandra*[2] (3).

calhandrice [De *calhandra* + *-ice*.] *S. f. Lus.* Falatório, mexerico: "Como sabia? Calhandrices das escravas." (Mário de Carvalho, *Um Deus Passeando pela Brisa da Tarde*, p. 82.)

calhandro *S. m.* **1.** Vaso grande onde se juntam águas sujas e outras imundícies para vazá-las em lugar próprio. **2.** Vaso ou bacia de privada.

calhar [De *calha* + *-ar*[2].] *V. int.* **1.** Entrar, caber ou penetrar em calha, cavidade, ou espaço exíguo; encaixar-se, ajustar-se. **2.** Vir a tempo; ser oportuno; convir: *Aquele empréstimo calhou: sua firma estava em via de abrir falência*. **3.** Suceder, acontecer, acertar: *Calhou que, nesse dia, eu nada tinha para fazer*. **4.** Acontecer; coincidir: *Nada combinamos, mas calhou sairmos juntos do trabalho*. *T. c.* **5.** Calhar (1): *O armário não calhou no canto da sala*. *T. i.* **6.** Cair bem; adaptar-se: *A nova moda calha à sua silhueta esbelta*. **7.** Ser próprio, conveniente; convir: *Aquela estante calharia para o seu novo escritório*. ◆ **Se calhar.** Usa-se para indicar uma hipótese a respeito de algo ou de alguém, como se se dissesse: 'pode ser que isto seja (x)': "– O bichinho está doente. Se calhar é fome." (Miguel Torga, *Bichos*, p. 22.) **Vir (bem) a calhar.** V. *calhar* (2).

calhau [De or. célt., poss.] *S. m.* **1.** Fragmento de rocha dura; pedra solta; seixo: "deslizar como água corrente e pura por entre calhaus e pedras ásperas." (Leonardo Arroio, *Absalão e o Rei*, p. 40). **2.** *Tip.* Branco com que se completa a medida, em páginas curtas. **3.** *Jorn.* Anúncio gracioso, ou aceito a preço reduzido, para publicação quando sobra espaço no jornal. **4.** *Bras. Jorn.* Pequeno texto, clichê, etc., aproveitado para preencher claros na paginação de jornal ou de revista.

calhe [Do lat. *calle*.] *S. f. Ant.* Rua estreita; vereda, carreiro: "O rapaz volveu rapidamente a cabeça, e viu a moça, que atravessava uma das calhes próximas, a olhar e a sorrir para ele." (Machado de Assis, *A Mão e a Luva*, em *Obra Completa*, 1º vol., p. 343.)

calheta (ê) [Do esp. *caleta*, com infl. de *calha*.] *S. f.* Angra: "Foi por manhã de pardacenta bruma / Na calheta bravia, onde, investindo / Com as altas fragas, rola o oceano e ruge, / Que entre umas pedras o encontraram morto." (Alberto de Oliveira, *Poesias*, 3ª série, p. 205.)

calhoada [De *calhau* + *-ada*[1].] *S. f.* **1.** Ato de arremessar um calhau. **2.** Pancada com calhau: "O cão seguiu-o, mas de largo, como quem tem uma velha experiência de calhoadas, e lhe basta, para levar um susto, ver abaixar-se o homem e fazer menção de apanhar uma pedra." (José Saramago, *História do Cerco de Lisboa*, p. 70.)

calhorda *Adj. 2 g. S. 2 g. Bras.* Diz-se de, ou pessoa desprezível, impudente, ordinária.

▲cal(i)- [Do gr. *kalli-*, *kallo-* < gr. *kállos*, *eos-ous*, 'beleza', e do gr. *kal-*, *kalo-* < gr. *kalós*, *ḗ*, *ón*, 'belo'.]

El. comp. = 'belo': *calidoscópio.* [Equiv.: *-cal(i)-, calo-*: *pancalismo; calóptero.*]

▲-cal(i)- V. *cal(i)-.*

cáli [Do ár. *qalī*, 'soda'.] *S. m.* **1.** Planta (*Salsola soda*) da família das quenopodiáceas, de folhas espinhosas, que habita o litoral da Europa meridional, e da qual antigamente se extraía, por incineração, a soda. **2.** A soda ou potassa que ela fornecia.

caliandra [Do tax. *Calliandra* (v. *cal(i)-* e *-andra*).] *S. f. Bot.* **1.** Gênero de plantas mimosáceas que compreende arbustos ornamentais caracterizados por flores congregadas em glomérulos e providas de estames muito compridos. **2.** Qualquer espécie desse gênero, como, p. ex., a *Calliandra tweedii* (v. *esponjinha*). **3.** Qualquer espécime desse gênero, ou a sua flor.

calibração [De *calibrar* + *-ção.*] *S. f.* **1.** Ato ou efeito de calibrar. **2.** *Fís.* Operação em que se estabelece uma correspondência entre as leituras de um instrumento e valores de uma grandeza física que é medida diretamente, ou indiretamente, pelo instrumento.

calibrado [Part. de *calibrar.*] *Adj.* **1.** A que se deu o calibre conveniente. **2.** Cujo calibre foi medido. **3.** *Bras.* Diz-se de câmara de ar, pneu, etc., a que se deu a conveniente pressão de ar. **4.** *Bras.* V. *alegre*[2] (6).

calibrador (ô) [De *calibrador* + *-dor.*] *S. m.* Instrumento para calibrar; calibre.

calibragem [De *calibrar* + *-agem.*] *S. f. Bras.* Ato ou efeito de calibrar.

calibrar [De *calibre* + *-ar*[2].] *V. t. d.* **1.** Dar o conveniente calibre a. **2.** Medir o calibre de. **3.** *Tec.* Comparar as indicações de (um instrumento padrão), a fim de corrigir-lhe os erros de graduação. **4.** *Bras.* Dar a conveniente pressão de ar a (câmara de ar, pneu, etc.). **5.** *Bras. Gír.* Consumir (bebida alcoólica), em excesso; entornar. *Int.* **6.** *Bras. Gír.* Consumir bebida alcoólica em excesso; entornar.

calibre [Do fr. *calibre*, e este de or. incerta (poss. do ár. *qālib*, 'molde'; 'matriz').] *S. m.* **1.** Diâmetro interior do cano de arma de fogo, ou de qualquer cilindro oco. **2.** Diâmetro exterior de um projetil. **3.** Capacidade de um recipiente. **4.** Calibrador. **5.** Aparelho de madeira ou de metal, empregado na moldagem de perfis e de outras peças de gesso, estuque, etc. **6.** *Fig.* Dimensão, volume, tamanho. **7.** *P. ext.* Valor, importância: *Os conferencistas são ambos do mesmo __calibre__.* **8.** *Ant. Mil.* O peso do projetil de uma boca de fogo. **9.** V. *padrão*[1] (2).

calibrina [De *calibrar* + *-ina*[1], poss.] *S. f. Bras. Gír.* **1.** V. *cachaça* (1). **2.** *P. ext.* Qualquer bebida alcoólica.

calibroso (ô) [De *calibre* + *-oso.*] *Adj. Med.* Referente aos condutos em geral (especialmente os vasos sanguíneos) que se apresentam com o calibre dilatado.

caliça [F. subst. do adj. **caliço* < *cal.*] *S. f.* Pó, ou fragmentos de argamassa ressequida, que sobram de uma construção ou resultam da demolição de obra de alvenaria.

calicanto [Do tax. *Calycanthus* (v. *cal(i)-* e *-canto*).] *S. m. Bot.* **1.** O gênero-tipo das calicantáceas, que reúne arbustos de casca aromática, folhas opostas, e flores purpúreas ou vermelhas. **2.** Qualquer espécie ou espécime desse gênero, ou a sua flor.

cálice[1] [Do lat. *calice*, 'copo'.] *S. m.* **1.** Vaso empregado na missa para a consagração do vinho. [F. paral.: *cálix*[1].] **2.** Copo com pé, de pequena dimensão, para vinhos, licores e/ou outras bebidas. **3.** *P. ext.* O conteúdo ou a capacidade deste: *A torta leva um __cálice__ de conhaque.* **4.** *Fig.* Lance doloroso; dor, pena. **5.** *Zool.* Dilatação em forma de copo, em torno dos pólipos de certos hidroides. ◆ **Cálice renal.** *Anat.* Cada uma das pequenas formações cilíndricas, em forma de cálice, para onde se dirige a urina ao sair das papilas renais, e que se reúnem para formar o bacinete. **Pelo cálice e a hóstia.** *Interj.* É pronunciada em juramento, no qual se invoca como testemunha o que há de mais puro, de mais sagrado.

cálice[2] [Do gr. *kályx*, 'botão de flor', pelo lat. *calyce.*] *S. m. Bot.* Verticilo floral externo, formado por pequenas peças, geralmente verdes, as sépalas: "Ela [a aurora] faz entreabrir o __cálice__ das rosas." (Guerra Junqueiro, *A Morte de D. João*, p. 10.) [F. paral.: *cálix.* Dim.: *calículo.*] ◆ **Cálice acrescente.** *Bot.* Cálice que continua a desenvolver-se após a fecundação, em vez de cair. **Cálice aderente.** *Bot. Desus.* Cálice da flor ínfero-ovariada. **Cálice livre.** *Bot. Desus.* Cálice de flor súpero-ovariada. **Cálice persistente.** *Bot.* Cálice que subsiste após murcharem a corola e o estame.

▲-cálice Equiv. de *calic(i)-.*

calícera [Do tax. *Calycera* (do gr. *kalýx*, 'cálice[2]', + gr. *kéras*, 'chifre').] *S. f. Bot.* **1.** Gênero de caliceráceas que reúne 15 espécies das regiões temperadas da América do Sul. **2.** Qualquer espécie, ou espécime desse gênero.

caliceráceas [Do tax. *Calycera* (v. *calícera*) + *-ácea*; tax. *Calyceraceae.*] *S. f. Bot.* Espécime das caliceráceas, família da ordem das asterales que reúne seis gêneros e 55 espécies de plantas herbáceas com folhas espiraladas, simples, íntegras ou penatilobadas, flores hermafroditas, ger. pentâmeras, e frutos que são aquênios; nas praias brasileiras existe uma espécie muito comum, provida de acúleos pungentes.

caliceráceo [De *calicerácea*, com var. suf. (v. *-áceo*).] *Adj. Bot.* Pertencente ou relativo às caliceráceas.

caliceral [Do tax. *Calycera* (v. *calícera*) + *-al*[1].] *Adj. 2 g. Bot.* Pertencente ou relativo às calicerales.

calicerale [Adapt. do tax. *Calycerales.*] *S. f. Bot.* Espécime das calicerales, ordem de dicotiledôneas que se inclui na ordem das asterales.

▲calic(i)- [Do lat. *cālyx, ycis*, do gr. *kályx, kálykos.*] *El. comp.* = 'cálice[2]': *caliciforme.* [Equiv.: *-cálice*: *sarcocálice.*]

caliciado [De *calic(i)-* + *-ado*[1].] *Adj. Bot.* Calicino.

calicida [Do esp. plat. *callicida.*] *Adj. 2 g.* **1.** Que destrói calos. ● *S. m.* **2.** Medicamento que destrói calos.

caliciforme [De *calic(i)-* + *-forme.*] *Adj. 2 g.* Semelhante ao cálice[2]: *bráctea __caliciforme__; glândula __caliciforme__.*

calicinal [De *calicino* + *-al*[1].] *Adj. 2 g. Bot.* Relativo ao cálice[2].

calicino [De *calic(i)-* + *-ino*[1].] *Adj. Bot.* Relativo ao, ou que tem cálice[2]; caliciado: *lacínia __calicina__.*

▲calic(o)- [Do gr. *chálix, ikos.*] *El. comp.* = 'pedra'; 'calhau'; 'cascalho': *calicose.*

calicose [De *calic(o)-* + *-ose*[1].] *S. f. Pneum.* Silicose.

calicreína [De *cal(i)-* + *(pan)cre(as)* + *-ina*[3]; ingl. *kallicrein.*] *S. f. Med.* Proteinase hipotensora que é encontrada no pâncreas, glândulas salivares e sudoríparas, plasma sanguíneo e urina.

calicromo [De *cal(i)-* + *-cromo.*] *Adj.* Que tem cores belas.

calictiídeo [Do tax. *Callichthys* (do gr. *kállichthys*, 'certo peixe do mar') + *-ídeo*[1]; tax. *Callichthydae.*] *Zool. S. m.* **1.** Espécime dos calictiídeos, família de peixes actinopterígios, siluriformes, de pequeno porte, escamas brilhantes e boca situada ventralmente, rodeada de bárbulas. Habitam sobretudo os rios tropicais da América do Sul. ● *Adj.* **2.** Pertencente ou relativo a eles.

caliculado [De *calículo* + *-ado*[1].] *Adj. Bot.* Provido de calículo.

calicular [De *calículo* + *-ar*[1].] *Adj. 2 g. Bot.* Relativo ou pertencente ao calículo.

calículo [Do lat. *calyculu*, dim. de *calyx*, 'cálice[2]'.] *S. m. Bot.* Conjunto de bractéolas ou apêndices verdes, localizado logo abaixo do cálice[2] e semelhante a este, como ocorre nas malváceas.

calidez (ê) [De *cálido*[1] + *-ez.*] *S. f.* Qualidade ou estado de cálido[1] (1).

cálido[1] [Do lat. *calidu.*] *Adj.* **1.** Quente (2 e 3). **2.** *Fig.* Ardente, apaixonado.

cálido[2] [Do lat. *callidu.*] *Adj.* Sagaz, astuto, fino.

calidoscópio [De *cal(i)-* + *-id(o)-* + *-scópio.*] *S. m.* **1.** Pequeno instrumento cilíndrico, em cujo fundo há fragmentos móveis de vidro colorido, os quais, ao refletirem-se sobre um jogo de espelhos angulares dispostos longitudinalmente, produzem um número infinito de combinações de imagens de cores variegadas. **2.** *Fig.* Sucessão rápida e cambiante (de impressões, de sensações): *A nossa viagem foi um __calidoscópio__.* [É m. us. a f. *caleidoscópio.*]

caliemia [Do lat. cient. *kalium*, 'potássio', + *-emia.*] *S. f. Med.* Teor de potássio no sangue.

caliêmico [De *caliemia* + *-ico*[2].] *Adj. Med.* Relativo à caliemia.

califa [Do ár. *ḫalīfa(t)*, 'substituto'; 'sucessor'; 'chefe', 'soberano'.] *S. m.* Título de soberano muçulmano.

califado [De *califa* + *-ado*[2].] *S. m.* **1.** Tempo durante o qual um califa governa. **2.** Dignidade ou jurisdição de califa. **3.** Território governado por califa.

califasia [De *cal(i)-* + *-fas(i)-* + *-ia*[1].] *S. f.* A arte da dição expressiva para se interpretar um trecho falado ou cantado.

califom *S. m. Bras. N. N.E.* V. *sutiã*: "Acho uma menina grande demais para estar andando de __califom__ pela casa." (João Ubaldo Ribeiro, *Sargento Getúlio*, p. 42.)

califorídeo [Do tax. *Calliphora* + *-ídeo*[1]; tax. *Calliphoridae.*] *S. m. Zool.* **1.** Espécime dos califorídeos, família de insetos dípteros, que compreende moscas grandes, azuladas, e que regurgitam líquido que ativa a decomposição da carne. Suas larvas desenvolvem-se em carnes apodrecidas. Ex.: *mosca-varejeira.* ● *Adj.* **2.** Pertencente ou relativo a eles.

califórnia[1] [Do top. *Califórnia* (E.U.A.) por alusão ao *rush* de 1848 na busca do ouro.] *S. f.* **1.** *Bras.* Fonte de riqueza. **2.** *Bras. P. ext.* Riqueza, fortuna.

califórnia[2] [Do hisp.-amer. *california.*] *S. f.* **1.** *Bras.* Qualquer das incursões guerreiras efetuadas, de 1849 a 1850, em terras do Uruguai, por brasileiros, sob a chefia de Francisco Pedro de Abreu (1802-1892). **2.** *Bras. S.* Corrida de cavalos em que entram mais de dois.

californiano *Adj.* **1.** Do, ou pertencente ou relativo ao estado da Califórnia (N.O. dos E.U.A.). **2.** Da, ou pertencente ou relativo à cidade de Califórnia (PR). ● *S. m.* **3.** O natural ou habitante desse estado ou dessa cidade.

califórnio [De top. *Califórnia* (E.U.A.).] *S. m. Quím.* Elemento transurânico de número atômico 98, artificial, radioativo [símb.: *Cf*].

californita [Do top. *Califórnia* + *-ita*[3]; ingl. *californite.*] *S. f.* Pedra preciosa de cor esverdeada, opaca e translúcida, com manchas de cor cinza ou brancas.

cáliga [Do lat. *caliga.*] *S. f.* Na Roma antiga, sandália provida de pequenos cravos, us. esp. pelos soldados.

caligem [Do lat. *caligine.*] *S. f.* **1.** Nevoeiro espesso: "o arco-íris coloria a celagem como um arco de triunfo armado pelo Sol despeitado com a __caligem__ que o obumbrava" (José Américo de Almeida, *A Bagaceira*, p. 183). **2.** Escuridão, trevas: "Esfuziavam relâmpagos, fosforeando na __caligem__ das nuvens" (Alphonsus de Guimaraens, *Obra Completa*, p. 411). **3.** Obscurecimento da visão (2).

caliginoso (ô) [Do lat. *caliginosu.*] *Adj.* Muito escuro e denso; tenebroso.

caligo [Do tax. *Caligo.*] *S. m. Zool.* **1.** Grande gênero de borboletas brassolíneas que habitam a América do Sul. **2.** Qualquer espécie desse gênero, como, p. ex., a *Caligo eurylocus*, vulgarmente conhecida como borboleta-coruja, que tem uma grande mancha ocelada, que lembra o olho da coruja, na parte posterior de cada asa. **3.** Qualquer espécime desse gênero.

caligrafia [Do gr. *kalligraphía.*] *S. f.* **1.** Arte de escrever à mão segundo determinadas regras e modelos. **2.** *P. ext.* Maneira própria de cada pessoa no uso dessa arte; letra: *Sua __caligrafia__ é quase ininteligível.* **3.** Forma de letra manuscrita. **4.** *Paleogr.* Escrita cuidada, de morfologia uniforme e elegante. ◆ **Caligrafia librária.** *Paleogr.* A letra bem cuidada dos manuscritos de luxo.

caligráfico [Do gr. *kalligraphikós.*] *Adj.* Respeitante à caligrafia.

caligrafista [De *caligrafia* + *-ista.*] *S. 2 g.* Calígrafo.

calígrafo [Do gr. *kalligráphos.*] *S. m.* Especialista em caligrafia (1).

caligrama [Do fr. *calligramme*, do título *Calligrammes*, de um livro de versos de Apollinaire, poeta francês (1880-1918).] *S. m.* Representação figurativa do conteúdo de um texto (quase sempre um poema) mediante arranjo dos próprios caracteres tipográficos com que é composto.

calígula [Do lat. *caligula.*] *S. f.* Pequena cáliga (q. v.).

calim[1] *S. m. Ant.* **1.** Estanho do Oriente. **2.** *P. ext.* Moeda feita com esse estanho. [Sin. ger.: *calaim.*]

calim[2] [Do cigano *cali.*] *S. f. Bras.* Mulher de calom, de cigano (1); cigana: "— Bom dia, __calim__ / mulher do calom. / Lês sorte nas cartas" (Stella Leonardos, *Romanceiro do Bequimão*, p. 101).

calimico [De *cal(i)-* + *mico*; tax. *Callimico.*] *S. m. Zool.* **1.** Gênero de cebídeos calimiconíneos, pequenos macacos semelhantes aos calitriquídeos, que habitam as florestas tropicais da América do Sul. **2.** Qualquer espécie desse gênero, como, p. ex., a *Callimico goeldi*, do S.E. do Acre, de unhas em forma de garra, coloração pardo-escura, com as extremidades e o ventre negros, mancha branca na parte externa das orelhas e outra em cada lado do lombo. Mede cerca de 50cm. **3.** Qualquer espécime desse gênero.

calimiconíneo [Adapt. do tax. *Callimiconinae.*] *Zool. S. m.* **1.** Espécime dos calimiconíneos, subfamília de mamíferos primatas, cebídeos (v. *calimico*). ● *Adj.* **2.** Pertencente ou relativo a eles.

calina *Bras. S. 2 g.* **1.** *Etnôn.* Indivíduo dos calinas [ou (etnôn. bras.) *Kaliña, *Kariña, *Galibi], povo indígena da família linguística caraíba, que habita o baixo rio Tapanaimi, no N. do PA, e região da Guiana Francesa. ● *Adj. 2 g.* **2.** Pertencente ou relativo a esse povo.

calinada [De *calino* + *-ada*[1].] *S. f.* Dito ou ação de calino; bobagem, tolice, dislate, disparate.

calínico [Do gr. *kallínikos.*] *S. m.* Entre os antigos gregos, certo bailado que se dança ao som de flauta.

calino [De *Calino*, negociante de quadros parisiense que, pelos meados do séc. XIX, se fez personagem de *vaudevilles*, desempenhando papéis de bobo.] *Adj.* *S. m.* **1.** Que, ou aquele que diz disparates. **2.** V. *tolo* (1 a 3 e 8).

▲calino- [Do gr. *chalinós, oû.*] *El. comp.* = 'freio': *calinotomia.*

calinotomia [De *calino-* + *-tom(o)-* + *-ia*[1].] *S. f. Cir. P. us.* Frenotomia.

calinotômico *Adj.* V. *calinotômico.* [Uso freq. em P.]

calinotômico [De *calinotomia* + *-ico*[2].] *Adj. P. us.* Relativo à calinotomia.

caliopenia (cà) [Do lat. cient. *kalium*, 'potássio', + *-penia.*] *S. f. Med.* Baixo teor de potássio no sangue.

calipal *S. m. Bras. SP Pop.* Alter. de *eucaliptal.*

calipígio [Do gr. *kallípygos* + *-io*[3].] *Adj.* Que tem belas nádegas: *Vênus __Calipígia__.*

calipso [Do ingl. *Calypso.*] ***S. m.*** Gênero de música popular improvisada e cantada pelos naturais de Trinidad (Caribe).

calíptera [Do lat. cient. *calypter* < gr. *kalyptér*, 'élitro'.] ***S. f.*** *Zool.* V. *álula* (2).

calipterado [Do gr. *kalyptér*, 'estojo', 'cofrinho', + *-ado*[1].] ***Adj.*** *Zool.* Diz-se de insetos providos de calíptera.

caliptoblasto [Do gr. *kalyptós*, 'coberto', + *-blasto*; tax. *Calyptoblastea.*] *Zool.* ***S. m.*** **1.** V. *leptomedusa.* ● ***Adj.*** **2.** V. *leptomedúseo.*

caliptra [Do gr. *kalyptra*, pelo lat. *calyptra*, 'capa ou véu de mulher'.] ***S. f.*** *Bot.* **1.** Coifa (6). **2.** Corola soldada em peça única em forma de capuz, como ocorre nos eucaliptos.

caliptrado [De *caliptra* + *-ado*[1].] ***Adj.*** *Bot.* Provido de caliptra.

caliptrante [Do tax. *Calyptranthes.*] ***S. m.*** *Bot.* **1.** Gênero de árvores e arbustos mirtáceos, aromáticos, dotados de folhas coriáceas, sempre-verdes, e pequenas flores nas quais a parte superior pende formando caliptra. **2.** Qualquer espécie desse gênero, como, p. ex., a *Calyptranthes grandifolia* (v. *brasa-viva*). **3.** Qualquer espécime desse gênero.

caliptriforme [De *caliptra* + *-iforme.*] ***Adj. 2 g.*** *Bot.* Em forma de caliptra: *corola caliptriforme.*

caliptrocária [Do tax. *Calyptrocarya.*] ***S. f.*** *Bot.* Arenária (3 e 4).

caliptrógeno [De *caliptra* + *-o-* + *-geno.*] ***S. m.*** *Bot.* Camada celular inicial da caliptra, que recobre a ponta da raiz em numerosas monocotiledôneas.

caliptroide (ói) [De *caliptra* + *-oide.*] ***Adj. 2 g.*** *Bot.* Semelhante à caliptra. ❖

calista [De *calo*[1] + *-ista.*] ***S. 2 g.*** Profissional que trata dos pés, especialmente dos calos; pedicuro.

calistenia [De *cal(i)-* + *-sten(o)-* + *-ia*[1].] ***S. f.*** *Esport.* Exercício ginástico para beleza e vigor físicos.

calisténico ***Adj.*** V. *calistênico.* [Uso freq. em P.]

calistênico [De *calistenia* + *-ico*[2].] ***Adj.*** *Esport.* Referente à calistenia.

calistismo [De *calisto*[1] + *-ismo.*] ***S. m.*** Azar ou caiporismo dado pelo calisto[1] (1).

calisto[1] [Do antr. *Calisto.*] ***S. m.*** **1.** *Fam.* Homem de mau agouro, a cuja presença o jogador atribui o seu azar; pé-frio. **2.** *Astr.* O quarto satélite de Júpiter, descoberto por Galileu (v. *galileano*) em 1610. [Com cap., nesta acepç.]

calisto[2] [Alter. de *cálix*[1].] ***S. m.*** *Bras. N. Joc.* Pequeno copo ou cálice.

calitricácea [Do tax. *Callitriche* (v. *cal(i)-* e *-tric(o)-*) + *-ácea*; tax. *Callitrichaceae.*] ***S. f.*** *Bot.* Espécime das calitricáceas, família de ervas aquáticas, providas de folhas opostas e de flores unissexuais masculinas insignificantes, destituídas de perianto e com um só estame. Existem cerca de 25 espécies, espalhadas por todo o mundo.

calitricáceo [De *calitricácea*, com var. suf. (v. *-áceo*).] ***Adj.*** *Bot.* Pertencente ou relativo às calitricáceas.

calitriquídeo [De *cal(i)-* + *-triqu(i)-* + *-ídeo*[1]; tax. *Callitrichidae.*] *Zool.* ***S. m.*** **1.** Espécime dos calitriquídeos, família de mamíferos primatas macacos de pequeno porte e cauda longa, não preênsil. O polegar da mão é curto e não oponível, e todos os dedos são providos de unhas em forma de garras. O primeiro dedo do pé é oponível aos demais e com uma unha chata. Dentes pré-molares em número de dois, com três molares verdadeiros. ● ***Adj.*** **2.** Pertencente ou relativo a eles. [Sin. ger.: *hapalídeo, hapálida.*]

caliuria (i-u) [Do lat. cient. *kalium*, 'potássio', + *-uria.*] ***S. f.*** *Med.* V. *caliúria.*

caliúria [Do lat. cient. *kalium*, 'potássio', + *-úria.*] ***S. f.*** *Med.* Teor de potássio na urina. [F. paral.: *caliuria.*]

caliúrico [De *caliúria* + *-ico*[2].] ***Adj.*** *Med.* Relativo a caliúria.

cálix[1] (x = s) [Do lat. *calix* (nom.), 'copo'; 'vaso de beber'.] ***S. m. 2 n.*** Cálice[1] (1): "Quereis que esgote o cálix da amargura?" (Casimiro de Abreu, *Obras*, p. 20). [Para o plural, a forma mais us. é *cálices*, pl. de *cálice*[1] (f. paral. de *cálix*[1]). Cf. *cális*, pl. de *cáli, cales*, pl. de *cale*, e *cales*, do v. *calar.*]

cálix[2] (x = s) [Do lat. *calyx* (nom.) < gr. *kályx*, 'botão de flor'.] ***S. m. 2 n.*** *Bot.* V. *cálice*[2]: "E a flor, que expande o cálix orvalhado / As estremes primícias te consagra / De seu brando perfume..." (Bernardo Guimarães, *Poesias Completas*, p. 20). [Para o plural, a forma mais us. é *cálices*, pl. de *cálice*[2] (f. paral. de *cálix*[2]). Cf. *cális*, pl. de *cáli, cales*, pl. de *cale*, e *cales*, do v. *calar.*]

caliz ***S. m.*** *Bras.* Calha de madeira usada nos engenhos de açúcar para conduzir água às caldeiras.

➔**call-back** [kɔl bæk] [Ingl.; lit, 'chamada de retorno'.] ***S. f.*** Serviço que permite usar a linha telefônica de um sistema diferente daquele a que está conectado um aparelho, e que é oferecido por meio de uma chamada telefônica de retorno àquela originalmente feita pelo usuário para um número determinado pelo prestador de serviço.

➔**call center** ['kɔlˌsɛntɚ] [Ingl.] ***S. m.*** **1.** V. *central de atendimento.* **2.** V. *central de chamadas.*

➔**call girl** [kɔl gɚl] [Ingl.] ***S. f.*** Prostituta que marca os encontros por telefone.

calma [Do gr. *kaûma*, 'calor ardente', pelo lat. tard. *cauma.*] ***S. f.*** **1.** Grande calor atmosférico, em geral sem vento; calmaria: "O rio defronte descia, preguiçoso e como adormentado sob a calma já pesada de maio" (Eça de Queirós, *A Cidade e as Serras*, p. 203). **2.** *P. ext.* O período mais quente do dia. **3.** V. *calmaria* (1). **4.** *Fig.* Serenidade de ânimo; sossego, tranquilidade; calmaria, malacia. **5.** *Fig.* Apatia, inércia, indiferença, desânimo: "Se eu fosse amado!... / Se um rosto virgem / Doce vertigem / Me desse n'alma / Turbando a calma / Que me enlanguesce!..." (Casimiro de Abreu, *Obras*, p. 193.)

calmante [De *calmar* + *-nte.*] ***Adj. 2 g.*** **1.** Que calma, acalma, abranda. ● ***S. m.*** **2.** *Pop.* Medicamento que acalma certos distúrbios, como, p. ex., excitação (2), tosse; sedativo. **3.** Medicamento destinado a acalmar (1).

calmar [De *calmo* + *-ar*[2].] ***V. t. d. Int. P.*** V. *acalmar*: "Preciso calmar a minha febre e começar pelo começo." (Antônio Patrício, *Serão Inquieto*, p. 123.)

calmaria [De *calma* + *-aria.*] ***S. f.*** **1.** Ausência de ventos e/ou do movimento das ondas; calma. **2.** Grande calor sem vento. **3.** *Fig.* V. *calma* (4).

calmeiro [De *calma* (3) + *-eiro.*] ***Adj.*** *Bras.* Diz-se da embarcação sensível a toda aragem, capaz de navegar quase em calmaria.

calmo [De *calma.*] ***Adj.*** **1.** V. *calmoso.* **2.** *Fig.* Sereno, sossegado, tranquilo: *pessoa calma.* **3.** Em calmaria: *mar calmo.*

calmonense ***Adj. 2 g.*** **1.** De, ou pertencente ou relativo a Miguel Calmon (BA). ● ***S. 2 g.*** **2.** O natural ou habitante de Miguel Calmon.

calmoso (ô) [De *calmo* + *-oso.*] ***Adj.*** Em que há calma (1); quente, calmo, caloroso: "No calmoso verão as plantas secam." (Tomás Antônio Gonzaga, *Marília de Dirceu*, p. 84); "No ar parado e calmoso tanajuras voejavam no rumo do sol poente" (Bernardo Élis, *Veranico de Janeiro*, p. 10).

calmuco ***S. m.*** **1.** *Etnôn.* Indivíduo dos calmucos, povo mongólico que vivia no S. da Rússia, entre o Dom e o Volga, e na Sibéria. ● ***Adj.*** **2.** Pertencente ou relativo a esse povo.

calo[1] [Do lat. *callu.*] ***S. m.*** **1.** Endurecimento da pele formado em determinado ponto por compressão ou fricção contínua; calosidade, tiloma. **2.** *Fig.* Insensibilidade. **3.** *Bot.* Produção mais ou menos dura, ou excrescência, originada dos tecidos vegetais, sobretudo em seguida a ferimentos. **4.** *Patol.* Calo ósseo. **5.** *Zool.* Em insetos, intumescência arredondada. ◆ **Calo ósseo.** *Patol.* Conjunto de elementos celulares que surge ao nível de um foco de fratura e assegura a continuidade das duas extremidades ósseas. [Tb. se diz apenas *calo.*] **Dar nos calos.** V. *fugir* (2). **Não criar calo(s) (nas mãos).** Ser preguiçoso. **Pisar os calos de alguém.** Ferir-lhe as suscetibilidades, ofendê-lo: "Se lhe pisassem os calos, não seria como o irmão Fausto, humilde e medroso." (José Lins do Rego, *Meus Verdes Anos*, p. 118.)

calo[2] ***S. m.*** *Bras. PE Fam.* V. *calote.*

▲**calo-** V. *cal(i)-.*

caló ***S. m.*** **1.** *Gloss.* Língua falada pelos ciganos na Espanha, em Portugal e no Brasil; calão, cigano, gitano, lusitano-romani, romani, romani-ibérico, romenho. [É diferente de qualquer outro romani, uma vez que conta com um vocabulário ativo de cerca de 100 palavras do romani, com estrutura do português e do espanhol.] **2.** *Bras.* O calão[1] (1) dos ladrões e malandros. [Var. pros.: *calô.*]

calô ***S. m.*** V. *caló.*

calofilo [De *calo-* + *-filo*[1].] ***Adj.*** *Bot.* Que tem folhas muito belas.

caloirice [De *caloiro* + *-ice.*] ***S. f.*** V. *calourice.*

caloiro [Do gr. bizantino *kalógeros* (lit. 'bom velho'), nome dado aos monges da ordem de São Basílio, com o *ge* pronunciado como *ie*, tal qual em gr. moderno; "a translação de sentido ('monge' > 'estudante')", supõe A. G. Cunha, "talvez se deva ao fato de os estudantes internos viverem em congregações, como os monges".] ***S. m.*** V. *calouro.*

caloji [De or. afr., poss.] ***S. m.*** *Bras. PA PE* V. *cortiço* (2).

calom [Do cigano.] ***S. m.*** *Bras.* V. *cigano* (1): "– Bom dia, calim / mulher do calom" (Stella Leonardos, *Romanceiro do Bequimão*, p. 101.) [Fem.: *calim.*]

calomania [De *calo-* + *-mania.*] ***S. f.*** *Psiq.* Condição caracterizada por ilusão quanto à beleza pessoal. [Cf. *narcisismo.*]

calomaníaco [De *calomania* + *-íaco.*] *Psiq.* ***Adj.*** **1.** Relativo à calomania. **2.** Que se acredita belo; calômano. ● ***S. m.*** **3.** Indivíduo calomaníaco (2); calômano.

calómano ***Adj. S. m.*** *Psiq.* V. *calômano.* [Uso freq. em P.]

calômano [De *calo-* + *-mano*[1].] ***Adj. S. m.*** *Psiq.* Calomaníaco (2 e 3).

calombento [De *calombo* + *-ento.*] ***Adj.*** *Bras.* Em que há calombos [v. *calombo* (1)]; cheio de calombos.

calombo [De or. afr., poss.] ***S. m.*** **1.** *Bras.* Tumefação cutânea; inchaço. **2.** *Bras. Pop.* V. *lobinho*[1]. **3.** *Bras. P. ext.* Qualquer montículo. **4.** *Bras.* Raça de gado que tem no pescoço uma protuberância. **5.** *Bras. N.E.* Ondulação das águas.

calomelano [De *calo-* + *-melano.*] ***S. m.*** *Quím.* Cloreto mercuroso, de propriedades purgativas e usado em eletroquímica em eletrodos de referência; calomelanos [Hg_2Cl_2]. [F. paral.: *calomélano.*]

calomélano [De *calo-* + *-mélano.*] ***S. m.*** V. *calomelano.*

calomelanos [Pl. de *calomelano.*] ***S. m. pl.*** *Quím.* Calomelano.

calopsita ***S. f.*** *Zool.* Grande periquito cacatuídeo (*Calopsittacus novae-hollandiae*), nativo da Austrália, de plumagem cinza com penas brancas nas asas, cabeça amarela com manchas vermelhas ao redor dos ouvidos e penas caudais longas e finas: "informa-se que calopsita é um pequeno pássaro, de cor cinza, que exibe uma espécie de crista no alto da cabeça. | A Sr.ª Fernanda Colagrossi, cuja calopsita de estimação fugiu pela janela, está prometendo uma outra calopsita a quem achar a sua." (Zózimo Barroso do Amaral, em *Jornal do Brasil*, 24.10.1980).

calóptero [De *calo-* + *-ptero.*] ***Adj.*** *Zool.* Que tem lindas asas.

calor (ô) [Do lat. *calore.*] ***S. m.*** **1.** Sensação que se experimenta, em ambiente aquecido (pelo Sol ou artificialmente), ou junto de um objeto quente e/ou que aquece: *Ao entrar na sala, sentiu calor; O calor do agasalho provocava-lhe abundante transpiração.* **2.** Calma (1). **3.** Qualidade ou estado de quente; quentura: *o calor do Sol; o calor da febre.* **4.** *Fig.* Animação, vivacidade. **5.** *Fig.* Afabilidade, cordialidade. **6.** *Fig.* Sentimento de estima e/ou solidariedade: "Sentem os atores necessidade do calor da plateia para a completa realização artística." (Sábato Magaldi, *Panorama do Teatro Brasileiro*, p. 262.) [Cf., nesta acepç., *calor humano.*] **7.** *Fig.* Pressão; coação; repreensão: *dar, levar, tomar um calor.* **8.** *Fís.* Forma de energia que se transfere de um sistema para outro em virtude duma diferença de temperatura existente entre os dois, e que se distingue das outras formas de energia porque, como o trabalho, só se manifesta num processo de transformação. **9.** *Bras. S.* Brio, coragem **10.** *Bras. MG* V. *cio* (1). ◆ **Calor atômico.** *Fís.* Capacidade calorífica de um átomo-grama de um elemento. **Calor de fusão.** *Fís.-Quím.* A quantidade de calor necessária para fundir, sob pressão constante, uma substância; entalpia de fusão. [Tb. se diz *calor latente de fusão.*] **Calor de fusão específico.** *Fís.-Quím.* O calor de fusão da unidade de massa de uma substância. **Calor de rachar.** *Pop.* Calor muito forte. **Calor de sublimação.** *Fís.-Quím.* Quantidade de calor necessária para sublimar, sob pressão constante, uma substância pura; entalpia de sublimação. [Tb. se diz *calor latente de sublimação.*] **Calor de vaporização.** *Fís.-Quím.* A quantidade de calor necessária para vaporizar um líquido puro, sob pressão constante; entalpia de vaporização. [Tb. se diz *calor latente de vaporização.*] **Calor de vaporização específica.** *Fís.-Quím.* O calor de vaporização da unidade de massa de uma substância. **Calor específico.** *Fís.-Quím.* **1.** Calor específico médio. **2.** Cociente da quantidade infinitesimal de calor fornecida à unidade de massa de uma substância pela variação infinitesimal de temperatura resultante desse aquecimento. **Calor específico médio.** *Fís.-Quím.* Cociente da quantidade de calor fornecida a uma quantidade de massa de uma substância pela elevação de temperatura resultante desse aquecimento. [Tb. se diz apenas *calor específico.*] **Calor humano.** Sentimento mais vivo do que o calor (6), e que se caracteriza por ser, mais do que este, um traço de temperamento. **Calor latente.** *Fís.-Quím.* Quantidade de calor absorvida por uma substância numa transição isotérmica de um estado condensado para um estado menos condensado; calor absorvido quando uma substância muda de estado. **Calor latente de fusão.** *Fís.-Quím.* V. *calor de fusão.* **Calor latente de sublimação.** *Fís.-Quím.* V. *calor de sublimação.* **Calor latente de vaporização.** *Fís.-Quím.* V. *calor de vaporização.* **Calor radiante.** *Fís.* V. *radiação infravermelha.* **Calor sensível.** *Fís.* Aquele que, fornecido a um sistema, provoca a elevação de temperatura.

calorama [De *calor* + *-ama.*] ***S. f.*** Calorão: "aquecidas [as cabines] desde Nova Iorque onde era inverno rigoroso, ainda assim continuavam no Rio de dezembro, a calorama queimando." (Gilberto Amado, *Depois da Política*, p. 216).

calorão [De *calor* + *-ão*[1].] ***S. m.*** *Bras.* Calor forte, excessivo; calorama.

calorento [De *calor* + *-ento.*] ***Adj.*** **1.** Que tem calor (1). **2.** Onde há calor (3). **3.** *Bras.* Diz-se do indivíduo sensível ao calor (3).

calorescência [De **calorescer* + *-ência*; ingl. *calorescence*.] *S. f. Fís.* Absorção, por uma superfície, de radiação eletromagnética visível, seguida pela conversão desta em calor e reemissão da energia absorvida sob forma de radiação infravermelha.

▲**calor(i)-** [Do lat. *calor, ōris.*] *El. comp.* = 'calor': *calorífero, calorífugo.*

caloria [Do fr. *calorie.*] *S. f. Fís.* **1.** Quantidade de calor necessária para elevar de 14,5°C a 15,5°C a temperatura de um grama de água, e que é igual a 4,1855 joules. **2.** Um centésimo da quantidade de calor necessária para elevar de 0° a 100°C, sob pressão de uma atmosfera, a temperatura de um grama de água, e que é igual a 4,1897 joules; caloria média. **3.** Unidade de medida de energia igual, por definição, a 4,1868 joules; caloria internacional. **4.** Unidade de medida de energia igual, por definição, a 4,1840 joules; caloria termoquímica [símb.: *Cal*]. ◆ **Caloria internacional.** *Fís.* Caloria (3). **Caloria média.** *Fís.* Caloria (2). **Caloria termoquímica.** *Fís.* Caloria (4).

calórico[1] [De *calor(i)-* + *-ico*[2].] *Adj.* **1.** Relativo a calor ou a caloria. **2.** Que tem muitas calorias: *alimento calórico.*

calórico[2] [Do fr. *calorique.*] *S. m. Fís.* Fluido hipotético que, segundo a teoria do calor no séc. XIX, seria o responsável pelos fenômenos térmicos.

calorífero [De *calor(i)-* + *-fero.*] *Adj.* **1.** Que tem ou produz calor (3); calorígero. [Antôn.: *calorífugo.*] ● *S. m.* **2.** Aparelho para aquecimento de casas, veículos, etc.; calorífico: "Para defender-se do frio, o revisor tem uma manta sobre os joelhos, o calorífero mesmo ao lado da secretária" (José Saramago, *História do Cerco de Lisboa*, p. 40).

calorificação [De **calorificar* (*calor(i)-* + *-ficar*) + *-ção.*] *S. f.* Desenvolvimento de calor (3) nos corpos vivos.

calorífico [Do lat. *calorificu.*] *Adj.* **1.** Que pode trocar energia sob forma de calor (3). ~ V. *capacidade —a, energia —a e poder —.* ● *S. m.* **2.** Calorífero (2).

calorífugo [De *calor(i)-* + *-fugo*[2].] *Adj.* Que evita o calor. [Antôn.: *calorífero, calorígero.*]

calorígero [De *calor(i)-* + *-gero.*] *Adj.* Que gera ou produz calor; calorífero. [Antôn.: *calorífugo.*]

calorim *S. m. Bras. Zool.* V. *linguarudo* (3).

calorimetria [De *calor(i)-* + *-metria.*] *S. f. Fís.* Conjunto de métodos experimentais que objetivam medir a quantidade de calor recebida ou desprendida por um sistema quando este sofre uma transformação física ou química.

calorimétrico [De *calorimetria* + *-ico*[2].] *Adj. Fís.* Referente à calorimetria. ~ V. *bomba —a.*

calorímetro [De *calor(i)-* + *-metro.*] *S. m. Fís.* Aparelho com que se efetuam medições em calorimetria.

caloripunctura [De *calor(i)-* + *punctura.*] *S. f. Terap.* Punctura em que se emprega calor.

calorização [De **calorizar* (*calor(i)-* + *-izar*) + *-ção.*] *S. f. Quím.* Difusão de alumínio em ferro ou em aço, fenômeno utilizado industrialmente para recobrir peças, ou folhas de ferro ou de aço, de camada superficial que contenha alumínio.

calor nos olhos *S. m. Bras. Pop.* Oftalmia. [Pl.: *calores nos olhos.*] ☑

caloroso (ô) [De *calor* + *-oso.*] *Adj.* **1.** V. *calmoso.* **2.** *Fig.* Enérgico, veemente, vivo: *protesto caloroso.* **3.** *Fig.* Cordial, entusiástico: *acolhimento caloroso.*

calorrinquídeo [Do tax. *Callorhynchus* + *-ídeo*[1]; tax. *Callorhynchidae.*] *Zool. S. m.* **1.** Espécime dos calorrinquídeos, família de peixes quimeriformes, de corpo alongado, fusiforme, cabeça grossa, cônica. Ocorrem nos mares temperados do hemisfério austral, com poucas espécies. São as quimeras. ● *Adj.* **2.** Pertencente ou relativo a eles.

calose [De *calo*[1] + *-ose*[1].] *S. f. Bot.* Substância de natureza polissacarídica que impregna certas paredes celulares nas plantas, constituindo o calo dos tubos crivados, e se dissolve ao recomeçar a circulação da seiva.

calósico [De *calose* + *-ico*[2].] *Adj. Bot.* Relativo à calose.

calosidade [Do lat. *callositate.*] *S. f.* **1.** Dureza calosa. **2.** V. *calo*[1] (1). **3.** Qualidade do que tem calos [v. *calo*[1] (1)].

caloso (ô) [Do lat. *callosu.*] *Adj.* Que tem calos; calejado: "O desconhecido estendeu-me a larga mão calosa." (Ribeiro Couto, *Cabocla*, p. 117.) ~ V. *corpo —.*

calota [Do fr. *callote.*] *S. f.* **1.** *Geom.* Calota esférica (q. v.). **2.** Peça de metal abaulada que se adapta externamente às rodas dos automóveis para proteger as extremidades dos eixos e as porcas com que se fixam as rodas. [Sin. (lus.): *tampão.*] **3.** *Arquit.* Porção de abóbada esférica construída para dar maior altura ao teto. ◆ **Calota craniana.** *Anat.* Porção superior da caixa craniana. **Calota esférica.** *Geom.* Parte de uma superfície esférica limitada por um plano; zona em que um dos planos é tangente à superfície esférica. [Tb. se diz apenas *calota.*] **Calota polar.** *Astr.* Calota esférica de gelo, existente em planetas, e observável na Terra e em Marte.

calote *S. m. Fam.* Dívida não paga, e/ou contraída sem intenção de pagamento. [F. red. (bras., PE): *calo*[2]. Sin. (bras., N.E.): *boca.*]

calotear [De *calote* + *-ear*[2].] *V. t. d.* **1.** Não pagar o que deve a; passar calote(s) em. *Int.* **2.** Contrair dívida(s) sem intenção ou possibilidade de a(s) pagar. [Conjug.: v. *frear.*]

caloteiro [De *calote* + *-eiro.*] *Adj. S. m.* Que, ou aquele que caloteia; fintador. V. *cangancheiro.*

calotismo [De *calote* + *-ismo.*] *S. m.* Hábito de caloteiro, de passar calote.

calourice [Var. de *caloirice.*] *S. f.* Qualidade ou caráter de calouro; inexperiência.

calouro [Var. de *caloiro.*] *S. m.* **1.** Estudante novato. [Sin. (bras.): *bicho*; antôn.: *veterano* (5).] **2.** Indivíduo inexperiente em qualquer ramo. **3.** Indivíduo tímido, acanhado. ◆ **Calouro enfeitado.** *Bras. Desus.* Aluno do segundo ano de curso superior.

calovossauro [Do tax. *Callovosaurus.*] *S. m. Paleont.* **1.** Gênero de reptis ornitópodes, ornistíquios, herbívoros, que habitavam as margens dos charcos e rios da Inglaterra no jurássico médio. De posição bipedal, corriam com grande velocidade, mediam cerca de 90cm de comprimento e pesavam até 60kg. **2.** Espécie ou espécime desse gênero.

calque [Dev. de *calcar.*] *S. m.* **1.** Ato ou efeito de calcar. **2.** *E. Ling.* Empréstimo lexical (q. v.) em que se traduz para vocabulário nativo a formação estrangeira; decalque. [Ex: *cachorro-quente* (calque do ingl. *hot-dog*).] **3.** Decalque (1 a 3). [Sin. (lus.): *calco.*]

calu [De *caluanda*, com apócope.] *S. 2 g. Angol. Fam.* Caluanda (q. v.): "Este calu mete política em tudo..." (Arnaldo Santos, *A Boneca de Quilengues*, p. 55.) [Sin.: *camundongo*[2].]

caluanda [Do quimb. *múkua-Luúanda*, 'natural de Luanda', com aférese e haplologia.] *Angol. Fam. Adj. 2 g.* **1.** V. *luandense* (1): "o asmático vapor do Archer da Silva descarregava sobretudo bandos de mulatas caluandas, belas como palmeiras ao luar" (José Eduardo Agualusa, *A Feira dos Assombrados*, p. 20). ● *S. 2 g.* **2.** V. *luandense* (2): "É água era um negócio não das arábias mas dos caluandas." (Boaventura Cardoso, *O Signo do Fogo*, p. 18.)

caluda [De *calar*[1].] *Interj.* Serve para impor silêncio; psiu.

caluje [Var. de *caloji.*] *S. m. Bras. Pop.* **1.** V. *cabana.* **2.** V. *palhoça* (2).

calulu [Do forro[2].] *S. m. Angol. Santom. Cul.* Prato de origem santomense, preparado com peixe (ou, eventualmente, com galinha), óleo de palma, rama de batata-doce, cebola batida, quiabos e outros legumes, acompanhado de funje (1), em Angola, ou de angu (2), em São Tomé e Príncipe: "Ao fim de muito tempo, o calulu estava pronto. Nina pôs outra panela no fogo, certamente com água para o pirão. Quando começou a ferver chamou a mãe para vir bater o funje." (Pepetela, *A Geração da Utopia*, p. 226.)

calumba [Do afr.] *S. f. Bot.* Subarbusto menispermáceo (*Jateorhiza palmata*) de folhas profundamente cordadas e subdivididas em lobos largos e arredondados, flores unissexuais e minutíssimas, ordenadas em racemos alongados, e cujos frutos são drupas ovoides, setosas e agregadas em grupos.

calumbá *S. f. Bras.* **1.** Caldo de cana. **2.** *P. ext.* O cocho por onde o calumbá escorre.

calumbé [Var. de *carumbé.*] *S. m. Bras.* Vasilha ou gamela cônica, na qual se conduz o cascalho que vai ser lavado nas catas de ouro ou diamante.

calumbiense *Adj. 2 g.* **1.** De, ou pertencente ou relativo a Calumbi (PE). ● *S. 2 g.* **2.** O natural ou habitante de Calumbi.

calundu [Do quimb. *kilundu*, 'espírito'.] *S. m.* **1.** *Bras.* V. *amuo* (1): "o tédio, a amargura, os choros sem motivo, os calundus, os chiliques" (Jorge Amado, *Teresa Batista Cansada de Guerra*, p. 156). **2.** *Angol.* Espírito dum antepassado remoto, suposto ente sobrenatural que dirige o destino da pessoa em quem se incorpora; ilundu: "deu palmada de acalmar calundu nas costas de mana Chica" (Jorge Macedo, *Gente de Meu Bairro*, p. 89).

calunga [De língua banta.] *S. f.* **1.** *Bras. Rel.* Divindade secundária do culto banto. **2.** *Bras. P. ext.* O fetiche dessa divindade. **3.** *Bras.* Coisa qualquer de tamanho reduzido. **4.** *Bras. BA MG Bot.* Arbusto simarubáceo (*Simaba ferruginea*) de folhas penadas que têm de quatro a oito folíolos coriáceos, pilosos, ferrugíneos e obovados, flores muito pequenas, rufas e agregadas em amplas panículas terminais, e frutos constituídos de quatro a cinco carpídios drupáceos. Ocorre no cerrado e na caatinga. **5.** *Bras. N.E. Zool.* V. *libélula* (3). ● *S. m.* **6.** *Bras.* Boneco (1) pequeno. **7.** *Bras.* Figuras humanas, nos desenhos infantis. **8.** *Bras.* Pessoa de pouca estatura. **9.** *Bras.* Desenho sumário, representação da figura humana, que os arquitetos fazem para dar a ideia de escala ou dimensão da obra que projetam. **10.** *Bras. GO SC* Indivíduo negro. **11.** *Bras. AL PE* Ajudante de caminhão de carga; calunga de caminhão. **12.** *Bras. PE Folcl.* Nos maracatus, cada uma das duas bonecas (Dom Henrique e Dona Clara) que vão nas mãos dançantes das negras, e que recebem as espórtulas dos admiradores. **13.** *Bras. Zool.* V. *camundongo*[1]. [Var., nesta acepç.: *calungo.*] **14.** *Bras. RJ Zool.* Pargo. ◆ **Calunga de caminhão.** *Bras. AL PE* Calunga (11).

calungagem [De *calunga* + *-agem*[2].] *S. f. Bras. Pop.* **1.** Trejeitos, requebros. **2.** Atos, gestos ou ditos engraçados; macaquices. **3.** Coisa insignificante, ridícula. **4.** *Bras. PB* V. *vadiação.*

calungo *S. m. Bras. BA* V. *calunga* (13).

calungueira [De *calunga* (11) + *-eira.*] *S. f. Bras. RJ* Embarcação de pesca, semelhante à garoupeira; bangula.

calungueiro [De *calunga* (11) + *-eiro.*] *S. m. Bras. RJ* Pescador de pargo.

calúnia [Do lat. *calumnia.*] *S. f.* **1.** Ato ou efeito de caluniar. **2.** *Dir. Penal* Falsa imputação (a alguém) de um fato definido como crime. **3.** *Bras. Fam. Joc.* Mentira, falsidade, invenção. [Sin. (nas acepçs. 1 e 2): *difamação*. Cf. *calunia*, do v. *caluniar.*]

caluniado [Part. de *caluniar.*] *Adj. S. m.* Que, ou aquele que é objeto de calúnia.

caluniador (ô) [Do lat. *calumniatore.*] *Adj. S. m.* Que, ou aquele que calunia.

caluniar [Do lat. *calumniare.*] *V. t. d.* **1.** Difamar, fazendo acusações falsas. **2.** *Dir. Penal* Atribuir falsamente a (alguém) fato definido como crime. [Cf., nesta acepç., *difamar* (2).] *Int.* **3.** Proferir calúnia(s): *Calunia sem cessar, para justificar-se.* [Pres. ind.: *calunio, calunias, calunia*, etc. Cf. *calúnia*, s. f.]

caluniável [De *caluniar* + *-vel.*] *Adj. 2 g.* Que pode ser objeto de calúnia.

calunioso (ô) [Do lat. *calumniosu.*] *Adj.* **1.** Que encerra calúnia. **2.** Que serve para caluniar.

calva [Do lat. *calva*, 'crânio'.] *S. f.* Parte da cabeça de onde caiu o cabelo; careca: "Sempre tivera [D. Felicidade] o gosto perverso de certas mulheres pela calva dos homens" (Eça de Queirós, *O Primo Basílio*, p. 45).

calvados [Do fr. *calvados* < top. *Calvados* (França).] *S. m. 2 n.* Aguardente de sidra.

calvar [De *calvo* + *-ar*[2].] *V. t. d. P. P. us.* Calvejar.

calvária [Do lat. *calvaria*, 'caveira'.] *S. f. Anat.* Parte superior do crânio, abobadada, formada pelas porções superiores dos ossos frontal, occipital e parietais.

calvário [Do lat. ecles. *Calvariae* (*locus*), 'local do crânio'; trad. do aramaico *gulguta* (v. *gólgota*), colina em que Jesus Cristo foi crucificado.] *S. m.* **1.** Elevação, monte. **2.** Peanha de crucifixo, **3.** *Fig.* Martírio, tormento, sofrimento; via-crúcis: *Sua vida foi um eterno calvário.*

calvejar [De *calvo* + *-ejar.*] *V. t. d. P.* Tornar(-se) calvo. [Sin., p. us.: *calvar*. Conjug.: v. *pelejar.*]

calvície [Do lat. *calvitie.*] *S. f.* **1.** Estado de quem ou do que é calvo: *A calvície do rapaz manifestou-se muito cedo; A calvície dos antigos cafezais revelava a decadência da região.* **2.** Acomia.

calvinismo [Do antr. (*Jean*) *Calvin* (1509-1564), que introduziu a Reforma [v. *reforma* (8)] na França, + *-ismo.*] *S. m.* **1.** Sistema teológico da Reforma protestante, exposto e defendido por Calvino (1509-1564). **2.** *P. ext.* As Igrejas que professam o calvinismo.

calvinista [De *calvinismo* + *-ista.*] *Adj. 2 g.* **1.** Relativo ao calvinismo; calvinístico. **2.** Que é sectário dele. **3.** Relativo a huguenote (3). ● *S. 2 g.* **4.** Sectário do calvinismo. **5.** V. *huguenote* (3).

calvinístico [De *calvinista* + *-ico*[2].] *Adj.* Calvinista (1).

calvo [Do lat. *calvu.*] *Adj.* **1.** Que não tem cabelo na cabeça ou em parte dela. **2.** *Fig.* Sem vegetação; árido, escalvado: *outeiro calvo.* **3.** Diz-se de mentira evidente. ● *S. m.* **4.** Indivíduo calvo (1); careca.

➔**calzone** [kal'tsone] [It.] *S. m. Cul.* Espécie de pastel grande originário da Apúlia (S. da Itália), feito com massa de pizza e, ger., recheado com mozarela, presunto e, por vezes, anchova e azeitonas; é temperado com azeite, orégano e alho e pode ser assado ou frito.

cama [Do lat. hisp. de or. pré-romana, *cama*, 'leito no solo'.] *S. f.* **1.** Qualquer lugar onde pessoas ou animais possam deitar-se e/ou dormir: *Fiz uma cama para você aqui no chão do quarto;* "que nunca mates fera em cama e com cria, seja urso, javali ou veado." (Alexandre Herculano, *Lendas e Narrativas*, II, p. 21). **2.** Móvel em que se dorme ou repousa, composto de estrado com pés ou sem eles, sobre o qual se coloca, em geral, um colchão revestido de cobertas, e que varia de forma segundo a época, estilo ou lugar onde foi feito; leito: *uma cama de jacarandá; cama de casal.* **3.** *P. ext. Fig.* Intercurso sexual: *Só quer mulher para a cama.* **4.** Camada (2) de material fofo ou macio: *uma cama de folhas secas; Fez uma cama com a palha e foi arrumando os caquis.* **5.** *Bot.* Depressão e diferença de cor que se observam na casca dos frutos de certas plantas rasteiras, como,

p. ex., a abóbora e o melão, na parte em que ficam de encontro à terra. 6. *Tip.* Camada de pano ou de papel que constitui a parte inferior da almofada, nos cilindros das prensas. 7. *P. ext. Tip.* V. *almofada* (6) 8. *Bras.* Lugar que os animais escolhem e ajeitam para se recolherem e dormirem. 9. *Bras.* Lugar, no campo, onde o animal, deitando-se, deixa a marca do corpo, no capim ou no mato. 10. *Bras.* Fundo de rio, lago, etc.; leito. ◆ **Bater a cama nas costas.** *Bras. Pop.* Ferrar no sono (q. v.). **Cair da cama.** 1. Ter uma surpresa desagradável. 2. Levantar-se muito cedo ou antes do habitual. **Cair na cama.** Deitar-se para dormir. **De cama.** Sem dela se levantar, por doença: *estar, ficar, continuar de cama.* **Fazer a cama.** Arrumar em boa ordem os lençóis e cobertas, travesseiros, etc., da cama (2), para nela alguém deitar-se. **Fazer a cama de.** Dar más informações acerca de (alguém); acusá-lo, denunciá-lo. **Fazer a cama para.** *Fig.* Trabalhar em proveito alheio. [Sin. (bras., RS): *aquentar água para o mate de.*] **Ir para a cama.** Ir dormir. **Ir para a cama com.** Ter relação sexual com.

camaá [Do tupi.] *S. m.* 1. *Bras. Amaz. Bot.* Arbusto verbenáceo (*Aegiphila villosa*, de ramos quadrangulares, pequeninas flores esverdeadas e frutos drupáceos avermelhados, todo revestido de pelos brancos, de excelente aspecto ornamental. Habita terrenos bastante secos. 2. *Bras. Amaz.* O fruto desse arbusto. 3. *Bras.* V. *fruta-de-anel.*

cama-beliche *S. f.* Beliche (1). [Pl.: *camas-beliches* e *camas-beliche.*]

camacã[1] *Bras. S. 2 g.* 1. *Etnôn.* Indivíduo dos camacãs [ou (etnôn. bras.) *Kamakã], povo indígena extinto, da família linguística camacã, que habitava a margem esquerda dos rios Pardo e Colônia, no S. da BA. ● *S. m.* 2. *Gloss.* Família linguística extinta que reúne línguas faladas por povos indígenas que habitavam a região entre os atuais estados de Minas Gerais e Espírito Santo. ● *Adj. 2 g.* 3. Pertencente ou relativo a camacã (2) ou aos camacãs.

camacã[2] [De or. obs.] *S. m. Bras. Bot.* Grande árvore esterculiácea (*Guazuma ulmifolia* ou *G. tomentosa*) de folhas simples, pubescentes, us. como forrageiras, flores amarelas, e frutos capsulares roxo-escuros, com sementes edules, de cuja casca se extrai fibra; ocorre em quase todo o país. [Var.: cambacã. Sin.: *embira, embireira, guaxima-macho, mucungo, mutamba, mutambo, mutambo-periquiteiro, pau-de-bicho, pau-de-mutambo, periquiteira.*]

camaçada *S. f. Bras. Pop.* 1. V. *surra* (1). 2. Acúmulo de doenças venéreas.

camacãense *Adj. 2 g.* 1. De, ou pertencente ou relativo a Camacã (BA). ● *S. 2 g.* 2. O natural ou habitante de Camacã.

camaçariense *Adj. 2 g.* 1. De, ou pertencente ou relativo a Camaçari (BA). ● *S. 2 g.* 2. O natural ou habitante de Camaçari.

camachense *Adj. 2 g.* 1. De, ou pertencente ou relativo a Camacho (MG). ● *S. 2 g.* 2. O natural ou habitante de Camacho.

camacho *Adj. S. m. Bras.* Diz-se de, ou indivíduo coxo.

camacilra [Var. de *cambaxilra.*] *S. f. Bras. Zool.* V. *cambaxirra.*

camada [De *cama* + *-ada*[1].] *S. f.* 1. Quantidade de matéria, natural ou artificial, estendida, sem solução de continuidade, sobre uma superfície: *uma camada de algodão; uma camada de saibro.* 2. *P. ext.* Porção de qualquer substância que forma um todo, sobreposta a outra(s); andar: *um bolo de camadas.* 3. Categoria, classe. 4. *Bot.* Conjunto de células que formam estrato. 5. *Geol.* Unidade de uma rocha sedimentar estratificada. ◆ **Camada basal.** *Histol.* A camada mais profunda da epiderme, formada por células prismáticas ou cuboides que, pela sua contínua multiplicação, asseguram a renovação da epiderme. [Sin.: *estrato basal, estrato de Malpighi, estrato germinativo.*] **Camada córnea.** *Histol.* A camada mais superficial da epiderme, formada por células mortas, anucleadas e repletas de filamentos de queratina; estas células se descamam continuamente. [Sin.: *estrato córneo.*] **Camada de depleção.** *Eletrôn.* Região formada na junção de dois semicondutores de condutividades diferentes na ausência de uma tensão aplicada, e que contém átomos ionizados fixos e não possui portadores de cargas móveis; zona de transição. **Camada de elétrons.** *Fís.* Em um átomo, conjunto de elétrons que tem o mesmo número quântico principal; camada eletrônica. **Camada de Heaviside.** *Geofís.* Camada condutora descoberta pelo físico inglês Oliver Heaviside (1850-1925), situada na região da ionosfera que vai, aproximadamente, de 90 a 140km de altitude, e capaz de refletir ondas eletromagnéticas até 3MHz, provenientes do solo; região de Heaviside, região E; camada de Kennelly-Heaviside. **Camada de inversão.** Camada de ar frio que aparece sob uma camada de ar quente. **Camada de Kennelly-Heaviside.** *Geofís.* Camada de Heaviside. **Camada de ocupação.** *Arqueol.* Num sítio arqueológico, a camada do solo onde se acumulam vestígios de atividades humanas. **Camada de ozônio.** *Geofís.* Ozonosfera. **Camada de reversão.** *Astr.* Camada inversora. **Camada eletrônica.** *Fís.* Camada de elétrons. **Camada espinhosa.** *Histol.* Camada da epiderme situada entre a camada granulosa e a camada basal, e que se constitui de várias camadas de células poligonais, cuboides ou levemente achatadas, unidas entre si por pontes intercelulares. [Sin.: *estrato espinhoso.*] **Camada granulosa.** *Histol.* Camada da epiderme situada entre a camada lúcida e a camada espinhosa, e que é formada por células foliculares do folículo ovariano. [Sin.: *estrato granuloso.*] **Camada humífera.** V. *manta* (6). **Camada inversora.** *Astr.* Camada da atmosfera solar, externa à fotosfera e interna à cromosfera; camada de reversão. **Camada lúcida.** *Histol.* Camada epidérmica translúcida, situada entre a camada granulosa e a camada córnea. [Sin.: *estrato lúcido.*] **Camada papilar.** *Histol.* Camada da derme constituída de tecido conjuntivo frouxo, e que se localiza imediatamente abaixo do tecido epitelial. **Camada reticular.** *Histol.* Camada da derme constituída de tecido conjuntivo denso, e que é a camada mais profunda da derme.

cama de gato *S. f. Bras.* 1. Brinquedo que consiste em entrelaçar, nos dedos de ambas as mãos, um barbante com as pontas atadas, e que é, então, retirado com os dedos das mãos por outro participante, dando forma diferente ao entrelaçamento anterior, e assim sucessivamente. 2. Queda provocada por pessoa que, agachada e sem ser vista, se põe por trás de outra, enquanto uma terceira a empurra. 3. *Esport. P. ext.* Queda provocada no jogador que está pulando por outro jogador que, sem dar pulo, o desloca no ar. [Pl.: *camas de gato.*] ☑

cama de varas *S. 2 g. Bras.* 1. Trabalhador rural. 2. *P. ext.* Lavrador pobre. [Pl.: *camas de varas.*] ☑

cama de vento *S. f. Bras.* Cama portátil, ger. dobrável e de lona. [Pl.: *camas de vento.*] ☑

camafeu [Do fr. ant. *camaheu.*] *S. m.* 1. Pedra semipreciosa, com duas camadas de cores diferentes, numa das quais se talha uma figura em relevo: "Impressionou-me .... uma senhora, ... trajada simplesmente, porém com um gracioso camafeu a lhe enfeitar a blusa." (Genolino Amado, *O Reino Perdido*, p. 123.) 2. *Pop.* Mulher de feições delicadas. 3. *Joc.* Mulher feia; estafermo.

camafonge [De or. afr., poss.] *S. m.* 1. *Bras. RN a PE* Moleque travesso. 2. *Bras. AL PE* Ladrão, gatuno. 3. *Bras. AL PE* Indivíduo desprezível.

→**camaïeu** [kama'jø] [Fr.] *S. m. Pint.* Gênero de pintura em que se utiliza apenas uma cor, nos seus diversos tons. [Cf. *grisalha.*]

camaiurá (ai-u) *Bras. S. 2 g.* 1. *Etnôn.* Indivíduo dos camaiurás [ou (etnôn. bras.) *Kamayurá], povo indígena da família linguística tupi-guarani, tronco tupi, que habita a região dos formadores do rio Xingu, ao S. do Parque Indígena do Xingu (MT). ● *Adj. 2 g.* 2. Pertencente ou relativo a esse povo.

camajari *Bras. S. 2 g.* 1. *Etnôn.* Indivíduo dos camajaris, povo indígena que habita o alto rio Roosevelt (RO). ● *Adj. 2 g.* 2. Pertencente ou relativo a esse povo. [Tb. us. como *s. 2 g. e 2 n.* (com cap.) e *adj. 2 g. e 2 n.*]

camajondura *S. f. Bras. Bot.* V. *xixá.*

camal [Do provenç. *capmalh.*] *S. m.* Peça da armadura (1) que cobria o elmo e descia sobre os ombros; camalho.

camalauense (a-u) *Adj. 2 g.* 1. De, ou pertencente ou relativo a Camalaú (PB). ● *S. 2 g.* 2. O natural ou habitante de Camalaú.

camáldulas [Do top. *Camalduli*, cidade da Toscana, Itália.] *S. f. pl.* Rosário de contas grossas. [Var.: *camândulas.*]

camáldulo [Do top. it. *Camaldoli.*] *S. m.* Religioso da ordem fundada por São Romualdo em Camaldoli (Itália central), no séc. XI.

camaleão[1] [Var. de *cameleão*, com assimilação.] *S. m.* 1. *Zool.* Reptil lacertílio, camaleontídeo, especialmente os do gênero *Chamaleo*, da Europa meridional e de certas regiões africanas e asiáticas, arborícola e dotado da faculdade de mudar de cor. Tem cauda preênsil, dedos opostos, língua protrátil, capaz de ser projetada a grande distância. 2. *Bras. Zool.* Designação comum dos reptis lacertílios; iguanídeos, com cerca de 30 representantes, a maioria dos quais tem uma prega mento-faríngea capaz de se encher de vento, crista serrilhada no dorso, língua curta, grossa e não protrátil; são também arborícolas e também mudam de cor. A espécie mais conhecida no N. e N.E. é a *Iguana iguana.* [Var., nessas acepçs.: *cambaleão* e *cameleão.* Sin.: *papa-vento, senembi, senembu, sinimbu, sinumbu, tijibu.* Cf. (na acepç. 2): *iguana.*] 3. *Fig.* Indivíduo que assume o caráter conveniente aos seus interesses. 4. Indivíduo que adapta sua opinião ao interesse do momento.

camaleão[2] [Var. de *camalhão.*] *S. m.* 1. *Bras. PE a BA* Elevação deixada entre os sulcos feitos, em terreno molhado, pelas rodas dos veículos ou pelas patas dos animais. 2. *Bras. BA* Pequenas lombas em meio a terras planas. 3. Camalhão.

camaleão[3] *S. m. Bras. RN* Certa dança rural, de vários pares.

camaleão-de-pedreira [De *camaleão*[1] + *de* + *pedreira.*] *S. m. Bras. RJ Zool.* V. *taraguira.* [Pl.: *camaleões-de-pedreira.*]

camaleão-ferro *S. m. Bras. RJ Zool.* V. *ameiva.* [Pl.: *camaleões-ferros* e *camaleões-ferro.*]

camaleónico *Adj.* V. *camaleônico.* [Uso freq. em P.]

camaleônico [De *camaleão*[1] + *-ico*[2].] *Adj.* 1. Próprio de, ou semelhante a camaleão. 2. *Fig.* Que muda de aspecto, de aparência, conforme as circunstâncias.

camaleontídeo [Do tax. *Chamaeleontes* + *-ídeo*[1]; tax. *Chamaeleontidae.*] *Zool. S. m.* 1. Espécime dos camaleontídeos, família de reptis lacertílios na qual se incluem os camaleões. ● *Adj.* 2. Pertencente ou relativo a eles.

camalha [De *camalho.*] *S. f.* Capuz de lã caído sobre os ombros.

camalhão [De *cama* + *-alhão*, poss.] *S. m.* Porção de terra de lavoura entre dois regos; camaleão[2].

camalho [Do it. *camàglio*, poss.] *S. m.* Camal.

camalote [Do esp. plat. *camalote.*] *S. m. Bras. S. C.O.* Ilha flutuante que desce os rios, formada de plantas aquáticas. [Sin. (na Amaz.): *periantã.*]

camambu [Do tupi.] *S. m. Bras. Bot.* V. *camapu* (1).

camamu *Bras. S. 2 g.* 1. *Etnôn.* Indivíduo dos camamus, povo indígena extinto, da família linguística tapuia, que habitava a região do rio Acaru (CE). ● *Adj. 2 g.* 2. Pertencente ou relativo a esse povo. [Tb. us. como *s. 2 g. e 2 n.* (com cap.) e *adj. 2 g. e 2 n.*]

camamuense *Adj. 2 g.* 1. De, ou pertencente ou relativo a Camamu (BA). ● *S. 2 g.* 2. O natural ou habitante de Camamu.

camamuri [Do tupi.] *S. m. Bras. AM* Certa fruta silvestre.

camanduá *S. m. Bras. BA* Feixe de folhas de fumo que pesa de oito a dez quilos.

camanducaiense *Adj. 2 g.* 1. De, ou pertencente ou relativo a Camanducaia (MG). ● *S. 2 g.* 2. O natural ou habitante de Camanducaia.

camândulas *S. f. pl.* V. *camáldulas*: "Rosária embiocou o rosto no lenço, enfiou as camândulas no pulso esquerdo, e desceu as escadas." (Camilo Castelo Branco, *Novelas do Minho*, VII, p. 59.)

camanga *S. f. Angol.* Tráfico de diamantes: "há pessoas selectas que fazem camanga selectamente" (Uanhenga Xitu, *O Ministro*, p. 36).

camanguá *S. f. Bras. Zool.* V. *oveva.*

camapu [Do tupi.] *S. m.* 1. *Bras. Bot.* Nome comum a plantas solanáceas do gênero *Physalis* (v. *fisális*), com cálice frutífero, intumescido e vesiculoso, que envolve o fruto; é muito cultivada pelos frutos e por ter uso medicinal; camambu, camaru, juá-de-capote, juapoca. 2. *Bras. Bot.* Erva solanácea (*Phisalis angulata*) ramosa, de flores amarelas e bagas comestíveis, amareladas; alquequenje-amarelo. 3. *Bras. PA* Bolhas de água produzidas pela respiração do pirarucu.

camapuano *Adj.* 1. De, ou pertencente ou relativo a Camapuã (MS). ● *S. m.* 2. O natural ou habitante de Camapuã. [Sin. ger.: *camapuense.*]

camapuense *Adj. 2 g. S. 2 g.* V. *camapuano.*

camaquense (qüen) *Adj. 2 g.* 1. De, ou pertencente ou relativo a Camaquã (RS). ● *S. 2 g.* 2. O natural ou habitante de Camaquã. ❖

camará [Do tupi] *S. m. Bras. Bot.* 1. Arbusto verbenáceo (*Lantana camara*) ornamental, perene, semi-herbáceo, piloso, às vezes espinescente, com folhas hirsutas e espessas, e inflorescências com pequenas flores amarelas, brancas, alaranjadas, ou róseas. É melífero, tem propriedades tônicas e febrífugas, e fornece óleo essencial. [Var.: *cambará.* Sin.: *cambará-de-cheiro, cambará-de-chumbo, camará-de-espinho, cambará-de-espinho, cambarajuba* ou *camarajuba, cambará-miúdo, cambará-verdadeiro, cambará-vermelho*, e (cabo-verd.) *freira, lantuna.*] 2. *Bras. MG* V. *azeitona-do-mato.*

câmara *S. f.* 1. Compartimento ou aposento de uma casa e, em especial, o quarto de dormir. 2. Assembleia deliberativa constituída em corpo legislativo: *a Câmara dos Deputados.* 3. O local onde se reúne tal Assembleia: *Fui à Câmara de Vereadores.* 4. *P. ext.* Qualquer Assembleia deliberativa. 5. Divisão de um tribunal para julgar questões de determinada natureza. 6. *Ecles.* Repartição de despacho eclesiástico. 7. Designação comum a certos aparelhos ópticos. 8. *Anat.* Designação genérica de espaço fechado. 9. Qualquer recinto ou compartimento fechado: *câmara frigorífica; câmara de gás.* 10. *Bot.* Espaço entre as células, em vários vegetais, como, p. ex., no caule das plantas aquáticas. 11. *Cin.* Aparelho para fotografar as sucessivas imagens de um filme; máquina de filmar. 12. *Fot.* Parte opaca que forma o corpo da máquina fotográfica, tendo de um lado a objetiva (3), por onde penetra a imagem, e do outro, a superfície sensível. **13.** *Fot. P. ext.* V. *máquina fotográfica.* **14.** *Mar. G.* Conjunto de compartimentos para uso pessoal do comandante de navio ou de força naval. **15.** *Telev.* Aparelho que capta e transmite as imagens de televisão (q. v.). ● *S. 2 g.* **16.** V. *operador de câmara.* [F. paral., m. us. nas acepçs. 11 a 13, 15 e 16: *câmera.*] ~ V. *câmaras.* ◆ **Câmara alta.** O Senado. **Câmara anterior do olho.** *Anat.* Espaço situado entre córnea e cristalino. **Câmara baixa.** A Câmara dos Deputados. **Câmara clara.** *Ópt.* Câmara lúcida. **Câmara de ar.** *Constr.* Numa edificação, espaço vazio, ger. estreito, para isolamento entre ambientes, etc. [Cf. *câmara de ar*, s.f.] **Câmara de bolha.** *Fís. Nucl.* Câmara de traço em que o elemento detector é um líquido superaquecido que se vaporiza ao longo da trajetória das partículas ionizantes que o atravessam. **Câmara de centelha.** *Fís. Nucl.* Instrumento para tornar visíveis as trajetórias de partículas ionizantes, e em que estas provocam uma sequência de centelhas elétricas entre eletrodos colocados em potenciais elétricos diferentes. **Câmara de comércio.** Assembleia de comerciantes cuja missão é defender e representar junto ao governo os interesses comerciais e industriais de determinada região. **Câmara de compensação.** *Econ.* Órgão que promove a compensação (2) dos cheques transacionados na praça respectiva. **Câmara de condensação.** *Fís. Nucl.* Câmara de traço em que os íons produzidos por uma radiação ionizante provocam a condensação de um vapor super-resfriado. **Câmara de escape.** *Astron.* Compartimento estanque, com duas portas capazes de permitir o acesso a um veículo, no espaço vazio. **Câmara de névoa.** *Fís. Nucl.* V. *câmara de Wilson.* **Câmara de nuvem.** *Fís. Nucl.* V. *câmara de Wilson.* **Câmara de pontoação.** *Bot.* Espaço compreendido entre a membrana de pontoação e a parte da parede que constitui a aréola. **Câmara de reflexão.** *Maç.* Lugar, assemelhado a um subterrâneo, onde são expostos símbolos que levem os candidatos a maçom a meditarem acerca das coisas materiais do mundo, da vida e da morte, antes de decidirem se realmente desejam entrar para a ordem. **Câmara de sangue.** *Med. Desus.* Evacuação intestinal com sangue. **Câmara de traço.** *Fís. Nucl.* Câmara em que, mediante dispositivos apropriados, se torna visível a trajetória de uma partícula ionizante. **Câmara de Wilson.** *Fís. Nucl.* Câmara de condensação em que a supersaturação do vapor é provocada por uma rápida expansão do fluido; câmara de névoa, câmara de nuvem. **Câmara do meio.** *Maç.* Sessão onde os mestres recebem o seu salário, e se reúnem para deliberar. **Câmara digital.** *Fot. Telev.* Tipo de câmara (13 e 15) que utiliza tecnologia digital de computador para registro de imagem. **Câmara escura.** *Fot.* Recinto vedado à luz exterior, fracamente iluminado com luz vermelha, verde ou ambarina, e no qual se realiza o processo de revelação fotográfica. **Câmara fotográfica.** *Fot.* V. *máquina fotográfica.* [Tb. se diz apenas *câmara* ou *câmera.*] **Câmara frigorífica.** Compartimento de temperatura mantida artificialmente baixa, para armazenamento e conservação de gêneros perecíveis. **Câmara hiperbárica.** *Terap.* Compartimento em que a pressão de oxigênio pode ser elevada acima da pressão atmosférica normal, o que o torna indicado no tratamento de infecções devidas a germes anaeróbios. **Câmara lenta.** *Cin. Telev.* Recurso usado em cinema, televisão, etc. que confere aos movimentos maior lentidão. **Câmara lúcida.** *Ópt.* Instrumento constituído por prismas de reflexão total ou espelhos convenientes, mediante o qual um indivíduo pode observar simultaneamente um objeto e a imagem deste projetada sobre uma folha de papel, para desenhá-la; câmara clara. **Câmara municipal. 1.** Órgão deliberativo da administração municipal, eletivo e autônomo em tudo quanto se refere ao interesse comunal, à decretação de impostos de sua atribuição e à organização de serviços públicos de caráter local. **2.** *P. ext.* V. *vereação* (2). **Câmara posterior do olho.** *Anat.* Espaço situado entre íris e cristalino, e ligamento suspensor do cristalino. **Câmara pulpar.** *Anat.* A parte da cavidade pulpar localizada na coroa dentária. **Câmara sindical.** Órgão administrativo das bolsas ao qual incumbe encerrar ou reabrir o pregão de quaisquer títulos, ampliar ou diminuir o quadro de títulos negociáveis, etc. **Câmara urogenital.** *Zool.* V. *cloaca*[2]. **Em câmara lenta.** Em ritmo vagaroso; lentamente: "A ação, nos seus contos e novelas [de Virgílio Várzea], se desenvolve em câmara lenta, no ritmo sincopado de uma arte que se nutre apenas do visual e do plástico." (Nereu Correia, *O Canto do Cisne Negro e Outros Estudos*, p. 118.) [Do gr. *kamára*, 'abóbada', pelo lat. vulg. *camara.*]

câmara-ardente *S. f.* Sala onde se velam defuntos, antes do enterramento, em residência particular ou em capela, cemitério, hospital, etc.; capela mortuária, capela. [Pl.: *câmaras-ardentes.*]

camará-branco *S. m. Bras. Bot.* **1.** Arbusto verbenáceo (*Lantana nivea*) semelhante ao camará (1), porém com flores alvas. **2.** V. *camaratinga.* [Pl.: *camarás-brancos.*]

camará-bravo *S. m. Bras. Bot.* **1.** V. *cega-olho.* **2.** V. *oficial-de-sala.* [Pl.: *camarás-bravos.*]

câmara-caixão *S. f. Fot.* Câmara fotográfica simples, de uso popular, cuja objetiva tem pequena abertura e grande distância focal, e cujo corpo é, geralmente, constituído por uma caixa rígida em forma de paralelepípedo; máquina-caixão. [Atualmente é substituída por tipos com as mesmas características de funcionamento, mas de formato diverso. Pl.: *câmaras-caixões* e *câmaras-caixão.*]

camarada [Do fr. *camarade.*] *S. 2 g.* **1.** Pessoa que convive com outra; companheiro. **2.** *P. ext.* Amigo fraternal e cordial. **3.** Condiscípulo, colega. **4.** Cada um dos indivíduos que exercem a mesma profissão. **5.** *Bras. N.* Pessoa amancebada; amásio, amigo, companheiro. **6.** *Bras.* V. *concubina*: *Alugou casa para a camarada e passou a morar lá, com ela.* ● *S. m.* **7.** *Bras. Pop.* Soldado (3). **8.** *Bras.* Indivíduo empregado em serviços avulsos, nas fazendas. **9.** *Bras.* Garimpeiro assalariado. **10.** *Bras.* Sujeito, indivíduo: *Esse camarada está sempre contando vantagem.* ● *Adj. 2 g.* **11.** *Bras.* Simpático, acessível, amigo; camaradesco: *É um sujeito camarada.* **12.** Agradável, bom, propício: *Soprava um ventinho camarada.* **13.** Acessível: *um preço camarada.* **14.** Que denota camaradagem, simpatia, amizade: *O professor deu-lhe uma nota camarada.* ◆ **Camaradas do corpo.** *Bras. CE Pop.* Madre, útero.

camaradagem [De *camarada* + *-agem*[2].] *S. f.* **1.** Convivência de camaradas. **2.** Convivência íntima e agradável. **3.** Procedimento ou atitude própria de amigo ou camarada: *Foi de uma camaradagem a toda prova durante a viagem; Só o deixei assistir à aula por camaradagem.* **4.** *Bras.* Grupo de camaradas [v. *camarada* (7 a 10)].

câmara de ar *S. f.* **1.** Tubo circular de borracha, que se coloca no interior de pneumáticos, e que é munido de válvula para regular a calibragem do ar nele introduzido. **2.** *P. ext.* Qualquer peça análoga usada para diferentes fins: *a câmara de ar de uma bola de futebol.* [Pl.: *câmaras de ar.* Cf. *câmara de ar* (loc.).] ☑

camará-de-cavalo [De *camará* + *de* + *cavalo*[1].] *S. m. Bras. Bot.* V. *arroz-bravo.* [Pl.: *camarás-de-cavalo.*]

camará-de-cheiro *S. m. Bras. Amaz. Bot.* **1.** Árvore laurácea (*Acrodiclidium camara*) que habita a floresta pluvial, de flores amarelas, muito pequenas, e cujo fruto é uma baga elipsoide, aromática e dotada de propriedades excitantes. **2.** V. *camará* (1). [Pl.: *camarás-de-cheiro.*]

camará-de-espinho *S. m. Bras. Bot.* **1.** V. *camarajuba* (1). **2.** V. *camará* (1). [Pl.: *camarás-de-espinho.*]

camaradeiro [De *camarada* + *-eiro.*] *Adj. Bras.* Que gosta de acamaradar-se, de fazer relações; comunicativo; obsequioso.

camaradesco (ê) [De *camarada* + *-esco.*] *Adj.* **1.** Relativo a camarada. **2.** Próprio de amigo ou camarada; camarada.

camaradinha [Dim. de *camarada.*] *S. f. Bras. Bot.* V. *jurujuba.*

camarado *S. m. Bras. BA* V. *camarada* (10).

camaraense (câ) *Adj. 2 g.* **1.** De, ou pertencente ou relativo a General Câmara (RS). ● *S. 2 g.* **2.** O natural ou habitante de General Câmara.

camaragibano *Adj.* **1.** De, ou pertencente ou relativo ao Passo de Camaragibe (AL). ● *S. m.* **2.** O natural ou habitante do Passo de Camaragibe.

camaragibense *Adj. 2 g.* **1.** De, ou pertencente ou relativo a Camaragibe (PE). ● *S. 2 g.* **2.** O natural ou habitante de Camaragibe.

camarajibano *Adj. S. m.* V. *camaragibano.*

camarajibense *Adj. 2 g. S. 2 g.* V. *camaragibense.*

camarajuba [De *camará* + *-juba.*] *S. f. Bras. RJ Bot.* **1.** Subarbusto enoteráceo (*Lantana aculeata*) próprio das capoeiras e sebes, hirsuto, de folhas ovadas, serreadas, acuminadas, cordadas, grossas e muito pilosas, flores alvas e congregadas em capítulo que se insere no ápice de longo pedúnculo, e cujo fruto é drupáceo e pequenino; camará-de-espinho, cambará-de-espinho. **2.** V. *camará* (1). [Var.: *cambarajuba.*]

camarambaia [Do tupi.] *S. f. Bras. Bot.* Erva onagrácea (*Ludwigia octovalvis*) de caule ereto, anguloso, folhas oblongas, pilosas, flores de pecíolo curto, cálice quadrilobado e lanceolado, e frutos capsulares mais estreitos na base; é tanífera, e fornece matéria tintorial preta. [Sin.: *cruz-de-malta.*]

camaranchão [De *câmara*, poss.; esp. *camaranchón.*] *S. m. Desus.* Caramanchão (q. v.).

camarão [Do gr. *kámmaros*, pelo lat. *cammaru*, poss. pelo lat. vulg. **cammarone.*] *S. m.* **1.** *Zool.* Animal artrópode, crustáceo, decápode, peneídeo, macruro. Sua evolução consta de cinco fases. Várias espécies são conhecidas, todas de importância comercial. [Sin. (bras. desus.): *poti.*] **2.** *Cul.* Prato (2) preparado com ele. **3.** Antigo vaso de louça. **4.** Gancho com que se suspendem do teto lustres, etc. **5.** *Art. Gráf.* Borrãozinho. **6.** *Bot.* Planta acantácea (*Justicia brandegeana*) ornamental, ereta, nativa do México, com inflorescências longas, formada de brácteas vermelhas ou amarelas e pequenas flores alvas. **7.** *Bras. SP Pop.* Bonde (1) fechado que, na cidade de São Paulo, era pintado de vermelho. ◆ **Camarão à baiana.** *Bras. Cul.* Camarão puxado na manteiga, molho de tomate, cebola, azeite de dendê, leite de coco e pimenta a gosto. **Um camarão.** V. *um pimentão.*

camarão-braço-forte *S. m. Bras. RJ Zool.* V. *camarão-castanho.* [Pl.: *camarões-braços-fortes.*]

camarão-branco *S. m. Bras. Zool.* V. *camarão-verdadeiro.* [Pl.: *camarões-brancos.*]

camarão-castanho *S. m. Bras. RJ Zool.* Animal crustáceo, decápode, macruro, palemonídeo (*Macrobrachium acanthurus*), de coloração geral pardo-bronzeada, com desenhos irregulares na carapaça. Os dois primeiros pares de patas são grossos, munidos de quelas bem desenvolvidas, sobretudo no segundo par; mede entre 6 e 10cm de comprimento. [Sin.: *zabumba* ou *zambumba*, *camarão-lagosta*, *pitu*, *camarão-braço-forte.* Pl.: *camarões-castanhos.*]

camarão-d'água-doce *S. m. Bras. Zool.* Pitu (1). [Pl.: *camarões-d'água-doce.*]

camarão-de-salmoura *S. m. Zool.* Pequeno crustáceo anostráceo (*Artemia salina*) us. como alimento para peixes. [Pl.: *camarões-de-salmoura.*]

camarão-lagosta *S. m. Bras. RJ Zool.* V. *camarão-castanho.* [Pl.: *camarões-lagostas* e *camarões-lagosta* (f. pref.).]

camarão-legítimo *S. m. Bras. Zool.* V. *camarão-verdadeiro.* [Pl.: *camarões-legítimos.*]

camarão-lixo *S. m. Bras. Zool.* V. *camarão-verdadeiro.* [Pl.: *camarões-lixos* e *camarões-lixo.*]

camarão-rosa *S. m. Bras. Zool.* **1.** Designação comum às espécies de crustáceos decápodes, macruros, peneídeos, cujo cefalotórax tem sulcos longitudinais laterais, crista pós-rostral e o sexto segmento abdominal provido de sulcos dorsolaterais. São três as espécies conhecidas: *Penaeus brasiliensis*, de cor vermelha, superiormente: *P. aztecus*, castanho, extremidade das patas abdominais azuladas; e *P. duorarum*, vermelho. [Sin.: *vilafranca.*] **2.** Crustáceo decápode, macruro, palemonídeo (*Leander potitinga*), de água doce, com até 6cm de comprimento, rostro com nove dentes em cima e seis embaixo. [Sin. ger.: *potitinga*, *potimirim.* Pl.: *camarões-rosas* e *camarões-rosa.*]

camarão-sossego *S. m. Bras. Zool.* Camarão de água doce, de origem amazônica, e atualmente criado com bom êxito nos açudes nordestinos. [Pl.: *camarões-sossegos* e *camarões-sossego.*]

camarão-verdadeiro *S. m. Bras. Zool.* Animal crustáceo, decápode, macruro, peneídeo (*Penaeus schimitti*), braço com a extremidade livre do rostro de comprimento mediano, cefalotórax sem sulcos longitudinais, a crista pós-rostral e o sexto segmento abdominal sem sulcos dorsolaterais; camarão-branco, camarão-legítimo, camarão-lixo, pitigaia, piticaia. [Pl.: *camarões-verdadeiros.*]

camarãozinho [De *camarão* + *-zinho.*] *S. m. Bras. Zool.* Animal artrópode, crustáceo (*Gammarus neglectus*), semelhante a um camarão. Vive em água doce, córregos e valas de agrião; é coprófago, e pode ser hospedeiro intermediário de helmintos.

camarapim *Bras. S. 2 g.* **1.** *Etnôn.* Indivíduo dos camarapins, povo indígena extinto que habitava a região situada entre os rios Anapu e Pacajá (PA). ● *Adj. 2 g.* **2.** Pertencente ou relativo a esse povo. [Tb. us. como *s. 2 g. e 2 n.* (com cap.) e *adj. 2 g. e 2 n.*]

camararé *Bras. S. 2 g.* **1.** *Etnôn.* Indivíduo dos camararés, povo indígena extinto que habitava a região do rio Madeira. ● *Adj. 2 g.* **2.** Pertencente ou relativo a esse povo. [Tb. us. como *s. 2 g. e 2 n.* (com cap.) e *adj. 2 g. e 2 n.*]

camararia [De *camar(eiro)* + *-aria.*] *S. f.* Cargo de camareiro. [Cf. *camarária*, fem. do adj. *camarário.*]

camarário [De *câmara* + *-ário.*] *Adj.* **1.** Relativo à câmara. [Fem.: *camarária.* Cf. *camararia.*] ● *S. m.* **2.** *Ecles.* Antiga dignidade eclesiástica.

câmaras [Pl. de *câmara.*] *S. f. pl.* V. *diarreia.* ~ V. *câmara.*

camarassauro [Do gr. *kamára*, 'aposento abobadado', + *-sauro*; tax. *Camarasaurus.*] *S. m. Paleont.* **1.** Gênero extinto de reptis saurópodes, saurísquios, herbívoros, que habitavam os lagos da América do Norte no jurássico superior; atingiam 4,50m e podiam pesar 20t. **2.** Espécie ou espécime desse gênero.

camarata [Do it. *camerata.*] *S. f.* Grande quarto de dormir, com diversas camas, em colégios, hospitais, quartéis, etc.; dormitório coletivo.

camaratinga [De *camará* + *-tinga*.] *S. f. Bras. S. C.O. Bot.* Arbusto verbenáceo (*Lantana brasiliensis*) campestre, silvestre e ruderal, de ramos tetrágonos, com pelos duros, folhas coriáceas, ovadas, elípticas ou mesmo lanceoladas, acuminadas e parcialmente serradas, flores alvas e congregadas em inflorescências capituliformes, multibracteadas e elegantes, e cujo fruto é uma pequena drupa elipsoide; camará-branco, cambará-branco.

camarazal [De *camará* + *-zal*.] *S. m.* 1. *Bras.* Quantidade mais ou menos considerável de camarás dispostos proximamente entre si. 2. Área ocupada por camarazal (1).

camarazinho (rà) [De *camará* + *-zinho*.] *S. m. Bot.* Variedade anã do camará (1), ornamental, de flores pequenas e fragrantes reunidas em umbelas de cores variegadas, que vão do laranja ao vermelho encarnado.

camarção *S. m.* Terra arenosa, que só produz plantas rasteiras ou arbúsculos.

camarciana *Bras. S. 2 g.* 1. *Etnôn.* Indivíduo dos camarcianas, povo indígena extinto que habitava entre os rios Nhamundá e Acari, no N. do PA. ● *Adj. 2 g.* 2. Pertencente ou relativo a esse povo. [Tb. us. como *s. 2 g. e 2 n.* (com cap.) e *adj. 2 g. e 2 n.* Sin. ger.: *camareiana*.]

camarço *S. m. Pop.* 1. Desgraça, infelicidade, caiporismo. 2. Perturbação da saúde; doença.

camareiana *S. 2 g. Adj. 2 g. Bras.* V. *camarciana*.

camareira [Fem. de *camareiro*[1].] *S. f.* 1. Mulher que servia na câmara de rainha, princesa, etc. 2. Arrumadeira de quartos em hotéis, navios de passageiros, etc.

camareiro[1] [De *câmara* + *-eiro*.] *S. m.* 1. Camarista (2). 2. *Teatr. Telev.* Profissional que dá assistência aos intérpretes e participantes de um espetáculo teatral, ou programa de televisão no que tange à utilização da roupagem, cuidando ainda da guarda e conservação dessa roupagem. [Us., nesta acepç., ger., no feminino.] 3. *Bras.* Empregado que atende o serviço dos quartos e os arruma (em hotéis, navios de passageiros, etc.). 4. *Bras.* Camaroteiro (2).

camareiro[2] [Var. de *camaroeiro*.] *S. m.* V. *camaroeiro* (1).

camarense *Adj. 2 g.* 1. De, ou pertencente ou relativo a João Câmara (RN). ● *S. 2 g.* 2. O natural ou habitante de João Câmara.

camargo [Do antr. *Camargo*, poss.] *S. m. Bras. SC* Café, com leite recém-tirado.

camarguense[1] *Adj. 2 g.* 1. De, ou pertencente ou relativo a Camargo (RS). ● *S. 2 g.* 2. O natural ou habitante de Camargo.

camarguense[2] *Adj. 2 g.* 1. De, ou pertencente ou relativo a Doutor Camargo (PR). ● *S. 2 g.* 2. O natural ou habitante de Doutor Camargo.

camarilha [Do esp. *camarilla*.] *S. f.* Pessoas que cercam um chefe de Estado, ou chefe de serviço, procurando influir indiretamente nas suas decisões.

camarim [Do it. *camerino*.] *S. m.* 1. *Teatr.* Recinto da caixa dos teatros onde os atores se vestem e se pintam. 2. *Rel.* Vão por cima do altar-mor, onde se arma o trono para a exposição do Santíssimo. 3. *Bras. Constr. Nav.* Qualquer dos compartimentos existentes a bordo dos navios nos quais se executam certos trabalhos especializados e são guardados equipamentos de precisão: *camarim de cartas*; *camarim de cronômetros*; *camarim de rádio*. ◆ **Camarim de governo.** *Constr. Nav.* Compartimento do navio situado na sua superestrutura, com visão livre para a região à proa da embarcação, do qual se manobra o leme e se transmitem as ordens de marcha para o compartimento de máquinas; casa do leme.

camarinha [Dim. de *câmara*.] *S. f.* 1. *Ant.* Alcova (1) construída, geralmente, na parte central da casa, e que, por vezes, se eleva acima do telhado, à maneira de mirante ou torreão. 2. *Bras. N.E. Ant.* Quarto de dormir; quarto, câmara: "além do alpendre largo de três metros ...., tem a sala ladrilhada ....; a camarinha com o baú e a outra rede" (Raquel de Queirós, *100 Crônicas Escolhidas*, p. 47). [Parece ter sido, outrora, comum a todo ou quase todo o Brasil.] 3. Gotícula redonda: *camarinhas de suor*. [Nesta acepç., m. us. no pl.] 4. *Bras.* Abertura ou espaço vazio nos canaviais, proveniente do corte e furto de canas. 5. *Bras. PE* Esconderijo de malfeitores, no mato, e de onde só à noite saíam, para atacar os passantes. 6. *Bras. Rel.* V. *roncó*.

camarista [De *câmara* + *-ista*.] *S. 2 g.* 1. Vereador municipal. 2. Fidalgo ou fidalga a serviço de pessoas reais; camareiro.

camarlengo [Do it. *camarlingo*.] *S. m.* Camerlengo.

camarodonte [Do gr. *kamára*, 'objeto em forma de abóbada', + *-odonte*; tax. *Camarodonta*.] *Zool. S. m.* 1. Espécime dos camarodontes, ordem de animais equinodermos, equinoides, de carapaça rígida, brânquias externas presentes, dentes carenados e epífises da lanterna de aristóteles unidas acima das pirâmides. No grupo, inclui-se a maioria das espécies conhecidas de ouriços-do-mar. ● *Adj. 2 g.* 2. Pertencente ou relativo a eles.

camaroeiro [De *camarão* + *-eiro*, com desnasalação.] *S. m.* 1. Rede para a pesca de camarões; camareiro. 2. Camaroneiro (2). 3. Sinal com que se indica, içando-o, a proximidade de temporais.

camaroneiro [De *camarão* + *-eiro*.] *Adj.* 1. Relativo a camarão. ● *S. m.* 2. Barco usado na pesca de camarões; camaroeiro. 3. Vendedor de camarões.

camaronês *Adj.* 1. De, ou pertencente ou relativo à República de Camarões (África). ● *S. m.* 2. O natural ou habitante da República de Camarões. 3. *Gloss.* Pídgin de base inglesa, crioulizado em algumas áreas urbanas, falado na República de Camarões (África). [Flex.: *camaronesa* (ê), *camaroneses* (ê), *camaronesas* (ê).]

camarote [Do esp. *camarote*.] *S. m.* 1. *Teatr.* Cada um dos compartimentos especiais das salas de espetáculos, destinados aos espectadores, e geralmente divididos em andares ou ordens. 2. *Mar. G.* Compartimento com um ou dois beliches, destinado à dormida de oficiais. 3. *Mar. Merc.* Compartimento com um ou mais beliches, para a dormida de passageiros; cabine. ◆ **De camarote.** De palanque: *Viu quando estourou a briga, mas ficou de camarote, sem tomar partido.*

camarote do torres *S. m. Bras. RJ Gír.* V. *torrinha*. [Pl.: *camarotes do torres*.]

camaroteiro [De *camarote* + *-eiro*.] *S. m.* 1. Vendedor de bilhetes para entrada nos camarotes e em outros lugares do teatro. 2. *Bras.* Criado que nos navios tem a seu cargo a limpeza e/ou o atendimento de determinados camarotes; camareiro.

camartelada [De *camartelo* + *-ada*[1].] *S. f.* Pancada de camartelo.

camartelo [De *martelo*.] *S. m.* 1. Martelo de canteiro ou de pedreiro, agudo ou com gume de um lado e redondo ou quadrado do outro, e que se emprega para desbastar pedras, quebrar e assentar tijolos, etc. 2. *Fig.* Tudo aquilo que serve para demolir.

camaru [De or. tupi, poss.] *S. m. Bras. Bot.* V. *camapu* (1).

camarupi *S. m. Zool.* V. *camurupim*.

camarupim *S. m. Zool.* V. *camurupim*.

camatanga [F. aferética de *acamatanga*.] *S. f. Bras. Zool.* V. *xauã*.

camaxilra [Var. de *cambaxilra*.] *S. f. Bras. Zool.* V. *cambaxirra*.

camaxirra [Var. de *cambaxilra*.] *S. f. Bras. Zool.* V. *cambaxirra*.

camba[1] [Do céltico **kambos*, 'curvo'.] *S. f.* 1. Cada uma das peças curvas das rodas de um veículo, onde se prendem os raios. [Cf. *pina* (1).] 2. Peça curva à qual se prende o dente do arado. 3. Barra do freio à qual se prendem as rédeas. 4. Pedaço de tecido que se adiciona à saia, capa, etc., para lhes dar maior roda. 5. *Arquit.* Peça curva de uma cambota[1] (1). 6. *Tip.* Excêntrico que movimenta o mecanismo de escape da matriz da linotipo, quando acionado pela tecla respectiva.

camba[2] [F. aferética de *mucamba*.] *S. f. Bras.* V. *mucama*.

camba[3] [Do quimb.] *S. m. Angol.* Amigo: "o Cebola e seus cambas, em arremetida louca, atacaram o intruso." (Arlindo Barbeitos, *O Rio, Estórias de Regresso*, p. 26).

camba[4] *Bras. S. 2 g.* 1. *Etnôn.* Indivíduo dos cambas [ou (etnôn. bras.) *Kamba], povo indígena que habita a periferia de Corumbá (MS). ● *Adj. 2 g.* 2. Pertencente ou relativo a esse povo.

cambá [Do guar. = 'negro'.] *S. m. Bras.* Designação comum aos negros brasileiros durante a guerra do Paraguai (1865-1870).

cambacã [Do guar.] *S. f.* 1. *Bras. Bot.* V. *camacã*[2]. 2. V. *mutamba* (1). [Var.: *camacã*[2].]

cambacica [De or. tupi = poss.] *S. f. Bras. SP Zool.* V. *sebinho* (1).

cambada [De *camba*[1] + *-ada*[1].] *S. f.* 1. Porção de objetos enfiados ou pendurados em alguma coisa. 2. *P. ext.* Porção de coisas; cambulha, cambulhada, encambulhada. 3. Molho de chaves; cambulha. 4. V. *cambo*[1]. 5. *Fig.* Grupo, bando: *cambada de ladrões*.

cambadela [De *cambar* + *-dela*.] *S. f.* 1. Ato de cambar ou entortar-se; entortadela. 2. Cambalhota, reviravolta.

cambado [Part. de *cambar*[1].] *Adj.* 1. Torto de um lado; cambaio: *mesa cambada*. 2. V. *cambaio* (1). 3. *Bras.* Diz-se do indivíduo atacado pelo bicho-de-pé; bichento, cambaio.

cambagem [De *cambar*[2] + *-agem*[2].] *S. f. Autom.* Ajuste da inclinação das rodas de um veículo em relação a um plano vertical, a fim de controlar o seu rolamento. ◆ **Cambagem negativa.** *Autom.* Aquela em que há inclinação da parte superior da roda para dentro do veículo. **Cambagem positiva.** *Autom.* Aquela em que há inclinação da parte superior da roda para fora do veículo.

cambaí [Do guar. = 'negro', + *-í*.] *S. m. Bras. S. Bot.* 1. Arbusto fabáceo (*Sesbania virgata*) de caule anguloso, folhas com 24 a 40 folíolos oblongos e obtusos, flores amarelas, vistosas, com 25cm de comprimento e ordenadas em longos racemos multifloros, e cujo fruto, de 5 a 7cm, é um legume acuminado, indeiscente, com seis a oito sementes. Habita os campos arenosos. 2. O fruto desse arbusto. [Cf. *cambai*, do v. *cambar*.]

cambaiar [De *cambaio* + *-ar*[2].] *V. t. d. Bras. S.* Tornar cambaio.

cambaico [Do top. (*Golfo de*) *Cambaia* + *-aico*.] *Adj.* 1. De, ou pertencente ou relativo ao Golfo de Cambaia, no Gujerate (Índia), e ao porto situado nesse golfo. ● *S. m.* 2. O natural ou habitante do Golfo de Cambaia.

cambaio [De *cambar*[1].] *Adj.* 1. De pernas tortas. [Sin.: *acambetado, cambado, cambembe, cambeta, cambo, cambota, cambuta*, e (bras.) *bichento, zâibo, zâimbo, zambeta, zambo, zambro*.] 2. De pernas fracas; trôpego. 3. Cambado (1): "Farda suja, punhos remendados, sapatos cambaios." (Permínio Asfora, *Vento Nordeste*, p. 159.) 4. V. *cambado* (3). ● *S. m.* 5. Indivíduo cambaio. [Sin., nesta acepç. (bras., pop.): *cambeta, cambota, cambuta, perna de xis*.]

cambal [De *camba*[1] + *-al*.] *S. m.* Resguardo da mó, para que não se espalhe a farinha que se vai moendo.

cambalacheiro [De *cambalacho* + *-eiro*.] *Adj. S. m.* Que, ou aquele que faz cambalacho.

cambalacho [De *cambar*[2], poss.; esp. *cambalache*.] *S. m.* 1. Transação ardilosa e com intenção de dolo; barganha. 2. Tramoia; conluio.

cambaleante [De *cambalear* + *-nte*.] *Adj. 2 g.* 1. Que cambaleia. 2. *Fig.* Que está prestes a cair, sem força, sem equilíbrio ou sem apoio (p. ex., político ou moral).

cambaleão *S. m. Bras.* V. *camaleão*[1] (1 e 2).

cambalear [De *cambar*[1] + *-l-* + *-ear*[2].] *V. int.* 1. Oscilar para os lados, por não se poder aguentar nas pernas; bordejar: "Cambaleia, e por fim cai no lajedo" (Eugênio de Castro, *Obras Poéticas*, V, p. 58); *Atingido pelo tiro, cambaleou e caiu.* 2. *Fig.* Apresentar sinais evidentes de enfraquecimento, como se estivesse prestes a cair: *A Monarquia àquela altura já cambaleava.* *T. c.* 3. Andar sem firmeza; cambar; bordejar: *Tonto de sono, cambaleou até o quarto.* [Conjug.: v. *frear*.]

cambaleio [Dev. de *cambalear*.] *S. m.* Ato de cambalear.

cambalhota [De *cambalear*.] *S. f.* 1. Movimento que se faz girando o corpo sobre a cabeça e voltando à posição normal; cabriola, catrâmbias. 2. *P. ext.* Salto acrobático. 3. Reviravolta, viravolta: *Depois da batida, o carro deu uma cambalhota no ar.* 4. Queda desastrada; trambolhão. [Sin. ger.: *cambota*.]

cambalhotar [De *cambalhota* + *-ar*[2].] *V. int.* Dar cambalhotas.

cambanje *S. m. Bras. PE Chulo* O pênis.

cambão [De *cambo*[1] + *-ão*[1].] *S. m.* 1. Peça de pau que se junta ao cabeçalho do carro puxado por mais de uma junta de bois. 2. Pau a que se prendem as bestas que fazem andar a nora. 3. *Bras.* Pedaço de pau que se dependura ao pescoço da rês brava para impedi-la de correr. 4. Junta de bois. 5. V. *cambo*[1].

cambapé [De *cambar*[2] + *pé*, poss.] *S. m.* 1. V. *rasteira* (1). 2. Armadilha, cilada. [Sin. ger.: *sancadilha*.]

cambar[1] [Da raiz céltica **kamb*, que traz a ideia de 'curvo'.] *V. int.* 1. Entortar as pernas ao andar. 2. Andar cambaio ou trôpego; cambalear. 3. Pender, inclinar-se. [Imperat.: *camba, cambai*, etc. Cf. *cambaí*.]

cambar[2] [De *cambiar*.] *V. int.* 1. Mudar de rumo. 2. Passar de um lado para outro. *T. d.* 3. Trocar, mudar, permutar; cambiar. 4. *Marinh.* Mudar a disposição de (as velas de uma embarcação), de sorte que receba o vento pelo outro bordo. *T. c.* 5. *Cabo-verd.* Desaparecer: "ficou a acenar-lhe, até quando ele cambou na esquina do Quintalão" (Luís Romano, *Negrume (Lzimparin)*, p. 211). 6. *Cabo-verd.* Pôr-se; desaparecer no ocaso: "Mal o sol cambava por detrás da linha do horizonte, o manto pardacento do lusco-fusco cobria toda a região" (João Lopes Filho, *Estória, Estória... Contos Cabo-Verdianos*, p. 58). *T. d. e c.* 7. *Cabo-verd.* Atirar, precipitar: "ele cambou Tio-Lobo pela rocha abaixo" (Luís Romano, *Cabo-Verde — Renascença de uma Civilização no Atlântico Médio*, p. 119). [Imperat.: *camba, cambai*, etc. Cf. *cambaí*.]

cambará [Var. de *camará* (q. v.).] *S. m. Bot.* 1. V. *camará* (1). 2. Pequena árvore asterácea (*Gochnatia polymorpha*) muito dispersa em lugares abertos, de flores agregadas em pequenos capítulos, e cuja madeira, conquanto de pequena espessura, é resistente ao contato com a água, sendo utilizada em rodas de moinho de água.

cambará-branco *S. m. Bras. Bot.* V. *camaratinga*. [Pl.: *cambarás-brancos*.]

cambará-de-cheiro *S. m. Bras. Bot.* V. *camará* (1). [Pl.: *cambarás-de-cheiro.*]

cambará-de-chumbo *S. m. Bras. Bot.* V. *camará* (1). [Pl.: *cambarás-de-chumbo.*]

cambará-de-espinho *S. m. Bras. Bot.* **1.** V. *camará* (1). **2.** V. *camarajuba* (1). [Pl.: *cambarás-de-espinho.*]

cambará-de-folha-grande [De *cambará* + *de* + *folha*[1] + *grande.*] *S. m. Bras. Bot.* Arbusto verbenáceo (*Lantana macrophylla*) que se distingue do camará (1) pelas folhas muito maiores. [Pl.: *cambarás-de-folha-grande.*]

cambará-de-folha-miúda [De *cambará* + *de* + *folha*[1] + o f. de *miúdo.*] *S. m. Bras. Bot.* Arbusto asteráceo (*Gochnatia paniculata*) que se distingue do cambará (1) pelas dimensões menores das diversas partes. [Pl.: *cambarás-de-folha-miúda.*]

cambará-do-campo *S. m. Bras. Bot.* Designação comum a duas arvoretas, uma das asteráceas (*Gochnatia gardnerii*) e outra das voquisiáceas (*Vochysia sessilifolia*), que se distribuem pelos cerrados e campos do Planalto Central. [Pl.: *cambarás-do-campo.*]

cambaraense[1] (barà) *Adj. 2 g.* **1.** De, ou pertencente ou relativo a Cambará (PR). • *S. 2 g.* **2.** O natural ou habitante de Cambará.

cambaraense[2] (barà) *Adj. 2 g.* **1.** De, ou pertencente ou relativo a Cambará do Sul (RS). • *S. 2 g.* **2.** O natural ou habitante de Cambará do Sul.

cambará-guaçu [De *cambará* + *-guaçu.*] *S. m. Bras. Bot.* Arbusto asteráceo (*Vernonanthura phosphorica*) de folhas oblongas, amplas e membranáceas, e pequeninas flores violáceo-pálidas, reunidas em densos capítulos muito numerosos; assa-peixe. [Pl.: *cambarás-guaçus.*]

cambaraí *S. m. Bras. PR* Varal que circunda o barbaquá (1).

cambarajuba (barà) [De *cambará* + *-juba.*] *S. m. Bras. Bot.* **1.** V. *camarajuba.* **2.** V. *camará* (1).

cambará-miúdo *S. m. Bras. Bot.* V. *camará* (1). [Pl.: *cambarás-miúdos.*]

cambará-preto *S. m. Bras. Bot.* Árvore asterácea (*Piptocarpha macropoda*) que vive na floresta atlântica, de folhas oblongas, lanceoladas e membranáceas, flores inconspícuas agregadas em capítulos, e cuja madeira é dura, mas sem valor. [Sin.: *mololo.* Pl.: *cambarás-pretos.*]

cambará-roxo *S. m. Bras. Bot.* Arbusto verbenáceo (*Lantana lilacina*) de flores violáceo-pálidas ou róseas. [Pl.: *cambarás-roxos.*]

cambará-verdadeiro *S. m. Bras. Bot.* V. *camará* (1). [Pl.: *cambarás-verdadeiros.*]

cambará-vermelho *S. m. Bras. Bot.* V. *camará* (1). [Pl.: *cambarás-vermelhos.*]

cambarazinho (barà) [De *cambará* + *-zinho.*] *S. m. Bras. Bot.* Tamanqueiro (2).

cambarba *S. m. Bras. Bot.* V. *sambaíba-de-minas-gerais.*

cambariçu [Da língua dos miranhas, índios do alto Amazonas.] *S. m. Bras.* Meio de comunicação acústico primitivo, usado pelos índios miranhas (v. *miranha*), entre suas malocas, e constituído por um cilindro de coqueiro posto no meio de uma cova de cerca de 1m de profundidade, com a parte superior, de couro ou de borracha, esticada, de modo que, percutindo-se uma delas com pesado martelo, a mensagem é transmitida e respondida por meio de pancadas convencionais.

cambau *S. m. Bras.* Peça triangular de madeira que se põe no pescoço das cabras para impedi-las de atravessar cercas.

cambaxilra [Do guar. = 'negro', + tupi *xi'i xi'i*, 'andorinha', com infl. de *chilrar.*] *S. f. Bras. Zool.* V. *cambaxirra.*

cambaxirra [Var. de *cambaxilra*, com assimilação.] *S. f. Zool. Bras. RJ* V. *garriça.* [Outras var.: *camacilra, camaxilra, camaxirra.*]

cambaxirra-grande *S. f. Bras. Zool.* V. *corruiruçu.* [Pl.: *cambaxirras-grandes.*]

cambeba[1] [Do tupi = 'cabeça', + *-beba*; var. de *cambeva.*] *S. f. Bras. Zool.* **1.** V. *cambeva* (1). **2.** V. *chapéu-armado* (2). **3.** V. *tubarão-martelo* (2).

cambeba[2] *Bras. S. 2 g.* **1.** *Etnôn.* Indivíduo dos cambebas [ou (etnôn. bras.) *Kambeba], povo indígena, do tronco tupi, que habita a margem direita do rio Solimões (AM). • *Adj. 2 g.* **2.** Pertencente ou relativo a esse povo.

cambeense (èen) *Adj. 2 g.* **1.** De, ou pertencente ou relativo a Cambé (PR). • *S. 2 g.* **2.** O natural ou habitante de Cambé.

cambeja [Var. de *campeva*, poss.] *S. m. Bras. Zool.* **1.** V. *chapéu-armado* (2). **2.** V. *tubarão-martelo* (2).

cambembe *Adj. 2 g.* **1.** *Bras.* V. *cambaio* (1). **2.** *Bras.* Desajeitado, desazado, desastrado. **3.** *Bras.* Sem importância. • *S. m.* **4.** *Bras. PE* Trabalhador livre que se juntava aos escravos no serviço da lavoura. • *S. 2 g.* **5.** *Bras. AL* Pessoa humilde que mora no campo: "Ninguém tinha culpa do meu desalinho, daqueles modos horríveis de cambembe." (Graciliano Ramos, *Infância*, p. 132.) **6.** *Bras.* V. *caipira* (1).

camberrano *Adj.* **1.** De, ou pertencente ou relativo a Camberra (Austrália). • *S. m.* **2.** O natural ou habitante de Camberra.

cambeta (ê) [De *cambar*[1] + *-eta* (ê).] *Adj. 2 g. S. 2 g.* V. *cambaio* (1 e 5).

cambetear [De *cambeta* (ê) + *-ear*[2].] *V. int.* Andar como cambeta (ê). V. *coxear* (1). [Conjug.: v. *frear.*]

cambéua [Do tupi = 'cabeça', + *-béua.*] *S. f. Bras. PA Zool.* V. *aperema.*

cambeúva [De or. tupi = poss.] *Adj. 2 g. Bras. Amaz.* Diz-se de bovino de cornos retorcidos ou virados para a testa.

cambeva [Do tupi = 'cabeça', + *-beva.*] *S. m. Bras. Zool.* **1.** Designação comum a várias espécies de peixes tricomicterídeos, especialmente do gênero *Trichomycterus*, que têm formas pequenas, corpo mole e, geralmente, coberto de pontoações escuras. Vive no fundo das águas, onde se alimenta de vermes, lodo e resíduos em geral. Atinge até 20cm de comprimento. [Var.: *cambeba, campeva.* F. paral.: *acangapeva.* Sin.: *bagre-mole, bagre-cambeja.*] **2.** V. *bagrinho-da-serra.* **3.** V. *chapéu-armado* (2). **4.** V. *tubarão-martelo* (2).

cambeva-pata *S. m. Zool.* V. *pata*[1] (2). [Pl.: *cambevas-patas e cambevas-pata.*]

cambiador (ô) [De *cambiar* + *-dor.*] *S. m. Eng. Ind.* V. *cambiador de calor.* ◆ **Cambiador de calor.** *Eng. Ind.* Equipamento destinado a efetuar trocas térmicas em um processo de aquecimento ou de resfriamento. [Sin.: *trocador de calor.* Tb. se diz apenas *cambiador.*]

cambial [De *câmbio*[1] + *-al*[1].] *Adj. 2 g.* **1.** Relativo a câmbio[1]. **2.** Referente à letra de câmbio e a outros títulos endossáveis de efeitos jurídicos semelhantes, como o cheque, a nota promissória, etc. ~ V. *âncora* — e *banda* —. • *S. 2 g.* **3.** *Econ.* Papel[1] (7) representativo de valor em moeda estrangeira.

cambialidade [De *cambial* + *-(i)dade.*] *S. f.* Qualidade própria dos títulos cambiais.

cambiante [De *cambiar* + *-nte.*] *Adj. 2 g.* **1.** Que cambia. **2.** Furta-cor, irisado, iriado. **3.** De cor indistinta ou indecisa. • *S. m.* **4.** V. *nuança* (1): *A sala era decorada com vários cambiantes de verde;* "A relva tem cambiantes de ametista" (Ricardo Gonçalves, *Ipês*, p. 30). **5.** Cor indistinta ou indecisa. **6.** *Fig.* Gradação (2).

cambiar [Do lat. *cambiare*, do rad. célt. **kamb*, 'alterado', 'trocado', 'curvo'.] *V. t. d. e i.* **1.** Fazer operações de câmbio[1] (2); trocar (moeda ou letra de um país pelas de outro). **2.** Transformar, alterar, mudar: *Os últimos fatos vieram cambiar em desesperança a sua ilusão.* *T. d.* **3.** Trocar, mudar, permutar; cambar. *T. i.* **4.** Trocar, mudar: *cambiar de ideia.* *Int.* **5.** Mudar gradualmente de cor(es). **6.** Mudar de opinião, sistema, partido, etc. [Pres. ind.: *cambio*, etc.; fut. pret.: *cambiaria*, etc. Cf. *câmbio*, s. m., *cambiária*, fem. de *cambiário*, adj.]

cambiário [De *câmbio*[1] + *-ário.*] *Adj.* Relativo aos títulos cambiais e sua disciplinação jurídica. [Fem.: *cambiária.* Cf. *cambiaria*, do v. *cambiar.*] ~ V. *direito* —.

cambiável [De *cambiar* + *-vel.*] *Adj. 2 g.* Que se pode cambiar.

cambica [Do tupi = 'leite'.] *S. f. Bras. N.* Iguaria ou refresco de murici com açúcar e, às vezes, com farinha de mandioca.

cambiforme [De *câmbio*[2] + *-iforme.*] *Adj. 2 g. Bot.* Semelhante ao câmbio[2].

cambinda [De *cabinda*, com nasalização.] *S. 2 g. Adj. 2 g. Bras.* V. *cabinda.* ~ V. *cambindas.*

cambindas [De *cabindas*, pl. de *cabinda.*] *S. f. pl. Bras. Folcl.* Dança na qual os dançadores, de cócoras, se movem ao som da música. [Cf. *cabinda* (2).] ~ V. *cambinda.*

câmbio[1] [Dev. de *cambiar.*] *S. m.* **1.** Troca, permuta, escambo. **2.** *Econ.* Compra e venda de moeda estrangeira. **3.** Mudança, transformação. **4.** *Autom.* Haste metálica por meio da qual o motorista alterna convenientemente as marchas [v. *marcha* (8)] do veículo; alavanca de câmbio, alavanca de marcha, alavanca de mudanças, mudança. [Cf. *cambio*, do v. *cambiar.*] ◆ **Câmbio fixo.** *Econ.* Regime de compra e venda de moeda estrangeira em que a taxa de câmbio é fixada pelo governo. [Cf. *câmbio flutuante.*] **Câmbio flutuante.** *Econ.* Regime de compra e venda de moeda estrangeira sem intervenção governamental, variando a taxa de câmbio segundo a oferta e a demanda; câmbio livre. [Cf. *câmbio fixo.*] **Câmbio livre.** *Econ.* Câmbio flutuante. **Câmbio manual.** *Econ.* Câmbio[1] (2) em espécie. **Câmbio marítimo.** *Jur.* Contrato de empréstimo de dinheiro ou valores sob garantia de um navio, sua carga, fretes ou pertences, subordinado ao não perecimento do navio; dinheiro a risco. **Câmbio negro.** *Econ.* V. *câmbio paralelo.* **Câmbio oficial.** *Econ.* Câmbio[1] (2) à taxa fixada pelo Governo. **Câmbio paralelo.** *Econ.* Câmbio[1] (2) sem interveniência de instituição legalmente autorizada; câmbio negro, mercado paralelo: "Turistas estrangeiros que frequentam as praias paranaenses são obrigados a recorrer ao câmbio paralelo para conseguir trocar dólar ou outras moedas por real." (*Gazeta do Povo*, 03.03.2009.) **Fazer câmbio.** Realizar o câmbio[1] (2); trocar dinheiro.

câmbio[2] [Do lat. cient. *cambium*, do lat. *cambiare*, 'trocar'.] *S. m. Bot.* Camada geratriz constituída por células meristemáticas que aparecem entre o lenho e o líber, e que ocorre tipicamente nas gimnospermas e nas dicotiledôneas, grupos caracterizados pelo porte arbóreo. [Cf. *cambio*, do v. *cambiar.*]

cambira *S. f. Bras. Zool.* V. *tainha* (1).

cambirense *Adj. 2 g.* **1.** De, ou pertencente ou relativo a Cambira (PR). • *S. 2 g.* **2.** O natural ou habitante de Cambira.

cambiroto (ô) *S. m. Bras. Amaz.* Monte de argila.

cambista [De *câmbio*[1] + *-ista.*] *S. 2 g.* **1.** Pessoa que negocia em câmbio[1] (2). **2.** *Bras.* Pessoa que vende ingressos com ágio, fora das bilheterias dos teatros, estádios, etc.

cambitar [De *cambito* + *-ar*[2].] *V. t. d. Bras. N.E.* Carregar em cambitos [v. *cambito* (4)] nas costas de animais (cana-de-açúcar, lenha, etc.): "No Água Comprida cometeram atrocidades contra o preto velho Manuel Ciríaco que ali se arranchara ...., cambitando cana dos partidos para os engenhos." (Raul Lima, *O Fio do Tempo*, p. 52.)

cambiteira [De *cambito* (4) + *-eira.*] *S. f. Bras. N.E.* Locomotiva de estrada de ferro geral, que conduzia trens de canas-de-açúcar para as usinas particulares.

cambiteiro [De *cambito* (4) + *-eiro.*] *S. m. Bras. N.E.* Indivíduo empregado para transportar, em costas de animais, lenha, cana-de-açúcar, capim, etc., em cambitos [v. *cambito* (4)].

cambito [T. expressivo, do it. *gambetta*, dim. de *gamba*, 'perna'.] *S. m.* **1.** *Bras.* Pernil de porco. **2.** *Bras. Joc.* Perna fina; gambito. **3.** *Bras. P. us.* Cabide (1). **4.** *Bras.* Gancho de madeira duplo que, posto sobre a cangalha dos animais, serve para transportar ou cambitar lenha, capim, cana-de-açúcar, etc. **5.** *Bras.* Aparelho com que se colhe o tabaco (1). **6.** *Bras.* Pau para torcer as correias sobre a carga de um animal, fixando-as. **7.** *Bras. N.E. Zool. Pop.* V. *libélula* (3). ◆ **Esticar o cambito.** *Bras. Pop.* V. *morrer* (1).

cambiuá *Bras. S. 2 g.* **1.** *Etnôn.* indivíduo dos cambiuás [ou (etnôn. bras.) *Kambiwá], povo indígena que habita o município de Inajá (PE). • *Adj. 2 g.* **2.** Pertencente ou relativo a esse povo.

cambo[1] [Da raiz de *camba*[1].] *S. m.* Vara com um gancho na extremidade para apanhar fruta; cambão, cambada, garavato. [Cf. *ladra* (3).]

cambo[2] [De *cambar*[1].] *Adj.* V. *cambaio* (1).

camboa (ô) [Do tupi.] *S. f.* **1.** Cercado armado em pequena depressão, junto ao mar, onde, na maré baixa, fica retido o peixe miúdo que ali penetra na preamar. **2.** *Bras. N.E.* Esteiro que enche com o fluxo do mar e fica em seco com o refluxo. [Var., nesta acepç.: *gamboa* (1).] **3.** *Bras. MA* Processo de pesca em que diversos pescadores, armados com a tarrafa, cercam com as suas canoas o cardume de peixes.

camboatá [Do tupi.] *S. m.* **1.** *Bras. Bot.* V. *carrapeta* (2). **2.** *Bras. PR Bot.* V. *ataúba.* **3.** *Bras. Zool.* V. *tambuatá* (1 e 2).

camboatã [Do tupi.] *S. m. Bras. Bot.* **1.** Árvore meliácea (*Guarea guidonia*) de até 20m, de folhas compostas, grandes inflorescências com pequeninas flores alvas, frutos capsulares; a madeira é us. na construção civil e naval, em carpintaria, obras internas, etc. **2.** V. *camboatã-de-folha-grande.* **3.** Cajueiro-do-campo (3).

camboatã-branco *S. m. Bras. N. ao PR GO MT Bot.* Arbusto sapindáceo (*Matayba guianensis*) de flores alvas e frutos pretos capsulares; atouaou, touaou, camboatã-bravo, jatuaúba, mama-de-porca, paricá, pau-de-espeto. [Pl.: *camboatãs-brancos.*]

camboatã-bravo *S. m. Bot.* V. *camboatã-branco.* [Pl.: *camboatãs-bravos.*]

camboatã-de-folha-grande *S. m. Bras. MG a RS Bot.* Árvore sapindácea (*Cupania vernalis*) com até 22m de altura, de folhas compostas, pequenas flores amareladas, em panículas, frutos capsulares, e cuja madeira é us. para obras internas, marcenaria, esteios, e como lenha e carvão, e a casca é empregada para curtume. [Sin.: *camboatá, gragoatã, guavatã, iaguarataí, pau-de-cantil.* Pl.: *camboatãs-de-folha-grande.*]

camboatã-mosquiteiro *S. m. Bras. Bot.* V. *jacarandá-bico-de-pato.* [Pl.: *camboatãs-mosquiteiros* e *camboatãs-mosquiteiro.*]

camboatá-pequeno *S. m. Bras. Bot.* V. *carobinha* (1). [Pl.: *camboatás-pequenos.*]

camboca *Bras. S. 2 g.* **1.** *Etnôn.* Indivíduo dos cambocas, povo indígena extinto que habitava a região da baía de Marajó, próximo à foz do rio Tocantins (PA). • *Adj. 2 g.* **2.** Pertencente ou relativo a esse povo. [Tb. us. como *s. 2 g. e 2 n.* (com cap.) e *adj. 2 g. e 2 n.*]

cambojano [Do top. *Camboja*, do termo sânscr. local *kambuja-desa*, 'terra dos descendentes de Kambu (patriarca lendário)', + *-ano*[1].] *S. m.* 1. *Etnôn.* Indivíduo de um povo de origem indiana, do Sudeste Asiático, e que é a principal etnia do Camboja atual. 2. *Etnôn.* O natural ou habitante do Camboja (Sudeste Asiático). 3. *Gloss.* Língua da família austro-asiática, oficial do Camboja. ● *Adj.* 4. Relativo ao Camboja, aos cambojanos, ou à sua língua. [Sin.: (nas acepçs. 1, 3 e 4) *khmer*, e (nas acepçs. 1, 2 e 4) *campucheano* (desus.).] [Var.: *cambojiano*.]

cambojiano *S. m. Adj.* V. *cambojano*.

cambona[1] (ô) [De *cambar*[2].] *S. f.* 1. *Náut.* Mudança rápida na direção das velas ou do rumo das embarcações. 2. *P. ext.* Viravolta, reviravolta, cambalhota.

cambona[2] (ô) *S. f. Bras. Rel.* Fem. de *cambono*.

cambona[3] (ô) *S. f. Bras. RJ* Carro de bois.

cambonde *S. 2 g. Bras. Rel.* V. *cambondo* (1).

cambondo [Do quimb.] *S. m.* 1. *Bras. Rel.* Em alguns candomblés angola-congo e de caboclo, tocador de atabaque. [Var.: *cambonde*.] 2. *Bras. BA* Amásio, amante, amigo.

cambone *S. m. Bras. Rel.* V. *cambono*.

cambonja [De or. afr.] *S. f. Zool.* Ave pernalta ralídea da África.

cambonje [Var. de *cambonja*.] *S. f. Bras. BA Zool.* Nome vulgar de várias espécies de aves ralídeas, como, p. ex., o frango-d'água. [V. *frango-d'água* (1).]

cambono (ô) [De *cambondo*, poss.] *S. m. Bras. Rel.* Na umbanda, na cabula e em outras formas bantas de culto religioso, auxiliar do pai de santo e dos médiuns em transe. [Var.: *cambone*.]

camboriuense (i-u) *Adj. 2 g.* 1. De, ou pertencente ou relativo a Camboriú (SC). ● *S. 2 g.* 2. O natural ou habitante de Camboriú.

cambota[1] [Da raiz de *camba*[1].] *S. f.* 1. *Constr.* V. *cimbre*. 2. Parte circular da roda de carro (1), na qual se fixam os raios e o aro externo.

cambota[2] *S. f. Bras. Fam.* V. *cambalhota*.

cambota[3] *Adj. 2 g. S. 2 g. Bras. MA RS* V. *cambaio* (1 e 5).

cambota-brava *S. f. Bras. Bot.* Arbusto celastráceo (*Maytenus aquifolium*), de folhas rígidas e aculeadas, flores insignificantes, e cujos frutos, capsulares, encerram sementes envoltas em arilo branco. [Sin.: *pau-mamão*. Pl.: *cambotas-bravas*.]

cambraia [Do top. *Cambrai* (N. da França).] *S. f.* 1. *Tec. Têx.* Tecido de algodão ou de linho, muito fino. 2. *Bras. S. Bot.* Sedinha (1): 📖 "o povo .... chama de cambraia ou sedinha uma planta da família das ciperáceas cujas flores, em blocos brancos, são de um aroma algo adocicado" (*Correio do Povo*, Porto Alegre, 16.01.1980). 3. *Bras. Pop.* V. *cachaça* (1). ● *Adj. 2 g. e 2 n.* 4. *Bras.* Diz-se do animal, particularmente cavalo, boi ou carneiro, de pelo inteiramente branco. ◆ **Cambraia de lã.** *Tec. Têx.* Tecido com mistura de fios de lã de cores contrastantes na trama e na urdidura, us. na confecção de ternos.

cambraieta (ê) [De *cambraia* + *-eta* (ê).] *S. f.* 1. *Tec. Têx.* Tecido semelhante à cambraia, porém menos fino: 📖 "Na cabeça, penteada em bandós de grossas madeixas alouradas, alvejava um lenço de cambraieta" (Camilo Castelo Branco, *Sentimentalismo e História*, p. 213). 2. Cambraia ordinária.

cambras *S. f. pl. Pop.* V. *diarreia*.

cambriano [Do top. *Câmbria* + *-ano*[1].] *Adj.* 1. Da, ou pertencente ou relativo à Câmbria, antigo nome do País de Gales. ~ V. *período* —. ● *S. m.* 2. O natural ou habitante do País de Gales. 3. *Geol.* Período cambriano. [Sin. ger.: *câmbrico*.]

câmbrico [Do top. *Câmbria* + *-ico*[2].] *Adj. S. m.* V. *cambriano*.

cambrone [Do antr. (*Charles Louis*) *Cambronne*, engenheiro francês que instalou o sistema de esgotos no Recife.] *S. m. Bras. PE* V. *latrina* (1).

cambu [De *cambuí*, com apócope.] *S. m. Bot.* V. *canafístula* (3).

cambuba [De or. tupi, poss.] *S. m. Bras. Zool.* V. *corcoroca* (2 e 3).

cambucá [Do tupi.] *S. m. Bot.* 1. Árvore mirtácea (*Plinia edulis*), de folhas lanceoladas, flores alvas, e fruto bacáceo globoso, amarelo, com polpa brancacenta e doce, comestível; cambucá-verdadeiro, cambucazeiro. 2. O fruto dessa árvore.

cambucarana [De *cambucá* + *-rana*.] *S. f. Bras. Bot.* 1. Arbusto mirtáceo (*Eugenia cambucarana*) de folhas coriáceas, ricas em glândulas translúcidas, flores pequenas, alvas e com muitos estames, e cujo fruto é uma baga comestível. 2. O fruto dessa árvore.

cambucá-verdadeiro *S. m. Bot.* V. *cambucá* (1). [Pl.: *cambucás-verdadeiros*.]

cambucazeiro (cà) [De *cambucá* + *-zeiro*.] *S. m. Bot.* V. *cambucá* (1).

cambuci [Do tupi.] *S. m. Bras. Bot.* 1. Árvore mirtácea (*Campomanesia phaea*) de folhas pecioladas, rígidas, luzidias na parte superior, flores brancas com cinco pétalas e cinco sépalas e frutos bacáceos, edules, de casca adstringente, e com a forma de duas taças rasas coladas pelos bordos; cambucizeiro. 2. O fruto dessa árvore.

cambuciense *Adj. 2 g.* 1. De, ou pertencente ou relativo a Cambuci (RJ). ● *S. 2 g.* 2. O natural ou habitante de Cambuci.

cambucizeiro [De *cambuci* + *-zeiro*.] *S. m. Bras. Bot.* Cambuci (1).

cambucu [De *piracambu*, poss.] *S. m. Bras. Zool.* V. *surubim-rajado*.

cambueiras [De *camboa* + o pl. de *-eira*, poss.] *S. f. pl. Bras.* Chuvas grossas que caem, de ordinário, no mês de setembro, enchendo córregos e transbordando açudes; chuva dos imbus. [Cf. *cambueiro*.]

cambueiro [De *cambueiras*.] *S. m.* 1. *Bras.* Vento tempestuoso que sopra do sul. 2. *Bras. BA* Aguaceiro que cai antes das primeiras trovoadas do ano. [Cf. *cambueiras*.]

cambuí [Do tupi.] *S. m. Bras. Bot.* 1. Nome comum a várias árvores mirtáceas. 2. Árvore mirtácea (*Myrcia sphaerocarpa*) de folhas grossas, coriáceas, oblongas, providas de glândulas translúcidas, flores muito pequenas, alvas, reunidas em inflorescências cimosas, e cujos frutos são pequenas bagas esféricas. [Sin.: *cambuizeiro* e (Amaz.) *pedra-ume*, *pedra-ume-caá*.] 3. O fruto dessas árvores.

cambuiense (u-i) *Adj. 2 g.* 1. De, ou pertencente ou relativo a Cambuí (MG). ● *S. 2 g.* 2. O natural ou habitante de Cambuí.

cambuizal (u-i) [De *cambuí* + *-zal*.] *S. m.* 1. Quantidade mais ou menos considerável de cambuís dispostos proximamente entre si. 2. Área ocupada por cambuizal (1).

cambuizeiro (u-i) [De *cambuí* + *-zeiro*.] *S. m. Bras. Bot.* V. *cambuí* (2).

cambular [Do quimb. *ku-kambula*, 'apanhar uma coisa em movimento'.] *V. t. d. Angol.* Aliciar, atrair: 📖 "era preciso rapidez e esperteza para cambular clientes para a Madalena" (Pepetela, *Yaka*, p. 218).

cambulha [De *camba*[1] + *-ulha*.] *S. f. Bras. MG S.* 1. V. *cambada* (2). 2. Cambada (3).

cambulhada [De *cambulha* + *-ada*[1].] *S. f.* V. *cambada* (2). ◆ **De cambulhada.** Em confusão; desordenadamente; de mistura: 📖 "Se tivesse uma rede grande, arrastava de cambulhada todo vivente de escama." (Ricardo Ramos, *Terno de Reis*, p. 41.)

cambulho [De *camba*[1] + *-ulho*.] *S. m.* Rodela de barro com um orifício no centro, usada para fundear as redes de pesca.

cambuquira [Do tupi = 'grelo de erva'.] *S. f. Bras. S.* 1. Grelo de aboboreira. 2. *Cul.* Guisado desses grelos que se serve como acompanhamento de carne assada.

cambuquirense *Adj. 2 g.* 1. De, ou pertencente ou relativo a Cambuquira (MG). ● *S. 2 g.* 2. O natural ou habitante de Cambuquira.

camburão *S. m.* 1. *Bras.* Vaso onde os presos, na faxina, transportavam matérias fecais. [Cf. *tigre* (6).] 2. *Bras. RJ Gír.* Carro da polícia para o transporte de pessoas detidas. [Sin., nesta acepç.: (MA) *carinhosa*, (MG) *carrocinha*, (AM) *manduquinha*, (RJ, desus.) *tintureiro* e (RJ SP.) *viúva-alegre*.]

camburiapeva [Do tupi.] *S. m. Bras. Zool.* V. *camurupeba*.

cambuta [Do quimb.] *Adj. 2 g. S. 2 g.* 1. *Bras.* Diz-se de, ou pessoa enfezada, raquítica. 2. V. *cambaio* (1 e 5). 3. *Angol.* Baixo, pequeno: 📖 "Cambuta, gorduchita, redonda como barril, bamboleava as ancas e sacudia os peitos" (Domingos Van-Dúnem, *Maria da Pouca Sorte*, p. 8).

cambute *S. 2 g. Bras. AL* Gente desclassificada.

➔**camcorder** ['kæmkɔːdə'] [Abrev. do ingl. *camera recorder*.] *S. f.* Câmara portátil de vídeo com gravador de VT embutido.

came *S. f. Tec. Mec.* Peça giratória, de contorno adequado a permitir um movimento alternativo especial a outra peça, chamada *seguidor*.

camé *Bras. S. 2 g.* 1. Indivíduo dos camés, denominação antiga de vários grupos caingangues. ● *Adj. 2 g.* 2. Pertencente ou relativo a esses grupos. [Tb. us. como *s. 2 g. e 2 n.* (com cap.) *e adj. 2 g. e 2 n.*]

camelão [De *camelo* + *-ão*[2].] *S. m. Tec. Têx.* Tecido grosseiro de pelo de cabra.

cameleão [Do gr. *chamailéon*, 'leão rasteiro', pelo lat. *chamaeleone*.] *S. m. Zool.* V. *camaleão* (1 e 2).

cameleira [De *camélia* + *-eira*.] *S. f. Bot.* Camélia (2): 📖 "largava a correr para o lado dos cerrados de milho e das hortas, onde as cameleiras redondas .... abriam o seu véu de flores brancas ou a nódoa de sangue das camélias vermelhas e geladas." (Vitorino Nemésio, *Mau Tempo no Canal*, p. 376).

cameleiro [De *camelo* + *-eiro*.] *S. m.* 1. Condutor de camelos: 📖 "Era pequeno, do tamanho de um pônei, o cavalo que os cameleiros encontraram na savana sudanesa." (Alberto da Costa e Silva, *A Enxada e a Lança*, p. 369.) ● *Adj.* 2. Que cavalga camelo: 📖 "Nas planícies tórridas junto ao mar Roxo, os nômades cameleiros haviam adotado o Islão." (Id., *ib.*, p. 275.) 3. Que utiliza camelos como animais de tiro: 📖 "Cedo, as tribos cameleiras reduziriam à obediência ou à servidão os habitantes dos oásis." (Id., *ib.*, p. 249.)

cameleônico [De *camaleão* + *-ico*[2].] *Adj.* Camaleônico.

▲ **camel(i)-** [Do lat. *camēlus*, *i* < gr. *kámēlos*, *ou*.] *El. comp.* = 'camelo': *camelídeo*, *cameliforme*.

camélia [Do tax. *Camellia* (do antr. [*Georg Josef Kamel* ou *Georgius Josephus*] *Camellus* [-1706], missionário morávio, + lat. cient. *-ia*; v. *-ia*[2]).] *S. f. Bot.* 1. Gênero de arbustos ou de pequenas árvores tropicais sempre-verdes teáceas, com folhas alternas, brilhantes, elípticas e de pecíolo curto, e de flores alvas ou róseas. 2. Qualquer espécie desse gênero, como, p. ex., a *Camellia japonica*, originária da Ásia, de belas flores grandes, alvas ou róseas, inodoras, com muitas pétalas; cameleira. 3. Qualquer espécime desse gênero, ou a flor dele.

camelice [De *camelo* + *-ice*.] *S. f. Pop.* Burrice, idiotice, estupidez.

camélida [De *camel(i)-* + *-ida*[1].] *S. m. Adj. 2 g. Zool.* V. *camelídeo*.

camelídeo [Do tax. *Camelus* (v. *camel(i)-*) + *-ídeo*[1]; tax. *Camelidae*.] *Zool. S. m.* 1. Espécime dos camelídeos, família de mamíferos artiodáctilos, ruminantes, cujo estômago é dotado de três compartimentos, e que inclui as duas espécies do gênero *Camelus* [v. *camelo* (2)] e as espécies do gênero *Lama* [v. *lama*[3] (2)]. [As formas ancestrais dos camelídeos apresentavam cascos, mas as formas atuais têm dois dedos em cada pata, dotados de plantas elásticas que facilitam a locomoção em terrenos arenosos.] ● *Adj.* 2. Pertencente ou relativo a eles. [Sin. ger.: *camélida*.]

cameliforme [De *camel(i)-* + *-iforme*.] *Adj. 2 g.* Semelhante ao camelo.

camelino [Do lat. *camelinu*.] *Adj.* Relativo ou pertencente ao, ou próprio do camelo.

camelo [Do lat. *camelu*; tax. *Camelus*.] *S. m.* 1. *Zool.* Gênero de mamíferos ruminantes, camelídeos, destituídos de cornos, e que abrange duas espécies, ambas nativas do Velho Mundo, e quase extintas no estado selvagem. 2. *Zool.* Qualquer das duas espécies desse gênero: a *Camelus bactrianus*, com duas corcovas, e a *C. dromedarius* (v. *dromedário*), com uma corcova. 3. *Zool.* Qualquer espécime desse gênero. 4. *Tec. Têx.* Tecido feito com pelo de camelo. 5. Antiga peça de artilharia. 6. *Fig.* Homem sem inteligência; burro, estúpido, idiota, camelório. 7. *Bras.* No jogo do bicho (q. v.), o 8º grupo (14), que abrange as dezenas 29, 30, 31 e 32, e corresponde ao número oito. 8. *Bras.* V. *carimboto*. 9. *Bras. RJ Pop.* V. *bicicleta* (1).

camelô [Do fr. *camelot*.] *S. m.* Mercador que vende suas mercadorias nas ruas, ger. nas calçadas ou nas praças.

camelódromo [De *camelô* + *-dromo*.] *S. m. Bras.* Local, ger. escolhido por autoridade municipal, em que camelôs têm licença para exercer a sua atividade.

camelope [Do tax. *Camelops*.] *S. m. Paleont.* 1. Gênero extinto de camelos semelhantes ao lhama que viveram no quaternário da América do Norte. 2. Espécie, ou espécime desse gênero.

camelório [De *camelo* (3), com infl. de *dromedário*, poss.] *S. m. Fam.* V. *camelo* (6).

➔**camelots du roi** [kam'lo dy ʀwa] [Fr., 'jornaleiros do rei'.] Na França, um grupo de partidários da monarquia, de um reacionarismo agressivo.

➔**camembert** [kamɑ̃'bɛʀ] [Fr.] *S. m. Cul.* Queijo de leite de vaca, de consistência macia, originário do vilarejo de Camembert, na Normandia (v. *normando*); tem a forma de um disco, ger. com cerca de 10cm de diâmetro e 3cm de espessura

camenas [Do lat. *camenas*.] *S. f. pl. Poét.* As musas.

câmera [Do lat. *camera* < gr. *kamára*.] *S. f.* V. *câmara*.

➔**cameraman** ['kæmərəmæn] [Ingl.] *S. 2 g.* V. *câmara* (16). [Pl.: *cameramen*.]

camerlengado [De *camerlengo* + *-ado*[2].] *S. m.* 1. Funções de camerlengo. 2. Tempo do exercício dessas funções.

camerlengo [Var. de *camarlengo*.] *S. m.* Cardeal que governa interinamente a Igreja, entre a morte de um papa e a eleição do seguinte: 📖 "Apenas se concluíra o escrutínio e o camerlengo anunciara o resultado da votação (para preenchimento da vaga do Papa Gregório XIII, cujo sucessor foi Sisto V), viu-se uma cena inaudita, que, no entanto, nada tinha de miraculosa" (Alphonsus de Guimaraens, *Obra Completa*, p. 433).

cametaense (tà) *Adj. 2 g.* 1. De, ou pertencente ou relativo a Cametá (PA). ● *S. 2 g.* 2. O natural ou habitante de Cametá.

cametaú [Do tupi.] *S. m. Bras.* V. *anhima* (2).

camião [Do fr. *camion*.] *S. m.* V. *caminhão*[2].

camicase [Do jap. *kami*, 'deus', + *kaze*, 'vento'.] *S. m.* 1. Piloto japonês, membro de um corpo de voluntários que, no fim da II Guerra Mundial, era treinado para desfechar um ataque suicida contra objetivos inimigos, especialmente navios. **2.** O avião, carregado de explosivos, pilotado por esses aviadores. **3.** *P. anal.* Indivíduo que procede de modo temerário, tal qual um camicase (1). **4.** *P. ext.* Indivíduo suicida. ● *Adj.* **5.** Pertencente, ou relativo a, ou próprio de camicase (1, 3 e 4).

camicaze *S. m. Adj. 2 g.* Camicase (q. v.).

camilha [De *cama* + *-ilha*.] *Lus. S. f.* **1.** Cama pequena. **2.** Canapé ou encosto para se repousar ou dormir a sesta. **3.** *Prov. port.* Mesa de tampo geralmente redondo: "Na casa da minha mãe, o horror ao vazio era absoluto: .... nas camilhas que ocupavam todos os cantos acotovelavam-se molduras com fotografias de todos os parentes." (Inês Pedrosa, *Fazes-Me Falta*, p. 77.)

camiliana [F. subst. do adj. *camiliano*[1].] *S. f.* **1.** Coleção das obras de Camilo Castelo Branco [v. *camiliano*[1] (1)]. **2.** Coleção de escritos relativos a esse autor ou à sua obra.

camilianista [De *camiliano*[1] + *-ista*.] *S. 2 g.* V. *camiliano*[1] (3).

camiliano[1] *Adj.* **1.** Pertencente ou relativo ao escritor português Camilo Castelo Branco (1825-1890), ou próprio dele. **2.** Que é grande admirador e/ou profundo conhecedor da obra desse escritor. ● *S. m.* **3.** Grande admirador e/ou profundo conhecedor da obra de Camilo; camilianista, camilista.

camiliano[2] *S. m.* Membro da ordem fundada por S. Camilo de Lellis (1550-1614) em Roma, em 1584.

camilista [Do antr. *Camilo* (*Castelo Branco*) + *-ista*.] *S. 2 g.* V. *camiliano*[1] (3).

camina [De or. tupi, poss.] *S. f. Bras. Amaz.* Vara flexível em cuja ponta se prende um cesto com isca, o qual se mergulha na água para pescar.

caminaú [Do tupi.] *S. m. Bras.* Lago formado nas margens pela enchente de um rio.

caminhada [De *caminhar* + *-ada*[1].] *S. f.* **1.** Ação de caminhar. **2.** Passeio a pé; passeio. **3.** Grande extensão de caminho percorrido ou por percorrer: *De Niterói até Cabo Frio temos uma boa caminhada.* **4.** *Bras.* Passeata (2).

caminhador (ô) [De *caminhar* + *-dor*.] *Adj. S. m.* V. *caminhante* (1 e 2).

caminhamento [De *caminhar* + *-mento*.] *S. m. Bras. Topogr.* Percurso medido e orientado de um levantamento topográfico.

caminhante [De *caminhar* + *-nte*.] *Adj. 2 g.* **1.** Que caminha; caminhador, caminheiro. ~ V. *onda* —. ● *S. 2 g.* **2.** Pessoa que caminha; caminhador. **3.** V. *caminheiro* (3).

caminhão[1] *S. m.* Goma ou resina de benjoim.

caminhão[2] [Var. de *camião*, com infl. de *caminho*.] *S. m. Bras.* Veículo automóvel, com quatro ou mais rodas, para transporte de carga; camião.

caminhão-baú *S. m.* Caminhão com a carroceria em forma de baú. [Pl.: *caminhões-baús* e *caminhões-baú*.]

caminhão-cegonha *S. m. Bras.* V. *cegonha* (3). [Pl.: *caminhões-cegonhas* e *caminhões-cegonha*.]

caminhão-pipa [De *caminhão*[2] + *pipa*.] *S. m.* Carro-pipa. [Pl.: *caminhões-pipas* e *caminhões-pipa*.]

caminhão-tanque [De *caminhão*[2] + *tanque*[1].] *S. m.* Caminhão[2] equipado com reservatório fechado para transporte de combustível. [Pl.: *caminhões-tanques* e *caminhões-tanque*.]

caminhar [De *caminho* + *-ar*[2].] *V. int.* **1.** Percorrer caminho a pé; andar: "Caminha [Jorge Luis Borges] ereto, com a cabeça para o alto, o olhar vazio e essa espécie de sorriso ingênuo e permanente que tem." (Maria Julieta Drummond de Andrade, *Um Buquê de Alcachofras*, p. 14). **2.** Navegar, velejar. **3.** *Mar.* Percorrer (a embarcação) uma distância. **4.** *Fig.* Ir para a frente; progredir; avançar; adiantar-se: *Desanimado como você anda, seu livro não caminhará; O seu processo não caminhará se você não procurar acompanhá-lo. T. c.* **5.** Pôr-se em movimento; avançar; seguir, dirigir-se, encaminhar-se: *Caminhou em direção ao palácio. T. i.* **6.** *Fig.* Tender para: *Este processo caminha para mais uma absolvição injusta.*

caminheiro [De *caminho* + *-eiro*.] *Adj.* **1.** V. *caminhante* (1). **2.** Que anda bem e depressa. ● *S. m.* **3.** Aquele que percorre um caminho, ou por ele passa; caminhante, passante, viandante: "Caminheiro que passas pela estrada, / Seguindo pelo rumo do sertão" (Castro Alves, *Poesias Escolhidas*, p. 347). **4.** Indivíduo caminheiro (2); andarilho. **5.** *Bras. Zool.* Ave passeriforme, motacilídea (*Anthus lutescens*). Tem coloração parda, a parte inferior cinzento-amarelada-pálida, peito com pintas pretas. [O nome é comum às cinco espécies do gênero (inclusive a *Anthus nattereri*), distribuídas por todo o Brasil.] [Sin., nesta acepç.: *corredeira, peruinho-do-campo, peruzinho-do-campo, sombrio*.]

caminho [Do lat. vulg. *camminu*, de or. celta.] *S. m.* **1.** Faixa de terreno destinada ao trânsito de um para outro ponto; estrada, vereda, via, trilho: *A casa ficava à beira do caminho.* **2.** Direção, rumo, destino: *Venha comigo: vamos ao mesmo caminho; Que caminhos terá sua alma percorrido para chegar à descrença total?* **3.** Espaço percorrido ou por percorrer, andando: *Ainda temos muito caminho à nossa frente antes de chegarmos lá.* **4.** V. *conduto* (1). **5.** *Fig.* V. *meio*[1] (9). **6.** *Fig.* V. *meio*[1] (10). **7.** *Fig.* Direção, tendência: *A moda este ano enveredou por um caminho louco.* **8.** *Eng. Elétr.* Num diagrama de fluxo de sinal, sucessão contínua de ramos [v. *ramo* (14)] percorridos na direção das setas, na qual cada nó só é considerado uma vez. **9.** *Mat.* Em um grafo, sequência de arestas e vértices conexos. **10.** *Inform.* Rota utilizada por um sistema operacional para localizar determinado arquivo armazenado em disco, e ger. composta por uma sequência iniciada pela letra que representa o *drive*, seguida do nome do diretório e subdiretórios (quando há) e, por fim, do nome do arquivo. **11.** *Tip.* V. *trilho*[2] (4). ◆ **Caminho da Cruz.** *Rel.* Via-sacra (1). **Caminho da roça.** *Bras.* Marcha de pessoas uma após outra em trilha estreita, como são os caminhos da roça. **Caminho das pedras.** Modo ou meio, que pouquíssimos conhecem, de realizar ou de conquistar aquilo que tanto se deseja, e cujo sucesso seria difícil de alcançar. **Caminho de cabras.** Trilho acidentado, íngreme e estreito. **Caminho de ferro.** *Lus.* V. *ferrovia*. **Caminho de São Tiago.** *Astr. Pop.* V. *Via Láctea* (1). **Caminho de serviço.** Estrada provisória, aberta para dar acesso a uma obra em construção. **Caminho direto.** *Eng. Elétr.* Num diagrama de fluxo de sinal, caminho (8) que se origina no nó-fonte e termina no nó-sorvedouro. **Caminho óptico.** *Ópt.* Comprimento da trajetória de um raio luminoso em um meio, multiplicado pelo índice de refração desse meio. **Caminho sem volta.** Resolução que se toma de modo definitivo. **(A) caminho de.** Rumo a, em direção a: "atravessando a cidade, vai caminho das lagoas e grotas serranas" (Lêdo Ivo, *Ninho de Cobras*, p. 104). **Arrepiar caminho. 1.** Voltar atrás; desandar, retroceder: "Pestana parou alguns instantes, pensou em arrepiar caminho, mas dispôs-se a andar" (Machado de Assis, *Várias Histórias*, p. 63). **2.** Negar o que se tinha dito; desdizer-se. [Sin. ger.: *arrepiar carreira*.] **Cortar caminho.** Utilizar atalho ou outro meio que encurte o espaço a percorrer: *Só conseguiu chegar a tempo porque cortou caminho.* **De caminho.** Seguidamente, logo; ao mesmo tempo. **Ir pelo mesmo caminho.** Comportar-se de maneira semelhante ou idêntica; ter a mesma orientação de vida. [Us., em geral, pejorativamente.] **Meio caminho andado.** Dificuldade, trabalhos, questão, etc., parcialmente vencidos ou superados. **Pôr-se a caminho.** Iniciar movimento no espaço.

caminho de mesa *S. m. Bras.* Tira de pano, ger. bordada, retangular ou ovalada, para decoração do centro da mesa de jantar. [Pl.: *caminhos de mesa*.] ☑

caminho de rato *S. m.* Os altos e baixos de um cabelo mal cortado. [Pl.: *caminhos de rato*.] ☑

caminhoneiro [De *caminhão*[2] + *-eiro*.] *S. m. Bras.* Motorista que dirige caminhão[2]. [Sin. (lus.): *camionista*.]

caminhoneta [Var. de *camionete*.] *S. f.* V. *caminhonete*.

caminhonete [Var. de *camionete*.] *S. f. Bras.* Veículo automóvel de passageiros e pequena carga, de quatro ou seis rodas. [Sin.: (bras.) *perua* e (lus.) *carrinha*.]

camioneta (ê) [Var. de *camionete*.] *S. f.* V. *caminhonete*.

camionete [Do fr. *camionnette*.] *S. f.* **1.** V. *caminhonete*. **2.** *Lus.* Ônibus interurbano. **3.** *Lus.* Ônibus de turismo. [Var.: *camioneta, caminhoneta*.]

camionista *S. 2 g. Lus.* Caminhoneiro.

camiranga [Do tupi.] *S. m. Bras. CE Zool.* V. *urubu-de-cabeça-vermelha*.

camisa [Do lat. *camisia*.] *S. f.* **1.** *Vest.* Peça do vestuário masculino usada por cima da pele ou de camiseta, e que vai do pescoço até as coxas. **2.** *Vest.* Peça do vestuário feminino decotada e sem mangas, geralmente de tecido fino, que as mulheres usavam junto à pele ou sob outra peça de roupa. [Cf., nesta acepç., *combinação* (7).] **3.** Peça de vestuário unissex, feita ger. de malha de algodão ou outro tecido leve, com mangas curtas ou compridas, que vai do pescoço até abaixo da cintura. **4.** Camisa (3) que compõe a parte de cima do uniforme de um clube ou equipe; camiseta. **5.** Envoltório de certos objetos ou mecanismos. **6.** Invólucro incandescente de certas luzes ou lanternas. **7.** *Bot.* Invólucro da maçaroca do milho. **8.** *Bot.* Membrana embrionária do trigo. **9.** *Constr.* Reboco aplicado a uma parede, a um teto, ou a outra peça construída. **10.** *Constr.* Cada uma das tábuas paralelas que se prendem à estrutura do teto, com pequenos desvãos entre elas. **11.** *Bras. RS* Câmara de ar para bolas de futebol. ◆ **Camisa da chaminé.** *Arquit.* Parede que separa as chaminés de vários andares de um edifício. **Camisa de dormir.** *Bras.* Camisola (1). **Camisa de goma.** *Bras.* Camisa (1) que leva goma antes de ser passada a ferro. **Camisa de onze varas. 1.** A alva dos padecentes, nos autos de fé. **2.** *Fig.* Dificuldade extrema em que alguém se mete e da qual é difícil ou impossível sair. "Quis engolir o desaforo, mas cadê que descia? Me comia por dentro, pensei que não devia me meter em camisa de onze varas." (Permínio Asfora, *Vento Nordeste*, pp. 28-29.) **Camisa de pagão.** *Bras.* Vestimenta de recém-nascido, que lhe cobre o torso, dos ombros à cintura, feita, em geral, de tecido muito fino e/ou macio, e com mangas ou sem elas. **Camisa esporte.** Camisa de colarinho ou gola mole, bainha reta, mais curta que a camisa (1), e que se usa sem gravata. [Cf. *camisa social* e *blusão*.] **Camisa polo.** Camisa esporte (q. v.), ger. de malha, de manga curta e aberta apenas até a altura do peito. **Camisa social.** Camisa masculina, abotoada na frente, em geral de manga comprida e colarinho entretelado, usada por dentro das calças, e comumente com gravata. [Cf. *camisa esporte*.] **Em camisa.** Sem outra veste senão a camisa: "A menina boceja, ergue os braços ao ar, / Treme ao ver-se em camisa" (Eugênio de Castro, *Obras Poéticas*, V, p. 161). [Cf. *em mangas de camisa*.] **Molhar a camisa.** V. *suar a camisa*. **Mudar a camisa.** *Bras. SE Gír.* V. *morder a batata*. **Suar a camisa.** Esforçar-se ao máximo num trabalho ou numa atividade; molhar a camisa. **Vestir a camisa (de).** Identificar-se com uma causa, trabalho, pessoa, etc. ao ponto de empenhar-se ao extremo ou sacrificar-se em prol desta causa, trabalho ou pessoa.

camisa de força *S. f.* **1.** Espécie de colete de lona, com mangas fechadas, em cujas extremidades há cordões com que outrora se apertavam atrás do tórax os braços cruzados dos loucos agitados. É us., atualmente, apenas em casos excepcionais. [Sin.: *camisola de força*.] **2.** *Bras. Fig.* Aquilo que reprime, restringe ou que impede a evolução de algo; controle ou restrição excessivos: "O então governador Cuomo [de Nova Iorque, em 1993] quis impor na cidade a mesma camisa de força financeira que tinha sido aplicada na quebra de 75." (Lucas Mendes, em *O Globo*, 07.04.2000). [Pl.: *camisas de força*.] ☑

camisa de meia *S. f.* V. *camiseta* (2): "De tamancos, calça de algodão esfiapada nas bainhas, camisa de meia, fraque e chapéu duro, atravessava a rua" (Graciliano Ramos, *Infância*, p. 226). [Pl.: *camisas de meia*.] ☑

camisa-de-meia *S. f. Bras. Zool.* V. *querê-querê* (1). [Pl.: *camisas-de-meia*.]

camisa de vênus *S. f.* V. *preservativo*. [Pl.: *camisas de vênus*.] ☑

camisão [De *camisa* + *-ão*[1].] *S. m.* **1.** *Vest.* Camisolão. **2.** *Vest.* Camisa ampla e comprida, unissex. **3.** *Vest.* Antigo vestuário semelhante às alvas dos padres. **4.** *Bras. PB* V. *caipira* (1).

camisaria [De *camisa* + *-aria*.] *S. f.* Estabelecimento onde se fabricam e/ou vendem camisas.

camisa-verde *S. 2 g. Bras.* V. *integralista* (2). [Pl.: *camisas-verdes*.]

camiseira [De *camisa* + *-eira*.] *S. f.* **1.** Mulher que fabrica e/ou vende camisas. **2.** *Bras.* Camiseiro (3).

camiseiro [De *camisa* + *-eiro*.] *S. m.* **1.** Fabricante de camisas sociais ou esporte, ou de roupas *chemisier*. **2.** Vendedor de camisas masculinas ou blusas femininas de igual confecção. **3.** *Bras.* Móvel onde se guardam camisas e outras roupas brancas; camiseira. [Cf., nesta acepç., *cômoda*.] **4.** *Lus. Chemise*. ● *Adj.* **5.** Próprio para camisas em geral.

camiseta (ê) [De *camisa* + *-eta* (ê).] *S. f.* **1.** Blusa feminina, mais ou menos transparente, que se usava sobre outra blusa. **2.** *Bras.* Espécie de camisa (1) curta, sem gola, com mangas curtas ou sem mangas, em geral de tecido de malha, que se usa diretamente sobre a pele para protegê-la contra o frio ou absorver o suor, evitando que passe à outra camisa. [Sin. (nesta acepç.): *camisa de meia* e (lus.) *camisola*.] **3.** Camisa (4). **4.** *Bras. Zool.* V. *querê-querê* (1).

camisinha [Dim. de *camisa* (*de vênus*).] *S. f.* V. *preservativo* (5).

camisola [De *camisa* + *-ola*[1].] *S. f.* **1.** Vestimenta feminina para dormir, semelhante a um vestido, com mangas ou sem elas, e cujo comprimento varia de acordo com a moda (2); camisa de dormir. **2.** *Bras.* Vestido amplo, sem corte na cintura, geralmente com pala. **3.** *Lus.* V. *camiseta* (2). **4.** *Lus.* Suéter.

camisola de força *S. f.* Camisa de força (1). [Pl.: *camisolas de força*.] ☑

camisolão [De *camisola* + *-ão*[1].] *S. m. Vest.* Camisola (1), semelhante a uma túnica larga e comprida, e de eventual uso masculino; camisão.

camisote [De *camisa* + *-ote*[1].] *S. m. Ant.* Cota de malha que cobria todo o corpo.

camisu [De *camisa*.] *S. m. Bras. BA* **1.** Camisa sem fralda e sem colarinho, usada por pescadores. **2.** Abadá.

camita [Do antr. *Cã* + *-ita*[2].] *S. 2 g.* **1.** *Etnôn.* Indivíduo dos camitas, populações do N. da África (etíopes, líbios, egípcios) supostamente descendentes de Cã,

filho de Noé. ● *Adj. 2 g.* 2. Pertencente ou relativo a camita (1); camítico. [Sin. ger.: *hamita*.]
camítico [De *camita* + *-ico*[2].] *Adj.* 1. Camita (2). 2. Pertencente ou relativo ao camítico (3). ● *S. m.* 3. *Gloss.* V. *camito-semítico* (3). [Sin. ger.: *hamítico*.]
camito-semita *Adj. 2 g. S. m.* V. *camito-semítico*. [Pl.: *camito-semitas*.]
camito-semítico *Adj.* 1. Pertencente ou relativo aos camitas e aos semitas. 2. Pertencente ou relativo ao camito-semítico (3). ● *S. m.* 3. *Gloss.* Família linguística que ocupa a faixa que vai do N. da África ao S.O. da Ásia, e que se compõe de três grupos principais: (a) o *semítico*; (b) o *egípcio*; (c) o *berbere*, e ainda de três outros menores: o *cuxita*, o *chadiano* e o *omótico*. [Sin., nesta acepç.: *afro-asiático* e *camítico*.] [Sin. ger.: *camito-semita*, *hamito-semita*.]
camixi [Do galibi.] *S. m. Zool.* V. *anhima* (2).
camoati [Var. de *cabamoatim*.] *S. m. Bras. Zool.* V. *enxu-da-beira-do-telhado*.
camoatim [Var. de *cabamoatim*.] *S. m. Bras. Zool.* V. *enxu-da-beira-do-telhado*. ◆ **Tirar camoatim sem poncho.** *Bras. RS* 1. Enfrentar trabalhos duros. 2. Sofrer privações.
camoca [Do cabo-verd.] *S. f. Cabo-verd.* Milho torrado e moído muito fino: 📖 "Precisa de sol e de camoca com leite." (Teixeira de Sousa, *Contra Mar e Vento*, p. 168.)
camocica [De or. tupi, poss.] *S. m. Bras. Zool.* V. *veado-roxo*.
camocim-felicense *Adj. 2 g.* 1. De, ou pertencente ou relativo a Camocim de São Félix (PE). ● *S. 2 g.* 2. O natural ou habitante de Camocim de São Félix.
camocinense *Adj. 2 g.* 1. De, ou pertencente ou relativo a Camocim (CE). ● *S. 2 g.* 2. O natural ou habitante de Camocim.
camoeca *S. f. Pop.* 1. V. *bebedeira* (1). 2. Doença ligeira; achaque, macacoa. 3. *Bras.* Entorpecimento, torpor, sonolência. [Cf. *camunheca*.]
camoês *Adj.* Diz-se de uma variedade de peras e maçãs. [Flex.: *camoesa* (ê), *camoeses* (ê), *camoesas* (ê).]
camões [Do antr. *Camões* (v. *camoniano*).] *S. m. 2 n. Pop.* 1. Cego de um olho. 2. Caolho, zarolho.
camoiurã *Bras. S. 2 g.* 1. *Etnôn.* Indivíduo dos camoiurãs, povo indígena do alto Xingu. ● *Adj. 2 g.* 2. Pertencente ou relativo a esse povo. [Tb. us. como *s. 2 g. e 2 n.* (com cap.) e *adj. 2 g. e 2 n.*]
camomila [Do b.-lat. *camomilla* < gr. *chamaímelon*.] *S. f. Bot.* Designação comum a diversas plantas asteráceas, das quais as mais importantes, por seu emprego na farmacopeia universal, são a *camomila-romana* (q. v.) e a *camomila-dos-alemães* (q. v.). [Var.: *camomilha*.]
camomila-dos-alemães [De *camomila* + o pl. de *do*[1] + o pl. de *alemão*.] *S. f. Bot.* Planta asterácea (*Matricaria chamomilla*) ereta, ramificada, de folhas irregulares, pequenas flores amarelas, tubulares, reunidas em capítulos. Tem uso medicinal. [Pl.: *camomilas-dos-alemães*.]
camomila-romana [De *camomila* + o f. de *romano*.] *S. f. Bot.* Planta asterácea (*Anthemis nobilis*) perene, de caule rastejante, folhas alternas, bipenadas, flores disciformes, radiadas, amarelas e branco-prateadas. [É us. em cosmética para clarear cabelos louros e tem uso medicinal.] [Pl.: *camomilas-romanas*.]
camomilha *S. f. Bot.* V. *camomila*.
camondongo *S. m.* V. *camundongo*[1].
camoniana [F. subst. de *camoniano*.] *S. f.* 1. Coleção das obras de Camões (v. *camoniano*). 2. Coleção de escritos relativos a Camões ou à sua obra.
camoniano *Adj.* 1. Pertencente ou relativo a Luís de Camões, o maior poeta português (c. 1525-1580), ou próprio dele. 2. Que é grande admirador e/ou profundo conhecedor da obra desse escritor. ● *S. m.* 3. Grande admirador e/ou profundo conhecedor da obra e/ou da vida de Camões; camonista, camonólogo.
camonista [Do antr. (*Luís de*) *Camões* + *-ista*.] *S. 2 g.* V. *camoniano* (3).
camonólogo [Do antr. (*Luís de*) *Camões* + *-o-* + *-logo*.] *S. m.* V. *camoniano* (3).
camorra (ô) [Do it. *camòrra*, pelo esp. *camorra*.] *S. f.* 1. Associação de malfeitores do antigo reino de Nápoles. [Com cap.] 2. *P. ext.* Qualquer associação de malfeitores. 3. *Bras. S.* Rixa, briga, contenda.
camote [Do náuatle *camotli*, 'batata-doce', pelo hisp.-amer. *camota*.] *S. m. Bras. RS Pop.* 1. V. *namoro* (1). 2. V. *namorado* (4).
camotim [Do tupi.] *S. m. Bras.* Grande pote de barro que servia de urna funerária a certos indígenas; igaçaba. [Cf. *camucim*.]
campa[1] [De *campo*, poss.] *S. f.* 1. Pedra que cobre a sepultura; lousa de sepulcro. 2. V. *sepultura* (1).
campa[2] [Do lat. vulg. *campana*.] *S. f.* 1. Sino pequeno para sinais de aviso. 2. *Bras.* Campainha maior, de que se faz uso nas missas solenes e quando sai o viático.
campa[3] *Bras. S. 2 g.* 1. *Etnôn.* Indivíduo dos campas [ou (etnôn. bras.) *Kampa], povo indígena da família linguística aruaque, que habita as margens do rio Humaitá, próximo à fronteira com o Peru, e a região da selva peruana. ● *Adj. 2 g.* 2. Pertencente ou relativo a esse povo.
campação [De *campar* + *-ção*.] *S. f.* Ação de campar.
campador (ô) [De *campar* + *-dor*.] *S. m.* Aquele que sai à noite em busca de aventuras amorosas.
campainha (a-i) [Dim. de *campãa, provável f. arc. de *campa* (v. *-inha*).] *S. f.* 1. Sineta pequena e manual. 2. Pequeno dispositivo (elétrico ou mecânico) instalado em portas de habitação, telefones, relógios despertadores, etc., e que, premido ou impulsionado, emite um som ou toque característico. [Cf., nesta acepç., *cigarra* (8).] 3. *Fig.* Pessoa que divulga tudo quanto ouve. 4. *Anat. Pop.* Úvula palatina. 5. *Arquit.* Ornato de forma semelhante à da sineta, empregado principalmente na ordem dórica. 6. *Bot.* Bênção-de-deus (2). 7. *Bot.* Designação comum a diversas campanuláceas como, p. ex., a *Campanula carpatha* (v. *campainha-azul*) ou convolvuláceas, como, p. ex., a *Ipomoea acuminata* (v. *glória-da-manhã*); campânula.
campainha-amarela *S. f. Bot.* V. *flor-de-pau*. [Pl.: *campainhas-amarelas*.]
campainha-azul *S. f. Bot.* Planta campanulácea (*Campanula carpatha*) herbácea, de caule robusto e ramificado, folhas cordiformes e flores de corola azul, lilás ou violeta, reunidas em espigas; campainha. [Pl.: *campainhas-azuis*.]
campainhada (a-i) [De *campainha* + *-ada*[1].] *S. f.* 1. Puxão ou toque em campainha (1 e 2). 2. Som de campainha (1 e 2) agitada, premida ou impulsionada.
campainha-de-canudo *S. f. Bras. Bot.* 1. V. *algodão-bravo* (2). [Pl.: *campainhas-de-canudo*.]
campainhar (a-i) [De *campainha* + *-ar*[2].] *V. int.* Fazer soar campainha.
campal [De *campo* + *-al*[1].] *Adj. 2 g.* 1. Pertencente ou relativo ao campo. 2. Diz-se da batalha travada em campo raso. ~ V. *missa* —. ● *S. m.* 3. *Bras. MT* Trecho de campo situado no meio do mato.
campana[1] [Do lat. tard. *campana*.] *S. f.* 1. Sino, campainha. 2. Luva (5) de manilha. 3. *Arquit.* Corpo de capitel coríntio ou compósito, que tem o formato de um sino invertido. 4. *Mús.* Pavilhão (13).
campana[2] [Der. regress. de *campanar*.] *S. f. Bras. RJ Gír.* Ato de campanar.
campanado [De *campan(i)-* + *-ado*[1].] *Adj.* V. *campanuláceo*[1].
campanar *V. t. d. Bras. RJ Gír.* V. *acampanar*.
campanarense *Adj. 2 g.* 1. De, ou pertencente ou relativo a Campanário (MG). ● *S. 2 g.* 2. O natural ou habitante de Campanário.
campanariense *Adj. 2 g. S. 2 g.* V. *campanarense*.
campanário [Do lat. med. *campanariu*.] *S. m.* 1. Parte aberta da torre de igreja, onde estão os sinos. 2. Torre de sinos. 3. *P. ext.* A freguesia, a aldeia dotada de igreja com campanário.
campanha [Do lat. tard. *campania*.] *S. f.* 1. Campo (2) extenso; planície. 2. *Mil.* Série de operações militares que visam à consecução de um objetivo definido, em determinada época, numa mesma área geográfica. 3. *Mil.* Conjunto de operações militares que constituem uma fase distinta de determinada guerra. 4. *P. ext.* Conjunto de ações, de esforços, para se atingir um fim determinado: 📄 *campanha eleitoral*; *campanha de vendas*. 5. *Prop.* Campanha de propaganda. 6. *Bras. RS* Região ondulada em coxilhas, coberta por vegetação herbácea, onde predomina a pecuária, as estâncias de gado. 7. *Bras. P. ext.* A região geográfica do RS formada pela campanha (6).
campanhense *Adj. 2 g.* 1. De, ou pertencente ou relativo a Campanha (MG). ● *S. 2 g.* 2. O natural ou habitante de Campanha.
▲**campan(i)-** [Do lat. tard. *campāna*.] *El. comp.* = 'campa[2]', 'sino': *campaniforme*. [Equiv.: *campano-*: *campanomania*. V. *campanul(i)-*.]
campaniense [Do lat. *Campaniense*.] *Adj. 2 g.* 1. Da, ou pertencente ou relativo à região da Campânia (S.O. da Itália). ● *S. 2 g.* 2. O natural ou habitante dessa região.
campaniforme [De *campan(i)-* + *-forme*.] *Adj. 2 g.* V. *campanuláceo*[1].
campanil [De *campana* + *-il*[1].] *S. m.* Liga metálica própria para sinos.
▲**campano-** Equiv. de *campan(i)-*.
campanólogo [De *campano-* + *-logo*.] *S. m.* Aquele que toca peças de música em sinos, campainhas ou copos afinados.
campanomania [De *campano-* + *-mania*.] *S. f.* Mania de tocar sinos ou campanas: 📖 "Gabriel estava tomado de campanomania; mãos, pés, dentes, tudo repicava." (Alexandre Herculano, *Lendas e Narrativas*, II, p. 231.)
campanomaníaco [De *campanomania* + *-íaco*.] *Adj.* 1. Relativo à campanomania. 2. Que tem campanomania; campanômano. ● *S. m.* 3. Aquele que tem campanomania; campanômano.
campanómano *Adj. S. m.* V. *campanômano*. [Uso freq. em P.]
campanômano [De *campano-* + *-mano*[1].] *Adj. S. m.* Campanomaníaco (2 e 3).
campanudo [De *campana* + *-udo*.] *Adj.* 1. Que tem forma de campa[2]. 2. *Fig.* Pomposo, enfático, bombástico.
campânula[1] [Do lat. med. *campanula* (do lat. *campana*, *ae*, 'sino').] *S. f.* 1. Qualquer objeto em forma de sino. 2. Espécie de redoma usada para isolar objetos do ar, da poeira, etc.: 📄 *Cobria o queijo uma campânula de cristal*. [Cf. *campanula*, do v. *campanular*.]
campânula[2] [Do tax. *Campanula* (do lat. med.).] *S. f. Bot.* 1. O gênero-tipo das campanuláceas, constituído de plantas herbáceas vastamente distribuídas, dotadas de corola campanuliforme, anteras não coniventes e cápsula lateralmente deiscente. 2. Qualquer espécie desse gênero, como, p. ex., a *Campanula carpatha* (v. *campainha-azul*). 3. Qualquer espécime desse gênero, ou a flor dele. 4. Campainha (7). [Cf. *campanula*, do v. *campanular*.]
campanulácea [Do tax. *Campanula* (v. *campânula*[2]) + *-ácea*; tax. *Campanulaceae*.] *S. f. Bot.* Espécime das campanuláceas, família da ordem das campanulales, ou das asterales, que reúne cerca de 2.000 espécies de plantas quase sempre herbáceas, ou subarbustivas, ou de árvores paquicaules, de folhas simples, ger. espiraladas, inflorescências com flores ger. bissexuais, e frutos bacáceos ou capsulares, deiscentes; têm distribuição cosmopolita.
campanuláceo[1] [De *campanul(i)-* + *áceo*.] *Adj.* Que tem forma de campânula ou de sino; campanular[1], campanado, campaniforme, campanuliforme, campanulado.
campanuláceo[2] [De *campanulácea*, var. suf. (v. *-áceo*).] *Adj. Bot.* Pertencente ou relativo às campanuláceas.
campanulada [Do tax. *Campanula* (v. *campânula*[2]) + *-ada*[2]; tax. *Campanulatae*.] *S. f. Bot.* Espécime das campanuladas, em antiga classificação, ordem de vegetais dicotiledôneos correspondente à ordem das asterales.
campanulado[1] [De *campanul(i)-* + *-ado*[1].] *Adj.* V. *campanuláceo*[1].
campanulado[2] [De *campanulada*, com var. suf. (v. *-ado*[1]).] *Adj. Bot.* Pertencente ou relativo às campanuladas.
campanulal [Do tax. *Campanula* (v. *campânula*[2]) + *-al*[1].] *Adj. 2 g. Bot.* Pertencente ou relativo às campanulales.
campanulale [Do tax. *Campanula* (v. *campânula*) + *ale*; tax. *Campanulales*.] *S. f. Bot.* Espécime das campanulales, ordem de dicotiledôneas ger. incluída na ordem das asterales.
campanular[1] [De *campanul(i)-* + *-ar*[1].] *Adj. 2 g.* V. *campanuláceo*[1].
campanular[2] [De *campânula* + *-ar*[2].] *V. int.* Soar como campainha. [Pres. ind.: *campanula*, etc. Cf. *campânula*.]
campanulário [De *campanul(i)-* + *-ário*; tax. *Campanulariae*.] *Zool. S. m.* 1. V. *leptomedusa*. ● *Adj.* 2. V. *leptomedúseo*.
▲**campanul(i)-** [Do lat. med. *campanula*, do dim. do lat. tard. *campāna* (v. *campan(i)-*).] *El. comp.* = 'sino (pequeno)'; 'campânula': *campanulácea*, *campanulário*.
campanuliforme [De *campanul(i)-* + *-forme*.] *Adj. 2 g.* V. *campanuláceo*[1].
campão[1] [Do top. *Campon* (França).] *S. m.* Mármore de cores variegadas, dos Pireneus.
campão[2] [De *campo* + *-ão*[1].] *S. m. Bras. MT* Campo muito extenso.
campar [De *campo* + *-ar*[2].] *V. t. d. T. c.* 1. Acampar. *T. i.* 2. Vangloriar-se, jactar-se, gabar-se: 📄 *Campa de títulos que não possui*. *Int.* 3. Sair-se bem; gozar, fruir; desfrutar: 📄 *Nós nos esforçamos, e foi ele quem campou*. 4. *Bras. S.* V. *fugir* (1 e 2). 5. *Bras.* Sair de noite à cata de aventuras amorosas.
campeã *S. f.* Fem. de *campeão* (q. v.).
campeação [De *campear* + *-ção*.] *S. f. Bras.* Ato de campear (1 e 12). [Sin.: *campeio*.]
campeador (ô) [De *campear* + *-dor*.] *Adj. S. m.* Que, ou aquele que campeia.
campeão [Do it. *campione* < lomb. *kamphio*, 'paladino que combate em defesa de outrem'.] *S. m.* 1. *Ant.* Cavaleiro que combatia em campo fechado, em honra ou defesa de uma causa. 2. Defensor, paladino: 📄 *José do Patrocínio foi o campeão do abolicionismo*. 3. Desportista, equipe ou clube que venceu todos os adversários em campeonato, ou em competições. [Tb. us., nesta acepç., como adj.] 4. *P. ext.* Desportista ou atleta de grande valor: 📄 *Pelé figura entre os campeões do futebol mundial*. 5. O vencedor em qualquer prova ou certame. 6. *Bras. CE* Cavalo em que se campeia. ● *Adj.* 7. Diz-se de campeão (3). [Fem.: *campeã*.]

campear [De *campo* + *-ear*[2].] *V. t. d.* **1.** Andar pelo campo, pelo mato, à procura de (o gado). **2.** Estar ou sair à procura de; buscar, procurar: *Campeou em vão outra ideia, e nada lhe ocorreu.* "Juntei meus tarecos e fui campear um táxi para os lados do Arnaldo." (Pedro Nava, *Beira-Mar*, p. 380.) **3.** Ostentar, alardear: *Costuma campear suas glórias.* **4.** V. *cavalgar* (1): *O cavaleiro campeava um ginete suado.* ***T. i.*** **5.** Levar vantagem; sobressair: *Em sua especialidade, campeia sobre os demais colegas.* ***Int.*** **6.** Andar a cavalo no campo ou no mato, em procura do gado, ou para prestar-lhe assistência. **7.** Servir em campanha; batalhar. **8.** Instalar acampamento, acampar. **9.** Estar ou viver no campo. **10.** Mostrar-se em lugar elevado; elevar-se: *Por trás dos muros campeavam as torres do castelo.* **11.** Prevalecer; dominar; imperar: *Finda a guerra, a miséria campeava por todo o país.* **12.** *Bras.* Bater ou explorar o campo em todos os recantos. [Conjug.: v. *frear.*]

campeche (é) [Do top. *Campeche.*] *S. m. Bot.* Árvore cesalpiniácea (*Haematoxylun campechianum*) cujo tronco, espinhoso, fornece cerne vermelho-escuro de que se extrai um corante, a hematoxilina, que, oxidando-se, passa a emateína, e é usado em tinturaria e nos laboratórios para corar preparações histológicas; pau-campeche, hematóxilo.

campeio [Dev. de *campear.*] *S. m. Bras.* Campeação.

campeira [De *campeiro*[2], poss.] *S. f. Bras.* Espécie de mandioca.

campeiraço [De *campeiro*[2] + *-aço.*] *S. m. Bras. RS* Campeiro[2] muito hábil e experimentado.

campeirada [De *campeiro*[2] + *-ada*[1].] *S. f. Bras. RS* Aglomeração de campeiros.

campeiragem [De *campeiro*[2] + *-agem*[2].] *S. f. Bras. RS* **1.** Ato de fazer serviços no campo. **2.** A vida do campeiro[2].

campeiro[1] [De *campa*[2] + *-eiro.*] *S. m.* Tocador de campa[2].

campeiro[2] *Bras. Zool.* V. *veado-campeiro.*

campeiro[3] [De *campo* + *-eiro.*] *Adj.* **1.** V. *campestre* (1). **2.** *Bras.* Que trabalha no campo (2 e 3). ● *S. m.* **3.** *Bras.* Indivíduo campeiro. **4.** *Bras.* Empregado a quem incumbe o trato do gado, e que vive habitualmente nos campos gerais, ou na campanha (6). **5.** *Bras. N.E.* V. *vaqueiro* (1). [Cf. *campeador.*]

campelo (ê) *S. m. Bras.* Aparelho de pesca.

campenomia [Do gr. *kampé*, 'curvatura', 'flexão' + *-nom(o)-* + *-ia*[1].] *S. f. E. Ling. Desus.* V. *morfologia flexional.* [Sin. (preferido por alguns gramáticos): *ptoseonomia.*]

campense[1] *Adj. 2 g.* **1.** De, ou pertencente ou relativo a Campo do Coelho (RJ). ● *S. 2 g.* **2.** O natural ou habitante de Campo do Coelho.

campense[2] *Adj. 2 g. S. 2 g.* V. *tenentiano.*

campeonato [De *campeão (campeon-)* + *-ato*[1], seg. o padrão erudito.] *S. m.* **1.** Certame (esportivo, ou outro) em que há, ger., disputa direta entre todos os participantes, ou a maioria deles, numa série de provas, jogos, etc. e o vencedor recebe o título de campeão. [Cf. *torneio*[2] (2).] **2.** *P. ext.* O título de campeão obtido pelo vencedor de tal certame.

campesinato [De *campesino* + *-ato*[1].] *S. m.* O conjunto dos camponeses.

campesinho [Do port. ant. *campés* + *-inho*[1].] *Adj.* V. *campestre* (1).

campesino [Do galego ant. *campesyno* < port. ant. *campés.*] *Adj.* V. *campestre* (1).

campesterol [Do V.C.I.; ingl. *campesterol.*] *S. m. Quím.* Esterol encontrado em certos óleos vegetais, como o de soja [fórm.: $C_{28}H_{48}O$]. [Pl.: *campesteróis.*]

campestre [Do lat. *campestre.*] *Adj. 2 g.* **1.** Pertencente ou relativo ao, ou próprio do campo; rural, rústico, campeiro, campesino, campesinho, campino, camponês, agreste. **2.** *Bot.* Diz-se da planta que habita lugares abertos: *espécie campestre.* **3.** *Bot.* Diz-se da vegetação baixa, subarbustiva e arbustiva, em geral esclerófila, que cobre os campos: *formação campestre.* ● *S. m.* **4.** *Bras.* Pequeno campo alto, de área diminuta, no meio da mata. **5.** *Bras. RS Amaz.* V. *clareira* (1). **6.** *Bras. BA Bot.* Formação herbácea ou arbustiva, rica em vegetais xerófilos. **7.** *Bras. SC* Campo arenoso.

campestrense[1] *Adj. 2 g.* **1.** De, ou pertencente ou relativo a Campestre (MG). ● *S. 2 g.* **2.** O natural ou habitante de Campestre.

campestrense[2] *Adj. 2 g.* **1.** De, ou pertencente ou relativo a Campestre da Serra (RS). ● *S. 2 g.* **2.** O natural ou habitante de Campestre da Serra.

campestrense[3] *Adj. 2 g.* **1.** De, ou pertencente ou relativo a São José do Campestre (RN). ● *S. 2 g.* **2.** O natural ou habitante de São José do Campestre.

campestrino *Adj.* **1.** De, ou pertencente ou relativo a Campestre de Goiás (GO). ● *S. m.* **2.** O natural ou habitante de Campestre de Goiás.

campeva [Do tupi.] *S. m. Bras. Zool.* V. *cambeva* (1).

campidanês *S. m. Gloss.* Dialeto do sardo[1] (3), falado no S. da Sardenha (S. da Itália).

campilídio *S. m. Bot.* Suposta frutificação secundária de certos liquens. [Na realidade é a frutificação de fungo parasitário.]

▲ **campilo-** [Do gr. *kampýlos, ē, on.*] *El. comp.* = 'curvo': *campilotrópico.*

campilódromo [De *campilo-* + *-dromo.*] *Adj. Bot.* Diz-se das nervuras que se curvam para os lados da folha e guardam certo paralelismo com a margem desta.

campiloneuro [De *campilo-* + *-neuro.*] *Adj. Bot.* Que tem nervuras curvas.

campilospermo [De *campilo-* + *-spermo.*] *Adj. Bot.* Diz-se das apiáceas e dos seus frutos quando o endosperma apresenta um sulco mais ou menos profundo na face comissural.

campilotropia [De *campilo-* + *-trop(o)-* + *-ia*[1].] *S. f. Bot.* Ocorrência de óvulos campilótropos.

campilotrópico [De *campilo-* + *-trop(o)-* + *-ico*[2].] *Adj. Bot.* Campilótropo.

campilótropo [De *campilo-* + *-tropo.*] *Adj. Bot.* Diz-se do óvulo que apresenta uma curvatura, de sorte que a calaza e a micrópila ficam no mesmo plano e aproximadas, como sucede, p. ex., nas leguminosas; campilotrópico.

campimetria [De *campo (visual)* + *-i-* + *-metria.*] *S. f. Oftalm.* Exame com campímetro, e que procura detectar deficiências na porção central de campo visual.

campímetro [De *campo (visual)* + *-i-* + *-metro.*] *S. m. Oftalm.* Aparelho que se destina a mapear, em uma superfície plana, a porção central de campo visual.

campina[1] [De *campo* + *-ina*[1].] *S. f.* **1.** Campo extenso, pouco acidentado e sem árvores, geralmente coberto de ervas; prado. **2.** V. *planície.* **3.** Campo limpo. **4.** *Bras. Pop.* Certa raça de galinha.

campina[2] [F. red. de *galo-da-campina.*] *S. m. Zool.* V. *cardeal* (3): "dava de comer aos passarinhos, principalmente o campina" (Chico Anísio, *Teje Preso*, p. 166).

campinaçuense *Adj. 2 g.* **1.** De, ou pertencente ou relativo a Campinaçu (GO). ● *S. 2 g.* **2.** O natural ou habitante de Campinaçu.

campinapolense *Adj. 2 g.* **1.** De, ou pertencente ou relativo a Campinápolis (MT). ● *S. 2 g.* **2.** O natural ou habitante de Campinápolis.

campinarana [De *campina* + *-rana.*] *S. f. Bras. AM* Campina em que, pela melhor qualidade do terreno, há maior número de árvores.

campina-verdense *Adj. 2 g.* **1.** De, ou pertencente ou relativo a Campina Verde (MG). ● *S. 2 g.* **2.** O natural ou habitante de Campina Verde. [Pl.: *campina-verdenses.*]

campineiro *Adj.* **1.** De, ou pertencente ou relativo a Campinas (SP). ● *S. m.* **2.** O natural ou habitante de Campinas.

campinense[1] *Adj. 2 g.* **1.** De, ou pertencente ou relativo a Campina das Missões (PI). ● *S. 2 g.* **2.** O natural ou habitante de Campina das Missões.

campinense[2] *Adj. 2 g.* **1.** De, ou pertencente ou relativo a Campina Grande (PB). ● *S. 2 g.* **2.** O natural ou habitante de Campina Grande.

campinense[3] *Adj. 2 g.* **1.** De, ou pertencente ou relativo a Campina Grande do Sul (PR). ● *S. 2 g.* **2.** O natural ou habitante de Campina Grande do Sul.

campinense[4] *Adj. 2 g.* **1.** De, ou pertencente ou relativo a Campinas do Piauí (PI). ● *S. 2 g.* **2.** O natural ou habitante de Campinas do Piauí.

campinense[5] *Adj. 2 g.* **1.** De, ou pertencente ou relativo a Campinas do Sul (RS). ● *S. 2 g.* **2.** O natural ou habitante de Campinas do Sul.

campinense[6] *Bras. Adj.* **1.** Pertencente ou relativo a Campinense Clube (Campina Grande, PB). **2.** Que é jogador ou torcedor dessa agremiação. ● *S. m.* **3.** Jogador ou torcedor dela. [Sin. *ger.: raposa.*]

campinense-da-lagoa *Adj. 2 g.* **1.** De, ou pertencente ou relativo a Campina da Lagoa (PR). ● *S. 2 g.* **2.** O natural ou habitante de Campina da Lagoa. [Pl.: *campinenses-da-lagoa.*]

➔ **camping** ['kæmpɪŋ] [Ingl.] *S. m.* **1.** Atividade coletiva, turística ou esportiva, que consiste em viajar e acampar ao ar livre, geralmente em lugar apropriado, com o equipamento necessário. **2.** Local especificamente preparado para tal atividade. [Sin. (p. us.): *acampamento* e *campismo.*]

campino [De *campo* + *-ino*[1].] *Adj.* **1.** *P. us.* V. *campestre* (1). ● *S. m.* **2.** V. *camponês* (1): "O campino, assim como o saloio, tem o cunho da raça africana" (Almeida Garrett, *Viagens na Minha Terra*, p. 9).

campino-monte-alegrense *Adj. 2 g.* **1.** De, ou pertencente ou relativo a Campina do Monte Alegre (SP). ● *S. 2 g.* **2.** O natural ou habitante de Campina do Monte Alegre. [Pl.: *campino-monte-alegrenses.*]

campinortense *Adj. 2 g.* **1.** De, ou pertencente ou relativo a Campinorte (GO). ● *S. 2 g.* **2.** O natural ou habitante de Campinorte.

campir [Do it. *campire.*] *V. t. d.* Fazer em (um quadro) a perspectiva do horizonte.

campismo [De *campo* + *-ismo.*] *S. m.* V. *camping.*

campista[1] [De *campo* + *-ista.*] *S. 2 g.* Indivíduo que campeia a cavalo, procurando o gado ou prestando-lhe assistência.

campista[2] [De *camp-*, como em *camping*, + *-ista.*] *S. 2 g. Bras.* Pessoa dada à prática do *camping* (q. v.).

campista[3] *Adj. 2 g.* **1.** De, ou pertencente ou relativo a Campos dos Goitacases (RJ). ● *S. 2 g.* **2.** O natural ou habitante de Campos dos Goitacases.

C

campo *S. m.* **1.** Extensão de terra sem mata e que tem, ou não, árvores esparsas. **2.** Terreno extenso e mais ou menos plano que tanto se pode destinar às pastagens do gado como ao cultivo agrícola: *Os campos da fazenda estendiam-se até às margens do rio.* **3.** Grande terreno plantado; plantação: *um campo de tulipas; campo de trigo.* **4.** Zona fora do perímetro urbano ou suburbano das grandes cidades, na qual geralmente predominam as atividades agrícolas, ou zona onde se situam pequenas cidades de vilegiatura que não as de praia: *A mudança para o campo foi-lhe útil; Sua casa de campo é confortável.* **5.** *Ant.* Lugar amplo, sem edificações, dentro de cidade ou povoação: *A atual Praça da República, da cidade do Rio de Janeiro, é o antigo Campo de Santana.* **6.** Liça, arena. **7.** Facção, partido: *Os irmãos lutavam em campos opostos.* **8.** Área, espaço: *Dentro dos limites urbanos não havia campos para a construção da cidade universitária.* **9.** Matéria, assunto: *A poesia é campo para largas discussões.* **10.** Domínio, esfera, âmbito; campo de ação: *As pesquisas ainda estão no campo das experiências.* **11.** Ocasião, ensejo, azo: *No congresso não encontrou campo para expor suas novas teorias.* **12.** Fundo liso de uma superfície pintada, estampada, em relevo, etc.: *Os desenhos do tecido realçavam no campo preto.* **13.** Local especialmente preparado e demarcado para a prática de certos esportes: *campo de futebol, de golfe; Os jogadores entraram em campo ostentando as cores do Brasil.* **14.** Espaço que contém ou se destina a conter uma unidade de informação num formulário, ficha, arquivo, etc. **15.** *Bras.* Área no subsolo rica em petróleo, gás, etc. **16.** *Álg.* V. *corpo* (23). **17.** *Estat.* Num cartão para perfuração, conjunto de colunas necessário para conter todas as perfurações que identificam, de forma completa, a totalidade do domínio de um atributo. **18.** *Fís.* Conjunto de valores de uma grandeza física que, numa região do espaço, dependem só das coordenadas dos pontos pertencentes a essa região e, talvez, do tempo. **19.** *Fot. Cin. Telev.* A parte do espaço mostrada na tela ou registrada por uma câmara. **20.** *Heráld.* Fundo do escudo, em que figuram as peças do brasão. **21.** *Inform.* Em um banco de dados (q. v.), cada um dos tipos de dados que descreve um registro. [Em um banco de dados relacional (q. v.), corresponde à coluna da tabela, e é chamado de atributo (q. v.).] [Cf. *registro.*] **22.** *Inform.* Em um formulário ou caixa de diálogo (q. v.), cada um dos espaços reservados para preenchimento pelo usuário. **23.** *Ópt.* Parte do espaço-objeto que se pode observar através de um instrumento óptico; campo de vista. **24.** *Telev.* A imagem formada por linhas alternadas. ◆ **Campo carrasquento.** *Bras.* Variedade de campo que se caracteriza pela presença de vegetais espinhosos. **Campo central.** *Fís.* Campo de força cujas retas suportes pertencem a um mesmo feixe. **Campo cerrado.** *Bras.* V. *cerrado* (11). **Campo cirúrgico.** *Cir.* Área delimitada do corpo na qual se realiza intervenção cirúrgica; campo operatório. **Campo coberto.** **1.** *Bras. Amaz.* Formação vegetal correspondente à transição entre o campo e a mata. **2.** *Bras. M.* Pantanal extenso. **Campo conservativo.** *Fís.* O que não tem forças dissipativas. **Campo coulombiano.** *Eletr.* Campo eletrostático em que a distribuição de forças é idêntica à produzida por uma carga elétrica pontual, e onde, pois, as forças decrescem com o inverso do quadrado das distâncias. **Campo de ação.** *Fig.* V. *campo* (10). **Campo de aviação.** Aeroporto. **Campo de baixada.** *Bras. MA* Campo entremeado de lagoas. **Campo de batalha.** *Mil.* Área geográfica onde se trava uma batalha. [Cf. *teatro de operações.*] **Campo de definição.** *Mat.* Numa função, o conjunto de valores das variáveis dependentes ou independentes. [Cf. *domínio* (7) e *contradomínio.*] **Campo de força.** *Fís.* Aquele em que a grandeza física é uma força. **Campo de Higgs.** *Fís. Part.* Campo escalar cujos quanta seriam os bósons de Higgs, e que seria responsável, através do mecanismo de Higgs (q. v.), pela massa das partículas. **Campo de lei.** *Bras.* Pastagem de excelente qualidade. **Campo de onda.** *Fís.* O campo eletromagnético de uma onda eletromagnética. **Campo de potencial.** Aquele em que a grandeza física é um potencial. **Campo de pouso.** Pequeno aeroporto, geralmente rudimentar. **Campo de provas.** *Mil.* Polígono de tiro. **Campo de radiação.** *Fís.* No campo eletromagnético produzido por uma carga elétrica acelerada, parte que é responsável pela emissão de energia da carga para o espaço sob a forma de um campo eletromagnético não estacionário. **Campo derivado.** *Inform.* Campo cujo valor se obtém a partir de valores dos demais campos de seu registro. **Campo de serra.** Campo localizado no sopé ou nas cumeadas de uma serra; pelada. **Campo de teso.** *Bras. MA* Campo que não é atingido pela inundação. **Campo de tiro.** *Mil.* **1.** Lugar onde se fazem exercícios com bocas de fogo. **2.** Área batida pelo fogo de determinada arma, ou pelo conjunto das armas de determinada unidade operativa. **Campo de vista.** *Ópt.* V. *campo* (22). **Campo dissipativo.** *Fís.* Aquele em que pode haver dissipação de energia. **Campo do barracão.** *Bras. Amaz.* Clareira aberta na floresta, onde se localiza o barracão (5). **Campo do méson.** *Fís. Nucl.* Campo de força associado a um méson, e que em um núcleo atômico seria responsável pela sua estabilidade. **Campo elétrico.** *Fís.* Aquele em que sobre uma carga elétrica age uma força independente da velocidade da carga. **Campo eletromagnético.** *Fís.* O resultante da superposição de um campo elétrico e de um campo magnético. **Campo eletrostático.** *Fís.* Campo elétrico estacionário. **Campo encoxilhado.** *Bras. RS* Aquele que é cheio de coxilhas. **Campo escalar.** *Fís.* Aquele em que a grandeza física associada a cada ponto é uma grandeza escalar, como, p. ex., o campo de temperaturas. **Campo escuro.** *Ópt.* Em microscopia, técnica de iluminação em que o objeto é iluminado por feixes luminosos fortemente inclinados em relação ao eixo óptico do microscópio, aparecendo, ao observador, brilhante em um campo escuro. **Campo estacionário.** *Fís.* Aquele em que a grandeza física é invariável com o tempo. **Campo geomagnético.** *Geofís.* Região do espaço na qual é sensível o magnetismo terrestre; campo magnético terrestre. **Campo gravífico.** *Fís.* Campo gravitacional. **Campo gravitacional.** *Fís.* Campo de forças atrativas produzido por uma massa no espaço; campo gravífico. **Campo irrotacional.** *Fís.* Campo vetorial em que o rotacional é nulo em todos os pontos. **Campo ligado.** *Fís.* No campo eletromagnético de uma carga elétrica acelerada, parte que é constituída por um campo estacionário superposto a um quase estacionário. **Campo limpo.** *Bras. Fitogeogr.* Campo constituído principalmente de subarbustos, arbustos baixos e poáceas, que reveste sobretudo as serras arenosas do Planalto Central, perde as folhas durante a estação seca e apresenta grande cópia de belíssimas flores; campina. **Campo livre.** *Fís.* Aquele em que o efeito das fronteiras é desprezível. **Campo magnético.** *Fís.* Aquele em que sobre uma carga elétrica age uma força dependente da velocidade da carga, e que é nula quando esta se acha em repouso. **Campo magnético terrestre.** *Geofís.* Campo geomagnético. **Campo magnetostático.** *Fís.* Campo magnético que não varia com o tempo. **Campo minado.** Área onde se colocaram minas que visam destruir ou danificar seriamente tudo que tente atravessá-la. **Campo operatório.** *Cir.* Campo cirúrgico. **Campo potreiro.** *Bras. RS* Campo gramado. **Campo rapado.** Rapadouro. **Campos elísios.** V. *elísio* (1). **Campos gerais.** *Bras.* Extensas campinas entre certos planaltos. **Campo solenoidal.** *Fís.* Campo vetorial com divergência nula em todos os pontos. **Campo tensorial.** *Mat.* Região do espaço a cada ponto da qual se associa um tensor. **Campo variável.** *Fís.* Campo em que a grandeza física é também função do tempo. **Campo vetorial.** **1.** *Fís.* Campo cuja grandeza física é de natureza vetorial, como, p. ex., o campo gravitacional da Terra. **2.** *Mat.* Região do espaço a cada ponto da qual se associa um vetor. **Campo visual.** *Oftalm.* Porção do espaço alcançada pelos olhos em posição fixa. **De campo.** Que se realiza por observação direta, no local do objeto de estudo, não se restringindo, pois, a informações teóricas: *pesquisas de campo.* **Entrar em campo.** **1.** Entrar em ação. **2.** Tomar parte em; envolver-se: "A duas semanas do fim do prazo oficial para que os partidos realizem convenções e indiquem seus candidatos às eleições de outubro, Lula decidiu entrar em campo." (Ricardo Noblat, em *O Globo*, 16.06.2008.) **Pôr em campo.** **1.** V. *pôr em ação.* **2.** Passar a usar ou a contar com algo para determinado fim. **Pôr-se em campo.** Iniciar diligências, começar a agir. **Queimar campo.** *Bras. SP a RS* V. *mentir* (1). [Do lat. *campu.*]

campo-alegrense[1] ***Adj. 2 g.*** **1.** De, ou pertencente ou relativo a Campo Alegre (AL e SC). • ***S. 2 g.*** **2.** O natural ou habitante de Campo Alegre. [Pl.: *campo-alegrenses.*]

campo-alegrense[2] ***Adj. 2 g.*** **1.** De, ou pertencente ou relativo a Campo Alegre de Goiás (GO). • ***S. 2 g.*** **2.** O natural ou habitante de Campo Alegre de Goiás. [Pl.: *campo-alegrenses.*]

campo-alegrense[3] ***Adj. 2 g.*** **1.** De, ou pertencente ou relativo a Campo Alegre de Lourdes (BA). • ***S. 2 g.*** **2.** O natural ou habitante de Campo Alegre de Lourdes. [Pl.: *campo-alegrenses.*]

campo-belense[1] ***Adj. 2 g.*** **1.** De, ou pertencente ou relativo a Campo Belo (MG). • ***S. 2 g.*** **2.** O natural ou habitante de Campo Belo. [Pl.: *campo-belenses.*]

campo-belense[2] ***Adj. 2 g.*** **1.** De, ou pertencente ou relativo a Campo Belo do Sul (SC). • ***S. 2 g.*** **2.** O natural ou habitante de Campo Belo do Sul. [Pl.: *campo-belenses.*]

campo-bonense ***Adj. 2 g.*** **1.** De, ou pertencente ou relativo a Campo Bom (RS). • ***S. 2 g.*** **2.** O natural ou habitante de Campo Bom. [Pl.: *campo-bonenses.*]

campo-bonitense ***Adj. 2 g.*** **1.** De, ou pertencente ou relativo a Campo Bonito (PR). • ***S. 2 g.*** **2.** O natural ou habitante de Campo Bonito. [Pl.: *campo-bonitenses.*]

campo-britense ***Adj. 2 g.*** **1.** De, ou pertencente ou relativo a Campo do Brito (SE). • ***S. 2 g.*** **2.** O natural ou habitante de Campo do Brito. [Pl.: *campo-britenses.*]

campo-chave ***S. m.*** *Inform.* Em um banco de dados (q. v.), campo (21) cujo valor, isoladamente ou em conjunto com outros, identifica univocamente o registro a que pertence. [Tb. se diz apenas *chave.*] [Pl.: *campos-chave* e *campos-chaves.*]

campódea [Do tax. *Campodea.*] ***S. m.*** *Zool.* **1.** Gênero de insetos ápteros tisanuros, pequenos, alongados e achatados, com patas e antenas relativamente longas, e abdome terminando em dois filamentos em forma de setas. **2.** Espécie, ou espécime desse gênero.

campodeídeo [Do tax. *Campodea* + *-ídeo*[1]; tax. *Campodeidae.*] *Zool.* ***S. m.*** **1.** Espécime dos campodeídeos, família de insetos tisanuros que tem como gênero-tipo a campódea (q. v.). • ***Adj.*** **2.** Pertencente ou relativo a eles.

campodeiforme (e-i) [Do tax. *Campodea* + *-iforme.*] ***Adj. 2 g. S. m.*** *Zool.* Diz-se de, ou larva de inseto provida de três longos pares de patas, antenas relativamente longas, e cujo abdome termina em dois filamentos sagitiformes. Predadora, tem o corpo protegido por escleritos. São campodeiformes muitas larvas de coleópteros e de neurópteros.

campodeóideo [Do tax. *Campodea* + *-óideo.*] ***S. m. Adj.*** *Zool.* V. *dipluro.*

campo-dobrado ***S. m.*** *Bras.* Campo que se estende por terreno acidentado, de muitas e frequentes lombas. [Pl.: *campos-dobrados.*]

campo-erense ***Adj. 2 g.*** **1.** De, ou pertencente ou relativo a Campo Erê (SC). • ***S. 2 g.*** **2.** O natural ou habitante de Campo Erê. [Pl.: *campo-erenses.*]

campo-floridense ***Adj. 2 g.*** **1.** De, ou pertencente ou relativo a Campo Florido (MG). • ***S. 2 g.*** **2.** O natural ou habitante de Campo Florido. [Pl.: *campo-floridenses.*]

campo-formosense ***Adj. 2 g.*** **1.** De, ou pertencente ou relativo a Campo Formoso (BA). • ***S. 2 g.*** **2.** O natural ou habitante de Campo Formoso. [Pl.: *campo-formosenses.*]

campo-grandense ***Adj. 2 g.*** **1.** De, ou pertencente ou relativo a Campo Grande (AL e capital do Estado de Mato Grosso do Sul). • ***S. 2 g.*** **2.** O natural ou habitante de Campo Grande. [Pl.: *campo-grandenses.*]

campo-imagem ***S. m.*** *Ópt.* Região do espaço na qual se pode formar a imagem de um objeto observado através de um sistema óptico. [Pl.: *campos-imagens* e *campos-imagem.*]

campo-larguense ***Adj. 2 g.*** **1.** De, ou pertencente ou relativo a Campo Largo (PR). • ***S. 2 g.*** **2.** O natural ou habitante de Campo Largo. [Pl.: *campo-larguenses.*]

campo-limpense ***Adj. 2 g.*** **1.** De, ou pertencente ou relativo a Campo Limpo Paulista (SP). • ***S. 2 g.*** **2.** O natural ou habitante de Campo Limpo Paulista. [Pl.: *campo-limpenses.*]

campolina [Do antr. (*Cassiano*) *Campolina.*] ***S. 2 g.*** Indivíduo de uma raça de cavalos marchadores, do mesmo nome, originária de MG e criada sobretudo no RJ e na BA: "Tio Virgílio presenteou-me com o Guarani, campolina baio que meu pai gostava de montar." (Afonso Arinos Filho, *Primo Canto*, p. 30.)

campo-maiorense ***Adj. 2 g.*** **1.** De, ou pertencente ou relativo a Campo Maior (PI). • ***S. 2 g.*** **2.** O natural ou habitante de Campo Maior. [Pl.: *campo-maiorenses.*]

campomanésia [Do tax. *Campomanesia.*] ***S. f.*** *Bot.* **1.** Gênero de mirtáceas que reúne cerca de 80 espécies cujos frutos são, ger., edules. **2.** Qualquer espécie desse gênero, como, p. ex., a *Campomanesia adamantinum* (v. *guavira*). **3.** Qualquer espécime desse gênero.

campo-meense ***Adj. 2 g. S. 2 g.*** V. *campo-meiense.*

campo-meiense ***Adj. 2 g.*** **1.** De, ou pertencente ou relativo a Campo do Meio (MG). • ***S. 2 g.*** **2.** O natural ou habitante de Campo do Meio. [Pl.: *campo-meienses.*] [A melhor f. é *campo-meense*, menos us.]

campo-mourense ***Adj. 2 g.*** **1.** De, ou pertencente ou relativo a Campo Mourão (PR). • ***S. 2 g.*** **2.** O natural ou habitante de Campo Mourão. [Pl.: *campo-mourenses.*]

campo-nativo ***S. m.*** *Bras.* Campo de pastagem nativa. [Pl.: *campos-nativos.*]

camponês ***S. m.*** **1.** Aquele que habita e/ou trabalha no campo; campino, campônio. • ***Adj.*** **2.** V. *campestre* (1). [Flex.: *camponesa* (ê), *camponeses* (ê), *camponesas* (ê).]

campónio ***S. m.*** V. *campônio.* [Uso freq. em P.]

campônio ***S. m.*** V. *camponês* (1). [Us. às vezes como deprec.]

campo-novense[1] ***Adj. 2 g.*** **1.** De, ou pertencente ou relativo a Campo Novo (RS). • ***S. 2 g.*** **2.** O natural ou habitante de Campo Novo. [Pl.: *campo-novenses.*]

campo-novense[2] ***Adj. 2 g.*** **1.** De, ou pertencente ou relativo a Campo Novo do Parecis (MT). • ***S. 2 g.*** **2.** O natural ou habitante de Campo Novo do Parecis. [Pl.: *campo-novenses.*]

campo-objeto ***S. m.*** *Ópt.* Região do espaço na qual deve estar um objeto para ser visível através de um sistema óptico. [Pl.: *campos-objetos* e *campos-objeto.*]

campo-parelho ***S. m.*** *Bras. S.* Terreno plano ou com ligeiras elevações. [Pl.: *campos-parelhos.*]

campo-redondense ***Adj. 2 g.*** **1.** De, ou pertencente ou relativo a Campo Redondo (RN). • ***S. 2 g.*** **2.** O natural ou habitante de Campo Redondo. [Pl.: *campo-redondenses.*]

campos-altense ***Adj. 2 g.*** **1.** De, ou pertencente ou relativo a Campos Altos (MG). • ***S. 2 g.*** **2.** O natural ou habitante de Campos Altos. [Pl.: *campos-altenses.*]

campo-santo ***S. m.*** V. *cemitério* (1): "Tinha-se nesse momento, à esquerda, o mais miserando dos campos-santos, centenares de cruzes — dous paus roliços amarrados com cipós — fincadas sobre sepulturas rasas." (Euclides da Cunha, *Os Sertões*, p. 587.) [Pl.: *campos-santos.*]

campos-belense ***Adj. 2 g.*** **1.** De, ou pertencente ou relativo a Campos Belos (GO). • ***S. 2 g.*** **2.** O natural ou habitante de Campos Belos. [Pl.: *campos-belenses.*]

campos-borgense ***Adj. 2 g.*** **1.** De, ou pertencente ou relativo a Campos Borges (RS). • ***S. 2 g.*** **2.** O natural ou habitante de Campos Borges. [Pl.: *campos-borgenses.*]

campos-geraiense ***Adj. 2 g.*** **1.** De, ou pertencente ou relativo a Campos Gerais (MG). • ***S. 2 g.*** **2.** O natural ou habitante de Campos Gerais. [Pl.: *campos-geraienses.*]

campos-novense[1] ***Adj. 2 g.*** **1.** De, ou pertencente ou relativo a Campos Novos (SC). • ***S. 2 g.*** **2.** O natural ou habitante de Campos Novos. [Pl.: *campos-novenses.*]

campos-novense[2] ***Adj. 2 g.*** **1.** De, ou pertencente ou relativo a Campos Novos Paulista (SP). • ***S. 2 g.*** **2.** O natural ou habitante de Campos Novos Paulista. [Pl.: *campos-novenses.*]

campos-salense ***Adj. 2 g.*** **1.** De, ou pertencente ou relativo a Campos Sales (CE). • ***S. 2 g.*** **2.** O natural ou habitante de Campos Sales. [Pl.: *campos-salenses.*]

campo-sujo ***S. m.*** Formação vegetal em que as gramíneas aparecem de mistura com arbustos e árvores esparsas. [Pl.: *campos-sujos.*]

campos-verdense ***Adj. 2 g.*** **1.** De, ou pertencente ou relativo a Campos Verdes (GO). • ***S. 2 g.*** **2.** O natural ou habitante de Campos Verdes. [Pl.: *campos-verdenses.*]

campo-verdense ***Adj. 2 g.*** **1.** De, ou pertencente ou relativo a Campo Verde (MT). • ***S. 2 g.*** **2.** O natural ou habitante de Campo Verde. [Pl.: *campo-verdenses.*]

campsiandra [Do tax. *Campsiandra* (do gr. *kámpsis, eos*, 'dobra', 'curva', + o gr. *anér, andrós*, v. *-andra*).] ***S. f.*** *Bot.* **1.** Gênero de árvores cesalpiniáceas. **2.** Qualquer espécie desse gênero, como, p. ex., a *Campsiandra comosa* var. *laurifolia* (v. *acapurana*). **3.** Qualquer espécime desse gênero.

▲**campto-** [Do gr. *kamptós, ḗ, ón.*] ***El. comp.*** = 'curvo', 'flexível', 'arqueado': camptocormia, camptossauro.

camptocormia [De *campto-* + *-corm(o)-* + *-ia*[1].] ***S. f.*** *Patol.* Deformidade que consiste na flexão do tronco para diante.

camptodactilia [De *campt(o)-* + *-da(c)til(o)-* + *-ia*[1].] ***S. f.*** *Ter.* Anomalia caracterizada pela flexão permanente e irredutível de um ou mais dedos.

camptodáctilo [De *campt(o)* + *-dá(c)tilo.*] ***Adj. S. m.*** *Ter.* Diz-se de, ou indivíduo que tem camptodactilia.

camptódromo [Do gr. *kamptós*, 'recurvo', 'flexível', + *-dromo.*] ***Adj.*** *Bot.* Diz-se da nervação cujas nervuras partem da principal, formando um arco que não chega à margem da folha.

camptossauro [De *campto-* + *-sauro*; tax. *Camptosaurus.*] ***S. m.*** *Paleont.* **1.** Gênero extinto de reptis ornitópodes, ornistíquios, herbívoros, de regiões úmidas, principalmente planícies, do jurássico superior da América do Norte. Corriam com grande velocidade e atingiam até 5m de altura e 800kg de peso. **2.** Espécie, ou espécime desse gênero.

campucheano [Do top. Campuchea (nome antigo do Camboja) + -ano[1].] ***Adj. S. m.*** *Desus.* V. *cambojano.*

➔**campus** ['kɐ̃mpos] [Lat., pelo ingl. amer.] *S. m.* O conjunto de edifícios e terrenos de uma universidade. [Pl.: *campi*.]

camuá [De or. tupi, poss.] *S. f. Bras. Bot.* Palmeira arecácea (*Desmoncus phoenicocarpus*) provida de acúleos, e cujo caule é escandente e usado na confecção de cestos, em lugar do vime.

camucim [Do tupi.] *S. m. Bras.* **1.** Pote de barro preto: "O camucim com água pra se beber." (João Guimarães Rosa, *Corpo de Baile*, I, p. 294.) **2.** Grande talha de barro em que os indígenas inumavam os cadáveres: "O camucim, que recebeu o corpo de Iracema, embebido de resinas odoríferas, foi enterrado ao pé do coqueiro, à borda do rio." (José de Alencar, *Iracema*, p. 136.) [Cf. *camotim*.]

camuelo [Do quimb.] *Adj. S. m. Angol.* Avarento: "Então vens para uma festa sem dinheiro? És mesmo um camuelo! | – Camuelo, não! Esqueci-me do dinheiro..." (Óscar Ribas, *Uanga*, p. 39.)

camuengo [Do quimb.] *S. m. Bras. CE Zool.* Abelha meliponínea (*Nannotrigona testaceicornis*) mansa, com cerca de 4mm, de cor preta com pilosidades grisalhas. Ocorre do Paraná aos E.U.A., nidifica em ocos preexistentes, e seu mel é de boa qualidade; iraí.

camuflado [Part. de *camuflar*.] *Adj. Gal.* **1.** Escondido, oculto. **2.** Disfarçado, dissimulado.

camuflagem [Do fr. *camouflage*.] *S. f. Gal.* **1.** Ato ou efeito de camuflar. **2.** Aquilo que serve para camuflar ou disfarçar: *A camuflagem dos paraquedistas revelou-se perfeita.*

camuflar [Do fr. *camoufler*.] *Gal. V. t. d.* **1.** Na guerra, dissimular (carros de combate, casco de navio, etc.) com pintura, ou (baterias, metralhadoras, etc.) com galhos de árvores. **2.** *Fig.* Disfarçar (alguma intenção ou obra) sob falsas aparências: *Se pretendia bisbilhotar nossa conversa, camuflou bem a intenção.* ***P.*** **3.** Disfarçar-se de modo a confundir-se com o ambiente: *O camaleão se camufla.*

camumbembe [De or. afr., poss.] *S. m. Bras. PB PE Pop.* **1.** Vadio, vagabundo. **2.** Mendigo. **3.** Indivíduo pobre. **4.** Agregado[1] (10) de engenho.

camundongo[1] [Do quimb. *kamundong*.] *S. m. Zool.* Mamífero roedor, murídeo (*Mus musculus brevirostris*), de coloração cinza tirante a castanho, sendo o ventre um pouco mais claro; mede cerca de 90mm de corpo e 90mm de cauda. Essencialmente caseiro, comuns em todas as regiões habitadas do Brasil, pare quatro a cinco vezes por ano, quatro a 10 filhotes de cada vez. [Sin.: *calunga, catito, morganho, murganho, rato-calunga, rato-catita, rato-de-praga, tramelo* (lus.).]

camundongo[2] [Do umb. *oka* (deprec.) + *mu* (locativo) + *Ndongo* (antigo reino da zona de Luanda).] *S. m. Angol.* V. *luandense* (2): "Mas como camundongo reconhecido as minhas razões não deviam ser muito bem aceites" (Arnaldo Santos, *Tempo de Munhungo*, p. 76).

camundongo-do-mato *S. m. Bras. Zool.* Rato-do-bambu (1). [Pl.: *camundongos-do-mato*.]

camunheca *S. f.* V. *bebedeira* (1). [Cf. *camoeca*.]

camunhengue [De or. afr., poss.] *Adj. 2 g. S. 2 g. Bras. S.* V. *leproso* (1 e 5): "você, quando veio aqui, não sabia já que 'tava camunhengue?" (Valdomiro Silveira, *Os Caboclos*, p. 72).

camurça [Do lat. tard. *camoce*.] *S. f.* **1.** *Zool.* Mamífero caprino (*Rupicapra rupicapra*), facilmente domesticável, de cornos verticais que terminam em báculos virados para trás, corpo forte e pesado, pescoço curto e membros robustos. Adaptado a grandes altitudes, habita a Europa e o Oriente Próximo. **2.** A pele curtida desse animal. **3.** *P. ext.* Qualquer pele curtida como a da camurça (1). **4.** *Tec. Têx.* Tecido de algodão ou de lã que, após flanelagem seguida de navalhagem, adquire a aparência de veludo ou de camurça (2). [Sin. (fr.): *chamois*.] ● *Adj. 2 g.* **5.** *Bras.* Diz-se de muar de certa cor pardo-avermelhada.

camurçado [De *camurça* + *-ado*[1].] *Adj.* Acamurçado.

camuri [Do tupi.] *S. m.* **1.** *Bras. Zool.* V. *camurupeba*. **2.** *Bras. Zool.* V. *robalo*. **3.** *Bras. Amaz.* Pequeno flutuador usado na pesca. [Cf. *camurim*.]

camurim [Var. nasalada de *camuri*.] *S. m. Bras. Zool.* **1.** V. *robalo*. **2.** Peixe teleósteo, perciforme, centropomídeo (*Centropomus pectinatus*), da costa atlântica do Brasil. **3.** V. *camurupeba*. [Cf. *camuri*.] ◆ **Puxar camurim.** *Bras. AL Fam.* V. *pegar traíra*.

camurim-açu [De *camurim* + *-açu*.] *S. m. Bras. Zool.* V. *robalo*. [Pl.: *camurins-açus*.]

camurim-sovela *S. m. Bras. Zool.* V. *robalete*. [Pl.: *camurins-sovelas* e *camurins-sovela*.]

camuripeba [De *camuri* + *-peba*.] *S. f. Bras. Zool.* V. *robalete*.

camuripema [De *camuri* + *pema*.] *S. m. Bras. BA Zool.* V. *camurupim*.

camuripim *S. m. Bras. Zool.* V. *camurupim*.

camuru-cariri *Bras. S. 2 g.* **1.** *Etnôn.* Indivíduo dos camurus-cariris [ou (etnôn. bras.) *Kamurú-karirí], povo indígena extinto da família linguística cariri, que habitava a margem esquerda dos rios Contas e Pardos, no S. da BA. ● *Adj. 2 g.* **2.** Pertencente ou relativo a esse povo. [Pl.: *camurus-cariris*.]

camurupeba [Do tupi.] *S. f. Bras. Zool.* Peixe actinopterígio, perciforme, centropomídeo (*Centropomus pallelus*), da costa atlântica do PA a SP. [Sin.: *camburiapeva, camuri, camurim, cangurupeba*.]

camurupi *S. m. Bras. Zool.* V. *camurupim*.

camurupim [Do tupi.] *S. m. Bras. Zool.* Peixe actinopterígio, elopiforme, elopídeo (*Tarpon atlanticus*), da costa norte do Brasil. Coloração prateada, escamas grandes, brilhantes e com um segmento prateado. Chega a 2m de comprimento e costuma penetrar no estuário dos grandes rios, seguindo as marés. [Var.: *camarupi, camarupim, camurupi, camuripim*; sin.: *camuripema, cangurupi, canjurupi, canjurupim, pema, pirema*.]

camusiano [Do antr. (*Albert*) *Camus* + *-iano*.] *Adj.* **1.** Relativo ou pertencente ao escritor e pensador francês, nascido na Argélia, Albert Camus (1913-1960), ou próprio dele. **2.** Que é seu admirador e/ou profundo conhecedor de sua obra. ● *S. m.* **3.** Admirador e/ou profundo conhecedor da obra de Albert Camus.

camutanga [De *acamutanga*, com aférese.] *S. f. Bras. Zool.* V. *xauã*.

camutanguense *Adj. 2 g.* **1.** De, ou pertencente ou relativo a Camutanga (PE). ● *S. 2 g.* **2.** O natural ou habitante de Camutanga.

■ **CAN** Sigla de *Correio Aéreo Nacional*.

cana[1] [Do lat. *canna* < gr. *kánna*.] *S. f.* **1.** *Bot.* O caule de várias poáceas do gênero bambusa, tais como a taquara, o bambu, a cana-de-açúcar, etc. **2.** *Bot.* O caule das canáceas. **3.** *Anat.* Osso mais ou menos alongado de certas partes do corpo humano. **4.** *Gír.* V. *cadeia* (3). **5.** *Bras. Gír. Cabo-verd. Guin.* V. *cachaça* (1). ● *S. m.* **6.** *Bras.* Soldado, policial. ~ V. *canas*. ◆ **Cana do braço.** *Bras. N. N.E.* Cada um dos ossos, rádio e ulna, que formam o antebraço. **Cana do leme.** *Constr. Nav.* Haste ou barra de madeira ou de ferro, que encaixa na cabeça do leme, e por meio da qual se inclina o leme para um ou outro bordo, e que hoje só é usada em embarcações miúdas. **De uma cana.** *Lus. Pop.* Diz-se de pessoa corajosa, digna, íntegra. **Em cana.** *Bras. Gír.* Preso; encarcerado: *estar em cana; ir em cana; meter em cana.*

cana[2] [Do tax. *Canna* (do lat. *canna, ae* [do gr. *kánna, es*], v. *cana*).] *S. f. Bot.* **1.** Gênero de plantas canáceas, herbáceas, rizomatosas. **2.** Qualquer espécie desse gênero, algumas delas ornamentais, como a *Canna indica* [v. *biri* (1)], e outras dotadas de rizomas edules, como a *C. edulis*, nativa dos Andes (v. *andino*); há cerca de 25 espécies, que habitam a América tropical e subtropical. **3.** Qualquer espécime desse gênero.

cana[3] *S. f. Bras. Bot.* V. *cana-de-açúcar*.

cana[4] [De *encanar*[2].] *S. f. Bras. Gír.* Situação difícil: *João enfrenta uma cana dura em casa.*

canaãense *Adj. 2 g.* **1.** De, ou pertencente ou relativo a Canaã (MG). ● *S. 2 g.* **2.** O natural ou habitante de Canaã.

canaanesco (ê) [Do top. *Canaã* + *-esco*.] *Adj.* **1.** Pertencente ou relativo a, ou próprio de Canaã [v. *cananeu* (1)]. **2.** *Fig.* Próprio de região fértil, como seria Canaã: "a canoa repleta da mole dos frutos canaanescos não se demorou em sumir por trás de uma volta do barranco íngreme, em cuja fímbria se balouçavam canaranas vulgares." (Alberto Rangel, *Sombras n'Água*, p. 48).

canaânico *S. m. Gloss.* Judeu-eslávico (q. v.).

canabácea [Do tax. *Cannabis* (v. *cânabis*) + *-ácea*; tax. *Cannabaceae*.] *S. f. Bot.* Espécime das canabáceas, família da ordem das urticales (incluída, por vezes, na família das urticáceas) que reúne quatro espécies de ervas raramente monoicas, eretas, com inflorescências cimosas; são cultivadas como ornamentais ou para a produção de cerveja, como, p. ex., o lúpulo, e de fibras e de fumo, como, p. ex., o cânhamo.

canabáceo [De *canabácea*, com var. suf. (v. *-áceo*).] *Adj. Bot.* Pertencente ou relativo às canabáceas.

canabarrense *Adj. 2 g.* **1.** De, ou pertencente ou relativo a David Canabarro (RS). ● *S. 2 g.* **2.** O natural ou habitante de David Canabarro.

cânabe *S. f. Bot.* V. *cânabis*.

canabi *S. m. Bras. Bot.* V. *conabi*.

canabiáceo [De *cânabi(s)* + *-áceo*.] *Adj.* Relativo ao cânhamo, esp. aos efeitos causados pelo uso da espécie *Cannabis sativa* [v. *cânhamo* (1)].

canábico [Do tax. *Cannab(is sativa)* + *-ico*[2].] *Adj.* De, ou relativo a cânabis ou a canabismo. ~ V. *psicose* —*a*.

cânabis [Do tax. *Cannabis* (do lat. *cannabis, is* [do gr.]).] *S. f. 2 n. Bot.* **1.** Gênero de canabáceas que tem uma espécie apenas, a *Cannabis sativa* (v. *cânhamo*). **2.** A espécie, ou qualquer espécime desse gênero. [F. paral.: *cânabe*.]

canabismo [De *cânabis* + *-ismo*.] *S. m. Psiq.* Distúrbio (3) produzido pelo uso de cânabis.

cana-branca *S. f. Bras. Bot.* V. *cana-de-macaco* (2). [Pl.: *canas-brancas*.]

canabrás [De or. obsc.] *S. f. Bot.* Erva apiácea (*Heracleum sphondylium*) nativa na Europa, de folhas multipartidas, flores pequenas, ordenadas em amplas umbelas esbranquiçadas e frutos pequenos, orbiculares, que contêm dutos oleosos. [Sin.: *branca-ursina*.]

cana-brava [De *cana*[1] + o f. de *bravo*.] *S. f. Bot.* **1.** Urubá-de-caboclo. **2.** V. *cana-do-rio*. **3.** V. *cardamomo-da-terra*. [Pl.: *canas-bravas*.]

canabravense *Adj. 2 g.* **1.** De, ou pertencente ou relativo a São João da Canabrava (PI). ● *S. 2 g.* **2.** O natural ou habitante de São João da Canabrava.

canaca [Do polinésio *kanaka*, 'ser humano', 'indivíduo'.] *Adj. 2 g. S. 2 g.* Diz-se de, ou o natural de qualquer das várias ilhas da Oceania, como, p. ex., Nova Caledônia, Nova Zelândia, Vanatu, etc..

cana-caiana [De *cana*[2] + *caiana*, por *caiena*, i. e., (*cana*) *de Caiena* (v. *caienense*).] *S. f.* Cultivar[1] da cana-de-açúcar originária da Guiana Francesa, introduzida no Brasil no final do séc. XVIII; caiana, caiena. [Pl.: *canas-caianas* e *canas-caiana*.]

canácea [Do tax. *Canna* (v. *cana*[2]) + *-ácea*; tax. *Cannaceae*.] *S. f. Bot.* Espécime das canáceas, família da ordem das escitamíneas, formada de ervas muito apreciadas, por serem dotadas de grandes flores vivamente coloridas, e folhas também grandes, ornamentais. Têm um único estame petaloide, e o fruto é uma cápsula. Existem cerca de 50 espécies nas regiões tropicais americanas, raras no Brasil em estado espontâneo.

canáceo [De *canácea*, com var. suf. (v. *-áceo*).] *Adj. Bot.* Pertencente ou relativo às canáceas.

canada[1] [De *cana*[1] + *-ada*[1].] *S. f.* **1.** Pancada com cana. **2.** V. *atalho* (2).

canada[2] [Do esp. *cañada*, 'medida de capacidade para vinhos'.] *S. f.* Antiga unidade de medida de capacidade para líquidos, equivalente a quatro quartilhos, ou seja, 2,662 litros. ◆ **Às canadas.** Com fúria; de forma torrencial: "A chuva desce, às canadas." (Carlos Drummond de Andrade, *Reunião*, p. 184.)

canada[3] [Do canada *kannada*.] *S. m. Gloss.* Língua dravídica, falada no S. da Índia, com sistema de escrita próprio; canarês[2].

cana-da-índia *S. f. Bot.* V. *biri* (1). [Pl.: *canas-da-índia*.]

cana-de-açúcar *S. f. Bot.* Planta poácea (*Saccharum officinarum*) que pode atingir vários metros de altura. É originária da Ásia Meridional, sendo cultivada em todo o Brasil para obtenção de açúcar, fabricação de aguardente e produção do etanol. Os colmos são espessos e repletos de suco açucarado, e as flores, mínimas, congregam-se em enormes pendões terminais, de coloração cinzento-prateada. [F. red.: *cana*[3]. Pl.: *canas-de-açúcar*.]

cana de braço *S. f. Bras. MA* V. *queda de braço*. [Pl.: *canas de braço*.]

cana-de-jacaré [De *cana*[1] + *de* + *jacaré*.] *S. f. Bras. L. S. Bot.* Planta equissetácea (*Equisetum giganteum*) que vive em terrenos alagadiços. Apresenta um rizoma donde partem ramos aéreos que atingem vários metros de altura. Não tem folhas, e as ramificações menores dispõem-se em verticilos. Emite pequenas espigas portadoras de esporos. [Sin.: *cavalinha*. Pl.: *canas-de-jacaré*.]

cana-de-macaco *S. f. Bras. Bot.* **1.** Erva zingiberácea (*Costus spicatus*) ornamental, de propriedades diuréticas e febrífugas; cana-do-brejo, cana-do-mato, cana-roxa, jacuacanga, paco-caatinga, periná, bacaiá, ubacaiá, macaiá e mbacaiá. **2.** Erva zingiberácea (*Costus spiralis*) cultivada, ornamental, de flores róseas, roxas, amarelas ou vermelhas, e com as mesmas propriedades medicinais da anterior; caatinga, cana-branca, cana-do-brejo, cana-do-mato, jacuacanga, jacuanga, paco-caatinga, pacová, periná, ubacaiá. [Pl.: *canas-de-macaco*.]

canadense *Adj. 2 g.* **1.** Do, ou pertencente ou relativo ao Canadá (América do Norte). ~ V. *pôquer* —. ● *S. 2 g.* **2.** O natural ou habitante do Canadá. [Sin. ger.: *canadiano*.]

cana-de-são-paulo [De *cana*[1] + *de* + o top. *São Paulo*.] *S. f. Bras. Bot.* Palmeira arecácea (*Chamaedorea pinnatifrons*) elegante, dioica, de estipe baixo e folhas muito grandes. Os frutos são bagas elipsoides, violeta de tom escuro, com endocarpo tênue que contém uma semente. [Pl.: *canas-de-são-paulo*.]

cana-de-vassoira *S. f. Bot.* Cana-de-vassoura. [Pl.: *canas-de-vassoira*.]

cana-de-vassoura [De *cana*[1] + *de* + *vassoura*.] *S. f. Bot.* Erva poácea (*Phragmites communis*) originária da Ásia e cultivada para cobrir áreas alagadiças e beira de lagoas. Os colmos chegam a 3m, as folhas têm de 25 a 50mm de largura, e as inflorescências, pendentes e plumosas, são ornamentais. [Pl.: *canas-de-vassoura*.]

canadiano *Adj. S. m.* V. *canadense*.

canado[1] [De *cã[2]* + *-ado[2]*.] ***S. m.*** **1.** Tempo durante o qual um cã[2] governa. **2.** Dignidade ou jurisdição de cã[2]. **3.** Território governado por um cã[2].

canado[2] [Do lat. *canus*, 'branco', 'alvo', + *-ado[1]*; tax. (*Rachycentron*) *canadus*.] ***S. m.*** *Zool.* V. *bijupirá*.

cana-do-brejo [De *cana[1]* + *do[1]* + *brejo*.] ***S. f.*** *Bras. Bot.* **1.** Erva zingiberácea (*Elettaria cardamomum*) que atinge até 2,5m, de folhas grossas, sucosas e lanceoladas; flores pardacentas, dispostas em espigas compostas; sementes aromáticas. **2.** V. *cana-de-macaco* (1 e 2). [Pl.: *canas-do-brejo*.]

cana-do-mato ***S. f.*** *Bras. Bot.* **1.** V. *cana-de-macaco* (1 e 2). **2.** V. *cardamomo-da-terra*. [Pl.: *canas-do-mato*.]

cana-do-reino [De *cana[1]* + *do[1]* + *reino*.] ***S. f.*** *Bot.* Poácea (*Arundo donax*) cujo aspecto lembra o da cana-de-açúcar. É originária da Europa e cultivada como planta ornamental. [Pl.: *canas-do-reino*.]

cana-do-rio [De *cana[1]* + *de* + o top. *Rio* (*de Janeiro*).] ***S. f.*** *Bras. Bot.* Planta poácea (*Gynerium sagittatum*) da América do Sul, cespitosa, rica em celulose, cujos brotos têm uso em perfumaria, e cujos colmos, eretos, fornecem fibras; cana-brava, cana-ubá, candiubá, ubá, vubá. [Pl.: *canas-do-rio*.]

canafístula [Alter. do lat. med. *cassia fistula* 'cássia fistulosa', com infl. de *cana[1]*.] ***S. f.*** *Bot.* **1.** Nome comum a várias espécies cesalpiniáceas do gênero *Cassia* (v. *cássia*), como, p. ex., a *Cassia ferruginea*, de até 15m, dotada de folhas compostas, grandes inflorescências terminais com flores amarelas, e fruto que é uma vagem quase cilíndrica; é tb. chamada *chuva-de-ouro*, *canafrista* e *tapiracoiana*. **2.** V. *faveira-do-mato*. **3.** Árvore cesalpiniácea (*Peltophorum dubium*) nativa do Brasil, de folhas bipenadas, flores amarelo-alaranjadas e frutos que são vagens achatadas e lanceoladas; acácia-amarela, amendoim-bravo, amendoim-falso, angico, angico-amarelo, angico-cangalha, angico-vermelho, barbatimão, batiputá, cabeça-de-negro, cabelo-de-negro, cambu, cambuí, cancença, canela-de-veado, cangalha, caobi ou caubi, cássia-amarela, farinha, farinha-seca, faveira, faveiro, guarucaia, gurucaia, monjoleiro, pau-vermelho, quebra-serra, sobrasil, tamboril, tamboril-bravo, tamburi.

canafístula-da-mata ***S. f.*** *Bras. Bot.* V. *fedegoso-de-folha-torta*. [Pl.: *canafístulas-da-mata*.]

canafrista [Alter. de *canafístula*.] ***S. f.*** *Bras. Bot.* V. *canafístula* (1).

canal [Do lat. *canale*.] ***S. m.*** **1.** Escavação, sulco, rego, fosso, etc., por onde corre ou circula água. **2.** Obra de engenharia para comunicação de mares, rios, lagos, etc., com vista a servir à navegação. **3.** Estreito (14). **4.** Leito de rio. **5.** *Anat.* Cavidade ou tubo que dá passagem a gases ou líquidos, nos corpos organizados; conduto. [Nesta acepç., é m. us. no pl.] **6.** *Anat.* Canal radicular. **7.** *Fig.* Meio, via: *Deve tratar o negócio pelo canal competente.* **8.** *Arquit.* Ornato ou moldura em forma de canal (1). **9.** V. *telha-canal*. **10.** *Eletrôn.* Região que conecta a fonte (13) e o dreno (3) num transistor de efeito de campo. **11.** *Encad.* Concavidade formada pelo corte da frente dos livros que têm o dorso arredondado; canelura, goteira. **12.** *Eng. Nucl.* Num reator nuclear, conduto através do qual se tem acesso ao seu interior ou pode passar um feixe de radiações. **13.** *Inform.* Qualquer caminho ou meio pelo qual podem trafegar informações. **14.** *Telec.* Canal de frequência (q. v.). **15.** *Telev.* Emissora ou estação de TV: *A notícia foi divulgada em vários canais.* [Cf., nesta acepç., *canal de frequência*.] **16.** *Telev. Rád. Son.* Cada uma das entradas ou saídas de som (canal de áudio) ou de imagem (canal de vídeo) de um sistema ou equipamento eletrônico. **17.** *Teor. Com.* Suporte material ou sensorial através do qual se faz a comunicação; meio utilizado para enviar o sinal de um emissor a um receptor. **18.** *Tip.* Sulco aberto com plaina no pé do tipo; goteira. **19.** *Tip.* Claro (27) entre duas colunas de texto, quando não separadas pelo fio de coluna (q. v.). **20.** *Tip.* Defeito de composição: riscas brancas irregulares formadas pelos espaços coincidentes de várias linhas contíguas; rua. [Dim. irreg.: *canalete*, *canalículo*.] ◆ **Canal artificial.** *Teor. Com.* Aquele em que um mecanismo é o receptor imediato da transmissão (o telégrafo, p. ex.); canal técnico. **Canal cístico.** *Anat.* V. *ducto cístico*. **Canal colédoco.** *Anat.* V. *ducto colédoco*. **Canal da linha.** *Tip.* Parte da unidade fundidora da monotipo onde se juntam as letras, levadas pelo transportador. **Canal de áudio.** V. *canal* (16). **Canal de áudio da direita.** *Eng. Elétr.* Em radiodifusão estereofônica em FM, conjunto de sinais na faixa de 50Hz a 15kHz, oriundo das fontes sonoras situadas à direita. **Canal de áudio da esquerda.** *Eng. Elétr.* Em radiodifusão estereofônica em FM, conjunto de sinais na faixa de 50Hz a 15kHz, oriundo das fontes sonoras situadas à esquerda. **Canal de comunicações.** *Bras. Mar. G.* Via física destinada a prover comunicações entre dois ou mais pontos; p. ex.: dois sinaleiros trocando sinais de semáforo. **Canal de derivação.** *Geogr.* Canal que regulariza a quantidade de água dos rios, ribeiros e canais, em épocas de enchente, e que também serve para conduzir as águas de um ribeiro até uma fábrica, ou receber água de um açude através de uma comporta. **Canal de distribuição.** *Adm.* Canal de venda (q. v.). **Canal de entrada.** *Inform.* V. *input* (3). **Canal deferente.** *Anat.* V. *ducto deferente*. **Canal de FM.** Em radiodifusão, faixa de frequências de largura igual a 200kHz, indicada por sua frequência central, compreendida entre as frequências de 88 a 108MHz. **Canal de frequência.** *Telecom.* Faixa de frequência reservada para as emissões de uma estação radioemissora. [Tb. se diz apenas *canal*.] **Canal de irrigação.** *Geogr.* Canal que distribui as águas coletadas através dos campos. **Canal de rádio.** Faixa de frequências de largura suficiente para permitir seu uso em radiocomunicação. **Canal de saída.** *Inform.* V. *output* (3). **Canal de televisão.** *Telecom.* Faixa de frequência de 6MHz de largura, na faixa de radiodifusão de televisão. **Canal de venda.** *Adm.* Meio de distribuição de produtos ou serviços ao mercado, seja diretamente ao consumidor ou por meio de intermediários; canal de distribuição. **Canal de vídeo.** V. *canal* (16). **Canal ejaculador.** *Anat.* V. *ducto ejaculatório*. **Canal espacial.** *Teor. Com.* Aquele que acompanha a mensagem através do espaço (a audição, p. ex.). **Canal fisiológico.** *Teor. Com.* Canal natural. **Canal hepático.** *Anat.* V. *ducto hepático*. **Canal natural.** *Teor. Com.* Aquele em que o homem é o receptor imediato da transmissão (a visão, p. ex.); canal fisiológico. **Canal principal.** Em radiodifusão estereofônica em FM, faixa de frequências de áudio de 50Hz a 15kHz, formada pela semissoma dos canais de áudio da esquerda e da direita. **Canal radicular.** *Anat.* Cada uma das porções longas e estreitadas da raiz dentária ocupadas pela polpa dentária. [Tb. se diz apenas *canal*.] **Canal técnico.** *Teor. Com.* Canal artificial. **Canal temporal.** *Teor. Com.* Aquele que acompanha a mensagem através do tempo (a fotografia, p. ex.). **Canal vertebral.** *Anat.* V. *canal vertebral*. **Canais semicirculares.** *Anat.* Cada um de três longos canais do labirinto ósseo de cada orelha, um lateral, um anterior e outro posterior.

canalar [De *canal* + *-ar[1]*.] ***Adj. 2 g.*** Relativo a canal.

canalense ***Adj. 2 g.*** **1.** De, ou pertencente ou relativo a São Simão (GO). • ***S. 2 g.*** **2.** O natural ou habitante de São Simão.

canaleta (ê) [De *canal* + *-eta*.] ***S. f.*** **1.** *Eng. Civ.* Conduto de concreto, de seção retangular, com tampas removíveis. **2.** *Eng. Elétr.* Conduto (3) de seção retangular.

canalete (ê) [De *canal* + *-ete* (ê).] ***S. m.*** Pequeno canal.

canalha [Do it. *canàglia*.] ***S. f.*** **1.** Gente vil, reles, infame; ralé. • ***S. 2 g.*** **2.** Pessoa vil, infame, reles; velhaco. • ***Adj. 2 g.*** **3.** Relativo ou pertencente a, ou próprio de canalha. **4.** Vil, infame, reles; velhaco.

canalhada [De *canalha* + *-ada[1]*.] ***S. f.*** **1.** V. *canalhice*. **2.** Grupo de canalhas.

canalhice [De *canalha* + *-ice*.] ***S. f.*** Ação, modos ou palavras próprias de canalha (2); canalhismo, canalhada.

canalhismo [De *canalha* + *-ismo*.] ***S. m.*** V. *canalhice*.

canalhocracia [De *canalha* + *-o-* + *-cracia*.] ***S. f.*** Sistema ou preponderância da canalha (1).

canalhocrata [De *canalha* + *-o-* + *-crata*.] ***S. 2 g.*** **1.** Adepto ou defensor da canalhocracia. • ***Adj. 2 g.*** **2.** Pertencente ou relativo a ela; canalhocrático. [Sobre a prosódia deste voc., v. *-crata*.]

canalhocrático [De *canalhocrata* + *-ico[2]*.] ***Adj.*** Canalhocrata (2).

canaliculado [Do lat. *canaliculatu*.] ***Adj.*** Provido de canalículo: *pecíolo canaliculado*.

canalicular [De *caniculo* + *-ar[1]*.] ***Adj. 2 g.*** De, ou relativo a canalículo.

canalículo [Do lat. *canaliculu*.] ***S. m.*** Pequeno canal: *canalículo aerífero*.

canaliforme [De *canal* + *-iforme*.] ***Adj. 2 g.*** Que tem a forma de canal, ou de telha canal.

canalização [De *canalizar* + *-ção*.] ***S. f.*** **1.** Ato ou efeito de canalizar. **2.** Conjunto de canos ou canais. **3.** *Arquit. Constr.* Tubulação (3).

canalizador (ô) [De *canalizar* + *-dor*.] ***S. m.*** **1.** Aquele que trabalha em canalizações. **2.** *Lus.* V. *encanador*. **3.** *Lus.* Gasista (2).

canalizar [De *canal* + *-izar*.] ***V. t. d.*** **1.** Dirigir ou encaminhar, por meio de canais, valas ou canos: *canalizar um rio*. **2.** Pôr canos de esgoto em: *canalizar uma cidade*. **3.** Abrir canais em: *canalizar um campo*. ***T. d. e i.*** **4.** Dirigir, encaminhar: *Canalizou toda a sua energia para uma obra de alto sentido cultural; Canalizou a cólera contra o irmão.*

canalizável [De *canalizar* + *-vel*.] ***Adj. 2 g.*** Que pode ser canalizado.

canamanti *Bras.* ***S. 2 g.*** **1.** *Etnôn.* Indivíduo dos canamantis [ou (etnôn. bras.) *Kanamanti], povo indígena da família linguística arauá que habita os municípios de Lábrea e Camaruá (AM). • ***Adj. 2 g.*** **2.** Pertencente ou relativo a esse povo.

canamari *Bras.* ***S. 2 g.*** **1.** *Etnôn.* Indivíduo dos canamaris [ou (etnôn. bras.) *Kanamarí], povo indígena da família linguística catuquina que habita as margens dos rios Juruá, Jutaí e Purus (AM). **2.** *Etnôn.* V. *canamiri* (1). • ***Adj. 2 g.*** **3.** Pertencente ou relativo a canamari (1). **4.** V. *canamiri* (2).

canamiri *Bras.* ***S. 2 g.*** **1.** *Etnôn.* Indivíduo dos canamiris, povo indígena da família linguística catuquina, que habita a região entre as cabeceiras dos rios Acre e Iaco (AM). • ***Adj. 2 g.*** **2.** Pertencente ou relativo a esse povo. [Sin. ger.: *canamari*.] [Tb. us. como *s. 2 g. e 2 n.* (com cap.) e *adj. 2 g. e 2 n.*]

canana [Do ár. *kinãna(t)*.] ***S. f.*** Cartucheira de couro usada a tiracolo pelos militares.

cananeense (èên) ***Adj. 2 g.*** **1.** De, ou pertencente ou relativo a Cananeia (SP). • ***S. 2 g.*** **2.** O natural ou habitante de Cananeia.

cananeu ***Adj.*** **1.** De, ou pertencente ou relativo à região histórica e bíblica de Canaã (Palestina). • ***S. m.*** **2.** O natural ou habitante de Canaã. [Fem., nessas acepçs.: *cananeia*.] **3.** *Gloss.* Grupo de línguas semíticas das quais são as mais importantes o hebraico e o fenício. V. *semítico* (3). **4.** *Gloss. Restr.* A língua de Canaã antes da conquista israelita, e cuja evolução originou a língua hebraica.

cananga [Do mal. *kananga*.] ***S. f.*** *Bras. Amaz. Bot.* Árvore miristicácea (*Iryanthera macrophylla*) que habita a floresta densa e úmida. Folhas magnas e elípticas, agudas e coriáceas; flores mínimas, unissexuais, dispostas em cachos axilares; as cápsulas, lenhosas, globosas, com 12mm de diâmetro, contêm uma grande semente gordurosa.

cananga-do-japão [De *cananga* + *do[1]* + o top. *Japão*.] ***S. f.*** *Bot.* Erva zingiberácea (*Kaempferia galanga*) alta, ornamental, originária da Ásia, de folhas muito grandes, oblongas e agregadas na base, flores muito especiosas, tubulosas, alvas e ordenadas em densos grupos, tendo um estame e vários estaminódios petaloides. O fruto é capsular. [Pl.: *canangas-do-japão*.]

canapé [Do fr. *canapé* < lat. tard. *canapeu* < lat. *conopeu*.] ***S. m.*** **1.** Espécie de sofá, ger. com a estrutura de madeira visível: "Os canapés arqueados, com figuras de anjinhos talhadas na madeira do recosto e garras de dragão nos pés, estalaram ao peso das damas que se sentavam" (Afonso Arinos, *Pelo Sertão*, p. 145). **2.** *Cul.* Pequena fatia de pão, servida, em geral, como aperitivo, sobre a qual se põem diferentes pastas alimentícias condimentadas, ou pedaços de ovo cozido, fatias de salmão defumado, de presunto, tomate ou outros ingredientes, prestando-se, assim, a grande número de variações. [Sin.: *canapê*.]

canapê [Do fr. *canapé* (v. *canapê*).] ***S. m.*** *Cul.* V. *canapé*.

canapiense ***Adj. 2 g.*** **1.** De, ou pertencente ou relativo a Canapi (AL). • ***S. 2 g.*** **2.** O natural ou habitante de Canapi.

canapolense ***Adj. 2 g.*** **1.** De, ou pertencente ou relativo a Canápolis (BA e MG). • ***S. 2 g.*** **2.** O natural ou habitante de Canápolis.

canapu [De or. tupi, poss.] ***S. m.*** **1.** *Bras. Bot.* V. *babá[2]* (1). **2.** *Bras. BA Zool.* V. *mero[1]* (1).

canapuguaçu [De *canapu* + *-guaçu*.] ***S. m.*** *Bras. Zool.* V. *mero[1]* (1).

canará ***S. m.*** V. *canarino*.

canarana [De *cana[1]* + *-rana*.] ***S. f.*** *Bras. Bot.* Designação comum a diversas poáceas *Echinochloa*, *Paspalum* (v. *páspalo*) e *Panicum* (v. *pânico[2]*).

canaranense ***Adj. 2 g.*** **1.** De, ou pertencente ou relativo a Canarana (BA e MT). • ***S. 2 g.*** **2.** O natural ou habitante de Canarana.

cana-reinense ***Adj. 2 g.*** **1.** De, ou pertencente ou relativo a Cana do Reino (MG). • ***S. 2 g.*** **2.** O natural ou habitante de Cana do Reino. [Pl.: *cana-reinenses*.]

canarês[1] [Do top. *Canará* + *-ês*.] ***Adj. S. m.*** V. *canarino*. [Flex.: *canaresa* (ê), *canareses* (ê), *canaresas* (ê).]

canarês[2] [Do top. *Canara* (Índia) + *-ês*.] ***Adj.*** **1.** De, ou pertencente ou relativo a Canara. • ***S. m.*** **2.** O natural ou habitante dessa região. **3.** *Gloss.* Canada[3]. [Flex.: *canaresa* (ê), *canareses* (ê), *canaresas* (ê).]

canari ***S. m.*** V. *canarino*.

canaria [De *cano[1]* + *-aria*.] ***S. f.*** **1.** Conjunto de tubos do órgão (5). **2.** Conjunto de canos ou tubos; canalização. [Cf. *canária*.]

canária[1] ***S. f.*** A fêmea do canário. [Cf. *canaria*.]

canária[2] [Do mal. *kanãri*.] ***S. f.*** *Bras. Amaz. Bot.* Erva lenhosa ou arbusto fabáceo (*Crotalaria maypurensis*) que vive nos campos altos e arenosos, e nas capoeiras próximas das habitações. Folhas trifolioladas e estipuladas; flores amarelas, vistosas, papilionadas e organizadas em racemos subterminais. [Cf. *canaria*.]

canaricultor (ô) [De *canário[2]* + *-cultor*.] ***S. m.*** Criador de canários.

canaricultura [De *canário[2]* + *-i-* + *-cultura*.] ***S. f.*** Criação de canários.

canarim[1] *Bras.* ***S. 2 g.*** **1.** *Etnôn.* Indivíduo dos canarins [ou (etnôn. bras.) *Canarin], povo indígena extinto que habitava o S. da BA. ● *Adj. 2 g.* 2. Pertencente ou relativo a esse povo.

canarim^{2} [Do top. *Canará* (Índia) + *-im.*] *Adj. 2 g.* 1. *Luso-asiat.* De, ou pertencente ou relativo a Goa (Índia). ● *S. 2 g.* 2. *Luso-asiat.* O natural ou habitante de Goa: "não tendo brancos com quem casar, começaram a unirem-se a canarins, depois a pretos" (Emílio de San Bruno, *Zambeziana*, p. 198). ● *S. m.* 3. *Bras. N.* Homem de pernas compridas.

canarinho [Dim. de *canário^{2}*.] *S. m. Bras. Zool.* V. *canário-da-terra*.

canarinho-do-mato *S. m. Zool.* V. *mateiro^{1}* (8). [Pl.: *canarinhos-do-mato*.]

canarino *Adj.* 1. De, ou pertencente ou relativo ao arquipélago das Canárias (África Espanhola). ● *S. m.* 2. O natural ou habitante desse arquipélago. [Sin. ger.: *canará, canarês, canari, canário*.]

canário^{1} *S. m.* Certa dança antiga.

canário^{2} [Do tax. *Canarium* (do mal. *Kanāri*).] *S. m. Bot.* 1. Gênero de burseráceas que abrange 77 espécies, muitas delas importantes pela madeira, pela resina que exsudam, pelas sementes comestíveis, e pelos óleos que fornecem. 2. Qualquer espécie desse gênero, como, p. ex., a *Canarium schweinfurthii* (v. *mubafo*) e a C. *edule* (v. *safu*). 3. A resina exsudada dessas árvores.

canário^{3} [Do top. (Ilhas) *Canárias*.] *Adj.* 1. V. *canarino*. ● *S. m.* 2. *Zool.* Ave passeriforme, fringilídea (*Serinus canarius*), originária das ilhas Canárias, da Madeira e dos Açores, de onde foi introduzida em outros países, sendo domesticada na Itália no séc. XVI e propagando-se rapidamente pela Europa. Coloração predominante amarela, desde o alaranjado até o branco. [Sin., bras.: *canário-do-reino*.] 3. *Fig.* Pessoa que canta bem. 4. V. *canarino*. ◆ **Canário de uma muda só.** *Bras. Pop.* Pessoa que anda sempre com a mesma roupa; canário sem muda. **Canário sem muda.** *Bras. Pop.* Canário de uma muda só.

canário-assobio *S. m. Bras. Zool.* V. *bonito-do-campo*. [Pl.: *canários-assobios* e *canários-assobio*.]

canário-baeta *S. m. Bras. Zool.* V. *sangue-de-boi*. [Pl.: *canários-baetas* e *canários-baeta*.]

canário-cabeça-de-fogo *S. m. Bras. MG SP Zool.* V. *canário-da-terra*. [Pl.: *canários-cabeça-de-fogo*.]

canário-da-horta *S. m. Bras. Zool.* V. *canário-da-terra*. [Pl.: *canários-da-horta*.]

canário-da-terra *S. m. Zool.* V. *canário-da-terra-verdadeiro*. [Pl.: *canários-da-terra*.]

canário-da-terra-verdadeiro *S. m. Zool.* Ave emberizídea (*Sicalis flaveola*), de coloração amarelo-viva, sendo o píleo alaranjado, e que ocorre do Maranhão ao Paraná. [Pl.: *canários-da-terra-verdadeiros*.]

canário-do-brejo *S. m. Bras. Zool.* V. *pia-cobra*. [Pl.: *canários-do-brejo*.]

canário-do-campo *S. m. Bras. Zool.* Ave passeriforme, fringilídea (*Emberizoides herbicola*), do Brasil este-meridional e centro-ocidental. Coloração variável, pardo-cinzenta no dorso, com numerosas estrias longitudinais pretas, orladas de verde, e abdome mais claro. [Pl.: *canários-do-campo*.]

canário-do-ceará *S. m. Bras. Zool.* V. *canário-da-terra*. [Pl.: *canários-do-ceará*.]

canário-do-mato *S. m. Bras. Zool.* 1. Ave passeriforme, fringilídea (*Caryothraustes canadensis brasiliensis*), do Brasil médio-oriental. Coloração geral verde-olivácea no dorso, amarela inferiormente; cara, olhos e garganta negros. É uma subespécie do furriel (3), do Brasil amazônico. 2. V. *sanhaço-de-fogo*. [Pl.: *canários-do-mato*.]

canário-do-reino *S. m. Bras. Zool.* V. *canário^{2}* (2). [Pl.: *canários-do-reino*.]

canário-do-sapé *S. m. Bras. Zool.* V. *pia-cobra*. [Pl.: *canários-do-sapé*.]

canário-pardinho *S. m. Bras. RJ Zool.* A fêmea do canário-da-terra, a qual é verde-oliva com uma faixa amarelo-clara no peito. [Pl.: *canários-pardinhos*.]

canário-pardo *S. m. Bras. Zool.* V. *tico-tico-do-campo*. [Pl.: *canários-pardos*.]

cana-roxa *S. f. Bot.* V. *cana-de-macaco* (1). [Pl.: *canas-roxas*.]

canas^{1} [Do pl. de *cana^{1}*.] *S. f. pl.* 1. Tiras de guasca das rédeas. 2. Antigo jogo militar, espécie de torneio, em que os jogadores, a cavalo, se acometiam com canas à maneira de lanças. ~ V. *cana*.

canas^{2} [Do lat. *canas*.] *S. f. pl.* Cabelos brancos; cãs. ~ V. *cana*.

canastra^{1} [De *canastro*.] *S. f.* 1. Cesta larga e pouco alta, tecida de fasquias de madeira flexível, ou de verga: "Foi um devassar de móveis: armários abertos, canastras revolvidas à procura de roupa: camisas, saias, um vestido decente." (Coelho Neto, *Turbilhão*, p. 328.) [Sin., bras.: *panacu*.] 2. *Bras.* Caixa revestida de couro, na qual se guardam roupas brancas e outros objetos. 3. *Bras.* As costas; cacunda. 4. *Bras. Gír.* V. *canoa^{1}* (8). ● *S. 2 g.* 5. *Bras. Teatr. Gír.* V. *canastrão* (3). ◆ **Bater a canastra.** *Bras. Gír.* V. *morrer* (1). **Dar com as canastras na água.** 1. Sair-se mal. 2. Cometer adultério: "E lá vai uma profecia: a baronesa, se o marido lhe tirar o olho de cima, dá com as canastras na água." (Camilo Castelo Branco, *A corja*, em *Obra Seleta*, 2º vol., p. 710.)

canastra^{2} [Do esp. amer. *canasta*, com epêntese.] *S. f.* 1. Jogo de cartas de origem argentina, usualmente jogado por quatro pessoas, em duas parcerias, ou com dois baralhos de 52 cartas mais quatro curingões, das quais recebe 11 cada pessoa, e cujo objetivo é marcar pontos e livrar-se das cartas da mão, arriando-as na mesa em trincas e sequências, as quais, em combinação com as do parceiro, deverão resultar em, pelo menos, uma canastra^{2} (2), sem a qual não se poderá bater. 2. Nos jogos de biriba, buraco, canastra, etc., sequência de sete cartas do mesmo naipe ou conjunto de sete cartas do mesmo valor, podendo qualquer dos dois ser completado com um ou mais curingas. ◆ **Canastra real.** Canastra^{2} (2) sem curinga.

canastra^{3} *S. m. Bras. Zool.* V. *tatu-canastra*.

canastrada [De *canastra^{1}* + *-ada^{1}*.] *S. f.* 1. Conteúdo de uma canastra^{1} (1 e 2). 2. Porção de canastras. 3. Golpe com canastra.

canastrão [De *canastra^{1}* + *-ão^{1}*.] *S. m.* 1. Canastra grande. 2. *Bras.* Certa raça de porcos. 3. *Bras. Teatr. Gír.* Ator medíocre; mau ator; canastra.

canastreiro [De *canastra^{1}* + *-eiro*.] *Adj.* 1. Diz-se do cesto com forma de canastra^{1} (1). 2. Diz-se do muar que carrega canastra^{1} (1). ● *S. m.* 3. Fabricante ou vendedor de canastras [v. *canastra^{1}* (1 e 2)]. 4. *Bras. Ant.* Mascate que vendia mercadorias acomodadas em canastra^{1} (2).

canastrel [Var. de *canistrel*.] *S. m.* Canastra^{1} (1) pequena, de asa cruzada por cima da boca: "os mais delicados dons de Pomona, que em canastréis de vimes de prata lhe vinham pôr diante virgens" (Antônio Feliciano de Castilho, *Amor e Melancolia*, p. 249). [Var.: *canistrel*. Pl.: *canastréis*.]

canastro [Do ant. *canistel* (< lat. *canistellu*, dim. de *canisteu*), com infl. de *-astro*.] *S. m.* 1. Espécie de canastra^{1} (1) de bordos altos: "a mãe saindo de madrugada, envolvida no xaile, com um canastro à cabeça." (José Vieira, *Sol de Portugal*, p. 25). 2. *Gír.* O corpo humano, especialmente o tronco.

canastrona *S. f. Bras. Teatr.* Fem. de *canastrão* (3).

cana-ubá [De *cana^{1}* + *ubá^{1}*.] *S. f. Bras. Bot.* V. *cana-do-rio*. [Pl.: *canas-ubá*.]

cânave [Do lat. *cannabe* < gr. *kánnabis*.] *S. m. Bot.* V. *cânhamo* (1).

canaveira [De *cânave* + *-eira*.] *S. f.* V. *canhameiral*.

cana-verde *S. f.* 1. *Bras. PR* Certa modalidade do fandango. 2. *Bras. RJ* Certa dança de roda. 3. Caninha-verde. [Pl.: *canas-verdes*.]

cana-verdense *Adj. 2 g.* 1. De, ou pertencente ou relativo a Cana Verde (MG). ● *S. 2 g.* 2. O natural ou habitante de Cana Verde. [Pl.: *cana-verdenses*.]

canavial [Do ant. *canavea* (do lat. *canna*, 'junco', + *avena*, 'talo de palha de aveia') + *-al^{1}*.] *S. m.* 1. Quantidade mais ou menos considerável de canas [v. *cana^{1}* (1)] dispostas proximamente entre si; caniçal. 2. *Bras.* Plantação de cana-de-açúcar.

canavieirense *Adj. 2 g.* 1. De, ou pertencente ou relativo a Canavieiras (BA). ● *S. 2 g.* 2. O natural ou habitante de Canavieiras.

canavieiro [De *canavi(al)* + *-eiro*.] *Adj. Bras. Bot.* 1. Relativo à cana-de-açúcar: *lavoura canavieira*. ● *S. m.* 2. Plantador de cana-de-açúcar.

canaz [Do arc. *can*, 'cão', + *-az*.] *S. m.* V. *cão^{1}* (1).

cancã^{1} [Do fr. *cancan*.] *S. m.* Espécie de quadrilha (3) tradicional dos cabarés de Paris, desde c. 1830, ruidosa e de movimentos muito rápidos, e dançada em geral só por mulheres.

cancã^{2} [T. onom.] *S. m. Zool.* 1. *Bras.* Ave passeriforme, corvídea (*Cyanocorax cyanopogon*), do Brasil este-setentrional e centro-oriental, de coloração azul-escura. Distingue-se das outras gralhas pela mancha azul-marinho acima e abaixo dos olhos, e pelas penas azuis na raiz da mandíbula. É a espécie mais comum nas caatingas do N.E. [Sin.: *cancão, gralhão, piom-piom, quem-quem*. Cf. *gralha* (1).] 2. Ave falconiforme, falconídea (*Daptrius americanus*), distribuída por quase todo o País, de coloração preta, abdome, coxas e coberteiras inferiores da cauda brancos, pele nua da cabeça avermelhada. [Sin.: *caracará-preto, uracaçu, gralhão*.] 3. Ave falconiforme, falconídea (*Hypomorphus urubutinga*), comum em todo o País, de coloração preta e coberteiras superiores, base e ponta da cauda brancas. Quando jovem, é preta pintada de amarelo. [Sin.: *caurel, gavião-caipira, gavião-preto, japucanimpium*.]

cancaborrada *S. f.* V. *cacaborrada*.

cancanista [De *cancã^{1}* + *-ista*.] *Adj. 2 g.* 1. Referente ou semelhante ao cancã^{1}. ● *S. 2 g.* 2. Pessoa que dança cancã^{1}.

cancão [De *cancã^{2}*.] *S. m. Bras. N.E. Zool.* V. *cancã^{2}* (1).

canção [Do lat. *cantione*.] *S. f.* 1. *Mús.* Designação comum a diversos tipos de composição musical popular ou erudita para ser cantada. 2. *Mús.* Composição escrita, destinada ao canto^{2} (2), com ou sem acompanhamento instrumental ou vocal. 3. *Mús.* Composição instrumental nos moldes da canção (1 e 2). 4. Canto^{2} (3). 5. V. *cantiga* (2). [Cf. *cansão*.] ◆ **Canção de gesta.** *Arte Poét.* Nos sécs. XI e XII, poema épico, cantado. **Canção de ninar.** V. *acalento* (2). **Canção polifônica.** *Mús.* Composição a várias vozes sobre um texto profano.

câncaro [De *cancro*, com suarabácti.] *S. m. Bras.* Peça da ferragem das portas.

cancela [De *cancelo* (ê).] *S. f.* 1. Porta gradeada, em geral de madeira e de pequena altura; porteira. 2. Armação metálica que abre e fecha ao trânsito a passagem de nível.

cancelado^{1} [Part. de *cancelar*.] *Adj.* Que foi objeto de cancelamento; eliminado.

cancelado^{2} [De *cancela* + *-ado^{1}*.] *Adj. Bot.* Provido de pequenas perfurações ou aberturas, como grade ou cancela. [Diz-se, p. ex., da densa ramificação de determinadas plantas que deixam, apenas, pertuitos mais ou menos reduzidos.]

canceladura [De *cancelar* + *-dura*.] *S. f.* V. *cancelamento*.

cancelamento [De *cancelar* + *-mento*.] *S. m.* Ação ou efeito de cancelar; canceladura; obliteração.

cancelar [Do lat. *cancellare*.] *V. t. d.* 1. Riscar, inutilizar (o que está escrito), com traços em cruz ou de outra maneira. 2. Declarar ou dar como nulo, ou sem efeito: *Não quiseram cancelar a sua passagem*. 3. Não levar a efeito (o que havia pensado ou planejado); desistir de: *A última hora cancelou a viagem; Cancelou a exposição*. 4. Concluir, fechar (um processo). 5. Excluir, suprimir, eliminar: *O rei cancelou várias regalias dos representantes do povo*. 6. *Mat.* Eliminar (fatores comuns aos dois membros de uma equação ou aos termos de uma expressão fracionária), mediante multiplicação ou divisões apropriadas; cortar. [Pres. ind.: *cancelo*, etc. Cf. *cancelo* (ê), s. m.]

cancelário [Do lat. *cancellariu*.] *S. m.* Antigo dignitário de universidade: "O seu prior subia uma vez por ano à Universidade a abrir como Cancelário a sala dos exames privados" (Antônio Feliciano de Castilho, *Amor e Melancolia*, p. 316).

cancelável [De *cancelar* + *-vel*.] *Adj. 2 g.* Que pode ser cancelado.

cancelo (ê) [Do lat. *cancellu*.] *S. m.* 1. Grade nobre nas salas de audiência dos juízos, tribunais, capelas, etc. 2. Porta gradeada. 3. Curral provisório nos campos, para que o gado esterque o terreno. [Pl.: *cancelos* (ê). Cf. *cancelo*, do v. *cancelar*.]

cancença [De or. obsc.] *S. f. Bras. Bot.* V. *canafístula* (3).

câncer [Do lat. *cancer*, 'caranguejo'.] *S. m.* 1. *Astr.* A quarta constelação do zodíaco, situada no hemisfério norte, a 8,25h de ascensão reta e 20° da declinação norte. [Sin., p. us.: *Caranguejo*.] 2. *Astrol.* O quarto signo do zodíaco, relativo aos que nascem entre 21 de junho e 22 de julho. [Com cap., nessas acepç.] 3. *Bot.* Tumor que pode surgir em quaisquer partes de um vegetal, em virtude de uma proliferação de células meristemáticas, e causado, não raro, por infecção bacteriana. 4. *Med. Patol.* Designação genérica de qualquer tumor maligno (q. v.); blastoma maligno, neoplasma maligno. [Sin. lus., nas acepç. (3 e 4), *cancro*. Pl.: *cânceres*. Cf. *canceres*, do v. *cancerar*.]

cancerar [De *câncer* + *-ar^{2}*.] *V. int. P.* 1. Tornar-se em câncer: "A orelha cancerara e caíra, deixando um orifício hediondo e pustuloso." (Camilo Castelo Branco, *O Bem e o Mal*, p. 163.) 2. Tornar-se canceroso. 3. Apodrecer(-se), corromper-se. [Pres. ind.: *cancere, canceres*, etc. Cf. *cânceres*, pl. de *câncer*.]

▲**cancer(i)-** [Do lat. *cancer, cancri* e *cancĕris*, 'caranguejo'; 'cancro'.] *El. comp.* = 'câncer', 'tumor maligno': *cancerizar, cancerígeno*. [Equiv.: *cancero-, cancri-, canc(e)r-: cancerologia, cancriforme, cancroide*.]

canceriano [De *cancer(i)-* + *-ano^{1}*.] *S. m.* 1. Indivíduo nascido sob o signo de Câncer. ● *Adj.* 2. Diz-se de, ou pertencente ou relativo a canceriano (1).

cancericida [De *cancer(i)-* + *-cida*.] *Adj. 2 g.* 1. Diz-se de agente que destrói células malignas, que destrói câncer. ● *S. m.* 2. Agente cancericida.

canceriforme [De *cancer(i)-* + *-forme*.] *Adj. 2 g.* Que tem forma de câncer.

cancerígeno [De *cancer(i)-* + *-geno*.] *Adj. Med. Patol.* Capaz de produzir câncer.

cancerização [De *cancerizar* + *-ção*.] *S. f.* Ação ou efeito de cancerizar(-se).

cancerizar [De *câncer* + *-izar*.] *V. t. d. P.* Converter(-se) em câncer.

▲**cancero-** [Do lat. *cancer* + *-o-*.] V. *cancer(i)-*.

cancerógeno [De *cancero-* + *-geno*.] *Adj. Med.* Cancerígeno.

cancerologia [De *cancero-* + *-logia*.] *S. f. Med. Patol.* Estudo dos tumores malignos em todos os seus aspectos (causas, estrutura, tratamento, etc.). [Cf. *oncologia*.]

cancerológico [De *cancerologia* + *-ico*[2].] *Adj. Med.* Relativo a cancerologia.

cancerologista [De *cancerologia* + *-ista*.] *S. 2 g. Med.* Especialista em cancerologia.

canceroso (ô) [Do lat. tard. *cancerosu*.] *Adj.* **1.** Da natureza do câncer; carcinomatoso. ● *S. m.* **2.** Aquele que tem câncer. [Cf. *canseiroso*.]

cancha [Do quíchua *cancha*, 'pátio cercado de paredes de barro', pelo esp. plat. *cancha*.] *S. f.* **1.** *Bras.* Pista preparada em terreno plano para carreiras ou corridas de cavalos; raia. **2.** *Bras.* Terreno especialmente preparado para certos jogos, tais como a bocha, a tava ou jogo do osso, a pela, o tênis, o futebol, o basquete, etc. **3.** *Bras.* Pouso ou parada habitual (de pessoas ou animais). **4.** *Bras.* Espaço, lugar. **5.** *Bras. Fig.* Situação cômoda, agradável. **6.** *Bras.* Experiência, tirocínio, conhecimento. **7.** *Bras. RS* Nas olarias, espaço onde os tijolos ficam secando, antes da queima. **8.** *Bras. PR RS* Lugar onde se bate ou cancheia a erva-mate, antes de levá-la ao moinho. **9.** *Bras. N.E.* V. *pose* (2). ◆ **Cancha de charqueada.** *Bras. RS* Lugar por onde se arrasta o boi que vai ser morto e esfolado. **Cancha reta.** *Bras. RS Turfe* Pequena raia de terra, improvisada, onde cavalos sem raça correm aos domingos, havendo apostas das quais, em geral, pouca gente participa além de seus proprietários; raia reta. **Abrir cancha.** *Bras. S.* Dar passagem; dar lugar.

canchal [De or. obsc.] *S. m. Lus.* V. *quantidade* (3).

cancheadista [De *cancheado* + *-ista*.] *S. 2 g. Bras. PR* Indivíduo favorável à exportação da erva-mate cancheada.

cancheado [Part. de *canchear*.] *Adj. Bras. S.* Que se cancheou (mate).

cancheador (ô) [De *canchear* + *-dor*.] *S. m.* **1.** *Bras. S.* Instrumento para canchear o mate. **2.** *Bras. PR* Indivíduo que exporta erva-mate cancheada.

canchear [De *cancha* (8) + *-ear*[2].] *V. t. d. Bras. S.* Cortar ou picar (o mate), reduzindo-o a pequenos pedaços. [Conjug.: v. *frear*.]

cancheiro [De *cancha* + *-eiro*.] *Adj.* **1.** *Bras. S.* Diz-se do cavalo habituado a correr em cancha (1). ● *S. m.* **2.** Cavalo de corrida. **3.** Indivíduo que prepara a cancha (2).

canchudo [De *cancha* (9) + *-udo*.] *Adj. S. m. Bras. N.E.* Posudo.

cancioneiro [De *canção* + *-eiro*, seg. o padrão erudito.] *S. m.* **1.** Coleção de canções. **2.** Conjunto de coleções de antigas poesias líricas, portuguesas ou espanholas: 📖 "Os mais antigos textos literários em língua portuguesa são composições em versos coligidas em cancioneiros de fins do século XIII e do século XIV, algumas das quais remontarão a fins do século XII." (Antônio José Saraiva e Óscar Lopes, *História da Literatura Portuguesa*, pp. 41-42.) **3.** Romanceiro (3). **4.** Divã (4). [Cf. *cancionista*.]

cancionista [De *canção* + *-ista*, seg. o padrão erudito.] *S. 2 g.* Pessoa que faz canções. [Cf. *cancioneiro*.]

cançoneta (ê) [Do it. *canzonetta*.] *S. f. Mús.* Pequena canção sobre tema leve, espirituoso ou satírico.

cançonetista [De *cançoneta* + *-ista*.] *Adj. 2 g.* **1.** Relativo a cançoneta. ● *S. 2 g.* **2.** Compositor de cançonetas. **3.** Pessoa que as canta em teatros, festas, etc.

cancra *S. f. Bras. SP* Bátega violenta.

cancrejo (ê) *S. m. Ant.* Caranguejo.

▲**cancri-** V. *cancer(i)-*.

cancrida [Do lat. cient. *Cancr-* + *-ida*[1].] *S. m. Adj. 2 g. Zool.* V. *cancrídeo*.

cancrídeo [Do lat. cient. *Cancr-* (do tax. *Cancer*) + *-ídeo*[1]; tax. *Cancridae*.] *Zool. S. m.* **1.** Espécime dos cancrídeos, família de crustáceos marinhos, decápodes, na qual se incluem os grandes caranguejos. ● *Adj.* **2.** Pertencente ou relativo a eles. [Sin. ger.: *cancrida*.]

cancriforme [De *cancri-* + *-forme*.] *Adj. 2 g.* Que tem forma de caranguejo, ou de cancro.

cancrinita [Do antr. *Cancrin*, estadista russo, + *-ita*[3].] *S. f. Min.* Mineral hexagonal, carbonato silicato ácido de sódio, cálcio e alumínio.

cancro [Do lat. *cancru*.] *S. m.* **1.** *Lus.* V. *câncer* (3 e 4). **2.** *Fig.* Mal que aos poucos vai minando um organismo. **3.** Peças de ferro para segurar em pedra qualquer trabalho de carpinteiro. **4.** Utensílio de ferro com que os carpinteiros seguram no banco a madeira em que trabalham. **5.** *Bras. BA* V. *bexiga do cacau*. ◆ **Cancro duro.** *Med.* Lesão inicial da sífilis. **Cancro mole.** *Med.* Doença venérea produzida pelo *Hemophilus ducreyi*.

▲**cancr(o)-** V. *cancer(i)-*.

cancroide [De *cancr(o)-* + *-oide*.] *Adj. 2 g.* Semelhante ao cancro. ✥

cancrose [De *cancr(o)-* + *-ose*[1].] *S. f. Bot.* Moléstia de plantas do gênero *Citrus*, produzida pela ação de bactérias *Pseudomonas citri*.

candado [Do esp. *candado*.] *S. m.* Parte do casco da besta entre as ranilhas e o mais delgado da tapa. [Var. haplológica: *cando*.]

candando [Do quimb.] *S. m. Angol.* Abraço (1), amplexo: 📖 "sentia-se envolvida num candando mole e as suas narinas fremiam dos cheiros em redor." (Arnaldo Santos, *Tempo de Munhungo*, p. 108).

candango [Do quimb. *kangundu*, dim. de *kingundu*, 'ruim', 'ordinário', 'vilão', com metátese e assimilação.] *S. m. Bras.* **1.** Designação que os africanos davam aos portugueses. V. *galego* (4). **2.** *Desus.* Indivíduo ruim, ordinário. **3.** Pessoa que tem mau gosto. **4.** Designação dada aos operários das grandes obras da construção de Brasília (DF), de ordinário vindos do N.E.: 📖 "o candango vai ao cerrado, colhe os ramos verdes e os coloca na última laje, como se estivesse enfeitando a cumeeira de sua própria casa." (Clemente Luz, *Invenção da Cidade*, p. 96). **5.** *P. ext.* Qualquer dos primeiros habitantes de Brasília (DF).

candaru [Do ior.] *S. m. Bras. Rel.* Defumador de barro, us. em rituais afro-brasileiros.

cande [Do ár. *qandi*, 'relativo ao *qand* (*i. e.*, ao caldo de cana-de-açúcar espessado por cocção)'.] *S. m.* V. *açúcar-cande*.

candeada [De *candeia*[1] + *-ada*[1].] *S. f.* Porção de óleo que uma candeia ou um candeeiro comporta; candeeirada.

candealense *Adj. 2 g.* **1.** De, ou pertencente ou relativo a Candeal (BA). ● *S. 2 g.* **2.** O natural ou habitante de Candeal.

candeeirada [De *candeeiro* + *-ada*[1].] *S. f.* Candeada.

candeeiro [De *candeia*[1] + *-eiro*.] *S. m.* **1.** Aparelho de iluminação, alimentado por óleo ou gás inflamável, com mecha ou camisa incandescente; lampião, leocádio: 📖 "Acendia, tão logo anoitecia, um candeeiro de querosene" (Povina Cavalcanti, *Volta à Infância*, p. 18). **2.** Parapeito que nas minas abriga os operários. **3.** *Bras. Ant.* Chapéu de três bicos; tricórnio. **4.** *Bras. S. ES MG* Carreiro (1): 📖 "Era o caso que faltava um candeeiro para guia dos seus bois." (Nélson de Faria, *Tiziu e Outras Estórias*, p. 102.) **5.** *Bras. RS* Modalidade do fandango. **6.** *Bras. RS* Cantiga de roda infantil. **7.** *Lus.* Abajur (2). **8.** *Lus.* Luminária de teto; lustre. **9.** *Lus.* Aplique de iluminação. **10.** *Lus.* Poste de iluminação de rua; lampião.

candeense[1] *Adj. 2 g.* **1.** De, ou pertencente ou relativo a Candeias (MG e BA). ● *S. 2 g.* **2.** O natural ou habitante de Candeias.

candeense[2] *Adj. 2 g. S. 2 g.* V. *candeiense*.

candeia[1] [Do lat. *candela*, 'vela de sebo ou de cera'.] *S. f.* **1.** Pequeno aparelho de iluminação, que se suspende por um prego, com recipiente de folha de flandres, barro ou outro material, abastecido com óleo, no qual se embebe uma torcida, e de uso em casas pobres; candela, candil: 📖 "Leva a candeia e vê se os alumia." (Domingos Carvalho da Silva, *Liberdade embora tarde*, p. 34.) [Cf. *lamparina* (2).] **2.** *Ant.* Vela de cera. **3.** *Bot.* Designação comum a várias plantas asteráceas, gêneros *Lychnophora*, *Piptocarpha*, *Vanillosmopsis* e *Vernonia*. ◆ **De candeia às avessas com.** Em desarmonia com; zangado com (alguém); de cafiroto aceso: 📖 "o nome dum ilustre escritor e meu querido amigo, ... com quem Fialho [Fialho d'Almeida] andava, nesse tempo, de candeia às avessas, mas com quem depois se reconciliou" (Eugênio de Castro, em *Fialho d'Almeida, In Memoriam*, p. 120).

candeia[2] [De or. guarani, poss.] *Adj. 2 g. Bras.* Elegante, casquilho.

candeiense *Adj. 2 g.* **1.** De, ou pertencente ou relativo a Candeias do Jamari (RO). ● *S. 2 g.* **2.** O natural ou habitante de Candeias do Jamari. [A melhor f. é *candeense*, menos us.]

candeio [De *candeia*[1].] *S. m.* Facho ou luzeiro que se emprega na caça ou pesca noturna.

candela [Do lat. *candela*, por via erudita.] *S. f.* **1.** V. *candeia*[1] (1). **2.** *Fotom.* Unidade de medida de intensidade luminosa no Sistema Internacional, igual a 1/60 da intensidade luminosa de um centímetro quadrado da superfície de um radiador perfeito na temperatura de solidificação da platina [símb.: *cd*].

candelabro [Do lat. *candelabru*.] *S. m.* **1.** Grande castiçal com ramificações, a cada uma das quais corresponde um foco de luz; serpentina: 📖 "a toalha bordada, os altos candelabros de prata de esguias velas de cera" (Vanda Fabian, *Zé Canarinho*, p. 29). **2.** V. *lampadário* (1). **3.** *Bot.* Erva poligalácea (*Polygala hygrophila*) de caule ereto, bastante ramoso no ápice, folhas simples, esparsas ou verticiladas, flores róseas, hermafroditas, espiciformes, fruto capsular; vegeta em terrenos muito úmidos.

candelária [Do lat. *candela* + *-ária*.] *S. f.* **1.** *Rel.* Festa da Purificação da Virgem Maria, em 2 de fevereiro; festa das candeias (q. v.). **2.** *Bot.* Erva escrofulariácea (*Verbascum lychnitis*) originária da Europa e Ásia, que é cultivada como ornamental; balária, rosa-grega.

candelariense *Adj. 2 g.* **1.** De, ou pertencente ou relativo a Candelária (RS). ● *S. 2 g.* **2.** O natural ou habitante de Candelária.

candeliça [Do esp. *candaliza*.] *S. f. Mar.* **1.** Sistema us. para içar pequenos pesos, formado por um moitão alceado e um cabo nele gornido. **2.** Adriça singela us. para içar toldos, peças de lona, etc.

candelinha [Dim. de *candela* (1).] *S. f.* **1.** Vela[3] (3) pequena. **2.** *Desus.* Algália[1].

candembe *S. m. Bras.* Certo aparelho de pesca.

candência [Do lat. *candentia*.] *S. f.* Qualidade ou estado de candente. [Cf. *cadência*.]

candengue [Do quimb. *ka* (pref. dim.) + *ndenge*.] *Adj. 2 g. S. 2 g. Angol.* Menino ou menina; criança: 📖 "passavam o tempo a jogar a pedrada com os outros candengues do bairro" (José Eduardo Agualusa, *A Conjura*, p. 167).

candente [Do lat. *candente*.] *Adj. 2 g.* **1.** Que está em brasa; rubro-claro: 📖 *ferro candente*; 📖 "Lançai o olhar em torno; / Arde a Terra abrasada / Debaixo da candente abóbada dum forno." (Guerra Junqueiro, *A Musa em Férias*, p. 167). **2.** *Fig.* Ardoroso, arrebatado. [Cf. *cadente*.]

cândi *Adj.* V. *cande*.

candial [Por **candidal* < cândido + *-al*[1], com haplologia.] *Adj. 2 g.* Diz-se de uma espécie de trigo que produz farinha muito alva. [Var.: *candil*.]

candiar [De *cand(eiro)* + *-iar*[2].] *V. t. d. Bras.* Guiar (um carro de bois) como candeeiro (4).

candibense *Adj. 2 g.* **1.** De, ou pertencente ou relativo a Candiba (BA). ● *S. 2 g.* **2.** O natural ou habitante de Candiba.

cândida[1] [F. subst. do adj. *cândido*.] *S. f. Bras. SE Pop.* V. *cachaça* (1).

cândida[2] [Do tax. *Candida*.] *S. f. Micol.* **1.** Gênero de fungos imperfeitos, criptococáceos, que se caracterizam por produzir células fúngicas, micélios, pseudomicélios e blastóforos. Habitualmente fazem parte da flora normal da pele, boca, intestinos e vagina. **2.** Qualquer espécie desse gênero, algumas delas patogênicas, como, p. ex., a *Candida albicans* e a *Candida tropicalis*, agentes patológicos da candidíase. **3.** Qualquer espécime desse gênero.

candidatar [De *candidato* + *-ar*[2].] *V. t. d. e i.* **1.** Fazer ou tornar candidato a; credenciar: 📖 *Sua atuação no filme candidatou-o ao Oscar*. *P.* **2.** Declarar-se candidato; apresentar-se como candidato. **3.** Apresentar-se para; dispor-se a: 📖 *Nunca se candidata para ajudar alguém*.

candidato [Do lat. *candidatu*, 'vestido de branco' (do lat. *candidus*, 'cândido [1]' + lat. *-atus*, v. *-ato*[1]); os candidatos às funções públicas, na antiga Roma, vestiam-se de branco).] *S. m.* **1.** Aspirante a emprego, cargo, vaga[2] (6) em determinada instituição, honraria ou dignidade, etc. **2.** Aquele que pleiteia um cargo eletivo.

candidatura [De *candidato* + *-ura*.] *S. f.* **1.** Condição ou estado de candidato. **2.** Pretensão ou proposta de candidato. **3.** Apresentação de candidato ao sufrágio.

candidemia [Do tax. *Candida* (v. *cândida*[2]) + *-emia*.] *S. f. Med.* Presença, no sangue, de fungos do gênero *Candida*.

candidez (ê) [De *cândido* + *-ez*.] *S. f.* V. *candura*: 📖 "para a moça, na candidez dos dezesseis anos, o espetáculo fora profundamente perturbador." (Gastão Cruls, *De Pai a Filho*, p. 30).

candideza (ê) [De *cândido* + *-eza*.] *S. f.* V. *candura*: 📖 "Mostram, nas frágeis formas franzinas, / A candideza das açucenas." (Martins Fontes, *Verão*, p. 106.)

candidíase [Do tax. *Candida* (v. *cândida*[2]) + *-íase*.] *S. f. Med.* Infecção devida a fungos do gênero *Candida*; monilíase.

candidizar [De *cândido* + *-izar*.] *V. t. d.* Tornar puro, cândido.

cândido [Do lat. *candidu*.] *Adj.* **1.** Alvo, imaculado: 📖 "O lírio é menos cândido, a neve é menos pura / Que uma criança loira no berço adormecida" (Fagundes Varela, *Poesias Completas*, I, p. 238). **2.** *Fig.* Puro, ingênuo, inocente: 📖 "A festa do Natal, com os presépios, os cordões de pastorinhas, a nota cândida e bíblica da paisagem que o nascimento de Jesus evoca ...., é uma das mais ingênuas e belas." (Raimundo Morais, *País das Pedras Verdes*, p. 209.)

cândido-abreuense *Adj. 2 g.* **1.** De, ou pertencente ou relativo a Cândido de Abreu (PR). ● *S. 2 g.* **2.** O natural ou habitante de Cândido de Abreu. [Pl.: *cândido-abreuenses*.]

cândido-mendense *Adj. 2 g.* **1.** De, ou pertencente ou relativo a Cândido Mendes (MA). ● *S. 2 g.* **2.** O natural ou habitante de Cândido Mendes. [Pl.: *cândido-mendenses*.]

cândido-motense *Adj. 2 g.* **1.** De, ou pertencente ou relativo a Cândido Mota (SP). ● *S. 2 g.* **2.** O natural ou habitante de Cândido Mota. [Pl.: *cândido-motenses*.]

cândido-rodriguense *Adj. 2 g.* **1.** De, ou pertencente ou relativo a Cândido Rodrigues (SP). ● *S. 2 g.* **2.** O natural ou habitante de Cândido Rodrigues. [Pl.: *cândido-rodriguenses.*]

cândido-rondoniano *Adj. S. m.* V. *rondonense*[1]. [Pl.: *cândido-rondonianos.*]

cândido-salense *Adj. 2 g.* **1.** De, ou pertencente ou relativo a Cândido Sales (BA). ● *S. 2 g.* **2.** O natural ou habitante de Cândido Sales. [Pl.: *cândido-salenses.*]

candidúria [Do tax. *Candida* + *-uria.*] *S. f. Med.* V. *candidúria.*

candidúria [Do tax. *Candida* (v. *cândida*[2]) + *-úria.*] *S. f. Med.* Presença, na urina, de fungos do gênero *Candida.* [F. paral.: *candiduria.*]

candil[1] [Do lat. *candela*, 'vela', pelo gr. medieval *kandéle* e ár. *qindīl* ou *qandīl.*] *S. m.* **1.** V. *candeia*[1] (1): 📖 "De noite, com o candil pendurado junto do leito, e um fólio no travesseiro, lia ainda" (Eça de Queirós, *Últimas Páginas*, p. 267). **2.** Fosforescência das águas.

candil[2] *S. m.* **1.** Antiga moeda asiática. **2.** *Luso-asiat.* Medida de capacidade, que equivale a 160 litros.

candil[3] *Adj. 2 g.* V. *candial.*

candilar [De *cande* < ár. *qandi* + *-l-* + *-ar*[2].] *V. t. d.* **1.** Cobrir de açúcar-cande. **2.** Tornar cristalizado.

candimba [Do quimb.] *S. m.* **1.** *Bras. MG Pop.* Dificuldades, apertos, apuros. [Sin. (bras., S.): *tipiti.*] **2.** *Bras. Zool.* V. *tapiti*[1].

candimbá *S. m. Bras. GO* V. *cacaréus.*

candinha [Do antr. *Candinha.*] *S. f.* Mulher fofoqueira, mexeriqueira: 📖 "mas a Tia Çãozinha, com sua alma de candinha, e a vocês, leitores, uma boa surpresa espera, por isso não me percam de vista" (Roberto Drummond, *Hilda Furacão*, p. 29).

candiota [Do it. *candiota.*] *Adj. 2 g.* **1.** De, ou pertencente ou relativo a Cândia (ou Heráclio), cidade e porto ao N. de Creta (Grécia). **2.** *P. ext.* Cretense (1). ● *S. 2 g.* **3.** O natural ou habitante de Cândia. **4.** *P. ext.* Cretense (2).

candiotense *Adj. 2 g.* **1.** De, ou pertencente ou relativo a Candiota (RS). ● *S. 2 g.* **2.** O natural ou habitante de Candiota.

candiru [Do tupi.] *S. m.* **1.** *Bras. Zool.* Designação comum a várias espécies de peixes tricomicterídeos, hematófagos, com cerca de 2,5 a 6cm de comprimento, corpo cilíndrico, nadadeiras dorsal, anal e ventrais situadas muito atrás, e opérculo com pequenos espinhos do lado externo. São parasitas das brânquias de outros peixes, e podem penetrar em orifícios como ânus, vagina ou uretra de animais, ou seres humanos, que se arriscam nas águas por eles habitadas. **2.** Peixe tricomicterídeo (*Vandellia cirrhosa*) da bacia dos rios Amazonas e Orinoco, de coloração rósea e com pequenos barbilhões na boca.

candiru-branco *S. m. Bras. Zool.* Peixe teleósteo, siluriforme, cetopsídeo (*Cetopsis coecutiens*), da Amaz., de coloração esbranquiçada, tendendo ao róseo no abdome. [Pl.: *candirus-brancos.*]

candiubá (i-u) [De or. tupi, poss.] *S. f. Bras. Bot.* V. *cana-do-rio.*

cando *S. m.* V. *candado.*

candoiense (òi) *Adj. 2 g.* **1.** De, ou pertencente ou relativo a Candói (PR). ● *S. 2 g.* **2.** O natural ou habitante de Candói.

candombe [Do quimb.] *S. m. Bras.* **1.** *Mús.* Dança e música de negros escravos do estuário do rio da Prata, esp. em Montevidéu e Buenos Aires. **2.** *Mús.* Espécie de atabaque us. em candombe (1). **3.** *Pesc.* Rede de pescar camarões.

candombeiro [De *candombe* + *-eiro.*] *S. m. Bras.* Dançador de candombe (1).

candomblé [De or. afr.] *S. m. Bras. Rel.* **1.** Religião introduzida no Brasil com escravos, principalmente de regiões dos atuais estados da Nigéria e do Benim, na qual crentes novos e ancestrais, reais ou míticos, eram divinizados em cultos públicos ou secretos. **2.** Designação genérica de diversas formas de culto religioso derivadas do candomblé (1), e que atualmente apresentam influências estranhas à sua cultura (como, p. ex., elementos bantos, do espiritismo, rituais e mitos de povos indígenas, etc.). **3.** Local de culto do candomblé (1 e 2). **4.** A liturgia do candomblé (1 e 2): 📖 "histórias de saveiros e travessias, ... acontecidos de cais, de candomblés, com mestres de saveiro e capoeiristas, mães de santo e orixás." (Jorge Amado, *Teresa Batista Cansada de Guerra*, p. 31). **5.** *P. ext.* Indivíduo de hierarquia, ou mesmo um crente de um candomblé de caboclo. ◆ **Candomblé de caboclo.** *Bras. Rel.* Forma simplificada do candomblé (1), em que há influências indígenas, elementos do espiritismo, de magia negra africana e europeia, etc. [Cf. *macumba.*]

candomblecista [De *candomblé* + *-c-* + *-ista.*] *Adj. 2 g. S. 2 g. Rel.* Que, ou aquele que é partidário ou praticante do candomblé.

candonga[1] [De or. afr., poss.] *S. f.* **1.** Lisonja, afagos, mimos: 📖 "Tinha um corpo com jeito de água corrente, virando curva em remanso sereno, ou de cobra que se balanceia para dar o bote. E tinha candonga na fala." (Rute Guimarães, *Água Funda*, p. 71.) **2.** Carinho fingido; adulação. **3.** Intriga, mexerico. [Sin., nessas acepçs.: *candonguice, candongagem.*] **4.** *Bras.* Bem-querer, benzinho, amor: 🎵 *Ela é a minha candonga.*

candonga[2] *S. f. Bras. Angol. Cabo-verd. Guin. Moç. Santom.* Contrabando.

candongagem [De *candonga*[1] + *-agem*[2].] *S. f.* V. *candonga*[1] (1 a 3).

candongar[1] [De *candonga*[1] + *-ar*[2].] *V. t. d.* **1.** Fazer candonga[1]; lisonjear, adular. *Int.* **2.** Fazer intrigas; mexericar. [Conjug.: v. *largar.*]

candongar[2] [De *candonga*[2] + *-ar*[2].] *V. t. d.* Fazer candonga[2]. [Conjug.: v. *largar.*]

candongueiro[1] [De *candonga*[1] + *-eiro.*] *S. m.* **1.** Aquele que faz candonga[1] (1 a 3). ● *Adj.* **2.** Diz-se daquele que faz candonga[1] (1 a 3). **3.** *Bras. RS* Diz-se do animal manhoso que foge com a cabeça quando se lhe quer pôr o freio ou o buçal.

candongueiro[2] [De *candonga*[2] + *-eiro.*] *S. m.* **1.** *Bras. Guin.* Aquele que faz candonga[2]; contrabandista. [Cf. *muambeiro.*] **2.** *Angol.* Motorista que trabalha ilicitamente: 📖 "gastou dois mil de candongueiro fora a viagem de regresso a casa." (Manuel Rui, *1 Morto & os Vivos*, p. 28).

candongueiro[3] [De or. afr.] *S. m. Bras. S. Mús.* Pequeno tambor angola-conguês, us. no jongo, e cujo couro de percussão é pregado na extremidade superior do instrumento.

candonguice [De *candonga*[1] + *-ice.*] *S. f.* V. *candonga*[1] (1 a 3).

candor (ô) [Do lat. *candore.*] *S. m.* V. *candura.*

candoroso (ô) [De *candor* + *-oso.*] *Adj. Poét.* Cheio de candor.

candunga *S. f. Bras. Zool.* V. *amboré.*

candura [Por **candidura* < *cândido* + *-ura*, com haplologia.] *S. f.* Qualidade de cândido; candidez, candideza, candor.

cane *Bras. S. 2 g.* **1.** *Etnôn.* Indivíduo dos canes, povo indígena extinto, que habitava a região do rio Apa (MS), fronteira com o Paraguai. ● *Adj. 2 g.* **2.** Pertencente ou relativo a esse povo. [Sin. ger.: *guaná*[1].] [Tb. us. como *s. 2 g. e 2 n.* (com cap.) e *adj. 2 g. e 2 n.*]

caneado [De *cana*[1] + *-eado.*] *Adj. Bras. N.E. Pop.* V. *embriagado* (1).

caneca [De *cano*[1] + *-eca.*] *S. f.* Vaso pequeno, com asa, para líquidos: 📖 "Trouxe duas canecas de chá fumegante." (Lígia Fagundes Teles, *A Disciplina do Amor*, p. 57.)

canecada [De *caneca* + *-ada*[1].] *S. f.* Porção de líquido que uma caneca comporta; caneca cheia.

caneco[1] [De *caneca.*] *S. m.* **1.** Caneca (q. v.) mais longa que o comum. **2.** *Pop.* V. *nádegas.*

caneco[2] [De *cã*[2] (com infl. de *cão*[1], 'pessoa má'), ou mais provavelmente, do port. arc. *can* (v. *cão*[1], 'diabo') + *-eco.*] *S. m. Bras. Pop.* V. *diabo* (2). ◆ **Pintar o caneco.** *Bras. Fam.* V. *pintar o sete.* **Pintar os canecos.** *Bras. Fam.* V. *pintar o sete*: 📖 "seduziu uma cozinheira, ... escalou muros de pomares, quebrou vasos de porcelana, pintou os canecos" (Gustavo Barroso, *O Sertão e o Mundo*, p. 127).

caneco[3] *S. m. Moç. Deprec.* Natural de Goa, de Damão, ou de Diu (antigas possessões portuguesas na Índia), de religião católica, e que procurou assimilar a cultura portuguesa: 📖 "a bandeira da nação se cravou na alegria de muitos e nos temores do caneco." (Mia Couto, *Contos do Nascer da Terra*, p. 80). [Cf. *canarim.*]

canedense *Adj. 2 g.* **1.** De, ou pertencente ou relativo a Senador Canedo (GO). ● *S. 2 g.* **2.** O natural ou habitante de Senador Canedo.

canéfora [Do fr. *canéphore* < lat. *canephora* < gr. *kanephóros.*] *S. f. Arquit.* Figura esculpida de mulher com uma cesta à cabeça, us. não raro como cariátide: 📖 "Nos casamentos, mantém-se um ritual minucioso, e as amigas da noiva imitam as canéforas atenienses, surgindo com cestas cheias de flores, frutos e cereais simbólicos" (Agripino Grieco, *Estrangeiros*, p. 80).

caneiro [De *cano*[1] + *-eiro.*] *S. m.* **1.** Pequeno canal. **2.** Estacada para pesca no leito de um rio. **3.** A parte mais funda e navegável de um rio. **4.** Braço de mar entre rochedos: 📖 "O barco, remado por dezesseis homens, estaca como um cetáceo com as barbatanas hirtas fora da água, em frente do caneiro de desembarque; oscila aí um momento, esperando mar" (Ramalho Ortigão, *As Farpas*, I, p. 262).

canejo (ê) [De *can(i)-*[1] + *-ejo.*] *Adj.* **1.** Relativo ou semelhante a cão[1] (1). ● *S. m.* **2.** *Zool.* V. *sebastião* (1).

canela[1] [Do it. *cannella*, pelo fr. ant. *canele.*] *S. f.* **1.** *Bot.* Árvore laurácea (*Cinnamomum zeylanicum*) originária do Sri Lanka, Ásia meridional, cuja casca, odorífera, se usa como especiaria; caneleira, caneleiro, pau-canela. **2.** A casca dessa árvore. **3.** A cor semelhante à da canela (2). **4.** *P. ext.* Pó obtido com a trituração da casca dessa árvore. **5.** *Bot.* Nome comum a lauráceas dos gêneros *Nectandra* (v. *nectandra*) e *Ocotea* (v. *ocótea*), como, p. ex., a *batalha*[2] e a *canelinha*[1] (1). ● *Adj. 2 g. e 2 n.* **6.** Diz-se da cor da canela[1] (2).

canela[2] [Do lat. **cannella*, por *cannulla*, dim. de *canna.*] *S. f.* **1.** A parte da perna entre o joelho e o pé: 📖 "Quando os dous entraram, ele foi logo fechando a porta, discretamente, enquanto o outro se esparralhava na cadeira, com um suspiro de cansaço, levantando até ao meio da canela a sua batina lustrosa e de bom talho." (Aluísio Azevedo, *O Mulato*, pp. 28-29.) **2.** *Bras. SP Pop.* V. *dor de cotovelo.* ◆ **Azeitar as canelas.** *Bras. Pop.* V. *fugir* (1 e 2). **Canelas de maçarico.** *Bras.* Pernas longas e finas; pernas de maçarico. **Dar à canela.** Andar depressa; correr. V. *fugir* (1 e 2). **Ensebar as canelas.** *Bras. Pop.* V. *fugir* (1 e 2). **Espichar a canela.** *Bras. Pop.* V. *morrer* (1). **Esticar a canela.** *Bras. Pop.* V. *morrer* (1): 📖 "esticara a canela ali perto o Bentinho Baiano, ... baleado por dois tiraços de rifle" (Hugo de Carvalho Ramos, *Tropas e Boiadas*, p. 5). **Ter canela de cachorro.** Ter capacidade de andar muito.

canela[3] [Do fr. *cannelle.*] *S. f.* Pequeno canudo ou bobina em que se enrola o fio para a tecelagem.

canela-amarela [De *canela*[1] + o f. de *amarelo.*] *S. f. Bras. Bot.* V. *canela-rajada.* [Pl.: *canelas-amarelas.*]

canela-amarga [De *canela*[1] + o f. de *amargo.*] *S. f. Bras. Bot.* V. *casca-de-anta* (1). [Pl.: *canelas-amargas.*]

canela-amargosa [De *canela*[1] + o f. de *amargoso.*] *S. f. Bras. RJ Bot.* Pequeno arbusto lauráceo (*Ocotea squarrosa*) dotado de flores alvas e bagas sobre cúpulas planas. [Pl.: *canelas-amargosas.*]

canela-babosa [De *canela*[1] + o f. de *baboso.*] *S. f. Bras. Bot.* V. *canela-guaicá* (1). [Pl.: *canelas-babosas.*]

canela-baraúna [De *canela*[1] + *baraúna.*] *S. f. Bras. Bot.* V. *canela-braúna.* [Pl.: *canelas-baraúnas* e *canelas-baraúna.*]

canela-batalha [De *canela*[1] + *batalha.*] *S. f. Bras. Bot.* Árvore laurácea (*Cryptocarya aschersoniana* ou *C. moschata*) de até 25m, folhas glabras, frutos que encerram noz, e madeira que pode ser us. em acabamentos internos, caixotaria, vigamento, forros, etc. [F. red.: *batalha.* Sin.: *canela-branca, noz-moscada-do-brasil.* Pl.: *canelas-batalhas* e *canelas-batalha.*]

canela-batata [De *canela*[1] + *batata*[1].] *S. f. Bras. Bot.* V. *louro-pardo.* [Pl.: *canelas-batatas* e *canelas-batata.*]

canela-bibiru [De *canela*[1] + *bibiru.*] *S. f. Bras. Bot.* V. *beberu.* [Pl.: *canelas-bibirus* e *canelas-bibiru.*]

canela-branca [De *canela*[1] + o f. de *branco.*] *S. f. Bras. Bot.* **1.** V. *canela-rajada.* **2.** V. *canela-batalha.* [Pl.: *canelas-brancas.*]

canela-braúna [De *canela*[1] + *braúna.*] *S. f. Bot.* **1.** *Bras.* Árvore laurácea (*Ocotea spectabilis*) de folhas coriáceas, flores aromáticas, amarelas, bagas tb. amarelas; fornece madeira própria para construção. **2.** *Bras. MG SP PR SC RS* Árvore laurácea (*Ocotea diospyrifolia*) de flores amareladas ou alvas e bagas globosas; louro-preto. [Sin. ger.: *aiuiú, baraúna, braúna, canela-baraúna, canela-mescla, canela-preta.* Pl.: *canelas-braúnas* e *canelas-braúna.*]

canela-brava [De *canela*[1] + o f. de *bravo.*] *S. f. Bras. Bot.* V. *craveiro-da-terra.* [Pl.: *canelas-bravas.*]

canela-caixeta [De *canela*[1] + *caixeta.*] *S. f. Bras. Bot.* Árvore laurácea (*Licaria cannella*) de folhas coriáceas e flores em panículas terminais; a madeira, parda, é muito aromática, e us. na construção civil. [Pl.: *canelas-caixetas* e *canelas-caixeta.*]

canela-capitão-mor [De *canela*[1] + *capitão-mor.*] *S. f. Bras. Bot.* Árvore laurácea (*Nectandra cissiflora*) de folhas pecioladas, ovadas, de até 10cm, flores alvas dispostas em panículas, e madeira útil. [Pl.: *canelas-capitães-mores* e *canelas-capitão-mor.*]

canelácea [Do tax. *Canella* (do fr. ant. *canele*, v. *canela*[1]) + *-ácea*; tax. *Canellaceae.*] *S. f. Bot.* Espécime das caneláceas, família de árvores ricas em princípios aromáticos na casca, com folhas alternas e flores inconspícuas, estames numerosos e soldados em tubo; o fruto é bacáceo. Há umas 10 espécies tropicais, algumas brasileiras.

caneláceo [De *canelácea*, com var. suf. (v. *-áceo*).] *Adj. Bot.* Pertencente ou relativo às caneláceas.

canela-cheirosa [De *canela*[1] + o f. de *cheiroso.*] *S. f. Bot.* V. *casca-preciosa* (1). [Pl.: *canelas-cheirosas.*]

canelada [De *canela*[2] (1) + *-ada*[1].] *S. f.* Pancada na canela da perna.

canela-de-cheiro [De *canela*[1] + *de* + *cheiro.*] *S. f. Bras. Bot.* Canela-de-folha-cheirosa. [Pl.: *canelas-de-cheiro.*]

canela-de-cutia [De *canela*[2] + *de* + *cutia.*] *S. f. Bot.* V. *pau-de-cutia.* [Pl.: *canelas-de-cutia.*]

canela-de-ema [De *canela*[2] + *de* + *ema.*] *S. f. Bras. Bot.* Designação comum a muitas espécies de plantas velloziáceas, de grandes flores muito ornamentais, e que ocorrem nos campos do Brasil Central. [Pl.: *canelas-de-ema.*]

canela-de-folha-cheirosa [De *canela*[1] + *de* + *folha*[1] + o f. de *cheiroso*.] ***S. f. Bras. Bot.*** Árvore laurácea (*Aniba firmula*) de até 20m, folhas alternas, simples, inflorescências em panículas racemosas, e frutos bacáceos de polpa carnosa; a madeira tem várias utilidades. [Sin.: *canela-de-cheiro*. Pl.: *canelas-de-folha-cheirosa*.]

canela-de-garça [De *canela*[2] (1) + *de* + *garça*.] ***S. f. Bras. Bot.*** Beque[3]. [Pl.: *canelas-de-garça*.]

canela-de-porco ***S. f. Bot.*** V. *canela-rajada*. [Pl.: *canelas-de-porco*.]

canela de veado [*de canela*[2] (1) + *de* + *veado*.] ***S. f. Bras. MG Cul.*** Rosquinha de araruta e ovos, de superfície lisa e brilhante; envernizado. [Pl.: *canelas de veado*.] ☑ notas 1 e 2

canela-de-veado [De *canela*[2] + *de* + *veado*.] ***S. f.*** **1.** *Bot.* V. *canela-preta-verdadeira*. **2.** *Bot.* V. *canafístula* (3). [Pl.: *canelas-de-veado*.]

canela-de-velha [De *canela*[2] (1) + *de* + *velha*.] ***S. f. Bras. Amaz. Bot.*** **1.** Designação comum a várias espécies de melastomatáceas, do gênero *Miconia*, de grandes folhas com algumas nervuras curvas e magnas flores violáceas, e cuja madeira se pode usar em construção. **2.** V. *moças-e-velhas*. [Pl.: *canelas-de-velha*.]

canelado[1] [De *canela*[3] + *-ado*[1].] ***S. m.*** Conjunto de caneluras.

canelado[2] [Part. de *canelar*.] ***Adj.*** **1.** Que tem caneluras. **2.** *Tec. Têx.* Diz-se de tecido que apresenta listras verticais ou horizontais em relevo. ~ V. *coluna -a*. • ***S. m.*** **3.** *Tec. Têx.* Tecido canelado[2] (2).

canela-do-brejo [De *canela*[1] + *do* + *brejo*.] ***S. f. Bras. MG SP PR SC RS Bot.*** Canelinha[1] (1). [Pl.: *canelas-do-brejo*.]

caneladura [Do lat. **cannella*, por *cannulla*, + *-dura*.] ***S. f.*** V. *canelura*.

canela-funcho [De *canela*[1] + *funcho*.] ***S. f. Bras. Bot.*** V. *canela-sassafrás*. [Pl.: *canelas-funchos* e *canelas-funcho*.]

canelagem [De *canela*[2] (2) + *-agem*[2].] ***S. f. Bras. MG SP Pop.*** V. *dor de cotovelo*: "Num acesso de 'canelagem' pica de faca um caboclo, que deitara vistas cúpidas à mulata." (Godofredo Rangel, *Vida Ociosa*, p. 171.)

canela-goiaba [De *canela*[1] + *goiaba*.] ***S. f. Bras. RJ Bot.*** Árvore laurácea (*Ocotea organensis*) de uns 17m de altura, com flores em panículas, e bagas pequenas; canela-parda. [Pl.: *canelas-goiabas* e *canelas-goiaba*.]

canela-goiacá ***S. f. Bras. Bot.*** **1.** V. *canela-guaicá* (1). **2.** V. *canela-rajada*. [Pl.: *canelas-goiacás* e *canelas-goiacá*.]

canela-gosma [De *canela*[1] + *gosma*.] ***S. f. Bras. Bot.*** **1.** V. *canela-preta-verdadeira*. **2.** V. *canela-tatu*. [Pl.: *canelas-gosmas* e *canelas-gosma*.]

canela-gosmenta [De *canela*[1] + o f. de *gosmento*.] ***S. f. Bras. Bot.*** Pau-de-quiabo. [Pl.: *canelas-gosmentas*.]

canela-guacá ***S. f. Bras. Bot.*** V. *canela-rajada*. [Pl.: *canelas-guacás* e *canelas-guacá*.]

canela-guaicá [De *canela*[1] + *guaiacá*.] ***S. f. Bot.*** **1.** *Bras. L. S.* Arbusto ou pequena árvore laurácea (*Ocotea puberula* ou *O. arechavaletae*), de flores alvas e bagas subglobosas; canela-pimenta, canela-babosa, canela-parda, canela-goiacá, guaicá, louro-abacate. **2.** V. *canela-rajada*. [Pl.: *canelas-guaicás* e *canelas-guaicá*.]

canela-imbuia [De *canela*[1] + *imbuia*.] ***S. f. Bras. Bot.*** V. *canela-rajada*. [Pl.: *canelas-imbuias* e *canelas-imbuia*.]

canela-inhaíba [De *canela*[1] + *inhaíba*.] ***S. f. Bras. Bot.*** Árvore laurácea (*Nectandra globosa*) com 10 a 20m de altura, flores alvas, em panículas; canela-massapê, canela-preta, cedro-preto, louro-vermelho, surineia. [Pl.: *canelas-inhaíbas* e *canelas-inhaíba*.]

canela-jacu [De *canela*[1] + *jacu*.] ***S. f. Bras. Bot.*** V. *canela-preta-verdadeira*. [Pl.: *canelas-jacus* e *canelas-jacu*.]

canela-limão [De *canela*[1] + *limão*.] ***S. f. Bras. Bot.*** V. *beberu*. [Pl.: *canelas-limões* e *canelas-limão*.]

canela-limbosa ***S. f. Bras. Bot.*** V. *canela-tatu*. [Pl.: *canelas-limbosas*.]

canela-massapê [De *canela*[1] + *massapê*.] ***S. f. Bras. Bot.*** **1.** V. *canela-inhaíba*. **2.** V. *canela-preta-verdadeira*. [Pl.: *canelas-massapês* e *canelas-massapê*.]

canela-mescla [De *canela*[1] + *mescla*.] ***S. f. Bras. Bot.*** V. *canela-braúna*. [Pl.: *canelas-mesclas* e *canelas-mescla*.]

canelão[1] [De *canela*[2] (1) + *-ão*[1].] ***S. m.*** Grande canelada.

canelão[2] [De *canela*[3] + *-ão*[1].] ***S. m.*** Fio da teia mais grosso que os outros.

canelão[3] [De *canela*[1] + *-ão*[1].] ***S. m. Bot.*** **1.** Árvore laurácea (*Ocotea spixiana*) de até 5m, de folhas alternas, coriáceas, pubescentes, flores pálidas, reunidas em cimeiras capituliformes. **2.** Grande árvore mirsinácea (*Rapanea laetevirens*) de folhas glabras, flores verde-amareladas em cimeiras corimbiformes; a madeira é branca e frágil.

canelão[4] ***S. m.*** Confeito de cidrão recoberto de açúcar.

canela-parda [De *canela*[1] + o f. de *pardo*[2].] ***S. f. Bras. Bot.*** **1.** V. *canela-goiaba*. **2.** V. *canela-guaicá* (1). [Pl.: *canelas-pardas*.]

canela-pimenta [De *canela*[1] + *pimenta*.] ***S. f. Bras. Bot.*** V. *canela-guaicá* (1). [Pl.: *canelas-pimentas* e *canelas-pimenta*.]

canela-prego [De *canela*[1] + *prego*.] ***S. f. Bras. Bot.*** V. *canela-preta-verdadeira*. [Pl.: *canelas-pregos* e *canelas-prego*.]

canela-preta[1] [De *canela*[1] + o f. de *preto* (ê).] ***S. f. Bras. Bot.*** **1.** V. *canela-braúna*. **2.** V. *canela-inhaíba*. **3.** V. *canela-rajada*. [Pl.: *canelas-pretas*.]

canela-preta[2] [De *canela*[2] + o f. de *preto* (ê).] ***S. m. Bras. Gír.*** Militar do exército (do tempo em que se usavam perneiras pretas no uniforme). [Pl.: *canelas-pretas*.]

canela-preta-verdadeira [De *canela*[1] + o f. de *preto* (ê) + o f. de *verdadeiro*.] ***S. f. Bras. L. S. Bot.*** Árvore laurácea (*Nectandra reticulata*) de até 40m de altura, flores alvas e bagas elipsóideas; canela-massapê, canela-prego, canela-de-veado, canela-gosma, canela-jacu, louro-de-casca-preta. [Pl.: *canelas-pretas-verdadeiras*.]

canelar [De *canela*[3] + *-ar*[2].] ***V. t. d.*** **1.** Lavrar caneluras em. ***Int.*** **2.** Encher as canelas (v. *canela*[3]). [Pres. ind.: *canelo*, etc. Cf. *canelo* (ê).]

canela-rajada [De *canela*[1] + o f. de *rajado*[2].] ***S. f. Bras. S. Bot.*** Árvore laurácea (*Nectandra megapotamica*) com cerca de 8 a 13m, de grandes folhas glabras e pequenas flores esbranquiçadas; a madeira é us. para construção civil, esquadrias, etc.; canela-amarela, canela-branca, canela-preta, canela-de-porco, canela-imbuia, canela-goiacá, canela-guaicá, canela-guacá, guaicá, canelinha, canelinha-rajada, aiuimoroti. [Pl.: *canelas-rajadas*.]

canela-rancocamecra *Bras.* ***S. 2 g.*** **1.** *Etnôn.* Indivíduo dos canelas-rancocamecras [ou (etnôn. bras.) *Kanela-rankokamekra], povo indígena da subfamília timbira, da família linguística jê, tronco macro-jê, que habitava região próxima à cabeceira do rio Mearim, município de Barra do Corda (MA). • ***Adj. 2 g.*** **2.** Pertencente ou relativo a esse povo. [Pl.: *canelas-rancocamecras*.]

canela-rosa [De *canela*[1] + *rosa*.] ***S. f. Bras. Bot.*** Árvore laurácea (*Persea cordata*) de até 20m, de madeira vermelha, folhas oblongas, flores vilosas, paniculadas, e bagas esféricas. [Sin.: *abacate-do-mato*, *maçaranduba*, *pau-andrade*. Pl.: *canelas-rosas*.]

canela-ruiva [De *canela*[2] (1) + o f. de *ruivo*.] ***S. m. Bras. Zool.*** V. *queixada* (3): "Que frio, que frio! Meu queixo pegou a bater feito uma vara de canelas-ruivas." (Afonso Arinos, *Histórias e Paisagens*, p. 20.) [Pl.: *canelas-ruivas*.]

canela-sassafrás [De *canela*[1] + *sassafrás*.] ***S. f. Bras. S. Bot.*** Árvore laurácea (*Ocotea odorifera*) da floresta atlântica, de folhas obovadas ou oblongo-lanceoladas, acuminadas, oliváceas ou castanhas, pequenas flores alvas, perfumadas, ordenadas em racemos curtos, e cujo fruto é uma baga elipsoide. A madeira, parda, é utilizável como canela, fornece, ainda, por destilação, um óleo riquíssimo em safrol, que é convertido em produtos valiosos para perfumaria. [Sin.: *canela-funcho*, *sassafrás*, *pau-de-sassafrás*. Pl.: *canelas-sassafrases* e *canelas-sassafrás*.]

canela-tapinhoã [De *canela*[1] + *tapinhoã*.] ***S. f. Bras. Bot.*** Tapinhoã. [Pl.: *canelas-tapinhoãs* e *canelas-tapinhoã*.]

canela-tatu [De *canela*[1] + *tatu*.] ***S. f. Bras. BA a RJ Bot.*** Árvore ou arbusto lauráceo (*Ocotea brachybotrya*) com flores em panículas e bagas globosas; canela-gosma, canela-limbosa. [Pl.: *canelas-tatus* e *canelas-tatu*.]

caneleira[1] [De *canela*[1] + *-eira*.] ***S. f. Bot.*** **1.** V. *canela*[1] (1). **2.** *Bras. Zool.* Caneleiro[1] (2).

caneleira[2] [De *canela*[2] (1) + *-eira*.] ***S. f.*** Peça para defesa das pernas, nas antigas armaduras.

caneleira[3] ***S. f.*** Fem. de *caneleiro*[2].

caneleira-do-mato [De *caneleira*[1] + *do*[1] + *mato*.] ***S. f. Bras. Bot.*** Árvore laurácea (*Nectandra canescens*) de casca aromática, folhas coriáceas e flores perfumadas; louro-bravo, louro-silvestre, mucataia, mucutaia. [Pl.: *caneleiras-do-mato*.]

caneleirinho [De *caneleiro*[1] (2) + *-inho*[1].] ***S. m. Bras. RJ Zool.*** Ave passeriforme, cotingídea (*Pachyramphus polychopterus*), distribuída por todo o País, com quatro subespécies. Coloração preta, asas e cauda pintadas de branco, alto da cabeça com brilho metálico. A fêmea é olivácea, com as asas e a cauda pintadas de um tom de ocre claro, a parte inferior amarelo-esverdeada clara. [Sin., no RS: *caneleirinho-preto*.]

caneleirinho-preto ***S. m. Bras. RS Zool.*** Caneleirinho. [Pl.: *caneleirinhos-pretos*.]

caneleiro[1] [De *canela*[1] + *-eiro*.] ***S. m.*** **1.** *Bot.* V. *canela*[1] (1). **2.** *Bras. Zool.* Ave passeriforme, cotingídea (*Platypsaris rufus*), do Brasil Central e Oriental, de coloração cinza-escura, cabeça preta, dorso mais escuro, garganta, peito e abdome cor de canela. A fêmea é ferruginosa no dorso e tem o abdome tb. cor de canela. [Sin. (nesta acepç.): *caneleira*.]

caneleiro[2] [De *canela*[3] + *-eiro*.] ***S. m.*** **1.** Operário que enche as canelas (v. *canela*[3]), nas fábricas de fiação e tecelagem. **2.** Utensílio de tecelagem no qual se prende a canela[3] para se enrolar o fio.

canelense[1] ***Adj. 2 g.*** **1.** De, ou pertencente ou relativo a Canela (RS). • ***S. 2 g.*** **2.** O natural ou habitante de Canela.

canelense[2] ***Adj. 2 g.*** **1.** De, ou pertencente ou relativo a Canelinha (SC). • ***S. 2 g.*** **2.** O natural ou habitante de Canelinha.

canelinha[1] [De *canela*[1] + *-inha*.] ***S. f. Bot.*** **1.** *Bras. MG a RS* Arbusto ou pequena árvore laurácea (*Ocotea pulchella*) de folhas pequenas, flores verde-amareladas e baga pequena, dipsóidea; canela-do-brejo. **2.** V. *canela-rajada*.

canelinha[2] [Do cabo-verd. *canilinha*.] ***S. 2 g. Cabo-verd.*** Suposta entidade fantástica, extremamente magra e de pernas compridas (por vezes representada com apenas uma perna), que corre em linha reta, perseguindo os viajantes noturnos: "Era preciso correr aos zigue-zagues; o canelinha, ao chegar a cada ângulo, caía, por falta de outro pé; assim, o perseguido podia escapar." (Teobaldo Virgínio, *Distância*, p. 11.)

canelinha-amarela [De *canelinha*[1] + o f. de *amarelo*.] ***S. f. Bras. Bot.*** V. *catinga-branca*. [Pl.: *canelinhas-amarelas*.]

canelinha-rajada [De *canelinha*[1] + o f. de *rajado*[2].] ***S. f. Bras. Bot.*** V. *canela-rajada*. [Pl.: *canelinhas-rajadas*.]

canelo (ê) [De *canela*[2] (1).] ***S. m.*** **1.** A canela da perna. **2.** Ferradura curta, própria para bois. **3.** Ferradura parcialmente gasta. [Pl.: *canelos* (ê). Cf. *canelo*, do v. *canelar*.]

canelone [Do it. *canellone*.] ***S. m. Cul.*** Massa (6) enrolada em cilindro, recheada, e levada ao forno para gratinar.

caneludo [De *canela*[2] (1) + *-udo*.] ***Adj.*** **1.** *Bras.* Que tem as canelas longas e/ou grossas. **2.** *Pop.* Ciumento: "Como foi rondador de casas alheias e fazedor de grongas para as moças que por bem o não queriam, era caneludo em excesso" (Valdomiro Silveira, *Os Caboclos*, p. 62). • ***S. m.*** **3.** *Bras. Deprec.* Alcunha dada aos mascates [v. *mascate* (3)], pelo partido pernambucano, no movimento revolucionário de 1710. V. *galego* (4).

canelura [Do lat. **cannella*, por *cannulla* + *-ura*.] ***S. f.*** **1.** *Arquit.* Cada uma das ranhuras, estrias ou sulcos semelhantes a diminutos canaletes, abertos para ornamentar fustes de colunas, pilastras ou outras peças edificadas. **2.** *Bot.* Estria nos caules. **3.** Sulco ou estria que dirige o gume da parte cortante de certos instrumentos cirúrgicos. **4.** *Encad.* V. *canal* (11). [Sin. ger.: *caneladura*, *acanaladura*.]

canescente [Do lat. *canescente*, part. pres. de *canescere*.] ***Adj. 2 g. Bot.*** Diz-se das plantas, órgãos e partes revestidos de pelos brancos e curtos.

caneta[1] (ê) [De *cana*[1] (1 e 2) + *-eta (ê)*.] ***S. f.*** **1.** Pequeno tubo em que se encaixa a pena ou a ponta com que se escreve à tinta. **2.** *P. ext.* Instrumento (1) com que se escreve à tinta. **3.** Cabo com que os cirurgiões seguram o cautério. **4.** *Fut.* O ato de passar a bola entre as pernas do adversário; ovinho. ◆ **Caneta automática.** *Bras. N.E.* V. *caneta-tinteiro*. **Caneta esferográfica.** *Bras.* Aquela em cuja ponta há uma esfera metálica que regula a saída da tinta. [Tb. se diz apenas *esferográfica*.] **Caneta hidrográfica.** Caneta[1] (1) com tinta solúvel em água e ponta de feltro. **Caneta óptica. 1.** *Inform.* Dispositivo periférico de apontamento, us. diretamente sobre a tela do computador. [A seleção de itens é feita apertando-se um botão na caneta, ou pressionando-a contra a tela.] **2.** Espécie de *scanner* (q. v.), em forma de caneta, us. para realizar a leitura de informações em código de barras (q. v.).

caneta[2] (ê) [Do port. arc. *can*, 'cão[1] (7)', + *-eta (ê)*; cf. *canheta*.] ***S. m. Açor.*** V. *diabo* (2).

canetada [De *caneta*[1] + *-ada*[1].] ***S. f.*** Ato ou efeito de mudar, decidir ou resolver uma situação, com apenas uma assinatura em um documento ou missiva: "Numa só canetada, foram demitidos 5,5 mil funcionários." (Elio Gaspari, em *O Globo*, 11.06.2008.) [Refere-se ger. ao poder de influência política ou legal.]

caneta-fonte [De *caneta*[1]*(ê)* + *fonte*.] ***S. f.*** V. *caneta-tinteiro*. [Pl.: *canetas-fontes* e *canetas-fonte*.]

caneta-tinteiro [De *caneta*[1]*(ê)* + *tinteiro*.] ***S. f.*** Caneta[1] (1) com depósito para tinta; caneta automática, caneta-fonte, estilógrafo. [Pl.: *canetas-tinteiros* e *canetas-tinteiro*.]

canetinha [De *caneta*[1] + *-inha*.] ***S. f.*** Caneta hidrográfica (q. v.), ger. de cor.

→**canevas** [kan'va] [Fr.] ***S. m.*** Bosquejo, esboço.

canfano [De *canf(o)(r)-* + *-ano*[2].] ***S. m. Quím.*** Bornano.

canfeno [De *canf(o)(r)-* + *-eno*[2].] ***S. m. Quím.*** Monoterpeno insaturado bicíclico, de esqueleto como o do isocanfano, que ocorre em vários óleos vegetais [fórm.: $C_{10}H_{16}$].

canfinfa *S. f. Bras. AL Pop.* V. *cafifa*[1].

▲ **canf(o)(r)-** *Quím. El. comp.* = 'cânfora': *canfano.*

cânfora [Do lat. med. *camphora*, do ár. *kafur*, de or. oriental: persa *kāpūr*, sânscr. *karpūram*.] *S. f.* **1.** *Quím.* Substância cristalina incolor, com cheiro característico e penetrante, que é uma cetona monoterpênica bicíclica, com estrutura em ponte como a do bornano, ocorre em várias plantas e é tb. produzida sinteticamente, para uso industrial e medicinal [fórm.: $C_{10}H_{16}O$]. [Var.: *alcanfor, alcânfora*.] **2.** *Bot.* V. *canforeira*. [Cf. *canfora*, do v. *canforar*.]

canforado [Part. de *canforar*.] *Adj.* Que tem, ou que é preparado com cânfora (1): álcool canforado. ~ V. *óleo* —.

canforar [De *cânfora* + *-ar*[2].] *V. t. d.* **1.** Dissolver cânfora em. **2.** Misturar cânfora a. **3.** Cobrir de cânfora. [Sin. ger.: *alcanforar*. Pres. ind.: *canforo, canforas, canfora*, etc. Cf. *cânfora*.]

canforeira [De *cânfora* + *-eira*.] *S. f. Bot.* Grande árvore laurácea (*Cinnamomum camphora*) originária da Ásia, semelhante à canela, e de cuja madeira se obtém, por destilação, a cânfora (que, no entanto, é ger. obtida sinteticamente, nos dias atuais); alcanforeira, alcanforeira-do-japão, canforeiro, cânfora.

canforeiro [De *cânfora* + *-eiro*.] *S. m. Bot.* V. *canforeira*.

canfórico [De *canf(o)(r)-* + *-ico*[2].] *Adj.* Da, pertencente ou relativo à cânfora (1), ou que a contém.

canforina [De *cânfora* + *-ina*[3].] *S. f. Bot.* Erva quenopodiácea, vivaz, cujas folhas, quando esmagadas, exalam odor de cânfora; canforosma.

canforismo [De *cânfora* + *-ismo*.] *S. m. Med.* Intoxicação pela cânfora, que se manifesta mediante gastrite, convulsões e estado de coma.

canforosma [De *canf(o)(r)-* + *-osma*.] *S. f. Bot.* Canforina.

canga[1] [Do celta **cambica*, 'madeira curva', poss.] *S. f.* **1.** Peça de madeira que prende os bois pelo pescoço e os liga ao carro, ou ao arado; jugo: "um boi magro .... esticava o pescoço esfolado pela canga e mugia" (Coelho Neto, *Sertão*, p. 79). **2.** Pau que carregadores põem aos ombros para suspender fardos. **3.** *Fig.* Opressão, sujeição, jugo.

canga[2] [Do chinês *kang-kia*, com infl. de *canga*[1], poss.] *S. f.* Antigo instrumento de suplício us. em parte da Ásia, formado por uma tábua com furos onde se prendia a cabeça e as mãos dos condenados; ganga.

canga[3] [F. red. de *tapanhoacanga* (q. v.).] *S. f. Bras. MG* Concentração de hidróxidos de ferro na superfície do solo sob a forma de concreções, e que às vezes constitui bom minério de ferro. [Outras f.: *itapanhoacanga, tapiocanga, tapunhunacanga*. Cf. *ganga*[4].]

canga[4] [De or. incerta.] *S. f.* **1.** *Tec. Têx.* Certo tecido de algodão. **2.** *Vest.* Retângulo ou triângulo de tecido, ger. de algodão, us. como saída de praia (q. v.): "uma canga franjada custa Cr$ 8 mil e não está cara demais, porque é um tecido bonito, que pode ser usado para a praia, ou para a noite, transformado em muitas roupas diferentes, amarradas com perícia" (Iesa Rodrigues, em *Jornal do Brasil*, 06.01.1982). [No texto se lê *kanga*, com *k*.]

cangá *S. m. Bras. BA* Espécie de alforje.

cangaçais [De *cangaço* (4) + o pl. de *-al*[1].] *S. m. pl. Bras. Burl.* Mobília de pobre; trastes, cacarecos, tarecos.

cangaceirada [De *cangaceiro* + *-ada*[1].] *S. f. Bras.* Bando de cangaceiros.

cangaceirismo [De *cangaceiro* + *-ismo*.] *S. m. Bras.* Cangaço (3).

cangaceiro [De *cangaço* + *-eiro*.] *S. m. Bras.* Bandido do sertão nordestino, que andava sempre fortemente armado; assombra-pau, bandoleiro, cabra, cabra de chifre, capixaba, capuava.

cangaço [De *canga*[1] + *-aço*, poss.] *S. m.* **1.** Engaço de uvas depois de pisadas e de extraído o vinho. **2.** *Bras.* O conjunto das armas dos cangaceiros. **3.** O gênero de vida dos cangaceiros; cangaceirismo. **4.** Objetos de uso de casa pobre. **5.** *Bot.* Pendúnculo e espata do coqueiro, que se desprendem da árvore quando secos. [Sin. em AL, nesta acepç.: *cangaraço, tibaca*].

cangalha [De *canga*[1] (1) + *-alha*.] *S. f.* **1.** Cangalhas (1 e 2). **2.** *Bras. S.* Peça de três paus, unidos em triângulo, que se enfia no pescoço dos porcos para não destruírem hortas cultivadas. **3.** *Bras. Bot.* V. *canafístula* (3). **4.** *Bras. Pop.* Perna torta ou arqueada. ● *S. 2 g.* **5.** *Bras. N.E.* Pessoa de pernas arqueadas. ~ V. *cangalhas*.

cangalhada [De *cangalho*[1] + *-ada*[1].] *S. f.* Agrupamento ou montão de cangalhos [v. *cangalho*[1] (2)].

cangalhão [De *cangalho*[1] + *-ão*[2].] *S. m.* **1.** Cangalho[1] (2). **2.** *Fig.* Homem envelhecido antes do tempo.

cangalhas [Pl. de *cangalha*.] *S. f. pl.* **1.** Armação de madeira ou de ferro em que se sustenta e equilibra a carga das bestas, metade para um lado delas, metade para o outro; cangalha. **2.** Peças em que descansa a moega das atafonas; cangalha. **3.** *Pop. Fam.* Óculos. ~ V. *cangalha*. ◆ **De cangalhas.** De pernas para o ar.

cangalheiro [De *cangalha* + *-eiro*.] *S. m.* **1.** Indivíduo que conduz bestas com cangalhas; almocreve, recoveiro. **2.** Aquele que prepara ou aluga os aprestos de enterro. **3.** *Bras. L. a S. Bot.* Árvore cunoniácea (*Lamanonia tomentosa*) própria da floresta atlântica, de folhas penadas, com grandes folíolos serreados, flores muito pequenas, alvacentas, e dispostas em racemos, e madeira avermelhada, macia, que serve para fazer lápis. ● *Adj.* **4.** Relativo a cangalha ou cangalhas.

cangalheta (ê) [De *cangalha* + *-eta* (ê).] *S. f. Bras.* Espécie de sela rústica.

cangalho[1] [De *canga*[1] (1) + *-alho*.] *S. m.* **1.** V. *canzil* (1). **2.** *Fam.* Pessoa ou coisa inútil, ou velha; cangalhão.

cangalho[2] *S. m.* Barco indiano com peso exterior que o equilibra.

cangambá [Do tupi = 'cabeça oca'; 'estonteado'.] *S. m. Bras.* **1.** *Bot.* V. *manacá* (2). **2.** *Zool.* V. *jaritataca*.

cangancha *S. f. Bras.* Trapaça no jogo ou em negócios. [Cf. *cangoncha*.]

cangancheiro [De *cangancha* + *-eiro*.] *S. m. Bras.* Aquele que faz canganchas; caloteiro, estradeiro, jirigote, trapaceiro, vedoia. [Cf. *cangoncheiro*.]

cangangoá [Var. de *canganguá*.] *S. m. Bras. Zool.* **1.** V. *canguá* (1). **2.** V. *roncador* (3).

canganguá [Var. de *canguá*.] *S. m. Bras. Zool.* **1.** V. *canguá* (1). **2.** V. *roncador* (3).

canganhiça [Do ronga *kanganyisa* (rad. do v. *ku-kanganyisa*, 'enganar', 'intrujar').] *S. f. Moç.* Trapaça, batota, vigarice: "não estava direito, escola assim era canganhiça. E canganhiça era igualmente a maneira como o branco Belmiro Corvo fizera as suas contas." (Afonso Ribeiro, *África Colonial*, p. 15). ◆ **Fazer canganhiça.** *Moç.* Enganar, lograr: "Porque o monhé era mesmo bom, não fazia canganhiça" (Suleiman Cassamo, *O Regresso de Morto*, p. 47).

canganho *S. m. Bot.* Engaço[1] (1) sem uvas; esqueleto de cacho de uvas.

cangapara [Do tupi = 'cabeça', + tupi = 'vergada'.] *S. f. Bras. MA Zool.* V. *cágado* (1).

cangapé [De *cambapé*, com infl. de *canga*[1], poss.] *S. m.* **1.** *Bras.* Pontapé dado súbita e perfidamente na barriga da perna de outrem. **2.** *Bras. MA a AL* Pontapé que, por brincadeira, alguém dá dentro da água, ao mergulhar, em companheiro que lhe está próximo: "Punham-se os animais dentro d'água e ficávamos nos banhos, nos cangapés." (José Lins do Rego, *Meus Verdes Anos*, p. 37.) [Sin. em AL, nesta acepç.: *sapatada*.]

cangar [De *canga*[1] + *-ar*[2].] *V. t. d.* **1.** Jungir à canga[1]. **2.** *Fig.* Subjugar, sujeitar, oprimir, dominar. [Conjug.: v. *largar*.]

cangaraço [De *cangaço*.] *S. m.* **1.** *Bras.* Restos ou destroços de coisas velhas ou quebradas. **2.** Ossada de animal. **3.** *Bot.* V. *cangaço* (5).

cangarilhada *S. f.* Logro, trapaça, tramoia.

cangarra [Do macua *mukankarra*, com aférese e sonorização.] *S. f. Moç.* Gaiola de verga para transporte de galinhas, coelhos e outros animais: "entreguei à Senhora uma cangarra de galinhas e mais três cabritos." (Sant'Ana Afonso, *Eu Não Sou Eu*, p. 45).

cangatá [Do tupi.] *Bras. S. m.* **1.** Cordão feito de penas. [Cf. *canitar*.] **2.** *Zool.* V. *guarijuba*.

cangati [Do tupi = 'cabeça', + *ti*, abrev. de *tiga*, 'branco'.] *S. m.* **1.** *Bras. Zool.* Peixe auqueniptérideo (*Trachycorystes striatulus*) largamente distribuído na América cisandina. Pardo-amarelado, com traços negros, e nadadeira anal muito desenvolvida, comprimento até 25cm. [Sin.: *cabeça-de-ferro, peixe-cachorro, cumbaca*.] **2.** V. *anujá*.

cangauá *S. m. Bras. Zool.* **1.** V. *canguá* (1). **2.** V. *roncador* (3).

cangoá *S. m.* **1.** *Bras. Zool.* V. *canguá* (1). **2.** V. *roncador* (3).

cangoeira [Do tupi = 'osso sem carne'.] *S. f.* **1.** *Bras.* Flauta indígena feita de ossos de guerreiros mortos. **2.** *Bras. GO* Leitoa magra. [Var.: *cangueira* (güei). Cf. *cangueira*.]

cangolé *S. m. Bras. BA MG* V. *síncope* (1).

cangoncha *S. f. Bras. CE* Imagem de santo mal-acabada, de madeira. [Cf. *cangancha*.]

cangoncheiro [De *cangoncha* + *-eiro*.] *S. m. Bras. CE* Fazedor de cangonchas. [Cf. *canganchei ro*.]

cangongo *S. m. Bras. BA* Designação dada pelo sertanejo ao habitante do litoral.

cangorça *S. f. Bras. BA* Gurita[2].

cangosta (ô) *S. f.* V. *congosta*.

cangote [De *cogote*, com infl. de *canga*[1] (1).] *S. m.* V. *cogote*: "Não havia outro cão como aquele, para dar com uma ovelha tresmalhada e trazê-la, se fosse preciso, suspensa da boca, pelo cangote, sem lhe fazer mal." (Domingos Monteiro, *Enfermaria, Prisão e Casa Mortuária*, p. 63.) ◆ **Estar de cangote duro.** *Bras. S.* Estar de cangote grosso. **Estar de cangote grosso.** *Bras. S.* Estar gordo (o animal); estar de cangote duro.

cangotilho[1] *S. m. Bras.* Cagotilho.

cangotilho[2] [De *cogotilho*, com infl. de *cangote*.] *S. m. Bras. S.* V. *cogotilho*.

cangotinho [De *cangote* + *-inho*[1].] *S. m. Bras. BA* Entre os baleeiros, certa região da baleia onde a arpoadela é mortal.

cangotudo *Adj. Bras.* V. *cogotudo*.

canguá [De or. tupi, poss.] *S. m. Bras. Zool.* **1.** Peixe cieniídeo (*Stellifer rastrifer*), das costas do Atlântico ocidental, da Colômbia ao S. do Brasil, de coloração prateada e até 20cm de comprimento. [Var.: *cangangoá, canganguá, cangauá, cangoá, congoá*. Sin.: *cabeça-dura-focinho-de-rato, cabeça-dura-prego, roncador*.] **2.** V. *roncador* (3).

C

canguaí *S. m. Bras.* V. *caipira* (1).

canguara *S. f. Bras. S. Pop.* V. *cachaça* (1): "O velho Mané Lucídio metia as suas canguaras, sentava na beira da calçada e falava feito reza de igreja" (M. Cavalcanti Proença, *Manuscrito Holandês*, p. 92).

canguaretamense *Adj. 2 g.* **1.** De, ou pertencente ou relativo a Canguaretama (RN). ● *S. 2 g.* **2.** O natural ou habitante de Canguaretama.

canguari *S. m. Bras. Pop.* V. *ancilostomíase*.

canguaxi [Do tupi.] *S. m. Bras. Zool.* V. *enxu-da-beira-do-telhado*.

canguçu [Do tupi = 'cabeça grande'.] *S. m. S. f. Bras.* **1.** *Zool.* V. *jaguar*: "— Até os caçadores mais espertos se arrepiam quando a canguçu dá aquele rugido ao ser baleada." (O. G. Rego de Carvalho, *Somos Todos Inocentes*, p. 137.) **2.** *Bras. SP* V. *caipira* (1).

canguçuense *Adj. 2 g.* **1.** De, ou pertencente ou relativo a Canguçu (RS). ● *S. 2 g.* **2.** O natural ou habitante de Canguçu.

cangueira [De *canga*[1] + *-eira*.] *S. f. Bras.* Calosidade produzida pela canga no pescoço de animais. [Cf. *cangoeira* e *cangueira* (güei).]

cangueira (güei) *S. f.* V. *cangoeira*: "ouvem-se chios de chinelos e de caixas, cascavelhadas de chocalhos rechuchados, ..., grulhos, grugrulhos de cangueiras e de canzás" (Martins Fontes, *A Dança*, p. 91). [Cf. *cangueira*.] ❖

cangueiro [De *canga*[1] + *-eiro*.] *Adj.* **1.** Que usa ou pode suportar canga. **2.** *Bras.* Que remancha no trabalho; preguiçoso, remanchador. **3.** Curvado a um peso. **4.** *Fig.* Submisso, obediente. **5.** *Bras. PE* Enfraquecido, abatido, adoentado. ● *S. m.* **6.** *Bras.* Indivíduo submisso, ou subjugado.

canguiço *S. m. Bras. Pop.* Indivíduo muito magro.

canguinhar [De *canguinho* + *-ar*[2].] *V. int. Fam.* **1.** Ser canguinhas. **2.** Demorar-se em tomar uma decisão; permanecer irresoluto.

canguinhas [De *canguinho*.] *S. m. 2 n.* **1.** Homem apoucado, ou fisicamente pouco desenvolvido. **2.** Homem sem energia. ● *S. 2 g. e 2 n.* **3.** V. *avaro* (3).

canguinhez (ê) [De *canguinho* + *-ez*.] *S. f. Bras.* Qualidade de canguinho; avareza, mesquinharia: "Para resistir à sua lábia era preciso mais do que avareza .... Como o italiano Guilherme Ricci, ... de lendária canguinhez." (Jorge Amado, *Dona Flor e Seus Dois Maridos*, p. 141.)

canguinho *Adj. S. m. Bras.* V. *avaro* (1 e 3).

canguleiro [De *cangulo* + *-eiro*, decerto.] *S. m. Bras. RN Pop.* O natural ou habitante da Ribeira (cidade baixa), em Natal. [Os da cidade alta são chamados *xarias*.]

cangulo [De or. afr., poss.] *S. m. Bras.* **1.** *Zool.* Peixe teleósteo, plectógnato, marinho, balistídeo (*Balistes carolinensis*), do Atlântico tropical e mediterrâneo. Mede de 0,30m a 0,50m, tem coloração geral cinza-esverdeada, com manchas de outras cores, e é tido por venenoso em certos períodos do ano; a pele é provida de escamas rômbicas com pequenos tubérculos espinhosos. [Sin.: *acará-mocó, acaramuçu, acarapicu, acarapuru, fantasma, maracuguara, piraaca*. Var.: *cangurro*.] **2.** *Fig.* Pessoa que tem os dentes superiores salientes.

cangulo-rei *S. m. Zool.* Peixe balistídeo (*Balistes vetula*), do Atlântico, de dorso oliváceo e partes laterais amarelas com estrias azuladas. [Pl.: *cangulos-reis* e *cangulos-rei*.]

cangundo [Do quimb.] *S. m. Angol. Deprec.* Indivíduo branco e de condição humilde: "como não trouxe nenhuma garrafa de vinho do Porto, não é branco fino... É um reles cangundo..." (Óscar Ribas, *Tudo Isto Aconteceu*, p. 42).

cangurral *S. m. Bras. S.* Vegetação arbustiva prejudicial ao desenvolvimento das pastagens; canzurral.

cangurro *S. m. Bras. Zool.* V. *cangulo* (1).

canguru [De uma língua australiana, na qual significa 'não sei', pelo ingl. ant. *kangooroo*, atual *kangaroo*, e do fr. *kangourou*.] *S. m.* **1.** *Zool.* Mamífero marsupial, de que há mais de uma espécie, da Austrália, Tasmânia, etc., e cujas pernas traseiras são fortemente desenvolvidas, o que lhe permite dar grandes saltos. **2.** *Fig.* Suporte próprio para carregar, a exemplo da mamãe canguru, o bebê junto a si, mantendo-se, portanto, as mãos de quem o carrega livres.

cangurupeba [Do tupi.] *S. f. Bras. Zool.* V. *camurupeba.*

cangurupi [Do tupi.] *S. m. Bras. PA Zool.* V. *camurupim.*

canha[1] [F. subst. de *canho*[2].] *S. f. Pop.* A mão esquerda. ◆ **Às canhas. 1.** Como canhoto (1); da esquerda para a direita. **2.** Ao contrário do que é costume; às avessas. **3.** Desajeitadamente: "O Estêvão mal teve jeito de acompanhá-la com o ponto, porém às canhas: apertou o gatilho, a espoleta partiu-se, mas a pólvora chiou um instante no ouvido e no princípio da bomba, até que o tiro rompeu quando a perdiz se ia encobrindo numa flor-de-quaresma." (Valdomiro Silveira, *Nas Serras e nas Furnas*, p. 104.)

canha[2] [F. subst. de *canho*[2].] *S. f. Bras. RS* V. *cachaça* (1): "À meia-noite estava cerrado o jogo. A canha e o porto avivavam os jogadores." (Ciro Martins, *Paz nos Campos*, p. 10.)

canhada [Do esp. plat. *cañada*.] *S. f. Bras. S.* **1.** A parte baixa entre colinas ou coxilhas. **2.** Vala profunda aberta por chuvas fortes em ladeiras muito íngremes. [Cf. *baixada*.]

canhadão [Do esp. plat. *cañadón*.] *S. m. Bras. S.* Canhada funda e extensa. ◆ **Atirar-se por um canhadão abaixo.** *Bras. S. Fig.* Agir temerariamente e com precipitação, saindo-se mal; despenhar-se por um canhadão abaixo. **Despenhar-se por um canhadão abaixo.** *Bras. S. Fig.* Atirar-se por um canhadão abaixo.

canhamaço [De *cânhamo* + *-aço*.] *S. m.* Estopa de cânhamo.

canhambola *S. m. Bras.* V. *quilombola.*

canhambora *S. m. Bras.* V. *quilombola.*

canhameira [De *cânhamo* + *-eira*.] *S. f. Bot.* Planta malvácea (*Althaea cannabina*) nativa da Europa e Ásia, outrora cultivada pelas fibras.

canhameiral [De **canhameiro* (< *cânhamo* + *-eiro*) + *-al*[1].] *S. m.* **1.** Quantidade mais ou menos considerável de pés de cânhamo dispostos proximamente entre si; canaveira. **2.** Área ocupada por canhameiral (1). [Sin. ger.: *canaveira*.]

canhamiço [De *cânhamo* + *-iço*.] *Adj. Bot.* Relativo ou pertencente ao cânhamo.

cânhamo [Do esp. *cáñamo*.] *S. m.* **1.** *Bot.* Planta canabácea [*Cannabis sativa* (v. *cânabis*)] herbácea, amplamente cultivada em muitas partes do mundo. As folhas são finamente recortadas em segmentos lineares; as flores, unissexuais e inconspícuas, têm pelos granulosos que, nas femininas, segregam uma resina; o caule possui fibras industrialmente importantes, conhecidas como *cânhamo*; e a resina tem propriedades estupefacientes (v. *maconha* e *haxixe*). [Sin.: *cânave, cânhamo-da-índia* e *maconha*.] **2.** *Tec. Têx.* Fibra, fio ou tecido de cânhamo. **3.** *Bot.* Designação comum a várias plantas têxteis.

cânhamo-brasileiro *S. m. Bras. Bot.* Arbusto malváceo (*Hibiscus cannabinus*) ornamental, cujas fibras podem substituir as do cânhamo comum; papoula-do-são-francisco, umbaru. [Pl.: *cânhamos-brasileiros*.]

cânhamo-da-índia *S. m. Bot.* V. *cânhamo* (1). [Pl.: *cânhamos-da-índia*.]

cânhamo-de-manilha [De *cânhamo* + *de* + o top. *Manilha* (Filipinas).] *S. m. Bot.* Planta musácea (*Musa textilis*) de intenso cultivo desde a Índia às Filipinas, do mesmo grupo da bananeira, cujos frutos não são comestíveis, mas fornecem importante fibra usada em cordoaria e em tecelagem; abacá, alvacá, bananeira-de-corda. [Pl.: *cânhamos-de-manilha*.]

canhanha [De or. tupi, poss.] *Adj. 2 g. S. 2 g.* **1.** *Bras. RJ* V. *banguela* (2 e 4). ● *S. f.* **2.** *Bras. Zool.* Peixe, actinopterígio, teleósteo, perciforme, esparídeo (*Archosargus unimaculatus*), do Atlântico, de coloração esverdeada tirante ao plúmbeo no dorso e prateada no abdome, várias estrias no dorso, e uma placa circular negra na região escapular. Comprimento: até 0,33m. Alimenta-se de outros peixes. [Sin.: *frade, guatucupajuba, mercador, salema, sambuio, sambulho, sargo*.]

canhanho *S. m.* V. *canhenho.*

canhão [Do esp. *cañón* ou do it. *cannone*.] *S. m.* **1.** Peça de artilharia de calibre superior a 30mm, cano longo, grande velocidade inicial, campo de tiro vertical limitado (salvo no caso dos canhões antiaéreos, que podem atirar até para o zênite). **2.** Peça metálica que forma a entrada de certas fechaduras. **3.** Garganta sinuosa e profunda cavada por um curso de água. [É m. us., nesta acepç., a f. *cañón* (esp.); sin.: *cânion*.] **4.** A parte mais grossa da haste das penas das asas das aves. **5.** Extremidade, revirada ou não, de manga de veste, de bota, de luva, etc.: "E sujava os olhos com o canhão da jaqueta de saragoça" (Camilo Castelo Branco, *Sentimentalismo e História*, p. 176). **6.** *Fot. Teatr. Telev.* Refletor potente com base móvel, que é direcionado por operador durante a apresentação de um programa, espetáculo, etc. **7.** *Bras. Pop.* V. *bruxa* (2). ◆ **Canhão eletrônico.** *Eletrôn.* Em uma válvula eletrônica, conjunto de eletrodos destinado a formar um feixe de elétrons, controlar-lhe a intensidade e focalizá-lo. **Canhão iônico.** *Eletrôn.* Dispositivo destinado a formar um feixe de íons, controlar-lhe a intensidade e focalizá-lo.

canhão-azul *S. m. Eletrôn.* Num tubo de imagem de três canhões eletrônicos para televisão em cores, o canhão usado para excitar o fósforo azul. [Pl.: *canhões-azuis*.]

canhão-verde *S. m. Eletrôn.* Num tubo de imagem de três canhões eletrônicos para televisão em cores, o canhão usado para excitar o fósforo verde. [Pl.: *canhões-verdes*.]

canhembora [Do tupi = 'fujão'.] *S. 2 g. Bras.* V. *quilombola.*

canhengue [Do quimb. *kinjenje*, 'avarento'.] *Adj. 2 g. Bras. N.* V. *avaro* (1).

canhenho [De or. obscura.] *S. m.* **1.** Caderneta (1): "Os júris de Tamboril e Ipueiras forneceram inestimável subsídio aos meus canhenhos de notas sertanejas." (Leonardo Mota, *Cantadores*, p. 315.) **2.** Registro de lembranças. **3.** *Fig.* Memória (1). [F. paral.: *canhanho*.]

canherana *S. f. Bras. Bot.* V. *canjerana.*

canhestro (ê) [De *canho*[2], com infl. do suf. de *sinistro* e *destro*, poss.] *Adj. Pop.* **1.** Feito às canhas, às avessas, desajeitadamente: *Seu estilo é imitação canhestra do de Vieira.* **2.** Desajeitado, desengonçado: "meras garatujas de aprendizes canhestros da arte de escrever." (Valdemar Cavalcanti, *Jornal Literário*, p. 37). **3.** Acanhado, retraído: "Eu frequentava, ainda tímido e canhestro, as rodas literárias da Rua do Ouvidor." (Vivaldo Coaraci, *Todos Contam Sua Vida*, p. 213.)

canheta (ê) [Do arc. *can*, 'cão'[1], + *-eta* (ê), com palatalização.] *S. m. Bras. CE Pop.* V. *diabo* (2).

canhim [De **cãoinho*, dim. de *cão*[1].] *S. m. Bras. Pop.* V. *diabo* (2).

canho[1] *S. m. Pop.* Lucro desonesto, ilícito.

canho[2] *S. m. Moç. Bot.* V. *canhu.*

canho[3] [De or. controv.] *Adj.* V. *canhoto* (1): "Baltasar não gostava de comer diante de gente, com aquela sua mão direita que sozinha parecia canha" (José Saramago, *Memorial do Convento*, [8.ª ed.] p. 39).

canhobense *Adj. 2 g.* **1.** De, ou pertencente ou relativo a Canhoba (SE). ● *S. 2 g.* **2.** O natural ou habitante de Canhoba.

canhoeiro [De *canho*[3] + *-eiro*.] *S. m. Moç. Bot.* Árvore anacardiácea (*Sclerocarya birrea*) copada, não muito alta, que tem as flores masculinas e femininas em indivíduos diferentes, e cujos frutos são tradicionalmente utilizados para preparar ucanhi (q. v.); canhu: "Seria .... o canhoeiro da nossa casa, onde meu pai se ajoelhava para falar aos mortos?" (Suleiman Cassamo, em *Notícias*, 17.02.1994, p. 8.)

canhonaço [De *canhão* + *-aço*.] *S. m.* Tiro de canhão.

canhonada [De *canhão* + *-ada*[1].] *S. f.* Descarga de canhões; canhoneio.

canhonar [De *canhão* + *-ar*[2].] *V. t. d.* Guarnecer com canhões.

canhonear [De *canhão* + *-ear*[2].] *V. t. d.* **1.** Atacar com tiros de canhão. *Transobj.* **2.** Atacar, arguir, censurar: *Os monarquistas canhonearam a República como um movimento de fracos.* [Conjug.: v. *frear*.]

canhoneio [Dev. de *canhonear*.] *S. m.* Canhonada.

canhoneira [De *canhão* + *-eira*.] *S. f. Mar. G.* Navio de combate, de pequeno tamanho e pouca borda-livre, empregado em operação de defesa costeira e fluvial.

canhoneiro [De *canhão* (1) + *-eiro*.] *Adj.* Que tem canhões; guarnecido de canhões.

canhota[1] [F. subst. do adj. *canhoto*.] *S. f. Pop.* A mão ou perna esquerda. [Pl.: *canhotas*. Cf. *canhota* (ô) e pl. *canhotas* (ô).]

canhota[2] [Do cabo-verd.] *S. f. Cabo-verd. Zool.* Ave acipitrídea (*Neophron percnopterus*) com cerca de 60cm de comprimento e 165cm de envergadura, coloração geral branca, extremidades das asas pretas, penas da nuca eriçadas, face e garganta nuas com pele amarela. Alimenta-se de carne em decomposição e tb. de ovos, insetos, pequenos répteis, pássaros, etc. É encontrada na Europa, África e Ásia: "as canhotas ficavam pairando, à espera de momento oportuno para se abaterem sobre a carcaça dos animais que caíam" (Baltasar Lopes, *Chiquinho*, p. 265). [Sin.: *abutre-do-egito*.]

canhota (ô) *S. f.* Fem. de *canhoto*. [Pl.: *canhotas* (ô). Cf. *canhota* e pl. *canhotas*.]

canhoteiro [De *canhoto* + *-eiro*.] *Adj. Bras.* V. *canhoto* (1).

canhotinhense *Adj. 2 g.* **1.** De, ou pertencente ou relativo a Canhotinho (PE). ● *S. 2 g.* **2.** O natural ou habitante de Canhotinho.

canhotismo [De *canhoto* + *-ismo*.] *S. m.* V. *mancinismo.*

canhoto (ô) [De *canho* + *-oto*[1].] *Adj.* **1.** Que é mais hábil com a mão esquerda que com a direita; esquerdo, canho, canhoteiro. [Opõe-se a *manidestro*.] **2.** Inábil, desajeitado, desastrado. ● *S. m.* **3.** Indivíduo canhoto. [Flex.: *canhota* (ô), *canhotos* (ô), *canhotas* (ô). Cf. *canhota* e pl. *canhotas*.] **4.** *Bras.* V. *talão*[1] (4). **5.** *Tip.* Peça do molde da linotipo, que serve, em conjunto com o alinhador, para estabelecer a medida da linha-bloco. **6.** *Bras.* V. *diabo* (2). **7.** *Bras. S.* Peça de madeira ou de ferro usada nos engenhos de serrar madeira, e que, adaptada ao mancal de uma polia, transmite o movimento desta, transformando-o em movimento de ascensão da serra. **8.** *Cabo-verd. Guin.* Cachimbo (1): "Acocorada à porta do seu casebre, canhoto na boca desdentada, expirava longas baforadas de fumo." (Ivone Aida Ramos, *Vidas Vividas*, p. 61.)

canhu [Do tsonga *nkanyi*.] *S. m. Moç.* **1.** *Bot.* Canhoeiro. **2.** O fruto do canhoeiro, arredondado, do tamanho da noz, muito cheiroso: "Os xaropes domésticos recomendados em segredo sussurrado por titias faladeiras (sumo de limão à mistura com chá de eucalipto, suco de cacto temperado com mel, molho de cacana com aspirina, e casca de canhu acebolada) só serviam para arreliar mais os nervos da tosse" (Hélder Muteia, *Nhambaro*, p. 17). **3.** Ucanhi (q. v.): "E tudo isto motivado pela teimosia em vender o canhu, bebida fermentada que nestas terras os tsongas oferecem aos viandantes" (Ungulani Ba Ka Khosa, *Orgia dos Loucos*, p. 46). [Var.: *canho*.]

▲**can(i)-**[1] [Do lat. *canis, is*.] *El. comp.* = 'cão'[1]: *canicultura, canídeo.*

▲**can(i)-**[2] [Do lat. *canna*.] *El. comp.* = 'cana': *canipreto.*

canibal [Do esp. *caníbal*, alter. de *caríbal*, de *caribe* (< *caraíba carib*, 'audaz, corajoso') originalmente us. como designação dos caraíbas antilhanos, de que os viajantes europeus reportaram costumes antropofágicos, e poss. com infl. de *can* 'cão'[1]; fr. *cannibal*.] *S. 2 g.* **1.** Pessoa que come carne humana, que pratica o canibalismo (1); antropófago. **2.** Animal que pratica o canibalismo (2). **3.** *Fig.* Pessoa cruel, feroz, bárbara. ● *Adj. 2 g.* **4.** Canibalesco: "Há dores que melhor ralam / Que provas d'água ou de fogo, / Que ver apinhado o povo / Num banquete canibal" (Gonçalves Dias, *Obras Poéticas*, II, pp. 175-176). **5.** Que pratica o canibalismo (1 e 2): *povos canibais.*

canibalesco (ê) [De *canibal* + *-esco*.] *Adj.* Relativo a, ou próprio de canibal; canibal.

canibalismo [De *canibal* + *-ismo*.] *S. m.* **1.** Antropofagia. **2.** *P. ext.* Ato de um animal devorar outro da mesma espécie ou da mesma família. **3.** *Fig.* Ferocidade de canibal. ◆ **Canibalismo funerário.** *Antrop.* A prática da antropofagia como modo de tratamento ritual de cadáveres de membros do próprio grupo. **Canibalismo galáctico.** *Astr.* Processo segundo o qual uma galáxia é atraída pelas forças gravitacionais de outra, a galáxia canibal (q. v.).

canibalístico [De *canibal* + *-ist(a)-* + *-ico*[2].] *Adj.* Próprio do, ou semelhante ao canibalismo.

canibalização [Do ingl. *cannibalization*.] *S. f.* Ato ou efeito de canibalizar.

canibalizar [Do ingl. *(to) cannibalize*.] *V. t. d.* **1.** Retirar as peças de (uma máquina ou aparelho) para utilizá-las como sobressalentes de outras da mesma espécie. **2.** *P. ext.* Reaproveitar, reutilizar.

caniçada [De *caniço* + *-ada*[1].] *S. f.* Latada ou sebe feita de canas ou caniços; caniçalha: "Vinha da caniçada o aroma amolecente dos jasmins." (Manuel Bandeira, *Estrela da Vida Inteira*, p. 93.)

caniçal [De *caniço* + *-al*[1].] *S. m.* Canavial (1).

caniçalha [De *caniço* + *-alha*.] *S. f.* Caniçada.

canicho [De *can(i)-*[1] + *-icho*.] *S. m.* V. *cão*[1] (1).

canície [Do lat. *canitie*.] *S. f.* **1.** Estado dos cabelos que embranqueceram. **2.** *Fig.* A idade do aparecimento das cãs; a velhice.

caniço [Do lat. vulg. **canniciu*, ou de *can(i)-*[2] + *-iço*.] *S. m.* **1.** *Bot.* Cana delgada. **2.** Cana comprida e flexível, da qual pende um fio com anzol, para pescar. **3.** *Fig.* Magricela, magrelo. **4.** *Pop.* Perna fina; canícula. **5.** *Bras.* Trançado de caniços ou canas delgadas com que se fecha a parte traseira dos carros de boi, com que se fixam nos carros a carga leve e miúda, etc. **6.** *Moç.* Zona suburbana, com aglomerado de casas feitas ger. de caniço (1): "Mais fácil para todos seria / uma cidade sem o cerco do caniço." (Leite de Vasconcelos, *Irmão do Universo*, p. 16).

canícula[1] [Do lat. *canicula*, 'cadelinha', 'Sírio'[1].] *S. f.* **1.** *Astr.* V. *Sírio*[1]. [Com cap.] **2.** *Astr.* Época do ano em que Sírio está em conjunção com o Sol. **3.** Grande calor atmosférico: "É o momento infernal dos maiores calores. / Canícula. Opressão. A atmosfera asfixia." (Martins Fontes, *Verão*, p. 33).

canícula[2] [De *can(i)-*[2] + *-cula*.] *S. f.* **1.** Pequena cana. **2.** *Pop.* Caniço (4).

canicular [Do lat. *caniculare*.] *Adj. 2 g.* **1.** Relativo a Canícula[1] (1). **2.** Relativo ao tempo da canícula[1] (3); quente, calmoso.

canicultor [De *can(i)-*[1] + *-cultor*.] *S. m.* Criador de cães: "Canicultores e os milhões de brasileiros que têm seu cachorrinho de estimação ou seu cão de guarda estão irritados com a taxação de comida para cães" (*Jornal do Brasil*, 31.12.1981).

canicultura [De *can(i)-*[1] + *-cultura*.] ***S. f.*** Criação de cães.

canicurá ***S. m. Bras.*** Designação dada a índio aculturado.

cânida [De *can(i)-*[1] + *-ida*[1]; tax. *Canidae*.] ***S. m. Adj. 2 g. Zool.*** V. *canídeo*.

canídeo [De *can(i)-*[1] + *-ideo*[1]; tax. *Canidae*.] *Zool.* ***S. m. 1.*** Espécime dos canídeos, família de mamíferos carnívoros digitígrados, cujos pés anteriores têm cinco dedos, e os posteriores quatro, providos de garras; cauda longa, com glândula cutânea coberta de pelos. São os cães, as raposas, os lobos e os cachorros-do-mato. ● ***Adj. 2.*** Pertencente ou relativo a eles. [Sin. ger.: *cânida*.]

caniforme [Do tax. *Canis* + *-forme*.] *Zool.* ***S. m. 1.*** Espécime dos caniformes, subordem de carnívoros que compreende os canóideos e os pinípedes. ● ***Adj. 2 g. 2.*** Pertencente ou relativo a eles.

canifraz ***S. m.*** Homem magro, escanzelado.

canil[1] [De *can(i)-*[1] + *-il*[1].] ***S. m.*** Lugar onde se abrigam ou criam cães.

canil[2] [De *cana*[1] + *-il*[1].] ***S. m.*** Canela da perna de cavalgaduras.

canil[3] ***S. m.*** V. *canzil* (1).

canimambo [Do tsonga.] ***Interj. Moç.*** Exprime gratidão, agradecimento [v. *obrigado* (2)]: 📖 "Pronto. Mas olhe que eu não sou patrão, ouviu? — disse, deixando nas mãos do velho não uma quinhenta, mas um escudo. | — Obrigado, patrão. <u>Canimambo</u>." (Guilherme Afonso, *Circuito*, p. 62.)

caninana [Do tupi = 'cabeça em pé'.] ***S. f. Bras.* 1.** *Zool.* Reptil ofídio, colubrídeo (*Spilotes p. pullatus*), comum em todo o Brasil, exceto no litoral meridional. Coloração parda, de tom amarelo com desenhos azuis. Comprimento até 3m. Alimenta-se de rãs, pererecas, lagartos, ratos e ovos, e vive ger. em matas, podendo subir nas árvores. [Sin.: *araboia, cainana, iacaninã*.] **2.** *Fig.* Pessoa de mau gênio; víbora.

canindé[1] [Do tupi.] ***S. m. Bras.* 1.** *Zool.* V. *arara-canindé*. **2.** Faca longa e pontiaguda usada pelos sertanejos cearenses.

canindé[2] ***Bras. S. 2 g.* 1.** *Etnôn.* Indivíduo dos canindés, povo indígena extinto que habitava a região próxima ao rio Choró (CE). ● ***Adj. 2 g. 2.*** Pertencente ou relativo a esse povo. [Tb. us. como *s. 2 g. e 2 n.* (com cap.) e *adj. 2 g. e 2 n.*]

canindeense[1] (èen) ***Adj. 2 g.* 1.** De, ou pertencente ou relativo a Canindé (CE). ● ***S. 2 g. 2.*** O natural ou habitante de Canindé.

canindeense[2] (èen) ***Adj. 2 g.* 1.** De, pertencente ou relativo a Canindé de São Francisco (SE). ● ***S. 2 g. 2.*** O natural ou habitante de Canindé de São Francisco.

caninha [Dim. de *cana*[1].] ***S. f. Bras. Pop.*** V. *cachaça* (1).

caninha-verde ***S. f.*** Canção e dança popular no Minho (Portugal); cana-verde. [Pl.: *caninhas-verdes*.]

canino [Do lat. *caninu*.] ***Adj.* 1.** Referente a, ou próprio de cão[1] (1). ~ V. *dente —, fome —a* e *parvovirose —a*. ● ***S. m. 2.*** V. *dente* (1): 📖 "— Como é, doutor, não reconhece? — perguntou o José da Estação com dois <u>caninos</u> risonhos na gengiva vermelha." (Ribeiro Couto, *Cabocla*, p. 16.)

cânion [Do ingl. *canyon*.] ***S. m.*** V. *canhão* (3).

canipreto (ê) [De *can(i)-*[2] + *preto* (ê).] ***Adj.*** De canelas pretas.

cânis [Do tax. *Canis*.] ***S. m. 2 n. Zool.* 1.** O gênero-tipo dos canídeos. **2.** Qualquer espécie desse gênero, como, p. ex., a *Canis familiaris*, o cão doméstico (v. *cão*[1]) e a *canis lupus* [v. *lobo* (1)]. **3.** Qualquer espécime desse gênero.

canista [De *cana*[1] + *-ista*.] ***S. 2 g. Bras. N.E.*** Bebedor de cana[1] (5); cachaceiro.

canistrel [Do ant. *canistel* < lat. *canistellu*, com infl. de *-astro*; v. *canastro*.] ***S. m.*** V. *canastrel*. [Pl.: *canistréis*.]

canitar [Do tupi.] ***S. m. Bras. Etnogr.*** Adorno de penas que os índios usavam na cabeça, em solenidades: 📖 "Brilhante enduape no corpo lhe cingem, / Sombreia-lhe a fronte gentil <u>canitar</u>." (Gonçalves Dias, *Obras Poéticas*, II, p. 19); "da simplicidade de linhas com que se insinua o rosto [em peça de terracota], nasce, para o alto, um arco de incisões precisas, lembrando um <u>canitar</u> ameríndio." (Alberto da Costa e Silva, *A Enxada e a Lança*, p. 365). [Var. de *acangatar*; outra var.: *acangatara*. Cf. *cangatá* (1).]

canivão ***S. m. Bras. BA MG*** Na região do médio São Francisco, faixa de terra entre duas lagoas.

canivetaço [De *canivete* + *-aço*.] ***S. m. Bras.*** Canivetada.

canivetada [De *canivete* + *-ada*[1].] ***S. f.*** Golpe (4) de canivete. [Sin. (bras.): *canivetaço*.]

canivete (é) [Do frâncico *knîf*, 'faca', pelo ant. provenç. *canivet*, ou pelo ant. cat. *canivet*.] ***S. m.* 1.** Pequena faca de lâmina movediça e que fecha sobre o cabo, para diversos fins. **2.** *Pop.* Bisturi, lanceta. **3.** *Bras. Zool.* Designação comum aos peixes caraciformes parodontídeos do gênero *Apareidon*. **4.** *Bras. Zool.* Peixe parodontídeo (*Apareidon affinis*) da bacia do rio da Prata, que apresenta uma faixa escura longitudinal mediana e cerca de seis manchas escuras na parte superior; comprimento: até 14,5cm. [Sin.: *tanchim, tanchina*.] **5.** *Bras. Zool.* Peixe anostomídeo (*Leporinus striatus*) de dorso amarelado, ventre branco e quatro estrias negras longitudinais, da região amazônica e da bacia dos rios Paraná e Paraguai. Comprimento: até 20 cm. [Sin.: *tiririca*.] **6.** *Bras. Zool.* V. *tambiú*. **7.** *Bot.* Arvoreta fabácea (*Erythrina speciosa*) comuníssima na região litorânea dos estados do L. A casca do caule descama-se em lâminas castanhas, os ramos e o pecíolo são aculeados, e as folhas têm três grandes folíolos ovados e membranáceos. Flores de forma exótica e coloração sanguínea; os frutos são vagens coriáceas. **8.** *Bras.* Cavalo pequeno, magro e feio. ◆ **Nem que chova(m) canivete(s).** Aconteça o que acontecer; haja o que houver: 📖 "O gaitista não se fez de rogado. E pressuroso acedeu: | – Pode contar na certa. <u>Nem que chova canivete</u>, antes das onze eu risco na Urubutinga." (Amando Fontes, *Os Corumbas*, p. 4.)

canivetear [De *canivete* + *-ear*[2].] ***V. t. d.*** Ferir ou golpear com canivete. [Conjug.: v. *frear*.]

canja [Do malaiala *kanji*, 'arroz com água'.] ***S. f. Cul.*** Caldo de galinha com arroz. ◆ **Dar uma canja.** *Bras. Pop.* Apresentar-se (o artista) de graça, além do programa, ou simplesmente apresentar-se de graça. **Ser canja.** *Bras. Fam.* V. *ser pinto*.

canjarana ***S. f. Bras. Bot.*** V. *canjerana*.

canjebrina [De or. obsc.] ***S. f. Bras. SP Pop.*** V. *cachaça* (1).

canjerana [De or. indígena.] ***S. f. Bras. Bot.* 1.** Nome comum a várias meliáceas do gênero *Cabralea* (v. *cabrálea*) e *Guarea* (v. *guárea*). **2.** Árvore ou arbusto meliáceo (*Cabralea canjerana*) polimórfico da floresta atlântica, de folhas imparipenadas, flores brancas ou esverdeadas, frutos capsulares globosos ou ovoides; a madeira, vermelha, rosada, violácea ou amarelada, aromática, é nobre. [Sin.: *cedro, cedro-canjerana, pau-de-santo, pau-santo*. Var.: *canjarana, canherana*.]

canjerê [De or. afr., poss.] ***S. m.* 1.** *Bras.* Reunião de pessoas para a prática de feitiçaria. **2.** *Bras.* Feitiço, mandinga. **3.** *Bras. MG* Cerimônias religiosas africanas. **4.** *Bras. MG* Dança profana dos negros.

canjerista [De *canjerê* + *-ista*.] ***S. 2 g.*** Aquele que faz canjerê (2); feiticeiro, mandingueiro: 📖 "Tudo isto é para invocar o espírito de pai Mateus, que, alfim, acorria, e tinham, então, começo as consultas: doenças, ..., pretensões políticas .... e estas são que mais trabalho dão aos <u>canjeristas</u>" (Flausino R. Vale, *Elementos de Folclore Musical*, p. 76).

canjica [Do quimb. *kanjika*.] ***S. f.* 1.** *Bras.* Papa de consistência cremosa feita com milho verde ralado, a que se acrescenta açúcar, leite de vaca ou de coco, e polvilha com canela; jimbelê. [Sin.: em SP, MT e GO, *curau*; em MG e RJ, *coral* e *papa de milho*; no RJ, *canjiquinha*.] **2.** *Bras. S. C.O.* V. *munguzá*. **3.** *Bras.* Espécie de tabaco em pó, feito com fumo da ilha de São Sebastião (SP); rapé-canjica. **4.** *Bras.* Espécie de saibro grosso, claro, misturado com pedra miúda, abundante no leito de alguns rios. [Sin., nesta acepç., em MG: *piruruca, pururuca*.] **5.** *Bras.* Qualquer dos quistos formados por vermes na carne dos suínos. **6.** *Bras. P. ext. Zool.* V. *cisticerco*. **7.** *Bras.* V. *cachaça* (1). **8.** *Bras. Zool.* V. *araponguinha* (2). ◆ **Com as canjicas de fora.** *Bras. RS* A rir; rindo: 📖 *estar, viver, andar <u>com as canjicas de fora</u>.*

canjicada [De *canjica* + *-ada*[1].] ***S. f. Bras.*** Festejos juninos acompanhados de ceia em que o prato principal é a canjica.

canjica-lustrosa ***S. f. Bras.*** Limonito em forma de seixos pardacentos, cor de café. [Pl.: *canjicas-lustrosas*.]

canjiqueira [De *canjica* + *-eira*.] ***S. f. Bras.*** Máquina para fabricar ou preparar o milho para canjica (1 e 2).

canjiquinha [Dim. de *canjica*.] ***S. f.* 1.** *Bras.* Xerém (1). **2.** *Bras. RJ* V. *canjica* (1). **3.** *Bras.* Pequena tumefação. **4.** *Bras. Zool.* V. *cisticerco*.

canjira ***S. m. Bras.*** Filho varão: 📖 "De pai magro e desbarrigado e de mãe gorda e papuda, com a ajuda de Deus, saiu um <u>canjira</u> esperto e sadio." (Amadeu de Queirós, *Os Casos do Carimbamba*, pp. 47-48.)

canjirão [De or. obscura.] ***S. m.* 1.** Jarro de boca larga, em geral para vinho: 📖 "Ordenou que lhe servissem a cerveja em <u>canjirões</u> de meio litro" (Eduardo Frieiro, *O Cabo das Tormentas*, p. 171). **2.** *Fig.* Pessoa ou coisa grande e desajeitada. ◆ **Aguentar o canjirão.** *Bras.* Oferecer resistência, resistir.

canjurupi [Var. de *canjurupim*.] ***S. m. Bras. Zool.*** V. *camurupim*.

canjurupim [Do tupi.] ***S. m. Bras. Zool.*** V. *camurupim*.

cano[1] [De *cana*[1].] ***S. m.* 1.** Designação genérica de toda a espécie de tubo que permita escoamento de líquidos ou gases. **2.** Construção, geralmente subterrânea, para condução de água, gás ou dejetos. **3.** Tubo de armas de fogo, por onde sai o projetil. **4.** Parte tubular de bota ou da luva. **5.** *Zool.* A parte oca da raque da pena. **6.** *Bras. Gír.* Coisa ou situação difícil: 📖 *A briga com a sogra foi um <u>cano</u>.* **7.** *Bras. Gír.* Mau negócio: 📖 *As ações daquela companhia foram o maior <u>cano</u>.* ◆ **Cano real.** *Arquit.* O de maior capacidade, no qual os outros vão desaguar, ou que distribui líquido ou gás para os outros. **Entrar pelo cano.** *Bras. Gír.* Sair-se mal (em qualquer intento); entrar pela tubulação; trumbicar-se.

cano[2] [Do lat. *canu*.] ***Adj. P. us.*** Branco.

canoa[1] (ô) [Do aruaque, pelo esp. *canoa*.] ***S. f.* 1.** Embarcação sem quilha, formada de um casco, grande ou pequeno, com borda falsa ou sem ela, aberto ou coberto. **2.** *P. ext.* Qualquer objeto ou utensílio cujo feitio lembre o da canoa. **3.** Antigo pente de ornato para senhoras. **4.** *Encad.* Peça de madeira com calhas de vários diâmetros, para dar a curvatura aos papelões da lombada dos livros em branco. **5.** *Bras. RJ* Pão francês pequeno do qual se retira o miolo e no qual se passa manteiga, levando-o em seguida para torrar. **6.** *Bras. RJ* Embarcação monóxila, comprida, impelida a remos, ou por uma vela de pendão, ou por motor de popa, usada pelos pescadores. **7.** *Bras. BA* Conduto aberto e inclinado, nos trabalhos da mineração do ouro. **8.** *Bras.* Batida policial para prender criminosos ou malandros; canastra. **9.** *Bras. RJ Folcl.* Dança de andamento e ritmo variáveis, semelhante às marchinhas de salão e muito comum nas cirandas fluminenses. ◆ **Canoa de embono.** *Bras.* Pequena barcaça com duas velas triangulares e que em ambos os lados dos costados tem paus de jangada ou de outra madeira leve (embonos), para aguentar melhor o mar. **Canoa furada. 1.** Logro, engano, embuste. **2.** Negócio arriscado. **3.** Decisão errada ou situação comprometedora: 📖 "Acho que a polícia quer que a gente entre numa <u>canoa furada</u>." (Rubem Fonseca, *Agosto*, p. 252.) **Em canoa.** *Art. Gráf.* V. *grampo em canoa*. **Não embarcar em canoa furada.** *Bras.* Não se meter em negócios arriscados; não se deixar lograr.

canoa[2] (ô) ***Bras. S. 2 g.* 1.** *Etnôn.* Indivíduo dos canoas [ou (etnôn. bras.) *Kánoa], povo indígena extinto que habitava a região da cabeceira do rio Mequens (RO). ● ***Adj. 2 g. 2.*** Pertencente ou relativo a esse povo.

canoagem [De *canoa*[1] + *-agem*[2].] ***S. f.* 1.** Arte de navegar uma canoa. **2.** Esporte de corrida de canoa, geralmente em rio encachoeirado; canoísmo.

canódromo [De *can(i)-*[1] + *-o-* + *-dromo*.] ***S. m. Bras. S.*** Pista para corrida de cães: 📖 "Curiosamente nenhum dos nossos dicionários registra a palavra <u>canódromo</u> ..... Talvez seja porque não existem <u>canódromos</u> no País." (Carlos Reverbel, em *Correio do Povo*, Porto Alegre, 01.05.1982.)

canoé ***Bras. S. 2 g.* 1.** *Etnôn.* Indivíduo dos canoés [ou (etnôn. bras.) *Kanoe], povo indígena de língua isolada que habita os municípios de Costa Marques e Guajará-Mirim (RO). ● ***Adj. 2 g. 2.*** Pertencente ou relativo a esse povo.

canoeiro[1] [De *canoa*[1] + *-eiro*.] ***S. m.* 1.** Aquele que dirige uma canoa. [Sin. (bras., Amaz.): *igariteiro, igaruana*.] **2.** Fabricante de canoas.

canoeiro[2] ***S. m. Gloss.*** A língua do povo avá-canoeiro (q. v.), da família tupi-guarani.

canoeiro[3] ***Bras. S. 2 g.* 1.** *Etnôn.* Indivíduo dos canoeiros [ou (etnôn. bras.) *Rikbaktsá, *Erigpaktsá, *Erikbaktsá], povo indígena extinto, do tronco linguístico macro-jê, que habitava os municípios de Aripuanã, São José do Rio Claro e Diamantino (MT). ● ***Adj. 2 g. 2.*** Pertencente ou relativo a esse povo.

canoense ***Adj. 2 g.* 1.** De, ou pertencente ou relativo a Canoas (RS). ● ***S. 2 g. 2.*** O natural ou habitante de Canoas.

canoide (ói) [De *can(i)-*[1] + *-oide*.] ***Adj. 2 g.*** Semelhante ao cão. ❖

canóideo [Do tax. *Canis* + *-óideo*; tax. *Canoidea*.] *Zool.* ***S. m. 1.*** Espécime dos canóideos, superfamília de mamíferos carnívoros, caniformes, caracterizados por não apresentarem garras retráteis. Dividem-se em quatro famílias: canídeos, ursídeos, prociônídeos e mustelídeos. ● ***Adj. 2.*** Pertencente ou relativo a eles.

canoinhense (o-i) ***Adj. 2 g.* 1.** De, ou pertencente ou relativo a Canoinhas (SC). ● ***S. 2 g. 2.*** O natural ou habitante de Canoinhas.

canoira ***S. f.*** V. *canoura*.

canoísmo [De *canoa* + *-ismo*.] ***S. m. Esport.*** Canoagem (2).

canoísta [De *canoa*[1] + *-ista*.] ***S. 2 g.*** Pessoa que se interessa pela canoagem, que a pratica.

canola [Da sigla ingl. *can(ada) o(il) l(ow) a(cid)*, 'óleo canadense pouco ácido'.] ***S. f.* 1.** *Bot.* Planta brassicácea (*Brassica napus*), variedade da colza (q. v.) desenvolvida no Canadá para a extração do óleo das sementes. **2.** Esse óleo, que tem nível reduzido de ácidos graxos, é us. esp. em culinária, para frituras, saladas, margarinas, maioneses, etc.

→**cañón** [kaɲ'on] [Esp.] ***S. m.*** V. *canhão* (3).

cânon [Do lat. *canon, onis* < gr. *kanón*, 'talo'; 'regra', 'norma'.] ***S. m.*** **1.** Regra geral de onde se inferem regras especiais. **2.** Relação, catálogo, tabela. **3.** Padrão, modelo, norma, regra: *Criatura exótica, age sempre fora dos cânones habituais.* **4.** *Arquit.* Qualquer das regras da composição (como a simetria, p. ex.), ou dos modelos plásticos que os acadêmicos queriam impor como fontes exclusivas, suficientes e definitivas, de beleza arquitetônica e valor artístico. **5.** *Lit.* Parte central da missa católica. **6.** *Mús.* Cânone (2). **7.** *Rel.* Preceito de direito eclesiástico: "Segundo os cânones, o suicídio é um atentado ao Criador." (Machado de Assis, *A Semana*, II, p. 178.) **8.** *Rel.* Decisão de concílio. **9.** *Rel.* Lista de santos canonizados pela Igreja. **10.** *Rel.* Fórmula de orações. **11.** *Rel.* Lista autêntica dos livros considerados como inspirados, por israelitas, católicos e protestantes. [Opõe-se, nesta acepç., a *livros apócrifos* (v. *apócrifo* [2]).] [F. paral.: *cânone*; pl. *cânones*.]

cânone [Do lat. *canone*.] ***S. m.*** **1.** V. *cânon*. **2.** *Mús.* Forma de composição, muito difundida pelos compositores do séc. XVI, e cujo tema, iniciado por uma voz — o antecedente —, é rigorosa e continuamente imitado por outra(s) voz(es) — o(s) consequente(s) —, a distância de um ou mais compassos, até o fim. O cânone pode ser: *em uníssono*, quando as vozes repetem exatamente as mesmas notas; *à oitava*, quando o(s) consequente(s) são transpostos à oitava, e *circular* ou *rota*, quando as imitações percorrem todos os tons.

canonical [De *canônico* + *-al*[1].] ***Adj. 2 g.*** Relativo a cônego (q. v.).

canonicato [Do lat. ecles. *canonicatu*.] ***S. m.*** Dignidade de cônego; conezia.

canonicidade [De *canônico* + *-(i)dade*.] ***S. f.*** Qualidade de canônico.

canónico ***Adj.*** V. *canônico*. [Uso freq. em P.]

canônico [Do lat. *canonicu* < gr. *kanonikós*.] ***Adj.*** **1.** Relativo a cânones. **2.** Conforme os cânones. ~ V. *absolvição —a, correlação —a, direito —, estrutura —a, forma —a, horas —as* e *instituição —a*.

canonisa [De *cânon* + *-isa*.] ***S. f.*** Mulher que com dignidade correspondente à de cônego (q. v.). [Cf. *canoniza*, do v. *canonizar*.]

canonista [De *cânon* + *-ista*.] ***S. 2 g.*** Pessoa versada nos cânones (v. *cânon* [7 a 11]).

canonização [De *canonizar* + *-ção*.] ***S. f.*** **1.** Ato de canonizar. **2.** Decisão papal que inscreve, solenemente, um membro do corpo da Igreja, de excepcionais virtudes cristãs e que praticou reconhecidos milagres, no número dos santos honrados pelo culto público. **3.** Cerimônia de grande pompa que acompanha essa decisão. **4.** *P. ext.* Glorificação (2). [Cf., nas acepçs. 2 e 3: *beatificação*.]

canonizador (ô) [De *canonizar* + *-dor*.] ***Adj. S. m.*** **1.** Que, ou aquele que canoniza. **2.** *Fig.* Adulador, bajulador.

canonizar [Do lat. ecles. *canonizare* < gr. *kanonízein*.] ***V. t. d.*** **1.** Inscrever no cânon ou rol dos santos; declarar santo; proceder à canonização (2 e 3) de: "Leão XIII, cedendo às exigências do episcopado, ... canonizou a donzela de Orleães [Joana d'Arc]." (Eça de Queirós, *Cartas Familiares e Bilhetes de Paris*, p. 22.) **2.** *Fig.* Louvar, enaltecer, exaltar excessivamente: *É impossível canonizar tão mau governo.* **3.** Consagrar, autorizar: *A moda acabou canonizando o emprego de certas gírias.* ***Transobj.*** **4.** Considerar ou declarar santo: *Em menos de um século a Igreja canonizava-o por mártir.* [Pres. ind.: *canonizo, canonizas, canoniza*, etc. Cf. *canonisa*, s. f.]

canonizável [De *canonizar* + *-vel*.] ***Adj. 2 g.*** Digno de canonização.

canopi [Do ingl. *canopy*.] ***S. m.*** *Aer.* Cobertura de plástico, geralmente em forma de bolha, que cobre a nacele e protege o piloto.

canopla ***S. f.*** *Bras. SP* Peça de metal usada para acabamento de serviços hidráulicos, exteriormente abaixo da torneira ou do chuveiro encostado à parede. É hemisférica e tem um orifício central por onde deve passar a peça que vai ser fixada.

canopo (ô) [De *Canopo*, pretenso deus egípcio.] ***S. m.*** Vaso em que os egípcios encerravam as entranhas das múmias.

canoro (nó) [Do lat. *canoru*.] ***Adj.*** **1.** Que canta harmoniosamente: "levado .... pelo encanto dos numerosos pássaros canoros que ele tinha" (Virgílio Várzea, *Histórias Rústicas*, p. 93). **2.** Harmonioso, suave: "Ó divino Virgílio, escuto ainda / Cantar a tua voz canora e linda" (Martins Fontes, *Verão*, p. 58).

canossa ***El. s. f.*** Us. na loc. *ir a Canossa*. [Com cap.] ◆ **Ir a Canossa.** Humilhar-se ante alguém depois de haver resistido.

canoura [De *cano*[1], poss.] ***S. f.*** Peça de madeira em forma de tronco de cone invertido, colocada por cima da mó do moinho, e de onde cai o grão que vai ser moído; moega, tegão, tremonha. [Var.: *canoira*.]

→**canovaccio** [kano'vatʃo] [It.] ***S. m.*** *Teatr.* Na *commedia dell'arte* (q. v.), argumento ou esquema de ação cênica, com base nos quais os atores improvisavam: "vivendo [a *commedia dell'arte*] de entrechos rudimentares e toscos, que se enfeixavam em *canovaccie lazzi*, e não em peças completas" (Sábato Magaldi, *Temas da História do Teatro*, p. 139). [Pl.: *canovacci*.]

cansacento [De *cansaço* + *-ento*.] ***Adj.*** *Bras.* Doente de cansaço.

cansaço [De *cansar* + *-aço*; esp. *cansacio*.] ***S. m.*** Falta de forças causada por exercício demasiado ou por doença; fadiga, canseira.

cansado [Part. de *cansar*.] ***Adj.*** **1.** Fatigado, afadigado: *Vive cansado, de tanto trabalhar.* **2.** Aborrecido, enfastiado: *Certas conferências deixam-nos cansados.* **3.** *Encad.* Diz-se da encadernação um tanto gasta pelo uso. **4.** Diz-se da terra pouco produtiva por já haver suportado muitas culturas. ~ V. *vista —a* e *dor —a*.

cansanção [De or. obscura.] ***S. m.*** **1.** *Bras. Bot.* Nome comum a várias plantas ger. herbáceas dotadas de pelos urticantes e vesicantes, como, p. ex., a euforbiácea *Jatropha urens* (v. *urtiga-de-mamão*), a urticácea *Urera baccifera* e a loasácea *Loasa parviflora*. **2.** *Bras. BA Zool.* V. *água-viva* (2).

cansanção-de-leite ***S. m.*** *Bras. Bot.* V. *urtiga-de-mamão*. [Pl.: *cansanções-de-leite*.]

cansançãoense ***Adj. 2 g. S. 2 g.*** V. *cansancionense*.

cansancionense ***Adj. 2 g.*** **1.** De, ou pertencente ou relativo a Cansanção (BA). • ***S. 2 g.*** **2.** O natural ou habitante de Cansanção. [Sin. ger.: *cansançãoense*.]

cansão [De *caus(ar)* + *-ão*[2]] ***Adj.*** *Bras. RS* Diz-se do cavalo que cansa com facilidade. [Cf. *canção*.]

cansar [Do lat. *campsare* < gr. *kámptein*.] ***V. t. d.*** **1.** Causar cansaço, fadiga, a: *A longa caminhada cansou-o*; "O trabalho, as preocupações cansaram depressa a lutadora." (Barbosa Lima Sobrinho, *Presença de Alberto Torres*, p. 14). **2.** Molestar, importunar; enfastiar, aborrecer: *Essas eternas discussões o cansam.* ***Int.*** **3.** Sentir cansaço; sentir-se cansado; fatigar-se, cansar-se: *Já cansou? Ainda temos 10 quilômetros pela frente.* **4.** Produzir cansaço: *É um grande conferencista: suas palestras não cansam*; "Ora, como tudo cansa, esta monotonia acabou por exaurir-me também." (Machado de Assis, *Dom Casmurro*, p. 5). ***T. i.*** **5.** Cessar, parar, deixar: *A má sorte cansou de persegui-lo.* **6.** Fazer falta; faltar: *Não lhe cansa crédito na praça.* **7.** Fazer (algo) diversas vezes, repetidas vezes, ou excessivamente: *Cansei de avisá-lo do risco que corria.* **8.** Desistir de algo, por estar cansado, ou aborrecido, desiludido, etc.: *Cansei de estudar canto, não levo jeito.* ***P.*** **9.** Aborrecer-se, entediar-se: *Não se cansa ao ouvir as mais longas sinfonias.* **10.** Cessar, parar, deixar: *Não se cansa de reclamar contra o ocorrido.* **11.** Esforçar-se; forcejar: *Cansava-se por convencê-lo da conveniência de ficar.*

cansarina ***S. f.*** *Bras. Bot.* V. *sempre-lustrosa*.

cansativo [De *cansar* + *-tivo*.] ***Adj.*** **1.** Que cansa; fatigante. **2.** Aborrecido, entediante, enfastiante, enfadonho.

canseira [De *cansar* + *-eira*.] ***S. f.*** **1.** V. *cansaço*. **2.** Esforço aturado para conseguir qualquer coisa.

canseiroso (ô) [De *canseira* + *-oso*.] ***Adj.*** Em que há, ou de que resulta canseira: "viagem canseirosa, tormentosa, que lhe pusera .... o corpo moído" (Antero de Figueiredo, *Toledo*, p. 98). [Cf. *canceroso*.]

cansim [Do fr. *chamsin, khamsin* < ár. *khamsím*.] ***S. m.*** Vento sul, quente e seco, que na época das cheias do Nilo sopra no Egito.

canso *Bras. N.E. Pop.* Part. irreg. de *cansar*: *Estou canso de esperar.*

cantá [De or. obsc.] ***S. f.*** *Bot.* Erva marantácea (*Monotagma contractum*) que vive na floresta úmida. Tem grandes folhas ornamentais e pequenas flores alvas dispostas em espigas cerradas, e fixa-se ao solo por meio de um rizoma.

→**cantabile** [kan'tabile] [It.] ***S. m.*** *Mús.* Melodia que predomina sobre as outras partes do conjunto e deve ser salientada.

cantábrico [Do lat. *cantabricu*.] ***Adj.*** V. *cântabro* (1).

cantábrio [Do top. *Cantábria* (Espanha).] ***Adj.*** V. *cântabro* (1).

cântabro [Do lat. *cantabru*.] ***Adj.*** **1.** De, ou pertencente ou relativo à Cantábria, região do N. da Espanha; cantábrico, cantábrio. • ***S. m.*** **2.** Indivíduo dos cântabros, povo da antiga Espanha que habitava as Astúrias, Guipúscoa e a Biscaia. **3.** O natural ou habitante da Cantábria.

cantada [De *cantar* + *-ada*[1].] ***S. f.*** *Bras.* **1.** Canto[2] (1): "— A cruviana não se vê, se sente. Tarde da noite, pela segunda cantada dos galos, ela vai chegando" (José Vieira, *Vida e Aventura de Pedro Malasarte*, p. 48). **2.** Conversa cheia de lábia com que se tenta seduzir ou convencer alguém; cantata. ◆ **Dar uma cantada em.** V. *passar uma cantada em*. **Levar uma cantada.** Ser alvo de cantada (2). **Passar uma cantada em.** Tentar seduzir, convencer ou engambelar, valendo-se de palavras hábeis; dar uma cantada em, passar a conversa em, passar uma conversa em.

cantadeira [De *cantar* + *-deira*.] ***S. f.*** **1.** Mulher que canta. • ***Adj.*** ***(f.)*** **2.** Que canta: "Era a cigarra de maior talento, / Mais cantadeira desta freguesia." (Olegário Mariano, *Toda uma Vida de Poesia*, I, p. 196).

cantadela [De *cantar* + *-dela*.] ***S. f.*** *Pop.* **1.** Ação de cantar. **2.** V. *cantiga* (2).

cantado [Do lat. *cantatu*.] ***Adj.*** **1.** Expresso ou celebrado por meio do canto[2] (1). **2.** Executado (um trecho musical) com a voz. **3.** Enunciado à maneira de canto[2] (1), de quem canta: *voz cantada; lição cantada.* ~ V. *brinquedo — e ponto —*.

cantador (ô) [Do lat. *cantatore*.] ***Adj.*** **1.** Que canta. • ***S. m.*** **2.** Cantor popular. **3.** Poeta de literatura de cordel. **4.** *Liter. Pop. Bras.* Poeta capaz de improvisar versos ao som da viola ou da rabeca. [Distingue-se do poeta autor de romances escritos, mas incapaz de improvisar.]: "Viola é verdadeiramente o grande instrumento da cantoria. Violeiro é sinônimo de cantador. | O outro instrumento clássico na cantoria nordestina é a rabeca." (Luís da Câmara Cascudo, *Vaqueiros e Cantadores*, p. 136.) **5.** *Tip.* Conferente que lê o original em voz alta. [V. *conferente* (4).] ◆ **Cantador de ciência.** *Liter. Pop. Bras.* Cantador (4) especializado na cantoria de ciência. **Cantador de folheto.** *Bras. N.E.* Folheteiro que canta os versos nas feiras e mercados, para promover a vendagem, às vezes utilizando pequeno alto-falante.

cantagalense ***Adj. 2 g.*** **1.** De, ou pertencente, ou relativo a Cantagalo (PR e RJ). • ***S. 2 g.*** **2.** O natural ou habitante de Cantagalo.

canta-galo [De *cantar* + *galo*[1].] ***El. s. m.*** *Bras. RS* Us. na loc. adv. *a canta-galo*. [Cf. *Cantagalo*, top.] ◆ **A canta-galo.** *Bras. RS* Muito em cima, bem no alto. [Aplica-se ao modo de atar a cauda (ou cola) do cavalo com um nó gracioso, deixando-a bem elevada, e pendente uma ponta de cada lado: *atar a cauda (ou a cola) a canta-galo.*] [Na 5ª ed. do Volp., sem hífen; corrigido em errata.]

cantal [kã'tal] [Fr.] ***S. m.*** *Cul.* Queijo de leite de vaca, de cor amarelada e consistência um tanto rija, fabricado na Alvérnia (centro-sul da França) em fôrmas de cerca de 40cm de diâmetro por 35 a 40cm de espessura.

cantalupo [Do it. *cantalupo*.] ***S. m.*** Melão pequeno, redondo, rugoso, de polpa alaranjada.

cantanhedense ***Adj. 2 g.*** **1.** De, ou pertencente ou relativo a Cantanhede (MA). • ***S. 2 g.*** **2.** O natural ou habitante de Cantanhede.

cantante [Do lat. *cantante*.] ***Adj. 2 g.*** **1.** Que canta: "Nós temos o mesmo fado, / Ó fonte de água cantante: / Quem te quer, para um bocado, / Quem não quer passa adiante..." (Augusto Gil, *Luar de Janeiro*, p. 131). **2.** Próprio para se cantar. • ***S. 2 g.*** **3.** *Bras. Gír.* Vigarista (1). **4.** Um indivíduo qualquer; sujeito.

cantão [Do fr. *canton*.] ***S. m.*** **1.** Divisão territorial, em vários países. **2.** Seção de estrada de ferro ou de rodagem cuja guarda e conservação estão a cargo de um cantoneiro.

cantar [Do lat. *cantare*, freq. de *canere*.] ***V. t. d.*** **1.** Dizer ou exprimir por meio do canto[2] (1): *Cantava baladas para adormecer o filho*; "De braço dado, as meninas passavam por nós aos grupos, cantando em coro valsas tristes, modinhas de serenatas." (Raquel de Queirós, *As Três Marias*, p. 6). **2.** Celebrar em poesia: "Todos cantam sua terra, / Também vou cantar a minha." (Casimiro de Abreu, *Obras*, p. 60). **3.** Executar com a voz (um trecho musical); executar. **4.** Dizer com certa entonação e cadência de voz: *Um dos alunos cantava as respostas certas para os colegas escreverem; Durante a guinada, o comandante mandou que o timoneiro cantasse os rumos.* **5.** *Mús.* Na execução instrumental de um trecho musical, dar maior relevo à melodia. **6.** Anunciar previamente: *Dias antes do golpe, ele cantara a sua ocorrência.* **7.** *Bras. Pop.* Seduzir ou tentar seduzir valendo-se de palavras ou maneiras hábeis; dar uma cantada em: *Mulherengo incorrigível, vive cantando a secretária.* ***T. d. e i.*** **8.** Dirigir, cantando: *cantar as loas ao Senhor.* **9.** Dizer com antecipação; prevenir: *Cantou-nos qual seria o próximo passo do diretor.* ***Int.*** **10.** Emitir com a voz sons ritmados e musicais: "Nas sebes orvalhadas, / Entre folhas luzentes como espadas, / Cantavam rouxinóis." (Guerra Junqueiro, *A Velhice do Padre Eterno*, p. 168). **11.** Produzir sons melodiosos ou cadenciados: *De tempos em tempos, cantava o sino*; "Ao lado, o ribeiro cantava alegremente nas pedras." (Conde de Ficalho, *Uma Eleição Perdida*, p. 153). **12.** Soar com ruído rangente: "Os pneus cantaram no asfalto" (Sérgio Santana, *Amazona*, p. 14). [Pret. m.-q.-perf. ind.:

cantara, etc. Cf. *cântara*, s. f.] *S. m.* **13.** V. *cantiga* (2). ◆ **O cantar do galo.** O amanhecer.

cântara [De *cântaro*.] *S. f.* Cântaro muito bojudo e de boca larga: "assentam, em carros de bois, as pipas de vinho espichadas de fresco, com as torneiras pingando nas cântaras vidradas." (José Vieira, *Sol de Portugal*, p. 153). [Cf. *cantara*, do v. *cantar*.]

cantareira [De *cântaro* + *-eira*.] *S. f.* **1.** Prateleira ou poial de pedra que se usa nas cozinhas para depositar cântaros com água. **2.** *Bras. Pop.* Clavícula.

cantarejar [De *cantar* + *-ejar*.] *V. t. d. Int. Pop. P. us.* V. *cantarolar*: "A muito linda Conceição cantarejava — e eu, em acompanhamento, acendia estrelinhas, soltava rojões." (Martins Fontes, *Terras da Fantasia*, p. 20.) [Conjug.: v. *pelejar*.]

cantarejo (ê) [Dev. de *cantarejar*.] *S. m.* V. *cantarola*.

cantaria [De *canto*³ + *-aria*.] *S. f. Constr.* **1.** Pedra para construção, esquadrejada segundo as normas de estereotomia; pedra de cantaria, alistão: "os prédios novos, de cantaria lavrada, azulejos frescos e claros" (Luís de Magalhães, *O Brasileiro Soares*, p. 32). **2.** Obra de cantaria (1).

cantaríase [Do gr. *kanthâris*, 'inseto (em esp. a cantárida), que ataca o trigo e a vinha', + *-íase*.] *S. f. Med.* Infecção por larvas de coleópteros.

cantárida [Do gr. *kantharís*, pelo lat. *cantharide*.] *S. f. Zool.* Coleóptero cantarídeo (*Cantharis vesicatoria* ou *Lytta vesicatoria*), da Europa, de coloração verde-dourada com reflexos avermelhados, muito usado na medicina antiga, triturado, como vesicatório, em beberagens para fins diuréticos ou afrodisíacos; cantáride.

cantáride *S. f. Zool.* Cantárida.

cantarídeo [Do tax. *Cantharis* (v. *cântaris*) + *-ídeo*¹; tax. *Cantharidae*.] *S. m. Adj. Zool.* V. *meloídeo*.

cantaridina [Do lat. cient. *Canthari*d- (< tax. *Cantharis* [v. *cântaris*] + *-ina*³; fr. *cantharidine*.] *S. f. Quím.* Princípio ativo das moscas espanholas (*Cantharis vesicatoria*), com ação fisiológica marcada [fórm.: $C_{10}H_{12}O_4$].

cantaridismo [De *cantárida* + *-ismo*.] *S. m. Med.* Envenenamento por uso indevido de cantáridas.

cantarilho [De *cantar* + *-ilho*.] *S. m.* Entre os antigos trovadores portugueses, designação comum a certas canções de amor.

cantarina [De *cantar* + *-ina*¹.] *S. f. Desus.* Cantorina (1): "O fato é que o mesmo juízo feito pelos críticos eminentes à célebre cantarina [a Pasta] podem ser aplicados a Teresa Parodi" (Machado de Assis, *Crônicas*, I, p. 72).

cantario *Bras. S. 2 g.* **1.** *Etnôn.* Indivíduo dos cantarios, povo indígena extinto que habitava a bacia do Guaporé (RO). ● *Adj. 2 g.* **2.** Pertencente ou relativo a esse povo. [Tb. us. como *s. 2 g. e 2 n.* (com cap.) e *adj. 2 g. e 2 n.*]

cântaris [Do tax. *Cantharis* < gr. *kantharís* (nom.).] *S. f. 2 n. Zool.* **1.** Gênero de coleópteros cantarídeos. **2.** Qualquer espécie desse gênero, como, p. ex., a *Cantharis vesicatoria* ou *Lytta vesicatoria* (v. *cantárida*). **3.** Qualquer espécime desse gênero.

cântaro [Do lat. *cantharu* < gr. *kántharos*.] *S. m.* Vaso grande e bojudo, com uma ou duas asas, de barro ou de folha, para líquidos. ◆ **A cântaros.** Torrencialmente; copiosamente, a potes: "Chovia a cântaros." (Ilza Espírito Santo Porto, *Contos do Vale de Jacarecica*, p. 21); "A água que caía a cântaros não cessara um minuto durante a noite." (Orlando Gonçalves, *Este Mundo dos Homens*, p. 14). [A expr. *chover a cântaros* tem o sin. *chover a potes*.]

cantarola [De *cantar* + *-ola*¹.] *S. f. Mús.* **1.** Canto desentoado ou a meia-voz. **2.** V. *cantoria* (1): *Menina, para com essa cantarola!* [Sin. ger.: *cantarejo*.]

cantarolante [De *cantarolar* + *-nte*.] *Adj. 2 g.* **1.** Que cantarola: "Em Aix-en-Provence, ao passar por entre as fontes cantarolantes da praça, ... resolvi parar." (Gilberto Amado, *Depois da Política*, p. 129). **2.** Que é dado a cantarolar.

cantarolar [De *cantarola* + *-ar*².] *V. t. d. Int.* **1.** Cantar a meia voz; trautear. **2.** Cantar desafinadamente. **3.** Produzir som melodioso, cadenciado: *A fonte cantarolava.* [Sin. ger. (p. us.): *cantarejar*.]

cantaruré *Bras. S. 2 g.* **1.** *Etnôn.* Indivíduo dos cantarurés [ou (etnôn. bras.) *Kantaruré], povo indígena que habitava a BA. ● *Adj. 2 g.* **2.** Pertencente ou relativo a esse povo.

cantata [Do it. *cantata*.] *S. f.* **1.** Composição poética para ser cantada. **2.** Antiga forma de poema lírico. **3.** *Mús.* Composição de inspiração profana ou religiosa, para uma ou mais vozes, com acompanhamento instrumental, às vezes também com coro, e cuja letra, em vez de ser historiada, descrevendo um fato dramático qualquer, é lírica, descrevendo uma situação psicológica. **4.** *Pop.* Lábia, astúcia. **5.** *Bras. Pop.* Cantada (2).

cantatriz [Do lat. *cantatrice*.] *S. f.* Cantora profissional; cantora.

cantável [Do lat. *cantabile*.] *Adj. 2 g.* Que se pode cantar.

cantear [De *canto*¹ + *-ear*².] *V. t. d. Art. Gráf.* Cortar, arredondando, os cantos de (folhas de papel, cartão, etc.). [Conjug.: v. *frear*.]

canteira [De *canto*³ + *-eira*.] *S. f.* Pedreira de onde se corta pedra de cantaria.

canteiro¹ [De *canto*³ + *-eiro*.] *S. m.* **1.** Operário que lavra a pedra de cantaria. **2.** Escultor de pedra. **3.** Porção de terreno delimitado cultivado de plantas, sobretudo de flores ou hortaliças. **4.** Espaço à volta ou ao lado de uma construção, onde se realizam serviços auxiliares, tais como a preparação de argamassas, dobragem de ferro, confecção de fôrmas, etc., e que pode ser dotado de instalações provisórias, como depósitos, alojamento e oficinas; canteiro de obras, canteiro de serviços. ◆ **Canteiro de obras.** V. *canteiro*¹ (4). **Canteiro de serviços.** V. *canteiro*¹ (4).

canteiro² *S. m.* Poial para tonéis e pipas, nas adegas; baixete.

cânter [Do ingl. *canter*.] *S. m. Bras. Turfe* Galope ligeiro, de apresentação dos cavalos ao público, antes do páreo; galope de apresentação. [Pl.: *cânteres*.]

cântico [Do lat. *canticu*.] *S. m.* **1.** Canto em honra da divindade; hino. **2.** Ode, poema.

cantiga [Do celta **cantica*, do rad. célt. *can-*, da mesma or. que o lat. *canere*.] *S. f.* **1.** *Arte Poét.* Poesia cantada, em redondilha ou versos menores, dividida em estrofes iguais. **2.** Quadra(s) para cantar; canção, cantar, cantadela. **3.** *Pop.* Conversa cheia de lábia ou astúcia; conversa: *Veio com uma cantiga que logo a convenceu.* ◆ **Cantiga de amor.** *Arte Poét.* Gênero poético trovadoresco em que o amante se dirige à amada. **Cantiga de amigo.** *Arte Poét.* Gênero poético trovadoresco em que a amada dirige ternos queixumes ao amigo. **Cantiga de escárnio e maldizer.** *Arte Poét.* Gênero poético trovadoresco de feição satírica. **Cantiga de licença.** *Bras. N.E. Rel.* Cântico com que o orixá, nos candomblés congueses e angolanos, pede licença para dançar, manifestado na filha de santo. ◆ **Cantiga de ninar.** V. *acalento* (2). **Cantar sempre a mesma cantiga.** Repetir sempre as mesmas razões, os mesmos argumentos, etc. **Ir atrás de cantigas.** Ir na cantiga; ir na conversa: "— É! — fez Cecília, muito queixosa. — Até aqui toda a dificuldade era o enxoval; venho dizer-lhe que o patrão se encarrega disso, e você .... ainda me dá muxoxos e põe-se a desconfiar de mim! Tola fui eu em ir atrás de cantigas!" (Aluísio Azevedo, *Filomena Borges*, p. 63.) **Ir na cantiga.** Deixar-se lograr; ir atrás de cantigas. **Ser sempre a mesma cantiga.** Apresentar sempre as mesmas desculpas, argumentos, etc.: "— Ora! é sempre a mesma cantiga! Dificuldades! e afinal de contas o senhor não é capaz de dizer que dificuldades são essas!?" (Aluísio Azevedo, *O Coruja*, p. 145.)

cantil [De *canto*³ + *-il*³.] *S. m.* **1.** Instrumento de carpinteiro para abrir meio-fio nas tábuas, e por onde elas se ajustarão. **2.** Instrumento de escultor para alisar pedras. **3.** Pequeno recipiente de metal, madeira, etc., em geral forrado, externamente, de pano grosso, feltro ou couro, para transporte de líquidos em viagem.

cantilena [Do lat. *cantilena*.] *S. f.* **1.** Cantiga suave: "Do Espanhol as cantilenas / Requebradas de langor, / Lembram as moças morenas, / As andaluzas em flor." (Castro Alves, *Obras Escolhidas*, p. 328). [Sin. (bras., S.): *cantorina*.] **2.** Cantiga monótona; melopeia. **3.** *Fam.* Conversação fastidiosa; arenga, ladainha.

cantiléver [Do ingl. *cantilever*.] *S. m. Arquit. Constr.* Viga em balanço (q. v.).

cantimplora [Do esp. *cantimplora*.] *S. f.* Catimplora (q. v.).

cantina [Do it. *cantina*.] *S. f.* **1.** Restaurante ou lanchonete em quartéis, hospitais, escolas, estações ferroviárias, etc.: "Outros [trabalhadores] iam almoçar .... a uma espécie de cantina" (Branquinho da Fonseca, *Rio Turvo e Outros Contos*, p. 35). **2.** *P. ext.* Estabelecimento onde se preparam e servem refeições. **3.** Restaurante rústico; casa de pasto. **4.** *Mar. G.* Local onde se vendem artigos de uso pessoal para marinheiros. **5.** *Bras. S. S.E.* Restaurante especializado em cozinha italiana e vinhos. **6.** *Bras. RS* Loja onde se vende vinho. **7.** *Afric.* Loja (2) em local ermo, ou em subúrbio: "A cantina era constituída por duas secções: a que servia as comidas, e a que vendia as bebidas. | As duas estavam imundas, repelentes, cheias de moscas e de bichos." (João Salva-Rey, *Ku Femba*, p. 300.) **8.** *Angol. Santom.* Loja (2) dentro de propriedade rural, destinada a trabalhadores: "Foram avisados de que depois das compras feitas quer nas cantinas quer no comércio, deveriam encontrar-se para se proceder à chamada geral" (Raul David, *Colonizados e Colonizadores*, p. 75).

cantineiro [De *cantina* + *-eiro*.] *S. m.* Aquele que vende em cantina.

cantinho [De *canto*¹ + *-inho*¹.] *S. m.* **1.** V. *canto*¹ (3). **2.** Pequeno pedaço; bocadinho.

canto¹ [Do gr. *kanthós*, pelo lat. *canthu*.] *S. m.* **1.** Ponto ou área em que linhas e superfícies se encontram e formam ângulo (2): *O escanteio foi cobrado no canto esquerdo; Rubricou o canto da página.* **2.** V. *aresta* (1). **3.** Lugar retirado, afastado; recanto, cantinho. **4.** Lugar onde se mora, trabalha ou vai habitualmente. **5.** Extremidade de abertura natural (de boca, olhos, etc.). **6.** Junta ou aresta de uma tábua. **7.** *Anat.* O ângulo existente em cada extremidade da fenda palpebral. [Há dois de cada lado: externo, ou temporal, e interno, ou nasal.] **8.** *Encad.* Cantoneira (3). **9.** *Bras. BA* Ponto onde se reuniam os ganhadores [v. *ganhador* (4)] de um bairro. **10.** *Lus. Fut.* V. *escanteio* (1 e 2).

canto² [Do lat. *cantu*.] *S. m.* **1.** Som musical produzido pela voz do homem ou de outro animal. [Sin., m. us. em relação à voz dos pássaros: *cantada*.] **2.** Música vocal. **3.** Poesia lírica; canção. **4.** *Arte Poét.* Grande divisão de longos poemas: *Os Lusíadas, de Camões, têm 10 cantos.* **5.** *Mús.* Melodia principal de uma composição, e que se situa ger. no registro agudo. **6.** *Mús.* Título geral dado a composições (vocais ou instrumentais) sem forma determinada. **7.** *Mús.* A arte e a técnica do canto² (2): *estudar canto.* ◆ **Canto coral.** *Mús.* Coral⁵ (2). **Canto eclesiástico.** *Mús.* Canto gregoriano. **Canto de estante.** *Mús.* Descanto (2). **Canto de farinhada.** *Bras. Folcl. Mús.* Toada que se canta nas casas de farinha da região são-franciscana, ajudando a movimentação da roda grande e o giro do rodete¹ (2), tornando a tarefa menos cansativa. **Canto de sereia.** Palavras ou atos de atrativo com que alguém procura conquistar amizade, confiança, favores, etc., de outrem. **Canto de trabalho.** *Mús.* Qualquer canto entoado, rotineiramente, durante a lida cotidiana, como o das lavadeiras na beira do rio, ou o praticado por piladores de grãos. **Canto eclesiástico.** *Mús.* Canto gregoriano. **Canto firme.** *Mús.* V. *melodia-tenor*. **Canto gregoriano.** *Mús.* Cantochão (q. v.), assim chamado por haver sido coordenado, completado e fixado por São Gregório I, o Grande, no séc. VI; canto eclesiástico. **Canto liso.** *Mús.* V. *cantochão*. **Canto real.** *Arte Poét.* Antiga composição poética, formada de cinco estrofes de 11 versos e mais uma oferenda, e que é uma forma desenvolvida de balada. **O canto do cisne.** **1.** Gorjeio harmonioso que, segundo os antigos, o cisne entoa na hora da morte. **2.** *P. ext.* Obra notável produzida pelo fim da vida do autor. **Trazer de canto chorado.** *Bras.* Não dar folga a (alguém): "— Ela não engorda é de ruindade. Me traz de canto chorado, com as suas ciumadas...." (Ciro dos Anjos, *Montanha*, p. 350.)

canto³ [De or. pré-romana, poss.] *S. m.* **1.** Pedra grande; pedregulho. **2.** *Constr.* Pedra aparelhada para formar o ângulo de uma construção; esquadria de pedra.

canto-buritiense *Adj. 2 g.* **1.** De, ou pertencente ou relativo a Canto do Buriti (PI). ● *S. 2 g.* **2.** O natural ou habitante de Canto do Buriti. [Pl.: *canto-buritienses*.]

cantochanista [De *cantochão* + *-ista*.] *S. 2 g. Mús.* Cantor de cantochão.

cantochão [De *canto*² (1) + *chão*, na acepç. de 'plano', 'igual'.] *S. m. Mús.* Canto litúrgico da Igreja Católica do Ocidente, essencialmente monódico, e cujo ritmo ou ausência de ritmo se baseia apenas na acentuação e nas divisões do fraseado; canto gregoriano, canto liso: "Soou o cantochão. Chegou-me o incenso." (Machado de Assis, *A Semana*, II, p. 65.)

canto de passarinho [De *canto*² + *de*¹ + *passarinho*.] *S. m. Bras. BA Pop.* V. *boqueira*. [Pl.: *cantos de passarinho*.] ☑

canto de sabiá [De *canto*² + *de*¹ + *sabiá*.] *S. m. Bras. Pop.* V. *boqueira*. [Pl.: *cantos de sabiá*.] ☑

cantoeira [De *canto*³ + *-eira*.] *S. f.* **1.** Ferragem para segurar ou reforçar sambladuras de madeira. **2.** Ferragem para firmar pedras de cantaria nos edifícios.

cantonado [Do fr. *canton* + *-ado*¹.] *Adj. Heráld.* Diz-se de escudo que apresenta peças nos quatro cantos.

cantonal [De *cantão* + *-al*¹.] *Adj. 2 g.* Relativo a cantão.

cantoneira [De *canto*¹ + *-n-* + *-eira*.] *S. f.* **1.** Armário ou prateleira adaptada a um canto de parede. **2.** Peça ou perfil metálico em forma de L, para reforçar quinas ou ajustar cantos de móveis e peças construídas. **3.** *Encad.* Peça de metal, couro, pano, etc., comumente triangular, usada como reforço e adorno nos cantos externos das pastas dos livros; canto. **4.** *Encad.* Triângulo de papel para fixar fotografias, pelos cantos, em álbuns.

cantoneiro [De *cantão* + *-eiro*.] *S. m.* Trabalhador encarregado da conservação e limpeza de um cantão (2).

cantonense *Adj. 2 g.* **1.** Da, ou pertencente ou relativo à cidade de Cantão (China). ● *S. 2 g.* **2.** O natural ou habitante de Cantão.

cantonês *Adj.* **1.** V. *cantonense* (1). ● *S. m.* **2.** V. *cantonense* (2). **3.** *Gloss.* O dialeto chinês falado na cidade de

Cantão, que serve de padrão para os demais dialetos *yué*. **4.** *Gloss.* V. *yué*. [Flex. (acepç. 1 e 2): *cantonesa* (ê), *cantoneses* (ê), *cantonesas* (ê).]

cantor (ô) [Do lat. *cantore*.] *S. m.* **1.** *Mús.* Aquele que canta por profissão. [Fem.: *cantora* (ô) e *cantatriz*.] **2.** *Mús.* Aquele que canta. [Fem., nesta acepç.: *cantora* (ô).] **3.** Poeta que celebra um grande feito ou um herói. **4.** *Mús.* Chantre. **5.** *Mús.* Na Alemanha, mestre de capela. **6.** *Mús.* Diretor de colégio de música sacra. ◆ **Cantor de banheiro.** *Joc.* Tenor de banheiro.

cantoria [De *cantor* + *-ia*[1]; esp. *cantoría*.] *S. f. Mús.* **1.** Ação de cantar; canto, cantarola. **2.** Conjunto de vozes que cantam. **3.** *Bras. N.E.* Desafio de cantadores.

cantoriano [Do antr. (*Georg Ferdinand Ludwig Philip*) *Cantor* + *-iano*.] *Adj.* **1.** Pertencente ou relativo a Georg Ferdinand Ludwig Philip Cantor (1845-1918), matemático alemão, criador da teoria dos conjuntos, cuja obra exerceu grande influência na Filosofia da Matemática e na Lógica Matemática. **2.** Que é adepto das concepções de Ferdinand Cantor ou profundo conhecedor de sua obra. ● *S. m.* **3.** Seguidor de suas concepções ou profundo conhecedor de sua obra.

cantorina [De *cantor* + *-ina*[1].] *S. f.* **1.** *Desus.* Cantora de profissão; cantarina. **2.** *Bras. S.* Cantilena (1).

cantorrafia [De *canto*[1] + *-raf(i)-* + *-ia*[1].] *S. f. Cir.* Sutura dos cantos da fenda palpebral.

cantotomia [De *canto*[1] (7) + *-tom(o)-* + *-ia*[1].] *S. f. Cir.* Secção de um ou ambos os cantos do olho.

cantotómico *Adj.* V. *cantotômico*. [Uso freq. em P.]

cantotômico [De *cantotomia* + *-ico*[2].] *Adj. Cir.* Relativo a cantotomia.

canudeiro [De *canudo* + *-eiro*.] *S. m. Bras. Bot.* **1.** V. *canudo-de-pito* (2). **2.** V. *sapucainha* (1).

canudense[1] *Adj. 2 g.* **1.** De, ou pertencente ou relativo a Canudos (BA). ● *S. 2 g.* **2.** O natural ou habitante de Canudos.

canudense[2] V. *belenense*[1].

canudinho [De *canudo* + *-inho*[1].] *S. m. Bras.* Canudo (10).

canudo [Do lat. vulg. **cannutu*, 'cana', 'junco'.] *S. m.* **1.** Tubo geralmente longo. **2.** *Vest.* Prega feita com ferro especial nos folhos da roupa engomada. **3.** Cachos longos de cabelo, em forma de dedos. **4.** *Pop.* Contratempo, prejuízo, logro. **5.** Caixa tubiforme, na qual se guarda diploma ou certos documentos. **6.** *P. ext.* O diploma de fim de curso superior. **7.** *Bras. Bot.* V. *algodão-bravo* (2). **8.** *Bot.* V. *pau-marfim* (1). **9.** *Zool.* V. *iraxim*. **10.** *Ind. Pap.* V. *sabugo* (8). **11.** *Bras.* Tubo de palha, plástico, etc., através do qual se sorvem bebidas frias; canudinho. **12.** *Bras. S. Encad.* Reforço de fole (q. v.).

canudo-de-cachimbo *S. m. Bras. Bot.* V. *canudo-de-pito* (2). [Pl.: *canudos-de-cachimbo*.]

canudo-de-pito [De *canudo* + *de* + *pito*[2].] *S. m. Bras. Bot.* **1.** Nome comum a algumas árvores euforbiáceas do gênero Mabea, cujos ramos se usam, ger., na confecção de tubos para cachimbo. **2.** Arbusto euforbiáceo (*Mabea fistulifera*) de folhas verde-escuras, brilhantes, na página superior, flores ferrugíneas e frutos capsulares que fornecem óleo medicinal; canudeiro, canudo-de-cachimbo, mamoneira-do-mato. **3.** Arbusto euforbiáceo (*Mabea occidentalis*) cujo látex cede alguma borracha, de folhas coriáceas, flores apétalas, unissexuais e monadelfas, e fruto tricoco cujas sementes não têm carúncula. [Sin.: *piriri*.] **4.** V. *sapucainha* (1). **5.** Taquari (2). [Pl.: *canudos-de-pito*.]

cânula [Do lat. *cannula*.] *S. f. Med.* Tubo de plástico, ou de outro material, de calibre variável, com formas e objetivos diversos, aberto em ambas as extremidades, destinado a ser introduzido no corpo após intervenções cirúrgicas, com diversas finalidades.

canure *S. 2 g. S. m. Adj. 2 g.* V. *canúri*.

canúri *S. 2 g.* **1.** *Etnôn.* Indivíduo dos canúris, povo de economia pastoril e cultura islamizada que habita o N. da Nigéria (África setentrional) e regiões vizinhas. **2.** *Bras.* Escravo trazido das montanhas do N. da Nigéria para o Brasil com o tráfico. ● *S. m.* **3.** *Gloss.* Língua da família nilo-saariana, falada na Nigéria e em Níger. ● *Adj. 2 g.* **4.** Pertencente ou relativo a canúri (1 a 3). [Sin. ger.: *bornu*, *canure*.]

canutamense *Adj. 2 g.* **1.** De, ou pertencente ou relativo a Canutama (AM). ● *S. 2 g.* **2.** O natural ou habitante de Canutama.

canutilho [Do esp. *canutillo*.] *S. m.* **1.** Fio de ouro, prata ou latão enrolado em hélice. **2.** Miçanga (1) longa para enfeites e guarnições de vestuário de senhoras.

➔**canvas** ['kænvəs] [Ingl., 'lona'.] *S. m. Tec. Têx.* Tecido forte e durável feito de algodão ou de fibra sintética, us. na confecção de capas de chuva, *jeans* e bolsas.

canxi [De or. obsc.] *S. m. Bot.* V. *mata-olho* (2).

canxim [De or. obsc.] *S. m. Bot.* V. *mata-olho* (2).

canxuá *S. m. Bras. Rel.* V. *canzuá*.

➔**canyon** ['kænjən] [Ingl.] *S. m.* V. *canhão* (3).

canzá [Do quimb. *kanzá*.] *S. m. Bras. Santom. Mús.* V. *reco-reco* (1): 📖 "E os tamborins, os <u>canzás</u>, os pandeiros, os adufes, os chocalhos e os *agogôs* rodam no ar como uma salva" (Melo Morais Filho, *Festas e Tradições Populares do Brasil*, p. 161).

canzarrão [De *can(i)-*[1] + *-(z)arrão*.] *S. m.* V. *cão*[1] (1): 📖 "O <u>canzarrão</u> .... rosnou, ... e, abrindo a boca, mostrou os dentes anavalhados." (Alexandre Herculano, *Lendas e Narrativas*, II, p. 13).

canzil [Do port. **cangil* < *cangal* (q. v.).] *S. m.* **1.** Cada um dos dois paus da canga, entre os quais o boi mete o pescoço: cangalho, canil: 📖 "ninguém boi tem culpa de tanta má-sorte, e lá vai ele .... pesando de quina contra as mossas e os dentes dos <u>canzis</u> biselados" (João Guimarães Rosa, *Sagarana*, p. 296). **2.** *Bras.* Marca nas orelhas da rês; canzo. **3.** *Bras. Zool.* V. *libélula* (3).

canzo *S. m. Bras.* Canzil (2).

canzoá *S. m. Bras. Rel.* V. *canzuá*.

canzoada [De *canz-*, como em *canzarrão*, + *-oada*.] *S. f.* **1.** Ajuntamento de cães; cainçada, cainçalha, caínça, canzoeira. **2.** *Fig.* Grupo de indivíduos velhacos.

canzoal [De *canz-*, como em *canzarrão*, + *-oal*.] *Adj. 2 g.* **1.** Relativo a cães. **2.** *Fig.* Baixo, vil, velhaco.

canzoeira [De *canz-*, como em *canzarrão*, + *-oeira*] *S. f.* V. *canzoada* (1).

canzuá [Do quimb.] *S. m. Bras. Rel.* Nos candomblés angola e congo, terreiro (7). [Var.: *canxuá*, *canzoá*, *ganzuá*.]

canzuá de quimbe *S. m. Bras. BA* Cemitério, casa dos mortos. [Pl.: *canzuás de quimbe*.] ☑

canzurral *S. m. Bras.* Cangurral.

cão[1] [Do lat. *cane*.] *S. m.* **1.** *Zool.* Mamífero carnívoro, tipo dos canídeos (v. *cânis*). [Fem.: *cadela*; pl.: *cães*; aum.: *canaz*, *canzarrão*; dim.: *cãozinho*, *cãozito*, *canicho*. Sin., p. us.: *perro*.] **2.** Peça da espingarda que percute a cápsula. **3.** Peça de madeira que pende da calha de tremonha e assenta sobre a mó. **4.** Armação metálica para apoiar a lenha que arde na lareira e evitar que ela role para fora. **5.** Antiga peça de artilharia. **6.** *Fam.* Pessoa má, infame, vil. **7.** *Bras. Pop.* V. *diabo* (2). ◆ **Cão de fila.** O que pela sua braveza é utilizado como guarda de prédios. [Cf. *filar* (2).] **Cão e gato.** Indivíduos que só vivem discutindo ou brigando: 📝 *Parecem <u>cão e gato</u>; Os dois colegas eram <u>cão e gato</u>.* **Cão Maior.** *Astr.* Constelação austral, a S.E. de Órion, cuja estrela mais brilhante é Sírio. **Cão Menor.** *Astr.* Constelação boreal a E. de Órion, cuja estrela mais brilhante é Prócion. **Cão que ladra não morde.** Diz-se de quem muito ameaça, mas não cumpre. **Preso por ter cão, preso por não ter (cão).** Culpado de qualquer modo. **Ser o cão chupando manga.** *Pop.* **1.** Ser pavoroso, terrível, extremamente mau. **2.** Ser muitíssimo feio, horrível.

cão[2] [Do persa *khān*, 'estalagem'.] *S. m.* **1.** Mercado público, no Oriente Médio. **2.** Espécie de estalagem para repouso das caravanas, no Oriente. [Cf. *caravançará*.]

cão[3] [Do lat. *canu*, 'velho de cabelos brancos'.] *Ant. Adj.* **1.** Que tem cãs; encanecido. ● *S. m.* **2.** *Ant. Lus.* V. *cã*[2].

▲**-ção** [Do lat. *-tione* (do acus. do lat. *-tio, ōnis* < *-t-*, do part. pass., ou supino, + lat. *-io, ōnis*).] V. *-ão*[3].

caoba [Do esp. *caoba* < taino *kaóban*.] *S. f. Bot.* V. *mogno-brasileiro*.

caobi [De or. obsc.] *S. m. Bras. Bot.* V. *canafístula* (3).

cão-guia *S. m.* Cão treinado para acompanhar e guiar cegos. [Pl.: *cães-guias* e *cães-guia*.]

caol [De *Kaol*, marca registrada.] *S. m.* **1.** Líquido para limpar metais amarelos. **2.** *Bras. Mar. G. Gír.* Coquetel feito de creme de leite, licor de cacau e outros ingredientes, e que tem o aspecto do caol (1). [Pl.: *caóis*.]

caolho (ô) [Do quimb. *ka*, 'pequeno', + *olho* (ô).] *Adj. S. m. Bras.* **1.** V. *estrábico* (2 e 4). **2.** V. *zarolho* (1 e 4).

cão-miúdo [De *cão*[1] + *miúdo*.] *S. m. Bras. Pop.* V. *diabo* (2). [Pl.: *cães-miúdos*.]

cão-polícia [De *cão*[1] + *polícia*.] *S. m. Lus.*, *Cinol.* V. *pastor-alemão*. [Pl.: *cães-polícias* e *cães-polícia*.]

cão-policial *S. m. Cinol.* V. *pastor-alemão* [Pl.: *cães-policiais* e *cães-policial*.]

caos (á-u) [Do lat. *chaos* < gr. *cháos*.] *S. m.* **1.** *Hist. Filos.* Nas mitologias e cosmogonias pré-filosóficas, vazio obscuro e ilimitado que precede e propicia a geração do mundo; abismo: 📖 "Assim, o Deus poderoso, ardente de vida, faz surgir do <u>caos</u> o homem, a mulher, os astros" (Graça Aranha, *A Estética da Vida*, pp. 51-52). **2.** Grande confusão ou desordem: 📖 "uma cidade não é só ruído e <u>caos</u>." (Antônio Silva Graça, *Viagem ao Fim da História*, p. 61). **3.** *Fís.* Comportamento praticamente imprevisível exibido em sistemas regidos por leis deterministas, e que se deve ao fato de as equações não lineares que regem a evolução desses sistemas serem extremamente sensíveis a variações, em suas condições iniciais; assim, uma pequena alteração no valor de um parâmetro pode gerar grandes mudanças no estado do sistema, à medida que este tem uma evolução temporal. ◆ **Caos primordial.** *Cosm.* Concepção de que ao princípio o Universo pode ter sido altamente irregular e heterogêneo.

caótico [Do fr. *chaotique*.] *Adj.* **1.** Que está em caos (2); confuso, desordenado. **2.** De, ou relativo a caos (3), ou à Teoria do Caos.

cão-tinhoso [De *cão*[1] + *tinhoso*.] *S. m. Pop.* V. *diabo* (2). [Pl.: *cães-tinhosos*.]

caotização [De *caotizar* + *-ção*.] *S. f. Bras.* Ato ou efeito de caotizar.

caotizar [De *caótico* + *-izar*.] *V. t. d. Bras.* Tornar caótico, confuso, desordenado; desorganizar: 📝 *Por vezes a pressa <u>caotiza</u> a execução dos trabalhos; A doença <u>caotizou</u> a minha programação semestral.*

cãozinho [De *cão*[1] + *-zinho*.] *S. m.* V. *cão*[1] (1).

cãozito [De *cão*[1] + *-zito*.] *S. m.* V. *cão*[1] (1).

capa[1] [Do lat. tard. *cappa*.] *S. f.* **1.** *Vest.* Peça de vestuário us. sobre toda a outra roupa como proteção contra a chuva ou o frio. **2.** Aquilo que serve para cobrir; cobertura: 📝 *Mandei fazer uma <u>capa</u> de lonita para o meu novo sofá.* **3.** *Fig.* Acolhimento, proteção. **4.** *Fig.* Aparência, exterioridade: 📝 *Aquela <u>capa</u> de sangue-frio parece ocultar um grande medo.* **5.** Pedaço de estofo, de cor viva, com que os bandarilheiros chamam os touros. **6.** *Encad.* Cobertura de papel ou de outro material, flexível ou rígida, que enfeixa ou protege mais ou menos solidamente um livro, um folheto, etc., segundo constitua brochura, cartonagem ou encadernação. [V. *pasta* (10 e 11).] **7.** *Bibliogr. Bibliol. Bibliot.* O conjunto dos dizeres e imagens impressos na cobertura de um livro, de um folheto, etc. **8.** *Eng. Elétr.* Invólucro protetor aplicado sobre o isolamento dos fios ou cabos, e que pode ser de chumbo, borracha, tecido, etc. **9.** *Mar.* A vela grande dos navios. [Aum. irreg., nesta acepç.: *capeirão*.] **10.** *Ant. Mar.* Condição em que se põe um navio à vela para enfrentar uma borrasca, de jeito que possa ser mantido com a proa bem chegada ao vento e ao mar, e com o menor número possível de velas que permita governá-lo. **11.** *Bras.* A parte superior de qualquer camada rochosa ou de mina em exploração. [Opõe-se, nesta acepç., a lapa[1] (4) (q. v.).] **12.** *Bras. BA* Envoltório externo de um charuto; capote. **13.** *Bras. RS* Parte da sela que protege as pernas do cavaleiro do contato dos cavalos. ◆ **Capa almofadada.** *Encad.* A que tem camada de algodão entre o papelão e o couro, para ficar alteada e macia que nem uma almofada; capa estofada. **Capa articulada.** *Encad.* Capa flexível, internamente formada por tiras de cartão coladas, a pequenos intervalos, sobre papel, paralelamente à lombada. **Capa colada.** *Encad.* A que é presa por colagem, e não por costura ou grampeamento, à lombada de um livro, folheto, etc. **Capa de asperges.** Capa (1) comprida, sem pregas e acolchetada na frente, que os sacerdotes usam em certas cerimônias eclesiásticas; capa-magna, pluvial: 📖 "um coro de sacerdotes pálidos, muito sérios debaixo das veneráveis <u>capas de asperges</u>, dos pluviais solenes, oficia liturgicamente" (Alphonsus de Guimaraens, *Obra Completa*, p. 406). **Capa de chuva.** *Vest.* Peça unissex, feita com tecido à prova de água, us. para proteger quem a veste contra a chuva. [Tb. se diz apenas *capa*.] **Capa dura.** **1.** *Edit.* Tipo de encadernação em que se produz um livro cartonado ou encadernado, em oposição ao livro brochado. **2.** *Edit.* A capa de um livro cartonado ou encadernado. **3.** *Edit.* O livro cartonado ou encadernado. **Capa estofada.** *Encad.* Capa almofadada. **Capas encouradas.** *Bras. N.E. Fig.* Hipocrisia; dissimulação. **Na capa.** *Bras. MG* Nas últimas. **Primeira capa.** *Edit.* A parte frontal externa da capa (7), em que deve constar o título da obra, o nome do autor e o nome da editora. [Cf. *segunda capa*, *terceira capa* e *quarta capa*.] **Quarta capa.** *Edit.* A parte posterior externa da capa (7). [Cf. *primeira capa*, *segunda capa* e *terceira capa*.] **Segunda capa.** *Edit.* O verso da primeira capa. [Cf. *primeira capa*, *quarta capa* e *terceira capa*.] **Terceira capa.** *Edit.* O verso da quarta capa. [Cf. *primeira capa*, *quarta capa* e *segunda capa*.]

capa[2] [Do gr. *káppa*, pelo lat. tard. *cappa*.] *S. m.* A 10ª letra do alfabeto grego (Κ, κ); cá.

capa[3] [Dev. de *capar*.] *S. f. Bras. RS* V. *capação* (1).

capa-bode [De *capar* + *bode*[1].] *S. 2 g. Bras. N.E.* V. *caipira* (1). [Pl.: *capa-bodes*.]

capação [De *capar* + *-ção*.] *S. f.* **1.** Ato de castrar os animais; castração, capadura. [Sin. (no RS): *capa*.] **2.** *Bras. P. ext.* Época em que se procede a essa operação nas fazendas de criação. **3.** Ação de capar ou de cortar os rebentos de uma planta; poda, podadura.

capacete (ê) [Do cat. *cabasset*, pelo esp. *capacete*.] *S. m.* **1.** Armadura de copa oval, para a cabeça. **2.** Peça côncava de metal que cobre a caldeira do alambique; capitel. **3.** Teto do moinho de vento, que suporta as velas e gira segundo as mudanças de direção do vento. **4.** *Eletrôn.* Terminal de uma válvula eletrônica, geralmente ligado a um anodo de alta tensão, e que se localiza numa região oposta à base da válvula. **5.**

Lus. Pop. V. *efeito estufa*. ◆ **Capacete de gelo.** Camada de gelo que, em certos casos, é aplicada na cabeça dos doentes.

capachismo [De *capacho* + *-ismo*.] *S. m.* Qualidade, ação ou atitude própria de capacho (2); servilismo.

capacho [Do lat. vulg. **capaceu*.] *S. m.* **1.** Espécie de tapete de fibras grossas e ásperas, de borracha dura, ou de arame ou lâminas metálicas, colocado às portas, para limpeza das solas dos calçados. **2.** *Fig.* Indivíduo servil; pelego.

capacidade [Do lat. *capacitate* < lat. *capax, acis*, 'capaz'.] *S. f.* **1.** Volume interior de um recipiente; continência. **2.** Número de pessoas ou unidades outras que podem ser acomodadas num recinto, num recipiente, num veículo, etc. **3.** Qualidade que uma pessoa ou coisa tem de possuir para um determinado fim; habilidade, aptidão. **4.** Pessoa de grande ilustração ou aptidão; talento, sumidade. **5.** *Educ.* Potencial que uma pessoa tem para aprender. **6.** *Eletr.* A quantidade de carga elétrica ou de energia que uma bateria elétrica pode fornecer sem que se lhe altere irreversivelmente a constituição química, e medida, comumente, pelo número de ampères-hora que a bateria pode fornecer, ou pelo número de watts-hora que ela pode debitar. **7.** *Fís.* Capacitância (1). **8.** *Jur.* Aptidão para adquirir direitos e contrair obrigações. [V. *assistência* (9) e *representação* (14).] ◆ **Capacidade de calorífica.** *Fís.* Quociente da quantidade de calor fornecida a um sistema pela elevação de temperatura daí resultante. **Capacidade de armazenamento.** *Inform.* Quantidade total de informação que um dispositivo é capaz de armazenar; capacidade de memória. **Capacidade de canal.** *Telec.* Número de sinais que, na unidade de tempo, podem ser transmitidos por um canal. **Capacidade de direito.** *Dir. Civ.* Aptidão que todo ser humano tem de adquirir direitos e contrair obrigações, independentemente de idade ou condições mentais. **Capacidade de exercício.** *Dir. Civ.* Capacidade de fato. **Capacidade de fato.** *Dir. Civ.* Aptidão que a lei confere a algumas pessoas para exercerem, por si mesmas, independentemente de representação ou assistência, os seus direitos; capacidade de exercício. **Capacidade de memória.** *Inform.* Capacidade de armazenamento. **Capacidade elétrica.** *Eletr.* Capacitância (1). **Capacidade instalada.** *Econ.* Numa fábrica ou indústria, o nível máximo de produção que se pode alcançar com o equipamento existente. **Capacidade ociosa.** *Econ.* Diferença entre a capacidade instalada (q. v.) e o nível efetivo de produção. **Ter a capacidade de.** *Bras. Pop. Irôn.* Ir ao ponto de; ousar.

capacímetro [De *capaci(tância)* + *-metro*.] *S. m. Eletrôn.* Instrumento us. para medir capacitância.

capacíssimo *Adj.* Superl. abs. sint. de *capaz*.

capacitação [De *capacitar* + *-ção*.] *S. f.* **1.** Ato ou efeito de capacitar(-se). **2.** V. *qualificação* (3): *Este curso visa à capacitação de pessoas com mais de cinquenta anos.* **3.** *Educ.* Qualificação, formação profissional.

capacitado [Part. de *capacitar*.] *Adj.* Diz-se de pessoa que tem capacidade (3).

capacitância [Do ingl. *capacitance*.] *S. f. Eletr.* **1.** Propriedade que têm alguns sistemas de armazenar energia elétrica sob a forma de um campo eletrostático; capacidade elétrica. **2.** O quociente da carga elétrica de um capacitor pela tensão elétrica existente entre as suas armaduras.

capacitar [De *capacidade* (< lat. *capacitate*) + *-ar*[2], seg. o padrão erudito.] *V. t. d. e i.* **1.** Tornar capaz; habilitar: *Os longos anos de estudo capacitaram-no para as recentes descobertas.* **2.** Convencer, persuadir: "Não foi .... sem dificuldade que o Coruja logrou capacitar a velha de que não devia fugir a semelhante obséquio" (Aluísio Azevedo, *O Coruja*, p. 194). *P.* **3.** Tornar-se capaz; habilitar-se. **4.** Convencer-se, persuadir-se.

capacitivo [De *capacitar* + *-ivo*.] *Adj. Eletr.* Num circuito elétrico, diz-se de um componente que tem capacitância. ~ V. *acoplamento* —.

capacitor (ô) [Do ingl. *capacitor*.] *S. m. Eletr.* Conjunto de dois ou mais condutores elétricos separados entre si por isoladores. [É um sistema que, pela sua forma geométrica e por suas características elétricas, pode ter grande capacitância.] ◆ **Capacitor de bloqueio.** *Eletrôn.* Capacitor us. em circuitos eletrônicos para bloquear a componente dc do sinal. **Capacitor MOS.** *Eletrôn.* Estrutura básica metal-óxido-semicondutor que consiste em um eletrodo-porta (metal) separado da superfície de um substrato semicondutor por uma fina camada de material isolante (óxido de silício), comportando-se como um capacitor, cuja capacitância depende da tensão aplicada à porta e da frequência.

capada [Do fr. *capade*.] *S. f. Chapel.* Camada de pelo ou de lã, nos chapéus de feltro.

capadaria [De *capado* (2 e 3) + *-aria*.] *S. f. Bras.* Conjunto de capados: "Os ladrões .... já tinham carneado muita rês boa da fazenda e acabado com a capadaria do chiqueiro." (Afonso Arinos, *Pelo Sertão*, p. 166.)

capadeira [De *capar* + *-deira*.] *S. f.* **1.** Navalha ou faca própria para capar. **2.** Navalha pequena.

capadeiro [De *capar* + *-deiro*.] *S. m.* V. *capador*.

capadete (ê) [De *capado* + *-ete* (ê).] *S. m. Bras. S.* Porco capado (1) mas ainda não cevado.

capadinho [Dim. subst. do adj. *capado*.] *S. m. Bras. Pej.* Livro de pequeno volume; livrinho.

capado [Part. de *capar*.] *Adj.* **1.** Que se capou; castrado. ● *S. m.* **2.** Carneiro ou bode castrado. **3.** *Bras.* Porco castrado que se destina a engorda.

capadoçada [De *capadócio* + *-ada*[1].] *S. f. Bras.* **1.** Ajuntamento de capadócios [v. *capadócio* (5).] **2.** Capadoçagem.

capadoçagem [De *capadócio* + *-agem*[2].] *S. f. Bras.* Ação de capadócio (5); capadoçada.

capadoçal [De *capadóc(io)* + *-al*[1].] *Adj. 2 g.* Relativo a, ou próprio de capadócio (5).

capádoce *S. 2 g.* O natural ou habitante da Capadócia, região da Ásia Menor; capadócio.

capadócio [Do lat. *cappadociu* < gr. *kappadókes*.] *Adj.* **1.** Da, ou pertencente ou relativo à Capadócia (Ásia Menor). **2.** *Pej.* Que tem maneiras acanalhadas. **3.** *Pej.* Impostor, trapaceiro, parlapatão. ● *S. m.* **4.** Capádoce. **5.** Indivíduo capadócio (2 e 3).

capador (ô) [De *capar* + *-dor*.] *S. m.* **1.** Indivíduo que capa. **2.** Aquele que tem a profissão de castrador. [Sin. ger.: *capadeiro, castrador*.]

capadura [De *capar* + *-dura*.] *S. f.* V. *capação* (1).

capa-garrote [De *capar* + *garrote*.] *S. m. Bras. MA* Espiga (8). [Pl.: *capa-garrotes*.]

capa-homem [De *capar* + *homem*.] *S. m. Bras. Bot.* **1.** Cipó apocináceo (*Peltates peltatus*) amplamente distribuído pelo L. e S. do Brasil, de ramos muito lactescentes, folhas amplas e quase redondas, flores vistosas, afuniladas, amareladas e dispostas em cimeiras, e cujos frutos são grandes folículos providos de uma espécie de paina. **2.** Designação comum a várias espécies aristoloquiáceas, do gênero *Aristolochia*, que são grandes cipós providos de enormes flores de coloração variada. Os frutos são cápsulas. **3.** V. *cipó-caboclo*. **4.** V. *cipó-capador*. [Pl.: *capa-homens*.]

capa-magna [De *capa*[1] + o f. de *magno*.] *S. f.* V. *capa de asperges*: "E Padre Antônio, embrulhado na capa-magna, apertando o Viático contra o peito, ... caminhava lentamente sob o pálio" (Inglês de Sousa, *O Missionário*, p. 96). [Pl.: *capas-magnas*.]

capaná *Bras. S. 2 g.* **1.** *Etnôn.* Indivíduo dos capanás, povo indígena extinto que habitava a região do rio Madeira (AM). ● *Adj. 2 g.* **2.** Pertencente ou relativo a esse povo. [Tb. us. como *s. 2 g. e 2 n.* (com cap.) e *adj. 2 g. e 2 n.*]

capanauá *Bras. S. 2 g.* **1.** *Etnôn.* Indivíduo dos capanauás [ou (etnôn. bras.) *Kapanawa], povo indígena extinto, da família linguística pano, que habitava as margens do rio Juruá (AC). ● *Adj. 2 g.* **2.** Pertencente ou relativo a esse povo.

capanemense *Adj. 2 g.* **1.** De, ou pertencente ou relativo a Capanema (PA e PR). ● *S. 2 g.* **2.** O natural ou habitante de Capanema.

capanga [De or. afr.] *S. f.* **1.** *Bras.* Espécie de bolsa pequena que os viajantes usam a tiracolo para conduzir pequenos objetos. **2.** *Bras. Neol.* Pequena bolsa de mão, usada, sobretudo, por homens. **3.** *Bras. Rel.* Capanga (1) us. como atributo (2) por Oxoce, Oxaguiã e Logunedé. ● *S. m.* **4.** *Bras. BA MT* Valentão (1) que se coloca ao serviço de quem lhe paga. [Sin., nesta acepç.: *cabra, cabra de peia, cacundeiro, curimbaba, espoleta, guarda-costas, jagunço, mumbava, peito-largo, pistoleiro, quatro-paus, satélite, sombra*.] **5.** *Bras. BA MT* O montante das compras de diamantes feitas pelos capangueiros; partida de diamantes. ◆ **Capanga de Oxóssi.** *Bras. BA Rel.* O fetiche de Oxóssi.

capangada [De *capanga* + *-ada*[1].] *S. f. Bras.* Agrupamento de capangas; capangagem.

capangagem [De *capanga* + *-agem*[2].] *S. f. Bras.* **1.** Ação de capanga (3). **2.** Capangada.

capangar [De *capanga* + *-ar*[2].] *V. int. Bras.* Comprar diamantes dos garimpeiros; exercer a profissão de capangueiro. [Conjug.: v. *largar*.]

capangueiro [De *capanga* + *-eiro*.] *S. m. Bras. BA MG GO MT* Indivíduo que vive da compra de diamantes e carbonados, feita diretamente aos garimpeiros: "Quando eu ajudava na farmácia de meu pai, ele já era capangueiro, viajava pelas lavras comprando diamantes para o cunhado dele" (Helena Morley, *Minha Vida de Menina*, p. 21).

capão[1] [Do lat. vulg. **cappone* < lat. *capone*.] *S. m.* **1.** Frango capado. **2.** Cavalo castrado. **3.** *Bras. RS* Cordeiro castrado. **4.** *Bras. PR* Porco castrado. **5.** *Bras. Zool.* V. *peixe-galo* (2).

capão[2] [Var. de *caapuã*.] *S. m. Bras.* Porção de mato isolado no meio do campo; capuão de mato, caapuã, capuão, ilha de mato: "Tinham chegado à beira do capão de mato." (Franklin Távora, *O Cabeleira*, p. 104.) [Dim. irreg.: *caponete*. Cf. *rebolada* (2).]

capão-bonitense *Adj. 2 g.* **1.** De, ou pertencente ou relativo a Capão Bonito (SP). ● *S. 2 g.* **2.** O natural ou habitante de Capão Bonito. [Pl.: *capão-bonitenses*.]

capar [Do lat. vulg. **cappare*.] *V. t. d.* **1.** Extrair ou inutilizar os órgãos da reprodução de (um animal — nos machos, os testículos; nas fêmeas, os ovários); castrar. **2.** Cortar rebentos ou medranças a (uma planta).

capara [Do tupi = 'folha vergada'.] *S. f. Bras.* Folha larga que, enrolada em funil, é utilizada como copo.

caparão [De or. incerta] *S. m.* Carapuça para cobrir a cabeça do falcão e de outras aves empregadas na caça, para que fiquem calmas.

caparaoense (ò) *Adj. 2 g.* **1.** De, ou pertencente ou relativo a Caparaó (MG). ● *S. 2 g.* **2.** O natural ou habitante de Caparaó.

caparari [Do tupi.] *S. m. Bras. Zool.* **1.** V. *surubim-pintado*. **2.** V. *pirambucu*.

caparidácea [Do lat. cient. *Capparid-* (do tax. *Capparis* [v. *cáparis*]) + *-ácea*; tax. *Capparidaceae*.] *S. f. Bot.* Espécime das caparidáceas, família de plantas herbáceas ou arbustivas da ordem das caparidales, providas de belas flores ornamentais cujas corolas levam quatro pétalas livres, inserindo-se o ovário no ginóforo. Folhas alternas, simples ou digitadas; fruto capsular. Encerra umas 650 espécies, próprias de regiões quentes, tendo o Brasil uma série de representantes.

caparidáceo [De *caparidácea*, com var. suf. (v. *-áceo*).] *Adj. Bot.* Pertencente ou relativo às caparidáceas.

caparidal [Do lat. cient. *Capparid-* (v. *cáparis*) + *-al*[1].] *Adj. 2 g. Bot.* Pertencente ou relativo às caparidales.

caparidale [Adapt. do tax. *Capparidales*.] *S. f. Bot.* Espécime das caparidales, ordem de dicotiledôneas que reúne 13 famílias, algumas de importância econômica, como a das brassicáceas, a das caparidáceas e a das moringáceas.

cáparis [Do tax. *Capparis* (do lat. *capparis*).] *S. f. 2 n. Bot.* **1.** O gênero-tipo das caparidáceas, que é constituído de arbustos e arvoretas vastamente distribuídos pelas regiões quentes; tem folhas simples e flores exuberantes dotadas de quatro sépalas e numerosos estames. **2.** Qualquer espécie desse gênero, como, p. ex., a *Capparis spinosa* (v. *alcaparreira*) e a *C. odoratissima* (v. *alcaparreira-cheirosa*). **3.** Qualquer espécie desse gênero, ou a flor dele.

caparro *S. m. Bras. Amaz. Zool.* V. *barrigudo* (4).

caparrosa [Do cat. *caparrós*, de or. incerta.] *S. f.* **1.** Designação vulgar de vários sulfatos. **2.** *Bot.* Designação comum à erva enoterácea (*Oenothera mollissima*) de grandes flores amarelas e ao arbusto clusiáceo (*Vismia cayennensis*) dotado de pequenas flores.

caparrosa-do-campo *S. f. Bras. C.O. Bot.* Arvoreta nictaginácea (*Neea theifera*) que se encontra dispersa pelos cerrados, de folhas sésseis, elípticas ou oblongas, arredondadas no ápice, subcoriáceas e glaucas, flores unissexuais, pequeninas e agregadas em panículas terminais e curtas, e fruto elipsoide e monospérmico; erva-caparrosa. [Pl.: *caparrosas-do-campo*.]

caparu *S. m. Bras. Zool.* V. *barrigudo* (4).

capataz [Do esp. *capataz*.] *S. m.* **1.** Chefe de um grupo de trabalhadores braçais. **2.** *Bras.* Administrador de fazenda ou estância[2].

capatazar [De *capataz* + *-ar*[2].] *V. int.* **1.** Exercer as funções de capataz. *T. d.* **2.** Dirigir como capataz. [Sin. ger., no RS: *capatazear*.]

capatazear [De *capataz* + *-ear*[2].] *V. t. d. Int. Bras. RS* Capatazar. [Conjug.: v. *frear*.]

capatazia [De *capataz* + *-ia*[1].] *S. f.* **1.** Funções de capataz. **2.** Grupo de indivíduos dirigidos por capataz. **3.** Taxa alfandegária. **4.** *Bras. Mar. Merc.* Resistência (16).

capa-verde *S. m. Bras. CE Pop.* V. *diabo* (2). [Pl.: *capas-verdes*.]

capaz [Do lat. *capace*.] *Adj. 2 g.* **1.** Que tem capacidade (de conter, receber, abrigar em si): *É um cinema capaz de receber 2.000 pessoas.* **2.** Que tem competência ou aptidão; competente, apto: *Sem professores capazes é impossível desenvolver o ensino.* **3.** Que tem capacidade (3) ou que tem possibilidade de: *Urgem medidas capazes de restaurar a tranquilidade internacional.* **4.** Bom, adequado, apropriado: *Se as instalações não forem capazes, arranjaremos outro local.* **5.** Honrado, sério. [Superl. abs. sint.: *capacíssimo*.] ● *Interj.* **6.** *Bras. Angol. Moç. Pop.* Indica descrença ou ceticismo em relação a uma declaração de outrem: *— Quebro-lhe a cara! — Capaz!* ◆ **Ser capaz.** *Bras. Angol. Moç.* Ser quase certo; ser provável: *— Você vem amanhã? / — É capaz.*

capcioso (ô) [Do lat. *captiosu*.] *Adj.* **1.** Manhoso, ardiloso: *sujeito capcioso.* **2.** Insinuante, envolvente: "quando a doçura capciosa do crepúsculo e das mãos femininas nos fazem gostar esquisitamente a hora melancólica." (Tristão da Cunha, *Cousas do Tempo*, p. 221). **3.** Argucioso para iludir; caviloso: *pergunta capciosa.*

capeado [Part. de *capear*[1].] *Adj.* **1.** Revestido com capa[1] (1). **2.** Oculto, disfarçado.

capeador (ô) [De *capear*[1] + *-dor*.] *S. m.* **1.** Aquele que capeia. **2.** *P. us.* Toureiro, capinha. **3.** *Encad.* Gráfico encarregado do trabalho de capeamento.

capeamento[1] [De *capear*[1] + *-mento*.] *S. m.* Ato ou efeito de capear[1].

capeamento[2] [De *capear*[2] + *-mento*.] *S. m.* **1.** Ato ou efeito de capear[2]. **2.** *Bras.* Peça, geralmente de pedra, que coroa ou reveste a face superior de balaustradas de alvenaria, ou de muros.

capear[1] [De *capa*[1] + *-ear*[2].] *V. t. d.* **1.** *Encad.* Revestir com capa[1] (livro, folheto, etc.). [Cf. *encapar*.] **2.** *P. ext.* Revestir, cobrir. **3.** Ocultar, encobrir, disfarçar: *É incorreto capear as próprias falhas.* **4.** Enganar, iludir: *Aquela cara de santa capeou-o por muito tempo.* **5.** Provocar (o touro) com capa. **6.** *P. ext.* Provocar (alguém) com capa, lenço, ou algo semelhante, como se faz aos touros. *Int.* **7.** Acenar com capa, lenço, etc. **8.** *Mar.* Manter o navio à capa; navegar à capa. [Conjug.: v. *frear*.]

capear[2] [De *capeia* + *-ar*[2].] *V. t. d. Int.* Revestir ou arrematar com capeias. [Conjug.: v. *frear*.]

capeba [Var. de *caapeba*.] *S. f. Bras. Bot.* **1.** Planta piperácea (*Piper rohrii*) de folhas membranosas elípticas ou abovadas, flores em amentos, e bagas glabras; aguaxima, pariparoba, peribaroba. **2.** V. *mático* **3.** V. *cipó-de-cobra* (3).

capeba-cheirosa [De *capeba* + o f. de *cheiroso*.] *S. f. Bras. Bot.* Arbusto piperáceo (*Piper marginatum*) de flores verdes e bagas ovoides, e que é resolutivo, tônico e diurético; bitre, nhandi, nhandu, pimenta-do-mato, pimenta-dos-índios. [Pl.: *capebas-cheirosas*.]

capeba-do-campo *S. f. Bras. Bot.* V. *capeba-do-norte*. [Pl.: *capebas-do-campo*.]

capeba-do-norte *S. f. Bras. Bot.* Arbusto piperáceo (*Piper peltatum*) de bagas comestíveis e propriedades diuréticas, e cujo suco é us. popularmente contra queimaduras; caapená, capeba-do-campo, catajé, malvarisco. [Pl.: *capebas-do-norte*.]

capeia [Do lat. tard. *cappa*; galego *capeas*.] *S. f.* Pedra grande para fazer o capeamento[2].

capeirão [De *capa*[1] + *-eirão*.] *S. m. Mar.* V. *capa*[1] (9).

capeiro [De *capa*[1] + *-eiro*.] *S. m.* **1.** Aquele que leva capa de asperges (q. v.) nas procissões. **2.** O encarregado do guarda-roupa. **3.** Cabide ou armário de guardar capas.

capejuba [Do tupi.] *S. m. Bras. MA Zool.* Pequeno macaco pardo-amarelado, de cara pelada e cauda longa com manchas em forma de anéis. [Var.: *capijuba*.]

capela [Do lat. tard. *cappella*.] *S. f.* **1.** Pequena igreja de um só altar; santuário, ermida. **2.** Divisão de templo, com altar próprio. **3.** Espaço consagrado a culto, em palácios, hospitais, colégios, etc. **4.** *Mús.* Conjunto de cantores ou músicos de uma igreja: *Palestrina (1526-1594) dirigiu a capela do Seminário Romano.* **5.** *P. ext. Mús.* O conjunto dos músicos de qualquer instituição: *a capela da corte de Brandemburgo.* **6.** *Mús.* Escola destinada à formação de meninos de coro. **7.** V. *câmara-ardente*. **8.** Loja de quinquilharias ou miudezas de aplicação vária. **9.** Grinalda (1). **10.** Galeria de aqueduto, abóbada de forno, etc., cujas formas lembram abóbada de capela. **11.** Compartimento fechado e envidraçado, nos laboratórios, no qual se realizam as reações químicas que desprendem gases deletérios. **12.** *Bras. Mús.* Grupo de foliões dos festejos populares juninos; rancho. **13.** *Bras.* Povoação, arraial. ◆ **A capela.** *Mús.* Diz-se de polifonia sem acompanhamento instrumental: *coro a capela.* **Capela dos olhos.** *Bras.* Na região são-franciscana, a pálpebra. **Capela mortuária.** V. *câmara-ardente*. [Tb. se diz apenas *capela*.]

capelada[1] [Do esp. *capellada*.] *S. f.* Peça de couro que cobre a boca dos coldres.

capelada[2] [De *capela* + *-ada*[1].] *S. f.* Porção de capelas.

capela-de-viúva *S. f. Bras. Bot.* V. *coroa-de-viúva*. [Pl.: *capelas-de-viúva*.]

capela-mor *S. f.* A capela principal duma igreja, onde fica o altar-mor; presbitério. [Pl.: *capelas-mores*.]

capelania [De *capelão* + *-ia*[1], seg. o padrão erudito.] *S. f.* Cargo, dignidade ou benefício de capelão.

capela-novense *Adj. 2 g.* **1.** De, ou pertencente ou relativo a Capela Nova (MG). ● *S. 2 g.* **2.** O natural ou habitante de Capela Nova. [Pl.: *capela-novenses*.]

capelão [Do ant. provenç. *capelan*.] *S. m.* **1.** Padre encarregado de dizer missa em capela. **2.** Padre encarregado da assistência espiritual a regimentos militares, escolas, hospitais, irmandades. **3.** *Bras. Pop.* Macaco velho e esperto, chefe e guia de um bando; padre-mestre. [V. *guariba* (1).] **4.** *Bras. SP* Tirador de ladainha, terço ou qualquer outra reza. [Pl.: *capelães*.]

capelense[1] *Adj. 2 g.* **1.** De, ou pertencente ou relativo a Capela (AL e SE). ● *S. 2 g.* **2.** O natural ou habitante de Capela.

capelense[2] *Adj. 2 g.* **1.** De, ou pertencente ou relativo a Capela de Santana (RS). ● *S. 2 g.* **2.** O natural ou habitante de Capela de Santana.

capelense[3] *Adj. 2 g.* **1.** De, ou pertencente ou relativo a Capela do Alto (SP). ● *S. 2 g.* **2.** O natural ou habitante de Capela do Alto.

capelense[4] *Adj. 2 g.* **1.** De, ou pertencente ou relativo a Capela do Alto Alegre (BA). ● *S. 2 g.* **2.** O natural ou habitante de Capela do Alto Alegre.

capelete [Do it. *capeletti*.] *S. m. Cul.* Pequeno pastel (1) de massa cozida, em forma de rosca, com recheio variado, e servido com molhos diversos (tomate, creme, etc.), ou em sopa.

capelina [Do provenç. *capelina*.] *S. f.* **1.** Peça de armadura antiga que resguardava a cabeça. **2.** Chapéu feminino, ou de criança, de abas extremamente largas e flexíveis: "Trazia [a donzela], ainda na mão, uma capelina de soprilho com .... franjas de alvas rendas de Guimarães." (José de Alencar, *O Sertanejo*, p. 100).

capeline [Do fr. *capeline*.] *S. f.* V. *capelina* (2).

capelinha *S. f.* Dim. de *capela*. ◆ **Casar na capelinha verde.** Casar na polícia.

capelinhense *Adj. 2 g.* **1.** De, ou pertencente ou relativo a Capelinha (MG). ● *S. 2 g.* **2.** O natural ou habitante de Capelinha.

capelista [De *capela* + *-ista*.] *S. 2 g.* **1.** Pessoa que vende em capela (8). **2.** *Bras.* Habitante de capela (13). **3.** *Bras.* Designação antiga dos naturais de Viamão (RS).

capelo[1] (ê) [Do lat. vulg. *capelu* < lat. *cappa*, 'capuz'.] *S. m.* **1.** V. *capuz* (1). **2.** Antiga touca ou capuz de viúvas e freiras. **3.** Espécie de murça usada por doutores em certas solenidades: "Estudei pacientemente; despeguei-me de todas as vadiações antigas. Recebi o capelo na véspera da bênção matrimonial" (Machado de Assis, *Páginas Recolhidas*, p. 69). **4.** Dossel, sobrecéu. **5.** *Constr.* Proteção superior de chaminé, para evitar a entrada do vento e da chuva. **6.** *Zool.* Porção do manto do polvo que protege a massa visceral. **7.** *Zool.* Formação constituída pela dilatação do pescoço das najas (v. *cobra-capelo*), quando irritadas.

capelo[2] (ê) [Do it. *cappello*.] *S. m.* **1.** Chapéu cardinalício. **2.** *P. ext.* A dignidade cardinalícia.

capeludo [De *capelo*[1] + *-udo*.] *Adj.* Que usa capelo.

capenga *S. 2 g. Adj. 2 g. Bras.* V. *coxo* (1 e 4).

capengante [De *capengar* + *-nte*.] *Adj. 2 g. Bras.* V. *coxo* (1).

capengar [De *capenga* + *-ar*[2].] *V. int. Bras.* **1.** V. *coxear* (1): *Feriu-se no joelho, e está capengando;* "Simpático e magricela, capengava de uma perna" (Malu de Ouro Preto, *Siri na Noite sem Lua*, p. 11). **2.** Pender para um dos lados. **3.** Falhar; faltar: "A imaginação capengava" (Graciliano Ramos, *Memórias do Cárcere*, II, p. 232). [Conjug.: v. *largar*.]

capenguear [De *capenga* + *-ear*[2].] *V. int. Bras. RS* V. *coxear* (1). [Conjug.: v. *frear*.]

capepena [Do tupi = 'mato quebrado'.] *S. f. Bras. Amaz.* **1.** Sinal que o caçador faz na mata, quebrando ramos e galhos por onde passa, para sua orientação. **2.** Picada feita dessa forma.

capemiçoba [Do tupi.] *S. f. Bras. Bot.* V. *erva-de-santa-maria*.

caperom *S. m. Bras. PA Pop.* Camarada, amigo, companheiro.

caperotada [De *capirote* + *-ada*[1].] *S. f. Ant. Cul.* Guisado feito com pedaços de aves previamente assadas.

■ **Capes** Sigla de *Fundação Coordenação de Aperfeiçoamento de Pessoal de Nível Superior*.

capeta (ê) [De *capa*[1] + *-eta* (ê).] *S. m. Fam.* **1.** V. *diabo* (2). **2.** Traquinas, capetinha.

capetagem [De *capeta* + *-agem*[2].] *S. f. Bras.* Ação ou procedimento de capeta (2); diabrura, traquinagem, travessura: "já não se dedicava tão assiduamente .... às variadas capetagens em que fora anteriormente pródigo." (Antônio Bulhões, *Contos Inatuais*, pp. 24-25).

capetão [Alter. de *capitão*, poss.] *S. m. Bras.* V. *capitão* (19).

capete (ê) [Var. de *capeta*.] *S. m. Bras. CE Fam.* V. *diabo* (2).

capetinga [Var. de *capintinga*.] *S. f. Bras. Bot.* Espécie de poácea que só medra à sombra das matas. [Cf. *capintinga*.]

capetinguense *Adj. 2 g.* **1.** De, ou pertencente ou relativo a Capetinga (MG). ● *S. 2 g.* **2.** O natural ou habitante de Capetinga.

capetinha [De *capeta* + *-inha*.] *S. 2 g. Bras.* V. *capeta* (2).

capexene *Bras. S. 2 g.* **1.** *Etnôn.* Indivíduo dos capexenes [ou (etnôn. bras.) *Kapexene, *Kapécene], povo indígena extinto, da família linguística tucano, que habitava as margens do rio Acre (AC). ● *Adj. 2 g.* **2.** Pertencente ou relativo a esse povo.

capiá *S. m. Bras. Bot.* V. *caapiá*.

capialçado [De *capialço* + *-ado*[1].] *Adj. Arquit.* Diz-se de elemento arquitetônico dotado de capialço.

capialço [Do esp. *capialzo*, der. do v. *capialzar* (do rad. lat. *cap-* < *caput*, 'cabeça', + *alzar*, 'levantar'.] *S. m. Arquit.* No intradorso de um arco, abóbada ou lintel, ornato arquitetônico em que a borda de fora desses elementos é tornada saliente, em relação à de dentro.

capiangagem [De *capiangar* + *-agem*[2].] *S. f. Bras.* Ação de capiangar.

capiangar [De *capiango* + *-ar*[2].] *V. t. d. Bras.* Furtar com destreza; surripiar. [Conjug.: v. *largar*.]

capiango [De or. afr.] *S. m. Bras. Afric.* Gatuno hábil e astuto. [Cf. *capiongo*.]

capiau [Do guar.] *S. m.* **1.** *Bras. BA MG* V. *caipira* (1). [Fem.: *capioa*.] **2.** *Bras. PI Cul.* Comida feita com picadinho de macaxeira e carne-seca.

capiçoba [De or. obsc.] *S. f. Bras. Bot.* V. *capitiçoba*.

capicongo *S. m. Bras. BA* **1.** Apelido que os naturais de Itabuna dão aos roceiros que não conhecem a cidade. **2.** V. *caipira* (1).

capicua [Do cat. *cap-i-cua*, 'cabeça e cu'.] *S. f.* **1.** Grupo de algarismos que, lidos da esquerda para a direita, ou vice-versa, dão o mesmo número. Ex.: 343. **2.** No dominó (3), a pedra que pode finalizar o jogo de um ou de outro lado.

capicuru [De or. tupi, poss.] *S. m. Bras. Bot.* V. *bacupari-do-campo*.

capilar [Do lat. *capillare*.] *Adj. 2 g.* **1.** Relativo a cabelo. **2.** Delgado como um cabelo. **3.** Produzido em tubos estreitíssimos. ~ V. *onda —*, *pressão —*, *tubo —* e *vaso —*. **4.** Relativo a, ou próprio de capilar (6): *fragilidade capilar.* ● *S. m.* **5.** *Fís.* Tubo, comumente de vidro, de diâmetro interno muito pequeno; tubo capilar. **6.** *Histol. Anat.* Vaso[1] (6) de minúsculas dimensões e de que há tipos diversos, segundo sua estrutura e localização. [Aquele em que transita sangue faz a conexão entre arteríola(s) e vênula(s).]

capilária[1] [De *capil(i)-* + *-ária*.] *S. f. Bot.* Designação comum a algumas avencas.

capilária[2] [Do tax. *Capillaria*.] *S. f. Zool.* **1.** Gênero de nematódeos tricurídeos. **2.** Qualquer espécie desse gênero, como, p. ex., a *Capillaria philippinensis*, um dos agentes etiológicos da capilaríase. **3.** Qualquer espécime desse gênero.

capilária-do-canadá [De *capilária*[1] + *do* + o top. *Canadá*.] *S. f. Bot.* Erva pteridácea (*Adiantum pedatum*) que apresenta na face inferior das folhas uns corpúsculos denominados *soros* (v. *soro*), constituídos de esporângios, e cujas folhas são muito delicadas e finamente subdivididas; avenca-do-canadá. [Pl.: *capilárias-do-canadá*.]

capilaríase [Do tax. *Capillaria* (v. *capilária*[2]) + *-íase*.] *S. f. Med.* Infecção por nematódeos do gênero *Capillaria*, principalmente pelo *C. philippinensis*.

capilaridade [De *capilar* + *-(i)dade*.] *S. f.* **1.** Qualidade do que é capilar. **2.** *Fís.* Conjunto de fenômenos que se passam quando num capilar se forma uma interface líquido-vapor.

capilé [Do fr. *capillaire*.] *S. m.* **1.** Calda feita com suco de capilária. **2.** *P. ext.* Bebida feita de água adoçada com esse xarope. **3.** *Bras.* Ficha que um parceiro dá de presente a outro, durante o jogo.

▲**capil(i)-** [Do lat. *capillus, i*.] *El. comp.* = 'cabelo': *capiliforme*, *capilária*[1].

capilicial [De *capilício* + *-al*[1].] *Adj. 2 g. Bot.* Relativo ou pertencente ao capilício: *filamento capilicial.*

capilício [Do lat. cient. *capillitium* < lat. *capilitiu*, 'cabeleira'.] *S. m. Bot.* Nos mixomicetos, massa filamentosa, entremeada com os esporos, que ocupa o interior dos esporângios.

capiliforme [De *capil(i)-* + *-forme*.] *Adj. 2 g.* Que tem forma de cabelo.

capilossada *S. f. Bras. N.E. Pop.* Empresa ou aventura arriscada.

capim[1] [Do tupi = 'folha delgada'.] *S. m.* **1.** *Bras. Angol. Cabo-verd. Guin. Moç. Santom. Bot.* Designação comum a várias espécies de poáceas e de ciperáceas, quase todas usadas como forragem. **2.** *Bras. PE Pop.* V. *dinheiro* (5). ◆ **Comer capim pela raiz.** *Bras. Pop.* V. *morrer* (1): "Seu Irineu Boaventura realmente já dava a impressão de que, muito brevemente, iria comer capim pela raiz, isto é, iam plantar ele e botar um jardinzinho por cima." (Stanislaw Ponte Preta, *Febeapá 2*, p. 97.)

capim[2] *S. m.* Reboco áspero e de consistência escassa, preparado com areia e cimento.

capim-açu [De *capim*[1] + *-açu*.] *S. m. Bras. Bot.* Erva poácea (*Sorghastrum minarum*) de folhas lineares e inflorescências em panículas densas, que fornecem forragem. [Pl.: *capins-açus*.]

capim-agreste *S. m. Bras. Bot.* Erva ciperácea (*Cyperus diffusus*) que atinge 0,50m de altura e é forragem de má qualidade. As flores, minutíssimas, reúnem-se em densas espiguetas congregadas no ápice de um escapo. [Pl.: *capins-agrestes*.]

capim-amarelo *S. m. Bras. Bot.* Erva poácea (*Phalaris arundinacea*) de até 2m, originária da América do Norte e cultivada como ornamental, de folhas lanceoladas, acuminadas, com 12mm de largura. A inflorescência é uma panícula formada de espigas densas e alvacentas; é indicada para jardins e parques. [Pl.: *capins-amarelos*.]

capim-amargoso *S. m. Bras. S. Bot.* Erva poácea (*Elionurus muticus*) de colmo cespitoso, folhas delgadas, com 0,5mm de diâmetro, filiformes, longamente acuminadas e de margem áspera, e espiguetas sésseis, ordenadas em espigas solitárias. [Pl.: *capins-amargosos*.]

capim-amonjeaba *S. m. Bras. Bot.* Erva poácea (*Sacciolepis myuros*) palustre, de folhas lineares e flores em panículas cilíndricas; dá forragem de boa qualidade. [Tb. se diz apenas *amonjeaba*. Pl.: *capins-amonjeabas* e *capins-amonjeaba*.]

capim-andrequicé *S. m. Bras. Bot.* V. *arroz-bravo*. [Pl.: *capins-andrequicés*.]

capim-azul *S. m. Bras. Bot.* Erva ciperácea (*Lagenocarpus velutinus*), alta e vilosa, que habita os cerrados do Brasil Central. As folhas, acuminadas, coriáceas e densamente velutíneas, medem uns 30cm de comprimento e 8mm de largura; as espiguetas, violáceas e globosas, congregam-se em espigas, que se prendem na ponta de escapos trígonos; os frutos são cariopses amarelas e ovoides. [Pl.: *capins-azuis*.]

capim-balça *S. m. Bras. Bot.* Erva poácea (*Paspalum riparium*) própria de terrenos alagadiços, de espículas dispostas em espigas geminadas e achatadas; é us. como forragem. [Pl.: *capins-balças* e *capins-balça*.]

capim-bambu *S. m. Bras. Bot.* V. *bambuzinho*. [Pl.: *capins-bambus* e *capins-bambu*.]

capim-barba-de-bode *S. m. Bras. Bot.* Designação comum a diversas ervas poáceas (como a *Sporobolus argutos* e a *S. sprengelli*) e ciperáceas (como a *Cyperus compressus*). [Pl.: *capins-barba-de-bode*.]

capimbeba [De *capim*[1] + *-beba*.] *S. m. Bras. Bot.* Erva poácea (*Andropogon bicornis*) de folhas lanceoladas, muito estreitas, e flores arrumadas em densas inflorescências terminais; capimpuba.

capim-bobó *S. m. Bras. Bot.* Designação comum a duas ervas poáceas (*Bothriochloa perforata* e *Andropogon saccharoides*) esta muito semelhante ao capimbeba. [Pl.: *capins-bobós* e *capins-bobó*.]

capim-branco *S. m. Bras. Bot.* Erva poácea (*Chloris polydactyla*) de pequeno porte, muito difundida, e que apresenta as espigas ordenadas de modo digitado no ápice de um escape. [Pl.: *capins-brancos*.]

capim-branquense *Adj. 2 g.* **1.** De, ou pertencente ou relativo a Capim Branco (MG). ● *S. 2 g.* **2.** O natural ou habitante de Capim Branco. [Pl.: *capim-branquenses*.]

capim-burrão *S. m. Bras. Bot.* V. *burrão* (4). [Pl.: *capins-burrões* ou *capins-burrão*.]

capim-canudinho [De *capim*[1] + *canudinho* (dim. de *canudo*).] *S. m. Bras. Amaz. Bot.* Erva poácea (*Panicum elephantipes*) de colmo ereto, fistuloso e liso, folhas lineares, pilosas, com a margem áspera, e espiguetas que se reúnem em panículas multifloras, com eixos ásperos. [Pl.: *capins-canudinhos* e *capins-canudinho*.]

capim-catingueiro *S. m. Bras. Bot.* Erva poácea (*Paspalum pilosum*) de colmos cespitosos, que vão a 1m de altura, e folhas lineares, hirsutas, ciliadas. As espiguetas ordenam-se em espigas solitárias unilaterais e subfalcadas. [Pl.: *capins-catingueiros*.]

capim-cheiroso *S. m. Bras. Bot.* Erva ciperácea (*Cyperus sesquiflorus*) de aroma semelhante ao da erva-cidreira, e que serve para perfumar a roupa lavada, fornecendo, também, pela destilação das folhas frescas, uma essência oleosa muito aromática; capim-santo, capim-cidreira. [Pl.: *capins-cheirosos*.]

capim-cidreira *S. m. Bras. Bot.* V. *capim-cheiroso*. [Pl.: *capins-cidreiras* e *capins-cidreira*.]

capim-colonião *S. m. Bras. Bot.* V. *capim-guiné*. [Pl.: *capins-coloniões* e *capins-colonião*.]

capim-cortante *S. m. Bras. Bot.* V. *barba-de-bode* (4). [Pl.: *capins-cortantes*.]

capim-da-cidade *S. m. Bras. Bot.* V. *capim-de-burro*. [Pl.: *capins-da-cidade*.]

capim-da-colônia *S. m. Bras. Bot.* **1.** V. *capim-do-pará*. **2.** V. *capim-guiné*. [Pl.: *capins-da-colônia*.]

capim-de-angola *S. m. Bras. Bot.* **1.** V. *capim-do-pará*. **2.** V. *capim-guiné*. [Pl.: *capins-de-angola*.]

capim-de-bode *S. m. Bras. Bot.* Barba-de-bode (1). [Pl.: *capins-de-bode*.]

capim-de-burro *S. m. Bras. Bot.* Erva poácea (*Cynodon dactylon*) forrageira, de propriedades laxativas e diuréticas, e de cujo rizoma se pode extrair álcool; capim-da-cidade, capim-seda, erva-das-bermudas, grama, grama-comum, grama-das-boticas, grama-de-marajó, grama-de-são-paulo, grama-fina, gramão, grama-rasteira, grama-roxa, graminha, graminha-comum, graminha-da-cidade, graminha-de-raiz, graminha-do-mato, graminha-fina, graminha-seda, mata-me-embora, pé-de-galinha. [Pl.: *capins-de-burro*.]

capim-de-cavalo [De *capim*[1] + *de*[1] + *cavalo*[1].] *S. m. Bras. Bot.* **1.** V. *capim-do-pará*. **2.** V. *capim-guiné*. [Pl.: *capins-de-cavalo*.]

capim-de-cheiro *S. m. Bras. Bot.* V. *vetiver*. [Pl.: *capins-de-cheiro*.]

capim-de-corte *S. m. Bras. Bot.* **1.** V. *capim-do-pará*. **2.** V. *capim-guiné*. [Pl.: *capins-de-corte*.]

capim-de-feixe *S. m. Bras. Bot.* V. *capim-guiné*. [Pl.: *capins-de-feixe*.]

capim-de-lastro *S. m. Bras. Bot.* V. *capim-do-pará*. [Pl.: *capins-de-lastro*.]

capim-de-mula *S. m. Bras. Bot.* V. *capim-guiné*. [Pl.: *capins-de-mula*.]

capim-de-pernambuco [De *capim*[1] + *de* + o top. *Pernambuco*.] *S. m. Bras. Bot.* V. *capim-do-pará*. [Pl.: *capins-de-pernambuco*.]

capim-de-planta *S. m. Bras. Bot.* **1.** V. *capim-do-pará*. **2.** V. *capim-guiné*. [Pl.: *capins-de-planta*.]

capim-de-soca *S. m. Bras. Bot.* V. *capim-guiné*. [Pl.: *capins-de-soca*.]

capim-de-touceira *S. m. Bras. Bot.* V. *capim-guiné*. [Pl.: *capins-de-touceira*.]

capim-do-pará [De *capim*[1] + *do*[1] + o top. *Pará*.] *S. m. Bras. Bot.* Erva poácea (*Urochloa mutica*) forrageira, de folhas lineares, com inflorescências em panículas; capim-da-colônia, capim-de-angola, capim-de-cavalo, capim-de-corte, capim-de-lastro, capim-de-pernambuco, capim-de-planta, capim-fino, erva-do-pará. [Pl.: *capins-do-pará*.]

capim-do-seco *S. m. Bras. Bot.* V. *capim-guiné*. [Pl.: *capins-do-seco*.]

capim-elefante *S. m. Bras. Bot.* Erva poácea (*Pennisetum purpureum*) originária da África tropical e cultivada por ser boa forragem. Atinge grandes dimensões, e as inflorescências, cilíndricas, lembram escovas. [Pl.: *capins-elefantes* e *capins-elefante*.]

capim-fino *S. m. Bras. Bot.* V. *capim-do-pará*. [Pl.: *capins-finos*.]

capim-flecha *S. m. Bras. Bot.* Erva poácea (*Tristachya avenacea*) própria dos campos do Planalto Central. Tem porte característico, semelhando aveia até pelas espigas frutíferas, e alcança 1 a 2m de altura. [Pl.: *capins-flechas* e *capins-flecha*.]

capim-gordura *S. m. Bras. Bot.* Erva poácea (*Melinis minutiflora*) muito difundida como excelente forragem. Alcança no máximo 1m, tem folhas pilosas e estreitas, inflorescências violáceas e plumosas. Toda a planta é viscosa e exala um odor agradável. [Tb. se diz apenas *gordura*. Sin.: *capim-melado*. Pl.: *capins-gorduras* e *capins-gordura*.]

capim-grossense *Adj. 2 g.* **1.** De, ou pertencente ou relativo a Capim Grosso (BA). ● *S. 2 g.* **2.** O natural ou habitante de Capim Grosso. [Pl.: *capim-grossenses*.]

capim-guedes *S. m. Bras. Bot.* V. *capim-guiné*. [Pl.: *capins-guedes*.]

capim-guiné [De *capim*[1] + o top. *Guiné*.] *S. m. Bras. Bot.* Erva poácea (*Urochloa maxima*) de folhas lanceoladas e inflorescência em panícula terminal; capim-colonião, capim-da-colônia, capim-de-angola, capim-de-cavalo, capim-de-corte, capim-de-feixe, capim-de-mula, capim-de-planta, capim-de-soca, capim-de-touceira, capim-do-seco, capim-guedes, capim-meladinho, capim-mururu, colonhão, colonião, erva-da-guiné, grama-da-guiné, guiné-legítimo, milhã-do-sertão, milhã-gigante, milhã-verde, mururu, murumbu, painço-grande, palha-de-guiné. [Pl.: *capins-guinés* e *capins-guiné*.]

capim-jaraguá [De *capim*[1] + *jaraguá*[1].] *S. m. Bras. Bot.* Erva poácea (*Hyparrhenia rufa*) de origem africana, muito cultivada por ser excelente pastagem. Atinge grande porte, e apresenta inflorescências pequenas, da cor de ferrugem. [Tb. se diz apenas *jaraguá*. Sin.: *provisório*. Pl.: *capins-jaraguás* e *capins-jaraguá*.]

capim-limão *S. m. Bras. Bot.* Erva poácea (*Cymbopogon citratus*) de inflorescências terminais muito compactas e que, esmagada, exala cheiro de limão. [Pl.: *capins-limões* e *capins-limão*.]

capim-marmelada *S. m. Bras. Bot.* Erva poácea (*Urochloa plantaginea*) de colmo estriado, folhas lanceoladas, glabras, porém ásperas na margem; as espiguetas reúnem-se em espigas, que se ordenam em panículas. É cultivada como forrageira. [Sin.: *papuã*. Pl.: *capins-marmeladas* e *capins-marmelada*.]

capim-meladinho *S. m. Bras. Bot.* V. *capim-guiné*. [Pl.: *capins-meladinhos*.]

capim-melado *S. m. Bras. Bot.* V. *capim-gordura*. [Pl.: *capins-melados*.]

capim-membeca *S. m. Bras. Bot.* **1.** Erva poácea (*Andropogon leucostachyus*) de colmo fino, folhas agudas, espigas paniculadas e cariopses fusiformes. **2.** Erva poácea (*Andropogon virginicus*) de folhas forrageiras quando jovens, inflorescências paniculadas e cariopses fusiformes, e cujas raízes são us. como diuréticas. [Sin. ger.: *barba-de-velho*. Pl.: *capins-membecas* e *capins-membeca*.]

capim-mimoso *S. m. Bras. Bot.* Nome comum a várias poáceas de pequeno porte, folhagem fina e inflorescências muito delicadas, como, p. ex., as do gênero *Eragrostis* (v. *eragróstis*). [Tb. se diz apenas *mimoso*. Pl.: *capins-mimosos*.]

capim-mururu *S. m. Bras. Bot.* V. *capim-guiné*. [Pl.: *capins-mururus* e *capins-mururu*.]

capimpuba [De *capim*[1] + *-puba*.] *S. m. Bras. Bot.* Capimbeba.

capim-rei *S. m. Bras. Bot.* **1.** Erva xiridácea (*Abolboda poarchon*) de raízes tuberosas, consideradas laxativas, folhas rígidas e flores violáceas; abólbada. **2.** V. *bariricó* (2). [Pl.: *capins-reis* e *capins-rei*.]

capim-roseta *S. m. Bras. Bot.* V. *espinho-de-carneiro*. [Pl.: *capins-rosetas* e *capins-roseta*.]

capim-santo *S. m. Bras. Bot.* V. *capim-cheiroso*. [Pl.: *capins-santos*.]

capim-sapé [De *capim*[1] + *sapé*[1].] *S. m. Bras. Bot.* Erva poácea (*Imperata brasiliensis*) que chega a 1m de altura e coloniza terras degradadas. O rizoma termina em ponta dura e pungente; as folhas, rígidas, não servem como forragem, mas são apreciadíssimas para cobertura de casebres; inflorescências plumosas e alvas. [Tb. se diz apenas *sapé*. Sin.: *juçapé*. Pl.: *capins-sapés* e *capins-sapé*.]

capim-seda *S. m. Bras. Bot.* V. *capim-de-burro*. [Pl.: *capins-sedas* e *capins-seda*.]

capim-trapoeraba *S. m. Bras. BA Bot.* Erva poácea (*Panicum brevifolium*) cujos colmos, ascendentes e ramificados, chegam a 0,60m de altura. Folhas cordadas, ovado-lanceoladas, acuminadas, de margem áspera; as espiguetas organizam-se em panículas eretas e multifloras. [Pl.: *capins-trapoerabas* e *capins-trapoeraba*.]

capim-vetiver *S. m. Bras. Bot.* V. *vetiver*. [Pl.: *capins-vetiveres* e *capins-vetiver*.]

capina [Dev. de *capinar*.] *S. f.* **1.** *Bras. Angol. Cabo-verd. Guin. Moç. Santom.* Ato ou efeito de capinar; mondadura, sacha; capinação, carpa, carpição. **2.** *Bras.* Mondadura que se realiza no cafezal durante o mês de janeiro. **3.** *Bras. RS Fam.* V. *repreensão* (1).

capinação [De *capinar* + *-ção*.] *S. f. Bras. Angol. Cabo-verd. Guin. Moç. Santom.* V. *capina* (1).

capinadeira [De *capinar* + *-deira*.] *S. f. Bras.* Máquina agrícola para capina mecânica; carpideira.

capinador (ô) [De *capinar* + *-dor*.] *Adj. S. m. Bras. Santom.* Que, ou aquele que capina; mondadeiro, mondador, sachador, carpidor.

capinal [De *capim*[1] + *-al*[1].] *S. m. Bras. N.* Terreno coberto de capim alto e cerrado. [Cf. *capinzal*.]

capinar [De *capim*[1] + *-ar*[2].] *V. t. d.* **1.** *Bras. Angol. Cabo-verd. Guin. Moç. Santom.* Limpar (as plantas, uma plantação, um terreno) de capim ou de qualquer erva má que entre elas ou nele cresça; mondar, sachar: 📖 "A terra, a água e o sol lá estavam cercando de fecundidade as raízes e os negros auxiliavam a natureza capinando as roças" (Coelho Neto, *Rei Negro*, p. 10). [Sin. (no S.): *carpir, carpar*.] **2.** *Bras. MG* Fazer mal a (uma pessoa), mediante informações desfavoráveis a respeito dela. *Int.* **3.** *Bras. Gír.* Ir embora; sair: *capinou cedo*. **4.** *Bras.* V. *fugir* (1 e 2).

capinauá *Bras. S. 2 g.* **1.** *Etnôn.* Indivíduo dos capinauás [ou (etnôn. bras.) *Kapinawá], povo indígena que habita os municípios de Buíque e Tapanatinga (PE). ● *Adj. 2 g.* **2.** Pertencente ou relativo a esse povo.

capincho [Do esp. plat. *capincho*.] *S. m. Bras. RS Zool.* **1.** O macho da capivara. **2.** Filhote da capivara. [Sin.: *canguinha*.]

capineira [De *capim*[1] + *-eira*.] *S. f. Bras. SE BA* V. *capinzal*.

capineiro [De *capim*[1] + *-eiro*.] *S. m.* **1.** *Bras.* Mondador ou segador de capim. [Var. (pop.): *capinheiro*.] **2.** *Bras. MG Zool.* V. *timburetinga*. **3.** *Bras. SE BA* V. *capinzal*.

capinense *Adj. 2 g.* **1.** De, ou pertencente ou relativo a São Domingos do Capim (PA). ● *S. 2 g.* **2.** O natural ou habitante de São Domingos do Capim.

capinha [Dim. de *capa*[1].] *S. f.* **1.** Capa[1] com que o toureiro provoca ou distrai o touro; capote. ● *S. m.* **2.** Toureiro que capeia o touro.

capinheiro *S. m. Bras. Pop.* V. *capineiro* (1).

capinima [De or. tupi, poss.] *S. f. Bras. MA Zool.* V. *tracajá*.

capininga [Do tupi.] *S. f. Bras. MA Zool.* V. *tracajá*.

capinopolino *Adj.* **1.** De, ou pertencente ou relativo a Capinópolis (MG). ● *S. m.* **2.** O natural ou habitante de Capinópolis.

capintinga [Do tupi = 'capim[1]', + *-tinga*.] *S. f. Bras. Bot.* Erva poácea (*Panicum penicillatum*) cujo colmo, pouco ramificado, chega a 2,5m de altura. Folhas lanceoladas, arredondadas na base, com 16mm de largura; as espiguetas ordenam-se em panículas magnas e eretas, cujo eixo anguloso é escabro. [Cf. *capetinga*.]

capinzal [De *capim*[1] + *-zal*.] *S. m. Bras. Angol. Cabo-verd. Guin. Moç. Santom.* Terreno coberto de capim de qualquer espécie. [Sin., bras., SE e BA: *capineira, capineiro.* Cf. *capinal.*]

capinzalense *Adj. 2 g.* **1.** De, ou pertencente ou relativo a Capinzal (SC). ● *S. 2 g.* **2.** O natural ou habitante de Capinzal.

capioa (ô) *S. f. Bras. BA MG SP* Fem. de *capiau* (1).

capiongo *Adj. Bras.* **1.** Triste, macambúzio, tristonho; piongo: "Voltou da pescaria com as mãos abanando, capiongo, meio leso" (Domingos Olímpio, *Luzia-Homem*, p. 207). **2.** Diz-se do indivíduo que tem defeito em uma das vistas. [Cf. *capiango.*]

capirocho (ô) [De *capiroto*, com palatalização.] *S. m. Bras. Pop.* V. *diabo* (2).

capirote [Do gascão *capirot.*] *S. m.* Certo capuz antigo.

capiroto (ô) [De *capirote*, poss.] *S. m. Bras. Pop.* V. *diabo* (2).

capiscar [Do it. *capisco*, 1.ª pess. do pres. do ind. do v. it. *capire*, 'entender', + *-ar*².] *V. t. d. Bras.* **1.** Entender, ou entender um pouco de (língua, ofício, etc.): "se eu capiscasse quatro palavras [de língua javanesa], iria apresentar-me." (Lima Barreto, *Clara dos Anjos*, p. 238). **2.** Apanhar (o sentido de alguma coisa); entender, compreender. [Irreg. Conjug.: v. *trancar.*]

capista [De *capa*¹ (7) + *-ista.*] *S. 2 g.* Artista que desenha e/ou projeta capas para livros.

capistração [Do lat. *capistratus*, 'encabrestado', + *-ção*; ingl. *capistration.*] *S. f. Urol.* V. *fimose.*

capistrana [Do antr. (*Conselheiro João*) *Capistrano*, presidente da província de Minas Gerais.] *S. f. Bras. MG* Calçada formada de lajes de grandes dimensões, no centro das ruas: "As notícias, ... se ofereciam matéria para as conversas no largo, ao longo da capistrana, não chegavam a influir nos hábitos daquela coletividade presa .... a um passado ainda visível por toda parte." (Juscelino Kubitschek, *Meu Caminho para Brasília*, 1.º vol., p. 51.)

capistranense *Adj. 2 g.* **1.** De, ou pertencente ou relativo a Capistrano (CE). ● *S. 2 g.* **2.** O natural ou habitante de Capistrano.

capitação [Do lat. *capitatione.*] *S. f.* Imposto, tributo ou contribuição que se paga por cabeça. [Cf. *captação.*]

capitado [De *capit(i)-* + *-ado*¹.] *Adj.* Que tem ou forma cabeça (13): *estigma capitado.* ~ V. *pelo —.*

capital [Do lat. *capitale.*] *Adj. 2 g.* **1.** *P. us.* Relativo à cabeça. **2.** Principal, essencial, fundamental, primário: "depois da catequese das tribos, através de esforços que lembram os primeiros séculos da Igreja, animou-os [aos jesuítas] a preocupação capital de salvá-las da escravidão." (Euclides da Cunha, *Contrastes e Confrontos*, p. 51). **3.** *Tip.* V. *maiúsculo* (1). ~ V. *crédito —, letra —, navio —, obra —, pecado — e pena —.* ● *S. f.* **4.** Cidade que aloja a alta administração de um país ou de um estado, província, departamento, etc. **5.** *Tip.* Letra capital (q. v.). **6.** *Tip.* V. *letra capitular.* **7.** *Tip.* V. *letra de caixa-alta* (1). ● *S. m.* **8.** Riqueza ou valores disponíveis. **9.** *Econ.* Conjunto de bens produzidos pelo homem que participam da produção de outros bens (basicamente, máquinas e equipamentos). **10.** *Econ.* Recursos monetários investidos ou disponíveis para investimento. **11.** *Econ.* Fundo de dinheiro ou patrimônio de uma empresa; cabedal. ◆ **Capital aberto.** *Econ.* Diz-se do capital de sociedades anônimas cujas ações são negociadas em bolsas de valores, tendo, ger., grande número de acionistas. **Capital a integralizar.** *Econ.* Parcela do capital subscrito ainda não paga pelo acionista. **Capital autorizado.** *Econ.* Valor estabelecido no estatuto de sociedade anônima como limite de aumento de seu capital. **Capital circulante.** *Econ.* V. *capital de giro* (2). **Capital constante.** *Econ.* Em economia marxista, a parcela dos custos de produção referente às matérias-primas, produtos intermediários e ao desgaste das máquinas e equipamentos. **Capital de giro.** *Econ.* **1.** Recursos necessários para financiar os gastos de uma empresa durante seu ciclo produtivo, ou seja, até o recebimento do produto das vendas. **2.** Parcela do capital da empresa aplicado em tal financiamento; capital circulante; capital de trabalho; ativo circulante. **Capital de risco.** *Econ.* **1.** Capital aplicado com possibilidade de perdas. **2.** No balanço de pagamentos, capital aplicado em investimentos diretos. **Capital de terceiros.** *Econ.* Valor dos recursos de terceiros (empréstimos bancários, debêntures, etc.) utilizados por uma empresa. **Capital de trabalho.** *Econ.* V. *capital de giro* (2). **Capital elegante.** *Paleogr.* Diz-se da, ou a forma menos rígida da escrita ou da letra capital (1), com ligeiros arredondamentos e hastes dotadas de remates. **Capital externo.** *Econ.* Capital de origem estrangeira. **Capital fechado.** *Econ.* Diz-se do capital de sociedades anônimas cujas ações não são negociadas em bolsas de valores, tendo, ger., pequeno número de acionistas. **Capital fixo.** *Econ.* Parte do capital de uma empresa aplicado em máquinas, equipamentos e imóveis. [Cf. *ativo permanente.*] **Capital humano.** *Econ.* Conhecimento e habilitações incorporados à força de trabalho, vistos como decorrência de investimentos em educação e treinamento. **Capital integralizado.** *Econ.* Capital subscrito e pago pelos acionistas de uma empresa (3) no ato de sua incorporação ou em determinado prazo. **Capital rústica.** *Paleogr.* Diz-se da, ou a forma menos cuidada, assimétrica, da escrita ou da letra capital (1). **Capital social.** *Econ.* Recursos aplicados numa empresa por seus sócios ou acionistas. **Capital variável.** *Econ.* Em economia marxista, a parcela dos custos de produção referente à força de trabalho, que dá origem à mais-valia. **Abrir o capital.** *Econ.* Tornar-se (uma empresa ou companhia) de capital aberto (q. v.): "O número de empresas que abriram o capital durante o ano passado não ultrapassou 16." (*Gazeta Mercantil*, 06.01.1990.) **Intensivo em capital.** *Econ.* Diz-se de processo de produção que requer, em relação a outro(s) processo(s), maior volume de investimento em máquinas e equipamentos por trabalhador empregado. [V. *intensivo em trabalho.*]

capital-ações *S. m. pl. Cont.* As ações das sociedades anônimas e em comandita. [Opõe-se a *capital-obrigações* (debêntures).]

capitalismo [De *capital* + *-ismo.*] *S. m. Econ.* Sistema econômico e social baseado na propriedade privada dos meios de produção, na organização da produção visando o lucro e empregando trabalho assalariado, e no funcionamento do sistema de preços.

capitalista [De *capital* + *-ista.*] *Adj. 2 g.* **1.** Referente a capital ou ao capitalismo; capitalístico. **2.** Diz-se do sócio que fornece capital a uma empresa. ● *S. 2 g.* **3.** Pessoa que vive do rendimento de um capital. **4.** *P. ext.* Pessoa que tem muito dinheiro. **5.** Pessoa que fornece capital a empresas.

capitalístico [De *capital* + *-ist(a)-* + *-ico*².] *Adj.* Capitalista (1).

capitalização [De *capitalizar* + *-ção.*] *S. f.* **1.** Ato ou efeito de capitalizar. **2.** *Econ.* Operação financeira em que poupadores efetuam pagamentos periódicos (em geral mensais) a uma instituição financeira, recebendo, ao fim de certo prazo (em geral vários anos), a importância total depositada, acrescida de rendimentos.

capitalizar [De *capital* + *-izar.*] *V. t. d.* **1.** Converter em capital. **2.** *Econ.* Adicionar a (o capital): *Os bancos capitalizam os rendimentos da poupança a cada mês.* **3.** Tirar partido ou proveito de: "a imprensa capitalizava o escândalo, especialmente por ser o acusado pessoa de certa posição social e de idade provecta." (R. Magalhães Júnior, *Artur Azevedo e Sua Época*, p. 147). *Int.* **4.** Acumular ou ajuntar dinheiro, com vista à formação de um capital: *Os jovens devem capitalizar para garantir o futuro.*

capitalizável [De *capitalizar* + *-vel.*] *Adj. 2 g.* Que se pode capitalizar.

capital-obrigações [De *capital* + o pl. de *obrigação* (10).] *S. m. pl. Cont.* Denominação usual, embora imprópria, das debêntures emitidas por uma sociedade anônima ou em comandita por ações. [Opõe-se a *capital-ações.*]

capitanear [De *capitão* + *-ear*², seg. o padrão erudito.] *V. t. d.* **1.** Dirigir como capitão; comandar: *Capitaneou a tropa com a perícia de um general.* **2.** Dirigir, governar: *É tarefa muito árdua capitanear um país. Int.* **3.** Fazer de capitão; mandar como superior: *Líder verdadeiro, nos momentos mais difíceis sabe capitanear.* [Conjug.: v. *frear.*]

capitania [De *capitão* + *-ia*¹, seg. o padrão erudito.] *S. f.* **1.** Qualidade ou dignidade de capitão. **2.** Comando, chefia. **3.** V. *capitania hereditária.* [Cf. *capitânia.*] ◆ **Capitania do porto.** *Mar.* Seção da Marinha do Brasil, com jurisdição em determinada área marítima ou fluvial do país, e à qual compete o trato de assuntos relacionados com a segurança da navegação e o tráfego marítimo. **Capitania hereditária.** Cada uma das primeiras divisões administrativas do Brasil, das quais se originaram as províncias e os estados de hoje, e cujos chefes tinham o título de capitão-mor. [Tb. se diz apenas *capitania.* Sin.: *donataria.*]

capitânia *S. f. Mar. G.* Em um conjunto de navios, aquele em que se acha embarcado o comandante (*capitão*) de uma força naval. [Cf. *capitania.*]

capitão [Do b.-lat. *capitanu*, pelo it. *capitan.*] *S. m.* **1.** V. *hierarquia militar.* **2.** Militar que detém o posto de capitão. [É m. us. *capitão*, abreviadamente, para designar *capitão-aviador.*] **3.** Antigo comandante das milícias locais. **4.** *Mar. Merc.* Comandante de navio mercante. [Sin. (ant.), nesta acepç.: *mestre.* Cf. *arrais* (2) e *patrão* (5).] **5.** *Ant. Burl.* Nos navios de guerra, o grumete encarregado das vassouras. **6.** Chefe militar; caudilho; comandante: *Alexandre foi o grande capitão macedônio.* **7.** Dirigente de partido ou facção política; chefe; caudilho: *Os irmãos Gracos foram capitães da plebe romana.* **8.** Chefe, comandante, cabeça: *A polícia caça o capitão do bando.* **9.** Atleta que representa a equipe. **10.** *Teatr.* Uma das principais personagens cômicas da *commedia dell'arte* (q. v.), cujo comportamento é ridiculamente autoritário e que representa o poder militar. **11.** *Bras. N.E. Folcl.* Personagem do bumba meu boi (q. v.), com essas mesmas características; capitão-boca-mole. **12.** *Bras. BA* Dirigente de um canto¹ (9) eleito democraticamente pelos ganhadores [v. *ganhador* (4)] do bairro. **13.** *Bras. Zool.* Ave emberizídea icterínea (*Amblyramphus holosericeus*) da América do Sul (Argentina à Bolívia, Paraguai, Uruguai e S. e C.O. do Brasil), de coloração negra carregada, cabeça, pescoço e peito escarlates. Frequenta lugares próximos da água, e nidifica nos juncais. [Sin.: *cardeal-do-banhado, joão-pinto-do-brejo, dó-ré-mi, soldado.*] **14.** *Bras. RS Zool.* V. *pão-de-galinha.* **15.** *Bras. Zool.* V. *escaravelho* (1). **16.** *Bras.* Tombo que se dá nas pedras, em torno de sua menor dimensão, para deslocá-las. **17.** *Bras.* A boia principal da rede de pesca. **18.** *Bras.* A parte central da laranja cortada verticalmente. **19.** *Bras.* Bocado de comida que tenha molho, amassado com farinha, entre os dedos, à moda de bolo, e levado com a mão até à boca; capetão: "Derrubou farinha de mandioca em cima [do feijão], mexeu e pôs-se a fazer grandes capitães com a mão, com que entrouxava a bocarra." (Bernardo Élis, *Ermos e Gerais*, p. 79.) **20.** *Bras. Fam.* Urinol (1) grande, em ger. da altura de um vaso sanitário. ◆ **Capitão de indústria.** Grande industrial; industrial pioneiro, líder.

capitão-aviador *S. m.* **1.** V. *hierarquia militar.* **2.** Oficial que detém o posto de capitão-aviador. V. *capitão* (2). [Pl.: *capitães-aviadores.*]

capitão-boca-mole *S. m. Bras. N.E. Folcl.* Capitão (11). [Pl.: *capitães-bocas-moles.*]

capitão-campense *Adj. 2 g.* **1.** De, ou pertencente ou relativo a Capitão de Campos (PI). ● *S. 2 g.* **2.** O natural ou habitante de Capitão de Campos. [Pl.: *capitão-campenses.*]

capitão-chico *S. m. Bras. Zool.* Certa raça porcina brasileira. [Pl.: *capitães-chicos.*]

capitão-da-porcaria *S. m. Bras. RS Zool.* V. *macuquinho.* [Pl.: *capitães-da-porcaria.*]

capitão-das-porcarias *S. m. Bras. RS Zool.* V. *macuquinho.* [Pl.: *capitães-das-porcarias.*]

capitão de assaltos *S. m. Bras. Ant.* Indivíduo que se encarregava de escravizar o caboclo. [Sin. na BA: *capitão de estrada.* Pl.: *capitães de assaltos.*] ☑

capitão de bandeira *S. m. Bras. Mar.* O comandante de navio capitânia de uma força, quando não existe acumulação das funções de comandante do navio e da força. [Pl.: *capitães de bandeira.*] ☑

capitão-de-bigode *S. m. Bras. Zool.* **1.** Ave piciforme, capitonídea (*Capito auratus nitidor*), do extremo O. setentrional. Coloração dorsal preta e alaranjada no dorso posterior; fronte amarela, lavada de escarlate; peito amarelo, lavado de alaranjado; uma linha branca de cada lado do dorso anterior e nas coberteiras superiores maiores da asa. **2.** V. *joão-do-mato.* [Pl.: *capitães-de-bigode.*]

capitão de cabotagem *S. m. Mar. Merc.* Capitão credenciado a comandar navio mercante empregado em navegação de cabotagem. [Pl.: *capitães de cabotagem.*] ☑

capitão de corveta *S. m. Bras.* **1.** V. *hierarquia militar.* **2.** Oficial que detém o posto de capitão de corveta. [F. red.: *corveta.* Pl.: *capitães de corveta.*] ☑

capitão de estrada *S. m. Bras. BA Ant.* Capitão de assaltos. [Pl.: *capitães de estrada.*] ☑

capitão de fragata *S. m.* **1.** V. *hierarquia militar.* **2.** Oficial que detém o posto de capitão de fragata. [F. red.: *fragata.* Pl.: *capitães de fragata.*] ☑

capitão de longo curso *S. m. Mar. Merc.* Capitão credenciado a comandar navio mercante empregado na navegação de longo curso (q. v.). [Pl.: *capitães de longo curso.*] ☑

capitão de mar e guerra *S. m.* **1.** V. *hierarquia militar.* **2.** Oficial que detém o posto de capitão de mar e guerra. [F. red.: *mar e guerra.* Pl.: *capitães de mar e guerra.*] ☑

capitão de mato *S. m. Bras.* V. *capitão do mato* (1): "Antes da abolição, alguns pretos haviam abandonado a casa, sido presos pelo capitão de mato, fugido novamente." (Graciliano Ramos, *Infância*, p. 128.) [Pl.: *capitães de mato.*] ☑

capitão-de-saíra *S. m. Bras. Zool.* **1.** Ave passeriforme, cotingídea (*Attila rufus*), do Brasil este-meridional. Coloração pardo-bruna no dorso; cauda e abdome castanhos; cabeça, pescoço e garganta cinzentos. [Sin.: *tinguaçu.*] **2.** Catirumbava. [Pl.: *capitães-de-saíra.*]

capitão-de-sala *S. m. Bras. Bot.* V. *oficial-de-sala.* [Pl.: *capitães-de-sala.*]

capitão do campo *S. m. Bras.* **1.** *N. N.E.* V. *capitão do mato.* **2.** Feitor dos negros nos trabalhos agrícolas. [Pl.: *capitães do campo.*] ☑ notas 1 e 2

capitão-do-campo *S. m. Bras.* **1.** *Bot.* Carvão-branco. **2.** *Zool.* V. *boipeva.* [Pl.: *capitães-do-campo.*]

capitão do mato *S. m. Bras.* Indivíduo que se dedicava à captura dos escravos fugidos; capitão de mato, capitão do campo: "Capitães do mato, assim se chamavam os caçadores de negros, aos quais a lei em regulamentos especiais concedia poderes discricionários contra aquelas miseráveis criaturas que fugiam ao jugo da escravidão." (João Ribeiro, *História do Brasil*, p. 268.) [Pl.: *capitães do mato*.] ☑ notas 1 e 2

capitão-do-mato *S. m. Bras.* **1.** *Bot.* Trepadeira cucurbitácea (*Cayaponia cabocla*) vilosa e provida de gavinhas, de folhas ovais e orbiculares, mais ou menos recortadas, com lobos denticulados e membranáceos, flores unissexuais, pilosas, amarelas, solitárias, que alcançam 0,02m de comprimento, e frutos bacáceos pubescentes, purgativos, com 0,03m de comprimento. **2.** *Zool.* Inseto lepidóptero, morfídeo (*Morpho achilleana violaceus*), de asas azuis com bordos pretos, as anteriores com duas manchas brancas e as posteriores com manchinhas cor de tijolo. **3.** *Zool.* V. *joão-do-mato*. **4.** *Zool.* V. *surucuá-de-barriga-amarela*. **5.** *Zool.* V. *boipeva*. [Pl.: *capitães-do-mato*.]

capitão dos portos *S. m.* Autoridade encarregada da conservação e policiamento dos portos e da fiscalização das águas territoriais. [Pl.: *capitães dos portos*.] ☑

capitão-eneense (èên) *Adj. 2 g.* **1.** De, ou pertencente ou relativo a Capitão Eneias (MG). • *S. 2 g.* **2.** O natural ou habitante de Capitão Eneias. [Pl.: *capitão-eneenses*.]

capitão-mor *S. m.* **1.** Autoridade que, numa cidade ou vila, comandava a milícia chamada ordenanças. **2.** Título que tinham os donatários das capitanias: "O governador-geral era, como os capitães-mores das capitanias, também o comandante das tropas." (João Ribeiro, *História do Brasil*, p. 87.) [V. *capitania hereditária*. Pl.: *capitães-mores*.]

capitão-pocense *Adj. 2 g.* **1.** De, ou pertencente ou relativo a Capitão Poço (PA). • *S. 2 g.* **2.** O natural ou habitante de Capitão Poço. [Pl.: *capitão-pocenses*.]

capitão-tenente *S. m.* **1.** V. *hierarquia militar*. **2.** Oficial que detém o posto de capitão-tenente. **3.** V. *tenente* (3). [Pl.: *capitães-tenentes*.]

capitari [Do tupi.] *S. m. Bras. AM* **1.** *Bot.* Árvore bignoniácea (*Tabebuia barbata*) que habita as margens dos rios da região amazônica. Folhas penadas; flores róseas e vistosas; frutos capsulares, cujas sementes, aladas, fornecem um óleo secativo; e madeira castanho-escura e dura, que serve para marcenaria. **2.** *Zool.* O macho da tartaruga-do-amazonas. [Cf., nesta acepç., *zé-pregos*.]

capitato [Do lat. *capitatu*.] *Adj. Bot.* **1.** Que tem forma de cabeça. **2.** Que termina em cabeça.

capitel [Do occitano ant. *capitel* < lat. *capitellum*; fr. *chapiteau*.] *S. m.* **1.** *Arquit.* Coroamento do fuste de uma coluna. **2.** *Arquit.* Arremate superior, em geral esculturado, de pilastra, balaústre, etc. **3.** A parte superior do foguete (2). **4.** Capacete (2). **5.** *Ant.* Cobertura para resguardo do ouvido das peças de artilharia. [Pl.: *capitéis*.]

capitelado [Do lat. *capitellum*, dim. do lat. *caput*, + *-ado*^{1}.] *Adj. Bot.* Um tanto capitado: *pelo capitelado*.

capité-minanei *Bras. S. 2 g.* **1.** *Etnôn.* Indivíduo dos capités-minaneis [ou (etnôn. bras.) *Kuati-tapuya], povo indígena da família linguística aruaque que habita a região do rio Içana (AM). • *Adj. 2 g.* **2.** Pertencente ou relativo a esse povo. [Sin. ger.: *quati-tapuia*. Pl.: *capités-minaneis*.]

▲**capit(i)-** [Do lat. *caput, capĭtis*.] ***El. comp.*** = 'cabeça': *capitado, capitiforme*.

capitiçoba [De or. obsc.] *S. f. Bras. Bot.* Erva poligonácea (*Polygonum acre*) perene, nativa do Brasil, cujo suco, adstringente, é vermicida e diurético; acataia, caataia, capitiçova (var.), capiçoba (var.), erva-de-bicho, erva-de-moura, erva-moura.

capitiçova *S. f. Bras. Bot.* V. *capitiçoba*.

capitiforme [De *capit(i)-* + *-forme*.] *Adj. 2 g.* De forma semelhante à de uma cabecinha: *glândula capitiforme*.

capitilúvio [Do lat. *capitilaviu*.] *S. m.* Banho apenas na cabeça.

→**capitis deminutio (ou diminutio)** [ka'pitęs dęmę'nutęɔ] [Lat., 'diminuição da capacidade' (no ant. direito romano).] *Jur.* Diminuição ou perda da capacidade, em geral de forma humilhante ou vexatória.

capitiú *S. m. Bras. Bot.* V. *cardamomo-da-terra*.

capitolino^{1} [Do lat. *capitolinu*.] *Adj.* Do, ou pertencente ou relativo ao Capitólio: *a estátua de Júpiter capitolino*.

capitolino^{2} *Adj.* **1.** De, ou pertencente ou relativo a Capitólio (MG). • *S. m.* **2.** O natural ou habitante de Capitólio.

capitólio [Do lat. *Capitolium*, templo dedicado a Júpiter e cidadela da antiga Roma.] *S. m. Fig.* A glória, o esplendor, o triunfo.

capitonê [Do fr. *capitonné*.] *Adj. 2 g.* **1.** Diz-se do estofamento ou do móvel estofado com tecido, ou outro material, preso de espaço a espaço (em geral com botões) formando losangos fofos: *poltrona capitonê*: "Havia agora um novo jogo de poltronas, um sofá e um *recamier* de veludo verde capitonê." (Jô Soares, *O Xangô de Baker Street*, p. 13.) **2.** Diz-se do tecido, do couro, do plástico, etc., usado em estofamento capitonê. • *S. m.* **3.** Estofamento capitonê. [Cf. *matelassê*.]

capitonídeo [Do lat. cient. *Capiton-* (< tax. *Capito* < lat. *capito, onis*, 'que tem cabeça grande') + *-ídeo*^{1}; tax. *Capitonidae*.] *Zool. S. m.* **1.** Espécime dos capitonídeos, família de aves piciformes, tropicais, de cores vivas, que reúne espécies brasileiras endêmicas da Amazônia. São os capitães-de-bigode. • *Adj.* **2.** Pertencente ou relativo a eles.

capitoso (ô) [Do it. ant. *capitoso*, 'teimoso'.] *Adj.* **1.** Que sobe à cabeça, que entontece, embriaga: "De permeio com as jaculatórias, bebia-se muita jeropiga capitosa" (Camilo Castelo Branco, *Maria da Fonte*, p. 19); "descobriu nela o capitoso encanto com que nos embebedam as cortesãs" (Aluísio Azevedo, *O Cortiço*, p. 17). **2.** *P. us.* Cabeçudo, teimoso.

capítula [De *capítulo*.] *S. f.* Cada uma das preces do breviário (1). [Cf. *capitula*, do v. *capitular*.]

capitulação [Do lat. tard. *capitulatione*.] *S. f.* **1.** Ato ou efeito de capitular. **2.** Convenção segundo a qual um chefe militar entrega ao inimigo o posto que defende ou as tropas que comanda; rendição. **3.** Sujeição, submissão, renúncia. **4.** Acordo entre litigantes. **5.** Transigência à força das circunstâncias; cessão.

capitulacionista [De *capitulação* + *-ista*, seg. o padrão erudito.] *Adj. 2 g.* **1.** Tendente a capitular, a entregar-se, a ceder: *ânimo capitulacionista*. • *S. 2 g.* **2.** Indivíduo que tende a capitular, a ceder.

capitulador (ô) [De *capitular*^{2} + *-dor*.] *S. m.* Aquele que capitula.

capitulante [De *capitular*^{2} + *-nte*.] *Adj. 2 g.* **1.** Que contrata a capitulação. **2.** Que entrega por capitulação.

capitular^{1} [Do adj. lat. tard. *capitulare*.] *Adj. 2 g.* **1.** Relativo a capítulo (3), ou a cabido^{1}. **2.** Maiúsculo; capital: *letra capitular*. ~ V. *letra* —, *página* — e *vigário* —. • *S. f.* **3.** Letra capitular (q. v.). ~ V. *capitulares*.

capitular^{2} [Do v. lat. tard. *capitulare*.] *V. t. d.* **1.** Ajustar mediante certas condições: *capitular uma rendição*. **2.** Descrever, fazendo notar as características; caracterizar metodicamente: *A fim de situar a obra, capitulou a vida do autor*. **3.** Reduzir a capítulos [v. *capítulo* (1)]. **4.** Acusar, formulando em capítulos [v. *capítulo* (2)] a acusação. **5.** Enumerar, articular: *capitular falhas*. ***Transobj.*** **6.** Classificar, qualificar, tachar: *Capitulam-no de infiel*. ***Int.*** **7.** Render-se, entregar-se, mediante capitulação (2): *Não resistindo ao ataque, as forças inimigas capitularam*. **8.** Transigir, ceder: *Não resistiu às súplicas do amigo: capitulou*. [Pres. ind.: *capitulo, capitulas, capitula*, etc. Cf. *capítulo* e *capítula*.]

capitulares [F. pl. subst. de *capitular*^{1}.] *S. f. pl. Rel.* As leis ou decretos do capítulo (3). ~ V. *capitular*.

capituleiro [De *capítula* + *-eiro*.] *S. m.* Livro que contém as capítulas.

capituliforme (pì) [De *capítulo* (5) + *-iforme*.] *Adj. 2 g. Bot.* Em forma de capítulo (5): *inflorescência capituliforme*.

capítulo [Do lat. *capitulu*.] *S. m.* **1.** Divisão de um livro, lei, orçamento, tratado, etc. **2.** Artigo de contrato, acusação, etc. **3.** *Ecles.* Assembleia de dignidades eclesiásticas para tratar determinado assunto; Assembleia geral de religiosos. **4.** Lugar onde se reúnem essas Assembleias; colegiada. **5.** *Bot.* Tipo de inflorescência constituído por pequenas flores sésseis inseridas sobre um receptáculo único, característico da família das asteráceas; antódio, calátide. **6.** *Zool.* Porção cefálica dos carrapatos, e que serve de sustentação às quelíceras e aos palpos. [Cf. *capitulo*, do v. *capitular*.] ◆ **Atrapalhar o capítulo.** Causar embaraço; criar obstáculos, impedir a realização de alguma coisa; estragar o capítulo: "– Quem sabe se preferias por aí algum bonifrates, que nos viesse atrapalhar ainda mais o capítulo?" (Aluísio Azevedo, *Filomena Borges*, p. 19.) **Estragar o capítulo.** Atrapalhar o capítulo (q. v.).

capiúna *S. f. Bras. Zool.* V. *corcoroca* (2 e 3).

capivara [Do tupi.] *S. f.* **1.** *Zool.* Roedor hidroquerídeo (*Hydrochoerus hydrochoeris*), de coloração castanho-avermelhada, com superfície ventral amarelada; mãos com quatro dedos providos de unhas espessas e pés com três dedos unidos por membranas. Habita a região cisandina, preferindo as margens dos rios, brejos, lagoas, sobretudo na proximidade de matas ou cerrados. Vive em bandos, saindo ger. à noite, e é hábil nadador; é o maior dos roedores atuais e um exemplar adulto pesa mais de 50 quilos. [Sin.: *capincho, carpincho*.] **2.** *Bot.* Trepadeira aristoloquiácea (*Aristolochia birostris*) glabra, de caule delicado, folhas pecioladas de um amarelo pálido na página inferior, e flores axilares, solitárias, pequenas, amarelo-pardas. Exala cheiro agradável; a raiz é us. contra veneno de cobra e as folhas como febrífugo e anticatarral.

capivariano *Adj.* **1.** De, ou pertencente ou relativo a Capivari (SP). • *S. m.* **2.** O natural ou habitante de Capivari.

capixaba [Do tupi = 'terra de plantação', 'sítio', 'roça'.] *Bras. Adj. 2 g.* **1.** Espírito-santense^{2} (1). **2.** *Desus.* V. *vitoriense*^{2}. • *S. 2 g.* **3.** Espírito-santense^{2} (2). **4.** *Desus.* V. *vitoriense*^{2}. • *S. m.* **5.** Pequeno estabelecimento agrícola. **6.** *Bras. CE* V. *cangaceiro*. • *S. f.* **7.** *Bras. L. a S.* Arbusto polimorfo, da família das euforbiáceas (*Sebastiana brasiliensis*), de folhas obovadas ou arredondadas, obtusas e mais ou menos coriáceas, flores pequeninas, unissexuais, dispostas em espigas delgadas e compridas, e frutos capsulares, pequenos e trivalvares.

capixabense *Bras. Adj. 2 g.* **1.** De, ou pertencente ou relativo a Capixaba (AC). • *S. 2 g.* **2.** O natural ou habitante de Capixaba.

capixana *Bras. S. 2 g.* **1.** *Etnôn.* Indivíduo dos capixanas [ou (etnôn. bras.) *Kapixana], povo indígena extinto, de língua isolada, que habitava as margens do rio Apedia (RO). • *Adj. 2 g.* **2.** Pertencente ou relativo a esse povo.

capixim [De or. tupi, poss.] *S. m. Bras. Bot.* Arbusto ou arvoreta monimiácea (*Mollinedia schotiana*) que habita a floresta pluvial, de folhas amplas, ovadas ou oblongo-lanceoladas, acuminadas, algo serruladas e pilósulas. Flores unissexuais, pequenas, cimosas, providas de muitos estames e pistilos; o fruto, drupáceo, é ovado, e chega a 15mm de comprimento.

capixingui [Var. de *tapixingui*.] *S. m. Bras. Bot.* Nome comum a várias espécies de euforbiáceas do gênero *Croton* (v. *cróton*).

▲**capn(o)-** [Do gr. *kapnós, oû*.] ***El. comp.*** = 'fumo'; 'fumaça'; 'vapor': *capnoide, capnomancia*. [Equiv.: *-capn(o)-*: *hipercapnia*.]

▲**-capn(o)-** Equiv. de *capn(o)-*.

capnófugo [De *capn(o)-* + *-fugo*^{2}.] *Adj.* Preservativo do fumo.

capnoide (ói) [De *capn(o)-* + *-oide*.] *S. m. Bot.* V. *fel-da-terra* (1). ❖

capnomancia (cí) [De *capn(o)-* + *-mancia*.] *S. f.* Adivinhação por meio do fumo.

capnomante [De *capn(o)-* + *-mante*.] *S. 2 g.* Pessoa que pratica a capnomancia.

capnomântico *Adj.* Relativo a capnomancia, ou a capnomante.

capô [Do fr. *capot*.] *S. m.* **1.** *Autom.* Cobertura metálica, móvel, que serve para proteger o motor; capuz: "A água escorria dos para-lamas, do capô, do carro todo." (Herberto Sales, *Histórias Ordinárias*, p. 74.) **2.** Qualquer tampa (ou parte de tampa) móvel que protege o motor de uma máquina.

capoeira^{1} [Do ant. **capon* (var. de *capão*^{1}) + *-eira*, poss.] *S. f.* **1.** Gaiola grande ou casinhola onde se criam e alojam capões e outras aves domésticas. **2.** *P. ext.* O conjunto das aves domésticas. **3.** *P. ext.* O conjunto das aves domésticas de uma criação: *O gambá está-me dizimando a capoeira*. **4.** Cesto onde se transportam aves domésticas. **5.** V. *uru*^{1} **6.** *Ant. Fort.* Espécie de cesto para resguardo da cabeça dos defensores de uma fortaleza. **7.** *Ant. Fort.* Escavação guarnecida de seteiras.

capoeira^{2} [Do tupi = 'mata que foi'.] *S. f.* **1.** *Bras.* Terreno em que o mato foi roçado e/ou queimado para cultivo da terra ou para outro fim: "A capoeira (mata que foi) aparece em todos os distritos agrícolas do país, visto que é um resultado das queimadas." (Raimundo Lopes, *Uma Região Tropical*, p. 99.) **2.** *Bras. Santom.* Mato que nasceu nas derrubadas de mata virgem. **3.** *Bras. Cap.* Jogo acrobático constituído por movimentos [Cf., nesta acepção, *pernada* (7).] • *S. 2 g.* **4.** *Cap.* Capoeirista. ◆ **Capoeira angola.** *Cap.* V. *angola*^{2} (5). **Capoeira brejada.** *Bras. PB* O trecho mais úmido de uma capoeira^{2} (1). **Capoeira grossa.** *Bras.* Tipo de capoeira^{2} (1) onde crescem árvores altas e grossas; capoeira de machado. **Capoeira rala.** *Bras. N.E.* Terreno roçado quase todos os anos, e no qual a vegetação quase não passa de arbustos e ervas. **Capoeira regional.** *Cap.* Modalidade de capoeira criada por Mestre Bimba (Manuel dos Reis Machado [1899-1974]), e que amplia os conceitos da capoeira tradicional, adicionando-lhe novas possibilidades de golpes, ritmos, sistematização de treinamento, etc.

capoeiraçu [De *capoeira*^{2} (2) + *-açu*.] *S. f. Bras.* V. *capoeirão*^{2}.

capoeirada [De *capoeira*^{2}+ *-ada*^{2}.] *S. f.* **1.** *Bras. Cap.* Conjunto de capoeiristas. **2.** *Bras. RJ Cap. Obsol.* V. *malta* (5).

capoeira de machado *S. f. Bras.* Capoeira grossa (q. v.). [Pl.: *capoeiras de machado*.] ☑

capoeira de pau de machado *S. f. Bras. MG* Capoeira^{2} (2) rica em madeiras de lei, que restaram das matas antigas. [Pl.: *capoeiras de pau de machado*.] ☑

capoeira-furada *S. f.* Os claros existentes na vegetação lenhosa das capoeiras [v. *capoeira*[2] (2)]. [Pl.: *capoeiras-furadas*.]
capoeiragem [De *capoeira*[2] + *-agem*[2].] *S. f. Bras.* **1.** Sistema de luta de capoeiras [v. *capoeira*[2] (4)]. **2.** Vida de capoeira. **3.** Capoeira[2] (4).
capoeirana [Alter. de *acapuarana*, com infl. de *capoeira*.] *S. f. Bras. Amaz. Bot.* V. *acapurana*.
capoeirano [De *capoeira*[2] + *-ano*[1].] *S. m. Bras. BA* Morador de terras de capoeira[2] (1).
capoeirão[1] *Adj. S. m. Bras.* Diz-se de, ou homem idoso que, por efeito da idade, é pacato.
capoeirão[2] [De *capoeira*[2] + *-ão*[1].] *S. m. Bras.* Capoeira[2] (2) muito densa e alta; capoeiraçu, capoeiruçu. [Quando parece mata virgem, dá-se-lhe, no N. e N.E., o nome de *capoeirão de machado*.]
capoeirão de machado *S. m. Bras. N. N.E.* V. *capoeirão*[2]. [Pl.: *capoeirões de machado*.] ☑
capoeirar [De *capoeira*[2] + *-ar*[2].] *V. t. d. Bras. Cap.* Praticar a capoeira[2] (4).
capoeirense *Adj. 2 g.* **1.** De, ou pertencente ou relativo a Capoeiras (PE). ● *S. 2 g.* **2.** O natural ou habitante de Capoeiras.
capoeirinha [Dim. de *capoeira*[2].] *S. f. Bras.* Capoeira[2] (1) baixa e rala, com menos de 12 anos de formada.
capoeirista [De *capoeira*[2] + *-ista*.] *S. 2 g.* Jogador de capoeira[2] (4); capoeira.
capoeiro[1] [De *capoeira*[1] (2).] *S. m.* Ladrão de capoeiras.
capoeiro[2] [De *capoeira*[2].] *Adj.* **1.** Relativo a capoeira[2] (1), ou a matas roçadas. ● *S. m.* **2.** *Zool.* Pequeno veado, ainda sem cornos, de cujo couro se fazem aventais e vestes para os vaqueiros. **3.** *Zool.* Designação frequente do veado-catingueiro.
capoeiruçu [Var. de *capoeiraçu*.] *S. 2 g. Bras.* V. *capoeirão*[2].
capona [Aum. de *capa*[1].] *S. f. Bras.* Capa grande de mulher: "Ali estavam .... as beatas — êmulas das bruxas das igrejas — revestidas da capona preta lembrando a holandilha fúnebre da Inquisição" (Euclides da Cunha, *Os Sertões*, p. 199).
→**caponata** [kapo'nata] [It.] *S. f. Cul.* Prato siciliano feito com pedaços de berinjela, abobrinha, pimentão, cebola e aipo, fritos, ao qual ger. se acrescentam alcaparras e azeitonas, e temperado com azeite, vinagre e orégão.
caponense *Adj. 2 g.* **1.** De, ou pertencente ou relativo a Capão da Canoa (RS). ● *S. 2 g.* **2.** O natural ou habitante de Capão da Canoa.
caponete (ê) [De *capão*[2] + *-ete* (ê).] *S. m. Bras. RS* Pequeno capão[2].
caponga *S. f. Bras.* **1.** Pequeno lago litorâneo de água doce, formado nos areais. **2.** Areal que se alaga com as chuvas, coberto, em geral, por vegetação herbácea, higrófila e baixa. **3.** Linha de pescar, sem anzol e com uma bola: o pescador atrai o peixe e pega-o à mão. ◆ **Bater caponga.** *Bras.* Pescar à mão.
capoque [Do mal. *kāpuk*, pelo fr. *kapok*.] *S. m. Tec. Têx.* Fibra vegetal obtida da sumaúma (2).
caporal [Do fr. *caporal*.] *S. m.* **1.** *Ant. Lus.* Cabo de esquadra (2). **2.** Certa qualidade de fumo: "Já de há muito me fascinava aquele cachimbo recurvo e maravilhoso exposto, entre pacotes de caporal e piteiras reluzentes, na vitrina da Casa Negra." (Augusto Meyer, *No Tempo da Flor*, p. 34.) ● *Adj. 2 g.* **3.** Diz-se de certa qualidade de fumo.
capororoca [Do tupi.] *S. f. Bras. S.* **1.** *Zool.* Ave anseriforme, anatídea (*Coscoroba coscoroba*), do S. da América do Sul. No Brasil, apenas aparece no extremo sul. Coloração branca com rêmiges da mão de pontas pretas; nidifica em praias desertas de rios ou lagos. [Sin.: *pato-arminho*.] **2.** *Bot.* Designação comum a várias plantas da família das mirsináceas. **3.** *Bot.* V. *itu*.
capororocaçu [De *capororoca* + *-açu*.] *S. f. Bras. Bot.* V. *azeitona-do-mato*.
capororoca-picante *S. f. Bras. Bot.* V. *casca-de-anta* (1). [Pl.: *capororocas-picantes*.]
capororoca-vermelha *S. f. Bras. Bot.* V. *azeitona-do-mato*. [Pl.: *capororocas-vermelhas*.]
caporroto *S. m. Angol.* Aguardente de cereais: "Aqui, dentro de quatro tambores em fila, se realizava a preparação e fermentação do caporroto" (Arlindo Barbeitos, *O Rio, Estórias de Regresso*, p. 34).
capota [Do fr. *capote*.] *S. f.* **1.** Antigo toucado; touca: "Quando saiu já D. Júlia, com a sua capota de vidrilhos e o seu vestido de merinó, dava ordens a Felícia." (Coelho Neto, *Turbilhão*, p. 135.) **2.** Coberta de automóveis e outros veículos.
capotagem [De *capotar* + *-agem*[2].] *S. f. Bras.* Ato de capotar.
capotar [Do fr. *capoter*.] *V. int. Bras.* **1.** *Autom.* Emborcar (o automóvel), ficando de lado, de rodas para cima, ou mesmo voltando a ficar sobre as rodas, depois de girar sobre si. **2.** *P. ext.* Virar de borco, emborcar (o aeroplano). **3.** *Bras. Gír.* Entrar, repentinamente, em sono profundo, ger. por efeito de bebida alcoólica, de drogas, ou por exaustão.
capote[1] [Do fr. *capote*.] *S. m.* **1.** V. *casacão*. **2.** Casacão militar. **3.** *Fam.* Peça de vestuário, de mangas compridas, que cobre o tronco agasalhando-o contra o frio, feita de tricô, tecido, etc., e se assemelha ao casaco (1). **4.** *Fig.* Disfarce, dissimulação. **5.** *Bras. PA* Telha apropriada à cobertura de cumeeiras.
capote[2] [De *capa*[1] + *-ote*[1].] *S. m.* **1.** Capinha (1). [Dim. irreg., nesta acepç.: *capotilho*.] **2.** *Bras. BA* Capa[1] (12). **3.** V. *galinha-d'angola* (1). **4.** *Bras. AM* Árvore da família das esterculiáceas (*Sterculia speciosa*), que vive nas matas inundáveis das várzeas. As folhas são constituídas de grandes folíolos digitados; as flores, pequenas, exalam odor de carne podre; os frutos são folículos grandes e lenhosos, com sementes oleaginosas; a madeira é pardo-clara e muito mole.
capote[3] [Do fr. *capot*, de or. incerta.] *S. m.* Reconhecimento da vitória de alguém em jogo de aposta. ◆ **Dar um capote.** Vencer, num jogo, pelo duplo ou mais do duplo dos pontos alcançados pelo adversário: "— Você o que quer é um capote; ande, vá buscar o gamão." (Machado de Assis, *Dom Casmurro*, p. 9.) **Não tirar o capote.** Não atingir, num jogo de apostas, nem a metade dos pontos obtidos pelo adversário.
capote de pobre *S. m. Bras. Gír.* V. *cachaça* (1). [Pl.: *capotes de pobre*.] ☑
capoteiro [De *capota* + *-eiro*.] *S. m. Bras.* Indivíduo que fabrica, vende ou conserta capotas de automóvel.
capotilho [De *capote*[2] + *-ilho*.] *S. m.* Capote[2] (1) curto.
capotona [Do cabo-verd.] *S. 2 g. Cabo-verd.* Entidade fantástica, de estatura gigantesca, representada por figura antropomorfa, vestida de capote, que persegue os viajantes noturnos: "Em todos os caminhos se erguem muralhas, em todas as esquinas há capotonas." (Manuel Ferreira, *Voz de Prisão*, p. 78.)
capoxo (ô) *Bras. S. 2 g.* **1.** *Etnôn.* Indivíduo dos capoxos [ou (etnôn. bras.) *Kaposó], povo indígena extinto, da família linguística maxacali, tronco macro-jê, que habitava a região da cabeceira do rio Suaçuí Grande (MG). ● *Adj. 2 g.* **2.** Pertencente ou relativo a esse povo.
→**cappuccino** [kap.put'tʃino] [It.] *S. m.* Bebida, à base de leite e café puro, ger. servida quente e, às vezes, com creme *chantilly*.
capra [Do tax. *Capra*.] *S. f. Zool.* **1.** Gênero de mamíferos ungulados, bovídeos. **2.** Qualquer espécie desse gênero, como, p. ex., a *Cabra hircus*, a cabra e o bode domésticos, e a *Capra ibex* (v. *cabra-selvagem*). **3.** Qualquer espécime desse gênero.
capreoláceo [Do lat. *capreolu*, 'elo de vide', + *-áceo*.] *Adj.* Relativo à gavinha.
▲**capr(i)-** [Do lat. *caper, capri*.] ***El. comp.*** = 'bode[1]', 'cabrão'; 'cabra': *cáprico, caprílico*. [Equiv.: *-capr(i)-*: *antilocaprídeo*.]
▲**-capr(i)-** Equiv. de *capr(i)-*.
caprichado [Part. de *caprichar*.] *Adj. Pop.* Diz-se daquilo que é feito com apuro, esmero.
caprichar [De *capricho* + *-ar*[2].] *V. t. i.* **1.** Ter capricho, obstinar-se: *Caprichou em manter sua resolução absurda.* **2.** Fazer com capricho (6), com apuro; esmerar-se: *A natureza caprichou em dotá-la de mil encantos*; "capricham os estudiosos em fazer ressurgir da apatia física, as populações vergastadas pela miséria" (Fialho d'Almeida, *Pasquinadas*, p. 176). **3.** Timbrar; apurar-se: *Para mantê-lo interessado em sua pessoa, capricha nas demonstrações de atenção e afeto.*
capricho [Do it. *capriccio*.] *S. m.* **1.** Desejo impulsivo, súbito, sem justificação aparente: *Resolveu ser poeta: é um capricho.* **2.** Mudança imprevisível de conduta, ideias ou sentimentos sem motivação razoável: *Foi despedido por mero capricho do chefe.* **3.** Inconstância, volubilidade: *Esta menina é só capricho.* **4.** Fantasia, extravagância. **5.** Obstinação desarrazoada; teimosia, obstinação: *Não foi à festa só por capricho.* **6.** Aplicação, apuro, esmero: *É de ver o capricho com que faz as menores coisas.* **7.** Brio, dignidade, pundonor. ◆ **A capricho.** Com aplicação, apuro, esmero; a primor; caprichosamente: "Havia poetas prevenidos que já traziam de memória, ou no bolso, pequenas trovas rimadas a capricho, a fim de não serem apanhados de surpresa, por uma dama, senhorita ou cavalheiro." (R. Magalhães Júnior, *Artur Azevedo e Sua Época*, p. 147.) **No capricho.** *Bras. Pop.* Muito benfeito; caprichado.
caprichoso (ô) [Do it. *capriccioso*.] *Adj.* **1.** Que capricha. **2.** Que tem ou denota capricho(s): *É pessoa difícil, caprichosa*; "É ali [nos cárceres de Argamasilla] que, desenganado de fortuna, e desiludido sobre os favores caprichosos da corte, a musa de Cervantes lhe aparece a dardejar-lhe os raios mais intensos da inspiração" (Latino Coelho, *Cervantes*, p. 176). **3.** Feito por capricho, ou a capricho. **4.** Cuja forma, movimento, estrutura, etc., variam livremente: *O desenho estendia-se em arabescos caprichosos.*
cáprico [De *capr(i)-* + *-ico*[2].] *Adj. Quím.* ~ V. *ácido* —.
capricorniano *S. m.* **1.** *Astrol.* Indivíduo nascido sob o signo de Capricórnio; capricórnio. ● *Adj.* **2.** Diz-se de, ou pertencente ou relativo a capricorniano (1).
capricórnio [Do lat. *Capricornu*.] *S. m.* **1.** *Astr.* A 10.ª constelação do zodíaco, situada no hemisfério sul, a 21h de ascensão reta e 20° de declinação sul. [Sin., p. us.: *Cabra*.] **2.** *Astrol.* O 10.º signo do zodíaco, relativo aos que nascem entre 22 de dezembro e 19 de janeiro. [Com cap., nessas acepçs.] **3.** *Astrol.* Capricorniano (1).
caprídeo [De *capr(i)-* + *-ídeo*[3].] *Adj.* Relativo ou semelhante à cabra. [Cf. *caprino*.]
caprificação [Do lat. *caprificatione*.] *S. f.* Ação de caprificar.
caprificar [Do lat. *caprificare*.] *V. t. d.* Colocar figos tirados de figueiras masculinas (sobre frutos das figueiras femininas), de sorte que as moscas do gênero *Blastophaga*, ao saírem dos primeiros conduzindo o pólen, penetrem nos segundos e realizem a fecundação, que enseja a produção de figos utilizáveis na alimentação humana. [Conjug.: v. *trancar*.]
caprifigo [Do lat. *caprificu*, 'figueira brava'.] *S. m. Bot.* Figueira masculina.
caprifoliácea [Do tax. *Caprifolium* + *-ácea*; tax. *Caprifoliaceae*.] *S. f. Bot.* Espécime das caprifoliáceas, família de arbustos e arvoretas da ordem das dipsacales, de folhas opostas, por vezes estipuladas, e inflorescências cimosas, com flores que têm quatro ou cinco sépalas e pétalas imbricadas, e um ovário inferior; reúne várias espécies ornamentais, como, p. ex., a *Lonicera caprifolium* (v. *madressilva*).
caprifoliáceo [De *caprifoliácea*, com var. suf. (v. *-áceo*).] *Adj. Bot.* Pertencente ou relativo às caprifoliáceas.
capril [De *capr(i)-* + *-il*[1].] *S. m.* Lugar onde se abrigam ou criam cabras e bodes.
caprílico [Do lat. *caprile* + *-ico*[2].] *Adj. Quím.* ~ V. *ácido* —.
caprimulgídeo [Do tax. *Caprimulgus* (lat. *caprimulgus*, 'ave noturna que mama nas cabras') + *-ídeo*[1]; tax. *Caprimulgidae*.] *Zool. S. m.* **1.** Espécime dos caprimulgídeos, família de pássaros fissirrostros, de hábitos crepusculares, plumagem mole e abundante, e bico fendido e tarsos muito curtos. Reúne os bacuraus e outras espécies insetívoras. ● *Adj.* **2.** Pertencente ou relativo a eles.
caprimulgiforme [Do tax. *Caprimulgus* + *-iforme*.] *Zool. S. m.* **1.** Espécime dos caprimulgiformes, ordem de aves neórnites, neógnatas, de bico pequeno e delicado, boca larga, tarsos muito curtos, plumagem mole e frouxa; noturnas. São os bacuraus, curiangos e urutaus. ● *Adj. 2 g.* **2.** Pertencente ou relativo a eles.
caprino [Do lat. *caprinu*.] *S. m.* **1.** *Zool.* Espécime dos caprinos, grupo de mamíferos artiodáctilos no qual se reúnem as cabras e ovelhas. Chifres persistentes; herbívoros, de fácil adaptação às regiões montanhosas. ● *Adj.* **2.** Pertencente ou relativo a eles, ou à cabra ou ao bode, ou próprio de um ou de outro deles; caprum, cabrum: "É o demônio! .... Vi-o vestido de chamas, galhudo, rabudo e com os pés caprinos." (João de Araújo Correia, *Cinza do Lar*, p. 214.) [Cf. *caprídeo*.]
caprípede [Do lat. *capripede*.] *Adj. 2 g. Poét.* Que tem pés de cabra: "Gênios caprípedes e broncos / Estupram virgens hamadríades." (Manuel Bandeira, *Estrela da Vida Inteira*, p. 64.)
capro [Adapt. do lat. *capra*.] *S. m. Poét.* Bode[1] (1).
caproico (ói) [De *capr(i)-* + *-oico*[2].] *Adj. Quím.* ~ V. *ácido* —. ❖
caprolactama [Do ingl. *caprolactam* < ingl. *caproic* + *lactam* (< *lactone* + *amide*).] *S. f. Quím.* Sólido, cristalizado em escamas incolores, higroscópico, us. na obtenção das poliamidas [fórm.: $C_6H_{11}ON$].
caprum [De *capr(i)-* + *-um*[1].] *Adj. 2 g. Zool.* V. *caprino* (2).
capsa [Do lat. *capsa*.] *S. f.* Caixa cilíndrica onde se guardavam os rolos de papiro, perfumes, etc.
capsaicina [Alter. do tax. *Capsicum* (v. *cápsico*) + *-ina*[3], com infl. do lat. *capsa*, 'caixa'.] *S. f. Quím.* Substância cristalina de gosto pungente, princípio ativo de várias espécies de pimenta, como, p. ex., a malagueta [fórm.: $C_{18}H_{23}NO_3$].
capsela [Do lat. *capsella*.] *S. f.* Cápsula pequena.
cápsico [Do tax. *Capsicum*.] *S. m. Bot.* **1.** Gênero de plantas arbustivas perenes, principalmente tropicais, da família das solanáceas, largamente cultivadas pelos frutos, que são pimentas [v. *pimenta* (1 e 2)] de vários tipos. **2.** Qualquer espécie desse gênero, como, p. ex., a *Capsicum frutescens* [v. *pimenta-malagueta* (1)]. **3.** Qualquer espécime desse gênero.
capsídeo [Do lat. *capsa*, 'caixa' + *-ídeo*[3].] *S. m. Microbiol.* Invólucro proteico que encerra o material genético de um vírus.
capsómero *S. m. Microbiol.* V. *capsômero*. [Uso freq. em P.]
capsômero [Do lat. *capsa*, 'caixa', + *-mero*.] *S. m. Microbiol.* A unidade morfológica do capsídeo de um vírus.

cápsula [Do lat. *capsula.*] *S. f.* **1.** Vaso de laboratório em forma de calota esférica. **2.** Película gelatinosa, de goma, massa, etc., com que se envolvem certos medicamentos. **3.** *P. ext.* Qualquer desses medicamentos. **4.** *Astron.* Compartimento estanque que, lançado com um foguete espacial, contém os elementos ativos do lançamento — astronautas e/ou instrumentos de medição. **5.** *Microbiol.* Camada externa viscosa que circunda a parede celular de certas bactérias, e que concorre para a aderência destas ao tecido. **6.** *Bot.* Designação geral de frutos secos e deiscentes. **7.** *Bot.* Frutificação dos musgos, onde se formam os esporos. **8.** *Anat.* Designação genérica de estrutura (11) que, em parte ou inteiramente, recobre outra, ou um órgão. [Dim. irreg.: *capsela*. Cf. *capsula*, do v. *capsular*.] ◆ **Cápsula fonográfica.** V. *pickup* (1). **Cápsula suprarrenal.** *Anat.* V. *glândula suprarrenal.*

capsuláceo [De *cápsula* + *-áceo.*] *Adj. Bot.* Capsular[1].

capsular[1] [De *cápsula* + *-ar*[1].] *Adj. 2 g.* Relativo ou semelhante a cápsula; capsuláceo. ~ V. *decídua* —.

capsular[2] [De *cápsula* + *-ar*[2].] *V. t. d.* Encerrar em cápsula(s). [Pres. ind.: *capsulo, capsulas, capsula*, etc. Cf. *cápsula*.]

capsulífero [De *cápsula* + *-ífero.*] *Adj. Bot.* Que produz cápsula(s).

capsuliforme [De *cápsula* + *-iforme.*] *Adj. 2 g.* Em forma de cápsula.

captabilidade [De *captável* (*captabil-*) + *-(i)dade*, seg. o padrão erudito.] *S. f.* Qualidade ou condição do que é captável.

captação [Do lat. *captatione.*] *S. f.* Ato ou efeito de captar. [Cf. *capitação*.]

captador (ô) [Do lat. *captatore.*] *Adj. S. m.* Que, ou aquele que capta; captante.

captagem [De *captar* + *-agem*[2].] *S. f.* Ato ou efeito de captar (2).

captante [De *captar* + *-nte.*] *Adj. 2 g. S. 2 g.* Captador.

captar [Do lat. *captare.*] *V. t. d. e i.* **1.** Atrair, granjear, conquistar, empregando meios capciosos: *Com sorrisos e mesuras, captou as boas graças do chefe.* **2.** Atrair, granjear, provocar, suscitar: "A secretária captou as admirações gerais; era de ébano, um primor de talha" (Machado de Assis, *Quincas Borba*, p. 257). **3.** Aproveitar ou colher nas nascentes (água corrente). **4.** Apanhar, colher; apreender, compreender: *Não captou o sentido de minhas palavras.* **5.** Conseguir (empréstimo, patrocínio, ou investimento financeiro): *O governo conseguiu captar parte dos recursos com a iniciativa privada.* **6.** Receber (emissão ou sinal de rádio, televisão, etc.).

captatório [Do lat. *captatoriu.*] *Adj.* Relativo a captação.

captável [Do lat. *captabile.*] *Adj. 2 g.* Que se pode captar.

captor (ô) [Do lat. *captore.*] *S. m.* **1.** Aquele que captura; capturador. **2.** Aquele que procura os meios de subsistência caçando, apanhando e colecionando animais selvagens e vegetais silvestres.

captorrino [Do tax. *Captorhinus.*] *S. m. Paleont.* **1.** Gênero extinto de pequenos reptis, considerados primitivos, que surgiram no triássico, e que apresentavam dentes muito afiados. **2.** Espécie ou espécime desse gênero.

captura [Do lat. *captura.*] *S. f.* **1.** Ação ou efeito de capturar. **2.** Escolta destacada para prender condenados foragidos ou indivíduos perigosos sujeitos a medidas de segurança. **3.** *Fís. Nucl.* Processo em que um sistema nuclear, ou atômico, adquire uma partícula adicional. ◆ **Captura fluvial.** *Geogr.* Desvio natural das águas de um rio para o leito de outro.

capturador (ô) [De *capturar* + *-dor.*] *S. m.* Captor (1).

capturar [De *captura* + *-ar*[2].] *V. t. d.* **1.** Prender, deter, aprisionar: *capturar foragidos; capturar uma ave.* **2.** Apreender, arrestar.

capuaba [Do tupi.] *S. m.* **1.** *Bras.* Terreno limpo para roças. **2.** *Bras. RN PB* V. *cabana*. **3.** *Bras. RN PB P. ext.* Casa malconstruída, ou em ruína. **4.** *Bras. BA* V. *coió* (6).

capuão *S. m. Bras.* V. *capão*[2]. ◆ **Capuão de mato.** *Bras.* V. *capão*[2].

capuava [Var. de *capuaba.*] *S. m.* **1.** *Bras. MG* V. *caipira* (1). **2.** *Bras. MG* V. *cangaceiro*. **3.** *Bras. MG* V. *valentão* (3). **4.** *Bras. SP* Capoeira muito rala, de madeira branca ou só de arbustos.

capucha[1] [Conexo com o b.-lat. *capuciu* ou *caputiu* (v. *capuz*).] *S. f.* Espécie de capuz ou capote de tecido grosseiro, usado por mulheres do campo em províncias portuguesas.

capucha[2] [De *capucho*[2].] *S. f.* **1.** Ordem religiosa da regra de São Francisco. **2.** Convento dessa ordem. ◆ **À capucha.** Sem pompa; modestamente: "Fez-se o casamento à capucha e os noivos seguiram para Teresópolis" (Coelho Neto, *Obra Seleta*, I, p. 269).

capuchana *S. f. Constr. Nav.* Cobertura de lona, de brim ou de metal leve, com que se protege permanentemente uma meia-laranja (2), escotilha, motor de embarcação miúda, etc.

capuchar [De *capuch-*, por *capuz* ou por *capucha*[1] + *-ar*[2].] *V. t. d.* **1.** Pôr capuz ou capucha[1] em; cobrir com capuz. **2.** *Fig.* Encobrir, dissimular.

capuchinha [Dim. de *capucha*[1].] *S. f. Bot.* Erva tropeolácea (*Tropaeolum majus* [v. *nastúrcio* (4)]) originária do Peru, largamente cultivada no Brasil como ornamental. Caule mais ou menos prostrado; folhas grandes e peltadas; flores grandes, muito vistosas, amarelas ou vermelhas, afuniladas, e com uma longa espora no cálice. [Sin.: *chagas, flor-de-chagas, sete-chagas, chagueira, sapatinho-do-diabo.*]

capuchinho [Do it. *cappuccino.*] *S. m.* **1.** Capuz pequeno. **2.** Religioso pertencente a uma divisão da ordem franciscana, na reforma de Mateus Basci (séc. XVI); barbadinho, barbono. **3.** *Fig.* Homem que vive austeramente. ● *Adj.* **4.** *Rel.* Diz-se de capuchinho (2); barbadinho: "volta com um baú carregado de peças d'ouro que lhe rouba um administrador, antigo frade capuchinho" (Eça de Queirós, *A Ilustre Casa de Ramires*, p. 10).

capucho[1] *S. m. Bras. Bot.* V. *capulho* (2).

capucho[2] [Do it. *cappuccio.*] *Adj. S. m.* **1.** *Rel.* V. *franciscano* (1 e 5). **2.** Austero, severo. **3.** Que, ou aquele que vive solitário, afastado do trato social; misantropo.

capuena *Bras. S. 2 g.* **1.** *Etnôn.* Indivíduo dos capuenas, povo indígena extinto que habitava a região do alto rio Negro, conhecida como Boca do Cachorro (AM). ● *Adj. 2 g.* **2.** Pertencente ou relativo a esse povo. [Tb. us. como *s. 2 g. e 2 n.* (com cap.) e *adj. 2 g. e 2 n.*]

capulana [Do tsonga, poss.] *S. f. Moç.* Pano tradicional, de algodão, que as mulheres cingem à volta do corpo: "Dobrou-se ligeiramente recompondo a capulana de cores escuras que lhe cobria o corpo e a cabeça." (Marcelo Panguana, *As Vozes que Falam de Verdade*, p. 30.)

capulho [Do esp. *capullo.*] *S. m. Bot.* **1.** Invólucro da flor. **2.** Cápsula dentro da qual se forma o algodão: "ligeiras malhas tão alvas como o algodão que pendia dos capulhos estalados acima de sua masmorra" (Franklin Távora, *O Cabeleira*, p. 76). [Var. (bras.), nesta acepç.: *capucho*[1].]

capurreiro *S. m. Bras. Pop.* V. *caipira* (1).

➔**caput** ['kapod] [Lat.] *S. m.* **1.** Capítulo; parágrafo. **2.** Resumo, extrato, sumário.

caputirense *Adj. 2 g.* **1.** De, ou pertencente ou relativo a Caputira (MG). ● *S. 2 g.* **2.** O natural ou habitante de Caputira.

➔**caput medusae** ['kapod me'dusaj] [Lat.] *Loc. s. f. Patol.* Cabeça de medusa.

caputo [Do quimb. *ka-* (dim.) + *putu*, 'português', 'Portugal'.] *S. m. Angol.* **1.** V. *português* (2): "Os caputos agora estavam a fazer amizade de interesse com os cabo-verdianos" (Arnaldo Santos, *O Cesto de Katandu e Outros Contos*, p. 27). **2.** *P. ext.* As autoridades portuguesas: "Viemos com ordem do Caputo para te levarmos... | — Do Caputo para quê?... — perguntou Kahuvi com desdém. | — O chefe quer-te no posto — disseram ainda os cipaios." (Raul David, *Escamoteados na Lei*, p. 21).

caputuna [De or. obsc.] *S. f. Bras. Bot.* V. *cataguá*[1].

caputuna-preta [De *caputuna* + o f. de *preto*.] *S. f. Bras. Bot.* Pequena árvore rutácea (*Metrodorea nigra*) de cerca de 5m, de copa densa, flores em panículas vermelho-escuras e frutos lenhosos, deiscentes. [Pl.: *caputunas-pretas*.]

capuxu *S. m. Bras. Zool.* Inseto himenóptero, vespídeo, espécie de vespa social (*Chartergus ater*).

capuz [Do b.-lat. *capuciu* ou *caputiu* (< lat. *caput*, 'cabeça'), pelo ár.-hisp. *kabbūs*.] *S. m.* **1.** Cobertura para a cabeça e geralmente presa à capa, ao hábito ou a um casaco; capelo, chapeirão, bioco. **2.** *Autom.* Capô (1). [Dim. irreg.: *capuchinho*.]

capuz-de-fradinho *S. m. Bot.* Erva arácea (*Arisarum vulgare*) que chega a cerca de 30cm de altura, de folhas cordadas, hastadas e longamente pecioladas, espata purpúrea e recurvada no ápice. É muito cultivada como planta ornamental, e ocorre na região mediterrânea. [Pl.: *capuzes-de-fradinho*.]

caqueado *S. m. Bras. N.E. Chulo* Cópula (2).

caquear[1] [De *caco* (8) + *-ear*[2].] *V. int. Bras. RJ Teatr. Gír.* Introduzir cacos [v. *caco* (8)] em uma peça teatral: *Muitos atores têm a mania de caquear.* [Conjug.: v. *frear*.]

caquear[2] *V. t. d. Int. Bras. Pop.* Procurar às cegas; tatear: "Saltei para uma banda, caqueei pelo chão, e dei com a pedra." (José Vieira, *Vida e Aventura de Pedro Malasarte*, p. 143.) [Conjug.: v. *frear*.]

caqueirada [De *caqueiro* + *-ada*[1].] *S. f.* **1.** Grande porção de caqueiros. **2.** Arremesso de caqueiros ou pancada com eles. **3.** *Bras. Gír.* V. *bofetada* (1). ◆ **E caqueirada.** *Bras. Gír.* V. *e lá vai fumaça*.

caqueiro [De *caco* (c = qu) + *-eiro*.] *S. m.* **1.** Caco (2). ● *Adj.* **2.** *Lus.* Que quebra louça com muita frequência: "D. Flávia não suportava criadas caqueiras" (Aquilino Ribeiro, *Lápides Partidas*, p. 89).

caquemono [Do jap. *kakemono.*] *S. m. Art. Plást.* Gênero de pintura japonesa sobre pano, papel, esteira, etc., em forma de rolo, com uma haste roliça de madeira ou marfim nas extremidades, e destinada a ficar enrolada, só sendo exposta em certas ocasiões. [Cf. *maquemono*.]

caquera (ê) [Do tupi 'planta que dorme'.] *S. f. Bras. Bot.* V. *mata-pasto* (1).

caquerejar [T. onom.] *V. int. T. d.* V. *cacarejar*: "Por toda essa antiga Europa Riel, se veem multidões de politiquetes e de politicões enflorados, emplumados, atordoadores, caquerejando infernalmente, de crista alta." (Eça de Queirós, *Notas Contemporâneas*, p. 161.) [Normalmente não se conjuga nas 1.as pess. Conjug.: v. *pelejar*.]

caquético[1] [Do lat. *cachecticu* < gr. *kachektikós*.] *Adj.* Relativo à caquexia, ou que dela sofre.

caquético[2] [De *caquético*[1], por analogia, ou de *caco* + *-ético*.] *Adj. Bras. Gír.* **1.** Diz-se de, relativo a, ou próprio de indivíduo muito acabado e/ou muito envelhecido. **2.** Que está, ou se apresenta em péssimo estado. **3.** Horrível, ruim.

caquexia (cs) [Do lat. *cachexia* < gr. *kachexía*.] *S. f. Med.* Estado de desnutrição profunda produzida por diversas causas.

caqui [Do jap. *kaki*.] *S. m.* O fruto do caquizeiro, constituído por bagas grandes, vermelhas e doces. [Var. pros. (no RS): *cáqui*. Sin., lus.: *dióspiro*. Cf. *cáqui*.]

cáqui[1] [Do urdu *kaki*, pelo ingl. *khaki*.] *Adj. 2 g. e 2 n.* **1.** Cor de barro: "terno de brim cáqui" (Pedro Nava, *Beira-mar*, p. 26); "Usava farda cáqui" (Id., *ib.*, loc. cit.). ● *S. m.* **2.** Brim dessa cor: "As dez em ponto chegou o impecável Policarpo Novais, sempre de cáqui" (Id., *ib.*, p. 31). [Cf. *caqui*.]

cáqui[2] *S. m. Bras. RS* V. *caqui*.

caquinação [De *caquinar* + *-ção*.] *S. f. Psiq.* Ação de rir excessivamente, histericamente.

caquinar [Do lat. *cachinare*, 'dar risadas'.] *V. t. d. Int.* V. *casquinar*.

caquizeiro [De *caqui* + *-zeiro*.] *S. m. Bras. Bot.* Árvore ebenácea (*Diospyros kaki*) frutífera, muito cultivada no Brasil, e cujos frutos são bagas grandes, vermelhas e doces.

cara [Do gr. *kára*, 'cabeça', pelo lat. tard. *cara*, poss.] *S. f.* **1.** A parte anterior da cabeça; rosto. **2.** Semblante, fisionomia. **3.** A parte oposta à coroa, geralmente com uma efígie, em certas moedas. **4.** *Fig.* Aspecto, aparência, ar: *O doente está de boa cara; O bife está com boa cara.* **5.** Ousadia, coragem: *Não tem cara de vir até aqui.* ● *S. m. Bras. Gír.* **6.** Pessoa que não se conhece. **7.** Indivíduo, sujeito: "já era de noite e eu estava no posto dois com esse cara chamado Fabinho" (Rubem Fonseca, *A Coleira do Cão*, p. 168). **8.** Forma de tratamento com que nos dirigimos a alguém com familiaridade: "Eu vou te amar tanto | .... Você vai ver, o cara .... | Ela achava muita graça cada vez que ele a chamava de cara." (Ana Maria Machado, *Alice e Ulisses*, p. 51). ◆ **Cara a cara.** V. *face a face*: "O mundo pertence-me. Pertence-me e olho-o cara a cara sem desviar o olhar." (Raul Brandão, *Húmus*, p. 83.) **Cara amarrada.** V. *cara de poucos amigos*. **Cara de bolacha doce.** *Bras. CE Pop.* Cara larga. **Cara de enterro.** Fisionomia triste, compungida, de quem acompanha enterro. **Cara de fuinha.** *Fam.* Cara miúda e enfezada. **Cara de lua cheia.** Cara muito redonda. **Cara de pacamão de enxurrada.** *Bras. PE Pop.* Cara feia demais. **Cara de patíbulo.** Expressão sinistra, macambúzia: "— .... Já me estragaste o paladar com essa cara de patíbulo, não me azedes agora a noite..." (Aquilino Ribeiro, *Lápides Partidas*, p. 39.) **Cara de poucos amigos.** Aquela que indica má disposição de ânimo; cara amarrada, má cara. **Cara de quem comeu e não gostou.** Aquela que indica má vontade, irritação. **Cara de réu.** Fisionomia fechada, carrancuda: "O pai entrou pela porta da cozinha, com uma cara de réu, de tão feia." (Rute Guimarães, *Água Funda*, p. 171.) **Cara de tacho.** *Bras. Fam.* Fisionomia própria de quem está desapontado, de quem fica sem saber que fazer. **Cara de um e focinho de outro.** Diz-se de duas pessoas muito parecidas. **Amarrar a cara.** *Bras. Fam.* Zangar-se, amuar-se, carregando as feições; entronchar a cara, fechar a cara. **Andar de cara à banda.** Sentir-se decepcionado, envergonhado ou despeitado; ficar de cara à banda. **Atirar à cara de.** V. *lançar em rosto a* (1). **Bater com a cara na porta.** V. *dar com a cara na porta*. **Com a cara no chão.** Em situação penosa, ou vexatória, como a de quem prometeu e não pôde cumprir. **Como a cara de (alguém).** *Pej.* Usa-se para dizer que alguém fez ou faz algo de modo imperfeito ou defeituoso: "— Governou como a cara dele! atalhou tio Cosme, cedendo a antigos rancores políticos." (Machado de Assis, *Dom Casmurro*, p. 9.) **Dar as caras.** Aparecer (pessoa). **Dar com a cara na**

porta. 1. Encontrar fechada uma loja, uma casa, etc.; bater com a cara na porta. **2.** Não encontrar certo alguém onde ele deveria estar, ou por este não ser recebido; bater com a cara na porta. **Dar de cara com.** Encontrar-se subitamente em presença de alguém ou de alguma coisa; dar de rosto com: "O porteiro .... havia acionado os policiais tão prontamente que, ao chegarem ao teto, os dois ladrões deram de cara com a polícia." (Beatriz Schiller, em *Jornal do Brasil*, 04.11.1981.) **De cara.** V. *de saída.* **De cara cheia.** *Bras. Pop.* Bêbedo, embriagado: "– Vou refrescar-me um bocado. Compre uma garrafa de pinga e leve para lá. De cara cheia o rendimento é outro." (Humberto Crispim Borges, *Cacho de Tucum*, p. 100.) **De cara limpa.** *Bras. Pop.* Sóbrio. [Cf. *de cara cheia.*] **De cara pendurada.** Com o semblante triste ou preocupado: "Vi-o vir tão de cara pendurada que pensei se andaria à procura de quarto." (José Saramago, *Viagem a Portugal*, p. 187.) **De meia cara.** *Bras.* Sem pagar. **Desmanchar a cara.** *Bras.* Desfazer o ar carrancudo. **Encher a cara.** *Bras. Pop.* V. *embriagar* (4): "Fica aí enchendo a cara enquanto o cafajeste está lá sozinho com a Edite." (Adriana Falcão, *A Comédia dos Anjos*, p. 32). **Encher a cara de.** *Bras. Pop.* Ingerir em grande quantidade (bebida alcoólica): "o secreta enchera a cara de cachaça." (Jorge Amado, *Dona Flor e Seus Dois Maridos*, p. 394). **Enfiar a cara no mundo.** V. *fugir* (1 e 2). **Entrar com a cara.** *Bras. Fam.* V. *entrar com o corpo.* **Entrar com a cara e a coragem.** *Bras. Fam.* V. *entrar com o corpo.* **Entronchar a cara.** *Bras.* V. *amarrar a cara*: "A dona da pensão entronchava a cara, gritava para as outras, com indiretas para ela." (José Lins do Rego, *Banguê*, p. 29.) **Estar na cara.** *Bras. Fam.* Estar claríssimo; ser de toda a evidência: *Está na cara que ele é o culpado*; "Está na cara que Lisboa vai ser um osso mais duro de roer" (José Saramago, *História do Cerco de Lisboa*, p. 188) **Fechar a cara.** Amarrar a cara. **Ficar com a cara de pau.** *Bras.* Ficar desapontado. **Ficar de cara à banda.** V. *andar de cara à banda.* **Ir com a cara de.** V. *não ir com.* **Livrar a cara.** *Bras. Fam.* Conseguir sair-se bem de alguma coisa. **Livrar a cara de.** *Bras. Pop.* **1.** Tirar (alguém) de situação embaraçosa ou difícil; defender: "A família soube do episódio e pôs a boca no mundo e não deu para livrar completamente a cara do Paulo Aguiar." (Rubem Fonseca, *Agosto*, p. 68.) **2.** Acobertar alguém, procurar livrá-lo da culpa ou da punição por um erro, delito ou mau-passo: *Embora soubesse dos deslizes do filho, sempre livrava a cara dele.* **Má cara.** V. *cara de poucos amigos*: "Foi Henriqueta que o recebeu, e, para ser sincero, devo dizer que o recebeu de má cara." (Machado de Assis, *Obra Completa*, 3º vol., p. 14.) **Meter a cara. 1.** *Bras.* Entrar em algum lugar sem hesitação, sem cerimônia. **2.** Atrever-se, atirar-se, ousar. **Meter a cara em.** *Bras. Pop.* Fazer (algo) com grande interesse ou paixão; empenhar-se com afinco em: *Meteu a cara nos estudos e conseguiu a aprovação.* **Não livrar a cara de.** *Bras. Fam.* Não poupar (3). **Não saber onde enfiar a cara.** Sentir-se muito envergonhado; não saber onde meter a cara: "No próximo corte de cabelo não sabiam onde enfiar a cara e se desculparam muito" (Carlos Morais, *Agora Deus Vai Te Pegar lá Fora*, p. 46). **Não saber onde meter a cara.** V. *não saber onde enfiar a cara.* **Passar na cara.** *Bras. Gír.* Ter relações sexuais com; copular com; passar nos peitos: "De um conde italiano a um marinheiro das profundas caldeiras do porão, de um gigolô marselhense a uma múmia egípcia, o que estiver disponível em forma de homem neste navio, a mamãe aqui há de passar na cara, não tem talvez." (Fernando Sabino, *A Falta Que Ela Me Faz*, p. 124.) **Quebrar a cara.** *Bras. Fam.* **1.** Não alcançar o que esperava, ou, contra a vontade, perder o que tinha; sofrer decepção ou malogro; malograr-se, frustrar-se, falhar, fracassar. **2.** Passar por vergonha ou vexame. **Ser a cara de.** Parecer-se muito com (o pai, a mãe, o tio, etc., ou com qualquer outra pessoa); ser outra vez: *O pequeno é a cara do pai.* **Ter a cara de.** *Pop.* **1.** Assemelhar-se a, parecer: *Sua prima tinha cara de fuinha.* **2.** Dar a impressão de, aparentar ser: *Ela tinha cara de falsa.* **Ter duas caras.** *Pop.* Ser falso, desonesto ou desleal. **Torcer a cara a.** V. *torcer o nariz a*: "Parece que, procurando-nos, as coisas não nos vêm. O destino torce a cara àqueles que o importunam." (Ciro dos Anjos, *A Menina do Sobrado*, p. 400.)

cará [Do tupi.] *S. m.* **1.** *Bras. Zool.* V. *acará*[1] (1). **2.** *Bras. Bot.* Designação comum a várias espécies dioscoreáceas, providas de tubérculos alimentares, e de que algumas são ornamentais; caranambu, caratinga. **3.** *Bras. Bot.* Inhame-da-china. **4.** Tubérculos dessas plantas. **5.** *Bras. RS* Modalidade de fandango (7).

carabídeo [Do tax. *Carabus* (< gr. *kárabos*, 'certo tipo de besouro'), + *-ídeo*[1]; tax. *Carabidae*.] *Zool. S. m.* **1.** Espécime dos carabídeos, família de coleópteros com distribuição universal, que reúne besouros de corpo achatado, de tamanho e cor variáveis; ger. predadores, vivem sob as cascas das árvores, pedras e troncos. Os mais conhecidos são do gênero *Calosoma.* • *Adj.* **2.** Pertencente ou relativo a eles.

carabina [Do fr. *carabine.*] *S. f.* Espingarda estriada; fuzil. [Var.: *clavina, cravina.* Cf. *carambina.*]

carabinada [De *carabina* + *-ada*[1].] *S. f.* Tiro ou sucessão de tiros de carabina.

carabineiro [De *carabina* + *-eiro.*] *S. m.* **1.** Soldado armado de carabina. **2.** Fabricante de carabinas.

caraca[1] [Var. sincopada de *cataraca.*] *S. f. Bras. Pop.* Secreção nasal ressequida; cataraca.

caraca[2] *S. f. Bras. Zool.* V. *bálano*[2] (2).

caracá *S. m. Bras. Bot.* V. *criciúma.*

caraça [De *cara* + *-aça.*] *S. f.* **1.** Máscara de papelão; carranca. **2.** *Fig.* Cara larga e cheia: "era um figurão baixo, reboludo, de pancinha soprada, caraça balofa com manchas vermelhas" (José Gomes Ferreira, *O Mundo dos Outros*, p. 177). **3.** V. *carantonha.* • *S. m.* **4.** Boi ou cavalo com malha branca no focinho.

caracará [Do tupi.] *S. m. Bras. Zool.* V. *carancho.* [Var.: *carcará.*]

caracará-branco *S. m. Bras. Zool.* V. *gavião-carrapateiro.* [Pl.: *caracarás-brancos.*]

caracaraí [Do tupi = 'gavião pequeno'.] *S. m. Bras. Zool.* Ave falconiforme falconídea (*Daptrius ater*), da região setentrional da América do Sul, de coloração preta, sendo a parte basal de cauda branca e a pele nua da cabeça, encarnada; corocoturi, grogoturi.

caracaraiense (a-i) *Adj. 2 g.* **1.** De, ou pertencente ou relativo a Caracaraí (RR). • *S. 2 g.* **2.** O natural ou habitante de Caracaraí.

caracará-preto *S. m. Bras. Zool.* V. *cancã*[2] (2). [Pl.: *caracarás-pretos.*]

caracaratinga [De *caracará* + *-tinga.*] *S. m. Bras. Zool.* V. *gavião-carrapateiro.*

caraças [Pl. de *caraça*, poss.] *Interj. Lus.* **1.** Denota impaciência, indignação: "– Por amor de Deus, Luís, diz-me que a cidade, a 'capital' desta terra, caraças, não é só isto, até onde a vista alcança!" (Miguel Sousa Tavares, *Equador*, p. 293.) ◆ **Do caraças.** *Lus. Pop.* Diz-se de algo espetacular, excepcional.

caracateie *Bras. S. 2 g.* **1.** *Etnôn.* Indivíduo dos caracateies [ou (etnôn. bras.) *Karákateye, *Kanakateyê], povo indígena extinto, da subfamília timbira, da família linguística jê, tronco macro-jê, que habitava as margens do rio Grajaú (MA). • *Adj. 2 g.* **2.** Pertencente ou relativo a esse povo.

caracatinga [Var. haplológica de *caracaratinga.*] *S. m. Bras. Zool.* V. *gavião-carrapateiro.*

caracaxá [De or. afr.; voc. onom.] *S. m. Bras. RS* **1.** *Mús.* V. *reco-reco* (1). **2.** Chocalho com que se distraem criancinhas. [Var.: *cracaxá.*]

carácea [Do tax. *Chara* + *-ácea*; tax. *Characeae.*] *S. f. Bot.* Espécime das caráceas, família de algas verdes, macroscópicas, de água doce, com um talo central, ger. incrustado de carbonato de cálcio, de onde saem pequenos ramos, e que se assemelha aos espécimes do gênero equisseto.

caráceo [De *carácea*, com var. suf. (v. *-áceo*).] *Adj. Bot.* Pertencente ou relativo às caráceas.

cara-chupada *S. 2 g.* Pessoa de rosto muito magro: "num repente, naquele mar de cabeças, lhe caem os olhos no cara-chupada do estudante de Escariz" (João da Silva Correia, *Farândola*, p. 71). [Pl.: *caras-chupadas.*]

caracídeo [Do lat. cient. *Charac-* (< tax. *Charax* < gr. *chárax*, 'estaca', 'certo peixe do mar') + *-ídeo*[1]; tax. *Characidae.*] *Zool. S. m.* **1.** Espécime dos caracídeos, grande família de peixes caraciformes de água doce, com cerca de 152 gêneros e 776 espécies, muitos deles providos de nadadeira adiposa, e que ocorrem do S. do Texas (E.U.A.) à América do Sul. Há várias espécies ornamentais e a família tb. inclui as piranhas. • *Adj.* **2.** Pertencente ou relativo a eles.

caraciforme [Do lat. cient. *Charac-* (v. *caracídeo*) + *-iforme*; tax. *Characiforme.*] *Zool. S. m.* **1.** Espécime dos caraciformes, grande ordem de peixes ostariofisos, de água doce, com cerca de 1.400 espécies, de hábitos alimentares diversos, que ocorrem nas Américas e na África. • *Adj. 2 g.* **2.** Pertencente ou relativo a eles.

caraco *S. m. Bras. MG* Alcunha dos castelhanos e também dos platinos.

caracol [Da mesma or. incerta que o esp. *caracol*; poss. de uma raiz express. *cacar-.*] *S. m.* **1.** *Zool.* Designação comum a moluscos gastrópodes, terrestres, pulmonados, pequenos e de concha espiralada, fina e achatada. Os mais conhecidos são os do gênero *Helix.* [Sin. (bras.), nesta acepç.: *catassol.*] **2.** Caminho ou rua que sobe morro ou colina em zigue-zagues, ou em espiral. **3.** Anel de cabelo enrolado em espiral. **4.** A flor do caracoleiro. **5.** *Anat.* Cóclea[2]. **6.** *Geom.* Caracol de Pascal. [Pl.: *caracóis.*] ◆ **Caracol de Pascal.** *Geom.* Lugar geométrico plano descrito por um ponto que pertence a uma reta girante em torno de um ponto fixo, e que está a uma distância constante da intersecção da reta com uma circunferência que passa pelo ponto fixo. [Tb. se diz apenas *caracol.*] **Caracol nodal.** *Geom.* Caracol de Pascal cujo ponto gerador é interno à circunferência, dando origem a uma curva com um nó. **Não valer dois caracóis.** Não valer um caracol: "Como atriz não prestava para nada, como cantora não valia dois caracóis" (Artur Azevedo, *Contos Cariocas*, p. 238). **Não valer um caracol.** Ter muito pouco ou nenhum valor; não valer dois caracóis.

caracolar [De *caracol* + *-ar*[2].] *V. int.* **1.** Mover-se em hélice ou em espiral. **2.** Curvetear (a cavalgadura). *T. d.* **3.** Fazer (a cavalgadura) curvetear. [Sin. ger.: *caracolear.*]

caracolear [De *caracol* + *-ear*[2].] *V. int. T. d.* V. *caracolar.* [Conjug.: v. *frear.*]

caracoleiro [De *caracol* + *-eiro.*] *S. m. Bras. Bot.* Trepadeira fabácea (*Vigna caracalla*) ornamental, de flores variegadas; tripa-de-galinha.

caracolense *Adj. 2 g.* **1.** De, ou pertencente ou relativo a Caracol (MS e PI). • *S. 2 g.* **2.** O natural ou habitante de Caracol.

carácter *S. m.* V. *caráter.* [Uso freq. em P.]

caractere [Do lat. *charactere* < gr. *charaktér.*] *S. m.* **1.** Qualquer dígito numérico, letra do alfabeto, código de controle ou símbolo especial, pertencente a um sistema específico de codificação; caráter. **2.** *P. ext.* Qualquer símbolo ou sinal convencional empregado na escrita; caráter: "A escritura chinesa tem cinquenta mil caracteres, repartidos por dezessete classes, e muitos mandarins encanecem sem tê-los aprendidos todos." (Carlos de Laet, *Obras Seletas*, I, p. 35.); *caracteres egípcios.* **3.** *P. ext.* V. *tipo*[1] (12). [Pl.: *caracteres.*] ◆ **Caractere alfanumérico.** *Inform.* Qualquer dígito numérico ou letra do alfabeto (ou, eventualmente, um símbolo especial, como letra acentuada) que pertence a um sistema específico de codificação. **Caractere transferível.** *Art. Gráf.* Caractere (1 e 2) impresso em folha-suporte de plástico transparente e transportável para qualquer superfície lisa segundo o princípio da decalcomania; caráter transferível, letraset, letra transferível.

caracteres *S. m. pl.* **1.** Elementos individualizadores de uma pessoa, animal ou coisa. **2.** *Telev.* Material textual (legendas, créditos, títulos, etc.) us. na apresentação de um programa de televisão. ~ V. *caráter* e *caractere.* ◆ **Caracteres móveis.** *Art. Gráf.* Conjunto de tipos [v. *tipo* (11)]. **Caracteres tipográficos.** *Art. Gráf.* Conjunto de tipos [v. *tipo* (11 e 12)].

característica [F. subst. de *característico.*] *S. f.* **1.** V. *característico* (2): "A característica marcante da arte moderna é que ela se tornou acessível à compreensão do homem comum." (Euríalo Canabrava, *Estética da Crítica*, p. 88.) **2.** *Mat.* A parte inteira de um logaritmo decimal. [Cf., nesta acepç.: *mantissa.*] **3.** *Eng. Elétr.* Curva característica (q. v.). **4.** *Lóg.* V. *atributo* (9). [Var.: *caraterística.*] ◆ **Característica de transferência.** *Eng. Elétr.* Curva que caracteriza a relação entre a tensão de saída e a tensão de entrada de um circuito elétrico.

característico [Do gr. *charakteristikós.*] *Adj.* **1.** Que caracteriza ou distingue. ~ V. *curva —a, determinante —, função —a, peça —a, raiz —a* e *valor —.* • *S. m.* **2.** Aquilo que caracteriza; distintivo, particularidade, característica. **3.** *Teatr.* Ator que representa papéis típicos. [Var.: *caraterístico.*]

caracterização [De *caracterizar* + *-ção.*] *S. f.* **1.** Ato ou efeito de caracterizar(-se). **2.** *Cin. Teatr. Telev.* Arte e técnica que, por meio de recursos materiais (maquilagem, máscaras, indumentária, etc.), conferem ao ator características físicas que completarão o personagem que ele vai representar. **3.** O Conjunto dos elementos us. na caracterização (2), ou o seu efeito. [Var.: *caraterização.*]

caracterizado [Part. de *caracterizar.*] *Adj.* **1.** Assinalado, marcado. **2.** Que tem certas qualidades ou qualificações; qualificado, distinto. **3.** *Teatr.* Com o rosto pintado ou trajado para representar personagem que se quer figurar. [Var.: *caraterizado.*]

caracterizador (ô) [De *caracterizar* + *-dor.*] *Adj.* **1.** Que caracteriza ou serve para caracterizar; caracterizante. • *S. m.* **2.** Aquele ou aquilo que caracteriza. [Var.: *caraterizador.*]

caracterizante [De *caracterizar* + *-nte.*] *Adj. 2 g.* Caracterizador (1). [Var.: *caraterizante.*]

caracterizar [Do gr. *charakterízein*, pelo lat. med. *characterizare.*] *V. t. d.* **1.** Pôr em evidência o caráter de; assinalar, distinguir: *O poder de síntese caracteriza sua obra*; "A linguagem é um dos meios de que o romancista dispõe para caracterizar seus personagens." (Maria Nazaré Lins Soares, *Machado de Assis e a Análise da Expressão*, p. 24). **2.** Descrever com propriedade, assinalando os caracteres de: *caracterizar uma enfermidade.* **3.** *Cin. Teatr. Telev.*

Fazer a caracterização (2) de (o ator). *P.* **4.** Assinalar-se, distinguir-se: 🕮 "A Idade Média se caracteriza pelo feudalismo, pelas corporações, pelas universidades e pela Igreja, isto é, um extraordinário contexto de instituições independentes e variadas, a dar-nos a primeira civilização institucional da história." (Anísio Teixeira, *A Universidade e a Liberdade Humana*, p. 15.) **5.** *Cin. Teatr. Telev.* Submeter-se (o ator) à caracterização (2). [Var.: *caraterizar*.]

caracterizável [De *caracterizar* + *-vel*.] ***Adj. 2 g.*** Que se pode caracterizar; distinguível: 🕮 "Não se pode dizer, afinal, que não seja caracterizável no romance a diferença entre as duas ordens de conhecimento, o artístico e o científico." (Temístocles Linhares, *Introdução ao Mundo do Romance*, p. 7.) [Var.: *caraterizável*.]

caracterologia [Do gr. *charaktér*, 'impressão', 'marca', 'caráter', + *-o-* + *-logia*.] ***S. f.*** Ramo da psicologia que estuda os diferentes tipos dos caracteres humanos e sua formação. [Var.: *caraterologia*.]

caracterológico [De *caracterologia* + *-ico*[2].] ***Adj.*** Relativo à caracterologia. [Var.: *caraterológico*.]

caracu [Do guar. = 'tutano'.] ***Adj. 2 g.*** *Bras.* **1.** *Zool.* Diz-se de raça bovina de pelo curto e de colorido uniforme e arruivado. ● ***S. m.*** **2.** *Zool.* Espécime dessa raça. **3.** O tutano ou medula dos ossos. **4.** *Bras. RS Pop.* Coragem, bravura.

caracul [Do top. *Karakul*.] ***S. m.*** **1.** *Zool.* Variedade de carneiro da Ásia central, de velo encaracolado desde o nascimento. **2.** A pele curtida, macia e ondulada, desse animal morto com mais de cinco dias. [Cf. *astracã*.]

cara de açúcar ***S. m.*** *Bras. N.E.* Prisma de açúcar branco em rama, com formas mais ou menos artísticas, com que os senhores de engenho presenteavam amigos. [Pl.: *caras de açúcar*.] ☑

cará-de-caboclo ***S. m.*** *Bras. N. a L. Bot.* Trepadeira amarilidácea (*Bomarea salsilloides*) ornamental, de flores amarelo-purpúreas. [Pl.: *carás-de-caboclo*.]

cará-de-folha-colorida ***S. m.*** *Bras. Bot.* V. *caratinga*[1] (1). [Pl.: *carás-de-folha-colorida*.]

cara de gato ***S. f. e m.*** *Bras. Esport. Gír.* Em jogo, vitória absoluta sobre o adversário, que não conseguiu marcar nenhum ponto. [Pl.: *caras de gato*.] ☑ notas 1 e 2

cara-de-gato ***S. f. e m.*** *Bras. Zool.* Peixe marinho, actinopterígio, perciforme, carangídeo (*Carangops amblyrhincus*). [Pl.: *caras-de-gato*.]

cara de mamão-macho ***S. 2 g.*** *Bras. Pop.* Pessoa de rosto comprido ou chupado; mamão-macho. [Pl.: *caras de mamão-macho*.] ☑

cara de pau ***Adj. 2 g. S. 2 g.*** **1.** *Bras.* V. *caradura* (1, 2, 6 e 7). ● ***S. f.*** **2.** Falta de vergonha; sem-vergonhice: 🕮 "a dinâmica e o sistema de alianças que produziram esse quadro, ..., só conseguem aprofundar a lógica, ... com requintes de selvageria, cara de pau e barbárie (Lúcia Souto, em *O Globo*, 07.04.2000). ● ***S. m.*** **3.** *Bras. BA Folcl.* V. *carranca* (5). [Pl.: *caras de pau*.] ☑

cará-de-pele-branca ***S. m.*** *Bras. Bot.* V. *caratinga*[1] (1). [Pl.: *carás-de-pele-branca*.]

cará-do-ar ***S. m.*** *Bot.* Trepadeira dioscoreácea (*Dioscorea bulbifera*) de flores cordiformes, bulbilhos aéreos, axilares, flores em cápsulas oblongas; os bulbilhos e tubérculos são comestíveis, e têm propriedades diuréticas. [Sin.: *batata-de-rama*. Pl.: *carás-do-ar*.]

caradriida [Do tax. *Charadrius* + *-ida*[1].] ***S. m. Adj. 2 g.*** *Zool.* V. *caradriídeo*.

caradriídeo [Do tax. *Charadrius* (< lat. *charadrius*, 'certo pássaro') + *-ídeo*[1]; tax. *Charadriidae*.] *Zool.* ***S. m.*** **1.** Espécime dos caradriídeos, família de aves caradriiformes, caracterizadas por terem o bico alongado, fino (menos de 0,2m de largura na base) e unha do dedo posterior alongada. Vivem nas praias cobertas de areia ou de lama, alimentam-se de vermes e artrópodes, e nidificam no solo. São os maçaricos e tetéus. ● ***Adj.*** **2.** Pertencente ou relativo a eles. [Sin. ger.: *caradriída*.]

caradriiforme [Do tax. *Charadrius* + *-iforme*; tax. *Charadriiformes*.] *Zool.* ***S. m.*** **1.** Espécime dos caradriiformes, ordem de aves neórnites, neógnatas, de asas que parecem bilobadas e hálux pequeno e alto. Há espécimes de patas longas e fracas e dedos livres, e outras de pés palmados e patas curtas. São na maioria aves praianas, marinhas ou de água doce, que buscam alimentação na areia, lama, ou águas rasas; há várias espécies migratórias. São as gaivotas, trinta-réis, narcejas, batuíras e outras. ● ***Adj. 2 g.*** **2.** Pertencente ou relativo a eles. [Sin. ger.: *limícola*.]

carádrio [Do tax. *Charadrius*.] ***S. m.*** *Zool.* **1.** O gênero-tipo dos caradriídeos. **2.** Qualquer espécie desse gênero, como, p. ex., a vulgarmente chamada *maçarico* (4). **3.** Qualquer espécime desse gênero.

caradura [De *cara* + o f. do adj. *duro*.] ***S. 2 g.*** *Bras.* **1.** Pessoa cínica, impudente, sem-vergonha. **2.** Indivíduo de modos excessivamente desembaraçados; descarado. [Sin. de 1 e 2: *cara de pau*, *cara-lisa*, *cara-seca*.] ● ***S. m.*** **3.** *Bras.* Palito fosfórico, cuja cabeça é formada por um produto pirotécnico semelhante ao fogo de bengala. **4.** *Obsol.* Bonde misto. **5.** O banco que, nos bondes de passageiros, fica de frente para os demais. ● ***Adj. 2 g.*** **6.** Diz-se de pessoa cínica, sem-vergonha; cara de pau, cara-seca. **7.** Diz-se de indivíduo de modos excessivamente desembaraçados; descarado, cara de pau, cara-seca.

caradurismo [De *caradura* + *-ismo*.] ***S. m.*** *Bras.* **1.** Falta de vergonha; desfaçatez, cinismo, desvergonha. **2.** Desembaraço excessivo; descaramento.

carafá ***S. m.*** *Bras. RS Bot.* Espécie de taquara fina, muito usada em cercas e capoeiras.

carafauiana *Bras.* ***S. 2 g.*** **1.** *Etnôn.* Indivíduo dos carafauianas [ou (etnôn. bras.) *Karafawyana], povo indígena da família linguística caraíba, que habita terras fronteiriças do PA e do AM. ● ***Adj. 2 g.*** **2.** Pertencente ou relativo a esse povo.

cara-fechada ***S. f.*** *Bras.* Pão de açúcar consistente. [Pl.: *caras-fechadas*. Cf. *cara-quebrada*.]

carafuz ***S. 2 g. Adj. 2 g.*** *Bras.* V. *cafuzo* (1, 2 e 4).

carafuzo [De *cara fusca*, poss.] ***S. m. Adj.*** *Bras.* V. *cafuzo* (1, 2 e 4).

carago [De *caraco*.] ***S. m.*** *Deprec.* Espanhol da Galiza; galego.

caraguatá [Do tupi = 'carauá duro'.] ***S. m.*** *Bras. Bot.* V. *gravatá*.

caraguatá-açu [De *caraguatá* + *-açu*.] ***S. m.*** *Bras. Bot.* V. *caraguatá-piteira*. [Pl.: *caraguatás-açus*.]

caraguatal [De *caraguatá* + *-al*[1].] ***S. m.*** **1.** *Bras. S.* Quantidade mais ou menos considerável de caraguatás dispostos proximamente entre si; caraguatazal. **2.** Área ocupada por caraguatal (1).

caraguatá-piteira [De *caraguatá* + *piteira*[1].] ***S. m.*** *Bras. Bot.* Planta bromeliácea (*Bromelia plumieri*) herbácea de cujas folhas, ensiformes, coriáceas, se extrai fibra sedosa, própria para cordoaria, tapetes, capachos e mantas para sela; caraguatá-açu, caruatá-açu, curuatá-açu, gravatá-açu. [Pl.: *caraguatás-piteiras* e *caraguatás-piteira*.]

caraguatatubense ***Adj. 2 g.*** **1.** De, ou pertencente ou relativo a Caraguatatuba (SP). ● ***S. 2 g.*** **2.** O natural ou habitante de Caraguatatuba.

caraguatazal (tà) [De *caraguatá* + *-zal*.] ***S. m.*** *Bras. S.* Caraguatal.

caraí [Do tupi.] ***S. m.*** *Bras. Zool.* V. *macaco-da-noite*.

caraiai (a-i-a) *Bras.* ***S. 2 g.*** **1.** *Etnôn.* Indivíduo dos caraiais [ou (etnôn. bras.) *Karahiahy], povo indígena extinto, da família linguística aruaque, que habitava a região do rio Negro (AM). ● ***Adj. 2 g.*** **2.** Pertencente ou relativo a esse povo. [Sin. ger.: *cariaí*.]

caraíba[1] [Do tupi = 'astuto', 'inteligente', 'sábio'.] ***S. f.*** *Bras.* **1.** Designação que os índios davam ao homem branco, ao europeu. **2.** Coisa sobrenatural.

caraíba[2] [Do tupi.] ***S. m.*** *Bras. Bot.* **1.** Pequena árvore bignoniácea (*Tabebuia caraiba*) de madeira útil, casca amarga com propriedades febrífugas, flores amarelas e frutos capsulares; caraúba, caraúba-do-campo, carauibeira, craúba, ipê-amarelo-do-cerrado, paratudo, pau-d'arco-do-campo. **2.** Árvore boraginácea (*Cordia calocephala*) de madeira útil, folhas crenadas, flores alvas, campanuliformes, e frutos drupáceos; claraíba, grão-de-galo. **3.** Árvore boraginácea (*Cordia insignis*) com propriedades emolientes, flores em cimeiras terminais, frutos drupáceos, edules, e madeira de boa qualidade; claraíba, grão-de-galo.

caraíba[3] ***S. 2 g.*** **1.** Indivíduo dos caraíbas [ou (etnôn.) *Karib], povo indígena que, à chegada dos colonizadores europeus, habitava as Pequenas Antilhas, a região das Guianas e parte do litoral centro-americano, e que ainda hoje tem descendentes nas regiões dos rios Amazonas e Orinoco. ● ***S. m.*** **2.** *Gloss.* Grande família linguística que reúne línguas faladas por diversos povos indígenas que habitam o N. do rio Amazonas, a Colômbia, as Guianas, e ao longo do vale do rio Xingu, até o rio Paranatinga. ● ***Adj. 2 g.*** **3.** Pertencente ou relativo a caraíba[3] (2) ou aos caraíbas.

caraibense (a-i) ***Adj. 2 g.*** **1.** De, ou pertencente ou relativo a Caraíbas (BA). ● ***S. 2 g.*** **2.** O natural ou habitante de Caraíbas.

caraiense (a-i) ***Adj. 2 g.*** **1.** De, ou pertencente ou relativo a Caraí (MG). ● ***S. 2 g.*** **2.** O natural ou habitante de Caraí.

cara-inchada [De *cara* + o f. de *inchado*.] ***S. f.*** *Bras.* Epizootia que ataca os equídas. [Pl.: *caras-inchadas*.]

carainha (a-í) [De or. tupi, poss.] ***S. m.*** *Bras. PA Zool.* V. *caranho* (1).

caraípa [Do tax. *Caraipa* (de um indigenismo da América do Sul).] ***S. f.*** *Bot.* **1.** Gênero de plantas clusiáceas que reúne cerca de 21 espécies que exsudam bálsamos de uso medicinal, e cuja madeira é de boa qualidade. **2.** Qualquer espécime desse gênero, como, p. ex., a *Caraipa excelsa* [v. *tamaquaré* (2)]. **3.** Qualquer espécime desse gênero.

caraipé (a-i) [Do tupi.] ***S. m.*** *Bras. Bot.* Designação comum a várias espécies rosáceas, árvores de casca taninosa, que servem para curtume e fornecem madeira para o comércio.

caraiperana (a-i... è) [De *caraipé* + *-rana*.] ***S. f.*** *Bras. AM Bot.* Grande árvore crisobalanácea (*Licania micrantha*) de fruto comestível, do qual se faz refresco; folhas amarelo-pálidas na página superior e com nervuras vermelhas na inferior, flores sésseis e pequenas, dispostas em panículas amplas e ramosas; cariperana, cariperana-de-folha-larga.

caraíta [Do hebr. *karaim*, 'leitores', + *-ita*[2].] ***S. 2 g.*** Membro da seita judaica fundada no séc. VII d. C. por Anan Ben-David, e que rejeitava a estrutura do judaísmo rabínico e os ensinamentos talmúdicos, reconhecendo apenas, como autoridade religiosa, o texto das escrituras (o Antigo Testamento).

carajá[1] [Do tupi.] ***S. m.*** *Bras. S. Zool.* V. *guariba-preto*.

carajá[2] ***S. 2 g.*** *Bras.* **1.** *Etnôn.* Indivíduo dos carajás [ou (etnôn. bras.) *Karajá], povo indígena da família linguística carajá, tronco macro-jê, que habita as margens do rio Araguaia (MT e TO). ● ***S. m.*** **2.** *Gloss.* Família linguística do tronco macro-jê, que reúne línguas indígenas faladas no Brasil central (TO), pelos carajás, javaés e xambioás. ● ***Adj. 2 g.*** **3.** Pertencente ou relativo a carajá[2] (2) ou aos carajás.

carajé ***S. m.*** *Bras.* Drágea para enfeitar doces. [Cf. *acarajé*.]

carajuru [Do tupi.] ***S. m.*** *Bras. AM* **1.** *Bot.* V. *piranga*[2] (3). **2.** Tinta vermelha extraída dessa planta.

caralho ***S. m.*** *Chulo* **1.** O pênis. ● ***Interj.*** **2.** Designa irritação, indignação: 🕮 "Paciência, tenho hora certa pra pegar o batente, viu? E com esse trânsito, caralho!" (Lígia Fagundes Teles, *A Disciplina do Amor*, p. 104.) ◆ **Pra caralho.** *Bras. Chulo* Em grande quantidade, força ou intensidade; à beça. [Tb. se usam as f. contratas *paca* e *pacas*.]

cara-lisa [De *cara* + o f. do adj. *liso*.] ***S. 2 g.*** *Bras. Fam. Pop.* V. *caradura* (1 e 2). [Pl.: *caras-lisas*.]

cará-liso ***S. m.*** *Bras. Bot.* V. *caratinga*[1] (1). [Pl.: *carás-lisos*.]

caramanchão [Var. de *camaranchão*.] ***S. m.*** Construção ligeira, espécie de pavilhão de ripas, canas ou estacas, revestidas de trepadeiras, nos jardins; pavilhão: 🕮 "Aurélia conduziu o marido a um caramanchão que havia no meio da chácara" (José de Alencar, *Senhora*, p. 261). [Var.: *caramanchel*.]

caramanchel [De *caramanchão*, com troca de suf., por. infl. moçárabe.] ***S. m.*** V. *caramanchão*: 🕮 "Eu vi raios de azul no entrelaçado / Caramanchel de folhas verdejantes" (Alphonsus de Guimaraens, *Obra Completa*, p. 180).

caramba [Do esp. *caramba*.] ***Interj.*** Denota admiração, espanto ou indignação: 🕮 "Que noite fria! / Caramba!" (Vargas Neto, *Tropilha Crioula e Gado Xucro*, p. 113.) ◆ **Pra caramba.** Muito; à beça: 🕮 "Sentaram-se mais uma vez e decidiram não assaltar aquele ônibus porque a trocadora era legal pra caramba." (Paulo Lins, *Cidade de Deus*, p. 313.)

carambina ***S. f.*** Caramelo (1): 🕮 "Palrar, enquanto as carambinas / Vão caindo, ao gear das noites cristalinas!" (Bulhão Pato, *Livro do Monte*, p. 87.) [Cf. *carabina*.]

carambó ***Adj. 2 g.*** *Bras.* Diz-se da rês de chifre torto.

carambola [Do marata *karambal*; esp. *carambola*.] ***S. f.*** **1.** Bola vermelha do bilhar. **2.** Embate de uma bola de bilhar sucessivamente sobre as outras duas. **3.** *Fig.* Embuste, ardil; tramoia, intriga. **4.** O fruto da caramboleira.

carambolar [De *carambola* + *-ar*[2].] ***V. int.*** **1.** Fazer carambola (no bilhar). **2.** Intrigar, enredar. **3.** Iludir, enganar.

caramboleira [De *carambola* + *-eira*.] ***S. f.*** *Bras. L. Bot.* Árvore oxalidácea (*Averrhoa carambola*) ornamental, de pequeno porte, dotada de fruto comestível, a carambola.

caramboleira-amarela ***S. f.*** *Bras. L. Bot.* V. *bilimbi*. [Pl.: *caramboleiras-amarelas*.]

caramboleiro [De *carambola*[1] + *-eiro*.] ***S. m.*** **1.** *Bot.* Caramboleira. **2.** Indivíduo caramboleiro (3 e 4). ● ***Adj.*** **3.** Embusteiro, trapaceiro, tratante. **4.** Intrigante, enredeiro.

carambolice [De *carambola* + *-ice*.] ***S. f.*** Ação de caramboleiro (2).

carambolim [De *carambola* + *-im*.] ***S. m.*** Perda simultânea de três paradas no jogo do monte.

carambu *Bras.* ***S. 2 g.*** **1.** *Etnôn.* Indivíduo dos carambus [ou (etnôn. bras.) *Carambú], povo indígena extinto que habitava a região do rio Pacajá (PA). ● ***Adj. 2 g.*** **2.** Pertencente ou relativo a esse povo.

caramburu [De or. tupi, poss.] ***S. m.*** *Bras.* Bebida refrigerante, feita de milho; aluá (q. v.).

caramelado[1] [De *caramelo* + *-ado*[1].] ***Adj. S. m.*** Diz-se de, ou docinho de ovo, ou de nozes, ou de ameixa, etc., que se mergulha numa calda muito quente, a qual, ao esfriar, vira caramelo (2).

caramelado[2] [Part. de *caramelar*.] **Adj.** 1. Que caramelou: *calda caramelada*. 2. Coberto com caramelo (2): *doces caramelados*. [Sin. ger.: *caramelizado*.]

caramelar [De *caramelo* + *-ar*[2].] **V. t. d.** *Cul.* 1. Tornar caramelado. 2. Passar caramelo em (fôrma, etc.). 3. Cobrir (doce, etc.) com caramelo (2). [Sin. ger.: *caramelizar*.]

caramelizado [Part. de *caramelizar*.] **Adj.** V. *caramelado*[2].

caramelizar [De *caramelo* + *-izar*.] **V. t. d.** *Cul.* V. *caramelar*.

caramelo [Do lat. *calamellu*, dim. de *calamu*, 'cana', com dissimilação.] **S. m.** 1. Neve congelada, em flocos; carambina. 2. Calda de açúcar que, ao esfriar, endurece, tornando-se vítrea. 3. Bala puxa-puxa feita com açúcar derretido.

cara-metade **S. f.** Uma pessoa em relação a outra que namora, ou com quem coabita, etc.; metade. [Pl.: *caras-metades*.]

carametara **S. f.** *Bras. Zool.* V. *papa-terra* (3).

cará-mimoso **S. m.** *Bras. Bot.* Planta dioscoreácea (*Dioscorea trifida*) de tubérculos comestíveis, com propriedades antiasmáticas, folhas cordiformes e frutos capsulares; nambu. [Pl.: *carás-mimosos*.]

caraminguá [Do guar. = 'cofre', 'canastra'.] **S. m.** *Bras. Pop.* V. *dinheiro* (5). ~ V. *caraminguás*.

caraminguás [Pl. de *caraminguá*.] **S. m. pl.** *Bras. Pop.* 1. V. *cacaréus*. 2. V. *badulaques* (1). 3. Níqueis ou notas de pouco valor: "andava sempre esmolambado, com uns caraminguás mui tristes" (Simões Lopes Neto, *Contos Gauchescos e Lendas do Sul*, p. 175). ~ V. *caraminguá*.

caraminhola **S. f.** *Pop.* 1. Cabelo em desordem; grenha, trunfa. 2. *Fig.* Mexerico, enredo, intriga. 3. Bobagens, tolices: *Vive com a cabeça cheia de caraminholas.* ~ V. *caraminholas*.

caraminholar [De *caraminhola* + *-ar*[2].] **V. int.** Formigar, pulular: "Eu sei quanto sofro hoje ao lançar os olhos sobre os anos vazios em que deixei de botar no papel o que me caraminholava na cabeça." (Gilberto Amado, *Depois da Política*, p. 160.)

caraminholas **S. f. pl.** 1. Fantasias, imaginações, invenções. 2. Mentiras, patranhas. 3. Bobagens, tolices: *Vive com a cabeça cheia de caraminholas.* ~ V. *caraminhola*.

caramomom **S. m.** *Bras.* Trouxa que se adiciona à carga regular de um animal.

caramujeiro [De *caramujo* + *-eiro*.] **S. m.** *Bras. Zool.* V. *gavião-caramujeiro*.

caramuji **S. m.** *Bras. BA Zool.* V. *embuá*.

caramujo [Do esp. *escaramujo*, 'roseira silvestre de fruto edule'; 'caramujo', com aférese, poss.] **S. m.** 1. *Zool.* Designação comum aos moluscos gastrópodes, aquáticos, providos de brânquias, concha grossa, pesada e muito forte. [Sin. (lus.): *cornetinha*.] 2. Doença das salinas, que se manifesta em petrificações de várias cores. 3. *Bot.* Variedade de couve repolhuda. 4. *Bras.* Obras de talha com que se rematam os beques ou rodas de proa de alguns navios. 5. *Bras.* Indivíduo esquisitão, ensimesmado.

caramujo-do-banhado **S. m.** *Bras. Zool.* V. *aruá*[1]. [Pl.: *caramujos-do-banhado*.]

caramujo-do-mato **S. m.** *Bras. Zool.* V. *bulimo* (5). [Pl.: *caramujos-do-mato*.]

caramunha [Do lat. *querimonia*, 'queixa'.] **S. f.** 1. Choradeira de crianças. 2. Lamúria, queixa. 3. V. *careta* (1): "Não saia da beira dela, e não se ponha a fazer caramunhas, a chorar como há pouco, ouviu?" (Camilo Castelo Branco, *Vulcões de Lama*, p. 217.)

caramunhar [De *caramunha* + *-ar*[2].] **V. int.** Fazer caramunha(s): "Tadeu olhava a fito, atraído por aquela figura esmolambada, desgrenhada, que caramunhava .... ao sol." (Coelho Neto, *Obra Seleta*, I, p. 198).

caramunheiro [De *caramunha* + *-eiro*.] **Adj.** 1. Que faz caramunha(s). 2. Choramingão, chorão.

caramuru [Do tupi, 'moreia'.] **S. m.** *Bras.* 1. *Zool.* Designação comum a um peixe actinopterígio, ápode, murenídeo (*Lycodontis moringua*), e a seis outras espécies do gênero, de dorso azulado ou acinzentado, nadadeira dorsal, que se une à anal, marginada de negro. Comprimento: de 1,5 a 2m. Alimentam-se de peixes, moluscos e crustáceos, e são agressivos. [Sin.: *enguia, miroró, mororó, tororó*.] 2. Apelido que os tupinambás da BA puseram no português Diogo Álvares — náufrago que teria atingido as costas baianas em 1510 — e que significa 'filho do trovão' ou 'dragão do mar'. ● **S. 2 g.** 3. Adepto do partido político chefiado por José Bonifácio de Andrada e Silva (1763-1838), o qual, após a abdicação, pleiteava a restauração de D. Pedro I, e se opunha aos ximangos. [Cf., nesta acepç., *ximango* (2). Sin., nesta acepç.: *restaurador*.] 4. Durante a Regência, partidário do grupo infenso à decretação da maioridade de Pedro II. 5. V. *carimboto*.

caramutanje **Adj. S. m.** *Bras.* V. *boçal* (2 e 3).

caramutara **S. f.** *Bras. Zool.* 1. V. *castanha* (12). 2. V. *papa-terra* (3).

carana **S. f.** *Bras. Zool.* V. *barracuda*.

caraná [Do tupi.] **S. f.** *Bras. AM Bot.* 1. Palmeira arecácea (*Mauritia carana*) de frutos comestíveis e folhas ornamentais, estipe duro e resistente, e cujas flores exalam aroma intenso; muí, tinamalu. 2. V. *buriti-bravo*. 3. V. *buritirana* (1). 4. V. *buritizinho*. 5. V. *carandaí* (1).

caraná-branca **S. f.** *Bras. Bot.* Árvore burserácea (*Protium altissimum*) grande, de casca escura e madeira útil para construção de canoas, carpintaria e escultura; cedro-branco, pau-rosa-fêmea. [Pl.: *caranás-brancas*.]

caraná-do-rio-negro [De *caraná* + *do*[1] + o top. *rio Negro*.] **S. f.** *Bras. AM Bot.* Palmeira arecácea (*Bactris hirta*) de estipe delicado, de pedúnculo flocoso-tomentoso oculto e protegido pela espata, flores femininas e masculinas, e cujo fruto, drupáceo, é pequeno. [Pl.: *caranás-do-rio-negro*.]

caranaí [Do tupi.] **S. f.** *Bot.* 1. *Bras. AM* Palmeira arecácea (*Mauritiella aculeata*) de estipe delicado, armada de fortes acúleos cônicos, e cujas flores estão reunidas em espádice pêndulo, sendo o fruto uma baga oblonga, revestida de escamas, com polpa amarela. 2. V. *buritirana* (1). 3. V. *buritizinho*.

caranaibense (a-i) **Adj. 2 g.** 1. De, ou pertencente ou relativo a Caranaíba (MG). ● **S. 2 g.** 2. O natural ou habitante de Caranaíba.

caranaí-do-mato **S. f.** *Bras. AM Bot.* Palmeira arecácea (*Lepidocaryum tenue*) de estipe fino, dotada de inflorescência em espádice e flores muito aromáticas, sendo o fruto uma baga oblonga, escamosa, de tamanho variável e polpa amarela, e o lenho usado para ripas, bengalas e pontas de flechas. [Pl.: *caranaís-do-mato*.]

caranaí-mirim **S. f.** *Bras. AM Bot.* Buritimirim (1). [Pl.: *caranaís-mirins*.]

caranambu [De or. tupi, poss.] **S. m.** *Bras. AM Bot.* 1. Trepadeira dioscoreácea (*Dioscorea trifoliata*) ornamental, de folhas de vários tamanhos, e raiz tuberosa, aproveitada como alimento; inhame-nambu. 2. V. *cará* (2).

caranambuuba [De or. tupi, poss.] **S. m.** *Bras. AM Bot.* V. *carandá* (1).

caranariú *Bras.* **S. 2 g.** 1. *Etnôn.* Indivíduo dos caranariús [ou (etnôn. bras.) *Karanariú], povo indígena extinto que habitava as margens do rio Uaçá (AP). ● **Adj. 2 g.** 2. Pertencente ou relativo a esse povo.

carancho [Do tupi = 'arranhar, rasgar com as unhas'.] **S. m.** *Bras. Zool.* Ave falconiforme, falconídea (*Polyborus plancus brasiliensis*), da região cisandina da América do Sul, de cabeça pardo-escura, dorso pardo, listrado de branco, cauda branca listrada de pardo, com ponta preta, asas pardo-escuras; caracará, carcará.

carandá [Do tupi.] **S. f.** *Bot.* 1. *Bras. MT* Palmeira arecácea (*Copernicia alba*) de cujo estipe, resistente e durável, se fazem postes, caibros, pipas e barretes, e cujas folhas dão cera igual à da carnaúba; caranambuuba. 2. V. *carandaí* (1). 3. V. *carnaubeira*.

carandá-guaçu [De *carandá* + *-guaçu*.] **S. f.** *Bras. MT Bot.* V. *buriti* (1). [Pl.: *carandás-guaçus*.]

carandaí [Do tupi.] **S. m.** *Bras. S. Bot.* 1. Palmeira arecácea (*Trithrinax brasiliensis*) de estipe espinescente, ramos floríferos, e de cujas folhas se extraem fibras utilizadas na manufatura de chapéus, servindo o lenho para o fabrico de bengalas; caraná, carandá. 2. V. *buritirana* (1).

carandaiense (a-i) **Adj. 2 g.** 1. De, ou pertencente ou relativo a Carandaí (MG). ● **S. 2 g.** 2. O natural ou habitante de Carandaí.

carandaí-guaçu [De *carandaí* + *-guaçu*.] **S. m.** *Bras. S. Bot.* V. *buriti* (1). [Pl.: *carandaí-guaçus*.]

carandaizinho (a-i) [Dim. de *carandaí*.] **S. m.** *Bras. S. Bot.* V. *buritizinho*.

carandazal (dà) [De *carandá* + *-zal*.] **S. m.** *Bras.* 1. Quantidade mais ou menos considerável de carandás dispostos proximamente entre si. 2. Área ocupada por carandazal (1). 3. V. *carnaubal*.

carane *Bras.* **S. 2 g.** 1. *Etnôn.* Indivíduo dos caranes [ou (etnôn. bras.) *Karane], povo indígena extinto que habitava as margens do rio Oiapoque, na fronteira do Acre com a Guiana Francesa. ● **Adj. 2 g.** 2. Pertencente ou relativo a esse povo.

carângida [Do tax. *Carangus* + *-ida*[1].] **S. m. Adj. 2 g.** *Zool.* V. *carangídeo*.

carangídeo [Do tax. *Carangus* + *-ídeo*[1]; tax. *Carangidae*.] *Zool.* **S. m.** 1. Espécime dos carangídeos, família de peixes perciformes, que compreende muitas espécies marinhas, de valor econômico, como a aracanguira, a cernambiguara, a guaivira, a guajuba, a palombeta, o chicharro, o galhudo, o olhete, o olho-de-boi, o pampo, o peixe-galo, o xarelete, o xaréu, etc. ● **Adj.** 2. Pertencente ou relativo a eles. [Sin. ger.: *carângida*.]

carango[1] [Do tax. *Carangus*.] **S. m.** *Zool.* V. *cáranx*.

carango[2] [De *cancro* > **cáncaro*, por se comparar o piolho a um mal pior.] **S. m.** *Chulo Zool.* 1. V. *chato* (5). 2. *Gír. Mil.* Soldado de infantaria. 3. *Bras.* Comichão provocada por parasitos. 4. *Bras. Pop.* Qualquer automóvel. 5. *Bras. N.* V. *mata-cachorro* (2).

carangolense **Adj. 2 g.** 1. De, ou pertencente ou relativo a Carangola (MG). ● **S. 2 g.** 2. O natural ou habitante de Carangola.

carangonço [De *caranguejo*, poss.] **S. m.** *Bras. MG Zool.* V. *escorpião* (1).

carangueja (ê) [De *caranguejo*.] **S. f.** 1. *Constr. Nav.* V. *verga* (6): "As cordas da mastreação começavam a girar, içando a carangueja" (Xavier Marques, *Jana e Joel*, pp. 120-121). 2. *Eng. Civ.* Caranguejo (4).

caranguejar [De *caranguejo* + *-ar*[2].] **V. int.** *Pop.* 1. Andar como o caranguejo, lentamente e para trás. 2. *Fig.* Hesitar, vacilar. [Conjug.: v. *pelejar*.]

caranguejeira [De *caranguejo* + *-eira*.] **S. f.** *Bras. Zool.* 1. Aranha de grande porte, migalomorfa, que não tece teia, se alimenta de pequenos vertebrados de sangue frio, e cujas picadas, embora dolorosas, não produzem chagas ulcerosas; aranhaçu. 2. V. *aranha-caranguejeira*.

caranguejeiro [De *caranguejo* + *-eiro*.] **S. m.** 1. Indivíduo que apanha caranguejos. 2. *Bras. SP Joc.* Alcunha dada pelos paulistanos aos santistas.

caranguejo (ê) [Do esp. *cangrejo* < lat. *cancer, cancri*.] **S. m.** 1. *Zool.* Designação comum às espécies de crustáceos decápodes, braquiúros, de pernas terminadas em unhas pontudas. São todos caranguejos, salvo aqueles cujas últimas pernas terminam em nadadeiras (v. *siri*). Terrestres ou aquáticos, marinhos ou de água doce, vivem, na maioria, em tocas, que eles mesmos escavam, alimentam-se de toda sorte de detritos orgânicos, e são utilizados na alimentação humana. [Sin.: *auçá, guaiá, uaçá*.] 2. *Astr. P. us.* Câncer (1). [Com cap., nesta acepç.] 3. *Constr.* Tipo de espaçador para armaduras metálicas. 4. *Eng. Civ.* Plataforma móvel para deslocar vagões; carangueja. 5. *Bras.* Canção e brinquedo de roda infantil. 6. *Bras. RS* Modalidade de fandango (6). 7. *Bras. MG* Indivíduo moroso, lerdo. ◆ **Andar como caranguejo.** Andar para trás, retroceder, não progredir.

caranguejo-de-água-doce **S. m.** *Bras. Zool.* V. *caranguejo-do-rio*. [Pl.: *caranguejos-de-água-doce*.]

caranguejo-do-rio **S. m.** *Bras. Zool.* Animal artrópode, crustáceo, decápode, braquiúro, gênero *Trichodactylus*, cujos representantes vivem apenas em água doce, e são, ger., de coloração castanha e tamanho médio; caranguejo-de-água-doce, goiaúna, guaiaúna. [Pl.: *caranguejos-do-rio*.]

caranguejola [De *caranguejo* + *-ola*[1]; esp. *cangrejuelo*.] **S. f.** 1. *Zool.* Grande crustáceo, semelhante ao caranguejo. 2. Armação de madeira com pouca solidez. 3. Coisa ou empresa malsegura. 4. Acervo de coisas sobrepostas e malseguras. 5. V. *calhambeque* (2). 6. Jangada (3).

caranguejo-mulato-da-terra **S. m.** *Bras. Zool.* V. *guaiamu*. [Pl.: *caranguejos-mulatos-da-terra*.]

caranguejo-verdadeiro **S. m.** *Bras. Zool.* V. *uçá*. [Pl.: *caranguejos-verdadeiros*.]

caranha [Do tupi.] **S. f.** *Bras.* 1. *Zool.* V. *caranho* (1). 2. *Zool.* V. *vermelho*[2] (1). 3. *Zool.* V. *pacuguaçu*. 4. Certa goma ou resina medicinal.

caranha-do-mangue **S. f.** *Bras. Zool.* V. *caranho* (1). [Pl.: *caranhas-do-mangue*.]

caranho [De *caranha*.] **S. m.** *Bras. Zool.* 1. Peixe actinopterígio, teleósteo, perciforme, lutjanídeo (*Lutjanus griseus*), do Atlântico, de coloração que vai do róseo-escuro ao vermelho, sendo escura a margem das nadadeiras ímpares. Alimenta-se de peixes e crustáceos, e é pescado com linha de fundo. [O nome é comum a outros lutjanídeos. Sin.: *carainha, caranha, caranha-do-mangue, caranhota*.] 2. V. *cioba* (1).

caranhota [De *caranho* + *-ota*[1].] **S. f.** *Bras. Zool.* V. *caranho* (1).

caranho-verdadeiro **S. m.** *Bras. RJ Zool.* 1. V. *vermelho-henrique*. 2. V. *cioba* (1). [Pl.: *caranhos-verdadeiros*.]

caranho-vermelho **S. m.** *Bras. Zool.* 1. V. *cioba* (1). 2. V. *vermelho-henrique*. [Pl.: *caranhos-vermelhos*.]

carano [Do tax. *Car(um) (carvi)* + *-ano*[2].] **S. m.** *Quím.* Hidrocarboneto bicíclico monoterpenoide saturado que contém um anel de três e outro de seis átomos, com um lado em comum [fórm.: $C_{10}H_{18}$].

carantonha [De *carântulas* (q. v.), com poss. acréscimo sufixal.] **S. f.** Cara grande e feia; caraça, carão, cariz, carranca, esgar.

carântulas [Do lat. *charactere(s)*, 'símbolo(s) mágico(s)', com dissimilação do segundo *r* e nasalização do grupo *-(a)ct-*.] **S. f. pl.** Figuras cabalísticas, caracteres mágicos dos feiticeiros.

cáranx (cs) [Do tax. *Caranx*.] ***S. m. 2 n.*** *Zool.* **1.** O gênero-tipo dos peixes carangídeos. **2.** Qualquer espécie desse gênero como, p. ex., a *Caranx crysos* (v. *xarelete*). **3.** Qualquer espécime desse gênero. [Sin. ger.: *carango*.]

carão[1] [De *cara* + *-ão*[1].] ***S. m.*** **1.** V. *carantonha*: "com o seu largo carão holandês, e o riso derramado pela boca fora, ... o grande médico veio em pessoa abrir-lhes a porta." (Machado de Assis, *Histórias sem Data*, p. 18). **2.** A epiderme do rosto. **3.** V. *repreensão* (1).

carão[2] [Voc. onom.; imita o canto da ave.] ***S. m.*** *Bras. Zool.* Ave gruiforme, aramídea (*Aramus s. scolopaceus*), do N. e N.E., com a subespécie *A. s. carau*, que ocorre no S. Coloração pardo-escura, com brilho esverdeado nas rêmiges e na cauda; cabeça, pescoço e peito pintados de branco, e mento branco.

caraolho (ô) [De *caolho*, com infl. de *cara*.] ***Adj.*** ***S. m.*** *Bras. Prov. port.* **1.** V. *estrábico* (2 e 4). **2.** V. *zarolho* (1 e 4).

carapa [Do tax. *Carapa* (do caraíba).] ***S. f.*** *Bot.* **1.** Gênero de meliáceas de folhas penadas, flores quadripétalas ou pentapétalas, e estames monodelfos. **2.** Qualquer espécie desse gênero, como, p. ex., a *Carapa guianensis* [v. *andiroba* (1)]. **3.** Qualquer espécime desse gênero.

carapá ***S. f.*** *Bras. Bot.* V. *andiroba* (1).

carapaça [Do fr. *carapace* < esp. *carapacho*.] ***S. f.*** *Zool.* Revestimento quitinoso ou calcário que protege o tronco de vários animais, entre eles os cágados e as tartarugas: "a lama rachara ao sol, partindo-se em escamas escuras como a carapaça de uma tartaruga monstruosa" (Humberto de Campos, *O Monstro e Outros Contos*, p. 151).

carapanã[1] [Do tupi.] ***S. m.*** *Bras. AM Zool.* V. *mosquito*[1] (1).

carapanã[2] *Bras.* ***S. 2 g.*** **1.** *Etnôn.* Indivíduo dos carapanãs [ou (etnôn. bras.) *Karapanã], povo indígena da família linguística tucano, que habita a região conhecida como Boca do Cachorro, no alto rio Negro (AM). • ***Adj. 2 g.*** **2.** Pertencente ou relativo a esse povo.

carapanaíba [Do tupi = 'árvore do carapanã'.] ***S. m.*** *Bras. AM Bot.* Grande árvore apocinácea (*Aspidosperma excelsum*) de flores alvacentas, aveludadas, dispostas em cimeiras corimbosas densas, e fruto folicular, muito rugoso.

carapanã-pinima ***S. m.*** *Bras. Zool.* V. *mosquito*[1] (1). [Pl.: *carapanãs-pinimas*.]

carapanta ***S. f.*** *Pleb.* V. *bebedeira* (1).

caraparu [De or. tupi, poss.] ***S. m.*** *Bras. Bot.* V. *arumarana*.

carapau ***S. m.*** **1.** *Zool.* Peixe actinopterígio, perciforme, carangídeo (*Decapterus macarellus*), do Atlântico, que nada em pequenos cardumes. [Sin.: *cavalinha, chicharro-calabar, chicharro-cavala*.] **2.** *Bras. BA Zool.* V. *palombeta*. **3.** *Bras. Pop. Zool.* O filhote do chicharro (2), que se abriga usualmente na umbela das medusas. **4.** *Bras. ES Zool.* V. *guarajuba* (1). **5.** *Bras. Fig.* Pessoa macérrima. [F. paral.: *garapau*.]

carapeba [Var. de *acarapeba*.] ***S. f.*** **1.** *Bras. Zool.* Peixe perciforme, gerreídeo (*Moharra rhombea*), de corpo ovalado, maxilar rostriforme, boca pequena desprovida de dente, e com apenas dois raios ósseos na nadadeira anal. Comprimento: até 0,30m. **2.** *Bras. AL Pop.* Banda[1] (4) desafinada e sem importância.

carapeba-listada [De *carapeba* + o f. de *listado*.] ***S. f.*** *Bras. PE Zool.* V. *caratinga*[1] (4). [Pl.: *carapebas-listadas*.]

carapela [De *carpela*, com epêntese.] ***S. f.*** **1.** *Bot.* Folhelho de milho. **2.** Película ou placazinha que se despega de feridas quase saradas.

carapeta (ê) [De or. controvertida.] ***S. f.*** **1.** Piãozinho que se faz girar com os dedos. **2.** Enfeite arredondado que remata certas partes de alguns móveis. **3.** Mentira leve, inofensiva; bota, mentiralha, mentirola. [V. *mentira* (1).] **4.** Válvula de torneira doméstica composta de disco de borracha atravessado por espiga (2) de latão e cuja forma lembra o pião vegetal [v. *pião*[1] (3)]. [Pl.: *carapetas* (ê). Var.: *carrapeta* (ê). Cf. *carapeta* e *carapetas*, do v. *carapetar*.]

carapetal [De *carapeta* + *-al*[1].] ***S. m.*** Tipo de alforje usado pelos negros africanos.

carapetão [De *carapeta* (3) + *-ão*[1].] ***S. m.*** Mentira grande; patranha, balão: "O que vi fazerem as focas no *Circo de Inverno*, em Paris, jamais esquecerei. Parece carapetão, exagero, lenda, espanholada." (Martins Fontes, *O Mar*, p. 29.)

carapetar [De *carapeta* + *-ar*[2].] ***V. int.*** Dizer carapetões ou carapetas; mentir, petar. [Pres. ind.: *carapeto, carapetas, carapeta*, etc. Cf. *carapeta* (ê) e pl. *carapetas* (ê).]

carapeteiro[1] [De *carapeta* + *-eiro*.] ***Adj.*** **1.** Que diz carapetões ou carapetas; mentiroso, patranheiro. • ***S. m.*** **2.** Aquele que diz carapetões ou carapetas; mentiroso. [Cf. *catapereiro*.]

carapeteiro[2] [De *catapereiro*, com metátese.] ***S. m.*** **1.** *Bot.* Carapeto (1). **2.** *Heráld.* Árvore representada com sete ramos que se dispõem como um candelabro judaico, e que, segundo alguns heraldistas, figura uma pereira silvestre ou catapereiro.

carapeto [De or. obsc.] ***S. m.*** *Bot.* **1.** Variedade de catapereiro; carapeteiro. **2.** V. *caapiá-verdadeiro*.

carapeuara *Bras.* ***S. 2 g.*** **1.** *Etnôn.* Indivíduo dos carapeuaras, povo indígena extinto que habitava a margem esquerda do rio Amazonas, próximo ao rio Paru (PA). • ***Adj. 2 g.*** **2.** Pertencente ou relativo a esse povo. [Tb. us. como *s. 2 g. e 2 n.* (com cap.) e *adj. 2 g. e 2 n.*]

carapiá [Do tupi, 'pedaço'.] ***S. f.*** **1.** *Bras. L. S. Bot.* Planta malvácea (*Sida macrodon*), perene, multicaule, de raízes fortes, e flores róseas e folhas medicinais; malva-do-campo. **2.** *Bras. Bot.* V. *babosa-branca*. **3.** *Bras. Zool.* V. *peixe-agulha* (1). **4.** *Zool.* V. *agulhão* (4). [Cf. *caapiá*.]

carapiaçaba [Do tupi.] ***S. f.*** *Bras. Zool.* **1.** *BA* V. *raia-manteiga* (2). **2.** V. *borboleta-listrada*.

carapicu [De *acarapicu*, com aférese.] ***S. m.*** **1.** *Bras. N. a S. Bot.* Arbusto malvácea (*Urena sinuata*) dotado de propriedades febrífugas, flores pequenas, róseas, solitárias, em geral axilares, e cujo fruto é cápsula espinescente, aderente à roupa, que contém sementes arredondadas e lisas. **2.** *Bras. Zool.* Peixe perciforme, gerreídeo (*Eucinostomus gula*), do Atlântico, desde a América do Norte à BA, de coloração prateada, dorso esverdeado, comprimento de até 0,14m e pequeno valor comercial; carapicupeba, acarapicu, carapicu-branco. [Cf., nesta acepç., *carapicuaçu*.]

carapicuaçu [De *carapicu* + *-açu*.] ***S. m.*** *Bras. Zool.* Peixe perciforme, gerreídeo (*Eucinostomus californienses*), do Atlântico, desde a Flórida até o RJ. É espécie comum e apreciada. [Sin.: *riscador, cacundo, escrivão*. Cf. *carapicu* (2).]

carapicu-branco ***S. m.*** *Bras. PE Zool.* V. *carapicu* (2). [Pl.: *carapicus-brancos*.]

carapicuibano (u-i) ***Adj.*** **1.** De, ou pertencente ou relativo a Carapicuíba (SP). • ***S. m.*** **2.** O natural ou habitante de Carapicuíba.

carapicupeba [De *carapicu* + *-peba*.] ***S. m.*** *Bras. PE Zool.* V. *carapicu* (2).

carapina [Do tupi.] ***S. m.*** *Bras.* **1.** V. *carpinteiro* (1). **2.** *Zool.* V. *pica-pau* (1). [Var.: *carpina*.]

carapinha [De or. controvertida.] ***S. f.*** **1.** O cabelo crespo e lanoso dos negros. [Sin., pop.: *cabelo agastado, cabelo de cupim, cabelo ruim, carrapicho, lã, picumã, pixaim*.] • ***S. m.*** **2.** *Bras. Zool.* V. *aratu* (2).

carapinhada [De *carapinha* + *-ada*[1].] ***S. f.*** Bebida congelada, feita de xarope ou sumo de fruta com gelo picado, formando frocos.

carapinhé [Voc. onom.] ***S. m.*** **1.** *Bras. Zool.* V. *gavião-carrapateiro*. **2.** *Bras. SP* Brinquedo infantil que consiste em beliscar, com dois dedos de uma das mãos, a pele das costas da outra, puxando-a enquanto se elevam e descem repetidamente os braços, e dizendo: *cará... cará... cará-pinhéééééé...*

carapinheira [Do top. *Carapinheira* (Portugal).] ***S. f.*** *Lus.* Variedade de pera sumarenta.

carapinho [De *carapinha*.] ***Adj.*** V. *encarapinhado*.

carapinhudo [De *carapinha* + *-udo*.] ***Adj.*** Que tem grande carapinha (1).

cara-pintada [De *cara* + o f. de *pintado*.] ***S. 2 g.*** Cada um dos jovens que, no início da década de 1990, saíram às ruas em passeata, com o rosto pintado, pedindo o afastamento (*impeachment*) do então presidente Fernando Collor de Mello. [Pl.: *caras-pintadas*.]

carapirá [De or. tupi, poss.] ***S. f.*** *Bras. Zool.* V. *alcatraz*[1].

carapitaia [De or. tupi, poss.] ***S. f.*** *Bras. PE até RS Bot.* Erva amarilidácea (*Amaryllis candida*) ornamental, de bulbo pequeno e comestível, flores alvas, levemente esverdeadas ou róseas na base, com espata escariosa; açucena-do-rio.

carapitanga [Do tupi.] ***S. m.*** *Bras. Zool.* **1.** V. *mulata* (3). **2.** V. *vermelho*[2] (1).

carapó [De or. tupi.] ***S. m.*** *Bras. Zool.* Peixe gimnotídeo (*Gymnotus carapo*), distribuído por todo o Brasil, de coloração pardacenta com faixas escuras, com a nadadeira anal muito longa, estendendo-se por quase toda a face ventral. Tem o corpo afilado posteriormente, com escamas ausentes ou quase imperceptíveis, e orifício anal localizado sob a cabeça. É noctívago e produz descargas elétricas de pouca intensidade. [Sin.: *ituí, ituipinima, ituí-terçado, juvira, peixe-espada, sarapó, sarapó-tuvira, tira-faca, tuvira*.]

carapoti ***S. 2 g.*** ***Adj. 2 g.*** *Bras.* V. *carapotó*.

carapoto (ô) ***S. 2 g.*** ***Adj. 2 g.*** *Bras.* V. *carapotó*.

carapotó (ô) *Bras.* ***S. 2 g.*** **1.** *Etnôn.* Indivíduo dos carapotós [ou (etnôn. bras.) *Karapotó], povo indígena que habita regiões do estado de AL. • ***Adj. 2 g.*** **2.** Pertencente ou relativo a esse povo. [Outras f.: *carapoti, carapoto*.]

carapuá ***S. f.*** *Bras. MA* Entre os índios urubus-caapor (q. v.) e os moradores da região, a vagina.

carapuça [Do it. ant. *carapuzza* < esp. *caperuza*, poss.] ***S. f.*** **1.** Barrete cônico. **2.** Designação comum a vários objetos semelhantes a esse. **3.** Alusão pérfida; dito crítico; indireta: *Não aceito a carapuça*. **4.** *Bras.* Ferramenta com que os calafates introduzem as cavilhas de madeira para evitar que se rachem. **5.** *Bras. Gír. Teatr.* Papel feito expressamente para um ator. [Sin. (lus.) de 1 e 2: *carapuço*.] ◆ **Enfiar a carapuça.** Vestir a carapuça. **Vestir a carapuça.** Tomar a si alusão ou crítica dirigida a outrem; enfiar a carapuça. **Qual carapuça! Qual nada!, qual história! Talhar carapuças.** Dizer indiretas.

carapuceiro [De *carapuça* + *-eiro*.] ***S. m.*** Indivíduo que faz e/ou vende carapuça (1).

carapuço ***S. m.*** V. *carapuça* (1 e 2): "sem que me conseguissem ouvir empoleirado como estava no trenó das renas no interior da bola de vidro, protegido por um terno de lã e um carapuço encarnado" (Lobo Antunes, *O Esplendor de Portugal*, p. 47).

carapuçu [De or. tupi, poss.] ***S. m.*** *Bras. Micol.* Cogumelo poliporáceo (*Lentinus velutinus*) de chapéu fino dentado, e dotado de constituição coriácea e flexível.

carapulo [De or. obscura.] ***S. m.*** *Bot.* Invólucro escamoso, ou cúpula, da bolota do carvalho e de frutos semelhantes.

caraputanga [Var. de *carapitanga*.] ***S. m.*** *Bras. Zool.* V. *vermelho*[2] (1).

cara-quebrada [De *cara* + o f. de *quebrado*.] ***S. f.*** *Bras.* Pão de açúcar inconsistente. [Pl.: *caras-quebradas*. Cf. *cara-fechada*.]

caraquenho [Do esp. *caraqueño*.] ***Adj.*** **1.** De, ou pertencente ou relativo à cidade de Caracas, capital da Venezuela. • ***S. m.*** **2.** O natural ou habitante de Caracas.

carará[1] [Do tupi.] ***S. m.*** *Bras. Zool.* Ave pelicaniforme anhingídea (*Anhinga anhinga*), dos rios e lagoas do S. dos E.U.A. até ao N. do Chile e da Argentina. O macho é preto; a fêmea tem a cabeça, o pescoço e o peito cinza-amarelados, as rêmiges do braço e as coberteiras superiores das asas marginadas de cinzento, ou dessa cor, e a ponta da cauda branca. [Sin.: *anhinga, arará, biguatinga, meuá, miuá, muiá*.]

carará[2] *Bras.* ***S. 2 g.*** **1.** *Etnôn.* Indivíduo dos cararás, povo indígena que habitava a região do alto rio Jatapu (AM). • ***Adj. 2 g.*** **2.** Pertencente ou relativo a esse povo. [Tb. us. como *s. 2 g. e 2 n.* (com cap.) e *adj. 2 g. e 2 n.*]

cara-raiada [De *cara* + o f. de *raiado*, poss.] ***S. m.*** *Bras. Zool.* V. *macaco-da-noite*. [Pl.: *caras-raiadas*.]

cararapirá [De or. tupi, poss.] ***S. f.*** *Bras. Amaz. Zool.* V. *alcatraz*[1].

cararueni *Bras.* ***S. 2 g.*** **1.** *Etnôn.* Indivíduo dos cararuenis, povo indígena extinto que habitava a margem esquerda do rio Amazonas (AM). • ***Adj. 2 g.*** **2.** Pertencente ou relativo a esse povo. [Tb. us. como *s. 2 g. e 2 n.* (com cap.) e *adj. 2 g. e 2 n.*]

cara-seca [De *cara* + o f. de *seco*.] ***Adj. 2 g.*** ***S. 2 g.*** *Bras.* V. *caradura* (1, 2, 6 e 7). [Pl.: *caras-secas*.]

cara-suja [De *cara* + o f. de *sujo*.] ***S. m.*** **1.** *Bras. Zool.* Ave psitaciforme, psitacídea (*Pyrrhura molinae*), do Brasil e países limítrofes, de coloração verde, peito amarelo, manchado de negro, cauda verde-amarelada e abdome vermelho. Vive nas matas e alimenta-se de frutas. **2.** *Gír.* Sujeito sem importância; joão-ninguém (q. v.): "Sociedade mambembe, sem diretoria, sem amor ao pavilhão — cambada de caras-sujas!" (Marques Rebelo, *Marafa*, p. 57.) [Pl.: *caras-sujas*.]

carataí [Do tupi.] ***S. m.*** *Bras. Zool.* **1.** Peixe doradídeo (*Anadoras weddellii*) encontrado no rio Mamoré e na bacia do rio Paraguai, de coloração escura, com uma série de placas ósseas ao longo dos flancos e os primeiros raios das nadadeiras fortes e serrilhados; peixe-cachorro. **2.** Peixe auquenipterídeo (*Pseudauchenipterus nodosus*) dos rios e estuários da Amazônia e da bacia do São Francisco, com até 22cm de comprimento. **3.** Peixe auquenipterídeo (*Centromochlus heckelii*) com cerca de 8cm de comprimento, das bacias dos rios Amazonas e Orinoco. **4.** V. *anujá*. **5.** V. *carapicu* (2). [Var.: *gravataí, caravataí, garavataí*.]

caratateuense ***Adj. 2 g.*** **1.** De, ou pertencente ou relativo a Caratateua (PA). • ***S. 2 g.*** **2.** O natural ou habitante de Caratateua.

caraté [Do tax. (*Treponema*) *carateum*.] ***S. m.*** *Med.* Dermatose infecciosa crônica, endêmica, produzida por um espiroqueta, e que se caracteriza por lesões cutâneas papulares discrômicas, as quais, eventualmente, se transformam em manchas desprovidas de pigmentos. [Sin.: *azul, mal da pinta, mal do pinto*. Cf. *caratê*.]

caratê [Do jap. *karate*.] ***S. m.*** Método de ataque e defesa pessoal difundido pelos japoneses, e que se funda na educação da vontade e num apurado treinamento físico. [Segundo alguns, originou-se na China, mas foi em Okinawa (Japão), onde havia uma forma de

C

combate semelhante baseada em golpes de mãos e de pés, que se aperfeiçoou.] [Cf. *caratê*.]

carateca [De *caratê*.] *S. 2 g. Bras.* Lutador de caratê.

caráter [Do lat. *charactere* < gr. *charaktér*.] *S. m.* **1.** Caractere (1 e 2). **2.** *P. ext.* V. *tipo*[1] (12): *O folheto foi editado em caracteres itálicos.* [Nessas acepçs., tb. us. no pl.] **3.** Especialidade, especificidade; cunho, marca: *obra de caráter puramente científico.* **4.** Qualidade inerente a uma pessoa, animal ou coisa; o que os distingue de outra pessoa, animal ou coisa: *Substâncias sem estrutura cristalina são de caráter amorfo.* **5.** O conjunto dos traços particulares, o modo de ser de um indivíduo, ou de um grupo; índole, natureza, temperamento: *O seu caráter agressivo dificulta-lhe o relacionamento; O caráter latino difere do caráter germânico.* **6.** O conjunto das qualidades (boas ou más) de um indivíduo, e que lhe determinam a conduta e a concepção moral: *homem de caráter nobre.* **7.** Gênio, humor, temperamento: *Esta criança tem um caráter péssimo: só vive choramingando.* **8.** Expressão apropriada, ajustada; propriedade. **9.** *Biol.* Aspecto morfológico ou fisiológico usado para distinguir de outro(s) um ser ou grupo de seres. **10.** *Ét.* Firmeza e coerência de atitudes; domínio de si. **11.** *Inform.* V. *caractere* (1). **12.** *Rel.* Qualidade especial produzida pelos sacramentos do batismo, crisma e ordem. **13.** *Bras. N.E. Pop.* Expressão facial; fisionomia. [Pl.: *caracteres*.] ◆ **Caráter adquirido.** *Biol.* Caráter não hereditário decorrente das condições ambientais, como, p. ex., a pigmentação da pele devida ao sol e o nanismo por carência alimentar. **Caráter alfanumérico.** *Inform.* V. *caractere alfanumérico.* **Caráter geomagnético.** *Geofís.* Índice das perturbações dos elementos do campo geomagnético, que é determinado pela pesquisa coordenada dos observatórios magnéticos; índice geomagnético. **Caráter hereditário.** *Biol.* Caráter transmissível segundo as leis da genética. **Caráter transferível.** *Art. Gráf.* V. *caractere transferível.* **A caráter.** Conforme a época e o lugar; rigorosamente segundo a moda; como deve ser: *Homens e mulheres bailaram o minueto vestidos a caráter;* "Orgia romana — cento e cinquenta figuras, sem contar os músicos a caráter, três carros de guerra, bandeiras, troféus" (Marques Rebelo, *Marafa*, p. 57). [Sin. (lus.): *à maneira*.] **De caráter.** De bom feitio moral; de boas e sólidas convicções: *um homem de caráter.*

caraterística *S. f.* V. *característica.*

caraterístico *Adj. S. m.* V. *característico.*

caraterização *S. f.* V. *caracterização.*

caraterizado *Adj.* V. *caracterizado.*

caraterizador (ô) *Adj. S. m.* V. *caracterizador.*

caraterizante *Adj. 2 g.* V. *caracterizante.*

caraterizar *V. t. d. P.* V. *caracterizar.* [Pret. imperf. ind.: *caraterizava*, ... *caraterizáveis, caraterizavam.* Cf. *caraterizáveis*, pl. de *caraterizável*.]

caraterizável *Adj. 2 g.* V. *caracterizável.*

caraterologia *S. f.* V. *caracterologia.*

caraterológico *Adj.* V. *caracterológico.*

caratinga[1] [Var. de *acaratinga*.] *S. m. Bras.* **1.** *Bot.* Designação comum a várias trepadeiras dioscoreáceas, ornamentais, de raízes tuberosas comestíveis, e entre as quais há uma espécie com folhas verdes maculadas de vermelho; cará-de-folha-colorida, cará-liso, cará-de-pele-branca, inhame-cará. **2.** *Bot.* V. *cará* (2). **3.** *Zool.* V. *acará* (1). **4.** *Zool.* Peixe perciforme, gerreídeo (*Eugerres brasilianus*), do Atlântico, desde as Antilhas ao RJ. Coloração prateada, com reflexos esverdeados e uma estria olivácea no corpo; mede até 0,24m. [Sin. (nesta acepç.): *acaratinga, carapeba-listada*.]

caratinga[2] *S. m. Zool.* V. *sagui-caratinga.*

caratinguense *Adj. 2 g.* **1.** De, ou pertencente ou relativo a Caratinga (MG). ● *S. 2 g.* **2.** O natural ou habitante de Caratinga.

caratuã [De or. tupi, poss.] *S. m. Bras. AM* Espécie de sarrabulho preparado à moda indígena, com miúdos de vários animais de caça.

carauá [Do tupi, 'talo com espinho'.] *S. m. Bras. Bot.* V. *caroá.*

carauaçu [De *cará* + *-uaçu*.] *S. m. Bras. MA Zool.* V. *apaiari.* ❄

carauariense *Adj. 2 g.* **1.** De, ou pertencente ou relativo a Carauari (AM). ● *S. 2 g.* **2.** O natural ou habitante de Carauari.

caraúba [Do tupi.] *S. f. Bras. Bot.* **1.** V. *caraíba*[2] (1). **2.** V. *caroba-do-mato* (1).

caraúba-do-campo *S. f. Bras. Bot.* V. *caraíba*[2] (1). [Pl.: *caraúbas-do-campo*.]

caraubal (a-u) [De *caraúba* + *-al*[1].] *S. m.* **1.** *Bras.* Quantidade mais ou menos considerável de caraúbas dispostas proximamente entre si. **2.** Área ocupada por caraubal (1).

caraubeira [De *caraúba* + *-eira*.] *S. f. Bras. Bot.* V. *caraíba*[2] (1).

caraubense (a-u) *Adj. 2 g.* **1.** De, ou pertencente ou relativo a Caraúbas (RN). ● *S. 2 g.* **2.** O natural ou habitante de Caraúbas.

caraúna *S. f. Zool.* **1.** *Bras. Amaz.* V. *tapicuru*[1]. **2.** *Bras. Amaz.* V. *graúna.* **3.** *Bras. N.E.* V. *garoupinha.*

caravana [Do ár. *karawān* (< persa *kārwān*), poss. pelo fr. *caravane*.] *S. f.* **1.** Multidão de peregrinos, mercadores ou viajantes que se reúnem para atravessar o deserto com segurança. **2.** *P. ext.* Grupo de pessoas que vão juntas a algum lugar.

caravançará [Do persa *karvansarāi*, 'palácio das caravanas'; var. de *caravançarai*.] *S. m.* **1.** Grande abrigo, no Oriente Médio, para hospedagem gratuita de caravanas, e que, de ordinário, consta de quatro pavilhões em volta de um pátio. [Cf. *cão*[2] (2).] **2.** *Bras. Fig.* Baralhamento, confusão, mistura, mescla: "Quão delicioso tudo isto ao misturarem-se, nestes caravançará de raças, gregos, semitas, franceses, catalães, mouros, bizantinos, germânicos!" (Agripino Grieco, *Recordações de um Mundo Perdido*, p. 60.)

caravançarai *S. m.* Caravançará (q. v.).

caravaneiro [De *caravana* + *-eiro*.] *S. m.* **1.** Guia de caravanas. **2.** Condutor de animais de carga (em caravanas): "Pela África subsaariana não passaram as grandes rotas do caravaneiro e do navegador." (Alberto da Costa e Silva, *A Enxada e a Lança*, p. 18.) ● *Adj.* **3.** De, ou relativo a caravana: "Nos portos caravaneiros do Sael, cobravam-se tributos de passagem e direitos alfandegários" (Id., *ib.*, p. 253).

caravanista [De *caravana* + *-ista*.] *S. 2 g.* Indivíduo que toma parte em caravana.

caravataí [Do tupi.] *S. m. Bras. Amaz. Zool.* V. *carataí.*

caravela [Dim. de *cáravo* (v. *-ela*).] *S. f.* **1.** *Ant.* Navio de casco alteroso à popa e baixo a vante, de boca aberta ou coberta, aparelhado com um a quatro mastros de velas bastardas, e armado com até 18 peças de artilharia. [Algumas tinham velas redondas no mastro de vante. Foram navios, por excelência, dos descobrimentos marítimos portugueses dos sécs. XV e XVI.] **2.** Antiga moeda de prata. **3.** *Zool.* Animal celenterado, hidrozoário, sifonóforo, especialmente o do gênero *Physalia*, de cerca de 0,20m de comprimento. Vive nos mares quentes, em colônias formadas de, pelo menos, quatro tipos de pólipos: flutuantes, alimentares, defensivos, e reprodutivos. Urticante, pode causar acidentes e envenenamentos. **4.** *Zool.* V. *água-viva* (2). **5.** Vara de mandioca.

caravelão [De *caravela* + *-ão*[2].] *S. m. Ant.* Caravela pequena e rudimentar, muito utilizada no litoral brasileiro no início da colonização.

caraveleiro [De *caravela* + *-eiro*.] *S. m.* Tripulante de caravela.

caravelense *Adj. 2 g.* **1.** De, ou pertencente ou relativo a Caravelas (BA). ● *S. 2 g.* **2.** O natural ou habitante de Caravelas.

caravelha (ê) *S. f.* V. *cravelha.*

caravelho (ê) *S. m.* V. *cravelho.*

cáravo [Do lat. tard. *carabu* < gr. *kárabos*.] *S. m. Ant.* Barco de velas latinas, de porte variável, muito utilizado pelos mouros, sobretudo no Mediterrâneo.

caraxixu [Do tupi, poss.] *S. m. Bras. Bot.* V. *erva-moura* (1).

caraxué [Do tupi.] *S. m. Bras. Amaz.* **1.** *Zool.* Designação comum a várias aves turdídeas ou sabiás, tais como *Turdus phaeopygus, T. nudigenis, T. fumigatus* e *T. ignobilis debilis*, de coloração pardo-olivácea escura, ou pardo-avermelhada; guiraxué, uiraxué: "o feio caraxué do canto divino garganteia além as melodias mais imprevistas que nunca sonharam maestros" (José Veríssimo, *Cenas da Vida Amazônica*, p. 54). [Cf. *sabiá* (1).] **2.** V. *proxeneta.*

caraxué-da-capoeira *S. m. Bras. PA Zool.* V. *sabiá-da-mata.* [Pl.: *caraxués-da-capoeira*.]

caraxué-da-mata *S. m. Bras. Zool.* V. *sabiá-da-mata.* [Pl.: *caraxués-da-mata*.]

carazal (carà) [De *cará* + *-zal*.] *S. m.* **1.** *Bras.* Quantidade mais ou menos considerável de pés de carás dispostos proximamente entre si. **2.** Área ocupada por carazal (1).

carazinhense (carà) *Adj. 2 g.* **1.** De, ou pertencente ou relativo a Carazinho (RS). ● *S. 2 g.* **2.** O natural ou habitante de Carazinho.

carbamato [De *carbâm(ico)* + *-ato*[2].] *S. m. Quím.* Sal ou éster do ácido carbâmico.

carbâmico [De *carb(o)-* + *am(ido)* + *-ico*[2].] *Adj. Quím.* ~ V. *ácido* —.

carbamida [Do ingl. *carbamide*.] *S. f. Quím.* Ureia.

carbânion [De *carb(o)-* + *ânion*.] *S. m. Quím.* Qualquer ânion orgânico, ger. instável, de tempo de vida curto, muito reativo, em cuja estrutura existe um átomo de carbono trivalente, que porta a carga negativa.

carbazida [De *carb(o)-* + *(hidr)azida*.] *S. f. Quím.* **1.** Substância cristalina, explosiva, derivada da carboidrazida, que contém dois grupos azida (2) [fórm.: CON_6]. **2.** Carboidrazida.

carbazol [De *carb(o)-* + *-az(o)-* + *-ol*[3].] *S. m. Quím.* Substância cristalina incolor, cujas moléculas se podem considerar como formadas por dois anéis benzênicos fundidos a um de pirrol [fórm.: $C_{12}H_9N$]. [Pl.: *carbazóis*.]

carbeno [De *carb(o)-* + *-eno*[2].] *S. m. Quím.* **1.** Substância orgânica, neutra, instável, de tempo de vida curto, muito reativa, formada por dois átomos de hidrogênio unidos a um átomo de carbono que porta par de elétrons não compartilhado [fórm.: CH_2]. **2.** Designação genérica de substâncias derivadas do carbeno (1) por substituição de um ou ambos os átomos de hidrogênio.

carbeto (ê) [De *carb(o)-* + *-eto*[2].] *S. m. Quím.* V. *carbureto.*

carbinol [Do al. *Karbinol*.] *S. m. Quím.* O álcool metílico.

carbitol [Voc. farmac.] *S. m. Quím.* Nome comercial do éter etílico do dietilenoglicol. [Pl.: *carbitóis*.]

▲**carb(o)-** [Do lat. *carbo, ōnis*.] *El. comp.* = 'carvão', 'carbono': *carbólico*. [Equiv.: *-carb(o)-, carbon(i)-, -carbon(i)-*; *ciclopropanocarbaldeído; carbonífero; descarbonizar*.]

▲**-carb(o)-** V. *carb(o)-*.

carbocátion [De *carb(o)-* + *cátion*.] *S. m. Quím.* Qualquer cátion orgânico, ger. instável, de tempo de vida curto, muito reativo, em cuja estrutura existe um carbono trivalente ou, raramente, pentavalente, que porta a carga positiva.

carbo-hidrato *S. m. Quím.* V. *carboidrato.* ❖

carboidrato (o-i) [De *carb(o)-* + *hidrato*.] *S. m. Quím.* Qualquer glicídio com fórmula $C_m(H_2O)_n$, onde *m* e *n* são números inteiros, nem sempre iguais. [Tais compostos eram considerados antigamente como combinações simples de carbono com água, ou seja, hidratos de carbono.]

carboidrazida (o-i) [De *carb(o)-* + *(h)idrazida*.] *S. f. Quím.* Substância cristalina derivada da ureia, que contém dois grupos hidrazida; carbazida [fórm.: $(H_2NNH)_2CO$].

carbólico [De *carb(o)-* + *-ol(e)(o)-* + *-ico*[2].] *Adj. Quím.* ~ V. *ácido* —.

carbolina [De *carb(azol)* + *-ina*[3].] *S. f. Quím.* Qualquer das substâncias heterocíclicas, derivadas do carbazol por substituição de um dos metinos por átomo de nitrogênio [fórm.: $C_{12}H_8N_2$].

carbolismo [De *(ácido) carból (ico)* + *-ismo*.] *S. m. Med.* Envenenamento por fenol.

➔**carboloy** ['kubo,lɔj] [Ingl, nome comercial.] *S. m. Metal.* Material de grande dureza e resistência à abrasão, que é um tipo de carboneto cementado composto de tungstênio, carbono e cobalto, e que pode ser fundido nos formatos desejados, e usinado, recebendo, em seguida, um tratamento térmico.

carboluria [De *(ácido) carból (ico)* + *-uria*.] *S. f. Med.* V. *carbolúria.*

carbolúria [De *(ácido) carból (ico)* + *-úria*.] *S. f. Med.* Presença de fenol na urina. [F. paral.: *carboluria*.]

carbonado [De *carbon(i)-* + *-ado*[1].] *Adj.* **1.** Que contém carbono. ● *S. m.* **2.** Diamante preto, de extrema dureza e de uso exclusivamente industrial; lavrita.

carbonador (ô) [De **carbonar* + *-dor*.] *S. m.* Carburador.

carbonante [De **carbonar* + *-nte*.] *Adj. 2 g. S. m.* V. *carburante.*

carbonário [Do it. *carbonaro*, 'carvoeiro'.] *S. m.* **1.** Membro de uma sociedade secreta e revolucionária que atuou na Itália, França e Espanha no princípio do séc. XIX. **2.** *P. ext.* Membro de qualquer sociedade secreta e revolucionária.

carbonarismo [De *carbonário* + *-ismo*.] *S. m.* Opinião, doutrina ou prática dos carbonários.

carbonatado [Part. de *carbonatar*.] *Adj.* **1.** Saturado de gás carbônico. **2.** Convertido em carbonato.

carbonatar [De *carbonato* + *-ar*[2].] *V. t. d. P.* **1.** Saturar(-se) de gás carbônico. **2.** Converter(-se) em carbonato.

carbonato [De *carbon(i)-* + *-ato*[2].] *S. m. Quím.* Qualquer sal do ácido carbônico.

carbonetação [De *carbonetar* + *-ção*.] *S. f. Metal.* Aquecimento do aço a alta temperatura em atmosfera rica em carbono, o que provoca difusão de átomos deste elemento para a porção superficial do metal, com endurecimento desta.

carbonetar [De *carboneto* + *-ar*[2].] *V. t. d. Metal.* Realizar a carbonetação de.

carboneto (ê) [De *carbon(i)-* + *-eto*[2].] *S. m. Quím.* V. *carbureto.*

▲**carbon(i)-** V. *carb(o)-*.

▲**-carbon(i)-** V. *carb(o)-*.

carbónico *Adj. Quím.* V. *carbônico.* [Uso freq. em P.]

carbônico [De *carbon(i)-* + *-ico*[2].] *Adj. Quím.* Próprio do carbono. ~ V. *ácido — e gás —.*

carbonífero [De *carbon(i)-* + *-fero*.] *Adj.* **1.** Que contém ou produz carvão. **2.** Relativo a, ou próprio de carbonífero (3). ~ V. *período* —. ● *S. m.* **3.** *Geol.* Período carbonífero.

carbonila [De *carbon(i)-* + *-ila²*.] *S. f. Quím.* **1.** O grupo divalente formado por um átomo de carbono unido por ligação dupla a um átomo de oxigênio [fórm.: =C=O]. **2.** Designação genérica de compostos neutros formados por metais e monóxido de carbono.

carbonilado [De *carbonila* + *-ado¹*.] *Adj. Quím.* Que contém carbonila.

carbonílico [De *carbonila* + *-ico²*.] *Adj. Quím.* Diz-se de composto orgânico que contém carbonila em sua estrutura, esp. aldeídos e cetonas.

carbónio *S. m. Quím.* V. *carbônio.* [Uso freq. em P.]

carbônio [De *carb(o)-* + *-ônio*.] *S. m. Quím.* V. *íon carbônio* (1).

carbonitense *Adj.* **1.** De, ou pertencente ou relativo a Carbonita (MG). ● *S. 2 g.* **2.** O natural ou habitante de Carbonita.

carbonitretação [De *carbonitretar* + *-ção*.] *S. f. Metal.* Aquecimento do aço em condições tais que ocorre o enriquecimento superficial simultâneo com carbono e nitrogênio, resultando em produto de exterior extremamente duro e núcleo tenaz, com resistência à fadiga, ao desgaste e à torção.

carbonitretar [De *carb(o)-* + *nitreto* + *-ar²*.] *V. t. d. Metal.* Realizar a carbonitretação de.

▲**-carbonitrila** *Quím. El. comp.* Indica o grupo -CN de nitrila, em certos casos em que não se usa, simplesmente, *-nitrila*: *ciclopropanocarbonitrila.*

carbonização [De *carbonizar* + *-ção*.] *S. f.* Ato ou efeito de carbonizar.

carbonizado [Part. de *carbonizar*.] *Adj.* **1.** Reduzido a carvão. **2.** Inteiramente queimado pela ação do fogo, do calor excessivo, de corrente elétrica muito intensa, etc.

carbonizador (ô) [De *carbonizar* + *-dor*.] *Adj.* **1.** Que carboniza. ● *S. m.* **2.** Aquilo que carboniza. **3.** Aparelho que transforma a madeira em carvão.

carbonizar [De *carbon(i)-* + *-izar*.] *V. t. d.* **1.** Reduzir a carvão. **2.** Queimar (tecidos orgânicos) por meio de um metal em brasa ou substância cáustica. **3.** *Maç.* Colocar uma esfera negra na urna, durante votação de admissão, ou não, de um candidato. *P.* **4.** Reduzir-se a carvão.

carbonizável [De *carbonizar* + *-vel*.] *Adj. 2 g.* Que pode ser carbonizado.

carbono [Do lat. *carbone*, 'carvão'.] *S. m.* **1.** *Quím.* Elemento de número atômico 6, capaz de formar extensas cadeias de átomos, e que constitui inúmeros compostos [símb.: *C*]. [Cf. *grafita, diamante* (1), *buckminsterfulereno, química orgânica*.] **2.** V. *papel-carbono.* ◆ **Carbono assimétrico.** *Quím.* Átomo de carbono que tem quatro substituintes diferentes; carbono quiral. **Carbono primário.** *Quím.* Num composto orgânico, átomo de carbono que está ligado a somente um outro átomo de carbono. **Carbono quaternário.** *Quím.* Num composto orgânico, átomo de carbono que está ligado a quatro outros átomos de carbono. **Carbono 14.** *Quím.* Isótopo radioativo do carbono, formado em decorrência do impacto de raios cósmicos na atmosfera terrestre; radiocarbono [símb.: *¹⁴C*]. [V. *radiocarbono*.] **Carbono quiral.** *Quím.* Carbono assimétrico. **Carbono secundário.** *Quím.* Num composto orgânico, átomo de carbono que está ligado a dois outros átomos de carbono. **Carbono terciário.** *Quím.* Num composto orgânico, átomo de carbono que está ligado a três outros átomos de carbono. **Carbono 13.** *Quím.* Isótopo estável, pouco abundante, do carbono, que tem *spin* nuclear adequado ao emprego de técnicas de espectroscopia de ressonância magnética nuclear, us. na determinação da estrutura de moléculas [símb.: *¹³C*].

carbonuria [De *carbon(i)-* + *-uria*.] *S. f. Med.* V. *carbonúria.*

carbonúria [De *carbon(i)-* + *-úria*.] *S. f. Med.* Presença, na urina, de dióxido de carbono ou de outros compostos de carbono. [F. paral.: *carbonuria*.]

carboquímica [De *carb(o)-* + *química*.] *S. f. Quím.* A química dos compostos derivados do carvão, como, p. ex., o alcatrão, e fenóis.

carboquímico *Adj. Quím.* **1.** Relativo à carboquímica. **2.** Diz-se de composto obtido pela destilação do carvão.

▲**-carboxaldeído** *Quím. El. comp.* Indica o grupo -CHO de aldeído, em certos casos em que não se usa *-al²*: *ciclopropanocarboxaldeído.*

▲**carbox(i)-** *Quím. El. comp.* Designa o grupo divalente -CO-²: *carboximetilcelulose.* [Tb. ocorre com infixo.]

▲**-carbox(i)-** *Quím.* V. *carbox(i)-*.

carboxila (cs) [De *carbox(i)-* + *-ila²*.] *S. f. Quím.* Grupamento funcional característico dos ácidos carboxílicos [fórm.: -COOH].

carboxilato (cs) [De *carbox(i)-* + *-il-* + *-ato²*.] *S. m. Quím.* Sal ou éster de ácido carboxílico.

carboxílico (cs) [De *carbox(i)-* + *-il* + *-ico²*.] *Adj. Quím.* ~ V. *ácido* —.

▲**-carboxílico** *Quím. El. comp.* Indica o grupo carboxila, em certos casos em que não se usa *-oico²*: *ciclopropanocarboxílico.*

carboximetilcelulose (cs) [De *carbox(i)-* + *-metil-* + *celulose*.] *S. f. Quím.* Substância complexa, obtida pela ação do derivado sódico do ácido cloroacético sobre a celulose alcalina, pulverulenta, branca, usada na indústria de tintas, de adesivos, em análise química, como antiácido e laxativo.

carboxiterapia (cs) [De *carbox(i)-* + *-terapia*.] *S. f. Med.* Uso terapêutico do gás carbônico.

carbúnculo [Do lat. *carbunculu*, 'pequeno carvão'.] *S. m.* **1.** Antiga designação da granada almandina, lapidada em cabucho; toque. **2.** *Med.* Antraz (1). **3.** *Med.* Infecção necrosante da pele e tecido subcutâneo, habitualmente causada pelo *S. aurens hemolyticus*, e que produz lesão com bordas endurecidas e vários orifícios fistulosos que eliminam secreção purulenta. [Pode ser considerado como um furúnculo com múltiplos focos.] ◆ **Carbúnculo hemático.** *Med.* Doença infecciosa comum a vários animais (bovinos, ovinos, caprinos e, raramente, equinos), causada pelo *B. antharacis*, e que, acidentalmente, incide no homem, causando lesão cutânea (pústula maligna), podendo evoluir para grave septicemia. [Tb. se diz apenas *carbúnculo*.]

carbunculoso (ô) [De *carbúnculo* + *-oso*.] *Adj.* **1.** Da natureza do carbúnculo. **2.** Que produz carbúnculo.

carburação [Do fr. *carburation*.] *S. f.* **1.** Ato ou efeito de carburar. **2.** *Autom.* Preparação da mistura de ar e combustível destinada à alimentação de um motor de explosão.

carburador (ô) [Do fr. *carburateur*.] *S. m.* Órgão principal da carburação, onde o combustível se mistura, em proporção adequada, com o ar, para garantir o perfeito funcionamento de um motor de explosão, sob as mais diversas solicitações de velocidade e força; carbonador.

carburante [De *carburar* + *-nte*.] *Adj. 2 g.* **1.** Que produz carburação. ● *S. m.* **2.** Combustível próprio para motor de explosão. [Sin. ger.: *carbonante*.]

carburar [Do fr. *carburer*.] *V. t. d.* **1.** Provocar (num sistema) a elevação do teor de um combustível. **2.** Combinar com o carbono ou com substância rica em carbono.

carbureto (ê) [Do fr. *carbure* + *-eto²*.] *S. m. Quím.* Qualquer composto binário de carbono e outro elemento; carbeto, carboneto.

carburização [De *carburizar* + *-ção*.] *S. f. Quím.* Ato ou efeito de carburizar.

carburizar [Do fr. *carbure* + *-izar*.] *V. t. d. Quím.* Aumentar o teor de carbono de (uma mistura).

carcaça [Do fr. *carcasse*.] *S. f.* **1.** Esqueleto de animal; ossada, ossatura. **2.** Arcabouço, estrutura. **3.** Casco velho de navio. **4.** Navio sem apetrestos. **5.** Urdidura de navio em construção. **6.** *Deprec.* O corpo humano: *Viajou tanto que acabou deixando a carcaça pela África.* **7.** *Fig.* V. *bruxa* (2). **8.** *Tec.* Estrutura metálica de um motor elétrico. **9.** *Lus. Cul.* Pão pequeno e bojudo, de farinha de trigo; molete, papo-seco.

carcamano [Do esp. *carcamán*, poss.] *S. m.* **1.** *Bras.* Alcunha jocosa que se dá aos italianos em vários estados; latacho, macarrone: "apartamento da Avenida Rui Barbosa decorado pelo tal marquês italiano — vai ver que o carcamano não é marquês coisa nenhuma!" (Marques Rebelo, *O Simples Coronel Madureira*, p. 141). **2.** *Bras. MA* Alcunha que se dá aos árabes em geral. **3.** *Bras. CE* Vendedor ambulante de fazendas e objetos de armarinho. **4.** *Angol.* Sul-africano de raça branca: "O carcamano pareceu-lhe, de facto, o único inimigo indubitável." (Arlindo Barbeitos, *O Rio, Estórias de Regresso*, p. 26.)

carcanel *S. m. Bras.* Ferro com que os calafates assentam a estopa nas costuras do navio. [Pl.: *carcanéis*.]

carcanha [De or. tupi, poss.] *S. f. Bras. Zool.* V. *caicanha.*

carcará [Var. sincopada de *caracará*.] *S. m. Bras. Zool.* V. *carancho.*

carcarídeo [Do tax. *Carcharias* (< gr. *karcharías*, 'tubarão') + *-ídeo¹*; tax. *Carcharidae*.] *S. m. Adj. Zool.* V. *odontaspidídeo.*

carcarrinídeo [Do tax. *Carcharhinidae*.] *Zool. S. m.* **1.** Espécime dos carcarrinídeos, família de peixes carcarriniformes, de tamanho médio a grande, com treze gêneros e cerca de cinquenta e sete espécies, encontrados em mares temperados e tropicais de todo o mundo. ● *Adj.* **2.** Pertencente ou relativo a eles.

carcarriniforme [Do tax. *Carcharhiniformes*.] *Zool. S. m.* **1.** Espécime dos carcarrinídeos, ordem de peixes seláquios, elasmobrânquios, com quarenta e nove gêneros e nove famílias, que apresentam cinco fendas branquiais, duas nadadeiras dorsais, sem espinhos, e olhos com membranas nictitantes. ● *Adj. 2 g.* **2.** Pertencente ou relativo a eles.

carcás [Do persa *tirkash*, 'que atira flechas'.] *S. m.* V. *aljava* (2): "Do pejado carcás tira uma seta, / Na corda a ajeita, — o arco entesa e curva, / Atira" (Gonçalves Dias, *Obras Poéticas*, II, p. 317). [Pl.: *carcases*.]

cárcava [Do lat. *cacabu*, 'panela', pelo ant. *cárcavo*; esp. *cárcava*.] *S. f. Ant.* Fosso profundo, para defesa, em volta de uma praça. [Var.: *cárcova*. Cf. *carcava*, do v. *carcavar*.]

carcavar [De *cárcava* + *-ar²*.] *V. t. d.* **1.** Rodear com cárcava. **2.** Tornar oco. *Int.* **3.** Abrir cárcava. *P.* **4.** Abrir-se, rasgar-se. [Pres. ind.: *carcavo, carcavas, carcava*, etc. Cf. *cárcava*.]

carcel [Do fr. *carcel*.] *S. m.* **1.** Candeeiro suspenso, que se movimenta por meio de uma corrente. **2.** *Fotom.* Antiga unidade de medida de intensidade luminosa, igual a 1.118 candelas, e definida, empiricamente, pela intensidade de uma lâmpada especial (*lâmpada Carcel*), que funciona em condições determinadas. [Pl.: *carcéis*.]

carcela [Do lat. vulg. **carcella*, por *carcerula*, dim. de *carcer*, poss.] *S. f.* **1.** Tira de pano, com casas, que se cose num dos lados do casaco, das calças, etc., para se abotoar sobre a outra banda, onde estão os botões, de modo que estes não fiquem à vista. **2.** *Encad.* Tira estreita de pano ou de papel com que, num livro, se prendem mapas, estampas ou quadros fora do texto, ou com que se aumenta a espessura do lombo em certos trabalhos.

carcelado [De *carcela* + *-ado¹*.] *Adj. Encad.* Provido de carcela (2). ~ V. *livro* —.

carceragem [De *cárcere* + *-agem²*.] *S. f.* **1.** Ato ou efeito de encarcerar. **2.** Despesa com a manutenção dos presos. **3.** *Obsol.* Pagamento ou multa a que ficavam sujeitos os presos. **4.** Lugar destinado aos presos numa delegacia: "Na delegacia estavam apenas o comissário, um guarda e um investigador encarregado da carceragem." (Rubem Fonseca, *Agosto*, p. 75.)

carcerário [Do lat. *carcerariu*.] *Adj.* Do, ou relativo ao cárcere. ~V. *educação* —*a.*

cárcere [Do lat. *carcere*.] *S. m.* **1.** Prisão subterrânea; calabouço. **2.** V. *cadeia* (3). **3.** Cela de cadeia; prisão. **4.** Lugar de onde saíam os cavalos, nos circos da antiga Roma. **5.** *Fig.* Dificuldade, obstáculo. ◆ **Cárcere privado.** Local onde, ilegalmente, alguém conserva outrem preso.

carcereiro [Do lat. *carcerariu*.] *S. m.* Guarda de cárcere.

carcérula *S. f. Bot.* Tipo de fruto que, na maturação, se separa em diversos compartimentos monospermos.

carchear [Do esp. plat. *carchear*.] *V. t. d. Bras. RS* **1.** Roubar, despojar (os vencidos ou os mortos). **2.** Apropriar-se indebitamente de (animais ou coisas), a pretexto de necessidade de guerra. [Conjug.: v. *frear*.]

carcheio [Do esp. plat. *carcheo*.] *S. m. Bras. RS* Ato ou efeito de carchear.

▲**carcini-** [Do lat. *carcinos*, ou *carcinus*, *i* < gr. *karkínos, ou*.] Equiv. de *carcin(o)-*.

carcinicultor (ô) [De *carcini-* + *-cultor*.] *S. m.* Aquele que se consagra à carcinicultura.

carcinicultura [De *carcini-* + *-cultura*.] *S. f.* Cultura dos crustáceos.

▲**carcin(o)-** [Do gr. *karkínos, ou*.] *El. comp.* = 'caranguejo'; 'crustáceo'; 'câncer', 'tumor maligno': *carcinologia, carcinose.* [Equiv.: *carcini-*: *carcinicultura*.]

carcinógeno [De *carcin(o)-* + *-geno*.] *S. m.* Substância que provoca ou estimula o desenvolvimento de tumor maligno no organismo.

carcinoide (ói) [De *carcin(o)-* + *-oide*.] *Adj. 2 g.* **1.** Semelhante ou relativo aos crustáceos. **2.** *Patol.* Diz-se de tumor bem limitado, de cor amarela, que ocorre principalmente em órgãos do tubo digestivo (estômago, intestino delgado, intestino grosso, e inclusive no apêndice ileocecal); tem evolução maligna, embora lenta, a despeito de causar metástases múltiplas e precoces. ● *S. m.* **3.** *Patol.* Tumor carcinoide (2). ❖

carcinoidose [De *carcinoide* + *-ose¹*.] *S. f. Patol.* Complexo de sintomas paroxísticos (vasodilatação cutânea, asma brônquica), ou permanentes (diarreia, lesões de válvulas cardíacas, acne rosáceo), que se devem, supostamente, a grande secreção, por carcinoide e suas metástases, de serotonina e de calicreína.

carcinologia [De *carcin(o)-* + *-logia*.] *S. f.* **1.** *Ant.* Ramo da zoologia que estuda os crustáceos. **2.** *Med. P. us.* V. *cancerologia.*

carcinológico [De *carcinologia* + *-ico²*.] *Adj.* Concernente à carcinologia.

carcinologista [De *carcinologia* + *-ista*.] *S. 2 g. P. us.* V. *cancerologista.*

carcinólogo [De *carcin(o)-* + *-logo*.] *S. m. P. us.* V. *cancerologista.*

carcinoma [Do gr. *karkínoma, atos*, pelo lat. *carcinoma*.] *S. m. Patol.* Tumor maligno constituído por células epiteliais, com tendência a invadir as estruturas próximas e a produzir metástase.

carcinomatose [De *carcinoma* (< gr. *karkínoma, atos*) + *-ose¹*.] *S. f. Patol.* Disseminação de câncer pelo corpo; carcinose.

carcinomatoso (ô) [De *carcinoma* (< gr. *karkínoma, atos*) + *-oso*.] *Adj. Impr.* Canceroso (1).

carcinose [De *carcin(o)-* + *-ose*[1].] *S. f. Patol.* Carcinomatose.

carcoma [De or. pré-romana, poss.] *S. f.* V. *caruncho* (1 e 2): "A luz projeta no forro cheio de carcoma um astro esburacado e limoso." (Osmã Lins, *Nove, Novena*, p. 146.)

carcomer [De or. incerta, poss. relacionado a *carcoma* e/ou a *comer*.] *V. t. d.* **1.** Roer (madeira): *Os carunchos carcomeram a estante.* **2.** Desfazer, como carcoma desfaz a madeira; corroer: *A úlcera carcomeu a parede do estômago.* **3.** *Fig.* Destruir pouco a pouco; arruinar: *Há vícios que carcomem uma instituição.*

carcomição [De *carcomer* + *-ção*.] *S. f.* Ato ou efeito de carcomer.

carcomido [Part. de *carcomer*.] *Adj.* **1.** Roído pela carcoma; corroído: *O livro tinha a lombada carcomida.* **2.** Gasto, estragado, apodrecido, deteriorado: *rocha carcomida; madeira carcomida.* **3.** *Fig.* Abatido, velho, acabado: *rosto carcomido.* [Sin., nessas acepç.: *carunchento, carunchoso*.] **4.** *Fig.* Consumido, atormentado, afligido: *O ciúme torna-lhe a alma carcomida.* **5.** *Fig.* Destruído, arruinado.

cárcova *S. f. Ant.* **1.** V. *cárcava*. **2.** Porta falsa de praça-forte.

carcunda *S. f. S. 2 g. Adj. 2 g.* V. *corcunda* (1, 2 e 6).

carda [Dev. de *cardar*.] *S. f.* **1.** Ato ou efeito de cardar; cardação, cardadura, cardagem. **2.** Instrumento constituído de um banco ao qual se apoia uma espécie de grande pente com dentes de madeira, compridos e bastante próximos, e que serve para desembaraçar o cânhamo, o linho, a lã, etc. **3.** *Tec.* Máquina que desembaraça, destrinça e limpa fibras têxteis, constituída de cilindros giratórios guarnecidos de milhares de agulhas. **4.** Pregadura miúda para o calçado. **5.** Cardina (1 e 2). **6.** *Ant.* Instrumento de tortura para dilacerar as carnes.

cardã [Do fr. *cardan* < antr. it. *Cardano* (1501-1576).] *S. m. Mec.* Sistema de suspensão em que o corpo suspenso mantém sua posição invariável, apesar das oscilações de seu suporte. [Posposto a outro substantivo, tem valor adjetivo, e significa que funciona conforme esse sistema: *eixo cardã*.]

cardação [De *cardar* + *-ção*.] *S. f.* V. *carda* (1).

cardada [De *cardar* + *-ada*[1].] *S. f.* Porção de lã que se carda de uma vez.

cardado [Part. de *cardar*.] *Adj.* Que foi submetido a cardação.

cardador (ô) [De *cardar* + *-dor*.] *Adj.* **1.** Que carda: *máquina cardadora.* ● *S. m.* **2.** Aquele que tem por ofício cardar.

cardadura [De *cardar* + *-dura*.] *S. f.* **1.** V. *carda* (1). **2.** Filaça cardada.

cardagem [De *cardar* + *-agem*[2].] *S. f.* **1.** V. *carda* (1). **2.** Arte ou oficina de cardador. **3.** *Tec. Têx.* Processo que consiste em escovar e desembaraçar as fibras a serem tecidas, deixando-as quase paralelas e eliminando os corpos estranhos.

cardal [De *cardo* + *-al*[1].] *S. m.* **1.** Quantidade mais ou menos considerável de cardos dispostos proximamente entre si. **2.** Área ocupada por cardal (1).

cardamomo [Do gr. *kardámomon*, pelo lat. *cardamomu*.] *S. m. Bot.* Planta zingiberácea (*Elettaria cardamomum*) do S.E. asiático, cultivada por suas sementes, utilizadas como condimento aromático.

cardamomo-da-terra *S. m. Bot.* Designação comum a várias espécies zingiberáceas, ervas perenes e robustas, com flores variegadas e sementes aromáticas e medicinais; cana-brava, cana-do-mato, capitiú, cuité-açu, paco-seroca, pacová. [Pl.: *cardamomos-da-terra*.]

cardanha *S. f. Prov. port.* V. *cardenha*.

cardão [De *cardo* + *-ão*[2].] *Adj.* **1.** Que tem a cor da flor dos cardos; azul-violeta; cárdeo: "O cavalo cardão, que ele montava, parecia compreendê-lo e auxiliá-lo na empresa." (José de Alencar, *O Sertanejo*, p. 35); "O velho montando uma burra cardã encangalhada." (Magalhães da Costa, *Estação das Manobras*, p. 19). **2.** Diz-se dessa cor; cárdeo. ● *S. m.* **3.** Essa cor. **4.** Equídeo dessa cor: "arrancando o cardão em um salto, disparava pela colina abaixo" (José de Alencar, *O Sertanejo*, p. 234).

cardápio [Do lat. *charta*, 'papel', + lat. *dapum*, gen. de *dapes*, 'iguarias'.] *S. m. Bras.* Lista das iguarias que um restaurante, etc., pode servir, em geral com o preço de cada uma delas: "As pastas alimentícias .... entravam habitualmente nos cardápios de hotéis e restaurantes" (Eduardo Frieiro, *Feijão, Angu e Couve*, p. 270). [Sin.: *lista* (raramente us. no Brasil), (lus.) *ementa* e (gal.) *menu*.]

cardar [Do esp. *cardar*.] *V. t. d.* **1.** Desenredar, destrinçar ou pentear com carda (2 e 3) (lã ou qualquer fibra têxtil). **2.** *Gír.* Extorquir astuciosamente dinheiro de; explorar.

cardeal [Do lat. *cardinale*.] *Adj. 2 g.* **1.** Principal, fundamental; cardinal: "A razão cardeal de toda a superioridade humana é sem dúvida a vontade." (José de Alencar, *A Pata da Gazela*, p. 195.) ~ V. *número — e ponto —*. ● *S. m.* **2.** Prelado do Sacro Colégio pontifício. **3.** *Bras. Zool.* Designação comum a várias aves passeriformes, fringilídeas, especialmente do gênero *Paroaria*, espécies *coronata, dominicana, gularis*, espalhadas por todo o Brasil. Geralmente são brancas ou pretas, com a cabeça, mento ou outras partes do corpo encarnadas. [Sin. (nesta acepç.): *acapitã, cabeça-vermelha, campina, galo-da-campina, galo-de-campina, galo-do-mato, guiratirica, paroara, tié-guaçu-paroara*.] **4.** *Bot.* V. *cardeal-do-brasil*. **5.** *Mat.* V. *número cardinal*. [Cf. *cardial*.]

cardeal-amarelo *S. m. Bras. Zool.* Ave passeriforme, fringilídea (*Gubernatrix cristata*), do extremo S. do Brasil e países limítrofes, de coloração olivácea no dorso e amarela embaixo, garganta e vértice pretos, e supercílios e bochechas amarelas no macho e brancas na fêmea; cardeal-de-montevidéu. [Pl.: *cardeais-amarelos*.]

cardeal-de-goiás *S. m. Bras. GO TO MT Zool.* Ave fringilídea (*Paroaria baeri*) de dorso e gravata negros, e píleo vermelho-escuro; tem penas brilhantes, com raque branca. Vive nas matas ribeirinhas, em pequenos bandos. [Pl.: *cardeais-de-goiás*.]

cardeal-de-montevidéu *S. m. Bras. Zool.* Cardeal-amarelo. [Pl.: *cardeais-de-montevidéu*.]

cardeal-do-banhado *S. m. Zool.* V. *capitão* (13). [Pl.: *cardeais-do-banhado*.]

cardeal-do-brasil [De *cardeal* + *do*[1] + o top. *Brasil*.] *S. f. Bras. Bot.* Planta lamiácea (*Salvia splendens*) perene, de folhas ovaladas, denteadas, e de flores vermelhas em espigas terminais; há variedades em que as folhas são matizadas de amarelo, e outras em que as flores são róseas ou roxas, e têm porte mais baixo. [Sin.: *cardeal, cardealina, cardinala* e (bras.) *pé-de-chumbo, sangue-de-adão*. Pl.: *cardeais-do-brasil*.]

cardealina [De *cardeal* + *-ina*[1].] *S. f. Bot.* V. *cardeal-do-brasil*.

cardeiro[1] [De *carda* + *-eiro*.] *S. m.* Aquele que faz ou vende cardas.

cardeiro[2] [De *cardo* + *-eiro*.] *S. m. Bras. P. us. Bot.* Designação comum a várias cactáceas: "eu vi a vulva negra a se abrir como uma flor rubra de cardeiro." (José Lins do Rego, *Meus Verdes Anos*, p. 118).

cardenha [De *cardar*, poss.] *S. f. Prov. port.* Casa térrea onde se alojam os jornaleiros: "Na cardenha do casal morava o seu grande amigo, o fadista." (Miguel Torga, *Bichos*, p. 11.) [Var.: *cardanha*.]

cardenilho [Do esp. *cardenillo*.] *S. m.* Verdete (2).

cardenolídeo [De *card(iotônico)* + *(but)enolídeo*.] *S. m. Quím.* Qualquer de certos glicosídeos cardiotônicos que contêm grupo lactona.

cárdeo [De *cardo* + *-eo*.] *Adj.* Cardão (1 e 2): "o tom cárdeo do véu de seda fina .... ligava-se .... ao cobreado dos seus opulentos cabelos ruivos e misteriosos" (Antero de Figueiredo, *Leonor Teles*, p. 241).

▲**card(i)-** V. *cardi(o)-*.

▲**-cardia** V. *cardi(o)-*.

cárdia [Do lat. cient. *cardia* < gr. *kardía*.] *S. f. Anat.* Orifício que permite a passagem do conteúdo esofagiano para o estômago.

cardiáceo [Do tax. *Cardium*, 'gênero-tipo', + *-áceo*.] *Zool. S. m.* **1.** Espécime dos cardiáceos, subordem de moluscos eulamelibrânquios que inclui os tridacnídeos. ● *Adj.* **2.** Pertencente ou relativo a eles.

cardíaco [Do gr. *kardiakós*, pelo lat. *cardiacu*.] *Adj.* **1.** Referente ao coração. **2.** *Anat.* V. *cardial*. ~ V. *arritmia —a, bulha —a, desfalecimento —, fibra muscular —a, marca-passo — artificial, miócito — e parada —a*. ● *S. m.* **3.** Aquele que sofre de afecção cardíaca; cardiopata.

cardial [De *cárdia* + *-al*[1].] *Adj. 2 g. Anat.* Relativo ou pertencente à cárdia; cárdico, cardíaco. [Cf. *cardeal*.]

cardialgia [Do gr. *kardialgía*.] *S. f.* **1.** *Card.* Dor aguda no coração; cardiodinia. **2.** Dor muito forte no epigástrio.

cardiálgico [De *cardialgia* + *-ico*[2].] *Adj.* Relativo à cardialgia.

cárdice [De *card(i)-* + *-ice*.] *S. f.* Camafeu que apresenta um coração em relevo.

cardiço *S. m.* Pequena carda (2) de chapeleiro, usada para o pelo do feltro.

cárdico [De *card(i)-* + *-ico*[2].] *Adj. Anat.* V. *cardial*.

cardiectasia [De *cardi(o)-* + *-ectas-* + *-ia*[1].] *S. f. Med. Radiol.* Dilatação total ou parcial do coração.

cardiectomia [De *cárdia* + *-ectom-* + *-ia*[1].] *S. f. Cir.* Excisão da cárdia.

cardife [Do top. *Cardife*.] *Adj.* Diz-se do carvão de pedra proveniente de Cardife (Inglaterra).

cardigã [Do ingl. *cardigan*.] *S. m.* Casaco de malha aberto e abotoado na frente, sem gola, e de decote redondo ou em V.

cardigueira [De *cardo*, poss.] *S. f. Bras. Zool.* V. *avoante*.

cardiídeo [Do tax. *Cardium* (< *kardía*, 'estômago'; 'coração') + *ídeo*[1]; tax. *Cardiidae*.] *Zool. S. m.* **1.** Espécime dos cardiídeos, família de moluscos pelecípodes, de concha quase circular com sulcos em leque, encontrados nas águas doces e salgadas. O gênero-tipo é o cárdio (q. v.): são cardiídeos, p. ex., os mija-mija. ● *Adj.* **2.** Pertencente ou relativo a eles.

cardim [Do ant. *cardino* < *cardo* + *-ino*[1].] *Adj. 2 g.* Diz-se de touro de pelo branco e preto.

cardina [De *cardo* + *-ina*[1].] *S. f.* **1.** Pasta de imundície aderente à lã ou ao pelo dos animais. **2.** *P. ext.* Sujo aparente, visível na pele das pessoas. [Sin. de 1 e 2: *carda*.] **3.** *Pop.* V. *bebedeira* (1).

cardinal [Do lat. *cardinale*.] *Adj. 2 g.* **1.** V. *cardeal* (1). ~ V. *numeral —, número —* e *vogal —*. ● *S. m.* **2.** *Mat.* V. *número cardinal*.

cardinala [Do lat. *cardinal* (> port. *cardeal*) + *-a*.] *S. f. Bot.* V. *cardeal-do-brasil*.

cardinalado [Do lat. med. *cardinalatu*, por via pop. ou semierudita.] *S. m.* V. *cardinalato*.

cardinalato [Do lat. med. *cardinalatu*, por via erudita.] *S. m.* Dignidade de cardeal. [F. paral.: *cardinalado*.]

cardinalense *Adj. 2 g.* **1.** De, ou pertencente ou relativo a Cardeal da Silva (BA). ● *S. 2 g.* **2.** O natural ou habitante de Cardeal da Silva.

cardinalesco (ê) [De *cardeal* < lat. *cardinal* + *-esco*.] *Adj.* Cardinalício.

cardinalício [De *cardeal* < lat. *cardinal* + *-ício*.] *Adj.* Relativo a cardeal (2); cardinalesco.

cardinalista [Do lat. *cardinale* + *-ista*.] *Adj. 2 g. S. 2 g.* Partidário de cardeal, em especial dos cardeais franceses Richelieu (1585-1642) e Mazarin (1602-1661).

cardinheira [De *cardo*, poss.] *S. f. Bras. SE Zool.* V. *avoante*.

▲**cardi(o)-** [Do gr. *kardio-* < gr. *kardía, as*, 'coração (órgão)'; 'coração (sede das paixões, dos sentimentos)'; 'coração (sede da inteligência)'; 'estômago'; 'o interior de algo'.] *El. comp.* = 'coração'; 'em forma de coração'; 'relativo ao coração': *cardiectasia, cardiocele*. [Equiv.: *card(i)-, -cardia, -cardi(o)-, -cárdio*: *cárdico, taquicardia; acardiotrofia; miocárdio*.]

▲**-cardi(o)-** V. *cardi(o)-*.

cárdio [Do tax. *Cardium*.] *S. m. Zool.* **1.** Gênero-tipo dos cardiídeos. **2.** Qualquer espécie desse gênero, como, p. ex., o *Cardium edule*, muito apreciado como alimento. **3.** Qualquer espécime desse gênero.

▲**-cárdio** V. *cardi(o)-*.

cardiocele [De *cardi(o)-* + *-cele*[1].] *S. f. Patol.* Hérnia do coração, protrusão cardíaca através de fissura no diafragma ou através de ferida.

cardiodinia [De *cardi(o)-* + *-odin(o)-* + *-ia*[1].] *S. f. Card.* Cardialgia (1).

cardiofrênico [De *cardi(o)-* + *-fren(o)-* + *-ico*[2].] *Adj. Card.* Relativo ao ângulo formado, em estudos cardiográficos, por sombra (9) visualizada entre o diafragma e o coração.

cardiografia [De *cardi(o)-* + *-grafia*.] *S. f. Fisiol. Card.* Registro gráfico, de que há várias formas, de fenômeno cardíaco, físico ou funcional.

cardiográfico [De *cardi(o)-* + *-graf(o)-* + *-ico*[2].] *Adj.* Relativo à cardiografia, ou ao cardiógrafo.

cardiógrafo [De *cardi(o)-* + *-grafo*.] *S. m. Fisiol. Card.* Instrumento, de que há vários tipos, com que se realiza registro cardiográfico.

cardiograma [De *cardi(o)-* + *-grama*.] *S. m. Med.* Registro gráfico que se obtém mediante o uso de cardiógrafo.

cardioide (ói) [De *cardi(o)-* + *-oide*.] *S. f. Geom.* Epicicloide em que os raios das duas circunferências são iguais. ✤

cardiologia [De *cardi(o)-* + *-logia*.] *S. f. Med.* **1.** Estudo do coração e das funções por ele desempenhadas. **2.** Parte da medicina que se ocupa das afecções do coração e dos grandes vasos.

cardiológico [De *cardiologia* + *-ico*[2].] *Adj.* Referente à cardiologia.

cardiologista [De *cardiologia* + *-ista*.] *S. 2 g.* Especialista em cardiologia; cardiólogo.

cardiólogo [De *cardi(o)-* + *-logo*.] *S. m.* Cardiologista.

cardiomegalia [De *cardi(o)-* + *-megal(o)-* + *-ia*[1].] *S. f. Med.* Aumento de tamanho do coração.

cardiomiopatia [De *cardi(o)-* + *-mio(s)-* + *-patia*.] *S. f. Card. Patol.* Qualquer doença do miocárdio.

cardiopalmia [De *cardi(o)-* + gr. *palmós*, 'palpitação', + *-ia*[1].] *S. f. Med. Desus.* Palpitação cardíaca.

cardiopálmico [De *cardiopalmia* + *-ico*[2].] *Adj.* Relativo à cardiopalmia.

cardiopata [Var. pros. de *cardiópata*.] *S. 2 g.* Cardíaco (3).

cardiópata [De *cardi(o)-* + *-pata* (q. v.).] *S. 2 g. Med.* Cardiopata (q. v.).

cardiopatia [De *cardi(o)-* + *-patia*.] *S. f. Med.* Designação comum às afecções do coração.

cardiopático [De *cardiopatia* + *-ico*[2].] *Adj. Med.* Relativo à cardiopatia.

cardiopatofobia [De *cardi(o)-* + *-pat(o)-* + *-fobia*.] *S. f. Psiq.* Medo patológico de cardiopatia.

cardiopatofóbico [De *cardiopatofobia* + *-ico*[2].] *Psiq.* ***Adj.*** **1.** Relativo a cardiopatofobia. **2.** Que sofre de cardiopatofobia; cardiopatófobo. ● ***S. m.*** **3.** Aquele que sofre de cardiopatofobia; cardiopatófobo.

cardiopatófobo [De *cardi(o)-* + *-pat(o)-* + *-fobo.*] ***Adj. S. m.*** *Psiq.* Cardiopatofóbico (2 e 3).

cardiopétalo [De *cardi(o)-* + *-pétalo.*] ***Adj.*** *Bot.* Provido de pétalas cordiformes.

cardioplegia [De *cardi(o)-* + *-pleg-* + *-ia*[1].] ***S. f.*** *Card. Med.* **1.** Paralisia cardíaca. **2.** Parada cardíaca induzida por meios químicos ou físicos.

cardioplégico [De *cardioplegia* + *-ico*[2].] ***Adj.*** Referente à cardioplegia.

cardiorrespiratório [De *cardi(o)-* + *respiratório.*] ***Adj.*** Relativo ao coração e ao sistema respiratório.

cardiosclerose [De *cardi(o)-* + *esclerose.*] ***S. f.*** *Patol.* Esclerose do coração.

cardiotocografia [De *cardi(o)-* + *-toc(o)-* + *-grafia.*] ***S. f.*** *Obst.* Estudo, mediante o uso de monitor (7), da frequência cardíaca do feto e das contrações uterinas durante o parto.

cardiotomia[1] [De *cardi(o)-* + *-tom(o)-* + *-ia*[1].] ***S. f.*** *Cir.* Incisão no coração.

cardiotomia[2] [De *cárdia* + *-o-* + *-tom(o)-* + *-ia*[1].] ***S. f.*** *Cir.* Incisão na cárdia.

cardiotónico ***Adj. S. m.*** *Farmac. Med.* V. *cardiotônico.* [Uso freq. em P.]

cardiotônico [De *cardi(o)-* + *tônico.*] ***Adj. S. m.*** *Farmac. Med.* Diz-se de, ou substância que exerce efeito tônico sobre o coração.

cardiovascular [De *cardi(o)-* + *vascular.*] ***Adj. 2 g.*** *Anat.* Referente ao coração e aos vasos sanguíneos. ~ V. *sistema* —.

cardioversão [Do ingl. *cardioversion.*] ***S. f.*** *Anest. Card.* Restauração, mediante choque elétrico, da normalidade do ritmo cardíaco.

cardioversor (ô) [Trad. do ingl. *cardioverter.*] ***S. m.*** *Anest. Card.* Instrumento que desfecha um choque elétrico de corrente direta, destinado a restaurar a normalidade do ritmo cardíaco.

cardite [De *card(i)-* + *-ite*[1].] ***S. f.*** *Med.* Inflamação do coração.

cardítico [De *cardite* + *-ico*[2].] ***Adj.*** Relativo à cardite.

cardo [Do lat. *cardu.*] ***S. m.*** *Bot.* Planta asterácea (*Centaurea melitensis*) considerada praga da lavoura, de flores amarelas, folhas com espinhos e caule ereto, revestido de pelos.

cardo-bosta ***S. m.*** *Bras. L. S. Bot.* Planta cactácea (*Echinopsis macrogona*) ornamental, de flores alvas e aromáticas e caule verde-glauco e ereto. [Pl.: *cardos-bostas* e *cardos-bosta.*]

cardo-melão ***S. m.*** *Bras. N.O. a S. Bot.* Designação comum a várias plantas cactáceas, de caule globoso e esférico, flores grandes e amarelas; cabeça-de-frade. [Pl.: *cardos-melões* e *cardos-melão.*]

cardosa ***S. f.*** *Zool.* **1.** *Bras.* Peixe semelhante à sardinha, do litoral de Santa Catarina. **2.** *Lus.* Peixe da família dos gobiídeos.

cardo-santo ***S. m.*** *Bot.* Planta papaverácea (*Argemone mexicana*) de caule herbáceo, de flores alvas ou amarelas, e largamente usada na medicina, sendo admitida na terapêutica oficial; erva-de-cardo-amarelo, papoula-de-espinho, papoula-do-méxico. [Pl.: *cardos-santos.*]

cardosense[1] ***Adj. 2 g.*** **1.** De, ou pertencente ou relativo a Antônio Cardoso (BA). ● ***S. 2 g.*** **2.** O natural ou habitante de Antônio Cardoso.

cardosense[2] ***Adj. 2 g.*** **1.** De, ou pertencente ou relativo a Cardoso (SP). ● ***S. 2 g.*** **2.** O natural ou habitante de Cardoso.

carduça [De *carda* (2) + *-uça.*] ***S. f.*** Carda (2) com que se principia a cardadura.

carduçador (ô) [De *carduçar* + *-dor.*] ***S. m.*** Aquele que carduça.

carduçar [De *carduça* + *-ar*[2].] ***V. t. d.*** Passar pela carduça. [Conjug.: v. *laçar.*]

cardume [De *carda* + *-ume.*] ***S. m.*** **1.** Bando de peixes. **2.** *Fig.* Bando, multidão, ajuntamento de pessoas. **3.** *Fig.* Grande porção de coisas; aglomeração, montão: "As estrelas em <u>cardumes</u> / silenciosas vão passando" (Antônio Feliciano de Castilho, *Amor e Melancolia*, p. 118).

careação [De *carear*[3] + *-ção.*] ***S. f.*** V. *acareação.*

careaçuense ***Adj. 2 g.*** **1.** De, ou pertencente ou relativo a Careaçu (MG). ● ***S. 2 g.*** **2.** O natural ou habitante de Careaçu.

careador (ô) [De *carear*[1] + *-dor.*] ***Adj. S. m.*** Que, ou aquele que careia.

carear[1] [De *caro* + *-ear*[2], poss.] ***V. t. d.*** Atrair, granjear, ganhar: *<u>carear</u> a estima, a consideração de alguém.* [Conjug.: v. *frear.* Cf. *cariar.*]

carear[2] [Var. de *carrear.*] ***V. t. d.*** Conduzir, levar; carrear. [Conjug.: v. *frear.* Cf. *cariar.*]

carear[3] [De *cara* + *-ear*[2].] ***V. t. d. T. d. e i.*** *Ant.* V. *acarear.* [Conjug.: v. *frear.* Cf. *cariar.*]

careca [De or. incerta.] ***S. f.*** **1.** Calva. **2.** Calvície, acomia. ● ***S. 2 g.*** **3.** Indivíduo calvo. ● ***S. m.*** **4.** *Bras. Pop.* V. *diabo* (2). ● ***Adj. 2 g.*** **5.** Diz-se de indivíduo calvo. **6.** *Pop.* Diz-se do pneu liso, com os frisos já inteiramente gastos pelo uso. ~ V. *gola* —. ◆ **Estar careca de.** Estar muitíssimo habituado a fazer algo: *<u>Estou careca de</u> ir a esta loja.* **Estar careca de saber.** Estar suficientemente ou há muito tempo informado sobre algo: *<u>Estava careca de saber</u> que esta cidade é perigosa.*

carecedor (ô) [De *carecer* + *-dor.*] ***Adj. S. m.*** Que, ou aquele que tem carência.

carecente [De *carecer* + *-nte.*] ***Adj. 2 g.*** V. *carente*: *pessoa <u>carecente</u> de bens de fortuna.*

carecer [Do lat. vulg. *carescere*, incoativo de *carere*, 'ter falta de algo que se deseja'.] ***V. t. i.*** **1.** Não ter, não possuir: *O caso <u>carece</u> de importância;* "O autor do *Gaúcho* [José de Alencar] <u>carecia</u> das qualidades necessárias à tribuna, mas quis ser orador, e foi orador." (Machado de Assis, *Páginas Recolhidas*, p. 130). **2.** Precisar, necessitar: "A órfã .... tinha uma dessas naturezas que não sabem viver em si e para si, mas <u>carecem</u> de transportar-se para outras" (José de Alencar, *O Sertanejo*, p. 177). ***T. d.*** **3.** Precisar, necessitar: "<u>Carecerei</u> muita vez recorrer a hipóteses e induções com prejuízo da precisão rigorosa." (Tavares Bastos, *O Vale do Amazonas*, p. 31.) [Conjug.: v. *aquecer.*]

carecimento [De *carecer* + *-imento.*] ***S. m.*** V. *carência* (1 e 2).

careio [Dev. de *carear*[3].] ***S. m.*** *Ant.* **1.** Ato de carear; acareação. **2.** Meio empregado para carear.

careirense ***Adj. 2 g.*** **1.** De, ou pertencente ou relativo ao Careiro (AM). ● ***S. 2 g.*** **2.** O natural ou habitante do Careiro.

careirense-da-várzea ***Adj. 2 g.*** **1.** De, ou pertencente ou relativo a Careiro da Várzea (AM). ● ***S. 2 g.*** **2.** O natural ou habitante de Careiro da Várzea. [Pl.: *careirenses-da-várzea.*]

careiro [De *caro* + *-eiro.*] ***Adj.*** **1.** Que vende caro. **2.** Que cobra caro: "Costureira nova que descobrira. <u>Careira</u> como o diabo, mas era boa." (Juarez Barroso, *Mundinha Panchico e o Resto do Pessoal*, p. 124); *restaurante <u>careiro</u>.*

carélio ***S. m.*** **1.** *Etnôn.* Indivíduo dos carélios, grupo étnico finês que habita o S.E. da Finlândia. **2.** *Gloss.* A língua, ugro-finesa, desse povo. ● ***Adj.*** **3.** Pertencente ou relativo aos carélios, ou à sua língua.

carena [Do lat. *carina*, pelo cat. *carena*, ou pelo esp. *carena.*] ***S. f.*** **1.** *Constr. Nav.* Obras vivas (q. v.). [Var.: *crena* e *querena.*] **2.** *Bot.* Quilha (3). **3.** *Zool.* Crista em forma de quilha que se observa em certos ossos, como, p. ex., no esterno das aves.

carenado [De *carena* + *-ado*[1].] ***Adj.*** **1.** *Bot.* Que tem carena ou quilha (3). **2.** *Zool.* Que tem carena (3): *As neógnatas são <u>carenadas</u>.* ● ***S. m.*** **3.** *Zool.* Ave carenada [v. *carenado* (2)]. [Cf., nas acepç. 2 e 3, *ratita.*]

carenagem [De *carena* + *-agem*[2].] ***S. f.*** **1.** Ato ou efeito de carenar. **2.** Estrutura instalada na frente de motocicleta, aeronave, etc., para dar-lhe forma aerodinâmica ou para defletir o vento e a chuva.

carenal [De *carena* + *-al*[1].] ***Adj. 2 g.*** **1.** Relativo a carena. **2.** *Bot.* Diz-se da prefloração coclear quando uma das pétalas anteriores é totalmente externa.

carenar [De *carena* (1) + *-ar*[2].] ***V. t. d.*** **1.** *Ant. Mar.* Limpar e beneficiar a carena de (a embarcação). **2.** Dar forma aerodinâmica, como a carena, a. ***Int.*** **3.** *Bras. N. Ant.* Tombar (a embarcação) para um lado, à ação do vento; crenar.

carência [Do lat. vulg. *carentia*, do lat. *carere*, 'ter falta de'.] ***S. f.*** **1.** Falta, ausência, privação: *Durante o cerco, a cidade sofreu a <u>carência</u> de víveres.* **2.** Necessidade, precisão: *A criança tem <u>carência</u> de afeto.* [Sin., nestas acepç.: *carecimento.*] **3.** *Econ.* Período entre o recebimento de um empréstimo ou financiamento e o início de sua amortização: *O pagamento do empréstimo será em 20 prestações mensais após dois anos de <u>carência</u>.* **4.** Período de espera para a utilização de plano de saúde, de previdência privada, etc.: *Este novo plano de saúde não tem <u>carência</u>, posso usá-lo imediatamente.*

carencial [De *carência* + *-al*[1].] ***Adj. 2 g.*** **1.** Relativo a carência. **2.** Que se deve a carência: *doença <u>carencial</u>.*

careno [Do tax. *Car(um carvi)* + *-eno*[2].] ***S. m.*** *Quím.* Qualquer de certos monoterpenos bicíclicos insaturados, com esqueleto como o do carano, que ocorrem em vários óleos essenciais [fórm.: $C_{10}H_{16}$].

carente [Do lat. *carente.*] ***Adj. 2 g.*** **1.** Que carece, que não tem: "pouco lhe importava que seus olhos estacassem, <u>carentes</u> de horizonte, num muro que as chuvas iam amarelando." (Lêdo Ivo, *A Cidade e os Dias*, p. 10). **2.** Que precisa, necessita; necessitado, falto: *criança <u>carente</u> de afeto.* [Sin. ger.: *carecente.*]

carepa [De or. obsc.] ***S. f.*** **1.** V. *caspa.* **2.** Pó que se forma na superfície das frutas secas, sobretudo nos figos. **3.** A superfície da madeira desbastada com enxó. ◆ **Levado da carepa.** *Bras. SP Pop.* V. *levado da breca.*

carepento [De *carepa* + *-ento.*] ***Adj.*** Que tem carepa (1); careposo, caspento.

careposo (ô) [De *carepa* + *-oso.*] ***Adj.*** V. *carepento.*

carestia [Do b.-lat. *caristia*, 'escassez de víveres', com infl. semântica do v. lat. *carere* e do adj. *carus*, pelo it. *carestia.*] ***S. f.*** **1.** Qualidade do que é caro. **2.** Preço alto, superior ao valor real. **3.** Alta de preço; encarecimento. **4.** Escassez, falta; carência. [Sin., p. us.: *careza.*]

careta (ê) [De *cara* + *-eta* (ê).] ***S. f.*** **1.** Contração ou trejeito do rosto. [Sin.: *caramunha, esgar, gaifona, gaifonice, grimaça, momice, trejeito, visagem* e (bras., AM) *meuã.*] **2.** Caraça, máscara. **3.** *Bras. Amaz.* Fragmentos de cerâmica indígena encontrados na margem esquerda do rio Amazonas. **4.** *Bras. SP Bot.* Castanha (2). ● ***S. 2 g.*** **5.** *Bras. Gír.* Entre toxicômanos, pessoa que não faz uso de droga (4). **6.** *Bras. Gír. P. ext.* Pessoa muito presa aos padrões tradicionais; quadrado. **7.** *Bras. N. N.E. MG* Animal bovino ou equídeo cujo focinho é de cor diferente da do resto do corpo. **8.** *Bras. N.E. Folcl.* Personagem mascarada dos reisados ou bumbas meu boi. **9.** *Bras. BA* Mascarado (5) carnavalesco. ● ***Adj. 2 g.*** **10.** *Bras. Gír.* Tradicional, conservador: *Os jovens tacharam o espetáculo de <u>careta</u>.* **11.** *Bras. N. N.E. MG* Que apresenta as características de careta (7): "Meu cavalo passou rente do dele e eu piquei com o ferrão a anca do castanho <u>careta</u>" (Afonso Arinos, *Pelo Sertão*, p. 176).

caretear [De *careta* + *-ear*[2].] ***V. int. T. i.*** **1.** Fazer careta(s): "e gargalhavam imbecilmente <u>careteando</u>" (Valentim Magalhães, *Vinte Contos*, p. 97); *Aquele homem estranho <u>careteou</u>-lhe.* ***T. d.*** **2.** Fazer como careta: *<u>Careteou</u> uma imitação de zanga.* [Conjug.: v. *frear.*]

careteiro [De *careta* + *-eiro.*] ***Adj. S. m.*** Que, ou aquele que faz caretas ou trejeitos.

caretice [De *careta* + *-ice.*] ***S. f.*** *Bras. Gír.* Qualidade, ação ou dito de careta (5 e 6).

careza (ê) [De *caro* + *-eza.*] ***S. f.*** *P. us.* V. *carestia*: "a gerência de indústrias por pessoal burocrático tende sempre a significar desperdício e <u>careza</u>" (Antônio Sérgio, *Cartas do Terceiro Homem*, p. 97).

carfologia [Do lat. *carphologia* < gr. *karphología.*] ***S. f.*** *Psiq.* Movimento involuntário em que um doente grave faz gesto como que procurasse apanhar as roupas do leito; crocidismo.

carfológico [De *carfologia* + *-ico*[2].] ***Adj.*** *Psiq.* Relativo a carfologia.

carga [Dev. do ant. *cargar*, f. sincopada de *carregar.*] ***S. f.*** **1.** Aquilo que é ou pode ser transportado ou suportado por alguém ou por alguma coisa. **2.** Aquilo que pesa sobre alguém ou algo; fardo. **3.** O peso que alguém ou alguma coisa pode transportar ou suportar; carregamento, carregação. **4.** Ato ou efeito de carregar; carregação, carregamento: *a <u>carga</u> e a descarga dos caminhões.* **5.** Grande quantidade; carregação: *Recebeu uma <u>carga</u> de livros.* **6.** *Fig.* Responsabilidade, obrigação, cargo, encargo: *Ficara com a <u>carga</u> da educação da menina.* **7.** *Fig.* Opressão, peso: *Ainda traz na consciência a <u>carga</u> daquele crime.* **8.** *Fig.* Embaraço, dificuldade; ônus, gravame: *Esta criança é uma <u>carga</u> muito pesada para os pais.* **9.** V. *surra* (1): *Levou uma <u>carga</u> de pau.* **10.** Registro protocolar da entrega de documentos a alguém, passado no próprio protocolo. **11.** Investida violenta, impetuosa: *a <u>carga</u> da Brigada Ligeira.* **12.** Pólvora ou projetis que se metem duma vez numa arma de fogo. **13.** *Constr.* O peso suportado por uma estrutura ou um elemento estrutural de um prédio. **14.** Força exterior devida à ação da gravidade. **15.** *Fís.* Pressão num encanamento onde existe ou escoa um fluido. **16.** *Eletr.* Carga elétrica. **17.** *Eng. Elétr.* Elemento ou conjunto de elementos em um circuito elétrico que recebe energia elétrica de outras partes do circuito; carregamento. **18.** *Ind. Pap.* Aditivo (5). **19.** *Ind. Pap.* Substância mineral, ger. carbonato de cálcio, caulim ou talco, que se adiciona à pasta principalmente para aumentar a opacidade do papel e facilitar-lhe a acetinagem. **20.** *Bras. CE* Medida equivalente a 100 rapaduras, cada uma das quais pesa cerca de 800 gramas. **21.** *Pint.* Extensor (4). ◆ **Carga casada.** *Eng. Elétr.* Terminação de um circuito ou linha de transmissão que absorve toda a potência incidente. **Carga cerrada. 1.** Descarga simultânea de muitas armas de fogo. **2.** Ataque violento. **Carga de ossos.** Feixe de ossos. **Carga dirigida.** *Expl.* Carga explosiva que tem uma forma conveniente, para dirigir a energia da explosão numa direção preferencial; carga oca. **Carga do elétron.** *Fís.* A menor quantidade de carga elétrica que pode ser ganha ou perdida por um sistema qualquer; carga elementar. **Carga elementar.** *Fís.* Carga do elétron. **Carga elétrica.** *Fís.* Grandeza física fundamental que mede a quantidade de eletricidade presente num sistema macroscópico ou num sistema atômico ou subatômico. [Tb. se diz apenas *carga*.] **Carga elétrica negativa.** *Fís.* Carga elétrica que tem o mesmo sinal que o da carga de um elétron. [Tb. se diz apenas *carga negativa*.] **Carga elétrica positiva.** *Fís.* Carga elétrica de sinal contrário ao da carga de um elétron. [Tb. se diz apenas *carga positiva*.] **Carga especial.** *Mar. Merc.* A que é constituída de produtos venenosos, fertilizantes, etc., que exigem cuidados especiais no seu transporte. **Carga fiscal.** *Econ.* Conjunto de tributos que incidem sobre uma economia, ger. expresso como proporção do produto interno bruto. **Carga formal.** *Quím.* Carga elétrica atribuída a um átomo numa fórmula estrutural e que se calcula subtraindo o número de elétrons de valência desse átomo, quando ligado, daquele do átomo livre, neutro. **Carga geral.** *Mar. Merc.* Toda aquela não classificável, como carga a granel, ou carga especial. [É constituída de unidades manipuláveis separadamente umas das outras (engradados, sacos, pacotes, fardos, caixotes, malas, vasilhas, etc.).] **Carga horária.** Número de horas de atividade, expresso em legislação ou contrato de trabalho, para ser cumprido por professor, funcionário, operário, etc. **Carga negativa.** *Fís.* Carga elétrica negativa. **Carga oca.** *Expl.* Carga dirigida. **Carga paga.** *Astron.* Carga que um veículo espacial transporta para desempenhar uma determinada tarefa. **Carga positiva.** *Fís.* Carga elétrica positiva. **Carga útil.** *Astron.* Carga total transportada por um veículo espacial, e constituída de tripulação, lubrificante e combustíveis, lastro e equipamento. **Arriar a carga.** *Bras.* Cansar, fatigar-se. **Com carga total.** Agindo com pleno desempenho de suas qualidades dominantes. **Deitar carga ao mar.** *Bras. Gír.* V. *vomitar* (11). **Fazer carga contra. 1.** Fazer pressão moral sobre: *Fez tal carga contra o criminoso que este acabou confessando tudo.* **2.** Acusar; censurar: "Soube que Firmino, naquele tempo, fez carga contra ele na polícia." (Fran Martins, *Dois de Ouros*, p. 19); *Para livrar-se do castigo fez carga contra o colega.* [Sin. ger.: *fazer carga em*.] **Fazer carga em.** V. *fazer carga contra.* **Voltar à carga.** Fazer nova tentativa; insistir: "O pessoal do serviço .... buscava deixar-nos um prato, e se não nos convencia, afastava-se, voltava à carga uma, duas, três vezes, até nos resignarmos à oferta." (Graciliano Ramos, *Viagem*, p. 33).

carga-d'água *S. f.* Chuva forte; bátega. [Pl.: *cargas-d'água*.] ~ V. *cargas-d'água*.

cargas-d'água *S. f. pl. Pop.* Razão ignorada; motivo misterioso, oculto: *Não sei por que cargas-d'água veio visitar-me; Por que cargas-d'água terá deixado o emprego?* ~ V. *carga-d'água*.

cargo [De *carga*.] *S. m.* **1.** Incumbência, carga, encargo. **2.** Responsabilidade, obrigação: *Tem a seu cargo várias crianças em idade escolar.* **3.** Função ou emprego público ou particular. **4.** *Adm.* Posição dentro da estrutura hierárquica (organograma) de uma organização.

cargosear [Do esp. plat. *cargosear*, 'importunar'.] *V. int. Bras. RS* **1.** Discutir, teimar. **2.** Contar proezas; gabar-se, vangloriar-se, jactar-se. [Conjug.: v. *frear*.]

cargoso (ô) [Do esp. plat. *cargoso*.] *Adj. Bras. RS* **1.** Obstinado, teimoso. **2.** Importuno, impertinente, maçador. **3.** Jactancioso, blasonador, gabola(s).

cargueiro [De *carga* + *-eiro*.] *S. m.* **1.** Aquele que guia besta de carga. **2.** Besta de carga. **3.** Navio cargueiro. ● *Adj.* **4.** Que transporta carga. **5.** *Bras. RS* Que monta mal a cavalo. ~ V. *navio* —.

carguejar [De *carga* + *-ejar*.] *V. int.* **1.** Conduzir besta de carga. **2.** Transportar fardos. [Conjug.: v. *pelejar*.]

cari [Do tupi.] *S. m. Bras. Zool.* **1.** V. *cascudo*[2] (2). **2.** V. *cuiú-cuiú* (3 e 4).

▲**cari-** [De *cara* + *-i-*.] *El. comp.* = 'cara', 'rosto': *carinegro*.

cariaciquense *Adj. 2 g.* **1.** De, ou pertencente ou relativo a Cariacica (ES). ● *S. 2 g.* **2.** O natural ou habitante de Cariacica.

cariacu [Do tupi.] *S. m. Zool.* Mamífero da ordem dos artiodáctilos, da família dos cervídeos (*Odocoileus virginianus cariacus*), distribuído da margem esquerda do rio Amazonas para o N. Coloração baio-avermelhada, ventre, parte interna dos membros, contorno dos olhos e lábios brancos. A galhada mede cerca de 0,50m, com as pontas, em número de duas ou três em cada chifre, viradas para a frente, sendo a primeira a maior delas. Vive em regiões descampadas. [Sin.: *suaçuaparara, veado-galheiro, veado-de-virgínia, veado-galheiro-do-norte, veado-do-mangue*.]

cariado [Part. de *cariar*.] *Adj.* **1.** Que tem cárie (osso, dente); carioso. **2.** *Fig.* Corrompido, pervertido.

cariaí *S. 2 g. Adj. 2 g. Bras.* V. *caraiaí*.

cariamídeo [Do tupi *cariama*, 'seriema', + *-ídeo*[1]; tax. *Cariamidae*.] *Zool. S. m.* **1.** Espécime dos cariamídeos, família de aves gruiformes de grande porte, pernaltas, crista erétil de penas filiformes na cabeça. São predominantemente terrestres, alimentando-se de pequenos animais. Ex.: as seriemas. ● *Adj.* **2.** Pertencente ou relativo a eles.

cariana *Bras. S. 2 g.* **1.** *Etnôn.* Indivíduo dos carianas, povo indígena que habita a região do rio Cotonuru (PA). ● *Adj. 2 g.* **2.** Pertencente ou relativo a esse povo. [Tb. us. como *s. 2 g. e 2 n.* (com cap.) e *adj. 2 g. e 2 n.*]

cariapemba [De or. afr.] *S. m.* **1.** *Rel.* Entre os bantos da África, poder sobrenatural de proteção e destruição, que pode ser us. por um indivíduo para favorecer a si mesmo e ampliar o seu espaço na comunidade, causando, ao mesmo tempo, dano a outrem: "Por intermédio do cariapemba, uma pessoa podia adquirir honras e riquezas, defender-se contra a feitiçaria e as maquinações de outrem, pôr o mundo a trabalhar a seu serviço." (Alberto da Costa e Silva, *A Enxada e a Lança*, p. 492.) **2.** *Bras. BA Rel.* Divindade angola-congo correspondente ao Exu dos iorubanos.

cariar [De *cárie* + *-ar*[2].] *V. t. d.* **1.** Produzir cárie em; corromper: *Alimentos muito doces cariam os dentes.* *Int.* **2.** Criar cárie. [Pres. subj.: *carie*, etc. Cf. *cárie* e *carear*. Normalmente é defect., sendo conjugado só nas 3.as pess. do sing. e do pl.]

cariátide [Do gr. *Karyátides*, pelo lat. *Caryatides*.] *S. f.* Figura humana, geralmente feminina, esculpida em fachadas de edifícios da Grécia antiga com a função de suporte de cornija ou arquitrave: "Na platibanda de friso ladrilhado, que duas cariátides de gesso amparavam e guarneciam, um par bisbilhoteiro de janelinhas em guilhotina" (Josué Montelo, *A Décima Noite*, p. 1). [Cf. *telamão*.]

cariazal *S. 2 g. Bras. AC* V. *caipira* (1).

caribe [Do esp. *caribe*.] *S. m. E. Ling.* Grande família linguística a que pertencem as línguas de muitos povos indígenas do N. e C.O. do Brasil, e da Colômbia às Guianas.

caribé [Do tupi.] *S. m. Bras.* **1.** Alimento preparado com polpa de abacate. **2.** Refresco feito com beiju de tapioca. **3.** Mingau de farinha fina.

caribenho *Adj.* **1.** De, ou pertencente ou relativo ao Mar do Caribe e às ilhas ali situadas. ● *S. m.* **2.** O natural ou habitante dos países do Caribe.

cariboca [Do tupi = 'originário do branco'.] *S. 2 g. Bras. S.* V. *caboclo*[1] (1). [Var. (no N. e N.E.): *curiboca*.]

caribu [Do algonquiano.] *S. m. Zool.* V. *rangífer* (2 e 3).

carica *S. f. Lus.* V. *chapinha* (3).

cárica [Do tax. *Carica* (do f. do lat. *caricus, a, um*, 'da Cária').] *S. f. Bot.* **1.** O gênero-tipo das caricáceas. **2.** Qualquer espécie desse gênero, como, p. ex., a *Carica papaya* [v. *mamoeiro* (1)]. **3.** Qualquer espécime desse gênero.

caricácea [Do tax. *Carica* (v. *cárica*) + *-ácea*; tax. *Caricaceae*.] *S. f. Bot.* Espécime das caricáceas, família de árvores de tronco suculento, leitoso, com folhas palmadas e flores unissexuais, levando as masculinas 10 estames. Os frutos são bagas comestíveis e o mamão é a mais importante delas. Conhecem-se perto de 45 espécies das regiões intertropicais, algumas brasileiras.

caricáceo [De *caricácea*, com var. suf. (v. *-áceo*).] *Adj. Bot.* Pertencente ou relativo às caricáceas.

caricato [Do it. *caricato*, 'carregado (nos defeitos)'.] *Adj.* **1.** Ridículo, burlesco, grotesco, caricaturesco. **2.** *Teatr.* Diz-se do ator cômico que interpreta caricaturas. ● *S. m.* **3.** Esse ator.

caricatura [Do it. *caricatura*.] *S. f.* **1.** Desenho que, pelo traço, pela escolha dos detalhes, acentua ou revela certos aspectos caricatos de pessoa ou fato. **2.** *Teatr.* Representação burlesca em que se arremedam ou satirizam comicamente pessoas e fatos. **3.** Reprodução deformada de algo: *Só consegue escrever caricaturas de romance.* **4.** Pessoa ridícula pelo aspecto ou pelos modos.

caricaturado [Part. de *caricaturar*.] *Adj.* De quem se fez caricatura: "É uma publicação perfeitamente inofensiva politicamente. Recomendamo-la sem hesitação aos seus atacados e caricaturados." (Fernando Pessoa, *Apreciações Literárias*, p. 186.)

caricatural [De *caricatura* + *-al*[1].] *Adj. 2 g.* Que se presta à caricatura; caricaturesco.

caricaturar [De *caricatura* + *-ar*[2].] *V. t. d.* Representar por meio de caricaturas.

caricaturesco (ê) [De *caricatura* + *-esco*.] *Adj.* **1.** Caricatural. **2.** V. *caricato* (1).

caricaturista [De *caricatura* + *-ista*.] *S. 2 g.* Pessoa que faz caricaturas.

carícia [Do it. *carezza*, pela f. meridional *carizia*.] *S. f.* Manifestação física de afeto; afago, meiguice, carinho. [Cf. *caricia*, do v. *cariciar*.]

cariciar [De *carícia* + *-ar*[2].] *V. t. d. Ant.* V. *acariciar*. [Pres. ind.: *caricio, caricias, caricia*, etc. Cf. *carícia*, s. f.]

cariciável [De *cariciar* + *-vel*.] *Adj. 2 g.* **1.** Digno de ser cariciado. **2.** V. *caricioso* (2): "voltou logo de corrida a dizer palavras muito cariciáveis às avezinhas" (Camilo Castelo Branco, *A Mulher Fatal*, p. 107).

caricioso (ô) [De *carícia* + *-oso*.] *Adj.* **1.** Que faz carícias; carinhoso, meigo. **2.** Agradável, suave, cariciável.

■ **Caricom** Sigla de *Mercado Comum do Caribe*.

caridade [Do lat. *caritate*.] *S. f.* **1.** *Ét.* No vocabulário cristão, o amor que move a vontade à busca efetiva do bem de outrem e procura identificar-se com o amor de Deus; ágape, amor-caridade. **2.** Benevolência, complacência, compaixão. **3.** Beneficência, benefício; esmola. **4.** *Rel.* Uma das virtudes teologais (v. *virtudes teologais*). **5.** *Bras. N. Cul.* Bolo de farinha de trigo, manteiga, açúcar e ovos. ◆ **Fazer caridade. 1.** Ser caritativo. **2.** *Bras. Chulo Irôn.* Dar (93) sem ter vínculos amorosos e sem exercer a prostituição.

caridadense *Adj. 2 g.* **1.** De, ou pertencente ou relativo a Caridade (CE). ● *S. 2 g.* **2.** O natural ou habitante de Caridade.

carideída [Do tax. *Carides* + *-ida*[1].] *Zool. S. f.* **1.** Cubomedusa. ● *Adj. 2 g.* **2.** Cubomedúseo.

caridoso (ô) [De *caridade* + *-oso*, com haplologia.] *Adj.* **1.** Que tem caridade; caritativo, esmoler, esmolento. **2.** Em que há, ou que revela caridade: *gesto caridoso; ação caridosa*.

cárie [Do lat. *carie*.] *S. f.* **1.** *Odont.* Dissolução e desintegração do esmalte e da dentina pela ação de bactérias acidificantes e de seus produtos; cárie dentária. **2.** *Patol.* Destruição de um osso, da qual pode resultar a morte deste, que se torna amolecido, descorado e poroso. **3.** *P. ext.* Enfermidade causada por certos fungos, que ataca o trigo ou certo tipo de árvores. **4.** *Fig.* Destruição progressiva. [Cf. *carie*, do v. *cariar*.] ◆ **Cárie dentária.** V. *cárie* (1). **Cárie de mamadeira.** *Odont.* Cárie rampante que acomete a dentição decídua já nos primeiros meses da infância. **Cárie rampante.** *Odont.* Cárie (1) extensa que compromete vários dentes, aparecendo subitamente e tendo, ger., rápido progresso.

cariengue [Do quimb.] *S. m. Angol.* Trabalho ocasional; biscate: "calhou a sorte de ir fazer um cariengue em casa dum patrício" (Domingos Van-Dúnem, *Milonga*, p. 31).

➔**carignan** [kaʁĩ'ɲɑ̃] [Fr.] *S. m.* **1.** *Vitic.* Casta de uva tinta cultivada na região do Languedoc (S. da França). **2.** *Enol.* Vinho produzido com essa uva.

carii *Bras. S. 2 g.* **1.** *Etnôn.* Indivíduo dos cariis, povo indígena extinto que habitava a região em que se fundou a cidade de Niterói (RJ). ● *Adj. 2 g.* **2.** Pertencente ou relativo a esse povo. [Tb. us. como *s. 2 g. e 2 n.* (com cap.) e *adj. 2 g. e 2 n.*]

carijo [Do caingangue.] *S. m. Bras. S.* Jirau, ou armação de varas, onde se colocam os ramos de erva-mate para crestá-los ao calor do fogo; barbaquá.

carijó[1] [Do tupi = 'procedente do branco'.] *Bras. Adj. 2 g.* **1.** Diz-se do galo ou da galinha de penas salpicadas de branco e preto; pedrês. ~ V. *galo* —. ● *S. 2 g.* **2.** Galináceo carijó (1). **3.** V. *caboclo*[1] (1). ● *S. m.* **4.** *Bot.* Espécie de cipó. **5.** *Bot.* V. *araribá-rosa*. **6.** *Bot.* V. *espelina*.

carijó[2] *Bras. S. 2 g.* **1.** *Etnôn.* Indivíduo dos carijós, povo indígena extinto, do tronco linguístico tupi, que habitava os estados de SC, PR e a região da lagoa dos Patos, no RS. ● *Adj. 2 g.* **2.** Pertencente ou relativo a esse povo. [Outras f.: *cário* e *carió*. Tb. us. como *s. 2 g. e 2 n.* (com cap.) e *adj. 2 g. e 2 n.*]

caril [Do concani *kadhi*.] *S. m.* **1.** Condimento indiano em pó, amarelo, composto de várias especiarias, sobretudo açafrão. **2.** Molho de caril (1): *galinha com caril*.

carimã [Do tupi.] *S. f. e m. Bras.* **1.** Massa azeda de mandioca, mole, reduzida a bolos secos ao sol. **2.** *Cul.* Bolo de farinha de mandioca. **3.** Farinha seca finíssima. **4.** Praga que ataca o algodão. ● *Adj. 2 g.* **5.** Diz-se do bovino cuja pelagem apresenta pelos brancos e alaranjados.

carimbador (ô) [De *carimbar* + *-dor*.] *Adj. S. m.* Que, ou aquele que carimba.

carimbagem [De *carimbar* + *-agem*[2].] *S. f.* Ato ou efeito de carimbar.

carimbamba [De or. tupi, poss.] *S. m.* **1.** *Bras. Zool.* V. *xaréu-branco* (2). **2.** *Bras. MG* V. *curandeiro* (2).

carimbar [De *carimbo* + *-ar*[2].] *V. t. d.* **1.** Marcar com carimbo. **2.** *Esport.* Atingir intencionalmente (ger. jogador adversário), com a bola da partida. **3.** *Bras.* Marcar (o peixe), nas barbatanas ou no rabo, com um talho de facão, para saber, ao fim da pescaria, qual o jangadeiro que o pescou. *T. d. e i.* **4.** *Fig.* Marcar, assinalar: *Carimbou a sua atitude covarde com uma desculpa pouco convincente.*

carimbo [Do quimb. *kirimbu*, 'marca'.] *S. m.* **1.** Instrumento de metal, madeira, etc., cuja base, com escrito ou figura em relevo, após ser embebida em tinta, serve para marcar papéis de uso oficial ou particular; sinete, selo. **2.** Marca ou sinal produzido por esse instrumento. **3.** *Bras. N.* Marca de fogo gravada numa rês, em geral com as iniciais do proprietário.

◆ **Carimbo datador.** Carimbo de números e letras móveis, para registro de datas. **Carimbo numerador.** Carimbo manual com que se numeram livros em branco, talões, etc., capaz de ser regulado para numeração seguida ou repetida, duas, três ou mais vezes.

carimbó [De or. afr.] *S. m. Bras. N.* **1.** *Mús.* V. *atabaque* (2). **2.** Dança de roda do litoral paraense.

carimboto (ô) *S. m. Bras. RS Deprec.* Alcunha dada pelos farrapos [v. *farrapo* (5)] aos legalistas, *i. e.*, aos membros do partido conservador, no Império; absolutista, camelo, caramuru, corcunda, galego, restaurador.

carimé *Bras. S. 2 g.* **1.** *Etnôn.* Indivíduo dos carimés [ou (etnôn. bras.) *Karimé], povo indígena extinto, da família linguística ianomâmi, que habitava região próxima à margem esquerda do rio Catrimani (RR). ● *Adj. 2 g.* **2.** Pertencente ou relativo a esse povo.

carina [Do lat. *carina*, 'quilha'.] *S. f. Anat.* Denominação de estrutura semelhante à crista (9), como as que existem na traqueia e na vagina.

cariná *S. f. Bras. Bot.* V. *buritizinho*.

carindiba [De or. tupi, poss.] *S. f. Bras. AM RJ Bot.* Arbusto verbenáceo (*Aegiphila integrifolia*) de flores alvo-amarelas dispostas em cimeiras axilares e fruto em drupa, superposto ao cálice.

carinegro (ê) [De *cari-* + *negro*.] *Adj.* Que tem cara negra.

carinhanhense *Adj. 2 g.* **1.** De, ou pertencente ou relativo a Carinhanha (BA). ● *S. 2 g.* **2.** O natural ou habitante de Carinhanha.

carinho [Do esp. *cariño*.] *S. m.* **1.** Afago, meiguice, carícia. **2.** Cuidado, desvelo.

carinhosa [F. subst. de *carinhoso*.] *S. f. Bras. MA Pop.* **1.** V. *camburão* (2). **2.** V. *ambulância* (3).

carinhoso (ô) [De *carinho* + *-oso*.] *Adj.* **1.** Cheio de carinho: *palavras carinhosas*. **2.** Que trata com carinho; afável, meigo, carícioso.

cariniana [Do tax. *Cariniana* (do lat. *carina*, *ae*, 'quilha', 'casco de navio', 'casca de noz').] *S. f. Bot.* **1.** Gênero de lecitidáceas com cerca de 15 espécies, todas elas com madeira de boa qualidade. **2.** Qualquer espécie desse gênero, como, p. ex., a *Cariniana estrellensis* [(v. *jequitibá* (2)]. **3.** Qualquer espécime desse gênero.

▲**cari(o)-** [Do gr. *káryon*, *ou*.] *El. comp.* = 'noz'; 'núcleo celular': *cariocinese*. [Equiv.: *-cari(o)-*, *-cário*: *eucarionte*; *pericário*.]

▲**-cari(o)-** V. *cari(o)-*.

carió *S. 2 g. Adj. 2 g. Bras.* V. *carijó*[2].

cário *S. 2 g. Adj. 2 g. Bras.* V. *carijó*[2].

▲**-cário** V. *cari(o)-*.

carioca [Do tupi = 'casa do branco'.] *Adj. 2 g. Bras.* **1.** Da, ou pertencente ou relativo à cidade do Rio de Janeiro. **2.** Diz-se do café já preparado, ao qual se adiciona água. **3.** Diz-se de uma raça de porcos domésticos brasileiros. ● *S. 2 g.* **4.** O natural ou habitante da cidade do Rio de Janeiro. ● *S. m.* **5.** *Bras. C.O.* V. *chafariz* (1). ◆ **Carioca de limão.** *Lus.* Chá de aparas de casca de limão, servido em xicrinha de café.

cariocada [De *carioca* + *-ada*[1].] *S. f. Bras.* **1.** Grupo de cariocas [v. *carioca* (4)]; os cariocas. **2.** Ação, dito ou modos de carioca (4); carioquismo, carioquice.

cariocarácea [Do tax. *Caryocar* (do gr. *káryon* [v. *cari(o)-*] + gr. *kar*, 'cabeça') + *-ácea*; tax. *Caryocaraceae*.] *S. f. Bot.* Espécime das cariocaráceas, família de árvores dotadas de grandes e belas flores, com estames numerosos, providos de filetes longos, vivamente coloridos, a par de folhas tripartidas. Carpelos igualmente numerosos; o fruto, drupáceo, edule, dá óleo aproveitável. Existem umas 20 espécies americanas, várias delas ocorrentes em nosso país, como, p. ex., o pequizeiro, comuníssimo nos cerrados do Brasil Central.

cariocaráceo [De *cariocarácea*, com var. suf. (v. *-áceo*).] *Adj. Bot.* Pertencente ou relativo às cariocaráceas.

cariocinese (cà) [De *cari(o)-* + *-cinese*.] *S. f. Citol. Genét.* Divisão do núcleo de uma célula.

cariocinético (cà) [De *cariocin(ese)* + *-ético*.] *Adj. Citol. Genét.* Mitótico.

cariofilácea [Do tax. *Caryophyllus*, gênero-tipo, + *-ácea*; tax. *Caryophyllaceae*.] *S. f. Bot.* Espécime das cariofiláceas, família de plantas herbáceas ou subarbustivas, que muitas vezes exibem belas flores coloridas, com 10 estames. Ovário unilocular, com muitos óvulos, podendo, porém, apresentar 2 a 5 lóculos; fruto capsular, raramente baciforme. Há cerca de 2.000 espécies, das regiões temperadas, raramente observadas no Brasil, sendo o craveiro uma das mais apreciadas.

cariofiláceo [De *cariofilácea*, com var. suf. (v. *-áceo*).] *Adj. Bot.* Pertencente ou relativo às cariofiláceas.

cariofilal [Do tax. *Caryophyllus* + *-al*[1].] *Adj. 2 g. Bot.* Pertencente ou relativo às cariofilales.

cariofilale [Adapt. do tax. *Caryophyllales*.] *S. f. Bot.* Espécime das cariofilales, ordem de plantas dicotiledôneas, floríferas, que reúne, entre outras, as aizoáceas, as amarantáceas, as cactáceas e as cariofiláceas.

cariofileno (cà) [Do tax. *Caryophyllus* (v. *cariofilácea*) + *-eno*[2].] *S. m. Quím.* Substância líquida oleosa, com cheiro característico, encontrada em vários óleos essenciais, principalmente o de cravo-da-índia, e que é um sesquiterpeno bicíclico com duas ligações duplas e um anel de nove átomos fundido a um tetragonal [fórm.: $C_{15}H_{24}$].

cariófilo [Do tax. *Caryophyllus*.] *S. m. Bot.* V. *dianto* (1 a 3).

cariogamia (cà) [De *cari(o)-* + *-gam(o)-* + *-ia*[1].] *S. f. Citol. Embr.* Fusão de núcleos, ger. de dois gametas, na fertilização, resultando no óvulo fertilizado ou zigoto.

cariogâmico (cà) [De *cariogamia* + *-ico*[2].] *Adj.* Relativo à cariogamia.

cariogênico [De *cárie* + *-o-*[1] + *-gen(o)-* + *-ico*[2].] *Adj. S. m. Odont.* Diz-se de, ou alimento ou substância que contribui para a formação de cárie.

cariolinfa (cà) [De *cari(o)-* + *-linfa*.] *S. f. Citol. Desus.* V. *nucleoplasma*.

cariólise [De *cari(o)-* + *-lise*.] *S. f. Citol. Genét.* Dissolução do núcleo celular.

cariolítico [De *carióI(ise)* + *-ítico*, seg. o padr. gr.] *Adj. Citol. Genét.* De ou relativo à cariólise.

cariomembrana (cà) [De *cari(o)-* + *membrana*.] *S. f. Citol. Desus.* V. *envoltório nuclear*.

carioplasma (cà) [De *cari(o)-* + *-plasma*.] *S. m. Citol. Desus.* V. *nucleoplasma*.

cariopse [De *cari(o)-* + *-opse*.] *S. f. Bot.* Fruto seco e indeiscente, de semente única, fundida ao pericarpo, e que é peculiar às poáceas, como, p. ex., o milho, o trigo.

carioquice [De *carioca* + *-ice*.] *S. f. Bras.* **1.** V. *cariocada* (2): "Na verdade, ele [Ribeiro Couto] sofre e caçoa, numa admirável transposição culta, dessa carioquice sem comparação no mundo, que está nos sambas, nas modinhas, nas marchas de carnaval." (Mário de Andrade, *O Empalhador de Passarinho*, p. 201.) **2.** Mania das coisas cariocas [v. *carioca* (1)].

carioquismo [De *carioca* + *-ismo*.] *S. m. Bras.* **1.** V. *cariocada* (2). **2.** Sentimento de amor à terra carioca. **3.** Modismo típico do linguajar dessa terra.

carioso (ô) [De *cárie* + *-oso*.] *Adj.* **1.** Referente à, ou da natureza da cárie. **2.** Cariado (1).

cariostático [Do ingl. *cariostatic*.] *Adj. S. m. Odont.* Diz-se de, ou substância que tem a propriedade de paralisar processo carioso.

carioteca (cà) [De *cari(o)-* + *-teca*.] *S. f. Citol. Desus.* V. *envoltório nuclear*.

cariotina [De *cari(o)-* + *-t-* + *-ina*[3]; al. *Karyotin*.] *S. f. Citol. Desus.* Cromatina.

cariótipo [De *cari(o)-* + *-tipo*.] *S. m.* **1.** *Genét.* Conjunto de cromossomos de um indivíduo. **2.** Apresentação ordenada de fotomicrografias de cromossomos de um mesmo indivíduo, utilizada para fins de diagnóstico.

caripé [Do tupi.] *S. m. Bras. Bot.* Arvoreta crisobalanácea (*Licania scabra*) de flores pequenas, panículas axilares ou terminais, com sépalas de pelos alvos.

cariperana (pè) [De *caripé* + *-rana*.] *S. f. Bras. Bot.* V. *caraiperana*.

cariperana-de-folha-larga *S. f. Bras. Bot.* V. *caraiperana*. [Pl.: *cariperanas-de-folha-larga*.]

caripetirica (è) [De or. tupi.] *S. f. Bras. Bot.* Nome comum a árvores crisobalanáceas do gênero *Licania* (v. *licânia*).

caripó *Bras. S. 2 g.* **1.** *Etnôn.* Indivíduo dos caripós, povo indígena extinto que habitava o S.E. de PE, divisa com BA. ● *Adj. 2 g.* **2.** Pertencente ou relativo a esse povo. [Tb. us. como *s. 2 g. e 2 n.* (com cap.) e *adj. 2 g. e 2 n.*]

caripuna *Bras. S. 2 g.* **1.** *Etnôn.* Indivíduo dos caripunas [ou (etnôn. bras.) *Karipuna], povo indígena, da família linguística pano, que habita os municípios de Guajará-Mirim e Porto Velho (RO). ● *Adj. 2 g.* **2.** Pertencente ou relativo a esse povo.

caripuna do amapá *Bras. S. 2 g.* **1.** *Etnôn.* Indivíduo dos caripunas do amapá [ou (etnôn. bras.) *Karipuna-do-Amapá], povo indígena de fala crioula francesa, que habita a margem direita do rio Oiapoque, no município de mesmo nome. ● *Adj. 2 g.* **2.** Pertencente ou relativo a esse povo. [Pl.: *caripunas do amapá*.]

carireense (êèn) *Adj. 2 g.* **1.** De, ou pertencente ou relativo a Cariré (CE). ● *S. 2 g.* **2.** O natural ou habitante de Cariré.

carirense *Adj. 2 g.* **1.** De, ou pertencente ou relativo a Carira (SE). ● *S. 2 g.* **2.** O natural ou habitante de Carira.

cariri[1] *Bras. S. 2 g.* **1.** *Etnôn.* Indivíduo dos cariris [ou (etnôn. bras.) *Kariri], povo indígena que habita o CE. ● *S. m.* **2.** *Gloss.* Família linguística atualmente extinta, mas que ficou atestada através de farta documentação missionária dos séc. XVII e XVIII. ● *Adj. 2 g.* **3.** Pertencente ou relativo a cariri[1] (2) ou aos cariris.

cariri[2] *S. m.* **1.** *Bras. N.* Força; esforço. **2.** *Bras. PB* Variedade de caatinga com vegetação pouco áspera. [Com cap., nesta acepç.]

caririaçuense *Adj. 2 g.* **1.** De, ou pertencente ou relativo a Caririaçu (CE). ● *S. 2 g.* **2.** O natural ou habitante de Caririaçu.

caririense *Adj. 2 g.* **1.** De, ou pertencente ou relativo a São João do Cariri (PB). ● *S. 2 g.* **2.** O natural ou habitante de São João do Cariri. [Sin. ger.: *caririseiro* e *são-joanense*.]

caririseiro[1] *Adj. S. m.* V. *caririense*.

caririseiro[2] *Bras. PB Adj.* **1.** De, ou pertencente ou relativo à região dos Cariris-Velhos. ● *S. m.* **2.** O natural ou habitante dessa região.

cariris-velhos *S. m. pl. Geogr.* A mais extensa microrregião do sertão paraibano, constituindo-se na área mais seca da Paraíba, a oeste da faixa do agreste. [Com cap.]

cariri-xocó *Bras. S. 2 g.* **1.** *Etnôn.* Indivíduo dos cariris-xocós [ou (etnôn. bras.) *Kariri-xocó], povo indígena que habita o município de Porto Real do Colégio (AL). ● *Adj. 2 g.* **2.** Pertencente ou relativo a esse povo. [Pl.: *cariris-xocós*.]

carisma [Do gr. *chárisma*, 'dom', pelo lat. *charisma*.] *S. m.* **1.** Força divina conferida a uma pessoa, mas em vista da necessidade ou utilidade da comunidade de religiosa: "Entorna sobre mim as soberanas / Inspirações que brotam dos Altares, / Ó carisma de amor que tudo irmanas, / Serva de Deus, Esposa dos Cantares." (Alphonsus de Guimaraens, *Obra Completa*, p. 167). **2.** *Impr.* Epilepsia. [V. nota em *carismático*.] **3.** Atribuição a outrem de qualidades especiais de liderança, derivadas de sanção divina, mágica, diabólica, ou apenas de individualidade excepcional. **4.** O conjunto dessas qualidades especiais de liderança.

carismático [De *carisma* + *-ático*.] *Adj.* **1.** Relativo a, ou da natureza do carisma, ou que o tem. **2.** V. *epiléptico*. ● *S. m.* **3.** V. *epiléptico*. [Possivelmente porque, outrora, quando um condenado à morte sofria um ataque epiléptico, recebia o perdão, por acreditar-se ter sido visitado pela graça divina.]

caritativo [Do lat. *caritate*, 'caridade', + *-ivo*.] *Adj.* V. *caridoso* (1).

carité [De or. obsc.] *S. m. Bot.* V. *árvore-da-manteiga*.

caritel *S. m. Ant.* Grito de socorro. [Pl.: *caritéis*.]

cariti [De or. obsc.] *S. m. Bot.* V. *árvore-da-manteiga*.

caritiana *Bras. S. 2 g.* **1.** *Etnôn.* Indivíduo dos caritianas [ou (etnôn. bras.) *Karitiana], povo indígena da família linguística ariquém, tronco tupi, que habita os municípios de Porto Velho e Guajará-Mirim (RO). ● *Adj. 2 g.* **2.** Pertencente ou relativo a esse povo, ou à sua língua.

caritó [De or. indígena.] *S. m. Bras. N.E.* **1.** V. *casinhola*. **2.** Gaiola onde se prendem caranguejos para engorda. **3.** Pequena prateleira ou nicho escavado nas paredes dos quartos ou salas das casas do sertão, e onde se guardam certos objetos miúdos: "passou por baixo do punho da rede onde Fabiano roncava, tirou do caritó o cachimbo e uma pele de fumo" (Graciliano Ramos, *Vidas Secas*, p. 49). **4.** Quarto onde se amontoam velharias. **5.** Moça velha, que não casa; solteirona. ◆ **Ficar no caritó.** *Bras. N.E.* V. *ficar para tia*: "Nem eu estava para ficar no caritó, mal tinha feito vinte e cinco anos, que caritó é esse?" (Odilo Costa Filho, *Histórias da Beira do Rio*, p. 182.)

cariú[1] *Bras. S. 2 g.* **1.** *Etnôn.* Indivíduo dos cariús, povo indígena que habitava os vales dos rios Cariú e Bastiões (CE). ● *Adj. 2 g.* **2.** Pertencente ou relativo a esse povo. [Tb. us. como *s. 2 g. e 2 n.* (com cap.) e *adj. 2 g. e 2 n.*]

cariú[2] [Do tupi amazonense.] *S. m. Bras.* Entre os tupis, homem branco.

cariúa [Do tupi.] *S. m. Bras.* **1.** Entre os tupis, homem forte, duro, valente e mau. **2.** *P. ext.* Nome dado ao branco pelo caboclo.

cariuense (i-u) *Adj. 2 g.* **1.** De, ou pertencente ou relativo a Cariús (CE). ● *S. 2 g.* **2.** O natural ou habitante de Cariús.

cariva *S. f.* V. *pimenta-da-áfrica*.

carixo [De or. tupi, poss.] *S. m. Bras. MG Zool.* V. *chupim* (1).

cariz [Do cat. *caris*, poss.] *S. m.* **1.** Semblante, cara. **2.** Aspecto, aparência. **3.** Aparência da atmosfera, do céu; celagem. **4.** *Pop.* V. *carantonha*. **5.** *Bot.* V. *alcaravia*. **6.** *Bot.* A semente do cariz (5).

carlequim *S. m.* **1.** *Ant.* Instrumento com que se introduzia a espoleta no ouvido das bombas ou granadas. **2.** V. *macaco* (4).

carlina [De *carlinga*.] *S. f.* Cada uma das travessas que seguram as longarinas, na construção das pontes.

carlindogue [Do hipocorístico *Carlin*, do ator italiano Carlo Bertinazzi (1713-1783), + ingl. *dog*, 'cão'.] *S. m.* Certa raça de cães de pelo curto e focinho preto e achatado.

carlinga [Do fr. *carlingue*.] *S. f.* **1.** *Ant. Constr. Nav.* Forte peça de madeira, fixa à sobrequilha, e em cuja face superior há um encaixe de seção quadrangular, onde entra a mecha do pé do mastro real. **2.** *Constr. Nav.* Gola metálica fixa no convés (quando o mastro não vai até à quilha) e onde se apoia o pé do mastro: "As meias arrendadas .... foram atiradas à carlinga do mastro." (Xavier Marques, *Jana e Joel*, p. 173.) **3.** Cabine (3). **4.** *Bras. N.E.* Tabuleta com furos, embaixo do banco da vela de uma jangada, e na qual se prende o pé do mastro, mudando-se de um furo para o outro, segundo a conveniência da ocasião. [Var.: *carninga*.]

carlito *S. m. Bras. AL* V. *carlitos*.

carlitos [Do hipocorístico *Carlitos* (ou *Carlito*), dado a Charles Spencer Chaplin, produtor, diretor e ator cinematográfico inglês (1889-1977).] *S. m. 2 n. Bras. AL* V. *casquinha* (4). [Var.: *carlito*.]

carlopolense *Adj. 2 g. S. 2 g.* V. *carlopolitano*.

carlopolitano *Adj.* **1.** De, ou pertencente ou relativo a Carlópolis (PR). • *S. m.* **2.** O natural ou habitante de Carlópolis. [Sin. ger.: *carlopolense*.]

carlos-chaguense *Adj. 2 g.* **1.** De, ou pertencente ou relativo a Carlos Chagas (MG). • *S. 2 g.* **2.** O natural ou habitante de Carlos Chagas. [Pl.: *carlos-chaguenses*.]

carlos-gomense *Adj. 2 g.* **1.** De, ou pertencente ou relativo a Carlos Gomes (RS). • *S. 2 g.* **2.** O natural ou habitante de Carlos Gomes. [Pl.: *carlos-gomenses*.]

carludovica [Do tax. *Carludovica*, do antr. *Car(olus)*, Carlos IV – rei da Espanha (-1819), + antr. (*Maria Luísa*) *Ludovica*, rainha da Espanha (-1819).] *S. f. Bot.* **1.** Gênero de plantas ciclantáceas palmiformes, que diferem das arecáceas pelas flores tetrâmeras e pelo fruto polispérmico. **2.** Qualquer espécie desse gênero, como, p. ex., a *Carludovica palmata* (v. *bombonaça*). **3.** Qualquer espécime desse gênero.

carlyliano [Do antr. (*Thomas*) *Carlyle* + *-iano*.] *Adj.* Pertencente ou relativo a Thomas Carlyle (1795-1881), escritor inglês, ou próprio desse autor: "Como todos os 'heróis' no sentido carlyliano, Herculano não esgotou a própria irradiação com a agonia em Val de Lobos." (Vitorino Nemésio, *A Mocidade de Herculano*, p. XV.)

carma [Do sânscr. *karman*, 'ação'.] *S. m. Filos.* Nas filosofias da Índia, o conjunto das ações dos homens e suas consequências. [Liga-se o carma às diversas teorias de transmigração, e por meio dele se definem as noções de destino, do desejo como força geradora do destino, e do encadeamento necessário, por força desses dois fatores, entre os diversos momentos da vida dos homens.]

carmaioga *S. f.* V. *ioga*. ❄

carmanhola [Do fr. *carmagnole*.] *S. f.* Canção de roda dançada pelos revolucionários franceses em 1793.

carme [Do lat. *carmen*.] *S. m.* **1.** Versos líricos; poema, canto. **2.** *Mús.* Na polifonia acompanhada dos sécs. XIV e XV, a voz superior que continha o poema.

carmeador (ô) [De *carmear* + *-dor*.] *S. m.* Aquele que carmeia.

carmear [Do lat. *carminare*.] *V. t. d.* Desenredar, desfazer os nós de (a lã churda, antes de cardada); carpear. [Conjug.: v. *frear*.]

carmelina [Do esp. *carmelina*.] *S. f.* Lã de vicunha, de qualidade inferior.

carmelita [Do lat. *carmelite*.] *S. 2 g.* **1.** Frade ou freira da Ordem de N. S. do Monte Carmelo. [São famosos os carmelitas pelo rigor e austeridade.] • *Adj. 2 g.* **2.** Pertencente ou relativo a essa ordem. [Sin. ger.: *carmelitano*.]

carmelitano[1] [De *carmelita* + *-ano*[1].] *S. m.* V. *carmelita*.

carmelitano[2] *Adj.* **1.** De, ou pertencente ou relativo a Carmo do Rio Claro (MG). • *S. m.* **2.** O natural ou habitante de Carmo do Rio Claro.

carmelitano[3] *Adj.* **1.** De, ou pertencente ou relativo a Monte Carmelo (MG). • *S. m.* **2.** O natural ou habitante de Monte Carmelo.

carmelito *Adj. 2 g.* **1.** De, ou pertencente ou relativo a Monte do Carmo (TO). • *S. 2 g.* **2.** O natural ou habitante de Monte do Carmo.

carmelo [Do lat. *carmelu*.] *S. m.* Convento dos carmelitas.

carmense[1] *Adj. 2 g.* **1.** De, ou pertencente ou relativo a Carmo (RJ). • *S. 2 g.* **2.** O natural ou habitante de Carmo.

carmense[2] *Adj. 2 g.* **1.** De, ou pertencente ou relativo a Carmo da Mata (MG). • *S. 2 g.* **2.** O natural ou habitante de Carmo da Mata.

carmense[3] *Adj. 2 g.* **1.** De, ou pertencente ou relativo a Carmo do Paranaíba (MG). • *S. 2 g.* **2.** O natural ou habitante de Carmo do Paranaíba.

carmesense *Adj. 2 g.* **1.** De, ou pertencente ou relativo a Carmésia (MG). • *S. 2 g.* **2.** O natural ou habitante de Carmésia.

carmesim [Do ár.-hisp. *qarmazê* < ár.-hisp. *qármaz* < ár. *qirmiz*.] *Adj. 2 g. S. m.* **1.** Diz-se de, ou cor vermelha muito viva: "Essas onze-horas singelas, de colorido carmesim intenso" (Vivaldo Coaraci, *91 Crônicas Escolhidas*, p. 119). **2.** V. *carmim* (2, 4 e 5).

carmim [Do fr. *carmin*, de or. incerta: poss. cruz. do ár. *qirmiz*, 'cochonilha', e lat. *minium*, 'mínio'.] *S. m.* **1.** Matéria corante, de um vermelho muito vivo, ligeiramente arroxeado, extraída, originariamente, da cochonilha-do-carmim. **2.** A cor do carmim (1); carmesim. **3.** *Zool.* Cochonilha-do-carmim. • *Adj. 2 g. e 2 n.* **4.** Da cor do carmim (1); carmíneo, carminado, carmesim. **5.** Diz-se dessa cor; carmesim. [Sin. nas acepçs. 1, 2, 4 e 5: *magenta*.]

carminado[1] [De *carmim* + *-ado*[1].] *Adj.* V. *carmim* (4).

carminado[2] [Part. de *carminar*.] *Adj.* Tingido ou pintado de carmim ou da cor do carmim.

carminar [De *carmim* + *-ar*[2].] *V. t. d.* **1.** Tingir de carmim ou da cor do carmim. *P.* **2.** Ruborizar-se, corar: "Carminou-se o seu rosto cor de pérola." (Augusto Frederico Schmidt, *Poesias Completas*, p. 667.)

carminativo [Do lat. tard. *carminatus*, part. pass. de *carminare*, 'purificar', + *-ivo*.] *S. m.* V. *antiflatulento*.

carmíneo [De *carmim* + *-eo*.] *Adj.* V. *carmim* (4): "fisionomias frescas de moças, uns rostos lindos, alvos e carmíneos" (Xavier Marques, *Jana e Joel*, p. 126).

carmínico [De *carmim* + *-ico*[2].] *Adj. Quím.* ~ V. *ácido* —.

carmoense *Adj. 2 g.* **1.** De, ou pertencente ou relativo a Carmo de Minas (MG). • *S. 2 g.* **2.** O natural ou habitante de Carmo de Minas.

carmolandense *Adj. 2 g.* **1.** De, ou pertencente ou relativo a Carmolândia (TO). • *S. 2 g.* **2.** O natural ou habitante de Carmolândia.

carmona [Do fr. *crémone*, com metátese, poss.] *S. f.* V. *cremona*.

carmopolitano *Adj.* **1.** De, ou pertencente ou relativo a Carmópolis (SE). • *S. m.* **2.** O natural ou habitante de Carmópolis.

carmo-rio-verdino *Adj.* **1.** De, ou pertencente ou relativo a Carmo do Rio Verde (GO). • *S. m.* **2.** O natural ou habitante de Carmo do Rio Verde.

carnaça [De *carne* + *-aça*.] *S. f.* **1.** Excrescência carnosa. **2.** Grande quantidade de carne.

carnação [Do lat. *carnatione*.] *S. f.* **1.** Representação do corpo humano, desnudo e com a cor natural. **2.** A coloração da carne humana: "A tua carnação, de alva polpa madura, / Há de fulgir, sorrir, como um rosal em flor..." (Martins Fontes, *Verão*, p. 91.)

carnada [Do esp. plat. *carnada*.] *S. f. Bras. RS* Isca[1] (1).

carnadura [De *carne* + *-dura*.] *S. f.* **1.** Parte carnosa do corpo: "os seus belos braços brancos e roliços, duma carnadura rija" (Inglês de Sousa, *Contos Amazônicos*, p. 143). **2.** Aparência externa do corpo; a qualidade da carne: *Ângela tem uma carnadura rosada.* **3.** Compleição, musculatura: *É de uma carnadura sólida.*

carnagem [Do fr. *carnage*.] *S. f.* **1.** Matança de animais para alimentação do homem: "Os banquetes lucúleos de Ribeirão exigiam farta carnagem e esvaziavam de cada vez uma adega." (Xavier Marques, *As Voltas da Estrada*, p. 23.) **2.** Provisão de carnes de animais; carniça. **3.** V. *carnificina*.

carnaíba [Var. de *carnaúba*.] *S. f. Bras. BA Bot.* V. *carnaubeira*.

carnaibal (a-i) [De *carnaíba* + *-al*[1].] *S. m. Bras.* V. *carnaubal*.

carnaibano (a-i) *Adj.* **1.** De, ou pertencente ou relativo a Carnaíba (PE). • *S. m.* **2.** O natural ou habitante de Carnaíba. [Sin. ger.: *carnaibense*.]

carnaibense (a-i) *Adj. 2 g. S. 2 g.* V. *carnaibano*.

carnal [Do lat. *carnale*.] *Adj. 2 g.* **1.** De, pertencente ou relativo a carne[1] (1, 2 e 3). **2.** Relativo à carne[1] (5 a 7): *paixões carnais.* **3.** Sensual, lascivo, concupiscente. **4.** Consanguíneo (1): *irmão carnal.* ~ V. *amor* — e *primo* —. • *S. m.* **5.** Tempo em que a Igreja permite comer carne.

carnalidade [Do lat. *carnalitate*.] *S. f.* **1.** Sensualidade, concupiscência: "A carnalidade desenfreada, o cinismo e a perfídia ....: eis aí o que de fato constitui a vida aristocrática da Idade Média." (Oliveira Martins, *História de Portugal*, I, p. 63.) **2.** Contato carnal: "em palavra e meia deu a entender que hoje não pode haver carnalidades" (José Saramago, *O Ano da Morte de Ricardo Reis*, p. 327).

carnallita [Do antr. (*Rudolf von*) *Carnall* (1804-1874), engenheiro de minas prussiano, + *-ita*[3].] *S. f. Min.* Mineral ortorrômbico, pseudo-hexagonal, cloreto hidratado de potássio e magnésio; ocorre em depósito de sais.

carnar [De *carne* + *-ar*[2].] *V. t. d.* **1.** Unir por parentesco. **2.** Proceder à carnagem (1) de.

carnaúba [Do tupi = 'árvore do caraná'.] *S. f. Bras.* **1.** *Bot.* V. *carnaubeira*. **2.** A cera extraída das folhas da carnaúba.

carnaubaense (a-u) *Adj. 2 g.* **1.** De, ou pertencente ou relativo a Carnaubais (RN). • *S. 2 g.* **2.** O natural ou habitante de Carnaubais.

carnaubal (a-u) [De *carnaúba* + *-al*[1].] *S. m. Bras.* Quantidade mais ou menos considerável de carnaubeiras dispostas proximamente entre si; carnaibal, carandazal.

carnaubalense (a-u) *Adj. 2 g.* **1.** De, ou pertencente ou relativo a Carnaubal (CE). • *S. 2 g.* **2.** O natural ou habitante de Carnaubal.

carnaubeira (a-u) [De *carnaúba* + *-eira*.] *S. f. Bras. N. N.E. N.O. Bot.* Palmeira arecácea (*Copernicia cerifera*) ornamental, de estipe ereto, com até 40m de altura, cilíndrico, flores amarelas e folhas grandes, as quais fornecem cera muito usada na indústria de ceras e graxas para sapatos, assoalho, etc.; carandá, carnaíba, carnaúba.

carnaubense (a-u) *Adj. 2 g.* **1.** De, ou pertencente ou relativo a Carnaúba dos Dantas (RN). • *S. 2 g.* **2.** O natural ou habitante de Carnaúba dos Dantas.

carnaval [Do it. *carnevale*.] *S. m.* **1.** No mundo cristão medieval, período de festas profanas que se iniciava, geralmente, no dia de Reis (Epifania) e se estendia até a quarta-feira de cinzas, dia em que começavam os jejuns quaresmais. [Consistia em festejos populares e em manifestações sincréticas oriundas de ritos e costumes pagãos, como as festas dionisíacas, as saturnais, as lupercais, e se caracterizava pela alegria desbrida, pela eliminação da repressão e da censura, pela liberdade de atitudes críticas e eróticas.] **2.** Os três dias imediatamente anteriores à quarta-feira de cinzas, dedicados a diferentes sortes de diversões, folias e folguedos populares, com disfarces e máscaras; tríduo de momo. [Sin., p. us., nessas acepçs.: *entrudo*.] **3.** *Bras. Pop.* Confusão, trapalhada, desordem. ◆ **De outros carnavais.** *Pop.* De muitos carnavais, de muitos anos; há muito tempo; de velhos carnavais: "Eu o conhecia de outros carnavais, comparecia aos bailes fantasiado de conde, marquês, de alegorias complicadas" (Carlos Heitor Cony, *Pilatos*, p. 86). **De velhos carnavais.** *Pop.* De outros carnavais: "Ao saber desse romance, a mãe de Chandler, que conhecia Cissy de velhos carnavais, perguntou-lhe se estava sóbrio." (Rui Castro, *Saudades do Século 20*, p. 193.)

carnavalear [De *carnaval* + *-ear*[2].] *V. int.* Brincar o carnaval: "Às duas da madrugada, a Cantagalense deixou-se ficar no hotel, e os outros foram carnavalear um pouco aos 'Tenentes do Diabo'." (Aluísio Azevedo, *A Condessa Vésper*, p. 246.) [Conjug.: v. *frear*.]

carnavalesco (ê) [Do it. *carnevalesco*.] *Adj.* **1.** Pertencente ou relativo ao carnaval, ou próprio dele. **2.** Que participa intensamente dos folguedos carnavalescos. **3.** Ridículo, grotesco. **4.** Que sofreu carnavalização: "a narrativa menipeia, ou seja, *cômico-fantástica*, em que os personagens também são alegóricos, representando ideias (é a literatura carnavalesca, descrita por Mikhail Bákhtin, de Luciano a Rabelais e de Swift a Dostoiévski) — mas ideias tratadas *humoristicamente*." (José Guilherme Merquior, em *Edições Críticas de Obras de Machado de Assis, Várias Histórias*, p. 15). ~ V. *rancho* —. • *S. m.* **5.** *Bras.* Folião de carnaval (2). **6.** *Bras.* Pessoa que planeja e põe em execução os diversos festejos de carnaval (2), tais como desfiles de escola de samba, bailes, etc.

carnavalização [De *carnavalizar* + *-ção*.] *S. f.* **1.** Influência e/ou transposição do carnaval (1) para a literatura. [Termo criado pelo russo Mikhail Bákhtin em 1928. V. *carnavalesco* (4).] **2.** Influência do carnaval (1) em diferentes contextos culturais pela inversão dos códigos vigentes, pela ambiguidade das propostas, das imagens e das representações, e pela valorização da força erótica, do riso, do insuitado. [A carnavalização é tema interdisciplinar que, a partir das teorias de Bákhtin, tem sido objeto de estudo no campo da teoria literária, da antropologia, da sociologia, etc.]

carnavalizado [Part. de *carnavalizar*.] *Adj.* Que se carnavalizou; carnavalesco.

carnavalizador (ô) [De *carnavalizar* + *-dor*.] *Adj.* **1.** Que carnavaliza. • *S. m.* **2.** Aquele que carnavaliza: "No Brasil, convencionou-se que o carioca e o baiano são carnavalizadores." (Afonso Romano de Sant'Ana, *Política e Paixão*, p. 44.)

carnavalizar [De *carnaval* + *-izar*.] *V. t. d.* **1.** Imprimir características de carnaval a. **2.** Proceder à carnavalização de: "Os Beatles na década de 60 foram o ponto de partida disto tudo. Carnavalizaram o Império Britânico." (Afonso Romano de Sant'Ana, *Política e Paixão*, p. 44.) *P.* **3.** Tornar-se carnavalizado.

carnaz [De *carne*[1] + *-az*.] *S. m.* O lado da pele oposto à cútis (q. v.).

carne[1] [Do lat. *carne*.] *S. f.* **1.** Tecido muscular, animal ou humano. **2.** A parte vermelha dos músculos. **3.** A carne dos mamíferos e, às vezes, das aves, encarada como alimento: *carne de porco; Não posso comer carne.* [Sin., inf., nesta acepç.: *chicha*.] **4.** *P. ext.* A parte mole e comestível do corpo de certos animais: *peixe de carne rija.* **5.** O corpo, a matéria, em oposição ao espírito, à alma; a natureza animal ou física do homem, em oposição à natureza moral ou espiritual: *os pecados da carne; A carne é fraca.* **6.** Parentesco, consanguinidade: *São a minha família, a minha carne.* **7.** Sensualismo, concupiscência. **8.** *Fam.* Sarcocárpio. ◆ **Carne de cordão.** A que se tira de entre as nádegas e coxas do boi. **Carne de fumeiro.** Carne-seca no fumeiro. **Carne verde.** Carne fresca, não salgada. **Em carne e osso.** Em pessoa; na realidade: "Já não receava perigo algum em ver em carne e osso aquela encantadora menina" (Bernardo Guimarães, *O Seminarista*, pp. 80-81). **Em carne viva.** Sem pele; esfolado: *A febre deixou-lhe os lábios em carne viva.* **Ser carne de pescoço.** *Bras. Pop.* Ser duro, irredutível, difícil de dobrar ou persuadir; ser pedreira. **Ser de carne e osso.** Ser sujeito às fraquezas do gênero humano, do homem. **Ser muita carne para o churrasco de.** *Bras. Pop.* V. *ser muita areia para o caminhão de.* **Sofrer na própria carne.** Ressentir-se profundamente de alguma coisa; senti-la na pele: "No Rio de Janeiro, onde alcançara grande prestígio, desenvolvendo-se amplamente, o comércio francês começou a sofrer na própria carne." (Artur César Ferreira Reis, *A Amazônia e a Cobiça Internacional*, pp. 106-107.).

carne[2] *S. m. Bras. RJ Gír.* Ricaço inculto e mal-educado.

carné *S. m.* V. *carnê.* [Uso próprio de P.]

carnê [Do fr. *carnet.*] *S. m.* **1.** Caderninho de apontamentos, no qual se costuma anotar endereços, obrigações sociais, etc. **2.** Pequeno bloco em cujas folhas se imprimem os dados relativos às prestações de compra feita a prazo, em geral desprendendo-se a respectiva folha a cada prestação paga.

carneação [De *carnear* + *-ção.*] *S. f. Bras. RS* Ato de carnear.

carneadeira [De *carnear* + *-deira.*] *S. f.* Facão usado para carnear o gado.

carneador (ô) [Do esp. plat. *carneador.*] *S. m. Bras. RS* V. *magarefe* (1).

carnear [Do esp. plat. *carnear.*] *Bras. S. V. int.* **1.** Abater o gado e preparar as carnes para secar; charquear. *T. d.* **2.** Abater e esquartejar (o boi). [Conjug.: v. *frear.*]

carne-assada [De *carne* + o f. de *assado.*] *S. f. Turfe Gír.* Barbada (2). [Pl.: *carnes-assadas.*]

carne-de-anta *S. f. Bras. N.E. L. Bot.* V. *lenha-branca.* [Pl.: *carnes-de-anta.*]

carne de ceará *S. f. Bras. N.E.* V. *charque.* [Pl.: *carnes de ceará.*] ☑

carne de soja *S. f.* Alimento derivado da soja, us. esp. para substituir proteína animal em dietas. [Pl.: *carnes de soja.*] ☑

carne de sol *S. f. Bras. N. N.E.* Carne levemente salgada e seca ao sol; carne de vento, carne do sertão. [Pl.: *carnes de sol.*] ☑

carne de vaca *S. f. Bras. N.* Arenito vermelho que, ao ser cortado, mostra uma cor sangrenta desmaiada. [Pl.: *carnes de vaca.*] ☑ notas 1 e 2

carne-de-vaca *S. f.* **1.** *Bras. BA a SC Bot.* Grande árvore proteácea (*Roupala brasiliensis*) de folhas variáveis quanto à forma, indumento, recorte e dimensões, flores dispostas em racimos axilares solitários, e cujo fruto é folículo falciforme e oblongo, lenhoso, contendo sementes aladas, de asa membranácea, parda. Fornece madeira de manchas claras, sobre fundo róseo-violáceo e até pardo-vermelho-violáceo, com a qual se fazem móveis. **2.** *Bras. N.* Arenito vermelho que, ao ser cortado, mostra uma cor sangrenta desmaiada. [Sin.: *carvalho-brasileiro, catucaém, caxicaém, cedro-faia, faia.* Pl.: *carnes-de-vaca.*]

carne de vento *S. f. Bras. S. C.* V. *carne de sol*: "Consistiam [as provisões] em carne de vento, farinha e queijo do sertão." (José de Alencar, *O Sertanejo*, p. 78.) [Pl.: *carnes de vento.*] ☑

carne do ceará *S. f. Bras. N.E.* V. *charque*: "Os meninos .... viviam na carne do ceará, feijão e farinha" (José Carlos Cavalcanti Borges, *O Assassino*, p. 37). [Pl.: *carnes do ceará.*] ☑

carne do sertão *S. f. Bras.* V. *carne de sol.* [Pl.: *carnes do sertão.*] ☑

carne do sul *S. f. Bras. CE* V. *charque.* [Pl.: *carnes do sul.*] ☑

carneeiro [De *carne* + *-eiro.*] *Adj. Bras.* Que serve para matar ou cortar reses, para carneá-las.

carnegão *S. m. Bras.* V. *carnicão.*

carneira [Fem. de *carneiro*[1].] *S. f.* **1.** Pele de carneiro curtida. **2.** *Chapel.* Tira ou faixa de couro que guarnece os chapéus de homem, por dentro, ao redor da copa, junto à aba. **3.** *Bras. S.* Ovelha (1).

carneirada [De *carneiro*[1] + *-ada*[1].] *S. f.* **1.** Rebanho de carneiros. **2.** Conjunto de carneiros [v. *carneiro*[1] (3)], que se formam quando há vento rijo. **3.** Febres peculiares à costa da África tropical. **4.** *Fig.* Grupo de pessoas passivas, submissas. **5.** *Bras.* Epidemia de malária. **6.** *Bras.* V. *malária.*

carneireiro [De *carneiro*[1] + *-eiro.*] *S. m.* **1.** Aquele que tem carneiros. **2.** Guardador de carneiros.

carneirense[1] *Adj. 2 g.* **1.** De, ou pertencente ou relativo a Carneiros (AL). ● *S. 2 g.* **2.** O natural ou habitante de Carneiros.

carneirense[2] *Adj. 2 g.* **1.** De, ou pertencente ou relativo a General Carneiro (PR). ● *S. 2 g.* **2.** O natural ou habitante de General Carneiro.

carneirinho [De *carneiro*[1] + *-inho*[1].] *S. m.* **1.** V. *maria vai com as outras.* **2.** *Pop.* V. *cúmulo* (3). **3.** *Bras.* V. *caruncho* (1).

carneiro[1] [De *carne* + *-eiro*, ou do lat. vulg. **carnariu*, 'animal castrado, do qual se aproveita a carne' (por opos. a *aries*, o macho reprodutor), subst. do lat. *carnarius, a, um*, 'de carne', 'relativo à carne como alimento'.] *S. m.* **1.** Mamífero reduzido à domesticidade como gado lanígero. **2.** *Zool.* V. *caruncho* (1). **3.** *Ocean.* Vaga ou onda de crista espumosa. **4.** V. *maria vai com as outras.* **5.** *Astr.* Áries (1). **6.** *Astrol.* Áries (2). [Com cap. nas acepç. 5 e 6.] **7.** *Bras.* V. *aríete* (2). **8.** *Bras.* No jogo do bicho (q. v.), o 7.º grupo (14), que abrange as dezenas 25, 26, 27 e 28, e corresponde ao número sete. **9.** *Bras. BA* Terreno que fica descoberto quando, após a enchente, o rio volta ao leito habitual. **10.** *Bras. BA Pop.* Mioma. ◆ **Carneiro hidráulico.** V. *aríete* (2).

carneiro[2] [Do lat. *carnariu.*] *S. m.* **1.** Gaveta ou urna, nos cemitérios, onde se enterram cadáveres. **2.** V. *sepultura* (1). **3.** V. *cemitério* (1).

carneirum [De *carneiro*[1] + *-um*[1].] *Adj. 2 g.* Relativo ou pertencente a carneiro[1] (1).

cárneo [Do lat. *carneu.*] *Adj.* **1.** De carne. **2.** Que tem a cor de carne.

carne-quebrada [De *carne*[1] + o f. de *quebrado.*] *S. f. Bras. GO* Alquebramento de forças físicas: "É sempre entre as pretas velhas que encontramos boas benzedeiras. Benzem quebranto, vento-virado, ... carne-quebrada, nervo rendido e outros males." (Regina Lacerda, *Papa-Ceia*, p. 17.) [Pl.: *carnes-quebradas.*]

carne-seca [De *carne*[1] + o f. de *seco.*] *S. f. Bras.* V. *charque*: "o Luz já estava enfastiado de feijão e carne-seca" (Cardoso de Oliveira, *Dois Metros e Cinco*, p. 318). [Pl.: *carnes-secas* (ê).] ◆ **Estar por cima da carne-seca.** *Bras.* Achar-se em situação vantajosa; estar por cima.

carne-velha [De *carne*[1] + o f. de *velho.*] *S. f. Bras. CE* V. *charque.* [Pl.: *carnes-velhas.*]

▲**carni-** [Do lat. *caro, carnis.*] *El. comp.* = 'carne'[1]: *carniforme.* [Equiv.: *carno-*; *carnossauro.*]

carniça [Do lat. vulg. *carnitia*, do lat. *carne.*] *S. f.* **1.** Animal de que se faz carnagem (1). **2.** Carnagem (2). **3.** V. *carnificina.* **4.** No jogo do pião, pião que serve de alvo para sobre ele se atirarem outros. **5.** Pessoa que é objeto de zombaria. **6.** *Bras.* Carne podre, que atrai os urubus. **7.** *Bras.* V. *eixo-badeixo*: "Pulavam carniça, subiam em árvore – e a gente olhava por baixo." (Pedro Nava, *Balão Cativo*, p. 6.) **8.** *Bras. RS* Lugar onde se carneiam animais. **9.** *Bras. RS* Gado destinado ao consumo.

carniçal [De *carniça* + *-al*[1].] *Adj. 2 g.* V. *carnívoro*[1] (1).

carnicão [De *carne*[1] + *-ão*[2], com infl. de *carniça*, poss.] *S. m.* Zona central, purulenta e endurecida, de furúnculos. [Var.: *carnegão.*]

carniçaria [De *carniça* + *-aria.*] *S. f.* **1.** V. *carnificina.* **2.** Ato de preparar carne para a venda. **3.** V. *açougue* (1). [Var.: *carniceria.*]

carniceiro [De *carniça* + *-eiro.*] *Adj.* **1.** V. *carnívoro*[1] (1 e 2): "Longe, as feras carniceiras / Uivam nas lapas." (Olavo Bilac, *Poesias*, p. 266.) **2.** Sanguinário, feroz, cruel. **3.** Diz-se de dente us. para macerar e dilacerar alimentos, esp. carne. ● *S. m.* **4.** V. *magarefe* (1). **5.** *Bras. Fig.* V. *açougueiro* (3). **6.** *Bras. SP Zool.* Vespídeo da região da Ribeira.

carniceria *S. f.* V. *carniçaria.*

carnificação [De *carnificar(-se)* + *-ção.*] *S. f.* Ato ou efeito de carnificar-se.

carnificar-se [Do lat. *carnificare* + *se*[1].] *V. p.* Alterar-se [o tecido (5)], tomando a aparência e a consistência de carne ou tecido muscular. [Conjug.: v. *trancar.*]

carnífice [Do lat. *carnifice.*] *S. m.* **1.** *Ant.* Verdugo, carrasco. ● *Adj. 2 g.* **2.** Cruel, sanguinário, carniceiro.

carnificina [Do lat. *carnificina.*] *S. f.* Mortandade, chacina, extermínio, carnagem, carniça, carniçaria.

carniforme [De *carni-* + *-forme.*] *Adj. 2 g.* Que tem aparência de carne.

carnijó *S. 2 g. Adj. 2 g. Bras.* V. *fulniô* (1 e 3).

carnívoro [De or. obsc.] *S. f. Bot.* Trepadeira ou arbusto cesalpiniáceo (*Guilandina spinosissima*) lenhoso, nativo de regiões tropicais da América.

carninga *S. f. Bras.* V. *carlinga.*

carnita [De *carne*[1] + *-ita*[1].] *S. f.* Osso do pé do boi.

carnitina [Do al. *Karnin*, 'substância básica isolada do extrato da carne', + *-it-* + *-ina*[3]; al. *Karnitin.*] *S. f. Bioquím.* Substância cristalina que é um sal de amônio quaternário derivado de um aminoácido (o ácido 4-amino-3-hidroxibutírico), e é essencial ao metabolismo de gorduras [fórm.: $C_7H_{15}NO_3$].

carnivoraz [De *carni-* + *voraz.*] *Adj. 2 g.* V. *carnívoro*[1]: "Nela [a ribeira] o carnivoraz atalaiado / Tinha como infalível sempre a presa da corça, vaca ou boi" (Bernardo Guimarães, *Poesias Completas*, p. 416).

carnívoro[1] [Do lat. *carnivoru.*] *Adj.* **1.** Que se alimenta de carne; carniceiro, carniçal, creófago, carnivoraz. **2.** Que prefere a carne como alimento; carniceiro. **3.** *Bot.* Diz-se de vegetal que captura pequenos insetos, por meio de variados dispositivos, e realiza a digestão mediante a emissão de um suco com enzimas digestivas. Esses vegetais, não obstante, têm raízes e absorvem alimentos do solo.

carnívoro[2] [Adapt. do tax. *Carnivora.*] *Zool. S. m.* **1.** Espécime dos carnívoros, ordem de mamíferos da superordem das feras, caracterizados principalmente pela dentição, com caninos grandes e pontudos, e incisivos fortes e cortantes. São prováveis descendentes de mamíferos insetívoros que, a partir do cretáceo, se adaptaram ao regime carnívoro. Modernamente, dividem-se em caniformes e feliformes, embora ainda seja bastante usual dividi-los em fissípedes e pinípedes. ● *Adj.* **2.** Pertencente ou relativo a eles.

▲**carno-** Equiv. de *carni-*.

carnosidade [De *carnoso* + *-(i)dade.*] *S. f.* **1.** Qualidade ou estado de carnoso. **2.** Excrescência carnosa.

carnoso (ô) [Do lat. *carnosu.*] *Adj.* **1.** Que tem aparência de carne. **2.** Carnudo (1). **3.** *Bot.* Diz-se do fruto que tem o mesocarpo suculento. **4.** *Bot.* Diz-se do órgão ou parte vegetal que apresenta consistência mole, como a carne: *folha carnosa.* **5.** *Fig.* Suculento, sucoso; substancial: "Os escritores dessa literatura gostam dos períodos grandes, carnosos, muitas vezes de valente fibra sob as exterioridades da linguagem, mas com a característica mantida da espessura e da lentidão." (Raul Pompeia, *Crônicas* 4, pp. 94-95.) ~ V. *raiz —a.*

carnossauro [De *carno-* + *-sauro.*] *S. m. Paleont.* **1.** Gênero de dinossauros saurísquios, carnívoros, de porte médio a grande, e que viveram no triássico superior e no jurássico, com ampla distribuição. **2.** Espécie ou espécime desse gênero.

carnotita [Do antr. (*Marie-Adolphe*) *Carnot* (1839-1920), químico e engenheiro de minas francês, + *-ita*[3].] *S. f. Min.* Uranovanadato de potássio e sódio, do grupo das micas uraníferas.

carnudo [De *carne*[1] + *-udo.*] *Adj.* **1.** Que tem muita carne; carnoso: *lábios carnudos*; "a rebolar os quadris carnudos, ela oferecia ramos de cravos e violetas à porta de um pasteleiro" (Coelho Neto, *Treva*, pp. 15-16). **2.** Musculoso (1). **3.** *Bras.* Que está com boas carnes, nem gordo nem magro. [Diz-se especialmente do animal.]

caro[1] [Do lat. *caru.*] *Adj.* **1.** Que custa um preço alto, elevado: *Veste-se com roupas caras.* [Evite dizer *preço caro.*] **2.** Que cobra, ou onde se cobra, preço alto, elevado: *É um dentista caro; Só frequenta lugares caros.* **3.** Que exige grandes despesas; dispendioso: *Londres e Paris são cidades caras.* **4.** Obtido com grandes sacrifícios, ou desgostos, etc., ou que os traz como consequência: *A vitória saiu-lhe cara.* **5.** Que é tido em grande valor ou estima; querido, amado. [Pl.: *caros.* Cf. *cárus.*] ● *Adv.* **6.** Por alto preço (no sentido material ou no moral): *Vendeu caro o apartamento; Comprou caro a amizade do ministro.* **7.** Mais do que seria natural ou razoável (quanto ao preço material ou ao moral): *Cobra caro pela consulta.* ~ V. *custar —.*

caro[2] *Bras. S. 2 g.* **1.** *Etnôn.* Indivíduo dos caros [ou (etnôn. bras.) *Karo], povo indígena da família linguística ramarama, tronco tupi, que habita a região do igarapé Lourdes (RO). ● *Adj. 2 g.* **2.** Pertencente ou relativo a esse povo. [Sin. ger.: *arara.*]

caroá [Var. de *carauá.*] *S. m. Bras. N.E. Bot.* Planta bromeliácea (*Neoglaziovia variegata*) acaule, terrestre, de poucas folhas, flores variegadas, protegidas por brácteas, e frutos em bagas sucosas, cujas fibras se usam na manufatura de barbante, linhas de pesca e tecidos; coroatá, croatá, gravá, gravatá. [Outras var.: *caruá, coroá, crauá, croá.*]

caroatal [De *caroá* + *-t-* + *-al*[1].] *S. m. Bras.* V. *caroazal.*

caroável [De **caroar* (< *caro*) + *-vel.*] *Adj. 2 g.* **1.** Carinhoso, afetuoso, meigo: "Esses filhos ingratos, que deixavam / A mui caroável mãe, que de seu leite / Nunca lhes consentiu terem secura" (Filinto Elísio, *Poesias*, p. 37). **2.** Afeiçoado, amigo: "Igualmente caroáveis da grandeza, pompa e luxo, desses magnates, ... à satisfação desse gosto imolam brios e melindres." (José Veríssimo, *História da Literatura Brasileira*, p. 42.) **3.** Criador, produtor: *solo caroável de frutos.* **4.** *Ant.* Favorável, propício. **5.** *Bras.* Predisposto, propenso; suscetível.

caroazal [De *caroá* + *-zal.*] *S. m.* **1.** *Bras.* Quantidade mais ou menos considerável de caroás dispostos proximamente entre si; caroatal. **2.** Área ocupada por caroazal (1). [Sin. ger.: *caroatal.*]

caroba [Do tupi = 'folha amarga'.] *S. f. Bras. Bot.* **1.** Designação comum a várias árvores bignoniáceas, pequenas, do gênero *Jacaranda*, de propriedades medicinais, sendo algumas espécies muito ornamentais e outras fornecedoras de madeira própria para marcenaria. **2.** Árvore bignoniácea (*Jacaranda brasiliana*) nativa do Brasil, de folhas compostas, flores campanuladas azul-violáceas e frutos capsulares; a madeira é us. em marcenaria e a casca, adstringente, é útil. [Sin., nesta acepç.: *barbatimão, jacarandá-preto*.]

caroba-açu [De *caroba* + *-açu*.] *S. f. Bot.* V. *caroba-do-mato*.

caroba-branca [De *caroba* + o f. de *branco*.] *S. f. Bras. RJ MG GO Bot.* Pequena árvore bignoniácea (*Sparattosperma vernicosum*) de flores alvas ou levemente róseas, aromáticas, dispostas em panículas, e cujo fruto é cápsula rígida que contém sementes aladas, e cuja casca, amarga, é tida por medicinal. Fornece madeira alvo-amarelada, leve e firme, própria para construção naval. [Sin.: *caroba-de-flor-branca, cinco-chagas, cinco-folhas, ipê-batata, ipê-boia, ipê-branco*. Pl.: *carobas-brancas*.]

caroba-brava [De *caroba* + o f. de *bravo*.] *S. f. Bras. MT Bot.* Árvore araliácea (*Pentapanax angelicifolius*) de até 16m, de flores dispostas em umbelas, e fruto drupáceo, carnoso e de cor preta. É muito usada em cercas vivas, por se desenvolver facilmente e por ser elegante a sua folhagem. [Pl.: *carobas-bravas*.]

caroba-de-flor-branca *S. f. Bot.* V. *caroba-branca*. [Pl.: *carobas-de-flor-branca*.]

caroba-do-campo *S. f. Bras. Bot.* V. *carobinha* (2). [Pl.: *carobas-do-campo*.]

caroba-do-carrasco *S. f. Bras. Bot.* V. *carobinha* (2). [Pl.: *carobas-do-carrasco*.]

caroba-do-mato *S. f. Bras. Bot.* **1.** Árvore bignoniácea (*Jacaranda copaia*) de folhas compostas, flores azuis, frutos capsulares, cuja raiz tem propriedades diaforéticas e cuja casca fornece alcaloide de ação antissifilítica; caraúba, caroba-açu, marupá, parapará, simaruba-copaia, simaruba-falsa. **2.** V. *carobinha* (2). [Pl.: *carobas-do-mato*.]

carobaguaçu [De *caroba* + *-guaçu*.] *S. f. Bras. Bot.* Palissandra.

carobamirim [De *caroba* + *-mirim*.] *S. f. Bras. Bot.* V. *carobinha* (2).

caroba-miúda [De *caroba* + o f. de *miúdo*.] *S. f. Bras. Bot.* V. *carobinha* (2). [Pl.: *carobas-miúdas*.]

carobeira [De *caroba* + *-eira*.] *S. f. Bras. Bot.* V. *carobinha* (1).

carobinha [De *caroba* + *-inha*.] *S. f. Bras. Bot.* **1.** Designação comum a vários arbustos bignoniáceos, ornamentais, gêneros *Jacaranda* e *Memora*, de propriedades medicinais, e cujos frutos são cápsulas com várias sementes; camboatá-pequena, caroba-do-carrasco, carobeira, jacarandá-caroba. **2.** Árvore bignoniácea (*Jacaranda oxyphylla*) nativa de MG, SP, GO, MT e MS, de folhas compostas, flores roxo-escuras e frutos capsulares elípticos; a casca tem propriedades medicinais. [Sin.: *caroba-do-campo, caroba-do-mato, caroba-miúda, carobamirim*.]

caroca *S. f. Bras.* Volta ou nó no fio de arame dos pescadores. [F. paral.: *coroca*[1].]

caroçama [De *caroço* + *-ama*.] *S. f. Bras.* **1.** Grande porção de caroços [v. *caroço* (1 e 2)]. **2.** *Pop.* Muitos caroços ou tumores. [V. *caroço* (5).]

carocha [De or. controversa.] *S. f.* **1.** Mitra dos condenados da Inquisição (2). **2.** Carapuça de papel que se usava para castigo das crianças na escola. **3.** V. *feiticeira* (1). **4.** *Bras.* V. *escaravelho* (1). **5.** *Bras.* Concha de folha de flandres com que os calafates introduzem breu nas costuras calafetadas. ~ V. *carochas*.

carochas *S. f. pl.* **1.** V. *bruxaria* (1 e 2). **2.** Mentiras, petas. ~ V. *carocha*.

carochinha [Dim. de *carocha*.] *El. s. f.* Us. nas loc. *conto da carochinha* (q. v.) e *história da carochinha* (q. v.).

carocho (ô) *S. m.* **1.** Carocha de menores dimensões. **2.** *Pop.* V. *diabo* (2). ● *Adj.* **3.** Que tem a cor da carocha (4); escuro, trigueiro.

caroço (ô) [Do lat. vulg. *carudiu* < gr. *karýdion*, 'pequena noz'.] *S. m.* **1.** *Bot.* O núcleo, lenhoso e muito duro, dos frutos de tipo drupa, que ocorre, p. ex., na manga e no pêssego. **2.** *Bot.* Semente de vários frutos, como, p. ex., a do algodão e a da uva, caracterizada pela dureza do envoltório. **3.** Cilindro usado na fundição das peças de fogo, para lhes formar a alma. **4.** *Pop.* Glândula enfartada e endurecida; íngua. **5.** *Pop.* Tumor ou erupção cutânea. **6.** *Pop.* Pequena porção compacta de farinha não dissolvida que se forma em mingaus, cremes, etc., quando não mexidos adequadamente ao cozinhar; bolota. **7.** *Pop.* V. *dinheiro* (5). **8.** *Astr.* Núcleo no interior de uma estrela. **9.** *Bras.* V. *engasgo* (2). **10.** *Santom.* V. *dendê* (2): "arranjou caroço para comer e começou a partir um a um com uma pedra, de maneira que o último caroço que faltava pra comer escapou-lhe da mão" (Fernando Reis, *Soiá II*, p. 61). [Pl.: *caroços* (ó).]

caroçudo [De *caroço* + *-udo*.] *Adj.* Que tem caroços.

carófito [Do lat. *chara*, 'espécie de planta', + *-o-* + *-fito*; tax. *Charophyta*.] *Bot. Adj. S. m.* Diz-se de, ou espécime dos carófitos, divisão que compreende as algas caráceas, cujo aspecto recorda o das cavalinhas [v. *cavalinha* (1)].

carola[1] [Do lat. *corolla*, dim. de *corona*, 'coroa'.] *S. m.* **1.** Indivíduo com coroa (5). ● *S. f.* **2.** *P. ext. Desus.* Cabeça (1). ● *S. 2 g.* **3.** Pessoa muito assídua à igreja, muito beata; barata de igreja, barata de sacristia, papa-hóstias ou papa-hóstia, papa-missas, papa-santos. ● *Adj. 2 g.* **4.** Muito beato; muito frequentador de igrejas.

carola[2] [Do fr. *carole*.] *S. f.* Dança de roda, medieval, difundida na França e na Inglaterra.

carolice [De *carola*[1] + *-ice*.] *S. f.* **1.** Qualidade de carola[1] (3). **2.** Ação própria de carola[1] (3).

carolina *S. f. Bras. Bot.* V. *tento-da-carolina* (q. v.).

carolinense[1] *Adj. 2 g.* **1.** Do, ou pertencente ou relativo ao Estado da Carolina do Norte (E.U.A.). ● *S. 2 g.* **2.** O natural ou habitante desse Estado.

carolinense[2] *Adj. 2 g.* **1.** Do, ou pertencente ou relativo ao Estado da Carolina do Sul (E.U.A.). ● *S. 2 g.* **2.** O natural ou habitante desse Estado.

carolinense[3] *Adj. 2 g.* **1.** De, ou pertencente ou relativo a Carolina (MA). ● *S. 2 g.* **2.** O natural ou habitante de Carolina.

carolinense[4] [Do top. *Carolinas*, ilhas do oceano Pacífico, + *-ense*.] *Adj. 2 g.* **1.** De, ou pertencente ou relativo às ilhas Carolinas. ● *S. 2 g.* **2.** O natural ou habitante dessas ilhas. ● *S. m.* **3.** *Gloss.* Língua malaio-polinésia falada nessas ilhas.

carolíngio [Do fr. *carolingien*, pelo it. *carolingio*, poss.] *Adj.* **1.** Pertencente ou relativo à dinastia de Carlos Magno, rei dos francos e imperador do Ocidente (742-814). ● *S. m.* **2.** Indivíduo dessa dinastia.

carolino [Do antr. lat. *Carolus*, 'Carlos', + *-ino*[1].] *Adj.* ~ V. *minúscula —a*.

carolismo [De *carola*[1] + *-ismo*.] *S. m.* Atitude ou procedimento de carola[1] (3).

carolo (ô) [De *carola*[1] (2).] *S. m.* **1.** Pancada na cabeça com vara, ou com o nó dos dedos [Cf. *cascudo*[1].] **2.** Espiga de milho debulhada. **3.** Milho mal moído. **4.** Fécula grumosa da qual se faz goma para usos toscos.

carombó [De or. indígena, poss.] *Adj. 2 g. Bras. CE* Diz-se do animal vacum de chifres tortos.

carona [Do esp. plat. *carona*.] *S. f.* **1.** *Bras.* Peça dos arreios, que é uma manta de couro que se põe por baixo do lombilho. **2.** *Bras.* Condução gratuita em qualquer veículo. V. *bigu*. [Sin., lus., nesta acepç., *boleia*.] **3.** *Bras. N.* Baiana[1] (4). **4.** *Bras. N.E.* Velhacada, calote. ● *S. 2 g.* **5.** *Bras. P. ext.* Pessoa que viaja sem pagar a passagem; caroneiro. **6.** *Bras. P. ext.* Pessoa que penetra às ocultas ou com entrada de favor em locais de ingresso pago. **7.** *Bras. N. MG* Indivíduo caloteiro. ● *S. m.* **8.** *Bras. Rád. Telev.* Comercial curto, levado ao ar antes ou depois de um programa, do produto que o patrocina ou de outro produto do mesmo anunciante. ◆ **Dar carona.** *Bras.* **1.** Conduzir gratuitamente, ou de favor, em um veículo. **2.** *Mil. Gír.* Preterir na promoção. **De carona.** *Bras.* Sem pagar passagem ou entrada. **Levar carona.** *Bras.* Sofrer calote. **Passar carona.** *Bras.* Pregar calote. **Tomar carona.** *Bras. Mil. Gír.* Ser preterido na promoção.

caronaço [De *carona* + *-aço*.] *S. m.* Pancada com a carona (1).

caronada [Do fr. *caronade*.] *S. f.* Peça curta e de grande calibre, usada antigamente na artilharia naval.

caronear [De *carona* + *-ear*[2].] *V. int.* **1.** *Bras. S.* Bater com a carona (1) no animal. *T. d.* **2.** *Bras. S.* Dar trabalho excessivo a (o cavalo). **3.** Enganar, iludir, burlar. [Conjug.: v. *frear*.]

caroneiro [De *carona* + *-eiro*.] *S. m. Bras.* Carona (5).

carotenemia [De *caroteno* + *-emia*.] *S. f. Med.* Teor de caroteno no sangue.

caroteno [Do lat. *carota*, 'cenoura', + *-eno*[2].] *S. m. Quím.* Qualquer de vários tetraterpenos isômeros (α-caroteno, ou alfa-caroteno, β-caroteno, beta-caroteno, γ-caroteno, ou gama-caroteno, e δ-caroteno, ou delta-caroteno, dos quais o mais importante é o segundo; fórm.: $C_{40}H_{56}$) que contêm várias duplas ligações conjugadas, dotados de cores intensas, existentes em folhas verdes e, tb., na manteiga, na cenoura e na gema de ovo. [Os isômeros α e β contêm dois ciclos e os isômeros γ e δ, um ciclo; os dois primeiros, assim como os dois últimos, se diferenciam entre si pelas posições de duas das ligações duplas.]

carotenodermia [De *caroteno* + *-derm(o)-* + *-ia*[1].] *S. f. Med.* Amarelidão da pele, consequência da hipercarotenemia.

carotenoide (ói) [De *caroteno* + *-oide*.] *S. m. Quím.* Qualquer de um grupo de substâncias tetraterpênicas relacionadas ao caroteno, que são pigmentos amplamente difundidos na natureza, com cores do amarelo ao vermelho. ❖

carótico [Do fr. *carotique* < lat. tard. *caroticu*.] *Adj.* Relativo ao caros.

carótida [Do fr. *carotide* < gr. *karotídes* (pl. de *karotís*), 'as duas artérias carotídeas'.] *S. f. Anat.* V. *artéria carótida externa, artéria carótida interna* e *artéria carótida primitiva*. [F. paral.: *carótide*.]

carótide *S. f.* Carótida.

carotídeo [De *carótida* + *-eo*.] *Adj.* Relativo ou pertencente a artéria(s) carótida(s).

carpa[1] [Do lat. tard. *carpa*, de provável or. germânica.] *S. f. Zool.* Peixe teleósteo, cipriniforme, ciprinídeo (*Cyprinus carpio*), da Eurásia e da África, de coloração cinza tirante ao prateado. Boca pequena, sem dentes verdadeiros, rodeada de barbilhões curtos; alimenta-se de vegetais e outras substâncias. Carne de qualidade regular. É espécie muito usada em piscicultura no Velho Mundo, tendo sido introduzida na América do Sul.

carpa[2] [Dev. de *carpir* (3 e 5).] *S. f.* V. *capina* (1).

carpa[3] [Do esp. plat. *carpa*.] *S. f. Bras. RS* Lugar onde se joga.

➔ **carpaccio** [kar'patʃo] [It.; do nome do pintor veneziano Vittore *Carpaccio* (c. 1460-1525 ou 1526), em cuja homenagem o prato foi criado, em sua cidade natal, durante uma mostra de sua obra, realizada em 1963.] *S. m. Cul.* Carne, ou peixe, servidos crus em fatias extremamente finas e temperadas com azeite, sumo de limão, etc., e ger. polvilhados com queijo ralado.

carpal [De *carp(o)-* + *-al*[1].] *Adj. 2 g. Anat.* Relativo ou pertencente ao carpo.

carpar [De *carpir* (3 e 5), poss.] *V. t. d. Bras. S.* V. *capinar* (1).

carpar-se *V. p. Bras. Gír.* Picar (35).

carpear *V. t. d.* Carmear. [Conjug.: v. *frear*.]

carpelar [De *carpelo* + *-ar*[1].] *Adj. 2 g. Bot.* Relativo ou pertencente ao carpelo: *folha carpelar*.

carpelo (é) [Do lat. cient. *carpellum* < gr. *karpós*, 'fruto', 'semente', + lat. *-ellum*.] *S. m. Bot.* Estrutura que porta e encerra os óvulos, nas plantas floríferas, e, ger., compreende ovário, estilete e estigma.

cárpeo [De *carp(o)-* + *-eo*.] *Adj. Bot.* Relativo ao carpo (2); cárpico.

carpeta (ê) [Do esp. plat. *carpeta*.] *S. f. Bras. S.* **1.** Pano que cobre a mesa de jogo. **2.** *P. ext.* Jogo de azar. **3.** *P. us.* Casa de jogo; casa de tavolagem.

carpetado [Part. de *carpetar*.] *Adj.* Que se carpetou; acarpetado.

carpetar [De *carpete* + *-ar*[2].] *V. t. d.* Forrar ou revestir com carpete; acarpetar.

carpete [Do ingl. *carpet*.] *S. m.* **1.** *Bras.* Tapete que reveste inteiramente um cômodo, em geral afixado ou colado ao chão. ● *S. f.* **2.** *Lus.* Tapete grande e solto no chão: "o meu marido estatelado na carpete protegia-se do meu pai que lhe tocava com o bico do sapato" (Lobo Antunes, *O Esplendor de Portugal*, p. 54).

carpetear [De *carpeta* + *-ear*[2].] *V. int. Bras. S.* Jogar em carpetas; frequentá-las. [Conjug.: v. *frear*.]

carpição [De *carpir* + *-ção*.] *S. f. Bras. S.* V. *capina* (1).

cárpico [De *carp(o)-* + *-ico*[2].] *Adj. Bot.* Cárpeo.

carpideira [De *carpir* + *-deira*.] *S. f.* **1.** Mulher mercenária que acompanhava os funerais pranteando os mortos; choradeira. **2.** Mulher que vive a lamentar-se, a lamuriar-se; choramingas. **3.** *Bras. S.* Capinadeira.

carpídio [De *carp(o)-* + *-ídio*[3].] *S. m. Bot.* Cada uma das partes separáveis de um fruto esquizocárpico.

carpido [Part. de *carpir*.] *Adj.* **1.** Chorado, lamentado, pranteado. **2.** Lamentoso, lamuriante, plangente. ● *S. m.* **3.** Lamento, choro, pranto: "E o triste carpido / Duma ave a cantar" (Gonçalves Dias, *Obras Poéticas*, II, p. 25).

carpidor (ô) [De *carpir* + *-dor*.] *Adj. S. m.* **1.** Que, ou aquele que carpe. **2.** *Bras. S.* V. *capinador*.

carpidura [De *carpir* + *-dura*.] *S. f.* V. *carpimento*.

carpimento [De *carpir* + *-mento*.] *S. m.* Ação de se carpir; lamentação, pranto, carpidura.

carpina *S. m.* V. *carapina*.

carpincho *S. m. Bras. Zool.* V. *capivara* (1).

carpinense *Adj. 2 g.* **1.** De, ou pertencente ou relativo a Carpina (PE). ● *S. 2 g.* **2.** O natural ou habitante de Carpina.

carpins [De *escarpins*, com aférese, e com alter. de sentido.] *S. m. pl. Bras. RS Prov. port.* Meias curtas; peúgas.

carpintaria [De *carpint(eiro)* + *-aria*.] *S. f.* **1.** Trabalho, ofício ou oficina de carpinteiro. **2.** *Teatr.* Em dramaturgia, a estruturação orgânica da peça teatral; carpintaria teatral. ◆ **Carpintaria teatral.** *Teatr.* Carpintaria (2).

carpinteirar [De *carpinteiro* + *-ar*[2].] *V. t. d.* **1.** Fazer trabalho de carpintaria em: "como os carpinteiros que andam a carpinteirar aquela igreja de madeira, onde se celebrará o ato da bênção e da inauguração"

(José Saramago, *Memorial do Convento*, [8ª ed.] p. 131). *Int.* 2. Exercer o ofício de carpinteiro.

carpinteiro [Do lat. *carpentariu.*] *S. m.* 1. Artífice que trabalha em obras grosseiras de madeira. [Sin. (bras.): *carapina, carpina.* Cf. *marceneiro.*] 2. *Ant.* Construtor de carros. 3. Aquele que prepara e arma os cenários de peças teatrais. 4. *Zool.* V. *caruncho* (1). 5. *Bras.* Vento do alto-mar que sopra rijo nas costas do extremo S. do país.

carpinteiro da praia *S. m. Bras. RS* Vento de sueste que sopra nas costas do RS. [Pl.: *carpinteiros da praia.*]

carpintejar [De *carpint(eiro)* + *-ejar.*] *V. int.* 1. Exercer o ofício, ou fazer o trabalho, de carpinteiro: "estendendo a mão calosa e tosca, / Afeita a só carpintejar, / Com um gesto pegou na fulgurante mosca" (Machado de Assis, *Poesias Completas*, p. 316). *T. d.* 2. Aparelhar (a madeira) para obras. [Conjug.: v. *pelejar.*]

carpir [Do lat. *carpere.*] *V. t. d.* 1. *Ant.* Arrancar (o cabelo, as barbas) em sinal de dor. 2. *P. ext.* Tratar de, dizer, contar, exprimir, lamentando-se; queixar-se de; lamentar, chorar: *carpir saudades;* "As tranças desgrenhai, ouvi-me agora / Carpir magoados males" (José da Natividade Saldanha, *ap.* Sérgio Buarque de Holanda, *Antologia dos Poetas Brasileiros da Fase Colonial*, II, p. 268). 3. Arrancar, mondar: *carpir ervas daninhas.* 4. Murmurar, sussurrar: "Perto, uma fonte, em suave movimento, / Cantigas de água trêmula carpia." (Olegário Mariano, *Toda uma Vida de Poesia*, I, p. 196.) 5. *Bras.* *S.* Limpar do mato (uma roça); capinar: "A dona carpia a roça de milho." (Dalton Trevisan, *A Trombeta do Anjo Vingador*, p. 38.) *Int.* 6. Fazer lamúria; lastimar-se; lamentar-se; prantear, chorar: "os homens corriam pelos campos, a olhar os destroços, enquanto as mulheres, juntas no adro, carpiam como num funeral." (Eça de Queirós, *Últimas Páginas*, p. 87). 7. Murmurar, sussurrar. *P.* 8. Lamentar-se; prantear-se: "Pois ela era mulher para chorar, para carpir-se ....?" (Júlio Ribeiro, *A Carne*, p. 245.) [Defect. Não se conjuga na 1ª pess. sing. do pres. ind. nem, por conseguinte, em nenhuma das do pres. subj.]

carpo [Do gr. *karpós*, pelo lat. *carpu.*] *S. m.* 1. *Anat.* Parte do esqueleto entre a mão e o antebraço, constituída de oito ossos dispostos em duas fileiras de quatro, com frutos em cacho. 2. *Bot.* Fruto (1).

▲ **carp(o)-** [Do gr. *karpo-* < gr. *karpós, oû.*] *El. comp.* = 'fruto'; 'carpo'; 'semente'; 'punho': *carpófago; carpoptose.* [Equiv.: *-carp(o)-, -carpo: carpólito; partenocarpia; acantocarpo, metacarpo.*]

▲ **-carp(o)-** V. *carp(o)-.*

▲ **-carpo** V. *carp(o)-.*

carpófago [De *carp(o)-* + *-fago.*] *Adj.* 1. Que se alimenta de frutos. ● *S. m.* 2. Aquele que se alimenta de frutos. 3. *Zool.* Ave columbiforme da Austrália e arquipélagos asiáticos, grande, de plumagem cinza e ventre branco ou rosa.

carpóforo [De *carp(o)-* + *-foro.*] *S. m. Bot.* 1. Haste que sustenta determinados frutos, como ocorre nas caparidáceas. 2. Suporte da frutificação em muitos fungos.

carpogónio *S. m. Bot.* V. *carpogônio.* [Uso freq. em P.]

carpogônio [De *carp(o)-* + *-gon(o)-*[2] + *-io*[3].] *S. m. Bot.* Órgão reprodutivo feminino das rodofíceas, constituído por uma célula coroide que termina em um tricógino. Conduz dois núcleos: um, sexual feminino; o outro, vegetativo.

carpólito [De *carp(o)-* + *-lito.*] *S. m. Bot.* 1. Fruto fossilizado, de consistência pétrea. 2. Grupo de células esclerenquimatosas encontrado no mesocarpo carnoso de vários frutos, como, p. ex., a pera.

carpologia [De *carp(o)-* + *-logia.*] *S. f. Bot.* Parte da organografia que trata dos frutos.

carpológico [De *carpologia* + *-ico*[2].] *Adj. Bot.* Relativo à carpologia.

carpomania [De *carp(o)-* + *-mania.*] *S. f. Bot.* Frutificação superabundante.

carpoptose [De *carp(o)-* + *-ptose.*] *S. f. Neur.* Condição mórbida em que a mão, devido à paralisia dos músculos extensores e dos quirodáctilos homolaterais, fica como que pendente. [Sin., pop.: *mão em gota* e *queda de punho.*]

carpostégio [De *carp(o)-* + *-steg(o)-* + *-io*[3].] *S. m. Bot.* Nas plantas lamiáceas, conjunto de pelos situados na parte interna e superior do tubo calicino, e que o podem obstruir de todo.

carpoteca [De *carp(o)-* + *-teca.*] *S. f. Bot.* Coleção de frutos preservados, em geral para fins científicos.

carpozigoto (ô) [De *carp(o)-* + *-zigoto.*] *S. m. Bot.* Envoltório de filamentos concrescentes que revestem o zigoto.

carqueja (ê) [Do lat. *colocasia*, poss.] *S. f. Bras.* 1. *Bot.* Nome comum a várias asteráceas pertencentes ao gênero *Baccharis* (v. *bácaris*). 2. *Bot.* Planta asterácea (*Baccharis trimera*) de folhas destituídas de bainha, aderidas ao caule, que pode alcançar até 1,5m, flores insignificantes e frutos aquênios; tem largo uso na medicina popular. 3. *Bot.* Arbusto asteráceo (*Baccharis vulneraria*) de folhas oblongas e capítulos corimbosos, em panículas; tem, tb., usos medicinais. [Sin.: *erva-de-santo-antônio, erva-santa.*] 4. *Zool.* Ave ralídea (*Fulica armillata*) da parte meridional da América do Sul, de coloração cinzento-escura, cabeça e pescoço pretos, coberteiras inferiores da cauda brancas, pernas verdes, e bico amarelo, com mancha vermelha no meio da maxila superior. É o maior dos frangos-d'água brasileiros; galinha-d'água, mergulhão.

carqueja-amargosa [De *carqueja* + o f. de *amargoso.*] *S. f. Bras. N. a S. Bot.* Designação comum a várias espécies asteráceas, pertencentes ao gênero *Baccharis*, arbustos ou subarbustos, cujas flores variam de cor segundo a espécie, sendo algumas medicinais, de sabor fortemente amargo; cacália-amarga, quina-de-condamine, vassoura. [Pl.: *carquejas-amargosas.*]

carquilha *S. f.* Ruga, dobra, prega: "Desde os pés espalhados, ele vinha para cima retaco, baixote, poucos fios de barba no queixo, poucas carquilhas nos cantos do rosto" (João Guimarães Rosa, *Corpo de Baile*, I, p. 152).

carquilhado [De *carquilha* + *-ado*[1].] *Adj.* V. *encarquilhado.*

carraboiçal *S. m. Bras. RS* Carrabouçal.

carrabouçal *S. m. Bras. RS* Ladeira íngreme, penhascosa; carraboiçal.

carraça *S. f. Lus.* Carrapato (1 e 5).

carrada [De *carro* + *-ada*[1].] *S. f.* 1. Carga que um carro pode transportar de uma vez. 2. *Fig.* Grande quantidade [v. *quantidade* (3)]. ◆ **Às carradas.** Em grande quantidade; abundantemente: "— Ganhei dinheiro às carradas / e minha arca está vazia." (Henriqueta Lisboa, *Madrinha Lua*, p. 21.) **Ter carradas de razão.** 1. Ter toda a razão. 2. Ter todo o direito de proceder como procede.

carragena [Do top. *Carragheen* (Irlanda).] *S. f. Quím.* V. *carragenina.*

carragenana [De *carragena* + *-ana*[2].] *S. f. Quím.* V. *carragenina.*

carragenina [De *carragena* + *-ina*[3].] *S. f. Quím.* Substância gomosa, mistura de sulfatos polissacarídeos, extraída de algas marinhas, us. como emulsionante, estabilizante e espessante em alimentos; carragena, carragenana.

carral [De *carro* + *-al*[1].] *Adj. 2 g.* Relativo a carro.

carranca [De *cara*, poss.] *S. f.* 1. Semblante sombrio, fechado, carregado, com aspecto de mau humor. 2. V. *carantonha.* 3. Caraça (1). 4. Cara, geralmente disforme, de pedra, madeira ou metal com que se ornam bicas de chafariz, aldravas ou argolas de porta, etc.: "De madrugada Menino de Asas levantou-se, lavou-se na carranca que esguichava no fundo do quintal, levantou voo." (Homero Homem, *Menino de Asas*, p. 46.) [Cf., nesta acepç., *mascarão.*] 5. *Folcl.* Busto, emblema ou florão que se colocava na proa de navios à vela, por baixo do gurupés, para ornamentação e, supostamente, para afastar os maus espíritos; cara de pau, figura de proa, leão de barca. 6. *Bras. Folcl.* Carranca (5) antropomórfica ou zoomórfica que as embarcações do rio São Francisco ostentam; cabeça de proa: *As carrancas do rio São Francisco fazem parte do patrimônio artístico do Brasil.*

carrança *Adj. 2 g. S. 2 g.* Diz-se de, ou pessoa apegada ao passado: "O meu mestre era um padre português, velho, ..., e carrança" (Olavo Bilac, *Últimas Conferências e Discursos*, p. 352).

carrancismo [De *carrança* + *-ismo.*] *S. m.* Modo de proceder do carrança.

carrancudo [De *carranca* + *-udo.*] *Adj.* 1. Que tem carranca (1); cenhoso. 2. Que denota mau humor; trombudo, emburrado.

carranquear [De *carranca* + *-ear*[2].] *V. int.* 1. Fazer carranca: *Perguntou, carranqueando, o que desejavam aqueles sujeitos.* 2. Estar ou ficar carrancudo, sombrio, mal-humorado: *Ao ver-se desatendido, carranqueou.* *T. d.* 3. Tornar carrancudo. [Conjug.: v. *frear.*]

carranquense *Adj. 2 g.* 1. De, ou pertencente ou relativo a Carrancas (MG). ● *S. 2 g.* 2. O natural ou habitante de Carrancas.

carrão [Aum. de *carro.*] *S. m.* 1. Carro grande. 2. Carro vistoso, ger. de alto preço. 3. Instrumento de pescadores para puxar o barco para terra.

carrapata [Fem. de *carrapato.*] *S. f.* 1. Ferida difícil de curar. 2. *Fig.* Dificuldade, embaraço, obstáculo.

carrapatal [De *carrapato* + *-al*[1].] *S. m.* 1. *Bras. S.* Campo em que abundam carrapatos [v. *carrapato* (1)]. 2. *Bras. MA* Quantidade mais ou menos considerável de carrapateiras dispostas proximamente entre si. 3. Área ocupada por carrapatal (2).

carrapatar-se [De *carrapato* + *-ar*[2] + *se*[1].] *V. p. Bras. S.* Agarrar-se com toda a força; grudar(-se).

carrapatear [De *carrapato* + *-ear*[2].] *V. t. d. Bras.* Imunizar (o animal) com carrapaticida. [Conjug.: v. *frear.*]

carrapateira [De *carrapato* + *-eira.*] *S. f. Bot.* V. *mamona* (1).

carrapateira-branca [De *carrapateira* + o f. de *branco.*] *S. f. Bras. Bot.* V. *mamona* (1). [Pl.: *carrapateiras-brancas.*]

carrapateirense *Adj. 2 g.* 1. De, ou pertencente ou relativo a Carrapateira (PB). ● *S. 2 g.* 2. O natural ou habitante de Carrapateira.

carrapateiro *S. m. Zool.* V. *gavião-carrapateiro.*

carrapaticida [De *carrapato* + *-i-* + *-cida.*] *S. m.* 1. Preparado químico para matar carrapato (1). ● *Adj. 2 g.* 2. Que serve para matar carrapato: *banho carrapaticida.*

carrapatinha [De *carrapata* + *-inha.*] *S. f. Bras. AM Bot.* Feto himenofiláceo (*Trichomanes reptans*) de fronde monomorfa, soros marginais e esporângios sésseis, deprimidos e circulados por um anel; meio-chumbo.

carrapatinho [De *carrapato* + *-inho*[1].] *S. m. Bras. Zool.* V. *carrapato-pólvora.*

carrapato [De **caparrato* (< vasconço ou moçárabe *caparra*), com metátese, poss.] *S. m.* 1. *Zool.* Animal artrópode, aracnídeo, acarino, ixodídeo, de abdome unido e confundido com o cefalotórax, aberturas traqueais na parte posterior e ventral do corpo, e hipostômio armado de espinhos. As larvas são hexápodes. Vivem como ectoparasitos de vertebrados. No Brasil as espécies mais numerosas pertencem ao gênero *Amblyomma*, sendo *A. cajennense*, o carrapato-de-cavalo (q. v.), a espécie mais difundida no País. 2. *Bot.* V. *mamona* (1). 3. A semente do carrapato (2). 4. *Cabo-verd. Bot.* V. *piteira*[1] (1). 5. *Cabo-verd.* A fibra da piteira, us. para fabricar cordas, sacos, etc.: "Trazia a saia repuxada e amarrada por baixo da cintura com uma tira de carrapato" (Manuel Lopes, *Chuva Braba*, p. 36). 6. *Tip.* V. *barba* (8). 7. *Bras.* Pessoa importuna, que não larga outra, que a acompanha a toda parte. [Sin. (lus.), nas acepç. 1 e 5: *carraça.*]

carrapato-das-galinhas *S. m. Bras. Zool.* Carrapato-de-galinha. [Pl.: *carrapatos-das-galinhas.*]

carrapato-de-boi *S. m. Bras. Zool.* Espécie de acarino ixodídeo (*Boophilus microplus*), transmissor da babesíase na América do Sul. É provido de escudo, a coxa do primeiro par de patas é bífida e o macho tem um par de placas de cada lado do ânus. É muito importante na pecuária latino-americana. [Pl.: *carrapatos-de-boi.*]

carrapato-de-cavalo *S. m. Bras. Zool.* Espécie de acarino ixodídeo (*Amblyomma cajennense*), parasito de animais domésticos e selvagens, muito comum na América. É a espécie que mais persegue o homem, nas fases larvar e adulta. [Sin.: *carrapato-estrela, micuim.* Pl.: *carrapatos-de-cavalo.*]

carrapato-de-galinha *S. m. Bras. Zool.* Espécie de acarino ixodídeo do gênero *Argas*, especialmente *A. miniatus*, desprovido de escudo. As ninfas e os adultos só se fixam nas aves o tempo necessário para sugarem o sangue, o que é geralmente feito à noite. Vivem em frestas, nos galinheiros, transmitem a bouba às galinhas, e às vezes se confundem com o ácaro conhecido pelo nome impróprio de *piolho-de-galinha.* [Sin.: *carrapato-das-galinhas.* Pl.: *carrapatos-de-galinha.*]

carrapato-de-sapo *S. m. Bras. Zool.* Espécie de acarino ixodídeo (*Amblyomma rotundatum*), ectoparasito de sapos e cobras, principalmente jiboias. Essa espécie, que não se fixa em animais de sangue quente e da qual são raríssimos os exemplares machos, é partenogenética, e constitui verdadeira praga nos jardins zoológicos. [Pl.: *carrapatos-de-sapo.*]

carrapato-do-chão *S. m. Zool.* 1. *Bras.* Espécie de acarino ixodídeo, do gênero *Ornithodorus*, desprovido de escudo, e que vive no solo, debaixo de casas, tetos, em pocilgas, etc. 2. *Bras. RS* Acarino ixodídeo, do gênero *O. brasiliense*, de coloração idêntica à da terra; bicho-mouro. [Pl.: *carrapatos-do-chão.*]

carrapato-do-mato *S. m. Bras. Bot.* V. *mundaú.* [Pl.: *carrapatos-do-mato.*]

carrapato-estrela *S. m. Bras. Zool.* 1. Designação comum aos acarinos ixodídeos, providos de escudo dorsal, que nas fêmeas recobre apenas o terço anterior da face dorsal e se denomina *estrela.* [Sin.: *carrapato-redoleiro, carrapato-rodeleiro, carrapato-rodoleiro, coleira, picaço, redoleiro, rodolego, rodoleiro.*] 2. V. *carrapato-de-cavalo.* [Pl.: *carrapatos-estrelas* e *carrapatos-estrela.*]

carrapato-fogo *S. m. Bras. Zool.* V. *carrapato-pólvora.* [Pl.: *carrapatos-fogos* e *carrapatos-fogo.*]

carrapato-pólvora *S. m. Bras. Zool.* Designação comum às formas larvais hexápodes do gênero *Amblyomma*, especialmente *A. cajennense*, cujas picadas deixam

C

forte coceira e prurido intenso. Geralmente permanecem em grandes grupos sobre a vegetação aguardando a passagem de um hospedeiro. [Sin.: *carrapatinho, carrapato-fogo, micuim, micuim-castanho.* Pl.: *carrapatos-pólvoras* e *carrapatos-pólvora.*]

carrapato-redoleiro *S. m. Bras. Zool.* V. *carrapato-estrela* (1). [Pl.: *carrapatos-redoleiros.*]

carrapato-rodeleiro *S. m. Bras. Zool.* V. *carrapato-estrela* (1). [Pl.: *carrapatos-rodeleiros.*]

carrapato-rodoleiro *S. m. Bras. Zool.* V. *carrapato-estrela* (1). [Pl.: *carrapatos-rodoleiros.*]

carrapeta (ê) *S. f. Pop.* **1.** *Bras.* V. *carapeta.* **2.** *Bras. MG RJ Bot.* Designação comum às árvores pequenas meliáceas, pertencentes aos gêneros *Guarea* e *Trichilia*, de flores ger. alvas, e frutos capsulares, piriformes; bilreiro, camboatá, carrapeteiro, cedrão, macaqueiro, pau-bala.

carrapeteiro [De *carrapeta* (2) + *-eiro.*] *S. f. Bot.* V. *carrapeta* (2).

carrapicho [De *carrapito*, com mudança de sufixo, poss.] *S. m.* **1.** Cabelo atado no alto ou na parte posterior da cabeça. **2.** *Bras.* V. *carapinha* (1). **3.** *Bras. Bot.* Designação comum a numerosíssimos subarbustos asteráceos, poáceos, malváceos e tiliáceos, cujos pequenos frutos, que são vagens, se dividem em articulações com pequenos espinhos ou pelos, os quais aderem facilmente à roupa do homem e ao pelo dos animais. Algumas espécies produzem fibra têxtil. [Sin., nesta acepç.: *amores-do-campo-sujo, desmanto, pega-pega, retirante* e *sensitiva-mansa.*] **4.** *Bras. Bot.* V. *feijão-de-boi* (1 e 2). **5.** *Bras. Pop.* Velcro.

carrapicho-da-praia *S. m. Bras. N. a S. Bot.* Erva calicerácea (*Acicarpha spathulata*) prostrada, de caule flageliforme, folhas carnosas e espatuladas, flores pequenas e alvas, e cujos frutos têm espinhos longos e pungentes; espinho-de-roseta, picão-da-praia. [Pl.: *carrapichos-da-praia.*]

carrapicho-do-mato *S. m. Bras. Bot.* V. *guaxima-roxa.* [Pl.: *carrapichos-do-mato.*]

carrapicho-grande *S. m. Bras. Bot.* V. *espinho-de-carneiro.* [Pl.: *carrapichos-grandes.*]

carrapicho-rasteiro *S. m. Bras. Bot.* Amor-de-negro. [Pl.: *carrapichos-rasteiros.*]

carrapito [De or. controversa.] *S. m.* Chifre de cabrito.

carrarense *Adj. 2 g.* **1.** Da, ou pertencente ou relativo à região de Carrara (Itália central). • *S. 2 g.* **2.** O natural ou habitante dessa região.

carraria [De *carro* + *-aria.*] *S. f. Bras.* Carriagem.

carrascal [De *carrasco*[2] + *-al*[1].] *S. m. Bot.* V. *carrasco*[2] (3).

carrascão[1] [Aum. de *carrasco*[1].] *S. m.* **1.** Vinho carrascão (q. v.): “O Renato bebeu um copo de carrascão” (Antunes da Silva, *Gaimirra*, p. 153). • *Adj.* **2.** ~ V. *vinho —.*

carrascão[2] [De *carrasco*[2] + *-ão*[1].] *S. m. Bras.* V. *carrasco*[2] (3).

carrasco[1] [Do antr. (*Belchior Nunes*) *Carrasco*, que antes do séc. XVII foi algoz em Lisboa.] *S. m.* **1.** Funcionário executor da pena de morte; verdugo, algoz. **2.** Indivíduo cruel, desumano.

carrasco[2] [Do rad. pré-romano *karr-.*] *S. m. Bras.* **1.** Caminho pedregoso. **2.** *Bot.* Mata anã, de arbustos de caule e ramos duros e esguios. **3.** *Bot.* Formação vegetal nordestina, mais rala, enfezada e áspera do que a caatinga; carrascal, carrascão, carrasqueiro e carrasquenho.

carrascoso (ô) [De *carrasco*[2] (3) + *-oso.*] *Adj.* Diz-se do terreno em que crescem carrascos; carrasquento.

carraspana [De or. obsc.] *S. f. Pop.* **1.** V. *bebedeira* (1): “O velho dava-se às carraspanas e não se continha diante de uma boa aguardente de cana.” (José Lins do Rego, *Meus Verdes Anos*, p. 71.) **2.** V. *repreensão* (1).

carrasqueiro [De *carrasco*[2] + *-eiro.*] *S. m. Bras.* V. *carrasco*[2] (3).

carrasquenho [De *carrasco*[2] + *-enho.*] *S. m. Bras.* V. *carrasco*[2] (3).

carrasquento [De *carrasco*[2] + *-ento.*] *Adj.* Carrascoso. ~ V. *campo —.*

carrê *S. m. Cul.* V. *carré.*

carré [Do fr. *carré*, ‘o conjunto das costelas de carneiro, porco, etc.’.] *S. m. Cul.* Lombo de porco.

carreação [De *carrear* + *-ção.*] *S. f.* Ato de carrear.

carreadoiro [De *carrear* + *-doiro*[2].] *S. m.* Carreadouro (q. v.).

carreador (ô) [De *carrear* + *-dor.*] *S. m. Bras.* **1.** Caminho de carro, no campo: “Tinham os dous companheiros chegado ao lugar, onde a vereda que seguiam atravessava um carreador.” (José de Alencar, *Til*, p. 23.) **2.** Trilha, vereda, picada. **3.** Passagem livre deixada nos cafezais. [Sin. ger.: *carreadouro.*]

carreadouro [De *carrear* + *-douro*[2]; var. de carreadoiro.] *S. m. Bras.* V. *carreador*: “enfiou por um carreadouro sombrio, através de um vasto trato de mata virgem.” (Júlio Ribeiro, *A Carne*, p. 24).

carrear [De *carro* + *-ear*[2].] *V. t. d.* **1.** Conduzir em carro; acarretar. **2.** Fazer frete de; acarretar, carregar: *carrear fardos.* **3.** Causar, ocasionar; acarretar: *O descuido carreou lamentáveis ocorrências.* **4.** Levar; arrastar: *A correnteza carreava enormes toros de madeira. T. d. e i.* **5.** Ocasionar; acarretar: *A geada carreou-lhe sério prejuízo. T. d. e c.* **6.** Trazer; levar: *A enxurrada carreou detritos para o pé do morro. Int.* **7.** Guiar carros. [Sin. ger., p. us.: *carrejar.* Conjug.: v. *frear.*]

carreata [De *carrear* + *-ata.*] *S. f. Bras.* Desfile de carros, ger. com bandeiras e/ou cartazes: *A conquista do título foi comemorada com uma carreata.*

carrega-bestas [De *carregar* + o pl. de *besta* (ê).] *S. f. 2 n.* Casta de uva de cachos muito grandes.

carregação [De *carregar* + *-ção.*] *S. f.* **1.** V. *carga* (3 a 5). **2.** *Bras.* Doença, afecção. **3.** *Bras.* Aparição simultânea de várias doenças venéreas; carregamento, carrego. ◆ **Carregação do peito.** *Bras. Pop.* Bronquite. **Carregação dos dentes.** *Bras. Pop.* Abscesso das gengivas. **Carregação dos olhos.** *Bras. Pop.* V. *conjuntivite.* **De carregação. 1.** De qualidade inferior: “— .... É, mestre José Amaro sabe trabalhar, não rouba a ninguém, não faz coisa de carregação.” (José Lins do Rego, *Fogo Morto*, p. 4.) **2.** Malfeito, mal-acabado: *móveis de carregação.*

carregadeira [De *carregar* + *-deira.*] *S. f.* **1.** *Marinh.* Cabo delgado com que se carregam ou colhem as velas. **2.** Mulher que se ocupa em transportar fardos, mercadorias, na cabeça. • *Adj.* (*f.*) **3.** Que carrega: *As saúvas são cortadeiras e carregadeiras.*

carregado [Part. de *carregar.*] *Adj.* **1.** Que recebeu carga; cheio; pesado. **2.** Diz-se da atmosfera quando apresenta nuvens espessas e escuras, núncias de tempestade. **3.** V. *pesado* (3 e 8): *ambiente carregado; arquitetura carregada.* **4.** Sombrio, fechado, carrancudo: *semblante carregado.* **5.** Forte, intenso; escuro: *vestido de um amarelo carregado.* **6.** *Bras.* Reimoso (2): *peixe carregado.* **7.** *Bras.* Que tem moléstia venérea.

carregador (ô) [De *carregar* + *-dor.*] *S. m.* **1.** Aquele que conduz ou transporta carga. [Sin., PB: *chapeado.*] **2.** Aquele que carrega a bagagem (1). [Sin. (nesta acepç.): *bagageiro* e (bras.) *portador.*] **3.** Aquele que é remetente ou dono de carga transportada. **4.** V. *almocreve.* **5.** Pente de balas, nas armas automáticas: “a única ideia que me consolava era de meter as sete balas do carregador no corpo da perjura.” (Domingos Monteiro, *Contos do Natal*, p. 110). **6.** Dispositivo para recarregar a bateria de certos aparelhos (celulares, filmadoras, etc.). • *Adj.* **7.** Que carrega. ~ V. *rolo —.*

carrega-madeira [De *carregar* + *madeira*[1].] *S. m. Bras. BA Zool.* João-de-pau (1). [Pl.: *carrega-madeiras.*]

carregamento [De *carregar* + *-mento.*] *S. m.* **1.** V. *carga* (3 e 4). **2.** O conjunto ou quantidade de coisas que constituem uma carga (3): *Vendeu-se um carregamento de fumo em poucos dias.* **3.** *Bras.* V. *carregação* (3). **4.** *Eng. Elétr.* Carga (17).

carregão [De *carregar* + *-ão*[3].] *S. m. Bras.* Puxão que o peixe dá no anzol.

carregar [Do lat. vulg. *carricare* < lat. *carru.*] *V. t. d.* **1.** Pôr carga em: *Passaram dois dias naquela cidade, enquanto carregavam o navio.* **2.** Pesar sobre; sobrecarregar: *Fizeram descer as bagagens, para não carregar demais o avião avariado.* **3.** Levar, transportar: *O barco que afundou carregava 50 toneladas de trigo.* **4.** Trazer consigo; levar em si; trazer: “Carrego angústias, como se o mundo inteiro se debatesse dentro de mim.” (Moacir C. Lopes, *Cais, Saudade em Pedra*, p. 65); “Cada poeta carrega um menino no fundo de si mesmo.” (Fernando Sabino, *Medo em Nova Iorque. A Cidade Vazia*, p. 164). **5.** Levar para longe, arrancando, destruindo: *A ventania carregou o telhado da choupana.* **6.** *Fig.* Saturar, impregnar: *Um forte perfume de flores carregava o ar.* **7.** Meter pólvora ou projetis em: *carregar uma arma.* **8.** Acumular eletricidade em: *carregar uma bateria.* **9.** Tornar (um traço) mais espesso. **10.** Atacar com ímpeto; acometer: *Carregou, de surpresa, a tropa inimiga.* **11.** Sobrecarregar de impostos. **12.** Aumentar, exagerar: *carregar o preço da mercadoria.* **13.** Tornar sombrio, severo: *carregar a fisionomia.* **14.** *Econ.* Manter (uma ação) em carteira. **15.** *Fot.* Colocar filme em (a máquina fotográfica). **16.** *Inform.* Atribuir um valor a (registrador, variável). **17.** *Inform.* Ler (11) (informações mantidas em dispositivo secundário de armazenamento), copiando-as para a memória principal do computador; abrir. **18.** *Inform.* V. *baixar* (4). **19.** *Inform.* Numa rede de computadores, enviar (arquivo) de um computador local para um computador remoto. [Tb. se usa a expressão *fazer* upload.] **20.** *Marinh.* Subtrair (a vela) à ação do vento, arrepanhando-a junto ao mastro, verga ou estai a que se acha presa. **21.** Carregar nas costas (q. v.). *T. d. e i.* **22.** Oprimir, gravar: *O governante carregara o povo de impostos.* **23.** Atribuir, imputar: *Por mais que negasse, carregaram-lhe o crime. T. i.* **24.** Encher-se, pejar-se: *As árvores carregaram de frutos.* **25.** Pôr em demasia: *A cozinheira carregou no sal e na pimenta.* **26.** Exercer pressão; pesar em demasia: *O peso das vigas carregou sobre a parede.* **27.** Aumentar; exagerar: *carregar no preço da mercadoria; Carregou muito na história que contou.* **28.** Investir impetuosamente; acometer: *Os soldados carregaram sobre o inimigo.* **29.** Insistir, instar: *Tanto carregou na proposta que acabou convencendo o amigo.* **30.** Apostar grande soma de dinheiro em. *T. c.* **31.** Encaminhar-se; dirigir-se; avançar. **32.** Tender, pender. *T. i. e c.* **33.** Levar para lugar afastado ou distante: *Carregue com estes trastes daqui! Int.* **34.** Tornar-se mais intenso, mais forte. **35.** Avançar impetuosamente; acometer. **36.** Encher-se de nuvens tempestuosas; escurecer; carregar-se: *A atmosfera carregou e daí a minutos caía pesada chuva.* **37.** Exercer pressão sobre alguma coisa; premer, calcar, oprimir alguma coisa: *Pôs-lhe a mão sobre o ombro, carregando.* **38.** Receber (a bateria de um aparelho, ou o aparelho) carga elétrica suficiente para funcionar. *P.* **39.** Fazer-se sombrio, severo: *Ao ler a trágica notícia, sua fisionomia carregou-se.* **40.** Tornar-se repleto; acumular. **41.** Carregar (36). [Conjug.: v. *regar.* Pres. ind.: *carrego*, etc. Cf. *carrego* (ê).]

carrego (ê) [Dev. de *carregar.*] *S. m.* **1.** Ato ou efeito de carregar. **2.** Carga ou fardo que se leva na cabeça, aos ombros, etc.: “após vender seu carrego de milho, de aipim e inhame, os sacos de farinha, vinha puxar conversa” (Jorge Amado, *Tereza Batista Cansada de Guerra*, p. 74). **3.** *Pop.* Remorso, encargo. **4.** *Bras.* Carga de peça de artilharia. **5.** *Bras.* V. *carregação* (3). **6.** *Bras.* Herança de obrigação religiosa de outra pessoa. **7.** *Bras. P. ext.* Nos sincretismos religiosos afro-brasileiros, qualquer obrigação religiosa. **8.** *Bras. N.E. Pop.* Acento agudo: *Cipó leva carrego no o.* [Pl.: *carregos* (ê). Cf. *carrego*, do v. *carregar.*]

carregoso (ô) [De *carrego* (ê) + *-oso.*] *Adj.* **1.** Pesado, carregado. **2.** *Fig.* Incômodo, difícil, árduo.

carreira [Do lat. vulg. *carraria, i. e., via carraria*, ‘caminho de carro’.] *S. f.* **1.** Corrida veloz; correria: *Veio numa carreira para chegar a tempo.* **2.** Caminho, estrada. **3.** Carreiro (2). **4.** Rastro, trilha, trilho, carreiro. **5.** Linha (30): *O Santa Maria fazia a carreira Rio-Lisboa;* “Sobem e descem automóveis, os eléctricos rangem na curva da Madalena, são da carreira vinte e oito” (José Saramago, *História do Cerco de Lisboa*, p. 71). **6.** Fileira, fila, ala: *uma carreira de casas;* “tomou das mãos da moça o fio e a agulha e teceu com agilidade e destreza uma carreira de malhas” (José de Alencar, *Lucíola*, p. 174). **7.** Risca de cabelo. **8.** Modo de vida; profissão: *carreira militar.* **9.** O decurso da existência. **10.** *Adm.* Sequência de cargos e funções assumidos por um indivíduo ao longo de sua trajetória profissional. **11.** *Constr. Nav.* Rampa de madeira ou de alvenaria onde se constroem ou montam navios ou embarcações miúdas, ou para onde se içam pequenos navios ou embarcações miúdas para reparos, limpeza de casco, etc. **12.** *Turfe* Páreo (2). **13.** *Bras. N.E.* Rua que abre espaço regular entre duas fileiras de plantação de milho. **14.** *Bras. BA C.* V. *corredeira* (1). **15.** *Bras. RS* Carreiramento. ◆ **Carreira de São Tiago.** V. *Via Láctea* (1). **Carreira de tiro.** *Lus.* Estande (1). **Carreira diplomática.** *Diplom.* Ordenação dos postos, em níveis decrescentes, dos funcionários efetivos do Ministério das Relações Exteriores do Brasil, que exercem os seguintes cargos: *ministro de primeira classe* (título: *embaixador*); *ministro de segunda classe* (título: *ministro*; funções: *ministro-conselheiro* e *cônsul-geral*); *conselheiro* (cargo, título e funções: *conselheiro de embaixada* e *cônsul*); *primeiro-secretário, segundo-secretário* e *terceiro-secretário* (títulos: *secretário* e *cônsul*; funções: *secretário de embaixada, cônsul* e *vice-cônsul*). **Arrepiar carreira. 1.** Arrepiar caminho. **2.** *Bras.* Abandonar (alguém) a carreira a que se vinha dedicando. **Bater carreira.** *Gír.* Preparar fileira de cocaína para aspirá-la: “Alice, já falei que é loucura, para de bater essas malditas carreiras, teu nariz vai acabar furando” (Caio Fernando Abreu, *Morangos Mofados*, p. 150). **Fazer carreira. 1.** Alcançar boa posição social e/ou profissional. **2.** Ser adotado ou aceito por grande número de pessoas: *A minissaia fez carreira.* **3.** *Lus.* Pegar jacaré. **Fechar a carreira.** *Bras.* Acelerar a montada.

carreiramento [De **carreirar* (< *carreira*) + *-mento.*] *S. m. Bras. RS* Disputa entre animais de corrida em campo raso; carreira.

carreirinha [De *carreira* + *-inha.*] *S. f. Bras. MG Pop.* V. *diarreia.*

carreirismo [De *carreira* + *-ismo.*] *S. m.* Caráter, qualidade ou modo de agir de quem, para vencer, para fazer carreira rápida, lança mão de quaisquer processos.

carreirista [De *carreira* + *-ista*.] *S. 2 g.* **1.** *Bras.* Pessoa que pratica o carreirismo. **2.** *Bras. RS* Pessoa que frequenta ou aprecia corridas de cavalos. ● *Adj. 2 g.* **3.** Que pratica o carreirismo.

carreiro [De *carro* + *-eiro*.] *S. m.* **1.** Guia de carro de bois; gueiro. **2.** Caminho estreito; atalho, vereda, carreira: "arrimando-se ao bordão, subiu o carreiro íngreme que levava ao castelo." (Gustavo Barroso, *Livro dos Milagres*, p. 102). **3.** Caminho entre fileiras de plantas. **4.** V. *carreira* (4). **5.** Caminho de formigas; fila de formigas. **6.** *Bras.* Passagem ou caminho habitual de caça. **7.** *Bras. S.* Cocheiro, boleeiro. ● *Adj.* **8.** De, ou relativo a carro (1): "velho boi carreiro .... mugia, dolentemente" (Afonso Arinos, *Histórias e Paisagens*, p. 40). ~ V. *boi* —. ◆ **Carreiro de São Tiago.** *Pop.* V. *Via Láctea* (1).

carrejar [De *carro* + *-ejar*.] *V. t. d. T. d. e i. T. d. e c. Int.* V. *carrear*. [Conjug.: v. *pelejar*.]

carreta (ê) [De *carro* + *-eta* (ê).] *S. f.* **1.** Carro pequeno, de duas rodas. **2.** Carroça (2). **3.** Carro, geralmente movido a braço, em que se conduz o caixão. **4.** Carretel (1) de linha. **5.** Jogo dianteiro da charrua e doutros implementos agrícolas. **6.** Reparo (7) de artilharia. **7.** *Bras.* Jamanta[2] (5). [Pl.: *carretas* (ê). Cf. *carreta* e *carretas*, do v. *carretar*.]

carretagem [De *carretar* + *-agem*[2].] *S. f.* V. *carreto* (1 e 2).

carretama [De *carreta* + *-ama*.] *S. f. Bras. S.* Grupo de carretas.

carretão [De *carreta* + *-ão*[1].] *S. m.* **1.** *Ant.* Carreteiro (1). **2.** *Bras.* Veículo que percorre uma linha perpendicular a diversas outras e se destina a transportar vagões de uma para outra via. **3.** *Bras.* Máquina primitiva para o beneficiamento do café. **4.** *Bras.* Carro de duas rodas, unidas por um eixo muito resistente, para transporte de toros de madeira.

carretar [De *carreta* + *-ar*[2].] *V. t. d. T. d. e i. P. us.* V. *acarretar*: "O frade .... aduziu razões, carretou argumentos, ... e confundiu os adversários." (Albino Forjaz de Sampaio, *Crônicas Imorais*, p. 158.) [Pres. ind.: *carreto, carretas, carreta*, etc.; pres. subj.: *carrete, carretes, ... carreteis, carretem*. Cf. *carreto* (ê), *carreta* (ê) e pl. *carretas* (ê), *carrete* (ê) e pl. *carretes* (ê), e *carretéis*, pl. de *carretel*.]

carrete (ê) [De *carro* + *-ete* (ê).] *S. m.* **1.** Pequena roda ou peça cilíndrica, em vários maquinismos. **2.** V. *carretel* (1). [Pl.: *carretes* (ê). Cf. *carrete* e *carretes*, do v. *carretar*.]

carreteira [Do esp. plat. *carretera*.] *S. f. Bras. RS* Estrada carroçável.

carreteiro [De *carreta* + *-eiro*.] *S. m.* **1.** Condutor de carro ou de carreta. [Sin. (ant.): *carretão*.] **2.** *Bras.* Proprietário de caminhão que efetua transporte de cargas para terceiros; transportador rodoviário de cargas. **3.** *Bras. S. C.O. Cul.* Arroz de carreteiro. ● *Adj.* **4.** Diz-se do barco empregado na carga e descarga de navios.

carretel [Do esp. *carretel*.] *S. m.* **1.** Pequeno cilindro de madeira, plástico, papelão, etc., com rebordos, para enrolar fios de linha, de arame, retrós, fita, etc.; carrinho, carrete e (lus.) carrinha: "Saiu e voltou em seguida, triunfante, com a agulha e o carretel de linha preta." (Lígia Fagundes Teles, *A Disciplina do Amor*, p. 57.) **2.** Molinete de pesca. **3.** *Ant. Marinh.* Armação constituída por dois círculos de madeira ligados por quatro réguas e atravessados por um eixo, na qual se enrolava a linha de barca ou a sondareza. **4.** Aparelho com que se torcia o mialhar (q. v.). **5.** *Tip.* Polia que aciona, por fricção, os fusos distribuidores da linotipo. **6.** *Tip.* Cilindro metálico de um só rebordo, onde se enrola a bobina de papel da monotipo. [Pl.: *carretéis*. Cf. *carreteis*, do v. *carretar*.]

carreteleira [De *carretel* + *-eira*.] *S. f. Bras.* Máquina para fabricar carretéis.

carretilha [Do esp. *carretilla*.] *S. f.* **1.** Pequena roldana. **2.** Peça circular, em forma de roseta, munida de cabo, e que, ao rodar, corta massa de pastéis, biscoitos, etc., sendo usada também para, pela compressão ou com carbono especial, marcar costuras, etc.; cortadeira, cortilha, recortilha. **3.** Broca de ferreiro. **4.** *Liter. Pop. Bras.* Décima de redondilhas menores rimadas na mesma disposição da décima clássica; miudinha, parcela, parcela de dez. **5.** *Bras. AL Pop.* V. *meteoro* (2). **6.** *Bras. RS* Carruagem hipomóvel, de quatro rodas, fechada, outrora de largo emprego para transporte de pessoas.

carreto (ê) [Dev. de *carretar*.] *S. m.* **1.** Ato ou efeito de carretar; frete. **2.** Importância paga pelo carreto. [Sin. (nas acepçs. 1 e 2): *carretagem*.] **3.** *Tip.* Rolete de ferro com abertura onde se mete a chave e com cavidades que engrenam nos enviesados; roseta. [Pl.: *carretos* (ê). Cf. *carreto*, do v. *carretar*.]

carriagem [Do cat. ant. *carriatge*.] *S. f.* Conjunto de carros. [Sin. bras.: *carraria*.]

carrião [De *carro* + *-i-* + *-ão*[2].] *S. m.* Aparelho de pisoador, composto de duas rodas e um eixo.

carriça [De *carriço*, poss.] *S. f. Bras. Zool.* V. *garriça*: "Uma carriça .... desde instantes folgava defronte da janela, ... a voar e revoar no mesmo lugar." (José de Alencar, *Guerra dos Mascates*, p. 45.)

carriçada [Do esp. *carrizada*, poss.] *S. f. Bras.* Reunião de barcos, pipas, madeiros, etc., amarrados de modo que possam ser facilmente conduzidos.

carriçal [De *carriço* + *-al*[1].] *S. m.* **1.** Quantidade mais ou menos considerável de carriços dispostos proximamente entre si. **2.** Área ocupada por carriçal (1).

carricinha [Dim. de *carriça*.] *S. f. Bras. Zool.* V. *garriça*.

carriço [Do lat. vulg. **cariceu*, 'carriçal', pelo esp. *carrizo*, poss.] *S. m. Bot.* Planta ciperácea (*Carex arenaria*) que cresce nas areias do litoral e cujas raízes têm emprego medicinal.

carrieira [De *carrear* + *-eira*, poss.] *S. f. Bras. Zool.* V. *quem-quem* (1).

carril [Do lat. vulg. *carrile*.] *S. m.* **1.** Sulco deixado pelas rodas de carro; rodeira. **2.** V. *trilho*[2] (5).

carrilhador (ô) [De **carrilhar* (< *carrilhão*) + *-dor*.] *S. m. Mús.* Tocador de carrilhão.

carrilhão [Do fr. *carrillon*.] *S. m. Mús.* **1.** Conjunto de sinos, primitivamente quatro, com que se tocam peças de música: "Em várias igrejas .... um carrilhão ressoava uma ária profana" (Coelho Neto, *Turbilhão*, p. 78). **2.** Registro de órgão (5). **3.** V. *celesta*. **4.** Instrumento de percussão, com lâminas de metal graduadas em escala e que se percutem com duas baquetas. **5.** Composição, ou fragmento de composição, que procura imitar sinos ou campainhas. **6.** Relógio de parede que dá horas por música: "O velho carrilhão bate as horas, sonolento" (Edgard Cavalheiro, *Monteiro Lobato*, I, p. 15).

carrilho [Do esp. *carrillo*.] *S. m.* **1.** O sabugo do milho. **2.** *Desus.* Bochecha. ◆ **Comer a dois carrilhos.** Desfrutar ao mesmo tempo de duas fontes de renda; servir a duas partes ou partidos diversos; comer de ambos os carrilhos. **Comer de ambos os carrilhos.** V. *comer a dois carrilhos*: "Os Letrados Peralvilhos / citando o mesmo Doutor / a fazer de Réu, o Autor / comem de ambos os carrilhos" (Gregório de Matos, *Obra Poética*, vol. I, p. 36.)

carrinha *S. f. Lus.* **1.** V. *caminhonete*. **2.** V. *carretel* (1).

carrinho [De *carro* + *-inho*[1].] *S. m.* **1.** Carro pequeno ou muito pequeno. **2.** V. *carretel* (1). **3.** Carro para transportar bebês ou crianças pequenas. **4.** Carro metálico que é us. no transporte de bagagens, em aeroportos, estações ferroviárias, etc., e em lojas ou armazéns de autosserviço, para o transporte de compras. **5.** *Bras. Fut.* Lance em que o jogador desarma o adversário e atinge a bola, atirando-se ao chão e deslizando como se estivera sentado ou parcialmente deitado. ~ V. *carrinhos*. ◆ **Vir de carrinho.** Chegar com o fito de enganar alguém, mas, por serem suas manhas conhecidas, não ter êxito: "Juliana detestava a vizinhança; sabia que a escarneciam, que a imitavam, que lhe chamavam a *tripa velha*!... — Pois também dela não haviam de saber nada! Podiam rebentar de curiosidade! Vinham de carrinho! Boa! Tudo o que visse ou que lhe cheirasse havia de ficar guardadinho, lá dentro." (Eça de Queirós, *O Primo Basílio*, p. 199.)

carrinho de mão *S. m.* Carro de mão. [Pl.: *carrinhos de mão*.]

carrinhos [Pl. de *carrinho*.] *S. m. pl. Bras. S.* Os maxilares. ~ V. *carrinho*.

carriola [Do it. *carriola*.] *S. f.* Carro ordinário, pequeno, de duas rodas: "Logo à alvorada estava no Mercado, atulhando de provisões .... uma carriola" (Eça de Queirós, *Últimas Páginas*, p. 291).

carro [Do lat. *carru*, de or. célt.] *S. m.* **1.** Veículo de rodas para transporte de pessoas ou carga. **2.** V. *automóvel* (4). **3.** Esse veículo, em geral de quatro rodas, quando apresenta as características necessárias para comportar reduzido número de passageiros: *Troca de carro todos os anos*. **4.** Veículo ferroviário destinado ao transporte de passageiros. [Sin., lus., nesta acepç.: *carruagem*. Cf. *vagão* (1).] **5.** Veículo sem rodas movido mecanicamente: *o carro do teleférico*; *o carro do elevador*. **6.** Parte da máquina de escrever onde é introduzida e fixada a folha de papel, e que se movimenta, ou não, à medida que se produzem as batidas. **7.** *Tip.* Conjunto móvel das prensas plano-cilíndricas, que inclui o cofre e a mesa de tintagem. **8.** *Bras. N.E. Pop.* Carretel (1) de linha. ◆ **Carro alegórico.** Carro muito enfeitado que em certos dias de festa, particularmente no carnaval, desfila exibindo grandes figuras alegóricas ou simbólicas. **Carro de boi.** Carro (1) movimentado ou puxado, em geral, por uma ou mais parelhas de bois, e guiado por carreiro (1). **Carro de passeio.** Automóvel de duas ou quatro portas, destinado ao transporte de passageiros, para uso urbano ou para viagens. **Carro de praça.** Táxi. **Carro esporte.** Automóvel de duas portas, de forma aerodinâmica e munido de motor potente para atingir grandes velocidades. **Saltar do carro em movimento.** *Bras. Chulo* Retirar o pênis da vagina no momento do orgasmo.

carro-bomba *S. m.* Carro us. em ação terrorista, no qual se instalou, previamente, explosivos. [Pl.: *carros-bombas* e *carros-bomba*.]

carroça [Do it. *carrozza*.] *S. f.* **1.** *Ant.* Coche suntuoso. **2.** Carro grosseiro, ordinariamente de tração animal, para transportar cargas; carreta. [Dim., nessas acepçs.: *carrocim*.] **3.** Carroçada. **4.** *Fig.* Pessoa lerda ou vagarosa. **5.** *Bras.* Veículo velho; calhambeque. **6.** *Bras. RJ Gír.* Freguês que salda os débitos com atraso.

carroçada [De *carroça* + *-ada*[1].] *S. f.* Carga que uma carroça (2) pode transportar de uma vez; carroça.

carroção [De *carroça* + *-ão*[1].] *S. m.* **1.** Grande carro de bois, coberto, antigamente usado para transporte de pessoas. **2.** *Bras.* No jogo do dominó, o seis duplo. **3.** *Bras.* Entre estudantes e professores, problema ou expressão matemática formada de muitos termos.

carroçaria [Var. de *carroceria*.] *S. f.* **1.** Nos carros de passeio e utilitários, a estrutura de chapa metálica onde se alojam os passageiros, e que é também dotada de mala para bagagem, ferramentas e acessórios; carroceria. **2.** Nos utilitários com boleia independente, e nos caminhões, a parte traseira, geralmente aberta, destinada à carga; carroceria.

carroçável [De **carroçar* < (*carroça* + *-ar*[2]) + *-vel*.] *Adj. 2 g.* Apropriado ao tráfego de carros, carroças e outros veículos. ~ V. *estrada* —.

carroceiro [De *carroça* + *-eiro*.] *S. m.* **1.** Condutor de carroça. **2.** Aquele que faz fretes com carroça. **3.** *Fig.* Indivíduo mal-educado, grosseiro.

carroceria [Do fr. *carrosserie*.] *S. f.* Carroçaria (q. v.).

carro-chefe *S. m.* **1.** O principal carro alegórico de um desfile. **2.** *Fig.* Aquilo que num conjunto ressalta de maneira especial; o que se considera o principal, o mais importante, o de maior interesse numa obra, empreendimento, etc.: "O filme principal chamava-se 'Aurora' .... . Era dos últimos carros-chefes do cinema mudo" (Pedro Nava, *Galo das Trevas*, pp. 213-214). [Pl.: *carros-chefes*.]

carrocim [De *carroça* + *-im*.] *S. m.* **1.** Carroça (1 e 2) pequena. **2.** Pequeno coche.

carrocinha [Dim. de *carroça*.] *S. f.* **1.** Carroça de duas rodas usada nos serviços de terraplenagem, puxada por um muar, e cuja caixa se inclina para a descarga; caçamba. **2.** *Bras. Pop.* Veículo para recolhimento de cães vadios; carrocinha de cachorro. **3.** *Bras. MG* V. *camburão* (2). **4.** *Bras.* Carro de duas rodas com equipamento para venda de pipoca, milho verde cozido, etc. ◆ **Carrocinha de cachorro.** *Bras. Pop.* Carrocinha (2).

carro-conceito *S. m. Autom.* Nos salões de lançamento de novos modelos automobilísticos, automóvel feito com tecnologia de ponta, ger. com *design* futurista. [Pl.: *carros-conceitos* e *carros-conceito*.]

carro-correio *S. m.* Veículo que transporta mala postal. [Pl.: *carros-correios* e *carros-correio*.]

carro de assalto *S. m.* Durante a I Guerra Mundial, tanque[2]. [Pl.: *carros de assalto*.]

carro de combate *S. m.* Tanque[2]. [Pl.: *carros de combate*.]

carro de mão *S. m.* Carro de uma roda só, dianteira, provido de dois varais, empurrados por uma pessoa e usado para remoção de entulho, pedra, etc.; carrinho de mão. [Pl.: *carros de mão*.]

carro-forte *S. m.* Veículo automóvel (1) blindado, utilizado para o transporte de grandes quantias e/ou valores, e que leva guardas armados para vigilância deles. [Pl.: *carros-fortes*.]

carro-guincho *S. m.* V. *reboque*[2] (4). [Pl.: *carros-guinchos* e *carros-guincho*.]

carro-leito *S. m.* V. *vagão-leito*. [Pl.: *carros-leitos* e *carros-leito*.]

carro-pipa *S. m.* Caminhão[2] equipado com reservatório fechado para transporte de água; caminhão-pipa. [Pl.: *carros-pipas* e *carros-pipa*.]

carrossel [Do fr. *carrousel*.] *S. m.* Aparelho de feiras, festas e parques de diversões, constituído de um rodízio que sustém uma viga vertical, à qual se prendem hastes horizontais em cujas extremidades estão presos cavalos de madeira, carrinhos ou outras figuras que giram com o eixo. [Sin.: (bras., N.E.) *trivoli* e (bras., RJ) *maxambomba*. Pl.: *carrosséis*.]

carruageiro [De *carruagem*[1] + *-eiro*.] *S. m.* Fabricante de carruagens; segeiro.

carruagem[1] [Do cat. *carruatge*.] *S. f.* **1.** Carro de quatro rodas com suspensão de molas, de tração animal, para transportar pessoas. **2.** Diligência[2]. **3.** *Lus.* Carro (4). [Cf. *carruajem*, do v. *carruajar*.] ◆ **Carruagem de cama.** *Lus.* V. *vagão-leito*.

carruagem[2] [De *carro* + *-agem*[2].] *S. f. Bras.* Grande quantidade de carros. [Cf. *carruajem*, do v. *carruajar*.]

carruagem-cama *S. f. Lus.* V. *vagão-leito*. [Pl.: *carruagens-camas* e *carruagens-cama*.]

carruajar [De *carruagem*[1] + *-ar*[2].] *V. int. T. c.* **1.** Andar de carruagem[1]: "eu aproveito a deliciosa frescura da mais bela manhã de estio para me fazer carruajar em todas as direções" (Ramalho Ortigão, *A Holanda*, p. 136). **2.** Ser transportado em carruagem ou diligência: *A mala postal carruajou por muitas estradas. T. d.* **3.** Transportar em carruagem. [Pres. subj.: *carruaje*, *carruajem*, etc. Cf. *carruagem*.]

carta [Do gr. *chártes*, pelo lat. *charta*.] *S. f.* **1.** Comunicação manuscrita ou impressa devidamente acondicionada e endereçada a uma ou várias pessoas; missiva, epístola. **2.** Diploma (1). **3.** Folha em que se registram os cardápios, nos restaurantes. **4.** *Cartogr.* V. *carta geográfica*. **5.** Mapa que representa linhas de navegação aérea. **6.** Constituição (3 e 4). **7.** Cada uma das peças do jogo de baralho. **8.** Cartão em que se prendem objetos miúdos. **9.** *Bras. SP* Carteira de motorista. ~ V. *cartas*. ◆ **Carta aberta.** A que se dirige publicamente a alguém nos jornais. **Carta branca. 1.** Carta de baralho que não tem figura. **2.** *Fig.* Autorização plena dada a alguém para agir como achar conveniente; plenos poderes: "Quando, na estrela papa-ceia, bem jantado ...., Juju deixou o sobradinho, levava carta branca no bolso – podia fazer o que entendesse." (José Cândido de Carvalho, *O Coronel e o Lobisomem*, pp. 123-124.) **Carta celeste.** *Astr.* Representação, numa superfície plana, duma região da esfera celeste, com a indicação dos astros fixos, por meio de um ponto, e, algumas vezes, dos astros móveis, por um traço. **Carta constitucional.** *Jur.* V. *constituição* (3). **Carta constitutiva.** *Maç.* Documento que uma obediência (6) concede a uma loja maçônica que se instala, como reconhecimento de sua legalidade. **Carta de á-bê-cê.** V. *carta do abc*. **Carta de abono.** Documento de garantia da solvabilidade de uma pessoa até certo limite. **Carta de alforria.** O título que conferia liberdade ao escravo. **Carta de adjudicação.** *Jur.* Documento por meio do qual o juiz atribui a propriedade de um bem a determinada pessoa, como, p. ex., aquele que arrematou bem vendido em hasta pública. **Carta de aviso.** Comunicação de um comerciante a outro de que emitiu contra ele, e em favor de terceiro, uma ordem de pagamento ou saque. **Carta de citação.** *Jur.* Mandado de citação que é enviado pelos correios e não por oficial de justiça. **Carta de consciência.** *Jur.* Certas disposições de última vontade que eram confiadas em segredo ao(s) testamenteiro(s). **Carta de corso.** Autorização dada por nação beligerante para que navios da marinha mercante se armem e pratiquem atos de guerra; carta de marca, licença de corso. **Carta de crédito.** Autorização dada por um banqueiro, ou comerciante, a seu correspondente para que ponha à disposição de terceiro determinada importância dentro de certo prazo. **Carta de fiança.** Documento em que alguém se obriga solidariamente pelo pagamento de outrem. **Carta de guia.** *Jur.* Documento assinado pelo juiz encaminhando o réu à prisão, em cumprimento de sentença. **Carta de marca.** V. *carta de corso*. **Carta de marear.** *Ant. Náut.* Carta destinada à navegação marítima, que se caracterizava por mostrar os principais acidentes da costa e levar desenhadas em vários pontos rosas dos ventos, de cujos centros partiam retas em todas as direções. [Cf. *portulano* (2).] **Carta de navegação.** *Náut.* Mapa construído especificamente para a navegação marítima; carta náutica. **Carta de prego.** Carta fechada, na qual se determina o que o comandante de um navio deve fazer, e que ele só deve abrir quando fora da barra. **Carta de reconhecimento.** *Geogr.* Carta feita à base dos reconhecimentos topográficos, com um apoio mínimo e de baixa precisão. **Carta de remessa.** Relação de títulos enviados pelos comerciantes aos bancos para serem cobrados ou descontados; borderô. **Carta de saúde.** Documento que o comandante de um navio recebe da autoridade consular do país aonde se dirige, declarando o estado de sanidade do posto de onde sai. **Carta do abc.** Livrinho para aprender os primeiros rudimentos da leitura; carta de á-bê-cê, cartilha. **Carta do pedido.** *Angol.* Lista, feita pelos parentes da noiva, de coisas e dinheiro que o noivo deve entregar à família da noiva como dote, durante o alambamento (2); relação do pedido. **Carta fora do baralho.** Pessoa que já não tem prestígio ou força, que já não conta: "Mostrava-se cada vez mais distante, dizia que não tinha tempo para se encontrar comigo. Ou seja: eu passara à irreversível de carta fora do baralho." (Moacir Scliar, *Mãe Judia, 1964*, pp. 18-19.) **Carta geográfica.** *Cartogr.* Representação da imagem da terra, mediante convenções cartográficas em uma superfície plana; mapa. [Tb. se diz apenas *carta*.] **Carta hidrográfica.** Carta dos oceanos ou mares destinada ao traçado de rotas de navegação e à indicação das profundidades, perigos que se devem evitar, relevo litorâneo, faróis, etc. **Carta isófota.** *Astr.* Carta de uma região do céu com o traçado das isófotas. **Carta magna.** V. *constituição* (3). [Tb. se diz apenas *carta*.] **Carta náutica.** *Bras. Náut.* Carta de navegação. **Carta orobatimétrica.** Carta ou mapa que representa o relevo submarino. **Carta patente. 1.** *Econ.* Documento emitido pelo poder público que encerra privilégio, concessão ou autorização de funcionamento. **2.** *Mil.* Documento individual em que são definidos, para cada oficial das forças armadas, sua situação hierárquica (posto) e o corpo ou quadro a que pertence, a fim de fazer prova dos direitos e deveres assegurados por lei ao seu possuidor. [Tb. se diz, nesta acepç., apenas *patente*.] **Carta precatória.** *Jur.* Documento pelo qual um órgão judicial demanda a outro a prática de ato processual que necessite ser realizado nos limites de sua competência territorial. [Tb. se diz apenas *precatória*.] **Carta régia.** Carta dirigida pelo monarca diretamente a uma autoridade, sem passar pela chancelaria. **Carta reversal.** Aquela pela qual se faz uma concessão em troca de outra. **Carta rogatória. 1.** Pedido dos paroquianos de uma diocese para que se sagre certo eclesiástico. [Tb. se diz apenas *rogatória*.] **2.** *Jur.* Rogatória (2). **Carta rumada.** *Ant. Náut.* Carta em que havia, desenhadas, rosas dos ventos de cujos centros irradiavam retas correspondentes às direções das 32 quartas, para facilitar as operações de desfechar o rumo e colocar o ponto estimado na carta. **Cartas dimissórias.** Aquelas pelas quais um prelado autoriza outro a conferir ordens sacras a um diocesano daquele. [Tb. se diz apenas *dimissórias*.] **Carta testamentária.** Instrumento das disposições de última vontade contidas em testamento cerrado, ou particular; cédula testamentária. **Carta testemunhável.** *Jur.* Recurso judicial que visa a fazer subir ao tribunal competente certos recursos cuja interposição ou seguimento foram denegados pelo juiz inferior. **Carta topográfica.** Planta topográfica. **Botar as cartas na mesa.** V. *pôr as cartas na mesa*: "Ela percebeu que chegara a hora de botar as cartas na mesa, embora não houvesse mesa, e sim uma cama entre nós." (Carlos Heitor Cony, *Pilatos*, p. 54.) **Dar as cartas. 1.** Distribuí-las aos jogadores, nos jogos de baralho. **2.** *Fig.* Estar por cima; comandar, mandar, dominar. **Deitar as cartas.** Dispô-las segundo as regras da cartomancia, para adivinhar. **Jogar com cartas marcadas.** Agir de determinado modo, ger. em proveito próprio, por se saber de antemão o resultado. **Magna Carta. 1.** Carta constitucional concedida em 1213 por João I (1167-1216) aos ingleses. **2.** *P. ext.* A constituição de um país. **Mostrar as cartas.** V. *pôr as cartas na mesa* (2). **Não pôr mais na carta.** Nada acrescentar ao que já foi dito. **Pôr as cartas na mesa.** *Fig.* **1.** Esclarecer todos os pontos de uma questão, sem omitir nada. **2.** Declarar suas intenções; agir às claras, abrir o jogo; mostrar as cartas; botar as cartas na mesa.

carta-bomba *S. f.* Artefato explosivo dissimulado em carta (1) que explode ao ser aberta. [Pl.: *cartas-bombas* e *cartas-bomba*.]

carta-branca *S. f. Fig.* Autorização plena dada a alguém para agir como achar conveniente; plenos poderes: *Deu carta-branca a seu advogado para negociar o contrato.* [Pl.: *cartas-brancas*.]

cartabuxa *S. f.* Escova de arame com que os ourives e gravadores de letras limpam os punções depois de temperados.

cartáceo [Do lat. *charta*, 'papel', + *-áceo*.] *Adj. Bot.* Diz-se do órgão ou parte vegetal que apresenta consistência idêntica à do papel: *folha cartácea*.

carta-circular *S. f.* Circular[1] (5) em forma de carta. [Pl.: *cartas-circulares* e *cartas-circular*.]

cartada [De *carta* + *-ada*[1].] *S. f.* **1.** Lance no jogo de cartas. **2.** *Fig.* Ação ou empreendimento decisivo ou arriscado: *Saiu-se bem da cartada.* ◆ **Jogar a última cartada.** Queimar o último cartucho.

cartaginês [Do lat. *carthaginense*.] *Adj.* **1.** De, relativo ou pertencente a Cartago, cidade-estado fundada pelos fenícios em 814 a. C., na região próxima à atual Túnis (Tunísia, N. da África) e destruída pelos romanos em 146 a. C., e pelos árabes em 698 d. C. • *S. m.* **2.** O natural ou habitante de Cartago. [Sin. ger.: *peno*, *púnico* e *pênico*. Flex.: *cartaginesa* (ê), *cartagineses* (ê), *cartaginesas* (ê).]

cartalogia [De *carta* + *-logia*.] *S. f.* V. *cartologia*.

cartamina [De *cártamo* + *-ina*[3].] *S. f. Quím.* Substância corante vermelha, extraída do cártamo (*Carthamus tinctorius*); açafrão-vermelho [fórm.: $C_{43}H_{42}O_{22}$].

cártamo [Do ár. *qurṭum*, *qarṭum* ou *qirṭim*, pelo lat. med. *carthamu*; tax. *Carthamus*.] *S. m. Bot.* **1.** Gênero de plantas asteráceas. **2.** Qualquer espécie desse gênero, como, p. ex., a europeia *Carthamus tinctorius*, que era usada no fabrico de corantes e cujas sementes têm propriedades purgativas. **3.** Qualquer espécime desse gênero.

cartão [Do it. *cartone*.] *S. m.* **1.** *Ind. Pap.* Folha composta de camadas de papel coladas entre si (*cartão de colagem*) ou fabricada diretamente na máquina cilíndrica, com a polpa (*cartão de moldagem*), e que, segundo a grossura, se classifica como cartolina ou papelão; neste último caso, usualmente, quando supera o meio milímetro. **2.** Retângulo de cartão (1) ou de outro material, como plástico. **3.** V. *cartão de visita*. **4.** Bilhete, ingresso, senha. **5.** Esboço ou modelo desenhado em cartão. **6.** *Inform.* V. *cartão perfurado*. **7.** Objeto retangular e delgado, feito de plástico ou outro material resistente, por vezes dotado de uma faixa magnética com informações gravadas, e destinado a usos específicos, por exemplo: identificação do portador, utilização de certos equipamentos, operação de dispositivos eletrônicos, etc. ◆ **Cartão Bristol.** *Ind. Pap.* Certa espécie de cartão (1), originariamente fabricado em Bristol (Inglaterra), e obtido pela colagem de duas até seis folhas de papel. **Cartão de colagem.** *Ind. Pap.* V. *cartão* (1). **Cartão de crédito.** *Econ.* Cartão (2) de plástico, emitido por instituição financeira com o nome do favorecido, e que dá a este o direito de efetuar compras a crédito, sob certas condições. **Cartão de débito.** *Econ.* Cartão (2) de plástico, emitido por banco comercial para um seu correntista, autorizando-o a efetuar gastos que serão automaticamente debitados em sua conta nesse banco. **Cartão de estereotipia.** *Tip.* V. *flã*. **Cartão de identidade.** *Lus.* Carteira de identidade: "A terra o sol o vento o mar / são minha biografia e são meu rosto / Por isso não me peçam cartão de identidade" (Sofia de Melo Breyner Andresen, *Poemas Escolhidos*, p. 186). **Cartão de memória.** *Inform.* Dispositivo removível que contém ou aumenta a memória (15) de microcomputador, máquina fotográfica, ou outros aparelhos digitais. **Cartão de moldagem.** *Ind. Pap.* V. *cartão* (1). **Cartão de visita.** Pequeno retângulo de cartolina ou de outro tipo de cartão (1), onde está impresso o nome do seu dono, por vezes trazendo endereço, profissão e telefone, e que alguém entrega em sinal de anúncio de visita ou para indicar a sua residência. [Tb. se diz apenas *cartão*. Sin.: *bilhete de visita*.] **Cartão do lombo.** *Encad.* V. *falso-dorso*. **Cartão dúplex.** Cartão composto de duas ou mais camadas de pasta, unidas durante a fabricação sem auxílio de cola e que apresenta, de ordinário, faces de cores ou texturas diferentes; cartolina dúplex. **Cartão Hollerith.** *Inform.* V. *cartão perfurado*. [Tb. se diz apenas *hollerith*.] **Cartão magnético.** Cartão com tarja magnética na qual se armazena informação passível de ser processada eletronicamente. **Cartão ondulado.** Papelão ondulado (q. v.). **Cartão PCMCIA.** Dispositivo removível para microcomputadores, especialmente *notebooks*, us. para expandir suas capacidades, como, p. ex., acrescentar um modem. **Cartão perfurado.** *Inform. Desus.* Cartão (1) de formato retangular, em que informações digitais são representadas por meio de perfurações feitas em posições determinadas e segundo uma convenção. [Us. em computadores de grande porte até a década de 1970, esp. como meio de fornecer ao computador dados brutos a serem processados.] [Sin.: *cartão Hollerith*; *hollerith*.] **Marcar cartão.** *Bras. AL Pop.* Aproximar-se muito de uma mulher, por detrás, em geral numa aglomeração ou numa fila, roçando-lhe as nádegas.

cartão-couro *S. m. Ind. Pap.* Papelão muito duro, resistente e fibroso, de cor semelhante à do couro, e que se obtém de pasta de madeira cozida; cartão-fibra. [Pl.: *cartões-couros* e *cartões-couro*.]

cartão-fibra *S. m. Ind. Pap.* Cartão-couro. [Pl.: *cartões-fibras* e *cartões-fibra*.]

cartão-palha *S. m. Ind. Pap.* Papelão amarelado, feito com pasta de palha e usado no fabrico de caixas. [Pl.: *cartões-palhas* e *cartões-palha*.]

cartão-pedra *S. m.* Mistura de pasta de papel, gesso e adesivos, usada como material de construção e na fabricação de objetos decorativos e utensílios. [Pl.: *cartões-pedras* e *cartões-pedra*.]

cartão-postal *S. m.* Cartão (2) que tem numa das faces uma ilustração, ficando a outra reservada à correspondência. [Tb. se diz apenas *postal*. Sin. p. us.: *bilhete postal*. Pl.: *cartões-postais*.]

cartão-resposta *S. m.* Impresso com porte postal pago, frequentemente incluído em correspondência de uma empresa com seu público-alvo, e que serve para facilitar o pedido de compra do cliente ou o envio de informações solicitadas; carta-resposta. [Pl.: *cartões-respostas* e *cartões-resposta*.]

cartapácio [De *carta*, com um segundo el. incerto.] *S. m.* **1.** Carta (1) muito grande. **2.** Livro grande e antigo; alfarrábio, calhamaço: "De cansada, rançosa poesia / Grosso volume na algibeira andava; / Em vendo gente, logo lá corria, / E o fatal cartapácio lhe empurrava" (Nicolau Tolentino de Almeida, *Obras Poéticas*, I, p. 111). **3.** Coleção de documentos manuscritos em forma de livro. **4.** Pasta de papéis avulsos. **5.** *Deprec.* Livrório (q. v.).

carta-partida *S. f. Ant. Mar. Merc.* A carta de fretamento, assim chamada por ser dividida ao meio, ficando cada um dos interessados com uma das metades. [Pl.: *cartas-partidas*.]

carta-piloto [De *carta* + *piloto*, para trad. o ingl. *pilot-charter*.] *S. f. Náut.* Carta que contém informações meteorológicas, regime de correntes marítimas e ventos nas diversas épocas do ano, e outros dados necessários ao planejamento das melhores derrotas (v. *derrota*^{2}). [Pl.: *cartas-pilotos* e *cartas-piloto*.]

carta-renúncia *S. f.* Carta em que alguém renuncia a algo: *A carta-renúncia do presidente deixou todos estupefatos.* [Pl.: *cartas-renúncias* e *cartas-renúncia*.]

carta-resposta *S. f.* Cartão-resposta. [Pl.: *cartas-respostas* e *cartas-resposta*.]

cartas [Pl. de *carta*.] *S. f. pl.* **1.** Baralho. **2.** Jogo de cartas: *F. adora cartas.* ~ V. *carta*.

cartaz [De *carta* + *-az*.] *S. m.* **1.** Anúncio ou aviso de grande formato, próprio para afixação em ambientes amplos ou ao ar livre, e que traz anúncio comercial ou de exposições, espetáculos, etc., em geral com acentuação do aspecto visual, constituindo, às vezes, legítima peça de arte. **2.** *Bras.* Popularidade, notoriedade, fama, renome. **3.** *Teatr. Cin.* Peça ou filme em representação ou exibição: "Na Conselheiro Crispiniano, se não estava enganada, tinha em cartaz um filme muito interessante" (Lígia Fagundes Teles, *Seminário dos Ratos*, p. 60). **4.** *Bras.* Sucesso (5 e 6). ◆ **Em cartaz.** Em representação ou em exibição: *Há bons filmes nacionais em cartaz nos cinemas.* **Ter cartaz.** *Bras.* Ter fama, renome ou popularidade.

cartazeiro [De *cartaz* + *-eiro*.] *S. m.* Operário encarregado de colar cartazes [v. *cartaz* (1)].

cartazete (ê) [De *cartaz* + *-ete* (ê).] *S. m. Prop.* Pequeno cartaz (1), ger. us. em interiores, esp. em pontos de venda.

cartazista [De *cartaz* + *-ista*.] *S. 2 g.* Pessoa que desenha ou projeta cartazes [v. *cartaz* (1)].

carteado [Part. de *cartear*.] *Adj. S. m.* Diz-se de, ou qualquer dos jogos com cartas de baralho.

carteador (ô) [De *cartear* + *-dor*.] *S. m.* Aquele que carteia (2 e 3).

carteamento [De *cartear* + *-mento*.] *S. m.* Ato de cartear(-se); carteio.

cartear [De *carta* + *-ear*^{2}.] *V. int.* **1.** *Ant. Náut.* Calcular distâncias em carta (5) ou em carta de navegação. **2.** Jogar cartas: *Elza gosta de cartear.* **3.** Dar as cartas num jogo carteado. *T. d.* **4.** *Ant. Náut.* Pôr [o ponto (39)] na carta de marear. **5.** Jogar (cartas): *Recebi boas cartas e carteei-as muito bem;* "haviam organizado um jogo de prendas, enquanto o Dr. Passos e os parceiros carteavam o voltarete" (Coelho Neto, *Treva*, p. 187). *P.* **6.** Corresponder-se por carta: "Separamo-nos em Pernambuco. .... Durante dous anos nos carteamos com uma pontualidade e abundância de coração dignas de namorados." (José de Alencar, *Diva*, p. 194.) [Pres. ind.: *carteio*, *carteias*, *carteia*, etc. Cf. *Carteia*, top. Conjug.: v. *frear*.]

carteio [Dev. de *cartear*.] *S. m.* Carteamento.

carteira [De *carta* + *-eira*.] *S. f.* **1.** Bolsa de couro, lona, etc., com fecho, para guardar cartas, cartões, documentos, dinheiro e pequenos objetos. **2.** Pequena bolsa de formato retangular, dobrável e com divisões internas, para cédulas, cartões e documentos. **3.** Porta-cartas. **4.** Mesa ou banca para escrita, estudo, desenho, etc.; escrivaninha, secretária. **5.** Livrinho de apontamentos; caderneta, canhenho. **6.** Nome de várias seções dos estabelecimentos de crédito (bancos, institutos, caixas econômicas): *carteira de câmbio; carteira habitacional.* **7.** Documentos oficiais expedidos em forma de caderneta e que contêm licenças, autorizações ou identificações: *carteira de habilitação; carteira de identidade.* **8.** *Econ.* Conjunto de títulos (ações, certificados de depósitos, bônus do governo, etc.) possuídos por um investidor; portfólio. **9.** *Bras.* Maço, invólucro: *carteira de cigarros.* ◆ **Carteira de habilitação.** Documento que atesta a aptidão e o direito de alguém dirigir veículo automóvel; carteira de motorista. **Carteira de identidade.** Documento oficial com informação sobre um indivíduo (nome, data de nascimento, etc.). **Carteira de motorista.** *Fam.* V. *carteira de habilitação.* **Carteira de trabalho.** *Dir. Trab.* Documento, cujo nome completo é *carteira de trabalho e previdência social*, onde se registram dados relativos às relações de emprego de seu portador; carteira profissional. **Carteira profissional.** *Dir. Trab.* Carteira de trabalho.

carteirada [De *carteira* + *-ada*^{1}.] *S. f.* Uso de cargo, posição social, etc., como forma de pressão para obter vantagem ou privilégio.

carteirista [De *carteira* + *-ista*.] *S. 2 g. Lus.* V. *punguista*.

carteiro [De *carta* + *-eiro*.] *S. m.* **1.** Mensageiro postal distribuidor de cartas e outras correspondências; correio, distribuidor, estafeta. **2.** Fabricante de cartas de baralho.

cartel^1 [Do it. *cartello*.] *S. m.* **1.** Carta de desafio; provocação, afronta. **2.** Anúncio, dístico, legenda, cartaz: "El-Rei mandou pôr cartéis com promessa de que se dariam mil cruzados a quem descobrisse os culpados" (José Saramago, *Memorial do Convento*, [8.ª ed.] p. 46). **3.** Acordo entre chefes militares beligerantes, acerca de medidas de interesse comum ou vantagens recíprocas, sobretudo troca de prisioneiros. [Pl.: *cartéis*.] ◆ **Não dar cartel a.** Não poupar, matar (o inimigo, o adversário).

cartel^2 [Do al. *Kartell*.] *S. m.* **1.** *Econ.* Acordo entre empresas independentes para atuação coordenada, esp. no sentido de restringir a concorrência e controlar preços. [Cf. *coalizão* (3).] **2.** Grupo de empresas que participam desse acordo. [Pl.: *cartéis*.]

cartela [Do it. *cartella*.] *S. f.* **1.** Superfície lisa, num friso ou num pedestal, destinada, por via de regra, a receber uma inscrição; cártula. **2.** V. *cártula* (1). **3.** Mostruário portátil de tecidos, rendas, fitas, etc. **4.** Em certos jogos infantis, no bingo, etc., espécie de cartão onde se marcam pontos ganhos, etapas vencidas, etc. **5.** *Art. Gráf.* Embalagem na qual pequeno(s) produto(s) são encerrados entre uma superfície moldada de plástico semirrígido transparente e uma base plana de cartolina, papel, alumínio, etc., permitindo a visualização desse(s) produto(s), quando disposta em vitrines ou pendurada em exibidor apropriado. [V. *blíster*.] **6.** *Rel.* Sacra. **7.** *Telev. Cin.* Tela com informações de título, créditos, legendas, etc.

carteleiro [De *cartela* + *-eiro*.] *S. m.* Aquele que distribui cartelas em casas de bingo.

cartelização [De *cartelizar* + *-ção*.] *S. f.* Ação ou efeito de cartelizar.

cartelizar [De *cartel* + *-izar*.] *V. t. d.* **1.** Formar um cartel^2 (2).

cartema [De *cartão(-postal)*.] *S. m. Neol. Bras.* Colagem^2 executada com cartões-postais de valores visuais equivalentes e que, colocados lado a lado, dão ao todo uma nova unidade visual. [T. criado por Antônio Houaiss (1915-1999), em 1974, para essa composição artística de Aloísio Magalhães (1927-1983).]

cárter [Do fr. *carter*, do antr. (*J. H.*) *Carter*, a quem se atribui a invenção do dispositivo.] *S. m.* **1.** Qualquer envoltório metálico para a proteção de mecanismos, motores, ou peças suas. **2.** *Mec.* O cárter (1) do motor do automóvel, situado na parte inferior deste, e no qual fica depositado o óleo de lubrificação.

cartesianismo [De *cartesiano* + *-ismo*.] *S. m. Hist. Filos.* **1.** Doutrina de René Descartes, filósofo, matemático e físico francês (1596-1650), e de seus seguidores, caracterizada pelo racionalismo, pela consideração do problema do método como garantia da obtenção da verdade, e pelo dualismo metafísico. **2.** Influência de Descartes na filosofia.

cartesiano [Do antr. (*René*) *Descartes* (1596-1650), filósofo francês, + *-iano*.] *Adj.* **1.** *Hist. Filos.* Pertencente ou relativo a Descartes ou ao cartesianismo (q. v.). **2.** *Hist. Filos.* Diz-se da maneira de considerar um fenômeno ou um conceito, isolando-os da totalidade em que aparecem. **3.** *Filos.* Afeito a ideias claras e procedimentos rigorosos. **4.** *Filos. Pej.* Que confia de modo irrestrito e exclusivo na capacidade cognitiva da razão, mas limitando-a às explicações mecânicas, simplificadoras, que são inadequadas à compreensão da realidade. **5.** Que é partidário do cartesianismo. ~ V. *análise —a*, *coordenadas —as*, *coordenadas —as ortogonais*, *eixo —* e *sistema —*. ● *S. m.* **6.** Partidário do cartesianismo.

cartilagem [Do lat. *cartilagine*.] *S. f.* **1.** *Histol.* Tecido conjuntivo especializado que constitui a maior parte do esqueleto do embrião, participa de modo importante do processo de crescimento do corpo, serve de modelo para o desenvolvimento da maioria dos ossos, forra extremidades das superfícies articulares desses, e constitui certas partes do esqueleto de animais adultos. Apresenta três tipos: *elástica*, *fibrosa* e *hialina*. **2.** *Anat.* Cada uma de várias massas de tecido cartilaginoso macroscopicamente visíveis no corpo. ◆ **Cartilagem ciliar.** *Anat.* V. *tarso* (2). **Cartilagem elástica.** *Histol.* Aquela em que predominam fibras elásticas. **Cartilagem epifisária.** *Anat. Histol.* V. *fise*. **Cartilagem fibrosa.** *Histol.* V. *fibrocartilagem*. **Cartilagem hialina.** *Histol.* Tipo de cartilagem branco-azulado e translúcido, se examinado a fresco; apresenta substância intersticial basófila contendo fibrilas colágenas e cavidades em cujo interior se situam condrócitos. **Cartilagem palpebral.** *Anat.* V. *tarso* (2). **Cartilagem tireóidea.** *Anat.* A maior das cartilagens da laringe.

cartilagíneo [Do lat. *cartilagine* + *-eo*.] *Adj.* V. *cartilaginoso* (1).

cartilaginiforme [Do lat. *cartilagine* + *-iforme*.] *Adj. 2 g.* V. *cartilaginoso* (1 e 3).

cartilaginoso (ô) [Do lat. *cartilaginosu*.] *Adj.* **1.** Da natureza, ou da textura de, ou que consiste em cartilagem; cartilagíneo, cartilaginiforme, seláquio. **2.** *Bot.* Diz-se de qualquer órgão ou parte vegetal que exibe consistência semelhante à da cartilagem animal, como sucede frequentemente com a margem das folhas: *endosperma cartilaginoso.* **3.** *Zool.* Diz-se de peixes que têm esqueleto cartilaginoso; cartilaginiforme, seláquio. ~ V. *matriz —a* e *tecido —*.

cartilha [Do esp. *cartilla*.] *S. f.* **1.** Livro para aprender a ler: "Eu era então menino e estudava a cartilha." (Ribeiro Couto, *Poesias Reunidas*, p. 34.) **2.** Compêndio elementar ou rudimentos de arte, ciência ou doutrina: *cartilha de música; cartilha cristã.* **3.** *Fig.* Maneira de ser e viver; padrão, modelo: *Casou-se, e vive segundo a cartilha do marido.* ◆ **Ler pela mesma cartilha.** Ter a mesma opinião, doutrina ou teoria.

cartismo [De *carta* + *-ismo*.] *S. m.* **1.** Movimento político reformista ocorrido na Inglaterra, entre 1837 e 1848, e cujo programa se continha na chamada Carta do Povo. **2.** Movimento político português, entre 1832 e 1850, de defesa da carta constitucional outorgada por D. Pedro IV de Portugal e I do Brasil. [Cf. *kartismo*.]

cartista [De *cartismo* + *-ista*.] *Adj. 2 g.* **1.** Relativo ao, ou que é partidário do cartismo. ● *S. 2 g.* **2.** Partidário do cartismo. [Cf. *kartista*.]

▲carto- [Do gr. *charto-* < gr. *chártēs*, *ou* (> lat. *charta*, *ae*).] *El. comp.* = 'carta'; 'carta de baralho'; 'mapa': *cartografia*, *cartomancia*.

cartografia [De *carto-* + *-grafia*.] *S. f.* **1.** Arte ou ciência de compor cartas geográficas. **2.** Tratado sobre mapas.

cartográfico [De *cartografia* + *-ico*^{2}.] *Adj.* Relativo à cartografia.

cartógrafo [De *carto-* + *-grafo*.] *S. m.* Aquele que traça cartas geográficas.

cartograma [De *carto-* + *-grama*.] *S. m. Cartogr.* Mapa ou quadro em que, por meio de pontos, figuras e linhas, previamente convencionados, se representa um fenômeno quanto à sua área de ocorrência, importância, movimentação e evolução.

cartola [De *quartola*.] *S. f.* **1.** V. *quartola*. **2.** Chapéu masculino, de copa alta e cilíndrica, e cor preta luzidia, de uso em solenidades. [Sin. bras., nesta acepç.: *catimplora*, *jaca*.] **3.** Qualquer chapéu duro, grande e ridículo. **4.** *Bras. N.E. Cul.* Sobremesa feita de banana frita, aberta ao meio, com uma fatia de queijo assado por cima, e polvilhada de açúcar e canela. ● *S. m.* **5.** *Gír.* Indivíduo de posição elevada, desprezador das opiniões e tendências populares; grã-fino. **6.** *Bras. Fut. Gír. Deprec.* Dirigente de clube ou entidade esportiva: "o jogador é um homem à mercê do clube e dos cartolas." (*Correio da Manhã*, 05.11.1970).

cartolada [De *cartola* + *-ada*^{1}.] *S. f. Bras.* Cartolagem (2).

cartolagem [De *cartola* + *-agem*^{2}.] *S. f. Bras.* **1.** Ação ou manobra de cartola. **2.** Grupo de cartolas; cartolada.

cartolina [Do it. *cartolina*.] *S. f.* Cartão delgado, intermediário entre o papel encorpado e o papelão. ◆ **Cartolina dúplex.** Cartão dúplex.

cartologia [De *carto-* + *-logia*.] *S. f.* Coleção de cartas geográficas; cartalogia.

cartomancia (ci) [De *carto-* + *-mancia*.] *S. f.* Adivinhação por meio de cartas de jogar.

cartomante [De *carto-* + *-mante*.] *S. 2 g.* Pessoa dada ao estudo e prática da cartomancia. [Sin. (bras., S.): *sortista*.]

cartomântico *Adj.* Referente a cartomancia, ou a cartomante.

cartonado [Part. de *cartonar*.] *Adj.* Diz-se de livro coberto com capa de cartão, revestido de papel com os nomes da obra, autor e editor impressos. [V. *brochado* e *encadernado*. Cf. *acartonado*.] ~ V. *livro —*.

cartonador (ô) [De *cartonar* + *-dor*.] *S. m.* Operário que trabalha em cartonagem.

cartonageiro [De *cartonagem* + *-eiro*.] *S. m.* Fabricante ou vendedor de artefatos de cartão.

cartonagem [Do fr. *cartonnage*.] *S. f.* **1.** Confecção de artefatos de cartão. **2.** Artefato de cartão. **3.** Oficina onde se fazem trabalhos de cartonagem. **4.** *Bibliol.* Espécie de montagem de livro em capa rígida, ligada ao bloco de cadernos, pela colagem, à parte interna das pastas, tanto de tira de entretela presa ao dorso pela costura como de uma das folhas da guarda, e com revestimento externo, todo de papel ou com lombada de pano, impresso e às vezes ilustrado. **5.** Livro cartonado.

cartonar [Do fr. *cartonner*.] *V. t. d.* **1.** *Encad.* Revestir (livro) com capa de cartão forrada de papel. [Cf. *brochar*^{2}.] **2.** Revestir com cartão ou papelão: *cartonar embalagens.*

cartonista [De *cartão* + *-ista*, seg. o padrão erudito.] *S. 2 g.* Artista especializado na execução de modelos em cartão para a confecção de tapetes, mosaicos, etc.

➔cartoon [kaɪˈtuwn] [Ingl.] *S. m.* **1.** Desenho animado (1). **2.** V. *cartum*.

cartorário [Do lat. tard. *chartulariu*.] *S. m.* **1.** Escrevente ou arquivista de cartório. **2.** Oficial do registro civil das pessoas naturais. **3.** Livro de registros de documentos públicos ou cartas, títulos, escrituras, certidões, etc. **4.** V. *cartulário*. ● *Adj.* **5.** Respeitante a cartório; cartorial.

cartorial [De *cartório* + *-al*[1].] *Adj. 2 g.* Cartorário (5).

cartório [De *carta* + *-ório*.] *S. m.* **1.** Lugar onde se registram e guardam cartas ou documentos importantes; arquivo: *o cartório de uma empresa*. **2.** Repartição onde funcionam os tabelionatos, os ofícios de notas, as escrivanias da justiça, os registros públicos, e se mantêm os respectivos arquivos. ◆ **Casar no cartório.** Contrair casamento civil; casar no civil: "Casei no padre; a mulher 'tá querendo casar no cartório também'" (Bariani Ortêncio, *Vão dos Angicos*, p. 80).

cartuchame [De *cartucho* + *-ame*.] *S. m.* Provisão de cartuchos para armas de fogo.

cartucheira [De *cartucho* + *-eira*.] *S. f.* Banda de lona ou de couro provida de orifício para cartuchos, usada, comumente, à cintura ou a tiracolo; patrona, canana (q. v.).

cartucho [Do it. *cartoccio*, pelo fr. *cartouche*.] *S. m.* **1.** Invólucro oblongo, de papel ou cartão: *um cartucho de amendoim*. **2.** Invólucro, outrora de papel, depois de cartão e de sarja, e por fim de metal, que contém a carga de projeção da boca de fogo. **3.** Recipiente com filme cinematográfico ou fita magnética, que se introduz em projetor, gravador ou em *drive* de computador. [Pode ou não utilizar sistema de dois carretéis, como o *magazine* (3).] [Cf., nesta acepç., *chassi* (2) e *cassete* (1).] **4.** V. *cártula* (1). **5.** *Anat.* Corneto. **6.** *Art. Gráf.* Caixinha para embalagem de medicamentos, cosméticos, etc., feita de uma só peça de cartão dobrada, vincada e colada. **7.** *Autom.* Elemento filtrante dos filtros de óleo externos, que deve ser substituído após determinado número de quilômetros rodados. **8.** *Cartogr.* Pequeno mapa inserto em mapa maior, do qual amplia detalhe. **9.** *Exérc.* Conjunto constituído essencialmente de um estojo cilíndrico metálico (ger. de latão), no interior do qual estão arrumadas a carga de projeção e a espoleta, e em cujo topo se engasta o projetil de uma arma de fogo. **10.** *Inform.* Recipiente descartável, com tinta (e, eventualmente, outros componentes), para impressora. **11.** *Paleogr.* Moldura oblonga que na escrita hieroglífica egípcia encerra nome de soberano. [Cf. *cartuxo*.] ◆ **Queimar o último cartucho.** Lançar mão do(s) último(s) recurso(s) para conseguir algo; recorrer ao(s) meio(s) extremo(s); jogar a última cartada.

cártula [Do lat. *chartula*.] *S. f.* **1.** Ornato artístico ou tipográfico que simula folha ou tira de papel com as pontas ou lados enrolados, de ordinário em sentidos divergentes, e com espaço para dístico; cartela, cartucho. **2.** Cartela (1).

cartulário [Do lat. tard. *chartulariu*.] *S. m.* **1.** Coleção de títulos de propriedade, concessão de privilégios, atos relativos a jurisdições, bulas, etc., conservada nos antigos mosteiros, igrejas, etc. **2.** Aquele que se encarrega desses registros. [Sin. ger.: *cartorário* (4).]

cartum [Do ingl. *cartoon*.] *S. m.* Desenho caricatural que apresenta uma situação humorística, utilizando, ou não, legendas. [Cf. *charge*.]

cartunista [Do ingl. *cartoonist*.] *S. 2 g.* Desenhista de cartum, charge, desenho animado ou tira cômica.

cartusiano [De *Carthusia*, latinização do fr. *Chartreuse*, 'Cartuxa', + *-ano*[1].] *Adj. S. m.* V. *cartuxo*.

cartuxa [F. subst. do adj. *cartuxo*.] *S. f.* **1.** Ordem religiosa muito austera, em regime misto de solidão e vida em comum, fundada por S. Bruno, no séc. XI. **2.** Convento de cartuxos [v. *cartuxo* (2)].

cartuxo [Do lat. *carthusiu*.] *Adj.* **1.** Pertencente ou relativo à cartuxa (1). ● *S. m.* **2.** Religioso da ordem cartuxa. [Sin. ger.: *cartusiano*. Cf. *cartucho*.]

caruá[1] [Var. de *carauá*.] *S. m.* V. *caroá*.

caruá[2] *S. m. Bras. S.* Inflamação da epiderme.

caruana [Do tupi.] *S. m. Bras. Amaz. Etnogr.* Gênio benfazejo e serviçal que os indígenas creem habitar o fundo dos rios e igarapés, e que os pajés invocam para curar doentes ou esconjurar feitiços, fumando e cantando uma toada monótona.

caruara [Do tupi = 'corrimento'.] *S. f.* **1.** *Bras. Amaz.* Mal ou enfermidade causada por feitiço; quebranto, mau-olhado. **2.** *Bras. Amaz.* Achaque, doença. **3.** *Bras. Amaz.* Dor reumática. **4.** *Bras. Amaz.* V. *coreia*[1] (3). **5.** *Bras. Amaz. Zool.* Formiga cuja mordida provoca coceira semelhante à sarna. **6.** *Bras. N.E.* Paralisia que afeta as articulações dos bezerros e doutros animais recém-nascidos. **7.** *Bras. AL* Vento que traz chuvas e trovoadas e que sopra em janeiro no litoral.

caruaru [Do tupi.] *S. m. Bras. MA Zool.* V. *jacuraru*.

caruaruense *Adj. 2 g.* **1.** De, ou pertencente ou relativo a Caruaru (PE). ● *S. 2 g.* **2.** O natural ou habitante de Caruaru.

caruatá *S. m. Bras. Bot.* V. *gravatá*.

caruatá-açu [De *caruatá* + *-açu*.] *S. m. Bras. Bot.* V. *caraguatá-piteira*. [Pl.: *caruatás-açus*.]

caruatá-de-pau *S. m. Bras. Bot.* V. *gravatá*. [Pl.: *caruatás-de-pau*.]

caruca [Do tupi.] *S. f. Bras. Pop.* Noite (1).

caruera (ê) *S. f. Bras.* V. *crueira*[1].

caruja [Do lat. **calugine* (var. de *caligo, inis*, 'escuridão', 'cerração'), pelas f. **caugem* (ú) e *carugem*.] *S. f.* **1.** Névoa. **2.** Orvalho.

caruma [De or. obsc.] *S. f.* Agulha[1] (32) de pinheiro.

carumbé [Do tupi.] *S. m.* **1.** *Bras.* Calumbé: "Amontoaram-se os cascalhos e os carumbés em ação para sua lavagem" (Antônio Versiani, *Viola de Queluz*, p. 102). **2.** *Bras. Amaz. Zool.* O macho do jabuti; jabuti-carumbé.

carunchar [De *caruncho* + *-ar*[2].] *V. int.* Encher-se de caruncho; ser atacado pelo caruncho: *O teto da casa carunchou rapidamente*.

carunchento [De *caruncho* + *-ento*.] *Adj.* **1.** V. *carcomido* (1 a 3). **2.** Carunchoso (2).

caruncho [Do lat. vulg. **curiunclu* < *curculiunculu* < lat. *curculio*, 'gorgulho', poss.] *S. m.* **1.** *Bras. Zool.* Designação comum aos insetos coleópteros que perfuram sobretudo madeira e cereais, e cuja maioria é xilófaga. Incluem-se no grupo os bostriquídeos, os bruquídeos, os curculionídeos, os anobiídeos e outros. [Sin.: *bruco, gorgulho, carpinteiro, carneiro, carneirinho, carcoma*. Cf. *broca*[2].] **2.** O pó que resulta da ação desses insetos; carcoma. **3.** *Fig.* Aquilo que mina, corrói, destrói, lentamente: *Eles são os carunchos da democracia*. **4.** *Fig.* Antigalha, antiqualha, velhice: *Um povo jovem e sadio não pode fazer a apologia do caruncho*. **5.** *Bras.* Certa raça suína.

caruncho-da-cereja-do-café *S. m. Bras. Zool.* V. *broca-do-café*. [Pl.: *carunchos-da-cereja-do-café*.]

caruncho-do-café *S. m. Bras. Zool.* V. *broca-do-café*. [Pl.: *carunchos-do-café*.]

carunchoso (ô) [De *caruncho* + *-oso*.] *Adj.* **1.** V. *carcomido* (1 a 3). **2.** Cheio de caruncho (1 e 2); carunchento.

carúncula [Do lat. *caruncula*.] *S. f.* **1.** *Anat.* Pequena saliência carnosa, avermelhada, oval ou triangular, existente em áreas diversas do corpo. **2.** *Bot.* Excrescência carnosa, da natureza do arilo, encontrada em várias sementes, como, p. ex., a da mamona. **3.** *Zool.* Pequena saliência carnuda da cabeça de certas aves ou de certas lagartas. ◆ **Carúncula mirtiforme.** *Anat.* Uma das numerosas carnosidades que se formam em torno da vagina após a ruptura do hímen.

carunculáceo [De *carúncula* + *-áceo*.] *Adj. Bot.* Semelhante à carúncula.

carunculado [De *carúncula* + *-ado*[1].] *Adj.* Provido de carúncula.

caruncular [De *carúncula* + *-ar*[1].] *Adj. 2 g. Bot.* Relativo à, ou da natureza da carúncula: *tecido caruncular*.

caruru [Do afr. *kalulu*, poss.] *S. m.* **1.** *Bras. Bot.* Designação comum a várias plantas alimentares amarantáceas, cujas folhas, verdes, são saborosas e nutritivas, e por isso muito usadas na culinária. **2.** *Bot.* V. *bredo* (1). **3.** *Cul.* Espécie de esparregado de caruru ou quiabos, a que se ajuntam camarões secos, peixe, azeite de dendê, pimenta, etc.

caruru-amargo *S. m. Bras. N. a S. Bot.* Designação comum a duas plantas asteráceas (*Erechtites hieracifolius* e *E. valerianaefolius*) que vegetam geralmente em lugares úmidos e cujas folhas são alimentícias. [Pl.: *carurus-amargos*.]

caruru-azedo *S. m. Bras. PA CE BA MG SP Bot.* Arbusto malváceo (*Hibiscus sabdariffa*) herbáceo, cujas flores, sésseis, axilares, solitárias, róseas ou purpúreas, com máculas escuras e cálice muito carnoso, são usadas no preparo de geleias, doces e xaropes, e cujo fruto é cápsula vermelha; as folhas são comestíveis. [Sin. (bras.): *azedinha, quiabo-azedo, quiabo-róseo, quiabo-roxo, rosélia, vinagreira*, (guin.) *baguiche*, e (bras. e guin.) *cuxá*. Pl.: *carurus-azedos*.]

caruru-bravo *S. m. Bras. PE a PR Bot.* **1.** Planta fitolacácea (*Phytolacca thyrsiflora*) herbácea, perene. **2.** Planta asterácea (*Senecio crassiflorus*) herbácea, perene. [Pl.: *carurus-bravos*.]

caruru de cosme e damião *S. m. Bras. BA* Caruru-de-são-cosme. [Pl.: *carurus de cosme e damião*.] ☑

caruru-de-espinho *S. m. Bras. RJ a SC Bot.* V. *juciri*. [Pl.: *carurus-de-espinho*.]

caruru de são cosme *S. m. Bras. BA* Festa dedicada aos ibêjis, nos candomblés jeje-nagôs; caruru de cosme e damião. [Pl.: *carurus de são cosme*.] ☑

caruru-de-sapo *S. m. Bras. N. a S. Bot.* Designação comum a duas plantas oxalidáceas (*Oxalis martiana* e *O. triangularis*) herbáceas, dotadas de flores roxas, dispostas em umbelas, e fruto capsular; azeda-do-brejo, trevo. [Pl.: *carurus-de-sapo*.]

caruru-do-mato *S. m. Bras. Bot.* V. *crista-de-galo* (1). [Pl.: *carurus-do-mato*.]

cárus [Do gr. *káros*, 'sopor'.] *S. m. 2 n. Med.* O grau extremo do estado comatoso, caracterizado por um estado letárgico que resiste aos estimulantes mais enérgicos. [Cf. *caros*, pl. de *caro*.]

carusma [De or. obscura.] *S. f.* Cinzas que se espalham no ar, quando se sopra o lume.

carutaperense *Adj. 2 g.* **1.** De, ou pertencente ou relativo a Carutapera (MA). ● *S. 2 g.* **2.** O natural ou habitante de Carutapera.

carvacrol [Do tax. (*Carum*) *carvi* (v. *alcaravia*) + *-acr(o)-*[2] + *-ol*[2].] *S. m. Quím.* Substância líquida terpenoide, que é um fenol cuja estrutura é semelhante à da carvona, e que é encontrada em vários óleos essenciais, como, p. ex., o do orégano, e que é us. em desinfetantes [fórm.: $C_{10}H_{14}O$]. [Pl.: *carvacróis*.]

carvalhal [De *carvalho* + *-al*[1].] *S. m.* **1.** Quantidade mais ou menos considerável de carvalhos dispostos proximamente entre si; carvalheira. **2.** Área ocupada pelo carvalhal (1). [Sin. ger.: *carvalheira*.]

carvalheira [De *carvalho* + *-eira*.] *S. f.* **1.** *Bot.* Pequeno carvalho. **2.** Moita de pequenos carvalhos silvestres. **3.** V. *carvalhal*.

carvalheiro [De *carvalho* + *-eiro*.] *S. m.* **1.** *Bot.* Carvalho novo. **2.** Cacete de carvalho.

carvalhense[1] *Adj. 2 g.* **1.** De, ou pertencente ou relativo a Carvalhópolis (MG). ● *S. 2 g.* **2.** O natural ou habitante de Carvalhópolis.

carvalhense[2] *Adj. 2 g.* **1.** De, ou pertencente ou relativo a Carvalhos (MG). ● *S. 2 g.* **2.** O natural ou habitante de Carvalhos.

carvalhiça [De *carvalho* + *-iça*.] *S. f. Bot.* Nome comum a diversas espécies de fagáceas do gênero *Quercus*, como, p. ex., a *Quercus fructiosa*.

carvalhinha [De *carvalho* + *-inha*.] *S. f. Bot.* **1.** Planta lamiácea (*Teucrium chamaedrys*) lenhosa na base, vilosa e pubescente. **2.** V. *solidônia* (1).

carvalho [De or. pré-romana, poss.] *S. m. Bot.* **1.** Designação comum a várias árvores fagáceas, ornamentais, do gênero *Quercus*, de rápido crescimento, que preferem lugares frescos, ou margens de rios e lagoas, e fornecem madeira pardacenta, dura, us. na construção em geral. **2.** A madeira de qualquer dessas árvores.

carvalho-brasileiro *S. m. Bras. BA a SC Bot.* V. *carne-de-vaca*. [Pl.: *carvalhos-brasileiros*.]

carvalho-corticeiro *S. m. Bot.* V. *sobreiro*. [Pl.: *carvalhos-corticeiros*.]

carvão [Do lat. *carbone*.] *S. m.* **1.** Substância combustível, sólida, negra, resultante da combustão incompleta de materiais orgânicos; carvão mineral, carvão de pedra, hulha. **2.** Carvão vegetal (q. v.). **3.** Carvão animal (q. v.). **4.** Brasa extinta; tição. **5.** *Art. Plást.* Lápis de carvão para desenho. **6.** *Art. Plást.* Desenho feito com esse lápis. **7.** *Bras. Bot.* Ferrugem (4). **8.** *Bras. Gír.* Jornal, periódico. ◆ **Carvão animal.** O que se obtém pela queima de substâncias animais, especialmente ossos. [Tb. se diz apenas *carvão*.] **Carvão mineral.** V. *carvão* (1). **Carvão vegetal.** O que se obtém pela carbonização de madeiras. [Tb. se diz apenas *carvão*.]

carvão-branco *S. m. Bras. GO MG MT Bot.* Árvore voquisiácea (*Callisthene fasciculata*) existente no cerrado, de flores amarelas, dispostas em fascículos axilares, e cujo fruto, cápsula, fornece boa lenha e ótimo carvão; capitão-do-campo. [Pl.: *carvões-brancos*.]

carvão de pedra *S. m.* V. *carvão* (1): "O trem saía deixando no ar um cheiro de carvão de pedra." (José Lins do Rego, *Ficção Completa*, I, p. 287.) [Pl.: *carvões de pedra*.] ☑

carvão-vermelho *S. m. Bras. Bot.* Pequena árvore cesalpiniácea (*Diptychandra aurantiaca* subsp. *epunctata*) de folhas compostas, flores amarelas dispostas em racemos e fruto que é uma vagem achatada; fornece excelente carvão. [Pl.: *carvões-vermelhos*.]

carveol [Do tax. (*Carum*) *carvi* (v. *alcaravia*) + *-ol*[2]; formação irreg.] *S. m. Quím.* Álcool monoterpênico derivado da carvona [fórm.: $C_{10}H_{16}O$]. [Pl.: *carveóis*.]

carvoaria [De *carvão* + *-aria*, com desnasalação.] *S. f.* Estabelecimento onde se fabrica e/ou vende carvão; carvoeira.

carvoeira [Do lat. *carbonaria*.] *S. f.* **1.** Vão ou lugar próprio para guardar carvão. [Sin.: *carvoeiro*, e (SP) *caieira*.] **2.** Carvoaria. **3.** Mulher que faz, vende ou transporta carvão. **4.** Mulher de carvoeiro. **5.** *Bras.* V. *balão* (11).

carvoeiro [Do lat. *carbonariu*.] *S. m.* **1.** Fabricante ou vendedor de carvão. **2.** Carvoeira (1). **3.** *Bras. L. S. Bot.* Designação comum a várias espécies de árvores rubiáceas, ornamentais, de pequeno porte, flores alvas e frutos bacáceos lisos, alaranjados. Fornecem madeira, lenha e carvão. **4.** *Bras. MG RJ SP Bot.* Árvore rubiácea (*Faramea campanularis*) de folhas opostas, glabras, flores campanuláceas, dispostas em cimeiras terminais, e cuja madeira é us. em obras internas e para lenha. 5. *Bras. MG RJ SP Bot.* Pequena árvore melastomácea (*Miconia trianaei*) nativa do Brasil, de folhas lanceoladas, flores brancas, paniculadas, e frutos que são pequenas bagas alaranjadas; a madeira é us. em carvoaria. ● *Adj.* 6. Relativo ao carvão: *indústria carvoeira.*

carvoejar [De *carvão* + *-ejar*, com desnasalação.] *V. int.* 1. Fazer carvão. 2. Negociar em carvão: *Aquele enriqueceu carvoejando.* [Conjug.: v. *pelejar*.]

carvoento [De *carvão* + *-ento*, com desnasalação.] *Adj.* Que tem o aspecto ou o tom do carvão: *céu carvoento.*

carvona [Do tax. (*Carum*) *carvi* (v. *alcaravia*) + *-ona*².] *S. f. Quím.* Cetona terpênica, derivada do limoneno, líquida, existente na natureza em duas formas enantioméricas, cada uma com seu cheiro característico, uma, p. ex., no óleo essencial de menta e outra, no de aneto [fórm.: $C_{10}H_{14}O$].

cãs [Do lat. *canas*, 'brancas'.] *S. f. pl.* Cabelos brancos: "As cãs lhe cobriam a cabeça como uma ligeira pasta de algodão." (José de Alencar, *Tronco do Ipê*, p. 37.) ~ V. *cã*¹.

casa [Do lat. *casa*.] *S. f.* 1. Edifício (2) de um ou poucos andares, destinado, geralmente, a habitação; morada, vivenda, moradia, residência. [Aum.: *casão, casarão, casaréu*; dim.: *casinha, casita, casucha, casebre, casinhola, casinholo, casinhota, casinhoto*, podendo as cinco últimas formas ter caráter depreciativo.] 2. Cada uma das divisões de uma habitação; dependência, quarto, sala: *O porão tem três casas.* 3. Lar; família. 4. Conjunto dos bens e/ou negócios domésticos: *o governo da casa.* 5. O conjunto dos membros de uma família; instituição familiar: *a casa dos Andradas; A Ilustre Casa de Ramires* (título de romance de Eça de Queirós). 6. Local destinado a reuniões ou até à moradia de certos grupos de pessoas: *Casa do Minho; casa do estudante.* 7. Estabelecimento, firma, empresa: *casa comercial; casa bancária.* 8. Repartição pública: *a Casa da Moeda.* 9. Conjunto de auxiliares adjuntos a um chefe de Estado: *casa civil; casa militar.* 10. Cada uma das subdivisões duma caixa, prateleira, colmeia, etc. 11. Espaço separado por linhas nas tabelas, tabuadas, mapas, tabuleiros, formulários, etc.: *as casas do xadrez; a casa dos nove; casa para observações.* 12. Abertura por onde passa o botão; botoeira. 13. Grupo de 10 anos, começado por 10 ou múltiplo desse número, na idade de uma pessoa: "Camilo escreveu *O Bem e o Mal* .... bem longe da casa dos vinte" (Mário Casassanta, *O Bem e o Mal*, p. 33). 14. Vaga nos registros de distribuição de feitos forenses, escrituras, etc. 15. *Mat.* Casa decimal. 16. *Mat.* Numa tabela, interseção de uma linha e uma coluna. 17. *Teatr. Cin.* Assistência a um espetáculo: *Os mímicos só tiveram meia casa.* 18. *Encad. Bras.* V. *entrenervo*. 19. *Lus. Constr. Nav.* V. *praça* (9). ◆ **Casa bancária.** Estabelecimento autorizado a realizar operações de crédito ou comércio de câmbio. **Casa brejada.** *Bras. CE* Casa de chão úmido. **Casa civil.** 1. V. *casa* (9). 2. *Bras. Joc.* A família constituída legalmente; o lar: "com os estipêndios de juiz de direito mal chegando para a família legalmente constituída, para a casa civil, como pensar em amásia, em amante, amiga, casa militar?" (Jorge Amado, *Teresa Batista Cansada de Guerra*, p. 62). [Cf. *casa militar*.] **Casa comercial.** Estabelecimento destinado ao comércio de mercadorias. **Casa da mãe Joana.** Casa da sogra. **Casa da misericórdia.** V. *santa casa*. **Casa da Moeda.** Estabelecimento onde são cunhadas as moedas e impressos os papéis-moedas, por conta do governo ou nação. **Casa da sogra.** Aquela onde ninguém se entende, ou onde não há disciplina; casa da mãe Joana. **Casa de alça.** Aselha (2). **Casa de aviamento.** *Bras. S.* Telheiro, alpendre ou simples puxado, lateral à moradia do pescador, e onde fica o forno, se limpa o peixe e se executam outros serviços. **Casa de bagaço.** *Bras. N.E.* Parte do engenho de açúcar onde se guarda, depois de seco ao sol, o bagaço de cana moída, que serve como combustível. **Casa de banho.** *Lus.* V. *banheiro* (1). **Casa de Câmara e Cadeia.** *Ant.* Sede municipal da administração e da justiça. [No Brasil, termo us. até o advento da República.] **Casa de câmbio.** Estabelecimento bancário que compra, vende e troca moedas estrangeiras. **Casa de campo.** Casa fora das cidades, em que se passam férias ou fins de semana. **Casa decimal.** *Mat.* Na expressão decimal de um número, posição de um algarismo à direita da vírgula. [Tb. se diz apenas *casa*.] **Casa de cômodos.** V. *cortiço* (2). **Casa de correção.** Estabelecimento penitenciário onde se recolhem, para serem corrigidos, menores delinquentes ou desocupados, e marginais. [Tb. se diz apenas *correção*.] **Casa de despejo.** V. *despejo* (4). **Casa de detenção.** 1. Estabelecimento oficial onde ficam detidos os réus que aguardam julgamento. 2. *P. ext.* Prisão, cárcere. **Casa de escoteiro.** *Bras. MG* Quarto de fácil acesso destinado a viajantes escoteiros. **Casa de farinha.** *Bras.* Telheiro ou abrigo destinado ao preparo de farinha de mandioca: "A casa de farinha, o pai, os três irmãos, gente que plantava mandioca e vendia farinha feita." (Adonias Filho, *Luanda Beira Bahia*, p. 10.) **Casa de jantar.** Sala de jantar. **Casa de máquinas.** Espaço situado num dos extremos do poço de elevador, onde se colocam as máquinas ou motores e a aparelhagem que controla o movimento do ascensor. **Casa de obras.** *Tip.* Oficina tipográfica, em contraposição a *casa de jornal*. [V. *obra* (9).] **Casa de passe.** *Lus.* V. *prostíbulo*. **Casa de pasto.** Restaurante onde se servem refeições a baixo preço. **Casa de penhor.** Estabelecimento onde se empresta dinheiro deixando como garantia joias e/ou outros objetos. [Sin.: *prego*, (bras., BA) *macaco*, e (lus.) *gancho*.] **Casa de purgar.** *Bras.* Dependência do engenho banguê, onde o açúcar é posto para escorrer o mel e alvejar. **Casa de recurso.** *Bras. N.E.* V. *casa de tolerância*. **Casa de saúde.** Hospital particular ou de economia privada, em que o tratamento e as diárias são pagos pelo cliente, ou, mediante convênio, por entidade privada ou governamental; clínica. **Casa de tavolagem.** Casa de jogo. **Casa de tolerância.** Casa onde se alugam quartos para encontros amorosos: "antiga mulher de amor, gasta e repelida, abriu casa de tolerância, seduziu mulheres honestas" (Lúcio de Mendonça, *Horas do Bom Tempo*, p. 207). [Sin.: *casa de recurso* ou apenas *recurso* (N. E.) e *rendez-vous* (fr.). Cf. *prostíbulo*.] **Casa do alçado.** *Tip.* Dependência da oficina de encadernação onde se contam e dobram as folhas impressas e alçam os cadernos. [Tb. se diz apenas *alçado*.] **Casa do Gonçalo.** Aquela onde manda a mulher e não o homem. **Casa do leme.** *Constr. Nav.* Camarim de governo. **Casa dos contos.** *Ant.* A casa de administração do erário. **Casa dos entas.** *Bras.* Casa (13) que principia por um número que termine em enta (dos quarenta aos noventa): *Tem 38 anos: breve estará na casa dos entas.* **Casa dos milagres.** V. *sala dos milagres*. **Casa editora.** Empresa privada ou pública cuja principal atividade é a edição de publicações impressas; editora. [Sin. lus.: *editorial*.] **Casa funerária.** *Bras.* Estabelecimento comercial que se encarrega de pompas fúnebres. [Tb. se diz apenas *funerária*.] **Casa matriz.** V. *matriz* (18). **Casa militar.** 1. V. *casa* (9). 2. *Bras. Joc.* A amante, a amásia; a família não legalmente constituída: "com os estipêndios de juiz de direito mal chegando para a família legalmente constituída, para a casa civil, como pensar em amásia, em amante, amiga, casa militar?" (Jorge Amado, *Teresa Batista Cansada de Guerra*, p. 62). [Cf. *casa civil*.] **Casa noturna.** *Bras.* Boate. **Casa popular.** *Bras.* A que é construída por órgão de assistência social, para moradia de famílias de baixo poder aquisitivo. **Casas geminadas.** *Arquit.* Casas de paredes-meias, construídas duas a duas, normalmente com as mesmas divisões, porém invertidas. **Bulir em casa de marimbondo(s).** V. *mexer em casa de marimbondo(s)*. **De casa e pucarinho (com).** *Fam.* 1. Amancebado (com); de casa e pucarinha (com): "Dezesseis anos de casa e pucarinho!" (Camilo Castelo Branco, *Sentimentalismo e História*, p. 250.); "–Diga à rapariga que ele vive aí de casa e pucarinho com uma desavergonhada!" (Eça de Queirós, *O Crime do Padre Amaro*, p. 285). 2. Em grande intimidade (com). 3. Sustentado (por). **Fazer casa.** Juntar haveres; amealhar. **Mexer em casa de marimbondo(s).** *Bras.* Provocar, com palavras ou atos, situação ou reação desagradável, insuportável, perigosa, etc.; bulir em casa de marimbondo(s). **Ó de casa.** *Bras.* Palavras com que alguém, à porta de uma casa, geralmente batendo palmas, chama quem está ou se espera estar no interior dela; ó de casa: "(Chega à janela). Ó mulher da casa! olá! ó de casa!" (Álvares de Azevedo, *Obras Completas*, II, p. 13.) **Ô de casa.** *Bras.* Ó de casa: "um caboclo .... quebrava o silêncio nostálgico do crepúsculo avocando: | — ô de casa!" (Herman Lima, *Tijipió*, p. 114). **Montar casa.** Apetrechar uma casa; constituir lar. **Santa casa.** Instituição pia para tratamento de enfermos pobres e outras obras de beneficência; casa da misericórdia; misericórdia. **Ser de casa.** Ser familiar; não ser de cerimônia (3). **Ser uma casa cheia.** Ser muito animado, muito conversador, muito alegre.

casabeque [De *casaco*, poss.] *S. m.* Casaco leve de senhora: "um casabeque de flanela escarlate pelos ombros" (Eça de Queirós, *A Capital*, p. 427). [F. paral.: *casaveque*.]

casablanquense *Adj. 2 g.* 1. De, ou pertencente ou relativo à cidade de Casablanca, no Marrocos (África). ● *S. 2 g.* 2. O natural ou habitante de Casablanca.

casa-branquense *Adj. 2 g.* 1. De, ou pertencente ou relativo a Casa Branca (SP). ● *S. 2 g.* 2. O natural ou habitante de Casa Branca. [Pl.: *casa-branquenses*.]

casaca [Do fr. *casaque*.] *S. f.* 1. Peça de vestuário de cerimônia masculino, curta na frente, ficando à altura da cintura, e com abas compridas atrás. ● *S. m.* 2. *Pop.* Casacudo (1). 3. *Bras.* V. *caipira* (1). 4. *Bras. PE* Paisano ou civil, em oposição a militar. 5. *Bras. ES Mús.* Instrumento idiófono, semelhante ao ganzá, em cuja extremidade superior há uma miniatura de cabeça de homem; é muito us. nas bandas de congo. ◆ **Cortar na casaca de.** Falar mal de; tesourar. **Virar (a) casaca.** Mudar de opinião ou partido; voltar a casaca, virar bandeira. **Voltar (a) casaca.** V. *virar a casaca*.

casaca de coiro *S. m. Bras.* V. *vaqueiro* (1). [Pl.: *casacas de coiro*.] ☑ notas 1 e 2

casaca-de-coiro *S. m. e f.* 1. *Bras., Zool.* V. *gavião-caboclo*. 2. V. *japacanim* (2). [Pl.: *casacas-de-coiro*.]

casaca de couro *S. m. Bras. PE* V. *vaqueiro* (1). [Pl.: *casacas de couro*.] ☑ notas 1 e 2

casaca-de-couro *S. m. e f. Bras. Zool.* 1. V. *gavião-caboclo*. 2. V. *japacanim* (2). [Pl.: *casacas-de-couro*.]

casacão [Aum. de *casaco*.] *S. m.* Casaco longo, ger. feito de tecido grosso e encorpado, e us. como agasalho contra o frio; casaco, capote¹, manto, sobretudo.

casaco [De *casaca*.] *S. m.* 1. Peça do vestuário feminino ou masculino, abotoado na frente e com mangas, us. sobre outras roupas (vestido, camisa, etc.) e que pode ter diferentes comprimentos e feitios. 2. *Restr.* Casaco (1) que cobre o tronco e faz parte de um terno masculino ou de certos trajes femininos, como o terninho, o *tailleur*, etc. 3. V. *casacão*.

casa-comum *S. f.* V. *latrina* (1). [Pl.: *casas-comuns*.]

casacudo [De *casaco* + *-udo*.] *S. m.* 1. *Bras.* Indivíduo rico, importante; casaca. 2. *Bras. BA* V. *caipira* (1).

casa da mãe joana *S. f.* Lugar, casa, etc., onde todos mandam, onde cada um faz o que quer. [Cf. *cu da mãe joana*. Pl.: *casas da mãe joana*.] ☑

casa de abelha *S. f.* 1. *Bord.* Bordado (2) em que se franze o tecido, prendendo-o com pontos, em forma de losangos que lembram favos [v. *favo* (1)]. 2. *Tec. Têx.* Tecido com desenho de pequenos losangos que imitam favos [v. *favo* (1)], obtido pela alternação da urdidura e da trama. [Pl.: *casas de abelha*.] ☑

casadeiro [De *casar* + *-deiro*.] *Adj.* V. *casadouro*.

casa de jogador de espada *S. f.* Casa pobre e/ou desarrumada, desarranjada: "— Morávamos em casa de jogador de espadas, disse Madalena. Havia duas cadeiras. Se chegava visita, D. Glória sentava-se num caixão de querosene." (Graciliano Ramos, *São Bernardo*, p. 18.) [Pl.: *casas de jogador de espada*.] ☑

casa de mina *S. f. Bras. MA Rel.* Terreiro (7) afro-brasileiro; nagô. [Pl.: *casas de mina*.] ☑

casa de nagô *S. f. Bras. MA Rel.* Candomblé de origem e cultura nagô. [Pl.: *casas de nagô*.] ☑

casadense *Adj. 2 g.* 1. De, ou pertencente ou relativo a Olho-d'Água do Casado (AL). ● *S. 2 g.* 2. O natural ou habitante de Olho-d'Água do Casado.

casa de orates *S. f.* Casa sem ordem; casa onde ninguém se entende. [Pl.: *casas de orates*.] ☑

casadinho [De *casado* + *-inho*¹.] *S. m. Cul.* Biscoito redondo e macio, recheado com doce de leite, geleia ou doce de ovo; bem-casado.

casadinhos [Pl. do dim. de *casado*.] *S. m. pl. Cul.* Biscoito formado por duas peças que se unem com doce ou geleia.

casado [Part. de *casar*.] *Adj.* 1. Que se casou; que está ligado por casamento; esposado. 2. Ligado, unido. 3. Combinado, harmonizado. 4. *Art. Gráf.* Diz-se do conjunto de duas ou mais composições que se juntam para tiragem numa só fôrma e posterior separação do impresso, mediante corte do papel. ~ V. *carga —a, venda —a* e *casados*.

casadoiro [De *casar* + *-doiro*¹.] *Adj.* Casadouro (q. v.).

casados [Pl. de *casado*.] *S. m. pl.* Os cônjuges. ~ V. *casado*.

casa do sem-jeito *S. f.* Us. na loc. *na casa do sem-jeito*. [Pl.: *casas do sem-jeito*.] ◆ **Na casa do sem-jeito.** *Bras.* Em situação difícil, embaraçosa e sem remédio. ☑

casa dos homens *S. f. Antrop.* 1. Construção reservada exclusivamente a indivíduos do sexo masculino, que funciona como moradia de solteiros, depósito de parafernália ritual, ou como local de reuniões políticas ou cerimoniais, e que é o centro de um conjunto complexo de práticas e costumes institucionalizados. 2. *P. ext.* Esse complexo institucional. [Pl.: *casas dos homens*.] ☑

casadouro [De *casar* + *-douro*¹; var. *casadoiro*.] *Adj.* 1. Que está em idade de casar; núbil. 2. Que pretende casar; que trata de casar-se. [Var.: *casadoiro*. Sin. ger.: *casadeiro, casável*.]

casa-forte *S. f.* Espaço, nas casas bancárias, geralmente no subsolo, com paredes espessas, refratárias a fogo, e portas especiais, de aço, para guarda de valores. [Pl.: *casas-fortes*.]

casa-grande *S. f.* 1. *Bras.* Na Colônia ou no Império, casa senhorial brasileira, de engenho de açúcar ou de fazenda: "Abrigados no guarda-roupa da casa-grande o longo vestido de noiva, a mantilha de renda, no escuro aguardavam o momento das bodas." (Ana Elisa Gregori, *Os Barões da Candeia*, p. 61); "O padre disse a missa na capela da casa-grande." (Id., *ib.*, p. 61). **2.** *P. ext.* Casa de proprietário de engenho ou de fazenda. [Sin. (BA), nesta acepç.: *sobrado*. Pl.: *casas-grandes*.]

casa-grandense *Adj.* *2 g.* **1.** De, ou pertencente ou relativo a Casa Grande (MG). • *S. 2 g.* **2.** O natural ou habitante de Casa Grande. [Pl.: *casa-grandenses*.]

casal [Do lat. vulg. *casale* < lat. *casa*.] *S. m.* **1.** Pequeno povoado; lugarejo de poucas casas. **2.** Pequena propriedade rústica; granja: "Tão rota, tão trôpega, tão triste, até os cães me ladrariam da porta dos casais." (Eça de Queirós, *Contos*, p. 358.) **3.** Par composto de macho e fêmea, ou homem e mulher. **4.** *P. ext.* Par, parelha. **5.** Urdidor (3). • *Adj. 2 g.* **6.** ~ V. *charada* —.

casalar [De *casal* + *-ar*[2].] *V. t. d. T. d. e i. Int. P.* V. *acasalar* (1 a 7).

casaleiro [De *casal* + *-eiro*.] *Adj.* **1.** Que habita um casal (1 e 2). **2.** Relativo a, ou que transcorre em casal (1 e 2): *vida campestre e casaleira.* • *S. m.* **3.** Aquele que habita um casal (1 e 2).

casalejo (ê) [De *casal* + *-ejo*.] *S. m.* **1.** Casal (1) pequeno; lugarejo, aldeola. **2.** Casa rústica e pobre: "Seguiam-na de longe, dos seus casalejos, mulheres e filhas de pescadores" (Xavier Marques, *Jana e Joel*, p. 29).

casalito [De *casal* (2) + *-ito*[1].] *S. m. Lus.* Pequeno casal: "casalitos brancos com medas de palha à boca das arribanas" (Fialho d'Almeida, *O País das Uvas*, p. 185).

casamata [Do it. *casamatta*.] *S. f.* **1.** *Fort.* Abrigo abobadado e blindado. **2.** Prisão subterrânea. **3.** *Fort.* Abrigo subterrâneo, de grossas paredes, para instalação de baterias ou proteção de materiais e pessoas. **4.** *Constr. Nav.* Parapeito encouraçado fixo na estrutura do navio, e que serve de proteção a um canhão de pedestal e à guarnição deste.

casamatado[1] [De *casamata* + *-ado*[1].] *Adj.* Que tem forma de casamata.

casamatado[2] [Part. de *casamatar*.] *Adj.* Que tem casamata(s); provido de casamata(s).

casamatar [De *casamata* + *-ar*[2].] *V. t. d.* **1.** Prover de casamata(s): *casamatar o alojamento.* **2.** Transformar em casamata; fortificar: *casamatar os porões.*

casamentear [De *casamento* + *-ear*[2].] *V. t. d. Bras. SP* Animar ou excitar ao casamento. [Conjug.: v. *frear*.]

casamenteira [F. subst. de *casamenteiro*.] *S. f.* Aquela que promove ou arranja casamentos: "Ratinho estava longe de ser um homem atraente .... mas uma boa casamenteira poderia, quem sabe, providenciar um encontro com alguma moça" (Moacir Scliar, *Os Leopardos de Kafka*, p. 12).

casamenteiro [De *casamento* + *-eiro*.] *Adj.* **1.** Que promove ou arranja casamentos. **2.** Que anima e excita ao casamento. **3.** Relativo a casamento; matrimonial, conjugal. • *S. m.* **4.** Indivíduo casamenteiro.

casamento [De *casar* + *-mento*.] *S. m.* **1.** Ato solene de união entre duas pessoas de sexos diferentes, capazes e habilitadas, com legitimação religiosa e/ou civil. [Sin.: *matrimônio, enlace matrimonial, consórcio*, (fam.) *banho de igreja*, e (pop.) *casório*.] **2.** Cerimônia em que é celebrada essa união; núpcias, esponsais, boda(s), e (fam.) banho de igreja. **3.** *Fig.* Aliança, união. **4.** *Fig.* Combinação, harmonia. ◆ **Casamento aberto.** Aquele em que os cônjuges podem ter, consentidamente, outros parceiros sexuais. **Casamento avuncular.** *Antrop.* Casamento de tio materno com a filha da irmã. **Casamento bilateral.** *Antrop.* Casamento entre primos cruzados bilaterais (v. *primo cruzado bilateral*). **Casamento branco.** Aquele em que não se deu intercurso sexual. **Casamento civil.** Casamento legitimado perante uma autoridade civil, frequentemente um juiz. [Tb. se diz apenas *civil*.] **Casamento de polaco.** *Bras. PR Folcl.* Festa matrimonial entre colonos poloneses, ou seus descendentes, que dura no mínimo três dias, com muita dança e comida farta, quando os noivos angariam dinheiro por meio de várias brincadeiras. **Casamento de raposa.** Ocorrência de sol e chuva ao mesmo tempo; casamento de viúva: "Nos últimos dias de março houvera apenas uns rápidos 'casamentos de raposa'. As grandes chuvas só em julho e agosto desabaram." (Amando Fontes, *Rua do Siriri*, [1.ª ed.] p. 239.) **Casamento de viúva.** Casamento de raposa. **Casamento matrilateral.** *Antrop.* Casamento com filha de irmão da mãe, *i. e.*, com prima cruzada matrilateral (v. *primo cruzado matrilateral*). **Casamento nuncupativo.** Casamento celebrado oralmente, sem mais formalidades que a presença de seis testemunhas, por haver motivo que justifique a imediata realização do ato. **Casamento patrilateral.** *Antrop.* Casamento com filha de irmã do pai, *i. e.*, com prima cruzada patrilateral (v. *primo cruzado patrilateral*). **Casamento putativo.** Casamento nulo ou anulável, mas contraído de boa-fé por ambos os cônjuges ou por um só deles. **Casamento religioso.** Casamento celebrado na presença de uma autoridade religiosa, e que nalguns países tem efeito jurídico. [Tb. se diz apenas *religioso*.]

casamento-japonês *S. m. Jog. Inf.* Brincadeira de salão em que rapazes e moças formam fileiras diferentes, adiantando-se depois cada rapaz, em silêncio, até à moça do seu agrado, a qual indicará aceitá-lo ou não como noivo apenas por gestos (dar-lhe o braço ou voltar-lhe as costas). [Pl.: *casamentos-japoneses*.]

casa-mestra *S. f. Constr. Nav.* A maior seção transversal do esqueleto do navio. [Pl.: *casas-mestras*.]

casanova [Do antr. (*Giovanni Giacomo*) *Casanova* (*de Seingalt*) (1725-1789), aventureiro italiano que escreveu as memórias que o tornaram conhecido.] *S. m.* Indivíduo mulherengo (2).

casa-novense *Adj. 2 g.* **1.** De, ou pertencente ou relativo a Casa Nova (BA). • *S. 2 g.* **2.** O natural ou habitante de Casa Nova. [Pl.: *casa-novenses*.]

casão [De *casa* + *-ão*[1].] *S. m.* V. *casarão*.

casaqueta (ê) [De *casaca* + *-eta* (ê).] *S. f.* Casaquinha: "Saias roçagantes, batas, / casaquetas de veludo" (Onestaldo de Pennafort, *Romanceiro*, p. 73).

casaquinha [Dim. de *casaca*.] *S. f.* Corpete de abas estreitas e curtas, para mulher; casaqueta.

casar [De *casa* + *-ar*[2].] *V. t. d.* **1.** Unir por casamento; matrimoniar: *O padre casou-os numa cerimônia simples.* **2.** Promover o casamento de: "a mulher .... aventou o plano de casar Maria Benedita, e havia de ser com um deputado" (Machado de Assis, *Quincas Borba*, p. 233). **3.** Ver realizar-se o casamento de: "E, agora, tinha muito gado .... e casara bem as duas filhas." (Alberto Rangel, *Sombras n'Água*, p. 144). **4.** Unir os pares; emparelhar: *casar as cartas do baralho.* **5.** Combinar, harmonizar: *O pintor casou bem as cores.* **6.** *Art. Gráf.* Juntar numa só fôrma (composições diversas), para imprimi-las numa só entrada de máquina. **7.** *Bras.* Depositar (dinheiro, bens, etc.) em jogo ou apostas: "Os apostadores casavam o cobre nas mãos do gerente de honestidade inatacável." (Antônio de Alcântara Machado, *Cavaquinho e Saxofone*, p. 28.) *T. d. e i.* **8.** Unir por casamento: *O sacerdote solicitou licença papal para casá-lo com a sobrinha.* **9.** Casar (2): *Casou a filha com um excelente partido.* **10.** Unir, ligar, aliar, aliançar: *Ele sabe casar a energia com a delicadeza*; "O que o leitor não sabia .... é que o fidalgo casou os seus setenta e quatro anos aos vinte e cinco de sua prima." (Camilo Castelo Branco, *Anátema*, p. 272); "Como queres que eu vá, triste e sozinho, / Casando a treva e o frio de meu peito / Ao frio e à treva que há pelo caminho?!" (Olavo Bilac, *Poesias*, p. 167). **11.** Combinar, harmonizar: "Nem jamais casarei doces gorjeios / Ao saudoso rugir dos meus palmares" (Gonçalves Dias, *Obras Poéticas*, II, p. 239). **12.** Jogar, arriscar: *Casou tudo o que tinha contra a aposta do parceiro.* *T. i.* **13.** Unir-se por casamento: "era Maria Benedita que casava com Carlos Maria" (Machado de Assis, *Quincas Borba*, p. 219). *Int.* **14.** Unir-se a alguém por matrimônio; matrimoniar-se, casar-se: *Casou já entrada em anos.* *P.* **15.** Unir-se por casamento; matrimoniar-se; casar: *Casou-se com o antigo namorado.* **16.** Unir-se, aliar-se, ligar-se, juntar-se: *Os sons da música vieram casar-se ao murmúrio da chuva*; "A vergonha casara-se com o despeito, para me atormentarem ambos" (Artur Azevedo, *Contos Possíveis*, p. 7). **17.** Estar conforme; combinar-se, condizer: *Seu comportamento e tipo de vida não se casam com o cargo que exerce.* **18.** Combinar-se, aliar-se, harmonizar-se: *O amarelo casa-se muito bem com o azul*; "Casava-se a voz dos ninhos / Às queixas de um realejo." (Gonçalves Crespo, *Obras Completas*, p. 351).

casarão [De *casa* + *-arão*.] *S. m.* **1.** Casa grande. **2.** Casa rica, opulenta, faustosa. [Sin. ger.: *casão, casaréu*.]

casarca [Do tax. *Casarca*.] *S. f. Zool.* **1.** Gênero de aves anseriformes, lamelirrostras, anatídeas. **2.** Qualquer espécie desse gênero, como, p. ex., a *Casarca ferruginea*, comum na Ásia, de penas avermelhadas, cabeça cinza, e pescoço e cauda pretos. **3.** Qualquer espécime desse gênero.

casaréu [De *casa* + *-aréu*.] *S. m.* V. *casarão*.

casaria [De *casa* + *-aria*.] *S. f.* Casario: "E as poças de água como em chão vidrento, / Refletem a molhada casaria." (Cesário Verde, *Obra Completa*, p. 99.)

casario [De *casa* + *-ario*.] *S. m.* Série, lanço ou aglomeração de casas; casaria.

casável [De *casar* + *-vel*.] *Adj. 2 g.* V. *casadouro*: "Não deixe que mulher casável (solteira, viúva, desquitada, etc.) lhe seja útil noutros afazeres, principalmente domésticos" (Stanislaw Ponte Preta, *Rosamundo e os Outros*, p. 136).

casaveque [De *casaca*, poss.] *S. m.* Casabeque.

casbá [Do ár. *al-qaṣba(t)*; var. de *alcáçova*.] *S. f.* **1.** Nas antigas cidades árabes, o palácio fortificado do soberano; alcáçova. **2.** *P. ext.* A parte antiga de certas cidades árabes modernas.

casca [Dev. de *cascar*.] *S. f.* **1.** *Bot.* Invólucro exterior de vários órgãos vegetais, como tronco, caule, raiz, fruto e semente: *casca de laranja, de coco, de carvalho, de cebola.* **2.** *Bot.* Córtex (2). **3.** *Zool.* Tegumento endurecido dos crustáceos, reptis e moluscos: *a casca da lagosta, da tartaruga, do caracol.* **4.** *P. ext.* Qualquer revestimento ou invólucro em geral fino e/ou rijo: *casca de ovo, de pão, de parede.* **5.** *Fig.* Exterioridade, aparência, superficialidade: *A casca deste sofisma não alcança a verdade.* **6.** *Fam.* Amuo, arrufo, mau humor. **7.** No voltarete, as cartas que ficam por distribuir, ou jogo que se faz com elas. **8.** *Tip.* Película metálica que, formada por eletrodeposição sobre o molde, vai constituir o galvanótipo. • *S. 2 g.* **9.** *Bras.* V. *avaro* (3). • *Adj. 2 g.* **10.** *Bras.* V. *avaro* (1). ◆ **Casca de concreto.** *Arquit.* Cobertura de concreto armado, de pequena espessura, geralmente abobadada. **Dar à casca.** *Lus. Gír.* V. *morrer* (1). **Largar a casca.** *Fam.* V. *morrer* (1). **Passado na casca do alho.** *Bras.* N. V. *passado* (13). **Passado na casca do angico.** *Bras. N. N.E.* V. *passado* (13). **Pisar em casca de banana.** Meter-se, por inadvertência, em situação confusa ou perigosa: "Se o Pereira tinha pisado em casca de banana, pior para ele: caía, vinha outro e arranjava-se nova chapa." (Graciliano Ramos, *São Bernardo*, p. 53.)

cascabulho [Do esp. *cascabullo*, poss.] *S. m.* **1.** *Bot.* A casca da glande, da castanha e de várias sementes. **2.** Monte de cascas. **3.** *Bras. Desus.* Estudante de preparatórios ou de humanidades. **4.** *Bras. N.E. Bot.* Maçaroca de milho.

cascaburrento [De *casca*, poss.] *Adj. Bras.* Áspero, rugoso.

casca-da-virgindade *S. f. Bras. Bot.* V. *barbatimão* (2). [Pl.: *cascas-da-virgindade*.]

casca-de-anta *S. f. Bras. Bot.* **1.** Árvore ou arbusto winteráceo (*Drimys brasiliensis* ou *D. winteri*) de casca aromática, medicinal, flores alvas, hermafroditas, e frutos bacáceos; caataia, cataia, canela-amarga, pau-casca-de-anta, melambo, capororoca-picante. **2.** Árvore apocinácea (*Rauvolfia sellovii*) de tronco e ramos de aspecto suculento, folhas simples, membranáceas, pequenas flores em corimbos e pequenos frutos globosos, suculentos; a madeira é leve. [Pl.: *cascas-de-anta*.]

casca-de-anta-brava *S. f. Bras. Bot.* Puçazeiro. [Pl.: *cascas-de-anta-brava*.]

casca de noz *S. f.* Embarcação muito pequena e frágil: "ímpetos de voltar, fugido, para o mato, / De me fazer ao mar numa casca de noz" (Vicente de Carvalho, *Poemas e Canções*, p. 157). [Pl.: *cascas de noz*.] ☑

casca-doce *S. f. Bras. Bot.* V. *monésia*. [Pl.: *cascas-doces*.]

casca-do-maranhão *S. f. Bras. Bot.* V. *casca-preciosa*. [Pl.: *cascas-do-maranhão*.]

casca-grossa [De *casca* + o f. de *grosso*.] *Adj. 2 g. S. 2 g.* **1.** *Fam.* Diz-se de, ou pessoa grosseira, mal-educada, rude, ordinária. **2.** V. *caipira* (2 e 5). • *S. f.* **3.** *Zool.* Peixe quilodontídeo (*Caenotropus labyrinthicus*) da região amazônica e da bacia do rio Parnaíba (N.E.), com até 15cm de comprimento; cabeça-de-ferro, cabeça-dura. [Pl.: *cascas-grossas*.]

cascalhada[1] [De *cascalho* + *-ada*[1].] *S. f.* V. *cascalheira*.

cascalhada[2] [F. subst. do part. de *cascalhar*.] *S. f.* **1.** Gargalhada, cachinada. **2.** *Bras.* Zoada de vento ou ventania. **3.** *Bras. BA* Vento forte do quadrante leste.

cascalhão [De *cascalho* + *-ão*[1].] *S. m. Bras. BA* Grandes massas de cascalho que são trabalhadas com o auxílio das águas trazidas pelas chuvas.

cascalhar [Cruz. de *gargalhar* com *casquinar*, poss.] *V. t. d.* **1.** Dar, soltar (risadas): *A anedota fê-lo cascalhar umas boas risadas.* *Int.* **2.** Dar risadas.

cascalheira [De *cascalho* + *-eira*.] *S. f.* **1.** Lugar onde há muito cascalho. **2.** Terreno formado por aluvião. **3.** Ruído causado pelo movimento do cascalho ou de muitos objetos miúdos. **4.** Respiração difícil e ruidosa; estertor. [Sin. ger.: *cascalhada*.]

cascalheirense *Adj. 2 g.* **1.** De, ou pertencente ou relativo a Ribeirão Cascalheira (MT). • *S. 2 g.* **2.** O natural ou habitante de Ribeirão Cascalheira.

cascalheiro [De *cascalho* + *-eiro*.] *S. m. Bras. AM* Vendedor ambulante de beiju: "Como ia deixar de ouvir a voz dos peixeiros, carvoeiros, cascalheiros e vendedores de frutas?" (Milton Hatoum, *Dois Irmãos*, p. 184).

cascalhento [De *cascalho* + *-ento*.] *Adj.* Em que há muito cascalho; cheio de cascalho; cascalhudo, cascalhoso: "só depois de uma jornada de léguas conquistadas a escampados desertos e lombadas cascalhentas, caminhos impérvios, ... é que ia avistar o rebanho" (Silva Guimarães, *Os Borrachos*, p. 12).

cascalho [Do lat. *quisquilia*, com infl. de *casca*, ou deste mais *-alho*.] *S. m.* **1.** O conjunto das lascas de pedras que saltam quando se lavra a cantaria. **2.** Pedra britada ou lascas de pedra, não raro misturadas com areia grossa e fragmentos de tijolos, utilizados em materiais de construção. 3. *Geol.* Depósito incoerente de material sedimentado, cujas dimensões variam entre 2 e 20mm. 4. Pequeno calhau redondo ou oval, romboidal, com a superfície lisa. 5. Escórias de ferro. 6. *Bras.* Aluviões auríferas ou diamantíferas. [Cf. *burgau* (4).] 7. *Bras. AM* V. *beiju*.

cascalho-riquense *Adj. 2 g.* 1. De, ou pertencente ou relativo a Cascalho Rico (MG). ● *S. 2 g.* 2. O natural ou habitante de Cascalho Rico. [Pl.: *cascalho-riquenses*.]

cascalhoso (ô) [De *cascalho* + *-oso*.] *Adj.* V. *cascalhento*.

cascalhudo [De *cascalho* + *-udo*.] *Adj.* V. *cascalhento*.

cascalvo[1] [De *casco* + *alvo*.] *Adj.* Que tem os cascos brancos (equídeo).

cascalvo[2] [De *casca* + *alvo*.] *Adj. Bot.* Diz-se de uma variedade de trigo.

cascão [De *casca* + *-ão*[1].] *S. m.* 1. Casca grossa. 2. Crosta endurecida de qualquer massa ou substância pastosa. 3. Camada pedregosa ainda não petrificada. 4. Espessamento da pele; calosidade. 5. Crosta de sujidade na pele do corpo. 6. Bostela de ferida. 7. Laje retangular, tosca, mal-aparelhada.

casca-para-tudo *S. f. Bras. BA a RJ Bot.* Árvore simarubácea (*Simaruba cuneata*) de até 13m, de flores esverdeadas, dispostas em amplas panículas terminais ou axilares, e cujo fruto é drupa ferrugínea e pilosa. [Pl.: *cascas-para-tudo*.]

casca-preciosa [De *casca* + o f. de *precioso*.] *S. f. Bot.* 1. *Bras. L. S.* Designação comum a várias espécies lauráceas: árvores grandes, com casca aromática e medicinal, flores amarelas, cujos frutos são bagas oblongas, e que fornecem madeira de lei; casca-do-maranhão, canela-cheirosa, louro-cheiroso, sassafrás. 2. *Bras. Amaz.* Árvore laurácea (*Aniba canellila*) grande, cuja casca e folhas, aromáticas, contêm óleo muito usado em perfumaria no fabrico de essências, sendo as flores amareladas e aromáticas, dispostas em panículas, e o fruto uma baga oblonga. Fornece madeira de lei, de cerne castanho-escuro, levemente perfumada, duríssima, de uso em marcenaria de luxo. [Sin.: *casca-do-maranhão, pereiorá*. Pl.: *cascas-preciosas*.]

casca-preta [De *casca* + o f. de *preto*.] *S. f. Bras. MG RJ SP Bot.* Árvore asterácea (*Vernonanthura diffusa*) de flores alvacentas, reunidas em capítulos unilaterais, solitários, e cujo fruto é aquênio, pequeno, viloso e arredondado; pau-candeia. [Pl.: *cascas-pretas*.]

cascar [Do lat. vulg. **quassicare* < lat. *quassare*, 'sacudir', 'quebrar'.] *V. t. d.* 1. Tirar a casca a; descascar. *T. d. e i.* 2. Dar, aplicar (pancadas). *T. i.* 3. Dar pancadas; bater, pespegar: 🗎 *Tanto lhe cascaram que não ficou de pé.* 4. Dirigir palavras amargas; invectivar: 🗎 *Respondeu cascando-lhe e a toda a família.* [Conjug.: v. *trancar*. M.-q.-perf.: *cascara*, etc. Cf. *cáscara*.]

cáscara [Do esp. *cáscara*.] *S. f.* O cobre em bruto. [Cf. *cascara*, do v. *cascar*.]

cáscara-sagrada [Do esp. *cáscara sagrada*.] *S. f. Bot.* Árvore ramnácea (*Rhamnus purshiana*) cuja casca, pardo-amarela, um pouco amarga, é considerada purgativa. [Pl.: *cáscaras-sagradas*.]

cascaria [De *casco* + *-aria*.] *S. f.* 1. Conjunto de vasilhas ou cascos para líquidos. 2. Os cascos dos animais. 3. *Bras. MG Pop.* Pessoa imprestável.

cascarilha [Do esp. *cascarilla*.] *S. f.* 1. *Bot.* Planta euforbiácea (*Croton eluteria*) cuja casca, tônica e adstringente, é us. como aromatizante de licores e de tabaco; cascarrilha. 2. Essa casca.

cascarrão[1] [De *casca* + *-arrão*.] *S. m. Pop.* 1. Grande casca. 2. Cavacão.

cascarrão[2] *S. m. Bras.* Vento que sopra do mar.

cascarria *S. f. Bras. S.* Excremento seco ou sujidades que se prendem à lã das ovelhas e ao pelo de outros animais.

cascarrilha[1] [Alter. de *cascarilha*.] *S. f. Bot.* 1. Nome comum à casca de várias euforbiáceas. 2. Cascarilha (1).

cascarrilha[2] [De *casca* (6) + *-r-* (vibrante) + *-ilha*.] *S. f.* Casca (6), no voltarete.

cascas de alho *S. f. pl.* Frioleiras, bagatelas. ☑

cascata [Do it. *cascata*.] *S. f.* 1. Pequena queda-d'água (q. v.). 2. *Pop.* Mulher velha e enrugada. 3. *Bras. Gír.* V. *mentira* (1): 📖 "'Esse cara não tem nada, doutor, é cascata', disse Odorico" (Rubem Fonseca, *Agosto*, p. 30). 4. *Bras. Gír.* Gabolice, bazófia: 🗎 *A tua coragem não passa de cascata.* 5. *Bras. Jorn.* Matéria inconsistente, retórica, sem fatos, e geralmente longa. ● *S. m.* 6. *Fís. Part.* V. *csi* (2). ◆ **Em cascata.** 1. Em fluxo ou em sequência. 2. Em excesso, em abundância; abundantemente.

cascateante [De *cascatear* + *-nte*.] *Adj. 2 g. Bras.* Que cascateia.

cascatear [De *cascata* + *-ear*[2].] *V. int. Bras.* 1. Formar cascata (1): 📖 "Como iriado lençol, de uma violência hedionda, / O rio a cascatear lá do alto se despenha" (Olegário Mariano, *Toda Uma Vida de Poesia*, I, p. 40). 2. Cair em forma de cascata: 🗎 *Os folhos da blusa cascateavam até à cintura.* 3. *Gír.* Escrever ou dizer cascata (3 a 5). [Conjug.: v. *frear*.]

cascateiro [De *cascata* + *-eiro*.] *Adj. S. m. Bras. Gír.* Diz-se de, ou aquele que diz ou escreve cascata (3 a 5).

cascavel [Do provenç. *cascavel*.] *S. m.* 1. Guizo. 2. V. *ninharia*. ● *S. m. e f.* 3. Ofídio crotalídeo, venenoso (*Crotalus durissus*), das zonas secas do continente americano e, raro, do extremo S. e da Amaz.; ovivíparo, de coloração pardo-escura, com losangos claros que se alternam com outros laterais. É facilmente reconhecível pela presença de chocalho na ponta da cauda e pode atingir até 1,80m: 📖 "A queimada! A queimada é uma fornalha! / A irara – pula... O cascavel – chocalha..." (Castro Alves, *Poesias Escolhidas*, p. 259.) [Sin., nesta acepç.: *boicininga, boiçununga, boiquira, cascavel-de-quatro-ventas, maracá, maracaboia*.] ● *S. f.* 4. *Fig.* Pessoa de mau gênio e/ou faladeira. 5. Porteira feita de dois troncos verticais, cravados no solo, ou tronqueiras, com furos, pelos quais correm varas horizontalmente.

cascavel-de-quatro-ventas *S. m. e f. Bras. Amaz. Zool.* V. *cascavel* (3). [Pl.: *cascavéis-de-quatro-ventas*.]

cascaveleira [De *cascavel* + *-eira*.] *S. f. Bras. Bot.* 1. V. *agaí*. 2. V. *feijão-de-guizos* (1).

cascavelense *Adj. 2 g.* 1. De, ou pertencente ou relativo a Cascavel (CE e PR). ● *S. 2 g.* 2. O natural ou habitante de Cascavel.

cascavilhar *V. t. d. T. i. Int. Bras. N.E.* Remexer à procura de alguma coisa: 📖 "Depois, veio me procurar para fazer uma visita na destilação. Cascavilhou tudo." (José Lins do Rego, *Banguê*, p. 135.) [Cf. *coscuvilhar*.]

casco [Dev. de *cascar*.] *S. m.* 1. O couro cabeludo. 2. O conjunto formado pelos ossos do crânio. 3. Antiga armadura para a cabeça; capacete. 4. *Fig.* Inteligência, tino; cabeça: 📖 "Nem uma ideia / Me sai do casco!... / Ó miserando, / Triste fiasco!!" (Bernardo Guimarães, *Poesias Completas*, p. 91). 5. *Chapel.* Armação de chapéu de senhora. 6. *Zool.* Unha dos paquidermes ou dos mamíferos ungulados, como o cavalo, o boi, etc. 7. Vasilha formada de aduelas. 8. *P. ext. Bras.* Garrafa vazia de cerveja, refrigerante, etc. 9. *Constr. Nav.* Corpo da embarcação, sem mastreação, aparelhos acessórios, chaminés e outros complementos. 10. *Bras. N.* Pequena canoa monóxila, desprovida de tudo, até de banco, sentando-se o tripulante à popa. ◆ **Bom de cascos.** *Gír.* Em bom estado físico; em forma: 📖 "mulata ainda boa de cascos, benfeita, corpo rijo, aguentava uns trancos." (Jorge Amado, *Dona Flor e Seus Dois Maridos*, p. 282). **Crescer nos cascos.** *Bras.* Exasperar-se, irritar-se; pisar nas tamancas, subir nas tamancas, trepar-se nas tamancas, trepar-se nos tamancos: 🗎 *Quando ele veio com aquela conversa, cresci nos cascos e mandei-lhe a mão.* **Dar nos cascos.** *Bras. Gír.* V. *fugir* (1 e 2). **Ficar no casco da situação.** *Bras. CE* Perder (o fazendeiro), numa seca, todo o gado, restando-lhe só as terras da fazenda; perder ferro e sinal.

casco de burro *S. m. Bras. BA* V. *caldeirão* (6). [Pl.: *cascos de burro*.] ☑

casco de peba *S. m. Bras.* 1. Chapéu de abas largas e debruns superpostos, de palha de carnaúba. 2. Chapéu de palha ordinário. [Pl.: *cascos de peba*.] ☑

cascorento [De *casco* + *-r-* + *-ento*.] *Adj.* 1. V. *cascudo*[2] (1). 2. Que tem cascão (5).

cascoso[1] (ô) [De *casca* + *-oso*.] *Adj.* 1. Cascudo[2] (1). 2. Casquento.

cascoso[2] (ô) [De *casco* + *-oso*.] *Adj.* 1. Relativo a casco (6). 2. Que tem grandes cascos.

cascudinho [De *cascudo*[2] + *-inho*[1].] *S. m. Bras. Zool.* 1. Peixe teleósteo, siluriforme, loricariídeo (*Paraeoraphis duseni*), de SP e PR, de coloração plúmbea, cabeça fortemente arredondada na frente e com barbas laterais, e cerca de 0,10m de comprimento. 2. Designação comum aos peixes teleósteos, siluriformes, loricariídeos, de pequeno porte, em geral com menos de 0,10m de comprimento.

cascudo[1] [De *casco* + *-udo*.] *S. m.* Pancada na cabeça com o nó dos dedos; castanha, cocorote, coque, croque: 📖 "as palmadas e os cascudos que ela aplicava às nádegas minguadas e à cabeça do menino magro e sonhador, eram muito menos dolorosos do que ela supunha." (Nélson de Faria, *Cabeça-Torta*, p. 12). [Cf. *carolo* (1).]

cascudo[2] [De *casca* + *-udo*.] *Adj.* 1. Que tem casca grossa ou pele dura; cascorento, cascoso. ● *S. m.* 2. *Bras. Zool.* Designação comum aos peixes loricariídeos, da qual há muitos gêneros e espécies no Brasil. Caracterizam-se pelo corpo delgado, revestido de placas ósseas, e pela cabeça grande; vivem nos fundos dos rios, de ordinário em lugares rochosos, e alimentam-se de lodo, vegetais e restos orgânicos em geral. [Sin., nesta acepç.: *acari, cari, boi-de-guará, uacari*.] 3. *Zool.* V. *corvina* (2). 4. *Bras. Zool.* Besouro (1). 5. *Bras. MT Zool.* V. *barbeiro* (6). 6. *Bras. N. C. L. Bot.* Nome comum a árvores ou arbustos cesalpiniáceos, como, p. ex., a *Cenostigma gardnerianum*, de flores racemosas amarelas e frutos leguminiformes. 7. *Bras. N. C.O. L. Bot.* Árvore voquisiácea (*Qualea dichotoma*) de folhas ger. oblongas, inflorescências cilíndricas com flores alvo-amareladas, frutos capsulares; pau-terra. 8. *Bras. N. C.O. L. Bot.* Árvore voquisiácea (*Qualea dichotoma*), dotada de inflorescência cilíndrica, com flores alvo-amareladas, e cujo fruto é cápsula. 9. *Bras.* Alcunha que aos membros do partido conservador, na Monarquia, davam os do partido liberal e os do republicano, de Minas.

cascudo-barbado *S. m. Bras. Zool.* V. *acari-lima*. [Pl.: *cascudos-barbados*.]

cascudo-comum *S. m. Bras. Zool.* Peixe teleósteo, siluriforme, siluriídeo (*Plecostomus plecostomus*), largamente distribuído pelo Brasil, de coloração amarela, mais carregada no ventre, com manchas redondas esparsas sobre o corpo e as nadadeiras, e o comprimento de 0,3m; acarijuba. [Pl.: *cascudos-comuns*.]

cascudo-espada *S. m. Bras. Zool.* V. *acari-espada* (1). [Pl.: *cascudos-espadas* e *cascudos-espada*.]

cascudo-espinho *S. m. Bras. Zool.* Peixe teleósteo, siluriforme, loricariídeo (*Hemipsilichthys gobio*), do S. do Brasil, de coloração escura; nadadeiras salpicadas de pontos negros, corpo revestido de placas ósseas providas de acículas, e maxila com numerosos barbilhões curtos e finos. Mede cerca de 0,14m de comprimento. [Sin.: *cascudo-piririca, couraçado*. Pl.: *cascudos-espinhos* e *cascudos-espinho*.]

cascudo-lima *S. m. Bras. Zool.* V. *acari-lima*. [Pl.: *cascudos-limas* e *cascudos-lima*.]

cascudo-piririca *S. m. Bras. Zool.* V. *cascudo-espinho*. [Pl.: *cascudos-piriricas* e *cascudos-piririca*.]

cascudo-preto *S. m. Bras. Zool.* Peixe teleósteo, siluriforme, loricariídeo (*Rhinelepis aspera*), dos rios São Francisco e Paraná, de coloração cinza-escura; leiteiro. [Pl.: *cascudos-pretos*.]

cascudo-viola *S. m. Bras. Zool.* V. *acari-espada* (1). [Pl.: *cascudos-violas* e *cascudos-viola*.]

■ **CASE** [kejz] [Sigla do ingl. *Computer-Aided Software Engineering*, 'engenharia de *software* auxiliada por computador'.] *Inform.* Conjunto de metodologias, programas e ferramentas que auxiliam o desenvolvimento de sistemas de informação.

caseação[1] [De *casear* + *-ção*.] *S. f.* Ato ou efeito de casear; caseado.

caseação[2] [De **casear* (< lat. *caseus*, 'queijo', + *-ar*[2]) + *-ção*.] *S. f.* Transformação do leite em queijo.

caseadeira [De *casear* + *-deira*.] *S. f.* Mulher que caseia.

caseado [Part. de *casear*.] *Adj.* 1. Que se caseou. ● *S. m.* 2. Caseação[1]. 3. O conjunto das casas de uma peça de vestuário ou de calçado. 4. Ponto executado à maneira de ponto de festonê, mas feito da direita para a esquerda, de jeito que fique bem firme ao abrirem-se casas para botões. 5. V. *ponto de festonê*. 6. *Tip.* O conjunto das casas e colunas de uma tabela.

caseador (ô) [De *casear* + *-dor*.] *S. m. Bras.* 1. Peça para casear. 2. Aquele que caseia. [Fem. (da acepç. 2): *caseadeira*.]

casear [De *casa* + *-ear*[2].] *V. t. d.* Abrir e pontear casa(s) para botões em. [Conjug.: v. *frear*.]

casearense *Adj. 2 g.* 1. De, ou pertencente ou relativo a Caseara (TO). ● *S. 2 g.* 2. O natural ou habitante de Caseara.

caseária [Do tax. *Casearia*, do antr. (*Johannes*) *Casearius* (-1678), clérigo holandês, + lat. cient. *-ia* (v. *-ia*[2]).] *S. f. Bot.* 1. Grande gênero de árvores flacourtiáceas, tropicais, cosmopolitas de folhas dentadas, alternas, flores apétalas e frutos capsulares. 2. Qualquer espécie desse gênero, como, p. ex., a *Casearia guianensis*, que é vulgarmente conhecida como *café-do-diabo* (q. v.). 3. Qualquer espécime desse gênero.

casease [De *case(i)-* + *-ase*.] *S. f.* Fermento que dissolve a albumina e coalha a caseína.

casebre [Do lat. vulg. **casipulu* < lat. *casula*, com infl. do lat. vulg. *manupulu* (lat. cláss. *manipulus*).] *S. m.* 1. V. *cabana*. 2. V. *casinhola*.

▲**case(i)-** [Do lat. *caseus, i*.] *El. comp.* = 'queijo': *casease, caseiforme, caseína*.

caseificação (e-i) [De *caseificar* + *-ção*.] *S. f.* 1. Ato ou efeito de caseificar. 2. *Patol.* Tipo de necrose em que o tecido morto se transforma em massa seca e amorfa, que lembra o queijo.

caseificar (e-i) [De *case(i)-* + *-ficar*.] *V. t. d.* Transformar (o leite) em queijo. [Conjug.: v. *trancar*.]

caseiforme (e-i) [De *case(i)-* + *-forme*.] *Adj. 2 g.* Que tem forma ou aspecto de queijo.

caseína [De *case(i)-* + *-ina*[3].] *S. f. Quím.* Proteína existente no leite, e do qual pode ser extraída para fins medicinais ou industriais.

caseira [De *casa* + *-eira*.] *S. f.* 1. Mulher de caseiro (5 e 6). 2. Mulher arrendatária de uma propriedade campestre. 3. *Bras. N.* Mulher encarregada do serviço doméstico: 📖 "Fidêncio sorveu o café, gole a gole.

Depois a <u>caseira</u> voltou para o seu trabalho" (Inglês de Sousa, *O Missionário*, p. 92). **4.** *Bras. Pop.* V. *prisão de ventre*. **5.** *Bras. CE* V. *hemorroidas*. **6.** V. *diarreia*.

caseirense *Adj. 2 g.* **1.** De, ou pertencente ou relativo a Caseiros (RS). ● *S. 2 g.* **2.** O natural ou habitante de Caseiros.

caseiro [De *casa* + *-eiro*.] *Adj.* **1.** Relativo a casa. **2.** Usado em casa: *roupas <u>caseiras</u>.* **3.** Feito em casa (por oposição ao que é produzido industrialmente): "meizinhas e chás <u>caseiros</u> .... não faziam regredir a moléstia." (Nélson de Faria, *Tiziu e Outras Estórias*, p. 63). **4.** Diz-se de quem gosta mais de ficar em casa que de sair para distrair-se. **5.** Que vive em habitações humanas, ou em suas vizinhanças (diz-se de animais como ratos, baratas, etc.). ● *S. m.* **6.** Inquilino ou arrendatário de propriedade campestre. **7.** Aquele que toma conta da casa de alguém, especialmente casa de campo, mediante ordenado: "Podiam ir .... à quinta dum amigo dele que estava em Londres. Só viviam lá os <u>caseiros</u>." (Eça de Queirós, *O Primo Basílio*, p. 181). [Sin. (bras., CE), nesta acepç.: *morador*.]

casela [De *casa* + *-ela*.] *S. f. Encad.* V. *entrenervo*.

caseoso (ô) [De *case(i)-* + *-oso*.] *Adj.* Da natureza do queijo; queijoso.

caserna [Do fr. *caserne* < provenç. *cazerna* < lat. vulg. **quaderna*.] *S. f.* **1.** Habitação de soldados, dentro do quartel ou de uma praça fortificada. **2.** *P. ext.* V. *quartel*[2] (1).

caserneiro [De *caserna* + *-eiro*.] *S. m.* Aquele cujo encargo é tratar da caserna (1).

→**cash** [kæʃ] [Ingl.] *Adj. Adv.* Termo us. para indicar valor em dinheiro, em espécie: *pagamento <u>cash</u>; Ele pagou <u>cash</u>.*

→**cashmere** [ˈkæʒmɪə\ˈkæʃmɪə] [Ingl.] *S. m. Tec. Têx.* **1.** Lã muito fina e macia, tecida com o pelo de uma cabra do mesmo nome que habita a China, a Mongólia, o Irã, o Iraque, a Turquia e o Afeganistão. **2.** Fio dessa lã, empregado só, ou em mistura com o de outras lãs, em suéteres, casacos, pulôveres, etc. **3.** Tecido feito com fio de lã *cashmere* ou com outros naturais ou sintéticos que a imitam. ● *Adj. 2 g.* **4.** Diz-se dessa lã. [Aport.: *caxemira*. Cf. *casimira*.]

casimira [Do fr. *casimir* < ingl. *cassimere*, alter. do ingl. *cashmere*.] *S. f. Tec. Têx.* Tecido encorpado de lã, usado em geral para vestuário masculino. [Cf. *cashmere*.]

casimirense *Adj. 2 g.* **1.** De, ou pertencente ou relativo a Casimiro de Abreu (RJ). ● *S. 2 g.* **2.** O natural ou habitante de Casimiro de Abreu.

casimiriano *Adj.* Pertencente ou relativo a Casimiro de Abreu, poeta brasileiro (1839-1860), ou próprio desse poeta, ou que lembra o seu estilo: "Poeta incipiente, evidenciou [Machado de Assis] que o seu convívio com Casimiro de Abreu, por ele evocado num conto, fora também convívio intelectual, ao que prova este verso bem <u>casimiriano</u>: 'nas brandas cordas da lira...'" (Agripino Grieco, *Machado de Assis*, p. 190.)

casinga [De or. obsc.] *S. f. Bras. Bot.* Casinga-cheirosa.

casinga-cheirosa [De *casinga* + of. de *cheiroso*.] *S. f. Bras. Amaz. Bot.* Arbusto flacourtiáceo (*Laetia suaveolens*) de flores alvas de suave aroma, dispostas em panículas axilares, e cujo fruto é cápsula ovoide, com sementes envoltas em suculenta polpa vermelha; casinga. [Pl.: *casingas-cheirosas*.]

casinha [Dim. de *casa*.] *S. f.* **1.** V. *casa* (1). **2.** *Ant.* Casa de almotacel. **3.** *Ant.* Cárcere da Inquisição. **4.** *Ant.* Casa onde se despachavam mercês. **5.** *Pop.* Posto fiscal. **6.** *Pop.* V. *latrina* (1).

casinhola [De *casinha* + *-ola*[1].] *S. f. Deprec.* Casa pequena e/ou pobre. [Sin.: *casinota, casinholo, casinhoto, casebre* e (bras.) *biango, caritó* e *gaiola*. V. *casa* (1).]

casinholo (ô) [Var. de *casinhola*.] *S. m. Deprec.* V. *casinhola*: "um arruado triste, <u>casinholos</u> de taipa cobertos de palha" (Herman Lima, *Garimpos*, p. 16). [Pl.: *casinholos* (ô).]

casinhota [De *casinha* + *-ota*[1].] *S. f. Deprec.* V. *casinhola*.

casinhoto (ô) [De *casinha* + *-oto*[1].] *S. m. Deprec.* V. *casinhola*: "alugara por uma ninharia aquele <u>casinhoto</u> do morro" (João do Rio, *Dentro da Noite*, p. 167).

casino *S. m.* V. *cassino*.

casita [De *casa* + *-ita*[1].] *S. f.* V. *casa* (1).

casleu *S. m. Cronol.* O terceiro mês do calendário israelita, com 29 ou 30 dias.

casmófito [Do gr. *chásma*, 'fenda', 'abertura', + *-o-* + *-fito*.] *S. m. Bot.* Vegetal que vive sobre rochas, enraizando nas fissuras e fendas.

casmogamia [Do gr. *khásma, atos*, 'abertura', 'fenda', + *-o-*[3] + *-gam(o)-* + *-ia*[1].] *S. f. Bot.* Fecundação que ocorre após a abertura da flor. [Opõe-se a *clistogamia*.]

casmogâmico [De *casmogamia* + *-ico*[2].] *Adj. Bot.* Relativo a, ou que apresenta casmogamia. [Opõe-se a *clistogâmico*.]

casmurral [De *casmurro* + *-al*[1].] *Adj. 2 g.* Próprio de casmurro.

casmurrice [De *casmurro* + *-ice*.] *S. f.* Qualidade, dito, ação ou atitude de casmurro.

casmurro [Do ant. *caçurro*, poss.] *Adj. S. m.* **1.** Que, ou aquele que é teimoso, implicante, cabeçudo. **2.** Que, ou aquele que é ensimesmado, sorumbático, triste: "<u>Casmurro</u> não está aqui no sentido que eles lhe dão, mas no que lhe pôs o vulgo de homem calado e metido consigo." (Machado de Assis, *Dom Casmurro*, p. 2.)

caso [Do lat. *casu*.] *S. m.* **1.** Acontecimento, fato, sucesso, ocorrência. **2.** Eventualidade, conjuntura, hipótese. **3.** Acaso, circunstância, casualidade. **4.** Desavença, desentendimento, dissensão, diferença: *Houve entre eles, tão amigos outrora, um <u>caso</u> que os afastou.* **5.** *E. Ling.* Flexão de nomes, pronomes e adjetivos para a expressão da função sintática que exercem na sentença; caso morfológico. **6.** *E. Ling.* Em gramática teórica, tipo de relações que nomes, pronomes e adjetivos mantêm entre si na sentença, independentemente de serem expressas por afixos flexionais; caso abstrato. **7.** *Bras.* Relação amorosa; arranjo, viração, cacho, galho. [Sin. fr., nesta acepç.: *affaire*.] **8.** História, conto. ● *Conj.* **9.** No caso em que; dado que: *<u>Caso</u> você fique, é bom avisar.* ◆ **Caso abessivo.** *E. Ling.* Caso (5) que exprime a noção de 'perto de', 'fora'. [Tb. se diz apenas *abessivo*. V. *caso locativo*.] **Caso ablativo.** *E. Ling.* Caso (5 e 6) que expressa as noções de origem, instrumento, afastamento, matéria. [Tb. se diz apenas *ablativo*. V. *caso direcional*.] **Caso absolutivo.** *E. Ling.* Caso (5) que, nas línguas ergativas, indica o sujeito dos verbos intransitivos e o objeto dos verbos transitivos. [Tb. se diz apenas *absolutivo*. Cf. *caso ergativo* e *caso nominativo* (1).] **Caso abstrato.** *E. Ling.* V. *caso* (6). **Caso acusativo.** *E. Ling.* Caso (5 e 6) que exprime, tipicamente, a função de objeto direto. [Tb. se diz apenas *acusativo*.] **Caso adessivo.** *E. Ling.* Caso (5) que exprime a noção de proximidade. [Tb. se diz apenas *adessivo*. V. *caso locativo*.] **Caso alativo.** *E. Ling.* Caso (5) que exprime a noção de direção voltada para o exterior. [Tb. se diz apenas *alativo*. V. *caso direcional*.] **Caso comitativo.** *E. Ling.* Caso (5) que exprime a noção de companhia. [Tb. se diz apenas *comitativo*.] **Caso dativo.** *E. Ling.* Caso (5 e 6) que, tipicamente, exprime a função de objeto indireto; caso indireto. [Tb. se diz apenas *dativo*.] **Caso de consciência.** Dúvida sobre o modo de proceder mais acorde com a moral religiosa. **Caso direcional.** *E. Ling.* Caso (5 e 6) que exprime a noção de 'lugar', pressupondo movimento. [Subdivide-se em *caso ablativo, caso alativo, caso ilativo* e *caso translativo*.] [Tb. se diz apenas *direcional*. Cf. *caso locativo*.] **Caso direto.** *E. Ling.* Caso reto. [Tb. se diz apenas *direto*.] **Caso elativo.** *E. Ling.* Caso (5) que exprime a noção de 'fora de determinado lugar'. [Tb. se diz apenas *elativo*. V. *caso locativo*.] **Caso ergativo.** *E. Ling.* Caso (5) que, nas línguas ergativas, assinala o sujeito dos verbos transitivos. [Tb. se diz apenas *ergativo*. Cf. *caso absolutivo*.] **Caso essivo.** *E. Ling.* Caso (5) que exprime a noção de 'estar em determinado lugar'. [Tb. se diz apenas *essivo*. V. *caso locativo*.] **Caso genitivo.** *E. Ling.* Caso (5 e 6) que, tipicamente, expressa a noção de posse ou origem. [Tb. se diz apenas *genitivo*.] **Caso ilativo.** *E. Ling.* Caso (5) que exprime a noção de 'movimento para dentro'. [Tb. se diz apenas *ilativo*. V. *caso direcional*.] **Caso indireto.** *E. Ling.* Caso dativo. **Caso inessivo.** *E. Ling.* Caso (5) que exprime 'posição interna em relação a um lugar'. [Tb. se diz apenas *inessivo*. V. *caso locativo*.] **Caso instrumental.** *E. Ling.* Caso (5) que exprime a noção de 'meio' ou 'instrumento de execução de um processo'. [Tb. se diz apenas *instrumental*.] **Caso locativo.** *E. Ling.* Caso (5 e 6) que exprime a noção de 'lugar' sem conter, no entanto, a ideia de movimento, e que se subdivide em *caso abessivo, caso adessivo, caso elativo, caso essivo* e *caso inessivo*. [Tb. se diz apenas *locativo*. Cf. *caso direcional*.] **Caso morfológico.** *E. Ling.* Caso (5). **Caso nominativo.** *E. Ling.* **1.** Caso (5 e 6) que expressa o sujeito e o predicativo nas línguas que não são ergativas. [Cf., nesta acepç., *caso absolutivo*.] **2.** V. *caso reto*. [Tb. se diz apenas *nominativo*.] **Caso oblíquo.** *E. Ling.* Caso (5) que expressa funções que não a de sujeito, objeto direto ou ergativo. [São considerados oblíquos os casos *ablativo, dativo, genitivo, instrumental* e *locativo*.] [Cf. *caso reto*.] **Caso partitivo.** *E. Ling.* Caso (5) que exprime a noção de 'parte de' em relação a uma quantidade considerada como um todo. [Tb. se diz apenas *partitivo*.] **Caso reto.** *E. Ling.* Caso (5) que exprime as funções de sujeito, objeto direto e ergativo; caso direto, caso nominativo. [Cf. *caso oblíquo*.] **Caso translativo.** *E. Ling.* Caso (5) que exprime a noção de 'passagem de um lugar para outro'. [Tb. se diz apenas *translativo*. Cf. *caso direcional*.] **Caso vocativo.** *E. Ling.* Caso (5 e 6) que expressa a interpelação. [Tb. se diz apenas *vocativo*.] **Botar o caso em si.** *Bras.* Imaginar-se em determinada situação. **Criar caso(s).** Suscitar dificuldades, desigualdades, desavenças, complicações, intrigas. **Dar-se o caso.** Acontecer (algo). **De caso pensado.** De propósito; premeditadamente; de estudo. **Em todo caso.** Apesar de tudo; não obstante; em todo o caso. **Em todo o caso.** Em todo caso. **Fazer caso de.** Dar atenção, apreço, a (pessoa ou coisa); ligar importância a; fazer conta de; levar em conta: *Não <u>faz caso da</u> família; Saiu, sem <u>fazer caso da</u> recomendação médica de repouso absoluto.* [Us., em geral, negativamente.] **Não estar no caso de.** Não ter condições ou merecimento para; não merecer; não dever: "A razão devia ter-me aconselhado a não arrancar do esquecimento esses escritos sem mérito, que <u>não estavam no caso de</u> aparecer à luz da imprensa." (Joaquim Manuel de Macedo, *Os Romances da Semana*, p. VI.) **Ser um caso sério.** Ser difícil de suportar ou de resolver: *Seu gênio é um <u>caso sério</u>; A doença dele é um <u>caso sério</u>.* **Tabaquear o caso.** Comentar pilhericamente o caso. **Vir ao caso.** Vir a propósito; ter procedência, razão de ser: "A velha e, hoje, para muitos, ridícula cena das barbas, lá nas terras onde só coisas dessas nos fizeram grandes, não <u>vem</u> aqui <u>ao caso</u>, como simples metáfora de ornamentação." (Miguel Torga, *Portugal*, p. 58.)

casório [De *casar* + *-ório*.] *S. m. Pop.* V. *casamento* (1 e 2).

caspa [De or. pré-romana, poss.] *S. f.* Escamas da pele da cabeça ou de qualquer outra parte da epiderme. [Sin.: *carepa* e (bras., N.) *fuá*.]

caspento [De *caspa* + *-ento*.] *Adj.* Casposo.

caspiano *Adj.* Relativo ao mar Cáspio.

cáspite (è) [Do it. *caspita*.] *Interj.* Indica admiração, em geral com um pouco de ironia; caramba!: "Eu .... se um filho meu cometesse uma pouca-vergonha, ... arrancava-lhe uma víscera, operava-o! — <u>Cáspite</u>! — exclamou Joaquim." (Carlos Malheiro Dias, *Os Teles de Albergaria*, p. 143); "Lindoca faz anos hoje. / <u>Cáspite</u>! / Temos então peru de forno!..." (Aluísio Azevedo, *O Mulato*, p. 35).

casposo (ô) [De *caspa* + *-oso*.] *Adj.* Que tem caspa; caspento.

casqueira [De *casca* + *-eira*.] *S. f.* Costaneira (3). ◆ **Levado da casqueira.** *Bras. S.* V. *levado da breca*.

casqueiro[1] [De *casca* + *-eiro*.] *S. m.* **1.** Lugar onde se descasca a madeira para serrá-la. **2.** Descascador ou falquejador de madeira. **3.** *Bras. SP SC* V. *sambaqui*. **4.** *Bras. BA* Vento forte, em geral do quadrante sul.

casqueiro[2] [De *casco* + *-eiro*.] *S. m. Bras. S.* Indivíduo que nivela os cascos dos animais para a ferragem.

casquejar [De *casco* + *-ejar*.] *V. int.* **1.** Criar novo casco. **2.** *P. ext.* Cicatrizar. [Conjug.: v. *pelejar*. Normalmente é defect., us. só nas 3.as pess.]

casquense *Adj. 2 g.* **1.** De, ou pertencente ou relativo a Casca (RS). ● *S. 2 g.* **2.** O natural ou habitante de Casca.

casquento [De *casca* + *-ento*.] *Adj.* Que tem muita casca; cascoso.

casqueta (ê) *S. f. Bras. MA Pop.* V. *calhambeque* (3).

casquete [Do fr. *casquette*.] *S. m. Vest.* **1.** Boné: "Carlos ...., com as mãos enterradas nos bolsos de suas largas bragas de flanela branca, o <u>casquete</u> da mesma flanela posto de lado" (Eça de Queirós, *Os Maias*, I, p. 82). **2.** Peça de vestuário para a cabeça, flexível e sem aba, de couro ou de tecido, etc., e usada, em geral, com uniforme. **3.** Chapéu pequeno, oval, com lados retos e copa achatada, us. preso aos cabelos por um alfinete decorativo **4.** Chapéu velho. ◆ **Casquete ortodôntico** *Odont.* Dispositivo confeccionado em acrílico para moldar elementos dentários preparados para receber prótese.

casquilha [De *casca* + *-ilha*.] *S. f.* **1.** Pequena casca. **2.** Pedaço de casca. **3.** *P. ext.* Pedacinho, fragmento.

casquilhada [De *casquilho* + *-ada*[1].] *S. f.* Porção de casquilhos.

casquilhar [De *casquilho* + *-ar*[2].] *V. int.* Andar casquilho; janotear, peralvilhar.

casquilharia [De *casquilho* + *-aria*.] *S. f.* **1.** Traje ou enfeites de casquilho (2). **2.** Modos ou atitude de casquilho; garridice, casquilhice.

casquilhice [De *casquilho* + *-ice*.] *S. f.* V. *casquilharia* (2).

casquilho [De *casca* + *-ilho*.] *Adj.* **1.** Que veste com apuro exagerado; janota, peralta. ● *S. m.* **2.** Indivíduo casquilho. **3.** Remate cilíndrico e oco da lança dos carros, etc. **4.** *Lus.* Parte da lâmpada elétrica que contém os terminais de ligação e a fixam no bocal: "Amélia acende a lâmpada dando a volta a um interruptor de louça que fica junto do <u>casquilho</u>." (Teolinda Gersão, *A Árvore das Palavras*, p. 19.)

casquinada [De *casquinar* + *-ada*[1].] *S. f.* **1.** Risada de escárnio. **2.** Gargalhada, risada.

casquinar [Var. de *caquinar*.] *V. t. d.* **1.** Dar, soltar (pequenas risadas sucessivas): *<u>Casquinou</u> uns risi-*

nhos irônicos. Int. 2. Soltar pequenas risadas sucessivas; gargalhar.

casquinha [De *casca* + *-inha.*] *S. f.* 1. Casca delgada; película. 2. Folha delgada, de madeira fina, metal precioso, etc., que reveste obra de material comum. 3. *Bras. Pop.* Vantagem, proveito. 4. *Bras.* Recipiente em geral de massa de biscoito, para sorvetes vendidos em balcão. [Sin. (em AL): *carlito(s).*] 5. *Bras. P. ext.* O próprio sorvete na casquinha: *Fique com a casquinha de creme que eu vou comprar uma de chocolate para mim.* 6. *Bras. Cul.* A parte dura do corpo do caranguejo ou do siri que se leva ao forno, com uma pasta de siri, caranguejo, etc. ● *S. 2 g.* 7. *Bras. S. Fam.* V. *avaro* (3). 8. *Bras. Gír.* Professor de conhecimentos fracos e/ou de nível não universitário. ◆ **Tirar casquinha.** *Bras.* Ter parte em alguma coisa; tirar vantagem; aproveitar.

casquinho [De *casco* + *-inho*[1].] *Adj.* Diz-se do cavalo que tem os cascos fáceis de encravar.

cassa [Do malaio *kasa.*] *S. f. Tec. Têx.* Tecido muito fino, de linho ou de algodão: "Havia .... um grande sofá de fazenda estampada e cortinas de cassa azul nas janelas" (Diná Silveira de Queirós, *As Noites do Morro do Encanto*, p. 117). [Cf. *caça*, do v. *caçar* e s. f.]

cassação[1] [De *cassar* + *-ção.*] *S. f.* Ato ou efeito de cassar. [Cf. *quassação.*]

cassação[2] [Do it. *cassazione.*] *S. f. Mús.* Espécie de divertimento[2] (4), em moda na segunda metade do séc. XVIII, e no qual predominavam os instrumentos de sopro. [Com indeterminado número de partes, e de forma muito livre, era executada nos concertos noturnos, ao ar livre. Cf. *quassação.*]

cassaco *S. m.* 1. *Bras. N.E. Zool.* V. *gambá* (1). 2. Trabalhador de construção de estradas; arigó: "Muito importantes eram os cassacos empilhando os dormentes para substituição sob os trilhos da estrada de ferro." (Povina Cavalcanti, *Volta à Infância*, pp. 25-26.) 3. Trabalhador de engenhos e usinas de açúcar: "— O cassaco de engenho, / o cassaco de usina: / — O cassaco é um só / com diferente rima." (João Cabral de Melo Neto, *Poesias Completas*, p. 112.) 4. Servente de padaria.

cassado [Part. de *cassar.*] *Adj.* 1. Anulado. 2. Diz-se do indivíduo a quem se retiraram ou anularam os direitos políticos ou de cidadão. ● *S. m.* 3. Indivíduo cassado (2). [Cf. *caçado.*]

cassandra [Do mit. e ficcion. *Cassandra*, profetisa troiana (v. *troiano*).] *S. f.* Pessoa que profetiza desgraças e que, ger., não é acreditada.

cassar [Do lat. *cassare.*] *V. t. d.* 1. Tornar nulo ou sem efeito (licença, autorização, direitos políticos, etc.). 2. *P. ext.* Fazer cessar, tornar nulos ou sem efeito, os direitos políticos ou de cidadão de: *A revolução cassou numerosos políticos e profissionais liberais.* 3. *Ant.* Romper, quebrar. [Pres. ind.: *casso, cassas, cassa*, etc.; imperf.: *cassava*, etc. Cf. *caçar*, v., os s. *caça*; *caçava* e *caço*, e o adj. *caçado.*]

cassata [Do it. *cassata.*] *S. f. Cul.* Bolo de sorvete de creme e chocolate em geral, com camadas de pão de ló e pedacinhos de frutas cristalizadas.

cassatório [De *cassar* + *-tório.*] *Adj.* Que tem força de cassar.

cassete [Do fr. *cassette* (dim. de *casse*), 'caixinha'.] *S. m.* 1. Caixa ou estojo equipado com um conjunto de fitas magnéticas, filmes, etc., destinados ao uso de um determinado mecanismo e já prontos para entrar em funcionamento, simplificando a ação do operador. 2. *P. ext.* Gravador (4) que funciona por meio desse dispositivo. ● *Adj. 2 g. e 2 n.* 3. Que está preparado em cassete (1), ou que funciona com o auxílio dele: *gravador cassete; fita cassete; O filme cassete é usado em certo tipo de máquinas fotográficas.*

cassetete (tété) [Do fr. *casse-tête.*] *S. m.* Cacete curto, de madeira ou de borracha, com argola de couro de um lado e castão metálico do outro, usado, em geral, por policiais. [Sin., bras.: *borracha.*]

cássia [Do lat. *cassia* < gr. *kassía*, alter. de *kasía*; tax. *Cassia.*] *S. f. Bot.* 1. Gênero de ervas, árvores e arbustos cesalpiniáceos, nativos de regiões quentes, de folhas pinuladas, e flores ger. amarelas, em racemos terminais. 2. Qualquer espécie desse gênero, como, p. ex., a *Cassia acutifolia* e a *C. angustifolia* [v. *sene* (1)], de uso farmacêutico. 3. Qualquer espécime desse gênero, ou a flor dele. [Cf. *cácea.*]

cássia-amarela [De *cássia* + o f. de *amarelo.*] *S. f. Bras. Bot.* V. *canafístula* (3). [Pl.: *cássias-amarelas.*]

cássia-grande *S. f. Bras. Bot.* Árvore cesalpiniácea (*Cassia grandis* ou *C. brasiliana*) com até 20m, natural da floresta de terra firme amazônica, de madeira moderadamente pesada mas muito resistente; é extremamente ornamental, com abundante floração rósea, podendo ser us. em paisagismo. [Sin.: *guapicobaíba, geneúna, pau-mole, pau-velho.* Pl.: *cássias-grandes.*]

cassiano *Adj.* 1. De, ou pertencente ou relativo a Cássia dos Coqueiros (SP). ● *S. m.* 2. O natural ou habitante de Cássia dos Coqueiros.

cassidiforme [Do lat. *casside*, 'capacete', 'elmo', + *-iforme.*] *Adj. 2 g. Bot.* Em forma de elmo: *sépala cassidiforme.*

cassiduloide (ói) [Do tax. *Cassiduloida.*] *Zool. S. m.* 1. Espécime dos cassiduloides, ordem de animais equinodermos, equinoides, irregulares, sem lanterna de aristóteles, com áreas ambulacrárias petaloides, periprocto situado fora do sistema apical, grandes poros e dilatações em torno do perístoma. ● *Adj. 2 g.* 2. Pertencente ou relativo a eles. ❖

cassiense *Adj. 2 g.* 1. De, ou pertencente ou relativo a Cássia (MG). ● *S. 2 g.* 2. O natural ou habitante de Cássia.

cassilandense *Adj. 2 g.* 1. De, ou pertencente ou relativo a Cassilândia (MS). ● *S. 2 g.* 2. O natural ou habitante de Cassilândia.

cassineta (ê) [De *cassa* + *-in(o)-*[1] + *-eta* (ê).] *S. f. Tec. Têx.* Tecido fino de lã, para vestuário: "Vestia cassineta esfiapada e ruça" (Graciliano Ramos, *Infância*, p. 38).

cassino [Do it. *casino.*] *S. m.* 1. Jogo carteado, para quatro parceiros. 2. Casa de diversões, com salões para jogos de azar e salões de festas com espaço para danças, representações teatrais, mesas, etc. [Var. pros.: *casino.*]

cassinoide (ói) *S. f. Geom.* Lugar geométrico dos pontos de um plano cujas distâncias a dois pontos fixos desse plano têm um produto constante. ❖

cassiopeia (éi) [Do gr. *Kassiópeia, Kassiépeia*, pelo lat. *Cassiopea.*] *S. f. Astr.* Constelação boreal, de grande área, facilmente reconhecível pelo *w* característico formado pelas suas cinco principais estrelas de segunda e terceira magnitudes. [Sin. (bras.): *Tamaquaré.* Com cap.] ❖

cassis [Do fr. cassis.] *S. m. 2 n.* 1. *Bot.* Groselheira-preta. 2. O fruto dessa planta, com que se fazem licores, xaropes e geleias muito apreciadas. 3. Xarope feito com esse fruto, conhecido como *creme de cassis.*

cassiterita [Do gr. *kassíteros*, 'estanho', + *-ita*[3].] *S. f. Min.* Mineral tetragonal, óxido de estanho, minério de estanho.

casso [Do lat. *cassu.*] *Adj. Desus.* Cassado, anulado. [Cf. *caço*, do v. *caçar* e s. m.]

cassoiro *S. m. Prov. port.* Rodela de cortiça ou de madeira que se introduz na cana da roca para lhe formar o bojo; cassouro.

→**cassoulet** [kasu'le] [Fr.] *S. m. Cul.* Prato (2) preparado com feijão-branco, carnes de porco ou de carneiro, às vezes de aves (ganso, pato).

cassouro *S. m. Prov. port.* Cassoiro.

cassuar *S. m. Lus. Zool.* Casuar.

cassule [Do quimb. *Kasule.*] *Adj. 2 g. S. 2 g. Angol.* Caçula[2] (1 e 2): "A pequena era a filha cassule Joaquina, uma menina mortiça que tinha medo de aparecer à porta." (Arnaldo Santos, *Quinaxixe*, p. 76); "só as duas mais velhas casaram. A cassule, por desdenhar de todos, mantinha-se solteira." (Óscar Ribas, *Sunguilando*, p. 73).

casta [De or. incerta.] *S. f.* 1. Camada social hereditária e endógama, cujos membros pertencem à mesma etnia, profissão ou religião. 2. O conjunto de uma espécie animal ou vegetal, com origem comum e caracteres semelhantes, transmissíveis por hereditariedade. 3. *Fig.* Raça, linhagem, classe. 4. Qualidade, espécie, gênero. 5. Série de coisas com as mesmas qualidades ou características.

castanha [Do lat. *castanea*, do gr. *kástanon.*] *S. f.* 1. O fruto do castanheiro. 2. O fruto do cajueiro; castanha de caju. 3. A polpa da castanha (1 e 2), assada ou cozida. 4. V. *cascudo*[1]. 5. *Veter.* Excrescência córnea na face interna do metatarso e antebraço de alguns quadrúpedes. 6. *Constr. Nav.* Peça de metal fixada no costado, numa antepara ou num convés, com uma abertura circular ou quadrangular destinada a sustentar o pé de uma haste, um pau de toldo, um balaústre, etc. 7. *Tip.* Cada uma das roldanas de metal montadas nas extremidades dos rolos das minervas para correrem nos trilhos. 8. *Bras.* Isolador, de porcelana ou de vidro, para as antenas dos rádios 9. *Bras.* Peça que reúne as lâminas das molas dos vagões de estradas de ferro. 10. *Bras.* Peça de articulação da barra de direção dos automóveis. 11. Excremento de cavalo ou de burro, ou semelhante. 12. *Bras. Zool.* Peixe cienídeo (*Umbrina coroides*), do Atlântico ocidental, do México ao S. do Brasil, de coloração geral prateada, com cerca de 9 faixas escuras verticais, e até 35cm de comprimento. [Sin.: *betara, carametara, caramutara, castanha-riscada, chora-chora, coró-branco, corvina-riscada, embetara, ombrino, papa-terra, roncador-taboca, tambetara, tembetara, tremetara.*] ◆ **Quebrar a castanha de.** *Bras. N.E. S.* Tirar a fama a (alguém); humilhar, vencer. **Quebrar a castanha na boca de alguém.** V. *quebrar a castanha de*: "Agora ia eu, mais velho, para quebrar a castanha na boca daquela impostora da Mariquinhas." (Pedro Nava, *Balão Cativo*, p. 115.) **Tirar as castanhas do fogo.** Fazer alguma coisa arriscada. **Tirar as castanhas do fogo com a mão do gato.** V. *tirar a sardinha (do fogo) com a mão do gato.* **Tirar as castanhas do lume com a mão do gato.** V. *tirar a sardinha (do fogo) com a mão do gato.*

castanha-amarela [De *castanha* + o f. de *amarelo.*] *S. f. Zool.* Inseto lepidóptero heliconiídeo. [Pl.: *castanhas-amarelas.*]

castanha-brava [De *castanha* + o f. de *bravo.*] *S. f. Bras. Bot.* Árvore eleocarpácea (*Sloanea monosperma*) de folhas simples e frutos semelhantes aos do castanheiro; ouriço. [Pl.: *castanhas-bravas.*]

castanha-d'água *S. f. Bot.* V. *tríbulo-aquático.* [Pl.: *castanhas-d'água.*]

castanha-de-arara *S. f. Bras. Amaz. Bot.* Árvore euforbiácea (*Joannesia heveoides*) grande, de flores alvas e aromáticas, e fruto em cápsula, com três sementes ovoides, e cujas amêndoas fornecem óleo aromático, amarelo-esverdeado. [Pl.: *castanhas-de-arara.*]

castanha-de-bugre *S. f. Bras. Bot.* 1. V. *castanha-mineira* (1). 2. V. *jatobá* (1 a 4). [Pl.: *castanhas-de-bugre.*]

castanha de caju *S. f.* O fruto do cajueiro. [Pl.: *castanhas de caju.*] ☑

castanha-de-cutia *S. f. Bras. Bot.* V. *quinquió.* [Pl.: *castanhas-de-cutia.*]

castanha-de-jabutá *S. f. Bras. Bot.* V. *castanha-mineira* (1). [Pl.: *castanhas-de-jabutá.*]

castanha-de-macaco *S. f. Bras. AM Bot.* Grande árvore lecitidácea (*Couroupita guianensis*) de flores grandes e abundantes, alvacentas ou róseas, dispostas em racimos simples sobre o tronco e os ramos, e fruto coriáceo, lenhoso, com sementes aladas, envoltas em polpa azul, comestível; abricó-de-macaco, macacarecuia, maracarecuia, amêndoa-dos-andes, amendoeira-dos-andes, cuia-de-macaco. [Pl.: *castanhas-de-macaco.*]

castanha-do-ceará *S. f. Bras. Bot.* V. *barriguda* (3). [Pl.: *castanhas-do-ceará.*]

castanha-do-maranhão [De *castanha* + *do*[1] + o top. *Maranhão.*] *S. f. Bras. Bot.* V. *mamorana.* [Pl.: *castanhas-do-maranhão.*]

castanha-do-pará *S. f. Bras.* Fruto do castanheiro-do-pará. [Pl.: *castanhas-do-pará.*]

castanhal [De *castanha* + *-al*[1].] *S. m.* 1. Quantidade mais ou menos considerável de castanheiros dispostos proximamente entre si; castanhedo. 2. Área ocupada por castanhal (1). [Sin. ger.: *castanhedo.*]

castanhalense *Adj. 2 g.* 1. De, ou pertencente ou relativo a Castanhal (PA). ● *S. 2 g.* 2. O natural ou habitante de Castanhal.

castanha-mineira [De *castanha* + o f. de *mineiro*[2].] *S. f. Bras. Bot.* 1. Trepadeira cucurbitácea (*Fevillea passiflora*) de folhas íntegras, flores alvas ou esverdeadas, frutos peponídeos, ovoides, e que é us. na medicina popular contra a icterícia e perturbações gástricas; andiroba, cabadonga, castanha-de-bugre, castanha-de-jabutá, cipó-jabutá, cipó-de-jabutá, cipotá, fava-de-santo-inácio, fruto-amargoso, guapeba, inaciana, jabutá, jabutá-verdadeiro, maracujá-de-periquito, nhandiroba, nhandirova. 2. V. *abacate-do-mato* (1 e 2). [Pl.: *castanhas-mineiras.*]

castanha-riscada *S. f. Bras. Zool.* V. *castanha* (12). [Pl.: *castanhas-riscadas.*]

castanha-vermelha [De *castanha* + f. de *vermelho*[1].] *S. f. Zool.* Inseto lepidóptero heliconiídeo. [Pl.: *castanhas-vermelhas.*]

castanhedo (ê) [Do lat. *castanetu.*] *S. m.* V. *castanhal.*

castanheira [De *castanha* + *-eira.*] *S. f.* 1. Mulher que assa e/ou vende castanhas. 2. *Bot.* Castinceira. 3. *Bras. S. Bot.* V. *castanheiro.*

castanheirense[1] *Adj. 2 g.* 1. De, ou pertencente ou relativo a Castanheira (MT). ● *S. 2 g.* 2. O natural ou habitante de Castanheira.

castanheirense[2] *Adj. 2 g.* 1. De, ou pertencente ou relativo a Castanheiras (RO). ● *S. 2 g.* 2. O natural ou habitante de Castanheiras.

castanheiro [De *castanha* + *-eiro.*] *S. m. Bot.* Grande árvore fagácea (*Castanea sativa*) de folhas lanceoladas, serreadas, e flores femininas, apétalas, inseridas na base de amentos masculinos, que têm cúpula fechada, esférica, lenhosa, coriácea, com um três frutos aquênios. É desprovida de albume, constituída inteiramente pelos cotilédones, e leva castanhas saborosas e nutritivas, que se comem cruas ou cozidas. [Sin.: *castanheira, castanho.* V. *castinceira.*]

castanheiro-da-índia [De *castanheiro* + *da*[1] + o top. *Índia.*] *S. m. Bot.* Árvore hipocastanácea (*Aesculus hippocastanum*) de flores alvas ou amarelas, laivadas de rosa ou de vermelho, dispostas em racimos piramidais, e cujo fruto é uma cápsula esverdeada, espessa, eriçada de espinhos curtos, com sementes alvas e carnosas, amargas, venenosas, revestidas de tegumento vermelho-castanho. [Pl.: *castanheiros-da-índia.*]

castanheiro-do-maranhão [De *castanheiro* + *do*[1] + o top. *Maranhão*.] *S. m. Bras. Bot.* V. *mamorana*. [Pl.: *castanheiros-do-maranhão*.]

castanheiro-do-pará [De *castanheiro* + *do*[1] + o top. *Pará*.] *S. m. Bras. N. Bot.* Árvore lecitidácea (*Bertholletia excelsa*) grande, cujo caule, de casca escura, é liso e desprovido de ramos até à fronde, e cujas flores são grandes e alvas, sendo os frutos esféricos, com 12 a 24 sementes, as *castanhas-do--pará*, altamente nutritivas, e que se comem cruas ou se usam no preparo de doces; tocari, tururi. [Pl.: *castanheiros-do-pará*.]

castanheta (ê) [De *castanha* + *-eta* (ê).] *S. f.* **1.** Estalido produzido pela ponta do dedo médio ao roçar rapidamente a do polegar. **2.** *Zool.* V. *maria-mole* (5). **3.** *Zool.* V. *querê-querê* (1). ~ V. *castanhetas*.

castanhetas (ê) [Pl. de *castanheta*.] *S. f. pl. Mús.* Castanholas. ~ V. *castanheta*.

castanho [Do lat. tard. *castaneu*.] *Adj.* **1.** Que tem a cor da casca da castanha (1): "Os seus olhos castanhos .... externavam uma constante expressão de doçura" (Virgílio Várzea, *Nas Ondas*, pp. 19-20). **2.** Diz-se dessa cor: *cabelos de cor castanha*. • *S. m.* **3.** Essa cor. **4.** Animal vacum de pelo dessa cor: "Soava ainda o veemente protesto, quando um dos bandoleiros fez menção para pegar no cabresto do castanho" (Franklin Távora, *Lourenço*, p. 83). **5.** *Bot.* V. *castanheiro*. **6.** A madeira dessa árvore: "Grão Vasco pintara a imagem do santo numa tábua de castanho" (José Vieira, *Sol de Portugal*, p. 161).

castanho-avermelhado *Adj.* **1.** De um tom avermelhado de castanho. • *S. m.* **2.** Essa cor. [Flex. do adj.: *castanho-avermelhados*, *castanho-avermelhada(s)*; pl. do s. m. *castanhos-avermelhados*.]

castanho-claro *Adj. Adj. 2 g. e 2 n.* **1.** De um tom claro de castanho. • *S. m.* **2.** Essa cor. [Flex., quando adj.: *castanho-claros*, *castanho-clara(s)*; pl. do s. m.: *castanhos-claros*.]

castanho-escuro *Adj. Adj. 2 g. e 2 n.* **1.** De um tom escuro de castanho. • *S. m.* **2.** Essa cor. [Flex., quando adj.: *castanho-escuros*, *castanho-escura*, *castanho--escuras*; pl. do s. m.: *castanhos-escuros*.]

castanhola [De *castanha* + *-ola*[1].] *S. f. Bras.* **1.** *CE Bot.* V. *amendoeira-da-praia*. **2.** *Zool.* V. *borboleta-listrada*. ~ V. *castanholas*.

castanholar [De *castanholas* + *-ar*[2].] *V. t. d.* **1.** Fazer soar à maneira de castanholas. *Int.* **2.** Tocar castanholas.

castanholas [Do esp. *castañuelas*.] *S. f. pl. Mús.* Instrumento de percussão, de origem oriental, popularíssimo na Espanha: duas peças de madeira ou de marfim, que, ligadas entre si, e aos dedos ou pulsos do tocador, por um cordel, batem uma contra outra; castanhetas. ~ V. *castanhola*.

castanholeira [De *castanhola* + *-eira*.] *S. f. Bras. CE Bot.* Pé de castanhola: "As castanholeiras do largo imobilizavam-se pesadas num torpor de árvores de chumbo." (Herman Lima, *Tijipió*, p. 130.)

castanita [Do lat. tard. *castaneus*, 'castanho', + *-ita*[2].] *S. f. Min.* Mineral triclínico, sulfato hidratado de ferro de cor acastanhada.

castão [Do fr. ant. *chastun* ou it. *castone*.] *S. m.* Remate superior das bengalas.

castear [De *casta* + *-ear*[2].] *V. int. Bras.* Reproduzir-se, procriar (o animal). [Conjug.: v. *frear*.]

castelã [Fem. de *castelão*[1].] *S. f.* **1.** Mulher de castelão[1]. **2.** A senhora ou dona de um castelo.

castelandense *Adj. 2 g.* **1.** De, ou pertencente ou relativo a Castelândia (GO). • *S. 2 g.* **2.** O natural ou habitante de Castelândia.

castelania [De *castelão*[1] + *-ia*[1], seg. o padrão erudito.] *S. f.* Jurisdição de castelão[1] (1).

castelão[1] [Do lat. *castellanu*.] *S. m.* **1.** Senhor feudal que vivia em castelo e exercia jurisdição em determinada área. **2.** Governador de castelo; alcaide. **3.** Dono de castelo. [Fem.: *castelã*, *casteloa*, *castelona*.]

castelão[2] [Do antr. (*Humberto de Alencar*) *Castelo* (*Branco*) (1900-1967), marechal e ex-presidente da República, + *-ão*[2].] *S. m. Bras. Obsol.* Nota de cinco mil cruzeiros.

castelão-francês *S. m. Vitic. Enol.* V. *periquita*[2]. [Pl.: *castelães-franceses*, *castelãos-franceses*, ou *castelões-franceses*.]

casteleira [De *castelo* + *-eira*.] *S. f. Bras. BA* Dona ou administradora de castelo (8): "Inácia, mulata de cara picada de bexiga, a mais jovem casteleira da Bahia" (Jorge Amado, *Dona Flor e Seus Dois Maridos*, p. 136).

casteleiro [De *castelo* + *-eiro*.] *Adj.* Relativo ou pertencente a castelo.

castelejo (ê) [De *castelo* + *-ejo*.] *S. m.* Pequeno castelo: "assim ficando arrematada a cintura da cidade, desde o rente das águas embaixo até aos nós de encontro no castelejo" (José Saramago, *História do Cerco de Lisboa*, p. 74).

castelense[1] *Adj. 2 g.* **1.** De, ou pertencente ou relativo a Castelo (ES). • *S. 2 g.* **2.** O natural ou habitante de Castelo.

castelense[2] *Adj. 2 g.* **1.** De, ou pertencente ou relativo a Castelo do Piauí (PI). • *S. 2 g.* **2.** O natural ou habitante de Castelo do Piauí.

castelense[3] *Adj. 2 g.* **1.** De, ou pertencente ou relativo a Presidente Castelo Branco (PR). • *S. 2 g.* **2.** O natural ou habitante de Presidente Castelo Branco. [Sin. ger.: *castelo-branquense*.]

castelhanaria [De *castelhano* + *-aria*.] *S. f.* Ação, modos ou ditos de castelhano: "era maravilha que, andando o mano há tão pouco com os castelhanos, já soubesse tantas castelhanarias..." (Oliveira Martins, *A Vida de Nun'Álvares*, p. 189).

castelhanismo [De *castelhano* + *-ismo*.] *S. m.* **1.** Caráter, modo ou costume distintivo do castelhano (3) ou de Castela. **2.** *E. Ling.* V. *espanholismo* (1 a 3).

castelhano [Do esp. *castellano*.] *Adj.* **1.** De, ou pertencente ou relativo a Castela (Espanha). **2.** *Bras. S.* Relativo ou pertencente ao Uruguai ou à Argentina. • *S. m.* **3.** O natural ou habitante de Castela. **4.** *Gloss.* Língua falada em Castela, que se estendeu por toda a Espanha e a muitos países americanos. **5.** Antiga moeda espanhola, do valor de 25 reales. **6.** *Bras. S.* O natural ou habitante do Uruguai ou da Argentina.

castelinha [De *castelo* + *inha*.] *S. f. Bras. MG Bot.* V. *mandioca* (1 e 2).

castelo [Do lat. *castellu*.] *S. m.* **1.** Residência senhorial ou real fortificada. **2.** Praça forte, com muralhas, fosso, barbacã, etc.; fortaleza. **3.** *Fig.* Qualquer amontoado de coisas. **4.** *Constr. Nav.* Superestrutura que se eleva acima do convés principal, e cujo forro exterior é continuação da borda: "as guarnições, enlouquecidas, chacinavam-se reciprocamente, sobre os castelos e toldas, num tumulto horrível." (Virgílio Várzea, *Nas Ondas*, p. 131). **5.** *Fís. Nucl.* Recipiente, em geral de chumbo e de paredes grossas, para proteger um instrumento detector da ação de radiações. **6.** *Bras. AL PE* Residência de rapazes solteiros, usada como *garçonnière*. **7.** *Bras. Bot.* Pérola-vegetal. **8.** *Bras. BA* V. *prostíbulo*. **9.** *Bras. SP* Parte coberta de um barco movido a remo situada junto à popa ou à proa, e que se destina à guarda de objetos ou a abrigo provisório. **10.** *Bras. PE Folcl.* No jogo das castanhas, a maior, que os jogadores procuram atingir com uma menor, lançada aos piparotes. **11.** *Tec.* Parte da carcaça de uma válvula que é desmontável e por onde se pode ter acesso ao interior da peça sem retirá-la da tubulação. ◆ **Castelo central.** *Constr. Nav.* Castelo do meio. **Castelo de cartas. 1.** Pequeno edifício feito com cartas de baralho. **2.** *Fig.* Coisa sem solidez, que facilmente se desmorona: *Todas as suas promessas e juras foram castelos de cartas.* [Na 2ª acepç., é m. us. no pl.] **Castelo de popa.** *Constr. Nav.* O situado na parte extrema de ré do navio. **Castelo de proa. 1.** *Constr. Nav.* O situado na parte extrema de vante do navio. **2.** *Marinh.* Tabuado ou cobertura na parte extrema de vante de embarcação miúda, no mesmo nível das bancadas. **Castelo de vento.** Projeto sem fundamento, irrealizável; castelo no ar, castelos no ar. [M. us. no pl.] **Castelo do meio.** *Constr. Nav.* Castelo existente em alguns navios, situado por ante à ré do castelo de proa, mas sem chegar até a popa; castelo central. **Castelo no ar.** V. *castelo de vento*. [Mais us. no pl.] **Castelos de cartas.** V. *castelo de cartas*. **Castelos de vento.** V. *castelo de vento*. **Castelos no ar.** V. *castelo de vento*: *Velho, deu-se conta de que gastara a vida construindo castelos no ar*; "As vezes fazia castelos no ar, me via dominando terras como meu avô." (José Lins do Rego, *Banguê*, p. 114.) **Bater castelo.** *Bras. MG* Fazer serenata. **Em castelo.** *Lus. Cul.* Em neve: *bater as claras em castelo.*

casteloa (ô) *S. f.* Fem. de *castelão*[1] (q. v.).

castelo-branquense *Adj. 2 g. S. 2 g.* V. *castelense*[3]. [Pl.: *castelo-branquenses*.]

castelona *S. f.* Fem. de *castelão*[1] (q. v.).

castelório [De *castelo* + *-ório*.] *S. m.* Pequeno castelo.

→caster ['kæstə'] [Ingl.] *S. m. Autom.* Ângulo da suspensão que proporciona a possibilidade de as rodas manterem-se estáveis em linha reta, e que é responsável pelo retorno automático do volante (12) após as curvas.

castiçal [De or. incerta.] *S. m.* **1.** Utensílio em cuja parte superior há um bocal onde se deposita a vela[3] (3). **2.** *Bras. MS MT Bot.* Paxiúba. [Cf. *castinçal*.]

castiçar [De *castiço* + *-ar*[2].] *V. t. d.* **1.** Juntar (macho e fêmea) para reprodução. **2.** Cobrir (a fêmea). *Int.* **3.** Juntar-se (o macho e a fêmea) para a reprodução. [Conjug.: v. *laçar*.]

casticidade [De *castiço* + *-(i)dade*.] *S. f.* Casticismo (1).

casticismo [De *castiço* + *-ismo*.] *S. m.* **1.** Qualidade do que é castiço; casticidade. **2.** *Fig.* Pureza ou correção de linguagem; vernaculismo.

castiço [Do esp. *castizo*.] *Adj.* **1.** De boa casta, de boa raça. **2.** Próprio para reproduzir a raça, a casta: *animal castiço*. **3.** *Fig.* Vernáculo (2 e 3).

castidade [Do lat. *castitate*.] *S. f.* **1.** Qualidade de casto. **2.** Abstinência total dos prazeres sensuais: *voto de castidade*.

castificar [Do lat. *castificare*.] *V. t. d.* Tornar casto; purificar. [Conjug.: v. *trancar*.]

castigado [Part. de *castigar*.] *Adj.* **1.** Que recebeu castigo; punido. **2.** Molestado, maltratado. **3.** *Fig.* Apurado, aperfeiçoado: *Escreve pouco, mas em linguagem castigada.*

castigador (ô) [Do lat. *castigatore*.] *Adj. S. m.* Que, ou aquele que castiga.

castigar [Do lat. *castigare*.] *V. t. d.* **1.** Infligir castigo a; punir. **2.** Repreender, advertir, admoestar: *Castigou-o com palavras duras.* **3.** Ferir, contundir, magoar: *O mau cavaleiro castiga amiúde a cavalgadura.* **4.** Causar sofrimento a; mortificar: *O sol nordestino castigara-o.* **5.** Corrigir, emendar: *Esta lição há de castigá-lo.* **6.** Apurar, aperfeiçoar: *castigar o estilo.* *P.* **7.** Aplicar castigo a si mesmo; penitenciar-se. [Conjug.: v. *largar*.]

castigável [De *castigar* + *-vel*.] *Adj. 2 g.* Que pode, deve ou merece ser castigado.

castigo [Dev. de *castigar*.] *S. m.* **1.** Pena que se inflige a um culpado; punição. **2.** Escarmento, exemplo, emenda. **3.** Admoestação, repreensão. **4.** Mortificação, consumição.

castilhense[1] *Adj. 2 g.* **1.** De, ou pertencente ou relativo a Castilho (SP). • *S. 2 g.* **2.** O natural ou habitante de Castilho.

castilhense[2] *Adj. 2 g.* **1.** De, ou pertencente ou relativo a Júlio de Castilhos (RS). • *S. 2 g.* **2.** O natural ou habitante de Júlio de Castilhos.

castilhismo[1] [Do antr. (*Antônio Feliciano de*) *Castilho* (1800-1875), escritor português, + *-ismo*.] *S. m.* Corrente literária ou escola de Antônio Feliciano de Castilho (v. *castilhista*[1]).

castilhismo[2] [Do antr. (*Júlio Prates de*) *Castilhos* + *-ismo*.] *S. m. Bras.* **1.** A linha política do partido chefiado pelo estadista gaúcho Júlio Prates de Castilhos (1859-1903). **2.** Corrente ou sentimento favorável a tal política.

castilhista[1] [De *castilhismo*[1] + *-ista*.] *S. 2 g.* Admirador de Antônio Feliciano de Castilho, escritor português (1800-1875), e/ou profundo conhecedor de sua obra.

castilhista[2] [De *castilhismo*[2] + *-ista*.] *Bras. Adj. 2 g.* **1.** Relativo ao, ou que é partidário ou simpatizante do castilhismo[2]. • *S. 2 g.* **2.** Partidário ou simpatizante do castilhismo[2].

castina [Do fr. *castine*.] *S. f.* Pedra calcária que se emprega como fundente em siderurgia.

castinçal [De *castinc(eira)* + *-al*[1].] *S. m.* **1.** Quantidade de mais ou menos considerável de castinceiras, ou castanheiros, dispostos proximamente entre si. [Cf. *castiçal*.] **2.** Área ocupada por castinçal (1). [Cf. *castiçal*.]

castinceira [De **castinço* (< *castaiço* [lus.] < lat. *castanicium*) + *-eira*, poss.] *S. f. Bot.* Castanheiro silvestre; castanheira, castinceiro.

castinceiro [De *castinc-*, como em *castinceira*, + *-eiro*.] *S. m. Bot.* V. *castinceira*.

casto [Do lat. *castu*.] *Adj.* **1.** Que se abstém de quaisquer relações sexuais. **2.** Que se abstém de relações sexuais ilegítimas ou imorais. **3.** Puro, inocente, imaculado. **4.** Sem mescla; puro.

castor[1] (ô) [Do tax. *Castor* (< lat. *castor*).] *S. m. Zool.* **1.** O gênero-tipo dos castorídeos, que reúne roedores semiaquáticos que habitam a Europa, e a América do Norte e a Ásia; têm corpo robusto, cabeça larga, olhos e orelhas pequenos, e cauda achatada, coberta de escamas membranosas na parte superior, e de pelos, na inferior. **2.** Qualquer espécie desse gênero, como, p. ex., a *Castor canadensis*, americana. **3.** Qualquer espécime desse gênero.

castor[2] (ô) [Do mit. gr. *Kástor*.] *S. m. Astr.* Nome tradicional da estrela alfa de Gêmeos, cuja denominação científica é *Alpha geminorum*. [Com cap.]

castóreo [Do lat. *castoreu*.] *S. m. Quím.* Sólido pardo, com odor forte e característico, secretado por duas bolsas vizinhas aos órgãos genitais do castor, contendo colesterol, ácido benzoico e ácido salicílico, usado em perfumaria e como estimulante e antiespasmódico.

castorídeo [Do tax. *Castor* + *-ídeo*[1]; tax. *Castoridae*.] *Zool. S. m.* **1.** Espécime dos castorídeos, família de roedores cujas patas posteriores, com cinco dedos e forma palmípede, revelam sua adaptação à água. As narinas e as orelhas são valvulares e podem ser ocluídas durante o mergulho, a pelagem é densa e impermeável e ambos os sexos têm um par de glândulas anais odoríferas. • *Adj.* **2.** Pertencente ou relativo a eles.

castorina [Do fr. *castorine*.] *S. f. Tec. Têx.* Tecido de lã macio e lustroso, que era entretecido com fios de pelo de castor.

castração [Do lat. *castratione*.] *S. f.* Ato ou efeito de castrar(-se); castramento.

castrado [Part. de *castrar*.] *Adj.* **1.** Que, por efeito de castração, não pode reproduzir; capado. ● *S. m.* **2.** Indivíduo ou animal que foi submetido a castração.

castrador (ô) [Do lat. *castratore*.] *S. m.* **1.** V. *capador*. ● *Adj.* **2.** Que castra [v. *castrar* (2 e 3)]. **3.** Diz-se daquele ou daquilo que impede livre manifestação ou desenvolvimento de alguém ou algo: *uma educação castradora*.

castramento [De *castrar* + *-mento*.] *S. m.* Castração.

castrametação [De *castrametar* + *-ção*.] *S. f.* **1.** Escolha e levantamento de terreno para fortificação ou acampamento. **2.** Escolha de terreno para arraial ou povoação.

castrametar [Do lat. *castrametari*.] *V. int.* Assentar arraial; acampar.

castrar [Do lat. *castrare*.] *V. t. d.* **1.** Cortar ou destruir os órgãos reprodutores a; capar. **2.** Impedir a proficuidade ou eficiência de: *Uma reforma ortográfica inoportuna castraria o ensino da língua.* **3.** Anular ou restringir fortemente a personalidade de: *O feitio tirânico do pai terminou castrando o filho mais novo.* **4.** *Fig.* Cercear, impedir, ou reprimir o desenvolvimento de: *castrar a vocação de um artista.* **5.** *Bot.* Eliminar os estames de (flor hermafrodita), antes que se abram para soltar o pólen, a fim de se proceder ao cruzamento artificial. *P.* **6.** Privar a si próprio dos órgãos reprodutores. **7.** *Fig.* Frustrar-se, reprimir-se.

castrejo [De *castro* + *-ejo*.] *S. m.* Pequeno castro: "Era frequente confundir míseros castrejos e vicos com urbes." (Aquilino Ribeiro, *Os Avós dos Nossos Avós*, p. 266.)

castrense[1] [Do lat. *castrense*.] *Adj. 2 g.* **1.** Relativo a castro. **2.** *P. ext.* Referente à classe militar. **3.** Pertencente ou relativo a acampamento militar. ~ V. *bens —s*.

castrense[2] *Adj. 2 g.* **1.** De, ou pertencente ou relativo a Castro (PR). ● *S. 2 g.* **2.** O natural ou habitante de Castro.

castrismo [Do antr. (*Fidel*) *Castro* (*Ruz*) (1926-), presidente cubano, + *-ismo*.] *S. m.* Teoria e/ou aplicação dos métodos que Fidel Castro Ruz empregou na tomada do poder em Cuba, ou na condução da política interna e/ou externa após a revolução, de tendência nitidamente esquerdista; fidelismo.

castrista [De *castrismo* + *-ista*.] *Adj. 2 g.* **1.** Que pratica o castrismo ou é sectário dele. **2.** Relativo a, ou próprio do castrismo. ● *S. 2 g.* **3.** Indivíduo castrista. [Sin. ger.: *fidelista*.]

castro [Do lat. *castru*.] *S. m.* Castelo fortificado de origem pré-romana ou romana.

castro-alvense *Adj. 2 g.* **1.** De, ou pertencente ou relativo a Castro Alves (BA). ● *S. 2 g.* **2.** O natural ou habitante de Castro Alves. [Pl.: *castro-alvenses*.]

castrolomancia (cí) [De rad. inicial obscuro + *-mancia*.] *S. f.* Antiga arte de adivinhar por meio de garrafa ou redoma cheia de água.

castrolomante *S. 2 g.* Pessoa que praticava a castrolomancia.

castrolomântico *Adj.* Referente a castrolomancia, ou a castrolomante.

castrorosa *S. f. Bras.* Certa máquina de indústria de chapelaria.

casual [Do lat. *casuale*.] *Adj. 2 g.* **1.** Que depende do acaso; fortuito, acidental, eventual. [Cf. *contingente* (3).] **2.** *E. Ling.* Referente a caso (5 e 6). [Cf. *causal*.] **3.** Diz-se de roupa esportiva, informal. ~ V. *amostra — e amostragem —*.

casualidade [De *casual* + *-(i)dade*.] *S. f.* **1.** Qualidade de casual; acaso, eventualidade. **2.** Acontecimento casual; acaso: *O encontro não foi de propósito, foi só casualidade.* [Cf. *causalidade*.]

casualismo [De *casual* + *-ismo*.] *S. m.* Doutrina que atribui ao acaso a sucessão dos fenômenos.

casualista [De *casualismo* + *-ista*.] *Adj. 2 g.* **1.** Relativo ao, ou que é seguidor do casualismo. ● *S. 2 g.* **2.** Seguidor do casualismo.

casualização [De **casualizar* (< *casual* + *-izar*) + *-ção*.] *S. f. Estat.* V. *acidentalização*.

casuar [Do malaio, pelo fr. *casoar*.] *S. m. Zool.* Designação geral para várias aves, semelhantes ao avestruz, que se distribuem pela Austrália (*Casuarius australius*), Nova Guiné e ilhas adjacentes. [Sin., lus.: *cassuar*.]

casuariídeo [Do tax. *Casuarius* (< malaio *kĕsuari*) + *-ideo*[1]; *Casuariidae*.] *Zool. S. m.* **1.** Espécime dos casuariídeos, família de aves casuariiformes que reúne aves cursoras, ratitas, grandes e pesadas, com penas pretas semelhantes ao pelo dos mamíferos, desprovidas de cauda e de asas extremamente reduzidas, com três a cinco plumas apenas. A cabeça apresenta uma cimeira óssea, pescoço nu com carúnculas coloridas, pernas fortes, pés com três dedos, sendo o interno com garra afiada. Alimentam-se principalmente de frutas e nidificam no chão. São os casuares. ● *Adj.* **2.** Pertencente ou relativo a eles.

casuariiforme [Do tax. *Casuarius* (< malaio *kĕsuari*) + *-iforme*; tax. *Casuariiformes*.] *Zool. S. m.* **1.** Espécime dos casuariiformes, ordem de grandes aves neórnites, paleógnatas, terrestres, em que se classificam os casuariídeos. ● *Adj. 2 g.* **2.** Pertencente ou relativo a eles.

casuarina [Do tax. *Casuarina* (do malaio *kĕsuari*).] *S. f. Bot.* **1.** Gênero de árvores e arbustos casuarináceos, originários da Austrália e há muito tempo introduzidos no Brasil, e que se caracterizam pelos ramos numerosos e pelo crescimento rápido. **2.** Qualquer espécie desse gênero, como, p. ex., a *Casuarina equisetifolia*, cultivada, nas regiões quentes, como ornamental. **3.** Qualquer espécime desse gênero.

casuarinácea [Do tax. *Casuarina* + *-ácea*; tax. *Casuarinaceae*.] *S. f. Bot.* Espécime das casuarináceas, família de árvores que se caracterizam por levar folhas reduzidas a escamas e flores insignificantes, de estrutura extremamente simples. Raminhos verdes, cilíndricos, substituem as folhas. O fruto é seco e indeiscente. Há perto de 25 espécies, australianas e neozelandesas, várias amplamente cultivadas graças à sua beleza.

casuarináceo [De *casuarinácea*, com var. suf. (v. *-áceo*).] *Adj. Bot.* Pertencente ou relativo às casuarináceas.

casucha [De *casa* + *-ucha*.] *S. f.* V. *casa* (1).

casuísmo [Do lat. *casu*, 'caso', 'ocorrência', + *-ismo*; esp. *casuismo*.] *S. m.* **1.** Aceitação passiva de ideias, doutrinas ou princípios. **2.** Obediência à letra da lei ou apego formalístico à jurisprudência dos tribunais. **3.** Arrazoado e/ou medida de caráter especioso, particularmente no campo do direito e da moral, baseados em casos concretos e não em preceitos gerais.

casuísta [De *casuísmo* + *-ista*, seg. o padrão erudito.] *Adj. 2 g.* **1.** Casuístico. ● *S. 2 g.* **2.** Pessoa que pratica o casuísmo ou a casuística.

casuística [De *casuísta* + *-ica*.] *S. f.* **1.** *Ét.* Estudo dos casos de consciência, *i. e.*, dos problemas concretos que se apresentam à ação moral. **2.** Discussão e/ou análise dos casos feita mediante sutilezas e artifícios. **3.** *Bras. Med.* Registro de casos clínicos ou cirúrgicos.

casuístico [De *casuísta* + *-ico*[2].] *Adj.* Relativo ao casuísmo ou à casuística; casuísta.

casula [Do b.-lat. *casubla* < lat. casa (fonte, tb., do dim. *casula* [v. *casulo*]).] *S. f.* Vestimenta sacerdotal que se põe sobre a alva e a estola; planeta: "levantando a casula enfiava-a pelo pescoço, continuando a oração com que se procurava tornar digno do mais santo dos Mistérios." (Inglês de Sousa, *O Missionário*, pp. 111-112).

casulo [Do lat. vulg. **casuplu*, *casupulu* < lat. *casula*, dim. do lat. *casa*.] *S. m.* **1.** Invólucro filamentoso, construído pela larva do bicho-da-seda ou por outras: "um corpo servido e inútil — abandonado à toa, como um casulo vazio de vespa" (Amadeu de Queirós, *Os Casos do Carimbamba*, p. 171). **2.** *Bot.* Invólucro das sementes de várias plantas; capulho: "os curiangus saíam das moitas demandando a larga planura por onde a Lua solitária no céu liso, como imenso casulo de algodão aberto, estendia a sua claridade triste" (Coelho Neto, *Banzo*, p. 120).

casuloso (ô) [De *casulo* + *-oso*.] *Adj.* **1.** Que tem casulos. **2.** Em forma de casulo.

➔**casus belli** ['kasʊs 'bɛlị] [Lat., 'causa de guerra'.] Incidente que deve provocar necessariamente uma guerra.

cata [Dev. de *catar*[2].] *S. f.* **1.** Ação ou efeito de catar; busca, procura, catação. **2.** *Bras.* Separação dos grãos enegrecidos e mirrados do café. **3.** Escavação mais ou menos profunda, conforme a natureza do terreno, para mineração. ◆ **À cata de.** À procura de; em busca de: "Fui à cata de rútilas grandezas, / Palácios de ouro, homens leais, moças divinas, / E só achei infâmias e torpezas" (Eugênio de Castro, *Obras Poéticas*, II, p. 35).

▲**cata-** [Do gr. *kata-* < gr. *katá*, adv. e prep.] *Pref.* = 'do alto para baixo', 'abaixo'; *p. ext.*, 'no mesmo sentido de', 'em seguimento a', 'contra', 'em relação', 'em conformidade com': *catamnese*; *catabatista*; *catadióptrica*.

catábase [Do gr. *katábasis*, 'ação de descer', 'declínio'.] *S. f. Med.* Etapa em que uma doença entra em declínio.

catabásico [De *cata-* + *básio* + *-ico*[2].] *Adj. Anat. Antropom.* Diz-se de crânio em que o básio está em nível inferior ao opístio.

catabático [De *catab(ase)* + *-ático*.] *Adj.* Relativo à catábase.

catabatismo [De *catabatista* + *-ismo*, seg. o padrão erudito.] *S. m. Rel.* Doutrina professada pelos catabatistas, membros de um antigo grupo religioso cristão que negava ser o batismo necessário à salvação.

catabatista [De *cata-* + gr. *baptistés*, 'batista'.] *Adj. 2 g.* **1.** Relativo a, ou que é sectário do catabatismo. ● *S. 2 g.* **2.** Sectário do catabatismo.

catabi [T. onom., poss.] *S. m. Bras. N.E.* **1.** Cada uma das corrugações que às vezes se formam transversalmente à superfície das estradas, constituindo saliências e depressões alternadas que produzem solavanco em veículos: "Caminho de piso ruim, desvios e catabis." (Chico Anísio, *Teje Preso*, p. 12.) [Sin. (em MG, RJ e S.): *costela de vaca*, *costela*.] **2.** O solavanco produzido por tais corrugações. [Var.: *catabil*.]

catabil *S. m. Bras. N.E.* V. *catabi*.

catabiose [Do gr. *katabíosis*.] *S. f. Med.* O conjunto das alterações degenerativas que acompanham o envelhecimento celular.

catabiótico [De *catabi(ose)* + *-ótico*.] *Adj.* Relativo à catabiose.

catabólico [De *catabolismo* + *-ico*[2], seg. o padrão erudito.] *Adj.* Em que há catabolismo.

catabolismo [Do gr. *katabolé*, 'ação de atirar de cima para baixo'; 'abatimento', + *-ismo*.] *S. m. Citol. Fisiol. Med.* Conjunto de reações catalisadas por enzimas em uma célula, por meio das quais moléculas complexas são transformadas em moléculas mais simples, com liberação de energia.

catacá [De or. tupi, poss.] *S. m. Bras.* Instrumento indígena de percussão.

catação [De *catar*[2] + *-ção*.] *S. f.* Ato ou efeito de catar; cata.

catacáustico [De *cata-* + *cáustico*.] *Adj.* ~ V. *curva —a* e *superfície —a*.

catacego [De *catar*[2] + *cego*, poss.] *Adj.* **1.** *Pop.* Que tem pouca vista; de vista curta: "a noite caiu assim sem que ninguém desse por fé e quando se percebeu foi porque uma velha catacega perguntava por que não haviam ainda acendido a candeia de azeite." (Bernardo Élis, *Veranico de Janeiro*, p. 99). **2.** *Fig.* Que é pouco atilado.

cataclase [Do gr. *katáklasis*, 'ação de quebrar'.] *S. f. Geol.* Tipo de metamorfismo que provoca a trituração e fragmentação de rochas preexistentes, originado, em geral, por movimentos tectônicos.

cataclástico [Do nor. *kataklastik* < gr. *kataklastós*, 'quebrado'; 'partido', poss.] *Adj.* ~ V. *rocha —a*.

cataclísmico [De *cataclismo* + *-ico*[2].] *Adj.* Relativo a cataclismo. ~ V. *estrela —a*.

cataclismo [Do gr. *kataklysmós*, pelo lat. *cataclysmos*.] *S. m.* **1.** Grande inundação; dilúvio. **2.** *Geol.* Transformação brusca e de grande amplitude da crosta terrestre: "a Terra tremeu toda, o Sol afundou-se e o véu do firmamento partiu-se pondo um estrondo de cataclismo no mundo" (João Ribeiro, *Cartas Devolvidas*, p. 15). **3.** *Fig.* Convulsão social; revolta, convulsão. **4.** *Fig.* Grande desastre; derrocada.

catacrese [Do gr. *katáchresis*.] *S. f. E. Ling.* Aplicação de um termo figurado por falta de termo próprio; abusão: pernas *da mesa;* mão *de pilão;* embarcar *num trem*.

catacumba [Do lat. tard. *catacumba*.] *S. f.* V. *sepultura* (1): "Com pouco mais subia-se a ladeira do cemitério. O mato cobria as catacumbas" (José Lins do Rego, *Ficção Completa*, I, p. 389). ~ V. *catacumbas*.

catacumbas [Do lat. tard. *catacumbas*.] *S. f. pl.* Galerias subterrâneas em cujas paredes se faziam tumbas e onde os primeiros cristãos se reuniam secretamente. ~ V. *catacumba*.

catadeira [De *catar*[2] + *-deira*.] *S. f. Bras.* Mulher que trabalha na cata (2) do café.

catadióptrica [De *cata-* + *dióptrica*.] *S. f. Ópt.* Parte da óptica que estuda a reflexão entre os fenômenos de reflexão e refração da luz.

catadióptrico [De *cata-* + *dióptrico*.] *Adj.* **1.** Relativo à catadióptrica. ● *S. m.* **2.** Cada um dos dispositivos de reflexão e refração da luz, utilizados na sinalização de vias públicas, e que devem ser instalados na parte traseira dos veículos; olho de gato.

catador (ô) [De *catar*[2] + *-dor*.] *Adj.* **1.** Que cata. ● *S. m.* **2.** *Bras. Restr.* Aquele que se ocupa de procurar e apanhar certos tipos de produtos ou materiais (para reaproveitá-los ou vendê-los): *catadores de lixo, catadores de papel.* **3.** *Bras.* Máquina de beneficiamento de café, com a qual se separam os diversos tipos.

catádromo [Do gr. *katádromos*.] *Adj.* **1.** *Zool.* Diz-se do peixe de rio que desce para o mar na época da desova. **2.** *Bot.* Diz-se da nervação das pinas dos fetos quando as nervuras ímpares se voltam para o lado inferior ou externo e as nervuras pares surgem para o lado superior ou interno das pinas. [Opõe-se a *anádromo*.]

catadupa [Do lat. *catadupa*.] *S. f.* **1.** Queda de grande porção de água corrente; queda-d'água; salto. **2.** *P. ext.* Jorro, derramamento: "Falava como todos nós falamos; não era já nem sombra daquela catadupa de ideias, de imagens, de frases, que mostravam no orador um poeta." (Machado de Assis, *Páginas Recolhidas*, p. 50.) ◆ **Em catadupas.** Em grande quantidade: *Quando zangado, os palavrões saem-lhe em catadupas.*

catadupejar [De *catadupa* + *-ejar*.] *V. int.* Cair em catadupas. [Conjug.: v. *pelejar*. Normalmente é defect., só conjugável nas 3.as pess. Quanto ao timbre do *e*, v. *pelejar*.]

catadura [De *catar*[2] + *-dura*.] *S. f.* **1.** Semblante, aspecto, aparência, acatadura. **2.** Disposição de ânimo.

catafalco [Do provenç. *cadafalc* < lat. vulg. **catafalicu*.] *S. m.* Estrado alto, armado em igreja, casa mortuária, etc., sobre o qual se coloca o féretro; essa[1] (1): "Na exposição do corpo [de Sidônio Pais] na Câmara Municipal, uma bicha enorme .... prolongava-se pela Rua dos Capelistas, ascendendo até ao catafalco." (Raul Brandão, *Vale de Josafá*, p. 99). [Cf. *cadafalso*.]

catáfase [Do gr. *katáphasis*, pelo lat. *cataphase*.] *S. f. Filos.* Afirmação, proposição afirmativa. [Opõe-se a *apófase*.]

catafasia [De *cata-* + *-fas(i)-* + *-ia*[1].] *S. f. Neur.* Distúrbio da fala no qual o paciente profere, repetidamente, a mesma palavra ou a mesma frase.

catafático [De *catáf(ase)* + *-ático*.] *Adj.* Relativo à catáfase. [Opõe-se a *apofático*.]

catafilar [De *catafilo* + *-ar*[1].] *Adj. 2 g. Bot.* Relativo ou semelhante ao catafilo: *bainha catafilar*.

catafílico [De *catafilo* + *-ico*[2].] *Adj. Bot.* Próprio do catafilo.

catafilo [Do gr. *katáphyllos*.] *S. m. Bot.* Folha escamiforme.

catáfora [Do gr. *kataphorá*.] *S. f.* **1.** *Patol.* Letargia entremeada por períodos de despertar incompleto. **2.** *E. Ling.* Unidade linguística que se refere a outra, enunciada mais adiante. [Cf., nesta acepç., *anáfora*, *dêixis*, *endófora* e *exófora*.]

cataforese [De *cata-* + *-forese*.] *S. f. Med.* Introdução terapêutica de substâncias no organismo, através da pele, mediante aplicação de corrente elétrica, sem dissociação molecular.

catafórico [De *catáfora* + *-ico*[2].] *Adj.* **1.** Relativo à catáfora, ou dela próprio. **2.** Em que há catáfora (2).

catafrenia [De *cata-* + *-fren(o)-* + *-ia*[1].] *S. f. Psiq.* Debilidade mental de tipo demencial, de que o paciente, com frequência, se recupera.

catafrente *S. f. Met.* Toda a superfície frontal na qual a massa de ar quente é descendente em relação à massa de ar frio.

catagelofobia [Do gr. *katagel-* (do v. gr. *katagelân*, 'rir-se de', 'zombar de') + *-o-*[1] + *-fobia*.] *S. f. Psiq.* Medo patológico do ridículo.

catagelofóbico [De *catagelofobia* + *-ico*[2].] *Psiq. Adj.* **1.** Relativo a catagelofobia; catagelófobo. **2.** Que sofre de catagelofobia; catagelófobo. ● *S. m.* **3.** Aquele que sofre de catagelofobia; catagelófobo.

catagelófobo [De *catagelo-*, como em catagelofobia, + *-fobo*.] *Adj. S. m. Psiq.* Catagelofóbico (2 e 3).

catagmático [Do gr. *katagmatikós*.] *Adj.* Diz-se de agente que tem a capacidade de consolidar fratura óssea.

catagógico [De *cata* + *-agog(o)-* + *-ico*[2].] *Adj. Hist. Filos.* Segundo Leibniz (v. *leibniziano*), dedutivo. [Opõe-se a *anagógico* (2).]

catauá[1] [Do tupi.] *S. m. Bras. Bot.* Planta rutácea (*Metrodorea pubescens*) de flores alvas, aromáticas, dispostas em panículas compostas, que vegeta nos campos gerais, e cujo fruto é cápsula; caputuna, laranjeira-do-mato, limoeiro-do-mato.

cataguá[2] *Bras. S. 2 g.* **1.** *Etnôn.* Indivíduo dos cataguás, povo indígena extinto que habitava a região do rio das Velhas (MG). ● *Adj. 2 g.* **2.** Pertencente ou relativo a esse povo. [Tb. us. como *s. 2 g. e 2 n.* (com cap.) e *adj. 2 g. e 2 n.*]

cataguasense *Adj. 2 g.* **1.** De, ou pertencente ou relativo a Cataguases (MG). ● *S. 2 g.* **2.** O natural ou habitante de Cataguases.

cataia [De *caataia*.] *S. f. Bras. Bot.* **1.** V. *casca-de-anta* (1). **2.** V. *erva-de-bicho* (1). **3.** V. *erva-moura* (1).

catajé [De or. tupi, poss.] *S. m. Bras. Bot.* V. *capeba-do-norte*.

catalã *S. f.* Fem. de *catalão*.

catalânico [De *catalão* + *-ico*[2].] *Adj.* Relativo aos catalães.

catalano *Adj.* **1.** De, ou pertencente ou relativo a Catalão (GO). ● *S. m.* **2.** O natural ou habitante de Catalão.

catalão [Do esp. *catalán*.] *Adj.* **1.** Da, ou pertencente ou relativo à Catalunha (Espanha). ● *S. m.* **2.** O natural ou habitante da Catalunha. **3.** *Gloss.* Língua românica falada nas províncias espanholas da Catalunha e de Valença, nas ilhas Baleares e em Andorra (Pireneus). **4.** Vocábulo dessa língua. [Fem.: *catalã*; pl.: *catalães*.]

catalase *S. f. Bioquím.* V. *catálase*.

catálase [Do rad. *catal-*, de *catálise*, + *-ase*.] *S. f. Bioquím.* Qualquer de um grupo de enzimas com estruturas relacionadas, variáveis para espécies diferentes, dotadas de grupo prostético contendo íon de ferro, presentes em praticamente todos os organismos que vivem em presença de oxigênio, e que catalisam a decomposição do peróxido de hidrogênio, formando água e oxigênio molecular, mas que podem, também, catalisar a decomposição oxidativa, pela ação do peróxido de hidrogênio, de substâncias tóxicas, como aldeído fórmico, fenóis e álcoois. [Var. mais us.: *catalase*.]

cataléctico [Do gr. *katalektikós*, pelo lat. *catalecticu*.] *Adj.* ~ V. *verso* —. [Var.: *catalético*. Cf. *cataléptico*.]

catalecto [Do lat. **catalectu* < lat. *catalecta* < gr. *katálekta*, 'coisas escolhidas'.] *S. m.* Antologia de clássicos antigos.

catalepsia [Do gr. *katálepsis* + *-ia*[1].] *S. f.* **1.** *Med. Psiq.* Estado em que se observa uma rigidez cérea dos músculos, de modo que o paciente permanece na posição em que é colocado. [Observa-se a catalepsia principalmente em casos de esquizofrenia e de sono hipnótico.] **2.** *Filos.* Compreensão, certeza, afirmação.

cataleticamente [Do f. de *cataléptico* + *-mente*.] *Adv.* De modo cataléptico; à maneira de catalepsia ou de cataléptico.

cataléptico [Do gr. *kataleptikós*.] *Adj.* **1.** Relativo a, ou que sofre de catalepsia. ● *S. m.* **2.** Aquele que sofre de catalepsia. [Cf. *cataléctico*.]

catalético *Adj.* V. *cataléctico*.

catalisação [De *catalisar* + *-ção*.] *S. f.* Ato ou efeito de catalisar.

catalisador (ô) [De *catalisar* + *-dor*.] *Adj.* **1.** *Fís.-Quím.* Diz-se de substância que produz catálise. **2.** *Fig.* Estimulante, dinamizador, incentivador: *atividade catalisadora do processo cultural*. ● *S. m.* **3.** *Fís.-Quím.* Substância catalisadora; acelerador (7). **4.** *Fig.* Agente catalisador (2): *O professor pode ser um catalisador de mudanças no comportamento da turma*.

catalisar [De *catálise* + *-ar*[2].] *V. t. d.* **1.** *Fís.-Quím.* Produzir catálise em. **2.** *Fig.* Estimular, dinamizar, incentivar. [Pres. subj.: *catalise*, etc. Cf. *catálise*.]

catálise [Do gr. *katálysis*.] *S. f. Fís.-Quím.* Modificação (em geral aumento) de velocidade de uma reação química pela presença e atuação de uma substância que não se altera no processo. [Cf. *catalise*, do v. *catalisar*.] ◆ **Catálise ácida.** *Fís.-Quím.* A que é provocada por íons hidrogênio ou por substância de natureza ácida. **Catálise ácido-básica.** *Fís.-Quím.* A que é provocada por íons ácidos e também por íons básicos. **Catálise básica.** *Fís.-Quím.* A que é provocada por íons hidroxila ou por substância de natureza básica. **Catálise heterogênea.** *Quím.* A que ocorre em mais de uma fase, em geral entre um sólido e uma solução, ou entre um sólido e um gás. **Catálise homogênea.** *Quím.* A que ocorre em uma só fase. **Catálise por transferência de fase.** *Quím.* Aquela que emprega catalisador capaz de retirar um reagente de uma fase sólida, inorgânica, ou aquosa e transferi-lo para outra fase, ger. orgânica, na qual sua reatividade se torna aumentada e onde se dá a reação desejada.

catalítico [Do gr. *katalytikós*.] *Adj.* Relativo à catálise.

catalogação [De *catalogar* + *-ção*.] *S. f.* **1.** Ato ou efeito de catalogar. **2.** *Bibliogr. Bibliot.* Relação de elementos formais e de conteúdo que permitem a identificação de um documento; descrição bibliográfica. ◆ **Catalogação na fonte.** *Bibliot. Edit.* Elaboração prévia da ficha catalográfica de um documento bibliográfico, de forma que ela já venha impressa na obra publicada.

catalogador (ô) [De *catalogar* + *-dor*.] *Adj. S. m.* Que, ou aquele que cataloga.

catalogar [De *catálogo* + *-ar*[2].] *V. t. d.* **1.** Relacionar em catálogo; classificar; inventariar: *catalogar uma biblioteca*; "no raio de uma hora, nas imediações de Belém os entomologistas catalogaram 700 variedades de borboletas" (Raimundo Morais, *Na Planície Amazônica*, p. 22). *Transobj.* **2.** *Pop.* Classificar; tachar: *Não o julgava capaz de catalogar de rematado imbecil o seu melhor amigo*. [Conjug.: v. *largar*. Pres. ind.: *catalogo*, etc. Cf. *catálogo*.]

catálogo [Do gr. *katálogos*, pelo lat. *catalogu*.] *S. m.* **1.** Relação ou lista sumária, metódica, e ger. alfabética, de pessoas ou coisas. **2.** *Bibliot.* Lista, volume ou fichário onde estão metodicamente descritos os livros e outros documentos de uma biblioteca. [Cf. *catalogo*, do v. *catalogar*.] ◆ **Catálogo eletrônico.** *Bibliot.* Base de dados onde estão metodicamente descritos os livros e outros documentos de uma biblioteca, centro de documentação, etc. **Catálogo sistemático.** *Bibliot. Docum.* Catálogo (2) no qual os assuntos são indicados por ordem alfabética e numérica, conforme classificação decimal (q. v.).

catálogo-dicionário *S. m. Bibliot.* O que inclui, numa só ordem alfabética, fichas de autor, de título e de assunto. [Pl.: *catálogos-dicionários* e *catálogos-dicionário*.]

catalografia [De *catálogo* + *-grafia*, com haplologia.] *S. f. Bibliot.* Técnica de organização de catálogos.

catalográfico [De *catalografia* + *-ico*[2].] *Adj.* Relativo a catalografia, ou a catálogo.

catamarã [Do tâmil *kattumaram* < *kattu*, 'ligadura', + *maram*, 'pau'.] *S. m.* **1.** Barco originário do Sri Lanka (Ásia), de pequeno porte, que arma uma vela quadrangular na qual os punhos do gurutil são aguentados nos extremos de duas fortes varas de bambu dispostas em V, e que, para maior estabilidade, leva disparadas duas varas com um pau de contrabalanço, preso na extremidade, paralelamente ao casco. **2.** Embarcação de esporte ou de recreio, constituída de dois cascos esguios presos lado a lado por fortes travessões sobre os quais monta uma plataforma com camarim.

catambá [De or. tupi, poss.] *S. m. Bras. ES* Espécie de bailado popular.

catambruera (é) [Do tupi.] *S. f. Bras.* Catimpuera.

catambuera (ê) [Do tupi.] *S. f. Bras. Bot.* **1.** Qualquer fruto vegetal atrofiado; catanguera. **2.** V. *gangão*[1]. ● *Adj. 2 g.* **3.** Diz-se de qualquer fruto vegetal atrofiado.

catamenial [De *catamênio* + *-al*[1].] *Adj. 2 g.* Relativo ao catamênio.

cataménio *S. m.* V. *catamênio*. [Uso freq. em P.]

catamênio [Do gr. *kataménion*, 'mensal', subentendendo-se *fluxo*.] *S. m.* V. *menstruação* (1).

catamnese [De *cata-* + *-mnese*.] *S. f. Med.* Acompanhamento da evolução de um paciente desde que recebe alta, hospitalar ou não, e que pode ter duração extremamente variável; catamnésia. [Sin., ingl.: *follow up*. Cf. *anamnese*.]

catamnesia [De *cata-* + *-mnesia*.] *S. f. Med.* Catamnésia (q. v.).

catamnésia [Var. pros. de *catamnesia*.] *S. f. Med.* V. *catamnese*.

catamorfismo [De *cata-* + *-morf(o)-* + *-ismo*.] *S. m. Geol.* Processo destrutivo que se realiza nas rochas situadas próximo à superfície terrestre. [Opõe-se a *anamorfismo*.]

catana [Do jap. *katana*.] *S. f.* **1.** *Luso-asiat.* Espécie de alfanje. **2.** Pequena espada curva; catatau. **3.** Faca comprida e larga: "Larga catana à ilharga, trabuco a tiracolo e adaga à cinta, ... completavam o equipamento destes indivíduos cuja sinistra catadura já de si incutia mais susto do que as próprias armas." (José de Alencar, *O Sertanejo*, p. 28.) **4.** *Bras. Bot.* V. *sapopema* (1). **5.** *Bras. Bot.* Designação comum às espatas protetoras da inflorescência das palmeiras. **6.** *Bras.* Catau (2). ● *Adj. 2 g.* **7.** *Bras. PA* Diz-se da rês que só tem um chifre, por fratura do outro rente ao crânio. ◆ **Meter a catana em.** Falar mal de; maldizer de; difamar.

catanada [De *catana* + *-ada*[1].] *S. f.* **1.** Golpe ou pancada com catana; espadeirada. **2.** *Fig.* Repreensão (q. v.) severa.

catança [De *catar* + *-ança*.] *S. f.* Catação; cata.

catanduba [Do tupi.] *S. f.* **1.** *Bras. PI a RJ Bot.* Árvore fabácea (*Piptadenia moniliformis*) de flores amarelas, dispostas em espigas, solitárias ou geminadas, axilares, e cujo fruto é uma vagem plana e coriácea, com várias sementes; angico-surucucu, pau-branco, rama-de-bezerro. **2.** *Bras.* Mato rasteiro, áspero e espinhento: "Lund [Peter Wilhelm Lund] considerava os *cerrados* e os *campos limpos* tipos derivados da mata primitiva do planalto, a catanduba, existente no tempo da fauna desaparecida." (E. Roquete-Pinto, *Seixos Rolados*, p. 71.) [Sin. (no PR), nesta acepç.: *mato mau*.] **3.** *Bras.* Tipo de solo caracterizado por ser arenoso e de baixa fertilidade. [Var.: *catanduva* e *catunduva*.]

catanduva *S. f. Bras.* V. *catanduba*: "Dentro da neblina, os soldados de Febrônio não distinguiam de onde vinha tanto estalido de galho seco nas catanduvas que se perdiam pela várzea sem fim." (João Felício dos Santos, *João Abade*, p. 103.)

catanduval [De *catanduva* + *-al*[1].] *S. m. Bras. RS* V. *pinhal*.

catanduvense[1] *Adj. 2 g.* **1.** De, ou pertencente ou relativo a Catanduva (SP). ● *S. 2 g.* **2.** O natural ou habitante de Catanduva.

catanduvense[2] *Adj. 2 g.* **1.** De, ou pertencente ou relativo a Catanduvas (PR e SC). ● *S. 2 g.* **2.** O natural ou habitante de Catanduvas.

catanga *S. f. Tip.* Parte de composição (títulos, componentes de tabelas, etc.) que o distribuidor vai deixando de lado, por pertencer a caixas diversas.

catanguera (güe) [Do tupi.] *S. f. Bras. Bot.* Catambuera (1 e 2) (q. v.).

catanguês *Adj.* De, ou pertencente ou relativo a Catanga, antiga província do S.E. da República Democrática do Congo (antigo Zaire), atual região de Shaba, riquíssima em minérios, especialmente cobre, cobalto, urânio, zinco, rádio e diamantes industriais. [Flex.: *catanguesa* (ê), *catanguesas* (ê), *catangueses* (ê).]

catanhão-tesoura *S. m. Bras. RS Zool.* V. *chama-maré*. [Pl.: *catanhões-tesouras* e *catanhões-tesoura*.]

catano [De *catana*, poss.] *S. m. Chulo* O pênis.

catão [Do antr. *Catão* (234-149 a. C.), censor romano (v. *catoniano*).] **S. m.** Homem de costumes ou princípios austeros.

catapereiro [De *pereira*.] **S. m. Bot.** Arbusto ou arvoreta rosácea (*Pyrus communis*) de ramos espinescentes, folhas caducas, glabras ou tomentosas, flores dispostas em cimeiras corimbiformes e pequenos frutos baciformes, e que é us. como cavalo[1] (3) para pereiras cultivadas. [Sin.: *escambroeiro, pereira-brava* e *pereiro*. Cf. *carapeteiro*.]

cata-piolho [De *catar*[2] + *piolho*.] **S. m. Bras. Fam.** V. *dedo polegar* (1). [Pl.: *cata-piolhos*.]

cataplasma [Do gr. *katáplasma*, pelo lat. *cataplasma*.] **S. f. e m. 1.** *Farmac.* Papa medicamentosa que se aplica, entre dois panos, a uma parte do corpo dorida ou inflamada. **2.** Peça dos arreios à qual se prendem as argolas por onde passam as guias das cavalgaduras. ● **S. 2 g. 3.** *Fig.* Pessoa fraca, débil. **4.** *Fig.* Pessoa indolente, molenga.

cataplasmado [Part. de *cataplasmar*.] **Adj. 1.** Coberto de cataplasma(s). **2.** Adoentado, achacado.

cataplasmar [De *cataplasma* + *-ar*[2].] **V. t. d.** Encataplasmar.

catapléctico [Do gr. *kataplektikós*.] **Adj.** Relativo à cataplexia. [Var.: *cataplético*.]

cataplético **Adj.** V. *catapléctico*.

cataplexia (cs) [Do gr. *katáplexis*, 'consternação'; 'admiração'; 'espanto'; 'o olhar fixo', + *-ia*[1]; al. *Kataplexie*.] **S. f. Neur.** Afecção em que se observam vários surtos de hipotonia muscular despertados por estímulos emocionais, como alegria, ira, etc.; não é rara sua associação com a narcolepsia.

catapora [Do tupi = 'fogo que salta'.] **S. f. Bras.** Designação vulgar da varicela; tatapora. [Tb. se usa no pl.]

catapulta [Do lat. *catapulta* < gr. *katapéltes*.] **S. f. 1.** *Mil. Ant.* Engenho de guerra usado na Antiguidade para lançar pedras ou dardos de grande tamanho contra tropas e/ou fortificações inimigas: "A maior parte dos edifícios desta espécie eram apenas .... um agregado de grossas vigas, ... formando uma série de torres irregulares, cujas paredes .... mal resistiam .... aos tiros das catapultas" (Alexandre Herculano, *O Bobo*, p. 15). **2.** *Bras. Constr. Nav.* Engenho muito usado a bordo de navios de guerra, sobretudo navios-aeródromos, para auxiliar aviões a levantarem voo num espaço pequeno, e constituído de um trilho montado numa plataforma especial, sobre o qual desliza em corrediça uma carreta (à qual o avião é preso) impulsionada pela detonação de uma carga explosiva ou por um sistema de ar comprimido ou de vapor de água.

catapultar [De *catapulta* + *-ar*[2].] **V. t. d. e c. 1.** Lançar por meio de catapulta: *catapultar caças da pista de um porta-aviões*. **T. d. e i. 2.** *Fig.* Elevar; promover: *O presidente da companhia catapultou o genro a vice-presidente*.

catar[1] [Do persa *qatar*.] **S. m. 1.** Cáfila de camelos. **2.** Récua de mulas.

catar[2] [Do lat. *captare*.] **V. t. d. 1.** Buscar, procurar; pesquisar: *Catou o significado da palavra, indo a numerosos dicionários*. **2.** Recolher um a um, procurando entre outras coisas: *As crianças catavam conchas na praia*. **3.** Escolher, selecionar: *catar arroz, feijão*. **4.** Buscar os parasitos capilares a, matando-os; espiolhar: *Sentadas ao sol, as índias catavam os filhos*. **5.** Examinar com atenção. **6.** *Bras. Pop.* Tomar (meio de transporte); pegar. **7.** *Bras. Gír.* Sovar, espancar, surrar. **T. d. e i. 8.** Guardar, dedicar; observar: "A verdade histórica obriga-nos .... a repetir as palavras descabeladas da virago recifense, sem que .... deixemos de catar o respeito devido à memória de D. Sebastião." (José de Alencar, *Guerra dos Mascates*, p. 244.) **P. 9.** Acautelar-se; precatar-se, precaver-se.

cataraca **S. f. Bras.** Caraca[1].

catarata [Do gr. *kataráktes*, 'que se lança para baixo'; 'queda-d'água', pelo lat. *cataracta*.] **S. f. 1.** V. *queda-d'água*. **2.** *Oftalm.* Perda da transparência do cristalino ou da sua cápsula.

catarévussa [Do gr. *kathareúousa (glossa)*, 'língua purista'.] **S. m. Gloss.** O grego moderno literário, em situação de diglossia com o demótico (4).

catariano **Adj. 1.** Do, ou pertencente ou relativo ao Estado de Catar (Oriente Médio). ● **S. m. 2.** O natural ou habitante de Catar.

catarina **S. f. Mar. Merc.** Cadernal todo de ferro, de caixa redonda, muito usado nos paus de carga.

catarinense[1] **Adj. 2 g. 1.** Do, ou pertencente ou relativo ao Estado de Santa Catarina. ● **S. 2 g. 2.** O natural ou habitante de Santa Catarina. [Sin.: *barriga-verde* (alcunha, jocosa na aparência, mas em verdade honrosa, e p. us. como adj.) e (só como s.) *catarineta, catarinete* ou *caterinete* (alcunha amistosa).]

catarinense[2] **Adj. 2 g. 1.** De, ou pertencente ou relativo a Catarina (CE). ● **S. 2 g. 2.** O natural ou habitante de Catarina.

catarineta (ê) **S. 2 g. Bras. S.** V. *catarinense*[1] (2).

catarinete (ê) **S. 2 g. Bras. S.** V. *catarinense*[1] (2).

catarino [Do top. (Santa) Catarina + *-ino*[1].] **Adj.** V. *catarinense*.

catarioni **Bras. S. 2 g. 1.** *Etnôn.* Indivíduo dos catarionis, povo indígena extinto que habitava a região do rio Japurá (AM). ● **Adj. 2 g. 2.** Pertencente ou relativo a esse povo. [Tb. us. como *s. 2 g. e 2 n.* (com cap.) e *adj. 2 g. e 2 n.*]

cátaro **Adj. S. m. Rel.** Albigense[1].

catarral [De *catarro* + *-al*[1].] **Adj. 2 g. 1.** Relativo a catarro. ● **S. m. e f. 2.** *Pop.* Bronquite aguda: "— Está um homem sujeito a apanhar um catarral ou um resfriado." (Fernando Namora, *Retalhos da Vida de um Médico*, p. 137.)

catarreira [De *catarro* + *-eira*.] **S. f. Fam.** Defluxo, constipação.

catarrento [De *catarro* + *-ento*.] **Adj. 1.** Que tem catarro; catarroso. **2.** Propenso a encatarrar-se.

catarrino[1] [De *cata-* + *-rino*.] **Adj. Zool.** Que tem o septo nasal estreito e as narinas voltadas para baixo (diz-se de primata).

catarrino[2] [Adapt. do tax. *Catarrhina*.] **S. m. Zool. 1.** Espécime dos catarrinos, subordem de primatas caracterizados pelo septo nasal estreito, pelas narinas voltadas para baixo, e por terem 32 dentes; inclui os pequenos macacos do Velho Mundo (*cercopitecóideos*), e os grandes macacos do Velho Mundo e o homem (*hominóideos*). ● **Adj. 2.** Pertencente ou relativo a eles.

catarro [Do gr. *katárrhoos*, pelo lat. *catarrhus*.] **S. m. 1.** *Med.* Secreção patológica oriunda de membrana mucosa. **2.** Defluxo, constipação. **3.** *Bras. N. N.E. Pop.* A polpa do coco verde, ainda muito branda.

catarroso (ô) [De *catarro* + *-oso*.] **Adj.** Catarrento (1): "como escolta, seguia-nos um beduíno, velho catarroso (Eça de Queirós, *A Relíquia*, p. 124).

catarse (ss) [Do gr. *kátharsis*.] **S. f. 1.** Purgação, purificação, limpeza. **2.** *Med.* Evacuação, natural ou provocada, por qualquer via. **3.** *Psicol.* Efeito salutar provocado pela conscientização de uma lembrança fortemente emocional e/ou traumatizante, até então reprimida. **4.** *Teatr.* O efeito moral e purificador da tragédia clássica, conceituado por Aristóteles (v. *aristotelismo*), cujas situações dramáticas, de extrema intensidade e violência, trazem à tona os sentimentos de terror e piedade dos espectadores, proporcionando-lhes o alívio, ou purgação, desses sentimentos: "tragédia [o *Hamlet*, de Shakespeare] sem catarse que, ao lento cair do pano, só nos deixa, como objeto de meditação e fruto amargo, uma interminável fila de interrogações..." (Augusto Meyer, *A Chave e a Máscara*, p. 11).

catártico [Do gr. *kathartikós*.] **Adj. 1.** Relativo à, ou próprio da catarse. **2.** *Farm.* De qualidades purgativas mais fortes que os laxantes e menos que os drásticos. **3.** Que promove catarse. ● **S. m. 4.** *Farm.* Medicamento catártico.

catartídeo [Do tax. *Cathartes* (< gr. *kathartés*, 'o que limpa, purifica') + *-ídeo*[1]; tax. *Cathartidae*.] **Zool. S. m. 1.** Espécime dos catartídeos, família de aves ciconiiformes, com oito espécies, que reúne os abutres americanos (condores e urubus) que, conforme a espécie, distribuem-se do Canadá à Terra do Fogo. ● **Adj. 2.** Pertencente ou relativo a eles.

catas-altense **Adj. 2 g. 1.** De, ou pertencente ou relativo a Catas Altas da Noruega (MG). ● **S. 2 g. 2.** O natural ou habitante de Catas Altas da Noruega. [Pl.: *catas-altenses*.]

catásseto [Do tax. *Catasetum*.] **S. m. Bot. 1.** Gênero de orquidáceas com cerca de 100 espécies, muitas delas epífitas, nativas de regiões tropicais das Américas. **2.** Qualquer espécie desse gênero, como, p. ex., a *Catasetum pileatum* [v. *galo-branco* (1)]. **3.** Qualquer espécime desse gênero, ou a sua flor.

catassol [De *catar*[2] + *sol*[1].] **S. m. 1.** A cor cambiante; furta-cor. **2.** *Tec. Têx.* Antigo tecido fino e lustroso. **3.** *Bras. BA Zool.* Caracol (1). [Pl.: *catassóis*.]

catasta [Do lat. *catasta*.] **S. f. 1.** Lugar onde, entre os antigos romanos, se expunham escravos à venda. **2.** Cadafalso em forma de leito, feito de grades, em que se torturavam os mártires. **3.** *P. ext.* Instrumento de tortura, por alusão a um touro de bronze, esculpido pelo escultor ateniense Perilo (c. de 570 a. C.) para Fálaris, tirano de Agrigento, no qual se encerravam vítimas humanas que eram queimadas vivas, pondo-se fogo embaixo do animal: "... só me resta / Desastres e misérias; filhos rotos, / .... Caseiros, arquitetos e criados / Mais duros que as catastas de Perilo." (P. A. Correia Garção, *Obras Poéticas e Oratórias*, p. 206).

catástase [Do gr. *katástasis*.] **S. f. 1.** Constituição, temperamento. **2.** *Teatr.* A terceira parte da tragédia clássica, que se segue à prótase e à epítase, e na qual os acontecimentos ou peripécias se adensam, se precipitam e se esclarecem; desenredo, desenlace. [Cf., nesta acepç.: *catástrofe* (3).] **3.** *E. Ling.* V. *articulação* (5).

catástrofe [Do gr. *katastrophé*, 'desordem', 'ruína', 'desenlace dramático', pelo lat. tard. *catastrophe*.] **S. f. 1.** Acontecimento súbito de consequências trágicas e calamitosas. **2.** *Fig.* Grande desastre ou desgraça; calamidade. **3.** *Teatr.* Na tragédia clássica, conclusão ou consumação da ação trágica; acontecimento principal, decisivo e culminante da tragédia, no qual a ação se esclarece inteiramente, e se estabelece o equilíbrio moral. [Cf. *catástase*.] **4.** *P. ext. Teatr.* O fim funesto decorrente da ação trágica.

catastrófico [De *catástrofe* + *-ico*[2].] **Adj.** Relativo a, ou que tem o caráter de catástrofe.

catastrofista [De *catástrofe* + *-ista*.] **Adj. 2 g. S. 2 g.** Que, ou aquele que prevê catástrofe(s) em qualquer situação.

catatau[1] **S. m. 1.** Espada velha. **2.** V. *catana* (2). **3.** Castigo físico; pancada.

catatau[2] **S. m. 1.** Coisa grande, volumosa. **2.** *Tip. Bras. S. Gír.* Tijolo (6). **3.** *Bras. N.* Indivíduo de pequena estatura. [Sin., nesta acepç., (bras.): *caga-baixinho*, e, em SP, *caticó, toco de amarrar besta, toco de amarrar jegue, toco de amarrar onça* e *tronco de amarrar onça*. Cf. (nesta acepç.): *fumega* e *ximbute*.] **4.** *Bras. RJ Chulo* O pênis.

catatermômetro [De *cata-* + *termômetro*.] **S. m. Met.** Instrumento provido de dois termômetros, um seco e outro úmido, e usado para medir a quantidade aproximada de calor perdido, durante a unidade de tempo, por uma substância levada à temperatura do corpo humano.

catatimia [De *cata-* + *-tim(o)-* + *-ia*[1].] **S. f. Psiq. 1.** Entidade de psiquiátrica que se manifesta paroxisticamente como crises passageiras, ditas catatímicas, e que se caracteriza por intensa alteração do humor, seja no sentido da depressão, da expansão ou da passividade, não levando, contudo, à melancolia, à mania ou à esquizofrenia. **2.** Influência que exerce o estado afetivo sobre as demais funções psíquicas.

catatímico [De *catatimia* + *-ico*[2].] **Adj. 1.** Relativo à catatimia, ou que a tem. ● **S. m. 2.** Aquele que a tem.

catatonia [De *cata-* + *-ton(o)-* + *-ia*[1]; fr. *catatonie*.] **S. f. Psiq.** Alteração grave de comportamento caracterizada por períodos de estupor, negativismo ou excitação e atitudes estereotipadas, ger. encontrada na esquizofrenia, mas que pode fazer parte de outros quadros psiquiátricos ou neurológicos; catatonismo.

catatônico **Adj. S. m.** V. *catatônico*. [Uso freq. em P.]

catatônico [De *catatonia* + *-ico*[2].] **Adj. 1.** Relativo à catatonia, ou que a tem. ● **S. m. 2.** Aquele que tem catatonia.

catatonismo [De *catatônico* + *-ismo*, seg. o padrão gr.] **S. m. Psiq.** Catatonia.

catatraz [Voc. onom.] **Interj.** Som imitativo do estrondo produzido por queda ou pancadaria.

catatua **S. f. Zool.** V. *cacatua*.

catatuá **S. m. Bras.** V. *caipira* (1).

catau **S. m. 1.** *Marinh.* Dobra ou nó que se dá no seio de um cabo para encurtá-lo ou para remediar um ponto fraco. **2.** Na região são-franciscana, o rabo do jacaré; catana.

catauari [Do tupi.] **S. m. Bras. Amaz. Bot.** Pequena árvore caparidácea (*Crataeva benthami*), de propriedades medicinais, cujas flores têm pétalas lanceoladas e cujo fruto é uma baga globosa, com sementes de testa dura e lenhosa. [Var.: *catauré, catoré*. Sin.: *trapiá*.]

catauiã (au-i) **Bras. S. 2 g. 1.** *Etnôn.* Indivíduo dos catauiãs [ou (etnôn. bras.) *Katawian], povo indígena extinto, da família linguística caraíba, que habitava as margens do rio Cafuni, no N.O. do PA. ● **Adj. 2 g. 2.** Pertencente ou relativo a esse povo.

catauiana (au-i) **Bras. S. 2 g. 1.** *Etnôn.* Indivíduo dos catauianas, povo indígena extinto que habitava as margens do rio Ananu (PA), na fronteira com o Suriname. ● **Adj. 2 g. 2.** Pertencente ou relativo a esse povo. [Tb. us. como *s. 2 g. e 2 n.* (com cap.) e *adj. 2 g. e 2 n.* Outra f.: *cataviana*.]

catauixi (au-i) **Bras. S. 2 g. 1.** *Etnôn.* Indivíduo dos catauixis [ou (etnôn. bras.) *Katawixi], povo indígena extinto, da família linguística catuquina, que habitava a região dos rios Juruá e Purus, próximo aos rios Ituxi e Mucuim (AM). ● **Adj. 2 g. 2.** Pertencente ou relativo a esse povo. [Var.: *catuixi*.]

catauré **S. m. Bras. Bot.** V. *catauari*.

cata-vento [De *catar*[2] + *vento*.] **S. m. 1.** *Met.* Aparelho usado para determinar a velocidade e a direção do vento. A direção é indicada pela grimpa (q. v.), e a velocidade por ponteiros projetados de um arco metálico. [Sin.: *veleta, zingamocho*.] **2.** *Fig.* Pessoa versátil, volúvel; ventoinha, veleta. **3.** Aparelho ou mecanismo, ordinariamente montado numa torre metálica, que aproveita a força do vento para puxar água de poços; corta-vento; moinho de vento. **4.** *Ant.*

Mar. Local onde, nos navios à vela, ficava o oficial que comandava a manobra. [Pl.: *cata-ventos*.]

cataviana *S. 2 g. Adj. 2 g. Bras.* V. *catauiana*.

catazona [De *cata-* + gr. *zóne*, 'zona'.] *S. f. Petr.* A zona mais profunda do metamorfismo (q. v.). [Cf. *epizona* e *mesozona*.]

→**catch** [kætʃ] [Ingl., do ingl. *catch as catch can*.] *S. m.* Variedade, geralmente profissional, de luta livre (q. v.), na qual todos os golpes são permitidos.

cate *S. m.* Antigo peso asiático, de mais ou menos 600g.

cateamento [De *catear* + *-mento*.] *S. m. Bras. BA* Ato ou efeito de catear.

catear [De *cata* (3) + *-ear*².] *V. int. Bras. BA* Trabalhar em cata (3). [Conjug.: v. *frear*.]

catecismo [Do gr. *katechismós*, 'instrução', pelo lat. *catechismu*.] *S. m.* **1.** Livro elementar de instrução religiosa por perguntas e respostas. **2.** Ensino dos dogmas e preceitos da religião. **3.** *P. ext.* Doutrina elementar sobre qualquer ciência ou arte.

catecol [Do lat. cient. (*Areca*) *catechu* (v. *areca*) + *-ol*².] *S. m. Quím.* V. *pirocatecol*. [Pl.: catecóis.]

catecolamina [De *catecol* + *-amina*.] *S. f. Bioquím.* Designação genérica da dopamina, adrenalina, noradrenalina e de certos compostos análogos e metabólicos destes, encontrados nas terminações dos nervos simpáticos e em medula suprarrenal.

catéctico *Adj.* Relativo à catexe.

catecumenato [De *catecúmeno* + *-ato*¹.] *S. m.* **1.** Estado de catecúmeno. **2.** Tempo de duração desse estado; iniciação.

catecúmeno [Do gr. *katechoúmenos*, pelo lat. *catechumenu*.] *S. m.* **1.** *Rel.* Aquele que se prepara e instrui para receber o batismo: "terras longínquas e misteriosas em que não desembarcou [o marinheiro holandês] como nós para hastear o pavilhão glorioso das quinas, para edificar a igreja em que se haviam de batizar os catecúmenos e para armar a força em que se haviam de pendurar os heréticos." (Ramalho Ortigão, *A Holanda*, p. 228). **2.** *Fig.* Aquele que acaba de ser admitido em determinada instituição e está cheio de entusiasmo por esse motivo.

cátedra [Do gr. *kathédra*, pelo lat. *cathedra*.] *S. f.* **1.** Cadeira pontifícia: "O bispo, sentado em sua alta cátedra esculpida ...., empunhava o grande báculo recurvo e enflorado de relevos." (Gustavo Barroso, *Livro dos Milagres*, p. 46.) **2.** Cadeira professoral. **3.** Cargo ou função de professor de disciplina de nível universitário, ocupado por professor titular. **4.** A disciplina ministrada por professor dessa categoria, por professor adjunto, ou por assistente. **5.** *P. ext.* Matéria ou disciplina ensinada por um mestre.

catedral [Do fr. *cathédrale*.] *Adj. 2 g.* **1.** Diz-se da, ou relativo à principal igreja dum bispado ou arcebispado. ● *S. f.* **2.** Igreja episcopal de uma diocese. **3.** A igreja principal de um bispado ou arcebispado. [Cf. *sé* e *igreja matriz*.]

catedrático [Do lat. *cathedraticu*.] *S. m.* **1.** V. *professor titular*. **2.** *Bras.* Indivíduo muito entendido em determinado assunto. **3.** *Rel.* Imposto ou taxa anual que as igrejas, benefícios eclesiásticos e confrarias de leigos devem pagar ao bispo, em sinal de submissão. ● *Adj.* **4.** Diz-se de catedrático (1). **5.** Constituído por professores catedráticos: *corpo catedrático*. **6.** Relativo à cátedra.

categorema [Do gr. *katēgórema*.] *S. m.* **1.** *Biol.* Caráter dotado de importância taxinômica. [P. ex.: entre as dicotiledôneas, a dialipetalia e a gamopetalia são categoremas.] **2.** *Lóg.* V. *atributo* (9).

categoremático [De *categorema* + *ático*.] *Adj. E. Ling.* **1.** Diz-se de vocábulo que tem significação por si mesmo. Ex.: os substantivos e os adjetivos. **2.** Diz-se de processo, ou de elemento nele envolvido, que pode causar mudança de categoria gramatical: *a derivação é categoremática*. [Opõe-se a *sincategoremático*.]

categoria [Do gr. *kategoría*, 'atributo', pelo lat. *categoria*.] *S. f.* **1.** Caráter, espécie, natureza: *É da categoria dos calmos*. **2.** Série, grupo. **3.** Classe, qualidade, ordem: *É pessoa de grande categoria; Seu trabalho não tem categoria*. **4.** Alta classe ou qualidade: *homem de categoria; livro de categoria*. **5.** Hierarquia social ou administrativa: *Com o concurso o funcionário subiu de categoria*. **6.** *Filos.* Conceito de alto grau de generalidade que define, em perspectivas e níveis diversos, domínios do conhecimento e da ação. **7.** *Hist. Filos.* Segundo Kant, cada um dos conceitos fundamentais do entendimento puro, que confere unidade aos juízos. **8.** *Lóg.* Segundo Aristóteles (v. *aristotelismo*), gênero dos predicados de uma proposição. **9.** *E. Ling.* Categoria gramatical (q. v.). **10.** *Mat.* A possança de todos os conjuntos que podem ser postos em correspondência biunívoca com um determinado conjunto. ◆ **Categoria gramatical.** *E. Ling.* **1.** Nas línguas clássicas, cada uma das noções tradicionalmente associadas às partes do discurso (q. v.) tais como caso, pessoa, tempo, modo, aspecto, voz, gênero, número. **2.** Variação na forma das palavras de uma língua, para a expressão dessas noções. **3.** V. *parte do discurso*. **4.** Classe de elementos identificada na descrição de uma determinada língua. [Tb. se diz apenas *categoria*.] **Categoria vazia.** *E. Ling.* Unidade sintática que não tem realização fonética. Ex.: Em *Eu quero* [*sair daqui*], o sujeito da oração entre colchetes é uma categoria vazia.

categórico [Do gr. *kategorikós*, pelo lat. *categoricu*.] *Adj.* **1.** Relativo a categoria. **2.** Claro, explícito, positivo. ~ V. *imperativo* —, *juízo* —, *proposição* —*a* e *silogismo* —.

categórico-dedutivo *Adj.* ~ V. *método* —. [Pl.: *categórico-dedutivos*.]

categorização [De *categorizar* + *-ção*.] *S. f.* Ação ou efeito de categorizar(-se): "uma pretensa ou real alta cultura literária .... orgulhosamente ostensiva, e apresentada como condição '*sine qua non*' para a categorização no presépio do triunfo cultural" (Jorge de Sena, *Líricas Portuguesas*, 3ª série, p. 39).

categorizado [Part. de *categorizar*.] *Adj.* **1.** Disposto em categorias. **2.** De categoria (4) importante.

categorizar [De *categoria* + *-izar*.] *V. t. d.* Dispor em categorias.

categute [Do ingl. *catgut*.] *S. m. Cir.* Fio de origem animal, feito em geral da tripa do carneiro, empregado em cirurgia, para suturas ou ligaduras.

cateia (é) [Do lat. *cateia*.] *S. f.* Dardo us. pelos germanos: "As suas armas ofensivas eram a cateia teutônica, espécie de dardo, a funda, a clava ferrada e o arco e a seta." (Alexandre Herculano, *Eurico, o Presbítero*, p. 93.)

→**catena** [ka'tena] [Lat.] *S. f. Astr.* Denominação adotada pela U.A.I. para designar uma cadeia de crateras da superfície da Lua ou de um planeta; cadeia de crateras. [Pl.: *catenae*.]

catenano [De *caten(i)-* + *-ano*².] *S. m. Quím.* Qualquer de certos compostos formados por ciclos entrelaçados.

catenária [Do lat. *catenaria*.] *S. f. Mat.* Curva plana cuja forma é a que assume um fio homogêneo, de espessura desprezível, perfeitamente flexível e inextensível, quando suspenso por seus dois extremos e sob a ação única do próprio peso; lugar geométrico plano do foco de uma parábola que rola, sem deslizar, ao longo de uma reta do seu plano. [Sin.: *velária*.]

catenativo [Do lat. *catenatus*, part. pass. de *catenare*, 'encadear', + *-ivo*.] *Adj.* Que forma cadeia. ~ V. *verbo* —.

catendense *Adj. 2 g.* **1.** De, ou pertencente ou relativo a Catende (PE). ● *S. 2 g.* **2.** O natural ou habitante de Catende.

catenga *S. f. Bras. N.E.* V. *lagartixa* (1).

▲**caten(i)-** [Do lat. *catēna*, *ae*.] *El. comp.* = 'cadeia', 'corrente': *cateniforme*, *catenoide*.

cateniforme [De *caten(i)-* + *-forme*.] *Adj. 2 g.* Em forma de corrente.

catenoide (ói) [De *caten(i)-* + *-oide*.] *S. f. Mat.* Superfície de revolução resultante da rotação de uma catenária em torno da reta ao longo da qual rola a parábola que lhe dá origem. ❖

catênula *S. f.* V. *catênula*. [Uso freq. em P.]

catênula [Do lat. *catenula*.] *S. f.* Pequena cadeia.

catenulado [De *catênula* + *-ado*¹.] *Adj.* Ordenado em cadeia: *esporo catenulado*.

catenuliforme [De *catênula* + *-iforme*.] *Adj. 2 g.* Em forma de catênula: *legume catenuliforme*.

catequese [Do lat. *catechese* < gr. *katéchesis*.] *S. f.* **1.** Instrução metódica e oral sobre coisas religiosas: "a viagem que fez então [o Pᵉ Joseph Crétin] à Europa tinha por fim .... conseguir missionários que o acompanhassem para encarregar-se da catequese das numerosas tribos indígenas que povoavam o seu território." (Vivaldo Coaraci, *Todos Contam Sua Vida*, p. 79). **2.** *P. ext.* Doutrinação.

catequético [Do lat *catecheticu* < gr. *katechetikós*.] *Adj.* Relativo a catequese.

catequista [Do lat tard. *catechista* < gr. *catechístes*.] *Adj. 2 g. S. 2 g.* Diz-se de, ou pessoa que catequiza; catequizador.

catequização [De *catequizar* + *-ção*.] *S. f.* Ato ou efeito de catequizar.

catequizador (ô) [De *catequizar* + *-dor*.] *Adj. S. m.* Catequista.

catequizante [De *catequizar* + *-nte*.] *Adj. 2 g.* **1.** Que catequiza. **2.** Que tem por fim a catequese.

catequizar [Do lat. *catechizare* < gr. *katechízein*.] *V. t. d.* **1.** Instruir em matéria religiosa: *O Pᵉ Manuel da Nóbrega chegou ao Brasil em 1549, chefiando o primeiro grupo de jesuítas que viera catequizar os índios*. **2.** Doutrinar sobre questões sociais. **3.** Procurar convencer; aliciar: *Queria catequizar correligionários naquela cidade*. *T. d. e i.* **4.** Introduzir no conhecimento ou na participação de alguma coisa; iniciar: *Insistiu em catequizar a amiga à sua crença*.

caterese [Do gr. *kathaíresis*, 'destruição', 'redução'.] *S. f.* **1.** Fraqueza ou extenuação provocada por medicamento. **2.** Destruição por agente caterético.

cateretê [De or. incerta.] *S. m.* **1.** *Bras. S. GO* Dança rural, em fileiras opostas e cantada, e cujo nome indica origem tupi, mas que coreograficamente se mostra muito influenciada pelos processos africanos de dançar; catira: "A vista do lago recordava-lhe .... as noites nas festas ruidosas dos lundus e dos cateretês" (Inglês de Sousa, *O Missionário*, p. 275). **2.** *Bras. SP MG* V. *xiba* (1).

caterético [Do gr. *kathairetikós*.] *Adj.* De natureza levemente cáustica.

caterina [Do antr. *Caterina*, alter. de *Catarina*.] *S. f. Bras. SP Pop.* Meretriz .[Tb. us. deprec.]

caterinete (ê) [Do antr. *Caterina*, alter. de *Catarina*, + *-ete* (ê).] *S. m.* V. *catarinense*¹ (2).

→**catering** ['kejtərɪŋ] [Ingl.] *S. m.* Fornecimento de comidas prontas, e aluguel de serviços (prataria, louça, copos, roupas de mesa, etc.), assim como de outras provisões requeridas para eventos sociais, etc.

caterva (é) [Do lat. *caterva*.] *S. f.* **1.** Multidão de pessoas, animais ou coisas. **2.** *Ant.* Multidão de tropas. **3.** Súcia, malta, corja.

catervagem [De *caterva* + *-agem*².] *S. f. Bras. N.E. Pop.* V. *quantidade* (3): "— Se aquela mosca-morta prestasse e tivesse juízo, estaria aqui aproveitando esta catervagem de belezas." (Graciliano Ramos, *S. Bernardo*, p. 162.) [Cf. *catrevage*.]

catete (ê) [De or. tupi, poss.] *S. m. Bras.* Certa espécie de milho miúdo; batité, cateto.

catetê *S. m. Luso-asiat.* Tecelão.

cateter (tér) [Do gr. *kathetér*, 'sonda cirúrgica', pelo lat. *cathetere*.] *S. m. Anest. Cir.* Instrumento tubular, feito de material apropriado a fins diversos, o qual é introduzido no corpo com o objetivo de retirar líquidos, introduzir sangue, soros, medicamentos, efetuar investigações diagnósticas (cateterização cardíaca, p. ex.). [A melhor prosódia, segundo o étimo gr., é a oxítona; a paroxítona, porém, tem sido a mais usual no Brasil.]

cateterismo [De *cateter* + *-ismo*.] *S. m. Anest. Cir.* Procedimento em que se faz uso de cateter, e que pode ser realizado, p. ex., em sistema cardiovascular e sistema urinário.

cateterização [De *cateterizar* + *-ção*.] *S. f.* Ação de cateterizar.

cateterizado [Part. de *cateterizar*.] *Adj.* Que foi submetido a cateterização.

cateterizar [De *cateter* + *-izar*.] *V. t. d.* Empregar o cateter em.

cateto¹ (ê) [Do lat. cathetu < gr. káthetos.] *S. m. Geom.* Qualquer dos lados adjacentes ao ângulo reto de um triângulo retângulo. [A pronúncia correta seria *cáteto*. Pl.: *catetos*. Cf. *cateto* (ê) e o pl. *catetos* (ê).]

cateto² (ê) *S. m. Bras.* **1.** V. *catete*. **2.** *Zool.* V. *caititu* (1). [Pl.: *catetos* (ê). Cf. *cateto* e o pl. *catetos*.]

catetômetro *S. m. Fís.* V. *catetómetro*. [Uso freq. em P.]

catetômetro [De *cateto* + *-metro*.] *S. m. Fís.* Instrumento destinado a medir, com precisão, distâncias verticais.

catexe (cs) [Do gr. *káthexis*, 'ação de parar, de reter'.] *S. f. Psican.* Aplicação, consciente ou não, de energia psíquica em pessoa, coisa ou ideia.

cati [De or. tupi, poss.] *S. f. Bras. MT Bot.* Erva ciperácea (*Kyllinga triceps*) aromática e acre, de folhas tão compridas quanto o caule, cujas flores são reunidas em espigas ovoides, protegidas por glumas fortemente nervadas, sendo o fruto aquênio, de cor pardo-amarelada.

catião¹ *S. m. Fís.-Quím. P. us.* V. *cátion*.

catião² [De *cati* + *-ão*¹, poss.] *S. m. Bras. Bot.* V. *tasneirinha*.

catibum *Interj.* Onomatopeia de algo ou alguém que cai, sobretudo dentro da água.

caticó *S. m. Bras. SP Pop.* V. *catatau*² (3).

caticoco (ô) *S. m. Bras. Zool.* V. *serelepe* (1).

catiguá [De or. indígena, poss.] *S. m. Bras. Bot.* Nome comum a várias meliáceas, como, p. ex., a *Trichilia catigua*, cujas cascas, amargas, são medicinais, e que fornecem matéria tintória.

catiguense (güen) *Adj. 2 g.* **1.** De, ou pertencente ou relativo a Catiguá (SP). ● *S. 2 g.* **2.** O natural ou habitante de Catiguá. ❖

catilinária [Do lat. *catilinaria*, *i. e.*, *oratio catilinaria*, 'discurso sobre Catilina'.] *S. f.* Acusação violenta e eloquente por alusão a que Cícero (v. *ciceroniano*) fez a Catilina [Lucius Sergius Catilina, político romano (109-62 a. C.)]: "teria sido oportuno que eu produzisse uma catilinária patética contra o desaproveitamento desse moço" (Leonardo Mota, *Violeiros do Norte*, p. 2).

catimba *S. f. Bras. Gír.* **1.** Manha, astúcia, ardil. **2.** *Esport.* Emprego de recurso(s) antiesportivo(s), embora ger. não violento(s), para gastar o tempo, ou desequilibrar o adversário, durante uma partida.

catimbar [De *catimba* + *-ar*².] *V. int.* **1.** *Bras. Gír.* Usar de astúcia ou catimba. **2.** *P. ext. Esport.* Usar (jogador ou time) de catimba (2). *T. d.* **3.** *Esport.* Usar de catimba (2) em (partida, etc.).

catimbau[1] [De or. afr., poss.] *S. m. Bras. N. N.E. Rel.* **1.** Culto e rito onde se mesclam elementos da pajelança, do candomblé angola-congo, da feitiçaria e do baixo espiritismo. **2.** Dança ritual ligada a esse culto. **3.** Cachimbo us. no catimbau (1). [Var.: (no PA) *catimbaua*; e tb. *catimbó*.]

catimbau[2] [Do hisp.-amer. *catimbao*.] *S. m.* Homem ridículo.

catimbaua *S. m. Bras. PA Rel.* V. *catimbau*[1].

catimbauzeiro [De *catimbau*[1] + *-zeiro*.] *S. m. Bras. N. N.E.* V. *catimbozeiro*.

catimbeiro [De *catimba* + *-eiro*.] *S. m. Bras. Gír.* Aquele que catimba; catimbento.

catimbento [De *catimba* + *-ento*.] *S. m. Bras. Gír.* Catimbeiro.

catimbó [Var. de *catimbau*[1].] *S. m.* **1.** *Bras.* Feitiçaria, feitiço: 📖 "Seria devido aos catimbós de um preto a paixão do marido." (Alberto Rangel, *Dom Pedro Primeiro e a Marquesa de Santos*, p. 165.) **2.** *Bras. N.* Ritual sincrético, com elementos de magia europeia associados a elementos negros, ameríndios, espíritas e cristãos. **3.** *Bras. N.* Cachimbo us. pelo mestre do catimbó (2). **4.** *Bras. N.E.* V. *caipira* (1).

catimbozeiro (ô) [De *catimbó* + *-zeiro*; var. de *catimbauzeiro*.] *S. m. Bras.* Indivíduo praticante de catimbó (1 e 2).

catimbueira [Alter. de *catambuera*.] *S. f. Bras. Bot.* Espiga de milho que não se desenvolveu inteiramente.

catimplora [Var. de *cantimplora*, do esp. *cantimplora*.] *S. f.* **1.** Vaso de metal para resfriar água. **2.** Sifão para transvasamento de líquidos. **3.** Almotolia de bico estreito e comprido. **4.** Regador de jardim. **5.** Bueiro (7). **6.** *Bras.* Sorveteira manual de folha de flandres. **7.** *Bras.* V. *cartola* (2).

catimpuera [Do tupi.] *S. f. Bras.* Espécie de bebida fermentada, feita com aipim cozido e amassado, de mistura com água e mel de abelha; catambruera.

catinga[1] [Do guar. *kati*, 'cheiro forte'.] *S. f. Bras.* **1.** Cheiro forte e desagradável que se exala do corpo humano suado ou pouco limpo; bodum; morrinha. **2.** *P. ext.* V. *fartum* (3): 📖 "Sentiu uma catinga de coisa podre" (Nélson de Faria, *Tiziu e Outras Estórias*, p. 177). [Var.: *caxinga*. Cf. *caatinga*.] ◆ **Ter catinga de água.** *Bras. SP Pop.* Ter azar.

catinga[2] *S. f. Bras.* V. *caatinga*.

catinga[3] [De or. indígena, poss.] *Bras. S. 2 g.* **1.** V. *avaro* (3). ● *S. f.* **2.** Avareza, sovinice, somiticaria.

catingá [De or. tupi, poss.] *S. m. Bras. Zool.* V. *crejuá*.

catinga-branca [De *catinga*[2] + o f. de *branco*.] *S. f. Bras. MA a PE Bot.* Árvore laurácea (*Oreodaphne tinctoria*) de folhas e casca aromáticas, fornecendo, esta última, matéria tintorial pardacenta; canelinha-amarela, catingueira. [Pl.: *catingas-brancas*.]

catinga-de-barrão *S. f. Bras. Bot.* V. *catinga-de-bode*. [Pl.: *catingas-de-barrão*.]

catinga-de-bode [De *catinga*[1] + *de* + *bode*[1].] *S. f. Bras. Bot.* Erva asterácea (*Ageratum conyzoides*) aromática e amarga, de flores alvacentas ou lilacíneas, reunidas em pequenos capítulos dispostos em panículas corimbiformes, fruto aquênio, preto, com cílios nos ângulos; catinga-de-barrão, mentrasto, erva-de-são-joão, maria-preta. [Pl.: *catingas-de-bode*.]

catinga-de-formiga [De *catinga*[1] + *de* + *formiga*.] *S. f. Bras. L. S. Bot.* Erva asterácea (*Pectis apodocephala*) que tem aroma de limão, de flores amarelas, dispostas em capítulos sésseis e terminais, fruto aquênio, linear, anguloso e estriado. [Sin.: *alecrim-bravo*, *cominho-bravo*, *chá-de-moça*. Pl.: *catingas-de-formiga*.]

catinga-de-mulata [De *catinga*[1] + *de* + o f. de *mulato*.] *S. f. Bot.* **1.** *Bras.* Designação comum a várias plantas ornamentais asteráceas, geraniáceas e lamiáceas, que podem ser arbustivas, prostradas ou herbáceas, e levam flores aromáticas. **2.** V. *cordão-de-frade*. [Pl.: *catingas-de-mulata*.]

catinga-de-negro [De *catinga*[1] + *de* + *negro*.] *S. f. Bras. Bot.* Arbusto caparidáceo (*Cleome gigantea*) ornamental, de flores verdes, com sépalas compridas e curvas, cujo fruto é uma cápsula muito longa e fina, com sementes numerosas, e que fornece matéria tintorial vermelha; catinga-de-tatu. [Pl.: *catingas-de-negro*.]

catinga-de-porco [De *catinga*[1] + *de* + *porco*.] *S. f. Bras. Bot.* **1.** Planta euforbiácea (*Croton adenocalyx*) de folhas membranosas, flores avermelhadas, masculinas e femininas, e fruto capsular. **2.** Planta celastrácea (*Maytenus gonocladus*) de flores insignificantes, esverdeadas, cujo fruto é uma cápsula ovoide e carnosa, com várias sementes; coração-de-negro, sapuvão. **3.** V. *catingueira*[2]. [Pl.: *catingas-de-porco*.]

catinga-de-tamanduá [De *catinga*[1] + *de* + *tamanduá*.] *S. f. Bras. L. S. C. Bot.* Arbusto cesalpiniáceo (*Bauhinia rufa*) de flores grandes, alvas, dispostas em racimos, sendo o fruto uma vagem chata, e cuja raiz não morre com a queima dos campos; unha-de-boi-do-campo, unha-de-vaca-roxa. [Pl.: *catingas-de-tamanduá*.]

catinga-de-tatu *S. f. Bras. Bot.* Catinga-de-negro. [Pl.: *catingas-de-tatu*.]

catingal [De *catinga*[2] + *-al*[1].] *S. m. Bras.* Larga extensão de catinga[2].

catingante [De *catingar*[1] + *-nte*.] *Adj. 2 g. Bras.* V. *catingoso*.

catingar[1] [De *catinga*[1] + *-ar*[2].] *V. int. Bras.* Exalar mau cheiro; feder. [Conjug.: v. *largar*.]

catingar[2] [De *catinga*[3] + *-ar*[2].] *V. int.* Mostrar-se avarento; regatear miseravelmente. [Conjug.: v. *largar*.]

catingoso (ô) [De *catinga*[1] + *-oso*.] *Adj. Bras.* Que exala catinga[1] ou mau cheiro; catingante, catinguento, catingudo, caxinguento.

catingudo [De *catinga*[1] + *-udo*.] *Adj. Bras.* V. *catingoso*.

catingueira[1] [De *catinga*[1] + *-eira*.] *S. f.* **1.** *Bot.* V. *catinga-branca*. **2.** *Bras. Pop.* Mau cheiro generalizado; fedentina.

catingueira[2] [De *catinga*[2] + *-eira*.] *S. f. Bras. PI a BA Bot.* Arbusto cesalpiniáceo (*Caesalpinia pyramidalis*) de flores amarelas com cinco a nove folíolos ovados ou orbiculares dispostas em racimos reunidos em panículas piramidais, cujo fruto é vagem séssil e coriácea, que vegeta em lugares pedregosos e que, durante a seca, serve de alimento para o gado; catinga-de-porco, pau-de-porco, pau-de-rato.

catingueirense *Adj. 2 g.* **1.** De, ou pertencente ou relativo a Catingueira (PB). ● *S. 2 g.* **2.** O natural ou habitante de Catingueira.

catingueiro [De *catinga*[2] + *-eiro*.] *Bras. S. m.* **1.** Habitante da catinga[2]. **2.** *Zool.* V. *cigana* (2). **3.** *Zool.* V. *veado-mateiro*. ● *Adj.* **4.** Que habita a catinga[2].

catinguento [De *catinga*[1] + *-ento*.] *Adj. Bras.* V. *catingoso*: 📖 "Parava pitando, uns charutos pequenos, catinguentos" (João Guimarães Rosa, *Primeiras Estórias*, p. 92). [Var.: *caxinguento*.]

catiom *S. m. Fís.-Quím.* V. *cátion*.

cátion [Do gr. *kation* (nom.), part. pres. de *katiénai*, 'descer'.] *S. m. Fís.-Quím.* Íon com carga positiva. [Var.: *catião*[1] e *catiom*. Cf. *ânion*.] ◆ **Cátion radical.** *Quím.* Qualquer substância, ger. instável, de tempo de vida curto, muito reativa, que se caracteriza pela existência, em sua estrutura, de carga positiva e um elétron desemparelhado.

catiónico *Adj. Quím.* V. *catiônico*. [Uso freq. em P.]

catiônico [De *cátion* + *-ico*[2].] *Adj. Quím.* Relativo ou próprio de cátion.

catira [De *cateretê*, poss.] *S. m. e f. Bras. MG S. GO* Cateretê (1): 📖 "Viera depois o 'catira' com os saracoteios voluptuosos das caboclas" (João Lúcio, *Bom-Viver*, p. 96). [Parece que é muito m. us. no masc.]

catirina [Alter. de *Catarina*.] *S. f. Folcl.* A principal personagem feminina do bumba meu boi (q. v.), namorada do Mateus (q. v.), alegre, brincalhona, folgazã. [Com cap.]

catiripapo [Voc. express.] *S. m.* Golpe ou empurrão rápido e leve.

catirumbava *S. f. Bras. Zool.* Ave passeriforme traupídea (*Orthogonys chloricterus*), da faixa litorânea do Brasil este-meridional, de dorso oliváceo, e verde-amarela inferiormente. Alimenta-se de bagas e pequenos frutos silvestres. [Sin.: *capitão-de-saíra*.]

▲**catiso-** [Do gr. *káthisis*, *eōs*.] *El. comp.* = 'ação de sentar-se': *catisofobia*, *catisófobo*.

catisofobia [De *catiso-* + *-fobia*.] *S. f. Med.* V. *acatisia*.

catisofóbico [De *catisofobia* + *-ico*[2].] *Med. Adj.* **1.** Relativo a catisofobia. **2.** Que apresenta catisofobia; catisófobo. ● *S. m.* **3.** Aquele que apresenta catisofobia; catisófobo.

catisófobo [De *catiso-* + *-fobo*.] *Adj. S. m. Med.* Catisofóbico (2 e 3).

catita[1] [De or. controvertida.] *S. f. Marinh.* Pequena vela latina quadrangular que se iça em um mastro curto situado bem à popa de certas embarcações (chalupa, iole, etc.).

catita[2] *S. f. Bras. N. Pop.* V. *cadeia* (3).

catita[3] *S. f. Bras.* **1.** *Zool.* Designação comum aos mamíferos marsupiais didelfídeos, dos gêneros *Monodelphis*, e *Marmosa*, animais muito delicados, de hábitos noturnos, de 0,10m a 0,12m de comprimento, orelhas grandes, cauda longa, olhos geralmente orlados de preto, ventas com longos pelos, e que, arborícolas, se alimentam de frutos e de insetos. [Cf. *cuíca* (1).] ● *Adj. 2 g.* **2.** Enfeitado, garrido; elegante.

catitice [De *catita*[3] (2) + *-ice*.] *S. f.* Elegância no trajar; catitismo.

catitismo [De *catita*[3] (2) + *-ismo*.] *S. m.* Catitice.

catito *S. m.* **1.** *Zool. Bras.* V. *camundongo*[1]. **2.** *Bras. MG* Boneco de celuloide ou de plástico.

cativação [De *cativar* + *-ção*.] *S. f.* Ato ou efeito de cativar.

cativador (ô) [De *cativar* + *-dor*.] *Adj.* V. *cativante*.

cativante [De *cativar* + *-nte*.] *Adj. 2 g.* Que cativa; cativador, sedutor, atraente.

cativar [Do lat. tard. *captivare*.] *V. t. d.* **1.** Tornar cativo; capturar: 📄 *Os jesuítas opuseram-se a que os portugueses cativassem os indígenas.* **2.** Ganhar a simpatia, a estima de; seduzir: 📖 "O que mais cativa e alucina os homens é uma certa beleza diabólica, que ninguém define" (Olavo Bilac, *Crítica e Fantasia*, p. 263). **3.** Atrair, granjear: 📄 *Tem um semblante que cativa simpatias.* *T. d. e i.* **4.** Prender, ligar, sujeitar (física ou afetivamente): 📄 *cativar o amor à fidelidade.* *P.* **5.** Tornar-se cativo; perder a liberdade (física ou moral). **6.** Ficar sujeito; penhorar-se, render-se. **7.** Apaixonar-se, enamorar-se.

cativeiro [De *cativo* + *-eiro*.] *S. m.* **1.** Qualidade ou caráter ou estado de cativo. **2.** Escravidão, servidão. **3.** *Fig.* Opressão, tirania, domínio. **4.** Local em que se mantém cativo um indivíduo: 📖 "os sequestradores usaram como cativeiro um sítio na localidade de Buraco da Coruja, no bairro Boqueirão." (*O Globo*, 22.10.1998).

cativo [Do lat. *captivu*.] *Adj.* **1.** Que não goza de liberdade; encarcerado, preso. **2.** Diz-se de prisioneiro de guerra. **3.** Forçado à escravidão. **4.** Seduzido, atraído, dominado, sujeito. **5.** Diz-se de bens hipotecados ou sobre os quais recai algum imposto. ~ V. *cadeira —a*. ● *S. m.* **6.** Indivíduo cativo. **7.** Escravo (6). **8.** *Bras. Min.* V. *martita*.

cativo de chumbo *S. m. Bras.* V. *martita*. [Pl.: *cativos de chumbo*.] ☑

cativo de ferro *S. m. Bras.* Magnetita em octaedros. [Pl.: *cativos de ferro*.] ☑

catleia (éi) [Do tax. *Cattleya* (do antr. [*William*] *Cattley* [-1832], botânico inglês).] *S. f. Bot.* **1.** Gênero de plantas orquidáceas, epífitas tropicais, que são pseudobulbíferas e têm folhas coriáceas, solitárias ou geminadas, e flores de pétalas grandes, sépalas um pouco menores e labelo muito maior, ger. protegido por espata comprida. Figuram entre as mais belas orquídeas que se conhecem, pelo que são cultivadas como ornamentais. **2.** Qualquer espécie desse gênero, como, p. ex., a *Cattleya labiata*, uma das mais importantes do gênero, pelo renome internacional; espécimes brasileiros alcançam 15cm de diâmetro. **3.** Qualquer espécime desse gênero, ou a sua flor. ❖

catoco (ô) [De *cotoco*, poss.] *S. m. Bras. PB Pop.* Pequeno pedaço de alguma coisa.

catódico [De *catodo* + *-ico*[2].] *Adj.* Relativo ao catodo. ~ V. *corrosão —a*, *proteção —a*, *raios —s* e *seguidor —*.

catódio [De *catodo* + *-io*[3].] *S. m. Fís.* V. *catodo*.

catodo (ô) [Do gr. *káthodos*, 'descida'.] *S. m. Eletr.* Eletrodo negativo; eletrodo de onde partem elétrons e para onde se dirigem os íons positivos; catódio. [A pronúncia correta, *cátodo*, quase não tem uso no Brasil. Cf. *ânodo*.] ◆ **Catodo fotossensível.** *Eletrôn.* Superfície metálica capaz de emitir elétrons quando iluminada.

cátodo *S. m. Fís. P. us.* V. *catodo*.

catolandiano *Adj.* **1.** De, ou pertencente ou relativo a Catolândia (BA). ● *S. m.* **2.** O natural ou habitante de Catolândia.

catolé [Var. de *catulé*.] *S. m. Bras. Bot.* V. *guariroba* (1).

catoleense (èen) *Adj. 2 g.* **1.** De, ou pertencente ou relativo a Catolé do Rocha (PB). ● *S. 2 g.* **2.** O natural ou habitante de Catolé do Rocha.

catolicidade [De *católico* + *-(i)dade*.] *S. f. Rel.* **1.** V. *universalidade*. **2.** Qualidade da Igreja Católica Apostólica Romana de não se identificar com grupos nacionais, étnicos, sociais, etc. **3.** Qualidade de católico (2 e 3). **4.** A totalidade dos católicos: 📄 *O Papa é chefe da catolicidade.*

catolicismo [De *católico* + *-ismo*.] *S. m.* **1.** Religião dos cristãos que reconhecem o Papa[1] (1) como autoridade máxima, que se confirma e expande por meio dos sacramentos, que venera a Virgem Maria e os santos, que aceita os dogmas como verdades incontestáveis e fundamentais, e que tem como ato litúrgico mais importante a missa. **2.** Atributo que indica a universalidade de uma religião, reivindicado para si pela Igreja Católica. **3.** V. *Igreja Católica*. **4.** Catolicidade (3 e 4).

catolicização [De *catolicizar* + *-ção*.] *S. f.* Ação ou efeito de catolicizar; catolização.

catolicizar [De *católico* + *-izar*.] *V. t. d.* Tornar católico; catolizar.

católico [Do lat. ecles. *catholicu* < gr. *katholikós*, 'universal'.] *Adj.* **1.** Universal (1). **2.** Que pertence ao, ou professa o catolicismo: 📄 *país católico.* **3.** *Fig.* Perfeito, certo, exato: 📄 *Defendeu-se de forma não muito católica, deixando dúvidas quanto à sua inocência.* **4.** *Fig.* Bem-disposto; bem de saúde: 📄 *Há tempo que ele não anda muito católico.* [Us., em geral, negativamente.] ~ V. *Igreja —a*, *Igreja —a Apostólica Romana*, *língua —a* e *majestade —a*. ● *S. m.* **5.** Aquele que pertence ao catolicismo (1), ou o professa; católico romano. ◆ **Católico romano.** Católico (5). **Não estar muito católico.** **1.** Estar meio embriagado. **2.** Estar meio perturbado do juízo. **Não ser muito católico.** *Bras. Pop.* **1.** Não ser ou não estar de bom humor. **2.** Não ser tradicional, no comportamento, pensamento, etc.

católito [De *cato(do)* + *(eletró)lito*.] *S. m. Fís.-Quím.* Em uma eletrólise, o eletrólito nas vizinhanças do catodo.

catolização [De *catolizar* + *-ção*.] *S. f.* V. *catolicização*.

catolizar [De *católico* + *-izar*, seg. o padrão erudito.] *V. t. d.* V. *catolicizar*.

catombo [De or. afr., poss.; v. *calombo*.] *S. m. Bras. N.* Tumor, inchaço, calombo.

catona [De or. obsc.] *S. f. Bras. Bot.* V. *cajazeira*.

catoniano [Do lat. *catonianu*.] *Adj.* Do, ou pertencente ou relativo ao censor romano Catão (234-149 a. C.), famoso pela austeridade dos seus princípios, ou próprio dele; catônico.

catónico *Adj.* V. *catônico*. [Uso freq. em P.]

catônico [Do antr. *Catão* + *-ico*[2].] *Adj.* Catoniano.

catonismo [Do antr. *Catão* (v. *catoniano*) + *-ismo*.] *S. m.* Qualidade de catão; austeridade exagerada ou afetada.

catopê [De *catupé*, poss.] *S. m. Bras. MG Folcl.* **1.** Cortejo dançante, de origem africana, que lembra as congadas e maracatus, guiado pelo mestre, que usa capacete enfeitado de penas de ema e toca flauta de bambu, e pelo contramestre, ao som de pandeiros, tambores, tamborins e reco-recos percutidos por todos os componentes, que também cantam. **2.** Cada um dos componentes do catopê (1); dançante: 📖 "Iam os catopês à frente, cantando e dançando" (Ciro dos Anjos, *A Menina do Sobrado*, p. 102). [O catopê faz parte das festas joaninas ou doutras, nalgumas cidades do estado. Cf. *catupé*.]

catópode [Do gr. *káto*, 'embaixo', + *-pode*.] *Adj. 2 g. Zool.* Que tem barbatanas no ventre.

▲**catoptro-** [Do gr. *kátoptron, ou*.] *El. comp.* = 'espelho': *catoptromancia*.

catoptrofobia [De *catoptro-* + *-fobia*.] *S. f. Psiq.* Aversão patológica a espelhos.

catoptrofóbico [De *catoptrofobia* + *-ico*[2].] *Psiq. Adj.* **1.** Relativo a catoptrofobia. **2.** Que sofre de catoptrofobia; catoptrófobo. ● *S. m.* **3.** Aquele que sofre de catoptrofobia; catoptrófobo.

catoptrófobo [De *catoptro-* + *-fobo*.] *Adj. S. m. Psiq.* Catoptrofóbico (2 e 3).

catoptromancia (ci) [De *catoptro-* + *-mancia*.] *S. f.* Prática de adivinhação por meio de espelhos.

catoptromante [De *catoptro-* + *-mante*.] *S. 2 g.* Pessoa dada à prática de catoptromancia.

catoptromântico *Adj.* Referente a catoptromancia, ou a catoptromante.

catoré *S. m. Bras. Bot.* V. *catauari*.

catorze (ô) *Num. S. m.* V. *quatorze*: 📖 "Só agora, dezoito horas e catorze minutos, chegam os jornais da tarde" (José Cardoso Pires, *O Delfim*, p. 147).

catorzeno *Num.* V. *quatorzeno*.

catota (ô) *S. f. Bras. N.E. Pop.* Meleca.

catoto (tô) *S. m. Bras. N.E. Pop.* Pequeno pedaço.

catrabucha [Var. de *cartabuxa*.] *S. f.* **1.** Escova de fios de metal, para limpar e dar lustro. **2.** *Bras.* Qualquer objeto desconhecido.

catraca [Voc. onom.] *S. f.* **1.** *Constr. Nav.* Dispositivo que permite girar lentamente o eixo propulsor de embarcação de grande porte sem para isso usar a máquina de propulsão. **2.** *Bras.* Dispositivo que possibilita o funcionamento dos arcos de pua nos lugares em que não se pode dar uma volta completa ao braço do instrumento, e que é também adaptável às chaves de fenda. **3.** *Bras.* V. *borboleta* (10).

catrafiar *V. t. d. Pop.* V. *catrafilar*.

catrafilar [Alter. de *trancafiar*, com infl. de *filar*, poss.] *V. t. d. Pop.* Agarrar; prender, encarcerar. [Var.: *catrafiar*.]

catraia [De *catre*, poss.] *S. f.* **1.** Pequeno barco tripulado por um homem: 📖 "andou embarcado numa catraia lerda que fazia cabotagem pelas bibocas da costa, de Salvador a Aracaju" (João Felício dos Santos, *João Abade*, p. 55). **2.** Pequena construção; casinhola. **3.** *Deprec.* Meretriz, esp. a de baixa categoria. **4.** *Bras. PE Zool.* V. *alcatraz*[1].

catraieiro [De *catraia* + *-eiro*.] *S. m.* Tripulante de uma catraia; barqueiro: 📖 "Luti, o Capitão, deu umas voltas com ele', disse um catraieiro" (Milton Hatoum, *Cinzas do Norte*, p. 39).

catraio [De *catraia* (1), poss.] *S. m. Bras. RS Zool.* V. *linguado* (6).

catrâmbias *S. f. pl.* **1.** V. *cambalhota* (1). ● *Interj.* **2.** Indica enfado, irritação ou desprezo; ora bolas; bolas. ◆ **De catrâmbias.** De pernas para o ar.

catrapoço (ô) [De *catrapós*.] *S. m. Bras. N.E.* Coisa inútil, imprestável. [Pl.: *catrapoços* (ó).]

catrapós [T. onom.] *S. m. Interj.* V. *catrapus*. [Pl. do s. m.: *catraposes* (ó).]

catrapus [Var. de *catrapós*.] *S. m.* **1.** O galopar do cavalo. [Pl.: *catrapuses*.] ● *Interj.* **2.** Voz imitativa do galope (1). **3.** Voz imitativa de queda repentina e ruidosa. [Sin. da interj.: *trapus*.]

catre [Do malaiala *kattil*.] *S. m.* **1.** Cama de viagem, dobrável, de lona. **2.** Leito tosco e pobre; grabato: 📖 "E dali saiu, ... não para achar no rude catre o sono da hora que ainda restava à noite" (João Ribeiro, *Crepúsculo dos Deuses*, p. 39). **3.** *Bras. S.* Espécie de jangada. **4.** *Zool. Bras.* V. *chupim* (1).

catrevage [Alter. de *catervagem*.] *S. f. Bras. N. N.E. Pop.* **1.** Restos de materiais de construção ou de utensílios. **2.** Montão de quaisquer objetos.

catrimbi *Bras. S. 2 g.* **1.** *Etnôn.* Indivíduo dos catrimbis, povo indígena extinto que habitava a região situada entre os rios Itapicuru e Vaza-Barris, no N.E. da Bahia. ● *Adj. 2 g.* **2.** Pertencente ou relativo a esse povo. [Tb. us. como *s. 2 g. e 2 n.* (com cap.) e *adj. 2 g. e 2 n.*]

catrumano [De *quadrumano*, var. pros. de *quadrúmano*.] *S. m. Bras. MG* V. *caipira* (1).

catuá [De or. tupi, poss.] *S. f. Bras. ES Zool.* V. *garoupinha*.

catuaba [Do tupi = 'capaz', 'idôneo'.] *S. f. Bras.* **1.** *Bot.* Arbusto bignoniáceo (*Anemopaegma glaucum*) ornamental, de flores amarelas campanuladas, de fruto capsular, folhas compostas e sésseis, e que é tida por medicinal, afrodisíaca; catuíba. **2.** *Bot.* Planta bignoniácea (*Anemopaegma mirandum*) com as mesmas características da catuaba (1); catuíba. **3.** *Bot.* Planta bignoniácea (*Anemopaegma arvense*) semelhante à catuaba (1 e 2); catuaba-verdadeira. **4.** Garrafada feita de catuaba (1 e 3), supostamente afrodisíaca. ● *S. m.* **5.** *Bras.* Homem forte, potente.

catuaba-do-mato *S. f. Bras. MG RJ Bot.* Arbusto aquifoliáceo (*Ilex conocarpa*) de flores alvas, sésseis, aromáticas, dispostas em espigas axilares, e cujo fruto é drupa ovoide-cônica, pequena. Tem propriedades melíferas e fornece matéria tintorial preta. [Pl.: *catuabas-do-mato*.]

catuaba-verdadeira [De *catuaba* + o f. de *verdadeiro*.] *S. f. Bras. Bot.* Catuaba (3). [Pl.: *catuabas-verdadeiras*.]

catual [Do persa *kotual*.] *S. m.* **1.** Entre alguns povos orientais, funcionário público; regedor. **2.** Intendente de negócios com os estrangeiros.

catucação *S. f. Bras. Pop.* V. *cutucação*.

catucada *S. f. Bras. Pop.* V. *cutucada*.

catucaém [Do tupi = 'bom', + o tupi = 'secar'.] *S. m. Bras. BA MG ES RJ SP PR SC Bot.* V. *carne-de-vaca*.

catucão *S. m. Bras. Pop.* V. *cutucão*.

catucar *V. t. d. Bras. Pop.* V. *cutucar*: 📖 "Os Srs. Alarico Silveira e H. Sobral Pinto, também frequentadores familiares desses temas, muitas vezes o catucaram [a Luís Schnoor] para ver se o surpreendiam em erro" (Agripino Grieco, *Gente Nova do Brasil*, p. 177). [Conjug.: v. *trancar*.]

catueiro *S. m. Bras. SP* Anzol encastoado para apanhar peixes grandes.

catuena *Bras. S. 2 g.* **1.** *Etnôn.* Indivíduo dos catuenas [ou (etnôn. bras.) *Katuena], povo indígena da família linguística caraíba que habita os municípios de Oriximiná e Faro (PA) e Nhamundá (AM). ● *Adj. 2 g.* **2.** Pertencente ou relativo a esse povo.

catuense *Adj. 2 g.* **1.** De, ou pertencente ou relativo a Catu (BA). ● *S. 2 g.* **2.** O natural ou habitante de Catu.

catugiense *Adj. 2 g. S. 2 g.* V. *borrazopolitano*.

catuíba [Do tupi.] *S. f. Bras. Bot.* V. *catuaba* (1 e 2).

catuipano (u-i) *Adj.* **1.** De, ou pertencente ou relativo a Catuípe (RS). ● *S. m.* **2.** O natural ou habitante de Catuípe.

catuixi (u-i) *S. 2 g. Adj. 2 g. Bras.* V. *catauixi*.

catulé [Do tupi.] *S. m. Bras. Bot.* **1.** Palmeira arecácea (*Attalea oleifera*) nativa do Brasil, de PB a SP, de estipe ereto e liso, folhas penadas, frutos drupáceos globosos, ferrugíneos, que fornecem óleo útil, e sementes tb. oleíferas; indaiá, indajá, pindoba. **2.** V. *anajá-mirim*. **3.** V. *guariroba* (1). [Var.: *catolé*.] ◆ **Quebrar catulé.** *Bras. N.E.* Falhar, não disparar (a arma de fogo portátil); quebrar coco.

cátulo [Do lat. *catulu*.] *S. m. Poét.* Cachorro, cão. [Cf. *Catulo*, antr.]

catumbi [Do tupi = 'a folha azul'.] *S. m.* **1.** *Bras.* Espécie de dança. **2.** *Bras. SP* Espécie de jogo de azar.

catunduva *S. f. Bras. Bot.* V. *catanduba*.

catupé *S. m. Bras.* Antiga dança popular. [Cf. *catopê*.]

catuqui [Alter. de *tatuquira*.] *S. m. Bras. AM Zool.* V. *maruim*. [Var.: *catuquim*.]

catuquim *S. m. Bras. AM Zool.* V. *catuqui*.

catuquina *Bras. S. 2 g.* **1.** *Etnôn.* Indivíduo dos catuquinas [ou (etnôn. bras.) *Katukina, *Pedá-Djapá, *Pidá-Dyapá], povo indígena da família linguística catuquina, que habita a margem direita do rio Jutaí (AM). **2.** *Etnôn.* Indivíduo dos catuquinas [ou (etnôn. bras.) *Katukina, *Shanenawa], povo indígena da família linguística pano, que habita a região da bacia do rio Juruá, nos municípios de Tarauacá e Feijó (AC). ● *S. m.* **3.** *Gloss.* Família linguística que reúne as línguas faladas por povos indígenas do AM, como, p. ex., o canamari, o catuquina e o catauixi. ● *Adj. 2 g.* **4.** Pertencente ou relativo a catuquina (1, 2 e 3).

catuquinaru *Bras. S. 2 g.* **1.** *Etnôn.* Indivíduo dos catuquinarus [ou (etnôn. bras.) *Katuquinarú], povo indígena extinto que habitava a margem direita do rio Embira, na divisa do AC com o AM. ● *Adj. 2 g.* **2.** Pertencente ou relativo a esse povo.

catur *S. m.* Embarcação indiana, pequena e estreita, movida a remo ou à vela: 📖 "Por fins de 1540 estava concentrada diante de Goa uma garbosa e forte armada, composta de sessenta e sete fustas e catures, três galeotas e doze velas grossas." (Aquilino Ribeiro, *Portugueses das Sete Partidas*, p. 70.)

caturaiense (a-i) *Adj. 2 g.* **1.** De, ou pertencente ou relativo a Caturaí (GO). ● *S. 2 g.* **2.** O natural ou habitante de Caturaí.

caturamense *Adj. 2 g.* **1.** De, ou pertencente ou relativo a Caturama (BA). ● *S. 2 g.* **2.** O natural ou habitante de Caturama.

caturra[1] [De or. obscura.] *Adj. 2 g.* **1.** Diz-se de pessoa teimosa, agarrada a velhos hábitos, sempre disposta a achar defeitos, a discutir; pechoso. **2.** Próprio de caturra (3): 📖 "A rotina, numa das suas formas mais estúpidas, é a persistência caturra numa primeira impressão." (Eça de Queirós, *Notas Contemporâneas*, pp. 28-29.) ● *S. 2 g.* **3.** Pessoa caturra.

caturra[2] [Do hisp-amer. *caturra*.] *S. f.* **1.** *Zool.* V. *cuiú-cuiú* (1). **2.** *Bras. Bot.* V. *mamona* (1).

caturrada [De *caturra*[1] + *-ada*[1].] *S. f. Mar.* **1.** Ato ou efeito de caturrar (2 e 3). **2.** Movimento descendente da proa da embarcação, no balanço ou jogo longitudinal; caturro. [Cf. (nesta acepç.): *arfagem* (2).]

caturrar [De *caturra*[1] + *-ar*[2].] *V. int.* **1.** Mostrar-se caturra. **2.** *Mar.* Dar balanços longitudinais. **3.** *Mar.* Mergulhar a proa, no balanço longitudinal: 📖 "Ao romper da manhã seguinte, o *Manaus* caturrava e galeava em pleno Lamarão." (Gustavo Barroso, *Mississípi*, p. 98.) [Cf. (nas acepçs. 2 e 3): *arfar* (4).] *T. i.* **4.** Questionar com insistência; teimar: 📄 *Amanheceu mal-humorado, caturrando com a família.*

caturreira [De *caturra*[1] + *-eira*.] *S. f.* V. *caturrice* (2).

caturrice [De *caturra*[1] + *-ice*.] *S. f.* **1.** Ato ou efeito de caturrar. **2.** Teimosia infundada; caturreira, caturrismo.

caturrismo [De *caturra*[1] + *-ismo*.] *S. m.* **1.** Palavras, ideias, atos de caturra. **2.** V. *caturrice* (2).

caturrita [Do esp. *caturrita*.] *S. f. Bras. Zool.* Cotorra.

caturritar [De *caturrita* + *-ar*[2].] *V. int. Bras. S.* Falar muito; palrar, tagarelar: 📖 "A Tudinha pegou logo a caturritar, e a cousa foi passando, como esquecida." (Simões Lopes Neto, *Contos Gauchescos e Lendas do Sul*, p. 133.)

caturro [Dev. de *caturrar*.] *S. m. Mar.* Caturrada (2).

catuta *S. f. Bras. Pop.* V. *cachaça* (1).

catuzado *Adj. Bras.* Estragado, inutilizado (animal).

cauã *S. f. e m. Bras. Zool.* V. *acauã*: 📖 "A cauã piou, além, na estrema do vale." (José de Alencar, *Iracema*, p. 54); "Uma cauã anunciava chuva." (Adalberon Cavalcanti Lins, *Curral Novo*, p. 24).

cauaba [Do tupi.] *S. f. Bras.* Vaso em que os indígenas preparavam o cauim.

cauacaua *Bras. S. 2 g.* **1.** *Etnôn.* Indivíduo dos cauacauas, povo indígena extinto que habitava a região do rio Japurá (AM). ● *Adj. 2 g.* **2.** Pertencente ou relativo a esse povo. [Tb. us. como *s. 2 g. e 2 n.* (com cap.) e *adj. 2 g. e 2 n.*]

cauaçu [Do tupi.] *S. f. Bras. Bot.* **1.** Planta arbustiva marantácea (*Calathea lutea*) de caule herbáceo, grandes flores amarelo-enxofre, e fruto capsular, com uma semente; ariá. **2.** Planta arbustiva poligonácea (*Coccoloba latifolia*) de flores amarelas e fruto ovoide. **3.** Árvore rubiácea (*Bathysa australis*) de flores pequenas e alvas, dispostas em panículas, e cujo fruto é uma cápsula achatada. [Sin., nesta acepç.: *cajueiro-bravo, quina-de-santa-catarina, quina-do-paraná*.] ~ V. *cauaçus*.

cauaçus *S. m. pl. Bras.* Grupo de bandoleiros outrora existente nos sertões baianos. ~ V. *cauaçu*.

cauaiá [De or. tupi, poss.] *S. m. Bras. Bot.* V. *buritirana* (1).

cauaíba *Bras. S. 2 g. Adj. 2 g.* V. *cauaiua*.

cauaiua *Bras. S. 2 g.* **1.** *Etnôn.* Indivíduo dos cauaiuas [ou (etnôn. bras.) *Kawahiwa, *Kagwahiv], povo indígena extinto da família linguística tupi-guarani, tronco tupi, conhecido também como Parintintins, que habitava as margens dos rios Juruena, Teles Pires (MT e PA) e do rio Sangue (MT). ● *Adj. 2 g.* **2.** Pertencente ou relativo a esse povo. [F. paral.: *cavaíba*.] ✣

cauaná *S. 2 g. Adj. 2 g. Bras.* V. *cauanã*[2].

cauanã[1] [Do tupi.] *S. m. Bras. Zool.* Ave ciconiiforme, ciconiídea (*Exenxura galeata*), da América Meridional, branca, rêmiges e cauda preta, pernas avermelhadas; cegonha, tabuiaiá, tabujajá, tapucaiá, tubaiaiá.

cauanã[2] *Bras. S. 2 g.* **1.** *Etnôn.* Indivíduo dos cauanãs, povo indígena extinto que habitava a região situada entre o baixo rio Xingu e o rio Anapu (PA). ● *Adj. 2 g.* **2.** Pertencente ou relativo a esse povo. [Tb. us. como *s. 2 g. e 2 n.* (com cap.) e *adj. 2 g. e 2 n.* Outra f.: *cauaná*.]

cauá-tapuia *Bras. S. 2 g.* **1.** *Etnôn.* Indivíduo dos cauás-tapuias [ou (etnôn. bras.) *Káwa-Tapuya], povo indígena extinto da família linguística aruaque, que habitava as margens do rio Aiari, na região do alto rio Negro conhecida como Boca do Cachorro (AM). ● *Adj. 2 g.* **2.** Pertencente ou relativo a esse povo. [Pl.: *cauás-tupiaus.*]

cauauri *Bras. S. 2 g.* **1.** *Etnôn.* Indivíduo dos cauauris, povo indígena extinto que habitava à margem esquerda do rio Amazonas (AM). ● *Adj. 2 g.* **2.** Pertencente ou relativo a esse povo. [Tb. us. como *s. 2 g.* e *2 n.* (com cap.) e *adj. 2 g.* e *2 n.*]

caúba *S. f. Bras. Zool.* V. *rabo-aberto.*

caubi [Do tupi = 'mato verde'.] *S. m. Bras. Bot.* **1.** V. *angico-branco* (1). **2.** V. *canafístula* (3). [Var., nesta acepç.: *caobi.*]

caubói [Do ingl. *cowboy.*] *S. m.* **1.** Guardião de gado; vaqueiro. **2.** Dose de uísque puro, sem gelo, etc.: "bebiam escocês legítimo, *on the rocks* ou caubói" (Flávio Moreira da Costa, *Nem Todo Canário É Belga*, p. 73).

caucaense *Adj. 2 g. S. 2 g.* V. *caucaiense.*

caucaiense *Adj. 2 g.* **1.** De, ou pertencente ou relativo a Caucaia (CE). ● *S. 2 g.* **2.** O natural ou habitante de Caucaia. [Sin. ger.: *caucaense.*]

caução [Do lat. *cautione.*] *S. f.* **1.** Cautela, precaução. **2.** Garantia, segurança. **3.** O que serve de penhor a um empréstimo, ou a um adiantamento. **4.** Depósito de valores aceitos para tornar efetiva a responsabilidade dum encargo. ◆ **Caução fidejussória.** *Jur.* V. *fiança* (4). [Tb. se diz apenas *fidejussória.*] **Caução legal.** *Jur.* A imposta por lei; caução necessária. **Caução necessária.** *Jur.* Caução legal. **Caução promissória.** *Jur.* A que se funda unicamente na promessa do devedor. **Caução real.** *Jur.* A que se funda em direitos reais de garantia, como hipoteca, penhor, anticrese ou depósito em dinheiro, quer em títulos de crédito, quer em títulos da dívida pública.

caucasiano *Adj.* **1.** V. *caucásio* (1). **2.** Caucasoide (1 e 2). ● *S. m.* **3.** Caucásio (3). **4.** Caucasoide (3).

caucásico *Adj.* V. *caucásio* (1).

caucásio [Do lat. *caucasiu.*] *Adj.* **1.** Do, ou pertencente ou relativo ao Cáucaso, cadeia de montanhas entre os mares Negro e Cáspio; caucasiano, caucásico. ● *S. m.* **2.** *Gloss.* Família de línguas dessa região, entre as quais figura o georgiano[1]. **3.** Indivíduo de cada um dos vários povos que habitam a região do Cáucaso, como, p. ex., os circassianos, os georgianos, etc.; caucasiano.

caucasoide (ói) [De *caucás(io)* + *-oide.*] *Antropom. Adj. 2 g.* **1.** Da, ou pertencente a, ou que designa a maior divisão étnica da espécie humana, que tem características distintivas, tais como a cor da pele, que varia de muito clara a morena, e cabelos finos, de lisos a ondulados ou crespos; caucasiano. [Esta divisão inclui grupos de povos nativos da Europa, N. da África, S.O. da Ásia e subcontinente indiano, ou que habitam essas regiões, e os descendentes deles que habitam outras partes do mundo.] **2.** Do, ou pertencente a, ou característico do caucasoide (3); caucasiano. ● *S. 2 g.* **3.** Indivíduo caucasoide; caucasiano. ❖

cauchal [De *caucho* + *-al*[1].] *Bras. Adj. 2 g.* **1.** *Bot.* Relativo ao caucho. ● *S. m.* **2.** Quantidade mais ou menos considerável de cauchos dispostos proximamente entre si; gomal. **3.** Área ocupada por cauchal (2). [Sin. nas acepç. 2 e 3: *gomal.*]

caucheiro [De *caucho* + *-eiro.*] *S. m. Bras. AM* **1.** Extrator de borracha do caucho. **2.** Proprietário de cauchal (2).

caucho [De uma língua indígena sul-americana, pelo esp. *caucho.*] *S. m.* **1.** *Bot.* Grande árvore morácea (*Castilla ulei*) de estípulas longas, lanceoladas e espatiformes, receptáculo frutífero solitário, quase séssil, com as sementes envoltas em polpa mole, comestível, e cujo látex dá uma borracha de qualidade inferior. **2.** V. *seringueira* (2). **3.** Substância elástica e resistente, resultante da coagulação do látex de diversas plantas, como, p. ex., da *Hevea brasiliensis* [v. *seringueira* (2)]; cautchu.

caucho-macho *S. m. Bras. Bot.* Árvore morácea (*Brosimum parinaroides* subsp. *amplicoma*) nativa da América tropical, esp. da Amaz.; fornece madeira nobre. [Pl.: *cauchos-machos.*]

cauchorana [De *caucho* + *-rana.*] *S. f. Bras. PA Bot.* Pequena árvore morácea (*Perebea guianensis*) de estípulas amarelas e sedosas, fruto drupáceo, vermelho-coral, sucoso e doce, e que fornece látex em quantidade reduzida.

caucionante [De *caucionar* + *-nte.*] *Adj. 2 g. S. 2 g.* Caucionário (2 e 3).

caucionar [De *caução* + *-ar*[2], seg. o padrão erudito.] *V. t. d.* **1.** Dar em caução ou garantia. **2.** Assegurar com caução; afiançar. [Fut. pret.: *caucionaria*, etc. Cf. *caucionária*, fem. de *caucionário.*]

caucionário [De *caução* + *-ário*, seg. o padrão erudito.] *Adj.* **1.** Relativo a caução. **2.** Que dá ou presta caução, caucionante. ● *S. m.* **3.** Aquele que dá ou presta caução; caucionante. [Fem.: *caucionária*. Cf. *caucionaria*, do v. *caucionar.*]

➔**caucus** ['kɔkəs] [Ingl.] *Polít.* V. *cáucus.*

cáucus [Do ingl. norte-amer.] *S. m. 2 n. Polít.* Encontro dos membros de um partido para coordenar suas ações, escolher sua política ou indicar candidatos para disputar determinados cargos. [Nos E.U.A. é constantemente associado aos procedimentos envolvidos na definição dos candidatos que concorrerão à presidência do país.]

cauda [Do lat. *cauda.*] *S. f.* **1.** Prolongamento posterior, mais ou menos comprido, do corpo de alguns animais; rabo. **2.** O conjunto das penas que se inserem no uropígio das aves; rabo. **3.** Rabo (2). **4.** *P. ext.* A parte do vestido ou manto que se arrasta posteriormente: "A esbelta senhora percorreu a sala ...., sempre grave e majestosa na cauda roçagante de seu vestido verde-claro" (Afonso Arinos, *Pelo Sertão*, p. 139). **5.** *Fig.* Rastro, pista. **6.** A parte posterior ou o prolongamento de certas coisas: *a cauda de um avião.* [Sin. pop. (nesta acepç.): *rabo.*] **7.** *Anat.* Designação genérica de qualquer apêndice (2) delgado. **8.** *Astr.* Parte de um cometa, com a forma de longa faixa luminosa, que se estende na direção oposta à do Sol, e que é produzida pela ação da radiação e dos corpúsculos solares sobre os gases rarefeitos que envolvem o núcleo do astro: "Oito mil contos, guardada a distância que vai da terra ao céu, é alguma cousa parecida com a cauda do cometa de 1811." (Machado de Assis, *A Semana*, II, p. 37) **9.** *Biol.* Flagelo[2] de espermatozoide. **10.** *Estat.* Parte de uma curva de frequências ou de probabilidades situada num dos extremos da distribuição, e em que as densidades de frequências ou de probabilidades são muito menores que as existentes noutras regiões. **11.** *Mús.* Pequena asa ou vírgula posta à direita da haste das figuras de valor inferiores à semínima: colcheia (♪), semicolcheia (𝅘𝅥𝅯), fusa[1] (𝅘𝅥𝅰) e semifusa (𝅘𝅥𝅱); bandeirola. **12.** *Bras.* V. *rabo da cachoeira.* ◆ **Cauda de andorinha.** *Marc.* Junção ou encaixe em madeira na forma de ângulo oblíquo. **Cauda de pavão.** *Alq.* Estágio intermediário entre o nigredo (q. v.) e o albedo (q. v.), quando surge uma profusão de cores.

cauda de andorinha *S. f. Arquit.* Obra saliente, para defesa de uma praça estreita junto a esta, e que se alarga à medida que avança. [Pl.: *caudas de andorinha.*] ☑

cauda-de-raposa *S. f. Bot.* V. *crista-de-peru.* [Pl.: *caudas-de-raposa.*]

cauda-de-véu *S. m. Bras. Zool.* Variedade de peixe ciprinídeo (*Carassius auratus*) cuja nadadeira caudal é muito desenvolvida, lembrando um véu. Originário da China, Japão e Manchúria, é peixe ornamental com uma tradição de séculos na sua criação. [Pl.: *caudas-de-véu*. Cf. *peixe-vermelho.*]

caudado[1] [Do lat. med. *caudatu.*] *Adj.* **1.** Caudato. **2.** *Bot.* Diz-se de órgão ou parte de vegetal que se prolonga como se tivesse cauda: *folha caudada; antera caudada.*

caudado[2] [Adapt. do tax. *Caudata.*] *Zool. S. m.* **1.** Espécime dos caudados, ordem de animais metazoários, cordados, vertebrados, que reúne anfíbios de corpo alongado, cauda persistente, longa, pernas curtas e caixa craniana frágil. ● *Adj.* **2.** Pertencente ou relativo a eles. [Sin. ger.: *ictiomorfo, urodelo.*]

caudal[1] *S. f. Zool.* F. red. de *nadadeira caudal.*

caudal[2] [Do lat. *capitale.*] *S. m.* e *f.* **1.** Torrente impetuosa; cachoeira. **2.** Rio caudal, caudaloso: "Em face da linha verde rasa que esmorece lá para longe, o caudal amazônico, reaberto à nossa proa, tomou uma cor acobreada" (Vitorino Nemésio, *Caatinga e Terra Caída*, p. 281). **3.** Débito fluvial. **4.** *Fig.* Grande abundância ou fluência; torrente: "Ora eu .... deixo-me ficar à margem dessa caudal de clamores e sustos" (Mário de Alencar, *Contos e Impressões*, p. 197). ● *Adj. 2 g.* **5.** Caudaloso: "É um rio caudal e furioso" (Alexandre Herculano, *Lendas e Narrativas*, II, p. 48). **6.** *Fig.* Abundante, torrencial: *Nada estancará o indômito e caudal progresso de São Paulo.*

caudal[3] [De *cauda* + *-al*[1].] *Adj. 2 g.* **1.** Relativo ou pertencente à cauda (1 e 2). **2.** *Anat.* Diz-se da posição de um órgão que está mais próximo à cauda (7), ou tem a sua direção para ela voltada, em relação a outro.

caudaloso (ô) [De *caudal*[2] + *-oso.*] *Adj.* Diz-se do rio que leva água em abundância; caudal, abundante.

caudatário [Do lat. ecles. *caudatariu.*] *S. m.* **1.** Aquele que, nas solenidades, levanta e leva a cauda das vestes das autoridades eclesiásticas ou altos dignitários. **2.** *Fig.* Indivíduo sem opinião própria, sem personalidade, subserviente, servil. ● *Adj.* **3.** Diz-se de indivíduo, agremiação, etc., servil, subserviente, sem opinião ou linha de conduta própria, definida: *político caudatário; partido caudatário.* **4.** *Fig.* Que imita outrem ou outra coisa; sem ou quase sem originalidade: *poeta caudatário; arte caudatária.*

caudato [Do lat. med. *caudatu.*] *Adj.* Que tem cauda; caudado: *cometa caudato;* "Vastos vestidos, como os das rainhas, / Caudatos, a varrer o céu com as barras" (Alberto de Oliveira, *Poesias*, 3ª série, p. 76). ~ V. *letra —a.*

▲**-caude** V. *caudi-.*

caudel [Do lat. *capitellu.*] *S. m.* Coudel (q. v.). [Pl.: *caudéis.*]

caudelaria [De *caudel* + *-aria.*] *S. f.* Coudelaria (q. v.).

cáudex (cs) [Do lat. *caudex* (nom.).] *S. m. 2 n. Bot.* **1.** *Desus.* Caule, tronco. **2.** Estipe das palmeiras e dos fetos arborescentes. **3.** Parte subterrânea perene que renova anualmente a parte aérea, nas plantas em que esta desaparece por efeito do frio ou da seca. [F. paral.: *cáudice.*]

▲**caudi-** [Do lat. *caūda, ae.*] *El. comp.* = 'cauda': *caudímano.* [Equiv.: *-caude, -caud(i)-, -caudo: crassicaude; acuticaudado; multicaudo.*]

▲**-caud(i)-** V. *caudi-.*

cáudice [Do lat. *caudice.*] *S. m. Bot.* V. *cáudex.*

caudiculado [De *caudículo* + *-ado*[1].] *Adj. Bot.* Provido de caudículo: *antera caudiculada.*

caudículo [De *caudi-* + *-culo.*] *S. m. Bot.* **1.** Pequenina haste que sustenta a polínia, nas orquídeas. **2.** Em espécies asteráceas, apêndice minuto localizado na base da antera.

caudilhamento [De *caudilhar* + *-mento.*] *S. m.* Comando exercido por caudilho.

caudilhar [De *caudilho* + *-ar*[2].] *V. t. d. P.* V. *acaudilhar.*

caudilhete (ê) [De *caudilho* + *-ete* (ê).] *S. m.* Pequeno caudilho; caudilho insignificante: "eu poderia ser um caudilho, ou, ao menos, um caudilhete, se tivesse gosto pela função." (Alcides Maia, *Alma Bárbara*, p. 108).

caudilhismo [De *caudilho* + *-ismo.*] *S. m.* Processos, sistema ou modos de caudilho.

caudilho [Do esp. *caudillo.*] *S. m.* **1.** Chefe militar; cabo de guerra; chefe. **2.** V. *mandachuva.*

caudímano [De *caudi-* + *-mano*[2].] *Adj.* Que apreende os objetos com a cauda.

caudino [Do lat. *caudinu.*] *Adj.* **1.** De, ou pertencente ou relativo a Cáudio, antiga povoação da Itália. ~ V. *forcas —as.* ● *S. m.* **2.** O natural ou habitante de Cáudio.

▲**-caudo** V. *caudi-.*

cauí [De or. tupi, poss.] *S. m. Bras. AM Zool.* V. *cauxi.*

cauiana (au-i) *Bras. S. 2 g.* **1.** Indivíduo dos cauianas, povo indígena extinto que habitava às margens do rio Trombetas (PA). ● *Adj. 2 g.* **2.** Pertencente ou relativo a esse povo. [Tb. us. como *s. 2 g.* e *2 n.* (com cap.) e *adj. 2 g.* e *2 n.*]

cauila (au-í) [De or. afr.] *Adj. 2 g. S. 2 g. Bras.* V. *avaro* (1 e 3). ❖

cauim (au-ím) [Do tupi = 'bebida fermentada'.] *S. m. Bras.* Espécie de bebida preparada com a mandioca cozida e fermentada. [Preparavam-na primitivamente os indígenas com caju ou com outras frutas, ou, ainda, com milho e mandioca mastigados.]

cauintã (au-in) *S. m. Bras. Zool.* V. *anhima* (2).

cauira (au-í) [Var. de *cauila.*] *Adj. 2 g. S. 2 g. Bras.* V. *avaro* (1 e 3). ❖

cauixana (au-i) *Bras. S. 2 g.* **1.** *Etnôn.* Indivíduo dos cauixanas [ou (etnôn. bras.) *Kayuisana], povo indígena extinto da família linguística aruaque, que habitava a região situada entre o baixo Japurá e o rio Içá (AM). ● *Adj. 2 g.* **2.** Pertencente ou relativo a esse povo.

cauixi (au-i) [Do tupi.] *S. m. Bras. AM Zool.* V. *cauxi.*

caule [Do lat. *caule.*] *S. m. Bot.* Parte aérea, provida de ramos ou folhas, das plantas vascularizadas, e ligada à parte subterrânea ou raiz; suas funções são a sustentação de folhas, flores e frutos, o transporte das seivas bruta e elaborada, o armazenamento de reservas nutritivas necessárias à sobrevivência da planta, além de, em alguns casos, a realização da fotossíntese. (3). [Dim.: *caulículo*. Cf. *talo* (1).]

▲**-caule** V. *caul(i)-.*

cauleoso (ô) [De *caule* + *-oso.*] *Adj. Bot.* V. *caulescente.*

caulescência [De *caulescente* + *-ia*[2], seg. o padrão analógico.] *S. f. Bot.* Qualidade de caulescente.

caulescente [De **caulescer* (< *caule*) + *-nte*; fr. *caulescent.*] *Adj. 2 g. Bot.* Diz-se do vegetal que tem caule manifesto; cauleoso, caulífero: *feto caulescente.* [Opõe-se a *acaule.*]

▲**caul(i)-** [Do lat. *caūlis, is* < gr. *kaulós, oû.*] *El. comp.* = 'caule': *caulícola, cauliflória, caulídeo.* [Equiv.: *-caul(i)-, -caule: eriocaulácea, compressicaule, crassicaule.*]

▲**-caul(i)-** V. *caul(i)-.*

caulícola [De *caul(i)-* + *-cola*[1].] *Adj. 2 g. Bot.* Que vive sobre o caule ou ramo de outra planta: *líquen caulícola.*

caulículo [Do lat. *caulículu.*] *S. m. Bot.* **1.** *Desus.* Hipocótilo. **2.** Pequeno caule. ~ V. *caulículos.*

caulículos *S. m. pl. Arquit.* No capitel coríntio, pequenas hastes ou caules que saem de entre as folhas de acanto para formar as volutas. ~ V. *caulículo.*

caulídeo [De *caul(i)-* + *-ídeo*[3].] *S. m. Bot.* Órgão análogo ao caule, que se encontra nos vegetais inferiores ou talófitos, de estrutura puramente celular, com escassa diferenciação; cauloide.

caulífero [De *caul(i)-* + *-fero*.] ***Adj. Bot.*** V. *caulescente*.
caulificação [De **caulificar* (< *caul(i)-* + *-fic(a)(r)-*) + *-ção*.] ***S. f. Bot.*** Formação do caule.
caulifloria [De *caul(i)-* + *-flor(i)-* + *-ia*[1].] ***S. f. Bot.*** Emissão de flores sobre o tronco e ramos grossos de certas árvores da floresta pluvial tropical, como se observa, p. ex., no cacaueiro e na jabuticabeira.
caulifloro [De *caul(i)-* + *-floro*.] ***Adj. Bot.*** Que apresenta caulifloria: *árvore caulifloria*.
caulim [Do top. *KaoLing*, 'colina alta', pelo fr. *kaolin*.] ***S. m.*** Argila pura, de cor branca; caulino, barro branco, barro forte.
caulinar [De *caulino*[1] + *-ar*[2].] ***Adj. 2 g. Bot.*** Relativo ou pertencente ao caule; caulino: *folha caulinar*.
caulínico [De *caulim* + *-ico*[2].] ***Adj.*** Que contém caulim, ou é da natureza dele.
caulinita [De *caulim* + *-ita*[3].] ***S. f. Min.*** Mineral monoclínico, silicato de alumínio hidratado, um dos principais minerais de certas argilas.
caulino[1] [De *caul(i)-* + *-ino*[1].] ***Adj. Bot.*** Caulinar.
caulino[2] [De *caul(im)* + *-ino*[1].] ***S. m.*** V. *caulim*.
cauloide (ói) [De *caul(i)-* + *-oide*.] ***S. m. Bot.*** Caulídeo. ❖
cauloma [De *caul(i)-* + *-oma*[2].] ***S. m. Bot.*** O conjunto formado pelo caule e seus derivados e modificações, como, p. ex., os rizomas, ramos e folhas.
caumestesia [Do gr. *kaûma*, 'queimadura', + *-estes(i)-* + *-ia*[1].] ***S. f. Neur.*** Distúrbio em que o paciente tem sensação de queimadura, embora os objetos em que toca estejam a temperatura ambiente, ou até mais baixa.
caúna [Do tupi = 'erva negra'.] ***S. f. Bras. S. Bot.*** Designação comum a várias plantas aquifoliáceas, arbustivas, gênero *Ilex*, que tem espécies muito ornamentais e fornece erva-mate de má qualidade.
cauni ***Bras. S. 2 g.*** **1.** *Etnôn.* Indivíduo dos caunis, povo indígena extinto que habitava a margem direita do rio Amazonas, entre os rios Jutaí e Juruá. ● ***Adj. 2 g.*** **2.** Pertencente ou relativo a esse povo. [Tb. us. como *s. 2 g. e 2 n.* (com cap.) e *adj. 2 g. e 2 n.*]
cauô-cabiecilé [Do ioruba.] ***S. m. Bras. BA*** Saudação especial feita a Xangô. [Pl.: *cauôs-cabiecilés*.]
caupuna ***Bras. S. 2 g.*** **1.** *Etnôn.* Indivíduo dos caupunas, povo indígena extinto que habitava a margem direita do rio Amazonas, na região do Paraná do Mamori (AM). ● ***Adj. 2 g.*** **2.** Pertencente ou relativo a esse povo. [Tb. us. como *s. 2 g. e 2 n.* (com cap.) e *adj. 2 g. e 2 n.*]
cauré [Do tupi.] ***S. m. Bras. AM Zool.*** V. *tem-tenzinho*.
caureí [De *cauré* + *-i*, poss.] ***S. m. Bras. Zool.*** V. *cancã*[2] (3).
caureno [Do ingl. *kauri* (de or. maori), 'árvore do gênero *Agathis*', + *-eno*[2].] ***S. m. Quím.*** Diterpeno tetracíclico insaturado, isômero do filocladeno, encontrado em certos vegetais [fórm.: $C_{20}H_{32}$].
cauri [Do hindustâni *kauri*.] ***S. m.*** **1.** *Zool.* Molusco gastrópode, cipreídeo, gênero *Cypraea*, de concha branca e transparente. As espécies *C. moneta* e *C. annulus* foram us. no século passado como moeda, do Sudão à China. [Sin.: *córi*.] **2.** *Zool.* Buzo-fêmea. **3.** *Zool.* Buzo-macho. **4.** *Zool.* V. *chave* (26). **5.** *Pop.* Logro, burla, calote. [Var.: *cauril* e *caurim*.]
cauril ***S. m.*** V. *cauri*.
caurim ***S. m.*** V. *cauri*.
caurinar [De *caurim*, v. *cauri* (5), + *-ar*[2].] ***V. t. d. Pop.*** Pregar cauri (5), ou logro a; lograr.
caurineiro [De *caurinar* + *-eiro*.] ***S. m. Pop.*** O que prega caurins ou logros.
causa [Do lat. *causa*.] ***S. f.*** **1.** Aquilo ou aquele que faz que uma coisa exista: *Não há efeito sem causa*. **2.** Aquilo ou aquele que determina um acontecimento: *Foi ele a causa dos tristes fatos ocorridos ontem*. **3.** Razão, motivo, origem: *Você bem sabe a causa do meu proceder*. **4.** Partido; interesse: *Sempre foi um defensor da causa do povo*. **5.** Pleito judicial; demanda, ação: *causa criminal*. **6.** *Filos.* Termo correlacionado a *efeito* e que se concebe de maneiras diversas, que se compreendem a partir de dois enfoques fundamentais: a) relação entre um ser inteligente e o ato que ele praticou voluntariamente e pelo qual é responsável; b) vínculo que correlaciona os próprios fenômenos e que faz com que um ou vários deles apareçam como condição da existência de outros. **7.** *Jur.* O motivo por que alguém se propõe contratar: *causa lícita*; *causa ilícita*. ◆ **Causa eficiente.** *Filos.* Condição do fenômeno que produz outro fenômeno. **Causa final.** *Filos.* Condição daquilo em vista de que algo se produz. **Causa formal.** *Filos.* Condição daquilo pelo que qualquer coisa é tal ser determinado. **Causa material.** *Filos.* Condição daquilo de que uma coisa é feita. **Causa perdida. 1.** Plano, projeto ou empreendimento fadado a fracassar. **2.** Coisa ou pessoa que não tem mais jeito de emendar, corrigir, melhorar. **Em causa.** Em questão; de que se trata: *Não é este o assunto em causa*. **Estar em desespero de causa.** *Bras. Pop.* Estar em situação de grande necessidade ou dificuldade: "Sobre o namorado grisalho, só falamos uma vez. / — Você estava em desespero de causa — comentei. / — Ele não era tão ruim assim. Mas tentou me dar o golpe nas joias." (Walcyr Carrasco, *Anjo de Quatro Patas*, p. 112.) **Fazer causa comum com alguém.** Aliar-se a alguém, dar-lhe o seu apoio. **Justa causa.** *Dir. Trab.* Diz-se da dispensa do empregado pelo empregador, ou da rescisão do contrato de trabalho por iniciativa do empregado, quando um dos contratantes comete falta grave prevista em lei. **Por causa de.** Por motivo de; em consequência de; por amor, culpa, etc., de: *Sofre por causa de sua bondade*.
causação [Do lat. *causatione*.] ***S. f.*** Ato de causar; causa.
→causa debendi ['kawsa de'bende] [Lat., 'causa da dívida'.] *Jur.* Origem, fundamento da obrigação.
causador (ô) [De *causar* + *-dor*.] ***Adj.*** **1.** Que é causa; causativo. **2.** Que determina um acontecimento; ocasionador. ● ***S. m.*** **3.** Aquele ou aquilo que é causa. **4.** Aquele ou aquilo que determina um acontecimento; ocasionador.
causal [De *causa* + *-al*.] ***Adj. 2 g.*** **1.** Relativo a causa; causativo. **2.** Que exprime causa. ~ V. *conjunção —*. ● ***S. f.*** **3.** Motivo, origem, causa. **4.** *E. Ling.* Conjunção causal. [Cf. *casual*.]
causalgia [Do gr. *kaûsos*, 'calor excessivo', + *-alg(o)-*[2] + *-ia*[1].] ***S. f. Neur. Med.*** Dor que se apresenta frequentemente sob forma de queimação, muitas vezes acompanhada de alterações tróficas cutâneas, e consequente à lesão de nervo periférico.
causalidade [De *causal* + *-(i)dade*.] ***S. f. Filos.*** Qualidade de relação de causa e efeito. [Cf. *casualidade*.]
→causa mortis ['kawsa 'mɔrtes] [Lat., '(por) causa da morte'.] ***Loc. S. f.*** **1.** A causa determinante da morte. ● ***Loc. adj.*** **2.** Diz-se do imposto pago sobre a importância líquida da herança ou legado.
→causa petendi ['kawsa pe'tende] [Lat., 'causa de pedir'.] *Jur.* Situação jurídica que constitui o fundamento da demanda judicial.
causar [Do lat. **causare*, por *causari*.] ***V. t. d. T. d. e i.*** Ser causa ou motivo de; motivar; originar; produzir: *O mau tempo causou o acidente aéreo*; "Seu nome causará vergonha e asco" (Eugênio de Castro, *Obras Poéticas*, V, p. 70); "Chuvas causam 9 mortes e desabamentos em Osasco" (*Folha de S.Paulo*, 02.11.1981); "Puis de Chavannes causou a Rodin um dos dissabores de sua carreira, quando não gostou de seu busto por ele feito" (Carlos de Gusmão, *Boca da Grota*, p. 35).
causativo [Do lat. *causativu*.] ***Adj.*** **1.** Causal (1). **2.** Causador (1). **3.** *E. Ling.* Diz-se de causativo (4). ~ V. *elemento —*, *verbo —* e *voz —a*. ● ***S. m.*** **4.** Elemento linguístico que exprime uma relação causal; factitivo, elemento causativo. [Em português, exprimem uma ação causativa verbos como *mandar*, *deixar*, *fazer*: *João mandou fechar a porta*; *Oriana deixou que Percival falasse*.]
→causa traditionis ['kawsa tɾade'tsjones] [Lat., 'causa da tradição'.] Razão ou fundamento da transmissão das coisas entre as partes interessadas.
→causa turpis ['kawsa 'turpes] [Lat., 'causa torpe'.] Causa obrigacional ilícita ou desonesta.
→causerie [koz'ʁi] [Fr.] ***S. f.*** Bate-papo.
→causeur [ko'zœʁ] [Fr.] ***S. m.*** Conversador brilhante.
→causeuse [ko'zøz] [Fr.] ***S. f.*** Poltrona para duas pessoas.
causídico [Do lat. *causidicu*.] ***S. m.*** Defensor de causas; advogado.
causo [Var. pop. de *caso*.] ***S. m. Bras. Pop.*** Conto, história, caso: "— Joaninha Vintém conte um causo" (Raul Bopp, *Putirum*, p. 73).
cáustica [F. subst. de *cáustico*.] ***S. f. Mat.*** Curva cáustica. [Cf. *caustica*, do v. *causticar*.] ◆ **Cáustica por refração.** *Mat.* V. *curva diacáustica*.
causticação [De *causticar* + *-ção*.] ***S. f.*** **1.** Ato ou efeito de causticar. **2.** *Fig.* Importunação, consumição, amolação.
causticante [De *causticar* + *-nte*.] ***Adj. 2 g.*** **1.** Que caustica. **2.** *Fig.* Impertinente, importuno, molesto.
causticar [De *cáustico* + *-ar*[2].] ***V. t. d.*** **1.** Aplicar cáusticos a; queimar: *causticar um ferimento*. **2.** Aquecer muito, ressecando: "O sol caustica a prumo a rústica devesa; / Exala-se da terra um bafo ardente." (Conde de Monsaraz, *Musa Alentejana*, p. 207). **3.** *Fig.* Importunar, enfadar, molestar, maçar: *Causticava os amigos com frequentes pedidos de dinheiro*. ***Int.*** **4.** Aplicar cáustico; queimar: "Pensas que a aragem glacial tão frequente na Pauliceia, principalmente à tarde, aragem que horripila e caustica, esfria-se ao passar por entre os ramos daquelas casuarinas da Consolação." (Raul Pompeia, *Crônicas 4*, p. 14.) [Conjug.: v. *trancar*. Pres. ind.: *caustico*, *causticas*, *caustica*, etc. Cf. *cáustico* e *cáustica*.]
causticidade [De *cáustico* + *-(i)dade*.] ***S. f.*** **1.** Qualidade do que é cáustico. **2.** *Fig.* Mordacidade, maledicência, sátira.
cáustico [Do lat. *causticu* < gr. *kaustikós*.] ***Adj.*** **1.** Que queima, cauteriza ou carboniza os tecidos orgânicos: *soda cáustica*; "queimara a boca com o sumo cáustico da fruta da bromeliácea." (Júlio Ribeiro, *A Carne*, p. 246). **2.** *Fig.* Que fere; irônico, mordaz, satírico: "Margarida ...., que havia herdado um pouco do espírito cáustico e zombeteiro de sua mãe ...., tinha acabado de .... desorientar completamente o pobre rapaz." (Bernardo Guimarães, *O Seminarista*, p. 87). ~ V. *curva —a*, *potassa —a*, *soda —a* e *superfície —a*. ● ***S. m.*** **3.** *Farm.* Substância que queima tecidos orgânicos. [Cf. *caustico*, do v. *causticar*.]
caustobiólito [Do gr. *kaustós*, 'inflamável', + *-bi(o)-* + *-lito*.] ***S. m. Petr.*** Rocha sedimentar formada de restos de organismos combustíveis, como o carvão, a turfa, etc.
cautchu [Do fr. *caoutchouc*.] ***S. m.*** Caucho (3).
cautela [Do lat. *cautela*.] ***S. f.*** **1.** Cuidado para evitar um mal; precaução, cuidado. **2.** Cautelamento. **3.** Documento, em forma de recibo de depósito, que as casas de penhores passam aos que nelas levantam empréstimo. **4.** Certificado ou título provisório, representando certo número de ações ou debêntures. **5.** Recibo trocado reciprocamente entre o carregador (remetente) e o condutor (transportador), comprobatório do contrato de transporte. **6.** *Lus.* A subdivisão de um bilhete de loteria. ◆ **À cautela.** Como medida de precaução; por cautela: "a Inglaterra já tem em Gibraltar, diante das costas da África, à cautela, uma grossa esquadra de couraçados." (Eça de Queirós, *Ecos de Paris*, p. 148). **Por cautela.** À cautela.
cautelamento [De *cautelar*[2] + *-mento*.] ***S. m.*** V. *acautelamento*.
cautelar[1] [De *cautela* + *-ar*[1].] ***Adj. 2 g.*** **1.** Que acautela. **2.** Próprio para acautelar; cautelatório, acautelatório: "As medidas cautelares, ou preventivas, podem ser processuais *penais* ou processuais *civis*." (Neemias Gueiros, *A Advocacia e o Seu Estatuto*, p. 122.)
cautelar[2] [De *cautela* + *-ar*[2].] ***V. t. d. T. d. e i. Int. P.*** V. *acautelar*.
cautelatório [De *cautelar* + *-tório*.] ***Adj.*** V. *cautelar*[1] (2).
cauteleiro [De *cautela* (6) + *-eiro*.] ***S. m. Lus.*** Vendedor ambulante de cautelas [v. *cautela* (6)]: "é no café que o velho cauteleiro faz praça, com as suas duas tiras de loteria penduradas na gola do casaco." (José Cardoso Pires, *O Delfim*, p. 27).
cauteloso (ô) [De *cautela* + *-oso*.] ***Adj.*** Que procede com cautela; cuidadoso, prudente.
cautério [Do gr. *kautérion*, pelo lat. *cauteriu*.] ***S. m.*** **1.** *Cir. Med.* Meio químico (mediante substâncias cáusticas), ou físico (mediante ferro incandescente, corrente elétrica), de seção ou destruição de tecido. **2.** Cicatriz de queimadura. **3.** *Fig.* Correção enérgica; castigo.
cauterização [De *cauterizar* + *-ção*.] ***S. f.*** Ato ou operação de cauterizar.
cauterizar [Do lat. *cauterizare*.] ***V. t. d.*** **1.** Aplicar cautério a: *cauterizar um ferimento*. **2.** Destruir, extirpar. **3.** Corrigir, sanear, empregando meios enérgicos. **4.** Afligir ou penalizar ao extremo.
cauto [Do lat. *cautu*.] ***Adj.*** V. *acautelado* (1): "Se, carinhoso, cauto me movo, / É com receio de te magoar." (B. Lopes, *Val de Lírios*, p. 19.)
cauxi [Var. de *cauixi*.] ***S. m. Bras. AM PA Zool.*** Designação comum aos animais espongiários monaxônidas, espongilídeos, de água doce, cujo contato produz forte comichão, por causa dos espículos que provocam irritação da pele. Crescem nas várzeas alagadiças ou igapós e se acumulam nas raízes das árvores. Daí são retirados pelos naturais da terra, e reduzidos a cinza, que, misturada ao barro, serve para o fabrico da louça. [Sin.: *cauixi*, *esponja-d'água-doce*, *cabixi*, *cauí*, *paracuca*.]
cava [Do lat. *cava*.] ***S. f.*** **1.** Operação de cavar. **2.** Lugar cavado; escavação. **3.** Abertura ou corte do vestuário na região axilar, a que se adaptam, ou não, mangas; cavado: "puxou da cava do colete uma faquinha com que ia migar um pouco de fumo" (Gastão Cruls, *De Pai a Filho*, p. 59); *O vestido não tem mangas e a cava é bem pronunciada*. **4.** *Desus.* V. *adega* (1). **5.** Pavimento inferior de uma casa, abaixo do nível da rua; cave. **6.** *Anat.* Qualquer das veias cavas (inferior ou superior).
cavaca [De *cava* + *-aca*.] ***S. f.*** **1.** Cavaco[1] (1). **2.** Acha de lenha. **3.** *Cul.* Biscoito seco, arredondado, às vezes, com um dos lados, revestido de açúcar de confeiteiro. **4.** *Bras. Zool.* V. *xarelete* (1). ◆ **Catar cavaca.** *Bras. Gír.* Catar cavaco (q. v.).
cavacão [De *cavaco*[1] + *-ão*[1].] ***S. m. Fam.*** Grande cavaco[1] (1); cascarrão.
cavação [De *cavar* + *-ção*.] ***S. f.*** **1.** Ato ou efeito de cavar. **2.** *Bras. Pop.* Negócio ou emprego obtido por proteção. **3.** Negócio ilícito; negociata, arranjo.
cavacar ***V. t. d.*** **1.** Abrir cava em; escavar, cavar. ***Int.*** **2.** Cavar (12). [Conjug.: v. *trancar*.]
cavaco[1] [De *cavaca*, poss.] ***S. m.*** **1.** Estilha ou lasca de madeira; cavaca. **2.** V. *cavaquinho* (1). **3.** *Bras. Zool.* V. *guaivira*. **4.** *Bras. Zool.* V. *xarelete*. ~ V. *cavacos*. ◆ **Catar cavaco.** *Bras. Gír.* Perder (o indivíduo) o equilíbrio ao caminhar ou ao correr, seguindo para

a frente até uma certa distância com o corpo curvo e as mãos quase tocando o chão; catar cavaca: "sentou-lhe o pé na bunda com tal violência que deu com o coitado no chão, depois de fazê-lo sair catando cavaco nas históricas pedras da rua." (Fernando Sabino, *O Grande Mentecapto*, p. 59). **Dar o cavaco por.** Gostar muito de; dar o cavaquinho por: "Felícia dava o cavaco pelas doçuras" (Camilo Castelo Banco, *Sentimentalismo e História*, p. 249).

cavaco[2] [De *cava*, ou de *cavar*, poss.] *S. m.* **1.** V. *bate-papo*. **2.** Mostras de aborrecimento ou zanga da parte de quem é troçado, pirraçado, ou ridicularizado. **3.** Contrariedade, acanhamento, arrufo. ~ V. *cavacos*. ◆ **Dar cavaco.** Dar mostras de aborrecimento ou zanga, por ser objeto de troça, de pirraça ou de ridículo; dar o cavaco: "— Por que riem? disse eu alguma coisa má? fazem obséquio de dizerem? | .... | — Bravo, bravo, desconfiou, desconfiou. | — Hoje dir-se-ia mais elegantemente deu cavaco." (Antônio Gonçalves Teixeira e Sousa, *O Filho do Pescador*, p. 42.) **Dar o cavaco.** Dar cavaco.

cavacos *S. m. pl. Bras. RS* Pedacinhos que sobram da carne charqueada. ~ V. *cavaco*.

cavacué [Do tupi.] *S. m. Bras. Zool.* Ave psitaciforme, psitacídea (*Amazona diadema*), do N.O. do AM. Coloração verde, fronte e mento encarnados, vértice violáceo-claro, espelho encarnado, rêmiges pretas ou azuis, enegrecidas.

cavada *S. f. Surf.* Manobra na qual o surfista projeta sua prancha em direção à parede da onda para, em seguida, executar uma nova manobra.

cavadeira [De *cavar* + *-deira*.] *S. f.* **1.** *Bras. Zool.* V. *ariramba-da-mata-virgem*. **2.** *Bras. SP* Peça de ferro, com gume, adaptada à extremidade dum pau, com que se abrem buracos para sementes no chão.

cavadela [De *cavar* + *-dela*.] *S. f.* **1.** Ato de cavar ligeiramente; cavadura. **2.** Enxadada (2).

cavadiço [De *cavar* + *-(d)iço*[2].] *Adj.* **1.** Que se pode cavar: *terreno cavadiço*. **2.** Que se tira da terra, escavando-a.

cavado [Part. de *cavar*.] *Adj.* **1.** Aberto, revolvido (o terreno), com instrumento apropriado: *terra cavada*. **2.** Em que se fez buraco; escavado. **3.** Fundo, encovado: *olhos cavados*; "No seu cavado rosto macilento / Um poema de lágrimas se lia." (Gonçalves Crespo, *Obras Completas*, p. 297). **4.** V. *côncavo* (1). **5.** Diz-se do mar com vagas altas e pouco distanciadas entre si. ~ V. *parte —a*. ● *S. m.* **6.** Lugar que se cavou; buraco, cava. **7.** Cava (3): *o cavado das mangas*.

cavador (ô) [De *cavar* + *-dor*.] *S. m.* **1.** Aquele que cava. **2.** Trabalhador de enxada. [Sin. (nessas acepç.): *cavão*.] **3.** *Bras. Pop.* Aquele que cava, *i. e.*, arranja colocação, negócios, etc., até por meios ilícitos; furão, furador. ● *Adj.* **4.** *Bras.* Que é trabalhador pertinaz; cavucador; furão, girento.

cavadura [De *cavar* + *-dura*.] *S. f.* Cavadela (1).

cavaíba *Bras. S. 2 g. Adj. 2 g.* V. *cauaiua*.

cavala[1] [Do lat. tard. *cavalla*, fem. do lat. *cavallus*; esp. *caballa*.] *S. f. Zool.* **1.** Designação comum a peixes escombrídeos do gênero Scomberomorus. **2.** Peixe escombrídeo (*Scomberomorus cavalla*) do Atlântico ocidental (do Canadá a Santa Catarina), de dorso azul-escuro a negro e região inferior branco-prateada. Alcança até 1,70m de comprimento e é pescado com linha ou rede. [Sin.: *cavala-perna-de-moça, cavala-preta, cavala-sardinheira, cavala-verdadeira*.] **3.** V. *cavala-branca*.

cavala[2] [Fem. de *cavalo*[1].] *S. f. Bras. N.E.* **1.** Cavalo[1] (9). **2.** *Bras. RJ Folcl.* Ossinho que os pescadores de Angra dos Reis retiram da cabeça da cavala, e que, segundo a crença popular, diz assemelhar-se à imagem de Nossa Senhora.

cavala-africana [De *cavala*[1] + o f. de *africano*.] *S. f. Bras. Zool.* V. *enchova-preta*. [Pl.: *cavalas-africanas*.]

cavala-branca [De *cavala*[1] + o f. de *branco*.] *S. f. Bras. Zool.* Peixe escombrídeo (*Scomberomorus regalis*), do Atlântico ocidental (dos E.U.A. ao Brasil). Dorso azul-esverdeado ou acinzentado, flancos e abdome, brancos, quatro a cinco séries de manchas bronzeadas dos lados, e que se estendem da axila ao pedúnculo caudal. Alimenta-se de outros peixes, e o comprimento médio é de 0,50 a 0,60m. [Sin.: *cavala, cavala-pintada, cavala-sardinheira*. Pl.: *cavalas-brancas*.]

cavalada [De *cavalo*[1] + *-ada*[1].] *S. f.* **1.** Ação ou atitude própria de cavalo[1] (2). **2.** Grande asneira. [Sin. ger.: *cavalice*.]

cavalagem [De *cavalo*[1] + *-agem*[2].] *S. f.* **1.** Padreação de éguas. **2.** Preço de padreação. **3.** Modo de andar a cavalo.

cavalão [De *cavalo*[1] + *-ão*[1].] *Adj.* **1.** *Fig.* Muito alto ou muito desenvolvido. ● *S. m.* **2.** *Fig.* Indivíduo desenvolto, que anda correndo ou aos pulos. **3.** *Fig.* Indivíduo muito alto. **4.** *Fig.* Indivíduo alto e cheio de corpo, mas curto de inteligência e grosseirão. [Fem.: *cavalona*.]

cavala-perna-de-moça *S. f. Zool.* V. *cavala*[1] (2). [Pl.: *cavalas-perna-de-moça*.]

cavala-pintada [De *cavala*[1] + o f. de *pintado*[1].] *S. f. Bras. Zool.* V. *sororoca* (2). [Pl.: *cavalas-pintadas*.]

cavala-preta [De *cavala*[1] + o f. de *preto*.] *S. f. Bras. Zool.* Cavala[1] (2). [Pl.: *cavalas-pretas*.]

cavalar[1] [De *cavalo*[1] + *-ar*[1].] *Adj. 2 g.* **1.** Relativo ou pertencente a, ou próprio de cavalo[1]: *os cascos cavalares; resistência cavalar.* **2.** Da raça do cavalo. **3.** *Fig.* Exagerado, excessivo, descomunal: "quase lhe pede desculpas por ter dormido a sono solto, como se houvesse ingerido doses cavalares de infusos e barbitúricos." (Jorge Amado, *Dona Flor e Seus Dois Maridos*, p. 399).

cavalar[2] [De *cavalo*[1] + *-ar*[2].] *V. int. Fam.* Cavaloar: "Na rua o realejo calara-se, por cima do tecto já não cavalavam as crianças." (Eça de Queirós, *Os Maias*, II, p. 18.)

cavalaria [De *cavalo*[1] + *-aria*.] *S. f.* **1.** Multidão de cavalos. **2.** Multidão de gente a cavalo. **3.** Tropa militar que serve a cavalo. **4.** Equitação. **5.** Ordem de cavalaria (q. v.). **6.** Proeza ou façanha de cavaleiro andante (q. v.). **7.** *Bras. Cap.* Toque de berimbau que imita um tropel de cavalos. [Us. na época em que a capoeira era proibida, servia para denunciar a presença da cavalaria (3).] ● *S. m.* **8.** *Gír.* Soldado de cavalaria. [Sin. ger.: *cavaleria*.] ◆ **Cavalaria andante.** **1.** O conjunto dos cavaleiros andantes. **2.** O ofício dos cavaleiros andantes. **À cavalaria.** À maneira dos soldados de cavalaria. **Meter-se em altas cavalarias.** **1.** Envolver-se em aventuras arriscadas. **2.** Pretender fazer o que é superior às suas forças. [Tb. se diz *meter-se em cavalarias altas*.] **Meter-se em cavalarias altas.** Meter-se em altas cavalarias: "— Aproveitar [a noite de liberdade] como? Não sou pândego nem tenho recursos para meter-me em cavalarias altas...." (Artur Azevedo, *Contos fora da Moda*, p. 128.)

cavalariano [De *cavalaria* + *-ano*[1].] *S. m.* **1.** *Bras.* Soldado de cavalaria (3); cavaleiro. **2.** *Bras. N.E.* Indivíduo que viaja a negociar com cavalos.

cavalariça [De *cavalar*[1] + *-iça*.] *S. f.* Casa térrea destinada a habitação de cavalos; cocheira; estrebaria.

cavalariço [De *cavalar*[1] + *-iço*.] *S. m.* Empregado de coudelaria; palafreneiro: "No alpendre .... estava um criado almofaçando um alazão irrequieto que procurava morder o cavalariço quando lhe passava o ferro nos ilhais." (Camilo Castelo Branco, *A Filha do Regicida*, p. 95).

cavala-sardinheira *S. f. Zool.* **1.** V. *cavala*[1] (2). **2.** V. *cavala-branca*. [Pl.: *cavalas-sardinheiras*.]

cavala-verdadeira [De *cavala*[1] + o f. de *verdadeiro*.] *S. f. Bras. Zool.* V. *cavala*[1] (2). [Pl.: *cavalas-verdadeiras*.]

cavalcantense *Adj. 2 g.* **1.** De, ou pertencente ou relativo a Cavalcante (GO). ● *S. 2 g.* **2.** O natural ou habitante de Cavalcante.

cavalear [De *cavalo*[1] + *-ear*[2].] *V. t. d. Int.* V. *cavalgar*. [Conjug.: v. *frear*.]

cavaleira [De *cavalo* + *-eira*.] *S. f.* Amazona (2).

cavaleiras [Do pl. do f. de *cavaleiro*.] *El. s. f. pl.* Us. na loc. às cavaleiras. ◆ **Às cavaleiras.** *Lus.* A cavalo (1) (q. v.), esp. nas costas e nos ombros de alguém.

cavaleiro [Do lat. *caballariu*.] *Adj.* **1.** Que anda a cavalo; que cavalga. **2.** Relativo à cavalaria (3 e 5); gentil, brioso. ● *S. m.* **3.** Homem montado a cavalo. **4.** Aquele que sabe andar a cavalo. [Fem. (nesta acepç.): *cavaleira, amazona*.] **5.** Cavalariano (1). **6.** Membro de uma ordem de cavalaria. **7.** Homem nobre; paladino; cavaleiro andante. **8.** Obra de fortificação. **9.** *Fís.* Pequeno peso com que se estimam, numa balança analítica, massas da ordem do miligrama ou do décimo de miligrama. **10.** *Bras. Zool.* Crustáceo macruro, palemonídeo (*Palaemon jamaicensis*), de água doce. [Sin. (em SP): *cutipaca*.] **11.** *Bras.* Onda alta e impetuosa. **12.** *Bras. AM MA* Designação comum às ondas altas da pororoca. [Cf. *cavalheiro*.] ◆ **Cavaleiro andante.** **1.** Cavaleiro que, na Idade Média, sozinho ou em companhia de seus pares, corria terras em busca de aventuras, a fim de defender os fracos, lutar pela Igreja, pela justiça, desagravar damas e donzelas, etc. **2.** *P. ext.* Aquele que luta por ideais quiméricos, inacessíveis. **Cavaleiro da triste figura.** D. Quixote (v. *quixotismo*), o herói de *Dom Quixote de la Mancha*, de Cervantes (v. *cervantesco*). **A cavaleiro.** Em lugar eminente, sobranceiro; por cima. **A cavaleiro de.** Sobranceiro a; em posição elevada em relação a: "O meu quarto de dormir a cavaleiro da entrada da barra." (Manuel Bandeira, *Estrela da Vida Inteira*, p. 107.)

cavaleiroso (ô) [De *cavaleiro* + *-oso*.] *Adj.* Próprio de cavaleiro; valoroso: "Cavaleirosa espada relumbrante!" (Guerra Junqueiro, *Pátria*, p. 163.) [Cf. *cavalheiroso*.]

cavaleria [De *cavalo*[1] + *-eria*.] *S. f.* V. *cavalaria*.

cavalete (ê) [De *cavalo*[1] + *-ete* (ê).] *S. m.* **1.** Armação móvel, com pé, dotada de suporte, na qual se põe a tela para pintar, o quadro-negro, a prancha de desenho, etc.: "Aí foi Seixas encontrar dous grandes quadros, colocados nos respectivos cavaletes." (José de Alencar, *Senhora*, p. 307.) **2.** Antigo instrumento de tortura; ecúleo. **3.** Peça que sustenta as xalmas. **4.** Armação ou banqueta para apoiar as peças em que trabalham marceneiros, carpinteiros, mecânicos, etc. **5.** *Mús.* Pequena peça de madeira ou de metal com que se levantam as cordas de alguns instrumentos musicais. **6.** *Grav.* Suporte em que o água-fortista apoia a mão para não danificar o verniz da chapa, quando grava. [Cf., nesta acepç., *pousa-mão*.] **7.** *Tip.* Móvel de madeira ou de metal onde se engavetam as caixas de tipos, e em cuja parte superior, inclinada, o compositor põe aquela com que vai trabalhar. **8.** *Tip.* Armação de ferro, com cilindro, sobre a qual se retocam os estereótipos curvos. **9.** *Bras. N. N.E.* Toro de madeira que se utiliza para atravessar rios. **10.** *Bras.* Cada um dos tacos de madeira onde assenta o eixo da roda da máquina de ralar mandioca. **11.** *Bras.* Trave em que os vaqueiros penduram selas e outros arreios. **12.** *Santom.* Encosta de declive muito acentuado: "correram atrás do papagaio até ao sopé do cavalete" (Francisco Costa Alegre, *Mussandá*, p. 14). ◆ **Cavalete de telhado.** *Constr.* V. *cumeeira* (2).

cavalgação [De *cavalgar* + *-ção*.] *S. f. Bras. AM* V. *cio* (1).

cavalgada [De *cavalgar* + *-ada*[1].] *S. f.* **1.** Reunião de pessoas a cavalo. **2.** Marcha de um troço de cavaleiros: "o som longínquo vem se aproximando / Do galopar de estranha cavalgada." (Raimundo Correia, *Poesias*, p. 110). **3.** Quantidade de cavalgaduras. [F. paral.: *cavalgata*.]

cavalgadura [De *cavalgar* + *-dura*.] *S. f.* **1.** Besta cavalar, muar ou asinina, que se pode cavalgar. **2.** *Fig.* V. *cavalo*[1] (2).

cavalgamento [De *cavalgar* + *-mento*.] *S. m.* **1.** Ação ou efeito de cavalgar. **2.** V. *enjambement*. **3.** *Patol.* Sobreposição, lado a lado, dos dois cotos ósseos de uma fratura.

cavalgante [De *cavalgar* + *-nte*.] *Adj. 2 g. S. 2 g.* Que, ou quem anda a cavalo; cavaleiro (q. v.).

cavalgar [Do lat. vulg. *caballicare*.] *V. t. d.* **1.** Montar sobre, encavalgar, cavalear, encavalar, campear: *cavalgar um ginete*; "cavalgando um fogoso alazão, seguia para Porto Calvo" (Guedes de Miranda, *Eu e o Tempo*, p. 77); *Contava histórias de bruxas que cavalgavam cabos de vassoura e saíam voando.* **2.** Passar ou saltar por cima de; galgar; encavalgar, cavalear, encavalar. **3.** Pôr a cavaleiro (óculos). *T. c.* **4.** Sentar-se escarranchado; montar. *Int.* **5.** Montar, andar a cavalo; cavalear: "D. Rui colheu as rédeas, cavalgou sofregamente." (Eça de Queirós, *Contos*, p. 259); "Cavalgo e parto." (Monteiro Lobato, *Urupês, Outros Contos e Coisas*, p. 26); *Antônio cavalga bem.* [Conjug.: v. *largar*.]

cavalgata [Do it. *cavalcata*.] *S. f.* Cavalgada.

cavalhada [De *cavalo*[1] + *-alhada*.] *S. f. Bras.* **1.** Porção de cavalos. **2.** Gado cavalar. ~ V. *cavalhadas*.

cavalhadas *S. f. pl. Folcl.* Folguedo popular que consta de uma espécie de justa ou torneio. ~ V. *cavalhada*.

cavalheiramente [Do f. de *cavalheiro* + *-mente*.] *Adv.* Cavalheirescamente.

cavalheirescamente [Do f. de *cavalheiresco* + *-mente*.] *Adv.* De maneira cavalheiresca; cavalheiramente: "Já era tudo contar com a companhia da minha Dulce, em cujo braço eu pegara cavalheirescamente, mais de uma vez, para ajudá-la a transpor certos trechos perigosos dos caminhos." (Luís Jardim, *As Confissões do Meu Tio Gonzaga*, p. 177.)

cavalheiresco (ê) [De *cavalheiro* + *-esco*.] *Adj.* Próprio de cavalheiro; brioso, nobre, distinto, cavaleiroso, cavalheiro: "a .... índole sonhadora e cavalheiresca do monarca" (Euclides da Cunha, *À margem da História*, p. 247).

cavalheirismo [De *cavalheiro* + *-ismo*.] *S. m.* **1.** Ação, qualidade ou atitude própria de cavalheiro. **2.** Ato nobre, bizarro. **3.** Nobreza, gentileza, delicadeza, distinção.

cavalheiro [Do esp. *caballero*.] *S. m.* **1.** Homem de sentimentos e ações nobres. **2.** Homem de boa sociedade, de educação esmerada, cortês. **3.** O homem que dança com uma mulher. [Opõe-se, nesta acepç., a *dama*[1] (3).] **4.** Tratamento da 3.ª pess., equivalente a *senhor*: *O cavalheiro quer entrar?* ● *Adj.* **5.** V. *cavalheiresco*. [Cf. *cavaleiro*.] ◆ **Cavalheiro de indústria.** Indivíduo que vive de expedientes e de lograr os outros: "— .... És indecentemente explorado por meia dúzia de cavalheiros de indústria" (Aluísio Azevedo, *A Condessa Vésper*, p. 170.)

cavalheiroso (ô) [De *cavalheiro* + *-oso*.] *Adj.* V. *cavalheiresco*. [Cf. *cavaleiroso*.]

cavalice [De *cavalo*[1] + *-ice*.] *S. f. Bras.* **1.** V. *cavalada*. **2.** Gulodice exagerada.

cavalicoque *S. m. Pop. Deprec.* Cavalo pequeno e de pouco valor: "Na estação, lá encontrara o Sr. Padre Ribeiro, ... com dous cavalicoques para o conduzir ao Paço." (Eça de Queirós, *Cartas Inéditas de Fradique Mendes*, p. 97).

cavalinha [De *cavala*, fem. de *cavalo*[1], + *-inha*.] *S. f.* **1.** *Bot.* Designação comum a várias plantas equissetáceas, ornamentais, gênero *Equisetum*, de rizoma e caules fistulosos, espigas apiculadas, às vezes escuras; cavalinho, lixa-vegetal, rabo-de-cavalo, cola-de-cavalo. **2.** *Bot.* Cana-de-jacaré. **3.** *Bras. Zool.* Peixe teleósteo, perciforme, da família dos gempilídeos (*Thyrsitops lepidopoides*), do Atlântico, de coloração verde-azulada no dorso, grande boca com dentes que faz lembrar a cavala, donde o nome popular; lanceta. **4.** *Bras. Zool.* Muzundu. **5.** *Bras. Zool.* V. *carapau* (1).

cavalinho [De *cavalo*[1] + *-inho*[1].] *S. m.* **1.** *Bot.* V. *cavalinha* (1). **2.** *Bras. RS* Couro curtido de cavalo. ◆ **Tirar o cavalinho da chuva.** *Bras.* Tirar o cavalo da chuva (q. v.).

cavalinho-d'água *S. m. Bras. MG a SC Bot.* Erva haloragácea (*Myriophyllum brasiliensis*) aquática, flutuante, ornamental, de flores pequenas, alvas, verticiladas e axilares, tida como depuradora de águas paradas e própria para aquários e lagos de jardins. [Sin.: *bem-casados, mil-folhas-d'água, pinheirinho-d'água.* Pl.: *cavalinhos-d'água.*]

cavalinho-de-judeu *S. m. Bras. N. MG Zool.* V. *libélula* (3). [Pl.: *cavalinhos-de-judeu.*]

cavalinho-do-diabo *S. m. Bras. Zool.* V. *libélula* (3). [Pl.: *cavalinhos-do-diabo.*]

cavalinho-do-mar *S. m. Bras. Zool.* V. *cavalo-marinho* (1 e 3). [Pl.: *cavalinhos-do-mar.*]

cavalitas [Do pl. do f. de *cavalito*, dim. de *cavalo*[1]] *El. s. f. pl.* Us. na loc. *às cavalitas.* ◆ **Às cavalitas.** *Lus. Fam.* V. *a cavalo* (2) "o comerciante de filho às cavalitas veio pedir desculpa à minha mãe pronto a ajoelhar-se" (Lobo Antunes, *O Esplendor de Portugal*, p. 14).

cavalo[1] [Do lat. *caballu.*] *S. m.* **1.** *Zool.* Animal mamífero, perissodáctilo, hipomorfo, gênero *Equus* (v. *équus*). **2.** *Fig.* Indivíduo sem educação, grosseiro, alarve, estúpido; cavalgadura, animal. **3.** Muda ou planta que recebe um enxerto; porta-enxerto. **4.** Banca de trabalho de tanoeiro. **5.** Tenaz de fogão. **6.** Peça de jogo de xadrez que tem, entre outras faculdades, a de saltar sobre outras pedras. **7.** *Pop.* Cancro venéreo; cavala. **8.** *Exérc.* Unidade dum corpo de cavalaria. **9.** *Ginást.* Aparelho destinado a dois tipos de ginástica, constituído por uma peça oblonga forrada de couro e sustentada por quatro suportes, e na qual o ginasta executa um exercício de salto com evoluções, nela apoiando as mãos, ou efetua movimentos de impulso firmando-se em alças adrede fixadas. [Sin., nesta acepç.: (bras.) *cavalo de pau* e (lus.) *plinto.*] **10.** *Min.* Corpo da rocha encaixante dentro de um filão. **11.** *Tip.* Corpo estranho que fica preso por baixo da fôrma e faz subir uma ou mais letras. **12.** *Bras.* No jogo do bicho (q. v.), o 11º grupo (14), que abrange as dezenas 41, 42, 43 e 44, e corresponde ao número 11. **13.** *Bras. PE SE* Casta de feijão. ◆ **Cavalo da sela.** O que vai à esquerda do cocheiro. [Cf. *cavalo de sela.*] **Cavalo de batalha. 1.** *Desus.* Montaria adestrada para ser cavalgada em dia de batalha. **2.** *Fig.* Complicação, embaraço, dificuldade: *De uma simples visita ao avô doente fez um cavalo de batalha.* **3.** *Fig.* Razão de ser; bandeira: *A oposição fez da anistia o seu cavalo de batalha, em 1980.* [Cf. *cavalo-de-batalha.*] **Cavalo de campo.** *Bras. N.* Cavalo adestrado em que o vaqueiro campeia o gado. **Cavalo de meia jorna.** *Bras.* Cavalo avelhentado. **Cavalo de pobre.** *Bras.* Burro ou macho asneiro. **Cavalo de sela.** *Bras.* Cavalo de boa andadura ou pisada, que não faz outro trabalho senão o transporte de cavaleiros. [Cf. *cavalo da sela.*] **Abrir o cavalo.** *Bras.* Mandar outrem retirar o que disse. **A cavalo. 1.** Montado ou escarranchado sobre cavalo ou outra montaria: *Foi a cavalo até a fazenda;* "minha mãe entrou no povo a cavalo na burrinha" (Aquilino Ribeiro, *Estrada de Santiago*, p. 174). **2.** Sentado sobre os ombros, etc., com as pernas escarranchadas: "Uma reduzida troupe de torcedores brasileiros com a camisa do selecionado improvisou um pequeno carnaval, as moças a cavalo nos ombros dos rapazes" (Tárik de Sousa, em *Jornal do Brasil*, 12.07.1982). [Sin. nesta acepç. (lus.): *às cavaleiras, às cavalitas.*] **3.** *Art. Gráf.* V. *grampo em canoa.* **Andar no cavalo dos frades.** Andar a pé. **Cair do cavalo. 1.** Ter forte ou grande surpresa. **2.** Sair-se mal. **Convidar o cavalo nas puas.** *Bras. RS* Cravar-lhe as esporas. **Passar de cavalo a burro.** Ficar em pior situação; baixar de categoria. **Tirar o cavalo da chuva.** *Bras.* Desistir dum propósito, dum intento; tirar o cavalinho da chuva.

cavalo[2] *S. m. Bras. Rel.* V. *cavalo de santo.*

cavalo[3] *S. m.* V. *cavalo-vapor.*

cavaloar [De *cavalo*[1] + *-oar.*] *V. int. Fam.* **1.** Saltar como os cavalos. **2.** Traquinar muito. [Sin. ger.: *cavalar.* Conjug.: v. *coroar.*]

cavalo-boi *S. m. Bras.* Cavalo de muita força, próprio para tração. [Pl.: *cavalos-bois* e *cavalos-boi.*]

cavalo-d'água *S. m. Bras. Folcl.* Ser fabuloso do rio São Francisco. [Pl.: *cavalos-d'água.*]

cavalo-de-cão *S. m. Bras. N.E. Zool.* V. *marimbondo-caçador.* [Pl.: *cavalos-de-cão.* Cf. *cavalo do cão.*]

cavalo de crista *S. m. Bras.* Condiloma venéreo. [Pl.: *cavalos de crista.*]

cavalo-de-judeu *S. m. Bras. Zool.* V. *libélula* (3). [Pl.: *cavalos-de-judeu.*]

cavalo de orixá *S. m. Bras. Rel.* Indivíduo preparado para receber um orixá (v. *cavalo de santo*). [Pl.: *cavalos de orixá.*]

cavalo de pau *S. m.* **1.** *Bras.* V. *cavalo*[1] (9). **2.** *Bras.* Espécie de armadilha para aves pequenas. **3.** Manobra de emergência que consiste em fazer um veículo inverter a direção, mediante a aplicação súbita dos freios, e de ordinário com o fim de fazê-lo parar: *Só um indivíduo com experiência é capaz de manobra como cavalo de pau.* [Sin.: (bras., N.E.) *rabo de arraia* e (lus.) *pião.*] **4.** *Pop.* Mulher magra e pouco elegante. [Pl.: *cavalos de pau.*]

cavalo de santo *S. m. Bras. Rel.* Indivíduo que auxilia nas incorporações dos orixás ou entidades afins, quando estes descem [v. *descer* (15)] à Terra; filho de santo. [F. red.: *cavalo*[2]. Cf. *cavalo de orixá, aparelho* (10). Pl.: *cavalos de santo.*]

cavalo de três pés *S. m. Bras. Folcl.* Animal fabuloso que apavora nos caminhos desertos. [Pl.: *cavalos de três pés.*]

cavalo de troia (ói) [Alusão ao imenso cavalo de madeira que, visando a tomar Troia, os gregos ardilosamente construíram, a conselho de Ulisses, enchendo-lhe o bojo de soldados armados e mandando-o de presente aos troianos.] *S. m.* Inimigo encoberto, que se insinua numa instituição ou família para ocasionar-lhe a ruína: "O presbítero, depois da perfídia grega das autoridades bracarenses, genuínos cavalos de troia sem obra de carpinteiro, resolveu acampar também com a sua guerrilha no Bom Jesus" (Camilo Castelo Branco, *Maria da Fonte*, p. 121). [Cf. *presente de grego.*]

cavalo do cão *S. m. Bras. Pop.* Indivíduo afoito. [Pl.: *cavalos do cão.* Cf. *cavalo-de-cão.*]

cavalo-frouxó *S. m. Bras. SP Zool.* V. *corocoxó.* [Pl.: *cavalos-frouxós.*]

cavalo-judeu *S. m. Bras. N. Zool.* V. *libélula* (3). [Pl.: *cavalos-judeus.*]

cavalo-marinho [De *cavalo*[1] + *marinho*[1].] *S. m.* **1.** *Zool.* Designação comum aos peixes singnatídeos, do gênero *Hippocampus*, com cerca de 24 espécies. [Têm cauda preênsil, nadam em posição vertical, alimentam-se de pequenos crustáceos e a cabeça lembra a de um cavalo.] **2.** *Zool.* Peixe singnatídeo (*Hippocampus reidi*) do Atlântico ocidental (dos E.U.A. a Santa Catarina), de coloração que varia entre o pardo-claro e o verde carregado, pintalgado; alcança até 18cm de comprimento e vive, ger., entre algas e corais **3.** *Zool.* Peixe singnatídeo (*Hippocampus erectus*), de até 19cm de comprimento, do Atlântico ocidental (do Canadá ao Uruguai), de coloração variável (preta, cinza, marrom, amarela ou vermelha), com finas listras negras. [Sin. (nas acepç. 1 a 3): *cavalinho-do-mar* e *hipocampo.*] **4.** *Bras.* V. *bumba meu boi* (1). **5.** *Bras.* Personagem meio animal e meio fantástico do bumba meu boi (q. v.). [Pl.: *cavalos-marinhos.*]

cavalo sem cabeça *S. m. Bras. S.* V. *mula sem cabeça.* [Pl.: *cavalos sem cabeça.*]

cavalo-vapor *S. m. Fís.* Unidade de medida de potência igual a 735,5W. [F. red.: *cavalo*[3]. Símb.: cv. Pl.: *cavalos-vapor.*]

cavanejo (ê) [De *cabano*[1] + *-ejo*, poss.] *S. m.* Cesto alto de vime para coar o mosto.

cavanhaque [Do antr. (*Louis Eugène*) *Cavaignac* (1802-1857), general francês que usava a barba assim aparada.] *S. m. Bras.* Barbicha no queixo, aparada em ponta.

cavão *S. m.* Cavador (1 e 2).

cavapitã *S. m. Bras. Zool.* V. *marimbondo-caboclo.*

cavaqueador (ô) [De *cavaquear* + *-dor.*] *Adj. S. m. Fam.* Que, ou aquele que cavaqueia.

cavaquear [De *cavaco*[2] + *-ear*[2].] *V. int. T. i. Fam.* **1.** Conversar singelamente, em intimidade: "passava os dias .... contando anedotas, cavaqueando mansamente com os fregueses" (Lia Correia Dutra, *Navio sem Porto*, p. 101). **2.** *Bras. SP* Irritar-se com alguma brincadeira ou grosseria; dar cavaco, dar o cavaco: "o matuto .... cavaqueou com a pilhéria e gritou zangado" (Aluísio Azevedo, *O Mulato*, p. 160). [Conjug.: v. *frear.*]

cavaqueira[1] [De *cavaco*[2] (1) + *-eira.*] *S. f.* V. *bate-papo*: "as tertúlias do Arsenal foram perdendo animação e prestígio literário, acabando em simples cavaqueiras íntimas" (Melo Nóbrega, *O Soneto de Arvers*, p. 56).

cavaqueira[2] [De *cavaca* + *-eira.*] *S. f.* Mulher que faz e/ou vende cavaca (3).

cavaquinho [De *cavaco*[1] + *-inho*[1].] *S. m.* **1.** *Mús.* Pequena viola, de origem europeia, de quatro cordas simples e dedilháveis; braga, braguinha, machete, machete de Braga, machetinho, machim. [Cf. *rajão.*] **2.** *P. ext.* Tocador desse instrumento; cavaquinista. ◆ **Dar o cavaquinho por.** *Desus.* V. *dar o cavaco por*: "Afinal, era um escândalo, e a mãe de Inês dava o cavaquinho pelos escândalos." (Aluísio Azevedo, *O Coruja*, p. 194.)

cavaquinista [De *cavaquin-*, por *cavaquinho* (v. *-ino*[2]), + *-ista.*] *S. 2 g. Bras.* Tocador de cavaquinho; cavaquinho.

cavaquista [De *cavaco*[2] + *-ista.*] *Adj. 2 g. S. 2 g.* Diz-se de, ou pessoa irritável, agastadiça, que facilmente dá o cavaco.

cavar [Do lat. *cavare.*] *V. t. d.* **1.** Revolver ou furar (a terra) com enxada, sacho, sachola, picareta, etc. **2.** *P. ext.* Fazer buraco ou furo em; furar: *cavar a parede; cavar o teto.* **3.** Fazer que se forme (algo), na terra, revolvendo-a ou furando-a: *cavar uma sepultura.* **4.** Fazer escavação em, ou em volta de; escavar: *Cavou um tronco de árvore, transformando-o em canoa.* **5.** Formar cavidade em; tornar côncavo. **6.** Cavear. **7.** Extrair, fazendo escavações: *cavar ouro; cavar minérios.* **8.** Tornar cheio de sulcos ou rugas: *O sofrimento cavou-lhe as faces.* **9.** Trabalhar, esforçar-se, para adquirir: *Há meses que vem cavando este emprego.* ***T. c.*** **10.** *Lus.* Sair; fugir: *Cavaram dali antes que chegasse a polícia.* ***T. i.*** **11.** Fazer investigações; procurar, indagar a fundo: *cavar numa ideia.* ***Int.*** **12.** Trabalhar, cavando [v. *cavar* (1)]; cavacar: "saiu de casa com a enxada ao ombro. Cavou toda a manhã" (João de Araújo Correia, *Terra Ingrata*, p. 111). **13.** *Bras.* Lutar duramente pela subsistência; cavucar: *Vem cavando desde os 15 anos para sustentar a família.* **14.** *Bras.* Tentar obter ou obter algo por meios imorais e ilícitos, ou à força de muito trabalho: *Por mais que cave, não conseguirá o voto do professor.*

cava-terra [De *cavar* + *terra.*] *S. m. Bras. Zool.* V. *grilo-toupeira* (1). [Pl.: *cava-terras.*]

cavatina [Do it. *cavatina.*] *S. f. Mús.* **1.** Pequena ária, sem repetição nem segunda parte, ordinariamente intercalada num recitativo. **2.** Pequena ária simples. **3.** *P. ext.* Pequena peça instrumental, cujo caráter lírico e leveza evocam a cavatina (1): "Ressonâncias sonâmbulas traziam / A longa, a pungentíssima saudade / De cavatinas e mandolinatas..." (Raul de Leoni, *Luz Mediterrânea*, p. 52.) [Cf. *cabaleta.*]

cave [Do fr. *cave.*] *S. f. Gal. Desus. no Brasil* **1.** V. *adega* (1). **2.** Cava (5).

cávea [Do lat. *cavea.*] *S. f. Teatr.* Nos antigos teatros gregos e romanos, o espaço reservado à plateia.

cavear [De *cava* + *-ear*[2].] *V. t. d.* Abrir ou aprofundar a cava (3) em; cavar.

cavedal *S. m.* Instrumento de espingardeiro, feito de aço prismático.

caveira [Do lat. *calvaria.*] *S. f.* **1.** Cabeça descarnada ou esqueleto da cabeça. **2.** *Fig.* Rosto magro e macilento. **3.** *Gír.* Uma pessoa qualquer; indivíduo, tipo. **4.** *Bras. Mar. G. Gír.* Sentinela, guarda. **5.** *Bras. Gír.* Falta de sorte; desgraça: *Só quer ver a minha caveira.* ◆ **Encher a caveira.** *Bras. Pop.* V. *embriagar* (4). **Fazer a caveira de. 1.** *Bras. Pop.* Indispor (alguém) com outrem; torná-lo malvisto. **2.** Prejudicar, fazer mal a. **Ter caveira de burro.** Ter má sorte. **Ver a caveira de.** *Bras. Pop.* Fazer a caveira de (2): "Que interesse ele tinha em ver a minha caveira?" (Rubem Fonseca, *O Seminarista*, p. 141.)

caveira de burro *S. f.* Má sorte, azar, infelicidade. [Pl.: *caveiras de burro.*]

caveira de pau *S. f. Bras. Gír.* Oficial de serviço. [Pl.: *caveiras de pau.*]

caveirado [De **caveiro* (< *cava* + *-eiro*) + *-ado*[1], poss.] ***Adj.*** ~ V. *soalho* —.

caveiroso (ô) [De *caveira* + *-oso.*] *Adj.* Semelhante à caveira; muito magro; escaveirado.

cavense *Adj. 2 g.* **1.** De, ou pertencente ou relativo a Cava (RJ). • *S. 2 g.* **2.** O natural ou habitante de Cava.

caverna [Do lat. *caverna.*] *S. f.* **1.** Grande cavidade no interior da terra, sobretudo em terrenos rochosos. [Cf. *furna* (1).] **2.** *Anat.* Termo genérico para designar cavidade (2). **3.** *Constr. Nav.* Cada uma das peças curvas fixadas transversalmente na quilha da embarcação, e que constituem a parte mais baixa das balizas [v. *baliza* (8)]. **4.** *Pneum.* Escavação ulcerada de pulmão. ◆ **Caverna mestra.** *Constr. Nav.* Caverna situada na seção de maior boca do casco da embarcação.

cavernal [De *caverna* + *-al*[1].] *Adj. 2 g.* Relativo a caverna.

cavername [De *caverna* + *-ame.*] *S. m.* **1.** *Constr. Nav.* O conjunto das peças que dão forma ao casco da embarcação; quilha, roda de proa, cadaste, cavernas, longarinas, escoras, etc., excetuado o tabuado; esqueleto, ossada. **2.** *Fam.* V. *esqueleto* (2).

cavernícola [De *caverna* + *-i-* + *-cola*[1].] *Adj. 2 g.* **1.** Próprio de, ou que vive ou habita em caverna: *plantas cavernícolas.* ● *S. 2 g.* **2.** Habitante de caverna.

cavernite [De (*corpo*) *cavern*(*oso*) + *-ite*[1].] *S. f. Urol.* Inflamação de corpo cavernoso.

cavernosidade [De *cavernoso* + *-(i)dade.*] *S. f.* Qualidade de cavernoso.

cavernoso (ô) [Do lat. *cavernosu.*] *Adj.* **1.** Que tem cavernas. **2.** Semelhante a caverna: "Verdes montanhas o guardam, / cujos seios cavernosos / são habitados de noite / por longos ecos saudosos." (Antônio Feliciano de Castilho, *Amor e Melancolia*, p. 73.) **3.** Que tem som cavo, rouco e profundo, como se saísse de uma caverna: *voz cavernosa;* "O trovão chegou ...., lúgubre, cavernoso" (Trindade Coelho, *Os Meus Amores*, p. 153). ~ V. *corpo* —.

caveto (ê) [Do it. *cavetto.*] *S. m. Arquit.* **1.** Moldura côncava, cujo perfil é um quarto de círculo. **2.** Nas cornijas, parte reentrante, em quarto de círculos.

▲**cavi-** [Do lat. *cavus, a, um.*] *El. comp.* = 'oco'; 'côncavo'; 'profundo'; 'cavidade': *cavirrostro, cavicórneo.*

cávia [De or. tupi; tax. *Cavia.*] *S. m. Zool.* **1.** O gênero-tipo dos caviídeos. **2.** Qualquer espécie desse gênero, como, p. ex., a *Cavia aperea* [v. *preá* (1)]. **3.** Qualquer espécime desse gênero.

caviar [Do fr. *caviar* < veneziano *caviaro* < turco *khawyar.*] *S. m.* **1.** Ovas de esturjão conservadas em sal ou enlatadas. **2.** Iguaria feita com o caviar.

cavicórneo [De *cavi-* + *-corn(i)-* + *-eo*; tax. *Cavicornia.*] *Zool. S. m.* **1.** Espécime dos cavicórneos, divisão de mamíferos artiodáctilos ruminantes, como o boi, a cabra, o antílope, o carneiro, caracterizados pela presença de chifres ocos formados sobre eixos ósseos no crânio, observados nos dois sexos. ● *Adj.* **2.** Pertencente ou relativo a eles.

cavidade [Do lat. *cavitate.*] *S. f.* **1.** Espaço cavado de um corpo sólido. **2.** *Anat. Patol.* Designação genérica de local oco. **3.** Buraco (1). ◆ **Cavidade amniótica.** *Embr.* Pequena cavidade que surge no interior do embrioblasto; vesícula amniótica. **Cavidade blastocística.** *Embr.* Blastocele. **Cavidade cotiloide.** *Anat.* Absconso (3). **Cavidade nasal.** *Anat.* Cada uma das duas cavidades que têm início nas narinas e vão até a faringe. **Cavidade pélvica.** *Anat.* O espaço circunscrito pelas paredes da pelve. **Cavidade pericárdica.** *Anat.* Espaço existente entre os folhetos parietal e visceral do pericárdio. **Cavidade peritonial.** *Anat.* Espaço existente entre os folhetos parietal e visceral do peritônio. **Cavidade pleural.** *Anat.* Espaço existente entre os folhetos parietal e visceral das pleuras. **Cavidade pulpar.** *Anat.* Aquela que aloja a polpa dentária e que se divide em câmara pulpar e canal radicular. **Cavidade serosa.** *Anat.* A que é revestida de membrana serosa. **Cavidade vertebral.** *Anat.* Canal formado pela superposição dos forames vertebrais, bem como pelos discos e ligamentos que unem esses ossos, no interior do qual estão a medula espinhal e suas meninges.

cavíida *S. m. Adj. 2 g. Zool.* V. *caviídeo.*

caviídeo [Do tax. *Cavia* (alter. do port. ant. **çavia* < tupi *sawya*, 'rato') + *-ídeo*[1]; tax. *Caviidae.*] *Zool. S. m.* **1.** Espécime dos caviídeos, família de animais roedores histricomorfos, de cauda inteiramente atrofiada, mãos com quatro dedos e pés com apenas três, clavícula ausente, unhas fortes e cortantes ou espessas. São as preás. ● *Adj.* **2.** Pertencente ou relativo a eles. [Sin. ger.: *cavíida.*]

cavilação [Do lat. *cavillatione.*] *S. f.* **1.** Astúcia, ardil, manha. **2.** Ironia maliciosa. **3.** *Bras. N.E.* Agrado(s) fingido(s); fingimento, cavilagem.

cavilador (ô) [Do lat. *cavillatore.*] *Adj. S. m.* Que, ou aquele que usa de cavilação.

cavilagem [De *cavilar* + *-agem*[2].] *S. f. Bras. N.E.* V. *cavilação* (3).

cavilar [Do lat. *cavillare.*] *V. int.* Usar de cavilação, maquinar com astúcia.

cavilha [Do provenç. *cavilha.*] *S. f.* **1.** Peça de madeira ou de metal para juntar ou segurar madeiras, chapas, etc., ou tapar um orifício, e que tem cabeça numa das extremidades, e na outra uma fenda que a mantém presa por meio de chaveta. **2.** *Lus. Eletr.* Pino[1] (8).

cavilhação [De *cavilhar* + *-ção.*] *S. f.* Ato ou efeito de cavilhar.

cavilhador (ô) [De *cavilhar* + *-dor.*] *S. m.* Aquele que cavilha [v. *cavilhar* (1)].

cavilhar [De *cavilha* + *-ar*[2].] *V. t. d.* **1.** Pôr cavilha(s) em. **2.** Segurar com cavilha. [Sin. ger.: *encavilhar.*]

cavilosidade [De *caviloso* + *-(i)dade.*] *S. f.* Qualidade ou caráter de caviloso.

caviloso (ô) [Do lat. *cavillosu.*] *Adj.* **1.** Em que há cavilação; capcioso, fraudulento: *pergunta cavilosa.* **2.** *Bras. N.E.* Fingido nos agrados; manhoso.

cavintau *S. m. Bras. Zool.* V. *anhima* (2).

cavirão *S. m. Marinh.* **1.** Peça de madeira ou de ferro, alongada, que se usa para ligar a alça dum aparelho a um estropo, para ligar dois cabos pelas mãos em que terminam seus chicotes, etc. **2.** Travessão ou pino de ferro que serve para fechar a manilha.

cavirrostro [De *cavi-* + *-rostro.*] *Adj. Zool.* Que tem bico oco.

cavitação [Do ingl. *cavitation.*] *S. f.* **1.** *Constr. Nav.* Rarefação formada na água que envolve a hélice de uma embarcação, quando a velocidade de rotação da hélice e o deslocamento da embarcação alcançam um valor crítico, do que resulta queda de rendimento da propulsão e fortes vibrações no casco da embarcação. **2.** *Fís.* Formação de bolhas de vapor ou de gás em líquido por efeito de forças de natureza mecânica.

cavitário [Do ingl. *cavitary* < ingl. *cavity*, 'cavidade', + ingl. *-ary* (v. *-ário*).] *Adj. Anat.* **1.** Relativo a cavidade (2). **2.** Diz-se de órgão situado em uma cavidade (2).

caviúna *S. f. S. 2 g. Adj. 2 g. Bras.* V. *cabiúna.*

cavo[1] [Do lat. *cavu.*] *Adj.* **1.** Que tem cavidade; côncavo, fundo: "O rosto, desmesuradamente largo à altura das têmporas, era cavo nas faces" (Érico Veríssimo, *Noite*, p. 30). **2.** Vazio, oco. **3.** Rouco e profundo; cavernoso: "O último e cavo / Acorde do cravo / Ficou vibrando exclamativamente..." (Augusto Gil, *Luar de Janeiro*, p. 65.)

cavo[2] *Adj. Cronol.* Diz-se de mês com 29 dias: *O nono mês do calendário israelita, sivan, é cavo.* ~ V. *mês* —.

cavodá [Da expr. *cavo dá.*] *S. m. Bras. S.* Orifício que fica nas paredes de taipa depois de retirados os andaimes.

cavorteirice *S. f. Bras. S.* V. *caborteirice.*

cavorteiro *Adj. Bras.* V. *caborteiro.*

cavortice *S. f. Bras. S.* V. *caborteirice.*

cavoucador (ô) [De *cavoucar* + *-dor.*] *S. m.* V. *cavouqueiro* (1). [Var.: *caboucador.* Cf. *cavucador.*]

cavoucar [De *cavouco* + *-ar*[2].] *V. t. d.* **1.** Abrir cavoucos em. **2.** Cutucar (2 e 3). *Int.* **3.** Abrir cavoucos. [Var. *caboucar.* Cf. *cavucar.* Conjug.: v. *trancar.*]

cavouco [De *cavo.*] *S. m.* **1.** Escavação aberta para alicerces de uma construção. **2.** Cova, vala, fosso. **3.** O vão em que gira o rodízio do moinho. **4.** *Bras. V. cabocó* (1). [Var.: *cabouco.*]

cavouqueiro [De *cavouco* + *-eiro.*] *S. m.* **1.** Aquele que cavouca, que abre cavoucos; cavoucador, cavador. **2.** Aquele que trabalha em minas ou pedreiras. **3.** *Bras. MT* Indivíduo mentiroso. [Var.: *cabouqueiro.*]

cavu [Do antr. (*Camilo Benso*) *Cavour* (1810-1861), estadista italiano.] *S. m. Bras. SP Pop.* Capa, capote.

cavucador (ô) [De *cavucar* + *-dor.*] *S. m. Bras.* Trabalhador pertinaz; cavador. [Cf. *cavoucador.*]

cavucar [Var. de *cavoucar.*] *V. int. Bras.* **1.** Trabalhar com pertinácia; lutar pela subsistência; cavar. *T. d.* **2.** Cutucar (2 e 3). **3.** *Pop.* Revolver; mexer. *T. d. e c.* **4.** *Pop.* Cavucar (3). [Cf. *cavoucar.* Conjug.: v. *trancar.*]

→**cavum** ['kavo(m)] [Lat.] *S. m. Anat.* Cavidade (2). [Quando empregada sem qualificativo, corresponde a *rinofaringe.*]

caxa *S. f. Luso-asiat.* Antiga moeda asiática, de pequeno valor. [Cf. *cacha*, do v. *cachar* e s. f., e *caixa.*]

caxago *Bras. S. 2 g.* **1.** *Etnôn.* Indivíduo dos caxagos, povo indígena extinto que habitava a costa de SE. ● *Adj. 2 g.* **2.** Pertencente ou relativo a esse povo. [Tb. us. como *s. 2 g. e 2 n.* (com cap.) e *adj. 2 g. e 2 n.*]

caxambu [De or. afr.] *S. m.* **1.** *Mús. Bras. MG* Grande tambor, de origem africana, usado na dança do mesmo nome, no bailado moçambique e no jongo; bendenguê. **2.** *Bras. MG* Variedade de samba, dançado ao som desses tambores e doutros; jongo, corimá: "Ele era o mestre dos jongos, maestro da orquestra de zabumbas e puítas, tocador de atabaques nos caxambus da Fazenda." (Silva Guimarães, *Os Borrachos*, p. 5.) **3.** *Gír.* No ato de embaralhar, as cartas que ficam frente a frente, *i. e.*, mal-embaralhadas.

caxambuense[1] *Adj. 2 g.* **1.** De, ou pertencente ou relativo a Caxambu (MG). ● *S. 2 g.* **2.** O natural ou habitante de Caxambu.

caxambuense[2] *Adj. 2 g.* **1.** De, ou pertencente ou relativo a Caxambu do Sul (SC). ● *S. 2 g.* **2.** O natural ou habitante de Caxambu do Sul.

caxangá [De or. tupi, poss.] *S. m. Bras. Zool.* V. *siripuã.*

caxango [De or. indígena, ou afr.] *S. m. Bras. BA* Boi de corte.

caxarama *S. f. Bras. Bot.* V. *caaxarama.*

caxaramba *S. f. Bras. MG Pop.* V. *cachaça* (1).

caxarari *Bras. S. 2 g.* **1.** *Etnôn.* Indivíduo dos caxararis [ou (etnôn. bras.) *Kaxarari], povo indígena da família linguística pano que habita os municípios de Porto Velho (RO) e Lábrea (AM). ● *Adj. 2 g.* **2.** Pertencente ou relativo a esse povo.

caxarela *S. m. Zool. Bras.* O macho da baleia quando adulto; caxarelo, caxaréu.

caxarelo *S. m. Bras. Zool.* V. *caxarela.*

caxaréu *S. m. Bras. Zool.* V. *caxarela.*

caxemira [Do top. *Caxemira.*] *S. f. Tec. Têx.* V. *cashmere.*

caxemíri [Do top. *Kashmir* (Índia e Paquistão).] *S. m. Gloss.* Língua indo-europeia do ramo indo-iraniano, falada na Índia e no Paquistão. [Em razão das lutas entre a Índia e o Paquistão depois de 1947 pela posse da Caxemira, é atualmente uma das línguas constitucionais ou oficiais da Índia, embora tenha, relativamente, poucos falantes.]

caxemiriano [Do top. *Caxemira, Kashmir* (Índia/Paquistão) + *-iano.*] *Adj.* **1.** De, ou pertencente ou relativo a Caxemira. ● *S. m.* **2.** O natural ou habitante de Caxemira.

caxerenga *S. f. Bras. AL SE MG* V. *caxirenguengue.*

caxerenguenga *S. f. Bras.* V. *caxirenguengue.*

caxerenguengue [De or. afr., poss.] *S. m. Bras.* V. *caxirenguengue:* "— Olhem a faca aí na sala, se vocês não têm algum caxerenguengue." (Afonso Arinos, *Pelo Sertão*, p. 192.)

caxeringuengue *S. m. Bras.* V. *caxirenguengue.*

caxeta (ê) [Var. de *caixeta* (2), poss.] *S. f. Bras. PE a SP Bot.* Arvoreta bignoniácea (*Tabebuia cassinoides*) paludícola, do litoral, de folhas simples e coriáceas, címulas trifloras, escassas, alvas com a fauce amarela, aromáticas, fruto coriáceo, castanho, estriado, com várias sementes, e que fornece madeira branca, levemente rosada, uniforme, leve, macia e durável, própria para marcenaria fina; caixeta, pau-caixeta, pau-paraíba, tabebuia-do-brejo, tamancão, tamanqueira, pau-de-viola, pau-de-tamanco. [Pl.: *caxetas* (ê). Cf. *cacheta* (ê), pl. *cachetas* (ê); *cacheta, cachetas*, do v. *cachetar*; *caixeta*, pl. *caixetas*; e *Caixeta* (ê), antr., pl. *Caixetas* (ê).]

caxexa (ê) *Adj. 2 g. Bras.* Diz-se de pessoa ou animal pequeno, mirrado, raquítico.

caxexe [Do quimb. *ka-* (dim.) + *xexe*, nome dum pássaro.] *S. m. Angol.* **1.** *Zool.* Passarinho conirrostro (*Estrelda angolensis*), azul e cinzento: "Saía, se espalhava, bela tristeza quase, cansaço de caxexe na gaiola em hora de muito bater de asa" (José Luandino Vieira, *Velhas Estórias*, p. 64). ● *Adv.* **2.** Em segredo: "falou caxexe como se estivesse a fazê-lo para consigo" (Arnaldo Santos, *A Boneca de Quilengues*, p. 16). ◆ **De caxexe.** Às ocultas: "passam os sete por Joel que fingem não conhecer, excepto Amadeu que de caxexe lhe pisca um olho" (Pepetela, *Yaka*, p. 268).

caxias [Do antr. *Caxias*, do militar e estadista brasileiro Duque de Caxias (Luís Alves de Lima e Silva (1803-1880), patrono do Exército).] *Adj. 2 g. e 2 n. S. 2 g. e 2 n. Bras. Pop.* **1.** Diz-se de, ou pessoa extremamente escrupulosa no cumprimento de suas obrigações: "dia e hora coincidiram com as minhas aulas em Diamantina, e eu fazia questão de nunca falhar. Quanto custa ser caxias!" (Aires da Mata Machado Filho, *Dias e Noites em Diamantina*, p. 26). **2.** Diz-se de, ou pessoa que, no exercício de sua função, exige dos subordinados o máximo rendimento no trabalho e extremado respeito às leis e aos regulamentos. [Cf. *cachias*, pl. de *cachia.*]

caxicaém [Var. de *catucaém.*] *S. m. Bras. BA MG ES RJ SP PR SC Bot.* V. *carne-de-vaca.*

caxiense[1] *Adj. 2 g.* **1.** De, ou pertencente ou relativo a Caxias (MA). ● *S. 2 g.* **2.** O natural ou habitante de Caxias.

caxiense[2] *Adj. 2 g.* **1.** De, ou pertencente ou relativo a Caxias do Sul (RS). ● *S. 2 g.* **2.** O natural ou habitante de Caxias do Sul.

caxiense[3] *Adj. 2 g.* **1.** De, ou pertencente ou relativo a Duque de Caxias (RJ). ● *S. 2 g.* **2.** O natural ou habitante de Duque de Caxias.

caxinaua *Bras. S. 2 g.* **1.** *Etnôn.* Indivíduo dos caxinauas [ou (etnôn. bras.) *Kaxinawa], povo indígena da família linguística pano que habita a região do alto rio Juruá (AC). ● *Adj. 2 g.* **2.** Pertencente ou relativo a esse povo. [Outra f.: *caxinauá.*]

caxinauá *S. 2 g. Adj. 2 g. Bras.* V. *caxinaua.*

caxinduba [Do tupi, poss.] *S. f. Bras. Bot.* Árvore euforbiácea (*Hippomane spinosa*) de pequenos frutos drupáceos esverdeados, cujas sementes têm propriedades antelmínticas e purgativas.

caxiné *Bras. S. 2 g.* **1.** *Etnôn.* Indivíduo dos caxinés, povo indígena extinto que habitava a região do rio Paraibuna (MG). ● *Adj. 2 g.* **2.** Pertencente ou relativo a esse povo. [Tb. us. como *s. 2 g. e 2 n.* (com cap.) e *adj. 2 g. e 2 n.*]

caxinga *S. f. Bras.* V. *catinga*[1].

caxinganga *S. m. Bras. MT Zool.* V. *serelepe* (1).

caxingar [Var. de **coxingar*, por *coxear.*] *V. int. Bras. N.* V. *coxear* (1): "Alecrim arrastava a perna, caxingando, desajeitado e sorna." (Nélson de Faria, *Tiziu e Outras Estórias*, p. 155.) [Conjug.: v. *largar.*]

caxingó [De *caxingar.*] *Adj. 2 g. S. 2 g. Bras.* V. *coxo* (1 e 4).

caxinguelê [Do quimb. *kaxinjiang'elê*, 'rato de palmeira'.] *S. m. Bras. N.E. L. Zool.* V. *serelepe* (1): "O caxinguelê é também chamado de serelepe, acutipuru, quatipuru e esquilo." (Hitoshi Nomura, em *O Estado de S. Paulo*, 29.09.1982.)

caxinguento [Var. de *catinguento*.] *Adj.* V. *catingoso*.

caxingui *S. m. Bras. RS Zool.* V. *ratão-do-banhado*.

caxinxa [Do quimb.] *S. m.* **1.** *Bras. MT Zool.* V. *serelepe* (1). ● *S. 2 g.* **2.** *Bras.* V. *banguela* (4).

caxinxe *S. m. Bras. RJ Zool.* V. *serelepe* (1).

caxirama *S. f. Bras. Bot.* V. *caaxarama*.

caxirengue *S. m. e f. Bras. MG a RJ* V. *caxirenguengue*: "Arma não carrego .... nem mesmo uma caxirengue na cintura pra alisar a palha do pito" (Manuel Lobato, *Garrucha 44*, p. 67).

caxirenguengue *S. m. Bras.* Faca velha e imprestável e/ou sem cabo. [Var. e sin. (em partes diversas do País): *caxerenguengue, caxeringuengue, cacerenga, cacumbu, caxerenga, caxerenguenga, caxirengue, caxiri, caxirim, cicica, quecê, quecé, quicé, xerengue*.]

caxiri *S. m. Bras.* **1.** V. *caxirenguengue*. **2.** V. *cachaça* (1).

caxirim [Var. nasalada de *caxiri*.] *S. m. Bras.* **1.** *RJ* V. *caxirenguengue*. **2.** Refresco feito com beiju desmanchado em água. **3.** Licor de mandioca fermentada. **4.** *SE Pop.* V. *cachaça* (1).

caxixe[1] *S. m. Bras. BA* **1.** *Zool.* V. *serelepe* (1). **2.** Negociata feita em torno de terras produtoras de cacau. **3.** *P. ext.* V. *logro* (2).

caxixe[2] *S. m. Bras. Bot.* Chuchu (2).

caxixeiro [De *caxixe*[1] + *-eiro*.] *S. m. Bras. BA* Indivíduo que pratica um caxixe[1] (2 e 3).

caxixi [Do quimb. *kaxaxi*.] *Adj. 2 g. S. f. Bras. N.* **1.** Diz-se da, ou aguardente ordinária de 14 a 18 graus: "João Miguel não se aproveitava de caxixi para misturas." (José Lins do Rego, *Meus Verdes Anos*, p. 41.) ● *S. m.* **2.** *Bras. Cap.* Saquinho de palha, provido de alça, que o tocador de berimbau segura juntamente com a vareta com que tange o instrumento; mucaxixi. **3.** Cerâmica popular com a forma de vasos e utensílios, e às vezes de mobília, em tamanho reduzido, para brinquedos de criança.

caxixó *Bras. S. 2 g.* **1.** *Etnôn.* Indivíduo dos caxixós [ou (etnôn. bras.) *Kaxixó], povo indígena que habita o estado de MG. ● *Adj. 2 g.* **2.** Pertencente ou relativo a esse povo.

caxuiana *Bras. S. 2 g.* **1.** *Etnôn.* Indivíduo dos caxuianas [ou (etnôn. bras.) *Kaxuyana], povo indígena da família linguística caraíba que habita o Parque Indígena do Tumucumaque, nos municípios de Almerim, Óbidos, Oriximiná (PA). ● *Adj. 2 g.* **2.** Pertencente ou relativo a esse povo.

caxumba [De or. afr., poss.] *S. f. Pop.* V. *parotidite epidêmica*.

caxumbento [De *caxumba* + *-ento*.] *Adj. S. m. Pop.* Que, ou aquele que tem caxumba.

cazaque [Do top. *Kasakhi* (região natural da Ásia).] *Adj. 2 g.* **1.** De, ou pertencente ou relativo ao Cazaquistão (Ásia central). ● *S. m.* **2.** *Gloss.* Língua altaica, túrcica, falada no Cazaquistão e ainda em parte da China, da Mongólia e do Afeganistão (Ásia). ● *S. 2 g.* **3.** O natural ou habitante do Cazaquistão.

cazumbi [Do quimb. *ka-* (dim.) + *nzumbi*, 'duende'.] *S. m. Bras. Angol. Santom.* Zumbi (2): "O mato estava molhado e àquela hora os cazumbis passeavam pelos caminhos." (Manuel dos Santos Lima, *As Sementes da Liberdade*, p. 80.)

cazuza [Do hipocorístico *Cazuza*.] *S. m. Bras. PE Zool.* Vespídeo solitário, amarelo com desenhos pretos, temido pela terrível ferroada. Caça mutucas para alimentar suas larvas e nidifica na areia. [Sin.: *cazuzinha* e *piolho-de-urubu*.]

cazuzinha [De *cazuza* + *-inha*.] *S. f. Bras. PE Zool.* V. *cazuza*.

■ **c.b.** *Edit.* Abrev. de *caixa-baixa*. [Tb. é us. a f. *C. b.*]

■ **CBA** Sigla de *Confederação Brasileira de Automobilismo*.

■ **CBAT** Sigla de *Confederação Brasileira de Atletismo*.

■ **CBB** Sigla de *Confederação Brasileira de Basquete*.

■ **CBD** Sigla de *Confederação Brasileira de Desportos*.

■ **CBDA** Sigla de *Confederação Brasileira de Desportos Aquáticos*.

■ **CBDU** Sigla de *Confederação Brasileira de Desportos Universitários*.

■ **CBF** Sigla de *Confederação Brasileira de Futebol*.

■ **CBPF** Sigla de *Centro Brasileiro de Pesquisas Físicas*.

■ **CBT** Sigla de *Confederação Brasileira de Tênis*.

■ **CBTM** Sigla de *Confederação Brasileira de Tênis de Mesa*.

■ **CBV** Sigla de *Confederação Brasileira de Voleibol*.

■ **cc** Sigla de *corrente contínua*; dc. [Tb. com cap.]

■ **CCIR** Sigla de *Comitê Consultivo Internacional dos Rádios*.

■ **CCITT** Sigla de *Comitê Consultivo Internacional Telegráfico e Telefônico*.

■ **CCJ** Sigla de *Comissão de Constituição e Justiça*.

■ **cd** V. *CD*.

■ **Cd** *Quím.* Símb. de *cádmio*.

■ **CD** [Sigl. do ingl. *compact disc*.] **1.** Disco óptico (q. v.) us. para armazenamento digital de áudio (v. *CD-DA*) ou de dados e aplicações para computador (v. *CD-ROM*), de diâmetro pequeno (cerca de 12cm) e em que a gravação de dados é feita apenas numa face, em superfície metalizada com camada de prata. [Tb. se diz *disco a laser*.] **2.** Registro, em CD (1), de uma ou mais obras, especialmente musicais. **3.** *P. ext.* Equipamento para reprodução do CD de áudio. [Ger. com cap.]

■ **CDB** *Econ.* Sigla de *Certificado de Depósito Bancário*.

■ **CDC**[1] Abrev. de *Código de Defesa do Consumidor*.

■ **CDC**[2] Sigla de *Crédito Direto ao Consumidor*. [Financiamento destinado à aquisição de bens duráveis e de serviços.]

■ **CDD** *Docum.* Abrev. de *Classificação Decimal de Dewey* (v. *classificação decimal*).

■ **cd-da** [Sigl. do ingl. *digital audio compact disc*.] Tipo de CD (q. v.) produzido industrialmente e us. para armazenamento digital de até 74 min. de áudio. [Tb. se diz *CD, CD de áudio* ou *compacto*. Ger. com cap.] [Cf. *disco de vinil*.]

■ **cd-i** [Sigl. do ingl. *interactive compact disc*.] Tipo de CD (q. v.) com dados de áudio e vídeo cuja leitura é feita em equipamento específico ligado a aparelho doméstico de TV, e com o qual o usuário interage através de controle remoto.

■ **CDI** *Econ.* Sigla de *Certificado de Depósito Interbancário*.

■ **cd/m** *Fís.* Símb. de *candela por metro quadrado*.

➔ **CD-player** ['sɪdij,plejə'] [Ing.] *S. m.* Aparelho de som que toca CDs. [Tb. *player*.]

■ **cd-r** [Sigl. do ingl. *recordable compact disc*.] Tipo de CD (q. v.) virgem, que pode ser us. pelo usuário para gravação de dados para computador; CD gravável.

■ **CD-ROM** *Inform.* Sigla do ingl. *compact disc read-only memory*, que designa um tipo de CD (q. v.) gravado por processo industrial e não regravável, capaz de armazenar cerca de 650 *megabytes* de programas e dados (inclusive imagens, sons, vídeos) para computador. [Tb se diz apenas *CD*.]

■ **CDU** *Docum.* Abrev. de *Classificação Decimal Universal* (v. *classificação decimal*).

■ **Ce** *Quím.* Símb. de *cério*.

■ **CE** Sigla do Estado do Ceará.

cê[1] *S. m.* A letra *c*. [Pl.: *cês*. Cf. *Ce* (símb. de *cério*) e *se*.] ◆ **Cê cedilhado.** O sinal gráfico ç, que é um *c* em que se pôs cedilha; cê-cedilha.

cê[2] *Pron. de tratamento Bras. Pop.* V. *você*: "O velho .... aproximou-se sorridente: / — Cê já pilou bastante milho, Bebé!" (José Inácio Filho, *Capiongo*, p. 43.)

cear [Do lat. *coenare*.] *V. t. d.* **1.** Comer à ceia: *Ceou um frango assado e um caqui*; "Tendo ceado assim postas cruas dum monstro marinho, nosso Pai venerável sente uma grande sede." (Eça de Queirós, *Contos*, p. 180). *Int.* **2.** Comer a ceia: "Depois de cear, acendi um charuto" (Artur Azevedo, *Contos Possíveis*, p. 18). [Conjug.: v. *frear*. M.-q.-perf. ind.: *ceara*, etc. Cf. *ciar*, *siar* e *seara*.]

ceará [F. red. de *carne do ceará*.] *S. f. Bras. N.E.* V. *charque*: "Os moleques do pastoreador vinham fazer a mochila para o almoço no campo: farinha, um pedaço de ceará, toucinho cru." (José Lins do Rego, *Meus Verdes Anos*, p. 21.)

ceará-bravo *S. m. Bras. PA Antiq.* Cearense recém-chegado para trabalhar nos seringais. [Pl.: *cearás-bravos*.]

cearadáctilo [Do tax. *Cearadactylus*.] *S. m. Paleont.* **1.** Gênero de pterossauros com cerca de 5,5m de envergadura que viveram no cretáceo inferior. Fósseis dele foram descobertos na chapada do Araripe (CE, Brasil). **2.** Espécie ou espécime desse gênero. [Var.: *cearadátilo*.]

cearadátilo *S. m. Paleont.* V. *cearadáctilo*.

ceará-mirinense *Adj. 2 g.* **1.** De, ou pertencente ou relativo a Ceará Mirim (RN). ● *S. 2 g.* **2.** O natural ou habitante de Ceará Mirim. [Pl.: *ceará-mirinenses*. F. paral.: *ceará-mirinhense*.]

ceará-mirinhense *Adj. 2 g. S. 2 g.* V. *ceará-mirinense*. [Pl.: *ceará-mirinhenses*.]

cearense *Adj. 2 g.* **1.** Do, ou pertencente ou relativo ao Estado do Ceará. ~ V. *reisado* —. ● *S. 2 g.* **2.** O natural ou habitante do Ceará. **3.** *Bras. Amaz.* Qualquer nordestino.

ceata [De *cear.* + *-ata*.] *S. f.* Ceia lauta: "estava sempre a encomendar ceatas e jantares que deixavam bem bom lucro." (Aluísio Azevedo, *Casa de Pensão*, p. 174).

cebedense *Adj. 2 g.* Relativo ou pertencente à Confederação Brasileira dos Desportos (CBD).

cebiá [De or. obsc.] *S. m. Bot.* V. *sansão-do-campo*.

cébida [Do tax. *Cebus* + *-ida*[1].] *S. m. Adj. 2 g. Zool.* V. *cebídeo*.

cebídeo [Do tax. *Cebus* (v. *cebo*) + *-ídeo*[1]; tax. *Cebidae*.] *S. m. Zool.* **1.** Espécime dos cebídeos, família de animais mamíferos, primatas, com três pré-molares, três molares verdadeiros de cada lado, tanto nas mandíbulas como nas maxilas, dedos providos de unhas chatas, nunca sob forma de garras, o primeiro dedo do pé e da mão oponíveis aos demais. São endêmicos da região neotropical. ● *Adj.* **2.** Pertencente ou relativo a eles. [Sin. ger.: *cébida*.]

cebo [Do tax. *Cebus* (< gr. *kébos*, 'macaco de cauda longa').] *S. m. Zool.* **1.** Gênero-tipo da família dos cebídeos, que compreende macacos de tamanho médio, com polegares bem desenvolvidos, e cauda peluda, preênsil. **2.** Espécie ou espécime desse gênero.

cebóideo [Do tax. *Cebus* + *-óideo*; tax. *Ceboidea*.] *Zool. S. m.* **1.** Espécime dos cebóideos, superfamília que engloba as famílias dos calitriquídeos e dos cebídeos. [Tendo-se isolado, poss., desde o eoceno, esta superfamília, que reúne os pequenos macacos do Novo Mundo, apresenta certas diferenças em relação aos pequenos macacos do Velho Mundo, como, p. ex., a de serem os seus constituintes platirrinos, terem organização social elaborada, ser o seu meio de comunicação principalmente vocal (em alguns gêneros sons diferentes têm significados diferentes). Todas as espécies são arborícolas, algumas delas apresentam cauda preênsil, mas em nenhuma o polegar é inteiramente oponente.] ● *Adj.* **2.** Pertencente ou relativo a eles.

cebola (ô) [Do lat. *caepulla*.] *S. f.* **1.** *Bot.* Erva liliácea (*Allium cepa*) alimentar, de bulbo grande, solitário, subgloboso, formado de túnicas carnosas, exceto as exteriores, que são membranosas, coloridas ou não, e que tem odor forte e picante, sabor acre e adocicado, sendo usada como condimento; cepa. **2.** O bulbo dessa planta. **3.** *P. ext.* Qualquer bulbo. **4.** *Pop.* V. *cebolão*. **5.** *Fam.* Pessoa fraca, fatigada ou indolente. **6.** *Equit.* Cavalo não árdego, que não é sensível à espora. **7.** *Bras. AL Zool.* Espécie de pequeno cnidário. ◆ **Chorar pelas cebolas do Egito.** Sentir saudades do passado, embora tenha sido pouco feliz.

cebola-branca *S. f. Bras. Bot.* V. *cebola-brava-do-pará*. [Pl.: *cebolas-brancas*.]

cebola-brava-do-pará [De *cebola* + o f. de *bravo* + *do*[1] + o top. *Pará*.] *S. f. Bras. Bot.* Erva amarilidácea (*Pancratium guianense*) de bulbo grande, sabor acre, flores sésseis e alvas, fruto capsular, com sementes achatadas, e que vegeta em terras inundadas; açucena-d'água, cebola-branca. [Pl.: *cebolas-bravas-do-pará*.]

cebola-cecém *S. f. Bras. Bot.* **1.** V. *açucena* (1). **2.** Açucena-d'água (1). [Pl.: *cebolas-cecéns* e *cebolas-cecém*.]

cebolada [De *cebola* + *-ada*[1].] *S. f.* **1.** Molho preparado com cebolas guisadas ou fritas. **2.** Iguaria com esse molho.

cebola-de-cheiro *S. f.* V. *cebolinha* (2). [Pl.: *cebolas-de-cheiro*.]

cebolado [De *cebola* + *-ado*[1].] *Adj.* Acebolado.

cebola-grande-da-mata *S. f. Bras. Bot.* Árvore ou arvoreta clusiácea (*Clusia insignis*) ornamental, de folhas obovadas ou arredondadas, coriáceas, grandes flores, alvas por fora e alvirrubras por dentro, solitárias ou em grupos de duas ou três, e fruto capsular encimado por estigma séssil. [Sin. (AM): *quapoia, apuí*. Pl.: *cebolas-grandes-da-mata*.]

cebolal [De *cebola* + *-al*[1].] *S. m.* **1.** Quantidade mais ou menos considerável de pés de cebola dispostos proximamente entre si. **2.** Área ocupada por cebolal (1).

cebolão [De *cebola* + *-ão*[1].] *S. m.* **1.** Relógio antigo de algibeira ou de pulso, grande, redondo e grosso; patacão: "ganhou nada menos que um Pateck Phillip, um cebolão de ouro, que usava, com uma bela corrente, no bolso do colete." (Rubem Braga, *Recado da Primavera*, p. 17). **2.** Relógio grande e ordinário. [Sin. ger.: *cebola*.]

ceboleiro [De *cebola* + *-eiro*.] *Adj.* Relativo às cebolas, ou apropriado ao cultivo delas: *regiões ceboleiras*.

cebolinha [De *cebola* + *-inha*.] *S. f. Bot.* **1.** Pequena cebola (2) própria para preparar conservas. **2.** *Bras.* Erva liliácea (*Allium fistulosum*) de flores alvas e folhas cilíndricas, verde-escuras e aromatizadas, consideradas comestíveis; cebolinha-de-todo-o-ano, cebola-de-cheiro.

cebolinha-de-todo-o-ano *S. f. Bot.* V. *cebolinha* (2). [Pl.: *cebolinhas-de-todo-o-ano*.]

cebolinho [De *cebolinha*.] *S. m.* **1.** Semente de cebola. **2.** *Bot.* Planta tenra da cebola, antes de o bulbo se ter desenvolvido.

cebolório [De *cebola* + *-ório*, poss.] *Interj. Pop.* Indica irritação, descontentamento, desprezo: "agora que Asmodeu, o belo príncipe da luxúria, ... emigrasse de Lisboa, Paris, Londres, para aqueles fraguedos, cebolório!" (Aquilino Ribeiro, *Andam Faunos pelos Bosques*, p. 311).

cebruno [Do esp. plat. *cebruno*.] *Adj. S. m. Bras.* Diz-se de, ou equídeo de pelo plúmbeo. [Var.: *sebruno*.]

cebuano [Do top. *Cebu* (Filipinas) + *-ano*[1]; esp. *cebuano*.] *S. m. Gloss.* Língua austronésia falada nas Filipinas.

ceca [Do ár. *sikka(t)*, 'caminho', 'rua', pelo ár.-hisp.] *El. s. f.* Us. nas loc. *andar de ceca em meca, andar por ceca e meca, andar por ceca e meca e olivais de Santarém*, *correr ceca e meca, correr de ceca em meca, correr ceca e meca e olivais de Santarém.* [Cf. *seca*, s. f., e *seca* (ê), s. f.] ◆ **Andar de ceca em meca. 1.** Andar por várias terras. **2.** Andar por aqui e por ali em busca de alguma coisa. [Sin. ger.: *andar por ceca e meca, andar por ceca e meca e olivais de Santarém, correr ceca e meca, correr de ceca em meca, correr ceca e meca e olivais de Santarém.*] **Andar por ceca e meca.** V. *andar de ceca em meca*: 📖 "Fiz-me andejo. Andei de déu em déu, por ceca e meca, desfazendo cataratas, recompondo nervos óticos" (Monteiro Lobato, *Urupês, Outros Contos e Coisas*, p. 365). **Andar por ceca e meca e olivais de Santarém.** V. *andar de ceca em meca*: 📖 "Não sei se já lhes disse que andei por ceca e meca e olivais de Santarém, como outrora se dizia." (Josué Montelo, *Uma Tarde, Outra Tarde*, p. 64.) **Correr ceca e meca.** V. *andar de ceca em meca.* **Correr de ceca em meca.** V. *andar de ceca em meca.* **Correr ceca e meca e olivais de Santarém.** V. *andar de ceca em meca.*

cecal [De *ceco* + *-al*[1].] *Adj. 2 g. Anat.* Relativo ou pertencente ao ceco: *apêndice cecal.*

cecé *S. f. P. us. Zool.* V. *tsé-tsé.* [Cf. *cecê.*]

cecê *Pron. Bras.* V. *você.* [Cf. *cecé.*]

cê-cê [Abrev. fonética de *cheiro do corpo*, calque (2) do ingl. *body odor* (tb. *B.O.*).] *S. m. Bras.* Cheiro do corpo, ger. um tanto desagradável.

ceceadura [De *cecear* + *-dura.*] *S. f.* Ceceio.

cecear [Do esp. *cecear.*] *V. int.* **1.** Pronunciar as fricativas alveolares apoiando nos dentes a ponta da língua. *T. d.* **2.** Pronunciar ceceando: *Paulo ceceia o zê.* [Conjug.: v. *frear*. Cf. *ciciar.*]

cê-cedilha *S. m.* Cê cedilhado. [Pl.: *cês-cedilhas.*]

ceceio [Dev. de *cecear.*] *S. m.* Ato ou efeito de cecear; ceceadura.

cecém [Do ár. *sūsān*, por um port. arc. **çucem.*] *S. f. Bot.* **1.** V. *açucena* (1): 📖 "Quando lesta por mim Natália passa, / Florindo o seio de cecéns singelas" (Alberto de Oliveira, *Poesias*, III, p. 291). **2.** V. *açucena-branca*. [Cf. *cessem*, do v. *cessar*, e *sessem*, do v. *sessar.*]

ceceoso (ô) [De *ceceio* + *-oso.*] *Adj.* Que ceceia. [Cf. *cicioso.*]

▲**cecidio-** [Do gr. *kekídion.*] *El. comp.* = 'galha[2]': *cecidiófito, cecidiologia.* [Equiv.: *-cecídio*: *acarocecídio.*]

cecídio [Do gr. *kekídion*, 'pequena galha', dim. do gr. *kekís.*] *S. m. Bot.* Neoformação ou hipertrofia dos tecidos vegetais, devida à ação de outra planta, ou de animal, a qual se apresenta sob formas variadas, lembrando muitas vezes uma pequena esfera ou tubérculo. [Sin. (pop.): *galha* e *agalha.*]

▲**-cecídio** Equiv. de *cecidio-*.

cecidiófito [De *cecidio-* + *-fito.*] *S. m. Bot.* Organismo vegetal produtor de cecídio.

cecidiologia [De *cecidio-* + *-logia.*] *S. f. Bot.* Parte da fitopatologia que se ocupa dos cecídios.

cecidiológico [De *cecidiologia* + *-ico*[2].] *Adj. Bot.* Relativo à cecidiologia.

cecília [Do tax. *Caecilia* < lat. *caecilia*, 'certo lagarto'.] *S. f. Zool.* **1.** Gênero-tipo da família dos cecilídeos. **2.** Espécie ou espécime desse gênero.

ceciliano *Adj.* **1.** Pertencente ou relativo à poetisa brasileira Cecília Meireles (1901-1964), ou próprio dela. **2.** Que é admirador e/ou profundo conhecedor de sua obra. ● *S. m.* **3.** Admirador dessa poetisa e/ou profundo conhecedor de sua obra.

cecilídeo [Do tax. *Caecilia* (v. *cecília*) + *-ideo*[1]; tax. *Caeciliidae.*] *Zool. S. m.* **1.** Espécime dos cecilídeos, família de anfíbios ápodes, vermiformes, da ordem dos gimnofionos, que vivem em solos humosos; são as cecílias, os minhocões ou cobras-de-duas-cabeças, e as cobras-cegas. ● *Adj.* **2.** Pertencente ou relativo a eles.

ceco [Do lat. *caecu*, por via erudita.] *S. m. Anat.* A primeira parte do intestino grosso. [F. paral.: *cécum* e *cego*. Cf. *seco*, do v. *secar*, e *seco* (ê), adj.]

▲**ceco-**[1] [Do lat. *caecus, a, um.*] *El. comp.* = 'cego'; 'obscuro': *cecografia, cecograma.* [V. *ceco-*[2].]

▲**ceco-**[2] [Do lat. *caecum, i* (< lat. *caecus, a, um*, 'cego').] *El. comp.* = 'intestino-cego', '(porção) cega do intestino grosso'; 'ceco': *cecostomia.* [Equiv.: *-cec(o)-*: *ileocecal.* V. *ceco-*[1].]

▲**-cec(o)-** Equiv. de *ceco-*[2].

cecografia [De *ceco-*[1] + *-grafia.*] *S. f.* **1.** Sistema de escrita para cegos. **2.** Ato de ensinar os cegos a escrever.

cecográfico [De *cecografia* + *-ico*[2].] *Adj.* Referente à cecografia.

cecograma [De *ceco-*[1] + *-grama.*] *S. m.* Papel de correspondência para cegos, em braile.

cecostomia [De *ceco-*[2] + *-stom(o)-* + *-ia*[1].] *S. f. Cir.* Comunicação cirúrgica estabelecida entre o ceco e o meio exterior.

cecrópia [Do tax. *Cecropia* (do gr. *Kekropía*, Acrópolis de Atenas).] *S. f. Bot.* **1.** Grande gênero de árvores cecropiáceas de tronco reto, ger. com nós e entrenós ocos, bem visíveis, e dividido em centenas de lojas, grandes folhas peltadas e profundamente lobadas, ásperas na página superior, flores amentilhadas e, quando jovens, protegidas por invólucro coriáceo. O gomo terminal, grande e protegido por amplas estípulas, constitui o alimento preferido das preguiças, e abriga também formigas agressivas. **2.** Qualquer espécie desse gênero, como, p. ex., a *Cecropia peltata* [v. *embaúba* (2)]. **3.** Qualquer espécime desse gênero.

cecropiácea [Do tax. *Cecropia* (v. *cecrópia*) + *-ácea*; tax. *Cecropiaceae.*] *S. f. Bot.* Espécime das cecropiáceas, família da ordem das urticales que reúne cerca de 180 espécies de árvores, arbustos e lianas com folhas espiraladas, simples, íntegras ou penatissectas, com inflorescências cimosas e frutos nuciformes, que podem estar adnatos aos cálices carnosos; habitam regiões tropicais.

cecropiáceo [De *cecropiácea*, com var. suf. (v. *-áceo*).] *Adj. Bot.* Pertencente ou relativo às cecropiáceas.

cécum [Do lat. *caecum.*] *S. m. Anat.* V. *ceco.*

cê-dê-efe *S. 2 g. Bras. Gír.* V. *cu de ferro.* [Pl.: *cê-dê-efes.*]

cedeira *S. f. Bras. S.* Parte do buçal (1) situada por baixo da queixada, e que une o fiador (4) à parte inferior da focinheira.

cedência [Do lat. *cedentia.*] *S. f.* V. *cessão.*

cedente [Do lat. *cedente.*] *Adj. 2 g. S. 2 g.* Que, ou quem faz cessão. [Cf. *sedente.*]

ceder [Do lat. *cedere.*] *V. t. d. e i.* **1.** Transferir (a outrem) direitos, posse ou propriedade de alguma coisa: *Cedeu à mãe a sua parte na herança.* **2.** Pôr (algo) à disposição de alguém; emprestar: *Cedo-lhe por uma semana minha casa de campo.* *T. i.* **3.** Não resistir; sucumbir; dobrar-se, curvar-se: *Cedeu ao impulso do coração, perdoou-lhe, e voltaram a ser amigos*; 📖 "— Governou como a cara dele! atalhou tio Cosme, cedendo a antigos rancores políticos." (Machado de Assis, *Dom Casmurro*, p. 9). **4.** Condescender; anuir: 📖 "Cedi ao pedido, confesso que um pouco atordoado." (Id., *Páginas Recolhidas*, p. 69.) **5.** Sujeitar-se; render-se: *Não cede a imposições*; 📖 "Não queria [Pio IX] ceder à pressão do soberano de um longínquo Império americano." (Afonso Arinos de Melo Franco, *Amor a Roma*, p. 33). **6.** Renunciar, desistir: *ceder de um direito.* 📖 "D. Fausta era assim organizada; exagerava a defesa da sua opinião para ceder dela ao primeiro embate." (Machado de Assis, *Contos sem Data*, p. 128.) *Int.* **7.** Dar de si; abalar(-se); mover(-se): *A estante cedeu, e parte dos livros foi ao chão.* **8.** Anuir, condescender, assentir em alguma coisa: *Tanto insistiram que cedeu e renunciou ao cargo.* **9.** Diminuir, abrandar; amainar: *A chuva cedeu.* **10.** Tornar-se frouxo, lasso; afrouxar, relaxar: *O nó, muito apertado, aos poucos cedeu.* **11.** Não resistir; sucumbir.

cedi *S. m.* Unidade monetária, e moeda, da República de Gana (África).

cediço [Do esp. *cedizo.*] *Adj.* **1.** Corruto, corrompido. **2.** Estagnado, parado. **3.** *Fig.* Muito velho; antigo: 📖 "Esta questão de classificar em escola clássica, escola romântica, escola realista é um tema cediço, um lugar-comum com que se entretêm os espíritos estéreis" (Labieno, *Vindiciae*, p. 7). **4.** Sabido de todos: *caso cediço.*

cedido [Part. de *ceder.*] *Adj.* Que foi objeto de cessão.

cedilha [Do esp. *cedilla.*] *S. f.* Sinal gráfico (¸) que, antes de *a, o, u*, se soto-põe ao *c*, para indicar que tem valor de *s* inicial.

cedilhado [Part. de *cedilhar.*] *Adj.* Em que se pôs cedilha. ~ V. *cê* —.

cedilhar [De *cedilha* + *-ar*[2].] *V. t. d.* Pôr cedilha em.

cedimento [De *ceder* + *-imento.*] *S. m.* V. *cessão.* [Cf. *sedimento.*]

cedinho [De *cedo* + *-inho*[1].] *Adv.* **1.** Muito cedo. **2.** Logo de manhã.

cedível [De *ceder* + *-ível.*] *Adj. 2 g.* Que se pode ceder. [Sin.: *cessível.*]

cedo (ê) [Do lat. *cito*, 'depressa'.] *Adv.* **1.** Antes da ocasião própria; prematuramente. **2.** De madrugada. **3.** De pronto; depressa. [Cf. *sedo*, do v. *sedar.*] ◆ **Com cedo. 1.** Prematuramente; cedo: 📖 "Aprendestes com cedo a atender e a decorar a graça fácil e a análise inquieta de um" (Afrânio Peixoto, *Poeira da Estrada*, p. 110). **2.** Em tempo; cedo: 📖 "Assim chegaram todos com cedo e alegremente." (Manuel de Oliveira Paiva, *Dona Guidinha do Poço*, p. 161.) **3.** Em breve. **4.** Desde logo.

cedralense *Adj. 2 g.* **1.** De, ou pertencente ou relativo a Cedral (MA e SP). ● *S. 2 g.* **2.** O natural ou habitante de Cedral.

cedrão [Aum. de *cedro.*] *S. m. Bras. Bot.* V. *carrapeta* (2).

cedreno [Do lat. *cedrus*, 'cedro', + *-eno*[2].] *S. m. Quím.* Hidrocarboneto, que é um sesquiterpeno tricíclico com uma ligação dupla, encontrado no óleo de cedro [fórm.: $C_{15}H_{24}$].

cedrense[1] *Adj. 2 g.* **1.** De, ou pertencente ou relativo a Cedro (CE e PE). ● *S. 2 g.* **2.** O natural ou habitante de Cedro. [Sin. ger. de cedrense (CE): *cedroense.*]

cedrense[2] *Adj. 2 g.* **1.** De, ou pertencente ou relativo a Cedro de São João (SE). ● *S. 2 g.* **2.** O natural ou habitante de Cedro de São João.

cedrense[3] *Adj. 2 g.* **1.** De, ou pertencente ou relativo a Cedro do Abaeté (MG). ● *S. 2 g.* **2.** O natural ou habitante de Cedro do Abaeté.

cedrense[4] *Adj. 2 g.* **1.** De, ou pertencente ou relativo a José do Cedro (SC). ● *S. 2 g.* **2.** O natural ou habitante de José do Cedro.

cedrinho [Dim. de *cedro.*] *S. m. Bot.* Nome comum a várias espécies cupressáceas pertencentes ao gênero *Thuja*, como, p. ex., a *Thuja orientalis*, que se usam para cercas vivas.

cedro [Do lat. *cedru* < gr. *kédros*; tax. *Cedrus.*] *S. m. Bot.* **1.** Gênero de árvores pináceas que reúne espécies nativas de regiões montanhosas; são cultivadas pela madeira, de alta qualidade, e como ornamentais. **2.** Qualquer espécie desse gênero, como, p. ex., a *Cedrus libani* (v. *cedro-do-líbano*). **3.** Qualquer espécime desse gênero. **4.** V. *alerce* (2). **5.** V. *cipreste* (6). **6.** V. *zimbro*[1]. **7.** V. *canjerana* (2). **8.** V. *cedro-batata*. **9.** A madeira dessas árvores.

cedro-amarelo *S. m. Bot.* **1.** Árvore ou arbusto lauráceo (*Aniba guianensis*) de folhas lanceoladas e flores castanho-avermelhadas. **2.** V. *cedro-batata.* [Pl.: *cedros-amarelos.*]

cedro-bastardo *S. m. Bot.* V. *cipreste* (2). [Pl.: *cedros-bastardos.*]

cedro-batata [De *cedro* + *batata*[1].] *S. m. Bras. Bot.* Grande árvore meliácea (*Cedrela fissilis*) cuja casca, grossa e rugosa, tem propriedades adstringentes e eméticas; as flores são alvas, os frutos capsulares, lenhosos, e a madeira é de lei. [Tb. se diz apenas cedro. Sin.: *acaiacá, acaju, acaju-catinga, cedro-amarelo, cedro-branco, cedro-da-várzea, cedro-do-rio-de-janeiro, cedro-rosa, cedro-vermelho*. Pl.: *cedros-batatas* e *cedros-batata.*]

cedro-branco *S. m. Bot.* **1.** V. *cipreste* (3). **2.** Árvore anacardiácea (*Poupartia amazonica*) de até 30m, de folhas compostas, flores amareladas e frutos drupáceos, edules; cedrorana, taperebá-cedro, taperebá-açu **3.** V. *cedro-batata.* **4.** V. *árvore-da-vida.* [Pl.: *cedros-brancos.*]

cedro-canjerana *S. m. Bras. Bot.* V. *canjerana* (2). [Pl.: *cedros-canjeranas* e *cedros-canjerana.*]

cedro-cheiroso *S. m. Bras. Bot.* Árvore meliácea (*Cedrella odorata*) de até 30m, de folhas compostas, flores amarelas e frutos capsulares; tem cerne vermelho, e o seu óleo é us. em perfumaria. [Sin.: *acaju, cedro-espanhol, cedro-fêmea, cedro-mogno, cedro-rosa, cedro-vermelho*. Pl.: *cedros-cheirosos.*]

cedro-da-várzea *S. m. Bras. Bot.* V. *cedro-batata.* [Pl.: *cedros-da-várzea.*]

cedro-do-incenso *S. m. Bot.* V. *cipreste* (5). [Pl.: *cedros-do-incenso.*]

cedro-do-líbano [De *cedro* + *do*[1] + o top. *Líbano.*] *S. m. Bot.* Árvore pinácea (*Cedrus libani*) de grande porte, de folhas lineares, verde-escuras, flores unissexuais, e que, graças a suas células resinosas, fornece madeira alva e aromática. [Pl.: *cedros-do-líbano.*]

cedro-do-órégão *S. m. Bot.* V. *cipreste* (3). [Pl.: *cedros-do-órégão.*]

cedro-do-rio-de-janeiro [De *cedro* + *do*[1] + o top. *Rio de Janeiro.*] *S. m. Bras. Bot.* V. *cedro-batata.* [Pl.: *cedros-do-rio-de-janeiro.*]

cedroense *Adj. 2 g. S. 2 g.* V. *cedrense*[1].

cedro-espanhol *S. m. Bot.* V. *cedro-cheiroso.* [Pl.: *cedros-espanhóis.*]

cedro-faia *S. m. Bras. BA MG ES RJ SP PR SC Bot.* V. *carne-de-vaca.* [Pl.: *cedros-faias* e *cedros-faia.*]

cedro-fêmea *S. m. Bot.* V. *cedro-cheiroso.* [Pl.: *cedros-fêmeas* e *cedros-fêmea.*]

cedroí [De *cedro* + *-í.*] *S. m. Bot.* V. *mogno-brasileiro.*

cedro-japonês *S. m. Bras. S. Bot.* Grande árvore cupressácea (*Cryptomeria japonica*) ornamental, de amentos masculinos em espigas e amentos femininos solitários, cone globoso, de aparência espinescente, castanho-avermelhado, e madeira mole, de tecido compacto, durável, com listras claras e escuras, a qual fornece material para a indústria de papel; araucária-do-japão, árvore-de-natal. [Pl.: *cedros-japoneses.*]

cedrol [Do lat. *cedrus*, 'cedro', + *-ol*[2].] *S. m. Quím.* Álcool sesquiterpênico tricíclico saturado, encontrado no óleo de cedro [fórm.: $C_{15}H_{26}O$]. [Pl.: *cedróis.*]

cedro-mogno *S. m. Bot.* V. *cedro-cheiroso.* [Pl.: *cedros-mognos* e *cedros-mogno.*]

cedro-preto *S. m. Bras. Bot.* V. *canela-inhaíba.* [Pl.: *cedros-pretos.*]

cedrorana [De *cedro* + *-rana.*] *S. f. Bras. Amaz. Bot.* **1.** Árvore mimosácea (*Cedrelinga cateniformis*) muito alta, de casca grossa e rugosa, flores verde-amareladas, fruto em vagem, com sementes ovoides, e made esponjosa, pardo-acizentada; iacaiacá. **2.** V. *coariúba*. **3.** V. *cedro-branco* (2).

cedro-rosa *S. m. Bras. Bot.* **1.** V. *cedro-batata*. **2.** V. *cedro-cheiroso*. [Pl.: *cedros-rosas*.]

cedro-vermelho *S. m.* **1.** V. *cedro-batata*. **2.** V. *cedro-cheiroso*. *Bras. Bot.* [Pl.: *cedros-vermelhos*.]

cedro-vermelho-do-óregão *S. m. Bot.* V. *cipreste* (5). [Pl.: *cedros-vermelhos-do-óregão*.]

cédula [Do lat. *schedula*.] *S. f.* **1.** Documento escrito; apontamento. **2.** Confissão de dívida, escrita mas não legalizada. **3.** Papel representativo de moeda de curso legal; nota: 📖 "distribuíra .... cédulas de cinco e dez mil-réis" (Jorge Amado, *Dona Flor e Seus Dois Maridos*, pp. 424-425). **4.** *Bras.* Papel com o nome de candidato a cargo eletivo, e próprio para votação. **5.** Chapa eleitoral; voto. **6.** *Bras. SP* Cédula de identidade. [Cf. *sédula*, fem. de *sédulo*.] ◆ **Cédula de crédito.** *Econ.* Título de crédito sob a forma de promessa de pagamento, emitida pelo devedor, em razão de financiamento dado pelo credor. **Cédula de identidade.** Cartão expedido pela Secretaria de Segurança Pública, onde se acham, de um lado, o nome, o número do registro geral, a filiação, a naturalidade, a data do nascimento, e, do outro, uma fotografia, a assinatura e a impressão digital do polegar direito do portador, e que serve para a sua identificação; carteira de identidade. **Cédula hipotecária.** Título de crédito, nominativo, endossável, garantido por hipoteca. [Cf. *letra hipotecária*.] **Cédula pignoratícia.** *Jur. Com.* Warrant (2). **Cédula testamentária.** V. *carta testamentária*.

cedular [De *cédula* + *-ar*[1].] *Adj. 2 g.* Relativo a cédula.

cefalalgia [Do gr. *kephalalgía*.] *S. f. Med.* Cefaleia.

cefalálgico [Do gr. *kephalalgikós*.] *Adj. Med.* Relativo a cefalalgia.

cefaleia (éi) [Do gr. *kephalaía*.] *S. f. Patol.* Dor de cabeça; cefalgia; encefalalgia. ❖

cefaleico (éi) *Adj. Patol.* Referente a cefaleia. ❖

cefalematoma [De *cefal(o)-* + *-(h)emat(o)-* + *-oma*[1].] *S. m. Obst.* Derrame sanguíneo ocorrido no crânio fetal, em situação subperióstea, e decorrente de trauma obstétrico; céfalo-hematoma.

cefálico [Do gr. *kephalikós*.] *Adj.* **1.** Relativo ou pertencente à cabeça. **2.** *Anat.* V. *cranial*. ~ V. *índice* —.

cefalídio [De *cefal(o)-* + *-ídio*[3].] *S. m. Bot.* Conidióforo constituído por uma célula apical globulosa, da qual partem pequenas cadeias radiadas de conídios. Encontra-se, p. ex., no gênero *Aspergillus*.

cefalina [De *cefal(o)-* + *-ina*[3].] *S. f. Bioquím.* Qualquer um de um grupo de fosfatídeos análogos à lecitina, encontrados em tecidos animais e vegetais.

cefálio [De *cefal(o)-* + *-io*[3].] *S. m. Bot.* **1.** *Desus.* Inflorescência das pandanáceas. **2.** Coxim densamente piloso sobre o qual nascem as flores no caule das cactáceas.

▲**cefal(o)-** [Do gr. *kephal(o)-* < gr. *kephalḗ, ês*.] *El. comp.* = 'cabeça': *cefalematoma, cefalópode, cefalídio*. [Equiv.: *-cefal(o)-, -céfalo*: *paquicefalia, dolicocéfalo*.]

▲**-cefal(o)-** V. *cefal(o)-*.

▲**-céfalo** [Do gr. *-képhalos* < gr. *kephalḗ, ês*.] V. *cefal(o)-*.

cefalobenido [Adapt. do tax. *Cephalobaenida*.] *Zool. S. m.* **1.** Espécime dos cefalobenidos, ordem de artrópodes pentastômidas. Têm ganchos bucais sem fulcro ou ramo basal; abertura genital anterior; desenvolvimento direto, sem hospedeiro intermediário. ● *Adj.* **2.** Pertencente ou relativo a eles.

cefalocárido [De *cefal(o)-* + *-cari(o)-* + *-ido*[3]; tax. *Cephalocarida*.] *Zool. S. m.* **1.** Espécime dos cefalocáridos, subclasse de crustáceos primitivos, hermafroditas, com a forma de pequeníssimos camarões, com menos de 4mm de comprimento, e olhos ausentes. Alimentam-se de matéria orgânica dos fundos lamacentos; distribuem-se nas costas do Atlântico norte, Índias Ocidentais e Nova Zelândia. ● *Adj.* **2.** Pertencente ou relativo a eles.

cefalocordado [De *cefal(o)-* + *-cord(o)-* + *-ado*[3]; tax. *Cephalochordata*.] *Zool. S. m.* **1.** Espécime dos cefalocordados, subfilo de cordados marinhos, escavadores, com cerca de 25 espécies, agrupadas em 3 gêneros, sendo o mais conhecido o Branchiostoma, que contém os chamados anfioxos ou peixes-lancetas ● *Adj.* **2.** Pertencente ou relativo a eles. [Sin. ger.: *acrânio, acraniota, cefalocórdio*.]

cefalocórdio [De *cefal(o)-* + *-cord(o)-* + *-io*[3].] *S. m. Adj. Zool.* V. *cefalocordado*.

cefalodiscídio [Adapt. do tax. *Cephalodiscida*.] *Zool. S. m.* **1.** Espécime dos cefalodiscídios, ordem de animais pterobrânquios, coloniais, porém livres, [...]ssoma com vários braços, duas fendas bran[...] gônada dupla. ● *Adj.* **2.** Pertencente ou [...]s.

[...] [De *cefal(o)-* + *-(h)emat(o)-* + *-oma*[1].] [...]alematoma.

[...]na [De *cefal(o)-* + *-(h)emat(o)-* + *-oma*[1].] [...] Cefalematoma. [Pl.: *céfalo-hematomas*.] ❖

cefaloide (ói) [Do gr. *kephaloeidés*.] *Adj. 2 g.* Que tem forma de cabeça. ❖

cefalomenia [De *cefal(o)-* + *-men(o)-* + *-ia*[1].] *S. f. Obst. Gin.* Menstruação vicariante que ocorre na cabeça, como a que se verifica na perda de sangue, por via nasal, durante período menstrual.

cefalometria [De *cefal(o)-* + *-metria*.] *S. f.* **1.** Mensuração da cabeça. **2.** *Med.* Método de diagnóstico que se baseia na cefalometria (1); análise cefalométrica.

cefalométrico [De *cefalometria* + *-ico*[2].] *Adj.* Da, ou relativo à cefalometria. ~ V. *análise* —*a*.

cefalopélvico [De *cefal(o)-* + *-pelv(i)-* + *-ico*[2].] *Adj.* Relativo à conformidade entre a cabeça fetal e a bacia materna.

cefalópode[1] [De *cefal(o)-* + *-pode*.] *Adj. 2 g.* Que tem pés na cabeça.

cefalópode[2] [Do tax. *Cephalopoda*.] *Zool. S. m.* **1.** Espécime dos cefalópodes, classe de animais moluscos, marinhos. Corpo com uma concha externa, ou interna, ou ausente; cabeça grande, com olhos, rodeada de oito, 10 ou mais braços ou tentáculos. São os polvos, lulas, sépias e argonautas. ● *Adj. 2 g.* **2.** Relativo ou pertencente aos cefalópodes. [Sin. ger.: *acetabulífero*.]

cefalorraquiano [De *cefal(o)-* + *-raqui(o)-* + *-ano*[1].] *Adj.* Relativo ao encéfalo e à medula espinhal; cefalorraquidiano. ~ V. *líquido* —.

cefalorraquidiano *Adj.* V. *cefalorraquiano*.

cefalospidomorfo [Adapt. do tax. *Cephalospidomorphi*.] *Zool. S. m.* **1.** Espécime dos cefalospidomorfos, classe de peixes ágnatos a que pertencem as lampreias e os espécimes, já extintos, que as precederam. ● *Adj.* **2.** Pertencente ou relativo a eles.

cefalosporina [Do tax. *Cephalosporium* + *-ina*[3].] *S. f. Terap.* Cada um de um grupo de antibióticos de amplo espectro de atividade antimicrobiana, derivado de fungos do gênero *Cephalosporium* (v. *cefalospório*).

cefalospório [Do tax. *Cephalosporium*.] *S. m. Microbiol.* **1.** Gênero de fungos imperfeitos moniliáceos. **2.** Qualquer espécie desse gênero, como, p. ex., o *Cephalosporium granulomatis*, que causa lesões granulomatosas no homem. **3.** Qualquer espécime desse gênero.

cefalotórace [De *cefal(o)-* + *-tórace*.] *S. m. Zool.* V. *cefalotórax*.

cefalotorácico [De *cefal(o)-* + *-torac(o)-* + *-ico*[2].] *Adj.* Relativo ao cefalotórax.

cefalotórax (cs) [De *cefal(o)-* + *-tórax*.] *S. m. 2 n. Zool.* Região anterior do corpo dos artrópodes quelicerados, formada pela fusão da cabeça e do tórax; prossoma. [Var.: *cefalotórace*.]

cefeida [De *Cefeu* + *-ida*[1].] *S. f. Astr.* Variável cefeida. ◆ **Cefeida anã.** *Astr.* Estrela variável pulsante de curto período e quase imperceptível a olho nu.

■ **Cefet** Sigla de *Centro Federal de Educação Tecnológica*.

cefeu [Do gr. *Kepheús*, pelo lat. *Cepheu*.] *S. m. Astr.* Constelação boreal, cuja denominação científica é *Cepheus*. [Com cap.]

cega-machado [De *cegar* + *machado*.] *S. m. Bras. Bot.* V. *pau-de-rosas* (1). [Pl.: *cega-machados*.]

cegamento [De *cegar* + *-mento*.] *S. m. P. us.* V. *cegueira*.

cegante [Do lat. *caecante*.] *Adj. 2 g.* **1.** Que cega. **2.** *Fig.* Ofuscante, deslumbrante: 📖 "Com o movimento do ônibus, há .... uma fração de segundo em que o vitral chameja, refletindo o sol, numa palpitação breve e cegante." (Osmã Lins, *Nove, Novena*, p. 198.)

cega-olho [De *cegar* + *olho* (ô).] *S. m. Bras. Bot. N. a S.* **1.** Designação comum a várias espécies asclepiadáceas, ervas de caule ereto e pouco ramificado, flores alvas ou pálido-esverdeadas, e cujo látex é considerado nocivo; camará-bravo, chibante, saudade-da-campina. **2.** V. *arrebenta-boi* (1). [Pl.: *cega-olhos* (ó).]

cegar [Do lat. *caecare*.] *V. t. d.* **1.** Tirar a vista a; tornar cego. **2.** Privar do sentido da visão: 📖 "o clarão dum farol apanhou-o em cheio, cegando-o momentaneamente." (Érico Veríssimo, *Noite*, p. 6). **3.** Deslumbrar, fascinar: 📄 *A visão de tamanha riqueza cegava-o*. **4.** Fazer perder a razão; alucinar: 📄 *Não atente no que ele diz: a raiva cegou-o de todo*. **5.** Iludir, enganar: 📄 *A glória de ocupar função tão alta cegou o pobre homem*. **6.** Apagar; desbotar; desvanecer: 📄 *Os anos cegaram a velha inscrição*. **7.** Entupir, entulhar. **8.** Tirar o fio ou o gume de (faca, navalha, tesoura, etc.); embotar. *Int.* **9.** Perder a vista; deixar de ver; ficar cego; enceguecer: 📖 "Analfabeto, cegou [o cantador Antônio Açudinho] em consequência da picada de uma cobra jararaca" (Ulisses Lins de Albuquerque, *Um Sertanejo e o Sertão*, p. 67). **10.** Perturbar a vista; ofuscar: 📖 "O sol / cegava, / nos telhados." (Alberto da Costa e Silva, *As Linhas da Mão*, p. 136.) *P.* **11.** Iludir-se; enganar-se: 📄 *Cegou-se com a aparente honestidade da firma*. **12.** Perder a razão; alucinar-se. [Conjug.: v. *carregar*. Cf. *segar*.]

cega-rega [T. onom.] *S. f.* **1.** Cigarra (1). **2.** *Fig.* Pessoa muito tagarela, de voz desagradável e impertinente. [Pl.: *cega-regas*.]

cegas [Subst. do pl. do f. do adj. *cego*.] *El. s. f. pl.* Us. na loc. adv. *às cegas*. ◆ **Às cegas. 1.** Sem ver; às apalpadelas: 📄 *caminhar às cegas*. **2.** Às escuras (3).

cego [Do lat. *caecu*.] *Adj.* **1.** Privado da vista. **2.** *Fig.* Alucinado, transtornado; obcecado: 📄 *A paixão fê-lo cego*. **3.** Que impede a reflexão, o raciocínio; que perturba o julgamento, oblitera a razão: 📄 *paixão cega*; *furor cego*; 📖 "Loucura! ai, cega loucura!" (Almeida Garrett, *Folhas Caídas*, p. 85). **4.** Total, absoluto; irrestrito: 📄 *confiança cega*; *obediência cega*. **5.** Diz-se do instrumento cortante que tem o fio gasto ou embotado; reboto. ~ V. *boia* —*a*, *caixa* —*a*, *experimento* —, *frecheiro* —, *grota* —*a*, *nó* —, *o deus* —, *ponto* —, *vão* —, *voo* — e *zona* —*a*. ● *S. m.* **6.** Indivíduo cego (1). **7.** *Anat.* V. *ceco*. [Cf. *sego*, do v. *segar*.]

cegonha [Do lat. *ciconia*.] *S. f.* **1.** *Zool.* Ave da ordem dos ciconiiformes, ciconiídea, gênero *Ciconia*, da Europa. A espécie mais comum é *C. ciconia*, ave migradora, que nidifica na primavera no N. da África e C. da Europa, e passa o inverno no S. da África e na Índia. Constrói ninhos nas chaminés e habitações humanas, e a eles retorna anos a fio. [Há muitas lendas populares em torno da cegonha, segundo uma das quais os recém-nascidos são trazidos por elas.] Existem 16 espécies conhecidas, no gênero. **2.** *Zool.* V. *cauanã*[1]. **3.** *Bras.* Caminhão especialmente projetado e construído para o transporte de carros das fábricas às revendedoras; cegonheiro.

cegonheiro [De *cegonha* (3) + *-eiro*.] *S. m. Bras.* **1.** Cegonha (3). **2.** Motorista de cegonha (3).

cegude *S. f. Bot.* V. *cicuta* (2).

cegueira [De *cego* + *-eira*.] *S. f.* **1.** *Oftalm.* Estado de cego (1); tiflose. **2.** Estado de quem tem a razão obscurecida, o discernimento ou o raciocínio perturbado. **3.** *Fig.* Afeição extrema, exagerada, a alguém ou a alguma coisa. **4.** Falta de lucidez, ou de inteligência, de bom senso, etc. [Sin. (p. us.): *cegamento, ceguidade*.] ◆ **Cegueira diurna.** *Oftalm.* Hemeralopia. **Cegueira verbal.** *Neur.* V. *alexia*.

ceguidade [De *cego* + *-(i)dade*.] *S. f. P. us.* V. *cegueira*.

ceguinho [Dim. subst. do adj. *cego*.] *S. m. Bras. Zool.* V. *bagre-cego*.

■ **CEI** Sigla de *Comunidade dos Estados Independentes*.

ceia [Do lat. *coena*.] *S. f.* **1.** Refeição da noite. **2.** *Restr. Rel.* A Santa Ceia. [Nesta acepç., escreve-se de preferência com inicial maiúscula. Cf. *Seia*, top.] ◆ **Ceia do Senhor.** *Rel.* V. *eucaristia* (2). **A Santa Ceia.** *Rel.* A que Cristo fez com os Apóstolos na véspera da paixão[1] (10), e por ocasião da qual instituiu a eucaristia (1); ceia.

ceiba [Do tax. *Ceiba* (do esp. *ceiba*, do taino de São Domingos, poss.).] *S. f. Bot.* **1.** Gênero de árvores bombacáceas de folhas compostas, palmadas, e exuberantes flores campanuliformes. **2.** Qualquer espécie desse gênero, como, p. ex., a *Ceiba pentandra* [v. *sumaúma* (1)]. **3.** Qualquer espécime desse gênero.

ceifa [Do ár., *ṣayf*, 'verão'.] *S. f.* **1.** Ato de ceifar; sega. **2.** Época de ceifar. **3.** V. *sega* (1). **4.** *Fig.* Grande destruição, desbaste ou mortandade. [Var.: *aceifa*.]

ceifadeira [De *ceifar* + *-deira*.] *S. f.* Máquina de ceifar; ceifeira.

ceifador (ô) [De *ceifar* + *-dor*.] *Adj. S. m.* Que, ou aquele que ceifa.

ceifar [De *ceifa* + *-ar*[2].] *V. t. d.* **1.** Abater (seara madura) com a foice ou com outro instrumento apropriado. **2.** Cortar, segar: 📄 *ceifar espigas*. **3.** Arrebatar, tirar (a vida). **4.** Tirar ou arrebatar a vida a: 📄 *A guerra ceifou milhões de jovens*. **5.** Colher, recolher: 📄 *ceifar os lauréis da glória*. *Int.* **6.** Cortar as espigas maduras: 📖 "Eles ...., em linha à borda do trigo, ... começaram em silêncio a terrível faina de ceifar." (Fialho d'Almeida, *A Esquina*, p. 67.) **7.** Pôr (o cavalo) as mãos para fora, ao andar.

ceifeira [De *ceifar* + *-eira*.] *S. f.* **1.** Mulher que ceifa ou sega; segadora: 📖 "Ó ceifeira que segas cantando" (Antônio Nobre, *Só*, p. 27). **2.** Máquina de ceifar; segadeira; ceifadeira.

ceifeiro [De *ceif-*, como em *ceifa* e em *ceifar*, + *-eiro*.] *S. m.* **1.** Homem que ceifa; segador. ● *Adj.* **2.** Relativo à ceifa.

ceita [Alter. do top. *Ceuta* (v. *ceutense*).] *S. f. Ant.* Tributo de dez-réis por família, que se pagava para se ficar isento de ir servir pessoalmente em Ceuta. [Cf. *seita*.]

ceitil [Do ár. *sabtī*, 'de ou relativo a Ceuta'; 'moeda cunhada para comemorar a conquista de Ceuta pelos portugueses'.] *S. m.* **1.** Moeda portuguesa antiga, que valia um sexto de real: 📖 "Desde que viera para os Olivais, nunca mais gastara um ceitil das quantias que lhe mandava o Sr. Castro Comes." (Eça de Queirós, *Os Maias*, II, p. 232.) **2.** *P. ext.* Quantia ínfima. **3.** *Fig.* Insignificância, ninharia.

cela [Do lat. *cella*.] *S. f.* **1.** Pequena alcova ou quarto de dormir. **2.** Aposento de frades ou de freiras, nos conventos. **3.** Aposento de condenado, em peniten-

ciárias. 4. *Zool.* Cada uma das cavidades dos favos. [Cf. *sela*, do v. *selar*, e s. f.]
celá *S. f.* V. *salá*.
celacantiforme [Do tax. *Coelacanthus* + *-iforme*; tax. *Coelanthiformes*.] *Zool. S. m.* **1.** Espécime dos celacantiformes, ordem de peixes actinopterígios, que eram considerados extintos desde o fim do mesozoico; contudo, em 1938 descobriu-se, no S. da África, uma espécie viva, o celacanto (q. v.). ● *Adj. 2 g.* **2.** Pertencente ou relativo a eles.
celacanto [De *cel(o)-* + *-acanto*.] *S. m. Zool.* Peixe latimeriídeo (*Latimeria chalumnae*), cinza-azulado, com cerca de 1,20m de comprimento, caracterizado por apresentar barbatanas pares lobadas e nadadeira caudal dificerca tb. lobada. Habita águas profundas do oceano Índico, tendo sido encontrados espécimes nas Ilhas Comores (África) e nas Ilhas Célebes (Indonésia). É tido como um fóssil vivo, já que espécies semelhantes desapareceram há muitos milhões de anos, e é de grande importância na compreensão evolutiva das espécies.
celação [De **celar* (< lat. *celare*, 'ocultar') + *-ção*.] *S. f.* Ato de esconder algum fenômeno natural, como, p. ex., a gravidez.
celada [Do esp. *celada*.] *S. f.* Antiga armadura de ferro para a cabeça. [Cf. *selada*, s. f., e a forma f. do adj. *selado*.]
celadon [Do fr. *céladon*, do ficción. *Céladon*, do romance pastoral de Honoré d'Urfé (1567-1625).] *S. m.* Tipo de cerâmica ou porcelana chinesa recoberta de esmalte, de colorido característico (verde-pálido acinzentado ou azulado) obtido mediante o emprego de óxido de ferro.
celagem [Do esp. *celaje* < lat. *caelum*, 'céu'.] *S. f.* A cor do céu ao nascer e ao pôr do Sol; cariz: 📖 "Como no extremo horizonte / A primeira desmaiada / <u>Celagem</u> da madrugada, / Duas rosas transluziram / Nas faces da Virgem pura" (Manuel Bandeira, *Estrela da Vida Inteira*, p. 235); "Apenas mostras a esta febre o louro / Campo de trigo, múrmuro, às aragens, / E este engano do Poente incendido em <u>celagens</u> / De ouro!" (Goulart de Andrade, *Poesias*, p. 16). [Cf. *selagem* e *silagem*.]
celamim [Do ár. *tamānī*, pl. de *ѐumnyya(t)*, 'oitavo'.] *S. m.* **1.** Antiga unidade de medida de capacidade para secos, equivalente à 16ª parte de um alqueire (1), ou seja, 2,27 litros. **2.** Unidade de medida de capacidade do sistema inglês, equivalente a cerca de 9 litros. [Var.: *salamim*.]
celastrácea [Do tax. *Celastrus* (< gr. *kélastros*, 'certo arbusto') + *-ácea*; tax. *Celastraceae*.] *S. f. Bot.* Espécime das celastráceas, família de plantas floríferas, constituída por umas 450 espécies lenhosas. Flores pequeninas, hermafroditas, com disco bem desenvolvido; folhas simples e estipuladas; o fruto é cápsula ou baga. O Brasil é rico em representantes, aliás comuns na zona temperada.
celastráceo [De *celastrácea*, com var. suf. (v. *-áceo*).] *Adj. Bot.* Pertencente ou relativo às celastráceas.
celastro [Do tax. *Celastrum* (do gr. *kélastros*, ou, 'certo arbusto').] *S. m. Bot.* **1.** O gênero-tipo das celastráceas, que reúne trepadeiras lenhosas e arbustos de folhas alternas, decíduas, flores paniculadas ou racemosas, e frutos capsulares, trivalvares. **2.** Qualquer espécie desse gênero, como, p. ex., a *Celastrus scandens* (v. *algoz-das-árvores*). **3.** Qualquer espécime desse gênero.
▲-cele¹ [Do gr. *-kēlē* < gr. *kēlē, ēs*.] *El. comp.* = 'tumor', 'tumoração', 'hérnia': *enterocele, escrotocele, varicocele*.
▲-cele² V. *cel(o)-*.
celebérrimo [Do lat. *celeberrimu*.] *Adj.* Superl. abs. sint. de *célebre*; celebríssimo.
celebração [Do lat. *celebratione*.] *S. f.* **1.** Ato ou efeito de celebrar. **2.** Realização de certos atos, cerimônias ou rituais: 📄 *a <u>celebração</u> do casamento, da missa.* **3.** Cerimônia, festa ou ritual para comemorar, ou para dar caráter público e oficial a algo: 📄 *<u>celebração</u> de um acordo.*
celebrado [Part. de *celebrar*.] *Adj.* **1.** Célebre, afamado. **2.** Louvado, gabado. **3.** Realizado com solenidade.
celebrador (ô) [Do lat. *celebratore*.] *Adj.* **1.** Celebrante (1). ● *S. m.* **2.** Celebrante (2).
celebrante [Do lat. *celebrante*.] *Adj. 2 g.* **1.** Que celebra; celebrador. ● *S. 2 g.* **2.** Pessoa que celebra; celebrador. ● *S. m.* **3.** *Restr.* O padre que celebra missa.
celebrar [Do lat. *celebrare*.] *V. t. d.* **1.** Fazer realizar com solenidade; promover, patrocinar: 📄 *<u>celebrar</u> um tratado de paz;* 📖 "<u>celebrou</u> reuniões em que falou muito da liberdade de consciência" (Machado de Assis, *Histórias sem Data*, p. 152). **2.** Comemorar, festejar; celebrizar: 📄 *<u>celebrar</u> um aniversário.* **3.** Publicar com louvor; exaltar: 📄 *Em* Os Lusíadas, *Camões <u>celebra</u> as glórias portuguesas.* **4.** Acolher com festejos, comentários, demonstrações ruidosas, etc.: 📄 *O povo <u>celebrou</u> a vitória de seus soldados.* **5.** Concluir (um ato ou contrato). **6.** Dizer, rezar (missa): 📖 "O padre de Santana viera <u>celebrar</u> missa na capela de Curral Novo" (Adalberon Cavalcanti Lins, *Curral Novo*, p. 264). *Int.* **7.** Dizer missa: 📖 "— Agora é que é ocasião de se ganhar dinheiro, Seu Cornélio, disse o Padre Laje. Não <u>celebro</u> na noite de Natal por menos de cem mil-réis..." (L. Lavenère, *O Padre Cornélio*, p. 175.) [Pres. subj.: *celebre*, etc. Cf. *célebre*, adj. 2 g.]
celebratório [De *celebrar* + *-tório*.] *Adj.* **1.** Que celebra, ou que envolve celebração. **2.** Relativo a celebração.
celebrável [Do lat. *celebrabile*.] *Adj. 2 g.* Digno de ser celebrado.
célebre [Do lat. *celebre*.] *Adj. 2 g.* **1.** Que tem grande fama; afamado, famigerado. **2.** Muito notório; notável. **3.** *Fam.* Extravagante, esquisito, estranho: 📖 "— Passei o dia com um amigo, e à noite dirigi-me ao teatro; mas, cousa <u>célebre</u>! o meu sonho não me saía da cabeça" (Joaquim Manuel de Macedo, *Os Romances da Semana*, p. 10); 📄 *É <u>célebre</u>, o tipo!* [Superl. abs. sint.: *celebérrimo* e *celebríssimo*. Cf. *celebre*, do v. *celebrar*.]
celebreira [De *célebre* + *-eira*.] *S. f. Fam.* Extravagância, esquisitice, mania.
celebridade [Do lat. *celebritate*.] *S. f.* **1.** Qualidade de célebre; fama, notoriedade. **2.** Pessoa célebre: 📄 *É íntimo das <u>celebridades</u> nacionais.*
celebríssimo *Adj.* Celebérrimo.
celebrização [De *celebrizar* + *-ção*.] *S. f.* Ato ou efeito de celebrizar(-se).
celebrizar [De *célebre* + *-izar*.] *V. t. d.* **1.** Tornar célebre, notável; notabilizar. **2.** Comemorar, celebrar. *P.* **3.** Tornar-se célebre, notável; notabilizar-se.
celeireiro [Do lat. *cellarariu*.] *S. m.* Guarda ou administrador de celeiro.
celeiro [Do lat. *cellariu*.] *S. m.* **1.** Casa onde se ajuntam e guardam cereais. **2.** Depósito de provisões. [Sin. ger.: *tulha*. Cf. *seleiro*.]
celelminto [De *cel(o)-* + *-(h)elminto*; tax. *Coelminthes*.] *Zool. S. m.* **1.** Espécime dos celelmintos, animais metazoários, invertebrados, em cujo corpo existe um celoma ou cavidade que é independente tanto da parede do corpo como do tubo digestivo. [A designação foi proposta para o ramo que compreenderia os anelídeos e quetógnatos.] ● *Adj.* **2.** Pertencente ou relativo a eles.
celenterado [De *cel(o)-* + *-enter(o)-* + *-ado³*; tax. *Coelenterata*.] *S. m. Adj. Zool.* V. *cnidário*.
celêntero [De *cel(o)-* + *-êntero*.] *S. m. Zool.* Cavidade do corpo dos cnidários.
celenterologia [De *celenter(ado)* + *-o-* + *-logia*.] *S. f. Zool.* Ramo da zoologia que trata dos cnidários.
celenterológico [De *celenterologia* + *-ico²*.] *Adj. Zool.* Pertencente ou relativo à celenterologia.
celeradez (ê) [De *celerado* + *-ez*.] *S. f.* V. *celeradeza*.
celeradeza (ê) [De *celerado* + *-eza*.] *S. f.* **1.** Qualidade de celerado. **2.** Ação de celerado; crime: 📖 "gerado entre bater de dentes com medo à punição da lei pelas <u>celeradezas</u> cometidas." (Aquilino Ribeiro, *Os Avós dos Nossos Avós*, p. 154). [F. paral.: *celeradez*.]
celerado [Do lat. *sceleratu*.] *Adj.* *S. m.* **1.** Criminoso; facinoroso: 📖 "Amedrontava-se com a ideia de que a sua habitação fosse acometida por bandos de <u>celerados</u> famintos" (Manuel de Oliveira Paiva, *Dona Guidinha do Poço*, p. 56). **2.** Perverso, mau.
célere [Do lat. *celere*.] *Adj. 2 g.* Veloz, ligeiro, rápido: 📖 "Enfiava-se por entre aquele povo indo e vindo, caminhava <u>célere</u>, esquecido de si" (João Pacheco, *Negra a Caminho da Cidade*, p. 47); "Consumado o crime, o bando revolto veio, em marcha <u>célere</u>, pelo caminho da casa" (Rodrigo Otávio, *Contos de Ontem e de Hoje*, p. 30). [Superl. abs. sint.: *celérrimo* e *celeríssimo*. Antôn.: *lento, moroso, vagaroso*.]
▲celeri- [Do lat. *celer, celĕris, celĕre*.] *El. comp.* = 'rápido', 'ligeiro': *celerígrado, celerímetro*.
celeridade [Do lat. *celeritate*.] *S. f.* Qualidade de célere; velocidade, ligeireza, rapidez.
celerífero [De *celeri-* + *-fero*.] *Adj.* **1.** Que desenvolve velocidade. **2.** *Zool.* V. *celerígrado*.
celerígrado [De *celeri-* + *-grado¹*.] *Adj. Zool.* Diz-se do animal que corre ou anda com rapidez; celerífero, celerípede.
celerímetro [De *celeri-* + *-metro*.] *S. m. Desus.* V. *hodômetro*.
celerípede [Do lat. *celeripede*.] *Adj. 2 g.* **1.** Que caminha com celeridade. **2.** *Zool.* V. *celerígrado*.
celeríssimo *Adj.* Celérrimo.
celérrimo [Do lat. *celerrimu*.] *Adj.* Superl. abs. sint. de *célere*; celeríssimo.
celescópio *S. m. Astr.* Conjunto de quatro telescópios, de grande luminosidade, cada um equipado com uma câmara de televisão, a serem lançados, num satélite, em órbita ao redor da Terra, e destinado ao estudo fotométrico, na região do ultravioleta, das estrelas quentes, que são acessíveis somente acima da atmosfera terrestre.
celesta [Do it. *celesta*.] *S. f. Mús.* Instrumento de percussão e teclado de timbre mais puro e suave que o do carrilhão (4) e com a forma de um pequeno piano vertical, cujos martelos percutem lâminas de aço dispostas em escala cromática; tipofone, piano de vidro.
celeste [Do lat. *caeleste*.] *Adj. 2 g.* **1.** Do, ou relativo ao céu. **2.** Que se avista ou está no céu. **3.** Concernente à divindade. **4.** Sobrenatural. **5.** *Fig.* Perfeito, primoroso. [Sin. ger.: *celestial*.] ~ V. *abóbada —, a milícia —, atlas —, carta —, coordenada —, corte* (ô) *—, equador —, esfera —, fotografia —, latitude —, longitude —, mecânica —, meridiano —, morada —, navegação —, o — império, orientação —, paralelo —, polo —, polo — negativo, polo — positivo e projeção — globular*. ● *S. m.* **6.** *Cul. Prov. port.* Doce (12) feito com ovo e amêndoa.
celestial [De *celeste* + *-ial*.] *Adj. 2 g.* V. *celeste*. ~ V. *guiamento —*.
celestina¹ [Do lat. *coelestina*, 'azul da cor do céu'.] *S. f.* **1.** *Bras. RS Bot.* Planta asterácea (*Ageratum lasseauxii*) ornamental, de caule ramoso desde a base, flores azuladas dispostas em corimbos. **2.** *Bras. RS Bot.* Planta asterácea (*Ageratum mexicanum*) ornamental, de caule ramoso desde a base e flores róseas dispostas em corimbos. **3.** Celestita.
celestina² [Do ficción. *Celestina*, personagem da obra *A Celestina, ou Tragicomédia de Calisto e Melibéa*, atribuída a Fernando de Rojas (c. 1465-c. 1541), escritor espanhol.] *S. f.* V. *alcoviteira* (1 e 2).
celestino [Do lat. *coelestinu*.] *Adj. Poét.* De cor azul-celeste.
celestita [Do lat. *coeleste*, '(azul) da cor do céu', + *-ita²*.] *S. f. Min.* Mineral ortorrômbico, sulfato de estrôncio; celestina.
celetista [De *CLT*, sigla de *Consolidação das Leis Trabalhistas*, + *-ista*.] *Adj. 2 g. S. 2 g. Bras.* Diz-se de, ou funcionário cujo vínculo empregatício é regido pela CLT.
celeuma [Do gr. *kéleuma*, pelo lat. *celeuma*.] *S. f.* **1.** Vozearia de pessoas que trabalham. **2.** Canto ou vozearia de barqueiros: 📖 "Aproa à terra, com <u>celeuma</u> alegre, / A nau pujante." (Alexandre Herculano, *Poesias*, p. 116.) **3.** Barulho, algazarra, tumulto: 📖 "no meio do rebuliço, <u>celeuma</u> e insensatez geral, ninguém fazia caso do poeta" (Aquilino Ribeiro, *Luís de Camões*, II, p. 217). **4.** *Fig.* Polêmica, discussão ardorosa: 📄 *A mudança na lei provocou muita <u>celeuma</u>.*
celga *S. f.* V. *acelga*.
celha (ê) *S. f.* Celhas (q. v.). [Cf. *selha*.]
celhas (ê) [Do lat. *cilia*, pl. de *cilium*.] *S. f. pl.* **1.** V. *cílio* (1). **2.** *P. ext.* Sobrancelhas. **3.** *Bot.* Pelos ou sedas que se criam no fio marginal das folhas de certas plantas. [Tb. us. no sing. Cf. *selhas* (ê), pl. de *selha*.]
celheado [De *celha* + *-eado*.] *Adj.* **1.** Que tem celhas. **2.** Diz-se especialmente do cavalo que tem sobrancelhas brancas.
▲cel(i)- [Do lat. *caelum, i*.] *El. comp.* = 'céu': *celícola* (< lat.). [Equiv.: *celo-*: *celóstato*.]
celíaco [Do gr. *koiliakós*, pelo lat. *coeliacu*.] *Adj.* **1.** Do, ou relativo ao ventre, ao abdome. **2.** *Bot.* Diz-se do órgão ou parte vegetal que é oca: 📄 *colônia <u>celíaca</u>*. ~ V. *plexo —*.
celibatário [Do fr. *célibataire*.] *S. m.* **1.** Indivíduo que não se casou: 📖 "La Bruyère, o imortal autor dos *Caracteres*, receou tanto iludir-se que se conservou <u>celibatário</u>." (Ramalho Ortigão, *Primeiras Prosas*, p. 151.) ● *Adj.* **2.** Solteiro. **3.** *Fig.* Estéril, improdutivo: 📖 "o tio Francisco com a sua crítica estreita e <u>celibatária</u> podia escandalizar-se" (Eça de Queirós, *Contos*, p. 13).
celibatarismo [De *celibatário* + *-ismo*.] *S. m.* Estado ou caráter de celibatário.
celibato [Do lat. *caelibatu*.] *S. m.* O estado de uma pessoa que se mantém solteira: 📖 "refutando a tradição e o princípio da autoridade, os jejuns, o Purgatório, os votos monásticos, o <u>celibato</u> eclesiástico, que era uma amputação, ... Lutero destrói num ímpeto de rebeldia sacrílega todas as crenças que constituíam a alma da Idade Média." (Ramalho Ortigão, *Figuras e Questões Literárias*, I, p. 127). [Sin., bras.: *solteirismo*.]
célico [Do lat. *caelicu*.] *Adj. Poét.* Celeste, celestial: 📖 "E imaginei ouvir ao conversar das aves / As <u>célicas</u> canções dos anjos teus irmãos." (Cesário Verde, *Obra Completa*, p. 59.)
celícola [Do lat. *caelicola*.] *S. 2 g.* Habitante do céu.
celidônia *S. f. Bot.* V. *celidônia*. [Uso freq. em P.]
celidônia [Do lat. *chelidonia, i. e.*, *herba chelidonia*.] *S. f. Bot.* **1.** V. *quelidônia*. **2.** V. *solidônia* (1 e 2).
celidossauro [Do tax. *Scelidosaurus*.] *S. m. Paleont.* **1.** Gênero extinto de répteis ornitópodes, ornitísquios, que habitaram pântanos e charcos da Inglaterra no jurássico inferior; o comprimento ia de 1,20m a 3,60m e o peso, até 50kg. **2.** Espécie ou espécime desse gênero.
celífluo [Do lat. *caelifluu*.] *Adj.* Que dimana do céu.
celígena [Do lat. *caeligena*.] *Adj. 2 g.* Procedente do céu.

celinense *Adj. 2 g.* **1.** De, ou pertencente ou relativo a Celina (ES). ● *S. 2 g.* **2.** O natural ou habitante de Celina.

▲celi(o)- [Do gr. *koili(o)-* < gr. *koilía, as.*] ***El. comp.*** = 'cavidade'; 'abdome': *celiotomia.* [V. *cel(o)-* e *-célio.*]

célio [Do lat. *caeliu.*] ***Adj.*** Celeste, celestial: 📖 "Alma dormente, tumultuosa, vária, / Acorde de harpa misteriosa e célia." (Cruz e Sousa, *Últimos Sonetos,* p. 152.)

▲-célio [Adapt. do lat. cient. *-coela,* pl. do lat. cient. *-coelum* (v. *-io*[3]).] ***El. comp.*** us. em tax. de *Zool.* = 'que apresenta cavidade, ou tubo digestivo específico'; 'que apresenta intestino específico'; 'espécime de platelminto (ger. turbelário)': *acélio, dendrocélio, rabdocélio.* [Equiv.: *-celo*[1]: *anomocelo.* V. *cel(o)-* e *celi(o)-.*]

celioscopia [De *celi(o)-* + *-scop-* + *-ia*[1].] ***S. f. Med.*** Peritoneoscopia.

celioscópico [De *celioscopia* + *-ico*[2].] ***Adj.*** Relativo à celioscopia.

celioscópio [De *celi(o)-* + *-scópio.*] ***S. m. Med.*** Endoscópio com que se realiza a peritoneoscopia.

celiotomia [De *celi(o)-* + *-tom(o)-* + *-ia*[1].] ***S. f. Cir.*** Abertura da cavidade abdominal.

celiotómico *Adj.* V. *celiotômico.* [Uso freq. em P.]

celiotômico [De *celiotomia* + *-ico*[2].] ***Adj.*** Relativo à celiotomia.

celipotente [Do lat. *caelipotente.*] ***Adj. 2 g.*** Poderoso no céu.

celista [De *celo* + *-ista.*] ***S. 2 g.*** Pessoa que toca celo; violoncelista.

celo *S. m.* V. *violoncelo.*

▲cel(o)- [Do gr. *koîlos, ē, on.*] ***El. comp.*** = 'oco', 'cavo'; 'a veia cava'; 'vértebra côncava'; 'qualquer cavidade'; 'os intestinos', 'as vísceras': *celenterado.* [Equiv.: *-cele*[2], *-cel(o)-*, *-celo*[2]: *blastocele; acelia; talamocelo.* V. *celi(o)-* e *-célio.*]

▲celo- Equiv. de *cel(i)-.*

▲-cel(o)- V. *cel(o)-.*

▲-celo[1] [Adapt. do lat. cient. *-coela.*] V. *-célio.*

▲-celo[2] [Do gr. *-koilos* < gr. *koîlos, ē, on.*] V. *cel(o)-.*

celobiose [Comb. de *ce(lu)lo(se)* + *-biose.*] ***S. f. Quím.*** Dissacarídeo formado pela hidrólise parcial da celulose e que, hidrolisado, fornece duas moléculas de glicose.

celofane [Do fr. *cellophane* < fr. *cell(ulose)* + *-o-* + fr. *-phane* (= *-fane*).] ***S. m.*** Denominação comercial de folhas delgadas e transparentes, obtidas da viscose, e usadas no acondicionamento de mercadorias e para vários outros fins.

celofísis [Do tax. *Coelophysis.*] ***S. m. 2 n. Paleont.*** **1.** Gênero de dinossauros terópodes saurísquios, com cerca de 3m de comprimento, ossos ocos, cabeça pontuda e cauda grande e tb. pontuda. Viveram no triásico superior, e estão entre os mais antigos dinossauros conhecidos. **2.** Espécie ou espécime desse gênero.

celoma [Do gr. *koíloma.*] ***S. m.*** **1.** *Embr.* Cavidade que se forma no mesoderma durante a vida embrionária, situada entre a parede do corpo e os órgãos internos. **2.** *Med.* Espécie de úlcera da córnea transparente. ◆ **Celoma extraembrionário.** *Embr.* Aquele que se origina do mesoderma extraembrionário, envolvendo as vesículas amniótica e vitelínica e separando-as do trofoblasto. **Celoma intraembrionário.** *Embr.* Aquele que se origina do mesoderma intraembrionário constituindo, ulteriormente, as cavidades pleurais, pericárdica e peritonial.

celomado[1] [De *celoma* + *-ado*[1].] ***Adj. Zool.*** Que tem celoma (1).

celomado[2] [De *celoma* + *-ado*[3]; tax. *Coelomata.*] ***Zool. S. m.*** **1.** Espécime dos celomados, segundo certas classificações, grupo que compreende todos os animais, exceto as esponjas e os cnidários. ● ***Adj.*** **2.** Pertencente ou relativo a eles.

celoniquia [De *cel(o)-* + *-oniqu(i)-* + *-ia*[1].] ***S. f. Patol.*** Concavidade em unha.

celostato *S. m.* V. *celóstato.*

celóstato [De *celo-* + *-stato.*] ***S. m. Astr.*** Helióstato. [A pron. corrente é *celostato.*]

celsitude [Do lat. *celsitudine.*] ***S. f.*** Qualidade do que é celso: 📖 "Atravessou matas espessas, onde a celsitude das carnaúbas e dos jequitibás frondentes amortece o brilho da luz" (P.^e Júlio de Albuquerque, *Alma das Catedrais,* p. 108).

celsius [V. C. I., do antr. (*Anders*) *Celsius* (1701-1744), astrônomo sueco.] ***Adj. 2 g. e 2 n.*** ~ V. *escala* — e *grau* —. [Com cap.]

celso [Do lat. *celsu.*] ***Adj.*** **1.** Alto, elevado. **2.** Sublime, excelso.

celso-ramense ***Adj. 2 g.*** **1.** De, ou pertencente ou relativo a Celso Ramos (SC). ● *S. 2 g.* **2.** O natural ou habitante de Celso Ramos. [Pl.: *celso-ramenses.*]

celta [Do sing. do lat. *celtae* < gr. *kéltai.*] ***S. 2 g.*** **1.** Indivíduo dos celtas, povo indo-germânico que, saído do centro-sul da Europa em ondas sucessivas, se espalhou pelo S.E. da Espanha, Itália, Bretanha, Mar Negro, Bálcãs e Ásia Menor. ● *S. m.* **2.** *Gloss.* Ramo da família indo-europeia, constituído por línguas já extintas ou em via de desaparecimento. **3.** Vocábulo desse ramo. ● ***Adj. 2 g.*** **4.** Pertencente ou relativo ao celta (1 e 2). ◆ **Celta continental.** *Gloss.* Subgrupo do celta (2), composto por línguas do continente europeu, e que inclui o gaulês, o gálata e o celtibero. **Celta insular.** *Gloss.* **1.** Subgrupo do celta (2) composto por línguas das ilhas Britânicas e da Bretanha, e que inclui o gaélico, o britânico, o galês, o córnico, o címbrico e o manx. **2.** A língua de que teriam derivado as línguas célticas atuais.

celtibero (bé) [Do lat. *celtiberu.*] ***Adj.*** **1.** Da, ou pertencente ou relativo à Celtibéria, nome antigo da parte da Espanha que corresponde hoje ao Aragão e parte de Castela. ● *S. m.* **2.** O natural ou habitante da Celtibéria. **3.** *Gloss.* A língua dos celtiberos [v. *celta continental*]. [Os celtiberos resultaram da fusão dos celtas com os iberos.]

céltico [Do lat. *celticu.*] ***Adj.*** Dos celtas.

célula [Do lat. *cellula.*] ***S. f.*** **1.** *Biol.* Unidade estrutural e funcional básica dos seres vivos, composta, esquematicamente, por membrana, citoplasma e núcleo. **2.** *Biol. Citol.* Unidade estrutural e funcional, básica, dos seres vivos. **3.** *Aer.* Conjunto que inclui a fuselagem, carenagens de motor, superfícies aerodinâmicas e trem de pouso de uma aeronave. **4.** *Fís.* Num espaço de fase, região limitada e definida pelas coordenadas das partículas do sistema que estão no interior de intervalos dados. **5.** *Inform.* Unidade básica de armazenamento e manipulação de informações numa planilha eletrônica, identificada pela interseção de uma coluna e de uma linha, e que pode conter um texto, um número ou uma fórmula. **6.** *Mús.* Motivo melódico ou rítmico que pode aparecer isolado ou fazer parte de uma contextura temática. **7.** *Mús. Concr.* Conjunto sem repetição nem evolução que não apresenta os caracteres definidos da nota complexa. **8.** *Quím.* Pequeno recipiente, ger. de vidro, onde se coloca amostra ou solução a ser analisada e se introduz em espectrofotômetro ou outros instrumentos analíticos. **9.** Área delimitada, ou restrita, coberta por um transmissor de telefonia celular. **10.** Grupo de pessoas, organizado em função de um ideal ou objetivo comum: 📖 "Iossi .... ansiava por fazer contato com os comunistas. Queria que o grupo se transformasse numa célula atuante, pronta para a revolução" (Moacir Scliar, *Os Leopardos de Kafka,* p. 16) ◆ **Célula adiposa.** *Histol.* Célula grande, esférica ou ovoide, com citoplasma e núcleo deslocados para a periferia, e que armazena gordura em seu interior. **Célula de Kupffer.** *Histol.* Cada uma das células fagocitárias associadas às células de revestimento endotelial dos sinusoides [v. *sinusoide* (3)] hepáticos. **Célula de Leydig.** *Histol.* V. *célula intersticial do testículo.* **Célula de Purkinje.** *Histol.* Cada um dos neurônios em formato de frasco, com dendritos arborizados, encontrados somente no cerebelo. **Célula de Schwann.** *Citol.* Cada uma das células da neuróglia, no sistema nervoso periférico, que envolvem os axônios. **Célula de Sertoli.** *Histol.* V. *epiteliócito sustentador.* **Célula diploide.** *Biol.* A que apresenta dois conjuntos cromossômicos homólogos reunidos no mesmo núcleo. **Célula eletroquímica.** *Quím.* Dispositivo, ger. constituído por dois recipientes separados por membrana semipermeável, ou por placa de vidro poroso, no qual se efetuam reações ou medidas eletroquímicas. **Célula envoltória.** *Histol.* Célula cuja membrana plasmática forma a bainha de mielina (q. v.). **Célula ependimária.** *Histol.* Cada uma das células epiteliais que revestem as cavidades encefálicas e o canal medular, e está em contato imediato com o líquido cefalorraquiano encontrado nessas cavidades. **Célula eucariótica.** *Histol.* Célula que tem núcleo individualizado. **Célula fotelétrica.** *Eletrôn.* Dispositivo capaz de gerar uma corrente ou uma tensão elétrica, quando excitado por luz; fotocélula. **Célula fotemissiva.** *Eletrôn.* Célula fotelétrica em que os elétrons emitidos por uma superfície fotossensível, excitada por uma radiação eletromagnética, são capturados por um anodo. **Célula fotocondutiva.** *Eletrôn.* Dispositivo fotossensível cuja resistência elétrica varia com a luz que recebe, e constituído, em geral, por uma fina camada de um semicondutor colocada entre dois eletrodos. **Célula fotomultiplicadora.** *Eletrôn.* Fotomultiplicadora (1). **Célula fotovoltaica.** *Eletrôn.* Dispositivo fotossensível em que uma tensão é gerada por um efeito fotelétrico interno. **Célula germinativa.** *Biol.* V. *gameta.* **Célula germinativa primordial.** *Biol.* Célula precursora de gameta. **Célula gigante.** **1.** *Citol.* Qualquer célula, normal ou patológica, de tamanho grande. **2.** *Imun.* A que, por mecanismos diversos, como coalescência celular e divisão celular sem divisão citoplasmática, atinge tamanho grande, se apresenta com diversos núcleos, e de que há vários tipos, sendo encontrada, p. ex., como parte de reação inflamatória à presença de corpos estranhos. **Célula haploide.** *Biol.* A que só tem um conjunto cromossômico. **Célula intersticial do testículo.** *Histol.* Célula testicular, com função endócrina, secretora de hormônio sexual masculino; célula de Leydig (denom. ant.). **Célula mesenquimatosa.** *Histol.* Célula do tecido conjuntivo embrionário. **Célula mesenquimatosa indiferenciada.** *Histol.* Célula de tecido conjuntivo adulto com capacidade de originar qualquer outra célula conjuntiva; célula adventícia. **Célula mieloide.** *Histol.* Célula oriunda de célula-tronco homocitopoética, e da qual se origina eritrócito, granulócito, monócito e plaqueta. **Célula muscular.** *Histol.* Miócito. **Célula nervosa.** *Histol.* Neurônio. **Célula pironinófila.** *Histol.* V. *linfoblasto.* **Célula procariótica.** *Histol.* Aquela em que o material genético se localiza no citoplasma, e não no interior de um núcleo individualizado. **Célula reticular.** *Histol.* Célula de tecido hematopoético. **Célula solar.** *Eletrôn.* Fotocélula. **Célula somática.** *Citol.* Qualquer célula de um ser vivo à exceção das células germinativas. **Célula vegetativa.** *Histol.* Célula somática. **Célula trofoblástica.** *Embr.* Cada uma das células que formam a camada periférica do blastocisto.

célula-alvo [De *célula* + *alvo,* para traduzir o ingl. *target cell.*] ***S. f. Citol.*** Célula cuja membrana tem receptores específicos para determinados agentes (hormônio, droga, vírus, etc.). [Pl.: *células-alvos* e *células-alvo.*]

célula-filha ***S. f.*** Célula que resulta de divisão primária (usualmente sem referência a sexo). [Pl.: *células-filhas* e *células-filha.*]

célula-mãe ***S. f. Biol.*** Célula a partir da qual se forma outra, ger. de diferente tipo. [Pl.: *células-mães* e *células-mãe.*]

célula-ovo ***S. f. Biol.*** V. *zigoto.* [Pl.: *células-ovos* (ó) e *células-ovo.*]

celular [De *célula* + *-ar*[1].] ***Adj. 2 g.*** **1.** *Biol.* Que tem células; celulífero, celuloso. **2.** *Biol.* Que é formado de células. **3.** *Biol.* Relativo à célula. **4.** Relativo a cadeias penitenciárias: 📱 *sistema celular.* **5.** *Tec.* Diz-se de certos materiais com inúmeras cavidades dispersas, e que lembram as esponjas, e que podem ser macios ou rígidos. ~ V. *centro* —, *ciclo* —, *conjugação* —, *corpo* —, *diferenciação* —, *divisão* —, *fracionamento* —, *imunidade* —, *parede* —, *respiração* —, *segmentação* —, *telefone* —, *telefonia* — e *trofoblasto* —. ● *S. m.* **6.** Telefone celular.

celulase [De *celul(ose)* + *-ase.*] ***S. f. Quím.*** Enzima que transforma a celulose em celobiose.

célula-tronco ***S. f. Biol.*** Célula indiferenciada e que, em cultura, continua indefinidamente a se dividir, gerando outras células, capazes de originar qualquer tecido ou órgão. [Pl.: *células-troncos* (ô) e *células-tronco.*]

▲celul(i)- [Do lat. cient. *cellula.*] ***El. comp.*** = 'célula': *celuliforme, celulite.* [Equiv.: *-celul(i)-*: *fibrocelular.*]

▲-celul(i)- Equiv. de *celul(i)-.*

celulífero [De *celul(i)-* + *-fero.*] ***Adj.*** V. *celular* (1).

celuliforme [De *celul(i)-* + *-forme.*] ***Adj. 2 g.*** Que tem forma de célula.

celulífugo [De *celul(i)-* + *-fugo*[1].] ***Adj. Fisiol.*** ~ V. *impulso nervoso* —.

celulípeto [De *celul(i)-* + *-peto.*] ***Adj. Fisiol.*** ~ V. *impulso nervoso* —.

celulite [De *celul(i)-* + *-ite*[1].] ***S. f.*** **1.** *Med.* Inflamação difusa de tecido conjuntivo frouxo, devido a infecção, e que pode culminar em ulceração e abscesso. **2.** *Pop. Impr.* Gordura localizada, esp. nas nádegas e nas coxas.

celuloide (ói) [Do ingl. amer. *celluloid.*] ***S. m. ef.*** Substância fabricada com uma mistura de cânfora e nitrocelulose. É sólida, transparente, elástica, torna-se maleável pelo aquecimento, e usa-se para fins industriais. [Era us., p. ex., na fabricação de películas fotográficas e foi substituída pelo acetato de celulose, por ser muito inflamável.] ❖

celulose [Do fr. *cellulose.*] ***S. f. Quím.*** Polímero natural, encontrado nos vegetais, e constituído pela polimerização da celobiose, substância branca, fibrosa, usada na fabricação de papéis [fórm.: $(C_6H_{10}O_5)_n$].

celulósico [De *celulose* + *-ico*[2].] ***Adj.*** Celulótico.

celulosidade [De *celuloso* + *-(i)dade.*] ***S. f.*** Estado ou qualidade de celuloso.

celuloso (ô) [De *celulose* + *-oso.*] ***Adj.*** **1.** Dividido em células. **2.** V. *celular* (1). **3.** Diz-se dos seres que são formados por células.

celulótico [De *celul(ose)* + *-ótico.*] ***Adj.*** Referente à celulose; celulósico.

celurossáurio [Do tax. *Coelurosauria.*] ***Paleont. S. m.*** **1.** Espécime dos celurossáurios, ordem de pequenos dinossauros saurópodes, de até 1,80m de altura, leves, corredores, que se desenvolveram no triássico. Mantinham-se na posição bipedal, e habitavam as margens de rios e charcos na América do Norte. ● *Adj.* **2.** Pertencente ou relativo a eles.

cem[1] [De *cento*, com apócope originária de próclise.] ***Num.*** **1.** Quantidade que é uma unidade maior que 99; noventa mais dez. **2.** Número (4) correspondente a essa quantidade. [Nessa acepç., representa-se em algarismos arábicos por 100, e em algarismos romanos, por C.] **3.** Numerosos, muitos: *Já o adverti cem vezes, em vão.* **4.** Que está marcado ou identificado com o número 100. **5.** Centésimo. ● ***S. m.*** **6.** Representação, em algarismos, do número cem. **7.** Aquilo ou aquele que numa série ocupa o centésimo lugar. [Cf. *sem*, prep., e *Sem*, antr.] ◆ **Cem por cento.** Total ou completamente: *Ele estava cem por cento certo.* [Calque (2) do ingl. *one hundred per cent*, loc. us. pelo presidente norte-americano Theodore Roosevelt, em alusão ao cidadão sem ascendência estrangeira.]

cem[2] ***S. m.*** Medida linear indochinesa, equivalente a 400 metros. [Cf. *sem*, prep., e *Sem*, antr.]

cêmbalo ***S. m. Mús.*** V. *címbalo*[1].

cembreno [Do tax. (*Pinus*) *cembra* + *-eno*[2].] ***S. m. Quím.*** Qualquer de certos hidrocarbonetos insaturados, diterpenos cíclicos naturais cujas moléculas contêm um anel de quatorze átomos, e esp. um deles, com quatro ligações duplas [fórm.: $C_{20}H_{32}$].

cem-dobrar [De *cem*[1] + *dobrar*.] ***V. t. d. Bras.*** Centuplicar. [Pres. ind.: *cem-dobro*, etc. Cf. *cem-dobro* (ô).]

cem-dobro (ô) [De *cem*[1] + *dobro* (ô).] ***Bras. S. m.*** **1.** Cêntuplo (2). ● ***Adv.*** **2.** Em abundância. [Cf. *cem-dobro*, do v. *cem-dobrar*.]

cementação [De *cementar* + *-ção*.] ***S. f. Metal.*** Ato ou operação de cementar. [Cf. *cimentação*.]

cementado [Part. de *cementar*.] ***Adj. Metal.*** Diz-se do ferro carburado com base na região superficial. ~ V. *aço* —. [Cf. *cimentado* e *sementado*.]

cementar [De *cemento* + *-ar*[2].] ***V. t. d. Metal.*** Provocar a formação de uma liga pelo aquecimento dos constituintes a uma temperatura inferior à temperatura de fusão. [Cf. *sementar* e *cimentar*.]

cementita [De *cemento* + *-ita*[3].] ***S. f. Metal.*** Carbeto de ferro, ortorrômbico, muito duro, presente em certos aços e ferros fundidos [fórm.: Fe_3C].

cemento [Do lat. *cementu*.] ***S. m.*** **1.** Substância com que se rodeia um corpo a fim de cementá-lo. **2.** Qualquer substância com poder adesivo. **3.** *Histol.* Tecido conjuntivo, semelhante a tecido ósseo, que recobre a dentina ao nível da raiz. [Cf. *semento*, do v. *sementar*, e *cimento*, s. m.] ◆ **Cemento intercelular.** *Histol.* Material que mantém as células conglomeradas, esp. as epiteliais.

cementoblasto [De *cemento* + *-blasto*.] ***S. m. Histol.*** Célula presente no ligamento periodontal (q. v.), e que é responsável pela produção do cemento (3).

cementócito [De *cemento* + *-cito*.] ***S. m. Histol.*** Célula do cemento (3), que, como o osteócito, fica contida em lacuna, de onde envia múltiplos prolongamentos.

cementoma [De *cemento* + *-oma*[1].] ***S. m. Odont.*** Tumor odontogênico formado por cementoblastos.

cementopatia [De *cemento* + *-patia*.] ***S. f. Odont.*** Periodontite ou periodontose resultante de falha do cemento (3).

cementose [De *cemento* + *-ose*[1].] ***S. f. Odont.*** Proliferação patológica de células do cemento (3).

cem-folhas [De *cem*[1] + o pl. de *folha*.] ***S. f. 2 n. Bot.*** Planta rosácea (*Rosa centifolia*) dotada de acúleos esparsos, e de cujas flores se extrai o óleo de rosas, usado em perfumaria.

■ **Cemig** Sigla de *Companhia Energética de Minas Gerais.*

cemiterial [De *cemitério* + *-al*[1].] ***Adj. 2 g.*** Pertencente ou relativo a, ou próprio de cemitério: "E o aboio intermitente, ... era qualquer coisa a um só tempo suave e dorida, a espalhar sobre a roça devastada uma sensação cemiterial de paz." (Herberto Sales, *Além dos Marimbus*, p. 103.)

cemitério [Do gr. *koimetérion*, 'dormitório', pelo lat. *coemeteriu*.] ***S. m.*** **1.** Recinto onde se enterram e guardam os mortos. [Sin., alguns pop.: *báli*, *campo-santo*, *carneiro*, *cidade dos pés juntos*, *necrópole*, *sepulcrário*, *última morada*.] **2.** *P. ext.* Lugar onde se enterram animais. **3.** *Fig.* Lugar onde se depositam objetos já sem uso ou imprestáveis: *cemitério de automóveis.* ◆ **Cemitério de frangos.** *Pop. Joc.* Estômago. **Cemitério radioativo.** *Eng. Nucl.* Lugar destinado à estocagem de objetos radioativos não utilizáveis.

cemiterista [De *cemitério* + *-ista*.] ***S. 2 g.*** Proprietário de cemitério: "Os sócios da empresa e os que eram favoráveis ao projeto deles foram chamados de cemiteristas, e tinham a antipatia de toda a população." (Ana Maria Gonçalves, *Um Defeito de Cor*, p. 560.)

cempasso [De *cem*[1] + *passo*.] ***S. m. Bras.*** Medida de superfície com 100 passos em quadro.

cena [Do gr. *skené*, pelo lat. *scena*.] ***S. f.*** **1.** *Teatr.* Nos antigos teatros gregos e romanos, o espaço de representação coberto, situado ao fundo, atrás do proscênio. **2.** *Teatr.* O palco. **3.** *Teatr.* Nos palcos, o principal espaço de representação. **4.** *Teatr.* V. *cenário*[1] (1). **5.** *Teatr.* A arte teatral; a arte do espetáculo; o drama. **6.** *Teatr.* Qualquer marcação ou diálogo dos atores. **7.** *Teatr.* Cada uma das unidades de ação duma peça, cuja divisão se faz segundo as entradas ou saídas dos atores; cena francesa. **8.** Cada uma das situações ou lances no decorrer da evolução da intriga de uma peça, filme, novela, romance, etc.; episódio. **9.** *Cin. Telev.* Parte de um filme com unidade de espaço e tempo, composta por um ou mais planos [v. *plano* (17)]; sequência. **10.** Acontecimento dramático, ou cômico. **11.** Ato mais ou menos censurável ou escandaloso. **12.** Panorama, paisagem. [Cf. *sena*.] ◆ **Cena cômica.** A comédia. **Cena francesa.** Cena (7). **Cena lírica.** A ópera. **Cena muda. 1.** *Teatr.* A que se passa entre duas ou mais pessoas que se expressam por gestos. [Cf. *pantomima* (1 e 2).] **2.** Cinema mudo. **Cena trágica.** A tragédia. **Entrar em cena. 1.** *Teatr.* Entrar no palco para representar. **2.** *Fig.* Aparecer num lugar ou num ambiente: "quando éramos só nós — os de casa — a negra Eulália entrava mais uma vez em cena, com bolinhos, leite, biscoitos e café." (Sérgio Porto, *A Casa Demolida*, p. 26). **Fazer cenas.** Provocar escândalo, armar uma confusão. **Fazer uma cena.** Protestar ou discutir em voz alta, sobretudo diante de terceiros. **Ir à cena.** *Teatr.* Ser levado à representação (qualquer peça dramática). **Levar à cena.** *Teatr.* V. *pôr em cena*. **Pisar a cena.** Representar. **Pôr em cena.** Fazer representar uma peça de teatro; encenar; levar à cena: "E sentia o que quer que era do prazer exclusivista, egoístico, do rei Luís da Baviera, a assistir em um teatro vazio .... a uma ópera de Wagner, majestosamente posta em cena." (Júlio Ribeiro, *A Carne*, p. 225). **Roubar a cena.** *Cin. Teatr. Telev.* **1.** Representar tão bem um papel que os demais atores passam despercebidos. **2.** *Fig.* Brilhar mais do que os outros num esporte, reunião, etc. **Sair de cena.** *Teatr.* **1.** Deixar o palco. **2.** Deixar de ser representada (uma peça); sair de cartaz. **3.** *Fig.* Ir embora; retirar-se. **4.** Deixar de exercer trabalho, cargo ou função.

▲**-cena** V. *cen(o)-*[1].

cenáculo [Do lat. *coenaculu*.] ***S. m.*** **1.** *Ant.* Sala em que se comia a ceia ou o jantar. **2.** *P. ext.* Refeitório. **3.** *Rel.* Lugar onde Cristo teve a última ceia com seus discípulos. **4.** Ajuntamento de indivíduos que professam as mesmas ideias ou visam a um mesmo fim. [Cf. *senáculo*.] **5.** Círculo (8) fechado, de escritores, artistas, etc. e em que é limitado o ingresso de estranhos.

cenanto [Do gr. *schoínanthon*, pelo lat. *schoenanthu*.] ***S. m. Bot.*** Hipantódio.

cenário[1] [Do it. *scenario*.] ***S. m.*** **1.** *Teatr.* Conjunto dos diversos materiais e efeitos cênicos (telões, bambolinas, bastidores, móveis, luzes, formas e cores), que serve para criar a realidade visual ou a atmosfera dos locais onde decorre a ação dramática. [Sin.: *cena*, *cenografia*, *dispositivo cênico* e (fr.) *décor*.] **2.** *Teatr.* V. *teatro*: "Sarah Bernhardt nos traz assim uma forma desconhecida do belo, ... como traz uma língua que ainda não foi ouvida em nosso cenário." (Joaquim Nabuco, *Escritos e Discursos Literários*, pp. 39-40.) **3.** Conjunto de vistas apropriadas aos fatos representados. **4.** Lugar onde ocorre algum fato, ou onde decorre a ação, ou parte da ação, de uma peça, romance, filme, etc. **5.** Panorama, paisagem. **6.** *Fig.* Modelo para análise, construído a partir de indicadores sociais, econômicos, políticos, etc. referentes a determinado período histórico. [Cf., nesta acepç., *panorama* (3).] **7.** Conjunto de elementos que compõem o espaço criado para realização de um espetáculo artístico, filme cinematográfico ou programa de televisão. **8.** *Adm.* Ambiente de negócios, conforme percebido ou imaginado pelos estrategistas de uma organização. Ao se realizar o planejamento estratégico, normalmente se trabalha com pelo menos três cenários: pessimista, intermediário e otimista, para se projetar como seria o desempenho da organização no caso de se configurar cada uma dessas situações. [Cf. *senário*.]

cenário[2] [De *ceia* < lat. *coena* + *-ário*, seg. o padrão erudito.] ***Adj.*** Relativo a ceia; cenatório. [Cf. *senário*.]

cenarista [De *cenário* + *-ista*.] ***S. 2 g. P. us.*** V. *cenógrafo*.

cenatório [Do lat. *coenatoriu*.] ***Adj.*** Cenário[2]. [Cf. *senatório*.]

cendal [Do b.-lat. *cendalu*, pelo ár. e pelo gr. *sindón*.] ***S. m.*** **1.** *Tec. Têx.* Tecido fino e transparente. **2.** Véu para o rosto ou para o corpo inteiro: "C'um delgado cendal as partes cobre / De quem vergonha é natural reparo, / Porém nem tudo esconde, nem descobre / O véu, dos roxos lírios pouco avaro" (Luís de Camões, *Os Lusíadas*, II, 37).

cendrado [Do esp. *cendrado*.] ***Adj.*** **1.** Que tem cor de cinza: "longa figura insinuante, de cabelo cendrado e olhos negros" (Abel Botelho, *Próspero Fortuna*, p. 184); "Cendrada luz enegrecendo o dia, / tão pálida nos longes dos telhados!" (Jorge de Sena, *Versos e Alguma Prosa*, p. 47). **2.** Apurado, acrisolado, acendrado.

cenestesia [De *cen(o)-*[2] + *-estes(i)-* + *-ia*[1].] ***S. f. Neur.*** **1.** Sensação que o indivíduo experimenta, conscientemente, de sua existência. **2.** Sensação que tem o indivíduo de que todas as suas funções orgânicas estão normais. [Cf. *cinestesia* e *sinestesia*.]

cenestésico [De *cenestesia* + *-ico*[2].] ***Adj.*** Pertencente ou relativo à cenestesia.

cenho [Do esp. *ceño*.] ***S. m.*** **1.** Aspecto ou rosto severo, carrancudo. **2.** Rosto, semblante: "quando a porta se fechou e os gritos continuaram, ele viu Maria franzir o cenho, contrariada, até que a porta foi reaberta" (Maria Alice Barroso, *Um Nome para Matar*, p. 305). **3.** *Veter.* Doença entre o casco e o pelo das cavalgaduras. [Pl.: *cenhos*. Cf. *senhos*.]

cenhoso (ô) [De *cenho* + *-oso*.] ***Adj.*** Carrancudo (1): "A máscara d'ébano cenhosa enrugou-se no trejeito simiesco de ira." (Alberto Rangel, *Sombras n'Água*, p. 166.)

cenhudo [De *cenho* + *-udo*.] ***Adj.*** Que tem o cenho, o semblante fechado; carrancudo.

cénico ***Adj. Teatr. Cin.*** V. *cênico*. [Uso freq. em P.]

cênico [Do gr. *skenikós*, pelo lat. *scenicu*.] ***Adj. Cin. Teatr.*** Relativo à cena. [Fem.: *cênica*. Cf. *sênica*.] ~ V. *convenção* —*a*, *dispositivo* — e *jogo* —.

cenismo [Do gr. *koinismós*.] ***S. m.*** Emprego vicioso de vocábulos de vários idiomas na mesma obra ou discurso. [Cf. *cinismo*.]

ceno [Do lat. *coenu*.] ***S. m. Desus.*** Lodaçal, atoleiro. [Cf. *seno*.]

▲**cen(o)-[1]** [Do gr. *kenós*, *ḗ*, *ón*.] ***El. comp.*** = 'vazio', 'vácuo': *cenologia*[2]. [Equiv.: *-cen(o)-*[1], *-cena*: *litocenose*; *lepicena*.]

▲**cen(o)-[2]** [Do gr. *koinós*, *ḗ*, *ón*.] ***El. comp.*** = 'comum', 'público'; 'que vive em comunidade': *cenobiose*, *cenologia*[1]. [Equiv.: *-cen(o)-*[2], *-ceno*[2]: *biocenose*, *abioceno*.]

▲**cen(o)-[3]** [Do gr. *kainós*, *ḗ*, *ón*.] ***El. comp.*** = 'novo', 'moderno', 'recente': *cenozoico*. [Equiv.: *-ceno*[1]: *oligoceno*, *holoceno*.]

▲**cen(o)-[4]** [Do gr. *skēnḗ*, *ês*.] ***El. comp.*** = 'cena': *cenoplastia*, *cenotécnica*.

▲**-cen(o)-[1]** V. *cen(o)-*[1].

▲**-cen(o)-[2]** V. *cen(o)-*[2].

▲**-ceno[1]** Equiv. de *cen(o)-*[3].

▲**-ceno[2]** V. *cen(o)-*[2].

cenóbio [Do gr. *koinóbion*, 'lugar onde se vive em comum', pelo lat. tard. *coenobiu*.] ***S. m.*** **1.** Habitação de monges [v. *convento* (1)]: "Os princípios da biografia do frade são obscuros. Faz-se franciscano e retira-se ao cenóbio de Castagnar" (Oliveira Martins, *História da Civilização Ibérica*, p. 231). **2.** *Biol.* Colônia de algas unicelulares cujo número de indivíduos é determinado durante sua formação; tem arranjo específico e comporta-se como uma unidade. **3.** *Bot. Desus.* Fruto que se separa em partes ao atingir a maturidade, como ocorre nas lamiáceas e boragináceas.

cenobionte [De *cen(o)-*[2] + *-bionte*.] ***Adj. 2 g. Biol.*** Que vive em cenobiose.

cenobiose [De *cen(o)-*[2] + *-bi(o)-* + *-ose*[1].] ***S. f.*** **1.** Vida em conjunto, em comum. **2.** *Biol.* Agrupamento de indivíduos da mesma espécie, mas sem órgão ou substrato comum.

cenobiótico [De *cenóbio* + *-ótico*.] ***Adj.*** Pertencente ou relativo a cenóbio.

cenobismo ***S. m.*** Vida de cenobita.

cenobita [Do lat. *coenobita*.] ***S. 2 g.*** **1.** Monge que leva vida em comum com outros. **2.** *P. ext.* Indivíduo que leva vida retirada, mas em comum com outros que têm seus mesmos interesses, princípios ou prerrogativas. [Cf. nas acepç. 1 e 2, *anacoreta*.] **3.** *Zool.* Crustáceo decápode, macruro, das costas das Antilhas, de abdome muito alongado; apresenta comportamento semelhante ao dos paguros: procura uma concha vazia, onde se abriga para proteger as partes moles.

cenobítico [De *cenobita* + *-ico*[2].] ***Adj.*** De, ou pertencente ou relativo a cenobita.

cenobitismo [De *cenobita* + *-ismo*.] ***S. m.*** Estado ou modo de vida de cenobita.

cenocítico [De *cen(o)-*[1] + *-cit(o)-* + *-ico*[2].] ***Adj. Biol.*** Relativo a cenócito.

cenócito [De *cen(o)-*[2] + *-cito*.] ***S. m. Biol.*** Massa protoplasmática multinucleada formada pela divisão do núcleo de uma célula, não seguida de citocinese.

cenofilia [De *cen(o)-*[1] + *-filia*.] ***S. f.*** Atração por lugares amplos e desérticos.

cenofílico [De *cenofilia* + *-ico*[2].] ***Adj.*** **1.** Relativo a cenofilia. **2.** Que tem cenofilia; cenófilo. ● ***S. m.*** **3.** Aquele que tem cenofilia; cenófilo.

cenófilo [De *cen(o)-*[1] + *-filo*[2].] ***Adj. S. m.*** Cenofílico (2 e 3).

cenofobia[1] [De *cen(o)-*[1] + *-fobia*.] ***S. f. Psiq.*** Medo patológico de grandes espaços abertos. [Cf. *cenofobia*[2].]

cenofobia[2] [De *cen(o)-*[3] + *-fobia*.] *S. f. Psiq.* Medo patológico de coisas novas; cenotofobia, neofobia. [Cf. *cenofobia*[1].]

cenofóbico[1] [De *cenofobia*[1] + *-ico*[2].] *Psiq. Adj.* **1.** Relativo a cenofobia[1]. **2.** Que sofre de cenofobia[1]; cenófobo. ● *S. m.* **3.** Aquele que sofre de cenofobia[1]; cenófobo.

cenofóbico[2] [De *cenofobia*[2] + *-ico*[2].] *Psiq. Adj.* **1.** Relativo a cenofobia[2]. **2.** Que sofre de cenofobia[2]; cenófobo, cenotófobo, neófobo. ● *S. m.* **3.** Aquele que sofre de cenofobia[2]; cenófobo, cenotófobo, neófobo. [Sin. ger.: *cenotofóbico, neofóbico*.]

cenófobo[1] [De *cen(o)-*[1] + *-fobo*.] *Adj. S. m. Psiq.* Cenofóbico[1] (2 e 3).

cenófobo[2] [De *cen(o)-*[3] + *-fobo*.] *Adj. S. m. Psiq.* V. *cenofóbico*[2] (2 e 3). [Sin. ger.: *cenotófobo, neófobo*.]

cenografar [De *cenograf(ia)* + *-ar*[2].] *V. t. d.* Executar a cenografia de.

cenografia [Do gr. *skenographía*, pelo lat. *scenographia*.] *S. f. Cin. Teatr. Telev.* **1.** Arte e técnica de projetar e dirigir a execução de cenários; cenoplastia. **2.** Cenário[1] (1). [Cf. *cinografia* e *senografia*.]

cenográfico [Do gr. *skenographikós*.] *Adj.* Pertencente ou relativo à cenografia; cenoplástico. [Cf. *cinográfico* e *senográfico*.]

cenografista [De *cenografia* + *-ista*.] *S. 2 g.* Cenógrafo.

cenógrafo [Do gr. *skenográphos*.] *S. m. Cin. Teatr. Telev.* Especialista em cenografia. [Sin. (p. us.): *cenarista*.]

cenoira *S. f. Bot.* V. *cenoura*.

cenolestídeo [Do tax. *Caenolestes* (< gr. *kainós*, v. *cen(o)-*[3], + gr. *leistés*, 'ladrão') + *-ídeo*[1]; tax. *Caenolestidae*.] *Zool. S. m.* **1.** Espécime dos cenolestídeos, família de animais mamíferos, marsupiais, da região andina. Têm cabeça pontiaguda, o primeiro e o quinto dedo muito mais curtos que os demais, cauda muito longa, e aspecto geral de um rato. São relativamente raros. ● *Adj.* **2.** Pertencente ou relativo a eles.

cenologia[1] [De *cen(o)-*[2] + *-logia*.] *S. f.* Conferência entre médicos. [Cf. *cinologia* e *sinologia*.]

cenologia[2] [De *cen(o)-*[1] + *-logia*.] *S. f.* Parte da física que trata do vácuo. [Cf. *cinologia* e *sinologia*.]

cenológico [De *cenologia*[2] + *-ico*[2].] *Adj.* Pertencente ou relativo à cenologia[2]. [Cf. *cinológico* e *sinológico*.]

cenoplastia [De *cen(o)-*[4] + *-plast(o)-* + *-ia*[1].] *S. f. Teatr.* Cenografia (1).

cenoplástico [De *cenoplastia* + *-ico*[2].] *Adj.* Referente à cenoplastia; cenográfico.

cenose [Do gr. *kenósis*, 'esvaziamento'.] *S. f. Med.* Eliminação, em caráter patológico, de material proveniente do organismo.

cenosidade [Do lat. *coenositate*.] *S. f.* **1.** Qualidade ou caráter de cenoso; lodo, imundície. **2.** *Fig.* Obscenidade, imoralidade.

cenoso (ô) [Do lat. *coenosu*.] *Adj.* **1.** Lodoso, imundo. **2.** *Fig.* Obsceno, imoral.

cenotáfio [Do gr. *kenotáphion*, pelo lat. *cenotaphiu*.] *S. m.* Monumento fúnebre erigido à memória de alguém, mas que não lhe encerra o corpo: "O assombroso .... é a confiança deste povo [o inglês] que vai para a frente, parando, quando muito, para saudar de soslaio o cenotáfio do soldado que o defendeu com a máscara do incógnito." (Alberto Rangel, *Papéis Pintados*, p. 114.)

cenote [Do esp. *cenote*, de or. maia.] *S. m.* **1.** Poço natural, formado lentamente pela chuva em solo calcário. **2.** Cenote (1) sagrado, onde os maias atiravam vítimas de sacrifício humano.

cenotecálio [Do tax. *Coenothecalia*.] *Zool. S. m.* **1.** Espécime dos cenotecálios, ordem de corais coloniais, antozoários, que incluem os corais-azuis (*Heliopora*), comum nos recifes coralinos da região indo-pacífica. ● *Adj.* **2.** Pertencente ou relativo a eles.

cenotecário [De *cen(o)-*[1] + *-tec(o)-* + *-ário*.] *Adj. Zool.* Diz-se de animal, geralmente cnidário, que habita os corredores ou tubos furados pelos meios naturais nas rochas calcárias.

cenotécnica [De *cen(o)-*[4] + *técnica*.] *S. f. Cin. Teatr. Telev.* Técnica de executar e fazer funcionar cenários e demais dispositivos cênicos.

cenotécnico [De *cenotécnica*, com var. suf. (v. *-ico*[2]).] *Adj.* **1.** *Teatr.* Relativo à cenotécnica. ● *S. m.* **2.** *Teatr.* Especialista em cenotécnica.

cenótico [De *cen(ose)* + *-ótico*.] *Adj.* Relativo à cenose.

▲**cenoto-** [Do gr. *kainótēs, ētos*.] *El. comp.* = 'novidade'; 'inovação': *cenotofobia, cenotófobo*.

cenotofobia [De *cenoto-* + *-fobia*.] *S. f. Psiq.* V. *cenofobia*[2].

cenotofóbico [De *cenotofobia* + *-ico*[2].] *Adj. S. m. Psiq.* V. *cenofóbico*[2].

cenotófobo [De *cenoto-* + *-fobo*.] *Adj. S. m. Psiq.* V. *cenofóbico*[2] (2 e 3).

cenoura [Do ár. dialetal *sannaria* < ár. vulg. *isfanārya(t)* < gr. *staphylínos*, 'cenoura', e gr. *agriás*, 'selvagem'.] *S. f.* **1.** *Bras. Bot.* Planta apiácea (*Daucus carota*) de raiz aromática, comestível, alongada, e de cor alaranjada ou alvacenta, flores alvas ou amarelo-pálidas, sendo uma vermelho-escura e maior que as outras, e fruto ovoide, revestido de pelos alvos e ásperos. **2.** Essa raiz. [Var.: *cenoira*.]

cenozoico (ói) [De *cen(o)-*[3] + *-zoico*.] *Adj.* **1.** ~ V. *era —a*. ● *S. m.* **2.** *Geol.* Era cenozoica. ❖

■ **Cenpes** Sigla de *Centro de Pesquisas da Petrobras*.

cenrada [Do lat. **cinerata*, 'feita com cinza'.] *S. f.* V. *barrela*.

cenreira *S. f. Pop.* **1.** Teimosia, obstinação. **2.** Briga, rixa.

censatário [De *censitário*, com assimilação.] *Adj. S. m.* Que, ou aquele que pagava censo (3); censitário, censionário.

censionário [Do lat. *censione* + *-ário*.] *Adj. S. m.* V. *censatário*.

censitário [Do lat. *censitus* + *-ário*.] *Adj.* **1.** Censual. **2.** V. *censatário*. ● *S. m.* **3.** V. *censatário*.

censo [Do lat. *censu*.] *S. m.* **1.** Conjunto dos dados estatísticos dos habitantes de uma cidade, província, estado, nação, etc., com todas as suas características; censo demográfico, recenseamento. **2.** *Ant.* Rendimento que serve de base ao exercício de certos direitos. **3.** Pensão anual que o enfiteuta pagava ao senhorio pela posse de uma terra ou em razão de um contrato. [Cf. *senso*.] ◆ **Censo demográfico.** V. *censo* (1).

censor (ô) [Do lat. *censore*.] *S. m.* **1.** Aquele que censura. **2.** Crítico (7). **3.** Funcionário público encarregado da revisão e censura de obras literárias ou artísticas, ou da censura aos meios de comunicação de massa: jornais, rádio, etc. **4.** Entre os romanos, magistrado que recenseava a população e velava pelos bons costumes. **5.** *Bras.* Bedel (1). **6.** *Psican.* A parte do inconsciente, *i. e.*, o superego, que funciona como guarda, a fim de impedir que o material recalcado surja na consciência. [Cf. *sensor*.]

censório [Do lat. *censoriu*.] *Adj.* De, ou pertencente ou relativo a censor ou a censura. [Cf. *sensório*.]

censual [Do lat. *censuale*.] *Adj. 2 g.* Do, ou pertencente ou relativo ao censo; censuário, censitário. [Cf. *sensual*.]

censualista [De *censual* + *-ista*.] *S. 2 g.* Recebedor de censos. [Cf. *sensualista*.]

censuário [Do lat. *censuariu*.] *Adj.* **1.** V. *censual*. ● *S. m.* **2.** Rendeiro[1] (1).

censuente [De *censo*, com formação irreg.] *S. 2 g. Ant.* Pessoa que recebia o censo (3), no contrato de constituição de renda; censitário, censionário.

censura [Do lat. *censura*.] *S. f.* **1.** Ato ou efeito de censurar. **2.** Cargo ou dignidade de censor. **3.** Exame crítico de obras literárias ou artísticas; crítica. **4.** Exame de qualquer texto de caráter artístico ou informativo, feito por censor (3), a fim de autorizar sua publicação, exibição ou divulgação. **5.** *P. ext.* Corporação encarregada do exame de obras submetidas à censura. **6.** Condenação, reprovação, crítica. **7.** V. *repreensão* (1). **8.** *Rel.* Condenação eclesiástica de certas obras.

censurado [Part. de *censurar*.] *Adj.* **1.** Que foi objeto de censura; criticado, verberado. **2.** Que se cortou ou se eliminou (obra, publicação, etc.), por exigência do censor: *cenas censuradas*.

censurador (ô) [De *censurar* + *-dor*.] *Adj. S. m.* Que, ou aquele que censura.

censurar [De *censura* + *-ar*[2].] *V. t. d.* **1.** Exercer censura (3, 4 e 8) sobre. **2.** Proibir a divulgação, ou a execução de. **3.** Fazer corte(s) em. **4.** Criticar; notar: *Leu a carta censurando os erros*. **5.** Fazer reparos sobre falha, defeito, omissão, etc. em; condenar, reprovar: *Não lhe importa que censurem o seu comportamento livre*. **6.** Admoestar com energia; repreender. **7.** Demonstrar reprovação, crítica, ou ressentimento, por meio de gesto, olhar, etc.: *Fitou-o perplexo e, censurando-o com os olhos, saiu*. *T. d. e i.* **8.** Reprochar, exprobrar: *Censurou ao filho o mau comportamento*. **9.** Proibir (filme, livro, etc.): *Censurou o filme para menores de catorze anos*.

censurável [De *censurar* + *-vel*.] *Adj. 2 g.* Que merece censura.

centafolho (ô) *S. m. Pop. Zool.* V. *folhoso* (2).

centão [Do lat. *centone*.] *S. m.* **1.** Manta de retalhos, ou esfarrapada. **2.** Cobertura de peças de artilharia. **3.** Composição poética ou musical formada de versos ou melodias de vários autores [cf. *pot-pourri*], ou de um só autor: "Fazem [os poetas barrocos brasileiros] centões, em geral extraindo e combinando versos dos *Lusíadas*" (Péricles Eugênio da Silva Ramos, *Do Barroco ao Modernismo*, p. 19); *O poema "Antologia", de Manuel Bandeira, é um centão feito de versos seus*.

centáurea [Do lat. *centaurea*; tax. *Centaurea*.] *S. f. Bot.* **1.** Grande gênero de plantas asteráceas nativas do Velho Mundo mas hoje em dia largamente cultivadas como ornamentais, e que se caracterizam pelos capítulos formados por flósculos tubuliformes, ger. azuis, e folhas tomentosas. **2.** Qualquer espécie desse gênero, algumas aromáticas, como, p. ex., a *Centaurea cyanus* (v. *escovinha*). **3.** Qualquer espécime desse gênero.

centáurea-menor *S. f. Bot.* Erva gencianácea (*Erythraea centaurium*) herbácea, medicinal; quebra-febre, alfinete. [Pl.: *centáureas-menores*.]

centauro [Do gr. *kéntauros*, pelo lat. *centauru*.] *S. m.* **1.** Monstro fabuloso, metade homem e metade cavalo. **2.** *Astr.* Constelação austral, cuja estrela mais brilhante é Alfa do Centauro. [Com cap., nesta acepç.] ~ V. *centauros*. ◆ **Próxima do Centauro.** *Astr.* Estrela do Centauro (2), a segunda mais próxima da Terra. [Com cap. V. *Sol*[1] (1).]

centauros *S. m. pl. Astr.* Asteroides provenientes do anel de Kuiper (q. v.), que se deslocam em direção ao interior do sistema solar. ~ V. *centauro*.

centavo [De *cento* + *avo*.] *S. m.* **1.** A centésima parte. **2.** Centésimo. **3.** Moeda divisionária que representa a centésima parte do real[2] (4) e de várias outras moedas. [Cf., nesta acepç., *centésimo* (5) e *cêntimo*.]

centeal [De *centeio* + *-al*[1].] *S. m.* Seara de centeio.

centeio [Do lat. *centenu*.] *S. m.* **1.** *Bot.* Erva poácea (*Secale cereale*), de raiz capilar e colmo ereto, flores hermafroditas dispostas em espigas, que se usa no fabrico de pães e bolos, e substitui a cevada na fabricação da cerveja. ● *Adj.* **2.** Feito de centeio (1): "Alá para a aldeia, por manhãs sonoras, / Mordiscando a côdea do seu pão centeio" (Guerra Junqueiro, *Os Simples*, p. 80).

centeio-espigado *S. m. Bot.* V. *cravagem*. [Pl.: *centeios-espigados*.]

centelha (ê) [Do esp. *centella*.] *S. f.* **1.** Partícula ígnea ou luminosa que se desprende dum corpo incandescente; chispa, fagulha. **2.** Luz viva resultante do choque de dois corpos duros, ou de um corpo eletrizado; chispa, fagulha. **3.** *Fig.* Aquilo que brilha momentaneamente. **4.** *Fig.* Inspiração, lampejo. **5.** *Eletr.* Descarga elétrica disruptiva num dielétrico, acompanhada, em geral, de emissão de luz, e de ondas sonoras.

centelhador (ô) [De *centelhar* + *-dor*.] *S. m. Eng. Elétr.* Dispositivo destinado a controlar as sobretensões através do ajuste do espaçamento entre dois eletrodos, um ligado à fase e outro à terra.

centelhante [De *centelhar* + *-nte*.] *Adj. 2 g.* Que centelha; cintilante: "Os castelos e os parques saíam maiores da boca dele [José Dias]...., e a abóbada celeste contava alguns milhares mais de estrelas centelhantes." (Machado de Assis, *Dom Casmurro*, p. 69); "D.ª Leonor, cujos olhos centelhantes .... revelavam mais ódio que terror, lançou-lhe um olhar de desprezo" (Alexandre Herculano, *Lendas e Narrativas*, I, pp. 82-83).

centelhar [De *centelha* + *-ar*[2].] *V. int.* **1.** Luzir como centelha: "as pupilas centelham de curiosidade e devoção entre o livro santo e o bigode do pecado." (Machado de Assis, *Histórias sem Data*, p. 4). **2.** Luzir rapidamente; cintilar. [Conjug.: v. *aparelhar*.]

centena [Do lat. *centena*.] *S. f.* **1.** *Mat.* Conjunto de cem quantidades; cento, centúria, centenar. **2.** *Mat.* Unidade de terceira ordem, no sistema decimal de numeração. **3.** *Bras.* Na loteria (1), jogo do bicho, etc., qualquer dos números de três algarismos.

centenar *S. m.* **1.** V. *centena* (1). ● *Adj. 2 g.* **2.** Centenário (7).

centenariense *Adj. 2 g.* **1.** De, ou pertencente ou relativo a Centenário do Sul (PR). ● *S. 2 g.* **2.** O natural ou habitante de Centenário do Sul.

centenário [Do lat. *centenariu*.] *S. m.* **1.** Homem que atingiu cem ou mais anos; macróbio. **2.** Centurião. **3.** Espaço de cem anos; século, centúria. **4.** Transcurso e/ou comemoração do centésimo aniversário de pessoa, instituição ou acontecimento. ● *Adj.* **5.** Que tem cem anos, ou aproximadamente essa idade: *árvore centenária*. **6.** Que encerra o número cem. **7.** Relativo a cem; centenar. **8.** Cêntuplo, centuplicado.

centenoso (ô) [Do lat. *centenum*, 'centeio', + *-oso*.] *Adj.* **1.** Que produz centeio. **2.** Semelhante ao centeio.

➔**center-forward** ['sentə- 'fɔːwəd] [Ingl.] *S. m. Fut. Desus.* V. *forward*.

➔**center-half** ['sentə- hæf] [Ingl.] *S. m. Fut. Desus.* V. *cabeça de área*.

▲**-centese** [Do lat. cient. *centesis* < gr. *kéntēsis, eōs*, 'ação de aguilhoar'.] *El. comp.* = 'punção': *raquicentese, toracocentese*.

centesimal [De *centésimo* + *-al*[1].] *Adj. 2 g.* **1.** Diz-se da divisão em cem partes iguais. **2.** Relativo a centésimo. ~ V. *escala —, grau — e temperatura —*.

centésimo [Do lat. *centesimu*.] *Num.* **1.** Ordinal e fracionário correspondente a cem. **2.** O último de uma série de cem. **3.** O último de uma série numerosa e indeterminada: *Este é o centésimo aviso que te dou*. ● *S. m.* **4.** A centésima parte; centavo. **5.** *Econ.* Moeda divisionária que representa a centésima parte do peso uruguaio e do peso chileno. [Cf., nesta acepç., *centavo* (3) e *cêntimo*.]

▲centi-[1] [Do lat. *centum.*] ***El. comp.*** = 'cento', 'cem': *centímano* (< lat.).

▲centi-[2] ***Pref.*** Anteposto ao nome de uma unidade de medida, forma o nome de uma unidade derivada igual a 100 vezes menor que a primeira: *centímetro, centilitro*. [Abrev.: *c*.]

centiare [Do fr. *centiare.*] ***S. m.*** Unidade agrária de superfície, equivalente ao metro quadrado; a centésima parte do are.

centifólio [Do lat. *centifoliu.*] ***Adj.*** Que tem cem folhas.

centigrado [De *centi-*[2] + *-grado*[2].] ***S. m.*** *Geom.* A centésima parte do grado[2] (1). [Cf. *centígrado.*]

centígrado [De *centi-*[2] + *grado*[2].] ***S. m.*** *Fís.* Um grau, na escala de temperatura centesimal. [Cf. *centigrado.*] ~ V. *escala —a, grau —* e *temperatura —a.*

centigrama [De *centi-*[2] + *grama*[2].] ***S. m.*** Unidade de massa, equivalente à centésima parte do grama[2]. [Cf. *cintigrama.*]

centil [De *centi-*[1] + *-il*[1].] ***S. m.*** **1.** *Estat.* Qualquer das separatrizes duma distribuição de frequências que dividem a área da distribuição em domínios de área igual a múltiplos inteiros dum centésimo desta área; percentil. ● ***Adj. 2 g.*** **2.** ~ V. *amplitude —* e *intervalo —.*

centilitro [De *centi-*[2] + *litro.*] ***S. m.*** Unidade de capacidade, equivalente à centésima parte do litro.

centímano [Do lat. *centimanu.*] ***Adj.*** Que tem cem mãos.

centimetragem [De *centímetro* + *-agem*[2].] ***S. f.*** **1.** Medida em centímetros. **2.** *Prop.* Espaço ocupado por anúncio publicado em jornal, expresso em colunas (largura) por centímetros (altura). [Cf. *espaço* (10).]

centimétrico [De *centímetro* + *-ico*[2].] ***Adj.*** **1.** Relativo a centímetro. **2.** Dividido ou graduado em centímetros. ~ V. *onda —a.*

centímetro [De *centi-*[2] + *-metro.*] ***S. m.*** *Fís.* Unidade de medida de comprimento, fundamental no sistema c. g. s. e igual a 0,01m [símb.: *cm*].

cêntimo [Do fr. *centime.*] ***S. m.*** Moeda divisionária que representa a centésima parte do dólar, euro e de várias outras moedas. [Cf. *centavo* e *centésimo* (5).]

centípede [Do lat. *centipede.*] ***Adj. 2 g.*** Que tem cem pés.

centipoise [De *centi-*[2] + *poise.*] ***S. m.*** *Fís.* Unidade de medida de viscosidade, igual a um centésimo do poise, e mais utilizada que este [símb.: *cP*].

cento [Do lat. *centu.*] ***Num.*** **1.** Grupo de cem objetos. ● ***S. m.*** **2.** Centena (1): *um cento de bananas;* "Centos de virgens o cercam" (Antônio Feliciano de Castilho, *Amor e Melancolia*, p. 101). **3.** O número cem. ◆ **Cento por cento.** V. *cem por cento.* **Por cento.** Em cem; em cada cento ou centena.

centóculo [Do lat. *centoculu.*] ***Adj.*** Que tem cem olhos.

centopeia (éi) [Do lat. *centipedia.] ***S. f.*** **1.** *Zool.* V. *lacraia.* **2.** *Bras. Fig.* Mulher feia, horrorosa. ❖

centrado [Part. de *centrar.*] ***Adj.*** Localizado no centro. ~ V. *composição —a* e *linha —a.*

central [Do lat. *centrale.*] ***Adj. 2 g.*** **1.** Situado no centro. **2.** Relativo a centro; cêntrico. **3.** *Fig.* Principal, fundamental, essencial: *figura central.* **4.** Responsável pela coordenação e controle de atividades, operações, etc. realizadas em outras partes de um organismo, máquina, grupo social, etc. ~ V. *ângulo —, aquecimento —, banco —, calefação —, campo —, castelo —, cilindro —, cônica —, cratera —, eclipse —, força —, momento —, nervura —, núcleo —, parte —, pico —, ponto —, processador —, simetria —, sistema nervoso —* e *vogal —.* ● ***S. f.*** **5.** Local ou edifício onde se acham centralizadas certas instalações: *central elétrica.* ◆ **Central de atendimento.** *Adm.* Área de uma empresa responsável pela prestação de serviços de pós-vendas aos clientes, como assistência técnica, garantia, etc.; central de serviços. **Central de chamadas.** **1.** V. *central de atendimento.* **2.** Central (5) para *telemarketing* ativo ou receptivo. [Sin. (ingl.): *call center.*] **Central de serviços.** *Adm.* Central de atendimento (q. v.). **Central sindical.** *Dir. Trab.* Entidade de representação geral dos trabalhadores, e que tem diversas organizações sindicais filiadas a ela.

centralense[1] ***Adj. 2 g.*** **1.** De, ou pertencente ou relativo a Central (BA). ● ***S. 2 g.*** **2.** O natural ou habitante de Central.

centralense[2] ***Adj. 2 g.*** **1.** De, ou pertencente ou relativo a Central de Minas (MG). ● ***S. 2 g.*** **2.** O natural ou habitante de Central de Minas.

centralidade [De *central* + *-(i)dade.*] ***S. f.*** Qualidade do que é central.

centralinense ***Adj. 2 g.*** **1.** De, ou pertencente ou relativo a Centralina (MG). ● ***S. 2 g.*** **2.** O natural ou habitante de Centralina.

centralismo [De *centralizar* + *-ismo*, seg. o padrão erudito.] ***S. m.*** Sistema caracterizado pela centralização (3).

centralista [De *centralismo* + *-ista.*] ***Adj. 2 g. S. 2 g.*** Que, ou quem é sectário da centralização dos poderes públicos.

centralização [De *centralizar* + *-ção.*] ***S. f.*** **1.** Ato de centralizar(-se). **2.** Reunião em um mesmo centro. **3.** Acumulação de atribuições no poder central. ◆ **Centralização da distribuição.** *Adm.* Concentração dos estoques de produtos acabados em um único ponto, de onde são enviados para os pontos de venda ao consumidor após a identificação da demanda. **Centralização de poder.** *Adm.* Concentração das decisões nas mãos de poucas pessoas no topo da hierarquia, ficando aos demais integrantes da organização o papel de acatá-las e implementá-las.

centralizado [Part. de *centralizar.*] ***Adj.*** Reunido em um mesmo centro; concentrado.

centralizador (ô) [De *centralizar* + *-dor.*] ***Adj.*** Que centraliza.

centralizar [De *central* + *-izar.*] ***V. t. d.*** **1.** Tornar central; reunir em um centro. **2.** Fazer convergir a um centro; atrair: *Passou, elegante e bela, centralizando os olhares;* "Naquela ladeira da Floresta, havia uma igreja enorme .... e inacabada, que centralizava a vida do bairro." (Maria Julieta Drummond de Andrade, *O Valor da Vida*, p. 38). **3.** *Art. Gráf.* Compor (texto) sem alinhamento à esquerda e à direita, dispondo o meio das linhas sobre o eixo central da coluna ou da página. ***P.*** **4.** Reunir-se (num centro); concentrar-se: "O domínio holandês, centralizando-se em Pernambuco, reagia por toda a costa oriental" (Euclides da Cunha, *Os Sertões*, p. 83).

centramento [De *centrar* + *-mento.*] ***S. m.*** Ato ou efeito de centrar.

centrar [De *centro* + *-ar*[2].] ***V. t. d.*** **1.** Localizar no centro: *Afastou o sofá para centrar mais a mesa.* **2.** Fazer coincidir, para formar um eixo, a série dos centros de. **3.** *Fut.* Chutar (a bola) em passe longo, geralmente da extrema para o centro do campo.

centrarquídeo [De *centr(o)-* + gr. *archós*, 'base', 'fundamento', + *-ídeo*[1]; tax. *Centrarchidae.*] *Zool.* ***S. m.*** **1.** Espécime dos centrarquídeos, família de peixes actinopterígios, perciformes, de água doce, de escamas ásperas pela presença de margens cteniformes, a primeira nadadeira dorsal, unida à segunda, é muito espinhosa. Ex.: o black-bass. ● ***Adj.*** **2.** Pertencente ou relativo a eles.

▲centri- [Do lat. *centrum, i* < gr. *kéntron, ou.*] ***El. comp.*** = 'centro': *centrífugo, centrípeto.* [V. *centr(o)-.*]

cêntrico [De *centro* + *-ico*[2].] ***Adj.*** Central (2).

centrífuga [F. subst. do adj. *centrífugo.*] ***S. f.*** **1.** *Fís.* Aparelho com que se efetuam centrifugações, provido de um rotor capaz de girar com velocidade elevada; centrifugadora. **2.** Eletrodoméstico que tritura frutas, verduras e legumes, separa a parte sólida, e deixa fluir o sumo. [Cf. *centrifuga*, do v. *centrifugar.*]

centrifugação [De *centrifugar* + *-ção.*] ***S. f.*** Ato ou efeito de centrifugar; centrifugamento.

centrifugado [Part. de *centrifugar.*] ***Adj.*** Que foi submetido à centrifugação.

centrifugador (ô) [De *centrifugar* + *-dor.*] ***S. m.*** *Fotograv.* V. *torniquete* (7).

centrifugadora (ô) [De *centrifugar* + *-dora.*] ***S. f.*** *Fís.* Centrífuga (1).

centrifugamento [De *centrifugar* + *-mento.*] ***S. m.*** Centrifugação.

centrifugar [De *centrífugo* + *-ar*[2].] ***V. t. d.*** **1.** Aplicar a centrífuga a. **2.** Desviar do centro. [Conjug.: v. *largar.* Pres. ind.: *centrifugo, centrifugas, centrifuga*, etc. Cf. *centrífugo* e *centrífuga.*]

centrífugo [De *centri-* + *-fugo*[1].] ***Adj.*** **1.** Que se afasta ou procura afastar-se do centro. **2.** *Fís.* Diz-se de uma força ou de uma grandeza vetorial cujo suporte é o raio de curvatura da trajetória de um móvel e cujo sentido é o oposto ao desse raio. ~ V. *aceleração —a, bomba —a, compressor —, força —a* e *motor —.* [Antôn.: *centrípeto.* Cf. *centrifugo*, do v. *centrifugar.*]

centríolo [De *centri-* + *-olo.*] ***S. m.*** *Citol.* Organela cilíndrica oca, relacionada com a organização do fuso acromático e cuja parede contém nove grupos de três microtúbulos.

centrípeto [De *centri-* + *-peto.*] ***Adj.*** Que se dirige para o centro; que procura aproximar-se do centro. ~ V. *aceleração —a* e *força —a.* [Antôn.: *centrífugo.*]

centrismo [De *centro* + *-ismo.*] ***S. m.*** Posição ou tendência daqueles que se colocam politicamente ao centro.

centrista [De *centro* + *-ista.*] ***Adj. 2 g. S. 2 g.*** Que, ou quem é sectário da posição política de centro, nem de esquerda, nem de direita.

centro [Do gr. *kéntron*, pelo lat. *centru.*] ***S. m.*** **1.** Ponto interior equidistante de todos os pontos da circunferência ou da superfície de uma esfera. **2.** Ponto para onde convergem as coisas, como para uma natural posição de repouso. **3.** Fundo, interior, profundeza. **4.** Parte situada no meio de uma cidade, região, país, etc. **5.** Lugar onde habitualmente se tratam certos negócios ou se executam certas atividades: *centro comercial; centro telegráfico; centro de informações.* **6.** *Urb.* A parte mais ativa de uma cidade, onde ger. estão os setores comercial, financeiro, administrativo, cultural, etc.: "a cidade continuará anômala e claudicante, enquanto não for feito o centro urbano no lugar onde foi especificamente determinado. Quer dizer, o centro urbano da cidade, o cor da *urbs*. Toda cidade tem um cor." (Lúcio Costa, em *I Seminário de Estudos dos Problemas Urbanos de Brasília*, p. 27). [Sin., nesta acepç.: *coração, cor* e (it.) *cuore.*] **7.** Posição de meio num espaço qualquer: *mesa de centro.* **8.** Ponto de convergência: *O atentado era o centro das atenções.* **9.** Coisa ou pessoa a que muitas outras se acham ligadas. **10.** V. *sociedade* (7): *centro recreativo; centro espírita; Centro Dom Vital.* **11.** Nas câmaras legislativas, a parte da sala de sessões que fica no meio ou centro do plenário. **12.** *P. ext.* Conjunto de deputados ou senadores que ocupam esse lugar, e cujas ideias políticas se situam num ponto intermediário entre o governo e a oposição. **13.** Qualquer posição política situada entre os extremos. **14.** *Anat.* Designação genérica de agrupamento de neurônios, destinado à realização de alguma função especial. **15.** *Fut.* Ato ou efeito de centrar (3): "Passes para os lados e para trás, centros bobos sobre a área adversária e muita perda de tempo com a bola nos pés." (*Correio da Manhã*, 05.03.1970.) **16.** *Geom.* V. *centro de simetria.* **17.** *Mat.* Ponto comum às retas dum feixe de retas. **18.** *Mat.* Ponto comum aos planos duma estrela de planos. **19.** *Teatr.* O espaço central da cena. **20.** *Teatr. Desus.* Personagem-tipo que representa pessoa de idade avançada e com experiência de vida. **21.** *Teatr. Desus.* Ator que interpreta o centro (20). **22.** *Bras. Amaz.* Interior do seringal (por oposição a *margem*). **23.** *Bras. N.E.* Lugar ou conjunto de lugares afastados de uma povoação principal. ◆ **Centro acadêmico.** Diretório acadêmico (2). **Centro alto.** *Teatr.* A parte central e posterior da cena. **Centro ativo.** *Astr.* Região da superfície solar que é a sede de fenômenos físicos de grande intensidade. **Centro baixo.** *Teatr.* A parte central e anterior da cena. **Centro celular.** *Citol.* Região clara do citoplasma ao redor do centríolo; centrossomo. **Centro de alta.** *Met.* V. *anticiclone.* **Centro de alta pressão.** *Met.* V. *anticiclone.* **Centro de baixa.** *Met.* V. *ciclone* (1). **Centro de baixa pressão.** *Met.* V. *ciclone* (1). **Centro de cor.** *Fís.* Defeito da rede de um cristal que é normalmente transparente e incolor, responsável pela existência de bandas de absorção de luz visível. **Centro de curvatura.** **1.** *Mat.* Centro do círculo osculador a uma curva num ponto. **2.** *Ópt.* Num espelho esférico, ou numa lente esférica, o centro da esfera a que pertence a superfície do elemento. **Centro de custo.** *Adm.* Fração de atividade ou área de responsabilidade para a qual é feita a acumulação de custos, podendo ou não coincidir com um setor ou departamento. **Centro de educação infantil.** *Educ.* Local especializado na educação de crianças. **Centro de empuxo.** *Fís.* Centro de gravidade da massa de fluido deslocada por um corpo que nele flutua e que é o ponto de aplicação do empuxo sobre o corpo. **Centro de gravidade.** *Fís.* O ponto de aplicação do vetor peso de um corpo sujeito à atração gravitacional da Terra; baricentro. **Centro de homotetia.** *Geom.* Centro de semelhança. **Centro de impacto.** *Fís.* Num corpo rígido, com um eixo de rotação fixo, o ponto de aplicação de uma impulsão instantânea que não produz reações no eixo. **Centro de inércia.** *Fís.* Centro de massa. **Centro de inversão.** *Geom.* Ponto fixo em relação ao qual se definem dois pontos inversos; polo. **Centro de investimento.** *Adm.* Fração de atividade ou área de responsabilidade para a qual é feita a acumulação de gastos com investimentos, podendo ou não coincidir com um setor ou departamento. **Centro de massa.** *Fís.* Num corpo rígido, ou num sistema de corpos rígidos, ponto que se move como se toda a massa do sistema estivesse concentrada nele e toda a força externa atuante sobre o sistema nele estivesse aplicada; centro de inércia. **Centro de oscilação.** *Fís.* Num pêndulo físico, um ponto tal que, se nele estiver concentrada toda a massa do pêndulo e se o eixo de suspensão for mantido invariável, o pêndulo simples daí resultante oscilará com o mesmo período que o pêndulo físico inicial. **Centro de percussão.** *Fís.* Em um pêndulo físico, o ponto de aplicação de uma impulsão instantânea que não produz reações no eixo do pêndulo. [Neste sistema mecânico, o centro de percussão coincide com o centro de oscilação.] **Centro de pressão.** *Fís.* Numa superfície imersa num fluido, ponto de aplicação da resultante das forças devidas à pressão. **Centro de Processamento de Dados.** *Inform.* Local ou seção (8) onde se encontram máquinas e profissionais especializados, cuja tarefa ou finalidade é prover serviços de processamento de dados a uma instituição ou aos usuários desta. [Sigla: *CPD.*] **Centro de resultado.** *Adm.* Fração de atividade ou área de responsabilidade para a qual é feita a apuração do resultado financeiro, podendo coincidir com um setor ou departamento ou, eventualmente, envolver as atividades de um único indivíduo. **Centro de semelhança.** *Geom.* Ponto fixo por onde passam todas as retas que unem os pontos correspondentes de duas figuras homotéticas; centro de homotetia. **Centro de simetria.** *Geom.* Ponto em relação ao qual uma figura geométrica apresenta simetria. [Tb. se diz apenas *centro*; sin.: *ponto de simetria*.] **Centro externo de semelhança.** *Geom.* Centro de semelhança, quando a razão de semelhança é positiva. **Centro galáctico.** *Astr.* Região do espaço de nossa galáxia, onde há grande densidade de matéria, e constituída de nuvens de estrelas, de gases e de poeira cósmica. **Centro geométrico.** *Mat.* Centroide. **Centro histórico.** *Urb.* Núcleo antigo, ger. fundacional, de uma cidade, que pode ser definido pela presença de edificações pontuais remanescentes, um conjunto histórico (q. v.), ou de uma área mais expressiva, caso em que é tb. chamado *cidade histórica* (q. v.); núcleo histórico. **Centro instantâneo.** *Fís.* Ponto em torno do qual um corpo rígido plano gira, num instante dado, quando se move, com translação e rotação, em seu próprio plano. **Centro interno de semelhança.** *Geom.* Centro de semelhança, quando a razão de semelhança é negativa. **Centro óptico.** *Ópt.* Numa lente, ponto sobre o eixo óptico por onde podem passar os raios luminosos sem sofrer desvio angular. **Centro quiral.** *Quím.* Átomo de uma molécula que, considerado com seus substituintes, é responsável pelas propriedades de quiralidade dela. **Centro radical.** *Geom.* **1.** Ponto onde se interceptam os eixos radicais de três círculos coplanares tomados dois a dois. **2.** Ponto onde se interceptam os eixos radicais de quatro esferas tomadas duas a duas. **Ser o centro do Universo.** *Pej.* Ser objeto de todas as atenções: *Vaidosa, pensa que é o centro do Universo.*

▲centr(o)- [Do gr. *kéntron, ou*, 'tudo que serve para picar, furar'; 'aguilhão'; 'ponta de uma lança'; 'ponto central de uma circunferência'.] ***El. comp.*** = 'aguilhão'; 'ponto central', 'centro': *centrosfera, centrodonte.* [Equiv.: *-centr(o)-, -centro*: *lepidocentroide, topocêntrico; baricentro, ortocentro.* V. *centri-*.]

▲-centr(o)- V. *centr(o)-*.

▲-centro V. *centr(o)-*.

centro-africano[1] ***Adj.*** Relativo ou pertencente à região central da África. [Pl.: *centro-africanos*.]

centro-africano[2] ***Adj.*** **1.** Da, ou pertencente ou relativo à República Centro-Africana. ● ***S. m.*** **2.** O natural ou habitante desse país. [Pl.: *centro-africanos*.] [Na 5.ª ed. do Volp., sem hífen; corrigido em errata.]

centro-americano ***Adj.*** **1.** Da, ou pertencente ou relativo à América Central. ● ***S. m.*** **2.** O natural ou habitante da América Central. [Pl.: *centro-americanos*.]

centroavante [De *centr(o)-* + *avante*.] ***S. m.*** *Fut.* **1.** Jogador que, no sistema clássico de cinco atacantes, ocupa a posição central entre o meia-direita e o meia-esquerda. **2.** Jogador que se desloca pelo centro do seu campo de ataque.

centrocampista [De *centr(o)-* + *campo* + *-ista*.] ***S. 2 g.*** No futebol, o jogador que ocupa uma das posições de meio-campo; meio-campista.

centro-direita [De *centro* + o f. de *direito*.] ***S. m. 2 n.*** No espectro ideológico, posição política de partido, indivíduo, etc., situada entre o centro e a direita.

centrodo (ô) [De *centr(o)-* + *-odo*.] ***S. m.*** *Fís.* Lugar geométrico dos centros instantâneos de um corpo rígido plano que se move em seu próprio plano.

cêntrodo ***S. m.*** V. *centrodo*.

centrodonte [De *centr(o)-* + *-odonte*.] ***Adj. 2 g.*** *Zool.* Que tem dentes agudos.

centro-esquerda [De *centro* + o f. de *esquerdo*.] ***S. m. 2 n.*** No espectro ideológico, posição política de partido, indivíduo, etc., situada entre o centro e a esquerda.

centro-europeu ***Adj.*** **1.** Da, pertencente ou relativo à Europa Central. ● ***S. m.*** **2.** O natural ou habitante dessa região. [Flex.: *centro-europeia, centro-europeus, centro-europeias*.]

centroide (ói) [De *centr(o)-* + *-oide*.] ***S. m.*** *Mat.* Ponto cujas coordenadas são as médias das coordenadas dos pontos de uma figura geométrica; centro geométrico. ❖

centrolepidácea [Do lat. cient. *Centrolepid-* (do tax. *Centrolepis*) + *-ácea*; tax. *Centrolepidaceae*.] ***S. f.*** *Bot.* Espécime das centrolepidáceas, família de pequenas plantas graminiformes, aquáticas ou de *habitats* úmidos, próprias do hemisfério austral. Há umas 40 espécies, que têm flores aclamídeas ou monoclamídeas e androceu com apenas um ou dois estames. O fruto é capsular ou seco e indeiscente.

centrolepidáceo [De *centrolepidácea*, com var. suf. (v. *-áceo*).] ***Adj.*** *Bot.* Pertencente ou relativo às centrolepidáceas.

centro-leste ***S. m.*** A área ou região que abrange as partes central e leste de um continente, país, território, etc. [Abrev.: *C.L.* Pl.: *centro-lestes*.]

centrolóbio [Do tax. *Centrolobium* (v. *centr(o)-, -lob(o)-* e *-io*[3]).] ***S. m.*** *Bot.* **1.** Gênero de árvores fabáceas que têm madeira útil us., ger., em mobiliário. **2.** Qualquer espécie desse gênero, como, p. ex., a *Centrolobium paraense* [v. *pau-rainha* (1)]. **3.** Qualquer espécime desse gênero.

centromédio [De *centr(o)-* + *médio*.] ***S. m.*** *Fut. P. us.* Meio-campo (2).

centro-meridional ***Adj. 2 g.*** Diz-se da, ou relativo à região que abrange as partes central e meridional de um continente, país, território, etc. [Pl.: *centro-meridionais*.]

centrômero [De *centr(o)-* + *-mero*.] ***S. m.*** *Citol. Genét.* Constrição de cromátides irmãs, e local de união de cromossomo com fuso mitótico; constrição primária.

■ **Centronav** Sigla de *Centro Nacional de Navegação Transatlântica*.

centro-nordeste ***S. m.*** A área ou região que abrange as partes central e N.E. de um continente, país, território, etc. [Abrev.: *C.N.E.* Pl.: *centro-nordestes*.]

centro-noroeste ***S. m.*** A área ou região que abrange as partes central e noroeste de um continente, país, território, etc. [Abrev.: *C.N.O.* Pl.: *centro-noroestes*.]

centro-norte ***S. m.*** A área ou região que abrange as partes central e norte de um continente, país, território, etc. [Abrev.: *C.N.* Pl.: *centro-nortes*.]

centro-ocidental ***Adj. 2 g.*** Diz-se da, ou relativo à região que abrange as partes central e ocidental de um continente, país, território, etc. [Pl.: *centro-ocidentais*.]

centro-oeste ***S. m.*** **1.** A área ou região que abrange as partes central e oeste de um continente, país, território, etc. **2.** *Bras. Geogr.* V. *Grande Região*. [Com cap., nesta acepç.] [Abrev.: *C.O.* Pl.: *centro-oestes*.]

centro-oriental ***Adj. 2 g.*** Diz-se da, ou relativo à região que abrange as partes central e oriental de um continente, país, território, etc. [Pl.: *centro-orientais*.]

centropino [De *centr(o)-* + *pino*.] ***S. m.*** *Tip.* Espécie de pino que desce sobre o furo da base da matriz monotípica para mantê-la centrada na abertura do molde.

centropomídeo [De *centr(o)-* + *-pom(o)-* + *-ídeo*; tax. *Centropomidae*.] *Zool.* ***S. m.*** **1.** Espécime dos centropomídeos, família de peixes perciformes que habitam os mares quentes. Ex.: o robalo. ● ***Adj.*** **2.** Pertencente ou relativo a eles.

centro-setentrional ***Adj. 2 g.*** Diz-se da, ou relativo à região que abrange as partes central e setentrional de um continente, país, território, etc. [Pl.: *centro-setentrionais*.]

centrosfera [De *centr(o)-* + *-sfera*.] ***S. f.*** **1.** *Geofís.* V. *nife*. **2.** *Citol.* V. *astrosfera*.

centrosperma [De *centr(o)-* + *-sperma*; tax. *Centrospermae*.] ***S. f.*** *Bot.* Espécime das centrospermas, ordem de plantas floríferas providas de óvulos e de sementes dotadas de placentação axial. Compreende quatro subordens e diversas famílias.

centrospermo [De *centr(o)-* + *-spermo*.] ***Adj.*** *Bot.* Diz-se das plantas que conduzem óvulos ou sementes em posição central ou axial, dentro do ovário ou do fruto.

centrossoma [De *centr(o)-* + *-soma*.] ***S. m.*** *Citol.* V. *centrossomo*.

centrossomático [De *centrossoma* + *-ático*.] ***Adj.*** *Citol.* Relativo ou pertencente ao centrossomo; centrossômico.

centrossómico ***Adj.*** V. *centrossômico*. [Uso freq. em P.]

centrossômico [De *centrossomo* + *-ico*[2].] ***Adj.*** Centrossomático.

centrossomo [De *centr(o)-* + *-somo*.] ***S. m.*** *Citol.* **1.** Organela citoplasmática, de forma cilíndrica, presente na região central de células animais, vegetais, e em fungos e protozoários, e que atua como centro inicial de organização de microtúbulos. **2.** Centro celular. [F. paral.: *centrossoma*.]

centro-sudeste ***S. m.*** Centro-Sueste. [Abrev.: *C.S.E.* Pl.: *centro-sudestes*.]

centro-sudoeste ***S. m.*** A área ou região que abrange as partes central e S.O. de um continente, país, território, etc. [Abrev.: *C.S.O.* Pl.: *centro-sudoestes*.]

centro-sueste ***S. m.*** A área ou região que abrange as partes central e sueste de um continente, país, território, etc. [Sin.: *centro-sudeste*. Abrev.: *C.S.E.* Pl.: *centro-suestes*.]

centro-sul ***S. m.*** A área ou região que abrange as partes central e sul de um continente, país, território, etc. [Abrev.: *C.S.* Pl.: *centro-suis*.]

➔**centum** ['kento(m)] [Lat., 'cem'.] ***E. Ling.*** Us. na loc. *língua centum* (q. v.).

centunvirado [De *centúnviro* + *-ado*[2].] ***S. m.*** V. *centunvirato*.

centunviral [Do lat. *centumvirale*.] ***Adj. 2 g.*** Relativo aos centúnviros.

centunvirato [De *centúnviro* + *-ato*[1].] ***S. m.*** Dignidade de centúnviro; centunvirado.

centúnviro [Do lat. *centumviru*.] ***S. m.*** Cada um dos 100 magistrados que constituíam um tribunal de Roma.

centuplicado [Part. de *centuplicar*.] ***Adj.*** **1.** Multiplicado por cem. **2.** Repetido cem vezes. [Sin. ger.: *cêntuplo* (1).]

centuplicar [Do lat. *centuplicare*.] ***V. t. d.*** **1.** Tornar cem vezes maior; multiplicar por cem. **2.** *Fig.* Aumentar muito, avolumar: *Depois do longo descanso, conseguiu centuplicar a sua atividade criadora.* [Sin., bras.: *cem-dobrar*. Conjug.: v. *trancar*.]

cêntuplo [Do lat. *centuplu*.] ***Num.*** **1.** Centuplicado: "O cabedal de inteligência e trabalho que nele [o bom livro] se emprega daria, em qualquer outra aplicação, lucro cêntuplo" (José de Alencar, *O Guarani*, I, p. 74). ● ***S. m.*** **2.** O produto da multiplicação por cem; cem-dobro: *O cêntuplo de 100 é 10.000.*

centúria [Do lat. *centuria*.] ***S. f.*** **1.** Centena (1). **2.** Conjunto de cem objetos da mesma espécie. **3.** Centenário (3). **4.** Narração histórica dividida em períodos seculares. **5.** Uma das divisões políticas dos romanos, formada por 100 cidadãos. **6.** Na milícia romana, companhia de 100 soldados.

centuriado [Do lat. *centuriatu*, por via semierud.] ***S. m.*** Centuriato.

centurial [Do lat. *centuriale*.] ***Adj. 2 g.*** **1.** Relativo a centúria. **2.** De, ou pertencente ou relativo a centurião.

centurião [Do lat. *centurione*.] ***S. m.*** Comandante de uma centúria, na milícia romana; centenário.

centuriato [Do lat. *centuriatu*, por via erudita.] ***S. m.*** Cargo de centurião. [F. paral.: *centuriado*.]

cenuro [Do lat. cient. *Coenurus (cerebralis)*.] ***S. m.*** *Zool.* A larva da tênia *Multiceps multiceps*, que parasita o encéfalo de cabras, de ovelhas, e doutros ruminantes.

■ **CEP** Sigla de *Código de Endereçamento Postal* (q. v.).

cepa [Do lat. *caepa*.] ***S. f.*** *Bot.* Cebola (1). [Pl.: *cepas*. Cf. *cepa* (ê) e pl. *cepas* (ê).]

cepa (ê) [De *cepo* (ê).] ***S. f.*** **1.** *Bot.* Tronco de videira. **2.** *Bot.* V. *videira*. **3.** *Bot.* Parte da planta a que se cortou o caule e que permanece viva no solo; touceira. **4.** *Bot.* Base subterrânea de um tronco de planta perene, ligada diretamente à raiz; cepo. **5.** *P. ext. Heráld.* Tronco de uma linhagem ou família, representado por uma vara de videira, com folhas e cachos de uvas; cipo: "Nós todos, brasileiros da velha cepa, ... não compreendemos a constelação familiar sem a participação constante do que no sertão se chama cunhã" (Mílton Dias, *As Cunhãs*, p. 6). **6.** *Microbiol.* Grupo de microrganismos de uma determinada espécie. [Pl.: *cepas* (ê). Cf. *cepa* e pl. *cepas*.]

cepáceo [De *cepa* + *-áceo*.] ***Adj.*** **1.** Que tem forma de cebola. **2.** Que cheira a cebola.

■ **Cepal** Sigla de *Comissão Econômica para a América Latina*.

cepilhar ***V. t. d.*** V. *acepilhar*.

cepilho [Do esp. *cepillo*.] ***S. m.*** **1.** Pequena plaina para alisar madeira. **2.** Lima fina para polir metais. **3.** V. *maçaneta* (2): "Vinha o ferrador examinar os cascos, a sela especial de cepilho levantado era trazida" (Fernando Sabino, *O Homem Nu*, p. 61). [Cf. *sipilho*.]

cepo (ê) [Do lat. *cippu*.] ***S. m.*** **1.** Toro ou pedaço de toro cortado transversalmente. **2.** Cepo (1) onde o condenado deitava a cabeça para ser decapitado. **3.** Nos laboratórios de anatomia, peça de madeira, com escavação na superfície superior, na qual se apoia pescoço de cadáver. **4.** Peça de madeira em que se fixa o ferro da plaina ou de outro instrumento semelhante, como, p. ex., a garlopa. **5.** Peça, ger. de madeira, com entalhes profundos, onde se enfiam facas de cozinha, para guardá-las. **6.** Armadilha para caçar aves. **7.** Nas igrejas, coluna oca onde se depositam esmolas. **8.** *Fig.* Pessoa pesada e indolente. **9.** *Bot.* Cepa (ê) (5). **10.** *Bras.* Peça do freio (2) aplicada diretamente contra as rodas; tamanco.

cepticismo ***S. m.*** V. *ceticismo*. "Essa incredulidade, esse cepticismo apaga a fé" (Joaquim Manuel de Macedo, *Os Romances da Semana*, p. 251).

céptico ***Adj. S. m.*** V. *cético*.

cepudo [De *cepo* + *-udo*.] ***Adj.*** **1.** Que tem forma de cepo (1). **2.** Tosco, malfeito, informe.

cequim [Do ár. *sikkī*, adjetivo de *sikka(t)*, 'moeda'.] ***S. m.*** Antiga moeda de ouro.

cera (ê) [Do lat. *cera*.] ***S. f.*** **1.** *Apic.* Substância segregada pelas glândulas abdominais especiais das abelhas operárias, a partir do mel que ingerem, e que é usada na construção dos favos e no fechamento dos alvéolos. **2.** Substância vegetal semelhante à cera (1). **3.** Vela dessa substância; tocha, brandão. **4.** Ceroma. **5.** *Fig.* Pessoa ou coisa branda. **6.** *Fig.* Caráter (6) frouxo. **7.** Trabalho negligente e vagaroso. **8.** *Bras. Pop.* V. *namoro* (1). **9.** *Quím.* Qualquer de certas substâncias naturais, ger. incluídas entre os lipídios, e que são ésteres de ácidos graxos de cadeia longa condensados com alcoóis, também de cadeia longa. **10.** *Quím.* Substância, líquida ou pastosa, us. para conservar a madeira e dar-lhe lustre. [Pl.: *ceras* (ê). Cf. *cera* e *ceras*, do v. *cerar*; *sera*, pl. *seras*; e *seira*, pl. *seiras*.]
◆ **Cera amarela.** Cera (1) ainda não curada. **Cera do ouvido.** *Bras.* V. *cerume*. **Cera em rama.** Cera bruta,

tal qual se extrai do favo. **Cera virgem.** Cera (1) curada ao sol. **Fazer cera.** *Bras.* **1.** *Desus.* V. *namorar* (9). **2.** Trabalhar vagarosamente; remanchar: 📖 "até os ricos ociosos, que iam para ali encher o dia, e os caixeiros, que 'faziam cera' ...., aparentavam diligência e prontidão." (Aluísio Azevedo, *O Mulato*, p. 12). **3.** Fingir que trabalha. **4.** *Bras.* No futebol, basquete e jogos em que é importante o decorrer do tempo, retardar o andamento do jogo. **Gastar cera com mau defunto.** V. *gastar cera com ruim defunto.* **Gastar cera com ruim defunto.** Ser reverente ou atencioso com quem não merece; gastar cera com mau defunto, gastar vela com mau defunto: 📖 "O *Velhinha* .... me fitava com o rancor concentrado no olhar de quem se persuadiu que está a gastar cera com ruins defuntos, e a minha amargura não fez mais que recrescer." (Aquilino Ribeiro, *Lápides Partidas*, p. 39.)

▲-cera V. *cerat(o)-*.

cerâceo [De *cera* + *-áceo.*] *Adj.* Semelhante a cera, ou que tem a consistência dela.

cerambícida [Do lat. cient. *Cerambyc-* + *-ida*[1].] *S. m. Adj. 2 g. Zool.* V. *cerambicídeo.*

cerambicídeo [Do lat. cient. *Cerambyc-* (< tax. *Cerambyx* < gr. *kerambyx*, 'certo tipo de besouro') + *-ídeo*[1]; tax. *Cerambycidae.*] *Zool. S. m.* **1.** Espécime dos cerambicídeos, família de insetos coleópteros, uma das maiores que se conhecem, com mais de 5.000 espécies na região neotrópica. São fitófagos, que cortam circularmente os galhos, e conhecidos como serradores e serra-paus. Corpo alongado, cilíndrico, e de colorido vistoso, antenas muito longas. Na fase larvar são brocas, causando danos em árvores recém-abatidas e nos pomares. Ex.: o arlequim. ● *Adj.* **2.** Pertencente ou relativo a eles. [Sin. ger.: *cerambícida, longicórneo.*]

cerame [Do malaiala *xrambi*, em malaio *serámbi, sarámbi*, 'varanda'.] *S. m.* Choupana africana e asiática, cujo sobrado assenta sobre quatro troncos e cujo teto é formado de ramos de palmeira.

cerâmica [Do gr. (*techné*) *keramiké*, 'a arte do oleiro'.] *S. f.* **1.** Arte de fabricação de artefatos de argila cozida, tais como louças, tijolos, telhas, vasos, manilhas: 📖 "A cerâmica de Marajó entusiasmou ao americano Frederico Hart, que chega a compará-la à dos oleiros da Grécia antiga" (Afrânio Peixoto, *Noções de História da Literatura Brasileira*, p. 36). **2.** Artefato(s) assim fabricado(s): 📖 "Dirão .... que os mosaicos, os mármores, as cerâmicas, são geralmente grosseiros tratos d'indústrias imperfeitas" (Fialho d'Almeida, *Estâncias d'Arte e de Saudade*, pp. 193-194); "A mais rica cerâmica da tribo — cântaros de formas caprichosas e igaçabas luxuosamente decoradas, ... — surgiram outra vez aos meus olhos" (Gastão Cruls, *4 Romances*, p. 159). **3.** Fábrica desses artefatos; olaria: 📰 *Estabeleceu-se com uma cerâmica.* **4.** A matéria-prima daquela arte: 📖 "Havia na casa a madeira dos peitoris, das tábuas, das traves, dos caibros; a cerâmica das telhas e dos tijolos que surgiam por debaixo do reboco nos buracos das paredes; o vidro das bandeiras e das vidraças ou o das claraboias." (Thiers Martins Moreira, *O Menino e o Palacete*, p. 75.) **5.** *Quím.* Designação genérica de certos materiais inorgânicos, como a porcelana, constituídos, p. ex., por silicatos ou por óxidos metálicos, preparados a temperaturas altas, de composição variável (dentro de certos limites) e estrutura complexa, e que têm diversos usos, de acordo com sua constituição, desde utensílios domésticos a blindagens militares e supercondutores.

cerâmico [Do gr. *keramikós.*] *Adj.* Pertencente ou relativo à cerâmica. ~ V. *ladrilho —.*

ceramida [Do ingl. *ceramide* (do ingl. *cer*[*ebroside*] + *amide*).] *S. f. Bioquím.* Esfingolipídio que, por hidrólise, fornece apenas esfingosina e ácido graxo.

ceramista [De *cerâm(ica)* + *-ista.*] *Adj. 2 g. S. 2 g.* Que, ou quem trabalha em cerâmica; oleiro.

céramo [Do gr. *kéramos.*] *S. m.* Entre os antigos gregos, vaso de barro cozido us. à mesa. [Pl.: *céramos.* Cf. *ceramos*, do v. *cerar.*]

ceramografia [Do fr. *céramographie.*] *S. f.* Descrição de louças antigas.

ceramográfico [De *ceramografia* + *-ico*[2].] *Adj.* Relativo ou pertencente à ceramografia.

cerar [De *cera* + *-ar*[2].] *V. t. d. Ant.* Fechar com cera; lacrar. [Pres. ind.: *cero, ceras, cera, ceramos,* etc. Cf. *cera* (ê), pl. *ceras* (ê); *sera*, pl. *seras*; e *céramos*, pl. de *céramo.*]

cerasina [Do lat. *cerasina* (adj.), 'da cor da cereja'.] *S. f.* Antiga bebida feita com cerejas.

ceratina [De *cerat(o)-* + *-ina*[3].] *S. f. Bioquím.* Escleroproteína (q. v.) encontrada em epiderme, cabelo, unha e esmalte dentário.

ceratinase [De *ceratina* + *-ase.*] *S. f. Bioquím.* Proteína que se caracteriza por sua insolubilidade e por sua estrutura fibrosa, desempenhando no organismo, geralmente, função protetora ou de sustentação de tecido (5).

ceratite[1] [De *cerat(o)-* + *-ite*[1].] *S. f. Oftalm.* Inflamação da córnea.

ceratite[2] [Adapt. do tax. *Ceratites.*] *Paleont. S. m.* **1.** Espécime dos ceratites, subclasse de cefalópodes cuja concha era achatada, com lóbulos antissifonais, formando uma linha de sutura pregueada. ● *Adj. 2 g.* **2.** Pertencente ou relativo a eles.

cerato [Do lat. *ceratu.*] *S. m. Farm.* Preparado (3) em cuja composição entram, sobretudo, a cera e um óleo; ceroto.

▲cerat(o)- [Do gr. *kerato-* < *kéras*, 'chifre'; 'dente de elefante'; 'braço (de rio)', etc. (declinável somente em *kera-* [ă] e *kerat-* [ă]).] *El. comp.* = 'corno', 'chifre'; 'tecido córneo'; 'córnea'; 'antena'; 'que apresenta chifre(s) ou algo semelhante'; 'de antenas': *ceratossauro; ceratose; ceratomalacia.* [Equiv.: *-cera, -cerat(o)-, -cerato, -cer(o)-*[3], *-cero*: *quelícera; aceratose; gimnocerato; dicerorrino; macrócero.*]

▲-cerat(o)- V. *cerat(o)-*.

▲-cerato V. *cerat(o)-*.

ceratocone [De *cerat(o)-* + *cone.*] *S. m. Oftalm.* Ectasia da córnea, ger. bilateral, que produz deformação em forma de cone, de natureza não inflamatória, e que tem aparecimento frequente no sexo feminino, em época próxima à puberdade.

ceratodídeo [De *cerat(o)-* + *-od(o)-*[1] + *-ídeo*[1]; tax. *Ceratodidae.*] *Zool. S. m.* **1.** Espécime dos ceratodídeos, família de peixes ceratodiformes, dipneustas, de corpo achatado, nadadeiras semelhantes a barbatanas e escamas grandes. A única espécie é o *Ceratodon forsteri* dos rios do N.E. da Austrália, peixe dipnoico que demonstra a transição de peixe para anfíbio. ● *Adj.* **2.** Pertencente ou relativo a eles. [Sin. ger.: *monopnêumone.*]

ceratodiforme [De *cerat(o)-* + *-od(o)-*[1] + *-iforme*; tax. *Ceratodiforme.*] *Zool. S. m.* **1.** Espécime dos ceratodiformes, ordem de peixes dipnoicos, com uma só família, os ceratodídeos. ● *Adj. 2 g.* **2.** Pertencente ou relativo a eles.

ceratofilácea [Do tax. *Ceratophyllum* (v. *cerat(o)-* + *-filo*[1]) + *-ácea*; tax. *Ceratophyllaceae.*] *S. f. Bot.* Espécime das ceratofiláceas, família de plantas floríferas, herbáceas, aquáticas, submersas, com folhas muito subdivididas, e flores pequeninas e inconspícuas, unissexuais, dotadas de perianto simples, sendo o fruto uma núcula. Há poucas espécies tropicais, algumas brasileiras.

ceratofiláceo [De *ceratofilácea*, com var. suf. (v. *áceo*).] *Adj. Bot.* Pertencente ou relativo às ceratofiláceas.

ceratogénico *Adj.* V. *ceratogênico.* [Uso freq. em P.]

ceratogênico [De *cerat(o)-* + *-gen(o)-* + *-ico*[2].] *Adj. Veter.* ~ V. *membrana —a.*

ceratomalacia [De *cerat(o)-* + *-malacia.*] *S. f. Oftalm.* Amolecimento de córnea.

ceratoplastia [De *cerat(o)-* + *-plast(o)-* + *-ia*[1].] *S. f. Oftalm.* **1.** Intervenção cirúrgica de caráter plástico, na córnea. **2.** Enxerto de córnea.

ceratoplástico [De *ceratoplastia* + *-ico*[2].] *Adj.* Relativo à ceratoplastia.

ceratopogonídeo [De *cerat(o)-* + *-pogon(o)-* + *-ídeo*[1]; tax. *Ceratopogonidae.*] *Zool. S. m.* **1.** Espécime dos ceratopogonídeos, família de insetos dípteros, nematóceros; embora muito pequenos, suas picadas são dolorosas, pois as fêmeas são hematófagas. Encontram-se à beira-mar ou próximo aos rios e lagos, apresentam larvas aquáticas ou semiaquáticas, ocorrentes nas areias ou no lodo. São os maruins e mosquitos-pólvora. ● *Adj.* **2.** Pertencente ou relativo a eles. [Sin. ger.: *heleídeo.*]

ceratopsídeo [De *cerat(o)-* + *-ops(i)-* + *-ídeo*[1]; tax. *Ceratopsidae.*] *Paleont. S. m.* **1.** Espécime dos ceratopsídeos, família de dinossauros ornitísquios do cretáceo, quadrúpedes, herbívoros, dotados de chifres faciais, com exceção das formas mais primitivas, originadas dos psitacossauros. ● *Adj.* **2.** Pertencente ou relativo a eles.

ceratópsio [Adapt. do tax. *Ceratopsia* < tax. *Ceratops* + lat. cient. *-ia* (v. *-ia*[2]).] *Paleont. S. m.* **1.** Espécime dos ceratópsios, subordem de dinossauros ornitísquios do cretáceo superior da América do Norte e da Mongólia, que reunia animais robustos, de crânio bem desenvolvido, chifres grandes, mandíbulas em forma de bico, e carapaça óssea que protegia o pescoço e os ombros. ● *Adj.* **2.** Pertencente ou relativo a eles.

ceratosa [Adapt. do tax. *Keratosa, Ceratosa*, neutro pl. de **ceratosus.*] *S. f. Zool.* Espécime das ceratosas, ordem de animais poríferos, demospôngios, de grande tamanho, com o corpo desprovido de espículas, esqueleto formado por uma trama de fibras de espongina, e cuja forma é geralmente arredondada. São as esponjas. [Sin.: *ceratospôngia.*]

ceratose [De *cerat(o)-* + *-ose*[1].] *S. f. Derm.* Formação anormal de substância córnea na epiderme.

ceratoso [Do lat. cient. *Kerat-, Cerat-* (v. *ceratosa*) + *-oso.*] *Adj. Zool.* Pertencente ou relativo às ceratosas; ceratospôngio.

ceratospôngia [Adapt. do tax. *Ceratospongiae.*] *S. f. Zool.* Ceratosa.

ceratospôngio [Do lat. cient. *Ceratospong-* (v. *ceratospôngia*) + *-io*[3].] *Adj. Zool.* Ceratoso.

ceratossauro [De *cerat(o)-* + *-sauro*; tax. *Ceratosaurus.*] *S. m. Paleont.* **1.** Gênero de dinossauros saurísquios, carnívoros, do jurássico superior, que habitaram regiões alagadas e rios da América do Norte. Mediam de 1 a 6m de altura, e pesavam até 2t. **2.** Espécie ou espécime desse gênero.

ceratotomia [De *cerat(o)-* + *-tom(o)-* + *-ia*[1].] *S. f. Oftalm.* Incisão feita em córnea. ◆ **Ceratotomia radial.** *Oftalm.* Intervenção cirúrgica em que são feitas várias incisões corneanas, objetivando a correção de miopia.

ceráunia [Do gr. (*líthos*) *keraúnia*, pelo lat. (*gemma*) *ceraunia.*] *S. f.* Pedra preciosa que se julgava ter caído do céu com um raio.

ceráunio [Do lat. *ceraunium.*] *S. m. Paleogr.* Sinal em forma de T, ou de X atravessado por barra vertical, e que servia para indicar sequência de versos apócrifos ou errados, evitando a repetição de óbelos.

ceraunofobia [Do gr. *keraunós*, 'raio', 'relâmpago', + *-fobia.*] *S. f. Psiq.* Medo patológico de relâmpago.

ceraunofóbico [De *ceraunofobia* + *-ico*[2].] *Psiq. Adj.* **1.** Relativo a ceraunofobia. **2.** Que sofre de ceraunofobia; ceraunófobo. ● *S. m.* **3.** Aquele que sofre de ceraunofobia; ceraunófobo.

ceraunófobo [Do gr. *keraunós*, 'raio', 'relâmpago', + *-fobo.*] *Adj. S. m. Psiq.* Ceraunofóbico (2 e 3).

ceraunomancia [Do gr. *keraunós*, 'raio', 'relâmpago' + *-mancia.*] *S. f.* Adivinhação por meio de raios [v. *raio* (4)].

cérbero [Do mit. gr. *Kérberos*, pelo lat. *Cerberu.*] *S. m.* **1.** Cão monstruoso que, segundo a mitologia grega, guarda a porta do Inferno. **2.** *Fig.* Guarda ou porteiro intratável, grosseiro. [Com cap.]

cerca[1] (ê) [Dev. de *cercar.*] *S. f.* **1.** Muro, sebe ou valado com que se circunda e fecha um terreno. **2.** Cercado (3), em geral contíguo a uma habitação. [Pl.: *cercas* (ê). Cf. *cerca* e *cercas*, do v. *cercar.*] ◆ **Cerca de pau a pique.** *Bras.* Pau a pique (2). **Cerca viva.** Sebe viva. **Estar na cerca.** *Fut. Desus.* Não atuar (o jogador) no time principal; estar na reserva; ficar na cerca. **Ficar na cerca.** *Fut. Desus.* V. *estar na cerca.* **Pular a cerca.** *Bras. Pop.* V. *cornear* (2).

cerca[2] (ê) [Do lat. *circa.*] *Adv.* **1.** *Desus.* Perto, próximo, junto. **2.** *P. us.* Pouco mais ou menos; aproximadamente, quase. [Abrev.: *c.* Cf. *cerca*, do v. *cercar.*] ◆ **Cerca de. 1.** *P. us.* Perto de; junto de; nas proximidades de: 📖 "Achava-se aboletado, cerca de Chantilly, em castelo, onde havia um parque ameno" (João Guimarães Rosa, *Ave, Palavra*, p. 5). **2.** Pouco mais ou menos; aproximadamente: 📖 "Cerca de três semanas depois recebi um convite dele para uma reunião íntima." (Machado de Assis, *Memórias Póstumas de Brás Cubas*, p. 144); "Rui de Leão contava nesse tempo cerca de quarenta anos." (Id., *Contos Recolhidos*, p. 89).

cercação [De *cercar* + *-ção.*] *S. f.* Ato ou efeito de cercar, cercear a liberdade: 📖 "— A que horas você vai chegar? .... — Não sei — respondi. Todos os dias a cercação de horário..." (Lívia Garcia-Rosa, *Solo Feminino*, p. 11.)

cercada [F. subst. de *cercado.*] *S. f. Bras.* Armadilha de pesca construída nas praias, com três compartimentos adrede dispostos para permitir a entrada do peixe, sua detenção e pesca por meio de rede apropriada. [Cf. *curral de peixe.*]

cercado [Part. de *cercar.*] *Adj.* **1.** Rodeado com muro, sebe, etc. **2.** A que se pôs cerco; sitiado. ● *S. m.* **3.** Terreno rodeado de muro, sebe, estacaria, etc. **4.** *P. ext.* Área delimitada por cerca, para prender animais. **5.** *Bras.* Lugar de pastagem abundante, limitado por tapumes naturais, onde os viajantes guardam à noite seus animais. [Cf., nesta acepç., *curral* (1).] **6.** Trato de terra com lavoura, defendido da invasão de animais por cercas ou tapumes. **7.** *Bras.* Móvel, em geral desmontável, limitado por grades, e destinado às crianças de tenra idade, para que fiquem em segurança. [Sin. (lus.), nesta acepç.: *parque.*]

cercadura [De *cercar* + *-dura.*] *S. f.* **1.** Tudo que guarnece ou orna o contorno de algum objeto; orla: 📖 "Na amurada, ... alguém olha a baía imensa e escura, dentro da sua distante cercadura luminosa." (Ribeiro Couto, *A Cidade do Vício e da Graça*, p. 30.) **2.** Guarnição em orla ou bainha. **3.** *Tip.* V. *guarnição* (11).

cercamento [De *cercar* + *-mento.*] *S. m.* Ato ou efeito de cercar: 📰 *O cercamento da horta, afinal, impediu a invasão dos animais.*

cercania *S. f.* Cercanias (q. v.): 📖 "O solo aí, como em toda a cercania, cobre-se de uma crosta de argila roxa" (José de Alencar, *Til*, pp. 32-33). ~ V. *cercanias.*

cercanias [Do esp. *cercanías.*] ***S. f. pl.*** Região situada em torno de uma povoação, cidade, etc.; arredores, proximidades, vizinhança, imediações: "A gente das cercanias, ouvindo a descarga alta noite, acorria em lamúrias a Fundões" (João da Silva Correia, *Farândola*, p. 107). [Tb. us., com menor frequência, no sing.] ~ V. *cercania.*

cercante [De *cercar* + *-nte.*] ***Adj. 2 g. S. 2 g.*** Que, ou quem cerca.

cercão [Do esp. *cercano.*] ***Adj.*** Que é das cercanias; vizinho, próximo. [Flex.: *cercã, cercãos, cercãs.*]

cercar [Do lat. tard. *circare.*] ***V. t. d.*** **1.** Fazer cerca a: *Uma sebe de ciprestes cerca o terreno.* **2.** Rodear com muro, sebe, etc. **3.** Pôr cerco a; sitiar: *Os rebeldes cercaram o palácio presidencial.* **4.** Rodear, cingir, circundar: *Uma coroa de flores cercava-lhe a fronte.* **5.** Estar ou ficar em volta de: "Nos outeiros e montes que cercam o vale, reluziam as espingardas dos soldados carlistas." (Bulhão Pato, *Memórias*, I, p. 23.) **6.** Assediar: *Os jornalistas cercaram o Ministro à sua chegada.* **7.** Perseguir por todos os lados: *Uma série de infortúnios o vem cercando há meses.* **8.** *Bras.* No jogo do bicho, fazer aposta (em determinado bicho ou número), válida para os cinco ou para os sete números que constarão do resultado: *Cercou o galo pelos sete lados.* **9.** *Tip.* Guarnecer (7). ***T. d. e i.*** **10.** Rodear, cumular; prodigalizar: *Durante a longa doença, cercaram-no de carinhos.* [Conjug.: v. *trancar*. Pres. ind.: *cerco, cercas, cerca*, etc.; fut. pret.: *cercaria*, etc. Cf. *cerco* (ê), s. m., *cerca* (ê), s. f., pl. *cercas* (ê), e *cercária*, s. f.]

cercária [De *cerc(o)-* + *-aria.*] ***S. f. Zool.*** Forma larvar dos trematódeos. [Cf. *cercaria*, do v. *cercar.*]

cerce [Do lat. *circine*, var. de *circinu.*] ***Adv.*** Pela parte mais baixa; pela raiz; cérceo, rente: "colhia-as [as varas de marmelo] longas e bem retas, cortava cerce os galhos secundários" (Pedro Nava, *Balão Cativo*, p. 4).

cércea [F. subst. de *cérceo.*] ***S. f.*** **1.** Chapa que se usava na verificação das bocas de fogo. **2.** Aparelho, nas estações de estrada de ferro, que determina o máximo volume que a carga de um trem pode atingir. **3.** Molde para o corte de pedras. **4.** Peça curva de madeira, para auxiliar o desenho.

cerceabilidade [De *cerceável* (*cerceabil-*) + *-(i)dade*, seg. o padrão erudito.] ***S. f.*** Qualidade do que é cerceável.

cerceador (ô) [De *cercear* + *-dor.*] ***Adj. S. m.*** Que ou o que cerceia.

cerceadura [De *cercear* + *-dura.*] ***S. f.*** **1.** V. *cerceamento.* **2.** Apara[1] (1).

cerceamento [De *cercear* + *-mento.*] ***S. m.*** Arte ou efeito de cercear; cerceadura; cerceio.

cercear [Do lat. tard. *circinare.*] ***V. t. d.*** **1.** Cortar cerce, rente, pela base ou pela raiz: "a fouce da morte, passando por ali, cerceara a derradeira esperança do império de Theoderik." (Alexandre Herculano, *Eurico, o Presbítero*, p. 119). **2.** Cortar ou aparar em roda, ao redor. **3.** Cortar, suprimir, desfazer, destruir: *Os últimos acontecimentos cercearam-lhe toda a esperança.* **4.** Restringir, limitar, diminuir: *cercear a liberdade, a iniciativa.* [Conjug.: v. *frear.*]

cerceável [De *cercear* + *-vel.*] ***Adj. 2 g.*** Que se pode cercear.

cerceio [Dev. de *cercear.*] ***S. m.*** V. *cerceamento.*

cérceo [Do lat. *circinu.*] ***Adj.*** **1.** Cortado pela base, pela raiz; cortado rente. • ***Adv.*** **2.** V. *cerce:* "uma serra gigante capaz de dividir cérceo o hemisfério austral do hemisfério boreal." (Alexandre Herculano, *Lendas e Narrativas*, II, p. 48).

cercidifilácea [Do tax. *Cercidiphyllum* + *-ácea*; tax. *Cercidiphyllaceae.*] ***S. f. Bot.*** Espécime das cercidifiláceas, família de plantas lenhosas, dioicas, com folhas opostas, estipuladas, flores unissexuais com muitos estames e óvulos, sendo o fruto um folículo provido de sementes aladas. Suas espécies habitam o Japão e a China.

cercidifiláceo [De *cercidifilácea*, com var. suf. (v. *-áceo*).] ***Adj. Bot.*** Pertencente ou relativo às cercidifiláceas.

cercilhado [Part. de *cercilhar.*] ***Adj.*** Tonsurado (1).

cercilhar [De *cercilho* + *-ar*[2].] ***V. t. d.*** Abrir cercilho (1) em; tonsurar.

cercilho [Do esp. *cercillo.*] ***S. m.*** **1.** V. *tonsura* (2): "Tinha então [Fr. Brayner] à cabeça, escondendo-lhe o cercilho, um chapéu branco" (Alberto Rangel, *Quando o Brasil Amanhecia*, p. 347). **2.** Aparas ásperas de pergaminho.

cerclagem [Do fr. *cerclage.*] ***S. f. Gin. Traum.*** Manobra que consiste em circundar parte de um órgão com anel ou com fio metálico, como se faz, p. ex., em caso de incapacidade do colo uterino, ou para reunir extremidades de osso fraturado.

cerco[1] (ê) [Dev. de *cercar.*] ***S. m.*** **1.** Ato ou efeito de cercar. **2.** Aquilo que circunda; cinto. **3.** Assédio militar; sítio. **4.** Lugar cercado. **5.** Círculo formado por caçadores para pegar a caça. **6.** Aparelho de pesca em que as redes formam círculo para apanhar o peixe. **7.** Tapagem feita num rio com entulho qualquer, para que as águas escorram apenas por um lugar apertado. **8.** *Fig.* Insistência importuna junto a alguém com atenções, perguntas, pretensões, etc. **9.** *Bras. BA* Cata aberta no leito de rio corrente. **10.** *Bras. SP* Armadilha para peixes: cerca de estacas bem juntas, fincadas no leito de rios e riachos, apoiadas em varões que atravessam a corrente de um barranco a outro. [Pl.: *cercos* (ê). Cf. *cerco*, do v. *cercar.*]

cerco[2] (ê) [Do lat. *circu.*] ***S. m.*** **1.** *Antiq.* Roda, círculo. **2.** *Zool.* Apêndice articulado, em geral delgado e filiforme, da extremidade distal do abdome de muitos artrópodes.

▲**cerc(o)-** [Do gr. *kerko-* < gr. *kérkos, ou*, 'cauda'; 'asa'.] ***El. comp.*** = 'cauda'; 'de cauda (específica)': *cercária, cercosporiose.* [Equiv.: *-cerc(o)-, -cerco*: *plerocercoide; cisticerco, homocerco.*]

▲**-cerc(o)-** V. *cerc(o)-.*

▲**-cerco** V. *cerc(o)-.*

cercopídeo [Do tax. *Cercopis* (alter. do gr. *kerkópe*, 'certo tipo de cigarra') + *-ídeo*[1]; tax. *Cercopidae.*] ***Zool. S. m.*** **1.** Espécime dos cercopídeos, família de insetos da ordem dos homópteros. Pequenos e saltadores, alimentam-se de arbustos e ervas, sendo as ninfas protegidas no interior de espuma viscosa eliminada pelo ânus e por glândulas epidérmicas do sétimo e do oitavo segmentos abdominais. No Brasil são vulgarmente chamados cigarrinhas, constituindo pragas da cana-de-açúcar e de outras gramíneas. • ***Adj.*** **2.** Pertencente ou relativo a eles.

cercopitecídeo [Do tax. *Cercopithecus* (< lat. *cercopithecus*, 'certo macaco de cauda comprida') + *-ídeo*[1]; tax. *Cercopithecidae.*] ***Zool. S. m.*** **1.** Espécime dos cercopitecídeos, família de simiiformes, designados genericamente de macacos do Velho Mundo, com cauda não preensora. • ***Adj.*** **2.** Pertencente ou relativo a eles.

cercopitecóideo [Do tax. *Cercopithecus* + *-óideo*; tax. *Cercopithecoidea.*] ***Zool. S. m.*** **1.** Espécime dos cercopitecóideos, superfamília que compreende os pequenos macacos extintos e exstantes do Velho Mundo. São, quase todos, maiores que os cebóideos, apresentam calosidades isquiáticas e bolsas faciais (us. para armazenar alimentos), a cauda nunca é preênsil, são catarrinos (v. *catarrino*[1]), e não têm o segundo pré-molar; o polegar pode, ou não, ser oponente. Podem ser herbívoros, ou onívoros, e algumas espécies são terrícolas. • ***Adj.*** **2.** Pertencente ou relativo a eles.

cercosporiose [Do tax. *Cercospora* (v. *cerc(o)-* e *-sporo*) + *-i-* + *-ose*[1].] ***S. f. Bot.*** Moléstia das folhas produzida por fungos do gênero *Cercospora*, caracterizada por manchas marginadas de escuro.

cerda (ê) [Do lat. vulg. *cirra.*] ***S. f.*** **1.** *Zool.* Pelo mais espesso e resistente, de ordinário situado junto às cavidades naturais dos mamíferos: "O pelo finíssimo, imperceptível quase, ... eriçara-se todo, arrepiando-se como cerdas de caititu." (Afonso Arinos, *Pelo Sertão*, pp. 77-78.) **2.** *P. ext. Zool.* Cada uma das organelas de animais microscópicos que funcionam como órgãos retráteis, locomotores ou sensoriais. **3.** *Zool.* Processo externo, anatômico, do corpo dos insetos; são evaginações de células epidérmicas individuais. **4.** *Bot.* Seta[2] (1). **5.** Fibra natural ou sintética us. em escovas, pincéis, etc.

cerdáceo [De *cerda* + *-áceo.*] ***Adj.*** Semelhante à cerda: *pelo cerdáceo.*

cerdear [Do esp. plat. *cerdear.*] ***V. t. d. Bras. RS*** V. *tosquiar* (1 e 2). [Conjug.: v. *frear.*]

cerdeira [Do top. *Cerdeira* (corrupt. de *cerejeira*, em virtude de haver no local imensas cerejeiras, seg. conta a história dessa freguesia lusa).] ***S. f. Prov. port.*** Cerejeira: "Tenho uma ideia de um pequeno que subia às cerdeiras e nos deitava cerejas..." (Camilo Castelo Branco, *Novelas do Minho*, VI, p. 38.)

cerdo (é) [De *cerda* (ê).] ***S. m. Zool.*** Porco (1).

cerdoso (ô) [De *cerda* (ê) + *-oso.*] ***Adj.*** **1.** Provido de cerdas. **2.** Espesso como cerdas: "franziu as cerdosas sobrancelhas" (Eduardo Frieiro, *O Mameluco Boaventura*, p. 66).

cereal [Do lat. *cereale*, 'referente a Ceres, a deusa das searas'.] ***Adj. 2 g.*** **1.** Diz-se das gramíneas e doutras plantas (trigo, cevada, milho, etc.) cujas sementes, transformadas em farinha, servem para a alimentação. **2.** Relativo a pão. • ***S. m.*** **3.** Planta cereal (1). **4.** Grão ou semente de uma dessas plantas. **5.** Produto alimentício industrializado feito a partir da combinação de cereais (4). **6.** Searas, messes. [Como s. m., é m. us. no pl. Cf. *cirial.*]

cerealicultor (ô) [De *cereal* + *-i-* + *-cultor.*] ***Adj. S. m.*** Que, ou aquele que se dedica a cerealicultura; cerealista.

cerealicultura [De *cereal* + *-i-* + *-cultura.*] ***S. f.*** Cultura de cereais.

cerealífero [De *cereal* + *-ífero.*] ***Adj.*** **1.** Referente a cereais. **2.** Que produz cereais.

cerealista [De *cereal* + *-ista.*] ***Adj. 2 g.*** **1.** De, ou relativo a cereal: *comércio cerealista.* **2.** Cerealicultor. • ***S. m.*** **3.** Cerealicultor.

cerebelar [De *cerebelo* + *-ar*[1].] ***Adj. 2 g. Anat.*** Pertencente ou relativo ao cerebelo; cerebeloso. ~ V. *oliva —.*

cerebelo (bê) [Do lat. *cerebellu.*] ***S. m. Anat.*** Porção do encéfalo situada nas partes posterior e inferior do cérebro, e que é responsável pela coordenação de movimentos e manutenção do equilíbrio. [Sin., desus.: *parencéfalo.*]

cerebeloso (ô) [De *cerebelo* + *-oso.*] ***Adj. Ant.*** Cerebelar.

cerebídeo [Do tax. *Coereba* (< tupi *guira coereba*, 'certo pássaro') + *-ídeo*[1]; tax. *Coerebidae.*] ***Zool. S. m.*** **1.** Espécime dos cerebídeos, família de aves passeriformes de tarso tirante a ocre (nas escamas anteriores), tegumento dividido ou não em placas, a primeira das rêmiges da mão igual à segunda, ou mais comprida, bico fino e longo, unha do dedo posterior ordinária. Os machos são ornados de cores brilhantes, verde, azul ou preto e amarelo. Vivem nos campos e capoeiras, e alimentam-se de frutos e insetos. São os saís, tem-tens, caga-sebos e guaratãs. • ***Adj.*** **2.** Pertencente ou relativo a eles.

cerebração [De **cerebrar* (< *cérebro* + *-ar*[2]) + *-ção.*] ***S. f.*** **1.** Constituição de cérebro. **2.** Atividade e/ou capacidade intelectual.

cerebral [De *cérebro* + *-al*[1].] ***Adj. 2 g.*** **1.** Pertencente ou relativo ao cérebro. [Sin. (p. us.): *cerebrino.*] **2.** Que afeta o cérebro: *derrame cerebral.* **3.** Intelectual, intelectivo: *atividade cerebral.* ~ V. *acidente vascular —, agrafia —, concussão —, disfunção — mínima, lavagem —, morte —, ondas cerebrais* e *tronco —.* • ***S. 2 g.*** **4.** Pessoa que se orienta sobretudo pelo raciocínio.

cerebralismo [De *cerebral* + *-ismo.*] ***S. m.*** Tendência a priorizar o raciocínio, a razão.

cerebrastenia [De *cerebr(i)-* + *-asten(o)-* + *-ia*[1].] ***S. f.*** *Neur.* Esgotamento cerebral.

cerebrasténico ***Adj.*** *Neur.* V. *cerebrastênico.* [Uso freq. em P.]

cerebrastênico [De *cerebrastenia* + *-ico*[2].] ***Adj.*** *Neur.* Relativo à cerebrastenia.

▲**cerebr(i)-** [Do lat. *cerĕbrum, i.*] ***El. comp.*** = 'cérebro': *cerebrino, cerebrastenia.* [Equiv.: *cerebro-*: *cerebrospinal.*]

cerebriforme [De *cerebr(i)-* + *-forme.*] ***Adj. 2 g.*** Semelhante ao cérebro, na forma ou na estrutura.

cerebrino [De *cerebr(i)-* + *-ino*[1].] ***Adj.*** **1.** *P. us.* Cerebral. **2.** Imaginário, fantástico, extravagante.

▲**cerebro-** Equiv. de *cerebr(i)-.*

cérebro [Do lat. *cerebru.*] ***S. m.*** **1.** *Anat.* Porção do encéfalo que ocupa, na caixa craniana, toda a parte superior e anterior. **2.** *Fig.* Inteligência, cabeça, talento. **3.** Indivíduo responsável pela organização de um grupo ou pelo planejamento de um trabalho, ação, etc.: *Diz-se que, na copa de 1958, Didi era o cérebro da seleção brasileira.* ◆ **Cérebro eletrônico.** *Desus.* Computador eletrônico (q. v.).

cerebroespinhal [De *cerebro-* + *espinhal.*] ***Adj. 2 g. Anat.*** Cerebrospinal. ~ V. *líquido —.* ❇

cerebroide (ói) [De *cerebr(i)-* + *-oide.*] ***Adj. 2 g.*** Semelhante ou análogo a cérebro. ❖

cerebrose [De *cerebr(i)-* + *-ose*[2].] ***S. f. Bioquím.*** Lactose.

cerebrosídeo [De *cerebrose* + *-ídeo*[2].] ***S. m. Bioquím.*** Qualquer de certos esfingolipídios que ocorrem com abundância na mielina, e que fornecem por hidrólise, além de esfingosina e ácido graxo, uma molécula de açúcar simples.

cerebrospinal [De *cerebro-* + *-spinal.*] ***Adj. 2 g. Anat.*** Pertencente ou relativo ao encéfalo e à medula espinhal; cerebroespinhal. ~ V. *liquor —.*

cerebrovascular [De *cerebro-* + *vascular.*] ***Adj. 2 g. Anat.*** Relativo ou pertencente aos vasos sanguíneos do cérebro. ~ V. *doença —.*

cerefolho (ô) ***S. m. Bot.*** V. *cerefólio.* [Pl.: *cerefolhos* (ó).]

cerefólio [Do lat. *caerefoliu.*] ***S. m. Bot.*** Planta apiácea (*Anthriscus cereifolium*) alimentar, de folhas simples ou crespas, condimentares, flores alvas, pequenas, dispostas em umbelas sésseis, e cujo fruto é diaquênio alongado e liso, que contém sementes das quais se extrai óleo essencial, com aroma característico. [Var.: *cerefolho.*]

cereja (ê) [Do lat. vulg. *ceresia* < lat. *cerasu.*] ***S. f.*** **1.** O fruto da cerejeira. **2.** Fruto de outras plantas parecido com ele. **3.** *Bras. SP* Grão de café com a casca antes de secar. • ***Adj. 2 g. e 2 n.*** **4.** Vermelho da cor da cereja: "os calções estreitos de veludo cereja." (José de Alencar, *Guerra dos Mascates*, p. 59).

cereja-das-antilhas ***S. f.*** V. *acerola* (2). [Pl.: *cerejas-das-antilhas.*]

cereja-de-purga ***S. f. Bot.*** **1.** *Bras. RJ SP* Trepadeira cucurbitácea (*Cayaponia pedata*) alta, de caule anguloso e áspero, flores femininas e solitárias, dispostas em racimos, e frutos avermelhados ou esverdeados. **2.** V. *abóbora-do-mato.* [Pl.: *cerejas-de-purga.*]

cereja-do-rio-grande [De *cereja* + *do*[1] + o top. *Rio Grande* (*do Sul*).] ***S. f. Bras. MT a RS Bot.*** Árvore pequena mirtácea (*Myrcianthes edulis*) de flores axilares, us. na indústria de perfumaria, fruto drupáceo, amarelo, ovoide, e madeira de alburno branco e cerne vermelho, resistente, mas pouco elástica, própria para objetos de luxo; pessegueiro-do-mato. [Pl.: *cerejas-do-rio-grande.*]

cereja-dos-passarinhos *S. f. Bot.* V. *cerejeira* (2). [Pl.: *cerejas-dos-passarinhos.*]

cereja-galega *S. f. Bot.* V. *cerejeira* (2). [Pl.: *cerejas-galegas.*]

cerejal [De *cereja* + *-al*[1].] *S. m.* **1.** Quantidade mais ou menos considerável de cerejeiras dispostas proximamente entre si. **2.** Área ocupada por cerejal (1).

cerejeira [De *cereja* + *-eira*.] *S. f. Bot.* **1.** Designação comum a diversas árvores e arbustos rosáceos, gênero *Prunus*. **2.** Árvore rosácea (*P. avium*) de casca lisa e cinzenta, flores alvas, frutos pequenos, doces e polposos, vermelhos ou quase pretos, madeira branco-avermelhada, dura e pesada, us. em marcenaria de luxo, instrumentos musicais, objetos de arte, etc. [Sin., nesta acepç.: *cereja-galega, cereja-dos-passarinhos, cerejeira-da-europa*] **3.** Arbusto rosáceo (*P. cerasus*) cuja casca e flores têm as mesmas características das da espécie anterior, apresentando o fruto e a madeira, porém, diferença na cor, respectivamente amarelada e avermelhada. [Sin., nessas acepçs.: *cerejeira-da-europa.*] **4.** V. *gameleira-branca.*

cerejeira-da-europa *S. f. Bras. Bot.* V. *cerejeira* (2 e 3). [Pl.: *cerejeiras-da-europa.*]

cerejeira-das-antilhas *S. f. Bras. Bot.* Cerejeira-do-pará. [Pl.: *cerejeiras-das-antilhas.*]

cerejeira-do-brasil [De *cerejeira* + *do*[1] + o top. *Brasil.*] *S. f. Bras. Bot.* V. *ginjeira-da-terra* (1). [Pl.: *cerejeiras-do-brasil.*]

cerejeira-do-pará [De *cerejeira* + *do*[1] + o top. *Pará.*] *S. f. Bras. Bot.* Arbusto ou árvore pequena malpighiácea (*Malpighia punicifolia*) de flores róseas, vermelho-pálidas ou violáceas, aromáticas, dispostas em cimeiras sésseis e cujo fruto, drupáceo, ovoide ou globoso, escarlate, é comestível e aromático; cerejeira-das-antilhas. [Pl.: *cerejeiras-do-pará.*]

cerejeirense *Adj. 2 g.* **1.** De, ou pertencente ou relativo a Cerejeiras (RO). ● *S. 2 g.* **2.** O natural ou habitante de Cerejeiras.

céreo[1] [Do lat. *cereu.*] *Adj. Poét.* **1.** De cera. **2.** Da cor da cera. [Sin. ger.: *ceroso*. Cf. *cério* e *sério.*]

céreo[2] [Do tax. *Cereus.*] *S. m. Bot.* **1.** Gênero das cactáceas que compreende cerca de 25 espécies nativas das Índias Ocidentais e da região tropical leste da América do Sul, até a Argentina. **2.** Qualquer espécie desse gênero, como, p. ex., a *Cereus peruvianos*, de porte arbóreo, com cerca de 12m de altura, longos acúleos e grandes flores brancas, a *Cereus giganteus*, do México, e a *Cereus jamacaru* (v. *mandacaru*). **3.** Qualquer espécime desse gênero. [Cf. *cério* e *sério.*]

cereocalcário [De *céreo* + *calcário.*] *Adj.* Formado de cera e revestido por uma película de carbonato de cálcio. ☑

ceres [Do mit. lat. *Ceres*, 'deusa da colheita e da agricultura'.] *S. f.* **1.** O campo. **2.** *Fig.* Os cereais. [Cf. *seres*, pl. de *sere*, e *seres* (ê), do v. *ser* e pl. do s. m. *ser.*]

ceresino *Adj.* **1.** De, ou pertencente ou relativo a Ceres (GO). ● *S. m.* **2.** O natural ou habitante de Ceres.

cergideira [De *cergir* + *-deira.*] *S. f. Marinh.* Cada um dos cabos que servem para carregar as velas da gávea pelas testas; *cerzideira.*

cergir *V. t. d. T. d. e i. Int. Pop.* V. *cerzir*. [Irreg. Conjug.: v. *agredir*, quanto ao *e*, e *dirigir*, quanto ao *g.*]

▲cer(i)- [Do lat. *cera, ae.*] *El. comp.* = 'cera': *cerífero*. [Equiv.: *-cer(o)-*[2]: *eleocerídeo.*]

ceriantário [Do tax. *Cerianthus* + *-ário*; tax. *Ceriantharia.*] *Zool. S. m.* **1.** Espécime dos ceriantários, ordem de cnidários, zoantários, alongados, delgados, solitários, em forma de anêmonas-do-mar, com tentáculos numerosos dispostos em dois círculos, sem disco pedioso e apenas um sifonóglifo. ● *Adj.* **2.** Pertencente ou relativo a eles.

ceriantho [Do gr. *kerion*, 'favo de mel', + *-anto*; tax. *Cerianthus.*] *S. m. Zool.* **1.** Gênero de ceriantários, de forma alongada, com muitos tentáculos que se dispõem em dois círculos. São solitários e vivem em tubos verticais com paredes calcárias, no fundo do mar. **2.** Espécie ou espécime desse gênero.

cérica [F. subst. de **cérico* < *cer(i)-* + *-ico*[2].] *S. f.* Unguento de cera e azeite, us. para curar o cieiro. [Cf. *sérica*, fem. de *sérico.*]

cericória *S. f. Bras. Pop.* V. *octaedrita.*

cerieira [De *cer(i)-* + *-eira.*] *S. f. Bot.* Planta que produz cera. [Cf. *cirieira*, fem. de *cirieiro.*]

cerieiro [De *cer(i)-* + *-eiro.*] *S. m.* Aquele que trabalha em cera, ou vende cera. [Cf. *cirieiro.*]

cerifa *S. f.* V. *serifa.*

cerífero [De *cer(i)-* + *-fero.*] *Adj.* Que produz cera.

cerificação [De **cerificar* (< *cer(i)-* + *-ficar*) + *-ção.*] *S. f. Bot.* Processo pelo qual as células epidérmicas de folhas e caules formam um revestimento de cera.

cerigado-cherne *S. m. Bras. N.E. Zool.* V. *cherne*. [Pl.: *cerigados-chernes* e *cerigados-cherne.*]

cerigado-preto *S. m. Bras. Zool.* V. *badejo-ferro*. [Pl.: *cerigados-pretos.*]

cerigado-sabão *S. m. Bras. Zool.* Badejo-sabão. [Pl.: *cerigados-sabões* e *cerigados-sabão.*]

cerigado-tapoã *S. m. Bras. Zool.* V. *cherne*. [Pl.: *cerigados-tapoãs.*]

cerigado-vermelho *S. m. Bras. Zool.* V. *garoupa-gato*. [Pl.: *cerigados-vermelhos.*]

ceriguela (güe) *S. f. Bot.* V. *seriguela*. ❖

cerimónia *S. f.* V. *cerimônia*. [Uso freq. em P.]

cerimônia [Do lat. *caerimonia.*] *S. f.* **1.** Forma exterior e regular de um culto. **2.** Reunião festiva, ou até fúnebre, de caráter solene, por ocasião de um acontecimento; solenidade: *a cerimônia do juramento da bandeira; a cerimônia do enterro do herói.* **3.** Formalidades e cortesias entre pessoas que não se tratam com familiaridade; etiqueta. **4.** Embaraço ou constrangimento resultante da exigência de portar-se conforme a etiqueta: *Durante o jantar, o hóspede mostrava-se cheio de cerimônia.* **5.** Acanhamento, timidez. [Cf. *cerimonia*, do v. *cerimoniar.*] ◆ **Fazer cerimônia.** Mostrar-se embaraçado; proceder com cerimônia (4). **Sem cerimônia.** À vontade.

cerimonial [Do lat. *caerimoniale*, 'referente às cerimônias religiosas'.] *Adj. 2 g.* **1.** Referente a cerimônias. ● *S. m.* **2.** Conjunto de formalidades que se devem seguir num ato solene ou festa pública. **3.** Regra que estabelece tais formalidades. **4.** Livro que as contém. **5.** Setor administrativo a que elas estão afetas. **6.** Etiqueta (2). ◆ **Cerimonial marítimo.** *Mar. G.* Conjunto de honras, sinais de respeito, cordialidades, que se foram estabelecendo em todo o mundo através dos séculos, que os navios de guerra se prestam uns aos outros ou às autoridades navais e pessoas gradas.

cerimonialista [De *cerimonial* + *-ista.*] *S. 2 g.* Pessoa responsável pela organização e bom andamento do cerimonial (5) de uma instituição ou evento.

cerimoniar [De *cerimônia* + *-ar*[2].] *V. t. d. P. us.* **1.** Acompanhar de cerimônia. **2.** Dirigir o cerimonial de. **3.** Tratar com cerimônia, cortesia, polidez. [Pres. ind.: *cerimonio, cerimonias, cerimonia*, etc. Cf. *cerimônia.*]

cerimoniário [De *cerimônia* + *-ário.*] *S. m. Rel.* Clérigo que dirige as cerimônias litúrgicas.

cerimoniático [De *cerimônia* + *-ático.*] *Adj.* Que observa as cerimônias com rigor extremo.

cerimonioso (ô) [Do lat. *caerimoniosu*, que significa, aliás, 'referente às cerimônias religiosas'.] *Adj.* **1.** Em que há cerimônia: *jantar cerimonioso.* **2.** Que se comporta com cerimônia: *pessoa cerimoniosa.* **3.** Mesureiro, cumprimenteiro.

cério [Do lat. cient. *cerium.*] *S. m. Quím.* Elemento de número atômico 58, metálico, pertencente aos lantanídeos, us. em ligas [símb.: *Ce*]. [Cf. *sério* e *céreo.*]

cerita [De *cério* + *-ita*[3].] *S. f. Min.* Mineral ortorrômbico ou tetragonal, silicato hidratado de cério.

cermeto [Do ingl. *cermet* < ingl. *cer(amic)* + *met(al).*] *S. m. Tec.* Material sintetizado, obtido pelo aquecimento de mistura de cerâmica e metais pulverizados, altamente resistente no calor.

cernada [De *cernar* + *-ada*[1].] *S. f.* Ato de cernar.

cernambi [Do tupi.] *S. m.* **1.** *Bras. Zool.* Designação comum a algumas espécies de moluscos bivalves, especialmente *Anomalocardia brasiliana*, da costa meridional do Brasil, de coloração variável — branca, castanho-escura, negra ou rajada — e de uso na alimentação. [Sin.: *cernambitinga, papa-fumo*. Cf. *berbigão* (3).] **2.** *Bras. BA Zool.* V. *amêijoa* (2). **3.** *Bras. Zool.* Molusco bivalve (*Mesodesma mactroides*), que vive enterrado na areia a 0,20m de profundidade, comum de Santos para o S., onde é utilizado na alimentação; maçambique, moçambique, samanguaiá, sapinhanguá, simanguaiá, simongoiá. **4.** *Bras. Zool.* Molusco bivalve (*Erodona mactroides*), que serviu de alimento aos indígenas no passado e constitui a maior parte dos sambaquis. **5.** *Bras. Amaz.* Borracha de qualidade inferior. **6.** *Bras. PA* V. *sambaqui*: "Sambaqui, no Pará, é conhecido por cernambi." (Raimundo Morais, *País das Pedras Verdes*, p. 10.) [Var., nesta acepç.: *sarnambi.*]

cernambiguara [Do tupi.] *S. f. Bras. Zool.* Peixe teleósteo, perciforme, carangídeo (*Trachinotus falcatus*), da costa do Brasil, de dorso azul-prateado, abdome branco-prateado, e até 0,50m de comprimento. Alimenta-se de peixes, crustáceos, moluscos e vermes. [Sin.: *pampo-gigante, pampo-arabebéu, garabebel, arabebéu, pampo.*]

cernambitinga [De *cernambi* + *-tinga.*] *S. f. Bras. Zool.* **1.** V. *cernambi* (1). **2.** Amêijoa-branca.

cernar [De *cerne* + *-ar*[2].] *V. t. d.* **1.** Cortar até ao cerne. **2.** Descobrir o cerne de. **3.** Extrair o cerne de.

cerne [De or. controvertida.] *S. m.* **1.** *Bot.* Parte do lenho das árvores formada de células mortas e sem substâncias nutritivas de reserva. Fica no centro do tronco, e é quase sempre mais escura. [Sin.: *âmago, durame.*] **2.** *Bras.* A parte intacta da madeira queimada. **3.** *Bras.* A parte que, de um tronco submerso, fica fora da água. **4.** *Bras.* Madeira que não apodrece dentro da água. **5.** *Fig.* A parte mais íntima, essencial; âmago; bojo. **6.** *Fig.* Pessoa velha, que não morre facilmente. **7.** *Fig.* Indivíduo rijo, duro, invencível.

cerneira [De *cerne* + *-eira.*] *S. f.* **1.** *Bot.* A parte lenhosa dos troncos ou dos ramos que, apodrecendo, deixam desprender-se a casca e o alburno. **2.** Tábua do cerne, ou tábua sem alburno.

cerneiro [De *cerne* + *-eiro.*] *Adj. Bot.* Que tem cerne (1).

cernelha (ê) [Do lat. vulg. **cernicula*, pl. de **cerniculu.*] *S. f.* **1.** A parte do corpo dalguns animais onde se juntam as espáduas. **2.** Fio do lombo: "O juiz de direito .... ainda se deteve alguns momentos a examinar se a sela não teria porventura pisado a cernelha do seu cavalo" (Antônio Sales, *Aves de Arribação*, p. 33).

cernideira [De *cernir* + *-deira.*] *S. f.* Peça de pau sobre a qual se movem as peneiras da farinha, na operação de peneirá-la.

cernir [Do lat. *cernere*, 'separar'.] *V. t. d.* **1.** *Ant.* Peneirar, joeirar. *Int.* **2.** *Fig.* Saracotear-se, requebrar-se. [Conjug.: v. *aderir.*]

▲cero- [Do gr. *kēr-, kēro-* < gr. *kērós, oû.*] *El. comp.* = 'cera': *ceromancia, ceromante, ceroide* (< gr.). [Var.: *quer(o)-*: *querite*. Equiv.: *-cer(o)-*[1]: *acérido.*]

▲-cer(o)-[1] V. *cero-.*

▲-cer(o)-[2] Equiv. de *cer(i)-.*

▲-cer(o)-[3] V. *cerat(o)-.*

▲-cero [Do gr. *-keros* < gr. *kéras*, 'corno'.] V. *cerat(o)-.*

ceró [De *cera* (do ouvido).] *S. m. Bras.* **1.** Secreção gordurosa. **2.** *Pop.* V. *cerume.*

ceroferário [Do lat. *ceroferariu.*] *S. m.* Acólito que, nas procissões, leva tocheira ou círio.

ceroide (ói) [Do gr. *keroeidés.*] *Adj. 2 g.* Que tem aparência de cera. ❖

ceroila *S. f.* V. *ceroula.*

ceroilas *S. f. pl.* V. *ceroulas.*

cerol [De *cer(i)-* + *-ol*[1].] *S. m.* **1.** Massa de cera, pez e sebo, com que os sapateiros untam as linhas de coser sola. **2.** *Bras. MA RJ* Mistura de cola de madeira e vidro moído que as crianças passam na linha dos papagaios [v. *papagaio* (5)] para cortar as de outrem; cortante, preparo. ◆ **Passar o cerol.** *Bras. RJ Gír.* V. *matar* (1). [Pl.: *ceróis.*]

ceroma [Do gr. *kéroma*, pelo lat. *ceroma.*] *S. f. Zool.* Membrana que reveste a base do bico de certas aves; cera.

ceromancia (cí) [De *cero-* + *-mancia.*] *S. f.* Adivinhação por meio de figuras feitas com cera derretida.

ceromante [De *cero-* + *-mante.*] *S. 2 g.* Quem pratica a ceromancia.

ceromântico *Adj.* Relativo a ceromancia, ou a ceromante.

cerome [Do ár. *sullham*, 'manto com capucho'.] *S. m.* Antiga capa de mulher.

ceromel [De *cero-* + *mel*[1].] *S. m.* Unguento de cera e mel, que era us. na preparação de emplastros. [Pl.: *ceroméis.*]

cerômero [Adapt. e subst. do ingl. *ceromer*, acrôn. de *ceramic optimized polymer.*] *S. m. Odont.* Material composto que combina partículas de cerâmica em matriz de polímero orgânico; é us. em próteses dentárias.

ceroplastia [De *cero-* + *-plast(o)-* + *-ia*[1].] *S. f.* Arte de modelar figuras em cera; ceroplástica.

ceroplástica [De *cero-* + *-plast(o)-* + *-ica.*] *S. f.* Ceroplastia.

ceroplástico [De *ceroplastia* + *-ico*[2].] *Adj.* Referente à ceroplastia.

ceroso (ô) [Do lat. *cerosu.*] *Adj.* Céreo[1]: "Via-se entre a carne apodrecida a palidez cerosa das gengivas." (Gustavo Barroso, *A Ronda dos Séculos*, p. 40.) [Cf. *seroso.*]

ceroto (ô) [Do gr. *kerotón*, pelo lat. *cerotu.*] *S. m.* **1.** Cerato. **2.** *Bras. N.E. Pop.* Sujeira da pele por falta de banho.

ceroula [Do ár. *sirwāl*, 'calça ou cueca', < aramaico *sirwal.*] *S. f.* Ceroulas (q. v.). [Var.: *ceroila.*]

ceroulas *S. f. pl. Vest.* Roupa íntima masculina que cobre o ventre, as coxas e as pernas, e que é hoje pouco usada. [Outrora ia do pescoço ao tornozelo e era fechada por botões na parte da frente.] [Var.: *ceroilas.* Tb. us. no sing.]

cerqueirense[1] *Adj. 2 g.* **1.** De, ou pertencente ou relativo a Cerqueira César (SP). ● *S. 2 g.* **2.** O natural ou habitante de Cerqueira César.

cerqueirense[2] *Adj. 2 g.* **1.** De, ou pertencente ou relativo a Dionísio Cerqueira (SC). ● *S. 2 g.* **2.** O natural ou habitante de Dionísio Cerqueira. [Sin. ger.: *dionisiense.*]

cerqueiro [De *cercar* + *-eiro*.] *Adj.* **1.** Que cerca, envolve ou circunda. **2.** *Bras. Turfe* Diz-se do cavalo que, durante uma carreira, procura correr sempre junto a uma das cercas. ● *S. m.* **3.** *Bras. Turfe* Cavalo cerqueiro.

cerquilhense *Adj. 2 g.* **1.** De, ou pertencente ou relativo a Cerquilho (SP). ● *S. 2 g.* **2.** O natural ou habitante de Cerquilho.

cerração [De *cerrar* + *-ção*.] *S. f.* **1.** Nevoeiro espesso: "Forte cerração cobria o vale, condensando-se ao longo do rio." (José de Alencar, *Til*, pp. 87-88.) **2.** Escuridão, treva(s). **3.** *Fig.* Dificuldade de falar por motivo de rouquidão ou de sufocação. [Cf. *serração*.]

cerradal [De *cerrado* + *-al*[1].] *S. m. Bras. PA* V. *cerrado* (11).

cerradão [De *cerrado* + *-ão*[1].] *S. m. Bras.* **1.** V. *cerrado* (11): "Nos cerradões, ou nos matos ...., eu não enxergava .... nem as orelhas do meu queimado." (Afonso Arinos, *Histórias e Paisagens*, pp. 12-13). **2.** Vegetação mais densa e desenvolvida que o cerrado.

cerrado [Part. de *cerrar*.] *Adj.* **1.** Fechado, vedado: *compartimentos cerrados*. **2.** Denso, espesso, compacto: "A mata é tropical; basta, quase maciça / De tão cerrada." (Vicente de Carvalho, *Poemas e Canções*, p. 55); *escuridão cerrada*. **3.** Unido, apertado: *Os soldados marchavam em formação cerrada*. **4.** Com pigmentação forte: *vermelho cerrado*. **5.** Todo coberto de nuvens ou névoas: *céu cerrado*. **6.** Que é ou está muito escuro, carregado: *noite cerrada*. **7.** Sério; grave; circunspecto: *semblante cerrado*. **8.** Diz-se da maneira de falar difícil de entender: *Fala um português cerrado*. **9.** Concluído, liquidado. **10.** Diz-se do cavalo que já mudou os dentes. ~ V. *campo —*, *carga —a*, *composição —a*, *noite —a* e *testamento —*. ● *S. m.* **11.** Terreno cercado ou murado. **12.** *Bras.* Tipo de vegetação caracterizado por árvores baixas, retorcidas, em geral dotadas de casca grossa e suberosa, espaçadas, e que leva por baixo tapete de gramíneas. Ocorre no Planalto Central Brasileiro, na Amazônia, em parte do Nordeste, e muito pouco no Sul. **13.** *Bras.* Terreno, ordinariamente plano, com esse tipo de vegetação e longos períodos de seca; campo cerrado, cerradão, cerradal. [Cf., nas acepçs. 10 e 11, *savana*. Cf. tb. *serrado*, do v. *serrar* e adj.] ◆ **Cerrado fechado.** *Bras.* Campo cerrado cujas árvores se acham mais próximas umas das outras. **Cerrado ralo.** *Bras.* Cerrado em que as árvores mantêm entre si uma distância que facilita o trânsito dos animais.

cerradoiro [De *cerrar* + *-doiro*[2].] *S. m.* Cerradouro (q. v.).

cerradouro [De *cerrar* + *-douro*[2]; var. de *cerradoiro*.] *S. m.* Cordão para cerrar bolsas, sacos, etc.

cerradura [De *cerrar* + *-dura*.] *S. f. Ant.* Cerca, muro. [Cf. *serradura*.]

cerra-fila [De *cerrar* + *fila*[1].] *S. m.* **1.** *Mil.* Militar que se desloca à retaguarda de uma tropa disposta em colunas, para fiscalizar a disciplina e zelar pela execução das ordens relativas à marcha. **2.** *P. ext.* Qualquer indivíduo em forma na última fileira duma coluna. **3.** O último soldado de uma fileira. **4.** Navio que vai na retaguarda dos outros. [Pl.: *cerra-filas*.]

cerramento [De *cerrar* + *-mento*.] *S. m.* **1.** Ato de cerrar. **2.** Encerramento. [Cf. *serramento*.]

cerrar [Do lat. tard. *serare* < lat. *sera*, 'ferrolho'.] *V. t. d.* **1.** Fechar (1): *Terminada a cerimônia, cerraram o túmulo.* **2.** Encaixar em seu marco a folha ou as folhas de (porta, janela, etc.), de modo que impeça a passagem de ar e/ou de luz; fechar. **3.** Juntar, unir, as partes separadas ou afastadas de; fechar: "Cansado pela longa vigília, cerrei os olhos e adormeci." (Murilo Rubião, *Os Dragões e Outros Contos*, p. 30); *cerrar os lábios.* **4.** Unir fortemente; apertar: *cerrar os punhos, os dentes.* **5.** Tapar, encobrir: *A construção do edifício veio cerrar a visão da praia.* **6.** Terminar, concluir; encerrar: *Cerrou a carta usando expressões muito cerimoniosas.* ***Int.*** **7.** Aglomerar-se; acumular-se: *As nuvens cerraram, escurecendo o horizonte.* **8.** Atingir (uma cavalgadura) a idade em que os dentes estão plenamente desenvolvidos. ***P.*** **9.** Fechar-se, unir-se, juntar-se (as partes separadas ou afastadas de): "os olhos azuis .... cravaram-se na imagem de Nossa Senhora da Glória, mas cerraram-se logo." (José de Alencar, *Alfarrábios*, p. 193). **10.** Cobrir-se de nuvens: *Cerrou-se o horizonte.* **11.** Escurecer: *No inverno, cerram-se os dias mais cedo.* **12.** Unir-se, apertar-se: *A multidão cerrou-se à porta do palácio.* **13.** Acabar(-se), terminar(-se); concluir(-se): *Cerraram-se ontem os trabalhos;* "Absolvido da primeira culpa, a sua obscura vida pública cerra-se afinal com um novo encarceramento" (Latino Coelho, *Cervantes*, p. 104). **14.** Acabar de falar ou de escrever. [Pres. ind.: *cerro, cerras, cerra*, etc.; fut. pret.: *cerraria, cerrarias*, etc. Cf. *cerro* (ê), *serro* (ê), s. m., top. *Serro* (ê), *serra*, s. f., o antr. *Serra*, *serraria*, s. f., e o v. *serrar*.]

cerrilha [De *cerrar*.] *S. f.* Bordo branco dos dentes incisivos das bestas, arrasado depois dos cinco anos. [Cf. *serrilha*.]

cerritense *Adj. 2 g.* **1.** De, ou pertencente ou relativo a São José do Cerrito (SC). ● *S. 2 g.* **2.** O natural ou habitante de São José do Cerrito.

cerrito [De *cerro* + *-ito*[1].] *S. m. Bras. RS* Pequeno cerro.

cerro (ê) [Do lat. *cirru*.] *S. m.* **1.** V. *colina*[1] (1). **2.** Colina pequena e penhascosa, geralmente de forma tabular. [Pl.: *cerros* (ê). Cf. *serro* (ê), s. m., *serro* (ê), top., *cerro*, do v. *cerrar* e *serro*, do v. *serrar*.]

cerro-azulense *Adj. 2 g.* **1.** De, ou pertencente ou relativo a Cerro Azul (PR). ● *S. 2 g.* **2.** O natural ou habitante de Cerro Azul. [Pl.: *cerro-azulenses*.]

cerro-branquense *Adj. 2 g.* **1.** De, ou pertencente ou relativo a Cerro Branco (RS). ● *S. 2 g.* **2.** O natural ou habitante de Cerro Branco. [Pl.: *cerro-branquenses*.]

cerro-coraense *Adj. 2 g.* **1.** De, ou pertencente ou relativo a Cerro-Corá (RN). ● *S. 2 g.* **2.** O natural ou habitante de Cerro-Corá. [Pl.: *cerro-coraenses*.]

cerro-grandense *Adj. 2 g.* **1.** De, ou pertencente ou relativo a Cerro Grande (RS). ● *S. 2 g.* **2.** O natural ou habitante de Cerro Grande. [Pl.: *cerro-grandenses*.]

cerro-larguense *Adj. 2 g.* **1.** De, ou pertencente ou relativo a Cerro Largo (RS). ● *S. 2 g.* **2.** O natural ou habitante de Cerro Largo. [Pl.: *cerro-larguenses*.]

certa [F. subst. do adj. *certo*.] *S. f.* Us. nas loc. adv. *à certa, na certa* e *pela certa*. ◆ **À certa.** V. *na certa*. **Na certa.** Sem dúvida; certamente, decerto; à certa, pela certa: "Aquela vida de recluso, espichado numa rede, ... , faria mal na certa." (José Lins do Rego, *Banguê*, p. 32.) **Pela certa.** V. *na certa*.

certame [Var. de *certâmen*.] *S. m.* **1.** Luta, combate, contenda, briga. **2.** Debate, discussão. **3.** Ato público de certo relevo em que diferentes entidades competem ou concorrem para estabelecer uma graduação de valores: *certame esportivo; A Bienal de São Paulo é um importante certame artístico.*

certâmen [Do lat. *certamen*.] *S. m.* V. *certame*. [Pl.: *certamens* e (p. us. no Brasil) *certâmenes*.]

certamente [Do f. de *certo* + *-mente*.] *Adv.* **1.** De modo indubitável; com certeza, decerto: *Certamente ele cumprirá o prometido.* ● ***Interj.*** **2.** Sem dúvida; claro: *— Acha que ele virá? Certamente.*

certão [De *certo* + *-ão*[2]; cf. esp. (ant.) *certano*.] *Adj. Ant.* Certo. [Fem.: *certã*. Cf. *sertão* e *sertã*.]

certar [Do lat. *certare*.] *V. int.* **1.** Combater, pleitear. **2.** Discutir, debater. **3.** Ir a concurso.

certeiro [De *certo* + *-eiro*.] *Adj.* **1.** Que acerta bem; certo: *Tem a mão certeira para o tempero de carnes.* **2.** Bem dirigido: *tiro certeiro*. **3.** Acertado, judicioso, sensato: *opinião certeira*.

certeza (ê) [De *certo* + *-eza*.] *S. f.* **1.** Qualidade do que é certo. **2.** Conhecimento exato: *Não tem certeza de sua origem.* **3.** Persuasão íntima; convicção: *Tem a mais viva certeza de que Deus existe.* **4.** Coisa certa. **5.** Estabilidade, segurança. **6.** Afirmação categórica; intimativa. **7.** *Filos.* Forma de assentimento (2) decorrente de conhecimento que pode ser demonstrado ou que é evidente, sendo, portanto, objetiva e subjetivamente suficiente. [Cf., nesta acepç., *crença* (6) e *opinião* (6).] ◆ **Com certeza.** **1.** Certamente, decerto, evidentemente: "Não conto nestas exclusões os tomadores de apólices do empréstimo mexicano, porque esses, com certeza, não pensam nada" (Machado de Assis, *Crônicas*, II, p. 19). [Sin., lus.: *de certeza*.] **2.** Provavelmente. **De certeza.** *Lus.* Com certeza.

certidão [Do lat. *certitudine*.] *S. f.* **1.** Documento passado por funcionário que tem fé pública (escrivão, tabelião, etc.), e no qual se reproduzem peças processuais, escritos constantes de suas notas, ou se certificam atos e fatos que eles conheçam em razão do ofício. [Cf. *atestação* (2).] **2.** Atestado[1] (1). **3.** *Bras. MT* Alicerce de antigas construções, que ainda se pode ver nas taperas, na região serrana.

certificação [De *certificar* + *-ção*.] *S. f.* **1.** Ato ou efeito de certificar(-se); certificamento. **2.** *Adm.* Confirmação de determinadas características, normalmente realizada por agente independente externo. ◆ **Certificação de produto.** Confirmação de que um produto atende a determinados requisitos de segurança, de qualidade, de conformidade com normas ambientais, etc., normalmente obtida por inspeção realizada por agente credenciado para certificar. **Certificação profissional.** *Adm.* Confirmação da capacidade de um profissional realizar uma tarefa ou executar um trabalho, normalmente obtida por meio de uma prova de conhecimentos.

certificado [Part. de *certificar*.] *Adj.* **1.** Contido em certidão. **2.** Tido por certo; asseverado. ● *S. m.* **3.** O conteúdo de uma certidão. **4.** Documento em que se certifica alguma coisa. **5.** Documento de garantia, válido por um tempo determinado, contra defeitos de fabricação de alguns produtos mecânicos, elétricos, etc. ◆ **Certificado de depósito bancário.** *Econ.* Documento que comprova a efetivação de depósito a prazo fixo em estabelecimento bancário, rendendo juros e correção monetária. **Certificado de reservista.** Documento comprobatório de quitação com o serviço militar.

certificador (ô) [De *certificar* + *-dor*.] *Adj.* **1.** Que certifica; certificativo. ● *S. m.* **2.** Aquele que certifica. [Sin. ger.: *certificante*.]

certificamento [De *certificar* + *-mento*.] *S. m.* Certificação.

certificante [De *certificar* + *-nte*.] *Adj. 2 g. S. 2 g.* V. *certificador*.

certificar [Do lat. *certificare*.] *V. t. d.* **1.** Afirmar a certeza de; atestar: *A prova a que a submeteram certificou a segurança de seus conhecimentos.* **2.** Passar a certidão de: *certificar um óbito.* ***T. d. e i.*** **3.** Convencer da verdade ou da certeza de algo; tornar ciente: *Certifiquei-o do ocorrido.* **4.** Afirmar; asseverar: "Entrega-me Iguaçu, que ali 'stá dentro / Um prófugo dos teus certificou-me / Que ali a vira entrar com tua filha" (Domingos José Gonçalves de Magalhães, *A Confederação dos Tamoios*, p. 251). ***P.*** **5.** Ter a certeza de: *Quis certificar-se do ocorrido antes de enviar o telegrama de pêsames;* "o médico recomendou-lhe que falasse baixo, e foi certificar-se de que ninguém os ouvia." (Cândido Jucá [filho], *Noite Insone*, p. 21). **6.** Convencer-se, persuadir-se: "O copeiro quis certificar-se da verdade interrogando o preto velho" (Artur Azevedo, *Contos Cariocas*, p. 248). [Conjug.: v. *trancar*.]

certificativo [De *certificar* + *-tivo*.] *Adj.* **1.** V. *certificador* (1). **2.** Próprio para certificar.

certificável [De *certificar* + *-vel*.] *Adj. 2 g.* Que se pode certificar.

certo [Do lat. *certu*.] *Adj.* **1.** Em que não há erro; exato, correto, verdadeiro: *raciocínio certo; cálculo certo.* **2.** Exato, preciso: *O relógio está certo.* **3.** Que não falha; infalível, seguro: *Para muitos a mudança do tempo é resfriado certo.* **4.** Previamente determinado; fixado de antemão: *Os alunos do grêmio reúnem-se em dia certo.* **5.** Convencido, persuadido, certificado: *Estamos certos de haver cumprido a promessa;* "estou certa que me hás de compreender" (José de Alencar, *Lucíola*, p. 171). [Note-se a elipse da prep. *de*.] **6.** Ajustado, combinado: *Está certo, irei jantar com você amanhã.* **7.** Certeiro (1). **8.** *Bras. SP* Diz-se do cavalo adestrado, que obedece à rédea. ● ***Pron. indef.*** **9.** Não determinado; um, algum, qualquer: *certo indivíduo; Certo dia ele apareceu; Seu quadro, olhado de certa distância, é muito bom;* "Euclides da Cunha disse, certa vez, que a Bahia era um pouco a sua terra." (Sílvio Rabelo, *Euclides da Cunha*, p. 9). [*Certo* é pron. indef. quando anteposto a um substantivo, precedido ou não de artigo indefinido. É adjetivo quando posposto ao substantivo com o significado de *exato, verdadeiro, preciso*, etc., ou quando anteposto ao substantivo, mas precedido de palavra que exprima gradação: *Tão certa companheira é Maria quanto Ana.*] ● *S. m.* **10.** Coisa certa: "Ela ajudou-o com movimentos ondulantes aconchegantes, sabia que ele estava fazendo o certo." (José J. Veiga, *A Hora dos Ruminantes*, p. 34.) **11.** Quantia fixa da moeda de um país trocada por um valor variável da moeda de outro. ● ***Adv.*** **12.** Com certeza; certamente: "Certo, na monotonia da existência, viajar ainda é o único prazer verdadeiro." (Olavo Bilac, *Crítica e Fantasia*, p. 149.) **13.** De maneira exata, correta; com precisão: *O maquinismo desse relógio funciona certo;* "Escrever bem é escrever claro, não necessariamente certo." (Luís Fernando Veríssimo, *O Popular*, p. 12). ◆ **Ao certo.** Com exatidão; com certeza: "desejo saber ao certo que diabo vem a ser o senhor para D. Ernestina." (Aluísio Azevedo, *O Coruja*, p. 86). **Por certo.** Com certeza; decerto, certamente: "Um dia um cisne morrerá, por certo" (Júlio Salusse, *em* Manuel Bandeira, *Antologia dos Poetas Brasileiros da Fase Parnasiana*, p. 275); "Vou ver quem é. Por certo é gente nossa." (Domingos Carvalho da Silva, *Liberdade embora tarde*, p. 44).

cerúleo [Do lat. *caeruleu*.] *Adj.* Da cor do céu; cérulo: "Troca a cerúlea, constelada esfera, / Pela, em que habito, solitária gruta!" (Raimundo Correia, *Poesias*, p. 209.).

cérulo [Do lat. *caerulu*.] *Adj.* Cerúleo: "E ele — alvas barbas longas derramadas / No burel negro — o olhar somente erguia / Às cérulas regiões ilimitadas..." (Raimundo Correia, *Poesias*, p. 153.)

cerume [De *cer(i)-* + *-ume*.] *S. m. Otor.* Secreção cérea, pardacenta, das glândulas ceruminosas do meato acústico externo; cerúmen. [Sin. (bras.): *cera do ouvido, ceró*.]

cerúmen [Do lat. cient. *cerumen*.] *S. m. Med.* V. *cerume*. [Pl.: *cerumens* e (p. us. no Brasil) *cerúmenes*.]

ceruminoso (ô) [De *cerúmen* + *-oso*.] *Adj.* Da natureza do, ou relativo ao cerume.

cerusita [Do fr. *céruse* (< lat. *cerussa*) + *-ita*[3].] *S. f. Min.* Mineral ortorrômbico, carbonato de chumbo, minério de chumbo.

cerva [Do lat. *cerva*.] *S. f.* A fêmea do cervo. [Cf. *serva*.]

cerval [De *cervo* + *-al*[1].] *Adj. 2 g.* **1.** Pertencente ou relativo ao cervo. **2.** *Fig.* Feroz, ferino.

cervantesco (ê) [Do antr. (*Miguel de*) *Cervantes* (*Saavedra*) + *-esco*.] *Adj.* Pertencente ou relativo ao escritor espanhol Miguel de Cervantes Saavedra (1547-1616), ou próprio dele; cervantino. [Cf. *cervantista*.]

cervantino [Do antr. *Cervantes* + *-ino*[1].] *Adj.* Cervantesco: "Geralmente se ignora a obra teatral cervantina" (José Carlos Lisboa, *O Teatro de Cervantes*, p. 10).

cervantista [Do antr. *Cervantes* + *-ista*.] *S. 2 g.* Grande admirador de Cervantes e/ou profundo conhecedor de sua obra (v. *cervantesco*).

cervato [Dim. irreg. de *cervo*.] *S. m.* Cervo ainda novo.

cerveja (ê) [Do lat. *cervisia*, *cerevisia*, de or. gaulesa.] *S. f.* **1.** Bebida fermentada, feita da cevada, do lúpulo e doutros cereais; birra. **2.** Uma garrafa ou lata de cerveja: *Mandei vir 10 cervejas.* **3.** O conteúdo de uma dessas garrafas ou latas, ou de um copo dessa bebida: *Tomou três cervejas.* [Sin. ger.: *bia*, *birra*. Dim.: *cervejinha* e, bras., *cervejota*.]

cervejada [De *cerveja* + *-ada*[1].] *S. f.* **1.** *Fam.* Copo ou porção considerável de cerveja que se ingere. **2.** *Bras.* Reunião em que se bebe muita cerveja.

cerveja de barbante *S. f. Bras. N.E. Pop.* V. *jinjibirra* (1). [Pl.: *cervejas de barbante*.]

cervejar [De *cerveja* + *-ar*[2].] *V. int.* Beber ou beberricar cerveja: "Havia os que cervejavam noite inteira" (Pedro Nava, *Beira-Mar*, p. 10). [Conjug.: v. *pelejar*.]

cervejaria [De *cerveja* + *-aria*.] *S. f.* **1.** Fábrica de cerveja. **2.** Estabelecimento onde se servem cerveja(s) e/ou chope, e comida.

cervejeiro [De *cerveja* + *-eiro*.] *Adj.* **1.** Referente a cerveja: *indústria cervejeira.* • *S. m.* **2.** Fabricante ou vendedor de cerveja.

cervejota [De *cerveja* + *-ota*[1].] *S. f. Bras. Joc.* Cerveja.

▲**cerv(i)-** [Do lat. *cervus*, *i*.] *El. comp.* = 'cervo': *cervídeo*, *cervicórneo*.

cervical [De *cervic(i)-* + *-al*[1].] *Adj. 2 g. Anat.* **1.** Relativo ao pescoço. **2.** Relativo ao colo de qualquer órgão. ~ V. *gravidez* —.

cervicalgia [De *cervic(i)-* + *-alg(o)-*[2] + *-ia*[1].] *S. f. Med.* Qualquer dor situada no pescoço; cervicodinia.

cervicartrose [De *cervic(i)-* + *artrose*.] *S. f. Reum. Ort.* Artrose que compromete uma ou mais articulações entre vértebras cervicais.

cervice *S. f.* V. *cérvice*.

cérvice [Do lat. *cervice*.] *S. f. Anat.* A parte estreitada de um órgão: *cérvice uterina.*

▲**cervic(i)-** [Do lat. *cervix*, *īcis*.] *El. comp.* = 'colo', 'pescoço': *cervicite*.

cervicite [De *cervic(i)-* + *-ite*[1].] *S. f. Gin.* Inflamação do colo do útero.

cervicodinia [De *cervic(i)-* + *-odin(o)-* + *-ia*[1].] *S. f. Med.* Cervicalgia.

cervicoplegia [De *cervic(i)-* + *-o-*[1] + *-pleg-* + *-ia*[1].] *S. f.* Paralisia cervical.

cervicórneo [De *cerv(i)-* + *-corn(i)-* + *-eo*.] *Adj.* Que tem os chifres ou antenas semelhantes aos cornos do veado.

cerviculado [Do lat. *cervicula*, 'pescocinho', + *-ado*[1].] *Adj.* Semelhante a um pequeno pescoço.

cervídeo [De *cerv(i)-* + *-ídeo*[1]; tax. *Cervidae*.] *Zool. S. m.* **1.** Espécime dos cervídeos, família de animais mamíferos, artiodáctilos, de casco partido em duas unhas, estômago dividido em quatro partes, desprovidos de incisivos superiores, com os caninos inferiores semelhantes aos incisivos, sendo os machos dotados de chifres que caem periodicamente. São os veados. • *Adj.* **2.** Pertencente ou relativo a eles.

cervilheira [Do esp. *cervillera*.] *S. f. Ant.* Espécie de capacete para defender a cabeça e a cerviz: "Os cônegos .... formavam um semicírculo a pouca distância del-rei, em cuja cervilheira de malha de ferro ferviam buliçosos os raios do sol." (Alexandre Herculano, *Lendas e Narrativas*, II, p. 63.)

cervino [Do lat. *cervinu*.] *Adj.* De, ou pertencente ou relativo a cervo.

cerviz [Do lat. *cervice*.] *S. f. Anat.* **1.** A parte posterior do pescoço; nuca. [Sin., pop.: *cachaço*.] **2.** *P. ext.* Pescoço (1). **3.** *P. ext.* Cabeça (1): "Que remorso cruel assim te oprime / E te curva a cerviz?" (Castro Alves, *Obra Completa*, p. 231.) ◆ **Dobrar a cerviz.** Submeter-se à autoridade, à escravidão.

cervo [Do lat. *cervu*.] *S. m.* **1.** *Zool.* Mamífero cervídeo (*Blastoceros dichotomus*), das regiões pantanosas da Bolívia, Brasil meridional, Paraguai e Uruguai. Castanho-claro, pés escuros, anel branco em torno da boca, e garganta e abdome claros; mede 2m de comprimento e 1,30m de altura, e a galhada tem 0,50m de comprido, podendo chegar a quatro ou mais pontas em cada chifre, ramificadas dicotomicamente. Muda de galhada entre agosto e dezembro, e prefere as regiões de banhados e pântanos. [Sin.: *suaçuetê*, *suaçupucu*, *veado-galheiro*.] **2.** V. *corno* (9). [Dim. irreg.: *cervato*. Cf. *servo*.]

cervo-americano *S. m. Zool.* V. *uapiti*. [Pl.: *cervos-americanos*.]

cervo-canadense *S. m. Zool.* V. *uapiti*. [Pl.: *cervos-canadenses*.]

cervum [De *cervo* + *-um*[1].] *S. m. Adj. Lus.* Diz-se de, ou terreno em que pastam cervos: "Perder-se por ela a cabo num dia de neve ou de sol, quando as fragas são fofas ou há flores entre o cervum, é das coisas inolvidáveis que podem acontecer a alguém." (Miguel Torga, *Portugal*, p. 83.)

cerzideira [De *cerzir* + *-deira*.] *S. f.* **1.** Mulher que se ocupa de cerzir. **2.** Agulha de cerzir. **3.** *Marinh.* Cergideira.

cerzido [Part. de *cerzir*.] *Adj.* **1.** Em que se fez cerzidura. • *S. m.* **2.** V. *cerzidura* (1). **3.** Conserto em pano, feito com pontos muito pequenos.

cerzidor (ô) [De *cerzir* + *-dor*.] *Adj.* **1.** Que cirze. • *S. m.* **2.** Aquele que cirze. **3.** *Deprec.* Escritor cujos trabalhos são, na maioria, compilação de trechos de outros.

cerzidura [De *cerzir* + *-dura*.] *S. f.* **1.** Ato ou efeito de cerzir; cerzido, cerzimento. **2.** O que foi cerzido.

cerzimento [De *cerzir* + *-mento*.] *S. m.* V. *cerzidura* (1).

cerzir [Do lat. *sarcire*, 'remendar'.] *V. t. d.* **1.** Coser (peças de um tecido), de modo que não se notem, ou mal se notem, as costuras: "Papai lia jornal, mamãe cerzia meias." (Carlos Drummond de Andrade, *Contos de Aprendiz*, p. 12.) **2.** Unir, reunir, juntar: *O antologista apenas cerziu alguns poemas.* ***T. d. e i.*** **3.** Unir, reunir, juntar: *Cerziu ao texto numerosos comentários.* **4.** Compor; tecer: *O mestrando cerziu algumas reflexões inovadoras em sua tese.* ***Int.*** **5.** Cerzir (1): "A mulher a olhar a cozinha, pregar botões e cerzir." (Geraldo França de Lima, *Branca Bela*, p. 102.) [Observe que o étimo latino postularia a grafia *serzir*. Var. (pop.): *cergir*. Irreg. Conjug.: v. *agredir*.]

cesalpínia [Do tax. *Caesalpinia* (do antr. [*Andreas*] *Caesalpinus* [-1603], botânico italiano).] *S. f. Bot.* **1.** Gênero de árvores e arvoretas cesalpiniáceas, ger. espinhosas, de folhas bipenadas e pequenas flores alvacentas, esverdeadas, amarelas ou avermelhadas, em racemos exuberantes. **2.** Qualquer espécie desse gênero, como, p. ex., a *Caesalpinia pulcherrima* (v. *barba-de-barata*). **3.** Qualquer espécime desse gênero, ou a flor dele.

cesalpiniácea [Do tax. *Caesalpinia* (v. *cesalpínia*) + *-ácea*; tax. *Caesalpiniaceae*.] *S. f. Bot.* Espécime das cesalpiniáceas, família da ordem das fabales que reúne espécies arbóreas ou arbustivas, ger. nativas de regiões tropicais, com folhas penadas ou bipenadas, raramente simples, e flores irregulares; inúmeras delas são cultivadas pela madeira, ou como ornamentais, para extração de tinturas, como medicinais, e algumas pelos frutos, como, p. ex., o tamarindo.

cesalpiniáceo [De *cesalpiniácea*, com var. suf. (v. *-áceo*).] *Adj. Bot.* Pertencente ou relativo às cesalpiniáceas.

césar [Do lat. *Caesar*.] *S. m.* Título dos imperadores romanos de Augusto (63 a. C.-14) a Adriano (76-138). [Pl.: *césares*.]

cesárea [Do lat. (*sectio*) *caesarea* (< lat. *caedere*, 'cortar'), 'incisão (operação) cesariana'; acredita-se que Júlio César (v. *cesário*[1]) assim se tenha chamado por ter nascido por cesariana (q. v.).] *S. f. Obst.* V. *cesariana*. [Cf. *cesária*, s. f., e *Cesária*, antr.]

cesareno *Adj.* **1.** De, ou pertencente ou relativo a Cesareia (cidade histórica e bíblica da antiga Palestina). • *S. m.* **2.** O natural ou habitante de Cesareia.

cesáreo[1] *Adj.* **1.** Pertencente ou relativo ao general, estadista e escritor romano Júlio César (102 - 44 a. C.), ou próprio dele; cesariano, júlio. **2.** Do(s) césar(es) (v. *césar*). **3.** Do soberano. [Cf. *Cesário*, antr.]

cesáreo[2] *Adj.* Cesariano[2]. ~ V. *parto* —. [Fem.: *cesárea*. Cf. *Cesário*, antr. m., e *Cesária*, antr. fem.]

cesária [Do fr. *cisailles*.] *S. f. Lus. Encad.* V. *tesourão* (1). [Cf. *cesárea*, fem. de *cesáreo* e s. f.]

cesariana [Do fr. *césarienne* < lat. *caesar*, 'o que veio ao mundo por meio de incisão'.] *S. f. Obst.* Operação que consiste em abrir o abdome materno para extrair o feto; operação cesariana, parto cesariano, parto cesáreo, cesárea, metrotomia, tomotocia.

cesariano[1] [Do lat. *caesarianu*.] *Adj.* **1.** Relativo ao cesarismo. **2.** V. *cesáreo*[1] (1).

cesariano[2] [Do lat. *caesar*, 'criança tirada a ferro do ventre da mãe', + *-iano*.] *Adj.* Relativo a cesariana; cesáreo. ~ V. *operação* —*a* e *parto* —.

cesariano-lange *Adj. 2 g.* **1.** De, ou pertencente ou relativo a Cesário Lange (SP). • *S. 2 g.* **2.** O natural ou habitante de Cesário Lange. [Pl.: *cesarianos-lange*.]

cesarismo [Do antr. *César* (v. *cesáreo*[1]) + *-ismo*.] *S. m.* **1.** Governo despótico; despotismo. **2.** Poder pessoal. [Sin. ger.: *autocracia*.]

cesarista [De *cesarismo* + *-ista*.] *Adj. 2 g. S. 2 g.* Diz-se de, ou partidário do cesarismo.

césio [Do lat. cient. *caesium* < lat. *caesiu*, 'esverdeado'.] *S. m. Quím.* Elemento de número atômico 55, pertencente aos metais alcalinos, sólido, brilhante, prateado [símb.: *Cs*].

céspede [Do lat. *cespite*.] *S. m.* **1.** Torrão arrancado com ervas. **2.** *Bot.* Conjunto muito denso de musgos e plantas à feição das poáceas, que reveste completamente o terreno.

cespitoso (ô) [Do lat. *cespes*, *itis*, 'leiva', + *-oso*.] *Adj. Bot.* Que cresce formando tufo ou touceira: *palmeira cespitosa.*

cessação [Do lat. *cessatione*.] *S. f.* Ato de cessar. [Sin., p. us.: *cessamento*. Cf. *sessação*.]

cessamento [De *cessar* + *-mento*.] *S. m. P. us.* Cessação. [Cf. *sessamento*.]

cessante [Do lat. *cessante*.] *Adj. 2 g.* Que cessa. ~ V. *lucro* —.

cessão [Do lat. *cessione*.] *S. f.* Ato de ceder. [Sin.: *cedência* e *cedimento*. Cf. *sessão* e *seção*.]

cessar [Do lat. *cessare*.] *V. int.* **1.** Não continuar; interromper-se; acabar, parar: *A dor cessou com a medicação.* ***T. i.*** **2.** Parar, deixar, desistir: *Tenaz, não cessa de lutar pelo seu sonho; Está disfônico, e não cessa de falar.* **3.** Verificar-se uma interrupção na produção de um fenômeno atmosférico: *cessar de ventar, de chover.* ***T. d.*** **4.** Interromper; suspender: "um bando de ceifeiras, que passavam cantando, cessaram seu canto, e o ficaram a olhar" (Eça de Queirós, *Últimas Páginas*, p. 377). [Pres. ind.: *cesso*, etc.; pres. subj.: *cesse*, *cesses*, *cesse*, *cessemos*, *cesseis*, *cessem*. Cf. *sesso*, do v. *sessar*; *sesso* (ê), s. m.; o pres. subj. do v. *sessar*; *sésseis*, pl. de *séssil*; *cecém*, s. f.; e *Séssis*, top.; e o v. *sessar*.]

cessar-fogo [De *cessar* + *fogo*.] *S. m. 2 n.* Cessação de hostilidades bélicas: "Os combates cessaram em Beirute após o cessar-fogo estabelecido na quarta-feira." (*Jornal do Brasil*, 04.06.1981.)

cessibilidade [De *cessível* + *-(i)dade*, seg. o padrão erudito.] *S. f.* Qualidade do que é cessível ou cedível.

cessionário [De *cessão* + *-ário*, seg. o padrão erudito.] *Adj.* **1.** Que faz cessão. **2.** Que aceita a cessão. • *S. m.* **3.** Aquele a quem se faz cessão. **4.** Aquele que aceita a cessão.

cessível [Do lat. *°cessibile*.] *Adj. 2 g.* Cedível.

cesta (ê) [Do gr. *kíste*, pelo lat. *cista*.] *S. f.* **1.** Receptáculo feito de verga, fibra, etc., entrançada, o qual pode ser ou não provido de asas ou alças, e de tampa, e serve para guardar ou transportar roupa, alimentos, pequenas mercadorias e objetos. **2.** Receptáculo algo semelhante a uma cesta (1), que pode ser de madeira, metal, matéria plástica, etc., sem tampa, e destinado a outros fins. [Sin., nessas acepçs.: *cesto* (ê).] **3.** Quantidade de objetos que uma cesta pode conter: *Colheu duas cestas de banana.* **4.** *Basq.* Aro de ferro fixado a cerca de 3m do solo, e guarnecido de uma rede de malha sem fundo, destinada a retardar a passagem da bola; cesto. **5.** *Basq.* Cada um dos pontos marcados neste jogo pela penetração da bola na cesta. **6.** *Econ.* Cesta de consumo. **7.** *Tip.* Espécie de concha que, na torre da unidade fundidora da monotipo, recebe a bobina de papel. [Cf. *sexta* e *sesta*.] ◆ **Cesta básica.** *Econ.* Cesta de consumo (q. v.) suficiente para o atendimento das necessidades mínimas de uma família típica. **Cesta de consumo.** *Econ.* Conjunto de bens que constituem o consumo regular típico de uma determinada classe de consumidores.

cestada [De *cesta* ou *cesto* + *-ada*[1].] *S. f.* O conteúdo de uma cesta ou cesto.

cestão [De *cesto* + *-ão*[1].] *S. m.* **1.** Cesto grande. **2.** Cesto cheio de terra, empregado em fortificação. **3.** Jangada para passagem de rios. **4.** *Náut.* Parte acessória do mastro da gávea.

cestaria [De *cesta* ou *cesto* (ê) + *-aria*.] *S. f.* **1.** Ofício de cesteiro; fabricação de cestas ou de cestos. **2.** Local em que se fazem cestas. **3.** Grande quantidade de cestas ou de cestos.

cesteiro [De *cesta* ou *cesto* (ê) + *-eiro*.] *S. m.* Aquele que faz e/ou vende cestas ou cestos. [Cf. *sesteiro*.]

cestinha [De *cesta* (ê) + *-inha*.] *S. 2 g. Bras. Basq.* **1.** O jogador que faz o maior número de pontos (numa partida ou num campeonato). **2.** Jogador que faz muitos pontos. [Sin. ger.: *mão*.]

cesto[1] [Do lat. *caestu*.] *S. m. Ant.* Manopla de couro, guarnecida de ferro, usada por atletas. [Pl.: *cestos*. Cf. *cesto* (ê), s. m., pl. *cestos* (ê); *sexto* (ê), num.; *Sexto* (ê), antr.; e *Sesto*, top.]

cesto[2] [Do lat. *cestu* < gr. *kestós*.] *S. m. Ant.* **1.** Cinto. **2.** O cinto de Vênus, o qual, segundo a mitologia, dava a quem o usasse todas as graças, desejos e atrativos: "Que seria se Vênus tomasse / Suas armas à Deusa guerreira? / Se Minerva coo cesto se ornasse?" (Antônio Feliciano de Castilho, *Os Amores*, I, p. 42.) [Pl.: *cestos*, Cf. *cesto* (ê), s. m., pl. *cestos* (ê); *sexto*, num.; o antr. *Sexto* e o top. *Sesto*.]

cesto (ê) [De *cesta*.] *S. m.* 1. Cesta (1 e 2) pequena. 2. Qualquer cesta (1 e 2). 3. Cabaz fundo. 4. *Basq.* Cesta (4). [Pl.: *cestos* (ê). Cf. *cesto*, s. m., pl. *cestos*; *sexto*, num.; *Sexto*, antr. e *Sesto*, top.] ◆ **Cesto de gávea.** *Constr. Nav.* Plataforma instalada na altura do calcês, apoiada na romã do mastro, nos navios à vela, para espalhar as enxárcias do mastaréu e sustentar a marinhagem que maneja as velas. [Tb. se diz apenas *gávea*.] **Um cesto e um samburá.** *Bras. N.E. Pop.* V. *quantidade* (3).

cestodário [Do tax. *Cestoda* (< gr. *kestós*, 'cinto') + *-ário*; tax. *Cestodaria*.] *Zool. S. m.* 1. Espécime dos cestodários, subclasse de animais metazoários platelmintos, cestódeos, desprovidos de escólex, de corpo inteiro, sem proglótides, larvas com 10 ganchos; monozoários. ● *Adj.* 2. Pertencente ou relativo a eles. [Sin. ger.: *monozoário*.]

cesto de cereja *S. m. Astron.* Dispositivo de segurança que permite ao astronauta escapar de um veículo espacial tripulado, por ocasião da partida, em caso de pane. [Pl.: *cestos de cereja*.] ☑

cestódeo [Do tax. *Cestus* + *-ódeo*; tax. *Cestoda*.] *Zool. S. m.* 1. Espécime dos cestódeos, classe de animais platelmintos, parasitos, desprovidos de tubo digestivo, de corpo alongado e segmentado, em forma de fita. Fixam-se por meio de ventosas e ganchos, situados no escólex. São as solitárias. ● *Adj.* 2. Pertencente ou relativo a eles.

cestodíase [De *cestódeo* + *-íase*.] *S. f. Med.* Infecção por cestódeo.

cestoide (ói) [De *cesto*² (1) + *-oide*.] *Adj. 2 g.* Que tem forma de cinto ou de fita. ✣

cestro [Do gr. *késtron*; tax. *Cestrum*.] *S. m. Bot.* 1. Grande gênero de arbustos solanáceos de flores tubulares, fragrantes, vermelhas, amarelas, ou branco-esverdeadas, e dispostas em racemos. 2. Qualquer espécie desse gênero, como, p. ex., a *Cestrum nocturnum* (v. *dama-da-noite*). 3. Qualquer espécime desse gênero, ou a flor dele. [Cf. *sestro*.]

cesura [Do lat. *caesura*.] *S. f.* 1. Ato ou efeito de cortar; corte: 📖 "aprumam-se à margem de seus trilhos .... as seringueiras cortadas em milhares de cesuras" (Raimundo Morais, *Na Planície Amazônica*, p. 58). 2. Incisão de lanceta; lancetada. 3. A cicatriz dessa incisão. 4. A primeira parte do verso hexâmetro. 5. A última sílaba de uma palavra que inicia o pé de um verso grego ou latino. 6. Limite rítmico no interior de um verso. 7. *Restr.* Pausa na sexta sílaba do verso alexandrino. [Cf. *cissura*.]

cesurar [De *cesura* + *-ar*².] *V. t. d.* 1. Abrir cesura (2) em; cortar, golpear. 2. Fazer cesura (7) em (verso).

cetáceo [De *cet(o)-*¹ + *-áceo*; tax. *Cetaceae*.] *Zool. S. m.* 1. Espécime dos cetáceos, ordem de mamíferos adaptados à vida aquática, que têm os membros anteriores transformados em nadadeiras, nadadeira caudal horizontal, grande quantidade de gordura, encontrada até nos ossos, e bolsas arteriais que facilitam a oxigenação do organismo. ● *Adj.* 2. Pertencente ou relativo a eles. [Cf. *setáceo*.]

cetal [De *cet(o)-*² + *-al*².] *S. m. Quím.* Designação genérica de substâncias do tipo $R_2C(OR')_2$ (onde R e R' são grupos hidrocarbônicos), que se formam pela reação de uma molécula de uma cetona com duas de um álcool, acompanhada de eliminação de uma molécula de água.

cetana [De *cet(o)-*² + *-ana*².] *S. f.* Índice de cetana (q. v.).

cetano [De *cet(o)-*² + *-ano*².] *S. m. Quím.* Hexadecano normal, us. como padrão na avaliação de combustíveis para motores Diesel (índice de cetana =100) [fórm.: $C_{16}H_{34}$].

ceteno [De *cet(o)-*² + *-eno*².] *S. m. Quím.* 1. Substância instável, us. em sínteses, que contém uma carbonila e uma insaturação, em que um átomo de carbono participa das duas duplas ligações [fórm.: C_2H_2O]. 2. *P. ext.* Qualquer derivado do ceteno (1) por substituição de um ou dois hidrogênios por outros grupos ou átomos. 3. Hexadeceno.

ceticismo [De *céptico* + *-ismo*.] *S. m.* 1. *Filos.* Atitude ou doutrina segundo a qual o homem não pode chegar a qualquer conhecimento indubitável, quer nos domínios das verdades de ordem geral, quer no de algum determinado domínio do conhecimento. [Cf. *dogmatismo* (1).] 2. *Hist. Filos.* Na Antiguidade, designação das doutrinas dos filósofos gregos Pirro (v. *pirronismo*), Carnéades de Cirene (séc. II a. C.), Enesidemo (séc. I a. C.) e Sexto Empírico (séc. III a. C.), caracterizadas principalmente pela adoção do princípio da antilogia (q. v.), que, no plano moral, conduzia à ataraxia (q. v.). 3. Estado de quem duvida de tudo; descrença. [Var.: cepticismo.]

cético [Do gr. *skeptikós*, pelo lat. *scepticu*.] *Adj.* 1. Que duvida de tudo; descrente. 2. *Filos.* Pertencente ou relativo ao ceticismo. 3. *Filos.* Diz-se do partidário do ceticismo. ● *S. m.* 4. Indivíduo cético (1). 5. *Filos.* Partidário do ceticismo. [Var.: *céptico*. Cf. *séptico*.]

▲**cetil-** *Quím. El. comp.* Indica o grupo cetila: *cetilpiridínio*.

cetila [De *cet(o)-*² + *-ila*².] *S. m. Quím.* Grupo monovalente $-C_{16}H_{33}$, derivado do n-hexadecano (cetano) por abstração de um átomo de hidrogênio. [F. paral. (lus.): *cetilo*.]

cetílico [De *cetil-* + *-ico*².] *Adj. Quím.* ~ V. *álcool* —.

cetilo [De *cet(o)-*² + *-ilo*.] *S. m. Lus. Quím.* V. *cetila*.

cetilpiridínio [De *cetil-* + *piridina* + *-io*³.] *S. m. Quím.* Cátion derivado da piridina, us. ger. sob forma de cloreto, como antisséptico [fórm.: $C_{21}H_{38}N^+$].

cetim [Do ár. *zaytūnī*, 'da cidade chinesa de Tsentung ou Chengdu (famosa, na época, pela fabricação de cetim)'; as formas *çatim* (arc.) e *cetim* acusam infl. do fr. *satin* e do it. *setino*, que são aparentemente der. de um lat. tard. *(pannus) setinus*, '(pano) de seda', < lat. *seta*, 'seda'.] *S. m.* 1. *Tec. Têx.* Tecido de seda ou de outra matéria-prima, liso e brilhante, com toque macio, obtido com cetim (2), e em que a quantidade de fios, presos com firmeza, é maior do lado direito: 📖 "sua roupa de cetim vermelho e azul estava incompleta" (Maria Julieta Drummond de Andrade, *O Valor da Vida*, p. 18). 2. *Tec. Têx.* Ligamento têxtil em que um fio de trama entrelaça-se a cada quatro de urdidura. 3. *Fig.* Coisa macia, cetinosa: *Tem a pele que é um cetim.*

cetina [De *cet(o)-*¹ + *-ina*³.] *S. f. Zool.* Espermacete.

cetíneo [De *cetim* + *-eo*.] *Adj.* V. *cetinoso*: 📖 "Cetíneos mantos de candor suavíssimo, / Saias cujo bordado é flórea espuma" (Alberto de Oliveira, *Poesias*, 3ª série, p. 75).

cetineta (ê) [De *cetim* + *-eta* (ê).] *S. f. Tec. Têx.* Tecido de algodão e seda, ou só de algodão, que imita o cetim.

cetinoso (ô) [De *cetim* + *-oso*.] *Adj.* Macio ao tato, como o cetim; acetinado, cetíneo: 📖 "longos, cetinosos e tépidos cabelos" (Aluísio Azevedo, *Livro de uma Sogra*, p. 76).

cetiossauro [Do gr. *kéteios*, 'dos monstros marinhos'; 'monstruoso', + *-sauro*; tax. *Cetiosaurus*.] *S. m. Paleont.* 1. Gênero de dinossauros saurópodes, anfíbios, cujo fóssil foi encontrado na Inglaterra. 2. Espécie ou espécime desse gênero.

▲**cet(o)-**¹ [Do lat. *cetus*, *i*.] *El. comp.* = 'cetáceo': *cetáceo*. [Equiv.: *-ceto*: *odontoceto*.]

▲**cet(o)-**² *Quím. El. comp.* Indica a presença de grupo carbonila de cetona: *cetoácido*.

▲**-ceto** Equiv. de *cet(o)-*¹.

cetoácido [De *cet(o)-*² + *ácido*.] *S. m. Quím.* Composto que contém os grupos carbonila (C=O) e carboxila (-COOH).

cetoexose (cs) [De *cet(o)-*² + *(h)exose*.] *S. f. Quím.* Açúcar com seis átomos de carbono e função cetona.

cetona [Do al. *Keton*, alter. de *Azeton*.] *S. f. Quím.* 1. Uma das funções da Química Orgânica, que tem como grupo funcional uma carbonila ligada a dois carbonos, ou este grupo. 2. Qualquer composto orgânico que contém o grupo cetona (1).

cetonemia [De *cetona* + *-emia*.] *S. f. Med.* Teor de corpos cetônicos no sangue; acetonemia.

cetonémico *Adj.* V. *cetonêmico*. [Uso freq. em P.]

cetonêmico [De *cetonemia* + *-ico*².] *Adj.* Relativo à cetonemia; acetonêmico.

cetónico *Adj.* V. *cetônico*. [Uso freq. em P.]

cetônico [De *cetona* + *-ico*².] *Adj.* Que contém cetona, ou que é derivado dela. ~ V. *corpo* —.

cetonuria [De *cetona* + *-uria*.] *S. f. Med.* V. *cetonúria*.

cetonúria [De *cetona* + *-úria*.] *S. f. Med.* Teor de corpos cetônicos na urina. [Sin.: *acetonúria*. F. paral.: *cetonuria*.]

cetonúrico [De *cetonúria* + *-ico*².] *Adj.* Relativo à cetonúria; acetonúrico.

cetopsídeo [De *cet(o)-*¹ + *-ops(i)-* + *-ídeo*¹; tax. *Cetopsidae*.] *Zool. S. m.* 1. Espécime dos cetopsídeos, família de peixes actinopterígios, siluriformes, que reúne bagres de água doce de corpo sem escamas, três pares de barbilhões maxilares, olhos pequenos e nadadeira dorsal pouco desenvolvida. ● *Adj.* 2. Pertencente ou relativo a eles.

cetose [De *cet(o)-*² + *-ose*².] *S. f. Quím.* Qualquer carboidrato que é uma cetona, como, p. ex., a frutose.

cetoxima (cs) [De *cet(o)-*² + *oxima*.] *S. f. Quím.* Qualquer oxima formada a partir de uma cetona.

cetra [Do lat. *cetra*.] *S. f. Ant.* Escudo revestido de couro. ~ V. *cetras*.

cetraria¹ [Do esp. *cetrería*.] *S. f.* Arte de caçar com açores e falcões. [Cf. *cetrária*.]

cetraria² [De *cetra(s)* + *-aria*.] *S. f.* Ornato caligráfico em forma de cetras, nos manuscritos antigos. [Cf. *cetrária*.]

cetrária [Do tax. *Cetraria*.] *S. f. Bot.* 1. Gênero de liquens parmeliáceos, foliáceos, que habitam, esp., as latitudes setentrionais. 2. Qualquer espécie desse gênero, como, p. ex., a *Cetraria islandica*, us. em farmácia e como agente marmorizador de papéis, tb. conhecida como líquen-da-islândia. 3. Qualquer espécime desse gênero. [Cf. *cetraria*.]

cetras [Do lat. med. *(et) cetera* (v. *etc.*).] *S. f. pl.* 1. Sigla representativa do *et coetera*, nos documentos antigos. 2. Laçaria caligráfica acrescentada a uma assinatura. ~ V. *cetra*.

cetrino [De *citrino*, com dissimilação.] *Adj. Poét.* Vermelho¹ (2). [Fem.: *cetrina*. Cf. *citrino* e *citrina*.]

cetro [Do gr. *skêptron*, pelo lat. *sceptru*.] *S. m.* 1. Bastão de apoio usado outrora pelos reis e generais: 📖 "Ide resplandecer .... nos cetros dos reis e nas chinelas das cortesãs." (Ramalho Ortigão, *A Holanda*, p. 183). 2. Insígnia real ou de comando. 3. Poder real. 4. *Fig.* Primazia, prioridade, preeminência. 5. *Fig.* Despotismo, tirania. ◆ **Empunhar o cetro.** Reinar, governar.

céu [Do lat. *caelu*.] *S. m.* 1. Espaço ilimitado e indefinido onde se movem os astros. 2. O espaço acima de nossas cabeças, limitado pelo horizonte; firmamento. 3. V. *atmosfera* (3). 4. A parte superior de uma armação; dossel, sobrecéu. 5. Região para onde, segundo as crenças religiosas, vão as almas dos justos. 6. Qualquer lugar onde se possa ser feliz; paraíso. 7. *Fig.* A Providência; Deus. [Ger. com cap., acepç. 5 e 7.] ~ V. *céus*. ◆ **Céu da boca.** A abóbada palatina; palato, paladar. **Céu de brigadeiro.** *Bras.* Céu sereno, que apresenta excelentes condições de voo (4): 📖 "Na aeronáutica, quando as condições de voo são muito boas, usa-se, espirituosamente, a expressão 'céu de brigadeiro', que significa também que tudo vai bem." (Gisálio Cerqueira Filho, em *Jornal do Brasil*, 25.03.1978.) **Céu de rosas.** Céu ou tempo sereno, sem nuvens nem ventos. **A céu aberto.** 1. Ao ar livre: 📖 "Vem, dá-me a tua mão. Vamos sozinhos / amar-nos nesta noite a céu aberto..." (Augusto de Lima, *Poesias*, p. 248). 2. Diz-se de trabalhos de escavação ou de mineração que se realizam totalmente a descoberto, prescindindo de poços, túneis ou galerias subterrâneas: 📖 "Atacaram a terra nas explorações minerais a céu aberto." (Euclides da Cunha, *Contrastes e Confrontos*, p. 203.) 3. *Cir.* Diz-se da operação que se faz com o campo operatório à vista. **Cair do céu por descuido.** *Pop. Irôn.* Não ser tão bom, caridoso, correto, quanto aparenta ser. **Cair dos céus.** Cair das nuvens. **Cobrir o céu com (uma) joeira.** *Lus.* V. *tapar o sol com peneira*: 📖 "cobrem o céu com uma joeira, como dizem as velhas." (Diogo do Couto, *Soldado Prático*, p. 23). **No sétimo céu.** Em estado de plena felicidade; muitíssimo feliz. 📖 "O doutor estava no sétimo céu; .... a vida que levava era para ele a melhor vida deste mundo." (Machado de Assis, *Contos Esparsos*, p. 36). **Um céu aberto.** Grande ventura.

céu-azulense *Adj. 2 g.* 1. De, ou pertencente ou relativo a Céu Azul (PR). ● *S. 2 g.* 2. O natural ou habitante de Céu Azul. [Pl.: *céu-azulenses*.]

céus [Pl. de *céu*.] *Interj.* Designa surpresa ou dor. ~ V. *céu*.

ceutense *Adj. 2 g.* 1. De, ou pertencente ou relativo a Ceuta (África). ● *S. 2 g.* 2. O natural ou habitante de Ceuta.

ceva [Dev. de *cevar*.] *S. f.* 1. Ato ou efeito de cevar(-se); cevagem. 2. Alimento com que se cevam animais. 3. *Bras.* Grãos ou iscas que se colocam em lugar determinado, para atrair a caça. 4. O lugar onde se deposita esse engodo. 5. Em engenho de banguê, caldo espesso, constituído de água e barro de purgar, que se põe imediatamente sobre o testo, na fabricação do açúcar. [Cf. *seva*, s. f., *seva*, f. de *sevo*, e *seva*, do v. *sevar*.]

cevada [F. subst. do adj. *cevado*.] *S. f. Bot.* 1. Planta poácea (*Hordeum vulgare*) cujas flores são dispostas em espigas, na extremidade do colmo, e de cujos frutos, amarelados e ovoides, se fabrica a cerveja. 2. O grão dessa planta. [Cf. *sevada*, f. do part. de *sevar*.]

cevadal [De *cevada* + *-al*¹.] *S. m.* 1. Quantidade mais ou menos considerável de cevadas dispostas regularmente entre si. 2. Área ocupada por cevadal (1).

cevadeira [De *cevada* + *-eira*.] *S. f.* 1. Saco que se adapta ao focinho das cavalgaduras para lhes dar a cevada ou outro alimento; bornal, embornal. 2. *Marinh. Ant.* Verga de cevadeira. 3. *Marinh. Ant.* Vela quadrangular que envergava na verga do mesmo nome, por baixo do gurupês. [Cf. *sevadeira*.]

cevadeiro [De *cevar* + *-deiro* ou de *cevada* + *-eiro*.] *S. m.* 1. Lugar onde se cevam porcos. 2. Local onde se prepara a isca para caçar ou pescar. 3. Cevador (1). 4. Aquele que cevava falcões para a caça de altanaria. 5. Aquele que abastecia de cevada as cavalariças reais.

cevadiço [De *cevado* + *-iço*.] *Adj.* 1. Que se ceva. 2. Fácil de cevar. 3. Diz-se de ave de rapina acostumada a fazer presa nas ralés.

cevadilha [Do esp. *cebadilla*.] *S. f. Bot.* Planta poácea (*Bromus unioloides*) forrageira, comum nos estados do S. do Brasil, na Argentina e no Uruguai, anual, resistente ao frio; cevadinha.

cevadinha [De *cevada* + *-inha*.] *S. f.* **1.** Cevada pilada para sopa. **2.** Cevada totalmente descascada. **3.** *Bot.* Cevadilha.

cevado [Part. de *cevar*.] *Adj.* **1.** Que se cevou; engordado, nutrido. **2.** Farto, cheio. [Fem.: *cevada*. Cf. *sevada*, fem. do part. de *sevar*.] ● *S. m.* **3.** Porco que se cevou. **4.** *Fig.* Homem muito gordo. [Cf. *sevado*, part. de *sevar*.]

cevadoiro [De *cevar* + *-doiro*[2].] *S. m.* Cevadouro (q. v.).

cevador (ô) [De *cevar* + *-dor*.] *S. m.* **1.** Aquele que ceva os animais; cevadeiro. **2.** *Bras. CE* Espécie de mesa sobre a qual se prende o ralo da mandioca. **3.** *Bras. RS* Indivíduo que prepara e distribui o mate entre os que o tomam, numa reunião.

cevadouro [De *cevar* + *-douro*[2]; var. de *cevadoiro*.] *S. m.* **1.** Lugar onde se cevam animais. **2.** Lugar onde se põe isca para atrair e caçar aves.

cevadura [De *cevar* + *-dura*.] *S. f.* **1.** Restos de comida em que se cevaram as aves de rapina. **2.** Barro molhado com que se cobre o açúcar de caixa para o purificar. **3.** Carnificina, matança, mortandade. **4.** *Bras. S.* Na preparação do mate, a quantidade de erva suficiente para se preparar um dado número de cuias da bebida.

cevagem [De *cevar* + *-agem*[2].] *S. f.* Ceva (1).

cevão [De *ceva* + *-ão*[2].] *S. m.* Porco cevado ou em ceva.

cevar [Do lat. *cibare*, 'alimentar'.] *V. t. d.* **1.** Alimentar, nutrir: *As colheitas foram insuficientes para cevar a população local.* **2.** Tornar gordo; engordar: *Cevaram três leitões para a ceia do Natal.* **3.** Satisfazer, saciar, fartar: *cevar apetite feroz.* **4.** *Fig.* Fomentar, estimular: *Propôs medidas para cevar a indústria regional.* **5.** Pôr isca em. **6.** *Fig.* Atrair com engodo(s); engodar: *Seus encantos cevaram o coração do jovem.* **7.** *Bras.* Preparar (a mandioca), pondo-a na água por três ou quatro dias, até que se torne massa puba (q. v.). **8.** *Bras. RS* Pôr (o mate em pó) na cuia ou porongo, onde já está a bombilha com um pouco de água fria, o bastante para o empastar, servindo-se então com água fervente. *T. d. e i.* **9.** Cevar (3): "toda a horda soez .... cevou no pobre corpo [da moça] os instintos infames." (Gustavo Barroso, *Terra de Sol*, p. 132). *P.* **10.** Saciar-se, satisfazer-se, fartar-se. **11.** Enriquecer(-se), encher-se, locupletar-se: *Cevou-se enquanto ocupou o alto cargo;* "Muita gente acredita que eu me estou cevando em ouro, produto de minhas obras." (José de Alencar, *O Guarani*, I, p. 74). [Pres. ind.: *cevo, cevas, ceva*, etc. Cf. *sevo*, do v. *sevar* e adj.; *seva*, do v. *sevar*, fem. de *sevo*, e s. f.; *cevo* (ê), s. m.; e o v. *sevar*.]

cevatício [De *cevar* + *-(t)ício*.] *Adj.* Que é bom para cevar ou engordar animais.

ceveiro [De *ceva* + *-eiro*.] *S. m. Bras.* **1.** Lugar onde se põe ceva (3) para a caça. **2.** Lugar onde se põe comida para atrair peixes, e pescá-los.

ceviana [Do antr. (*Giovanni*) *Ceva* (-1734), matemático italiano[1], + o f. de *-iano*.] *S. f. Geom.* **1.** Reta que passa por um vértice e por um ponto do lado oposto de um triângulo. **2.** Segmento de reta que une um vértice ao lado oposto de um triângulo.

cevo (ê) [Do lat. *cibu*.] *S. m.* **1.** Ceva, pasto, alimento, cibo. **2.** Isca, engodo. [Pl.: *cevos* (ê). Cf. *cevo*, do v. *cevar*, e *sevo*, adj.]

cezarinense *Adj. 2 g.* **1.** De, ou pertencente ou relativo a Cezarina (GO). ● *S. 2 g.* **2.** O natural ou habitante de Cezarina.

■ **cf** [Do lat. *confer*.] Abrev. de confronte, compare, confira.

■ **c.f.** [Abrev. de *custo* e *frete*.] Us. na expr. *cláusula c. f.* (q. v.).

■ **Cf** *Quím.* Símb. de *califórnio*.

■ **CFC** *Quím.* F. abrev. de *clorofluorocarboneto*.

■ **CFE** Sigla de *Conselho Federal de Educação*.

■ **CFM** Sigla de *Conselho Federal de Medicina*.

■ **CFQ** Sigla de *Conselho Federal de Química*.

■ **C.G.S.** *Fís.* Sigla de *sistema c. g. s* (q. v.).

■ **CGT** Sigla de *Central Geral dos Trabalhadores*.

chá [Do chin. *ch'a*.] *S. m.* **1.** *Bot.* Árvore regular ou arbusto teáceo (*Thea sinensis*) de frutos verdes e carnosos, flores alvas, hermafroditas, e de cujas folhas, coriáceas e lanceoladas, se faz uma infusão largamente usada em todo o mundo; chá-da-índia. **2.** As folhas secas e preparadas dessa planta. **3.** A infusão dessas folhas. **4.** *P. ext.* Infusão medicinal de várias plantas: *chá de erva-doce;* "abeiraram-se do leito, instando com a enferma para que tomasse um chá de erva-cidreira" (Júlio Ribeiro, *A Carne*, p. 12). **5.** *Bot.* Designação comum a diversas plantas de que se faz essa infusão. **6.** Reunião ou refeição à tarde, em que se serve chá (3). **7.** *Bras.* Hábito inveterado; mania. [Cf. *xá*.] ◆ **Chá das cinco.** Refeição leve, servida mais ou menos às 17 horas, com chá (3), torradas e bolos. **Chá preto.** Aquele cujas folhas são torradas após ligeira fermentação. **Não ter tomado chá em pequeno.** Ser mal-educado. **Tomar chá.** *Bras.* Gracejar, pilheriar. **Tomar chá de cadeira. 1.** Não ser (uma moça) convidada para dançar em baile. [Sin., bras., N.E., pop.: *fazer renda*.] **2.** Ficar sentado esperando, por longo tempo, por alguém ou por algo: *Meu médico, hoje, me fez tomar chá de cadeira por duas horas.* **Tomar chá de sumiço.** *Bras. Fam.* Deixar de aparecer em lugar que frequentava regularmente.

chã [F. subst. do adj. *chão*.] *S. f.* **1.** Terreno plano; planície. **2.** Carne da parte interior da coxa do boi; chã de dentro, pojadouro. **3.** *Bras. PB AL* V. *planalto*.

chabã [Do ár.] *S. m. Cronol.* V. *xabã*.

chabéu [Do criol.] *S. m. Guin.* V. *dendê* (2): "despejou um 'balaio' cheio de óleo de palma — aquele suco vermelho que se extrai do 'chabéu', o fruto de certas palmeiras." (Viriato Augusto Tadeu, *Contos do Caramô*, p. 145).

➔**chabichou** [ʃabi'ʃu] [Fr.] *S. m. Cul.* Queijo de leite de cabra fabricado no Poitou (O. da França) e que tem ger. a forma de um cone cortado.

chá-biriba *S. m. Bras.* Chá (6) em que se joga biriba[3] (1). [Pl.: *chás-biribas* e *chás-biriba*.]

➔**chablis** [ʃa'bli][Fr.] *S. m. 2 n. Enol.* Vinho branco seco da região da Borgonha, feito com uvas *chardonnay*: "Enfim, deixemos lá os romanos! Que está ali naquela garrafa? *Chablis*... Não desgosto, no outono, com as ostras." (Eça de Queirós, *Os Maias*, 2.º vol., p. 449, *ap.* Dário Moreira de Castro Alves, *Era Porto e Entardecia*, p. 64.)

chabó [T. onom., poss.] *S. m. Bras. SP Zool.* V. *taperá*.

chaboqueiro *Adj. Bras. N.E.* V. *chamboqueiro*.

chabouco [De or. controv.] *Adj.* **1.** Malfeito (1). **2.** Tosco, grosseiro.

chabu [T. onom.] *S. m. Bras. SE BA* Explosão que fazem, por defeito de fabricação, os busca-pés de limalha e outros fogos de artifício; jebu. ◆ **Dar chabu.** *Bras.* Não dar certo; falhar; malograr-se: "Desta vez não a segui. A segunda campana quase sempre dava chabu." (Rubem Fonseca, *O Seminarista*, p. 51.)

chabuco [Do concani-hindustâni *chābūk*, poss.] *S. m. Ant.* V. *chicote* (1).

chaça [Do fr. *chasse*.] *S. f.* **1.** No jogo da pela, lugar onde a bola para ou dá o segundo pulo. **2.** Sinal que marca esse lugar. **3.** *Fig.* Abalo moral. **4.** *Fig.* Briga, altercação, contenda. ◆ **Fazer chaça.** Empinar-se (o equídeo).

chacal [Do turco *xakâl* (< persa *xagâl*), pelo fr. *chacal*.] *S. m. Zool.* Mamífero feroz, canídeo, vizinho do lobo e da raposa, que vive, aos casais, nas estepes da África e da Ásia, e no S. da Europa.

chaçar [Do fr. *chasser*.] *V. t. i.* Levar vantagem. [Conjug.: v. *laçar*.]

chácara [Var. epentética de *chacra*.] *S. f. Bras.* **1.** Pequena propriedade campestre, em geral perto da cidade, com casa de habitação. **2.** Terreno urbano de grandes dimensões, com casa de moradia, jardim, horta, pomar, etc. **3.** Casa de campo. **4.** Terreno onde se cultivam e vendem hortaliças, legumes e/ou plantas de jardim. [Dim. irreg.: *chacarola*. Cf. *xácara*.]

chacareiro [De *chácara* + *-eiro*; var. de *chacreiro*.] *S. m. Bras.* **1.** Dono ou administrador de chácara (1). **2.** Pequeno criador de gado.

chacarense *Adj. 2 g.* **1.** De, ou pertencente ou relativo a Chácara (MG). ● *S. 2 g.* **2.** O natural ou habitante de Chácara.

chacarola [De *chácara* + *-ola*[1].] *S. f. Bras.* Pequena chácara.

chã-chã [Voc. onom.] *S. m. Bras. Zool.* **1.** V. *pica-pau-do-campo*. **2.** V. *quem-quem* (1).

chacim [De or. controvertida; de *chacina*, poss.] *S. m. Ant.* Porco (1).

chacina [Do lat. vulg. **siccina, i. e., caro siccina*, 'carne seca'.] *S. f.* **1.** Ato ou efeito de chacinar. **2.** Matança, morticínio, mortandade. **3.** Carne de porco e outros animais salgada e curada para provisão.

chacinador (ô) [De *chacinar* + *-dor*.] *S. m.* Aquele que chacina.

chacinar [De *chacina* + *-ar*[2].] *V. t. d.* **1.** Partir em postas. **2.** Preparar e salgar (postas de carne). **3.** Matar, assassinar. **4.** Analisar minuciosamente.

chaço *S. m.* **1.** Pedaço de madeira ou metal com que os tanoeiros apertam arcos. **2.** Peça da roda do carro. **3.** Sarrafo de madeira usado para apertar tampos de viola e outras coisas que se colam.

chacoalhada [De *chacoalhar* + *-ada*[1].] *S. f. Gír.* Ato de mudar, modificar algo ou alguém: *Com uma chacoalhada o projeto ficou mais claro.*

chacoalhante [De *chacoalhar* + *-nte*.] *Adj. 2 g. Gír.* Que chacoalha, irrita, amola.

chacoalhar [Alter. de *chocalhar*.] *V. t. d. Bras.* **1.** V. *chocalhar* (1) e (2). **2.** *Gír.* Importunar, aborrecer, amolar; chatear. *Int.* **3.** V. *chocalhar* (4). **4.** *Gír.* Importunar, amolar, chatear alguém. *P.* **5.** Sacudir-se.

chacoi [Do chinês *cha koi*.] *S. m.* Casa de chá, na qual se serviam acepipes e chá, esp. no período da manhã.

chacona [Do esp. *chacona*.] *S. f. Mús.* **1.** Dança popular cantada, de origem mexicana ou espanhola, animada, compasso ternário e acompanhamento de castanholas. **2.** Peça instrumental, em compasso ternário ou quaternário, de andamento lento, construída sobre um baixo-contínuo de quatro a oito compassos, seguido de variações. **3.** Composição do tipo da passacale, normalmente em tonalidade maior.

chacota [De uma onom. *chac*; esp. *chacota*.] *S. f.* **1.** V. *zombaria*: "Em São Paulo .... também existe o costume das cantigas ao desafio, e também consistem essas requestas em trocas de chacotas e de injúrias" (Amadeu Amaral, *Tradições Populares*, p. 105). **2.** Antiga canção popular, alegre e ruidosa. **3.** Trovas satíricas ou burlescas.

chacoteação [De *chacotear* + *-ção*.] *S. f.* **1.** Ato ou efeito de chacotear. **2.** V. *zombaria*.

chacoteador (ô) [De *chacotear* + *-dor*.] *S. m.* Aquele que chacoteia; escarnecedor, zombador, zombeteiro.

chacotear [De *chacota* + *-ear*[2].] *V. int.* **1.** Fazer chacota ou zombaria. **2.** *Ant.* Fazer chacota (3). *T. i.* **3.** Zombar, escarnecer: *É dado a chacotear dos amigos.* *T. d.* **4.** Zombar, escarnecer de: *Chacoteou impiedosamente a timidez do irmão.* [Conjug.: v. *frear*.]

chacra [Do quíchua, pelo esp. *chacra*.] *S. f. Bras. S.* Chácara (q. v.).

chacreiro [De *chacra* + *-eiro*.] *S. m. Bras. S.* Chacareiro (q. v.).

chacrete [De *Chacr(inha)*, pseudônimo de Abelardo Barbosa (1917-1988), ator e apresentador de programas, + *-ete*.] *S. f. Bras.* Cada uma das coristas (v. *corista*[2]) que atuavam no programa de televisão do animador Chacrinha.

chacrinha *S. f. Bras. Fam.* **1.** Reunião informal para grupo íntimo. **2.** Confusão, balbúrdia, bagunça.

chacuru *S. m. Bras. Zool.* V. *joão-bobo*.

chá-da-campanha *S. m. Bras. Bot.* V. *chapéu-de-couro* (1). [Pl.: *chás-da-campanha*.]

chá-da-índia *S. m. Bot.* Chá (1). [Pl.: *chás-da-índia*.]

chá da meia-noite *S. m. Pop.* Bebida envenenada. [Pl.: *chás da meia-noite*.]

chá-dançante *S. m.* Reunião dançante que, principiando à tardinha, à hora do chá, vai até certa hora da noite, sem traje a rigor nem a exigência do jantar, servindo-se apenas bebidas e salgadinhos; chá-paulista. [Pl.: *chás-dançantes*.]

chá-da-terra *S. m. Bot.* V. *craveiro-da-terra*. [Pl.: *chás-da-terra*.]

chá de alecrim *S. m. Bras. SP Pop.* Surra (1) de pau. [Pl.: *chás de alecrim*.]

chá de bico *S. m. Bras. Pop.* V. *clíster*. [Pl.: *chás de bico*.]

chá-de-bugre *S. m. Bras. Bot.* **1.** Planta boraginácea (*Cordia salicifolia*) glabra, cujas flores têm cálice campanulado, sendo o fruto drupáceo; bugrinho, porangaba. **2.** V. *guaçatunga* (1 e 2). [Pl.: *chás-de-bugre*.]

chá de burro *S. m.* **1.** *Bras. N.E. Pop.* V. *munguzá*. **2.** *Bras. BA* V. *peteleco*. [Pl.: *chás de burro*.]

chá de casca de vaca *S. m. Bras. CE MG RS* **1.** Surra de relho. **2.** V. *surra* (1): "O gurizote .... quis passar-se demais com uma prima...; o tio deu-lhe um chá de casca de vaca." (Simões Lopes Neto, *Contos Gauchescos e Lendas do Sul*, p. 238). [Pl.: *chás de casca de vaca*.]

chã de dentro *S. f. Bras.* V. *chã* (2). [Pl.: *chãs de dentro*.]

chã de fora *S. f. Bras. N.E.* Carne da parte exterior da coxa do boi; coxão duro. [Pl.: *chãs de fora*.]

chá de garfo *S. m. Bras. PE* Troça, brincadeira. [Pl.: *chás de garfo*.]

chá-de-moça *S. m. Bot.* V. *catinga-de-formiga*. [Pl.: *chás-de-moça*.]

chá de panela *S. m. Bras.* Reunião oferecida a uma noiva para presenteá-la com objetos de utilidades domésticas: *Maria Helena recebeu ontem para o chá de panela de Sônia Peixoto.* [Pl.: *chás de panela*.]

chadiano *Adj.* **1.** Da, ou pertencente ou relativo à República do Chade (África Central); chádico. ● *S. m.* **2.** O natural ou habitante da República do Chade. **3.** *Gloss.* Ramo linguístico da família camito-semítica, composto por cerca de 100 línguas espalhadas entre Gana e a República Centro-Africana (África Ocidental e Central) e das quais a mais importante é o hauçá.

chádico *Adj.* **1.** Relativo ao lago Chade (África Central). **2.** Chadiano (1).

chador (ó) *S. m.* V. *xador*.

chafalhão[1] [De *chafalho* + *-ão*[1].] *S. m.* Chafalho grande.

chafalhão[2] *Adj.* Brincalhão, galhofeiro.

chafalho [Do esp. *chafallo*.] *S. m.* V. *chanfalho*.

chafarica *S. f. Pop.* **1.** Loja maçônica. **2.** Pequena casa de negócios. **3.** Baiuca, taberna, taverna.

chafariz [Do ár., *ṣihrīǧ*, 'cisterna', 'tanque'.] *S. m.* **1.** Construção de alvenaria, com uma ou várias bicas, por onde jorra água que serve para uso da população, como bebedouro de animais ou, o que é mais comum, como simples ornamento; fonte. [Sin. (bras., C.O.): *carioca*.] **2.** *Fam.* Pessoa que chora muito e/ou frequentemente.

chafurda [Dev. de *chafurdar*.] *S. f.* **1.** Chiqueiro ou lamaçal onde os porcos se atolam; chafurdeiro. **2.** Imundície, sujeira. **3.** Casa imunda.

chafurdar [De or. controvertida.] *V. t. c.* **1.** Revolver-se, atolar-se em (chafurda). *T. i.* **2.** *Fig.* Atolar-se em (vícios); perverter-se. *T. d.* **3.** Macular; enodoar: *Chafurdou a honra da família. T. d. e c.* **4.** Afundar, mergulhar; atolar: *chafurdar o pé na lama. P.* **5.** Revolver-se (em chafurda). **6.** Atolar-se (em vícios); perverter-se: "Vi os maiores nomes de França chafurdarem-se na lama dessa alcova." (Bernardo Pinheiro Pindela, *Azulejos*, pp. 62-63.) [Sin. ger.: *enchafurdar*.]

chafurdeiro [De *chafurda* + *-eiro*.] *S. m.* **1.** Chafurda (1). **2.** Aquele que chafurda.

chafurdice [De *chafurda* + *-ice*.] *S. f.* Ato ou efeito de chafurdar(-se).

chaga [Do lat. *plaga*.] *S. f.* **1.** Ferida aberta; úlcera. **2.** A cicatriz deixada por essa ferida. **3.** Incisão na casca das árvores. **4.** *Fig.* Coisa que penaliza. **5.** *Fig.* Aquilo que produz males ou prejuízos: *A opressão é uma chaga social.* **6.** *Fig.* Desgraça, infortúnio. ~ V. *chagas*.

chagado [Part. de *chagar*.] *Adj.* **1.** Coberto de, ou convertido em chaga(s) ou úlcera(s); chaguento. **2.** Martirizado, aflito: "Lá não pode / Ao coração chagado e dolorido / Repreender a razão." (Alberto de Oliveira, *Poesias*, 3.ª série, p. 198.)

chagar [Do lat. *plagare*.] *V. t. d.* **1.** Fazer chaga(s) em; ferir. **2.** *Fig.* Molestar, martirizar, afligir. *P.* **3.** Converter-se em chaga(s); ulcerar-se. [Conjug.: v. *largar*.]

chagas [Pl. de *chaga*.] *S. f. pl. Bot.* **1.** V. *capuchinha*. **2.** A flor dessa planta. ~ V. *chaga*.

chagásico [De (*doença de*) *Chagas* < antr. (*Carlos Ribeiro Justiniano das*) *Chagas* (1879-1934), médico brasileiro, + *-ico*².] *Adj.* **1.** Referente à, ou que sofre da doença de Chagas. • *S. m.* **2.** Aquele que sofre dessa doença.

chagólogo [De (*doença de*) *Chagas* + *-o-* + *-logo*.] *Adj. S. m.* Diz-se de, ou aquele que se dedica especialmente ao estudo da doença de Chagas.

chagoma [De (*doença de*) *Chagas* (v. *chagásico*) + *-oma*¹.] *S. m. Med.* Tumor (1) cutâneo observado na doença de Chagas.

chã-grandense *Adj. 2 g.* **1.** De, ou pertencente ou relativo a Chã Grande (PE). • *S. 2 g.* **2.** O natural ou habitante de Chã Grande. [Pl.: *chã-grandenses*.]

chagrém [Do turco *çagri*, 'garupa de cavalo', pelo fr. *chagrin*.] *S. m.* Couro de superfície granulada, preparado com pele de equinos, asininos ou caprinos, e usado sobretudo em encadernação.

chagueira [De *chaga* + *-eira*.] *S. f. Bot.* V. *capuchinha*.

chaguento [De *chaga* + *-ento*.] *Adj.* Chagado (1).

chaguer [Do turco *sagry*.] *S. m.* Vaso de couro curtido para resfriar a água.

chaguismo *S. m. Bras.* **1.** Ação política de Antônio de Pádua Chagas Freitas (1914-1991), ex-governador do antigo estado da GB, e do RJ. **2.** Adesão ao chaguismo (1), ou simpatia por ele.

chaiá [Voc. onom.] *S. f. Bras. Zool.* V. *tachã*.

chaira [Do esp. plat. *chaira*.] *S. f. Bras. S.* Peça de aço para afiar facas: "O Ferico acendeu o cigarro e foi assentar o fio da faca na chaira do Antônio" (Darci Azambuja, *Coxilhas*, p. 158).

chairar [Do esp. plat. *chairar*.] *V. t. d. Bras. S.* **1.** Afiar (a faca) na chaira: "enquanto o peão chairava a faca para carnear, um gurizinho .... chegou-se para o boi morto" (Simões Lopes Neto, *Contos Gauchescos e Lendas do Sul*, p. 162). **2.** *Fig.* Aparar bem rente a crina de (o cavalo). [Pres. subj.: *chaire, chaires, ... chaireis*, etc. Cf. *xairéis*, pl. de *xairel*.]

chairel *S. m.* V. *xairel*.

→**chaise-longue** [ʃɛz'lɔ̃g] [Fr.] *S. f.* Poltrona apropriada para a pessoa sentar-se de corpo estendido.

chajá [Voc. onom.] *S. f. Bras. Zool.* V. *tachã*.

chalaça [Por **charlaça*, de *charlar*.] *S. f.* **1.** Dito zombeteiro: "O gosto da boa e grossa chalaça, a vontade infantil de jogo e diversão" (José Régio, em João Gaspar Simões, *Perspectiva da Literatura Portuguesa do Século XIX*, p. 212). **2.** Gracejo de mau gosto, ou insolente; graçola, chocarrice. **3.** Caçoada, troça, zombaria.

chalaçar [De *chalaça* + *-ar*².] *V. int. T. i. T. d.* Chalacear. [Conjug.: v. *laçar*.]

chalaceador (ô) [De *chalacear* + *-dor*.] *Adj. S. m.* Que, ou aquele que chalaceia.

chalacear [De *chalaça* + *-ear*².] *V. int.* **1.** Dizer chalaças; gracejar. *T. i.* **2.** Dirigir chalaças; troçar: *Chalaceava com os amigos, procurando dar um tom alegre à reunião. T. d.* **3.** Fazer chalaça a propósito de; ridicularizar: *Chalaceou a tese do falso erudito.* [Sin. ger.: *chalaçar*. Conjug.: v. *frear*.]

chalaceiro [De *chalaça* + *-eiro*.] *S. m.* Aquele que chalaceia; chalaceador.

chalado *Adj. Lus.* V. *amalucado* (1).

chalana [Do esp. *chalana*.] *S. f.* **1.** *Bras.* Pequena embarcação, de fundo chato, costados verticais, proa e popa finas e iguais, usada no tráfego de rios e igarapés. **2.** *Mar. G.* Embarcação miúda de proa e popa quadradas, costados verticais e fundo chato, de uso nos serviços de pintura e limpeza da linha-d'água dos navios.

chalaneiro [De *chalana* + *-eiro*.] *S. m.* Aquele que dirige chalana: "Nhanhá sonhava bobagens que eu fugi de casa para ser chalaneiro no Porto de Corumbá!" (Manuel de Barros, *Matéria de Poesia*, p. 58.)

chalcona [Do lat. cient. *chalc-* (< gr. *chalcós*, 'cobre') + *-ona*².] *S. f. Quím.* Substância amarela cristalina, que é uma cetona insaturada aromática [fórm.: $C_{15}H_{12}O$].

chalé [Do fr. *chalet*.] *S. m.* **1.** Casa campestre, em estilo suíço, com teto de duas águas, muito avançado sobre a fachada, e na qual é a madeira o elemento principal. **2.** Habitação com essa forma. **3.** Casa rústica. **4.** Casa de construção ligeira para fins de recreação.

chaleense (êên) *Adj. 2 g.* **1.** De, ou pertencente ou relativo a Chalé (MG). • *S. 2 g.* **2.** O natural ou habitante de Chalé.

chaleira¹ [De *chá* + *-l-* + *-eira*.] *S. f.* **1.** Vasilha bojuda, de metal, com bico e tampa, onde se aquece água, inclusive para o chá. **2.** *Bras.* Tábua da proa da lancha baleeira, donde o arpoador lança o arpão. • *S. 2 g.* **3.** *Bras.* V. *bajulador* (2): "Daqueles chaleiras covardes não se podia mesmo esperar grande coisa." (Rubem Fonseca, *Agosto*, p. 13.) • *Adj. 2 g.* **4.** *Bras.* V. *bajulador* (1).

chaleira² [Do antr. *Charl(es) (Miller)*, esportista que introduziu o futebol no país, + *-eira*.] *S. f. Fut.* Toque na bola com o lado externo do pé, com a perna dobrada para trás para impulsionar a bola.

chaleiramento [De *chaleirar* + *-mento*.] *S. m. Bras.* V. *chaleirismo* (2).

chaleirar [De *chaleira* + *-ar*².] *V. t. d. Bras.* Lisonjear servilmente; adular, bajular, sabujar: "Entende só de burocracia e de chaleirar todo governador que chega." (Mauro Mota, *O Pátio Vermelho*, p. 59.)

chaleirice [De *chaleira* + *-ice*.] *S. f. Bras.* V. *chaleirismo* (2).

chaleirismo [De *chaleira* + *-ismo*.] *S. m. Bras.* **1.** Procedimento de quem é chaleira; adulação, bajulação. **2.** Ato de chaleirar; chaleiramento; chaleirice.

chaleirista [De *chaleira* + *-ista*.] *Adj. 2 g. S. 2 g. Bras.* V. *bajulador* (1 e 2).

→**challis** ['tʃælɪs] [Ingl.] *S. m. Tec. Têx.* Tecido originário da Índia, produzido com viscose fiada.

chalmúgrico *Adj. Quím.* ~ V. *ácido* —.

chalo *S. m. Bras. SP* Leito de varas armado sobre estacas fincadas no chão.

chalota *S. f. Bot.* V. *echalota*.

chalra [Dev. de *chalrar*.] *S. f. Bras. RS* Conversa; fala.

chalrar [De *charlar*, com metátese.] *V. int.* **1.** Falar à toa, alegremente, com outras pessoas. **2.** Soltar vozes inarticuladas; palrar: "Bandos de jandaias passavam chalrando na direção do arvoredo" (Coelho Neto, *Banzo*, p. 68). **3.** Chilrear: "Chalrava agora um bando de pássaros-pretos" (Hugo de Carvalho Ramos, *Tropas e Boiadas*, p. 68). [Sin. ger.: *chalrear*.]

chalreada [De *chalrear* + *-ada*¹.] *S. f.* **1.** Ruído simultâneo de muitas vozes; falario, falatório, falácia. **2.** Gralhada de crianças ou de pássaros. [Sin. ger.: *chalreio*.]

chalreador (ô) [De *chalrear* + *-dor*.] *Adj. S. m.* Que, ou aquele que chalreia.

chalrear [De *chalr-*, como em *chalrar*, + *-ear*².] *V. int.* V. *chalrar*: "fingindo um ar severo .... quando era preciso repreender alguma mucama que deixava a miúdo os bilros e a almofada para chalrear no gineceu" (Joaquim Nabuco, *Minha Formação*, p. 219). [Conjug.: v. *frear*.]

chalreio [Dev. de *chalrear*.] *S. m.* V. *chalreada*: "as frondes, unidas espessamente, pareciam a copa duma só árvore prodigiosa onde se juntavam, com um chalreio, um grasnido atroadores e silvos, guinchos, pios" (Coelho Neto, *Banzo*, p. 86).

chalrote *S. m. Bot.* A casca do pinheiro.

chalupa [Do fr. *chaloupe*.] *S. f.* **1.** Antigo navio à vela, cuja mastreação se compõe de gurupés e dois mastros: o de vante de lugre, e o de ré inteiriço, que enverga pequena vela latina quadrangular (*catita*). **2.** No jogo do voltarete, as três cartas de maior valor: espadilha, basto e manilha.

chama¹ [Dev. de *chamar*.] *S. f.* **1.** V. *chamada* (1). **2.** *Fig.* V. *chamariz* (3). • *S. m.* **3.** *Bras.* Pássaro que se põe no alçapão para chamar outros; chamariz. **4.** *Bras. N.E.* Pequeno tambor de origem africana. ~ V. *chamas*.

chama² [Do lat. *flamma*.] *S. f.* **1.** *Fís.-Quím.* Mistura de gases incandescentes; labareda. **2.** Claridade intensa; luz. **3.** *Fig.* Ardor, paixão: "Amor — chama, e, depois, fumaça..." (Manuel Bandeira, *Estrela da Vida Inteira*, p. 12); *Tinha no peito a chama da revolta.* ~ V. *chamas*.

chamacoco *S. 2 g.* **1.** *Etnôn.* Indivíduo dos chamacocos, povo indígena da família linguística samuco, que habita o Paraguai e parte do MS. • *Adj. 2 g.* **2.** Pertencente ou relativo a esse povo. [Tb. us. como *s. 2 g. e 2 n.* (com cap.) e *adj. 2 g. e 2 n.*]

chamada [De *chamar* + *-ada*¹.] *S. f.* **1.** Ato de chamar. [Sin.: *chama, chamado, chamamento* e (p. us.) *chamadilho*.] **2.** Ato de chamar as pessoas pelos nomes para verificar se estão presentes numa sala de aula, corporação militar, etc. **3.** Toque para reunir. **4.** Sinal para chamar a atenção. **5.** V. *manda*¹ (1). **6.** *Jorn.* Pequeno texto que sai na primeira página, com o fim de chamar a atenção para a matéria publicada em página interna, e que é um resumo dessa matéria. **7.** Título ou frase que se põe nas capas das revistas a fim de chamar a atenção para uma matéria específica. **8.** *Rád. Telev.* Apresentação do resumo de uma notícia antes ou ao início de programa jornalístico, ou em segmento (8) anterior ao que a notícia será transmitida. **9.** *Tip.* Chamada de nota (q. v.). **10.** *Tip.* Sinal convencional que o revisor põe no texto da prova para assinalar erro, e que repete na margem com a indicação da emenda por fazer. [V. *sinal de revisão*.] **11.** *Tip.* Conjunto de palavras, integrantes do título, que o compositor sobrepõe ao granel para identificar a matéria. **12.** *Pop.* V. *repreensão* (1). **13.** *Bras.* Gole de aguardente. V. *bicada*¹ (5). ◆ **Chamada de nota.** *Tip.* Número, letra ou outro sinal com que se remete do local do texto para a nota respectiva. [Tb. se diz apenas *chamada*.] **Dar uma chamada.** *Bras. Pop.* V. *embriagar* (4).

chamadilho [De *chamada* + *-ilho*.] *S. m. P. us.* V. *chamada* (1).

chamado [Subst. do part. de *chamar*.] *S. m.* V. *chamada* (1).

chamador (ô) [De *chamar* + *-dor*.] *S. m.* **1.** Aquele que chama. **2.** *Bras. S.* Ponteiro² (6). **3.** *Bras. MA Mús.* V. *médio* (9).

chamalotado [De *chamalote* + *-ado*¹.] *Adj.* Semelhante ao chamalote: "Havia de tudo nesse tesouro episcopal de sobrepelizes, amictos, estolas, casulas e até uma dalmática chamalotada e incrustada de pérolas falsas." (Alberto Rangel, *Livro de Figuras*, p. 119.)

chamalote [Var. de *chamelote*.] *S. m. Tec. Têx.* **1.** Tecido furta-cor em que a posição do fio produz um efeito ondeado. **2.** Tecido grosso feito de pelo de camelo. **3.** Tecido de pelo ou de lã, em geral com mistura de seda: "em grossas pregas arqueadas caía-lhe dos quadris a sobressaia de chamalote claro" (Afonso Arinos, *Pelo Sertão*, p. 143).

chama-maré [De *chamar* + *maré*¹.] *S. m. Bras. Zool.* Designação comum aos crustáceos decápodes, braquiúros, ocipodídeos, gênero *Uca*, pequenos caranguejos de 0,02 a 0,03m de comprimento, que têm uma das pinças muito maior que a outra. [Sin.: *catanhão-tesoura, chora-maré, cié-cié, siri-patola, tesoura, vem-cá, xié*. Pl.: *chama-marés*.]

chamamento [De *chamar* + *-mento*.] *S. m.* **1.** V. *chamada* (1). **2.** Convocação; convite. ◆ **Chamamento à autoria.** *Dir. Proc. Civ.* Ato de trazer ao processo coobrigado que não integrasse a relação processual, em razão de sua responsabilidade ainda que subsidiária.

chamar [Do lat. *clamare*, por via pop.] *V. t. d.* **1.** Dizer em alta voz o nome de (alguém) para que venha, ou para verificar se está presente. **2.** Fazer ir ou vir: *O professor disse que o chamara para dar-lhe parabéns.* **3.** Acordar (1): *Deixou recado para que o chamassem às 10 horas.* **4.** Dizer, invocando: *Quando se viu em perigo, chamou o nome de todos os santos.* **5.** Convocar por meio do toque de campainha, sino, sineta, de apito, ou outro sinal: *O sino chama os fiéis para a missa.* **6.** Convocar (1): *O rei chamou a corte.* **7.** Atrair; seduzir: "ali na sala, na modorra da tarde vazia do domingo, seu corpo adquiria calor e me chamava." (Carlos Heitor Cony, *A Verdade de Cada Dia*, p. 112). **8.** Fazer funcionar o mecanismo de (o elevador), acionando circuito elétrico ligado a botão de comando: *Chamou o elevador e desceu.* **9.** *Bras. Gír.* Comer vorazmente; devorar, comer: *Puseram três pratos em sua frente e ele chamou tudo.* **10.** Exigir, reclamar: "O amor que a exalta e a pede e a chama e a implora" (Manuel Bandeira, *Estrela da Vida Inteira*, p. 13); *Tamanha injustiça chama o castigo dos Céus. T. i.* **11.** Chamar (1): *Assustado, o pequenino saiu correndo, chamando pela mãe.* **12.** Chamar (4); invocar: *Chamar pelo santo de sua devoção. T. d. e i.* **13.** Convidar, escolher (alguém) para (cargo ou emprego). **14.** Atrair, angariar; despertar: *Não logrou chamar a atenção dos presentes para o que se passava.* **15.** Fazer vir; trazer: *Procurou, por todos os meios, chamá-lo à realidade.* **16.** Avocar; tomar: *Chamou a si a responsabilidade do acontecido. T. d. e c.* **17.** Fazer ir ou vir: "Uma tourada real chamara a corte a Salvaterra." (Rebelo da Silva, *Contos e Lendas*, p. 172.) ***Transobj.*** **18.** Dar nome; designar; qualificar: *Chamei-o inteligente; Chamam-lhe sábio*; "e voz em grita chamaram-lhe de herege luterano" (Fr. Luís de Sousa, *Vida de D. Fr. Bertolameu dos Mártires*, II, p. 35); "Como Sofia não confessasse nada, Rubião chamou-lhe de bonita, e ofereceu-lhe o solitário que tinha no dedo" (Machado de Assis, *Quincas Borba*, p. 287). ***Int.*** **19.** Dar sinal, com a voz ou com o gesto, para que alguém venha. **20.** Dar (o telefone ou aparelho similar) sinal de chamada, fazendo vibrar a campainha; tocar. **21.** *Bras. S.* Ir à frente da tropa ou dos bois encangados, para guiar a marcha. ***P.*** **22.** Ter nome; ter por nome: "A primeira namorada de João Ribeiro chamava-se América" (Joaquim Ribeiro, *9 Mil Dias com João Ribeiro*, p. 152); "O primeiro romance publicado depois da morte do autor [Franz Kafka] foi *O Processo*. O seu herói chama-se K., simplesmente K." (Oto Maria Carpeaux, *A Cinza do Purgatório*, p. 152); "Quinquina, a babá de Ceceu. / Joaquina se chamava." (Antônio Carlos Vilaça, *O Desafio da Liberdade*, p. 25). **23.** Recolher-se, acolher-se: *Chamou-se à justiça.* **24.** Dar a si mesmo nome ou epíteto; tratar a si mesmo por ele: "chamei-me pródigo, lancei o cruzado à conta das minhas dissipações antigas" (Machado de Assis, *Memórias Póstumas de Brás Cubas*, p. 74). ◆ **Chamar o raul.** *Bras.* V. *vomitar* (11).

chamarisco [De *chamar* + *-isco*[1].] ***S. m.*** *Bras. S.* V. *chamariz* (1).

chama-rita [De *chamar* + o antr. *Rita*, poss.] ***S. f.*** **1.** *Folcl.* Dança de roda portuguesa da Madeira e dos Açores. **2.** *Bras. SP PR RS* Chimarrita. [Pl.: *chama-ritas*.]

chamariz [De *chamar*.] ***S. m.*** **1.** Coisa que chama, que atrai. [Sin. (bras., S.): *chamarisco*.] **2.** Apelo à publicidade; reclamo. **3.** *Fig.* Engodo, isca, negaça, chama. **4.** *Bras.* Chama[1] (3).

chamarra [Do hisp.-amer. *chamarra* < esp. *zamarra*.] ***S. f.*** V. *samarra*.

chamas ***S. f. pl.*** O suplício da fogueira: *Foi condenado às chamas*. ~ V. *chama*. ◆ **Chamas eternas.** Os suplícios do Inferno.

chá-mate [De *chá* + *mate*[2].] ***S. m.*** *Bras.* Mate[2] (3). [Pl.: *chás-mates* e *chás-mate*.]

chamativo [De *chamar* + *-tivo*.] ***Adj.*** *Bras.* Que chama ou solicita vivamente a atenção; muito vistoso: *vestido chamativo*; "As prateleiras são alegres, coloridas, chamativas." (Carlos Drummond de Andrade, em *Jornal do Brasil*, 02.08.1980).

chamató ***S. m.*** *Bras. MA* V. *tamanco* (1).

chamazuleno [Do lat. cient. *chamae-*, *chama-* (< gr. *chamaí*, 'na terra', adv. que ocorre, como rad., em bot. e zool., como em *chamaimélon*, 'camomila'), + *azuleno*.] ***S. m.*** *Quím.* Substância oleosa, azul, que é um derivado do azuleno, e que ocorre na camomila e tem propriedades anti-inflamatórias [fórm.: $C_{14}H_{16}S$].

chambalé ***S. m.*** *Bras. SP* Espécie de camisola de criança. [Var.: *chumbalé*.]

chambão [Do port. ant. *chamba*.] ***S. m.*** **1.** Carne de segunda categoria, cheia de nervos e peles. **2.** Contrapeso na venda da carne. **3.** Indivíduo malvestido, mal-amanhado, achamboado, rude. ● ***Adj.*** **4.** Grosseiro, achavascado, achamboado, chamboado.

chambaril [De or. controv.] ***S. m.*** **1.** Pau curvo que se enfia nos jarretes do porco morto para abrir e pendurar: "o colega ali do nosso reverendo está de porco no chambaril." (Aquilino Ribeiro, *Andam Faunos pelos Bosques*, p. 216). **2.** V. *mocotó* (1): "Não que o chambaril gerasse pesadelos, tinha estômago de rapaz." (Odilo Costa Filho, *Histórias da Beira do Rio*, p. 49.) **3.** *Bras. MA Deprec.* Pessoa feia, ou de aspecto gasto, acabado.

chamboado [De *chambão* + *-ado*[1], com desnasalação.] ***Adj.*** V. *chambão* (4).

chambocar ***V. t. d.*** *Bras. AM* Cavar a machado (o tronco de uma árvore), para fazer uma canoa. [Conjug.: v. *trancar*.]

chamboco ***S. m.*** *Moç.* Tipo de cassetete de madeira dura, cuja extremidade tem forma oval: "Oh, as palavras. A semente delas. A colheita vindoura / sem capatazes de chamboco no ar." (Heliodoro Baptista, *Por Cima de Toda Folha*, p. 49.)

chamboice [De *chambão* + *-ice*, com desnasalação.] ***S. f.*** Qualidade do que é chambão (4).

chamboqueiro [Formado pelo rad. *chamb-*, como no port. ant. *chamba* e em *chambão*, + o suf. *-eiro*, mas por via incerta.] ***Adj.*** *Bras. N.E.* **1.** Grosseiro, rude, tosco. **2.** De feições grosseiras. [Var.: *chaboqueiro*, *xamboqueiro*, *xambouqueiro*, *xabouqueiro*.]

➔**chambray** [ˈʃæmbɹeɪ] [Ingl., alter. do fr. *cambrai*.] ***S. m.*** *Tec. Têx.* Tecido feito com cem por cento de fibras de algodão, em que fios azul-claros se alternam com fios brancos.

chambre [Do fr. (*robe de*) *chambre*.] ***S. m.*** V. *roupão*: "despe-se, enfia um chambre e vai estirar-se no canapé do gabinete" (Machado de Assis, *Páginas Recolhidas*, p. 113). ◆ **Abrir o chambre.** *Bras. N.E. Pop.* V. *fugir* (1 e 2).

chambrié [Do fr. *chambrière*.] ***S. m.*** Chicote longo e leve, para domar potros.

chamego (ê) [De *chama*[2], poss.] ***S. m.*** *Bras.* **1.** Excitação para atos libidinosos. **2.** Amizade íntima; aproximação estreita; apego. **3.** Paixão violenta. **4.** V. *namoro* (1). **5.** Excitação; agitação; inquietação. **6.** Qualquer ato revelador de pressa ou açodamento. **7.** *Bras. MA* Atração, sedução: "Para as crianças os seus sorrisos tinham o chamego de um bazar de brinquedos, para os velhos um descanso, um repoiso." (Viriato Correia, *Histórias Ásperas*, pp. 173-174.)

chameguento [De *chamego* + *-ento*.] ***Adj.*** *Bras.* **1.** Relativo a chamego. **2.** Que se dá a chamego; assanhado.

chamejamento [De *chamejar* + *-mento*.] ***S. m.*** Ato ou efeito de chamejar; chamejo.

chamejante [De *chamejar* + *-nte*.] ***Adj. 2 g.*** Que chameja; flamejante: "Os olhos chamejantes lembravam dous astros ardendo numa treva densa e ondulante." (Cruz e Sousa, *Obra Completa*, p. 591.)

chamejar [De *chama*[2] + *-ejar*.] ***V. int.*** **1.** Deitar chamas; arder. **2.** *P. ext.* Brilhar, fulgurar, resplandecer: "E de manhã explui [o sol] na lividez do oriente, / Cáustico, a chamejar, como um remorso ardente!" (Guerra Junqueiro, *A Velhice do Padre Eterno*, p. 218); *Falava com inspiração: seu olhar chamejava.* **3.** Irritar-se, encolerizar-se, irar-se: *Ao saber da derrota, chamejou.* **4.** Arder em paixão. ***T. d.*** **5.** Expelir, emitir como chamas; dardejar: *Respondeu gritando, e seus olhos chamejavam ódio.* [F. paral.: *flamejar*. Conjug.: v. *pelejar*.]

chamejo (ê) [Dev. de *chamejar*.] ***S. m.*** Chamejamento: "Como em um forno colossal, havia crepitações e chamejos" (Valentim Magalhães, *Vinte Contos*, p. 96).

chamelote [Do fr. *chamelot*, atual *camelot*.] ***S. m.*** Chamalote.

chãmente [Do f. de *chão* + *-mente*.] ***Adv.*** De modo simples; sem complicações, com simplicidade.

chamiça [De *chamiço*.] ***S. f.*** **1.** Espécie de junco bravo. **2.** Atilho feito com esse junco.

chamiceiro [De *chamiço* + *-eiro*.] ***S. m.*** Aquele que apanha e vende chamiça ou chamiço.

chamico [De or. hisp.-amer., poss.] ***S. m.*** *Bras. RS Bot.* Planta solanácea (*Datura ferox*), de caule grosso, dotada de flores alvacento-azuladas e cápsulas mais ou menos irregulares.

chamiço [De *chama*[2] + *-(d)iço*[2].] ***S. m.*** **1.** Tudo o que se pode utilizar como acendalhas: ramos secos, gravetos, etc. **2.** Lenha meio queimada para fazer carvão. **3.** Lenha acesa; tição. **4.** Os galhos mais finos das árvores.

chaminé [Do fr. *cheminée*, com infl. de *chama*[2].] ***S. f.*** **1.** Tubo que comunica a fornalha com o exterior e serve para dar tiragem (2) ao ar e aos produtos da combustão: "o que era um bueiro de engenho comparado com a soberba chaminé de usina, dominando tudo com a sua arrogância?" (José Lins do Rego, *Usina*, p. 100). **2.** V. *lareira* (2): "Eu fiquei ao canto da larga chaminé solarenga onde ardiam, numa brasa viva, toros de azinho e de oliveira." (Júlio Dantas, *Abelhas Doiradas*, p. 195.) **3.** Fogão para aquecer as salas; estufa. **4.** A extremidade do cachimbo onde arde o fumo; fornilho. **5.** Abertura da mina que se destina à renovação do ar. **6.** Tudo quanto serve para a ventilação dos edifícios. **7.** Manga de candeeiro. **8.** *Geol.* Conduto vulcânico.

chá-mineiro [De *chá* + *mineiro*[2].] ***S. m.*** *Bras. L. Bot.* Erva alismatácea (*Echinodorus pubescens*) de caule triangular, de folhas de tamanho variável, que servem para infusão, flores agrupadas e dispostas em panícula ramosa e que é tida por medicinal; congonha-do-brejo [Pl.: *chás-mineiros*.]

chamo [Dev. de *chamar*.] ***S. m.*** V. *chamada* (1).

➔**chamois** [ʃaˈmwa] [Fr.] ***S. m.*** *Tec. Têx.* Camurça (4).

chamoisita [Do top. *Chamoison* (Suíça) + *-ita*[3].] ***S. f.*** *Min.* Mineral monoclínico do grupo das cloritas, silicato básico de magnésio e ferro.

chamorro[1] (ô) [Do esp. *chamorro*.] ***Adj.*** **1.** Tosquiado, tosado. ● ***S. m.*** **2.** Denominação injuriosa dada outrora aos portugueses pelos espanhóis e, depois, aos constitucionais pelos realistas.

chamorro[2] (ô) ***S. m.*** **1.** *Etnôn.* Indivíduo dos chamorros, povo nativo das ilhas Marianas do Norte e de Guam (território dos E.U.A.), no oceano Pacífico. **2.** *Gloss.* Língua malaio-polinésia falada nessas ilhas. ● ***Adj.*** **3.** Relativo aos chamorros (1), ou à sua língua.

chamota ***S. f.*** *Tec.* Mistura de alumina e sílica, aquecida a alta temperatura, e que é adicionada, depois de arrefecida, à massa de argila cerâmica que irá ser submetida à ação do calor para constituir material refratário.

champã ***S. m.*** *Bras. Gír. P. us.* V. *champanha*.

champaca [Do hindi *champaka*, *champak*, < sânscrito.] ***S. f.*** *Bot.* V. *magnólia-amarela*.

champanha [Var. de *champanhe*.] ***S. m.*** **1.** Vinho espumante, branco ou rosado, fabricado na Champagne (região a leste de Paris). **2.** *P. ext.* Vinho de igual tipo mas de outra procedência. [F. paral.: *champanhe*; f. red. (bras. gír., p. us.): *champã*; sin. (bras. gír. p. us.): *champanhota*. É frequente o uso de *champanha* como feminino.]

champanhe [Do fr. *champagne*.] ***S. m.*** V. *champanha*: "A música era um frenesi. Corria o champanhe, gargalhava-se, a pândega ia avante." (Maria Archer, *Fauno Sovina*, p. 206.)

champanhe de cordão ***S. m.*** *Bras. N.E. Pop.* V. *jinjibirra* (1). [Pl.: *champanhes de cordão*.] ☑

champanhota [De *champanha* + *-ota*[1].] ***S. f.*** *Bras. Gír. P. us.* V. *champanha*.

➔**champenoise** [ʃɑ̃pəˈnwaz] [Fr.] ***Adj.*** *Enol.* Diz-se do método de produção de espumantes que inclui uma segunda fermentação do vinho na própria garrafa.

➔**champignon** [ʃɑ̃piˈɲɔ̃] [Fr.] ***S. m.*** V. *champignon de Paris*.

➔**champignon de Paris** [ʃɑ̃piˌɲɔ̃ də paˈʀi] [Fr.] ***S. m.*** Cogumelo agaricáceo (*Agaricus campestris*) branco, de forma arredondada, comestível, muito cultivada tb. no Brasil. [Tb. se diz apenas *champignon*.]

champil ***S. m.*** Parte da armadilha de caça onde se põe a isca.

champirrear [Do hisp.-amer. *champurrear*, 'falar mal um idioma', poss.] ***V. t. d.*** *Bras.* Fazer (qualquer objeto) tosco e grosseiro; achamboar. [Conjug.: v. *frear*.]

champrudo ***Adj.*** *Bras. BA* Gordo e desajeitado: "o triste físico da leva e traz: atarracada, tronco forte, pernas curtas, ... cabeçorra, champruda." (Jorge Amado, *Dona Flor e Seus Dois Maridos*, p. 229).

champunha ***S. m.*** *Bras. SP* Giro do corpo, no ar, sobre as mãos postas no solo.

champurrião [Do hisp.-amer. *champurriar*, 'misturar um licor com outro', poss.] ***S. m.*** *Bras. CE Gír.* V. *bebedeira* (1).

chamuar [Do chissena *chamuari*, com apócope.] ***S. m.*** *Moç.* Amigo, camarada, companheiro: "apeou-se, perplexo, na gare da estação da Beira. Franzino, de olhos muito vivos, os seus 13 anos. Para trás, ficaram os chamuares." (Alípio Ferreira, *Chipangara*, p. 23).

chamuça [De or. indiana.] ***S. f.*** *Moç. Cul.* Pastel de massa folhada, de forma triangular, muito picante, recheado de carne picada, camarão, peixe, ou vegetais: "não responde, continuando a picar a cebola e a malagueta para o recheio das chamuças." (Lília Momplé, *Neighbours*, p. 12).

chamurro [Alter. de *chamorro*.] ***S. m.*** *Bras. CE Zool.* Novilho castrado depois da época, e que toma a aparência dupla de boi e de touro.

chamusca [De *chama*[2] + *-usca*[1].] ***S. f.*** Ato ou efeito de chamuscar; chamuscada, chamuscadela, chamuscadura, chamusco.

chamuscada [De *chamuscar* + *-ada*[1].] ***S. f.*** *Bras.* V. *chamusca*.

chamuscadeira [De *chamuscar* + *-deira*.] ***S. f.*** *Tec. Têx.* Máquina para chamuscagem de tecido.

chamuscadela [De *chamuscar* + *-dela*.] ***S. f.*** **1.** *Bras.* V. *chamusca*. **2.** Queima ligeira daquilo que se passa pelo fogo.

chamuscado [Part. de *chamuscar*.] ***Adj.*** Levemente queimado; crestado.

chamuscador (ô) [De *chamuscar* + *-dor*.] ***Adj.*** ***S. m.*** Que, ou aquele que chamusca.

chamuscadura [De *chamuscar* + *-dura*.] ***S. f.*** V. *chamusca*.

chamuscagem [De *chamuscar* + *-agem*[2].] ***S. f.*** *Tec. Têx.* Beneficiamento no qual o tecido passa por um tratamento de queima de pelos superficiais, visando a modificar as propriedades táteis e visuais.

chamuscamento [De *chamuscar* + *-mento*.] ***S. m.*** Efeito de chamuscar; queimadura leve.

chamuscar [De *chamusca* + *-ar*[2].] ***V. t. d.*** **1.** Queimar de leve; crestar: "uma faiscazinha chamuscou o isqueiro" (Afonso Arinos, *Pelo Sertão*, p. 22). **2.** Passar pela chama. ***P.*** **3.** Queimar-se levemente. **4.** *Bras. S.* Retirar-se à socapa; esgueirar-se. [Conjug.: v. *trancar*.]

chamusco [De *chama*[2] + *-usco*[1].] ***S. m.*** **1.** V. *chamusca*. **2.** Queima ligeira daquilo que se passa pelo fogo. **3.** Cheiro de coisa queimada. **4.** *Bras.* V. *planalto*. **5.** *Bras. S.* Encontro de forças em luta; tiroteio. ◆ **Estar cheirando a chamusco.** **1.** Inspirar suspeitas de perigo ou de burla. **2.** Estar prestes a haver conflito.

chana [De *chan*, f. arc. de *chão*.] ***S. f.*** *Angol.* Planície savânica das regiões orientais e centrais de Angola: "As chanas de março secaram repentinas" (Costa Andrade, *Poesia com Armas*, p. 109).

chanana ***S. f.*** *Bot.* Albina.

chanca [Do lat. tard. *zanca*, 'certo tipo de calçado', poss.] ***S. f.*** **1.** *Pop.* Pé grande. **2.** Calçado largo e grosseiro; abarca. **3.** Perna masculina delgada e alta.

chança [Do it. *ciancia*.] ***S. f.*** **1.** Dito zombeteiro; troça, graçola. **2.** Vaidade, presunção; jactância.

chancarona ***S. f.*** *Bras. Zool.* V. *bijupirá*.

chance [Do fr. *chance*.] ***S. f.*** **1.** Ocasião favorável, oportunidade. **2.** Probabilidade: *A chance de ganhar na loteria é muito pequena.*

chancear [De *chança* + *-ear*^{2}.] *V. t. d.* **1.** Perseguir com chanças, troças, dizer chanças a. *Int.* **2.** Dizer chanças. [Conjug.: v. *frear*.]

chanceiro [De *chança* + *-eiro*.] *S. m.* Aquele que diz chanças ou graçolas.

chancela [Dev. de *chancelar*.] *S. f.* **1.** Selo pendente, em alguns documentos oficiais. **2.** Rubrica que se grava em sinete para suprir assinatura ou pôr marca em documentos. **3.** *P. ext.* Marca ou sinal que merece confiança e, portanto, faz aceitar como boa uma afirmação, referência, etc.: "está disposto a admitir qualquer coisa, desde que traga a chancela do tempo." (Carlos Drummond de Andrade, *Fala, Amendoeira*, p. 25). **4.** Ato de chancelar.

chancelar [Do fr. *chanceler*.] *V. t. d.* **1.** Selar a branco, em relevo. **2.** Selar^{2} (2). **3.** Assinar com chancela (3). **4.** Julgar bom; aprovar, sancionar: *O partido chancelou a indicação do seu nome.*

chancelaria [Do fr. *chancellerie*.] *S. f.* **1.** Repartição que põe chancela em alguns documentos. **2.** Em alguns países, o Ministério das Relações Exteriores. **3.** Repartição por onde correm negócios diplomáticos. **4.** Cargo de chanceler.

chanceler (lér) [Do fr. *chancelier*.] *S. m.* **1.** Antigo magistrado a quem incumbia a guarda do selo real; guarda-selos. **2.** Funcionário encarregado de chancelar documentos ou diplomas. **3.** *Diplom.* Ministro das Relações Exteriores, em alguns países. **4.** Chefe do governo, em outros. **5.** *Maç.* Um dos oficiais de uma loja (4).

chanceleresco (ê) [De *chanceler* + *-esco*.] *Adj.* ~ V. *letra —a, letra —a cursiva* e *letra —a formada*.

chanchada [Do esp. plat. *chanchada*, 'porcaria'.] *S. f. Bras. Teatr. Cin. Telev.* Peça ou filme de caráter popular, que se caracteriza pelo humor ingênuo e burlesco.

chanchadesco (ê) [De *chanchada* + *-esco*.] *Adj.* Que lembra, por suas características, a chanchada.

chandleriano *Adj.* Pertencente ou relativo ao, ou próprio do astrônomo norte-americano S. Chandler (1846-1913).

chaneco [Alter. de *charneca*.] *S. m. Bras. MG* Terreno plano, descampado e impróprio para a cultura.

chaneza (ê) [De *chão* (adj.) + *-eza*.] *S. f. Desus.* Lhaneza, simplicidade.

chanfalho [Var. de *chafalho*.] *S. m.* **1.** Espada velha e ferrugenta; espadagão: "a autoridade mais modesta e mais transitória que seja procura abandonar os meios estabelecidos em lei e recorre à violência, ao chanfalho, ao chicote" (Lima Barreto, *Marginália*, p. 27). **2.** *Pej.* Espada, adaga, facão: "Os soldados acorrem, e mal o chanfalho cintila ao clarão das luminárias, os lutadores se apaziguam." (José Vieira, *Sol de Portugal*, p. 155.) **3.** Instrumento desafinado. **4.** Utensílio deteriorado. [Var. de *chafalho*, e f. de maior uso que esta.]

chanfana [Do esp. *chanfaina*.] *S. f.* **1.** *Pop.* V. *badulaque* (1). **2.** *Cul.* V. *sarapatel* (1). **3.** Comida malfeita. **4.** Aguardente de má qualidade. **5.** Chanfalho, espada.

chanfaneiro [De *chanfana* + *-eiro*.] *S. m.* **1.** Aquele que faz chanfanas. **2.** Taberneiro, bodegueiro.

chanfra [Dev. de *chanfrar*.] *S. f.* V. *chifra*.

chanfradeira [De *chanfrar* + *-deira*.] *S. f.* V. *chifra*.

chanfrado [Part. de *chanfrar*.] *Adj.* **1.** Que se chanfrou; recortado em chanfradura. **2.** *Lus.* V. *amalucado* (1). • *S. m.* **3.** V. *chanfradura* (2).

chanfrador (ô) [De *chanfrar* + *-dor*.] *S. m.* **1.** Instrumento para chanfrar. **2.** Aquele que chanfra.

chanfrador-cortador *S. m. Tip.* Cortador-chanfrador. [Pl.: *chanfradores-cortadores*.]

chanfradura [De *chanfrar* + *-dura*.] *S. f.* **1.** Efeito de chanfrar. **2.** Recorte em ângulo, ou de esguelha, das extremidades dum objeto; chanfrado, chanfro. [Cf., nesta acepç., *bisel* (1).]

chanfrar [Do fr. *chanfreiner* < fr. *chanfrein*, 'chanfradura'.] *V. t. d.* **1.** Cortar em ângulo ou de esguelha. **2.** *Carp.* Cortar com plaina ou garlopa as arestas ou quinas de; fazer chanfros em. **3.** *Fig.* Falar mal de (alguém), na ausência.

chanfreta (ê) [De *chanfr(ar)* (3) + *-eta* (ê), poss.] *S. f. Bras.* Motejo, chacota, zombaria.

chanfro [Dev. de *chanfrar*.] *S. m.* Chanfradura (2): "Uma longa cornija .... vai de uma ponta a outra do telhado e .... funde as extremidades nos chanfros terminais das platibandas." (Herberto Sales, *Dados Biográficos do Finado Marcelino*, pp. 32-33.)

chanfuta *S. f. Bot.* Árvore cesalpiniácea (*Afzelia quanzensis*), nativa da África, de porte médio a grande, que fornece madeira marrom-avermelhada, dura, muito apreciada: "explicou-me que as árvores que possuíam essa linda folhagem esmeralda, no tempo da Primavera, se chamavam 'chanfuta' ou mogno africano e eram muito cobiçadas pela sua rica madeira" (Márcia Ramos Ivens Ferraz, *Sozinha no Mato*, p. 218).

changa [Do esp. plat. *changa*.] *S. f.* **1.** *Bras.* Carreto feito por changadores ou carregadores. **2.** *Bras. RS* V. *gorjeta*^{1} (2). **3.** *Bras. PR* V. *dinheiro* (5). ◆ **Boa changa.** *Bras. RS* Bom negócio.

changador (ô) [Do esp. plat. *changador*.] *S. m. Bras. RS* Aquele que faz changas ou carretos; ganhador, carregador, changueiro.

changana [Do antr. *Sochangane*, rei ngúni (1821-1858), com aférese.] *S. 2 g.* **1.** *Etnôn.* Indivíduo dos changanas, um dos povos que habitam a província de Gaza (Moçambique). • *S. m.* **2.** *Gloss.* A língua falada pelos changanas, pertencente ao grupo banto: "Não sei se estou a falar bem o changana, com ronga misturado, mas estou certo de que vocês compreendem." (Grandal Nkepe, *Casa da Justiça*, p. 167.) • *Adj. 2 g.* **3.** Pertencente ou relativo aos changanas, ou à sua língua.

changar [Do esp. plat. *changar*.] *V. int. Bras. RS* Fazer changa; changuear. [Conjug.: v. *largar*.]

→**changeant** [ʃã'ʒã] [Fr.] *Adj.* Diz-se de tecido com reflexos irisados [v. *irisado* (2)], como, p. ex., certos tipos de tafetá.

chango [Do tsonga *nlhango*.] *S. m. Moç. Zool.* Antílope (*Redunca arundinum*) que habita as planícies que marginam os grandes rios de Moçambique; tem pelagem relativamente espessa, e chifres em forma de lira: "Era ali que o leão fazia as suas sortidas às gazelas e aos changos." (Rodrigues Júnior, *O Branco da Motase*, p. 50.)

changuear [Do esp. plat. *changuear*.] *V. int. Bras. RS* Changar. [Conjug.: v. *frear*.]

changueiro [Do esp. plat. *changuero*.] *S. m. Bras. RS* **1.** Cavalo de corridas de pouca importância; parelheiro medíocre. **2.** V. *changador*.

changui [Do esp. plat. *changüí*.] *El. s. m.* Us. na expr. *não dar changui*. ◆ **Não dar changui.** *Bras. RS* **1.** Não dar cartel ao inimigo. **2.** *P. ext.* Não dar vantagem no jogo.

chanha [De *sanha*, poss.] *S. f. Bras. PB Pop.* V. *coceira* (2).

chanisco *S. m. Bras. RS Chulo* As partes pudendas da mulher.

chaníssimo [Calcado no lat. *planissimu*.] *Adj.* Superl. abs. sint. de *chão*.

chanqueta (ê) [De *chanca* + *-eta* (ê).] *S. f.* **1.** Calçado sem contraforte no calcanhar, ou com o contraforte acalcanhado. **2.** Sobra no talão do sapato.

chanta [Dev. de *chantar*.] *S. f. Bot.* V. *chantão*.

chantadura [De *chantar* + *-dura*.] *S. f.* O ato de chantar.

chantagear [De *chantagem*^{1} + *-ar*^{2}.] *V. t. d.* **1.** Fazer chantagem contra (alguém). *Int.* **2.** Fazer chantagem. [Conjug.: v. *frear*.]

chantagem^{1} [Do fr. *chantage*.] *S. f.* Ato de extorquir dinheiro, favores ou vantagens a alguém sob ameaça de revelações escandalosas, ou secretas.

chantagem^{2} [De *chantar* + *-agem*^{2}.] *S. f. Ant.* Ato de chantar.

chantagismo [De *chantag(em)* + *-ismo*.] *S. m.* Ação que utiliza os mesmos métodos da chantagem: *empregou chantagismo para conseguir o que queria.*

chantagista [De *chantagem*^{1} + *-ista*.] *Adj. 2 g. S. 2 g.* Que, ou quem pratica chantagem^{1}.

chantão [De *chanto* + *-ão*^{1}.] *S. m.* Estaca ou ramo de árvore para plantar sem raiz; chanta, tanchoeira. [Var.: *tanchão*.]

chantar [Do lat. *plantare*.] *Ant. V. t. d.* **1.** Fincar no chão; plantar de estaca. *P.* **2.** Fixar-se, estabelecer-se; plantar-se: "tudo me induz a crer que o demônio se chantou naquele miserável corpo" (Alexandre Herculano, *Lendas e Narrativas*, I, p. 269). [Pres. subj.: *chante*, ... *chanteis*, *chantem*. Cf. *chantéis*, pl. de *chantel*.]

chantel [De *chant-*, como em *chantar* + *-el*, poss.] *S. m.* Peça que forma o fundo ou parte do fundo de vasilha de tanoeiro. [Pl.: *chantéis*. Cf. *chanteis*, do v. *chantar*.]

chanti [Do egípcio, pelo ingl.] *S. m. Vest.* Saia masculina us. no Egito antigo, feita de linho e presa na cintura como uma tanga. Quanto mais nobre fosse o indivíduo, mais requintada era, com bordados de ouro e com pregas.

chantili [Do ingl. *chantilly*.] *S. m. Cul.* V. *creme chantilly*.

→**chantilly** [ʃãti'ji] [Fr.] *S. m. Cul.* Creme *chantilly*.

chanto [Do lat. *planctu*.] *S. m. Ant.* Pranto.

chantoeira [De *chantão* + *-eira*, com desnasalação.] *S. f.* Lugar plantado de estacas para reprodução.

chantrado [De *chantre* + *-ado*^{2}.] *S. m.* Dignidade ou cargo de chantre; chantria.

chantre [Do fr. *chantre*.] *S. m.* **1.** *Ant.* Cantor. **2.** *Ecles.* Funcionário eclesiástico que dirige o coro: "Por vezes, estabelece-se vivo diálogo cantado entre o padre que diz a missa e o chantre que preside o coro." (Antero de Figueiredo, *Toledo*, p. 80.)

chantria [De *chantre* + *-ia*^{1}.] *S. f.* Chantrado.

→**chanukah** [ʃanu'ka] [Hebr., lit., 'inauguração', 'consagração'.] *S. m.* Festividade que comemora a vitória dos hasmoneus sobre os gregos salêucidas, governantes da Palestina, em 165 a. C., seguida da reinauguração de Templo Sagrado em Jerusalém.

chanura [De *chan*, f. arc. de *chão*, + *-ura*.] *S. f.* V. *planície*.

chão [Do lat. *planu*.] *Adj.* **1.** Plano, liso: *terreno chão.* **2.** Tranquilo, sereno, bonançoso, bonança: *mar chão.* **3.** Franco, lhano, sincero, despretensioso: *ambiente chão.* **4.** Liso nos negócios; honrado: *comerciante chão.* **5.** Singelo, simples, sem enfeites: *arquitetura chã*; "chã e plebeia recordação de um pobre pároco de aldeia" (Alexandre Herculano, *Lendas e Narrativas*, II, p. 151). **6.** Costumado, habitual, trivial, vulgar: *gesto chão.* **7.** Rasteiro, vulgar. [Flex.: *chã*, *chãos*, *chãs*; superl. abs. sint.: *chaníssimo*.] ~ V. *missa chã*. • *S. m.* **8.** Terra chã. **9.** V. *solo*^{1} (1). **10.** *Constr.* V. *piso* (3). **11.** Lugar onde se nasceu ou reside; querência. **12.** Pequena propriedade de terra. **13.** Fundo de quadro, tecido, etc. [Pl.: *chãos*.] ◆ **Chão de fábrica.** *Tec. Têx.* O conjunto das técnicas e materiais de produção duma fábrica. **Cair no chão de.** *Bras. S.* Ser agradável a (alguém). **Fazer chão.** *Bras. Pop.* **1.** Ir embora; partir. **2.** V. *fugir* (1 e 2). [Sin. ger. (bras., SP): *riscar chão*.] **Riscar chão.** *Bras. SP Pop.* V. *fazer chão*.

chão-parado *S. m. Bras. SP* V. *planície*. [Pl.: *chãos-parados*.]

→**chaource** [ka'uʀs] [Fr.] *S. m. Cul.* Queijo de leite de vaca, de forma cilíndrica e consistência macia, produzido na Champanhe (N.E. da França).

chapa [De uma base **klappa*, de or. incerta.] *S. f.* **1.** Designação comum a qualquer peça lisa e pouco espessa, feita de material consistente, como metal, madeira, vidro, etc. **2.** Peça achatada de metal ou de outro material, moldada em determinada forma e espessura, e que pode ter diversos usos, como para fazer dutos, tampos, telhados, etc. **3.** Terreno ou outra superfície plana. **4.** Chapa eleitoral (1). **5.** Camada fina e lisa de uma pasta solidificada: *Tinha uma chapa de lama na sola do sapato.* **6.** *Grav.* Desenho aberto em chapa de metal, madeira ou pedra, para ser reproduzido sobre papel. **7.** *Fot.* Chapa fotográfica (2). **8.** *Art. Gráf.* Fôrma de impressão, especialmente as metálicas, com imagem fotolitográfica para impressão em ofsete; chapa de impressão. [Cf., nesta acepç., *fotolito* (1).] **9.** *Pop.* V. *lugar-comum* (2 e 3). **10.** *Pop.* Disco de fonógrafo. **11.** *Pop.* V. *dinheiro* (5). **12.** *Ant.* Certo instrumento musical militar. **13.** *Bras. Pop.* Radiografia (2 e 3). **14.** *Bras.* Peça metálica de fogão, plana, lisa e resistente ao calor, sobre a qual se cozem certos alimentos: *fazer um bife, uma panqueca, na chapa.* **15.** *Bras.* Placa (4) **16.** *Bras.* Peça de acrílico ou de outro material em que se fixam os dentes nas dentaduras. **17.** *Bras. Cap.* Golpe traumatizante em que o adversário é atingido com a planta do pé do capoeirista, que está agachado e de costas para ele, apoiado no chão com as duas mãos e o outro pé. **18.** *Bras. N.E.* Dentadura postiça. • *S. m.* **19.** *Moç.* Veículo de transporte coletivo; chapa-cem: "Na azáfama de conseguir um chapa, não houve tempo para dar satisfações." (Nélson Saúte, *O Apóstolo da Desgraça*, p. 121.) **20.** *Lus. Vest.* Remendo de roupa. • *S. 2 g.* **21.** *Bras. Pop.* Companheiro, camarada, amigo: "— Que manda, Negrão? — O de sempre, meu chapa!" (Ursulino Leão, *Existência de Marina*, p. 32.) ◆ **Chapa bimetálica.** *Fotograv.* Placa fotolitográfica preparada com dois metais de natureza diferente quanto à receptividade às substâncias graxas ou à água. **Chapa corrugada.** *Constr.* V. *chapa ondulada*. **Chapa de corte.** *Art. Gráf.* Chapa composta de fios de corte, usada na fabricação de objetos de cartão; faca. **Chapa de fibra.** Chapa resultante da operação de prensagem de fibras de madeira em temperatura e pressão elevadas. **Chapa de impressão.** *Art. Gráf.* Chapa (7). **Chapa de trilho.** Círculo de ferro que reforça os aros das rodas dos vagões e toca diretamente nos carris. **Chapa eleitoral.** **1.** Lista de candidatos às eleições. [Tb. se diz apenas *chapa*.] **2.** A papeleta que o eleitor deposita na urna eleitoral e onde se acham inscritos os nomes dos candidatos do seu partido. **Chapa fotográfica.** *Fot.* **1.** Placa rígida, geralmente de vidro, recoberta de emulsão fotográfica. **2.** O filme fotográfico posto no interior da câmara e pronto para ser utilizado. [Tb. se diz, nesta acepç., apenas *chapa*.] **Chapa fria.** *Bras.* Placa (4) falsa, cuja numeração não corresponde ao automóvel em que está colocada; placa fria. **Chapa ondulada.** Chapa (2) que é prensada para formar concavidades e convexidades longitudinais, retas, paralelas, e que tem usos diversos, como para fazer tampos, telhados, etc.; chapa corrugada, chapa prensada. **Chapa prensada.** V. *chapa ondulada*. **Chapa pré-sensibilizada.** *Fotograv.* Placa (em geral de alumínio) para fotolitografia, cujo fabrico inclui a prévia sensibilização da superfície, mediante compostos diazoicos. **Bater chapa.** Numa convenção partidária, disputarem duas ou mais chapas o direito à candidatura. **De chapa.** Em cheio: "Batendo de chapa nas janelas da sala de jantar, cerradas, o sol vespertino conseguia intrometer-se pelas frestas, repartido em feixes de luz onde boiavam milhares de coisinhas aladas" (Ciro dos Anjos, *Explorações no Tempo*, p. 30).

chapa-branca [De *chapa* + o f. de *branco*.] ***S. m.*** **1.** *Bras.* Veículo automóvel do serviço público, cuja placa de licenciamento era, originalmente, branca: "No dia em que ele comprou o carro ...., passou-lhe pela memória a figura do amigo dentro do chapa-branca" (Lêdo Ivo, *O Flautim*, p. 20). ● ***Adj. 2 g.*** **2.** Diz-se de veículo de comunicação (revista, jornal, programa de rádio ou de televisão, etc.) ligado ao governo, ou que o defende sistematicamente: "A demissão do jornalista Luís Lobo e o depoimento do jornalista Eugênio Bucci deixam claro que não há antídotos para impedir a TV Pública de se convertida em emissora chapa-branca e em palanque eletrônico." (*O Estado de S. Paulo*, 08.04.2008.) [Pl.: *chapas-brancas*.]

chapa-cem [De *chapa* + *cem* ('cem meticais' [v. *metical*]).] ***S. m. 2 n.*** *Moç.* V. *chapa* (18): "apenas conseguem esconder a vergonha por detrás da poeira levantada pelos 'chapa-cem'" (Hélder Muteia, *Nhambaro*, p. 83).

chapada [F. subst. de *chapado*.] ***S. f.*** **1.** V. *planalto*. **2.** Pancada ou bofetada em cheio. **3.** Porção de líquido que cai ou se atira duma vez. **4.** *Bras.* Esplanada no alto de um monte, de uma serra. **5.** *Bras. MA* Qualquer planície de vegetação rasa, sem arvoredo. **6.** *Bras. N.E. C.O. Bot.* Arbusto fabáceo (*Sweetia dasycarpa*) espécie delicada e elegante, de flores aromáticas, amarelas ou alvas, e cujo fruto é uma vagem lanceolada, e que vegeta de preferência no cerrado; pau-para-tudo, perobinha, unha-de-anta. **7.** *Tip.* Chapado (6).

chapadão [De *chapada* + *-ão*[1].] ***S. m.*** *Bras.* **1.** Chapada extensa: "o amplo, infinito plaino das paisagens ermas e dos chapadões desertos" (Herman Lima, *Garimpos*, p. 13). **2.** Sucessão de chapadas. ◆ **Alto chapadão.** *Bras.* Araxá.

chapadeiro [De *chapar* + *-deiro*.] ***S. m.*** **1.** *Bras.* V. *caipira* (1). **2.** *Bras. MG* V. *vaqueiro* (1). **3.** *Bras.* Terreno áspero, cheio de socalcos, característico de certas chapadas. **4.** *Bras.* Certa raça bovina de MG.

chapadense[1] ***Adj. 2 g.*** **1.** De, ou pertencente ou relativo a Chapada (RS). ● ***S. 2 g.*** **2.** O natural ou habitante de Chapada.

chapadense[2] ***Adj. 2 g.*** **1.** De, ou pertencente ou relativo a Chapada do Norte (MG). ● ***S. 2 g.*** **2.** O natural ou habitante de Chapada do Norte.

chapadense[3] ***Adj. 2 g.*** **1.** De, ou pertencente ou relativo a Chapada dos Guimarães (MT). ● ***S. 2 g.*** **2.** O natural ou habitante de Chapada dos Guimarães.

chapadense[4] ***Adj. 2 g.*** **1.** De, ou pertencente ou relativo a Chapadão do Sul (MS). ● ***S. 2 g.*** **2.** O natural ou habitante de Chapadão do Sul.

chapa de pé ***S. f.*** *Bras. Cap.* Golpe em que o capoeira estira de surpresa a perna e atinge com a planta do pé o peito ou a cabeça do adversário. [Pl.: *chapas de pé*.] ☑

chapadinhense ***Adj. 2 g.*** **1.** De, ou pertencente ou relativo a Chapadinha (MA). ● ***S. 2 g.*** **2.** O natural ou habitante de Chapadinha.

chapado [Part. de *chapar*.] ***Adj.*** **1.** Chapeado (1): "*Shorts* com bolsos chapados nas laterais" (Iesa Rodrigues, em *Jornal do Brasil*, 29.06.1982). **2.** *Pop.* Rematado, completo, perfeito: *É um idiota chapado.* **3.** *Bras.* Colocado (3). **4.** *Tip.* Relativo ao chapado (6), particularmente à cor nele empregada: *preto chapado.* **5.** *Bras. Gír.* Embriagado ou drogado. ● ***S. m.*** **6.** *Tip.* Área impressa em 100% de uma cor, *i. e.*, em cor pura, uniforme e contínua; chapada: *chapado preto.*

chapar [De *chapa* + *-ar*[2].] ***V. t. d.*** **1.** Pôr chapa em. **2.** V. *chapear* (1). **3.** Segurar com chapas. **4.** Dar forma de chapa a. **5.** Marcar, cunhar: *Mandou chapar o papel com ornatos em relevo.* ***T. d. e i.*** **6.** V. *chapear* (1). **7.** Ornar, guarnecer. **8.** Lançar em rosto. ***P.*** **9.** Cair de chapa; estatelar-se.

chaparia [De *chapa* + *-aria*.] ***S. f.*** **1.** Conjunto de chapas. **2.** Ornato feito de chapas de metal.

chaparral [De *chaparro* + *-al*[1].] ***S. m.*** *Fitogeogr.* Vegetação xerófila, equivalente aos maquis mediterrâneos, que habita o S.O. dos E.U.A. e o N. do México, e engloba pequenas árvores retorcidas, arbustos e subarbustos, ao lado de plantas suculentas, como as cactáceas.

chaparreiro [De *chaparro* + *-eiro*.] ***S. m.*** *Bot.* **1.** Sobreiro novo; macheiro. **2.** Árvore pequena e tortuosa, cujo tronco só serve para lenha. [Sin. ger.: *chaparro*.]

chaparro [Do esp. *chaparro*.] ***S. m.*** *Bot.* V. *chaparreiro*: "Subia a quebrada, sentava-se no cabeço mais alto à sombra de um chaparro" (Manuel da Fonseca, *Aldeia Nova*, p. 11).

chapatesta [De *chapa* + *testa*, poss.] ***S. f.*** Chapa ou lâmina em que entra a lingueta da fechadura.

chá-paulista ***S. m.*** *Bras.* Chá-dançante. [Pl.: *chás-paulistas*.]

chape [T. onom.] ***S. m.*** **1.** Som de qualquer coisa que bate ou cai na água. **2.** Som do cão da espingarda ao bater em falso no ouvido da espoleta. ● ***Interj.*** **3.** Exprime qualquer desses sons.

chapeado[1] [Part. de *chapear*.] ***Adj.*** **1.** Guarnecido de chapas ou lâminas de metal. ● ***S. m.*** **2.** *Bras. S.* Cabeçada (8) de animal chapeada de prata.

chapeado[2] [De *chapa* + *-eado*.] ***S. m.*** *Bras. PB* Carregador.

chapear [De *chapa* + *-ear*[2].] ***V. t. d. T. d. e i.*** **1.** Cobrir, revestir ou guarnecer de chapas; chapar. **2.** Revestir (parede ou teto) com argamassa, cimento ou barro que, arremessados de certa distância, produzem revestimento bem rugoso da superfície. [Conjug.: v. *frear*.]

chape-chape [Voc. onom.] ***S. m.*** **1.** Som produzido pelos passos de alguém quando anda em terreno lamacento. **2.** *Bras. RS* Chão duro. **3.** *Bras. RS* Terreno seco e áspero. [Pl.: *chape-chapes*.]

chapecoense (côen) ***Adj. 2 g.*** **1.** De, ou pertencente ou relativo a Chapecó (SC). ● ***S. 2 g.*** **2.** O natural ou habitante de Chapecó.

chapecoense-das-águas (côen) ***Adj. 2 g. S. 2 g.*** V. *aguino*. [Pl.: *chapecoenses-das-águas*.]

chapeirada [De *chapeir(ão)* + *-ada*[1].] ***S. f.*** **1.** Porção que se pode conter num chapéu; chapelada. **2.** Caldeirada (1).

chapeirão [Do fr. *chaperon*.] ***S. m.*** **1.** Chapéu de grandes abas [v. *chapéu*[1] (1)]: "saudou-me à maneira religiosa dos serranos tirando o seu largo chapeirão de couro acabanado" (Coelho Neto, *Sertão*, p. 91). **2.** V. *capuz* (1). **3.** *Bras.* Recife à flor da água, em forma de cogumelo; chapéu de sol.

chapelada [De *chapéu*[1] (< fr. ant. *chapel*) + *-ada*[1], seg. o padrão erudito.] ***S. f.*** **1.** Chapeirada (1). **2.** Saudação que se faz a alguém tirando o chapéu e curvando-se: "à porta, com uma só chapelada para a direita e para a esquerda, saudou a todas as cabeças descobertas e curvas." (Machado de Assis, *Quincas Borba*, p. 189).

chapelão [De *chapéu*[1] (< fr. ant. *chapel*) + *-ão*[1], seg. o padrão erudito.] ***S. m.*** V. *chapéu*[1] (1): "um sujeito idoso, de um moreno viril, bigode grisalho, chapelão de palha" (Ribeiro Couto, *Cabocla*, p. 16).

chapelaria [Do fr. *chapellerie*.] ***S. f.*** **1.** Ofício de chapeleiro. **2.** Local onde se fabricam ou vendem chapéus.

chapeleira [Do fr. *chapelière*.] ***S. f.*** **1.** Mulher que faz e/ou vende chapéus. **2.** Caixa onde se guardam e transportam chapéus; porta-chapéus.

chapeleiro [Do fr. *chapelier*.] ***S. m.*** Aquele que faz e/ou vende chapéus.

chapeleta (ê) [De *chapéu*[1] (< fr. ant. *chapel*) + *-eta* (ê), seg. o padrão erudito.] ***S. f.*** **1.** V. *chapéu*[1] (1). **2.** Válvula de bola (q. v.) usada nas bombas [v. *bomba* (4)]. **3.** V. *ricochete* (1). **4.** Mancha de rubor nas faces. **5.** *Bras.* Glande (3) muito desenvolvida.

chapelete (ê) [De *chapéu*[1] (< fr. ant. *chapel*) + *-ete* (ê), seg. o padrão erudito.] ***S. m.*** V. *chapéu*[1] (1).

chapelina [De *chapéu*[1] (< fr. ant. *chapel*) + *-ina*[2], seg. o padrão erudito.] ***S. f.*** *Bras. N.E.* Tipo de chapéu usado por mulheres sertanejas: "Embaixo vendiam-se panos, borzeguins, chapelinas, braceletes, meizinhas" (Mário Sete, *Arruar*, p. 14).

chapelinho [De *chapéu* (< fr. ant. *chapel*) + *-inho*[1], seg. o padrão erudito.] ***S. m.*** Pequeno chapéu, especialmente de mulher: "um chapelinho de palha e os pezinhos calçados com botinas de seda!" (Machado de Assis, *Helena*, p. 269).

chapetão [Do esp. plat. *chapetón*.] ***Adj.*** *Bras. RS* Tolo, pacóvio. V. *tolo* (1 a 3). [Fem.: *chapetona*.]

chapetonada [Do esp. plat. *chapetonada*.] ***S. f.*** *Bras. RS* Asneira, tolice. ◆ **Pagar chapetonada.** *Bras. RS* **1.** Ser logrado, pagando preço exagerado por um objeto. **2.** Comprar uma coisa por outra.

chapéu[1] [Do fr. ant. *chapel*, atual *chapeau*.] ***S. m.*** **1.** *Vest.* Peça de feltro, palha, etc., com copa e abas, e destinada a cobrir a cabeça. [Aum.: *chapelão*, *chapeirão*; dim. irreg.: *chapelete*, *chapeleta*. Sin. (bras., gír.): *tampa* e *penante*.] **2.** V. *guarda-chuva*. **3.** V. *guarda-sol* (2). **4.** Parte sólida do mosto que sobrenada na fermentação do vinho. **5.** *Arquit.* Arremate superior de um elemento arquitetônico, ger. feito de tijolos ou de telhas. **6.** *Bot.* Agárico em forma de guarda-chuva. **7.** *Marinh.* A parte superior do cabrestante. **8.** *Fig.* Dignidade de cardeal. **9.** *Bot. Pop.* Discomiceto. **10.** *Micol.* V. *píleo* (3). **11.** *Bras. Fut.* V. *lençol* (4). [Dim.: *chapeuzinho* e (irreg.) *chapelinho* (q. v.).] ◆ **Chapéu armado.** *Vest.* Chapéu sem aba, cuja copa se fecha em forma aproximadamente triangular, us. com grande uniforme ou com fardão, como, p. ex., os chapéus de almirante e os dos membros da Academia Brasileira de Letras. [Cf. *chapéu-armado*.] **Chapéu chile.** *Vest.* Aquele semelhante ao chapéu panamá, tb. trançado com fibras finas de bombonaça. **Chapéu coco.** *Vest.* Chapéu masculino feito de feltro enrijecido, com copa redonda e aba estreita voltada lateralmente para cima. **Chapéu de apara-castigo.** *Bras. CE Pop. Vest.* Chapéu de abas grandes e caídas. **Chapéu de massa.** *Bras. N.E. Vest.* Chapéu de feltro: "Ainda conheci Salvador no engenho, de chapéu de massa na cabeça" (José Lins do Rego, *Meus Verdes Anos*, p. 63). **Chapéu de palha.** *Bras. Vest.* Qualquer chapéu feito de palha. [Sin.: *chapéu de palhinha* (q. v.), *palhinha*, *palheta*, *peneira*, *picareta*.] **Chapéu de palhinha.** *Bras. N.E. Vest.* Designação muitas vezes dada ao chapéu de palha (q. v.), para o distinguir dos chapéus de palha rústicos, feitos de palha de coqueiro. **Chapéu panamá.** *Vest.* Chapéu masculino de cor clara, de palha fina e flexível, trançado com fibras de bombonaça e de outras plantas da América Central. [Tb. se diz apenas *panamá*.] **De (se lhe) tirar o chapéu.** Diz-se de coisa excelente, maravilhosa, admirável: "Porque há lá cousas de se lhe tirar o chapéu." (Fialho d'Almeida, *O País das Uvas*, p. 218.) **Não pôr o chapéu onde a mão não alcança.** Limitar as aspirações. **Passar o chapéu.** Esmolar; passar o pires. **Tirar o chapéu para alguém.** Reconhecer os méritos de uma pessoa, exprimir sua admiração por ela: "Se o reverendo arcipreste dá licença, tiro desde já o meu chapéu aos faunos, seres benignos e universais, ... que buscam a solidão para exercer a voluptuosidade" (Aquilino Ribeiro, *Andam Faunos pelos Bosques*, p. 315).

chapéu[2] ***S. m.*** V. *chapéu de capitão*.

chapéu-armado ***S. m.*** *Bras. Zool.* **1.** Lagarta do inseto lepidóptero *Podalia chrysocoma*, megalopigídeo, praga da aroeira, carvalhos e outras plantas silvestres. Tem pêlos compridos, virados para cima, à feição de um chapéu armado, donde o nome vulgar, e é uma das tataranas (q. v.) mais temidas. **2.** Tubarão-martelo carcarrinídeo (*Sphyrna tudes*), do Atlântico ocidental (do golfo do México ao Uruguai) e do Mediterrâneo, de dorso marrom-acinzentado e parte inferior brancacenta; alcança até 1,50m de comprimento e apresenta dilatação cefálica em forma de arco. [Sin., nesta acepç.: *cação-martelo*, *cambeba*, *cambeja*, *cambeva*, *peixe-martelo*, *marteleiro*.] [Pl.: *chapéus-armados*. Cf. *chapéu armado*.]

chapéu-chile ***S. m.*** V. *chapéu do chile*: "Abanando-se com o chapéu-chile, encalorado, o Dr. Simplício tomou-me da mão, apertou-a contra o peito: | — De Minas? É meu amigo, desde logo..." (Ribeiro Couto, *Prima Belinha*, p. 111); "Eu o havia visto uma vez, ... de chapéu-chile à Santos Dumont, muito magrinho" (Gilberto Amado, *Depois da Política*, p. 158). [Pl.: *chapéus-chile*.]

chapéu-coco (côco) ***S. m.*** Chapéu de homem, de feltro rígido, com a copa arredondada e as abas, estreitas, ligeiramente reviradas nos lados; chapéu de coco, coco: "Belinha agradeceu secamente, o chapéu-coco descobriu um cabelo grisalho, cumprimentando, afastando-se." (Ribeiro Couto, *Prima Belinha*, p. 88.) [Pl.: *chapéus-cocos* e *chapéus-coco*.]

chapéu de capitão ***S. m.*** Remuneração que se combinava dar ao capitão de um navio mercante no caso de o levar ao porto a salvamento. [Tb. se diz apenas *chapéu*. Pl.: *chapéus de capitão*.] ☑

chapéu de chuva ***S. m.*** V. *guarda-chuva*. [Pl.: *chapéus de chuva*.] ☑

chapéu-de-cobra ***S. m.*** *Bras. RS* Espécie de cogumelo. [Pl.: *chapéus-de-cobra*.]

chapéu de coco (côco) ***S. m.*** V. *chapéu-coco*. [Pl.: *chapéus de coco*.] ☑

chapéu de coiro ***S. m.*** V. *chapéu de couro*. [Pl.: *chapéus de coiro*.] ☑ notas 1 e 2

chapéu-de-coiro ***S. m.*** *Bras. Bot.* V. *chapéu-de-couro*. [Pl.: *chapéus-de-coiro*.]

chapéu de couro ***S. m.*** *Bras.* **1.** *Gír. Mar.* Marinheiro que vem dos estados nordestinos. **2.** *AL* Espécie de beiju. **3.** *PI* Doce feito de mamão, rapadura e coco ralado. **4.** *BA Cap.* V. *chibata* (3). [Pl.: *chapéus de couro*.] ☑ notas 1 e 2

chapéu-de-couro [Var. de *chapéu-de-coiro*.] ***S. m.*** *Bras.*, *S.* Erva alismatácea (*Echinodorus macrophyllum*), ereta e ornamental, cujos frutos contêm apenas uma semente, cujas flores são tidas por medicinais, e que vive em terrenos pantanosos de águas rasas; chá-da-campanha, erva-do-brejo, erva-do-pântano. [Pl.: *chapéus-de-couro*.]

chapéu de ferro ***S. m.*** Acúmulo de óxido ou hidróxido de ferro à superfície, resultante da precipitação do hidróxido de ferro trazido por soluções ascendentes. [Pl.: *chapéus de ferro*.] ☑

chapéu de frade ***S. m.*** **1.** *Bras.* Diamante triangular, de pouco valor. **2.** Pequeno cristal de diamante. [Pl.: *chapéus de frade*.] ☑ notas 1 e 2

chapéu-de-frade ***S. m.*** *Bras. PI a SP Bot.* Arbusto bignoniáceo (*Zeyheria montana*) revestido de pelos estrelados e aveludados, e cujas flores são irregulares, grandes, tomentosas, amarelas ou cor de laranja, com máculas roxas, dispostas em panículas terminais, sendo o fruto uma cápsula suberoso-lenhosa, achatada, áspera, com sementes membranosas e aladas. [Sin.: *bolsa-de-pastor, bucho, mandioquinha-brava, mandioquinha-do-campo*. Pl.: *chapéus-de-frade*.]

chapéu-de-napoleão [De *chapéu*[1] + *de* + o antr. *Napoleão* (v. *napoleônico*).] *S. m. Bras. N. a S. Bot.* Pequena árvore apocinácea (*Thevetia peruviana*) ornamental, de grandes flores amarelas e aromáticas, e folhas e frutos carnosos, sendo tidos por venenosos os frutos; auaí-guaçu, jorro-jorro. [Pl.: *chapéus-de--napoleão*.]

chapéu de sol *S. m. Bras.* **1.** V. *guarda-sol* (2). **2.** V. *guarda--chuva*. **3.** V. *chapeirão* (3). **4.** *Fig.* Defesa, proteção. [Pl.: *chapéus de sol*.] notas 1 e 2

chapéu-de-sol *S. m. Bras. Bot.* **1.** V. *amendoeira--da-praia*. **2.** *Amaz.* Árvore boraginácea (*Cordia tetrandra*) de flores sésseis, esverdeadas, afuniladas, disposta em racimos umbeliformes, e cujo fruto é baga arredondada, branca, com caroços envoltos em substância também branca; parapará: "Ao passar embaixo de um chapéu-de-sol copado que estendia os braços por sobre a estrada, o vento derrubou uma porção de gotas de água, ... que lhe umedeceram a camisa e lhe refrescaram o espírito." (Miroel Silveira, *Bonecos de Engonço*, p. 120). [Pl.: *chapéus-de-sol*.]

chapéu do chile *S. m.* Variedade fina de panamá (1); chapéu-chile; chile: "Estava de calças de listras e paletó preto e com o seu enorme chapéu do chile." (José Lins do Rego, *Meus Verdes Anos*, p. 324.) [Pl.: *chapéus do chile*.]

chapéu-dos-telhados [De *chapéu*[1] + o pl. de *do*[1] + o pl. de *telhado*.] *S. m. Bot.* V *arroz-de-rato*. [Pl.: *chapéus--dos-telhados*.]

chapéu-velho *S. m. Bras. SP* Café (2) malfeito. [Pl.: *chapéus-velhos*.]

chapeuzinho (èu) [De *chapéu*[1] + *-zinho*.] *S. m.* **1.** Chapéu pequeno. **2.** *Bras. Fam.* O acento circunflexo.

chapim [Do esp. *chapín*.] *S. m.* **1.** *Ant.* Calçado de sola grossa, para mulheres: "nos pés chapins de cor semeados de aljôfares e turquesas" (Aquilino Ribeiro, *Aventura Maravilhosa*, p. 125). **2.** Coturno (2). **3.** Patim[2] (1). **4.** Chapa que liga os trilhos das estradas de ferro aos dormentes. **5.** Sapatinho elegante. **6.** *Fig.* Base, peanha. **7.** *Bras. Zool.* V. *canário-da-terra*.

chapineiro [De *chapim* + *-eiro*.] *S. m.* Aquele que faz e/ou vende chapins.

chapinha [Dim. de *chapa*.] *S. f.* **1.** Pequena chapa. **2.** Biqueira (3). **3.** Pequena peça metálica, circular, que se adapta à boca de garrafa, fechando hermeticamente. [Sin., nesta acepç.: *tampinha* e, lus., *carica*.]

chapinhar [Da onom. *chape* + *-inhar*.] *V. t. d.* **1.** Banhar com a mão, ou com um trapo embebido em líquido, repetidas e frequentes vezes. **2.** Agitar (a água, a lama) com as mãos ou com os pés: "e enquanto os três padres .... iam chapinhando as poças pela rua tenebrosa, por trás a chuva .... ia-os ironicamente fustigando!" (Eça de Queirós, *O Crime do Padre Amaro*, p. 276); "Meus pés .... chapinharam a lama e se sujaram." (João Clímaco Bezerra, *O Homem e Seu Cachorro*, p. 48). *T. c.* **3.** Bater de chapa na água, agitando-a, com as mãos ou com os pés: "atirava-lhes beijos, mostrava as árvores e partia chapinhando n'água" (Coelho Neto, *Treva*, p. 44). **4.** Atolar-se, atascar-se, chafurdar. *Int.* **5.** Chapinhar (3): "Poças, às vezes, faziam chapinhar os cavalos, respingando-nos de lama." (Medeiros e Albuquerque, *Contos Escolhidos*, p. 29.) **6.** Escorregar na lama.

chapiscado [Part. de *chapiscar*.] *Adj.* Diz-se de parede, etc., em que se aplicou chapisco antes do emboço.

chapiscar [De *chapisco* + *-ar*[2].] *V. t. d.* Aplicar chapisco em. [Conjug.: v. *trancar*.]

chapisco [Da onom. *chape* + *-isco*[1].] *S. m. Constr.* Argamassa de areia e cimento, aplicada, em geral, com colher de pedreiro, na superfície lisa, para torná-la áspera e garantir melhor aderência do emboço.

chapista [De *chapa* + *-ista*.] *S. 2 g. Tip.* V. *compositor de bicos*.

chaplinesco (ê) [Do antr. (*Charles*) *Chaplin* + *-esco*.] *Adj.* Chapliniano (1).

chapliniano [Do antr. (*Charles*) *Chaplin* + *-iano*.] *Adj.* **1.** Pertencente ou relativo ao cineasta e ator inglês Charles Chaplin (1889-1977), ou próprio dele; chaplinesco. • *S. m.* **2.** Grande admirador e/ou profundo conhecedor de Chaplin.

chapo [F. red. de *chapado*; part. irreg. de *chapar*, por analogia a *ganho*, *gasto*, *pago*, etc.] *Adj. Bras. N.* Demasiadamente visto e/ou ouvido; comum, vulgar.

chapodar [Var. de *chapotar*, com infl. de *podar*.] *V. t. d.* V. *chapotar*.

chapoletar *V. t. d. e i. Gír.* Desferir (golpe) em; aplicar.

chapota [Dev. de *chapotar*.] *S. f.* Ato ou efeito de chapotar.

chapotar [Do fr. *chapoter*.] *V. t. d.* Aparar ou cortar os ramos inúteis de (árvores). [Var.: *chapodar*.]

chaprão [De *pranchão*, com metátese e desnasalação.] *S. m. Bras. CE* Pranchão com que se espreme a massa ou papa da mandioca ralada.

chã-pretense *Adj. 2 g.* **1.** De, ou pertencente ou relativo a Chã Preta (AL). • *S. 2 g.* **2.** O natural ou habitante de Chã Preta. [Pl.: *chã-pretenses*.]

chapriz [Alter. de *chapins*, pl. de *chapim*.] *S. f. Bras.* Sapato para mulher.

chapuletada *S. f. Bras. Gír.* Golpe, pancada, pedrada, etc.: *Levou uma chapuletada na cabeça e caiu zonzo.*

chapuz[1] [Do fr. ant. e dial. *chapuis*, 'pedaço grosso de madeira'.] *S. m.* **1.** Bucha (14). **2.** Pedaço de madeira que se junta a uma peça para reforçá-la.

chapuz[2] [Der. regress. de *chapuzar*.] *S. m.* Us. na loc. *de chapuz*. ◆ **De chapuz.** De cabeça para baixo.

chapuzar [Do esp. *chapuzar*, var. de *zapuzar* < ant. *sopozar*, com infl. do lat. *caput*, 'cabeça'.] *V. t. d.* **1.** Lançar na água de cabeça para baixo, de chapuz. **2.** Atirar de chapuz. *P.* **3.** Pôr-se de cabeça para baixo. **4.** Agachar--se, acaçapar-se.

chaquenho [Do top. *Chaco* + *-enho*.] *Adj.* **1.** Do, pertencente ou relativo ao Chaco, região da parte central da América do Sul entre os Andes, o rio Paraná, a mata brasileira e os pampas argentinos. • *S. m.* **2.** O natural ou habitante dessa região.

chara *S. f.* Entre os orientais, costume, modo. [Cf. *xara*.]

charada [Do fr. *charade*.] *S. f.* **1.** Espécie de enigma cuja solução consiste em recompor uma palavra partindo de elementos desta ou de sílabas que tenham um significado determinado, sendo tais significados (*parciais*, *pedras* ou *chaves*) apresentados juntamente com um conceito que expressa a palavra desejada. **2.** *Fig.* Linguagem obscura. **3.** *Bras. Fam.* Embaraço, dificuldade, problema. [Cf. *xarada*.] **4.** *Fig.* Caso ou assunto misterioso. ◆ **Charada adicionada.** V. *charada novíssima*. **Charada aditiva.** V. *charada novíssima*. **Charada aferética.** A que deriva da figura gramatical chamada *aférese* e em que há, pois, supressão de sílaba ou letra no princípio da palavra. Ex.: *Estudar com atenção para bem administrar*; solução: *digerir-gerir*. **Charada alexandrina.** V. *charada casal*. **Charada alternada.** Aquela em que a última sílaba da primeira parcial ocupa exatamente o centro da segunda, enquanto a primeira sílaba da segunda ocupa, por sua vez, o centro da primeira. **Charada angular.** Charada em terno. **Charada antiga.** V. *charada novíssima*. **Charada apocopada.** A que deriva de uma apócope (q. v.). Ex.: *Fazer exercício militar com o irmão*; conceito: *manobra — mano*. **Charada aumentativa.** Aquela em que a segunda parcial é aumentativo da primeira. Ex.: *casca — cascão*. **Charada biforme.** V. *charada casal*. **Charada bifronte.** V. *charada casal*. **Charada casal.** A que é formada por duas parciais cujas soluções terminam em *a* e *o*; charada biforme, charada bifronte, charada alexandrina. Ex.: *casa — caso*. **Charada elíptica.** Charada mefistofélica. **Charada em frase.** V. *charada novíssima*. **Charada em terno.** A que se constitui de três parciais formadas por três sílabas (ou três letras), dispostas em colunas de modo que possam ser lidas tanto vertical como horizontalmente; charada angular. Ex.: *ata — tal — ala*. **Charada epentética.** A que se baseia na epêntese (q. v.). Ex.: *fada — falada*. **Charada gramatical.** V. *charada novíssima*. **Charada intercalada.** Charada mesoclítica. **Charada invertida.** A que consiste em duas parciais, sendo uma delas o inverso da outra. Ex: *raro — orar*. **Charada justaposta.** V. *charada novíssima*. **Charada mefistofélica.** A que consta da junção de duas palavras, sendo a última sílaba da primeira palavra igual à primeira da segunda; charada elíptica. Ex.: *rega — galo*: *regalo*. **Charada mesoclítica.** A que deriva da mesóclise (q. v.), dividindo-se a primeira parcial, que deverá ter número par de sílabas, para nela se intercalar a segunda ou demais parciais; charada intercalada. Ex.: *medo* + *la*: *melado*; *soldo* + *da*: *soldado*. **Charada metagrama.** Aquela cujo conceito sofre alteração ou troca sucessiva de letras na formação das parciais. Ex.: *sílio* (canto); *venerável* (santo); *narrativa* (conto); *previdente* (cauto); *esquerdo* (canho); *cantiga* (canto). **Charada novíssima.** Charada composta de duas ou mais pedras e de um conceito, sempre enunciado em frase, e na qual as soluções das pedras, reunidas, formam as soluções do conceito. [Para a decifração deste, põem-se antes do enunciado algarismos indicativos do número de sílabas.] É a mais simples das charadas, tanto para ser construída como para ser decifrada. Sin.: *charada adicionada, charada aditiva, charada antiga, charada em frase, charada gramatical, charada justaposta, charada simples, charada sintética, charada tiburciana, charada típica*. Ex.: *1-1-1-3. Sofre na China, vive na China, bebe-se na China*; conceito: *pechincha*. **Charada paragógica.** Aquela em que há paragoge (q. v.), em que ocorre adição de sílaba em fim de palavra. Ex.: *bala — balador*. **Charada parônima.** Charada tônica. **Charada protética.** Aquela em que se adiciona uma sílaba à primeira parcial a fim de se obter a segunda. Ex.: *belo — libelo*. **Charada simples.** V. *charada novíssima*. **Charada sincopada.** A que se baseia na síncope (2), suprimindo-se a sílaba central na segunda parcial: Ex.: *camada — cada*. **Charada sintética.** V. *charada novíssima*. **Charada tiburciana.** V. *charada novíssima*. **Charada típica.** V. *charada novíssima*. **Charada tônica.** Charada de duas chaves, uma das quais tem na sílaba tônica acento agudo, acento circunflexo, ou til; charada parônima. Ex.: *secretária — secretaria*. **Matar a charada.** *Bras.* Resolver um problema; desfazer uma dúvida.

charadismo [De *charada* + *-ismo*.] *S. m.* Cultivo, gosto ou mania das charadas.

charadista [De *charada* + *-ista*.] *Adj. 2 g. S. 2 g.* Que, ou quem compõe e/ou decifra charadas.

charamba *S. f.* Certa dança popular açoriana.

charamela [Do fr. ant. *chalemelle*, atual *chalumeau*.] *S. f. Mús.* **1.** Antigo instrumento de sopro, precursor da atual clarineta, de timbre estridente e áspero, da família da flauta, dotado de palheta simples que o ar fazia vibrar depois de percorrer um tubo cilíndrico, posto acima do corpo sonoro do instrumento: "O brado estrídulo dos anafis e das charamelas ressoava nas abóbadas góticas da igreja" (Antero de Figueiredo, *Leonor Teles*, p. XIX). **2.** Registro grave da clarineta. **3.** Registro do órgão, de timbre suave, e que imita os instrumentos pastoris. **4.** Um dos tubos da gaita de foles.

charameleiro [De *charamela* + *-eiro*.] *S. m.* Tocador de charamela.

charanga [Onom. de ruído estridoroso.] *S. f.* **1.** *Mús.* Pequena banda de música, formada sobretudo por instrumentos de sopro: "O 13 de maio, o 21 de abril, ... mobilizavam Santana inteira, derramando--se em marchas públicas, com charanga, discursos e foguetório" (Ciro dos Anjos, *A Menina do Sobrado*, p. 132). **2.** *Bras. Pop. Mús.* Orquestra mais ou menos desafinada. **3.** *Bras. AC* Navegação fluvial em pequeno percurso. **4.** *Bras. Gír.* Coisa indeterminada; troço: *Que charanga é essa?*

charangueiro [De *charanga* + *-eiro*.] *S. m. Mús.* Músico de charanga (1 e 2).

charão [Do chinês.] *S. m.* **1.** Verniz de laca, muito lustroso e duradouro, originário da China e do Japão. **2.** Objeto de madeira revestido de charão (1). **3.** *Bot.* Qualquer de várias plantas anacardiáceas, como, p. ex., as espécies *Rhus verniciflua* e *R. succedanea*, que fornecem resina com que se fabrica verniz semelhante ao charão (1).

charãozinho-roxo *S. m. Bras. Bot.* V. *barbatimão* (2). [Pl.: *charõezinhos-roxos*.]

charco [De or. pré-romana, poss.] *S. m.* **1.** Água estagnada e imunda, de pouca profundidade. **2.** V. *pântano*. [Sin. ger. (p. us.): *charqueiro*.]

charcoso (ô) [De *charco* + *-oso*.] *Adj.* Em que há charcos.

charcutaria [Var. de *charcuteria*.] *S. f.* Comércio, loja ou produtos de charcuteiro; charcuteria.

charcuteiro [De *charcut(aria)* + *-eiro*.] *S. m.* Aquele que trabalha em charcutaria, que prepara e vende carne de porco, linguiça, salames, etc.

charcuteria [Do fr. *charcuterie*.] *S. f.* Charcutaria.

➔**chardonnay** [ʃaʀdo'nɛ] [Fr.] *S. m. Vitic.* **1.** Casta nobre de uva branca, cultivada sobretudo na Borgonha (v. *borgonhês*) e na Champagne (região a leste de Paris). **2.** *Enol.* Vinho produzido com essa uva.

charge [Do fr. *charge*.] *S. f.* Representação pictórica, de caráter burlesco e caricatural, em que se satiriza um fato específico, em geral de caráter político e que é do conhecimento público. [Cf. *cartum*.]

chargista [De *charge* + *-ista*.] *S. 2 g.* Pessoa que faz charges.

charia *S. f.* V. *xaria*.

charivari [Do fr. *charivari*.] *S. m.* Berreiro, tumulto, assuada.

charla [Dev. de *charlar*.] *S. f.* **1.** Conversa à toa. **2.** Lábia, conversa envolvente: "O Rio é um grande centro de vigaristas, por isso mesmo que recebe vastos contingentes provincianos, gente simples e de boa-fé que vai na charla desse outro vasto contingente de malandros de que está cheia a cidade." (Vinícius de Morais, *Para Viver um Grande Amor*, pp. 93-94.)

charlador (ô) [De *charlar* + *-dor*.] *Adj. S. m.* Que, ou aquele que charla.

charlar [Do it. *ciarlare*.] *V. int.* Falar à toa; palrar, tagarelar.

charlata *S. m. Bras.* V. *charlatão*: "Os médicos lhe asseguram que não há nada, ele sai maldizendo a medicina: 'Não descobrem o que eu tenho, são uns charlatas'." (Fernando Sabino, *O Homem Nu*, p. 34.)

charlatanaria [De *charlatão* + *-aria*.] *S. f.* V. *charlatanice*.

charlatanear [De *charlatão* + *-ear*[2].] ***V. int.*** **1.** Proceder como charlatão. **2.** Exibir modos de charlatão; falar como charlatão. [Conjug.: v. *frear*.]

charlatanesco (ê) [De *charlatão* + *-esco*.] ***Adj.*** **1.** Em que há charlatanice: *negócio charlatanesco*. **2.** Próprio de charlatão: *atitudes charlatanescas*.

charlatanice [De *charlatão* + *-ice*.] ***S. f.*** Qualidade, ação, modos ou linguagem de charlatão; charlatanismo, charlatanaria.

charlatanismo [De *charlatão* + *-ismo*.] ***S. m.*** V. *charlatanice*.

charlatão [Do it. *ciarlatano*.] ***S. m.*** **1.** Vendedor público de drogas, cujas virtudes apregoa com exagero. **2.** Explorador da boa-fé do público. **3.** Impostor, embusteiro, trapaceiro. [F. red.: *charlata*. Fem.: *charlatona*; pl.: *charlatães* e *charlatões*.]

charlateira [Do esp. *charretera*, poss.] ***S. f.*** Espécie de dragona metálica, sem franja, usada por oficiais militares: "estava vestido com a farda de tenente, de charlateiras polidas" (Alberto Braga, *Novos Contos*, p. 109).

charlatona ***S. f.*** Fem. de *charlatão*.

→**charleston** ['tʃaɹlstən] [Ingl.] ***S. m.*** Tipo de foxtrote (q. v.) muito animado, em compasso quaternário, surgido na década de 20, e em que cada dançarino executa movimentos agitados de braços e pernas, e passos que aproximam e afastam os joelhos.

charlote [Do fr. *charlotte*.] ***S. f.*** **1.** *Cul.* Sobremesa feita com frutas picadas, cristalizadas ou secas embebidas em creme aromatizado, e arrumadas em fôrma forrada de biscoito francês. ● ***S. m.*** **2.** *Bras.* Antiga espécie de sapatos de trança, de tecido de malha fina, e ordinariamente com uma cara de gato desenhada a cores; sapato cara de gato.

→**charmat** [ʃaʁ'ma] [Fr.] ***Adj.*** *Enol.* Diz-se do método de elaboração de espumantes no qual o vinho sofre uma segunda fermentação em grandes recipientes.

charme [Do fr. *charme*; ingl. *charm*.] ***S. m.*** **1.** Atração, encanto, sedução, simpatia. [Ger. us. em relação a pessoas]. **2.** *Fís. Part.* Quark com carga elétrica 2/3, *spin* 1/2, número bariônico 1/3, e número quântico de charme + 1. **3.** *Fís. Part.* Número quântico introduzido para caracterizar propriedades de partículas que contêm, pelo menos, um *quark* charme. ◆ **Fazer charme.** *Bras. Fam.* Fingir que não quer ou que não gosta, etc., querendo, gostando, etc.

charminho [De *charme*[1] + *-inho*[1].] ***S. m.*** Us. na loc. *fazer charminho*. ◆ **Fazer charminho.** *Bras. Fam.* V. *fazer charme*: "Rosinha fingiu que estava assombradíssima e começou a fazer charminho, como se não quisesse nem saber do Lindoro." (Cora Rónai, *Aventuras de Fígaro*, p. 18.)

charmónio ***S. m.*** *Fís. Part.* V. *charmônio*. [Uso freq. em P.]

charmônio ***S. m.*** *Fís. Part.* Estado ligado formado por um *quark* e um antiquark charme.

charmoso (ô) [De *charme* + *-oso*.] ***Adj.*** *Bras. Fam. Gal.* Que tem charme; atraente, fascinante, sedutor, encantador.

charneca [De or. pré-romana, poss.] ***S. f.*** **1.** *Fitogeogr.* Tipo de vegetação xerófila de Portugal, semelhante aos maquis do Mediterrâneo e equivalente ao chaparral (q. v.) californiano. **2.** *P. ext.* Terreno onde medra a charneca (1); gândara: "tomamos o caminho para Palmela que são duas léguas não muito grandes, mas tudo charneca tão áspera e desconversável como um labrego." (Fernão Rodrigues Lobo Soropita, *Poesias e Prosas Inéditas*, p. 18). **3.** *Bras.* V. *pântano*: "Passa-se a verde charneca / De água venenosa e escura." (Alberto de Oliveira, *Poesias*, 2ª série, p. 252.) **4.** *Bot.* Cornicabra. **5.** *Fig.* Estilo monótono.

charneira [Do fr. *charnière*.] ***S. f.*** **1.** Reunião de duas peças de madeira ou de metal encravadas num eixo comum, em torno do qual uma pelo menos é móvel. **2.** V. *dobradiça* (1). **3.** Peça por onde a fivela se prende ao sapato. **4.** *Encad.* Tira de pano ou de couro que se põe ao longo do encaixe, para formar a guarda-espelho; espelho. **5.** Pequena tira de papel com que os colecionadores prendem o selo no álbum. **6.** *Zool.* A parte que une as valvas duma concha.

charo ***S. m.*** *Bras. Gír.* V. *baseado*[1].

charola [De or. obscura.] ***S. f.*** **1.** V. *andor*. **2.** Corredor semicircular em igrejas. **3.** Nicho (1). ◆ **Levar em charola.** Levar (alguém) carregado por ocasião de uma manifestação de apreço.

charolês [Do fr. *charolais*.] ***Adj.*** **1.** Diz-se de raça francesa de bovinos de carne muito apreciada. ● ***S. m.*** **2.** Esta raça. [Flex.: *charolesa* (ê), *charoleses* (ê), *charolesas* (ê).]

charpa [Do fr. *écharpe*.] ***S. f.*** **1.** Faixa larga de pano; echarpe: "Dentre os perfumes sutis que vêm / Das suas charpas, dos seus vestidos, / Isolar tentas o olor que tem / A trama rara dos seus tecidos." (Manuel Bandeira, *Estrela da Vida Inteira*, p. 23.) **2.** Suspensório em que se apoia o braço doente; tipoia.

charque [Do esp. plat. *charque*.] ***S. m.*** *Bras.* Carne de vaca, salgada e em mantas; carne do ceará, carne de ceará, ceará, carne do sul, carne-seca, carne-velha, jabá, sambamba, sumaca.

charqueação [De *charquear* + *-ção*.] ***S. f.*** *Bras.* Ação de charquear; charqueio.

charqueada [Do esp. plat. *charqueada*.] ***S. f.*** *Bras.* Estabelecimento onde se charqueia a carne; saladeiro, tablada. ◆ **Fazer charqueada.** *Bras. RS* Derrotar o adversário no jogo, deixando-o sem dinheiro.

charqueadense[1] ***Adj. 2 g.*** **1.** De, ou pertencente ou relativo a Charqueada (SP). ● ***S. 2 g.*** **2.** O natural ou habitante de Charqueada.

charqueadense[2] ***Adj. 2 g.*** **1.** De, ou pertencente ou relativo a Charqueadas (RS). ● ***S. 2 g.*** **2.** O natural ou habitante de Charqueadas.

charqueador (ô) [Do esp. plat. *charqueador*.] ***S. m.*** *Bras. S.* **1.** Proprietário de charqueada. **2.** Fabricante de charque. **3.** Aquele que prepara o charque.

charquear [Do esp. plat. *charquear*.] ***V. t. d.*** *Bras.* **1.** Salgar (a carne), em mantas e expô-la ao sol, na preparação do charque. ***Int.*** **2.** Preparar o charque. [Conjug.: v. *frear*.]

charque de vento ***S. m.*** *Bras. RS* Charque preparado nas estâncias para o consumo, e que consta de pedaços delgados, com pouco sal, secados à sombra ou ao vento. [Pl.: *charques de vento*.] ☑

charqueio [Do esp. plat. *charqueo*.] ***S. m.*** *Bras. RS* Charqueação.

charqueiro [De *charco* + *-eiro*.] ***S. m.*** *P. us.* V. *charco*.

charravascal [Alter. de *chavascal*.] ***S. m.*** **1.** *Bras.* Campo de vegetação média, de cerca de três metros de altura, composta de certas leguminosas e espinheiros, de tal densidade que se torna quase impenetrável. [Sin. (em MT): *chavascal*.] **2.** *Bras. N.E.* Espécie de caatinga fechada.

charrete [Do fr. *charrette*.] ***S. f.*** Veículo, em geral de duas rodas, tirado por um ou, mais raro, por dois equinos.

charreteiro [De *charrete* + *-eiro*.] ***S. m.*** Aquele que dirige o(s) cavalo(s) duma charrete.

charriscar [T. onom., com infl. de *riscar*, poss.] ***V. t. d.*** *Prov. port.* **1.** Riscar, fazendo ruído: "Passante meia-noite, ... as raparigas .... subiam a escada .... tacteando, charriscando incerto lume-pronto." (Aquilino Ribeiro, *Maria Benigna*, p. 11.) ***Int.*** **2.** Estalar, crepitar. [Conjug.: v. *trancar*.]

charro [Do basco *txar*, 'defeituoso'.] ***Adj.*** Rústico; tosco: "Não me recordo de ter encontrado no Camilo exemplo do charro galicismo *chefe de obra* em vez de *obra-prima*" (Mário Barreto, *De Gramática e de Linguagem*, II, p. 99); "Em um desses adelos, de charra e lúgubre aparência, comprei eu, certa vez, um pequeno relógio, obra do século XVIII" (Luís Edmundo, *De um Livro de Memórias*, III, p. 665).

charrua[1] [Do fr. *charrue*.] ***S. f.*** **1.** Arado grande, de ferro, com jogo dianteiro e uma só aiveca. **2.** *Fig.* A agricultura, o campo. **3.** *Ant. Mar.* Navio-transporte de três mastros, com grande porão e fraco armamento, us. no séc. XVIII e em parte do XIX em substituição à urca: "Vinha a nau e duas corvetas, com cinco charruas, dez brigues e escunas" (Oliveira Martins, *Portugal Contemporâneo*, I, p. 174).

charrua[2] [De *erva-de-charrua*.] ***S. f.*** *Bras. Bot.* Subarbusto asteráceo (*Eupatorium bartsiaefolium*) de até 60cm de altura, de caule ereto, muito ramificado no ápice, folhas alternas, coriáceas, serreadas nos bordos, flores de corola cilíndrica, vermelhas ou azuis, reunidas em capítulos, e fruto aquênio; é natural da América do Sul, e as suas folhas são us. medicinalmente. [Sin.: *erva-de-charrua*.]

charrua[3] ***S. 2 g.*** **1.** *Etnôn.* Indivíduo dos charruas, povo indígena que habitava a costa setentrional do rio da Prata. ● ***Adj. 2 g.*** **2.** Pertencente ou relativo a esse povo. [Tb. us. como *s. 2 g. e 2 n.* (com cap.) e *adj. 2 g. e 2 n.*]

charruada [F. subst. do part. de *charruar*.] ***S. f.*** Terreno lavrado principalmente com charrua[1] (1).

charruar [De *charrua*[1] + *-ar*[2].] ***V. t. d.*** Lavrar com charrua[1] (1).

charruense ***Adj. 2 g.*** **1.** De, ou pertencente ou relativo a Charrua (RS). ● ***S. 2 g.*** **2.** O natural ou habitante de Charrua.

→**charter** ['tʃaɹtɚ] [Ingl.] ***S. m.*** Avião fretado, ger. para uma viagem de turismo. [É usado mais raramente para embarcação.]

→**chartreuse** [ʃaʁ'tʁøz] [Fr] ***S. f.*** Licor de coloração amarelada (o menos alcoólico, de 40 graus) ou esverdeada (o mais forte, de 55 graus), fabricado pelos monges cartuxos a partir de uma fórmula secreta de raízes e ervas.

charutar [De *charuto* + *-ar*[2].] ***V. int.*** Charutear.

charutaria [De *charuto* + *-aria*.] ***S. f.*** *Bras.* V. *tabacaria*.

charutear [De *charuto* + *-ear*[2].] ***V. int.*** Fumar charuto; charutar. [Conjug.: v. *frear*.]

charuteira [De *charuto* + *-eira*.] ***S. f.*** **1.** Caixa para guardar charutos: "Fez sensação na assembleia tirar Calisto de uma charuteira de prata um charuto, e baforar colunas de fumo" (Camilo Castelo Branco, *A Queda dum Anjo*, p. 158). **2.** *Cabo-verd. Bot.* V. *charuto-do-rei*: "a armação do tecto, as estacas de charuteira que ele trouxera do Lombinho, tudo fora roubado." (Manuel Lopes, *Os Flagelados do Vento Leste*, p. 216).

charuteiro [De *charuto* + *-eiro*.] ***S. m.*** **1.** Proprietário de charutaria. **2.** Operário que fabrica charutos. **3.** Certa espécie de tabaco.

charuto [Do ingl. *cheroot* < tâmil *shuruttu*, 'rolo de tabaco'.] ***S. m.*** **1.** Rolo de folhas secas de fumo, preparado para fumar-se. **2.** *P. ext. Cul.* Bolo ou outro alimento em forma de charuto. **3.** *Restr.* Enrolado em folha de repolho ou videira com recheio de carne moída temperada ao qual ger. se acrescenta arroz. **4.** *Bras.* Bebida feita de mel de abelhas e vinho. **5.** *Bras. Pej.* Designação dada aos negros. **6.** *Bras. Zool.* Peixe anostomídeo (*Leporellus cartledgei*) das bacias dos rios São Francisco e Prata, que tem duas estrias longitudinais escuras, nadadeira dorsal com mancha arredondada, e anal com duas faixas oblíquas, pretas. **7.** *Bras. AL* Mata-cachorro (3).

charuto-do-rei ***S. m.*** *Bot.* Arbusto solanáceo (*Nicotiana glauca*) nativo da Argentina e do Paraguai, de folhas grandes, pecioladas, flores tubulosas, abundantes, e rico em alcaloides; couve-do-mato, charuteira. [Pl.: *charutos-do-rei*.]

chasco[1] [Do esp. *chasco*.] ***S. m.*** Dito satírico; zombaria, motejo.

chasco[2] ***S. m.*** *Bras. SP* Ato de puxar de súbito as rédeas do cavalo, para fazê-lo parar; sofrenaço.

→**chasma** ['kʰasma] [Lat.] ***S. m.*** *Astr.* Vocábulo adotado pela U.A.I. para designar uma depressão alongada na superfície da Lua ou de um planeta.

chasque [Do quíchua *chasqui*, pelo esp. plat.] ***S. m.*** *Bras. S.* Mensageiro, portador, próprio: "andei muito por esses meios, como vaqueano, como chasque, como confiança dele" (Simões Lopes Neto, *Contos Gauchescos e Lendas do Sul*, p. 168).

chasqueador (ô) [De *chasquear* + *-dor*.] ***Adj. S. m.*** Que, ou aquele que gosta de chasquear; zombador, escarnecedor.

chasquear [De *chasco*[1] + *-ear*[2].] ***V. t. d.*** **1.** Dizer chascos a; zombar de; escarnecer: "O bravo capitão, com a sua grossa malícia tarimbeira, chasqueia a moça, por escolher a carreira das armas" (Eça de Queirós, *Cartas Familiares e Bilhetes de Paris*, p. 9). ***T. i.*** **2.** Fazer chasco[1]; escarnecer; zombar: *Chasqueou do pobre velhinho*. ***Int.*** **3.** Dizer chascos. [Conjug.: v. *frear*.]

chasqueiro [De *chasco*[2] + *-eiro*.] ***Adj.*** *Bras. RS* Diz-se do trote largo e incômodo dos cavalos.

chasquento [De *chasco*[1] + *-ento*.] ***Adj.*** **1.** *Bras. S.* Engraçado, espirituoso. **2.** Diz-se de pessoa bem trajada ou que causa boa impressão; interessante, simpático.

chassi [Do fr. *châssis*.] ***S. m.*** **1.** Quadro rígido destinado a fixar papel, tecido, vidro, plástico, etc. **2.** *Fot.* Espécie de caixilho de câmaras fotográficas, onde se coloca a chapa sensibilizada que deve ser impressionada pela luz, através da objetiva. **3.** Estrutura de aço sobre a qual se monta toda a carroçaria de veículo motorizado. **4.** Base, estrado. **5.** *Eletrôn.* Armação, em geral metálica, sobre a qual se montam os componentes dum circuito eletrônico. **6.** *Fot.* Caixilho metálico, com tampa de vidro, usado na copiagem do negativo ou do diapositivo na chapa sensibilizada; copiador, copiadeira. ◆ **Chassi de vácuo.** *Fot.* Chassi pneumático. **Chassi pneumático.** *Fot.* Chassi que permite produzir vácuo entre o fundo de borracha, de que é dotado, e a tampa de vidro, a fim de tornar mais perfeita a adesão das placas e negativos ou diapositivos nele encerrados, para copiagem; chassi de vácuo, prensa a vácuo, prensa de vácuo.

→**chat** [tʃæt] [Ingl., 'conversa informal'.] *Inform.* Forma de comunicação através de rede de computadores (ger. a Internet), similar a uma conversação, na qual se trocam, em tempo real, mensagens escritas; bate-papo *on-line*, bate-papo virtual, papo *on-line*, papo virtual.

chata [F. subst. do adj. *chato*.] ***S. f.*** **1.** Barcaça larga e pouco funda. **2.** *Bras. Mar.* Embarcação de estrutura resistente, com proa e popa iguais, fundo chato e pequeno calado, em geral sem propulsão própria, para transporte de carga pesada. [Cf., nesta acepç., *alvarenga* e *barcaça*.] **3.** *Bras. Amaz.* Embarcação de fundo chato e pequeno calado, casco frágil subdividido em muitos porões, impelida por uma roda à popa, e própria para navegação na época da estiagem. **4.** *Bras. Zool.* V. *boipeva*.

chatada [De *achatar* + *-ada*[1], com aférese.] ***S. f.*** *Bras. RS* **1.** V. *repreensão* (1). **2.** Resposta ou indireta desagradável.

chateação [De *chatear* + *-ção*.] ***S. f.*** **1.** Ação ou efeito de chatear. **2.** *P. ext.* Coisa que chateia, que amola: *Dis-*

curso longo é uma grande chateação. [Sin. ger.: *chatura, chatice.*]

chatear [De *chato* + *-ear*[2].] *V. t. d. P.* **1.** Aborrecer(-se), irritar(-se), amolar(-se) [v. *apoquentar*]: "O salário era baixo, a escola pobre e sem recursos, mas o que mais me chateava era o fato de que os alunos não davam a mínima para a disciplina." (Moacir Scliar, *A Mulher Que Escreveu a Bíblia*, p. 9.) **2.** V. *entediar* (1 e 3): *A monotonia daquele lugar chateava-o; Chateou-se com o filme demasiado longo. Int.* **3.** Aborrecer, molestar, irritar alguém. **4.** *Bras.* Agachar-se. [Conjug.: v. *frear.*]

→chateaubriand [ʃɑto'bʁjɑ̃] [Fr.] *S. m.* V. *chatobriã.*

→chateaubriant [ʃɑto'bʁjɑ̃] [Fr.] *S. m.* V. *chatobriã.*

chateza (ê) [De *chato* + *-eza* (ê).] *S. f.* Qualidade do que é chato; chatice: "acompanhei-o, aparentemente por acaso, mas na esperança de que me trouxesse uma compensação noturna à chateza do dia." (João Alphonsus, *Pesca da Baleia*, p. 71).

chatice [De *chato* + *-ice.*] *S. f.* **1.** V. *chateação.* **2.** Chateza.

chatim [Do dravídico *chetti*, 'mercador'.] *S. m.* Negociante pouco honesto; traficante, tratante.

chatinar [De *chatim* + *-ar*[2].] *V. t. i.* **1.** Negociar sem escrúpulos, como um chatim; traficar, mercadejar. *T. d.* **2.** Subornar, peitar.

chato [Do gr. *platýs*, 'largo', pelo lat. vulg. **plattu.*] *Adj.* **1.** Sem relevo; liso, plano. **2.** *Fig.* Sem elevação; rasteiro. **3.** *Pop.* V. *maçante* (1). **4.** *Fig.* Sem elegância; vulgar: "não era o seu gênio, essencialmente delicado ...., para se prestar aos contatos chatos, prosaicos, e muitas vezes ascorosos que a política impõe." (Latino Coelho, *Cervantes*, p. 31). ~ V. *caixa —a* e *pé —.* ● *S. m.* **5.** *Zool.* Inseto anopluro, pediculídeo (*Phthirius pubis*), cosmopolita, que vive normalmente na região pubiana e eventualmente nas sobrancelhas, axilas e outras partes do corpo. Comprimento: até 1,5mm. Ovos postos sob forma de lêndeas, na base dos pelos pubianos. Vive cerca de três semanas, incuba os ovos durante sete dias e as ninfas com 15 dias estão aptas para reprodução. [Sin., nesta acepç.: *carango, ladro, piolho-das-virilhas, piolho-do-púbis, piolho-ladro.*] **6.** *Pop.* V. *maçante* (2). **7.** *Pop.* Situação ou coisa chata: *O chato é ter de sair com esta chuva.* ◆ **Chato de galochas.** Indivíduo muito maçante, extremamente chato.

chatobriã [Do fr. *chateaubriand.*] *S. m.* Bife (1), grosso, de filé ou de alcatra.

chatura [De *chato* + *-ura.*] *S. f. Gír.* V. *chateação.*

chauá *S. m. Bras. Zool.* V. *xauã.*

chauã *S. m. Bras. Zool.* V. *xauã.*

chaual *S. m.* V. *xaual.*

chaudel *S. m.* Espécie de pano de Bengala com que se faziam colchas, atoalhados, etc. [Pl.: *chaudéis.*]

chauvinismo (xô) [Do fr. *chauvinisme.*] *S. m.* **1.** Nacionalismo exagerado. **2.** *P. ext.* Crença na superioridade de sua espécie ou classe em relação às demais. [Nesta acepç., us. esp. pelo movimento feminista.] **3.** Procedimento ou atitude de chauvinista (6).

chauvinista (xô) [Do fr. *chauviniste.*] *Adj. 2 g.* **1.** Relativo ao, ou próprio do chauvinismo. **2.** Que o tem. **3.** Que assume posição extremada, exacerbada. **4.** Característico ou próprio do chauvinismo (2). **5.** Diz-se daquele que se crê superior, como membro de uma espécie, grupo ou classe em relação aos demais. ● *S. 2 g.* **6.** Pessoa chauvinista (2 e 3).

chavalense *Adj. 2 g.* **1.** De, ou pertencente ou relativo a Chaval (CE). ● *S. 2 g.* **2.** O natural ou habitante de Chaval.

chavão [De *chave* + *-ão*[1].] *S. m.* **1.** Chave grande. **2.** Fôrma ou molde para bolos e massas. **3.** Modelo, padrão. **4.** Sentença ou provérbio muito batido pelo uso: "A frase é reles, clichê perfeito, chavão repetido mil vezes em versinhos alambicados de poetas de meia-tigela." (Graciliano Ramos, *Linhas Tortas*, p. 85.) **5.** *Fam.* Autor ou livro de grande autoridade. **6.** V. *lugar-comum* (2 e 3).

chavaria [De *chave* + *-aria.*] *S. f.* Grande porção de chaves.

chavascada [De *chavasco* + *-ada*[1].] *S. f. Bras.* **1.** Pancada, bordoada. **2.** V. *chicotada.*

chavascado [Part. de *chavascar.*] *Adj.* Tosco, grosseiro, achavascado.

chavascal [De *chavasco* + *-al*[1].] *S. m.* **1.** Lugar imundo; chiqueiro. **2.** Terra estéril. **3.** Mata de espinheiros e outras plantas silvestres; chavasqueiro. **4.** *Bras. MT* Charravascal (1).

chavascar [De *chavasco* + *-ar*[2].] *V. t. d.* Fazer com imperfeição; atamancar; achavascar. [Conjug.: v. *trancar.*]

chavasco [De *chasco*[1], poss.] *Adj.* Mal-acabado; tosco. Rude, grosseiro. [Sin. ger.: *chavasqueiro.*]

chavasqueiro [De *chavasco* + *-eiro.*] *Adj.* **1.** V. *chavasco.* ● *S. m.* **2.** Chavascal (3).

chavasquice [De *chavasco* + *-ice.*] *S. f.* Qualidade ou caráter de chavasco.

chave [Do lat. *clave*, por via pop.] *S. f.* **1.** Artefato de metal que movimenta a lingueta das fechaduras. **2.** Instrumento com que se apertam, desapertam, montam ou desmontam vários aparelhos. **3.** *Mús.* Peça móvel para fechar ou abrir os orifícios de instrumentos de sopro. [Compõe-se de três partes: *concha, haste* e *espátula.*] **4.** Peça com que se dá corda a relógios. **5.** Cavilha que atravessa a parte superior do fuso do lagar, prendendo-lhe o peso pelo veio. **6.** Lugar que fecha ou domina território e pode ser ponto estratégico contra inimigos. [Aum., nessas acepç.: *chavão, chaveirão.*] **7.** Princípio ou fecho de composição poética ou de outro qualquer trabalho literário. **8.** O que prepara, facilita, explica ou inicia: *chave de um problema.* **9.** Elemento importantíssimo, decisivo: *Por muitos anos Pelé foi a chave da seleção brasileira.* **10.** Relação dos sinônimos ou definições das palavras componentes dos problemas das palavras cruzadas, charadas, etc.; parcial, pedra. **11.** Trespasse de um negócio. **12.** Golpe usado em luta corporal. **13.** Insígnia de posse ou de autoridade. **14.** Palma (da mão). **15.** Largura inferior (do pé). **16.** *Constr.* Remate central e superior duma construção. **17.** *Eletr.* Dispositivo que, segundo a posição que assume, interrompe um circuito elétrico, ou nele introduz um componente. **18.** *Esport.* Em certos campeonatos ou torneios, cada um dos grupos de equipes ou de indivíduos que devem competir entre si para se classificarem para a fase seguinte. **19.** *Inform.* Senha para acesso a um sistema, programa (9) ou dado restrito. **20.** *Inform.* Campo-chave. **21.** *Mat.* Símbolo de agrupamento { }, equivalente ao parêntese (4) (q. v.). **22.** *Mús.* Ferramenta dos afinadores de instrumentos dotados de cravelhas de aço, como, p. ex., o piano e a harpa. **23.** *Paleogr.* Cifra ou convenção de qualquer sistema criptográfico. **24.** *Paleogr.* Sinal gráfico arciforme, quase sempre vertical, usado para abranger linhas ou palavras que devem ser entendidas ou resumidas sob uma só designação. **25.** *Turfe* Cada uma das quatro divisões numeradas de um a quatro, em que se agrupam os cavalos de cada páreo, para efeito de apostas em dupla (4) (q. v.). **26.** *Bras. Zool.* Molusco gastrópode, cipreídeo (*Cypraea zebra*), conhecido das Antilhas ao S. do nosso país Brasil. A concha tem fundo castanho com manchas brancas, sendo a parte voltada para baixo mais escura, às vezes azulada; uma linha ondulada branco-azul percorre longitudinalmente a parte superior da concha; o comprimento é de 7 a 10cm. [Sin., nesta acepç.: *cauri.*] **27.** *Lus. Zool.* Bandeira (14). **28.** Dispositivo ferroviário que permite passar de uma linha férrea a outra contígua; desvio. [Posposto a outro substantivo tem valor adjetivo: *palavra-chave, homem-chave.*] ◆ **Chave Allen.** Chave cuja extremidade é um prisma hexagonal que se pode encaixar no sextavado interno de um parafuso Allen. **Chave bifásica.** *Eletr.* Interruptor de corrente, que tem duas entradas e duas saídas. **Chave bipolar.** *Eletr.* Interruptor de circuito com dois terminais diretamente acessíveis. **Chave de abóbada.** *Arquit.* A pedra do centro que segura a abóbada. **Chave de boca.** Chave fixa que tem na extremidade duas mandíbulas que podem abraçar, lateralmente, a porca ou a cabeça do parafuso. **Chave de cano.** Ferramenta, com mandíbulas ou outro dispositivo de pega, destinada a operar canos, tubos, luvas, cotovelos e outras peças redondas. **Chave de corrente.** Chave para operar tubos e porcas de grandes dimensões, na qual o dispositivo de pega é proporcionado por uma corrente de rolos de comprimento ajustável. **Chave de cruz.** Ferramenta com duas barras redondas dispostas em cruz, com quatro pontas distintas, uma na forma de espátula, duas com sextavados internos de bitolas ger. distintas, e a última com a forma de ponteira afunilada: "o mecânico Cosme, durante uma briga, dera um golpe com uma chave de cruz na cabeça de um sujeito que deixara o carro para reparos, matando-o." (Rubem Fonseca, *Agosto*, p. 46). **Chave de estria.** Chave fixa que tem na extremidade um anel reforçado, com saliências externas, e que abraça a porca ou a cabeça do parafuso em toda a periferia. **Chave de fenda.** Ferramenta do feitio do formão, cuja extremidade se introduz no sulco da cabeça de um parafuso e gira, para o apertar ou afrouxar; chave de parafuso. **Chave de grifa.** Ferramenta para operar tubos, luvas, canos e outras peças redondas, que tem mandíbulas ajustáveis mediante uma rosca sem fim que desliza paralelamente à direção do cabo. [Tb. se diz apenas *grifa.*] **Chave de ignição.** Chave que opera a ignição (2), necessária para o motor do carro começar a funcionar. **Chave de onda.** *Eletrôn.* Chave com vários terminais, utilizada para colocar num circuito diversos componentes. **Chave de ouro. 1.** Remate feliz, de belo efeito, de poesia ou composição literária. **2.** Remate feliz de um acontecimento. **Chave de parafuso.** Chave de fenda. **Chave de roda.** *Autom.* Ferramenta cruciforme com uma chave de porca em cada uma das quatro pontas das barras, para apertar e desapertar as porcas das rodas dos automóveis. **Chave eletrônica.** *Eletr.* Circuito com duas entradas e uma saída, capaz de introduzir, alternadamente, dois sinais diferentes em outro circuito. **Chave falsa.** A que abre uma fechadura que não seja a dela. **Chave inglesa.** Chave de boca, de abertura graduável por meio de uma rosca em espiral. **Chave mestra.** Espécie de gazua com que se abrem todas as portas de um edifício. **Chave monofásica.** *Eletr.* Interruptor de corrente que tem uma entrada e uma saída. **Chave Philips.** Chave de parafuso que tem a ponta afilada, em forma de cruzeta, e se adapta na reentrância da cabeça dos parafusos Philips. **A sete chaves.** Muito bem guardado, com segurança; debaixo de sete chaves: *Guardar, encerrar, fechar a sete chaves.* **Debaixo de sete chaves.** V. *a sete chaves*: "Trazia debaixo de sete chaves documento de tanta significação." (José Lins do Rego, *Meus Verdes Anos*, p. 224.) **Fechar com chave de ouro.** Fechar ou encerrar muito bem: "fechou com chave de ouro o monumental serão, verberando o vândalo sem lei nem grei que havia embebido de sangue o chão daquela França" (Ciro dos Anjos, *A Menina do Sobrado*, p. 133). **Meter na chave.** Prender, encarcerar; passar na chave, passar a chave em. **Passar a chave em.** V. *meter na chave.* **Passar na chave.** V. *meter na chave.* **Ter a(s) chave(s) do cofre.** Controlar o orçamento doméstico, cuidar das despesas.

chaveamento [De *chavear* + *-mento.*] *S. m.* **1.** Ato de chavear. **2.** *Eng. Elétr.* Abertura ou fechamento de contatos de circuito ou de equipamento.

chavear [De *chave* + *-ear*[2].] *V. t. d.* Fechar à chave; trancar. [Conjug.: v. *frear.*]

chave de cadeia *S. 2 g. Bras. Pop.* **1.** Pessoa que, com sua má influência, leva outrem para o caminho do crime: *Aquela mulher é chave de cadeia.* **2.** *P. ext.* Pessoa perigosa, nada confiável, capaz de incriminar alguém. [Pl.: *chaves de cadeia.*] ☑

chaveira *S. f. Veter.* Doença que o cisticerco (q. v.) produz nos animais.

chaveirão[1] [De *chave* + *-eirão.*] *S. m.* Chave grande.

chaveirão[2] [Do fr. *chevron.*] *S. m. Heráld.* Asna (3).

chaveirento [De *chaveira* + *-ento.*] *Adj.* Que tem chaveira; chaveiroso.

chaveiro [De *chave* + *-eiro.*] *S. m.* **1.** Aquele que guarda chaves, como, p. ex., um despenseiro, um carcereiro; claviculário. **2.** Pessoa que faz ou conserta chaves. **3.** Objeto em que se prendem chaves; porta-chaves. **4.** Rodeiro (1).

chaveiroso (ô) [De *chaveiro* + *-oso.*] *Adj.* Chaveirento.

chavelha (ê) [Do lat. *clavicula.*] *S. f.* **1.** Espiga do cabeçalho dos carros, junto à canga. **2.** Timão do arado.

chavelhão [De *chavelha* + *-ão*[1].] *S. m.* Peça de ferro à qual se atrela a segunda junta para puxar o carro ou o arado.

chavelho (ê) [De *chavelha.*] *S. m.* **1.** V. *corno* (1 e 2): "Vinha apontando .... uma manada desenfreada de gado. Era uma massa enorme, ... uma floresta fragorosa de chavelhos" (Viriato Correia, *Contos do Sertão*, pp. 118-119). **2.** *Zool.* Antena de inseto.

chávena [Do mal. *chăvan*, pelo chin. *chā-kvān.*] *S. f.* Xícara ou taça para chá, café e outras bebidas, quentes ou frias.

chaveta (ê) [De *chave* + *-eta* (ê).] *S. f.* **1.** Peça na extremidade dum eixo, para fixar as rodas. **2.** Peça para segurar a cavilha. **3.** Haste em que jogam as dobradiças. **4.** *Bras. SP* Peça de madeira que prende a canga à tiradeira. [Pl.: *chavetas* (ê). Cf. *chaveta* e *chavetas*, do v. *chavetar.*]

chavetar [De *chaveta* + *-ar*[2].] *V. t. d.* **1.** Segurar com chaveta (1). **2.** Introduzir chaveta (2) em. [Pres. ind.: *chaveto, chavetas, chaveta*, etc. Cf. *chaveta* (ê) e pl. *chavetas* (ê).]

chaviano *Adj. S. m.* V. *flaviense.*

chaviense *Adj. 2 g.* **1.** De, ou pertencente ou relativo a Chaves (PA). ● *S. 2 g.* **2.** O natural ou habitante de Chaves.

chavo [Do esp. *ochavo.*] *S. m.* **1.** Moeda insignificante: "enquanto a corte não chegava, uns sacavam dos dados para arriscar alguns chavos e dobrões às escondidas dos espias de João de Olmedo" (Conde de Sabugosa, *Embrechados*, p. 27). **2.** Diminuto valor (em dinheiro).

chazeiro[1] [F. desnasalada de **chanzeiro* < *chã* + *-zeiro*, poss.] *S. m.* Cheda.

chazeiro[2] [De *chá* + *-zeiro.*] *Adj.* Que gosta muito de chá.

ché[1] [Do chin.] *S. f. Mús.* Espécie de cítara chinesa, atualmente com 20 a 25 cordas metálicas. [Cf. *chê.*]

ché[2] [Do esp. plat. *che.*] *Interj.* **1.** *Bras. S.* Indica dúvida ou zombaria; qual: *Você vai nada, ché!* **2.** Usa-se como vocativo: *Tu vais à festa, ché?* [O *ch* é muitas vezes pronunciado à espanhola. F. paral.: *chê.*]

chê *Interj. Bras. S.* Ché[2] (q. v.): "E quando parei e os dois vultos se chegaram, conheci que eram o meu general e o coronel Onofre. E desarmados, chê!..." (Simões Lopes Neto, *Contos Gauchescos e Lendas do Sul*, p. 222.)

checador (ô) [De *checar* + *-dor*.] *Adj. S. m.* **1.** Que, ou aquele que checa. **2.** *Jorn.* Diz-se de, ou profissional de veículo de comunicação cujo trabalho é conferir com as fontes a veracidade de informações jornalísticas.

checagem [De *checar* + *-agem*².] *S. f.* Ato ou efeito de checar: "Ao final do processo de checagem, com absoluta segurança de sua veracidade, a *Folha* publicou a notícia em sua edição de ontem." (*Folha de S.Paulo*, 22.03.1985.)

checar [Do ingl. *(to) check*, 'conferir' (v. *-ar*²).] *V. int. T. i. Bras.* **1.** Conferir, dando baixa. **2.** Confrontar, conferir. *T. d.* **3.** Checar (1 e 2). **4.** Procurar conhecer, ou verificar a(s) causa(s) de: *checar as circunstâncias de um delito.* **5.** *Jorn.* Indagar das fontes de informação sobre a veracidade de (uma notícia). *T. d. e i.* **6.** Confrontar, comparar, conferir: *Chequei sua informação com a que tivera pouco antes.* [Conjug.: v. *trancar*.]

chechene *S. m. Gloss.* A língua caucasiana dos chechênios.

chechénio *S. m. Adj.* V. *chechênio*. [Uso freq. em P.]

chechênio *S. m.* **1.** *Etnôn.* Indivíduo dos chechênios, povo muçulmano do Cáucaso. **2.** O natural ou habitante da Chechênia (república autônoma da Federação Russa). • *Adj.* **3.** De, pertencente, ou relativo à Chechênia, ou aos chechênios, ou à sua língua.

→**check-in** [tʃɛk ɪn] [Ingl.] *S. m.* **1.** Nos aeroportos, o local (ger. balcão) em que o passageiro se apresenta à companhia aérea para que seja feita a conferência de sua passagem, de seus documentos e dados, a emissão do cartão de embarque, e, se houver bagagem, a identificação e o despache. **2.** Essa apresentação, conferência, emissão, identificação e despache. **3.** Nos hotéis, pousadas, etc., o setor de recepção, no qual os hóspedes se registram e recebem a chave do quarto, apartamento, etc. **4.** Esse registro.

→**check-list** ['tʃɛklɪst] [Ingl.] Lista detalhada de itens a serem checados na produção de evento, em procedimentos de segurança, etc.

→**check-out** [tʃɛk awt] [Ingl.] *S. m.* Nos hotéis e pousadas, o procedimento de desocupar o quarto (com verificação de consumo, etc.), fechar e pagar a conta.

→**check-up** ['tʃɛkəp] [Ingl.] *S. m.* **1.** *Med.* Um completo exame de saúde, seja com objetivo profilático, seja para investigar o significado e a extensão de algum indício de doença. **2.** *P. ext.* Exame de saúde geral. **3.** *Fig.* Diagnóstico, análise, de (situação, organização, etc.). [Sin. (acepç. 1 e 2): *vistoria clínica*.]

checo *Adj.* **1.** Da, pertencente ou relativo à antiga Checoslováquia. **2.** Da, pertencente ou relativo à República Checa, formada pela Boêmia e pela Morávia. • *S. m.* **3.** Na antiga Checoslováquia, indivíduo eslavo, natural ou habitante da Boêmia ou da Morávia. **4.** O natural ou habitante da antiga Checoslováquia. **5.** O natural ou habitante da República Checa. **6.** *Gloss.* Língua eslava dos checos; boêmio. [É língua oficial da República Checa.] **7.** Vocábulo dessa língua. [F. paral.: *tcheco*.]

checo-eslovaco *Adj.* **1.** Relativo ou pertencente aos checos e aos eslovacos. • *S. m.* **2.** Aquele que descende de checos e eslovacos. [Pl.: *checo-eslovacos*.]

checoslovaco *Adj.* **1.** Da, pertencente ou relativo à antiga Checoslováquia (Europa Central). • *S. m.* **2.** O natural ou habitante da antiga Checoslováquia. [F. paral.: *tchecoslovaco, tchecoeslovaco, checo-eslovaco*.]

cheda (ê) [Do céltico **cleta*.] *S. f.* Prancha lateral do leito do carro de bois, na qual se metem os fueiros; chazeiro.

→**cheddar** ['tʃɛdər] [Ingl.] *S. m. Cul.* Queijo de leite de vaca, de consistência dura e cor amarelada, originário da cidade de Cheddar, no condado de Somerset (S.O. da Inglaterra).

chedita [Do top. *Chedde* (França) + *-ita*².] *S. f. Expl.* Explosivo à base de perclorato de amônio.

→**cheeseburger** [ˌtʃijz'bʌɡə·] [Ingl.] *S. m. Cul.* Hambúrguer (2) ao qual se acrescenta fatia de queijo sobre a carne na chapa. [Pl.: *cheeseburgers*.]

cheesebúrguer *S. m.* V. *cheeseburger*. [Embora muito us., trata-se de má-adaptação do voc. ingl.] [Pl.: *cheesebúrgueres*.]

→**chef** [ʃɛf] [Fr.] *S. m.* Cozinheiro que dirige a cozinha de um restaurante, hotel, etc.

chefa *S. f. Pop.* Fem. de *chefe* (3).

chefão [De *chefe* + *-ão*¹.] *S. m. Bras.* V. *mandachuva*.

chefatura [De **chefar* (< *chefe* + *-ar*²) + *-tura*.] *S. f.* Chefia.

chefe [Do fr. *chef*.] *S. 2 g.* **1.** O principal entre outros. **2.** Aquele que exerce autoridade, que chefia, dirige: *o chefe do governo.* **3.** O dirigente, o diretor, o patrão: *chefe de uma firma.* **4.** Aquele que comanda ou governa: *o chefe das tropas.* **5.** Capitão, caudilho. **6.** V. *cabeça* (30): *Descobriu-se, afinal, o chefe da revolta.* **7.** *Pop. Fam.* Designação aplicada a pessoa a quem se quer dirigir a palavra ignorando-lhe o nome ou a profissão: *— Bom dia, chefe!* ◆ **Chefe de gabinete.** Pessoa que exerce a chefia de gabinete (5); aquele que é o principal entre os membros de um gabinete (5).

chefe de divisão *S. m.* **1.** V. *hierarquia militar*. **2.** Oficial que detinha o posto de chefe de divisão. [Pl.: *chefes de divisão*.]

chefe de esquadra *S. m.* **1.** V. *hierarquia militar*. **2.** Oficial que detinha o posto de chefe de esquadra. [Pl.: *chefes de esquadra*.]

chefete (ê) [De *chefe* + *-ete* (ê).] *S. m. Deprec.* **1.** Chefe de estabelecimento pequeno ou pouco importante. **2.** Chefe sem prestígio ou autoridade. [Sin. ger.: *chefoide*.]

chefia [De *chefe* + *-ia*¹.] *S. f.* **1.** Dignidade de chefe. **2.** Repartição onde o chefe exerce suas funções. [Sin., nas acepç. (1 e 2): *chefatura*.] **3.** *Bras. Gír.* O chefe; o patrão. **4.** *Antrop. Etnol.* Cargo, eletivo ou hereditário, vitalício ou não, cujo ocupante é investido de autoridade política sobre uma ou mais comunidades. **5.** *Antrop. Etnol.* Essa autoridade, considerada como princípio ou instituição social.

chefiado [Part. de *chefiar*.] *Adj. S. m.* Diz-se de, ou aquele que se acha sob a chefia de alguém.

chefiar [De *chefia* + *-ar*².] *V. t. d.* **1.** Exercer a chefia de. *Int.* **2.** Exercer funções de chefe.

chefoide (ói) [De *chefe* + *-oide*.] *S. 2 g. Deprec.* Chefete. ❖

chega (ê) [Dev. de *chegar*.] *S. m. e f.* **1.** *Fam.* V. *repreensão* (1). [No Brasil é, em geral, do gên. masc.] • *Prep.* **2.** *Bras. Pop.* Até, mesmo: "o pano do vestido chega estava estufando, no lugar das bolinhas dos seios." (José Bezerra Filho, *Fogo!*, p. 59); "E a peia no lombo, que chega cantava de longe." (José Lins do Rego, *Banguê*, p. 18); "O jorro chega ia para lá do sumidouro e escorria por riba do chão." (Bernardo Élis, *Veranico de Janeiro*, p. 144). • *Interj.* **3.** Não mais; basta: "Por que bebes tanto assim rapaz? / Chega, já é demais." (Noel Rosa e Rubens Soares, no samba *É bom parar*.)

chegada [De *chegar* + *-ada*¹.] *S. f.* **1.** Ato ou efeito de chegar. [Sin.: *chegamento* (p. us.) e *chegança* (ant.).] **2.** Termo do movimento de ida ou vinda. **3.** Aproximação, avizinhação. **4.** *Fam.* V. *repreensão* (1). ◆ **Dar uma chegada.** Aparecer rapidamente (em algum lugar): "ia, então, até a botica .... ou dava uma chegada ao armazém do Pires." (Coelho Neto, *Treva*, p. 165).

chegadeira [De *chegar* + *-deira*.] *S. f.* Utensílio de ferreiro para chegar carvão à forja.

chegadela [De *chegar* + *-dela*.] *S. f.* **1.** Aproximação de objetos afastados. **2.** Chegada (1) rápida. **3.** *Fig.* V. *repreensão* (1). **4.** V. *surra* (1).

chegadiço [De *chegar* + *-(d)iço*¹.] *Adj. S. m. Ant.* **1.** Adventício. **2.** Metediço, intrometido.

chegadinha [F. subst. do dim. de *chegado*.] *S. f. Bras. Bot.* Erva lamiácea (*Aeollanthus suavis*) originária da África, de ramos pubescentes, folhas denteadas, e flores lilases em espigas; tem propriedades medicinais e fornece óleo essencial us. em perfumaria.

chegado [Part. de *chegar*.] *Adj.* **1.** *Bras.* Dado, inclinado, propenso: *É chegado a bebidas.* **2.** Próximo, contíguo. **3.** Em grau muito próximo; próximo: *parente chegado*; "Gastão [Gastão da Cunha] era nosso primo chegado." (Afonso Arinos de Melo Franco, *Alto-Mar. Maralto*, p. 136). **4.** Estreitamente ligado por afeição; íntimo: *amigo chegado.*

chegador (ô) [De *chegar* + *-dor*.] *S. m.* **1.** Aquele que chega. **2.** Aquele que mete lenha ou carvão em fornalhas. **3.** *Ant.* Cobrador de rendas ou foros. • *Adj.* **4.** *Bras. RS* V. *valentão* (1).

chega-e-vira [De *chegar* + *e*² + *virar*.] *S. f. 2 n. Bras. MA Zool.* V. *irerê*.

chegamento [De *chegar* + *-mento*.] *S. m.* **1.** *P. us.* V. *chegada* (1). **2.** *Ant.* Citação judicial.

chegança [De *chegar* + *-ança*.] *S. f.* **1.** *Ant.* V. *chegada* (1). **2.** Certa dança erótica do séc. XVIII. **3.** *Bras. Folcl.* Folguedo popular natalino, em que se armam, em plena praça pública, grandes barcos ou naus de guerra, e os folgazões ou maruja figuram uma expedição naval, no decurso da qual se travam combates com os mouros e se cantam feitos heroicos: "Havia também alguns grupos de cheganças, que representavam no meio das ruas ou das praças, alguns se fazendo de marinheiros, que eram os portugueses, que lutavam e venciam os que se faziam de turcos." (Ana Maria Gonçalves, *Um Defeito de Cor*, p. 482). **4.** *Bras. N.E. Folcl.* V. *fandango* (10). ~ V. *cheganças*.

cheganças [Pl. de *chegança*.] *S. f. pl. Bras.* Visitas que nas festas de Natal e Reis os festeiros fazem às casas, onde já são esperados, para seus folguedos. ~ V. *chegança*.

chegança [De *chegar* + *-anço*.] *S. m.* **1.** *Pop.* V. *repreensão* (1). **2.** No bilhar, tacada que obriga a bola a recuar ou a formar ângulo com a posição do taco.

chega pra lá [De *chegar* + *para* + *lá*.] *S. m. 2 n.* **1.** *Bras. Pop.* V. *descompostura* (2). **2.** *Esport. Pop.* Golpe aplicado ger. com o tronco, o ombro ou o cotovelo (por vezes o braço), com a intenção de desequilibrar ou tirar o adversário da jogada.

chegar [Do lat. vulg. *plicare*, 'dobrar', der. regress. de *applicare*, 'abordar', 'arribar'.] *V. int.* **1.** Estar acontecendo, ou para acontecer; vir: *Chegou, enfim, a hora da eleição.* **2.** Atingir o termo do movimento de ida ou vinda: *Depois de longa ausência, meu amigo chegou.* **3.** Atingir certo lugar: *Demoraram muito, mas chegaram.* **4.** Acontecer, suceder, sobrevir: *Chegou, de repente, a desgraça, quando tudo ia tão bem.* **5.** Começar: *Chegou o verão.* **6.** *Bras.* Ser suficiente; bastar: *Ofereci-lhe mais dinheiro, mas ele disse que aquele chegava;* "Viver somente de cartaz não chega" (Pedro Caetano, no samba *Onde Estão os Tamborins?*) **7.** *Bras.* Ir embora; retirar-se: *Com medo da chuva, disse que já ia chegando.* *T. i.* **8.** Elevar-se; orçar: *Seus gastos chegam a centenas de reais.* **9.** Atingir o ponto de; alcançar: *A técnica chegou, no século XX, a um grande aperfeiçoamento.* **10.** Ir ao extremo de; ir a ponto de: *Estava tão enfraquecido que chegou a cair;* "explica que esse [Van Gogh] foi um pintor notável mas esquisito à beça, chegou um dia a cortar a orelha direita (ou esquerda?) para mandar embrulhada num papel de presente para uma dona..." (Lígia Fagundes Teles, *A Disciplina do Amor*, p. 85). **11.** Conseguir, lograr: *Apesar das palavras amáveis, não cheguei a sensibilizá-lo.* **12.** Igualar-se; comparar-se: *É muito inteligente, mas não chega à irmã.* **13.** Ser bastante; bastar: "— Mas isto é uma bagatela; não é uma fortuna! | — Chega-me" (José de Alencar, *Lucíola*, p. 171). *T. c.* **14.** Chegar (3): *Finalmente o trem chegou a São Paulo.* **15.** Atingir, alcançar; vir: *Não chega à última prateleira da estante.* **16.** Ser vizinho a; estar nos limites de: *Suas terras chegam à fronteira.* **17.** Ser caminho, ou passagem, para; ir ter a: *Esta estrada chega até o Rio.* **18.** Ter início; começar: *A primavera chega no dia 21 de setembro.* *T. d.* **19.** Pôr perto de; aproximar: *Chegue a sua cadeira, quero-lhe falar.* **20.** Levar (uma fêmea) à padreação. *T. d. e i.* **21.** Pôr perto; aproximar: "Quincas Borba procurou com os pés as chinelas; Rubião chegou-lhas" (Machado de Assis, *Quincas Borba*, p. 8); *Chegou os lábios ao copo.* **22.** *Bras. N.E.* Oferecer como preço para compra: *Cheguei meio milhão pela casa, mas o dono não quis vendê-la.* *P.* **23.** Aproximar-se, avizinhar-se, acercar-se; achegar-se: "Chegou-se a ele e bateu-lhe brandamente no ombro." (Alexandre Herculano, *O Monge de Cister*, II, p. 37); "Ele chegou-se-lhe e mostrou-lhe um maço de cédulas" (Machado de Assis, *Páginas Recolhidas*, p. 168); "Chegou-se ao espelho, olhou-se, contente consigo mesmo." (Diná Silveira de Queirós, *As Noites do Morro do Encanto*, p. 197). **24.** Conformar-se; amoldar-se: *Chega-te à realidade, homem!* [Conjug.: v. *largar*; tem o e fechado nas f. rizotônicas: *chego* (ê), *chegas* (ê), *chega* (ê), *chegam* (ê), *chegue* (ê), etc.]

cheia [F. subst. do adj. *cheio*.] *S. f.* **1.** Enchente (1). **2.** *Fig.* Grande quantidade; porção.

cheiene [Do dacota *Shaiyena* (< dacota *shaia*, 'falar de modo incompreensível'), pelo ingl. *Cheyenne*.] *S. 2 g.* **1.** *Etnôn.* Indivíduo dos cheienes, povo indígena do O. dos E.U.A. • *S. m.* **2.** *Gloss.* Língua algonquiana falada por esse povo. • *Adj. 2 g.* **3.** Pertencente ou relativo aos cheienes, ou à sua língua.

cheio [Do lat. *plenu*, por via pop.] *Adj.* **1.** Que contém tudo que sua capacidade comporta; pleno, completo: *garrafa cheia de água.* **2.** Que abunda em alguma coisa: *vestido cheio de nódoas.* **3.** Muito cheio (1); repleto: *teatro cheio de gente.* **4.** Que tem ou apresenta algo em alto grau: *cheio de problemas; cheio de saudade; cheio de vida.* **5.** Maciço, compacto. **6.** Que não apresenta interrupção (traço). **7.** Rico, abastado. **8.** Atarefado, azafamado. **9.** Bem-sucedido, feliz. **10.** Nutrido, gordo: "faces lisas cheias e coradas." (Rebelo da Silva, *Contos e Lendas*, p. 58). **11.** *Tip.* Numa composição, trecho constituído só de texto, por oposição às partes formadas de títulos, tabelas, etc. [Cf., nesta acepç., *composição cheia, composição de cheio e linha cheia*.] **12.** *Bras. Fam.* Diz-se de qualquer animal e, pejorativamente, da mulher, em estado de gravidez. **13.** *Bras. Gír.* Aborrecido; farto: *Está cheio daquele ambiente.* ~ V. *composição —a, dia —, linha —a, lua —a, página —a, ponto — tijolo —* e *voz —a.* [Superl. abs. sint.: *cheíssimo* ou *cheiíssimo*.] • *S. m.* **14.** *Arquit.* Porção de parede desprovida de vãos [v. *vão* (10)]; espaço entre dois vãos. **15.** *Bras. SE* As folhas da maconha. ◆ **Em cheio.** **1.** De maneira plena; plenamente; de todo: "A lua nas janelas bate em cheio." (Castro Alves, *Poesias Escolhidas*, p. 67); "A notícia agradou em cheio ao auditório" (Carlos Drummond de Andrade, *A Bolsa & a Vida*, p. 142). **2.** Exatamente, precisamente; bem: *O tiro acertou em cheio;* "Esta coluna [Zózimo] acertou em cheio quando, há dois meses, apontou o filme

Missing como o grande vencedor do Festival de Cannes." (*Jornal do Brasil*, 27.05.1982).

cheira-cheira [Da reduplic. da 3.ª pess. sing. do pres. ind. de *cheirar*.] ***S. 2 g. e 2 n.*** *Bras. Gír.* V. *bajulador* (2).

cheiradeira [De *cheirar* + *-deira*.] ***S. f.*** Caixa para rapé ou tabaco, com orifício.

cheirador (ô) [De *cheirar* + *-dor*.] ***S. m.*** Aquele que cheira.

cheirante [De *cheirar* + *-nte*.] ***Adj. 2 g.*** *P. us.* V. *cheiroso*.

cheirar [Do lat. vulg. **flagare* < lat. cláss. *fragare*.] ***V. t. d.*** **1.** Tomar o cheiro de; aplicar o sentido do olfato a. **2.** Introduzir no nariz, aspirando (rapé, etc.). **3.** Reconhecer pelo cheiro: *Mal entrou em casa, cheirou o frango assado.* **4.** *Pop.* Procurar; bisbilhotar: *Tanto indagou, que lhe perguntaram o que viera cheirar ali.* **5.** *Pop.* Calcular; suspeitar: *Cheirou logo os milhões que aquele negócio daria de lucro.* ***T. i.*** **6.** Exalar determinado cheiro: "Eu descera ao jardim. Cheirava a heliotrópio" (Menotti del Picchia, *As Máscaras*, p. XII). **7.** Ter aparência, viso ou semelhança: *Este negócio cheira a tramoia.* **8.** *Bras.* Causar boa ou má impressão a: *Este assunto não me cheira bem.* ***Int.*** **9.** Exalar cheiro: *Há flores que não cheiram;* "Os ventos vagabundos batem, bolem / Nas árvores. O ar cheira. A terra cheira..." (Augusto dos Anjos, *Eu*, p. 82). **10.** Cheirar mal: *O defunto já está cheirando.* **11.** Exercer ou aplicar o sentido do olfato: "Prova. Olha. Toca. Cheira. Escuta. / Cada sentido é um dom divino." (Manuel Bandeira, *Estrela da Vida Inteira*, p. 20.) **12.** *Bras.* Dar indícios de ser (bom ou mau, etc.); parecer: *O negócio cheira bem; Essa história está cheirando mal.* [Pres. ind.: *cheiro, cheiras, cheira*, etc. Cf. *xero* e *xera*.]

cheireta (ê) [De *cheirar* + *-eta* (ê).] ***S. 2 g.*** *Bras. Pop.* V. *xereta*.

cheirete (ê) [De *cheiro* + *-ete* (ê).] ***S. m.*** *Lus. Pop.* Cheiro ruim, fedor.

cheirinho da loló ***S. m.*** *Bras.* Mistura, de fabricação caseira, que contém uma ou mais substâncias anestésicas líquidas, cujos efeitos embriagantes se assemelham aos do lança-perfume (q. v.). [Pl.: *cheirinhos da loló*. Tb. se diz apenas *loló*.] ☑

cheiro [Dev. de *cheirar*.] ***S. m.*** **1.** Impressão produzida no olfato pelas partículas odoríferas. **2.** Cheiro agradável; perfume, aroma, odor, fragrância, olor. **3.** Mau cheiro; fedor, fetidez. **4.** Essência aromática; perfume: "Cadê meu frasco de cheiro que teu sinhô me mandou?" (Jorge de Lima, *Obra Completa*, I, p. 392.) **5.** Olfato, faro. **6.** Indício, vestígio, rastro. **7.** *Bras. Bot.* V. *cheiros* (2). **8.** *Bras. MA Bot.* Coentro. **9.** *Bras. N.E.* Aspiração nasal de carinho: *— Dei um cheiro na morena.* **10.** *Bras.* V. *sachê*. [Cf. *xero*.] ~ V. *cheiros*. ◆ **Cheiro de santidade.** **1.** Cheiro que, segundo a tradição religiosa popular, exalam os cadáveres dos santos. **2.** *P. ext.* Estado de graça permanente de uma pessoa, o qual faz presumir sua admissão no rol dos santos. [Sin. ger.: *odor de santidade*.] **Nem sentir o cheiro de.** *Pop.* Não chegar perto sequer, ou não chegar sequer a tocar.

cheiros ***S. m. pl.*** **1.** Essências aromáticas. **2.** *Bot.* Temperos verdes, como salsa, cebolinha, coentro e outros; cheiro, cheiro-verde. ~ V. *cheiro*.

cheiroso (ô) [De *cheiro* + *-oso*.] ***Adj.*** Que tem cheiro agradável; perfumado, aromático. [Sin. (p. us.): *cheirante*.] ~ V. *barbantinho —*.

cheiro-verde ***S. m.*** *Bras. Bot.* V. *cheiros* (2): "a banha derrete-se, solta e refoga as pevides com mais a cebola, o alho, o cheiro-verde, a salsa e muita pimenta." (Pedro Nava, *Baú de Ossos*, p. 125). [Pl.: *cheiros-verdes*.]

chela [Do hindi *cela* < sânscr. *ceta, cetaka*, 'criado'.] ***S. m.*** Noviço do budismo esotérico.

chelpa (ê) ***S. f.*** *Lus. Pop.* V. *dinheiro* (5): "Quando daqui saiu não passava de um pobre rapaz sem proteções e sem chelpa" (Fialho d'Almeida, *Contos*, p. 158).

chem-chem ***S. m.*** Som imitativo da voz do corvo. [Pl.: *chem-chens*.]

→**chemise** [ʃəˈmiz] [Fr.] ***S. m.*** *Vest.* Blusa feminina de feitio semelhante ao da camisa social masculina, ger. com manga comprida. [Sin., lus.: *camiseiro*.]

→**chemisier** [ʃəmiˈzje] [Fr.] ***Adj. 2 g. e 2 n.*** *Vest.* **1.** Diz-se da roupa feminina de feitio e confecção semelhantes aos da camisa social (q. v.): *blusa chemisier.* ● ***S. m.*** **2.** Vestido *chemisier*.

chenile [Do fr. *chenille*.] ***S. f.*** *Tec. Têx.* **1.** Fio aveludado de algodão, seda, lã ou raiom. **2.** Tecido feito com esse tipo de fio, muito us. em decoração, na confecção de colchas, almofadões, etc.

→**chenin blanc** [ʃəˈnɛ̃ blɑ̃] [Fr.] ***S. m.*** **1.** *Vitic.* Casta nobre de uva branca, cultivada no vale do rio Loire (França) e na Califórnia (N.O dos E.U.A.). **2.** *Enol.* Vinho produzido com essa uva.

chepe-chepe [Voc. onom.] ***S. m.*** *Bras. MA* Alagadiço (3). [Pl.: *chepe-chepes*.]

cheque [Do ingl. *cheque*, norte-americano *check*.] ***S. m.*** *Econ.* Ordem de pagamento de determinada quantia dirigida a um banco, por pessoa ou firma que aí tenha conta de depósito, em favor de outra pessoa ou firma. ◆ **Cheque administrativo.** *Econ.* O que é emitido por um banco contra esse mesmo banco; cheque bancário, cheque de caixa, cheque de tesouraria. **Cheque ao portador.** *Econ.* O que é pagável a quem o apresentar ao banco. **Cheque bancário.** *Econ.* V. *cheque administrativo*. **Cheque borrachudo.** *Bras. Gír.* Aquele que, por insuficiência de fundos, vai e volta para a mão do emitente; cheque-borracha. **Cheque bumerangue.** *Bras. RJ Gír.* Aquele que, por preenchimento conscientemente incorreto, volta à mão do emitente. **Cheque cruzado.** *Econ.* Cheque sobre o qual se traçam ou carimbam duas linhas em diagonal, o que significa só poder ser pago a banco, e, se o cruzamento levar o nome de um banco, só a esse banco. **Cheque de caixa.** *Econ.* V. *cheque administrativo*. **Cheque de tesouraria.** *Econ.* V. *cheque administrativo*. **Cheque de viagem.** *Econ.* Cheque de quantia prefixada, ger. expressa em dólares dos E.U.A., emitido contra instituição financeira internacional e pagável em qualquer país, e que requer, por segurança, duas assinaturas do emitente (uma na compra do cheque e outra quando de sua utilização). [Sin. (ingl.): *traveller's cheque*.] **Cheque especial.** *Bras.* Aquele que tem cobertura máxima de saque previamente estabelecida, ainda que o emitente não tenha em sua conta fundos correspondentes. **Cheque nominal.** *Econ.* O que é pagável apenas a quem nele se especifica; cheque nominativo. **Cheque nominativo.** *Econ.* Cheque nominal. **Cheque pré-datado.** O que é emitido para pagamento em data futura. **Cheque visado.** *Econ.* Aquele em que o banco após seu visto, indicando que a quantia respectiva foi debitada da conta do emitente e se encontra à disposição do favorecido. **Cheque voador.** *Bras. RJ Gír.* O que é emitido em fim de semana, ou em véspera de feriado, no final do expediente bancário, para que o emitente tenha tempo de fazer a cobertura dele.

cheque-borracha ***S. m.*** *Bras. RJ Gír.* Cheque borrachudo. [Pl.: *cheques-borrachas* e *cheques-borracha*.]

cheque-ouro ***S. m.*** *Bras.* Cheque especial (q. v.) concedido pelo Banco do Brasil. [Pl.: *cheques-ouros* e *cheques-ouro*.]

chercónia ***S. f.*** *Tec. Têx.* V. *chercônia*. [Uso freq. em P.]

chercônia ***S. f.*** *Tec. Têx.* Tecido indiano de seda e algodão.

chererém [Var. de *xereré*.] ***S. m.*** *Bras. GO* V. *garoa*[1] (3).

cherimólia [Do hisp.-amer. *chirimoya*, de or. quíchua.] ***S. f.*** **1.** *Bot.* Arbusto anonáceo (*Annona cherimolia*) de flores solitárias aromáticas, amareladas, e cujo fruto é sincarpo globoso, com protuberâncias arredondadas, e polpa branca, doce, saborosa, comestível crua, e que dá excelente licor. **2.** O fruto dessa planta.

cherivia ***S. f.*** *Bot.* V. *chirivia*.

cherívia ***S. f.*** *Bot.* V. *chirivia*.

cherna [Do lat. tard. *acernia*.] ***S. f.*** *Bras. Zool.* V. *cherne*.

cherna-preta ***S. f.*** *Bras. Zool.* V. *cherne*. [Pl.: *chernas-pretas*.]

cherne [Var. de *cherna*.] ***S. m.*** *Bras. Zool.* Peixe teleósteo, perciforme, serranídeo (*Epinephelus niveatus*), do Mediterrâneo e do Atlântico, de coloração chocolate, ou quase cinérea, comprimento de até 2m, e peso de até 400kg. O jovem tem o corpo com máculas ou pontos brancos. Frequenta lugares lodosos. [Sin.: *cherna, cherna-preta, cherne-pintado, chernete, chernote, mero-preto, cerigado-cherne, cerigado-tapoã*.]

cherne-pintado ***S. m.*** *Bras. Zool.* V. *cherne*. [Pl.: *chernes-pintados*.]

chernete (ê) [De *cherne* + *-ete* (ê).] ***S. m.*** *Bras. Zool.* V. *cherne*.

cherne-vermelho ***S. m.*** *Bras. Zool.* V. *vermelho*[2] (1). [Pl.: *chernes-vermelhos*.]

chernote [De *cherne* + *-ote*[1].] ***S. m.*** *Bras. Zool.* V. *cherne*.

→**chernozem** [tʃerˈnozem \ tʃɔrˈnoziom] [Rus., 'terra negra'.] ***S. m.*** Terra vegetal negra, fértil e humosa do S. da Rússia, própria para cereais.

cheroqui [Do *creek tciloki*, 'povo de língua diferente', pelo ingl. *Cherokee*.] ***S. 2 g.*** **1.** *Etnôn.* Indivíduo dos cheroquis, povo indígena originário do Tennessee e da Carolina do Norte (E.U.A.). ● ***S. m.*** **2.** *Gloss.* Língua indígena do grupo iroquês falada pelos cheroquis. ● ***Adj. 2 g.*** **3.** Pertencente ou relativo aos cheroquis ou à sua língua.

→**cherry** [ˈtʃɛɹij] [Ingl.] ***S. m.*** Licor de cerejas.

cheruvia ***S. f.*** *Bot.* V. *chirivia*.

■ **Chesf** Sigla de *Companhia Hidrelétrica do São Francisco*.

chesmininés ***S. m. pl.*** *Burl.* Atavios, adornos. ◆ **Dar nos chesmininés.** Dar na trilha.

cheta (ê) [De or. obsc.] ***S. f.*** *Gír.* **1.** Pequena moeda de cobre. **2.** Pouco dinheiro. **3.** Um vintém: "Puseram-se a andar sem me pagarem cheta!" (José Régio, *Histórias de Mulheres*, p. 32.) **4.** *Bras.* Qualquer quantia de dinheiro: "apenas o amigo Artur recebesse a primeira cheta, mandava-lhe um vale do correio e ele ia a Lisboa." (Eça de Queirós, *A Capital*, pp. 108-109). **5.** *Bras. AL* Liberdade, ousadia, confiança: *Não gosta que tomem cheta com ele.* [Cf. *xeta*.]

cheua ***S. m.*** *Gloss.* Nianja.

chevá ***S. m.*** *E. Ling.* V. *chuá*[1].

→**chevalier servant** [ʃəvaˈlje sɛʁˈvɑ̃] [Fr.] ***Loc. S. m.*** Aquele que acompanha uma mulher, de modo assíduo e cavalheiresco: "Na verdade, só o Newton amou as Deidades, foi seu paladino, seu *chevalier servant*." (Ciro dos Anjos, *A Menina do Sobrado*, p. 255.)

cheviote [Do top. *Cheviots* (Escócia), onde se criam carneiros de cuja lã se faz este tecido.] ***S. m.*** *Tec. Têx.* Tecido inglês de lã: "Que a esse povo seja permitido .... refrigerar o corpo com cheviotes claros, alegres e leves" (Eça de Queirós, *Ecos de Paris*, p. 63).

→**chevron** [ʃəˈvʁɔ̃] [Fr.] ***S. m.*** *Tec. Têx.* Espinha de peixe (q. v.).

→**chez** [ʃe] [Fr., do fr. ant. *chiese*, 'casa', < lat. *casa*.] ***Prep.*** Em casa de; no estabelecimento de.

chi ***Interj.*** *Moç.* V. *xi*[2]: "Chi!... Valia a pena?" (Ascêncio de Freitas, *E as Raiva Passa Por Cima...*, p. 61.)

chiada [De *chiar* + *-ada*[1].] ***S. f.*** **1.** Ato ou efeito de chiar; chio. **2.** Conjunto de vozes agudas e desagradáveis. [Sin. ger.: *chiado*.]

chiadeira [De *chiar* + *-deira*.] ***S. f.*** **1.** Som agudo, prolongado e desagradável: "Lá fora ouviam-se a chiadeira dos grilos e o pio agoureiro dalguma ave noturna" (Inglês de Sousa, *O Missionário*, p. 330). **2.** Gritaria importuna de vozes agudas e desafinadas. **3.** *Fig.* Pedido ou queixa impertinente e reiterada.

chiado ***S. m.*** **1.** V. *chiada*. **2.** Qualquer ruído contínuo semelhante ao chio (1 e 2).

chiadorense ***Adj. 2 g.*** **1.** De, ou pertencente ou relativo a Chiador (MG). ● ***S. 2 g.*** **2.** O natural ou habitante de Chiador.

chiante [De *chiar* + *-nte*.] ***Adj. 2 g.*** **1.** Que chia. **2.** *E. Ling.* Diz-se das consoantes fricativas palatais, representadas na grafia do português por *ch*, como em *chave*, por *x*, como em *xícara*, por *j*, como em *janela*, ou por *g*, como em *gelo*. ● ***S. f.*** **3.** *E. Ling.* Consoante chiante (q. v.).

→**chianti** [kiˈanti] [It.] ***S. m.*** *Enol.* Vinho tinto ger. vendido em garrafas bojudas envoltas em palha e produzido na província de Siena (região da Toscana, N. da Itália); os melhores vêm de uma área situada entre Florença e Siena e têm a denominação de *chianti classico*.

chiapetense ***Adj. 2 g.*** **1.** De, ou pertencente ou relativo a Chiapeta (RS). ● ***S. 2 g.*** **2.** O natural ou habitante de Chiapeta.

chiar [De or. onom.] ***V. int.*** **1.** Emitir chio (1 a 3): *As rodas da carruagem chiavam por falta de graxa; Os ratos chiam;* "As cigarras chiam nas oliveiras" (Fialho d'Almeida, *A Cidade do Vício*, p. 8). **2.** Produzir som semelhante ao de coisa a ferver ou frigir: "Fazia o toucinho chiar no braseiro" (Chico Anísio, *Teje Preso*, p. 166). **3.** *E. Ling.* Soar como um fonema chiante. **4.** *Fig.* Esbravejar de cólera; vociferar. **5.** *Bras. Gír.* Protestar, reclamar: *O patrão exigiu-lhe mais horas e preveniu-o de que seria despedido, caso chiasse.*

chiata [De *chiar* + *-ata*.] ***S. f.*** *Bras. N.* V. *graça* (6).

chiatar [De *chiata* + *-ar*[2].] ***V. int.*** *Bras. N.* Dizer chiatas.

chiba[1] [De or. express.; esp. *chiva*.] ***S. f.*** Cabra nova; cabrita. [Cf. *xiba*.]

chiba[2] ***S. f.*** *Prov. port.* Empola (1) em mão não calejada. [Cf. *xiba*.]

chibalo [Do tsonga.] ***S. m.*** *Moç.* **1.** Contrato (6) (q. v.): "foi preso para ajustar as contas do imposto atrasado. O que quase sempre levava ao chibalo." (Hortêncio Langa, *Magoda*, p. 53). **2.** Contratado (4) (q. v.): "Voluntários? Talvez aparecessem. Mais caros que os chibalos." (Rodrigues Júnior, *Calanga*, p. 259.)

chibamba ***S. m.*** *Bras. MG Folcl.* Ente fantástico que, segundo a crença popular, ronca à maneira de porco e vem, coberto de folhas de bananeira, amedrontar as crianças.

chibanca ***S. f.*** Ferramenta para destocar os terrenos, semelhante a um alvião, com um lado para cavar a terra e o outro para cortar as raízes e o tronco das árvores.

chibança [De *chibar* + *-ança*.] ***S. f.*** *Pop.* **1.** Qualidade ou modos de chibante. **2.** V. *fanfarrice*. [Sin. ger.: *chibantaria, chibantice, chibantismo*.]

chibantaria [De *chibante* + *-aria*.] ***S. f.*** V. *chibança*.

chibante [De *chibar* + *-nte*.] ***Adj. 2 g.*** **1.** Rixoso, brigão, valentão. **2.** V. *fanfarrão* (1). **3.** Orgulhoso, altivo, soberbo. **4.** Casquilho, janota: "sentia .... não poder trazer essa filha bem garrida e chibante, coberta dos mais finos e vistosos enfeites." (Alberto Rangel, *Sombras n'Água*, p. 143). ● ***S. 2 g.*** **5.** Pessoa chibante. **6.** V. *fanfarrão* (2). ● ***S. m.*** **7.** *Bras.* V. *assobiador* (4). **8.** *Bot.* V. *cega-olho* (1).

chibantear [De *chibante* + *-ear*[2].] ***V. int.*** Mostrar-se chibante, ostentar valentias; chibar. [Conjug.: v. *frear*.]

chibantesco (ê) [De *chibante* + *-esco*.] ***Adj.*** Em que há chibança.

chibantice [De *chibante* + *-ice*.] ***S. f.*** V. *chibança*.

chibantismo [De *chibante* + *-ismo*.] ***S. m.*** V. *chibança*.
chibar [De *chiba*[1] + *-ar*[2].] ***V. int.*** Chibantear: 📖 "Marcha com desembaraço / O noivo e, bizarro e moço, / Chibando vem" (Raimundo Correia, *Poesias*, p. 87).
chibarrada [De *chibarro* + *-ada*[1].] ***S. f.*** Rebanho de gado caprino. [Cf. *fato*[2] (3).]
chibarreiro [De *chibarro* + *-eiro*.] ***S. m.*** Guarda de chibarros [v. *chibarro* (1)]; cabreiro.
chibarro [De *chibo* (1).] ***S. m.*** **1.** Chibo (1) castrado. **2.** *Bras. Pej.* V. *mestiço* (3).
chibata [Do esp. *chivata*.] ***S. f.*** **1.** Vara delgada para fustigar; junco. **2.** *P. ext. Bras.* V. *chicote* (1). **3.** *Bras. RJ Cap.* Golpe traumatizante em que o capoeirista, após dar uma rasteira (q. v.) não certeira, se apoia no chão com uma das mãos e ergue o corpo para atingir o adversário com um dos pés, girando o corpo em sentido contrário ao movimento da rasteira e deixando a outra perna estendida no ar, de modo a impedir que o adversário se aproxime. [Sin. (BA): *chapéu de couro*.] **4.** *Bras. N.E. Chulo* O membro viril.
chibatã [De or. obsc.] ***S. m.*** *Bras. Bot.* V. *gonçalo-alves*.
chibatada [De *chibata* + *-ada*[1].] ***S. f.*** Pancada de chibata; chicotada.
chibatar [De *chibata* + *-ar*[2].] ***V. t. d.*** V. *chibatear*: 📖 "prosseguiu no passeio, chibatando .... as florinhas que se abriam" (Camilo Castelo Branco, *O Bem e o Mal*, p. 83).
chibatear [De *chibata* + *-ear*[2].] ***V. t. d.*** **1.** Bater, fustigar com chibata; chicotear, chibatar. **2.** *P. ext.* Golpear, ou atingir, como se o fizesse com chibata. [Conjug.: v. *frear*.]
chibateiro ***Adj.*** *Bras. AL Pop.* Ordinário, reles, vagabundo. [Diz-se, em geral, de prostituta.]
chibato [Do esp. *chivato*.] ***S. m.*** Cabrito entre seis meses e um ano: 📖 "Ovelhas, cabras, chibatos, anhos" (Conde de Monsaraz, *Musa Alentejana*, p. 151).
chibcha ***S. 2 g.*** **1.** *Etnôn.* Indivíduo dos chibchas, povo encontrado pelos espanhóis em Nova Granada no séc. XVI. ● ***S. m.*** **2.** *Gloss.* Grande família linguística do N. O. da América do Sul. ● ***Adj. 2 g.*** **3.** Pertencente ou relativo aos chibchas. [Sin. ger.: *muísca*.]
chibé [Var. de *xibé*.] ***S. m.*** *Bras. AM PA MA* V. *jacuba* (1).
chibo [Do esp. *chivo*.] ***S. m.*** **1.** Cabrito de até um ano. **2.** *Bras. RS* Cabrito inteiro, não castrado.
chibungo [De or. incerta.] ***S. m.*** *Bras. BA Pej.* Homossexual masculino.
chica [Do hipocorístico *Chica*, de *Francisca*.] ***S. f.*** **1.** Certa bebida alcoólica. **2.** Certa dança de origem africana, marcada por sapateados fortes e requebros dos quadris. **3.** *Bras. Pop.* V. *guimba*. **4.** *Bras. Bot.* V. *piranga*[2] (3).
chiça *Lus. Pleb.* ***Interj.*** **1.** Indica desprezo, irritação. ● ***S. f.*** **2.** Droga, merda: 🗎 *Que chiça é aquela?*
chicana [Do fr. *chicane*.] ***S. f.*** **1.** Sutileza capciosa, em questões judiciais. **2.** Ardil, astúcia, tramoia. [Sin. ger.: *chicanice*.]
chicanar [De *chicana* + *-ar*[2].] ***V. int.*** Chicanear.
chicanear [De *chicana* + *-ear*[2].] ***V. int.*** **1.** Fazer chicana (1). **2.** Contestar sem fundamento. **3.** Suscitar dificuldades, por capricho e má-fé. [Sin. ger.: *chicanar*. Conjug.: *v. frear*.]
chicaneiro [De *chicana* + *-eiro*.] ***Adj. S. m.*** Que, ou aquele que é dado a chicanas forenses; trapaceiro; chicanista.
chicanice [De *chicana* + *-ice*.] ***S. f.*** **1.** Emprego de chicana. **2.** V. *chicana*.
chicanista [De *chicana* + *-ista*.] ***Adj. 2 g. S. 2 g.*** V. *chicaneiro*.
chicante [De **chicar* (< *chique*[2] + *-ar*[2]) + *-nte*.] ***Adj. 2 g.*** *Bras. N. Pop.* Bem vestido; chique.
chicarola [Alter. de *escarola*.] ***S. f.*** *Bot.* V. *endívia*.
chica-velha ***S. f.*** *Zool.* V. *maria-mole* (6). [Pl.: *chicas-velhas*.]
chicha[1] ***S. f.*** *Inf.* **1.** Carne[1] (3). **2.** Qualquer gulodice.
chicha[2] [De or. indígena, pelo hisp.-amer. *chicha*.] ***S. f.*** *Bras.* Bebida fermentada, em geral feita de milho, mas tb. de sementes de frutas, tubérculos ou mel.
chicha[3] [Alter. de *chouriça*, poss.] ***S. f.*** *Lus. Pop.* **1.** Tradução interlinear. **2.** Apontamento, nota, em livro. **3.** Apostila. **4.** *Gír.* Cola[1] (2) soprada por um aluno ao outro.
chícharo [Do lat. *cicere*, 'grão-de-bico'.] ***S. m.*** *Bras. RJ SP RS Bot.* Planta fabácea (*Lathyrus silvestris*) trepadora ou prostrada, dotada de flores grandes, variegadas, dispostas em racimos frouxos e pedúnculos mais compridos que as folhas, e cujo fruto é vagem glabra.
chicharro [De or. incerta; esp. *chicharro*.] ***S. m.*** *Zool.* **1.** Peixe actinopterígio, perciforme, carangídeo (*Trachurus trachurus*), do Atlântico, de dorso glauco e o restante do corpo cinza-prateado, com mancha negra no opérculo. **2.** Peixe actinopterígio, perciforme, carangídeo (*Trachurops crumenophthalmus*), da costa atlântica, dos E.U.A. ao RJ, e do Pacífico.
chicharro-branco ***S. m.*** *Bras. Zool.* V. *chicharro-pintado*. [Pl.: *chicharros-brancos*.]
chicharro-calabar ***S. m.*** *Bras. Zool.* V. *carapau* (1). [Pl.: *chicharros-calabares* e *chicharros-calabar*.]
chicharro-cavala ***S. m.*** *Bras. Zool.* V. *carapau* (1). [Pl.: *chicharros-cavalas* e *chicharros-cavala*.]
chicharro-de-olho-grande ***S. m.*** *Bras. Zool.* V. *chicharro-pintado*. [Pl.: *chicharros-de-olho-grande*.]
chicharro-pintado ***S. m.*** *Bras. Zool.* Peixe teleósteo, perciforme, carangídeo (*Decapterus punctatus*), do Atlântico, dos E.U.A. ao RJ. Tem dorso verde-mar, abdome prateado, com 10 pontos negros no tórax e uma pinta logo após as nadadeiras dorsal e anal. [Pl.: *chicharros-pintados*. Sin.: *chicharro-branco*, *chicharro-de-olho-grande*.]
chichelo ***S. m.*** *Bras. N.E. Ant.* V. *chinelo*.
chichiar [Reduplic. de *chiar*.] ***V. int.*** *Bras.* Chiar muito.
chichica-d'água ***S. f.*** *Bras. Zool.* Cuíca-d'água. [Pl.: *chichicas-d'água*.]
chichisbéu [Do it. *cicisbeo*.] ***S. m.*** Aquele que corteja com assiduidade, ou galanteia, uma mulher: 📖 "Nos bailes reina e se ufana / Dos chichisbéus que extasia." (Raimundo Correia, *Poesias*, p. 257.)
chichuta [Var. de *chicuta*.] ***S. m.*** *Bras. AM* V. *nenê*[1].
chicle [Do hisp.-amer. *chicle* < náuatle *tzictli*.] ***S. m.*** **1.** *Bot.* O látex da sapota, matéria-prima da goma de mascar. **2.** *P. ext.* Goma de mascar.
chico[1] [Hipocorístico de *Francisco*.] ***S. m.*** **1.** *Bras. Fam.* Qualquer dos macacos domésticos. **2.** *Bras. Pop.* V. *menstruação* (1). **3.** *Bras. Mar. Merc. Gír.* Comandante do navio; tio. **4.** *Bras. GO* V. *mentiroso* (4). ● ***Adj.*** **5.** *Bras. GO* V. *mentiroso* (1).
chico[2] [Do hisp.-amer. *chico*, 'partida, em certos jogos'.] ***S. m.*** V. *bocha* (1).
chico[3] ***S. m.*** *Lus.* Porco (1).
chico[4] ***S. m. Adj.*** V. *xico*.
chico[5] ***S. m.*** *Bras. PR Folcl.* Marca (23) do fandango dançada em roda de quatro, com dois pares, batida e valsada como o xará, alternando-se as duas formas.
chico da ronda ***S. m.*** *Bras. RS* V. *chico-puxado*. [Pl.: *chicos da ronda*.] ☑
chico das dores ***S. m.*** *Bras. CE Pop.* V. *chicote* (1). [Pl.: *chicos das dores*.] ☑
chico de roda ***S. m.*** *Bras. RS* V. *chico-puxado*. [Pl.: *chicos de roda*.] ☑
chicolerê ***S. m.*** *Bras. SP Zool.* V. *joão-bobo*.
chico-magro ***S. m.*** *Bras. Zool.* V. *bicho-pau* (1). [Pl.: *chicos-magros*.]
chico-preto ***S. m.*** *Bras. Zool.* **1.** Ave passeriforme, fringilídea (*Volatinia jacarina splendens*), distribuída desde o México até o N. do Brasil. Coloração preto-azulada brilhante, com mancha branca, formada pelas margens das rêmiges, no lado inferior da asa do macho. [Sin., nesta acepç.: *serra-serra*.] **2.** *Bras. N.* V. *graúna* (1). [Pl.: *chicos-pretos*.]
chico-puxado ***S. m.*** *Bras. RS* Variedade de fandango; chico da ronda, chico de roda, puxado. [Pl.: *chicos-puxados* e *chico-puxados*.]
chicória [Do lat. *cichoria*, pl. de *cichorium*; tax. *Cichorium*.] ***S. f.*** **1.** *Bot.* Gênero de ervas asteráceas lactescentes, de folhas alternas, capítulos azuis, e aquênios angulares, escamosos; as folhas, que podem ser crespas, ou onduladas, ou lisas, são us. na alimentação. **2.** *Bot.* Qualquer espécie desse gênero, como, p. ex., a *Cichorium endivia* (v. *endívia*). **3.** *Bot.* Qualquer espécime desse gênero. **4.** *Bras. SP* Designação dada pelos garimpeiros aos granates rubros transparentes.
chicotaço [Do esp. *chicotazo*.] ***S. m.*** *Bras. RS* V. *chicotada*.
chicotada [De *chicote* + *-ada*[1].] ***S. f.*** Pancada com chicote. [Sin.: *chibatada*, *vergalhada*, *vergastada*, *chavascada* e (RS) *chicotaço*.]
chicotar [De *chicote* + *-ar*[2].] ***V. t. d.*** V. *chicotear*.
chicote [Do fr. *chicot*, poss.] ***S. m.*** **1.** Cordel entrançado ou correia de couro ligada ou não a um cabo de madeira, e comumente usado para castigar animais; açoite, azorrague, chabuco, chibata, chico das dores, couro, frança, gurinhém, habena, látego, muxinga, peia, peia-boi, preaca, vergalho, vergasta. **2.** Movimento de lacete, rápido e sacudido, da máquina de um trem. **3.** Nos parques de diversões, conjunto mecânico, de movimentos bruscos. **4.** *Ant.* Trança de cabelo. **5.** *Marinh.* Cada uma das extremidades (de cabo, corrente, amarra, etc.). **6.** *Bras.* Amarrado de fios de estopa longos, usado para lavar automóveis.
chicoteamento [De *chicotear* + *-mento*.] ***S. m.*** Ato ou efeito de chicotear: 📖 "confesso que não posso assistir ao chicoteamento de um cavalo sem cólera no coração." (José Gomes Ferreira, *O Mundo dos Outros*, p. 127).
chicotear [De *chicote* + *-ear*[2].] ***V. t. d.*** **1.** Dar chicotadas em; zurzir, flagelar, chibatear; chicotar: 📖 "Seu filho Michel pôs-me um dia sobre o cavalo e chicoteou-o, fazendo-o disparar comigo." (Afonso Arinos Filho, *Primo Canto*, p. 31.) **2.** *P. ext.* Atingir, ou golpear, como se o fizesse com chicote. [Conjug.: v. *frear*.]
chicote-queimado ***S. m.*** *Bras.* **1.** Brinquedo infantil em que uma criança tenta alcançar as outras batendo com um lenço enrolado, em forma de chicote: 📖 "Era depois a vez dos jogos de corrida, entre os quais figurava notavelmente o saudoso e rijo chicote-queimado." (Raul Pompeia, *O Ateneu*, p. 150.) **2.** Brinquedo infantil em que uma criança esconde um objeto que deverá ser procurado pelas outras, que, cada vez que se aproximam dele, são advertidas pela que o escondeu com as palavras "está quente", e quando se afastam "está frio", e quando o encontra, ouve a outra gritar "chicote-queimado!" e passa, então, a ser quem o esconde; chicotinho-queimado. [Pl.: *chicotes-queimados*.]
chicotinho-queimado [Do dim. de *chicote* + *queimado*.] ***S. m.*** *Bras.* Chicote-queimado (2). [Pl.: *chicotinhos-queimados*.]
chicuta ***S. m.*** *Bras. AM* V. *nenê*[1]. [Var.: *chichuta*.]
chifarote [Dim. de chifra, com suarabácti.] ***S. m.*** Espada curta e reta: 📖 "— Qual a mais forte das armas? — / O terçado, a fisga, o chuço, / .... / O punhal, ou o chifarote?..." (Fagundes Varela, *Poesias Completas*, II, p. 360.)
➔**chiffon** [ʃiˈfɔ̃] [Fr., 'trapo'.] ***S. m.*** *Tec. Têx.* Tecido de fibra natural ou sintética, extremamente leve e fino, o que se consegue mediante a retorção dos fios. É us. para a confecção de trajes femininos de noite.
➔**chiffrier** [ʃifriˈe] [Fr.] ***S. m.*** *Cont.* Livro usado pelos bancos e grandes empresas para, sob os títulos das respectivas contas, contabilizar apenas em cifras, sem nenhum histórico, a generalidade das suas operações.
chifra [Do ár. *šafra(t)*, 'fio'; 'borda'; 'faca'.] ***S. f.*** Instrumento em forma de faca ou de formão, para raspar, adelgaçar ou chanfrar couro; chanfra, chanfradeira.
chifraço [De *chifre* + *-aço*.] ***S. m.*** *Bras. RS* V. *chifrada*.
chifrada [De *chifre* + *-ada*[1].] ***S. f.*** *Bras.* Golpe de chifre; chifraço, cornada, cornaço, guampada, guampaço.
chifradeira [De *chifre* + *-deira*.] ***S. f.*** *Bras.* Correia que prende um ao outro os bois duma junta, pelas pontas dos chifres.
chifrar[1] [De *chifra* + *-ar*[2].] ***V. t. d.*** Adelgaçar (o couro) com a chifra.
chifrar[2] [De *chifre* + *-ar*[2].] ***V. t. d.*** V. *cornear*.
chifre [Do esp. ant. *chifle*, dev. de *chiflar*, 'assobiar'.] ***S. m.*** V. *corno* (1). ◆ **Botar chifre em.** *Bras. Pop.* V. *cornear* (2). **Botar nos chifres da Lua.** Botar nas alturas; enaltecer. **Pôr chifre em.** V. *cornear* (2): 📖 "Bestinha pela Raimunda e a peste pondo chifre nele." (Nélio Reis, *Subúrbio*, p. 47.) **Procurar chifre(s) em cabeça de cavalo.** Complicar as coisas inutilmente; procurar pelo em ovo. **Ser do chifre furado.** *Bras. Pop.* Ser disposto, audaz.
chifre de boi ***S. m.*** *Bras. MG* Designação vulgar da sillimanita, em massas discoides. [Pl.: *chifres de boi*.] ☑
chifre de cabra ***S. m.*** *Bras. PE AL* **1.** *Pop.* V. *avaro* (3). **2.** Indivíduo sem préstimo. [Pl.: *chifres de cabra*.] ☑
chifre-de-cão ***S. m.*** *Bras. Bot.* V. *chifre-de-veado* (1). [Pl.: *chifres-de-cão*.]
chifre-de-veado ***S. m.*** *Bras. Bot.* **1.** Planta martiniácea (*Martynia lutea*) herbácea e viscosa, de caule carnoso e folhas verde-acinzentadas, flores grandes, com duas brácteas, aromáticas, amarelo-laranja, e cujo fruto é cápsula oblonga amarelo-esverdeada; chifre-de-cão, cornos-do-diabo. **2.** V. *samambaia-chifre-de-veado*. [Pl.: *chifres-de-veado*.]
chifre-furado ***S. m.*** *Bras. CE* Coisa forte, eficaz, segura. [Pl.: *chifres-furados*.]
chifrudo [De *chifre* + *-udo*.] ***Adj.*** **1.** *Bras.* Que tem chifres. **2.** *Bras. Chulo* V. *corno* (11). ● ***S. m.*** **3.** *Bras. Chulo* V. *corno* (9).
chigubo [Do ronga.] ***S. m.*** *Moç.* Dança de origem guerreira, do S. de Moçambique (África): 📖 "O chigubo guerreiro vibra / No luar pálido da noite africana" (Armando Guebuza, *Poesia de Combate (2)*, p. 27).
chila[1] [F. red. de *chila-caiota*.] ***S. f.*** *Bot.* Abóbora pequena, da qual se fazem doces. [Cf. *xila*.]
chila[2] ***S. f.*** *Ant.* V. *xila*.
chila-caiota [Do náuatle *tzilakayútl*.] ***S. f.*** *Bot.* Abóbora que dá a chila[1]. [F. paral.: *gila-caiota*. Sin.: *gila*. Pl.: *chilas-caiotas*.]
➔**chile** [ˈtʃili] [Esp., do náuatle *chilli*.] ***S. m.*** **1.** Pimenta mexicana de gosto muito picante. **2.** *Cul.* Molho espesso feito de *chile* (1) e carne.
chile [F. red. de *chapéu do chile*.] ***S. m.*** V. *chapéu do chile*.
chilenas [Do esp. plat. *chilenas*.] ***S. f. pl.*** *Bras. S. GO* Grandes esporas cujas rosetas às vezes têm mais de meio palmo de diâmetro: 📖 "Apertei as chilenas no pangaré" (Hugo de Carvalho Ramos, *Tropas e Boiadas*, p. 5).
chileno [Do esp. *chileno*.] ***Adj.*** **1.** Do, ou pertencente ou relativo ao Chile (América do Sul). ● ***S. m.*** **2.** O natural ou habitante do Chile. **3.** *Bras. S.* Vacum de uma raça desse nome. [Cf. *xileno*.]
chilidar [De *chilido* + *-ar*[2].] ***V. int.*** Soltar chilidos.
chilido [Voc. onom.] ***S. m.*** Chilreio agudo de pássaros novos: 📖 "Pareceu-lhe mesmo ouvir um vago chilido de ave" (Aquilino Ribeiro, *Caminhos Errados*, p. 208).
chilindrão [Do esp. *chilindrón*.] ***S. m.*** Certo jogo de cartas.

chilique *S. m.* 1. *Pop.* V. *síncope* (1). 2. Faniquito nervoso; fricote.
chilrada [De *chilrar* + *-ada*[1].] *S. f.* 1. O chilrar dos pássaros. 2. Muitos chilreios. [Sin. ger.: *chilreada*.]
chilrão *S. m.* Rede para pescar camarões.
chilrar [Voc. onom.] *V. int.* 1. Pipilar; gorjear: "os pássaros chilram e amam" (Oliveira Martins, *O Brasil e as Colônias Portuguesas*, p. 137). 2. Falar muito; tagarelar: *Crianças chilram no jardim.* *T. d.* 3. Exprimir em gorjeios; cantar: *Os pássaros chilravam melodias alegres.* [F. paral.: *chilrear*. No sentido próprio, *chilrar* não se emprega nas duas 1.as pess.]
chilre [Do esp. *chilre*, de or. pré-romana.] *Adj. 2 g.* V. *chilro*[2].
chilreada [De *chilrear* + *-ada*[1].] *S. f.* Chilrada.
chilreador (ô) [De *chilrear* + *-dor*.] *Adj.* 1. Que chilreia. 2. Palrador, tagarela. [Sin., nessas acepç.: *chilreante*, *chilreiro*.] ● *S. m.* 3. Aquele que chilreia.
chilreante [De *chilrear* + *-nte*.] *Adj. 2 g.* V. *chilreador* (1 e 2).
chilrear [Do mesmo rad. onom. que *chilrar* + *-ear*[2].] *V. int.* 1. V. *chilrar* (1): "Voavam no céu azul, chilreando, as andorinhas..." (Olegário Mariano, *Toda uma Vida de Poesia*, I, p. 314.) 2. V. *chilrar* (2). 3. *Bras.* Soltar a voz (a coruja). *T. d.* 4. V. *chilrar* (3). [Conjug.: v. *frear*.]
chilreio [Dev. de *chilrar*.] *S. m.* Ato de chilrear; chilro: "trinados e chilreios nas árvores orvalhadas." (Nélson de Faria, *Tiziu e Outras Estórias*, p. 108).
chilreiro [De *chilrar* + *-eiro*.] *Adj.* V. *chilreador* (1 e 2).
chilro[1] [Dev. de *chilrar*.] *S. m.* Chilreio.
chilro[2] [Do esp. *chilre*, de or. pré-romana.] *Adj.* 1. Diz-se do caldo insípido, que não foi engrossado e temperado: *sopa chilra*. 2. *Fig.* Sem graça; insípido, insulso: "o velho militar contava anedotas .... tão chilras, que todos eram obrigados a rir e a se mostrar satisfeitos." (José de Alencar, *A Viuvinha*, p. 103). 3. Sem valor; insignificante: "Confessei .... que .... o meu relato saíra chilro, insignificante e mal-observado" (Cândido Jucá [filho], *Noite Insone*, p. 108). [F. paral.: *chilre*.]
chim [De *chino*, com apócope.] *Adj. 2 g. S. 2 g.* V. *chinês* (1 e 2): "Gosto daquela fábula chim!" (Antônio Feliciano de Castilho, *Camões*, I, p. X); "olhos apertados e oblíquos como os dum chim" (Coelho Neto, *A Conquista*, p. 40).
chima [Do macua *eshima*, com aférese.] *S. f. Moç.* Massa (5) cozida de farinha de mandioca, milho, mapira (q. v.) ou outros cereais: "Retiram da gamela pequenos bocados de chima, molham-nos no caril e, à maneira macua, engolem-nos quase sem mastigar." (Lília Momplé, *Ninguém Matou Suhura*, p. 65.)
chimango *S. m. Bras. Zool.* V. *ximango*.
chimarra [Var. de *chamarra*.] *S. f.* V. *samarra*.
chimarrão [Do esp. plat. *cimarrón*.] *Adj. S. m.* 1. *Bras. RS* Diz-se de, ou rês que foge para os matos e se torna selvagem. [Sin. (no N. e N.E.): *barbatão*.] 2. Diz-se de, ou cão sem dono, cão bravio, que, fora de casa, se nutre de animais que mata. 3. Diz-se de, ou mate cevado sem açúcar, ou qualquer outra bebida sem açúcar — café, chá, etc. ~ V. *mate* —.
chimarrear [Var. de *chimarronear*.] *V. int. Bras. RS* Tomar chimarrão; chimarronear: "lá estava o seu Peixoto, chimarreando atrás do balcão" (Augusto Meyer, *Segredos da Infância*, p. 45). [Conjug.: v. *frear*.]
chimarrita [Var. de *chama-rita* (2).] *S. f. Bras. RS PR SP* 1. Modalidade do fandango, de origem açoriana, onde os pares, em fileiras opostas, se cruzam e se afastam e tornam a aproximar-se, como nas evoluções das danças portuguesas; limpa-banco. 2. A cantiga que acompanha essa dança.
chimarronear [De *chimarrão* + *-ear*[2].] *V. int. Bras. RS* Chimarrear. [Conjug.: v. *frear*.]
chimbé *Adj. 2 g. Bras. RS* V. *ximbé*.
chimbear [Do hisp.-amer. *chimbear*, 'pescar', poss.] *V. int. Bras. RS* Vadiar, vagabundear, vagabundar. [Conjug.: v. *frear*.]
chimpanzé [Do dial. conguês *ki(m)penzi*, pelo fr. *quimpezé*, atual *chimpanzé*.] *S. m. Zool.* Nome comum a macacos pongídeos que habitam as florestas africanas, onde se deslocam pelas copas das árvores, como quadrúmanos, ou andam também como quadrúmanos, ou em posição bipedal. Tem orelhas proeminentes, lábios salientes, braços mais longos que as pernas, longas mãos com polegares pequenos, e cauda ausente. O *Pan troglodytes* é o chimpanzé de comportamento mais próximo ao dos humanos, sendo capaz de manufaturar ferramentas rudimentares; tem até 1,70m e pesa até 70kg. [Sin.: *pongo*. Var.: *chipanzé*.]
chimpanzé-pigmeu [De *chimpanzé* + *pigmeu*.] *S. m. Zool.* Bonobo. [Pl.: *chimpanzés-pigmeus*.]
chimpar [De *pinchar*, com metátese, poss.] *V. t. d. e i.* 1. Assentar com violência, pespegar, aplicar: *Chimpou-lhe uma bofetada*. 2. Pespegar, aplicar: *Chimpei-lhe uma mentira*. *T. d.* 3. Bater com força. *P.* 4. Meter-se de permeio; entremeter-se.
china[1] [Do top. *China*.] *S. 2 g.* 1. V. *chinês* (2): "olhos oblíquos de china" (Fialho d'Almeida, *Lisboa Galante*, p. 92). ● *S. f.* 2. Espécie de raça bovina. ● *S. m.* 3. *Ind. Pap.* Papel da China (q. v.): "edições preciosas, impressas em holanda, china ou japão." (Afrânio Peixoto, *Poeira da Estrada*, p. 111).
china[2] [Do quíchua *tchina*, 'fêmea de animal', pelo hisp.-amer. *china*.] *S. f.* 1. *Bras.* Mulher de índio. 2. *Bras.* Mulher aborígine, ou acaboclada. 3. *Bras.* Mulher de cor morena carregada. 4. *Bras.* Cabocla [v. *caboclo*[1] (1)]. 5. *Bras. AM RS* Concubina. 6. *Bras. S.* Meretriz. [Tb. us. deprec.]
chinarada [De *china*[2] + *-arada*.] *S. f.* 1. *Bras. RS* Grande número de chinas (v. *china*[2]). 2. As chinas. [Sin. ger.: *chinaredo*, *chineiro*, *chinerio*.]
chinaredo (ê) [De *china*[2] + *-aredo*.] *S. m. Bras. RS* V. *chinarada*.
chincada[1] [De *chincar* + *-ada*[1].] *S. f.* Ato ou efeito de chincar.
chincada[2] *S. f. Bras. N.E. Fam.* 1. Censura indireta. 2. Indireta grosseira, pesada. 3. Indireta (2).
chincar[1] *V. int. T. i.* V. *cincar*. [Conjug.: v. *trancar*.]
chincar[2] *V. t. d.* 1. Provar; experimentar. 2. Gozar; lucrar. 3. Fazer cambalear. 4. Fazer cair em (armadilha). [Conjug.: v. *trancar*.]
chincha[1] *S. f. Bras. S.* V. *cincha*.
chincha[2] *S. f.* 1. Pequena rede de arrastar. 2. Barco de pesca.
chinchar *V. t. d. Bras. S.* V. *cinchar*[2].
chincheiro *S. m. Bras.* V. *maconheiro* (2).
chinchila [Do tax. *Chinchilla*.] *S. f. Zool.* 1. Gênero de roedores chinchilídeos, herbívoros, noturnos, com duas espécies, que se distinguem, basicamente, por ser uma delas, a *Chinchilla brevicaudata*, maior, porém com orelhas e cauda menores que a outra, a *C. lanigera*. A pelagem, macia e densa, pode ter coloração azulada, perolada ou acinzentada. 2. Espécie, ou espécime desse gênero. 3. A pele, curtida, da chinchila.
chinchilídeo [Do tax. *Chinchilla*, gênero-tipo, + *-ídeo*[1]; tax. *Chinchillidae*.] *Zool. S. m.* 1. Espécime dos chinchilídeos, família com 3 gêneros e 6 espécies, e que reúne roedores histricomorfos, de tamanho médio a grande, com pelagem densa e macia, cauda felpuda, grande ou pequena, conforme a espécie, patas posteriores bem desenvolvidas, maiores que as anteriores, olhos grandes e orelhas medianas. Habitam as regiões central e austral dos Andes e a Patagônia (América do Sul). ● *Adj.* 2. Pertencente ou relativo a eles.
chincho *S. m.* V. *cincho*[1]: "Enquanto os chinchos modelavam os queijos nas mãos curtas de Lanja, ele .... armava uma arapuca." (José Vieira, *Vida e Aventura de Pedro Malasarte*, p. 147.)
chinchorro (ô) [De *chincha*[2], poss.] *S. m.* 1. Espécie de chincha[2] (1 e 2). 2. *Fig.* Animal, carro ou navio ronceiro. 3. *Fig.* Pessoa indolente, vagarosa.
chincoã [Voc. onom.] *S. m. Bras. Amaz. Zool.* V. *alma-de-gato* (1).
chincoã-pequeno *S. m. Bras. Zool.* Ave cuculídea (*Piaya minuta*), distribuída da Venezuela e Colômbia até o C. do Brasil e Bolívia, com cerca de 30cm de comprimento, de coloração vermelho-castanha nas partes superiores, abdome acinzentado, garganta e peito vermelhos, lado inferior da cauda negro com manchas brancas e bico amarelo-esverdeado. Alimenta-se de artrópodes. [Pl.: *chincoãs-pequenos*.]
chinear [De *china*[2] (6) + *-ear*[2].] *V. int. Bras. RS* Andar à procura de chinas [v. *china*[2] (6)], ou estar com elas. [Conjug.: v. *frear*.]
chineiro [De *china*[2] (6) + *-eiro*.] *Adj.* 1. *Bras. RS* Que tem o hábito de procurar chinas. ● *S. m.* 2. *Bras. RS* V. *chinarada*.
chinela [Do dial. genovês *cianèla* < it. *pianèlla*.] *S. f.* Chinelo (1).
chinelada [De *chinela* ou *chinelo* + *-ada*[1].] *S. f.* Pancada com chinela ou chinelo.
chineleiro [De *chinela* ou *chinelo* + *-eiro*.] *S. m.* 1. Aquele que faz chinelos e/ou chinelas. 2. *Fig.* Indivíduo reles.
chinelo [De *chinela*.] *S. m.* 1. Calçado macio, geralmente sem salto, para uso doméstico; chinela. 2. Sapato velho e acalcanhado. [Var. (bras., N.E.) ant.: *chichelo*.] ◆ **Amanhecer de chinelos trocados.** *Bras. Fam.* Acordar irritado, de mau humor. [Sin. (em MG): *amanhecer com a avó atrás do toco*.] **Botar no chinelo.** Levar vantagem; suplantar; meter no chinelo, pôr no chinelo. **Meter no chinelo.** V. *botar no chinelo*. **Pôr no chinelo.** V. *botar no chinelo*.
chinerio [Do esp. plat. *chinerío*.] *S. m. Bras. RS* V. *chinarada*.
chinês [Do top. *China* (Ásia) + *-ês*.] *Adj.* 1. Da, ou pertencente ou relativo à China (Ásia); chino, chim. 2. Do chinês (3). ~ V. *linha* —*a*. ● *S. m.* 3. O natural ou habitante da China; china, chino, chim. [Flex.: *chinesa* (ê), *chineses* (ê), *chinesas* (ê).] 4. *Gloss.* Conjunto de línguas (por vezes chamadas dialetos) da família sino-tibetana faladas na China e em algumas outras regiões do S.E. asiático. [V. *hakka*, *hunan*, *mandarim*, *min*, *wu* e *yué*, *pin-yine Wade-Giles*.] 5. Vocábulo desse conjunto de línguas.
chinesice [De *chinês* + *-ice*.] *S. f.* 1. Modos ou procedimento de chinês (1 e 3). 2. Bugiganga, miudeza, bagatela. 3. Artifício que revela grande paciência. 4. Coisa ou ação complicada e de utilidade incerta. 5. *Art. Plást.* Denominação genérica de trabalho ornamental pintado em vermelho, azul e ouro, à imitação do oriental.
chinfra *S. f. Bras. Gír.* 1. V. *onda* (13). 2. Empáfia, pose: *E um sujeito cheio de chinfra*.
chinfrão *S. m.* Antiga moeda portuguesa, do valor de 14 réis.
chinfreiro [De *chinfra* + *-eiro*.] *Adj. Bras. Gír.* Que está na moda, na onda; moderno. [Diz-se, em geral, de roupas, carros, etc.]
chinfrim [De or. express.] *Adj. 2 g.* 1. Insignificante, reles. ● *S. m.* 2. *Bras.* V. *arrasta-pé* (1). 3. *Bras.* V. *rolo*[1] (16). 4. *Pop.* Algazarra, vozearia. 5. *Pop.* Desordem, confusão. [Sin., nas acepç. 4 e 5: *chinfrinada*, *chinfreira*, *chinfrinice*.]
chinfrinação [De *chinfrinar* + *-ção*.] *S. f.* Ato ou efeito de chinfrinar.
chinfrinada [De *chinfrinar* + *-ada*[1].] *S. f.* 1. *Pop.* V. *chinfrim* (4 e 5). 2. Coisa ridícula.
chinfrinar [De *chinfrim* + *-ar*[2].] *V. int.* 1. Fazer chinfrim ou desordem. *T. d.* 2. *Bras. Gír.* Escarnecer de; ridicularizar. 3. Mexer com; provocar, irritar.
chinfrineira [De *chinfrim* + *-eira*.] *S. f.* V. *chinfrim* (4 e 5).
chinfrinice [De *chinfrim* + *-ice*.] *S. f.* V. *chinfrim* (4 e 5).
chingufo [Do umb. *ochingufu*, com aférese.] *S. m. Angol. Mús.* Tambor trapezoidal us. quer para a dança, quer para comunicação: "fazia composições surpreendentes com diálogos entre quissanjes e chingufos e órgão electrónico." (Pepetela, *Lueji*, p. 123).
chinguiço *S. m.* Rodilho que os carregadores põem no cachaço, para apoiar o pau, quando fazem fretes a pau e corda.
chininha [Dim. de *china*[2].] *S. f. Bras. RS* Filha de china[2]; caboclinha, chinoca.
chino [De *china*[1].] *Adj. S. m.* V. *chinês* (1 e 2).
chinó [Do fr. *chignon*.] *S. m.* V. *cabeleira*[1] (2).
chinoca [De *china*[2] + *-oca*.] *S. f. Bras. RS* V. *chininha*.
chinocão [De *chinoca* + *-ão*[1].] *S. m. Bras. RS* Chinoca bonita, vistosa.
chinquilho [Do esp. *cinquillo*, 'certo jogo de cartas entre cinco pessoas', com palatalização.] *S. m.* 1. *Desus.* Carteado entre cinco pessoas, em que a espadilha (1) é a principal carta. 2. *Pop.* V. *malha*[4] (3).
➔**chintz** [tʃɪnts] [Ingl.] *S. m. Tec. Têx.* Tecido lustroso de algodão, ger. estampado em cores vivas, com motivos florais, us. em decoração.
chio [Voc. onom.] *S. m.* 1. Som agudo produzido pelas rodas dos carros. 2. Voz aguda de alguns animais (pássaros, ratos e cigarras); guincho. 3. Chiada (1). 4. *Bras.* Mecha ou pequeno canudo cheio de pólvora, que serve de rastilho aos fogos de artifício.
chioba *S. m. Bras. Zool.* V. *cioba* (1 e 2).
➔**chip** [tʃɪp] [Ingl., abrev. de *microchip*, do pref. ingl. *micro-* (v. *micr(o)-*) e ingl. *chip*, lit., 'lasca', 'fragmento'.] *S. m.* 1. *Eletrôn.* V. *circuito integrado*. 2. *Esport.* No golfe, tacada de pouco alcance, dirigida ao green.
chipa *S. f. Bras. MS MT RS Cul.* Bolo que se preparava com a massa de milho fervido, socado e passado na peneira, misturado com leite e assado no borralho, e que hoje se faz de polvilho e queijo ralado, em forma de rosquinha, levado ao forno.
chipanzé *S. m. Zool.* V. *chimpanzé*.
➔**chippendale** ['tʃɪpɪndejl] [Ingl., do antr. *Chippendale*, marceneiro do séc. XVIII.] *S. m.* Estilo inglês de mobília, variedade de rococó.
➔**chips** [tʃɪps] [Ingl.] *S. f. 2 n. Cul.* 1. Batata frita (q. v.), em rodelas bem finas. 2. Banana ou maçã em rodelas finas, fritas em óleo bem quente, às quais se podem acrescentar canela e/ou açúcar.
chique[1] *El. s. m.* Us. na loc. pron. *nem chique nem mique*. ◆ **Nem chique nem mique.** Coisa alguma; nada.
chique[2] [Do fr. *chic*.] *Adj. 2 g.* 1. Elegante no trajar. 2. De bom gosto; esmerado, apurado. 3. Bonito, elegante.
chiquê [Alter. de *chique*[2].] *S. m. Pop.* Recusa fingida a fazer ou aceitar alguma coisa; luxo, afetação.
chiqueira *S. f. Bras. Zool.* V. *quero-quero*.
chiquerá *S. m. Bras. N. N.E.* V. *chiqueirador*.
chiqueirador (ô) [De *chiqueirar* + *-dor*.] *S. m. Bras. N. N.E.* Relho amarrado na ponta dum cacete para servir de chicote; chiqueirá, frança. [Cf. *enchiqueirador* (1).]
chiqueirar *V. t. d. Bras. N. N.E.* Separar (o bezerro) da vaca a fim de que não mame, ou de que seja desmamado.

chiqueireiro [De *chiqueiro* + *-eiro*.] *Adj. Bras.* Diz-se do animal acostumado a dormir no chiqueiro.

chiqueirinho [De *chiqueiro* + *-inho*^{1}.] *S. m. Pop.* Cercado (7).

chiqueiro [De *chico*^{3} + *-eiro*.] *S. m.* **1.** Pocilga ou curral de porcos; enxurdeiro. **2.** *Fig.* Casa (1) imunda. **3.** Lugar imundo. **4.** Um dos compartimentos de um curral de peixe (q. v.), donde não pode mais sair o peixe que lá entrou. **5.** *Bras.* Tapagem que se faz num riacho a fim de impedir que por ele desça o peixe tinguijado. **6.** Pequeno curral onde se encerram bezerros mansos, ovelhas ou porcos. **7.** Nas lavras diamantinas, ensecadeira.

chiqueza (ê) [De *chique* + *-eza*.] *S. f.* Qualidade do que é chique; elegância.

chiquimato [De *(ácido) chiquím(ico)* + *-ato*^{2}.] *S. m. Quím.* Qualquer sal ou qualquer éster do ácido chiquímico.

chiquímico [Do ingl. *shikimic (acid)* (do jap. *shikimi*, anis-estrelado, de onde foi primeiramente isolado).] *Adj. Quím.* ~ V. *ácido —*.

chiquismo [De *chique*^{2} + *-ismo*.] *S. m.* Qualidade do que é chique^2.

chiquito [Do esp. *chiquito*, dim. de *chico*, 'pequeno', poss.] *S. m. Bras. N.E. Prov. port.* Sapatinho de criança.

chirca [Do hisp.-amer. *chilca*.] *S. f.* **1.** *Bras. RS Bot.* Arbusto asteráceo (*Eupatorium pinnatifidum*) dotado de capítulos numerosíssimos, racemosos, dispostos em panículas amplas, inclinadas, e cujo fruto é aquênio glabro. **2.** *Bras.* Erva daninha que inutiliza os pastos.

chircal [Do hisp.-amer. *chilcal*, com dissimilação.] *S. m.* **1.** *Bras. RS* Quantidade mais ou menos considerável de chircas dispostas proximamente entre si. **2.** Área ocupada por chircal (1).

chirico [Do ronga.] *S. m. Moç. Zool.* Certo passarinho amarelo, canoro: "E na varanda do patrãozinho / um chirico dentro da gaiola / canta esquecido de ter asas." (Orlando Mendes, *Adeus de Gutucumbui*, p. 55.)

chirinola [Do esp. *chirinola*.] *S. f. Pop.* **1.** Confusão, trapalhada. **2.** Coisa que não se entende, embrulhada, confusa.

chiripa [Do esp. *chiripa*.] *S. f. Bras. S.* Bambúrrio (3).

chiripá [Do esp. *chiripá* < quíchua *xiri pac*, 'para o frio', poss.] *S. m. Bras. S.* Vestimenta constituída por uma peça de pano sem costuras que passada entre as coxas e presa à cintura era, outrora, usada pelos gaúchos do campo.

chiripear [De *chiripa* + *-ear*^{2}.] *V. int. Bras. S.* Ganhar por chiripa. [Conjug.: v. *frear*.]

chiripento [De *chiripa* + *-ento*.] *Adj. S. m. Bras. S.* Diz-se de, ou indivíduo que chiripeia, que é feliz no jogo por acaso.

chirivia [Do esp. *chirivía* < ár. *karāwyā* (v. *alcaravia*).] *S. f. Bras. Bot.* Planta apiácea (*Pastinaca sativa*) herbácea, de raiz carnosa comestível e folhas com segmentos ovado-lanceolados, e cujas flores amarelas, com pétalas enroladas para dentro, são tidas por medicinais. [Var.: *cherivia, cherívia, cheruvia*.]

chirriada [De *chirriar* + *-ada*^{1}.] *S. f.* Ato de chirriar.

chirriante [De *chirriar* + *-nte*.] *Adj. 2 g.* Que chirria.

chirriar [Voc. onom.] *V. int.* **1.** Cantar (a coruja): "Casas mineiras, avarandadas, ... barracões feitos para chirriarem as corujas" (Alberto Rangel, *Papéis Pintados*, p. 146). **2.** Produzir som agudo e prolongado como a voz da coruja.

chiru *S. m. Bras. S.* V. *xiru*.

chirua *S. f.* V. *xirua*.

chispa [Voc. onom.] *S. f.* **1.** V. *faísca* (1). **2.** Fulgor rápido; lampejo. **3.** *Fig.* Talento, gênio. **4.** Incenso-de-caiena.

chispada [De *chispar* + *-ada*^{1}.] *S. f. Bras.* Ação de chispar (3); corrida rápida; disparada.

chispalhada [De *chispe* + *-alhada*.] *S. f. Cul.* Feijoada de feijão-branco com chouriço, chispe, carne de porco e ger. legumes.

chispante [De *chispar* + *-nte*.] *Adj. 2 g.* Que chispa.

chispar [De *chispa* + *-ar*^{2}.] *V. int.* **1.** Lançar chispas [v. *chispa* (1 e 2)]; chispear: *O metal incandescente chispava; Seus olhos chispavam*; "Chispam verdes fuzis riscando o céu sombrio" (Olavo Bilac, *Poesias*, p. 69). **2.** *Fig.* Encolerizar-se; exasperar-se; chispear. **3.** *Bras.* Correr em disparada: *Ao receber a notícia, chispou*; "Caminhões conduziam tropa, jipes chispavam." (Carlos Drummond de Andrade, *Fala, Amendoeira*, p. 262). *T. d.* **4.** Lançar de si (fogo, lume, etc.): *A fogueira chispava fagulhas*; "De súbito ele vem, calmo e branco, a aparência / De um deus, olhar chispando ansiedades secretas." (Olegário Mariano, *Toda uma Vida de Poesia*, I, p. 222). *T. i.* **5.** Apresentar-se como que lançando chispas: *Ele estava chispando de ódio; ela, de impaciência*. *T. c.* **6.** Chispar (3): *— Chispa já daqui, menino, gritou enfurecida.*

chispe [Do lat. **suspede* < *suis*, gen. de *sus*, 'porco', + *-pede*, 'pé'.] *S. m.* Pé de porco; pé, pezunho.

chispear [De *chispa* + *-ear*^{2}.] *V. int.* V. *chispar* (1 e 2): "O tostado arrebentou as duas paletas na encontrada e caiu, sacudindo a cola, os olhos chispeando, de beiço enrugado e subido, de dor..." (Simões Lopes Neto, *Contos Gauchescos e Lendas do Sul*, p. 233.) [Conjug.: v. *frear*.]

chissena [Do chissena.] *Moç. S. m.* **1.** *Gloss.* Língua falada nas províncias de Sofala, Manica, Zambézia e Tete, em Moçambique. ● *Adj. 2 g.* **2.** Relativo a essa língua: "além da língua chissena, havia um traço comum, exterior, capaz de o levar a identificar um conterrâneo: o corte de cabelo." (Alípio Ferreira, *Chipangara*, p. 23).

chiste [Do esp. *chiste*.] *S. m.* Dito gracioso; facécia, piada, pilhéria, gracejo: "Graças, chistes, e facécias, que movem o riso, são para o tablado da Comédia, e não para o Púlpito" (P.^e^ Manuel Bernardes, *Os Últimos Fins do Homem*, p. 376).

chistoso (ô) [De *chiste* + *-oso*.] *Adj.* Que tem chiste; engraçado, espirituoso. [Fem.: *chistosa*. Cf. *xistoso*, adj., fem. *xistosa*, e o s. f. *xistosa*.]

chita^1 [Do sânscr. *chitra*, 'matizado', pelo neoárico *chhit*.] *S. f.* **1.** *Tec. Têx.* Tecido leve de algodão, estampado em cores, ger. com motivos florais. **2.** *Bras. L. S. Bot.* Designação comum a várias espécies orquidáceas, do gênero *Oncidium*, plantas terrestres ou epífitas, ornamentais, com flores grandes ou pequenas, em geral amarelas, e algumas aromatizadas. ● *Adj. 2 g.* **3.** *Bras.* Diz-se de boi ou cavalo com a pelagem salpicada; chitado.

chita^2 [F. red. de *chita-africana*.] *S. f. Zool.* V. *guepardo*.

chita-africana *S. f. Zool.* V. *guepardo*. [Pl.: *chitas-africanas*.]

chitado [De *chita*^{1} + *-ado*^{1}.] *Adj. Bras.* Chita^1 (3).

chital [Do hindi *cital*, pelo ingl. *chital*.] *S. m. Zool.* V. *áxis*^{2} (2).

chitão^1 [De *chita*^{1} + *-ão*^{1}.] *S. m. Bras. Tec. Têx.* Tecido semelhante à chita (1), porém mais grosseiro: "Saia comprida de chitão, casaco vermelho, ... lá vai ela se balançando." (Gilvã Lemos, *Jutaí Menino*, p. 53.)

chitão^2 [Do gr. *chitón*, 'invólucro', pelo fr. *chiton*.] *S. m. Zool.* V. *quíton*^{2}.

chitão^3 [Do fr. *chut donc*, 'silêncio', poss.] *Interj. Desus.* Silêncio, caluda. [Var.: *chitom*.]

chitaria [De *chita*^{1} + *-aria*.] *S. f.* Estabelecimento ou fábrica de chitas.

chitau *S. m. Bras.* V. *xitau*.

chitom *Interj.* V. *chitão*^{2}.

chitsua *Moç. S. m.* **1.** *Gloss.* Língua falada na província de Inhambane, em Moçambique (África). ● *Adj. 2 g.* **2.** Relativo a essa língua: "entabulou com ele uma surda conversação, entrecortada e quase monossilábica, em dialecto 'chitsua', que eu não compreendia" (Alípio Ferreira, *Chipangara*, p. 12).

choca^1 [De or. basca, poss.] *S. f.* **1.** Jogo de bola em que esta é rebatida com um grosso pau. **2.** A bola desse jogo. **3.** O pau com que, nesse jogo, se rebate a bola.

choca^2 [Do lat. tard. *clocca*.] *S. f.* **1.** Chocalho grande. **2.** Vaca que guia os touros bravos.

choca^3 *S. f. Fam.* Salpico ou mancha de lama na barra de uma roupa.

choca^4 [De or. obsc.] *S. f. Bras. Zool.* Designação comum a várias espécies de aves passeriformes, formicariídeas, com numerosos gêneros e espécies no Brasil, especialmente *Thamnophilus*, com 11 espécies e algumas subespécies. Têm a extremidade do bico fortemente curva, em forma de gancho. [Sin.: *batará* (q. v.), *matará, mbatará* e *embetara*. Cf. *borralhara*.]

choça *S. f.* **1.** V. *cabana*. **2.** Habitação humilde, pobre: "À porta de humilde choça, / Uma mulher..." (Vicente de Carvalho, *Poemas e Canções*, p. 205.) **3.** *Gír.* Prisão, cadeia.

chocadeira [De *chocar*^{2} + *-deira*.] *S. f.* Aparelho para chocar ovos.

chocagem [De *chocar*^{2} + *-agem*^{2}.] *S. f.* Ato ou operação de chocar^2.

chocalhada [De *chocalhar* + *-ada*^{1}.] *S. f.* **1.** Ato de chocalhar. **2.** Ruído de chocalhos. **3.** Porção deles.

chocalhado [Part. de *chocalhar*.] *Adj.* Agitado, vascolejado.

chocalhante [De *chocalhar* + *-nte*.] *Adj. 2 g.* Que chocalha.

chocalhar [De *chocalho* + *-ar*^{2}.] *V. t. d.* **1.** Agitar, sacudir, produzindo som semelhante ao do chocalho; chacoalhar: "— Tire o cavalo da chuva! respondeu o padre, chocalhando os dados no copo." (Machado de Assis, *Histórias Românticas*, p. 143.) **2.** Vascolejar (líquido contido num recipiente); chacoalhar: *Chocalhou o coquetel antes de servi-lo*. **3.** Acompanhar ao som de chocalhos. *Int.* **4.** Soar (o chocalho); chacoalhar. **5.** Tocar chocalho. **6.** *Fig.* Dar gargalhadas. **7.** Divulgar segredos.

chocalheiro [De *chocalhar* + *-eiro*.] *Adj.* **1.** Que chocalha. **2.** Que traz chocalho(s). **3.** *Fig.* Diz-se de indivíduo leva e traz. ● *S. m.* **4.** Aquele que divulga segredos. **5.** Aquele que fala muito e com indiscrição. **6.** V. *leva e traz*.

chocalhice [De *chocalh-*, como em *chocalheiro*, + *-ice*.] *S. f.* **1.** Qualidade de quem é chocalheiro. **2.** Dito ou ação de chocalheiro.

chocalho *S. m.* **1.** Instrumento de metal, provido de badalo e mais ou menos semelhante à campainha, que se põe ao pescoço de animais: "No silêncio tilintavam os chocalhos dum rebanho de cabras negras" (Eça de Queirós, *A Relíquia*, p. 125). **2.** Cabaça que, agitando-se pedras dentro, produz som parecido ao do chocalho (1). **3.** Objeto de metal ou de plástico destinado aos bebês, que, agitando-o, se distraem com o ruído. **4.** *Fig.* Pessoa chocalheira (3); intrigante. **5.** *Bot.* V. *xiquexique* (2). **6.** *Zool.* Nas cascavéis, formação caudal originária do resto cornificado de couro das mudas anuais.

chocalho-de-cascavel *S. m. Bot.* V. *xiquexique* (2). [Pl.: *chocalhos-de-cascavel*.]

chocante [De *chocar*^{1} + *-nte*.] *Adj. 2 g.* **1.** Que choca, fere, ofende, melindra. **2.** *Gír.* Palavra-ônibus para dizer que algo é ou está muito bom, ou que alguém é muito inteligente, bonito, etc. ● *S. m.* **3.** Aquilo que choca, ofende. ● *Interj.* **4.** *Gír.* Exprime entusiasmo, admiração, ou encerra gracejo.

chocão [De *choca*^{4} + *-ão*^{1}.] *S. m. Bras. Zool.* Ave passeriforme, formicariídea (*Hypoedaleus guttatus*), do S.E. do Brasil, de coloração preta, com manchas redondas, brancas, nas costas e no peito (macho), lado ventral branco-acinzentado, asas e cauda com estrias brancas. Na fêmea as manchas e estrias são amarelas. Vive em matas e alimenta-se de insetos ou artrópodes de modo geral. [Sin.: *borralhara-pintada*.]

chocar^1 [Do fr. *choquer*.] *V. t. c.* **1.** Dar choque; ir de encontro: *O caminhão-tanque chocou no poste e pegou fogo*. *Int.* **2.** Ferir ou escandalizar alguém: "nos dois livros que tenho presentes, ... nada há que choque pela extravagância, pelo desusado." (Sousa da Silveira, em *Homenagem a Manuel Bandeira*, p. 222). *T. d.* **3.** Ofender, ferir; ou escandalizar: *Tua linguagem licenciosa chocou-o profundamente*. **4.** Causar impressão desagradável a; agredir: *O som alto choca os ouvidos*. *P.* **5.** Esbarrar reciprocamente; embater-se. **6.** Escandalizar-se; ofender-se, melindrar-se. [Conjug.: v. *trancar*. Pres. ind.: *choco*, etc. Cf. *choco* (ô).]

chocar^2 [De *choco*^{2} (ô) + *-ar*^{2}.] *V. t. d.* **1.** Cobrir (os ovos) aquecendo-os com o corpo, a fim de que se desenvolva o embrião e nasça a ave. [Sin.: *incubar, empolhar*, e (bras., GO) *empirrear*.] **2.** *Fig.* Pensar longamente em; planear, premeditar: *Há anos que vem chocando esta viagem*. **3.** *Bras.* Meter medo a; amedrontar, intimidar. **4.** *Bras.* Acariciar com os olhos. *Int.* **5.** Estar no choco^1 (2). **6.** Apodrecer, corromper-se; deteriorar-se: *Alimentos expostos ao calor chocam facilmente*. **7.** *Bras. N.E.* Fugir à luta; amedrontar-se, acovardar-se. *T. c.* **8.** *Bras.* Ficar demoradamente à espera: *Chocou toda a tarde no cabeleireiro, e não foi atendida*. [Conjug.: v. *trancar*. Pres. ind.: *choco*, etc. Cf. *choco* (ô).]

chocarrear [De *chocarr-*, como em *chocarreiro*, + *-ear*^{2}.] *V. int.* **1.** Dizer chocarrices; gracejar grosseiramente; chalacear. *T. d.* **2.** Dizer (gracejo, chalaça grosseira): *Chocarreou umas pilhérias ferinas*. [Conjug.: v. *frear*.]

chocarreiro [Do esp. *chocarrero*.] *Adj.* **1.** Que diz chocarrices. **2.** Em que há, ou que envolve chocarrice. ● *S. m.* **3.** Aquele que diz chocarrice(s).

chocarrice [De *chocarr-*, como em *chocarreiro*, + *-ice*.] *S. f.* **1.** V. *chalaça* (2). **2.** Gracejo atrevido; truanice.

chochar [De *chocho* (ô) + *-ar*^{2}.] *V. int. Bras.* Ficar chocho (1 e 2). [Normalmente é defect. Pres. ind.: *chocho, chochas, chocha*, etc. Cf. *chocho* (ô), as flex. *chocha* (ô) e *chochas* (ô), e *xoxo*, s. m.]

chochice [De *chocho* + *-ice*.] *S. f.* **1.** Qualidade de chocho. **2.** Aquilo que é chocho.

chochinha [De *chocho* (ô) + *-inha*.] *S. 2 g. Pop.* **1.** Pessoa pequena, muito magra e sem energia. **2.** Pessoa palerma, tola, parva.

chocho (ô) [De *choco*^{2}, poss.] *Adj.* **1.** Sem suco; seco. **2.** Sem miolo, sem grão; seco, engelhado. **3.** Goro, choco (ovo). **4.** *Fig.* Oco, fútil, vão: "Fazia discursos .... com palavras bonitas, mas chochas." (João de Araújo Correia, *Terra Ingrata*, p. 117.) **5.** *Fig.* Tolo, tonto, simplório. **6.** Enfraquecido, débil. **7.** Sem graça, sem espírito, sem sal; insípido, insulso: "Em si, a matéria é chocha, e não vale a pena de um capítulo, quanto mais dous" (Machado de Assis, *Dom Casmurro*, p. 321). [Flex.: *chocha* (ô), *chochos* (ô), *chochas* (ô). Cf. *chocho*, *chochas* e *chocha*, do v. *chochar*, e *xoxo*, s. m.]

C

chochone [De uma língua indígena norte-americana, pelo ingl. *Shoshone.*] *S. 2 g.* **1.** *Etnôn.* Indivíduo dos chochones, povo indígena distribuído por Idaho, Nevada, Utah, Wyoming e Califórnia (E.U.A.). ● *S. m.* **2.** *Gloss.* A língua desse povo. [V. *uto-asteca.*] ● *Adj. 2 g.* **3.** Pertencente ou relativo aos chochones, ou à sua língua.

choco[1] (ô) [Dev. de *chocar.*] *S. m.* **1.** Ato de chocar[2] (1). [Sin.: *incubação* e (bras., GO) *empirreio.*] **2.** Incubação (3). [Pl.: *chocos* (ô). Cf. *choco*, do v. *chocar.*] ◆ **Estar de choco.** Estar no choco. **Estar no choco.** Estar ou ficar de cama, deitado; estar de choco.

choco[2] (ô) [De or. obscura.] *S. m. Zool. Lus.* Siba (1).

choco[3] (ô) [Do lat. hisp. **clocca*, onom. da voz da galinha choca.] *Adj.* **1.** Diz-se do ovo em que se está desenvolvendo o embrião. **2.** Diz-se da ave que está incubando. **3.** Podre, estragado, chocho. **4.** Sem tempero; insosso, insulso. **5.** Diz-se de água estagnada. **6.** Diz-se de refrigerante ou cerveja que perdeu o gás. ~ V. *galinha —a.* [Fem.: *choca.* Cf. *choco*, do v. *chocar.*]

chocolataria [De *chocolate* + *-aria.*] *S. f.* **1.** Fábrica de chocolate (1). **2.** Lugar onde se prepara e vende o chocolate (2).

chocolate [Do náuatle, pelo esp. *chocolate.*] *S. m.* **1.** Produto alimentar, em pó ou pastoso, feito de amêndoas de cacau torradas, açúcar e diversas substâncias aromáticas. **2.** Bebida, ou bombom, ou tablete, etc. preparado com esse produto. **3.** A cor chocolate. ● *Adj. 2 g. e 2 n.* **4.** Da cor do chocolate; amarronzado. ~ V. *pólvora —.* ◆ **Dar um chocolate em.** *Bras. Esport. Gír.* Ganhar de goleada ou de modo insofismável: *Na Copa das Confederações, o Brasil deu um chocolate na Argentina.* **Levar um chocolate.** *Bras. Esport. Gír.* Perder de goleada ou vergonhosamente; tomar um chocolate. **Tomar um chocolate.** *Bras. Esport. Gír.* Levar um chocolate.

chocolate-claro *Adj. 2 g. e 2 n. Adj.* **1.** De um tom claro de chocolate; marrom-claro. ● *S. m.* **2.** Essa cor. [Flex., quando adj.: *chocolate-claros, chocolate-clara(s)*; pl. do s. m.: *chocolates-claros.*]

chocolate-escuro *Adj. 2 g. e 2 n. Adj.* **1.** De um tom escuro de chocolate; de marrom-escuro. ● *S. m.* **2.** Essa cor. [Flex., quando adj.: *chocolate-escuros, chocolate-escura(s)*; pl. do s. m.: *chocolates-escuros.*]

chocolateira [De *chocolate* + *-eira.*] *S. f.* **1.** Vasilha onde se prepara e/ou se serve a bebida feita com o chocolate. **2.** *P. ext.* Vaso de folha em que se aquece água; cafeteira. **3.** *Bras. Gír.* Cabeça (1). **4.** *Bras. Gír.* Cara, rosto.

chocolateiro [De *chocolate* + *-eiro.*] *S. m.* **1.** Fabricante ou vendedor de chocolate. **2.** *Neol.* Negociante ou cultivador de cacau.

chocólatra [De *choco(late)* + *-latra.*] *S. 2 g.* Aquele que é devorador contumaz de chocolates e afins.

chocorreta (ê) *S. f. Ant.* Uma vez (5) de vinho.

chofar [Do hebr. *shofar.*] *S. m.* Chifre de cabra cujo som, ao ser soprado, servia, nos tempos bíblicos, entre os hebreus, de sinal de comunicação, e que, modernamente, nas sinagogas, é usado antes e durante o *Rosh Hashanah* (ano-novo) e no fim do *Yom Kippur* (dia do perdão).

chofer [Do fr. *chauffeur.*] *S. m.* Condutor de automóvel; motorista.

choferar [De *chofer* + *-ar*[2].] *Bras. Pop. V. t. d.* **1.** Servir de motorista ou chofer a; conduzir (alguém) em veículo, na condição de motorista. **2.** Dirigir, guiar (veículo). *Int.* **3.** Trabalhar como motorista: *Há muito que ele parou de choferar.*

chofrada [De *chofrar* + *-ada*[1].] *S. f.* Dito, pancada ou tiro de chofre.

chofrar [De *chofre* + *-ar*[2].] *V. t. d.* **1.** Dar de chofre em; acertar, subitamente, com pancada ou golpe. **2.** *Fig.* Vexar com motejo imprevisto; escarnecer de chofre. *T. d. e i. T. d. e c.* **3.** Atirar ou arremessar de chofre. *T. c.* **4.** Dar de chofre; ir de encontro; chocar(-se): "uma chalupa a baloiçar-se nas vagas que chofravam de encontro à fortaleza." (Camilo Castelo Branco, *D. Luís de Portugal*, p. 16). *Int.* **5.** Atirar de chofre (o caçador). [Pres. subj.: *chofre*, etc. Cf. *chofre* (ô).]

chofre (ô) [Voc. onom.] *S. m.* **1.** Choque ou pancada repentina. **2.** Tiro contra a ave que se levanta. **3.** Pancada com o taco na bola de bilhar. [Cf. *chofre*, do v. *chofrar.*] ◆ **De chofre. 1.** De repente; de súbito; repentinamente: "deixou escapar um grito .... que cortou de chofre o silêncio do dia." (Inglês de Sousa, *O Missionário*, p. 90). **2.** De chapa, em cheio: "A lua, iluminando suavemente aquele magnífico cenário, batia de chofre na sacada" (Artur Azevedo, *Contos fora da Moda*, p. 28).

chofreiro [De *chofre* + *-eiro.*] *Adj. P. us.* Que faz tudo de chofre.

chola [Do *forro*[2].] *S. f. Santom.* Festa religiosa, com cortejo de barcos enfeitados: "Fizera a chola para obter do Santo melhor pesca" (Sacramento Neto, *A Rainha*, p. 55).

choldra (ô) *S. f. Pop.* **1.** Coisa imprestável, desprezível. **2.** V. *ralé* (1). **3.** Confusão de gente ordinária; salgalhada. [F. paral.: *joldra.*] ◆ **Ir de choldra.** Ir em confusão ou em má companhia.

choldraboldra *S. f. Pop.* Choldra, confusão, tumulto.

➔**chômage** [ʃo'maʒ] [Fr.] *S. m.* Inatividade forçada, resultante da falta de trabalho, de emprego.

chopa (ô) *S. f.* V. *choupa*[1] (3).

chopada [De *chope*[1] + *-ada*[1].] *S. f. Bras.* Reunião em que se bebe muito chope.

chope[1] (ô) [Da loc. al. *(ein) Schoppen(bier)*, 'um quartilho de cerveja', pelo fr. *chope.*] *S. m.* Cerveja fresca de barril.

chope[2] (ô) *S. m. Bras. AM Bot.* Pequena árvore lecitidácea (*Gustavia longifolia*) de flores pedunculadas, róseo-purpúreas, e cujo fruto é pixídio globoso de cor vermelho-escura.

chope-duplo [De *chope*[1] + *duplo.*] *S. m. Bras. RJ Gír.* Tipo de ônibus de dois andares, que existiu até cerca de 1950 na cidade do Rio de Janeiro. [Pl.: *chopes-duplos.*]

chopeira [De *chope* + *-eira.*] *S. f.* Equipamento para servir chope (ou cerveja), que consiste num barril, de madeira ou metal, que controla a vazão e refrigera a bebida pressurizada no interior do recipiente.

choperia [De *chope*[1] + *-eria.*] *S. f.* Estabelecimento em que se servem bebidas, esp. chope, e comida.

chôpi *S. 2 g. S. m. Adj. 2 g.* V. *tchôpi.*

chopim *S. m. Bras. Zool.* V. *chupim* (1).

chopiniano *Adj.* **1.** Relativo ou pertencente a Frédéric François Chopin (1810-1849), compositor francês. **2.** Que é seguidor e/ou profundo conhecedor de sua obra. ● *S. m.* **3.** Seguidor e/ou conhecedor profundo da obra de Chopin.

chopinzinhense *Adj. 2 g.* **1.** De, ou pertencente ou relativo a Chopinzinho (PR). ● *S. 2 g.* **2.** O natural ou habitante de Chopinzinho.

➔**chop suey** [tʃop'swi \ tʃop zu'ai] [Chin. *shap sui*, lit., 'miscelânea; pedaços variados'.] *S. m. Cul.* Prato (2) feito sobretudo com brotos de feijão e de bambu, cebola, cogumelos, carne, ave ou peixe, servidos com arroz e molho de soja.

choque[1] [Do fr. *choc.*] *S. m.* **1.** Embate, encontro de dois corpos em movimento ou de um corpo em movimento e um em repouso. **2.** Embate, encontrão. **3.** Recontro violento de forças militares. **4.** Carro de choque. **5.** Querela violenta; briga. **6.** Oposição, conflito: "Eu sentia vivamente o choque entre os nossos temperamentos, do norte e do sul" (Fernando Namora, *Retalhos da Vida de um Médico*, p. 118). **7.** Luta, embate: *choque de interesses.* **8.** Abalo emocional; comoção: *Levou um choque ao saber da trágica notícia.* **9.** Sensação produzida por uma carga elétrica. **10.** *Econ.* Fenômeno, ou medida governamental, que causa efeito súbito e intenso na economia: *choque de oferta agrícola; choque anti-inflacionário.* **11.** *Fís.* Qualquer interação entre partículas, agrupamento de partículas ou corpos rígidos, na qual há influência mútua, em geral com troca de energia, quando as partículas e/ou corpos rígidos se acham muito próximos entre si; colisão. **12.** *Med. Cir.* Síndrome em que há, fundamentalmente, deficiência de chegada de sangue arterial, rico em oxigênio, aos tecidos do corpo, devido ou a diminuição significativa de volume sanguíneo – como pode ocorrer em hemorragia, em importantes perdas de líquidos (casos de grandes diarreias, vômitos, etc.) – ou a distúrbios do funcionamento cardíaco e/ou vascular (como, p. ex., em caso de infarto do miocárdio). [Sin.: *choque hipovolêmico.*] **13.** *Psiq.* Perturbação súbita do equilíbrio mental. ◆ **Choque elástico.** *Fís.* Aquele em que a energia mecânica do sistema é conservada. [Antôn.: *choque inelástico.*] **Choque inelástico.** *Fís.* Aquele em que a energia mecânica do sistema não é conservada. [Antôn.: *choque elástico.*] **Choque hipovolêmico.** *Med. Cir.* Choque (12). **Choque térmico.** Variação brusca e acentuada de temperatura.

choque[2] [Do ingl. *choke.*] *S. m. Eletr.* Bobina, geralmente enrolada sobre um núcleo de ferro, que se usa para controlar a intensidade de correntes alternadas num circuito ou para introduzir num circuito uma reatância elevada; reator.

choqueiro [De *choc-*, como em *chocar*[2], + *-eiro.*] *S. m.* Lugar onde as galinhas chocam os ovos.

choquento[1] [De *choco*[2] + *-ento.*] *Adj.* **1.** Que está choco. **2.** Maldisposto; enfraquecido, adoentado.

choquento[2] [De *choca*[3] + *-ento.*] *Adj.* Cheio de chocas (v. *choca*[3]); enlameado.

chora-chora *S. f. Zool.* V. *castanha* (12). [Pl.: *chora-chorosa* ou *choras-choras.*]

choradeira [De *chorar* + *-deira.*] *S. f.* **1.** Ato de chorar muito e com impertinência. **2.** Lamúria, lamentação. **3.** Pedido lamuriento. **4.** *P. us.* Carpideira (1).

choradinho [Subst. do dim. do adj. *chorado.*] *S. m. Bras.* V. *baião* (1).

chorado [Part. de *chorar.*] *Adj.* **1.** Pranteado, lamentado, deplorado: "nesse dia nascera o nunca assaz chorado coronel" (Aluísio Azevedo, *O Mulato*, p. 140). **2.** Tocado ou cantado em tom plangente. **3.** Difícil de obter: *Foi um gol chorado.* ● *S. m.* **4.** *Bras. Mús.* V. *baião* (1). **5.** *Bras. MA Folcl.* Parte do lelê[3] (q. v.) que marca o início da festa, e em que os cantadores e tocadores se apresentam, saúdam os presentes e os donos dos brincantes, que escolhem os seus pares.

chora-lua [De *chorar* + *lua.*] *S. m. Bras. Zool.* V. *urutau.* [Pl.: *chora-luas.*]

chora-maré [Alter. de *chama-maré.*] *S. m. Bras. Zool.* V. *chama-maré.* [Pl.: *chora-marés.*]

choramigador (ô) [De *choramigar* + *-dor.*] *Adj. S. m.* Choramingador.

choramigão [De *choramigas* + *-ão*[2].] *S. m.* Choramingão. [Fem.: *choramigona.*]

choramigar [De *choramigas* + *-ar*[2].] *V. int. T. d. T. d. e i.* Choramingar: "calaram-se ambos. O velho a pensar; o outro, de cabeça baixa, o aspecto infeliz, a choramigar baixinho." (Aluísio Azevedo, *Casa de Pensão*, p. 336). [Conjug.: v. *largar.*]

choramigas [De *chorar* + o pl. de *miga.*] *S. 2 g. e 2 n.* Choramingas.

choramigona *S. f.* Fem. de *choramigão* (q. v.).

choramigueiro [De *choramigar* + *-eiro.*] *Adj.* Choramingueiro.

choramingador (ô) [De *choramingar* + *-dor.*] *Adj. S. m.* Que, ou aquele que choraminga; choramigador.

choramingão [De *choramingas* + *-ão*[2].] *S. m.* V. *choramingas.* [Fem.: *choramingona.*]

choramingar [Var. de *choramigar*, com infl. de *míngua.*] *V. int.* **1.** Chorar amiúde e por motivos fúteis. **2.** Chorar em tom baixo. **3.** *Bras.* Soltar a voz (o tatu). *T. d.* **4.** Proferir em voz de lamúria: *"— A dor aumentou ainda mais" — choramingou o doente.* *T. d. e i.* **5.** Dizer, contar, em lamentos: *Choramingou toda a história da briga para a mãe.* [Conjug.: v. *largar.*]

choramingas [Var. de *choramigas*, com infl. de *míngua.*] *S. 2 g. e 2 n.* Pessoa que chora amiúde, que choraminga; chorão, choramingão, choramigão.

choramingo [Dev. de *choramingar.*] *S. m.* Ato de choramingar: "— Tenho que assinar o ponto — explicou o da pasta, quase num choramingo." (Antônio d'Elia, *Os Pistoleiros de Pistoia*, p. 32.)

choramingona *S. f.* Fem. de *choramingão* (q. v.).

choramingueiro [De *choramingar* + *-eiro.*] *Adj.* Que choraminga.

chorão[1] [De *choro* (ô) + *-ão*[1].] *Adj.* **1.** Que chora muito. **2.** Choroso, plangente, lastimoso: "Uns versos tristes e chorões" (Machado de Assis, *A Semana*, II, p. 102). ● *S. m.* **3.** Indivíduo chorão. **4.** V. *choramingas.* [Fem.: *chorona.*] **5.** *Bras. Bot.* Árvore ornamental, australiana, casuarinácea (*Casuarina equisetifolia*), sem folhas e com râmulos verdes. **6.** *Bot.* V. *salgueiro*[1] (1). **7.** *Bras. Zool.* Ave psitaciforme, psitacídea (*Amazona pretei*), do Uruguai e do S. do Brasil, de coloração verde, com a cabeça, fronte e borda anterior das asas e os loros escarlates. É facilmente domesticável; papagaio-da-serra. **8.** *Zool.* Designação comum a várias espécies de bagres capazes de emitir sons semelhantes a um choro. **9.** *Zool.* V. *anujá.*

chorão[2] [De *choro* (ô) + *-ão*[2].] *S. m. Bras. Mús.* **1.** Instrumentista que toma parte num choro (3). **2.** Compositor de choro (4 e 5).

chorão[3] *S. m. Bras. Zool.* V. *mandi-chorão.*

chorão-salgueiro [De *chorão*[1] + *salgueiro.*] *S. m. Bras. SC Bot.* Árvore salicácea (*Salix babylonia*) medicinal, de ramos compridos e pêndulos até o chão, e flor pálida, apétala e unissexuada; salgueiro-chorão, salgueiro-da-babilônia. [Pl.: *chorões-salgueiros* e *chorões-salgueiro.*]

chorãozinho [De *chorão*[1] + *-zinho.*] *S. m. Bras. Zool.* V. *anujá.*

chorar [Do lat. *plorare.*] *V. int.* **1.** Verter ou derramar lágrimas: "Chora de manso e no íntimo..." (Manuel Bandeira, *Estrela da Vida Inteira*, p. 46); "Recordava-lhe .... aquela lágrima quente — única vez que a vira chorar." (Urbano Tavares Rodrigues, *Vida Perigosa*, p. 130). **2.** Verter ou derramar lentamente gotas de água ou de outro líquido. **3.** Exprimir tristeza, dor, etc., com gemidos, soluços, acompanhados ou não de lágrimas; soluçar. **4.** Lamentar-se, lastimar-se, lamuriar-se; queixar-se: *É uma velha lamurienta: chora dia e noite.* **5.** Ter som análogo à voz do que pranteia: *Esta viola chora que é uma beleza.* **6.** Chorar (15): *Aquele cara chora durante quase todo o tempo do jogo.* **7.** *Bras.* Fazer derramar (bebida servida em doses) mais do que a dose certa: *Ó garçom, chora um pouco aí nesse uísque.* **8.** Pechinchar, regatear: *Tanto chorou, que obteve o desconto.* *T. d.* **9.** Verter ou derramar (lágrimas): "Chorou uma lágrima às escondidas." (Machado de Assis, *Quincas Borba*, p. 188); "Chorou muito;

chorou todas as lágrimas poupadas durante aqueles meses plácidos e felizes." (Id., *Helena*, p. 127). **10.** Exprimir em pranto, ou como que em pranto: *As vozes dos infelizes choravam preces;* "Mora [o Ceará] no bojo das violas que choram amor e saudade." (Padre Antônio Vieira, *Sertão Brabo*, p. 25). **11.** Lamentar, lastimar: *Os pais choravam a partida dos filhos para a guerra.* **12.** Sentir profundo desgosto ou saudade pela perda, falta ou ausência de: "sua mulher e seus filhos choraram muito o defunto!" (Ariano Suassuna, *A Pena e a Lei*, p. 150). **13.** Sentir remorsos ou arrependimento de: *chorar os pecados.* **14.** Pechinchar, regatear. **15.** No carteado, verificar o jogo que lhe coube por sorte, descobrindo vagarosamente o canto de (a carta); filar: *chorar as cartas no pôquer. T. i.* **16.** Verter lágrimas: *Muito chorou pelo filho perdido.* **17.** Ter grande pesar ou desgosto pela falta ou perda de alguém: *Toda a nação chorou pelos soldados mortos em ação. P.* **18.** Queixar-se dos próprios males; lastimar-se. [Pres. ind.: *choro*, etc. Cf. *choro* (ô).]

choraria [De *choro* (ô) + *-aria*.] *S. f. Bras. SP Pop.* **1.** Choro de muitas pessoas juntas. **2.** Choro prolongado.

chora-vinagre [De *chorar* + *vinagre*.] *S. m. Bras. Zool.* V. *água-viva* (2). [Pl.: *chora-vinagres*.]

chorinho [De *choro* + *-inho*¹.] *S. m. Mús. Bras.* Choro (4) em geral brejeiro e alegre.

choro (ô) [Dev. de *chorar*.] *S. m.* **1.** Ato ou efeito de chorar. **2.** Pranto, lágrimas. **3.** *Bras. Mús.* Conjunto de instrumentistas de categoria, essencialmente carioca, surgido em fins do séc. XIX com flauta, violão e cavaquinho (e, mais tarde, acrescido de clarinete, oficleide, bandolim, pistão, trombone), e que tocava em serenatas, bailes familiares e festas populares: "era o choro estimulativo dos músicos .... propiciando verdadeiros duelos entre os instrumentistas" (Edigar de Alencar, *O Fabuloso e Harmonioso Pixinguinha*, p. 19). **4.** *Bras. Mús.* Música de caráter sentimental executada por tais conjuntos, vizinha da polca e da valsa, tendo porém marcação rítmica de maxixe, e que se desenvolve em modulações e improvisações. [V. *chorinho*.] **5.** *Bras. Mús.* Composição instrumental erudita que imita o caráter lírico dessa música. **6.** *Bras. Pop.* V. *arrasta-pé* (1). **7.** *Guin.* Velório com comida, bebida, música e danças: "Cassangui morreu. Que toda a gente venha aqui assistir ao choro." (Teresa Montenegro e Carlos de Morais, *Uori: Stórias de Lama e Philosophia*, p. 67.) [Sin. (guin.), nesta acepç.: *tchur*.] **8.** *Bras. CE* Pequena fonte que surge no sopé ou encosta de uma chapada residual. [Pl.: *choros* (ô). Cf. *choro*, do v. *chorar*.] **9.** *Bras. Pop.* Bebida servida além da dose paga. ◆ **Choro das abelhas.** *Apic.* V. *órfã*.

chorocacar [Voc. onom.] *V. int. Bras.* Soltar a voz (o macuco). [Não se emprega nas duas primeiras pessoas. Conjug.: v. *trancar*.]

choroense (chorò) *Adj. 2 g.* **1.** De, ou pertencente ou relativo a Choró (CE). ● *S. 2 g.* **2.** O natural ou habitante de Choró.

chorolambre *S. m. Bras. Zool.* V. *xué* (2).

chorona *Adj. S. f.* **1.** Fem. de *chorão*¹ (1 a 4). **2.** *Bot.* Diz-se de, ou planta cujas folhas pendem: *samambaia chorona.* ~ V. *choronas*.

choronas [Do esp. *lloronas*.] *S. f. pl. Bras. RS* Esporas de ferro, de grandes rosetas, usadas pelos domadores. ~ V. *chorona*.

chororão [De *chororó* + *-ão*¹, poss.] *S. m. Bras. BA Zool.* V. *inhambuanhanga*.

chororó [Voc. onom., poss.] *S. m. Bras. CE Zool.* V. *borralhara*.

chororô [De *choro*, com suf. express.] *S. m.* **1.** *Fam.* Choradeira (1). **2.** *P. ext.* Lamentação que se faz com o intuito de conseguir ou justificar algo: "Aí vem o inevitável chororô na Esplanada dos Ministérios" (*O Globo*, 02.09.2004).

chorosamente [Do f. de *choroso* + *-mente*.] *Adv.* De modo choroso; com choro, lágrimas, dor.

choroso (ô) [De *choro* (ô) + *-oso*.] *Adj.* **1.** Que chora, que está chorando; lacrimoso: *Encontrei-a chorosa com a morte do tio.* **2.** Que indica choro, lástima ou dor; próprio de quem chora: "Até sorria — sorriso tristonho, de cara chorosa" (Nélson de Faria, *Tiziu e Outras Estórias*, p. 139). **3.** Magoado, sentido, triste.

chorozinhense *Adj. 2 g.* **1.** De, ou pertencente ou relativo a Chorozinho (CE). ● *S. 2 g.* **2.** O natural ou habitante de Chorozinho.

chorrar [De *chorro* + *-ar*².] *V. int. T. d.* V. *jorrar*¹. [Pres. ind.: *chorro*, etc. Cf. *chorro* (ô).]

chorrilho [Do esp. *chorrillo*.] *S. m.* **1.** Sequência rápida e contínua; série: "Sendo o português, por natureza, descomedido em palavras, como todos os povos do Sul, a Direção dos Correios .... pôs um travão ao chorrilho de frases que enchiam os simples cartões de visita, preceituando um máximo de cinco palavras" (M. Rodrigues Lapa, *Estilística da Língua Portuguesa*, pp. 7-8). **2.** Conjunto de coisas ou de pessoas mais ou menos semelhantes.

chorro (ô) [T. onom.] *S. m.* Jorro: "as águas escoaram em chorro demorado" (Xavier Marques, *Jana e Joel*, p. 94). [Pl.: *chorros* (ô). Cf. *chorro*, do v. *chorrar*.]

chorró *S. m. Bras. N.E. Zool.* Designação onomatopeica de aves passeriformes fornicariídeas, gênero *Thamnophilus*. [V. *chocaⁱ*.]

chorrochoense (chòên) *Adj. 2 g.* **1.** De, ou pertencente ou relativo a Chorrochó (BA). ● *S. 2 g.* **2.** O natural ou habitante de Chorrochó.

chorudo [De *chor(ume)* + *-udo*, poss.] *Adj. Pop.* **1.** Gordo, chorumento. **2.** Rendoso, rico.

chorume [Do lat. **florumen*.] *S. m.* **1.** Banha, gordura, pingue: "e os olhos, os olhos como grandes pingos de chorume amarelo sobrenadando, sobressaindo, trementes como uma geleia" (João Guimarães Rosa, *Corpo de Baile*, II, p. 531). **2.** *Fig.* Abundância, opulência. **3.** Líquido escuro, de odor desagradável e altamente poluente, que escoa de massas de lixo orgânico ou de aterros sanitários, resultante da decomposição física, química e biológica de resíduos e da lixiviação por água das chuvas.

chorumela [De or. express., poss.] *S. f. Bras. Pop.* **1.** V. *ninharia*. **2.** V. *troço* (2). **3.** Lenga-lenga, cantilena. "Este, por sua vez, nem quis ler a referida chorumela, pois assinaria no escuro aquilo que jamais pensava em cumprir." (Fernando Sabino, *O Grande Mentecapto*, p. 215.)

chorumento [De *chorume* + *-ento*.] *Adj.* Que tem chorume (1): "Vi que ele comia à tripa forra um chorumento jantar de carnes frias" (Camilo Castelo Branco, *Amor de Salvação*, p. 27).

choupa¹ [Do fr. *échoppe*.] *S. f.* **1.** Ponta de ferro ou de aço com que se armam garrochas, chuços, etc. **2.** Ferro de dois gumes usado para abater as reses nos matadouros: "No saladeiro um sujeito lhes cravava a choupa no cabelouro e o animal caía no mesmo lugar." (M. Cavalcanti Proença, *Manuscrito Holandês*, p. 91.) **3.** Ponta aparada em bisel, que pode produzir traços grossos ou finos, conforme a posição em que a maneja o gravador; chopa. [Cf., nesta acepç., *ponta* (14).]

choupa² [Do lat. *clupea*.] *S. f. Bras. BA Zool.* V. *caicanha*.

choupal [De *choupo* + *-al*¹.] *S. m.* **1.** Quantidade mais ou menos considerável de choupos dispostos proximamente entre si. **2.** Área ocupada por choupal (1).

choupana [De *choupo* + *-ana*¹.] *S. f.* V. *cabana*.

choupaneiro [De *choupana* + *-eiro*.] *S. m.* Aquele que habita em choupana.

choupo [Do lat. vulg. **poplu* < lat. *populu* (v. *pópulo*).] *S. m. Bot.* **1.** V. *pópulo* (2). **2.** V. *choupo-branco*.

choupo-branco *S. m. Bot.* Árvore salicácea (*Populus alba*) de pequeninas flores dioicas, amentíferas, pêndulas, que surgem antes das folhas, e tronco macio, de um branco leitoso, esverdeado; álamo, álamo-branco, álemo, choupo, faia-branca. [Pl.: *choupos-brancos*.]

choupo-negro *S. m. Bot.* V. *choupo-preto*. [Pl.: *choupos-negros*.]

choupo-preto *S. m. Bras. Bot.* Árvore salicácea (*Populus nigra*) de até 25m, de casca cinzenta, folhas ger. deltóideas, crenadas, e flores amentíferas; é cultivado pela resina, de uso medicinal, e pela madeira útil. [Sin.: *alambra*, *choupo-negro*, *álamo-preto*, *álamo-negro*. Pl.: *choupos-pretos*.]

chourém *S. 2 g. Bras. S.* Pessoa sarnenta.

chouriça [De *chouriço*.] *S. f.* **1.** Chouriço (2). **2.** Tradução interlinear nos compêndios em língua estrangeira. **3.** *Lus.* Chouriço (1).

chouriçada [De *chouriço* + *-ada*¹.] *S. f.* **1.** Grande porção de chouriços. **2.** Pancada com chouriço. **3.** Fumeiro (4).

chouriceiro [De *chouriço* + *-eiro*.] *S. m.* Aquele que faz e/ou vende chouriços.

chouriço [De or. incerta; do lat. *salsiciuru*, poss.; cf. esp. *chorizo*.] *S. m.* **1.** Enchido de porco, cujo recheio é misturado com um pouco de vinho e, às vezes, sangue, e curado ao fumo. [Sin. lus.: *chouriça*. Cf. *linguiça* (1).] **2.** Saco longo e cilíndrico, cheio de areia ou serradura, para tapar as fendas inferiores das portas e janelas; chouriça. **3.** *Bras. Cul.* Iguaria feita de sangue de porco, especiarias e açúcar; morcela. **4.** *Bras. RS* Parte acolchoada do rabicho que passa por sob a cauda do cavalo. **5.** *Ant.* Rolo de cabelo para altear o penteado. ◆ **Chouriço de sangue.** *Lus.* V. *morcela* (1). **Chouriço mouro.** *Lus.* O que é feito com pedaços e sangue de porco, vinho e condimentos vários.

choutã *Adj. (f.)* Fem. de *choutão*.

choutador (ô) [De *choutar* + *-dor*.] *Adj.* Que anda a chouto; choutão, chouteiro.

choutão [De *choutar* + *-ão*².] *Adj.* V. *choutador*. [Fem.: *choutã*.]

choutar [Do lat. *saltare*, pela f. **soutar*.] *V. int.* Andar a chouto; choutear: "O Marcos trepou na anca do animal cavalgado pelo tabaréu e partiram choutando." (Cardoso de Oliveira, *Dois Metros e Cinco*, p. 298.)

choutear [De *chout-*, como em *choutar*, + *-ear*².] *V. int.* **1.** Choutar: "A égua vinha chouteando pelo atalho pedregoso" (Alberto Braga, *Novos Contos*, p. 6). **2.** Acompanhar (o lacaio) ao senhor, em cavalo choutador. **3.** Caminhar vagarosamente. [Conjug.: v. *frear*.]

chouteiro [De *choutar* + *-eiro*.] *Adj.* V. *choutador*: "mulinha chouteira" (Ramalho Ortigão, *Em Paris*, p. 143).

chouto [Dev. de *choutar*.] *S. m.* Trote (1) miúdo e incômodo. ◆ **Sair de chouto.** Fugir apressadamente.

chovediço [De *chover* + *-(d)iço*¹.] *Adj.* **1.** Da chuva; pluvial. **2.** Que promete chuva: *céu chovediço.* **3.** Em que chove a miúdo: *lugar chovediço.*

chovedoiro [De *chover* + *-doiro*².] *S. m. Bras.* Chovedouro (q. v.).

chovedouro [De *chover* + *-douro*²; var. de *chovedoiro*.] *S. m. Bras.* Direção de onde costuma vir a chuva.

chove e não molha [Do v. *chover* + e (conj.) + v. *molhar*.] *Pop. S. m. 2 n.* **1.** V. *chove não molha*. *S. 2 g. e 2 n.* **2.** V. *água-morna*. ☑

chove não molha [De *chover* + *não* + *molhar*.] *S. m. 2 n. Bras. Fam.* Coisa ou situação que não vai para diante nem para trás, que não ata nem desata: "quando encontramos algum conhecido, o que não está fácil hoje em dia, a conversa fica naquele chove não molha .... cada um com medo do outro" (José J. Veiga, *Os Pecados da Tribo*, p. 73). ◆ **Cheio de chove não molha.** *Bras. Fam.* V. *cheio de luxo*. ☑

chover [Do lat. vulg. *plovere* < lat. cláss. *pluere*.] *V. int.* **1.** Cair água em gotas da atmosfera: "Choveu; as ruas ainda estão molhadas." (José de Alencar, *A Pata da Gazela*, p. 200.) **2.** *Fig.* Cair da atmosfera: *Choveu maná no deserto.* **3.** *Fig.* Cair do alto em abundância: *Choveram pétalas sobre suas cabeças.* **4.** *Fig.* Cair ou sobrevir em abundância: *Choviam esmolas em seu chapéu;* "Bala choveu logo em cima de mim." (Vieira Pires, *Querência*, p. 124). *T. d.* **5.** Fazer cair em abundância; deitar; derramar: *A mangueira chovia frutos maduros no chão.* [V. impess., conjugado só na 3.ª pess. sing.; em sentido figurado, porém, pode-se conjugar pessoal e transitivamente: *Deus choverá bênçãos sobre esta união.*]

chovido [Part. de *chover*.] *Adj. Bras.* Em que choveu; molhado ou regado pela chuva: "esta rua chovida e sem pássaros." (Abgar Renault, *A Lápide sob a Lua*, p. XVII); "Havia porém o verde intenso do inverno cobrindo a terra duma tapeçaria gigante ..... Era o sertão chovido." (José Lins do Rego, *Bota de Sete Léguas*, p. 144).

→**chroma-key** [ˈkɹoʊmə kij] [Ingl.] *S. f. Telev.* Técnica utilizada para inserir uma imagem em outra gravada separadamente, dando, p. ex., a impressão de primeiro e segundo planos.

chuá¹ [Do al. *Schwa*, de or. hebraica.] *S. m. E. Ling.* Vogal produzida com elevação mínima da parte central da língua; vogal indefinida. [No português europeu corresponde ao chamado *e* neutro.] [Var.: *xuá*¹. F. paral.: *chevá*.]

chuá² [T. onom.] *S. m. Bras. Gír.* Enchente (4). [Cf. *xuá*.]

chuã [Do guar., 'pontiagudo'.] *S. m. Bras. SP* Pequeno cesto cônico, de cipó, para carregar frutas.

chuabo [Do tchôpi *etchuwabo*, com aférese.] *S. 2 g.* **1.** *Etnôn.* Indivíduo dos chuabos, um dos povos que habitam as províncias de Zambézia e Sofala (Moçambique). ● *S. m.* **2.** *Gloss.* A língua falada pelos chuabos, pertencente ao grupo banto. **3.** Vocábulo dessa língua. ● *Adj. 2 g.* **4.** Pertencente ou relativo aos chuabos, ou à sua língua: "operários e operárias chuabos e macuas trabalhando minerais pesados" (Tomás Vimaró, *Terra no Alambique*, p. 87).

chuca [De or. express., poss.] *S. f. e m.* Chuquinha.

chuça [De *chuço*.] *S. f.* V. *chuço*.

chuca-chuca [De *Chuca-Chuca*, apelido de um bebê famoso do cinema americano na década de 30.] *S. m. Bras.* Pequena mecha de cabelo de bebê, ou de criança de pouca idade, penteada de modo que fique voltada para cima, formando uma espécie de caracol: "Maria Mercedes dormindo quietinha, com os olhos fechados, os punhozinhos cerrados, o chuca-chuca desfeito, o rostinho gorducho e macio" (Malu de Ouro Preto, *Siri na Noite sem Lua*, p. 127). [Pl.: *chuca-chucas*.]

chuçada [De *chuço* + *-ada*¹.] *S. f.* Golpe de chuço ou de instrumento semelhante.

chuçar [De *chuço* + *-ar*².] *V. t. d.* **1.** Ferir com chuço. **2.** Impelir com chuço ou com outro instrumento de ponta. [Conjug.: v. *laçar*.]

chuceiro [De *chuço* + *-eiro*.] *S. m. Ant.* Soldado armado de chuço (2).

chucha [Dev. de *chuchar*¹.] *S. f.* **1.** Ação de chuchar. **2.** Mama que amamenta. **3.** O leite do peito; mama. **4.** Boneca ou pano embebido em leite ou água açucarada, que as crianças chucham, na falta de mama; chuchadeira. 5. V. *chupeta* (2). ◆ **À chucha calada.** 1. Em segredo; às ocultas: "as noites de inverno, ... velava-as a cismar nos desabrigados. Depois mandava-os socorrer com grosas de escudos. E dava-os à chucha calada." (João de Araújo Correia, *Sem Método*, p. 83). 2. Sem reclamar, sem queixar-se, sem gritar: *Levou uns bofetões à chucha calada.* **À chucha caladinha.** À chucha calada.

chuchadeira [De *chuchar*[1] + *-deira*.] *S. f.* 1. Chucha (4). 2. *Fam.* Negócio rendoso, proveitoso. 3. *Pop.* Caçoada, desfrute, mangação.

chuchado [Part. de *chuchar*[1].] *Adj.* Chupado, mirrado, magro.

chuchar[1] [Da onom. *chuch*, que imita a sucção.] *V. t. d.* 1. Chupar, sugar: "A criança .... piscava os olhos chuchando a chupeta" (Coelho Neto, *Sertão*, p. 178). 2. Mamar (1). 3. Receber, levar; apanhar. 4. *Pop.* Fazer caçoada com, mangar de; desfrutar. [Pres. ind.: *chucho*, etc. Cf. *xuxo*.]

chuchar[2] [De *chucho*[2] + *-ar*[2].] *V. t. d. Bras. Pop.* Cutucar, futicar, futucar. [Pres. ind.: *chucho*, etc. Cf. *xuxo*.]

chucho[1] [Do quíchua *chujchu*, pelo esp. plat. *chucho*.] *S. m. Bras. RS* 1. Tremor de frio; calafrio. 2. Febre intermitente; sezão. [Cf. *xuxo*.]

chucho[2] [De *chuço*, com assimilação.] *S. m.* 1. Chuço (1). 2. *Bras.* Em algumas zonas agrícolas, pau de ponta com que o lavrador abre na terra preparada um buraco onde se deposita a semente. [Cf. *xuxo*.]

chuchu [Do fr. antilhano *chou-chou*.] *S. m.* 1. *Bot.* Trepadeira cucurbitácea (*Sechium edule*) herbácea, de fruto verde, comestível, revestido de espinhos inermes, e flores masculinas e femininas, com corola de cor amarelo-pálida ou alva; nachuchu, machuchu. 2. O fruto dessa planta; caxixe. 3. *Bras. RJ Pop.* Alcunha das pessoas nascidas em Petrópolis. ● *S. 2 g.* 4. *Bras.* Pessoa muito bonita e querida, muito bondosa e carinhosa. ◆ **Pra chuchu.** *Bras. Gír.* Em grande quantidade ou intensidade; muitíssimo; à beça: *Na festa havia gente pra chuchu*; "O dinheiro pode sair, mas vai demorar pra chuchu." (Herberto Sales, *Histórias Ordinárias*, p. 105).

chuchurreado [Part. de *chuchurrear*.] *Adj.* Diz-se de gole ou beijo ruidoso, repenicado e demorado.

chuchurrear [De *chuchar*.] *V. t. d.* Beber aos goles, sorvendo com ruído; gorgolejar: "Param [os romeiros] nas mesas dos doces, enchem os bolsos de tortas, chuchurreiam o café com galhofas e risadas, e, cantando, reentram no vagalhão." (José Vieira, *Sol de Portugal*, p. 155.) [Conjug.: v. *frear*.]

chuço [De or. incerta; esp. *chuzo*.] *S. m.* 1. Vara ou pau armado de aguilhão ou choupa[1] (1). [Var. (bras., pop.): *chucho*. Sin.: *jagunço*.] 2. *Ant.* Arma que consiste numa ponta de ferro encastoada em um bordão: "o corpo do almirante Coligny, atravessado com um chuço pelo ventre, foi despejado de uma janela a um pátio do Louvre." (Ramalho Ortigão, *As Farpas*, II, p. 313). [F. paral.: *chuça*.]

chucro *Adj.* V. *xucro*.

chucrute [Do dial. alsaciano *sûrkrût* (al. *Sauerkraut*, 'erva azeda'), pelo fr. *choucroute*.] *S. m. Cul.* Repolho picado e fermentado em salmoura, usado como acompanhamento de vários pratos de salsicharia.

chué [Do ár. *šayya(t)*, 'coisa', 'objeto'; 'assunto', pelo ár. dialetal (hisp. e marroquino) *šūy(yat)*, 'pouco', poss.] *Adj. 2 g.* 1. Sem categoria; ordinário, reles, chinfrim: *poema chué; carpinteiro chué.* "Também, aquilo não era vida. Vidinha chué, uma mão na frente, outra atrás." (João Antônio, *Leão de Chácara*, p. 23.) 2. Mal-arranjado; sem apuro; desleixado: *Ela anda sempre muito chué.* 3. Apoucado, acanhado, magro. 4. *Bras.* Diz-se do traje sem graça, simples, ordinário. [Cf. *xué*.]

chuetar [De *chué* + *-t-* + *-ar*[2], poss.] *V. t. i. Bras. BA Gír. P. us.* Não dar importância a; desdenhar de: "— Chuetar de um pedaço desses... Na farmácia ou onde fosse... Se ela aparecesse lá, no 'Paraíso em Flor', com vontade de me dar, ia mesmo ali, num ataúde..." (Jorge Amado, *Dona Flor e Seus Dois Maridos*, p. 395.)

chufa[1] [Dev. de *chufar*.] *S. f.* Dito trocista; caçoada, troça, remoque, mofa: "O bibliômano do tempo dos Césares costumava dissipar sua riqueza em livros. Vai daí, o literato impecunioso alvejava-o com chufas e zombarias." (Eduardo Frieiro, *Os Livros Nossos Amigos*, p. 61).

chufa[2] [Do esp. *chufa*, poss.] *S. f.* 1. *Bot.* A raiz, açucarada, da junça (1). 2. Bebida refrigerante feita de junça (1).

chufar [T. onom., com infl. do lat. vulg. *sufilare* < lat. cláss. *sibilare*, poss.] *V. t. d.* 1. Dizer chufas a; mofar, zombar de. *T. i.* 2. Zombar, mofar. *Int.* 3. Dizer chufas. [Sin. ger.: *chufear*.]

chufear [De *chuf-*, como em *chufar* e *chufa*[1], + *-ear*[2].] *V. t. d. T. i. Int.* V. *chufar*. [Conjug.: v. *frear*.]

chufista [De *chufa*[1] + *-ista*.] *Adj. 2 g. S. 2 g.* Que, ou quem diz chufas.

chui [De or. obsc.] *S. m. Lus. Gír.* Agente de polícia.

chula[1] [F. subst. de *chulo*.] *S. f. Mús.* 1. Espécie de dança e música popular de origem portuguesa: "Em noites de luar faziam serenatas; aparecia sempre alguém que .... soubesse cantar chulas e modinhas." (Aluísio Azevedo, *Casa de Pensão*, p. 25.) 2. Dança com sapateado, popular no sul do Brasil.

chula[2] [De or. obsc.] *S. f. Bras. Bot.* Planta cactácea (*Lepismium lumbricoides*) epífita ou não, de ramos alongados, verdes, afilos, e flores e frutos pequeninos, pouco numerosos. [Sin. bras., NE: *roseta-de-pernambuco*.]

chularia [De *chulo* + *-aria*.] *S. f.* Chulice.

chulé [Do cigano *chu(l)ló* ou *chu(l)li*.] *S. m. Chulo* 1. Sujeira formada pelo suor dos pés. 2. O fétido que ela desprende.

chuleado [Part. de *chulear*.] *S. m. Bras.* Chuleio.

chulear [Do lat. *subligare*, 'ligar por baixo'.] *V. t. d.* 1. Coser a orla de (o tecido), prendendo-a, de modo que não se desfie. *Int.* 2. Coser a orla do tecido, prendendo-a, de modo que não se desfie: "Sabia de costura, também: de cerzir e de chulear." (Cecília Meireles, *Obra Poética*, p. 1.014.) [Conjug.: v. *frear*.]

chuleio [Dev. de *chulear*.] *S. m.* 1. Ato ou efeito de chulear. 2. O ponto de chulear. [Sin. ger.: *chuleado*.]

chuleiro [De *chula*[1] + *-eiro*.] *Adj.* Que toca ou dança a chula[1].

chulepento [De *chulé* + *pé* + *-ento*, poss.] *Adj. S. m. Bras. Chulo* Que, ou aquele que tem chulé; chulerento.

chulerento [De *chulé* + *-r-* + *-ento*.] *Adj. S. m. Bras. Chulo* Chulepento.

chuleta (ê) [Do esp. *chuleta*.] *S. f. Bras. RS* 1. Costela com carne de gado vacum, ovino ou suíno. 2. Prato preparado com essa carne.

chulice [De *chulo* + *-ice*.] *S. f.* Dito, modos ou ação chula; chularia.

chulipa[1] *S. f.* Golpe nas nádegas de outrem com o lado exterior do pé.

chulipa[2] [Do ingl. *sleeper*.] *S. f. Bras. Pop.* V. *dormente* (12).

chulismo [De *chulo* + *-ismo*.] *S. m.* Expressão chula.

chulista[1] [De *chula*[1] + *-ista*.] *S. 2 g.* Pessoa que toca ou dança a chula[1].

chulista[2] [De *chulo* + *-ista*.] *S. 2 g.* Pessoa que faz ou diz chulices.

chulo [Do esp. *chulo*.] *Adj.* 1. Grosseiro, baixo, rude: "Imitava tudo. O turco regateador, a criada espevitada, a velha impertinente e rezingona, o botequineiro chulo e palavroso." (Lúcio Cardoso, *Maleita*, p. 115.) 2. Usado pela ralé; ordinário: "a sua autoridade indiscutível de orador popular, fazia-lhe cair dos lábios, como um rosário de sons, as palavras graves, indecorosas, chulas e poéticas, em misto turbulento e inteligente." (Fialho d'Almeida, *Contos*, p. 10). ● *S. m.* 3. *Lus.* V. *cáften*.

chumaçar [De *chumaço* + *-ar*[2].] *V. t. d.* Meter chumaços [v. *chumaço* (1 a 3)] em; estofar, enchumaçar. [Conjug.: v. *laçar*.]

chumaceira [De *chumaço* + *-eira*.] *S. f.* 1. Espécie de coxim, de madeira, couro ou metal, sobre o qual se move um eixo, e destinado a evitar o desgaste; bucha. 2. Peça de madeira ou de couro sobre a qual se movimenta o remo. 3. *Constr. Nav.* Chapa de metal, em forma de *U*, que, nalgumas embarcações miúdas, cobre cada abertura da falca onde se apoia o remo para remar. [Cf. *toleteira*.]

chumacete (ê) [Dim. de *chumaço*.] *S. m.* 1. Pequeno chumaço. 2. Pequena almofada.

chumaço [Do lat. tard. *plumaciu*, 'cama de penas'.] *S. m.* 1. Pasta de algodão em rama, entre o forro e o tecido do vestuário, para lhe altear o feitio. 2. Porção de penas ou de outras matérias flexíveis usadas para o mesmo fim. 3. Substância com que se acolchoa qualquer coisa. 4. Porção de algodão, gaze ou fibra sintética, usada em curativos ou na toalete; tampão. 5. *Bras.* Peça de madeira sobre a qual gira o eixo do carro de bois, e que produz o chio característico desses carros. [Dim. irreg.: *chumacete*.]

chumbada [De *chumbo* + *-ada*[1].] *S. f.* 1. Tiro de chumbo. 2. Porção de chumbo que se gasta num tiro. 3. Ferimento com tiro de chumbo miúdo. 4. Chumbo que se põe nas redes e linhas de arremesso para pescar: "pegou a linha a uns três palmos da chumbada, rodou-a por cima da cabeça, deu-lhe impulso, ficou olhando o engodo cair no fim da corredeira, na boca do poço." (Nélson de Faria, *Tiziu e Outras Estórias*, p. 26). 5. *Marinh.* Peça de chumbo, e eventualmente de outro metal, presa à extremidade da sondareza para fazê-la correr até o fundo do mar. 6. *Tip.* Jato de chumbo esguichado fora do molde, nas máquinas compositoras ou fundidoras. 7. *Lus. Fam.* Coisa fastidiosa, enfadonha.

chumbado [Part. de *chumbar*.] *Adj.* 1. Soldado ou preso com chumbo. 2. Tapado ou obturado com chumbo ou com outro metal. 3. Ferido por tiro de chumbo. 4. Armado, carregado ou guarnecido de chumbo: *rede chumbada.* 5. *Bras.* Diz-se do boi de pelo branco, vermelho ou castanho, com manchas pretas. 6. *Bras. Pop.* V. *embriagado* (1): *estar, ficar chumbado.* 7. *Bras. Fam.* Tocado por paixão amorosa: *Mal viu a pequena, ficou chumbado; Só pensa no rapaz, está chumbada.* 8. *Bras. Fam.* Atingido por doença contagiosa ou, p. ext., por qualquer doença: *Pegou a gripe, está chumbado; O reumatismo o atacou, anda chumbado.*

chumbador (ô) [De *chumbar* + *-dor*.] *Adj. S. m.* Que, ou aquele que chumba.

chumbagem [De *chumbar* + *-agem*[2].] *S. f.* Ato ou efeito de chumbar.

chumbalé *S. m. Bras. SP* V. *chambalé*.

chumbar [De *chumbo* + *-ar*[2].] *V. t. d.* 1. Prender, ligar, tapar ou soldar com chumbo ou com outro metal fusível. 2. Ferir com tiro de chumbo (2): *O caçador chumbou a ave.* 3. *P. ext.* Ferir com arma de fogo: *Pegou do revólver e chumbou o ladrão.* [Sin., bras., S., nas acepç. 2 e 3: *chumbear*.] 4. Pôr selo de chumbo em. 5. Guarnecer com pesos de chumbo: *A costureira chumbou o casaco para lhe dar melhor caimento.* 6. Dar cor de chumbo a. 7. *Bras. Pop.* Obturar com chumbo ou outra substância: *chumbar os dentes.* 8. *Fig.* Fechar, ou como que fechar, hermeticamente: *chumbar uma sepultura*; "A trombeta fatal os meus ouvidos chumba." (Da Costa e Silva, *Sangue*, p. 77). *T. d. e c.* 9. *Fig.* Prender fortemente; fixar: "da grilheta mortal que ao chão te chumba, / nunca mais te liberte a vária sorte." (Augusto de Lima, *Poesias*, p. 245). *T. d. e i.* 10. *Fig.* Chumbar (9): *O sofrimento demasiado chumbara-o ao passado.* 11. Embebedar, embriagar. *Int.* 12. *Tip.* Esguichar (a máquina compositora ou fundidora) o metal-tipo fora do molde.

chumbeado [Part. de *chumbear*.] *Adj. Bras. S.* V. *embriagado* (1).

chumbear [De *chumbo* + *-ear*[2].] *V. t. d. Bras. S.* Chumbar (2 e 3). [Conjug.: v. *frear*.]

chúmbeas [Var. de *chúmeas*, com infl. de *chumbo*.] *S. f. pl. Mar.* V. *chúmeas*.

chumbeira [De *chumbo* + *-eira*.] *S. f.* 1. Rede de pesca, coniforme, guarnecida de chumbo. [Cf. *tarrafa* (1).] 2. Pedaço de chumbo, de espaço a espaço, na tralha inferior da rede, para fazê-la ir ao fundo ou mantê-la em posição vertical; chumbo. 3. Chumbeiro (1): "cinco espingardas com suas chumbeiras e polvorinhos" (Aquilino Ribeiro, *Portugueses das Sete Partidas*, p. 80).

chumbeiro [De *chumbo* + *-eiro*.] *S. m.* 1. Estojo de couro para chumbo de caça; chumbeira. 2. Grão de chumbo. 3. Aquele que trabalha com chumbo. 4. *Bras.* Alcunha do português na época das lutas pela independência.

chumbinho [Dim. de *chumbo*.] *S. m.* 1. *Bras.* Pequeno projetil de chumbo para revólver ou espingarda de ar comprimido. 2. *Bras. MA* Designação dada aos portugueses. V. *galego* (4). 3. *Bras. RJ* V. *estalo* (4). 4. *Bras. Bot.* V. *ensacadinha*.

chumbismo [De *chumbo*, da alcunha *pé de chumbo*, + *-ismo*.] *S. m. Bras. S.* Afeição partidária ao regime colonial. [Us. na época da Independência.]

chumbo [Do lat. *plumbu*.] *S. m.* 1. *Quím.* Elemento de número atômico 82, metálico, cinza-prateado, mole, muito denso, utilizado em ligas com diversos metais [símb.: *Pb*]. 2. Grão desse metal, para caça. 3. Chumbeira (2). 4. Pedaço de chumbo fixado à linha de pesca para fazê-la ir ao fundo. 5. Pequenas chapas desse metal, usadas como peso na barra de certas roupas. 6. *Fig.* Aquilo que pesa muito. 7. *Fam.* Juízo, tino. 8. *Art. Gráf.* Cada um dos divisórios desse metal que se põem no tinteiro das prensas para dividir ou limitar o seu âmbito. ◆ **Chumbo grosso.** Ataque violento, ger. com provas contundentes: "mas sabe que 'X' e outros petistas estão em seus calcanhares e que vem chumbo grosso por aí." (Helena Chagas, *O Globo*, 25.07.2005). **Levar chumbo.** 1. Levar ferro. 2. Receber um tiro. 3. *Chulo* Ser possuído sexualmente.

chumbotetraetila *S. m. Quím.* V. *chumbo-tetraetila*. ✻

chumbo-tetraetila *S. m. Quím.* Substância líquida, organometálica, tóxica, que era us. como aditivo antidetonante em gasolina até ser condenada por causar poluição grave [fórm.: $C_8H_{20}Pb$]. [Pl.: *chumbos-tetraetilas*.]

chumear [De *chúmeas* + *-ar*[2].] *V. t. d. Mar.* Guarnecer de chúmeas. [Conjug.: v. *frear*.]

chúmeas [Do ár. *ǧāmiᶜa(t)*, da raiz *ǧmᶜ*, 'juntar', 'agrupar'.] *S. f. pl. Mar.* Peças de madeira com que se consertam os mastros estalados. [Var.: *chúmbeas*, *súmeas*.]

chumeco [Do ingl. *shoemaker*.] *S. m. Gír. Deprec.* Sapateiro reles.

chupa [Dev. de *chupar*.] *S. f.* 1. *Bras. PA Bot.* Árvore lecitidácea (*Gustavia speciosa*) regular, de flores grandes, com pétalas carnosas e pedicelos tomentosos, dispostas em racimos terminais, e fruto bacáceo, comestível. 2. *Bras. N.E.* Laranja descascada e não partida, à qual se tira um tampo para se lhe sorver o sumo: 📖 "vendem-se roletos de cana, sorvetes, garapa, cerveja, doces, pastéis, chupas de laranja" (Aluísio Azevedo, *O Mulato*, p. 97). [Sin., nesta acepç.: *boquinha* (AM), *chupa-chupa* (AL), *chupetinha* (RJ) e *mamucha* (MG).] ● ***S. m.*** 3. *Bras. BA* Lugar, à margem do Jequitinhonha, onde a força erosiva da corrente abre como que um furo, entrando as águas pela terra até que se espraiam em brejos e baixadas, longe do local perfurado. 4. *Bras. Mar. Merc.* V. *chupador* (3). ● ***S. 2 g.*** 5. *Bras. Gír. Mar. G.* Aquele que não faz força, não se emprega a fundo num exercício ou faina. ● ***Adj. 2 g.*** 6. *Bras. Gír. Mar. G.* Diz-se daquele que não se emprega a fundo num exercício ou faina.

chupa-caldo [De *chupar* + *caldo*.] ***S. m.*** 1. *Bras. Pop.* Indivíduo alcoviteiro. 2. V. *bajulador* (2). [Pl.: *chupa-caldos*.]

chupa-chupa [De *chupar* + *chupar*.] ***S. f.*** 1. *Bras. AL* V. *chupa* (2). ● ***S. m.*** 2. *Lus.* Pirulito (1 e 2). 3. *Bras. Bot.* V. *caapiá-verdadeiro*. [Pl.: *chupas-chupas* e *chupa-chupas*.]

chupada [De *chupar* + *-ada*¹.] ***S. f.*** *Bras.* 1. V. *chupadela*. 2. *Pop.* V. *repreensão* (1).

chupadela [De *chupar* + *-dela*.] ***S. f.*** 1. Ato de chupar uma vez. 2. Ato de chupar; chupadura, chupamento, chupança. [Sin. ger.: *chupada*.]

chupa-dente [De *chupar* + *dente*.] ***S. m.*** *Bras. Zool.* V. *cuspidor* (3). [Pl.: *chupa-dentes*.]

chupa-dente-de-coroa-vermelha ***S. m.*** *Bras.* V. *cuspidor* (4). [Pl.: *chupa-dentes-de-coroa-vermelha*.]

chupado [Part. de *chupar*.] ***Adj.*** *Fam.* Magríssimo, macérrimo: 📄 *um velhinho chupado; cara chupada*.

chupadoiro [De *chupar* + *-doiro*².] ***S. m.*** Chupadouro (q. v.).

chupador (ô) [De *chupar* + *-dor*.] ***Adj.*** 1. Que chupa. ● ***S. m.*** 2. Aquele ou aquilo que chupa. [Sin. (bras., N.E., pop.), nesta acepç.: *chuparino*.] 3. *Bras. Mar. Merc.* Grande aspirador a vácuo, empregado na descarga de granéis finos tais como trigo, cimento, etc.; chupa, sugador. 4. *Bras.* Cada uma das depressões inclinadas para leste na margem direita do brejo ocidental do rio Araguaia, acima da barra do rio das Mortes. 5. *Bras. CE* Remoinho (nos rios).

chupador de anta ***S. m.*** *Bras. AM* Terreno salgado muito procurado pelas antas e por outros animais. [Pl.: *chupadores de anta*.] ☑

chupadouro [De *chupar* + *-douro*²; var. de *chupadoiro*.] ***S. m.*** 1. Tubo ou orifício por onde se absorve ou chupa um líquido; chupeta. 2. Ação continuada de chupar.

chupadura [De *chupar* + *-dura*.] ***S. f.*** V. *chupadela* (2).

chupa-flor [De *chupar* + *flor*.] ***S. m.*** *Zool.* V. *beija-flor*. [Pl.: *chupa-flores*.]

chupa-galhetas [De *chupar* + o pl. de *galheta*¹.] ***S. m. 2 n.*** *Bras.* Seminarista que ajuda à missa.

chupa-gás [De *chupar* + *gás*.] ***S. m.*** *Bras. N.E. Pop.* Indivíduo que se demora muito em casa de meretrizes, apenas para conversar, sem ter relações com nenhuma delas; bebe-gás, seca-gás. [Pl.: *chupa-gases*.]

chupa-mel [De *chupar* + *mel*¹.] ***S. m.*** *Zool.* V. *beija-flor*. [Pl.: *chupa-méis* e *chupa-meles*.]

chupamento [De *chupar* + *-mento*.] ***S. m.*** V. *chupadela* (2).

chupança [De *chupar* + *-ança*.] ***S. f.*** 1. *Bras.* V. *chupadela* (2). 2. *Bras.* Mamata, negociata. 3. *Bras. MT Zool.* V. *barbeiro* (6).

chupão [De *chupar*.] ***Adj.*** *Bras.* 1. Que chupa. [Fem.: *chupona*.] 2. *Ind. Pap.* V. *mata-borrão* (1). ● ***S. m.*** 3. V. *ladrão* (6). 4. *Bras.* Aquele que chupa. [Fem.: *chupona*.] 5. *Bras.* Beijo demorado, sensual, com sucção. 6. *Bras.* Sorvedura feita com os lábios na epiderme. 7. *Bras.* Mancha sanguínea proveniente de tal sorvedura; periquito. 8. *Bras. N.E. Zool.* V. *barbeiro* (6). 9. *Bras. Zool.* V. *pássaro-preto*.

chupa-ovo [De *chupar* + *ovo* (ô).] ***S. m.*** *Bras. Zool.* V. *papa-ovo* (1). [Pl.: *chupa-ovos*.]

chupa-pinto [De *chupar* + *pinto*.] ***S. m.*** *Bras. N.E. Zool.* V. *barbeiro* (6). [Pl.: *chupa-pintos*.]

chupar [Voc. onom.] ***V. t. d.*** 1. Sugar, sorver; chuchar: 📖 "Quando eu via o meu filho chupando o leite da mãe, ... ficava que não sei dizer nem digo" (Machado de Assis, *Dom Casmurro*, p. 305). 2. Aplicar os lábios a, sugando, sorvendo, ou como quem suga ou sorve: 📄 *O recém-nascido chupa a mama materna; A criança chupava o pirulito*. 3. Extrair com a boca o suco de: 📄 *chupar tangerinas*. 4. Revolver na boca, de envolta com saliva: 📄 *chupar balas*. 5. *Pop.* Consumir, dissipar, malbaratar: 📄 *Chupou toda a herança da família*. 6. Absorver; sugar: 📄 *A toalha de papel chupou o leite derramado*. ***Int.*** 7. *Bras. Mar. G. Gír.* Não fazer força; descansar à custa dos outros: 📄 *Deixe de chupar, reme direito!*

chuparino [De *chupar* + *-ino*¹.] ***S. m.*** *Bras. N.E. Pop.* Chupador (2).

chupa-rolha [De *chupar* + *rolha* (ô).] ***S. 2 g.*** *Bras. Pop.* V. *ébrio* (8). [Pl.: *chupa-rolhas*.]

chupa-sangue [De *chupar* + *sangue*.] ***S. 2 g.*** *Bras.* 1. Pessoa que se aproveita do trabalho alheio, que vive à custa de outrem; chupista, sanguessuga. 2. *Fut.* Jogador displicente, que não se esforça e sobrecarrega os companheiros de equipe. [Pl.: *chupa-sangues*.]

chupeta (ê) [De *chupar* + *-eta* (ê).] ***S. f.*** 1. Chupadouro (1). 2. *Bras.* Mamilo de borracha para crianças. [Sin., nesta acepç.: *bico*, *bubu*, *chucha*, *consolador*, *consolo*, *pipo* (AM) e *tetina* (lus).] 3. *Bras.* Bico de mamadeira. 4. *Bras.* Ligação elétrica improvisada, temporária, entre as baterias de dois automóveis, us. em situação de emergência, para permitir a um mover o motor de arranque que está ligado à outra (que se encontra defeituosa ou descarregada). ◆ **De chupeta.** 1. Apetitoso (3). 2. Bom, excelente.

chupetinha [De *chupeta* + *-inha*.] ***S. f.*** *Bras. RJ* V. *chupa* (2).

chupim [Do tupi.] ***S. m.*** 1. *Bras. Zool.* Ave emberizídea icterínea (*Molothrus bonariensis*), distribuída por todo o Brasil e países limítrofes. Coloração preto-violácea, brilhante. A fêmea é parda, quase negra. Põe os seus ovos nos ninhos de outros pássaros, esp. do tico-tico, que inadvertidamente lhe cria os filhotes. Frequenta arrozais no período das colheitas e os currais das fazendas, alimentando-se de toda sorte de sementes. [Sin.: *arumará*, *boiadeiro*, *brió*, *carixo*, *catre*, *chopim*, *corixo*, *corrixo*, *engana-tico*, *engana-tico-tico*, *gaudério*, *godério*, *godero*, *gorrixo*, *maria-preta*, *papa-arroz*, *parasito*, *uiraúna*, *vira*, *vira-bosta*, *vira-vira*.] 2. *Bras. Zool.* V. *pássaro-preto*. 3. *Bras. RJ SP RS Obsol.* Marido da professora, quando vive à custa dela. [Cf., nesta acepç., *quincas*.]

chupim-do-banhado ***S. m.*** *Bras. Zool.* V. *chupim-do-brejo*. [Pl.: *chupins-do-banhado*.]

chupim-do-brejo ***S. m.*** *Bras. Zool.* Ave emberizídea icterínea (*Pseudoleistes guirahuro*), do Brasil este-meridional, Paraguai, Uruguai, e N. da Argentina, com cerca de 24cm de comprimento, coloração parda, com abdome, peito, encontros, dorso-baixo e uropígio amarelo-vivos. Vive em bandos, nas várzeas ou terrenos alagadiços, e alimenta-se de insetos e outros artrópodes. [Sin.: *chupim-do-banhado*, *chupim-do-charco*, *dragão-do-brejo*, *melro-amarelo*, *melro-pintado*, *melro-pintado-do-brejo*, *pássaro-preto-soldado*, *pintassilgo-do-brejo*. Pl.: *chupins-do-brejo*.]

chupim-do-charco ***S. m.*** *Bras. Zool.* V. *chupim-do-brejo*. [Pl.: *chupins-do-charco*.]

chupista [De *chupar* + *-ista*.] ***S. 2 g.*** 1. V. *ébrio* (8). 2. V. *chupa-sangue* (1). 3. Papa-jantares.

chupita ***S. f.*** *Bras. N. Zool.* V. *piranha-vermelha*.

chupitar [De *chup(ar)* + *-itar*.] ***V. t. d.*** 1. Chupar devagarinho, repetidas vezes: 📖 "Jove, quando foi menino, / chupitou leite caprino" (Luís Gama, em Manuel Bandeira, *Antologia dos Poetas Brasileiros da Fase Romântica*, p. 168). 2. Bebericar, beberricar: 📖 "tomar um cafezinho, chupitar uma cerveja" (Eduardo Frieiro, *Feijão, Angu e Couve*, p. 252). 3. *Gír.* Alcançar, obter, abiscoitar: 📄 *Chupitou, ultimamente, um bom emprego*.

chuquinha [De *chuca* (c = qu) + *-inha*.] ***S. f. e m.*** Pequena mamadeira, de formato anatômico, us. ger. para servir água ou chá; chuca.

churdo [De or. pré-romana.] ***Adj.*** 1. Diz-se da lã suja, como sai da ovelha; ludro. 2. Sujo, sórdido, miserável; ludro: 📖 "Desembocam [as portas] para uma negridão de quartos calçados a lajedos, baixos e churdos" (José Vieira, *Sol de Portugal*, p. 65). 3. De má qualidade; ordinário. [F. paral.: *churro*¹.] ● ***S. m.*** 4. Homem torpe, vil, ruim.

churma [Do lat. *plurima*, 'grande quantidade'.] ***S. f.*** *Bras.* Nos navios, tripulação voluntária ou forçada, como os antigos galés.

churrascada [De *churrasco* + *-ada*¹.] ***S. f.*** *Bras.* 1. Refeição de churrasco, ou na qual é este o prato único ou principal: 📖 "a Comissão Construtora ofereceu .... uma churrascada de carne de boi" (Eduardo Frieiro, *Feijão, Angu e Couve*, p. 250). 2. Festa ou recepção com churrasco. [Sin. ger.: *churrasco*.]

churrascaria [De *churrasco* + *-aria*.] ***S. f.*** *Bras.* Restaurante onde se serve como especialidade o churrasco.

churrasco [Do esp. plat. *churrasco*.] ***S. m.*** *Bras. Angol. Cabo-verd. Guin. Moç. Santom.* 1. Porção de carne, ou pequeno animal, sem tempero, assados geralmente ao calor da brasa, em espeto ou sobre grelha. 2. V. *churrascada*. ◆ **Churrasco corrido.** Churrasco servido em churrascaria, em que diversas espécies de carne são oferecidas seguidamente, à vontade do freguês. [Cf. *rodízio* (10).]

churrasqueada [De *churrasquear* + *-ada*¹.] ***S. f.*** *Bras. RS* Ato de churrasquear.

churrasquear [Do esp. plat. *churrasquear*.] ***V. int.*** *Bras. RS* 1. Preparar churrasco. 2. Comer churrasco. 3. Tomar refeição leve. 4. Tomar alimento; comer. ***T. d.*** 5. Preparar (carnes). 6. Comer, tomar, abocar (1). [Conjug.: v. *frear*.]

churrasqueira [De *churrasco* + *-eira*.] ***S. f.*** *Bras.* Grelha, armação de ferro ou aparelho elétrico, para fazer churrasco.

churrasqueiro [De *churrasco* + *-eiro*.] ***S. m.*** *Bras.* Cozinheiro especialista em churrascos.

churrasqueto (ê) [De *churrasco* + *-eto*¹.] ***S. m.*** *Bras.* V. *churrasquinho*.

churrasquinho [De *churrasco* + *-inho*¹.] ***S. m.*** *Bras.* Churrasco de pequenos pedaços de carne enfiados num espeto ou num palito; churrasqueto, espetinho.

churriado [De *churro* + *-iado*, poss.] ***Adj.*** *Bras.* Diz-se de bovino de pelo vermelho ou escuro com listas brancas.

churrião [Do esp. *chirrión*.] ***S. m.*** Carruagem pesada.

churrigueresco (ê) [Do esp. *churrigueresco*.] *Arquit.* ***Adj.*** 1. Diz-se do estilo arquitetônico criado na Espanha no séc. XVI e depois transplantado especialmente ao México e ao Peru, no qual se aliam elementos góticos a elementos barrocos e platerescos. ● ***S. m.*** 2. Estilo churrigueresco.

churro¹ [De or. pré-romana, poss; esp. *churre*.] ***Adj.*** V. *churdo* (1 a 3).

churro² [Do esp. *churro*, 'certo doce'.] ***S. m.*** *Cul.* Cilindro de massa frito, recheado ou não com doce pastoso e, ger., coberto de canela e açúcar; fartura.

chus ***Adv.*** 1. *Ant.* Mais. 2. *P. us.* Coisa. [V. *bus*.] ◆ **Não dizer chus nem bus.** Não dizer palavra; não retrucar.

chusma [Do lat. vulg. **clusma* < lat. *celeusma* < gr. *kéleusma*.] ***S. f.*** 1. *Mar. Ant.* V. *equipagem* (1): 📖 "tirando alguns, que .... vão por mestres e pilotos, toda a mais chusma e meneio das naus são mouros" (João de Lucena, *História da Vida do Padre Francisco de Xavier*, I, p. 223). 2. Grande quantidade (de pessoas ou coisas); magote [v. *quantidade* (3)]: 📖 "acudiram em chusmas com grão miúdo, grande cópia de farinha, e muita variedade de frutas" (Filinto Elísio, *ap.* Sousa da Silveira, *Trechos Seletos*, p. 260); "Decerto, para quem já viveu bastante, há uma chusma de tristezas neste mundo." (Álvaro Moreira, *As Amargas, não...*, p. 43).

chusmar [De *chusma* + *-ar*².] ***V. t. d.*** *Ant.* Guarnecer de chusma (1); tripular.

chuta [Voc. onom.] ***Interj.*** Caluda, chitão.

chutador (ô) [De *chutar* + *-dor*.] ***Adj.*** ***S. m.*** *Bras. Gír.* Diz-se de, ou quem solta mentiras; mentiroso.

chutar [De *chute* + *-ar*².] ***V. t. d.*** *Bras.* 1. Dar chute (1) ou chutes em. 2. *Gír.* Tentar acertar, arriscando; responder no chute (q. v.): 📄 *Chutou o questionário todo*. 3. *Gír.* Pôr de lado; desdenhar, desprezar: 📄 *Chutou o amigo por mera ambição*. 4. *Basq.* Fazer arremesso (5). ***T. d. e c.*** 5. *Basq.* Chutar (4): 📄 *Hortência chutou a bola da linha de três metros e converteu*. ***T. d. e i.*** 6. Encaminhar (questão, dúvida, etc.) a outrem que tem possibilidade de resolvê-la. ***Int.*** 7. Dar chute. 8. *Gír.* Tentar acertar, arriscando a resposta; responder no chute: 📄 *Não tinha estudado, e chutou*. 9. *Gír.* Soltar chutes ou balelas; mentir. 10. *Basq.* Chutar (4). 11. Contar gabolices. ***P.*** 12. *Lus. Gír.* Tomar um pico (q. v.). ◆ **Chutar alto.** *Bras. Gír.* Contar mentiras e/ou gabolices totalmente inverossímeis.

chute [Do ingl. *shoot*.] ***S. m.*** 1. *Bras. Fut.* Pontapé (1) dado na bola. [Sin. (bras.), nesta acepç.: *pelotada*.] 2. *P. ext.* V. *pontapé* (1). 3. *Bras. Basq.* Arremesso (5). 4. *Bras. Gír.* Mentira, balela. 5. *Bras. Pop.* Tentativa de acertar algo, uma resposta, ao acaso. ◆ **Chute de letra.** *Fut.* O que se dá cruzando o pé por trás do pé que está à frente com a bola. **No chute.** *Bras. Gír.* Por acaso; por sorte: 📄 *Não é bom aluno, acerta no chute*.

chuteira [De *chute* + *-eira*.] ***S. f.*** *Bras.* Calçado com travas na sola, próprio para futebol. [Sin. (lus.): *bota*.] ◆ **Pendurar as chuteiras.** *Bras.* 1. *Fut. Pop.* Deixar de jogar futebol como profissional. 2. *Fig.* Deixar de exercer trabalho, cargo ou função.

➔**chutney** ['ʃatnĩ][Ingl.] ***S. m.*** *Cul.* 1. Geleia condimentada indiana, espécie de pasta agridoce de frutas (manga, ou maçã, pêra, abacaxi, etc.), ervas, pimenta e especiarias, ger. us. como acompanhamento de carnes assadas e charcutaria.

chuto ***S. m.*** *Lus.* Chute (1 e 2).

chuva [Do lat. *pluvia*.] ***S. f.*** 1. Precipitação atmosférica formada de gotas de água cujas dimensões variam entre 1 e 3mm, por efeito da condensação do vapor de água contido na atmosfera. 2. *P. ext.* Tudo o que cai ou parece cair como chuva (1): 📖 "Das janelas e dos terraços cai uma chuva de flores" (Eugênio de Castro, *Obras Poéticas*, II, p. 179); 📄 *chuva de balas*; *chuva de papel picado*. 3. V. *quantidade* (3): 📄 *Crivou-o com uma chuva de perguntas*. 4. *Bras.* V. *bebedeira* (1). 5. *Guin.* Ano de idade, de existência: 📖 "Djena dezassete chuvas/ Djena uma vida por viver" (Tony Tcheka, *Noites de Insónia na Terra Adormecida*, p. 49). ● ***S. m.*** 6. *Bras. Pop.* V. *ébrio* (8). ◆ **Chuva ácida.** *Met.* Precipitação contaminada por elementos gasosos que poluem a atmosfera, como o dióxido de enxofre e o óxido de nitrogênio, provenientes dos combustíveis fósseis. **Chuva artificial.** Chuva resultante da projeção numa nuvem de substâncias, tais como o iodeto de prata e o cloreto de cálcio, capazes de promover a multiplicação de cristais de gelo ou a solidificação de gotas de água evaporadas. **Chuva ciclonal.** Tipo de chuva característico das áreas de baixa pressão, em virtude da constante ascensão das massas de ar. **Chuva de convecção.** Tipo de chuva oriunda do movimento ascendente diurno das massas de ar, frequente na região equatorial e nas montanhas. **Chuva de cordas.** *Lus.* Chuva muito forte: 📖 "Se .... viajou com bruma cerrada e chuva de cordas, ... não o fará desistir um simples céu tapado." (José Saramago, *Viagem a Portugal*, p. 197.) **Chuva de estrelas.** *Astr.* V. *chuva de meteoros*. **Chuva de meteoros.** *Astr.* Conjunto dos meteoros que surgem no mesmo dia e parecem provir da mesma região do céu; corrente de meteoros, enxame de meteoros, chuva de estrelas. **Chuva de ouro.** *Expl.* V. *chuva pirotécnica*. [Cf. *chuva-de-ouro*.] **Chuva de pedra.** V. *granizo* (1). **Chuva de prata.** *Expl.* V. *chuva pirotécnica*. **Chuva de relevo.** Chuva típica das encostas das montanhas ou escarpas de planaltos, devida à mais baixa temperatura reinante nos trechos de maiores altitudes. **Chuva no roçado.** *Bras.* Negócio proveitoso, vantajoso. **Chuva pirotécnica.** *Expl.* Efeito, em dispositivos pirotécnicos, que produz chuveiros luminosos e contínuos, quer em peças adrede preparadas, quer como remate de foguetes; chuva de ouro, chuva de prata, chuva veneziana. **Chuva veneziana.** *Expl.* V. *chuva pirotécnica*. **Estar na chuva.** *Bras. Pop.* Estar embriagado.

chuva-criadeira *S. f. Bras.* Chuva fina, ininterrupta, que molha bem a terra: 📖 "recaiu na apatia, comprando e plantando milho, comprando e engordando porco, fiado na saúde deles, nas vantagens da terra boa e das chuvas-criadeiras." (Amadeu de Queirós, *João*, p. 195). [F. red.: *criadeira*. Pl.: *chuvas-criadeiras*.]

chuvada [De *chuva* + *-ada*[1].] *S. f.* Chuva abundante e forte; chuvão, chuvarada, chuveirão, toró: 📖 "Só as noites eram boas, ... quando as chuvadas torrenciais não caíam sobre eles, com raios fuzilando" (José Lins do Rego, *Usina*, p. 8).

chuva de caju *S. f. Bras. N.E.* Designação comum a chuvas que caem em setembro ou outubro e favorecem a maturescência dos cajus. [Pl.: *chuvas de caju*. v. *piraoba* e *piroaba*. Cf. *chuva dos cajueiros*.] ☑

chuva de caroço *S. f. Bras. N.E.* Chuva forte. [Pl.: *chuvas de caroço*.] ☑

chuva de manga *S. f. Bras. GO* As primeiras chuvas da estação chuvosa, que caem em setembro e outubro. [Pl.: *chuvas de manga*.] ☑

chuva-de-oiro *S. f. Bras. Bot.* V. *chuva-de-ouro*. [Pl.: *chuvas-de-oiro*.]

chuva-de-ouro *S. f. Bras. Bot.* **1.** V. *canafístula* (1). **2.** A orquidácea *Oncidium flexuosum*. [Var.: *chuva-de-oiro*. Pl.: *chuvas-de-ouro*. Cf. *chuva de ouro*.]

chuva de rama *S. f. Bras. CE* Designação comum às chuvas intermitentes que caem antes do inverno. [Pl.: *chuvas de rama*.] ☑

chuva de santa luzia *S. f. Bras. CE* Designação comum às chuvas do equinócio. [Pl.: *chuvas de santa luzia*.] ☑

chuva dos cajueiros *S. f. Bras. GO* Aguaceiro que cai em julho ou agosto e apressa o amadurecimento dos cajus. [Pl.: *chuvas dos cajueiros*. Cf. *chuva de caju*.] ☑

chuva dos imbus *S. f. Bras.* Cambueiras. [Pl.: *chuvas dos imbus*.] ☑

chuvão [De *chuva* + *-ão*[1].] *S. m. Bras. N.E. Pop.* V. *chuvada*.

chuvarada [De *chuva* + *-arada*.] *S. f.* V. *chuvada*: 📖 "Os beirões despedem-se dos dias belos, entram nas chuvaradas de dezembro festejando o céu limpo, a doçura dos montes, com barrigadas de castanha, vinho verde e o fado." (José Vieira, *Sol de Portugal*, pp. 162-163.)

chuveirada [De *chuveiro* + *-ada*[1].] *S. f. Bras.* Banho rápido de chuveiro.

chuveirão [De *chuveiro* + *-ão*[1].] *S. m.* V. *chuvada*: 📖 "Um vento rijo e chuveirão puxados com força bateram-lhe na cara" (Rebelo da Silva, *Contos e Lendas*, p. 86).

chuveirinho [De *chuveiro* + *-inho*[1].] *S. m. Bras. Fut.* Passe alto dado sobre a área adversária; chuveiro.

chuveiro [De *chuva* + *-eiro*.] *S. m.* **1.** Chuva repentina e abundante, mas passageira. **2.** *Fig.* Grande porção de coisas que caem ou se sucedem com rapidez: 📖 "O anadel começou a protestar, entressachando as suas manifestações oficiais com um chuveiro de pragas e ameaças" (Alexandre Herculano, *O Monge de Cister*, II, p. 299); "Vênus, do etéreo Olimpo / Aplaudirá contente / As honras que tu gozas, / E sobre ti, chuveiros / Espalhará de rosas." (Antônio Feliciano de Castilho, *Os Amores*, I, p. 49). **3.** Crivo por onde, nos banheiros, cai a água canalizada. [Sin., bras., N.E., nesta acepç.: *chuvisco*.] **4.** O compartimento onde está o chuveiro (3). **5.** Banho de chuveiro (3). **6.** Crivo dos regadores. **7.** Pedra preciosa cercada de brilhantes: 📖 "brincava girando o anel de chuveiro no dedo" (Autran Dourado, *As Imaginações Pecaminosas*, p. 96). **8.** *P. ext.* Brinco ou anel com chuveiro (7): 📖 "nas orelhas chuveiro de aljôfar" (P.[e] Antônio Vieira, *Sermões*, IV, p. 194). **9.** *Fís. Nucl.* Conjunto de partículas resultante da interação duma partícula ou duma radiação de grande energia com um meio material. **10.** *Bras. Fut.* Chuveirinho. **11.** *Bras. Mar.* Gambiarra (2). **12.** *Bras. AM* Chuva de inverno prolongada e copiosa. ◆ **Chuveiro automático.** *Constr.* Sprinkler (q. v.).

chuvinha [De *chuva* + *-inha*.] *S. f.* V. *chuvisco* (1).

chuviscar [De *chuva* + *-iscar*.] *V. int.* **1.** Chover pouco e miúdo; borriçar, borrifar, neblinar, molinhar, peneirar. **2.** *Bras.* Apresentar (televisão, vídeo, etc.) chuvisco (4). [Defect. impess. na 1.ª acepç.; na 2.ª acepç., usa-se com sujeito, mas normalmente só nas 3.as pess. Conjug.: v. *trancar*.]

chuvisco [De *chuva* + *-isco*[1].] *S. m.* **1.** Chuva miúda, fina. [Sin.: *borraceiro, borriço, chuvinha, molhe-molhe, molinha, molinheira, molinheiro*, e (bras.) *garoa* ou *garua, peneira, neblina* (N.E.), *apaga-pó* (BA), *lebreia* (MG), *chuvisqueiro* (S. e GO) e *librina* (pop.).] **2.** *Bras. Cul.* Docinho em forma de pingo, feito de gemas de ovo e açúcar. **3.** *Bras. N.E.* V. *chuveiro* (3). **4.** *Bras. Telev.* Pequenos traços que lembram o chuvisco (1), e que aparecem no vídeo em consequência de interferência (3) na imagem.

chuvisqueiro [De *chuvisco* + *-eiro*.] *S. m. Bras. S. GO* V. *chuvisco* (1): 📖 "O dia clareou todo; o chuvisqueiro da madrugada apagou a poeira dos caminhos, lavou o céu, lavou a luz." (Amadeu de Queirós, *João*, p. 112.)

chuvisquento [De *chuvisco* + *-ento*.] *Adj.* Em que há chuvisco: *tempo chuvisquento*.

chuvoso (ô) [Do lat. *pluviosu*.] *Adj.* **1.** Abundante em chuva: *tempo chuvoso*; 📖 "Rompe agreste e chuvosa a madrugada." (Eugênio de Castro, *Obras Poéticas*, V, p. 71). **2.** De chuva(s); em que há chuva(s): *dia chuvoso*; *estação chuvosa*. [Sin. ger., poét.: *pluvioso*.]

▲**ci(a)-** [Do gr. *skiá, ás*.] *El. comp.* = 'sombra': *cióptico*. [Equiv.: *cio*-[1], *escio-*: *ciógrafo*; *esciofilia, esciófilo*.]

ciá *S. m. Bras. Zool.* V. *macaco-da-noite*.

ciã [Do ingl. *cyan*.] *Adj. 2 g. S. 2 g.* Ciano[1] (q. v.).

➔**ciabatta** [tʃa'bat.ta] [It.] *S. f. Cul.* Pão de massa úmida aromatizado com azeite.

cianamida [De *cian(o)-* + *amida*.] *S. f. Quím.* Sólido incolor, deliquescente [fórm.: CH_2N_2].

cianastrácea [Do tax. *Cyanastrum* + *-ácea*; tax. *Cyanastraceae*.] *S. f. Bot.* Espécime das cianastráceas, família de plantas floríferas, herbáceas, tuberosas, da África tropical, de que só existem seis espécies. As flores, hermafroditas, levam seis estames concrescentes, e o fruto é monospermo.

cianastráceo [De *cianastrácea*, com var. suf. (v. *-áceo*).] *Adj. Bot.* Pertencente ou relativo às cianastráceas.

cianato [De *cian(o)-* + *-ato*[2].] *S. m. Quím.* Qualquer sal do ácido ciânico.

cianetação [De **cianetar* (de *cianeto* + *-ar*[2]) + *-ção*.] *S. f.* **1.** *Metal.* Carbonitretação realizada em banho de cianeto de sódio fundido. **2.** *Quím.* Processo de extração de ouro ou de prata mediante uso de solução de cianeto de sódio.

cianeto (ê) [De *cian(o)-* + *-eto*[2].] *S. m. Quím.* Qualquer sal do ácido cianídrico; cianureto.

▲**ciani-** V. *cian(o)-*.

ciânico [De *cian(o)-* + *-ico*[2].] *Adj. Quím.* ~ V. *ácido* —.

cianicórneo [De *ciani-* + *-corn(i)-* + *-eo*.] *Adj. Zool.* Que tem pontas ou antenas azuis.

cianidina [De *cian(ina)* + *-idina*.] *S. f. Quím.* O aglicônio da cianina (1).

cianídrico [De *cian(o)-* + *-idr(o)-* + *-ico*[2].] *Adj. Quím.* ~ V. *ácido* —.

cianina [De *cian(o)-* + *-ina*[3].] *S. f. Quím.* **1.** Antocianina catiônica, de cor violeta, que ocorre em rosas e dálias [fórm.: $C_{27}H_{31}O_{16}{}^{+}$]. **2.** Qualquer de certas substâncias, muitas das quais são corantes, cujas moléculas contêm dois átomos de nitrogênio, um deles trivalente, neutro, e o outro, tetravalente, catiônico, unidos por um ou por uma sequência de átomos de carbono com hibridização sp^2.

cianípede [De *ciani-* + *-pede*.] *Adj. 2 g. Zool.* Que tem patas azuis.

cianirrostro [De *ciani-* + *-rostro*.] *Adj. Zool.* Que tem bico azul.

cianita [De *cian(o)-* + *-ita*[3].] *S. f. Min.* Mineral triclínico, silicato de alumínio; distênio. [Sin. (bras.): *palha de arroz*.]

ciano[1] [Do gr. *kyanós*.] *Adj.* **1.** Azul esverdeado. ● *S. m.* **2.** Essa cor. [Em fotogravura é us. em lugar do azul, nos filtros e tintas, para maior fidelidade ao original. Sin. ger.: *ciã*. Cf. *magenta*.]

ciano[2] *S. m. Quím.* O grupo -CN.

▲**cian(o)-** [Do gr. *kyan(o)-* < gr. *kýanos*, ou e *kyanós, ē, ón*.] *El. comp.* = 'esmalte'; 'azul'; 'de cor azul': *cianóptero*. [Em *Quím.*, como *ciano-* e *-cian(o)-*, indica o grupo monovalente -CN: *ácido cianoacrílico*; *hexacianoferrato*.] [Equiv.: *ciani-* (exceto em quím.), *-cian(o)-*, *-ciano* (exceto em quím.): *cianípede*; *hemocianina*; *antociano*.]

▲**-cian(o)-** V. *cian(o)-*.

▲**-ciano** V. *cian(o)-*.

cianoacrilato [De *cianoacríl(ico)* + *-ato*[2].] *S. m. Quím.* Designação genérica dos sais ou ésteres do ácido cianoacrílico, alguns dos quais são us. em adesivos de ação muito rápida.

cianoacrílico *Adj. Quím.* ~ V. *ácido* —.

cianobactéria [Do tax. *Cyanobacteria* (v. *cian(o)-*).] *S. f. Bot.* Cianofícea.

cianocarpo [De *cian(o)-* + *-carpo*.] *Adj. Bot.* Que tem frutos azulados.

cianocéfalo [De *cian(o)-* + *-céfalo*.] *Adj. Zool.* Que tem cabeça azul.

cianocobalamina [De *cian(o)-* + *cobalamina*.] *S. f. Quím.* Substância cristalina, vermelho-escura, composto organometálico que contém um grupamento cianeto e um átomo de cobalto que porta um ânion cianeto como ligante, e que é uma vitamina do complexo vitamínico B; vitamina B_{12} [fórm.: $C_{63}H_{88}CoN_{14}O_{14}P$].

cianofícea [De *cian(o)-* + *-fic(o)-*[2] + *-ea*; tax. *Cyanophyceae*.] *S. f. Bot.* Espécime das cianofíceas, classe de algas unicelulares ou filamentosas de estrutura simples, cujos pigmentos verde-azulados decorrem da ausência de cloroplasto; alga azul, cianobactéria.

cianofíceas *S. f. pl. Bot.* Classe de algas unicelulares ou filamentosas de estrutura simples, cujos pigmentos verde-azulados decorrem da ausência de cloroplasto; algas azuis, cianobactérias.

cianofíceo [De *cianofícea*, com var. suf. (v. *-eo*).] *Adj. Bot.* Pertencente ou relativo às cianofíceas.

cianogênico *Adj. Bioquím.* V. *cianogênico*. [Uso freq. em P.]

cianogênico [De *cian(o)-* + *-gen(o)-*[2] + *-ico*[2].] *Adj. Bioquím.* Que produz ácido cianídrico ou ânion cianeto.

cianogénio *S. m. Quím.* V. *cianogênio*. [Uso freq. em P.]

cianogênio [De *cian(o)-* + *-gen(o)-* + *-io*[3].] *S. m. Quím.* Gás incolor, com cheiro característico de amêndoas amargas, muito venenoso [fórm.: C_2N_2].

cianómetro *S. m.* V. *cianômetro*. [Uso freq. em P.]

cianômetro [De *cian(o)-* + *-metro*.] *S. m.* Instrumento com que se mede a intensidade da cor azul do ar.

cianóptero [De *cian(o)-* + *-ptero*.] *Adj. Zool.* Que tem asas ou barbatanas azuis.

cianortense *Adj. 2 g.* **1.** De, ou pertencente ou relativo a Cianorte (PR). ● *S. 2 g.* **2.** O natural ou habitante de Cianorte.

cianosar [De *cianose* + *-ar*[2].] *V. int. Med.* Apresentar cianose (2).

cianose [Do gr. *kýanōsis*, pelo lat. cient. *cyanosis*.] *S. f.* **1.** Espécie de cristal. **2.** *Med.* Coloração azulada, difusa, da pele e membranas mucosas, devida à presença de alto teor de hemoglobina reduzida no plexo venoso subpapilar da pele. ◆ **Cianose congênita.** *Patol.* Síndrome causada por má formação cardiovascular em que ocorre passagem de sangue da corrente venosa para a arterial.

cianótico [De *cian(ose)* + *-ótico*.] *Adj. Med.* Relativo a, ou que sofre de cianose (2).

cianotipia [De *cian(o)-* + *-tip(o)-* + *-ia*[1].] *S. f.* **1.** Método de decalque fotográfico de desenhos a traço, plantas, mapas, etc., sobre papel preparado com certos sais de ferro dotados da propriedade de se transformarem, à ação da luz, em azul-da-prússia. **2.** Decalque obtido por esse processo; cópia azul. [V. *papel de ferroprussiato*.]

cianureto (ê) [De *cian(o)-* + *-ureto*.] *S. m. Quím.* V. *cianeto*.

cianuria [De *cian(o)-* + *-uria*.] *S. f. Med.* V. *cianúria*.

cianúria [De *cian(o)-* + *-úria*.] *S. f. Med.* Eliminação de urina de coloração azulada. [F. paral.: *cianuria*.]

cianúrico [De *cianúria* + *-ico*[2].] *Adj. Med.* Referente à cianúria.

➔**ciao** ['tʃaw] [It.] **1.** V. *tchau*. **2.** Vocábulo de saudação; olá.

ciar[1] [Do esp. *ciar*, poss.] *V. int.* **1.** Remar para trás. **2.** *P. ext.* Mover-se para trás. [Cf. *siar* e *cear*.]

ciar[2] [De *cio* + *-ar*[2].] *Ant. V. t. d.* **1.** Ter ciúmes de. **P. 2.** Ter ciúmes; ciumar, enciumar-se. [Cf. *siar* e *cear*.]

ciateácea [Do tax. *Cyathea* (do gr. *kyátheion*, dim. de *kýathos*, 'vaso', 'taça') + *-ácea*; tax. *Cyatheaceae*.] *S. f. Bot.* Espécime das ciateáceas, família de pteridófitos de grande porte, em geral arborescentes, que habitam as matas úmidas e sombrias, e cujos esporângios têm anel completo e oblíquo. Há umas 200 espécies, que preferem as zonas tropicais e subtropicais, tendo muitos representantes que apresentam ampla folhagem finamente recortada.

ciateáceo [De *ciateácea*, com var. suf. (v. *-áceo*).] *Adj. Bot.* Pertencente ou relativo às ciateáceas.

▲ciati- [Do lat. *cyăthus, i* < gr. *kýathos, ou.*] Equiv. de *ciat(o)-*.

ciática [F. subst. de *ciático.*] ***S. f.*** *Reum. Ort.* Dor em nervo ciático.

ciático [Do fr. *sciatique* < lat. tard. *sciaticu,* alter. de *ischiadicus* < gr. *ischiadikós.*] ***Adj.*** *Anat.* V. *isquiático.* ~ V. *dor —a.*

ciatiforme [De *ciati-* + *-forme.*] ***Adj. 2 g.*** *Bot.* Diz-se do órgão ou parte vegetal que tem forma de taça: *podécio ciatiforme.*

ciátio [Do lat. cient. *cyathium* < gr. *kyathion, kyátheion,* dim. de *kýathos.*] ***S. m.*** *Bot.* Inflorescência multiflora e muito contraída, característica do gênero *Euphorbia,* a qual leva apenas uma flor feminina, a par de numerosas masculinas, que, observadas pelo leigo, parecem uma única flor.

▲ciat(o)- [Do gr. *kyath-, kyatho-* < gr. *kýathos, ou.*] ***El. comp.*** = 'vaso'; 'taça'; 'cíato': *ciatocéfalo, ciatóforo.* [Equiv.: *ciati-*: *ciatiforme.*]

cíato [Do gr. *kýathos,* pelo lat. *cyathu.*] ***S. m.*** **1.** Taça ou concha de cerâmica com asa vertical, us. pelos gregos e pelos romanos para beber vinho ou vertê-lo em outro recipiente. **2.** *Anat.* Conduto do infundíbulo do cérebro.

ciatoide (ói) [De *ciát(io)* + *-oide.*] ***Adj. 2 g.*** *Bot.* Semelhante ao ciátio. ❖

cibalho [De *cibo* + *-alho.*] ***S. m.*** Alimento procurado pelas aves selvagens.

cíbalo [Do gr. *skýbalon.*] ***S. m.*** *Med.* Coprólito (2).

cibe [Do crioulo.] ***S. m.*** *Guin. Bot.* V. *palmira*: "estirou-se na maca de corda suspensa dos pilares de cibe do alpendre." (Alexandre Barbosa, *Guinéus,* p. 16).

▲ciber- [Do ingl. *cyber-,* do ingl. *cybernetics.*] ***El. comp.*** = 'cibernética'; 'realidade virtual': *ciberespaço.*

cibercafé [De *ciber-* + *café.*] ***S. m.*** Café (4) em que computadores conectados a Internet são postos à disposição de clientes.

ciberespaço [De *ciber-* + *espaço*; ingl. *cyberspace.*] ***S. m.*** **1.** Dimensão ou domínio virtual da realidade, constituído por entidades e ações puramente informacionais; meio, conceitualmente análogo a um espaço físico, em que seres humanos, máquinas e programas computacionais interagem. **2.** *Restr.* A Internet.

ciberjornalismo [De *ciber-* + *jornalismo.*] ***S. m.*** *Inform. Jorn.* Jornalismo que tem como suporte a Internet.

cibernética [Do gr. *kybernetiké, i. e., téchne kybernetiké,* 'a arte do piloto'.] ***S. f.*** Ciência que estuda as comunicações e o sistema de controle não só nos organismos vivos, mas também nas máquinas.

cibernético [Do gr. *kybernetikós.*] ***Adj.*** Pertencente ou relativo à cibernética. ~ V. *arte —a.*

cibo [Do lat. *cibu.*] ***S. m.*** *Ant.* **1.** Comida, alimento (especialmente das aves). **2.** Pequena quantidade de alimento ou de qualquer outra coisa.

ciborgue [Do ingl. *cyborg,* abrev. de *cyb(ernetic) org(anism).*] ***S. m.*** Suposto ser humano ao qual se adaptam dispositivos mecânicos que comandam suas funções fisiológicas vitais.

cibório [Do lat. *ciboriu* < gr. *kibórion.*] ***S. m.*** *Lit.* Vaso sagrado em forma de cálice com tampa, no qual se guardam hóstias e partículas consagradas para a comunhão: "E pela serra fora, caminho de casal remoto, vai o velho prior: adiante o sacristão com a lanterna e a âmbula da extrema-unção, e ele atrás com o cibório." (Alexandre Herculano, *Lendas e Narrativas,* II, p. 137.)

cibotático [Do gr. *kýbos,* 'cubo', + *-tá(c)tico.*] ***Adj.*** *Fís.* Diz-se do estado de um líquido em que existem domínios constituídos por moléculas com orientação regular no espaço, e cujas fronteiras se modificam continuamente.

cica[1] [Do tupi = 'pegajoso'.] ***S. f.*** *Bras.* O travor e gosto adstringente de certas frutas, quando verdes. [Cf. *sica.*]

cica[2] [Do tax. *Cycas* (do gr. *kykas,* var. do acus. pl. de *kóïx,* 'certa palmeira').] ***S. f.*** *Bot.* **1.** O gênero-tipo das cicadáceas, que reúne árvores que lembram palmeiras, de folhas penadas e caules colunares recobertos com a base persistente das folhas já caídas. **2.** Qualquer espécie desse gênero, como, p. ex., a *Cycas revoluta* (v. *sagueiro*). **3.** Qualquer espécime desse gênero.

ciça ***S. f.*** *Bras. Rel.* V. *adiciça.*

cicada [Do tax. *Cicada.*] ***S. f.*** *Zool.* **1.** O gênero-tipo dos cicadídeos, que reúne grandes insetos homópteros de corpo maciço, olhos globosos muito afastados, asas membranosas, transparentes, mais longas que o corpo, e tromba sugadora. **2.** Qualquer espécie desse gênero. V. *cigarra.* **3.** Qualquer espécime desse gênero.

cicadácea [Do lat. cient. *Cycad-* (do tax. *Cycas,* v. *cica*[2]) + *-ácea*; tax. *Cycadaceae.*] ***S. f.*** *Bot.* Espécime das cicadáceas, família de gimnospermas, semelhantes a palmeiras, que engloba perto de 65 espécies, das quais apenas três vegetam espontaneamente no extremo N. do Brasil. Em cultivo há duas espécies, apreciadíssimas por sua beleza.

cicadáceo [De *cicadácea,* com var. suf. (v. *-áceo*).] ***Adj.*** *Bot.* Pertencente ou relativo às cicadáceas.

cicadal [Do lat. cient. *Cycad-* (v. *cicadácea*) + *-al*[1].] ***Adj. 2 g.*** *Bot.* Pertencente ou relativo às cicadales.

cicadale [Do lat. cient. *Cycad-* (v. *cicadácea*) + *-ale*; tax. *Cycadales.*] ***S. f.*** *Bot.* Espécime das cicadales, classe de gimnospermas formada exclusivamente pela família das cicadáceas.

cicadelídeo [Do tax. *Cicadella* (< lat. *cicada,* 'cigarra', + lat. cient. *-ella*) + *-ídeo*[1]; tax. *Cicadellidae.*] *Zool.* ***S. m.*** **1.** Espécime dos cicadelídeos, família de insetos homópteros que ocorrem em quase todas as plantas herbáceas e lenhosas; várias espécies deles constituem praga da lavoura, já que danificam os vegetais ou diretamente, sugando-lhes seiva e obstruindo-lhes os vasos, ou indiretamente, pelos efeitos da saliva tóxica que desprendem e, ainda, pela transmissão de doenças viróticas. Reúne espécies de diferentes gêneros, que são vulgarmente chamadas cigarrinhas (q. v.). • ***Adj.*** **2.** Pertencente ou relativo a eles. [Sin. ger.: *jassídeo.*]

cicadídeo [Do lat. *cicada,* 'cigarra', + *-ídeo*[1]; tax. *Cicadidae.*] *Zool.* ***S. m.*** **1.** Espécime dos cicadídeos, família de insetos homópteros, à qual pertencem as cigarras. São grandes insetos de asas anteriores membranosas, tendo os machos na base do abdome órgãos que produzem som ventralmente. De desenvolvimento muito moroso, podem viver no interior de tubos feitos de terra durante 13 a 17 anos. No estágio adulto podem viver um mês ou pouco mais. • ***Adj.*** **2.** Pertencente ou relativo a eles.

cicadofilical [Do lat. cient. *Cycadofilic-* (v. *cicadoficale*) + *-al*[1].] ***Adj. 2 g.*** *Paleont.* Pertencente ou relativo às cicadofilicales; pteridospermo.

cicadofilicale [Do lat. cient. *Cycado-* (< tax. *Cycadales*) + *-filic(i)-* + *-ale*; tax. *Cycadoficales.*] *Paleont.* ***S. f.*** Espécime das cicadofilicales, classe de gimnospermas fósseis que vicejaram copiosamente durante os períodos carbonífero e permiano, e tinham aspecto de enormes fetos arborescentes. A classe compreendia duas famílias: lignodendráceas e medulosáceas. [Sin.: *pteridosperma.*]

cicatricial [Do lat. *cicatrice* + *-ial.*] ***Adj. 2 g.*** Relativo a, ou próprio de cicatriz.

cicatrícula [Do lat. *cicatricula.*] ***S. f.*** **1.** Pequena cicatriz. **2.** *Zool.* Na gema do ovo, mancha que indica o germe. **3.** *Zool.* Designação do vitelo[2] de ovo com segmentação parcial, como no das aves.

cicatriz [Do lat. *cicatrice.*] ***S. f.*** **1.** *Med.* Marca deixada na pele, ou em outro órgão, pelo tecido fibroso que recompõe as partes lesadas. **2.** *Fig.* Sinal ou vestígio de danificação ou destruição. **3.** *Fig.* Lembrança ou impressão duradoura de uma ofensa, de uma dor moral. **4.** *Bot.* Vestígios deixados em certos órgãos pela queda de outros ligados a eles. [Dim.: *cicatrícula.*] ◆ **Cicatriz estelar.** *Astr.* Astroblema.

cicatrização [De *cicatrizar* + *-ção.*] ***S. f.*** Ato ou efeito de cicatrizar(-se).

cicatrizado [Part. de *cicatrizar.*] ***Adj.*** **1.** Fechado por cicatriz. **2.** *P. ext.* Curado ou seco (o ferimento, a ferida). **3.** Marcado de cicatriz. **4.** *Fig.* Curado de algum sofrimento ou dor moral.

cicatrizante [De *cicatrizar* + *-nte.*] ***Adj. 2 g.*** **1.** Que cicatriza. • ***S. m.*** **2.** Medicamento cicatrizante.

cicatrizar [De *cicatriz* + *-ar*[2].] ***V. t. d.*** **1.** Fazer que se forme cicatriz (1) em: *Em poucos dias a pomada cicatrizou a ferida*; "Uns corações têm melhor carnadura que outros. Há deles que cicatrizam depressa golpes fundos." (Camilo Castelo Branco, *A Mulher Fatal,* p. 90). **2.** *Fig.* Desfazer, dissipar (a cicatriz [3]): "O tempo foi pouco a pouco abrandando a minha dor, cicatrizando a minha chaga." (Carlos Magalhães de Azeredo, *Ariadne,* p. 85.) ***Int.*** **3.** Fazer que se forme cicatriz (1): *Esta pomada desinfeta e cicatriza.* **4.** Transformar-se (uma ferida) em cicatriz (1): "Quitéria .... pensou-lhe o ferimento que, dentro de um mês mais ou menos, cicatrizava." (Ulisses Lins de Albuquerque, *Um Sertanejo e o Sertão,* p. 219). **5.** Desaparecer, dissipar-se [a cicatriz (3)]. ***P.*** **6.** Cicatrizar (4).

cicatrizável [De *cicatrizar* + *-vel.*] ***Adj. 2 g.*** Que pode cicatrizar, ou cicatriza facilmente.

cicerado [Part. de *cicerar.*] ***Adj.*** *Tip.* Marcado, calculado ou graduado em cíceros.

ciceragem [De *cicerar* + *-agem*[2].] ***S. f.*** *Tip.* **1.** Medição em cíceros. **2.** Número de cíceros.

cicerar [De *cícero* + *-ar*[2].] ***V. t. d.*** *Tip.* Marcar, calcular ou graduar em cíceros. [Pres. ind.: *cicero,* etc. Cf. *cícero,* s. m., e *Cícero,* antr.]

cícero [Do antrop. *Cícero* (v. *ciceroniano*).] ***S. m.*** *Art. Gráf.* **1.** Unidade tipométrica do sistema Didot (q. v.), equivalente a 12 pontos (4,512mm no sistema Didot). [V. *paica.*] **2.** Letra de corpo 12. [Cf. *cicero,* do v. *cicerar.*]

cícero-dantense ***Adj. 2 g.*** **1.** De, ou pertencente ou relativo a Cícero Dantas (BA). • ***S. 2 g.*** **2.** O natural ou habitante de Cícero Dantas. [Pl.: *cícero-dantenses.*]

cicerone [Do it. *cicerone.*] ***S. m.*** Pessoa que guia visitantes ou turistas, mostrando-lhes o que há de importante em uma localidade ou dando-lhes informações que lhes interessem.

ciceronear [De *cicerone* + *-ear*[2].] ***V. t. d.*** **1.** Servir de cicerone a. ***T. d. e c.*** **2.** Ciceronear (1): *Aceitou ciceroneá-lo pela noite paulista.*

ciceroniano [Do lat. *ciceronianu.*] ***Adj.*** **1.** Pertencente ou relativo a Cícero (Marco Túlio Cícero, séc. I a.C.), orador e escritor latino, ou próprio dele. **2.** Eloquente, facundo: "lá dentro, começará a reboar o vozeirão de Pereira da Cunha, em réplica ou tréplica, e há de ouvir-se noite adentro a ciceroniana oração de Plínio Casado" (Augusto Meyer, *No Tempo da Flor,* p. 14). **3.** Elevado, como o estilo de Cícero.

ciciar [T. onom.] ***V. int.*** **1.** Pronunciar as palavras em cicio (2). **2.** Rumorejar levemente: *As ramagens ciciavam ao vento;* "a viração ciciava brandamente no canavial" (Franklin Távora, *O Cabeleira,* p. 269). ***T. d.*** **3.** Dizer em voz baixa: "o corcunda e o amigo ficaram com as cabeças muito juntas, ciciando segredos e olhando sempre para o Desconhecido." (Érico Veríssimo, *Noite,* p. 40). [Cf. *cecear.*]

cicica ***S. f.*** *Bras.* V. *caxirenguengue.*

cicindela [Do lat. *cicindela,* var. do lat. *cicendela,* 'tipo de lucerna, de candeia'; tax. *Cicindela.*] ***S. f.*** *Zool.* **1.** Gênero-tipo dos cicindelídeos, constituído de insetos coleópteros frequentes em lugares áridos e arenosos. São diurnos, alimentam-se de outros insetos, e têm odor desagradável. **2.** Qualquer espécie desse gênero, como, p. ex., a *Cicindela nivea,* de coloração clara, comum nas praias brasileiras. **3.** Qualquer espécime desse gênero. **4.** Designação de insetos coleópteros de gêneros próximos à cicindela (1).

cicindelídeo [Do tax. *Cicindela* + *-ídeo*[1]; tax. *Cicindelidae.*] *Zool.* ***S. m.*** **1.** Espécime dos cicindelídeos, família de insetos coleópteros, adéfagos, besouros muito velozes, de cor metálica e iridescente, em geral verde ou parda, com 1cm ou 2cm de comprimento, manchas claras nos élitros, mandíbulas longas e falciformes. Encontrados em locais ensolarados e abertos, áridos, ou nas areias das praias. Predadores, alimentam-se de outros pequenos insetos. • ***Adj.*** **2.** Pertencente ou relativo a eles.

cicio [Voc. onom.] ***S. m.*** **1.** Ato ou efeito de ciciar. **2.** Rumor brando, como o da viração nos ramos das árvores: "Zumbidos e zum-zuns de invisíveis insetos, / Chios, cicios, sons de cochichos, baixinho." (Martins Fontes, *Verão,* p. 39.) **3.** Murmúrio de palavras em voz baixa: "Pôs-lhe no ouvido, num cicio delicado, ... este segredo político que parecia um segredo de amor: / — Fujamos!" (Antero de Figueiredo, *Leonor Teles,* p. 99).

cicioso (ô) [De *cicio* + *-oso.*] ***Adj.*** Que cicia; sussurrante, murmurante: "tinha uma voz meio ciciosa, simpática, macia." (Malu de Ouro Preto, *Siri na Noite sem Lua,* p. 11). [Cf. *ceceoso.*]

cicladense ***Adj. 2 g.*** **1.** Das, ou pertencente ou relativo às ilhas Cíclades (Grécia). • ***S. 2 g.*** **2.** O natural ou habitante dessas ilhas.

ciclagem [De *ciclo*[1] + *-agem*[2].] ***S. f.*** **1.** *Eletr.* A frequência de uma corrente alternada. **2.** *Psiq.* A mudança de um estado de humor patológico para outro (da depressão para a mania ou vice-versa). ◆ **Ciclagem rápida.** *Psiq.* Forma grave de transtorno bipolar em que o paciente apresenta no mínimo quatro episódios de variação patológica de humor no período de um ano.

ciclamato [Do ingl. *cyclamate* < *cycl(ohexyl)* + *(sulph) amate.*] ***S. m.*** *Quím.* Sal ou éster do ácido ciclâmico. [O sal de cálcio é usado como edulcorante.]

cíclame [Do lat. med. *cyclamen* < lat. *cyclaminus* < gr. *kykláminos.*] ***S. m. Adj. 2 g.*** V. *ciclâmen.*

ciclâmen [Do tax. *Cyclamen.*] ***S. m.*** *Bot.* **1.** Pequeno gênero de primuláceas eurasianas, perenes, vastamente cultivadas como ornamentais, dotadas de tubérculo, folhas basais cordiformes de veios brancos e manchas marmóreas, flores de pétalas eretas brancas, róseas ou purpúreas. **2.** Qualquer espécie desse gênero, como, p. ex., a *Cyclamen hederifolium.* **3.** Qualquer espécime desse gênero, ou a flor dele. **4.** A cor arroxeada peculiar às flores dessa planta. [Cf. *de cor* (3).] • ***Adj. 2 g.*** **5.** Que tem essa cor: *saia ciclâmen.* **6.** Diz-se dessa cor: *chapéu de cor ciclâmen.* [F. paral. (menos us.): *cíclame.* Pl.: *ciclamens* e (p. us. no Bras.) *ciclâmenes.*]

ciclâmico [De *ciclam(ato)* + *-ico*[2].] ***Adj.*** *Quím.* ~ V. *ácido —.*

ciclano [De *cicl(o)-* + *-ano*[2].] ***S. m.*** *Quím.* Hidrocarboneto saturado cíclico, como, p. ex., o cicloexano, o ciclopentano.

ciclantácea [Do tax. *Cyclanthus* + *-ácea*; tax. *Cyclanthaceae.*] ***S. f.*** *Bot.* Espécime das ciclantáceas, família de plantas monocotiledôneas da ordem das pandanales, semelhantes a pequenas palmeiras, às vezes trepadeiras, que habitam as matas tropicais, e de que há umas 50 espécies. Flores insignificantes e estruturalmente simples, unissexuais, dispostas em espádice; frutos baciformes.

ciclantáceo [De *ciclantácea*, com var. suf. (v. *-áceo*).] ***Adj. Bot.*** Pertencente ou relativo às ciclantáceas.

ciclanto [Do tax. *Cyclanthus* (v. *cicl(o)-* e *-anto*).] ***S. m. Bot.*** **1.** Gênero monoespecífico de plantas ciclantáceas. **2.** A espécie desse gênero [*Cyclanthus bipartitus* (v. *mapuá*[2])]. **3.** Qualquer espécime desse gênero.

ciclarídeo [Adapt. do tax. *Cyclarhidae.*] *Zool.* ***S. m.*** **1.** Espécime dos ciclarídeos, família de aves passeriformes caracterizadas por terem o bico grosso. Arborícolas, alimentam-se de insetos e frutas. São os gente-de-fora-vem-aí. • ***Adj.*** **2.** Pertencente ou relativo a eles.

ciclartrose [De *cicl(o)-* + *-artr(o)-* + *-ose*[1].] ***S. f.*** *Anat.* Tipo de articulação que permite movimento de rotação.

cicleno [De *cicl(o)-* + *-eno*[2].] ***S. m.*** *Quím.* V. *cicloalceno.*

cíclico [De *ciclo* + *-ico*[2].] ***Adj.*** **1.** Pertencente ou relativo a um ciclo. **2.** Que se realiza ou se repete numa certa ordem. **3.** *Bot.* Diz-se das peças florais dispostas em verticilos: *flor cíclica.* **4.** *Econ.* Relativo ao ciclo econômico (q. v.). **5.** *Fís.* Diz-se do processo de evolução de um sistema cujo estado inicial é igual ao estado final. **6.** *Med.* Diz-se de todo o processo que oscila periodicamente entre dois extremos. **7.** *Quím.* Diz-se de um composto cuja molécula tem pelo menos um anel fechado. ~ V. *coordenada —a, movimento —, permutação —a, simetria —a* e *sonata —a.* • ***S. m.*** **8.** Poeta que punha em verso a história dos tempos heroicos da Grécia.

ciclídeo [Adapt. do tax. *Cichlidae.*] *Zool.* ***S. m.*** **1.** Espécime dos ciclídeos, família de peixes teleósteos, de água doce, da América do Sul, América Central e África, com cerca de 300 espécies. Apresentam cores brilhantes, ocorrendo espécies com a curiosa propriedade de incubação oral. • ***Adj.*** **2.** Pertencente ou relativo a eles.

ciclismo [Do fr. *cyclisme.*] ***S. m.*** **1.** A arte de andar de bicicleta. **2.** O esporte das corridas de bicicletas.

ciclista [Do fr. *cycliste.*] ***S. 2 g.*** Pessoa que pratica o ciclismo.

ciclístico [De *ciclista* + *-ico*[2].] ***Adj.*** Relativo ao ciclismo ou aos ciclistas.

ciclo[1] [Do gr. *kýklos,* pelo lat. *cyclu.*] ***S. m.*** **1.** Série de fenômenos que se sucedem numa ordem determinada: *ciclo das estações; ciclo das horas.* **2.** Período ou revolução de certo número de anos passados nos quais se devem repetir na mesma ordem os fenômenos astronômicos. **3.** Período (3) em que ocorrem fatos históricos importantes a partir de um acontecimento, seguindo uma determinada evolução: *o ciclo das grandes navegações; o ciclo do ouro no Brasil.* **4.** *Bras.* Cada uma das divisões de certos programas de ensino. **5.** *Álg.* V. *permutação cíclica.* **6.** *Biol.* Ritmo de sucessão ou repetição de um fenômeno. **7.** *Eletr.* Período da corrente alternada. **8.** *Estat.* Período ou revolução ao fim dos quais se devem repetir, na mesma ordem, os fatos observados. **9.** *Fís.* Qualquer transformação cujo estado inicial é igual ao final. **10.** *Fís.* Em um movimento periódico, parte compreendida entre duas passagens sucessivas do sistema pelo mesmo estado. **11.** *Quím.* O anel de átomos que constitui a estrutura de muitos compostos, como, p. ex., dos hidrocarbonetos aromáticos, do antraceno, dos ciclanos. **12.** *Arte Poét.* Conjunto de poemas em que se celebram feitos de certo herói ou de certa época. **13.** *Liter.* Conjunto de obras de ficção de um autor que versam o mesmo tema: *o "Ciclo da Cana-de-Açúcar", de José Lins do Rego.* **14.** *Radiotéc.* V. *hertz.* **15.** Repetição de situações culturais ou sociais ligadas entre si. **16.** Um dos períodos, reversíveis ou irreversíveis, do desenvolvimento social. **17.** Ciclo menstrual. [Cf. *siclo.*] ◆ **Ciclo anovulatório.** *Fisiol.* Ciclo sexual em que não há liberação de óvulo. **Ciclo básico.** Nas instituições de ensino superior que mantêm diversas modalidades de habilitação, o ciclo comum a todos os cursos de determinadas áreas, que precede os estudos profissionais de graduação, e que visa à recuperação de insuficiências evidenciadas pelo vestibular e à aquisição de conhecimentos fundamentais para ciclos ulteriores; primeiro ciclo de graduação. [Tb. se diz apenas *básico.*] **Ciclo biogeoquímico.** *Ecol.* O conjunto dos processos físicos, químicos e biológicos, considerados como um ciclo, que descreve o intercâmbio de um elemento químico, entre organismos vivos e o ambiente abiótico. **Ciclo biológico.** *Biol.* V. *biociclo* (1). **Ciclo celular.** *Citol. Genét.* Sequência de modificações bioquímicas e que antecede e inclui o processo de divisão celular, resultando na formação de duas células idênticas a partir de uma única célula. **Ciclo circadiano.** Período de recorrência (de certos fenômenos, esp. biológicos) de cerca de um dia. **Ciclo cultural.** Conjunto de elementos que apresentam caracteres culturais semelhantes. **Ciclo da ureia.** *Bioquím.* Sequência de reações bioquímicas que ocorre no fígado e que resulta na transformação de nitrogênio metabólico em ureia (bem menos tóxica que a amônia, que se formaria de forma mais direta), que é excretada. **Ciclo de Calvin.** *Bioquím.* Sequência de reações bioquímicas que faz parte da fotossíntese, ocorrendo no estroma dos cloroplastos, e cujo resultado é a fixação de gás carbônico e a formação de carboidratos simples (sob a forma de fosfatos). **Ciclo de Krebs.** *Bioquím.* Sequência de reações bioquímicas, essencial ao metabolismo de organismos aeróbios, que ocorre nas mitocôndrias e que resulta no consumo de gorduras, carboidratos e aminoácidos (que são, previamente, transformados em acetil-coenzima A, antes de entrar no ciclo), com produção de dióxido de carbono, que é eliminado, e energia química, sob forma de trifosfato de adenosina. [Sin.: *ciclo do ácido cítrico.*] **Ciclo diplobiôntico.** *Biol.* Aquele em que a haplófase se reduz a gametas, estando todas as divisões celulares na diplófase. **Ciclo do ácido cítrico.** *Bioquím.* Ciclo de Krebs (q. v.). **Ciclo do mundo.** *Filos.* V. *eterno retorno* (1). **Ciclo dos caldeus.** *Astr.* V. *saros.* **Ciclo dos saros.** *Astr.* V. *saros.* **Ciclo econômico.** *Econ.* Oscilação no nível da atividade econômica de um país ou de conjunto de países, com uma fase de expansão seguida por outra de contração. **Ciclo haplobiôntico.** *Biol.* Aquele em que a diplófase se reduz ao zigoto, estando todas as divisões celulares na haplófase. **Ciclo haplodiplobiôntico.** *Biol.* Tipo de alternância de fases durante o qual a uma haplófase sucede uma diplófase. **Ciclo lunar.** *Astr.* Período no fim do qual a Lua nova cai aproximadamente nas mesmas datas do ano, e que vale cerca de 19 anos. **Ciclo menstrual.** *Fisiol.* Na fase fértil da vida da mulher, período em que se dão, regularmente, modificações normais no endométrio, que culminam em descamação parcial deste e na eliminação de sangue pela vagina. **Ciclo metônico.** *Cronol.* Período de 235 meses lunares, ou 19 anos e 11 dias, proposto por Meton [v. *metônico*], no qual as fases da Lua se repetem na mesma ordem e no mesmo dia. **Ciclo ovariano.** *Fisiol.* Conjunto de fenômenos periódicos, estimulados por ação hormonal, que ocorrem em cada ovário, e que compreende o desenvolvimento e a ruptura de folículo, a eliminação do óvulo, a formação do corpo-amarelo e sua regressão. **Ciclo reprodutivo.** *Biol.* Aquele que prepara o sistema genital feminino para a gravidez, e que se inicia na puberdade e termina com a menopausa; ciclo sexual. **Ciclo sexual.** *Biol.* Ciclo reprodutivo. **Ciclo solar. 1.** *Cronol.* Período de 28 anos, no fim do qual os dias da semana voltam a cair nas mesmas datas do início do período. **2.** *Astr.* Período que caracteriza a atividade solar. **Ciclo uterino.** *Fisiol.* Conjunto de fenômenos ocorrentes periodicamente no endométrio, e estimulados por hormônios ovarianos; dura, em média, 28 dias. **Ciclo vital.** *Biol.* V. *biociclo* (1). **Primeiro ciclo de graduação.** V. *ciclo básico.*

ciclo[2] [Do ingl. *cycle,* f. red. de *bicycle, motorcycle, tricycle.*] ***S. m.*** Designação comum a veículos como bicicletas, motocicletas, velocípedes, etc. [Cf. *siclo.*]

▲**cicl(o)-** [Do gr. *kykl-, kyklo-* < gr. *kýklos, ou.*] ***El. comp.*** = 'círculo'; 'roda'; 'processo cíclico'; 'corpo ciliar do olho': *cíclico* (< gr.), *ciclometria; ciclotimia; ciclotomia;* em *Quím.,* 'composto cíclico': *cicloexano.* [Equiv.: *-cicl(o)-, -ciclo: isocíclico, biociclo.*]

▲**-cicl(o)-** V. *cicl(o)-.*

▲**-ciclo** V. *cicl(o)-.*

cicloadição [De *cicl(o)-* + *adição.*] ***S. f.*** *Quím.* Tipo de reação, ger. concertada, em que duas substâncias insaturadas se combinam para dar origem a um produto cíclico.

cicloalcano [De *cicl(o)-* + *alcano.*] ***S. m.*** *Quím.* Qualquer alcano em que haja um ciclo, ou anel, de átomos de carbono.

cicloalceno [De *cicl(o)-* + *alceno.*] ***S. m.*** *Quím.* Qualquer hidrocarboneto cíclico com uma dupla ligação; cicloalqueno, cicleno, ciclolefina.

cicloalqueno [De *cicl(o)-* + *alqueno.*] ***S. m.*** *Quím.* V. *cicloalceno.*

ciclobutadieno [De *cicl(o)-* + *butadieno.*] ***S. m.*** *Quím.* Hidrocarboneto extremamente instável e muito reativo [fórm.: C_4H_4].

ciclo-butadieno ***S. m.*** *Quím.* V. *ciclobutadieno.*

ciclobutano [De *cicl(o)-* + *butano.*] ***S. m.*** *Quím.* Gás incolor, inflamável, existente em certos tipos de petróleo [fórm.: C_4H_8].

ciclodextrina (ês) [De *cicl(o)-* + *dextrina.*] ***S. f.*** *Quím.* Qualquer de certos oligossacarídeos macrocíclicos, naturais (α-ciclodextrina, fórm.: $C_{36}H_{60}O_{30}$, β-ciclodextrina, fórm.: $C_{42}H_{70}O_{35}$ e γ-ciclodextrina, fórm.: $C_{48}H_{80}O_{40}$, formadas, respectivamente, por seis, sete e oito moléculas de glicose), que apresentam, cada um, em seu interior, cavidade hidrofóbica capaz de conter outras substâncias. [Cf. *complexo de inclusão.*]

cicloeptano [De *cicl(o)-* + *heptano.*] ***S. m.*** *Quím.* V. *ciclo-heptano.*

cicloexano (cs) [De *cicl(o)-* + *hexano.*] ***S. m.*** *Quím.* V. *ciclo-hexano.*

cicloexanol (cs) ***S. m.*** *Quím.* V. *ciclo-hexanol.* [Pl.: *cicloexanóis.*]

cicloexilamina (cs) ***S. f.*** *Quím.* V. *ciclo-hexilamina.*

ciclofano [Do ingl. *ciclophane* (< ingl. *cycle* + ingl. *phenyl,* 'ciclofenil').] ***S. m.*** *Quím.* Qualquer de certos compostos cujas moléculas contêm um grupo ligado pelas duas extremidades a posições opostas (para) ou alternadas (meta) de um anel benzênico.

ciclogénese ***S. f.*** *Met.* V. *ciclogênese.* [Uso freq. em P.]

ciclogênese [De *cicl(o)-* + *-gênese.*] ***S. f.*** *Met.* Início ou desenvolvimento de ciclone (1).

ciclo-heptano ***S. m.*** *Quím.* Hidrocarboneto cíclico, líquido, saturado, incolor [fórm.: C_7H_{14}]. [Pl.: *ciclo-heptanos.*]

ciclo-hexano (cs) [De *cicl(o)-* + *hexano.*] ***S. m.*** *Quím.* Hidrocarboneto cíclico, líquido, saturado, incolor, existente em certos tipos de petróleo [fórm.: C_6H_{12}]. [Pl.: *ciclo-hexanos.*]

ciclo-hexanol (cs) [De *ciclo-hexano* + *-ol*[2].] ***S. m.*** *Quím.* Substância muito higroscópica, ger. na forma de líquido incolor, xaroposo, com cheiro parecido ao da cânfora, obtido pela redução do fenol e us. como solvente de borracha, na fabricação de sabões, ou como agente de limpeza a seco [fórm.: $C_6H_{12}O$]. [Pl.: *ciclo-hexanóis.*]

ciclo-hexilamina (cs) [De *cicl(o)-* + *hexilamina.*] ***S. f.*** *Quím.* Amina cíclica, líquida, incolor, us. como solvente [fórm.: $C_6H_{13}N$]. [Pl.: *ciclo-hexilaminas.*]

cicloidal [De *cicloide* + *-al*[1].] ***Adj. 2 g.*** Relativo a cicloide. ~ V. *pêndulo —.*

cicloide (ói) [Do gr. *kykloeidés.*] ***Adj. 2 g.*** **1.** *Psiq.* Ciclotímico. **2.** *Zool.* Diz-se de escama delgada e elástica, formada por camada de tecido conjuntivo soto-posto. • ***S. 2 g.*** **3.** *Psiq.* Indivíduo cicloide (1). • ***S. f.*** **4.** *Geom.* Curva plana descrita por um ponto fixo de uma circunferência que rola sem deslizar, sobre uma reta fixa do seu plano. **5.** *Geom. Impr.* Trocoide. **6.** *Zool.* Escama cicloide (2). ❖

ciclolefina [De *cicl(o)-* + *olefina.*] ***S. f.*** *Quím.* V. *cicloalceno.*

ciclólise [De *cicl(o)-* + *-lise.*] ***S. f.*** *Met.* Processo de dissipação ou enfraquecimento da circulação ciclônica.

ciclometria [De *cicl(o)-* + *-metria.*] ***S. f.*** Arte de medir círculos ou ciclos.

ciclométrico [De *ciclometria* + *-ico*[2].] ***Adj.*** Relativo à ciclometria.

ciclomotor (ô) [De *ciclo*[2] + *motor.*] ***S. m.*** Bicicleta motorizada.

ciclonal [De *ciclone* + *-al*[1].] ***Adj. 2 g.*** Ciclônico. ~ V. *área —* e *chuva —.*

ciclone [Do ingl. *cyclone* < gr. *kýkloma,* 'roda'.] ***S. m.*** **1.** *Met.* Região da atmosfera onde a pressão é baixa em relação à das regiões circunvizinhas, em um mesmo nível; centro de baixa pressão, centro de baixa, baixa. [Cf. *anticiclone.*] **2.** *Met.* Tempestade violenta produzida por grandes massas de ar animadas de grande velocidade de rotação e que se deslocam a velocidades de translação crescentes até a tempestade se desfazer. [Cf., nesta acepç., *furacão, tornado* e *tufão.*] **3.** *Tec.* Peça de equipamento na qual uma corrente de gás, contendo partículas em suspensão, é forçada a executar movimento turbilhonar, com o que se recolhem, por um lado, as partículas, enquanto, por outro, eflui o gás puro.

ciclónico ***Adj.*** V. *ciclônico.* [Uso freq. em P.]

ciclônico [De *ciclone* + *-ico*[2].] ***Adj.*** Relativo a ciclone; ciclonal.

ciclonita [Do ingl. *cyclonite,* f. red. de *cyclo-(trimethylene)-(tri)nit(ramin)e.*] ***S. f.*** *Expl.* Hexógeno.

ciclonizador (ô) [De **ciclonizar* + *-dor.*] ***S. m.*** *Autom.* Tipo de filtro usado nos motores que separa por ação centrífuga as partículas maiores de impurezas, enviando-as ao coletor de pó.

ciclo-octatetraeno [Do ingl. *cyclooctatetraene* (do ingl. *cyclooctane*).] ***S. m.*** *Quím.* Hidrocarboneto cíclico com 4 insaturações (a rigor, seu nome é 1,3,5,7-ciclo-octatetreno), que tem importância em estudos sobre aromaticidade (2) e antiaromaticidade.

cicloparafina [De *cicl(o)-* + *parafina.*] ***S. f.*** *Quím.* Qualquer hidrocarboneto cíclico saturado.

ciclope[1] [Do mit. gr. *Kýklope,* pelo lat. *Cyclope.*] ***S. m.*** *Mit.* Gigante com um só olho no meio da testa.

ciclope[2] [Do tax. *Cyclops.*] ***S. m.*** *Zool.* **1.** Gênero de diminutos copépodes cuja fêmea apresenta dois sacos ovígeros na parte posterior do corpo, e que frequentemente é vetora de vermes. **2.** Espécie ou espécime, desse gênero.

ciclopentadienila [De *ciclopentadieno* + *-ila*².] *S. f. Quím.* Grupamento $-C_5H_5$, derivado do ciclopentadieno.

ciclopentadieno [De *cicl(o)-* + *pentadieno*.] *S. m. Quím.* Hidrocarboneto líquido, cíclico e duplamente insaturado [fórm.: C_5H_6].

ciclopentano [De *cicl(o)-* + *pentano*.] *S. m. Quím.* Hidrocarboneto cíclico saturado, líquido, encontrado em certos petróleos [fórm.: C_5H_{10}].

ciclopenteno [De *cicl(o)-* + *penteno*.] *S. m. Quím.* Hidrocarboneto cíclico insaturado, líquido [fórm.: C_5H_8].

ciclopentenofenantreno [De *ciclopenteno* + *fenantreno*.] *S. m. Quím.* Qualquer dos hidrocarbonetos aromáticos, isômeros, derivados do fenantreno, com anel pentagonal fundido, sendo que o 1,2-ciclopentenofenantreno tem esqueleto como o dos esteróis [fórm.: $C_{17}H_{14}$].

ciclopentolato [Voc. farmac.] *S. m. Quím.* Éster aminado e hidroxilado, aromático, us. como midriático [fórm.: $C_{17}H_{25}NO_3$].

ciclópeo [Do gr. *kyklópeios*, pelo lat. *cyclopeu*.] *Adj.* V. *ciclópico*.

ciclópico [Do gr. *kyklopikós*.] *Adj.* **1.** Pertencente ou relativo a ciclope¹. **2.** *Fig.* Extraordinário, colossal, gigantesco: *esforço ciclópico*. **3.** Diz-se de certos monumentos antigos construídos com enormes blocos de pedra irregulares, provavelmente pelágicos. [Sin. ger.: *ciclópeo*.] ~ V. *concreto —*.

ciclopropano [De *cicl(o)-* + *propano*.] *S. m. Quím.* Gás incolor, com cheiro característico de solventes da nafta, muito inflamável, usado como anestésico [fórm.: C_3H_6].

ciclopropanocarbaldeído [De *ciclopropano* + *-carb(o)-* + *aldeído*.] *S. m. Quím.* Ciclopropanocarboxaldeído (q. v.).

ciclopropanocarbonitrila [De *ciclopropano* + *-carb(o)-* + *nitrila*.] *S. f. Quím.* Nitrila em que o grupo -CN se liga diretamente a anel de ciclopropano, ocupando o lugar de um átomo de hidrogênio deste [fórm.: C_4H_5N].

ciclopropanocarboxaldeído (cs) [De *ciclopropano* + *-carbox(i)-* + *aldeído*.] *S. m. Quím.* Aldeído em que o grupo -CHO se liga diretamente a anel de ciclopropano, ocupando o lugar de um átomo de hidrogênio deste; ciclopropanocarbaldeído [fórm.: C_4H_6O].

ciclopropanocarboxílico (cs) *Adj. Quím.* ~ V. *ácido —*.

ciclopropeno [De *cicl(o)-* + *propeno*.] *S. m. Quím.* Substância gasosa, hidrocarboneto cíclico, insaturado [fórm.: C_3H_4].

cicloquilácea [Adapt. do tax. *Cyclocheilaceae*.] *S. f. Bot.* Família da ordem das lamiales, que abrange dois gêneros e quatro espécies, nativas do N.E. e L. da África.

cicloquiláceo [De *cicloquilácea*, com var. suf. (v. *-áceo*).] *Adj. Bot.* Pertencente ou relativo às cicloquiláceas.

ciclorama [De *cicl(o)-* + *-orama*.] *S. m. Teatr.* Grande tela semicircular, ger. clara, situada no fundo da cena, e sobre a qual se lançam as tonalidades luminosas de céu que se deseja obter, ou se projetam diapositivos ou filmes que se desenvolvem alternada ou paralelamente à ação física dos atores; infinito, parede do infinito, cúpula de horizonte.

ciclorrafo [De *cicl(o)-* + gr. *rhaphé*, 'costura'; tax. *Cyclorrapha*.] *Zool. S. m.* **1.** Espécime dos ciclorrafos, subordem dípteros em que o inseto adulto emerge da pupa através de uma abertura circular e tem antena com uma lúnula frontal; a larva, ger., não tem cabeça distinta. ● *Adj.* **2.** Pertencente ou relativo a eles.

ciclose [Do lat. cient. *cyclosys* < gr. *kýklosis*, 'circulação'.] *S. f. Citol.* Geração de correntes citoplasmáticas contínuas através da ação dos microfilamentos, movimentando cloropastos e outros orgânulos citoplasmáticos.

ciclosporina [Do V.C.I., ingl. *cyclosporine*.] *S. f. Terap.* Polipeptídeo produzido pelo fungo *Tolypocladium inflatum*, e que se tem revelado poderoso agente imunossupressor, sem prejudicar, significativamente, as defesas orgânicas contra infecções bacterianas ou viróticas.

ciclossimétrico [De *cicl(o)-* + *simétrico*.] *Adj.* ~ V. *função —a*.

ciclostomado¹ [Adapt. do tax. *Cyclostomata*.] *Zool. S. m.* **1.** Espécime dos ciclostomados, ordem de animais marinhos, briozoários, estenolemados, caracterizados pelos zoécios tubulares e ausência de opérculos. ● *Adj.* **2.** Pertencente ou relativo a eles. [Sin. ger.: *monorrino*.]

ciclostomado² [De *cicl(o)-* + *-stom(o)-* + *-ado*¹.] *Adj. S. m.* Diz-se de, ou animal que tem boca circular, como, p. ex., as lampreias. [Sin.: *ciclóstomo*.]

ciclóstomo [De *cicl(o)-* + *-stomo*.] *Adj. S. m.* V. *ciclostomado*².

ciclotimia [De *cicl(o)-* + *-tim(o)-* + *-ia*¹.] *S. f. Psiq.* **1.** Predisposição a mostrar alternâncias de comportamento, que ora é de depressão, ora de excitação. **2.** Tipo de transtorno bipolar caracterizado por alteração crônica e flutuante do humor, de intensidade leve a moderada.

ciclotímico [De *ciclotimia* + *-ico*².] *Psiq. Adj.* **1.** Relativo à, ou que apresenta ciclotimia; cicloide. ● *S. m.* **2.** Indivíduo ciclotímico.

ciclotomia [De *cicl(o)-* + *-tom(o)-* + *-ia*¹.] *S. f. Oftalm.* Seção do músculo ciliar.

ciclotômico *Adj.* V. *ciclotômico*. [Uso freq. em P.]

ciclotômico [De *ciclotomia* + *-ico*².] *Adj.* Relativo à ciclotomia.

ciclótomo [De *cicl(o)-* + *-tomo*.] *S. m. Oftalm.* Instrumento de corte empregado na ciclotomia ou em outras intervenções cirúrgicas oculares.

ciclotron [De *cicl(o)-* + *-tron*.] *S. m. Eng. Nucl.* Acelerador de campo variável em que as partículas descrevem órbitas quase circulares num campo magnético e são aceleradas mediante um pequeno potencial que lhes é aplicado duas vezes em cada volta, quando cruzam o espaço situado entre duas peças em forma de *D*.

ciclovia [De *ciclo*² + *via*.] *S. f.* **1.** Pista exclusiva para bicicletas. **2.** Pista para a prática do ciclismo.

cicloviário [De *ciclovia* + *-ário*.] *Adj.* Da, ou relativo à ciclovia.

cicônia *S. f. Zool.* V. *cicônia*. [Uso freq. em P.]

cicônia [Do tax. *Ciconia* < lat. *ciconia*, 'cegonha'.] *S. f. Zool.* **1.** Gênero-tipo dos ciconiídeos, constituído de aves aquáticas de bico forte e pescoço longo. **2.** Qualquer espécie desse gênero, como, p. ex., a *Ciconia ciconia* (v. *cegonha*). **3.** Qualquer espécime desse gênero.

ciconiídeo [Do tax. *Ciconia* (v. *cicônia*) + *-ídeo*¹; tax. *Ciconiidae*.] *Zool. S. m.* **1.** Espécime dos ciconiídeos, família de aves ardeiformes cujo bico é ger. direito, dedo posterior articulado em posição mais alta que os anteriores. São aves de grande porte, e vivem aos bandos. Alimentam-se de peixes. São os jaburus, tuiuiús e cauanãs. ● *Adj.* **2.** Pertencente ou relativo a eles.

ciconiiforme [Do tax. *Ciconia* (v. *cicônia*) + *-iforme*; tax. *Ciconiiformes*.] *Zool. S. m.* **1.** Espécime dos ciconiiformes, ordem de aves neórnites, neógnatas de porte geralmente grande, asas medíocres, pernas e pescoço longos, dedos livres ou com membrana reduzida, hálux longo; vivem perto da água e se alimentam sobretudo de peixes. São as garças, flamingos, acauãs e socós. ● *Adj. 2 g.* **2.** Pertencente ou relativo a eles.

cicuta [Do lat. *cicuta*; tax. *Cicuta*.] *S. f.* **1.** *Bot.* Gênero de plantas apiáceas, venenosas, de tamanhos diversos, que crescem em pântanos e montanhas. **2.** *Bot.* Qualquer espécie desse gênero, como, p. ex., a *Cicuta maculata*, conhecida popularmente como *cicuta-da-américa*. **3.** *Bot.* Qualquer espécime desse gênero. **4.** *Bot.* Designação comum a espécies de apiáceas, esp. dos gêneros *Conium* e *Anthriscus*, próximas à cicuta (1). [V. *cicuta-da-europa*.] **5.** *Bot.* Qualquer espécime desses gêneros. **6.** Veneno extraído da cicuta-da-europa. [Var. (pop.), nas acepçs. 2, 3, 4, 5 e 6: *cigude* ou *cegude*, *embude*.]

cicuta-da-europa [De *cicuta* + *da*¹ + o top. *Europa*.] *S. f. Bras. Bot.* Planta apiácea (*Conium maculatum*) glabra, verde-escura, de caule ereto, flores alvas, folhas pecioladas e grandes, e frutos ovoides, e cujo suco tem odor nauseante e é veneno enérgico. [Pl.: *cicutas-da-europa*.]

▲-cida [Do lat. *-cida*, *ae* < lat. *caedĕre*, 'cortar'; 'bater', 'ferir'; 'matar', 'fazer grande morticínio'; 'imolar'.] ***El. comp.*** = '(o) que corta', '(o) que fende'; '(o) que mata', '(coisa ou produto) que mata': *septicida*; *parricida* (< lat.); *inseticida*, *raticida*, *vermicida*. [V. *-cídio*.]

cidadã *S. f.* Fem. de *cidadão* (q. v.).

cidadania [De *cidadão* + *-ia*¹, seg. o padrão erudito.] *S. f.* **1.** Qualidade, condição ou estado de cidadão. **2.** Faculdade de ser cidadão e, como tal, ter direitos a exercer ou fruir e deveres a cumprir. **3.** O exercício ou gozo dessa faculdade.

cidadão [De *cidade* + *-ão*².] *S. m.* **1.** Indivíduo no gozo dos direitos civis e políticos de um Estado, ou no desempenho de seus deveres para com este. **2.** Habitante da cidade. **3.** *Pop.* Indivíduo, homem, sujeito: *Esteve aí um cidadão procurando por você*. [Fem.: *cidadã* e *cidadoa*; pl.: *cidadãos*.] ◆ **Cidadão do mundo.** Homem que põe os interesses da humanidade acima dos da pátria; cidadão do Universo. **Cidadão do Universo.** Cidadão do mundo.

cidade [Do lat. *civitate*.] *S. f.* **1.** Complexo demográfico formado, social e economicamente, por uma importante concentração populacional não agrícola, *i. e.*, dedicada a atividades de caráter mercantil, industrial, financeiro e cultural; urbe: "Cidade é a expressão palpável da necessidade humana de contato, comunicação, organização e troca — numa determinada circunstância físico-social e num contexto histórico." (Lúcio Costa, *Lúcio Costa: Registro de uma Vivência*, p. 277.) **2.** Os habitantes da cidade, em conjunto: *A cidade saiu à rua para aclamar os heróis*. **3.** A parte mais antiga ou mais central de uma cidade. **4.** O centro comercial. **5.** *Bras.* Sede de município, independentemente do número de seus habitantes. **6.** *Bras.* Vasto formigueiro de saúvas constituído por vários alongamentos chamados *panelas*. ◆ **Cidade aberta.** Cidade sem fortificações e sem objetivos militares, que a prática beligerante convencionou poupar de bombardeios, ataques, etc. **Cidade alta.** A parte elevada de uma cidade, por contraposição à baixa. **Cidade baixa.** A parte baixa de uma cidade, por contraposição à alta. **Cidade das sete colinas.** Roma. [São elas: o Vaticano, o Janículo, o Aventino, o Célio, o Esquilino, o Píncio e o Capitólio.] **Cidade dos mortos.** Cemitério; cidade dos pés juntos: "Apenas entrei numa das ruas da cidade dos mortos, avistei Daniel ao longe, sentado numa pedra" (Machado de Assis, *Contos sem Data*, p. 84). **Cidade dos pés juntos.** Cidade dos mortos. **Cidade eterna.** Roma. **Cidade histórica.** *Urb.* Cidade que mantém, predominantemente, características urbanas e arquitetônicas de um determinado período histórico. **Cidade lacustre.** Conjunto de habitações construídas sobre estacas, em lagos ou perto deles, descobertas em várias partes do globo, e atribuídas ao homem pré-histórico. **Cidade luz.** Paris. **Cidade maravilhosa.** O Rio de Janeiro. **Cidade santa.** Jerusalém. **Cidade universitária.** *Urb.* Complexo urbanístico destinado a estudantes residentes em outras localidades, e que comporta pavilhões residenciais, praças de esporte, biblioteca, restaurante, centros de lazer etc.

cidade-dormitório [De *cidade* + *dormitório*.] *S. f.* Cidade de cujos habitantes saem, na maioria, para trabalhar em outra, retornando só para dormir. [Pl.: *cidades-dormitórios* e *cidades-dormitório*.]

cidade dos pés juntos *S. f. Bras. Pop.* V. *cemitério* (1). [Pl.: *cidades dos pés juntos*.] ◆ **Ir para a cidade dos pés juntos.** *Bras. Pop.* V. *morrer* (1).

cidade-estado *S. f.* Na antiguidade clássica, estado (12) onde a soberania era exercida pelos cidadãos livres de uma cidade independente, estendendo-se aos territórios sob o seu controle direto. [Pl.: *cidades-estados* e *cidades-estado*.]

cidade-gauchense (a-u) *Adj. 2 g.* **1.** De, ou pertencente ou relativo a Cidade Gaúcha (PR). ● *S. 2 g.* **2.** O natural ou habitante de Cidade Gaúcha. [Sin. ger.: *citadino*. Pl.: *cidade-gauchenses*.]

cidadela [Do it. *cittadella*.] *S. f.* **1.** Fortaleza defensiva duma cidade. **2.** *P. ext.* Lugar onde se pode estabelecer defesa. **3.** *Fig.* Centro onde se reúnem os defensores mais ardentes de uma doutrina, ideologia, etc.: *Minas Gerais foi a cidadela da inconfidência*. **4.** *Bras. Fut.* V. *gol* (1).

cidade-satélite *S. f.* Cidade com autonomia administrativa ou sem ela, e cuja vida depende doutra cidade mais desenvolvida, mais ou menos próxima. [Pl.: *cidades-satélites* e *cidades-satélite*.]

cidadoa (ô) *S. f.* Fem. irreg. de *cidadão*.

cidariforme [Do lat. *cidaris*, 'diadema dos reis da Pérsia', 'tiara de sumo sacerdote (entre os hebreus)' (do gr. *kídaris*, *eos*, 'turbante ou diadema dos reis asiáticos') + *-iforme*.] *Adj. 2 g.* Que tem forma de turbante ou boné.

cidaroide (ói) [Do tax. *Cidaris* (< gr. *kídaris*, 'turbante', 'diadema') + *-oide*; tax. *Cidaroida*.] *Zool. S. m.* **1.** Espécime dos cidaroides, ordem de animais equinodermos equinoides, de carapaça globulosa, rígida ou flexível; sem brânquias; dentes não sulcados e pés ambulacrários em duas colunas. ● *Adj. 2 g.* **2.** Pertencente ou relativo a eles.

▲-cídio [Do lat. *-cidium*, *ii* < lat. *caedĕre*, 'cortar'; 'matar'.] ***El. comp.*** = 'morte, assassínio': *fratricídio* (< lat.), *parricídio* (< lat.), *filicídio*, *genocídio*. [V. *-cida*.]

cidipídio [Do mit. gr. *Kydíppe* + *-ídio*¹; tax. *Cydippidea*.] *Zool. S. m.* **1.** Espécime dos cidipídios, ordem de animais ctenóforos tentaculados, de corpo arredondado, e tentáculos ramificados e retráteis, que se podem recolher em uma bainha. ● *Adj.* **2.** Pertencente ou relativo a eles.

cidra [Do lat. *citrea*.] *S. f.* O fruto da cidreira. [Cf. *sidra*.]

cidrada [De *cidra* + *-ada*¹.] *S. f. Cul.* Doce de cidra.

cidral [De *cidra* + *-al*¹.] *S. m.* **1.** Quantidade mais ou menos considerável de cidreiras dispostas proximamente entre si. **2.** Área ocupada por cidral (1).

cidrão [De *cidra* + *-ão*¹.] *S. m.* **1.** Variedade de cidra de casca grossa. **2.** *Bot.* Designação comum a duas espécies de verbenáceas do gênero *Lippia*, de flores e folhas cujo cheiro forte lembra o do limão, aproveitadas em perfumaria. **3.** *Cul.* Doce da casca de cidrão.

cidreira [De *cidra* + *-eira*.] *S. f. Bras. Bot.* Arbusto rutáceo (*Citrus medica*) espinescente, de rebentos avermelhados, folhas aromáticas e flores alvas, e que fornece madeira amarela, dura e compacta.

cidreirense *Adj. 2 g.* **1.** De, ou pertencente ou relativo a Cidreira (RS). ● *S. 2 g.* **2.** O natural ou habitante de Cidreira.

cié-cié *S. m. Bras. PE Zool.* V. *chama-maré*. [Pl.: *cié-ciés*.]

cieiro *S. m. Patol.* Dermatite localizada nos lábios e produzida pelo frio: "a áspera secura de todos os ventos de norte e leste produz o cieiro e decompõe a pele." (Ramalho Ortigão, *As Farpas*, I, p. 37).

ciena [Do tax. *Sciaena* (do gr. *skíaina*, 'certo peixe marinho').] *S. f. Zool.* **1.** O gênero-tipo dos cienídeos, que compreende peixes grandes e de formato oblongo, recobertos de grandes escamas, cabeças tb. escamosas, destituídos de barbilhão, e cujo focinho é rombudo. **2.** Qualquer espécie desse gênero como, p. ex., a *Sciaena aquila*, vulgarmente conhecida, em Portugal, como *corvina* [v. *corvina* (2)] . [v. *corvina* (2)]. **3.** Qualquer espécime desse gênero.

ciência [Do lat. *scientia.*] *S. f.* **1.** Conhecimento (3): *tomar ciência.* **2.** Saber que se adquire pela leitura e meditação; instrução, erudição, sabedoria. **3.** Conjunto de conhecimentos socialmente adquiridos ou produzidos, historicamente acumulados, dotados de universalidade e objetividade que permitem sua transmissão, e estruturados com métodos, teorias e linguagens próprias, que visam compreender e, poss., orientar a natureza e as atividades humanas. **4.** Campo circunscrito, dentro da ciência (3), concernente a determinada parte ou aspecto da natureza ou das atividades humanas, como, p. ex., a química, a sociologia, etc. **5.** A soma dos conhecimentos humanos considerados em conjunto: *os progressos da ciência em nossos dias.* **6.** *Pop.* Habilidade intuitiva, sabedoria: "A ciência da aranha, da abelha e a minha, muita gente desconhece" (Luiz Vieira e João do Vale, da canção popular *Na Asa do Vento*). ◆ **Ciência aplicada.** Ciência (3) que é produzida com a intenção de ser aplicada a objetivos práticos. [Cf. *tecnologia* e *ciência pura*.] **Ciência básica. 1.** Ciência (3) que trata dos aspectos mais gerais ou fundamentais da realidade, ger. sem preocupação com as suas aplicações práticas a curto prazo. **2.** Ciência (3) que tem participação fundamental nos conhecimentos necessários ao exercício de um campo de atividade: a anatomia, a bioquímica, etc. **Ciência cristã.** Misto de religião e medicina mental, fundada em 1866 nos E.U.A. por Mary Baker-Eddy (1821-1910). **Ciência da computação.** *Inform.* Disciplina que estuda o projeto, a operação, o uso e a programação de computadores, aliando aspectos da matemática, da lógica, da engenharia e da teoria da informação. **Ciência infusa.** A que se supõe vinda de Deus por inspiração. **Ciência pura.** Ciência (3) em que a investigação é feita sem qualquer preocupação com a aplicação. [Cf. *ciência aplicada*.] **Ciências biológicas.** *Biol.* O conjunto das ciências [v. *ciência* (4)] cujos conhecimentos são fundamentalmente orientados para o estudo da biologia, ou são derivados dela: a biologia, a biofísica, a farmacologia, etc. **Ciências contábeis.** O conjunto das ciências aplicadas, ou afins, ou derivadas, ou que contribuem fundamentalmente para a contabilidade (1): a contabilidade e a administração. **Ciências da natureza.** Ciências naturais. **Ciências da saúde.** O conjunto das ciências básicas (2) e aplicadas que tratam da saúde humana e animal: a medicina, a odontologia, a veterinária, etc. **Ciências da Terra.** As ciências [v. *ciência* (4)] que tratam do meio físico ao redor do homem: a oceanografia, a geologia, a geografia física, a climatologia, etc.; geociências. **Ciências da vida.** O conjunto formado pelas ciências biológicas e da saúde. **Ciências econômicas.** Economia (7). **Ciências empíricas.** As ciências [v. *ciência* (4)] que são formadas pela observação da natureza e por teorias e hipóteses que podem ser com ela diretamente confrontadas. [Cf. *ciências formais*.] **Ciências exatas.** As ciências [v. *ciência* (4)] que se baseiam em teorias, normalmente expressas matematicamente, capazes de fornecer conceitos precisos. **Ciências experimentais.** Aquelas cujo método exige o recurso da experimentação. **Ciências físicas.** A física, a química, e ciências afins, como a meteorologia, a hidrologia, a geologia. **Ciências formais.** As ciências [v. *ciência* (4)] que têm como objetivo de estudo sistemas matemáticos, lógicos e similares, que não se referem, diretamente, à realidade física. [Cf. *ciências empíricas*.] **Ciências humanas.** As ciências [v. *ciência* (4)] que têm como objetivo de estudo o comportamento do homem e os fenômenos culturais humanos: a psicologia, a antropologia, a história, a sociologia, etc. **Ciências jurídicas.** O conjunto das ciências derivadas do direito (13), ou fundamentalmente influenciadas por ele: o direito internacional, o direito criminal, etc. **Ciências linguísticas. 1.** A linguística e a fonética. **2.** Aquelas que tratam da linguagem e das línguas, como a linguística, a linguística aplicada, a neurolinguística, a psicolinguística e a sociolinguística. **Ciências matemáticas.** As ciências [v. *ciência* (4)] em que as investigações fazem uso da matemática, ou são fundamentalmente influenciadas por ela, ou são dela derivadas: a matemática, a estatística, a física teórica, etc. **Ciências morais.** As que estudam os sentimentos, pensamentos e atos do homem, aquilo que constitui o espírito humano. **Ciências naturais.** As ciências [v. *ciência* (4)] que têm como objetivo de estudo a natureza em torno do homem, sendo este incluído apenas na condição de animal natural: a física, a química, a astronomia, a geologia, a biologia. [Cf. *história natural*.] **Ciências normativas.** Aquelas que, como a lógica e a moral, traçam normas ao pensamento e à conduta humana. **Ciências ocultas.** Ocultismo (1). **Ciências políticas.** O conjunto das ciências que estudam a organização e o funcionamento do Estado, e as interações dos grupos nele existentes: a política, a sociologia, etc. **Ciências sociais.** As ciências [v. *ciência* (4)] que têm como objetivo de estudo os grupos humanos: a sociologia, a antropologia, a geografia humana, a história, a linguística, a pedagogia, a psicologia social.

ciências [Pl. de *ciência*.] *S. f. pl.* Disciplinas escolares e universitárias que compreendem a química, a física, a biologia, a matemática, a astronomia e outras.

ciênida [Do tax. *Sciaena* + *-ida*[1]; tax. *Sciaenidae*.] *S. m. Adj. 2 g. Zool.* V. *cienídeo*.

cienídeo [Do tax. *Sciaena* (v. *ciena*) + *-ídeo*[1]; tax. *Sciaenidae*.] *Zool. S. m.* **1.** Espécime dos cienídeos, família de peixes perciformes, dos oceanos Atlântico, Pacífico e Índico, e tb. de alguns rios, que têm a nadadeira dorsal alongada, com um entalhe entre os raios espinhosos e os moles, linha lateral que se estende até o fim da nadadeira caudal, e a anal ger. com um ou dois espinhos. São peixes de fundo, e se alimentam de invertebrados e de peixes pequenos. ● *Adj.* **2.** Pertencente ou relativo a eles. [Sin. ger.: *ciênida*.]

ciente [Do lat. *sciente*.] *Adj. 2 g.* **1.** Que tem ciência; sábio, douto. **2.** Que tem ciência ou conhecimento de alguma coisa; sabedor: *Está ciente do acontecido, nada ignora a esse respeito.* ● *S. m.* **3.** Assinatura que se apõe a documentos para comprovar que se tomou conhecimento de seu conteúdo.

cientificar [De *ciente* + *-ficar*.] *V. t. d. e i.* **1.** Dar conhecimento; tornar ciente; informar: *Cientificaram-no tardiamente da briga.* *P.* **2.** Tomar conhecimento de; informar-se. [Conjug.: v. *ficar*. Pres. ind.: *cientifico*, etc. Cf. *científico*.]

cientificismo [De *científico* + *-ismo*.] *S. m. Filos.* Cientismo.

cientificista [De *cientificismo* + *-ista*.] *Adj. 2 g. Filos.* Relativo ou pertencente ao cientificismo.

científico [Do lat. *scientificu*.] *Adj.* **1.** Relativo à ciência, ou às ciências. **2.** Que tem o rigor da ciência: *método científico.* **3.** *Bras. Desus.* Diz-se do curso de nível médio em três anos, em que predomina o ensino das ciências exatas, da biologia, etc. [Cf. *ensino de segundo grau*.] ~ V. *administração —a, ficção —a, computação —a, indução —a, realismo —* e *socialismo —.* ● *S. m.* **4.** *Bras. Desus.* Curso científico [v. *científico* (3)]. [Cf. *cientifico*, do v. *cientificar*.]

cientismo [De *ciência* (< lat. *scientia*) + *-ismo*.] *S. m. Filos.* **1.** Atitude segundo a qual a ciência dá a conhecer as coisas como são, resolve todos os reais problemas da humanidade e é suficiente para satisfazer todas as necessidades legítimas da inteligência humana. **2.** Atitude segundo a qual os métodos científicos devem ser estendidos sem exceção a todos os domínios da vida humana. [Sin. ger.: *cientificismo*.]

cientista [Do ingl. *scientist*.] *S. 2 g.* Pessoa que cultiva particularmente alguma ciência; especialista numa ciência, ou em ciências.

cientologia [Do ingl. *scientology*.] *S. f.* Doutrina ou movimento filosófico-religioso, dito científico, fundado, na década de 1950, nos E.U.A., por Lafayette Ron Hubbard ([1911-1986] autor de várias obras de ficção científica), que defende a imortalidade do espírito, a divisão do ser humano em corpo, mente e espírito, vários princípios hinduístas, budistas, taoistas e cabalistas, e a força do pensamento, bem como a prática de técnicas psicoterápicas para livrar a mente de lembranças e imagens prejudiciais.

ciese [Do gr. *kýesis*.] *S. f. Med.* V. *prenhez*.

▲**-cies(e)-** V. *ciesi(o)-*.

▲**-ciese** V. *ciesi(o)-*.

▲**ciesi(o)-** [Do gr. *kýēsis, eōs*.] ***El. comp.*** = 'gravidez': *ciesiologia*. [Equiv.: *-ciese, -cies(e)-*: *ecciese, paraciesia*.]

ciesiologia [De *ciesi(o)-* + *-logia*.] *S. f. Obst.* V. *obstetrícia*.

■ **c.i.f.** [Sigla do ingl. *cost, insurance, and freight*, 'custo, seguro e frete'.] V. *cláusula c.i.f.*

cifa [Do ár. *sayf*, 'espada'; 'areia fina (sentido metafórico)'.] *S. f.* Areia que os ourives empregam para moldar.

cifé [Corruptela de *Lúcifer*.] *S. m. Bras. Pop.* V. *diabo* (2).

cifélio [Do gr. *kýphella*, 'orifício', 'cavidade da orelha', + *-io*[3].] *S. m. Bot.* Minutíssima escavação, amarelada ou esbranquiçada, que se encontra, em grande número, na face inferior dos liquens estictáceos.

cifístoma *S. m. Zool.* Fase do ciclo dos cifozoários em que a plânula se fixa e toma a forma de um pólipo, sofrendo posteriormente um processo de estrobilização para tomar formas medusoides.

cifo [Do gr. *skýphos*, pelo lat. *scyphu*.] *S. m.* Na Grécia e na Roma antigas, vaso fundo para beber, de base larga e sem pé, com duas asas laterais.

▲**cif(o)-** [Do gr. *kyphós, ḗ, ón*.] ***El. comp.*** = 'curvado para a frente', 'dobrado': *cifoscoliose*.

cifoescoliose [De *cif(o)-* + *escoliose*.] *S. f. Ort.* Cifoscoliose.

cifoftalmo [De *cif(o)-* + *-oftalmo*.] *Zool. S. m.* **1.** Espécime dos cifoftalmos, subordem de animais invertebrados, artrópodes, opilionidos, desprovidos de olhos ou com olhos marginais. Não há representantes do grupo no Brasil. ● *Adj.* **2.** Pertencente ou relativo a eles.

cifomedusa [Do gr. *skýphos*, 'taça de beber', + tax. *Medusa*; tax. *Scyphomedusae*.] *S. f. Zool.* Cifozoário (1).

cifomedúseo [De *cifomedusa* + *-eo*.] *Adj. Zool.* Pertencente ou relativo às cifomedusas.

cifoscoliose [De *cif(o)-* + *(e)scoliose*.] *S. f. Ort.* Presença de cifose e escoliose; cifoescoliose.

cifose [Do lat. cient. *cyphosis* < gr. *kýphosis*.] *S. f. Ort.* Curvatura da coluna vertebral de convexidade posterior. [Cf. *lordose* (3) e *escoliose*.]

cifosídeo [Do tax. *Kiphosus* + *-ídeo*[1]; tax. *Kyphosidae*.] *Zool. S. m.* **1.** Espécime dos cifosídeos, família de peixes teleósteos, perciformes, marinhos, que habitam, principalmente, regiões tropicais, e que lembram a perca; inclui numerosas espécies de peixes herbívoros que são importantes na alimentação. Podem alcançar 1m de comprimento, e vivem nas profundidades, em lugares pedregosos e lamacentos. Ex.: a *pirajica*. ● *Adj.* **2.** Pertencente ou relativo a eles.

cifótico [De *cif(ose)* + *-ótico*.] *Adj.* Relativo à cifose.

cifozoário [Do tax. *Scyphozoa* + *-ário*.] *Zool. S. m.* **1.** Espécime dos cifozoários, classe de cnidários caracterizados por terem medusas grandes, em forma de campânula ou de guarda-chuva, marginadas por tentáculos. Cavidade digestiva com canais ramificados; pólipos minúsculos, ou ausentes. São as águas-vivas, todas marinhas; cifomedusa. ● *Adj.* **2.** Pertencente ou relativo a eles. [Sin. ger.: *acaléfio, acalefo*.]

cifra [Do lat. med. *cif(e)ra* ou *ciphra*, it. *cifra* < ár. *ṣifr*, 'vazio; zero', trad. do sânscr., *ûnya*, lit., 'vazio'.] *S. f.* **1.** Zero, algarismo sem valor absoluto, que serve para dar às unidades que o acompanham um valor relativo, de acordo com a posição. **2.** Montante das operações comerciais. **3.** Importância ou número total. **4.** Explicação ou chave duma escrita enigmática ou secreta. **5.** Essa escrita. **6.** Monograma de um nome. **7.** *Mús.* Em harmonia, cada um dos algarismos ou símbolos representativos do acorde ou acordes que correspondem verticalmente a um baixo-cifrado (q. v.). **8.** *Mús.* Representação de acordes através de letras, algarismos e símbolos. ~ V. *cifras*.

cifração [De *cifrar* + *-ção*.] *S. f. Mús.* Ação de aplicar sobre um baixo (20) as cifras correspondentes ao acorde de que ele é a base.

cifrado [Part. de *cifrar*.] *Adj.* Escrito em caracteres secretos: *carta cifrada.*

cifrão [De *cifra* + *-ão*[2].] *S. m.* Sinal ($) usado para expressar as unidades monetárias de numerosos países.

cifrar [De *cifra* + *-ar*[2].] *V. t. d.* **1.** Escrever em cifra. **2.** *Mús.* Marcar com cifras [v. *cifra* (7)]. *T. d. e i.* **3.** Resumir, reduzir; sintetizar: *Ele cifra a um mínimo as suas ambições.* *P.* **4.** Resumir-se, reduzir-se: "A propaganda cifrava-se numa crítica estéril de oposição sectária e de negativismo desolado." (Manuel Ribeiro, *A Ressurreição*, p. 33.)

cifras [Pl. de *cifra*.] *S. f. pl.* Contabilidade, cálculo: *É um aluno forte em cifras.* ~ V. *cifra*.

cigalho *S. m.* Pedacinho, migalha.

cigana *S. f.* **1.** Fem. de *cigano*. **2.** *Bras. Zool.* Ave galiforme, opistocomídea (*Opisthocomus hoazin*), do N. e O. do Brasil, e de países limítrofes. Dorso pardo-escuro, com brilho oliváceo; coberteiras superiores das asas marginadas de branco; parte exterior das rêmiges vermelha; cauda preta com pontas amareladas. Vivem aos bandos, nas margens dos rios, e alimentam-se de folhas. [Sin., nesta acepç.: *aturiá, catingueiro, jacu-cigano*.]

ciganada [De *cigano* + *-ada*[1].] *S. f.* **1.** Ação de, ou própria de cigano; ciganice. **2.** Multidão de ciganos. [Sin. ger.: *ciganaria*.]

ciganaria [De *cigano* + *-aria*.] *S. f.* V. *ciganada*.

ciganear [De *cigano* + *-ear*[2].] *V. int. Bras.* **1.** Andar errante, sem rumo, à toa; vaguear. **2.** Levar vida boêmia, incerta, como a de cigano. [Conjug.: v. *frear*.]

ciganice [De *cigano* + *-ice*.] *S. f.* Ciganada (1).

cigano [Do gr. bizantino *athínganos*, pelo fr. *tzigane* ou *tsigane*.] *S. m.* **1.** Indivíduo de um povo nômade, provavelmente originário da Índia e emigrado em grande parte para a Europa Central, de onde se disseminou, povo esse que tem um código ético próprio e se dedica à música, vive de artesanato, de ler a sorte, barganhar cavalos, etc. [Designam-se a si próprios *rom*, quando originários dos Bálcãs, e *manuche*, quando da Europa central.] [Sin.: *boêmio*, *gitano*; *calom* (bras.); *judeu* (MG); *quico* (MG e SP).] **2.** *Gloss.* Romani (1 e 2). **3.** *Fig.* Indivíduo boêmio, erradio, de vida incerta. **4.** Negociante esperto, vivo. **5.** *Fig.* Vendedor ambulante. **6.** Designação de carneiro que serve de guia ao rebanho. ● *Adj.* **7.** Relativo a, ou próprio de cigano ou dos ciganos. **8.** *Fig.* Esperto, vivo.

cigarra [Do lat. vulg. **cicara* < lat. *cicada*.] *S. f.* **1.** *Zool.* Designação comum a várias espécies, de diferentes gêneros, de insetos da família dos cicadídeos, que têm três ocelos no disco do vértice, fêmures do par anterior mais dilatados que os demais e, ger., denteados embaixo. Os machos são providos de órgão, situado na base do abdome, que produz som estridente dito 'canto'; as larvas permanecem vários anos no solo, alimentando-se de raízes de plantas. [Sin., nesta acepç.: *cega-rega*.] **2.** *Bras.* Entre os pescadores, o crustáceo isópode, cimotoídeo, parasito que vive agarrado à língua de determinadas espécies de peixes ou em cavidades na pele ou nas brânquias. **3.** *Bras. Zool.* V. *peixe-cadela*. **4.** *Bras. RJ Zool.* Ave passeriforme, tiranídea (*Myiornis auricularis*), do S.E. do Brasil. **5.** *Bras. Zool.* Ave passeriforme (*Sporophila leucoptera mexianae*), da Amaz., apreciada para gaiola, de coloração cinzenta, asas e cauda enegrecidas, parte inferior branca, um espelho branco em cada asa. **6.** *Bras. Zool.* Pixoxó (3). **7.** *Bras. Amaz. Zool.* Ave passeriforme fringilídea (*Sporophila leucoptera hupoleuca*), cinza na parte superior, branca na inferior, cauda e asas pretas; papa-capim-do-bico-vermelho. **8.** *Bras.* Campainha elétrica que imita o zunir da cigarra (1) e funciona pela vibração de lâminas comandadas eletromagneticamente. [Cf., nesta acepç., *campainha* (2).] **9.** *Bras. RJ* Marido cuja mulher está fora veraneando ou de férias.

cigarra-cobra *S. f. Bras. Zool.* V. *jequitiranaboia*. [Pl.: *cigarras-cobras* e *cigarras-cobra*.]

cigarrada [De *cigarro* + *-ada*[1].] *S. f.* Trago de cigarro.

cigarrar [De *cigarro* + *-ar*[2].] *V. int.* Fumar cigarro(s): "sacou do bolso os instrumentos de cigarrar" (Nélson de Faria, *Tiziu e Outras Estórias*, p. 153).

cigarraria [De *cigarro* + *-aria*.] *S. f. Bras. RS* V. *tabacaria*.

cigarreira [De *cigarro* + *-eira*.] *S. f.* Caixinha ou estojo onde se guardam cigarros; porta-cigarros: "abriu a cigarreira, tirou lentamente um cigarro, olhando um ponto vago para lá da porta." (Manuel da Fonseca, *Aldeia Nova*, p. 53).

cigarreiro [De *cigarro* + *-eiro*.] *S. m.* **1.** Operário das fábricas de cigarros. **2.** Espécie de fumo. ● *Adj.* **3.** Relativo a cigarros, ou que os fabrica: *indústria cigarreira*.

cigarrilha [De *cigarro* + *-ilha*.] *S. f.* **1.** Cigarro cuja mortalha é um fragmento de folha de fumo: "Laura pedia lume para acender a sua cigarrilha turca" (Fialho d'Almeida, *Lisboa Galante*, p. 108). **2.** Pequeno charuto de fumo ruim. **3.** Pequeno tubo que contém uma substância medicinal para se aspirar.

cigarrinha [De *cigarra* + *-inha*.] *S. f. Bras. Zool.* Designação comum aos insetos homópteros, cercopídeos, jassídeos, cicadelídeos e afins. São numerosíssimos e de grande importância econômica, e alimentam-se da seiva dos vegetais. A maioria das espécies é de pequeno porte.

cigarrista [De *cigarra* + *-ista*.] *S. 2 g.* Pessoa que fuma cigarros; fumante, fumador.

cigarro [Do esp. *cigarro*, 'charuto'.] *S. m.* Pequena porção de fumo picado, enrolado em papel fino ou em palha de milho, para se fumar. [Sin. (bras.) pop.: *pito*, *bagana*.]

cigude *S. f. Bot.* V. *cicuta* (2).

cilada [Do f. subst. do v. lat. *celatus*, part. pass. do v. lat. *celare*, 'ocultar'.] *S. f.* **1.** Lugar escondido apropriado para esperar o inimigo ou a caça; emboscada. **2.** *Fig.* Deslealdade, traição, perfídia. **3.** V. *armadilha* (2).

cilarídeo [Adapt. do tax. *Scyllaridae*.] *Zool. S. m.* **1.** Espécime dos cilarídeos, família de crustáceos, decápodes, macruros, na qual se classificam os lagostins, caracterizados pela ausência de antenas longas, ao contrário das lagostas-comuns, e facilmente reconhecíveis pelas escamas antenárias. ● *Adj.* **2.** Pertencente ou relativo a eles.

cilha [Do lat. *cingula*, 'cinta', pelo port. arc. **cinlha*.] *S. f.* Tira de pano ou de couro com que se aperta a sela ou a carga por baixo do ventre das cavalgaduras. [Cf. *silha*.]

cilhado [Part. de *cilhar*.] *Adj.* **1.** Apertado com cilha. **2.** *P. ext.* Apertado, cingido. **3.** Diz-se do animal que no lugar da cilha tem pelos de cor diversa da do resto do corpo.

cilhão[1] [De *cilha* + *-ão*[1].] *S. m.* **1.** Cilha grande; cilha mestra. **2.** Peça dos arreios dos cavalos de tiro formada pela cilha e pela cataplasma. [Cf. *silhão*.]

cilhão[2] [De *cilha* + *-ão*[2].] *Adj. S. m. Bras.* Diz-se de, ou cavalo cujo dorso é muito encurvado no meio. [Cf. *silhão*.]

cilhar [De *cilha* + *-ar*[2].] *V. t. d.* **1.** Cingir ou apertar com cilha. **2.** *P. ext.* Apertar; cingir: *cilhar a cintura*. [Fut. pret. *cilharia*, *cilharias*, etc. Cf. *silhar*, s. m., e *silharia*, s. f.]

▲**-cil(i)-** V. *cili(o)-*.

ciliado[1] [De *cili(o)-* + *-ado*[1].] *Adj. Biol. Bot.* Provido de cílios.

ciliado[2] [De *cili(o)-* + *-ado*[3]; tax. *Ciliatus*.] *Zool. S. m.* **1.** Espécime dos ciliados, classe de cilióforos, que possuem cílios durante toda a vida. São os paramécios, opalinas e outras formas, em sua maioria de vida livre. ● *Adj.* **2.** Pertencente ou relativo a eles. [Sin. ger.: *infusório*.]

ciliar [De *cili(o)-* + *-ar*[1].] *Adj. 2 g.* De, ou pertencente ou relativo aos cílios. ~ V. *aparelho —*, *cartilagem —*, *corpo —*, *mata —* e *zônula —*.

ciliátulo [Do lat. cient. *ciliatus* + *-ulo*.] *Adj. Bot.* Provido de pelos muito curtos nas margens: *folha ciliátula*.

cílice [Do gr. *kýlix*, *ikos*.] *S. m.* Na Grécia antiga, taça para beber, com duas asas, pé e base rasa e larga.

ciliciar [De *cilício* + *-ar*[1].] *V. t. d. P.* Mortificar(-se) com cilício: "Jejuando sempre, orando, ciliciando-se, os seus pensamentos não se desviavam nunca da ideia de Deus." (Guerra Junqueiro, *Contos para a Infância*, p. 169.) [Pres. ind.: *cilicio*, etc. Cf. *cilício* e *silício*.]

cilício [Do gr. *kilíkion*, pelo lat. *ciliciu*.] *S. m.* **1.** Pequena túnica ou cinto ou cordão, de crina, de lã áspera, às vezes com farpas de madeira, que, por penitência, se trazia vestido diretamente sobre a pele. **2.** Sacrifício voluntário. **3.** Martírio a que alguém se submete com resignação. **4.** *Fig.* Tortura, tormento, aflição. [Cf. *cilicio*, do v. *ciliciar* e *silício*.]

ciliforme [De *cili(o)-* + *-forme*.] *Adj. 2 g.* Que tem forma de cílio.

cilígero [De *cili(o)-* + *-gero*.] *Adj.* Que tem cílios.

cilindrada [De *cilindrar* + *-ada*[1].] *S. f. Mec.* **1.** Volume máximo de gás admitido por um cilindro em um motor de explosão. **2.** Capacidade do cilindro multiplicada pelo número de cilindros e que se pode expressar em polegadas cúbicas, centímetros cúbicos ou litros; deslocamento.

cilindragem [De *cilindrar* + *-agem*[2].] *S. f.* Ação de cilindrar; cilindramento.

cilindramento [De *cilindrar* + *-mento*.] *S. m.* Cilindragem.

cilindrar [De *cilindro* + *-ar*[2].] *V. t. d.* **1.** Submeter à pressão de cilindro. **2.** Tornear em forma de cilindro. **3.** *Ind. Pap.* Acetinar na calandra ou na lissa; calandrar. [Pres. ind.: *cilindro*, *cilindras*, *cilindra*, etc. Cf. *silindra* e *acetinar*.]

cilindreiro [De *cilindro* + *-eiro*.] *S. m. Ind. Pap.* Operário papeleiro que dirige o trabalho de preparo da pasta na holandesa e, p. ext., em qualquer outro aparelho.

▲**cilindr(i)-** [Do lat. *cylindrus*, *i* < gr. *kylindros*, *ou* (ȳ), 'qualquer corpo ou objeto em forma cilíndrica'.] *El. comp.* = 'cilindro'; 'em forma de cilindro': *cilindrifloro*, *cilindriforme*, *cilindrista*, *cilindrúria*. [Equiv.: *-cilindro*: *hemicilindro* (< lat. < gr.).]

cilindricidade [De *cilíndrico* + *-(i)dade*.] *S. f.* Forma ou qualidade de cilíndrico.

cilíndrico [Do gr. *kylindrikós*.] *Adj.* Que tem forma de cilindro; cilindriforme, cilindroide, teretiforme. ~ V. *abóbada —a*, *coordenadas —as*, *curva —a*, *hélice —a*, *máquina —a*, *prensa —a*, *simetria —a*, *sistema —*, *superfície —a* e *tronco —*.

cilindrifloro [De *cilindr(i)-* + *-floro*.] *Adj. Bot.* Que tem flores cilíndricas.

cilindriforme [De *cilindr(i)-* + *-forme*.] *Adj. 2 g.* V. *cilíndrico*.

cilindrista [De *cilindr(i)-* + *-ista*.] *S. 2 g. Tip.* Impressor que trabalha em máquina de cilindro. [Cf. *minervista* e *rotativista*[1].]

cilindro [Do gr. *kylindros*, pelo lat. *cylindru*.] *S. m.* **1.** *Geom.* Sólido limitado por uma superfície cilíndrica fechada e dois planos paralelos que a cortam em todas as geratrizes. **2.** *Geom. Impr.* Superfície cilíndrica (q. v.). **3.** Qualquer corpo roliço e alongado que tem o mesmo diâmetro em todo o seu comprimento. **4.** Recipiente onde se move o êmbolo das máquinas de vapor. **5.** Órgão fixo de um motor a explosão, no interior do qual se desloca o êmbolo em seu movimento de vaivém, e onde se realiza a combustão da mistura e a subsequente expansão dos gases, que produz o funcionamento do motor. **6.** *Tip.* O tambor das impressoras plano-cilíndricas. ◆ **Cilindro central.** *Bot.* Porção que ocupa o centro do caule e da raiz, e contém os feixes vasculares, e por meio da qual se processa a condução dos líquens orgânicos nas plantas vascularizadas [Cf. *estelo*.]. **Cilindro circular.** *Geom.* Aquele cujas bases são círculos. **Cilindro da chapa.** *Art. Gráf.* O que suporta a placa de metal, na prensa de ofsete. **Cilindro da fôrma.** *Tip.* Cada um dos cilindros onde se prendem as telhas, nas rotativas. **Cilindro de margeação.** *Art. Gráf.* Aquele que, colocado em primeiro lugar, recebe a folha e realiza a tiragem de branco, na prensa de retiração. [Cf. *cilindro de retiração*.] **Cilindro de pressão.** *Art. Gráf.* Cilindro que segura o papel contra a superfície de impressão de modo que esta seja feita. **Cilindro de retiração.** *Art. Gráf.* O que realiza a impressão do verso da folha, na prensa de retiração. [Cf. *cilindro de margeação*.] **Cilindro de revolução.** *Geom.* Cilindro circular reto. **Cilindro de sucção.** *Ind. Pap.* Rolo de sucção. **Cilindro formador.** *Ind. Pap.* Cada um dos rolos de tela onde se forma a folha de papel, nas máquinas cilíndricas; fôrma redonda. **Cilindro gofrador.** V. *prensa de gofrar*. **Cilindro holandês.** *Ind. Pap.* V. *holandesa*. **Cilindro lustrador.** *Ind. Pap.* Secador monolúcido (q. v.). **Cilindro oblíquo.** *Geom.* Aquele cujo eixo é oblíquo em relação à base. **Cilindro renal.** *Patol.* Corpo formado por proteína precipitada no interior de túbulo renal e que adquire a forma dele. **Cilindro reto.** *Geom.* Aquele cujas geratrizes são perpendiculares ao plano da diretriz. **Cilindro secador.** *Ind. Pap.* Cada um dos tambores de ferro, aquecidos a vapor, colocados na parte seca da máquina de papel e destinados a completar a secagem da folha. [Tb. se diz apenas *secador*.] **Cilindro truncado.** *Geom.* V. *tronco de cilindro*.

▲**-cilindro** Equiv. de *cilindr(i)-*.

cilindro-eixo *S. m. Histol.* Axônio. [Pl.: *cilindros-eixos* e *cilindros-eixo*.]

cilindroide (ói) [Do gr. *kylindroeidés*.] *Adj. 2 g.* **1.** V. *cilíndrico*: "tubos cilindroides, lâminas elípticas." (Raimundo Morais, *País das Pedras Verdes*, p. 79). ● *S. m.* **2.** *Geom.* Superfície cilíndrica elíptica reta. **3.** *Geom.* Lugar geométrico de uma reta que se move paralelamente a um plano fixo e intercepta constantemente duas curvas fixas. ❖

cilindruria [De *cilindr(i)-* + *-uria*.] *S. f. Med.* V. *cilindrúria*.

cilindrúria [De *cilindr(i)-* + *-úria*.] *S. f. Med.* Presença de cilindros renais na urina. [F. paral.: *cilindruria*.]

▲**cili(o)-** [Do lat. *cilium*, *ii*.] *El. comp.* = 'pestana', 'cílio': *ciliforme*. [Equiv.: *-cil(i)-* e *-cílio*: *acilia*, *cnidocílio*.]

cílio [Do lat. *ciliu*.] *S. m.* **1.** Pelo da orla das pálpebras; pestana, celha: "grandes olhos negros, guarnecidos de longos cílios" (Lima Barreto, *Vida e Morte de M. J. Gonzaga de Sá*, p. 137). **2.** *Bot.* Pelo que guarnece certos órgãos vegetais, tornando possíveis, em certos casos, movimentos na água. **3.** *Citol.* Formação móvel que pode ser encontrada na superfície de organismos unicelulares ou em outros mais complexos, e us. na locomoção celular ou para gerar movimento no fluido circundante. [Dim. irreg.: *ciliolo*. Cf. *Sílio*, antr.]

▲**-cílio** V. *cili(o)-*.

ciliodentado [De *cili(o)-* + *dentado*[1].] *Adj. Bot.* Diz-se das folhas de margens denteadas, as quais apresentam dentes [v. *dente* (5)]ciliados.

cilioflagelada [De *cili(o)-* + *-flagel(i)-* + *-ada*[2]; tax. *Cilioflagellata*.] *S. f. Bot.* V. *dinoflagelada*.

cilioflagelado [De *cilioflagelada*, com var. suf. (v. *-ado*[1]).] *Adj. Bot.* V. *dinoflagelado*.

cilióforo [De *cili(o)-* + *-foro*.] *Zool. S. m.* **1.** Espécime dos cilióforos, sub-ramo de animais protozoários, que têm cílios ao menos em um estágio da vida, e núcleos de dois tipos. São os ciliados e os suctórios. ● *Adj.* **2.** Pertencente ou relativo a eles.

ciliolado [De *cilíolo* + *-ado*[1].] *Adj. Bot.* Provido de cilíolos: *pétala ciliolada*.

cilíolo [Do lat. cient. *ciliolum*.] *S. m. Bot.* Pequeno cílio (2).

ciliorrínida [De *cili(o)-* + *-rin(o)-* + *-ida*[1].] *S. m. Adj. 2 g. Zool.* V. *ciliorrinídeo*.

ciliorrinídeo [De *cili(o)-* + *-rin(o)-* + *-ídeo*[1].] *Zool. S. m.* **1.** Espécime dos ciliorrinídeos, família de tubarões e cações cosmopolitas, elasmobrânquios, lamniformes, com corpo delgado e a primeira das duas nadadeiras dorsais atrás das pélvicas. Têm movimentos lentos e alimentam-se de pequenos animais. Ex.: pintadinho. ● *Adj.* **2.** Pertencente ou relativo a eles. [Sin. ger.: *ciliorrínida*.]

cima[1] [Do gr. *kyæma*, pelo lat. *cyma*.] *S. f.* **1.** A parte mais elevada. **2.** Cume, cimo, cimeira, topo. [Pl.: *cimas*. Cf. *sima* e *Simas*, antr.] ◆ **Dar em cima de.** *Bras. Pop.* Requestar, cortejar, galantear: *Deu em cima da moça a noite toda, e ela não ligou a mínima.* **De cima.** **1.** Do alto; do topo; do cume: *Fiquei espiando de cima.* **2.** Do Céu, de Deus. **3.** Do alto; da autoridade; de quem manda: *Os exemplos devem vir de cima.* **Em cima.** **1.** Na parte superior; no alto: *No seu apartamento, o salão de festa fica em cima.* **2.** Na mão; à mão; em seu poder: *O dinheiro que lhe pedi emprestado está em cima?* **Em cima de.** **1.** Na parte superior de; no alto de; sobre: *Os livros estão em cima da mesa.* **2.** Em seguida a; depois de; sobre: "esbofeteia-o, cospe-lhe insultos em cima de insultos." (José Cardoso Pires, *O Delfim*, p. 290). **Por cima. 1.** Em posição ou condição superior; com prestígio, com vantagens: *Com a mudança de governo os homens do café ficaram por cima.* **2.** Além disso: *É ignorante e ainda por cima vadio.*

cima[2] [Do lat. cient. *cyma.*] *S. f. Bot. P. us.* Cimeira[2]. [Pl.: *cimas*. Cf. *sima* e *Simas*, antr.]

cimácio [Do gr. *kymátion*, pelo lat. tard. *cymatiu.*] *S. m. Arquit.* Moldura que remata uma cornija.

cimalha [De *cima*.] *S. f. Arquit.* **1.** A parte superior da cornija. **2.** Arquitrave, epistílio: "lá foi debuxando o desenho da igreja, dos pés-direitos às cimalhas e volutas, das portadas às janelas" (Léu Vaz, *Páginas Vadias*, p. 212). **3.** Saliência da parte mais alta da parede, onde assentam os beirais do telhado.

cimba [Do gr. *kymbe*, pelo lat. *cymba.*] *S. f. Ant.* Barca, embarcação de carga e transporte.

címbalo[1] [Do gr. *kýmbalon*, pelo lat. *cymbalu.*] *S. m. Mús.* **1.** Antigo instrumento de cordas. **2.** Antigo instrumento, constituído por dois meios globos de metal que se percutiam um contra o outro; pratos. **3.** *Ant.* Saltério (2). [Var.: *cêmbalo*.]

címbalo[2] *S. m. Mús.* V. *clavicímbalo*.

cimbídio [Do tax. *Cymbidium.*] *S. m. Bot.* **1.** Gênero de orquidáceas epífitas das regiões tropicais do Velho Mundo muito cultivadas, de belas flores naviformes, em inflorescências pendentes. **2.** Espécie ou espécime desse gênero, ou a flor deste.

cimbiforme [De *cimba* + *-iforme.*] *Adj. 2 g. Bot.* Em forma de pequeno barco ou bote: *semente cimbiforme.*

cimbó [Do cabo-verd.] *S. m. Cabo-verd.* Instrumento musical us. na ilha de Santiago para acompanhar o batuque, e composto de endocarpo de coco, braço de madeira e uma única corda que se fere com um arco; cimboa: "Já tocamos cimbó durante muitos anos. Precisamos agora de dedilhar mais cordas e de partir a casca do coco do nosso insulamento." (Teixeira de Sousa, *Djunga*, p. 93.)

cimboa (ô) [Do cabo-verd.] *S. f. Cabo-verd.* Cimbó: "surgiu o coxo e diminuído mental Juca Camelo, ... apaixonado tocador de cimboa." (Euclides de Menezes, *Toti Cadabra e Novas Estórias*, p. 113).

cimbramento [De *cimbrar* + *-mento.*] *S. m. Constr.* V. *cimbre*.

cimbrar [De or. incerta.] *V. t. d.* Dobrar, curvar.

cimbre [Do ant. fr. dial. *cindre* (atual *cintre*), com infl. de *simples*[1], poss.] *S. m. Constr.* Armação de madeira ou de metal que serve de molde e suporte a arcos e abóbodas durante a construção, e que é após retirada; cimbramento, cambota, simples.

címbrico [Do lat. *cimbricu.*] *Adj.* **1.** Relativo ou pertencente aos cimbros; cimbro. • *S. m.* **2.** *Gloss.* Língua germânica falada na Itália setentrional.

cimbro [Do lat. *cimbru.*] *S. m.* **1.** *Etnôn.* Indivíduo dos cimbros, povo bárbaro germânico que invadiu as Gálias no século II a. C. • *Adj.* **2.** Címbrico.

cimeira[1] [De *cima*[1] + *-eira.*] *S. f.* **1.** V. *cima*[1] (2): "A verde cimeira do morro da Glória crescia dos mares espelhantes de sol" (Melo Morais Filho, *Festas e Tradições Populares do Brasil*, p. 227). **2.** *Lus.* Reunião de cúpula (q. v.): "Cabo-Verde .... propõe-se organizar a Cimeira de Chefes de Estado e de Governo do próximo ano." (*Jornal de Letras, Artes e Ideias*, 30.07-12.08.1997.)

cimeira[2] [De *cima*[2] + *-eira.*] *S. f. Bot.* Tipo de inflorescência definida, cujo eixo tem crescimento limitado e termina por uma flor, sucedendo o mesmo aos eixos secundários, que partem do principal. [Sin. (p. us.): *cima*.]

cimeira[3] [De *cimo* + *-eira.*] *S. f.* Ornato no cimo dos capacetes e elmos.

cimeiro [De *cimo* + *-eiro.*] *Adj.* Que fica no cimo, no alto: "A todo o momento, eu esperava avistar, ao longe, num alto, a antiga 'cabeça de las Españas', essa cimeira e imperial Toledo" (Antero de Figueiredo, *Toledo*, pp. 21-22).

cimélio [Do gr. *keimélion.*] *S. m.* **1.** Objeto raro e precioso: "É mesmo uma joia. Ou melhor, um cimélio, no afortunado neologismo atribuído a Ramiz Galvão. Um *keimélion*, como diriam nossos amigos gregos... Você vai ver, com esses olhos pecadores, nada menos que um autógrafo de Calderón de la Barca!" (Ciro dos Anjos, *Abdias*, p. 136.) **2.** Livro que constitui raridade de grande valor. **3.** Alfaia ou tesouro de uma igreja.

cimeno [Do fr. *cymène* (< gr. *kýminon*, 'cominho'), + fr. *-ène.*] *S. m. Quím.* Qualquer de três hidrocarbonetos aromáticos, isoméricos (orto-, meta- e para-cimeno), derivados do benzeno por substituição de um hidrogênio por metila e outro por isopropila [fórm.: $C_{10}H_{14}$].

cimentação [De *cimentar* + *-ção.*] *S. f.* Ato ou efeito de cimentar(-se). [Cf. *cementação*.]

cimentado [Part. de *cimentar.*] *Adj.* **1.** Ligado ou unido com cimento. **2.** Pavimentado com cimento. **3.** V. *alicerçado* (1). **4.** Firmado, consolidado. [Cf. *cementado* e *sementado*.]

cimentar [De *cimento* + *-ar*[2].] *V. t. d.* **1.** Ligar ou unir com cimento. **2.** Pavimentar, ou recobrir, com cimento: *Mandou cimentar parte do jardim.* **3.** V. *alicerçar* (1). **4.** Firmar, consolidar: "Cinco séculos consumiu Roma a criar e cimentar a sua unidade peninsular" (Aquilino Ribeiro, *Os Avós dos Nossos Avós*, p. 71); *cimentar uma amizade. P.* **5.** Firmar-se; consolidar-se. [Cf. *cementar* e *sementar*.]

cimenteira [De *cimento* + *-eira.*] *S. f.* Fábrica de cimento.

cimenteiro [De *cimento* + *-eiro.*] *Adj.* Relativo a cimento (1 e 2): *indústria cimenteira.* [Cf. *sementeiro*.]

cimento [Do lat. *caementu.*] *S. m.* **1.** Substância em pó, utilizada como aglomerante ou para ligar certos materiais, e que, umedecida, se usa em estado plástico, endurecendo, depois, pela perda da água. **2.** Cimento Portland (q. v.). **3.** Chão revestido de cimento (2). **4.** *Moç.* Zona moderna da cidade, em que prevalecem edificações de cimento: "Atravessava a fronteira entre o cimento e subúrbio" (Fernando Manuel, *O Homem Sugerido*, p. 38). **5.** Massa aglutinante usada pelos dentistas. **6.** *Geol.* Material que une os grãos de uma rocha sedimentar consolidada. **7.** Elemento de união; base, alicerce, fundamento: *O cimento de nossa amizade é a confiança mútua.* [Cf. *cemento*, s. m., e *semento*, do v. *sementar*.] ◆ **Cimento aluminoso.** Cimento especial, de alto teor de alumina, que se obtém pela cozedura, até a fusão completa, de uma mistura íntima de bauxita e carbonato de cal. **Cimento armado.** Concreto armado. **Cimento asfáltico.** Asfalto sólido ou semissólido, utilizado como ligante em concretos betuminosos. **Cimento branco.** Cimento que se distingue do produto comum pela coloração clara, devida ao seu baixo teor de óxido de ferro, e especialmente usado em revestimentos de paredes. **Cimento de escória.** Cimento especial, que se obtém pela moagem conjunta de clínquer e escórias de altos-fornos siderúrgicos. **Cimento hidráulico.** O que endurece debaixo da água; cimento romano. **Cimento Portland.** Cimento comumente usado em concretos e argamassas em geral, obtido pela pulverização de uma mistura de materiais calcários e argilosos, a qual se calcina até a fusão incipiente. [Tb. se diz apenas *cimento*.] **Cimento romano.** Cimento hidráulico.

cimento-amianto *S. m.* Fibrocimento. [Pl.: *cimentos-amiantos* e *cimentos-amianto*.]

cimério [Do gr. *kimmérios*, pelo lat. *cimmeriu.*] *Adj.* Lúgubre, infernal, atroz, fúnebre: "Acompanhava-o na ciméria noite / Por entre tempestades e naufrágios, / E sofria misérias indizíveis!" (Gonçalves Dias, *Obras Poéticas*, II, p. 485.)

cimetidina [Voc. farmac.] *S. f. Quím.* Substância heterocíclica, derivada da guanidina e do imidazol, us. no tratamento de úlceras e outros distúrbios gástricos [fórm.: $C_{10}H_{16}N_6S$].

▲**cimic(i)-** [Do lat. *cimex, cimĭcis.*] *El. comp.* = 'percevejo': *cimicífugo, cimicino.*

cimicídeo [De *cimic(i)-* + *-ídeo*[1]; tax. *Cimicidae.*] *Zool. S. m.* **1.** Espécime dos cimicídeos, família de hemípteros, gimnocerатos, conhecidos como percevejos. Insetos achatados, de forma oval, com asas rudimentares, hematófagos, sendo ectoparasitos dos mamíferos e aves. • *Adj.* **2.** Pertencente ou relativo a eles.

cimicífuga [Do tax. *Cimicifuga.*] *S. f. Bot.* **1.** Pequeno gênero de plantas ranunculáceas, herbáceas, perenes, de folhas serradas e flores alvas, em longos racemos. **2.** Qualquer espécie desse gênero, como, p. ex., a *Cimicifuga racemosa*, conhecida como *erva-de-são-cristóvão*, de uso medicinal. **3.** Qualquer espécime desse gênero, ou a flor dele.

cimicífugo [De *cimic(i)-* + *-fugo*[2].] *Adj.* Que afugenta os percevejos.

cimicino [De *cimic(i)-* + *-ino*[1].] *Adj. Bot.* Diz-se da parte de uma planta, geralmente a flor, que emite odor semelhante ao do percevejo.

cimitarra [Do it. ant. *scimitarra* < persa *shimshīr*, poss.] *S. f.* Sabre oriental de lâmina larga e recurva, e que tem um só gume: "entrechocam-se no ar os golpes de montantes, cimitarras e maças de ferro nos muros de Santarém, ao longe" (Afonso Arinos, *Histórias e Paisagens*, p. 200).

cimo [De *cima*[1].] *S. m.* **1.** A parte superior de um objeto elevado; o alto das coisas: *o cimo das árvores.* **2.** V. *cume* (1).

cimoso (ô) [De *cima*[2] + *-oso.*] *Adj. Bot.* Da natureza da, ou que produz ou apresenta cimeira: *inflorescência cimosa; espécie cimosa.*

cimotoídeo [Do mit. gr. *Kymothón*, 'uma das Nereidas', + *-ídeo*[1]; tax. *Cimothoïdae.*] *Zool. S. m.* **1.** Espécime dos cimotoídeos, família de crustáceos isópodes, parasitos, caracterizados por unhas agudas e fortes que permitem sua fixação na boca, nas brânquias e na pele de certos peixes marinhos e de água doce. São as cigarras e os piolhos-dos-peixes. • *Adj.* **2.** Pertencente ou relativo a eles.

cimótrico [Do gr. *kyæma*, 'onda', + *-o-* + *-trico.*] *Adj.* Diz-se do indivíduo de cabelos ondulados ou cacheados.

címula [De *cima*[2] + *-ula.*] *S. f. Bot.* Pequena cimeira[2]. [Cf. *simula*, do v. *simular*.]

▲**-cina** V. *cines(i)-*.

cinabarino [Do lat. *cinnabari* + *-ino*[1].] *Adj.* Cinabrino (1): *flor cinabarina.*

cinabre [Do lat. *cinnabari* < gr. *kinnábari*, de or. oriental.] *S. m. Min.* Mineral trigonal vermelho, sulfeto de mercúrio, minério de mercúrio; cinábrio, cinabrita, uzífur, uzifuro.

cinabrino [De *cinabre* + *-ino*[1].] *Adj.* **1.** Que tem a cor do cinabre; cinabarino. **2.** Preparado com cinabre.

cinábrio [Do lat. cient. *cinnabrium.*] *S. m.* V. *cinabre*.

cinabrita [Do *cinabre* + *-ita*[2].] *S. f.* V. *cinabre*.

cinâmico *Adj. Quím.* ~ V. *ácido* — e *aldeído* —.

cinamomo [Do lat. *cinnamomu* < gr. *kinnámomon*; tax. *Cinnamomum.*] *S. m. Bot.* **1.** Grande gênero de árvores e arbustos lauráceos, aromáticos, que têm folhas opostas, com três a cinco veias longitudinais proeminentes, e pequenas flores paniculadas. **2.** Qualquer espécie desse gênero, como, p. ex., a *Cinnamomum camphora*, de cuja madeira se obtém, por destilação, a cânfora. **3.** Qualquer espécime desse gênero. **4.** Árvore meliácea (*Melia azedarach*) de flores róseas ou lilases, aromáticas, melíferas, paniculadas, folhas de uso medicinal, frutos drupáceos, edules, tb. medicinais, e madeira de boa qualidade, esbranquiçada, rósea, ou avermelhada; é originária da Ásia à Austrália, e naturalizada nas Américas, no Mediterrâneo e na África. [Sin.: *nim, árvore-da-china, árvore-santa, jasmim-azul, jasmim-de-soldado, lilás-da-índia, lírio-da-índia* e (lus.) *amargoseira*.]

cínara [Do gr. *kynára*; tax. *Cynara.*] *S. f. Bot.* **1.** Gênero de ervas asteráceas dotadas de folhas penatífidas e grandes capítulos com receptáculos carnosos. **2.** Qualquer espécie desse gênero, como, p. ex., a *Cynara scolymus* (v. *alcachofra*). **3.** Qualquer espécime desse gênero, ou o capítulo de que este é dotado.

cinastrácea *S. f. Bot.* V. *cianastrácea*.

cinastráceo *Adj. Bot.* V. *cianastráceo*.

cinca [De *cinco.*] *S. f.* **1.** Perda no jogo da bola. **2.** *Fig.* Erro, engano: "o emprego irrefletido de certas locuções usuais ...., as cincas e os equívocos, enfim as variadas formas da tolice escrita e da monstruosidade literária" (Eduardo Frieiro, *Os Livros Nossos Amigos*, p. 180). [Sin. ger.: *cincada*.] ◆ **Dar cinca.** *Bras.* Perder cinco pontos por não passar a bola além de certos limites estipulados pelo jogo.

cincada [De *cincar* + *-ada*[1].] *S. f.* **1.** Ato de cincar. **2.** V. *cinca*.

cincar [De *cinca* + *-ar*[2].] *V. int.* **1.** Dar cincas. **2.** Errar, falhar. *T. i.* **3.** Errar, falhar, enganar-se. [Var.: *chincar*. Conjug.: v. *trancar*.]

cinceiro [De *cinza* + *-eiro*, com assimilação, poss.] *S. m. Bras.* Nevoeiro denso. [Cf. *sinceiro*.]

cincerro (ê) [Do esp. plat. *cencerro.*] *S. m. Bras. MG S.* Campainha grande pendente do pescoço da besta que serve de guia às outras: "Os cincerros tilintavam sempre, marcando o passo cansado das bestas." (Lúcio Cardoso, *Maleita*, p. 14.) [Sin., bras., S.: *sinuelo*.]

cincha [Do esp. plat. *cincha.*] *S. f. Bras. S.* Faixa de couro ou de qualquer tecido forte, que passa por baixo da barriga da cavalgadura para segurar a sela. [Var.: *chincha*.]

cinchador (ô) [De *cinchar*[2] + *-dor.*] *S. m. Bras.* Peça de ferro ou de couro presa à cincha por uma argola, e na qual se amarra a presilha do laço.

cinchão [Do esp. plat. *cinchón.*] *S. m. Bras. RS* Cinta larga, de tecido e franja, que substitui a sobrecincha e só se usa em arreios mais esmerados.

cinchar[1] [De *cincho*[1] + *-ar*[2].] *V. t. d.* Apertar com o cincho[1].

cinchar[2] [Do esp. plat. *cinchar.*] *V. t. d. Bras. S.* **1.** Ter (o animal) preso pelo laço, e este preso à cincha. **2.** Arrastar pela cincha. **3.** Apertar a cincha a. [Var.: *chinchar*.]

cincho[1] [Do lat. *cingulu.*] *S. m.* **1.** Aro em que se aperta a massa do queijo a fim de lhe dar forma e espremer o soro. [Sin.: *circo, cintel, fôrma, frangelha, empreita de pau*.] **2.** *Fig.* Aquilo que cinge, cerca; cerco: "Aníbal .... encarregou Magão de abastecê-la, rompendo o cincho das legiões." (Aquilino Ribeiro, *Os Avós dos Nossos Avós*, p. 208). [Var.: *acincho, chincho*.]

cincho[2] [De or. obsc.] *S. m. Bras. N.E. Bot.* Designação comum a diversas plantas bromeliáceas, como, p. ex., dos gêneros *Aechmea* (v. *ecmeia*) e *Bilbergia* (v. *bilbérgia*).

cinchona [Do tax. *Cinchona, Chinchona*, de *Condessa de Cinchón*, Francisca Henriquez de Ribera (-1641), vice-rainha do Peru.] *S. f.* **1.** *Bot.* Gênero de plantas rubiáceas, ao qual pertencem as quinas nativas dos Andes (América do Sul), com cerca de 40 espécies.

2. *Bot.* Qualquer espécie desse gênero, como, p. ex., a *Cinchona ledgeriana* [v. *quina*[2] (1)]. **3.** *Bot.* Espécie ou espécime desse gênero. **4.** O córtex, seco, de muitas dessas plantas, que contém alcaloides como a cinchonina e a quinina.

cinchonina [De *cinchona* + *-ina*[3].] *S. f.* Alcaloide existente nas cinchonas [fórm.: $C_{19}H_{22}NO_2$].

cinchonismo [Do tax. *Cinchona* (v. *cinchona*) + *-ismo*.] *S. m. Med.* Envenenamento devido ao uso incorreto de córtice de cinchona ou de seus alcaloides, que pode resultar em graves distúrbios neurológicos. [Sin.: *quininismo* e *quinismo*.]

cincino [Do lat. *cincinnu*, do gr. *kíkinnos*.] *S. m. Bot.* Tipo de inflorescência em cimeira, unípara, com as flores dispostas alternadamente à direita e à esquerda.

cínclise [Do gr. *kínklisis*.] *S. f. Med.* Repetição rápida de um determinado movimento, tal como respirar ou pestanejar. [Cf. *sínclise* e *síncrise*.]

cinco [Do lat. *quinque*.] *Num.* **1.** Quantidade que é uma unidade maior que quatro; quatro mais um. **2.** Número (4) correspondente a essa quantidade. [Nestas acepçs., representa-se em algarismos arábicos por 5, em algarismos romanos, por V.] **3.** Que está marcado ou identificado com o número 5. **4.** Quinto (1). ● *S. m.* **5.** Representação, em algarismos, do número cinco. **6.** Carta de baralho ou face de peça de jogo de mesa marcada com esse número: *cinco de copas*. **7.** Aquilo ou aquele que numa série de cinco ocupa o último lugar. **8.** A nota cinco, em exame ou concurso.

cinco-chagas *S. f. 2 n. Bot.* V. *caroba-branca*.

cinco-em-rama *S. f. 2 n. Bot.* V. *potentilha* (2).

cinco-folhas [De *cinco* + o pl. de *folha*.] *S. f. 2 n. Bras. Bot.* V. *caroba-branca*.

cinderela [Do ficcion. (ingl.) *Cinderela* (adapt. do fr. *Cendrillon*), da heroína do conto infantil de Charles Perrault (1628-1703), que era obrigada a ficar perto do borralho, na cozinha.] *S. f.* Mulher jovem que é obrigada a fazer os trabalhos pesados de uma casa; gata-borralheira.

cinderelesco (ê) [De *cinderela* + *-esco*.] *Adj.* Que lembra Cinderela (q. v.), ou a sua história, triste mas com final feliz.

cindir [Do lat. *scindere*.] *V. t. d.* **1.** Separar, dividir: *cindir as sílabas de uma palavra*; "*Cinde-se* o incindível. Veem-se dois negócios jurídicos onde só há um." (Pontes de Miranda, *Tratado de Direito Privado*, t. XXXIX, p. 117). **2.** Separar, desvair: *cindir amigos*. **3.** Cortar, cruzar: *A ave cindiu os ares num voo rasante; A pequena embarcação cindiu os mares*. **4.** Cortar, sulcar, marcar: "naquela face rígida, *cindida* de linhas incisivas e firmes .... um olhar dominador e duro, velado de tristeza indescritível." (Euclides da Cunha, *Contrastes e Confrontos*, p. 2). *P.* **5.** Separar-se, dividir-se.

cindível [De *cindir* + *-vel*.] *Adj. 2 g.* Que se pode cindir.

cine *S. m.* V. *cinema*.

▲**cin(e)-** V. *cines(i)-*.

▲**-cin(e)-** V. *cines(i)-*.

cineangiocardiografia [De *cin(e)-* + *-angi(o)-* + *-cardi(o)-* + *-grafia*.] *S. f. Radiol.* Visualização radiológica do coração e dos grandes vasos, mediante injeção de substância de contraste, e registro simultâneo, em filme, das imagens obtidas.

cineangiocardiográfico [De *cineangiocardiografia* + *-ico*[2].] *Adj.* Relativo à cineangiocardiografia.

cineangiocoronariografia [De *cin(e)-* + *-angi(o)-* + *coronariografia*.] *S. f. Radiol.* Visualização radiológica das artérias que irrigam o músculo cardíaco, mediante injeção de substância de contraste, e registro simultâneo, em filme, das imagens obtidas. [F. red.: *cinecoronariografia*.]

cineangiocoronariográfico [De *cineangiocoronariografia* + *-ico*[2].] *Adj.* Relativo à cineangiocoronariografia. [F. red.: *cinecoronariográfico*.]

cineasta [Do fr. *cinéaste*.] *S. 2 g.* Pessoa que exerce atividade criadora e técnica relacionada com o cinema (1); cinegrafista.

cineclube [De *cine* + *clube*.] *S. m.* Entidade onde se congregam amadores de cinema para estudar-lhe a técnica e a história.

cineclubista [De *cineclube* + *-ista*.] *S. 2 g.* Membro ou frequentador de cineclube.

cineclubístico [De *cineclubista* + *-ico*[2].] *Adj.* Concernente a cineclube ou a cineclubista.

cinecoronariografia *S. f. Radiol.* V. *cineangiocoronariografia*.

cinecoronariográfico *Adj.* V. *cineangiocoronariográfico*.

cinefilia [De *cine* + *-filia*.] *S. f.* Paixão pelo cinema.

cinéfilo [De *cine* + *-filo*[2].] *Adj. S. m.* Que, ou aquele que gosta muito de cinema.

cinegética [Do gr. *kynegetiké*, 'arte de caçar'.] *S. f.* **1.** Arte de caçar com cães. **2.** A arte da caça: "A *cinegética* .... não deixa de encerrar certas virtudes, para quem a pratica, é claro ..... não há dúvida que bater monte e empregar meia dúzia de cartuchos com os devidos matadores representa uma aptidude física e técnica, em que estão empenhados todos os sentidos para lá do normal." (Aquilino Ribeiro, *O Homem da Nave*, pp. 47-48).

cinegético [Do gr. *kynegetikós*, pelo lat. *cynegeticu*.] *Adj.* Pertencente ou relativo à caça.

cinegrafista [De *cine* + *-graf(o)-* + *-ista*.] *S. 2 g.* **1.** Cineasta. **2.** Operador de câmera em cinema (1). **3.** *Telev. Desus.* Operador de câmera de unidade portátil de externa (q. v.). **4.** *Telev.* Qualquer indivíduo que realiza gravações com câmera portátil, para fins comerciais ou não.

cinejornal [De *cine* + *jornal*.] *S. m. Jorn.* Noticiário (1) para projeção em cinemas; jornal da tela.

cinejornalismo [De *cinejornal* + *-ismo*.] *S. m. Jorn.* Jornalismo voltado para a produção de cinejornal.

cinema [F. red. de *cinematógrafo*.] *S. m.* **1.** Arte de compor e realizar filmes cinematográficos. **2.** Cinematografia. **3.** Projeção cinematográfica. **4.** Sala de espetáculos, onde se projetam filmes cinematográficos. [F. red.: *cine*. Cf. *sinema*.] ◆ **Cinema falado.** Aquele em que a projeção é acompanhada de uma faixa sonora. **Cinema mudo.** Aquele em que a projeção não vem acompanhada de som; cena muda.

▲**cinema-** Equiv. de *cinemat(o)-*.

cinemascope (ô) [Do fr. *cinémascope*.] *S. m.* Processo cinematográfico, baseado numa lente inventada pelo físico francês Henri Chrétien (1879-1956), que reproduz as imagens em grandes dimensões, transmitindo ilusão de relevos. [Sin., obsol.: *cinemascópio*.]

cinemascópio [De *cinema-* + *-scópio*.] *S. m. Obsol.* V. *cinemascope*.

cinemateca [De *cinema-* + *-teca*.] *S. f.* Local onde se conservam os filmes cinematográficos, em especial os considerados de valor cultural ou artístico.

cinemática [De *cinemat(o)-* + *-ica*.] *S. f.* Parte da mecânica que estuda os movimentos sem se referir às forças que os produzem ou às massas dos corpos em movimento; cinética, foronomia. [Cf. *dinâmica* (1), *estática* (1), e *sinemática*, fem. de *sinemático*.]

cinemático [De *cinemat(o)-* + *-ico*[2].] *Adj.* Relativo ao movimento mecânico. ~ V. *viscosidade —a*. [Cf. *sinemático*.]

▲**cinemat(o)-** [Do gr. *kínēma, atos* < v. gr. *kineîn*, 'mover', 'pôr em movimento'.] *El. comp.* = 'movimento': *cinemática, cinematógrafo*. [Equiv.: *cinema-*: *cinemascópio*. V. *cines(i)-*.]

cinematografar [De *cinematógrafo* + *-ar*[2].] *V. t. d.* **1.** Projetar (a imagem) por meio do cinematógrafo. **2.** V. *filmar* (1). [Pres. ind.: *cinematografo*, etc. Cf. *cinematógrafo*.]

cinematografia [Do fr. *cinématographie*.] *S. f.* Conjunto de métodos e processos empregados para registrar e projetar fotograficamente cenas animadas ou em movimento; cinema.

cinematográfico [Do fr. *cinématographique*.] *Adj.* **1.** Respeitante à cinematografia. **2.** Que, por sua beleza e/ou por outra(s) qualidade(s), é digno de ser cinematografado: *uma jovem cinematográfica; paisagem cinematográfica*. **3.** Próprio de cinema; que lembra o que se vê no cinema: "Rilhava os dentes, evocando o beijo *cinematográfico* que dera no aeroporto, pouco antes de partir o avião." (Nélson Rodrigues, *100 Contos Escolhidos. A Vida como Ela É*, II, p. 42.) ~ V. *filme — e operador —*.

cinematógrafo [De *cinemat(o)-* + *-grafo*; fr. *cinématographe*, t. criado pelos irmãos Lumière.] *S. m.* Aparelho inventado em 1895 pelos irmãos franceses Lumière, capaz de reproduzir numa tela o movimento, por meio de uma sequência de fotografias. [Cf. *cinematografo*, do v. *cinematografar*.]

cinemeiro [De *cinema* + *-eiro*.] *Adj. S. m.* Que, ou aquele que é frequentador assíduo de cinemas.

cineminha [De *cinema* + *-inha*.] *S. m. Jorn.* Edição, num jornal impresso, de uma sequência de imagens para mostrar o desenrolar de uma ação.

cineol [Do lat. cient. *(oleum) cinae*, 'santonina' + *-ol*[2].] *S. m. Quím.* Qualquer de dois éteres monoterpênicos, bicíclicos, saturados, com esqueleto análogo ao do limoneno, nos quais a função éter ocorre como uma parte de um dos ciclos, e que estão presentes em vários óleos essenciais, esp. o de eucalipto [fórm.: $C_{10}H_{18}O$]. [Pl.: *cineóis*. V. *eucaliptol*.]

cineração [De *cinerar* + *-ção*.] *S. f.* Ato de cinerar(-se); incineração.

cineral [De *ciner(i)-* + *-al*[1].] *S. m.* Montão de cinzas.

cinerama [Do ingl. *cinerama*.] *S. m.* Tipo de projeção cinematográfica, sobre tela côncava, o qual produz no espectador a impressão de relevo, como se as imagens tivessem três dimensões.

cinerar [De *ciner(i)-* + *-ar*[2].] *V. t. d. P.* V. *incinerar(-se)*. [Fut. do pret.: *cineraria*, etc. Cf. *cinerária*.]

cinerária [Do lat. cient. *cineraria* (fem.) do lat. *cinerarius*, pela coloração cinza do dorso das folhas.] *S. f.* **1.** *Bot.* Designação comum às plantas asteráceas, ornamentais que se originam da cinerária (2). **2.** Planta asterácea (*Senecio cruentus*) herbácea, perene, ornamental, nativa das Canárias, cujas folhas são cordiformes e as flores se apresentam em grandes racemos capitulares de raios brancos, vermelhos, purpúreos ou azuis. [Cf. *cineraria*, do v. *cinerar*.]

cinerário [Do lat. *cinerariu*, 'relativo a cinzas'.] *Adj.* **1.** Relativo a cinzas. **2.** Que contém os restos mortais de alguém. ● *S. m.* **3.** Urna cinerária.

cinérea [De *ciner(i)-* + *-ea*.] *S. f. Bot.* Variedade de videira americana, muito vigorosa e resistente.

cinéreo [Do lat. *cinereu*.] *Adj. Poét.* V. *cinzento* (1): "pareceu-me um pouco de cinza, da pulverulência talvez, ou do *cinéreo* pólen de alguma flor obscura, ou do que quer que a isso se assemelhava." (Raimundo Correia, *Poesia Completa e Prosa*, p. 591). ~ V. *luz —a*.

▲**ciner(i)-** [Do lat. *cinis, cinĕris*.] *El. comp.* = 'cinza': *cinerar, cineriforme*.

cinerício [Do lat. *cinericiu*.] *Adj.* **1.** *P. us.* V. *cinzento* (1): *flores cinerícias*. **2.** Reduzido a cinzas.

cineriforme [De *ciner(i)-* + *-forme*.] *Adj. 2 g.* Semelhante a cinza.

cinerina [Do lat. *ciner-* (< lat. *cinis, eris*, 'cinzas') + *-ina*[3].] *S. f. Quím.* Qualquer de certas substâncias isoladas das flores do piretro, ésteres derivados do ácido crisantêmico, inseticida.

cinerradiografia [De *cin(e)-* + *radiografia*.] *S. f. Radiol.* Registro, em fita cinematográfica, das imagens que se sucedem na tela fluoroscópica.

cinerradiográfico [De *cinerradiografia* + *-ico*[2].] *Adj.* Relativo à cinerradiografia.

cinesalgia [De *cines(i)-* + *-alg(o)-*[2] + *-ia*[1].] *S. f. Med.* Dor em músculo, quando posto em ação.

cinesálgico [De *cinesalgia* + *-ico*[2].] *Adj.* Referente à cinesalgia.

cinescópio [De *cin(e)-* + *-scópio*.] *S. m. Eletrôn.* Tipo de válvula em que se forma a imagem nos receptores de televisão.

cinese [Do gr. *kínesis*, 'movimento'.] *S. f. Biol.* Fenômeno de excitabilidade dos organismos, provocado por agentes externos, e que pode determinar aceleração ou retardo dos movimentos.

▲**-cinese** V. *cines(i)-*.

▲**cines(i)-** [Do gr. *kínēsis, eōs*,'ação de mover-(se)', < gr. *kineîn*, 'mover', 'pôr em movimento'.] *El. comp.* = 'ação de mover', 'movimento': *cinesalgia*. [Equiv.: *-cina, cin(e)-, -cin(e)-, cinesio-, -cines(i)-, -cinese*: *citocina, cinescópio, cinestesia, bradicinina; cinesioterapia; iridocinesia; cariocinese*. V. *cinemat(o)-*.]

▲**-cines(i)-** V. *cines(i)-*.

cinesiatria [De *cines(i)-* + *-iatria*.] *S. f. Terap.* Cinesioterapia.

▲**cinesio-** V. *cines(i)-*.

cinesiofobia [De *cinesio-* + *-fobia*.] *S. f. Psiq.* Medo patológico de movimentar-se e de se machucar.

cinesiofóbico [De *cinesiofobia* + *-ico*[2].] *Psiq. Adj.* **1.** Relativo a cinesiofobia. **2.** Que sofre de cinesiofobia; cinesiófobo. ● *S. m.* **3.** Aquele que sofre de cinesiofobia; cinesiófobo.

cinesiófobo [De *cinesio-* + *-fobo*.] *Adj. S. m. Psiq.* Cinesiofóbico (2 e 3).

cinesioterapia [De *cinesio-* + *-terapia*.] *S. f. Terap.* Modalidade de tratamento de doenças, ou de suas consequências, mediante a promoção, por parte do doente, de movimentos ativos ou passivos, usando recursos diversos, como massagem, ginástica, reeducação funcional, etc.; cinesiatria.

cinestesia [De *cin(e)-* + *-estes(i)-* + *-ia*[1].] *S. f. Fisiol.* Sentido pelo qual se percebem os movimentos musculares, o peso e a posição dos membros. [Cf. *cenestesia* e *sinestesia*.]

cinética [Do gr. *kinetiké*.] *S. f.* V. *cinemática*. ◆ **Cinética química.** Parte da físico-química que estuda a velocidade das reações químicas e os fatores que a influenciam.

cinético [Do gr. *kinetikós* (v. *cinese* e *-ético*).] *Adj.* **1.** Relativo à cinese: *agente cinético*. ~ V. *arte —a, energia —a* e *momento —*. ● *S. m.* **2.** Peça decorativa de estrutura e efeito visual análogos aos de móbile.

▲**cinet(o)-** [Do gr. *kinētós, ḗ, ón*, 'que se move', 'móvivel', < gr. *kineîn*, 'mover(-se)', 'pôr em movimento'.] *El. comp.* = 'movimento'; em *Biol.* 'atividade': *cinético* (< gr.), *cinetose*. [Equiv.: *-cinet(o)-, -cineto*: *acinetósporo; oocineto*. V. *cinemat(o)-* e *cines(i)-*.]

▲**-cinet(o)-** V. *cinet(o)-*.

▲**-cineto** V. *cinet(o)-*.

cinetocoro [De *cinet(o)-* + *-coro*.] *S. m. Citol.* Região proteinácea de centrômero e onde se ligam os microtúbulos do fuso acromático.

cinetoplasto [De *cinet(o)-* + *-plasto*.] *S. m. Zool.* Núcleo formado no interior do citoplasma dos protozoários flagelados, de onde nasce o flagelo; blefaroblasto.

cinetose [De *cinet(o)-* + *-ose*[1].] *S. f. Med.* Qualquer distúrbio decorrente de movimento não habitual e oriundo de causa exterior ao corpo, como pode ocorrer, p. ex., em trajetos por veículos diversos (avião, navio, automóvel, etc.).

cinetossoma [De *cinet(o)-* + *-soma*.] *S. m. Citol.* V. *corpúsculo basal.*

cinetossomo [De *cinet(o)-* + *-somo*.] *S. m. Citol.* V. *corpúsculo basal.*

cingalês [Do sânscr. *singa*, 'leão', de que Vijaya, o primeiro rei de Ceilão, se nomeou filho.] *Adj.* **1.** Da, ou pertencente ou relativo à antiga ilha de Ceilão, atual República de Sri Lanka. • *S. m.* **2.** Indivíduo dos cingaleses, povo que se estabeleceu nessa ilha por volta do séc. V a. C. **3.** O natural ou habitante dessa ilha. **4.** *Gloss.* Língua indo-europeia falada em Sri Lanka. **5.** Vocábulo dessa língua. [F. paral.: *singalês*. Flex.: *cingalesa* (ê), *cingaleses* (ê), *cingalesas* (ê).]

cingel [Do lat. **cingellu*, por *cingulu*.] *S. m.* Junta de bois; cingelada. [Pl.: *cingéis*.]

cingelada [De *cingel* + *-ada*[1].] *S. f.* Cingel.

cingeleiro [De *cingel* + *-eiro*.] *S. m.* Dono, alugador ou condutor de um cingel. [Fem.: *cingeleira*. Cf. *singeleira*.]

cingideira [De *cingir* + *-deira*.] *S. f. Zool.* Cada um dos dedos do meio do pé das aves de rapina.

cingidoiro [De *cingir* + *-doiro*[2].] *S. m. Desus.* Cingidouro (q. v.).

cingidouro [De *cingir* + *-douro*[2]; var. de *cingidoiro*.] *S. m.* **1.** *Desus.* Cinto (1). **2.** Lugar onde se aperta o cinto.

cingir [Do lat. *cingere*.] *V. t. d.* **1.** Rodear, cercar: *Velhas muralhas cingem a cidade.* **2.** Prender ou ligar em volta: *Cingiu a faixa de campeão.* **3.** Ornar em roda; coroar: *Um diadema lhe cinge a fronte.* **4.** Pôr na cabeça, circundando o crânio: *cingir uma coroa, um diadema.* **5.** Pôr à cinta: *O cavaleiro cingiu a espada.* **6.** Reprimir, constranger, coartar: *A timidez cingiu-lhe o gesto. T. d. e i.* **7.** Unir, apertar: "Eu quero abraçar-te, cingir-te ao meu peito" (Martins Fontes, *Verão*, p. 228). **8.** Forçar, constranger, compelir: "Almas pigmeias! Deus subjuga-as, cinge-as / À imperfeição!" (Augusto dos Anjos, *Eu*, p. 28.) **9.** Envolver, circundar: *Cingiu a cabeça com uma fita.* **10.** Rodear, cercar: *Cingiu toda a área com arame farpado.* **11.** Limitar, restringir, circunscrever. *P.* **12.** Unir-se, apertar-se: *Cingiu-se aos braços do amado.* **13.** Chegar-se, aproximar-se: *Cingira-se à porta, para ouvir melhor.* **14.** Ornar a própria fronte: *Cingiu-se com uma bela tiara de diamantes.* **15.** Limitar-se, restringir-se: *Cingiu-se a consultar o texto de que dispunha.* [Var.: *acingir*. Conjug.: v. *dirigir*.]

cingulado[1] [De *cíngulo* + *-ado*[1].] *Adj. Bot.* Dotado de cíngulo[2] (1).

cingulado[2] [Adapt. do tax. *Cingulata*.] *Zool. Paleont. S. m.* **1.** Espécime dos cingulados, subordem de mamíferos desdentados, de corpo protegido por carapaça, que reúne os dasipodídeos e extintos gliptodontes. • *Adj.* **2.** Pertencente ou relativo a eles.

cingular [De *cíngulo*[2] + *-ar*[1].] *Adj. 2 g. Bot.* Relativo ou pertencente ao cíngulo[2] (2): *placa cingular.* [Cf. *singular*.]

cíngulo[1] [Do lat. *cingulu*.] *S. m.* Cordão com que o sacerdote aperta a alva na cintura: "Colaborando na revolução sociológica, despir-lhe-á [ao padre] a batina e a sobrepeliz e a casula e o cíngulo" (Camilo Castelo Branco, *Boêmia do Espírito*, p. 216).

cíngulo[2] [Do lat. cient. *cingulum*.] *S. m.* **1.** *Bot.* Entre as diatomáceas, faixa constituída pelas duas pleuras, parcialmente superpostas, que percorre a célula no sentido do comprimento; nas dinoflageladas, o sulco transversal completo ou incompleto que divide a célula em duas porções de tamanhos iguais ou diferentes. **2.** *Anat.* Formação (5) do sistema nervoso central, que se compõe de feixe de fibras que circunda, parcialmente, o corpo caloso. **3.** *Odont.* Crista (9) situada na face lingual do terço cervical da coroa dos incisivos e caninos superiores.

cingulotomia [De *cíngulo*[2] (2) + *-tom(o)-* + *-ia*[1].] *S. f. Cir.* Seção do cíngulo[2] (2) para tratamento de certos distúrbios mentais.

cínico [Do gr. *kynikós*, pelo lat. *cynicu*.] *Adj.* **1.** Pertencente ou relativo ao cinismo (1). **2.** Que é partidário do cinismo (1). **3.** *P. ext.* Que ostenta princípios e/ou pratica atos imorais; impudico, obsceno. **4.** Que revela cinismo, impudência; *palavras cínicas.* ~ V. *escola —a.* • *S. m.* **5.** *Filos.* Partidário do cinismo (1). **6.** Indivíduo cínico (3 e 4). **7.** *Teatr.* Personagem-tipo que representa o indivíduo sem escrúpulos, hipócrita, sarcástico e oportunista. [Cf. *sínico*.]

cinipídeo [Do tax. *Cynips* + *-ídeo*[1]; tax. *Cynipidae*.] *Zool. S. m.* **1.** Espécime dos cinipídeos, família de insetos himenópteros, vulgarmente designados vespinhas-das-galhas, por produzirem nas plantas este tipo de excrescência anômala, a galha. São insetos pequenos, pretos, de abdome ovalado e comprimido, e formam galhas principalmente sobre o carvalho. • *Adj.* **2.** Pertencente ou relativo a eles.

cinira [Do hebr. *kinnor*, pelo gr. *kinýra* e pelo lat. *cinyra*.] *S. f.* Entre os hebreus, fenícios e sírios, espécie de lira ou cítara.

cinismo [Do gr. *kynismós*, pelo lat. *cynismu*.] *S. m.* **1.** *Hist. Filos.* Doutrina e modo de vida dos seguidores dos filósofos socráticos Antístenes de Atenas (444-356 a. C.) e Diógenes de Sínope (413-323 a. C.), fundadores da Escola Cínica, que pregavam a volta à vida em estrita conformidade com a natureza e, por isso, se opunham radicalmente aos valores, aos usos e às regras sociais vigentes. [Cf. *socratismo*.] **2.** *P. ext.* Impudência, desvergonha, desfaçatez, descaramento. **3.** *P. ext.* Atitude ou modo de agir de quem não se incomoda em mentir ou zombar de algo ou de alguém. [Cf. *cenismo*.]

▲**cin(o)-** [Do gr. *kýōn*, *kynós*.] *El. comp.* = 'cão': *cinografia, cinorrexia.* [Equiv.: *cinos-*, *-cin(o)(s)-*: *cinosuro, filocínico*.]

cinocefalídeo [Do tax. *Cynocephalus* (< gr. *kynoképhalos*, 'símio de cabeça semelhante à de um cão') + *-ídeo*[1]; tax. *Cynocephalidae*.] *Zool. S. m.* **1.** Espécime dos cinocefalídeos, família de mamíferos dermópteros que reúne espécies arborícolas, herbívoras, de hábitos noturnos; providos de patágios, dedos achatados e as solas dos pés com disco de sucção para adesão, dentes afiados, e incisivos localizados na parte lateral do maxilar. São os lêmures voadores. • *Adj.* **2.** Pertencente ou relativo a eles.

cinocéfalo[1] [Do lat. *cynocephalu* < gr. *kynoképhalos*.] *S. m.* **1.** Na mitologia greco-romana, indivíduo que teria corpo de homem e cabeça de cão. **2.** Qualquer de certos símios africanos e asiáticos, do gênero *Papio* e outros afins, dotados de focinho que lembra o do cão, grandes dentes caninos, e bochechas.

cinocéfalo[2] [Do tax. *Cynocephalus* (< gr. *kynoképhalos*).] *S. m. Zool.* **1.** Gênero de mamíferos que abrange os lêmures voadores (v. *lêmure voador*). **2.** Espécie ou espécime desse gênero.

cinódromo [De *cin(o)-* + *-dromo*.] *S. m.* Pista de corrida de cães.

cinofilia [De *cin(o)-* + *-filia*.] *S. f.* Amor aos cães.

cinofílico [De *cinofilia* + *-ico*[2].] *Adj.* **1.** Relativo a cinofilia. **2.** Que tem cinofilia; cinófilo. • *S. m.* **3.** Aquele que tem cinofilia; cinófilo.

cinófilo [De *cin(o)-* + *-filo*[2].] *Adj. S. m.* Cinofílico (2 e 3).

cinofobia [De *cin(o)-* + *-fobia*.] *S. f. Psiq.* Medo mórbido dos cães.

cinofóbico [De *cinofobia* + *-ico*[2].] *Psiq. Adj.* **1.** Relativo a cinofobia. **2.** Que sofre de cinofobia; cinófobo. • *S. m.* **3.** Aquele que sofre de cinofobia; cinófobo.

cinófobo [De *cin(o)-* + *-fobo*.] *Adj. S. m. Psiq.* Cinofóbico (2 e 3).

cinoglossa [Do gr. *kynóglossos*, 'língua de cão', pelo lat. *cynoglossus*.] *S. f. Bot.* Planta boraginácea (*Cynoglossum officinale*) herbácea, nativa da Europa, de flores vermelhas. [Sin. (pop.): *língua-de-cão*.]

cinoglossídeo [Do gr. *kynóglossos* + *-ídeo*[1]; tax. *Cynoglossidae*.] *Zool. S. m.* **1.** Espécime dos cinoglossídeos, família de peixes actinopterígios, heterossômos, semelhantes ao linguado, de corpo achatado, olhos assimétricos, nadadeiras dorsal e anal contínuas em relação à caudal, que é pontuda. Ocorre nos mares tropicais e subtropicais e medem até 20cm. • *Adj.* **2.** Pertencente ou relativo a eles.

cinógnato [De *cin(o)-* + *-gnato*; tax. *Cynognathus*.] *S. m. Paleont.* **1.** Gênero de grandes reptis terápsidos, carnívoros, que na forma se assemelhavam a mamíferos, dos quais eram poss. próximos, na linha ancestral, e cujos vestígios fósseis pertencem, principalmente, ao triássico da formação do deserto de Karroo, na África do Sul. **2.** Espécie ou espécime desse gênero.

cinografia [De *cin(o)-* + *-grafia*.] *S. f.* Tratado acerca dos cães. [Cf. *cenografia* e *senografia*.]

cinográfico [De *cinografia* + *-ico*[2].] *Adj.* Relativo à cinografia. [Cf. *cenográfico* e *senográfico*.]

cinolina [Do al. *Cinnolin*, alter. de *Chinolin*, 'quinolina'.] *S. f. Quím.* Substância cristalina, heterocíclica, isômero da ftalazina [fórm.: $C_8H_6N_2$].

cinologia [De *cin(o)-* + *-logia*.] *S. f.* Estudo dos cães. [Cf. *sinologia* e *cenologia*.]

cinológico [De *cinologia* + *-ico*[2].] *Adj.* Referente à cinologia. [Cf. *sinológico* e *cenológico*.]

cinomoriácea [Do tax. *Cynomorium* (do gr. *kynomórion*, 'certa planta') + *-ácea*; tax. *Cynomoriaceae*.] *S. f. Bot.* Espécime das cinomoriáceas, família da ordem das mirtales, formada por uma única espécie (*Cynomorium coccineum*) que vive parasitariamente sobre raízes nas estepes e litoral salinos da Ásia ocidental. Destituída de clorofila, tal planta leva um rizoma do qual emerge um ramo simples, escamoso e produtor de flores hermafroditas.

cinomoriáceo [De *cinomoriácea*, com var. suf. (v. *-áceo*).] *Adj. Bot.* Pertencente ou relativo às cinomoriáceas.

cinomose [De *cin(o)-* + *-m-* (*incerto*) + *-ose*[1].] *S. f. Veter.* Doença por vírus, altamente contagiosa, causada por um *Mobillivirus* da família *Paramyxoviridae*, e incidente em cães domésticos e noutros carnívoros; ataca os sistemas respiratório, digestório e nervoso.

cinorexia (cs) [De *cin(o)-* + *-orex-* + *-ia*[1].] *S. f.* V. *bulimia* (2).

cinorrexia (cs) *S. f.* V. *cinorexia*.

cinorródio [De *cinórrodo* + *-io*[3].] *S. m. Bot.* Pseudofruto das roseiras e de plantas congêneres, em cujo interior se encontram os verdadeiros frutos, que são minutíssimos aquênios; cinórrodo.

cinórrodo [Do gr. *kynórrhodon*, 'rosa-de-cão', pelo lat. *cynorrhodon*.] *S. m. Bot.* Cinorródio.

▲**cinos-** V. *cin(o)-*.

▲**-cin(o)(s)-** V. *cin(o)-*.

cinosternídeo [Do tax. *Kinosternon* (< gr. *kín[ema]*, 'movimento', + *-o-* + gr. *stérnon*, 'esterno') + *-ídeo*[1]; tax. *Kinosternidae*.] *Zool. S. m.* **1.** Espécime dos cinosternídeos, família de quelônios, que reúne pequenas tartarugas de espaldar abobadado e forte, ger. providos de placa nucal, placa caudal dupla, peito comprido e ovalado constituído por três peças, das quais a anterior e a posterior são móveis; cinco dedos nas patas anteriores e quatro nas posteriores. São os muçuãs e as tartarugas carnívoras da região neotropical. • *Adj.* **2.** Pertencente ou relativo a eles.

cinosura [Do lat. *Cynosura*.] *S. f. Astr.* A constelação da Ursa Menor [v. *Ursa* (2)]. [Com cap.]

cinosuro [De *cinos-* + *-uro*.] *Adj. Zool.* Que tem cauda semelhante à do cão.

cinquena [De *cinco* + *-ena*, como em *dezena*.] *S. f.* **1.** *Ant.* Prática religiosa que durava cinco dias. **2.** Período de cinco dias.

cinquenta (qüen) [Do lat. *quinquaginta*.] *Num.* **1.** Quantidade que é uma unidade maior que 49; quarenta mais dez. **2.** Número (4) que corresponde a essa quantidade. [Nessas acepçs., representa-se em algarismos arábicos por 50, e em algarismos romanos, por L.] **3.** Que está marcado ou identificado com o número 50. **4.** Quinquagésimo (1). • *S. m.* **5.** Representação, em algarismos, do número cinquenta. **6.** Aquilo ou aquele que numa série ocupa o quinquagésimo lugar. **7.** *Bras. PB* Medida de superfície, com 50 braças de cada lado e correspondente a meio alqueire paulista [v. *alqueire* (2)]. ❖

cinquentão (qüen) [De *cinquenta* + *-ão*[2].] *Adj.* **1.** Quinquagenário. • *S. m.* **2.** Quinquagenário. [Fem.: *cinquentona*.] **3.** *Bras. Pop.* Cédula de 50 reais, ou essa quantia. ❖

cinquentenário (qüen) [Do fr. *cinquantenaire*.] *S. m.* Quinquagésimo aniversário. ❖

cinquentona (qüen) *S. f.* Fem. de *cinquentão* (2): "Era uma cinquentona gorda mas miúda, de cabelos levemente grisalhos" (Érico Veríssimo, *Noite*, p. 95). ❖

cinquinho [De *cinco* + *-inho*[1].] *S. m.* Antiga moeda portuguesa do séc. XVI, que valia cinco réis: "O dinheiro designado por expressões esquecidas: o xem-xem, a pataca, o cinquinho." (Alberto Rangel, *Papéis Pintados*, p. 262.)

➔**cinsault** [sẽ'sol] [Fr.] *S. m.* **1.** *Vitic.* Casta de uva tinta cultivada no vale do Ródano e na Provença (S. da França). **2.** *Enol.* Vinho produzido com essa uva. [Tb. *cinsaut*.]

➔**cinsaut** [sẽ'sol] [Fr.] *S. m. Vitic. Enol.* V. *cinsault*.

cinta [Do lat. *cincta*, fem. do part. pass. de *cingere*.] *S. f.* **1.** Faixa para apertar na cintura. **2.** Cintura (1 e 2). **3.** V. *cós* (2). **4.** Tira de pano ou de couro para cingir. **5.** Tira de papel para cingir jornais ou livros que hão de ser expedidos. **6.** Tira de papel com que às vezes se cingem livros que estão sendo lançados e que contêm dizeres de propaganda a respeito deles e/ou do autor, ou advertência ao público. **7.** Tira de aço para cingir fardos ou malas. **8.** Peça íntima de vestuário feita de malha ou de outro tecido entremeado com elástico, e destinada a adelgaçar a cintura e os quadris, ou a corrigir ou amparar defeitos anatômicos. **9.** Linha ou série circular: *Dava para o pátio do convento uma cinta de pequenas celas.* **10.** *Arquit.* Filete de coluna ou pedestal. **11.** *Arquit.* Elemento arquitetônico que envolve outro, para consolidação, reforço, ou como ornamentação. **12.** *Constr. Nav.* Fiada de chapas mais grossas, dispostas de proa à popa no forro exterior do costado de navios de ferro, à altura do convés da borda-livre, com o fim de aumentar a resistência do casco e do próprio costado; cintado. **13.** *Cabo-verd.* Pequena extensão de terra plana, em relevo montanhoso: "Nas cintas das montanhas há varandins de vegetação luxuriante" (Manuel Lopes, *Paúl*, p. 23). [Cf. *sinta*, do v. *sentir*.] ~ V. *cintas*. ◆ **Cinta antimagnética.** *Bras. Mar. G.* Dispositivo instalado numa embarcação de casco de ferro ou de aço, e que atenua ou neutraliza a deformação que o magnetismo da embarcação causa nas linhas de força do magnetismo terrestre, assim reduzindo muito a eficácia das minas e torpedos eletromagnéticos que se possam encontrar na rota. **Cinta couraçada.** *Constr. Nav.* Cinta de chapas de couraça, para proteger navio encouraçado, e que se estende desde abaixo da sua linha de flutuação até pouco acima dela.

cintado[1] [De *cinta* + *-ado*[1].] *S. m. Constr. Nav.* Cinta (12).

cintado[2] [Part. de *cintar*.] *Adj.* **1.** Que tem cinta. **2.** Ajustado à cintura; cinturado. ~ V. *concreto — e pilar —*.

cinta-larga *Bras. S. 2 g.* **1.** *Etnôn.* Indivíduo dos cintas-largas, povo indígena da família linguística mondé, tronco tupi, que habita a região da divisa entre MT e RO, em parte abrangida pelo Parque Aripuanã. ● *Adj. 2 g.* **2.** Pertencente ou relativo a esse povo. [Pl.: *cintas-largas*.] [Tb. us. como *s. 2 g. e 2 n.* (com cap.) e *adj. 2 g. e 2 n.*]

cinta-liga *S. f.* Cinta (8) feminina provida de quatro tiras elásticas, nas extremidades das quais há um prendedor de meias. [Pl.: *cintas-ligas* e *cintas-liga*.]

cintamento [De *cintar* + *-mento*.] *S. m.* **1.** Ato de cintar. **2.** *Constr.* Armadura circular de aço, destinada a aumentar a resistência à compressão de um núcleo de concreto.

cintar [De *cinta* + *-ar*[2].] *V. t. d.* **1.** Pôr cinta (1, 4, 5, 6 e 7) em: *cintar um recém-nascido; cintar um livro; Aquele editor cinta apenas os autores célebres; A Alfândega cintou os fardos;* "instrumentos para cortar papel, numerar páginas, ... cintar documentos" (Eça de Queirós, *Contos*, p. 90). **2.** Talhar, moldando à depressão da cintura: *Mandou cintar mais o vestido.* **3.** Abarcar ou cingir pela cintura. *T. d. e i.* **4.** Formar a cerca de; cercar: *Cintou de eucaliptos a faixa de terra. P.* **5.** Usar ou vestir cinta (8). [Pres. ind.: *cinto, cintas, cinta, cintamos, cintais, cintam*; pres. subj.: *cinte, cintes, ... cinteis, cintem*. Cf. o pres. ind. e pres. subj. do v. *sentir*, e *cintéis*, pl. de *cintel*.]

cintas [Pl. de *cinta*.] *S. f. pl.* Tábuas pregadas aos caibros junto à cumeeira, e paralelas a esta, para dar firmeza aos planos do madeiramento. ~ V. *cinta*.

cinteiro [De *cinto* ou *cinta* + *-eiro*.] *S. m.* **1.** Fabricante e/ou vendedor de cintos ou cintas. **2.** Atadura larga com que se apertam cueiros de crianças, ou se lhes protege o umbigo, quando recém-nascidas; faixa. **3.** *Chapel.* Fita que abraça a copa do chapéu, junto à aba.

cintel [De *cinta* + *-el*.] *S. m.* **1.** Área circulada onde se movem os animais que fazem andar um engenho. **2.** Aparelho, tipo de compasso, com que se descrevem grandes círculos. **3.** Zona, faixa, cinto. **4.** Cerca, cercado, cinto. **5.** V. *cincho*[1]. [Pl.: *cintéis*. Cf. *cinteis*, do v. *cintar*.]

cintigrafia [De *cinti(lação)* + *-grafia*.] *S. f. Med. Nucl.* V. *cintilografia*.

cintigráfico [De *cintigrafia* + *-ico*[2].] *Adj.* Relativo à cintigrafia.

cintigrama [De *cinti(lação)* + *-grama*.] *S. m. Med. Nucl.* V. *cintilograma*. [Cf. *centigrama*.]

cintila [Do lat. *scintilla*.] *S. f.* Faísca, fagulha, centelha.

cintilação [Do lat. *scintillatione*.] *S. f.* **1.** Ato ou efeito de cintilar. **2.** Brilho trepidante e/ou intenso: *cintilação das pedrarias;* "Cintilações de lâmpadas suspensas" (Augusto dos Anjos, *Eu*, p. 100). **3.** *Fig.* Fulgor do espírito, da inteligência. **4.** *Astr.* Efeito atmosférico sobre a luz estelar, que consiste na variação rápida do brilho e resulta da deformação da onda plana que provém das estrelas, causada pela variação do índice de refração atmosférico nas altas camadas. **5.** *Med. Nucl.* Emissão de partícula, pela desintegração de elemento radioativo.

cintilador (ô) [De *cintilar* + *-dor*.] *S. m.* **1.** *Astr.* Instrumento de análise de fotografias astronômicas, que utiliza cintilação alternada de duas lâmpadas sobre duas fotografias na mesma região celeste, tomadas em épocas diferentes, e permite, assim, identificar qualquer mutação ocorrida em um astro. **2.** *Fís. Nucl.* Material transparente, ger. de vidro ou de plástico, com *dopping* de substância química que emite luz pela passagem de partículas energéticas carregadas eletricamente.

cintilante [Do lat. *scintillante*.] *Adj. 2 g.* Que cintila. ~ V. *escotoma —*.

cintilar [Do lat. *scintillare*.] *V. int.* **1.** Apresentar o fenômeno da cintilação; tremeluzir: "aqui, ali, cintilavam estrelas trêmulas." (Coelho Neto, *Treva*, p. 280). **2.** Apresentar o brilho das faíscas; tremeluzir: "Rondas de vaga-lumes cintilavam nas trevas maciças." (Xavier Marques, *O Sargento Pedro*, p. 155.) **3.** Refletir a luz; brilhar muito; resplandecer: *As pedrarias de seu rico traje cintilavam.*

cintilho [De *cinto* + *-ilho*.] *S. m.* **1.** Cinto pequeno. **2.** Cinto rico de pedraria: "as roupas recamadas de ouro, e tomadas airosamente em um cintilho de safiras." (P.[e] Antônio Vieira, *Sermões*, IV, p. 194).

cintilografia [De *cintil(ação)* + *-o-* + *-grafia*.] *S. f. Med. Nucl.* Técnica de exame que permite a visualização de órgão interno pelo mapeamento automático da distribuição espacial de isótopos radioativos dentro do corpo; cintigrafia.

cintilográfico [De *cintilografia* + *-ico*[2].] *Adj.* Relativo à cintilografia.

cintilograma [De *cintil(ação)* + *-o-* + *-grama*.] *S. m. Med. Nucl.* Representação bidimensional, ou mapeamento, dos raios-gama emitidos por radioisótopo, de forma a revelar a variação de sua concentração num tecido específico de órgão, como fígado, glândula tireóidea, etc. [Var.: *cintigrama*. Sin.: *escaneamento cintilográfico* e (ingl.) *scintiscan*.]

cintilômetro *S. m. Astr.* V. *cintilômetro*. [Uso freq. em P.]

cintilômetro [De *cintil(ação)* + *-o-* + *-metro*.] *S. m. Astr.* Luneta astronômica que permite comparar a cintilação da luz de uma estrela com um referencial luminoso.

cinto [Do lat. *cinctu*, 'cingido'.] *S. m.* **1.** Faixa ou tira de tecido, couro, etc., que cinge o meio do corpo, em geral com uma só volta. [Sin. (desus.): *cingidouro*.] **2.** V. *cós* (2). **3.** V. *cintel* (3 e 4). **4.** Cerco[1] (2). **5.** Cinto de segurança. **6.** *Bras. N.E.* Espécie de bolsa comprida e estreita, que os viajantes atam à cintura, ou trazem a tiracolo para levar dinheiro. [Cf. *sinto*, do v. *sentir*.] ◆ **Cinto de castidade.** **1.** Aparelho fechado a cadeado, que outrora as mulheres usavam, sobretudo na Idade Média, com o fim de impedir as relações sexuais. **2.** *Fig.* Impedimento ou impossibilidade de contato. **Cinto de Órion.** *Astr.* V. *Três-Marias* (1). **Cinto de segurança.** Faixa ou tira presa ao assento ou a um dos lados de poltrona de aviões, automóveis, etc., que se destina a ser usada pelos passageiros para sua segurança. [Tb. se diz apenas *cinto*.] **Apertar o cinto.** Apertar (24).

cinto de couro *S. m. Bras. RS* Cinta larga de couro cru que se ata à cintura do(s) preso(s), em viagem, para impedir-lhes a fuga. [Sin. (em AL): *colete de couro*. Pl.: *cintos de couro*.]

cintolômetro *S. m. Astr.* V. *cintilômetro*. [Uso freq. em P.]

cintura [Do lat. *cinctura*.] *S. f.* **1.** A parte média do tronco humano situada abaixo do peito e acima dos quadris; cinta. **2.** A parte do vestuário que rodeia essa parte do corpo; cinta. **3.** V. *cós* (2). **4.** Golpe de luta que consiste em apertar o adversário pela cinta, procurando erguê-lo e derrubá-lo. **5.** *Anat.* Estrutura circundante, ou parte dela. ◆ **Cintura de pilão.** *Bras. Pop.* V. *cintura de vespa*. **Cintura de retrós.** *Bras. Pop.* V. *cintura de vespa*. **Cintura de tanajura.** *Bras. Pop.* V. *cintura de vespa*. **Cintura de vespa.** *Bras. Pop.* Cintura muitíssimo delgada: "Notei-lhe, sob o luar, a cabeleira crespa, / a anca em forma de lira e a cintura-de-vespa" (Menotti del Picchia, *As Máscaras*, p. 12). **Cintura escapular.** *Anat.* Cada uma das estruturas ósseas de forma circundante que sustenta, de cada lado, um membro superior, e é constituída de clavícula e escápula (que se articulam entre si e, respectivamente, com o esterno e a coluna vertebral). **Cintura pélvica.** *Anat.* Estrutura óssea, circundante, que sustenta os membros inferiores, e é constituída pelos dois ossos ilíacos, que se articulam entre si e o osso sacro.

cinturado [De *cintura* + *-ado*[1].] *Adj.* **1.** Que tem cintura. **2.** Cintado[2] (2). [F. paral.: *acinturado*.]

cinturão [De *cintura* + *-ão*[2].] *S. m.* Grande cinto geralmente de couro, em que se suspendem armas, cartucheiras, em que se traz dinheiro, etc.; boldrié. ◆ **Cinturão verde.** Área onde estão situadas as granjas que fornecem aos grandes centros urbanos os produtos hortigranjeiros.

cinza [Do lat. vulg. **cinisia* < lat. *cinis, eris*, 'cinza'.] *S. f.* **1.** Pó ou resíduos da combustão de certas substâncias; borralha, favila. **2.** *Fig.* Aniquilamento, luto, destruição. **3.** *Fig.* Humilhação, dor: *as cinzas do arrependimento.* ● *S. m.* **4.** *Bras.* Cinzento (5). ● *Adj. 2 g. e 2 n.* **5.** *Bras.* V. *cinzento* (1 e 2): "Os olhos cinza, envelhecidos, não revelavam nada" (Francisco Jorge Torres, *Bruxaxá*, p. 16); *vestido cinza; gravatas de cor cinza.* ~ V. *buraco — e cinzas*. ◆ **Botar cinza nos olhos de.** Deitar cinza nos olhos de. **Deitar cinza nos olhos de.** Enganar, iludir, lograr, burlar, mistificar (alguém); botar cinza nos olhos de.

cinza-amarelado *Adj. 2 g. e 2 n. Adj.* **1.** De um cinza tirante a amarelo. ● *S. m.* **2.** Essa cor. [Flex., quando adj.: *cinza-amarelados, cinza-amarelada(s)*; pl. do s. m.: *cinzas-amarelados*.]

cinza-azulado *Adj. 2 g. e 2 n. Adj.* **1.** De um cinza tirante a azul. ● *S. m.* **2.** Essa cor. [Flex., quando adj.: *cinza-azulados, cinza-azulada(s)*; pl. do s. m.: *cinzas-azulados*.]

cinza-claro *Adj. 2 g. e 2 n. Adj.* **1.** De um tom claro de cinza. ● *S. m.* **2.** Essa cor. Flex., quando adj.: *cinzento-claros, cinza-clara(s)*; pl. do s. m.: *cinzas-claros*.]

cinza-escuro *Adj. 2 g. e 2 n. Adj.* **1.** De um tom escuro de cinza. ● *S. m.* **2.** Essa cor. [Flex., quando adj.: *cinza-escuros, cinza-escura(s)*; pl. do s. m.: *cinzas-escuros*.]

cinza-esverdeado *Adj. 2 g. e 2 n. Adj.* **1.** De um cinza tirante a verde. ● *S. m.* **2.** Essa cor. [Flex., quando adj.: *cinza-esverdeados, cinza-esverdeada(s)*; pl. do s. m.: *cinzas-esverdeados*.]

cinza-metálico *Adj. 2 g. e 2 n. Adj.* **1.** De um tom metálico de cinza. ● *S. m.* **2.** Essa cor. [Flex., quando adj.: *cinza-metálicos, cinza-metálica(s)*; pl. do s. m.: *cinzas-metálicos*.]

cinza-plúmbeo *Adj. 2 g. e 2 n. Adj.* **1.** De um tom de cinza tirante à cor do chumbo. ● *S. m.* **2.** Essa cor. [Sin. ger.: *cinzento-plúmbeo*. Flex., quando adj.: *cinza-plúmbeos, cinza-plúmbea(s)*; pl. do s. m.: *cinzas-plúmbeos*.]

cinza-prateado *Adj. 2 g. e 2 n. Adj.* **1.** De um tom metálico a prata. ● *S. m.* **2.** Essa cor. [Flex., quando adj.: *cinza-prateados, cinza-prateada(s)*; pl. do s. m.: *cinzas-prateados*.]

cinzar [De *cinza* + *-ar*[2].] *Bras. V. t. d.* **1.** Acinzentar. **2.** Enganar, lograr, burlar. *Int. P.* **3.** Acinzentar-se: "As cores da tarde iam cinzando mansas." (Mário de Andrade, *Os Contos de Belasarte*, p. 119); *Cinzou-se a atmosfera.* [Pres. subj.: *cinze, ... cinzeis, cinzem*. Cf. *cinzéis*, pl. de *cinzel*.]

cinzas [Pl. de *cinza*.] *S. f. pl.* **1.** Destroços do que foi destruído pelo fogo; ruínas. **2.** Partículas minerais provenientes de erupção vulcânica. **3.** Restos mortais: "Drumont satisfaria toda a despesa que se fizesse a bordo para conservar o cadáver, a fim de que chegassem pelo menos as cinzas do poeta [Gonçalves Dias] à amada terra da sua pátria." (Ramalho Ortigão, *Em Paris*, p. 72.) **4.** Restos ou lembranças de coisas extintas. **5.** Mortificações, penitências. ~ V. *cinza*.

cinzeiro [De *cinza* + *-eiro*.] *S. m.* **1.** Montão de cinzas. **2.** Parte do fogão de lenha onde cai a cinza. **3.** Recipiente de louça, metal, etc., onde os fumantes jogam a cinza do fumo e pontas de cigarros ou charutos usados. **4.** *Desus.* Chuva muito fina. **5.** *Bras.* Operário que retira a cinza das caldeiras das usinas de açúcar. **6.** *Bras. Bot.* V. *pau-de-caixa*.

cinzel [Var. de *cisel* (ant.), com infl. de *pincel*.] *S. m.* **1.** Instrumento de aço, cortante numa das extremidades e usado especialmente por escultores e gravadores: "por vezes o cinzel do rude escultor soube imprimir às fisionomias uma expressão digna dos profetas." (Bernardo Guimarães, *O Seminarista*, p. 37). **2.** *Fig.* O escultor ou o gravador. [Pl.: *cinzéis*. Cf. *cinzeis*, do v. *cinzar*.]

cinzelado [Part. de *cinzelar*.] *Adj.* **1.** Lavrado ou esculpido a cinzel. **2.** *P. ext.* Trabalhado com esmero.

cinzelador (ô) [De *cinzelar* + *-dor*.] *Adj. S. m.* Que, ou aquele que cinzela.

cinzeladura [De *cinzelar* + *-dura*.] *S. f.* **1.** V. *cinzelamento*. **2.** Obra cinzelada.

cinzelagem [De *cinzelar* + *-agem*[2].] *S. f.* V. *cinzelamento*.

cinzelamento [De *cinzelar* + *-mento*.] *S. m.* Ato ou efeito de cinzelar; cinzelagem, cinzeladura.

cinzelar [De *cinzel* + *-ar*[2].] *V. t. d.* **1.** Lavrar com cinzel. **2.** Fazer com esmero e nitidez; apurar: "Os poetas parnasianos, os Srs. Théodore de Banville, Sully Prudhomme, Catulle Mendès cinzelam uma frase como Benvenuto Cellini cinzelava uma joia." (Ramalho Ortigão, *Notas de Viagem*, p. 89.) **3.** Empregar com precisão e apuro: *Bom conhecedor da língua, cinzela excelentemente expressões antiquadas.*

cinzento [De *cinza* + *-ento*.] *Adj.* **1.** Que tem a cor plúmbea de certa cinza (1): *meias cinzentas*. [Sin.: (poét.) *cinéreo* e (p. us.) *cinerício*.] **2.** Diz-se dessa cor: *casaco de cor cinzenta*. [Sin. bras., nessas acepçs.: *cinza*.] **3.** Sem relevo; apagado: *existência cinzenta.* **4.** *Gír.* Diz-se do palavreado pretensioso. ~ V. *Lua —, luz —, massa — e substância —*. ● *S. m.* **5.** A cor cinzenta: "E a madrugada clareava o cinzento das casas." (Rodrigo Otávio [filho], *Velhos Amigos*, p. 35.) [Sin., bras., nesta acepç.: *cinza*.] **6.** *Ópt.* A cor de um corpo que difunde, ou transmite, igual mas parcialmente, radiações de todos os comprimentos de onda na faixa visível do espectro.

cinzento-azulado *Adj. 2 g. e 2 n. Adj.* **1.** De um tom de cinza tirante a azul. ● *S. m.* **2.** Essa cor. [Flex. do adj.: *cinzento-azulados, cinzento-azulada(s)*; pl. do s. m.: *cinzentos-azulados*.]

cinzento-claro *Adj. 2 g. e 2 n. Adj.* **1.** De um tom claro de cinzento. ● *S. m.* **2.** Essa cor. [Flex., quando adj.: *cinzento-claros, cinzento-clara(s)*; pl. do s. m.: *cinzentos-claros*.]

cinzento-escuro *Adj. 2 g. e 2 n. Adj.* **1.** De um tom escuro de cinzento. ● *S. m.* **2.** Essa cor. [Flex., quando adj.: *cinzento-escuros, cinzento-escura(s)*; pl. do s. m.: *cinzentos-escuros*.]

cinzento-esverdeado *Adj. 2 g. e 2 n. Adj.* **1.** De um cinzento tirante a verde. ● *S. m.* **2.** Essa cor. [Flex. do adj.: *cinzento-esverdeados, cinzento-esverdeada(s)*; pl. do s. m.: *cinzentos-esverdeados*.]

cinzento-plúmbeo *Adj. 2 g. e 2 n. Adj.* V. *cinza-plúmbeo*. [Flex. do adj.: *cinzento-plúmbeos, cinzento-plúmbea(s)*; pl. do s. m.: *cinzentos-plúmbeos*.]

cinzento-sujo *Adj. 2 g. e 2 n. Adj.* **1.** De um cinzento denegrido e baço. ● *S. m.* **2.** Essa cor. [Flex., quando adj.: *cinzento-sujos, cinzento-suja(s)*; pl. do s. m.: *cinzentos-sujos*.]

cio [Do gr. *zêlos*, pelo lat. *zelu*.] *S. m.* **1.** Período de desejo sexual intenso dos animais. [Sin.: *estro* e (em partes diversas do Brasil) *alvoroço, brama, calor, cavalgação, reinaço, vício*. Cf. *berra*.] **2.** *P. ext.* O apetite sexual das pessoas. **3.** *Biol.* Estro[1] (2).

▲**cio-**[1] [Do gr. *skio-* < gr. *skiá, âs*, 'sombra'.] V. *ci(a)-*.

▲**cio-**[2] Equiv. de *cion(o)-*.

cioba *S. f.* **1.** *Bras. Zool.* Peixe teleósteo, perciforme, lutjanídeo (*Lutjanus analis*), distribuído das Antilhas até a Argentina, de dorso verdoengo, flancos e abdome de um rosa forte. Frequenta lugares pedregosos, e chega a pesar 18kg. Os exemplares jovens têm barras transversais pouco nítidas e mancha preta acima da linha lateral, ao nível do segundo raio da dorsal. [Sin.: *caranho, caranho-vermelho*.] **2.** *Bras. RJ Zool.* V. *mulata* (3). [Var., nessas acepçs.: *chioba*.] ● *S. m.* **3.** *Bras. RS* Sujeito pedante e adulador.

cioba-mulata *S. f. Bras. Zool.* V. *rabo-aberto*. [Pl.: *ciobas-mulatas*.]

ciobinha [Dim. de *cioba*.] *S. f. Bras. N. Zool.* V. *vermelho-henrique*.

ciografia [Do gr. *skiographía*, 'pintura em perspectiva', pelo lat. *sciographia*.] *S. f.* **1.** *Arquit.* Arte de desenhar o corte longitudinal ou transversal de um edifício ou de uma máquina para se lhe ver a disposição interna. **2.** *Astr.* Arte de conhecer as horas por meio das sombras projetadas pela luz do Sol ou da Lua.

ciográfico [Do gr. *skiographikós*.] *Adj.* Relativo à ciografia.

ciógrafo [Do gr. *skiográphos*.] *S. m.* Aquele que pratica a ciografia.

cionite [De *cion(o)-* + *-ite*[1].] *S. f. Otor.* Inflamação da úvula.

▲**cion(o)-** [Do gr. *kíōn, onos*, 'coluna'; 'úvula'.] *El. comp.* = 'úvula': *cionotomia, cionite*. [Equiv.: *cio-*[2]: *ciotomia*.]

cionotomia [De *cion(o)-* + *-tom(o)-* + *-ia*[1].] *S. f. Otor.* Secção da úvula; quiotomia, ciotomia.

cionotômico *Adj.* V. *cionotômico*. [Uso freq. em P.]

cionotômico [De *cianotomia* + *-ico*[2].] *Adj.* Relativo à cionotomia; ciotômico.

cióptico [De *ci(a)-* + *óptico*.] *Adj.* Referente à visão na sombra. [Var.: *ciótico*.]

cioso (ô) [De *cio* + *-oso*.] *Adj.* **1.** Que tem ciúme (1); ciumento. **2.** Zeloso, cuidadoso: *Esta criança é ciosa de suas obrigações*; "Os políticos .... do velho regímen eram extremamente ciosos da sua dignidade pessoal." (Oliveira Viana, *Pequenos Estudos de Psicologia Social*, p. 198). **3.** Interessado em virtude de afeição extrema.

ciótico *Adj.* V. *cióptico*.

ciotomia [De *cio-*[2] + *-tom(o)-* + *-ia*[1].] *S. f. Cir.* V. *cionotomia*.

ciotômico *Adj.* V. *ciotômico*. [Uso freq. em P.]

ciotômico [De *ciotomia* + *-ico*[2].] *Adj.* Cionotômico.

cipaio *S. m. Afric.* V. *sipaio* (2): "O cabo dos cipaios avisou-o de que o senhor administrador o chamava ao gabinete." (Manuel Rui, *Regresso Adiado*, p. 42.)

ciperácea [Do tax. *Cyperus* (< lat. *cyperus*, 'junco aromático') + *-ácea*; tax. *Cyperaceae*.] *S. f. Bot.* Espécime das ciperáceas, família de plantas monocotiledôneas, da ordem das ciperales, ou das glumifloras, semelhantes às poáceas, porém dotadas de caule trígono e folhas com bainhas fechadas. Flores em espiguetas reunidas em inflorescências compostas, minutíssimas; fruto aquênio. Há umas 3.000 espécies distribuídas pelo orbe, sendo o Brasil riquíssimo em representantes, sobretudo em *habitat* úmido.

ciperáceo [De *ciperácea*, com var. suf. (v. *-áceo*).] *Adj. Bot.* Pertencente ou relativo às ciperáceas.

ciperal [Do lat. cient. *Cyper-* (v. *ciperale*) + *-al*[1].] *Adj. 2 g. Bot.* Pertencente ou relativo às ciperales.

ciperale [Do tax. *Cyperus* + *-ale*; tax. *Cyperales*.] *S. f. Bot.* Espécime das ciperales, ordem constituída pelas ciperáceas, mas que a grande maioria dos botânicos inclui entre as glumifloras.

cipo [Do lat. *cippu*.] *S. m.* **1.** *Arquit.* Pequena coluna desprovida de capitel. **2.** Antigo marco miliário. **3.** Coluna com inscrições. **4.** *Ant.* Estrado onde se colocava o esquife. **5.** *Ant.* Pedra tumular. **6.** *Heráld.* Cepa (5).

cipó[1] [Var. de *icipó*, de or. tupi.] *S. m. Bras.* **1.** *Bot.* Designação comum às plantas sarmentosas ou trepadeiras que pendem das árvores e nelas se trançam; icipó. **2.** *Gír.* Chicote, chibata, vara.

cipó[2] *Bras. S. 2 g.* **1.** *Etnôn.* Indivíduo dos cipós, povo indígena extinto que habitava a região do rio Tapauá, afluente do rio Purus (AM). ● *Adj. 2 g.* **2.** Pertencente ou relativo a esse povo. [Tb. us. como *s. 2 g. e 2 n.* (com cap.) e *adj. 2 g. e 2 n.*]

cipoaba [De or. tupi.] *S. m. Bras. PI a BA Bot.* Arbusto combretáceo (*Combretum leprosum*) trepador, cujas folhas, que encerram saponina, são revestidas de pequenas escamas muito peculiares, e cujas flores são amarelas, dispostas em panículas terminais solitárias, sendo o fruto uma sâmara aveludada, com alas elípticas e transversalmente estriadas; mofumbo, mofumo, mufumba.

cipó-abacate *S. m. Bras. Bot.* V. *abacate-do-mato* (1 e 2). [Pl.: *cipós-abacates* e *cipós-abacate*.]

cipoada [De *cipó* + *-ada*[1].] *S. f.* **1.** *Bras.* Golpe dado com o cipó. **2.** *Bras.* Chicotada, chibatada. **3.** *Bras.* V. *cipoal* (1 a 3). **4.** *Bras.* Golpe moral. **5.** *Bras. BA Pop.* V. *bicada*[1] (5).

cipoal [De *cipó* + *-al*[1].] *S. m.* **1.** *Bras.* Mato abundante de cipós tão enredados que dificultam o trânsito; cipoada. **2.** *Bras. Fig.* Situação difícil; dificuldade, complicação; cipoada. **3.** *Bras. Fig.* Negócio muito intricado em que alguém se meteu, sem saber como dele poderá sair; cipoada. **4.** *Bras. PR* Designação comum às terras planas e de valor agrícola situadas após a orla arenosa da costa.

cipó-amargo *S. m. Bras. Amaz. Bot.* Trepadeira menispermácea (*Abruta candicans*) de folhas alvacentas, cuja raiz e caule, amargos e venenosos, entram na composição do curare. [Pl.: *cipós-amargos*.]

cipoar [De *cipó* + *-ar*[2].] *V. t. d. Bras.* Açoitar com cipó; dar cipoadas. [Conjug.: v. *coroar*.]

cipó-azougue *S. m. Bras. L. Bot.* **1.** Grande trepadeira cucurbitácea (*Apodanthera smilacifolia*) cinzento-esverdeada, de casca rugosa e flores masculinas e femininas; azougue-dos-pobres. **2.** V. *abobrinha* (2). **3.** V. *abobrinha-do-mato* (3). [Pl.: *cipós-azougues* e *cipós-azougue*.]

cipó-bela-flor *S. m. Bras. Bot.* V. *cipó-de-são-joão*. [Pl.: *cipós-belas-flores*.]

cipó-brasil *S. m. Bras. Bot.* V. *flor-de-pau*. [Pl.: *cipós-brasis* e *cipós-brasil*.]

cipó-bravo *S. m. Bras. L. Bot.* Arbusto ou trepadeira bignoniácea (*Tynnanthus elegans*) de aroma semelhante ao do cravo e flores pequenas, amarelas ou alvas. [Pl.: *cipós-bravos*.]

cipó-cabeludo *S. m. Bras. C.O. a S. Bot.* Designação comum a várias trepadeiras asteráceas, com propriedades melíferas e providas de flores alvacentas reunidas em capítulos; erva-dutra. [Pl.: *cipós-cabeludos*.]

cipó-caboclo *S. m. Bras. N. a S. Bot.* Arbusto ou trepadeira dileniácea (*Davilla rugosa*) lenhosa, de caule áspero, porte variável, flores pequenas, amarelo-pálidas, e cujos frutos têm sementes; cipó-vermelho, capa-homem, cipó-de-carijó, folha-de-lixa ou folha-lixa, muiraqueteca, sambaibinha. [Pl.: *cipós-caboclos* e *cipós-caboclo*.]

cipó-café *S. m. Bras. Bot.* V. *boa-noite* (2). [Pl.: *cipós-cafés* e *cipós-café*.]

cipó-capador *S. m. Bras. L. S. Bot.* Trepadeira apocinácea (*Echites peltata*) ornamental, de longo caule, flores amareladas, com cálice branco, e fruto com várias sementes envoltas em filamentos sedosos; capa-homem, cipó-de-mucuna, cipó-de-paina, erva-santa, joão-da-costa, paina-de-penas. [Pl.: *cipós-capadores*.]

cipó-chumbo *S. m. Bras. N. a S. Bot.* Designação comum a várias plantas convolvuláceas, parasitas, do gênero *Cuscuta*, de flores amarelas, róseas ou alvas, e cujos frutos contêm uma semente em cada lóculo; cuscuta. [Pl.: *cipós-chumbos* e *cipós-chumbo*.]

cipó-cobra *S. m. Bras. Bot.* V. *cipó-de-cobra* (3). [Pl.: *cipós-cobras* e *cipós-cobra*.]

cipó-cravo *S. m. Bras. MG a SC Bot.* **1.** Planta bignoniácea (*Tynnanthus fasciculatus*) aromática, arbustiva ou trepadeira, de flores alvas ou amareladas, pequenas e dispostas em panículas, frutos que são cápsulas grandes, amarelo-ferruginosos e com propriedades medicinais. **2.** Planta bignoniácea (*Tynnanthus elegans*) aromática com as mesmas características e propriedades do cipó-cravo (1). [Sin. ger.: *cipó-trindade*. Pl.: *cipós-cravos* e *cipós-cravo*.]

cipó-cruz *S. m. Bras. Bot.* V. *piranga*[2] (3). [Pl.: *cipós-cruzes* e *cipós-cruz*.]

cipó-cruzeiro *S. m. Bras. Bot.* V. *quina-cruzeiro* (2). [Pl.: *cipós-cruzeiros* e *cipós-cruzeiro*.]

cipó-cururu *S. m. Bras. Amaz. Bot.* Designação comum a várias trepadeiras ou arbustos apocináceos, gêneros *Anisolobus* e *Odontadenia*, uns medicinais, outros ornamentais, e cujas flores são grandes, campanuladas e de colorido belíssimo; curuapé, cururu. [Pl.: *cipós-cururus* e *cipós-cururu*.]

cipó-d'água *S. m. Bras. N. a S. Bot.* Designação comum a várias trepadeiras bignoniáceas, de flores pequenas, com corolas roxas, algumas das quais levam pétalas alvas, e frutos de forma ovoide. Têm propriedades diuréticas. [Sin.: *cipó-vermelho, muiraqueteca* e *timbó-do-campo*. Pl.: *cipós-d'água*.]

cipó-d'alho *S. m. Bras. Bot.* **1.** Arbusto bignoniáceo (*Adenocalymma alliaceum*) cujo caule e folhas exalam forte cheiro de alho, sendo as flores alvas ou róseas, racemosas, e o fruto uma longa cápsula. Tem uso medicinal. **2.** Nome comum a trepadeiras arborescentes do gênero *Seguieria* (v. *seguiéria*), cujos pecíolos têm acúleos recurvados, e que exalam forte cheiro aliáceo; ibirarema, pau-d'alho. [Pl.: *cipós-d'alho*.]

cipó-de-beira-mar *S. m. Bras. Amaz. S. Bot.* Trepadeira mimosácea (*Entada polystachya*) lenhosa, de flores alvas ou esverdeadas, pequenas, reunidas em espigas curtas, dispostas em racimos paniculados, cujo fruto é vagem coriácea, achatada e articulada, com sementes arredondadas, e cujas raízes são consideradas medicinais. [Pl.: *cipós-de-beira-mar*.]

cipó de boi *S. m. Bras.* Rebenque fino de couro cru: "aos conhecidos que dormiam no tronco e aguentavam cipó de boi oferecia consolações: — 'Tenha paciência. Apanhar do governo não é desfeita'." (Graciliano Ramos, *Vidas Secas*, p. 39). [Pl.: *cipós de boi*.] ☑

cipó-de-cabaça *S. m. Bras. Bot.* V. *fava-de-santo-inácio-falsa* (1). [Pl.: *cipós-de-cabaça*.]

cipó-de-carijó *S. m. Bras. Bot.* V. *cipó-caboclo*. [Pl.: *cipós-de-carijó*.]

cipó-de-cobra *S. m. Bras. Bot.* **1.** Trepadeira aristoloquiácea (*Aristolochia barbata*) de folhas cordiformes, flores solitárias, esbranquiçadas, com manchas ferruginosas, e frutos capsulares; tem uso como antiofídico. [Sin.: *jarrinha*.] **2.** Trepadeira aristoloquiácea (*Aristolochia disticha*) de folhas membranosas, inflorescências em racemos e frutos capsulares. **3.** Trepadeira menispermácea (*Cissampellos glaberrima*) cuja raiz, tônica, febrífuga e estomáquica, é tb. us. como antiofídico. Tem flores amareladas e frutos drupáceos. [Sin.: *abutinha, abutua, batatinha-de-cobra, butua, butuinha, capeba, cipó-cobra, erva-de-nossa-senhora*.] **4.** V. *fava-de-santo-inácio-falsa* (1). [Pl.: *cipós-de-cobra*.]

cipó-de-copacabana *S. m. Bras. Bot.* V. *bacupari-cipó*. [Pl.: *cipós-de-copacabana*.]

cipó-de-imbé *S. m. Bras. L. S. C.O. Bot.* Designação comum a várias plantas aráceas, ornamentais, de flores masculinas e femininas, algumas verde-amareladas, frutos bacáceos e raízes consideradas cipós; cipó-imbé, fruto-de-imbé, guembê, imbé-de-comer. [Pl.: *cipós-de-imbé*.]

cipó-de-jabutá *S. m. Bras. Bot.* **1.** V. *fava-de-santo-inácio-falsa* (1). **2.** V. *castanha-mineira* (1). [Pl.: *cipós-de-jabutá*.]

cipó-de-jabuti *S. m. Bras. Bot.* V. *fava-de-santo-inácio-falsa* (1). [Pl.: *cipós-de-jabuti*.]

cipó-de-leite *S. m. Bras. N. a S. Bot.* Leite-de-cachorro. [Pl.: *cipós-de-leite*.]

cipó-de-mucuna *S. m. Bras. Bot.* V. *cipó-capador*. [Pl.: *cipós-de-mucuna*.]

cipó-de-paina *S. m. Bras. Bot.* V. *cipó-capador*. [Pl.: *cipós-de-paina*.]

cipó-de-são-joão [De *cipó* + *de* + o hag. *São João*.] *S. m. Bras. N. a S. Bot.* Designação comum a várias trepadeiras malpighiáceas e das bignoniáceas, ornamentais, de flores aveludadas e multicoloridas, e cujos frutos são longas cápsulas; flor-de-são-joão, marquesa-de-belas, belas, cipó-bela-flor. [Pl.: *cipós-de-são-joão*.]

cipó-de-sapo *S. m. Bras. Bot.* Trepadeira asclepiadácea (*Araujia sericifera*) de folhas membranosas, flores aromáticas, carnosas, róseas ou violáceas, e frutos comestíveis; agrícola-de-rama, cipó-de-seda, cipozinho-do-campo, paina-de-seda, seda-vegetal, timbó. [Pl.: *cipós-de-sapo*.]

cipó-de-seda *S. m. Bras. Bot.* V. *cipó-de-sapo*. [Pl.: *cipós-de-seda*.]

cipó-de-timbó *S. m. Bras. S. L. Bot.* V. *tinguí-capeta*. [Pl.: *cipós-de-timbó*.]

cipó-do-reino *S. m. Bras. L. a S. Bot.* Trepadeira ranunculácea (*Clematis campestris*) de caule delicado, flores pedunculadas, axilares, e fruto aquênio, sendo considerada narcótica e venenosa; barba-de-velho, vide-branca. [Pl.: *cipós-do-reino*.]

cipoense (ò) *Adj. 2 g.* **1.** De, ou pertencente ou relativo a Cipó (BA). ● *S. 2 g.* **2.** O natural ou habitante de Cipó.

cipó-escada *S. m. Bras. Bot.* Designação comum a várias trepadeiras cesalpiniáceas, do gênero *Bauhinia*, lenhosas e altas, de cipós sinuosos, que lembram uma escada, flores alvas, e cujos frutos são vagens coriáceas; escada-de-jabuti, mororó-cipó, unha-de-vaca. [Pl.: *cipós-escadas* e *cipós-escada*.]

cipó-imbé *S. m. Bras. Bot.* V. *cipó-de-imbé*. [Pl.: *cipós-imbés* e *cipós-imbé*.]

cipoíra (ò-í) [De or. tupi.] *S. m. Bras. PA Bot.* Trepadeira anonácea (*Guatteria scandens*) alta e arbustiva, de flores esverdeadas, cujo fruto é baga roxo-escura que contém sementes escuras e luzidias, com muitos sulcos longitudinais, e cujos caules, aromáticos, são objeto de comércio e têm uso na medicina doméstica.

cipó-jabutá *S. m. Bras. Bot.* **1.** V. *fava-de-santo-inácio-falsa* (1). **2.** V. *castanha-mineira* (1). [Pl.: *cipós-jabutás* e *cipós-jabutá*.]

cipolino [Do it. *cipollino*.] *S. m.* Mármore micáceo, de estrutura xistosa, de coloração branca com estrias verdes: "terraço ladrilhado de cipolino e ágata" (Eugênio de Castro, *Obras Poéticas*, I, p. 93).

cipó-mil-homens [De *cipó* + *mil* + o pl. de *homem*.] ***S. m. Bras. N. Bot.*** **1.** Designação comum a várias trepadeiras aristoloquiáceas, ornamentais, cujas flores apresentam formações e cores exóticas, e com algumas espécies consideradas medicinais; jarrinha, jarrinha-preta, jarrinha-arraia, mil-homens, mil-homens-do-rio-grande-do-sul, batatinha, flor-de-sapo. **2.** V. *serpentária*. [Pl.: *cipós-mil-homens*.]

cipó-mole ***S. m. Bras. Bot.*** V. *esporão-de-galo*. [Pl.: *cipós-moles*.]

cipó-seco ***S. m. Bras. Zool.*** V. *bicho-pau* (1). [Pl.: *cipós-secos*.]

cipó-suma [Do tupi.] ***S. m. Bras. Bot.*** V. *piriguara*[2]. [Pl.: *cipós-sumas* e *cipós-suma*.]

cipotá [De or. tupi, poss.] ***S. m. Bras. Bot.*** V. *castanha-mineira* (1).

cipotaia (ò) [De *cipó* + tupi = 'queimante, picante'.] ***S. m. Bras. Bot.*** Planta caparidácea (*Capparis urens*) trepadeira, com uso medicinal, nativa do Brasil.

cipotanense ***Adj. 2 g.*** **1.** De, ou pertencente ou relativo a Cipotânea (MG).● ***S. 2 g.*** **2.** O natural ou habitante de Cipotânea.

cipó-timbó ***S. m. Bras. N. a S. Bot.*** Designação comum a numerosas trepadeiras sapindáceas, lenhosas, de flores alvas ou rosadas, algumas ornamentais e malcheirosas; mata-fome, mata-peixe, timbó-amarelo, timbó-de-peixe, timbó-legítimo, tinguí. [Pl.: *cipós-timbós* e *cipós-timbó*.]

cipó-tracuá ***S. m. Bras. Bot.*** Planta arácea (*Philodendron myrmecophilum*) nativa da Amazônia. [Pl.: *cipós-tracuás* e *cipós-tracuá*.]

cipó-trindade ***S. m. Bras. Bot.*** V. *cipó-cravo*. [Pl.: *cipós-trindades* e *cipós-trindade*.]

cipó-vermelho ***S. m. Bras. Bot.*** **1.** V. *cipó-caboclo*. **2.** V. *cipó-d'água*. [Pl.: *cipós-vermelhos*.]

cipó-violeta ***S. m. Bras. MG SP Bot.*** Arbusto fabáceo (*Dalbergia variabilis*) de casca pardacenta, de madeira alva, sólida e compacta, própria para marcenaria, flores amarelas ou alvas, e frutos que são vagens; açapuva, braçadeira, jacarandá. [Pl.: *cipós-violetas* e *cipós-violeta*.]

cipozinho-do-campo (cipòzinho) ***S. m. Bras. Bot.*** V. *cipó-de-sapo*. [Pl.: *cipozinhos-do-campo*.]

cíprea [Do tax. *Cypraea*.] ***S. f. Zool.*** **1.** O gênero-tipo dos cipreídeos. **2.** Qualquer espécie desse gênero, como, p. ex., a *Cypraea moneta* e a *C. annulus* [v. *cauri* (1)]. **3.** Qualquer espécime desse gênero.

cipreídeo [Do tax. *Cypraea* (< mit. lat. *Cypria*, 'Vênus') + *-ídeo*[1]; tax. *Cypraeidae*.] ***Zool. S. m.*** **1.** Espécime dos cipreídeos, família de moluscos gastrópodes prosobrânquios, conhecidos na Europa como porcelanas. Têm grande pé achatado, tentáculos alongados, onde estão os olhos, sifão saliente e um manto dividido em lóbulos. A concha é ovoide, recoberta de esmalte brilhante. Compreende o gênero *Cíprea* (q. v.) e vizinhos.● ***Adj.*** **2.** Pertencente ou relativo a eles.

ciprestal [De *cipreste* + *-al*[1].] ***S. m.*** **1.** Quantidade mais ou menos considerável de ciprestes dispostos proximamente entre si. **2.** Área ocupada por ciprestal (1).

cipreste [Do lat. tard. *cypressu* (lat. clláss. *cupressus*), com infl. de *arcipreste*.] ***S. m.*** **1.** *Bot.* Designação comum a várias árvores cupressáceas, exóticas, ornamentais, de ramículos verde-amarelados, escuros, densos e plumosos, que levam cones oblongos, constituídos por escamas peltadas, rugosas e cinzentas; as sementes, aromáticas, são ovoides, aladas, de cor vermelho-clara ou castanho-avermelhada. [Sin.: *pinheiro-do-canadá*.] **2.** *Bot.* Árvore cupressácea (*Cupressus sempervirens*) cuja copa, estreita e esguia, tem ramificações terminais lineares; é dotada de pequenos estróbilos globulares, pendentes. [Sin.: *cedro-bastardo*, *cipreste-comum*, *cipreste-da-itália*, *cipreste-piramidal*.] **3.** *Bot.* Árvore cupressácea (*Chamaecyparis lawsoniana*) de copa piramidal e frondosa, e madeira forte e durável; cedro-branco, cedro-do-órégão, cipreste-de-lawson. **4.** *Bot.* Árvore cupressácea (*Cupressus goveniana*) de madeira aromática, de pouca utilidade; é us. para fixar dunas. **5.** *Bot.* Árvore cupressácea (*Calocedrus decurrens*) fornecedora de resina aromática; tem casca tanífera, avermelhada, madeira clara, folhas brilhantes, verde-escuras, e estróbilos ovoides, e é muito cultivada. [Sin.: *cedro-do-incenso*, *cedro-vermelho-do-órégão*.] **6.** *Bot.* Árvore cupressácea (*Thuja orientalis*) originária da China e do Japão, cujos estróbilos são eretos e ovoides, e cuja madeira tem grande durabilidade. [Sin.: *cedro*, *tuia-da-china*.] **7.** *Bot.* Árvore cupressácea (*Thuja plicata*) de até 50m, de madeira aromática e estróbilos ovoides; é muito cultivada pela folhagem, us. em floricultura e como cerca viva. [Sin.: *tuia-gigante*.] **8.** *Fig.* Morte, luto, dor.

cipreste-comum ***S. m. Bot.*** V. *cipreste* (2). [Pl.: *ciprestes-comuns*.]

cipreste-da-itália [De *cipreste* + *da*[1] + o top. *Itália*.] ***S. m. Bot.*** V. *cipreste* (2). [Pl.: *ciprestes-da-itália*.]

cipreste-de-lawson [De *cipreste* + *de* + o antr. (*Peter*) *Lawson* (criador e comerciante de plantas, na Escócia do séc. XIX).] ***S. m. Bot.*** V. *cipreste* (3). [Pl.: *ciprestes-de-lawson*.]

cipreste-piramidal ***S. m. Bot.*** V. *cipreste* (2). [Pl.: *ciprestes-piramidais*.]

cipridofobia [Do mit. gr. *Kýpris, idos*, 'Afrodite', + *-fobia*.] ***S. f. Psiq.*** **1.** Medo patológico de doença venérea. **2.** Medo patológico de relação sexual. [Sin. ger.: *venereofobia*.]

cipridofóbico [De *cipridofobia* + *-ico*[2].] ***Psiq. Adj.*** **1.** Relativo a cipridofobia. **2.** Que sofre de cipridofobia; cipridófobo, venereófobo.● ***S. m.*** **3.** Aquele que sofre de cipridofobia, cipridófobo, venereófobo. [Sin. ger.: *venereofóbico*.]

cipridófobo [Do mit. gr. *Kýpris, idos*, 'Afrodite', + *-fobo*.] ***Adj. S. m. Psiq.*** V. *cipridofóbico* (2 e 3). [Sin.: *venereófobo*.]

▲ciprin(i)- [Do lat. *cyprinus, i* < gr. *kyprînos, ou*.] ***El. comp.*** = 'carpa': *ciprinicultor, ciprinicultura*. [V. *ciprin(o)-*.]

ciprinicultor [De *ciprin(i)-* + *-cultor*.] ***S. m.*** Criador de carpas. [F. menos pref.: *ciprinocultor*.]

ciprinicultura [De *ciprin(i)-* + *-cultura*.] ***S. f.*** Criação de carpas. [F. menos pref.: *ciprinocultura*.]

ciprínida [De *ciprin(i)-* + *-ida*[1]; tax. *Cyprinidae*.] ***S. m. Adj. 2 g. Zool.*** V. *ciprinídeo*.

ciprinídeo [De *ciprin(i)-* + *-ídeo*[1]; tax. *Cyprinidae*.] ***Zool. S. m.*** **1.** Espécime dos ciprinídeos, família de peixes malacopterígios, cipriniformes, de água doce, corpo alongado, nadadeira dorsal única e a caudal dividida; podem apresentar dentes faríngeos. É a maior família de peixes, com enorme variedade de tamanho e colorido. São as carpas, os peixes-japoneses, os espadas, etc.● ***Adj.*** **2.** Pertencente ou relativo a eles. [Sin. ger.: *ciprínida*.]

cipriniforme [De *ciprin(i)-* + *-iforme*; tax. *Cypriniformes*.] ***Zool. S. m.*** **1.** Espécime dos cipriniformes, ordem de peixes ostariofisos, de água doce, com 6 famílias e mais de 2500 espécies.● ***Adj. 2 g.*** **2.** Pertencente ou relativo a eles.

▲ciprin(o)- [Do gr. *kyprînos, ou*.] ***El. comp.*** = 'carpa': *ciprinocultor, ciprinocultura, ciprinodonte*. [Equiv.: *-ciprino: microciprino*. V. *ciprin(i)-*.]

▲-ciprino Equiv. de *ciprin(o)-*.

ciprinocultor (ô) [De *ciprin(o)-* + *-cultor*.] ***S. m.*** V. *ciprinicultor*.

ciprinocultura [De *ciprin(o)-* + *-cultura*.] ***S. f.*** V. *ciprinicultura*.

ciprinodonte [De *ciprin(o)-* + *-odonte*; tax. *Cyprinodontes*.] ***Zool. S. m.*** **1.** Espécime dos ciprinodontes, ordem de peixes actinopterígios que engloba os ciprinodontídeos (q. v.).● ***Adj. 2 g.*** **2.** Pertencente ou relativo a eles. [Sin. ger.: *microciprino*.]

ciprinodontídeo [De *ciprin(o)-* + *-odont(o)-* + *-ídeo*[1]; tax. *Cyprinodontidae*.] ***Zool. S. m.*** **1.** Espécime dos ciprinodontídeos, família de peixes actinopterígios, ciprinodontes, de cabeça achatada e escamosa, boca protátil, linha lateral não distinta e nadadeiras ventrais pequenas ou ausentes. Há várias espécies vivíparas; habitam em águas doces e estuários dos grandes rios. São os barrigudinhos.● ***Adj.*** **2.** Pertencente ou relativo a eles. [Sin. ger.: *microciprino*.]

cíprio [Do gr. *Kýprios*, pelo lat. *Cypriu*.] ***Adj. S. m.*** Cipriota.

cipriota [Do it. *cipriòta*.] ***Adj. 2 g.*** **1.** De, ou pertencente ou relativo a Chipre, ilha do Mediterrâneo oriental. ● ***S. 2 g.*** **2.** O natural ou habitante de Chipre. [Sin. ger.: *cíprio*.]

cípsela [Do lat. cient. *cypsela* (do gr. *kypsélē*, es, 'vaso', 'caixa').] ***S. f. Bot.*** Aquênio procedente de ovário inferior com mais de um carpelo, como ocorre nas asteráceas e diplocáceas.

ciranda [De or. controvertida.] ***S. f.*** **1.** Peneira grossa com que se joeiram grãos de areia, etc. **2.** Dança de roda infantil, de origem portuguesa; cirandinha. **3.** *Bras.* Dança de roda, adulta, com trovas; cirandinha, sarandi.

cirandagem [De *cirandar* + *-agem*[2].] ***S. f.*** **1.** Ato de cirandar (1). **2.** Porção joeirada pela ciranda (1). **3.** Palhas, alimpaduras que voam da ciranda (1).

cirandar [De *ciranda* + *-ar*[2].] ***V. t. d.*** **1.** Passar pela ciranda (1); joeirar, peneirar. ***Int.*** **2.** Dançar a ciranda (2 e 3). ***T. c.*** **3.** Andar de um lado para outro; dar voltas: 📖 "A negra dançava sempre, cirandava pela sala" (Herman Lima, *Garimpos*, p. 22).

cirandinha [Dim. de *ciranda*.] ***S. f.*** V. *ciranda* (2 e 3).

circadiano [Do lat. *circa diem*, 'em torno do dia'.] ***Adj.*** ~ V. *ciclo — e ritmo —*.

circassiano ***Adj.*** **1.** Da, ou pertencente ou relativo à Circássia (região ao N. do Cáucaso).● ***S. m.*** **2.** O natural ou habitante dessa região.

circatejano [Do lat. *circa*, 'cerca, ao redor', + *Tejo*, top., + *-ano*[1].] ***Adj.*** Que é das margens do Tejo, rio que banha a Espanha e Portugal.

circeia (éi) [Do lat. *circaea* (do gr. *kirkaía*); tax. *Circaea*.] ***S. f. Bot.*** **1.** Gênero de plantas onagráceas, herbáceas, perenes, dotadas de flores alvas ou róseas, em racemos, e frutos indeiscentes, cobertos de pelos ásperos. **2.** Qualquer espécie desse gênero, como, p. ex., a *Circaea lutetiana*, de folhas ovais, flores alvas ou encarnadas, e de cujo rizoma, rasteiro, nascem caulículos simples; cresce em terrenos úmidos e sombrios, e é vulgarmente chamada *erva-de-santo-estêvão*. **3.** Qualquer espécime desse gênero, ou a flor dele.❖

circense [Do lat. *circense*.] ***Adj. 2 g.*** Pertencente ou relativo a circo. ~ V. *circenses*.

circenses [Pl. subst. de *circense*.] ***S. m. pl.*** Espetáculos de circo. ~ V. *circense*.

circinado [Do lat. *circinatu*.] ***Adj.*** **1.** *Bot.* Diz-se da prefoliação dos pteridófitos, na qual as folhas se mostram enroladas em espiral, do ápice à base; circinal. **2.** *Med.* Que tem lesões em forma de anel.

circinal [Do lat. *circinus* + *-al*[1].] ***Adj. 2 g. Bot.*** Circinado (1).

circo [Do lat. *circu*.] ***S. m.*** **1.** V. *círculo* (3). **2.** Grande anfiteatro onde os antigos se reuniam para jogos públicos; coliseu. **3.** Recinto circular, coberto, cercado de lona, todo desmontável, onde se realizam espetáculos de acrobacia, equitação, equilibrismo, palhaçadas, habilidades diversas, e cujos artistas formam um conjunto itinerante. [Sin.: *circo de cavalinhos* e (SP, pop.) *escavalinho*.] **4.** V. *cincho*[1] (1). **5.** *Bras. RS* Roda de pessoas a pé ou a cavalo, feita no campo para reunir o gado equino. [Quando o circo (5) tem obstáculos e outros relevos do solo, que dispensam a presença de pessoa para conter os animais, chama-se *mudador*.] **6.** Espetáculo: 📖 "De propósito, dispensei-me de acompanhar o circo armado pela televisão no caso da menina Isabela." (Rui Castro, em *Folha de S.Paulo*, 12.05.2008.) ◆ **Circo de cavalinhos.** V. *circo* (3). **Circo de erosão.** *Geol.* Anfiteatro de erosão. **Circo glacial.** *Geol.* Escavação de uma montanha, onde se acumulam a neve e o gelo. **Circo lunar.** *Astr.* Grande depressão circular na superfície da Lua, com centenas de quilômetros de diâmetro. **Ser de circo.** *Bras. Pop.* Ser esperto, muito experimentado; não se deixar lograr.

circuição (u-i) [Do lat. *circuitione*.] ***S. f. P. us.*** Ato de andar à roda.

circuitar (ùi) [De *circuito* + *-ar*[2].] ***V. int.*** **1.** Andar à roda; girar; circular. ***T. d.*** **2.** Andar à roda de: 📖 "Grupos erradios circuitavam a vivenda, esquadrinhando, curiosos, a horta maltratada" (Euclides da Cunha, *Os Sertões*, p. 481). **3.** Fazer a volta de; circundar: 📄 *Circuitou o muro e entrou pelo portão dos fundos.* **4.** Circundar; cercar: 📄 *Uma cerca viva circuitava a casa.*

circuito (úi) ***S. m.*** **1.** Contorno, periferia, circunferência. **2.** Linha que limita qualquer área fechada; perímetro. **3.** O que circunda; cinto, cerco, cerca: 📄 *um circuito de colinas.* **4.** Giro, volta: 📄 *Fez um grande circuito para chegar a sua casa.* **5.** V. *circuito de palavras*. **6.** Sucessão de fenômenos periódicos; ciclo. **7.** *Numism.* Exergo onde se grava a inscrição nas moedas e medalhas. **8.** *Eng. Elétr.* Conjunto de componentes passivos e ativos, e de fontes de força eletromotriz, ligados eletricamente entre si, e no qual existe pelo menos um caminho fechado ao longo das ligações e componentes; circuito elétrico. **9.** *Cin.* O conjunto das salas de projeção que exibem, simultaneamente, o mesmo filme ou o mesmo tipo de filme, ficam na mesma cidade, pertencem ao mesmo exibidor, etc. [Do lat. *circuitu*.] ◆ **Circuito analógico.** *Eletr.* Circuito elétrico cujo comportamento é análogo ao de um sistema de natureza não elétrica, como, p. ex., um sistema mecânico, um sistema acústico, etc. **Circuito ativo.** Circuito elétrico que contém elementos ativos, como válvulas, transistores ou circuitos integrados. **Circuito de palavras.** V. *circunlóquio*. [Tb. se diz apenas *circuito*.] **Circuito de tráfego.** *Aer.* Fluxo de tráfego aéreo estabelecido para aeronaves pousando ou taxiando num aeródromo ou dele decolando. **Circuito Eccles-Jordan.** *Eletrôn.* V. *circuito flip-flop*. **Circuito elétrico.** *Eletr.* Circuito (8). **Circuito fechado.** *Eletrôn.* **1.** Circuito que forma um caminho contínuo para a corrente elétrica. **2.** *Telev.* Sistema de televisão em que o vídeo e o áudio são transmitidos, usualmente por cabo, a determinados monitores. **Circuito filtro.** *Eletrôn.* O que tem por função permitir a passagem de correntes de determinada frequência, bloqueando a passagem de correntes de outras frequências. [Tb. se diz apenas *filtro*. Sin.: *filtro elétrico*.] **Circuito flip-flop.** *Eletrôn.* Circuito que tem dois estados estáveis e passa de um para o outro ao receber um sinal apropriado; circuito Eccles-Jordan, basculador, multivibrador biestável. [Tb. se diz apenas *flip-flop*.] **Circuito impresso.** *Eletrôn.* O que é construído por meio de técnicas análogas às da impressão gráfica: as conexões e alguns componentes são impressos ou depositados num chassi isolante, o que permite fazer o circuito muito compacto e resistente. **Circuito integrado.** *Eletrôn.* Circuito constituído de componentes miniaturizados, montados em uma pequena pastilha de silício, ou de outro material semicondutor. **Circuito isolador.** *Eletrôn.* Buffer (2). **Circuito lógico.** *Eletrôn.* Circuito capaz de efetuar, mediante combinação de sinais elétricos, as operações fundamentais da lógica simbólica. **Circuito lógico binário.** *Eletrôn.* Circuito lógico cuja operação se baseia em dois níveis discretos de tensão. **Circuito magnético.** *Eletr.* Caminho fechado em que existe um fluxo magnético. **Circuito passivo.** *Eng. Elétr.* Circuito elétrico que contém apenas elementos passivos, como resistores, capacitores, indutores e transformadores. **Circuito planar.** *Eng. Elétr.* Aquele que pode ser representado num plano, sem cruzamento de bipolos (q. v.). **Circuito push-pull.** *Eletrôn.* Aquele em que determinados sinais de entrada se adicionam na saída, enquanto outros são cancelados; balanceador.

circulação [Do lat. *circulatione.*] *S. f.* **1.** Ato ou efeito de circular[2]. **2.** Movimento contínuo; curso, marcha: *a circulação de água num radiador; a circulação de um boato.* **3.** V. *trânsito* (7). **4.** Passagem, movimentação, marcha: *Durante a recepção, a circulação dos garçons tornou-se muito difícil.* **5.** *Biol.* Transporte de líquidos e células que transmite a todas as partes do corpo de um animal substâncias nutritivas e metabólicas, gases respiratórios e elementos do sistema imunológico, e a um vegetal, pela seiva, substâncias nutritivas. **6.** *Mat.* A integral curvilínea do vetor de um campo vetorial ao longo de uma curva nesse campo. **7.** *Econ.* Complexo dos fenômenos que integram o ciclo transformativo dos capitais circulantes em novos capitais circulantes ou fixos. **8.** *Fisiol.* Circulação sanguínea. **9.** *Edit.* Quantidade de exemplares de um periódico distribuídos efetivamente em cada edição. ◆ **Circulação aberta.** *Fisiol.* Aquela em que o sangue circula através de vasos cujas extremidades abertas desembocam em lacunas entre os tecidos. **Circulação colateral.** *Med.* O conjunto das ramificações que seguem, mais ou menos, o trajeto do tronco vascular de onde se originam. [Obstruído esse tronco, sua falta pode ser compensada, parcial ou totalmente, pelas ditas ramificações.] **Circulação dupla.** *Fisiol.* Aquela em que o sangue passa duas vezes pelo coração. **Circulação fechada.** *Fisiol.* Aquela em que o sangue circula apenas no interior do coração e de vasos. **Circulação linfática.** *Fisiol.* Circulação da linfa por vasos linfáticos e linfonodos. **Circulação pulmonar.** *Fisiol.* Pequena circulação. **Circulação sanguínea.** *Fisiol.* **1.** Circulação (5) em que o sangue transporta nutrientes e gases para as células, e remove excreções por eles produzidas. **2.** Fluxo contínuo de sangue que vai do coração até as extremidades do corpo e vice-versa, através das artérias, veias e capilares. [Tb. se diz apenas *circulação.*] **Circulação simples.** *Fisiol.* Aquela em que o sangue passa uma só vez pelo coração. **Circulação sistêmica.** *Fisiol.* Grande circulação. **Grande circulação.** *Fisiol.* A que parte do ventrículo esquerdo e distribui o sangue por todo o corpo, retornando o sangue venoso para a aurícula direita; circulação sistêmica. **Pequena circulação.** *Fisiol.* Aquela em que o sangue parte do ventrículo direito e circula através dos pulmões, onde se processa a hematose (q. v.), regressando ao coração por meio das veias pulmonares, que deságuam na aurícula esquerda; circulação pulmonar.

circulada [De *circular*[2] + *-ada*[1].] *S. f. Fam.* Ato de circular ou locomover-se mais ou menos rapidamente durante algum tempo; volta, giro.

circulador (ô) [De *circular*[2] + *-dor.*] *Adj.* **1.** Que faz circular. ● *S. m.* **2.** Aparelho circulador (água, ar). **3.** *Eletrôn.* Girador de quatro polos, capaz de conduzir micro-ondas do polo A para o polo B, do polo B para o C, do C para o D, e do D para o A.

circulante [De *circular*[2] + *-nte.*] *Adj. 2 g.* **1.** Que circula. **2.** Que está em circulação (2, 3 e 4). ~ V. *ativo —, biblioteca —, capital — e meio —.* ● *S. m.* **3.** *Mat.* O determinante de ordem *n*, cujas linhas são constituídas pelas *n* permutações circulares, de $a_1, a_2, a_3 ... a_n$.

circular[1] [Do s. lat. *circulare.*] *Adj. 2 g.* **1.** Que tem forma de círculo; orbicular, encíclico. **2.** Respeitante a círculo. **3.** Que volta ao ponto de partida: *viagem circular.* **4.** Diz-se de carta, manifesto ou ofício que foi reproduzido e mandado a muitas pessoas. ~ V. *birrefringência —, cilindro —, cone —, demonstração —, função —, função — direta, função — inversa, permutação —, polarização —, recife —, satélite superficial —, segmento —, setor — e simetria —.* ● *S. f.* **5.** Carta, ofício ou manifesto circular[1] (4).

circular[2] [Do v. lat. *circulare.*] *V. t. d.* **1.** Fazer círculo próximo de; estar em volta de: *Conversava alegre com aqueles que o circulavam.* **2.** Guarnecer à roda; cercar: "Assentei-me no banco que circulava a mesa" (Aluísio Azevedo, *Demônios*, p. 153). **3.** Percorrer à roda; rodear: *As crianças corriam, circulando o lago.* *T. d. e i.* **4.** Colocar ao redor de: *O ourives circulou a aliança de esmeraldas.* *Int.* **5.** Mover-se circularmente, tornando ao ponto de partida: *Os carros circulavam velozmente no autódromo.* **6.** Renovar-se (o ar). **7.** Ter curso (moeda, título de crédito, etc.). *T. c.* **8.** Passar de mão em mão: *O espécime raro circulou entre os presentes.* **9.** Espalhar-se, propagar-se: *A notícia logo circulou por todo o país.* **10.** Locomover-se; transitar: *Circulou rapidamente entre os convidados, recolhendo-se em seguida.* **11.** Percorrer viajando; andar, viajar: *Circulou por toda a Europa durante seis meses.* **12.** Estar em circulação. [Pres. ind.: *circulo*, etc. Cf. *círculo*, s. m.]

circularidade [De *circular*[1] + *-(i)dade.*] *S. f.* Qualidade ou caráter de circular[1].

circularização [De *circularizar* + *-ção.*] *S. f. Cont.* Procedimento adotado pelo auditor para solicitar a confirmação de uma informação.

circularizar [De *circular* + *-ar*[2].] *V. t. d. Cont.* Realizar a circularização de.

circulatório [Do lat. *circulatoriu.*] *Adj.* **1.** Relativo ao movimento circular. **2.** Relativo à circulação (5 e 8): *distúrbio circulatório.* ~ V. *colapso — e sistema —.*

circulável [De *circular*[2] + *-vel.*] *Adj. 2 g.* Que circula [v. *circular*[2] (7)].

círculo [Do lat. *circulu.*] *S. m.* **1.** *Geom.* Região de um plano limitada por uma circunferência. **2.** *Geom. Impr.* V. *circunferência* (1). **3.** Linha ou movimento circular; circunferência, circo. **4.** Circunscrição territorial. **5.** Cinto, roda, anel. **6.** *Fig.* Área, extensão, limite: *círculo de relações; o círculo dos conhecimentos humanos.* **7.** V. *meio*[1] (7). **8.** *Fig.* Associação, assembleia, grêmio: *círculo literário; círculo de estudos.* [Cf. *circulo*, do v. *circular.*] ◆ **Círculo circunscrito.** *Geom.* **1.** Num triângulo, círculo que passa pelos três vértices. **2.** Num polígono regular, círculo que passa pelos seus vértices. **3.** Numa elipse, círculo que lhe é concêntrico e lhe tangencia, externamente, os vértices. [Sin. ger.: *circuncírculo.*] **Círculo de altura.** *Astr.* V. *almocântara.* **Círculo de confusão.** *Ópt.* Num sistema óptico corrigido, o menor círculo luminoso que é a imagem de um ponto luminoso. **Círculo de curvatura.** *Mat.* V. *círculo osculador.* **Círculo de declinação.** *Astr.* Círculo horário. **Círculo de fogo.** A faixa formada pelos vulcões ativos e extintos, ao longo da costa das Américas do Pacífico. **Círculo de iluminação.** *Astr.* Terminadouro. **Círculo de inclinação.** *Geofís.* V. *círculo de inclinação magnética.* **Círculo de inclinação magnética.** *Geofís.* Instrumento geomagnético capaz de medir a inclinação magnética, e no qual uma agulha imantada é capaz de girar em torno de um eixo horizontal. [Tb. se diz apenas *círculo de inclinação*; sin.: *bússola de inclinação.*] **Círculo de latitude.** *Astr.* **1.** No sistema de coordenadas eclípticas, círculo menor da esfera celeste, paralelo à eclíptica. **2.** No sistema de coordenadas geográficas, círculo menor da esfera terrestre, paralelo ao equador; paralelo de latitude; paralelo. **Círculo de longitude.** *Astr.* **1.** No sistema de coordenadas eclípticas, semicírculo máximo que passa pelos polos da eclíptica e pelo zênite do observador. **2.** No sistema de coordenadas geográficas, semicírculo máximo da esfera terrestre que passa pelos polos e pelo observador; meridiano local. **Círculo de posição.** **1.** *Náut.* Círculo imaginário traçado no globo terrestre, com centro no pé da vertical do astro observado e raio igual à altura do astro acima do horizonte do observador. [É o lugar geométrico das possíveis posições do observador.] **2.** *Mar. G.* Lugar geométrico das possíveis posições de navio ou força inimiga que, a partir de determinada posição conhecida, navegou em rumo desconhecido com determinada velocidade máxima conhecida. **Círculo de trânsito.** *Astr.* Círculo meridiano. **Círculo de Viena.** *Filos.* V. *positivismo lógico* (1). **Círculo diurno.** *Astr.* Círculo que uma estrela descreve em seu movimento diurno aparente sobre a esfera celeste. **Círculo dos nove pontos.** *Geom.* Num triângulo, círculo que passa pelos pontos médios dos lados, pelos pés das alturas e pelos pontos médios dos segmentos que unem os vértices à interseção das alturas. **Círculo excêntrico.** *Geom.* Qualquer dos círculos concêntricos a uma cônica central, e cujos diâmetros coincidem com os eixos da cônica. **Círculo exscrito.** *Geom.* Num triângulo, círculo tangente a um lado e aos prolongamentos dos outros dois. **Círculo fundamental.** *Astr.* Círculo máximo da esfera celeste, de plano perpendicular à linha dos polos de um dado sistema de referência. **Círculo galáctico.** *Astr.* Interseção do plano galáctico com a esfera celeste. **Círculo horário.** *Astr.* Círculo máximo da esfera celeste, que passa pelos polos e por um dado astro; círculo de declinação. **Círculo inscrito.** *Geom.* **1.** Num triângulo, círculo que tangencia seus três lados. **2.** Num polígono regular, círculo que lhe tangencia todos os lados. **3.** Numa elipse, o menor dos círculos que lhe são concêntricos e tangentes. **Círculo máximo.** Qualquer círculo traçado sobre a superfície de uma esfera e que tenha o mesmo raio que ela. [O equador, os meridianos, a eclíptica são círculos máximos na esfera terrestre.] **Círculo meridiano.** *Astr.* Instrumento astronômico fundamental, que dispõe de um círculo graduado de alta precisão, situado no plano do meridiano; círculo de trânsito. **Círculo osculador.** *Mat.* Círculo que passa por três pontos consecutivos de uma curva; círculo que tangencia uma curva e tem no ponto de tangência a mesma derivada segunda que a curva. [Sin.: *círculo de curvatura, circunferência osculatriz.*] **Círculos menores.** *Geom.* Círculos imaginários que cortam a esfera terrestre, sem passar pelo centro dela, e paralelos ao equador; paralelos. **Círculos polares.** *Geom.* Círculos menores, que limitam as zonas glaciais em ambos os hemisférios, denominados Círculo Polar Ártico, o do N., e Círculo Polar Antártico, o do S. **Círculo vicioso.** **1.** Sucessão de ideias ou fatos que retornam sempre à ideia ou ao fato inicial. **2.** *Lóg.* Demonstração ou definição de *A* por meio de *B* que, por sua vez, só se pode demonstrar por meio de *A*, ocorrendo uma dupla petição de princípio (q. v.); demonstração circular. [Cf., nesta acepç., *dialelo.*]

▲**circu(m)-** [Do lat. *circum-* < lat. *circum.*] *Pref.* = 'em redor', 'em volta'; 'perto de'; 'movimento ou situação em torno': *circum-adjacente, circumpolar.* [Equiv.: *circun-*: *circunvizinho.*] [É seguido de hífen quando anteposto a palavra iniciada por vogal, *h, m* ou *n*: *circum-adjacente, circum-hospitalar, circum-murado, circum-navegar.*]

circum-adjacente [De *circu(m)-* + *adjacente.*] *Adj. 2 g.* V. *circunvizinho* (1). [Pl.: *circum-adjacentes.*]

circum-ambiente [De *circu(m)-* + *ambiente.*] *Adj. 2 g.* Que está em volta (no ar). [Pl.: *circum-ambientes.*]

circum-horizontal [De *circu(m)-* + *horizontal.*] *Adj. 2 g.* V. *arco —.* [Pl.: *circum-horizontais.*]

circum-murado [De *circu(m)-* + *murado.*] *Adj.* Cercado de muro. [Pl.: *circum-murados.*]

circum-navegação [De *circum-navegar* + *-ção.*] *S. f.* Ato ou efeito de circum-navegar. [Pl.: *circum-navegações.*] ❖

circum-navegador (ô) [De *circum-navegar* + *-dor.*] *S. m.* Aquele que circum-navega. [Pl.: *circum-navegadores.*] ❖

circum-navegar [Do lat. tard. *circumnavigare.*] *V. t. d.* **1.** Rodear navegando. **2.** Navegar em volta de (a Terra, ou outro astro). ● *Int.* **3.** Navegar em volta do globo, duma ilha ou dum continente. **4.** Navegar em volta da Terra ou de outro corpo celeste. [Conjug.: v. *regar.*] ❖

circumplanetário [De *circu(m)* + *planetário.*] *Adj. Astr.* Diz-se do que está, ou se efetua, ao redor de um planeta. ~ V. *espaço —.*

circumpolar [De *circu(m)-* + *polar.*] *Adj. 2 g.* **1.** Que está ou se efetua, ou viceja, em volta do polo, ou perto dele: *viagem circumpolar; vegetação circumpolar.* **2.** *Astr.* Relativo aos astros que, para um dado lugar na superfície da Terra, ou nunca se põem, ou nunca nascem. ~ V. *estrela —.*

▲**circun-** Equiv. de *circu(m)-.*

circuncentro [De *circun-* + *centro.*] *S. m. Geom.* Centro do círculo circunscrito a uma curva.

circuncidado [Part. de *circuncidar.*] *Adj. S. m.* Circunciso.

circuncidar [Do lat. *circumcidere*, com mudança de conjug.] *V. t. d.* Praticar a circuncisão em.

circuncírculo [De *circun-* + *círculo.*] *S. m. Geom.* Círculo circunscrito.

circuncisão [Do lat. *circumcisione.*] *S. f.* **1.** *Rel.* Rito de iniciação, que consiste em cortar o prepúcio. **2.** *Rel.* Celebração da circuncisão de Cristo. **3.** *Fig.* Corte, supressão. **4.** *Impr.* V. *postectomia.* ◆ **Circuncisão feminina.** *Impr.* Clitoridotomia.

circuncisfláutico *Adj. Burl.* **1.** Pretensioso, presumido; amaneirado. **2.** Misterioso, enigmático. **3.** Triste, sorumbático.

circunciso [Do lat. *circumcisu.*] *Adj. S. m.* Diz-se de, ou aquele em quem se praticou a circuncisão; circuncidado.

circundado [Part. de *circundar.*] *Adj.* ~ V. *citação —a.*

circundamento [De *circundar* + *-mento.*] *S. m.* **1.** Ato ou efeito de circundar. **2.** Cerco, cinto, circuito.

circundante [Do lat. *circumdante.*] *Adj. 2 g.* Que circunda.

circundar [Do lat. *circumdare.*] *V. t. d.* **1.** Cercar, rodear, cingir: "Morros escalvados, contrastando com a vegetação luxuriante que circunda a casaria branca e acidentada." (Leopoldo Brígido, *Poemas do Tempo*, p. 99.) **2.** Envolver, cingir. **3.** Andar à volta de; rondar: *As damas de companhia circundavam a rainha.* **4.** Estar ou ficar em volta de: *A claridade da lua circundava o pequenino em seu leito.* *P.* **5.** Cercar-se, rodear-se: "Circunda-se de luto e de tristeza / E excede a melancólica Artemisa." (Cesário Verde, *Obra Completa*, p. 46). [É regular, embora formado de *dar.*]

circundução [Do lat. *circumductione.*] *S. f.* **1.** Rotação em torno de um centro ou eixo. **2.** *Ant. Jur.* Pena aplicada contra o autor duma ação que não comparecia a juízo, e que consistia na anulação da citação do réu.

circundutar [De *circunduto* + *-ar*[2].] *V. t. d. Ant. Jur.* Julgar nulo.

circunduto [Do lat. *circumductu*.] *Adj. Ant. Jur.* Que tem de repetir-se em virtude de anulação anterior.

circunferência [Do lat. *circumferentia*.] *S. f.* **1.** *Geom.* Lugar geométrico dos pontos de um plano equidistantes dum ponto fixo. [Tb. se diz, impr., *círculo*.] **2.** V. *círculo* (3). **3.** V. *circuito* (1). ◆ **Circunferência osculatriz.** *Mat.* V. *círculo osculador*.

circunferente [Do lat. *circumferente*.] *Adj. 2 g.* Que anda em redor; que gira.

circunflexão (cs) [Do lat. *circumflexione*.] *S. f.* Ato ou efeito de dobrar em arco.

circunflexo (cs) [Do lat. *circumflexu*.] *Adj.* **1.** De forma curva: "As suas sobrancelhas circunflexas punham-lhe dois acentos graves nos olhos ameaçadores" (Amadeu de Queirós, *Os Casos do Carimbamba*, p. 58). **2.** Diz-se de acento (^) que, em português, indica som fechado de vogal. ~ V. *acento* —. ● *S. m.* **3.** Esse acento. [Usa-se sobre *a*, *e* e *o*.]

circunfluência [Do lat. *circumfluentia*.] *S. f.* **1.** Qualidade de circunfluente. **2.** Movimento circular de um líquido ou de um fluido.

circunfluente [Do lat. *circumfluente*.] *Adj. 2 g.* Que circunflui.

circunfluir [Do lat. *circumfluere*.] *V. t. d.* **1.** Fluir ou correr em volta de. **2.** Transbordar; derramar. [Conjug.: v. *atribuir*.]

circunfundir [Do lat. *circumfundere*.] *V. t. d. e i.* **1.** Espalhar em volta. **2.** Derramar ou despejar em torno. *P.* **3.** Derramar-se; espalhar-se.

circunfuso [Do lat. *circumfusu*.] *Adj.* **1.** Espalhado em redor. **2.** *Poét.* Cercado, rodeado.

circungirar [De *circun-* + *girar*.] *V. t. d.* **1.** Girar em torno de: "— O tempo .... é bom para uns e ruim para outros — disse Orozimbo, circungirando os olhos pela sala" (Gastão Cruls, *De Pai a Filho*, p. 50). **2.** Percorrer, lendo. *Int.* **3.** Percorrer espaços à volta de um centro.

circunjacência [De *circunjacente* + *-ia*[2], como *adjacência*, seg. o padrão analógico.] *S. f.* Circunvizinhança (1 e 2).

circunjacente [Do lat. *circumjacente*.] *Adj. 2 g.* V. *circunvizinho* (1).

circunjazer [Do lat. *circumjacere*.] *V. t. d.* Estar em volta; ser circunvizinho. [Conjug.: v. *jazer*.]

circunlocução [Do lat. *circumlocutione*.] *S. f.* V. *circunlóquio*: "Há .... ocasiões em que um mísero rabiscador tem necessidade de fazer grandes volteios e circunlocuções sem fim" (Graciliano Ramos, *Linhas Tortas*, p. 18).

circunlóquio [Do lat. *circumloquiu*.] *S. m.* Rodeio de palavras; circuito, circuito de palavras, circunlocução, perífrase: "circunlóquios de todo o gênero, sendo mais aplaudidos os de maior rodeio" (Afonso Pena Júnior, *A Arte de Furtar e o Seu Autor*, II, p. 418).

circunlunar [De *circun-* + *lunar*.] *Adj. 2 g. Astr.* Diz-se do que está, ou se efetua, ao redor da Lua: *a órbita circunlunar de um satélite.* [Cf. *lunar*.] ~ V. *espaço* —.

circunscrever [Do lat. *circumscribere*.] *V. t. d.* **1.** Descrever uma linha em torno de. **2.** Abranger, conter: *Durante o Império, a Igreja circunscrevia as leis civis.* **3.** Limitar, restringir: *O governador circunscreveu a autoridade dos seus auxiliares.* **4.** Impedir que se propague; isolar, limitar: "o dever da sociedade, perante uma epidemia, é circunscrevê-la, isolá-la" (Eça de Queirós, *Ecos de Paris*, p. 190). *T. d. e i.* **5.** Descrever, traçar em redor. **6.** Limitar, restringir, cingir: "Reduzir o estudo do passado à biografia dos homens ilustres e à narrativa dos feitos retumbantes seria absurdo tão desmedido como circunscrever a geografia ao estudo das montanhas." (Alcântara Machado, *Vida e Morte do Bandeirante*, p. 23.) *T. d. e c.* **7.** Impor determinada extensão a: *Circunscreveram a quarentena à região do porto.* *P.* **8.** Limitar-se; restringir-se. [Part. irreg.: *circunscrito*.]

circunscrição [Do lat. *circumscriptione*.] *S. f.* **1.** Ação ou efeito de circunscrever(-se). **2.** Linha que circunscreve por todos os lados uma superfície. **3.** Divisão territorial: *circunscrição eleitoral.* **4.** *Geom.* Ação de circunscrever uma figura a outra.

circunscritivo [Do lat. *circumscriptus*, part. pass. de *circumscribere*, 'circunscrever', + *-ivo*.] *Adj.* Que circunscreve ou limita.

circunscrito [Do lat. *circumscriptu*.] *Adj.* **1.** Limitado totalmente por uma linha: *triângulo circunscrito; área circunscrita.* **2.** Restringido, restrito, limitado. **3.** Que tem limites determinados; localizado: *tumor circunscrito.* ~ V. *ângulo* — e *círculo* —.

circunsessão [Do lat. ecles. *circumsessione*.] *S. f. Teol.* União íntima das três pessoas divinas, no mistério da Trindade.

circunsoante [Do lat. *circumsonante*, part. pres. do lat. *circumsonare*.] *Adj. 2 g.* Que soa em torno.

circunsolar [De *circun-* + *solar*[3].] *Adj. 2 g. Astr.* Diz-se do que está, ou se efetua, ao redor do Sol, ou perto dele.

circunspeção [Var. de *circunspecção*.] *S. f.* **1.** Qualidade ou modos de circunspeto. **2.** Exame demorado de um objeto, considerado por todos os lados; atenção. **3.** Prudência, ponderação; critério: *O assunto foi estudado com muita circunspeção.*

circunspecção [Do lat. *circumspectione*.] *S. f.* V. *circunspeção*.

circunspecto [Do lat. *circumspectu*.] *Adj.* V. *circunspeto*.

circunspeto [Var. de *circunspecto*.] *Adj.* **1.** Que olha à volta de si. **2.** Que procede com circunspeção; ponderado, prudente. **3.** Sério, sisudo, grave. **4.** Que revela circunspeção: *palavras circunspetas.*

circunstância [Do lat. *circumstantia*.] *S. f.* **1.** Situação, estado ou condição de coisa(s) ou pessoa(s), em determinado momento: *Na circunstância em que nos achamos, temos de agir com cautela.* **2.** Particularidade, acidente, que acompanha um fato, uma situação: *circunstâncias atenuantes; circunstâncias agravantes (de um crime)*; "Notarei a circunstância de que Camilo Castelo Branco parecia temer, por um antigo pressentimento, a desgraça da cegueira, que o arrastou ao suicídio." (Alberto Pimentel, *O Romance do Romancista*, p. 287). **3.** Caso, condição; hipótese: *Só nesta circunstância aceito o seu ponto de vista.* **4.** Causa, motivo: *Circunstâncias particulares impediram-me de atendê-lo.* [Cf. *circunstancia*, do v. *circunstanciar*.] ◆ **Circunstância excludente.** *Jur.* Aquela que, como a legítima defesa, o estrito cumprimento do dever legal, etc., exclui o caráter criminal ou injurídico de um fato. **Circunstância isentiva.** *Jur.* A que isenta, que é dirimente. **De circunstância.** *Bras.* **1.** Importante, grave, ponderoso: "Seu relógio. Sua roupa. / Seus papéis de circunstância." (Carlos Drummond de Andrade, *Reunião*, p. 72.) **2.** Próprio de ocasiões solenes, de cerimônias: *traje de circunstância.*

circunstanciadamente [Do f. de *circunstanciado* + *-mente*.] *Adv.* De modo circunstanciado, pormenorizado.

circunstanciado [Part. de *circunstanciar*.] *Adj.* Enunciado com todas as circunstâncias; pormenorizado, minuciado: "Pelas mútuas e circunstanciadas descrições que trocamos das nossas vivendas, de nossos gostos ...., podemos, como Silfo e Sílfide, visitar-nos de contínuo." (Antônio Feliciano de Castilho, *Amor e Melancolia*, p. 258).

circunstancial [De *circunstância* + *-al*[1].] *Adj. 2 g.* Relativo a, ou resultante de circunstância. ~ V. *complemento* — e *prova* —.

circunstancialidade [De *circunstancial* + *-(i)dade*.] *S. f.* Qualidade ou caráter de circunstancial.

circunstanciar [De *circunstância* + *-ar*[2].] *V. t. d.* **1.** Expor as circunstâncias de (um fato). **2.** Pormenorizar; esmiuçar. [Pres. ind.: *circunstancio*, *circunstancias*, *circunstancia*, etc. Cf. *circunstância*.]

circunstante [Do lat. *circumstante*.] *Adj. 2 g.* **1.** Que está à volta; circunjacente: "O seu vulto se destacava contra o panorama circunstante." (Saboia Ribeiro, *Contos do Cacau*, p. 135.) ● *S. 2 g.* **2.** Pessoa que está presente. ~ V. *circunstantes*.

circunstantes [Pl. de *circunstante*.] *S. m. pl.* As pessoas que estão à volta; os presentes; a assistência. ~ V. *circunstante*.

circunstar [Do lat. *circumstare*.] *V. t. d.* **1.** Estar em volta de. **2.** Estar à vista ou perto de. *Int.* **3.** Estar em volta. **4.** Estar à vista, ou perto. [Conjug.: v. *estar*.]

circunterrestre [De *circun-* + *terrestre*.] *Adj. 2 g. Astr.* **1.** Diz-se de astro, nave ou veículo espacial que gira ao redor da Terra. **2.** Diz-se do que se efetua ao redor da Terra.

circuntropical [De *circun-* + *tropical*.] *Adj. 2 g.* Que ocorre nos trópicos ou próximo deles.

circunvagante [De *circunvagar* + *-nte*.] *Adj. 2 g.* Que circunvaga.

circunvagar [Do lat. **circumvagare*.] *V. t. d. T. d. e c.* **1.** Andar em torno de. **2.** Mover em roda; fazer girar: "Ele circunvagou os olhos por todas aquelas caras compungidas, como a pedir piedade" (Macedo Miranda, *Pequeno Mundo outrora*, p. 43). *Int. T. c.* **3.** Andar sem destino, à toa; divagar. [Conjug.: v. *largar*. Pres. ind.: *circunvago*, etc. Cf. *circúnvago*.]

circúnvago [Do lat. *circumvagu*.] *Adj. Poét.* Que vagueia em torno; que rodeia. [Cf. *circunvago*, do v. *circunvagar*.]

circunvalação [De *circunvalar* + *-ção*.] *S. f. Fort.* **1.** Fosso, vala com parapeito, que interrompe as comunicações de uma praça forte com o exterior. **2.** Obstáculos em volta de uma povoação.

circunvalar [Do lat. *circumvallare*.] *V. t. d.* **1.** Cercar de fossos, valados, barreiras. **2.** *Fort.* Cercar, procurando defender ou proteger. **3.** Cercar, rodear. *P.* **4.** *Fort.* Cercar-se, para se defender. **5.** Cercar-se, rodear-se.

circunver [De *circun-* + *ver*[1].] *V. t. d.* Ver em torno, ver por todos os lados: *Do alto da montanha, circunvia o soberbo panorama.* [Irreg. Conjug.: v. *ver*.]

circunvizinhança [De *circun-* + *vizinhança*.] *S. f.* **1.** Adjacência, proximidade, vizinhança. **2.** Arredores de uma povoação; arredores, cercania(s): "À tarde Jana espaireceu nas circunvizinhanças" (Xavier Marques, *Jana e Joel*, p. 99). [Sin., nessas acepçs.: *circunjacência*.] **3.** População vizinha.

circunvizinhar [De *circunvizinho* + *-ar*[2].] *V. t. d.* Estar na circunvizinhança, nos arredores de; ser circunvizinho de.

circunvizinho [Do lat. tard. **circumvicinu*.] *Adj.* **1.** Que está próximo ou em redor; circum-adjacente, circunjacente: "Olinda abrigava as velhas famílias possuidoras dos latifúndios circunvizinhos" (Sousa Bandeira, *Evocações e Outros Escritos*, p. 64). **2.** Confinante, limítrofe.

circunvoar [Do lat. *circumvolare*.] *V. t. d.* **1.** Voar em torno de. **2.** Mover em roda; circunvagar: *circunvoar o olhar, a vista.* *Int.* **3.** Voar em torno. [Conjug.: v. *coroar*.]

circunvolução[1] [Do lat. **circumvolutione*.] *S. f.* **1.** Movimento à volta de um centro. **2.** Contorno sinuoso; saliência ondulosa: *as circunvoluções dos intestinos.* **3.** *Arquit.* Voltas da coluna torcida e da voluta jônica.

circunvolução[2] [Do lat. cient. *circumvolutio*.] *S. f. Anat.* Saliência sinuosa na superfície cerebral.

circunvolver [Do lat. *circumvolvere*.] *V. t. d.* Volver ou mover em roda; circunvagar: *Circunvolveu o olhar e nada viu.*

circunzenital [De *circun-* + *zenital*.] *Adj. 2 g. Astr.* Que está em volta do zênite. ~ V. *arcos circunzenitais*.

➔**ciré** [si'ʁe] [Fr., 'encerado'.] *Adj. Tec. Têx.* Diz-se de acabamento de tecido, feito com calandra a alta temperatura e pressão, ao qual se aplica cera, o que proporciona uma superfície muito lisa e de aspecto brilhante.

cirê [Do cabo-verd.] *S. m. Cabo-verd.* Mistura de tabaco torrado e moído, manteiga e ingredientes aromáticos ger. utilizada por mulheres idosas, que a introduzem na boca, contra os dentes do maxilar inferior: "Essas criadas, essas criadas. Só querem pôr cirê na boca, deitar cuspo preto pelos cantos e falar asneirada." (Orlanda Amarílis, *Ilhéu dos Pássaros*, p. 94.)

cirenaico[1] [Do gr. *kyrenaikós*, pelo lat. *cyrenaicu*.] *Adj.* **1.** *Hist. Filos.* Pertencente ou relativo ao cirenaísmo. ~ V. *escola* —*a*. ● *S. m.* **2.** Partidário do cirenaísmo.

cirenaico[2] [Do top. *Cirenaica*.] *Adj.* **1.** Da, ou pertencente ou relativo à Cirenaica, região da Líbia (África). **2.** Cireneu (1). ● *S. m.* **3.** O natural ou habitante da Cirenaica. **4.** Cireneu (2).

cirenaísmo [Do antr. (*Aristipo de*) *Cirene* (v. *cireneu*) + *-ismo*.] *S. m. Hist. Filos.* Doutrina da escola cirenaica, ou escola de Cirene, fundada pelo discípulo de Sócrates, Aristipo de Cirene (séc. V a. C.), e de seus seguidores, cujo tema central é o hedonismo; escola hedonística.

cireneu [Do gr. *kyrenaîos*, pelo lat. *cyrenaeu*.] *Adj.* **1.** De, ou pertencente ou relativo a Cirene, antiga cidade e colônia grega na Cirenaica (v. *cirenaico*[2]); cirenaico. ● *S. m.* **2.** O natural ou habitante de Cirene; cirenaico. **3.** *Fig.* Aquele que auxilia, principalmente em trabalho penoso: "Não faltaram aqui os cireneus para a cruzada higiênica" (Ricardo Jorge, *Sermões dum Leigo*, p. 289). [Fem.: *cireneia*.]

cirial [De *círio* + *-al*[1].] *S. m.* Castiçal alto, terminado na parte superior em lanterna, e que se conduz com vela acesa, ao lado da cruz alçada: "Ciriais de prata luzem sobre o altar" (Eugênio de Castro, *Obras Poéticas*, I, p. 115). [Cf. *cereal*.]

ciriaquense *Adj. 2 g.* **1.** De, ou pertencente ou relativo a Ciríaco (RS). ● *S. 2 g.* **2.** O natural ou habitante de Ciríaco.

cirieiro [De *círio* + *-eiro*.] *S. m.* Vendedor ou fabricante de círios ou velas. [Fem.: *cirieira*. Cf. *cereiro* e *cerieira*.]

cirigado *Adj. Bras. N.E.* Diz-se do gado pintado ou pontoado.

ciriláceа [Do tax. *Cyrilla* (do antr. [*Domenico*] *Cyrillo* [1739-1799], médico e botânico italiano), + *-ácea*; tax. *Cyrillaceae*.] *S. f. Bot.* Espécime das ciriláceas, família de plantas da ordem das sapindales, que leva flores pentâmeras, com androceu diplostêmone e gineceu com dois a cinco carpelos, estes concrescidos em ovário quinquelocular com um óvulo por loja. Compreende cinco espécies de plantas lenhosas, da América do Norte e do Sul.

ciriláceo [De *cirilácea*, com var. suf. (v. *-áceo*).] *Adj. Bot.* Pertencente ou relativo às ciriláceas.

cirílico [Do antr. *Cirilo*, do monge bizantino (827-869); a quem se atribui a invenção dos caracteres cirílicos.] *Adj.* **1.** Diz-se do alfabeto cirílico. ~ V. *alfabeto* —. ● *S. m.* **2.** Alfabeto cirílico (q. v.).

cirilização [De *cirilizar* + *-ção*.] *S. f.* Ato ou efeito de cirilizar.

cirilizar [De *cirílico* + *-izar*, seg. o padrão erudito.] *V. t. d.* Dar a notação do alfabeto cirílico a.

círio [Do lat. *cereu*.] *S. m.* **1.** Vela[3] (3) grande, de cera. **2.** Procissão que, partindo de determinado lugar, vai levar um círio a outro lugar. [Cf., nesta acepç., *ladairo* e *sírio*.]

círio-de-nossa-senhora [De *círio* + *de* + o epíteto *Nossa Senhora*, de *Maria* (v. *mariano*).] *S. m. Bot.* **1.** Planta liliácea (*Yucca gloriosa*) ornamental, de flores alvas, luzidias, inodoras, dispostas em panículas, e fruto capsular, com muitas sementes. **2.** V. *lírio-do-vale* (1). [Pl.: *círios-de-nossa-senhora*.]

círio-do-norte *S. m. Bot.* Planta enoterácea (*Oenothera biennis*) ornamental, de flores abundantes, com pétalas amarelo-claras, obcordadas, cálice avermelhado, dispostas em longos racimos terminais foliosos. O fruto é cápsula séssil, comprida, sulcada, com semente pequena, castanha. [As flores abrem-se à tardinha e conservam-se abertas até pela manhã. Sin.: *boa-tarde*. Pl.: *círios-do-norte*.]

ciriologia [Do gr. *kyriología*.] *S. f.* Emprego exclusivo de expressões próprias.

ciriológico [Do gr. *kyriologikós*.] *Adj.* Relativo à ciriologia.

ciriringa [Do tupi.] *S. f. Bras. AM* **1.** Ar expirado do fundo da água e que sobe em bolhas à superfície. **2.** Água tremente em consequência da passagem dos peixes.

cirofórias [Adapt. do gr. *Skirophória*.] *S. f. pl.* Na antiga Atenas, festas em honra da deusa Atena, celebradas no mês de ciroforíon.

cirofório *S. m. Cronol.* V. *ciroforíon*.

ciroforíon [Do gr. *Skirophorión*.] *S. m. Cronol.* O décimo segundo mês do calendário grego, com 29 dias, que correspondia aproximadamente ao mês de junho do calendário gregoriano.

▲**cirr(i)-** [Do lat. *cirrus, i*.] *El. comp.* = 'cirro[1]': *cirroso, cirrífero*.

cirrífero [De *cirr(i)-* + *-fero*.] *Adj.* Que tem cirro(s).

cirriforme [De *cirr(i)-* + *-forme*.] *Adj. 2 g.* Que tem forma de cirro.

cirrípede [De *cirr(i)-* + *-pede*; tax. *Cirripedia*.] *Zool. S. m.* **1.** Espécime dos cirrípedes, subclasse dos crustáceos: animal hermafrodito, cujas formas adultas vivem, em geral, fixas nas rochas, cascos de navio, pilares e algas. Protegidos por uma carapaça calcária, recebem o nome de cracas ou caracas. Algumas espécies são parasitas de caranguejos e moluscos. ● *Adj. 2 g.* **2.** Pertencente ou relativo a eles.

cirro[1] [Do lat. *cirru*.] *S. m.* **1.** *Bot.* Apêndice filiforme pelo qual algumas plantas se ligam aos elementos vizinhos. **2.** *Met.* Nuvem constituída de cristais de gelo dispostos em pequenos filamentos brancos ou estreitas faixas da mesma cor, e situada a grandes altitudes (6.000 a 12.000m): 📖 "Já os horizontes .... começavam a se encher de sangue e os duros cúmulos de alabastro iam se desfazendo em cirros, se alongando em estratos." (Pedro Nava, *Baú de Ossos*, p. 313). **3.** *Zool.* Penugem em redor das ventas de certas aves. **4.** *Zool.* Cerdas mais fortes de alguns invertebrados. **5.** *Zool.* Cada um dos tentáculos labiais de alguns peixes, formado pela pele que recobre a mandíbula. **6.** *Zool.* Organela dos protozoários ciliados, formada pela difusão de grupos de cílios, com função locomotora. **7.** *Zool.* Órgão copulador de vermes platelmintos, principalmente trematódeos.

cirro[2] [Do gr. *skírrhos*, 'tumor', pelo lat. *scirrhos*.] *S. m. Patol.* Câncer com abundante tecido fibroso.

cirro[3] *S. m.* Respiração estertorosa; sarrido: 📖 "D. Júlia, imóvel, ... a boca entreaberta, seca, deixando ver os dentes, ralava com o cirro." (Coelho Neto, *Turbilhão*, p. 317).

▲**cirr(o)-** [Do gr. *kirrós, á, ón*, 'amarelado'.] *El. comp.* = 'amarelo cor de palha': *cirrose*.

cirro-cúmulo [De *cirro[1]* + *cúmulo*.] *S. m. Met.* Nuvem fina e branca, formada de elementos com aspecto de grânulos dispostos em fiadas, e situada a grandes altitudes (6.000 a 12.000m). [Sin.: *cúmulo-cirro*. Pl.: *cirros-cúmulos* e *cirros-cúmulo*.]

cirro-estrato [De *cirro[1]* + *estrato*.] *S. m. Met.* Nuvem que lembra um véu esbranquiçado, por vezes de aspecto fibroso, situada a grandes altitudes (6.000 a 12.000m). [É constituída de cristais de gelo, e não raro dá lugar à formação de halos. Sin.: *estrato-cirro*. Pl.: *cirros-estratos* e *cirros-estrato*.]

cirrose [De *cirr(o)-* + *-ose[1]*.] *S. f. Patol. Med.* **1.** *P. us.* Inflamação intersticial crônica de qualquer órgão: 🗎 *cirrose pulmonar*. **2.** Doença crônica do fígado, da qual existem alguns tipos, caracterizada pela associação de lesão dos hepatócitos, desenvolvimento excessivo de tecido conjuntivo e formação de nódulos de regeneração; cirrose hepática. ◆ **Cirrose hepática.** *Patol. Med.* Cirrose (2).

cirrosidade [De *cirroso[2]* + *-(i)dade*.] *S. f. Med.* **1.** Qualidade de cirroso[2]. **2.** Tumor cirroso.

cirroso[1] (ô) [De *cirro[1]* + *-oso*.] *Adj.* **1.** Que tem cirro[1] (2). **2.** *Bot.* Que apresenta cirro[1] (1): 🗎 *folha cirrosa*. ~ V. *folha —a*.

cirroso[2] (ô) [De *cirro[2]* + *-oso*.] *Adj. Med.* Semelhante ao cirro[2], ou da natureza dele.

cirrótico [De *cirr(ose)* + *-ótico*.] *Adj.* Relativo à, ou da natureza da cirrose.

cirtópode [Do gr. *skirtopódes*, 'que tem pés que saltam'; tax. *Scirtopoda*.] *Zool. S. m.* **1.** Espécime dos cirtópodes, segundo alguns autores, ordem de animais metazoários, rotíferos, de corpo provido de apêndices setiformes movidos por músculos estriados, e cauda ausente ou representada por um par de apêndices ciliados. ● *Adj. 2 g.* **2.** Pertencente ou relativo a eles.

cirurgia [Do gr. *cheirourgía*, pelo lat. *chirurgia*.] *S. f.* **1.** Ramo da medicina que, total ou parcialmente, trata doenças ou contribui para diagnosticá-las, por meio de operações [v. *operação* (4)]. **2.** *Impr.* Operação (4). ◆ **Cirurgia bariátrica.** *Cir.* Grupo de intervenções cirúrgicas que se destinam a promover a perda de peso, mediante restrição à quantidade de alimento a ser ingerida ou a ser absorvida, sendo indicadas em pacientes com alto grau de obesidade. **Cirurgia estética.** *Cir.* A que tem por fim o embelezamento. **Cirurgia plástica.** *Cir.* A que visa modificar, embelezando-a, uma parte do corpo humano. [Tb. se diz apenas *plástica*.] **Cirurgia reconstrutora.** *Cir.* A que visa reconstituir uma parte externa do corpo humano deformada por enfermidade, traumatismo, ou anomalia congênita; cirurgia reparadora. **Cirurgia reparadora.** *Cir.* Cirurgia reconstrutora.

cirurgião [Do lat. **chirurgianu*.] *S. m.* **1.** Médico que exerce a cirurgia; médico-cirurgião, operador. [Fem.: *cirurgiã*.] **2.** *Zool.* V. *barbeiro* (7). [Pl.: *cirurgiões* e *cirurgiães*.] ◆ **Cirurgião plástico.** O que se dedica à cirurgia plástica.

cirurgião-dentista *S. m.* V. *dentista*. [Pl.: *cirurgiões-dentistas* e *cirurgiães-dentistas*.]

cirúrgico [Do gr. *cheirourgikós*, pelo lat. *chirurgicu*.] *Adj.* Pertencente ou relativo a cirurgia, ou nela usado: 🗎 *tratamento cirúrgico*; *centro cirúrgico*; *instrumento cirúrgico*. ~ V. *campo —, desbridamento —, diatermia —a, intervenção —a* e *peça —a*.

cis *Adj. 2 g. e 2 n. S. m. 2 n. Quím.* Designação de estereoisômeros nos quais dois substituintes iguais (ou hidrogênios), em dois estereocentros distintos, estão 'no mesmo lado' (do plano de um ciclo, ou de um plano que contenha o eixo, mas não os substituintes, de uma ligação dupla). [O termo se aplica a derivados de cicloalcanos e a alcenos. Opõe-se a *trans*.]

▲**cis-[1]** [Do lat. *cis-* < lat. *cis*.] *Pref.* = '(posição) aquém'; 'no limite de': *cisalpino, cisandino, cisbordo, cistagano*. [Usa-se sempre sem hífen.].

▲**cis-[2]** *Quím. Pref.* **1.** Indica isômero *cis*: *cis-butenodioico*. [Sempre us. seguido de hífen.] **2.** Us. na formação de nomes de compostos que são isômeros do tipo cis: *ácido cis-butenodioico*. [Nesta acepç., usa-se ger. seguido de hífen.]

cisalha [Do lat. **cisalia*, do lat. *caedere*, 'cortar'.] *S. f. Encad.* V. *tesourão* (1). ~ V. *cisalhas*.

cisalhamento [De **cisalhar* (< lat. **cisalia* < lat. *caedere*, 'cortar') + *-mento*.] *S. m. Fís.* Deformação que sofre um corpo quando sujeito à ação de forças cortantes.

cisalhar [De *cisalha* + *-ar[2]*.] *V. t. d.* **1.** *Encad.* Cortar (papel, cartão, etc.). **2.** *Fís.* Romper por cisalhamento.

cisalhas [Do fr. *cisaille(s)*.] *S. f. pl.* Aparas ou pequenos fragmentos de metal. ~ V. *cisalha*.

cisalpino [Do lat. *cisalpinu*.] *Adj.* Situado aquém dos Alpes, cordilheira da Europa ocidental (em relação a Roma). [Antôn.: *transalpino*.]

cisandino [De *cis-[1]* + *andino*.] *Adj.* Situado aquém da cordilheira dos Andes (América do Sul). [Antôn.: *transandino*.]

cisão [Var. de *cissão* (q. v.).] *S. f.* **1.** Ato ou efeito de cindir. **2.** Divergência, desacordo, dissensão: 🗎 *Antes do jogo houve uma cisão entre os dirigentes do clube*. **3.** [Cf. *cisma*.] Separação do corpo de um partido, de uma sociedade, de uma doutrina. **4.** *Econ.* Transferência de parcelas do patrimônio de uma empresa a uma ou mais sociedades, já existentes ou constituídas para essa finalidade, extinguindo-se a empresa cindida se houver transferência de todo o seu patrimônio. ◆ **Cisão nuclear.** *Fís. Nucl.* V. *fissão* (4).

cisatlântico [De *cis-[1]* + *atlântico*.] *Adj.* Situado aquém do Atlântico. [Antôn.: *transatlântico*.]

cisbordo (ô) [De *cis-[1]* + *bordo*.] *S. m. Ant. Constr. Nav.* Grande abertura, com porta, no costado de certos navios, à altura de um pavimento, para embarque ou desembarque de objetos pesados ou de grandes dimensões; resbordo.

ciscada [De *cisco* + *-ada[1]*.] *S. f.* Porção de cisco; ciscalho. ◆ **Dar uma ciscada.** *Bras. Pop.* Procurar, buscar, pesquisar, por alto.

ciscador (ô) [De *ciscar* + *-dor*.] *Adj.* **1.** Que cisca. ● *S. m.* **2.** *Bras.* Utensílio de ferro, com longo cabo de madeira, para juntar detritos vegetais e outros; ancinho.

ciscalhada [De *ciscalho* + *-ada[1]*.] *S. f.* **1.** Porção de ciscalho (2). **2.** Aglomeração de algas e detritos doutras plantas. [Sin. ger.: *ciscalhagem, cisqueiro*.]

ciscalhagem [De *ciscalho* + *-agem[2]*.] *S. f.* V. *ciscalhada*.

ciscalho [De *cisco* + *-alho*.] *S. m.* **1.** Ciscada. **2.** Lixo que se junta varrendo; varredura. **3.** Carvão de refugo.

ciscar[1] [De *cisco* + *-ar[2]*.] *V. t. d.* **1.** Limpar de cisco, gravetos, etc. **2.** Revolver o cisco de: 📖 "Dois jumentos comiam ramagens das jitiranas e mais longe uma galinha ciscava a relva ressequida, com a ninhada em volta." (O. G. Rego de Carvalho, *Somos Todos Inocentes*, p. 125.) **3.** Esgaravatar à maneira das aves. **4.** Juntar (folhas secas e outros detritos) com o ciscador. *T. d. e i.* **5.** Limpar; desinçar: 🗎 *Ciscou a plantação de ervas daninhas*. *T. d. e c.* **6.** *Fig.* Procurar; buscar: 🗎 *O que anda você ciscando por aí?* *Int.* **7.** *Bras.* Ciscar (4). **8.** *Bras.* Esgaravatar o solo (a galinha) à procura de alimentos: 📖 "Galinhas ciscavam cacarejando" (Coelho Neto, *Treva*, p. 79). **9.** *Bras. N. N.E.* Estorcer-se no chão, após um golpe, ou nos últimos estertores. **10.** *Bras. S.* Entrar em conflito; atracar-se; brigar. *P.* **11.** Sair sorrateiramente; escapulir-se, safar-se: 🗎 *Conseguiram ciscar-se antes de a polícia chegar*. [Conjug.: v. *trancar*.]

ciscar[2] [De *iscar*, poss.] *V. t. d. Bras. PE AL MG* Açular, incitar (o cão). [Conjug.: v. *trancar*.]

cisco [De or. obscura.] *S. m.* **1.** Pó ou miudezas de carvão. **2.** Lixo, varredura. **3.** Ramos, gravetos, etc., arrastados pelas enxurradas. **4.** *Bras.* Leve partícula de qualquer corpo caída especialmente no olho. [Sin. (no N. e em Portugal): *argueiro*.] ◆ **Como cisco.** Em grande quantidade: 🗎 *gente como cisco*.

cisdanubiano [De *cis-[1]* + *danubiano*.] *Adj.* Situado aquém do Danúbio, rio europeu. [Antôn.: *transdanubiano*.]

cisel [Do fr. ant. *cisel*, atual *ciseau*.] *S. m. Antiq.* Cinzel (q. v.). [Pl.: *ciséis*. Cf. *siseis*, do v. *sisar*.]

cisgangético [De *cis-[1]* + *gangético*.] *Adj.* Situado aquém do Ganges, rio da Índia. [Antôn.: *transgangético*.]

cisjurano [De *cis-[1]* + o orôn. *Jura* (Europa) + *-ano[1]*.] *Adj.* Situado aquém do Jura, cordilheira entre a França e a Suíça. [Antôn.: *transjurano*.]

cislunar [De *cis-[1]* + *lunar*.] *Adj. 2 g. Astr.* De, ou relativo àquilo que está entre a Terra e a Lua. ~ V. *espaço —* e *região —*. [Cf. *circunlunar*.]

cisma[1] [Do gr. *schísma*, pelo lat. tard. *schisma*.] *S. m.* **1.** *Rel.* Rompimento de um indivíduo, ou de um grupo de indivíduos, com uma coletividade religiosa. **2.** Dissidência de opiniões.

cisma[2] [Der. regress. de *cismar*] *S. f.* **1.** Preocupação, inquietação. **2.** Devaneio, sonho, fantasia. **3.** *Bras.* Desconfiança, suspeita. **4.** *Bras.* Capricho, teima, obstinação. **5.** *Bras.* Implicância, antipatia. **6.** *Bras.* Receio supersticioso. ◆ **Tirar a cisma de.** *Bras. Pop.* Acabar com a fama de valente de (alguém).

cismado [Part. de *cismar*.] *Adj. Bras.* Prevenido, desconfiado, invocado.

cismador (ô) [De *cismar* + *-dor*.] *Adj.* **1.** V. *cismativo* (1 a 3): 📖 "Foi numa festa de arraial que eu a vi, pálida e cismadora." (Artur Azevedo, *Contos Possíveis*, p. 2.) **2.** Que faz cismar (1).

cismar [De *cisma* + *-ar[2]*.] *V. int.* **1.** Ficar absorto em pensamentos: 📖 "Debruçado no peitoril da janelinha, os olhos embebidos na beleza de meia dúzia de álamos e cedros, cismo..." (João de Araújo Correia, *Sem Método*, p. 102); "Cisma o caboclo à porta da cabana." (Ricardo Gonçalves, *Ipês*, p. 43). **2.** Andar preocupado. *T. i.* **3.** Pensar com insistência; deter o pensamento em: 🗎 *Há meses vem cismando nas vantagens da mudança*; 📖 "Pus-me a fumar, estirado num divã, cismando numa infinidade de tolices aborrecidas." (Aluísio Azevedo, *Demônios*, p. 128). **4.** Teimar em fazer (algo); obstinar-se, insistir: 📖 "porque a Lalu, exagerada como é, cismou de comprar outra [geladeira], com *freezer*, para a festa do casamento." (Maria Julieta Drummond de Andrade, *O Valor da Vida*, p. 162). **5.** *Bras.* Desconfiar, suspeitar. **6.** *Bras.* Implicar; antipatizar: 🗎 *Cismou com o novo empregado, e despediu-o*. *T. d.* **7.** Pensar insistentemente em; ruminar: 🗎 *Está a cismar novos planos de vida*; 📖 "Vagando a esmo nos estreitos vales, / Devaneando, / Cantarolando / Ou já cismando amores" (Bernardo Guimarães, *Poesias Completas*, p. 137). **8.** *Bras.* Meter na cabeça; convencer-se de: 🗎 *Cismou que é um sábio, o pobre rapaz*. **9.** *Bras.* Presumir, imaginar. [Pres. ind.: *cismo*, etc. Cf. *cismo*.] ● *S. m.* **10.** Cisma (4): 📖 "Em seus cismares, / Em meio às eiras, nos trigais, de ancinho, / Sabendo de outra pátria além dos mares, / Veio para o Brasil ainda mocinho." (Alphonsus de Guimaraens, *Obra Completa*, p. 284.)

cismarento [De *cismar* + *-ento*.] *Adj. Bras.* V. *cismativo* (1 a 3).

cismático[1] [Do gr. *schismatikós*, pelo lat. tard. *schismaticu*.] *Adj. S. m. Rel.* Que, ou aquele que se separou da comunhão duma igreja.

cismático[2] *Adj.* V. *cismativo* (1 a 3): 📖 "Ao pé do olhar aquilino do tio, perdia-se no vago o olhar cismático do sobrinho." (Machado de Assis, *Quincas Borba*, p. 257.)

cismativo [De *cismar* + *-tivo*.] *Adj.* **1.** Dado à cisma; cismático, cismarento, cismador. **2.** Meditativo, pensativo, sonhador, cismático, cismarento, cismador. **3.** Apreensivo, preocupado, inquieto, cismático, cismarento, cismador. **4.** Que revela cisma.

cisne [Do fr. ant. *cisne* < lat. vulg. *cicinu* < lat. *cycnu* < gr. *kýknos*.] *S. m.* **1.** *Zool.* Ave anseriforme, anatídea, gênero *Cygnus*, do Velho Mundo. Na América do Sul ocorre só uma das sete espécies conhecidas, a *Cygnus melanochoriphus*, denominada no Brasil *cisne-de-pescoço-preto* ou *pato-arminho*. Os cisnes têm pescoço muito longo, pernas situadas muito atrás, e, ótimos voadores, percorrem grandes distâncias em suas migrações. **2.** *Astr.* Constelação boreal, cujas estrelas mais brilhantes, entre as quais se distingue Arídede, formam uma cruz; Cruz do Norte. [Com cap., nesta acepç.] **3.** *Fig.* Poeta, orador ou músico célebre.

cisne-de-pescoço-preto *S. m. Bras. Zool.* Ave anseriforme, anatídea (*Cygnus melanochoriphus*), distribuída desde SP até a Patagônia. Coloração branca, pescoço negro e aveludado, branca a região em volta dos olhos, e carúncula vermelha. Vive permanentemente na água, e nidifica em juncais afastados das margens nas lagoas. Não tem sido criada em cativeiro. [Sin.: *pato-arminho*. Pl.: *cisnes-de-pescoço-preto*.]

cispadano [De *cis-*[1] + lat. *padanus*, 'do rio Pó'.] *Adj.* Situado aquém do Pó, rio italiano. [Antôn.: *transpadano*.]

cisplandim *S. m. Bras. N.E.* Antigo jogo de azar: 📖 "Nas casas de família e em certos clubes e sociedades ...., jogava-se pôquer, sete e meio, roleta, cisplandim" (Félix Lima Júnior, *Recordações da Velha Maceió*, p. 18).

cisplatina [Voc. farmac.] *S. f. Quím.* Substância sólida, amarela, complexo formado entre duas moléculas de amoníaco e cloreto de platina (II), us. como antineoplásico [fórm.: $H_6N_2PtCl_2$].

cisplatino [De *cis-*[1] + *platino*.] *Adj.* Situado aquém do rio da Prata, na América do Sul. [Antôn.: *transplatino*.]

cisqueiro [De *cisco* + *-eiro*.] *S. m.* **1.** Lugar onde se junta cisco. **2.** V. *ciscalhada*.

cisrenano [Do lat. *cisrhenanu*.] *Adj.* Situado aquém do Reno, rio europeu. [Antôn.: *transrenano*.]

cissão [Do lat. *scissione*.] *S. f. P. us.* V. *cisão*.

▲cissi- [Do lat. *scissus, a, um*, 'fendido'; 'rachado', < v. lat. *scindĕre*, 'fender(-se)'; 'rachar'.] *El. comp.* = 'dividido', 'separado': *cissiparidade*.

cissiparidade (ci) [De *cissi-* + *-par(i)-* + *-(i)dade*.] *S. f. Biol. Genét.* V. *esquizogênese*.

cissíparo [De *cissi-* + *-paro*.] *Adj. Biol. Bot.* Que se reproduz por cissiparidade: *alga cissípara*.

cissoide (ói) [Do gr. *kissós*, 'hera', + *-oide*.] *Adj. 2 g.* **1.** Que tem forma de folha de hera. ● *S. f.* **2.** *Geom.* Podária duma parábola em relação ao seu vértice.❖

cissura [Do lat. *scissura*.] *S. f.* **1.** Fissura, fenda. **2.** Incisão, talho. **3.** *Fig.* Rompimento de relações de paz ou amizade. **4.** *Anat.* Fenda natural, presente na superfície de alguns ossos, e por onde passam pequenos ramos vasculares ou nervosos. **5.** Sulco existente na superfície de certos órgãos. [Cf. *cesura*.] ◆ **Cissura de Sylvius.** *Anat.* Cada uma das cissuras profundas que se estendem lateralmente entre os lobos temporal e frontal, e se encaminham em direção posterior entre os lobos temporal e parietal.

cistácea [Do tax. *Cistus* (do gr. *kísthos*, 'arbusto') + *-ácea*; tax. *Cistaceae*.] *S. f. Bot.* Espécime das cistáceas, família de árvores, arbustos e ervas da ordem das violales, de folhas opostas e flores grandes, vistosas, alvas, amarelas e vermelhas. Compreende cerca de 175 espécies, de que a grande maioria vegeta na região mediterrânea; nenhuma foi encontrada no Brasil.

cistáceo [De *cistácea*, com var. suf. (v. *-áceo*).] *Adj. Bot.* Pertencente ou relativo às cistáceas.

cistagano [De *cis-*[1] + *tagano*.] *Adj.* Situado aquém do Tejo, rio europeu. [Antôn.: *transtagano*.]

cistalgia [De *cist(i)-* + *-alg(o)-*[2] + *-ia*[1].] *S. f. Med.* Dor na bexiga.

cistálgico [De *cistalgia* + *-ico*[2].] *Adj. Med.* Relativo à cistalgia.

▲-ciste V. *cist(i)-*.

cistectomia[1] [De *cist(i)-* + *-ectom-* + *-ia*[1].] *S. f. Cir.* Retirada cirúrgica, parcial ou total, de bexiga.

cistectomia[2] [De *cisto* + *-ectom-* + *-ia*[1].] *S. f. Cir.* Retirada de cisto.

cisteína [De *cist(ina)* + *-eína* (< al. *-ein*); al. *Zystein*.] *S. f. Quím.* Aminoácido natural que contém o grupo tiol, e que se dimeriza por oxidação, com facilidade, dando a cistina (q. v.) [fórm.: $C_3H_7NO_2S$].

cisterciense [Do lat. med. *cisterciense*.] *Adj. 2 g.* **1.** Pertencente ou relativo ao mosteiro de Cister (França), fundado por Santo Alberico (?-1109) e Santo Estêvão Harding (1050-1134), que segue a regra de S. Bento. **2.** Pertencente ou relativo à Ordem Cisterciense, organizada por S. Bernardo (1090-1153). ● *S. 2 g.* **3.** Monge do mosteiro de Cister. **4.** Monge da Ordem Cisterciense.

cisterna [Do lat. *cisterna*.] *S. f.* **1.** Reservatório de água das chuvas. **2.** Poço, cacimba: 📖 "Desejando Davi um dia .... um púcaro de água fria da cisterna de Belém, três valerosos cavaleiros arriscaram suas vidas .... e lhe trouxeram a água, que desejava." (Fr. Tomé de Jesus, *Trabalhos de Jesus*, I, p. 139). [Sin., nesta acepç.: *algibe*.] **3.** Reservatório subterrâneo de água potável. **4.** *Citol.* Cada um dos sáculos limitados por membrana e dispostos paralelamente, localizados no envoltório nuclear, ou no retículo endoplasmático, ou no complexo golgiense.

▲cist(i)- [Do gr. *kýstis, eōs, ou, ídos*.] *El. comp.* = 'bexiga', 'vesícula'; 'cisto'; 'bolsa': *cistite, cisticerco*. [Equiv.: *-ciste, -cist(o)-, cisto-, -cisto*: *coleciste; acistia; enterocistocele; cistotomia; acantocisto*.]

cisticerco (ê) [De *cist(i)-* + *-cerco*; lat. cient. *Cysticercus*.] *S. m. Zool.* Designação comum às formas larvares dos animais platelmintos cestóideos, de vesícula bem constituída e escólex em seu interior. Ocorrem nos vertebrados. Ingerindo a carne de porco ou de boi infestada de cisticercos, quando malcozida ou crua, o homem adquire a solitária (1). [Sin.: *canjica, canjiquinha, pipoca*.]

cisticercoide (ói) [De *cisticerco* + *-oide*.] *S. f. Zool.* Designação comum às formas larvares dos animais platelmintos cestóideos, de vesícula rudimentar, praticamente sem cavidade, e sem apêndice, e escólex invaginado.❖

cisticercose [De *cisticerco* + *-ose*[1].] *S. f. Patol.* Infecção por cisticerco.

cisticercótico [De *cisticerc(ose)* + *-ótico*.] *Adj.* Relativo a, ou da natureza da cisticercose, ou infeccionado por ela: 📖 "carnes cisticercóticas" (USP, *Informações*, n.º 87, mar. 1980).

cístico [De *cist(i)-* + *-ico*[2].] *Adj.* **1.** Relativo ou pertencente à vesícula biliar. **2.** Relativo a, ou próprio de cisto. **3.** Que contém cisto. ~ V. *canal* — e *ducto* —.

cistina [De *cist(i)-* + *-ina*[3].] *S. f. Bioquím.* Aminoácido natural, formado pela dimerização da cisteína em condições oxidantes, que contém ligação entre dois átomos de enxofre (v. *ponte de enxofre*), presente na urina e cálculos vesicais e renais e, sob forma combinada, em proteínas (p. ex., no cabelo) [fórm.: $C_6H_{12}N_2O_4S_2$].

cistinemia [De *cistina* + *-emia*.] *S. f. Med.* Presença de cistina no sangue.

cistinose [De *cistina* + *-ose*[1].] *S. f. Med.* Doença hereditária, de infância, caracterizada pela deposição de cistina em vários tecidos do corpo, além de osteomalacia, aminacidúria, fosfatúria, etc.

cistinuria [De *cistina* + *-uria*.] *S. f. Med.* V. *cistinúria*.

cistinúria [De *cistina* + *-úria*.] *S. f. Med.* Doença hereditária em que há uma excreção urinária farta e permanente de cistina e de outros aminoácidos, e cuja principal exteriorização clínica é a formação de cálculos urinários de cistina. [F. paral.: *cistinuria*.]

cistite [De *cist(i)-* + *-ite*[1].] *S. f. Med.* Inflamação da bexiga, de origem infecciosa.

cisto [Do lat. cient. *cystis* < gr. *kýstis*, 'bexiga', 'bolsa'.] *S. m. Patol.* Tumor (1) formado por cavidade fechada, e que contém matéria líquida ou semissólida; quisto. ◆ **Cisto de retenção.** *Patol.* Aquele que se deve a acúmulo de secreção no interior de glândula exócrina, ou de outra cavidade epitelial obstruída. **Cisto dermoide.** *Patol.* Lesão congênita formada de parede fibrosa revestida de epitélio estratificado contendo folículos pilosos, glândulas sudoríparas e sebáceas. **Cisto pilonidal.** *Patol.* Cisto dermoide (q. v.) de situação sacrococcígea, em geral de origem congênita e, de hábito, com fístula(s) cujo(s) orifício(s) cutâneo(s) está/estão comumente localizado(s) em nível supra-anal. **Cisto sebáceo.** *Patol.* Tumor subcutâneo resultante da dilatação cística de uma glândula sebácea com consequente retenção de sebo. **Cisto social.** Grupo de características, hábitos, costumes, etc., próprios, e que não se deixa assimilar pela comunidade em que se acha inserido.

▲cisto- V. *cist(i)-*.

▲-cist(o)- V. *cist(i)-*.

▲-cisto V. *cist(i)-*.

cistocarpo [De *cisto-* + *-carpo*.] *S. m. Bot.* Gonimoblasto recoberto de uma parede constituída de filamentos oriundos do eixo procárpico, que, a seu turno, procede do gametófito haploide. É estrutura peculiar às algas mais evoluídas.

cistocele [De *cisto-* + *-cele*[1].] *S. f. Urol. Gin.* Hérnia da bexiga.

cistócito [De *cisto-* + *-cito*.] *S. m. Bot.* Célula ampla, de paredes muito flexíveis, encontrada na epiderme das poáceas.

cistoflagelada [De *cisto-* + *-flagel(i)-* + *-ada*[2]; tax. *Cystoflagellata*.] *S. f. Bot.* V. *dinoflagelada*.

cistoflagelado [De *cisto-* + *-flagel(i)-* + *-ado*[1].] *Adj. Bot.* V. *dinoflagelado*.

cistoide (ói) [De *cist(i)-* + *-oide*.] *Adj. 2 g.* Semelhante a uma bexiga.❖

cistolitígero [De *cistólito* + *-i-* + *-gero*.] *Adj. Bot.* Que forma ou gera cistólito: *espécie cistolitígera*.

cistólito [De *cisto-* + *-lito*.] *S. m. Bot.* Concreção de carbonato de cálcio que se forma sobre pequeninas excrescências da membrana, dentro da célula, sendo muito frequentes nas células epidérmicas das acantáceas, moráceas e urticáceas.

cistometria [De *cisto-* + *-metria*.] *S. f. Urol.* Estudo da função neuromuscular da bexiga através de medidas de pressão e capacidade do órgão, mediante a introdução de líquido nesse órgão.

cistométrico [De *cistometria* + *-ico*[2].] *Adj. Urol.* Relativo à cistometria.

cistómetro *S. m. Urol.* V. *cistômetro*. [Uso freq. em P.]

cistômetro [De *cisto-* + *-metro*.] *S. m. Urol.* Instrumento com que se realiza a cistometria.

cistopielite [De *cisto-* + *-piel(o)-* + *-ite*[1].] *S. f. Urol. Med.* Inflamação da bexiga e do bacinete.

cistoplegia [De *cisto-* + *-pleg-* + *-ia*[1].] *S. f. Urol.* Paralisia da bexiga.

cistoplégico [De *cistoplegia* + *-ico*[2].] *Adj. Urol.* Relativo à cistoplegia.

cistoscopia [De *cisto-* + *-scop-* + *-ia*[1].] *S. f. Urol.* Exame da bexiga urinária por meio do endoscópio.

cistoscópico [De *cistoscopia* + *-ico*[2].] *Adj. Urol.* Referente à cistoscopia.

cistostomia [De *cisto-* + *-stom(o)-* + *-ia*[1].] *S. f. Urol.* Criação, mediante intervenção cirúrgica, de comunicação entre a bexiga e o meio exterior.

cistostómico *Adj. Urol.* V. *cistostômico*. [Uso freq. em P.]

cistostômico [De *cistostomia* + *-ico*[2].] *Adj. Urol.* Relativo à cistostomia.

cistotomia [De *cisto-* + *-tom(o)-* + *-ia*[1].] *S. f. Urol.* Intervenção cirúrgica na bexiga, em que esta é aberta a fim de extrair cálculo ou corpo estranho; talha.

cistotómico *Adj. Urol.* V. *cistotômico*. [Uso freq. em P.]

cistotômico [De *cistotomia* + *-ico*[2].] *Adj. Urol.* Relativo à cistotomia.

cistótomo [De *cisto-* + *-tomo*.] *S. m. Cir.* Instrumento com que se secciona a parede vesical.

cistre [Do fr. *cistre*.] *S. m. Mús.* Instrumento musical de fins da Idade Média e Renascimento, provavelmente desenvolvido a partir da cítola, com número variável de cordas estabilizando-se no final do séc. XVI em seis ordens de cordas duplas, munido de braço e caixa de ressonância em formato piriforme; antecessor comum de vários instrumentos do séc. XVIII, como a cítara ibérica, guitarra inglesa e guitarra portuguesa.

cístron [Do ingl. *cistron*.] *S. m. Genét.* Gene (2).

cita[1] [Dev. de *citar*.] *S. f.* Referência a um trecho ou a uma opinião autorizada; citação. [Cf. *sita*, fem. de *sito*[2].]

cita[2] [Do lat. *scytha* < gr. *skýthes*.] *S. 2 g.* **1.** *Etnôn.* Indivíduo dos citas, povo nômade, notável na arte e na guerra, desaparecido por volta do séc. II a. C., e que entre os sécs. V e II a. C. habitou a Cítia, denominação dada pelos antigos gregos a regiões próximas ao mar Negro e ao mar Cáspio. ● *S. m.* **2.** *Gloss.* Língua iraniana desse povo, já extinta. ● *Adj. 2 g.* **3.** Pertencente ou relativo aos citas, ou à sua língua; cítico.

citação [Do lat. *citatione*.] *S. f.* **1.** Ato ou efeito de citar. **2.** Texto que se cita. **3.** Cita[1]. **4.** *Dir. Proc.* Ato pelo qual se dá conhecimento a uma pessoa de que, em face dela, é movida demanda judicial, facultando-lhe que, em prazo fixado, ofereça resposta ou defesa. [Cf. *assinação* (2), *intimação* (2) e *notificação* (2 e 3).] ◆ **Citação circundada.** *Dir. Proc.* A que é nula, por algum ato ou fato previsto em lei.

citadino[1] [Do it. *cittadino*.] *Adj. S. m.* Que, ou aquele que habita a cidade.

citadino[2] *Adj. S. m.* V. *cidade-gauchense*.

citado [Part. de *citar*.] *Adj.* **1.** Mencionado; transcrito. **2.** *Dir. Proc.* Que recebeu citação para vir a juízo. ● *S. m.* **3.** *Dir. Proc.* Indivíduo citado (2).

citamínea *S. f. Bot.* V. *escitamínea*.

citamíneo *Adj. Bot.* V. *escitamíneo*.

citando [Do lat. *citandu*.] *Adj. S. m. Dir. Proc.* Que, ou aquele que deve ser citado.

citânia [De or. incerta; poss. do lat. *ci(vi)t-* (do lat. *civitas, -atis* [v. *cidade*]).] *S. f.* Nome comum a ruínas de antigas povoações romanas ou pré-romanas da Península Ibérica, esp. àquelas situadas em lugares elevados: 📖 "Vai o viajante começar pelo mais antigo [dos museus de Guimarães], o de Martins Sarmento, aonde foram recolhidos os achados da citânia de Briteiros" (José Saramago, *Viagem a Portugal*, p. 61).

citar [Do lat. *citare*.] *V. t. d.* **1.** Mencionar ou transcrever como autoridade ou exemplo: *Citou um clássico para abonar o uso da palavra; Em seu romance, cita em francês o belo poema.* **2.** Mencionar o nome de; fazer referência a: *Citou várias pessoas presentes à cerimônia.* **3.** Referir ou transcrever (um texto) em apoio do que afirma: *Citou a lei que facultou a sua aposentadoria.* **4.** *Dir. Proc.* Dar conhecimento ao réu de que, em face dele, é movida demanda cível ou ação penal, fixando-lhe prazo para apresentar resposta ou defesa. [Cf. (nesta acepç.): *intimar* (1), *interplar* (3) e *notificar* (5)] [Pres. ind.: *cito, citas, cita*, etc.; m.-q.-perf.: *citara*, etc. Cf. *citara*, s. f., *sita*, fem. de *sito*[2], *sito*[1], *sito*, do v. *situar*, e *sitar*, s. m.]

cítara [Do lat. *cithara* < gr. *kithára*.] *S. f. Mús.* **1.** *Ant.* Instrumento de cordas, forma aperfeiçoada da lira. **2.** Qualquer instrumento de cordas desprovido de braço e constituído de um corpo único sobre o qual se esticam as cordas. **3.** *Mús.* Instrumento moderno da Europa central, semelhante ao saltério e munido de espelho. **4.** *Mús.* Instrumento ibérico do século XVIII, desenvolvido a partir do cistre renascentista, com formato semelhante, mas apresentando quatro ordens de cordas triplas e caixa de ressonância um pouco maior. [Cf. *citara*, do v. *citar*.]

citarabina [Voc. farmac.] *S. f. Quím.* Substância heterocíclica, isômero da citidina, us. como antineoplásico e no tratamento de certas infecções viróticas [fórm.: $C_9H_{13}N_3O_5$].

citaredo (ê) [Do gr. *kitharoidós*, pelo lat. *citharoedu*.] *S. m.* **1.** Cantor que se acompanhava com cítara: "ama ainda [o povo grego], quase ingenuamente, / A saudade gloriosa dos seus deuses, / Nas canções ancestrais dos citaredos / E nos epitalâmios do nascente..." (Raul de Leoni, *Luz Mediterrânea*, p. 38). **2.** Citarista.

citarista [Do gr. *kitharistés*, pelo lat. *citharista*.] *S. 2 g.* Pessoa que toca cítara; citaredo.

citarizar [Do lat. *citharizare* < gr. *kitharízein*.] *V. int.* **1.** Tocar cítara. **2.** Soar, fazer-se ouvir, como a cítara: "Sons de violinos, sons de ignotos violoncelos, / Citarizavam pelo espaço indefinido." (Alphonsus de Guimaraens, *Obra Completa*, p. 207.)

citatório [Do lat. tard. *citatoriu*.] *Adj.* **1.** Relativo a citação. **2.** Que contém citação judicial.

citável [De *citar* + *-vel*.] *Adj. 2 g.* Que pode ou é digno de ser citado.

▲-cite V. *cit(o)-*.

citerior (ô) [Do lat. *citeriore*.] *Adj. 2 g.* Que está do lado de cá. [Antôn.: *ulterior*.]

▲citi- [Do lat. *citus, a, um*.] *El. comp.* = 'rápido', 'ligeiro': *citígrafo*.

cítico [Do gr. *skythikós*, pelo lat. *scythicu*.] *Adj.* Cita[2] (3).

citidílico [Do ingl. *cytidylic*.] *Adj. Quím.* ~ V. *ácido* —.

citidina [De *cit(osina)* + *-idina*.] *S. f. Quím.* Nucleosídeo de ácidos ribonucleicos que, por hidrólise, fornece ribose e citosina.

citígrado [De *citi-* + *-grado*[1].] *Adj.* Que anda depressa. [Antôn.: *lentígrado, tardígrado*.]

citiso [Do tax. *Cytisus* (do lat. *cytisus* < gr. *kýtisos*).] *S. m. Bot.* **1.** Grande gênero de arbustos fabáceos, espinhosos, nativos da Europa, N. da África e Ásia ocidental, dotados de flores exuberantes, com cálice bilabiado, dispostas em racemos. **2.** Qualquer espécie desse gênero, como, p. ex., a *Cytisus racemosus*, de flores amarelas e perfumadas. **3.** Qualquer espécime desse gênero, ou a flor dele.

citissa [Do lat. *scythissa*.] *S. f.* Mulher cita.

▲cit(o)- [Do gr. *kýtos, eos-ous* (ý).] *El. comp.* = 'espaço oco', 'cavidade'; 'célula': *citosina*; *citoplasma*, *citologia*. [Equiv.: *-cite*, *-cit(o)-*, *-cito*: *mielócite*; *hemocitômetro*; *leucócito*.]

▲-cit(o)- V. *cit(o)-*.

▲-cito V. *cit(o)-*.

citocina [De *cit(o)-* + *-cina*.] *S. f. Bioquím.* Qualquer de certas substâncias segregadas por células do sistema linfático, e que regulam a resposta imunológica do organismo.

citocinese [De *cit(o)-* + *-cinese*.] *S. f. Citol.* Divisão do citoplasma, no curso da mitose e da meiose, para formar as células-filhas.

citocinina [De *cit(o)-* + *-cin(e)-* + *-ina*[3]; ingl. *cytokinin*.] *S. f. Bioquím.* Qualquer de certas substâncias derivadas da adenina, e que são hormônios de crescimento para as plantas; citoquinina.

citoclástico [De *cit(o)-* + *-clast(o)-* + *-ico*[2].] *Adj. Biol.* Que destrói as células.

citocromo [De *cit(o)-* + *-cromo*.] *S. m. Bioquím.* Qualquer de certas proteínas que contêm heme e que participam de processos de oxirredução e transporte de elétrons, como ocorre, p. ex., na fotossíntese e na respiração.

citodiagnóstico [De *cit(o)-* + *diagnóstico*[1].] *S. m. Patol.* Diagnóstico de doença pelo exame, mediante processos variáveis, de células provenientes de áreas lesadas.

citodiérese [De *cit(o)-* + *-diérese*.] *S. f. Citol.* Divisão do citoplasma, consecutiva à cariodiérese.

citodiferenciação [De *cit(o)-* + *diferenciação*.] *S. f. Biol.* Diferenciação celular (q. v.).

citódio [De *cit(o)-* + gr. *-od(es)*, 'semelhante', + *-io*[3]; ingl. *cytode*.] *S. m. Biol.* Citoplasma sem núcleo.

citoesquelético [De *citoesqueleto* + *-ico*[2].] *Adj.* Do citoesqueleto, ou relativo a ele.

citoesqueleto (ê) [De *cit(o)-* + *esqueleto*.] *S. m. Citol.* Complexa rede citoplasmática de microtúbulos e microfilamentos, localizada predominantemente próxima à membrana celular, e que regula a forma e a motilidade celulares.

citofílico [De *cit(o)-* + *-fil(o)-*[2] + *-ico*[2].] *Adj. Imun.* Diz-se de anticorpo com tendência a ligar-se a célula.

citogenética [De *cit(o)-* + *genética*.] *S. f. Genét.* Área da genética que estuda microscopicamente os cromossomos durante o ciclo de divisão celular e suas implicações com as características expressas pelo indivíduo.

citogenético [De *citogenética*, com var. suf. (v. *-ico*[2]).] *Adj.* Relativo à citogenética.

cítola [Alter. de *cítara*.] *S. f.* **1.** Taramela de moinho. **2.** *Mús. Ant.* Instrumento medieval, da família do alaúde, com fundo chato, quatro ou cinco cordas, e em geral tocado com um plectro: "coros de bailadeiras foliavam ao som das cítolas e das soalhas." (Antero de Figueiredo, *Leonor Teles*, p. 246). [Cf. *sítula*.]

citólise [De *cit(o)-* + *-lise*.] *S. f. Citol.* Destruição ou desagregação de célula.

citolisossoma [De *cit(o)-* + *-liso-* + *-soma*; ingl. *cytolysosome*.] *S. m. Citol.* V. *autofagossomo*.

citolisossomo [De *cit(o)-* + *-liso-* + *-somo*.] *S. m. Citol.* V. *autofagossomo*.

citolítico [De *citól(ise)* + *-ítico*.] *Adj. Citol.* **1.** Relativo à citólise. **2.** Que produz citólise.

citologia [De *cit(o)-* + *-logia*.] *S. f.* Estudo da estrutura e função das células. ◆ **Citologia exfoliativa.** Exame microscópico de células obtidas por procedimentos diversos (aspiração, lavagem, esfregaço, raspagem), e realizado em matérias diversas como secreção vaginal, secreção respiratória, líquido abdominal, etc.; constitui importante meio de detecção de doenças malignas. **Citologia por biópsia de aspiração.** Estudo microscópico das células obtidas mediante aspiração, feita com agulha fina, em área superficial ou profunda do corpo; constitui apreciável meio de detecção de doenças malignas.

citológico [De *citologia* + *-ico*[2].] *Adj.* Referente à citologia.

citomegalovirose [De *cit(o)-* + *-megal(o)-* + *virose*.] *S. f. Med.* Qualquer infecção causada por citomegalovírus.

citomegalovírus [De *cit(o)-* + *-megal(o)-* + *vírus*.] *S. m. 2 n. Microbiol.* Herpes-vírus com alta especificidade com relação ao hospedeiro e que pode causar infecção no homem, no macaco e em roedores, levando à aparição de células grandes, que apresentam inclusões intranucleares. [No caso específico do homem, produz a doença de inclusão citomegálica (q. v.). Tem sido encontrado em indivíduos com tumores benignos ou malignos, e em aidéticos.]

citoplasma [De *cit(o)-* + *-plasma*.] *S. m. Citol.* Matéria fluida, gelatinosa, que envolve o núcleo de uma célula e que é rica em moléculas orgânicas e organelas.

citoplasmático [De *citoplasma* + *-ático*.] *Adj. Citol.* Pertencente ou relativo ao citoplasma; citoplásmico.

citoplásmico [De *citoplasma* + *-ico*[2].] *Adj. Citol.* Citoplasmático.

citoplástico [Do ingl. *cytoplastic*.] *Adj. Citol.* De, ou relativo ao citoplasto.

citoplasto [De *cit(o)-* + *-plasto*.] *S. m. Citol.* Conteúdo celular, com exclusão do núcleo.

citoquinina [De *cit(o)-* + *quinina*.] *S. f. Bioquím.* V. *citocinina*.

citosina [De *cit(o)-* + *-os(e)-* + *-ina*[3].] *S. f. Quím.* Substância cristalina nitrogenada, básica, que é um derivado aminado da pirimidina [fórm.: $C_4H_5N_3O$].

citosol [Do ingl. *cytosol*.] *S. m. Citol.* Matriz citoplasmática, que contém os microfilamentos do citoesqueleto, e em que as organelas se encontram em suspensão. [Pl.: *citosóis*.]

citostático [De *cit(o)-* + *-stat(o)-* + *-ico*[2].] *Adj. Terap.* Diz-se de, ou que inibe o crescimento ou a reprodução celular.

citóstoma [De *cit(o)-* + *-stoma*.] *S. m. Bot. Zool.* Em alguns protozoários e protófitos, vacúolo periférico que permite a entrada de alimento na célula.

citotáctico [De *cito(taxia)* + *-tá(c)tico*, seg. o padrão erudito.] *Adj.* Relativo à citotaxia. [Var.: *citotático*.]

citotático *Adj.* V. *citotáctico*.

citotaxia (cs) [De *cit(o)-* + *-taxia*.] *S. f. Citol.* Alteração da disposição das células em face dum estímulo.

citotese [De *cit(o)-* + *-tese*.] *S. f. Biol.* Regeneração celular.

citotoxicidade (cs) [De *cit(o)-* + *toxicidade*.] *S. f. Imun.* Capacidade de um agente de exercer ação lítica específica sobre certas células, principalmente devida à ação imunológica, ou a efeito de medicamento antineoplásico.

citotóxico (cs) [De *cit(o)-* + *-tóxico*.] *Adj. S. m. Farmac. Imun.* Diz-se de, ou agente dotado de citotoxicidade.

citotrofoblasto [De *cit(o)-* + *trofoblasto*.] *S. m. Embr.* Trofoblasto celular (q. v.).

citozoário [De *cit(o)-* + *-zo(o)-* + *-ário*.] *Adj. S. m. Zool.* Diz-se de, ou animal citozoico.

citozoico (ói) [De *cit(o)-* + *-zo(o)-* + *-ico*[2].] *Adj. Zool.* Que vive no interior das células, ou a elas unido. [Diz-se, esp., de protozoários.] ❖

citráceo [De *citr(i)-* + *-áceo*.] *Adj.* Relativo ou semelhante à cidra.

citracônico *Adj.* V. *citracônico*. [Uso freq. em P.]

citracônico *Adj. Quím.* ~ V. *ácido* —.

citral [De *citr(o)-* + *-al*[2].] *S. m. Quím.* Substância líquida com odor de limão, que constitui cerca de 70% do óleo de capim-limão, aldeído monoterpenoide acíclico que contém duas duplas ligações, sendo uma conjugada com o grupo aldeído e que pode existir sob forma de dois isômeros geométricos: *citral a* (geranial) e *citral b* (neral) [fórm.: $C_{10}H_{16}O$]. ◆ **Citral a.** *Quím.* Geranial[1]. **Citral b.** *Quím.* Neral.

➔citra petita ['kitra pe'tita] [Lat., 'aquém do pedido'.] Diz-se do julgamento que não resolveu todas as questões propostas na lide. [Antôn.: *ultra petita*.]

citrato [De *citr(ico)* + *-ato*[2].] *S. m. Quím.* Designação comum aos sais e ésteres do ácido cítrico.

cítreo [Do lat. *citreu*.] *Adj.* **1.** Do limão. **2.** Relativo à cidreira.

▲citr(i)- [Do lat. *citrus, i*, 'limoeiro'.] *El. comp.* = 'fruta cítrica': *citrato, cítrico*. [Equiv.: *citr(o)-*: *citrofagia*.]

cítrico [De *citr(i)-* + *-ico*[2].] *Adj. Bot.* Relativo a plantas do gênero *Citrus*, ao qual pertencem o limão, a laranja, etc.: "Nem todos sabem que a laranja, fruta cítrica, ... foi inventada por um grande industrial americano" (Fernando Sabino, *Medo em Nova Iorque. A Cidade Vazia*, p. 37). ~ V. *ácido* —.

citricultor (ô) [De *citr(i)-* + *-cultor*.] *Adj. S. m.* Que, ou quem se dedica à citricultura.

citricultura [De *citr(i)-* + *cultura*.] *S. f.* Cultivo ou plantação de frutas cítricas.

citrina [De *citr(i)-* + *-ina*[3].] *S. f.* **1.** Essência de limão. **2.** V. *citrino* (3). [Cf. *cetrina*, fem. de *cetrino*.]

citrinina [Do tax. (*Penicillium*) *citrin(um)* + *-ina*[3].] *S. f. Quím.* **1.** Micotoxina produzida por fungos do gênero *Aspergillus*, que provoca nefropatias em diversos animais de criação [fórm.: $C_{13}H_{14}O_5$]. **2.** Substância derivada da citrinina (1) ou semelhante a esta.

citrinitas [Do lat. dos alquimistas *citrinitas* (nom. de um *f. citrinitas, atis*, do lat. medv. *citrinus, a, um*, 'que tem a cor do limão').] *S. f. Alq.* O terceiro dos quatro estágios para atingir a pedra filosofal (q. v), correspondente ao amarelado quando ocorre o despertar da matéria que está a sofrer transmutação; xantose.

citrino [Do lat. med. *citrinu*.] *Adj.* **1.** Acitrinado: "Quase sempre o via só, alto, enxuto, o passo cadenciado e longo, a cabeleira abundante e branca, a face glabra, citrina" (Eduardo Frieiro, *O Romancista Avelino Fóscolo*, p. 15). ● *S. m.* **2.** Fruto cítrico. **3.** Variedade amarela de quartzo; falso topázio, citrina. [Cf. *cetrino*.]

citro [Do lat. cient. *citrus* < lat. *citrus*, 'limoeiro'.] *S. m. Bot.* Planta cítrica: "a verrugose dos citros, da qual se conhecem dois tipos, é provocada por fungos e acarreta prejuízos" (*O Estado de S. Paulo*, 10.04.1977).

▲citr(o)- Equiv. de *citr(i)-*.

citronela[1] [Do fr. *citronelle*.] *S. f.* **1.** *Bot.* Designação de várias ervas de aroma semelhante ao do limão, como, p. ex., a erva-cidreira (*Melissa officinalis*). **2.** Infusão de cascas de limão em aguardente.

citronela[2] [Do lat. cient. *citronella*.] *S. f.* **1.** *Bot.* Planta poácea (*Cymbopogum nardus*) asiática, aromática, da qual se extrai a essência de citronela. **2.** Essa essência, us., p. ex., como repelente de insetos.

citronelal [De *citronela*[2] + *-al*[2].] *S. m. Quím.* Líquido oleoso, incolor ou amarelado, constituinte do óleo de limão, que é um aldeído monoterpenoide, acíclico, insaturado [fórm.: $C_{10}H_{18}O$].

citronelol [De *citronela*[2] + *-ol*[2].] *S. m. Quím.* Álcool monoterpenoide, insaturado acíclico, derivado do citronelal por redução, com odor de rosas, e que é encontrado em vários óleos essenciais [fórm.: $C_{10}H_{20}O$]. [Pl.: *citronelóis*.]

cítrus [Do tax. *Citrus* (do lat. *citrus, i*, 'limoeiro').] *S. m. Bot.* **1.** Gênero de rutáceas que reúne cerca de 16 espécies de arbustos e árvores, ger. com espinhos rígidos, agudos, folhas simples, flores hermafroditas, aromáticas e frutos bacáceos, suculentos, de casca coriácea. **2.** Qualquer espécie desse gênero, como, p. ex., a *Citrus aurantium* ou *C. sinensis* [v. *laranjeira* (2)]. **3.** Qualquer espécime desse gênero.

ciumada (i-u) [De *ciúme* + *-ada*[1].] ***S. f.* 1.** Grande ciúme. **2.** Cena de ciúme: "— Ela não engorda é de ruindade. Me traz de canto chorado, com as suas ciumadas..." (Ciro dos Anjos, *Montanha*, p. 350). [Sin. ger.: *ciumagem, ciumaria, ciumeira*.]

ciumagem (i-u) [De *ciúme* + *-agem*[2].] ***S. f.*** V. *ciumada*.

ciumar (i-u) [De *ciúme* + *-ar*[2].] ***V. int.*** Ter ciúmes. [Conjug.: v. *saudar*.]

ciumaria (i-u) [De *ciúme* + *-aria*.] ***S. f.*** V. *ciumada*.

ciúme [Do lat. **zelumen* < lat. *zelus* < gr. *zêlos*, 'cuidado'; 'ardor'; 'inveja'; 'ciúme'.] ***S. m.* 1.** Sentimento doloroso que as exigências de um amor inquieto, o desejo de posse da pessoa amada, a suspeita ou a certeza de sua infidelidade fazem nascer em alguém; zelos. [Nesta acepç. é m. us. no pl.] **2.** Emulação, competição, rivalidade. **3.** Despeito invejoso; inveja. **4.** Receio de perder alguma coisa; cuidado, zelo: *Guardou o retrato com ciúme*. **5.** *Bras. N.E. Bot.* Designação comum a arbustos asclepiadáceos, ornamentais, de flores exóticas e aromáticas, vermelhas, róseas, lilás ou violáceas, e cujos frutos têm sementes arredondadas, castanho-claras, de filamentos sedosos, e com propriedades consideradas medicinais; flor-de-seda. ~ V. *ciumes*.

ciumeira (i-u) [De *ciúme* + *-eira*.] ***S. f.*** *Pop.* V. *ciumada*: "não consentia a ciumeira do dono da casa no acesso dos adultos do sexo masculino ao convívio do lar." (Eduardo Frieiro, *Feijão, Angu e Couve*, p. 85).

ciumento (i-u) [De *ciúme* + *-ento*.] ***Adj. S. m.*** Que, ou aquele que tem ciúmes. [Sin. (bras.) pop.: *ciumoso*.]

ciúmes ***S. m. pl.*** *Bot.* V. *balsamina* (1). ~ V. *ciúme*.

ciumoso (i-u... ô) [De *ciúme* + *-oso*.] ***Adj. S. m.*** *Bras. PR Pop.* V. *ciumento*.

ciurídeo (i-u) [Do tax. *Sciurus* (do lat. *sciurus*, 'esquilo') + *-ídeo*[1]; tax. *Sciuridae*.] *Zool.* ***S. m.* 1.** Espécime dos ciurídeos, família de roedores ciuromorfos, arborícolas ou terrestres. Os ciurídeos arborícolas têm cauda longa e felpuda, garras afiadas e orelhas grandes; os terrestres são ger. mais robustos, ger. com membros dianteiros fortes, fossoriais, e sua cauda não é tão felpuda. Há ainda ciurídeos providos de patágio, capazes de planar entre as árvores. Têm quatro dedos nas patas anteriores e cinco nas posteriores; algumas espécies são noturnas e outras diurnas, e encontram-se em quase todo o mundo. Ex.: esquilos, marmotas. ● ***Adj.* 2.** Pertencente ou relativo a eles.

ciuromorfo (i-u) [Do tax. *Sciurus* + *-morfo*; tax. *Sciuromorpha*.] *Zool.* ***S. m.* 1.** Espécime dos ciuromorfos, subordem de roedores em que a inserção da parte anterior do masseter lateral é deslocada para a superfície anterior do arco zigomático e a parte adjacente do rostro, movendo a mandíbula para diante. Ex.: esquilos, castores. ● ***Adj.* 2.** Pertencente ou relativo a eles.

cível [De *civil*, com infl. dos adjetivos terminados em *-vel*.] ***Adj. 2 g.* 1.** Referente ao direito civil; civil: *ação cível; causa cível*. ● ***S. m.* 2.** Jurisdição dos tribunais ou juízes aos quais estão afetas as ações de natureza civil e seus incidentes. [Pl.: *cíveis*. Cf. *civil*.]

civeta [Do tax. *Civetta* < fr. *civette* < ár. *zabād*, 'almiscareiro'.] ***S. f.* 1.** *Zool.* Gênero de mamíferos carnívoros, viverrídeos, que habitam a África e a Índia; têm corpo alongado, porte que varia entre o do gato e o do cão, e pelagem cinza com manchas negras. [Sin.: *viverra* (1).] **2.** *Zool.* Qualquer espécie desse gênero, como, por ex., a *Civettictis civetta* [v. *algália*[2] (3)] e a *Viverra tantalunga*. **3.** *Zool.* Qualquer espécime desse gênero. **4.** A substância odorífica segregada pelas civetas, us. em farmácia e em perfumaria; almíscar-de-civeta.

civeta-asiática [De *civeta* + o f. de *asiático*.] ***S. f.*** *Zool.* Civeta-malaia. [Pl.: *civetas-asiáticas*.]

civeta-malaia [De *civeta* + o f. de *malaio*.] ***S. f.*** *Zool.* Mamífero carnívoro, felídeo, viverrídeo, de orelhas longas, pelagem densa no dorso e bolsa odorífera volumosa; ocorre na Malásia, Filipinas e arquipélago de Sonda; civeta-asiática. [Pl.: *civetas-malaias*.]

civetona [De *civeta* (3) + *-ona*[2].] ***S. f.*** *Quím.* Cetona macrocíclica natural, cujo anel é formado por dezessete átomos de carbono, encontrada no almíscar-de-civeta e us. em perfumaria [fórm.: $C_{17}H_{30}O$].

cívico [Do lat. *civicu*.] ***Adj.* 1.** Relativo aos cidadãos como membros do Estado: *obrigações cívicas*. **2.** Patriótico (1): *entusiasmo cívico*.

civil [Do lat. *civile*.] ***Adj. 2 g.* 1.** Cível (1). **2.** Relativo às relações dos cidadãos entre si, reguladas por normas do Direito Civil. **3.** Relativo ao cidadão considerado em suas circunstâncias particulares dentro da sociedade: *comportamento civil; direitos e obrigações civis*. **4.** Que não tem caráter militar nem eclesiástico: *direito civil; casa civil*. **5.** Social, civilizado. **6.** Cortês, polido: "Andei com eles [os tropeiros] frequentemente e achei-os sempre comunicativos e civis." (Afonso Arinos, *Histórias e Paisagens*, p. 109.) **7.** *Jur.* Diz-se por oposição a criminal: *processo civil; tribunal civil*. ~ V. *ângulo horário —, ano —, calendário —, casamento —, construção —, crepúsculo —, direito —, engenharia —, estado —, frutos civis, guarda —, guerra —, lista —, morte —, nome —, ordem —, paternidade —, responsabilidade —, sociedade —, tempo —* e *vida —*. ● ***S. m.* 8.** Indivíduo não militar; paisano. **9.** Casamento civil. [Cf. *cível*.]

civilidade [Do lat. *civilitate*.] ***S. f.* 1.** Conjunto de formalidades observadas entre si pelos cidadãos em sinal de respeito mútuo e consideração. **2.** Polidez, urbanidade, delicadeza, cortesia.

civilismo [De *civil* + *-ismo*.] ***S. m.* 1.** Predomínio de normas ou critérios próprios do Direito Civil em outros ramos da ciência jurídica. **2.** Partido que propugna o exercício do governo pelos civis. **3.** V. *civismo*.

civilista [De *civilismo* + *-ista*.] ***Adj. 2 g.* 1.** Civilístico: *a campanha civilista de Rui Barbosa*. **2.** Que é partidário do civilismo (2). ● ***S. 2 g.* 3.** Partidário do civilismo (2). **4.** Especialista e/ou tratadista de direito civil.

civilístico [De *civilista* + *-ico*[2].] ***Adj.*** Relativo a civilismo; civilista.

civilização [De *civilizar* + *-ção*; fr. *civilisation*.] ***S. f.* 1.** Ato, processo ou efeito de civilizar(-se). **2.** Estado ou condição do que se civilizou: *povos que se encontram num estado avançado de civilização*. **3.** O conjunto de características próprias à vida social coletiva; cultura. **4.** Processo pelo qual os elementos culturais concretos ou abstratos de uma sociedade (conhecimentos, técnicas, bens e realizações materiais, valores, costumes, gostos, etc.) são coletiva e/ou individualmente elaborados, desenvolvidos e aprimorados. **5.** *P. ext.* O estado de aprimoramento ou desenvolvimento social e cultural assim atingido. **6.** *P. ext.* Tipo de sociedade resultante de tal processo, ou o conjunto de suas realizações; em especial, aquele marcado por certo grau de desenvolvimento tecnológico, econômico e intelectual, considerado ger. segundo o modelo das sociedades ocidentais modernas, caracterizadas por diferenciação social, divisão do trabalho, urbanização e concentração de poder político e econômico: *a civilização egípcia; a civilização helênica*.

civilizacional [De *civilização* + *-al*[1], seg. o padrão erudito.] ***Adj. 2 g.*** Relativo a civilização.

civilizado [Part. de *civilizar*.] ***Adj.* 1.** Que tem civilização. **2.** Bem-educado, cortês, urbano, civil. **3.** Culto, instruído. ● ***S. m.* 4.** Indivíduo que tem civilização.

civilizador (ô) [De *civilizar* + *-dor*.] ***Adj. S. m.*** Que, ou aquele que civiliza.

civilizar [De *civil* + *-izar*; fr. *civiliser*.] ***V. t. d.* 1.** Tornar civil; dar caráter civil a. **2.** *P. ext.* Tirar do estado natural ou selvagem; adaptar ou integrar à vida humana em sociedade, suas atividades, instituições, etc.: *civilizar regiões inóspitas*. **3.** Dar cultura ou refinamento a; cultivar, educar. **4.** Submeter ao processo de civilização (4); tornar mais alto o grau de desenvolvimento socioeconômico, político, cultural e tecnológico de (uma sociedade): *pretendiam civilizar aquelas cidades do sertão*. ***P.* 5.** Tornar-se civil. **6.** Tornar-se cortês, bem-educado. **7.** Tornar-se mais culto ou instruído. **8.** Aprimorar as próprias instituições civis, ou a vida social em geral. **9.** Passar ou converter-se ao estado de civilização (5 e 6).

civilizatório [De *civilizar* + *-tório*.] ***Adj.*** Civilizador: "Como se o medo, ao acorrentar-lhe os pés, lhe roubasse o gosto de caminhar pela vida, instaurasse nele o caos civilizatório." (Nélida Piñon, *Vozes do Deserto*, p. 195.)

civilizável [De *civilizar* + *-vel*.] ***Adj. 2 g.*** Que se pode civilizar.

civismo [Do fr. *civisme*.] ***S. m.*** Devoção ao interesse público; patriotismo, civilismo.

cizânia [Do gr. *zizánion*, 'joio', pelo lat. tard. *zizania*, neutro pl. tomado como feminino.] ***S. f.* 1.** *Bot.* V. *joio* (1). **2.** *Fig.* Desarmonia, rixa, discórdia: "Na sua colônia [de Villegagnon] os teólogos lhe discutiam os pareceres e avisos e a cizânia logo se manifestara." (João Ribeiro, *História do Brasil*, p. 115.) [F. paral.: *zizânia*.]

cizirão [Do lat. **cicerone* < lat. *cicera*, 'ervilha'.] ***S. m.*** *Bot.* Trepadeira fabácea (*Lathyrus latifolius*) cultivada em jardins, de estípulas desenvolvidas em folhas e folíolos transformados em gavinha.

C.L. Abrev. de centro-leste.

■**Cl** *Quím.* Símb. de *cloro*.

clã [Do gaélico *clann*, pelo ingl. ou pelo fr.] ***S. m.* 1.** Nas sociedades teutônica e escocesa, designação original de tribo constituída de famílias de ascendência comum. **2.** *Antrop.* Unidade social formada por indivíduos ligados a um ancestral comum por laços de descendência demonstráveis ou putativos. [Os clãs podem ter características variadas: nomeados ou não, localizados ou dispersos, exógamos ou endógamos] **3.** *Fig.* Partido, grei. **4.** *Mat.* Conjunto de conjuntos, não vazio, e estável sob as operações de união e diferença entre dois quaisquer de seus elementos.

cladanto [De *clad(o)-* + *-anto*.] ***Adj.*** *Bot.* Que apresenta flores sobre os ramos: *vegetal cladanto*.

cladautoico (ói) [De *clad(o)-* + *autoico*.] ***Adj.*** *Bot.* Diz-se de musgo autoico que apresenta os anterídios em talos especiais. ❖

cladeado [Part. de *cladear*.] ***Adj.*** *Metal.* Que sofreu cladização; cladizado.

cladear [Adapt. do ingl. *(to) clad*, 'ligar um metal a outro'; v. *-ear*[2].] ***V. t. d.*** *Metal.* Realizar a cladização de. [Conjug.: v. *frear*.]

cladística [Do ingl. *cladistics*.] ***S. f.*** *Biol.* Sistematização biológica que se baseia em relações filogenéticas.

cladístico [Do ingl. *cladistic*.] ***Adj.*** *Biol.* Que se baseia em relações filogenéticas.

cladização [De *cladizar* (v. *cladizado*) + *-ção*.] ***S. f.*** *Metal.* Laminação a quente de um metal com outro que o reveste e forma, na interface comum aos dois, uma solda permanente. [Este processo tb. pode ser feito por *solda a explosão*.]

cladizado [Part. de *cladizar* (do rad. de *clad[ear]* + *-izar*).] ***Adj.*** *Metal.* Cladeado.

clado [Do gr. *kládos* (v. *clad(o)-*), pelo ingl. *clade*.] ***S. m.*** *Biol.* Grupo de organismos que evoluíram de um ancestral comum.

▲**clad(o)-** [Do gr. *kládos, ou (ǎ)*.] ***El. comp.*** = 'ramo'; em *Zool.*, 'membros ramificados': *cladanto; cladócero, cladofiúro*. [Equiv.: *-clad(o)-, -clado: tricládio; braquiclado*.]

▲**-clad(o)-** V. *clad(o)-*.

▲**-clado** V. *clad(o)-*.

cladócero [De *clad(o)-* + *-cero*; tax. *Cladocera*.] ***S. m.*** *Zool.* **1.** Espécime dos cladóceros, ordem de artrópodes, crustáceos, branquiópodes, minúsculos, corpo encerrado em carapaça bivalve, olhos sésseis, medianos, fundidos, apêndices do tronco em número de quatro a seis pares, e a segunda antena alargada e adaptada para a natação. ● ***Adj.* 2.** Pertencente ou relativo a eles.

cladócopo [Adapt. do tax. *Cladocopa*.] *Zool.* ***S. m.* 1.** Espécime dos cladócopos, ordem de animais marinhos, crustáceos, ostracódios, de carapaça sem entalhe antenal, o primeiro e o segundo pares de antena us. para natação, o segundo com dois ramos. ● ***Adj.* 2.** Pertencente ou relativo a eles.

cladódico [De *cladódio* + *-ico*[2].] ***Adj.*** Concernente ao cladódio.

cladódio [Do lat. cient. *cladodium* < gr. *kladódes*, 'ramoso', + lat. cient. *-ium*.] ***S. m.*** *Bot.* Ramo achatado e verde, frequentemente muito parecido com a folha, que, em muitas plantas, desempenha as funções destas, como, p. ex., nas cactáceas.

cladogênese [De *clad(o)-* + *-gênese*.] ***S. f.*** *Biol.* Processo de especiação em que uma espécie ancestral origina duas ou mais espécies novas; cladogenia, especiação filética.

cladogenia [De *clad(o)-* + *-genia*.] ***S. f.*** *Biol.* V. *cladogênese*.

cladograma [De *clad(o)-* + *grama*.] ***S. m.*** Numa árvore filogenética, diagrama em que são assinaladas as sequências e relações entre as espécies.

cladosseláquio [De *clad(o)-* + gr. *sélachos*, 'peixe cartilaginoso', + *-io*[3]; tax. *Cladoselache*.] ***S. m.*** *Paleont.* **1.** Gênero de tubarões primitivos do devoniano superior que alcançavam 1,20m de comprimento; eram polifiodontes, de dentes afiados, e com esqueleto cartilaginoso como os modernos tubarões, porém, como a maioria dos tubarões primitivos, tinham o focinho curto e redondo, com a boca localizada à frente da cabeça, um forte espinho precedendo cada nadadeira dorsal, e a caudal apresentava lobos iguais enquanto que na maioria dos modernos tubarões o lobo superior é muito maior do que o inferior. **2.** Espécie ou espécime desse gênero.

clamador (ô) [Do lat. *clamatore*.] ***Adj.* 1.** Que clama; clamante. **2.** Gritador, berrador. ● ***S. m.* 3.** Indivíduo que clama.

clamante [Do lat. *clamante*.] ***Adj. 2 g.*** Clamador (1).

clamar [Do lat. *clamare*.] ***V. t. d.* 1.** Proferir em alta voz; bradar, gritar, exclamar: *Excitada, a multidão clamava: "Vitória!"* **2.** Implorar, rogar, exorar: *Os condenados clamavam misericórdia*. **3.** Exigir, reclamar: *Todos os presentes clamaram justiça*. ***Int.* 4.** Soltar, ou como que soltar, altas vozes; gritar: *O povo clamou, em vão*; "Eis a cidade enfim; os sinos clamam" (Raimundo Correia, *Poesias*, p. 18). ***T. d. e i.* 5.** Implorar, rogar, exorar: *Clamam a Deus perdão de seus pecados*. ***T. i.* 6.** Protestar em alta voz e/ou com veemência; bradar: "A verdade é que em França os homens independentes e ilustrados clamam também contra a censura prévia do teatro, porque é atentatória e inútil." (Alexandre Herculano, *Opúsculos* I, p. 127.) **7.** Ter como exigência; instar: *O povo clama por justiça.*

clamator (ô) [Do lat *clamator, oris*, 'gritador'; tax. *Clamatores.*] *Zool.* ***S. m.*** **1.** Espécime dos clamatores, subordem de passeriformes atualmente classificados como tiranídeos (q. v.). • ***Adj.*** **2.** Pertencente ou relativo a eles.

▲**clami-** V. *clamid(o)-*.

clâmide [Do gr. *chlamýs, ýdos*, pelo lat. *chlamyde.*] ***S. f.*** Manto dos antigos gregos, que se prendia por um broche ao pescoço ou ao ombro direito: "É bela assim! Desprende a clâmide. Revolta, / Ondeante, a cabeleira, aos níveos ombros solta, / Cobre-lhe os seios nus e a curva dos quadris" (Olavo Bilac, *Poesias*, p. 138).

clamidemia [De *clamíd(ia)* + *-emia.*] ***S. f.*** *Patol.* Presença de clamídia no sangue.

clamídia [Do tax. *Chlamydia* (v. *clamid(o)-* e *-ia*[2]).] ***S. f.*** *Microbiol.* **1.** Gênero-tipo das clamidiáceas, constituído de microrganismos que, mediante duas espécies, produzem várias doenças no homem e noutros animais. **2.** Qualquer espécie desse gênero, como, p. ex., a *Chlamydia trachomatis*, causadora de tracoma, uretrite, proctite, linfogranuloma venéreo e outras doenças. **3.** Qualquer espécime desse gênero.

clamidiácea [De *clamídia* (q. v.) + *-ácea*; tax. *Chlamydiaceae.*] ***S. f.*** *Microbiol.* Espécime das clamidiáceas, família da ordem das clamidiales que compreende bactérias gram-negativas, patogênicas, em forma de cocos, cuja reprodução ocorre, apenas, dentro do citoplasma de células de hospedeiros vertebrados, mediante um ciclo único de desenvolvimento.

clamidiáceo [De *clamidiácea*, com var. suf. (v. *-áceo*).] ***Adj.*** *Microbiol.* Pertencente ou relativo às clamidiáceas.

clamidial [Do lat. cient. *Chlamydi-* (v. *clamidiale*), + *-al*[1].] ***Adj. 2 g.*** *Microbiol.* Pertencente ou relativo às clamidiales.

clamidiale [De clamídia + -ale; tax. *Chlamydiales.*] ***S. f.*** *Microbiol.* Espécime das clamidiales, ordem de bactérias intracelulares que engloba quatro famílias.

clamidíase [De *clamíd(ia)* + *-íase.*] ***S. f.*** *Med.* Designação genérica de infecção produzida por qualquer espécie de clamídia.

clamidiforme [De *clamid(o)-* + *-iforme.*] ***Adj. 2 g.*** *Bot.* Em forma de clâmide ou túnica: *cálice clamidiforme.*

clamidiose [De *clamídia* + *-ose*[1].] ***S. f.*** *Med.* Infecção produzida por qualquer espécie de *Chlamydia*, e que pode, ou não, ter manifestações clínicas.

▲**clamid(o)-** [Do gr. *chlamýs, ýdos* = **El. comp.** = 'manto', 'túnica': *clamidiforme.* [Equiv.: *clami-*, *-clamid(o)-*: *clamiforídeo*; *aclamídeo.*]

▲**-clamid(o)-** V. *clamid(o)-*.

clamidósporo [De *clamid(o)-* + *-sporo.*] ***S. m.*** *Micol.* Esporo formado no interior duma célula, e que tem membrana dupla, a própria e a da célula-mãe, sendo, por isso, órgão perdurante. Existe em muitos fungos.

clamiforídeo [De *clami-* + *-for(o)-* + *-ídeo*[1]; tax. *Chlamyphoridae.*] *Zool.* ***S. m.*** **1.** Espécime dos clamiforídeos, família de mamíferos desdentados de pequeno porte, carapaça formada por bandas móveis, finas e muito flexíveis e pelagem lateral densa e branca. São os tatus andinos do Chile, da Argentina e da Bolívia. • ***Adj.*** **2.** Pertencente ou relativo a eles.

clamor (ô) [Do lat. *clamore.*] ***S. m.*** **1.** Ação ou efeito de clamar. **2.** Grito (1) de queixa, súplica ou protesto; brado, voz, vozear. **3.** Rogo, súplica, queixa: *Ouvi, ó Deus, meu clamor.* **4.** Procissão em que os fiéis rezam alto e em coro. ◆ **Clamor público.** Descontentamento ou indignação popular.

clamoroso (ô) [De *clamor* + *-oso.*] ***Adj.*** **1.** Em que há clamor; gritante. **2.** Que se faz ou manifesta com clamor. **3.** Muito evidente; gritante, berrante: *erro clamoroso; injustiça clamorosa.*

clandestinidade [De *clandestino* + *-(i)dade.*] ***S. f.*** Qualidade ou condição de clandestino.

clandestino [Do lat. *clandestinu.*] ***Adj.*** **1.** Feito ou realizado às ocultas: *encontro clandestino.* **2.** Ilegal, ilegítimo: *partido clandestino.* • ***S. m.*** **3.** *Pop.* Indivíduo que se introduz sub-repticiamente em navio, avião, trem, etc. para viajar sem documentos nem passagem. **4.** V. *bookmaker*.

clangor (ô) [Do lat. *clangore.*] ***S. m.*** Som rijo e estridente como o de certos instrumentos metálicos de sopro, como, p. ex., a trompa e a trombeta: "Entre clangores de fanfarra / Passavam préstitos apoteóticos." (Manuel Bandeira, *Estrela da Vida Inteira*, p. 75). [Pl.: *clangores* (ô). Cf. *clangores*, do v. *clangorar*.]

clangorar [De *clangor* + *-ar*[2].] ***V. int.*** **1.** Soar com clangor: "A fanfarra do cortejo clangora" (Eugênio de Castro, *Obras Poéticas*, II, p. 179). **2.** Apregoar um acontecimento. [Sin. ger.: *clangorejar*. Pres. subj.: *clangore, clangores*, etc. Cf. *clangores* (ô), pl. de *clangor*.]

clangorejar [De *clangor* + *-ejar.*] ***V. int.*** Clangorar. [Conjug.: v. *pelejar*.]

clânico [De *clã* + *-ico*[2].] ***Adj.*** Pertencente ou relativo a clã.

clânide [Do gr. *chlanís, ídos.*] ***S. f.*** Na Grécia antiga, manto apropriado para o verão, de fazenda mais leve que a clâmide (q. v.).

claprotita [Do antr. *(Martin H.) Klaproth* (1743-1817), químico alemão, + *-ita*[3].] ***S. f.*** *Min.* Mineral cinzento--azulado composto de sulfeto de cobre e bismuto.

claque [Do fr. *claque.*] ***S. f.*** **1.** *Teatr.* Grupo de pessoas combinadas ou contratadas para aplaudirem ou patearem num espetáculo. **2.** *P. ext.* Grupo de admiradores ou seguidores de alguém. **3.** Chapéu alto, de molas: "Aprumei-me logo, vergando-me galantemente, de claque em punho." (Aluísio Azevedo, *Demônios*, p. 123.) **4.** *Lus.* V. *torcida*[1] (2).

claquete [Do fr. *claquette*, do fr. *claquer*, 'bater'.] ***S. f.*** *Cin.* Pequeno quadro, ger. branco, que assinala o início de cada tomada de uma filmagem e que, graças às informações técnicas nele registradas, facilita a montagem posterior do filme. [Em caso de som--direto, bate-se uma peça de madeira presa por dobradiça no topo da claquete, para que o sinal sonoro emitido sirva de registro para a sincronização posterior entre som e imagem.] ◆ **Claquete eletrônica** *Cin.* Claquete em que as informações são apresentadas digitalmente no quadro e que permite a sincronia de som e imagem a partir de um código gerado simultaneamente.

clara [F. subst. do adj. *claro.*] ***S. f.*** **1.** No ovo, albumina que envolve a gema. **2.** *Anat.* V. *esclera*. **3.** V. *clareira* (1 e 2). **4.** *Mar.* V. *aberta* (9). **5.** *Constr. Nav.* Designação comum a algumas aberturas existentes no casco ou no aparelho das embarcações. ~ V. *claras*.

claraboia (ói) [Do fr. *claire-voie.*] ***S. f.*** **1.** Abertura no alto dos edifícios, ger. fechada por caixilho com vidro, e destinada a permitir a entrada da luz. **2.** Janela redonda, ou fresta, por onde entra luz em uma casa. ❖

claraíba [De *caraíba*[2], com cruz. do adj. *claro*, poss.] ***S. f.*** *Bras. Bot.* **1.** Árvore boraginácea (*Cordia glabrata*) de folhas ovadas, flores alvas, tirsoides; com cálices cilíndricos e denteados, e que fornece madeira de luxo; louro, louro-branco, louro-de-mato-grosso, louro-preto, peteribi. **2.** V. *caraíba*[2] (2 e 3).

claramente [Do fem. de *claro* + *-mente.*] ***Adv.*** **1.** De modo claro: *Dissertaram sobre a questão claramente.* **2.** De modo evidente, notório, visível ou indiscutível: *Eles estavam claramente brigados.*

clarão[1] [De *claro* + *-ão*[1].] ***S. m.*** **1.** Luz viva e instantânea. **2.** Claridade intensa; claror. **3.** Brilho, cintilação rápida. **4.** *Fig.* Estado de espírito momentâneo: *clarão de inteligência; um clarão de bondade.* **5.** *Bras.* V. *clareira* (1 e 2).

clarão[2] [Do fr. *clairon.*] ***S. m.*** Registro de órgão cujos tubos são de zinco, com bocal de palheta.

claras [F. pl. subst. do adj. *claro.*] ***El. s. f. pl.*** Us. na loc. adv. *às claras*. ~ V. *clara*. ◆ **Às claras. 1.** À vista de todos; publicamente: *Não o chamou à parte para censurá-lo: fê-lo às claras.* **2.** Sem rodeios, categoricamente: *Manifestou às claras a sua radical discordância.* **3.** De maneira clara; sem preconceitos, claramente: "desde então vejo tudo às claras, vejo certo, posso julgar com justeza" (Aluísio Azevedo, *O Coruja*, p. 242). ~ V. *clara*.

claravalense ***Adj. 2 g.*** **1.** De, ou pertencente ou relativo a Claraval (MG). • ***S. 2 g.*** **2.** O natural ou habitante de Claraval.

clareação [De *clarear* + *-ção.*] ***S. f.*** Ato ou operação de clarear; clareamento.

clareamento [De *clarear* + *-mento.*] ***S. m.*** **1.** Clareação. **2.** *Cin. Telev.* Aparecimento gradual da imagem. [Sin., ingl., nesta acepç.: *fade-in*. Cf. *fade* (1).]

clarear [De *claro* + *-ear*[2].] ***V. t. d.*** **1.** Tornar claro; iluminar, aclarar: "Já então a arraiada vinha clareando o céu." (Machado de Assis, *Páginas Recolhidas*, p. 124); "Entra em seu quarto, a luz do abajur clareia o rosto da mulher" (Ricardo Ramos, *Matar um Homem*, p. 146). **2.** Abrir espaços ou clareiras em; rarear: *clarear um bosque.* **3.** Tornar inteligível; facilitar a compreensão de: *A explicação do professor clareou o intrincado texto.* **4.** Tornar mais claro o tom de. **5.** Tornar (a voz) mais límpida, mais nítida. ***Int.*** **6.** Fazer-se dia: "Madrugada cinzenta, que foi clareando aos poucos." (Moreira Campos, *Portas Fechadas*, p. 27.) **7.** Passar (o tempo, o dia) de nublado a claro (9): *Passada a chuva, o dia clareou.* **8.** Tornar-se (mais) claro; aclarar-se: *A sala clareou com o relâmpago.* **9.** Tornar-se (a voz) límpida ou nítida. **10.** Encher-se de clareiras, ou de lacunas. **11.** Tornar-se lúcido, penetrante, ou perspicaz; aclarar(-se): *Sentiu que sua capacidade de percepção clareava.* **12.** Tornar-se inteligível: *Com aquela interpretação, o sentido do texto clareou.* [Sin. ger. (p. us.): *clarejar*. Conjug.: v. *frear*.]

clareira [De *claro* + *-eira.*] ***S. f.*** **1.** Espaço sem árvores, ou quase, em mata ou bosque. [Sin.: *aberta, clara, clarão, claro* e (bras., RS e Amaz.) *campestre*.] **2.** Terreno desmoitado ou arroteado em meio de brenhas ou matas; clara, clarão, claro. **3.** V. *claro* (22).

clarejar [De *claro* + *-ejar.*] ***V. t. d. Int.*** *P. us.* V. *clarear*. [Conjug.: v. *pelejar*.]

clarete (ê) [Do fr. *claret.*] ***Adj.*** **1.** De cor pouco acentuada. • ***S. m.*** **2.** Vinho palhete: "Fala-se francês, há pão, clarete, rosbife com batatas e uma boa cama: era divino." (Eduardo Frieiro, *Feijão, Angu e Couve*, p. 122.)

clareza (ê) [De *claro* + *-eza* (ê).] ***S. f.*** **1.** Qualidade do que é claro ou inteligível: *a clareza de uma frase.* **2.** Limpidez, nitidez, transparência: *a clareza da água.* **3.** Qualidade da vista que percebe e distingue bem as coisas: *Vê com clareza, não precisa de óculos.* **4.** Timbre bom, bem perceptível: *Fala com clareza, é um prazer ouvi-lo.* **5.** Declaração escrita de um contrato ou encargo: "É possível que o poeta sentisse desejos de, renunciando a tantos sonhos inatingíveis, continuar no cartório bafiento, gatafunhando clarezas e escrituras" (Melo Nóbrega, *O Soneto de Arvers*, p. 25). **6.** Nos cassinos, ato de levantar todas as cartas da mesa. ◆ **Clareza meridiana.** Clareza ou claridade absoluta.

claridade [Do lat. *claritate.*] ***S. f.*** **1.** Qualidade do que é claro: *a claridade da manhã.* **2.** Luz viva, intensa: "Faz frio. Mas, depois duns dias de aguaceiros, / Vibra uma imensa claridade crua." (Cesário Verde, *Obra Completa*, p. 98.) **3.** Foco luminoso: *a claridade da lâmpada.* **4.** Brilho luminoso: "romperam a correr desesperadamente ...., sob a primeira claridade do luar que subia." (Eça de Queirós, *Os Maias*, II, p. 566). **5.** Brancura, alvura.

clarificação [De *clarificar* + *-ção.*] ***S. f.*** Ação ou efeito de clarificar.

clarificador (ô) [De *clarificar* + *-dor.*] ***Adj.*** **1.** Que clarifica; clarificativo. • ***S. m.*** **2.** Aquele ou aquilo que clarifica. **3.** *Tec.* Tanque de sedimentação de onde eflui líquido que se quer obter isento de partículas em suspensão. [Cf., nesta acepç., *sedimentador* (2).]

clarificar [Do lat. *clarificare.*] ***V. t. d.*** **1.** Tornar claro, limpando ou purificando. **2.** Tornar claro ou límpido, purificando (um líquido). ***P.*** **3.** Tornar-se claro, límpido. **4.** Tornar-se moralmente puro; purificar--se: *Sua alma clarificou-se nas práticas ascéticas.* [Conjug.: v. *trancar*.]

clarificativo [De *clarificar* + *-tivo.*] ***Adj.*** Clarificador (1).

clarim [Do esp. *clarín.*] ***S. m.*** *Mús.* **1.** Instrumento de sopro, de origem etrusca, feito de metal, com bocal e tubo cônico, hoje apenas usado para sinais militares, graças ao seu timbre claro e estridente: "Um clarim soava triunfalmente" (Eça de Queirós, *Últimas Páginas*, p. 23). **2.** Registro médio do clarinete. **3.** Registro de órgão de palheta (família dos trompetes). • ***S. 2 g.*** **4.** Pessoa que toca clarim (1).

clarinada [De *clarim* + *-ada*[1], seg. o padrão erudito.] ***S. f.*** *Mús.* Toque de clarim.

clarinar [De *clarim* + *-ar*[2], seg. o padrão erudito.] ***V. int.*** *Bras.* **1.** Tocar clarim. **2.** Emitir sons fortes e vibrantes: "A barra do dia sangrou bonito. | Um galo começou a clarinar." (João Felício dos Santos, *João Abade*, p. 134).

clarineta (ê) *Mús.* ***S. f.*** **1.** V. *clarinete*: "o filho, Nicola, tocava clarineta." (Fernando Sabino, *O Grande Mentecapto*, p. 143). • ***S. 2 g.*** **2.** V. *clarinete* (3).

clarinete (ê) [Do fr. *clarinette* < it. *clarinetto.*] *Mús.* ***S. m.*** **1.** Instrumento de sopro, de madeira ou de metal, cujo tubo, parcialmente cilíndrico, é dotado de uma palheta simples: "O cavaquinho, os violões, a rabeca e o clarinete não repousavam, emendando as danças várias." (Alberto Rangel, *Inferno Verde*, p. 86.) **2.** Registro de órgão e de harmônio. • ***S. 2 g.*** **3.** Pessoa que toca esse instrumento; clarinetista. [F. paral.: *clarineta* e (bras., pop.) *clarineto*.]

clarinetista [De *clarinete* + *-ista.*] ***S. 2 g.*** *Mús.* Tocador de clarinete; clarineta.

clarineto (ê) [Do it. *clarinetto.*] ***S. m.*** *Bras. Mús.* V. *clarinete*.

clarissa [Do it. *clarissa*, do hag. (*Santa*) *Clara.*] ***Adj. (f.) S. f.*** Diz-se da, ou freira da Ordem de Santa Clara, fundada em Assis (Itália central) em 1011 pela própria santa, e cuja regra foi redigida por São Francisco de Assis. [Sin.: *clarista*.]

clarista [Do hag. (*Santa*) *Clara* + *-ista.*] ***Adj. 2 g. S. f.*** Clarissa.

clarividência [De *claro* + *-i-* + *vidência*; adapt. do fr. *clairvoyance.*] ***S. f.*** **1.** Qualidade de clarividente. **2.** A faculdade de pessoa clarividente (5).

clarividente [De *claro* + *-i-* + *vidente*; adapt. do fr. *clairvoyant.*] ***Adj. 2 g.*** **1.** Que vê com clareza: *espírito clarividente.* **2.** Atilado, esperto. **3.** Prudente, cauteloso. **4.** Que prevê acontecimentos. • ***S. 2 g.*** **5.** Pessoa clarividente (4).

claro [Do lat. *claru.*] ***Adj.*** **1.** Que alumia; luminoso, luzente, brilhante, resplandecente: *luz clara; lustre muito claro.* **2.** Que recebe claridade; iluminado, alumiado: *sala clara; noite clara.* **3.** Que reflete bem a luz; luzente, lustroso, polido: *espelho claro.* **4.** Transparente, translúcido: *vidro claro; lente clara.* **5.** Límpido, nítido, puro: "O rio / Cantigas de águas claras soluçando." (Da Costa e Silva, *Sangue*, p. 41). **6.** Bem visível; distinto, discriminável: *silhueta clara; contorno claro.* **7.** Que tem cor ou tonalidade desmaiada, pouco intensa: *vestido claro; olhos claros.* **8.** Diz-se da cor ou tonalidade assim caracterizada: *gravata de cor clara; olhos de tom claro.* **9.** Sem nuvens; sereno: *atmosfera clara.* **10.** Diz-se da parte do dia quando o Sol está acima do horizonte: *Ao sairmos, já era dia claro.* **11.** Diz-se de indivíduo branco ou quase branco (em oposição a *preto*). **12.** Que distingue bem; penetrante, perspicaz (falando-se dos sentidos): *visão clara; audição clara.* **13.** Bem perceptível à audição, bem audível; alto, vibrante: *som claro; voz clara.* **14.** Que representa as coisas ao vivo com exatidão: *memória clara; imaginação clara.* **15.** Que percebe as coisas com clareza; que compreende: *inteligência clara; razão clara.* **16.** Fácil de entender: *letra clara; sentido claro.* **17.** Evidente, manifesto, patente: *intenção clara.* **18.** Não ambíguo; inequívoco, explícito: *regras claras.* **19.** Persuasivo, convincente: *argumento claro; demonstração clara.* **20.** *Poét.* Eminente, ilustre, glorioso; célebre, preclaro: *clara estirpe*; "Nem pode o claro Herói sem pena vê-las, / Com tantas provas, que de amor lhe davam" (Santa Rita Durão, *Caramuru*, VI, p. 43). **21.** *Tip.* Diz-se do tipo (ou fio) de traços mais delgados que o normal; magro, fino. [Cf. *meio-claro.*] ~ V. *bordo* —, *câmara —a* e *minuano* —. ● ***S. m.*** **22.** Lugar ou espaço onde se apresenta rarefeito, ou é inexistente, aquilo que, à volta, se encontra em quantidade mais ou menos grande; lacuna, vão, clareira: *O claro dos cabelos era devido a um ferimento*; "Um dia, ao pino do Sol, ela repousava em um claro da floresta." (José de Alencar, *Iracema*, p. 51); "Vejo-a, e cuido uma dríada estar vendo, / por entre os claros de uma selva basta, / Aparecendo e desaparecendo..." (Raimundo Correia, *Poesias*, p. 130). **23.** *P. ext.* Incapacidade de raciocinar, ou recorrer à memória; branco: *Na hora do exame sentiu um claro na cabeça.* **24.** V. *clareira* (1 e 2). **25.** Espaço interrompido, num trecho escrito, por falta de letras ou linhas. **26.** *Art. Plást.* Parte clara ou iluminada de um quadro ou de uma gravura. **27.** *Tip.* Espaço entre palavras ou linhas. **28.** *P. ext. Tip.* O material branco (q. v.) que produz esse espaço. ● ***Adv.*** **29.** Com clareza; claramente: *falar claro; ver claro*; "Falemos claro, amigo. Viemos à caça do sujeito, e por força que o havemos de levar." (José de Alencar, *O Gaúcho*, p. 127). ● ***Interj.*** **30.** Sem dúvida; evidentemente: *— Será que ele vem? — Claro!* ◆ **Claro de abertura.** *Tip.* V. *recolhido* (4). **Claro de entrada.** *Tip.* V. *recolhido* (4). **Em claro.** V. *em branco* (4). **No claro.** *Bras. RS* À vista; a dinheiro. **Pelo claro.** De maneira clara; claramente: "acender as tochas da razão para distinguir bem pelo claro um marido rico e um marido pobre." (Camilo Castelo Branco, *O Santo da Montanha*, p. 140).

claro-escuro ***S. m.*** **1.** Transição do claro para o escuro. **2.** Impressão do contraste dos claros com os escuros. **3.** Combinação e distribuição de sombras e luz: "Lembro particularmente dum .... *crayon* vigoroso, rico de claros-escuros, representando cabeça guedelhuda, testa luminosa, o queixo fino e a expressão angustiada e pensativa de homem moço." (Pedro Nava, *Beira-Mar*, p. 46). **4.** Realização de tais efeitos em pintura. [Pl.: *claros-escuros* e *claro-escuros.*]

clarone [Do it. *clarone.*] ***S. m.*** *Bras. Mús.* **1.** Instrumento musical de sopro, feito de madeira, com palheta dupla, de timbre semelhante ao do clarinete, mas levemente nasal. **2.** Registro de órgão ou de harmônio.

claro-pocense ***Adj. 2 g.*** **1.** De, ou pertencente ou relativo a Claro dos Poções (MG). ● ***S. 2 g.*** **2.** O natural ou habitante de Claro dos Poções. [Pl.: *claro-pocenses.*]

claror (ô) [Do lat. *clarore*, 'claridade'.] ***S. m.*** Claridade intensa; clarão: "sob o claror fulgenteador de milhares de lâmpadas" (Martins Fontes, *A Dança*, p. 73); "E as pétalas voavam: sobem, descem, / Aos clarores do pôr do sol do estio." (Alphonsus de Guimaraens, *Obra Completa*, p. 224).

▲-clase [Do gr. *klásis, eōs(ă).*] ***El. comp.*** = 'ruptura', 'fratura': *áclase, litóclase.* [Equiv.: *-clas(i)-*: *euclásio, litoclasia.*]

▲-clas(i)- Equiv. de *-clase.*

classe [Do lat. *classe.*] ***S. f.*** **1.** Numa série ou num conjunto, grupo ou divisão que apresenta características semelhantes; categoria; ordem. **2.** Categoria de cidadãos baseada nas distinções de ordem social ou jurídica: *classe média; classe comercial; a classe dos solteiros.* **3.** Categoria, ordem, plana, hierarquia; qualidade: *Ciro dos Anjos é um romancista de primeira classe; É ator de última classe.* **4.** Hierarquia baseada na importância ou dignidade de um cargo ou de uma ocupação: *ministro de primeira classe.* **5.** Grupo de pessoas que se diferençam das outras por suas ocupações, costumes, opiniões, tendências: *a classe dos marítimos; a classe dos artistas; a classe dos pessimistas.* **6.** Categoria de coisas baseada na qualidade, no valor ou no preço: *arroz de primeira classe.* **7.** Coleção ou grupo de coisas que se distinguem pela natureza, uso, etc.: *O catálogo do museu enumera as diversas classes de peças raras.* **8.** Categoria de meio de transporte, ou de parte de um deles, de acordo com as acomodações ou o preço: *Só viaja na primeira classe.* **9.** Grupo ou camada social que se organiza, em sociedades estratificadas, e para cuja formação contribuem a divisão do trabalho, as diferenças de propriedade e de rendas ou a distribuição de riquezas. **10.** *Bras.* Distinção de maneiras; categoria; educação: *Aquele sujeito não tem classe.* **11.** O conjunto de aulas em que se ensina certa matéria: *Inscreveu-se na classe de português; Não frequenta a classe de ginástica.* **12.** Os estudantes que as frequentam: *A nossa classe foi elogiada pelo diretor.* **13.** O local onde se ministram as aulas; sala. **14.** Grupo de alunos que, numa escola, seguem o curso juntos, ano a ano, e estudam na mesma sala; aula, sala, turma. **15.** *Álg.* Coleção de objetos que se define pelo fato de tais objetos, e só eles, terem uma ou mais características comuns. **16.** *Biol.* Categoria taxonômica compreendida entre o filo e a ordem. [V. *grupos taxonômicos.*] **17.** *Estat.* Cada um dos intervalos não superpostos em que se divide uma distribuição de frequências. **18.** *E. Ling.* V. *parte do discurso.* **19.** *Mat.* O maior número de tangentes a uma curva algébrica plana, as quais passam por um ponto fora da curva. **20.** *Mat.* O maior número de planos osculadores a uma curva reversa algébrica que passam por um ponto fora da curva. **21.** *Inform.* Em programação ou modelagem orientada a objetos (v. *orientação a objetos*), categoria descritiva geral, que abrange o conjunto de objetos que compartilham uma ou mais características quanto a seus itens de dados e procedimentos associados. **22.** *Lóg.* Agrupamento de objetos que têm uma ou mais características em comum. [Cf. *gênero* (1) e *extensão* (11).] **23.** *Mil.* Conjunto de indivíduos nascidos no mesmo ano civil. [Pode ser designada tanto pelo ano de nascimento como pela idade desses indivíduos.] ◆ **Classe de palavras.** *E. Ling.* V. *parte do discurso.* **Classe em si.** *Hist. Filos.* No marxismo, a condição da classe operária que ainda não tomou consciência de suas tarefas de classe, *i. e.*, ainda se mantém como massa desagregada, sujeita a revoltas isoladas, sem haver identificado o estado capitalista como o inimigo inconciliável. **Classe executiva.** Classe (8) que oferece um conforto intermediário entre a primeira classe e a classe econômica. **Classe gramatical.** *E. Ling.* V. *parte do discurso.* **Classe média.** V. *burguesia* (1). **Classe para si.** *Hist. Filos.* No marxismo, a condição da classe operária que atingiu a consciência da sua missão histórica de classe, *i. e.*, que, tendo identificado no estado capitalista o inimigo inconciliável, criou uma teoria revolucionária e um partido destinado a dirigir a luta pela derrubada desse estado.

classicismo [De *clássico* + *-ismo.*] ***S. m.*** **1.** Qualidade ou feição do que é clássico: "são do mais elegante classicismo seus [de D. Francisco Manuel de Melo] períodos bem equilibrados, túmidos de conceitos" (Hernâni Cidade, *Lições de Cultura e Literatura Portuguesas*, I, p. 329). **2.** Doutrina literária e artística baseada no respeito à tradição clássica [v. *clássico* (1 e 5)]: *É própria do classicismo uma visão objetiva do mundo; Sensível foi a influência de Descartes no classicismo francês.* **3.** Conjunto de características próprias da literatura e das artes da Antiguidade (grega e latina), ou do séc. XVII e parte do XVIII. **4.** *E. Ling.* Aticismo (2).

classicista [De *classicismo* + *-ista.*] ***Adj. 2 g. S. 2 g.*** Diz-se de, ou seguidor, ou grande admirador do classicismo (2 e 3).

clássico [Do lat. *classicu.*] ***Adj.*** **1.** Relativo à arte, à literatura ou à cultura dos antigos gregos e romanos. **2.** Que segue, em matéria de artes, letras, cultura, o padrão desses povos. **3.** Da mais alta qualidade; modelar, exemplar: *definição clássica; atitude clássica.* **4.** Cujo valor foi posto à prova do tempo; tradicional; antigo: *As tendências modernas preferem as formas clássicas da arte e da literatura.* **5.** Que segue os cânones preestabelecidos; acorde com eles. **6.** Sem excessos de ornamentação; simples, sóbrio: *decoração clássica; vestido clássico.* **7.** Famoso por se repetir ao longo do tempo; tradicional: *os clássicos festejos carnavalescos.* **8.** Usado nas aulas ou classes: *exercícios clássicos.* **9.** Costumeiro, costumado, habitual: *o clássico chá das cinco da Academia Brasileira.* **10.** Diz-se da obra ou autor que, pela originalidade, pureza de língua e forma perfeita, se tornou modelo digno de imitação: "*Madame Bovary* é hoje uma obra clássica" (Eça de Queirós, *Ecos de Paris*, p. 17). **11.** Autorizado ou abonado pelos autores clássicos: *expressão, construção, regência clássica.* **12.** *Mús.* Diz-se da música dos grandes compositores eruditos (como Bach, Beethoven, Vila-Lobos), ou que segue essa tradição: *música clássica.* **13.** Relativo ou próprio da música clássica: *compositor clássico, músico clássico, instrumento clássico.* **14.** *Vest.* Diz-se do estilo de roupa que mantém características de elegância, simplicidade e atualidade, independentemente da moda do momento. **15.** *Bras. Desus.* Diz-se do curso de nível médio em três anos, no qual predomina o ensino de línguas, de filosofia, etc. ~ V. *direito* —, *edição —a, física —a, grego —, latim —, localidade —a, mecânica —a* e *sonata —a.* ● ***S. m.*** **16.** Escritor da Antiguidade (grega ou latina). **17.** Obra de escritor ou artista clássico. **18.** Escritor, artista ou obra consagrada, de alta categoria. **19.** Acontecimento famoso por sua repetição em épocas consecutivas: *Grandes filmes concorrem ao festival de Cannes, que é um clássico.* **20.** *Fut.* Partida disputada entre dois times famosos. **21.** *Turfe* Grande prêmio ou páreo especial. **22.** *Bras. Desus.* Curso clássico [v. *clássico* (13)].

classificação [De *classificar* + *-ção.*] ***S. f.*** **1.** Ato ou efeito de classificar(-se). **2.** *Bibliot.* Sistema de símbolos representativos dos ramos do conhecimento, us. nas bibliotecas e noutros serviços de documentação para distribuir em classes, subclasses, etc., de acordo com os respectivos assuntos, os registros bibliográficos, as fichas de um catálogo, bem como para indicar a localização física dos livros e demais documentos. **3.** Lugar ou posição própria que um indivíduo ou elemento ocupa dentro de um conjunto, distinguindo-se dos demais. **4.** *P. ext.* Aprovação em teste, prova ou concurso, ou a passagem a fase a seguir em competição ou concurso. **5.** *Biol.* Disposição dos seres vivos em grupos semelhantes, segundo correlações evolutivas. **6.** *Lóg.* Esquema que resulta do agrupamento de elementos em classes, e estas em classes mais amplas, coordenadas ou subordinadas. [Cf. *divisão lógica.*] **7.** *Lóg.* Expressão das relações de extensão entre as classes pelas operações de disjunção e equivalência. **8.** *Sociol.* Peneiramento (2). ◆ **Classificação decimal.** *Docum.* Sistema de catalogação que utiliza indicativos numéricos de base decimal para classificar as áreas de conhecimento humano. [Os sistemas correntes de classificação decimal são o CDD (q. v.) e o CDU (q. v.).] **Classificação de Gell e Coombs.** *Imun.* Classificação dos fenômenos imunológicos em tipo I, II, III ou IV, de acordo com os tipos de células e com os mecanismos que intervêm nesses fenômenos. **Classificação natural.** *Biol.* A classificação de grupos animais e vegetais, baseada num conjunto de caracteres. **Classificação periódica.** *Quím.* Aquela que organiza os elementos em períodos [v. *período* (13)]; tabela periódica.

classificado [Part. de *classificar.*] ***Adj.*** **1.** Que se classificou em exame seletivo, concurso, etc.: *Os alunos classificados começarão as aulas após o carnaval.* ~ V. *anúncio* —. ● ***S. m.*** **2.** Aquele ou aquilo que se classificou. **3.** *Bras.* Anúncio classificado.

classificador (ô) [De *classificar* + *-dor.*] ***Adj.*** **1.** Que classifica ou é usado para classificar. ● ***S. m.*** **2.** Aquele que classifica ou é empregado para classificar. **3.** Pasta, ger. de capa dura e lombada grossa, com dispositivo próprio para guardar papéis metodicamente classificados. **4.** *E. Ling.* Morfema cuja função é indicar que uma palavra pertence a uma classe morfológica ou semântica. [Ex.: *-mente* é um classificador de advérbio.]

classificadora (ô) [F. subst. do adj. *classificador.*] ***S. f.*** *Estat.* Máquina que seleciona e conta cartões, efetuando, assim, a apuração mecânica de um inquérito estatístico; separadora.

classificar [De *classe* + *-ificar.*] ***V. t. d.*** **1.** Distribuir em classes e/ou grupos, segundo sistema ou método de classificação: *classificar os livros de uma biblioteca; classificar os tipos humanos.* **2.** Determinar (as categorias em que se divide e subdivide um conjunto). **3.** Pôr em ordem, arrumar (documentos, coleções, etc.). **4.** Aprovar (candidato) em concurso ou torneio. **5.** Identificar (planta, animal, etc.), *i. e.*, colocá-los no sistema de classificação e reconhecer o seu nome científico universal. **6.** *Dir. Proc. Penal* Apontar em (a peça inicial da acusação) o tipo legal do delito ou contravenção em que se enquadram os fatos nela articulados, com todas as suas circunstâncias, para determinar a pena aplicável a seu autor. ***Transobj.*** **7.** Qualificar; tachar: *Classificou o convocado de incapaz*; "quando .... D. Pepê manifestara desejo de ler *O Primo Basílio* e *O Crime do Padre Amaro*, ele se opusera com veemência, classificando tais livros de obscenos." (Gastão Cruls, *De Pai a Filho*, p. 28). *P.* **8.** Qualificar-se, chamar-se: *Costuma classificar-se de democrata.* **9.** Ser aprovado em concurso ou torneio. [Conjug.: v. *trancar*.]

classificatório [De *classificar* + *-tório*.] *Adj.* **1.** Relativo a classificação. **2.** Que serve para, ou tem a virtude de classificar (4): *prova classificatória.* **3.** *Antrop.* Diz-se de terminologia de parentesco em que vários (ou todos) os parentes colaterais são categorizados com os mesmos nomes utilizados para os parentes lineares. **4.** *Antrop.* Diz-se de parente ou de vínculo de parentesco que é designado (segundo a forma de classificação própria a determinada língua) por um termo empregado para parente genealogicamente mais próximo: *parente classificatório; mãe classificatória; primo classificatório; germanidade classificatória.* ~ V. *avaliação —a.*

classismo [De *classe* + *-ismo*.] *S. m.* V. *classicismo.*

classista [De *classe* + *-ista*.] *Adj. 2 g. S. 2 g.* Que, ou quem representa uma classe: *deputado classista; os classistas.*

classudo [De *classe* + *-udo*.] *Adj. Bras. Fam. Pop.* Que tem alta classe (6).

▲-clasta V. *clast(o)-.*

clástico [De *clast(o)-* + *-ico*[2].] *Adj.* **1.** Diz-se do modelo desmontável ou de cada uma das peças que o compõem para estudo prático de anatomia. **2.** *Geol.* Diz-se de certas rochas, como a argila, o saibro, o arenito, formadas de fragmentos de outras rochas. ~ V. *rocha —a.*

▲clast(o)- [Do gr. *klastós, ḗ, ón*.] *El. comp.* = 'quebrado'; 'que quebra': *clástico, clastomania.* [Equiv.: *-clasta, -clast(o)-, -clasto: biblioclasta; dendroclasta; citoclástico; osteoclasto.*]

▲-clast(o)- V. *clast(o)-.*

▲-clasto V. *clast(o)-.*

clastomania [De *clast(o)-* + *-mania*.] *S. f. Psiq.* Tendência patológica para destruir todos os objetos.

clastomaníaco [De *clastomania* + *-íaco*.] *Adj. Psiq.* **1.** Relativo à clastomania. **2.** Que tem clastomania; clastômano. • *S. m.* **3.** Aquele que tem clastomania; clastômano.

clastómano *Adj. S. m. Psiq.* V. *clastômano.* [Uso freq. em P.]

clastômano [De *clast(o)-* + *-mano*[1].] *Adj. S. m. Psiq.* Clastomaníaco (2 e 3).

clatrado [Do lat. *clatratu*, 'fechado com grade'.] *Adj.* ~ V. *folha —a.*

clatratação [De **clatratar* (< *clatrato* + *-ar*[2]) + *-ção*.] *S. f. Quím.* Formação de um clatrato.

clatrato [Do lat. cient. *clathratus*.] *S. m. Quím.* Composto molecular em que moléculas de um tipo estão incluídas nos buracos de uma rede formada por moléculas de outro tipo.

clatrina [Do ingl. *clathrin*.] *S. f. Bioquím.* Proteína que promove a formação de vesículas recobertas no mecanismo de endocitose mediada por receptores.

claudicação [Do lat. *claudicatione*.] *S. f.* **1.** Ato ou efeito de claudicar. **2.** Vacilação, hesitação, incerteza. **3.** *Fig.* Erro, falta, deslize. **4.** *Fig.* Imperfeição, defeito. [Sin. ger. (bras.): *claudicância*.] ◆ **Claudicação intermitente.** *Med.* Situação em que o paciente, quando parado, de nada se queixa, mas, após andar certa distância, refere dor, tensão e fraqueza em membro inferior, intensificando-se esses sintomas a ponto de tornar a marcha impossível, desaparecendo todos após algum tempo de repouso.

claudicância [De *claudicar* + *-ância*.] *S. f. Bras.* V. *claudicação.*

claudicante [De *claudicar* + *-nte*.] *Adj. 2 g.* **1.** Que claudica. **2.** *Fig.* Incerto, vacilante, duvidoso.

claudicar [Do lat. *claudicare*.] *V. int.* **1.** Não ter firmeza nos pés; coxear; manquejar; capengar: "uma pessoa arrimada à bengala, a claudicar, indica-nos estragos físicos." (Graciliano Ramos, *Viagem*, p. 40). **2.** Ter imperfeição, falha ou deficiência; falhar; manquejar: *Tem excelente memória, que jamais claudica;* "Demonstrado que a exposição preliminar e as notas claudicam na linguagem, provado estará que o substitutivo não presta." (Rui Barbosa, *Réplica*, p. 353). *T. i.* **3.** *Fig.* Cometer falta; falhar; errar: *Não foi feliz no seu discurso: claudicou em vários trechos;* "labutaria nalgum obscuro ofício de mercancia, talvez claudicasse no peso e na medida." (Tristão da Cunha, *À beira do Estix*, p. 76). [Conjug.: v. *trancar*.]

claudiense[1] *Adj. 2 g.* **1.** De, ou pertencente ou relativo a Cláudia (MT). • *S. 2 g.* **2.** O natural ou habitante de Cláudia.

claudiense[2] *Adj. 2 g.* **1.** De, ou pertencente ou relativo a Cláudio (MG). • *S. 2 g.* **2.** O natural ou habitante de Cláudio.

claustra [Do lat. *claustra*.] *S. f. P. us.* Claustro (1).

claustral [Do lat. *claustrale*.] *Adj. 2 g.* **1.** Relativo ou pertencente a claustro; conventual, monástico. • *S. m.* **2.** Os claustros.

claustro [Do lat. *claustro*.] *S. m.* **1.** Nos edifícios de conventos (e em certas catedrais), galeria com arcadas abertas que circunda um pátio interno, ger. quadrangular: "No Mosteiro dos Jerônimos, cujo claustro é considerado o mais belo exemplo do estilo manuelino no mundo, está enterrado Alexandre Herculano." (H. Dobal, *A Viagem Imperfeita*, p. 50.) [Sin., p. us.: *claustra*.] **2.** V. *convento* (1): "Saibamos alguma coisa da vida do frade, da sua vida no século, porque a do claustro era nua e nula" (Almeida Garrett, *Viagens na Minha Terra*, p. 143). [Sin. (ant.) nessas acepç.: *crasta*.] **3.** *Fig.* A vida monástica. **4.** Assembleia de professores universitários.

▲claustro- [Do lat. *claustrum*, *i* < lat. *claudĕre*, 'fechar'.] *El. comp.* = 'clausura', 'recinto fechado': *claustrofobia.*

claustrofilia [De *claustro-* + *-filia*.] *S. f. Psiq.* Tendência patológica a ficar encerrado em um cômodo, com janela(s) e porta(s) fechada(s). [Opõe-se a *claustrofobia*.]

claustrofílico [De *claustrofilia* + *-ico*[2].] *Psiq. Adj.* **1.** Relativo a claustrofilia. **2.** Que tem claustrofilia; claustrófilo. • *S. m.* **3.** Aquele que tem claustrofilia; claustrófilo. [Opõe-se a *claustrofóbico*.]

claustrófilo [De *claustro-* + *-filo*[2].] *Adj. S. m. Psiq.* Claustrofílico (2 e 3). [Opõe-se a *claustrófobo*.]

claustrofobia [De *claustro-* + *-fobia*.] *S. f. Psiq.* Estado psicopatológico caracterizado pelo medo de estar ou passar em lugares fechados ou de tamanho reduzido. [Opõe-se a *claustrofilia*. Cf. *agorafobia*.]

claustrofóbico [De *claustrofobia* + *-ico*[2].] *Psiq. Adj.* **1.** Relativo a claustrofobia. **2.** Que sofre de claustrofobia; claustrófobo. **3.** *P. ext.* Que provoca ou induz claustrofobia: *situação claustrofóbica.* • *S. m.* **4.** Aquele que sofre de claustrofobia; claustrófobo. [Opõe-se a *claustrofílico*.]

claustrófobo [De *claustro-* + *-fobo*.] *Adj. S. m. Psiq.* Claustrofóbico (2 e 4). [Opõe-se a *claustrófilo*.]

claustromania [De *claustro-* + *-mania*.] *S. f. Psiq.* Tendência patológica a fechar-se em um espaço confinado.

claustromaníaco [De *claustromania* + *-íaco*.] *Adj. Psiq.* **1.** Relativo a claustromania. **2.** Que tem claustromania; claustrômano. • *S. m.* **3.** Aquele que tem claustromania; claustrômano.

claustrómano *Adj. S. m. Psiq.* V. *claustrômano.* [Uso freq. em P.]

claustrômano [De *claustro-* + *-mano*[1].] *Adj. S. m. Psiq.* Claustromaníaco (2 e 3).

cláusula [Do lat. *clausula*.] *S. f.* **1.** Cada um dos artigos ou disposições dum contrato, tratado, testamento, ou qualquer outro documento semelhante, público ou privado. **2.** Condição (7) que faz parte de um contrato ou documento. **3.** *P. ext.* Contrato, ajuste. **4.** Preceito, norma. **5.** Fim, termo: "E foi assim que cheguei à cláusula dos meus dias; foi assim que me encaminhei para o *undiscovered country* de Hamlet, sem as ânsias nem as dúvidas do moço príncipe, mas pausado e trôpego, como quem se retira tarde do espetáculo." (Machado de Assis, *Memórias Póstumas de Brás Cubas*, p. 2) **6.** *E. Ling. Desus.* Oração, sentença: "Os pontos que neste tempo se usam, no partir e dividir as cláusulas, assim na escritura de mão, como na estampada, são três: vírgula, coma, cólon." (Duarte Nunes de Leão, *Ortografia e Origem da Língua Portuguesa*, p. 177.) ◆ **Cláusula à ordem.** A que indica títulos transmissíveis por endosso. **Cláusula c.a.f.** Cláusula c.i.f. [Abrev.: *c.a.f.*] **Cláusula c.i.f.** Em contratos de compra e venda mercantil, a que estabelece que o preço inclui o custo da mercadoria, as despesas com o seguro e o frete até o local do destino; cláusula c.a.f. [Abrev.: *c.i.f.*] **Cláusula c.f.** Em contratos de compra e venda mercantil, aquela que estipula que o vendedor cobrará o custo da mercadoria e o frete até o local do destino. [Abrev.: *c.f.*] **Cláusula condicional.** *Jur.* A que subordina o efeito de ato jurídico a evento futuro e incerto. **Cláusula de escala móvel.** *Jur.* Nos contratos, a que estabelece revisão de pagamentos a serem efetuados de acordo com as variações do preço de determinadas mercadorias, dos serviços, dos índices do custo de vida, dos salários, etc. **Cláusula de estilo.** *Jur.* A que é usada de forma constante em negócios da mesma espécie ou natureza, e aceita, tacitamente, pelas partes, mesmo não sendo formulada textualmente. **Cláusula de nação mais favorecida.** *Econ.* Em acordos econômicos internacionais, cláusula pela qual uma das partes contratantes se compromete a a conceder à outra parte o mesmo tratamento dado aos demais países. **Cláusula f.a.s.** A que estabelece, em contratos de compra e venda mercantil, que no preço da mercadoria se incluem as despesas com o transporte até o costado do navio, no porto de embarque. [Abrev.: *f.a.s.*] **Cláusula f.o.b.** A que estipula, em contratos de compra e venda mercantil, que o preço se refere à mercadoria posta a bordo do navio no porto de embarque, correndo por conta do comprador as despesas de frete e seguro, e bem assim os riscos da viagem até o porto de destino. [Abrev.: *f.o.b.*] **Cláusula f.o.r.** Aquela que, nos contratos de compra e venda mercantil de mercadorias que hão de ser transportadas por via terrestre, corresponde à cláusula f.o.b. (q. v.). [Abrev.: *f.o.r.*] **Cláusula ouro.** *Jur.* Nos contratos, a que estabelece pagamento em ouro, ou em moeda estrangeira, ou nos seus equivalentes em moeda nacional, para assegurar a manutenção do valor pecuniário da obrigação, diante da depreciação ou oscilação da moeda do Estado em que será cumprida tal obrigação. **Cláusula penal.** *Dir. Civ.* Pena (6).

clausular[1] [De *cláusula* + *-ar*[1].] *Adj. 2 g.* Relativo a cláusula.

clausular[2] [De *cláusula* + *-ar*[2].] *V. t. d.* Estabelecer cláusulas em; dividir em cláusulas. [Pres. ind.: *clausulo, clausulas, clausula*, etc. Cf. *cláusula*.]

clausura [Do lat. *clausura*.] *S. f.* **1.** Recinto fechado. **2.** Nos conventos, recinto destinado aos frades ou às freiras, e onde não podem entrar estranhos. **3.** A vida religiosa em clausura (2). **4.** *P. ext.* A vida religiosa em convento. **5.** *Fig.* Vida retirada, reclusa; reclusão.

clausurar [De *clausura* + *-ar*[2].] *V. t. d. T. d. e c. P.* V. *enclausurar.*

clava [Do lat. *clava*.] *S. f.* Pau pesado, mais grosso em uma das extremidades, que se usava como arma; maça. [Cf. *tacape*.]

clavado [De *clav(i)-* + *-ado*[1].] *Adj.* Em forma de clava; claviforme.

clave [Do lat. *clave*, por via erudita.] *S. f. Mús.* Sinal colocado no princípio da pauta, que serve para determinar o nome das notas e o grau exato de sua elevação na escala dos sons. [Há três claves: a de *sol*, a de *fá* e a de *dó*.]

clavecinista [De *clavecino* + *-ista*.] *S. 2 g. Mús.* Pessoa que toca clavecino.

clavecino [Do fr. *clavecin*.] *S. m. Mús.* V. *cravo*[3].

▲clav(i)- [Do lat. *clava, ae* < *clavus, i*.] *El. comp.* = 'clava', 'maça': *clavado, claviforme.*

▲clavi- [Do lat. *clavis, is*.] *El. comp.* = 'chave', 'teclado': *clavicítero.*

clavicêmbalo [Var. dissimilada de *clavicímbalo*.] *S. m. Mús.* V. *cravo*[3].

clavicímbalo [Do lat. med. *clavicymbalu*.] *S. m. Mús.* V. *cravo*[3].

clavicítero [De *clavi-* + lat. **citheriu* < lat. *cithara*.] *S. m. Mús.* Variedade vertical do cravo, espécie de saltério com teclado, em uso na Alemanha nos sécs. XVI e XVII, e cuja caixa de ressonância, armada de cordas de tripa, ficava acima do teclado.

clavicórdio [Do lat. med. *clavichordiu*.] *S. m. Mús.* Um dos mais antigos instrumentos de cordas e teclado, de forma semelhante à do virginal.

clavicórneo [De *clav(i)-* + *-corn(i)-* + *-eo*.] *Adj. Zool.* Que tem antenas clavadas.

clavícula [Do lat. cient. *clavicula* (do lat. *clavicula*, 'pequena chave').] *S. f. Anat.* Cada um de dois ossos, de situação anterossuperior relativamente ao tórax, e que se articula por um lado com a escápula e pelo outro com o esterno.

claviculado [De *clavícula* + *-ado*[1].] *Adj.* **1.** Que tem clavícula(s). • *S. m.* **2.** *Zool.* Mamífero roedor que tem clavículas perfeitas.

clavicular [De *clavícula* + *-ar*[1].] *Adj. 2 g. Anat.* Relativo ou pertencente à clavícula.

claviculário [Do lat. tard. *clavicularıu*.] *S. m.* **1.** Chaveiro (1). **2.** Móvel ou quadro onde se penduram as chaves.

clavifoliado [De *clav(i)-* + *-foli-* + *-ado*[1].] *Adj. Bot.* Que tem folhas clavadas.

claviforme [De *clav(i)-* + *-forme*.] *Adj. 2 g.* Clavado.

clavígero [Do lat. *clavigeru*.] *Adj. Poét.* Que tem clava.

clavija [Do esp. *clavija*.] *S. f.* **1.** Cavilha de ferro que liga o jogo dianteiro ao traseiro do carro. **2.** Coluna de tear onde se põe a meada para tecer. **3.** Pau ou escápula em que se penduram meadas tingidas para secar.

clavina [De **clabina*, **crabina* < *carabina*.] *S. f.* V. *carabina*: "O preto, armado duma clavina, ... avançou cauteloso, ... impondo silêncio" (Hugo de Carvalho Ramos, *Tropas e Boiadas*, p. 136). [Aum. irreg.: *clavinaço*; dim. irreg.: *clavinote*.]

clavinaço [De *clavina* + *-aço*.] *S. m.* **1.** Clavina grande. **2.** *Desus.* Tiro de clavina.

clavineiro [De *clavina* + *-eiro*.] *S. m. Ant.* Carabineiro.

clavinotaço [De *clavinote* + *-aço*.] *S. m. Bras.* Tiro de clavinote.

clavinote [De *clavina* + *-ote*[1].] *S. m. Bras.* Pequena clavina.

clavinoteiro [De *clavinote* + *-eiro*.] *S. m. Bras.* **1.** Bandido sertanejo ou soldado armado de clavina. **2.** Facínora, bandido.

clávula [Do lat. *clavula*.] *S. f. Bras.* Pequena clava.

clavulado [De *clávula* + *-ado*[1].] *Adj.* V. *aclavulado.*

clavuliforme [De *clávula* + *-iforme*.] *Adj. 2 g. Bot.* V. *aclavulado.*

claytônia *S. f. Bot.* V. *claytônia.* [Uso freq. em P.]

claytônia [Do tax. *Claytonia* (do antr. [*John*] *Clayton* + lat. cient. *-ia*, v. *-ia*[2].)] *S. f. Bot.* **1.** Gênero de plantas portulacáceas, herbáceas, suculentas, cormofíticas, dotadas de raízes espessas. **2.** Qualquer espécie desse gênero, como, p. ex., a *Claytonia perfoliata* (v. *beldroega-de-cuba*). **3.** Qualquer espécime desse gênero.

clazomeniano [Do top. *Clazômen* (as) (Ásia Menor) + *-iano*.] *Hist. Filos.* ***Adj.*** **1.** V. *anaxagórico* (1). • ***S. m.*** **2.** V. *anaxagórico* (2). **3.** Cognome de Anaxágoras de Clazômenas.

clazomênio [Do lat. *clazomeniu*.] *Hist. Filos.* ***Adj. S. m.*** V. *anaxagórico* (1 e 2).

➔**clean** [klijn] [Ingl.] ***Adj. 2 g. e 2 n.*** Diz-se de estilo de decoração, de vestuário, etc., sem excesso de ornatos, e em tons claros ou pastel.

clélia [T. proposto em 1728 por Guido Grandi (1671-1742), matemático italiano.] ***S. f.*** *Geom.* Curva esférica em que é linear a relação entre o ângulo polar de seus pontos e a longitude, ou entre o seno do ângulo polar e o seno da longitude.

clêmatis [Do tax. *Clematis* (do lat. *clematis*, idis, do gr. *klematís, ídos*, 'rebento', 'cepa', etc.).] ***S. f. 2 n.*** *Bot.* **1.** Gênero de plantas ranunculáceas, ornamentais, por vezes trepadeiras, de folhas opostas, pecíolos rígidos, caniculados e violáceos na base, com grandes e numerosíssimas flores asteroides, de tom róseo ou violáceo. **2.** Qualquer espécie desse gênero, como, p. ex., a *Clematis integrifolia* e a *C. montana*, sendo, esta última, trepadeira. **3.** Qualquer espécime desse gênero, ou a flor dele. [Sin., nas acepçs. 2 e 3: *clematite*.]

clematite [Do gr. *klematîtis*, pelo lat. *clematitis*.] ***S. f.*** *Bot.* Clêmatis (2 e 3).

clemência [Do lat. *clementia*.] ***S. f.*** **1.** Disposição para perdoar; indulgência. [Cf. *anistia* (2), *graça* (3) e *indulto* (4).] **2.** Bondade, benevolência. **3.** Brandura, amenidade. [Cf. *clemencia*, do v. *clemenciar*.]

clemenciar [De *clemência* + *-ar*^{2}.] ***V. t. d.*** *P. us.* Tratar com clemência. [Pres. ind.: *clemencio, clemencias, clemencia*, etc. Cf. *clemência*, s. f., e *Clemência*, antr. e mit.]

clemente [Do lat. *clemente*.] ***Adj. 2 g.*** **1.** Que tem clemência ou indulgência; indulgente. **2.** Bondoso, benevolente. **3.** Brando, suave; ameno: *temperatura clemente.*

clementina [Do fr. *clémentine*.] ***S. f.*** *Bot.* Fruta híbrida de tangerina de casca fina e certa laranja azeda.

clementinense ***Adj. 2 g.*** **1.** De, ou pertencente ou relativo a Clementina (SP). • ***S. 2 g.*** **2.** O natural ou habitante de Clementina.

clenácea [Do gr. *chlaîna*, 'manto', pelo lat. *chlaena*, + *-ácea*; tax. *Chlaenaceae*.] ***S. f.*** *Bot.* Espécime das clenáceas, família da ordem das malvales, composta de plantas lenhosas com folhas alternas e estipuladas, flores em cimeiras ou panículas, estames muito numerosos e gineceu com três carpelos, sendo cada loja provida de dois ou mais óvulos. O fruto é capsular. Existem só 22 espécies, todas em Madagascar (África).

clenáceo [De *clenácea*, com var. suf. (v. *-áceo*).] ***Adj.*** *Bot.* Pertencente ou relativo às clenáceas.

clepsidra [Do gr. *klepsýdra*, pelo lat. *clepsydra* (com *y* breve).] ***S. f.*** *Ant.* Relógio que indica o tempo pelo escoamento de certa quantidade de água; relógio de água: "A clepsidra aponta a hora de sexta noturna, e ainda dura o sarau no solar do Conde de Biscaia" (Alexandre Herculano, *Lendas e Narrativas*, II, p. 29). [O lat. postula *clépsidra*.]

clépsidra [Do lat. *clepsidra*.] ***S. f.*** Clepsidra (q. v.).

▲**-clepta** V. *clepto-*.

▲**clepto-** [Do gr. *kléptein*.] ***El. comp.*** = 'roubar', 'dissimular': *cleptofobia, cleptomania*. [Equiv.: *-clepta, -clepto-*: *biblioclepta; biblioclептômano*.]

▲**-clepto-** V. *clepto-*.

cleptofobia [De *clepto-* + *-fobia*.] ***S. f.*** *Psiq.* Medo mórbido de ser roubado, ou de cometer furto, ou de estar em débito.

cleptofóbico [De *cleptofobia* + *-ico*^{2}.] *Psiq.* ***Adj.*** **1.** Relativo a cleptofobia. **2.** Que sofre de cleptofobia; cleptófobo. • ***S. m.*** **3.** Aquele que sofre de cleptofobia; cleptófobo.

cleptófobo [De *clepto-* + *-fobo*.] ***Adj. S. m.*** *Psiq.* Cleptofóbico (2 e 3).

cleptolagnia [De *clepto-* + *-lagnia*.] ***S. f.*** *Psiq.* Forma de cleptomania em que o ato de roubar provoca excitação sexual.

cleptolágnico [De *cleptolagnia* + *-ico*^{2}.] ***Adj.*** *Psiq.* De, ou relativo à cleptolagnia.

cleptomania [De *clepto-* + *-mania*.] ***S. f.*** *Psiq.* Impulso mórbido para o furto; clopemania.

cleptomaníaco [De *cleptomania* + *-íaco*.] *Psiq.* ***Adj.*** **1.** Relativo a cleptomania. **2.** Que sofre de cleptomania; cleptômano. • ***S. m.*** **3.** Aquele que sofre de cleptomania; cleptômano. [Sin. ger.: *clopemaníaco*.]

cleptómano ***Adj. S. m.*** *Psiq.* V. *cleptômano*. [Uso freq. em P.]

cleptômano [De *clepto-* + *-mano*^{1}.] ***Adj. S. m.*** *Psiq.* Cleptomaníaco (2 e 3). [Sin.: *clopêmano*.]

clerezia [Do b.-lat. *clericia*.] ***S. f.*** **1.** A classe clerical; o clero. **2.** O corpo clerical duma comunidade: "Toda a clerezia da sé estava ali apinhada" (Alexandre Herculano, *Lendas e Narrativas*, II, p. 63).

clerical [Do lat. tard. *clericale*.] ***Adj. 2 g.*** Pertencente ou relativo ao clero.

clericalismo [De *clerical* + *-ismo*.] ***S. m.*** **1.** Influência ou predomínio do clero, da Igreja. **2.** Atitude ou modo de pensar ou de agir daqueles que apoiam incondicionalmente o clero.

clericato [Do lat. tard. *clericatu*.] ***S. m.*** Estado, condição ou dignidade de sacerdote.

clérigo [Do lat. tard. *clericu* < gr. *klerikós*.] ***S. m.*** *Ecles.* **1.** Indivíduo que tem todas as ordens sacras, ou algumas delas. **2.** Aquele que pertence à classe eclesiástica. **3.** Sacerdote cristão. **4.** Aquele que já se iniciou nas ordens sacras pela tonsura dos cabelos.

clero [Do lat. tard. *cleru* < gr. *klêros*.] ***S. m.*** **1.** A classe clerical. **2.** A corporação dos sacerdotes.

clerodendro [Do tax. *Clerodendron* (do gr. *klêros*, 'sorte', + gr. *déndron*, 'árvore').] ***S. m.*** *Bot.* **1.** Gênero de árvores e arbustos verbenáceos, por vezes trepadeiras, nativos das áreas tropicais do Velho Mundo, cultivados como ornamentais, de grandes folhas opostas simples, e flores em racemos. **2.** Qualquer espécie desse gênero, como, p. ex., a *Clerodendron fragrans* (v. *flor-do-monturo*). **3.** Qualquer espécime desse gênero, ou a flor dele.

clerodendro-cheiroso [Trad. do tax. *Clerodendron fragrans*.] ***S. m.*** *Bot.* V. *flor-do-monturo*. [Pl.: *clerodendros-cheirosos*.]

cleromancia (cí) [Do lat. med. *cleromantia*, pelo fr. *cléromancie*.] ***S. f.*** Arte de adivinhar por meio de dados, de objetos que se tiram à sorte, etc.

cleromante [De *clero(mancia)* + *-mante*.] ***S. 2 g.*** Pessoa que pratica a cleromancia.

cleromântico ***Adj.*** Referente a cleromancia, ou a cleromante.

cletrácea [Do tax. *Clethra* (do gr. *kléthra*, 'amieiro') + *-ácea*; tax. *Clethraceae*.] ***S. f.*** *Bot.* Espécime das cletráceas, família de plantas lenhosas, de folhas alternas, sem estípulas, e flores racemosas de corola dialipétala. Os grãos de pólen são independentes, o gineceu tricarpelar, com ovário súpero e numerosos óvulos, e o fruto capsular. Engloba apenas o gênero *Clethra*, com umas 30 espécies, ocorrentes nas Canárias, nas Américas e na Ásia oriental.

cletráceo [De *cletrácea*, com var. suf. (v. *-áceo*).] ***Adj.*** *Bot.* Pertencente ou relativo às cletráceas.

clevelandense ***Adj. 2 g.*** **1.** De, ou pertencente ou relativo à Clevelândia (PR). • ***S. 2 g.*** **2.** O natural ou habitante de Clevelândia.

clicar [De *clique* + *-ar*^{2}.] ***V. t. d. Int.*** **1.** *Inform.* Apertar e soltar o botão do *mouse*, sem mover este, produzindo um clique (1) característico que, ger., indica a seleção de um objeto ou a ativação de um programa ou recurso de programa. [Quando o *mouse* possui mais de um botão, subentende-se que a ação é executada sobre o botão esquerdo, exceto se diferentemente especificado.] **2.** *Bras.* Fotografar (1): *usar de técnica e sensibilidade, para clicar uma paisagem.* ***T. i.*** **3.** *Inform.* Posicionar o cursor do *mouse* sobre [objeto de interface (q. v.)] e clicar (1). [Cf. *duplo-clique* e *arrastar*.] ***Int.*** **4.** *Inform.* Clicar (1). **5.** *Bras.* Dar ou produzir clique (1): "depois de as câmaras clicarem centenas de vezes, pôde-se saber algo sobre esse antes ilustre desconhecido." (*Isto É*, 19.01.1979, p. 16). [Conjug.: v. *trancar*.]

clicável [De *clicar* + *-vel*.] ***Adj. 2 g.*** **1.** Que pode ser clicado. **2.** *Inform.* Diz-se de objeto de interface que, ao ser clicado, desencadeia um evento previamente programado, como a execução de um comando ou a seleção de uma opção.

clichagem [Do fr. *clichage*.] ***S. f.*** *Tip. P. us.* Estereotipagem.

cliché ***S. m.*** V. *clichê*. [Uso próprio de P.]

clichê [Do fr. *cliché*.] ***S. m.*** **1.** *Fotograv.* Placa fotomecanicamente gravada em relevo sobre metal, usualmente zinco, a traço ou a meio-tom, para impressão de imagens e textos por meio de prensa tipográfica. [Sin. (p. us.): *fotótipo*.] **2.** *P. ext.* A imagem ou o texto assim impressos. **3.** *Tip.* V. *estereótipo* (1). **4.** *Tip.* V. *galvanótipo*. **5.** *Fig.* V. *lugar-comum* (2 e 3). ◆ **Clichê a meia-tinta.** V. *autotipia* (2). **Clichê a meio-tom.** V. *autotipia* (2). **Clichê a traço.** V. *fotogravura a traço* (2). **Clichê combinado.** *Fotograv.* Autotipia combinada. **Clichê de retícula.** V. *autotipia* (2). **Clichê plástico.** *Tip.* V. *plastotipia* (2). **Clichê recortado.** Autotipia recortada. **Clichê termoplástico.** *Tip.* Clichê obtido de matriz termofixa, com matéria plástica que, amolecendo no calor, permite o reaproveitamento do material em nova estereotipagem. **Segundo clichê.** Parte da tiragem de um mesmo número de um jornal, na qual se acrescentam notícias, de última hora, de fatos ocorridos durante a impressão do jornal.

clicheria [Do fr. *clicherie*.] ***S. f.*** **1.** *Fotograv.* A técnica de fazer clichês. **2.** Oficina onde se fazem clichês [v. *clichê* (1)].

clicherista [De *clicheria* + *-ista*.] ***S. 2 g.*** *P. us.* Gráfico que se ocupa, na clicheria, da confecção de clichês [v. *clichê* (1)].

▲**clido-** [Do gr. *kleís, kleidós*.] ***El. comp.*** = 'chave', 'clavícula': *clidomancia*. [Equiv.: *-clid(o)-, -clido*: *esternoclidomastóideo; aclidiano; áclido*.]

▲**-clid(o)-** V. *clido-*.

▲**-clido** V. *clido-*.

clidomancia [De *clido-* + *-mancia*.] ***S. f.*** Adivinhação por meio de chaves.

clidomante [De *clido-* + *-mante*.] ***S. 2 g.*** Pessoa dada à prática da clidomancia.

clidomântico ***Adj.*** Referente a clidomancia, ou a clidomante.

cliente [Do lat. *cliente*, pelo fr. *client*.] ***S. 2 g.*** **1.** Constituinte, em relação ao seu advogado ou procurador. **2.** Doente, em relação ao médico habitual. **3.** Aquele que usa os serviços ou consome os produtos de determinada empresa ou de profissional; freguês. **4.** *Inform.* Computador ou programa que usa serviços de outro em uma rede (14). [Cf., nesta acepç., *servidor* (7).] ◆ **Cliente interno.** *Adm.* Próximo elo na cadeia de valor, internamente à empresa, que recebe o resultado do trabalho de outro membro da mesma organização e sobre ele realiza o seu próprio esforço de agregação de valor.

clientela [Do fr. *clientèle*.] ***S. f.*** Conjunto de clientes; freguesia.

clientelismo [De *clientela* + *-ismo*.] ***S. m.*** *Antrop.* Tipo de relação política em que uma pessoa (o patrão) dá proteção a outra (o cliente) em troca de apoio, estabelecendo-se um laço de submissão pessoal que, por um lado, não depende de relações de parentesco e, por outro, não tem conotação jurídica.

clientelista [De *clientelismo* + *-ista*.] ***Adj. 2 g.*** **1.** Relativo a clientelismo. • ***S. 2 g.*** **2.** Indivíduo que é defensor ou se beneficia da prática do clientelismo.

clientelístico [De *clientelista-* + *-ico*^{2}.] ***Adj.*** Relativo a, ou próprio de clientelismo ou clientelista.

clima [Do gr. *klíma*, 'inclinação', pelo lat. tard. *clima*.] ***S. m.*** **1.** Conjunto de condições meteorológicas (temperatura, pressão e ventos, umidade e chuvas) características do estado médio da atmosfera em um ponto da superfície terrestre. **2.** Região onde a temperatura e mais condições atmosféricas são, em geral, as mesmas. **3.** Região, terra, país: "Assim vagou por alongados climas" (Machado de Assis, *Poesias Completas*, p. 254). **4.** *Fig.* Ambiente, atmosfera. ◆ **Clima ardente.** Aquele cuja temperatura média varia entre 25 e 28°C. **Clima constante.** Clima marítimo. **Clima continental.** O predominante no interior dos continentes, e cuja temperatura média de verão e inverno se mostra diferenciada em mais de 17°C. **Clima desértico.** O que se caracteriza pelas secas prolongadas e média anual de chuvas de apenas 25cm. **Clima frio.** O de temperatura variável entre 5 e 10°C. **Clima glacial.** O dominante nos polos, e cuja temperatura média está abaixo de 0°C. **Clima marítimo.** O dominante nas costas, com variação máxima de 7°C do inverno para o verão; clima constante. **Clima muito frio.** Aquele cuja temperatura média varia entre 0 e 5°C. **Clima quente.** Aquele cuja temperatura média oscila entre 20 e 25°C. **Clima subtropical.** Clima quase sem inverno, de temperatura média inferior a 20°C. **Clima temperado.** Aquele cujas temperaturas médias do verão e do inverno estão geralmente abaixo de 20°C, mas com as estações bem definidas.

clímace [Do lat. *climace* (acus.) < gr. *klîmax*.] ***S. m.*** *P. us.* Clímax.

climácio [Do tax. *Climatius*.] ***S. m.*** *Paleont.* **1.** Gênero de pequenos peixes placodermos do devoniano inferior, com cerca de 7cm, e muitas nadadeiras dorsais. **2.** Espécie ou espécime desse gênero.

▲**climaco-** [Do gr. *klîmax, akos*.] ***El. comp.*** = 'escada'; 'gradação': *climacofobia, climacófobo*.

climacofobia [De *climaco-* + *-fobia*.] ***S. f.*** *Psiq.* Medo patológico de escadas ou de galgá-las.

climacofóbico [De *climacofobia* + *-ico*^{2}.] *Psiq.* ***Adj.*** **1.** Relativo a climacofobia. **2.** Que sofre de climacofobia; climacófobo. • ***S. m.*** **3.** Aquele que sofre de climacofobia; climacófobo.

climacófobo [De *climaco-* + *-fobo*.] ***Adj. S. m.*** *Psiq.* Climacofóbico (2 e 3).

climatérico[1] [Do gr. *klimakterikós*, pelo lat. *climactericu*.] ***Adj.*** Relativo a qualquer das épocas da vida consideradas críticas, por se pensar que o organismo sofria periodicamente uma transformação radical. [Hoje, é us. quase só em relação à época da menopausa, o climatério.]

climatérico[2] [Do fr. *climatérique*.] ***Adj.*** *Impr.* Climático, climatológico. [Nesta acepç. é considerado galicismo por alguns autores.] ~ V. *ano* —.

climatério [Do gr. *klimaktér*, 'época crítica da vida humana', pelo lat. cient. *climaterium*.] *S. m. Med.* Conjunto de alterações somáticas e psíquicas que se observam, na mulher, no final de seu período reprodutor, e no homem, quando diminui progressivamente a sua atividade sexual normal.

climático [De *clima* + *-ático*.] *Adj.* De, ou relativo a clima; climatológico.

climatização [Do fr. *climatisation*.] *S. f.* **1.** Conjunto de processos empregados para se obterem, por meio de aparelhos, em recinto fechado, condições ambientais de temperatura, umidade, pressão, etc., adequadas ao bem-estar dos que nele se encontrem: *climatização duma sala de espetáculos, dum avião, duma nave espacial.* **2.** *P. ext.* O preparo de um produto, de um aparelho, etc., para suportar determinadas condições climáticas extremas.

climatizado [Part. de *climatizar*[2].] *Adj.* Em que se processou climatização.

climatizar[1] [De *climat(o)-* + *-izar*.] *V. t. d. T. d. e i. P.* V. *aclimar*.

climatizar[2] [Do fr. *climatiser*.] *V. t. d.* Proceder à climatização de.

▲climat(o)- [Do gr. *klíma, atos*.] *El. comp.* = 'clima': *climatologia*. [Equiv.: *-climat(o)-*: *aclimatizar*.]

▲-climat(o)- Equiv. de *climat(o)-*.

climatologia [De *climat(o)-* + *-logia*.] *S. f.* Ramo da geografia física que trata dos climas da Terra, analisando-os quer do ponto de vista estático, quer através de suas principais manifestações.

climatológico [De *climatologia* + *-ico*[2].] *Adj.* **1.** Relativo à climatologia. **2.** Climático.

climatologista [De *climatologia* + *-ista*.] *S. 2 g.* Especialista em climatologia.

climatoterapia [De *climat(o)-* + *-terapia*.] *S. f. Terap.* Tratamento por meio de exposição a condições climáticas adequadas.

climatoterápico [De *climatoterapia* + *-ico*[2].] *Adj.* Relativo à climatoterapia.

clímax (cs) [Do gr. *klímax*, pelo lat. *climax* (nom.).] *S. m.* **1.** O ponto culminante. **2.** O grau máximo ou ótimo de desenvolvimento de um fenômeno biológico ou social. **3.** *Ecol.* Ao final de uma sucessão ecológica, comunidade (vegetal e animal) em fase de estabilidade, adaptada às condições ambientais específicas da região e na qual permanecem constantes a biomassa e a biodiversidade. **4.** *E. Ling.* Apresentação duma sequência de ideias em andamento crescente ou decrescente. Ex.: "Tão dura, tão áspera, tão injuriosa palavra é um Não." (Pe. Antônio Vieira, *Sermões*, II, p. 88); "entrava a girar em volta de mim, à espreita de um juízo, de uma palavra, de um gesto, que lhe aprovasse a recente produção" (Machado de Assis, *Memórias Póstumas de Brás Cubas*, p. 138). [Sin.: *gradação* (*ascendente* no primeiro caso e *descendente* no segundo).] **5.** *E. Ling.* Concatenação dos membros de um período de maneira que cada um comece pela última palavra do anterior; gradação. Ex.: *O convívio gerou a amizade, a amizade intensificou-se em amor, o amor exaltou-se em loucura.* [Opõe-se a *anticlímax*.] **6.** *Teatr.* O instante decisivo da ação e da intensidade emocional de uma peça, no qual o suspense e a expectativa desfecham no esclarecimento ou definição dos fatos dramáticos que o antecederam ou lhe sucederão. [F. paral. (p. us.): *clímace*. Cf. *catástase*, *catástrofe* e *desenlace*.]

climograma [De *clima* + *-o-*[1] + *-grama*.] *S. m. Met.* Gráfico em que se registram as precipitações atmosféricas e as variações de temperatura duma região, num período determinado.

clina *S. f.* V. *crina*: "um cavaleiro .... segurava um cavalo de grandes clinas" (Eça de Queirós, *Últimas Páginas*, p. 21).

clinâmen [Do lat. *clinamen*, 'inclinação'.] *S. m. Hist. Filos.* No epicurismo, desvio espontâneo que sofrem os átomos e que lhes propicia o encontro e a aglomeração.

clinândrio [De *clin(o)-*[1] + *-andr(o)-* + *-io*[3]; lat. cient. *clinandrium*.] *S. m. Bot.* Parte da coluna ou ginostêmio que suporta a antera, na flor das orquidáceas; rostelo.

clinanto [De *clin(o)-*[1] + *-anto*.] *S. m. Bot.* Receptáculo comum a várias flores, como ocorre, p. ex., nas moráceas e nas asteráceas.

clindamicina [Do V.C.I.; ingl. *clyndamycin*.] *S. f. Terap.* Substância antibiótica semissintética, us. em infecções por bactérias gram-positivas; na forma de cloridrato, é us., principalmente, em infecções produzidas por bactérias gram-positivas resistentes à penicilina e em doentes alérgicos à penicilina.

cline [Do gr. *klínein*, 'inclinar(-se)', 'curvar(-se)', pelo ingl. *cline*.] *S. m. Biol.* Gradação de um caráter genético, ao longo de uma variação ambiente; correlação da gradação genética com a gradação ambiente.

clínica [F. subst. do adj. *clínico*.] *S. f.* **1.** A prática da medicina. **2.** A clientela de um médico. **3.** Lugar aonde vão os doentes consultar um médico, receber tratamento ou submeter-se a exames clínicos, radiografias, etc. **4.** Casa de saúde. **5.** Sanatório (1). [Cf. *clinica*, do v. *clinicar*.] ◆ **Clínica geral.** V. *clínica médica*. **Clínica médica.** A parte da medicina que trata de doenças susceptíveis de terapêutica medicamentosa; clínica geral, medicina interna.

clinicar [De *clínica* + *-ar*[2].] *V. int.* Exercer a clínica (1): "Era um sexagenário, que havia mais de trinta anos clinicava no bairro" (Artur Azevedo, *Contos Cariocas*, p. 221). [Conjug.: v. *trancar*. Pres. ind.: *clinico, clinicas, clinica*, etc. Cf. *clínica* e *clínico*.]

clínico [Do gr. *klinikós*, pelo lat. *clinicu*.] *S. m.* **1.** Médico ou cirurgião que exerce a medicina. **2.** Médico que exerce a clínica médica. ● *Adj.* **3.** Relativo ao tratamento médico dos doentes. **4.** Que se efetua junto ao doente: *demonstração clínica*. [Cf. *clinico*, do v. *clinicar*.] ~ V. *aconselhamento —, análise —a, engenharia —a, olho —, psicologia —a, quadro —* e *vistoria —a*.

▲clin(o)-[1] [Do gr. *klin-, klino- < klínē, ēs*.] *El. comp.* = 'leito', 'repouso': *clinândrio, clinoterapia*. [Equiv.: *-clin(o)-*[1], *-clino*[1]: *diclinia; diclino*.]

▲clin(o)-[2] [Do gr. *klínein*.] *El. comp.* = 'inclinar', 'dobrar'; em Min., 'monoclínico': *clinômetro, clinoclasita*. [Equiv.: *-clin(o)-*[2], *-clino*[2]: *sinclinal; isóclino*.]

▲-clin(o)-[1] V. *clin(o)-*[1].

▲-clin(o)-[2] V. *clin(o)-*[2].

▲-clino[1] V. *clin(o)-*[1].

▲-clino[2] V. *clin(o)-*[2].

clinobasídio [De *clin(o)-*[2] + *basídio*.] *S. m. Bot.* Hifa existente nos liquens, curta, mais ou menos claviforme, perpendicular à parede do picnídio, e que produz um estilósporo.

clinoclásio [De *clin(o)-*[2] + *-clas(i)-* + *-io*[3].] *S. m. Min.* V. *clinoclasita*.

clinoclasita [De *clin(o)-*[2] + *-clas(i)-* + *-ita*[3].] *S. f. Min.* Mineral monoclínico, arseniato básico de cobre; clinoclásio.

clinocloro [De *clin(o)-*[2] + *-cloro*.] *S. m. Min.* Mineral monoclínico, hidrossilicato de alumínio e magnésio.

clinomania [De *clin(o)-*[1] + *-mania*.] *S. f. Psiq.* Desejo mórbido de permanecer no leito.

clinomaníaco [De *clinomania* + *-íaco*.] *Psiq. Adj.* **1.** Relativo a clinomania. **2.** Que tem clinomania; clinômano ● *S. m.* **3.** Aquele que tem clinomania; clinômano.

clinómano *Adj. S. m. Psiq.* V. *clinômano*. [Uso freq. em P.]

clinômano [De *clin(o)-*[1] + *-mano*[1].] *Adj. S. m. Psiq.* Clinomaníaco (2 e 3).

clinómetro *S. m.* V. *clinômetro*. [Uso freq. em P.]

clinômetro [De *clin(o)-*[2] + *-metro*.] *S. m.* Goniômetro vertical com que se mede a inclinação do terreno. [Cf. *clisímetro* e *eclímetro*.]

clinoterapia [De *clin(o)-*[1] + *-terapia*.] *S. f. Med.* Tratamento de certas doenças por meio do repouso no leito.

clinoterápico [De *clinoterapia* + *-ico*[2].] *Adj.* Relativo a clinoterapia.

clinozoisita [De *clin(o)-*[2] + *zoisita*.] *S. f. Min.* Mineral monoclínico, silicato básico de cálcio e alumínio do grupo do epídoto.

clínquer [Do ingl. *clinker*.] *S. m. Quím.* Calcário e silicatos semifundidos e aglutinados de que se obtém o cimento por moagem. [Pl.: *clínqueres*.]

clinquerização *S. f. Eng. Civ.* Moagem de calcário e silicatos semifundidos para obtenção de clínquer.

clintonita [Do antr. *(DeWitt) Clinton* (1769-1828) + *-ita*[3].] *S. f. Min.* Silicato hidratado da família das micas cálcicas.

clinudo [Do esp. plat. *clinudo*.] *Adj. Bras. S.* **1.** Crinudo. **2.** *Fig.* Diz-se do indivíduo cabeludo.

clipagem [Do v. ingl. *(to) clip*, 'cortar', 'reduzir', + *-agem*[2]; adapt. do ingl. *clipping*.] *S. f. Jorn.* **1.** Atividade ou serviço profissional de recorte de matéria em jornais e revistas sobre determinado assunto, empresa, pessoa, etc. **2.** Produto de clipagem (1). **3.** Conjunto atualizado de resumos das principais notícias publicadas em jornal e revista. [Sin. (ingl.): *clipping*.]

➔clip art [klɪp aːt] [Ingl.] *Edit.* Ilustração disponível para pronta e livre utilização em trabalhos gráficos. [Originalmente publicada em catálogos impressos, dos quais era recortada e colada na arte-final, encontra-se hoje tb. editada em mídia digital para utilização em editoração eletrônica.]

➔clipboard ['klɪpbɔːd] [Ingl., 'prancheta para escrever, dotada de prendedor de papéis', de *clip*, 'prendedor' + *board*, 'prancha'.] *S. m. Inform.* V. *área de transferência*.

clipe[1] [Do ingl. *clip*.] *S. m.* **1.** Pequena peça de metal ou de plástico para prender papéis. **2.** Joia provida de um dispositivo de segurança, usada pelas mulheres.

clipe[2] *S. m.* V. *videoclipe*.

▲clipe(i)- [Do lat. *clipěus* (ou *clupěus* ou *clypěus*), *i*.] *El. comp.* = 'escudo': *clipeiforme*.

clipeiforme [De *clipe(i)-* + *-forme*.] *Adj. 2 g.* Que tem forma de escudo.

clípeo [Do lat. cient. *clypeus* < lat. *clypeus*, 'escudo'.] *S. m.* **1.** *Zool.* Porção da cabeça dos insetos compreendida entre os olhos e a boca. **2.** *Zool.* Porção do cefalotórax das aranhas entre os olhos e as quelíceras. **3.** *Bot.* Massa estromática, escutiforme, que se constitui em torno do ostíolo dos peritécios.

clipéolo [Do lat. cient. *clypeola*, com mudança de gênero.] *S. m. Bot.* Esporofilo dos equissetos que apresenta os esporângios nas margens da face interna, assemelhando-se a um pequeno escudo.

clíper [Do ingl. *clipper*.] *S. m. Mar.* Veleiro de formas finas, proa lançada, mastros altos, pano redondo, grande superfície de velas, e por isso velocíssimo. [Notabilizaram-se os clíperes no transporte de passageiros e carga, do litoral oriental para o ocidental dos E.U.A., via extremo S. do continente americano, na época da corrida do ouro na Califórnia. Pl.: *clíperes*.]

➔clipping [klɪpɪŋ] [Ingl.] *S. m.* V. *clipagem*.

clique *Interj.* **1.** Onomatopeia que exprime estalido seco ou crepitação. ● *S. m.* **2.** Som de estalido ou de crepitação. **3.** Ato ou efeito de clicar. **4.** *Fig.* Ideia que ocorre repentinamente. **5.** *E. Ling.* Consoante produzida com corrente de ar que, em vez de vir dos pulmões, vai do exterior para a boca. [A língua movimenta-se para fazer a sucção do ar, e o clique é classificado de acordo com esse movimento. Na representação escrita de tais sons, costumam-se empregar símbolos como //, / ou !, como, p. ex., em denominações locais para as línguas coissãs namibianas *hai//om* (ou sã) e *!xoo* (que em dados de 1995 contava com 50 falantes na Namíbia).]

clise [Do gr. *klísis*, 'inclinação', 'aumento'.] *S. f. P. us. E. Ling.* Denominação genérica de ênclise, próclise e mesóclise.

▲-clise[1] Equiv. de *clis(i)-*.

▲-clise[2] [Do gr. *kleîsis, eōs*.] *El. comp.* = 'ação de fechar', 'fechamento': *histeróclise*[1].

▲-clise[3] [Do gr. *klýsis, eōs(ÿ)*.] *El. comp.* = 'lavagem': *histeróclise*[2].

▲clis(i)- [Do gr. *klísis, eōs(ĭs)*.] *El. comp.* = 'inclinação'; 'apoio'; 'aumento': *clisímetro*. [Equiv.: *-clise*[1]: *mesóclise, próclise*.]

clisímetro [De *clis(i)-* + *-metro*.] *S. m.* Clinômetro (q. v.) que fornece diretamente a tangente do ângulo de inclinação. [Cf. *eclímetro*.]

clisma [Do gr. *klýsma*.] *S. m. Desus.* V. *clister*.

▲-clisma [Do gr. *klýsma, atos*.] *El. comp.* = 'lavagem', 'clister': *enteroclisma*.

clister [Do gr. *klystér*, pelo lat. *clystere*, por via erudita.] *S. m. Terap. Radiol.* Injeção, no reto, de água, de líquido medicamentoso ou de substância para contraste radiológico. [Sin. (ant.): *ajuda, enema*, (desus.) *clisma*, e *lavagem, chá de bico, adjutório* (pop.). Var. (ant. e pop.): *cristel*.] ◆ **Clister opaco.** *Radiol.* Injeção, no reto, de substância de contraste, para examе do intestino grosso.

clistocárpico [De *clistocarpo* + *-ico*[2].] *Adj. Bot.* Clistocarpo (1). [Opõe-se a *estegocárpico*.]

clistocarpo [De *clist(o)-* + *-carpo*.] *Adj. Bot.* **1.** Diz-se de briófita ou líquen que apresenta esporângio sem opérculo; clistocárpico. [Opõe-se a *estegocarpo*.] ● *S. m.* **2.** Fruto indeiscente.

clistogamia [De *clist(o)-* + *-gam(o)-* + *-ia*[1].] *S. f. Bot.* Autofecundação da planta antes da abertura da flor, ou mesmo quando esta não abre; clistogenia. [Opõe-se a *casmogamia*.]

clistogâmico [De *clistogamia* + *-ico*[2].] *Adj. Bot.* **1.** Relativo a, ou que apresenta clistogamia; clistógamo, clistogênico, clistógeno. [Opõe-se a *casmogâmico*.]

clistógamo [De *clist(o)-* + *-gamo*.] *Adj. Bot.* V. *clistogâmico*.

clistogastro [Do gr. *kleistós*, 'fechado', + *-gastro*; tax. *Clistogastra*.] *Zool. S. m.* **1.** Espécime dos clistogastros, subordem de insetos himenópteros que possuem a base do abdome muito afilada, formando um pecíolo; larvas desprovidas de pernas. ● *Adj.* **2.** Pertencente ou relativo a eles. [Sin. ger.: *apócrito, peciolado*.]

clistogenia [De *clist(o)-* + *-gen(o)-* + *-ia*[1].] *S. f. Bot.* Clistogamia.

clistogênico [De *clistogenia* + *-ico*[2].] *Adj. Bot.* V. *clistogâmico*.

clistógeno [De *clist(o)-* + *-geno*.] *Adj. Bot.* V. *clistogâmico*.

clitelo [Do lat. cient. *clitellum* < lat. *clitellae*, 'albarda'.] *S. m. Zool.* A porção mais espessa do corpo das minhocas.

clítico [Do gr. *klitikós*, 'relativo a flexão'.] *Adj. S. m. E. Ling.* **1.** Diz-se de, ou palavra que depende fonologicamente de outra, comportando-se como se fosse uma de suas sílabas. **2.** Diz-se de, ou o pronome átono. [V. *apossínclise, ênclise, mesóclise* e *próclise*.]

▲clitor(i)- Equiv. de *clitorid(o)-*.

clitória [Do tax. *Clitoria* (do lat. *clitoris*, 'clitóride', + lat. cient. *-ia*).] *S. f. Bot.* **1.** Gênero de árvores, arvoretas ou trepadeiras fabáceas, de folhas penadas e grandes flores axilares dispostas, ger., em racemos curtos. **2.** Qualquer espécie desse gênero, como, p. ex., a *Clitoria fairchildiana* [v. *sombreiro*[1] (3)]. **3.** Qualquer espécime desse gênero.

clitoriano [De *clitor(i)-* + *-ano*[1].] *Adj.* V. *clitoridiano.*

clitóride [Do gr. *kleitorís, ídos* (*íd*).] *S. f. Anat.* Pequeno órgão alongado, erétil, situado na parte superior da vulva. [F. paral.: *clítoris, clitóris.* Sin. chulo: *grelo.* Sin. pop., no Amaz.: *tamatiá.*]

clitoridectomia [De *clitorid(o)-* + *-ectom-* + *-ia*[1].] *S. f. Gin.* Excisão do clitóris.

clitorídeo [De *clitorid(o)-* + *-eo.*] *Adj.* Clitoridiano.

clitoridiano [De *clitorid(o)-* + *-iano*; ingl. *clitoridean.*] *Adj.* Relativo ao clitóris; clitorídeo.

▲**clitorid(o)-** [Do lat. cient. *clitorid-, clitorido-* < lat. cient. *clitoris* < gr. *kleitorís, ídos* (*íd*), 'certa pedra'.] *El. comp.* = 'clitóride': *clitoridectomia, clitoridiano, clitoridotomia.* [Equiv.: *clitor(i)-*: *clitorídeo.*]

clitoridotomia [De *clitorid(o)-* + *-tom(o)-* + *-ia*[1].] *S. f. Gin.* Seção (1) da prega cutânea sobre o clitóris. [Sin. impr.: *circuncisão feminina.*]

clítoris [Var. de *clitóris.*] *S. m. 2 n. Anat.* V. *clitóride.*

clitóris [Do lat. cient. *clitoris* < gr. *kleitorís, ídos* (*íd*).] *S. m. 2 n. Anat.* V. *clitóride.* [Var. pros.: *clítoris.*]

clitorismo [De *clitor(i)-* + *-ismo.*] *S. m. Gin.* **1.** Hipertrofia do clitóris. **2.** Ereção contínua, e frequentemente dolorosa, do clitóris.

clivado [Part. de *clivar.*] *Adj.* Que sofreu processo de clivagem. ~ V. *frase —a.*

clivagem [De *clivar* + *-agem*[2].] *S. f.* **1.** Propriedade que têm certos cristais de se fragmentar segundo determinados planos, que sempre são faces possíveis do cristal. **2.** *Biol.* Processo pelo qual o zigoto em divisão dá origem às demais células do organismo. **3.** *E. Ling.* Processo de divisão de uma oração em duas. [Ex.: *É Pedro que gosta de chocolates, em vez de Pedro gosta de chocolates*]. ◆ **Clivagem básica.** Clivagem paralela à base do cristal.

clivar [Do fr. *cliver* < neerl. *klieven*, 'fender'.] *V. t. d.* **1.** Fragmentar segundo os planos de clivagem (1). **2.** Fragmentar, dividir.

clivo [Do lat. *clivu.*] *S. m.* **1.** Ladeira, aclive. **2.** Outeiro, colina. **3.** V. *vertente* (3).

clivoso (ô) [Do lat. *clivosu.*] *Adj.* **1.** Cheio de clivos. **2.** Ladeirento, declivoso.

cloaca[1] [Do lat. *cloaca.*] *S. f.* **1.** Fossa ou cano que recebe dejeções e imundícies. **2.** Coletor de esgoto. **3.** V. *latrina* (3). **4.** *P. ext.* Lugar imundo. **5.** Aquilo que cheira mal, que é imundo.

cloaca[2] [Do lat. cient. *cloaca*, do lat. *cloaca.*] *S. f. Zool.* Câmara na extremidade do canal intestinal de anfíbios, reptis, aves e peixes cartilaginosos, na qual se abrem os ureteres e os ovidutos. [Sin.: *câmara urogenital* e *orifício urogenital.*]

cloacal [Do lat. *cloacale.*] *Adj. 2 g.* **1.** Relativo a, ou próprio de cloaca; cloacino. **2.** *Fig.* Imundo, sórdido, latrinário.

cloacino [Do lat. tard. *cloacinu.*] *Adj.* Cloacal (1).

cloasma [Do lat. cient. *chloasma* < gr. tard. *chlóasma* < v. gr. *chloázein*, 'ter a cor verde'.] *S. m. Med.* Placa pardacenta de contornos irregulares que aparece na pele, quase sempre na face de mulheres grávidas e de pessoas que se expõem excessivamente ao sol tropical.

➔**clochard** [klɔ'ʃaʁ] [Fr.] *S. m.* V. *mendigo.*

▲**-clon-** [Do gr. *klónos, ou.*] *El. comp.* = 'movimento'; 'movimento involuntário'; 'convulsão': *mioclonia.*

clonação [De *clonar* + *-ção.*] *S. f. Biol. Genét.* V. *clonagem.*

clonagem [De *clone*[1] + *-agem*[2].] *S. f.* **1.** Ato ou efeito de clonar. **2.** *Biol. Genét.* Produção de clone: "Pesquisadores do Instituto Nacional de Pesquisas da França alertaram para o perigo de clonagem de seres humanos." (*Jornal do Brasil*, 30.04.1999.) [Sin.: *clonação.*]

clonal [De *clone*[1] + *-al*[1].] *Adj. 2 g.* De, ou relativo a clone.

clonar [De *clone*[1] + *-ar*[2]; voc. deduz. de *clonagem.*] *V. t. d.* **1.** *Biol. Genét.* Reproduzir (organismo, célula, material genético) por meio de clonagem. **2.** *Fig.* Produzir cópia ou imitação de (algo); projetar ou fabricar clone[1] (4). **3.** *P. ext.* Adulterar a configuração de sistema de telefonia para fazer uso compartilhado indevido de (linha telefônica e, por extensão, aparelho telefônico de outrem).

clone[1] [Do ingl. *clone* (do gr. *klón, klonós*, 'rebento', 'broto').] *S. m.* **1.** *Biol. Genét.* Linhagem celular derivada, por mitose, de uma única célula diploide ancestral por algum tipo de multiplicação assexual (divisão, enxertia, apomixia, etc.). **2.** *Biol. Genét.* Cópia de sequência de DNA criada por técnicas específicas. **3.** *P. ext.* Aquilo que se clonou. **4.** *Biol. Genét.* Cada uma das células, ou cada um dos organismos assim gerados. **5.** *Biol. Genét. Restr.* Clone (3) obtido artificialmente: p. ex., inserindo o núcleo de uma célula somática num óvulo cujo núcleo foi adrede retirado. **6.** *Fig.* Cópia de um produto (1) feita por outro fabricante. [Var.: *clono.*]

clone[2] *S. m. Med.* V. *clono*[1].

clónico *Adj. Med.* V. *clônico.* [Uso freq. em P.]

clônico [De *clono*[1] + *-ico*[1].] *Adj. Med.* Pertencente ou relativo a clono[1].

clono[1] [Do lat. cient. *clonus* < gr. *klónos*, 'agitação'.] *S. m. Med.* Espasmo em que se alternam, em rápida sucessão, rigidez e relaxamento. [Var.: *clone*[2].]

clono[2] *S. m.* Var. de *clone*[1].

clonorquíase [Do tax. *Clonorchis* + *-íase.*] *S. f. Med.* Infecção biliar intra-hepática pelo trematódeo *Clonorchis sinensis*, e que pode, até, levar à formação de cirrose hepática.

▲**clope-** [Do gr. *klopḗ, ês.*] *El. comp.* = 'roubo': *clopemania.*

clopemania [De *clope-* + *-mania.*] *S. f. Psiq.* Cleptomania.

clopemaníaco [De *clopemania* + *-íaco.*] *Adj. S. m. Psiq.* Cleptomaníaco.

clopémano *Adj. S. m. Psiq.* V. *clopêmano.* [Uso freq. em P.]

clopêmano [De *clope* + *-mano*[1].] *Adj. S. m. Psiq.* Cleptômano.

cloquê [Do fr. *cloquet*, 'empola'.] *S. m. Tec. Têx.* Tecido semelhante ao piquê, com efeitos de alto-relevo produzidos por fios de crepe de seda, raiom ou algodão.

cloração [De *clorar* + *-ção.*] *S. f.* **1.** *Quím.* Ato ou efeito de clorar (3). **2.** *Quím.* Reação, ou operação de clorar (uma substância). **3.** Processo que consiste em adicionar cloro, ou certos derivados seus, à água destinada ao consumo, a piscinas, etc.

cloracne [De *clor(o)-* + *acne.*] *S. m. Derm.* Dermatopatia acneiforme produzida por inalação de compostos de cloro, ou por contato com eles.

clorado [Part. de *clorar.*] *Adj. Quím.* Diz-se de substância que contém cloro.

cloral [De *clor(o)-* + *-al*[2].] *S. m. Quím.* Líquido oleoso com cheiro pungente que é um derivado clorado do acetaldeído; hidrato de cloral [fórm.: C_2HCl_3O].

cloranfenicol [Voc. farmac.] *S. m. Terap.* Antibiótico cristalino, incolor, natural, ou sintetizável, que tem importante efeito contra febre tifoide, salmoneloses, algumas infecções por bactérias gram-negativas e por algumas gram-positivas, mas que teve seu uso limitado pela sua significativa capacidade de causar aplasia medular [fórm.: $C_{11}H_{12}Cl_2N_2O_5$]. [Sin.: *cloromicetina.* Pl.: *cloranfenicóis.*]

clorantácea [Do tax. *Chloranthus* (v. *clor(o)-* e *-anto*) + *-ácea*; tax. *Chloranthaceae.*] *S. f. Bot.* Espécime das clorantáceas, família de plantas da ordem das piperales, sobretudo lenhosas, de folhas opostas e estipuladas, flores aclamídeas ou apenas com perianto bracteoide, androceu com um único estame, e ovário dotado de um óvulo pêndulo; habitam os países quentes, e há só uma espécie no Brasil.

clorantáceo [De *clorantácea*, com var. suf. (v. *-áceo*).] *Adj. Bot.* Pertencente ou relativo às clorantáceas.

clorar [De *clor(o)-* + *-ar*[2].] *V. t. d.* **1.** Adicionar cloro a. **2.** *Restr.* Tratar (a água) com o cloro. **3.** *Quím.* Tratar (uma substância) pelo cloro, ou por um de seus derivados, visando a obter composto clorado.

clorato [De *clor(o)-* + *-ato*[2].] *S. m. Quím.* Qualquer sal do ácido clórico.

clorela [Do tax. *Chlorella* (v. *clor(o)-* e *-ela*).] *S. f. Bot.* **1.** Gênero de algas cloreláceas que são pequenas plantas aquáticas, ger. esféricas e isoladas, encontradas em plânctons, utilizadas como suplemento alimentar em países como E.U.A. e Canadá, mas sobretudo no Japão. **2.** Qualquer espécie desse gênero, como a *Chlorella vulgaris* e a *C. pyrenoidosa.* **3.** Qualquer espécime desse gênero.

clorelácea [Do tax. *Chlorella* (v. *clorela*) + *-ácea*; tax. *Chlorellaceae.*] *S. f. Bot.* Espécime das cloreláceas, família de algas clorofíceas que engloba algas unicelulares que ocorrem em águas doces e marinhas, e ainda no solo.

cloreláceo [De *clorelácea*, com var. suf. (v. *-áceo*).] *Adj. Bot.* Pertencente ou relativo às cloreláceas.

cloremia [De *clor(eto)* + *-emia.*] *S. f. Med.* Teor de cloreto no sangue; cloretemia.

clorémico *Adj.* V. *clorêmico.* [Uso freq. em P.]

clorêmico [De *cloremia* + *-ico*[2].] *Adj.* Relativo à cloremia; cloretêmico.

clorênquima [De *clor(ofila)* + *-ênquima*; lat. cient. *chlorenchyma.*] *S. m. Bot.* Tecido vegetal provido de clorofila (particularmente o mesofilo das folhas) e que é um parênquima assimilador, de cor verde.

clorenquimático [De *clorênquima* + *-ático.*] *Adj. Bot.* Relativo ao clorênquima; clorenquimatoso: *células clorenquimáticas.*

clorenquimatoso (ô) [De *clor(ofila)* + *-enquimat(o)-* + *-oso.*] *Adj. Bot.* Clorenquimático.

cloretemia [De *cloreto* + *-emia.*] *S. f. Med.* Cloremia.

cloretémico *Adj.* V. *cloretêmico.* [Uso freq. em P.]

cloretêmico [De *cloretemia* + *-ico*[2].] *Adj.* Clorêmico.

cloreto (ê) [De *clor(o)-* + *-eto*[2].] *S. m. Quím.* Qualquer sal derivado do ácido clorídrico. ◆ **Cloreto de acila.** *Quím.* Designação genérica das substâncias que têm átomo de cloro diretamente ligado a grupo de acila, muito us. em sínteses de certas substâncias orgânicas, como, p. ex., ésteres e cetonas aromáticas. **Cloreto de etila.** *Quím.* V. *cloroetano.* **Cloreto de polivinila.** *Impr.* Policloreto de vinila. **Cloreto de tionila.** *Quím.* Líquido muito reativo, que se decompõe ao contato com água, us. para preparar cloroalcanos e cloretos de acila [fórm.: $SOCl_2$]. **Cloreto de vinila.** *Quím.* V. *cloroeteno.*

clorfenamina [Voc. farmac.] *S. f. Quím.* Amina terciária aromática, us. como medicamento anti-histamínico; clorfeniramina [fórm.: $C_{16}H_{19}ClN_2$].

clorfeniramina [Voc. farmac.; ingl. *chlorpheniramine.*] *S. f. Quím.* Clorfenamina.

clórico [De *clor(o)-* + *-ico*[2].] *Adj. Quím.* ~ V. *ácido —.*

cloridrato [De *clorídr(ico)* + *-ato*[2].] *S. m. Quím. Impr.* Designação dos cloretos resultantes da adição do ácido clorídrico a uma base orgânica.

cloridria *S. f. Med.* Teor de ácido clorídrico no suco gástrico.

clorídrico [De *clor(o)-* + *(h)idro(gênio)* + *-ico*[2].] *Adj. Quím.* **1.** Próprio do, ou derivado do ácido clorídrico. **2.** Relativo à cloridria. ~ V. *ácido — e gás —.*

cloridrina [Do ingl. *chlorhydrin.*] *S. f. Quím.* Álcool clorado que se forma pela reação de um alceno com o ácido hipocloroso; a cloridrina mais simples é a derivada do eteno [fórm.: C_2H_5ClO].

clorita [De *clor(o)-* + *-ita*[3].] *S. f. Min.* Grupo de minerais monoclínicos, esverdeados, de aspecto, composição e estrutura semelhantes às das micas.

clorito [De *clor(o)-* + *-ito*[3].] *S. m. Quím.* Qualquer sal do ácido cloroso.

cloro (ó) [Do gr. *chlorós*; v. *clor(o)-*.] *S. m. Quím.* **1.** Elemento de número atômico 17, do grupo dos halogênios [símb.: *Cl*]. **2.** Gás verde-amarelado, venenoso; utilizado no tratamento de água e em várias indústrias e que é forma usual do cloro elementar [fórm.: Cl_2]. ◆ **Cloro líquido.** *Pop.* Líquido resultante da reação entre cloro (gás) e solução aquosa de hidróxido de sódio, cujo ingrediente ativo é o hipoclorito de sódio que se forma, e que é uma forma concentrada de água sanitária (q. v.). **Cloro sólido.** *Pop.* Substância que ger. contém, como ingrediente ativo, o hipoclorito de cálcio, us. como alvejante.

▲**clor(o)-** [Do gr. *chlōrós, á, ón.*] *El. comp.* = 'esverdeado', 'verde'; 'cloro, ou o que o apresenta': *clorofila, clorose, clorídrico, clorocisto.* [Equiv.: *-clor(o)-, -cloro*: *zooclorela; hipocloroso; clinocloro.*]

▲**-clor(o)-** V. *clor(o)-*.

▲**-cloro** V. *clor(o)-*.

cloroacetato [De *clor(o)-* + *acetato.*] *S. m. Quím.* Sal ou éster do ácido cloroacético.

cloroacético [De *clor(o)-* + *acético.*] *Adj. Quím.* ~ V. *ácido —.*

cloroalcano [De *clor(o)-* + *alcano.*] *S. m. Quím.* Haloalcano no qual o halogênio é o cloro.

cloroáurico [De *clor(o)-* + *auri-* + *-ico*[2].] *Adj. Quím.* V. *ácido —.*

clorocisto [De *clor(o)-* + *-cisto.*] *S. m. Bot.* Série de pequenas células clorofiladas existentes em certos musgos, como, p. ex., nos do gênero *Sphagnum* (v. *esfagno*).

cloroetano [De *clor(o)-* + *etano*; ingl. *chloroethene.*] *S. m. Quím.* Substância muito volátil, anestésica, que era us. em lança-perfumes; cloreto de etila [fórm.: C_2H_5Cl].

cloroeteno [De *clor(o)-* + *-et-* + *-eno*[2].] *S. m. Quím.* Substância gasosa, derivada do eteno, us. na produção de polímeros; cloreto de vinila [fórm.: C_2H_3Cl].

clorofícea [Adapt. do tax. *Chlorophyceae* (v. *clor(o)-*, *-fic(o)-*[2] e *-ea*).] *S. f. Bot.* Espécime das clorofíceas, classe que compreende um dos maiores grupos de algas que ocorrem nos mais variados ambientes (água doce, salobra, marinha ou *habitat* subaéreo). São as algas verdes, que existem desde o permiano e apresentam grande diversidade de formas, podendo ser unicelulares, coloniais, filamentosas, membranáceas ou tubulosas, contendo, todas elas, clorofila, carotenos e xantofilas. [Sin.: *clorófita.*]

clorofíceo [De *clorofícea*, com var. suf. (v. *-eo*).] *Adj. Bot.* Pertencente ou relativo às clorofíceas.

clorofila [Do fr. *chlorophylle.*] *S. f.* Pigmento de estrutura química algo semelhante à da hemoglobina do sangue dos mamíferos, solúvel nos solventes orgânicos, que realiza a fotossíntese em presença da luz solar, libertando oxigênio no ar e deste retirando o gás carbônico [fórm.: $C_{55}H_{72}O_5N_4Mg$].

clorofiláceo [De *clorofila* + *-áceo.*] *Adj.* Semelhante à clorofila: *pigmento clorofiláceo.*

clorofilado [De *clorofila* + *-ado*[1].] *Adj.* Que tem clorofila: *parênquima clorofilado.*

clorofilase [De *clorofila* + *-ase*.] ***S. f.*** *Bot.* Fermento que desdobra a clorofila, inativando-a, e que se acha muito espalhado entre as dicotiledôneas.

clorofílase ***S. f.*** V. *clorofilase*.

clorofiliano [De *clorofila* + *-iano*.] ***Adj.*** Relativo à clorofila. ~ V. *assimilação —a*.

clorófita [Do tax. *Chlorophyta* (v. *clor(o)-* e *-fita*).] ***S. f.*** *Bot.* Espécime das clorófitas, designação que alguns autores dão às clorofíceas (v. *clorofícea*).

clorófito [Do tax. *Chlorophytum* (v. *clor(o)-* e *-fito*).] ***S. m.*** *Bot.* **1.** Gênero de liliáceas, que reúne cerca de 215 espécies nativas de regiões tropicais, e ger. cultivadas como ornamentais. **2.** Qualquer espécie desse gênero, como, p. ex., a *Chlorophytum comosum*. **3.** Qualquer espécime desse gênero.

clorofluorcarboneto (ê) ***S. m.*** *Quím.* V. *clorofluorocarboneto*.

clorofluorocarboneto (ê) [Do ingl. *chlorofluorocarbon*.] ***S. m.*** *Quím.* Qualquer de certos derivados clorados e fluorados de alcanos (metano e etano, principalmente), que são us. em refrigeração e aerossóis, e que podem ser daninhos à camada de ozônio. [Var.: *clorofluorcarboneto*. F. abrev.: *CFC*.]

clorofórmico [De *clorofórmio* + *-ico*[2].] ***Adj.*** Relativo ao, ou resultante do clorofórmio.

clorofórmio [De *clor(o)-* + *fórm(ico)* + *-io*[3]; fr. *chloroforme*.] ***S. m.*** *Quím.* Triclorometano líquido, incolor, com odor agradável, volátil, usado como anestésico [fórm.: $CHCl_3$].

cloroformização [De *cloroformizar* + *-ção*.] ***S. f.*** Ato de cloroformizar.

cloroformizado [Part. de *cloroformizar*.] ***Adj.*** Que sofre ou sofreu o efeito da cloroformização.

cloroformizar [De *clorofórmio* + *-izar*.] ***V. t. d.*** **1.** Aplicar clorofórmio a; anestesiar por meio do clorofórmio. **2.** Tirar, ou diminuir, a sensibilidade de.

clorofosfato [De *clor(o)-* + *fosfato*.] ***S. m.*** *Quím.* Sal que contém cloreto e fosfato.

cloroleucito [De *clor(o)-* + *leucito*.] ***S. m.*** *Bot.* V. *cloroplastídio*.

cloromicetina [Voc. farmac.] ***S. f.*** *Terap.* V. *cloranfenicol*.

cloromonadino [Adapt. do tax. *Chloromonadina*.] *Zool.* ***S. m.*** **1.** Espécime dos cloromonadinos, ordem de animais protozoários, fitomastiginos. Corpo com dois flagelos, cromatóforos numerosos quando presentes, sem estigma. • ***Adj.*** **2.** Pertencente ou relativo a eles.

cloropicrina [De *clor(o)-* + *picrina*; al. *Chloropikrin*.] ***S. f.*** *Quím.* Líquido oleoso, o tricloronitrometano, tóxico, us. como desinfetante agrícola e como gás de guerra [fórm.: CCl_3NO_2].

clorópida [Adapt. do tax. *Chloropidae*.] *Zool.* ***S. m.*** **1.** Espécime dos clorópidas, família de pequenas moscas acaliptradas, dotadas de cabeça proporcionalmente grande, com pequenas antenas; algumas de suas larvas são brocas de vários cereais e outras gramíneas; e outras causam oftalmopatias como conjuntivites no homem e noutros animais, e transmitem doenças como a bouba (1). • ***Adj. 2 g.*** **2.** Pertencente ou relativo a eles.

cloroplastídio [De *clor(o)-* + *plastídio*.] ***S. m.*** *Bot.* Plastídio portador de clorofila, existente no interior das células verdes, formado por um estroma ou substrato no interior do qual estão os grana. [Às vezes a cor verde está mascarada por outros pigmentos corados. Sin.: *cloroplasto*, *cloroleucito*.]

cloroplasto [De *clor(o)-* + *-plasto*.] ***S. m.*** *Bot.* V. *cloroplastídio*.

cloroplatínico ***Adj.*** *Quím.* ~ V. *ácido —*.

cloropreno [De *clor(o)-* + *(iso)preno*.] ***S. m.*** *Quím.* Substância líquida, incolor, derivada do butadieno, us. na preparação de borrachas sintéticas [fórm.: C_4H_5Cl].

cloropromazina [Do V.C.I.; ingl. *chloropromazine*.] ***S. f.*** *Quím.* V. *clorpromazina*.

cloropsia [De *clor(o)-* + *-opsia*.] ***S. f.*** *Oftalm.* Distúrbio visual em que qualquer objeto parece ter um matiz esverdeado.

cloróptico [De *clor(opsia)* + *-óptico*, seg. o padrão erudito.] ***Adj.*** **1.** Relativo a cloropsia, ou que a apresenta. • ***S. m.*** **2.** Aquele que tem cloropsia.

cloroquina [De *clor(o)-* + *quina* (< *quin(oleín)a*).] ***S. f.*** *Quím.* Substância nitrogenada us. como antimalárico [fórm.: $C_{18}H_{23}ClN_3$].

clorose [De *clor(o)-* + *-ose*[1].] ***S. f.*** **1.** *Med.* Anemia peculiar à mulher, assim chamada pelo tom amarelo-esverdeado que imprime à pele. **2.** *Bot.* Moléstia dos vegetais que se revela por uma coloração amarelada das partes normalmente verdes, e cuja causa mais importante é a carência de elementos nutritivos indispensáveis, em geral o ferro.

clorosidade [Do gr. *chlorós* (v. *clor(o)-*) + *-(i)dade*.] ***S. f.*** *Ocean.* A proporção de cloro existente na água do mar, expressa em gramas por litro (a 20°C).

cloroso (ô) [De *clor(o)-* + *-oso*.] ***Adj.*** *Quím.* ~ V. *ácido —*.

clorótico [De *clor(ose)* + *-ótico*.] ***Adj.*** Relativo à, ou que tem clorose.

clorpromazina [Voc. farmac.] ***S. f.*** *Quím.* Substância cristalina, fenotiazínica us. como medicamento neuroléptico [fórm.: $C_{17}H_{19}ClN_2S$].

clorúria [De *clor(o)-* + *-úria*.] ***S. f.*** Emissão de pigmentos biliares pela urina durante a icterícia.

→**close** [klos] [Ingl.] ***S. m.*** V. *close-up*.

→**closed caption** [klowzd 'kæpʃən] [Ingl.] ***S. f.*** **1.** Sistema de transmissão de legendas via sinal de televisão. **2.** O dispositivo ou a função desse sistema num aparelho de televisão.

→**closet** ['klạzət] [Ingl.] ***S. m.*** Numa edificação (3), compartimento, ou parte dele, para guardar louças, roupas de cama e mesa, etc., e peças de vestuário, e acessórios: 📖 "Esse closet tem chave? Vamos esconder os corpos aí dentro e depois pensar calmamente no que vamos fazer." (Rubem Fonseca, *O buraco na parede*, p. 59.)

→**close-up** ['klosəp/'klozəp] [Ingl.] ***S. m.*** *Fot. Cin. Telev.* Enquadramento no qual apenas uma parte do assunto (3) é destacada; primeiro plano. [F. red.: *close*.]

clostrídio [Do tax. *Clostridium* (do gr. *klostér*, 'fio').] ***S. m.*** *Microbiol.* **1.** Gênero de baciláceas constituído de bacilos relativamente longos, gram-positivos, anaeróbios estritos e ger. móveis. **2.** Qualquer espécie desse gênero, como, p. ex., a *Clostridium tetani*, encontrada no solo e nas fezes de cavalo e doutros animais, e que contaminam ferimentos da pele, causando o tétano (q. v.). **3.** Qualquer espécime desse gênero.

clotoide (ói) [Do gr. *klóthein*, 'fiar', 'estender-se como um fio', + *-oide*; ingl. *clothoid*.] ***S. f.*** *Mat.* Espiral de Cornu. ❖

→**clou** [klu] [Fr.] ***S. m.*** Ponto de interesse dominante; atrativo principal; ideia de maior destaque.

→**clown** [klæwn] [Ingl.] ***S. m.*** Palhaço (1).

clownismo [Do ingl. *clownism*, de *clown*, 'palhaço'.] ***S. m.*** *Psiq.* Distúrbio mental que consiste na realização, sob forma histérica, de atos grotescos.

■ **CLT** Sigla de *Consolidação das Leis Trabalhistas* (v. *celetista*).

clube [Do ingl. *club*.] ***S. m.*** **1.** Local de reuniões políticas, literárias ou recreativas. **2.** Local que tem, geralmente, edificações, piscina, etc., e onde, comumente pagando uma mensalidade ou taxa, se reúnem pessoas para praticar esportes, jogar, dançar, etc. **3.** Associação de pessoas com o objetivo de promover debates em torno de matéria de interesse comum, tal como literatura, ciência, política, etc. ◆ **Clube da várzea.** *Bras. MG RJ SP Fut.* Qualquer dos clubes esportivos dos arrabaldes ou subúrbios. **Clube de investimento.** Grupo formado por pessoas físicas com o objetivo de constituir um fundo em condomínio para investimento em títulos, esp. ações, segundo normas fixadas pela Comissão de Valores Mobiliários.

clubeco [De *clube* + *-eco*[1].] ***S. m.*** *Pej.* Clube (2) sem importância, insignificante.

clubista [De *clube* + *-ista*.] ***S. 2 g.*** **1.** Sócio ou frequentador de clube. • ***Adj. 2 g.*** **2.** Pertencente ou relativo a clube.

clubístico [De *clubista* + *-ico*[2].] ***Adj.*** De, ou relativo a clube ou clubista: 📖 "Aproveitemos o momento para retomar contato com a realidade, que sofre mais distorções no contato com as paixões clubísticas do que com as paixões políticas" (Barbosa Lima Sobrinho, em *Jornal do Brasil*, 29.07.1973).

→**club soda** [klub 'sowdə] [Ingl.] ***S. m. e f.*** Água efervescente, que, ger. acompanhada de gelo, se acrescenta ao uísque para diluí-lo.

clunâmbulo [Do lat. *clune*, 'nádega', + *-âmbulo*.] ***S. m.*** Indivíduo estropiado das pernas que, não podendo fazer uso delas, se arrasta com o assento pousado num estrado de madeira.

clúpea [Do tax. *Clupea*.] *Zool.* ***S. f.*** **1.** O gênero-tipo dos clupeídeos (q. v.). **2.** Qualquer espécie desse gênero, como, p. ex., a *Clupea harengus* [v. *arenque* e *manjuba* (1)] e algumas outras, como a sardinha (q. v.). **3.** Qualquer espécime desse gênero. [Sin., nas acepç. 2 e 3: *clupeio*, *clúpeo*.]

clupeídeo [Do tax. *Clupea* + *-ídeo*[1]; tax. *Clupeidae*.] *Zool.* ***S. m.*** **1.** Espécime dos clupeídeos, grande família de peixes ger. marinhos, actinopterígios, clupeiformes, de corpo afusado, dotados de uma só nadadeira dorsal, medianamente situada, e uma nadadeira caudal bifurcada; inclui muitas espécies de grande importância econômica, como, p. ex., os arenques, as sardinhas e as manjubas. • ***Adj.*** **2.** Pertencente ou relativo a eles.

clupeiforme (e-i) [Adapt. do tax. *Clupeiformes*.] ***S. m.*** *Zool.* **1.** Espécime dos clupeiformes, ordem de peixes marinhos ou de água doce, de corpo afusado, prateado, nadadeiras dotadas de raias delgadas, as ventrais em posição abdominal oposta à única dorsal, e as peitorais inseridas sob o eixo corporal. Compreende quatro famílias, entre as quais a dos clupeídeos (arenques) e a dos engraulídeos (enchovas). • ***Adj. 2 g.*** **2.** Pertencente ou relativo a eles.

clupeio [Var. de *clúpeo*.] ***S. m.*** *Zool.* V. *clúpea* (2 e 3).

clúpeo [De *clúpea* + *-eo*.] ***S. m.*** *Zool.* V. *clúpea* (2 e 3).

clupeomorfo (clù) [Do tax. *Clupea* + *-morfo*; tax. *Clupeomorpha*.] *Zool.* ***S. m.*** **1.** Espécime dos clupeomorfos, superordem dos peixes osteíctes que engloba os clupeiformes (q. v.). • ***Adj.*** **2.** Pertencente ou relativo a eles.

clúsia [Do tax. *Clusia* (de [*Carolus*] *Clusius*, latinização do antr. de *Charles de Lécluse* [-1609], botânico francês + lat. cient. *-ia*).] ***S. f.*** *Bot.* **1.** Grande gênero de árvores e arbustos clusiáceos de folhas opostas, coriáceas, e grandes flores alvas, amarelas ou róseas. **2.** Qualquer espécie desse gênero, como, p. ex., a *Clusia fluminensis* (v. *abaneiro*). **3.** Qualquer espécime desse gênero.

clusiácea [Do tax. *Clusia* (v. *clúsia*) + *-ácea*; tax. *Clusiaceae*.] ***S. f.*** *Bot.* Espécime das clusiáceas, família da ordem das teales que reúne cerca de 45 gêneros e 1.200 espécies de árvores, arbustos, lianas e ervas de seiva resinosa amarela ou de outra cor brilhante, folhas simples, íntegras, opostas ou verticiladas, flores em cimeiras terminais e frutos drupáceos, bacáceos ou capsulares; a maioria dessas espécies é nativa de regiões tropicais, muitas do Brasil. São cultivadas como ornamentais, ou pela madeira e frutos edules, como, p. ex., o bacupari (7). [Sin. (desus.): *gutífera*, *gutiferácea*.]

clusiáceo [De *clusiácea*, com var. suf. (v. *-áceo*).] ***Adj.*** *Bot.* Pertencente ou relativo às clusiáceas. [Sin. (desus.): *gutífero*, *gutiferáceo*.]

→**cluster** ['klʌstɚ] [Ingl.] ***S. m.*** **1.** *Inform.* V. *grupamento* (2). **2.** Conjunto de computadores interligados que executam operações em conjunto e coordenadamente. **3.** *Mús.* Acorde formado por semitons contíguos, sugerindo na partitura escrita a aparência de um "cacho" de notas.

■ **cm** *Fís.* Símb. de *centímetro*.

■ **Cm** *Quím.* Símb. de *cúrio*.

■ **CMN** Sigla de *Conselho Monetário Nacional*.

■ **CMY** [Acrônimo do ingl. *cyan*, 'ciano', *magenta*, 'magenta', e *yellow*, 'amarelo'.] *Art. Gráf.* Sistema de reprodução de imagens em policromia mediante a combinação das cores ciano, magenta e amarelo. [Cf. *RGB*.]

■ **CMYK** [De *CMY* + ingl. *(blac)k*, 'preto'.] *Art. Gráf.* Sistema de reprodução de imagens em quadricromia mediante a combinação das cores ciano, magenta, amarelo e preto.

■ **C.N.** Abrev. de centro-norte.

■ **CNA** Sigla de *Confederação da Agricultura e Pecuária do Brasil*.

■ **CNBB** Sigla de *Conferência Nacional dos Bispos do Brasil*.

■ **CNC** Sigla de *Confederação Nacional do Comércio*.

■ **CND** Sigla de *Conselho Nacional de Desestatização*.

■ **C.N.E.** Abrev. de centro-nordeste.

■ **CNE** Sigla de *Conselho Nacional de Educação*.

▲**cnem(e)-** [Do gr. *knḗmē, ēs*.] ***El. comp.*** = 'perna', 'tíbia': *cnemite*. [Equiv.: *-cnem(e)-*, *cnemo-*: *octocnematácea*, *cnemoscoliose*.]

▲**-cnem(e)-** V. *cnem(e)-*.

cnémida ***S. f.*** V. *cnêmida*. [Uso freq. em P.]

cnêmida ***S. f.*** V. *cnêmide*.

cnémide ***S. f.*** V. *cnêmide*. [Uso freq. em P.]

cnêmide [Do gr. *knemís, ídos*.] ***S. f.*** Chapa de metal com que os soldados, na Grécia antiga, protegiam as pernas. [Var.: *cnêmida*.]

cnémio ***Adj.*** V. *cnêmio*. [Uso freq. em P.]

cnêmio [De *cnem(e)-* + *-io*[3].] ***Adj.*** Relativo à perna.

cnemite [De *cnem(e)-* + *-ite*[1].] ***S. f.*** *Patol.* Inflamação de tíbia.

▲ **cnemo-** [Do gr. *knēmo-* < gr. *knḗmē, ēs*.] V. *cnem(e)-*.

cnemoscoliose [De *cnemo-* + gr. *skolíosis*, 'ação de tornar retorcido'.] ***S. f.*** *Ort.* Curvatura lateral de perna.

■ **CNEN** Sigla de *Comissão Nacional de Energia Nuclear*.

■ **CNI** Sigla de *Confederação Nacional da Indústria*.

cnidário [De *cnid(o)-* + *-ário*; tax. *Cnidaria*.] *Zool.* ***S. m.*** **1.** Espécime dos cnidários, filo de animais enterozoários, radiados, que tem indivíduos formados por pólipos cilíndricos, sésseis, os quais vivem frequentemente em colônias, ou medusas campanuladas flutuantes. Têm cápsulas urticantes ou nematocistos, cavidade digestiva saciforme, boca circundada por tentáculos, ânus ausente. São aquáticos, na grande maioria marinhos, fixos ou livremente flutuantes. São as medusas, pólipos, corais, anêmonas-do-mar e grupos afins. • ***Adj.*** **2.** Pertencente ou relativo a eles.

▲**cnid(o)-** [Do gr. *knídē, ēs* (ī).] ***El. comp.*** = 'urtiga'; 'urticante'; em *Zool.*, 'nematocisto': *cnidário*, *cnidosporídio*.

cnidoblasto [De *cnid(o)-* + *-blasto*.] ***S. m.*** *Zool.* Célula urticante dos cnidários. [Sin.: *nematócito*.]

cnidocílio [De *cnid(o)-* + *-cílio*.] ***S. m.*** *Zool.* Órgão sensorial de alguns cnidários que, mediante estímulo externo, dispara o mecanismo de injeção de líquido urticante.

cnidosporídio [De *cnid(o)-* + *-(e)sporídio*; tax. *Cnidosporidia*.] *Zool.* *S. m.* **1.** Espécime dos cnidosporídios, subfilo de protozoários esporozoários, parasitas de invertebrados e de peixes, que reúne quatro grandes famílias: mixosporídios, actinomicídios, microsporídios e helicosporídios. ● *Adj.* **2.** Pertencente ou relativo a eles.

■ **C.N.O.** Abrev. de centro-noroeste.

■ **CNP** Sigla de *Conselho Nacional do Petróleo*.

■ **CNPq** Sigla de *Conselho Nacional de Desenvolvimento Científico e Tecnológico*.

■ **CNTP** *Fís.* Abrev. de *condições normais de temperatura e pressão*.

cnute [Do russo *knut*, pelo fr.] *S. m.* **1.** Chicote usado na Rússia. **2.** *P. ext.* Castigo com esse chicote.

■**co** *Ant. Pop.* Contr. da prep. *com* com o art. ou pron. *o*: 📖 "Alteradas estão do reino as gentes, / Co ódio que ocupado os peitos tinha" (Luís de Camões, *Os Lusíadas*, IV, 4); "Adonde se viu embarcar co esse vazio!" (Caio de Freitas, *Intrusos no Paraíso*, p. 6). [Flex.: *ca, cos, cas*. Cf. *cá* e *cós*.]

■ **C.O.** **1.** Abrev. de *centro-oeste*.

■ **Co** *Quím.* Símb. de *cobalto*.

▲**co-**[1] [Do lat. *cum*.] *Pref.* = 'contiguidade', 'companhia': *coaluno, correlação*. [Segundo o Volp., une-se ao 2º el., mesmo que este comece por *h* ou *o-*: *coabitar, coerdeiro, coobrigação, coocupante, cooperar*. Equiv.: *com-, con-*: *compactuar; conchegar*.]

▲**co-**[2] [De *co(mplemento)*.] *El. comp.* = 'complemento': *cologaritmo*.

coa (qua) Aglut. da prep. *com* e do art. ou pron. dem. *a*: 📖 "Sentado sozinho coa face na mão" (Casimiro de Abreu, *Obras*, p. 78); "falando baixinho, coa voz tremente, à sua amada distante..." (Afonso Arinos, *Pelo Sertão*, p. 11). [Pl.: *coas*. Cf. *coa* (ô) e *coas*, do v. *coar* e s. f., e *Coa*, top.]

coa (ô) [Dev. de *coar*.] *S. f.* Coação[1] (1). [Pl.: *coas* (ô). Cf. *coa* (qua) e pl. *coas*.]

coabitação [Do lat. tard. *cohabitatione*.] *S. f.* Ato de coabitar.

coabitar [Do lat. tard. *cohabitare*.] *V. t. d.* **1.** Habitar em comum: 📄 *Coabitam a mesma casa*. *T. i.* **2.** Morar em comum; viver junto: 📖 "O senhor, depois de casado com minha filha, não coabitará com ela; o senhor morará só, numa boa casa ....; ao passo que Palmira continuará a residir em minha companhia" (Aluísio Azevedo, *Livro de uma Sogra*, p. 139). **3.** Viver como marido e mulher (embora não obrigatoriamente casados). **4.** Ter relações sexuais habituais, lícitas ou não, com outra pessoa. *Int.* **5.** Viver intimamente com alguém.

coação[1] [De *coar* + *-ção*.] *S. f.* **1.** Ato ou efeito de coar; coa. **2.** Escoação (2 e 3).

coação[2] [Do lat. *coactione*.] *S. f.* **1.** Ato de coagir; coerção. **2.** Estado de quem se vê coagido.

coacervação [Do ingl. *coacervation*.] *S. f.* *Fís.-Quím.* Numa solução coloidal de substância macromolecular, a separação, pela adição de uma substância ou pela variação de temperatura, de duas fases líquidas, uma rica em coloide e a outra quase isenta dele.

coacervar[1] [Do lat. *coacervare*.] *V. t. d.* *Ant.* Acumular, cumular, amontoar.

coacervar[2] [Voc. deduz. de *coacervação* (v. *-ar*[2]).] *V. t. d.* *Fís.-Quím.* Realizar a coacervação de (um coloide).

coacervato *S. m.* *Fís.-Quím.* A fase rica em coloide que se forma na coacervação, e constituída pelas moléculas do coloide que retêm entre si moléculas do solvente e do aditivo.

coactar [Do lat. *coactare*.] *V. t. d.* V. *coatar*.

coactividade [De *coactivo* + *-(i)dade*.] *S. f.* V. *coatividade*.

coactivo [Do lat. *coactus* + *-ivo*.] *Adj.* V. *coativo*.

coacto [Do lat. *coactu*.] *Adj.* V. *coato*.

coactor (ô) [Do lat. *coactore*.] *S. m.* V. *coator*.

coacusado [De *co-*[1] + *acusado*.] *S. m.* *Dir. Proc. Penal* Indivíduo incluído na mesma acusação movida contra outrem, como coautor, ou como autor de crime conexo; correu; codenunciado. ❖

coada [De *coar* + *-ada*[1].] *S. f.* **1.** V. *barrela*. **2.** Suco de legumes cozidos e passados pelo coador. [Cf. *cuada*.]

coadjutor (ô) [Do lat. tard. *coadjutore*.] *Adj.* **1.** Que coadjuva. ● *S. m.* **2.** Aquele que coadjuva. **3.** Sacerdote adjunto de um pároco ou bispo.

coadjutoria [De *coadjutor* + *-ia*[1].] *S. f.* Serviço ou função de coadjutor.

coadjuvação [De *coadjuvar* + *-ção*.] *S. f.* Ato ou efeito de coadjuvar.

coadjuvante [De *coadjuvar* + *-nte*.] *Adj. 2 g.* **1.** Que coadjuva, ajuda, concorre para um fim comum. **2.** *Cin. Teatr. Telev.* Diz-se do ator que interpreta papéis secundários. ● *S. 2 g.* **3.** *Teatr. Cin. Telev.* Esse ator.

coadjuvar [Do lat. tard. *coadjuvare*.] *V. t. d.* *T. d. e i.* **1.** Ajudar, auxiliar: 📄 *Declararam-se dispostos a coadjuvar a causa da alfabetização; Coadjuvaram as tropas aliadas na defesa do forte*. *P.* **2.** Auxiliar-se, ajudar-se mutuamente.

coadministração [De *coadministrar* + *-ção*.] *S. f.* Ato ou efeito de coadministrar. ❖

coadministrador (ô) [De *coadministrar* + *-dor*.] *S. m.* Aquele que coadministra. ❖

coadministrar [De *co-*[1] + *administrar*.] *V. t. d.* Administrar juntamente com outrem. ❖

coador (ô) [De *coar* + *-dor*.] *Adj.* **1.** Que coa. ● *S. m.* **2.** Vaso cujo fundo é crivado de pequenos orifícios, por onde passa a parte mais fina de certas substâncias; crivo. **3.** Saco ou utensílio para coar café (2) ou outros líquidos.

coadquirente [De *coadquirir* + *-ente*.] *Adj. 2 g.* *S. 2 g.* Que, ou quem coadquire.

coadquirir [De *co-*[1] + *adquirir*.] *V. t. d.* Adquirir em sociedade com outrem.

coadunação [Do lat. tard. *coadunatione*.] *S. f.* Ato de coadunar(-se).

coadunado [Part. de *coadunar*.] *Adj.* **1.** Ajuntado, reunido. **2.** Ajustado, combinado. **3.** *Bot.* V. *concrescente*.

coadunar [Do lat. tard. *coadunare*.] *V. t. d.* *T. d. e i.* **1.** Juntar, incorporar, reunir, para a formação de um todo: 📄 *coadunar várias ideias*. **2.** Conformar, combinar, harmonizar: 📄 *coadunar opiniões diferentes*. *P.* **3.** Conformar-se, combinar-se, harmonizar-se: 📖 "Muitos cavalheiros .... passam a vida acidentada à procura .... de um ofício definitivo que se coadune com o próprio temperamento" (João do Rio, *Cinematógrafo*, p. 95).

coadunável [De *coadunar* + *-vel*.] *Adj. 2 g.* Que se pode coadunar.

coadura [De *coar* + *-dura*.] *S. f.* **1.** Passagem do líquido pelo coador. **2.** O líquido coado.

coagel [De *coa (gular)* + *gel*.] *S. m.* *Fís.-Quím.* Qualquer gel obtido por precipitação e que tenha a consistência dos hidróxidos hidratados de ferro ou de alumínio. [Pl.: *coagéis*.]

coagente [De *coagir* + *-ente*.] *Adj. 2 g.* Que coage; coativo (q. v.).

coagido [Part. de *coagir*.] *Adj.* Que sofreu coação; coato.

coagir [De *coação*[2], e não do lat., que é *cogere*.] *V. t. d.* *T. d. e i.* Constranger; forçar: 📖 "E se para o rei abdicar for mister coagi-lo, faça-se." (Oliveira Martins, *Portugal Contemporâneo*, p. XXII); 📄 *coagir os fracos*; *Coagiram-no a demitir-se do cargo*. [Embora, para alguns, só se deva conjugar nas f. em que o *g* da raiz é seguido de *e* ou de *i*, entre nós a tendência é usá-lo em todas as formas.]

coagmentação [Do lat. *coagmentatione*.] *S. f.* *Desus.* Coagmento.

coagmentar [Do lat. *coagmentare*.] *V. t. d.* *Desus.* **1.** Fazer aderir; ligar, amassar. **2.** Moldar, amassando ou aglutinando.

coagmento [Do lat. *coagmentu*.] *S. m.* Ato ou efeito de coagmentar. [Sin., desus.: *coagmentação*.]

coagulabilidade [De *coagulável* + *-(i)dade*, seg. o padrão erudito.] *S. f.* Qualidade de coagulável.

coagulação [Do lat. *coagulatione*.] *S. f.* **1.** Ato ou efeito de coagular(-se); coalhadura. **2.** Passagem de um líquido ao estado de sólido: 📄 *A hemorragia foi provocada pela má coagulação do sangue*. **3.** *Fís.-Quím.* Precipitação da fase dispersa de um coloide; floculação. **4.** *Biol.* Processo fisiológico que leva à formação de rede de filamentos de fibrina. ◆ **Coagulação intravascular disseminada.** *Hemat.* Conjunto de fenômenos que pode ocorrer em doenças diversas (septicemia, queimadura extensa, tumor maligno, etc.), e em que, por excesso de consumo, há diminuição de participantes dos mecanismos de coagulação do sangue; coagulopatia de consumo.

coagulador (ô) [De *coagular* + *-dor*.] *Adj.* **1.** Que coagula; que produz coagulação. ● *S. m.* **2.** *Zool.* V. *abomaso*.

coagulante [De *coagular* + *-nte*.] *Adj. 2 g.* *S. m.* Que ou o que coagula.

coagular [Do lat. *coagulare*, por via erudita.] *V. t. d.* **1.** Promover a coagulação ou solidificação de. *Int.* *P.* **2.** Converter-se em sólido; solidificar-se: 📄 *Rapidamente o leite coagulou; O sangue coagula-se pela formação de massa de fibrina*. [F. paral.: *coalhar*. Pres. ind.: *coagulo*, etc. Cf. *coágulo*, s. m.]

coagulável [De *coagular* + *-vel*.] *Adj. 2 g.* Que se pode coagular.

coágulo [Do lat. *coagulu*, por via erudita.] *S. m.* **1.** Parte coagulada de um líquido; coalho, coalhadura. **2.** *Biol.* Rede de filamentos de fibrina. **3.** *Fisiol. Med.* Massa semissólida de sangue ou de linfa. [Cf. *coagulo*, do v. *coagular*.] ◆ **Coágulo sanguíneo.** *Biol.* Tampão hemostático.

coagulograma [De *coágulo* + *-grama*.] *S. m.* *Med.* Pesquisa em conjunto de dados relativos à coagulação de sangue us., p. ex., no preparo de um paciente para ato cirúrgico.

coagulopatia [De *coágulo* + *-patia*.] *S. f.* *Hemat.* Qualquer distúrbio de coagulação sanguínea. ◆ **Coagulopatia de consumo.** *Hemat.* Coagulação intravascular disseminada.

coajerucu [De or. tupi, poss.] *S. m.* *Bras.* *Amaz.* *Bot.* Pequena árvore anonácea (*Xylopia fructescens*) de flores hermafroditas, frutos que são bagas pequenas, e que fornece madeira castanho-alvacenta, própria para carpintaria, tendo a casca propriedades odoríferas; ibira, pau-de-embira, pijerecu, pindaíba, pindaúva.

coal [Do forro[2].] *S. m.* *Santom.* Cesto feito com fibra de palmeira: 📖 "Firmino olhou o coal. | E esse coal? | Onde foste buscar o andim? | O garoto tentou justificar-se: | Senhor, eu não roubou andim." (Fernando Reis, *A Lezíria e o Equador*, p. 72). [Pl.: *coales*.]

coala [Do austr. *koala*.] *S. m.* *Zool.* Pequeno marsupial australiano (*Phascolarctos cinereus*), arborícola, de grandes orelhas, garras aguçadas e pelagem cinza e densa.

coalescência [Do lat. *coalescentia*.] *S. f.* **1.** Junção de partes que se encontravam separadas: 📄 *a coalescência das bordas de uma ferida*. **2.** *Fís.* O fenômeno de crescimento de uma gotícula de líquido pela incorporação em sua massa de outras gotículas com as quais entra em contato. **3.** *E. Ling.* Fusão de unidades linguísticas anteriormente discretas. [No lat., p. ex., verificou-se a passagem do ditongo /aw/ a monotongo, como em *auricula* > lat. vulg. *orecla* (port. 'orelha').]

coalescente [Do lat. *coalescente*.] *Adj. 2 g.* **1.** Que sofreu coalescência; unido. **2.** *Bot.* V. *concrescente*.

coalescer [Do lat. *coalescere*.] *V. t. d.* **1.** Fazer aderir; aglutinar. **2.** Juntar, unir. [Conjug.: v. *crescer*.]

coalescimento [De *coalescer* + *-imento*.] *S. m.* **1.** Ato ou efeito de coalescer. **2.** *Metal.* Recozimento do aço em que se produzem carbonetos de forma esferoidal, e que é ger. us. para obter peças de dureza muito baixa, que podem ser submetidas a deformação plástica; esferoidização.

coalhada [De *coalhar* + *-ada*[1].] *S. f.* Leite coalhado, ger. usado como alimento.

coalhado [Part. de *coalhar*.] *Adj.* **1.** Coagulado, solidificado: 📄 *leite coalhado*. **2.** Apinhado, cheio: 📄 *Havia muita gente na missa, a igreja estava coalhada*.

coalhadura [De *coalhar* + *-dura*.] *S. f.* **1.** Ato ou efeito de coalhar; coagulação. **2.** V. *coágulo* (1).

coalhar [Do lat. *coagulare*, por via pop.] *V. t. d.* *Int.* *P.* V. *coagular*.

coalheira [De *coalho* + *-eira*.] *S. f.* **1.** *Zool.* V. *abomaso*. **2.** Líquido segregado por essa víscera e utilizado nas queijarias para coalhar o leite; coalho; coagulador.

coalho [Do lat. *coagulu*, por via pop.] *S. m.* **1.** V. *coágulo*: 📖 "línguas pendentes e vermelhas como coalhos de sangue" (Eça de Queirós, *Contos*, p. 182). **2.** *Zool.* V. *coalheira* (2). **3.** *Bot.* Flor de certo cardo.

coalização [De *coalizar-se* + *-ção*.] *S. f.* Coalizão.

coalizão [Do fr. *coalition*.] *S. f.* **1.** Acordo de partidos políticos para um fim comum. **2.** Aliança de nações. **3.** *Econ.* Coligação de produtores da mesma categoria que objetivam vantagens comuns ou lucros arbitrários, ou visam a proteger-se contra a concorrência desleal. [Cf. (nesta acepç.): *cartel*[2].] **4.** *Jur.* Consórcio, convênio, ajuste, aliança ou fusão de capitais, de caráter criminoso, para impedir ou dificultar a concorrência, visando ao aumento de lucros arbitrários. [Sin. ger.: *coalização*.]

coalizar-se [Do v. fr. *(se) coaliser* (pronominal), ou voc. deduz. de *coalizão* (v. *-izar* e *-se*[1]).] *V. p.* Fazer acordo para um fim comum; unir-se, aliar-se, coligar-se.

coaluno [De *co-*[1] + *aluno*.] *S. m.* Aquele que é aluno juntamente com outro(s); condiscípulo. [F. paral.: *com-aluno*.] ❖

cóana *S. m.* *Anat.* Cóano.

coani *Bras.* *S. 2 g.* **1.** *Etnôn.* Indivíduo dos coanis, povo indígena extinto que habitava a região da foz do rio Amazonas (PA). ● *Adj. 2 g.* **2.** Pertencente ou relativo a esse povo. [Tb. us. como *s. 2 g.* e *2 n.* (com cap.) e *adj. 2 g.* e *2 n.*]

coanicte [Do tax. *Choanichthyes* < gr. *chóanos*, 'funil', + gr. *ichthýes*, 'peixes'.] *Zool.* *S. f.* **1.** Espécime das coanictes, subclasse de peixes crossopterígios que reúne animais extintos e tb. o celacanto. ● *Adj. 2 g.* **2.** Pertencente ou relativo a elas.

▲**coan(o)-** [Do gr. *chóanos, ou, (ā)*, 'recipiente de metal em fusão'.] *El. comp.* = 'funil'; 'cavidades nasais': *coanoide, coanorragia*.

cóano [Do gr. *chóanos*, 'funil'.] *S. m.* *Anat.* Cada um dos orifícios posteriores das cavidades nasais; cóana.

coanócito [De *coan(o)-* + *-cito*.] *S. m.* *Zool.* Célula dos espongiários provida de um colar membranoso em torno da base do flagelo.

coanoflagelado [De *coan(o)-* + *-flagel(i)-* + *-ado*[3]; tax. *Choanoflagellata*.] *Zool.* *S. m.* **1.** Espécime dos coanoflagelados, protozoários flagelados fixos, possuidores de um colar citoplasmático hialino, contrátil, através do qual emerge o flagelo. ● *Adj.* **2.** Pertencente ou relativo a eles.

coanoide (ói) [De *coan(o)-* + *-oide*.] *Adj. 2 g.* V. *afunilado* (1). ❖

coanorragia [De *coan(o)-* + *-ragia*.] *S. f. Med.* V. *epistaxe*.

coanorrágico [De *coanorragia* + *-ico*².] *Adj.* Relativo à coanorragia.

coapóstolo [De *co-*¹ + *apóstolo*.] *S. m.* Aquele que apostola juntamente com outrem; companheiro de apostolado. ❖

coaptação [Do lat. tard. *coaptatione*.] *S. f. Cir.* Redução de ossos deslocados, ou manutenção das extremidades de ossos fraturados em boa posição, para a consolidação de fratura.

coar [Do lat. *colare*.] *V. t. d.* **1.** Fazer passar através de filtro ou coador; filtrar: *coar o café; coar a sopa.* **2.** Deixar cair gota a gota; fazer pingar: *As nuvens cinzentas coavam uma chuva miúda.* **3.** Fazer correr (o metal fundido) para dentro do molde; vazar. **4.** Deixar passar através; filtrar: *As venezianas coam a luz do dia.* **5.** Peneirar (farináceo). *T. d. e c.* **6.** Deixar passar: *Coava as águas do riacho numa velha bateia, catando o cascalho;* "Meio encoberto já, o sol coava sua luz triste através das nuvens" (Adolfo Caminha, *Bom-Crioulo*, pp. 45). **7.** Fazer chegar furtivamente: *Coou-lhe ao ouvido seu segredo. T. c.* **8.** Penetrar pouco a pouco; introduzir-se: *Ouvia as palavras injustas e o ódio a coar-lhe na alma. P.* **9.** Passar através; introduzir-se: "Pelos vidros coa-se a luz baça do crepúsculo." (Raul Brandão, *A Farsa*, p. 15.) **10.** Penetrar pouco a pouco; insinuar-se: *A indignação pelos abusos coava-se no seu íntimo.* **11.** Fugir, escapar-se. [Conjug.: v. *coroar*. Pres. ind.: *coo, coas, coa*, etc. Part.: *coado*, fem. *coada*. Cf. *Coa*, top.; *coa*, pl. *coas*; e *cuada*.]

coaraciense *Adj. 2 g.* **1.** De, ou pertencente ou relativo a Coaraci (BA). ● *S. 2 g.* **2.** O natural ou habitante de Coaraci.

coaracimimbi *S. m. Bras. Zool.* V. *maria-faceira*.

coaracinumbi *S. m. Bras. Zool.* V. *maria-faceira*.

coaraciuirá (i-u-i) *S. m. Bras. Zool.* V. *anambé*¹ (1).

coarctação [Do lat. *coarctatione*.] *S. f.* **1.** Ato ou efeito de coarctar; restrição, redução. **2.** Coarctada (3). **3.** *Med. Cir. Patol.* Redução de calibre. [Var.: *coartação*.]

coarctada [F. subst. do adj. *coarctado*.] *S. f.* **1.** *Dir. Proc. Penal* Alegação de defesa que justifica a impossibilidade da imputação do fato ao réu em razão do tempo e por causa da distância do lugar do cometimento do delito. [Cf. álibi.] **2.** *P. ext.* Prova negativa convincente; desmentido. **3.** Réplica vigorosa; coarctação. [Var.: *coartada*.]

coarctado [Part. de *coarctar*.] *Adj.* **1.** Limitado, circunscrito. **2.** Restringido, diminuído. **3.** Reprimido, coibido. [Sin. ger.: *coarcto*. Var.: *coartado*.]

coarctar [Do lat. *coarctare*.] *V. t. d.* **1.** Reduzir de tamanho; estreitar, cincunscrever: *O soberano não aceitou a ideia de coarctar seu império.* **2.** Restringir, diminuir, limitar: *A assembleia coarctou os poderes do primeiro-ministro;* "E a jurisdição amplíssima que se lhes havia concedido foi sendo para logo sucessivamente coarctada" (João Francisco Lisboa, *Obras*, III, p. 76). **3.** Reprimir, coibir, conter, refrear: *O governo coarctou os abusos. P.* **4.** Restringir-se, limitar-se: *O orador coarctou-se a breves considerações.* [Var.: *coartar*.]

coarctativo [De *coarctar* + *-tivo*.] *Adj.* Que coarcta ou pode coarctar. [Var.: *coartativo*.]

coarcto [De *coarctar*.] *Adj.* V. *coarctado*.

coariense *Adj. 2 g.* **1.** De, ou pertencente ou relativo a Coari (AM). ● *S. 2 g.* **2.** O natural ou habitante de Coari.

coariúba [De or. tupi.] *S. f. Bras. Amaz. Bot.* Grande árvore voquisiácea (*Vochysia grandis*) cuja madeira, de cerne vermelho, é resistente, usada em carpintaria; cedrorana, coariúva, quaruba.

coariúva *S. f. Bras. Amaz. Bot.* V. *coariúba*.

coarrendador (ô) [De *coarrendar* + *-dor*.] *S. m.* Aquele que coarrenda. ❖

coarrendamento [De *coarrendar* + *-mento*.] *S. m.* Ação de coarrendar. ❖

coarrendar [De *co-*¹ + *arrendar*¹.] *V. t. d.* Arrendar juntamente com outrem. ❖

coartação *S. f.* V. *coarctação*.

coartada *S. f.* V. *coarctada*.

coartado *Adj.* V. *coarctado*.

coartar *V. t. d.* V. *coarctar*.

coartativo *Adj.* V. *coarctativo*.

coarto *Adj.* V. *coarcto*.

coatar [Var. de *coactar*.] *V. t. d.* Tornar coato; obrigar, impor, coagir.

coatividade [Var. de *coactividade*.] *S. f.* Qualidade ou caráter de coativo; coercitividade.

coativo [Var. de *coactivo*.] *Adj.* **1.** Referente a coação. **2.** Que coata ou coage; coator, coercivo. **3.** Que tem o direito ou a possibilidade de impor obediência: *poder coativo*.

coato [Var. de *coacto*.] *Adj.* Coagido.

coator (ô) [Var. de *coactor*.] *Adj.* **1.** V. *coativo* (2). ● *S. m.* **2.** Aquele que coata ou coage. **3.** Entre os antigos romanos, cobrador de impostos.

coautor (ô) [De *co-*¹ + *autor*.] *S. m.* **1.** Aquele que produz com outrem qualquer trabalho ou obra; colaborador, coparticipante: *coautor de um dicionário.* **2.** *Dir. Penal* Aquele que é culpado, juntamente com outrem, da prática de um delito; codelinquente, cúmplice: *É coautor do crime.* ❖

coautoria [De *co-*¹ + *autoria*.] *S. f.* **1.** Estado, qualidade, condição ou caráter de coautor. **2.** *Dir. Penal* Pluralidade de agentes de um crime. ❖

coavalista [De *co-*¹ + *avalista*.] *S. 2 g.* Pessoa que, juntamente com outra, se obriga por aval no mesmo título. ❖

coaxação [Do lat. *coaxatione*.] *S. f.* V. *coaxo*.

coaxada [De *coaxar* + *-ada*¹.] *S. f.* V. *coaxo*.

coaxante [De *coaxar* + *-nte*.] *Adj. 2 g.* Que coaxa.

coaxar [Do lat. *coaxare*.] *V. int.* **1.** Fazer ouvir a sua voz (a rã, o sapo): "Sapos coaxavam no regato próximo" (Érico Veríssimo, *Noite*, p. 15). **2.** Gritar como a rã ou o sapo. *T. d.* **3.** Exprimir em grito como o da rã ou do sapo. ● *S. m.* **4.** *V. coaxo:* "Sem o coaxar dos sapos ou o cri-cri dos grilos / como é que poderíamos dormir tranquilos / a nossa eternidade?" (Mário Quintana, *Esconderijos do Tempo*, p. 73.)

coaxi [Var. de *cauixi*.] *S. m. Bras. Amaz.* Nateiro que, por ocasião das enchentes, se forma à superfície do aguaçal e se agarra aos troncos, e, depois de seco, voa e se espalha no ar.

coaxial (cs) [De *co-*¹ + *axial*.] *Adj. 2 g. Eletrôn.* Que tem um eixo em comum. ~ V. *cabo —*.

coaxixá [Do tupi.] *S. m. Bras. Bot.* V. *xixá*.

coaxo [Dev. de *coaxar*.] *S. m.* **1.** Ato de coaxar. **2.** A voz das rãs e dos sapos. [Sin. ger.: *coaxação, coaxada, coaxar*.]

■**COB** Sigla de *Comitê Olímpico Brasileiro*.

cobaia [Do lat. cient. *cobaya, cobaea*, de uma língua indígena americana.] *S. f.* **1.** *Zool.* Mamífero roedor caviídeo (*Cavia porcellus*), originário da região andina, e hoje conhecido apenas em estado doméstico, sendo tb. us. em laboratório para fins experimentais. Mede cerca de 25cm, tem corpo robusto, pernas curtas, orelhas pequenas e a cauda é ausente. [Sin.: *porquinho-da-índia, preá-da-índia*.] **2.** *P. ext.* Qualquer outro animal ou pessoa que seja submetido a um experimento (2). **3.** *Fig.* Campo ou objeto de experiência: *Não me amava: eu era apenas uma cobaia sua.*

cobalamina [De *cobal(to)* + *-amina*.] *S. f. Quím.* Cianocobalamina desprovida do ligante cianeto [fórm.: $C_{62}H_{88}CoN_{13}O_{14}P$].

cobaltina [De *cobalto* + *-ina*¹.] *S. f. Min.* Cobaltita.

cobaltita [De *cobalto* + *-ita*³.] *S. f. Min.* Mineral monométrico, sulfoarsenieto de cobalto, minério de cobalto; cobaltina.

cobaltizagem [De *cobaltizar* + *-agem*².] *S. f.* Ato ou efeito de cobaltizar.

cobaltizar [De *cobalto* + *-izar*.] *V. t. d.* **1.** Adicionar cobalto a. **2.** Dar a cor azul do cobalto a. *P.* **3.** Adquirir essa cor: "uma ampla corola eritrina, sulfurina, sandicina, purpurizada, irial, que onímoda, onicolor, ... se cobaltiza, se ambreia, se acobreia" (Martins Fontes, *A Dança*, p. 64).

cobalto [Do al. *Kobalt*, nome de um duende das lendas germânicas, pelo fr. *cobalt*.] *S. m.* **1.** *Quím.* Elemento de número atômico 27, metálico, branco-prateado, resistente, us. em ligas [símb.: *Co*]. **2.** *Fig.* Cor azul-escura viva: *Era de ver o cobalto daquelas águas.* ◆ **Cobalto 60.** *Quím.* Isótopo radioativo do cobalto, emissor de gamas muito enérgicas, com meia-vida de 5, 6 anos, us. como fonte de radiação em tratamento radioterápico e na gamagrafia de peças metálicas.

cobaltose [De *cobalto* + *-ose*¹.] *S. f. Pneum.* Pneumoconiose devida à inalação de poeira que contém cobalto.

cobaltoterapia [De *cobalto* + *-terapia*.] *S. f. Radiol.* Tratamento pelo cobalto.

cobaltoterápico [De *cobaltoterapia* + *-ico*².] *Adj.* Referente à cobaltoterapia.

cobarde [Do fr. ant. *coart* (atual *couard*).] *Adj. 2 g. S. 2 g.* V. *covarde:* "Nunca fui um homem que se pudesse chamar valente, mas também não sou cobarde" (Domingos Monteiro, *Histórias das Horas Vagas*, p. 110).

cobardia [De *cobarde* + *-ia*¹.] *S. f.* V. *covardia*.

cobardice [De *cobarde* + *ice*.] *S. f.* V. *covardice*.

coberta [F. subst. do adj. *coberto*.] *S. f.* **1.** Aquilo que serve para cobrir, cobertura, capa. **2.** Coberta (1) de cama; colcha. **3.** V. *cobertura* (7). **4.** Tampo de degrau de escada. **5.** *Fig.* Abrigo, proteção. **6.** *Fig.* Disfarce, dissimulação, aparência, capa. **7.** *Constr. Nav.* Qualquer convés situado abaixo do convés principal. **8.** *Constr. Nav.* Qualquer espaço compreendido entre cada dois conveses sucessivos abaixo do principal, e utilizado para habitação da tripulação. **9.** *Bras. PA* Embarcação de duas toldas de madeira, uma à vante e outra à ré: "Embarcações de todas as lotações, galeotas, cobertas, igarités e montarias, sulcavam as águas do Paru" (José Veríssimo, *Cenas da Vida Amazônica*, p. 58). ◆ **Coberta de desmonte.** *Bras. MG* Terra inútil que, ordinariamente, reveste o cascalho. **Baralhar as cobertas.** *Bras. S.* Meter-se em conflito(s); brigar.

coberteira [De *coberta* + *-eira*.] *S. f. Zool.* Camada de penas pequeníssimas e flexíveis insertas entre as rêmiges.

coberto [Do lat. *coopertu*, part. pass. de *cooperire* (v. *cobrir*).] *Adj.* **1.** Tapado, resguardado. **2.** Vestido, agasalhado. **3.** Que se revestiu, que se cobriu. **4.** Polvilhado (doce). **5.** Protegido, defendido. **6.** Dissimulado, oculto. **7.** Cheio, repleto, referto. **8.** Percorrido, vencido. **9.** Excedido (lanço). **10.** Garantido, afiançado. **11.** Liquidado, pago. **12.** *Bras. Prov. port.* Diz-se da fêmea de animal padreada ou prenhe. ~ V. *campo — e lago —*. ● *S. m.* **13.** *Arquit.* Qualquer espaço coberto; alpendre, telheiro: "O sol dava, com todo o brilho de manhã puríssima, por entre os pilares que sustinham as abóbadas dos cobertos que cercavam o pátio interior." (Alexandre Herculano, *Lendas e Narrativas*, II, p. 63.) ◆ **A coberto de.** Livre de; defendido contra: "Além de outras vantagens, tem este método a de fazer que os tenentes deixem, por morte, para as viúvas, filhos, filhas, genros e netos um montepio que porá estes a coberto de todas as necessidades — montepio de general." (Lima Barreto, *Os Bruzundangas*, p. 189.) ◆ **Estar a coberto.** *Maç.* Estar uma loja (4) regularmente aberta, e fora dos olhares dos não iniciados.

cobertor (ô) [De *coberto* + *-or*.] *S. m.* **1.** Peça encorpada de lã ou de algodão, que constitui roupa de cama. **2.** Colgadura. ◆ **Cobertor de orelha.** *Bras.* Aquela ou aquele com quem alguém se deita; amante.

cobertura [Do lat. *coopertura*.] *S. f.* **1.** Aquilo que cobre; coberta. **2.** Ato de cobrir; cobrimento. **3.** Fiança, garantia. **4.** Liquidação, pagamento. **5.** Conjunto de fundos que garante a liquidação de um contrato, ou de uma operação mercantil ou cambiária. **6.** Revestimento (3): *A parede recebeu uma cobertura de feltro.* **7.** *Arquit.* Teto, telhado, coberta. **8.** Apartamento construído sobre a laje de cobertura de um edifício, e que ocupa uma parte da superfície deste, sendo a outra parte, em geral, constituída por um terraço: "Pra mim, viagens internacionais / Uma cobertura e um casarão bem chique" (Chico Buarque de Holanda, *Roda-Viva*, p. 36). **9.** *Jorn. Rád. Telev.* Trabalho de reportagem realizado no local de ocorrência do fato a ser noticiado. **10.** *Jorn. Rád. Telev.* Matéria que resultou do trabalho de reportagem. **11.** *Encad.* Operação de cobrir de couro, pano, etc., as pastas de um livro. **12.** *Encad.* O material usado nessa operação. **13.** *Ind. Pap.* Revestimento (5). **14.** *Bras. Mar. G.* Ação ou efeito de proteger uma força naval ou um comboio por meio de navios ou aviões interpostos entre ela ou ele e o inimigo. **15.** *Bras. Mar. G.* Grupamento de navios ou aviões ao qual compete executar essa proteção. **16.** *Mat.* Em relação a um conjunto, família de conjuntos cuja união o contém.

cobéua *Bras. S. 2 g.* **1.** Indivíduo dos cobéuas, grupo indígena tucano que habita as margens dos rios Querari e Alto Aiazi (AM), e mantém contato permanente com a sociedade nacional. ● *Adj. 2 g.* **2.** Pertencente ou relativo a esse grupo. [Tb. us. como *s. 2 g. e 2 n.* (com cap.) e *adj. 2 g. e 2 n.*]

cobiça [Do lat. vulg. *cupiditia*.] *S. f.* **1.** Desejo sôfrego, veemente, de possuir bens materiais; avidez, cupidez. **2.** Ambição desmedida de riquezas.

cobiçante [De *cobiçar* + *-nte*.] *Adj. 2 g. P. us.* V. *cobiçoso*.

cobiçar [De *cobiça* + *-ar*².] *V. t. d.* **1.** Ter cobiça de; desejar, apetecer ardentemente: *Não cobiçar a mulher do próximo.* **2.** Ter ambição de, ambicionar (honras ou riquezas): *Cobiça o poder e a glória.* [Conjug.: v. *laçar*.]

cobiçável *Adj. 2 g.* Digno de se cobiçar; apetecível.

cobiçoso (ô) [De *cobiçar* + *-oso*.] *Adj.* **1.** Cheio de cobiça; ávido, sôfrego. **2.** *P. ext.* Ambicioso (1). [Sin. ger., p. us.: *cobiçante*.]

cobitídeo [Do tax. *Cobitis* (< gr. *kobitis*, 'certo peixe', + *-ideo*¹; tax. *Cobitidae*.] *Zool. S. m.* **1.** Espécime dos cobitídeos, família de peixes actinopterígios, cipriniformes, ger. de tamanho pequeno, desdentados, de boca voltada para baixo, com pelo menos três pares de barbelas. Algumas espécies são sensíveis a mudanças de temperatura; ocorrem em regiões das regiões montanhosas da Europa e Ásia. ● *Adj.* **2.** Pertencente ou relativo a eles.

cobocó [Var. de *covocó*; cf. *cabocó*.] *S. m. Bras. BA* V. *cabocó* (1).

cobogó [Das iniciais dos sobrenomes dos engenheiros *(Co)imbra, (Bo)eckmann* e *(Gó)is*.] *S. m. Arquit. Constr.* Peça perfurada, de cerâmica ou de cimento, empregado na construção de paredes perfuradas, para proporcionar a entrada de luz natural e de ventilação. [Sin.: *elemento vazado*. F. paral.: *combogó*.]

■ **cobol** [Sigl. do ingl. *co(mmon) b(usiness) o(riented) l(anguage)*, 'linguagem usual voltada para negócios'.] ***S. m. Inform.*** Linguagem de programação da década de 1950, amplamente us. por instituições comerciais e financeiras, idealizada para manter similaridade com a linguagem humana. [Pl.: *cobóis*.]

cobra[1] [Do lat. *colubra*.] ***S. f.*** **1.** *Zool.* Designação popular dos ofídios venenosos ou não. [Sin.: *serpente* e (bras.) *boi*[2], *boia*[2], *mboi, mboia*, e *malacatifa* (PB).] **2.** Objeto em forma de cobra. **3.** *Fig.* Pessoa de má índole e/ou de mau gênio. **4.** *Bras.* No jogo do bicho (q. v.), o nono grupo (14), que abrange as dezenas 33, 34, 35 e 36, e corresponde ao número nove. **5.** *Bras. Folcl.* Personagem animal do bumba meu boi (q. v.). **6.** *Gír.* Fera[1] (5). ● ***S. 2 g.*** **7.** *Bras. Pop.* Pessoa perita em seu ofício ou em sua arte; cobrão. ● ***Adj. 2 g.*** **8.** Diz-se de cobra[1] (6). ◆ **A cobra está fumando.** Fórmula ou expressão que se usa para dizer que uma situação está arriscada ou comprometedora: 📖 "'A cobra está fumando', disse Climério, 'o puto do Nelson se apresentou à polícia .... e o cachorro abriu o bico. Eu não devia ter confiado nesse filho da puta. É melhor você se esconder.'" (Rubem Fonseca, *Agosto*, p. 91.) **Andar como cobra quando perde a peçonha.** *Bras. N.E.* Mostrar-se ansioso de vingança. **Dizer cobras e lagartos de.** Dizer coisas muito ofensivas ou injuriosas, a respeito de (pessoa ou coisa): 📖 "Há quem ache Lisboa detestável ....; e quem .... a não tolere por forma alguma, e dela diga cobras e lagartos." (Fialho d'Almeida, *Pasquinadas*, p. 313.) **Ficar cobra.** *Bras. Pop.* Enfurecer-se, indignar-se. **Matar a cobra e mostrar o pau.** *Bras.* Afirmar alguma coisa e prová-la.

cobra[2] [Do lat. *copula*, pelo provenç. *cobla*.] ***S. f. Ant.*** V. *copla*.

cobra-capelo ***S. f.*** *Zool.* Designação dada pelos portugueses à cobra *Naja naja* (v. *naja*), na época dos grandes descobrimentos, e que, posteriormente, foi aplicada a várias serpentes dos elapídeos. [Pl.: *cobras-capelos* e *cobras-capelo*.]

cobra-capim ***S. f.*** *Bras. Zool.* V. *cobra-de-capim*. [Pl.: *cobras-capins* e *cobras-capim*.]

cobra-cega ***S. f.*** *Bras. Zool.* **1.** Designação genérica de anfíbios, gimnofionos, cecilíideos, esp. as espécies dos gêneros *Siphonops* e *Caecilia*, comuníssimos no Brasil. Têm corpo vermiforme, pele com sulcos transversais formando anéis distintos, cor escura, tendendo ao cinza-azulado; olhos ausentes. Vive no solo, em cavidades ou galerias pouco profundas, e alimenta-se de material vegetal humoso. [Sin.: *cobra-pilão, minhocão, mãe-de-saúva, ubijara*. Cf. *cobra-de-duas-cabeças*.] **2.** Designação comum a várias espécies de reptis ofídios, das famílias dos tiflopídeos e leptotiflopídeos, gêneros *Helminthopis, Typhlops* e *Leptotyphlops*, de hábitos subterrâneos, com aspecto vermiforme, por vezes confundidas com minhocas. [Sin.: *fura-terra*. Pl.: *cobras-cegas*.]

cobra-chata ***S. f.*** *Bras. Zool.* V. *boipeva*. [Pl.: *cobras-chatas*.]

cobra-cipó ***S. f.*** *Bras. Zool.* Designação comum a várias espécies de reptis ofídios, de corpo muito fino e alongado, geralmente verde, e hábitos arborícolas. [Sin.: *boicipó, boiobi, boiubu, bojobi*. Cf. *cobra-verde* (1) e *acutimboia*. Pl.: *cobras-cipós* e *cobras-cipó*.]

cobra-cipó-bicuda [De *cobra-cipó* + o f. de *bicudo*.] ***S. f.*** *Zool.* **1.** Serpente colubrídea (*Oxybelis aeneus*), de focinho afilado, cujo corpo muito delgado, varia do cinza ao marrom, com o ventre amarelado; alcança até 2m de comprimento. Ocorre do Sul dos E.U.A. ao Sudeste do Brasil e alimenta-se de lagartixas, sapos, aves, etc.; bicuda, cobra-fio, cobra-flecha. [Plural: *cobras-cipós-bicudas* e *cobras-cipó-bicudas*.]

cobra-coral ***S. f.*** *Bras.* **1.** *Zool.* Designação comum a várias espécies de reptis ofídios, venenosos ou não, de coloração mista, em geral com vermelho, preto, amarelo, branco ou outras cores intercaladas, formando no dorso faixas transversais distintas. [F. red.: *coral*; sin.: *boicorá, boipiranga*.] **2.** *Folcl.* Personagem animal e fantástica do bumba meu boi (q. v.). [Pl.: *cobras-corais* e *cobras-coral*.]

cobra-coral-falsa ***S. f.*** *Bras. Zool.* Designação comum às cobras da família dos colubrídeos, de coloração semelhante à das corais verdadeiras, ordinariamente com mistura de vermelho, preto e amarelo, e que destas se distinguem por serem opistóglifas ou áglifas, com constrição atrás da cabeça ou pescoço, olhos grandes, cauda fina e alongada. [Pl.: *cobras-corais-falsas*.]

cobra-coral-venenosa ***S. f.*** *Bras. Zool.* Reptil ofídio elapídeo, proteróglifo, gênero *Micrurus*, distribuído por todo o País, onde atualmente são conhecidas 13 espécies. Distinguem-se das demais cobras pelas presas pequenas, anteriores e sulcadas. Cabeça e cauda curtas, quase da mesma grossura do corpo. [Sin.: *coral-venenosa, coral-verdadeira, ibiboboca, ibiboca, ibioca*. Pl.: *cobras-corais-venenosas*.]

cobra-corre-campo ***S. f.*** *Zool.* V. *corre-campo* (1). [Pl.: *cobras-corre-campos*.]

cobra-d'água ***S. f.*** *Bras. Zool.* **1.** Designação comum a várias espécies de reptis ofídios colubrídeos, esp. do gênero *Helicops*, de hábitos aquáticos, com nove espécies brasileiras. [Sin.: *surucucurana, surucurana*.] **2.** V. *cobra-lisa*. [Pl.: *cobras-d'água*.]

cobra-de-asa ***S. f.*** *Bras. Zool.* V. *jequitiranaboia*. [Pl.: *cobras-de-asa*.]

cobra-de-cabelo [De *cobra*[1] + *de* + *cabelo*.] ***S. m.*** *Pop. Zool.* Cabelo-vivo (q. v.). [Pl.: *cobras-de-cabelo*.]

cobra-de-capelo ***S. f.*** *Zool.* Cobra-capelo. [Pl.: *cobras-de-capelo*.]

cobra-de-capim ***S. f.*** *Bras. Zool.* Reptil ofídio, colubrídeo (*Leimadophis poecilogyrus*), de coloração geral verde, e com cerca de 60cm de comprimento. Vive em capinzais, tem hábitos aquáticos e alimenta-se de peixes, anuros e lagartixas. [Sin.: *cobra-capim, cobra-de-lixo*. Pl.: *cobras-de-capim*.]

cobra-de-duas-cabeças [De *cobra*[1] + *de*[1] + *duas* + o pl. de *cabeça*.] ***S. f.*** *Bras. Zool.* Designação comum a reptis lacertílios, anfisbenídeos, esp. os dos gêneros *Amphisbaena*, com sete representantes no Brasil, e *Leposternon*, com 10 espécies. Corpo longo, cilíndrico, desprovido de pés, com a mesma grossura de um extremo ao outro, donde o nome popular. Coloração em geral branca a amarela, com vestígios de escamas; sulcos longitudinais e transversais, que lhe dão aspecto quadriculado. Vive em cavidades no solo, e alimenta-se de pequenos invertebrados. [Sin.: *anfisbena, ibicara, ibijara, mãe-de-saúva, rei-das-formigas, ubijara* e (lus.) *licranço*. Cf. *cobra-cega* (1).] [Pl.: *cobras-de-duas-cabeças*.]

cobra de fogo ***S. f.*** *Bras. Folcl.* Boitatá (2). [Pl.: *cobras de fogo*.] ☑

cobra-de-lixo ***S. f.*** *Bras. Zool.* V. *cobra-de-capim*. [Pl.: *cobras-de-lixo*.]

cobra-de-veado ***S. f.*** *Bras. Zool.* **1.** V. *salamanta*. **2.** Reptil ofídio, boídeo (*Boa hortulans*), distribuído por todo o País, pardo ou cinza-pardo no dorso, com duas séries de grandes manchas pardo-escuras, arredondadas, alternadas, ao longo do corpo; boa. [Pl.: *cobras-de-veado*.]

cobra-de-vidro ***S. f.*** *Bras. Zool.* Reptil lacertílio, anguídeo (*Ophiodes striatus*), colubriforme, que apresenta vestígios de patas posteriores e é desprovido de patas anteriores. Coloração escura, com linhas longitudinais mais escuras no dorso, e a parte inferior azulada. Vive em lugares secos, alimenta-se de pequenos invertebrados e a cauda é quebradiça. [Var.: *cobra-vidro*; sin.: *quebra-quebra* e (lus.) *licranço*. Pl.: *cobras-de-vidro*.]

cobra-do-ar ***S. f.*** *Bras. N.E. Zool.* V. *jequitiranaboia*. [Pl.: *cobras-do-ar*.]

cobra-do-mar ***S. f.*** *Zool.* Muçum-do-mar. [Pl.: *cobras-do-mar*.]

cobrador (ô) [De *cobrar* + *-dor*.] ***Adj. S. m.*** Que, ou aquele que cobra ou faz cobranças; recebedor.

cobra-espada ***S. f.*** *Bras. N.E. Zool.* V. *jararaquinha-do-campo* (1). [Pl.: *cobras-espadas* e *cobras-espada*.]

cobra-fio ***S. f.*** *Zool.* V. *cobra-cipó-bicuda*. [Pl.: *cobras-fios* e *cobras-fio*.]

cobra-flecha ***S. f.*** *Zool.* V. *cobra-cipó-bicuda*. [Pl.: *cobras-flechas* e *cobras-flecha*.]

cobra-grande ***S. f.*** *Bras. Amaz. Folcl.* V. *boiuna* (1). [Pl.: *cobras-grandes*.]

cobra-jabuti ***S. f.*** *Bras. MA Folcl.* Animal lendário, de aparência monstruosa, que se retrai quando encontra uma pessoa, transformando-se em cágado, e, se essa pessoa o leva para casa, ao chegar lá adquire o aspecto de monstro indescritível. [Pl.: *cobras-jabutis* e *cobras-jabuti*.]

cobra-lisa [De *cobra*[1] + o f. do adj. *liso*.] ***S. f.*** *Bras. Zool.* Reptil ofídio, da família dos colubrídeos (*Liophis miliaris*), comuníssimo em todo o País. Tem hábitos aquáticos, coloração verde carregada, com aspecto de reticulado em virtude da orla escura das escamas e ventre amarelado; mede cerca de 1m. [Sin.: *cobra-d'água, jararaca-do-tabuleiro, trairaboia*. Pl.: *cobras-lisas*.]

cobra-maria ***S. f.*** *Folcl.* V. *boiuna* (1). [Pl.: *cobras-marias*.]

cobra-nariguda [De *cobra*[1] + o f. do adj. *narigudo*.] ***S. f.*** *Bras. Zool.* V. *jararaca-da-praia*. [Pl.: *cobras-narigudas*.]

cobrança [De *cobrar* + *-ança*.] ***S. f.*** **1.** Ato ou efeito de cobrar. **2.** Arrecadação de quantias.

cobra-nova [De *cobra*[1] + o f. de *novo*.] ***S. f.*** *Bras. S. Zool.* V. *jararacuçu-do-brejo*. [Pl.: *cobras-novas*.]

cobrão [De *cobra*[1] + *-ão*[1].] ***S. m.*** *Bras. Pop.* V. cobra[1] (6).

cobra-papagaio ***S. f.*** *Bras. AM Zool.* **1.** V. *araramboia*. **2.** *Bras. N.E.* V. *jararaca-verde*. [Pl.: *cobras-papagaios* e *cobras-papagaio*.]

cobra-pilão ***S. f.*** *Bras. Zool.* V. *cobra-cega* (1). [Pl.: *cobras-pilões* e *cobras-pilão*.]

cobra-preta ***S. f.*** *Zool.* **1.** *Bras. AM* V. *muçurana* (1). **2.** *Bras. S.* Designação comum da *Rachidelus brazili*, às vezes confundida com a muçurana, de coloração negra brilhante, e que se alimenta de pássaros, não sendo, como é aquela, ofiófaga. [Pl.: *cobras-pretas*.]

cobrar [De *recobrar*, com aférese.] ***V. t. d.*** **1.** Receber, adquirir (o que é devido): 📄 *cobrar uma dívida; cobrar impostos*. **2.** Fazer com que seja pago: 📄 *Os operários cobraram as horas extras*. **3.** Readquirir, recobrar, recuperar: 📄 *Cobrou alento e continuou a marcha*. **4.** Possuir-se de; tomar, adquirir: 📄 *O lutador cobrou inesperado arrojo*. **5.** Tomar, conquistar: 📄 *Os navegadores cobraram novas terras*. **6.** Pedir ou exigir cumprimento de (coisa prometida ou compromisso assumido): 📄 *Não para de cobrar a gravata que lhe prometi; O editor cobrou várias vezes a tradução que prometi para o ano passado.* ***T. d. e i.*** **7.** Fazer com que seja pago; exigir em troca: 📄 *Cobrarei alto preço pelas joias*. **8.** Passar a ter, a sentir; tomar. **9.** Cobrar (6). ***Int.*** **10.** *Bras.* Na pesca da baleia, colher a corda presa ao arpão. ***P.*** **11.** Pagar-se: 📄 *Cobrou-se com os seus próprios recursos*. **12.** Tomar-se, possuir-se: 📄 *Ante o adversário cobrou-se de medo*. **13.** Refazer-se, restaurar-se, recobrar-se, recuperar-se. [Pres. ind.: *cobro*, etc. Cf. *cobro* (ô), s. m.]

cobra-topete ***S. f.*** *Bras. Zool.* V. *surucutinga*. [Pl.: *cobras-topetes* e *cobras-topete*.]

cobrável [De *cobrar* + *-vel*.] ***Adj. 2 g.*** Que se pode cobrar.

cobra-verde [De *cobra*[1] + *verde*.] ***S. f.*** *Bras. Zool.* **1.** Designação comum a reptis ofídios, colubrídeos, gênero *Philodryas*, esp. *P. olfesi* e *P. aestivu*. São cobras finas, em geral verdes ou esverdeadas, ágeis, de até 1m de comprimento, com hábitos arborícolas, e que se alimentam de pássaros e pererecas. [Cf. *cobra-cipó*.] **2.** V. *araramboia*. **3.** Designação comum às espécies *Leimadophis viridus* do N., C.O. e O., e *L. typhus* do S. e L., de coloração verde. [Pl.: *cobras-verdes*.]

cobra-vidro ***S. f.*** *Bras. Zool.* V. *cobra-de-vidro*. [Pl.: *cobras-vidros* e *cobras-vidro*.]

cobre [Do lat. *cupru*.] ***S. m.*** **1.** *Quím.* El. de número atômico 29, metal, vermelho, maleável e dúctil, utilizado em ligas de importância [símb.: *Cu*]. **2.** Moeda desse metal. **3.** *P. ext.* Moeda. **4.** *Fig.* V. *dinheiro* (5): 📖 "Os apostadores casavam o cobre nas mãos do gerente de honestidade inatacável." (Antônio de Alcântara Machado, *Cavaquinho e Saxofone*, p. 28.) **5.** *Grav.* Placa gravada em cobre. **6.** *P. ext. Grav.* Estampa obtida dessa placa. **7.** *Bras. MG* Antiga moeda de 40 réis. ~ V. *cobres*.

cobreação [De *cobrear* + *-ção*.] ***S. f.*** Ato ou efeito de cobrear; cobreagem.

cobreagem [De *cobrear* + *-agem*[2].] ***S. f.*** Cobreação.

cobre-amarelo ***S. m.*** Latão. [Pl.: *cobres-amarelos*.]

cobrear[1] [De *cobre* + *-ear*[2].] ***V. t. d.*** **1.** *Quím.* Depositar uma camada aderente de cobre sobre (uma superfície metálica), em geral por meio de um processo eletroquímico. **2.** Acobrear. [Conjug.: v. *frear*.]

cobrear[2] [De *cobra*[1] + *-ear*[2].] ***V. t. d.*** Fazer mover-se como uma cobra: 📄 *Andava cobreando os quadris*.

cobreira [De *cobra*[1] + *-eira*, poss.] ***S. f.*** *Bras. Pop.* V. *cachaça* (1).

cobreiro [De *cobra*[1] + *-eiro*.] ***S. m.*** *Bras.* V. *cobrelo*.

cobrejar [De *cobra*[1] + *-ejar*.] ***V. int.*** Mover-se tortuosamente como cobra; colear, serpear, serpejar, serpentear, ondear: 📄 *Os rios cobrejam nos prados*. [Conjug.: v. *pelejar*.]

cobre-leito [De *cobrir* + *leito*.] ***S. m.*** Colcha (q. v.), em geral decorativa. [Pl.: *cobre-leitos*.]

cobrelo (ê) [De *cobra*[1] + *-elo*.] ***S. m.*** *Pop.* O herpes-zóster, assim dito por se afigurar ao povo ser essa dermatose produzida pelo contato da roupa sobre a qual passasse alguma cobra; cobreiro, cobro.

cobres [Pl. de *cobre*.] ***S. m. pl.*** **1.** V. *dinheiro* (5). **2.** Dinheiro miúdo, ou em moedas. ~ V. *cobre*. ◆ **Cair com os cobres.** *Bras. Pop.* Fazer uma despesa; pagar; passar os cobres, espichar os cobres. **Espichar os cobres.** *Bras. Pop.* V. *cair com os cobres*. **Passar os cobres.** *Bras. Pop.* V. *cair com os cobres*. **Passar nos cobres.** *Bras. Fam.* Vender (1): 📖 "Eu, dona daquilo, passava aquele apartamento nos cobres, comprava outro, menor que fosse, um sala e quarto, um quarto só, mas com janelas dando para a amplidão." (Elsie Lessa, *A Dama da Noite*, p. 18.) **Torrar nos cobres.** *Bras.* Vender por qualquer preço; queimar.

cobricama [De *cobrir* + *cama*.] ***S. f. Ant.*** Cobre-leito; colcha: 📖 "larga cama de estrado, ... revestida de uma cobricama que tinha no meio, brosladas, as figuras de um rei e de uma rainha" (Antero de Figueiredo, *Leonor Teles*, p. 194).

cobrição [De *cobrir* + *-ção*.] ***S. f.*** **1.** Ação ou efeito de cobrir(-se). **2.** Coito de quadrúpedes.

cobridor (ô) [De *cobrir* + *-dor*.] ***Adj.*** **1.** Que cobre. ● ***S. m.*** **2.** Aquele ou aquilo que cobre. **3.** *Maç.* Um dos oficiais de uma loja (4). ◆ **Cobridor de grau.** *Maç.* Conjunto de meios de reconhecimento, que se concede aos irmãos, a cada grau de qualquer rito.

cobrimento [De *cobrir* + *-mento*.] *S. m.* Cobertura (2).
cobrinha [De *cobra*[1] + *-inha*.] *S. f. Bras. AM PA* Fila[1] (2).
cobrir [Do lat. *cooperire*.] *V. t. d.* **1.** Ocultar ou resguardar, pondo alguma coisa em cima, diante ou em redor: *Cobriu a cabeça para entrar no templo.* **2.** Ocultar ou resguardar, estando ou ficando em cima, diante ou em derredor; encobrir: *O véu cobre-lhe o rosto; O ator pôs-se à frente do protagonista da peça, cobrindo-o; O telhado cobre toda a casa.* **3.** Estender-se ou alastrar-se por cima de: *O nevoeiro cobre a cidade.* **4.** Ocupar por inteiro uma superfície; espalhar-se por; encher: *Os exércitos cobriram os campos; A neve cobre o monte; As chagas cobrem-lhe o corpo.* **5.** Envolver, vestir: *A roupa, em farrapos, mal o cobre.* **6.** Proteger, defender: *A artilharia cobria o avanço da infantaria.* **7.** Não deixar ouvir, abafar (som): *Os trovões cobriram o marulhar das ondas.* **8.** Dissimular, disfarçar, encobrir: *Seu ar afável cobre más intenções.* **9.** Exceder, ultrapassar: *A receita cobriu a despesa.* **10.** Liquidar, pagar: *cobrir as despesas.* **11.** Ser suficiente para; chegar para: *Seu ordenado mal lhe cobre as despesas; O dinheiro ganho na loteria não cobre as suas dívidas.* **12.** Pagar, satisfazer (gasto, dívida): *O que ganha não lhe é suficiente para cobrir a metade das despesas.* **13.** Garantir, abonar. **14.** Vencer, percorrer: *Cobriu larga distância em pouco tempo.* **15.** Fazer a cobertura (9) de. **16.** Tratar de (assunto, tema) de modo satisfatório: O estudo não cobriu toda a questão. **17.** Sobrepor-se a (à fêmea) para a cópula: *O touro cobriu várias reses;* "Os braços dela o puxaram, chamando, e ele a cobriu em silêncio." (Adonias Filho, *Luanda Beira Bahia*, p. 74). *T. d. e i.* **18.** Ocultar ou resguardar, pondo algo em cima, diante ou em redor: "Vejo-a onde vê-la é ver o Paraíso, / A camisa comprida, as tranças louras, / As mãos cobrindo os seios com os cabelos" (Dante Milano, *Poesias*, p. 22); *cobrir a mesa com a toalha.* **19.** Encher, juncar, alastrar: *O vulcão cobriu o campo de lavas; A primavera cobre de flores o jardim.* **20.** Encher, cumular: *Ao vê-la, cobriu-a de beijos.* **21.** Proteger, resguardar, defender: *Cobriu o filho das balas; Cobre-o contra o frio. P.* **22.** Pôr chapéu, capuz, véu, etc., na cabeça. **23.** Envolver-se, revestir-se: *Cobriu-se com o manto por causa do frio;* "Cobriu-se do luto que não despiu senão para trocá-lo pela mortalha." (José de Alencar, *Senhora*, p. 188). **24.** Ficar (uma superfície) ocupada por inteiro, ou quase por inteiro: "Cobriram-se de treva os largos horizontes." (Guerra Junqueiro, *A Morte de D. João*, p. 12); *A lagoa cobriu-se de barcos.* **25.** Encher-se, cumular-se: "A amendoeira cobria-se de flores" (Rebelo da Silva, *Contos e Lendas*, p. 171); *cobrir-se de glórias.* **26.** Proteger-se, resguardar-se, defender-se. **27.** Afligir-se, angustiar-se: *Chegava a hora da partida, e cobria-se o coração do velho.* [Irreg. Muda o *o* da raiz em *u* na 1.ª pess. sing. do pres. ind., *cubro*, e, pois, em todo o pres. subj.: *cubra, cubras*, etc.; part. irreg.: *coberto*.]
cobro[1] (ô) [Dev. de *cobrar*.] *S. m. Ant.* **1.** Arrecadação, cobrança. **2.** Foro que certos reguengueiros pagavam ao rei. [Pl.: *cobros* (ô). Cf. *cobro*, do v. *cobrar*.]
cobro[2] (ô) [De *cobra*[1].] *S. m. Pop.* V. *cobrelo*. [Pl.: *cobros* (ô). Cf. *cobro*, do v. *cobrar*.]
cobro[3] (ô) [De *cobrir*.] *S. m.* **1.** Termo, fim. **2.** *Mar. Merc.* Cada um dos pranchões de madeira com que se reveste o fundo de um porão de carga. [Cf., nesta acepç., *sarreta*.] **3.** *Marinh.* Cada uma das dobras com que se colhe um cabo, corrente, etc., na aducha em cobros. ◆ **Pôr cobro em.** Dar fim a; pôr termo em. [Pl.: *cobros* (ô). Cf. *cobro*, do v. *cobrar*.]
cobu[1] *S. m. Bot.* Alga marinha, comestível, do Japão.
cobu[2] [De or. afr.] *S. m. Bras. MG Cul.* Biscoito de fubá, assado sobre folhas de bananeira; joão-deitado.
coca[1] (ó) [Dev. de *cocar*[2].] *S. f.* Ação de cocar. [Pl.: *cocas* (ó). Cf. *coca* (ô) e pl. *cocas* (ô).] ◆ **À coca de. 1.** À espreita; de atalaia. **2.** À cata de; à procura de.
coca[2] (ó) [Do quíchua *kuka*.] *S. f. Bot.* **1.** Arbusto eritroxiláceo (*Erythroxylum coca*) frondoso, de flores amarelo-alvacentas, pequenas e aromáticas, solitárias ou reunidas em cimeiras, fruto drupáceo, oblongo, vermelho, e cujas folhas e casca encerram vários alcaloides, dos quais o mais importante é a cocaína. **2.** Substância extraída desse arbusto, com a qual se narcotizam peixes. [Pl.: *cocas* (ó). Cf. *coca* (ô) e pl. *cocas* (ô).] ◆ **Dar coca.** *Fig.* Seduzir, encantar, fascinar.
coca[3] (ó) [Do lat. *caudica*, 'espécie de barco', pelo fr. *coque*, poss.] *S. f.* Embarcação nórdica dos sécs. XIII a XV, própria para o mar aberto, com castelos de proa e de popa, movida à vela. [Pl.: *cocas* (ó). Cf. *coca* (ô) e pl. *cocas* (ô).]
coca[4] (ó) [Do cat. *coca*.] *S. f. Marinh.* **1.** Volta ou torção indesejável que um cabo toma, em sentido contrário ao da sua cocha, o que sucede com maior frequência nos cabos novos ou de pouco uso. **2.** Torção indesejável numa corrente, fazendo um elo trepar por cima do outro. [Pl.: *cocas* (ó). Cf. *coca* (ô) e pl. *cocas* (ô).]
coca[5] (ó) *S. f. Bras. RS* Saco de malhas para a pesca de peixe e camarões. [Pl.: *cocas* (ó). Cf. *coca* (ô) e pl. *cocas* (ô).]
coca[6] (ó) *S. f. Pop.* V. *cocaína*. [Pl.: *cocas* (ó). Cf. *coca* (ô) e pl. *cocas* (ô).]
coca[1] (ô) [Do lat. *cucculla* (> **cuccua*), 'capuz', poss.] *S. f.* Bioco, capuz. [Pl.: *cocas* (ô). Cf. *coca* e *cocas*, do v. *cocar*, e *coca*, s. f., pl. *cocas*.]
coca[2] (ô) [Voc. express. inf.; esp. *coco*.] *S. f.* **1.** V. *papão*[1] (1). **2.** *Lus. Folcl.* Personagem mítica, semelhante ao papão, que amedronta os meninos. [Pl.: *cocas* (ô). Cf. *coca* e *cocas*, do v. *cocar*, e *coca*, s. f., pl. *cocas*.]
coça [Dev. de *coçar*.] *S. f.* **1.** *Pop.* Ato de coçar; coçadura. **2.** V. *surra* (1). [Cf. *cossa*.]
coca-bichinhos *S. 2 g. e 2 n. Lus.* Pessoa detalhista, meticulosa: "O viajante não quer fazer figura de coca-bichinhos, mas enfadam-no certas simplificações." (José Saramago, *Viagem a Portugal*, p. 164.)
cocada [De *coco*[1] + *-ada*[1].] *S. f.* **1.** *Cul.* Doce seco, de coco ralado e calda de açúcar, cortado, geralmente, em losangos ou quadrados, ou já feito em forma arredondada. **2.** *Bras. Pop.* Golpe dado com a cabeça. **3.** *Bras. RJ* Menina-moça; cocadinha. ● *S. 2 g.* **4.** *Bras. BA Pop.* Pessoa que leva e traz recados ou bilhetes de namorados; alcoviteiro, colete-curto. ◆ **Vender cocada.** *Bras. MA* Ser pau de cabeleira (1 e 2).
cocada-puxa [De *cocada* + *puxar*.] *S. f. Bras. Cul.* Doce feito com o coco ralado e açúcar mascavo, ou melaço, de consistência um tanto pastosa e grudenta: "— Onde o batuque da caninha doce? / — Que é do moleque da cocada-puxa?" (Raul Pederneiras, *ap.* Nélson Costa, *Páginas Cariocas*, p. 298.) [Pl: *cocadas-puxa*.]
cocadinha [De *cocada* + *-inha*.] *S. f. Bras. RJ* V. *cocada* (3).
coçado [Part. de *coçar*.] *Adj.* **1.** Gasto pelo atrito ou roçaduras; cotiado. **2.** Esfregado ou roçado com as unhas. **3.** Que recebeu coça (2); sovado, surrado.
coca-do-paraguai [De *coca*[2] + *do*[1] + o top. *Paraguai* (América do Sul).] *S. f. Bras. Bot.* V. *cabelo-de-negro* (1). [Pl.: *cocas-do-paraguai*.]
coçadura [De *coçar* + *-dura*.] *S. f.* Coça (1).
coçagem [De *coçar* + *-agem*[2].] *S. f.* Ato de coçar.
cocaiense *Adj. 2 g.* **1.** De, ou pertencente ou relativo a Barão de Cocais (MG). ● *S. 2 g.* **2.** O natural ou habitante de Barão de Cocais.
cocaína [De *coca*[2] + *-ina*[3]; al. *Kokain*.] *S. f. Quím.* Alcaloide cristalino, incolor, tóxico, encontrado na coca[2] (1) [fórm.: $C_{17}H_{21}O_4N$]. [A cocaína é normalmente empregada sob forma de sal: p. ex., cloreto ou sulfato de cocaína, que são solúveis em água e se purificam mais facilmente.] [Cf. *crack*. F. red.: *coca*[6] (ó).]
cocainismo (a-i) [De *cocaína* + *-ismo*.] *S. m. Psiq.* Cocainomania.
cocainomania (a-i) [De *cocaína* + *-o-* + *-mania*.] *S. f. Psiq.* O abuso ou a dependência de cocaína; cocainismo.
cocainomaníaco (a-i) [De *cocainomania* + *-íaco*.] *Psiq. Adj.* **1.** Relativo a cocainomania. **2.** Que tem cocainomania; cocainômano. ● *S. m.* **3.** Aquele que tem cocainomania; cocainômano.
cocainómano (a-i) *Adj. S. m. Psiq.* V. *cocainômano*. [Uso freq. em P.]
cocainômano (a-i) [De *cocaína* + *-o-* + *-mano*[1].] *Adj. S. m. Psiq.* Cocainomaníaco (2 e 3).
cocal [De *coco*[1] (ô) + *-al*[1].] *S. m. Bras. N. N.E.* V. *coqueiral*.
cocalense *Adj. 2 g.* **1.** De, ou pertencente ou relativo a Cocal (PI). ● *S. 2 g.* **2.** O natural ou habitante de Cocal.
cocalinhense *Adj. 2 g.* **1.** De, ou pertencente ou relativo a Cocalinho (MT). ● *S. 2 g.* **2.** O natural ou habitante de Cocalinho.
cocama *Bras. S. 2 g.* **1.** *Etnôn.* Indivíduo dos cocamas [ou (etnôn. bras.) *Kokama], povo indígena de língua do tronco tupi, que habita a região do alto rio Solimões (AM) ● *Adj. 2 g.* **2.** Pertencente ou relativo a esse povo.
cocanha [Do it. *cuccagna*.] *S. f.* V. *mastro de cocanha*.
cocão[1] [De *coca*[2] + *-ão*[1].] *S. m. Bot.* **1.** *Pop.* Designação comum a várias palmeiras arecáceas nativas do Brasil. **2.** Arbusto eritroxiláceo (*Erythroxylon pelleterianum* e *E. deciduum*) de flores brancas, frutos drupáceos e folhas que têm uso medicinal; fruta-de-pomba, fruta-de-arara. **3.** Arco-de-pipa.
cocão[2] [De or. controv.] *S. m.* **1.** Peça (espécie de mancal rústico) sobre a qual gira o eixo do carro de bois: "O gemido agudo dos cocões de aroeira do carro de bois já pode ser ouvido no centro da cidade." (Antônio Celso, *A Porta de Jerusalém*, p. 19.) **2.** *Constr. Nav.* Cada uma das pequenas peças de madeira pregadas no alcatrate de embarcação miúda, de um lado e outro das aberturas feitas nas falcas para colocação das chumaceiras.
cocar[1] [Do fr. *cocarde*.] *S. m.* **1.** Penacho, laço ou distintivo que se usa na cabeça, no chapéu, no elmo, etc.: "As plumas dos chapéus debruçam-se em matizados cocares" (Rebelo da Silva, *Contos e Lendas*, p. 175). **2.** Roseta distintiva de partido, nacionalidade, etc.: *o cocar tricolor dos franceses.* **3.** *Bras. Etnogr.* Qualquer adorno de cabeça feito de penas, com suporte trançado ou tecido, us. pelos indígenas. **4.** *Bras. PI* V. *galinha-d'angola*. [Cf. *cucar*.]
cocar[2] [De or. controv.] *V. t. d.* **1.** Estar ou ficar à coca de, à espreita de; observar, espiar, espionar: *Gosta de cocar o que se passa em casa do vizinho. Int.* **2.** Estar ou ficar à coca, à espreita; observar, espiar, espionar: "viu .... o vulto da carvoeira .... estendendo o olhar, cocando" (Eça de Queirós, *O Primo Basílio*, p. 213); *Seus olhos estavam atentos, a cocar.* [Var.: *cucar*. Conjug.: v. *trancar*. Pres. ind.: *coco, cocas*, etc. Cf. *coco* (ô), s. m., *Coco* (ô), top., *coca* (ô), pl. *cocas* (ô).]
coçar [Do lat. **coctiare*.] *V. t. d.* **1.** Esfregar ou roçar (a parte do corpo onde há coceira) com as unhas ou com objeto áspero: "coçavam as canelas, ou então catavam delicadamente as muquiranas por entre os pelos do peito." (Augusto Meyer, *No Tempo da Flor*, pp. 27-28). **2.** Esfregar ou roçar com as unhas: *Coçou a cabeça, pensativo.* **3.** V. *surrar* (2): *Coçou-os a pauladas. T. i.* **4.** Esfregar ou roçar com as unhas: *Cismava, coçando na cabeça. Int.* **5.** Produzir coceira; comichar: *O ferimento coça, ao cicatrizar.* **6.** *Marinh.* Puir-se (cabo, vela, toldo, etc.) pelo atrito com outro objeto. *P.* **7.** Esfregar ou coçar a própria pele. **8.** Lutar com dificuldades; sofrer trabalhos: *Enquanto o pai se coça para educá-lo, ele se diverte na cidade.* [Conjug.: v. *laçar*. Pres. ind.: *coço, coças, coça*, etc. Cf. *cosso* e *cossa*.] ◆ **Não se coçar.** *Bras. Pop.* Não fazer menção de tirar dinheiro para pagar uma despesa, dando ensejo a que outrem a pague.
cócaras *El. s. f. pl.* V. *cócoras*.
cocção [Do lat. *coctione*.] *S. f.* **1.** Ato ou efeito de cozer; cozimento. **2.** Digestão dos alimentos no estômago.
▲**coccic-** [Do lat. cient. *coccic-*, lat. cient. *coccix* < gr. *kókkyx, ygos* (ýg).] Equiv. de *coccig-*.
coccicodinia [De *coccico-* + *-odin(o)-* + *-ia*[1].] *S. f. Med.* Dor no cóccix e áreas adjacentes.
cóccida [Do tax. *Coccus* + *-ida*[1].] *S. m. Adj. 2 g. Zool.* V. *coccídeo*.
coccídeo [Do tax. *Coccus* (do gr. *kókkos*, 'grão', 'semente') + *-ídeo*[1]; tax. *Coccidae*.] *Zool. S. m.* **1.** Espécime dos coccídeos, família de insetos hemípteros, homópteros, que se alimentam de seiva, parasitando vegetais, e que compreende espécies que são pragas da lavoura, como, p. ex., as vulgarmente chamadas cochonilha, cochonilha-verde e cochonilha-vermelha. ● *Adj.* **2.** Pertencente ou relativo a eles. [Sin. ger.: *cóccida*.]
coccídio [Adapt. do tax. *Coccidia*.] *Zool. S. m.* **1.** Espécime dos coccídios, ordem de animais protozoários, telosporídeos. Zigoto imóvel e esporos com uma ou mais camadas externas. Reprodução alternada, constando de fase esquizogônica assexuada, seguida de esporogonia; intracelulares, ger. em tecido epitelial de moluscos, anelídeos, artrópodes e vertebrados. Causam as eimerioses dos animais domésticos. ● *Adj.* **2.** Pertencente ou relativo a eles.
coccidioidomicose [Do tax. *Coccidioides* + *-o-* + *micose*.] *S. f. Med. Patol.* Infecção causada pelo fungo *Coccidioides immitis*, e cuja exteriorização é variável em gravidade.
coccidiose [Do lat. cient. *coccidiosis*.] *S. f. Veter.* V. *eimeriose*.
▲**coccig-** [Do lat. cient. *coccyg-* < gr. *kókkyx, ygos* (ýg).] *El. comp.* = 'cóccix': *coccígeo*. [Equiv.: *coccico-*: *coccicodinia*.]
coccige *S. m. Anat.* V. *cóccix*.
coccígeo[1] [De *coccig-* + *-eo*; lat. cient. *coccygeus*.] *Adj.* Do, ou relativo ao cóccix; coccigiano.
coccígeo[2] [Do gr. *kókkyx, ygos*, 'cuco'[1], + *-eo*; tax. *Coccyges*.] *S. m. Adj. Zool.* V. *cuculiforme*[2].
coccigiano [De *coccig-* + *-iano*.] *Adj.* Coccígeo[1].
coccinélida *S. m. Adj. 2 g. Zool.* V. *coccinelídeo*.
coccinelídeo [Adapt. do tax. *Coccinellidae*.] *Zool. S. m.* **1.** Espécime dos coccinelídeos, família de insetos coleópteros à qual pertencem as joaninhas. ● *Adj.* **2.** Pertencente ou relativo a eles. [Sin. ger.: *coccinélida*.]
coccíneo [Do lat. *coccineu*.] *Adj. Poét.* De cor escarlate.
cóccix (csis) [Do lat. cient. *coccyx* < gr. *kókkyx*, 'cuco'[1].] *S. m. 2 n. Anat.* Pequeno osso que termina a coluna vertebral na parte inferior. [F. paral.: *coccige*. Sin. pop. (bras.): *mucumbu, osso do pai joão, uropígio*.]
cócega [De *cocegar* < *coçar* < lat. **coctiare*.] *S. f.* V. *cócegas*.
cocegar [De *coçar* < lat. **coctiare*.] *V. t. d. T. i.* Fazer cócegas em.
cócegas *S. f. pl.* **1.** Sensação especial, espécie de tremor espasmódico, ger. acompanhado de riso convulso, produzida por leve roçar ou por fricção nalguns pon-

tos da pele ou das mucosas. 2. *Fig.* Desejo, tentação. 3. *Fig.* Impaciência, sofreguidão. [Tb. us. (no Brasil, pelo menos) no sing. Var., pop. (bras. e prov. lus.): *coscas* ou *cosca.*]

coceguento [De *cócega(s)* + *-ento.*] ***Adj.*** Que facilmente sente cócegas (1). [Sin. (bras.): *cosquento, cosquilhento, cosquilhoso, cosquilhudo.*]

coceira [De *coçar* + *-eira.*] ***S. f.*** 1. V. *prurido* (1). 2. *P. ext.* Irritação cutânea causada pela ação de coçar, devida a prurido. [Sin., pop.: *chanha, iuçá, já-começa, quipã.* Cf. *cosseira.*]

cocha [De *cóclea*, poss.] ***S. f.*** 1. *Marinh.* Ato ou efeito de cochar. 2. *Marinh.* Intervalo entre os elementos (fios, cordões) constitutivos de um cabo. 3. *Mar. G. Gír.* Empenho ou recomendação de pessoa importante; pistolão. 4. *Mar. G. Gír.* Pessoa que faz esse empenho ou recomendação. 5. Torcedura de cabo. 6. *Eng. Elétr.* Cabo nu destinado à formação de um cabo de encordoamento composto. 7. *Bras. S.* Ânimo, coragem. [Pl.: *cochas.* Cf. *cocha* (ô) e *coxa* (ô); os pl. *cochas* (ô) e *coxas* (ô); e *coxo* (ô).] ◆ **Perder a cocha.** Desanimar-se, desencorajar-se.

cocha (ô) ***S. f.*** Vasilha de madeira; gamela. [Var.: *coche* (ô) e *cocho* (ô). Pl.: *cochas* (ô). Cf. *cocha* e *coxa* (ô); os pl. *cochas* e *coxas* (ô); *cocha, cochas,* do v. *cochar,* e *coxo* (ô).]

cochado [Part. de *cochar.*] ***Adj.*** 1. Que se cochou [v. *cochar* (1)]; bem torcido. 2. Apertado, acochado.

cochar [De *cocha* + *-ar*[2].] ***V. t. d.*** 1. *Marinh.* Torcer (fios) para formar um cordão, ou (cordões) para formar um cabo, ou (cabos) para formar um cabo calabroteado. 2. *Mar. G. Gír.* Proteger, proporcionando boas situações a. 3. Apertar, acochar; calçar, comprimir, prensar. [Pres. ind.: *cocho, cochas, cocha,* etc.; pres. subj.: *coche, coches,* etc. Cf. *cocha* (ô), pl. *cochas* (ô); *coche* (ô), pl. *coches* (ô); *cocho* (ô); *coxa* (ô), e pl. *coxas* (ô) e *coxo* (ô).]

coche[1] (ô) [Do fr. *coche* ou do esp. *coche*, poss. de or. tcheca.] ***S. m.*** 1. Carruagem antiga e suntuosa: 📖 "Um coche da casa real, a três parelhas de mulas, conduziu o féretro da porta da igreja até a porta do cemitério." (Ramalho Ortigão, *As Farpas*, III, p. 279.) 2. Carruagem fechada; sege. [Pl.: *coches* (ô). Cf. *coche* e *coches,* do v. *cochar.*]

coche[2] (ô) ***S. m.*** V. *cocho*[2]. [Pl.: *coches* (ô). Cf. *coche* e *coches,* do v. *cochar.*]

coche[3] (ô) ***S. m.*** V. *cocha* (ô). [Pl.: *coches* (ô). Cf. *coche* e *coches,* do v. *cochar.*]

coche[4] (ô) ***Interj.*** *Pop.* Serve para enxotar ou chamar porcos. [Cf. *coche,* do v. *cochar.*]

cocheira [De *coche*[1] + *-eira.*] ***S. f.*** 1. Casa destinada a guardar coches, carruagens e outros veículos. 2. V. *cavalariça.* [Cf. *coxeira.*] ◆ **De cocheira.** *Bras.* 1. Reservado, sigiloso, confidencial: 📄 *informação de cocheira.* 2. Em caráter reservado; confidencialmente: 📄 *Soube, de cocheira, que haveria substituições no Ministério.* [A loc. referia-se, originariamente, aos informes a respeito de corridas obtidos, sob sigilo, nas cocheiras do Jóquei.]

cocheiro [De *coche*[1] + *-eiro.*] ***S. m.*** 1. Aquele que guia os cavalos de uma carruagem; boleeiro: 📖 "Com as chicotadas rijas do cocheiro, os animais levavam a caleche aos trancos." (Coelho Neto, *Treva*, p. 31.) [Sin., poét.: *auriga.*] 2. *Astr.* V. *Auriga* (3). [Com cap., nesta acepç.]

cochichada[1] [De *cochichar* + *-ada*[1].] ***S. f.*** Cochicho[1].

cochichada[2] [De *cochicho*[3] + *-ada*[1].] ***S. f.*** Gebada.

cochichador (ô) [De *cochichar* + *-dor.*] ***Adj. S. m.*** Que, ou aquele que cochicha.

cochichar [Voc. onom.] ***V. int. T. i.*** 1. Falar em voz baixa; mussitar, murmurar: 📄 *As moças olhavam para os rapazes e cochichavam; Ao vê-lo, cochichou com a mulher.* 2. Mexericar, intrigar, enredar: 📄 *As comadres cochicharam a noite inteira.* ***T. d. T. d. e i.*** 3. Dizer em voz baixa; segredar, murmurar: 📖 "Margarida cochichou qualquer coisa perto do Corregedor e ele se voltou logo para mim." (Ariano Suassuna, *A Pedra do Reino*, p. 271); "sumia-se nas trevas do quarto, cochichava números à mulher" (Graciliano Ramos, *Infância*, p. 129).

cochicheio [De **cochichear* < *cochichar.*] ***S. m.*** *Bras.* Ato, efeito ou hábito de cochichar: 📖 "Mesmo irritada com o cochicheio, não podia conter o riso ante o grotesco da situação." (Jorge Amado, *Dona Flor e Seus Dois Maridos*, p. 395.)

cochicho[1] [Dev. de *cochichar.*] ***S. m.*** Ato de cochichar; cochichada.

cochicho[2] [Voc. onom.] ***S. m.*** 1. Ave passeriforme, furnariídea (*Anumbius anumbis*), do S.E. do Brasil, de dorso ocráceo manchado de negro, garganta branca marginada de escuro, fronte pardo-castanha com listras negras, retrizes pretas com pontas amareladas. Constrói o ninho na forquilha das árvores, com a forma de um amontoado de gravetos. É insetívoro. [Sin.: *joão-graveto, titeri.*] 2. Brinquedo de criança, cujo som imita a voz do cochicho. 3. V. *cochicholo.*

cochicho[3] ***S. m.*** Chapéu amarrotado e velho.

cochichó ***S. m.*** *Bras. PB* V. *cochicholo.*

cochicholo (ô) [De *cochicho*[2] (3).] ***S. m.*** Casinhola ou aposento muito apertado; cochicho, cochichó, cachichola: 📖 "Estava morando no Méier. A casa era um cochicholo" (Gastão Cruls, *De Pai a Filho*, p. 50).

cochilada [De *cochilar* + *-ada*[1].] ***S. f.*** 1. Ato ou efeito de cochilar. 2. V. *cochilo* (2).

cochilar [De or. afr.] ***V. int.*** 1. Dormir levemente; passar pelo sono; dormitar, toscanejar: 📄 *Cochilou durante quase todo o discurso;* 📖 "A mamãe cochila. / O papai cabeceia. / O relógio badala." (Jorge de Lima, *Obra Completa*, I, p. 228). 2. *Fig.* Descuidar-se, errar, cincar: 📄 *O aluno cochilou e errou a prova.* 3. *Bras. Fam.* V. *dormir de touca.*

cochilha [Do hisp.-amer. *cuchilla.*] ***S. f.*** V. *coxilha.*

cochilo [Dev. de *cochilar.*] ***S. m.*** *Bras.* 1. Ato de cochilar (1); cabeceio: 📖 "não busques nada, a não ser o repouso, ... o esquecimento, a contemplação que prende com o cochilo, o cochilo que expira no sono..." (Machado de Assis, *A Semana*, I, p. 102). 2. *Fig.* Descuido, erro, cincada; cochilada.

cochinada [De *cochino* + *-ada*[1].] ***S. f.*** 1. Vara de porcos ou cochinos. 2. Rumor de cochinos. 3. *Fig.* Ação indecorosa; indecência, porcaria. 4. *Fig.* Coisa malfeita; cacaborrada, porcaria.

cochinar [De *cochino* + *-ar*[2].] ***V. int.*** 1. Dar grunhidos como os cochinos; grunhir. 2. *Fig.* Fazer grande ruído de vozes.

cochinchinense ***Adj. 2 g. S. 2 g.*** V. *cochinchino.*

cochinchinês ***Adj. S. m.*** V. *cochinchino.* [Flex.: *cochinchinesa* (ê), *cochinchineses* (ê), *cochinchinesas* (ê).]

cochinchino ***Adj.*** 1. De, ou pertencente ou relativo à Cochinchina, região meridional da República do Vietnã (Ásia). ● ***S. m.*** 2. O natural ou habitante da Cochinchina. [Sin. ger.: *cochinchinense* e *cochinchinês.*]

cochinês ***Adj.*** 1. De, ou pertencente ou relativo a Cochim (Índia). ● ***S. m.*** 2. O natural ou habitante de Cochim. [Flex.: *cochinesa* (ê), *cochineses* (ê), *cochinesas* (ê).]

cochinilha [Do esp. *cochinilla.*] ***S. f.*** 1. V. *cochonila.* 2. *Tec. Têx.* Tecido colorido com a cochonila.

cochino [Do esp. *cochino.*] ***S. m.*** *Pop.* 1. Porco não cevado. 2. *P. ext.* Porco. 3. *Fig.* Indivíduo imundo e resmungão. ● ***Adj.*** 4. Sujo, imundo.

cochir [Do cabo-verd.] ***V. t. d.*** *Cabo-verd.* Socar (o milho) no pilão (7), separando, em seguida, o farelo do grão: 📖 "Mulher / De menino às costas / Soprando lume / Ou cochindo milho" (David Hopffer Almada, *Canto a Cabo Verde*, p. 60).

cocho[1] (ô) ***S. m.*** V. *cocha* (ô). [Pl.: *cochos* (ô). Cf. *cocho,* do v. *cochar,* e *coxo* (ô), s. m., pl. *coxos* (ô).]

cocho[2] (ô) ***S. m.*** 1. Tabuleiro com rebordos para conduzir cal amassada. 2. *Bras. Cabo-verd.* Caixa onde gira a mó dos amoladores. 3. *Bras. Cabo-verd.* Espécie de vasilha, em geral feita com um tronco de madeira escavada, para a água ou a comida do gado, para se lavar mandioca, etc.: 📖 "Come a ração no cocho da mangueira / Um velho pangaré." (Ricardo Gonçalves, *Ipês*, p. 44.) 4. *Bras. Bot.* O carpo (2) do coco-da-baía. 5. *Bras. N.E.* Parte da prensa (5) que recebe a massa e é perfurada embaixo a fim de deixar vazar a manipueira. 6. *Bras. BA* Caixa onde se põe o fruto do cacau para fermentação. [Var.: *coche.* Pl.: *cochos* (ô). Cf. *cocho,* do v. *cochar,* e *coxo* (ô), pl. *coxos* (ô).] ◆ **Comer no mesmo cocho.** *Bras.* Aparceirar-se ou nivelar-se com alguém.

cocho[3] (ô) ***S. m.*** V. *viola de cocho.*

cochonila [Var. de *cochonilha.*] ***S. f.*** *Quím.* Corante obtido de insetos coccídeos, vermelho, que contém ácido carmínico.

cochonilha [Var. de *cochinilha*, do esp. *cochinilla.*] ***S. f.*** *Bras. Zool.* Inseto coccídeo, diminuto, que parasita vegetais, alimentando-se de seiva, e cujas fêmeas segregam substâncias cerosas, que lembram a laca (1), com que se protegem, e aos ovos e larvas. Os machos adultos têm duas asas, e as fêmeas são ápteras; constituem pragas para a lavoura. [Sin.: *escama, piolho-de-planta, piolho-dos-vegetais.*]

cochonilha-branca ***S. f.*** *Zool.* V. *icéria* (2). [Pl.: *cochonilhas-brancas.*]

cochonilha-do-carmim ***S. f.*** *Zool.* Inseto homóptero, coccídeo (*Dactylopius coccus*), do México e América Central. Usou-se muito no passado para fabrico do carmim, sendo necessários cerca de 150.000 exemplares para obtenção de 1kg de corante. A espécie é parasita do nopal. [Sin.: *carmim.* Pl.: *cochonilhas-do-carmim.*]

cochonilha-verde ***S. f.*** *Bras. Zool.* Inseto homóptero, coccídeo (*Coccus viridis*), praga do cafeeiro e das plantas cítricas, às quais ocasiona danos apreciáveis. A fêmea tem forma elíptica, chata, coloração verde tendente ao amarelo. É comum nas laranjeiras do Brasil central. [Sin.: *escama-verde, piolho-verde.* Pl.: *cochonilhas-verdes.*]

cochonilha-vermelha ***S. f.*** *Bras. Zool.* Inseto homóptero, coccídeo (*Aonidiella aurantii*), muito prejudicial às plantas do gênero *Citrus* e às roseiras. O escudo da fêmea é avermelhado ou pardacento, circular ou subcircular. [Pl.: *cochonilhas-vermelhas.*]

cociente ***S. m.*** V. *quociente.*

➔**cocker spaniel** ['kakɚ 'spænəl] [Ingl.] *Cinol.* Cão de pequena estatura (cerca de 40cm de altura), focinho quadrado, pelo longo e sedoso e grandes orelhas pendentes.

➔**cockpit** ['kakpɪt] [Ingl.] ***S. m.*** 1. Em avião ou nave espacial, compartimento onde fica o piloto, ou este e a tripulação espacial. 2. *P. ext.* Em carros de corrida, espaço onde fica o piloto ou, eventualmente, um copiloto.

cóclea[1] [Do gr. *kochlías*, 'caracol', 'espiral', pelo lat. *cochlea.*] ***S. f.*** *Mec.* Parafuso de Arquimedes (q. v.).

cóclea[2] [Do lat. cient. *cochlea.*] ***S. f.*** *Anat.* Parte anterior do labirinto, ou orelha interna; caracol (denom. ant.).

cocleado [Do lat. *cochleatu.*] ***Adj.*** Torcido em espiral; coclear, cocleiforme.

coclear [Do lat. *cochlea* + *-ar*[1].] ***Adj. 2 g.*** 1. V. *cocleado.* 2. *Bot.* Que se desenvolve helicoidalmente, como os frutos do gênero *Medicago*. 3. Relativo à cóclea[2]. ● ***S. m.*** 4. *Bot.* Tipo de prefloração em que há uma peça inteiramente externa, ou inteiramente interna, sendo as demais externas por um bordo e internas por outro.

cocleária [Do lat. *cochleare, is*, 'colher', + lat. cient. *-ia* (v. *-ia*[2]); tax. *Cochlearia.*] ***S. f.*** 1. *Bot.* Gênero de plantas brassicáceas, nativas do hemisfério norte. 2. Qualquer espécie desse gênero, como, p. ex., a *Cochlearia officinalis*, de flores alvas, pedunculadas, dispostas em racimos corimbiformes, síliqua com muitas sementes, e folhas consideradas medicinais. 3. Qualquer espécime desse gênero.

cocleariforme [Do lat. *cochleare*, 'colher', + *-iforme.*] ***Adj. 2 g.*** *Bot.* Diz-se de pétala ou flor em forma de colher.

cocleariídeo [Do tax. *Cochlearius* + *-ideo*[1]; tax. *Cochleariidae.*] *Zool.* ***S. m.*** 1. Espécime dos cocleariídeos, família de aves ciconiiformes, cujo bico tem contorno ogival, é curto, pouco mais longo que a cabeça e muito mais largo que alto. São os arapapás. ● ***Adj.*** 2. Pertencente ou relativo a eles.

cocleário [Do lat. *cochleare*, 'colher', + *-io*[3].] ***Adj.*** ~ V. *abóbada —a.*

cocleiforme [Do lat. *cochlea*, 'caracol', + *-iforme.*] ***Adj. 2 g.*** V. *cocleado.*

cocliomídeo *Zool.* ***S. m.*** 1. Espécime dos cocliomídeos, família de insetos dípteros que, juntamente com os sarcofagídeos, depositam os ovos nas carnes em putrefação, no charque e nos animais domésticos, constituindo as chamadas bicheiras. ● ***Adj.*** 2. Pertencente ou relativo a eles.

coco[1] (ó) [Do lat. cient. *coccus* < gr. *kókkos*, 'grão', 'semente'.] ***S. m.*** 1. *Microbiol.* Bactéria de forma arredondada de que há vários tipos e que se pode agrupar de diferentes maneiras. [V. *estreptococo* e *estafilococo.*] 2. *Bot.* Porção individualizada em que se fragmentam, na maturidade, vários frutos capsulares. P. ex.: nas euforbiáceas o fruto típico é uma tricoca; esta, quando madura, divide-se em três partes, cada uma delas com uma semente, e cada uma destas sementes forma um coco. [Pl.: *cocos* (ó). Cf. *coco* (ô), s. m., pl. *cocos* (ô), e *Coco* (ô), top.]

coco[2] (ó) [Do jap. *koku.*] ***S. m.*** Medida japonesa de capacidade, equivalente a seis alqueires. [Pl.: *cocos* (ó). Cf. *coco* (ô), s. m., pl. *cocos* (ô), e *Coco* (ô), top.]

coco[1] (ô) [De or. controvertida.] ***S. m.*** 1. *Bot.* Designação comum a numerosas espécies de palmeiras: coco-de-vassoura, coco-catulé, etc. 2. O fruto de tais palmeiras, em especial o do coqueiro-da-baía, cuja polpa é de largo uso na culinária brasileira, simplesmente ralada ou reduzida a leite, em doces, molhos, etc. 3. Vasilha feita do endocarpo do coco-da-baía, no qual se embebe, perto da boca, um cabo torneado. 4. *P. ext.* Vasilha de folha de flandres que tem a forma da anterior e serve para tirar a água dos potes. 5. *Pop.* V. *cabeça* (1). 6. *Bras. Pop.* Muito dinheiro; dinheirama. 7. *Ant.* V. *papão*[1] (1). [Pl.: *cocos* (ô). Cf. *coco,* do v. *cocar,* e *coco* (ó), s. m., pl. *cocos* (ó), e *Coco* (ô), top.] ◆ **Quebrar coco.** *Bras. N.E.* Quebrar catulé (q. v.).

coco[2] (ô) ***S. m.*** *Bras. N.E. Mús.* 1. Dança popular de roda, poss. originária de AL, e acompanhada de canto e percussão; pagode; zambê: 📄 *coco de ganzá; coco de usina.* 2. Canção que pode existir independentemente da dança: 📄 *coco de oitava; coco agalopado.* [Pl.: *cocos* (ô). Cf. *coco,* do v. *cocar;* *coco* (ó), s. m., pl. *cocos* (ó), e *Coco* (ô), top.]

coco[3] (ô) [Dev. de *cocar.*] ***S. m.*** *Ant.* Ato de cocar; coca. [Pl.: *cocos* (ô). Cf. *coco,* do v. *cocar;* e *coco* (ó), s. m., pl. *cocos* (ó), e *Coco* (ô), top.]

coco^4 (ô) *S. 2 g. Adj. 2 g. Bras.* V. *aruaque* (1 e 3). [Pl.: *cocos* (ô). Cf. *cocos*, do v. *cocar* e *coco* (ó), s. m., pl. *cocos* (ó), e *Coco* (ô), top.]

▲coc(o)- [Do gr. *kókkos, ou*, 'semente'; 'cochonilha'.] *El. comp.* = 'cochonilha, ou que lhe é semelhante': *cocóideo*.

▲-coco [Do lat. cient. *coccus* < gr. *kókkos, ou*, 'semente', 'cochenilha'.] *El. comp.* = 'coco^1 (ó)', 'bactéria': *diplococo, estreptococo, meningococo*.

cocó^1 *S. m. Bras.* Penteado feminino, que consiste em enrodilhar os cabelos no alto da cabeça; pirote ou birote, pitó, pitote, pericote, periquito, totó. [Cf. *coque* e *cocô*.]

cocó^2 *S. m.* V. *cocô*.

cocô *S. m. Bras. Inf. Pop.* Excremento. [Cf. *cocó*. Var. pros.: *cocó*. Cf. *cocó*, 'penteado'.] ◆ **Fazer cocô.** *Bras. Inf. Pop.* V. *defecar* (5).

có-có [T. onom.] *S. f. Bras. Inf.* A galinha. ❄

coco-amargoso *S. m. Bras. Bot.* V. *palmito-amargoso*. [Pl.: *cocos-amargosos*.]

coco-babão *S. m. Bras. Bot.* **1.** V. *guariroba* (1). **2.** V. *aricuriroba*. [Pl.: *cocos-babões*.]

coco-baboso *S. m. Bras. Bot.* V. *coco-de-catarro*. [Pl.: *cocos-babosos*.]

coco-cabeçudo *S. m. Bras. Bot.* V. *aricuri*. [Pl.: *cocos-cabeçudos*.]

coco-catulé *S. m. Bras. Bot.* **1.** V. *guariroba* (1). **2.** V. *anajá-mirim*. [Pl.: *cocos-catulés* e *cocos-catulé*.]

coco-da-baía *S. m. Bras. Bot.* Coqueiro-da-baía. [Pl.: *cocos-da-baía*.]

coco-da-chapada *S. m. Bras. Bot.* **1.** Palmeira arecácea (*Allagoptera leucocalyx*) de caule subterrâneo, raramente aparente, dotada de folíolos verde-azulados, com aparência cerácea, e infrutescência esbranquiçada. Ocorre em várias regiões do Brasil. [Sin.: *coco-da-vassoura*. Pl.: *cocos-da-chapada*.]

coco-da-praia *S. m. Bras. Bot.* Variedade de coco nordestino. [Pl.: *cocos-da-praia*.]

coco-da-quaresma *S. m. Bras. Bot.* V. *guariroba* (1). [Pl.: *cocos-da-quaresma*.]

coco-da-serra *S. m. Bras. Bot.* V. *acumã*. [Pl.: *cocos-da-serra*.]

coco-da-vassoura *S. m. Bras. Bot.* Coco-da-chapada. [Pl.: *cocos-da-vassoura*. Cf. *coco-de-vassoura*.]

coco-de-catarro *S. m. Bras. N. a L. Bot.* Palmeira arecácea (*Acrocomia sclerocarpa*) ornamental, de fruto drupáceo, comestível, amarelo-pálido, de aroma agradável, flores monoicas, suavemente aromáticas e amareladas; coco-baboso, coco-de-espinho, coco-macaúba, macajuba, macaibeira, macaúba, macajá, macaíba, mucajá, mocajá, bocaiuva. [Pl.: *cocos-de-catarro*.]

coco-de-colher *S. m. Bras. AL* Coco-da-baía ainda verde, de polpa muito tenra, a qual se retira com colher. [Pl.: *cocos-de-colher*.]

coco-de-espinho *S. m. Bot.* V. *coco-de-catarro*. [Pl.: *cocos-de-espinho*.]

coco-de-indaiá *S. m. Bras. Bot.* V. *indaiá* (2). [Pl.: *cocos-de-indaiá*.]

coco-de-iri *S. m. Bras. Bot.* V. *airi*. [Pl.: *cocos-de-iri*.]

coco-de-macaco *S. m. Bras. Bot.* V. *babaçu*. [Pl.: *cocos-de-macaco*.]

coco-de-palmeira *S. m. Bras. Bot.* V. *babaçu*. [Pl.: *cocos-de-palmeira*.]

coco-de-pindoba *S. m. Bras. Bot.* V. *anajá-mirim*. [Pl.: *cocos-de-pindoba*.]

coco de praia *S. m. Bras. RN Mús.* V. *bambelô*. [Pl.: *cocos de praia*.] ☑

coco-de-purga *S. m. Bras. Bot.* V. *andá-açu*. [Pl.: *cocos-de-purga*.]

cocô de rola *S. m. Bras. BA* Cabelo cocô de rola (q. v.). [Pl.: *cocôs de rola*.] ☑

coco-de-vassoura *S. m. Bras. Bot.* **1.** Palmeira arecácea (*Bactris campestris*) cujas folhas são frequentemente usadas para vassouras rústicas, e cujos frutos são drupáceos; gururi. **2.** V. *acumã*. **3.** V. *ariri* (1). [Pl.: *cocos-de-vassoura*. Cf. *coco-da-vassoura*.]

coco de zambê *S. m. Bras. RN Mús.* V. *bambelô*. [Pl.: *cocos de zambê*.] ☑

cocóideo [De *coc(o)-* + *-óideo*; tax. *Coccoidea*.] *Zool. S. m.* **1.** Espécime dos cocóideos, grupo de insetos homópteros, que reúne os parasitos de plantas, que lhes sugam a seiva. São pragas de plantas, vulgarmente denominados piolhos. ● *Adj.* **2.** Pertencente ou relativo a eles.

coco-indaiá *S. m. Bras. Bot.* V. *indaiá* (2). [Pl.: *cocos-indaiás* e *cocos-indaiá*.]

cocoliche [Do esp. plat.] *S. m. Gloss.* Jargão (4) us. na Argentina por imigrantes italianos.

coco-macaúba *S. m. Bras. N. a L. Bot.* V. *coco-de-catarro*. [Pl.: *cocos-macaúbas* e *cocos-macaúba*.]

cocombro *S. m. Bras. Bot.* V. *cabaceiro-amargoso*.

coco-naiá *S. m. Bras. Bot.* V. *babaçu*. [Pl.: *cocos-naiás* e *cocos-naiá*.]

coco-peneruê *S. m. Bras. PI Folcl.* Dança de terreiro, mais comum no litoral, com sapateado, e cujo ritmo se parece com o da batida de casca de coco, e é mantido por dois cantadores e a percussão de pequenos tambores e pandeiros. [Pl.: *cocos-peneruês* e *cocos-peneruê*.]

coco-pindoba *S. m. Bras. Bot.* V. *babaçu*. [Pl.: *cocos-pindobas* e *cocos-pindoba*.]

cócoras *El. s. f. pl.* Us. nas loc. adv. *de cócoras* ou *em cócoras*. [Var.: *cócaras*.] ◆ **A cócoras.** V. *de cócoras*: 📖 "A cócoras e a pular ficavam aqueles cavouqueiros, tal rãs, a desempenhar lastimoso papel" (Haroldo Maranhão, *O Tetraneto del-Rei*, p. 74). **De cócoras.** Sentado no chão ou sobre os calcanhares; agachado; a cócoras, em cócoras: 📖 "De cócoras, em linha, os calceteiros, / Com lentidão, terrosos e grosseiros, / Calçam de lado a lado a longa rua." (Cesário Verde, *Obra Completa*, p. 98.) **Em cócoras.** V. *de cócoras*.

cocoré *S. m. Bras.* V. *rolo^1* (16).

cocoricar [De *cocoricó* + *-ar^2*.] *V. int.* V. *cucuricar*: 📖 "os galos, pressentindo a manhã, cocoricavam triunfalmente." (Coelho Neto, *A Conquista*, p. 444). [Conjug.: v. *trancar*. Normalmente é defect.]

cocoricó [T. onom.] *S. m. Bras.* V. *cocorocó*. [Var. pros.: *cocoricô*.]

cocoricô [Var. pros. de *cocoricó*.] *S. m. Bras.* V. *cocorocó*.

cocorinha [De *cócora(s)* + *-inha*.] *S. f. Bras. Cap.* Posição de cócoras, adotado pelo capoeirista para se esquivar de um golpe. [Sin. (ant.): *resistência*.]

cocório *Adj. Bras. PE* Caviloso, fingido, hipócrita.

cocoroca^1 *S. f. Bras. Zool.* V. *corcoroca*.

cocoroca^2 [Var. de *coroca*, com reduplic. da sílaba inicial.] *Bras. Gír. Adj. 2 g.* **1.** Diz-se de indivíduo cocoroca. ● *S. 2 g.* **2.** Indivíduo velho e caduco. **3.** *Pop.* Indivíduo quadrado (5).

cocorocó *S. m. Bras.* Onomatopeia do canto do galo: 📖 "o cocorocó de um galo da vizinhança" (Artur Azevedo, *Contos Possíveis*, p. 83). [F. paral.: *cocoricó, cocoricô*. Var. pros.: *cocorocô*; var: *quiquiriqui*.]

cocorocô *S. m. Bras.* V. *cocorocó*.

cocorote *S. m. Bras.* V. *cascudo^1*: 📖 "Que valiam, diante daquela desgraça, cocorotes e puxões de orelhas, logo esquecidos?" (Graciliano Ramos, *Infância*, p. 239.)

cocos [Do tax. *Cocos* (do port. *coco* [ô]).] *S. m. 2 n. Bot.* Siagro (1).

cocósteo [De *coc(o)-* + *-ósteo*; tax. *Coccosteus*.] *S. m. Paleont.* **1.** Gênero de peixes placodermos, do devoniano superior da Europa e da América do Norte, com até 40cm de comprimento e nadadeira caudal alongada. **2.** Espécie ou espécime desse gênero.

cocota [Do fr. *cocotte*.] *S. f. Bras. Obsol.* Menina pré-adolescente, muito vaidosa. [Cf. *cocote*.]

cocote [Do fr. *cocotte*.] *S. f.* **1.** Meretriz. [Tb us. deprec.] **2.** Mulher elegante, de costumes fáceis. [Cf. *cocota*.]

cocozu *S. 2 g. Bras.* **1.** *Etnôn.* Indivíduo dos cocozus [ou (etnôn. bras.) *Kokozu], povo indígena extinto da família linguística nambiquara, que habitava as margens do rio Juína (MT). ● *Adj. 2 g.* **2.** Pertencente ou relativo a esse povo.

cocre [De *croque*, com metátese.] *S. m. Bras. S.* V. *croque*: 📖 "Por qualquer futilidade, lá vinha o puxão de orelha, o cocre, o pontapé" (Guido Vilmar Sassi, *Piá*, p. 9).

cocredor (ô) [De *co-^{1}* + *credor*.] *S. m.* Indivíduo que é credor juntamente com outro(s). ❖

➔cocu [kɔ'ky] [Fr.] *S. m. Gír.* Marido enganado; corno.

cocuana [Do tsonga.] *S. 2 g. Moç.* Pessoa idosa e respeitada: 📖 "mostravam-se resolvidos a seguir o exemplo do avisado cocuana" (João Salva-Rey, *Ku Femba*, p. 226).

cócue (u-ê) *S. m. Gloss.* Língua do grupo banto falada a N.E. de Angola, em Zâmbia e na República do Congo (África).

cocuiregatejê *Bras. S. 2 g.* **1.** *Etnôn.* Indivíduo dos cocuiregatejês [ou (etnôn. bras.) *Kokuiregatejê], povo indígena da subfamília timbira da família linguística jê, tronco macro-jê, que habita o MA. ● *Adj. 2 g.* **2.** Pertencente ou relativo a esse povo.

cocular [De *coculo* + *-ar^2*.] *V. t. d. T. d. e i. Bras. Pop.* V. *cogular*. [Cf. *cucular*.]

coculina [Do tax. *Cocculus* (v. *cóculo* [2]) + *-ina^2*.] *S. f.* Tóxico, que pode ser mortífero, encontrado, p. ex., na seiva e nas sementes da butua-catinguenta.

coculo [Do lat. *cucullu*, 'capuz'.] *S. m. Bras. Pop.* V. *cogulo*. [Cf. *cuculo*, do v. *cucular* e s. m.]

cóculo [Do tax. *Cocculus*.] *S. m. Bot.* **1.** Pequeno gênero de trepadeiras menispermáceas, lenhosas, de folhas alternas, flores paniculadas e frutos drupáceos. **2.** Qualquer espécie desse gênero, como, p. ex., a *Cocculus carolinus* e *C. indicus* (v. *butuá-catinguenta*). **3.** Qualquer espécime desse gênero. [Cf. *coculo* e *cuculo*, do v. *cucular* e s. m.]

cocumbi *S. m. Bras. BA Pop. Folcl.* V. *cucumbi*.

cocuruta *S. f.* V. *cocuruto* (1 a 4).

cocurutado [De *cocuruto* + *-ado^1*.] *S. m. Bras. ES* V. *maria-é-dia* (1).

cocuruto *S. m.* **1.** O ponto mais elevado de uma coisa; crista, grimpa. [Var. (MG e BA): *cacuruto*.] **2.** O alto da cabeça. **3.** Vértice, ponta. **4.** V. *cume* (1). [Var., nessas acepçs.: *cocuruta*.] **5.** *Bras. MG* Elevação cônica de alguns montes ou colinas. **6.** *Bras. RS* Saliência de terreno; montículo. **7.** *Bras. RS* Os altos de uma coxilha.

cócus [Do tax. *Coccus*.] *S. m. 2 n. Zool.* **1.** O gênero-tipo dos coccídeos. **2.** Qualquer espécie desse gênero, como, p. ex., a *Coccus lacea* [v. *cochonilha* (1)] e a *C. viridis* (v. *cochonilha-verde*). **3.** Qualquer espécime desse gênero.

coda [Do it. *coda*, 'cauda'.] *S. f.* **1.** *E. Ling.* Segmento(s) consonântico(s) que ocupa(m) a parte final da sílaba. [Cf. *núcleo* (12), *rima^1* (6) e (ingl.) *onset*.] **2.** *Mús.* Seção conclusiva de uma composição (sonata, sinfonia, etc.) **3.** *Mús.* Na fuga^2 real, o prolongamento do sujeito, para facilitar a entrada da resposta.

codajaense *Adj. 2 g.* **1.** De, ou pertencente ou relativo a Codajás (AM). ● *S. 2 g.* **2.** O natural ou habitante de Codajás.

codão [Do lat. **cotino* < lat. *cote*, 'pedra'.] *S. m.* **1.** Congelação da umidade infiltrada no solo; geada. **2.** Sincelo. [Var.: *codo*. Pl.: *codãos*.]

codaque [De *Kodak*, nome comercial de certa máquina fotográfica.] *S. f. Bras. Fam.* Máquina fotográfica.

codé [Do cabo-verd., do criol. e do forro^2.] *S. 2 g. Cabo-verd. Guin. Santom.* **1.** V. *caçula^2* (1): 📖 "o codé acordava a vomitar" (Maria Margarida Mascarenhas, *...Levedando a Ilha*, p. 64). ● *Adj. 2 g.* **2.** V. *caçula^2* (2): 📖 "Falava olhando para o filho codé" (Teixeira de Sousa, *Xaguate*, p. 38).

códea [Do lat. **cutina* < lat. *cute*, 'pele'.] *S. f.* **1.** Parte exterior dura; casca, crosta: 📖 "Arrancavam-se, à unha, nacos de leitão, com a códea encoscorada" (Coelho Neto, *Rei Negro*, p. 100). **2.** Sujeira solidificada na roupa. **3.** Crosta de pão, rosca, etc.: 📖 "Comprava aos garotos da rua, por uma códea de broa, os passarinhos que tinham aprisionado, às vezes estropiado." (José Régio, *Histórias de Mulheres*, pp. 169-170.)

■CODECON Abrev. de *Coordenadoria de Defesa do Consumidor*.

codeína [Do gr. *kódeia*, 'papoula', + *-ina^3*; lat. cient. *codeina*.] *S. f. Quím.* Derivado da morfina, cristalino, incolor, sedativo, hipnótico [fórm.: $C_{18}H_{21}NO_3$].

codelinquência (qüen) [De *co-^{1}* + *Delinquência*.] *S. f.* **1.** Delinquência coletiva. **2.** Coautoria ou cumplicidade em delito. ❖

codelinquente (qüen) [De *co-^{1}* + *delinquente*.] *S. 2 g.* V. *coautor* (2). ❖

codenunciado [De *co-^{1}* + *denunciado*.] *S. m. Dir. Proc. Penal* V. *coacusado*. ❖

codessal [De *codesso* + *-al^1*.] *S. m.* **1.** Quantidade mais ou menos considerável de codessos dispostos proximamente entre si; codesseira. **2.** Área ocupada por codessal (1).

codesseira [De *codesso* + *-eira*.] *S. f.* V. *codessal*.

codesso (ê) [Do lat. vulg. *cutisu* < lat. *cytisu* < gr. *kýtisos* (cf. *cítiso*).] *S. m. Bot.* Arbusto fabáceo (*Laburnum vulgare*) ornamental, de flores amarelo-claras, dispostas em racimos pêndulos, e cujo fruto é vagem espessa, com sementes verrucosas. Fornece madeira castanho-esverdeada, própria para marcenaria de luxo, e tem propriedades melíferas.

codeúdo [De *códea* + *-udo*.] *Adj.* Que tem códea grossa.

codevedor (ô) [De *co-^{1}* + *devedor*.] *S. m.* Aquele que responde por uma dívida juntamente com outro(s). ❖

códex (cs) [Do lat. *codex* (nom.).] *S. m. 2 n.* **1.** V. *tábula* (2). **2.** Conjunto de tábulas [v. *tábula* (2)]. **3.** *E. Ling.* V. *códice* (3). **4.** *Ant.* Código farmacêutico; farmacopeia. [Para o pl., é corrente o uso do pl. da f. paral. *códice* (q. v.).]

➔codex unicus ['kodeks 'unẹkos] [Lat.] *E. Ling.* Testemunho único de uma tradição. [V. *edição interpretativa*.]

codialeto [De *co-^{1}* + *dialeto*.] *S. m. E. Ling.* **1.** Cada um de dois dialetos que procedem de uma mesma língua. **2.** *Restr.* Nos estudos dialetológicos sobre o português europeu, dialeto que difere consideravelmente do português padrão. ❖

códice [Do lat. *codice*.] *S. m. E. Ling.* **1.** *E. Ling.* Forma característica do manuscrito em pergaminho, semelhante à do livro moderno, e assim denominada por oposição à forma do rolo: 📖 "Era sereno seu rosto angélico, semelhante ao de uma dessas virgens que se encontram nas iluminuras de antigos códices" (Alexandre Herculano, *Lendas e Narrativas*, I, p. 87). [Cf. *livro em rolo*.] **2.** Registro ou compilação de manuscritos, documentos históricos, ou leis; código antigo. **3.** Obra antiga de autor clássico. [F. paral.: *códex* (q. v.).]

codicilar [Do lat. *codicillare*.] *Adj. 2 g.* **1.** Contido em codicilo. **2.** Relativo a, ou em forma de codicilo.

codicilo [Do lat. *codicillu*.] *S. m.* **1.** *Dir. Civ.* Ato escrito de última vontade, pelo qual alguém faz disposições especiais sobre seu enterro, dá pequenas esmolas, lega móveis, roupas ou joias de uso pessoal, não muito valiosas, nomeia ou substitui testamenteiros. **2.** *Ant.* Alteração ou anulação de um testamento, por disposições adicionais a ele: "Instituiu-a ele sua herdeira maior. Fê-lo em testamento traçado em 1821, seguido de codicilo escrito dois meses antes de seu falecimento" (Aureliano Leite, *Pequena História da Casa Verde*, p. 31).

codicologia [Do lat. *codice* + *-o-* + *-logia*.] *S. f. E. Ling.* Disciplina auxiliar da crítica textual (q. v.) que tem por objeto o estudo dos materiais empregados na confecção e elaboração do livro manuscrito ou códice, sua produção nos *scriptoria* medievais e o modo pelo qual era comercializado.

codificação [De *codificar* + *-ção*; fr. *codification*.] *S. f.* **1.** Ato ou efeito de codificar. **2.** Reunião de leis em código (1). **3.** Aplicação de código (6 e 7).

codificado [Part. de *codificar*.] *Adj.* Que se codificou; de que se fez codificação.

codificador (ô) [De *codificar* + *-dor*.] *Adj.* **1.** Que codifica. ● *S. m.* **2.** Aquele ou aquilo que codifica. **3.** *Eletrôn.* Circuito que transforma uma sequência de sinais em sinais codificados. **4.** *Inform.* Dispositivo ou programa (9) que realiza codificação.

codificar [De *códi(go)* + *-ficar*.] *V. t. d.* **1.** Reunir em código (2): *codificar o direito comercial.* **2.** Reduzir a código (6 e 7): *codificar um telegrama.* **3.** Transformar em códice; reunir, coligir, compilar: *codificar documentos históricos.* **4.** *Bioquím.* Representar, sob a forma de código genético, uma ou mais etapas da biossíntese de uma proteína: *o códon adenina-uracila-guanina codifica a metionina.* [A rigor, tal uso inverte o uso normal deste verbo]. **5.** *Inform.* Escrever (rotina, sub-rotina ou programa) em determinada linguagem de programação. **6.** *Inform.* Representar (conjunto de dados) por um conjunto de símbolos predeterminados e aceitos por um sistema computacional. **7.** *Inform.* Modificar (informação) reversivelmente, por meio de um código ou algoritmo que a torna ininteligível; criptografar. **8.** *Inform.* Converter (informações) em padrão de representação de maneira que a forma original possa ser recuperada. **9.** *Teor. Com.* Transformar, recorrendo a um código, uma mensagem original numa sequência de sinais adequados à transmissão em determinado canal. [Conjug.: v. *trancar*.]

código [Do lat. *codice*, pelo gen. pl. *codicum*, poss.] *S. m.* **1.** Coleção de leis. **2.** Conjunto metódico e sistemático de disposições legais relativas a um assunto ou a um ramo do direito. **3.** Coleção autorizada de fórmulas médicas ou farmacêuticas. [Sin., nesta acepç.: *farmacopeia* e, ant., *códex*.] **4.** Coleção de regras e preceitos. **5.** V. *ordenações*. **6.** Norma, regra, lei. **7.** Vocabulário ou sistema de sinais convencionais ou secretos utilizados em correspondências e comunicações. **8.** Palavra-chave, formada de 10 letras diferentes, dum sistema em que se substituem algarismos por letras, na marcação do preço de mercadoria. Ex.: *Pernambuco* (*p* corresponde a 1; *e*, a 2; etc.). **9.** Cada uma das sequências de signos (números, letras, etc.) us. para identificação e controle dos elementos de determinado conjunto ou âmbito, segundo um método ou sistema geral de classificação: *código de assinante.* **10.** *Inform.* Sistema de símbolos com que se representam dados e instruções de programa (9), de modo a tornar possível seu processamento por computador. **11.** *Inform.* Programa (9). **12.** *E. Ling.* Qualquer sistema linguístico. [O uso do termo *código*, em vez de *língua*, indica que se faz referência a uma língua como meio de comunicação entre indivíduos, e não como um conhecimento parcialmente herdado e parcialmente adquirido]. **13.** *E. Ling.* Variedade (6). **14.** *Teor. Com.* Conjunto de regras por meio do qual mensagens são convertidas, de maneira convencionada e reversível, de uma representação para outra. ◆ **Código antigo.** Códice (2). **Código binário.** *Inform.* Código que utiliza apenas dois caracteres definidos e distintos: p. ex., o 0 (zero) e o 1 (um). **Código de barras.** *Inform.* Código para representação de sequências alfanuméricas por barras impressas de diferentes larguras, alinhadas paralelamente, e que podem ser lidas mediante dispositivo eletrônico de leitura óptica. **Código de endereçamento postal.** Código numérico que, para facilitar a entrega de correspondência, identifica um município, uma cidade, um bairro, uma rua, etc. [sigla: *CEP*]. **Código de erro.** *Inform.* Valor resultante do processamento de uma rotina e que indica se ocorreu algum erro, e, neste caso, qual o tipo de erro ocorrido. **Código de máquina.** *Inform.* Aquele que serve para representar um conjunto de instruções básicas que o computador, por sua construção e projeto lógico, é capaz de executar diretamente; linguagem de máquina. **Código elaborado.** *E. Ling.* Uso linguístico das pessoas instruídas, que envolve um amplo leque de estruturas linguísticas. [Cf. *código restrito*.] **Código genético.** *Genét.* Conjunto de sequências de três nucleotídeos de ácido desoxirribonucleico, correspondentes aos aminoácidos que formam a cadeia polipeptídica. **Código macarrônico.** *Inform.* Programa escrito de forma confusa ou de fluxo emaranhado. **Código Morse.** O ideado pelo norte-americano Samuel Morse (1791-1872), inventor do telégrafo sem fio, e no qual as letras do alfabeto comum são representadas por conjuntos de pontos, traços e suscetíveis de ser transmitidos pelo telégrafo, ou por lampejos, apitos, etc., representando o ponto um sinal breve e o traço, um sinal longo; alfabeto Morse. **Código restrito.** *E. Ling.* Uso linguístico que conta com um leque reduzido de estruturas. [Este conceito, bem como o de *código elaborado* (q. v.), foi desenvolvido pelo sociólogo Basil Bernstein (1924-2000), visando a explicar como o poder econômico afeta a comunicação e, em especial, o desempenho escolar das crianças oriundas das classes trabalhadoras.]

código-fonte *S. m. Inform.* V. *programa-fonte*. [Pl.: *códigos-fonte* e *códigos-fontes*.]

código-objeto *S. m. Inform.* V. *programa-objeto*. [Pl.: *códigos-objeto* e *códigos-objetos*.]

codilhar [De *codilho* + *-ar*².] *V. t. d.* **1.** Passar codilho (1 e 2) a: *codilhar o parceiro.* **2.** *Fig.* Envolver em codilho (2); enganar, lograr, frustrar: *Foi codilhado pelo falso médico.*

codilheira [De *codilho* + *-eira*.] *S. f.* Tumor no codilho (3).

codilho [Do esp. *codillo*.] *S. m.* **1.** *Zool.* Saliência na articulação superior da mão do cavalo. **2.** Incidente no jogo do voltarete, em que o feito¹ (4) teve menos vazas que um dos parceiros. **3.** *Fig.* Logro, engano, embuste.

codinome [Adapt. do ingl. *code name*, 'nome de código'.] *S. m. Bras.* Designação que esconde a identidade dum indivíduo, ou que nomeia secretamente uma operação (2), uma organização (4), um plano de ação, etc.

codireção [De *co-*¹ + *direção*.] *S. f.* Direção exercida em comum com outrem; codiretoria. ❖

codiretor (ô) [De *co-*¹ + *diretor*.] *S. m.* Aquele que é diretor juntamente com outrem. ❖

codiretoria [De *co-*¹ + *diretoria*.] *S. f.* Codireção. ❖

codizar [De *cód(igo)* + *-izar*; ingl. *(to) codify*.] *V. t. d. Bras. Mar. G.* Substituir as letras, sílabas, palavras ou grupos de palavras do texto claro de (uma mensagem) pelas suas correspondentes relacionadas em um código.

codo *S. m.* V. *códão*.

codoador (ô) [De *co-*¹ + *doador*.] *S. m.* Aquele que faz uma doação conjuntamente com outrem. ❖

codoense (ôen) *Adj. 2 g.* **1.** De, ou pertencente ou relativo a Codó (MA). ● *S. 2 g.* **2.** O natural ou habitante de Codó.

codominância [De *co-*¹ + *dominância* (2).] *S. f. Genét.* Independência de expressão de genes ou alelos de um mesmo lócus, em indivíduos heterozigóticos. ❖

codominante [De *co-*¹ + *dominante*.] *Adj. 2 g. Genét.* Relativo à codominância, ou que a apresenta. ❖

códon [Do ingl. *code*, 'código', + *-on*.] *S. m. Citol. Genét.* Sequência de três nucleotídeos do ácido ribonucleico mensageiro que, na síntese de proteínas, representa a codificação da informação genética para um determinado aminoácido ou para a terminação da cadeia polipeptídica.

codonatário [De *co-*¹ + *donatário*.] *S. m.* Aquele que recebe uma doação conjuntamente com outrem. ❖

codório [Da expr. litúrgica *quod ore*, que o sacerdote diz, na missa, quando vai beber o vinho.] *S. m. Bras.* Gole de vinho ou de aguardente.

codorna [De *codorniz*.] *S. f. Zool.* Designação comum às aves tinamiformes tinamídeas, gêneros *Nothura*, *N. maculosa* e outras. Coloração pardo-amarelada no dorso; penas com manchas e faixas transversais pretas no centro e estrias amareladas nos lados; garganta branca, pescoço e peito bruno-amarelados, com largas estrias pretas; rêmiges escuras, com faixas transversais amareladas; abdome amarelado. É uma das aves cinegéticas mais apreciadas. [Sin.: *codorniz*, *inhambuí*.]

codorna-buraqueira *S. f. Bras. Zool.* Ave tinamiforme tinamídea (*Taoniscus nanus*), do S.E. do País, de dorso preto com estreitas faixas transversais, cabeça e pescoço pardo-amarelados, penas do vértice com parte central escura, garganta e abdome brancos, peito e flancos amarelados, com largas faixas pretas transversais, e cujo nome vem do fato de ela esconder-se em buracos no chão. É a menor das codornas brasileiras. [F. red.: *buraqueira*. Sin.: *perdigão*. Pl.: *codornas-buraqueiras*.]

codorna-mineira *S. f. Bras. Zool.* Ave tinamiforme tinamídea (*Nothura minor*). Menor que a codorna, tem cabeça e dorso castanhos com muitas faixas e pontos pretos e coberteiras superiores das asas com faixas pretas transversais estreitas. Frequenta os campos abertos nos cerrados de MG, SP e MT. [Pl.: *codornas-mineiras*.]

codorniz [Do lat. *coturnice*.] *S. f. Zool.* V. *codorna*.

codorno *S. m. Bras.* V. *sesta* (2). [Pl.: *codornos*. Cf. *codorno* (ô) e pl. *codornos* (ô).]

codorno (ô) [Do prov. esp. *codorno*, 'resto de pão'.] *S. m.* **1.** *Prov. port.* Pedaço de pão tirado à borda deste. **2.** *Bot.* Variedade de pero grande e sumarento. [Pl.: *codornos* (ó). Cf. *codorno* e pl. *codornos*.]

coedição [De *co-*¹ + *edição*.] *S. f.* Edição (4) publicada mediante convênio entre editores. ❖

coeditar [De *co-*¹ + *editar*.] *V. t. d.* Fazer coedição de. ❖

coeditor (ô) [De *co-*¹ + *editor*.] *S. m.* Cada um daqueles que fazem coedição ou coedições. ❖

coeducação [De *co-*¹ + *educação*.] *S. f.* **1.** Educação em comum. **2.** Educação conjunta de indivíduos de ambos os sexos. ❖

coeducar [De *co-*¹ + *educar*.] *V. t. d.* Educar em comum: *Coeducando os dois sexos, a escola contribui para um melhor relacionamento entre estes.* [Conjug.: v. *trancar*.] ❖

coeficiente [Do lat. cient. *coefficiens, tis* < lat. *co-* + lat. *efficiens, tis*, 'que efetua'.] *S. m.* **1.** *Mat.* Parte numérica num produto de fatores numéricos e literais. **2.** *Mat.* Numa expressão constituída pelo produto de vários fatores, o produto de alguns dos fatores escolhidos segundo uma convenção arbitrária. **3.** Propriedade que tem algum corpo ou fenômeno de poder ser avaliado numericamente; grau, nível: *coeficiente de resistência.* **4.** *Fig.* Condição ou circunstância que contribui para um dado fim ou resultado; fator: *A liberdade é um dos coeficientes básicos da democracia.* ◆ **Coeficiente angular.** *Mat.* Tangente trigonométrica do ângulo que uma reta faz com o eixo dos *xx* de um sistema cartesiano bidimensional; o coeficiente da variável *x*, na equação reduzida de uma reta. **Coeficiente de acoplamento.** *Fís.* Um parâmetro que intervém nas equações de movimento de dois sistemas acoplados e dependentes da ação recíproca de um sobre o outro. **Coeficiente de aproveitamento.** *Urb.* Num lote¹ (8), relação entre a área de construção e a área total. **Coeficiente de associação.** *Estat.* Medida da associação de dois atributos. É positivo quando existe entre eles uma associação direta, e negativo no caso contrário. **Coeficiente de atrito.** *Fís.* Quociente do módulo da força de atrito pelo módulo da força normal à superfície de contato de dois corpos sólidos. **Coeficiente de extinção.** *Fís.-Quím.* V. *absortividade*. **Coeficiente de inteligência.** Quociente de inteligência. **Coeficiente de rigidez.** *Fís.* Constante de força. **Coeficiente de viscosidade.** *Fís.* V. *viscosidade* (4). **Coeficiente linear.** *Mat.* O termo constante na equação reduzida de uma reta.

coéforo [Do gr. *choephóros*.] *S. m.* Na Grécia antiga, cada um dos portadores de oferendas destinadas aos mortos.

coelheira [De *coelho* + *-eira*.] *S. f.* Recinto onde se criam coelhos.

coelheiro [De *coelho* + *-eiro*.] *Adj.* **1.** Que caça coelhos: *cadela coelheira.* ● *S. m.* **2.** Caçador de coelhos. **3.** Cão coelheiro.

coelho (ê) [Do lat. *cuniculu*.] *S. m.* **1.** *Zool.* Animal mamífero, lagomorfo, leporídeo (*Oryctolagus cuniculus*), originário da Europa. Cavam tocas, onde parem seus filhos. Dessa espécie provêm todas as raças domésticas. **2.** Iguaria feita com a carne desse animal. **3.** *Bras.* No jogo do bicho (q. v.), o 10º grupo (14), que abrange as dezenas 37, 38, 39 e 40, e corresponde ao número dez. **4.** *Bras.* V. *americano*² (3). **5.** *Bras. Gír. Desus.* Cédula de 10 cruzados. ● *Adj.* **6.** *Bras.* V. *americano*² (1 e 2). ◆ **Matar dois coelhos de uma cajadada.** Obter dois resultados com um só trabalho ou esforço.

coelho-do-mato *S. m. Bras. Zool.* V. *tapiti*¹. [Pl.: *coelhos-do-mato*.]

coelho-netense *Adj. 2 g.* **1.** De, ou pertencente ou relativo a Coelho Neto (MA). ● *S. 2 g.* **2.** O natural ou habitante de Coelho Neto. [Pl.: *coelho-netenses*.]

coelho-no-prato *S. m. Bras. Bot.* Planta fabácea (*Periandra coccinea*) de caule herbáceo, prostrado e viloso, pedúnculos alongados, e poucas flores, vermelho-escarlates. [Pl.: *coelhos-no-prato*.]

coelho-sai [De *coelho* + *sair*.] *S. m. 2 n. Bras.* Certo jogo infantil.

coempção [Do lat. *coemptione*.] *S. f.* **1.** *Jur.* Compra em comum. **2.** *Jur.* Compra recíproca. **3.** Entre os hebreus e romanos, rito segundo o qual o casamento se efetuava mediante a troca de uma moeda entre os cônjuges e o pronunciamento de certas palavras.

coentrada [De *coentro* + *-ada*¹.] *S. f.* **1.** Porção de coentros. **2.** Molho que tem por base o coentro.

coentrilho [De *coentro* + *-ilho*.] *S. m. Bot.* **1.** Árvore rutácea (*Zanthoxylum hyemale*) de até 7m, armada de acúleos, com casca fina, cinzento-amarelada e aromática, a qual, assim como as raízes, tem uso medicinal; madeira compacta e muito durável, flores esverdeadas, e frutos com sementes pretas e luzidias. [Sin.: *inhanduvá, tembetaru*.] **2.** Árvore ou arbusto rutáceo (*Zanthoxylum culantrillo*) de folhas compostas e flores esverdeadas, em racemos terminais.

coentro [Do lat. *coriandru* < gr. *koríandron*.] ***S. m.*** *Bot.* Planta glabra apiácea (*Coriandrum sativum*) de flores róseas ou alvas, pequenas e aromáticas, cujo fruto é diaquênio, e cuja folha, us. como condimento, exala odor característico. [Sin., bras., MA: *cheiro*. V. *cheiros* (2).]

coenzima [De *co-*[1] + *enzima*.] ***S. f.*** *Bioquím.* Denominação de certas substâncias, cujas moléculas, relativamente pequenas, se combinam reversivelmente a algumas enzimas e são essenciais ao funcionamento destas. ◆ **Coenzima A.** *Bioquím.* Coenzima que, em vários processos bioquímicos, participa na transferência de grupos acila.

coerção [Do lat. *coertione*.] ***S. f.*** **1.** Ato de coagir; indução de um comportamento pelo uso da força ou por intimidação; coação. **2.** Repressão, coibição. **3.** *Jur.* A força que emana da soberania do Estado e é capaz de impor o respeito à norma legal.

coercibilidade [De *coercível* + *-(i)dade*, seg. o padrão erudito.] ***S. f.*** Qualidade de coercível.

coercímetro [De *coerci(vidade)* + *-metro*.] ***S. m.*** *Fís.* Instrumento com que se mede a coercividade duma substância ferromagnética.

coercitividade [De *coercitivo* + *-(i)dade*.] ***S. f.*** Qualidade de coercitivo; coercividade, coatividade.

coercitivo [Do lat. *coercitus*, part. pass. do lat. *coercere*, 'comprimir', 'reprimir', 'controlar', 'obrigar', + *-ivo*.] ***Adj.*** Coercivo (1).

coercível [Do lat. *coercere* (v. *coercitivo*) + *-ível*.] ***Adj. 2 g.*** **1.** Que pode ser coagido; reprimível. **2.** Que se pode encerrar em menor espaço.

coercividade [De *coercivo* + *-(i)dade*.] ***S. f.*** **1.** V. *coercitividade*. **2.** *Fís.* A intensidade do campo magnético externo que deve ser imposta a uma substância ferromagnética para lhe anular a magnetização; força coerciva.

coercivo [Do lat. *coercere* (v. *coercitivo*) + *-ivo*.] ***Adj.*** **1.** Que pode exercer coerção; coercitivo. **2.** V. *coativo* (2). ~ V. *força — a*.

coerdar [De *co-*[1] + *herdar*.] ***V. t. d.*** Herdar em comum. [Voc. cuja grafia foi alterada a partir do Volp. 2009. Embora o pref. *co-* seja citado na BXVI para os casos de hifenação em que o 1º el. termina em vogal e o 2º começa por *h*, no Volp. este voc. recebeu tratamento distinto em virtude de incongruência no decorrer do texto do acordo.] ❋

coerdeiro [De *co-*[1] + *herdeiro*.] ***S. m.*** Aquele que coerda. [Voc. cuja grafia foi alterada a partir do Volp. 2009. Embora a f. *co-herdeiro* conste de exemplário do AOLP de formações que devam ser hifenizadas (=> 1º el. pref. term. em vogal/2º el. iniciado por *h* - Base XVI - 1º § - a), no Volp. a f. de registro é *coerdeiro*, em virtude da obs., em BXVI - 1º § b, referente a aglutinação de *co-* mesmo nos casos em que o 2º el. inicia-se em *o*.] ❋

coerência [Do lat. *cohaerentia*.] ***S. f.*** **1.** Qualidade, estado ou atitude de coerente. **2.** Ligação ou harmonia entre situações, acontecimentos ou ideias; relação harmônica; conexão, nexo, lógica. **3.** V. *congruência* (1). **4.** *Estat.* Propriedade pela qual um estimador de parâmetro de uma população tende aleatoriamente para esse parâmetro quando o número de membros da amostra tende para infinito. **5.** *Fís.* Propriedade apresentada por duas ou mais ondas eletromagnéticas monocromáticas que têm o mesmo comprimento de onda e o mesmo plano de vibração, apresentam diferenças de fase constantes e passam, em um mesmo intervalo de tempo, por uma mesma região de espaço. **6.** *E. Ling.* Num discurso oral ou escrito, conjunto de relações que unem os significados de sentenças. [A coerência de um discurso pode apoiar-se em mecanismos formais, *i. e.*, de natureza gramatical ou lexical, e no conhecimento partilhado entre os usuários da língua.] **7.** *Lóg.* Ausência de contradição, *i. e.*, acordo do pensamento consigo mesmo (dos princípios com as consequências, dos axiomas com os teoremas, etc.); compatibilidade, consistência.

coerente [Do lat. *cohaerente*.] ***Adj. 2 g.*** **1.** Em que há coesão, ligação ou adesão recíproca. **2.** V. *lógico* (3). **3.** Que procede com coerência; consequente: *É coerente com seus princípios.* **4.** *Fís.* Diz-se de uma radiação eletromagnética constituída por trens de onda que satisfazem as condições de coerência. ~ V. *estimador* — e *fontes* —*s*.

coerir [Do lat. *cohaerere*.] ***V. int.*** **1.** Fazer coesão; aderir reciprocamente: *As moléculas deste organismo não coerem perfeitamente.* **2.** *Fig.* Aderir-se, associar-se, aliar-se: *Os dois partidos políticos coeriram.* ***T. d.*** **3.** Fazer aderir; associar, aliar: "Queira aceitar essa fórmula nova que abrange, aquieta, resolve e coere todas as diversidades." (João Ribeiro, *Cartas Devolvidas*, p. 227.) [Irreg. Conjug.: v. *aderir*.]

coeruna *Bras.* ***S. 2 g.*** **1.** *Etnôn.* Indivíduo dos coerunas [ou (etnôn. bras.) *Koeruna], povo indígena de língua isolada que vivia ao N. do rio Japurá (AM). • ***Adj. 2 g.*** **2.** Pertencente ou relativo a esse povo.

coesão [Do fr. *cohésion*, poss.] ***S. f.*** **1.** União íntima das partes de um todo. **2.** *Fig.* Harmonia, concordância, união: *Havia falta de coesão entre os membros do partido.* **3.** Conexão, nexo, coerência. **4.** *Fís.* Propriedade resultante da ação das forças atrativas existentes entre as partículas (moléculas, átomos, íons) constitutivas de um corpo. **5.** *E. Ling.* Ligação, de natureza gramatical ou lexical, entre os elementos de uma frase ou de um texto. ◆ **Coesão organizacional.** *Adm.* Concordância de valores e objetivos e grau de consenso sobre a estratégia para atingi-los, adotados pelos indivíduos que formam uma organização.

coesivo [Do fr. *cohésif*, poss.] ***Adj.*** Em que há coesão.

coeso (é) [Do lat. *cohaesu*.] ***Adj.*** **1.** Ligado ou unido por coesão; intimamente ligado; conexo: "Topo a tudo para servir o Partido, torná-lo coeso em torno do Governo, que é único centro possível de interesses conservadores estáveis..." (Alberto Rangel, *Livro de Figuras*, pp. 188-189.) **2.** Concorde, harmônico. **3.** Coerente, lógico: "Porque só a base filosófica de uma doutrina coesa é capaz de imprimir disciplina ao espírito." (Vivaldo Coaraci, *Todos Contam Sua Vida*, p. 201.)

coesor (ô) [De *coeso* + *-or*.] ***S. m.*** *Fís.* Instrumento us. para indicar a presença de ondas eletromagnéticas.

coessência [De *co-*[1] + *essência*.] ***S. f.*** Essência comum.

coessencial [Do lat. tard. *coessentiale*.] ***Adj. 2 g.*** Que tem a mesma essência que outro(s).

coestaduano [De *co-*[1] + *estado* + *-ano*[1].] ***Adj. S. m.*** Que, ou aquele que é do mesmo estado que outro; conterrâneo: "Talvez lhe seja superior por se tratar de um coestaduano e a seiva de afetividade regional ser forte mesmo nos ironistas mais desabusados." (Agripino Grieco, *Gente Nova do Brasil*, p. 371.).

coetâneo [Do lat. *coaetaneu*.] ***Adj.*** **1.** V. *contemporâneo* (1). **2.** Que é da mesma idade. • ***S. m.*** **3.** V. *contemporâneo* (2). **4.** Indivíduo coetâneo (2) de outro.

coeternidade [De *coeterno* + *-(i)dade*.] ***S. f.*** Qualidade de coeterno.

coeterno [Do lat. tard. *coaeternu*.] ***Adj.*** Que existe com outro desde sempre: "— Grande Deusa, / Coeterna do caos!" (José Bonifácio, *Poesias*, p. 53.)

coevana ***S. 2 g.*** *Bras.* **1.** *Etnôn.* Indivíduo dos coevanas [ou (etnôn. bras.) *Koewana], povo indígena que habita a região do alto rio Negro, conhecida como Boca do Cachorro (AM). • ***Adj. 2 g.*** **2.** Pertencente ou relativo a esse povo.

coevo (é) [Do lat. tard. *coaevu*.] ***Adj. S. m.*** V. *contemporâneo*: "Quem nunca provou .... estas cabidelas de frango coevas da Monarquia que enchem a alma, não pode realmente conhecer o que seja a especial bem-aventurança tão grosseira e tão divina, que no tempo dos frades se chamava *comezaina*." (Eça de Queirós, *A Correspondência de Fradique Mendes*, pp. 216-217); "Admiramos hoje os grandes filósofos gregos; seus coevos, porém, admiravam muito mais aos atletas vencedores no estádio." (Monteiro Lobato, *Urupês, Outros Contos e Coisas*, p. 446).

coevolução [De *co-*[1] + *evolução*.] ***S. f.*** *Ecol.* **1.** Seleção recíproca entre organismos interdependentes. **2.** Modificações genéticas paralelas em espécies inter-relacionadas.

coexistência (z) [De *coexistir* + *-ência*.] ***S. f.*** Qualidade ou condição de coexistente.

coexistente (z) [De *coexistir* + *-ente*.] ***Adj. 2 g.*** Que coexiste.

coexistir (z) [Do lat. *coexistere*.] ***V. int.*** **1.** Existir simultaneamente: "Na época dos descobrimentos marítimos coexistiam na Europa um sistema mercantilista em desenvolvimento e um sistema feudal em decomposição." (Paulo Mercadante, *A Consciência Conservadora no Brasil*, p. 17); *Aqui as raças coexistem sem atritos.* ***T. i.*** **2.** Existir simultaneamente: "E as paredes aveludavam-se de musgos, os quais coexistiam com a hera." (O. G. Rego de Carvalho, *Somos Todos Inocentes*, p. 38.)

coextensivo [De *co-*[1] + *extensivo*.] ***Adj.*** **1.** Que tem o mesmo âmbito, ou a mesma perspectiva. **2.** Que ocupa o mesmo espaço, ou período de tempo. **3.** Que tem a mesma extensão. **4.** *Lóg.* Diz-se de termos coextensivos [v. *coextensivo* (3)].

cofator (ô) [De *co-*[2] + *fator*.] ***S. m.*** **1.** *Álg.* Num determinante, o menor de um elemento, com sinal positivo ou negativo, conforme a ordem do elemento seja par ou ímpar; complemento algébrico. **2.** *Bioquím.* Substância, que pode ser um íon inorgânico ou uma coenzima, que é necessária à atividade catalítica normal de uma enzima. ❖

cófea [Do tax. *Coffea* (do ant. sueco *coffe* [atual *kaffe*], do ingl. *coffee*, 'café').] ***S. f.*** *Bot.* **1.** Gênero de pequenas árvores e arbustos rubiáceos, nativos das regiões tropicais do Velho Mundo (como, p. ex., a África), dotadas de fragrantes flores brancas em glomérulos, que ocorrem na base das folhas brilhantes, sempre-verdes; inclui diversas espécies. **2.** Qualquer espécie desse gênero, como, p. ex., a *Coffea arabica* [v. *cafeeiro* (1)] e a *C. robusta*, vastamente cultivadas nas regiões tropicais e subtropicais, pelos seus frutos que contêm as sementes com as quais se prepara o café (1). **3.** Qualquer espécime desse gênero.

■**Cofecon** Sigla de *Conselho Federal de Economia*.

■**Cofen** Sigla de *Conselho Federal de Enfermagem*.

cóferdã [Do ingl. *cofferdam*.] ***S. m.*** *Bras. Constr. Nav.* **1.** Espaço celular entre duas anteparas transversais próximas uma da outra, destinado a servir como isolante térmico entre um tanque de óleo ou de água, uma praça de máquinas ou de caldeiras, etc., e compartimentos habitáveis; espaço de ar, espaço de segurança. **2.** Espaço celular estanque, disposto lateralmente junto ao costado de antigos encouraçados e cruzadores, e por vezes cheio de substâncias leves, tais como serragem ou aparas de cortiça, destinado a limitar o volume alagado por um eventual veio de água ou rombo; contramina. [Cf., nesta acepç., *embono* (2).]

→**coffee break** ['kɑfij bɹejk] [Ingl.] ***S. m.*** Pausa no trabalho, congresso, convenção, etc., para o café ou lanche.

cofiador (ô) [De *co-*[1] + *fiador*.] ***S. m.*** Aquele que se obrigou por fiança juntamente com outrem. ❖

cofiar [Do lat. tard. *cofia* + *-ar*[2].] ***V. t. d.*** Alisar, afagar (a barba, o bigode, o cabelo), passando a mão por eles: "era alto, magro, moreno e usava barba grisalha, e em ponta, que cofiava lentamente." (Humberto de Campos, *Memórias*, p. 223); "Basílio cofiava o bigode olhando vagamente em redor." (Eça de Queirós, *O Primo Basílio*, p. 89). [Var., p. us.: *acofiar*.]

■**Cofins** Sigla de *Contribuição para o Financiamento da Seguridade Social*.

cofo[1] (ô) ***S. m.*** **1.** *Bras.* Samburá: "queres viver na beira da praia, mariscando e pescando ....? Pois vai, pede a tua avó umas calças e uma baeta, toma um cofo e uma linha." (Xavier Marques, *Jana e Joel*, pp. 13-14). **2.** *Bras. RJ* Tipiti de comprimento superior ao comum. [Pl.: *cofos* (ô).]

cofo[2] (ô) ***S. m.*** *Ant.* Certo sapato para agasalho; pantufo. [Pl.: *cofos* (ô).]

cofo[3] (ô) ***S. m.*** *Ant.* Espécie de escudo persa. [Pl.: *cofos* (ô).]

cofose [Do gr. *kóphosis*.] ***S. f.*** *Med.* Surdez.

cofre [Do fr. *coffre*.] ***S. m.*** **1.** Caixa onde se guardam dinheiro, joias, documentos e outros objetos de valor; arca, burra. **2.** Móvel de metal, resistente e com fechadura de segredo, para o mesmo fim. **3.** Tesouro, erário: *o cofre do Estado.* **4.** *Fig.* Fonte de receita. **5.** *Tip.* Plano ou mesa onde se coloca a fôrma, nas prensas planas e plano-cilíndricas. ◆ **Cofre de carga.** V. *contêiner*.

cofre-forte ***S. m.*** Caixa-forte. [Pl.: *cofres-fortes*.]

cogente [Do lat. *cogente*, part. pres. do lat. *cogere*, 'impelir', 'reunir', 'condensar', poss. pelo ingl. *cogent*.] ***Adj. 2 g.*** Racionalmente necessário.

cogestão [De *co-*[1] + *gestão*.] ***S. f.*** Gestão em comum; administração ou gerência em sociedade. ❖

cogitabundo [Do lat. *cogitabundu*.] ***Adj.*** Profundamente pensativo; cogitativo, meditabundo: "Cogitabunda Musa, / Foge os pesares. Eia!" (Raimundo Correia, *Poesias*, p. 39.)

cogitação [Do lat. *cogitatione*.] ***S. f.*** **1.** Ação de cogitar (1, 3, 4 e 5); pensar. **2.** Ação de cogitar (2); tenção, intenção, projeto, plano.

cogitar [Do lat. *cogitare*.] ***V. t. d.*** **1.** Refletir acerca de; pensar em; imaginar, excogitar: *Pôs-se a cogitar um novo plano*; "toda aquela noite .... gastou ela em cogitar o que seria o casamento." (Machado de Assis, *Contos sem Data*, p. 131). **2.** Ter em mente; tencionar, projetar: *Não cogito ir ao Rio.* ***T. i.*** **3.** Refletir, pensar, imaginar, cuidar: "Se a moça cogitasse em um meio de fascinar o seu amante, ... não poderia escolher melhor do que este receio sincero por ela manifestado." (José de Alencar, *Encarnação*, p. 377); "Disse e abandonou a sala, deixando o juiz a cogitar sobre quão surpreendente é a vida, por vezes absurda" (Jorge Amado, *Teresa Batista Cansada de Guerra*, p. 54); *Não cogito de viajar.* ***Int.*** **4.** Pensar, refletir: *Muito cogitou antes de tomar a resolução.* **5.** Ficar absorto em pensamentos; meditar, cismar: *Levou horas em silêncio, a cogitar.*

cogitativo [De *cogitar* + *-tivo*.] ***Adj.*** V. *cogitabundo*.

→**cogito, ergo sum** ['kogẹtɔ 'ẽrgɔ su(m)] [Lat., 'penso, logo existo'.] *Filos.* Verdade firme e assegurada, de que não se pode duvidar, princípio primeiro do cartesianismo.

cognação [Do lat. *cognatione*.] ***S. f.*** **1.** *Dir. Civ.* No Direito romano, parentesco consanguíneo pelo lado materno ou paterno, indiferentemente. **2.** *Antrop.* Relação de parentesco traçada por linha masculina, feminina, ou ambas, levando-se em conta apenas os laços de filiação ou de germanidade, e que é tanto mais importante quanto menor o número de parentes intermediários entre as pessoas consideradas.

[Cf. *agnação* e *parentesco uterino*; cf. tb. *consanguinidade*]. **3.** Relação de parentesco traçada mediante laços genealógicos, sem ênfase particular em vínculos patrilineares ou matrilineares; tb. referida como descendência não unilinear. **4.** *E. Ling.* Relação ou analogia entre vocábulos cognatos: *É visível a cognação entre as palavras* Ângelo *e* anjo. [Cf. *cognição.*]

cognado [Do lat. *cognatu.*] *Adj. S. m.* Cognato (1).

cognático [De *cognato* + *-ico*².] *Adj. Antrop.* **1.** Relativo aos cognatos, ou à cognação (2). **2.** Relativo a ou que envolve a descendência (2) pela linha paterna ou pela linha materna, indiferentemente. [Opõe-se a *unilinear*; cf. *matrilinear* e *patrilinear.*]

cognato [Do lat. *cognatu.*] *Adj. S. m.* **1.** Que, ou aquele que é parente por cognação (1 e 2); cognado. **2.** *E. Ling.* Diz-se de, ou vocábulo que tem raiz comum com outro(s): *As palavras* belo, beleza *e* embelezar *são cognatas.* ◆ **Falso cognato.** *E. Ling.* V. *falso amigo.*

cognição [Do lat. *cognitione.*] *S. f.* **1.** Aquisição de um conhecimento. **2.** *P. ext.* Conhecimento, percepção. **3.** *Dir. Proc.* Fase processual duma demanda, em que o juiz toma conhecimento do pedido, da defesa, das provas, e a decide, em contraposição à fase executória. **4.** *Psicol.* O conjunto dos processos mentais us. no pensamento, na percepção, na classificação, reconhecimento, etc. [Cf. *cognação.*]

cognitivo [Do lat. *cognitus*, part. pass. de *cognoscere*, 'conhecer', + *-ivo.*] *Adj.* Relativo à cognição, ou ao conhecimento. ~ V. *competência —a, função —a* e *linguagem —a.*

cógnito [Do lat. *cognitu.*] *Adj. Ant.* Conhecido, sabido.

cognome [Do lat. *cognomen.*] *S. m.* Epíteto nominal; apelido, alcunha; antonomásia: "A pena maior recairia sobre D. Pedro, que o cronista e secretário do seu filho bastardo, mestre de Aviz e depois rei, indulta das abomináveis ferezas ajoujando-o com o cognome de Justiceiro." (Aquilino Ribeiro, *Príncipes de Portugal*, p. 77.).

cognominação [De *cognominar* + *-ção.*] *S. f.* Ato ou efeito de cognominar(-se).

cognominado [Part. de *cognominar.*] *Adj.* Que recebeu cognome; alcunhado. ~ V. *cognominados.*

cognominados [Pl. de *cognominado.*] *Adj. S. m. pl. E. Ling.* Diz-se de, ou vocábulos com radical comum, nas diferentes flexões etimológicas. ~ V. *cognominado.*

cognominar [Do lat. *cognominare.*] *V. transobj.* **1.** Designar por cognome; apelidar, alcunhar, chamar: *Alexandre da Macedônia foi cognominado* o Grande; "D. José cognominava de renegado o fugitivo sócio" (Camilo Castelo Branco, *Amor de Salvação*, p. 133). *P.* **2.** Ter ou adotar cognome: *Cognominou-se de coronel e passou a mandar na região.*

cognoscente [Do lat. *cognoscente* (part. pres. do v. lat. *cognoscere*, 'conhecer').] *Educ. Adj. 2 g.* **1.** Que possui a capacidade ou a faculdade de conhecer. **2.** Que é capaz de adquirir conhecimento. ● *S. 2 g.* **3.** Indivíduo cognoscente (1 e 2). **4.** Aluno, estudante.

cognoscibilidade [De *cognoscível* + *-(i)dade*, seg. o padrão erudito.] *S. f.* Qualidade de cognoscível.

cognoscitivo [Do lat. **cognoscitu*, por *cognitus*, 'cógnito', + *-ivo.*] *Adj.* Que tem a faculdade de conhecer.

cognoscível [Do lat. *cognoscibile.*] *Adj. 2 g.* Que se pode conhecer.

cogoilo *S. m. Arquit.* V. *cogulho.*

cogote [Do esp. *cogote.*] *S. m. Pop.* Região occipital; nuca, cachaço. [Var.: *cangote* e *congote*. Sin. (bras., AM): *atuá.*]

cogotilho [Do esp. *cogotillo.*] *S. m. Bras.* Tosa que se faz, por garbo, nas crinas do cavalo acompanhando-lhe a volta do pescoço. [Var.: *cangotilho.*]

cogotudo [De *cogote* + *-udo.*] *Adj.* Que tem cogote proeminente; pescoçudo, cachaçudo. [Var.: *cangotudo.*]

cogula [Do lat. *cuculla.*] *S. f.* Túnica larga de religiosos: "a cogula do beneditino" (Alexandre Herculano, *O Bobo*, p. 89).

cogulado¹ [De *cogula* + *-ado*¹.] *Adj.* Vestido de cogula.

cogulado² [Part. de *cogular.*] *Adj.* Que tem cogulo; muito cheio.

cogular [De *cogulo* + *-ar*².] *V. t. d. T. d. e i.* Acogular: *Cogulou o prato; Cogulou de joias o seu cofre.* [Var. pop., bras.: *cocular, cucular.*]

cogulhado [De *cogulho* + *-ado*¹.] *Adj. Arquit.* Guarnecido de cogulhos.

cogulho [Do esp. *cogullo* (< lat. *coliculu*), 'as folhas retorcidas que formam o interior da alface, do repolho, e de outras hortaliças'.] *S. m. Arquit.* Espécie de paquife que termina em folhas encrespadas como as do repolho. [Var.: *cogoilo.*]

cogulo [Var. de *coculo.*] *S. m.* **1.** O que numa medida excede o conteúdo até às bordas: *o cogulo de um litro de sal.* **2.** *Fig.* Excesso, demasia. [Outras var. pop.: *caculo* e (bras., N.E., e lus.) *cuculo.*]

cogumelo [Do lat. **cucumellu*, dim. de *cucuma*, 'vaso de cozinha'.] *S. m.* **1.** *Bot.* Designação comum a inúmeras plantas criptógamas parasitas, distribuídas por muitas dezenas de famílias e centenas de gêneros, espalhados por todo o globo. Há cogumelos microscópicos (*Saccharomyces, Aspergillus, Mucor, Claviceps, Phytophtora, Plasmopora*) e macroscópicos, de porte variável (*Cantharellus cibarius, Agaricus campestris*), muitos dos quais venenosos, e alguns comestíveis. **2.** *Bras. Constr. Nav.* Ventilador constituído de um tubo que se assemelha a um cogumelo. **3.** *Bras. Marinh.* Âncora especial, em forma de cogumelo, usada em amarrações fixas.

cogumelo-de-caboclo *S. m. Bras. Bot.* V. *esponja-de-raiz*. [Pl.: *cogumelos-de-caboclo.*]

cogumelo-de-sangue *S. m. Bras. Bot.* V. *esponja-de-raiz*. [Pl.: *cogumelos-de-sangue.*]

cogumelo-do-mar *S. m. Bras. Zool.* V. *renila.* [Pl.: *cogumelos-do-mar.*]

■**COI** Sigla de *Comitê Olímpico Internacional.*

cói *S. 2 g. S. m. Adj. 2 g.* Hotentote: "os cóis foram pioneiros da expansão de um novo tipo de pastoralismo no Sudeste da África" (Alberto da Costa e Silva, *A Enxada e a Lança*, p. 629).

coibente (o-i) [Do lat. *cohibente.*] *Adj. 2 g.* Que coíbe, reprime, refreia.

coibição (o-i) [Do lat. *cohibitione.*] *S. f.* Ato ou efeito de coibir.

coibir (o-in) [Do lat. *cohibere.*] *V. t. d.* **1.** Obstar à continuação de; reprimir, refrear: *coibir abusos.* **2.** Impedir de fazer alguma coisa: *Só o medo do escândalo o coibiu. T. d. e i.* **3.** Impedir, proibir, tolher: *Coibiram-no de viajar.* **4.** Reduzir, restringir, circunscrever: *A lei coíbe as liberdades a seus justos limites. P.* **5.** Reprimir-se, conter-se. **6.** Privar-se, abster-se: *Coíbe-se de bebidas alcoólicas;* "Quem [entre os camponeses] visita um moribundo .... não se coíbe de lhe dizer: | — Encomenda a alminha a Deus" (Aquilino Ribeiro, *Portugueses das Sete Partidas*, p. 340).

coice [Var. de *couce.*] *S. m.* **1.** Pancada que certos quadrúpedes, esp. os equinos, desferem com os cascos traseiros, firmando as patas dianteiras no chão. **2.** Pancada para trás, com o calcanhar. **3.** Parte posterior de algo; traseira, retaguarda: "Lá vinha também, no coice do cortejo, a cavalaria." (João da Silva Correia, *Farândola*, p. 28); *Ia no coice da caravana.* **4.** Dente da rabiça do arado. **5.** Calcanhar (1). **6.** V. *coiceira* (1). **7.** Parte inferior da coronha (1). **8.** Recuo da arma de fogo quando disparada. **9.** *Fig.* Brutalidade, má-criação ou qualquer agressão moral (sobretudo quando envolve ingratidão). ◆ **Coice da porta.** V. *coiceira* (1).

coicear [Var. de *coucear.*] *V. t. d. Int.* Dar coices; escoicear. [Conjug.: v. *frear.*]

coice de mula *S. m. Bras. Cap.* Golpe traumatizante em que o capoeirista, tendo as mãos apoiadas no chão, procura atingir o adversário com os dois pés, após encolher e distender as pernas, como no movimento dos coices dos muares. [Pl.: *coices de mula.*] ☑

coiceira [Var. de *couceira.*] *S. f.* **1.** Parte da porta em que se pregam os gonzos ou dobradiças; coice da porta; coice. **2.** *P. ext.* Soleira, limiar.

coiceiro [Var. de *couceiro.*] *Adj. Bras.* Que costuma dar coices.

coicinhar [De *coice* + *-inhar.*] *V. t. d. Int.* V. *escoicear.*

coicoa (ô) *S. f. Bras. Zool.* V. *piranha-vermelha.*

coicói [Do nama *khoikhoi*, 'homens de homens'.] *S. m.* Hotentote (1 e 2).

coifa [Do lat. tard. *cofia*, de or. germ.] *S. f.* **1.** Rede ou touca em que as mulheres envolvem o cabelo: "Cotinha .... arrancou da cabeça, num gesto atrevido, as pérolas da coifa" (Afonso Arinos, *Pelo Sertão*, p. 152). **2.** Invólucro, envoltório. **3.** *Desus.* Membrana que envolve a cabeça do feto ao nascer. **4.** Chaminé campanulácea us. sobre os fogões a gás ou nas capelas dos laboratórios de química. **5.** Equipamento para instalação acima de fogões, para retenção de gordura, com dispositivo para remoção de vapores e de fumaça para o exterior. **6.** *Bot.* Nos musgos, capuz mais ou menos dilacerado que cobre a porção suprema da cápsula e cai após a abertura desta; caliptra. **7.** *Encad.* Curvatura que se dá, sobre a cabeçada, a cada uma das extremidades da lombada de um livro. **8.** *Mar. G.* Revestimento de metal macio, com forma ogival afilada, adaptado à ogiva de projetil que se destina a perfurar couraça pesada.

coima [Do lat. *calumnia*, 'acusação falsa ou injusta', 'fraude'.] *S. f.* **1.** Pena pecuniária imposta ao dono de gados que pastam sem licença em propriedade alheia, ou a danificam. **2.** Multa, pena, castigo.

coimar [De *coima* + *-ar*².] *V. t. d. Transobj. Int. P. P.* us. V. *acoimar.*

coimável [De *coimar* + *-vel.*] *Adj. 2 g.* Sujeito a coima; acoimável, coimeiro.

coimbrão (o-im) *Adj.* **1.** De, ou pertencente ou relativo a Coimbra (Portugal). ● *S. m.* **2.** O natural ou habitante de Coimbra. [Sin. ger.: *conimbrigense, colimbriense* e *conimbricense*. Flex.: *coimbrã, coimbrãos, coimbrãs.*]

coimbrense (o-im) *Adj. 2 g.* **1.** De, ou pertencente ou relativo a Coimbra (MG). ● *S. 2 g.* **2.** O natural ou habitante de Coimbra.

coimeiro [De *coima* + *-eiro.*] *Adj.* **1.** V. *coimável.* **2.** Defeso, vedado (terreno). ● *S. m.* **3.** Cobrador de coima(s). **4.** Aquele que fica sujeito a coima.

coincidência (o-in) [De *coincidir* + *-ência.*] *S. f.* **1.** Identidade ou igualdade de duas ou mais coisas. **2.** Ocupação do mesmo espaço; sobreposição, justaposição. **3.** Simultaneidade de dois ou mais acontecimentos.

coincidente (o-in) [De *coincidir* + *-ente.*] *Adj. 2 g.* Que coincide.

coincidir (o-in) [Do lat. med. *coincidere.*] *V. t. i.* **1.** Ser idêntico em formas ou dimensões; ajustar-se perfeitamente (uma linha ou superfície sobre outra). **2.** Ser idêntico, igual; igualar-se, equiparar-se: *Minha opinião coincide com a sua.* **3.** Acontecer, ocorrer, ao mesmo tempo: "Aqui o sonho coincidiu com a realidade, e as mesmas bocas uniram-se na imaginação e fora dela." (Machado de Assis, *Várias Histórias*, p. 55); *Sua chegada coincidiu com a do pai.* **4.** Ajustar-se, afinar-se; concordar: *Esta construção coincide com a norma gramatical. Int.* **5.** Ser idêntico, igual: *O funcionário do banco afirmou que as assinaturas não coincidem.* **6.** Ser idêntico em formas ou dimensões; ajustar-se perfeitamente. **7.** Recair, incidir no mesmo ponto: *Duas linhas coincidem ao formar um ângulo.* **8.** Incidir ao mesmo tempo: *As datas dos nossos aniversários coincidem.* **9.** Ser concordante; concordar, combinar: *Nossos pensamentos sempre coincidiram.*

coincidível (o-in) [De *coincidir* + *-vel.*] *Adj. 2 g.* Que pode coincidir; suscetível de coincidência.

coiné [Do gr. *koinè (diálektos)*, '(língua) comum'.] *S. f.* **1.** *Gloss.* Língua comum, baseada no dialeto ático e adotada pelos gregos e por habitantes dos países da parte oriental do Mediterrâneo, a partir do séc. IV a.C. **2.** *E. Ling.* Código (12) resultante do contato entre línguas muito semelhantes, ou entre subsistemas de uma mesma língua. [O galego-português dos *Cancioneiros*, p. ex., é uma coiné formada no séc. XIII e que persistiu como língua estritamente literária até o séc. XVI.] ◆ **Coiné bizantina.** *Gloss.* Desenvolvimento da coiné helenística, no Império Romano do Oriente (sécs. V a XV), de que se originou o grego moderno; grego bizantino. **Coiné helenística.** *Gloss.* O grego das populações dominadas pelos exércitos greco-macedônicos a partir da morte de Alexandre [v. *alexandrino*²] (323 a.C.) até a conquista do Egito (Império Bizantino) pelos romanos (30 a.C.); grego helenístico. [Cf. *grego tardio.*]

coineização (ê-i) [De **coineizar* (< *coiné* + *-izar*) + *-ção.*] *S. f. E. Ling.* Processo lento e gradual de mudanças linguísticas, resultante do contato de línguas estreitamente aparentadas.

cointeressado [De *co-*¹ + *interessado.*] *Adj. S. m.* Que, ou aquele que tem com outrem interesse ou interesses comuns. ❖

➔**cointreau** [kwẽˈtɾo] [Fr., marca registrada.] *S. m.* Licor de laranja e ervas aromáticas.

coio [De or. incerta.] *S. m. Pop.* **1.** Esconderijo. **2.** Abrigo ou valhacouto de malfeitores; covil: "– Julgávamos encontrar uma casa decente e caímos num coio de rufiões!" (Aquilino Ribeiro, *Lápides Partidas*, p. 66.)

coió [De or. indígena, poss.] *S. m.* **1.** *Bras. Zool.* V. *peixe-voador.* **2.** *Bras.* V. *tolo* (8). **3.** *Bras. N.E. Fam.* Namorado ridículo. **4.** *Bras.* Assobio característico que se dá como galanteio ou provocação amorosa; fiu-fiu. **5.** *Bras. BA* Choça de um só compartimento, que os trabalhadores constroem no meio das matas; capuaba. [Cf., nesta acepç., *tijupá* (2).] **6.** *Bras. SP Pop.* Medroso, covarde.

coió-coió *S. m. Bras. Zool.* V. *tuim.* [Pl.: *coiós-coiós* e *coió-coiós.*]

coiote [Do náuatle *koyotl.*] *S. m. Zool.* Espécie de lobo americano (*Canis latrans*), comum desde o Alasca até a Guatemala.

coira [De *coiro.*] *S. f.* V. *coura.*

coiraça [De *coiro* + *-aça.*] *S. f.* V. *couraça.*

coiraçado [Part. pass. de *coiraçar.*] *Adj. S. m.* Couraçado.

coiraçamento [De *coiraçar* + *-mento.*] *S. m.* Couraçamento (q. v.).

coiraçar [De *coiraça* + *-ar*².] *V. t. d. P.* Couraçar (q. v.).

coiraceiro [De *coiraça* + *-eiro.*] *S. m.* Couraceiro (q. v.).

coirama [De *coiro* + *-ama.*] *S. f.* Courama (q. v.).

coirana [Do tupi = 'semelhante a pimenta'.] *S. f. Bras. N. a S. Bot.* **1.** Designação comum a várias plantas solanáceas, arbustivas, medicinais, de flores alvas ou amarelo-esverdeadas, dispostas, nalgumas espécies, em espigas, e frutos bacáceos: "o cheiro manso das coiranas em flor." (Valdomiro Silveira, *Os Caboclos*, p. 25). **2.** V. *boa-noite* (2). ◆ **Roer coirana.** *Bras. N.E. Pop.* Mostrar-se ciumento ou despeitado.

coirão [De *coiro* + *-ão*¹.] *S. m. Chulo* V. *couro*¹ (7).

coireada *S. f. Bras. RS* V. *coureada.*
coireador (ô) *S. m. Bras. RS* V. *coureador.*
coirear *V. t. d.* V. *courear.*
coireiro [De *coiro* + *-eiro.*] *S. m.* Coureiro (q. v.).
coirela [Do lat. vulg. **quadrilla,* dim. do lat. *quadra,* 'forma quadrada', 'uma quarta parte de (algo)', pelo port. arc. *quairela.*] *S. f.* **1.** Porção de terra cultivada, longa e estreita. **2.** Antiga medida agrária, equivalente a 100 braças de comprimento por 10 de largura. [Var.: *courela.*]
coirinho [Dim. de *coiro.*] *S. m. Bras. CE* Courinho (q. v.).
coirmã (o-ir) [De *co-*^{1} + *irmã.*] *S. f.* Fem. de *coirmão* (q. v.).
coirmão (o-ir) [De *co-*^{1} + *irmão.*] *Adj.* **1.** Diz-se daquele que é membro, sócio, filiado; irmão: *agências coirmãs.* ~ V. *primos —s.* • *S. m.* **2.** Aquele que é coirmão. [Flex.: *coirmã, coirmãos, coirmãs.*]
coiro [Do lat. *coriu.*] *S. m.* Couro^{1} (q. v.). ~ V. *coiros.*
coiros [Pl. de *coiro.*] *S. m. pl. Bras. N.E.* V. *couros.* ~ V. *coiro.*
coisa [Var. de *cousa.*] *S. f.* **1.** Aquilo que existe ou pode existir: *todas as coisas do Universo.* **2.** Objeto inanimado: *os animais e as coisas.* **3.** Realidade, fato: *Não veremos palavras, mas coisas evidentes.* **4.** Negócio, interesse: *Sabe tratar de suas coisas.* **5.** Empreendimento, empresa: *Agora a coisa vai.* **6.** Acontecimento, ocorrência, caso: *Foi assim que se deu a coisa.* **7.** Assunto, matéria: *Trata-se de coisa séria.* **8.** Causa, motivo: *Que coisa provocou o rompimento dos dois?* **9.** Mistério, enigma: *Aí tem coisa, ninguém a entende.* **10.** *Pop.* Perda dos sentidos, ou mal-estar ou indisposição indeterminada; troço: *Tomou uma dose exagerada do medicamento e teve uma coisa.* **11.** *Bras. Gír.* V. *troço* (2): *Traz esta coisa aí para eu examinar!* **12.** *Bras. PB* V. *baseado*^{1}. • *S. m.* **13.** *Bras. Pop.* V. *diabo* (2). ~ V. *coisas.* ◆ **Coisa de.** Cerca de; mais ou menos: "Assim, de cabeça baixa, ... deixei eu há coisa de três horas o meu carro" (José Cardoso Pires, *O Delfim,* p. 30). **Coisa do arco-da-velha.** Coisa espantosa, extraordinária, inverossímil. **Coisa em si.** *Hist. Filos.* No kantismo, o que subsiste independentemente da representação, e é causa dos fenômenos. **Coisa julgada.** *Dir. Proc.* Diz-se da estabilidade da sentença da qual não cabe mais recurso, e que passa a ter força de lei, para as partes, nos limites das questões decididas. **Coisa pública.** Os negócios ou os interesses do Estado; o Estado. **Coisas e loisas. 1.** Mistura de coisas várias, assuntos vários. **2.** Coisas indeterminadas, ou que não se quer especificar: *Disse-me coisas e loisas.* [Tb. se usa no sing.] **Aí é que a coisa fia fino.** V. *aí é que são elas.* **Alguma coisa.** Um tanto; algum tanto, algo: "Todos a achavam imensamente estranha e alguma coisa feia." (Antônio Patrício, *Serão Inquieto,* p. 124.) **E lá vai coisa.** *Bras. Fam.* V. *e lá vai fumaça.* **Não dizer coisa com coisa.** Falar sem nexo ou propósito; disparatar. **Não fazer coisa com coisa.** Agir despropositadamente; disparatar. **Não ser lá essas coisas.** *Fam.* Não ser tão bom, tão extraordinário assim; não ser lá grande coisa; não ser lá para que digamos, não ser lá para que se diga: "Os da 13 já não são lá essas coisas, mas os da 12 posso assegurar que dificilmente irão para a frente, não querem nada com estudo. (Fernando Sabino, *O Homem Nu,* pp. 72-73.) **Não ser lá grande coisa.** *Fam.* V. *não ser lá essas coisas.* **Uma coisa.** *Bras. Fam. Pop.* **1.** V. *um amor*: *Depois de remodelada, a casa ficou uma coisa.* **2.** Reação súbita e incontrolável; um troço: *Senti uma coisa quando vi a criança chorando, e chorei também.* **3.** Coisa ruim, de má qualidade; uma bomba: *O programa de televisão, ontem, foi uma coisa.*
coisa à toa [De *coisa* + a loc. *à toa* (v. *toa*).] *S. 2 g. Bras.* **1.** Indivíduo desprezível, ordinário, sem caráter: "A única notícia do coisa à toa Dona Flor a teve escrita a beliscões na bunda de Zulmira." (Jorge Amado, *Dona Flor e Seus Dois Maridos,* p. 493.) **2.** V. *diabo* (2). [Pl.: *coisas à toa.*] ☑
coisada [De *coisa* + *-ada*^{1}.] *S. f. Pop.* Multidão de coisas heteróclitas.
coisa-feita [Var. de *cousa-feita.*] *S. f. Bras.* **1.** V. *bruxaria* (4 e 5): "Sinhá Ambrósia falou de Odete, de feitiço. A pobre morrera em vista de coisa-feita." (José Lins do Rego, *Usina,* p. 33.) **2.** V. *rolo*^{1} (16). [Pl.: *coisas-feitas.*]
coisa-má [Var. de *cousa-má.*] *S. m. Bras. Pop.* V. *diabo* (2). [Pl.: *coisas-más.*]
coisar [De *coisa* + *-ar*^{2}.] *V. t. d. Bras. Pop.* **1.** Refletir, matutar; imaginar. *T. i.* **2.** *Bras. Pop.* Cuidar; preparar: *F. está coisando do almoço.* *Int.* **3.** Refletir, matutar. [Na linguagem inculta, esse verbo substitui qualquer outro que não ocorre a quem fala.]
coisa-ruim [Var. de *cousa-ruim.*] *S. m. Bras. Cabo-verd. Pop.* V. *diabo* (2). [Pl.: *coisas-ruins.*]
coisas [Pl. de *coisa.*] *S. f. pl.* **1.** Bens, propriedades, valores. **2.** *Bras. Pop.* Órgãos genitais externos de ambos os sexos: "E deixava-se possuir pelo amante que lhe beijava os pés, as coisas, os seios." (José Lins do Rego, *Riacho Doce,* p. 56.) ~ V. *coisa.*
coisificar [De *coisa* + *-ificar.*] *V. t. d.* **1.** Reduzir (o ser humano, ou elemento(s) ligado(s) a ele) a valores exclusivamente materiais: *Os métodos de propaganda coisificam o consumidor.* **2.** Tratar como coisa (2): *Prepotente, coisifica os subalternos.* [Conjug.: v. *trancar.*]
coisíssima [Var. de *cousíssima.*] *El. s. f.* Us. na loc. adv. e na loc. pron. *coisíssima nenhuma.* ◆ **Coisíssima nenhuma.** *Loc. adv.* De modo algum; de maneira nenhuma: *Disse que vinha, mas não virá coisíssima nenhuma.* *Loc. pron.* Absolutamente nada: "E, então, há um sobressalto no nosso pensamento. Eis-te arrepiada por coisíssima nenhuma..." (Augusto Abelaira, *Bolor,* p. 28.)
coissã [Do hotentote *khoi,* 'homem', + o bosquímano *san,* 'recolhedor de frutos e raízes e caçador de pequenos animais'.] *S. m.* **1.** *Gloss.* Família linguística que compreende o idioma dos hotentotes, ou cóis, e o dos bosquímanos, ou sãs. • *S. 2 g.* **2.** *Etnôn.* Indivíduo dos hotentotes ou dos bosquímanos, povos sul-africanos: "os grupos bantos adquiriram o boi de uma terceira fonte, antes de entrar na África do Sul, passando aos coissãs tanto o modo pastoril de vida quanto as principais palavras que o exprimem." (Alberto da Costa e Silva, *A Enxada e a Lança,* p. 629). • *Adj.* **3.** Pertencente ou relativo a esses povos.
coita^{1} [Dev. de *coitar*^{2}.] *S. f. Arc.* **1.** Pena, dor, aflição; desgraça. **2.** Necessidade, precisão.
coita^{2} [Do marata *koytã.*] *S. f.* **1.** *Luso-asiat.* Grande faca de cozinha. **2.** Faca de mato.
coitada *S. f.* V. *coutada.*
coitado [Part. de *coitar*^{2}.] *Adj. S. m.* **1.** Desgraçado, mísero, pobre infeliz: "Ao velho coitado / De penas ralado, / Já cego e quebrado, / Que resta? — Morrer." (Gonçalves Dias, *Obras Poéticas,* II, p. 25); "um coitado sem eira nem beira" (Guido Vilmar Sassi, *São Miguel,* p. 79). • *Interj.* **2.** Pobre dele! [Fem.: *coitada.* Cf. *coutada,* s. f., e *coutado,* do v. *coutar.*]
coitar^{1} *V. t. d.* V. *coutar.*
coitar^{2} [Do lat. **coctare* < lat. **coctu,* por *coactus,* part. pass. de *cogere.*] *V. t. d. Arc.* Causar coita^{1} a; afligir; desgraçar. [Cf. *coutar.*]
coité [Var. de *cuitê.*] *S. f. Bras. Bot.* **1.** V. *cuieira* (1). **2.** V. *cuia* (1 e 2).
coiteense (èên) *Adj. 2 g.* **1.** De, ou pertencente ou relativo a Conceição do Coité (BA). • *S. 2 g.* **2.** O natural ou habitante de Conceição do Coité.
coiteiro [Var. de *couteiro.*] *S. m.* **1.** V. *couteiro.* **2.** *Bras. N.E.* Indivíduo que dá coito^{2} ou asilo a bandidos, ou os protege.
coitenense *Adj. 2 g.* **1.** De, ou pertencente ou relativo a Coité do Noia (AL). • *S. 2 g.* **2.** O natural ou habitante de Coité do Noia.
coito^{1} [Do lat. *coitu,* 'união', 'junção', 'casamento'.] *S. m.* Relação sexual; acasalamento, cópula. [Cf. *couto.*]
coito^{2} [Var. de *couto*^{1}.] *S. m.* **1.** V. *couto*^{1}. **2.** *Lus.* V. *pique*^{1} (4).
coito^{3} *S. m.* V. *couto*^{2}.
coitofobia [De *coito*^{1} + *-fobia.*] *S. f. Psiq.* Medo patológico de coito^{1}.
coitofóbico [De *coitofobia* + *-ico*^{2}.] *Psiq. Adj.* **1.** Relativo a coitofobia. **2.** Que sofre de coitofobia; coitófobo. • *S. m.* **3.** Aquele que sofre de coitofobia; coitófobo.
coitófobo [De *coito*^{1} + *-fobo.*] *Adj. S. m. Psiq.* Coitofóbico (2 e 3).
coivara [Do tupi.] *S. f.* **1.** *Bras.* Restos ou pilha de ramagens não atingidas pela queimada, na roça à qual se deitou fogo, e que se juntam para serem incineradas a fim de limpar o terreno e adubá-lo com as cinzas, para uma lavoura. [Cf. *paulama* (2).] **2.** *Bras. MA* Galhadas e troncos de árvores derrubados pelas cheias e que descem rio abaixo.
coivarar [De *coivara* + *-ar*^{2}.] *V. t. d. Bras.* Empilhar (os troncos e galhos não queimados de todo), para de novo lançar-lhes fogo e desembaraçar o terreno; encoivarar.
cola^{1} [Do gr. *kólla,* 'goma'.] *S. f.* **1.** Substância ou preparado glutinoso para fazer aderir papel, madeira e outros materiais; goma: *cola de peixe; cola de amido.* **2.** *Bras.* Cópia feita clandestinamente nos exames escritos; fila.
cola^{2} [Do quicongo *nkola*; tax. *Cola.*] *S. f. Bot.* **1.** Grande gênero de árvores esterculiáceas, africanas, cujos frutos capsulares contêm grandes sementes nuciformes com alto teor de cafeína e doutros alcaloides. **2.** Qualquer espécie desse gênero, como, p. ex., a *Cola acuminata,* vulgarmente chamada, no Brasil, *abajá, orobó* ou *orobô, coleira, ervilha-de-pombo, jero* e (na Bahia) *obi,* e a *Cola nitida,* muitíssimo cultivada no N. da África com fins comerciais. **3.** Qualquer espécime desse gênero.
cola^{3} *S. m.* Vento forte que sopra nas costas das Filipinas (Sudeste Asiático).
cola^{4} [Do esp. *cola.*] *S. f.* **1.** Cauda, rabo. **2.** Rasto, rastro, encalço: "O chiru foi andando...., e eu, na cola dele." (Simões Lopes Neto, *Contos Gauchescos e Lendas do Sul,* p. 182.) ◆ **Bater com a cola na cerca.** *Bras. S. Pop.* V. *morrer* (1).
cola^{5} [De or. afr.] *S. f. Bras.* Circuncisão que os malês praticavam quando a criança atingia os 10 anos de idade.
▲**col(a)-** [Do gr. *kólla, ēs.*] *El. comp.* = 'substância glutinosa que adere': *colágeno, colênquima.* [Equiv.: *-col(a)-, -cola*^{2}: *blastocolina, glicocola.*]
▲**-col(a)-** V. *col(a)-.*
▲**-cola**^{1} [Do lat. *-cŏla* < v. lat. *colĕre,* 'cultivar'; 'tratar'; 'habitar'.] *El. comp.* = 'que cultiva'; 'que habita'; 'que venera': *aquícola; vinícola; ignícola.*
▲**-cola**^{2} V. *col(a)-.*
colabá [Do ior.] *S. m. Bras. Rel.* Filha de santo que zela pelos preceitos de Xangô.
colaboração [De *colaborar* + *-ção.*] *S. f.* **1.** Trabalho em comum com uma ou mais pessoas; cooperação: *Aquele dicionário é fruto de colaboração bem orientada.* **2.** *P. ext.* Ajuda, auxílio, contribuição: *Sem a colaboração de todos não haverá paz.* **3.** *Restr.* Artigo de jornal ou revista feito por pessoa estranha ao corpo de redatores permanente: *Sua colaboração de música aparece aos domingos.* **4.** Participação em obra literária, científica, etc.: *Fez a colaboração de física da enciclopédia.* **5.** O conjunto do trabalho dos colaboradores, da colaboração: *Está pronta a colaboração especializada da nova obra.*
colaboracionismo [Do ingl. *collaborationism.*] *S. m.* Atividade, atitude ou sentimento de colaboracionista.
colaboracionista [Do ingl. *collaborationist.*] *Adj. 2 g. S. 2 g.* Diz-se de, ou nacional dum país ocupado que apoia as forças de ocupação ou com elas colabora.
colaborador (ô) [De *colaborar* + *-dor.*] *Adj.* **1.** Que colabora. • *S. m.* **2.** Aquele que colabora. **3.** V. *coautor* (1).
colaborar [Do lat. *collaborare.*] *V. t. i.* **1.** Prestar colaboração; trabalhar na mesma obra; cooperar: *Todos colaboramos na campanha.* **2.** Escrever ou prestar colaboração (3 e 4): "Eu não encontrei na redação do *Jornal do Porto,* enquanto colaborei naquela folha, senão cavalheiros" (Ramalho Ortigão, *Primeiras Prosas,* p. 44); *Colaborou no* Novo Dicionário *desde o início da obra.* **3.** Concorrer, contribuir: *A luz e a sombra colaboram para a grande expressividade dos quadros de Rembrandt.* *Int.* **4.** Prestar colaboração; cooperar: *Cumpre que toda a equipe saiba colaborar.* **5.** Auxiliar ou ajudar a fazer alguma coisa. *Bit. i.* **6.** Prestar colaboração a (alguém) em (algo); cooperar: *Muitos colaboraram com o pároco na reforma da igreja.*
colação [Do lat. *collatione.*] *S. f.* **1.** Comparação, confronto, conferência, cotejo: *colação de documentos históricos.* **2.** *Ecles.* Ato ou efeito de colar^{2}; nomeação para benefício eclesiástico. **3.** Concessão de título, direito, ou grau. **4.** Refeição leve. [Nesta acepç., o uso do t. prende-se à refeição que se fazia, na Idade Média, nos mosteiros beneditinos após a leitura das *Collationes,* instituída por São Bento.] **5.** *Bibliogr.* Confronto da cópia dum manuscrito com o original ou com outra cópia, ou ainda, do original ou da cópia com suas edições, para verificar a correspondência entre os respectivos textos, que se expressa num estema, e assim analisar a maior ou menor autoridade, para a escolha da edição exata. **6.** *Bibliol. Bibliogr.* Enumeração, num catálogo, das características físicas de um livro (tomação, paginação, ilustração, formato, etc.); notas bibliográficas. **7.** *Dir. Civ.* Ato de restituir ao espólio, ainda que apenas de forma contábil, os bens recebidos pelos herdeiros, a título de liberalidade praticada em vida pelo autor da herança em benefício de descendente, com vistas à equiparação dos quinhões hereditários para partilha. ◆ **Trazer à colação.** Citar a propósito; referir.
colacia [De *colaço* + *-ia*^{1}.] *S. f.* **1.** Estado, caráter de, ou relação entre colaços. **2.** *Fig.* Ligação ou amizade estreita; intimidade.
colacionar [De *colação* + *-ar*^{2}, seg. o padrão erudito.] *V. t. d.* **1.** Fazer colação (1) de; cotejar, comparar, conferir, confrontar: *Colacionamos as várias cópias do manuscrito para comprovar-lhes a autenticidade.* **2.** *Bibliogr.* Fazer a colação (5) de (manuscrito ou impresso). **3.** *Encad.* Verificar, antes da costura, se os cadernos de um livro foram corretamente alçados; conferir; passar à letra. **4.** *Dir. Civ.* Trazer ou restituir (bens, ou os seus valores respectivos) à colação (7).
colacionável [De *colacionar* + *-vel.*] *Adj. 2 g.* Que deve ser colacionado. ~ V. *bens colacionáveis.*
colaço [Do lat. *collacteu.*] *Adj.* **1.** Diz-se do indivíduo em relação a outro que foi amamentado pela mesma mulher, embora filhos de mães diferentes: "Da mãe de Catão se escreve que, para que seu filho saísse bem morigerado, criou juntamente a seus peitos outro menino, filho de bons pais; e como os

dous eram colaços, foram-se criando em amizade, e semelhança de costumes" (P.e Manuel Bernardes, *Os Últimos Fins do Homem*, p. 418). **2.** *Fig.* Diz-se de indivíduo que tem muita amizade, afinidade ou intimidade com outro. ~ V. *irmãos —s.* ● *S. m.* **3.** Indivíduo colaço.

colada[1] [De *colo*[1] + *-ada*[1].] *S. f.* Colo[1] (6).

colada[2] [F. subst. de *colado*[2].] *S. f. Metal.* A massa fundida que sai de um forno metalúrgico e é lançada nos moldes de fundição.

cola-de-cavalo *S. f. Bras. Bot.* V. *cavalinha* (1). [Pl.: *colas-de-cavalo.*]

coladeira[1] [De *colar*[3] + *-deira*.] *S. f. Art. Gráf.* Qualquer dos aparelhos que perfazem a colagem ou distribuem cola à superfície do material que se deseja aderir a outra superfície; colador.

coladeira[2] [Do cabo-verd. *coladera*.] *S. f. Cabo-verd.* Dança de umbigada, de ritmo acelerado: "Rumores pagãos / das coladeiras de Santo Antônio, / de São João, de São Pedro, ao som dos tambores..." (Jorge Barbosa, *Poesias I*, p. 69.)

colado[1] [Part. de *colar*[2].] *Adj.* **1.** *Ecles.* Que recebeu colação ou benefício eclesiástico: *vigário colado.* **2.** Investido de um título, grau, direito ou cargo.

colado[2] [Part. de *colar*[3].] *Adj.* **1.** Pegado com cola; grudado, fixado. **2.** Intimamente ligado; muito conchegado: "Os pares dançarinos maxixavam colados." (Antônio de Alcântara Machado, *Novelas Paulistanas*, p. 78.) ~ V. *capa —a.*

colador (ô) [De *colar*[3] + *-dor*.] *S. m.* **1.** Aquele que cola. **2.** *Art. Gráf.* Coladeira.

colagem[1] [De *colar*[3] + *-agem*[2].] *S. f.* **1.** Ato ou efeito de colar[3]. **2.** Adição, ao vinho, de cola[1] (1) orgânica ou mineral, a fim de clarificá-lo.

colagem[2] [Do fr. *collage*.] *S. f. Art. Plást.* Composição elaborada a partir da utilização de matérias de texturas variadas, ou não, superpostas ou colocadas lado a lado, na criação de um motivo ou imagem a ele associada. [No período 1912-1914, época da evolução do cubismo (q. v.), o t. referia-se ao processo, adotado por Picasso (v. *picassiano*) e Georges Braque (1882-1963), de aplicar no suporte pictórico tecidos, papéis pintados, recortes de jornal e outros materiais. O uso de elementos de texturas diversas na colagem estendeu-se, depois, ao domínio da escultura, vindo a influir em criações do surrealismo (q. v.).]

colagem[3] [Do fr. *coulage*.] *S. f. Tec.* Método de moldagem de peças cerâmicas que consiste em verter, num molde, a barbotina.

colagênio [De *colágeno* + *-io*[3].] *S. m. Bioquím.* Colágeno.

colágeno [De *col(a)-* + *-geno*; fr. *collagène*.] *S. m. Bioquím.* **1.** Qualquer uma de um grupo de proteínas, formadas por hélice tríplice de cadeias de polipeptídios, presentes em diferentes proporções na matriz extracelular do tecido conjuntivo, e que confere a este resistência às forças de tensão. É abundante na pele, tendões, ossos e cartilagens; colagênio. ● *Adj.* **2.** V. *fibra —a.*

colagenose [De *colágeno* + *-ose*[1].] *S. f. Med.* V. *doença do colágeno.*

colagogo (ô) [Do gr. *cholagogós*.] *Adj. S. m. Farm.* Diz-se de, ou medicamento que excita a secreção da bílis.

colangiectasia [De *col(e)-* + *-angi(o)-* + *-ectas-* + *-ia*[1].] *S. f. Radiol.* Dilatação dos canais biliares.

colangiografia [De *col(e)-* + *-angi(o)-* + *-grafia*.] *S. f. Radiol.* Visualização radiológica de, ou da(s) via(s) biliar(es), após introdução, nela(s), de contraste (7).

colangiográfico [De *colangiografia* + *-ico*[2].] *Adj.* Relativo a colangiografia.

colangite [De *col(e)-* + *-angi(o)-* + *-ite*[1].] *S. f. Med.* Inflamação de canais biliares.

colante [De *colar*[3] + *-nte*.] *Adj. 2 g.* **1.** Que cola. **2.** V. *autoadesivo.* **3.** *Restr. Vest.* Diz-se da roupa muito chegada ao corpo, muito apertada ou justa. ● *S. m.* **4.** V. *autoadesivo.* [Cf. *collant*.]

colapsante [De *colapsar* + *-nte*.] *Adj. 2 g.* Que colapsa.

colapsar [De *colapso* + *-ar*[2].] *V. t. d.* **1.** Provocar colapso em. *Int.* **2.** Provocar colapso.

colapso [Do lat. *collapsu*.] *S. m.* **1.** *Med.* Falência de função, de força, ou de estado geral; esgotamento. **2.** *Fig.* Estado ou processo de queda, decadência, desagregação. **3.** *Patol.* Estado anormal em que as paredes de um órgão, normalmente afastadas, entram em contato. **4.** Alteração brusca e danosa; situação anormal e grave; crise: *colapso financeiro.* **5.** *Bot.* Perda de turgescência nos tecidos vegetais, que se apresentam mais ou menos murchos. ◆ **Colapso circulatório.** Estado de choque por insuficiência circulatória. **Colapso pulmonar.** Estado do pulmão que, parcial ou totalmente, não tem conteúdo aéreo.

colar[1] [Do lat. *collare*.] *S. m.* **1.** Ornato ou insígnia para o pescoço. **2.** Gola, colarinho. **3.** V. *golilha* (1). **4.** *Maç.* Fita, mais ou menos larga, que se usa ao pescoço, contendo desenhos inerentes ao rito e grau em que está trabalhando um corpo maçônico, e que traz presa, em sua ponta, a "joia" do cargo.

colar[2] [Voc. deduz. de *colação* (v. *-ar*[2]).] *V. t. d. e i.* **1.** *Ecles.* Nomear para benefício eclesiástico vitalício. **2.** Investir na posse de (cargo, direito, título ou grau). *T. d.* **3.** Receber (grau superior): *Colou o grau de médico há cerca de um ano.*

colar[3] [De *cola*[1] + *-ar*[2].] *V. t. d.* **1.** Unir, pegar com cola[1] (1); grudar. **2.** Juntar cola a, para dar consistência. **3.** Clarificar (vinhos) com cola[1] (1). **4.** *Bras. Gír.* Copiar clandestinamente, num exame escrito; filar. *T. d. e i. T. d e c.* **5.** Aplicar; juntar, unir, aderir: *Colou os lábios aos da namorada;* "Foi direto à janela do escritório, colou a testa aos caixilhos, meditabundo" (João da Silva Correia, *Farândola*, p. 113). **6.** Pôr quase junto, unido, encostado: *Colou o seu carro ao do amigo para avisá-lo do perigo.* **7.** *Inform.* Inserir em um aplicativo ativo (informação ou objeto temporariamente armazenado na área de transferência [q. v.]). [Cf. *copiar*[2] (8) e *cortar*[1] (21).] *Int.* **8.** Ligar-se ou grudar-se com cola[1] (1). **9.** Ajustar-se, moldar-se, amoldar-se: *O jérsei é um tecido que cola bem.* **10.** *Bras. Gír.* Ser admitido, aceito, acreditado, etc.: *A desculpa não colou; Suas mentiras sempre colam.* **11.** *Bras. Gír.* Copiar clandestinamente num exame escrito; filar: *Não passará na prova de matemática sem colar.* *P.* **12.** Encostar-se; unir-se: *Colou-se à parede para que ninguém o visse.*

colar[4] [Do cabo-verd.] *V. int. Cabo-verd.* Dar umbigada (3): "Após o choque apartavam-se, continuando nesse vaivém ao compasso das pancadas nos tambores, colando até ao esfalfamento" (João Lopes Filho, *Estória, Estória... Contos Cabo-Verdianos*, p. 88).

colar de ifá *S. m. Bras. Rel.* V. *opelé-ifá.* [Pl.: *colares de ifá.*] ☑

colar de pérolas *S. m. Astr.* Fenômeno ocorrente pouco antes dum eclipse total do Sol, quando a Lua já cobriu quase por inteiro o disco solar, que só é visto através dos vales da superfície lunar situados no bordo da Lua. [Pl.: *colares de pérolas.*] ☑

colarejo (ê) *Adj.* **1.** De, ou pertencente ou relativo a Colares (Portugal). ● *S. m.* **2.** O natural ou habitante de Colares.

colarense *Adj. 2 g.* **1.** De, ou pertencente ou relativo a Colares (PA). ● *S. 2 g.* **2.** O natural ou habitante de Colares. [Sin. ger. (pop.): *colarista.*]

colares [Do top. *Colares*, Port.] *S. m. 2 n. Enol.* Vinho da região do mesmo nome, situada entre o Concelho de Sintra e o Atlântico: "gestos que faziam oscilar as chamas das velas, e grandes copos de colares emborcados de um trago." (Eça de Queirós, *Os Maias*, 1.º vol., p. 374).

colarete (ê) [De *colar*[1] + *-ete* (ê).] *S. m. Arquit.* Moldura composta de um astrágalo e filete.

colariano [Do ingl. *Kolarian*, termo criado por Sir George Campbell em 1866, a partir de uma equivocada relação entre o gloss. e o top. *Kolar* (Colar, no S. da Índia).] *Adj.* **1.** Relativo à região de Colar (Índia). ● *S. m.* **2.** *Gloss.* Munda [v. *austro-asiático* (3)].

colarinho [De *colar*[1] + *-inho*[1].] *S. m.* **1.** Gola de pano cosida ou adaptada à camisa, em volta do decote. **2.** *Arquit.* Listel que de ordinário contorna a parte superior do fuste de certas colunas. **3.** *Bras. Gír.* A espuma num copo de cerveja ou de chope: "O garçom trouxe o copo com o chope dourado e o largo colarinho de espuma." (José Carlos Oliveira, *A Revolução das Bonecas*, p. 124.) ◆ **Mudar o colarinho.** *Bras. RJ Gír.* V. *morder a batata.*

colarinho-branco [De *colarinho* + *branco*, para trad. o ingl. *white-collar*.] *S. m. Bras.* Designação genérica dos profissionais de diferentes níveis (executivos, funcionários, etc.) que, pela natureza de suas atividades e contatos, precisam apresentar-se em trajes convencionais (para os homens, terno e gravata): "O objetivo [da passeata, no Rio de Janeiro] foi a defesa dos privilégios dos 'colarinhos-brancos'" (*Jornal do Brasil*, 25.06.1983). [Pl.: *colarinhos-brancos.*]

colarista *Adj. 2 g. S. 2 g. Bras. Pop.* V. *colarense.*

colatário [Do rad. do lat. *collatione*, fonte do port. *colação*, + *-ário*.] *S. m.* Aquele a quem aproveita a colação (2 e 3), ou que com ela se beneficia.

colateira *S. f. Bras. Bot.* V. *coleira*[3].

colateral [De *co-*[1] + *lateral*.] *Adj. 2 g.* **1.** Que está ao lado; paralelo. **2.** *Antrop.* Diz-se de, ou relativo a parentesco não linear, *i. e.*, que além de relações de filiação inclui também laços de germanidade. ~ V. *cadeia —, circulação —, linha —, ponto —* e *série —.* ● *S. 2 g.* **3.** *Antrop.* Parente colateral. [Cf. *linear*.]

colateralidade [De *colateral* + *-(i)dade*.] *S. f.* Qualidade do que é colateral.

colatício [Do lat. *collaticiu*.] *Adj.* ~ V. *cola —as.*

colatinense *Adj. 2 g.* **1.** De, ou pertencente ou relativo a Colatina (ES). ● *S. 2 g.* **2.** O natural ou habitante de Colatina.

colatitude [De *co-*[2] + *latitude*.] *S. f. Geogr.* Complemento da latitude. ❖

colativo [De *colar*[2] + *-tivo*.] *Adj.* **1.** Relativo a colação. **2.** Que se pode colar[2], conferir (benefício ou investidura).

colau[1] [Do chinês *koh-lau*.] *S. m. Luso-asiat.* Conselheiro ou ministro de Estado, na China.

colau[2] [Do chinês *tsau-lau*.] *S. m. Luso-asiat.* Restaurante, na China.

colbaque [Do turco *qalpâk*, pelo fr. *colback*.] *S. m.* Boné militar de pelo, em forma de cone truncado.

colcha (ô) [Do esp. *colcha*.] *S. f.* Coberta de cama, ger. us. por cima dos lençóis e cobertor: "tomamos café sentados na cama gigantesca (a maior que já vi), coberta por uma colcha azul." (Maria Julieta Drummond de Andrade, *Um Buquê de Alcachofras*, p. 26).

colchão [De *colcha* (ô) + *-ão*[1].] *S. m.* Coxim grande, cheio de substância flexível natural ou sintética, e que se estende, em geral, sobre o estrado da cama: *colchão de crina; colchão de molas.* [Pl.: *colchões.*]

colchão de noiva *S. m. Bras. Cul.* Bolo de massa de pão de ló (q. v.), enrolado com um recheio doce e pastoso; colchão de noivo, rocambole. [Pl.: *colchões de noiva.*] ☑

colchão de noivo *S. m. Bras.* V. *colchão de noiva.* [Pl.: *colchões de noivo.*] ☑

colcheia [Adapt. do fr. *crochée*; esp. *corchea*.] *S. f.* **1.** *Mús.* Figura que vale a metade da semínima, e a cuja haste se prende uma pequena cauda [♪]. **2.** *Liter. Pop. Bras.* V. *sextilha* (2).

colcheiro [De *colcha* + *-eiro*.] *S. m.* Aquele que faz ou vende colchas. [Cf. *colchoeiro*.]

colcheta (ê) [De *colchete*.] *S. f.* Argolinha mais ou menos em forma de lira, na qual se engancha o colchete (1); fêmea. [Pl.: *colchetas* (ê). Cf. *colcheta* e *colchetas*, do v. *colchetar*.]

colchetar [De *colchete* + *-ar*[2].] *V. t. d. Int. P.* Acolchetar. [Pres. ind.: *colcheto, colchetas, colcheta*, etc.; pres. subj.: *colchete, colchetes*, etc. Cf. *colcheta* (ê), pl. *colchetas* (ê), e *colchete* (ê), pl. *colchetes* (ê).]

colchete (ê) [Adapt. do fr. *crochet*; esp. *corchete*.] *S. m.* **1.** Pequeno gancho de metal, para prender uma parte do vestuário a outra, onde está costurada a colcheta. **2.** *P. ext.* O conjunto do gancho e da colcheta. **3.** Gancho duplo em que os açougueiros penduram a carne. **4.** *Mat.* Símbolo de associação ([ ]), equivalente ao parêntese. [Cf. *colchete* e *colchetes*, do v. *colchetar*.] ~ V. *colchetes.* ◆ **Colchete de pressão.** Tipo de colchete em que as duas peças se encaixam por pressão. [Tb. se diz apenas *pressão*.]

colchetes (ê) *S. m. pl.* Sinais de pontuação ([ ]) que encerram, em uma citação, palavra(s) que não faz(em) parte dela; parênteses retos. [Cf. *colchete* e *colchetes*, do v. *colchetar*.] ~ V. *colchete.*

colchicina [Do tax. *Colchic(um)* + *-ina*[3]; al. *Colchizin*.] *S. f. Quím.* Alcaloide natural, tóxico, encontrado em plantas colquicáceas do gên. cólquico e us. no tratamento da artrite [fórm.: $C_{22}H_{25}NO_6$].

colchoaria [De *colchão* + *-aria*, com desnasalação.] *S. f.* Estabelecimento onde se fabricam e/ou vendem colchões, travesseiros, etc.

colchoeiro [De *colchão* + *-eiro*, com desnasalação.] *S. m.* Aquele que faz, conserta e/ou vende colchões. [Cf. *colcheiro*.]

colchonete [De *colchão* + *-ete*.] *S. m.* Pequeno colchão portátil: "no interior do furgão fora colocado um desses colchonetes que o pessoal que adora acampar usa para dormir mal" (Herberto Sales, *Armado Cavaleiro, o Audaz Motoqueiro*, p. 142).

colcós [Do russo *kolkhoz*, f. red. de *kolletivnoe khozyaĭstvo*, 'fazenda coletiva'.] *S. m.* Fazenda coletiva, na antiga União Soviética, formada por um conjunto de agricultores duma aldeia ou dum grupo de aldeias, reunidos para cultivar a terra em comum, sob uma administração eleita, e dirigida por um presidente. [Pl.: *colcoses*. Cf. *kibutz*.]

colcotar [Do ár. *qulqutâr*, pelo esp. *colcótar*.] *S. m. Quím.* Mistura de óxidos naturais de ferro, usada como material para polimento de vidros.

coldre (ó) [De or. controvertida; esp. *goldre*.] *S. m.* **1.** Cada um dos dois estojos de couro pendentes do arção da sela, e em que, de ordinário, se metem pistolas ou outras armas: "Larga catana à ilharga, trabuco a tiracolo, e adaga à cinta, além dos pistoletes nos coldres, completavam o equipamento destes indivíduos" (José de Alencar, *O Sertanejo*, p. 28). **2.** *P. ext.* Estojo de couro para revólver, em geral preso ao cinto. **3.** *Ant.* Aljava para setas, virotes, etc.: "Dissera: abre, Cupido, coldre cheio, / E extrai, de mil farpões, o que Ela escolhe" (Antônio Feliciano de Castilho, *As Metamorfoses*, pp. 250-251).

cole [Do lat. *collis*.] *S. m. Ant.* Colina, outeiro: "O rio, a árida riba, os coles, vão feridos / coos balados da grei" (Antônio Feliciano de Castilho, *As Geórgicas*, p. 219).

▲col(e)- [Do gr. *cholḗ, ês.*] ***El. comp.*** = 'bílis', 'biliar': *coleciste, colélito, colina*[2], *colemia.* [Equiv.: *-col(e)-*: *acolúria.*]

▲-cole [Do lat. *collum, i.*] ***El. comp.*** Equiv. de *-colo.*

coleado [De *colo*[1] + *-eado.*] ***Adj.*** **1.** Que tem forma de colo[1] (1 e 2). **2.** Sinuoso, flexuoso.

coleamento [De *colear*[1] + *-mento.*] ***S. m.*** Coleio.

coleante [De *colear*[1] + *-nte.*] ***Adj. 2 g.*** Que coleia ou serpeia; serpeante, serpejante, serpenteante: "e é teu vulto triunfal, longo, heráldico, esgalgo, / coleante como um cisne e esbelto como um galgo!" (Menotti del Picchia, *As Máscaras*, p. LII).

colear[1] [De *colo*[1] + *-ear*[2].] ***V. int.*** **1.** Mover o colo. **2.** Andar ou mover-se sinuosamente, aos zigue-zagues; serpear, serpentear, cobrejar: "No chão coleia a lagartixa." (Augusto dos Anjos, *Eu*, p. 82); "Um córrego de águas límpidas coleia em amplas curvas sobre um leito de pedras" (Eduardo Frieiro, *O Mameluco Boaventura*, p. 138). ***T. d.*** **3.** Andar ou mover-se sinuosamente, aos zigue-zagues, ao longo de: "passeamos pelos caminhos, coleando a vasta quinta" (Eça de Queirós, *Contos*, p. 122); "Trens coleando rampas nos montes..." (Joaquim Cardoso, *Poesias Completas*, p. 103). ***P.*** **4.** Mover-se (a serpente): "entrou a serpente coleando-se mansamente sem pés, mas com cabeça" (Pe. Antônio Vieira, *Sermões*, IV, p. 299). **5.** Andar ou mover-se como a serpente: *A moça coleava-se faceira.* [Conjug.: v. *frear.*]

colear[2] [Do esp. plat. *colear.*] ***V. t. d. Bras. RS*** Fazer cair (o animal), puxando-lhe pela cola ou cauda. [Conjug.: v. *frear.*]

colecalciferol [De *col(e)-* + *-calc(i)(o)-* + *-fer(o)-* + *-ol*[2].] ***S. m. Quím.*** Álcool esteroidal que é uma vitamina D; vitamina D3 [fórm.: $C_{27}H_{44}O$]. [Pl.: *colecalciferóis.*]

coleção [Do lat. *collectione.*] ***S. f.*** **1.** Conjunto ou reunião de objetos da mesma natureza ou que têm qualquer relação entre si: *coleção de quadros; coleção de antiguidades.* **2.** Compilação, coletânea: *coleção de adágios.* **3.** Ajuntamento, quantidade. **4.** O conjunto dos modelos dos costureiros, dos fabricantes de acessórios, etc., lançados antes do início de cada estação. **5.** *Bibliot. Edit.* Conjunto limitado de obras, de um mesmo autor ou de diversos autores, editadas sob um título principal: *coleção Brasiliana.* **6.** *Bibliot. Edit.* Conjunto não limitado de obras de autores diversos, publicadas por uma mesma editora, sob um título geral indicativo de assunto ou área, para atendimento de segmentos definidos do mercado: *coleção Teatro Urgente.* **7.** *Patol.* Acúmulo de sangue, de pus, ou de outra matéria, numa cavidade normal ou patológica do corpo.

colecionação [De *colecionar* + *-ção.*] ***S. f.*** Ato de colecionar; colecionamento.

colecionador (ô) [De *colecionar* + *-dor.*] ***Adj.*** **1.** Que coleciona coisas. • ***S. m.*** **2.** Indivíduo que coleciona; colecionista.

colecionamento [De *colecionar* + *-mento.*] ***S. m.*** Colecionação.

colecionar [De *coleção* + *-ar*[2], seg. o padrão erudito.] ***V. t. d.*** **1.** Fazer coleção de; reunir, juntar; coligir: *colecionar selos; Colecionou a mais completa camoniana do Brasil.* **2.** *Fam.* Ter (algo) em grande quantidade: *Péssimo motorista, vive a colecionar multas.*

colecionista [De *colecionar* + *-ista.*] ***S. 2 g.*** Colecionador.

coleciste [De *col(e)-* + *-ciste.*] ***S. f. Anat.*** Vesícula biliar.

colecistectomia [De *coleciste* + *-ectom-* + *-ia*[1].] ***S. f. Cir.*** Extirpação da vesícula biliar.

colecistectómico ***Adj. Cir.*** V. *colecistectômico.* [Uso freq. em P.]

colecistectômico [De *colecistectomia* + *-ico*[2].] ***Adj. Cir.*** Referente a colecistectomia.

colecistite [De *coleciste* + *-ite*[1].] ***S. f. Patol.*** Inflamação da vesícula biliar.

colecistografia [De *coleciste* + *-o-* + *-grafia.*] ***S. f. Med.*** Visualização radiológica contrastada da vesícula biliar.

colecistográfico [De *colecistografia* + *-ico*[2].] ***Adj.*** Relativo a colecistografia.

colecistopatia [De *colescite* + *-o-* + *-patia.*] ***S. f. Med.*** Qualquer doença da vesícula biliar.

colecistopático [De *colecistopatia* + *-ico*[2].] ***Adj.*** Relativo a colecistopatia.

colecistostomia [De *coleciste* + *-o-* + *-stom(o)-* + *-ia*[1].] ***S. f. Cir.*** Abertura cirúrgica da vesícula biliar, com retirada de cálculos ou sem ela, seguida da colocação, no interior do órgão, de dreno tubular de borracha, de permanência variável, e através do qual a vesícula biliar fica em contato com o exterior do organismo.

colecistostómico ***Adj. Cir.*** V. *colecistostômico.* [Uso freq. em P.]

colecistostômico [De *colecistostomia* + *-ico*[2].] ***Adj. Cir.*** Relativo a colecistostomia.

colecistotomia [De *coleciste* + *-o-* + *-tom(o)-* + *-ia*[1].] ***S. f. Cir.*** Abertura cirúrgica da vesícula biliar.

colecistotómico ***Adj. Cir.*** V. *colecistotômico.* [Uso freq. em P.]

colecistotômico [De *colecistotomia* + *-ico*[2].] ***Adj. Cir.*** Relativo a colecistotomia.

colectomia [De *colo*[2] + *-ectom-* + *-ia*[1].] ***S. f. Cir.*** Excisão, em extensão variável, do colo[2].

colédoco [Do gr. *choledóchos.*] *Anat.* ***Adj.*** **1.** ~ V. *canal — e ducto —.* • ***S. m.*** **2.** Canal colédoco.

coledocolitíase [De *colédoco* + *litíase.*] ***S. f. Med.*** Presença de cálculo(s) no ducto colédoco.

coledocoscopia [De *colédoco* + *-scop-* + *-ia*[1].] ***S. f. Med.*** Exame endoscópico do ducto colédoco.

coledocoscópico [De *coledoscopia* + *-ico*[2].] ***Adj.*** Relativo a coledocoscopia.

coledocoscópio [De *colédoco* + *-scópio.*] ***S. m. Med.*** Endoscópio destinado a examinar, por inspeção direta, o interior do e ducto colédoco.

coledocostomia [De *colédoco* + *-stom(o)-* + *-ia*[1].] ***S. f. Cir.*** Comunicação construída entre o e ducto colédoco e o meio exterior.

colega [Do lat. *collega.*] ***S. 2 g.*** **1.** Pessoa que pertence à mesma corporação, ou exerce a mesma função que outra(s). **2.** Companheiro de escola.

colegatário [De *co-*[1] + *legatário.*] ***S. m.*** O que é legatário juntamente com outrem. ❖

colegiada [F. subst. do adj. *colegiado.*] ***S. f. Rel.*** Igreja colegiada [v. *colegiado* (2)].

colegiado [Do lat. *collegiatu.*] ***Adj.*** **1.** Reunido ou organizado em colégio (1 e 2). **2.** Que goza o privilégio de ter um cabido próprio. [Diz-se de igreja que não é catedral.] ~ V. *governo —.* • ***S. m.*** **3.** Órgão dirigente cujos membros têm poderes idênticos.

colegial [Do lat. *collegiale.*] ***Adj. 2 g.*** **1.** Relativo a, ou próprio de colégio. • ***S. 2 g.*** **2.** Aluno de colégio.

colegialidade [De *colegial* + *-(i)dade.*] ***S. f. Rel.*** Governo comum da Igreja, pela totalidade dos bispos, ou colégio apostólico.

colegiatura [Do lat. *collegiatus* + *-ura.*] ***S. f.*** Qualidade ou estado de colegiado (1).

colegiense ***Adj. 2 g.*** **1.** De, ou pertencente ou relativo a Porto Real do Colégio (AL). • ***S. 2 g.*** **2.** O natural ou habitante de Porto Real do Colégio.

colégio [Do lat. *collegiu.*] ***S. m.*** **1.** Reunião ou associação de colegas; grêmio, corporação. **2.** Corporação de pessoas notáveis da mesma categoria, ou cujos membros têm a mesma dignidade. **3.** Estabelecimento de ensino primário ou secundário. **4.** Conjunto de indivíduos reunidos para fins eleitorais. **5.** *Ant.* Convento de jesuítas, com ônus de ensino. ◆ **Colégio eleitoral.** Conjunto de indivíduos especialmente designados, por votação ou qualquer outro critério, para elegerem o ocupante de um cargo. [Cf. *colégio* (4).]

coleguismo [De *colega* + *-ismo.*] ***S. m.*** Espírito de solidariedade e lealdade para com os colegas.

coleio [Dev. de *colear*[1].] ***S. m.*** Ação de colear; movimento sinuoso; coleamento: "Tinha, marchando, qualquer coisa de cobra pelo coleio das curvas, de ave pelos movimentos de voo." (Júlio Dantas, *Espadas e Rosas*, p. 22.)

coleira[1] [Do lat. *collaria.*] ***S. f.*** **1.** Espécie de colar que cinge o pescoço dos animais: "Era um cão ordinário, um pobre cão vadio, / Que não tinha coleira e não pagava imposto" (Guerra Junqueiro, *A Musa em Férias*, p. 151). **2.** Gargalheira (1 e 2). **3.** *Zool.* Região circular em torno do pescoço das aves e mamíferos, cuja cor, aspecto e características são us. para a descrição das espécies. **4.** *Bras. Zool.* Designação comum a diversas aves passeriformes fringilídeas, gênero *Sporophila*, distribuídas por todo o Brasil. Alimentam-se de sementes de capim, frequentam descampados e o nome provém da coleira[1] (3) branca com uma mancha preta no meio. [Sin., nesta acepç.: *coleiro, gola, papa-capim.*]

coleira[2] [Fem. de *coleiro*[2].] ***S. m. Bras. N. Zool.*** **1.** V. *carrapato-estrela* (1). **2.** Sujeito malandro, velhaco ou mau pagador.

coleira[3] [De *cola*[2] + *-eira.*] ***S. f. Bot.*** V. *cola*[2] (2).

coleira-de-sapé ***S. m. Bras. Zool.*** V. *coleira-do-brejo* (1). [Pl.: *coleiras-de-sapé.*]

coleirado [De *coleira*[1] + *-ado*[1].] ***Adj.*** **1.** Que traz coleira. **2.** *Zool.* Diz-se do animal que tem no pescoço malha ou pelos que dão a aparência de coleira.

coleira-do-brejo ***S. f. Bras. Zool.*** **1.** Designação comum a duas aves passeriformes, fringilídeas: *Sporophila collaris ochrascens*, do Brasil centro-ocidental, e *S. bouvreil pileata* do S. Têm dorso, retrizes e coberteiras da cauda pardo-amareladas, cabeça, nuca, rêmiges e cauda negras, garganta branca, com colar negro separando-a do peito, e fronte com duas manchinhas brancas. [Sin.: *coleira-de-sapé, coleiro-de-sapé, coleiro-do-brejo.*] **2.** Brejal (2). [Pl.: *coleiras-do-brejo.*]

coleira-do-norte ***S. f. Bras. Amaz.*** Ave fringilídea (*Sporophila americana*) de bico grosso e negro, aparentada com a coleira-do-brejo; o macho tem as partes superiores negras, uropígio cinzento, e duas faixas na asa, e no espéculo, brancas; o inglúvio é atravessado por faixa negra, estreita, que forma coleira por vezes incompleta. [Sin.: *gola* e (AP) *pintada.* Pl.: *coleiras-do-norte.*]

coleira-virada ***S. f. Bras. Zool.*** V. *coleirinha* (1). [Pl.: *coleiras-viradas.*]

coleirinha [De *coleira*[2] + *-inha.*] ***S. m. Bras. Zool.*** **1.** Ave passeriforme, fringilídea (*Sporophila caerulescens*) do S. do Brasil até a margem direita do baixo Amazonas, de coloração cinza, fronte e parte anterior do vértice enegrecidas, orelhas pretas, faces brancas, garganta branca com uma faixa preta no meio, abdome branco com uma fita preta atravessando o peito, e flancos cinzentos; coleira-virada, coleiro-virado. **2.** V. *tem-tenzinho.*

coleiro[1] [De *cola*[1] + *-eiro.*] ***S. m. Encad.*** Recipiente onde os encadernadores aquecem a cola em banho-maria.

coleiro[2] [De *coleira*[1].] ***S. m. Bras. Zool.*** V. *coleira*[1] (4).

coleiro-da-baía [De *coleiro*[2] + *da* + o top. *Bahia.*] ***S. m. Bras. Zool.*** V. *papa-arroz* (1). [Pl.: *coleiros-da-baía.*]

coleiro-da-serra ***S. m. Bras. Zool.*** V. *papa-arroz* (1). [Pl.: *coleiros-da-serra.*]

coleiro-de-sapé ***S. m. Bras. Zool.*** V. *coleira-do-brejo* (1). [Pl.: *coleiros-de-sapé.*]

coleiro-do-brejo ***S. m. Bras. Zool.*** V. *coleira-do-brejo* (1). [Pl.: *coleiros-do-brejo.*]

coleiro-pardinho ***S. m. Bras. Zool.*** Designação dada à coleirinha (1) jovem, cuja coloração é pardo-olivácea. [Pl.: *coleiros-pardinhos.*]

coleiro-virado ***S. m. Bras. Zool.*** V. *coleirinha* (1). [Pl.: *coleiros-virados.*]

colelitíase [De *col(e)-* + *litíase.*] ***S. f. Patol.*** Presença de cálculos nas vias biliares; litíase biliária.

colélito [De *col(e)-* + *-lito.*] ***S. m. Patol.*** Cálculo biliar.

colêmbolo [De *col(a)-* + gr. *émbolos*, 'alavanca'; 'esporão'; tax. *Collembola.*] *Zool.* ***S. m.*** **1.** Espécime dos colêmbolos, ordem de artrópodes, insetos apterigotos de até 5mm, providos de antenas com quatro segmentos, sistema bucal mastigador, ausência de olhos compostos; inserida no quarto segmento do abdome têm uma fúrcula que lhes permite dar saltos. Vivem em lugares úmidos e alimentam-se de matéria orgânica em decomposição. • ***Adj.*** **2.** Pertencente ou relativo a eles. [Sin. ger.: *apantóptero.*]

colemia [De *col(e)-* + *-emia.*] ***S. f. Med.*** Presença de bílis ou pigmentos biliares no sangue.

colémico ***Adj. Med.*** V. *colêmico.* [Uso freq. em P.]

colêmico [De *colemia* + *-ico*[2].] ***Adj. Med.*** Relativo a colemia.

colendo [Do lat. *colendu*, gerundivo de *collere*, 'cultuar'.] ***Adj.*** Respeitável, venerando: "Como ele [Rui Barbosa], só foram amados no Brasil o colendo Chanceler Barão do Rio Branco e o divino Poeta Olavo Bilac." (Martins Fontes, *Terras da Fantasia*, p. 204.) [Aplica-se em geral às altas corporações judiciárias.]

colênquima [De *col(a)-* + *-ênquima.*] ***S. m. Bot.*** Tecido vegetal cujas células apresentam paredes espessadas desigualmente, por deposição de celulose e pectina, e que tem função mecânica, de sustentação. Encontra-se no caule jovem, ramos, pecíolo e folhas.

colenquimático [De *colênquima* + *-ático.*] ***Adj. Bot.*** Colenquimatoso.

colenquimatoso (ô) [De *col(a)-* + *-enquimat(o)-* + *-oso.*] ***Adj. Bot.*** Concernente ao colênquima; colenquimático: *célula colenquimatosa.*

▲coleo- [Do gr. *koleós, oû.*] ***El. comp.*** = 'estojo': *coleóptero* (< gr.), *coleorriza.*

coleóptero [Do gr. *koleópteros*; tax. *Coleoptera.*] *Zool.* ***S. m.*** **1.** Espécime dos coleópteros, ordem de artrópodes, insetos com sistema bucal mastigador, élitros e asas posteriores membranosas. Holometabólicos, larvas campodeiformes ou escarabeiformes, as quais, juntamente com os adultos, constituem sérias pragas dos vegetais. • ***Adj.*** **2.** Pertencente ou relativo a eles. [Sin. ger.: *eleuterado, elitróptero.*]

coleóptilo [Do lat. cient. *coleoptilum.*] ***S. m. Bot.*** Bainha do embrião das poáceas, que no curso da germinação da semente circunda a base da parte aérea em crescimento.

coleorriza [De *coleo-* + *-riza*; lat. cient. *coleorhiza.*] ***S. f. Bot.*** Bainha fechada que envolve a radícula, presente no embrião das poáceas.

coleperitónio ***S. m.*** V. *coleperitônio.* [Uso freq. em P.]

coleperitônio [De *col(e)-* + *peritônio.*] ***S. m. Cir. Med.*** Presença de bile na cavidade peritonial, e que resulta em forma grave de peritonite.

cólera [Do gr. *choléra*, pelo lat. *cholera*, 'doença biliosa', 'ira'.] ***S. f.*** **1.** Impulso violento contra o que nos ofende, fere ou indigna; ira, raiva, fúria, furor, zanga. **2.** A ferocidade dos animais: *a cólera do tigre.* **3.** *Fig.* Ímpeto, agitação: *a cólera das ondas.* **4.** *Patol.* Doença infecciosa aguda, contagiosa, que pode manifestar-se sob forma epidêmica, caracterizada, em sua apresentação clássica, por diarreia abundante, prostração e cãibras; cólera-morbo, cólera-mórbus, mordexim.

colerado [De *cólera* + *-ado*[1].] ***Adj. Bras. SP Pop.*** Encolerizado.

cólera-morbo [De *cólera* (4) + *morbo*.] *S. f.* V. *cólera* (4).

cólera-mórbus [Do lat. cient. *cholera-morbus*.] *S. f.* **1.** V. *cólera* (4). **2.** *Fig.* V. *peste* (7): "são eles, não os jesuítas, a cólera-mórbus da sociedade atual, os barões." (Almeida Garrett, *Viagens na Minha Terra*, p. 116.)

colerese [De *col(e)-* + lat. cient. *-riesis* (alter. do gr. *rhýsis*, 'fluxo', poss.).] *S. f. Fisiol.* Secreção de bile.

colerético [De *coler(ese)* + *-ético*.] *Adj. S. m. Farm.* Diz-se de, ou agente que estimula a produção de bile.

colérico [Do gr. *cholerikós*, pelo lat. *choleric u*.] *Adj.* **1.** Atreito a encolerizar-se; irado, enfurecido, raivoso, encolerizado. **2.** Diz-se de indivíduo atacado de cólera (4). ● *S. m.* **3.** Indivíduo colérico.

colestano [De *colest(erol)* + *-ano*².] *S. m. Quím.* Hidrocarboneto saturado tetracíclico, esteroidal, do qual se pode considerar o colesterol derivado [fórm.: $C_{27}H_{48}$].

colestanol [De *colestano* + *-ol*².] *S. m. Quím.* Álcool saturado natural, que é um esterol derivado do colesterol [fórm.: $C_{27}H_{48}O$]. [Pl.: *colestanóis*.]

coléstase [De *col(e)-* + *-stase*.] *S. f. Med. Cir.* Detenção, devida a causas diversas, do fluxo biliar.

colestático [De *colest(ase)* + *-ático*.] *Adj.* Relativo a coléstase.

colesteatoma [De *col(e)-* + *-esteat(o)-* + *-oma*¹; lat. cient. *cholesteatoma*.] *S. m.* **1.** *Patol.* Formação cística proliferante, não raro infectada, que se observa, com maior frequência, na orelha média e na apófise mastoide, podendo ocorrer, tb., em ossos do crânio, no sistema nervoso central, nas meninges. **2.** *Veter.* Tumor, pouco comum, no cérebro do cavalo.

colestérico [Do fr. *cholestérique*.] *Adj. Fís.-Quím.* Diz-se de um líquido paracristalino em que existem camadas onde as moléculas se orientam paralelamente a uma direção, e cuja espessura é da ordem de 500 a 5.000 moléculas.

colesterina *S. f. Quím. Desus.* Colesterol.

colesterinemia [De *colesterina* + *-emia*.] *S. f. Med. Desus.* Colesterolemia.

colesterol [De *col(e)-* + *-(e)ster(o)-* + *-ol*².] *S. m. Quím.* Substância sólida, que é um esterol existente em todas as células do corpo, esp. nas do tecido nervoso, e presente nas gorduras animais, com funções bioquímicas ainda não de todo esclarecidas, cujos ésteres se depositam nas placas responsáveis pela aterosclerose [fórm.: $C_{27}H_{46}O$]. [Pl.: *colesteróis*.] ◆ **Colesterol bom** *Pop.* V. *HDL*. **Colesterol ruim** *Pop.* V. *LDL*.

colesterolemia [De *colesterol* + *-emia*.] *S. f. Med.* Teor de colesterol no sangue.

colesteroluria [De *colesterol* + *-uria*.] *S. f. Med.* V. *colesterolúria*.

colesterolúria [De *colesterol* + *-úria*.] *S. f. Med.* Teor de colesterol na urina. [F. paral.: *colesteroluria*.]

colesterose [De *colester(ol)* + *-ose*¹.] *S. f. Patol.* Fenômeno em que se verifica a deposição, em tecidos, de quantidades anormais de colesterol.

coleta¹ [Do lat. *collecta*, 'colheita', 'cota', 'reunião'.] *S. f.* **1.** V. *colheita* (3). **2.** Quantia que se paga de imposto. **3.** Cota para obra de piedade ou para despesa comum. **4.** Conjunto de operações para obtenção de recursos naturais, ger. vegetais, para fins alimentares ou outros, e que não implica em domesticá-los [v. *domesticar* (3)]. **5.** *Bras.* Peditório para despesas comuns, ou para obras de instrução ou de caridade. [Pl.: *coletas*. Cf. *coleta* (ê) e pl. *coletas* (ê).]

coleta² [F. red. da expres. lat. *oratio ad collectam*, 'oração para a assembleia'.] *S. f.* Oração que na missa antecede a epístola. [Ger. com cap.]

coleta (ê) [Do esp. *coleta*.] *S. f.* Trança de cabelo usada pelos toureiros espanhóis na parte posterior da cabeça. [Pl.: *coletas* (ê). Cf. *coleta*, *coletas*, do v. *coletar*; e *coleta*, s. f. e fem. do adj. *coleto*, pl. *coletas*.]

coletado [Part. de *coletar*.] *Adj. S. m.* Que, ou aquele que está sujeito ao pagamento de um tributo; contribuinte.

coletânea [Do lat. *collectanea*.] *S. f.* Conjunto de excertos seletos de várias obras.

coletâneo [Do lat. *collectaneu*.] *Adj.* Extraído de várias obras; colhido, coligido.

coletar [De *coleta*¹ + *-ar*².] *V. t. d.* **1.** Obrigar a pagamento de coleta¹ (2); tributar: *Coletar uma empresa.* **2.** Fazer coleta de; colher, recolher, arrecadar: *Coletar contribuições.* **3.** Designar cota a: *Coletar os membros de uma sociedade.* **4.** Obter (recursos, ger. vegetais, imediatamente oferecidos pela natureza) para fins alimentares ou outros. **5.** Recolher (sangue, urina, esperma, etc.) para exame laboratorial. **6.** *Bot. Zool.* Colher, recolher (animais e/ou plantas) para estudo: "À noite fui coletar pererecas num igarapé próximo." (José Cândido de Carvalho, *Notas de Viagem ao Rio Negro*, p. 50.) *Int. P.* **7.** *Bot. Zool.* Coletar (6): "Fui coletar em mata próxima com alguns índios." (Id., *ib.*, p. 49.) **8.** Fazer (duas ou mais pessoas) coleta entre si; cotizar-se: *Coletaram-se para as despesas da festa.* [Pres. ind.: *coleto*, *coletas*, *coleta*, etc.; pres. subj.: *colete*, *coletes*, etc. Cf. *coleta* (ê), s. f., pl. *coletas* (ê); *colete* (ê), s. m., pl. *coletes* (ê); e *Coulete*, top.]

coletável [De *coletar* + *-vel*.] *Adj. 2 g.* Que pode ser coletado.

colete (ê) [Do fr. *collet*.] *S. m.* **1.** Peça de vestuário abotoada na frente, sem mangas nem gola, indo em geral até a cintura, usada por cima de camisa, blusa, etc. **2.** Espartilho (q. v.). **3.** *Bras.* Grade circular para proteger a base ou as hastes dos arbustos. [Pl.: *coletes* (ê). Cf. *colete* e *coletes*, do v. *coletar*; e *Coulete*, top.] ◆ **Colete à prova de balas.** Colete balístico. **Colete balístico.** Aquele que é feito de materiais resistentes a impacto, como aramida e placas de blindagem, e destina-se a proteger o usuário de tiros de arma de fogo; colete à prova de balas. **Colete de salvação.** *Lus.* Colete salva-vidas. **Colete ortopédico.** *Ort.* Aquele cuja estrutura varia segundo o fim a que se destina, e usado, em geral, para proteger a coluna vertebral ou o tórax afetados por defeito congênito, acidente ou enfermidade. **Colete salva-vidas.** Salva-vidas (1) em forma de colete. [Sin. (lus.): *colete de salvação*.]

colete-curto *S. m. Bras. N.E.* **1.** V. *cocada* (4). **2.** V. *pau de cabeleira* (1 e 2). [Pl.: *coletes-curtos*.]

colete de coiro *S. m. Bras. AL* Colete de couro. [Pl.: *coletes de coiro*.] ☑

colete de couro [Var. de *colete de coiro*.] *S. m. Bras. AL* Cinto de couro. [Pl.: *coletes de couro*.] ☑

coleteiro [De *colete* + *-eiro*.] *S. m.* Aquele que fabrica ou faz coletes.

coleterapia [De *col(e)-* + *-terapia*.] *S. f. Med.* Administração terapêutica de sais biliares.

coletício [Do lat. *collecticiu*.] *Adj. Ant.* Dizia-se da gente reunida sem escolha, apressadamente, para a guerra.

coletiva *S. f.* **1.** *Jorn.* V. *entrevista coletiva*. **2.** Mostra ou exposição que reúne os trabalhos de dois ou mais artistas plásticos, fotógrafos, etc.

coletividade [De *coletivo* + *-(i)dade*.] *S. f.* **1.** Qualidade ou caráter de coletivo. **2.** Conjunto, agrupamento, agremiação. **3.** *Sociol.* Sociedade (12).

coletivismo [De *coletivo* + *-ismo*.] *S. m.* Sistema social e econômico em que a exploração dos meios de produção deve tornar-se comum a todos os membros da sociedade.

coletivista [De *coletivismo* + *-ista*.] *Adj. 2 g.* **1.** Pertencente ou relativo ao coletivismo. **2.** Que é partidário ou seguidor do coletivismo. ● *S. 2 g.* **3.** Partidário ou seguidor desse sistema.

coletivização [De *coletivizar* + *-ção*.] *S. f.* Ato ou efeito de coletivizar(-se).

coletivizado [Part. de *coletivizar*.] *Adj.* Tornado coletivo: "observaríamos que, na Linguística da expressão, o discurso é estudado não como um instrumento que visa a projetar numa tela comum sentimentos e ideias coletivizados" (Sílvio Elia, *Orientações da Linguística Moderna*, p. 4).

coletivizar [De *coletivo* + *-izar*.] *V. t. d.* **1.** Tornar coletivo. **2.** Entregar (os meios de produção) à coletividade. *P.* **3.** Tornar-se coletivo.

coletivo [Do lat. *collectivu*.] *Adj.* **1.** Que abrange ou compreende muitas coisas ou pessoas. **2.** Pertencente a, ou utilizado por muitos. **3.** *E. Ling.* Diz-se do substantivo que, no singular, designa várias pessoas, animais ou coisas. [Ex.: *povo*, *rebanho*, *laranjal*.] **4.** Que manifesta a natureza ou a tendência de um grupo como tal, ou pertence a uma classe, a um povo, ou a qualquer grupo. **5.** *Lóg.* Diz-se de termo ou conceito cuja compreensão é a própria extensão. ~ V. *autor —*, *consciência —a*, *entrevista —*, *inconsciente —*, *juízo —*, *obra —a*, *pessoa —a* e *título —*. ● *S. m.* **6.** *Bras.* Veículo de transporte coletivo: "grande foi a minha emoção ao deparar, no assento do coletivo, com uma bolsa preta de senhora." (Carlos Drummond de Andrade, *A Bolsa & a Vida*, p. 7). **7.** *Bras. Esport.* Treino que se realiza com todos os jogadores, titulares e reservas, antes de competição ou partida, para que se estabeleça a melhor formação da equipe.

coleto [Do lat. *collectu*.] *Adj.* **1.** Coligido, reunido, compilado. **2.** Recolhido, arrecadado. [Fem.: *coleta*; pl.: *coletas*. Cf. *coleta* (ê) e pl. *coletas* (ê).] ● *S. m.* **3.** *Bot.* Porção intermediária entre o caule e a raiz, nas plantas lenhosas.

coletor (ô) [Do lat. tard. *collectore*.] *Adj.* **1.** Que colige, compila, reúne. **2.** Que coleta. **3.** Diz-se do cano principal de esgoto, ou de águas pluviais, no qual se entroncam os canais secundários. ~ V. *lente —a* e *via —a*. ● *S. m.* **4.** Aquele que coleta: *Nas etiquetas do Museu Nacional devem figurar o nome vulgar, o nome científico, o local da coleta e o nome do coletor.* **5.** Aquele que colige, reúne, compila; compilador. **6.** Aquele que lança ou recebe coletas; recebedor, cobrador. **7.** Cano coletor de esgoto ou de águas pluviais. **8.** *Eletrôn.* Eletrodo que coleta elétrons. **9.** *Eletrôn.* Num transistor bipolar, região que forma uma junção PN com a base (12), da qual recebe portadores majoritários, através da junção polarizada inversamente; região de coletor. ◆ **Coletor radiado.** *Tip.* Sorvedouro (4). **Coletor solar.** *Tec.* Placa metálica disposta sobre uma tubulação de serpentina (3), e que utiliza a radiação solar para aquecimento da água.

coletoria [De *coletor* + *-ia*¹.] *S. f.* **1.** Repartição pública onde se pagam as coletas ou impostos. **2.** Funções de coletor (4).

colgado [Part. de *colgar*.] *Adj.* **1.** Que está pendente. **2.** Enfeitado com colgadura(s). **3.** *Ant.* Enforcado.

colgadura [De *colgar* + *-dura*.] *S. f.* Estofo vistoso e/ou rico, que se colga ou pendura nas paredes ou janelas, para cobri-las e orná-las: "As casas todas se enfeitavam; punham-se às janelas colgaduras de damasco, flores" (José Vieira, *Sol de Portugal*, p. 27). [Sin.: *cobertor*.]

colgar [Do lat. *collocare*.] *V. t. d.* **1.** Suspender, deixando pendente; suspender, pendurar, dependurar: *Colgou o quadro e pôs-se a contemplá-lo.* **2.** Guarnecer ou ornar com colgadura(s): *Colgaram as janelas com ricas tapeçarias.* **3.** *Ant. Fig.* Enforcar (1). [Conjug.: v. *largar*.]

colha (ô) [Dev. de *colher* (ê).] *S. f. Bras.* Colheita, entre os seringueiros.

colhão [Do lat. vulg. *coleone* < lat. *coleu*.] *S. m. Chulo* Testículo.

colhedeira [De *colher* (ê) + *-deira*.] *S. f.* **1.** Utensílio de madeira, espécie de espátula com que os pintores reúnem as tintas moídas. **2.** Colheitadeira.

colhedor (ô) [De *colher* (ê) + *-dor*.] *Adj.* **1.** Que colhe ou recolhe. ● *S. m.* **2.** Aquele que colhe ou recolhe: *colhedor de plantas*; *colhedor de notícias*. **3.** *Marinh.* Cabo com que se tesa um estai, um ovém, etc., e que gorne em um par de bigotas, uma das quais é presa no chicote do cabo a tesar, e a outra num ponto apropriado do convés, do costado, de um mastro, etc.

colheita [Do lat. *collecta*, por via pop.] *S. f.* **1.** Ato de colher (produtos agrícolas); apanha. **2.** *P. ext.* O conjunto dos produtos agrícolas de determinado período. [Cf. *safra*² (1).] **3.** Ato ou efeito de colher; colhimento, recolhimento, arrecadação, coleta: *colheita de contribuições.* **4.** *Fig.* Aquilo que se colhe, recolhe ou obtém: *Sua vida foi uma colheita de glórias.*

colheitadeira [De *colheita* + *-deira*.] *S. f. Bras. RS* Máquina usada na colheita, sobretudo de cereais, e que ceifa, trilha, classifica e ensaca; colhedeira.

colheiteiro [De *colheita* + *-eiro*.] *S. m.* **1.** Aquele que colhe, que faz colheitas. **2.** Lavrador, agricultor.

colher (é) [Do lat. *cochleare*.] *S. f.* **1.** Instrumento composto de uma concha (7) rasa e de cabo, para levar certos alimentos à boca, ou para misturar, mexer, provar ou servir iguarias: *colher de café*; *colher de sopa*. **2.** O conteúdo de uma colher: *Tome uma colher do remédio ao deitar-se.* **3.** Designação comum a diversos utensílios de feitio mais ou menos semelhante ao da colher: *colher do fórceps*; *colher de espalhar tintas*. [Pl.: *colheres*. Cf. *colher* (ê) e *colheres* (ê), do v. *colher* (ê).] ◆ **Colher de pedreiro.** Instrumento feito de chapa de aço, com cabo de madeira, e com que os pedreiros tiram argamassa do caixão, alisam os revestimentos, partem e assentam tijolos. **Dar uma colher de chá a.** *Bras. Gír.* **1.** Dar uma oportunidade a. **2.** Facilitar, favorecer. **De colher.** *Bras. Gír.* Fácil de resolver ou de dispor; acessível, ameno: *Este problema é de colher.* **Meter a colher em.** *Fam.* V. *meter o bedelho em*.

colher (ê) [Do lat. *colligere*, por via pop.] *V. t. d.* **1.** Tirar, desprender (flores, frutos, folhas) do ramo ou da haste; apanhar: "Ando colhendo flores tristes: / Um goivo aqui, outro acolá..." (Alphonsus de Guimaraens, *Obra Completa*, p. 207.) **2.** Recolher; apanhar: *O pescador colheu as redes; O professor colheu as provas dos alunos.* **3.** Coletar, coligir; arrecadar; recolher: *Colheu contribuições para a obra beneficente;* "Levava o inverno a estudar o empreendimento, colhendo informes quanto à guarnição." (Aquilino Ribeiro, *Os Avós dos Nossos Avós*, p. 189). **4.** Achegar, aproximar; acolher: *Sentiu o braço forte que a colhia.* **5.** Apanhar, pegar: *colher borboletas.* **6.** Surpreender, apanhar: *Colheram-no em flagrante.* **7.** Adquirir, obter, conseguir: *Colheu boas informações sobre o candidato.* **8.** Atingir, alcançar: *O tiro colheu o alvo.* **9.** Alcançar, obter: *Colheu os louros da vitória.* **10.** Amainar; recolher: "Inútil! Calmaria. Já colheram / As velas." (Camilo Pessanha, *Clepsidra e Outros Poemas*, p. 181.) **11.** Apreender, perceber: *Não colheu bem o que lhe disseram; Afinal, colheu o sentido da frase.* **12.** Receber em paga, em recompensa: *Sabe colher a estima de todos.* **13.** Segurar, pegar, prender: *Não pôde fugir, pois o guarda o colheu de pronto.* **14.** Segurar, travar, aferrar; tomar: *O cavalo colhe o freio nos dentes.* **15.** Atropelar; derribar, derrubar: *O automóvel colheu o pedestre.* **16.** Ter plantação ou messe de; cultivar: *Este lavrador colhe feijão.* **17.** *Marinh.* Arrumar (cabo, espia, corrente, etc.) em aduchas, para não enrascar e ficar pronto para uso imediato, ou com bom aspecto. *T. d. e i.* **18.** Depreender, inferir, deduzir: *Desse fato colhemos que é falso tudo quanto declarou. T. d. e c.* **19.** Tirar, apanhar, recolher: *Colheu água na fonte;* "Abaixei-me, colhi água na concha das mãos e bebi." (Aluísio Azevedo, *Pegadas*, p. 162). **20.** Receber, acolher: *Colheu a criança nos braços. Transobj.* **21.** Encontrar, apanhar, surpreender: *Colhemos o adversário desprevenido. Int.* **22.** Ter o que colher: *Só colhe quem semeia.* **23.** Proceder à colheita: "fez-se lavrador, plantou, colheu, permutou o seu produto por boas e honradas patacas" (Machado de Assis, *Memórias Póstumas de Brás Cubas*, p. 7). **24.** Ser concludente; proceder: *Esta dedução não colhe.* [M.-q.-perf. ind.: *colhera* (ê), *colheras* (ê), etc.; inf. pess.: *colher* (ê), *colheres* (ê), etc. Cf. *colher*, pl. *colheres*, e *colhera*, pl. *colheras*.]

colhera [Do esp. plat. *collera.*] *S. f. Bras. S.* **1.** Ajoujo para atrelar mutuamente dois animais. **2.** O conjunto dos animais assim atrelados. **3.** *Pop.* Dois indivíduos que andam sempre juntos. [Pl.: *colheras*. Cf. *colhera* (ê) e *colheras* (ê), do v. *colher* (ê).]

colherada [De *colher* (é) + *-ada*[1].] *S. f.* Conteúdo de uma colher; colher. ◆ **Meter a sua colherada em.** *Fam.* V. *meter o bedelho em.*

colher-de-vaqueiro *S. m. Bras. Bot.* V. *moliana* (2). [Pl.: *colheres-de-vaqueiro*.]

colhereiro [De *colher* (é) + *-eiro*.] *S. m.* **1.** Aquele que faz ou vende colheres de pau. **2.** *Bras.* Ave ciconiiforme, tresquiornitídea (*Ajaia ajaja*), de praias lodosas, rios e lagoas. Tem o bico achatado e espatulado e, no período de acasalamento, o dorso e pescoço brancos, o dorso inferior e as asas cor-de-rosa, as coberteiras superiores menores, vermelho-vivas e a cauda ocre; noutros períodos o colorido é mais pálido, e desaparece a cor das coberteiras e da cauda. [Sin., nesta acepç.: *aiaiá, ajajá*.]

colherete (ê) [De *colher* (ê).] *S. m.* Pancada com a bola ou pela nos que assistem ao jogo.

colheril [De *colher* (é) + *-il*[1].] *S. m.* Pequena colher de estucador; colherim.

colherim [De *colher* (é) + *-im*.] *S. m.* Colheril.

colhimento [De *colher* (ê) + *-imento*.] *S. m.* V. *colheita* (3).

colhoneira [De *colhão* + *-eira*, seg. o padrão erudito.] *S. f.* V. *suporte atlético.*

colhoneiro [De *colhão* + *-eiro*, seg. o padrão erudito.] *S. m.* V. *suporte atlético.*

colhudo [De *colh(ão)* + *-udo*, com desnasalação.] *Adj.* **1.** Que tem testículos grandes. **2.** *Bras.* V. *valentão* (1). **3.** *Bras. N.E. Fam.* Diz-se de menino ou rapazinho intrometido, atrevido, sebite. **4.** *Bras. S.* Diz-se de cavalo não castrado. ● *S. m.* **5.** *Bras.* V. *valentão* (3).

colibacilo [Do lat. cient. *coli bacillus*.] *S. m. Bacter.* Bactéria que, não sendo normalmente patogênica, pode, em certos casos, ter grande ação patogênica.

colibri [Do fr. *colibri*.] *S. m. Zool.* V. *beija-flor.*

cólica [Do lat. *colica* < lat. *colicu*, 'que sofre de cólica'.] *S. f. Med.* Dor abdominal espasmódica, ger. em órgão oco, ligada a distensão deste órgão (intestino delgado, intestino grosso, fígado, bexiga, útero, etc.). ~ V. *cólicas.*

cólicas [Pl. de *cólica*.] *S. f. pl. Fig.* **1.** Aflição, medo, receio. **2.** Dificuldades, entaladela, aperto. ~ V. *cólica.*

cólico[1] [De *col(o)-* + *-ico*[2].] *Adj.* Relativo ou pertencente ao colo[2].

cólico[2] [De *col(e)-* + *-ico*[2].] *Adj.* Da, ou relativo à bile. ~ V. *ácido —.*

colículo [Do lat. cient. *colliculus*.] *S. f. Anat.* Pequena eminência ou elevação num órgão. ◆ **Colículo inferior.** *Anat.* Cada uma de duas eminências arredondadas situadas na porção dorsal do mesencéfalo, e que estão relacionadas com a audição. **Colículo superior.** *Anat.* Cada uma de duas eminências arredondadas situadas no teto do mesencéfalo, e que estão relacionadas com a visão.

colidense *Adj. 2 g.* **1.** De, ou pertencente ou relativo a Colíder (MT). ● *S. 2 g.* **2.** O natural ou habitante de Colíder.

colidente [De *colidir* + *-ente*.] *Adj. 2 g.* Que colide, conflita. [V. *conflitante*.]

colidir [Do lat. *collidere*.] *V. t. d. e c.* **1.** Fazer ir de encontro: *A tempestade colidiu o navio com os rochedos. T. c.* **2.** Ir de encontro; chocar-se, abalroar: "Derrapando, o caminhão quase colidira com um bonde" (Malu de Ouro Preto, *Siri na Noite sem Lua*, p. 36). *T. i.* **3.** Embater-se, chocar-se; contrariar, contradizer: "a vida pacata e 'burguesa' do escritor colidiu com a ideia generalizada de que os poetas têm de ser necessariamente boêmios, em conflito com as normas da vida social policiada." (J. Mattoso Câmara Jr., *Ensaios Machadianos*, p. 109). *Int.* **4.** Ir de encontro; abalroar, chocar-se: *Os veículos colidiram.* **5.** Ser reciprocamente oposto; chocar-se, contradizer-se: *Suas palavras e seus atos colidem.*

coliforme[1] [Do lat. *collum*, 'pescoço', + *-iforme*.] *Adj. 2 g.* Que tem forma de pescoço.

coliforme[2] [Do lat. cient. *coli (bacillus)*, 'bacilo do cólon', + *-forme*.] *S. m. Microbiol.* Designação genérica de bacilos intestinais gram-negativos. ◆ **Coliforme fecal.** *Microbiol.* Coliforme presente em fezes.

coligação [Do lat. *colligatione*.] *S. f.* **1.** Ato ou efeito de coligar; junção, união, ligação: *coligação de partículas.* **2.** Aliança de diversas pessoas ou organizações que visa a um fim comum; associação, coalização, fusão, liga: *coligação de partidos políticos.* **3.** União de estados; confederação. **4.** Trama, conluio, maquinação.

coligado [Part. de *coligar*.] *Adj.* **1.** Unido por coligação; ligado, junto: *paredes coligadas.* **2.** Diz-se de membro de uma coligação; associado, aliado, confederado. ● *S. m.* **3.** Membro de uma coligação; associado, aliado, confederado.

coligar [Do lat. *colligare*.] *V. t. d.* **1.** Unir, ligar, juntar. **2.** Unir para um fim comum; associar por coligação; aliar: *Os interesses mútuos coligaram os dois partidos.* **3.** Aproximar, unir, identificar: *O rigoroso ascetismo coliga aqueles frades. T. d. e i.* **4.** Unir por coligação (2); associar: *A aliança entre os partidos coligou a esquerda à direita. P.* **5.** Unir-se, ligar-se, juntar-se. **6.** Aliar-se, associar-se por coligação: *As três nações coligaram-se;* "Os franceses, que tentavam estabelecer-se nesta nossa baía de Guanabara, coligaram-se os tamoios." (Carlos de Laet, *O Frade Estrangeiro e Outros Escritos*, p. 17).

coligativo [De *coligar* + *-tivo*.] *Adj.* **1.** Respeitante a coligação. **2.** Que coliga: *propriedades coligativas de uma substância.* ~ V. *propriedade —a.*

coligido [Part. de *coligir*.] *Adj.* Que se coligiu; coletâneo.

coligidor (ô) [De *coligir* + *-dor*.] *Adj. S. m.* Que, ou aquele que colige.

coligir [Do lat. *colligere*, por via erudita.] *V. t. d.* **1.** Reunir em coleção, massa ou feixe; ajuntar (o que está esparso): "Então, eu lancei-lhe as mãos aos cabelos, coligi-os, enlacei-os à pressa, improvisei um toucado" (Machado de Assis, *Memórias Póstumas de Brás Cubas*, p. 60). *T. d. e i.* **2.** Reunir em coleção; ajuntar: "Poucos versos nos deixou ele [Carvalho Júnior], uma vintena de sonetos, que um piedoso amigo .... coligiu com outros trabalhos e deu há pouco num volume, como obséquio póstumo." (Id., *Crítica*, p. 115). **3.** Concluir; inferir: "Pois assim como do aborrecimento, que os Anjos e Santos têm ao pecado, se colige bem sua graveza, por serem amigos de Deus: assim se pode coligir o mesmo do grande desejo com que o procura o Diabo, por ser este seu adversário declarado." (P.ª Manuel Bernardes, *Exercícios Espirituais*, I, pp. 131-132.) [Conjug.: v. *dirigir*.]

coliiforme [Do tax. *Colius* (< gr. *koliós*, 'certo pássaro') + *-iforme*; tax. *Coliiformes*.] *Zool. S. m.* **1.** Espécime dos coliiformes, ordem de aves africanas, neórnites, neógnatas, de pequeno porte, cauda longa, pernas pamprodáctilas, com o primeiro e o quarto dedos reversíveis. ● *Adj. 2 g.* **2.** Pertencente ou relativo a eles.

colimação [De *colimar* + *-ção*.] *S. f.* Ato ou efeito de colimar.

colimado [Part. de *colimar*.] *Adj.* Submetido a colimação. ~ V. *feixe —.*

colimador (ô) [De *colimar* + *-dor*.] *S. m.* **1.** *Astr.* Instrumento auxiliar para se efetuar a colimação. **2.** *Ópt.* Sistema óptico com que se colima um feixe de raios luminosos; sistema óptico que põe a imagem de um objeto no infinito. [Em geral é um sistema de lentes com distância focal relativamente grande.] **3.** *Fís. Nucl.* Dispositivo que colima as trajetórias das partículas dum feixe a um ângulo sólido muito pequeno. ● *Adj.* **4.** Que colima. ~ V. *lente —a.*

colimadora (ô) [F. subst. do adj. *colimador*.] *S. f. Ópt.* Lente colimadora.

colimar [Do lat. *collimare*, dos astrônomos seiscentistas; f. errônea, originária de má leitura de *collineare*, 'visar'.] *V. t. d.* **1.** Observar com instrumento adequado. **2.** *P. ext.* Mirar, visar, observar. **3.** *Fig.* Ter em vista; visar a; objetivar, pretender: "Podemos colimar escopo certo, ... próximo, nas brumas cada vez mais densas do futuro" (Visconde de Taunay, *Reminiscências*, p. 39). **4.** *Fís. Nucl.* Tornar paralelas, ou quase paralelas (as trajetórias das partículas de um feixe). **5.** *Ópt.* Tornar paralelos (os raios luminosos de um feixe). [Cf. *culimar*.]

colimbídeo [Do tax. *Colymbus* (< gr. *kólymbos*, 'mergulhão (ave)'), + *-ídeo*; tax. *Colymbidae*.] *S. m. Adj. Zool.* V. *podicipedídeo.*

colimbiforme [Do tax. *Colymbus* + *-iforme*; tax. *Colymbiformes*.] *S. m. Adj. 2 g. Zool.* V. *podicipediforme.*

colimbriense *Adj. 2 g. S. 2 g.* V. *coimbrão.*

colina[1] [Do it. *collina*, pelo esp. *colina*.] *S. f.* **1.** Pequeno monte; cerro, morro, outeiro. **2.** Encosta, quebrada. [Cf. *culina*.]

colina[2] [De *col(e)-* + *-ina*[3]; al. *Cholin*.] *S. f. Quím.* Cátion derivado do amônio que ocorre, combinado, na lecitina e outras substâncias de origem biológica [fórm.: $(C_5H_{14}NO)^+$.] [Cf. *culina*.]

colineação [Do lat. cient. *collineation* < lat. *collineatus*, part. pass. de *collineare*, 'apontar', 'pôr na mira'.] *S. f. Geom.* Transformação no espaço, em que pontos se transformam em pontos, retas em retas, e planos em planos; transformação colinear.

colinear[1] [De *co-*[1] + *linear*.] *Adj. 2 g. Mat.* Diz-se de uma configuração pertencente à mesma reta que outra. ~ V. *transformação —.*

colinear[2] [Voc. deduz. de *colineação* (v. *-ar*[2]).] *V. t. d. Mat.* Colocar (diversas configurações) sobre uma linha reta. [Conjug.: v. *frear*.]

colinearidade [De *colinear*[1] + *-(i)dade*.] *S. f. Geom.* Propriedade de figuras colineares.

colinearização [De **colinearizar* (< *colinear*[1] + *-izar*) + *-ção*.] *S. f.* Ato de colinear.

colinense[1] *Adj. 2 g.* **1.** De, ou pertencente ou relativo a Colina (SP). ● *S. 2 g.* **2.** O natural ou habitante de Colina.

colinense[2] *Adj. 2 g.* **1.** De, ou pertencente ou relativo a Colinas (MA e RS). ● *S. 2 g.* **2.** O natural ou habitante de Colinas.

colinense[3] *Adj. 2 g.* **1.** De, ou pertencente ou relativo a Colinas do Sul (GO). ● *S. 2 g.* **2.** O natural ou habitante de Colinas do Sul.

colinense[4] *Adj. 2 g.* **1.** De, ou pertencente ou relativo a Colinas do Tocantins (TO). ● *S. 2 g.* **2.** O natural ou habitante de Colinas do Tocantins.

colinense[5] *Adj. 2 g.* **1.** De, ou pertencente ou relativo a Nova América da Colina (PR). ● *S. 2 g.* **2.** O natural ou habitante de Nova América da Colina. [Sin. ger.: *nova-americanense*.]

colinérgico [De *(acetil)colina* + *-erg(o)-*[1] + *-ico*[2].] *Adj. Fisiol.* Que libera acetilcolina (q. v.). [Diz-se de neurofibra.]

colinesterase [De *colina*[2] + *esterase*.] *S. f. Bioquím.* Enzima que catalisa a hidrólise da acetilcolina, em colina e em um ânion, inativando-a; pseudocolinesterase. [Cf. *acetilcolinesterase*.] ◆ **Colinesterase verdadeira.** *Bioquím.* Acetilcolinesterase.

colinoso (ô) [De *colina*[1] + *-oso*.] *Adj.* Que tem colinas.

coliquação [Do ingl. *colliquation*.] *S. f. Patol.* Dissolução orgânica com excreções abundantes; fusão, liquefação.

coliquar [Do lat. tard. *colliquere*.] *V. t. d.* Fundir, derreter; dissolver. [Conjug.: v. *averiguar*.]

coliquativo [Do lat. cient. *colliquatus* + *-ivo*.] *Adj.* **1.** *Patol.* Relativo a coliquação. **2.** *Med.* Diz-se dos estados mórbidos que parecem originar-se da fusão das partes sólidas e se acompanham de abatimento profundo: *diarreia coliquativa; suor coliquativo.*

colírio [Do gr. kollýrion, pelo lat. *collyrion*.] *S. m. Oftalm.* **1.** Remédio que se aplica sobre a conjuntiva dos olhos para efeito curativo ou de alívio. **2.** *Bras. Fam.* Pessoa muito bonita, muito agradável à vista.

colisão [Do lat. *collisione*.] *S. f.* **1.** Embate recíproco de dois corpos; choque, batida, abalroamento: *colisão de veículos.* **2.** Luta, embate. **3.** Oposição, discórdia, desarmonia, divergência: *colisão de ideias.* **4.** Contradição; divergência: *Apesar de colisões entre nossos pontos de vista, continuaremos bons amigos.* **5.** Dificuldade de opção; conflito: *Viu-se ante grave colisão de deveres.* **6.** *E. Ling.* Aliteração que produz som desagradável. [Ex.: *Nunca que ela quisesse semelhante absurdo; O Sr. Soares sentiu sumamente a sua falta*.] **7.** *Fís.* Interação entre duas partículas atômicas, subatômicas ou moleculares em movimento.

coliseu [Do it. *Coliseo*, var. de *Colosseo* < lat. tard. *colosseu* < gr. *kolossiaîos*, 'colossal'.] *S. m.* Circo (2).

colisor (ô) [Do lat. *collisus*, part. pass. do v. lat. *collidere*, 'colidir', + *-or*, para traduzir o ingl. *collider*.] *S. m. Fís. Part.* Anel de colisão (q. v.).

➔ **colis postaux** [ko'li po'sto] [Fr.] *S. m. pl.* **1.** Pequenas encomendas, até determinado limite de peso, transportadas sob o controle dos correios, e de franquia obrigatória no ato da remessa. **2.** A repartição que se encarrega de tais encomendas.

colite [De *col(o)* + *-ite*[1].] *S. f. Med.* Inflamação de colo[2].

colitigante [De *co-*[1] + *litigante*.] *Adj. 2 g.* **1.** Diz-se de pessoa que litiga ou demanda em conjunto com outrem. ● *S. 2 g.* **2.** V. *litisconsorte.*

➔ **collant** [ko'lã] [Fr.] *S. m.* **1.** *Vest.* Espécie de maiô us. para balé, ginástica, etc. **2.** *Vest.* Roupa de baixo inteiriça que reúne calcinha e sutiã. **3.** Meia-calça de malha grossa. [Cf. *colante*.]

colmado [Part. de *colmar*[1].] *Adj.* **1.** Coberto de colmo: "Vamos. Colmadas choças aparecem, / Baixas e tristes." (Alberto de Oliveira, *Poesias*, 3.ª série, p. 287.) ● *S. m.* **2.** Casinha coberta de colmos; colmo. **3.** V. *cabana*: "Dos colmados evolava-se .... um fumo tênue e alto no espaço" (Coelho Neto, *Sertão*, p. 72).

colmagem [De *colmar*[1] + *-agem*[2].] ***S. f.*** Ato ou operação de colmar[1].

colmar[1] [De *colmo* (ô) + *-ar*[2].] ***V. t. d.*** **1.** Cobrir de colmo: *colmar uma cabana.* **2.** *P. ext.* Cobrir, toldar: *Colmaram toda a varanda.* [Pres. ind.: *colmo*, etc. Cf. *colmo* (ô).]

colmar[2] [Do lat. *cumulare*, poss.] ***V. t. d.*** **1.** Elevar, altear; engrandecer, sublimar: *Seus atos de justiça colmam o seu nobre caráter.* **2.** Rematar, completar: *Com isto ele colmou de todo a sua série de asneiras.* ***T. d. e i.*** **3.** Encher; cumular: *Colmou-o de benefícios;* "deram-me larga e severa educação, colmando-me ao mesmo tempo de carinhos" (Bulhão Pato, *Memórias*, II, p. 179). [Pres. ind.: *colmo*, etc. Cf. *colmo* (ô).]

colmatagem [Do fr. *colmatage*.] ***S. f.*** **1.** Ação ou efeito de colmatar. **2.** Depósito ou sobreposição de terras. **3.** Operação de guiar águas ricas em detritos minerais e orgânicos para bacias ou planícies baixas e pantanosas, aumentando-lhes assim a fertilidade.

colmatar [Do fr. *colmater*.] ***V. t. d.*** **1.** Preencher (vazios, lacunas ou brechas); aterrar, entulhar. **2.** Fazer colmatagem (3) em (terreno).

colmeal [De *colmeia* + *-al*[1].] ***S. m.*** **1.** Lugar onde há colmeias. **2.** Porção de colmeias. **3.** *Fig.* Série de pequenas habitações.

colmeeiro [De *colmeia* + *-eiro*.] ***S. m.*** Tratador de colmeias, de abelhas, e/ou negociante delas; abelheiro, apicultor.

colmeense (èên) ***Adj. 2 g.*** **1.** De, ou pertencente ou relativo a Colmeia (TO). • ***S. 2 g.*** **2.** O natural ou habitante de Colmeia.

colmeia (êi ou éi) [De or. pré-romana, poss.] ***S. f.*** **1.** Cortiço ou outra instalação de abelhas: "No caule da bananeira há miríades de células, como favos de uma colmeia" (Carlos Lacerda, *A Casa do Meu Avô*, p. 161). **2.** Porção de abelhas; enxame. **3.** *Fig.* Acumulação de pessoas ou coisas. ❖

colmilho [Do esp. *colmillo*.] ***S. m.*** Dente canino; presa.

colmilhoso (ô) [De *colmilho* + *-oso*.] ***Adj.*** Colmilhudo (1).

colmilhudo [De *colmilho* + *-udo*.] ***Adj.*** **1.** Que tem grandes colmilhos; colmilhoso. **2.** *Bras. S.* Diz-se de cavalo de grandes colmilhos e, portanto, velho, imprestável. **3.** *Bras. Fig.* Diz-se de indivíduo muito velho.

colmo (ô) [Do lat. *culmu*.] ***S. m.*** **1.** *Bot.* Caule caracterizado por nós bem marcados e entrenós distintos, peculiar às poáceas, quase sempre fistuloso. **2.** Palha longa extraída de várias plantas, empregada para cobrir cabanas, atar feixes, etc. **3.** Colmado (2): "O tênue fumo sai do colmo das herdades" (Gonçalves Crespo, *Obras Completas*, p. 356). [Pl.: *colmos* (ô). Cf. *colmo*, do v. *colmar*.]

colo[1] [Do lat. *collu*.] ***S. m.*** **1.** *Anat.* Pescoço (1). **2.** Base do pescoço de certos animais. **3.** *Anat.* Porção estreitada de órgão ou de segmento corporal: *colo da bexiga; colo do útero.* **4.** *Anat.* Parte de um dente entre a coroa e a raiz. **5.** Designação comum a várias formas que têm analogia com o colo: "um vaso da China de colo alto, com flores." (Almeida Garrett, *Frei Luís de Sousa*, p. 53). **6.** Regaço (1): *Sentou a criança no colo.* **7.** *Geogr.* Depressão entre duas elevações, caracterizada por ser mais larga que os desfiladeiros e gargantas e poder constituir ligação entre uma e outra vertente entre regiões acidentadas; colada. **8.** *Bot.* Zona de transição entre raiz e caule já manifesta na planta jovem. **9.** *Bot.* V. *arquegônio*. ◆ **Colo da glande.** *Anat.* Colo[1] (3) situado entre a coroa da glande (q. v.) e os corpos cavernosos (v. *corpo cavernoso*). **Trazer ao colo.** *Fig.* Dar toda a proteção, todo o carinho a, cuidar muito de; amparar.

colo[2] [De *cólon*[1].] ***S. m.*** *Anat.* Parte do intestino grosso situada entre o ílio e o reto.

▲**col(o)-** [Do gr. *kólon, ou*.] ***El. comp.*** = 'colo[2]': *cólico*[1], *colopatia*. [Equiv.: *-col(o)-*: *aerocolia*.]

▲**-col(o)-** Equiv. de *col(o)-*.

▲**-colo** [Do lat. *cōllum, i*.] ***El. comp.*** = 'pescoço': *crassicolo, plumicolo*. [Equiv.: *-cole*: *albicole*.]

colobacilo [De *col(o)-* + *bacilo*.] ***S. m.*** Bacilo que se encontra normalmente no intestino do homem e dos animais.

colóbio [Do gr. *kolóbion*, pelo lat. tard. *colobiu*.] ***S. m.*** *Ant.* Túnica sem mangas, ou de mangas curtas. [Cf. *dalmática* (3).]

▲**colobo-** [Do gr. *kolobós, ḗ, ón*.] ***El. comp.*** = 'mutilado', 'truncado': *colobógnato, coloboma* (< gr.).

colobô [Do ior.] ***S. m.*** *Bras. Rel.* **1.** Vasilha de barro com tampa, onde se guardam os búzios divinatórios de Bará (Exu). **2.** Enquice correspondente ao Exu do panteão (2) nagô.

cólobo [Do tax. *Colobus* (do gr. *kolobós*, 'cortado, mutilado').] ***S. m.*** *Zool.* **1.** Gênero de cercopitecídeos gregários, arborícolas, de hábitos diurnos, capazes de dar longos saltos de árvore em árvore; têm o corpo e os membros muito delgados, a cauda comprida, os pêlos longos, e polegares ausentes ou rudimentares. **2.** Qualquer espécie ou espécime desse gênero.

colobógnato [Do gr. *kolobós*, 'mutilado', 'curto', + *-gnato*; tax. *Colobognatha*.] *Zool.* ***S. m.*** **1.** Espécime dos colobógnatos, ordem de artrópodes miriápodes, diplópodes, cujo corpo tem de 30 a 60 somitos; machos com gonópodes formados pelo segundo par de pernas do sétimo somito e pelo primeiro par de pernas do oitavo somito; cabeça cônica. • ***Adj.*** **2.** Pertencente ou relativo a eles.

coloboma [Do lat. cient. *coloboma* (gr. *kolóboma*).] ***S. m.*** *Ter.* Ausência ou defeito congênito de uma porção de tecido ocular, ger. relacionados com o fechamento incompleto de fenda existente na vesícula óptica primitiva, a qual se fecha, habitualmente, após a sexta semana de vida; segundo a sua extensão, pode haver anomalias mais ou menos amplas da íris, do corpo ciliar, da coroide, da retina, etc.

colocação [Do lat. *collocatione*.] ***S. f.*** **1.** Ato ou efeito de colocar(-se). **2.** Emprego (2): "Arranjara-lhe colocação na mercearia de um parente, na cidade." (Gilvã Lemos, *Jutaí Menino*, p. 89.) **3.** Lugar alcançado numa competição. **4.** Venda, distribuição. **5.** Aplicação (de valores). **6.** *E. Ling.* Disposição das palavras na frase. [Em português, p. ex., o artigo precede o substantivo.] **7.** *Bras.* Casa, geralmente sobre palafitas, do seringueiro amazônico: "Os índios se defendiam, e não havia outra alternativa, e atacavam as colocações — casas de seringueiros —" (Edilson Martins, *Amazônia, a Última Fronteira*, p. 217). **8.** *Bras. Pop.* Apresentação, exposição (de fatos ou ideias). ◆ **Colocação direta.** *Econ.* Venda de ações diretamente aos atuais acionistas, em caso de aumento de capital de uma sociedade anônima. **Colocação indireta.** *Econ.* Quando do aumento de capital de uma sociedade anônima, venda da totalidade das novas ações a uma instituição financeira ou grupo reunido em consórcio, para posterior revenda no mercado secundário.

colocado [Part. de *colocar*.] ***Adj.*** **1.** Posto, disposto; situado. **2.** Empregado (1). **3.** *Bras. RJ Gír.* Que está sob o efeito de droga (4); chapado.

colocador (ô) [De *colocar* + *-dor*.] ***S. m.*** V. *assentador* (3).

colocar [Do lat. *collocare*.] ***V. t. d. e c.*** **1.** Pôr em (algum lugar): "Mãos piedosas colocaram uma vela acesa ao lado dele." (Nélson de Faria, *Bazé*, p. 36); *Colocou os livros na estante;* "Alice coloca a bandeja sobre a mesinha do rádio." (Telmo Vergara, *Contos da Vida Breve*, p. 188). **2.** Situar ou dispor geograficamente; situar: *Certos estrangeiros colocam Buenos Aires no Brasil.* ***T. d. e i.*** **3.** Situar (moral, ou intelectualmente, etc.); pôr: *Colocaram o líder em má situação.* **4.** Aplicar, empregar, pôr: *Colocaram as economias em ações.* ***T. d.*** **5.** Pôr em um lugar: *O pedreiro colocou os tijolos, assentando-os com cimento.* **6.** Dar emprego (2) a; empregar: *Logo que pôde, colocou muito bem os parentes.* **7.** Estabelecer, instalar; pôr: *Colocou uma loja de miudezas.* **8.** Pôr à venda; vender: *Veio à cidade para colocar as mercadorias.* **9.** Trazer à baila ou à discussão; apresentar, expor: *colocar um problema, uma questão.* ***P.*** **10.** Tomar posição; instalar-se: *Colocou-se no melhor camarote.* **11.** Conseguir emprego (2). **12.** Apresentar-se, situar-se (moral, ou intelectualmente, etc.): *Homem digno, sabe colocar-se no seu lugar.* [Conjug.: v. *trancar*.]

colocíntida [Do lat. *colocynthida*, 'cabacinha', < gr. *kolokynthís, ídos*.] ***S. f.*** *Bot.* **1.** Trepadeira cucurbitácea (*Citrullus colocynthis*) herbácea, originária do Mediterrâneo e da África, que lembra o melão, e com cujo fruto se prepara um forte medicamento catártico. **2.** Esse fruto que, depois de dessecado, é us. como utensílio [(v. *cuia*[2])]. [Var.: *colocíntide, coloquíntida, coloquíntide*.]

colocíntide ***S. f.*** *Bot.* V. *colocíntida*.

colocutor (ô) [Do lat. tard. *collocutore*.] ***S. m.*** Interlocutor (1).

colódio [Do lat. cient. *collodium* < gr. *kollódes*, 'colante', 'viscoso', + lat. cient. *-ium* (v. *-io*[3]).] ***S. m.*** *Quím.* Nitrocelulose em determinado nível de nitração, utilizada na fabricação de vernizes e lacas.

colofão [Do gr. *kolophón*, 'fim de uma obra', 'cume', pelo lat. tard. *colophone*.] ***S. m.*** *Edit.* Em livros impressos até o séc. XVI, quando aparece o rosto (5), fórmula indicativa do nome do impressor, título da obra, lugar da impressão, dia, mês e ano em que a impressão foi acabada, e seguida, por vezes, da marca do impressor, ger. estampada no final da última página. [F. paral.: *cólofon*.]

cólofon ***S. m.*** *E. Ling.* V. *colofão*.

colofónio ***S. m.*** *Quím.* V. *colofônio*. [Uso freq. em P.]

colofônio [Do lat. cient. *colophonium* < lat. *colophonia*.] ***S. m.*** *Quím.* Material resinoso, resíduo da destilação de terebintinas.

cologaritmo [De *co-*[2] + *logaritmo*.] ***S. m.*** *Mat.* Logaritmo decimal do inverso de um número. ❖

colografia [Do gr. *kollo-* (v. *col(a)-*) + *-grafia*.] ***S. f.*** *Fotograv. P. us.* Fototipia (1).

colográfico [De *colografia* + *-ico*[2].] ***Adj.*** *P. us.* Relativo a colografia; fototípico.

coloidal [De *coloide* + *-al*[1].] ***Adj. 2 g.*** **1.** Da natureza da cola[1] (1); gelatinoso, coloide: *substância coloidal.* **2.** Relativo aos coloides. ~ V. *estado* — e *física* —.

coloide (ói) [De *cola*[1] + *-oide*.] ***Adj. 2 g.*** **1.** V. *coloidal* (1). • ***S. m.*** **2.** *Fís.-Quím.* Sistema físico-químico que contém duas fases, uma das quais, a fase dispersa, está extremamente subdividida e imersa na outra, a fase dispersora. [As partículas da fase dispersa (*micelas*) podem ter dimensões que variam, aproximadamente, entre 5×10^{-5} cm e 10^{-7} cm.] **3.** *Quím.* Corpo que não se cristaliza, ou só se cristaliza muito dificilmente, e que, em dissolução, se difunde com lentidão extrema. ◆ **Coloide hidrófilo.** *Fís.-Quím.* Aquele em que a fase dispersora é água e cujas micelas agrupam em torno de si moléculas de água. **Coloide hidrófobo.** *Fís.-Quím.* Aquele em que a fase dispersora é água e cujas micelas não formam ligações com as moléculas de água. **Coloide liófilo.** *Fís.-Quím.* Aquele em que as micelas formam ligações com as moléculas da fase dispersora. **Coloide liófobo.** *Fís.-Quím.* Aquele em que as micelas não formam ligações com as moléculas da fase dispersora. **Coloide molecular.** *Fís.-Quím.* Eucoloide. ❖

colom [Do hisp.-amer. *colón*.] ***S. m.*** Unidade monetária, e moeda, da Costa Rica, dividida em 100 cêntimos, e do Salvador, dividida em 100 centavos. [Cf. *cólon*.]

colombense ***Adj. 2 g.*** **1.** De, ou pertencente ou relativo a Colombo (Sri Lanka e PR). • ***S. 2 g.*** **2.** O natural ou habitante de Colombo.

colombiano[1] ***Adj.*** **1.** Da, ou pertencente ou relativo à Colômbia (América do Sul). • ***S. m.*** **2.** O natural ou habitante da Colômbia. [Sin. ger. (p. us.): *colombino*. Cf. *coulombiano*.]

colombiano[2] ***Adj. 2 g.*** **1.** De, ou pertencente ou relativo a Colômbia (SP). • ***S. 2 g.*** **2.** O natural ou habitante de Colômbia. [Cf. *coulombiano*.]

colombiano[3] ***Adj.*** Pertencente ou relativo ao navegante genovês Cristóvão Colombo (1451-1506), descobridor da América, ou à sua época. [Cf. *coulombiano*.]

colombina [Do ficciôn. *Colombina*, principal personagem feminina da *commedia dell'arte* (q. v.), companheira do Arlequim e do Pierrô.] ***S. f.*** **1.** Mulher namoradeira, alegre, fútil e bela. **2.** Fantasia carnavalesca inspirada no ficciôn. Colombina: "Um pierrô apaixonado, / que vivia só cantando, / por causa de uma colombina / acabou chorando, acabou chorando." (Heitor dos Prazeres [1898-1966] e Noel Rosa [1910-1937], na marcha carnavalesca *Pierrô Apaixonado*.) [Cf. *columbina*, fem. de *columbino*.]

colombino ***Adj.*** *P. us.* Colombiano[1]. [Cf. *columbino*.]

colômbio [Var. de *colúmbio*.] ***S. m.*** *Quím. Obsol.* Nióbio.

colombro ***S. m.*** *Bot.* V. *cabaceiro-amargoso*.

colomi ***S. m.*** *Bras.* V. *curumi*. [Cf. *columim*.]

colomim ***S. m.*** *Bras.* V. *curumi*. [Cf. *columim*.]

➔**colón** [ko'lon] [Esp.] ***S. m.*** V. *colom*.

cólon[1] [Do gr. *kólon*.] ***S. m.*** *Anat.* V. *colo*[2]. [Cf. *colom*.]

cólon[2] [Do gr. *kôlon*.] ***S. m.*** *Graf. Ant.* Sinal de pontuação de desenho igual ao do atual ponto. [Cf.: *colom*.]

colonato [Do lat. tard. *colonatu*.] ***S. m.*** **1.** Estado de colono. **2.** Instituição de colonos. **3.** *Bras.* Sistema de organização da produção agrícola, esp. na região do café, com utilização de mão de obra de colonos.

colonhão [Var. de *colonião*.] ***S. m.*** *Bras. Bot.* V. *capim-guiné*.

colonia [De *colono* + *-ia*[1].] ***S. f.*** Contrato entre colono e proprietário. [Cf. *colônia*.]

colónia[1] ***S. f.*** V. *colônia*[1]. [Uso freq. em P.]

colónia[2] ***S. f.*** V. *colônia*[2]. [Uso freq. em P.]

colônia[1] [Do lat. *colonia*.] ***S. f.*** **1.** Grupo de migrantes que se estabelecem em terra estranha. **2.** Grupo de pessoas que se estabelecem noutra região de seu país. **3.** Lugar onde se estabelece qualquer desses grupos. **4.** Região pertencente a um Estado e situada fora de seu âmbito geográfico principal; possessão, domínio. **5.** Estado posto sob a autoridade de outro; protetorado. **6.** Indivíduos de uma nação que vivem em país ou cidade estrangeira, e seus descendentes que lhes conservam as tradições, características culturais, religiosas, etc.: *a colônia brasileira da França.* **7.** Conjunto de pessoas que se agrupam para determinado fim: *colônia balnear.* **8.** *Biol.* Grupo de organismos de uma mesma espécie que vivem juntos em estreita associação: *colônia de bactérias.* **9.** *Biol.* Conjunto de espécies diferentes que vivem num todo isolado. **10.** *Citol.* Grupo de células contíguas derivadas de uma célula ancestral, e que vivem sobre uma superfície sólida. **11.** *Bras. S.* Nas fazendas, grupo de casas de colonos [v. *colono* (4)]. [Posposto a outro substantivo, este voc. tem valor adjetivo.] [Cf. *colonia*.] ◆ **Colônia agrícola.** Povoação campestre de colonos lavradores. **Colônia de**

enraizamento. Aquela em que se enraíza o elemento humano colonizador, quer pela substituição paulatina da população indígena, quer pela coexistência com esta e através da mestiçagem, quer pela associação com os próprios indígenas. **Colônia de férias.** Local com instalações apropriadas, destinado a receber grupos de jovens para ali passar férias. **Colônia de povoamento.** Colônia de áreas pouco povoadas, na qual o colonizador aparece como elemento povoador. **Colônia penal.** Estabelecimento onde certos condenados cumprem pena, ger. trabalhando: *colônia penal agrícola.*

colônia[2] *S. f.* V. *água-de-colônia*: "Recebe o sorriso e se vai, notando o jeito arrumado, o rosto muito barbeado e claro, o cheiro de colônia." (Ricardo Ramos, *Circuito Fechado*, p. 85.) [Cf. *colonia*.]

colonial [De *colônia*[1] + *-al*[1].] *Adj. 2 g.* **1.** Relativo a colônia, ou a colonos; colônico. **2.** *Biol.* Relativo a, ou que vive em colônia[1] (8 e 9). **3.** *Arquit. Bras.* Diz-se de um estilo arquitetônico muito em voga no Brasil no fim do primeiro e no segundo quartel do século XX, inspirado na arquitetura dos tempos coloniais; colonial brasileiro. ~ V. *telha —*. ● *S. 2 g.* **4.** Colonista. ◆ **Colonial brasileiro.** Colonial (3).

colonialismo [De *colonial* + *-ismo*.] *S. m. Ciênc. Pol.* Sistema ou orientação política tendente a manter sob domínio, inclusive econômico, as possessões de determinado Estado. [Cf. *neocolonialismo*.]

colonialista [De *colonialismo* + *-ista*.] *Adj. 2 g.* **1.** Relativo ao, ou próprio do colonialismo. **2.** Que o exerce. **3.** Que é partidário dele. ● *S. 2 g.* **4.** Partidário dele.

coloniano *Adj.* **1.** De, ou pertencente ou relativo a Colônia (República Federal da Alemanha e RJ). ● *S. m.* **2.** O natural ou habitante de Colônia.

colonião [F. red. de *capim-colonião*.] *S. m. Bot.* V. *capim-guiné*: "Um dia a bezerra vermelha / e a outra queimada / fugiram nas touceiras do colonião." (José Sarney, *Os Maribondos de Fogo*, p. 51). [Var.: *colonhão*.]

colônico *Adj.* V. *colônico*. [Uso freq. em P.]

colônico [Do lat. *colonicu*.] *Adj. Bras.* Colonial (1).

colonista [De *colon-*, como em *colônia* e *colono*, + *-ista*.] *S. 2 g. Bras.* Especialista em questões relativas a colonos ou colônias; colonial. [Cf. *colunista*.]

colonização [De *colonizar* + *-ção*.] *S. f.* **1.** Ato ou efeito de colonizar. **2.** *Ecol.* Estabelecimento ou invasão de uma planta ou animal em área que, anteriormente, não era habitada por tal espécie.

colonizado [Part. de *colonizar*.] *Adj.* **1.** Em que se estabeleceu colônia. **2.** Povoado de colonos.

colonizador (ô) [De *colonizar* + *-dor*.] *Adj. S. m.* Que, ou aquele que coloniza, que promove colonização.

colonizar [De *colônia*[1] + *-izar*.] *V. t. d.* **1.** Transformar em colônia[1] (4 e 5): *Os portugueses colonizaram o Brasil.* **2.** Habitar como colono: *Grupos de camponeses do Nordeste vieram colonizar o Centro do País.* **3.** Propagar-se ou alastrar-se por; invadir: *O sapé coloniza terrenos pobres e esgotados.* **4.** Dominar como a uma colônia[1] (4); exercer domínio, ou supremacia, sobre.

colonizável [De *colonizar* + *-vel*.] *Adj. 2 g.* Que se pode colonizar.

colono [Do lat. *colonu*.] *S. m.* **1.** Membro de uma colônia[1] (1 a 6). **2.** Cultivador de terra pertencente a outrem. **3.** Povoador (2). **4.** *Bras. S.* Membro de colônia[1] (1) vindo para o Brasil com o fim de trabalhar na lavoura. **5.** *Bras. S. P. ext.* Trabalhador agrícola ou pequeno proprietário rural, esp. quando imigrante ou descendente deste.

colonoscopia [De *cólon*[1] + *-o-* + *-scop-* + *-ia*[1].] *S. f. Med.* Exame endoscópico da superfície interna do cólon[1], mediante o uso de instrumental especializado que pode incluir equipamento videoscópico; coloscopia. [Cf. *videocolonoscopia*.]

colonoscópico [De *colonoscopia* + *-ico*[2].] *Adj.* Relativo a colonoscopia.

colonoscópio [De *colono-*, como em *colonoscopia*, + *-scópio*.] *S. m. Med.* Endoscópio com que se realiza a colonoscopia.

colopatia [De *col(o)-* + *-patia*.] *S. f. Med.* Qualquer doença do colo[2].

colopático [De *colopatia* + *-ico*[2].] *Adj.* Relativo a colopatia.

coloquial [De *colóquio* + *-al*[1].] *Adj. 2 g.* **1.** Relativo a, ou próprio de colóquio. **2.** *Liter.* Diz-se do estilo em que se usam vocabulário e sintaxe bem próximos da linguagem cotidiana.

coloquialidade [De *coloquial* + *-(i)dade*.] *S. f.* Qualidade ou caráter de coloquial.

coloquialismo [De *coloquial* + *-ismo*.] *S. m.* Maneira ou tom coloquial: "O prodigioso coloquialismo dos textos de Nélson [Nélson Rodrigues] aparece como uma autêntica revolução." (Yan Michalski, em *Jornal do Brasil*, 22.12.1980).

coloquíntida *S. f. Bot.* V. *colocíntida*.

coloquíntide *S. f. Bot.* V. *colocíntida*.

colóquio [Do lat. *colloquiu*.] *S. m.* **1.** Conversação ou palestra entre duas ou mais pessoas. **2.** Reunião de pessoas gabaritadas, em que se debate determinado assunto.

color (ô) [Do lat. *colore*.] *Ant. S. f.* **1.** Cor. ● *S. m.* **2.** Adorno, ornato. [Pl.: *colores* (ô). Cf. *colores*, dos v. *colorar* e *colorir*.] ◆ **Sob color de.** A pretexto de; sob a aparência de; sob cor de, socolor de: "Tal foi o caso da poesia, devastada por estes vândalos, que sob color de a cobrirem e idealizarem, a mudaram por mais de um século, ... a tornaram velha presumida e caprichosa" (Latino Coelho, *Cervantes*, p. 201).

▲ **-color** Equiv. de *color(i)-*.

coloração [De *colorar* + *-ção*.] *S. f.* **1.** Ação de dar ou de adquirir cor(es): *coloração de um tecido; coloração de um fruto.* **2.** Efeito produzido pelas cores; colorido, cor. **3.** *Bioquím.* Técnica que permite dar cor às estruturas celulares e teciduais, ger. incolores e difíceis de distinguir ao microscópio ótico, e para a qual se usam corantes. ◆ **Coloração de Gram.** *Microbiol.* Coloração (3) us. na classificação de bactérias em dois grupos, gram-positivas e gram-negativas. [Usam-se quatro soluções e, inicialmente, as bactérias são submetidas à coloração por violeta de genciana, em seguida, à solução de lugol, depois ao tratamento com a solução descorante de álcool-acetona e, finalmente, à quarta solução, o corante de contraste. As bactérias que retêm a cor do violeta de genciana são classificadas de *gram-positivas* e as que, a despeito de tratamento pelo álcool-acetona, retêm a cor do corante de contraste são classificadas de *gram-negativas*.]

coloradense[1] *Adj. 2 g.* **1.** De, ou pertencente ou relativo a Colorado (PR e RS). ● *S. 2 g.* **2.** O natural ou habitante de Colorado.

coloradense[2] *Adj. 2 g.* **1.** De, ou pertencente ou relativo a Colorado do Oeste (RO). ● *S. 2 g.* **2.** O natural ou habitante de Colorado do Oeste.

colorado [Do esp. *colorado*.] *Adj.* **1.** *Bras. RS* Vermelho[1] (1). **2.** Diz-se de um partido político do Uruguai. **3.** *Bras.* Pertencente ou relativo ao Esporte Clube Internacional (RS). **4.** *Bras.* Que é torcedor ou jogador dessa agremiação. ● *S. m.* **5.** Membro do partido colorado. **6.** *Bras.* Membro, torcedor ou jogador do Esporte Clube Internacional (RS); internacional.

colorante [De *colorar* + *-nte*.] *Adj. 2 g.* Que colora; corante.

colorar [Do lat. *colorare*.] *V. t. d.* V. *colorir* (1 a 3): *colorar um tecido; colorar a linguagem, o estilo.* [Pres. subj.: *colore, colores*, etc. Cf. *colores* (ô), pl. de *color*.]

colorau [Do esp. *colora(d)o*.] *S. m.* Pó vermelho, condimentício, feito de pimentão, urucu, etc.

colorear [Do port. ant. *color* + *-ear*[2].] *V. t. d.* **1.** Colorir, corar. **2.** Disfarçar, colorir: *Coloreou suas mentiras com hábeis raciocínios.* ***Int.*** **3.** *Bras. S.* Apresentar cor vermelha. **4.** *Bras. S.* Mostrar-se na cor vermelha. [Conjug.: v. *frear*.]

▲**color(i)-** [Do lat. *cŏlor, ōris*.] ***El. comp.*** = 'cor', 'coloração': *colorear, colorímetro.* [Equiv.: *-color*: *quadricolor* (< lat.).]

colorido [Do it. *colorito*.] *Adj.* **1.** Que tem cores; feito a cores. **2.** *Fig.* Disfarçado, dissimulado. **3.** *Fig.* Brilhante, expressivo, vivo: *estilo colorido.* ~ V. *amizade —a* e *filme —*. ● *S. m.* **4.** V. *coloração* (2): "Coloridos mimosos, tenras cores" (Teixeira de Pascoais, *D. Carlos*, p. 46). **5.** Combinação de cores em pintura, na vegetação, etc. **6.** *Fig.* Brilho, brilhantismo, vivacidade: *colorido estilístico; colorido orquestral.*

colorífico [Do lat. tard. *colorificu*.] *Adj.* Que produz cor.

colorimetria [De *color(i)-* + *-metria*.] *S. f. Fís.-Quím.* Análise colorimétrica.

colorimétrico [De *colorimetria* + *-ico*[2].] *Adj.* Relativo a colorimetria, ou a colorímetro. ~ V. *análise —a*.

colorímetro [De *color(i)-* + *-metro*.] *S. m. Fís.-Quím.* Instrumento para realizar análise colorimétrica.

colorir [Do lat. *colore*, 'cor', + *-ir*.] *V. t. d.* **1.** Cobrir ou matizar de cor(es); dar cor(es) a; colorear, colorar, colorizar, corar: *As flores colorem os campos; Coloriu o desenho;* "Um rubor súbito, vivíssimo, colorira-lhe o rosto" (Júlio Ribeiro, *A Carne*, p. 13). **2.** Adornar, ornar, enfeitar, decorar; colorar: *As flores coloriam o banquete.* **3.** Tornar vivo, expressivo, brilhante; avivar, realçar, colorar: *colorir uma narração; colorir o estilo.* **4.** Disfarçar, dissimular, encobrir; coonestar: *Apesar dos sofismas de que usou, não conseguiu colorir a sua grave falta.* ***P.*** **5.** Tomar cor; cobrir-se de cores; tingir-se: *O céu coloriu-se vivamente.* **6.** Ruborizar-se; corar. [Defect. Faltam-lhe as f. em que ao *r* da raiz se seguiria *o* ou *a*: a 1ª pess. sing. do pres. ind. e todo o pres. subj. Pres. ind.: *colores, colore*, etc. Cf. *colores* (ô), pl. de *color*.]

colorismo [De *color(i)-* + *-ismo*.] *S. m.* Qualidade, arte ou escola de colorista.

colorista [Do fr. *coloriste*.] *Adj. 2 g.* **1.** Que colore. **2.** *Art. Plást.* Diz-se do pintor de colorido vivo e expressivo, ou de sua obra. **3.** Diz-se do pintor que usa as cores tirando delas o maior efeito estético. **4.** Diz-se do escritor brilhante e imaginoso, ou de seu estilo, de sua obra. ● *S. 2 g.* **5.** Aquele que colore. **6.** *Art. Plást.* Pintor colorista: *Em sua fase azul, Picasso revelou-se um fino colorista.* **7.** *Fig.* Escritor colorista.

colorização [De *colorizar* + *-ção*.] *S. f.* Ato ou efeito de colorizar; coloração.

colorizar [De *color(i)-* + *-izar*.] *V. t. d. P. us.* V. *colorir* (1).

coloscopia [De *colo*[2] + *-scop-* + *-ia*[1].] *S. f. Med.* V. *colonoscopia*.

colossal [De *colosso* + *-al*[1].] *Adj. 2 g.* **1.** Que tem proporções de colosso (1). **2.** Enorme, agigantado. **3.** *Fig.* Imensurável, incomensurável; vastíssimo: *império colossal.* **4.** *Fig.* Extraordinário, prodigioso: *força colossal; cultura colossal.*

colosso (ô) [Do gr. *kolossós*, pelo lat. *colossu*.] *S. m.* **1.** Estátua descomunal. **2.** Pessoa agigantada. **3.** Objeto de enormes dimensões. **4.** Grande poderio ou soberania: *o colosso do império alexandrino.* **5.** Pessoa de excepcional poder, valor ou merecimento: *Dante é um colosso.* **6.** *Bras.* Coisa muito vantajosa, muito gostosa, excelente: *Esta maionese é um colosso.* **7.** *Bras. S.* Grande quantidade (q. v.): *um colosso de meninos.*

colossoquele [Do tax. *Colossochelys*.] *S. f. Paleont.* **1.** Gênero extinto de gigantescos quelônios, que habitavam as costas de Java, Timor e N. da Índia há 2 milhões de anos; com cerca de 2,40m de comprimento, tinham uma carapaça de até 1,80m de comprimento e 0,60m de altura, e pesavam mais de 1t. **2.** Espécie ou espécime desse gênero.

colostomia [De *col(o)-* + *-stom(o)-* + *-ia*[1].] *S. f. Cir.* Comunicação cirurgicamente construída entre o colo[2] e o meio exterior.

colostomizado [Part. de *colostomizar*.] *Adj.* Em que se fez colostomia.

colostomizar [De *colostomia* + *-izar*.] *V. t. d. Cir.* Praticar a colostomia em.

colostração [Do lat. *colostratione*.] *S. f. Patol.* Doença do recém-nascido, que se atribuía ao colostro.

colostro (ô) [Do lat. *colostru*.] *S. m.* O primeiro leite de uma parida, rico em proteínas e imunoglobulinas, pobre em lactose e gorduras.

colpado [De *colpo* + *-ado*[1].] *Adj. Bot.* Provido de colpo: *pólen colpado.*

colpite [De *colp(o)-* + *-ite*[1].] *S. f. Gin.* Inflamação da vagina; elitrite, vaginite.

colpo *S. m. Bot.* Sulco ou fenda do grão de pólen.

▲**colp(o)-** [Do gr. *kólpos, ou*, 'seio', 'ventre'; 'vagina'; 'sinuosidade'.] ***El. comp.*** = 'vagina'; 'sinuosidade'; 'sulco', 'cavidade': *colpite, colpocele.* [Equiv.: *-colp(o)-*, *-colpo*: *monocolpado; hematocolpo*.]

▲ **-colp(o)-** V. *colp(o)-*.

▲ **-colpo** V. *colp(o)-*.

colpocele [De *colp(o)-* + *-cele*[1].] *S. f. Gin.* Hérnia vaginal; elitrocele.

colpocitologia [De *colp(o)-* + *-cit(o)-* + *-logia*.] *S. f. Gin.* Exame de células do epitélio vaginal, extraídas por atrito.

colpofobia [De *colp(o)-* + *-fobia*.] *S. f. Psiq.* Pavor dos órgãos genitais femininos.

colpofóbico [De *colpofobia* + *-ico*[2].] *Psiq. Adj.* **1.** Relativo a colpofobia. **2.** Que sofre de colpofobia; colpófobo. ● *S. m.* **3.** Aquele que sofre de colpofobia; colpófobo.

colpófobo [De *colp(o)-* + *-fobo*.] *Adj. S. m. Psiq.* Colpofóbico (2 e 3).

colposcopia [De *colp(o)-* + *-scop-* + *-ia*[1].] *S. f. Gin.* Exame da vagina e do colo uterino, mediante o uso de colposcópio.

colposcópio [De *colp(o)-* + *-scópio*.] *S. m. Gin.* Instrumento que se introduz na vagina, para examiná-la, e ao colo do útero.

colpotomia [De *colp(o)-* + *-tom(o)-* + *-ia*[1].] *S. f. Gin.* Incisão da vagina; elitrotomia.

colpotómico *Adj. Lus.* V. *colpotômico*. [Uso freq. em P.]

colpotômico [De *colpotomia* + *-ico*[2].] *Adj.* Relativo a colpotomia; elitrotômico.

colquicácea [Do tax. *Colchicum* (v. *cólquico*) + *-ácea*; tax. *Colchicaceae*.] *S. f. Bot.* Espécime das colquicáceas, família da ordem das liliales que compreende cerca de 165 espécies cultivadas pela beleza de suas flores, ou para a extração de alcaloides. Tem colmos ou tubérculos ricos em fécula, folhas por vezes gavinhosas, flores ger. bissexuais e frutos capsulares loculicidas ou septicidas, sendo as sementes ger. globuliformes.

colquicáceo [De *colquicácea*, com var. suf. (v. *-áceo*).] *Adj. Bot.* Pertencente ou relativo às colquicáceas.

colquicina [De *cólquico* + *-ina*[3].] *S. f. Farmac.* Alcaloide encontrado em plantas colquicáceas, esp. na que é conhecida como lírio-verde (q. v.).

cólquico [Do tax. *Colchicum* (do lat. *colchicum, i*, 'planta venenosa', do gr. *kolchikón, oû*).] *S. m.* **1.** *Bot.*

Gênero de colquicáceas dotadas de colmo e de belas flores espessas, caliciformes; todas as espécies são, ger., tóxicas, se ingeridas. 2. *Bot.* Qualquer espécie desse gênero, como, p. ex., a *Colchicum autumnale* (v. *lírio-verde*). 3. *Bot.* Qualquer espécime desse gênero, ou a flor dele. 4. Tintura feita com os colmos e sementes dessas plantas, ricos em colquicina.

coltar [Do ingl. *coaltar*.] *S. m. Lus.* Alcatrão de hulha.

coltarizar [De *coltar* + *-izar*.] *V. t. d.* Revestir de coltar.

■**Coltram** Sigla de *Comissão Latino-Americana de Transporte Marítimo*.

colubreado [De *colubr(i)-* + *-eado*.] *Adj.* V. *colubrino* (1).

colubrear [De *colubr(i)-* + *-ear*[2].] *V. int.* Mover-se como as cobras; colear, serpear, serpentear: *O incêndio era intenso e as chamas colubreavam.* [Conjug.: v. *frear*.]

▲ **colubr(i)-** [Do lat. *colŭbra, ae*.] *El. comp.* = 'cobra', 'serpente'; 'sinuosidade': *colubrear, colubriforme*.

colubrídeo [Do tax. *Coluber* (v. *colubr(i)-*) + *-ídeo*[1]; tax. *Colubridae*.] *Zool. S. m.* 1. Espécime dos colubrídeos, importante família de reptis ofídios, com mais de 250 gêneros e cerca de 1.000 espécies. Agrupam-se em três divisões: áglifos, opistóglifos e proteróglifos. ● *Adj.* 2. Pertencente ou relativo a eles.

colubriforme [De *colubr(i)-* + *-forme*.] *Adj. 2 g.* V. *colubrino*.

colubrina[1] [F. subst. de *colubrino*.] *S. f.* 1. Antiga peça de artilharia, comprida e fina, de alcance maior que o comum na época: "A massa dos leitores, entretanto, essa permaneceu alheia aos flamívomos pelouros da sua colubrina sem raia." (Monteiro Lobato, *Negrinha*, p. 125.) 2. Espada antiga de lâmina sinuosa.

colubrina[2] [Do lat. tard. *colubrina*, 'certa planta'.] *S. f. Bot.* Briônia.

colubrino [Do lat. *colubrinu*.] *Adj.* 1. Relativo ou semelhante à cobra; sinuoso, colubreado. 2. Próprio da cobra. 3. Enroscado, espiralado: *coluna colubrina*. [Sin. ger.: *colubriforme*.]

cólulo [Do lat. cient. *colulus*, do dim. do lat. *colus*, 'roca[1]'.] *S. m. Zool.* Nas aranhas, estrutura delgada e afilada situada anteriormente às fiandeiras.

columbário [Do lat. *columbariu*.] *S. m.* 1. Entre os romanos, edifício cavado na rocha, ou subterrâneo, e guarnecido de nichos destinados a receber as urnas funerárias: *o columbário da via Ápia.* 2. Edifício provido de nichos onde se conservam as cinzas funerárias. 3. *Desus.* Pombal.

columbato [Do lat. cient. *columb(ium)* + *-ato*[2].] *S. m. Quím.* V. *niobato*.

▲**columb(i)-** [Do lat. *colŭmbus, i*.] *El. comp.* = 'pombo': *columbicultura, columbídeo*. [Equiv.: *columbo-*: *columbofilia*.]

columbiara *Bras. S. 2 g.* 1. *Etnôn.* Indivíduo dos columbiaras, povo indígena que habita as margens do rio Branco (RO). ● *Adj. 2 g.* 2. Pertencente ou relativo a esse povo. [Tb. us. como *s. 2 g. e 2 n.* (com cap.) e *adj. 2 g. e 2 n.*] [Sin. ger.: *corumbiara*.]

columbicultor (ô) [De *columb(i)-* + *-cultor*.] *S. m.* Aquele que se dedica à columbicultura.

columbicultura [De *columb(i)-* + *-cultura*.] *S. f.* Criação de pombos.

columbídeo [De *columb(i)-* + *-ídeo*[1]; tax. *Columbidae*.] *Zool. S. m.* 1. Espécime dos columbídeos, família de aves columbiformes, cujo tarso é mais curto que o dedo anterior médio. Boas voadoras, podem frequentar o chão e as árvores; alimentam-se de pequenos frutos, sementes e plantas herbáceas. São as pombas. ● *Adj.* 2. Pertencente ou relativo a eles.

columbiforme [De *columb(i)-* + *-forme*; tax. *Columbiformes*.] *Zool. S. m.* 1. Espécime dos columbiformes, ordem de aves neórnites, neógnatas, de bico pequeno, curto, com ceroma grosso e mole na base, patas curtas e emplumadas, com dedos livres, e hálux ao nível dos outros dedos, inglúvio desenvolvido, que produz secreção alimentícia para os filhotes. São as pombas e rolas em geral. ● *Adj.* 2. Pertencente ou relativo a eles.

columbino [Do lat. *columbinu*.] *Adj.* 1. Relativo ou pertencente a pombo ou pomba. 2. Que tem forma ou aspecto de pombo ou pomba: "As mulheres .... foram beijar devotamente a columbina imagem do Espírito Santo." (Aluísio Azevedo, *O Cortiço*, p. 128). 3. *Fig.* Inocente, puro: *coração columbino*. [Fem.: *columbina*. Cf. *colombino*, adj., e *colombina*, fem. de *colombino* e s. f.]

colúmbio [Do lat. cient. *columbium*.] *S. m. Quím. Obsol.* Nióbio.

columbita [Do *colúmbio* + *-ita*[2].] *S. f. Min.* Mineral ortorrômbico, tântalo-niobato de ferro e manganês; é o principal mineral-minério de nióbio, fornecendo, tb., tântalo e outros elementos raros.

▲**columbo-** [De *columb(i)-* + *-o-*.] V. *columb(i)-*.

columbofilia [De *columbo-* + *-filia*.] *S. f.* 1. Amor aos pombos; interesse por eles. 2. A arte da criação de pombos-correios.

columbofílico [De *columbofilia* + *-ico*[2].] *Adj.* Relativo a columbofilia, ou a columbófilo.

columbófilo [De *columbo-* + *-filo*[2].] *Adj. S. m.* 1. Que, ou aquele que tem columbofilia (1). 2. Que, ou aquele que se consagra à columbofilia (2).

columela [Do lat. cient. *columella* < lat. *columella*, dim. de *columna* (v. *coluna*).] *S. f.* 1. *Bot.* Massa de tecido estéril encontrado no interior do *esporogônio*. 2. *Bot.* Porção axial estéril e maciça dos esporângios dos mixomicetos e de vários tipos de fungos. 3. *Zool.* Eixo interior das conchas univalves. 4. *Zool.* Nos corais, estrutura colunar arredondada formada pelo terminal dilatado de um septo. ◆ **Columela áurea.** *Zool.* Haste óssea ou cartilaginosa encontrada nos reptis que liga a membrana do tímpano à orelha interna, permitindo a transmissão de som.

columim *S. m.* 1. *Bras.* V. *curumi*. 2. *Bras. N.* Dente que nasce nos animais cavalares quando têm cinco anos. [Cf. *colomi* e *colomim*.]

coluna [Do lat. *columna*.] *S. f.* 1. *Arquit.* Pilar cilíndrico que sustenta abóbadas, entablamentos, etc., que serve de ornato em edifícios, e consta de três partes: *base* ou *pedestal, fuste, capitel*. 2. Objeto cilíndrico semelhante à coluna. [Dim. irreg.: *colunelo* e *coluneta*.] 3. Cada uma das divisões verticais de uma página de livro, ou de periódico, separadas por filete, ou espaço em branco. 4. Série de objetos empilhados; pilha, ruma. 5. Linha vertical de algarismos. 6. Troço de soldados em linha. 7. Volume líquido ou gasoso dentro dum recipiente cilíndrico. 8. Massa de fluido em forma cilíndrica. 9. *Fig.* Sustentáculo, apoio, pilar. 10. *Álg.* Numa matriz, conjunto de termos situados em uma mesma vertical. 11. *Jorn.* Seção especializada de jornal ou revista, normalmente assinada. 12. *Jorn.* Cada uma das faixas verticais em que é diagramado o texto jornalístico ou publicitário. 13. *Mar. G.* Formatura em que os navios navegam em linha de marcação relativa de 180º. [É a formatura habitual de cruzeiro para pequenos grupamentos de navios.] 14. *Tip.* Divisão vertical de tabela. 15. *Bras.* Coluna vertebral. 16. *Bot.* Conjugação de estames, ou de estames e pistilos, em feixe; ocorre, p. ex., nas orquídeas. ◆ **Coluna barométrica.** *Fís.* Num barômetro, a coluna de mercúrio que equilibra a pressão atmosférica. **Coluna canelada.** *Arquit.* Coluna estriada. **Coluna compósita.** *Arquit.* Coluna que tem elementos da ordem coríntia (o capitel) e da ordem jônica (as volutas). **Coluna coríntia.** *Arquit.* Coluna caracterizada pelos acantos no capitel, característicos da ordem coríntia (q. v.). **Coluna corolítica.** *Arquit.* A que tem ornatos de folhas e flores em espiral. **Coluna coxa.** *Tip.* A que sai menor que as outras. **Coluna cromatográfica.** *Fís.-Quím.* Dispositivo para realizar análises cromatográficas, que consta de um tubo cheio de absorvente apropriado. **Coluna cronogeológica.** Escala que relaciona as rochas com o tempo geológico (eras, épocas ou períodos), permitindo a datação e a localização dos fósseis nelas encontrados. **Coluna de destilação.** *Quím.* Equipamento constituído por um vaso cilíndrico vertical, provido de partições, no qual se efetua, mediante aquecimento apropriado, a destilação fracionada de uma mistura líquida. **Coluna dórica.** *Arquit.* A que tem as características da ordem dórica (q. v.). **Coluna duplicada.** *Arquit.* A que está unida a outra em até um terço de seu diâmetro. **Coluna estriada.** *Arquit.* Aquela cujo fuste tem, ao longo de sua extensão vertical, caneluras equidistantes; coluna canelada. **Coluna geológica.** O conjunto das rochas da crosta da Terra dispostas na ordem de sua formação ou de sua idade. **Coluna jônica.** *Arquit.* A que tem as características da ordem jônica (q. v.). **Coluna luminosa.** *Met.* Fenômeno luminoso, com aspecto de luz vertical, contínua ou não, que se forma acima e abaixo do Sol. **Coluna maçônica.** *Maç.* Cada uma das doze colunas (seis masculinas do lado direito e seis femininas do lado esquerdo), adornadas com os símbolos do zodíaco, que circundam os templos maçônicos e simbolizam a fronteira entre o mortal e o eterno, o material e o espiritual, a vida e a morte. **Coluna salomônica.** *Arquit.* 1. *Arquit.* Coluna lavrada em espiral à feição das do *Sancta sanctorum* do templo de Salomão: "Aos cantos do palco erguiam-se colunas salomônicas." (Urbano Tavares Rodrigues, *A Noite Roxa*, p. 65.) 2. *Maç.* Cada uma das colunas situadas à porta do templo com as letras B e J. **Coluna toscana.** *Arquit.* A que é característica da ordem toscana (q. v.). **Coluna vertebral.** *Anat.* Coluna formada pela superposição das vértebras e dos discos intervertebrais, situada na parte dorsal do tronco, e que sustenta a cabeça, sendo sustentada pela bacia. [Tb. se diz apenas *coluna*. Sin.: *espinha dorsal* e *espinhaço* (pop.).] **Colunas gravadas.** *Maç.* Qualquer tipo de prancha ou comunicado escrito que circule ou seja depositado na bolsa de propostas e informações. **Abater colunas.** *Maç.* Cessar, permanentemente, os trabalhos de uma loja (4). **Levantar colunas.** *Maç.* Fundar loja (4) ou reativar loja (4) adormecida.

coluna do meio *S. 2 g. Bras. Joc.* Indivíduo homossexual. [Pl.: *colunas do meio*.]

colunar[1] [De *coluna* + *-ar*[1].] *Adj. 2 g.* 1. Relativo a, ou que tem forma de coluna. ~ V. *estrutura* —. ● *S. f.* 2. *Bras. MT* Velha moeda espanhola, de prata, cunhada no Paraguai no tempo colonial.

colunar[2] [De *coluna* + *-ar*[2].] *V. t. d.* 1. Dispor em colunas. 2. Dar forma de coluna a. [Fut. do pret.: *colunaria*, etc. Cf. *colunária*, fem. de *colunário*, adj.]

colunário [Do lat. *columnariu*.] *Adj.* Em que há colunas representadas. [Fem.: *colunária*. Cf. *colunaria*, do v. *colunar*.]

colunata [Do it. *colonnato*.] *S. f. Arquit.* Série de colunas dispostas simetricamente.

colunável [De *colunar (< coluna [11] + -ar[2] + -vel.*] *Adj. 2 g. S. 2 g.* Diz-se de, ou pessoa que é digna de figurar, ou que figura, nas colunas de acontecimentos sociais.

colunelo [Do it. *colonnello*.] *S. m.* 1. Coluna pequena [v. *coluna* (1 e 2)]. 2. Marco, frade.

colunense *Adj. 2 g.* 1. De, ou pertencente ou relativo a Coluna (MG). ● *S. 2 g.* 2. O natural ou habitante de Coluna.

coluneta (ê) [De *coluna* + *-eta* (ê).] *S. f.* Coluna pequena e estreita. [V. *coluna* (1 e 2).]

coluniforme [De *coluna* + *-iforme*.] *Adj. 2 g.* Em forma de, ou constituindo coluna.

colunismo [De *coluna* + *-ismo*.] *S. m. Bras.* 1. Atividade de colunista. 2. Os colunistas.

colunista [De *coluna* (11) + *-ista*.] *S. 2 g. Bras.* Comentarista, cronista ou crítico de jornal, revista, etc., que mantém seção acerca de política, arte, literatura, vida social, etc. [Cf. *colonista*.]

coluria [De *col(e)-* + *-uria*.] *S. f. Med.* V. *colúria*.

colúria [De *col(e)-* + *-úria*.] *S. f. Med.* 1. Presença de bile na urina. 2. Alteração de cor da urina, consequente à presença de pigmentos biliares. [F. paral.: *coluria*.]

colúrico [De *colúria* + *-ico*[2].] *Adj.* Relativo a colúria.

coluro [Do gr. *kólouros*, 'que perdeu a cauda'; 'círculo da esfera celeste'.] *S. m. Astr.* Uma das duas interseções do equador com a eclíptica. ◆ **Coluro equinocial.** *Astr.* Círculo horário que passa pelo ponto vernal. **Coluro solsticial.** *Astr.* Cada um dos meridianos que passam pelos pontos solsticiais.

colusão [Do lat. *collusione*.] *S. f.* Ajuste secreto e fraudulento entre duas ou mais partes, com prejuízo para terceiros; conluio.

colutório [Do lat. *collutus*, 'lavado', part. pass. de *colluere*, + *-ório*.] *S. m. Farm.* Forma farmacêutica de consistência espessa, que se aplica nas paredes internas da boca.

coluvião [Do lat. *colluvione*.] *S. f.* 1. Solo das encostas dos morros formado por detritos provindos dos altos. 2. Enxurrada, inundação, aluvião. 3. *Fig.* Multidão ou confusão de coisas.

colza (ô) [Do neerl. *koolzaad* (< neerl. *kool*, 'couve', + neerl. *zaad*, 'grão'), pelo fr. *colza*.] *S. f. Bot.* Planta brassicácea (*Brassica napus*) anual ou bianual, resultante do cruzamento da couve (*Brassica oleracea*) e do nabo (*B. rapa*), de flores melíferas, amareladas; dela se fazem cultivares de folhas crespas, azuladas, cujas sementes fornecem o *óleo de colza*, ou *óleo de canola*.

com [Do lat. *cum*.] *Prep.* Partícula usada em português nos seguintes casos (entre vários outros): **1)** Introduz complemento terminativo de verbos, substantivos e adjetivos que implicam ideia de concorrência, comparação, semelhança, união, companhia, acordo, ou desacordo, expectativa, simultaneidade, etc.: *Confrontando Pedro com Paulo, notei a superioridade do primeiro; Seus atos não são concordes com a sua pregação; Sua chegada coincidiu com a minha ausência;* "Posto que não excedesse os vinte e oito anos, o vigário, no pausado e refletido do seu dizer, competia com os cinquenta anos de algum egresso daquele tempo." (Camilo Castelo Branco, *O Bem e o Mal*, p. 55);"A casa de seu Carneiro não se parecia nada com as fazendas da região" (Pedro Nava, *Baú de Ossos*, p. 276); "Juntou-se a fome com a vontade de comer" (dito popular); "— Vai casar com uma viúva." (Machado de Assis, *Várias Histórias*, p. 71); "contava com a maresia e com a vizinhança dos pássaros das falésias para que o perdigoto não se aventurasse muito para diante." (José Cardoso Pires, *O Anjo Ancorado*, p. 73); "ficou em paz com Deus e os homens." (Machado de Assis, *Várias Histórias*, p. 42); "Fez inimizade com um seu vizinho distante." (Raquel de Queirós, *100 Crônicas Escolhidas*, p. 27). **2)** Junto aos nomes, designa o adjunto restritivo de conteúdo, parte, acessório: *um prato com muita comida; homens com gravata;* "Cadeiras de espaldar com fulvas pregarias" (Gonçalves Crespo, *Obras Completas*, p. 264); "No princípio, Adão e Eva amanheceram nus, e estavam contentes .... com a singeleza do seu trajar." (Camilo Castelo Branco, *Noites de Lamego*, p. 9). **3)** É elemento fundamental de numerosas locuções adverbiais de modo, substitutivas dos advérbios em *mente*: *Meditou no assunto com vagar; Procede com fidelidade.* **4)** Auxilia a formação de locuções prepositivas: **a)** funcionando como elemento conectivo principal: *de parceria com; de cambulhada com*; **b)** regendo o substantivo fundamental da expressão: *com referência a*; **c)** constituindo locuções prepositivas: *É severo para com o filho.* **5)** Sobretudo antecedendo verbos no infinitivo, indica ideia de concessão e equivale a 'apesar de': *Como é que ele saiu com este mau tempo?*; "Inês de Castro ...., com ser o mais belo, é também o mais simples assunto que ainda trataram poetas." (Almeida Garrett, *Frei Luís de Sousa*, p. 37). **6)** Entra na formação de adjuntos circunstanciais que indicam: **a)** companhia, ajuntamento: "Dá-me uma saudade em me lembrando / Do belo tempo que passei com elas" (João de Deus, *Campo de Flores*, I, p. 248); **b)** preço, custo ou compensação: "Mas pagar tanto amor com tédio, e asco..." (Santa Rita Durão, *Caramuru*, VI, 38); **c)** causa ou motivo: "Verão morrer com fome os filhos caros / Em tanto amor gerados e nascidos" (Luís de Camões, *Os Lusíadas*, V, 47); "Rua fora, caminhou depressa, com medo de que ainda o chamassem" (Machado de Assis, *Várias Histórias*, p. 63); **d)** provisão ou abundância: *Havia ali um caixote com frutas*; **e)** meio ou instrumento: "Esfregava-o com a mão direita" (José Cardoso Pires, *O Anjo Ancorado*, p. 19); "Com um pé tateou o terreno" (Id., *ib.*, p. 82); **f)** concessão: *Com tantos amigos influentes, não consegue bom emprego*; **g)** matéria: "pintavam o corpo com tinta azul." (Paulo Mercadante, *Os Sertões do Leste*, p. 34); **h)** modo: "Com muito jeito entregou-lhe a ave" (José Cardoso Pires, *O Anjo Ancorado*, p. 87); "o jeito com que dizia as suas sátiras às gazetas dava mostras de espírito faceto." (Camilo Castelo Branco, *O Bem e o Mal*, p. 55); **i)** tempo: *Saímos com dia*; "Saímos para o campeio com a fresca da madrugada." (Afonso Arinos, *Histórias e Paisagens*, p. 7); **j)** estado: "Com a garganta afogada em uivos, ululante, / Entre os troncos da brenha hirsuta, — o Bandeirante / Jaz por terra, à feição de um tronco derribado..." (Olavo Bilac, *Poesias*, p. 266).

▲com- V. *co-*[1].

coma[1] [Do gr. *kóme*, pelo lat. *coma*.] *S. f.* **1.** Cabeleira abundante e crescida: "Mais não diz; e, firmando-se pomposa / Nos bordados coturnos, quatro vezes / Meneia da cabeça as densas comas." (Antônio Feliciano de Castilho, *Os Amores*, III, p. 8.) **2.** *P. ext.* Juba, crinas ou plumagem. **3.** *Bot.* Copa de árvore; franças. **4.** *Astr.* Parte de um cometa, com o aspecto de um envoltório gasoso, que rodeia o núcleo do astro; cabeleira. **5.** *Ópt.* Aberração de um sistema óptico em que a imagem de uma fonte pontual, situada fora do eixo óptico, tem a aparência de um pequeno cometa. ~ V. *comas*.

coma[2] [Do gr. *kôma*, 'sono profundo', pelo lat. *coma*.] *S. m.* **1.** *Med.* Estado de inconsciência em que nem sequer uma estimulação enérgica desperta o doente, e durante o qual se perdem as atividades cerebrais superiores, conservando-se a respiração e a circulação. **2.** *Fig.* Insensibilidade, indiferença, apatia: *Um povo que não desperta do seu coma político.* ~ V. *comas*. ◆ **Coma vígil.** *Med.* Estado em que o paciente aparenta estar desperto, não havendo, contudo, ou estando muito diminuída(s), resposta(s) a estímulo(s) externo(s).

coma[3] [Do lat. *comma*, 'meio quarto de tom', < gr. *kómma*, 'pedaço', 'inciso (ret.)'.] *S. f.* **1.** *Graf. Ant.* Sinal de pontuação, de desenho igual ao do atual dois-pontos. **2.** *Mús.* A nona parte de um tom. **3.** *Mús.* Em instrumentos não temperados, intervalo musical entre duas notas enarmônicas (dó sustenido e ré bemol, p. ex.). **4.** *Mús.* Nas partituras de música instrumental e de música vocal, sinal em forma de vírgula que indica ao executante o momento em que deve respirar, sem fazer pausa. ~ V. *comas*.

coma[4] *Conj. Adv. Ant. Pop.* V. *como*. ~ V. *comas*.

comado [Do lat. *comatu*.] *Adj.* **1.** Que tem coma[1] (1 a 3). **2.** Que tem coma[1] (3); frondoso, copado: *arbustos comados.* [F. paral.: *comato*.]

comadre [Do lat. tard. *commatre*.] *S. f.* **1.** Madrinha, em relação aos pais do neófito. **2.** Mãe do neófito, em relação aos padrinhos deste. **3.** *Fam.* Amiga, companheira. [Masc., nessas acepçs.: *compadre*.] **4.** Mulher bisbilhoteira, mexeriqueira, alcoviteira. **5.** *Fam.* V. *parteira* (1). **6.** Urinol chato para os doentes que não se podem levantar. [Sin.: *aparadeira, rasteira* e (lus.) *arrastadeira*.] **7.** *Jog. Inf.* Brincadeira infantil dramatizada na qual os participantes representam famílias que se visitam, vão às compras, ou juntos festejam datas íntimas.

comadre-do-azeite *S. f. Bras. Bot.* Planta euforbiácea (*Omphalea diandra*) de fruto esférico, deiscente, amarelo, com três a quatro sementes oleaginosas, de óleo comestível e usado em iluminação, lubrificação, etc. [Pl.: *comadres-do-azeite*.]

comadresco (ê) [De *comadre* + *-esco*.] *Adj.* Relativo a, ou próprio de comadre(s [v. *comadre* (1 a 5)].

comadrice [De *comadre* + *-ice*.] *S. f.* Coisa de comadre (4); intriga, mexerico, bisbilhotice.

comadrinha [De *comadre* + *-inha*.] *S. f. Jog. Inf.* Brincadeira em que duas crianças (ou duas fileiras que se defrontam) vão-se aproximando uma da outra, a pular de cócoras, enquanto travam um diálogo, assim iniciado: *"— Comadrinha, comadrinha!"— Como passou, senhora minha?"* Finda a conversa, voltam, sempre agachadas, aos seus lugares, onde se deixam cair, dizendo: *"— Txi-bum! É de Nossa Senhora da Conceição."*

com-aluno *S. m.* Coaluno.

■ **Comam** Sigla de *Coordenadoria Geral da Marinha Mercante*.

comanche *S. m.* **1.** *Etnôn.* Indivíduo dos comanches, povo indígena norte-americano, das fronteiras do Texas e do México. **2.** *Gloss.* Dialeto do chochone falado por esse povo. ● *Adj. 2 g.* **3.** Relativo aos comanches, ou à sua língua.

comanda [Dev. de *comandar*.] *S. f.* **1.** Em restaurantes, bares e estabelecimentos variados, a anotação de pedidos ou consumo feitos pelo cliente. **2.** Papel ou impresso em que esta anotação é feita.

comandância [De *comandar* + *-ância*.] *S. f.* Cargo de comandante.

comandante [Do fr. *commandant*, part. pres. do fr. *commander* (v. *comandar*).] *Adj. 2 g.* **1.** Que comanda; dirigente. ● *S. m.* **2.** Aquele que tem um comando. **3.** *Mil.* Oficial que exerce o comando de uma organização militar na Marinha, no Exército ou na Força Aérea. **4.** *Mar. G.* Oficial que exerce o comando de um navio (de guerra ou mercante). **5.** *Mar. G.* Qualquer oficial superior do Corpo da Armada. **6.** *Aer.* Oficial que exerce o comando de uma aeronave ou de uma formação de aeronaves. **7.** *Aer.* Piloto responsável pela operação e segurança de uma aeronave civil, comercial ou não. [Impropriamente se estende, às vezes, aos oficiais superiores dos demais corpos e quadros de oficiais da Marinha, exceto médicos e dentistas.]

comandante (co-) [De *co*-[1] + *mandante*.] *S. 2 g.* Que é mandante (3) juntamente com outrem. ❖

comandante-chefe *S. m. Mar. G.* V. *comandante em chefe*. [Pl.: *comandantes-chefes*.]

comandante em chefe *S. m. Mil.* Título aplicado a comandante de elevado escalão das Forças Armadas, como comandante em chefe do teatro de operações. [F. paral.: *comandante-chefe*. Pl.: *comandantes em chefe*.] ☑

comandar [Do fr. *commander*.] *V. t. d.* **1.** *Mil.* Ato de chefiar ou dirigir grupo de militares: *comandar um batalhão.* **2.** Dirigir, governar, mandar: *comandar uma empresa.* **3.** Liderar, conduzir: *Moisés comandou o êxodo dos judeus.* **4.** Ordenar, preceituar, prescrever, mandar: *Deus comanda que amemos o próximo como a nós mesmos.* **5.** Elevar-se acima de; estar sobranceiro a; dominar: *O planalto comanda a paisagem.* **6.** Fazer funcionar; acionar: *Este botão comanda a abertura da porta.* ***Int.*** **7.** Dirigir, governar.

comandatuba [De or. tupi.] *S. f. Bras. Bot.* **1.** Árvore crisobalanácea (*Hirtella martiana*) de altura média, folhas alternas, coriáceas, flores pequenas, brancas, dispostas em racemos axilares e terminais, e frutos drupáceos, ovoides, edules; a casca, adstringente, tem uso medicinal e na indústria do curtimento. [Sin.: *ajurana*.] **2.** Árvore crisobalanácea (*Hirtella hebeclada*) perenifólia, de até 15m; é ornamental, e us. em paisagismo. [Sin., nesta acepç.: *ajururana*.]

comandita [Do fr. *commandite*.] *S. f. Com.* Sociedade comercial em que, ao lado dos sócios ilimitada e solidariamente responsáveis, há sócios que entram apenas com capitais, não participando na gestão dos negócios, e cuja responsabilidade se restringe ao capital subscrito.

comanditado [Part. de *comanditar*.] *Adj. S. m. Com.* Diz-se de, ou sócio solidário e ilimitadamente responsável, na sociedade em comandita, e a quem compete a direção desta e a administração dos negócios. [Cf. *comanditário*.]

comanditar [De *comandita* + *-ar*[2].] *V. t. d. Com.* **1.** Entrar com fundos para, ou gerir os negócios de (uma sociedade em comandita). **2.** Encarregar da administração dos fundos de uma sociedade em comandita. [Fut. pret.: *comanditaria*, etc. Cf. *comanditária*, fem. de *comanditário*.]

comanditário [De *comandita* + *-ário*.] *Adj. S. m. Com.* Diz-se de, ou sócio apenas capitalista numa sociedade em comandita, e cuja responsabilidade, pois, se restringe ao capital subscrito. [Fem.: *comanditária*. Cf. *comanditaria*, do v. *comanditar*, e *comanditado*.]

comando [Dev. de *comandar*.] *S. m.* **1.** Ação de comandar. **2.** Posto, autoridade ou função de comandante. **3.** Direção, governo, liderança, mando. **4.** *E. Ling.* Uma das quatro classes em que se dividem as sentenças simples, e que se caracteriza pelo emprego do verbo no modo imperativo. **5.** *Inform.* Num sistema de controle, variável de entrada, que se modifica independentemente desse sistema. **6.** *Inform.* Sinal ou expressão que se envia a um computador e que acarreta a execução de uma instrução. **7.** *Mil.* Pequeno grupo de militares treinados para operações rápidas em território inimigo. **8.** *Bras. Mil.* Órgão que dirige uma unidade operativa, e que inclui o comandante, seu estado-maior e os serviços. **9.** *Bras. Mil.* Local onde funciona o referido órgão. **10.** *Bras. Mar. G.* Área territorial sob comando de um militar: *O comando do 4º Distrito Naval abrange toda a Amazônia e mais o Maranhão e o Piauí.* **11.** *P. ext.* Grupo de ação estratégica: *comando político; comando sanitário.* ~ V. *comandos*.

comando-chefe *S. m. Bras. Mar. G.* V. *comando em chefe*. [Pl.: *comandos-chefes*.]

comando em chefe *S. m. Bras. Mar. G.* **1.** Cargo de comandante em chefe. **2.** Órgão por meio do qual o comandante em chefe exerce suas atribuições. **3.** Local ou instalações onde funciona um comando em chefe (2). [F. paral.: *comando-chefe*. Pl.: *comandos em chefe*.] ☑

comandos [Pl. de *comando*.] *S. m. pl. Bras. Mar. G.* Destacamento de indivíduos esp. organizados e adestrados para efetuarem incursões navais contra objetivos terrestres com o fim de os destruir, efetuar prisioneiros e/ou obter informações necessárias a operações de maior vulto. ~ V. *comando*.

comani *Bras. S. 2 g.* **1.** *Etnôn.* Indivíduo dos comanis, povo indígena extinto que habitava na margem esquerda do rio Amazonas (AM). ● *Adj. 2 g.* **2.** Pertencente ou relativo a esse povo. [Tb. us. como *s. 2 g. e 2 n.* (com cap.) e *adj. 2 g. e 2 n.*]

comarca [De *co*-[1] + *marca*[1] (13).] *S. f.* **1.** Circunscrição judiciária sob a jurisdição de um ou mais juízes de direito. **2.** *Ant.* Região, confins.

comarcão [De *comarca* + *-ão*[2].] *Adj.* **1.** Relativo ou pertencente a comarca. **2.** *Ant.* Limítrofe, confinante, fronteiro. [Flex.: *comarcã, comarcãos, comarcãs*.]

comas *S. f. pl.* V. *aspas* (2). ~ V. *coma*.

comato [Do lat. *comatu*.] *Adj.* Comado (q. v.).

comatoso (ô) [Do gr. *kôma, atos* (v. *coma*[2]) + *-oso*; fr. *comateux*.] *Adj.* Relativo a, ou próprio de coma[2] (1): *estado comatoso.*

comba[1] [Do occitano *comba*, poss.] *S. f.* Vale que se vai alteando entre montanhas.

comba[2] [Abrev. da expres. quimb. *ku-komba ditókwè*, 'varrer as cinzas'.] *S. m. Angol.* Cerimônia de homenagem a um defunto, oito ou trinta dias depois do enterro: "Quando as velhas cantavam era isso mesmo. Um comba. A memória de um falecido." (Manuel Rui, *1 Morto & os Vivos*, p. 73.)

combalido [Part. de *combalir*.] *Adj.* **1.** Abatido, abalado. **2.** Falto de forças físicas ou morais.

combalir [De or. controversa.] *V. t. d.* **1.** Enfraquecer, debilitar, abater, abalar: *A doença o combaliu; Os gastos excessivos combaliram a economia do país.* **2.** Causar abalo ou alteração em; abater, abalar: *A morte do pai combaliu-o deveras.* **3.** Tornar menos firme; abalar; aluir: *O terremoto combaliu os alicerces do prédio.* **4.** Deteriorar; apodrecer. ***P.*** **5.** Enfraquecer-se, debilitar-se. [Defect. Só se conjuga nas f. em que ao *l* da raiz se segue a vogal *i*; faltam-lhe, pois, as 3as pess. do sing. do pres. ind. e a 2ª do sing. do imperat., e todo o pres. subj.]

combate [Dev. de *combater*.] *S. m.* **1.** Ato ou efeito de combater. **2.** *Mil.* Ação bélica de amplitude menor que a batalha (1), travada em área restrita, entre unidades militares de pequeno vulto. ◆ **Dar combate a.** Combater (3): *dar combate ao inimigo; dar combate a um incêndio.*

combatente [De *combater* + *-nte*.] *Adj. 2 g.* **1.** Que combate ou pode combater. ~ V. *oficial — e poder —*. ● *S. 2 g.* **2.** Pessoa que combate ou pode combater. **3.** Soldado, guerreiro.

combater [Do lat. vulg. **combattere*.] *V. t. d.* **1.** Bater-se com; sustentar combate contra: *Os soldados combateram demoradamente os inimigos.* **2.** Opor-se a; impugnar, contestar: *A reforma combatia a estrutura social dominante.* **3.** Fazer diligência para dominar, vencer ou extinguir; dar combate a: *combater os preconceitos; combater um incêndio; combater uma doença.* **4.** Contestar em discussão; questionar: *Combateu-o durante pelos jornais.* ***T. i.*** **5.** Fazer guerra a; guerrear: *A Argentina combateu contra a Inglaterra por causa das Malvinas.* **6.** Pelejar, lutar: *combater contra os erros administrativos.* ***Int.*** **7.** Combater (6): *Bravo, combateu até à morte.* ***P.*** **8.** Bater-se, pelejar: *Os dois exércitos combatiam-se com fúria.* **9.** Estar em conflito; debater-se; bater-se:

"enquanto as outras religiões se combatem e se dividem, a minha igreja será única" (Machado de Assis, *Histórias sem Data*, pp. 1-2).

combatível [De *combater* + *-ível*.] *Adj. 2 g.* **1.** Sujeito a ser combatido. **2.** Discutível, questionável: *opinião combatível.*

combatividade [De *combativo* + *-(i)dade*; fr. *combativité*.] *S. f.* **1.** Qualidade ou caráter de combativo. **2.** Tendência que os homens e animais apresentam para combater.

combativo [Do fr. *combatif.*] *Adj.* **1.** Que tem pendor ou ânimo para combater. **2.** Que não se recusa ao combate.

combinação [Do lat. tard. *combinatione.*] *S. f.* **1.** Ato ou efeito de combinar(-se). **2.** Reunião de coisas dispostas em certa ordem. **3.** Ajuste, acordo, contrato. **4.** Plano, projeto. **5.** União íntima; fusão. **6.** Conformidade, harmonia. **7.** *Vest.* Roupa íntima feminina, constituída de saia e corpinho numa só peça. [Sin., no RS, nesta acepç.: *saia*.] **8.** *Bot.* Transferência de uma espécie, subespécie ou variedade para outra categoria taxonômica, como, p. ex., quando se muda uma dada espécie de gênero. **9.** *E. Ling.* Contração (4). **10.** *Mat.* Subconjunto não ordenado de um conjunto discreto e finito. ◆ **Combinação linear.** *Mat.* Adição de entidades matemáticas análogas (equações, variáveis, matrizes, etc.), cada uma delas multiplicada por uma constante. **Combinação química.** *Quím.* Ligação estável de dois ou mais átomos, em proporções definidas, constituindo uma substância com propriedades físicas e químicas características.

combinadense *Adj. 2 g.* **1.** De, ou pertencente ou relativo a Combinado (TO). ● *S. 2 g.* **2.** O natural ou habitante de Combinado.

combinado [Part. de *combinar.*] *Adj.* **1.** Que se combinou. **2.** Agrupado em ordem metódica. **3.** Convencionado, ajustado. **4.** *Bras. Mil.* Diz-se de atividade, operação ou órgão que emprega forças ou elementos ponderáveis de mais de uma força armada (Aeronáutica, Exército ou Marinha), e sob comando único, para o cumprimento de uma missão comum. ~ V. *ação —a*, *autotipia —a* e *clichê —*. ● *S. m.* **5.** Aquilo que se combinou: *Esqueceu o combinado e falou o que não devia.* **6.** *Esport.* V. *seleção* (4).

combinador (ô) [De *combinar* + *-dor.*] *Adj. S. m.* Que, ou aquele que faz combinações [v. *combinação* (1 a 4)].

combinar [Do lat. tard. *combinare.*] *V. t. d.* **1.** Juntar, reunir, em certa ordem: *combinar tintas; combinar sons.* **2.** Dispor metodicamente; ordenar; acertar, ajustar: *Não combinaram bem as ideias antes de pôr o plano em ação.* **3.** Ajustar, acertar, pactuar: *Encontraram-se às ocultas para combinar a fuga.* *T. d. e i.* **4.** Fazer coexistir; aliar, harmonizar: *Seu temperamento combina a energia paterna com a doçura da mãe.* **5.** Unir, ligar: *combinar um elemento químico com outro.* **6.** Comparar, confrontar, cotejar: *Combinou a versão de Pedro com a de Paulo, e viu que ambas eram falsas.* **7.** Combinar (3): *Combinou com o ex-marido que ele ficaria com as crianças.* *T. i.* **8.** Estar conforme, ajustar-se, harmonizar-se, condizer: *Sua natureza combina com a do irmão.* **9.** Estar de comum acordo sobre (algo): "como fizesse bom tempo, as senhoras combinaram em tomar o café na chácara." (Aluísio Azevedo, *Casa de Pensão*, p. 177). **Bit. i.** **10.** Pôr-se de acordo com (alguém) sobre (algo); concordar: *O professor combinou com a classe de prorrogar a entrega do trabalho.* **Int.** **11.** Estar conforme; ajustar-se, harmonizar-se, condizer: *Seus gênios não combinam.* *P.* **12.** Estar de acordo; harmonizar-se: *Os seus temperamentos combinaram-se muito bem.* **13.** Entrar em combinação: *Os elementos que se combinam nessa estrutura tornam-na indestrutível.* **14.** Coligar-se, unir-se, associar-se. **15.** Unir-se em combinação química.

combinatório [De *combinar* + *-tório.*] *Adj.* Relativo a, ou em que há combinação ou combinações. ~ V. *análise —a* e *número —*.

combinável [De *combinar* + *-vel.*] *Adj. 2 g.* Que se pode combinar.

combleia (éi) *S. f. Bras. N.E. Pop. Bot.* V. *garrucha* (3). ❖

combo [Do ingl. *combo*, f. red. de *combination*, 'combinação'.] *S. m.* **1.** *Inform.* Gravador de CDs que também lê DVDs. **2.** *Mús.* Conjunto, ger. de *jazz*, com até oito integrantes. **3.** Conjunto de dois ou mais produtos que são vendidos juntos, por um preço especial: *Esta lanchonete vende combos de suco, sanduíche e sorvete.*

combogó *S. m. Bras. Constr.* V. *cobogó*.

comboia (ói) [De *comboio.*] *S. f. Bras. PE* Cesto grande, com varais, no qual se transporta o bagaço verde nos engenhos de banguê. ❖

comboiar [De *comboio* + *-ar*[2].] *V. t. d.* **1.** Escoltar (um comboio). **2.** Conduzir, transportar; rebocar. **3.** *Bras. Gír.* Fazer-se acompanhar de; rebocar: *Passou comboiando uma bela morena.* [Pres. ind.: *comboio, comboias, comboiamos*, etc. Cf. *comboio.*]

comboieiro [De *comboio* + *-eiro.*] *S. m.* **1.** Aquele que escolta ou guia comboio. **2.** *Bras. Amaz.* Indivíduo encarregado de levar aos locais de extração do látex (centros), semanal ou mensalmente, o comboio (7). **3.** Navio que escolta outros.

comboio [Do fr. *convoi* < fr. *convoyer.*] *S. m.* **1.** Porção de carros que se dirigem ao mesmo destino. **2.** *Mil.* Carros de munições e mantimentos que acompanham forças militares. **3.** Leva (3) de feridos ou de presos. **4.** Série de vagões puxados sobre trilhos por uma locomotiva; trem: "de instante a instante, eram berros de locomotivas que chegavam, que partiam, arrastando comboios." (Coelho Neto, *Turbilhão*, p. 51). **5.** *Mar. G.* Grupo de navios mercantes ou de navios de guerra auxiliares que, em tempo de guerra, navegam juntos, protegidos por uma escolta de navios de guerra e, por vezes, também de aviões. [Var. pros., lus., nessas acepçs.: *comboio* (ói).] **6.** *Bras.* Conjunto de animais de carga que transportam mercadorias; tropa. **7.** *Bras. Amaz.* Lote de muares que conduzem víveres e utensílios destinados aos seringueiros. [Cf. *comboio*, do v. *comboiar.*]

comboio (óio) *S. m. Lus.* V. *comboio* (1 a 5).

combona [De or. controversa.] *S. f.* Caneiro (2) para apanhar peixe na praia.

comborça (ó) *S. f.* **1.** Aquela que é amante de um homem, em relação à mulher ou a outra amante desse homem: "Conceição padecera, a princípio, com a existência da comborça; mas, afinal, resignara-se." (Machado de Assis, *Páginas Recolhidas*, p. 78.) **2.** Concubina.

comborçaria [De *comborça* + *-aria.*] *S. f.* V. *concubinato*.

comborço (ô) [De or. controversa.] *S. m.* Aquele que é amante de uma mulher, em relação ao marido ou outro amante dessa mulher: "Que fazer, se aquele morto se levantava entre ambos como um fantasma, enxergando nele um comborço, nela uma adúltera, em ambos — dois infames?..." (Veiga Miranda, *Pássaros que Fogem...*, p. 69.) [Fem.: *comborça* (ó). Pl.: *comborços* (ó).]

combretácea [Do tax. *Combretum* (do lat. *combretum*, 'certa espécie de junco') + *-ácea*; tax. *Combretaceae.*] *S. f. Bot.* Espécime das combretáceas, família da ordem das mirtales, formada por árvores e trepadeiras lenhosas, de folhas opostas e flores racemosas, pequeninas, diclamídeas, hermafroditas ou unissexuais. Androceu isostêmone ou diplostêmone; ovário ínfero e unilocular, e fruto drupáceo, monospermo. Há cerca de 450 representantes nas terras tropicais; o Brasil tem uma série razoável delas, sendo a amendoeira-da-praia uma das mais comuns.

combretáceo [De *combretácea*, com var. suf. (v. *-áceo*).] *Adj. Bot.* Pertencente ou relativo às combretáceas.

combro [Alter. de *cômoro*, com síncope e desdobramento da bilabial nasal em bilabial plosiva.] *S. m.* V. *cômoro*: "Da montanha Itajuba os vê sorrindo, / Galgando vales, combros, serranias." (Gonçalves Dias, *Obras Poéticas*, II, p. 258.)

comburente [Do lat. *comburente.*] *Adj. 2 g. S. m.* Que, ou aquilo que alimenta a combustão: "os negros perfis das árvores pareciam restos carbonizados de uma flora adusta, resistindo, de pé, as labaredas comburentes." (Coelho Neto, *Treva*, pp. 92-93).

comburido [Part. de *comburir.*] *Adj.* Queimado, combusto.

comburir [Do lat. *comburere.*] *V. t. d. Int. P.* Queimar (1, 2, 18 e 26): "E o remoinho vai, pelas terras em fora, encrespando cada vez mais, pelo meio da mata ...., roncando, torcendo as garrancharias, que estralejam, como se um fogo invisível e violento as comburisse." (Herman Lima, *Tijipió e Garimpos*, p. 14); "Sonho! A lava combure, incandescendo os céus!" (Martins Fontes, *Poesias*, V, p. 8). [Defect., só conjugável nas f. em que ao *r* se segue *e* ou *i*. Ger. só é us. nas 3.as pess.]

combustão [Do lat. *combustione.*] *S. f.* **1.** Ação de queimar, de comburir; ustão. **2.** Estado de um corpo que arde produzindo calor, ou calor e luz; ignificação. **3.** *Fig.* Conflagração moral. **4.** *Fig.* Guerra, revolução, conflagração. **5.** *Quím.* O processo de combinação duma substância com um oxidante (ger. o oxigênio), em geral exotérmico e autossustentável. ◆ **Combustão espontânea.** A que ocorre naturalmente, sem a presença aparente de agente específico de ignição.

combustar [De *combusto* + *-ar*[2].] *V. t. d. Int. P.* Queimar (1, 2, 18 e 26).

combustibilidade [De *combustível* + *-(i)dade*, seg. o padrão erudito.] *S. f.* **1.** Qualidade de combustível. **2.** Propriedade de arder.

combustível [Do fr. *combustible.*] *Adj. 2 g.* **1.** Que arde ou tem a propriedade de arder; adustível, combustivo. ~ V. *gás —* e *óleo —*. ● *S. m.* **2.** Qualquer substância, material ou produto que se utiliza para produzir combustão. ◆ **Combustível atômico.** *Eng. Nucl.* Combustível nuclear. **Combustível enriquecido.** *Eng. Nucl.* Material que contém nuclídeos físseis em proporção superior àquela em que são encontrados em estado natural. **Combustível fóssil.** Combustível que se forma a partir de restos de organismos vivos, rico em carbono ou em hidrogênio, como, p. ex., o carvão, o petróleo e o gás natural. **Combustível nuclear.** *Eng. Nucl.* Substância físsil utilizada num reator nuclear; combustível atômico.

combustivo [De *combusto* + *-ivo.*] *Adj.* V. *combustível* (1).

combusto [Do lat. *combustu.*] *Adj.* Queimado, comburido.

combustor (ô) [De *combusto* + *-or.*] *S. m.* **1.** *Bras.* Poste para iluminação pública, usado sobretudo em praças e jardins: "Pelo quadro da janela do carro passavam, rápidos, os globos iluminados dos combustores." (Érico Veríssimo, *Noite*, p. 90.) **2.** Dispositivo no qual se realiza combustão.

▲**-com(e)-** [Do gr. *kómē*, *ēs.*] *El. comp.* = 'cabelo', 'cabeleira'; 'barba': *acomia*. [V. *-como.*]

come-aranha [De *comer* + *aranha.*] *S. m. Bras. N. Zool.* V. *marimbondo-caçador*. [Pl.: *come-aranhas.*]

começador (ô) [De *começar* + *-dor.*] *Adj. S. m.* Que, ou aquele que começa; iniciador.

começante [De *começar* + *-nte.*] *Adj. 2 g.* Que começa ou está no princípio; principiante, incipiente.

começar [Do lat. vulg. *cominitiare.] *V. t. d.* **1.** Dar começo a; principiar, iniciar, encetar: *Começou a conferência com uma longa citação.* *T. i.* **2.** Dar começo ou princípio; principiar: "E que fez Rousseau? Quase analfabeto até aos trinta anos, começa a escrever aos trinta e cinco." (Graça Aranha, *A Estética da Vida*, p. 194); "Começava a soprar a viração da tarde" (Aluísio Azevedo, *O Mulato*, p. 264); "O céu começou de toldar-se com o anoutecer" (Alexandre Herculano, *Lendas e Narrativas*, II, p. 28). **3.** Principiar (conversa, manifestação oral ou escrita) por: "Começou por me dizer que o seu caso era simples — e que se chamava Macário..." (Eça de Queirós, *Contos*, p. 1); *O orador começou por dirigir uma saudação à cidade que o acolhera.* *Int.* **4.** Ter princípio ou começo: *Começou a festa.* **5.** Dar começo (a uma conversa, a uma atividade ou ação qualquer): *Depois de longo silêncio, o conferencista, finalmente, começou.* **6.** Fazer a primeira experiência ou tentativa em algum campo: "Dostoievski começa escrevendo dramas." (Olívio Montenegro, *Retratos e Outros Ensaios*, p. 57.) *Pred.* **7.** Ter princípio ou começo, em certo estado ou condição: "A semana acabou fresca, tendo começado e continuado horrivelmente cálida." (Machado de Assis, *A Semana*, II, p. 252.) [Muda o *ç* em *c* antes de *e*, e este é aberto nas f. rizotônicas. Pres. ind.: *começo, começas, começa, começamos, começais, começam*; pres. subj.: *comece, comeces*, etc. Cf. *começo* (ê), s. m.]

começo (ê) [Dev. de *começar.*] *S. m.* **1.** Ato ou efeito de começar. **2.** O primeiro momento da existência ou da execução duma coisa; princípio, origem. [Pl.: *começos* (ê). Cf. *começo*, do v. *começar.*] ~ V. *começos*.

come-cobra [De *comer* + *cobra*[1].] *S. m. Bras. Zool.* V. *marimbondo-caçador*. [Pl.: *come-cobras.*]

começos (ê) [Pl. de *começo* (ê).] *S. m. pl.* Experiência, tentativa, ensaio. ~ V. *começo*.

comedeira [De *comer* + *-deira.*] *S. f.* Ganho desonesto proveniente de suborno, comissões ilícitas, etc.; ladroeira, mamata, negociata, comedela, comedoria, comidas, comilança: *Lutou para dar fim à comedeira que, por baixo do pano, corria pela repartição.*

comedela [De *comer* + *-dela.*] *S. f.* **1.** V. *patuscada* (1). **2.** *Fig.* V. *comedeira*.

comedia [De *comer.*] *S. f. Bras.* **1.** V. *pasto* (2). **2.** *Bras. Amaz.* Ponto onde se reúnem os animais para fazer os seus repastos. **3.** Lugar onde caem frutos silvestres procurados pela caça; mesa. [Cf. *comédia*.]

comédia [Do lat. *comoedia* (< gr. *komoidía*), com infl. do it. *commedia.*] *S. f.* **1.** *Teatr.* Obra ou representação teatral em que predominam a sátira e a graça. **2.** *P. ext. Teatr.* Drama (1): "Julgamos dever notar aqui que os nossos modernos atores ainda não chamam geralmente qualquer drama senão comédia, embora ele seja trágico." (Alexandre Herculano, *Opúsculos*, IX, p. 145.) **3.** *Teatr.* A arte do teatro; teatro, drama. **4.** *Teatr.* A instituição teatral em geral. **5.** *Teatr.* Companhia dramática. **6.** *Cin. Telev.* Gênero cinematográfico, televisivo, etc., em que predomina o humor. **7.** *Fig.* Cena ou acontecimento risível ou censurável: "Até que alguém, compadecido da mísera pequenez daquela natureza, pôs fim à comédia. || – Vicente fugiu..." (Miguel Torga, *Bichos*, p. 90.) **8.** Fingimento, dissimulação, simulação: *A doença dela não passou de comédia.* [Cf. *comedia*, dos v. *comediar* e *comedir*, e s. f.] ◆ **Comédia antiga.** *Teatr.* O conjunto das obras de teatro cômico da Grécia antiga escritas no período que vai até o séc. IV a.C., de conteúdo predominantemente político-social, e que tem Aristófanes (v. *aristofanesco*) como seu principal representante. **Comédia atelana.** *Teatr.* No antigo teatro romano, peça no gênero da farsa, curta, caracterizada pelas sátiras político-sociais, oriunda das representações da antiga cidade de Atela, e na qual os atores eram sempre mascarados e personificavam tipos fixos; fábula atelana, atelana. **Comédia de caráter.** *Teatr.* Aquela em que a ação se define pelas atitudes peculiares às diferentes personagens. **Comédia de costumes.** *Teatr.* A que reflete os usos e costumes, ideias e sentimentos habituais de determinada sociedade, classe ou profissão: "Martins Pena é o fundador da nossa comédia de costumes." (Sábato Magaldi, *Panorama do Teatro Brasileiro*, p. 40.) **Comédia de improviso.** *Teatr.* V. *commedia dell'arte.* **Comédia italiana.** *Teatr.* V. *commedia dell'arte.* **Comédia média.** *Teatr.* O conjunto das obras de teatro cômico da Grécia antiga, de conteúdo alegórico, mitológico e literário, e situadas nos três primeiros quartéis do séc. IV a.C. **Comédia moral.** *Teatr.* Comédia de costumes que encerra princípios éticos. **Comédia musical.** *Cin. Telev.* Filme ou peça teatral cujos diálogos são entremeados de música, canto, bailados, etc. **Comédia nova.** *Teatr.* O conjunto de obras de teatro cômico da Grécia antiga, escritas no período final do séc. IV a.C., caracterizadas pela sátira aos costumes, e cujo principal autor foi Menandro. **Comédia romântica.** *Cin.* Gênero cinematográfico cujo enredo gira em torno de dificuldades e obstáculos, ger. de caráter cômico, que os personagens principais enfrentam no desenvolvimento do seu relacionamento amoroso. **Comédia tabernária.** *Teatr.* No antigo teatro romano, comédia de inspiração popular, cuja ambientação e personagens são tirados da classe mais pobre; fábula tabernária. **Alta comédia.** *Teatr.* A que aborda e desenvolve ação de sentido elevado. **Baixa comédia.** *Teatr.* A que tem caráter grotesco ou licencioso; farsa.

comédia de arte *S. f. Teatr.* V. *commedia dell'arte.* [Pl.: *comédias de arte.*] ☑

comédia-farsa *S. f. Teatr.* Comédia que apresenta características da farsa (1). [Pl.: *comédias-farsas.*]

comediante [Do it. *commediante.*] *S. 2 g. Teatr. Cin.* **1.** Ator de comédia (1); cômico. **2.** *P. ext.* Ator, intérprete. **3.** Pessoa fingida, dissimulada.

comédia-pastelão *S. f. Cin.* Comédia na qual a movimentação dos atores é intensa e vivamente cômica, e em que há brincadeiras pesadas (como atirarem-se mutuamente pastelões e tortas), pancadaria e perseguições. [Tb. se diz apenas *pastelão.* Pl.: *comédias-pastelões* e *comédias-pastelão.*]

comediar [De *comédia* + *-ar*[2].] *V. t. d.* Converter em comédia (1); tornar cômico. [Pres. ind.: *comedio, comedias, comedia,* etc. Cf. *comédia.*]

comedido [Part. de *comedir.*] *Adj.* Que tem comedimento; prudente, moderado.

comedimento [De *comedir* + *-mento.*] *S. m.* Prudência, moderação, modéstia.

comediografia [De *comediógrafo* + *-ia*[1].] *S. f.* Arte e técnica de escrever e encenar comédias.

comediográfico [De *comediografia* + *-ico*[2].] *Adj.* Referente a comediografia.

comediógrafo [Do lat. *comoediographu* < gr. *komoidiográphos*, 'autor cômico'.] *S. m.* **1.** Autor de comédias; comedista, cômico. **2.** *P. ext.* Dramaturgo, teatrólogo.

comedir [Do lat. **commetire*, por *commetiri.*] *V. t. d.* **1.** Regular convenientemente; medir: *Costuma comedir as suas ações.* **2.** Moderar; conter: *É incapaz de comedir os seus impulsos.* **P. 3.** Moderar-se; conter-se. [Conjug.: v. *medir.* Defect. Não é us. na 1ª pess. do sing. do pres. ind. nem, portanto, no pres. subj.; não é us., tb., nas 3.ªs pess. do imperat., nem na 1ª pess. do pl. deste. Para as demais pess., v. *medir.* Imperf.: *comedia,* etc. Cf. *comédia.*]

comedista [De *comédia* + *-ista.*] *S. 2 g. Bras.* V. *comediógrafo* (1).

comedoiro[1] [De *comer* + *-doiro*[1].] *Adj.* V. *comestível* (1).

comedoiro[2] [De *comer* + *-doiro*[2].] *S. m.* Comedouro[2] (q. v.).

comedor (ô) [De *comer* + *-dor.*] *Adj.* **1.** Que come. **2.** Que come muito; comilão, glutão. ● *S. m.* **3.** Indivíduo comedor (2); comilão. **4.** Indivíduo dissipador, esbanjador, perdulário. **5.** V. *parasito* (3). ◆ **Comedor de caranguejo.** *Bras. Joc.* Alcunha que os mineiros e os habitantes do interior do ES dão aos habitantes de Vitória, capital do ES, e adjacências, principalmente os do litoral. **Comedor de formiga.** *Bras. SP Joc.* Alcunha que os santistas dão aos nascidos na capital de SP.

comedoria [De *comedor* + *-ia*[1].] *S. f.* **1.** Comida, alimentação; comedorias: *A comedoria aqui é melhor aos sábados.* **2.** V. *patuscada* (1): *Pelo convite, vê-se que a comedoria vai ser boa.* **3.** *Fig.* V. *comedeira.* ~ V. *comedorias.*

comedorias [Pl. de *comedoria.*] *S. f. pl.* **1.** *Mil. Ant.* Ração de víveres fornecida diariamente, sobretudo a bordo. **2.** V. *comedoria* (1): "o que V. Rev[ma] pagou não deu sequer para as comedorias, porque não é com tão pouco que se alimenta aquele rapaz!" (Aluísio Azevedo, *O Coruja*, p. 35). ~ V. *comedoria.*

come-dorme [De *comer* + *dormir.*] *S. m. Bras. Zool.* V. *dormideira* (6). [Pl.: *comes-dormes* e *come-dormes.*]

comedouro[1] [De *comer* + *-douro*[1]; var. de *comedoiro*[1].] *Adj.* V. *comestível* (1).

comedouro[2] [De *comer* + *-douro*[2]; var. de *comedoiro*[2].] *S. m.* **1.** Lugar onde os animais silvestres vão comer. **2.** Lugar ou recipiente onde comem animais.

come e dorme *S. m. 2 n. Bras. Gír.* Indivíduo sem trabalho ou ocupação que vive à custa dos favores de alguém. ☑

come-espiga [De *comer* + *espiga.*] *S. m. Pop.* Bajulador, adulador, puxa-saco. [Pl.: *come-espigas.*]

comelinácea *S. f. Bot.* V. *commelinácea.*

comelináceo *Adj. Bot.* V. *commelináceo.*

come-longe [De *comer* + *longe.*] *S. 2 g. e 2 n. Bras. N.E.* **1.** Pessoa que tem o hábito de comer terra; geófago. **2.** *P. ext.* Pessoa amarela, pálida; amarelo: "Creem os sertanejos cearenses que todo sujeito muito pálido, muito amarelo, ... 'come-longe', segundo pinturescamente dizem, vira lobisomem nas noites de quinta para sexta-feira." (Gustavo Barroso, *O Sertão e o Mundo*, p. 58).

comemoração [Do lat. *commemoratione.*] *S. f.* **1.** Ato ou efeito de comemorar. **2.** *P. ext.* Festa ou solenidade em que se comemora alguma coisa.

comemorar [Do lat. *commemorare.*] *V. t. d.* **1.** Trazer à memória; fazer recordar; lembrar: *O ano de 1972 comemorou o quarto centenário de* Os Lusíadas. **2.** Solenizar, recordando: *Com esta festa comemoramos o centenário do grande poeta.* **3.** *P. ext.* Festejar, celebrar: *Deu uma grande festa para comemorar as bodas de ouro.*

comemorativo [De *comemorar* + *-tivo.*] *Adj.* **1.** Que comemora; memorativo. **2.** *Med.* Relativo ao estado anterior do doente. ~ V. *edição —a* e *comemorativos.* ● *S. m.* **3.** *Med.* Comemorativos (q. v.)

comemorativos [Pl. de *comemorativo.*] *S. m. pl. Med.* Informações, para fim de diagnóstico, relativas a circunstâncias anteriores à doença atual. [Tb. us. (menos) no sing.] ~ V. *comemorativo.*

comemorável [De *comemorar* + *-vel.*] *Adj. 2 g.* Que merece comemoração.

comenda [Dev. do port. ant. *comendar* < lat. *commendare*, 'confiar', 'entregar', 'recomendar', 'encomendar'.] *S. f.* **1.** Benefício outrora concedido a eclesiásticos e a cavaleiros de ordens militares. **2.** Condecoração ou distinção de ordem honorífica. **3.** Insígnia ou divisa de comendador.

comendadeira [De *comendar* + *-deira.*] *S. f.* Fem. de *comendador.*

comendador (ô) [Adapt. do fr. ant. *comandeor*, 'o que manda'.] *S. m.* Aquele que é titular de uma comenda. [Fem.: *comendadeira.*]

comendadorense *Adj. 2 g.* **1.** De, ou pertencente ou relativo a Comendador Gomes (MG). ● *S. 2 g.* **2.** O natural ou habitante de Comendador Gomes.

comendadoria [De *comendador* + *-ia*[1].] *S. f.* **1.** Benefício de comendador; renda ou usufruto de comenda (1). **2.** Dignidade de comendador. [Sin. ger.: *comendataria.*]

comendataria *S. f.* **1.** Comendadoria. **2.** Cargo de comendatário. [Cf. *comendatária*, fem. de *comendatário.*]

comendatária *S. f.* Fem. de *comendatário.*

comendatário [Do lat. med. *commendatariu.*] *Adj.* **1.** Que usufrui comenda (1). ● *S. m.* **2.** Aquele que concede comenda. [Fem.: *comendatária.* Cf. *comendataria.*]

comendatício [Do lat. *commendaticiu.*] *Adj.* Que se recomenda.

comendativo [Do lat. tard. *commendativu.*] *Adj.* **1.** Que recomenda. **2.** Próprio para recomendar.

comenos [De *com meio* < lat. *cum mediu.*] *S. m. 2 n.* Momento, instante, ocasião: "No comenos de uma tal angústia eu via Querubina dominar-me com o seu porte modelar e altaneiro" (Téu-Filho, *O Perfume de Querubina Dória*, p. 48). ◆ **Neste comenos. 1.** Nesta mesma ocasião. **2.** Neste ínterim; neste entretempo; entretanto: "Os descontentes .... rasgaram os livros de assentamento dos impostos. Neste comenos, chega Otávio acompanhado por alguns amigos e guardas." (Mecenas Dourado, *Mecenas ou o Suborno da Inteligência*, p. 70).

comensal [Do b.-lat. *commensale.*] *S. 2 g.* **1.** Cada um daqueles que comem juntos. **2.** Indivíduo que tem o hábito de comer em casa alheia. **3.** *Ecol.* No comensalismo (q. v.), a espécie beneficiada.

comensalidade [De *comensal* + *-(i)dade.*] *S. f.* **1.** Qualidade de comensal. **2.** Camaradagem à mesa.

comensalismo [De *comensal* + *-ismo*; ingl. *commensalism.*] *S. m. Ecol.* Relação entre dois tipos de organismos, na qual um deles, o *comensal*, recebe benefício, sem que o outro seja prejudicado.

comensurabilidade [De *comensurável* + *-(i)dade*, seg. o padrão erudito.] *S. f.* **1.** Qualidade de comensurável. **2.** *Astr.* Qualidade das órbitas de dois ou mais corpos celestes que, além de girarem ao redor de um baricentro comum, têm períodos múltiplos entre si.

comensurar [Do lat. tard. *commensurare.*] *V. t. d.* **1.** Medir (duas ou mais grandezas) com a mesma unidade. **2.** Medir (1). *T. d. e i.* **3.** Comparar; proporcionar.

comensurável [Do lat. tard. *commensurabile.*] *Adj. 2 g.* **1.** Que se pode medir. **2.** *Mat.* Diz-se duma grandeza que contém certo número de vezes exatamente uma unidade convenientemente escolhida.

comentação [Do lat. *commentatione.*] *S. f.* Ato ou efeito de comentar.

comentado [Part. de *comentar.*] *Adj.* De que se fez comentário, ou comentários. ~ V. *edição —a.*

comentador (ô) [Do lat. *commentatore.*] *Adj. S. m.* Que, ou aquele que faz comentários; comentarista.

comentar [Do lat. *commentare.*] *V. t. d.* **1.** Explicar, interpretando e/ou anotando: *O pregador comentou admiravelmente o Sermão da Montanha.* **2.** Falar sobre; conversar acerca de: *Todos comentavam o desastre;* "Elisiário entrou a comentar a bela obra anônima" (Machado de Assis, *Páginas Recolhidas*, p. 33). **3.** Falar maliciosamente sobre; fazer comentário (3) a: *Ao passar, notou que comentavam sua minissaia.* **4.** Fazer comentário (1) a; criticar, analisar. *Bit. i.* **5.** Falar sobre; conversar: *Comentou comigo sobre o seu divórcio.*

comentário [Do lat. *commentariu.*] *S. m.* **1.** Série de observações com que se esclarece e/ou critica uma produção literária ou científica; anotação, nota. **2.** Apreciação ou análise de um fato, de uma situação. **3.** Crítica maliciosa. **4.** *E. Ling.* Parte de uma sentença que veicula informação acerca de outro elemento nela presente; rema. [Cf., nesta acepç., *tópico* (9). Sin. ger.: *comento.*] ◆ **Sem comentários.** Fórmula ou expressão que se usa como resposta a uma pergunta que se prefere ignorar, ou para salientar o caráter chocante ou descabido de algo que se acaba de escutar.

comentarismo [De *comentar* + *-ismo.*] *S. m.* Ato, efeito ou atividade de comentar: "A razão que Lula pode ter ao dizer-se 'indignado' com as 'acusações de que o PAC é eleitoreiro' .... deve-se a uma distorção da crítica oposicionista e do comentarismo jornalístico." (Jânio de Freitas, em *Folha de S.Paulo*, 27.03.2008.)

comentarista [De *comentário* + *-ista.*] *S. 2 g.* **1.** Autor de comentários; comentador. **2.** *Rád. Telev.* Indivíduo que participa regularmente de programas fazendo comentário especializado sobre fatos econômicos, esportivos, políticos, etc. ● *Adj. 2 g.* **3.** ~ V. *locutor —.*

comentício [Do lat. *commenticiu.*] *Adj.* **1.** Inventado, imaginado. **2.** Fingido, fictício, imaginário.

comento [Do lat. *commentu.*] *S. m.* V. *comentário.*

come-quieto [De *comer* + *quieto.*] *S. m. 2 n. Bras. Pop.* **1.** Tênis (2). **2.** Indivíduo discreto, que não alardeia as suas aventuras amorosas: "O falador se dá mal na vida e o come-quieto só come porque não fala." (João Antônio, *Leão de Chácara*, p. 8.) **3.** *Gír.* Policial corrupto mas que passa por honesto: "Na verdade, porém, Rosalvo era um come-quieto, na gíria policial um tira que se corrompia de maneira dissimulada, sem os colegas saberem." (Rubem Fonseca, *Agosto*, p. 10.)

comer [Do lat. *comedere*, pela var. vulg. **comere.*] *V. t. d.* **1.** Introduzir (alimentos) no estômago, pela boca, mastigando-os e engolindo-os; tomar, abocar: "Ia ao pomar, comia frutas, trepava em árvores." (Júlio Ribeiro, *A Carne*, p. 23.) **2.** *Fig.* Gastar em comida: *É um terrível glutão: come todo o ordenado.* **3.** Dilapidar, dissipar, desbaratar, consumir: *Comeu toda a herança paterna em poucos meses.* **4.** Acreditar facilmente em; admitir sem exame (dito ou fato mentiroso). **5.** Destruir, consumir: *A tuberculose comeu-lhe os pulmões.* **6.** Consumir, corroer: *A ferrugem comeu a dobradiça.* **7.** Absorver, tragar, consumir: *Juro por estes olhos que a terra há de comer.* **8.** Omitir, suprimir: *Tem dicção imperfeita: come, ao falar, as consoantes fricativas; O copista comeu duas palavras do texto.* **9.** Roubar, furtar: *O tesoureiro comeu todo o dinheiro que havia em caixa.* **10.** Eliminar (uma ou mais pedras do adversário), no jogo de damas e no de xadrez: "diria à bela Miranda que jogasse comigo o xadrez ...., onde a rainha come o peão, o peão come o bispo, o bispo come o cavalo, o cavalo come a rainha, e todos comem a todos." (Machado de Assis, *A Semana*, II, pp. 46-47). **11.** *Pop.* Consumir (combustível); beber: *Este carro come muita gasolina.* **12.** *Chulo* Possuir sexualmente; copular com; papar, traçar, faturar: "abriu as coxas e deixou que ele a comesse como há muito lhe pedia e suplicava." (Jorge Amado, *Dona Flor e Seus Dois Maridos*, p. 129). *T. i.* **13.** Provar, experimentar: *Segundo a Bíblia, Deus proibiu que Adão e Eva comessem do fruto proibido.* **Transobj. 14.** Considerar, tomar, ter: *Não o comam por tolo: é espertíssimo.* **Int. 15.** Tomar alimento: "Até o século

XVII, na Europa, comia-se com os dedos." (Eduardo Frieiro, *Feijão, Angu e Couve*, p. 95.) **16.** Alimentar-se: "como bem e não durmo mal." (Machado de Assis, *Dom Casmurro*, p. 5); *Há dois dias que não come.* **17.** Causar comichão ou prurido. **18.** Lucrar, cometendo fraude; roubar: *Comeu onde pôde, durante a administração do amigo. P.* **19.** Mortificar-se, consumir-se: *Ao saber-se traído, comeu-se de raiva.* ● *S. m.* **20.** Comida (1 e 3). ◆ **Comer solto.** A torto e a direito, com toda a intensidade: "Enfrentaram, encararam e deram cartas em tempo de navalha comendo solta na mão dos vivórios" (João Antônio, *Leão de Chácara*, p. 10).

comercial [De *comércio* + *-al*[1].] *Adj. 2 g.* **1.** Do, ou próprio do comércio. **2.** Relativo ao comércio; mercantil, caixeiral (*bras.*). **3.** Diz-se de livro, ou filme, ou pintura, etc., que visa a sucesso e a lucro imediatos, sem exigir do público esforço intelectual. ~ V. *almoço —, ano —, balança —, banco —, casa —, direito —, fomento —, junta —, livro —, nome —, nota promissória —, papel —, parceiro —, política —, prato — e sociedade —.* ● *S. m.* **4.** Anúncio transmitido por emissora de rádio ou televisão: "Naquela noite, dois profissionais brilhavam: eu (principalmente na minha opinião) e um diretor de comerciais polonês grandalhão." (Washington Olivetto, *Os Piores Textos de Washington Olivetto*, p. 135.)

comercialidade [De *comercial* + *-(i)dade.*] *S. f.* Qualidade de comercial (1).

comercialismo [De *comercial* + *-ismo.*] *S. m.* **1.** Caráter do que é comercial. **2.** Ênfase, destaque dado ao comércio: "O COI (Comitê Olímpico Internacional) deveria demonstrar em relação ao crescente comercialismo das Olimpíadas o mesmo zelo que recomenda à isenção ideológica do torneio." (Aldo Pereira, em *Folha de S.Paulo*, 02.06.2008.)

comercialista [De *comercial* + *-ista.*] *Adj. 2 g.* **1.** Relativo ao comercialismo. **2.** Diz-se de especialista em direito comercial. ● *S. 2 g.* **3.** Especialista em direito comercial.

comercialização [De *comercializar* + *-ção.*] *S. f.* **1.** Ato ou efeito de comercializar. **2.** *Econ.* Venda de mercadorias ou serviços, esp. com referência a todo o processo de intermediação entre o produtor e o consumidor, abrangendo *marketing*, distribuição, atividades de promoção, etc.

comercializado [Part. de *comercializar.*] *Adj.* Que se comercializou.

comercializar [De *comercial* + *-izar.*] *V. t. d.* **1.** Tornar comerciável ou comercial. **2.** Pôr em circuito comercial. *T. d. e i.* **3.** Negociar com; comerciar: *Saiu cedo para comercializar toda a sua safra com o atravessador.*

comercializável [De *comercializar* + *-vel.*] *Adj. 2 g.* Que pode ser comercializado.

comerciante [De *comerciar* + *-nte.*] *Adj. 2 g.* **1.** Que exerce o comércio. **2.** Que tem vocação ou jeito para o comércio. **3.** *Fig.* Diz-se de pessoa interesseira, que só faz algo visando a lucro pecuniário. ● *S. 2 g.* **4.** Indivíduo comerciante; negociante.

comerciar [Do lat. **commerciare*, por *commerciari.*] *V. int.* **1.** Exercer a profissão de negociante; negociar. *T. i.* **2.** Fazer comércio; negociar: *Comercia em tecidos.* **3.** Ter comércio (4) com alguém: *Comercio com ele há muito tempo, é excelente pessoa. T. d. e i.* **4.** Comercializar (3). [Conjug.: v. *negociar* (Bras. e Port.). Pres. ind.: *comercio, comercias, comercia*, etc. Fut. pret.: *comerciaria*, etc. Pret. imperf. ind.: *comerciava*, ... *comerciáveis, comerciavam.* Cf. *comércio*, s. m., e *comerciária*, fem. de *comerciário*, e *comerciáveis*, pl. de *comerciável.*]

comerciário [De *comércio* + *-ário.*] *S. m. Bras.* Empregado no comércio. [Fem.: *comerciária.* Cf. *comerciaria*, do v. *comerciar.*]

comerciável *Adj. 2 g.* Que se pode comerciar.

comerciense *Adj. 2 g.* **1.** De, ou pertencente ou relativo a Comercinho (MG). ● *S. 2 g.* **2.** O natural ou habitante de Comercinho.

comercinho [Dim. de *comércio.*] *S. m. Bras. BA ES MG* V. *comércio* (5).

comércio [Do lat. *commerciu.*] *S. m.* **1.** Permutação, troca, compra e venda de produtos ou valores; mercado, negócio, tráfico. **2.** A classe dos comerciantes. **3.** O conjunto das atividades comerciais. **4.** Relações de sociedade. **5.** Relações sexuais ilícitas. **6.** *Bras. BA ES MG* Povoado onde se realizam feiras semanais; comercinho, rua. [Cf. *comercio*, do v. *comerciar.*] ◆ **Comércio eletrônico.** Compra ou venda de produtos e serviços por meios eletrônicos, como a Internet. **De fechar o comércio.** *Bras. Gír.* Sensacional, extraordinário: *uma beleza de fechar o comércio.*

comes [Dev. de *comer.*] *El. s. m. pl.* Us. na loc. s. *comes e bebes.* ◆ **Comes e bebes.** *Pop. Fam.* Comidas e bebidas: "Os comes e bebes .... difundiam-se pelo acampamento em regozijo" (Melo Morais Filho, *Festas e Tradições Populares do Brasil*, p. 151).

come-santo [De *comer* + *santo.*] *S. 2 g. Bras. Pej.* V. *protestante* (6). [Pl.: *come-santos.*]

comestibilidade [De *comestível* + *-(i)dade*, seg. o padrão erudito.] *S. f.* Qualidade do que é comestível.

comestíveis *S. m. pl.* V. *víveres.* ~ V. *comestível.*

comestível [Do lat. tard. *comestibile.*] *Adj. 2 g.* **1.** Que se come, que é bom para comer; comível, comedouro[1], comedoiro[1], edule. ● *S. m.* **2.** Aquilo que se come. ~ V. *comestíveis.*

cometa (ê) [Do gr. *kométes*, pelo lat. *cometa.*] *S. m.* **1.** *Astr.* Astro de luminosidade fraca, formado por um grupo de pequenas partículas sólidas, com envoltório gasoso, e que gira em torno do Sol em órbitas elípticas muito alongadas, algumas das quais praticamente parabólicas, e nalguns casos aparentemente hiperbólicas. Na proximidade do Sol, por efeito da pressão de radiação, forma-se em grande número de cometas uma longa cauda, que se estende a milhões de quilômetros. **2.** *Fig.* Pessoa que aparece e desaparece rapidamente. **3.** *Bras.* V. *caixeiro-viajante*: "O que me aconteceu de mais importante mesmo foi com Geraldino — cometa de São Paulo — que vendia .... pasta pra alvejar os dentes, tintura e loção pros cabelos." (Nélson de Faria, *Tiziu e Outras Estórias*, p. 18). **4.** *Bras. SP* Expresso (6) que liga Santos a São Paulo. **5.** *Bras. Zool.* Peixe teleósteo ciprinifor-me, ciprinídeo (*Carassius auratus*), de corpo curto e grosso, e nadadeiras bem desenvolvidas, esp. a caudal. ◆ **Cometa de curto período.** *Astr.* Cometa elíptico, cujo período é inferior a 10 anos. **Cometa de eclipse.** *Astr.* O que é descoberto por ocasião de um eclipse total do Sol. **Cometa de Halley.** *Astr.* O cometa periódico mais conhecido, visível a cada 76 anos, e cuja última aparição ocorreu em 1986. **Cometa de longo período.** *Astr.* Aquele cuja órbita é praticamente uma parábola; cometa não periódico, cometa parabólico. **Cometa de período intermediário.** *Astr.* Aquele cujo período é compreendido entre 10 e 100 anos, e cuja órbita é uma elipse alongada. **Cometa elíptico.** *Astr.* Aquele cuja órbita é elíptica. [O cometa de curto período (q. v.) e o cometa de período intermediário (q. v.) são elípticos.] **Cometa hiperbólico.** *Astr.* Aquele que tem a peculiaridade de o cálculo da sua órbita conduzir a uma hipérbole, o que indica a possibilidade de não ser ele um membro próprio do sistema solar. **Cometa não periódico.** *Astr.* V. *cometa de longo período.* **Cometa parabólico.** *Astr.* V. *cometa de longo período.* **Cometa periódico.** *Astr.* Aquele cujo retorno é previsível e pode ser observado. [São periódicos o cometa de curto período (q. v.) e o cometa de período intermediário (q. v.).]

cometário [De *cometa* + *-ário.*] *Adj.* Relativo a cometa. ~ V. *astronomia —a.*

cometear [De *cometa* + *-ear*[2].] *V. int. Bras. MA Fam.* Aparecer e desaparecer logo depois, à maneira de cometa (2). [Conjug.: v. *frear.*]

cometedor (ô) [De *cometer* + *-dor.*] *Adj. S. m.* **1.** Que, ou aquele que comete delito, crime. **2.** V. *empreendedor.*

cometer [Do lat. *committere.*] *V. t. d.* **1.** Praticar, fazer; perpetrar: "Quando um homem comete alguma ação heroica, nasce de novo." (José Lins do Rego, *Gregos e Troianos*, p. 173.) **2.** Tentar, empreender: *Ponderadas as vantagens e as desvantagens, resolveram cometer o plano qual o haviam projetado. T. d. e i.* **3.** Praticar, fazer; perpetrar: "Cometi para com V. Ex.ª um desprimor, que teria talvez sabor de selvageria." (Latino Coelho, *Fernão de Magalhães*, p. 57.) **4.** Confiar, entregar; incumbir: "ele [D. Pedro I] congregou os melhores espíritos que o rodeavam ...., cometendo-lhes a tarefa de escreverem um Código Orgânico." (Euclides da Cunha, *À margem da História*, p. 247); *Cometeram-lhe ontem a alta função.* **5.** Propor, oferecer. *P.* **6.** Aventurar-se; expor-se: *Que coragem, cometer-se a tão arriscada empresa!*

cometida [De *cometer* + *-ida*[3].] *S. f.* V. *acometimento.*

cometimento [De *cometer* + *-imento.*] *S. m.* **1.** Acometimento (1). **2.** Empreendimento, tentativa ou empresa difícil, arriscada e/ou de grande vulto; acometimento.

▲**cometo-** [Do gr. *komḗtēs*, ou.] *El. comp.* = 'cometa': *cometografia, cometomancia.*

cometografia [De *cometo-* + *-grafia.*] *S. f.* Ramo da astronomia que estuda os cometas. [Sin. (p. us.): *astronomia cometária.*]

cometográfico [De *cometografia* + *-ico*[2].] *Adj.* Referente a cometografia.

cometógrafo [De *cometo-* + *-grafo.*] *S. m.* Especialista em cometografia.

cometoide (ói) [De *cometa* + *-oide.*] *Adj. 2 g.* **1.** Diz-se de corpo celeste semelhante a um cometa pelo seu aspecto, órbita e origem. ● *S. m.* **2.** Cometa que, por se encontrar muito afastado do Sol, apresenta toda a sua substância rigorosamente sólida. *Astr.* ✣

cometologia [De *cometo-* + *-logia.*] *S. f.* Tratado acerca dos cometas.

cometológico [De *cometologia* + *-ico*[2].] *Adj.* Referente a cometologia.

cometomancia (cí) [De *cometo-* + *-mancia.*] *S. f.* Arte de adivinhar pela observação dos cometas.

cometomante [De *cometo-* + *-mante.*] *S. 2 g.* Pessoa que se dedica à cometomancia.

cometomântico *Adj.* Relativo a cometomancia, ou a cometomante.

comezaina [De *comer.*] *S. f. Pop.* **1.** Refeição abundante: "os que saíam, depois daquela comezaina grossa, iam radiantes de contentamento, com a barriga bem cheia, a arrotar." (Aluísio Azevedo, *O Cortiço*, p. 58). **2.** V. *patuscada* (1). [Sin. ger.: *papazana.*]

comezinho [De *comer.*] *Adj.* **1.** Bom para se comer. **2.** *Fig.* Fácil de entender; evidente, simples: *palavra, expressão comezinha.* **3.** Caseiro, doméstico.

comichão [Do lat. *comestione.*] *S. f.* **1.** V. *prurido* (1). **2.** *Fig.* Desejo premente.

comichar [De *comich-*, como em *comichão*, + *-ar*[2].] *V. t. d.* **1.** Causar comichão em. *Int.* **2.** Sentir comichão. **3.** Coçar (5). *T. i.* **4.** Sentir, experimentar, uma comichão (2): *comichar de curiosidade; Comichava de vontade de conhecê-la melhor.*

comichoso (ô) [De *comichão* + *-oso*, com desnasalação.] *Adj.* Que tem comichão, ou sujeito a comichão.

comicial [Do lat. *comitiale.*] *Adj. 2 g.* Respeitante a comício. ~ V. *mal —.*

comicidade [De *cômico* + *-(i)dade.*] *S. f.* Qualidade ou caráter de cômico.

comício [Do lat. *comitiu.*] *S. m.* **1.** Reunião pública de cidadãos para tratar de assuntos de interesse geral, ou em que um candidato a cargo eletivo divulga seu programa. [Cf. *ato público.*] **2.** Assembleia popular, entre os antigos romanos.

comício-relâmpago *S. m. Bras.* Comício improvisado, ger. em via pública, e que rapidamente se dissolve. [Pl.: *comícios-relâmpagos* e *comícios-relâmpago.*]

cómico *Adj. S. m.* V. *cômico.* [Uso freq. em P.]

cômico [Do gr. *komikós*, pelo lat. *comicu.*] *Adj.* **1.** Relativo a comédia; burlesco. **2.** Que faz rir por ser engraçado ou ridículo, burlesco. ~ V. *alívio —, cena —a, descanso — e pausa —a.* ● *S. m.* **3.** *Teatr.* Comediante (1). **4.** V. *comediógrafo* (1): "Nestas [comédias] procurou ele [Gil Vicente] seguir as pisadas de Plauto e Terêncio, ..., e com efeito elas se podem comparar com as dos dois cômicos latinos." (Alexandre Herculano, *Opúsculos*, IX, pp. 83-84.) **5.** Aquilo que faz rir; burlesco.

comida [De *comer* + *-ida*[3].] *S. f.* **1.** O que se come. **2.** O que é próprio para se comer. **3.** Ação de comer: "As chagas da boca e a inchação dos beiços dificultavam-lhe a comida e a bebida." (Graciliano Ramos, *Vidas Secas*, p. 103.) **4.** Cozinha (3): *comida francesa; comida mineira.* **5.** *Bras. Chulo* Pessoa com que se tem secretamente relações sexuais. **6.** *Bras. Chulo* Pessoa que se dá. ~ V. *comidas.* ◆ **Comida de sal.** Alimentos temperados com sal em oposição aos alimentos doces. **Comida rápida.** *Lus.* V. *fast-food*: "a tabuleta da loja da esquina anunciava sapatos e não comida rápida." (José Saramago, *Todos os Nomes*, p. 46).

comidas [Pl. de *comida.*] *S. f. pl.* V. *comedeira.* ~ V. *comida.*

comido [Part. de *comer.*] *Adj.* **1.** Mastigado e ingerido. **2.** Roído, carcomido: *O pano estava todo comido.* **3.** Consumido, gasto. **4.** Enganado, logrado.

comigo [De *com* + o port. arc. *mego*, 'comigo', < lat. *mecum*, que já encerra a prep.] *Pron.* **1.** Com a pessoa que fala: *Abraçou-se comigo.* **2.** Em minha companhia: "Comigo fica ou leva-me contigo / Dos mares à amplidão" (Gonçalves Dias, *Obras Poéticas*, I, p. 335). **3.** Ao mesmo tempo que eu; juntamente comigo: "Morto, é morto o cantor dos meus guerreiros! / Virgens da mata, suspirai comigo!" (Machado de Assis, *Poesias Completas*, p. 259.) **4.** Em meu ser; dentro de mim: "Se existe a paz, a paz comigo existe." (Luís Carlos, *Colunas*, p. 118.) **5.** Em minha mente; no meu espírito: *Tenho comigo uma noção especial da vida*; "Trago uma cisma comigo" (João de Deus, *Campo de Flores*, I, p. 62). **6.** A meu respeito; concernente à minha pessoa; dirigido a mim: *Esta observação não é comigo.* **7.** Com a minha pessoa; para proveito meu: *Gastou comigo uma fortuna.* **8.** De mim para mim; de mim comigo; entre mim: *Isto não vai dar certo, pensei comigo.* **9.** Próprio para mim; para ser feito ou resolvido por mim: *Trabalho manual não é comigo.* **10.** Em meu poder: *O livro está comigo.* **11.** A meu cargo: *Deixe o seu negócio comigo, que o resolverei.*

comigo-ninguém-pode [De *comigo* + *ninguém* + a 3.ª pess. do pres. do ind. do v. *poder.*] *S. m. Bras. Bot.* Planta arácea (*Diffenbachia maculata* ou *D. picta*) de folhas verdes com manchas esbranquiçadas irregulares e frutos vermelho-alaranjados, bacáceos; é cáustica e venenosa; muito cultivada como ornamental. [Sin.: *aningapara.*]

comilança [De *comil-*, como em *comilão*, + *-ança*.] *S. f. Bras. Pop.* **1.** Ato de comer muito. **2.** *Fig.* V. *comedeira.* [F. paral.: *comilância.*]

comilância [De *comil-*, como em *comilão*, + *-ância*.] *S. f. Bras. Pop.* V. *comilança.*

comilão [Do lat. *comedone.*] *Adj. S. m.* Que, ou aquele que come muito; comedor, glutão. [Fem.: *comilona.*]

comilona *S. f.* V. *comilão.*

cominação [Do lat. *comminatione.*] *S. f.* Ato de cominar.

cominador (ô) [Do lat. tard. *comminatore.*] *Adj. S. m.* Que ou o que exprime cominação; ameaçador.

cominar [Do lat. *comminare.*] *V. t. d. e i.* **1.** Ameaçar com pena ou castigo no caso de infração ou falta de cumprimento de contrato, ou de preceito, ordem, mandato, etc. **2.** Impor, prescrever (castigo, pena): "cominando severas penas aos infratores" (Euclides da Cunha, *Os Sertões*, p. 105).

cominativo [Do lat. tard. *comminativu.*] *Adj.* Cominatório.

cominatório [De *cominar* + *-tório.*] *Adj.* Que envolve cominação; cominativo.

cominho [Do lat. *cuminu* < gr. *kýminon.*] *S. m.* **1.** *Bot.* Planta apiácea (*Cuminum cyminum*) de caule ereto, de flores alvas, róseas ou avermelhadas, e cujo fruto contém sementes aromáticas, condimentares e oleaginosas. **2.** *Fig.* Enredo, intriga, mexerico. **3.** *Bras. Gír.* V. *dinheiro* (5).

cominho-armênio *S. m. Bot.* V. *alcaravia.* [Pl.: *cominhos-armênios.*]

cominho-bravo *S. m. Bot.* V. *catinga-de-formiga.* [Pl.: *cominhos-bravos.*]

cominuição (u-i) [De *cominuir* + *-ção.*] *S. f.* Ato ou efeito de cominuir.

cominuir [Do lat. *comminuere.*] *V. t. d.* Partir em pedaços; fragmentar; esmigalhar. [Conjug.: v. *atribuir.*]

cominutivo [De *cominuir* + *-tivo.*] *Adj.* Em que houve cominuição.

▲-cômio [Do lat. **-comium*, como no lat. **nosocomium*, por *nosocomium* (lat. tard.) < gr. *nosokomeîon* < v. gr. *komeîn*, 'tratar', 'curar'.] *El. comp.* = 'hospital', 'lugar de tratamento, de cura': *sifilicômio.*

comiseração [Do lat. *commiseratione.*] *S. f.* Ato de comiserar-se; piedade, pena, dó, compaixão, amiseração, miseração.

comiserador (ô) [De *comiserar* + *-dor.*] *Adj.* **1.** Que comisera, que inspira compaixão; comiserativo: *um quadro comiserador.* **2.** Que se comisera, que tem compaixão: *É homem piedoso, comiserador das desgraças alheias.*

comiserar [Do lat. **commiserare*, por *commiserari.*] *V. t. d.* **1.** Inspirar compaixão, piedade, pena, dó, a. *P.* **2.** Ter ou mover-se a piedade ou compaixão; compadecer-se, apiedar-se, condoer-se, doer-se; amiserar-se.

comiserativo [De *comiserar* + *-tivo.*] *Adj.* Comiserador (1).

comissão [Do lat. *commissione.*] *S. f.* **1.** Ato de cometer, de encarregar. **2.** Encargo, incumbência. **3.** Grupo de pessoas com funções especiais, ou incumbidas de tratar de determinado assunto; comitê. **4.** Reunião de tais pessoas para tal efeito. **5.** Cada um dos grupos em que se dividem os membros das duas câmaras legislativas, e que devem estudar e dar pareceres sobre os projetos e propostas de lei; comitê: *comissão de obras públicas.* **6.** *P. ext.* Local onde funciona a comissão (5). **7.** Retribuição ou gratificação paga pelo comitente ao comissionado. **8.** Retribuição paga ao agente ou intermediário de uma transação (ger. uma percentagem do valor desta): *O corretor recebeu uma comissão de 5% pela venda do terreno.* **9.** Cargo ou emprego em comissão, *i. e.*, temporário, não efetivo. **10.** Preenchimento de cargo ou função em caráter temporário por funcionário já pertencente ao quadro da administração pública. **11.** *Dir. Trab.* Percentagem paga ao empregado ger. em razão das vendas por ele realizadas em nome do empregador. **12.** *Dir. Adm.* Preenchimento temporário de cargo isolado da administração pública por ocupante demissível *ad nutum.* **13.** *Jur.* Contrato que tem por objeto a aquisição ou a venda de bens pelo comissário (6). ◆ **Comissão de compromisso.** *Econ.* Percentual cobrado por instituição financeira sobre a parcela de empréstimo por ela concedido que ainda não tenha sido utilizada pelo tomador. **Comissão de frente.** *Bras.* Grupo de componentes de escola de samba, ger. vestidos a rigor, que abre o desfile de sua escola, saudando o público e os juízes.

comissária [Fem. de *comissário.*] *S. f. Bras.* Comissária de bordo. ◆ **Comissária de bordo.** V. *comissário de bordo.* [Tb. se diz apenas *comissária.* Sin., obsol.: *aeromoça.*]

comissariado [De *comissário* + *-ado*^{2}.] *S. m.* **1.** Cargo ou funções de comissário; comissariaria. **2.** Local onde o comissário exerce as suas funções.

comissariaria *S. f.* Comissariado (1).

comissário [Do lat. med. *commissariu.*] *S. m.* **1.** Aquele que exerce comissão. **2.** Autoridade policial. **3.** Aquele que representa o governo ou outra entidade junto de uma companhia ou em funções de administração. **4.** Aquele que compra ou vende gêneros em comissão. **5.** Comissário de bordo: "As aeromoças e comissários iam e vinham, a um tempo solícitos e ausentes." (Maria Julieta Drummond de Andrade, *Um Buquê de Alcachofras*, p. 14.) [Sin. obsol., nesta acepç.: *aeromoço.*] **6.** *Jur.* Pessoa que, mediante comissão, realiza negócios em conformidade com as ordens e instruções de outra (o comitente), em seu próprio nome, ficando diretamente obrigado em relação às pessoas com quem transaciona. **7.** *Bras. Mar. G. Ant.* Oficial pertencente a um quadro especial, a cargo de quem estavam afetos os serviços fazendários da administração dos navios e estabelecimentos navais. [Correspondente ao atual intendente (1) de marinha.] **8.** *Mar. Merc.* Oficial a quem compete, orientado pelo capitão e como representante do armador, dirigir a economia de navio mercante (efetuar pagamentos, supervisionar os ranchos, cuidar da hospedagem e do bem-estar dos passageiros, etc.). ◆ **Comissário de bordo.** Funcionário incumbido, a bordo de aviões comerciais, de vários serviços indispensáveis à segurança e ao conforto dos passageiros: "em abril passado, um ano após a revolução, foi admitido em concurso para comissário de bordo na companhia aérea nacional." (Almeida Faria, *Cavaleiro Andante*, p. 7). [Tb. se diz apenas *comissário.* Sin., obsol.: *aeromoço.*]

comissionado [Part. de *comissionar.*] *Adj. S. m.* Que, ou aquele que exerce uma comissão.

comissionamento [De *comissionar* + *-mento.*] *S. m.* Ato ou efeito de comissionar.

comissionar [De *comissão* + *-ar*^{2}, seg. o padrão erudito.] *V. t. d. e i.* **1.** Encarregar de comissão; expedir como comissário. **2.** Confiar; encarregar. *Transobj.* **3.** Nomear para cargo em comissão, ou para função temporária: *A companhia comissionou-o como consultor jurídico. P.* **4.** Tornar-se comissionado.

comissivo [Do lat. *commissus*, 'cometido', part. pass. de *committere*, + *-ivo.*] *Adj.* Que é o resultado de uma ação. ~ V. *crime* —. [Cf. *omissivo.*]

comisso [Do lat. *commissu.*] *S. m.* Pena ou multa em que incorre quem falta a certas condições impostas por contrato ou lei.

comissório [Do lat. tard. *commissoriu.*] *Adj.* Cuja inexatidão determina a nulidade dum contrato.

comissura [Do lat. *commissura.*] *S. f.* **1.** Linha de junção: "Havia, isso sim, um ríctus de amargura a vincar a comissura dos lábios agrestes" (Orlando Gonçalves, *Este Mundo dos Homens*, p. 29). **2.** Juntura, junção. **3.** *Anat.* Designação genérica de local em que se reúnem formações anatômicas correspondentes: *comissura labial; comissura palpebral.*

comissural [Do lat. *commissurale.*] *Adj. 2 g.* Relativo ou pertencente a comissura.

comistão [Do lat. *commixtione.*] *S. f.* **1.** *Antiq.* Mistura de coisas secas. [Sin. antiq.: *comistura.*] **2.** *Dir. Civ.* Uma das maneiras de aquisição da propriedade móvel, por acessão da coisa misturada.

comistura [Do lat. *commistura.*] *S. f. Antiq.* Comistão (1).

comisturar [De *comistura* + *-ar*^{2}.] *V. t. d. T. d. e i. P. Antiq.* Misturar, mesclar.

comitativo [Do lat. *comitatus*, 'que acompanhou ou tem acompanhado', part. pass. de *comitare*, + *-ivo.*] *E. Ling. Adj.* **1.** Relativo a comitativo (2). ~ V. *caso* —. ● *S. m.* **2.** Caso comitativo (q. v.). **3.** Categoria gramatical que exprime a noção de companhia.

comitê *S. m.* V. *comitê.* [Uso próprio de P.]

comitê [Do fr. *comité.*] *S. m.* Comissão (3 e 5). ◆ **Em comitê.** Em reunião íntima; em particular.

comitente [Do lat. *committente.*] *Adj. 2 g. S. 2 g.* **1.** Que, ou quem encarrega de comissão; constituinte. **2.** *Jur.* Que, ou aquele que faz com o comissário (6) uma comissão (13). **3.** Que, ou quem consigna mercadorias a outrem.

comitiva [Do lat. tard. *comitiva* (*dignitas*), 'dignidade de conde'.] *S. f.* **1.** Gente que acompanha, que vai em companhia de outrem; séquito. **2.** *Bras. MT* Conjunto dos trabalhadores que acompanham nas matas o extrator da poaia. **3.** *Bras.* Grupo de peões [v. *peão*^{2} (3)] que acompanha o boiadeiro^{1} (2).

comitre [Do cat. *cómit* (< lat. *comite*), poss. com infl. de *mestre*, ou de *contramestre.*] *S. m. Mar. Ant.* Auxiliar do mestre, nas galés, encarregado da manutenção e disciplina dos remadores.

comível [De *comer* + *-ível.*] *Adj. 2 g.* V. *comestível* (1).

→commedia dell'arte [ko'mɛdja de'larte] [It.] *Loc. S. f. Teatr.* Gênero teatral espirituoso e nitidamente popular, de origem italiana, que floresceu na Europa durante o séc. XVII e cuja ação, de gestos estereotipados, é sempre improvisada, embora os enredos e as personagens sejam fixos; algumas destas (o Arlequim, a Colombina, o Pantaleão, o Doutor, etc.) usavam máscaras, e permanecem até hoje como tipos característicos do carnaval. [Sin.: *comédia de improviso, comédia de arte* e *comédia italiana.*]

→comme il faut [kɔm il fo] [Fr. 'como se deve'.] Como deve ser; como convém.

commelinácea [Do tax. *Commelina* (do antr. [*Kaspar*] *Commelin* [-1731], botânico holandês) + *-ácea*; tax. *Commelinaceae.*] *S. f. Bot.* **1.** Espécime das commelináceas, família de commelinales que compreende cerca de 640 espécies de plantas ger. herbáceas e perenes, nativas de regiões tropicais e subtropicais, com folhas simples, espiraladas, flores tetrâmeras, bissexuais, brancas ou azuis, e frutos capsulares; são cultivadas como medicinais, ou ornamentais, ou alimentícias.

commelináceo [De *commelinácea*, com var. suf. (v. *-áceo*).] *Adj. Bot.* Pertencente ou relativo às commelináceas.

commelinal [Do tax. *Commelina* + *-al*^{1}.] *Adj. 2 g. Bot.* Pertencente ou relativo às commelinales.

commelinale [Adapt. do tax. *Commelinales.*] *S. f. Bot.* Espécime das commelinales, ordem de monocotiledôneas que reúne as commelináceas, as filidráceas, as hemodoráceas, as maiacáceas, as pontederiáceas, as rapateáceas e as xiridáceas.

→commercial paper [kə'mɜːʃəl 'pejpɚ] [Ingl.] *Econ.* Nota promissória comercial (q. v.).

→commodity [kə'mɑdɪtij] [Ingl., 'mercadoria'.] *S. f. Econ.* Produto primário (q. v.), esp. um de grande participação no comércio internacional, como café, algodão, minério de ferro, etc. [Pl.: *commodities.*]

→common law ['kɑmən 'lɔ] [Ingl., 'lei comum'.] **1.** Título com que se designa o direito consuetudinário em vigor na Inglaterra e nos E.U.A. **2.** Lei não escrita.

como [Do lat. vulg. *quomo*, f. apocopada de *quomodo.*] *Prep.* **1.** Por: *É tido como muito inteligente.* **2.** Na qualidade de: *Discursou como presidente do senado.* ● *Conj.* **3.** Da mesma forma que: *É como era o pai, um grande médico;* "Teus olhos são negros, negros, / Como as noites sem luar..." (Castro Alves, *Poesias Completas*, p. 43); "O mar é para mim como o Céu para um crente." (Vicente de Carvalho, *Poemas e Canções*, p. 156). **4.** Porque: *Como chegou tarde, perdeu a aula;* "A pergunta da velha embatucou-me; como não tive que responder, desviei-me da questão." (Joaquim Manuel de Macedo, *Os Romances da Semana*, p. 13); "— E que se passou depois? — inquiri, como o silêncio se prolongasse." (Domingos Monteiro, *Histórias Castelhanas*, p. 60). **5.** *Desus.* Logo que; quando: "Porém como a luz crástina chegada / Ao mundo for, em minhas almadias, / Eu irei visitar a forte armada" (Luís de Camões, *Os Lusíadas*, II, 8); "E como chegou, atropelou-a, agarrou-a, apertou-a" (Simões Lopes Neto, *Contos Gauchescos e Lendas do Sul*, p. 144); "como chegaram, cada um despiu a farda" (Id., *ib.*, p. 222). **6.** *P. us.* Desde que, uma vez que; se: "não hesitava [o P.e Antônio Vieira] em propor o princípio mais absurdo, como fosse ou parecesse novo" (Antônio Feliciano de Castilho, *ap.* Álvaro Lins e Aurélio Buarque de Holanda, *Roteiro Literário de Portugal e do Brasil*, I, p. 170). **7.** No momento em que: "Dos filhos meus os corações unidos / Vejo, como lhes junto as mãos nas minhas" (Gonçalves Dias, *Obras Poéticas*, II, p. 542). ● *Adv.* **8.** De que maneira: *Como terá conseguido vencer, se tudo lhe eram obstáculos?* **9.** A que ponto; com que intensidade: "— Como são cheirosas as primeiras rosas, / E os primeiros beijos como têm perfume!" (Alphonsus de Guimaraens, *Obra Completa*, p. 196.) **10.** Mais ou menos; aproximadamente: "Haverá na Cidade como dous mil judeus" (Fr. Pantaleão de Aveiro, *Itinerário da Terra Santa*, p. 531); "andei como três léguas" (Simões Lopes Neto, *Contos Gauchescos e Lendas do Sul*, p. 125). ◆ **Como quê.** V. *como o diabo:* "velhote pardavasco, baixo, calvo, desconfiado como quê" (Ulisses Lins de Albuquerque, *Um Sertanejo e o Sertão*, p. 32). **A como.** A que preço; a quanto: *A como vende estas laranjas?*

▲-como [Do gr. *-komos* < gr. *kómē, ēs*, 'cabelo', 'cabeleira'.] *El. comp.* = 'de barba (específica)'; 'de cabelo (específico)': *liócomo.* [V. *-com(e)-.*]

comoção [Do lat. *commotione.*] *S. f.* **1.** Perturbação, abalo. **2.** Revolta, motim: "uma luta surda lavrava, semelhante a essas comoções nacionais intestinas que ninguém percebe mas o governo denuncia." (Carlos Drummond de Andrade, *Fala, Amendoeira*, p. 291). **3.** *Neur.* Perturbação orgânica, esp. nervosa.

cômoda *S. f.* V. *cômoda.* [Uso freq. em P.]

cômoda [Do fr. *commode*, de *armoire commode*; esp. *cómoda.*] *S. f.* Espécie de mesa, ger. de madeira, com gavetas ou gavetões desde a base até a face superior. [Cf. *camiseiro* (3).]

comodante [Do lat. *commodante*, do part. pres. do v. lat. *commodare*, 'emprestar'.] *S. 2 g. Dir. Civ.* Pessoa que dá uma coisa em comodato.

comodatário [De *comodato* + *-ário*.] *S. m. Dir. Civ.* Aquele que recebe uma coisa em comodato.

comodato [Do lat. tard. *commodatu*.] *S. m. Dir. Civ.* Empréstimo gratuito de coisa não fungível, a qual deve ser restituída no tempo convencionado. [Cf. *mútuo* (2).]

comodidade [Do lat. *commoditate*.] *S. f.* **1.** Qualidade do que é cômodo. **2.** Bem-estar, conforto. [Sin. ger.: *cômodo*.]

comodismo [De *cômodo* + *-ismo*.] *S. m.* Sistema ou atitude que leva a atender, acima de tudo, à própria comodidade.

comodista [De *cômodo* + *-ista*.] *Adj. 2 g. S. 2 g.* Que, ou quem atende sobretudo à sua comodidade; egoísta.

cómodo *Adj. S. m.* V. *cômodo*. [Uso freq. em P.]

cômodo [Do lat. *commodu*.] *Adj.* **1.** Útil, vantajoso. **2.** Adequado, favorável, próprio. **3.** Tranquilo, calmo. ● *S. m.* **4.** V. *comodidade*. **5.** Divisão ou compartimento de uma edificação; acomodação, aposento: *Não havia cômodos para todos no hotel.* **6.** Compartimento; aposento: *A casa tem quatro cômodos.* **7.** Hospitalidade, agasalho. ◆ **A cômodo.** À vontade: "Os congressistas brasileiros não se sentem a cômodo com a observação de Maquiavel de que os políticos são empedernidos na defesa dos seus interesses" (*Jornal do Brasil*, 10.08.1999).

comodorense *Adj. 2 g.* **1.** De, ou pertencente ou relativo a Comodoro (MT). ● *S. 2 g.* **2.** O natural ou habitante de Comodoro.

comodoro [Do ingl. *commodore*.] *S. m.* **1.** V. *hierarquia militar*. **2.** Oficial que detém o posto de comodoro. **3.** Em algumas marinhas mercantes, oficial de náutica de categoria imediatamente superior a capitão de longo curso, e a quem compete o comando de um grande paquete, o cargo de inspetor de uma grande companhia de navegação, ou um cargo técnico-administrativo de alto escalão. [Na hierarquia oficial da Marinha Mercante do Brasil não há essa categoria, mas em algumas companhias de navegação brasileiras é uso chamar *comodoro* ao comandante mais antigo.] **4.** Chefe do departamento náutico de clube recreativo.

comoração [Do lat. *commoratione*.] *S. f.* Insistência longa dum orador em certo ponto do discurso.

comorense *Adj. 2 g.* **1.** Da, ou pertencente ou relativo à República Federal Islâmica de Comores (arquipélago do Oceano Índico). ● *S. 2 g.* **2.** O natural ou habitante das ilhas Comores. [Sin. ger.: *comoriano*.]

comoriano *Adj. S. m.* V. *comorense*.

comoriência [Do lat. *commorientia*.] *S. f. Dir. Civ.* Morte simultânea de duas ou mais pessoas.

comoriente [Do lat. *commoriente*, part. pres. de *commori* (**commorere*), 'morrer juntamente'.] *Adj. 2 g. S. 2 g. Dir. Civ.* Que, ou quem morre no mesmo instante que outrem.

cômoro [Do lat. *cumulu*, 'montão'; v. *combro*.] *S. m.* Pequena elevação de terreno; duna, combro: "a luz correu, banhou, submergiu todos os cômoros, cerros, rechãs da cordilheira." (Afrânio Peixoto, *Bugrinha*, p. 10.)

comos [Do gr. *kommós*.] *S. m.* No antigo teatro grego, diálogo cheio de emoção cantado alternadamente pelo protagonista (ou, às vezes, por mais de um ator), e pelo coro.

comoso[1] (ô) [Do lat. *comosu*.] *Adj.* **1.** Em forma de coma[1] (1 a 3). **2.** *Bot.* Que termina em coma[1] (3).

comoso[2] (ô) [De *coma*[2] + *-oso*.] *Adj.* Que apresenta coma[2].

comovedor (ô) [De *comover* + *-dor*.] *Adj.* V. *comovente*.

comovedoramente [Do f. de *comovedor* + *-mente*.] *Adv.* De modo comovedor, inspirando ou suscitando comoção: "balando sob o aguaceiro, a olhar comovedoramente os homens" (Coelho Neto, *Sertão*, p. 85).

comovente [Do lat. *commovente*.] *Adj. 2 g.* Que comove; comovedor, emocionante.

comover [Do lat. *commovere*.] *V. t. d.* **1.** Mover muito; agitar: *O temporal comovia as ondas.* **2.** Agitar; abalar: *Tumultuosos acontecimentos comoveram a cidade.* **3.** Causar comoção (1) no ânimo de; impressionar; emocionar, enternecer: *Suas súplicas acabaram comovendo o pai.* *T. d. e i.* **4.** Incitar, impelir, mover: *Nem a visão de tantas misérias o comoveu a um gesto de generosidade.* **5.** Produzir impressão moral, ou enternecimento: *Sua atitude comoveu a todos pelo caráter inesperado.* *Int.* **6.** Produzir impressão moral, ou enternecimento; emocionar: *A inocência é uma virtude que comove.* *P.* **7.** Sentir comoção; enternecer-se, emocionar-se. **8.** Decidir-se; resolver-se.

comovido [Part. de *comover*.] *Adj.* **1.** Agitado, abalado, estremecido. **2.** Enternecido, impressionado. **3.** Emocionado.

comovível [De *comover* + *-ível*.] *Adj. 2 g.* Que se comove ou que se deixa comover.

compacidade [De *compacto* + *-(i)dade*; form. irreg.] *S. f.* **1.** Qualidade ou estado do que é compacto. **2.** Relação entre o volume realmente ocupado pelas partículas de um solo e o volume aparente deste, a qual varia conforme as dimensões dos poros existentes entre aquelas partículas.

compactação [De *compactar* + *-ção*.] *S. f.* Ato, operação ou efeito de compactar.

compactador (ô) [De *compactar* + *-dor*.] *Adj.* **1.** Que compacta. ● *S. m.* **2.** Aquilo que compacta. **3.** *Inform.* Programa, rotina ou sub-rotina que realiza a compactação de dados em um computador. [Cf., nesta acepç., *compressor* (6).]

compactar [De *compacto* + *-ar*[2].] *V. t. d.* **1.** Tornar compacto, ou mais compacto. **2.** *Eng. Civ.* Reduzir o volume dos vazios de (um solo ou de massa de concreto), a fim de aumentar-lhe a densidade, resistência e estabilidade. **3.** Comprimir (lixo) para diminuir-lhe o volume. **4.** *Inform.* Reduzir a dispersão e o espaço total ocupado por informações na memória ou num dispositivo de armazenamento secundário, agrupando-as em uma área contínua. **5.** *Inform.* Codificar (dados) em versão menor que a original; comprimir.

compacto [Do lat. *compactu*, part. pass. de *compingere*, 'ajuntar'.] *Adj.* **1.** Cujas partes componentes estão muito juntas; comprimido. **2.** Denso, basto, espesso: "as folhas escreveram-se, formando todas um grosso volume de trezentas páginas compactas" (Machado de Assis, *Histórias sem Data*, p. 201). **3.** Sólido, maciço. **4.** Conciso, resumido. **5.** Numeroso, copioso. ~ V. *composição —a, conjunto —, edição —a, galáxia —a* e *osso —*. ● *S. m.* **6.** Disco pequeno, gravado em 33 1/3 ou 45 r.p.m., com uma ou duas composições de cada lado, em geral para lançamento de cantor ou música novos. [Cf., nesta acepç., *long-play*.] **7.** *Rád. Telev.* Edição reduzida de uma gravação de televisão ou rádio, normalmente apresentada como reprise.

compactuar [De *com-* + *pactuar*.] *V. t. i.* V. *pactuar* (3): *Não compactua com desonestos.* [Tem, em regra, conotação pejorativa.]

compadecedor (ô) [De *compadecer* + *-dor*.] *Adj.* **1.** Compadecido. **2.** Que inspira compaixão.

compadecer [Do lat. vulg. **compatescere*, por **compatere*, **compatire* < *compati*, 'sofrer com'.] *V. t. d.* **1.** Ter compaixão de; lastimar: *O sofrimento ensinou-lhe a compadecer a dor alheia.* **2.** Inspirar, ou causar, compaixão a: *O choro das crianças famintas não o compadeceu.* **3.** Tolerar, suportar, aguentar: *Sua idade avançada não compadecerá os rigores do inverno; Não compadece os ignorantes.* **4.** Conformar-se com; ser compatível: *Não compadece teorias tão avançadas.* *P.* **5.** Sentir, ou ter, compaixão, piedade de; comiserar-se, condoer-se: *Ao ver tamanha miséria, compadeceu-se; Compadecia-se do sofrimento alheio.* **6.** Ser compatível; ser conforme; harmonizar-se: *Sua sabedoria não se compadece com tais futilidades;* "O ministro é, em verdade, o depositário do mais eficaz dos poderes, mas por sua mesma natureza está sujeito a uma infinidade de vexames que mal se compadecem com a sobranceria dos que cingem espada." (Carlos de Laet, *Obras Seletas*, I, p. 34). [Conjug.: v. *aquecer*.]

compadecido [Part. de *compadecer*.] *Adj.* Que se compadece; que sente compaixão; compadecedor.

compadecimento [De *compadecer* + *-imento*.] *S. m.* Ato ou efeito de compadecer(-se).

compadrada [Do esp. plat. *compadrada*.] *S. f. Bras. RS* V. *fanfarrice* (2): "Não lhe falo nas cousas divertidas do serviço, como .... as compadradas da peonada e outras que sempre alegram um campeiro." (Simões Lopes Neto, *Contos Gauchescos e Lendas do Sul*, p. 232).

compadrado[1] [De *compadre* + *-ado*[2].] *S. m.* V. *compadrio* (1).

compadrado[2] [Part. de *compadrar*.] *Adj.* Tornado compadre.

compadragem [De *compadre* + *-agem*[2].] *S. f.* Camaradagem, companheirismo.

compadrar [De *compadre* + *-ar*[2].] *V. t. d.* **1.** Tornar compadre. **2.** Tomar relações íntimas com. *P.* **3.** Fazer-se compadre de.

compadre [Do lat. *compatre*.] *S. m.* **1.** Padrinho de um neófito em relação aos pais dele. **2.** Pai do neófito em relação aos padrinhos. **3.** *Fam.* Amigo, companheiro. [Fem., nessas acepçs.: *comadre*.] **4.** *Bras.* V. *patinho* (4). **5.** *Bras. BA Rel.* O Exu que guarda a casa do candomblé. **6.** *Bras. Rel.* Na umbanda e na macumba, epíteto de Exu. [Com cap., nesta acepç.]

compadrear [Do esp. plat. *compadrear*.] *V. int. Bras. RS* Fazer compadrada; fanfarrear, fanfarronar. [Conjug.: v. *frear*.]

compadre-do-azeite *S. m. Bras. PA Bot.* Arbusto euforbiáceo (*Elalophora abutalfolia*) sarmentoso, de flores apétalas, verdes, dispostas em racimos axilares, e cujo fruto é cápsula, carnoso, quadrado, com sementes aromáticas. [Pl.: *compadres-do-azeite*.]

compadresco (ê) [De *compadre* + *-esco*.] *Adj.* **1.** Referente às relações de compadre. **2.** Próprio de compadre. ● *S. m.* **3.** V. *compadrio* (1): "A amizade que ficou entre eles transformou-se em compadresco, com o batizado de minha irmã Maria Ana, de quem João Alfredo foi padrinho." (Carolina Nabuco, *Oito Décadas*, pp. 7-8.)

compadrice [De *compadre* + *-ice*.] *S. f.* V. *compadrio*.

compadrio [De *compadre* + *-io*[1].] *S. m.* **1.** Condição de compadres; relações entre compadres; compaternidade, compadrado, compadresco. **2.** Cordialidade, intimidade. **3.** Proteção excessiva, ou injusta. [Sin. ger.: *compadrice*.]

compaginação [Do lat. tard. *compaginatione*.] *S. f.* **1.** Ato ou efeito de compaginar. **2.** *Tip.* Paginação (1).

compaginado [Do lat. tard. *compaginatu*.] *Adj. Bot.* Diz-se dos órgãos ou partes vegetais cujas superfícies se aplicam uma sobre a outra.

compaginador (ô) [De *compaginar* + *-dor*.] *S. m. Tip.* Paginador.

compaginar [Do lat. tard. *compaginare*.] *V. t. d.* **1.** Ligar intimamente. **2.** *Tip.* Paginar (2).

compaixão [Do lat. *compassione*.] *S. f.* Pesar que em nós desperta a infelicidade, a dor, o mal de outrem; piedade, pena, dó, condolência.

companha [Do lat. vulg. **compania*.] *S. f.* **1.** *Ant.* V. *equipagem* (1). **2.** *Ant.* Agremiação de pescadores. **3.** *Desus.* Companhia ou companheiro.

companheira [Fem. de *companheiro*.] *S. f.* **1.** Mulher que acompanha. **2.** Mulher em relação à pessoa com quem vive. **3.** *Pop.* Esposa (2). **4.** Coisa que acompanha. **5.** *Astr.* Estrela, visível ou não, que forma com outra um sistema binário; estrela companheira. ~ V. *companheiras*.

companheirada [De *companheiro* + *-ada*[1].] *S. f.* Grupo de companheiros, de colegas.

companheirão [Aum. de *companheiro*.] *S. m. Bras.* Amigo leal, disposto, com quem se pode contar em quaisquer circunstâncias. [Fem.: *companheirona*.]

companheiras [Pl. de *companheira*.] *S. f. pl. Bras. Pop.* V. *secundinas*. ~ V. *companheira*.

companheirismo [De *companheiro* + *-ismo*.] *S. m.* Procedimento ou convívio cordial, afetuoso, próprio de companheiro; camaradagem, coleguismo: "senti alguns bons momentos de companheirismo através das palavras e principalmente dos gestos com que se acercavam do visitante brasileiro" (Carlos de Gusmão, *Boca da Grota*, p. 374).

companheiro [De *companha* (3) + *-eiro*; esp. *compañero*.] *Adj.* **1.** Que acompanha. ~ V. *estrela —a*. ● *S. m.* **2.** Aquele que acompanha. **3.** Camarada, colega. **4.** Homem em relação à pessoa com quem vive. **5.** *Bras. Pop.* F. amistosa de tratamento; meu amigo. **6.** *Maç.* Segundo grau simbólico na hierarquia maçônica em todos os ritos. ◆ **Companheiro astrométrico.** *Astr.* Componente invisível de uma estrela binária, revelado pelas variações no movimento próprio da componente visível.

companheirona *S. f.* Fem. de *companheirão*.

companhia [De *companha* + *-ia*[1].] *S. f.* **1.** Ato de acompanhar. **2.** Aquilo ou aquele que acompanha. **3.** *P. ext.* Pessoa com quem se está ou se vive, com quem se convive: *Gosto muito dele: é uma boa companhia.* **4.** Séquito, comitiva. **5.** Reunião de pessoas para um fim comum. **6.** Trato íntimo, convivência, convívio: *Vivem em companhia de más pessoas.* **7.** Sociedade ou firma comercial constituída por acionistas. **8.** Sociedade anônima (q. v.). **9.** Subdivisão de batalhão comandada por um capitão: "uma companhia de soldados penetrou no pouso onde Marcolino já havia dado com o corpo de Luísa." (Franklin Távora, *O Cabeleira*, p. 245). **10.** *Bras.* Cada uma das unidades locais de bandeirantes [v. *bandeirante* (2)]. ◆ **Trabalhar na companhia do desvio.** *Bras. N.E. Fam. Desus.* Estar no desvio.

compar [Do lat. *compare*.] *Adj. 2 g.* **1.** Igual, semelhante. **2.** Que está a par. [Pl.: *compares*. Cf. *compares*, do v. *comparar*.]

comparabilidade [De *comparável* + *-(i)dade*, seg. o padrão erudito.] *S. f.* Qualidade de comparável.

comparação [Do lat. *comparatione*, 'confronto'.] *S. f.* **1.** Ato ou efeito de comparar; confrontação, confronto, cotejo. **2.** *E. Ling.* V. *símile* (2). **3.** *E. Ling.* Relação de cotejo entre dois elementos por meio do conectivo "como" [dirige como um louco, alto como um gigante, feliz como um pinto no lixo].

comparado [Part. de *comparar*.] *Adj.* Que se comparou; confrontado, cotejado. ~ V. *linguística —a, literatura —a* e *religião —a*.

comparador (ô) [De *comparar* + *-dor*.] *Adj.* **1.** Que compara. ● *S. m.* **2.** Aquele que compara. **3.** *Fís.* Instrumento de precisão para medir distâncias moderadas, constituído por um ou mais microscópios ou telemicroscópios de leitura montados sobre uma escala ao longo da qual se podem mover. **4.** *Eletrôn.* Circuito que compara dois sinais (quanto à amplitude, à tensão, etc.) e fornece um sinal de resposta indicativo do resultado.

comparar [Do lat. *comparare*, 'reunir', 'confrontar'.] *V. t. d.* **1.** Estabelecer confronto entre; cotejar, confrontar: *Comparou o feitio de cada um dos filhos, e notou serem muito divergentes. T. d. e i.* **2.** Estabelecer confronto entre pessoas, animais, ou coisas, ou entre pessoas e animais ou coisas; tecer comparações; cotejar, confrontar: "Não falta quem compare os poetas com os navegantes." (Correia Garção, *Obras Poéticas e Oratórias*, p. 469); "Lima Barreto .... não gostava que o comparassem a Machado de Assis" (Francisco de Assis Barbosa, *A Vida de Lima Barreto*, p. 243). **3.** Examinar simultaneamente, a fim de conhecer as semelhanças, as diferenças ou relações: *Compare* Helena *com* Dom Casmurro, *e verá que progresso fez Machado de Assis.* **4.** Cotejar (5). **5.** Pôr em igual nível; considerar como igual ou semelhante; igualar, equiparar: *Em seu ensaio compara o jovem poeta a Fernando Pessoa. P.* **6.** Igualar-se; rivalizar: *Bocage não se compara a Camões; Raros os contistas, no mundo, que se comparam com Machado de Assis.* [Pres. subj.: *compare*, *compares*, etc. Cf. *cômpares*, pl. de *cômpar*, adj. 2 g.]

comparatista [Do fr. *comparatiste*.] *S. 2 g.* **1.** Especialista em literatura comparada. **2.** Jurista que se especializou em direito comparado.

comparativa [F. subst. de *comparativo*.] *S. f. E. Ling.* Conjunção comparativa (q. v.).

comparativo [De *comparar* + *-tivo*.] *Adj.* **1.** Que serve para comparar. **2.** Que emprega comparação: *método comparativo.* ~ V. *conjunção —a*, *custo — e método —.* ● *S. m.* **3.** *E. Ling.* Grau (22) que exprime a superioridade, a inferioridade ou a igualdade do atributo de um ser ou coisa em relação ao que lhe serve de termo de comparação. Há, pois, três espécies de comparativo: a) *de superioridade* (*Pedro é mais inteligente que* [ou *do que*] *Paulo*); b) *de inferioridade* (*Pedro é menos inteligente que* [ou *do que*] *Paulo*); c) *de igualdade* (*Pedro é tão inteligente como* [ou *quanto*, ou *que nem*] *Paulo*). [Este último comparativo dispensa, às vezes, o *tão* anteposto ao adjetivo.] ◆ **Comparativo de igualdade.** *E. Ling.* V. *comparativo* (3). **Comparativo de inferioridade.** *E. Ling.* V. *comparativo* (3). **Comparativo de superioridade.** *E. Ling.* V. *comparativo* (3).

comparável [Do lat. *comparabile*.] *Adj. 2 g.* **1.** Que pode ser comparado. **2.** Análogo, semelhante.

comparecência [De *comparecer* + *-ência*.] *S. f.* V. *comparecimento*.

comparecente [De *comparecer* + *-nte*.] *Adj. 2 g.* Que comparece.

comparecer [Do lat. vulg. **comparescere* (lat. cláss. *comparere*).] *V. t. c. Int.* Aparecer, apresentar-se, em local determinado: *Embora doente, compareceu ao encontro; Se tem um compromisso, nunca deixa de comparecer.* [Conjug.: v. *aquecer*.]

comparecimento [De *comparecer* + *imento*.] *S. m.* **1.** Ato ou efeito de comparecer. **2.** Presença de alguém num dado ponto. **3.** Apresentação em juízo. [Sin. ger.: *comparecência*, *comparência*.]

comparência [De *comparecência*, com haplologia.] *S. f.* V. *comparecimento*.

comparsa *S. 2 g.* **1.** *Teatr. Cin.* Ator que faz figuração (4). **2.** *P. ext.* Pessoa que tem papel pouco importante em negócio. **3.** Companheiro, parceiro, cúmplice: *Conta sempre com os comparsas em toda baderna em que se mete.* [Do it. *comparsa*.]

comparsaria [De *comparsa* + *-aria*.] *S. f.* Conjunto de comparsas.

comparte [De *com-* + *parte*.] *Adj. 2 g. S. 2 g.* **1.** Que, ou quem toma parte; participante. **2.** Condômino, quinhoeiro. **3.** V. *litisconsorte*.

compartição [De *compartir* + *-ção*.] *S. f.* Ato ou efeito de compartir, compartilhar; coparticipação.

comparticipar [De *com-* + *participar*.] *V. t. i.* Participar conjuntamente; compartir, compartilhar: "Prisioneira no gineceu, ela [a mulher grega] desaparecia, em nada comparticipando das agitadas lutas cívicas de então." (Pardal Mallet, *Pelo Divórcio!*, p. 31.)

compartilhado [Part. de *compartilhar*.] *Adj.* Que se compartilhou. ~ V. *tempo — e transtorno psicótico —.*

compartilhamento [De *compartilhar* + *-mento*.] *S. m.* Ato ou efeito de compartilhar.

compartilhante [De *compartilhar* + *-nte*.] *Adj. 2 g. S. 2 g.* Diz-se de, ou quinhoeiro numa partilha.

compartilhar [De *com-* + *partilhar*.] *V. t. d. e i.* **1.** Ter ou tomar parte em; participar de; partilhar, compartir: *Compartilha sua riqueza com os amigos. T. d.* **2.** Compartilhar (1): *Compartilhando a sorte do marido, com ele partiu para o degredo. T. i.* **3.** Usar em comum: *Morando comigo, você pode compartilhar da minha biblioteca.* **4.** Ter ou tomar parte; participar; compartir: *compartilhar da alegria de alguém.*

compartimentação [De *compartimentar* + *-ção*.] *S. f.* Ato ou efeito de compartimentar, de compartir.

compartimentagem [De *compartimento* + *-agem*[2].] *S. f.* Conjunto de compartimentos.

compartimentar [De *compartimento* + *-ar*[2].] *V. t. d.* Compartir (2).

compartimento [Do fr. *compartiment* < it. *compartimento*.] *S. m.* Cada uma das divisões de uma casa, de um móvel, de um veículo, etc.: *O compartimento das bagagens fica na parte traseira do ônibus; O apartamento tem cinco compartimentos ou peças; A escrivaninha tinha um compartimento secreto.* ◆ **Compartimento de colisão.** *Bras. Mar. G.* Compartimento estanque situado no extremo de vante ou de ré da embarcação, e destinado a limitar a entrada de água em caso de abalroamento pela proa ou pela popa.

compartir [Do lat. **compartire*, por *compartiri*.] *V. t. d.* **1.** V. *compartilhar* (1). **2.** Dividir em compartimentos. [Sin. bras., nesta acepç.: *compartimentar*.] *T. d. e i.* **3.** Distribuir por vários indivíduos ou lugares; repartir, partilhar. **4.** V. *compartilhar* (1). *T. i.* **5.** V. *compartilhar* (2): *Compartiu das dores do amigo fazendo-lhe companhia.*

compáscuo [Do lat. *compascuu*.] *S. m.* Pasto comum.

compassado [Part. de *compassar*.] *Adj.* **1.** Pausado, medido, moderado. **2.** Cadenciado, cadente, ritmado.

compassageiro [De *com-* + *passageiro*.] *S. m.* Indivíduo que viaja com outro(s).

compassar [Do lat. vulg. **compassare*.] *V. t. d.* **1.** Medir a compasso; cadenciar: "avistava-o tranquilo, na cama próxima, uma das mãos sob a face, compassando a respiração ciciante." (Raul Pompeia, *O Ateneu*, p. 201.) **2.** Dispor com exatidão simétrica. **3.** Medir pelo cálculo; calcular. **4.** Regular, moderar: *compassar as ações.* **5.** Abrir intervalos em; espaçar, espacear, espacejar. **6.** Fazer mover lentamente; tornar vagaroso. **7.** *Mar.* Distribuir convenientemente, equilibrar os pesos e a carga a bordo de (embarcação) e dispor as suas velas, com o fim de obter o melhor andamento e governo desta. *P.* **8.** Mover-se compassadamente.

compassível [Do lat. *compassibile*.] *Adj. 2 g.* Que facilmente se compadece. [Cf. *compassivo*.]

compassividade [De *compassivo* + *-(i)dade*.] *S. f.* Qualidade de compassivo.

compassivo [Do lat. tard. *compassivu*.] *Adj.* Que tem ou revela compaixão; condolente: "Deusa dos bosques! compassiva escuta / Nossos queixosos, míseros clamores" (Domingos dos Reis Quita, *Obras*, II, p. 137). [Cf. *compassível*.]

compasso [Dev. de *compassar*.] *S. m.* **1.** Instrumento de metal ou de madeira para traçar circunferências e marcar medidas. **2.** *Maç.* Na simbologia maçônica, o compasso (1) como símbolo da racionalidade, pensamento científico e raciocínio. [Os círculos traçados pelo compasso representam o conjunto da maçonaria.] **3.** *Mar.* Equilíbrio da embarcação: *nau de mau compasso.* **4.** *Mar.* Distribuição dos pesos a bordo. **5.** *Mús.* Unidade métrica constituída de tempos agrupados em porções iguais, de dois em dois (*compasso binário*), de três em três (*compasso ternário*), de quatro em quatro (*compasso quaternário*), e, mais raramente, de cinco em cinco (*compasso quinário*), de sete em sete (*compasso setenário*), de nove em nove (*compasso nonário*), e que é separada da unidade seguinte por um travessão ou barra de compasso. **6.** *P. ext.* Espaço compreendido entre dois travessões, qualquer que seja o seu conteúdo. ~ V. *compassos*. ◆ **Compasso binário.** *Mús.* V. *compasso* (4). [É indicado pelo sinal ¢.] **Compasso nonário.** *Mús.* V. *compasso* (4). **Compasso quaternário.** *Mús.* V. *compasso* (4). [É indicado pelo sinal c.] **Compasso quinário.** *Mús.* V. *compasso* (4). **Compasso setenário.** *Mús.* V. *compasso* (4). **Compasso ternário.** *Mús.* V. *compasso* (4). **A compasso com.** Simultaneamente com; ao mesmo tempo que: "não o seduziam, nem o consolavam, a carícia do lar, o brando sossego dos campos, o esquecimento das cousas, deixando-se vegetar a compasso com o correr das águas e o crescer das árvores, numa inércia abandonada." (Oliveira Martins, *A Vida de Nun'Álvares*, p. 83). **Em compasso de espera.** À espera de informação ou providência para dar prosseguimento aos trâmites. **Sair do compasso.** Descomedir-se.

compassos [Pl. de *compasso*.] *S. m. pl. Tip.* Paralelas (3). ~ V. *compasso*.

compaternidade [De *com-* + *paternidade*.] *S. f.* **1.** A parte que se tem, com outros, numa obra, ideia ou invenção. **2.** V. *compadrio* (1).

compatibilidade [De *compatível* + *-(i)dade*, seg. o padrão erudito.] *S. f.* **1.** Qualidade ou condição de compatível. **2.** *Inform.* Capacidade de um computador operar com programas gerados para outro. **3.** *Inform.* Capacidade de um dispositivo de ser us. em computadores para os quais não foi originariamente projetado. **4.** *Inform.* Capacidade de um programa de operar com dados e/ou instruções originalmente preparados por outro programa, ou outra versão do mesmo programa. **5.** *Lóg.* V. *coerência* (7). **6.** *Lóg.* Relação de coincidência total ou parcial, seja entre as extensões de conceitos, seja das significações de proposições. [Cf., nesta acepç., *incompatibilidade* (2).] **7.** *Mat.* Propriedade de um sistema de equações que admite pelo menos uma solução; consistência.

compatibilizar [De *compatível* + *-izar*, seg. o padrão erudito.] *V. t. d. e i.* Tornar compatível; harmonizar; conciliar.

compatível [Do lat. med. *compatibile*.] *Adj. 2 g.* **1.** Que pode coexistir: *atributos compatíveis.* **2.** Conciliável, harmonizável: "Será compatível com a objetividade científica da História o empenho de por ela demonstrar tese concebida antes da sua elaboração ....?" (Hernâni Cidade, em João Gaspar Simões, *Perspectiva da Literatura Portuguesa do Século XIX*, I, p. 115). [Sin. ger.: *compossível*.] ~ V. *equações compatíveis e sistema —.*

compatrício [De *com-* + *patrício*.] *Adj. S. m.* V. *compatriota*.

compatriota [Do lat. tard. *compatriota*.] *Adj. 2 g. S. 2 g.* Que, ou quem é da mesma pátria; compatrício, conterrâneo, paisano.

compelação [Do lat. *compellatione* < lat. *compellare*, 'dirigir a palavra a alguém', 'repreender', 'acusar'.] *S. f. Jur.* **1.** Chamamento (de alguém) a juízo para responder pela acusação que lhe é feita. **2.** Interrogatório baseado em fatos e articulados. [Cf. *compilação*.]

compelativo [Do lat. *compelatus*, part. pass. de *compellare* (v. *compelação*), + *-ivo*.] *Adj.* Diz-se da frase com que se faz compelação, com que se interpelam pessoas ou se chama a atenção num discurso.

compelir [Do lat. *compellere*.] *V. t. d. e i.* **1.** Obrigar, forçar, coagir, constranger: *Compeliram-no a aceitar o desafio;* "A resposta foi compelir-me fortemente a olhar para baixo" (Machado de Assis, *Memórias Póstumas de Brás Cubas*, p. 25). *T. d.* **2.** Impelir; empurrar. [Irreg. Conjug.: v. *aderir*.]

compendiado [Part. de *compendiar*.] *Adj.* Que se compendiou, resumiu.

compendiador (ô) [De *compendiar* + *-dor*.] *Adj. S. m.* Que, ou aquele que compendia.

compendiar [Do lat. tard. *compendiare*.] *V. t. d.* **1.** Reduzir a compêndio (1); resumir; sintetizar: "Ele [Colombo] sozinho, pelo que fez, escreveu, agiu, e inspirou, compendia uma época." (Vicente Licínio Cardoso, *Figuras e Conceitos*, p. 55); "Madame Victor Hugo .... compendiou num livro, que toda a gente leu, a história imortal de seu marido." (Ramalho Ortigão, *Em Paris*, pp. 198-199). **2.** Publicar em compêndio (2). [Pres. ind.: *compendio*, etc. Cf. *compêndio*.]

compêndio [Do lat. *compendiu*.] *S. m.* **1.** Resumo de doutrinas; síntese. **2.** Livro de texto para escolas: *um compêndio de geografia;* "Desde a escola, nos compêndios de aula, começamos a ver em Brutus um ingrato, um traidor." (Álvaro Lins, *A Glória de César e o Punhal de Brutus*, p. 198). **3.** Coisa ou pessoa que compendia, resume, simboliza certa(s) qualidade(s): "Santo Isidoro de Sevilha, compêndio e espelho de toda a sabedoria cristã que o antecedera, julga não apenas imperfeita, mas improcedente, qualquer assimilação entre um mito do paganismo e a verdade revelada." (Sérgio Buarque de Holanda, *Visão do Paraíso*, p. 179.) [Dim. irreg.: *compendíolo*. Cf. *compendio*, do v. *compendiar*.]

compendíolo [Dim. de *compêndio*.] *S. m.* Pequeno compêndio.

compendioso (ô) [Do lat. *compendiosu*.] *Adj.* **1.** Em forma de compêndio. **2.** Resumido, sintético: "— Ao vencedor, as batatas! | Gostava da fórmula, achava-a engenhosa, compendiosa e eloquente" (Machado de Assis, *Quincas Borba*, p. 31).

compenetração [De *compenetrar* + *-ção*.] *S. f.* Ato de compenetrar(-se).

compenetrado [Part. de *compenetrar*.] *Adj.* **1.** Convencido intimamente. **2.** *Fig.* Sério, circunspecto.

compenetrar [De *com-* + *penetrar*.] *V. t. d.* **1.** Fazer penetrar bem; arraigar. **2.** Causar viva impressão a; impressionar, comover: *O relato da sua luta contra o vício compenetrou todos nós. T. d. e i.* **3.** Convencer profundamente; persuadir: *A doença veio compenetrá-lo da necessidade de terminar sua obra. P.* **4.** Assenhorar-se completamente de um assunto. **5.** Convencer-se; persuadir-se: "vive ainda, por uma ilusão magnífica, na Espanha do passado, e não se compenetrou da decadência" (Eça de Queirós, *Ecos de Paris*, p. 141).

compensação [Do lat. *compensatione*.] *S. f.* **1.** Ato ou efeito de compensar. **2.** *Econ.* Acerto de contas caracterizado pelo cancelamento de débitos recíprocos, minimizando pagamentos em dinheiro: *Os bancos fazem uma compensação diária de cheques.* **3.** *Psican.* Mecanismo de defesa que atua inconscientemente, e pelo qual o indivíduo tenta compensar deficiências reais ou imaginárias. **4.** *Psic.* Processo consciente em que o indivíduo se esforça para contrabalançar defeitos reais ou fantásticos no referente ao físico, ao desempenho, às habilidades ou aos atributos psicológicos.

compensado[1] [De *comprensado*, com síncope, poss.] *Bras. Adj.* **1.** ~ V. *madeira —a.* ● *S. m.* **2.** Chapa de madeira, formada por outras mais finas, coladas com resina e prensadas, e cujos veios são dispostos perpendicularmente; madeira compensada, contraplacado. [Cf. *aglomerado* (7).]

compensado[2] [Part. de *compensar.*] *Adj.* Em que houve compensação. ~ V. *cheque — e terraplenagem —a.*

compensador (ô) [De *compensar* + *-dor.*] *Adj.* **1.** Que compensa. ● *S. m.* **2.** Maquinismo com que se corrigem as variações de temperatura no pêndulo. **3.** *Ópt.* Componente destinado a eliminar a diferença de caminho óptico que, numa dupla refração, existe entre o raio ordinário e o raio extraordinário. **4.** *Ópt.* Componente destinado a anular a rotação do plano da luz polarizada que atravessa uma substância opticamente ativa.

compensar [Do lat. *compensare.*] *V. t. d.* **1.** Estabelecer equilíbrio entre; contrabalançar, equilibrar: *compensar os dois pratos da balança.* **2.** Reparar o dano, o incômodo, etc., resultante de; contrabalançar, contrapesar: *A alegria do encontro compensou os momentos de espera.* **3.** *Inform.* Regular previamente um ou vários dispositivos, num sistema qualquer, de forma a contrabalançar, ou anular, fontes conhecidas de erro. **4.** Executar ação modificante ou supletiva, de forma a melhorar o desempenho de um sistema, em âmbito geral, ou quanto a uma situação específica. **5.** *Jur.* Extinguir simultaneamente (obrigações fungíveis e vencidas de pessoas que são reciprocamente devedora e credora uma da outra); fazer o encontro e a liquidação de (obrigações recíprocas); encontrar. *T. d. e i.* **6.** Reparar (um mal) com um bem correspondente; indenizar, ressarcir, recompensar: "regressava .... entregue aos frívolos pensamentos matinais que nos compensam, por instantes, dos sofrimentos do corpo." (Amadeu de Queirós, *Os Casos do Carimbamba*, p. 93). **7.** Compensar (1 e 2): *Dizem que Frida compensava a deficiência física com uma personalidade marcante.* *T. d. e c.* **8.** *Econ.* Realizar compensação (2): *Todos os bancos compensam cheques no Banco do Brasil.* *Int.* **9.** Ser compensador; valer a pena: "O crime não compensa" (prov.). **10.** *Econ.* Passar por compensação (2): *Pode retirar o dinheiro: os cheques já compensaram.*

compensativo [Do lat. tard. *compensativu.*] *Adj.* Que serve para compensar.

compensatório [De *compensar* + *-tório.*] *Adj.* Que contém compensação.

compensável [De *compensar* + *-vel.*] *Adj. 2 g.* Que pode ser compensado.

■ **Comperj** Abrev. de *Complexo Petroquímico do Rio de Janeiro.*

comperto [Do lat. *compertu.*] *Adj.* Descoberto, patente, evidente.

competência [Do lat. tard. *competentia.*] *S. f.* **1.** Faculdade concedida por lei a um funcionário, juiz ou tribunal para apreciar e julgar certos pleitos ou questões. **2.** *Educ.* Qualidade de quem é capaz de apreciar e resolver certo assunto, fazer determinada coisa; capacidade, habilidade, aptidão, idoneidade. **3.** Oposição, conflito, luta. **4.** *E. Ling.* Conhecimento linguístico, parcialmente inato e parcialmente adquirido, que permite a um indivíduo falar e compreender a sua língua. [Cf., nesta acepç., *desempenho* (5).] **5.** Alçada, jurisdição. ◆ **Competência cognitiva.** *Educ.* Aquela relacionada a capacidade de aprender. **Competência comunicativa.** *E. Ling.* Conhecimento que têm os membros de uma comunidade linguística (q. v.) das regras que tornam o uso linguístico adequado às diferentes situações sociais; competência pragmática. **Competência didático-pedagógica.** *Educ.* Aquela relacionada a educação e ao ensino. **Competência intelectual.** *Educ.* Aquela relacionada a capacidade de raciocinar ou de aprender. **Competência pragmática.** *E. Ling.* Competência comunicativa. **Competência relacional.** *Educ.* A capacidade de relacionar-se com as pessoas, de conviver em grupos. **Competência técnica.** *Educ.* Domínio de determinados conhecimentos técnicos relacionado a uma área de conhecimento ou profissão. **Competências centrais.** *Adm.* Conjunto de habilidades ou competências distintivas apresentadas por uma empresa em seu mercado de atuação, as quais não devem ser terceirizadas sob o risco de a empresa estar renunciando à parte mais importante do seu negócio. **À competência.** À porfia, à compita. **De competência.** Diz-se do regime contábil no qual os pagamentos ou recebimentos são lançados na data em que são devidos.

competente [Do lat. tard. *competente.*] *Adj. 2 g.* **1.** Que tem competência (1, 2 e 4); legal, suficiente, idôneo, apto. **2.** Próprio, adequado.

competição [Do lat. tard. *competitione.*] *S. f.* **1.** Ato ou efeito de competir. **2.** Busca simultânea, por dois ou mais indivíduos, de uma vantagem, uma vitória, um prêmio, etc. **3.** Luta, desafio, disputa, rivalidade. **4.** *Ecol.* Interação ecológica entre dois ou mais organismos, ou duas ou mais espécies, que dependem de recursos limitados. **5.** *Econ.* Concorrência (7): *A competição entre empresas fez baixar os preços.* ◆ **Competição direta.** *Ecol.* Interação em que uma das espécies, ou um dos organismos, impede ou dificulta o uso do recurso pela outra, ou pelo outro. **Competição indireta.** *Ecol.* Interação em que ambas as espécies, ou organismos, utilizam os recursos, tornando-os escassos. **Competição intraespecífica.** *Ecol.* Competição (4) que ocorre em grupo de indivíduos da mesma espécie. **Competição interespecífica.** *Ecol.* Competição (4) entre indivíduos de espécies diferentes.

competidor (ô) [Do lat. *competitore.*] *Adj.* **1.** Que compete, ou impele à competição; competitivo. ● *S. m.* **2.** Antagonista, rival, êmulo.

competir [Do lat. *competere.*] *V. t. i.* **1.** Pretender uma coisa simultaneamente com outrem; disputar, concorrer: *Candidatou-se a uma vaga na Academia, e o seu melhor amigo decidiu competir com ele.* **2.** Rivalizar, emular: *Sua inteligência compete com a da irmã;* "não deslizemos a reminiscências de outra ordem; fiquemos na surdez de Olinda [o Marquês de Olinda], que competia com Beethoven nesta qualidade." (Machado de Assis, *Páginas Recolhidas*, p. 172). **3.** Pertencer por direito; caber, tocar: *Compete-lhe a parte maior da herança.* **4.** Ser da competência; cumprir, caber, impender: *Aos cidadãos compete observar a lei;* "Compete à imaginação trabalhar mais, para criar a simpatia e o terror, que interrompem o curso monótono das coisas" (Carlos Drummond de Andrade, *Fala, Amendoeira*, p. 283). **5.** *Econ.* Disputar (o mercado) com; concorrer. *Bit. i.* **6.** Rivalizar; disputar: *Luísa compete em beleza com a irmã.* *P.* **7.** Rivalizar(-se); emular(-se): *Competem-se, neste particular, saber e modéstia.* [Irreg. Conjug.: v. *aderir*. Pres. ind.: *compito, competes, compete*, etc. Cf. *cômpito.*]

competitividade [De *competitivo* + *-(i)dade.*] *S. f.* Qualidade de competitivo. **2.** *Adm.* Capacidade de uma empresa atrair para si a atenção dos clientes em virtude do valor percebido nos produtos e serviços por ela ofertados quando comparada aos concorrentes.

competitivo [De *competir* + *-tivo.*] *Adj.* **1.** Relativo a competição. **2.** Competidor (1). **3.** Que causa competição. **4.** Que tem capacidade para competir com outros produtores, vendedores, etc. *A indústria aeronáutica brasileira é muito competitiva internacionalmente.* ~ V. *benchmarking —.*

compilação [Do lat. *compilatione.*] *S. f.* Ato ou efeito de compilar. [Var.: *copilação*. Cf. *compelação.*]

compilador (ô) [Do lat. *compilatore.*] *S. m.* **1.** Aquele que compila. **2.** *Inform.* Programa us. para compilar (3). [Cf. *interpretador* (3). Var.: *copilador.*]

compilar [Do lat. *compilare.*] *V. t. d.* **1.** Coligir, reunir (textos de vários autores, ou de natureza ou procedência vária). **2.** *Inform.* Converter (uma sequência de símbolos) em outra obedecendo a regras sintáticas e semânticas. **3.** *Inform.* Converter (programa-fonte) em programa-objeto para determinada linguagem e determinado tipo de computador verificando sua coerência sintática e semântica. [Var.: *copilar.*]

compilatório [De *compilar* + *-tório.*] *Adj.* Referente a compilação. [Var.: *copilatório.*]

compita [De *competir.*] *S. f.* Porfia, rivalidade. ◆ **À compita.** À porfia, à competência: "Cada fidalgo pompeava à compita na comitiva dos pajens, qual deles mais lustroso no variado e riqueza das librés." (Camilo Castelo Branco, *Doze Casamentos Felizes*, p. 194.)

cômpito [Do lat. *compitu.*] *S. m.* **1.** Ponto onde desembocam diversos caminhos. **2.** Ponto onde os caminhos se cruzam; encruzilhada. [Cf. *compito*, do v. *competir.*]

complacência [Do lat. tard. *complacentia.*] *S. f.* **1.** Ato ou desejo de comprazer; agrado. **2.** Benevolência, condescendência.

complacente [Do lat. *complacente.*] *Adj. 2 g.* Que tem, ou em que há complacência (2): *Homem complacente, permite muitos abusos; Sua atitude com o malandro foi complacente em demasia.* [Sin., p. us.: *comprazente.*] ~ V. *hímen —.*

complanar [Do lat. *complanare.*] *V. t. d.* **1.** Tornar plano; nivelar. *P.* **2.** Estender-se por superfície plana: "enlevado no azul do céu ou no lago verde que lá embaixo se complana como bacia de águas precipitadas da catadupa do Gerez." (Camilo Castelo Branco, *No Bom Jesus do Monte*, pp. 5-6).

complectível *Adj. 2 g.* V. *completível.*

complectivo *Adj. S. m.* V. *completivo.*

compleição [Do lat. *complexione.*] *S. f.* **1.** Constituição física de alguém; constituição, organização: "Apesar da compleição robusta, nunca fora das melhores a saúde do escritor [Lima Barreto]." (Francisco de Assis Barbosa, *A Vida de Lima Barreto*, p. 215.) **2.** Disposição de espírito; temperamento, inclinação.

compleicional [De *compleição* + *-al*[1].] *Adj. 2 g.* Referente a compleição.

compleiçoado [De *compleição* + *-ado*[1], com desnasalação.] *Adj.* Que tem boa ou má compleição.

complementação [De *complementar*[2] + *-ção.*] *S. f.* **1.** Complemento (1). **2.** *Álg.* Operação que associa a cada conjunto o seu complemento.

complementar[1] [De *complemento* + *-ar*[1].] *Adj. 2 g.* **1.** Que serve de complemento. **2.** Pertencente ou relativo a complemento. **3.** Que sucede ao elementar. [Sin., nessas acepç.: *complementário.*] **4.** *Econ.* Diz-se de bens econômicos interdependentes quanto ao consumo, como automóveis e gasolina, lâmpadas e eletricidade, etc. **5.** *Quím.* Diz-se de molécula, ou de grupo cuja estrutura permite uma interação atrativa específica (p. ex., mediante a formação de pontes de hidrogênio) com outra molécula, ou com outro grupo: *A adenina é uma base nitrogenada complementar à timina.* ~ V. *ângulo —, conjunto —, cor —, distribuição —, filiação —, probabilidade —* e *pronome —.*

complementar[2] [De *complemento* + *-ar*[2].] *V. t. d.* **1.** Completar (1 e 2). *P.* **2.** Completar (4 e 5). [Fut. pret.: *complementaria*, etc. Cf. *complementária*, f. de *complementário.*]

complementaridade [De *complementar*[1] + *-(i)dade.*] *S. f.* **1.** Qualidade de complementar[1]. **2.** *Fís.* Aspecto ou manifestação diferente de um mesmo fenômeno, que pode ser investigado ou medido separadamente, mas não simultaneamente.

complementário [De *complemento* + *-ário.*] *Adj.* Complementar[1]. [Fem.: *complementária*. Cf. *complementaria*, do v. *complementar.*]

complementizador [Trad. do ingl. *complementizer.*] *S. m. E. Ling.* Elemento linguístico cuja função é identificar determinada unidade como um complemento (4): *Ele disse* que *João saiu; Não sei* se *ele vem.*

complemento [Do lat. *complementu.*] *S. m.* **1.** Aquilo que completa ou completa. **2.** Ato ou efeito de complementar; acabamento, remate, completação, completamento. **3.** *P. ext.* O conjunto de bolsa, sapatos, cinto, meias, etc., que completam, com o vestuário, o traje feminino. [Cf. *acessório.*] **4.** *E. Ling.* Função que um sintagma nominal (ou uma oração que o possa substituir) desempenha na sentença, e que completa o sentido de outro elemento. **5.** *Geom.* Ângulo complementar. **6.** *Imun.* Sistema complexo de globulinas existente em qualquer soro sanguíneo fresco, e constituído por 11 frações numeradas de C_1 (esta dividida em três subfrações) a C_9; formado principalmente em macrófagos e em monócitos, é fator inespecífico que, por seu poder de neutralização e de lise, atua, de modo essencial, nas reações imunológicas de defesa. **7.** *Lóg.* Negação de um termo, de um conceito ou de uma classe. Ex.: *não homem* é o complemento de *homem*. **8.** *Mat.* Conjunto complementar. **9.** *Patol.* Substância presente no soro normal, e que se combina com o complexo antígeno-anticorpo, produzindo lise quando o antígeno é uma célula intacta. ◆ **Complemento algébrico.** *Álg.* Cofator. **Complemento circunstancial.** *E. Ling.* V. *adjunto adverbial.* **Complemento de adjetivo.** *E. Ling.* O que completa um adjetivo: *Estou feliz que venha.* **Complemento de agente.** *E. Ling.* V. *agente da voz passiva.* **Complemento de causa eficiente.** *E. Ling.* V. *agente da voz passiva.* **Complemento de objeto.** *E. Ling.* Predicativo do objeto. **Complemento de preposição.** *E. Ling.* Aquele que é regido por uma preposição: *Ele inquiria sobre* o que fazer. **Complemento direto.** *E. Ling.* V. *objeto direto.* **Complemento do sujeito.** *E. Ling.* Predicativo do sujeito. **Complemento indireto.** *E. Ling.* V. *objeto indireto.* **Complemento nominal.** *E. Ling.* Palavra ou expressão que completa o sentido de um nome ou de seu equivalente. **Complemento objetivo.** *E. Ling.* V. *objeto direto.* **Complemento terminativo.** *E. Ling.* **1.** V. *objeto indireto.* **2.** Palavra que, regida de preposição, completa a significação de outra. **Complemento verbal.** *E. Ling.* O objeto direto e o objeto indireto.

completação [De *completar* + *-ção.*] *S. f.* V. *complemento* (2).

completador (ô) [De *completar* + *-dor.*] *Adj. S. m.* Que ou o que completa.

completamente [Do f. de *completo* + *-mente.*] *Adv.* **1.** De modo total, inteiro ou pleno; inteiramente, totalmente. **2.** Em alto nível ou grau; de modo absoluto: *Ele é completamente louco.*

completamento [De *completar* + *-mento*.] *S. m.* **1.** Ato ou efeito de completar, de finalizar ou concluir aquilo que se iniciou. **2.** V. *complemento* (2).

completar [De *completo* + *-ar*[2].] *V. t. d.* **1.** Fazer completo; inteirar; acabar: *Os papéis espalhados pelo chão completavam a desordem da sala; Sua educação esmerada completava os seus dons naturais.* **2.** Concluir, rematar: *Seu governo pretende completar a obra educativa do anterior.* **3.** Perfazer, fazer, atingir: *Vestiu a filha de branco e azul até completar sete anos. P.* **4.** Fazer completo, inteirando-se: "uma certa visão foi-se formando no seu cérebro, completando-se" (Eça de Queirós, *O Primo Basílio*, p. 172). **5.** Tornar reciprocamente completo, associando-se: *Yin e yang completam-se, segundo os orientais.* [Sin., nas acepç. 1, 2, 4 e 5: *complementar*.]

completas [Do fem. pl. do adj. *completo*.] *S. f. pl. Rel.* Na liturgia católica, horas canônicas (1) que se rezam à noite, após as vésperas; completório: "Havia tempos que soara no mosteiro a hora das completas" (José de Alencar, *Alfarrábios*, p. 192).

completeza (ê) [De *completo* + *-eza* (ê).] *S. f. Mat.* Propriedade de ser completo.

completitude [De *completo* + *-itude*.] *S. f.* Qualidade ou condição do que é completo: "Se nem todas as verdades devem ser ditas mesmo num livro de memórias, estas sofreriam na sua completitude com a ausência de algumas." (Gilberto Amado, *Depois da Política*, p. 244.)

completível [Do lat. tard. *complectibile*.] *Adj. 2 g.* Que pode ser abrangido.

completivo[1] [Do lat. tard. *completivu*.] *Adj. S. m.* Que, ou aquilo que completa, que serve de complemento.

completivo[2] [Do lat. *complecti*, 'cercar', 'abarcar', + *-ivo*.] *Adj.* Que abrange, abraça ou cobre.

completo [Do lat. *completu*.] *Adj.* **1.** A que não falta nada do que pode ou deve ter; preenchido, concluído. **2.** Total, cabal. **3.** Perfeito, acabado. **4.** Inteiro, exato. ~ V. *aval —, edição —a, endosso —, indução —a* e *instalação —a.* • *S. m.* **5.** Aquilo que está completo ou perfeito.

completório [Do lat. tard. *completoriu*.] *S. m.* **1.** Completas. **2.** *Fig.* Fim, cabo, termo.

completude [De *completo* + *-(t)ude*.] *S. f.* Caráter do que é, ou está completo.

complexado (cs) [De *complexo* + *-ado*[1].] *Adj. S. m. Psicol.* Diz-se de, ou aquele que tem complexo (8).

complexante (cs) [De *complexar* + *-nte*.] *Adj. 2 g. S. m. Quím.* Diz-se de, ou reagente que adicionado a uma solução forma complexo estável com um certo íon metálico.

complexão (cs) [Do lat. *complexione*.] *S. f.* **1.** Encadeamento de coisas; união, conjunto. **2.** *Fís.* Microestado.

complexar (cs) [De *complexo* + *-ar*[2].] *V. t. d.* Produzir complexo (8) em.

complexidade (cs) [De *complexo* + *-(i)dade*.] *S. f.* Qualidade do que é complexo.

complexismo (cs) [De *complexo* + *-ismo*.] *S. m.* Linha terapêutica da homeopatia (1) que adota a prescrição de inúmeros remédios.

complexista (cs) [De *complexismo* + *-ista*.] *Adj. 2 g.* **1.** Pertencente ou relativo ao complexismo. **2.** Que exerce o complexismo. • *S. 2 g.* **3.** Pessoa que exerce o complexismo.

complexo (cs) [Do lat. *complexu*.] *Adj.* **1.** Que abrange ou encerra muitos elementos ou partes. **2.** Observável sob diferentes aspectos. **3.** Confuso, complicado, intricado. ~ V. *domínio —, lexia —a, nota —a, número —, pessoa —a, plano —, série —a* e *variável —a.* • *S. m.* **4.** Grupo ou conjunto de coisas, fatos ou circunstâncias que têm qualquer ligação ou nexo entre si. **5.** *Citol.* Arranjo de moléculas, mantidas unidas por ligações covalentes. **6.** *Mat.* Número complexo. **7.** *Med.* Conjunto de sintomas, semelhantes ou não. **8.** *Psicol.* Conjunto de representações ou ideias estruturadas e caracterizadas por forte impregnação emocional, total ou parcialmente reprimidas, e que determinam as atitudes de um indivíduo, seu comportamento, seus sonhos, etc. **9.** *Quím.* Combinação química cuja molécula encerra átomos que estão dissimulados em face dos respectivos reagentes analíticos ordinários, e tb. no que se refere às suas propriedades magnéticas, elétricas e fisiológicas habituais. **10.** *Bras. RJ* Aglomerado de favelas: "No complexo do Alemão novas unidades habitacionais serão concluídas nos próximos meses." (Cláudio Mota, em *O Globo*, 07.03.2008.) ◆ **Complexo antígeno-anticorpo.** *Imun.* Combinação de um antígeno e de um anticorpo específico, formada localmente ou em circulação, e capaz de fixar complemento (5). **Complexo brasileiro.** *Bras.* Conjunto de rochas e terrenos que constituem o sistema arqueano na América do Sul. **Complexo conjugado.** *Mat.* Número complexo cuja parte real é igual à de outro número complexo, e cuja parte imaginária é simétrica à deste. [Ex: o complexo conjugado do número complexo z = a+bi é z*= a-bi.] [Sin.: *imaginário conjugado.* Tb. se diz apenas *conjugado*.] **Complexo cultural.** *Sociol.* Conjunto de traços culturais estreitamente ligados entre si, em torno de um central. **Complexo de Édipo.** *Psicol.* Inclinação erótica de uma criança pelo progenitor do sexo oposto, recalcada em virtude do conflito ambivalente com o progenitor do próprio sexo, ao mesmo tempo amado, odiado e temido. [Constitui uma etapa normal no crescimento psicológico da criança e torna-se patológico quando não resolvido.] **Complexo de Golgi.** *Citol.* V. *complexo golgiense.* **Complexo de inclusão.** *Quím.* Combinação química resultante da ocupação de cavidade existente em uma molécula maior por outra molécula, sem que, entre as duas, haja a formação de ligação química covalente ou iônica. [Cf. *ciclodextrina*.] **Complexo de inferioridade.** *Psicol.* Complexo (8) vinculado a sentimentos de deficiências reais ou imaginárias: "Parece que Newton deve ter sofrido de um enorme e invencível complexo de inferioridade, pois sempre se recusou a dançar nas reuniões da sua cidade, e não se conhece dele uma só aventura amorosa." (Ronaldo Rogério de Freitas Mourão, *Astronomia e Astronáutica*, pp. 17-18.) **Complexo de poro.** *Citol.* Estrutura situada no interior e na periferia do poro nuclear, constituída por associação de proteínas, e que participa do controle do trânsito de moléculas entre o nucleoplasma e citoplasma. **Complexo espacial.** *Astr.* Área onde se encontram as instalações para lançamentos espaciais. **Complexo golgiense.** *Citol.* Sistema citoplasmático constituído por vesículas achatadas e empilhadas, com as porções laterais dilatadas, e que tem várias funções, entre as quais a glicosilação e o endereçamento de proteínas. [Denom. ant.: *aparelho de Golgi* e *complexo de Golgi*.] **Complexo juncional.** *Citol.* Estrutura constituída por junções celulares de adesão e oclusão, junções estas características das células do tecido epitelial. **Complexo sinaptonêmico.** *Citol. Genét.* Estrutura constituída de filamentos proteicos paralelos, que se situam lateralmente aos cromossomos homólogos pareados durante a meiose, com participação no pareamento cromossômico, na recombinação e na segregação. **Complexo ventricular.** Grupo de ondas que representa a atividade elétrica correspondente à contração ventricular. **Complexo vitamínico B.** *Farmac.* Grupo de diversas substâncias, cada uma com funções metabólicas diferentes, que interferem no metabolismo de proteínas, na regeneração de células sanguíneas, no crescimento de microrganismos, etc.

compliância [Do ingl. *compliance*.] *S. f. Fís.* Num sistema acústico, a massa de fluido (ger. ar) que pode ser comprimido sem que o seu centro de massa se desloque. [É um componente análogo à capacitância de um circuito elétrico.]

complicação [Do lat. tard. *complicatione*.] *S. f.* **1.** Ato ou efeito de complicar(-se). **2.** Estado ou caráter do que é complicado. **3.** Dificuldade, embaraço, obstáculo.

complicado [Part. de *complicar*.] *Adj.* Que tem complicação; embaraçado, enredado, difícil.

complicador (ô) [De *complicar* + *-dor*.] *Adj. S. m.* Que ou o que complica.

complicar [Do lat. *complicare*.] *V. t. d.* **1.** Reunir (coisas heterogêneas). **2.** Tornar confuso, intricado, difícil; embaraçar, enredar: *Ao tentar esclarecer a matéria, complicou-a com exemplificação confusa.* **3.** Dificultar a compreensão ou a resolução de: *Novos depoimentos complicaram a questão. T. d. e i.* **4.** Implicar, envolver: *Não quis complicá-lo numa situação difícil. P.* **5.** Tornar-se confuso, intricado, difícil; embaraçar-se, enredar-se: "A afeição de Quintanilha complicava-se de respeito e temor." (Machado de Assis, *Relíquias de Casa Velha*, p. 119.) **6.** Pôr-se em situação difícil, ou embaraçosa: *Ele se complicou, ao tentar ajudá-la.* [Conjug.: v. *trancar*.]

cômplice [Do lat. tard. *complice*.] *S. m. Desus.* Cúmplice.

complô [Do fr. *complot*.] *S. m.* **1.** Conspiração contra o Estado ou o poder constituído. **2.** *P. ext.* Conluio contra uma instituição ou indivíduo(s).

→**complot** [kõ'plo] [Fr.] *S. m.* V. *complô.*

complúvio [Do lat. *compluviu*.] *S. m.* Buraco quadrado, no centro do telhado do átrio romano, pelo qual passava a água da chuva para ser recolhida no implúvio (q. v.).

compômero [Adapt. do ingl. *compomer*, do ingl. *compo(site)* + *(iono)mer*.] *S. m. Odont.* Material formado por uma resina modificada por um ionômero poliácido, us. para restaurações, etc.

componedor (ô) [Do esp. *componedor*.] *S. m.* **1.** *Tip.* Utensílio em que o tipógrafo reúne manualmente os tipos, e que consiste em lâmina de metal com rebordo num dos lados e num dos extremos, e peça corrediça para estabelecer a medida: "Os compositores .... precipitavam os dedos nos caixotins, enchendo os componedores com um trepidar metálico de gotas d'água em zinco." (Coelho Neto, *Turbilhão*, p. 9). [V. *talão de justificação* e *rabeca* (5).] **2.** *Tip.* Peça em que se compõem manualmente as matrizes das tituleiras. **3.** *Tip.* Dispositivo onde se reúnem mecanicamente, para fundição da linha-bloco, as matrizes e espaçadores da linotipo e congêneres. **4.** *Encad.* Instrumento de metal, com fenda ajustável, montado em cabo de madeira, formando um T, e em que o dourador reúne os tipos para estampar os dizeres nas lombadas e capas das encadernações; componedor universal. ◆ **Componedor universal.** *Encad.* Componedor (4).

componenda [Do lat. med. *componendu*, pelo esp. *componenda*.] *S. f.* Convenção com a cúria romana acerca do que se há de pagar por certas dispensas ou concessões.

componente [Do lat. *componente*.] *Adj. 2 g.* **1.** Que entra na composição de alguma coisa. **2.** Que faz parte de um conjunto ou grupo de coisas ou de pessoas. • *S. 2 g.* **3.** Aquele ou aquela que faz parte de um grupo, equipe, etc.: *Naquele ano a Mangueira foi para a avenida com 4.000 componentes.* • *S. m.* **4.** Aquilo que entra na composição de alguma coisa. **5.** Parte elementar de um sistema. **6.** *Educ.* V. *componente curricular.* **7.** *Fís.-Quím.* Num sistema, qualquer das espécies químicas, entre as que o constituem, incluída no menor grupo de substâncias necessárias para caracterizá-lo quimicamente. [Cf., nesta acepç., *constituinte* (8).] **8.** *E. Ling.* Cada uma das partes constitutivas da gramática: fonologia, morfologia, semântica, sintaxe. • *S. f.* **9.** *Astr.* Cada uma das estrelas de um sistema duplo ou múltiplo. ◆ **Componente abiótico.** *Ecol.* Num ecossistema, cada um dos componentes não vivos, como, p. ex., as substâncias minerais, os gases e os elementos climáticos isolados. **Componente ativo.** *Eletrôn.* Elemento de circuito que é capaz de gerar, ou amplificar energia. **Componente biótico.** *Ecol.* Num ecossistema, cada um dos componentes vivos de um meio ambiente que, juntamente com outros organismos vivos, formam o meio ambiente biótico. **Componente curricular.** *Educ.* Disciplinas ou conteúdos de um curso. [Tb. se diz apenas *componente*.] **Componente passivo.** *Eletrôn.* Elemento de circuito que não pode gerar, nem amplificar energia. **Componente secretor.** *Bioquím.* Glicopeptídio existente em IgA, a esta acrescentado quando ela atravessa o epitélio, podendo protegê-la de proteólise pós-secreção, ou podendo desempenhar algum papel no processo de secreção desta imunoglobulina; peça secretora.

componível [De *compor* (< lat. *componere*) + *-ível*, seg. o padrão erudito.] *Adj. 2 g.* Que se pode compor.

compor [Do lat. *componere*.] *V. t. d.* **1.** Formar ou construir de diferentes partes, ou de várias coisas: *Com móveis velhos comprados aqui e ali, conseguiu compor uma bela sala.* **2.** Entrar na composição de; fazer parte de: *Escolheu com critério os nomes que deveriam compor a comissão.* **3.** Produzir, inventar (escrevendo, pintando, esculpindo, etc.): *compor discursos; compor uma sinfonia;* "No ano de 1830 Fontaney compôs várias poesias sob cujo tom respeitoso palpitam ardores reprimidos." (Melo Nóbrega, *O Soneto de Arvers*, p. 57.) **4.** Dar feitio ou forma a; afeiçoar: *Agrada-lhe compor as frases com grande pompa.* **5.** Colocar ou dispor com certa ordem ou arranjo: *compor um vaso de flores.* **6.** Conformar; aparentar: *Inquieto, tentou compor uma fisionomia tranquila.* **7.** Melhorar; aliviar: *remédio para compor o estômago.* **8.** Reconciliar, harmonizar: *Temperamento conciliador, é dado a compor desavenças.* **9.** Pôr em ordem; arranjar, arrumar, ajeitar, endireitar: "Virgília .... pegou-lhe numa das mãos, compôs-lhe a gravata." (Machado de Assis, *Memórias Póstumas de Brás Cubas*, p. 177). **10.** *Jur.* Entrar em composição (7) com. **11.** *Art. Gráf.* Transformar (um texto destinado à impressão) em caracteres tipográficos, por meios manuais, mecânicos, fotográficos ou eletrônicos. **12.** *Teatr. Cin.* Representar, interpretar: *compor a personagem.* **13.** Fazer de comum acordo; combinar; acertar: *Líderes dos dois países tentaram compor um tratado de paz. T. d. e i.* **14.** Acertar, ajustar: *O Brasil compôs com a China um grande acordo comercial.* **15.** Harmonizar; conciliar: *Usou de toda a boa vontade para compor o pai com o irmão. Int.* **16.** Escrever música: *Mozart começou a compor aos seis anos.* **17.** *Art. Gráf.* Compor (11). *P.* **18.** Harmonizar-se, conciliar-se; recompor-se: *Compuseram-se, às instâncias de amigos comuns.* **19.** Resignar-se, conformar-se: *Acabou por se compor com seu sentimento de culpa.* **20.** Amoldar-se, afeiçoar-se. **21.** Ser composto; constituir-se; constar: *Esta família compõe-se de três pessoas;* "A casa, pequena e negra, compõe-se de duas peças separadas por uma meia parede." (Inglês de Sousa, *Contos Amazônicos*, p. 46). **22.**

Pôr em ordem a própria aparência; arrumar-se, arranjar-se: *Antes que as visitas chegassem, foi ao quarto para compor-se.* [Irreg. Conjug.: v. *pôr*.] ◆ **Compor a dois.** *Tip.* Compor à linha certa (q. v.). **Compor limpo.** *Tip.* Compor com reduzido número de erros. **Compor sujo.** *Tip.* Compor com erros frequentes.

comporta[1] [De *com-* + *porta*.] *S. f.* Porta que sustém as águas de um dique, de um açude ou de uma represa; portagão. ~ V. *comportas*.

comporta[2] *S. f.* Dança popular do séc. XVIII. ~ V. *comportas*.

comportação [De *comportar(-se)* + *-ção*.] *S. f. Bras. CE* Bom comportamento; bons modos.

comportado [Part. de *comportar-se*.] *Adj.* V. *bem-comportado*: "As aulas na Matriz eram no domingo. Às vezes, o vigário comparecia, para ver o adiantamento dos meninos .... E distribuía santinhos entre os mais comportados." (Oto Lara Resende, *Boca do Inferno*, p. 30).

comportamental [De *comportamento* + *-al*[1]; trad. do ingl. *behavioral*.] *Adj. Psicol.* Relativo ao comportamento (3).

comportamento [De *comportar* + *-mento*.] *S. m.* **1.** Maneira de se comportar; procedimento, conduta. **2.** Conjunto de atitudes e reações do indivíduo em face do meio social. **3.** *Psicol.* O conjunto das reações que se podem observar num indivíduo, estando este em seu ambiente, e em dadas circunstâncias.

comportar [Do lat. *comportare*.] *V. t. d.* **1.** Permitir, admitir; suportar: *A língua portuguesa não comporta certas construções traduzidas literalmente de outros idiomas.* **2.** Sofrer, padecer; suportar: *Comportou bravamente as dores.* **3.** Ser capaz de conter; compreender em si: *Este auditório comporta mil pessoas; Não acredito que este pequeno barco possa comportar mais de duas pessoas.* *P.* **4.** Proceder, conduzir-se, portar-se: *Comportou-se dignamente em face do inimigo.* **5.** *Fam.* Proceder ou portar-se bem: *Comporte-se, menino!* [Nesta acepç. é us., em geral, no imperat.]

comportas [Pl. de *comporta*.] *S. f. pl. Bras. PE BA* Artifícios ou lábias de que se vale quem se quer insinuar, captar a confiança de outrem. ~ V. *comporta*.

comportável [De *comportar* + *-vel*.] *Adj. 2 g.* Que se pode comportar ou admitir; tolerável.

composição [Do lat. *compositione*.] *S. f.* **1.** Ato ou efeito de compor. **2.** Coordenação, constituição. **3.** Redação (2). **4.** Produção literária ou artística. **5.** Agrupamento molecular. **6.** *E. Ling.* Reunião de dois ou mais radicais para a formação de uma nova palavra, a qual tem um significado único e autônomo, não raro dissociado das noções expressas pelos seus componentes. [Dois são os tipos de composição: *justaposição*, em que cada um dos elementos da palavra composta conserva a sua integridade morfológica (*porco-espinho*, *pé-de-meia*, *surdo-mudo*, *passatempo*) e *aglutinação*, em que tais elementos se unem intimamente, por se haver perdido a ideia de composição, subordinando-se a um único acento tônico: *planalto* (*de plano + alto*), *embora* (*de em + boa + hora*).] [Cf. *deglutinação*.] **7.** *Jur.* V. *transação* (6). **8.** *Art. Gráf.* Ato ou efeito de compor (11). **9.** *Art. Gráf.* Sistema ou processo de compor (11). **10.** *Edit.* Parte tipográfica (textual) de um impresso. **11.** *Mús.* A arte e a técnica de compor (16). **12.** *Mús.* Obra escrita segundo tal técnica. **13.** *Bras.* O conjunto dos carros de um trem, nas estradas de ferro. ◆ **Composição aberta.** *Tip.* **1.** A que recebe entrelinhamento maior que o normal. **2.** *P. ext.* Composição entrelinhada. **Composição acidentada.** *Tip.* A que contém fórmulas, tabelas, etc. **Composição a frio.** *Art. Gráf.* Designação geral dos sistemas de composição que não utilizam a fundição de tipos; composição fria. [Os principais sistemas deste tipo são a fotocomposição e as máquinas dactilográficas especiais para composição.] **Composição à margem.** *Tip.* Aquela cujas linhas, desiguais e que não ocupam toda a medida, são justificadas em uma das margens, em geral a esquerda; composição ao canto. **Composição ao canto.** *Tip.* Composição à margem. **Composição a quente.** *Art. Gráf.* Diz-se dos sistemas mecanizados de composição que utilizam uma caldeira para fundir os tipos; composição quente. [V. *linotipo* e *monotipo*[1].] **Composição arejada.** *Tip.* A que apresenta harmoniosa distribuição de claros. **Composição centrada.** *Tip.* A que se constitui de linhas centradas. **Composição cerrada.** *Tip.* V. *composição compacta.* **Composição cheia.** *Tip.* V. *composição compacta.* [Cf. *cheio* (11).] **Composição compacta.** *Tip.* A que não leva entrelinhas; composição cerrada, composição cheia, composição desentrelinhada. **Composição corrida.** *Tip.* A dos textos comuns, sem corandéis, tabelas, etc.; composição seguida, composição de cheio, matéria corrida, trabalho de cheio. **Composição de caixa.** *Tip.* A que é feita à mão reunindo-se tipos de caixa com auxílio de um componedor. **Composição de cheio.** *Tip.* V. *composição corrida.* [Cf. *cheio* (11).] **Composição de fantasia.** *Tip.* A composição de qualquer obra de bico; remendagem. **Composição desentrelinhada.** *Tip.* V. *composição compacta.* **Composição em epitáfio.** *Tip.* Aquela que, à imitação de certas inscrições lapidares, é constituída por linhas centradas, de diferentes larguras. **Composição em pé.** *Tip.* A que acaba de ficar pronta ou que depois da tiragem se conserva intacta, para reimpressão do texto; composição levantada, tipo levantado. **Composição em sumário.** *Tip.* Aquela em que a primeira linha é cheia e as seguintes recolhem à esquerda; parágrafo francês. **Composição em triângulo.** *Tip.* Aquela cujas linhas diminuem gradativamente, formando vértice. [Cf. *fundo de lâmpada*.] **Composição entrada.** *Tip.* A que, dentro de um texto, recebe defesas de um ou de ambos os lados, em geral para destacar citações extensas. **Composição entrelinhada.** *Tip.* A que recebe entrelinhas, manual ou mecanicamente; composição aberta. **Composição ficada.** *Tip.* A que, excedendo a paginação de um periódico, é guardada para o número seguinte. [Tb. se diz apenas *ficada*, ou *ficado*.] **Composição fotográfica.** Fotocomposição (q. v.). **Composição fria.** *Art. Gráf.* Composição a frio. **Composição interlineal.** *Tip.* Composição bilíngue em linhas sucessivas, mantida a correspondência das palavras respectivas. **Composição levantada.** *Tip.* V. *composição em pé.* **Composição manual.** *Tip.* Composição feita à mão com tipos de caixa (v. *composição de caixa*), ou com caracteres transferíveis. **Composição mecânica.** *Tip.* A que se faz em máquina compositora de linhas-blocos ou de tipos soltos. [Cf. *fotocomposição* (1), *linotipia* e *mecanotipia*]. **Composição quebrada.** *Tip.* A que tem muitos parágrafos, linhas curtas, numerosos claros, etc. **Composição quente.** *Art. Gráf.* Composição a quente. **Composição recorrida.** *Tip.* Aquela cujas linhas tiveram de ser refeitas no componedor ou na máquina, para mudança de medida, etc.; recorrido. [V. *recorrer* (6).] **Composição seguida.** *Tip.* V. *composição corrida.* **Composição tabular.** *Tip.* **1.** Aquela cujos parágrafos não têm claro de entrada e se distinguem pela linha branca que os separa. **2.** Composição de fios para imprimir tabelas.

composicional [De *composição* + *-al*[1], seg. o padrão erudito; ingl. *compositional*.] *Adj. 2 g.* Da composição, ou relativo a ela.

composicionalidade [De *composicional* + *-(i)dade*.] *S. f. E. Ling.* Princípio descritivo segundo o qual o significado de uma expressão resulta dos significados de suas partes formadoras.

compósita [Do it. *composita*.] *S. f. Arquit.* Ordem compósita (q. v.).

compositivo [Do lat. tard. *compositivu*.] *Adj.* Relativo a composição.

compósito [Do lat. *compositu*, por via erudita.] *Adj.* **1.** Composto, mesclado, heterogêneo. **2.** Que tem vários préstimos, usos diversos; que serve a muitos fins: "móvel monumental e compósito que servia de guarda-louça, guarda-comidas, aparador e mesa de servir." (Pedro Nava, *Balão Cativo*, p. 358). ~ V. *coluna —a* e *ordem —a*. ● *S. m.* **3.** *Tec.* Material constituído pela misturação e aglutinação de duas ou mais substâncias.

compositor (ô) [Do lat. *compositore*.] *S. m.* **1.** Aquele que compõe. **2.** *Art. Gráf.* Aquele que se ocupa em compor quer manualmente, quer em linotipo, quer em qualquer máquina de fotocomposição. [Cf. *tipógrafo*.]: "Os compositores .... precipitavam os dedos nos caixotins, enchendo os componedores com um trepidar metálico de gotas d'água em zinco." (Coelho Neto, *Turbilhão*, p. 9). **3.** Árbitro que obtém o encerramento de uma demanda por meio de composição; medianeiro. **4.** *Mús.* Aquele que se dedica à arte da composição (12): *Chopin foi um compositor romântico; É bom compositor de música popular.* **5.** *Bras. RS* Aquele que prepara o cavalo para a corrida: "Quando apareceu o dono se queixando do compositor, que se metera na canha e descuidara o cavalo, ninguém acreditou." (Ciro Martins, *Paz nos Campos*, p. 11.) **6.** *Bras. RS P. ext.* Parelheiro (2). ● *Adj.* **7.** Que compõe. ~ V. *máquina —a*. ◆ **Compositor de bicos.** *Tip.* Tipógrafo que se ocupa na composição de obras de bico; compositor de fantasia, chapista, obrista, remendeiro. [Cf. *compositor de cheio*.] **Compositor de cheio.** *Tip.* Aquele que se ocupa exclusivamente na composição corrida; compositor de linhas, caixista. [Cf. *compositor de bicos*.] **Compositor de fantasia.** *Tip.* V. *compositor de bicos.* **Compositor de linhas.** *Tip.* V. *compositor de cheio.*

compositora (ô) [Fem. de *compositor*.] *S. f.* **1.** Mulher que escreve composições musicais. **2.** *Tip.* Mulher que se dedica ao trabalho de compor tipos. **3.** Máquina compositora.

composse [De *com-* + *posse*.] *S. f. Dir. Civ.* Compossessão.

compossessão [De *com-* + lat. *possessione*, 'posse'.] *S. f. Dir. Civ.* Posse em comum, ou em conjunto, da mesma coisa; composse.

compossessor (ô) [Do lat. tard. *compossessore*.] *S. m.* Aquele que possui uma coisa em comum com outro; compossuidor.

compossibilidade [De *compossível* + *-(i)dade*, seg. o padrão erudito.] *S. f.* **1.** Qualidade de compossível. **2.** *Filos.* Qualidade dos possíveis que o são simultaneamente.

compossível [Do lat. med. *compossibile*.] *Adj. 2 g.* V. *compatível*.

compossuidor (u-i...ô) [De *com-* + *possuidor*.] *S. m.* Compossessor.

composta [Adapt. do tax. *Compositae*, do fem. pl. do lat. *compositus* (v. *composto*).] *S. f. Bot.* Antiga denominação da família asterácea.

compostagem [Do fr. *compostage*.] *S. f. Ecol.* Preparação de adubo orgânico em que se juntam resíduos (folhas, estrume, restos de comida, etc.) que, no decorrer do tempo, sofrem degradação por microrganismos, resultando no composto (5).

composto (ô) [Do lat. *compositu*, part. pass. de *componere* (v. *compor*), por via pop.] *Adj.* **1.** Constituído por dois ou mais elementos. **2.** *Fig.* Circunspecto, sério, modesto. ~ V. *curva —a*, *dízima periódica —a*, *folha —a*, *fruto —*, *função —a*, *juro —*, *lente —a*, *lexia —a*, *madeira —a*, *número —*, *olho —*, *pêndulo —*, *probabilidade —a*, *substância —a*, *sujeito —* e *tempo —*. ● *S. m.* **3.** Substância ou corpo composto. **4.** Complexo de várias coisas combinadas. **5.** *Ecol.* Produto homogêneo, grumoso, muito rico em húmus e microrganismos, que resulta da degradação biológica de matéria orgânica em presença do oxigênio do ar; composto orgânico. [É incorporado ao solo a fim de melhorar a sua estrutura e riqueza em elementos.] **6.** *E. Ling.* Combinação de duas ou mais palavras que passam a funcionar como uma unidade: *couve-flor, pé-de-meia, adivinhe-quem-vem-hoje.* **7.** *Market. Prop.* Conjunto de atividades inter-relacionadas que concorrem para determinado fim [v. *composto de marketing* e *composto promocional*]. **8.** *Quím.* Substância composta. ◆ **Composto de marketing.** *Market. Prop.* Conjunto de atividades que incluem produto, preço, ponto de venda e promoção. **Composto diazoico.** *Quím.* Diazocomposto (1). **Composto iônico.** *Quím.* Aquele em cuja composição ocorrem íons, unidos por ligações iônicas. **Composto molecular.** *Quím.* Aquele em cuja composição todos os átomos estão unidos por ligações covalentes, formando moléculas iguais. **Composto orgânico.** *Ecol.* Composto (5). **Composto promocional.** *Market. Prop.* Conjunto de atividades que incluem propaganda, promoção de vendas, *merchandising*, etc.

compostura [Do lat. *compostura*.] *S. f.* **1.** Composição; formação. **2.** Concerto, arranjo. **3.** Falsificação, imitação. **4.** Seriedade ou correção de maneiras; comedimento, circunspeção, modéstia: "Não imaginas a graça que tinha em falar e andar, tudo sem perder a compostura dos modos nem a gravidade dos pensamentos." (Machado de Assis, *Páginas Recolhidas*, p. 46.) **5.** *Bras. RS* Ato ou efeito de preparar o cavalo para corridas. **6.** *Bras. RS* O tempo que nisto se leva. ~ V. *composturas*.

composturas [Pl. de *compostura*.] *S. f. pl.* Cosméticos ou outros artifícios que se usam para disfarçar o mau estado da pele do rosto, as rugas, etc. ~ V. *compostura*.

compota [Do fr. *compote*.] *S. f.* Doce de frutas cozidas em calda de açúcar.

compoteira [De *compota* + *-eira*.] *S. f.* Recipiente de louça, vidro, etc., côncavo, ger. com tampa, para guardar compota ou outros doces em calda ou em pasta.

→ **compound** ['kampæwnd] [Ingl.] *S. m.* **1.** Na África, conjunto de habitações pertencentes a um grupo familiar (chefe de família, suas várias mulheres, filhos ou sobrinhos com suas mulheres e agregados), delimitado, em geral, por muro ou cerca altos. **2.** Nos antigos territórios coloniais ingleses, conjunto de casas ou apartamentos onde moram funcionários de uma mesma empresa: "estava num local próximo do *compound* da mina de Moderby, visitando seus amigos." (Raul Bernardo Honwana, *Memórias*, p. 53). **3.** *Moç.* Agrupamento de pequenos prostíbulos: "Já a longa caravana de louros marinheiros / dispersa pelos *compounds* / destila mensal a febre do mar" (Fernando Ganhão, *Poetas de Moçambique*, p. 46).

compra [Dev. de *comprar*.] *S. f.* **1.** Ato de comprar (1). **2.** Coisa comprada. **3.** *Fig.* Suborno, peita. **4.** Ato de tirar do baralho, ao jogo, certo número de cartas. ◆ **Compra das iaôs.** *Bras. Rel.* Leilão no qual a iaô é simbolicamente resgatada do seu orixá, dias após o oruncó.

compradiço [De *comprar* + *-(d)iço*[1].] *Adj.* Fácil de ser comprado ou subornado.

comprado [Part. de *comprar*.] *S. m. Econ.* Nas bolsas de valores, aquele que, apostando na alta dos preços, comprou (títulos, mercadorias) para recebimento futuro: "A batalha final entre os comprados (que ganham na alta) e os vendidos (que ganham na baixa) vai ser travada nesta segunda-feira, quando vence o prazo do exercício do mercado de opções." (*Gazeta Mercantil*, 14.08.1993, p. 26.) [Cf. *vendido* e *mercado de futuros*.]

comprador (ô) [De *comprar* + *-dor*.] *S. m.* **1.** Aquele que compra. • *Adj.* **2.** *Econ.* Diz-se de mercados em que há mais compradores que vendedores, aos preços vigentes, causando tendência à baixa de preços.

comprar [Do lat. *comparare*, 'regular', 'adquirir', 'comprar'.] *V. t. d.* **1.** Adquirir por dinheiro: "Bastava baixar a mão, e teria tesouros para comprar um condado" (Eça de Queirós, *Últimas Páginas*, p. 111). **2.** Ganhar, adquirir ou obter com sacrifício ou prejuízo material ou moral: *Procura, com bajulações, comprar a simpatia do chefe.* **3.** Subornar, peitar: *Comprou o guarda alfandegário, dando-lhe parte do contrabando;* "Leonor percebia-os [aos inimigos], fingia-se desatenta, e intimamente planejava aniquilá-los, pondo-os ao seu serviço, subornando-os, comprando-os." (Antero de Figueiredo, *Leonor Teles*, p. 126). **4.** Em alguns jogos, tirar do baralho (uma carta, ou certo número de cartas). **5.** Possibilitar a aquisição, a obtenção de: "Seu pai começou a juntar dinheiro ainda no tempo em que o dinheiro, de fato, poderia comprar, pelo menos, uma boa dose de tranquilidade de espírito." (Joraci Camargo, *Anastácio*, p. 41.) *T. d. e i.* **6.** Adquirir por compra: *Comprou a casa a um parente.* ◆ **Comprar a mangrado.** Comprar sem escolher.

compratório [De *comprar* + *-tório*.] *Adj.* **1.** Que serve para comprar. **2.** Que tem por efeito a compra.

comprável [De *comprar* + *-vel*.] *Adj. 2 g.* **1.** Que se pode adquirir por compra; comerciável. **2.** Subornável.

comprazedor (ô) [De *comprazer* + *-dor*.] *Adj.* **1.** Que gosta de comprazer; obsequiador, complacente. **2.** Condescendente, transigente. • *S. m.* **3.** Aquele que gosta de comprazer.

comprazente [De *comprazer* + *-nte*.] *Adj. 2 g. P. us.* V. *complacente*.

comprazer [Do lat. *complacere*.] *V. t. i.* **1.** Fazer o gosto, a vontade; ser agradável: *Procura comprazer ao amigo, para reconquistar-lhe as graças.* **2.** Ser do agrado de (pessoa), ou da sua preferência: *Os tons berrantes dessa tela certamente não comprazem ao seu bom gosto.* **3.** Condescender; ceder: *comprazer a um pedido. T. d. e i.* **4.** Agradar; satisfazer: *Comprazia o refinamento da noiva com presentes. Int.* **5.** Fazer o gosto, a vontade de outrem; ser-lhe agradável: "no círculo dos condiscípulos é um autômato que ri por comprazer, e vai sem saber que vai para onde o impelem" (Camilo Castelo Branco, *Amor de Salvação*, p. 58). *P.* **6.** Deleitar-se, regozijar-se. [Conjug.: v. *aprazer*, mas o perf. ind. e seus derivados têm duas formas: *comprazi* ou *comprouve*, etc.]

comprazimento [De *comprazer* + *-imento*.] *S. m.* Ato ou efeito de comprazer; complacência.

compreender [Do lat. *comprehendere*.] *V. t. d.* **1.** Conter em si; constar de; abranger: *A República Federativa do Brasil compreende 26 estados e um distrito federal.* **2.** Incorporar, englobar; incluir: *Sua contagem não compreendeu as crianças abaixo da idade escolar; Esta relação não compreende todos os nomes.* **3.** Alcançar com a inteligência; atinar com; perceber, entender: *Não compreendo a razão de sua raiva.* **4.** Perceber ou alcançar as intenções ou o sentido de: *Compreendi a sua atitude, e não insisti;* "Goethe, espírito apolítico, egoísta, não compreendeu o maior acontecimento do seu tempo, a Revolução Francesa." (Oto Maria Carpeaux, *A Cinza do Purgatório*, p. 28). **5.** Entender (alguém), aceitando como é: *Jamais buscara realmente compreender o filho.* **6.** Dar-se conta de; perceber, ver: "durante muitos anos não compreendi onde me achava" (Graciliano Ramos, *Memórias do Cárcere*, I, p. 125). **7.** Entender, ouvir: *A palestra foi tumultuada, mal pude compreender o conferencista. P.* **8.** Estar incluído ou contido; encerrar-se.

compreendido [Part. de *compreender*.] *Adj.* **1.** Que se compreendeu. **2.** Incluído ou contido; que faz parte de algo. **3.** Entendido, assimilado pela razão.

compreensão [Do lat. *comprehensione*.] *S. f.* **1.** Ato ou efeito de compreender. **2.** Faculdade de perceber; percepção. **3.** *Lóg.* Conjunto das características gerais que formam um conceito e que são os atributos dos objetos designados por um termo. [Sin., nesta acepç.: *intensão, conotação, conteúdo*. Cf. *extensão* (11) e *generalização* (5).]

compreensibilidade [De *compreensível* + *-(i)dade*, seg. o padrão erudito.] *S. f.* Qualidade de compreensível.

compreensiva [F. subst. do adj. *compreensivo*.] *S. f. Desus.* Compreensão, percepção.

compreensível [Do lat. *comprehensibile*.] *Adj. 2 g.* Que se pode compreender.

compreensivo [Do lat. tard. *comprehensivu*.] *Adj.* **1.** Que compreende ou pode compreender. **2.** Que revela compreensão: "a atitude da esposa — tão amiga, compreensiva e paciente ...., agravou-lhe o sentimento de inferioridade" (Érico Veríssimo, *Noite*, pp. 198-199).

compressa [Do lat. *compressa*, fem. do lat. *compressus*.] *S. f.* Segmento, retangular ou quadrado, de algodão, linho, ou gaze hidrófila, usado para fazer compressão, proteger ou lavar uma parte do corpo, podendo conter medicamentos mais complexos, ou apenas soro fisiológico a temperaturas variáveis. É usada em curativos, intervenções cirúrgicas, etc.

compressão [Do lat. *compressione*.] *S. f.* **1.** Ato ou efeito de comprimir(-se). **2.** *Fís.* Processo em que se aumenta a pressão num sistema pela ação de agentes externos.

▲**compressi-** [Do lat. *compressus, a, um*.] *El. comp.* = 'achatado', 'comprimido': *compressicaule, compressicórneo*.

compressibilidade [De *compressível* + *-(i)dade*, seg. o padrão erudito.] *S. f. Fís.* **1.** Propriedade dos corpos que, sob a ação de uma pressão aplicada uniformemente à sua superfície, diminuem de volume. **2.** Coeficiente que mede a variação da unidade de volume de um corpo pela variação de pressão que a provoca.

compressicaude [De *compressi-* + *-caude*.] *Adj. 2 g. Zool.* Que tem cauda chata.

compressicaule [De *compressi-* + *-caule*.] *Adj. 2 g. Bot.* Que tem o caule comprimido.

compressicórneo [De *compressi-* + *-corn(i)-* + *-eo*.] *Adj. Zool.* **1.** Diz-se de inseto que tem as antenas achatadas. **2.** Que tem chifres ligeiramente achatados.

compressível [Do lat. *compressus*, part. pass. de *comprimere*, 'comprimir', + *-ível*.] *Adj. 2 g.* Que pode ser comprimido.

compressivo [De *compresso* + *-ivo*.] *Adj.* **1.** Que serve para comprimir; compressório. **2.** Que reprime, refreia.

compresso [Do lat. *compressu*.] *Adj.* Comprimido (1).

compressor (ô) [Do lat. *compressore*.] *Adj.* **1.** Que comprime; comprimente. ~ V. *rolo* —. • *S. m.* **2.** Aquele ou aquilo que comprime. **3.** Rolo compressor. **4.** Anteparo corrediço, de madeira ou de metal, que sustém as fichas, pastas, etc., nas gavetas dos fichários e arquivos. **5.** *Aer.* Componente do motor a jato no qual o ar aspirado da atmosfera é comprimido antes de sofrer expansão através da turbina. **6.** *Inform.* Programa, rotina ou sub-rotina que efetua a compressão de dados. [Cf., nesta acepç., *compactador* (3).] **7.** *Tec.* Máquina, alternativa ou rotativa, destinada a comprimir um gás. ◆ **Compressor centrífugo.** *Aer.* Tipo de compressor que usa o princípio da aceleração centrífuga para aumentar a pressão de ar.

compressório [De *compresso* + *-ório*.] *Adj.* Compressivo (1).

compridez (ê) [De *comprido* + *-ez*.] *S. f. P. us.* Comprimento, longitude.

comprido [Part. do port. arc. *comprir* < lat. *complere*, 'encher'.] *Adj.* **1.** Extenso no sentido longitudinal; longo: *estrada comprida.* **2.** De grande estatura; alto: *Que sujeito comprido!* **3.** Que, por enfadonho, monótono, cansativo, dá ideia de haver durado muito: *um dia comprido; um filme comprido.* **4.** *Ant.* Completo, perfeito. ~ V. *café* —, *língua* — *a* e *tosse* — *a*. • *S. m.* **5.** *Bras. GO* Informação (11) que se alonga no álveo do rio, tornando difícil precisar a localização do diamante. [Cf. *cumprido*, do v. *cumprir*.] ◆ **Ao comprido.** Em sentido longitudinal.

comprimário [Do it. *comprimario*.] *S. m. P. us.* Comparsa de companhia lírica: "— A vida é uma ópera e uma grande ópera. O tenor e o barítono lutam pelo soprano, em presença do baixo e dos comprimários" (Machado de Assis, *Dom Casmurro*, p. 25).

comprimente [De *comprimir* + *-ente*.] *Adj. 2 g.* Que comprime; compressor. [Cf. *cumprimente*, do v. *cumprimentar*.]

comprimento [Do port. arc. *comprir* (v. *comprido*) + *-mento*.] *S. m.* **1.** Extensão de linha. **2.** Dimensão longitudinal de um objeto: *O comprimento da mesa é fora do comum.* **3.** Grandeza, tamanho. **4.** *Geom.* Num retângulo, a maior distância entre dois vértices consecutivos. **5.** *Geom.* Num paralelepípedo, a maior das arestas. **6.** *Álg.* Número de elementos de uma permutação cíclica. [Cf. *cumprimento*, do v. *cumprimentar* e s. m.] ◆ **Comprimento de onda.** *Fís.* Numa onda, a distância entre dois pontos cuja diferença de fase é igual a 2p radianos.

comprimido [Part. de *comprimir*.] *Adj.* **1.** Que sofreu compressão; compresso. **2.** Contido, refreado. ~ V. *ar* —. • *S. m.* **3.** O que sofreu compressão. **4.** Pastilha de substâncias medicamentosas em pó, que mediante compressão se tornam compactas, e que ger. deve ser engolida sem mastigar. [V. *tablete*.]

comprimir [Do lat. *comprimere*.] *V. t. d.* **1.** Reduzir a menor volume, mediante pressão: *Comprimiu o embrulho a fim de que coubesse no caixote.* **2.** Apertar, premer: "Um soluço irreprimível lhe inchou o peito e comprimiu a garganta" (José Régio, *O Príncipe com Orelhas de Burro*, p. 173); *Comprimiu o botão da campainha.* **3.** Encolher, retrair, contrair: *Comprimiu o estômago para esbeltar a silhueta.* **4.** Reprimir, refrear; oprimir: *Não podendo comprimir a ansiedade, pôs-se a chorar.* **5.** Afligir, confranger: *A dor da perda do amigo comprimia-o.* **6.** *Inform.* Codificar (um bloco de dados) de forma a reduzir o seu grau de redundância: p. ex., eliminando repetições adjacentes de símbolos e representando-as segundo uma notação definida que permite sua posterior recuperação. *P.* **7.** Reduzir-se; encolher-se. **8.** Espremer-se, apertar-se, aglomerando-se: *Mais de trinta mil pessoas comprimiam-se no estádio naquela noite.* [Nesta acepç., somente com palavras no plural (pessoas, homens, jovens, etc.), ou com coletivos (povo, multidão, etc.).]

comprimível [De *comprimir* + *-vel*.] *Adj. 2 g.* Que se pode comprimir.

comprista [De *comprar* + *-ista*.] *S. 2 g.* Indivíduo que gosta muito de fazer compras.

comprobação [Do lat. *comprobatione*.] *S. f.* Comprovação (1) (q. v.).

comprobante [Do lat. *comprobante*, part. pres. de *comprobare*.] *Adj. 2 g. S. m.* Comprovante (q. v.).

comprobativo [Do lat. tard. *comprobativu*, por via erudita.] *Adj.* V. *comprobatório*.

comprobatório [De *comprovar* (< lat. *comprobare*) + *-tório*, seg. o padrão erudito.] *Adj.* Que contém prova ou provas do que se diz; que serve para comprovar; comprobativo, comprovativo: "Tratava-se de tirar a limpo os documentos comprobatórios de origem asiática dos índios." (E. Roquete-Pinto, *Seixos Rolados*, p. 284.)

comprometedor (ô) [De *comprometer* + *-dor*.] *Adj.* Que compromete ou pode comprometer.

comprometer [Do lat. *compromittere*.] *V. t. d. e i.* **1.** Fazer assumir compromisso; obrigar por compromisso: *As circunstâncias comprometeram-no com a filha do amigo.* **2.** Implicar; envolver: *Suas mentiras comprometeram-no no assalto ao banco. T. d.* **3.** Dar, como garantia; empenhar: *comprometer a palavra.* **4.** Expor a perigo; arriscar, aventurar: *Para satisfazer uma vaidade comprometeu o seu futuro.* **5.** Pôr (alguém) em má situação, ou em situação suspeita: *Sabendo-se perseguido, não aceitou a companhia do amigo, temendo comprometê-lo. P.* **6.** Assumir compromisso, responsabilidade; obrigar-se: *Comprometi-me com meu irmão em pagar os seus estudos.* [Sin., nas acepçs. 1, 3 e 6: *compromissar*.]

comprometido [Part. de *comprometer*.] *Adj.* **1.** Obrigado por compromisso. **2.** Dado como garantia; empenhado. [Sin. ger.: *compromissado*.]

comprometimento [De *comprometer* + *-imento*.] *S. m.* Ação ou fato de comprometer(-se).

compromissado [Part. de *compromissar*.] *Adj.* V. *comprometido*.

compromissar [De *compromisso* + *-ar*[2].] *V. t. d. P.* V. *comprometer* (1, 3 e 6).

compromissário [Do lat. tard. *compromissariu*.] *Adj.* Obrigado por compromisso.

compromissivo [Do lat. tard. *compromissivu*.] *Adj.* Em que há, ou que envolve compromisso; compromissório.

compromisso [Do lat. *compromissu*.] *S. m.* **1.** Obrigação ou promessa mais ou menos solene. **2.** Acordo entre litigantes pelo qual se sujeita a arbitragem a decisão de um pleito. **3.** Dívida que se deve pagar em determinado dia. **4.** Concordata de falidos com credores. **5.** Acordo político; convenção, ajuste, pacto. **6.** Promessa de trato a ser cumprido. **7.** Estatutos de confraria (1). **8.** Escritura vincular. **9.** *Bras.* Obrigação de caráter social: *Domingo não tenho compromissos.*

compromissório [Do lat. tard. *compromissoriu*.] *Adj.* Compromissivo.

compromitente [Do lat. *compromittente*, part. pres. de *compromittere*.] *Adj. 2 g. S. 2 g.* Que, ou quem toma compromisso.

comprovação [Var. de *comprobação*.] *S. f.* **1.** Ato de comprovar; comprobação. **2.** *Adm.* Conjunto de documentos relativos a gastos que se fizeram por determinada verba.

comprovador (ô) [Do lat. *comprobatore*.] *Adj. S. m.* Que ou o que comprova.

comprovante [De *comprovar* + *-nte*.] *Adj. 2 g.* **1.** Que comprova; comprovador. • *S. m.* **2.** *Bras.* Recibo, nota ou documento com que se comprova a realização de um serviço, de uma despesa, etc.

comprovar [Do lat. *comprobare*.] *V. t. d.* **1.** Concorrer para provar; ajuntar novas provas a; confirmar; corroborar: *A atitude serena do acusado comprova sua inocência.* **2.** Evidenciar, demonstrar: *A bri-*

lhante atuação naquele impasse comprovou sua fama de grande político. 3. *Tip.* Evidenciar em nova prova (as emendas assinaladas em prova anterior); contraprovar, conferir. [Cf., nesta acepç., *revisar* (5).]

comprovativo [De lat. *comprobativo*, ou de *comprovar* + *-tivo*.] *Adj.* V. *comprobatório*.

comprovável [De *comprovar* + *-vel*.] *Adj. 2 g.* Que se pode comprovar; demonstrar; demonstrável.

comprovincial [Do lat. *comprovinciale*.] *Adj. 2 g.* Comprovinciano (1).

comprovinciano [De *com-* + *provinciano*.] *Adj.* 1. Que é da mesma província que outro(s); comprovincial. • *S. m.* 2. Aquele que é da mesma província que outro(s): "A casa do encontro era na antiga Rua dos Barbonos, onde morava uma comprovinciana de Rita." (Machado de Assis, *Várias Histórias*, p. 5.)

compsógnato [Do gr. *kompsós*, 'elegante', + *-gnato*; tax. *Compsognathus*.] *S. m. Paleont.* 1. Gênero de dinossauros carnívoros, muito próximos das aves, cujo fóssil foi encontrado na Baviera (Alemanha). Deslocava-se com grande velocidade e apresentava grande semelhança estrutural com o arqueópterix. 2. Espécie ou espécime desse gênero.

compsotlipídeo [Do tax. *Compsothlypis* + *-ídeo*[1]; tax. *Compsothlypidae*.] *Zool. S. m.* 1. Espécime dos compsotlipídeos, família de aves passeriformes da região neotrópica; semelhantes aos tanagrídeos, insetívoras, e de plumagem verde-olivácea, ou, raramente, cinza ou azul na parte superior e amarela na inferior. São as mariquitas, as pia-cobras e os pula-pulas. • *Adj.* 2. Pertencente ou relativo a eles.

→**compte rendu** [kõt ʀɑ̃'dy] [Fr.] *S. m.* Análise ou exposição sucinta de um fato, de um texto, etc.

compulsação [De *compulsar* + *-ção*.] *S. f.* Ato de compulsar.

compulsador (ô) [De *compulsar* + *-dor*.] *Adj. S. m.* Que, ou aquele que compulsa.

compulsão [Do lat. tard. *compulsione*.] *S. f.* 1. Ato de compelir. 2. *Psicol.* Tendência à repetição.

compulsar [Do lat. *compulsare*.] *V. t. d.* 1. Examinar, lendo. 2. Manusear, percorrer, folhear (livros, documentos), consultando: "Compulsando a documentação existente, verifiquei que não foram poucos os desembarques clandestinos de negros africanos realizados no litoral das Alagoas, no período de ilegalidade do tráfico." (Abelardo Duarte, *Três Ensaios*, pp. 79-80.) 3. *Desus.* Compelir, obrigar.

compulsivo [Do lat. *compulsus*, 'impelido junto com outros', part. pass. de *compellere*, 'impelir', + *-ivo*.] *Adj.* Que compele; próprio para compelir, ou a isso destinado: "Engoliu com esforço, sentindo uma compulsiva precisão de chorar." (Maria Julieta Drummond de Andrade, *O Valor da Vida*, p. 142.)

compulsória [F. subst. do adj. *compulsório*.] *S. f.* 1. Mandado de juiz superior para instância inferior. 2. Aposentadoria forçada, por haver o servidor, civil ou militar, alcançado o limite de idade permitido ao serviço público: "— Está no emprego há mais de 39 anos e detesta ver alguém aposentar-se no devido tempo. Aguarda a compulsória." (Osmã Lins, *Nove, Novena*, p. 184.)

compulsoriedade [De *compulsóri(o)* + *-edade*.] *S. f.* Qualidade de compulsório; compulsão.

compulsório [Do lat. *compulsus* (v. *compulsivo*) + *-ório*.] *Adj.* Que obriga ou compele. ~ V. *depósito* — e *empréstimo* —.

compunção [Do lat. tard. *compunctione*.] *S. f.* 1. Pesar de haver cometido pecado ou ação má. 2. *P. ext.* Pesar profundo: "A sua ansiedade como que borbota, espalha-se nos gestos, na profunda compunção do semblante, nos suspiros, na palidez cadavérica" (Rocha Pombo, *No Hospício*, p. 307.) 3. Manifestação desse pesar; contrição. [Sin. ger.: *compungimento*.]

compungimento [De *compungir* + *-mento*.] *S. m.* V. *compunção*.

compungir [Do lat. *compungere*.] *V. t. d.* 1. Mover a compunção. 2. Pungir, afligir; atormentar: *Compunge-o a lembrança das rudes palavras que proferiu.* 3. Enternecer; sensibilizar: *A desgraça do inimigo compungiu-o vivamente. Int.* 4. Causar compunção (1 e 2). *P.* 5. Ter compunção; arrepender-se. 6. Magoar-se, afligir-se. [Conjug.: v. *dirigir*.]

compungitivo [De *compungir* + *-tivo*.] *Adj.* Que compunge ou reflete compungimento.

computação [Do lat. *computatione*.] *S. f.* Ato ou efeito de computar. ◆ **Computação científica.** *Inform.* Disciplina que estuda o uso de computadores em cálculos, simulações, etc., com o objetivo de auxiliar cientistas em suas pesquisas. **Computação em nuvem.** *Inform.* Distribuição do processamento de informações, e disponibilização de recursos computacionais remotos de forma transparente, usando-se a Internet. [Sin.: *nuvem computacional*.] **Computação gráfica.** *Inform.* Ramo da computação dedicado à geração, tratamento, apresentação e armazenamento de imagens em computadores.

computacional [De *computação* + *-al*[1], seg. o padrão erudito; ingl. *computational*.] *Adj. 2 g.* De, ou referente a computação. ~ V. *modelo* — e *nuvem* —.

computador (ô) [Do lat. *computatore*.] *S. m.* 1. Aquele que faz cômputos, que calcula. 2. *Inform.* Computador eletrônico (q. v.). [Nesta acepç., para trad. o ingl. *computer*. Sin. pop. (desus.): *cérebro eletrônico*.] 3. Máquina capaz de receber, armazenar e enviar dados, e de efetuar, sobre estes, sequências previamente programadas de operações aritméticas (como cálculos) e lógicas (como comparações), com o objetivo de resolver problemas. ◆ **Computador analógico.** *Inform.* Aquele que opera com dados representados por quantidades físicas que variam continuamente, realizando processamentos físicos com esses dados. **Computador de grande porte.** *Inform.* V. *mainframe*. **Computador digital.** *Inform.* Computador que opera com dados discretos ou descontínuos, efetuando uma sequência de processos lógicos e aritméticos com esses dados, num programa previamente preparado. Um computador eletrônico digital é basicamente integrado por unidade central de processamento (CPU), unidades de memória, canais de comunicação e dispositivos de entrada e de saída. **Computador eletrônico.** *Inform.* Computador digital, composto de circuitos eletrônicos. [Os computadores eletrônicos são ger. classificados quanto ao grau de sofisticação tecnológica dos seus componentes: aqueles ditos de primeira geração empregavam válvulas; os de segunda geração, transistores; e os de terceira geração empregam circuitos integrados.] [Tb. se diz apenas *computador*.] **Computador pessoal.** *Inform.* 1. Microcomputador destinado ao usuário individual. 2. *Restr.* Microcomputador de propriedade do seu usuário, ger. voltado ao uso doméstico. **Computador quântico.** *Inform.* Computador que, em vez de usar *bits* binários rotulados como zero e um para codificar dados, guarda informação em *bit* quântico, também denominado *q-bit* (q. v.). [Como uma sequência de *q-bits* pode representar ao mesmo tempo muitos números diferentes, um computador quântico poderia realizar alguns cálculos muito mais rapidamente do que um computador convencional.]

computadorização [De *computadorizar* + *-ção*.] *S. f.* Ato ou efeito de computadorizar.

computadorizado [Part. de *computadorizar*.] *Adj. Inform.* 1. Que se computadorizou. 2. Que emprega, ou envolve uso de computador(es) esp. programado(s): *equipamento computadorizado, exame computadorizado.* ~ V. *tomografia —a*.

computadorizar [De *computador* + *-izar*.] *V. t. d. Inform.* 1. Processar ou armazenar (informação) mediante computador (3) ou sistema de computadores. 2. Fornecer (dados) mediante computador (3) ou sistema de computadores.

computar [Do lat. *computare*.] *V. t. d.* 1. Fazer a contagem (2), o cômputo de; contar: *computar votos.* 2. *Inform.* Processar em computador. *T. d. e i.* 3. Calcular, orçar: *Computou a despesa em centenas de reais.* 4. Confrontar, comparar; cotejar: *Dispôs-se a computar a receita com as despesas.* 5. Contar; incluir: *Computou este delito entre os passíveis de pena de morte.* [Defect. Não é us. nas três 1ªs pess. do pres. ind.]

computável [De *computar* + *-vel*.] *Adj. 2 g.* Que pode ser computado.

computista [De *cômputo* + *-ista*.] *S. m.* 1. Aquele que organiza o cômputo (1); calendarista. 2. O encarregado de receber rendas de câmara apostólica.

cômputo [Do lat. *computu*.] *S. m.* 1. V. *contagem* (2). 2. *Cronol.* Cômputo eclesiástico. 3. Cálculo (1). ◆ **Cômputo eclesiástico.** *Cronol.* Série de regras pelas quais se determinam as datas das festas móveis das igrejas cristãs. [Tb. se diz apenas *cômputo*.]

→**comté** [kõ'te] [Fr.] *S. m. Cul.* Queijo de leite de vaca semelhante ao emmenthal, fabricado em fôrmas de 40 a 70cm de diâmetro, de sabor frutado e cheiro forte sem ser picante, originário da Franche-Comté (região do L. da França).

comtesco (ê) *Adj.* V. *comtista* (1).

comtiano *Adj. S. m.* V. *comtista*.

comtismo [Do antr. (*Augusto*) *Comte* (v. *comtista*) + *-ismo*.] *S. m.* Positivismo.

comtista [Do antr. (*Augusto*) *Comte* (1798-1857), filósofo francês, + *-ista*.] *Adj. 2 g.* 1. Pertencente ou relativo a Augusto Comte (v. *positivismo*), ou próprio dele; comtiano, comtesco. • *S. 2 g.* 2. Grande conhecedor e/ou seguidor do comtismo; comtiano. [Cf. *positivista* e *contista*.]

comua [Subst. do fem. ant. do adj. *comum*.] *S. f.* V. *latrina* (1): "pensava em Bertolesa que .... dormia lá embaixo, ... aos fundos do armazém, perto da comua." (Aluísio Azevedo, *O Cortiço*, p. 320).

comum [Do lat. *commune*.] *Adj. 2 g.* 1. Pertencente a todos ou a muitos: "O vocábulo *tabu*, de origem polinésia, vai-se tornando comum às línguas europeias" (Ângela Vaz Leão, *História de Palavras*, p. 35). [Sin. (ant.), nesta acepç.: *comunal*.] 2. Vulgar, trivial, ordinário. 3. Habitual, normal, usual, geral. [Superl. abs. sint.: *comuníssimo*.] 4. Feito em sociedade ou em comunidade. ~ V. *ação —, avaria —, bem —, denominador —, ducto hepático —, estopim —, gesso —, massa —, máximo divisor —, mínimo múltiplo —, múltiplo —, nervo motor-ocular —, senso —, substantivo —, tempo —, vala —*, e *vinho —*. • *S. m.* 5. Qualidade ou caráter de comum. 6. A maioria: "Lalá .... tinha algum espírito mais que o comum das senhoras brasileiras." (Artur Azevedo, *Contos Efêmeros*, p. 8). 7. Aquilo que é comum, habitual, normal: *O comum é sairmos às 10 horas.*

comum de dois *Adj. 2 g. E. Ling.* Diz-se de substantivo que tem só uma forma para os dois gêneros, como, p. ex., *artista, pianista, regente, selvagem*; comum de dois gêneros, uniforme. [Pl.: *comuns de dois*.] ☑

comumente [De *comum* + *-mente*.] *Adv.* Em geral, ordinariamente.

comuna[1] [Do fr. *commune*.] *S. f.* 1. Na Idade Média, cidade que obtinha de seu senhor suserano carta que lhe concedia autonomia. 2. Subdivisão territorial, na França. 3. Administração de concelho. 4. Municipalidade, município. 5. Poder revolucionário instalado em Paris, em 1871, após o levantamento do sítio. 6. Comunidade (5). 7. *Bras. PE* Grupo de indivíduos que habitualmente se reúnem para pândegas ou desordens.

comuna[2] *S. 2 g. Bras. Pop.* V. *comunista* (3).

comunal [Do lat. tard. *communale*.] *Adj. 2 g.* 1. Referente a comuna[1] (1 a 6). 2. *Ant.* V. *comum* (1): "o povo viu, após suas primeiras queixas, quanto o rei queria atender ao bem comunal" (Antero de Figueiredo, *Leonor Teles*, pp. 79-80.) • *S. 2 g.* 3. Habitante de comuna; comuneiro.

comunalismo [De *comunal* + *-ismo*.] *S. m.* Municipalismo (1). [Cf. *descentralismo*.]

comunalista [De *comunal* + *-ista*.] *Adj. 2 g. S. 2 g.* V. *municipalista*. [Cf. *descentralista*.]

comuneiro [De *comuna*[1] + *-eiro*.] *S. m.* Habitante de uma comuna; comunal.

comungado [Part. de *comungar*.] *Adj.* Que recebeu a comunhão; que comungou.

comungante [De *comungar* + *-nte*.] *Adj. 2 g.* 1. Que comunga. • *S. 2 g.* 2. Pessoa que pode ou que vai receber comunhão.

comungar [Do lat. *communicare*, por via pop.] *V. t. d.* 1. Administrar a comunhão (2) a: *O sacerdote comungou os fiéis.* 2. Receber ou tomar em comunhão: *Contrito, comungou a hóstia. Int.* 3. Receber ou tomar a Eucaristia: "queria confessar-se e comungar, tinha medo de morrer em pecado" (Coelho Neto, *Sertão*, p. 330). *T. i.* 4. Pertencer a grupo ou sociedade que tem as mesmas ideias religiosas, políticas, literárias, científicas, etc.: *Sempre comungou no Partido Liberal.* 5. Tomar parte em; participar: *Comunga nos ideais da liberdade.* 6. Pôr-se ou ficar em contato; ligar-se, unir-se, comunicar-se: "Poesia é um estado de alma religioso e metafísico em que o homem comunga diretamente com a divindade." (Alberto Ramos, *Prosas de Ariel*, p. 135.) *T. d. e i. Bit. i.* 7. Ter em comum com (alguém); compartilhar, dividir: *Comunga com a irmã (d)os mesmos ideais.* [Conjug.: v. *largar*.]

comungatório [De *comungar* + *-tório*.] *Adj.* 1. Referente à comunhão. • *S. m.* 2. Lugar, ger. junto ao altar, onde os fiéis tomam comunhão.

comunhão [Do lat. *communione*.] *S. f.* 1. Ato ou efeito de comungar: "Que é a reza senão a comunhão com o infinito?" (Geraldo França de Lima, *Branca Bela*, p. 17.) 2. *Rel.* V. *eucaristia* (2). 3. *Rel.* A administração ou a recepção da Eucaristia. 4. Participação em comum em crenças, interesses, ideias, etc.: "os seus lábios ficaram colados muito tempo, em silêncio, completando .... a comunhão perfeita das suas almas." (Eça de Queirós, *Os Maias*, II, p. 261). 5. Conjunto daqueles que comungam os mesmos ideais, crenças ou opiniões; comunidade: *a comunhão dos católicos romanos.* 6. *Lit.* Parte da missa que sucede à liturgia eucarística (v. *liturgia da missa*).

comunheiro [De *comunhão* + *-eiro*, poss.] *S. m.* V. *condômino*.

comunial [Do lat. *communione* + *-al*[1].] *Adj. 2 g.* Referente à comunhão.

comunicabilidade [De *comunicável* + *-(i)dade*, seg. o padrão erudito.] *S. f.* Qualidade de comunicável.

comunicação [Do lat. *communicatione*.] *S. f.* 1. Ato ou efeito de comunicar(-se). 2. Ato ou efeito de emitir, transmitir e receber mensagens por meio de métodos e/ou processos convencionados, quer através da linguagem falada ou escrita, quer de outros sinais, signos ou símbolos, quer de aparelhamento técnico especializado, sonoro e/ou visual. 3. *P. ext.* A ação de utilizar os meios necessários para realizar tal comunicação. 4. *P. ext.* A mensagem recebida por esses meios. **5.** O conjunto de conhecimentos relativos à comunicação (2), ou que tem implicações com ela, ministrado nas respectivas faculdades. **6.** A capacidade de trocar ou discutir ideias, de dialogar, de conversar, com vista ao bom entendimento entre pessoas. **7.** Exposição oral ou escrita sobre determinado assunto: *Temos comunicação mensal das ocorrências.* **8.** Participação ou aviso de fato ocorrido ou por ocorrer: *comunicação de casamento, de falecimento.* **9.** Convivência, trato, convívio: *Prefiro não ter comunicação nenhuma com ele.* **10.** Caminho de acesso ou de ligação; passagem; passadouro. **11.** *Eng. Eletrôn.* Transmissão de informação de um ponto a outro por meio de sinais em fios, ou de ondas eletromagnéticas. **12.** *Teor. Inf.* Transmissão de mensagem entre uma fonte e um destinatário, distintos no tempo e/ou no espaço, utilizando um código comum. [Cf. *sistema de comunicação.*] ~ V. *comunicações.* ◆ **Comunicação de massa.** *Teor. Inf.* Comunicação social dirigida a uma ampla faixa de público, anônimo, disperso e heterogêneo, atingindo simultaneamente (ou a breve trecho) uma grande audiência, graças à utilização dos meios de comunicação de massa (q. v.). **Comunicação humana.** *Teor. Inf.* Comunicação social, própria dos seres humanos, baseada em sistemas de signos (a linguagem falada, por ex.), em oposição à comunicação baseada em sistemas de instruções ou comandos, como a que se faz entre animais ou máquinas. **Comunicação interpessoal.** *Teor. Inf.* Comunicação direta estabelecida entre dois ou mais indivíduos, por meio da fala, de carta, telefone, etc. **Comunicação não verbal.** *Teor. Inf.* Comunicação baseada em sistemas de significação independentes da linguagem falada, como a mímica, a pictografia, a música, etc. **Comunicação social.** *Teor. Inf.* **1.** Processo de comunicação de caráter indireto e mediato, estabelecido no seio da sociedade, por meio de jornal, revista, teatro, rádio, cinema, propaganda, etc. **2.** Atividade profissional que se ocupa dessa comunicação. **3.** Comunicação de massa. **4.** Comunicação humana. **Comunicação verbal.** *Teor. Inf.* Comunicação através da linguagem falada ou da sua forma escrita. **Comunicação visual.** *Teor. Inf.* **1.** Comunicação que se utiliza de canal visual para transmissão de mensagens. **2.** Programação visual (1).

comunicacional [De *comunicação* + *-al*[1], seg. o padrão erudito.] ***Adj. 2 g.*** Relativo à comunicação.

comunicações [Pl. de *comunicação.*] ***S. f. pl.*** **1.** Os meios de transporte fluvial, marítimo, rodoviário, aéreo, etc.: *Com a enchente se interromperam as comunicações entre as duas cidades.* **2.** O conjunto dos meios técnicos de comunicação (11); telecomunicações. ~ V. *comunicação.*

comunicado [Part. subst. de *comunicar.*] ***S. m.*** **1.** Escrito ou artigo dirigido a jornal, revista, etc., e ger. de interesse particular. **2.** Aviso ou informação transmitida oficialmente.

comunicador (ô) [Do lat. tard. *communicatore.*] ***Adj.*** **1.** Que comunica. ● ***S. m.*** **2.** Aquele que comunica. **3.** Apresentador e animador de um programa de rádio, de televisão, de espetáculos, etc. **4.** *P. ext.* Comunicólogo (2).

comunicante [De *comunicar* + *-nte.*] ***Adj. 2 g.*** ~ V. *junção* —.

comunicar [Do lat. *communicare.*] ***V. t. d.*** **1.** Fazer saber; tornar comum; participar: *comunicar ideias, pensamentos, propósitos;* "Tristão escreveu comunicando a mudança de carreira" (Machado de Assis, *Memorial de Aires*, p. 36). **2.** Pôr em contato ou relação; estabelecer comunicação entre; ligar, unir: *Um túnel secreto comunicava os dois castelos.* ***T. d. e i.*** **3.** Fazer saber; tornar comum; participar: *Na carta comunica ao amigo a sua decisão.* **4.** Estabelecer relação; ligar, unir: *O canal do Panamá comunica o oceano Pacífico com o Atlântico.* **5.** Transmitir, difundir: *Comunica o seu entusiasmo a quantos o cercam.* **6.** Pegar por contágio; transmitir: *Comunicou a virose a toda a família.* **7.** Dar; conceder, doar: *Grande paz a notícia lhe comunicou.* **8.** Conferir, transmitir, dar: "o fim trágico do judeu comunica às suas páginas [de Antônio José, o Judeu] alegres e juvenis um reflexo de simpática melancolia" (Machado de Assis, *Relíquias de Casa Velha*, p. 152). ***T. c.*** **9.** Dar passagem: "Nos jardins do palácio dos Távoras, em Lisboa .... — havia um pavilhão de verão, que comunicava com o corpo do edifício por uma extensa galeria de madeira." (Júlio Dantas, *Abelhas Doiradas*, p. 140). ***T. i.*** **10.** Ter comércio ou entendimento; entender-se, tratar: *Não vê o amigo há anos, nem tem meios de comunicar com ele.* ***Int.*** **11.** Estabelecer comunicação, entendimento, conversação, convívio; comunicar-se: "ergueu cortesmente de sobre o longo cabelo .... o seu bonezinho de seda preta. Eu saudei com o meu capacete de cortiça; e comunicamos." (Eça de Queirós, *A Relíquia*, p. 93). ***P.*** **12.** Comunicar (11): "Quem não se comunica se trumbica." (Abelardo Barbosa, o 'Chacrinha'.) **13.** Tornar-se comum; transmitir-se, propagar-se: *A alegria comunicou-se a todos os presentes.* **14.** Pegar ou transmitir-se por contágio. **15.** Travar ou manter entendimento; entender-se, dialogar: *Dar-se-ão bem no trabalho de equipe: são pessoas que se comunicam.* **16.** Pôr-se em contato, em relação com; entender-se: *Tem-se comunicado conosco desde que obteve o nosso endereço.* **17.** Unir-se, ligar-se, ger. por comunicação (10): *Atlântico e Pacífico comunicam-se pelo canal do Panamá.* [Conjug.: v. *trancar.*]

comunicativo [Do lat. tard. *communicativu.*] ***Adj.*** **1.** Que se comunica facilmente; expansivo: "o Conde de Ficalho era uma criatura reservada, glacial, protocolar, pouco comunicativa, nada acessível" (Júlio Dantas, *Abelhas Doiradas*, pp. 146-147). **2.** Que se comunica, se transmite, se propaga: "Um riso geral, comunicativo, absoluto, abafava o barulho da louça quebrando-se contra as pedras." (Aluísio Azevedo, *O Cortiço*, p. 129.) ~ V. *competência* —*a*.

comunicável [Do lat. tard. *communicabile.*] ***Adj. 2 g.*** **1.** Que se pode comunicar: "A poesia é intraduzível mas é comunicável." (Guilherme Figueiredo, *Despropósitos*, p. 71.) **2.** Expansivo, franco.

comunicólogo [De *comunic(ar)* + *-o-* + *-logo.*] ***S. m.*** **1.** Designação genérica de bacharel em Comunicação Social, particularmente daquele com habilitação em cinema, rádio, televisão: *comunicólogo em televisão.* **2.** Especialista em comunicação; comunicador.

comunidade [Do lat. *communitate.*] ***S. f.*** **1.** Qualidade ou estado do que é comum; comunhão: *Há entre eles comunidade de interesses.* **2.** Concordância, conformidade, identidade: *comunidade de sentimentos.* **3.** Posse, obrigação ou direito em comum. **4.** O corpo social; a sociedade: *As leis atingem toda a comunidade.* **5.** Qualquer grupo social cujos membros habitam uma região determinada, têm um mesmo governo e estão irmanados por uma mesma herança cultural e histórica. **6.** Qualquer conjunto populacional considerado como um todo, em virtude de aspectos geográficos, econômicos e/ou culturais comuns: *a comunidade latino-americana.* **7.** Grupo de pessoas considerado, dentro de uma formação social complexa, em suas características específicas e individualizantes: *a comunidade dos comerciantes.* **8.** Grupo de pessoas que comungam uma mesma crença ou ideal: *a comunidade católica.* **9.** Grupo de pessoas que vivem submetidas a uma mesma regra religiosa. **10.** *P. ext.* Local por elas habitado. **11.** *Ecol.* Conjunto de populações animais, vegetais e de microrganismos em uma mesma área e em um mesmo período de tempo, formando um todo integrado e uniforme; biocenose. **12.** *Sociol.* Forma de organização social em que uma pluralidade de indivíduos vivem juntos e têm interesses e objetivos comuns. ◆ **Comunidade de fala.** *E. Ling.* Comunidade linguística. **Comunidade linguística.** *E. Ling.* Grupo de falantes que partilham um conjunto de regras e normas que regulam a conduta linguística em diferentes situações; comunidade de fala.

comunismo [Do fr. *communisme.*] ***S. m.*** **1.** Qualquer sistema econômico e social baseado na propriedade coletiva. **2.** Sistema social, político e econômico desenvolvido teoricamente por Karl Marx (v. *marxismo*), e proposto pelos partidos comunistas como etapa posterior ao socialismo. **3.** Qualquer doutrina social, política e econômica que proponha alguma forma de propriedade coletiva dos meios de produção. **4.** Política ou doutrina dos partidos comunistas. **5.** O conjunto dos comunistas, suas organizações, seu programa e sua atuação política.

comuníssimo [Do lat. *communissimu.*] ***Adj.*** Superl. abs. sint. de *comum.*

comunista [Do fr. *communiste.*] ***Adj. 2 g.*** **1.** Do, ou pertencente ou relativo ao, ou próprio do comunismo: *a ideologia comunista.* **2.** Diz-se de militante de um partido comunista ou de sectário do comunismo. ● ***S. 2 g.*** **3.** Militante de um partido comunista ou sectário do comunismo. [F. red. (bras., pop.), nesta acepç.: *comuna*[2].]

comunitário [Do fr. *communitaire.*] ***Adj.*** Respeitante à comunidade, considerada quer como estrutura fundamental da sociedade, quer como tipo ou forma específica de agrupamento.

comunização [De *comunizar* + *-ção.*] ***S. f.*** Ato ou efeito de comunizar(-se).

comunizante [De *comunizar* + *-nte.*] ***Adj. 2 g.*** Que simpatiza com o comunismo, ou tende para ele; esquerdizante: *ideias comunizantes.*

comunizar [De *comunismo* + *-izar*, seg. o padrão erudito.] ***V. t. d.*** **1.** Tender ou fazer tender ao comunismo. ***P.*** **2.** Imbuir-se de ideias comunistas; pô-las em prática.

comutação [Do lat. *commutatione.*] ***S. f.*** **1.** Ato ou efeito de comutar. **2.** Atenuação de pena. **3.** Substituição, permutação. **4.** *E. Ling.* V. *metátese* (1). **5.** *Eng. Elétr.* Processo mecânico em que se converte a corrente alternada que flui na armadura de um gerador em corrente contínua de saída do gerador. **6.** *Eng. Elétr.* Processo mecânico ou eletrônico em que se interrompe repetitiva e sequencialmente um pulso. **7.** *Mat.* Inversão da ordem com que se efetua uma operação entre dois elementos de um conjunto. ◆ **Comutação de pacotes.** *Inform.* Transferência de dados em forma de pacotes através dos nós de uma rede de computadores.

comutador (ô) [De *comutar* + *-dor.*] ***Adj.*** **1.** Que comuta. ● ***S. m.*** **2.** Aquele que comuta. **3.** *Fís.* Interruptor (3). **4.** *Álg.* Elemento que se forma a partir de dois elementos de um grupo, antemultiplicando o seu produto pelo produto dos seus inversos. **5.** *Mat.* Operador que se forma a partir de dois outros, formando-se a diferença entre os seus produtos numa ordem e na ordem inversa. **6.** *Eng. Elétr.* Parte de um gerador de corrente contínua que faz o contato elétrico com as escovas, liga os condutores da armadura ao circuito externo e realiza a comutação.

comutar [Do lat. *commutare.*] ***V. t. d. e i.*** **1.** Permutar; trocar: *Costuma comutar a sua colheita com o vizinho.* **2.** Substituir (pena, castigo) por outro menor; atenuar. **3.** *Mat.* Efetuar a comutação de (dois elementos de um conjunto). **4.** Ter capacidade de comutação (6). ***T. d. Bit. i.*** **5.** Comutar (1): *Comutava hortaliças por frutas com o vizinho.*

comutatividade [De *comutativo* + *-(i)dade.*] ***S. f.*** *Mat.* Propriedade de uma operação cujo resultado independe da ordem em que os elementos são operados.

comutativo [De *comutar* + *-tivo.*] ***Adj.*** **1.** Que comuta. **2.** Relativo a troca. ~ V. *anel* —, *contrato* —, *grupo* — e *operação* —*a*.

comutável [De *comutar* + *-vel.*] ***Adj. 2 g.*** Que se pode comutar.

▲ **con-** V. *co-*[1].

cona [De *cono.*] ***S. f.*** *Chulo* Vulva; cono.

■ **Conab** Sigla de *Companhia Nacional de Abastecimento.*

conabi [Do tupi.] ***S. m.*** *Bras. AM a SP Bot.* Arbusto euforbiáceo (*Phyllanthus conami*) de casca pardacenta, amarga e tida por medicinal, flores apétalas, numerosas, dispostas nas axilas de folhas, e fruto capsular, verde, com sementes vermelho-escuras e luzidias. [Var.: *canabi, conambi, conami.*]

conação [Do lat. *conatione.*] ***S. f.*** *Psicol.* Tendência consciente para atuar.

conairó ***S. m.*** *Bras. Amaz. Zool.* Conairu.

conairu [De or. tupi, poss.] ***S. m.*** *Zool.* Bagre pimelodídeo (*Pimelodella insignis*) da bacia amazônica, de hábitos noturnos, com cerca de 20cm de comprimento; conairó.

■ **Conama** Sigla de *Conselho Nacional do Meio Ambiente.*

conambi ***S. m.*** *Bras. Bot.* V. *conabi.*

conambim [Do tupi.] ***S. m.*** *Bras. Amaz. Bot.* Arbusto asteráceo (*Clibadium surinamense*) alto, de flores alvacentas, de desagradável odor e reunidas em capítulos e fruto aquênio; cunambi.

conami ***S. m.*** *Bras. Bot.* V. *conabi.*

■ **Conar** Sigla de *Conselho Nacional de Autorregulamentação Publicitária.*

conarácea [Do tax. *Connarus* (do gr. *kónnaros*, 'espécie de cardo') + *-ácea*; tax. *Connaraceae.*] ***S. f.*** *Bot.* Espécime das conaráceas, família da ordem das rosales, formada de árvores e trepadeiras com folhas alternas e compostas. Androceu com dois verticilos de estames; fruto: cápsula monosperma, que se abre por uma fenda; há cerca de 250 espécies, habitantes das terras tropicais, possuindo o Brasil número apreciável.

conaráceo [De *conarácea*, com var. suf. (v. *-áceo*).] ***Adj.*** *Bot.* Pertencente ou relativo às conaráceas.

conativo [Do fr. *conatif.*] ***Adj.*** Relativo à conação, ou que a tem. ~ V. *função* —*a*.

conato [Do lat. *connatu*, part. pass. de *conasci*, 'nascer junto'.] ***Adj.*** **1.** V. *congênito* (2). **2.** *Bot.* V. *concrescente*: *brácteas conatas.*

conatural [Do lat. tard. *connaturale.*] ***Adj. 2 g.*** **1.** Conforme a natureza de outro(s). **2.** V. *congênito* (2).

conca [Do lat. *concha* < gr. *kónche.*] ***S. f.*** **1.** Concha da orelha. **2.** *Ant.* Pedra ou pedaço de tijolo arredondado, para jogar malha [cf. *malha*[4] (4)]: *jogo da conca.* **3.** *Ant.* Tigela. **4.** *Bras. Amaz. Bot.* Espata de palmeira.

concameração [Do lat. *concameratione.*] ***S. f.*** Parte arqueada de edifício.

concane ***S. m.*** *Adj. 2 g.* V. *concani.*

concani [Do marata *konkanī* < *konkan*, 'Concão'.] ***S. m.*** **1.** *Gloss.* Língua indo-ariana falada em Goa, e ainda em Savantvadi, Karnataka, Kerala, na região de Cochim. [O concani não se confunde com os dialetos do marati da região de Concã (Índia).] **2.** Vocábulo dessa língua. ● ***Adj. 2 g.*** 3. Relativo ao concani (1). [Sin. ger.: *concane, concânico.*]

concânico ***S. m. Adj.*** V. *concani.*

concanim ***S. m. Adj. 2 g.*** V. *concani.*

concanizar [De *concani* + *-izar.*] ***V. t. d.*** Adaptar (um vocábulo) ao concani.

concassor (ô) [Do fr. *concasseur.*] ***S. m. Bras.*** Certa máquina primitiva para beneficiamento do café.

concatenação [Do lat. tard. *concatenatione.*] ***S. f.*** Ato ou efeito de concatenar; concatenamento.

concatenamento [De *concatenar* + *-mento.*] ***S. m.*** Concatenação.

concatenar [Do lat. tard. *concatenare.*] ***V. t. d.*** 1. Estabelecer conexão entre; encadear, ligar: *concatenar ideias.* 2. Estabelecer relação entre; relacionar: *Desnorteado, mal podia concatenar os fatos.* 3. Formar; conceber: *Não me deixou concatenar uma única frase, durante todo o debate.* 4. *Inform.* Juntar, colocar em contiguidade (duas informações, ger. duas sequências de símbolos alfanuméricos). ***P.*** 5. Encadear-se, ligar-se: *Finalmente as suas ideias se concatenaram!*

concausa [De *con-* + *causa.*] ***S. f.*** Causa concomitante.

concavar [Do lat. *concavare.*] ***V. t. d.*** Tornar côncavo. [Pres. ind.: *concavo,* etc. Cf. *côncavo.*]

concavidade [Do lat. *concavitate.*] ***S. f.*** 1. Qualidade do que é côncavo. 2. Forma côncava. 3. Cavidade, cova, côncavo, depressão. [Opõe-se a *convexidade.*]

concavifoliado (côn) [Do lat. *concavus,* 'côncavo', + *-i-* + *-foli-* + *-ado*[1].] ***Adj. Bot.*** Que tem folhas côncavas.

côncavo [Do lat. *concavu.*] ***Adj.*** 1. Menos elevado no meio que nas bordas; cavado, escavado. 2. Enfunado, pando: "Os ventos brandamente respiravam, / Das naus as velas côncavas inchando" (Luís de Camões, *Os Lusíadas,* I, 19). ~ V. *poliedro —.* [Opõe-se a *convexo.*] ● ***S. m.*** 3. Concavidade, cavidade, cova: "despejando a água no côncavo da mão, pôs-se a banhar os olhos" (Coelho Neto, *Turbilhão,* p. 166). [Cf. *concavo,* do v. *concavar.*]

côncavo-convexo (cs) ***Adj.*** Côncavo de um lado e convexo do outro. [Pl.: *côncavo-convexos.*]

conceber [Do lat. *concipere.*] ***V. t. d.*** 1. Formar [o embrião (1)], pela fecundação do óvulo; gerar. 2. Sentir em si o germe de (uma criação intelectual), dando-lhe forma, expressão; criar pela imaginação; inventar, imaginar: *conceber um poema, um quadro, uma sinfonia.* 3. Criar, formar: *conceber conceitos.* 4. Projetar, planejar: *conceber móveis, máquinas.* 5. Formar no espírito ou no coração: *conceber um pensamento, uma paixão.* 6. Compreender, entender: *Ninguém concebia a dor daquele homem ordinariamente insensível.* 7. Figurar; imaginar: "Olhemos o voo dos passarinhos. A olhá-los, cortando os ares, gráceis, quase imateriais, nunca poderíamos conceber a fealdade." (Patrícia Joyce, *Anúncio de Casamento,* p. 142.) 8. Explicar, interpretar: *Seu sentimento religioso concebe essa atitude resignada.* ***Transobj.*** 9. Figurar; imaginar: *Ninguém o concebia tão notável governante como veio a revelar-se.* ***Int.*** 10. Dar à luz (q. v.): "no íntimo, um dos seus desgostos era o não haver concebido. Gostava de crianças" (Mário Sete, *Senhora de Engenho,* p. 110).

concebimento [De *conceber* + *-imento.*] ***S. m. P. us.*** Ato ou efeito de conceber; concepção.

concebível [De *conceber* + *-ível.*] ***Adj. 2 g.*** Que se pode conceber; conceptível.

conceção ***S. f.*** V. *concepção.* [Uso próprio de P.] ⊙

concecionário ***S. m. Rel.*** V. *concepcionário.* [Uso próprio de P.] ⊙

concedente [De *conceder* + *-nte.*] ***Adj. 2 g. S. 2 g.*** Que, ou quem concede.

conceder [Do lat. *concedere.*] ***V. t. d.*** 1. Permitir, facultar: *O juiz concedeu que o réu interviesse na defesa.* 2. Dar, outorgar: *conceder uma licença.* 3. Admitir por hipótese: *Concedendo que ele tenha razão, permita-lhe explicar-se.* 4. *Econ.* Dar como concessão (3). ***T. d. e i.*** 5. Permitir, facultar. 6. Dar, outorgar: *Cristo concedeu a Pedro o poder de governar a sua Igreja;* "Os jesuítas concederam-lhe a melhor hospitalidade" (Aquilino Ribeiro, *Portugueses das Sete Partidas,* p. 165). ***T. i.*** 7. Concordar, convir, anuir: *O juiz concedeu em que se retirasse a queixa.*

concedido [Part. de *conceder.*] ***Adj.*** Permitido, outorgado, dado, admitido.

concedível [De *conceder* + *-ível.*] ***Adj. 2 g.*** Que se pode conceder.

conceição [Do lat. *conceptione,* por via pop.] ***S. f.*** 1. *Rel.* A concepção da Virgem Maria. 2. *Rel.* A festa comemorativa dessa concepção. 3. Antiga moeda portuguesa do tempo de D. João IV (1604-1656), que valia 12$000 (12 mil-réis).

conceiçãoense[1] ***Adj. 2 g.*** 1. De, ou pertencente ou relativo a Conceição (PB). ● ***S. 2 g.*** 2. O natural ou habitante de Conceição.

conceiçãoense[2] ***Adj. 2 g.*** 1. De, ou pertencente ou relativo a Conceição do Castelo (ES). ● ***S. 2 g.*** 2. O natural ou habitante de Conceição do Castelo.

conceição-paraense ***Adj. 2 g.*** 1. De, ou pertencente ou relativo a Conceição do Pará (MG). ● ***S. 2 g.*** 2. O natural ou habitante de Conceição do Pará. [Pl.: *conceição-paraenses.*]

conceicionense[1] ***Adj. 2 g.*** 1. De, ou pertencente ou relativo a Conceição da Barra de Minas (MG). ● ***S. 2 g.*** 2. O natural ou habitante de Conceição da Barra de Minas.

conceicionense[2] ***Adj. 2 g.*** 1. De, ou pertencente ou relativo a Conceição do Mato Dentro (MG). ● ***S. 2 g.*** 2. O natural ou habitante de Conceição do Mato Dentro.

conceicionense[3] ***Adj. 2 g.*** 1. De, ou pertencente ou relativo a Conceição do Rio Verde (MG). ● ***S. 2 g.*** 2. O natural ou habitante de Conceição do Rio Verde.

conceicionense[4] ***Adj. 2 g.*** 1. De, ou pertencente ou relativo a Conceição do Tocantins (TO). ● ***S. 2 g.*** 2. O natural ou habitante de Conceição do Tocantins.

conceicionista ***S. f.*** Freira da Ordem da Conceição de Maria; concepcionista.

conceiçoense[1] ***Adj. 2 g.*** 1. De, ou pertencente ou relativo a Conceição da Feira (BA). ● ***S. 2 g.*** 2. O natural ou habitante de Conceição da Feira.

conceiçoense[2] ***Adj. 2 g. S. 2 g.*** V. *araguaiano*[3].

conceito [Do lat. *conceptu,* por via pop.] ***S. m.*** 1. *Filos.* Representação dum objeto pelo pensamento, por meio de suas características gerais. [Cf. *qualidade* (8), *abstração* (3), *ideia* (12) e *significação* (3).] 2. Ação de formular uma ideia por meio de palavras; definição, caracterização: *O professor deu-nos um conceito de beleza absolutamente subjetivo.* 3. Pensamento, ideia, opinião: *Emitiu conceitos reveladores de grande competência.* 4. Modo de pensar, de julgar, de ver; noção, concepção: *Seu conceito de elegância está ultrapassado, meu caro.* 5. Apreciação, julgamento, avaliação, opinião: *Não tenho conceito formado sobre este assunto; Com sua atitude correta na questão ele subiu no meu conceito.* 6. *P. ext.* Avaliação de conduta e/ou aproveitamento escolar, etc. [Cf., nesta acepç., *nota* (10).] 7. Reputação, fama: *Goza de bom conceito entre os colegas.* 8. Máxima, sentença, provérbio. 9. Parte de uma charada, um logogrifo, etc., na qual se dá a palavra ou frase que é a chave para a solução proposta. ◆ **Conceito absoluto.** *Lóg. Escolást.* Conceito de algo (qualidade ou relação) não submetido às condições limitativas do sujeito em que se realiza; conceito abstrato. Ex.: a sabedoria, a anterioridade. **Conceito abstrato.** *Lóg. Escolást.* Conceito absoluto. **Conceito indefinido.** *Lóg.* Conceito que exprime uma essência indeterminada. Ex.: não homem.

conceituação [De *conceituar* + *-ção.*] ***S. f.*** Ato ou efeito de conceituar.

conceituado [Part. de *conceituar.*] ***Adj.*** 1. De quem se formou algum conceito; avaliado. 2. Que desfruta de bom conceito; bem-conceituado, bem considerado, bem reputado: "Joaquim era guarda-livros conceituado de um armazém de fazendas, no Recife." (Adalberon Cavalcanti Lins, *Curral Novo,* p. 271.)

conceitual [Do lat. med. *conceptuale* (v. *conceito* e *-ual*), por via pop.] ***Adj. 2 g.*** Conceptual. ~ V. *arte —, definição —, modelagem —* e *realismo —.*

conceitualismo [De *conceitual* + *-ismo.*] ***S. m.*** *Hist. Filos.* 1. Doutrina segundo a qual os universais não existem em si mesmos, sendo construções do espírito; realismo conceitual. 2. Doutrina segundo a qual as ideias são formas ou operações próprias do pensamento e não meros sinais que se aplicam igualmente a indivíduos diversos; realismo moderado. [Cf. *nominalismo.* F. paral.: *conceptualismo.*]

conceitualista [De *conceitualismo* + *-ista.*] ***Adj. 2 g.*** 1. Referente ao conceitualismo. 2. Diz-se do sectário do conceitualismo. ● ***S. 2 g.*** 3. Sectário do conceitualismo. [F. paral.: *conceptualista.*]

conceituar [De *conceito* + *-uar.*] ***V. t. d.*** 1. Formular conceito (2) de, ou acerca de: *Freud conceituou o inconsciente.* 2. Formar conceito (5) acerca de; julgar, avaliar: *É pessoa indicada para melhor conceituar os candidatos.* 3. Concorrer para o bom ou mau conceito (3) de: *A dignidade do seu gesto conceituou-o excelentemente.* ***Transobj.*** 4. Fazer conceito (3); formar opinião de; classificar: *Conceituam-no de erudito.* ***T. i.*** 5. Avaliar, ajuizar: *Sabe conceituar dos homens e das coisas.*

conceituoso (ô) [De *conceito* + *-uoso.*] ***Adj.*** 1. Em que há conceito. 2. Sentencioso (2).

concelebração [De *concelebrar* + *-ção.*] ***S. f.*** Ato ou efeito de concelebrar.

concelebrado [Part. de *concelebrar.*] ***Adj.*** Que se concelebrou: "O Papa João Paulo II rezou ontem no Vaticano a maior missa concelebrada da história da Igreja, com a participação de mais de seis mil padres de 60 países." (*O Globo,* 01.05.1982.)

concelebrante [De *concelebrar* + *-nte.*] ***S. 2 g.*** Cada um daqueles que concelebram; cooficiante.

concelebrar [Do lat. *concelebrare.*] ***V. t. d.*** 1. Celebrar (ofício religioso) juntamente com outro(s) sacerdote(s). ***Int.*** 2. Celebrar ofício religioso juntamente com outro(s) sacerdote(s). [Sin. ger.: *cooficiar.*]

concelheiro [De *concelho* + *-eiro.*] ***Adj. Lus.*** Concelhio. [Cf. *conselheiro.*]

concelhio [De *concelho* + *-io*[2].] ***Adj. Lus.*** Do concelho, ou relativo a ele; concelheiro.

concelho (ê) [Do lat. *conciliu,* por via pop.] ***S. m. Lus.*** 1. Circunscrição administrativa de categoria imediatamente inferior ao distrito, do qual é divisão. 2. V. *município* (1). [Cf. *conselho.*]

concento [Do lat. *concentu.*] ***S. m.*** Consonância, harmonia.

concentração [De *concentrar* + *-ção.*] ***S. f.*** 1. Ato ou efeito de concentrar(-se). 2. *P. ext.* Estado de quem se concentra ou absorve num assunto ou matéria: *Nada o fazia abstrair-se de sua concentração.* 3. *Bras. Esport.* Reunião de atletas à véspera de uma partida, ou de um torneio (ger. em hotel ou clube retirado do centro), a fim de realizarem os últimos treinos, repousarem e receberem instruções. [Sin. (lus.) nesta acepç.: *estágio.*] 4. *P. ext.* O local de concentração (3). 5. *Quím.* Medida da composição dum sistema com vários componentes. ◆ **Concentração de impurezas.** *Eletrôn.* Num semicondutor, quantidade de impurezas (doadoras ou aceitadoras) por unidade de volume. **Concentração de mercado.** *Econ.* Grau de domínio de determinado mercado por um número pequeno de produtores. [A concentração pode ser medida, p. ex., pela proporção da oferta total do produto detida pelos cinco maiores produtores.] **Concentração de saturação.** *Quím.* Concentração de uma solução que está em equilíbrio com o soluto puro. **Concentração galáctica.** *Astr.* Conjunto formado pela matéria em torno do centro galáctico.

concentrado [Part. de *concentrar.*] ***Adj.*** 1. Reunido em um centro; centralizado. 2. Limitado, apertado. 3. Latente, dissimulado, oculto. 4. Absorto, ensimesmado: "Teobaldo era detestado pelos colegas por ser muito desinsofrido e petulante; o outro por ser muito casmurro e concentrado." (Aluísio Azevedo, *O Coruja,* p. 28.) ● ***S. m.*** 5. Alimento do qual, por processo caseiro ou industrial, se retira a água ou parte dela, se reduz a consistência sólida ou pastosa e que, para ser utilizado, é em geral dissolvido em alimento ou líquido: *concentrado de tomate; concentrado de carne.* 6. *Quím.* Qualquer sistema resultante do tratamento químico de um minério, e no qual a concentração do elemento que se deseja obter sob forma pura é maior que no minério original.

concentrador (ô) [De *concentrar* + *-dor.*] ***Adj.*** 1. Que concentra. ● ***S. m.*** 2. Aquele ou aquilo que concentra. 3. *Inform.* Dispositivo us. para concentrar conexões de outros dispositivos, esp. em redes de comunicação de dados, com o objetivo de permitir a ligação de várias dessas conexões a um único computador.

concentrar [De *con-* + *centro* + *-ar*[2].] ***V. t. d.*** 1. Fazer convergir para um centro, ou para um mesmo ponto; centralizar, encentrar: *aparelho que concentra os raios luminosos; concentrar esforços.* 2. Reunir em um mesmo centro ou ponto: *O general concentrou as tropas para lhes dar as últimas instruções.* 3. Tornar mais denso, mais forte, mais ativo, etc.: *concentrar um molho, uma bebida.* 4. *Econ.* Tornar (a renda nacional) pior distribuída, aumentando, ou fazendo aumentar, a parcela de renda apropriada pelos mais ricos. 5. *Quím.* Aumentar a proporção de (substância dissolvida). 6. *Bras. Esport.* Promover a concentração (3) de. ***T. d. e i.*** 7. Aplicar, empregar, dirigir (o pensamento, a atenção, o sentimento, etc.) de modo intenso ou exclusivo: *Concentra nos filhos todo o amor.* 8. Reunir, agrupar: *Concentrou os poderes públicos em um governo forte.* ***T. d. e c.*** 9. *Bras. Esport.* Concentrar (6): *A CBF concentrou a seleção na granja Comari.* ***P.*** 10. Aplicar a atenção a algum assunto; meditar profundamente; absorver-se: "cismo, concentro-me e não dou resposta à minha ânsia!" (Geraldo França de Lima, *Branca Bela,* p. 69). 11. Convergir, dirigir-se (para um centro). 12. *P. ext.* Reunir-se, agrupar-se: *Os manifestantes concentraram-se na Cinelândia.* 13. Tornar-se mais forte, mais ativo: *O molho de pimenta concentrou-se com o tempo.* 14. *Bras. Esport.* Ficar em concentração (3 e 4).

concentricidade [De *concêntrico* + *-(i)dade.*] ***S. f.*** Qualidade ou estado de concêntrico.

concêntrico [Do lat. med. *concentricu.*] ***Adj. Geom.*** Que tem o mesmo centro; homocêntrico: "as sardinhas .... faziam às vezes estremecer a toalha do rio em pequenos círculos concêntricos" (Inglês de Sousa, *O Missionário,* p. 254).

concepção [Do lat. *conceptione*, por via semierudita.] ***S. f.* 1.** *Biol.* O ato ou efeito de conceber ou de gerar (no útero); geração. **2.** O ato de conceber ou criar mentalmente, de formar ideias, especialmente abstrações: *a concepção de um princípio filosófico, de uma teoria matemática.* **3.** *P. ext.* Maneira de conceber ou formular uma ideia original, um projeto, um plano, para posterior realização: *A concepção urbanística de Brasília é do arquiteto brasileiro Lúcio Costa.* **4.** Noção, ideia, conceito, compreensão: *Sua concepção de autoridade está baseada nos moldes tradicionais.* **5.** Modo de ver, ponto de vista; opinião, conceito: *Na minha concepção vocês agiram de maneira impensada.*

concepcionário [Do lat. *conceptione*, 'conceição', + *-ário.*] ***S. m.*** *Rel.* Defensor do dogma da conceição imaculada da Virgem Maria.

concepcionista [De *Concepção (de Maria)* + *-ista.*] ***S. f.*** Conceicionista.

conceptacular [De *conceptáculo* + *-ar*[1].] ***Adj. 2 g.*** *Bot.* Relativo ao conceptáculo: *paráfises conceptaculares.*

conceptáculo [Do lat. cient. *conceptaculum* < lat. *conceptaculum*, 'receptáculo'.] ***S. m.*** *Bot.* **1.** Órgão urceolado onde se formam os propágulos nas hepáticas. **2.** Órgão esférico mergulhado no talo de muitas algas, e que se abre para o exterior por um ostíolo. Em seu interior formam-se os órgãos reprodutivos.

conceptibilidade [De *conceptível* + *-(i)dade*, seg. o padrão erudito.] ***S. f.*** Qualidade de conceptível.

conceptível [Do lat. med. *conceptibile.*] ***Adj. 2 g.*** Concebível.

conceptivo [Do lat. *conceptivu.*] ***Adj.*** Próprio para ser concebido.

concepto [Do lat. *conceptu*, 'produto de concepção', por via erudita.] ***S. m.*** *Embr.* O embrião e membranas associadas, em qualquer fase do seu desenvolvimento, desde a fertilização até o parto.

conceptual [Do lat. med. *conceptuale*, por via erudita.] ***Adj. 2 g.* 1.** Próprio para a concepção. **2.** Referente a, ou em que há concepção. [F. paral.: *conceitual.*]

conceptualismo [Do fr. *conceptualisme.*] ***S. m.*** Conceitualismo (q. v.).

conceptualista [De *conceptualismo* + *-ista.*] ***Adj. 2 g. S. 2 g.*** Conceitualista.

concernência [Do lat. tard. *concernere* + *-ência.*] ***S. f.*** Qualidade de concernente; relação.

concernente [Do lat. tard. *concernente*, part. pres. de *concernere.*] ***Adj. 2 g.*** Que concerne; relativo, atinente, referente: "De todos os dados, ... limitemo-nos a recolher os concernentes àqueles vultos que vivem na história do país" (Alberto Rangel, *Textos e Pretextos*, p. 24).

concernir [Do lat. tard. *concernere.*] ***V. t. i.*** Dizer respeito; ter relação; referir-se: *O ensino desta matéria não lhe concerne, e sim ao seu colega matemático;* "No que concerne às coisas do espírito, anotarei que nessa época passei a frequentar a casa do Mestre Eufrosino, precursor de Hermes Trismegisto nos estudos sobre Santana." (Ciro dos Anjos, *A Menina do Sobrado*, p. 131.) [Irreg. Conjuga-se como *aderir*, mas é us. quase só nas 3as pess.]

concertado [Part. de *concertar.*] ***Adj.*** *Quím.* Diz-se de processo, mecanismo ou reação em que várias ligações se formam e outras se quebram, ao mesmo tempo, em uma só etapa, sem a formação de intermediários. [Cf. *consertado.*] ~ V. *terreno —.*

concertador (ô) [De *concertar* + *-dor.*] ***Adj. S. m.*** Que, ou aquele que concerta. [Cf. *consertador.*]

concertamento [De *concertar* + *-mento.*] ***S. m.*** Ato ou efeito de concertar; concerto. [Cf. *consertamento.*]

concertante [Do it. *concertante.*] ***Adj. 2 g.*** *Mús.* **1.** Que toma parte num concerto (7). **2.** Diz-se da música que explora efeitos contrastantes provenientes da associação de instrumentos solistas entre si, ou de um pequeno grupo de solistas com a orquestra, ou de grupos instrumentais diversos. **3.** Diz-se do solista, ou do instrumento considerado como tal, que executa papel importante num conjunto musical: *tenor concertante; trompete concertante.* ~ V. *missa —* e *sinfonia —.* • ***S. m.* 4.** Trecho musical em que todas as partes (solistas, coros, orquestra, etc.) se fazem ouvir simultânea e alternadamente.

concertar [Do lat. *concertare.*] ***V. t. d.* 1.** Pôr em boa ordem; dar melhor disposição a; compor, ajustar, endireitar: "examinou as luvas, concertou a gravata" (Machado de Assis, *Histórias Românticas*, p. 263). **2.** Harmonizar, conciliar: *É hábil em concertar opiniões divergentes;* "Longo foi o debate; nenhuma opinião chegava a concertar os espíritos." (Machado de Assis, *Histórias sem Data*, p. 18). **3.** Decidir por concerto (3); pactuar; ajustar; combinar: *Concertamos uma viagem que infelizmente não se realizou;* "Àquela noite Menino de Asas e seus pais ficaram ao pé do fogo concertando planos para o futuro." (Homero Homem, *Menino de Asas*, p. 46). **4.** Fazer soar: *concertar hinos.* **5.** Ornar, enfeitar. **6.** *Jur.* Conferir, cotejar, confrontar (a cópia com o original). ***T. d. e i.* 7.** Ajustar, combinar: *Concertou o encontro com o amigo, porém faltou.* **8.** Harmonizar, conciliar. ***T. i.* 9.** Concordar, anuir: *Todos concertaram em adiar a reunião.* **10.** Ser conforme; concordar, harmonizar-se: *Suas opiniões concertam com as minhas.* **11.** *Jur.* Estar de acordo, estar conforme: *A cópia da certidão concerta com o original.* ***Int.* 12.** Soar acordemente, em concerto (5): *vozes que concertam.* ***P.* 13.** Entrar em concerto (3 e 4); harmonizar-se, ajustar-se, concordar: *Após a intervenção do comandante, a tripulação concertou-se.* [Pres. ind.: *concerto*, etc. Cf. *concerto* (ê), *conserto* (ê) e *consertar.*]

concertina [Do it. *concertina.*] ***S. f.*** *Mús.* Instrumento da família do acordeão (q. v.), com teclado de pequenos botões. [Sin. bras.: *cordeona, harmônica, sanfona, gaita.*]

concertino [Do it. *concertino.*] ***S. m.*** *Mús.* **1.** Pequeno concerto. **2.** Parte de uma orquestra (o grupo de solistas de um concerto grosso, p. ex.). **3.** O violinista mais experiente da orquestra depois do *spalla*. [A mesma designação pode ser usada para referir-se ao segundo instrumentista de cada um dos naipes das cordas dedilháveis.]

concertista [Do it. *concertista.*] ***S. 2 g.*** Pessoa que dá concertos.

concerto (ê) [Do it. *concerto.*] ***S. m.* 1.** Ato ou efeito de concertar. **2.** Comparação, cotejo, confronto. **3.** Combinação, ajuste. **4.** Harmonia, acordo. **5.** Consonância de instrumentos, ou de vozes no canto; harmonia: "Entra o galo e faz com a cigarra um concerto de vozes, que me acorda inteiramente." (Machado de Assis, *A Semana*, II, p. 10.) **6.** *Mús.* Composição musical extensa para um instrumento solista, com acompanhamento de orquestra. **7.** Espetáculo em que se executam obras musicais. [Cf., nesta acepç.: *recital.*] [Pl.: *concertos* (ê). Cf. *concerto*, do v. *concertar; conserto*, do v. *consertar*; e *conserto* (ê), s. m.] ◆ **Concerto grosso.** *Mús.* Composição na qual um pequeno grupo de instrumentos solistas (o *concertino*) se opõe ao grosso da orquestra (o *tutti*), ou por vezes se funde com ele.

concessão [Do lat. *concessione.*] ***S. f.* 1.** Ação de conceder; permissão, consentimento. **2.** Ato de ceder do seu direito, do seu ponto de vista, em favor de outrem; condescendência: *Para viverem bem, fazem muitas concessões.* **3.** *Econ.* Atribuição pelo poder público a indivíduo ou empresa, mediante contrato, de exploração de serviço público, de execução e exploração de obra pública, de utilização de bem público, ou de exploração de recursos naturais (jazidas, energia hidráulica) pertencentes à União.

concessionária [De *concessão* + *-ária*, seg. o padrão erudito.] ***S. f.*** *Econ.* Empresa a que foi outorgada uma concessão (3). [Sin. (lus.): *concessionário.*]

concessionário [De *concessão* + *-ário*, seg. o padrão erudito.] ***Adj.* 1.** Que obtém uma concessão. • ***S. m.* 2.** Aquele que obtém uma concessão. **3.** *Lus.* Concessionária.

concessiva [F. subst. do adj. *concessivo.*] ***S. f.*** *E. Ling.* Conjunção concessiva (q. v.).

concessível [Do lat. *concessus*, part. pass. de *concedere* (v. *conceder*), + *-ível.*] ***Adj. 2 g.*** Que pode ser concedido.

concessivo [Do lat. tard. *concessivu.*] ***Adj.*** Referente a concessão; concessório. ~ V. *conjunção —a.*

concessor (ô) [Do lat. *concessus* + *-or.*] ***S. m.*** Aquele que concede.

concessório [Do lat. *concessus* + *-ório.*] ***Adj.*** Concessivo.

concetacular ***Adj. 2 g.*** *Bot.* V. *conceptacular.* [Uso próprio de P.] ⊙

concetáculo ***S. m.*** *Bot.* V. *conceptáculo.* [Uso próprio de P.] ⊙

concetibilidade ***S. f.*** V. *conceptibilidade.* [Uso próprio de P.] ⊙

concetível ***Adj. 2 g.*** V. *conceptível.* [Uso próprio de P.] ⊙

concetivo ***Adj.*** V. *conceptivo.* [Uso próprio de P.] ⊙

concha [Do lat. tard. *conchula*, dim. do lat. *concha* (v. *conca*), pela f. ant. **concla.*] ***S. f.* 1.** *Zool.* Designação comum às valvas dos lamelibrânquios. **2.** *Zool.* Invólucro calcário ou córneo de certos animais, esp. os moluscos, o qual tem a face interna revestida de madrepérola, utilizada no fabrico de botões, objetos de adorno, etc. [Sin., nesta acepç., bras.: *itã, sambá, tambá.*] **3.** Qualquer objeto ou utensílio de feitio análogo ao da concha (2). **4.** Prato de balança. **5.** Parte côncava, forrada de camurça, das chaves dos instrumentos de sopro. [V. *sapata* (9).] **6.** *Anat.* Cavidade da face externa do pavilhão da orelha, na qual está situado o orifício do meato acústico externo. **7.** Utensílio semelhante à concha (2), arredondado e côncavo, ger. com um cabo, cujo tamanho e profundidade variam segundo o fim a que se destina, como servir sopa, líquidos, certas iguarias pastosas ou servidas com o próprio caldo, como o feijão, etc. [Sin., nesta acepç., p. us.: *caço.*] **8.** *Tip.* Receptáculo situado abaixo do ponto de transferência das matrizes, do primeiro elevador para o guindaste da linotipo, e que serve para receber as matrizes sem endentação. **9.** *Bras. S. Chulo* A vulva. ~ V. *conchas.* ◆ **Concha acústica.** *Arquit.* Abóbada formada por um quarto de esfera, ou por paredes côncavas, destinada a dirigir os sons refletidos. **Fechar-se na (sua) concha.** Isolar-se do mundo, retrair-se, assumir uma atitude de total discrição; meter-se na (sua) concha; meter-se nas encóspias: "Agora você não pode protestar, fechar-se na sua concha. A vida completa abre-se ao julgamento, e vemos que foi uma beleza em sua discrição exemplar e em seu devotamento absoluto." (Carlos Drummond de Andrade, *O Poder Ultrajovem*, p. 37.) **Meter-se na (sua) concha.** V. *fechar-se na (sua) concha.* **Sair da concha.** Perder o acanhamento, deixar a habitual timidez.

conchado [De *concha* + *-ado*[1].] ***Adj.*** Em forma de concha.

conchalense ***Adj. 2 g.* 1.** De, ou pertencente ou relativo a Conchal (SP). • ***S. 2 g.* 2.** O natural ou habitante de Conchal.

conchamblança [De *conchavo*, poss.] ***S. f.*** *Bras. N.E. S. Gír.* Acordo, ajuste, combinação, conchavo.

conchar [De *concha* + *-ar*[2].] ***V. t. d.*** Conchear.

concharia [De *concha* + *-aria.*] ***S. f.*** Grande porção de conchas.

conchas ***S. f. pl.*** Fôrma para fundir bocas de fogo. ~ V. *concha.*

conchavado [Part. de *conchavar.*] ***Adj.* 1.** Que se conchavou, que fez conchavo. • ***S. m.* 2.** Aquele que se conchavou. **3.** *Bras. RS* Trabalhador assalariado. **4.** *Bras. RS* Peão[2] de estância.

conchavador (ô) [De *conchavar* + *-dor.*] ***S. m.*** Aquele que conchava, que ajusta.

conchavar [Do lat. *conclavari*, 'acomodar-se em uma habitação', < lat. *conclave*, poss.] ***V. t. d.* 1.** Unir, ligar, juntar, ajuntar. **2.** Combinar, ajustar, acertar: *conchavar um encontro; Após longos entendimentos, conchavaram o negócio.* **3.** *Bras. S.* Contratar os serviços de. **4.** Meter, encaixar. ***T. d. e i.* 5.** Conchavar (2). ***Int.* 6.** Fazer conchavo (2 e 3). ***P.* 7.** Conluiar-se, mancomunar-se: *Conchavaram-se para trair o amigo.* **8.** *Bras.* Entrar para o serviço de propriedade rural ou de uma casa qualquer; assalariar-se, alugar-se.

conchavo [Dev. de *conchavar.*] ***S. m.* 1.** Ato de conchavar. **2.** Combinação, acordo, ajuste. **3.** Maquinação, trama, conluio. **4.** *Bras. S.* Emprego ou serviço doméstico.

concheado[1] [De *concha* + *-eado.*] ***Adj.* 1.** Que tem concha, como os moluscos, em geral os quelônios. **2.** Que tem a forma de uma concha (2); conchudo. [Sin. ger.: *conchudo.*]

concheado[2] [Part. de *conchear.*] ***Adj.*** Coberto ou revestido de conchas [v. *concha* (2)].

conchear [De *concha* + *-ear*[2].] ***V. t. d.*** Ornar ou revestir de conchas; conchar. [Conjug.: v. *frear.*]

conchegado [Part. de *conchegar.*] ***Adj.* 1.** Muito chegado ou aproximado; posto em contato. **2.** *Fig.* Agasalhado, confortado. **3.** *Bras. SP* Diz-se de pessoa ou animal de membros curtos, grossos e fortes; atarracado.

conchegar [De *con-* + *chegar.*] ***V. t. d.* 1.** Chegar, aproximar: *Conchegou sua cadeira para melhor ouvir.* **2.** Arranjar, compor, ajeitar, chegando a si: *Conchegou a gola do casaco; Conchegou bem os lençóis.* ***T. d. e i.* 3.** Chegar, aproximar: "Aproximou-se de Luísa, tomou-a nos braços, conchegou-a ao seio, e depôs-lhe nos lábios um beijo de amor." (Franklin Távora, *O Cabeleira*, p. 242); *Conchegou do rosto a capa.* ***P.* 4.** Achegar-se, unir-se. **5.** Chegar-se, buscando conforto ou agasalho; achegar-se; acomodar-se: "— Ela acordou, murmurou Jana, explicando a demora e conchegando-se na sombra" (Xavier Marques, *Jana e Joel*, p. 81). **6.** Abrigar-se, abafar-se, agasalhar-se. [F. paral.: *aconchegar.* Conjug.: v. *chegar.*]

conchegativo [De *conchegar* + *-tivo.*] ***Adj.*** Que proporciona conchego (2).

conchego (ê) [Dev. de *conchegar.*] ***S. m.* 1.** Ato de conchegar. **2.** Comodidade, conforto, agasalho: "A própria produção de ideias necessita o inverno, o conchego pensativo dos fogões acesos e céus velados" (Eça de Queirós, *Cartas Familiares e Bilhetes de Paris*, p. 168). **3.** Pessoa que protege; amparo. [Var.: *aconchego.*]

concheira [De *concha* + *-eira.*] ***S. f.*** *Bras. SP SC* V. *sambaqui.*

concheiro ***S. m.*** *Lus.* V. *sambaqui.*

conchense ***Adj. 2 g.* 1.** De, ou pertencente ou relativo a Conchas (SP). • ***S. 2 g.* 2.** O natural ou habitante de Conchas.

▲**conch(i)-** [Do lat. *concha*, *ae* < gr. *kónchē*, *ēs*.] ***El. comp.*** = 'concha': *conchífero.* [V. *conco-.*]

conchífero [De *conch(i)-* + *-fero.*] ***Adj.*** Que tem conchas: *praia conchífera.*

concho [De *concha*.] *Adj. Pop.* **1.** Confiante em si. **2.** Cheio de si; vaidoso, ancho: "muito concha, ufana dos seus galões de prata e oiro ...., caminhava .... no meio do cordão das irmandades religiosas" (Aluísio Azevedo, *O Mulato*, p. 18). [Sin. ger.: *conchudo*.]

conchoidal *Adj. 2 g.* V. *concoidal*.

conchoide (ói) [Do gr. *konchoeidés*.] *Adj. 2 g.* **1.** V. *concoidal*. ● *S. f.* **2.** *Geom.* V. *Conchoide de Nicomedes*. ◆ **Conchoide da reta.** *Geom.* V. *Conchoide de Nicomedes*. **Conchoide de Nicomedes.** *Geom.* Lugar geométrico plano descrito por um ponto que pertence a uma reta girante em torno de um ponto fixo, e que está a uma distância constante da interseção dessa reta com outra reta fixa que não passa pelo ponto fixo; Conchoide da reta, Conchoide de Nicomedes. [Tb. se diz apenas *Conchoide*.] ❖

conchoso (ô) [De *conch(i)-* + *-oso*.] *Adj.* Abundante em conchas.

conchostráceo [Do tax. *Conchostraca* + *-eo*.] *Zool. S. m.* **1.** Espécime dos conchostráceos, subordem de artrópodes branquiópodes, de carapaça bivalve protegendo o corpo, somitos em número de 10 a 32, cada um com um par de apêndices. ● *Adj.* **2.** Pertencente ou relativo a eles.

conchudo[1] [De *conch(i)-* + *-udo*.] *Adj.* Concheado[1].

conchudo[2] [De *concho* + *-udo*.] *Adj.* V. *concho*.

concidadã *S. f.* Fem. de *concidadão* (q. v.).

concidadão [De *con-* + *cidadão*.] *S. m.* Certa pessoa que, em relação a outra, é da mesma cidade ou do mesmo país: "O grande mestre ateniense [Demóstenes] era um popular, que num estado democrático tinha apenas na palavra entusiástica e dominadora o segredo de sua influência sobre os seus concidadãos." (Latino Coelho, *A Oração da Coroa*, p. IX.) [Flex.: *concidadã, concidadãos, concidadãs*.]

conciliabilidade [De *conciliável* + *-(i)dade*, seg. o padrão erudito.] *S. f.* Qualidade de conciliável.

conciliábulo [Do lat. *conciliabulu*.] *S. m.* **1.** Concílio de heréticos ou cismáticos. **2.** Concílio de prelados católicos realizado sem convocação legítima e confirmação papal. **3.** Assembleia secreta, de intenções malévolas. **4.** Conluio, conventículo: "Chamavam-se a conciliábulos vários políticos graduados, alguns deles saídos da cadeia." (Tobias Monteiro, *O Presidente Campos Sales na Europa*, p. LVII.)

conciliação [Do lat. *conciliatione*.] *S. f.* **1.** Ato ou efeito de conciliar(-se). **2.** Harmonização de litigantes ou pessoas desavindas.

conciliador (ô) [Do lat. *conciliatore*.] *Adj.* **1.** Propenso a conciliar ânimos, opiniões; conciliante, conciliativo: *temperamento conciliador*. **2.** Propenso ou disposto a conciliar ânimos, opiniões: *Homem conciliador, é ele quem resolve os dissídios da família*. ● *S. m.* **3.** Indivíduo conciliador (2).

conciliante [De *conciliar*[2] + *-nte*.] *Adj. 2 g.* V. *conciliador* (1).

conciliar[1] [De *concílio* + *-ar*[1].] *Adj. 2 g.* Referente a concílio.

conciliar[2] [Do lat. *conciliare*.] *V. t. d.* **1.** Pôr em boa harmonia; pôr de acordo; congraçar; reconciliar: *conciliar pessoas desavindas*. **2.** Aliar, unir; combinar: *conciliar elementos*. **3.** Atrair, granjear, captar; conseguir: *Tudo faz para conciliar simpatias*; "Hora de dormir em Valles. Holanda, pelo excesso de cansaço, não consegue conciliar o sono." (Viana Moog, *Toia*, p. 99). *T. d. e i.* **4.** Conciliar[2] (1): *Maria conciliou o amigo com o irmão*. **5.** Aliar, unir, combinar: *Concilia ternura com severidade*. **6.** Granjear, atrair: *Sua atuação no Congresso conciliou-lhe boa reputação*. *P.* **7.** Estar ou pôr-se de acordo; harmonizar-se, congraçar-se. **8.** Harmonizar-se; aliar-se; combinar. **9.** Ficar em paz, em harmonia, consigo mesmo: "faço um gesto agressivo ou me ajoelho contrito, / entre extremos oscilo e não me concilio." (A. S. de Mendonça Júnior, *Poemas fora da Moda*, p. 31). [Pres. ind.: *concilio*, etc.; fut. pret.: *conciliaria*, etc. Cf. *concílio*, s. m., *consílio*, s. m., *conciliária*, fem. de *conciliário*, adj., e *consiliária*, fem. de *consiliário*, s. m.]

conciliário [De *concílio* + *-ário*.] *Adj.* Relativo ou pertencente a concílio. [Fem.: *conciliária*. Cf. *conciliaria*, do v. *conciliar*, e *consiliário*, s. m., fem. *consiliária*.]

conciliativo [De *conciliar*[2] + *-tivo*.] *Adj.* V. *conciliador* (1).

conciliatório [De *conciliar*[2] + *-tório*.] *Adj.* Que serve para, ou é destinado a conciliar: *atitude conciliatória*.

conciliável [De *conciliar*[2] + *-vel*.] *Adj. 2 g.* Que se pode conciliar.

concílio [Do lat. *conciliu*.] *S. m.* Assembleia de prelados católicos em que se tratam assuntos dogmáticos, doutrinários ou disciplinares. [Cf. *concilio*, do v. *conciliar*, e *consílio*, s. m.] ~ V. *concílios*. ◆ **Concílio ecumênico.** *Rel.* Reunião de toda uma Igreja cristã, pela convocação de uma representação determinada, para definir e deliberar sobre pontos atinentes à missão que lhe é própria. [Na Igreja Católica Romana, este concílio é convocado de tempo a tempo, segundo as necessidades de reforma, renovação ou expressão mais fiel ou autêntica de sua doutrina.]

concílios [Pl. de *concílio*.] *S. m. pl. Desus.* Deliberações votadas em concílio. ~ V. *concílio*.

■ **CONCINE** Sigla de *Conselho Nacional de Cinema*.

concional [Do lat. *contionale*.] *Adj. 2 g.* Referente às assembleias públicas; concionário.

concionar [Do lat. **contionare*, por *contionari*.] *V. int.* **1.** Falar ao povo, em comícios. *T. d.* **2.** Proferir em público. [Fut. pret.: *concionaria*, etc. Cf. *concionária*, fem. de *concionário*.]

concionário [Do lat. *contionariu*.] *Adj.* Concional. [Fem.: *concionária*. Cf. *concionaria*, do v. *concionar*.]

concisão [Do lat. *concisione*.] *S. f.* **1.** Exposição das ideias em poucas palavras. **2.** Laconismo, brevidade. **3.** Precisão, exatidão. [Antôn.: *prolixidade*.]

conciso [Do lat. *concisu*.] *Adj.* **1.** Em que há concisão (1): *explicação concisa*. **2.** Sucinto, resumido. **3.** Breve, lacônico. **4.** Preciso, exato: "Aires .... enche a sua velhice .... anotando, um pouco irregularmente, nos cadernos do seu Memorial, com língua precisa e concisa, a substância do que vê e sente...." (Mário Cassassanta, *Machado de Assis e o Tédio à Controvérsia*, p. 18). [Antôn.: *prolixo*.]

concitação [Do lat. *concitatione*.] *S. f.* Ato ou efeito de concitar.

concitador (ô) [Do lat. *concitatore*.] *Adj.* **1.** Que concita; concitativo. ● *S. m.* **2.** Aquele que concita. [Sin. ger.: *incitador*.]

concitar [Do lat. *concitare*.] *V. t. d.* **1.** Incitar à desordem, ao tumulto: *Os rebeldes concitaram os demais presos*. **2.** Incitar, instigar; estimular: *concitar paixões*; "em política pedia o trono para a multidão. Com o fim de a pôr ali, pegou de um pau, concitou os ânimos e deitou abaixo o rei" (Machado de Assis, *Páginas Recolhidas*, p. 17). *T. d. e i.* **3.** Incitar, excitar, mover: "O autor concitava, profeticamente, a mocidade patrícia a estar a postos, vigilante, firme" (Alcides Maia, *Ruínas Vivas*, p. 97).

concitativo [De *concitar* + *-tivo*.] *Adj.* V. *concitador* (1).

conclamação [Do lat. *conclamatione*.] *S. f.* Ato de conclamar.

conclamar [Do lat. *conclamare*.] *V. t. d.* **1.** Bradar ou clamar simultaneamente. **2.** Gritar, bradar em tumulto, ger. protestando contra, ou reivindicando (algo): *A multidão conclamava que seus direitos tinham sido violados*. **3.** Aclamar em comum: *O povo conclamou o herdeiro real*. *T. d. e i.* **4.** Chamar aos brados; invocar; convocar: "A não ser o orador, que conclamara toda a população para ouvir uma terrível notícia, ninguém sabia o móvel da reunião." (Murilo Rubião, *O Ex-Mágico*, p. 71.) **5.** Incitar, concitar, mover. *Transobj.* **6.** Aclamar, proclamar: *Conclamaram-no imperador*. *Int.* **7.** Dar brados; vozear.

conclave [Do lat. *conclave*.] *S. m.* **1.** Assembleia de cardeais para a eleição do Papa. **2.** Lugar onde eles se reúnem para tal fim. **3.** *P. ext.* Reunião de pessoas para tratar dalgum assunto: "é preciso que os chefes da nossa democracia .... abandonem o gosto por essa atividade discreta, misteriosa, invisível, passada toda ela no sigilo dos conclaves partidários" (Oliveira Viana, *Pequenos Estudos de Psicologia Social*, p. 69).

conclavista [De *conclave* + *-ista*.] *S. m.* **1.** Membro de conclave (1). ● *S. 2 g.* **2.** Membro de conclave (3).

concliz [Var. de *concriz* (q. v.).] *S. m. Bras. PB PE Zool.* V. *corrupião* (1).

concludente [Do lat. *concludere* (v. *concluir*) + *-nte*.] *Adj. 2 g.* Que conclui, ou merece fé; terminante, categórico: *prova concludente*; *argumento concludente*.

concluído [Part. de *concluir*.] *Adj.* Que se concluiu; acabado, terminado.

concluimento (u-i) [De *concluir* + *-mento*.] *S. m. P. us.* V. *conclusão* (1).

concluinte (u-ín) [De *concluir* + *-nte*.] *Adj. 2 g.* **1.** *Desus.* Concludente. ● *S. 2 g.* **2.** *Bras.* Estudante que está no último ano do curso, já, portanto, a concluí-lo.

concluir [Do lat. *concludere*.] *V. t. d.* **1.** Pôr fim, término a, ou levar a cabo; acabar, terminar, findar: "veio [de São Paulo] com o curso ainda por acabar. Concluiu-o em Pernambuco." (Pedro Rabelo, *A Alma Alheia*, p. 42). **2.** Ajustar, assentar, firmar definitivamente: *Após demorados trâmites, concluíram o acordo*. **3.** Deduzir, inferir: *Pensou, pensou, e concluiu que errara*. *T. d. e i.* **4.** Ajustar, assentar, firmar definitivamente: "Eleito por 2 meses .... Otávio concluiu com Antônio e Lépido o acordo triunviral por 5 anos." (Mecenas Dourado, *Mecenas ou o Suborno da Inteligência*, p. 57). *T. i.* **5.** Acabar(-se), terminar, findar: *A conferência concluiu com uma longa citação*. **6.** Decidir-se, resolver-se: *O juiz concluiu pela improcedência da reclamação*. *Int.* **7.** *Jur.* Ser concludente; merecer fé: *O parecer da testemunha conclui, sendo, pois, importante para o julgamento*. **8.** Terminar de falar: *Mal o colega concluiu, contra-arrazoou com veemência*. [Conjug.: v. *atribuir*.]

conclusão [Do lat. *conclusione*.] *S. f.* **1.** Ato de concluir; término. [Sin., p. us.: *concluimento*.] **2.** Fim, termo: *a conclusão dum estudo*. **3.** Epílogo, remate, fecho: *a conclusão de um discurso*. **4.** Ilação, dedução: *a conclusão de um problema*. **5.** Ajuste definitivo de um negócio. **6.** Tese; proposição. **7.** *Dir. Proc.* Entrega ou remessa de um processo ao juiz, para que este lavre nele despacho ou sentença. **8.** *Lóg.* Proposição que é afirmada ou negada a partir de outras. [Cf., nesta acepç., *premissa* (2), *raciocínio* (4) e *silogismo*.] ~ V. *conclusões*.

conclusionista [De *conclusão* + *-ista*, seg. o padrão erudito.] *S. 2 g.* Pessoa que defende, numa universidade, conclusões magnas (q. v.).

conclusiva [F. subst. do adj. *conclusivo*.] *S. f. E. Ling.* Conjunção conclusiva (q. v.).

conclusivo [Do lat. tard. *conclusivu*.] *Adj.* **1.** Que contém conclusão: "Trata-se de obras [sobre a essência ou o ministério da Poesia] escritas, não raro, com muita finura e grande sutileza de pensamento, mas insatisfatórias e nada conclusivas, na generalidade dos casos." (Eduardo Frieiro, *Torre de Papel*, p. 111.) **2.** Próprio para se concluir. ~ V. *conjunção —a*.

concluso [Do lat. *conclusu*.] *Adj. Dir. Proc.* Diz-se do conjunto de autos do processo retidos com juiz para exarar despacho ou sentença.

conclusões [Pl. de *conclusão*.] *S. f. pl.* Conclusões magnas. ~ V. *conclusão*. ◆ **Conclusões magnas.** Teses que antecedem o doutoramento. [Tb. se diz apenas *conclusões*.]

▲**conco-** [Do gr. *kónchē, ēs*.] *El. comp.* = 'concha'; 'corneto', 'concha nasal': *concômetro*; *concotomia*. [V. *conch(i)-*.]

concocção [Do lat. *concoctione*.] *S. f.* **1.** *Fisiol.* A primeira digestão dos alimentos no estômago. **2.** *Farm.* Mistura medicamentosa preparada, em geral, com o emprego de calor.

concoctivo [Do lat. *concoct-* (rad. do lat. *concoctio, onis* > *concocção*) + *-ivo*.] *Adj.* Relativo à concocção.

concoidal [De *concoide* + *-al*[1].] *Adj. 2 g.* **1.** Semelhante a uma concha; conchoide, concoide, conquilioide. **2.** *Med.* Diz-se da fratura lisa e curva como a das conchas. **3.** *Geom.* Relativo à concoide. [Var.: *conchoidal*.]

concoide (ói) [Do gr. *konchoeidés*.] *Adj. 2 g.* **1.** V. *concoidal* (1). ● *S. f.* **2.** *Geom.* V. *conchoide*. ◆ **Concoide de Nicomedes.** *Geom.* V. *conchoide de Nicomedes*. ❖

concômetro *S. m.* V. *concômetro*. [Uso freq. em P.]

concômetro [De *conco-* + *-metro*.] *S. m.* Instrumento para medir o ângulo da espiral de determinadas conchas.

concomitância [Do lat. med. *concomitantia*.] *S. f.* Qualidade de concomitante; simultaneidade.

concomitante [Do lat. *concomitante*.] *Adj. 2 g.* **1.** Que se manifesta simultaneamente com outro: *a ação concomitante da idade e da doença*; *Sua partida foi concomitante com a chegada do irmão*. **2.** Que acompanha: *A queda do avião foi concomitante à explosão*.

concordado [Part. de *concordar*.] *Adj.* Que entrou em acordo (1 a 4).

concordância [De *concordar* + *-ância*.] *S. f.* **1.** Ato de concordar. **2.** Acordo, harmonia, consonância: *concordância de sentimentos, de opiniões*; "Ela acreditava candidamente que pudesse haver, entre uma mulher e um homem, uma amizade pura, imaterial, feita da concordância amável de dois espíritos delicados." (Eça de Queirós, *Os Maias*, II, p. 45). **3.** *Geol.* Conformidade (3). **4.** *E. Ling.* Processo sintático pelo qual marcas morfológicas de uma palavra, tais como número, pessoa ou caso, são repetidas em outra(s) palavra(s) presente(s) no enunciado, indicando que formam, em conjunto, uma construção (5). **5.** *Tip.* Furo (5).

concordante [Do lat. *concordante*.] *Adj. 2 g.* **1.** Que concorda; concorde. **2.** Coerente; harmônico.

concordar [Do lat. *concordare*.] *V. t. d.* **1.** Pôr de acordo; conciliar, concertar: *concordar vontades*; *concordar pessoas desavindas*. **2.** Ter a mesma opinião sobre; pôr-se de acordo em; acordar: *Todos concordaram que aquele parecer era o mais avisado*. *T. d. e i.* **3.** Pôr de acordo; concertar, harmonizar: *Ele concorda sua vida com sua ideologia*. **4.** Concordar (2): *Concordei com o diretor que seria muito difícil conciliar os horários*. **5.** Pôr em concordância gramatical: *Concordou o segundo dos adjetivos com o substantivo*. *T. i.* **6.** Estar de acordo; ser conforme: *Seu parecer concordava com o do mestre*. **7.** Estar de acordo; convir, assentir: "Pois bem: assentemos e concordemos todos em que este livro é a urna, em que determinei guardar estes pobres romances que morreram." (Joaquim Manuel de Macedo, *Os Romances da Semana*, p. VI); "O senhor há de concordar que me deve uma resposta, seja qual for!" (Aluísio Azevedo, *O Mulato*, p. 244). [Na última abonação, note-se a elipse da prep. *em*.] **8.** Ser do mesmo parecer: "A Sra. D. Amália já me disse ...., e eu <u>concordo</u> plenamente com ela, que nós em vista deste escândalo não o podemos apoiar." (Conde de Ficalho, *Uma Eleição Perdida*, p. 164.) **9.** Estar em concordância gramatical: *O verbo deve <u>concordar</u> com o sujeito em número e pessoa.* ***Int.*** **10.** Estar de acordo; ajustar-se, harmonizar(-se), combinar: *Têm um temperamento harmônico: sempre <u>concordam</u> em tudo.* **11.** Estar de acordo; estar em relação ou proporção; ser conforme: *O orçamento prévio e a conta apresentada não <u>concordam</u>.* ***Bit. i.*** **12.** Pôr-se de acordo; concertar-se: *<u>Concordei</u> com ele em vários pontos.* **13.** Concordar (9): *O adjetivo deve <u>concordar</u> com o substantivo em gênero e número.*

concordata [Do it. *concordato*.] ***S. f.*** **1.** Convenção entre o Estado e a Igreja acerca de assuntos religiosos de uma nação. **2.** Benefício concedido por lei ao negociante insolvente e de boa-fé para evitar ou suspender a declaração de sua falência, ficando ele obrigado a liquidar suas dívidas segundo for estipulado pela sentença que concede o benefício. **3.** Nalguns países, acordo entre o comerciante insolvente e os seus credores, para os mesmos fins.

concordatário [De *concordata* + *-ário*.] ***Adj.*** **1.** Que aprovou a concordata. **2.** Que pediu concordata. ● ***S. m.*** **3.** Negociante que pleiteia concordata ou é por ela beneficiado.

concordável [Do lat. tard. *concordabile*.] ***Adj. 2 g.*** Sobre que pode haver acordo.

concorde [Do lat. *concorde*.] ***Adj. 2 g.*** **1.** Concordante (1): "a fortuna e a natureza andaram <u>concordes</u> em sequestrarem da multidão .... o indivíduo de quem eu fui herdeiro" (Antônio Feliciano de Castilho, *Amor e Melancolia*, p. 347). **2.** Da mesma opinião.

concordense ***Adj. 2 g.*** **1.** De, ou pertencente ou relativo a Concórdia (SC). ● ***S. 2 g.*** **2.** O natural ou habitante de Concórdia.

concórdia [Do lat. *concordia*.] ***S. f.*** **1.** V. *paz* (1): *Lutam pela <u>concórdia</u> entre os homens.* **2.** Harmonia de vontades e/ou de opiniões.

concordiense ***Adj. 2 g.*** **1.** De, ou pertencente ou relativo a Concórdia do Pará (PA). ● ***S. 2 g.*** **2.** O natural ou habitante de Concórdia do Pará.

concorrência [De *concorrer* + *-ência*.] ***S. f.*** **1.** Ato ou efeito de concorrer. **2.** Competição, rivalidade: *Tamanho é seu prestígio como romancista que não há <u>concorrência</u> possível.* **3.** Afluência de pessoas no mesmo momento para o mesmo lugar: "em certos dias, a <u>concorrência</u> à missa era tal que até na soleira da porta vinham ajoelhar-se fiéis." (Machado de Assis, *Contos sem Data*, p. 163.) **4.** Confluência, concordância: *<u>concorrência</u> de opiniões.* **5.** Procedimento destinado a selecionar fornecedores de mercadorias ou serviços, esp. para órgãos governamentais; concorrência pública: *O governo abriu <u>concorrência</u> para a construção de uma estrada.* **6.** *Dir. Adm.* Modalidade de licitação para compras ou contratos de grande valor, caracterizada pela convocação prévia de propostas por edital de ampla divulgação. [Cf., nesta acepç., *convite* (5) e *tomada de preços*.] **7.** *Econ.* Disputa pela preferência dos compradores, entre vendedores de bens iguais ou semelhantes; competição. **8.** *Econ.* Situação de mercado em que há concorrência (7), o que é facilitado pela existência de muitos vendedores e compradores. ◆ **Concorrência imperfeita.** *Econ.* Situação de mercado entre a concorrência perfeita e o monopólio, caracterizada principalmente pela diferenciação, pelos consumidores, dos produtos de distintos vendedores, ger. estimulada pela publicidade; concorrência monopolística. **Concorrência monopolística.** *Econ.* Concorrência imperfeita. **Concorrência perfeita.** *Econ.* Em microeconomia, situação hipotética de mercado caracterizada principalmente pela existência de grande número de vendedores e compradores, cada um deles incapaz de influenciar o preço, pela identidade de produtos entre vendedores, e pela perfeita informação sobre as condições do mercado por parte de compradores e vendedores. **Concorrência pública.** Concorrência (5).

concorrencial [De *concorrência* + *-al*[1].] ***Adj. 2 g.*** Em que há concorrência.

concorrente [De *concorrer* + *-nte*.] ***Adj. 2 g.*** **1.** Que concorre. **2.** Em que há, ou parece haver, concorrência, simultaneidade. **3.** Que participa de concurso, disputa, competição, etc. ~ V. *paralelismo* — e *processamento* —. ● ***S. 2 g.*** **4.** Pessoa que concorre; competidor. **5.** Candidato que concorre com outro(s). **6.** Pessoa que faz concorrência (5).

concorrer [Do lat. *concurrere*.] ***V. t. i.*** **1.** Juntar-se para (uma ação comum); contribuir, cooperar: *Tudo <u>concorria</u> para o bom êxito da operação.* **2.** Ter a mesma pretensão de outrem; competir: *Pequenas empresas não podem <u>concorrer</u> com as grandes.* **3.** Apresentar-se como candidato; ir a concurso: "Resolvi <u>concorrer</u> a uma bolsa de estudos para a Sorbonne." (Maria Julieta Drummond de Andrade, *Um Buquê de Alcachofras*, p. 48); *<u>Concorreu</u> à cátedra de português.* **4.** Cooperar; contribuir: *<u>Concorre</u> para a manutenção do amigo pobre com pequena quantia mensal.* **5.** Existir simultaneamente; coexistir: *<u>Concorrem</u> na sua pessoa o saber, a inteligência, a bravura e a generosidade.* **6.** Participar de concorrência (5); competir. ***T. c.*** **7.** Acorrer, acudir, afluir (juntamente com outros): *Assim que soubemos do acidente, <u>concorremos</u> todos à casa de Fabrício*; "Em algum dia grande faziam [os escravos] seu batuque, ao qual <u>concorriam</u> os negros das vizinhanças." (Franklin Távora, *O Cabeleira*, p. 251). **8.** Dirigir-se (para o mesmo ponto); convergir: *Retas que <u>concorrem</u> num determinado ponto.* ***Bit. i.*** **9.** Fazer concorrência; disputar conjuntamente; competir: *<u>Concorreu</u> no festival com um velho conhecido.*

concorrido [Part. de *concorrer*.] ***Adj.*** Que atrai concorrência (3), ou grande concorrência; que é frequentado, ou muito frequentado: *festas <u>concorridas</u>.*

concotomia [De *conco-* + *-tom(o)-* + *-ia*[1].] ***S. f.*** *Otor.* Incisão de corneto.

concotómico ***Adj.*** V. *concotômico*. [Uso freq. em P.]

concotômico [De *concotomia* + *-ico*[2].] ***Adj.*** Relativo a concotomia.

concreção [Do lat. *concretione*.] ***S. f.*** **1.** Ação de tornar concreto; solidificação. **2.** Efeito da agregação dos sólidos contidos nos líquidos. **3.** Massa, ger. de aspecto nodular, formada pela precipitação sucessiva, e de que se origina uma estrutura concêntrica. **4.** Reunião de partículas no interior de tecidos ou órgãos vegetais e animais. **5.** *Astr.* Formação de um planeta pela união de objetos celestes menores.

concrecionado [De *concreção* + *-ado*[1], seg. o padrão erudito.] ***Adj.*** *Min.* **1.** Em que há concreção. **2.** Que forma concreção. ~ V. *solo* —.

concrecional [De *concreção* + *-al*[1], seg. o padrão erudito.] ***Adj. 2 g.*** Em que há, ou é da natureza da concreção.

concrescência [Do lat. *concrescentia*.] ***S. f.*** *Bot.* Aderência íntima e congênita de órgãos ou partes vegetais, como, p. ex., as pétalas duma corola gamopétala.

concrescente [Do lat. *concrescente*.] ***Adj. 2 g.*** *Bot.* Em que há concrescência; conato, coadunado, coalescente: *estames <u>concrescentes</u>.*

concrescer [Do lat. *concrescere*.] ***V. int.*** **1.** Crescer em conjunto. **2.** Aderir, aglutinar-se. [Conjug.: v. *crescer*.]

concrescibilidade [De *concrescível* + *-(i)dade*, seg. o padrão erudito.] ***S. f.*** Qualidade de concrescível.

concrescido [Part. de *concrescer*.] ***Adj.*** *Bot.* Em que ocorreu concrescência.

concrescível [De *concrescer* + *-ível*.] ***Adj. 2 g.*** Que pode tornar-se concreto.

concretagem [De *concretar* + *-agem*[2].] ***S. f.*** Ato ou efeito de concretar.

concretar [De *concreto* + *-ar*[2].] ***V. t. d.*** Lançar o concreto, em estado plástico, nas fôrmas de construção de (peça duma estrutura).

concretismo [De *concreto* + *-ismo*.] ***S. m.*** **1.** Primazia do que é concreto. **2.** *Art. Plást. Liter.* Designação dada pelo suíço Max Bill (1908-1994) à escola que procura apresentar obras partindo da realização de uma imagem autônoma, não originada de modelo natural, e que se utiliza de elementos ger. visuais ou táteis; arte concreta. [Cf., nesta acepç., *abstracionismo* (3).]

concretista [De *concretismo* + *-ista*.] ***Adj. 2 g.*** **1.** Referente ao, ou que é adepto do concretismo. ● ***S. 2 g.*** **2.** Adepto do concretismo. [Sin. ger.: *concreto*.]

concretitude [De *concreto* + *-itude*.] ***S. f.*** *Filos.* Qualidade de concreto (7).

concretização [De *concretizar* + *-ção*.] ***S. f.*** Ato ou efeito de concretizar(-se).

concretizado [Part. de *concretizar*.] ***Adj.*** Que se concretizou.

concretizador (ô) [De *concretizar* + *-dor*.] ***S. m.*** Quem ou o que colabora para que algo se concretize.

concretizar [De *concreto* + *-izar*.] ***V. t. d. P.*** Tornar(-se) concreto, possível; realizar(-se), efetivar(-se): *<u>Concretizou</u> seu ideal de escrever um livro; Seu velho sonho <u>concretizou-se</u>: é hoje escritor célebre.*

concretizável [De *concretizar* + *-vel*.] ***Adj. 2 g.*** Que pode ser concretizado.

concreto [Do lat. *concretu*.] ***Adj.*** **1.** Que existe em forma material. **2.** Que é considerado no objeto de que faz parte e não abstraído dele. **3.** Que tem consistência mais ou menos sólida; condensado, espesso, solidificado. **4.** Que exprime um objeto particular, determinado. **5.** Claro, definido: *uma ideia <u>concreta</u>.* **6.** *Art. Plást. Liter.* V. *concretista*. **7.** *Filos.* Diz-se de coisa ou de representação que se apresenta de modo completo, tal como lhe é próprio apresentar-se na sua realidade existencial. [Cf., nesta acepç., *abstrato* (5).] ~ V. *arte* —*a*, *música* —*a* e *substantivo* —. ● ***S. m.*** **8.** Aquilo que é concreto (1). **9.** *Constr.* Mistura, em proporções prefixadas, de um aglutinante com água e um agregado constituído de areia e pedra, de sorte que venha a formar uma massa compacta e de consistência mais ou menos plástica, e que endureça com o tempo. [Sin. lus. (nesta acepç.): *betão*. Cf. *formigão*.] **10.** *Art. Plást. Liter.* V. *concretista*. **11.** *Quím.* Em perfumaria, pomada impregnada de essência. ◆ **Concreto aparente.** Concreto (9) que, nas construções, não recebe revestimento. **Concreto arejado.** Concreto (9) que contém bolhas de ar uniformemente distribuídas em sua massa, e nesta introduzidas por meio de aditivos especiais, para melhorar a trabalhabilidade do material pelo resultante aumento da plasticidade. **Concreto armado.** Concreto (9) em cuja massa se dispõem armaduras constituídas de barras de aço, para aumentar-lhe a resistência a determinados esforços; cimento armado. **Concreto betuminoso.** Mistura de ligante betuminoso (em geral um cimento asfáltico) e agregado selecionado, preparada e aplicada a quente, utilizada em pavimentos de ruas, rodovias e aeroportos. **Concreto ciclópico.** Concreto simples que contém pedra de mão. **Concreto cintado.** Concreto armado com cintamento. **Concreto magro.** Concreto simples com reduzido teor de cimento e, por isso, de baixa resistência. **Concreto pré-esforçado.** *Lus.* V. *concreto protendido*. **Concreto pré-moldado.** Concreto (9) em peças pré-fabricadas. **Concreto protendido.** Concreto (9) ao qual se aplicam tensões prévias para aumentar-lhe a resistência aos esforços que o solicitarão. [Tb. se diz apenas *protendido*. Sin. lus.: *concreto pré-esforçado*.] **Concreto simples.** Concreto que não é armado. **Concreto vibrado.** Concreto (9) adensado por processo vibratório.

concretude [De *concreto* + *-(t)ude*.] ***S. f.*** Qualidade de concreto.

concriação [De *concriar* + *-ção*.] ***S. f.*** Ato de concriar.

concriar [Do lat. *concreare*.] ***V. t. d.*** **1.** Criar ao mesmo tempo. **2.** Colaborar com outrem em.

concriz [T. onom., poss.] ***S. m.*** *Bras. N.E. Zool.* V. *corrupião* (1).

concubina [Do lat. *concubina*.] ***S. f.*** Mulher que vive com homem com quem não é legalmente casada.

concubinagem [De *concubina* + *-agem*[2].] ***S. f.*** V. *concubinato*.

concubinário [De *concubina* + *-ário*.] ***Adj. S. m.*** Que, ou aquele que tem concubina.

concubinar-se [De *concubina* + *-ar*[2] + *se*[1].] ***V. p.*** Viver em concubinato; amancebar-se, amasiar-se, amigar-se.

concubinato [Do lat. *concubinatu*.] ***S. m.*** **1.** Estado de quem tem ou é concubina ou concubino; amasio, comborçaria. **2.** *Antrop.* Forma de união conjugal socialmente reconhecida, que implica uma série de direitos e deveres mais ou menos bem determinados, e considerada distinta do casamento, segundo critérios que podem variar conforme a sociedade. [Sin. ger.: *concubinagem*.]

concubino ***S. m.*** Indivíduo que vive com mulher com quem não é legalmente casado.

concúbito [Do lat. *concubitu*.] ***S. m.*** Ajuntamento carnal; cópula, coito.

conculcador (ô) [De *conculcar* + *-dor*.] ***Adj. S. m.*** Que, ou aquele que conculca; desprezador, aviltador, vilipendiador.

conculcar [Do lat. *conculcare*.] ***V. t. d.*** **1.** Calcar aos pés; espezinhar. **2.** Desprezar, menosprezar; aviltar: *<u>conculcar</u> a liberdade.* [Conjug.: v. *trancar*.]

concunhado [De *con-* + *cunhado*.] ***S. m.*** Indivíduo em relação ao cunhado ou cunhada de seu cônjuge.

concupiscência [Do lat. tard. *concupiscentia*.] ***S. f.*** **1.** Desejo intenso de bens ou gozos materiais. **2.** Apetite sexual: "Quem me livrará (coitado de mim) da <u>concupiscência</u>, raiz e seminário de todos os males humanos?" (D. Fr. Amador Arrais, *Diálogos*, p. 406.)

concupiscente [Do lat. *concupiscente*.] ***Adj. 2 g.*** Que tem ou revela concupiscência.

concupiscível [Do lat. tard. *concupiscibile*.] ***Adj. 2 g.*** Que desperta a concupiscência.

concursado [Part. de *concursar*.] ***Adj.*** Que se concursou: *Dentre os 100 candidatos <u>concursados</u>, apenas dois obtiveram colocação.*

concursar [De *concurso* (6) + *-ar*[2].] ***V. t. d.*** Submeter a concurso (6).

concurseiro [De *concurso* + *-eiro*.] ***S. m.*** **1.** Aquele que tem como prioridade estudar para passar em concurso público. **2.** Aquele que se inscreve em vários concursos públicos.

concurso [Do lat. *concursu*.] ***S. m.*** **1.** Ato ou efeito de concorrer. **2.** Afluência, concorrência: "A missa do padre novo .... tinha atraído à igreja um numeroso e brilhante <u>concurso</u>." (Bernardo Guimarães, *O Seminarista*, p. 257). **3.** A circunstância de se encontrarem juntas duas ou mais coisas; encontro. **4.** Cooperação, ajuda. **5.** Certame (3). **6.** Provas documentais ou práticas prestadas pelos candidatos a certo cargo público ou a certas concessões. **7.** *Turfe* Cada uma das duas modalidades de apostas conhecidas como *bolo*[1] (8) (q. v.) e *betting* (q. v.).

concussão [Do lat. *concussione.*] ***S. f.*** **1.** Comoção violenta; abalo, choque. **2.** *Expl.* Choque violento transmitido ao ar pela onda de compressão gerada pela detonação de uma carga explosiva: "De vez em quando o rumor esbatido duma rajada, a surda concussão dalguma bomba." (José Rodrigues Miguéis, *Onde a Noite Se Acaba*, p. 132.) **3.** *Med.* Violento choque ou abalo, ou o resultado de tais formas de agressão física, sobre órgão(s) do corpo. **4.** *Fig.* Extorsão ou peculato cometido por empregado público no exercício de suas funções: "esse estuar de discussões sem hipocrisia e à luz clara, que causa as agitações superficiais vistosas, permite fiscalizar o funcionalismo público, atalhando desmandos, tiranias, concussões, rapinas." (Antônio Sérgio, *Cartas do Terceiro Homem*, p. 57). ◆ **Concussão cerebral.** *Med.* Estado de inconsciência resultante de golpe na cabeça.

concussionário [De *concussão* + *-ário*, seg. o padrão erudito.] ***Adj. S. m.*** Que, ou aquele que pratica concussão (4).

concutir [Do lat. *concutere.*] ***V. t. d.*** **1.** Fazer tremer; abalar: *O estampido concutiu o casarão.* **2.** Incutir, infundir: *Aquele acontecimento concutiu o terror.* ***T. d. e i.*** **3.** Incutir, infundir: *Concutiu o medo nas almas.*

condadense ***Adj. 2 g.*** **1.** De, ou pertencente ou relativo a Condado (PB e PE). ● ***S. 2 g.*** **2.** O natural ou habitante de Condado.

condado [De *conde* + *-ado*[2].] ***S. m.*** **1.** Dignidade de conde. **2.** Antiga jurisdição ou território de conde.

condal [De *conde* + *-al*[1].] ***Adj. 2 g.*** Pertencente ou relativo a conde.

condão [Dev. do port. arc. *condõar* < lat. *condonare*, 'presentear'.] ***S. m.*** **1.** Virtude especial, ou poder misterioso, a que se atribui influência benéfica ou maléfica. **2.** Dom, faculdade: *Aquela moça tem o condão de agradar.*

conde [Do lat. *comite*, 'companheiro'.] ***S. m.*** **1.** V. *barão* (1). [Fem.: *condessa.*] **2.** Na Idade Média, comandante militar de um território. **3.** Valete. ◆ **Conde palatino. 1.** Na fase final do Império Romano, conde que era investido de suprema autoridade judicial. **2.** Durante o Sacro Império Romano Germânico, conde que era investido de poderes imperiais, dentro de seus domínios.

condecoração [De *condecorar* + *-ção.*] ***S. f.*** **1.** Ato de condecorar ou de ser condecorado: *Durante a condecoração do herói seus colegas se perfilaram.* **2.** Insígnia honorífica. **3.** Insígnia de ordem militar ou civil. [Cf., nas acepçs. 2 e 3, *crachá* (1).]

condecorado [Part. de *condecorar.*] ***Adj.*** **1.** Que tem condecoração. **2.** Nobilitado, engrandecido. ● ***S. m.*** **3.** Aquele que tem condecoração.

condecorar [Do lat. *condecorare.*] ***V. t. d.*** **1.** Distinguir com condecoração (2 e 3). **2.** Nobilitar, realçar: *Senhoras elegantes condecoravam o palanque.* ***T. d. e i.*** **3.** Dar títulos honoríficos ou designação honrosa a; agraciar: *Condecorou-o com o epíteto de poeta.* ***P.*** **4.** Dar a si próprio uma honra.

condenação [Do lat. *condemnatione.*] ***S. f.*** **1.** Ato ou efeito de condenar. **2.** Julgamento que condena. **3.** A sentença condenatória. **4.** *P. ext.* A pena imposta por sentença. **5.** O indício da culpa. **6.** *Fig.* Censura, reprovação, reproche.

condenado [Part. de *condenar.*] ***Adj.*** **1.** Sentenciado como criminoso. **2.** *P. ext. Impr.* Criminoso que aguarda sentença. **3.** Diz-se de doente declarado incurável. **4.** Rejeitado, reprovado: *Métodos condenados voltaram a vigorar.* **5.** *Bras. Pop.* Diz-se de pessoa que incorre na reprovação de outrem; danado, desgraçado: *Que menino condenado para amolar a gente!* **6.** *Bras. Pop.* Extraordinário; danado de bom: *Sujeito condenado pra brigar!* **7.** *Bras.* Diz-se de construção prestes a ruir, considerada irrecuperável pela engenharia: *edifício condenado.* ● ***S. m.*** **8.** Aquele que sofreu condenação. **9.** Indivíduo condenado (2, 3, 5 e 6).

condenador (ô) [Do lat. *condemnatore.*] ***Adj.*** **1.** Que condena. **2.** Condenatório. **3.** Que reprova, censura. ● ***S. m.*** **4.** Quem condena.

condenar [Do lat. *condemnare.*] ***V. t. d.*** **1.** Proferir sentença condenatória contra; declarar culpado: *Condenaram o réu sem provas suficientes.* **2.** Mostrar ou indicar a criminalidade, ou a culpabilidade de; incriminar: *Não há provas que o condenem; O seu próprio silêncio o condena.* **3.** Considerar em culpa ou em erro; reprovar: *Embora pareça inocente, muitos o condenam.* **4.** Reprovar, desaprovar, censurar: *Os pacifistas condenam o armamentismo.* **5.** Julgar inadequado ao fim a que se destina; rejeitar: *Examinou bem a máquina, e condenou-a.* **6.** Declarar (casa, edifício, etc.) sem condições de ser habitado, em geral por perigo de desabamento. **7.** Considerar (o doente) incurável, ger. por impossibilidade de tratamento. **8.** Comprometer a boa qualidade de: *A umidade condenou toda a safra de grãos.* ***T. d. e i. T. d. e c.*** **9.** Sentenciar (2): *O júri o condenou a 10 anos de prisão;* "Que grande crime teria ela cometido para que Deus a condenasse a tão duro castigo?" (Coelho Neto, *Turbilhão*, p. 191). ***P.*** **10.** Dar provas contra si; culpar-se. **11.** Obrigar-se, sujeitar-se.

condenatório [De *condenar* + *-tório.*] ***Adj.*** Que envolve condenação; condenador: *sentença condenatória.* ~ V. *ação –a.*

condenável [Do lat. tard. *condemnabile.*] ***Adj. 2 g.*** **1.** Que merece condenação. **2.** Censurável, reprovável.

condensabilidade [De *condensável* + *-(i)dade*, seg. o padrão erudito.] ***S. f.*** Qualidade ou propriedade de condensável.

condensação [Do lat. tard. *condensatione.*] ***S. f.*** **1.** Ato ou efeito de condensar(-se). **2.** *Fís.* O fenômeno da passagem dum vapor para o estado líquido. **3.** *Quím.* Tipo de reação em que duas moléculas se unem com a eliminação de uma terceira, ger. de água ou outra molécula pequena. ◆ **Condensação aldólica.** *Quím.* Reação entre dois compostos carbonílicos (aldeídos ou cetonas), com formação de um aldol ou um ceto-álcool, ger. seguida, nas condições reacionais, por desidratação. **Condensação radioelétrica.** *Astr.* Ponto da superfície solar que emite radiação intensa de natureza hertziana.

condensador (ô) [De *condensar* + *-dor.*] ***Adj.*** **1.** Que condensa; condensante, condensativo. ● ***S. m.*** **2.** *Ópt.* Sistema óptico convergente us. para iluminar objetos numa observação ou numa projeção. **3.** *Fís.* Dispositivo em que se realiza a condensação de um vapor, e que consta de um conjunto, por onde passa o vapor, envolto numa camisa por onde circula um líquido de refrigeração.

condensante [De *condensar* + *-nte.*] ***Adj. 2 g.*** V. *condensador* (1).

condensar [Do lat. *condensare.*] ***V. t. d.*** **1.** Tornar denso ou mais denso. **2.** Tornar consistente, engrossar (líquidos). **3.** Liquefazer (gases ou vapores). **4.** Reduzir, resumir, sintetizando: *condensar uma obra literária.* **5.** Juntar, reunir; agregar, conglomerar: *condensar forças.* ***P.*** **6.** Tornar-se denso, ou mais denso; engrossar: "Cúmulos e nimbos torvelinhavam no céu, condensando-se numa grande nuvem negra e espessa." (Virgílio Várzea, *Nas Ondas*, p. 1.)

condensativo [De *condensar* + *-tivo.*] ***Adj.*** V. *condensador* (1).

condensável [De *condensar* + *-vel.*] ***Adj. 2 g.*** Que se pode condensar.

condense ***Adj. 2 g.*** **1.** De, ou pertencente ou relativo a Conde (BA e PB). ● ***S. 2 g.*** **2.** O natural ou habitante de Conde.

condescendência [De *condescender* + *-ência.*] ***S. f.*** **1.** Ato de condescender. **2.** Qualidade de condescendente.

condescendente [De *condescender* + *-nte.*] ***Adj. 2 g.*** Que condescende, transige; transigente.

condescender [Do lat. tard. *condescendere.*] ***V. t. i.*** **1.** Transigir espontaneamente; ceder, anuir voluntariamente: *Acabou condescendendo às solicitações;* "Condescendeu a ficar sobre um divã, no escritório, com a condição de que eu iria chamá-la ao menor incidente que se produzisse." (Júlio Dantas, *Abelhas Doiradas*, p. 67); *Condescendeu em celebrar um pacto de amizade;* "Essa circunstância levou Arnaldo a condescender .... com a vontade do capitão-mor." (José de Alencar, *O Sertanejo*, p. 203). **2.** Ter atitude complacente em relação a; mostrar-se condescendente com: *Ela condescende demais com a arrogância do filho.* ***Int.*** **3.** Transigir espontaneamente, ceder, anuir à vontade ou ao rogo de alguém: *Implorei-lhe que condescendesse, e ele foi implacável.*

condessa[1] (ê) [Do lat. med. *comitissa.*] ***S. f.*** **1.** Fem. de conde (1). **2.** *Bras. Bot.* V. *coração-de-boi* (1). **3.** *Bras. Bot.* V. *fruta-de-condessa.* [Pl.: *condessas* (ê). Cf. *condessa* e *condessas*, do v. *condessar.*]

condessa[2] (ê) [Dev. de *condessar.*] ***S. f.*** Cesta de verga, delicada e pequena, com tampa. [Pl.: *condessas* (ê). Cf. *condessa, condessas*, do v. *condessar.*]

condessar [Do lat. *condensare*, poss.; esp. *condensar.*] ***V. t. d.*** *Ant.* Pôr em depósito; guardar. [Pres. ind.: *condesso, condessas, condessa*, etc. Cf. *condesso* (ê), s. m., e *condessa* (ê), s. f., pl. *condessas* (ê).]

condessilha [De *condessar* + *-ilha.*] ***S. f.*** *Lus.* Depósito de garantia: "– Engana-se: meu pai é uma fera. Tinha-me de condessilha, não sei lá para quem, há de lhe custar dar o braço a torcer." (Aquilino Ribeiro, *Andam Faunos pelos Bosques*, p. 140.)

condesso (ê) [De *condessa.*] ***S. m.*** *Pej.* Marido, sem título, de uma condessa. [Pl.: *condessos* (ê). Cf. *condesso*, do v. *condessar.*]

condestablessa (ê) ***S. f.*** *Ant.* Condestabresa.

condestabre ***S. m.*** *Ant.* Condestável. [Fem.: *condestabresa, condestablessa.*]

condestabresa (ê) ***S. f.*** *Ant.* Mulher de condestabre; condestablessa.

condestável [Do fr. ant. *conestable* (atual *connétable*) < b.-lat. *comes stabuli*, 'intendente das cavalariças reais', com infl. de *conde.*] ***S. m.*** **1.** Outrora, chefe supremo do exército. **2.** Antigo chefe de artilheiros. **3.** Título do infante que nas grandes solenidades se postava à direita do trono real.

condeubense (e-u) ***Adj. 2 g.*** **1.** De, ou pertencente ou relativo a Condeúba (BA). ● ***S. 2 g.*** **2.** O natural ou habitante de Condeúba.

condição [Do lat. *conditione.*] ***S. f.*** **1.** V. *circunstância* (3). **2.** Modo de ser, estado, situação (de coisa). **3.** Maneira de viver resultante da situação de alguém. **4.** Disponibilidade, capacidade (financeira, intelectual, de tempo, etc.): *Não tenho condição de ajudá-lo.* **5.** Classe social. **6.** Caráter, índole: *Tímido, não tem condição para mandar.* **7.** Obrigação que se impõe e se aceita; condicional. **8.** Categoria elevada, distinção: *É pessoa de condição.* **9.** Qualidades requeridas como ideais: *aparelho em más condições.* **10.** *Inform.* Expressão booliana (q. v.) cujo resultado pode ser apenas verdadeiro ou falso. ◆ **Condição de contorno.** *Mat.* Condição imposta à solução de uma equação diferencial ou de um sistema de equações diferenciais, e que deve ser satisfeita para determinados valores das variáveis independentes. **Condição inicial.** *Mat.* Condição que se impõe à solução duma equação diferencial ou às suas derivadas. [Em geral, refere-se a problemas físicos em que a variável independente é o tempo, cujo valor inicial se faz nulo.] **Condição necessária.** *Mat.* A que é consequência lógica de uma dada condição ou de um conjunto de condições. **Condição *sine qua non*.** [Lat., 'sem a qual não'.] Condição indispensável. [V. *sine qua non.*] **Condição suficiente.** *Mat.* Condição da qual se obtém outra logicamente. **Condições normais de temperatura e pressão.** *Fís.* Estado de um sistema cuja temperatura é igual a 0° C e cuja pressão é igual a 760mm de mercúrio normais. [Abrev.: *CNTP.*] **Sob condição.** Condicionalmente.

condiceiro [De *condiç(ão)* + *-eiro.*] ***S. m.*** *Bras. PE* Homem livre a quem o senhor de engenho concedia terreno onde edificar moradia e plantar víveres em troca da obrigação de certo número de dias de trabalho: "este (o exército real) em Meripe e Ipojuca já se compunha majoritariamente de .... lavradores e condiceiros dos engenhos locais" (Evaldo Cabral de Melo, *A Outra Independência*, p. 56).

condicente [Do lat. *condicente*, part. pres. de *condicere*, por via erudita.] ***Adj. 2 g.*** Condizente: "procurara outra forma de ganhar o pãozinho, mais condicente com o seu ser moral." (Antônio Sérgio, *Cartas do Terceiro Homem*, p. 71).

condicionado [Part. de *condicionar.*] ***Adj.*** Dependente de, ou imposto por condição. [Cf. *acondicionado.*] ~ V. *ar –, estímulo –, probabilidade –a, reflexo –, resposta –a, variação –a, variante –a* e *venda –a.*

condicionador (ô) [De *condicionar* + *-dor.*] ***Adj.*** **1.** Que condiciona. ● ***S. m.*** **2.** Aquilo ou aquele que condiciona. ◆ **Condicionador de ar. 1.** Qualquer aparelho para regular a temperatura e a umidade de um ambiente fechado. **2.** *P. ext.* Aparelho que se destina a baixar a temperatura de um ambiente fechado; ar-condicionado, ar-refrigerado. **Codicionador de cabelos.** Cosmético, aplicável esp. após o enxágue do xampu, para tornar o cabelo mais sedoso.

condicional [Do lat. *conditionale.*] ***Adj. 2 g.*** **1.** Dependente de condição. **2.** Que envolve condição. **3.** Que exprime circunstância de condição. **4.** *E. Ling.* Que indica ser a verdade de uma proposição dependente da verdade de outra: *Se ele vier, ficarei em casa.* **5.** *Inform.* Diz-se da execução de comando que está sujeita ao resultado de determinada condição (10). ~ V. *cláusula –, conjunção –, juízo –, liberdade –, livramento –, modo –, proposição –* e *suspensão – da pena.* ● ***S. m.*** **6.** *E. Ling. Desus.* Futuro do pretérito. ● ***S. f.*** **7.** Condição (7). **8.** *Pop.* Livramento condicional. **9.** *E. Ling.* Conjunção condicional (q. v.).

condicionalidade [De *condicional* + *-(i)dade.*] ***S. f.*** Estado, qualidade ou caráter do que é condicional.

condicionalismo [De *condicional* + *-ismo.*] ***S. m.*** Conjunto de condições ou peculiaridades geográficas, físicas, meteorológicas, etc., que caracterizam determinada região do globo terrestre.

condicionamento [De *condicionar* + *-mento.*] ***S. m.*** **1.** Ato ou efeito de condicionar (3). [Cf. *acondicionamento.*] **2.** Ação ou processo de controlar as condições de temperatura e umidade do ar de um ambiente: *condicionamento de ar.* **3.** Capacidade ou aptidão que se adquire por treinamento ou adaptação: *Tem bom condicionamento físico.* **4.** Comportamento que se adquire por hábito.

condicionante [De *condicionar* + *-nte.*] ***Adj. 2 g.*** **1.** Que condiciona: *fator condicionante.* ● ***S. 2 g.*** **2.** Imposição, resultante de circunstâncias ou de decisão prévia, que deve ser observada na solução de um problema; restrição.

condicionar [De *condição* + *-ar*[2], seg. o padrão erudito.] ***V. t. d.*** **1.** Pôr condições a; regular: *condicionar um contrato.* **2.** Regular, controlar o comportamento de. ***T. d. e i.*** **3.** Estabelecer como condição: *Condicionou a viagem a uma série de exigências.* **4.** Tornar apto; preparar, adaptar, ger. mediante treinamento. ***P.*** **5.** Habituar-se a novas condições; adaptar-se: *Só a muito custo se condicionou à vida naquele clima frio.* **6.** Impor a si como hábito, ou condição: *Condicionou-se a alimentar-se apenas duas vezes ao dia.* [Cf. *acondicionar*.]

condignidade [De *condigno* + *-(i)dade*.] ***S. f.*** Qualidade de condigno.

condigno [Do lat. *condignu*.] ***Adj.*** **1.** Proporcional ao mérito, ao valor: *Teve a recompensa condigna do seu esforço.* **2.** Devido, merecido: *Pagaram-lhe vencimentos condignos.*

condilartro [Do tax. *Condylarthra*.] *Paleont.* ***S. m.*** **1.** Espécime dos condilartros, ordem extinta de mamíferos ungulados, com articulações do tipo condiloide e patas com cinco dedos. Viveram no paleoceno e no eoceno do Velho Mundo. ● ***Adj.*** **2.** Pertencente ou relativo a eles.

condiliano [De *condil(o)-* + *-iano*.] ***Adj.*** Referente a côndilo.

▲**condil(o)-** [Do gr. *kondyl-*, *kondylo-* < gr. *kóndylos, ou*.] ***El. comp.*** = 'côndilo': *condiliano, condiloide.*

côndilo [Do gr. *kóndylos*, pelo lat. tard. *condylu*.] ***S. m.*** *Anat.* Eminência articular que se apresenta arredondada em um sentido, e achatada em outro.

condiloide (ói) [De *condil(o)-* + *-oide*.] ***Adj. 2 g.*** Que tem forma de côndilo. ✧

condiloma [Do lat. cient. *condyloma* < gr. *kondýloma*.] ***S. m.*** *Patol.* Excrescência carnuda e dolorosa que se observa no ânus, na vulva ou na glande peniana, causada por vírus e bactérias, e que é sexualmente transmissível.

condimentação [De *condimentar* + *-ção*.] ***S. f.*** Ato ou efeito de condimentar.

condimentado [Part. de *condimentar*.] ***Adj.*** Em que há condimentos; temperado; adubado.

condimentar[1] [De *condimento* + *-ar*[1].] ***Adj. 2 g.*** Relativo a, ou próprio para condimento.

condimentar[2] [De *condimento* + *-ar*[2].] ***V. t. d.*** **1.** Deitar condimento a; temperar; adubar. **2.** *Fig.* Dar sabor a; alegrar, animar.

condimentício [De *condimentar*[2] + *-(t)ício*.] ***Adj.*** Condimentoso (1).

condimento [Do lat. *condimentu*.] ***S. m.*** Substância aromática, ger. de origem vegetal, usada para realçar o sabor dos alimentos; tempero, adubo.

condimentoso (ô) [De *condimento* + *-oso*.] ***Adj.*** **1.** Que condimenta; condimentício. **2.** Em que há condimentos em abundância e/ou muito fortes: "as iguarias condimentosas, ... a alimentação rija lourejava nos pratos e nas terrinas entre ondulações de perfumes." (Camilo Castelo Branco, *Noites de Insônia*, I, p. 19).

condir [Do lat. *condire*.] ***V. t. d.*** Temperar, preparar (medicamentos).

condiscípulo [Do lat. *condiscipulu*.] ***S. m.*** **1.** Companheiro de estudos. **2.** Aquele que num curso frequenta o mesmo ano ou classe que outro. [Sin. ger.: *colega*.]

➔**conditio juris** [kon'ditsɪo 'juɾes] [Lat., 'condição de direito'.] *Jur.* Condição, circunstância ou formalidade de que depende a validade dum ato jurídico.

➔**conditio sine qua non** [kon'ditsɪo 'sine kwa noŋ] [Lat.] V. *condição* sine qua non.

condizente [De *condizer* + *-nte*.] ***Adj. 2 g.*** Que condiz; bem combinado, harmônico: *O seu vestir não é condizente com a posição que tem.* [F. paral.: *condicente*.]

condizer [Do lat. *condicere*.] ***V. t. i. Int.*** Dizer bem; estar em proporção, em harmonia; harmonizar-se: "em tudo havia a ordem clara que tão bem condizia com o seu puro perfil." (Eça de Queirós, *Os Maias*, II, p. 18); "Tudo nelas, exceto a estatura, condiz ao modelo da mulher mal-educada" (Fialho d'Almeida, *Pasquinadas*, p. 170); *Tiveram de separar-se: seus temperamentos não condizem.* [Irreg. Conjug.: v. *dizer*.]

condoer [Do lat. *condolere*.] ***V. t. d.*** **1.** Despertar compaixão em; excitar à dor: *As súplicas do infeliz condoeram finalmente aquele coração empedernido.* ***P.*** **2.** Compadecer-se, ter dó: "Baldão, ludíbrio da sorte / Em terra estranha, entre gente, / Que alheios males não sente, / Nem se condói do infeliz!" (Gonçalves Dias, *Obras Poéticas*, I, p. 343.) [Conjug.: v. *doer*.]

condoído [Part. de *condoer*.] ***Adj.*** Que se compadece ou condói de outrem; compadecido: "Refulgia Vésper, como condoída / Lágrima caída sobre o dia morto." (Alberto de Oliveira, *Póstuma*, p. 70.)

condoimento (o-i) [De *condoer* + *-imento*.] ***S. m.*** V. *condolência*.

condolência [Do fr. ant. *condolence*, atual *condoléance*.] ***S. f.*** **1.** Sentimento de quem se condói; compaixão. **2.** Testemunho de pesar pela dor alheia. [Sin. ger.: *condoimento*.] ~ V. *condolências*.

condolências [Pl. de *condolência*.] ***S. f. pl.*** V. *pêsames*: "Vi-o sair de casa, no caixão, as grinaldas, o coche, os soluços sinceros, os pêsames, as condolências dos profissionais de cerimônias fúnebres" (Lima Barreto, *Vida e Morte de M. J. Gonzaga de Sá*, pp. 108-109). ~ V. *condolência*.

condolente [Do part. pres. *condolente*, part. pres. de *condolere*.] ***Adj. 2 g.*** Que tem ou revela condolência, compaixão; compassivo.

condominial [De *condomínio* + *-al*[1].] ***Adj. 2 g.*** Relativo a condomínio.

condomínio [De *con-* + *domínio*.] ***S. m.*** **1.** Domínio exercido juntamente com outrem; copropriedade. **2.** O objeto de condomínio (1). **3.** Contribuição para as despesas comuns, em edifício de apartamentos, ou casas. **4.** Condomínio fechado (q. v.). ◆ **Condomínio fechado.** Conjunto residencial composto de edifícios ou casas, ger. cercado, com acesso controlado, e cujos moradores dividem equipamentos comunitários. [Tb. se diz apenas *condomínio*.]

condómino ***S. m.*** V. *condômino*. [Uso freq. em P.]

condômino [De *con-* + lat. *dominus*, 'senhor', 'dono'.] ***S. m.*** **1.** Dono juntamente com outrem; coproprietário, comunheiro. **2.** Aquele que reside em condomínio (4).

condor (ô) [Do esp. *cóndor* < quíchua *kúntur*.] ***S. m.*** **1.** *Zool.* Ave catartídea (*Vultur gryphus*), com cerca de 3,20m de envergadura, coloração preta com colar branco no pescoço, asas com manchas brancas, cabeça, nuca e pescoço nus. Os jovens são pardos. Alimenta-se de carne em putrefação. Ocorre na cordilheira dos Andes e cadeias de montanhas próximas; condor-dos-andes. **2.** *Zool.* Ave catartídea (*Gymnogyps californianus*) com pouco menos de 3m de envergadura, coloração preta, com manchas brancas sob as asas, cabeça e pescoço nus, vermelho-alaranjados, e um colar de penas em torno do pescoço. Os jovens são cinza. Alimenta-se de carne em putrefação. Ocorre em áreas montanhosas do O. dos E.U.A.; condor-californiano. **3.** Antiga unidade monetária, e moeda, do Chile.

condor-californiano ***S. m.*** *Zool.* Condor (2). [Pl.: *condores-californianos*.]

condor-dos-andes ***S. m.*** *Zool.* Condor (1). [Pl.: *condores-dos-andes*.]

condoreirismo [De *condoreiro* + *-ismo*.] ***S. m.*** *Bras.* O estilo ou maneira peculiar dos poetas condoreiros; condorismo.

condoreiro [De *condor* + *-eiro*, com metáfora.] *Bras.* ***Adj.*** **1.** Diz-se do estilo elevado ou guindado, hiperbólico, ou do poeta que tem esse estilo. ~ V. *escola —a*. ● ***S. m.*** **2.** Poeta condoreiro.

condorense ***Adj. 2 g.*** **1.** De, ou pertencente ou relativo a Condor (RS). ● ***S. 2 g.*** **2.** O natural ou habitante de Condor.

condorismo [De *condor* + *-ismo*.] ***S. m.*** *Bras.* Condoreirismo.

➔**condottiere** [kondot'tjɛɾe] [It.] ***S. m.*** Capitão de soldados mercenários (particularmente na Itália da Renascença); aventureiro.

condralgia [De *condr(o)-* + *-alg(o)-*[2] + *-ia*[1].] ***S. f.*** *Med.* Dor em cartilagem.

condrálgico [De *condralgia* + *-ico*[2].] ***Adj.*** Relativo a condralgia.

condricte [De *condr(o)-* + *-icte*; tax. *Chondrichthyes*.] *Zool.* ***S. m.*** **1.** Espécime dos condrictes, classe de peixes caracterizados pelo esqueleto cartilaginoso, pela pele coberta por escamas placoides e pela ausência de opérculo ósseo. Divide-se em duas subclasses: elasmobrânquios (tubarões e raias) e holocéfalos (quimeras). ● ***Adj. 2 g.*** **2.** Pertencente ou relativo a eles.

condrina [De *condr(o)-* + *-ina*[3].] ***S. f.*** Substância que se extrai das cartilagens.

condrioma [Do gr. *chondrion*, dim. de *chóndron* (v. *condr(o)-*), + *-oma*[2].] ***S. m.*** *Citol. Desus.* Conjunto de mitocôndrias de uma célula. [Cf. *condroma*.]

condrito [Do ingl. *chondrite* (do gr. *chóndros, ou*, 'grão').] ***S. m.*** *Astr.* Designação dos meteoritos que contêm côndrulos.

▲**condr(o)-** [Do gr. *chondro-* < gr. *chóndros, ou*.] ***El. comp.*** = 'grão', 'grânulo'; 'cartilagem': *condrina, condroblasto*. [Equiv.: *-condr(o)-*, *-condro*: *intercondral, sincondrose; pericondro*.]

▲**-condr(o)-** V. *condr(o)-*.

▲**-condro** V. *condr(o)-*.

condroblasto [De *condr(o)-* + *-blasto*.] ***S. m.*** *Histol.* Célula mesenquimatosa, basófila, de formato arredondado, com organelas necessárias para a síntese proteica dos componentes da matriz cartilaginosa.

condrocalcinose [De *condr(o)-* + *calcinose*.] ***S. f.*** *Reum.* Doença, de etiologia desconhecida, caracterizada pela presença de sais de cálcio em cartilagem articular, podendo comprometer uma ou mais articulações.

condrócito [De *condr(o)-* + *-cito*.] ***S. m.*** *Histol.* Célula característica do tecido cartilaginoso, formada a partir de condroblastos localizados que foram circundados pela matriz cartilaginosa.

condrodisplasia [De *condr(o)-* + *displasia*.] ***S. f.*** *Ort.* Perturbação geneticamente determinada, que afeta o curso da organização histológica do esqueleto, causando anomalias de desenvolvimento e de crescimento; osteocondrodisplasia.

condrodistrofia [De *condr(o)-* + *distrofia*.] ***S. f.*** *Patol.* Condição mórbida que se caracteriza pelo desenvolvimento anormal de cartilagem.

condroganoide (ói) [De *condr(o)-* + tax. *Ganoidei*; tax. *Chondroganoidei*.] ***S. m. Adj. 2 g.*** *Zool.* V. *paleopterígio*. ✧

condroide (ói) [De *condr(o)-* + *-oide*.] ***Adj. 2 g.*** *Anat.* Semelhante a cartilagem. ✧

condroma [De *condr(o)-* + *-oma*[1].] ***S. m.*** *Patol.* **1.** Tumor formado por tecido cartilaginoso. **2.** Tumor benigno que produz tecido cartilaginoso maduro. [Cf. *condrioma*.]

condromalacia [De *condr(o)-* + *-malacia*.] ***S. f.*** *Med.* Processo degenerativo, de provável origem traumática, que determina amolecimento de cartilagem hialina de revestimento, e que é de ocorrência frequente em superfície articular de patela.

condropatia [De *condr(o)-* + *-patia*.] ***S. f.*** *Patol.* Qualquer doença de cartilagem.

condrossarcoma [De *condr(o)-* + *sarcoma*.] ***S. m.*** *Patol.* Tumor maligno que produz tecido cartilaginoso imaturo.

condrósteo [De *condr(o)-* + *-ósteo*; tax. *Chondrostei*.] *Zool.* ***S. m.*** **1.** Espécime dos condrósteos, ordem de peixes paleopterígios, de corpo nu, ou com fileiras longitudinais de escudos ósseos, ou escamas ganoides; coluna vertebral cartilaginosa, mas ossos dérmicos no tronco e na cabeça e notocórdio persistente. São os esturjões. ● ***Adj.*** **2.** Pertencente ou relativo a eles.

condrotomia [De *condr(o)-* + *-tom(o)-* + *-ia*[1].] ***S. f.*** *Med.* Seção cirúrgica de cartilagem.

côndrulo [Do ingl. *chondrule* (do gr. *chóndros, ou*, 'grão').] ***S. m.*** *Astr.* Aglomerado esférico com cerca de 0,5 a 2mm, composto de olivina, piroxênio, ferro-níquel, etc., presente em meteoritos.

condução [Do lat. *conductione*.] ***S. f.*** **1.** Ato, efeito ou meio de conduzir. **2.** *Pop.* Meio de transporte; veículo, transporte: *Fiquei sem condução: tive de vir a pé.* **3.** *P. ext.* O próprio veículo de transporte, especialmente o coletivo: *A condução demorou muito, e cheguei atrasado.* ◆ **Condução antidrômica.** *Fisiol.* Condução de impulsos nervosos em direção contrária àquela em que deveria realizar-se. **Condução extrínseca.** *Fís.* Num semicondutor, condução de carga realizada pelos portadores majoritários. **Condução intrínseca.** *Fís.* Num semicondutor, condução de carga realizada pelos portadores minoritários.

conducente [Do lat. *conducente*, por via erudita.] ***Adj. 2 g.*** **1.** Que conduz (a um fim): "Não duvido que a convivência com essa matrona seja salutar, proveitosa, e conducente a boas vantagens sociais" (Eça de Queirós, *Ecos de Paris*, p. 91). **2.** Que tende (para um fim); tendente.

conduíte [Do fr. *conduit*.] ***S. m. e f.*** *Constr.* Tubo rígido ou flexível, que pode, ou não, ser embutido, para alojar e proteger fios ou cabos elétricos em instalações ou linhas de energia; eletroduto.

condulete (ê) [Marca registrada.] ***S. m.*** *Eng. Elétr.* Caixa de passagem e/ou de distribuição de condutores [v. *conduto* (3)] para instalação aparente de baixa tensão.

conduplicado [Do lat. *conduplicatu*.] ***Adj.*** *Bot.* Enrolado ao longo do eixo longitudinal: *prefoliação conduplicada.*

condurango [Do esp. *condurango* < quíchua *kúntur anku*, 'cipó do condor'.] ***S. m.*** *Bras. RJ MG Bot.* Planta vitácea (*Vitis sulciacaulis*) trepadeira de caule sarmentoso, folhas graúdas, flores esverdeadas, e cujo fruto é baga ovoide e preta, com semente.

conduri ***S. 2 g. Adj. 2 g.*** *Bras.* V. *cunuri*[2].

conduru [Do tupi.] ***S. m.*** *Bras. Bot.* **1.** Árvore bignoniácea (*Jacaranda mimosifolia*) de folhas bipenadas, flores azuis, paniculadas, e frutos capsulares ovoides, lenhosos; a casca tem propriedades medicinais. **2.** V. *conduru-de-sangue*. **3.** V. *murureran*a. [F. paral.: *cunduru*.]

conduru-de-sangue ***S. m.*** *Bras. Bot.* Grande árvore morácea (*Brosimum rubescens*), de flores masculinas e femininas, e que fornece madeira de alburno cinzento e cerne vermelho com manchas amarelas, própria para marcenaria; amapá-doce, apé, muirapiranga, conduru, cunduru, pau-rainha. [Pl.: *condurus-de-sangue*.]

conduta [Do lat. *conducta*, fem. do lat. *conductus*.] ***S. f.*** **1.** Procedimento moral (bom ou mau); comportamento. 2. Transporte de pessoas; leva. 3. *Bras. PE* Parte anterior das caldeiras das locomotivas, onde termina a tubulação e donde parte a chaminé. ◆ **Conduta típica.** *Educ.* Cada uma das manifestações de comportamento, típicas de portadores de síndromes e quadros psicológicos, neurológicos ou psiquiátricos, que ocasionam atraso no desenvolvimento, e/ou prejuízo no relacionamento social, em grau que requeira atendimento educacional especializado. [Termo da educação especial.]

condutância [Do fr. *conductance.*] *S. f. Eletr.* 1. Propriedade dum sistema que lhe permite conduzir eletricidade. 2. Num condutor ôhmico, o inverso da resistência. 3. A parte real da admitância de um circuito [símb.: *G*]. ◆ **Condutância equivalente.** *Fís.-Quím.* A condutância de uma coluna de eletrólito que contém um equivalente-grama do soluto e está compreendida entre dois eletrodos planos, paralelos, afastados um centímetro um do outro. **Condutância específica.** *Fís.-Quím.* Condutividade. **Condutância mútua.** *Eletrôn.* Transcondutância (q. v.).

condutibilidade [De *condutível* + -*(i)dade*, seg. o padrão erudito.] *S. f.* Propriedade que tem os corpos de ser condutores de calor, eletricidade, som, etc.

condutimetria [Do ingl. *conductimetry.*] *S. f.* Ramo da física que estuda a condutividade.

condutímetro [De *condut(ância)-* + -*i-* + -*metro.*] *S. m. Eletr.* Qualquer aparelho para medir uma condutância, esp. a de uma solução.

condutismo [De *conduta* + -*ismo.*] *S. m. P. us.* Behaviorismo (q. v.).

condutível [Do lat. **conductibile.*] *Adj. 2 g.* 1. Que pode ser conduzido. 2. Que apresenta condutibilidade.

condutividade [De *condutivo* + -*(i)dade.*] *S. f. Eletr.* Condutância de um condutor de seção reta uniforme igual a uma unidade de área, e de comprimento igual a uma unidade de comprimento; o inverso da resistividade. [Sin.: *condutância específica.*] ◆ **Condutividade térmica.** *Fís.* Quantidade de calor que passa, por unidade de tempo, através da unidade de área de um condutor térmico no qual existe um gradiente de temperatura uniforme igual a um grau de temperatura por unidade de comprimento.

condutivímetro [De *condutivi(dade)* + -*metro.*] *S. m. Eng. Elétr.* Instrumento para medir a condutividade.

condutivo [Do lat. *conductus*, part. pass. de *conducere*, 'conduzir', + -*ivo.*] *Adj.* Condutor[2] (1).

conduto [Do lat. *conductu.*] *S. m.* 1. Via por onde se escoa um fluido, e que, conforme o tipo de escoamento, poderá ser livre (v. *escoamento livre*) ou forçado (v. *escoamento forçado*); via, caminho. 2. *Anat.* V. *ducto* (1). 3. *Eng. Elétr.* Qualquer dispositivo metálico ou plástico us. na instalação de condutores elétricos. 4. *Pop.* Aquilo que se come habitualmente com o pão. [Sin. (lus., nesta acepç.): *presigo.*] ◆ **Conduto auditivo externo.** *Anat.* V. *meato acústico externo.* **Conduto vulcânico.** *Geol.* Ligação entre a cratera e a câmara magmática; chaminé.

condutopata [De *conduta* + -*o-* + -*pata* (q. v.).] *Adj. 2 g. S. 2 g. Psicol. Psiq.* Que, ou aquele que sofre de condutopatia.

condutopatia [De *conduta* + -*o-* + -*patia.*] *S. f. Psicol. Psiq.* Qualquer distúrbio de conduta (1).

condutor[1] (ô) [Do ingl. *conductor.*] *S. m.* Pessoa que cobra ou arrecada as passagens nos bondes, ônibus e trens.

condutor[2] (ô) [Do lat. *conductore.*] *Adj.* 1. Que conduz; condutivo. ~ V. *motivo* —. ● *S. m.* 2. Aquele que conduz. 3. *Art. Gráf.* Impressor que atende ao preparo de uma ou mais prensas e supervisiona o trabalho de tiragem. 4. *Constr.* Cano por onde se escoam para o solo, encaminhadas pelas calhas, as águas pluviais do telhado. 5. *Ind. Pap.* Operário responsável pelo funcionamento da máquina contínua de papel ou de outros equipamentos no processo de fabricação de papel. 6. *Eletr.* Condutor elétrico (q. v.). ◆ **Condutor de imagem.** *Art. Gráf. Grav. Fotograv.* Superfície impressora obtida por qualquer processo. **Condutor elétrico.** *Eletr.* Todo sistema capaz de efetuar um transporte de carga elétrica sob a forma de uma corrente elétrica. [Tb. se diz apenas *condutor.*] **Condutor metálico.** *Eletr.* Condutor sólido no qual a condução de eletricidade se deve ao movimento de elétrons da banda de condução. **Condutor ôhmico.** *Eletr.* Condutor elétrico em que a resistência é constante.

conduzir [Do lat. *conducere.*] *V. t. d.* 1. Ir na companhia de, guiando, orientando, e/ou em sinal de respeito, ou de cortesia; levar: *A criança __conduzia__ o cego.* 2. Guiar, dirigir, governar: *__conduzir__ uma caravana; __conduzir__ um veículo.* 3. Comandar, governar: *__conduzir__ uma nação.* 4. Transportar, carregar: *Um burrico __conduziu__ a munição.* 5. Ter capacidade para transportar: *Este ônibus __conduz__ 32 pessoas.* 6. Ser condutor (6) de; transmitir: *Fios __conduzem__ eletricidade. T. c. T. i.* 7. Ir ter; levar: *Este caminho __conduz__ ao rio; Seu procedimento __conduz__ à estabilidade psíquica. T. d. e c.* 8. Trazer; levar: *__Conduziu__ o prisioneiro à presença do rei;* "Dous sujeitos de libré azul __conduziam__ para o interior do teatro um cavalo que acabava de servir." (Aluísio Azevedo, *Demônios*, p. 187). *T. d. e i.* 9. *Fig.* Impelir, mover, levar: *Os maus hábitos __conduziram__-no à desgraça. T. d. bit. c.* 10. Conduzir (8): "O cocheiro que me __conduz__ da gare ao hotel .... fala-me corretamente o francês" (Ramalho Ortigão, *A Holanda*, p. 135). *P.* 11. Portar-se, comportar-se, proceder, haver-se: *__Conduziu-se__ mal durante a cerimônia.* [Irreg. Conjug.: v. *aduzir.*]

cone [Do fr. *cône* (do lat. *conus*, do gr. *kônos*).] *S. m.* 1. *Geom.* Sólido limitado por uma superfície cônica fechada e dois planos paralelos que cortam todas as suas geratrizes. 2. *Geom.* Sólido limitado por uma superfície cônica fechada de uma só folha e um plano que corta todas as suas geratrizes. [Cf., nessas acepçs., *superfície cônica.*] 3. *Geom. Impr.* Superfície cônica. 4. Qualquer objeto cônico. 5. *Bot.* Estróbilo. 6. *Histol.* Qualquer das células fotorreceptoras presentes na retina dos vertebrados, que são especializadas para registrar as cores e responsáveis pela acuidade visual. ◆ **Cone aluvial.** *Geol.* V. *cone de aluvião.* **Cone assintótico.** *Geom.* Cone cujas geratrizes são assintóticas das hiperboloides. **Cone circular.** *Geom.* O que tem por base um círculo. **Cone de aluvião.** *Geol.* Acúmulo de material aluvional, transportado por um curso de água, em forma aproximada de cone; cone aluvial, cone de dejeção, cone de detritos, leque de aluvião. **Cone de avalancha.** *Geol.* Massa de material (neve, gelo, rochas e objetos) transportado pela avalancha e depositado após a sua queda. **Cone de dejeção.** *Geol.* V. *cone de aluvião.* **Cone de detritos.** *Geol.* V. *cone de aluvião.* **Cone de luz.** *Fís.* No contínuo espaço-tempo, superfície cônica que limita a região acessível a sinais emanados de um ponto situado no seu vértice. **Cone de luz do futuro.** *Astr.* Região do espaço-tempo voltada para o futuro. **Cone de luz do passado.** *Astr.* Região do espaço-tempo voltada para o passado. **Cone de nulo.** *Eng. Elétr.* No diagrama direcional de uma antena, superfície cônica sobre a qual é nulo o sinal da emissora. **Cone de sombra.** *Astr.* Zona sombria projetada pela Terra durante os eclipses lunares, ou pela Lua durante os eclipses solares. **Cone diretor.** *Mat.* Superfície cônica gerada por uma reta que passa por um ponto fixo do espaço e se move paralelamente à geratriz de uma superfície regrada. **Cone do nariz.** *Astron.* Parte de um foguete onde é colocada a carga útil. **Cone equilátero.** *Geom.* Cone circular em que o diâmetro da base é igual à altura. **Cone eruptivo.** *Geol.* Cone vulcânico. **Cone esférico.** *Geom.* Sólido limitado por uma superfície esférica e uma superfície cônica circular de vértice no centro da esfera. **Cone oblíquo.** *Geom.* Aquele em que a altura não passa pelo centro da base. **Cone quádrico.** *Geom.* O que tem por seção reta uma cônica. **Cone reto.** *Geom.* Aquele em que a altura passa pelo centro da base. **Cone Sul.** Bloco de países formado por Brasil, Argentina, Paraguai, Uruguai e Chile. **Cone truncado.** *Geom.* V. *tronco de cone.* **Cone vulcânico.** *Geol.* Acumulação coniforme, em torno da cratera, dos produtos lançados pelo vulcão; cone eruptivo.

conectado [Part. de *conectar.*] *Adj.* 1. Que se conectou; que tem ou mantém conexão, vínculo ou relação. 2. *Inform.* Que está em conexão (7). 3. *Fig. Gír.* V. *antenado.*

conectar [Do ingl. *(to) connect*, 'unir', < lat. *conectere.*] *V. t. d.* 1. Unir ou ligar por conexão; estabelecer conexão (1) entre. 2. *P. ext.* Unir, ligar, juntar, ajuntar. 3. *Inform.* Estabelecer conexão (7) entre (um computador ou dispositivo) e outro(s). *P.* 4. *Inform.* Ter acesso a, ou contato com (alguém, determinadas informações, serviços, etc.) através de dispositivos computacionais postos em comunicação entre si.

conectividade [De *conectivo* + -*(i)dade.*] *S. f.* 1. Qualidade ou estado do que é conectivo (1). 2. *Quím.* Ordenação dos átomos de uma molécula, que mostra a quais outros átomos cada um está diretamente ligado.

conectivo [De *connect-*, rad. do lat. *conectere*, 'ligar', + -*ivo*; ingl. *conective.*] *Adj.* 1. Que une ou liga. ~ V. *tecido* —. ● *S. m.* 2. *Bot.* Tecido estéril situado entre as duas tecas da antera, e que as une. 3. *E. Ling.* Palavra que liga partes da oração, ou as orações, em um período (7); conector. [Var.: *conetivo.*]

conector (ô) [Do ingl. *connector.*] *S. m.* 1. *Eng. Elétr.* Componente de um circuito elétrico ou eletrônico, destinado a estabelecer ligação elétrica entre dois outros componentes. 2. *Bras.* Peça ou dispositivo destinado a ligar partes móveis de uma máquina. 3. *E. Ling.* Conectivo (3). ● *Adj.* 4. *Bras.* Diz-se de peça ou dispositivo que serve para isso.

cônega *S. f. Ant.* V. *cônega.* [Uso freq. em P.]

cônega [Fem. de *cônego.*] *S. f. Ant.* Religiosa de um cabido regular.

cónego *S. m.* V. *cônego.* [Uso freq. em P.]

cônego [Do lat. *canonicu.*] *S. m.* 1. Padre secular pertencente a um cabido e ao qual impendem obrigações religiosas em uma sé ou colegiada. 2. *Fam.* Pessoa que leva boa vida. [Fem.: *cônega* (ant.) e *canonisa.*] ◆ **Cônego regrante.** O sujeito à regra monástica: "Imaginavam os bons dos __cônegos regrantes__ que eram eles os senhores daqueles domínios." (Antônio Feliciano de Castilho, *Amor e Melancolia*, p. 312.)

conetivo *Adj. S. m.* V. *conectivo.*

conetor (ô) *S. m. Adj.* V. *conector.*

conexão (cs) [Do lat. *conexione.*] *S. f.* 1. Ligação, união: "A verdade é que a __conexão__ viva entre o presente e o passado não pode ser abandonada, sob o risco da ruptura de interesse mútuo entre a história e a sociedade." (José Honório Rodrigues, *Vida e História*, p. 53.) 2. Nexo, coerência: "sensibilidade ao mesmo tempo profunda e errante, ávida de desvendar __conexões__ novas entre o mundo do amor e o mundo natural." (Carlos Drummond de Andrade, *Passeios na Ilha*, p. 212.) 3. Analogia entre coisas diferentes. 4. Ponto de um itinerário em que se faz baldeação. 5. Peça ou dispositivo que liga fisicamente, ou que serve como passagem ou comunicação. 6. *Dir. Proc.* Condição de duas ou mais demandas judiciais que têm em comum o mesmo objeto ou causa de pedir, e que por essa razão devem ser reunidas em um mesmo juízo para se evitarem julgamentos contraditórios. 7. *Inform.* Comunicação ou troca de informações entre dispositivos computacionais. 8. *Lóg.* Relação entre as partes de um todo, que se pertencem, necessariamente, umas às outras. [Cf., nesta acepç., *agregação* (4) e *forma* (19).] 9. *Lóg.* Propriedade da relação, que pode ser estabelecida entre dois elementos quaisquer do seu campo. Ex.: a relação *é maior que* ou *é menor que* entre qualquer par de números naturais desiguais.

conexidade (cs) [De *conexo* + -*(i)dade.*] *S. f.* Qualidade de conexo.

conexivo (cs) [Do lat. tard. *conexivu.*] *Adj.* Relativo a conexão.

conexo (cs) [Do lat. *conexu.*] *Adj.* Que tem, ou em que há conexão: *letras e assuntos __conexos__; matéria __conexa__ com outra.* ~ V. *conjunto* —.

conezia [Do lat. **canonicia* < lat. *canonicus*, 'cônego'.] *S. f.* 1. Canonicato. 2. *Fig.* Sinecura, prebenda.

confabulação [Do lat. *confabulatione.*] *S. f.* 1. Ato ou efeito de confabular. 2. Trama, conspiração. 3. *Psiq.* Fabulação (4).

confabular [Do lat. *confabulare*, por *confabulari.*] *V. int. T. i.* 1. Trocar ideias; conversar, cavaquear; falar. 2. Conversar sobre assunto misterioso, secreto ou suspeito; maquinar, tramar, conspirar.

confecção [Do lat. *confectione.*] *S. f.* 1. Ato ou efeito de confeccionar. 2. *Vest.* Roupa feita, ou confeccionada em fábrica, que se adquire pronta. 3. *P. ext. Vest.* Estabelecimento que confecciona tal roupa. 4. *Vest.* Setor da produção de roupas e complementos cujas principais etapas são a modelagem, o corte e a costura.

confeccionado [Part. de *confeccionar.*] *Adj.* Diz-se de obra a que se deu acabamento, ou de roupa feita em fábrica.

confeccionador (ô) [De *confeccionar* + -*dor.*] *S. m.* Aquele que confecciona.

confeccionar [Do fr. *confectionner.*] *V. t. d.* 1. Manipular (medicamento). 2. Preparar, manipular (bolos, doces de confeitaria). 3. Dar acabamento a; executar (obra qualquer). 4. Compor, organizar. [Sin. ger.: *confeiçoar.*]

confeccionista [De *confecção* + -*ista*, seg. o padrão erudito.] *S. 2 g.* Pessoa que trabalha em confecção (2 e 3).

confederação [Do lat. tard. *confoederatione.*] *S. f.* 1. Reunião de diferentes Estados que, embora conservando a respectiva autonomia, formam um só, reconhecendo um governo comum: *A __Confederação__ Helvética.* 2. Aliança de nações para um fim comum. 3. Liga, associação, união de grupos, Estados, etc., com um fim determinado: *A __Confederação__ do Equador, formada em 1824 no N.E., tinha cunho republicano e separatista.* 4. Agrupamento de associações, federações profissionais, sindicais, esportivas, etc., para a defesa de interesses comuns: *A __Confederação__ Brasileira de Futebol.* 5. *Bras.* Associação sindical de grau superior, sediada na capital da República, e que reúne pelo menos três federações.

confederado [Part. de *confederar.*] *Adj.* 1. V. *coligado* (2). ● *S. m.* 2. V. *coligado* (3).

confederar [Do lat. tard. *confoederare.*] *V. t. d.* 1. Unir em confederação. *P.* 2. Unir-se, associar-se para um fim comum, em geral político: "Pra acabar coos ataques reiterados / Dos Lusos, __confederam-se__ os Tamoios." (Domingos José Gonçalves de Magalhães, *A Confederação dos Tamoios*, p. 33).

confederativo [De *confederar* + *-tivo*.] ***Adj.*** Relativo a confederação.

confeição [Do lat. *confectione*.] ***S. f.*** Ato ou efeito de confeiçoar.

confeiçoar [De *confeição* + *-ar*², com desnasalação.] ***V. t. d.*** V. *confeccionar*. [Conjug.: v. *coroar*.]

confeitadeira [De *confeitar* + *-deira*.] ***S. f.*** Mulher que confeita bolos; confeiteira, doceira.

confeitado [Part. de *confeitar*.] ***Adj.*** Coberto com massa de água e açúcar ou glacê: *castanhas confeitadas; amêndoas confeitadas.* [Cf. *aconfeitado*.]

confeitar [De *confeito* + *-ar*².] ***V. t. d.*** 1. Cobrir com açúcar, tal como se faz com os confeitos. 2. Trabalhar (o açúcar) associando-o artisticamente a outros elementos, como, p. ex., frutas, chocolate, mel. 3. Ornamentar (bolo), cobrindo-o com uma preparação feita de açúcar e outros ingredientes. 4. *Fig.* Adoçar para iludir: *Tratara-o com aspereza, mas agora, levado pelo interesse, confeitava as palavras.* 5. *Fig.* Disfarçar, encobrir. [Cf. *aconfeitar*.]

confeitaria [De *confeito* + *-aria*.] ***S. f.*** 1. Casa onde se fabricam ou vendem bolos, biscoitos, doces, salgadinhos, etc. 2. *Bras.* Casa de chá.

confeiteira [De *confeito* + *-eira*.] ***S. f.*** 1. Prato para servir doces. 2. Vasilha para guardar confeitos. 3. Mulher que faz ou vende doces. 4. V. *confeitadeira*.

confeiteiro [De *confeito* + *-eiro*.] ***S. m.*** Fabricante ou vendedor de confeitos, bolos e outros doces; doceiro.

confeito [Do it. *confètto* < lat. *confectu*.] ***S. m.*** 1. Semente ou pevide coberta de uma camada aderente de açúcar. 2. *Bras. N.E.* Bala, rebuçado. 3. Pequenas pastilhas coloridas usadas para confeitar bolos.

■ **Confen** Sigla de *Conselho Federal de Entorpecentes.*

■ **Confere** Sigla de *Conselho Federal dos Representantes Comerciais.*

conferência [Do lat. *conferentia*.] ***S. f.*** 1. Ato ou efeito de conferir. 2. Confronto, cotejo. 3. Conversação entre duas ou mais pessoas sobre negócios de interesse comum. 4. V. *convenção* (6). 5. Reunião de representantes ou delegados de vários países para discutirem problemas internacionais. 6. Preleção pública sobre assunto literário, científico, etc. 7. Junta de médicos que reciprocamente se consultam e esclarecem sobre o estado de um doente ou sobre medidas sanitárias. 8. Reunião dos membros dum tribunal coletivo para decisão final ou acórdão. [Cf. *conferencia*, do v. *conferenciar*.] ◆ **Conferência de frete.** *Mar. Merc.* Cada um dos conclaves internacionais de natureza privada, em que as companhias de navegação se congregam para estabelecer regras acerca de fretes, distribuição de cargas, etc., referentes ao comércio marítimo internacional. **Conferência eletrônica.** V. *lista de discussão.*

conferenciador (ô) [De *conferenciar* + *-dor*.] ***S. m.*** *Bras. P. us.* V. *conferencista.*

conferencial [De *conferência* + *-al*¹.] ***Adj. 2 g.*** Relativo a, ou que tem forma de conferência.

conferenciar [De *conferência* + *-ar*².] ***V. int.*** 1. Discutir ou tratar em conferência. 2. Fazer preleção ou conferência. 3. Conversar, palestrar: *Não se viam desde muito, e hoje, ao reencontrarem-se, conferenciaram longamente.* ***T. i.*** 4. Ter conferência (3): "saía de Cascais num batel o João Ramalho, ... para conferenciar com o Mestre" (Oliveira Martins, *A Vida de Nun'Álvares*, p. 179). [Pres. ind.: *conferencio, conferencias, conferencia*, etc. Cf. *conferência*.]

conferencista [De *conferência* (6) + *-ista*.] ***S. 2 g.*** Pessoa que faz conferência(s). [Sin.: *conferente* (lus.) e *conferenciador* (bras., p. us.).]

conferente [Do lat. *conferente*.] ***Adj. 2 g.*** 1. Que confere. ● ***S. 2 g.*** 2. *Lus.* V. *conferencista*. 3. Pessoa que toma parte numa conferência (3 e 4). 4. *Tip.* Auxiliar do revisor, que lê o original em voz alta ou escuta a leitura da prova. [V. *cantador* (5).]

conferição [De *conferir* + *-ção*.] ***S. f.*** Ato ou efeito de conferir.

conferir [Do lat. **conferere*, por *conferre*.] ***V. t. d.*** 1. Ver se está certo; comparar, confrontar, verificar: *Levou longo tempo a conferir o recibo.* 2. Dar, conceder, outorgar: *Na confissão o sacerdote confere o perdão dos pecados.* 3. *Dir. Civ.* Trazer à colação; colar, colacionar. ***T. d. e i.*** 4. Comparar; confrontar, cotejar: *Conferiu as provas com o original;* "Passei uma última vez pela Livraria José Olímpio, na Rua do Ouvidor, para conferir minhas recordações com os objetos que a elas estão ligados." (Carlos Drummond de Andrade, *Fala, Amendoeira*, p. 49). 5. Dar; outorgar: *Conferiu um título honorífico ao general vitorioso.* 6. Dar; imprimir: *Conferiu à exposição um tom solene.* 7. Tratar; discutir: *conferir negócios com alguém.* ***T. i.*** 8. Estar conforme, de acordo: *A cópia confere com o original.* 9. Tratar, discutir negócios; conferenciar. ***Int.*** 10. Estar conforme ou certo: *Verificou se as contas conferiam.* 11. *Tip.* Ler o original em voz alta, enquanto o revisor acompanha o texto na prova. [Cf. *revisar* (5).] 12. *Tip.* V. *comprovar* (3). 13. Comparar, cotejar. [Irreg. Conjug.: v. *aderir*.]

confertifloro [Do lat. *confertus*, part. pass. de *confercire*, 'acumular', 'amontoar', + *-ifloro*.] ***Adj.*** *Bot.* Provido de flores densamente agrupadas.

confessado [Part. de *confessar*.] ***Adj.*** 1. Que se confessou. 2. Confesso (2). ● ***S. m.*** 3. Aquele que se confessa com determinado padre.

confessando [De *confessar* + *-ando*.] ***S. m.*** Aquele que vai confessar-se, fazer a confissão de seus pecados: "No branco véu das confessandas / Envolves a alva cabeleira..." (Alphonsus de Guimaraens, *Obra Completa*, p. 216.)

confessar [Do b.-lat. *confessare* < lat. *confessus* (v. *confesso*).] ***V. t. d.*** 1. Declarar; revelar: *Confessou tranquilamente a sua culpa.* 2. Reconhecer a verdade, a realidade de (ação, erro, culpa, etc.). 3. Declarar (pecado[s]) ao confessor. 4. Ouvir em confissão: *O sacerdote confessou a moribunda.* 5. Professar, seguir (sistema, doutrina, religião, seita, etc.). 6. Deixar perceber ou transparecer; denunciar, revelar: *Seus olhos confessavam o que lhe ia na alma.* ***T. d. e i.*** 7. Declarar, revelar: *Confessou-lhe toda a verdade.* 8. Declarar durante confissão (4). ***Transobj.*** 9. Declarar, reconhecer: *Confessaram Cristo por filho de Deus.* ***Int.*** 10. Fazer a confissão dos seus pecados; confessar-se: *É católico praticante: confessa e comunga pela Páscoa.* ***P.*** 11. Declarar pecados ao confessor; confessar: "queria confessar-se, comungar, tinha medo de morrer em pecado" (Coelho Neto, *Sertão*, p. 330). 12. Declarar-se; reconhecer-se: *Confessou-se responsável por tudo;* "era prova de bom gosto literário confessarem-se os poetas influenciados pelos autores italianos." (Melo Nóbrega, *O Soneto de Arvers*, p. 77). [Pres. ind.: *confesso*, etc. Cf. *confesso* (ê).]

confessional [Do lat. *confessione* + *-al*¹.] ***Adj. 2 g.*** 1. Relativo a, ou próprio de confissão. 2. Relativo a uma crença religiosa. ~ V. *sigilo* —.

confessionário [Do lat. *confessione* + *-ário*.] ***S. m.*** 1. Lugar onde o padre ouve a confissão. 2. *Fig.* O sacramento da penitência: *Usavam o confessionário para fins políticos.* 3. Tribunal de penitência.

confesso [Do lat. *confessu*.] ***Adj.*** 1. Que confessou as suas culpas. 2. Que foi objeto de confissão; confessado. 3. Convertido ao cristianismo. ● ***S. m.*** 4. Monge que vivia em mosteiro. 5. Confessor (2). [Pl.: *confessos*. Cf. *confesso* (ê) e pl. *confessos* (ê).]

confesso (ê) [Dev. de *confessar*.] ***S. m.*** 1. Confissão ao sacerdote. 2. *Ant.* Qualquer confissão. [Pl.: *confessos* (ê). Cf. *confesso*, do v. *confessar*, adj. e s. m., e pl. *confessos*.]

confessor (ô) [Do lat. *confessore*.] ***S. m.*** 1. Sacerdote que ouve a confissão de pecados e erros feita por penitentes. 2. Aquele que confessa a fé cristã; confesso. [Cf., nesta acepç., *mártir* (1).]

confessório [Do lat. *confessoriu*.] ***Adj.*** Relativo a confissão.

confete (é) [Do it. *confetti*, pl. de *confètto*.] ***S. m.*** 1. Cada um dos pequenos discos de papel colorido que atiram uns aos outros, aos punhados, os que brincam no carnaval. 2. *Bras. Bot.* Planta acantácea (*Hypoestes phyllostachya*) perene, com 50 a 90cm, de folhas ovaladas salpicadas de pontos vermelhos, róseos ou brancos, e pequenas flores arroxeadas. 3. *Bras. Fig.* Elogio, amabilidade, galanteio.

confiabilidade [De *confiável* + *-(i)dade*, seg. o padrão erudito.] ***S. f.*** Qualidade de quem ou do que é confiável; fiabilidade.

confiado [Part. de *confiar*.] ***Adj.*** 1. Que tem confiança. 2. Que se confiou. 3. *Pop.* Atrevido, petulante. ● ***S. m.*** 4. Indivíduo confiado (3).

confiança [De *confiar* + *-ança*.] ***S. f.*** 1. Segurança íntima de procedimento. 2. Crédito, fé: *O mensageiro não merecia a confiança nele depositada.* 3. Boa fama: *A joalheria é de confiança.* 4. Segurança e bom conceito que inspiram as pessoas de probidade, talento, discrição, etc. 5. Esperança firme: *O congresso inaugurou-se numa atmosfera de confiança.* 6. *Pop.* Familiaridade (3). 7. *Pop.* Atrevimento, petulância. 8. *Bras.* Atos libidinosos; licença. ● ***S. m.*** 9. *Bras. RS* Empregado (ou outra pessoa) de confiança, com quem se pode contar em qualquer situação: "andei muito por esses meios, como vasqueano, como chasque, como confiança dele" (Simões Lopes Neto, *Contos Gauchescos e Lendas do Sul*, p. 168). ◆ **Dar confiança a.** Tratar (alguém) com familiaridade e/ou consentir em ser assim tratado. **Depositar confiança em.** 1. Crer na honradez ou discrição de. 2. Ter em bom conceito, em alta estima. **Tomar confiança com.** *Bras.* Tratar (alguém) com intimidade injustificada.

confiante [De *confiar* + *-nte*.] ***Adj. 2 g.*** 1. Que confia: *Estão confiantes na vitória.* 2. Que acredita em sua própria capacidade, sua inteligência, seu caráter, etc.

confiar [Do lat. **confidare*, por *confidere*.] ***V. int.*** 1. Ter confiança; ter fé; esperar, acreditar: *É um crédulo: confia demais.* ***T. i.*** 2. Pôr ou ter confiança, esperança (em alguém ou em alguma coisa): "esperava; não confiava em si absolutamente, mas confiava muito do acaso." (Aluísio Azevedo, *O Coruja*, p. 273). ***T. d. e i.*** 3. Comunicar ou transmitir em confiança: *Confiei-lhe a minha opinião sobre o assunto.* 4. Confidenciar (1): "Enquanto ela confiava da irmã o despeito e aversão com que a deixaram as últimas palavras de Calisto Elói, estava ele no seu gabinete retocando e piorando aquelas linhas rimadas" (Camilo Castelo Branco, *A Queda dum Anjo*, p. 152). 5. Entregar em confiança; fiar. ***P.*** 6. Ter confiança; acreditar; fiar-se.

confiável [De *confiar* + *-vel*.] ***Adj. 2 g.*** Em que(m) se pode confiar; digno de confiança; fidedigno.

confidência [Do lat. *confidentia*.] ***S. f.*** 1. Informação ou revelação secreta. 2. Confiança na discrição e lealdade de alguém. [Cf. *confidencia*, do v. *confidenciar*.]

confidencial [De *confidência* + *-al*¹.] ***Adj. 2 g.*** 1. Dito ou escrito em confidência; secreto. 2. Que tem caráter reservado, sigiloso. ● ***S. f.*** 3. Comunicação ou ordem sob sigilo.

confidenciar [De *confidência* + *-ar*².] ***V. t. d. T. d. e i.*** 1. Dizer em segredo, em confidência: *Não lhe apraz confidenciar seus problemas;* "Um ministro do gabinete canadiano .... confidenciava aos jornalistas as suas últimas declarações." (Joaquim Paço d'Arcos, *Neve sobre o Mar*, p. 20). ***T. i.*** 2. Conversar reservadamente: *O diretor confidenciou durante uma hora com o chefe do financeiro.* ***P.*** 3. Trocar confidências [v. *confidência* (1)]. [Pres. ind.: *confidencio, confidencias, confidencia*, etc. Cf. *confidência*.]

confidencioso (ô) [De *confidência* + *-oso*.] ***Adj.*** 1. Relativo a, ou que tem modos de confidência. 2. Revelado ou dito em confidência.

confidente [Do lat. *confidente*.] ***Adj. 2 g.*** 1. Diz-se de pessoa a quem se confiam segredos. ● ***S. 2 g.*** 2. Pessoa a quem se confiam segredos. 3. *Teatr.* Personagem secundária que representa o papel de íntimo de outra personagem mais importante. 4. *Teatr.* Personagem que exerce a função de intermediário ou mediador entre a ação da peça e o público, informando este das peripécias e intrigas.

configuração [Do lat. *configuratione*.] ***S. f.*** 1. A forma exterior de um corpo; conformação, aspecto, figura, feitio. 2. *Astr.* Posição aparente de dois ou mais astros na esfera celeste. 3. *Geom.* Qualquer conjunto formado por pontos, linhas e superfícies; figura. 4. *Inform.* Conjunto de parâmetros, componentes, periféricos e programas que determinam as possibilidades e a forma de funcionamento de um computador, de seu sistema operacional, e de seus aplicativos. 5. *Quím.* Modo como estão ligados, uns aos outros, os átomos de uma molécula. [Cf., nesta acepç., *conformação*]. ◆ **Configuração absoluta.** *Quím.* Descrição da configuração tridimensional de uma molécula quiral ou de um centro quiral, sem qualquer referência gráfica. [Há dois sistemas ger. us. para atribuir uma configuração absoluta: um deles designa-a como R ou S; o outro, como D ou L.] **Configuração base-comum.** *Eletrôn.* Técnica de operação de um transistor bipolar na qual a base, ger. com potencial zero na frequência do sinal de entrada, é comum aos circuitos de entrada e de saída, sendo o emissor o terminal de entrada e o coletor, o de saída. **Configuração coletor-comum.** *Eletrôn.* Técnica de operação de um transistor bipolar na qual o coletor, ger. com potencial zero na frequência do sinal de entrada, é comum aos circuitos de entrada e de saída, sendo a base o terminal de entrada e o emissor, o de saída. **Configuração dreno-comum.** *Eletrôn.* Técnica de operação de um transistor de efeito de campo na qual o dreno (3), ger. com potencial zero na frequência do sinal de entrada, é comum aos circuitos de entrada e de saída, sendo a porta (12) o terminal de entrada e a fonte (18), o de saída. **Configuração eletrônica.** *Quím.* O modo pelo qual os elétrons de um átomo, ou de uma molécula, estão distribuídos nos respectivos orbitais. **Configuração emissor-comum.** *Eletrôn.* Técnica de operação de um transistor bipolar na qual o emissor, ger. com potencial zero na frequência do sinal de entrada, é comum aos circuitos de entrada e de saída, sendo a base o terminal de entrada e o coletor, o de saída. **Configuração fonte-comum.** *Eletrôn.* Técnica de operação de um transistor de efeito de campo na qual a fonte (13), ger. com potencial zero na frequência do sinal de entrada, é comum aos circuitos de entrada e de saída, sendo a porta (12) o terminal de entrada e o dreno (3), o de saída. **Configuração porta-comum.** *Eletrôn.* Técnica de operação de um transistor de efeito de campo na qual a porta (12), ger. com potencial zero na frequência do sinal de entrada, é comum aos circuitos de entrada e de saída, sendo a fonte (13) o terminal de entrada e o dreno (3), o de saída.

configurar [Do lat. *configurare.*] *V. t. d.* **1.** Dar a forma ou figura de; conformar: *Tomou um bocado de argila e configurou um ser humano.* **2.** Ser o indício, o sinal de; denotar; caracterizar: *O alto índice de violência configura o nosso caos social.*

confim [Do adj. lat. *confine.*] *Adj. 2 g.* Que confina. ~ V. *confins.*

confinamento [De *confinar* + *-mento.*] *S. m.* **1.** Ato ou efeito de confinar(-se). **2.** *Fís. Nucl.* Operação que impede, de modo eficiente e prolongado, que as partículas de um plasma colidam com as paredes do recipiente que o contém. **3.** *Fís. Part.* Propriedade que confina os *quarks* num volume de dimensões inferiores ao de um núcleo atômico e impede a observação de *quarks* livres na natureza.

confinante [De *confinar* + *-nte.*] *Adj. 2 g.* Que confina; confrontante.

confinar [De *confins* + *-ar*².] *V. t. d.* **1.** Limitar; circunscrever, demarcar: *Altos muros confinavam os parques da mansão.* **2.** Encerrar, enclausurar: *confinar um prisioneiro.* *T. i.* **3.** Ter como limite ou fronteira; limitar(-se): *O Brasil confina, ao sul, com o Uruguai.* **4.** Ser ou estar próximo, fronteiro; aproximar-se, avizinhar-se: *Suas ideias confinam com as minhas;* "percebeu que entre eles havia .... pouca ou nenhuma afinidade moral, e da parte da mulher para com o marido uns modos que transcendiam o respeito e confinavam na resignação e no temor." (Machado de Assis, *Várias Histórias,* p. 108). ***T. d. e c.*** **5.** Confinar (2): *Confinou o sequestrado numa casa.* ***T. d. e i.*** **6.** Limitar, restringir: *O diretor confinou a ação do departamento à fiscalização.* ***Int.*** **7.** Estar nos confins. ***P.*** **8.** Dedicar-se com exclusividade; consagrar-se; absorver-se, concentrar-se: "E os mexicanos?! Era incrível, mas tanto se confinara ultimamente nas afeições domésticas, que se esquecera de fazer amigos entre eles." (Viana Moog, *Toia,* p. 40.)

confinidade [De *confim* + *-(i)dade,* seg. o padrão erudito.] *S. f.* Qualidade de confinante.

confins [Pl. de *confim.*] *S. m. pl.* **1.** Raias, fronteiras. **2.** Extremo longínquo. ~ V. *confim.*

confioso (ô) [De *confi(ança)* + *-oso,* poss. com infl. de *confidencioso.*] *Adj.* Cheio de confiança.

confirmação [Do lat. *confirmatione.*] *S. f.* **1.** Ato ou efeito de confirmar(-se). **2.** *Rel.* Sacramento da Igreja Católica Apostólica Romana, habitualmente administrado pelo bispo, e que assegura, fortalece, confirma o sacramento do batismo; crisma. **3.** Parte do discurso na qual o orador desenrola as provas.

confirmador (ô) [Do lat. *confirmatore.*] *Adj.* **1.** V. *confirmante.* ● *S. m.* **2.** Aquele que confirma.

confirmante [De *confirmar* + *-nte.*] *Adj. 2 g.* Que confirma; confirmador, confirmativo.

confirmar [Do lat. *confirmare.*] *V. t. d.* **1.** Afirmar de modo absoluto a exatidão, a veracidade de; corroborar: *A testemunha confirmou o depoimento do réu.* **2.** Dar certeza a; mostrar a verdade de; demonstrar, comprovar: *As experiências que fez confirmam sua tese.* **3.** Sustentar, manter, conservar, firmar: *O Ministro baixou portaria confirmando instruções anteriores.* **4.** Ter opinião, ou parecer, igual a (o que fora dado anteriormente por outrem); ratificar: *O cardiologista confirmou o diagnóstico do clínico.* **5.** Conferir o sacramento da confirmação (2) a. ***P.*** **6.** Verificar-se, realizar-se, cumprir-se: *Confirmou-se a sua previsão.* **7.** Receber confirmação (2).

confirmativo [Do lat. *confirmativu.*] *Adj.* V. *confirmante.*

confirmatório [De *confirmar* + *-tório.*] *Adj.* Que contém confirmação (1).

confiscação [Do lat. *confiscatione.*] *S. f.* Confisco: "A Inquisição prendeu-o [Damião de Góis] em abril de 1571, e veio a condená-lo à prisão perpétua, com excomunhão e confiscação total de bens." (Álvaro Lins e Aurélio Buarque de Holanda, *Roteiro Literário do Brasil e de Portugal,* vol. I, portugueses, p. 59.)

confiscador (ô) [De *confiscar* + *-dor.*] *Adj.* **1.** Confiscatório. ● *S. m.* **2.** Aquele que confisca: *Os confiscadores apreenderam toda a muamba.*

confiscar [Do lat. *confiscare.*] *V. t. d.* **1.** Apreender em proveito do fisco; arrestar: "Se por seu lado a Inquisição não cessava de funcionar, queimando judeus para depurar a fé, confiscando-lhes os bens para acudir às urgências do erário régio ...., força é também confessar que, no decurso do século XVII e na primeira metade do seguinte, a Inquisição condena, castiga e queima os messias sebastianistas, frequentemente padres" (Oliveira Martins, *História de Portugal,* II, p. 193). **2.** Apoderar-se ou apossar-se de, como em caso de confisco: "não recebia correio sem passagem pela mão da avó. Creio que ela se temeu de tudo e de todos e confiscou-me, nessa ocasião, a totalidade da correspondência." (Maria Archer, *Nada lhe Será Perdoado,* p. 73). [Conjug.: v. *trancar.*]

confiscatório [De *confiscar* + *-tório.*] *Adj.* Que envolve confisco; que confisca; confiscador: *A ordem confiscatória partiu de autoridades.*

confiscável [De *confiscar* + *-vel.*] *Adj. 2 g.* Que se pode confiscar.

confisco [Dev. de *confiscare.*] *S. m.* Ato ou efeito de confiscar; confiscação.

confissão [Do lat. *confessione.*] *S. f.* **1.** Ato de confessar(-se). **2.** Declaração da própria fé; profissão. **3.** *P. ext.* Cada uma das seitas cristãs. **4.** *Rel.* Parte do sacramento da penitência constituída pela declaração dos próprios pecados. **5.** *Rel.* Penitência (7). **6.** Oração da Igreja, também chamada *confiteor* (q. v.). ◆ **Confissão auricular.** A que se faz à orelha do confessor. **Confissão de dívida.** Obrigação escrita pelo devedor.

confitente [Do lat. *confitente,* part. pres. de *confiteri,* 'confessar'.] *Adj. 2 g. S. 2 g.* Que, ou quem confessa ou se confessa.

➔**confiteor** [kõm'fiteɔr] [Lat., 'eu confesso'.] *S. m.* Oração que principia por essa palavra, e recitada pelos católicos antes de confessarem os seus pecados ao padre.

conflagração [Do lat. *conflagratione.*] *S. f.* **1.** Incêndio que se alastrou. **2.** *Fig.* Viva excitação de ânimo; veemência de sentimentos ou paixões: "perde-se na conflagração cerebral, numa revoada de sombras, de palavras, de ideias e sensações inextricáveis, todas sincopadas, tudo caótico, tudo caótico." (Ferreira de Castro, *A Tempestade,* p. 258). **3.** Revolução (2). **4.** Guerra (1) generalizada: "Ele [o poeta popular João Martins de Ataíde] descreveu humoristicamente o medo dos sertanejos, quando da entrada do Brasil na conflagração mundial." (Leonardo Mota, *Violeiros do Norte,* p. 58.)

conflagrado [Part. de *conflagrar.*] *Adj.* Conflitado.

conflagrar [Do lat. *conflagrare.*] *V. t. d.* **1.** Incendiar totalmente. **2.** *Fig.* Excitar vivamente; abrasar: *conflagrar ânimos.* **3.** *Fig.* Pôr em convulsão, agitação; convulsionar: *O movimento libertador conflagrou todo o país.* **4.** *Fig.* Dar início a (rebelião, guerra, revolta, etc.).

conflitado [Part. de *conflitar.*] *Adj.* Em conflito, em agitação; conflagrado.

conflitante [De *conflitar* + *-nte.*] *Adj. 2 g.* **1.** Colidente, contraditório: *sentimentos conflitantes.* **2.** Incompatível, inconciliável. **3.** Que está em luta; oposto, contrário.

conflitar [Do lat. *conflictare.*] *V. t. i.* e *Int.* Estar em oposição; colidir: *Sua opinião conflita com a minha; Os dois pareceres conflitam.*

conflito [Do lat. *conflictu,* 'choque', 'embate', 'peleja', do v. lat. *confligere,* 'lutar'.] *S. m.* **1.** Embate dos que lutam. **2.** Discussão acompanhada de injúrias e ameaças; desavença. **3.** Guerra (1). **4.** Luta, combate. **5.** Colisão, choque: *As opiniões dos dois entram sempre em conflito.* **6.** *Psiq.* Penoso estado mental devido a choque entre tendências opostas, e encontrado, em grau variável, em qualquer indivíduo. **7.** *Teatr.* O elemento básico determinante da ação dramática, a qual se desenvolve em função da oposição e luta entre diferentes forças; conflito dramático. ◆ **Conflito dramático.** *Teatr.* Conflito (7).

conflituoso (ô) [De *conflito* + *-uoso.*] *Adj.* **1.** Relativo a conflito(s). **2.** Que tem caráter de conflito. **3.** Afeito a conflitos. **4.** Irritável, irascível, iracundo.

confluência [Do lat. *confluentia.*] *S. f.* **1.** Qualidade do que é confluente. **2.** Lugar onde se juntam dois ou mais rios; afluência. **3.** *Patol.* Erupção cutânea. **4.** *Mat.* Procedimento com que se obtém uma equação diferencial a partir de outra que tem dois pontos singulares, fazendo um dos pontos tender para o outro.

confluente [Do lat. *confluente.*] *Adj. 2 g.* **1.** Que conflui. **2.** *Zool.* Que se une de forma homogênea a outro órgão, sem chanfradura no ponto da junção. ● *S. m.* **3.** *Geogr.* Rio que desemboca na mesma foz, com outro rio: "No ocidente do vale, à ourela dos rios, ... a selva é quase hostil. Aí, meio fechadas na ramaria, ao longo dos afluentes, dos confluentes, dos defluentes – as tristes choupanas." (Raimundo Morais, *Na Planície Amazônica,* p. 22.) [Cf. *afluente*[1] (4) e *defluente.*]

confluir [Do lat. *confluere.*] *V. t. c.* **1.** Correr (para o mesmo ponto), convergir, afluir: *Centenas de pessoas confluíram ao teatro; As águas confluem para o mar.* ***Int.*** **2.** Juntarem-se (dois rios) e correrem depois num leito comum. [Conjug.: v. *fluir.*]

confocal [De *con-* + *focal.*] *Adj. 2 g.* Que tem os mesmos focos reais ou imaginários.

conformação [Do lat. *conformatione.*] *S. f.* **1.** V. *configuração* (1). **2.** Conformidade, resignação. **3.** *Quím.* Qualquer das formas espaciais que uma molécula pode assumir, sem que seja rompida qualquer ligação. [Cf., nesta acepç., *configuração.*] ◆ **Conformação alternada.** *Quím.* Em uma molécula de etano, aquela em que há um centro de simetria entre os dois carbonos. [Tb. us., por ext., para moléculas relacionadas ao etano, inclusive o butano.] **Conformação eclipsada.** *Quím.* Em uma molécula de etano, aquela em que há um plano de simetria ortogonal ao eixo da ligação entre os dois carbonos. [Tb. us., p. ext., para moléculas relacionadas ao etano, inclusive o butano.] **Conformação em coincidência.** *Quím.* Dentre todas as possíveis conformações de uma molécula de butano, obtidas por rotação interna, aquela em que as metilas ficam o mais próximas. **Conformação em oposição.** *Quím.* Dentre todas as possíveis conformações de uma molécula de butano, obtidas por rotação interna, aquela em que as metilas ficam o mais afastadas. **Conformação *gauche*.** *Quím.* Em uma molécula de butano, aquela que é alternada e em que, dentro dessa limitação, as metilas estão o mais próximas possível. [Tb. us., p. ext., para moléculas relacionadas ao butano.]

conformado [Part. de *conformar.*] *Adj. S. m.* Que, ou aquele que se conforma, resigna, acomoda com infortúnios, vicissitudes, desconfortos, desgraças: *pessoa conformada; É um conformado: tudo aceita como a vontade de Deus.*

conformador (ô) [Do lat. *conformatore.*] *Adj.* **1.** Que conforma. ● *S. m.* **2.** Aquele que conforma. **3.** *Chapel.* Aparelho usado pelos chapeleiros para dar forma aos chapéus.

conformal [Do lat. *conformale.*] *Adj. 2 g.* ~ V. *mapeamento —.*

conformar [Do lat. *conformare.*] *V. t. d.* **1.** Formar; dispor; configurar: *Não fará plástica: quer conservar as feições como a natureza as conformou.* **2.** Tornar conforme; conciliar, harmonizar: *Não logrou conformar os pareceres opostos.* ***T. d. e i.*** **3.** Tornar conforme; conciliar, adequar, amoldar: *conformar a vida com os ideais cristãos.* ***T. i.*** **4.** Ser conforme; corresponder; ajustar-se, adequar-se: *A grandeza do empreendimento conforma com o arrojo do empreendedor.* ***P.*** **5.** Ser conforme; adequar(-se); ajustar(-se). **6.** Acomodar-se; resignar-se: "Como as mulheres que foram realmente belas, a Ribeirinha não se conformaria com o outono da vida" (Celso Cunha, *Língua e Verso,* p. 25); "Tenente Pires Ferreira não se conformara em ficar aguardando ordens morosas em Juazeiro." (João Felício dos Santos, *João Abade,* p. 16). **7.** *Ant.* Ser da mesma opinião; concordar. **8.** Identificar-se, ajustar-se: *Seus temperamentos se conformam.* **9.** Amoldar-se; modelar-se: *A massa do bolo conformou-se à forma.*

conformativa [F. subst. de *conformativo.*] *S. f.* *E. Ling.* Conjunção conformativa.

conformativo [De *conformar* + *-tivo.*] *Adj. Bras.* Destinado a conformar. ~ V. *conjunção —a.*

conforme [Do lat. tard. *conforme,* 'muito semelhante'.] *Adj. 2 g.* **1.** Que tem a mesma forma; idêntico. **2.** Resignado, conformado: "gordo, rosado, corpulento, bigode em duas volutas, ... fisionomia de pessoa contente consigo se não conforme com o mundo" (Aquilino Ribeiro, *Alemanha Ensanguentada,* p. 121). **3.** Da mesma opinião; concorde: *Neste assunto estou conforme com ele.* **4.** De acordo, nos devidos termos: *A certidão foi lida e achada conforme.* **5.** Condizente, congruente, consentâneo: "Os turnos de vigilância às muralhas sucediam-se conformes à escala e sem novidades." (Mário de Carvalho, *Um Deus Passeando pela Brisa da Tarde,* p. 221.) ~ V. *mapeamento — e projeção —.* ● ***Adv.*** **6.** Em conformidade. ● ***Prep.*** **7.** De acordo com; consoante, segundo: *Tudo foi feito conforme o estipulado no contrato.* ● ***Conj.*** **8.** Segundo as circunstâncias: *— Pode viajar comigo? — Conforme.* **9.** Como, segundo: *Conforme ouvi contar, aquele casamento não durará muito.* **10.** À medida que, à proporção que: *Conforme o cheiro crescia, o ambiente tornava-se irrespirável.* **11.** *Bras.* Logo que: *Conforme chegou, foi falando da viagem.* ~ V. *conformes.*

conformes *S. m. pl.* Us. nas expr. *dentro dos conformes, nos conformes, ter os seus conformes.* ~ V. *conforme.* ◆ **Dentro dos conformes.** *Bras.* Como deve ser; nos conformes. **Nos conformes.** *Bras.* Dentro dos conformes. **Ter os seus conformes.** *Bras. N.E. Pop.* Depender de certas circunstâncias.

conformidade [De *conforme* + *-(i)dade.*] *S. f.* **1.** Qualidade do que é conforme (1). **2.** Qualidade de quem se conforma; resignação. **3.** *Geol.* Sucessão paralela e contínua dos depósitos estratificados; concordância. ◆ **Em conformidade (com).** De acordo (com); segundo, conforme.

conformismo[1] [De *conformar* + *-ismo.*] *S. m.* **1.** Atitude de quem aceita, sem questionamento, regras e valores sociais estabelecidos. **2.** Atitude de quem se conforma com todas as situações.

conformismo[2] [Do ingl. *conformism* < fr. *conformisme.*] *S. m.* Na Inglaterra, o ato de conformar-se à fé anglicana; anglicanismo.

conformista[1] [De *conformismo*[1] + *-ista.*] *Adj. 2 g. S. 2 g.* Que, ou quem tende ao conformismo[1].

conformista[2] [Do ingl. *conformist* < fr. *conformiste.*] *Adj. 2 g. S. 2 g.* Entre os ingleses, que, ou quem professa a religião oficial, o anglicanismo.

confortabilidade [De *confortável* + *-(i)dade*, seg. o padrão erudito.] ***S. f.*** Qualidade de confortável.

confortado [Part. de *confortar*.] ***Adj.*** **1.** Fortalecido, animado. **2.** Que recebeu conforto; consolo. **3.** Agasalhado, aconchegado.

confortador (ô) [Do lat. tard. *confortatore*.] ***Adj.*** **1.** Confortante. • ***S. m.*** **2.** Aquele que conforta, anima, consola.

confortante [De *confortar* + *-nte*.] ***Adj. 2 g.*** Que conforta; confortador: *palavra confortante.*

confortar [Do lat. tard. *confortare*.] ***V. t. d.*** **1.** Dar forças a; fortificar: *Procurou um vinho para confortar o viajante.* **2.** Dar ou proporcionar conforto a; tornar confortável: *Gastou milhões para confortar a casa de campo.* **3.** Aliviar as penas, a dor de; consolar; animar: *Procurou, com palavras de afeto, confortar a viúva.* ***P.*** **4.** Dar-se forças; fortificar-se: *Confortou-se com uma poção do tônico.* **5.** Buscar ânimo, consolo. [Pres. ind.: *conforto*, etc. Cf. *conforto* (ô), s. m.]

confortativo [Do lat. tard. *confortativu*.] ***Adj.*** **1.** Próprio para confortar. • ***S. m.*** **2.** Medicamento fortificante.

confortável [Do ingl. *comfortable*.] ***Adj. 2 g.*** **1.** Que conforta; que oferece conforto[2]: *poltrona confortável.* **2.** Cômodo, adequado. **3.** Aconchegado, agasalhado: *ambiente confortável.*

conforto[1] (ô) [Dev. de *confortar*.] ***S. m.*** **1.** Ato ou efeito de confortar(-se). **2.** Estado de quem é confortado. **3.** Consolo, alívio. [Pl.: *confortos* (ô). Cf. *conforto*, do v. *confortar*.]

conforto[2] (ô) [Do ingl. *comfort*.] ***S. m.*** Bem-estar material; comodidade. [Pl.: *confortos* (ô). Cf. *conforto*, do v. *confortar*.]

confradaria [De *confrade* + *-aria*.] ***S. f.*** *Prov. port.* Confraria (q. v.).

confrade [Do lat. med. *confratre*.] ***S. m.*** **1.** Membro de confraria. **2.** Colega, companheiro, camarada. [Fem.: *confreira*.]

confragoso (ô) [Do lat. *confragosu*.] ***Adj.*** **1.** V. *áspero* (2). **2.** Cheio de penedias.

confrangedor (ô) [De *confranger* + *-dor*.] ***Adj.*** Que confrange.

confranger [Do lat. **confrangere*, por *confringere*.] ***V. t. d.*** **1.** Oprimir, afligir, angustiar: *Nada o alivia da dor que lhe confrange o coração.* **2.** Moer, esmigalhar: *Procurava, com as mãos enormes, confranger os ossos do animal.* ***P.*** **3.** Contorcer-se, contrair-se. **4.** Sentir-se muito mal; afligir-se, angustiar-se: *Confrangeu-se com a morte do amigo;* "o coração, que não tem para dar senão suspiros, no fundo do peito se confrange todo, e se espedaça." (Antônio Feliciano de Castilho, *O Presbitério da Montanha*, I, p. 109). [Conjug.: v. *tanger*.]

confrangido [Part. de *confranger*.] ***Adj.*** **1.** Contraído de dor; contorcido. **2.** Contrafeito, constrangido. **3.** Torturado, oprimido; angustiado, aflito.

confrangimento [De *confranger* + *-imento*.] ***S. m.*** **1.** Ato ou efeito de confranger(-se). **2.** Contração dolorosa.

confraria [Do lat. med. *confratria*, pelo fr. ant. *confrarie* (atual *confrérie*).] ***S. f.*** **1.** Associação para fins religiosos; irmandade, congregação. **2.** Conjunto das pessoas da mesma categoria, dos mesmos interesses ou da mesma profissão. **3.** Sociedade, associação. **4.** *Teatr.* No teatro francês da Idade Média, sociedade teatral dedicada às representações de milagres e mistérios, bem como de farsas e pantomimas.

confraternar [De *con-* + *fraterno* + *-ar*[2].] ***V. t. d. P. us.*** Confraternizar (1).

confraternidade [Do lat. med. *confraternitate*, poss. pelo fr. *confraternité*.] ***S. f.*** **1.** União fraterna. **2.** Amizade como a que deve e costuma haver entre irmãos. **3.** Relação que une os companheiros da mesma confraria (2): *confraternidade das artes.*

confraternização [De *confraternizar* + *-ção*.] ***S. f.*** **1.** Ato de confraternizar. **2.** Reunião de pessoas ligadas por sentimentos ou ideias comuns. **3.** Qualquer reunião festiva ou outra demonstração de amizade, companheirismo, etc.

confraternizar [De *con-* + *fraternizar*.] ***V. t. d.*** **1.** Ligar, unir como irmãos; irmanar. [Sin., p. us.: *confraternar*.] ***T. i.*** **2.** Conviver ou tratar fraternalmente: *Apesar de sua alta posição, confraterniza com os humildes.* **3.** Ter os mesmos sentimentos, crenças ou ideias de outrem: *Declarou que confraternizava com seus antigos opositores.* ***Int.*** **4.** Confraternizar (3): *Conquanto oriundos de terras tão distantes, confraternizam vivamente.* **5.** Dar, mais ou menos efusivamente, demonstração de confraternidade (1 e 2): *Após a vitória, os jogadores brasileiros confraternizaram;* "Desconhecidos confraternizam, trocam amabilidades" (Érico Veríssimo, *A Volta do Gato Preto*, p. 183). ***P.*** **6.** Tratar fraternalmente; demonstrar respeito ou carinho, etc.

confreira [De *confr(aria)* + *-eira*.] ***S. f.*** Fem. de *confrade*.

confrontação [De *confrontar* + *-ção*.] ***S. f.*** **1.** Ato de confrontar(-se); confrontamento. **2.** Comparação, cotejo, confronto. **3.** Acareação (de acusados ou testemunhas). ~ V. *confrontações*.

confrontações [Pl. de *confrontação*.] ***S. f. pl.*** Limites ou extremos de um prédio. ~ V. *confrontação*.

confrontado [Part. de *confrontar*.] ***Adj.*** Que se confrontou; comparado, cotejado.

confrontador (ô) [De *confrontar* + *-dor*.] ***S. m.*** Aquele que confronta.

confrontamento [De *confrontar* + *-mento*.] ***S. m.*** Confrontação (1).

confrontante [De *confrontar* + *-nte*.] ***Adj. 2 g.*** **1.** Que confronta. **2.** Confinante.

confrontar [Do lat. med. *confrontare*.] ***V. t. d.*** **1.** Pôr frente a frente; acarear: *confrontar testemunhas.* **2.** Comparar, cotejar: *confrontar situações.* ***T. d. e i.*** **3.** Confrontar (1). **4.** Confrontar (2): *Confrontou a tradução com o original para verificar se estava fiel;* "Mesmo tendo o hábito de percorrer livrarias, era naquela [a *José Olímpio*] que o escritor pousava para confrontar suas ideias com as dos confrades" (Carlos Drummond de Andrade, *Fala, Amendoeira*, p. 51). ***T. c.*** **5.** Fazer face; defrontar: *A casa confronta com a estrada.* ***P.*** **6.** Fazer face a; estar de frente a: *A vila confronta-se com o paço.* **7.** Fazer face mutuamente; defrontar-se: *Os edifícios onde moram os dois irmãos se confrontam.* **8.** V. *defrontar* (7): "Confrontavam-se no caminho estreito, o homem abaixava os olhos, contrafeito" (Herman Lima, *Garimpos*, p. 142). **9.** Pôr-se em confronto; enfrentar: *O pugilista confrontou-se com o adversário e venceu.*

confronte [De *con-* + *fronte*.] ***Adj. 2 g.*** **1.** Que confronta, que está em frente de: *Meu sítio é confronte ao dele.* • ***Adv.*** **2.** *Bras. N.E.* Defronte; em face; em frente.

confronto [Dev. de *confrontar*.] ***S. m.*** **1.** Ato ou efeito de confrontar. **2.** Paralelo, comparação. **3.** V. *briga* (1): "quatro pessoas ficaram feridas e 14 foram detidas em longo confronto de policiais com milhares de manifestantes." (*Jornal do Brasil*, 13.05.1985.)

confuciano [Do antr. *Confúcio* + *-ano*[1].] ***Adj.*** Pertencente ou relativo a, ou próprio de Confúcio (v. *confucionismo*).

confucionismo ***S. m.*** *Hist. Filos.* Doutrina ética e política de Confúcio (Kung Fu-tze), filósofo chinês (551-479 a.C.), e de seus seguidores, a qual por mais de dois mil anos constituiu o sistema filosófico dominante da China. Caracteriza-se por situar o homem e a experiência social e política da humanidade no centro da investigação, daí resultando a definição das relações humanas individuais em função das instituições sociais, principalmente da família e do Estado.

confucionista ***Adj. 2 g.*** **1.** Relativo a Confúcio, ou ao confucionismo (q. v.). **2.** Que segue o confucionismo. • ***S. 2 g.*** **3.** Pessoa que o segue.

confugir [Do lat. *confugere*.] ***V. int.*** **1.** Fugir ao mesmo tempo que outrem. ***T. i.*** **2.** Solicitar auxílio ou amparo; recorrer. [Conjug.: v. *fugir*.]

confundas [Alter. de *profundas*.] ***S. f. pl.*** *Bras. Pop.* Profundas (1) dos infernos.

confundido [Part. de *confundir*.] ***Adj.*** **1.** Assustado, atordoado. **2.** Envergonhado, acanhado. **3.** Embaraçado, atrapalhado.

confundir [Do lat. *confundere*.] ***V. t. d.*** **1.** Misturar desordenadamente; baralhar: *Para não serem encontradas as cartas, confundiu os papéis que estavam sobre a mesa.* **2.** Não distinguir (pessoas, coisas, etc.): *Tão parecidas são as irmãs que até os íntimos as confundem; Confundiu os sons; Confunde sentimentos.* **3.** Embaraçar, enlear; envergonhar; humilhar; vexar: *Procurou confundi-lo com palavras rudes.* **4.** Deixar alguém acanhado, por cumulá-lo de gentilezas; embaraçar: "– Muito obrigado, seu Basileu – o senhor e o seu Pacca me confundem." (Pedro Nava, *O Círio Perfeito*, p. 207.) **5.** Fundir juntamente, ou de mistura. ***T. d. e i.*** **6.** Reunir sem ordem; misturar: *Confundiu documentos importantes com insignificantes.* **7.** Não estabelecer distinção, não distinguir, entre (pessoas ou coisas): "Chegou-se .... a confundir a religião com a moral e fazer da moral leiga um substituto da religião." (Alceu Amoroso Lima, *A Realidade Americana*, p. 204); *Confundia o seu acanhamento com indiferença; Ingênua confunde o honesto com o desonesto.* ***P.*** **8.** Misturar-se; reunir-se: *As águas dos dois rios confundiam-se ali;* "intensas meditações em que a sua vida se confundia na vida do Ser" (Eça de Queirós, *Notas Contemporâneas*, p. 403); "Gonçalves empalideceu, — ou, pelo menos, ficou sério; nele a seriedade confundia-se com a palidez." (Machado de Assis, *Relíquias de Casa Velha*, p. 119). **9.** Perturbar-se, equivocar-se: *Confundiu-se ao pronunciar a difícil palavra.*

confundível [De *confundir* + *-vel*.] ***Adj. 2 g.*** Que pode ser confundido.

confusa [F. red. de *confusão*.] ***S. f.*** *Bras. Gír.* **1.** V. *confusão* (5). **2.** V. *rolo*[1] (16).

confusão [Do lat. *confusione*.] ***S. f.*** **1.** Ato ou efeito de confundir. **2.** Estado daquilo que se acha confundido, misturado. **3.** Falta de ordem ou método. **4.** Incapacidade de reconhecer diferenças ou distinções: *confusão de nomes, de lugares.* **5.** Tumulto, barulho, barafunda. [F. red. (bras., gír.): *confusa*.] **6.** V. *rolo*[1] (16). **7.** Falta de clareza: *A confusão do texto impossibilita um juízo perfeito acerca do que nele se afirma.* **8.** Perturbação causada pela modéstia, pelo pudor, pela vergonha de alguma falta; enleio. **9.** Perplexidade, hesitação: *Entre o amor filial e a sede de vingança, é evidente a confusão de Hamlet.* **10.** *Dir. Civ.* Extinção parcial ou total de certos direitos e obrigações em virtude de se reunirem na mesma pessoa as qualidades de credor e devedor. ◆ **Confusão mental.** *Psiq. Neur.* Distúrbio (3), provocado por causas diversas, em que ocorre desorientação no tempo e no espaço, incoerência, obnubilação e, quase sempre, acompanhado de ansiedade.

confusional [Do ingl. *confusional*.] ***Adj. 2 g.*** Diz-se de estado mental que se caracteriza por confusão (11), ou que dela resulta.

confuso [Do lat. *confusu*.] ***Adj.*** **1.** Desordenado, misturado, tumultuado, revolto. **2.** Maldistinto; obscuro. **3.** Enleado, perturbado: "abaixou os olhos, enrubescendo, e, toda confusa, toda medrosa, jurou .... que só a mim queria por toda a vida" (Aluísio Azevedo, *Demônios*, p. 120). **4.** Hesitante, perplexo.

confutação [Do lat. *confutatione*.] ***S. f.*** Ato ou efeito de confutar.

confutador (ô) [Do lat. *confutatore*.] ***S. m.*** Aquele que confuta.

confutar [Do lat. *confutare*.] ***V. t. d.*** **1.** Rebater, refutar. **2.** Impugnar, contrariar; reprimir: "pregue livremente a Fé de u'a só Divindade, confute a falsidade dos que ainda são chamados Deuses imortais" (P.e Antônio Vieira, *Sermões*, III, p. 196.) ***P.*** **3.** Dar provas contra si mesmo.

confutável [De *confutar* + *-vel*.] ***Adj. 2 g.*** Que se pode confutar.

conga[1] [Do hisp.-amer. *conga*.] ***S. f.*** Espécie de dança figurada, de salão, originária da América Central.

conga[2] [De *côngrua*.] ***S. f.*** *Bras. PE* Prêmio a que tem direito o proprietário duma casa de farinha pelo produto alheio nela fabricado, à razão de meia cuia por prensa.

conga[3] [Marca registrada.] ***S. m.*** Calçado fechado, de tecido, com sola de borracha.

congá ***S. m.*** *Bras. Rel.* V. *gongá* (1 e 2).

congada [De *congo*[1] + *-ada*[1].] ***S. f.*** *Bras. Etnogr.* Bailado dramático em que os figurantes representam, entre cantos e danças, a coroação de um rei do Congo; congado.

congado [De *congo*[1] + *-ado*[1].] ***S. m.*** *Bras. PE Etnogr.* Congada.

congelação [Do lat. *congelatione*.] ***S. f.*** **1.** Congelamento (1). **2.** Passagem de um líquido ao estado sólido. **3.** Entorpecimento de uma parte do corpo pelo frio intenso.

congelado [Part. de *congelar*.] ***Adj.*** **1.** Que se congelou: *O lago congelado fica ao norte.* **2.** Frio como gelo: *A neve deixou-o com os pés congelados.* **3.** Diz-se de alimento que sofreu congelamento (3). • ***S. m.*** **4.** Alimento congelado.

congelador (ô) [De *congelar* + *-dor*.] ***Adj.*** **1.** Que congela. ~ V. *arca —a*. • ***S. m.*** **2.** Compartimento da geladeira onde o gelo é fabricado e onde se guardam os alimentos a congelar. **3.** Móvel semelhante a geladeira e que se destina a congelar os alimentos.

congelamento [De *congelar* + *-mento*.] ***S. m.*** **1.** Ato ou efeito de congelar(-se); congelação. **2.** *Econ.* Manutenção de preços no nível vigente em certa data. **3.** Técnica que consiste em congelar alimento, a fim de conservá-lo em bom estado até sua utilização.

congelar [Do lat. *congelare*.] ***V. t. d.*** **1.** Solidificar pela ação do frio; tornar em gelo; encaramelar. **2.** Tornar frio como gelo; resfriar: *O vento frio da noite congelava os viandantes.* **3.** Descoroçoar, desalentar; gelar: *Aquelas palavras duras o congelaram.* **4.** Resfriar (alimento) rapidamente, e a temperatura muito baixa, em congelador. **5.** *Econ.* Tornar fixos (preços). **6.** *Econ.* Tornar indisponíveis (créditos). ***P.*** **7.** Mudar-se em gelo; cristalizar-se, encaramelar-se. **8.** Desalentar(-se), descoroçoar; gelar-se. **9.** Embaraçar-se, embargar-se (a voz).

congelativo [De *congelar* + *-tivo*.] ***Adj.*** Que faz congelar.

congelável [De *congelar* + *-vel*.] ***Adj. 2 g.*** Que pode ser congelado.

congeminação [Do lat. *congeminatione*.] ***S. f.*** **1.** Ato de congeminar. **2.** Formação dupla e simultânea.

congeminar[1] [Do lat. *congeminare*.] ***V. t. d. P.*** **1.** Multiplicar(-se), redobrar(-se). **2.** *Impr.* Irmanar(-se), fraternizar(-se). [Cf. *conjuminar*.]

congeminar[2] [Alter. de *imaginar*.] ***V. int. T. i.*** *Lus.* Cismar; pensar, imaginar: *Leva horas a congeminar; Ficou a congeminar nas contradições do mundo.*

congénere ***Adj. 2 g.*** V. *congênere*. [Uso freq. em P.]

congênere [Do lat. *congenere.*] *Adj. 2 g.* **1.** Pertencente ao mesmo gênero; congenérico. **2.** Idêntico, semelhante, similar.

congenérico [De *congênere* + *-ico*^{2}.] *Adj.* Congênere (1): *espécies congenéricas.*

congeneridade [De *congênere* + *-(i)dade.*] *S. f.* Qualidade de congênere.

congenial [De *con-* + *gênio* + *-al*^{1}.] *Adj. 2 g.* **1.** Conforme ao gênio ou à índole de alguém: "fica mortalmente ferida .... no seu congenial pudor de donzela" (Aluísio Azevedo, *Livro de uma Sogra,* p. 153). **2.** Próprio da natureza: *Vê-se-lhe a estupidez congenial.*

congenialidade [De *congenial* + *-(i)dade.*] *S. f.* Qualidade de congenial.

congénito *Adj.* V. *congênito.* [Uso freq. em P.]

congênito [Do lat. *congenitu.*] *Adj.* **1.** Gerado ao mesmo tempo. **2.** Nascido com o indivíduo; conatural, conato, inato: *defeito congênito;* "uma parada repentina do coração, uma consequência oportuna de uma lesão encoberta e congênita" (José Geraldo Vieira, *A Mulher que Fugiu de Sodoma,* p. 301); "É, em suma, a razão pela qual o gênio poético, congênito ao homem e inseparável dele, não podia deixar estancar a poesia em tempos que sublevaram muitos dos velhos valores" (Vitorino Nemésio, *Conhecimento de Poesia,* p. 330). **3.** Apropriado, acomodado: *Escolheu uma ocupação bem congênita à sua índole.* ~ V. *cianose —a* e *doença —a.*

congérie [Do lat. *congerie.*] *S. f.* **1.** Massa informe; montão. **2.** *Fig.* Acervo, acumulação: "Essa congérie de profecias antigas .... podia animar a qualquer dos ousados capitães daquela 'cavalaria do oceano'" (João Ribeiro, *Cartas Devolvidas,* p. 178).

congestão [Do lat. *congestione.*] *S. f. Patol.* Afluência anormal do sangue aos vasos de um órgão.

congestionado [Part. de *congestionar.*] *Adj.* **1.** Que sofreu, ou em que se produziu congestão. **2.** *Fig.* Rubro, afogueado: *De tão raivoso, tinha o rosto congestionado.* [Sin. (acepçs. 1 e 2): *congesto.*] **3.** *Bras.* Em que ocorreu congestionamento (2). **4.** Lento, difícil (o trânsito ou tráfego de veículos).

congestionamento [De *congestionar* + *-mento.*] *S. m.* **1.** Ato ou efeito de congestionar(-se). **2.** Dificuldade de escoamento de veículos, causada por perturbação no trânsito (acidente, obras, número excessivo de veículos, etc.); engarrafamento.

congestionante [De *congestionar* + *-nte.*] *Adj. 2 g.* Que congestiona.

congestionar [De *congestão* + *-ar*^{2}, seg. o padrão erudito.] *V. t. d.* **1.** Produzir congestão em. **2.** *Bras.* Produzir congestionamento (2) em: *O acidente congestionou todo o tráfego do bairro. P.* **3.** *Med.* Ficar (um órgão, ou parte dele) com acúmulo de sangue ou de matérias outras, como exsudatos e transudatos. **4.** Enrubescer, afoguear-se: *Em certo ponto da discussão, seu rosto congestionou-se.* **5.** *Fig.* Pôr-se rubro de cólera.

congestionável [De *congestionar* + *-vel.*] *Adj. 2 g.* Sujeito a congestionar-se.

congestivo [De *congest(ão)* + *-ivo*; ingl. *congestive.*] *Adj.* Que indica possibilidade de congestão.

congesto [Do lat. *congestu.*] *Adj.* V. *congestionado* (1 e 2): "Um piado de gato rompia meu peito congesto." (José Lins do Rego, *Meus Verdes Anos,* p. 113.)

conglobação [Do lat. *conglobatione.*] *S. f.* Ato ou efeito de conglobar(-se).

conglobar [Do lat. *conglobare.*] *V. t. d.* **1.** Dar a forma de globo a; juntar em globo. **2.** Amontoar, acumular. **3.** Reunir; juntar: *Conglobou todos os partidos da região.* **4.** Resumir, sintetizar; concentrar: *Em seu pequeno volume congloba as teorias do mestre. T. d. e i.* **5.** Concentrar; resumir; sintetizar: *Procurou conglobar em poucas páginas o pensamento do filósofo. P.* **6.** Tomar a forma de globo. **7.** Formar-se em magotes. **8.** Concentrar-se; resumir-se, sintetizar-se: "De repente um silêncio em que se conglobavam milhares de agonias emudeceu o circo." (Rebelo da Silva, *Contos e Lendas,* p. 179.)

conglomeração [Do lat. *conglomeratione.*] *S. f.* Agregação em massa.

conglomerado [Part. subst. de *conglomerar.*] *S. m.* **1.** *Petr.* Rocha sedimentar clástica, formada de fragmentos arredondados de diâmetro superior a 2mm e reunidos por um cimento qualquer. **2.** Conjunto, aglomerado, todo: *O conglomerado verbal fazer reparo equivale a reparar.* **3.** Grupo econômico-financeiro constituído de empresas de atividades completamente diversas.

conglomerar [Do lat. *conglomerare.*] *V. t. d.* **1.** Fazer conglomeração de; amontoar. *P.* **2.** Unir-se, reunir-se. **3.** Enovelar-se, enrolar-se.

conglutinação [Do lat. *conglutinatione.*] *S. f.* Ato ou efeito de conglutinar(-se).

conglutinante [De *conglutinar* + *-nte.*] *Adj. 2 g.* Que tem a propriedade de conglutinar.

conglutinar [Do lat. *conglutinare.*] *V. t. d. P.* **1.** Ligar(-se), aderir, com substância viscosa; glutinar. **2.** Tornar(-se) viscoso.

conglutinoso (ô) [Do lat. *conglutinosu.*] *Adj.* Viscoso, visguento, pegajoso.

congo^1 [Do top. *Congo* (África).] *S. m.* **1.** V. *congolês* (3). **2.** V. *banto* (3). **3.** Designação genérica de escravo banto dos antigos reinos do Congo e do Cacongo. **4.** *Bras. Rel.* Indivíduo que pertence a um candomblé congo. **5.** *Bras. N. N.E. Etnogr.* Dança dramática de origem africana, que se realiza de preferência pelo Natal, pela festa de Nossa Senhora do Rosário, e pela de São Benedito. • *Adj.* **6.** *Bras. Rel.* Diz-se do rito e do panteão (2) de alguns candomblés bantos. **7.** V. *congolês* (1).

congo^2 [Do chin. (pequinês), pelo ingl. *congou, congo.*] *Adj.* Diz-se de uma variedade de chá consumido, em geral, na China.

congoá *S. m. Bras. Zool.* **1.** V. *canguá* (1). **2.** V. *roncador* (3).

congoense *Adj. 2 g.* **1.** De, ou pertencente ou relativo a Congo (PB). • *S. 2 g.* **2.** O natural ou habitante de Congo.

congolense *Adj. 2 g. S. 2 g.* V. *congolês* (1 e 3).

congolês *Adj.* **1.** Da, ou pertencente ou relativo à República do Congo (África); congo, congolense, conguês. **2.** Da, ou pertencente ou relativo à República Democrática do Congo (antigo Zaire, África). • *S. m.* **3.** O natural ou habitante da República do Congo; congolense, conguês, congo. **4.** O natural ou habitante da República Democrática do Congo (antigo Zaire). [Flex. (de 1 a 4): *congolesa* (ê), *congoleses* (ê), *congolesas* (ê).]

congonha [Do tupi.] *S. f.* **1.** *Bras. L. S. Bot.* Designação comum a numerosos arbustos de várias famílias, entre elas as aquifoliáceas, cujas folhas servem para chás ou tisanas, sendo as flores alvacentas, dispostas em fascículos axilares, e o fruto drupa pequena; mate-falso. **2.** *Bot.* V. *mate*^{2} (1). **3.** *Bras. S.* Mate^2 (3) preparada só com as folhas secas na sombra, sem o calor do fogo.

congonha-amarela [De *congonha* + o f. de *amarelo.*] *S. f. Bras. Bot.* Planta ocnácea (*Luxemburgia octandra*) de flores amarelas, e com uso medicinal. [Pl.: *congonhas-amarelas.*]

congonha-brava [De *congonha* + o f. de *bravo.*] *S. f. Bras. Bot.* Árvore celastrácea (*Maytenus communis*) de folhas dísticas, de uso medicinal, flores amarelas, fasciculadas, e frutos capsulares com duas sementes; congonha-grande. [Pl.: *congonhas-bravas.*]

congonha-brava-de-folha-miúda *S. f. Bot.* V. *lenha-branca.* [Pl.: *congonhas-bravas-de-folha-miúda.*]

congonha-cachimbo *S. f. Bras. Bot.* V. *pau-de-caixa.* [Pl.: *congonhas-cachimbos* e *congonhas-cachimbo.*]

congonha-do-brejo *S. f. Bras. Bot.* V. *chá-mineiro.* [Pl.: *congonhas-do-brejo.*]

congonha-do-campo *S. f. Bras. Bot.* Arbusto ocnáceo (*Luxemburgia polyandra*) glabro, de folhas alternas, pecioladas, serreadas e ger. ciliadas nas margens e no ápice, aromáticas e com propriedades medicinais; as flores são hermafroditas e os frutos capsulares. [Pl.: *congonhas-do-campo.*]

congonha-do-gentio *S. f. Bras. Bot.* Pequena árvore ou arbusto rubiáceo (*Rudgea viburnoides*), lenhoso, de folhas opostas, rugosas, glabras, vernicosas, flores brancas paniculadas. Tem propriedades medicinais e é ornamental. [Pl.: *congonhas-do-gentio.*]

congonha-do-sertão *S. f. Bras. Bot.* Pequena árvore icacinácea (*Villaresia congonha*) de folhas pecioladas, coriáceas, aromáticas e medicinais, espinescentes, sendo muito us. em infusões que lembram as da erva-mate, e flores dispostas em racimos axilares e terminais. [Pl.: *congonhas-do-sertão.*]

congonha-grande *S. f. Bras. Bot.* Congonha-brava. [Pl.: *congonhas-grandes.*]

congonhalense *Adj. 2 g.* **1.** De, ou pertencente ou relativo a Congonhal (MG). • *S. 2 g.* **2.** O natural ou habitante de Congonhal.

congonhar [De *congonha* (3) + *-ar*^{2}.] *V. int. Bras. RS* Ingerir mate de congonha; matear.

congonha-verdadeira [De *congonha* + o f. de *verdadeiro.*] *S. f. Bras. Bot.* V. *mate*^{2} (1). [Pl.: *congonhas-verdadeiras.*]

congonheira [De *congonha* + *-eira.*] *S. f. Bras. Bot.* V. *mate*^{2} (1).

congonheiro [De *congonha* + *-eiro.*] *S. m. Bot.* Árvore voquisiácea (*Vochysia oppugnata*) de folhas pecioladas, coriáceas, glabras, vernicosas na página superior e flores amarelas, racemosas. Fornece madeira de qualidade inferior. [Sin.: *rabo-de-tucano.*]

congonhense^1 *Adj. 2 g.* **1.** De, ou pertencente ou relativo a Congonhas (MG). • *S. 2 g.* **2.** O natural ou habitante de Congonhas.

congonhense^2 *Adj. 2 g.* **1.** De, ou pertencente ou relativo a Congonhas do Norte (MG). • *S. 2 g.* **2.** O natural ou habitante de Congonhas do Norte.

congonhinhense *Adj. 2 g.* **1.** De, ou pertencente ou relativo a Congonhinhas (PR). • *S. 2 g.* **2.** O natural ou habitante de Congonhinhas.

congorê *Bras. S. m.* **1.** *Etnôn.* Indivíduo dos congoreses [ou (etnôn. bras.) *Kongorê], povo indígena extinto, da família linguística nambiquara, que habitava a margem esquerda do rio Papagaio (MT). • *Adj.* **2.** Pertencente ou relativo a esse povo. [Flex.: *congoresa* (ê), *congoreses* (ê), *congoresas* (ê).]

congorsa [De or. obsc.] *S. f. Bot.* **1.** Arbusto apocináceo (*Vinca major*) de folhas elípticas e flores grandes, solitárias, azul-claras; é cultivado no Brasil como ornamental. [Var.: congossa. Sin.: *boa-tarde, congorsa-maior, pervinca, vincapervinca.*] **2.** V. *pervinca.* **3.** V. *sombra-de-touro* (1). [Var.: *congossa.*]

congorsa-maior *S. f. Bot.* V. *congorsa* (1). [Pl.: *congorsas-maiores.*]

congorsa-menor *S. f. Bot.* V. *pervinca.* [Pl.: *congorsas-menores.*]

congossa *S. f. Bot.* V. *congorsa* (1).

congosta (ô) [Do lat. vulg. *congusta.*] *S. f.* **1.** Rua estreita e longa. **2.** Azinhaga. [Var., menos us.: *cangosta.*]

congote *S. m. Bras.* V. *cogote.*

congoxa (ô) [Do esp. *congoja.*] *S. f. Ant.* Angústia, aflição. ~ V. *congoxas.*

congoxas (ô) [Pl. de *congoxa.*] *S. f. pl.* Cócegas que os cavalos manifestam quando se lhes apertam as cilhas. ~ V. *congoxa.*

congraçador (ô) [De *congraçar* + *-dor.*] *Adj. S. m.* Diz-se de, ou aquele que congraça; conciliador, pacificador.

congraçamento [De *congraçar* + *-mento.*] *S. m.* Ato ou efeito de congraçar(-se).

congraçar [De *con-* + *graça* + *-ar*^{2}.] *V. t. d. T. d. e i.* **1.** Reconciliar; harmonizar: *Conseguiu congraçar os presentes, a princípio tão exaltados;* "Sentada no trono, já não ardia [Leonor Teles] em despeitos, nem ódios: pelo contrário, queria congraçar toda a gente, insinuar-se, seduzir, conquistar" (Oliveira Martins, *A Vida de Nun'Álvares,* p. 31). *Int.* **2.** Procurar granjear as boas graças, a amizade, a simpatia. **3.** Fazer, ou buscar a reconciliação; harmonizar. *P.* **4.** Reatar as relações de amizade; fazer as pazes; harmonizar-se; reconciliar-se: "Vamos em nossa cama congraçar-nos: / Tal ardor nunca tive e tais desejos" (Manuel Odorico Mendes, *A Ilíada de Homero,* p. 45). [Conjug.: v. *laçar.*]

congratulação [Do lat. *congratulatione.*] *S. f.* Ação de congratular-se. ~ V. *congratulações.*

congratulações [Pl. de *congratulação.*] *S. f. pl.* Palavras por meio das quais alguém se congratula com outrem; parabéns, felicitações. ~ V. *congratulação.*

congratulador (ô) [De *congratular* + *-dor.*] *S. m.* Aquele que se congratula.

congratulante [De *congratular* + *-nte.*] *Adj. 2 g.* Que congratula.

congratular [Do lat. **congratulare,* por *congratulari.*] *V. t. d.* **1.** Dirigir felicitações ou parabéns a; felicitar: *Congratulou-o pelo êxito da missão. P.* **2.** Regozijar-se com o bem ou satisfação de outrem. **3.** Dar a si mesmo os parabéns (por ter feito ou evitado alguma coisa).

congratulatório [De *congratular* + *-tório.*] *Adj.* Que encerra congratulação ou serve para congratular.

congregação [Do lat. *congregatione.*] *S. f.* **1.** Ato ou efeito de congregar(-se). **2.** Assembleia, reunião. **3.** *Rel.* Grupo de religiosos com determinado fim ou ideal, sob a direção de um responsável, que emitem os votos de forma não solene. **4.** V. *confraria* (1). **5.** Conselho dos professores duma escola de ensino médio ou superior.

congregado [Part. de *congregar.*] *Adj.* **1.** Junto, reunido. **2.** Que faz parte de uma congregação religiosa. • *S. m.* **3.** Membro de congregação religiosa.

congregante [De *congregar* + *-nte.*] *Adj. 2 g.* **1.** Que congrega. • *S. 2 g.* **2.** Membro de congregação.

congregar [Do lat. *congregare.*] *V. t. d.* **1.** Juntar, reunir: "A primeira bandeira que ali [no Paraguai] congregou brasileiros e orientais foi o pala do general Flores" (Euclides da Cunha, *Contrastes e Confrontos,* p. 5); *Congrega-os um ideal comum.* **2.** Ligar, conglutinar: *Congregou várias substâncias para obter a mistura.* **3.** Convocar, invitar: "ele [D. Pedro] congregou os melhores espíritos que o rodeavam ...., cometendo-lhes a tarefa de escreverem um Código Orgânico." (Euclides da Cunha, *À margem da História,* p. 247); *O Papa congregou um concílio. P.* **4.** Reunir-se em congresso: "Todos os homens que se congregam em Paris para uma empresa de qualquer ordem principiam o seu pacto de confraternização por jantarem juntos em períodos determinados." (Ramalho Ortigão, *Em Paris,* p. 146.) **5.** Existir simultaneamente; reunir-se, agregar-se: *Acredita que todas as virtudes nela se congregam.* [Conjug.: v. *regar.*]

congressional [Do ingl. *congressional.*] *Adj. 2 g.* Relativo a congresso; congressista.

congressista [De *congresso* + *-ista.*] ***Adj. 2 g.*** **1.** Congressional. ● ***S. 2 g.*** **2.** Membro de congresso.

congresso [Do lat. *congressu.*] ***S. m.*** **1.** Reunião, encontro. **2.** Ligação, ajuntamento, união: *congresso sexual.* **3.** *Diplom.* Reunião de diplomatas para tratarem de problemas internacionais; conferência. **4.** *Ciênc. Pol.* O corpo ou poder legislativo de uma nação; assembleia, parlamento: *No Brasil, o Congresso é constituído pelo Senado Federal e pela Câmara dos Deputados.* [Ger. com cap.] **5.** Assembleia de delegados para discutirem assuntos de importância; conferência.

congressual [De *congresso* + *-ual.*] ***Adj. 2 g.*** Relativo ou pertencente a congresso (3 a 5).

congrídeo [Do lat. cient. *Congr-* (< tax. *Conger* < lat. *conger, congri,* 'congro') + *-ídeo*[1]; tax. *Congridae.*] *Zool.* ***S. m.*** **1.** Espécime dos congrídeos, família de peixes actinopterígios que reúne as enguias oceânicas, desprovidas de escamas, de boca muito grande e nadadeiras peitorais, e ímpares, bem desenvolvidas. ● ***Adj.*** **2.** Pertencente ou relativo a eles.

congro [Do lat. *conger* ou *congru* < gr. *góngros,* 'congro'.] ***S. m.*** *Bras. Zool.* Peixe teleósteo, ápode, congrídeo (*Conger conger*), do Mediterrâneo e do Atlântico, sem escamas, de maxilar mais longo que a mandíbula, dorso cinza-azulado, abdome claro, nadadeiras ímpares bordadas de negro, e cujo comprimento vai até 3m. [Var.: *corongo.*]

congro-real ***S. m.*** *Bras. S. Zool.* Tiravira (2). [Pl.: *congros-reais.*]

congro-rosa ***S. m.*** *Zool.* Peixe actinopterígio, ofidídeo, semelhante às enguias, de escamas diminutas; as nadadeiras dorsal, caudal e anal são unidas formando uma nadadeira longa e contínua, e as pélvicas são reduzidas a finos raios e situam-se logo atrás da cabeça. Habita diferentes profundidades do Atlântico. [Pl.: *congros-rosas* e *congros-rosa.*]

côngrua [F. subst. de *côngruo.*] ***S. f.*** **1.** Pensão que se concedia aos párocos para sua conveniente sustentação. **2.** *Bras. PB* Pagamento que faz o plantador de mandioca pela moagem do produto no moinho de farinha do proprietário das terras onde se acha instalado.

congruado [De *côngrua* + *-ado*[1].] ***Adj.*** Que recebe côngrua.

congruência [Do lat. *congruentia.*] ***S. f.*** **1.** Harmonia duma coisa com o fim a que se destina; coerência, congruidade. **2.** Propriedade, conveniência, congruidade. **3.** *Álg.* Propriedade de dois inteiros cuja diferença é divisível por um terceiro. **4.** *Geom.* Propriedade de dois ângulos cuja diferença é de 360 graus.

congruente [Do lat. *congruente.*] ***Adj. 2 g.*** Em que há congruência; côngruo. ~ V. *ângulos —s* e *figuras —s.*

congruidade (u-i) [Do lat. *congruitate.*] ***S. f.*** V. *congruência* (1 e 2).

congruísmo [De *côngruo* + *-ismo.*] ***S. m.*** Sistema teológico dos que sustentam que Deus concede aos homens graça côngrua (q. v.).

congruísta [De *congruísmo* + *-ista.*] ***Adj. 2 g. S. 2 g.*** Diz-se de, ou sectário do congruísmo.

côngruo [Do lat. *congruu.*] ***Adj.*** Congruente. ~ V. *ângulos —s.*

conguês ***Adj. S. m.*** V. *congolês* (1 e 3). [Flex: *conguesa* (ê), *congueses* (ê), *conguesas* (ê).]

conguista [De *congo*[1] + *-ista.*] ***S. 2 g.*** *Bras. ES Etnogr.* Folgador (2).

conha ***S. f.*** *Bot.* Saliência escabrosa no tronco das árvores desde a base até certa altura.

conhaque [Do fr. *cognac.*] ***S. m.*** **1.** Aguardente de vinho fabricada na região de Cognac (S.O. da França). **2.** Bebida com as mesmas características, fabricada em qualquer outro país; *brandy.*

conhecedor (ô) [De *conhecer* + *-dor.*] ***Adj. S. m.*** Que, ou aquele que conhece alguma coisa; perito, entendedor.

conhecença [De *conhecer* + *-ença.*] ***S. f.*** *Ant.* Conhecimento.

conhecer [Do lat. *cognoscere.*] ***V. t. d.*** **1.** Ter noção, conhecimento, informação, de; saber: *Desistiu da empresa, quando lhe conheceu as desvantagens;* "Alguém já disse ironicamente que os brasileiros conhecem menos o seu Amazonas que os astrônomos a geografia da Lua." (Tavares Bastos, *O Vale do Amazonas,* p. 341). **2.** Ser muito versado em; conhecer bem: "Conhecia Joyce [James Joyce] dezoito línguas, e muitos dos dialetos dessas línguas, o que fazia o espanto dos seus amigos." (Olívio Montenegro, *Retratos e Outros Ensaios,* p. 93.) **3.** Travar conhecimento com: *Quero que me apresentes a ela, sempre desejei conhecê-la.* **4.** Ter relações, convivência com: *Não conhece ninguém nesta cidade;* "Era um sexagenário, que havia mais de trinta anos clinicava no bairro, onde todos o conheciam e respeitavam." (Artur Azevedo, *Contos Cariocas,* p. 221). **5.** Ter conhecimento de causa; ter experimentado: *Ainda jovem conheceu a fama; Com idade tão avançada, é impossível que não conheça a vida.* **6.** Distinguir, reconhecer: *Há dois dias está em coma, já não conhece ninguém.* **7.** Apreciar, julgar, avaliar: *Entrou na briga para conhecer a sua força.* **8.** Ter indícios certos de; prever: *conhecer o futuro.* **9.** Sentir, experimentar: *Os habitantes dos trópicos não conhecem o frio.* **10.** Estar ou ficar certo, convencido de; reconhecer: "Poti pôs a mão no crânio do ancião e conheceu que era finado" (José de Alencar, *Iracema,* p. 108). **11.** Ter relações sexuais com. **12.** Aceitar; admitir: *A justiça não conhece privilégio.* **13.** Submeter-se, sujeitar-se a: *Sua ambição não conhece limites.* **14.** Ter estado em, ter visitado (certo lugar): *Você conhece a Inglaterra? T. i.* **15.** Ter (o juiz) competência para intervir num processo; dar-se por competente para isso: *O desembargador conhece da causa. Transobj.* **16.** Travar conhecimento com: "conheci-o [a Guerra Junqueiro] profeta, com um fato velho, a pregar na Praça" (Raul Brandão, *Memórias,* II, p. 253). **17.** Reconhecer (12): *Ao ouvi-lo, conheceu-o por seu rei. P.* **18.** Ter uma ideia da própria capacidade. [Conjug.: v. *aquecer.*]

conhecido [Part. de *conhecer.*] ***Adj.*** **1.** Que muitos conhecem: *homem conhecido; canção conhecida.* **2.** De que se tem noção ou experiência; sabido: *assunto conhecido.* **3.** Experimentado, perito, versado: *É muito conhecido em literatura.* **4.** Famoso por suas obras, sua atividade: *compositor conhecido.* ● ***S. m.*** **5.** Indivíduo de quem temos conhecimento, ou com quem temos ligeiras relações: *O deputado é um conhecido de meu primo.*

conhecimento [De *conhecer* + *-imento.*] ***S. m.*** **1.** Ato ou efeito de conhecer. **2.** Ideia, noção. **3.** Informação, notícia, ciência. **4.** Prática da vida; experiência. **5.** Discernimento, critério, apreciação. **6.** Consciência de si mesmo; acordo. **7.** Pessoa com quem travamos relações. **8.** *Educ.* Aquilo que pode ser aprendido e ensinado; o que se pode conhecer ou vir a conhecer. **9.** *Econ.* Documento representativo de mercadoria depositada ou entregue para transporte, e que, se endossado, pode ser negociado como título de crédito. [V., nesta acepç.: *conhecimento de carga* e *conhecimento de depósito.*] **10.** *Filos.* No sentido mais amplo, atributo geral que têm os seres vivos de reagir ativamente ao mundo circundante, na medida de sua organização biológica e no sentido de sua sobrevivência. **11.** *Filos.* Processo pelo qual se determina a relação entre sujeito e objeto. [Cf., nesta acepç., *a posteriori, a priori, objeto* (9), *sujeito* (13) e *teoria do conhecimento.*] **12.** *Filos.* A apropriação do objeto pelo pensamento, como quer que se conceba essa apropriação: como definição, como percepção clara, apreensão completa, análise, etc. **13.** *Filos.* A posição, pelo pensamento, de um objeto como objeto, variando o grau de passividade ou de atividade que se admitam nessa posição. ~ V. *conhecimentos.* ◆ **Conhecimento adequado.** *Hist. Filos.* Segundo Leibniz (v. *leibniziano*), conhecimento distinto cujos elementos, até os mais primitivos, são conhecidos de modo distinto. **Conhecimento aéreo.** Documento contratual de transporte aéreo. **Conhecimento de bagagem.** Recibo da bagagem de um passageiro, fornecido pelas empresas de transporte. **Conhecimento de carga.** *Com.* Documento comprobatório do recebimento de mercadoria por empresa encarregada do seu transporte (terrestre, marítimo ou aéreo) e que se constitui em título de crédito transmissível por endosso, em virtude da cláusula "à ordem" lançada em seu contexto; conhecimento de frete, conhecimento de transporte. **Conhecimento de depósito.** **1.** Recibo de depósito de mercadorias. **2.** *Com.* Recibo que os armazéns gerais, trapiches ou estabelecimentos similares dão aos depositantes de mercadorias, para certificar o depósito, emitido conjuntamente com o *warrant* (q. v.), mas dele separável, e que contém obrigatoriamente a cláusula "à ordem", sendo, pois (independentemente do *warrant*), transferível por meio de endosso. **Conhecimento de frete.** V. *conhecimento de carga.* **Conhecimento de transporte.** V. *conhecimento de carga.* **Conhecimento prévio.** *Educ.* Conhecimento que o estudante já possui. **Conhecimento tácito.** *Educ.* Conhecimento ou saberes intrínsecos ao ser, que não pode ser identificado, medido ou expresso.

conhecimentos [Pl. de *conhecimento.*] ***S. m. pl.*** Erudição, instrução, saber. ~ V. *conhecimento.*

conhecível [De *conhecer* + *-ível.*] ***Adj. 2 g.*** Que se pode conhecer; cognoscível.

▲**coni-** [Do lat. *conus, i* < gr. *kônos, ou.*] ***El. comp.*** = 'cone': *conífera* (< lat.), *conifloro, coniforme.* [Equiv.: *-con(i)-*[1]: *bicônico.* V. *cono-.*]

▲**-con(i)-**[1] Equiv. de *coni-.*

▲**-con(i)-**[2] Equiv. de *coni(o)-.*

conibo *Bras.* ***S. 2 g.*** **1.** *Etnôn.* Indivíduo dos conibos [ou (etnôn. bras.) *Konibo], povo indígena do S.O. da Amazônia, da família linguística pano. ● ***Adj. 2 g.*** **2.** Pertencente ou relativo a esse povo.

cônica ***S. f.*** *Geom.* V. *cônica.* [Uso freq. em P.]

cônica [F. subst. de *cônico.*] ***S. f.*** *Geom.* Lugar geométrico dos pontos de um plano cujas distâncias a uma reta fixa do plano e a um ponto fixo fora da reta e no plano têm um cociente constante; traço de uma superfície cônica circular num plano. [Sua equação em coordenadas cartesianas é um polinômio do segundo grau, e pode ser uma elipse, uma hipérbole, uma parábola ou, em casos particulares, uma circunferência, ou um par de retas, distintas ou coincidentes. Sin.: *seção cônica, curva quadrática* ou apenas *quadrática.*] ◆ **Cônica central.** *Geom.* A que tem um centro. [São cônicas centrais a elipse e a hipérbole.] **Cônica cúbica.** *Mat.* Curva reversa que pode ser originada pela interseção de duas superfícies cônicas que tenham curvas do segundo grau por diretrizes, ou pela interseção de dois hiperboloides de uma folha com geratriz comum.

conicaleira [Do f. de *cônico* + *-l-* + *-eira.*] ***S. f.*** *Tec.* Máquina que enrola os fios têxteis em carretéis cônicos.

conicidade [De *cônico* + *-(i)dade.*] ***S. f.*** Qualidade de cônico; feitio cônico.

conicina [Do V. C. I. *conicine,* alter. de *coniina* (q. v.).] ***S. f.*** *Quím.* V. *coniina.*

cónico ***Adj.*** V. *cônico.* [Uso freq. em P.]

cônico [Do gr. *konikós.*] ***Adj.*** V. *coniforme.* ~ V. *curva —a, hélice —a, projeção —a, seção —a, superfície —a* e *tronco —.*

conicoide (ói) [De *cônico* + *-oide.*] ***S. m.*** *Geom.* V. *quádrica.* ✣

coni-conió ***S. m.*** *Bras. Zool.* V. *vi-vió.* [Pl.: *coni-coniós.*] ✲

conidângio [De *conid(io)* + *-ângio.*] ***S. m.*** *Bot.* Célula que forma certo número de conídios, nos fungos.

conídio [Do lat. cient. *conidium.*] ***S. m.*** *Micol.* Esporo de origem assexual.

conidióforo [De *conídio* + *-foro.*] ***Adj. S. m.*** *Micol.* Diz-se de, ou hifa que produz conídio.

conífera [Do lat. *conifera;* tax. *Coniferae.*] ***S. f.*** *Bot.* Espécime das coníferas, classe de gimnospermas que, como o pinheiro, produzem sementes não abrigadas em um fruto, mas reunidas em estróbilos coniformes.

coniferina [De *conífera* + *-ina*[3]; al. *Koniferin.*] ***S. f.*** *Quím.* Glicosídeo abundante nas coníferas; abietina [fórm.: $C_{16}H_{22}O_8$].

conífero [Do lat. *conifer, a, um.*] ***Adj.*** *Bot.* Pertencente ou relativo às coníferas.

conifloro [De *coni-* + *-floro.*] ***Adj.*** *Bot.* Que tem flores cônicas.

coniforme [De *coni-* + *-forme.*] ***Adj. 2 g.*** Que tem forma de cone; conoidal, conoide, cônico.

coniina [Do lat. *conium,* 'cicuta', + *-ina*[3]; al. *Koniin.*] ***S. f.*** *Quím.* Alcaloide encontrado na cicuta, líquido incolor, venenoso; conina, conicina [fórm.: $C_8H_{17}N$].

conimbricense [Do lat. *Conimbrica,* 'Coimbra', + *-ense.*] ***Adj. 2 g. S. 2 g.*** V. *coimbrão:* "Houve tempo em que a velha catedral conimbricense .... era formosa" (Alexandre Herculano, *Lendas e Narrativas,* II, p. 57).

conimbrigense ***Adj. 2 g. S. 2 g.*** V. *coimbrão.*

■ **Conin** Sigla de *Conselho Nacional de Informática e Automação.*

conina ***S. f.*** *Quím.* V. *coniina.*

▲**coni(o)-** [Do gr. *kónis, eōs.*] ***El. comp.*** = 'poeira': *coniologia.* [Equiv.: *-con(i)-*[2]: *pneumoconiose.*]

coniologia [De *coni(o)-* + *-logia.*] ***S. f.*** Ramo da biologia que estuda a poeira e os efeitos que ela possa ter sobre os seres vivos.

coniose [De *coni(o)-* + *-ose*[1].] ***S. f.*** *Med.* Estado mórbido causado por poeira e que varia conforme as características desta, como, por ex., a composição.

coniotoxicose (cs) [De *coni(o)-* + *-toxic(o)-* + *-ose*[1].] ***S. f.*** *Pneum.* Pneumoconiose em que o efeito irritante da poeira age diretamente sobre tecidos.

conirrostro [De *coni-* + *-rostro;* lat. cient. *Conirostres.*] ***Adj.*** *Zool.* Diz-se de ave de bico grosso, forte e cônico.

conivalve [De *coni-* + *-valve.*] ***Adj. 2 g.*** Que tem concha ou valva cônica.

conivência [Do lat. *conniventia.*] ***S. f.*** **1.** Ato de ser conivente. **2.** Cumplicidade; colaboração. **3.** Conluio, maquinação. **4.** *Bot.* Aproximação, pelo ápice, de dois órgãos ou partes vegetais que são livres na base, não havendo soldadura.

conivente [Do lat. *connivente.*] ***Adj. 2 g.*** **1.** Que finge não ver ou encobre o mal praticado por outrem: *Foi conivente na deslealdade ao velho amigo.* **2.** Cúmplice, conluiado. **3.** Que se aproxima, que se toca. **4.** *Bot.* Que apresenta conivência: *estames conivente.* ~ V. *válvulas —s.*

conjacuipense (u-i) ***Adj. 2 g.*** **1.** De, ou pertencente ou relativo a Conceição do Jacuípe (BA). ● ***S. 2 g.*** **2.** O natural ou habitante de Conceição do Jacuípe.

conjectura [Do lat. *conjectura.*] ***S. f.*** V. *conjetura:* "Subi, de conjectura em conjectura, / Às esplendências do que fui e fiz." (José Oiticica, *Fonte Perene,* p. 36.)

conjecturador (ô) [De *conjecturar* + *-dor*.] ***Adj. S. m.*** V. *conjeturador*.

conjectural [Do lat. *conjecturale*.] ***Adj. 2 g.*** V. *conjetural*.

conjecturar [De *conjectura* + *-ar*[2].] ***V. t. d.*** V. *conjeturar*. [Pret. imperf. ind.: *conjecturava, ... conjecturáveis, conjecturavam*. Cf. *conjecturáveis*, pl. de *conjecturável*.]

conjecturável [De *conjecturar* + *-vel*.] ***Adj. 2 g.*** V. *conjeturável*.

conjetura [Var. de *conjectura*.] ***S. f.*** **1.** Juízo ou opinião sem fundamento preciso; suposição, hipótese: "Concentrados em conjeturas sobre a morte do arrieiro, cada qual queria mostrar-se mais sereno" (Afonso Arinos, *Pelo Sertão*, pp. 33-34). **2.** *E. Ling.* Na edição de um texto, a reconstrução de uma lacuna (4) ou a emenda de um erro, que não se apoiam em testemunhos.

conjeturador (ô) [Var. de *conjecturador*.] ***Adj. S. m.*** Que, ou aquele que conjetura.

conjetural [Var. de *conjectural*.] ***Adj. 2 g.*** Fundamentado em conjetura(s): *estudo conjetural*; "que há neste mundo que se possa dizer verdadeiramente verdadeiro? Tudo é conjetural." (Machado de Assis, *A Semana*, II, p. 306).

conjeturar [Var. de *conjecturar*.] ***V. t. d.*** **1.** Julgar por conjetura; supor; presumir: *Procurou conjeturar as possíveis razões de sua zanga*. **2.** Prever, entrever: *Ouvindo a sua palavra fácil, conjeturou o seu futuro como político*. ***Int.*** **3.** Fazer conjeturas: *Não afirmava, apenas conjeturava*.

conjeturável [Var. de *conjecturável*.] ***Adj. 2 g.*** Que se pode conjeturar.

conjugação [Do lat. *conjugatione*.] ***S. f.*** **1.** Ato ou efeito de conjugar(-se). **2.** Reunião, junção. **3.** *Álg.* Automorfismo de um grupo, que se define na forma B → ABA[-1], onde A é um elemento fixo do grupo. **4.** *Biol.* Fusão de dois gametas ou duas células, na reprodução. **5.** *Biol.* Transferência de material genético que ocorre entre bactérias, certas algas e entre protozoários ciliados. **6.** *E. Ling.* Conjunto de formas de um verbo para a expressão de categorias gramaticais como tempo, modo, aspecto, voz, número, pessoa. **7.** *E. Ling.* Conjunto de verbos que seguem o mesmo paradigma (3). [Cf., nesta acepç., *declinação* (8).] **8.** *Microbiol.* Modalidade de reprodução sexuada entre certas bactérias, em que há transferência de material genético da bactéria doadora para a receptora, mediante uma ponte de proteína que as conecta. ◆ **Conjugação celular.** *Biol.* Fusão de células.

conjugado [Do lat. *conjugatu*.] ***Adj.*** **1.** Ligado, unido. **2.** *Quím.* Diz-se de composto que contém duas ligações duplas separadas por uma ligação simples. **3.** Diz-se de qualquer das duas ligações duplas de composto conjugado. ~ V. *ácido —, ângulo —, apartamento —, base —a, complexo —, conjunto —, diâmetros —s, elemento —, folha —a, gêmeos —s, hipérboles —as, imaginário —, planos —s, pontos —s, proteína —a* e *raízes —as*. ● ***S. m.*** **4.** *Arquit.* Apartamento conjugado (q. v.). **5.** *Álg.* Elemento conjugado (q. v.). **6.** *Fís.* Sistema de duas forças paralelas de suportes distintos, com sentidos opostos, e que atuam sobre um corpo; binário, par, torque. **7.** *Geom.* V. *ângulo conjugado*. **8.** *Mat.* Complexo conjugado (q. v.).

conjugal [Do lat. *conjugale*.] ***Adj. 2 g.*** Relativo ou pertencente a cônjuges, ou ao casamento. ~ V. *família — e fé —*.

conjugalmente [De *conjugal* + *-mente*.] ***Adv.*** À maneira de cônjuges; tal como eles: "Viu-os ir ambos conjugalmente para o lado da Glória. Casados? amigos?" (Machado de Assis, *Quincas Borba*, p. 179.)

conjugar [Do lat. *conjugare*.] ***V. t. d.*** **1.** Dizer ou escrever ordenadamente as flexões de (o verbo): *Conjuga errado o verbo vir e outros mais*. **2.** Dizer ou escrever (flexão ou flexões de um verbo): *Conjugou corretamente o futuro do subjuntivo de pôr*. **3.** Unir ou ligar juntamente: *Conjugaram esforços para levar a cabo a empresa*; "O ódio de outros separa-nos, mas o nosso amor conjuga-nos." (Machado de Assis, *Páginas Recolhidas*, p. 102). ***T. d. e i.*** **4.** Unir, ligar, combinar: *Conjugar esforços com alguém*. ***P.*** **5.** Unir-se ou ligar-se conjuntamente: "Estas qualidades soberanas conjugavam-se com detestáveis pechas" (Aquilino Ribeiro, *Os Avós dos Nossos Avós*, p. 103). [Conjug.: v. *largar*.]

conjugável [De *conjugar* + *-vel*.] ***Adj. 2 g.*** Que se pode conjugar.

cônjuge [Do lat. *conjuge*.] ***S. m.*** Cada uma das pessoas ligadas pelo casamento em relação à outra.

conjúgio [Do lat. *coniugiu*.] ***S. m.*** Casamento: "com exemplos de santos conjúgios" (Aquilino Ribeiro, *Andam Faunos pelos Bosques*, p. 98.)

conjuminação [De *conjuminar* + *-ção*.] ***S. f.*** Ato ou efeito de conjuminar(-se), unir(-se).

conjuminância [De *conjuminar* + *-ância*.] ***S. f.*** *Bras.* Ato ou efeito de conjuminar; combinação: "conseguiria seu objetivo, ainda, daquela vez, graças à conjuminância dos 'Contreiras'?..." (Otávio de Faria, *O Pássaro Oculto*, p. 243).

conjuminar [Alter. de *congeminar*[1], poss.] ***V. t. d. P.*** *Bras. Pop.* Ligar(-se), unir(-se), combinar(-se).

conjunção [Do lat. *conjunctione*.] ***S. f.*** **1.** União, encontro: *A conjunção das águas do rio Negro com as do Amazonas ocorre perto de Manaus*; "não foi só o aperto de mão que selou o contrato, ... foi a conjunção das nossas bocas amorosas..." (Machado de Assis, *Dom Casmurro*, p. 152); "Ela gostou dele, acercaram-se, amaram-se. Dessa conjunção de luxúrias vadias brotou D. Plácida." (Id., *Memórias Póstumas de Brás Cubas*, p. 203). **2.** Encontro de circunstâncias; conjuntura. **3.** Ensejo, oportunidade. **4.** *Astr.* Configuração de dois astros cujas ascensões retas são iguais. **5.** *E. Ling.* Palavra invariável que liga duas orações ou dois termos semelhantes da mesma oração. **6.** *Lóg.* Relação entre duas ou mais assertivas simultâneas. **7.** *Lóg.* Sistema de duas ou mais proposições ligadas pelo termo lógico *e*, que só é verdadeiro se todas as proposições o forem; multiplicação lógica. [Cf., nesta acepç., *disjunção* (4), *disjunção exclusiva* e *negação* (8).] **8.** *Bras. Pop.* V. *menstruação* (1). ◆ **Conjunção aditiva.** *E. Ling.* Conjunção coordenativa que liga meramente dois termos ou duas orações de função idêntica: *e, nem*. [Sin.(desus.): *conjunção aproximativa* e *conjunção copulativa*. Tb. se diz apenas *aditiva*.] **Conjunção adversativa.** *E. Ling.* Conjunção coordenativa que liga dois termos ou duas orações de função idêntica, estabelecendo, porém, uma ideia de contraste, de oposição: *mas, porém, contudo, todavia*, etc. [Tb. se diz apenas *adversativa*.] **Conjunção alternativa.** *E. Ling.* Conjunção coordenativa que liga dois termos ou duas orações de sentido diferente, e indica que, verificando-se o que se diz em uma delas, deixa de verificar-se o que se diz na outra: *ou; ou .... ou; ora .... ora; já .... já; quer .... quer*; etc.: *Trabalhou, ou fingiu trabalhar; Ou vai ou racha; Ora é delicado, ora é brutal; Já trabalho, já estudo; Quer chova, quer faça sol*. [Tb. se diz apenas *alternativa*. Sin.: *conjunção disjuntiva*.] **Conjunção aproximativa.** *E. Ling.* V. *conjunção aditiva*. [Tb. se diz apenas *aproximativa*.] **Conjunção causal.** *E. Ling.* Conjunção subordinativa que inicia uma oração subordinada denotadora de causa: *porque, pois, porquanto, pois que, já que, visto que, desde que*, etc. [Tb. se diz apenas *causal*.] **Conjunção comparativa.** *E. Ling.* Conjunção subordinativa que inicia uma oração subordinada que contém o segundo membro de uma comparação, de um confronto: *que, do que, qual, quanto, assim como*, etc. [Tb. se diz apenas *comparativa*.] **Conjunção concessiva.** *E. Ling.* Conjunção subordinativa que inicia uma oração subordinada na qual se admite um fato que, contrário à ação expressa na oração principal, é, contudo, incapaz de impedir que tal ação se realize: *embora, conquanto, ainda que, posto que, mesmo que*, etc. [Tb. se diz apenas *concessiva*.] **Conjunção conclusiva.** *E. Ling.* Conjunção coordenativa que liga à precedente uma oração que expressa conclusão ou consequência: *logo, pois, portanto, por conseguinte*, etc. [Sin., desus.: *conjunção ilativa*. Tb. se diz apenas *conclusiva*.] **Conjunção condicional.** *E. Ling.* Conjunção subordinativa que inicia uma oração subordinada em que se expressa uma hipótese ou condição necessária para que se realize ou não a ação principal: *se, caso, contanto que, salvo se, dado que*, etc. [Tb. se diz apenas *condicional*.] **Conjunção conformativa.** *E. Ling.* Conjunção subordinativa que inicia uma oração subordinada na qual se expressa conformidade com um ato, fato, etc., a que se refere a oração principal: *conforme, segundo, consoante, como*, etc. [Sin., desus.: *conjunção modal*. Tb. se diz apenas *conformativa*.] **Conjunção consecutiva.** *E. Ling.* Conjunção subordinativa que inicia uma oração subordinada na qual se indica a consequência do que foi declarado na anterior: *que (tal .... que, tanto .... que); de forma que, de sorte que*, etc.: *Procedeu de tal modo que escandalizou a todos; Trabalhou tanto que se esgotou; Está muito doente, de sorte que não irá à recepção*. [É muito comum, não só na linguagem corrente, senão também na literária, a elipse do elemento antecedente: *Caminhou (tanto ou de tal maneira) que ficou exausto*. (Sin., desus.: *conjunção correlativa*. Tb. se diz apenas *consecutiva*.)] **Conjunção continuativa.** *E. Ling.* Conjunção coordenativa que liga orações, exprimindo só uma continuação do discurso ou transição de ideia: *pois, porque, entretanto, no entanto, daí, além disso*, etc. [Sin., desus.: *conjunção transitiva*. Tb. se diz apenas *continuativa*.] **Conjunção coordenativa.** *E. Ling.* A que liga termos ou orações de idêntica função gramatical. [Tb. se diz apenas *coordenativa*.] **Conjunção copulativa.** *E. Ling.* V. *conjunção aditiva*. [Tb. se diz apenas *copulativa*.] **Conjunção correlativa.** *E. Ling.* V. *conjunção consecutiva*. [Tb. se diz apenas *correlativa*.] **Conjunção disjuntiva.** *E. Ling.* V. *conjunção alternativa*. [Tb. se diz apenas *disjuntiva*.] **Conjunção explicativa.** *E. Ling.* Conjunção coordenativa que liga duas orações na segunda das quais se explana a ideia contida na primeira: *que, porque, porquanto, isto é, por exemplo*. [Tb. se diz apenas *explicativa*.] **Conjunção final.** *E. Ling.* Conjunção subordinativa que inicia uma oração que indica a finalidade da oração principal: *para que, a fim de que, porque* [= *para que*], etc. [Tb. se diz apenas *final*.] **Conjunção ilativa.** *E. Ling.* V. *conjunção conclusiva*. [Tb. se diz apenas *ilativa*.] **Conjunção inferior.** *Astr.* Conjunção de um planeta com o Sol, quando o planeta está entre a Terra e o Sol. **Conjunção integrante.** *E. Ling.* Conjunção subordinativa que introduz oração que funciona como sujeito, objeto direto, objeto indireto, predicativo, complemento nominal, ou aposto de outra oração: *que, e se*. [Tb. se diz apenas *integrante*.] **Conjunção modal.** *E. Ling.* V. *conjunção conformativa*. [Tb. se diz apenas *modal*.] **Conjunção periódica.** *E. Ling.* V. *conjunção temporal*. [Tb. se diz apenas *periódica*.] **Conjunção proporcional.** *E. Ling.* Conjunção subordinativa que inicia oração em que se indica um fato realizado ou por se realizar simultaneamente com o fato da oração principal: *à medida que, à proporção que, ao passo que, quanto mais .... mais*, etc. [Tb. se diz apenas *proporcional*.] **Conjunção subordinativa.** *E. Ling.* A que liga duas orações, uma das quais completa ou determina o sentido da outra. [Tb. se diz apenas *subordinativa*.] **Conjunção superior.** *Astr.* Conjunção de um planeta com o Sol, quando este se acha entre a Terra e o planeta. **Conjunção temporal.** *E. Ling.* Conjunção subordinativa que inicia oração subordinada denotadora de circunstância de tempo: *quando, enquanto, antes que, depois que, desde que*, etc. [Sin., desus.: *conjunção periódica*. Tb. se diz apenas *temporal*.] **Conjunção transitiva.** *E. Ling.* V. *conjunção continuativa*. [Tb. se diz apenas *transitiva*.]

conjuncional [De *conjunção* + *-al*[1], seg. o padrão erudito.] ***Adj. 2 g.*** **1.** Relativo a conjunção (5). **2.** *E. Ling.* Diz-se da oração que se liga a outra por intermédio de uma conjunção (5).

conjungir [Do lat. *conjungere*.] ***V. t. d.*** **1.** Unir ou ligar intimamente. **2.** Ligar pelo casamento; casar, matrimoniar. **3.** Aliar; combinar. [Conjug.: v. *dirigir*.]

conjunta [Do esp. plat. *coyunda*.] ***S. f.*** *Bras. RS* Tira macia de couro com que se prende o boi ao jugo pela base dos chifres.

conjuntar ***V. t. d. e i.*** Ligar, juntar, ajuntar, conjungir.

conjuntiva [Do lat. cient. *conjunctiva*.] ***S. f.*** **1.** *Anat.* Membrana que reveste internamente as pálpebras (*conjuntiva palpebral*), e a porção exposta da esclera (*conjuntiva ocular*); adnata. **2.** *Lóg.* Cada uma das proposições [v. *proposição* (6)] numa relação de conjunção (7).

conjuntival [De *conjuntiva* + *-al*[1].] ***Adj. 2 g.*** *Anat.* Pertencente ou referente à conjuntiva.

conjuntivite [De *conjuntiva* + *-ite*[1].] ***S. f.*** *Oftalm.* Inflamação de conjuntiva (1), ger. com hiperemia e produção de secreções. [Sin.: *logadite* e (bras., pop.) *carregação dos olhos*.]

conjuntivo [Do lat. tard. *conjunctivu*.] ***Adj.*** **1.** Que junta. **2.** *E. Ling.* Que une orações ou palavras; equivalente a uma conjunção gramatical: *locução conjuntiva*. ~ V. *erro —, modo — e testamento —*. ● ***S. m.*** **3.** *Histol.* Tecido, de que há algumas variedades, que apresenta diversos tipos celulares, separados por grande quantidade de material intercelular. **4.** *E. Ling.* Modo subjuntivo (q. v.).

conjunto [Do lat. *conjunctu*.] ***Adj.*** **1.** Junto simultaneamente: *o som conjunto dos violinos e dos violoncelos*. **2.** Ligado, conjugado: *Morávamos em casas conjuntas*; "Vida e morte são elos conjuntos da mesma cadeia, que prendem o homem simples ao tronco árduo chamado existência." (Aquilino Ribeiro, *Portugueses das Sete Partidas*, p. 341). **3.** Adjacente, contíguo, próximo: *Adquiriu terras conjuntas à sua propriedade*. ~ V. *ação —a, conta —a* e *probabilidade —a*. ● ***S. m.*** **4.** Reunião das partes que formam um todo; complexo: "A glória, já se disse, é o conjunto dos mal-entendidos que se criam em torno de um nome." (Oto Maria Carpeaux, *A Cinza do Purgatório*, p. 15.) **5.** Grupo, quadro, equipe: *Foi atendido por um conjunto de grandes médicos*. **6.** Conjunto residencial: *O conjunto de Cordovil recebeu grande número de favelados*. **7.** Grupo de músicos que se reúnem para executar peças de música erudita ou popular para mais de um instrumento ou de uma voz. **8.** Traje feminino composto de vestido e casaco, ou saia, blusa e/ou casaco, ou calça e blusa e/ou casaco: "Veste um conjunto lilás, decotado" (Viana Moog, *Um Rio Imita o Reno*, p. 64). **9.** *Mat.* Qualquer coleção de seres matemáticos. ◆ **Conjunto aberto.** *Mat.* Conjunto cujo complemento é fechado; conjunto em que pelo menos um ponto de acumulação não lhe pertence. **Conjunto arquitetônico de valor histórico.** *Arquit.* V. *conjunto histórico*. **Conjunto**

bem-ordenado. *Mat.* Conjunto ordenado em que todo subconjunto tem um elemento menor que todos os demais. **Conjunto compacto.** *Mat.* Conjunto infinito em que todo subconjunto tem pelo menos um ponto de acumulação pertencente ao conjunto. **Conjunto complementar.** *Mat.* O que deve ser somado a outro a fim de se obter um terceiro; a diferença *A* – B, onde *B* é um subconjunto do conjunto *A*. [Sin.: *complemento*.] **Conjunto conexo.** *Mat.* O que não pode ser dividido em apenas dois subconjuntos fechados que não tenham nenhum ponto comum. **Conjunto conjugado.** *Mat.* O que se obtém quando um elemento de um conjunto é transformado pelos componentes de um grupo de transformações. [Tb. se diz apenas *conjugado*.] **Conjunto contínuo.** *Mat.* Continuum. **Conjunto crítico.** *Eng. Nucl.* Sistema constituído por um material físsil e um moderador, de forma, dimensões e massa perfeitamente definidas, e em que se pode manter uma reação nuclear em cadeia; montagem crítica. **Conjunto de Cantor.** *Mat.* Conjunto formado com base no conjunto de números reais no intervalo fechado [0,1], do qual se retiram todos os números situados no terço médio, depois os do terço médio dos intervalos resultantes, e sucessivamente assim. É um conjunto perfeito e não denso. [V. *conjunto denso em um espaço*. Sin.: *descontínuo de Cantor* e *conjunto ternário de Cantor*.] **Conjunto denso.** *Mat.* Conjunto denso em um espaço. **Conjunto denso em si mesmo.** *Mat.* Aquele em que toda vizinhança de qualquer de seus pontos contém pelo menos um outro ponto que também lhe pertence. **Conjunto denso em um espaço.** *Mat.* Aquele em que todas as vizinhanças de pontos de um espaço contêm pelo menos um de seus pontos. [Tb. se diz apenas *conjunto denso*.] **Conjunto derivado.** *Mat.* Conjunto dos pontos de acumulação de um conjunto. **Conjunto discreto.** *Mat.* O que não tem pontos de acumulação, como, por ex., o conjunto dos números inteiros. **Conjunto enumerável.** *Mat.* V. *conjunto numerável*. **Conjunto fechado.** *Mat.* O que contém todos os seus pontos de acumulação. **Conjunto finito.** *Mat.* O que pode ser posto em correspondência biunívoca com um subconjunto limitado dos números naturais. **Conjunto histórico.** *Arquit.* Agrupamento de edificações, rurais ou urbanas, de interesse histórico, que permanecem bem preservadas. [Tb. se diz *conjunto arquitetônico*, ou *conjunto urbanísticode valor histórico*.] **Conjunto infinito.** *Mat.* O que contém uma infinidade de membros; conjunto em que se pode estabelecer uma correspondência biunívoca entre seus membros e os membros de um de seus subconjuntos. **Conjunto interseção.** *Mat.* V. *produto* (10). **Conjunto isolado.** *Mat.* O que não contém nenhum dos seus pontos de acumulação; o que consiste apenas em pontos isolados. **Conjunto nulo.** *Mat.* Conjunto vazio. **Conjunto numerável.** *Mat.* O que pode ser posto em correspondência biunívoca com o conjunto dos números naturais ou com um subconjunto deste; conjunto enumerável; enumerável. **Conjunto ordenado.** *Mat.* Aquele entre cujos membros se define uma relação de ordem. **Conjunto perfeito.** *Mat.* O que é idêntico ao seu conjunto derivado; conjunto fechado e denso em si mesmo. **Conjunto residencial.** *Arquit.* Agrupamento organizado e ordenado de casas ou edifícios de habitação que constituem uma unidade, ou por haverem sido projetados em conjunto ou porque formam uma unidade de vizinhança. [Tb. se diz apenas *conjunto*.] **Conjunto ternário de Cantor.** *Mat.* V. *conjunto de Cantor*. **Conjunto união.** *Mat.* V. *união* (14). **Conjunto urbanístico de valor histórico.** *Arquit.* V. *conjunto histórico*. **Conjunto vazio.** *Mat.* O que não contém nenhum elemento, como, por ex., o conjunto dos números reais cujo quadrado é negativo; conjunto nulo.

conjuntura [De *conjunto* + *-ura*; fr. ant. *conjointure*.] ***S. f.*** **1.** Situação nascida de um encontro de determinadas circunstâncias, e que se considera como o ponto de partida de uma evolução, uma ação, um fato. **2.** Acontecimento, ocorrência. **3.** Oportunidade, ensejo, ocasião: *Naquela conjuntura os fatos lhe sorriam.* **4.** Lance difícil, embaraçoso: "Nesta conjuntura a mãe por natureza e a mãe por amor porfiam cuidados para restituir a razão à pobre menina, e conseguem-no no fim do último ato." (Ramalho Ortigão, *Crônicas Portuenses*, p. 196.) ◆ **Conjuntura econômica.** *Econ.* Situação da economia, esp. com referência às variações de curto prazo na atividade produtiva ou nos preços: *conjuntura econômica recessiva, conjuntura econômica inflacionária.*

conjuntural [De *conjuntura* + *-al*[1].] ***Adj. 2 g.*** **1.** Relativo a, ou próprio de conjuntura, ou que dela depende. **2.** *Econ.* Relativo a conjuntura econômica; relativo ao curto prazo: *problemas conjunturais*. [Opõe-se, nesta acepç., a *estrutural* (2).]

conjura [Dev. de *conjurar*.] ***S. f.*** **1.** V. *conjuro*. **2.** V. *conjuração* (2 a 4): "D. Sancho I, que uma conjura misteriosa apeara do trono, contribuía .... para o custeio das despesas da estada dos estudantes do Mosteiro de Santa Cruz em universidades de França." (Feliciano Ramos, *História da Literatura Portuguesa*, p. 87.)

conjuração [Do lat. *conjuratione*.] ***S. f.*** **1.** Ato de conjurar. **2.** Conspiração contra uma autoridade estabelecida; conjura. **3.** Conluio, maquinação, trama, conjura. **4.** Reunião de pessoas conjuradas; conjura. **5.** V. *conjuro*. ◆ **Conjuração Mineira.** Movimento patriótico dos fins do séc. XVIII, encabeçado pelo alferes Joaquim José da Silva Xavier, dito o *Tiradentes* (1746-1792), e que se destinava a libertar o Brasil do regime colonial português. [Tb. se diz, impr., *Inconfidência Mineira*.]

conjurado [Do lat. *conjuratu*.] ***Adj.*** **1.** Que conjura, conspira. ● ***S. m.*** **2.** Aquele que conjura, conspira. **3.** *Restr.* Cada um dos cidadãos que tomaram parte na Conjuração Mineira. [Sin., impr.: *inconfidente* (5).]

conjurador (ô) [De *conjurar* + *-dor*.] ***S. m.*** Aquele que faz conjuros.

conjurante [De *conjurar* + *-nte*.] ***Adj. 2 g.*** Que conjura.

conjurar [Do lat. *conjurare*.] ***V. t. d.*** **1.** Convocar para conjuração: *O chefe conjurou os revoltosos para uma reunião decisiva.* **2.** Planejar ou intentar por meio de conjuração; maquinar: *Conjuraram a deposição do chefe do governo.* **3.** Afastar, desviar (perigo, mal iminente). **4.** Esconjurar, exorcismar: *conjurar um sortilégio.* **5.** Rogar com instância a; suplicar: *Conjurou o delegado a tal ponto que obteve relaxamento da prisão.* ***T. d. e i.*** **6.** Insurgir, levantar: *Conjuraram os nativos contra o domínio estrangeiro.* **7.** Rogar com insistência a; suplicar: "Eu vos conjuro, filhas de Jerusalém, ... que não perturbeis à minha amada o descanso, nem a façais despertar, até que ela se queira erguer." (Antônio Pereira de Figueiredo, *A Bíblia Sagrada* (trad.), p. 743). **8.** Instigar, incitar: *O monarca, pelo seu despotismo, conjurou contra si todo o povo.* ***T. i.*** **9.** Conspirar, insurgir-se, levantar-se: *Tiradentes foi um dos patriotas que conjuraram contra o domínio português no Brasil.* **10.** Lastimar-se de; queixar-se: *Conjurava contra o destino.* ***P.*** **11.** Filiar-se numa conspiração. **12.** Ligar-se por juramento. **13.** *P. ext.* Unir-se, ligar-se. **14.** Lastimar-se; queixar-se: *Não te conjures contra a fortuna.*

conjuratório [De *conjurar* + *-tório*.] ***Adj.*** Referente a, ou que encerra conjura.

conjuro [Dev. de *conjurar*.] ***S. m.*** **1.** Invocação de magia. **2.** Palavras autoritárias para esconjurar o Demônio ou as almas do outro mundo; exorcismo. [F. paral.: *conjura*; sin.: *conjuração*.]

conluiado [Part. de *conluiar*.] ***Adj.*** **1.** Acertado em conluio. **2.** Unido em conluio: "conluiado com a Mesa Visitadora e conspiradores em toda a ilha, estava [o mestre de campo] arregimentando forças para restabelecer a velha ordem de coisas nas vilas" (João Ubaldo Ribeiro, *O Feitiço da Ilha do Pavão*, p. 301).

conluiar [De *conluio* + *-ar*[2].] ***V. t. d.*** **1.** Unir ou reunir em conluio. **2.** Tramar, fraudar, de combinação com outrem. ***P.*** **3.** Fazer ou formar conluio: *Elementos perigosos conluiaram-se para um assalto.*

conluio [Do lat. tard. *conludiu*.] ***S. m.*** **1.** Combinação entre duas ou mais pessoas para lesar outrem; maquinação, trama, conspiração: "foi rompendo a escuridão à caça desse ente maldito, que fazia o velho casarão falar ou gemer, ameaçá-lo ou repeli-lo, num conluio demoníaco com o vento, os morcegos e a treva." (Afonso Arinos, *Pelo Sertão*, p. 25). **2.** *P. ext.* Colusão.

cono [Do lat. *cunnu*.] ***S. m.*** *Chulo* Vulva, cona.

▲**cono-** [Do gr. *kônos, ou*.] ***El. comp.*** = 'cone': *conocarpo, conócito*. [V. *coni-*.]

conocarpo [De *cono-* + *-carpo*.] ***Adj.*** *Bot.* Que tem frutos cônicos.

conócito [De *cono-* + *-cito*.] ***S. m.*** *Bot.* Célula epidérmica de plantas ciperáceas, dotada de parede internamente espessada, que encerra um corpúsculo cônico de sílica, particularidade estrutural que permite identificar fragmentos de plantas dessa família.

conoidal [De *conoide* + *-al*[1].] ***Adj. 2 g.*** V. *coniforme*.

conoide (ói) [Do gr. *konoeidés*.] ***Adj. 2 g.*** **1.** V. *coniforme*. ● ***S. m.*** *Geom.* **2.** Superfície gerada por uma reta que se desloca paralelamente a um plano, interceptando constantemente uma curva e uma segunda reta. **3.** Qualquer superfície gerada pela revolução de uma cônica em torno de um dos seus eixos. ❖

conopeu [Do lat. *conopeu*, 'cortina', 'tenda'.] ***S. m.*** *Lit.* Pano ou dossel que cobre o tabernáculo.

conopídeo [Do tax. *Conops* (< gr. *kónops*, 'mosquito') + *-ídeo*[1]; tax. *Conopidae*.] *Zool.* ***S. m.*** **1.** Espécime dos conopídeos, família de insetos dípteros, cosmopolitas, que reúne moscas de porte médio, cabeça larga e probóscide longa, para coleta de néctar. Na fase adulta, lembram as abelhas e as vespas. ● ***Adj.*** **2.** Pertencente ou relativo a eles.

conopofagídeo [Do gr. *kónops*, 'mosquito', + *-fag(o)-* + *-ídeo*[1]; tax. *Conopophagidae*.] *Zool.* ***S. m.*** **1.** Espécime dos conopofagídeos, família de aves passeriformes, de tarso exaspidiano e penachos brancos atrás dos olhos dos machos; vivem em matas, próximo ao solo, e se alimentam de insetos. [Frequentemente estas aves são classificadas junto aos formicariídeos]. ● ***Adj.*** **2.** Pertencente ou relativo a eles.

conosco (ô) [Do lat. *noscum* (por *nobiscum*), com reduplicação da prep. *cum*.] ***Pron.*** **1.** Com a(s) pessoa(s), ou à(s) pessoa(s), que fala(m); com as nossas pessoas: *Conversavam conosco*; "Venha jantar conosco domingo." (Machado de Assis, *Várias Histórias*, p. 107). **2.** Em nossa companhia: "Lampiros de ouro, archotes do caminho, / Vinde conosco, aproximai-vos dela!" (Alberto de Oliveira, *Poesias*, 2.ª série, p. 91); "Pedro era meu tio, irmão de Mamãe. Morava conosco e nos distraía." (Maria Julieta Drummond de Andrade, *A Busca*, p. 17). **3.** Ao mesmo tempo que nós; juntamente conosco: *Quando formos cantar, cantem conosco.* **4.** Em nosso ser; dentro de nós: *A tranquilidade existe conosco.* **5.** Em nossa mente; em nosso espírito: *Temos conosco um princípio pelo qual nos batemos.* **6.** A nosso respeito; concernente à(s) nossa(s) pessoa(s); dirigido a nós: *Suas palavras, tão severas, não são conosco; Aquela ordem era conosco.* **7.** De nós para nós; entre nós: *Resolvemos conosco fugir à reunião.* **8.** Próprio para nós; para ser feito ou resolvido por nós: *Trabalho aos domingos não é conosco.* **9.** Em nosso poder: *Os papéis ficaram conosco.* **10.** A nosso cargo: *Pode deixar o caso conosco: não se arrependerá.* [Normalmente, *conosco* (e *convosco*) não admitem depois de si pronomes demonstrativos, como *mesmo* e *próprio*, nem numerais, nem aposto, etc. Dir-se-á, pois: *com nós mesmo(s), com nós dois, com vós próprio(s), com vós outro(s)*, e assim por diante. Poucos são os exemplos discrepantes dessa norma; eis aqui três: "Monólogos que .... são diálogos de nós conosco próprios" (Antero de Figueiredo, *Jornadas em Portugal*, p. 4); "se não andássemos .... tão preocupados conosco próprios" (Luís Forjaz Trigueiros, *O Carro de Feno*, p. 17); "convosco mesmas" (Alberto de Oliveira, *Poesias*, 2.ª série, p. 66).]

conotação [Do lat. med. *connotatione*, pelo ingl. *connotation*.] ***S. f.*** **1.** Relação que se nota entre duas ou mais coisas. **2.** *E. Ling.* Sentido translato, ou subjacente, às vezes de teor subjetivo, que uma palavra ou expressão pode apresentar paralelamente à acepção em que é empregada: *O vocábulo* roto, *em Portugal, tem a conotação de* homossexual masculino; *Por ser muito usado em relação a bandidos,* famigerado, *que significa* famoso, *apresenta, aos olhos de muitos, conotação pejorativa;* "Empson [William Empson] conferiu ao vocábulo ambiguidade um significado bastante lato, procurando desvincular a palavra da conotação pejorativa que lhe anda adstrita (equívoco, falta de clareza)" (Vítor Manuel de Aguiar e Silva, *Teoria da Literatura*, p. 29). **3.** *Lóg.* V. *compreensão* (3).

conotar [Do lat. med. *connotare*, com infl. do ingl. (*to*) *connote*.] ***V. t. d.*** Ter como conotação.

conotativo [Do lat. med. *connotativu*, pelo ingl. *connotative*.] ***Adj.*** *Lóg.* **1.** Diz-se de nomes que designam, junto com o sujeito, um atributo. **2.** Diz-se de ideias e associações ligadas, pela experiência individual ou coletiva, a uma palavra.

conotoxina (cs) [Do tax. *Conus* + *toxina*.] ***S. f.*** *Bioquím.* Qualquer de um grupo de peptídios neurotóxicos encontrados em moluscos do gên. *Conus* (p. ex., o búzio *Conus geographicus*) e que são dos mais potentes venenos conhecidos.

conotríquio [Do gr. *chónnos*, 'taça de cobre', + *-triqu(i)-* + *-io*[3]; tax. *Chonotricha*.] *Zool.* ***S. m.*** **1.** Espécime dos conotríquios, ordem de protozoários euciliados, de corpo em forma de vaso, provido de cílios somente no funil anterior. ● ***Adj.*** **2.** Pertencente ou relativo a eles.

conquanto [De *con-* + *quanto*.] ***Conj.*** Embora; se bem que; posto que; não obstante: "moralistas inexoráveis, conquanto lhe confessem o talento, dão-no por um vicioso miserável, encharcado nas sensualidades" (Antônio Feliciano de Castilho, *A Lírica de Anacreonte*, p. 20).

conquilioide (ói) [Do gr. *conchýlion*, 'conchinha', + *-oide*.] ***Adj. 2 g.*** V. *concoidal* (1). ❖

conquiliologia [Do gr. *konchýlion*, 'conchinha', + *-logia*.] ***S. f.*** *Zool.* **1.** Estudo das conchas. **2.** Tratado sobre as valvas dos moluscos. [Cf. *malacologia*.]

conquiliológico [De *conquiliologia* + *-ico*[2].] ***Adj.*** Referente a conquiliologia.

conquiliologista [De *conquiliologia* + *-ista*.] ***S. 2 g.*** Especialista em conquiliologia.

conquista [Do lat. *conquisita*, fem do part. pass. de *conquire*, 'procurar', 'buscar'.] ***S. f.*** **1.** Ato ou efeito de conquistar. **2.** Pessoa ou coisa conquistada: "Da plêiade dos primeiros padres que aportaram à nova conquista com Tomé de Sousa e Duarte da Costa, entre eles dois principalmente se distinguiram, Nóbrega e Anchieta." (João Ribeiro, *História do Brasil*, p. 99.) **3.** Pessoa a quem se conquistou [v. *conquistar* (4)] o amor: *É um inconstante: cada dia aparece com uma nova conquista.*

conquistado [Part. de *conquistar.*] *Adj.* **1.** Que se conquistou: *prêmio duramente conquistado.* **2.** Subjugado, vencido: *nação conquistada.*

conquistador (ô) [De *conquistar* + *-dor.*] *Adj.* *S. m.* **1.** Que, ou aquele que conquista, que vence, que triunfa. **2.** *Fam.* Que, ou aquele que faz conquistas amorosas.

conquistar [Do lat. vulg. *conquisitare, freq. de *conquirere.*] *V. t. d.* **1.** Submeter pela força de armas; vencer, subjugar: *Carlos Magno conquistou grande parte da Europa e foi coroado pelo Papa Leão III Imperador do Ocidente.* **2.** Submeter, vencer, subjugar. **3.** Adquirir à força do trabalho; alcançar; obter por mérito: *Conquistou, na velhice, a fama de sábio.* **4.** Granjear, adquirir, ganhar (amizade, amor, simpatia, etc.): *Tudo faz para conquistar as boas graças do chefe; Conquistou, enfim, o amor daquela mulher.* **5.** *Fam.* Obter a simpatia, e/ou o amor, e/ou o respeito de (alguém): *Tanto fez que conquistou o chefe.* ***T. d. e i.*** **6.** Tomar terra à força de armas: *A Índia conquistou Goa a Portugal.* **7.** Atrair, seduzir: *Mesmo preso, tentou conquistar os adversários à sua política.*

conquistável [De *conquistar* + *-vel.*] *Adj. 2 g.* Que pode ser conquistado.

conquistense[1] *Adj. 2 g.* **1.** De, ou pertencente ou relativo a Conquista (MG). ● *S. 2 g.* **2.** O natural ou habitante de Conquista.

conquistense[2] *Adj. 2 g.* **1.** De, ou pertencente ou relativo a Vitória da Conquista (BA). ● *S. 2 g.* **2.** O natural ou habitante de Vitória da Conquista.

consabido [De *con-* + *sabido.*] *Adj.* Sabido por muitos: *verdades consabidas.*

consagração [Do lat. tard. *consacratione.*] *S. f.* **1.** Ato ou efeito de consagrar. **2.** Sagração (3). **3.** Honra ou aplauso manifestado pela opinião pública. **4.** Condição daquilo ou daquele que se consagrou. **5.** *P. ext.* Exaltação, glorificação; louvor, elogio. **6.** Cerimônia em que se sagra um bispo. **7.** Cerimônia praticada na profissão monástica. **8.** Ato pelo qual o pastor protestante recebe a investidura de uma paróquia. **9.** *Rel.* Ritual de dedicação à divindade duma pessoa ou duma coisa. **10.** *Rel.* Parte da missa em que, segundo a teologia católica, o pão e o vinho são transubstanciados no corpo e sangue de Cristo, significando a morte na cruz. [Cf. *transubstanciação* (2).]

consagrado [Part. de *consagrar.*] *Adj.* Que recebeu consagração: *a hóstia consagrada; escritor consagrado.*

consagrador (ô) [De *consagrar* + *-dor.*] *Adj.* Que consagra; que envolve consagração; consagrante.

consagrante [De *consagrar* + *-nte.*] *Adj. 2 g.* Consagrador.

consagrar [Do lat. tard. *consacrare*, por *consecrare.*] *V. t. d.* **1.** Tornar sagrado. **2.** Dedicar, ou oferecer a Deus, ou aos santos, por culto ou voto. **3.** Fazer a consagração (5) de; exaltar: *Em* Os Lusíadas, *Camões consagra os feitos portugueses.* **4.** Levar à consagração, ao sucesso: *Foi esta música que o consagrou.* **5.** Confirmar; ratificar: *A batalha dos Guararapes consagrou a vitória dos nativos sobre os invasores holandeses.* **6.** Na religião católica e em certas seitas protestantes, converter (pão e vinho) no Corpo e no Sangue de Cristo. ***T. d. e i.*** **7.** Oferecer por culto ou voto: *Consagrou o recém-nascido a Nossa Senhora.* **8.** Oferecer afetuosamente; dedicar: *Consagrou seu esforço à realização do ideal da filha.* **9.** Votar, dedicar: *Consagrou sua vida a obras beneficentes;* "Que é isto, ó Musas! por que a lira empunho, / A Lira que ao silêncio consagrara?" (José Bonifácio, *Poesias*, p. 58). ***Transobj.*** **10.** Eleger, aclamar: *A crítica mais exigente o consagra o maior escritor vivo.* ***P.*** **11.** Dedicar-se; dar-se: "Filho de uma velha família patrícia de Basileia, nascido em 1818, consagra-se [Jacob Burckhardt] aos estudos mais diversos." (Otto Maria Carpeaux, *A Cinza do Purgatório*, pp. 15-16.) **12.** Alcançar consagração; obter glória, sucesso, fama.

consanguíneo (güí) [Do lat. *consanguineu.*] *Adj.* **1.** Que tem o mesmo sangue; que é parente pelo sangue. **2.** *Antrop.* Referente aos parentes consanguíneos ou à relação de consanguinidade (3 e 4) entre eles. **3.** *Dir. Civ.* No Direito romano, diz-se daquele que tem o mesmo pai ou que é parente pelo lado paterno. [Opõe-se, nesta acepç., a *uterino.*] ● *S. m.* **4.** *Antrop.* Parente por consanguinidade; cognato. **5.** *Dir. Civ.* No Direito romano, irmão ou parente pelo lado paterno. [Opõe-se, nesta acepç., a *parente uterino.*] ❖

consanguinidade (güi) [De *consanguíneo* + *-(i)dade.*] *S. f.* **1.** Qualidade ou condição do que é consanguíneo. **2.** Relação entre parentes consanguíneos. **3.** *Restr. Antrop.* Cognação (2). **4.** *Antrop. Restr.* A relação de cognação (2), considerada como impedimento para o casamento e/ou relações sexuais. **5.** *Petr.* Parentesco de rochas, indicado pela semelhança de composição química ou mineralógica. ❖

consciência [Do lat. *conscientia.*] *S. f.* **1.** *Filos.* Atributo altamente desenvolvido na espécie humana e que se define por uma oposição básica: é o atributo pelo qual o homem toma em relação ao mundo (e, posteriormente, em relação aos chamados estados interiores, subjetivos) aquela distância em que se cria a possibilidade de níveis mais altos de integração. **2.** *P. ext.* Conhecimento desse atributo. **3.** Faculdade de estabelecer julgamentos morais dos atos realizados: *uma consciência reta; consciência torturada.* **4.** Conhecimento imediato da sua própria atividade psíquica ou física: "Tudo isso se desenrolava dentro dele sem que ele próprio tivesse plena consciência dos pensamentos." (Macedo Miranda, *Pequeno Mundo Outrora*, p. 35.) **5.** Conhecimento, noção, ideia: *Só agora tem consciência do mal que sofrera.* **6.** Cuidado com que se executa um trabalho, se cumpre um dever; senso de responsabilidade: *Fez a tradução com toda a consciência.* **7.** Honradez, retidão, probidade: *homem de consciência.* ◆ **Consciência coletiva.** *Sociol.* Conjunto de representações, de sentimentos ou de tendências não explicáveis pela psicologia do indivíduo, mas pelo fato do agrupamento dos indivíduos em sociedade. **Consciência de si.** *Filos.* Autoconsciência. **Consciência moral.** *Ét.* A faculdade de distinguir o bem do mal, de que resulta o sentimento do dever ou da interdição de se praticarem determinados atos, e a aprovação ou o remorso por havê-los praticado. **Consciência pesada.** V. *má consciência*. **Em sã consciência.** **1.** De posse das suas faculdades mentais e morais, de modo são: *Ninguém em sã consciência pode dizer que não houve malversação no caso do mensalão.* **2.** Com sinceridade; sinceramente. **Má consciência.** Remorso; consciência pesada: "Esta minha má consciência tinha dias." (Alçada Baptista, *O Tecido do Outono*, p. 111.) **Perder a consciência.** Perder os sentidos, desmaiar. **Pôr a consciência em almoeda.** Oferecê-la a quem mais der.

consciencial [De *consciência* + *-al*[1].] *Adj. 2 g.* Relativo ou pertencente à consciência.

consciencioso (ô) [De *consciência* + *-oso.*] *Adj.* Que tem consciência.

consciente [Do lat. *consciente.*] *Adj. 2 g.* **1.** Que tem consciência (1) do que faz ou do que sente: *O homem é um ser consciente.* **2.** Que tem consciência (4): *Só há três dias o doente voltou a estar consciente.* **3.** Que procede com consciência (5 a 7): *Um país precisa de homens conscientes para governá-lo.* **4.** V. *cônscio*: *Está consciente da situação; É consciente de suas responsabilidades.* **5.** Em que se tem consciência (4): *estado consciente.* **6.** Que é feito com consciência (5 e 6): *trabalho de pesquisa consciente.* **7.** *Psicol.* Pertencente ou relativo ao consciente (8): *fatos conscientes; reações conscientes.* ● *S. m.* **8.** *Psicol.* O conjunto dos processos e fatos psíquicos de que temos consciência, *i. e.*, conhecimento (por oposição a inconsciente [9]). [Cf., nesta acepç., *subconsciente* (2).]

→**conscientia fraudis** [kõske'ẽtea 'frawdes] [Lat.] *Jur.* Consciência da fraude.

→**conscientia sceleris** [kõske'ẽtea ske'leres] [Lat.] *Jur.* Consciência do crime.

conscientização [De *conscientizar* + *-ção.*] *S. f.* **1.** Ato ou efeito de conscientizar. **2.** Condição de conscientizado, ou de quem se tornou consciente de sua própria situação (pessoal, social, etc.): *a conscientização das mulheres, a conscientização política das minorias étnicas.*

conscientizado [Part. de *conscientizar.*] *Adj.* **1.** Que se conscientizou. **2.** Que tem certa consciência política e social.

conscientizar [De *consciência* (< lat. *conscientia*) + *-izar*, seg. o padrão erudito.] *V. t. d.* **1.** Tomar consciência (5) de; ter noção ou ideia de: *Apesar de moço, conscientiza bem os problemas que o cercam.* ***T. d. e i.*** **2.** Dar consciência (5); tornar ciente: "Pensou no quanto poderia ajudar àquela gente, ... conscientizando-os .... da sua natureza humana" (Ilza Espírito Santo Porto, *João sem Terra e Outros Contos*, p. 13.) **3.** Dar ciência, conhecimento; alertar: *O sanitarista procurava conscientizar a comunidade para o risco de contaminação.* ***P.*** **4.** Tomar conhecimento; tornar-se ciente.

cônscio [Do lat. *consciu.*] *Adj.* Que sabe bem o que faz ou o que deve fazer; ciente, consciente: "fiz-me paciente resignada, cônscia de estar cumprindo uma obrigação penosa" (Aluísio Azevedo, *Livro de uma Sogra*, p. 160).

conscrição [Do lat. *conscriptione.*] *S. f.* Alistamento para o serviço militar.

conscrito [Do lat. *conscriptu.*] *Adj.* *S. m.* Recrutado, alistado: "os jovens conscritos, os mancebos, sobem das aldeias a tirar a sorte para o serviço militar." (José Vieira, *Sol de Portugal*, p. 132).

consecratório [Do lat. *consecratus*, 'consagrado', part. pass. de *consecrare*, + *-ório.*] *Adj.* Relativo a consagração.

consectário [Do lat. *consectariu.*] *S. m.* Consequência, resultado, efeito: "O desprezo dos nossos elementos bélicos, quando inopinado nos atacou o segundo López, era .... o consectário de uma política que, tendo criado a organização militar do Paraguai, e esperando que em boa e leal amizade frutificasse a semente de tal política, absolutamente não curava de agressões externas" (Carlos de Laet, *O Frade Estrangeiro e Outros Escritos*, p. 107).

consecução [Do lat. *consecutione.*] *S. f.* Ato ou efeito de conseguir; conseguimento.

consecutiva [F. subst. do adj. *consecutivo.*] *S. f.* *E. Ling.* Conjunção consecutiva.

consecutividade [De *consecutivo* + *-(i)dade.*] *S. f.* Qualidade, característica ou condição de consecutivo.

consecutivo [Do lat. med. *consecutivu*, pelo fr. *consécutif.*] *Adj.* Que segue outro; imediato, subsecutivo, conseguinte: *Esperou-a, em vão, oito dias consecutivos.* ~ V. *ângulos —s* e *conjunção —a*.

conseguido [Part. de *conseguir.*] *Adj.* **1.** Alcançado, obtido. **2.** Feito ou executado com felicidade, com bom êxito.

conseguidor (ô) [De *conseguir* + *-dor.*] *Adj.* *S. m.* Que, ou aquele que consegue.

conseguimento [De *conseguir* + *-mento.*] *S. m.* Consecução.

conseguinte [Do lat. *Consequente*, com infl. da conjug. de *seguir.*] *Adj. 2 g.* **1.** V. *consecutivo*. **2.** Consequente, coerente, lógico. ◆ **Por conseguinte.** Por consequência; consequentemente, conseguintemente, portanto: "Meu irmão sonhou também, e eu com ele por conseguinte, na procura da felicidade alheia" (Antônio Feliciano de Castilho, *Amor e Melancolia*, p. 341).

conseguir [Do lat. *consequere*, por *consequi*, 'seguir', 'alcançar'.] *V. t. d.* **1.** Alcançar; obter: *Conseguiu altos postos à custa de bajulações.* **2.** Ter como consequência ou resultado: *Seu heroísmo apenas conseguiu despertar a inveja dos inimigos.* [Irreg. Conjug.: v. *seguir.*]

conseguível [De *conseguir* + *-vel.*] *Adj. 2 g.* Que se pode conseguir.

conselhar [De *conselho* + *-ar*[2].] *V. t. d.* ***T. d. e i.*** ***Int.*** ***P.*** *Desus.* Aconselhar. [Conjug.: v. *aparelhar.*]

conselheiral [De *conselheiro* + *-al*[1].] *Adj. 2 g.* **1.** Próprio de conselheiro (3 e 4); conselheiro. **2.** Que tem modos, atitudes sérias, graves, de conselheiro. [Sin. ger.: *conselheirático* e *conselheiresco.*]

conselheirático [De *conselheiro* + *-ático.*] *Adj.* V. *conselheiral*.

conselheiresco (ê) [De *conselheiro* + *-esco.*] *Adj.* V. *conselheiral*.

conselheirismo [De *conselheiro* + *-ismo.*] *S. m.* Modo de ser dos conselheiros.

conselheirista [Do epíteto (*Antônio*) *Conselheiro* + *-ista.*] *S. 2 g.* Adepto ou partidário de Antônio Vicente Mendes Maciel, dito Antônio Conselheiro (1828-1897), que chefiou, no interior da BA, a Revolta de Canudos.

conselheiro [Do lat. *consiliariu*, por via pop.] *Adj.* **1.** Que aconselha. **2.** Conselheiral (1): "Com o ceticismo da ironia, sem o menor tom conselheiro ou doutoral, impedi que se arraigassem em seu espírito funestos preconceitos de militarismo, de sacrifícios heroicos de raças." (Miroel Silveira, *Bonecos de Engonço*, p. 21.) ● *S. m.* **3.** Aquele que aconselha: *Não ouça o que ele diz: é mau conselheiro.* **4.** Membro de um conselho (4 a 7). [F. paral., p. us., nas acepç. 3 e 4: *consiliário*.] **5.** *Bras.* Título honorífico do Império. **6.** V. *carreira diplomática*. [Cf. *concelheiro.*] ◆ **Conselheiro de embaixada.** V. *carreira diplomática*.

conselheiro-penense *Adj. 2 g.* **1.** De, ou pertencente ou relativo a Conselheiro Pena (MG). ● *S. 2 g.* **2.** O natural ou habitante de Conselheiro Pena. [Pl.: *conselheiro-penenses.*]

conselhense *Adj. 2 g.* **1.** De, ou pertencente ou relativo a Bom Conselho (PE). ● *S. 2 g.* **2.** O natural ou habitante de Bom Conselho.

conselho (ê) [Do lat. *consiliu.*] *S. m.* **1.** Parecer, juízo, opinião. **2.** Advertência que se emite; admoestação, aviso: *Siga meu conselho: não se precipite.* **3.** Senso do que convém; tino, prudência, aviso: *homem de bom conselho.* **4.** Tribunal (7). **5.** Reunião ou assembleia de ministros. **6.** Corporação à qual incumbe opinar ou aconselhar sobre certos negócios públicos: *conselho de saúde; conselho de economia.* **7.** Reunião de pessoas para tratarem de assunto particular: *conselho de família.* **8.** Reunião de professores, presidida pelo reitor ou diretor da universidade ou escola onde lecionam, para tratar assuntos de ensino ou de ordem. [Cf. *concelho.*] ◆ **Conselho de guerra.** Tribunal especial, instituído em tempo de guerra, e constituído por oficiais das forças armadas, que julga as infrações de natureza militar cometidas por militares ou pessoas sujeitas à jurisdição militar. **Conselho editorial. 1.** *Edit.* Grupo de profissionais que, numa editora, define sua linha editorial e examina e avalia os originais das obras a serem publicadas. **2.** *Comun.* Grupo de profissionais que opina sobre a linha a ser seguida por determinado veículo de comunicação.

consenciente [Do lat. *consentiente.*] ***Adj. 2 g.*** Que consente.

consensial [De *consenso* + *-ial.*] ***Adj. 2 g.*** Consensual (1).

consenso [Do lat. *consensu.*] ***S. m.*** Conformidade, acordo ou concordância de ideias, de opiniões: *No consenso quase unânime da crítica, é Machado de Assis o maior escritor brasileiro;* "No consenso de todos, onde achar o jovem Rogério melhor esposa?" (José Régio, *História de Mulheres*, p. 130). ◆ **Consenso das gentes.** *Rel.* Prova da existência de Deus pelo consenso das crenças de todos os povos.

consensual [De *consenso* + *-ual.*] ***Adj. 2 g.*** **1.** Relativo a consenso; consensial. **2.** Dependente de consenso. ~ V. *contrato —* e *rapto —.*

consensualidade [De *consensual* + *-(i)dade.*] ***S. f.*** Qualidade de consensual.

consentâneo [Do lat. *consentaneu.*] ***Adj.*** **1.** Apropriado, adequado: *O ambiente era consentâneo a seu temperamento artístico.* **2.** Congruente, coerente: "uma menina solteira a lidar com enjeitados figurou-se-lhe exercício menos consentâneo com a pureza e candura de anos tanto em flor." (Camilo Castelo Branco, *Novelas do Minho*, VIII, p. 25).

consentimento [De *consentir* + *-mento.*] ***S. m.*** **1.** Ato de consentir. **2.** Permissão, licença. **3.** Anuência, aprovação, acordo. **4.** Aprovação tácita; tolerância.

consentir [Do lat. *consentire.*] ***V. t. d.*** **1.** Dar consenso ou aprovação a; permitir; admitir; tolerar: *Não consente que usem o seu nome para obter regalias.* **2.** Concordar com; aprovar: *A maioria dos constituintes consentiu a adoção de medidas sociais.* **3.** Dar ocasião a; tornar possível: *A situação é grave e não consente tais gracejos.* **4.** Concordar com; admitir: *Consinto que esteja certo, mas penso de modo diferente.* ***T. d. e i.*** **5.** Dar lugar ou ocasião a; deixar: *Suas ocupações não lhe consentem um minuto de descanso.* **6.** Permitir, admitir, tolerar: *Não consentia tal desapreço à pessoa do governador.* ***T. i.*** **7.** Aquiescer, aceder, anuir, concordar: *Consentiu em fazer horas extras.* **8.** Ceder, aceder: *Consentiu às exigências da mulher.* **9.** Estar em harmonia; ser conforme; condizer: *Naquele caso as conveniências consentiam com as necessidades.* ***Int.*** **10.** Dar consentimento; anuir; concordar; aprovar: "Quem cala consente" (prov.). [Irreg. Conjug.: v. *sentir.*]

consequência (qüên) [Do lat. *consequentia.*] ***S. f.*** **1.** Resultado, efeito: *Sua fraqueza é consequência da enfermidade.* **2.** Dedução, conclusão, ilação. **3.** Importância, alcance: *Esta decisão é de grande consequência.* ❖

consequencial (qüen) [De *consequência* + *-al*[1].] ***Adj. 2 g.*** Relativo a consequência. ❖

consequente (qüen) [Do lat. *consequente.*] ***Adj. 2 g.*** **1.** Que segue naturalmente: *o consequente resultado de uma imprudência.* **2.** Que se infere, que se deduz. **3.** Que procede coerentemente; que raciocina bem; coerente, lógico, racional: *O educador deve ser consequente em seus atos e suas palavras.* ● ***S. m.*** **4.** *E. Ling.* A oração subordinada. **5.** *E. Ling.* Unidade de linguística que se refere a outra anteriormente apresentada na sentença. [Por ex., o pronome relativo *que* na frase: *Esse é o homem que eu vi.*] [Cf., nesta acepç., *antecedente* (4).] **6.** *Lóg.* Em relação de implicação, o termo que é implicado. [Opõe-se a *antecedente* (5).] **7.** *Mat.* Denominador de uma razão. **8.** *Mat.* Numa sequência ordenada, termo que sucede imediatamente a outro. **9.** *Mús.* V. *imitação* (2). **10.** *Mús.* Frase musical que complementa o antecedente (9), formando um trecho musical coeso. ❖

consequentemente (qüen) [De *consequente* + *-mente.*] ***Adv.*** V. *por conseguinte.*

consertado [Part. de *consertar.*] ***Adj.*** Que recebeu conserto, emenda ou reparo. [Cf. *concertado.*]

consertador (ô) [De *consertar* + *-dor.*] ***S. m.*** Aquele que conserta. [Cf. *concertador.*]

consertamento [De *consertar* + *-mento.*] ***S. m. P. us.*** Conserto. [Cf. *concertamento.*]

consertar [Do lat. **consertare*, freq. de *conserere.*] ***V. t. d.*** **1.** Pôr em bom estado ou condição (o que estava danificado ou estragado); reparar, restaurar. **2.** Pôr em boa ordem; dar melhor disposição a; arrumar, arranjar: *Antes de entrar na sala, consertou a gravata e penteou o cabelo.* **3.** Coser ou costurar, remendar: "Eduína me dava banho, consertava minha roupa" (Lia Correia Dutra, *Navio sem Porto*, p. 43). **4.** Corrigir, emendar; remediar: *Tentou, em vão, consertar o que dissera.* **5.** *Bras.* Preparar (o peixe) escamando-o e tirando-lhe os intestinos, antes de o levar ao fogo. [Pres. ind.: *conserto*, etc. Cf. *conserto* (ê) e *concerto* (ê), s. m., *concertar*, v., e *concerto*, do v. *concertar.*]

conserto (ê) [Dev. de *consertar.*] ***S. m.*** Ato ou efeito de consertar. [Sin., p. us.: *consertamento.* Pl.: *consertos* (ê). Cf. *conserto*, do v. *consertar*; *concerto*, do v. *concertar*; e *concerto* (ê), s. m.] ~ V. *consertos.*

consertos (ê) [Pl. de *conserto* (ê).] ***S. m. pl. Bras. N. N.E.*** As vísceras do peixe retiradas quando o limpam. ~ V. *conserto.*

conserva [Dev. de *conservar.*] ***S. f.*** **1.** Líquido ou calda em que se conservam substâncias alimentícias. **2.** *P. ext.* Substância conservada nessa calda. **3.** Alimento que foi tratado e embalado de modo a conservar-se por muito tempo. [Esse tempo é indicado na data de validade.] **4.** Preparação farmacêutica com plantas e açúcar. **5.** *Bras.* Conservação (1). ◆ **Navegar de conserva.** *Mar.* Navegar acompanhado de outro navio.

conservação [Do lat. *conservatione.*] ***S. f.*** **1.** Ato ou efeito de conservar(-se). [Sin., bras.: *conserva.*] **2.** Condição ou aspecto daquilo que, graças a cuidados especiais, resiste mais ou menos bem a processos de desgaste, deterioração, envelhecimento, etc.: *um carro em ótimo estado de conservação.* **3.** *Arquit.* Conjunto de medidas de caráter operacional — intervenções técnicas e científicas, periódicas ou permanentes — que visam a conter as deteriorações em seu início, e que em geral se fazem necessárias com relação às partes da edificação que carecem de renovação periódica, por serem mais vulneráveis aos agentes deletérios. **4.** *Biol.* Conjunto de medidas para impedir a deterioração da natureza.

conservacionismo [De *conservação* (*conservacion-*) + *-ismo*, seg. o padrão erudito.] ***S. m.*** *Ecol.* Movimento que defende a conservação do meio ambiente e dos recursos naturais; preservacionismo.

conservacionista [De *conservação* + *-ista*, seg. o padrão erudito.] ***Adj. 2 g. S. 2 g.*** Que, ou quem advoga a conservação dos recursos naturais (q. v.).

conservado [Part. de *conservar.*] ***Adj.*** Que se conserva, que resiste à idade, ao tempo: "O cura era um velhote conservado, / Malicioso, alegre, prazenteiro" (Guerra Junqueiro, *A Velhice do Padre Eterno*, p. 154).

conservador (ô) [Do lat. *conservatore.*] ***Adj.*** **1.** Aquilo que conserva. **2.** Diz-se daquele que em política é favorável à conservação da situação vigente, opondo-se a reformas radicais. **3.** Diz-se daquele que é apegado a hábitos ou a valores tradicionais. **4.** *Econ.* Diz-se de investimento ou aplicação financeira que envolve baixo risco, ou de investidor avesso ao risco. **5.** *Tec. Quím.* Diz-se de substância que impede ou retarda a alteração de alimento, provocada por microrganismos ou enzimas. ● ***S. m.*** **6.** Aquele que conserva. **7.** O encarregado da conservação de arquivo, museu, biblioteca, etc.: "Taylor e Cailleux se empenharam em obter para o amigo [Charles Nodier] o lugar de conservador da biblioteca do Conde de Artois" (Melo Nóbrega, *O Soneto de Arvers*, p. 13). **8.** Aquele que em política é favorável à conservação da situação vigente, opondo-se a reformas radicais. **9.** *P. us.* V. *museólogo.* **10.** *Tec. Quím.* Conservador (5). [Sin. (nas acepç. 1, 3, 4 e 8): *conservante.*]

conservadorismo [De *conservador* + *-ismo.*] ***S. m.*** **1.** Conservantismo (1 e 2). **2.** *Cont.* Princípio teórico da ciência contábil que, diante de duas situações, igualmente válidas, que demandem a quantificação de uma variação patrimonial, pressupõe adotar o menor valor para os bens ou direitos e o maior valor para as obrigações; princípio da prudência.

conservante [Do lat. *conservante.*] ***Adj. 2 g. S. m.*** V. *conservador* (1, 3, 4 e 8).

conservantismo [De *conservante* + *-ismo.*] ***S. m.*** **1.** Atitude daquele que é conservador (2), que é hostil às inovações políticas ou sociais. **2.** Espírito conservador até à rotina. [Sin. de 1 e 2: *conservadorismo.*]

conservantista [De *conservante* + *-ista.*] ***Adj. 2 g.*** **1.** Referente ao, ou que é adepto do conservantismo. ● ***S. 2 g.*** **2.** Adepto do conservantismo.

conservar [Do lat. *conservare.*] ***V. t. d.*** **1.** Resguardar de dano, decadência, deterioração, prejuízo, etc.; preservar: *conservar os livros de uma biblioteca.* **2.** Manter, preservar: *A vida ao ar livre o ajuda a conservar a saúde.* **3.** Continuar a ter: *Conserva os amigos de infância; Conservo boas recordações daquele tempo.* **4.** Reter; manter: *Os solos ricos conservam o humo.* **5.** Ter ou manter em seu poder; resguardar: *Conservam as terras herdadas do avô.* **6.** Não se desfazer de; permanecer em: *conservar um emprego.* **7.** Amparar, defender, salvaguardar. ***Transobj.*** **8.** Manter em certo estado, ou condição; preservar: *Aos 80 anos, conserva os dentes intatos;* "conservava acesa a sua lâmpada até altas horas da noite, rezando ou estudando" (Bernardo Guimarães, *O Seminarista*, p. 74). ***P.*** **9.** Permanecer, ficar, continuar, manter-se: "Laura conservava-se imóvel, como que aterrada defronte do imenso cadáver luminoso." (Aluísio Azevedo, *Pegadas*, p. 148.) **10.** Manter-se em bom estado: *Com este calor, muitos frutos não se conservam mais de uma semana.* **11.** Continuar a ter boa disposição física; resistir à idade: *Apesar dos reveses sofridos, tem-se conservado bem.*

conservativo [Do lat. tard. *conservativu.*] ***Adj.*** **1.** Próprio para conservar alguma coisa; conservatório. **2.** *Fís.* Diz-se dum sistema ou dum processo em que não há dissipação de energia mecânica. ~ V. *campo —, força — a* e *sistema —.*

conservatório[1] [Do lat. tard. *conservatoriu.*] ***Adj.*** V. *conservativo.*

conservatório[2] [Do it. *conservatorio.*] ***S. m.*** Estabelecimento público destinado ao ensino das belas-artes: *conservatório musical.*

conservável [De *conservar* + *-vel.*] ***Adj. 2 g.*** Que pode ser conservado.

conserveiro [De *conserva* + *-eiro.*] ***S. m.*** Fabricante e/ou vendedor de conservas.

consideração [Do lat. *consideratione.*] ***S. f.*** **1.** Ato ou efeito de considerar. **2.** Importância dada a alguém; respeito, deferência, estima. **3.** Reflexão, raciocínio.

considerado [Part. de *considerar.*] ***Adj.*** Que goza de consideração (2); respeitado, estimado, acatado.

considerando [Do lat. *considerandu.*] ***S. m.*** **1.** Cada uma das considerações ou fundamentos cuja exposição ordenada abre certos documentos, como, por ex., leis, decretos e sentenças, e que principiam pelas palavras *considerando* ou *atendendo.* **2.** Motivo, razão, argumento.

considerar [Do lat. *considerare.*] ***V. t. d.*** **1.** Atender a; atentar para; pensar em; meditar; ponderar: *Considerando as vantagens do cargo, aceitou-o.* **2.** Examinar; observar; apreciar: *Pediu-me que, na leitura da obra, considerasse apenas o estilo, sem levar em conta a gramática.* **3.** Deter a vista em; contemplar, observar: "tendo limpo e pendurado as armas do amo ...., considerava o Senhor de Astorga com assombro e desconfiança." (Eça de Queirós, *Últimas Páginas*, p. 426). **4.** Imaginar, conceber: *Era-lhe impossível considerar as tristes consequências de seu ato.* **5.** Ter em boa conta: *Todos o consideram como homem e como artista.* ***Transobj.*** **6.** Ter na conta de; reputar, julgar: *Considero Manuel Bandeira um dos grandes líricos da nossa língua;* "Então, ainda considerava uma extravagância aquela compra, feita num rasgo de entusiasmo?" (Eça de Queirós, *Os Maias*, II, p. 142). ***Int.*** **7.** Pensar, refletir em alguma coisa: *Considerei longamente antes de tomar uma resolução.* ***T. i.*** **8.** Contemplar, observar, mirar: "D. Fernando considera na rainha, com um sorriso suave .... Aperta na dela sua mão gelada" (Antero de Figueiredo, *Leonor Teles*, p. 254). **9.** Meditar; pensar, refletir: "Considerai no mistério / dos humanos desatinos!" (Cecília Meireles, *Obra Poética*, p. 876); "Agora, apiedado de si próprio, considera na mísera condição humana." (Antero de Figueiredo, *Toledo*, p. 169). ***P.*** **10.** Crer-se; reputar-se; julgar-se: "Considero-me indigno do favor recebido" (Graciliano Ramos, *Caetés*, p. 226); *Imodesta, considera-se belíssima.*

considerável [De *considerar* + *-vel.*] ***Adj. 2 g.*** **1.** Que se deve considerar; notável, importante. **2.** Muito grande.

consigna ***S. f.*** Ordem; palavra de ordem.

consignação [Do lat. *consignatione.*] ***S. f.*** **1.** Ato ou efeito de consignar. **2.** Método ou operação comercial em que se consignam mercadorias. **3.** Estado ou condição do que se consignou: *Os livros expostos estão em consignação.* **4.** Nome dado a certas operações pelas quais rendimentos são direta e legalmente entregues ou depositados a outrem, por quem não pode ou não quer recebê-los (por ex., como forma de pagamento de dívidas ou obrigações). ◆ **Consignação de rendimento.** *Jur.* Anticrese (q. v.). **Consignação em folha.** Desconto feito mensalmente em folha de pagamento de funcionários do Governo. **Consignação em pagamento.** *Jur.* Depósito judicial da coisa devida, nos casos e formas legais, e que tem como resultado a extinção da obrigação.

consignador (ô) [Do lat. tard. *consignatore.*] ***Adj.*** **1.** Que consigna; consignante. ● ***S. m.*** **2.** Aquele que consigna.

consignante [De *consignar* + *-nte.*] ***Adj. 2 g.*** Consignador (1).

consignar [Do lat. *consignare.*] ***V. t. d.*** **1.** Afirmar, declarar, estabelecer: *Não pretendia lavrar uma queixa, mas apenas consignar o fato.* **2.** *Com.* Entregar (mercadorias) para serem negociadas por terceiros: *A empresa não consigna os seus produtos.* ***T. d. e i.*** **3.** *Com.* Confiar ou enviar (mercadorias) a alguém, para que as negocie: *Consignamos-lhe 100 fardos de arroz.* **4.** Determinar, assentar (renda ou quantia para despesa ou pagamento de dívida). **5.** Dedicar, consagrar: *Consignou, no discurso, um elogio ao predecessor.* **6.** Encomendar, recomendar: *O padre consignou a Deus a alma do moribundo.*

consignatário [De *consignar* + *-tário*.] ***S. m.*** **1.** Aquele a quem se consignam mercadorias. **2.** Aquele que recebe em consignação o equivalente do que lhe é devido.

consignativo [De *consignar* + *-tivo*.] ***Adj.*** *Jur.* Diz-se do censo ou quantia entregue por uma vez a quem se obriga a pagar anualmente determinada pensão.

consignável [De *consignar* + *-vel*.] ***Adj. 2 g.*** Que pode ou deve ser consignado.

consigo [Do lat. *secum*, com reduplicação da prep. lat. *cum*.] ***Pron.*** **1.** Em sua companhia: *Levava consigo o irmãozinho e um cão;* "Desse viver .... o fora arrancar a solicitude do padrinho, para o meter consigo na galeota de negócio e conduzi-lo ao Pará" (Inglês de Sousa, *O Missionário*, p. 205). **2.** Em seu ser; dentro de si: *A menina traz consigo a inocência.* **3.** Em sua mente; no seu espírito: "Ele tinha consigo um capricho bizarro..." (Jorge de Lima, *ap.* Ad. Marroquim, *Terra das Alagoas*, p. 265). **4.** Com a sua pessoa; para seu proveito: *Despende muito com os parentes e quase nada consigo.* **5.** De si para si; de si consigo; de si para consigo; de si para si; entre si: *Disse consigo, que iria;* "O menino, ... disse consigo, logo que os dous se encontraram: 'Guimarães há de ser meu pai, e Cristina há de ser minha mãe'" (Machado de Assis, *A Semana*, II, p. 377). **6.** Em seu poder: "Quem é que não tem cem mil-réis consigo?" (Id., *Papéis Avulsos*, p. 202.) **7.** A seu cargo: *Tinha consigo a resolução de vários problemas.* **8.** Com V. S.ª(s), mesma(s), com o(s) senhor(es) mesmo(s), com a(s) senhora(s) mesma(s), com você(s) mesmo(s), etc.: "que tem a senhora com a minha vida ....? Meta-se consigo, cuide nos seus bilros ...., e deixe a vida alheia." (Manuel Antônio de Almeida, *Memórias de um Sargento de Milícias*, p. 131); "A senhora há de dizer consigo que eu, valendo menos que Sócrates, sou mais desapiedado que ele" (Machado de Assis, *Crônicas*, II, p. 412). **9.** Com V. S.ª(s), com o(s) senhor(es) ou a(s) senhora(s), com você(s), etc.: *Estou falando consigo, ó senhora!* [Este uso, condenado por muitos e defendido por outros, é frequente, sobretudo em Portugal. Muitas vezes, parece resultar da perplexidade, por parte de quem fala, entre a cerimônia e a intimidade no tratamento.]

consiliário [Do lat. *consiliariu*, por via erudita.] ***S. m.*** *P. us.* Conselheiro (3 e 4). [Fem.: *consiliária*. Cf. *conciliário*, adj., fem. *conciliária*, e *conciliaria*, do v. *conciliar*.]

consílio [Do lat. *consiliu*.] ***S. m.*** *Desus.* Conselho, assembleia. [Cf. *concílio*, s. m., e *concilio*, do v. *conciliar*.]

→**consilium fraudis** [kɔn'sileo 'frawdes] [Lat., 'conluio da fraude'.] *Jur.* Conluio entre pessoas para lesar alguém.

consistência [De *consistir* + *-ência*.] ***S. f.*** **1.** Qualidade ou estado de consistente. **2.** Sensação ao tato, ao manuseio: *pasta de consistência macia, cola de consistência viscosa, carne de consistência firme.* **3.** Concordância aproximada entre os resultados de várias medições de uma mesma quantidade. **4.** *Fig.* Perseverança, firmeza, constância. **5.** *Lóg.* V. *coerência* (7). **6.** *Fís.* Propriedade de um conjunto de resultados de experiências que satisfazem, dentro dos limites dos erros experimentais, as leis pertinentes aos fenômenos a que se referem. **7.** *Mat.* Compatibilidade (7).

consistente [Do lat. *consistente*.] ***Adj. 2 g.*** **1.** Que é formado, constituído; que consta, consiste: "Melhor, muito melhor era a venda, consistente numa casa de moradias e num alpendre para abrigar a carga das mulas." (Eduardo Frieiro, *Feijão, Angu e Couve*, p. 115.) **2.** Que se resume, se cifra, se reduz: *conhecimentos consistentes em ensinamentos mal administrados.* **3.** Duro, sólido. **4.** Espesso, grosso: *uma sopa consistente.* ~ V. *estimador* — e *equações —s*.

consistir [Do lat. *consistere*.] ***V. t. i.*** **1.** Ser constituído; constar, compor-se: *O edifício do castelo consistia em construções várias, de diferentes épocas.* **2.** Fundar-se, estribar-se, basear-se: *O prestígio de sua obra consiste na aplicação com que a ele se dedica.* **3.** Resumir-se, reduzir-se, cifrar-se: *Sua proclamada cultura consiste na memorização de sentenças latinas;* "O verdadeiro teatrólogo não diz tudo. Sua sabedoria, como domínio técnico, consiste em conter-se, no desdobramento da ação, para dizer menos do que parece necessário." (Josué Montelo, *Artur Azevedo e a Arte do Conto*, p. 39).

consistorial [De *consistório* + *-al*[1].] ***Adj. 2 g.*** Referente a consistório.

consistório [Do lat. *consistoriu*.] ***S. m.*** **1.** Assembleia de cardeais, presidida pelo Papa: "Assim sucedeu ao Papa Urbano VI ...., o qual repreendendo asperamente de avareza em público consistório ao Cardeal de Amiens, este, tomado de ira repentina, se levantou, e apontando para o Papa com o dedo, disse: 'Tu, enquanto barense, mentes.'" (P.e Manuel Bernardes, *Nova Floresta*, IV, pp. 21-22). **2.** Qualquer Assembleia ou reunião de pessoas onde se tratem assuntos magnos. **3.** Lugar onde se realiza Assembleia ou reunião: "lembrando os perigos da noite nesse ermo — consistório das almas penadas" (Afonso Arinos, *Pelo Sertão*, p. 13).

consoada [De. or. incerta.] ***S. f.*** **1.** Pequena refeição noturna, em dia de jejum. **2.** Ceia da noite de Natal. **3.** *Lus.* Presente de doces, dinheiro, etc., no dia do Natal.

consoante ***Adj. 2 g.*** **1.** Que tem consonância. **2.** *E. Ling.* Diz-se do fonema resultante dum fechamento ou dum estreitamento em qualquer região acima da glote (v. *zona de articulação*), que funciona como obstáculo à passagem da corrente de ar. **3.** Diz-se da(s) letra(s) que representa(m) fonema dessa espécie. ~ V. *rimas —s*. ● ***S. f.*** **4.** *E. Ling.* Fonema consoante (2). [Classificam-se, em português: **a)** quanto ao tipo de obstáculo oposto à corrente do ar, em *oclusivas, fricativas, laterais* e *vibrantes*; **b)** quanto à zona de articulação, em *bilabiais, labiodentais, linguodentais, alveolares, palatais* e *velares*; **c)** quanto à ação das pregas vocais, em *surdas* e *sonoras*; **d)** quanto à ressonância nas cavidades bucal e nasal, em *orais* e *nasais*. Nas oclusivas há uma aproximação completa ou fechamento momentâneo de dois órgãos da cavidade oral. Segundo a região em que este se processa, as oclusivas podem ser: bilabiais (lábio contra lábio): *p, b, m*, como em *pote, bote, mato*; linguodentais (ponta da língua e arcada dental superior): *t, d, n*, como em *tal, dama, nada*; palatais (dorso da língua e palato duro): *nh*, como em *ninho, ganho*; velares (parte posterior da língua e véu palatino): *k, g*, como em *cata, gata*. Nas fricativas ou constritivas há uma aproximação incompleta de dois órgãos da cavidade oral, e a corrente de ar comprime-se, o que lhe permite passar por uma fenda estreitada. Segundo a região em que a compressão se processa, dando lugar a um contato parcial, as fricativas podem ser: **a)** labiodentais (lábio inferior e arcada dental superior): *f, v*, como em *faca, vaca*; **b)** alveolares (ponta da língua e alvéolos): *s, z*, como em *sapo, cego, zelo*; **c)** palatais (dorso da língua e palato duro): *x* (também representado por *ch*), *j*, como em *xale, cheque, jato*. Nas laterais há uma obstrução resultante do contato da língua com algum ponto da região central da cavidade oral, escapando o ar livremente por um ou por ambos os lados da língua. Segundo a zona onde ocorre a obstrução, as laterais podem ser: **a)** alveolar (ponta da língua e alvéolos): *l*, como em *lago*; **b)** palatal (dorso da língua e palato duro): *lh*, como em *galho*. Nas vibrantes há uma vibração da língua, provinda do contato intermitente desta com certa zona da boca. As vibrantes podem ser: alveolares ou velares, conforme a vibração se dê na região dos alvéolos ou na região do véu palatino, respectivamente: **a)** alveolar (*r* — fraco — em posição intervocálica): *aro, tiro*; **b)** velar (a vibrante *r* nas demais posições): *rato, régua; carro, certo, guelra; lar, ser*. Nas surdas não há vibração das pregas vocais; ei-las: a oclusiva bilabial *p*; a oclusiva linguodental *t*; a fricativa labiodental *f*; a oclusiva velar *k* (*c*, antes de *a, o, u*; *qu*, antes de *e* e *i*); a fricativa alveolar *s* (*ss*, entre vogais; *c*, antes de *e* e *i*; *ç*, antes de *a, o, u*; *x*, como em *próximo, sintaxe*); a fricativa palatal *x* (quando equivalente a *ch*, como em *xale, peixe*, e também representada por *ch*, como em *chave, chuva*). Nas sonoras há vibração das pregas vocais; ei-las: a oclusiva bilabial *b*; a oclusiva linguodental *d*; a oclusiva velar *g* (*gu* antes de *e* e *i*); a fricativa labiodental *v*; a fricativa alveolar *z* (também representada, em posição intervocálica, por *s*: *casa, uso*, e *x*: *exemplo, exato*); a fricativa palatal *j* (tb. representada por *g*, antes de *e* e *i*, como em *gemer, gíria*); a vibrante velar *r* (forte), como em *rei, tenro, terra*. Nas nasais a corrente de ar ressoa, em parte, na cavidade nasal; ei-las: a oclusiva bilabial *m*, a oclusiva linguodental *n* e a oclusiva palatal *nh*. Todos esses qualificativos de consoantes podem ser usados substantivamente: *uma oclusiva, uma velar*, etc.] **5.** Letra consoante (3). [São as seguintes, em português: *b, c, d, f, g, h, j, k* (em voc. estrangeiros ou derivados de nomes próprios estrangeiros), *l, m, n, p, q, r, s, t, v, w* (em nomes próprios de origem alemã ou em derivados destes), *x, z*.] ● ***S. m.*** **6.** Palavra que rima com outra; rima: "acha [o jocoso] consoantes para tudo: — *Está acabada a função! oh que grande aflição! lá vai a D. Elvira com o conselheiro Negrão! e o juiz Cerveira pela mão! dormir sobre a questão!...*" (Ramalho Ortigão, *As Farpas*, I, pp. 253-254). ● ***Prep.*** **7.** Conforme, segundo: "São puras obras de catequização, devoção e edificação [os autos de Anchieta] sem intuitos nem qualidades literárias, ... pois as escrevia, consoante o interesse do momento" (José Veríssimo, *História da Literatura Brasileira*, p. 47). ● ***Conj.*** **8.** Conforme, segundo: *Trabalha consoante suas forças; O Brasil alcançou o tricampeonato, consoante se esperava; Terminou o livro no fim do ano, consoante prometera.* ◆ **Consoante africada.** *E. Ling.* Aquela que combina, na sua produção, características de oclusiva (isto é, uma oclusão no trato oral) e de fricativa (a subsequente liberação da corrente de ar). [Na fala carioca, por ex., são produzidas como africadas as consoantes iniciais de *tia* e *dia*.] [Tb. se diz apenas *africada*.] **Consoante alveolar.** *E. Ling.* Aquela em que a ponta ou a lâmina da língua vai de encontro à região imediatamente acima dos dentes incisivos superiores. [V. *consoante* (4). Tb. se diz apenas *alveolar*.] **Consoante alveolopalatal.** *E. Ling.* Aquela em que a parte frontal da língua avança em direção ao palato; consoante alveopalatal. [Tb. se diz apenas *alveolopalatal*.] **Consoante alveopalatal.** *E. Ling.* Consoante alveolopalatal. [Tb. se diz apenas *alveopalatal*.] **Consoante anterior.** *E. Ling.* Aquela em que a língua se eleva em direção aos dentes incisivos superiores, aos alvéolos ou ao pré-palato. [Tb. se diz apenas *anterior*. Cf. *consoante labial, consoante posterior*.] **Consoante apical.** *E. Ling.* Som produzido com a aproximação do ápex (3) em relação aos dentes incisivos superiores, aos alvéolos ou ao palato-duro. [Tb. se diz apenas *apical*. Cf. *apicoalveolar, apicodental, ápico-pré-palatal*.] **Consoante apicoalveolar.** *E. Ling.* Som apical em que o ápex (3) vai de encontro aos alvéolos. [Tb. se diz apenas *apicoalveolar*.] **Consoante apicodental.** *E. Ling.* Som apical em que o ápex (3) vai de encontro aos dentes. [Tb. se diz apenas *apicodental*.] **Consoante ápico-pré-palatal.** *E. Ling.* Som apical em que o ápex (3) se aproxima do palato duro. [Tb. se diz apenas *ápico-pré-palatal*.] **Consoante aproximante.** *E. Ling.* Aquela em que a obstrução à passagem do ar é mínima, e não produz fricção. [Tb. se diz apenas *aproximante*.] **Consoante aspirada.** *E. Ling.* Aquela acompanhada de aspiração (3). [Tb. se diz apenas *aspirada*.] **Consoante bilabial.** *E. Ling.* Aquela em que a obstrução à passagem do ar resulta do movimento de um lábio contra o outro. V. *consoante* (4). [Tb. se diz apenas *bilabial*. V. *consoante labial*.] **Consoante chiante.** *E. Ling.* Consoante fricativa palatal ou alveolopalatal, cujo efeito sonoro é semelhante a um chiado. [Tb. se diz apenas *chiante*.] **Consoante constritiva.** *E. Ling.* **1.** Consoante fricativa. **2.** Nos estudos tradicionais sobre o português, as fricativas, laterais e vibrantes, por oposição às oclusivas. [V. *consoante* (4). Tb. se diz apenas *constritiva*.] **Consoante contínua.** *E. Ling.* Som da fala produzido com o fechamento incompleto da passagem do ar, como ocorre nas fricativas e nas aproximantes; consoante continuante. [Tb. se diz apenas *contínua*.] **Consoante continuante.** *E. Ling.* Consoante contínua. [Tb. se diz apenas *continuante*.] **Consoante coronal.** *E. Ling.* Consoante produzida com a elevação da parte frontal da língua em direção ao palato duro, como é o caso das dentais, alveolares, retroflexas, palatoalveolares e palatais. [Tb. se diz apenas *coronal*.] **Consoante dental.** *E. Ling.* Aquela realizada com o contato quer da ponta, quer da lâmina da língua com os dentes incisivos superiores. [No primeiro caso, diz-se *linguodental*; no segundo, *interdental*. Tb. se diz apenas *dental*[2]. V. *apicodental*.] **Consoante dorsal.** *E. Ling.* Aquela em que o dorso da língua se movimenta em direção à parte superior da cavidade oral, como nas palatais e nas velares. [Tb. se diz apenas *dorsal*.] **Consoante ejetiva.** *E. Ling.* Consoante oclusiva produzida com corrente de ar egressiva, produzida a partir da glote. [Tb. se diz apenas *ejetiva*. Cf. *consoante implosiva*.] **Consoante faríngea.** *E. Ling.* Aquela em que a raiz da língua recua em direção à parede posterior da faringe. **Consoante fricativa.** *E. Ling.* Aquela em que os articuladores ficam muito próximos, de modo que se forma um forte ruído de fricção à passagem da corrente de ar; consoante constritiva. [V. *consoante* (4). Tb. se diz apenas *fricativa*.] **Consoante glotal.** *E. Ling.* Som vocal produzido com a constrição na glote, como, por ex., na voz sussurrada. **Consoante gutural.** *E. Ling.* Consoante produzida na garganta. [Terminologia pouco precisa quanto ao ponto de articulação, uma vez que pode referir-se, por ex., a uma consoante glotal, ou uma velar, ou ainda uma uvular.] **Consoante implosiva.** *E. Ling.* Consoante oclusiva produzida com corrente de ar ingressiva, produzida a partir da glote. [Tb. se diz apenas *implosiva*. Cf. *consoante ejetiva*.] **Consoante interdental.** *E. Ling.* V. *consoante dental*. [Tb. se diz apenas *interdental*.] **Consoante labial.** *E. Ling.* Aquela em que um ou ambos os lábios, mas não a língua, participam da articulação, que é o caso das bilabiais e das labiodentais. [Tb. se diz apenas *labial*. Cf. *consoante* *anterior, consoante posterior.*] **Consoante labiodental.** *E. Ling.* Aquela em cuja articulação o lábio inferior entra em contato com os dentes superiores, como na primeira consoante das palavras *faca* e *vaca*. V. *consoante* (4). [Tb. se diz apenas *labiodental*. V. *consoante labial.*] **Consoante laminar.** *E. Ling.* Aquela em que a lâmina da língua é o articulador ativo. [Tb. se diz apenas *laminar*[1].] **Consoante lateral.** *E. Ling.* Consoante produzida com um obstáculo na parte central da cavidade oral, escapando o ar por um ou pelos dois lados da língua, como na consoante inicial das palavras *lata, lhama*. [V. *consoante* (4). Tb. se diz apenas *lateral.*] **Consoante linguodental.** *E. Ling.* V. *consoante dental.* [V. *consoante* (4). Tb. se diz apenas *linguodental.*] **Consoante líquida.** *E. Ling.* Qualquer consoante lateral ou vibrante. [V. *consoante* (4). Tb. se diz apenas *líquida.*] **Consoante nasal.** *E. Ling.* Aquela em que, simultaneamente a uma obstrução à passagem do ar no trato oral, ocorre o abaixamento do véu palatino, permitindo que o ar escoe pela cavidade nasal. [V. *consoante* (4). Tb. se diz apenas *nasal.*] **Consoante obstruinte.** *E. Ling.* As consoantes africadas, fricativas e plosivas, tomadas como uma classe. [Tb. se diz apenas *obstruinte.*] **Consoante oclusiva.** *E. Ling.* Consoante plosiva. [V. *consoante* (4). Tb. se diz apenas *oclusiva.*] **Consoante oral.** *E. Ling.* Aquela em cuja produção o véu palatino é mantido levantado, fechando a cavidade nasal à passagem do ar. [V. *consoante* (4). Tb. se diz apenas *oral.*] **Consoante palatal.** *E. Ling.* Aquela produzida com o movimento da lâmina da língua em direção ao palato duro. [V. *consoante* (4). Tb. se diz apenas *palatal.*] **Consoante palatoalveolar.** *E. Ling.* Aquela produzida com a lâmina da língua contra a parte posterior dos alvéolos. [Tb. se diz apenas *palatoalveolar.*] **Consoante plosiva.** *E. Ling.* Consoante produzida com oclusão total à passagem do ar; consoante oclusiva. [Tb. se diz apenas *plosiva.*] **Consoante posterior.** *E. Ling.* Aquela em que a parte posterior da língua se eleva em direção ao fundo da boca, *i. e.*, do palato mole para trás. [Tb. se diz apenas *posterior*. Cf. *consoante anterior, consoante labial.*] **Consoante ramista.** *E. Ling.* Designação comum ao *j* e ao *v* por haverem sido pela primeira vez diferençados do *i* e do *u*, em textos franceses, por Petrus Ramus (1515-1572); letra ramista. **Consoante retroflexa.** *E. Ling.* Aquela produzida com o movimento da ponta da língua em direção ao palato duro, aos alvéolos ou aos dentes ao mesmo tempo que o dorso e a lâmina tomam a forma côncava. [Tb. se diz apenas *retroflexa.*] **Consoante sibilante.** *E. Ling.* Consoante fricativa em que a lâmina da língua e a região alveolar estão próximas a ponto de a corrente de ar criar um ruído de alta frequência, semelhante a um sibilo. [Tb. se diz apenas *sibilante.*] **Consoante silábica** *E. Ling.* Aquela que ocupa o núcleo da sílaba. **Consoante sonora.** *E. Ling.* Aquela em que há vibração das pregas vocais, como na primeira consoante de *vir*. [V. *consoante* (4). Tb. se diz apenas *sonora.*] **Consoante surda.** *E. Ling.* Aquela em que não há vibração das pregas vocais, como na primeira consoante de *fazer*. [V. *consoante* (4). Tb. se diz apenas *surda.*] **Consoante uvular.** *E. Ling.* Aquela em que a parte posterior da língua se eleva em direção à úvula. [Tb. se diz apenas *uvular.*] **Consoante velar.** *E. Ling.* Consoante em que a obstrução à passagem de ar se dá pelo movimento da parte posterior da língua em direção ao palato mole, como nas primeiras consoantes das palavras *casa* e *gato*. [Tb. se diz apenas *velar.*] **Consoante vibrante.** *E. Ling.* Aquela caracterizada por batimentos rápidos dos articuladores. [Tb. se diz apenas *vibrante.*] [Do lat. *consonante.*]

consoar[1] [Do lat. *consonare.*] *V. int.* **1.** Soar juntamente. **2.** Ter consonância (2); rimar entre si: *As palavras vestido e estufa não consoam;* "Em 1540, Charles de Sainte-Marthe desculpou-se de fazer consoar palavras em *aire* e *ère*." (Melo Nóbrega, *O Soneto de Arvers*, p. 89). *T. i.* **3.** Ser consoante (1); rimar: *Beleza consoa com tristeza.* [Conjug.: v. *coroar.*]

consoar[2] [Voc. deduz. de *consoada*, poss.] *V. int.* **1.** Tomar a consoada (2): "apareceu-lhe na noite de Natal, quando a cáfila toda consoava à lareira." (Aquilino Ribeiro, *Cinco Réis de Gente*, p. 59). *T. d.* **2.** Comer ou beber em consoada (1): *Consoou apenas um magro caldo.* [Conjug.: v. *coroar.*]

consociação [Do lat. *consociatione.*] *S. f.* Ato ou efeito de consociar(-se).

consociar [Do lat. *consociare.*] *V. t. d. P.* **1.** Tornar(-se) sócio; associar(-se). **2.** Conciliar(-se), harmonizar(-se), unir: *Estão em séria divergência; difícil será consociá-los; As facções dissidentes consociaram-se.* [Pres. ind.: *consocio*, etc. Cf. *consócio*, s. m.]

consociável [Do lat. *consociabile.*] *Adj. 2 g.* Que se pode consociar.

consócio [Do lat. *consociu.*] *S. m.* **1.** Sócio, em relação a outro. **2.** Confrade, colega. [Cf. *consocio*, do v. *consociar.*]

consogro (ô) [Do lat. *consocru*, 'consogra'.] *S. m.* Pai de um dos cônjuges, em relação ao pai do outro. [Flex.: *consogra, consogros* (ô), *consogras.*]

consolação [Do lat. *consolatione.*] *S. f.* **1.** Ato ou efeito de consolar(-se). **2.** Pessoa ou coisa que consola. **3.** Alívio, lenitivo, conforto. [Sin. ger.: *consolo.*]

consolado [Part. de *consolar.*] *Adj.* **1.** Aliviado de dor ou de pena. **2.** Alegre, contente. [Cf. *consulado.*]

consolador (ô) [Do lat. *consolatore.*] *Adj.* **1.** V. *consolativo.* • *S. m.* **2.** Aquele que consola. **3.** V. *chupeta* (2). **4.** *Bras. Chulo* Pênis artificial; consolo, consolo de viúva.

consolante [De *consolar* + *-nte.*] *Adj. 2 g.* V. *consolativo.*

consolar [Do lat. **consolare*, por *consolari.*] *V. t. d.* **1.** Aliviar ou suavizar a aflição, o sofrimento, o padecimento de: *consolar os aflitos é uma das obras de misericórdia.* **2.** Dar lenitivo a; suavizar, mitigar: "O que consola a dor de amar, é ser amado" (Luís Delfino, *Rosas Negras*, p. 39); *Buscava consolar as apreensões do amigo.* **3.** Proporcionar sensação agradável a; dar prazer a: *A lauta ceia o consolou.* *T. d. e i.* **4.** Proporcionar consolação, lenitivo; confortar: *O nascimento do filho consolou-a da perda do marido;* "Volve [Almeida Garrett] o pensamento para a literatura, que sempre o consola dos infortúnios políticos, dos reveses da sorte e das humilhações." (José Osório de Oliveira, *O Romance de Garrett*, p. 79). *Int.* **5.** Causar ou proporcionar consolação: *As manifestações de amizade consolam.* *P.* **6.** Receber consolação: *Consola-se com a certeza da punição do seu agressor.* **7.** Pôr termo aos próprios pesares; conformar-se, resignar-se: "Se só me faltassem os outros, vá; um homem consola-se mais ou menos das pessoas que perde; mas falto eu mesmo, e esta lacuna é tudo." (Machado de Assis, *Dom Casmurro*, p. 4.) [Pres. ind.: *consolo*, etc. Cf. *consolo* (ô), s. m. e *consular*, adj. 2 g.]

consolativo [Do lat. *consolativu.*] *Adj.* Que consola; consolador, consolante.

consolatório [De *consolar* + *-tório.*] *Adj.* Que serve para consolar.

consolável [Do lat. *consolabile.*] *Adj. 2 g.* Que pode ser consolado.

consolda [Do lat. *consolida*, 'esta planta'.] *S. f. Bot.* V. *espora* (3).

consolda-do-cáucaso *S. f. Bot.* V. *espora* (3). [Pl.: *consoldas-do-cáucaso.*]

console[1] [Do fr. *console.*] *S. m.* **1.** V. *consolo.* **2.** Nos automóveis, suporte para pequenos objetos, entre os assentos dianteiros.

console[2] [Do ingl. *console* < fr. *console.*] *S. m. Inform.* **1.** Terminal privilegiado us. para acesso direto do operador ao computador, e que permite intervir em diversos processos em execução. **2.** Em computadores com ambiente de janelas, aquela com privilégios que permitem ao usuário o controle dos processos em execução. **3.** Conjunto formado pelo teclado (3) e o monitor (4), e que constitui o dispositivo padrão de entrada e saída de dados em um sistema computacional. **4.** Ferramenta (3) para gerência, configuração e controle de servidores (por ex., de rede local, banco de dados, etc.).

consolense *Adj. 2 g.* **1.** De, ou pertencente ou relativo a Consolação (MG). • *S. 2 g.* **2.** O natural ou habitante de Consolação.

consólida [Do tax. *Consolida* (do lat. tard. *consolida, ae* [> port. *consolda*]).] *S. f. Bot.* **1.** Gênero de ranunculáceas com cerca de 40 espécies anuais, nativas do S. e do L. da Europa até a Ásia central, e que são cultivadas como ornamentais. **2.** Qualquer espécie desse gênero, como, p. ex., a *Consolida ambigua.* **3.** Qualquer espécie desse gênero, ou a sua flor. [Cf. *consolida*, do v. *consolidar.*]

consolidação [Do lat. *consolidatione.*] *S. f.* **1.** Ato ou efeito de consolidar(-se). **2.** Fusão de várias empresas industriais em uma só. **3.** Ação de aumentar a rigidez dalgum elemento construtivo. **4.** Obra(s) destinada(s) a aumentar a consistência dos terrenos, impedindo-lhes o desmoronamento. **5.** Reunião de leis conforme um certo sistema ou ordem: *Consolidação das Leis do Trabalho.* **6.** Ato pelo qual diferentes direitos, dantes separados, se reúnem na mesma pessoa. **7.** Garantia dum empréstimo público pela designação de receita especial assecuratória de seu pagamento. **8.** *Arquit.* Medida de caráter permanente que visa a tornar um elemento arquitetônico estável, sólido e seguro, detendo as alterações em processo mediante pequenas intervenções em que, por via de regra, se justapõem ao elemento arquitetônico materiais modernos. [Cf., nesta acepç., *escoramento* (3).] **9.** *Cont.* Reunião, num só, dos balanços de duas ou mais entidades. **10.** *Econ.* Refinanciamento de débitos referentes a empréstimos anteriores por meio de uma nova operação de empréstimo.

consolidado [Part. de *consolidar.*] *Adj.* **1.** Que se consolidou. ~ V. *dívida —a.* • *S. m.* **2.** Título de dívida pública consolidada.

consolidador (ô) [Do lat. *consolidatore.*] *Adj.* **1.** Que consolida ou consolidou; consolidante. • *S. m.* **2.** Aquele que consolida ou consolidou.

consolidante [De *consolidar* + *-nte.*] *Adj. 2 g.* Consolidador (1).

consolidar [Do lat. *consolidare.*] *V. t. d.* **1.** Tornar sólido, seguro, estável; fortalecer, reforçar: *Medidas tendentes a consolidar a ordem pública.* **2.** Fazer a consolidação (2 a 7, 9 e 10) de. **3.** Provocar em (fratura óssea) a formação de um calo resistente. *Int.* **4.** Tomar consistência: *Esta mistura consolida rapidamente.* *P.* **5.** Tornar-se sólido, firme, estável; firmar-se. **6.** Tornar-se sólido, concreto; materializar-se. [Pres. ind.: *consolido, consolidas, consolida*, etc. Cf. *consólida.*]

consolidativo [De *consolidar* + *-tivo.*] *Adj.* Próprio para consolidar.

consolo [Do fr. *console.*] *S. m.* **1.** *Arquit.* Peça saliente na parede de um edifício, destinada a suportar elementos que se projetam, ou a receber vasos, estátuas, plantas, etc. **2.** Tipo de mesa de encostar, dotada de pés ornamentais, sendo muitas vezes presa à parede e suportada por uma espécie de cantoneira (de madeira esculpida, de ferro batido, de pedra, etc.). **3.** *Mús.* Nos órgãos, peça móvel onde estão postos os teclados, os registros e a pedaleira. **4.** *Mús.* A parte superior das harpas; modilhão. [Cf. *consolo* (ô), s. m., e pl. *consolos* (ô).]

consolo (sô) [Dev. de *consolar.*] *S. m.* **1.** V. *consolação.* **2.** *Bras. N.E.* V. *chupeta* (2). **3.** *Bras. Chulo* V. *consolador* (4). [Pl.: *consolos* (ô). Cf. *consolo*, do v. *consolar* e s. m., e pl. *consolos.*]

consolo de viúva (sô) *S. m. Bras. Chulo* V. *consolador* (4). [Pl.: *consolos de viúva.*]

consomê [Do fr. *consommé.*] *S. m. Cul.* Caldo de carne ou de galinha servido frio ou quente, de ordinário em lugar da sopa e em taças apropriadas, de louça, com duas asas.

consonância [Do lat. *consonantia.*] *S. f.* **1.** Conjunto agradável de sons; harmonia. **2.** Concordância de sons; rima. **3.** *Fig.* Acordo, concordância, conformidade.

consonantal [De *consoante* + *-al*[1].] *Adj. 2 g. E. Ling.* Referente a consoante (4), ou constituído por consoantes; consonântico.

consonante [Do lat. *consonante.*] *Adj. 2 g.* Que produz, ou tem consonância; cônsono. ~ V. *intervalo —.*

consonântico [De *consoante* + *-ico*[2].] *Adj. E. Ling.* Consonantal. ~ V. *escrita —a.*

consonantismo [De *consoante* + *-ismo.*] *S. m.* **1.** *E. Ling.* O conjunto das transformações sofridas pelas consoantes. [Cf. *vocalismo.*] **2.** *Paleogr.* O princípio formador das escritas consonânticas. [Cf. *fonetismo.*]

consonantização [De *consonantizar* + *-ção.*] *S. f. E. Ling.* Transformação de semivogal em consoante: *já* < *iam* (lat.); *ave* < *aue* (lat.).

consonantizar [De *consoante* + *-izar.*] *E. Ling.* *V. t. d.* **1.** Transformar (semivogal) em consoante. *P.* **2.** Transformar-se (uma semivogal) em consoante: *Os ii da palavra latina ieiunus consonantizaram-se.* [Cf. *vocalizar* (2).]

consonar [Do lat. *consonare.*] *V. int.* **1.** Formar consonância. *T. i.* **2.** Concordar, concertar, harmonizar-se, combinar(-se): *Sua proposta não consona com os meus interesses.* [Pres. ind.: *consono*, etc. Cf. *cônsono.*]

cônsono [Do lat. *consonu.*] *Adj.* Consonante. [Cf. *consono*, do v. *consonar.*]

consorciação [De *consorciar* + *-ção.*] *S. f.* **1.** Ato ou efeito de consorciar(-se). **2.** *Bras. S.* Pastagem com mais de uma espécie forrageira.

consorciar [De *consórcio* + *-ar*[2].] *V. t. d.* **1.** Unir, associar; combinar: *consorciar interesses e benefícios.* **2.** Unir em matrimônio: *O padre consorciou o jovem casal.* *T. d. e i.* **3.** Consorciar (1): "a melhor porção do país .... tem como único e verdadeiro mar, capaz de consorciá-la pelo intercâmbio comercial à civilização longínqua, o Atlântico" (Euclides da Cunha, *À margem da História*, p. 96). **4.** Consorciar (2): *O juiz consorciou Julieta com José.* *P.* **5.** Associar-se a; unir-se, ligar-se, combinar-se. **6.** *Restr.* Unir-se em matrimônio; casar-se. [Pres. ind.: *consorcio*, etc. Cf. *consórcio.*]

consórcio [Do lat. *consortiu.*] *S. m.* **1.** Associação, ligação, união. **2.** V. *casamento* (1). **3.** Reunião ou associação de empresas, esp. para execução de um projeto de grande porte. **4.** Sistema de autofinanciamento para a compra de bens de consumo duráveis, baseado na formação de grupos onde cada participante contribui, durante o número de meses combinado, com uma quantia mensal equivalente ao preço do bem a ser adquirido dividido por aquele número; os bens comprados com aquele montante apurado vão sendo sorteados entre os participantes. [Cf. *consorcio*, do v. *consorciar*.]

consorte [Do lat. *consorte*.] *S. 2 g.* **1.** Companheiro na mesma sorte, estado ou encargo(s). **2.** Cônjuge.

conspecto [Do lat. *conspectu*.] *S. m.* Presença, vista, aspecto: "venceu os outros na satisfação de hospedar o francês, cuja fronte se enrugara ao conspecto da vila retalhada e recruzada de becos e vielas." (Camilo Castelo Branco, *A Enjeitada*, p. 15). [Var.: *conspeto*.]

conspeto *S. m.* V. *conspecto*.

conspicuidade (u-i) [De *conspícuo* + -*(i)dade*.] *S. f.* Qualidade de conspícuo.

conspícuo [Do lat. *conspicuu*.] *Adj.* **1.** Que dá na(s) vista(s); visível. **2.** Notável, eminente, distinto, ilustre. **3.** Sério, grave, respeitável: "um conspícuo erudito de rabona e óculos a procurar, entre as pedras — meticulosamente! — o segredo do torvelinho distante dos homens" (Adelino Magalhães, *Obras Completas*, II, p. 492). **4.** Que caracteriza ou identifica espécie, grupo, etc.: *as estípulas conspícuas de uma espécie vegetal.*

conspiração [Do lat. *conspiratione*.] *S. f.* **1.** Ato ou efeito de conspirar; maquinação, trama. **2.** Conluio secreto. [Sin. (nas acepç. 1 e 2): *conspirata*.] **3.** *E. Ling.* V. *deriva* (3).

conspirador (ô) [De *conspirar* + -*dor*.] *Adj.* **1.** Que conspira. [Cf. *conspirativo*.] ● *S. m.* **2.** Aquele que conspira.

conspirar [Do lat. *conspirare*.] *V. t. d.* **1.** Maquinar, tramar: *Os revolucionários conspiraram a tomada do poder.* *T. i.* **2.** Planejar, tramar uma conspiração, ou nela tomar parte; entrar em conluio; maquinar: "Acusariam ao assassino, eles que conspiravam contra a vida do seu rei e legítimo senhor?" (Correia Garção, *Obras Poéticas e Oratórias*, p. 589.) **3.** Concorrer, tender (para certo fim); contribuir: *Tudo parecia conspirar para sua felicidade.* **4.** Consistir em empecilho, ou ser-lo: *A queda da barreira, a forte chuva: tudo conspirava contra nós.* *Int.* **5.** Tramar ou maquinar contra os poderes públicos.

conspirata [Subst. do fem. do lat. *conspiratus*, part. pass. de *conspirare* (v. *conspirar*).] *S. f.* V. *conspiração* (1 e 2): "Quando rebenta uma conspirata, ... a cadeia de Viseu recebeu grande porção de conspiradores" (José Vieira, *Sol de Portugal*, pp. 83-84).

conspirativo [De *conspirar* + -*tivo*.] *Adj.* Que conspira, concorre, tende (para certo efeito). [Cf. *conspirador* (1).]

conspiratório [De *conspirar* + -*tório*.] *Adj.* Que conspira, concorre para certo efeito; conspirativo. [Cf. *conspirador* (1).]

conspurcação [De *conspurcar* + -*ção*.] *S. f.* Ato ou efeito de conspurcar(-se).

conspurcar [Do lat. *conspurcare*.] *V. t. d.* **1.** Sujar; macular: *Conspurcou as claras vestes.* **2.** Manchar, macular; infamar: "A ignomínia que barbariza e desumana o escravo, conspurca a família livre, escandaliza no lar doméstico a pureza das virgens e a castidade das mães" (Rui Barbosa, *Ensaios Literários*, p. 48). **3.** Corromper, perverter: *Conspurcou-o sua ambição desmedida.* *P.* **4.** Corromper-se, aviltar-se. **5.** Macular-se, infamar-se: *Sua reputação conspurcou-se com o escândalo.* [Conjug.: v. *trancar*.]

conspurcável [De *conspurcar* + -*vel*.] *Adj. 2 g.* Que pode ser conspurcado.

consta [Dev. de constar.] *S. m.* Notícia que passa por certa.

constância [Do lat. *constantia*.] *S. f.* **1.** Qualidade de constante. **2.** Vigência, vigor. **3.** Firmeza de ânimo; perseverança, persistência, ânimo.

constante [Do lat. *constante*.] *Adj. 2 g.* **1.** Que não se desloca; inalterável, imutável. **2.** Incessante, contínuo: "Tinha na alma um constante sorriso — que os seus lábios repetiam." (Eça de Queirós, *Os Maias*, II, p. 46.) **3.** De valor fixo; invariável. **4.** Que consta ou consiste. ~ V. *capital* —, *clima* — e *erro* —. ● *S. f.* **5.** Motivo, tema, ideia, etc., que aparece com frequência, de maneira constante, dominante, por vezes obsessiva, em obra literária ou artística: *Na poesia de Casimiro de Abreu, são notáveis as constantes amor e saudade; A religião é uma constante de Alphonsus de Guimaraens.* **6.** *P. ext.* Ideia ou preocupação obsessiva: *Só pensa na morte: é uma constante em seu espírito.* **7.** *Mat.* Numa expressão analítica, grandeza, independente das variáveis nela envolvidas. ◆ **Constante astronômica.** *Astr.* Valor de uma dada grandeza astronômica, que serve como elemento básico para a métrica ou física do Universo. **Constante cosmológica.** *Cosm.* Termo introduzido por Einstein (v. *einsteiniano*) em 1917, nas suas equações do campo gravitacional, para permitir a elaboração de um universo estático, homogêneo e isotrópico nas geometrias não euclidianas. Pode ser positivo, negativo ou nulo. Se positivo, representa a força repulsiva no Universo, que é diretamente proporcional à distância: quanto maior a distância entre duas galáxias, tanto maior será o valor da constante. **Constante crioscópica.** *Fís.-Quím.* Em crioscopia, constante de proporcionalidade entre o abaixamento do ponto de fusão do solvente e a molalidade da solução. **Constante da aberração.** *Astr.* O valor máximo do desvio provocado pela aberração (5). **Constante de acoplamento.** *Fís. Part.* Número que expressa a medida da força de um tipo de interação entre partículas. **Constante de Avogadro.** *Fís.-Quím.* Constante física que expressa o número de moléculas existentes na molécula-grama de qualquer substância, e que é igual a 6,022137 x 10^{23} moléculas [símb.: L ou N_A]. [Tb. é chamada, impr., *número de Avogadro* e *número de Loschmidt*.] **Constante de Boltzmann.** *Fís.* Cociente da constante dos gases perfeitos pela constante de Avogadro, igual a 1,38 x 10^{-23} joule por kelvin [símb.: k]. **Constante de desaceleração.** *Cosm.* Parâmetro de desaceleração. **Constante de desintegração.** *Fís. Nucl.* O inverso da meia-vida de um nuclídeo radioativo multiplicado pelo logaritmo neperiano de dois; cociente da atividade duma amostra de um nuclídeo radioativo em um determinado instante pelo número de átomos do nuclídeo presentes na amostra; constante radioativa. **Constante dielétrica.** *Eletr.* Cociente entre a permissividade elétrica de um meio e a do vácuo. **Constante de dissociação.** *Fís.-Quím.* Constante de equilíbrio da reação de ionização de uma substância; constante de ionização. **Constante de equilíbrio.** *Fís.-Quím.* Numa reação química, relação entre as atividades dos reagentes e produtos que é satisfeita quando a reação está em equilíbrio. **Constante de Faraday.** *Fís.-Quím.* Faraday. **Constante de força.** *Fís.* Numa mola elástica que obedece à lei de Hooke, constante de proporcionalidade entre a força aplicada à mola e a elongação desta; coeficiente de rigidez. **Constante de gravitação.** *Fís.* Constante de proporcionalidade da lei de gravitação universal de Newton, igual a 6,673 x 10^{-11} $m^3.kg$-1 s-2 [símb.: G]. **Constante de Henry.** *Fís.-Quím.* Constante de proporcionalidade entre a pressão de um gás em equilíbrio com uma solução e a fração molar desse gás nesta solução. **Constante de Hubble.** *Cosm.* Constante de proporcionalidade que existe na relação entre as velocidades de recessão das galáxias e suas distâncias. O valor mais recente, determinado em 1974 por Sandage e Tammann, é igual a 56,9±3,4km por segundo por megaparsec. **Constante de integração.** *Mat.* Constante arbitrária que é adicionada à primitiva, numa operação de integração indefinida. **Constante de ionização.** *Fís.-Quím.* Constante de dissociação. **Constante de Planck.** *Fís.* Constante de proporcionalidade entre a energia de uma partícula e a frequência da onda associada à partícula. É uma constante universal igual a 6,626 x 10^{-34} J. s [símb.: h]. **Constante de proporcionalidade.** *Mat.* Cociente de duas grandezas proporcionais; fator de proporcionalidade. **Constante de tempo.** *Eng. Elétr.* Tempo requerido por uma tensão (ou corrente) unidirecional para decrescer de 1/e (aproximadamente 0,368) de seu valor inicial ou crescer de 1 — (1/e) (aproximadamente 0,632) de seu valor final, em resposta a uma variação nas condições elétricas de um circuito (8). **Constante de velocidade.** *Fís.-Quím.* Velocidade específica (q. v.). **Constante dielétrica.** *Eletr.* Cociente entre a permissividade elétrica de um meio e a do vácuo. **Constante dos gases perfeitos.** *Fís.* Constante de proporcionalidade da lei dos gases perfeitos, a qual é independente da natureza do gás e igual a 8,31451 joules por kelvin por mol [símb.: R]. **Constante ebulioscópica.** *Fís.-Quím.* Constante de proporcionalidade entre a elevação da temperatura de ebulição do solvente e a molalidade da solução. **Constante lógica.** *Lóg.* Termo lógico (q. v.). **Constante radioativa.** *Fís. Nucl.* Constante de desintegração. **Constante solar.** *Astr.* Número de calorias que receberia, por minuto, uma área de 1cm^2, perpendicular aos raios solares, quando colocada a distância média Terra-Sol, e fora da atmosfera terrestre. O seu valor é de 1,98 ± 0,05 cal/cm^2 por minuto. **Constante unificada de massa atômica.** *Fís.-Quím.* Um doze avos da massa em repouso de um átomo de carbono 12. [É igual a 1,66043 x 10^{-24} g.]

constantemente [De *constante* + -*mente*.] *Adv.* **1.** De modo constante, ininterrupto ou contínuo. **2.** Muitas vezes num período, num espaço de tempo; frequentemente.

constantinense *Adj. 2 g.* **1.** De, ou pertencente ou relativo a Constantina (Argélia e RS). ● *S. 2 g.* **2.** O natural ou habitante de Constantina.

constantinopolitano [Do lat. *constantinopolitanu*.] *Adj.* **1.** De, ou pertencente ou relativo a Constantinopla, atual Istambul, na Turquia (Ásia). ● *S. m.* **2.** O natural ou habitante de Constantinopla.

constar [Do lat. *constare*.] *V. int.* **1.** Passar por certo ou verdadeiro; ser dito com visos de verdade: *Apesar da aparência modesta, consta que é riquíssimo.* *T. i.* **2.** Ser do conhecimento: *Não lhe constava a proibição de ali estacionar.* **3.** Fazer parte; incluir-se: *Constam de seu guarda-roupa de inverno seis casacos.* **4.** Estar escrito, registrado ou mencionado: *Tudo que lhe sucede consta de seu diário.* **5.** Ser composto ou formado; consistir; constituir-se: "A cabana constava de três peças: uma servia de varanda, outra de dormitório, a última era a cozinha." (José de Alencar, *O Sertanejo*, p. 101.) *T. c.* **6.** Ter registro por escrito; ser mencionado: *Numerosos são os vocábulos que não constam nos dicionários.* [Na acepç. 1, é impessoal.]

constatação [Do fr. *constatation*.] *S. f.* Ato ou efeito de constatar. [É de grande uso, ao menos no Brasil, e muito expressivo.]

constatar [Do fr. *constater*.] *V. t. d.* **1.** Estabelecer ou consignar a verdade de (um fato), o estado de (algo); comprovar; verificar: *A perícia constatou a culpa do acusado.* **2.** Concluir, ou comprovar por experiência; verificar: *Constatamos que estes produtos já não têm a mesma qualidade de outrora.* **3.** Atestar: *O médico constatou o óbito.* [É muito expressivo e de largo uso, embora condenado pelos puristas.]

constelação [Do lat. *constellatione*.] *S. f.* **1.** *Astr.* Uma das 88 regiões convencionais da esfera celeste estabelecidas pela União Astronômica Internacional. **2.** *Pop.* Configuração idealizada de um conjunto de estrelas, batizada com nome tradicional: *A constelação do Cruzeiro do Sul.* **3.** *P. ext.* Grupo de estrelas. **4.** *P. ext.* Grupo de pessoas notáveis pela inteligência, cultura, etc., ou que para nós representam muito sob o aspecto afetivo. **5.** *P. ext.* Conjunto, grupo, série: "E pensar que tudo aquilo era .... tão mimosamente verde na primavera, sobretudo quando rompia a constelação das florinhas campestres" (Vieira Pires, *Querência*, p. 110); "as razões invocadas .... estão longe de abranger a constelação de motivos que está por trás de um ato tão franco e inconsequente quanto aquele" (Carlos Castelo Branco, em *Jornal do Brasil*, 09.08.1970). ◆ **Constelação zodiacal.** *Astr.* Cada uma das doze constelações atravessadas pela eclíptica.

constelado [Do lat. *constellatu*.] *Adj.* **1.** Diz-se do céu estrelado. **2.** Que tem forma de estrela; estrelário, asteroide.

constelar [Voc. deduz. de *constelação* (v. -*ar*[2]).] *V. t. d.* **1.** Reunir em forma de constelação. **2.** Ornar de objetos brilhantes como estrelas: *Quer condecorações para constelar a casaca.* *P.* **3.** Cobrir-se de constelações. **4.** Compor-se (de coisas brilhantes como estrelas).

consternação [Do lat. *consternatione*.] *S. f.* **1.** Ato ou efeito de consternar(-se): "A hora em que ele expirava, hora de consternação e alaridos para todo um povo, era a única, talvez, em que pelos espíritos fuzilavam alguns relâmpagos de dúvidas sobre a justiça e a misericórdia do Ente Supremo" (Antônio Feliciano de Castilho, *O Presbitério da Montanha*, I, p. 113). **2.** Estado de grande aflição, abatimento ou desânimo.

consternado [Part. de *consternar*.] *Adj.* **1.** Profundamente triste; de ânimo abatido; prostrado, desalentado. **2.** Que denota consternação; desolado: *um semblante consternado.*

consternador (ô) [De *consternar* + -*dor*.] *Adj.* Que consterna.

consternar [Do lat. *consternare*, 'espantar', 'perturbar', var. de *consternere*, 'abater'.] *V. t. d.* **1.** Causar funda aflição e abatimento a; lançar em consternação; desalentar. *P.* **2.** Ficar prostrado pela dor; afligir-se profundamente. **3.** Encher-se de espanto; horrorizar-se.

constipação [Do lat. *constipatione*.] *S. f.* **1.** *Med.* V. *prisão de ventre*. **2.** *Pop. Impr.* V. *resfriado* (5).

constipado [Part. de *constipar*.] *Adj.* Que sofre constipação.

constipar [Do lat. *constipare*.] *V. t. d.* **1.** Causar constipação a. *P.* **2.** Ser acometido de constipação.

constitucional [De *constituição* + -*al*[1], seg. o padrão erudito.] *Adj. 2 g.* **1.** Relativo ou pertencente à constituição (3): *direito constitucional; princípios constitucionais.* **2.** Conforme a constituição (3): *medidas constitucionais; poder constitucional.* **3.** Que é regido por constituição (3): *país constitucional.* **4.** Diz-se do regime político em que o poder executivo é limitado por uma constituição (3). [Cf., nessas acepç., *constituinte* (3 e 4).] **5.** Inerente à organização física ou psíquica do indivíduo. ~ V. *carta* —, *direito* — e *garantias constitucionais*. ● *S. m.* **6.** Partidário da carta constitucional.

constitucionalidade [De *constitucional* + -*(i)dade*.] *S. f.* Qualidade do que é constitucional (2 e 3).

constitucionalismo [De *constitucional* + -*ismo*.] *S. m.* Sistema ou doutrina dos sectários do regime constitucional.

constitucionalista [De *constitucionalismo* + *-ista*.] *Adj. 2 g.* 1. Relativo ao, ou que é partidário do constitucionalismo. • *S. 2 g.* 2. Partidário do constitucionalismo. 3. Especialista em direito constitucional.

constitucionalização [De *constitucionalizar* + *-ção*.] *S. f.* Ato ou efeito de constitucionalizar.

constitucionalizar [De *constitucional* + *-izar*.] *V. t. d. P.* Tornar(-se) constitucional.

constituição (u-i) [Do lat. *constitutione*.] *S. f.* 1. Ato de constituir, de estabelecer, de firmar. 2. Modo pelo qual se constitui uma coisa, um ser vivo, um grupo de pessoas; organização, formação. 3. *Jur.* Lei suprema que expressa o poder soberano de um Estado e fixa os princípios e regras relativos aos direitos fundamentais, à organização política, à repartição dos poderes públicos, à forma de governo, à distribuição de competências, regula a ordem econômica e social, etc.; carta constitucional, carta magna. 4. Conjunto de normas reguladoras de uma instituição, corporação, etc.; estatuto. [Sin., nas acepç. 3 e 4: *carta*.] 5. *Biotip.* O conjunto das características anatômicas, funcionais, reacionais e psíquicas que marcam um indivíduo. 6. *P. ext.* A constituição (5) física de um indivíduo; compleição. ◆ **Constituição de renda.** *Jur.* Ato entre vivos, ou de última vontade, a título oneroso ou gratuito, pelo qual alguém entrega a outrem, por tempo indeterminado, bens de raiz ou certa quantia, obrigando-se o segundo a pagar ao primeiro, ou a quem este indicar, uma renda ou prestação periódica.

constituído [Part. de *constituir*.] *Adj.* 1. Formado, composto. 2. Estabelecido, fixado pela constituição (3). ~ V. *poderes —s*.

constituidor (ô) [De *constituir* + *-dor*.] *Adj.* Que constitui, compõe; constitutivo.

constituinte (u-in) [De *constituir* + *-nte*.] *Adj. 2 g.* 1. Que constitui. 2. Que faz parte de um organismo. 3. Que tem atribuições constituídas pelo povo e/ou pelo governo para elaborar, redigir ou reformar a constituição (3): *assembleia constituinte; comissão constituinte.* 4. Relativo a assembleia (3) ou a cortes constituintes. [Cf., nas acepç. 3 e 4, *constitucional* (1 a 4).] ~ V. *poder —*. • *S. 2 g.* 5. Pessoa que faz de outra seu procurador ou representante; comitente. 6. Membro de uma assembleia constituinte. 7. *E. Ling.* Unidade linguística que faz parte de uma unidade maior. 8. *Fís.-Quím.* Qualquer espécie química presente num sistema físico-químico. [Cf., nesta acepç., *componente* (4).] ◆ **Constituinte essencial.** *Min.* Mineral que caracteriza a rocha.

constituir [Do lat. *constituere*.] *V. t. d.* 1. Ser a base, a parte essencial, de; formar; compor; representar: *A libertação dos escravos constituía fator importante na proclamação da República;* "as procissões constituem a forma mais popular de exprimir o sentimento religioso" (Alceu Amoroso Lima, *A Realidade Americana*, pp. 210-211); "Fazer arte é querer tornar o mundo mais belo, porque a obra de arte, uma vez feita, constitui beleza objetiva, beleza acrescentada à que há no mundo." (Fernando Pessoa, *Páginas de Doutrina Estética*, p. 63). 2. Organizar, estabelecer: *constituir uma firma comercial.* 3. Dar poderes a, para tratar de negócio, causa, etc.: *constituir um advogado; constituir um procurador.* *T. d. e c.* 4. Pôr, assentar, estabelecer, em certo lugar: *Constituiu naquela cidade a sede da firma.* *Transobj.* 5. Nomear; eleger: *Constituí-o meu procurador.* *P.* 6. Colocar-se (em certa posição). 7. Passar a ser; tornar-se: *Sua festa constituiu-se no maior evento da cidade.* 8. Compor-se, formar-se: *Sua fortuna se constitui de títulos financeiros.* 9. Arrogar-se qualidade, direito, posição, etc.: *Constituiu-se, desde a morte do pai, no protetor da família.* 10. Consistir em; ser; representar; formar: "Prolonguei a juventude com excessos insensatos, os quais, pouco a pouco, se constituíam minhas únicas formas de excitação." (Fernanda Botelho, *Lourenço É Nome de Jogral*, p. 77.) [Conjug.: v. *atribuir*.]

constitutivo [Do lat. *constitutivu*.] *Adj.* 1. Que constitui: "uma estante, ou mais propriamente as peças constitutivas de uma estante." (Carlos Drummond de Andrade, *Cadeira de Balanço*, p. 58). 2. Essencial, indispensável. 3. Característico, distintivo. ~ V. *ação —a*, *carta —a* e *propriedade —a*.

constituto-possessório *S. m. Dir. Civ.* Pacto pelo qual um dos contratantes que possuía coisa em nome próprio passa a possuí-la imediatamente em nome alheio; modo de tradição ficta da posse, em que o transmitente continua com a coisa em seu poder. [Pl.: *constitutos-possessórios*.]

constrangedor (ô) [De *constranger* + *-dor*.] *Adj.* Que constrange.

constranger [Do lat. *constringere*, **constrengere*; cf. *constringir*.] *V. t. d.* 1. Impedir os movimentos de; apertar: *O paletó mirrado o constrangia.* 2. Tolher a liberdade de; incomodar: *Aquela visita cerimoniosa constrangeu-o.* 3. Tolher, cercear: *constranger a liberdade de alguém.* 4. Forçar, coagir; violentar: *Constrangeram-no a poder de ameaças.* *T. d. e i.* 5. Obrigar pela força; compelir, coagir: *Constrangem-no ao silêncio; Tentaram constrangê-lo a desdizer-se.* *P.* 6. Experimentar constrangimento; acanhar-se. [Conjug.: v. *ranger*.]

constrangido [Part. de *constranger*.] *Adj.* 1. Forçado, contrafeito: *um ar constrangido.* 2. Que experimenta constrangimento; embaraçado.

constrangimento [De *constranger* + *-imento*.] *S. m.* 1. Ato ou efeito de constranger(-se). 2. Aperto, compressão. 3. Situação ou estado de quem foi constrangido, violentado. 4. Violência, coação. 5. Insatisfação, desagrado, descontentamento. 6. Acanhamento, timidez, embaraço. 7. Pudor (1) que sente quem foi desrespeitado ou exposto a algo indesejável.

constrição [Do lat. *constrictione*.] *S. f.* 1. Pressão circular que reduz o diâmetro de um objeto. 2. Aperto, compressão. ◆ **Constrição primária.** *Citol. Genét.* Centrômero. **Constrição secundária.** *Citol. Genét.* Região estreitada em corpo de cromossomo.

constringência [Do ingl. *constringency*.] *S. f. Opt.* O inverso do poder dispersor de uma substância, igual à razão do índice de refração da substância para a raia D menos a unidade pela diferença entre o índice de refração para a raia F e o índice de refração para a raia C; número de Abbe.

constringente [Do lat. *constringente*.] *Adj. 2 g.* Que constringe; constritor.

constringir [Do lat. *constringere*; cf. *constranger*.] *V. t. d.* 1. Cingir, apertando; apertar em volta: "Jazem sobre o *toilette* alguns papéis revoltos, / Um livro de orações, marmorezinhos, laços, / A fita que constringe os seus cabelos soltos" (João Ribeiro, *Versos*, p. 213); "O partido aferra com tentáculos de aço o homem moderno; constringe-o, absorve-o, tritura-o" (Alberto Ramos, *Prosas de Ariel*, pp. 78-79). *P.* 2. Contrair-se; apertar-se: *Na angústia que o tomava, constringia-se-lhe a garganta.* [Conjug.: v. *dirigir*.]

constritiva [F. subst. do adj. *constritivo*.] *S. f. E. Ling.* Consoante constritiva (q. v.).

constritivo [Do lat. *constrictivu*.] *Adj.* Que produz constrição, ou tende a constringir. ~ V. *consoante —a*.

constrito [Do lat. *constrictu*.] *Adj.* 1. Apertado; comprimido. 2. Constrangido; forçado.

constritor (ô) [De *constrito* + *-or*.] *Adj.* 1. Constringente. 2. *Zool.* Diz-se de ofídio que mata a presa constringindo-a. • *S. m.* 3. O que constringe.

construção [Do lat. *constructione*.] *S. f.* 1. Ato, efeito, modo ou arte de construir. 2. Edificação, edifício. 3. Organismo, constituição. 4. *E. Ling.* Colocação das palavras nas frases e destas nos períodos. 5. *E. Ling.* Unidade linguística formada de constituintes menores. ◆ **Construção civil.** Atividade relacionada com a construção de edifícios. **Construção gramatical.** Sintaxe (1). **Construção naval.** 1. Arte de construir navios. 2. Ato ou efeito de construir navios. **Construção ternária.** *Mús.* Estrutura de uma peça musical cujo plano se divide em três partes (*A-B-A*): *A* — exposição do tema no tom principal com orientação para o tom da dominante; *B* — desenvolvimento do tema com modulações para tons vizinhos e flexão para o tom principal; *A* — reexposição do tema no tom principal sem orientação para o tom da dominante; forma ternária. [Cf. *sonata bitemática* e *sonata monotemática*.]

constructo [Do lat. *constructu*, part. pass. de *construere*, pelo ingl. *construct*.] *S. m.* Aquilo que é elaborado ou sintetizado com base em dados simples, esp. um conceito: *os constructos da ciência.* [Var.: *construto*.]

construir [Do lat. *construere*.] *V. t. d.* 1. Dar estrutura a; edificar; fabricar: *construir casas; construir navios;* "Aqui se encontram três andares na altura em que hoje se construi um só." (José Vieira, *Sol de Portugal*, p. 65). 2. Organizar, dispor, arquitetar: *É rapaz trabalhador: constrói o seu futuro sobre bases sólidas.* 3. Formar, conceber, elaborar: "Noberto chorava, arrepelava-se, pedia a morte, construía planos absurdos ou terríveis." (Machado de Assis, *Páginas Recolhidas*, pp. 61-62.) 4. *Geom.* Traçar segundo os princípios geométricos: *construir um paralelogramo.* *T. d. e i.* 5. *E. Ling.* Dispor (as palavras da oração) segundo as regras da sintaxe: *Devemos construir o verbo consistir com a prep.* em, *e não com* de; *Não se constrói* dignar-se *com a prep.* a. *Int.* 6. Fazer construções: *Os antigos egípcios construíam com precisão notável.* [Pres. ind.: *construo*, *constróis* ou *construis*, *constrói* ou *construi*, *construímos*, *construís*, *constroem* ou *construem*; imperat.: *constrói* ou *construi*, *construí*, etc.]

construtivismo [De *construtivo* + *-ismo*.] *S. m.* 1. Ação construtiva (política, social, literária, etc.). 2. *Art. Plást.* Estilo não figurativo que se desenvolveu no princípio do século XX entre os artistas soviéticos e se caracteriza pela disposição rigidamente formal do espaço, das massas e dos volumes, e pela utilização de materiais e técnicas industriais modernas (plásticos, vidros, etc.). [Cf., nesta acepç., *suprematismo*.] 3. *Psicol.* Teoria que propõe que o conhecimento resulta da interação de uma inteligência sensório-motora com o ambiente. 4. *Teatr.* Estilo moderno de cenografia e encenação caracterizado pela utilização de estruturas tridimensionais (praticáveis, escadas, andaimes, etc.) expressivamente simplificadas, por meio das quais se objetivam a abstração e a estilização, opondo-se, assim, ao ilusionismo realista.

construtivista [De *construtivismo* + *-ista*.] *Adj. 2 g.* 1. Relativo ao, ou que é partidário do construtivismo. • *S. 2 g.* 2. Partidário dele.

construtivo [Do lat. *constructivu*.] *Adj.* 1. Que serve para construir. 2. Que visa a renovar, ou corrigir, melhorar, aperfeiçoar: *crítica construtiva; ideia construtiva; colaboração construtiva.* ~ V. *sistema —*.

construto *S. m.* V. *constructo*.

construtor (ô) [Do lat. tard. *constructore*.] *Adj.* 1. Que constrói. 2. Que se dedica à construção de edifícios: *empresa construtora.* • *S. m.* 3. Aquele que constrói. 4. *Bras. Fut. P. us.* Jogador que organiza os ataques, as jogadas da linha de frente.

construtora (ô) [F. subst. do adj. *construtor*.] *S. f.* Empresa ou organização que tem por fim construir edifícios e casas.

construtura [De *construir* + *-tura*.] *S. f.* Modo de construir.

consubstanciação [Do lat. ecles. *consubstantiatione*.] *S. f. Teol.* 1. União de dois ou mais corpos na mesma substância. 2. Presença de Cristo na Eucaristia.

consubstancial [Do lat. ecles. *consubstantiale*.] *Adj. 2 g.* 1. Que tem uma só substância; em que há unidade de substância. 2. Da mesma natureza ou essência que outro: "sonho em que Elisa habitou realmente dentro da sua alma, numa fusão tão absoluta que se tornou consubstancial com o seu ser!" (Eça de Queirós, *Contos*, p. 283).

consubstancialidade [Do lat. ecles. *consubstantialitate*.] *S. f.* Qualidade de consubstancial.

consubstanciar [De *con-* + *substância* + *-ar*[2].] *V. t. d.* 1. Unir para formar uma substância; ligar, unificar, consolidar: "Evidentemente que há cem maneiras de definir romantismo .... Uma, no entanto, consubstancia todas as outras." (João Gaspar Simões, *Liberdade do Espírito*, p. 33.) *P.* 2. Unir-se, ligar-se intimamente; identificar-se: "inspiração e expressão vão de par, indivíduo e universo consubstanciam-se, *eu* e *não eu* integram-se." (João Gaspar Simões, *Liberdade do Espírito*, p. 34).

consueto (é) [Do lat. *consuetu*.] *Adj.* Costumeiro, usual.

consuetudinário [Do lat. *consuetudinariu*.] *Adj.* 1. Fundado nos costumes: *direito consuetudinário;* "Triste naufrágio o do crítico, que, fora dessas leis consuetudinárias ou contra elas, pretende erguer o castelo aéreo de seus dogmas e reformações." (João Ribeiro, *Páginas de Estética*, p. 54). 2. Costumado, costumeiro, habitual: "Na vida de meu P.^e S. Filipe Néri se lê que impôs a um lascivo consuetudinário esta só penitência; que em recaindo se tornasse a confessar: e deste modo veio a sarar do seu mal antigo." (P.^e Manuel Bernardes, *Vários Tratados*, II, p. 346.) ~ V. *direito —*.

cônsul [Do lat. *consule*.] *S. m.* 1. Magistrado supremo, na república romana e na primeira república francesa. 2. Funcionário diplomático de uma nação encarregado, em país estrangeiro, de proteger os cidadãos dessa nação, de fomentar-lhe o comércio, etc. [Fem.: *consulesa* (ê); pl.: *cônsules*.] ◆ **Cônsul honorário.** Cidadão de um país, nele residente, e que exerce as funções de cônsul (2) representando os interesses de outra nação.

consulado [Do lat. *consulatu*.] *S. m.* 1. Dignidade ou cargo de cônsul. 2. Tempo durante o qual alguém exerce esse cargo. 3. Residência de cônsul. 4. Escritório onde exerce ele as suas funções; repartição consular. [Cf. *consolado*.]

consulagem [De *cônsul* + *-agem*[2].] *S. f.* Emolumentos que se pagam ao cônsul por sua intervenção na expedição de navios.

consular [Do lat. *consulare*.] *Adj. 2 g.* Relativo a cônsul. [Cf. *consolar*.] ~ V. *fatura —* e *repartição —*.

consulente [Do lat. *consulente*, part. pres. de *consulere*.] *Adj. 2 g. S. 2 g.* Que, ou quem consulta; consultador, consultante.

consulesa (ê) *S. f.* Fem. de *cônsul*.

cônsul-geral *S. m.* Chefe de certas repartições consulares de maior importância. [Pl.: *cônsules-gerais*. V. *carreira diplomática*.]

consulta [Dev. de *consultar*.] *S. f.* 1. Ato ou efeito de consultar. 2. Parecer, conselho. 3. Conferência para deliberação. 4. Prudência, reflexão. 5. *Inform.* Procedimento para obtenção de informação armazenada em banco de dados (q. v.), que consiste numa seleção dos registros que atendem a determinados critérios definidos pelo usuário. [Cf., nesta acepç., *busca* (7).] ◆ **Consulta médica.** Visita ao médico para orientação específica ou verificação da saúde.

consultador (ô) [Do lat. *consultatore.*] ***Adj. S. m.*** V. *consulente.*

consultante [De *consultar* + *-nte.*] ***Adj. 2 g. S. 2 g.*** V. *consulente.*

consultar [Do lat. *consultare.*] ***V. t. d.*** **1.** Pedir conselho, opinião, instrução, parecer a: *Não delibera sem consultar o pai; Consultou o médico.* **2.** Procurar informar-se de alguma coisa por meio de: "Carlos Maria consultou o relógio; eram duas horas" (Machado de Assis, *Quincas Borba,* p. 52); *Para escrever a tese, consultou várias obras;* "Aborrecido com a própria imagem, / Manuel Morais / há dezessete anos / não consultava os espelhos." (H. Dobal, *A Serra das Confusões,* "O Antinarciso"). **3.** Sondar, examinar, antes de decidir: *Consultou a consciência, e resolveu absolver o réu.* **4.** Dar ou apresentar a sua consulta ou parecer sobre (algum assunto). ***T. d. e i.*** **5.** Pedir instrução, conselho, parecer: "Rita, desconfiada e medrosa, correu à cartomante para consultá-la sobre a verdadeira causa do procedimento de Camilo." (Machado de Assis, *Várias Histórias,* p. 9.) ***Int.*** **6.** Dar consulta, parecer. ***P.*** **7.** Fazer consulta; pedir parecer: *Consultei-me com o Dr. Honório; Antes de decidir a compra, consultou-se com o advogado.* **8.** Tomar conselhos na própria consciência; refletir, meditar.

consultável [De *consultar* + *-vel.*] ***Adj. 2 g.*** Que pode ser consultado.

consultivo [De *consulta* + *-ivo.*] ***Adj.*** **1.** Referente a consulta. **2.** Que envolve conselho. **3.** Diz-se das corporações que emitem parecer sem voto deliberativo.

consultor (ô) [Do lat. *consultore.*] ***S. m.*** **1.** Aquele que dá ou pede conselho. **2.** Aquele que consulta, examinando. **3.** Aquele que dá pareceres acerca de assuntos da sua especialidade: *o consultor da República.*

consultoria [De *consultor* + *-ia*[1].] ***S. f.*** **1.** Cargo ou função de consultor (3); os consultores. **2.** O local onde eles trabalham.

consultório [Do lat. *consultoriu.*] ***S. m.*** Lugar ou casa onde se dão consultas: *consultório médico.*

consumação[1] [Do lat. *consummatione.*] ***S. f.*** Ato ou efeito de consumar(-se).

consumação[2] [Do fr. *consommation.*] ***S. f. Bras. Gal.*** **1.** Consumo de bebida ou de comida que os clubes e outras casas de diversões estipulam aos seus frequentadores. **2.** A despesa feita com esse consumo. [O vernáculo seria *consumo* ou *consumição.*]

consumado [Part. de *consumar.*] ***Adj.*** **1.** Que se consumou, completou ou terminou. **2.** Acabado, perfeito.

consumar [Do lat. *consummare.*] ***V. t. d.*** **1.** Terminar, completar, acabar: *Novas chuvas torrenciais consumaram o estado de calamidade pública.* **2.** Realizar, praticar: *consumar um crime.* **3.** Levar ao auge; aperfeiçoar, requintar: *Os assaltantes consumaram sua crueza seviciando as vítimas.* ***P.*** **4.** Tornar-se exímio; adquirir perfeição: *Escrevendo cada vez melhor, consumou-se nas letras.* **5.** Chegar ao termo; ultimar-se, completar-se: *A despeito da vigilância policial, consumou-se o atentado.* **6.** Resultar; acabar: *O motim consumou-se em tragédia.*

consumativo [De *consumar* + *-tivo.*] ***Adj.*** De, ou relativo à consumação[1]; consumatório.

consumatório [De *consumar* + *-tório.*] ***Adj.*** Consumativo.

consumição [De *consumir* + *-ção.*] ***S. f.*** **1.** Ato de consumir(-se). **2.** Efeito de consumir; mortificação; amofinação: *A visita foi para o doente uma consumição.* **3.** *Bras.* Inquietação, preocupação, apreensão: *Tudo o inquieta, tudo lhe é motivo de consumição.*

consumido [Part. de *consumir.*] ***Adj.*** **1.** Que se consumiu; consumpto. **2.** *Bras. BA* Inquieto, preocupado.

consumidor (ô) [De *consumir* + *-dor.*] ***Adj.*** **1.** Que consome. ● ***S. m.*** **2.** Aquele ou aquilo que consome. **3.** *Restr.* Aquele que compra para gastar em uso próprio. **4.** *Ecol.* Organismo heterotrófico que consome aquele que o precede na cadeia alimentar. ◆ **Consumidor de primeira ordem.** *Ecol.* Organismo heterotrófico que consome o produtor autotrófico; herbívoro. **Consumidor de segunda ordem.** *Ecol.* O que se alimenta de herbívoro; consumidor secundário. **Consumidor de terceira ordem.** *Ecol.* Carnívoro que se alimenta de consumidor de segunda ordem; consumidor terciário. **Consumidor primário.** *Ecol.* Consumidor de primeira ordem. **Consumidor secundário.** *Ecol.* Consumidor de segunda ordem. **Consumidor terciário.** *Ecol.* Consumidor de terceira ordem.

consumir [Do lat. *consumere* 'gastar', 'comer', 'destruir', 'dar cabo de', 'arruinar'.] ***V. t. d.*** **1.** Gastar ou corroer até à destruição; devorar, destruir; extinguir: *Os vermes consomem os cadáveres.* **2.** Destruir pelo fogo; queimar, calcinar: *O incêndio consumiu quase toda a floresta.* **3.** Gastar (bens de consumo ou de produção) pelo uso. **4.** Absorver (alimento ou bebida). **5.** Gastar, aniquilar, anular: *O alcoolismo consumiu suas energias.* **6.** Enfraquecer, abater: *A doença o consumiu assustadoramente.* **7.** Desgostar, afligir, mortificar: *Os desatinos do rapaz consomem a família.* **8.** Fazer esquecer; apagar: *O tempo consumiu a lembrança daquele feito heroico.* **9.** Gastar; esgotar: *Estas providências inúteis lhe consomem tempo.* **10.** V. *apoquentar.* **11.** *Bras. CE* Enganar, iludir. **12.** Comungar, o padre, à missa. ***T. d. e i.*** **13.** Aplicar; empregar; despender: *Consome horas a fio no estudo.* ***Int.*** **14.** Absorver bens de consumo ou de produção: *O país já não está consumindo como no passado.* **15.** Comungar (o padre, à missa). ***P.*** **16.** Dissipar-se; aniquilar-se. **17.** Ficar reduzido a cinzas, a carvão. **18.** Enfraquecer-se, abater-se. **19.** V. *apoquentar.* [Irreg. Conjug.: v. *sumir.*]

consumismo [De *consumir* + *-ismo.*] ***S. m.*** **1.** Sistema que favorece o consumo exagerado. **2.** *P. ext.* Tendência a comprar exageradamente.

consumista [De *consumir* + *-ista.*] ***Adj. 2 g.*** **1.** Relativo ao consumismo. **2.** Favorável a ele. ● ***S. 2 g.*** **3.** Pessoa favorável ao consumismo, ou que o pratica.

consumível [De *consumir* + *-vel.*] ***Adj. 2 g.*** Que pode ser consumido.

→**consummatum est** [kɔnsumˈmatɛst] [Lat.] [Tudo] está consumado. [Últimas palavras de Cristo na tradução latina da *Vulgata.*]

consumo [Dev. de *consumir.*] ***S. m.*** **1.** Ato ou efeito de consumir; gasto. **2.** *Econ.* Utilização de mercadorias e serviços para satisfação das necessidades humanas. **3.** *Eng. Elétr.* Energia consumida por um determinado período.

consumpção [Do lat. *consumptione.*] ***S. f.*** **1.** Ato ou efeito de consumir(-se). **2.** *Med.* Definhamento progressivo e lento do organismo humano produzido por doença. [Var.: *consunção.*]

consumptibilidade [De *consumptível* + *-(i)dade,* seg. o padrão erudito.] ***S. f.*** Qualidade de consumptível. [Var.: *consuntibilidade.*]

consumptível [Do lat. *consumptibile.*] ***Adj. 2 g.*** Que se pode consumir. [Var.: *consuntível.*]

consumptivo [De *consumpto* + *-ivo.*] ***Adj.*** Que consome; consumidor. [Var.: *consuntivo.*]

consumpto [Do lat. *consumptu.*] ***Adj.*** Consumido (1). [Var.: *consunto.*]

consunção ***S. f.*** V. *consumpção.*

consuntibilidade ***S. f.*** V. *consumptibilidade.*

consuntível ***Adj. 2 g.*** V. *consumptível.*

consuntivo ***Adj.*** V. *consumptivo.*

consunto ***Adj.*** V. *consumpto.*

consútil [Do lat. *consutile.*] ***Adj. 2 g.*** Que tem costura (2). [Pl.: *consúteis.* Cf. *sútil.*]

conta [Dev. de *contar.*] ***S. f.*** **1.** Ato ou efeito de contar. **2.** Operação aritmética. **3.** *Cont.* Elemento de registro que reúne lançamentos de débito ou crédito relativos a operações de uma mesma natureza: *conta Caixa, conta Duplicatas a Receber.* **4.** *Econ.* Documento apresentado ao comprador contendo o preço das mercadorias vendidas ou dos serviços prestados; nota de despesa: *A conta do restaurante foi exorbitante.* **5.** *Econ.* Registro relativo a depósitos ou retiradas de dinheiro num banco, feitos por determinada pessoa ou entidade; conta bancária: *Abri uma conta no Banco X.* **6.** *Econ.* Em estabelecimento comercial, registro de despesas de um cliente, para pagamento a prazo: *Ponha o valor desta compra em minha conta.* **7.** *Fig.* Reputação, crédito: *É tido em boa conta.* **8.** Responsabilidade (1): *O que suceder ficará por sua conta.* **9.** Atenção, importância: *Não dei conta do caso.* **10.** Justificação, razão. **11.** Informação, notícia, comunicação: *Deu conta de tudo que viu.* **12.** Pequena peça de vidro, metal, ou de outro material, vazada por orifício, com que se confeccionam rosários, colares, etc., e tb. us. na feitura de bordados, etc.: "Cercava-lhe o pescoço um colar .... de grandes contas de ouro maciço." (Afonso Arinos, *Pelo Sertão,* p. 67.) **13.** *Inform.* Procedimento pelo qual cada usuário de um ambiente computacional tem sua identificação, senha, prerrogativas e características de uso. **14.** *Prop.* Anunciante de um veículo de propaganda. **15.** *Prop.* Cliente de uma agência de propaganda. ~ V. *contas.* ◆ **Conta aberta.** Aquela a que se vão sucessivamente adicionando novos itens. **Conta assinada.** *Cont.* Total referente a vendas mercantis, que o vendedor é obrigado a entregar ao comprador, por meio de fatura e sua duplicata, devendo esta, depois de conferida e assinada, ser devolvida ao primeiro. [Cf. *duplicata* (2).] **Conta bancária.** *Econ.* Conta (5). **Conta conjunta.** *Econ.* Conta bancária em nome de mais de uma pessoa, e que pode ser movimentada por qualquer delas. **Conta corrente.** **1.** *Econ.* Conta bancária de depósitos à vista. **2.** *Cont.* Na escrituração de uma empresa, conta que registra os débitos e créditos de um cliente, fornecedor, etc. **3.** *Cont.* Em Contabilidade Pública, conta que registra receitas e despesas correntes. **4.** *Econ.* No balanço de pagamentos, conta que registra as transações correntes. **Conta de chegar.** Aquela em que se aumenta ou reduz o valor de certas parcelas com o fim de se obter um total preestabelecido. **Conta de poupança.** *Econ.* Caderneta de poupança (1). **Conta em T.** *Cont.* Representação simplificada de uma conta (3), que mostra os lançamentos a débito e a crédito como colunas de algarismos separadas por uma linha vertical encimada por outra horizontal, formando um "T". **Conta especial.** *Econ.* Conta garantida. **Conta financeira.** *Econ.* No balanço de pagamentos, conta que registra a entrada e saída de capitais (investimentos, empréstimos, amortizações, etc.) no país. **Conta garantida.** *Econ.* Conta bancária em que o banco garante o pagamento de cheques além do saldo disponível, até um determinado limite; conta especial. [Cf. *cheque especial.*] **Conta redonda.** Aquela em que se desprezam as frações ou unidades de pequeno valor. **Contas nacionais.** *Econ.* V. *contabilidade nacional.* **À conta de.** **1.** Por causa de. **2.** A pretexto de: "eram nesta matéria demasiadamente nímios e, à conta de defenderem a jurisdição de el-rei, totalmente extinguiam a da Igreja" (Fr. Vicente do Salvador, *História do Brasil,* p. 416). **A conta inteirada.** *Bras. Pop.* No mais alto grau; a mais não ser; muitíssimo: "Aquele português é malcriado a conta inteirada." (Rute Guimarães, *Água Funda,* p. 129.) **A contas com.** Envolvido com: "Eis-me de repente a contas com perguntas que nunca teria feito sem uma caneta nas mãos." (Augusto Abelaira, *Bolor,* p. 24.) **Afinal de contas.** Afinal (1 e 2). **Ajustar contas com.** Haver-se ou avir-se com (alguém). **Ajustar contas com a natureza.** V. *defecar* (5). **Dar conta de.** **1.** Dar tento de; notar. **2.** Prestar conta de, dar informação sobre (pessoa ou coisa pela qual se é responsável). **3.** Dar fim a; acabar, destruir. **4.** *P. ext. Fam.* Ingerir (1): *Em poucos minutos deu conta da feijoada;* "a pequena já dera conta de uma xícara de leite fervido." (Coelho Neto, *Sertão,* p. 173). **5.** V. *dar conta do recado.* **Dar conta do recado.** Realizar bem qualquer tarefa; dar conta de, dar o recado: "Ponderou .... que o rejuvenescimento dos quadros se impunha, pois, com as últimas reformas do ensino, os professores antigos não estavam dando conta do recado." (Ciro dos Anjos, *Abdias,* p. 3.) **Demais da conta.** *Bras. Pop.* Em excesso, demasiadamente, demasiado; sem conta: *Trabalha demais da conta; É rico demais da conta.* **Em conta.** Por preço razoável, módico: *Naquele mercado compra-se mais em conta.* **Fazer conta de.** Fazer caso de; levar em conta. **Fazer conta que.** V. *fazer de conta que:* "A moça fizera conta que estava sonhando e delirando, e que o movimento de Florinda fora como ilusão dos olhos dela." (Franklin Távora, *O Cabeleira,* p. 133.) **Fazer de conta que.** **1.** Fingir que. **2.** Imaginar que; supor: "— Mas então .... não tem confiança em mim? Faça de conta que sou sua mãe." (Machado de Assis, *Quincas Borba,* p. 229.) **3.** Convir que. [Sin. ger.: *fazer conta que.*] **Levar à conta de.** **1.** Imputar ou atribuir a: *Levam o crime à conta do velho.* **2.** Considerar ou contar como: *Levo as suas faltas ao serviço à conta de férias.* **Levar a sua conta.** Apanhar sova. **Levar em conta.** Fazer conta de. **Mais em conta.** Cujo preço é acessível, módico: "tratou de alugar o prédio e refugiar-se com a filha em uma casa mais em conta." (Aluísio Azevedo, *Filomena Borges,* p. 16.) **Passar da conta.** Ultrapassar os limites, ir longe demais, exagerar. **Pedir as contas.** *Bras. Pop.* Pedir demissão do emprego: "Nesse mesmo dia eu pedi as contas." (Rubem Mauro Machado, *Lobos,* p. 165.) **Pedir contas (a alguém).** Exigir explicações ou justificações: "Atrevia-se a pedir-me contas, quando quem lhe devia pedir contas era eu." (Mário de Carvalho, *Um Deus Passeando pela Brisa da Tarde,* p. 119.) **Por conta.** **1.** *Bras. Fam.* Em estado de indignação; furioso: *estar, ficar, andar por conta.* **2.** Adiantado, antecipado: "por conseguinte, se precisas agora receber algum por conta, eu posso pagar." (Aluísio Azevedo, *O Coruja,* p. 101). **Por conta do à toa.** *Bras. Pop.* Em péssima situação; em apuros; por tudo: *estar, andar, ficar por conta do à toa;* "o cozinheiro do hotel, condoído, se oferecera para levá-la àquela pensão de mulheres. Estava por conta do à toa. Aceitara." (Lucilo Varejão, *Visitação do Amor,* p. 73). **Por conta do Bonifácio.** **1.** *Bras. Pop.* Sem ligar importância a nada; indiferente; por conta do cão. **2.** Irritado, enraivecido: "— Sei lá quem são os bonifácios! — respondeu o mentecapto, já por conta do Bonifácio." (Fernando Sabino, *O Grande Mentecapto,* p. 96.) **Por conta do cão.** *Bras. Pop.* Por conta do Bonifácio. **Prestar contas.** Explicar por que foram praticados certc atos, etc.: "Todo rabo de mês vinha ele prest contas, pedir providências, comprar munição de ca ou ferragens." (José Cândido de Carvalh

Coronel e o Lobisomem, p. 204.) **Saldar (as) contas.** *Fig.* 1. Pagar uma dívida. 2. Desforrar-se, desforçar-se. **Sem conta.** Em quantidade inumerável; sem conto: "Os abraços sem conta, os beijos, os gemidos" (Olavo Bilac, *Poesias*, p. 11). **Ser a conta.** Ser suficiente; bastar. **Tomar conta de.** 1. Encarregar-se de, cuidar: "Ernestino agora precisava de uma cadeira de rodas para se locomover e um enfermeiro foi contratado para tomar conta dele." (Rubem Fonseca, *Histórias de Amor*, p. 20.) 2. Invadir, cobrir por completo: *Com a enchente, o rio tomou conta das plantações.* 3. Apropriar-se de (algo) indevidamente.

contabescer [Do lat. *contabescere.*] *V. int.* Definhar, consumir-se. [Conjug.: v. *crescer.*]

contábil [Do it. *contabile.*] *Adj. 2 g. Bras.* Referente à ciência da contabilidade: *normas contábeis.* ~ V. *moeda* —. [Pl.: *contábeis.*]

contabilidade [Do it. *contabilità.*] *S. f.* 1. Ciência que estuda e interpreta os registros dos fenômenos que afetam o patrimônio de uma entidade (empresa, instituição pública, pessoa física, instituição não lucrativa, etc.). 2. O conjunto de livros, banco de dados e documentos de escrituração de uma entidade. 3. O local, repartição ou seção onde se desenvolvem as atividades contábeis. 4. *Fam.* Levantamento de despesas; cálculo, cômputo. ◆ **Contabilidade nacional.** *Econ.* Sistema de registro da atividade econômica de um país em determinado período, ger. um ano, sob a forma de dados agregados relativos ao produto interno, ao consumo, à poupança, ao investimento, etc.; contabilidade social, contas nacionais. **Contabilidade paralela.** *Econ.* A que é feita à margem das normas vigentes, ger. com o objetivo de burlar o fisco. **Contabilidade pública.** *Econ.* A que se refere à União, estados, municípios e suas autarquias, e (no que toca aos recursos provenientes de orçamentos públicos) às empresas públicas e fundações públicas. **Contabilidade social.** *Econ.* V. *contabilidade nacional.*

contabilista [De *contábil* + *-ista.*] *S. 2 g.* Especialista em contabilidade.

contabilização [De *contabilizar* + *-ção.*] *S. f.* Ato ou efeito de contabilizar.

contabilizado [Part. de *contabilizar.*] *Adj.* Que se contabilizou.

contabilizar [De *contábil* + *-izar.*] *V. t. d.* Escriturar sistematicamente em livros apropriados (fatos relativos às atividades econômicas de um estabelecimento comercial).

contabilizável [De *contabilizar* + *-vel.*] *Adj. 2 g.* Que se pode ou deve contabilizar.

contactar [De *contacto* + *-ar*^{2}.] *V. t. i. T. d. Int.* Contatar (q. v.).

contacto [Do lat. *contactu*, 'toque'.] *S. m.* Contato (q. v.).

contactor (ô) [Do lat. *contactus, us*, 'toque ou encontro (entre duas ou mais coisas)', + *-or*; ingl. *contactor.*] *S. m. Eletr.* V. *contator.*

conta-de-santa-maria *S. f. Bras. Bot.* V. *biurá.* [Pl.: *contas-de-santa-maria.*]

contado [Part. de *contar.*] *Adj.* 1. De que se verificou o número, a quantidade; computado: *Aqui estão as peças contadas.* 2. Referido, narrado. ~ V. *favas* —*as.* ◆ **De contado.** À vista (dinheiro, pagamento).

contador (ô) [De *contar* + *-dor.*] *Adj.* 1. Que conta ou refere. ~ V. *tubo* —. ● *S. m.* 2. Aquele que conta, que refere. 3. Verificador de contas. 4. Funcionário judicial que conta salários e custas. 5. Aparelho para contagem de água, de gás ou de eletricidade; medidor. 6. Peça de mobiliário antigo, espécie de armário com pequeninas gavetas, firmado numa peanha ou em quatro pés: "Em cima dum contador hispano-árabe descansavam em atitudes cismadoras figurinhas de Saxe e de Sevres." (Bernardo Pinheiro Pindela, *Azulejos*, p. 96.) 7. Borla de rosário. 8. *Art. Gráf.* Aparelho que se adapta às prensas para contar as folhas tiradas, ou ao teclado das compositoras para contagem das linhas produzidas. 9. *Eletrôn.* Circuito para contar pulsos elétricos provenientes de um sistema; contador eletrônico. 10. *Inform.* Variável de programa (9), ou registrador (5), us. para realizar contagens de processos repetitivos. 11. *Bras. Cont.* Bacharel formado em ciências contábeis e legalmente habilitado para exercer as prerrogativas profissionais de responsável técnico pela contabili[dade] de empresas privadas e públicas. ◆ **Contador [eletrô]nico.** *Eletrôn.* Contador (9). **Contador geiger.** [...] [instr]umento que detecta e mede a intensidade [...] ionizantes.

[...] [con]*tador* + *-ia*^{1}.] *S. f.* Repartição onde se [...] contas ou onde se paga e se recebe [...]

[...] [con]*tar* + o pl. de *fio.*] *S. m. 2 n.* 1. Lupa us. [...]s para a contagem dos fios de um tecido em que entram substâncias diversas. 2. *Art. Gráf.* Lupa com a qual se verificam detalhes em retícula, registro de cores, etc.

■ **Contag** Sigla de *Confederação Nacional dos Trabalhadores na Agricultura.*

contagem [De *contar* + *-agem*^{2}.] *S. f.* 1. Ato ou operação de contar. 2. O efeito de contar; apuração, apuramento; cômputo. 3. Salário de contador de tribunal. 4. V. *escore.* 5. *Mat.* Determinação do número de elementos de um conjunto mediante uma correspondência entre ele e o subconjunto 1, 2, ..., *n* dos números naturais. ◆ **Contagem do original.** *Tip.* Cálculo que tem por fim determinar a correspondência entre a extensão do original e a da composição respectiva, em medida e tipo previstos. **Contagem regressiva.** Sequência de operações que precedem o lançamento de um engenho, etc., escalonadas segundo uma contagem cronométrica regressiva, de acordo com um programa preestabelecido; retrocontagem.

contagense *Adj. 2 g.* 1. De, ou pertencente ou relativo a Contagem (MG). ● *S. 2 g.* 2. O natural ou habitante de Contagem.

contagiante [De *contagiar* + *-nte.*] *Adj. 2 g.* Contagioso.

contagião [Do lat. *contagione.*] *S. f. Desus.* Contágio (1 e 2).

contagiar [De *contágio* + *-ar*^{2}.] *V. t. d.* 1. Transmitir agente patogênico a; contaminar. 2. *P. ext.* Transmitir-se ou comunicar-se a: *A filosofia de Sartre* (v. *sartriano*) *contagiou a mentalidade do após-guerra.* 3. Corromper, viciar: *Seus desregramentos contagiaram os amigos. T. d. e i.* 4. Transmitir por contágio; contaminar. *P.* 5. Adquirir doença por contágio; contaminar-se: *Conviveu com o amigo tuberculoso, e acabou contagiando-se.* 6. *Fig.* Ser invadido, tomado (por sentimento, emoção, etc.), como que por contágio: *Contagiou-se com a tristeza da hora.* [Pres. ind.: *contagio*, etc. Cf. *contágio.*]

contágio [Do lat. *contagiu.*] *S. m.* 1. Transmissão de doença dum indivíduo a outro por contato imediato ou mediato. 2. *P. ext.* Transmissão de males ou vícios. [Sin., desus., nessas acepçs.: *contagião.*] 3. *Estat.* Propriedade dum fenômeno aleatório repetitivo cuja probabilidade de ocorrência num estádio de uma sequência de acontecimentos depende de ele haver ocorrido ou não. [Cf. *contagio*, do v. *contagiar.*] ◆ **Contágio psíquico.** *Psiq.* Transmissão, a outro indivíduo, de sintoma(s) psíquico(s), mediante influência mental.

contagiosidade [De *contagioso* + *-(i)dade.*] *S. f.* Qualidade de contagioso.

contagioso (ô) [Do lat. *contagiosu.*] *Adj.* Que se propaga por contágio; contagiante. ~ V. *doença* —*a* e *molusco* —.

conta-giros [De *contar* + o pl. de *giro.*] *S. m. 2 n. Bras.* V. *tacômetro.*

conta-gotas [Da 3ª pess. do sing. do pres. ind. do v. *contar* + o pl. de *gota* (ô).] *S. m. 2 n.* Aparelho ou dispositivo com que se pingam as gotas de um líquido; gotímetro.

→**container** ['kɒn'taejnɚ] [Ingl.] *S. m.* V. *contêiner.*

contaminação [Do lat. *contaminatione.*] *S. f.* 1. Ato ou efeito de contaminar(-se). 2. *Liter.* Combinação, na comédia latina, de dois enredos, tomados a comédias gregas. ◆ **Contaminação sintática.** *E. Ling.* V. *quiasma* (1).

contaminado [Part. de *contaminar.*] *Adj.* Que sofreu contaminação; que se contaminou.

contaminador (ô) [Do lat. *contaminatore.*] *Adj. S. m.* Quem ou o que contamina.

contaminante [De *contaminar* + *-nte.*] *Adj. 2 g. S. 2 g.* Que, ou aquilo que contamina.

contaminar [Do lat. *contaminare.*] *V. t. d.* 1. Contagiar (1). 2. Provocar infecção em. 3. Corromper, viciar; contagiar. *T. d. e i.* 4. *Microbiol.* Depositar matéria que contenha organismos patogênicos (em meio impróprio a tal, como, por ex., ferida, água potável, etc.). 5. *Med. Nucl.* Depositar material radioativo em (local inapropriado, principalmente onde possa exercer efeitos dolosos). *P.* 6. Pegar doença por contágio; contagiar-se.

contaminável [Do lat. *contaminabile.*] *Adj. 2 g.* Sujeito a contaminar-se.

contanaua *Bras. S. 2 g.* 1. *Etnôn.* Indivíduo dos contanauas [ou (etnôn. bras.) *Kontanawa], povo indígena extinto, da família linguística pano, que habitava as margens do rio Muru, na região dos rios Juruá e Purus (AM). ● *Adj. 2 g.* 2. Pertencente ou relativo a esse povo.

contanto [De *com* + *tanto.*] Us. na loc. conj. *contanto que.* ◆ **Contanto que.** Sob condição de que; uma vez que; desde que: *Irei, contanto que ele vá.*

conta-passos [De *contar* + o pl. de *passo*^{1}.] *S. m. 2 n.* Pedômetro.

contar [Do lat. *computare*, por via pop.] *V. t. d.* 1. Verificar o número, a quantidade de; computar: *Contando os livros que separara, notou faltarem dois.* 2. Fazer entrar como parcela numa conta; levar em conta: *Errei na soma, pois contei duas vezes o nove.* 3. Ter, possuir: *Teve bela recepção, pois contava muitos amigos na sua cidade.* 4. Marcar, registrar: *O taxímetro contava, já, uma alta quantia.* 5. Narrar, referir, relatar: *Contou anedotas picantes;* "já Aristóteles, na *Poética*, fazia a distinção entre o historiador (conta o que aconteceu) e o narrador (conta o que poderia ter acontecido)." (Álvaro Lins, *Literatura e Vida Literária*, p. 224). 6. Ter esperanças de; esperar: *Contava encontrá-la, ao chegar.* 7. Propor-se a; tencionar: *Contava sair cedo, e não pôde.* 8. Incluir num grupo, numa conta, num total; levar em conta; considerar: *levava três malas de viagem, sem contar uma de mão. T. c.* 9. Ter de existência ou idade: *Álvares de Azevedo contava, ao morrer, apenas 20 anos;* "Não contava bem Antônio Vieira oito anos de idade, quando em 1615 teve de acompanhar sua família para a metrópole do Brasil." (João Francisco Lisboa, *Obras*, IV, p. 9). *T. d. e i.* 10. Incluir num grupo, numa conta, num total; considerar: *Sempre o contou no grupo dos amigos.* 11. Narrar, referir-se, relatar: *Contei-lhe a história por inteiro;* "ela contava-lhe anedotas, e pedia-lhe outras" (Machado de Assis, *Páginas Recolhidas*, p. 7). *T. i.* 12. Fazer narração de fato ou acontecimento: *O viajante contava de suas proezas na África;* "Contavam de mortes e tocaias, de trapaças nas brigas de galo, de falsificações nas contas do armazém." (Jorge Amado, *Teresa Batista Cansada de Guerra*, p. 66). 13. Ter esperança, confiança em; esperar, confiar: *Em caso de aperto, conto com ele.* 14. Dispor de: "Roma podia fazer aliados, Cartago contava apenas com servidores a preço." (Aquilino Ribeiro, *Os Avós dos Nossos Avós*, p. 79.) 15. Ter ideia; supor; imaginar: *Muito malicioso, não conta com a malícia alheia. Transobj.* 16. Levar à conta de; considerar: *Conto como um presente o convívio com ele. Int.* 17. Fazer contas; calcular: "com dez anos, já sabia ler, escrever e contar" (Machado de Assis, *Várias Histórias*, p. 47). 18. Ter peso, importância; ser ponderável; pesar: "era uma opinião que contava, num meio onde tão poucas sugestões úteis podem recolher os artistas plásticos para se orientarem" (Carlos Drummond de Andrade, *Fala, Amendoeira*, p. 239). 19. *Mat.* Estabelecer uma correspondência biunívoca entre o subconjunto dos naturais 1, 2, ..., *n* e (os elementos de um conjunto). [Pres. subj.: *conte, contem*, etc. Cf. *contém* e *contêm*, do v. *conter.*]

contaria [De *conta* + *-aria.*] *S. f.* Porção de contas [v. *conta* (12)]: "Não se adquiriam cativos sem ouro .... e sedas, e tabaco baiano, e aguardentes, e armas de fogo, e pólvora, e contaria, e facas" (Alberto da Costa e Silva, Francisco Félix de Sousa, *Mercador de Escravos*, p. 32).

contas [Pl. de *conta.*] *S. f. pl.* Pequenas peças de vidro, plástico, madeira, etc., variegadas e miúdas, ger. com orifício para serem postas em enfiada. ~ V. *conta.*

contas-correntes [Do pl. de *conta* + o pl. do adj. *corrente.*] *S. m. 2 n.* Livro onde se escrituram as contas correntes [v. *conta corrente* (2)] dum estabelecimento comercial: "Adrião chegou-se à minha carteira, folheou o contas-correntes, mexeu os dedos, calculando" (Graciliano Ramos, *Caetés*, p. 89). [Cf. *conta corrente.*]

contatado [Part. de *contatar.*] *Adj.* Diz-se de povo indígena que entrou em contato com os sertanistas, portanto, com a civilização. [Dizia-se, anteriormente, *pacificado*, mas, dado o caráter etnocêntrico do termo, este foi substituído por *contatado.*]

contatar [Var. de *contactar.*] *V. t. i. T. d. Int.* 1. Ter ou entrar em contato, em relações, com. 2. Entrar em contato com (povo indígena em estado de cultura pura).

contativo [De *contato* + *-ivo.*] *Adj. Tec.* Diz-se de processo que se efetua mediante o contato direto de diversas partes.

contato [Var. de *contacto.*] *S. m.* 1. Ato de exercer o sentido do tato; toque. 2. Estado ou situação dos corpos que se tocam. 3. Comunicação ou interação, seja com encontro ou defrontamento direto, ou através de algum meio físico: *contato visual; contato por rádio; seitas esotéricas que buscam contato com extraterrestres.* 4. Relação de frequência, de proximidade, de influência: *manter contato com os amigos de infância.* 5. Frequentação, relação. 6. *Antrop.* Situação, ocasião ou processo de interação entre grupos sociais ou étnicos distintos. 7. *Bras. Antrop.* O primeiro encontro direto, ou série de encontros, entre indivíduos da sociedade nacional e membros de um grupo indígena até então sem interação com ela: "são tantas as curiosidades, mas uma, especialmente, me arrebatou: por que nos lambuzavam de cuspe, logo após o contato, no nosso primeiro encontro?" (Edilson Martins, *Makaloba*, p. 185). 8. *Antrop. Restr.* Interação mais ou menos regular, pela qual uma população indígena, originalmente autônoma em relação a um Estado nacional, se integra à estrutura política e administrativa deste. **9.** *Astr.* Posição aparente de dois astros no instante em que parecem tocar-se. **10.** *E. Ling.* Contato linguístico (q. v.). **11.** *Fot.* V. *cópia por contato*. **12.** *Mat.* Propriedade de duas curvas que, tendo um ponto comum, têm nas vizinhanças desse ponto pelo menos $n + 1$ pontos comuns, onde n é um inteiro positivo; propriedade de duas curvas que, tendo um ponto comum, têm nesse ponto, a partir da primeira, todas as n derivadas de mesma ordem iguais entre si. **13.** *Geol.* Superfície de encontro entre duas rochas ou entre duas formações ou séries geológicas diferentes. **14.** *Prop.* Contato de agência. **15.** *Prop.* Contato de veículos. **16.** *Bras. Mar. G.* Ato ou efeito de avistar uma unidade inimiga (contato visual) ou determinar-lhe a presença pelo radar (contato radar). **17.** *Bras. Mar. G.* Ato ou efeito de se comunicar uma estação de rádio com outra (contato rádio). ◆ **Contato de agência.** *Prop.* Funcionário de agência de propaganda que a representa junto a um cliente ou grupo de clientes, e supervisiona o planejamento, execução, distribuição e controle da propaganda comercial desse cliente ou grupo de clientes, a cargo dos diversos departamentos da agência. [Tb. se diz apenas *contato*.] **Contato de veículos.** *Prop.* Funcionário de veículo de propaganda que é responsável pela venda de seu espaço ou tempo a um grupo de agências e/ou anunciantes. [Tb. se diz apenas *contato*.] **Contato linguístico.** *E. Ling.* Situação que se estabelece entre comunidades que falam línguas ou dialetos diferentes, os quais passam a se influenciar mutuamente. [V. *multilinguismo*. Tb. se diz apenas *contato*.] **Contato ôhmico.** *Eng. Elétr.* Contato elétrico para o qual se mantém linear a relação entre a tensão sobre ele e a corrente que o atravessa. **Contato radar.** *Bras. Mar. G.* V. *contato* (16). **Contato rádio.** *Bras. Mar. G.* Contato (17). **Contato visual.** *Bras. Mar. G.* V. *contato* (16).

contator (ô) [Var. de *contactor*.] *S. m. Eletr.* Dispositivo, de operação não manual, destinado a estabelecer e interromper frequentemente um circuito elétrico; contactor.

contável [De *contar* + *-vel*.] *Adj. 2 g.* **1.** Que pode ser contado. **2.** *E. Ling.* Diz-se do substantivo que denota seres percebidos como entidades discretas: *mesa*; *caderno* [Cf., nesta acepç., *não contável*.]

conta-voltas [De *contar* + o pl. de *volta*.] *S. m. 2 n. Fís.* V. *tacômetro*.

contêiner [Do ingl. *container*.] *S. m.* Grande caixa, de dimensões e outras características padronizadas, para acondicionamento da carga geral a transportar, com a finalidade de facilitar o seu embarque, desembarque e transbordo entre diferentes meios de transporte. [Sin.: *cofre de carga*. Pl.: *contêineres*.]

conteira [De *conto*[2] + *-eira*.] *S. f.* **1.** Peça que reforça o conto[2] (1). **2.** *Mil.* A parte posterior do reparo da peça de artilharia. **3.** *Mar. G.* Ato ou efeito de conteirar.

conteirar [De *conteira* + *-ar*[2].] *V. t. d. Mar. G.* Movimentar (uma peça de artilharia, um reparo de lançamento de torpedo ou de míssil, um telêmetro, holofote, luneta visual, etc.) em torno de um eixo vertical, de modo que os aponte para a direção do horizonte que convier.

conteiro [De *conta* + *-eiro*.] *S. m.* Fabricante e/ou vendedor de contas de rosários, e/ou de colares, etc.

contemplação [Do lat. *contemplatione*.] *S. f.* **1.** Ato ou efeito de contemplar. **2.** Aplicação demorada e absorta da vista e do espírito. **3.** Meditação profunda. **4.** Consideração, deferência: *Pune quando necessário, sem contemplação com pessoa alguma.* **5.** *Rel.* Conhecimento de Deus e das realidades divinas não por vias e métodos discursivos e, sim, pela vivência.

contemplado [Part. de *contemplar*.] *Adj. S. m.* Que, ou aquele que recebeu contemplação (2), ou foi sorteado para receber prêmio, etc.

contemplador (ô) [Do lat. *contemplatore*.] *Adj.* **1.** Que contempla; contemplante. ● *S. m.* **2.** Aquele que contempla.

contemplante [De *contemplar* + *-nte*.] *Adj. 2 g.* Contemplador (1).

contemplar [Do lat. *contemplare*.] *V. t. d.* **1.** Olhar, observar, atenta ou embevecidamente; considerar com admiração ou com amor: "tirou de uma gaveta um retrato, contemplou-o longo tempo" (Machado de Assis, *Histórias Românticas*, p. 156); "Contemplando o teu vulto sagrado, / Compreendemos o nosso dever" (Olavo Bilac, "Hino à Bandeira Nacional", em *Poesias Infantis*, p. 38); "Os egípcios antigos .... contemplavam suas estátuas não com sentimentos artísticos, mas religiosos." (Carlos Cavalcanti, *História das Artes*, I, p. 32). **2.** Ver ou admirar com o pensamento: *Contempla, na solidão do claustro, a sabedoria divina.* **3.** Meditar, refletir, em; considerar: *Leva a vida a contemplar os mistérios da morte.* **4.** Admirar, apreciar. **5.** Dar, conferir alguma coisa a, como prêmio, ou prova de consideração: *Contemplou, ao morrer, todos os seus auxiliares.* *T. d. e i.* **6.** Contemplar (5): *Desde muito o contemplo com a minha estima; O Presidente contemplou-o com a Ordem do Cruzeiro do Sul.* **7.** Outorgar; conferir: *A nova lei contempla com anistia os aposentados com renda inferior a dois salários.* *T. i.* **8.** Refletir, meditar: *Costuma contemplar longamente em suas faltas passadas.* *Int.* **9.** Meditar, refletir: *Entrou em retiro para contemplar.* *P.* **10.** Mirar-se com desvanecimento.

contemplativa [F. subst. do adj. *contemplativo*.] *S. f.* **1.** Faculdade de contemplar. **2.** Absorção do pensamento.

contemplatividade [De *contemplativo* + *-(i)dade*.] *S. f.* Qualidade de contemplativo.

contemplativo [Do lat. *contemplativu*.] *Adj.* **1.** Referente a, ou em que há contemplação, ou que a ela conduz: "diante da mesa, com as lágrimas nos olhos, ficou esquecida, em contemplativa mudez." (Coelho Neto, *Turbilhão*, p. 335); *vida contemplativa.* **2.** Dado à contemplação. ● *S. m.* **3.** Aquele que é dado à contemplação. **4.** Religioso que se dedica essencialmente à contemplação (4).

contemporaneidade [De *contemporân(eo)* + *-eidade*.] *S. f.* Qualidade de contemporâneo.

contemporâneo [Do lat. *contemporaneu*.] *Adj.* **1.** Que é do mesmo tempo, que vive na mesma época (particularmente a época em que vivemos). ● *S. m.* **2.** Indivíduo do mesmo tempo ou do nosso tempo: *Machado de Assis e Joaquim Nabuco são contemporâneos.* [Sin. ger.: *coevo*, *coetâneo*.]

contemporização [De *contemporizar* + *-ção*.] *S. f.* Ato de contemporizar; transigência.

contemporizador (ô) [De *contemporizar* + *-dor*.] *Adj. S. m.* Que, ou aquele que contemporiza.

contemporizar [De *con-* + lat. *tempore*, 'tempo', + *-izar*.] *V. int.* **1.** Acomodar-se às circunstâncias; chegar a acordo; transigir: *Não rema contra a maré: contemporiza.* *T. i.* **2.** Transigir, condescender: *Não contemporiza com os desonestos.* *T. d.* **3.** Dar tempo a. **4.** Entreter para ganhar tempo: *Contemporizou o público até a chegada do conferencista.* **5.** Acomodar; apaziguar: *Não seria melhor contemporizar a situação?*

contemptamento [De **contemptar* (< *comptento* + *-ar*[2]) + *-mento*.] *S. m. Ant.* V. *desprezo* (1). [Cf. *contentamento*.]

contemptível [Do lat. *contemptibile*.] *Adj. 2 g.* Digno de contempto ou desprezo; desprezível.

contempto [Do lat. *contemptu*.] *S. m. Ant.* V. *desprezo* (1). [Cf. *contento*.]

contemptor (ô) [Do lat. *contemptore*.] *Adj. S. m. P. us.* Desprezador: "opiniático, egoísta e algo contemptor dos homens, isso fui" (Machado de Assis, *Memórias Póstumas de Brás Cubas*, p. 34). [Cf. *contentor*.]

contenção[1] *S. f. Bras.* Ato de contender; luta, contenda, competência. [Cf. *contensão*.]

contenção[2] [De *conter* + *-ção*, a ex. de voc. como *abstenção* (q. v.).] *S. f.* **1.** *Bras.* Ato de conter(-se): "Marido e mulher, agora sem necessidade de contenção, riem à solta" (Telmo Vergara, *Contos da Vida Breve*, p. 234); "O combate à inflação deve partir da progressiva contenção dos déficits governamentais." (Mário Henrique Simonsen, *Inflação: Gradualismo x Tratamento de Choque*, p. 23). **2.** *Cir.* Estado de um membro fraturado ou deslocado que se mantém reduzido. **3.** Conjunto de meios a que se recorre para manter no abdome as vísceras herniadas. [Cf. *contensão*.]

contencioso (ô) [Do lat. *contentiosu*.] *Adj.* **1.** Em que há contenção[1] ou litígio. **2.** Incerto, duvidoso. ~ V. *jurisdição —a*. ● *S. m.* **3.** Numa repartição ou estabelecimento, a secção onde se tratam questões litigiosas: *o contencioso do Banco do Brasil.*

contenda [Dev. de *contender*.] *S. f.* **1.** Debate, altercação, disputa, controvérsia. **2.** Guerra, luta, combate, peleja. **3.** *Fig.* Esforço para conseguir alguma coisa.

contendedor (ô) [De *contender* + *-dor*.] *S. m.* Contendor (q. v.).

contendense[1] *Adj. 2 g.* **1.** De, ou pertencente ou relativo a Contenda (PR). ● *S. 2 g.* **2.** O natural ou habitante de Contenda.

contendense[2] *Adj. 2 g.* **1.** De, ou pertencente ou relativo a Contendas do Sincorá (BA). ● *S. 2 g.* **2.** O natural ou habitante de Contendas do Sincorá.

contender [Do lat. *contendere*.] *V. int.* **1.** Ter contenda com alguém: *Gosta de viver em paz: desagrada-lhe contender.* **2.** Apresentar como objeção; opor-se, contrapor-se. *T. i.* **3.** Lutar, brigar, discutir; disputar; altercar: *Retirou-se da sala para não se ver forçado a contender com amigos.* **4.** Competir, rivalizar: *Ninguém contende com ele em matéria de literatura.*

contendor (ô) [Var. haplológica de *contendedor*.] *S. m.* Aquele que contende; contendedor. [A f. *contendor* é m. us. que a outra.]

contensão [De *con-* + *tensão*.] *S. f.* **1.** Esforço ou tensão considerável: "Em silêncio e com ademanes simples, que traíam no entanto a contensão interior, subiu à tribuna" (Aquilino Ribeiro, *Os Avós dos Nossos Avós*, p. 241). **2.** Grande aplicação intelectual. [Cf. *contenção*.]

contentadiço [De *contentar* + *-(d)iço*[1].] *Adj.* Que se contenta com facilidade.

contentamento [De *contentar* + *-mento*.] *S. m.* Sentimento de prazer; contento, satisfação, alegria. [Cf. *contemptamento*.]

contentar [De *contente* + *-ar*[2].] *V. t. d.* **1.** Tornar contente; dar prazer, satisfação, a; agradar: *Condescendente, procura contentar os amigos.* **2.** Apaziguar, sossegar; acalmar: *Fez tudo para contentar a criança birrenta.* *P.* **3.** Ficar satisfeito, contente; satisfazer-se: "As massas populares contentam-se com um pouquinho de felicidade" (Joraci Camargo, *Anastácio*, p. 42); "suponho que são [os selvagens] como os gregos: contentam-se em comer uma azeitona, olhando o céu que é bonito..." (Eça de Queirós, *Os Maias*, II, p. 23); "Gosta de ser amado. Contenta-se de crer que o é." (Machado de Assis, *Quincas Borba*, p. 42).

contentável [De *contentar* + *-vel*.] *Adj. 2 g.* Que pode ser contentado.

contente [Do lat. *contentu*, pelo port. ant. *contento* (q. v.).] *Adj. 2 g.* Satisfeito, alegre; prazenteiro.

contento [Do lat. *contentu* (part. pass. de *continere*, 'retido', 'contido'; 'contente', 'satisfeito').] *Adj.* **1.** *Ant.* Contente. ● *S. m.* **2.** Conteúdo (2). **3.** Contentamento. [Cf. *contempto*.] ◆ **A contento.** Segundo os desejos; satisfatoriamente: *O empregado trabalha a contento.*

contentor (ô) [Do lat. *contentus*, part. de *continere* (v. *conter*), + *-or*, a ex. de voc.: como *detentor*.] *Adj.* **1.** Que contém. ● *S. m.* **2.** Aquele ou aquilo que contém. [Cf. *contemptor*.]

conter [Do lat. *continere*.] *V. t. d.* **1.** Ter ou encerrar em si. **2.** Compreender; incluir: *Este livro contém toda a produção poética de Cecília Meireles; Esta estante contém todos os meus livros;* "Toda obra de arte há de ser essencialmente socrática, isto é: conter mais questões do que respostas." (Álvaro Lins, *Literatura e Vida Literária*, p. 27). **3.** Manter dentro de certos limites; deter; controlar: *A muito custo, conseguiram conter as águas do rio.* **4.** Manter sob controle; reprimir, sofrear: *Difícil conter a multidão desenfreada; Conteve o riso; Era difícil conter os litigantes inflamados.* *P.* **5.** Refrear-se, reprimir-se, moderar-se: "Ante tanta baixeza, tanta covardia, não se contivera. Era demais!" (Marques Rebelo, *Marafa*, p. 33.) **6.** Manter-se por força de contenção; conservar-se. **7.** Consistir; encerrar-se, resumir-se, cifrar-se: "O ser feliz, afinal, / Neste pouco se contém / Extrair do nosso mal / Alguma soma de bem..." (Augusto Gil, *O Craveiro da Janela*, p. 89.) [Irreg. Conjug.: v. *ter*. Pres. ind.: *contenho*, *conténs*, *contém*, *contemos*, *contendes*, *contêm*. Cf. *contem*, do v. *contar*.]

contérmino [Do lat. *conterminu*.] *Adj.* **1.** Que confina; adjacente. ● *S. m.* **2.** Raia, confim.

conterraneidade [De *conterrân(eo)* + *-eidade*.] *S. f.* Qualidade ou caráter de conterrâneo.

conterrâneo [Do lat. *conterraneu*.] *Adj. S. m.* Que, ou aquele que é da mesma terra; compatrício, compatriota, paisano.

contestabilidade [De *contestável* + *-(i)dade*, seg. o padrão erudito.] *S. f.* Qualidade de contestável.

contestação [Do lat. *contestatione*.] *S. f.* **1.** Ato de contestar. **2.** Debate, polêmica; questão. **3.** V. *contradição* (2). **4.** *Dir. Proc. Civ.* Primeira resposta do réu feita de modo direto à pretensão do autor, refutando o pedido formulado contra si. **5.** Conformidade de testemunhos.

contestado [Part. de *contestar*.] *Adj.* **1.** Respondido, contraditado. **2.** Negado, contrariado.

contestador (ô) [De *contestar* + *-dor*.] *Adj. S. m.* Contestante.

contestante [De *contestar* + *-nte*.] *Adj. 2 g. S. 2 g.* Que, ou quem contesta; contestador.

contestar [Do lat. **contestare*, por *contestari*.] *V. t. d.* **1.** Provar com o testemunho de outrem. **2.** Asseverar ou confirmar alegando razões. **3.** Negar a exatidão de; contrariar, contradizer: *Vários autores contestam a sua tese.* **4.** V. *impugnar* (1): *Contestaram os resultados das eleições.* *T. i.* **5.** Responder, replicar: *Contestaram ao interrogatório de modo irreverente.* *Int.* **6.** Questionar, discutir, altercar. **7.** Opor-se, resistir.

contestatário [De *contestar* + *-tário*.] *Adj. S. m.* Diz-se de, ou aquele que é dado a contestar. [Cf. *contestatório*.]

C

contestatório [De *contestar* + *-tório*.] ***Adj.*** Que envolve contestação. [Cf. *contestatário*.]

contestável [De *contestar* + *-vel*.] ***Adj. 2 g.*** Que se pode contestar.

conteste [De *con-* + lat. *teste*, 'testemunha'.] ***Adj. 2 g.*** **1.** Concorde em depoimento. **2.** Comprovativo, afirmativo.

conteudista (e-u) [De *conteúdo* + *-ista*.] ***S. 2 g. Edit.*** Responsável pelo conteúdo técnico de uma obra desenvolvida por equipe multidisciplinar.

conteúdo [Part. arc. de *conter*.] ***Adj.*** **1.** Contido. ● ***S. m.*** **2.** Aquilo que se contém nalguma coisa; contento. **3.** *Mat.* Função não negativa e aditiva de um clã sobre os reais. **4.** *Educ.* V. *conteúdo escolar*. **5.** *Bibliogr.* Aquilo que se expõe em livro, documento, etc. **6.** *Lóg.* V. *compreensão* (3). ◆ **Conteúdo escolar.** *Educ.* Dados, itens de determinadas disciplinas escolares.

→**conteur** [kõ'tœʁ] [Fr.] ***S. m.*** Contista.

contexto (ês) [Do lat. *contextu*.] ***S. m.*** **1.** Encadeamento das ideias dum escrito. **2.** V. *contextura* (1): "Todo o contexto enfim de sua vida, / Por diversos pedaços repartida." (Fr. Francisco de S. Carlos, *A Assunção*, p. 24.) **3.** Aquilo que constitui o texto no seu todo; composição. **4.** Realidade em que se insere determinado fato ou acontecimento: "A incorporação do romantismo ao contexto nacional haveria de processar-se em termos de uma conciliação." (Paulo Mercadante, *A Consciência Conservadora no Brasil*, p. 183.) **5.** Argumento, assunto. **6.** *Semiol.* V. *referente* (3). **7.** *E. Ling.* Ambiente (9). **8.** *E. Ling.* Numa situação de comunicação, características extralinguísticas que determinam a produção linguística, como, por ex., o grau de formalidade ou de intimidade entre os falantes.

contextual (ês) [De *contexto* + *-ual*.] ***Adj. 2 g.*** Relativo a contexto.

contextualização [De *contextualizar* + *-ção*.] ***S. f.*** Ato ou efeito de contextualizar.

contextualizar [De *contextual* + *-izar*.] ***V. t. d.*** **1.** Incluir num texto. **2.** Situar num contexto.

contextura (ês) [Do lat. *contextus*, do v. lat. *contexere*, 'entrelaçar'; 'juntar', + *-ura*; fr. *contexture*.] ***S. f.*** **1.** Ligação entre as partes de um todo; encadeamento, contexto. **2.** Tecido, textura: "Uma pulsação vigora as alamedas, nas ascendências inexauríveis da seiva, rebentando em folhagens de contextura fina" (Fialho d'Almeida, *O País das Uvas*, p. 7). **3.** *Tec. Têx.* A forma com que se urdem os fios de um tecido; textura.

contido [Part. de *conter*.] ***Adj.*** **1.** Reprimido, refreado: *As lágrimas contidas não a deixavam falar.* **2.** De ações comedidas, ou controladas; comedido: *pessoa contida.*

contigo [De *com* + *tigo*, 'contigo', lat. *tecum*, que já encerra a preposição.] ***Pron.*** **1.** Com a pessoa com quem se fala: "explica-lhe o que eu tinha conversado contigo." (Antônio Feliciano de Castilho, *O Doente de Cisma*, p. 52); "Tu comigo, eu contigo, ambos sonhamos..." (Alberto de Oliveira, *Poesias*, 2ª série, p. 169). **2.** Na companhia da pessoa com quem se fala; em tua companhia: "Vem e leva-me contigo / A algum ditoso recanto" (José Albano, *Rimas*, p. 50). **3.** Ao mesmo tempo que tu; juntamente contigo: *Queres que eu cante contigo?* **4.** Em teu ser; dentro de ti: *A serenidade está contigo.* **5.** Em tua mente; no teu espírito: *Tens contigo a convicção de que sempre se deve fazer o bem.* **6.** A teu respeito; relativo a ti; concernente a tua pessoa; dirigido a ti: *A censura não é contigo.* **7.** Com a tua pessoa; para teu proveito: *Por que, gastando como gastas com a família, quase nada despendes contigo?* **8.** De ti para ti; de ti para contigo; com os teus botões: *Dirás contigo que eu te enganei.* **9.** Próprio para ti; para ser feito ou resolvido por ti: *Bem sei que repreender não é contigo.* **10.** Em teu poder: *Os documentos ficarão contigo.* **11.** A teu cargo: *Se está contigo a solução do caso, sei que será resolvido.*

contiguar [De *contíguo* + *-ar*[2].] ***V. t. d.*** Tornar contíguo; avizinhar. [Conjug.: v. *averiguar*. Pres. ind.: *contiguo* (ú), etc. Cf. *contíguo*.]

contiguidade (güi) [Do lat. *contiguitate*.] ***S. f.*** **1.** Estado de contíguo. **2.** Proximidade, vizinhança, adjacência. ❖

contíguo [Do lat. *contiguu*.] ***Adj.*** **1.** Que está em contato; unido. **2.** Próximo, vizinho, adjacente: "Lembra-me que minha mãe foi colocada num quarto da frente, contíguo à sala de visitas" (Umberto Peregrino, *Três Mulheres*, p. 3). ~ V. *zona —a*. [Cf. *contiguo* (ú), do v. *contiguar*.]

continência [Do lat. *continentia*.] ***S. f.*** **1.** Abstenção de prazeres; castidade. **2.** Moderação, comedimento: "a rainha, perdendo completamente a continência, disse-lhe: | — Não sabe o que é uma mulher com ciúmes?" (Bulhão Pato, *Memórias*, II, p. 15). **3.** Capacidade (1). **4.** Cumprimento militar que consiste em, de pé, com o busto ereto e os calcanhares unidos, fletir o braço direito e, com a mão espalmada, tocar com as pontas dos dedos a extremidade direita da pala do quepe (ou ponto correspondente, nas demais coberturas de cabeça), e, em seguida, baixar a mão, encostando-a na coxa direita. [A continência pode tb. ser feita com o militar andando, sem que, então, ele una os calcanhares.] **5.** *Dir. Proc.* Condição de duas ou mais demandas judiciais, sempre que haja identidade quanto às partes e à causa de pedir, e o objeto de uma seja mais amplo e abranja o das outras, devendo por essa razão ser reunidas em um mesmo juízo para se evitarem julgamentos contraditórios. **6.** *Med.* Capacidade de impedir a execução de um desejo, ou de uma necessidade fisiológica, dada a impropriedade de conduta, de ocasião, de local, etc. ◆ **Continência fecal.** *Med.* Capacidade de deter a exoneração intestinal até que sejam adequadas as condições para a execução dela. **Continência urinária.** *Med.* Capacidade de deter a exoneração vesical até que sejam adequadas as condições para a execução dela.

continental [De *continente* + *-al*[1].] ***Adj. 2 g.*** Do, ou relativo ao continente. ~ V. *águas continentais, banqueta —, bloco —, clima —, mar —, monção —, plataforma — e talude —.*

continentalidade [De *continental* + *-(i)dade*.] ***S. f.*** Qualidade de continental.

continentalista [Do ingl. *continentalist*.] ***Adj. 2 g.*** **1.** Diz-se da estratégia que se apoia basicamente em atividades, forças e operações continentais e terrestres. ● ***S. 2 g.*** **2.** Pessoa que adota essa estratégia, ou que a ela adere. [Cf. *maritimista*[2].]

continente [Do lat. *continente*.] ***Adj. 2 g.*** **1.** Que contém algo. **2.** Que tem continência (1, 2 e 5). ● ***S. m.*** **3.** Aquilo que contém algo. **4.** Grande massa de terra cercada pelas águas oceânicas. **5.** Cada uma das seis grandes divisões da Terra: Europa, Antártica, Ásia, África, América e Oceania. **6.** O corpo principal da Europa em relação às Ilhas Britânicas. **7.** *Bras. RS* Designação dada popularmente ao Rio Grande do Sul, desde os tempos coloniais até à revolução de 1835. [Cf., nesta acepç., *continentista* (1).] ◆ **Continente austral.** A Antártica, as grandes massas de terra existentes em torno do polo sul. **Antigo Continente.** **1.** Europa, Ásia e África. **2.** Portugal, em relação às antigas colônias. **Novíssimo Continente.** A Oceania. **Novo Continente.** A América.

continentino [De *continente* + *-ino*[1].] ***Adj. S. m. Bras. RS Ant.*** V. *continentista* (1).

continentista [De *Continente* (de São Pedro), antiga denominação do RS, + *-ista*.] ***Bras. RS Adj. 2 g. S. 2 g.*** **1.** Designação antiga de rio-grandense-do-sul [v. *continente* (7)]; continentino. ● ***S. m.*** **2.** Revolucionário republicano de 1835; farrapo.

contingência [Do lat. *contingentia*.] ***S. f.*** **1.** Qualidade do que é contingente. **2.** Incerteza sobre se uma coisa acontecerá ou não. **3.** *Com.* Cota, quinhão, contingente.

contingencial [De *contigência* + *-al*[1].] ***Adj. 2 g.*** De, ou relativo a contingência. ~ V. *plano —*.

contingenciamento [De *contingenciar* + *-mento*.] ***S. m.*** *Econ. Com.* Política econômica fundada no princípio da compensação, e que visa a restringir ou suprimir a importação, estabelecendo, em função dos contingentes, cotas legais para as mercadorias importáveis.

contingenciar [De *contingência* (3) + *-ar*[2].] ***V. t. d. Econ.*** Impor limite ou quota a (importação de determinada mercadoria, dispêndios à conta de uma rubrica orçamentária, etc.).

contingente [Do lat. *contingente*.] ***Adj. 2 g.*** **1.** Que pode ou não suceder; eventual, incerto: "Seria possível uma associação, embora contingente e passageira, entre as duas classes?" (Graciliano Ramos, *Memórias do Cárcere*, I, p. 71.) **2.** Que, entre muitos, compete a cada um. **3.** *Filos.* Diz-se das coisas e dos acontecimentos que se concebem, sob qualquer um dos aspectos da sua existência, como podendo ser ou não ser, não trazendo em si a razão da sua existência. [Opõe-se, nesta acepç., a *necessário* (3). Cf. nesta acepç.: *acidental* (3) e *casual* (1).] **4.** *Lóg.* Diz-se de uma proposição cuja verdade ou falsidade só pode ser conhecida pela experiência e, não, pela razão. **5.** *Lóg.* Diz-se de função lógica que ora se converte numa proposição verdadeira, ora numa proposição falsa, conforme os valores assumidos por suas variáveis. ~ V. *crédito —*. ● ***S. m.*** **6.** Cota, quinhão. **7.** Porção de homens que cada circunscrição territorial tem de dar para o serviço militar: "sabia que era esperado a toda a hora o vapor da Companhia do Amazonas, que devia levar o contingente de recrutas para a capital." (Inglês de Sousa, *Contos Amazônicos*, p. 23). **8.** *Econ. Com.* Nos países de economia protecionista, reserva de produtos importáveis e exportáveis. **9.** *Mil.* Grupamento temporário de homens, estabelecido para executar determinada tarefa: *contingente de desembarque.*

contínua [F. subst. de *contínuo*.] ***S. f. E. Ling.*** Consoante contínua (q. v.).

continuação [Do lat. *continuatione*.] ***S. f.*** **1.** Ato de continuar; sucessão: *Só a continuação dos dias lhe trouxe a paz.* **2.** Sucessão ou série contínua, ininterrupta: *a continuação dos dias.* **3.** Qualquer ação ou série de acontecimentos que se seguem, no tempo, a outros; prosseguimento: *continuação de uma história.* **4.** Prolongamento, prolongação: *Esta rua é continuação daquela.*

continuado [Part. de *continuar*.] ***Adj.*** **1.** Que dura sem interrupção; repetido, seguido, contínuo: *esforço continuado.* ● ***S. m.*** **2.** *E. Ling. Desus.* Aposto.

continuador (ô) [De *continuar* + *-dor*.] ***Adj. S. m.*** Que, ou aquele que continua.

continuante [De *continuar* + *-nte*.] ***S. m.*** **1.** *Álg.* Determinante em que os elementos da diagonal principal são números quaisquer, os de uma paralela vizinha são iguais a + 1, os da outra paralela vizinha iguais a -1, e todos os outros elementos são nulos. ● ***S. f.*** **2.** *E. Ling.* Consoante continuante (q. v.). ● ***Adj. 2 g.*** **3.** *E. Ling.* ~ V. *consoante —*.

continuar [Do lat. *continuare*.] ***V. t. d.*** **1.** Prosseguir ou prolongar sem interrupção; fazer que não se interrompa: *Morto o amigo, continuou a missão que o levara ali.* **2.** Dar seguimento a; prosseguir: *Continuaremos depois a conversa.* **3.** Vir imediatamente depois de; suceder, seguir-se a: *O governo de D. Pedro I continuou o de D. João VI.* ***T. i.*** **4.** Persistir, perseverar; prosseguir: *Apesar da advertência, continuou em sua tarefa destrutiva.* ***T. d. e c.*** **5.** Fazer prosseguir na mesma direção; prolongar; estender: *Continuou a muralha até o mar.* ***Pred.*** **6.** Permanecer; conservar-se; manter-se: "O Rio de Janeiro continua lindo." (Gilberto Gil, no samba *Aquele Abraço*.) ***Int.*** **7.** Ter permanência ou prosseguimento; prosseguir, perdurar; perseverar: *Esta situação não pode continuar.* ***T. c.*** **8.** Prosseguir, seguir: *As lutas civis continuaram por mais 10 anos.* **9.** Permanecer; manter-se: *O livro continuava onde ele o havia deixado.* ***P.*** **10.** Estender-se, prolongar-se. [Pres. ind.: *continuo*, etc. Cf. *contínuo*.]

continuativa [F. subst. do adj. *continuativo*.] ***S. f. E. Ling.*** Conjunção continuativa (q. v.).

continuativo [Do lat. *continuativu*.] ***Adj.*** Que tende a continuar, ou indica continuação. ~ V. *conjunção —a*.

continuidade [Do lat. *continuitate*.] (u-i) ***S. f.*** **1.** Qualidade ou caráter do que é contínuo. **2.** *Mat.* Propriedade que caracteriza uma função contínua. **3.** *Eng. Elétr.* Condição de um circuito elétrico em que há um percurso fechado, permitindo fluxo de corrente. **4.** *Cin. Telev.* Num filme, manutenção das relações de espaço e tempo segundo a experiência natural da vida humana. **5.** *Cin. Telev.* Num filme, o desenvolvimento contínuo e coerente de uma ideia ou de uma sequência. **6.** *Cin. Telev.* A ausência absoluta de discrepância nos detalhes de qualquer dos elementos de uma tomada. ◆ **Continuidade à direita.** *Mat.* Propriedade de uma função que é contínua à direita de um ponto. **Continuidade à esquerda.** *Mat.* Propriedade de uma função que é contínua à esquerda de um ponto.

continuísmo [De *contínuo* + *-ismo*.] ***S. m.*** Doutrina ou manobra política tendente à perpetuação, no poder, de uma pessoa ou de um grupo.

continuísta[1] [De *continuísmo* + *-ista*.] ***Adj. 2 g.*** **1.** Que é partidário ou seguidor do continuísmo. ● ***S. 2 g.*** **2.** Partidário ou seguidor do continuísmo.

continuísta[2] [De *continuar* + *-ista*.] ***S. 2 g. Cin. Telev.*** Pessoa encarregada da continuidade (5).

contínuo[1] [Do lat. *continuu*.] ***Adj.*** **1.** Em que não há interrupção; seguido, sucessivo. **2.** *E. Ling.* Que tem aspecto durativo. ~ V. *ato —, conjunto —, consoante —a, corrente —a, correspondência —a, deformação —a, formulário —, fração —a, função —a, máquina —a, paginação —a, papel —, proporção —a, transformação —a e variável —a.* ● ***S. m.*** **3.** Sequência ordenada ininterrupta. **4.** Fenômeno em que se focaliza uma característica fundamental comum, em detrimento de uma sucessão de pequenas alterações em sequência. **5.** Empregado de repartições ou estabelecimentos que leva e traz papéis, transmite recados e faz outros pequenos serviços; bói e (lus.) *paquete*. [Cf. *continuo*, do v. *continuar*.] ◆ **Contínuo dialetal.** *E. Ling.* Sequência de variedades linguísticas sociais ou geográficas analisada como um fenômeno cumulativo. **Contínuo espaço-tempo.** *Fís.* V. *espaço-tempo*. **Contínuo pós-crioulo.** *E. Ling.* Numa situação de descrioulização, sequência de variedades [v. *variedade* (6)] que se estendem do basileto ao acroleto. **Contínuo pós-pídgin.** *E. Ling.* Denominação comum às variedades [v. *variedade* (6)] que surgem quando um pídgin evolui na direção da língua lexificadora (q. v.) sem, contudo, vir a se transformar numa língua crioula. **De contínuo.** **1.** Continuamente, constantemente: "Hás de lembrar-te que as bolhas fazem-se e desfazem-se de contínuo, e tudo fica na mesma água." (Machado de Assis, *Quincas Borba*, p. 13.) **2.** De imediato; imediatamente.

contínuo^{2} ***S. m. Mús.*** V. *baixo-contínuo*.

➔continuum [kɔn'tinoo(m)] [Lat.] ***S. m. Mat.*** Conjunto compacto e conexo; conjunto contínuo.

contista [De *conto*^{1} + *-ista.*] ***S. 2 g.*** Autor de contos literários. [Cf. *comtista.*]

contível [De *conter* + *-ível.*] ***Adj.*** Que se pode conter.

conto^{1} [Do lat. *computu*, por via pop.] ***S. m.*** **1.** Conta, cômputo, número. **2.** *Lus.* Mil escudos. **3.** *Obsol.* Conto de réis: "Pois o rapaz me pediu três contos e quinhentos pelo rádio, você já viu?" (José Carlos Cavalcanti Borges, *O Assassino*, p. 22.) **4.** Narração falada ou escrita. **5.** Narrativa pouco extensa, concisa, e que contém unidade dramática, concentrando-se a ação num único ponto de interesse: "Esta história mítica, cheia de símbolos, faz parte da seleção feita por Paulo Rónai e Aurélio Buarque de Holanda das lendas, fábulas, diálogos e apólogos, parábolas, paródias, textos que podem ser considerados a origem do conto universal." (Cecília Costa, em *O Globo*, 01.05.1999.) [Cf., nesta acepç., *novela* (1) e *romance* (4).] **6.** Conto da carochinha (1). **7.** Engodo, embuste. **8.** V. *mentira* (1). ~ V. *contos*. ◆ **Conto da carochinha. 1.** Conto popular para crianças. [Tb. se diz apenas *conto.*] **2.** V. *mentira* (1). **3.** Invenção, peta, puerilidade. [Sin. ger.: *história da carochinha*, (bras. PB) *história de Trancoso* e (lus.) *conto de Trancoso.*] **Conto de fadas.** História infantil em que os personagens são reis, rainhas, príncipes, princesas, fadas, bruxas, monstros, heróis, etc. **Conto de réis.** Um milhar de mil-réis (q. v.). [Tb. se diz apenas *conto.*] **Conto de Trancoso.** *Lus.* V. *conto da carochinha*. **Sem conto.** Sem conta: "Vezes sem conto, ó nadador de Abido, / De escarcéus triunfaste" (Antônio Feliciano de Castilho, *Os Amores*, II, p. 81).

conto^{2} [Do gr. *kontós*, pelo lat. *contu.*] ***S. m.*** **1.** A extremidade inferior da lança ou do bastão: "Aparecem os cavaleiros, fidalgos distintos todos, com o conto das lanças nos estribos" (Rebelo da Silva, *Contos e Lendas*, p. 175). **2.** Remate globular do canhão. ~ V. *contos*.

contoada [De *conto*^{2} + *-oada.*] ***S. f.*** Pancada com o conto^{2} (1).

conto do vigário ***S. m.*** **1.** Embuste para apanhar dinheiro, em que o embusteiro, o vigarista, procura aproveitar-se da boa-fé da vítima, contando uma história meio complicada, mas com certa verossimilhança, como, por ex., a do paco (q. v.). **2.** *P. ext.* Qualquer embuste para tirar dinheiro ou bem material alheio: "Ninguém já engana ninguém — o que é tristíssimo — na terra natal do Conto do Vigário." (Fernando Pessoa, *Páginas Íntimas e de Autointerpretação*, p. 420); *Caiu num conto do vigário: entregou a televisão a um sujeito que dizia ser mecânico.* [Pl.: *contos do vigário.*] ☑

contoide (ói) [Do ingl. *contoid.*] ***S. m. E. Ling.*** Som produzido com obstrução total à passagem do ar, ou com estreitamento suficiente para criar fricção audível. [Cf. *vocoide.*] ❖

contorção [Do lat. *contortione.*] ***S. f.*** **1.** Ato ou efeito de contorcer(-se). **2.** Movimento irregular e violento. **3.** Posição forçada e incômoda. **4.** Contração muscular: *contorção da boca.*

contorcer [Do lat. vulg. *contorcere*, por *contorquere.*] ***V. t. d.*** **1.** Torcer muito; contrair; retorcer: *Contorceu a boca numa careta de nojo.* ***P.*** **2.** Contrair o próprio corpo pelo desespero, pela dor, etc.; ter contorções; torcer-se: *Debatia-se e contorcia-se, enquanto tentavam algemá-lo; Contorcia-se no leito, nos últimos estertores.* **3.** Fazer curvas sucessivas; dobrar, retorcer-se: "Aquele roteiro .... alonga-se contorcendo-se em voltas sobremaneira extensas." (Euclides da Cunha, *À margem da História*, p. 120). [Conjug.: v. *torcer.*]

contorcido [Part. de *contorcer.*] ***Adj.*** Que sofreu contorção.

contorcionismo [De *contorção (contorcion-)* + *-ismo*, seg. o padrão erudito.] ***S. m.*** **1.** Arte ou técnica de contorcionista. **2.** *Fig.* Grande esforço para o desempenho de uma tarefa: "Abatido, um tucano observava ontem o inútil contorcionismo de seus colegas de oposição no plenário do Senado" (Renata Lo Prete, em *Folha de S.Paulo*, 10.04.2008).

contorcionista [De *contorção* + *-ista*, seg. o padrão erudito.] ***S. 2 g.*** Ginasta que faz contorções, levando o corpo a tomar determinadas posições; contorcista.

contorcista [De *contorcer* + *-ista.*] ***S. 2 g.*** Contorcionista.

contorcível [De *contorcer* + *-ível.*] ***Adj. 2 g.*** Sujeito a contorcer-se.

contornar [Do it. *contornare.*] ***V. t. d.*** **1.** Fazer o contorno de; dar a volta a: "Um córrego de águas límpidas coleia em amplas curvas sobre um leito de pedras, procura vertentes, contorna barrancos, rodeia outeiros, foge dos morros, cascateia em declives e pendentes." (Eduardo Frieiro, *O Mameluco Boaventura*, p. 138.) **2.** Estender-se em roda de; rodear, cercar: *Um belo jardim contornava a mansão.* **3.** Traçar o contorno de: *contornar desenhos.* **4.** *Fig.* Dar a (um problema, um caso, uma situação) solução parcial, incompleta, ou de emergência, por falta, circunstancial ou não, de condições para uma solução definitiva; ladear. **5.** Tornear; aprimorar, aperfeiçoar, arredondar: *contornar uma frase.* [Sin. ger.: *contornear*. Pres. ind.: *contorno*, etc. Cf. *contorno* (ô), s. m.]

contornável [De *contornar* + *-vel.*] ***Adj. 2 g.*** Que pode ser contornado.

contornear [De *contorno* + *-ear*^{2}.] ***V. t. d.*** V. *contornar*: "Atravessa quinze dias infindáveis a contornear a nossa costa." (Euclides da Cunha, *À margem da História*, p. 47.) [Conjug.: v. *frear.*]

contorno (ô) [Do it. *contorno.*] ***S. m.*** **1.** Linha que fecha ou limita exteriormente um corpo. **2.** Circuito, volta, periferia. **3.** Linha que determina os relevos. **4.** O arredondado de certas formas. **5.** *Mat.* Fronteira (6). **6.** *Telec.* No campo de radiação de uma estação emissora, isopleta de intensidade do campo. [Pl.: *contornos* (ô, bras.; ô ou ó, lus.). Cf. *contorno*, do v. *contornar.*]

contorta [Adapt. do tax. *Contortae*, do fem. pl. do lat. *contortus, a, um*, 'voltado', 'virado'.] ***S. f. Bot.*** Espécime das contortas, em antiga classificação, ordem de plantas floríferas, dicotiledôneas, metaclamídeas, de corola torcida, com flores pentâmeras, androceu isostêmone, gineceu bicarpelar e ovário súpero.

contorto (ô) [Do lat. *contortu*, part. de *contorquere* (v. *contorcer*).] ***Adj.*** Contorcido, torcido. [Pl.: *contortos* (ó).]

contos [Pl. de *conto*^{1}.] ***S. m. pl.*** Embustes, intrigas, enredos. ~ V. *conto*.

contra [Do lat. *contra.*] ***Prep.*** **1.** Em oposição a; em luta com: "Contra ũa dama, ó peitos carniceiros, / Feros vos amostrais, e cavaleiros?" (Luís de Camões, *Os Lusíadas*, III, 130). **2.** Em contradição com: *É incapaz de proceder contra os seus princípios.* **3.** Em direção oposta à de: *remar contra a maré.* **4.** Em posição contrária ou hostil a: *Está contra tudo; É contra a diretoria anterior.* **5.** A troco de; recebendo em troca; mediante: *Paguei contra recibo.* **6.** Em frente de; defronte de: *Encontraram-se, enfim, cara contra cara.* **7.** Junto de: *Ficaram ali, encolhidos, um contra o outro.* **8.** De encontro a: *Bateu a cabeça contra a mesa.* **9.** Em direção a: *Investiu impetuoso contra o inimigo.* **10.** Ao contrário de; contrariamente a: *Contra o que você pensa, eu não irei.* **11.** De combate a: *remédio contra sarna.* **12.** Em objeção ou oposição a: *É a minha palavra contra a sua.* ● ***Adv.*** **13.** De modo desfavorável; desfavoravelmente: *O juiz votou contra.* ● ***S. m.*** **14.** Obstáculo, dificuldade: *Avaliou os prós e os contras antes de decidir.* **15.** Contestação, objeção: *Embora sabendo que receberia um contra, insistiu.* **16.** *Bras. Pop.* V. *diabo* (2). ◆ **Ser do contra.** *Bras.* Discordar por princípio: *Não adianta pedir: o rapaz é do contra.*

▲contra- [Do lat. *contra.*] ***El. comp.*** = 'oposição'; 'ação conjunta': *contra-atacar*; *contraveneno*; *contracanto*. [É seguido de hífen quando anteposto a palavra iniciada por *a* ou *h*: *contra-ataque, contra-habitual* (em tais casos, apenas o 2º el. é flexionado na formação do plural); é grafado com *r* ou *s* duplicados quando anteposto a palavra iniciada por *r* ou *s*: *contrarreforma, contrassenso.*]

contra-abertura [De *contra-* + *abertura.*] ***S. f.*** Abertura em sentido, ou ponto oposto a outra. [Pl.: *contra-aberturas.*]

contra-alísio [De *contra-* + *alísio.*] ***S. m. Met.*** Corrente aérea que sopra, às vezes, acima do alísio e em sentido oposto a ele, em diversas regiões subtropicais dos dois hemisférios. [Pl.: *contra-alísios.*]

contra-almirante [De *contra-* + *almirante.*] ***S. m.*** **1.** V. *hierarquia militar*. **2.** Oficial que detém o posto de contra-almirante. [V. *almirante* (3). Pl.: *contra-almirantes.*]

contra-amura [De *contra-* + *amura.*] ***S. f. Ant. Marinh.*** Cabo com que se facilitava a manobra da amura. [Pl.: *contra-amuras.*]

contra-argumento [De *contra-* + *argumento.*] ***S. m.*** Argumento contrário a outro. [Pl.: *contra-argumentos.*]

contra-arminhos [De *contra-* + *arminhos.*] ***S. m. 2 n. Heráld.*** Campo negro (sable) com salpicos brancos, em um brasão.

contra-arrazoado [De *contra-* + *arrazoado.*] ***S. m. Jur.*** Alegação fundamentada que se opõe a um arrazoado. [Pl.: *contra-arrazoados.*]

contra-arrazoar [De *contra-* + *arrazoar.*] ***V. t. d.*** **1.** *Jur.* Produzir contra-arrazoado em oposição a (um arrazoado). **2.** Arrazoar contra. ***Int.*** **3.** Produzir contra-arrazoado. [Conjug.: v. *coroar.*]

contra-arrestar [De *contra-* + *arrestar.*] ***V. t. d.*** **1.** Decidir em contrário de. **2.** Opor obstáculo a, resistir a; contrastar.

contra-atacante [De *contra-atacar* + *-nte.*] ***S. 2 g.*** Pessoa que contra-ataca. [Pl.: *contra-atacantes.*]

contra-atacar [De *contra-* + *atacar.*] ***V. t. d. Int.*** Responder ao ataque de, ou atacar em revide. [Conjug.: v. *trancar.*]

contra-ataque [De *contra-* + *ataque.*] ***S. m.*** **1.** Ato ou efeito de contra-atacar. **2.** *Mil.* Ação ofensiva temporária e local, desencadeada por uma força encarregada da defesa de uma posição. [Pode ter por fim restabelecer uma posição defensiva (reconquistando o terreno cedido ao inimigo), desorganizar a força atacante, ou cortar-lhe as vias de retirada.] [Pl.: *contra-ataques.*] ~ V. *contra-ataques*.

contra-ataques [Pl. de *contra-ataque.*] ***S. m. pl.*** Trincheiras. ~ V. *contra-ataque*.

contra-aviso [De *contra-* + *aviso.*] ***S. m.*** Aviso que anula ou modifica outro; contraordem, contramandado. [Pl.: *contra-avisos.*]

contrabaixista [De *contrabaixo* + *-ista.*] ***S. 2 g. Mús.*** Tocador de contrabaixo; contrabaixo.

contrabaixo [Do it. *contrabbasso.*] ***S. m. Mús.*** **1.** O maior e mais grave instrumento de cordas, da família do violino. [Sin. (pop.): *rabecão* e *baixo de pau.*] **2.** Contrabaixista. **3.** *Ant.* Voz de baixo profundo. **4.** *Ant.* Cantor que tem essa voz. **5.** Registro de órgão, em geral atribuído à pedaleira. **6.** O instrumento mais grave da família dos saxornes. [V. *tuba*^{1} (2).]

contrabalançado [Part. de *contrabalançar.*] ***Adj.*** **1.** Igualado em peso. **2.** Equilibrado, compensado.

contrabalançar [De *contra-* + *balançar.*] ***V. t. d.*** **1.** Igualar em peso; equilibrar. **2.** Contrapesar, compensar: "Para contrabalançar .... este aspecto agreste e duro, há tratos de terra incomparáveis" (Raimundo Morais, *Na Planície Amazônica*, p. 171). ***T. d. e i.*** **3.** Contrabalançar (2): *contrabalançar tristezas com alegrias.* [Conjug.: v. *laçar.*]

contrabaluarte [De *contra-* + *baluarte.*] ***S. m.*** Baluarte de reforço, situado atrás de outro.

contrabanda [De *contra-* + *banda*^{2}.] ***S. f. Heráld.*** Peça do brasão lançada ao contrário da banda^{2} (4), *i. e.*, da direita para a esquerda; barra.

contrabandear [De *contrabando* + *-ear*^{2}.] ***V. t. d.*** **1.** Transportar e comercializar ilegalmente; fazer contrabando de: *Contrabandeou 200 caixas de uísque; Existem quadrilhas especializadas em contrabandear crianças.* [Sin. (bras.): *passar.*] ***Int.*** **2.** Fazer contrabando; ser contrabandista. [Conjug.: v. *frear.*]

contrabandista [De *contrabando* + *-ista.*] ***S. 2 g.*** **1.** Pessoa que faz contrabando, que contrabandeia; muambeiro. **2.** Vendedor ambulante de quinquilharias; bufarinheiro.

contrabando [Do it. *contrabbando.*] ***S. m.*** **1.** Introdução clandestina de mercadorias estrangeiras sem pagamento de direitos. [Cf. *descaminho* (3).] **2.** *P. ext.* Objeto, artigo contrabandeado; muamba. **3.** Comércio ou tráfico proibido: *Foram presos porque fazem contrabando de maconha.* **4.** *Fam.* Ato mau praticado às ocultas. **5.** *Bras. Gír.* Pessoa com quem se tem ligação amorosa, clandestina, permanente ou de ocasião: *Clarimundo apareceu aqui com o seu contrabando: a Miquelina.*

contrabater [De *contra-* + *bater.*] ***V. t. d. Mil.*** Bater com o auxílio de uma contrabateria.

contrabateria [De *contra-* + *bateria.*] ***S. f. Mil.*** Bateria (6) que se constrói para desmontar outra; bateria oposta a outra.

contrabordo [De *contra-* + *bordo.*] ***El. s. m.*** Us. na loc. *a contrabordo de.* ◆ **A contrabordo de.** *Mar.* Ao lado de outra embarcação, com um bordo de uma encostado no da outra: *O meu navio está atracado a contrabordo do seu; O navio* A *está a contrabordo do navio* B.

contrabracear [De *contra-* + *bracear.*] ***V. t. d. Marinh.*** Bracear (verga) em sentido oposto àquele em que antes fora braceada. [Conjug.: v. *frear.*]

contrabraçola [De *contra-* + *braçola.*] ***S. f. Constr. Nav.*** Cada uma das duas tábuas ou chapas metálicas dispostas de bombordo a boreste, transversalmente às braçolas, numa clara da escotilha, a fim de evitar entrada de água para os pavimentos inferiores. [Cf. *braçola* (1).]

contrabuzina [De *contra-* + *buzina.*] ***S. f. Bras. RS*** Peça oca, de aço, com que se reveste a buzina (10) para que não se gaste em consequência do rolamento sobre o eixo.

contracadaste [De *contra-* + *cadaste.*] ***S. m. Constr. Nav.*** Prolongamento do coral do cadaste, que forma um reforço interno dele.

contracaixa [De *contra-* + *caixa.*] ***S. f. Tip.*** O lado direito da caixa-alta, que contém as letras acentuadas e sinais menos us., e onde o compositor coloca habitualmente a galé, quando trabalha.

contracambiar [De *contra-* + *cambiar.*] ***V. t. d.*** **1.** Corresponder mal a; pagar mal (um obséquio). **2.** Sacar de novo por conta de fundos do sacador. [Pres. ind.: *contracambio*, etc. Cf. *contracâmbio*.]

contracâmbio [Dev. de *contracambiar*.] *S. m.* Ato ou efeito de contracambiar. [Cf. *contracambio*, do v. *contracambiar*.]

contracampo *S. m. Cin. Telev.* Campo (19) de ângulo diametralmente oposto ao do campo anterior.

contracanto [De *contra-* + *canto*[2].] *S. m. Mús.* Espécie de segundo tema melódico, livremente associado a um tema principal, e que se combina com ele harmonicamente.

contração [Do lat. *contractione*.] *S. f.* **1.** Ato ou efeito de contrair(-se). **2.** Encolhimento, diminuição, encurtamento. **3.** *Econ.* Redução no nível de atividade econômica de um país. **4.** *E. Ling.* Aglutinação de dois elementos gramaticais quer por crase [v. *contração* (5)], quer por ditongação (v. *ao*), quer por adaptação fonética decorrente de assimilação (v. *pelo* e *polo*), quer por elisão (v. *do* e *daquele*). **5.** *E. Ling.* Redução de duas ou mais vogais a uma só. V. *crase* (2). [Em especial, a fusão da preposição *a* com o artigo *a* (*à, às*), ou com os demonstrativos começados por *a*: *àquele(s), àquela(s)*, etc.] **6.** *Med.* Fenômeno em que se verifica encurtamento ou diminuição de tamanho de um órgão ou de uma formação anatômica, e que pode ser de natureza fisiológica, ou patológica. **7.** *Paleogr.* Processo de abreviatura por supressão de uma ou mais letras mediais. [Cf., nesta acepç., *suspensão* (10).]

contracapa [De *contra-* + *capa*[1].] *S. f. Bibliol. Bibliot. Edit.* **1.** Cada um dos lados internos da capa[1] (6), ou seja, a segunda e a terceira capa. **2.** *Impr.* A quarta capa.

contracarena [De *contra-* + *carena*.] *S. f. Constr. Nav.* Embono (2).

contraceção *S. f.* V. *contracepção*. [Uso próprio de P.] ⊙

contracédula [De *contra-* + *cédula*.] *S. f.* Cédula que revoga e substitui outra anterior.

contracena [De *contra-* + *cena*.] *S. f. Teatr.* **1.** Ato de contracenar. **2.** Marcação complementar ou diálogo fingido, que se desenvolve paralelamente à cena principal.

contracenar [De *contracena* + *-ar*[2].] *Teatr. V. int.* **1.** Participar (o ator) de contracena(s) [v. *contracena* (2)]; fingir que dialoga, enquanto outros atores dialogam de fato. **2.** *P. ext.* Atuar em; representar, interpretar. *T. i.* **3.** Participar de contracena (2). **4.** Representar; atuar; interpretar: *Bibi Ferreira contracenou com Paulo Autran na peça* O Homem de La Mancha.

contracepção [Do ingl. *contraception*.] *S. f. Obst.* **1.** Anticoncepção. **2.** Infecundidade resultante de uso de anticoncepcionais.

contraceptivo [Do ingl. *contraceptive*.] *Adj. S. m. Obst.* V. *anticoncepcional*.

contracetivo *Adj. S. m. Obst.* V. *contraceptivo*. [Uso próprio de P.]

contrachaveta (ê) [De *contra-* + *chaveta*.] *S. f.* Cunha de ferro ou de aço que se introduz na chaveta para que esta não recue.

contrachefe [De *contra-* + *chefe*.] *S. m. Heráld.* A nona peça que ocupa, ger., um terço da parte inferior do escudo.

contracheque [De *contra-* + *cheque*.] *S. m.* Documento emitido por firma comercial, repartição pública, indústria, etc., no qual se especifica o ordenado de funcionário ou empregado, as respectivas deduções (de imposto por pagar, desconto para institutos de aposentadoria e pensões, etc.), ou acréscimos (salário-família, gratificações, etc.), e mediante o qual se acha ele autorizado a receber o que lhe é devido. [Sin. (bras.): *holerite* e *hollerith*.]

contrachoque [De *contra-* + *choque*.] *S. m.* Choque em sentido contrário a outro.

contracifra [De *contra-* + *cifra*.] *S. f.* Chave com que se decifra uma escrita cifrada.

contracobra [De *contra-* + *cobra*[1].] *S. f. Bot.* Arbusto verbenáceo (*Aegiphila salutaris*) de folhas elípticas, de odor nauseante, eficazes como antiofídicas e flores amarelo-esverdeadas, em panículas terminais.

contracolagem [De *contracolar* + *-agem*[2].] *S. f. Encad.* Ato ou efeito de contracolar.

contracolar [De *contra-* + *colar*[3].] *V. t. d. Encad.* Colar (a contraguarda) à guarda branca.

contracorrente [De *contra-* + *corrente*.] *S. f.* **1.** *Ocean.* Corrente permanente que flui em sentido contrário ao de uma corrente principal: "O estirão de oceano que se estende entre as ilhas de Maracá e a costa é fortemente movimentado por correntes e contracorrentes." (Raul Bopp, *Putirum*, p. 208.) **2.** *Eng. Ind.* Característica de processo em que duas correntes fluidas que interagem escoam em sentidos opostos.

contracosta [De *contra-* + *costa*.] *S. f.* **1.** Costa marítima oposta a outra, no mesmo continente ou na mesma ilha: "ecos de remadas denunciaram um canoeiro que vinha pela altura da restinga em direção à contracosta" (Xavier Marques, *Jana e Joel*, p. 108); "o português .... era a língua franca nos portos da África Atlântica ..... Na contracosta, os imigrantes trazidos da Índia e do Paquistão mantiveram, dentro de suas comunidades, as falas maternas." (Alberto da Costa e Silva, *A Enxada e a Lança*, p. 41). **2.** *Bras. PA* A costa setentrional da ilha de Marajó. [Cf. *contraencosta*.]

contracoticado [De *contra-* + *coticado*.] *Adj. Heráld.* Diz-se de escudo que tem a cotica lançada da esquerda para a direita.

contráctil [Do lat. *contractus* (v. *contracto*) + *-il*[1].] *Adj. 2 g.* V. *contrátil*. [Pl.: *contrácteis*.]

contractilidade [De *contráctil* + *-(i)dade*.] *S. f.* Contratilidade.

contractivo [Do lat. *contractus* (v. *contracto*) + *-ivo*.] *Adj.* Contrativo.

contracto [Do lat. *contractu*, part. de *contrahere* (v. *contrair*).] *Adj.* V. *contrato* (1).

contracultura [De *contra-* + *cultura*.] *S. f.* Forma negativa de cultura com o fim de combater os valores culturais vigentes; arremedo de cultura.

contracunhar [De *contra-* + *cunhar*.] *V. t. d.* Cunhar novamente.

contracunho [De *contra-* + *cunho*.] *S. m. Art. Gráf.* V. *contramolde* (3).

contracurva [De *contra-* + *curva*.] *S. f. Arquit.* Curva que prolonga um arco, tomando direção oposta à dele: *verga em curva e contracurva*.

contradança [Do fr. *contredance*.] *S. f.* **1.** Dança de caráter rústico, de quatro ou mais pares que se defrontam e executam uma série de movimentos contrários. **2.** A música que acompanha essa dança. [Cf. *quadrilha* (3 e 4).] **3.** Qualquer das danças em fileiras opostas. **4.** Música que acompanha qualquer dessas danças.

contradançar [De *contra-* + *dançar*.] *V. int.* Dançar a contradança. [Conjug.: v. *laçar*.]

contradição [Do lat. *contradictione*.] *S. f.* **1.** Incoerência entre afirmação ou afirmações atuais e anteriores, entre palavras e ações; desacordo. **2.** Contestação, impugnação; contradita. **3.** Objeção, oposição. **4.** *Filos.* Caráter essencial de tudo o que é real: aquele que revela que cada coisa que é só se compreende pela negação de algo que a precedeu, negação que se perfaz pela posição da coisa mesma, *i. e.*, pela negação daquela negação. É a categoria fundamental da lógica dialética. [Cf., nesta acepç., *negatividade* (2).] **5.** *Lóg.* Oposição entre a proposição universal afirmativa e a proposição particular negativa, ou entre a proposição universal negativa e a proposição particular afirmativa, pela qual se excluem recíproca e necessariamente os seus valores de verdade (a verdade de uma implica a falsidade da outra). [Cf., nesta acepç., *alternativa* (4), *antítese* (4) e *incompatibilidade* (2).] **6.** *Lóg.* Função lógica que sempre se converte numa proposição falsa, sejam quais forem os valores assumidos por suas variáveis. **7.** *Lóg.* Sistema de proposições contraditórias. ◆ **Sem contradição.** Incontestavelmente, irrecusavelmente.

contradita [F. subst. de *contradito*.] *S. f.* **1.** V. *contradição* (2): "ponto em que as informações de d'Ennery merecem contradita, é o relativo à acusação de haver o poeta [Félix d'Arvers] esbanjado a herança familiar." (Melo Nóbrega, *O Soneto de Arvers*, p. 32). **2.** *Jur.* Alegação forense dum pleiteante contra outro.

contraditado [Part. de *contraditar*.] *Adj.* Contestado, impugnado, contradito.

contraditar [De *contradita* + *-ar*[2].] *V. t. d.* **1.** *Jur.* Opor contradita (2) a. **2.** Contestar, impugnar.

contraditável [De *contraditar* + *-vel*.] *Adj. 2 g.* Que pode ser contraditado.

contradito [Do lat. *contradictu*.] *Adj.* V. *contraditado*.

contraditor (ô) [Do lat. *contradictore*.] *Adj. S. m.* **1.** *Jur.* Que, ou aquele que opõe contradita (2). **2.** Que, ou aquele que contradiz, contesta; contrariador.

contraditória [F. subst. de *contraditório*.] *S. f. Lóg.* Cada uma das proposições em oposição de contradição.

contraditório [Do lat. *contradictoriu*.] *Adj.* **1.** Em que há, ou que encerra contradição; oposto. **2.** Que incorre em contradição ou contradições.

contradizer [Do lat. *contradicere*.] *V. t. d.* **1.** Dizer o contrário de; impugnar, contrariar: *No seu arrazoado contradizia a doutrina do mestre*. **2.** Contrariar, desmentir: *Há fatos que contradizem sua afirmação*. **3.** Redarguir a; contestar: *Magoado, não contradisse o amigo*. **4.** Não condizer com; ser conflitante: *Suas atitudes contradizem sua educação*. *Int.* **5.** Alegar o contrário; fazer oposição. *P.* **6.** Dizer o contrário do que antes afirmara; desmentir-se: "Há impressões dessa noite, que me aparecem truncadas ou confusas. Contradigo-me, atrapalho-me." (Machado de Assis, *Páginas Recolhidas*, p. 85.) **7.** *P. ext.* Cair, ou agir, em contradição (1): *Vive a se contradizer: suas palavras e ações há muito que não se casam*. [Irreg. Conjug.: v. *dizer*.]

contradomínio [De *contra-* + *domínio*.] *S. m. Mat.* Numa função, conjunto dos valores que a variável dependente pode tomar. [Cf. *campo de definição* e *domínio* (7).]

contraeletromotriz [De *contra-* + *eletromotriz*.] *Adj. (f.)* ~ V. *força* —. ❖

contraemboscada [De *contra-* + *emboscada*.] *S. f.* Emboscada que se faz em reação a outra. ❖

contraemergente [De *contra-* + *emergente*.] *Adj. 2 g. Heráld.* Diz-se de cada um dos animais unidos pelas costas, cujas cabeças e pés dianteiros saem fora do escudo. ❖

contraencosta [De *contra-* + *encosta*.] *S. f.* A encosta ou vertente de uma elevação de terreno situada do lado oposto ao que é tomado como referência. [Cf. *contracosta*.] ❖

contraente [Do lat. *contrahente*, part. pres. de *contrahere*.] *Adj. 2 g. S. 2 g.* Que, ou quem contrai.

contra-erva [De *contra-* + *erva*.] *S. f. Bras. Bot.* V. *caapiá-verdadeiro*. [Pl.: *contra-ervas*.] [Na 1ª impress. da 5ª ed. do Volp., sem hífen; corrigido em errata virtual; correção questionável, porém, seg. a Base XVI (prefixação) do AOLP.] ❋

contra-erva-do-peru [De *contra-erva* + *do*[1] + o top. *Peru*.] *S. f. Bot.* Erva asterácea (*Flaveria contrayerba*) de folhas opostas, lanceoladas, flores em capítulos terminais e fruto aquênio que fornece matéria tintorial amarela e é tido como vermífugo. [Pl.: *contra-ervas-do-peru*.] [Na 1ª impress. da 5ª ed. do Volp., sem hífen; corrigido em errata virtual; correção questionável, seg. a Base XVI (prefixação) do AOLP.] ❋

contraescarpa [De *contra-* + *escarpa*.] *S. f.* Talude ou muro que circunda um fosso (2). ❖

contraescota [De *contra-* + *escota*.] *S. f. Mar.* Cabo de reforço à escota, para facilitar-lhe a manobra por ocasião de vento forte. ❖

contraespionagem [De *contra-* + *espionagem*.] *S. f.* **1.** Ato ou efeito de se opor à ação de espiões. **2.** Organização incumbida de vigiar e combater a ação de espiões. ❖

contraestadia [De *contra-* + *estadia*.] *S. f.* Sobre-estadia. ❖

contraestai [De *contra-* + *estai*.] *S. m. Marinh.* **1.** Cabo us. para reforçar um estai. **2.** Cabo que, em alguns navios, aguenta o mastro no sentido da popa. ❖

contraestimular [De *contra-* + *estimular*.] *V. t. d.* Combater o excesso de estímulo (2) de. [Pres. ind.: *contraestimulo*, etc. Cf. *contraestímulo*.] ❖

contraestímulo [De *contra-* + *estímulo*.] *S. m.* Ato ou efeito de contraestimular. [Cf. *contraestimulo*, do v. *contraestimular*.] ❖

contraexemplo [De *contra-* + *exemplo*.] *S. m.* Exemplo que nega determinada afirmação. ❖

contrafação [Do lat. *contrafactione*, por via semierudita.] *S. f.* **1.** Falsificação de produtos, de valores, assinaturas, etc., de outrem. **2.** O produto, valor, assinatura, etc., de outrem, falsificado; imitação fraudulenta. **3.** Fingimento, simulação. [F. paral. desus.: *contrafeição*.]

contrafactor (ô) *S. m.* V. *contrafator*.

contrafagote [De *contra-* + *fagote*.] *S. m. Mús.* Instrumento grande, da família do fagote, e que ressoa à oitava inferior da nota escrita.

contrafaixa [De *contra-* + *faixa*.] *S. f. Heráld.* Faixa de escudo dividida em duas, de esmalte diferente.

contrafaixado [De *contrafaixa* + *-ado*[1].] *Adj.* Que tem contrafaixas.

contrafator (ô) [Do lat. *contrafactus* + *-or*, por via semierudita.] *S. m.* Aquele que contrafaz, que pratica contrafação; contrafazedor.

contrafazedor (ô) [De *contrafazer* + *-dor*.] *S. m.* Contrafator.

contrafazer [Do lat. *contrafacere*.] *V. t. d.* **1.** Reproduzir, imitando; imitar, arremedar: *Nada cria: apenas contrafaz obras célebres; O seu semblante contrafazia serenidade*. **2.** Imitar por zombaria, para fazer rir; arremedar. **3.** Imitar por falsificação. **4.** Violentar a vontade de; constranger. *P.* **5.** Apresentar-se de forma diferente, de modo que não possa ser reconhecido; disfarçar-se. **6.** Violentar a própria vontade: "Será talvez uma particularidade de temperamento extravagante. Mas não me posso contrafazer. Embirro." (Graciliano Ramos, *Linhas Tortas*, p. 29.) **7.** Ficar constrangido, ou contrafeito: *Contrafez-se, ao saber que não poderiam viajar*. [Irreg. Conjug.: v. *fazer*.]

contrafé [De *contra-* + *fé*.] *S. f.* Cópia autêntica de citação ou intimação judicial que se entrega à pessoa citada ou intimada.

contrafecho (ê) [De *contra-* + *fecho*.] *S. m. Arquit.* Aduela contígua ao fecho, num arco ou em uma platibanda.

contrafeição [Do lat. *contrafactione*, por via pop.] *S. f. Desus.* V. *contrafação*.

contrafeito [Do lat. *contrafactu*, por via pop.] *Adj.* **1.** Constrangido, forçado: *Sentia-se contrafeito; Riu um riso contrafeito*; "Confrontavam-se no caminho estreito, o homem abaixava os olhos, contrafeito" (Herman Lima, *Garimpos*, p. 142). ● *S. m.*

2. *Constr.* Viga pregada na extremidade mais baixa dos caibros a fim de atenuar a inclinação do telhado sobre a sanca (2). 3. *Bras.* Papagaio cujas penas têm um colorido muito vivo, obtido artificiosamente.

contrafilé [De *contra-* + *filé*.] *S. m. Bras.* A parte média do dorso do boi, utilizada, em geral, para bifes ou rosbifes, por ser macia.

contrafileira [De *contra-* + *fileira*.] *S. f.* 1. Fileira atrás de outra. 2. *Constr.* Peça de madeira que escora obliquamente a armação do telhado; contrafixa.

contrafixa (cs) [De *contra-* + *fixa*.] *S. f. Constr.* Contrafileira (2).

contrafixo (cs) [De *contra-* + *fixo*.] *S. m.* Pequena chapa de metal que reveste o orifício onde gira um eixo de ferro.

contraflecha [De *contra-* + *flecha*.] *S. f. Arquit. Constr.* Arqueamento ou deformação vertical de uma viga, laje, ou peça estrutural, no sentido oposto ao esforço ao qual será submetida a peça, com a finalidade de anular ou compensar a flecha (5).

contrafloreado [De *contra-* + *floreado*.] *Adj. Heráld.* Diz-se de escudo que tem florões opostos e alternados.

contraforma (ô) [De *contra-* + *fôrma*.] *S. f. Tip.* Fôrma com que se realiza a segunda impressão e as seguintes, nas tiragens em duas ou mais cores.

contraforte [Do it. *contrafforte*.] *S. m.* 1. Forro que reforça a parte posterior do calçado. 2. Qualquer forro empregado para reforçar a peça que reveste. 3. *Arquit.* V. *encontro* (6). 4. *Constr.* Obra maciça de alvenaria que reforça muro ou parede; gigante. 5. *Geogr.* Cadeia de montanhas que se destaca, mais ou menos perpendicularmente, de um maciço principal, entestando com ele.

contrafrechal [De *contra-* + *frechal*.] *S. m. Bras. Constr.* Viga paralela ao frechal, na qual se pregam os extremos dos caibros do madeiramento dos telhados.

contrafuga [De *contra-* + *fuga*[2].] *S. f. Mús.* Fuga[2] em que a imitação (2) do tema se faz em sentido inverso.

contrafundo [De *contra-* + *fundo*.] *Adv.* Para baixo; para o fundo.

contrage [De *contra*, poss.] *S. f. Bras.* Raio da roda grande dos engenhos de açúcar.

contragolpe [De *contra-* + *golpe*[1].] *S. m.* 1. Golpe em oposição a outro. 2. Golpe[1] (3) que se antecipa a outro ou se destina a anular esse outro. 3. *Traum.* Lesão causada por golpe[1] (1) produzido em outro ponto, como, por ex., a fratura craniana decorrente de trauma ocorrido do lado oposto àquele em que está situada.

contragosto (ô) [De *contra-* + *gosto*.] *S. m.* 1. Falta de vontade, de gosto. 2. Aversão, repulsa, antipatia. [Pl.: *contragostos* (ô).] ◆ **A contragosto.** Contra a própria vontade; constrangidamente: *Assinou a ordem a contragosto.*

contraguarda [De *contra-* + *guarda*.] *S. f.* 1. *Fort.* Obra de defesa defronte de um baluarte. 2. *Encad.* A metade solta da guarda de cor, que em geral se cola à folha externa da guarda branca.

contraguerrilha [De *contra-* + *guerrilha*.] *S. f.* Luta ou conjunto de iniciativas que visam a combater a guerrilha.

contra-habitual [De *contra-* + *habitual*.] *Adj. 2 g.* Diz-se do que é feito ao contrário do habitual. [Pl.: *contra-habituais*.]

contraído [Part. de *contrair*.] *Adj.* 1. Que sofreu contração; apertado, encolhido, estreitado. 2. Que se contraiu ou assumiu: *O compromisso contraído o obrigou a viajar.* 3. Sem espontaneidade; acanhado, tímido.

contraimpelir [De *contra-* + *impelir*.] *V. t. d.* Impelir em sentido oposto; fazer recuar. [Conjug.: v. *aderir*.] ❖

contraindicação [De *contra-* + *indicação*, ou de *contraindicar* + *-ção*.] *S. f.* 1. Ato de contraindicar. 2. Indicação que anula outra, ou que a ela se opõe. 3. *Med.* Qualquer condição, sinal ou sintoma que torne desaconselhável ou proibitivo o uso de uma medicação ou de uma intervenção cirúrgica. ❖

contraindicado [Part. de *contraindicar*.] *Adj. Med.* Que é objeto de contraindicação (3). ❖

contraindicar [De *contra-* + *indicar*.] *V. t. d.* 1. Opor-se ao emprego ou à indicação de; desaconselhar: *contraindicar um medicamento.* *T. d. e i.* 2. Opor-se ao emprego ou à indicação; desaconselhar: "vossa alta dignidade prelatícia .... parecia contraindicar-vos aos sufrágios de vários acadêmicos infelizmente dissociados do grêmio católico." (Carlos de Laet, *O Frade Estrangeiro e Outros Escritos*, p. 125). [Conjug.: v. *trancar*.] ❖

contrainformação [De *contra-* + *informação*.] *S. f. Mil.* Conjunto de medidas, ativas e passivas, que, na paz ou na guerra, visam a assinalar, evitar e neutralizar a espionagem, a subversão, ou outras atividades de informações dum inimigo real ou potencial. ❖

contrair [Do lat. *contrahere*.] *V. t. d.* 1. Fazer contração de; apertar, encolher; comprimir: *Contraiu a boca num ricto de dor;* "A rapariga .... contrai o rosto num esgar que quer ser choro." (Natércia Freire, *A Alma da Velha Casa*, p. 85). 2. *E. Ling.* Fazer contração (4 e 5) de: *contrair dois fonemas.* 3. Cultivar; fazer (amizade [s]). 4. Passar a ter (hábito, doença, etc.); adquirir. 5. Contratar, ajustar: *contrair um empréstimo.* 6. Tomar a si; assumir: *contrair uma obrigação.* 7. *P. ext.* Assumir o compromisso de: *contrair matrimônio.* *P.* 8. Encolher-se; apertar-se, comprimir-se: "A mão direita contraiu-se; os dedos crisparam-se como se apertassem o cabo de uma arma" (Afonso Arinos, *Pelo Sertão*, p. 45). [Irreg. Conjug.: v. *sair*.]

contrairritação [De *contra-* + *irritação*.] *S. f. Med.* Irritação superficial produzida numa parte do corpo, e que se destina a aliviar irritação em outra parte. ❖

contrairritante [De *contra-* + *irritar* + *-nte*.] *Adj.* 1. Que produz contrairritação. ● *S. m.* 2. Qualquer agente que a produz. ❖

contraível [De *contrair* + *-vel*.] *Adj. 2 g.* 1. Que se pode contrair (3 a 7). 2. V. *contrátil*.

contralto [Do it. *contralto*.] *S. m. Mús.* 1. A voz feminina de tessitura mais grave. 2. Instrumento cujo registro corresponde a essa voz. 3. Cantora que a possui. [Sin. ger.: *alto*[1].]

contraluz [De *contra-* + *luz*.] *S. f.* 1. Lugar oposto àquele em que a luz dá de chapa. 2. Luz que incide num quadro em sentido contrário àquele em que foi pintado.

contramalha [De *contra-* + *malha*.] *S. f.* Malha que reforça outra.

contramalhar [De *contramalha* + *-ar*[2].] *V. t. d.* Fazer contramalha(s) em.

contramandado [De *contra-* + *mandado*[2].] *S. m.* V. *contraordem*.

contramandar [De *contra-* + *mandar*.] *V. t. d. Int.* Contraordenar.

contramangas [De *contra-* + o pl. de *manga*.] *S. f. pl.* Segundas mangas, compridas e largas, no mesmo vestuário.

contramanifestação [De *contra-* + *manifestação*.] *S. f.* Manifestação organizada com o fito de anular outra, ou de neutralizar-lhe os efeitos.

contramão [De *contra-* + *mão*[1].] *Bras. S. f.* 1. Sentido oposto à mão[1] (24): *O carro foi multado porque vinha na contramão.* [Sin. (lus.): *sentido proibido*. Pl.: *contramãos*.] ● *Adj. 2 g. e 2 n.* 2. Que tem a direção oposta à mão[1] (23): *beco contramão; ruas contramão.* ● *Adv.* 3. *Fig.* Fora de mão: *Sua casa fica contramão para mim.*

contramarca [De *contra-* + *marca*.] *S. f.* 1. Segunda marca, que serve para substituir ou autenticar outra. 2. *Ind. Pap.* Marca-d'água secundária, constituída pelas iniciais do fabricante e posta isoladamente numa das metades da folha de papel. [Cf., nesta acepç., *filigrana* (4).] 3. *Com.* Em mercadorias expedidas, as iniciais do nome ou da firma do remetente, que devem constar de guias de transporte, conhecimentos [v. *conhecimento* (8)], faturas, etc.

contramarcar [De *contramarca* + *-ar*[2].] *V. t. d.* Pôr contramarca em. [Conjug.: v. *trancar*.]

contramarcha [De *contra-* + *marcha*.] *S. f.* 1. Marcha em sentido oposto ao da que se fazia. 2. *Fig.* Recuo (1).

contramarchar [De *contramarcha* + *-ar*[2].] *V. int.* 1. Fazer contramarcha: "viram contramarchar os recrutas, obedecendo às insolentes vozes dos cabos de esquadra." (Teixeira de Queirós, *Comédia do Campo*, II, p. 39). *T. i.* 2. Seguir em contramarcha.

contramarco [De *contra-* + *marco*.] *S. m.* Peça estreita de madeira justaposta externamente ao marco[1] (5), para melhor acabamento.

contramaré [De *contra-* + *maré*.] *S. f.* Maré oposta à maré ordinária.

contramargem [De *contra-* + *margem*.] *S. f.* Faixa de terreno anexa à margem.

contramatriz [De *contra-* + *matriz*.] *S. m. Art. Gráf.* V. *contramolde* (3).

contrameão [De *contra-* + *meão*.] *S. m. Bras. N.E.* Nas rodas cheias, sem pinos, dos carros de bois, peça compreendida entre o meão e a arreia. [Pl.: *contrameãos*.]

contramedida [De *contra-* + *medida*.] *S. f.* Medida destinada a sustar, neutralizar ou atenuar o efeito de outra.

contramestra [De *contra-* + *mestra*.] *S. f.* 1. Auxiliar imediata de chefe em oficina, fábrica, ateliê de costura, etc. 2. *Bras. N.E. Folcl.* No pastoril (5), a pastora do cordão azul.

contramestre [De *contra-* + *mestre*.] *S. m.* 1. Numa organização hierárquica de trabalho (fábrica, oficina, obra, etc.), o responsável por uma equipe ou por determinado serviço. 2. *Mar. G.* Subalterno a quem compete dirigir os trabalhos e fainas marinheiras numa divisão de convés, a bordo. 3. *Mar. Merc.* Suboficial de convés especializado em manobra. [Fem. (na 1.ª acepç.): *contramestra*.]

contramezena [De *contra-* + *mezena*.] *S. m. Marinh. Ant.* Mastro de contramezena (q. v.).

contramina [De *contra* + *mina*[1].] *S. f.* 1. Mina[1] (4) com que se procura a do inimigo para inutilizá-la. 2. *Fig.* Artifício para anular uma intriga, um ardil. 3. *Bras. Constr. Nav.* Cóferdã (2).

contraminar [De *contramina* + *-ar*[2].] *V. t. d.* Frustrar ou inutilizar por meio de contramina (1 e 2).

contraminuta [De *contra-* + *minuta*[1].] *S. f. Dir. Proc.* Razões escritas oferecidas pela parte contra quem se interpôs agravo ou outro recurso, *i. e.*, o agravado ou o recorrido. [Cf. *minuta*[1] (3).]

contraminutar [De *contraminuta* + *-ar*[2].] *V. t. d.* Apresentar contraminuta.

contramoldagem [De *contra-* + *moldagem*.] *S. f.* Reprodução pela moldagem (em escultura).

contramoldar [De *contra-* + *moldar*.] *V. t. d.* Fazer a contramoldagem de.

contramolde [De *contra-* + *molde*.] *S. m.* 1. Molde que serve para reforçar outro. 2. Desenho ou forma invertida do objeto que se procura reproduzir. 3. *Art. Gráf.* Superfície moldada que contém o motivo a ser estampado, nos processos de gofragem ou de relevografia; contracunho, contramatriz.

contramovimento [De *contra-* + *movimento*.] *S. m. Bras.* Movimento oposto a outro.

contramurar [De *contramuro* + *-ar*[2].] *V. t. d.* 1. Guarnecer de contramuro. *T. d. e i.* 2. *Fig.* Defender, resguardar: *É preciso contramurá-lo das calúnias.*

contramuro [De *contra-* + *muro*.] *S. m.* Muro pequeno, para defesa de outro.

contranatural [De *contra-* + *natural*.] *Adj. 2 g.* Antinatural.

contranaturalidade [De *contranatural* + *-(i)dade*.] *S. f.* 1. Disposição ou inclinação contranatural. 2. Qualidade ou caráter de contranatural.

contranitência [Do lat. **contranitentia*.] *S. f.* Força que resiste ou se opõe a outra.

contranitente [Do lat. **contranitente*.] *Adj. 2 g.* Que oferece resistência ou oposição.

contranível [De *contra-* + *nível*.] *S. m. Constr.* Contratirante.

contranivelamento [De *contranivelar* + *-mento*.] *S. m.* Operação de verificação e controle de um nivelamento topográfico, e que consiste em repetir este, ger., no sentido contrário, *i. e.*, do ponto de chegada para o ponto de partida, seguindo o mesmo caminhamento.

contranivelar [De *contra-* + *nivelar*.] *V. t. d.* Efetuar contranivelamento de (um levantamento topográfico).

contraofensiva [De *contra-* + *ofensiva*.] *S. f.* Ofensiva ou contra-ataque com que se procura retirar ao inimigo a iniciativa do ataque. ❖

contraoferta [De *contra-* + *oferta*.] *S. f.* Oferta apresentada em substituição a outra não aceita. ❖

contraofertar [De *contraoferta* + *-ar*[2].] *V. int.* 1. Apresentar contraoferta. *T. d.* 2. Oferecer em contraoferta: *Contraofertou cinco milhões.* ❖

contraoitava [De *contra-* + *oitava*.] *S. f. Mús.* A oitava inferior a outra. ❖

contraordem [De *contra-* + *ordem*.] *S. f.* Ordem que se opõe a outra já dada, ou a anula; desaviso, contra-aviso, contramandado. ❖

contraordenar [De *contra-* + *ordenar*.] *V. t. d. Int.* Dar ordem ou ordens em oposição a outra(s) anteriormente dada(s); contramandar. ❖

contrapadieira [De *contra-* + *padieira*.] *S. f.* V. *archete*[2].

contrapala [De *contra-* + *pala*[1].] *S. f. Heráld.* Pala[1] (11) dividida em duas de diferentes cores.

contraparenta [De *contra-* + *parenta*.] *S. f.* V. *contraparente*.

contraparente [De *contra-* + *parente*.] *S. 2 g.* 1. Parente muito afastado. 2. Parente afim [v. *afinidade* (6)]. [Fem.: *contraparenta*.]

contraparentesco (ê) [De *contraparente* + *-esco*.] *S. m.* Condição de contraparente.

contraparte [De *contra-* + *parte*.] *S. f. Mús.* Parte musical em contraposição a outra, particularmente em duetos.

contrapartida [De *contra-* + *partida*.] *S. f.* 1. *Cont.* O lançamento em conta feito por oposição ao lançamento em outra conta e em sentido oposto, para completar uma partida dobrada (v. *partidas dobradas*). 2. Aquilo que compensa, equilibra: "a contrapartida ao acordo negociado pelo Soveral é que Portugal aceite a instalação em São Tomé e Príncipe de um cônsul inglês residente." (Miguel Sousa Tavares, *Equador*, p. 59). 3. Correspondência, equivalência. "Uma época de 'sol negro', na expressão poética e paradoxal usada por Gérard de Nerval em *El desdichado* (e que depois teria uma contrapartida no Leite negro, de Paul Celan, falando do nazismo)." (Moacir Scliar, *Saturno nos Trópicos*, p. 23.) ◆ **Em contrapartida.** Em compensação, em troca.

contrapassante [De *contra-* + *passante*.] *Adj. 2 g. Heráld.* Diz-se de um par de animais representados a caminhar em direções opostas, um sobre o outro, o de cima voltado para a direita, o de baixo, para a esquerda.

contrapasso [De *contra-* + *passo*.] *S. m.* **1.** Passo de dança em oposição a outro. **2.** Meio passo militar que se dá para readquirir a cadência da marcha.

contrapé [De *contra-* + *pé*.] *S. m.* Apoio, esteio, base. ◆ **No contrapé. 1.** No lado ou no sentido oposto ao esperado: *Perdeu o jogo porque recebeu a bola no contrapé.* **2.** *Fig.* De surpresa: *Ele foi pego no contrapé.*

contrapeçonha [De *contra-* + *peçonha*.] *S. f. Med.* V. *antídoto* (1).

contrapelo (ê) [De *contra-* + *pelo*[2].] *S. m.* Revés do pelo. ◆ **A contrapelo.** Ao revés; ao arrepio, a pospelo.

contraperna [De *contra-* + *perna* (8).] *S. f. Constr.* Peça destinada a reforçar as asnas e que consiste numa viga justaposta à perna, até cerca de metade do comprimento desta.

contrapesar [De *contrapeso* + *-ar*[2].] *V. t. d.* **1.** Equilibrar por meio de contrapeso; contrabalançar. **2.** Compensar, ressarcir. **3.** Avaliar o mérito de; pesar, apreciar: *contrapesar uma proposta.* [Pres. ind.: *contrapeso*, etc. Cf. *contrapeso* (ê).]

contrapeso (ê) [De *contra-* + *peso*.] *S. m.* **1.** Peso adicional que, posto numa concha da balança, a equilibra com a outra. **2.** Pequena porção duma coisa, com que se perfaz o peso pretendido. **3.** Maromba[1] (1). **4.** *Fig.* Aquilo que compensa ou contrabalança alguma coisa. **5.** Lastro[1] (6). [Pl.: *contrapesos* (ê). Cf. *contrapeso*, do v. *contrapesar*.]

contrapilastra [De *contra-* + *pilastra*.] *S. f. Arquit.* Pilastra fronteira a outra.

contrapino [De *contra-* + *pino*.] *S. m. Bras.* Pequena cavilha de ferro, de duas pernas, que se atravessa na ponta de um eixo, parafuso ou cavilha, para manter no lugar porcas, arruelas, etc.

contrapiso [De *contra-* + *piso*.] *S. m. Constr.* Capeamento de argamassa para nivelar pisos, sobre o qual se aplica o revestimento definitivo.

contraplacado [De *contra-* + *placa* + *-ado*[1].] *S. m.* V. *compensado*[1] (2).

contrapontado [De *contra-* + *ponta* + *-ado*[1].] *Adj.* **1.** *Heráld.* Diz-se de escudo que tem as pontas opostas umas às outras. **2.** *Mús.* Composto segundo as regras do contraponto (3): *estilo contrapontado.*

contrapontar [De *contraponto* + *-ar*[2].] *V. t. d. Mús.* Contrapontear (1).

contraponteador (ô) [De *contrapontear* + *-dor*.] *Adj.* *S. m. Bras. RS* Diz-se de, ou aquele que é dado a contrapontear (2).

contrapontear [De *contraponto* + *-ear*[2].] *V. t. d.* **1.** *Mús.* Pôr em contraponto (2); contrapontar. **2.** *Bras. RS* Contrapor, atravessar (argumento) em discussão. *P.* **3.** Ter desinteligência; altercar-se. [Conjug.: v. *frear*.]

contrapontista [Do it. *contrappuntista*.] *S. 2 g. Mús.* Especialista em contraponto (1).

contrapontístico [De *contrapontista* + *-ico*[2].] *Adj. Mús.* Relativo a contraponto ou a contrapontista: "O aluno estudava a técnica contrapontística da música barroca.

contraponto [Do it. *contrappunto*.] *S. m. Mús.* **1.** Disciplina que ensina a compor polifonia. **2.** A própria polifonia. **3.** A arte de compor música para duas ou mais vozes ou instrumentos. [Cf. *harmonia* (13).] **4.** Contraste, oposição: *Este livro destaca o contraponto entre o campo e a cidade.* ◆ **Contraponto invertível.** *Mús.* Aquele em que as vozes podem trocar suas posições sem infringir as regras da harmonia. **Em contraponto. 1.** Simultaneamente, e de modo complementar. **2.** Us. para dar ideia de oposição ou contraste entre coisas similares, paralelas ou simultâneas.

contrapor (ô) [Do lat. *contraponere*.] *V. t. d.* **1.** Pôr contra, em frente; opor; confrontar: *Contrapôs as duas imagens.* **2.** Pôr em paralelo. **3.** Expor ou apresentar em oposição: *Ao ser interpelado, contrapôs os argumentos com muita segurança. T. d. e i.* **4.** Pôr contra, em frente; opor: "Contrapõe o seu peito às ventanias, / Guardando o vale, a serra escura." (Alberto de Oliveira, *Poesias*, III, p. 75.) **5.** Expor ou apresentar em oposição: *Contrapôs fortes argumentos aos do opositor. P.* **6.** Pôr-se contra; opor-se. [Irreg. Conjug.: v. *pôr*.]

contraporca [De *contra-* + *porca*.] *S. f.* Segunda porca, que se atarraxa sobre a primeira para impedir que esta desande.

contraposição [Do lat. *contrapositione*.] *S. f.* **1.** Ato ou efeito de contrapor(-se); oposição. **2.** *Lóg.* Nas proposições categóricas, inferência imediata obtida quando o sujeito é substituído pelo complemento do predicado, e o predicado pelo complemento do sujeito, que é válida para a proposição universal afirmativa e para a proposição particular negativa, e tb., com limitações, para a proposição universal negativa, e que não é válida para a proposição particular afirmativa. [Cf., nesta acepç., *conversão* (6) e *obversão*.]

contraposto (ô) [Do lat. *contrapositu*.] *Adj.* V. *oposto* (2). [Pl.: *contrapostos* (ó).]

contrapressão [De *contra-* + *pressão*.] *S. f.* Pressão exercida em sentido oposto ao de outra: "O Presidente da República .... continua oscilando entre pressões e contrapressões." (Carlos Castelo Branco, em *Jornal do Brasil*, 27.06.1981).

contraprestação [De *contra-* + *prestação*.] *S. f. Jur.* Cumprimento de obrigações por uma das partes em correspondência às de outra, nos contratos bilaterais.

contraproducente [De *contra-* + *producente*.] *Adj. 2 g.* **1.** Que prova o contrário daquilo que se pretendia. **2.** Cujo resultado é contrário ao que se esperava: *Foram contraproducentes as medidas: a situação, em vez de melhorar, agravou-se.*

contraproduzir [De *contra-* + *produzir*.] *V. int.* Ser contraproducente. [Conjug.: v. *aduzir*. Normalmente é defect., conjugável só nas 3.as pess.]

contrapropaganda [De *contra-* + *propaganda*.] *S. f.* Propaganda destinada a combater ou anular outra.

contrapropor (ô) [De *contra-* + *propor*.] *V. t. d.* Oferecer ou apresentar em contraproposta. [Irreg. Conjug.: v. *pôr*.]

contraproposta [De *contra-* + *proposta*.] *S. f.* Proposta feita em substituição a outra não aprovada.

contraprotesto [De *contra-* + *protesto*.] *S. m.* Protesto destinado a destruir ou anular os efeitos de outro.

contraprova [De *contra-* + *prova*.] *S. f.* **1.** *Dir. Proc.* Prova produzida para contrariar aquela produzida pela outra parte do processo: "Dava conta, incidente por incidente, das menores inquirições, provas e contraprovas" (Visconde de Taunay, *Visões do Sertão*, p. 20). **2.** *Grav.* Desenho copiado por pressão em papel miúdo. **3.** *Grav.* Prova de gravura tirada, em prensa, de estampa ainda fresca, para inspeção do trabalho na mesma posição em que está na placa, prancha, etc. **4.** *Tip.* Prova tipográfica tirada para verificação das emendas indicadas em prova anterior. [Cf., nesta acepç., *segunda prova*.]

contraprovar [De *contraprova* + *-ar*[2].] *V. t. d.* **1.** Fazer a contraprova de; provar em contrário. **2.** *Tip.* V. *comprovar* (3).

contrapunção [De *contra-* + *punção*.] *S. m. Tip.* **1.** Haste de aço em que se grava em relevo a forma dos vazios internos da letra, e com a qual se bate a face da punção (7), como fase preliminar do trabalho de abrir a letra, continuado a buril e lima. **2.** O espaço que fica nas partes internas da letra impressa; rebaixos do olho. [Cf., nesta acepç., *olho* (19).]

contrapunho [De *contra-* + *punho*.] *S. m. Marinh.* Cabo ligado à ponta da vela grande e do traquete e que serve para auxiliar a manobra.

contraquarteado [De *contra-* + *quarteado* (1).] *Adj.* *Heráld.* Diz-se de escudo cujos quartéis [v. *quartel*[1] (2)] são divididos em quatro partes.

contraquartel [De *contra-* + *quartel*.] *S. m. Heráld.* Num escudo contraquarteado, a quarta parte de um quartel. [Pl.: *contraquartéis*.]

contraquilha [De *contra-* + *quilha*.] *S. f. Constr. Nav.* Pranchão que se prende pela face inferior da quilha, para reforçá-la, quando ela é constituída de seções curtas.

→**contraria contrariis curantur** [kɔnˈtɾaɾ̃ja kɔnˈtɾaɾ̃ĩs koˈɾantʊɾ] [Lat.] V. *similia similibus curantur*.

contrariado [Part. de *contrariar*.] *Adj.* **1.** Que é ou foi objeto de oposição ou contestação: *vocação contrariada.* **2.** Desgostoso, aborrecido, descontente: *É rica, tem de tudo, e vive contrariada.*

contrariador (ô) [De *contrariar* + *-dor*.] *Adj. S. m.* **1.** Que, ou aquele que contraria. **2.** Contraditor (2). [Sin. ger.: *contrariante*.]

contrariante [De *contrariar* + *-nte*.] *Adj. 2 g. S. 2 g.* V. *contrariador*.

contrariar [Do lat. *contrariare*.] *V. t. d.* **1.** Fazer oposição a; ir contra: *Cumpriu o que prometera, embora contrariando os próprios interesses.* **2.** Dizer, fazer ou querer o contrário de; contestar: *O Ministro, em seu parecer, contraria a opinião pública.* **3.** Causar descontentamento a; aborrecer, descontentar, desgostar: *Seu procedimento desregrado contraria muito a família.* **4.** Estorvar, embaraçar; atrapalhar: *A chuva contrariou o nosso passeio.* **5.** Estar em contradição com; não condizer com: *Tinha atitudes que contrariavam tudo o que pregava. P.* **6.** Estar ou agir em contradição consigo mesmo; contradizer-se. **7.** Fazer-se oposição recíproca. **8.** Aborrecer-se, desgostar-se. [Pres. ind.: *contrario*, etc. Cf. *contrário*, adj. e s. m.]

contrariável [De *contrariar* + *-vel*.] *Adj. 2 g.* Que se pode contrariar, contestar, discutir.

contrariedade [Do lat. *contrarietate*.] *S. f.* **1.** Qualidade ou caráter de contrário. **2.** Decepção, transtorno. **3.** V. *oposição* (4). **4.** Estorvo, obstáculo. **5.** Desgosto, aborrecimento, descontentamento. **6.** *Dir. Proc.* Contestação ou refutação das alegações ou do libelo do autor. **7.** *Lóg.* Oposição entre a proposição universal afirmativa e a proposição universal negativa, que diferem apenas pela qualidade (10) e pela qual ou se excluem reciprocamente seus valores de verdade (a verdade de uma implica a falsidade da outra) ou se afirma a falsidade de ambas. [Cf., nesta acepç., *incompatibilidade* (2) e *disjunção* (5).]

contrário [Do lat. *contrariu*.] *Adj.* **1.** Oposto, contraditório, inverso. **2.** Diverso, diferente. **3.** Nocivo, prejudicial. **4.** Desfavorável, desvantajoso. **5.** Que está em contrariedade (7) (q. v.). ● *S. m.* **6.** Tudo que é oposto. **7.** Inimigo, adversário. [Cf. *contrario*, do v. *contrariar*.] ◆ **Ao contrário.** V. *pelo contrário*. **Ao contrário de.** Ao invés de: *Ao contrário do que se pensa, ele é honesto.* **Do contrário.** Se não for assim; em caso contrário. **Pelo contrário. 1.** Ao invés. **2.** Longe disso. [Sin. ger.: *ao contrário*.]

contrarrampa [De *contra-* + *rampa*.] *S. f.* Plano inclinado considerado no sentido da descida; declive. [Opõe-se a *rampa*.] ❖

contrarrapante [De *contra-* + *rapante*.] *Adj. 2 g. Heráld.* Diz-se de um par de animais rapantes voltados um contra o outro. ❖

contrarreforma [De *contra-* + *reforma*.] *S. f. Rel.* Movimento de reação à reforma (8). ❖

contrarregra [De *contra-* + *regra*.] *Teatr. Rád. Telev. Cin. S. 2 g.* **1.** Técnico encarregado de cuidar dos objetos de cena (v. *objeto de cena*) e adereços, da manutenção de itens do cenário e de funções gerais na produção de filme, peça teatral, programa de rádio ou de televisão, etc. ● *S. f.* **2.** Função exercida pelo contrarregra; contrarregragem. ❖

contrarregragem [De *contrarregra* + *-agem*[2].] *S. f. Teatr. Rád. Telev. Cin.* Contrarregra (2). ❖

contrarregulador (ô) [De *contra-* + *regulador*.] *S. m.* *Teatr.* No palco italiano, cada um dos reguladores [v. *regulador* (4)] subsequentes aos do primeiro plano. ❖

contrarreparo [De *contra-* + *reparo* (6).] *S. m. Fort.* A segunda trincheira em torno de uma praça de guerra. ❖

contrarréplica [De *contra-* + *réplica*.] *S. f.* Tréplica (2). ❖

contrarrepto [De *contra-* + *repto*.] *S. m.* Repto em revide a outro. ❖

contrarretábulo [De *contra-* + *retábulo*.] *S. m.* Fundo para o retábulo na decoração dum altar. ❖

contrarrevolução [De *contra-* + *revolução*.] *S. f.* Revolução que visa a anular outra anterior ou a ela oposta. ❖

contrarrevolucionário [De *contra-* + *revolucionário*.] *Adj. S. m.* Que, ou aquele que combate uma revolução. ❖

contrarrotura [De *contra-* + *rotura*.] *S. f.* Rotura em sentido ou lugar oposto ao de outra; contrarruptura. ❖

contrarrum *S. m. Bras.* V. *rumpi*. ❖

contrarruptura [De *contra-* + *ruptura*.] *S. f.* Contrarrotura. ❖

contrasseguro [De *contra-* + *seguro*.] *S. m. P. us.* Resseguro[1]. ❖

contrasselar [De *contrasselo* + *-ar*[2].] *V. t. d.* Pôr contrasselo em. [Pres. ind.: *contrasselo*, etc. Cf. *contrasselo* (ê).] ❖

contrasselo (ê) [De *contra-* + *selo*.] *S. m.* **1.** Selo que se cola em cima ou ao lado de outro. **2.** Carimbo para inutilizar selos. [Pl.: *contrasselos* (ê). Cf. *contrasselo*, do v. *contrasselar*.] ❖

contrassenha [De *contra-* + *senha*[1].] *S. f.* Palavra ou grupo de palavras que se deve dizer quando se ouve a senha, para provar qualidade de comparsa ou aliado. ❖

contrassenso [De *contra-* + *senso*.] *S. m.* Dito ou fato contrário ao bom senso; absurdo, disparate, despautério: "Que contrassenso falar aos pequenos de um elefante antes de lhes mostrar as diferenças e semelhanças existentes entre um cão e um gato!" (Roquete-Pinto, *Seixos Rolados*, p. 34.) ❖

contrassignificação [De *contra-* + *significação*.] *S. f.* *Bras.* Significação contrária a outra. ❖

contrassoca [De *contra-* + *soca*.] *S. f. Bras.* V. *soca*[1] (2). ❖

contrassujeito [De *contra-* + *sujeito*.] *S. m. Mús.* Na fuga[2], tema secundário que acompanha o sujeito, e com o qual se combina harmonicamente em contraponto invertível (q. v.). ❖

contrastado[1] [De *contraste* (7) + *-ado*[1].] *Adj. Med.* Diz-se de órgão em que há contraste (7).

contrastado[2] [Part. de *contrastar*.] *Adj.* Que sofreu contraste.

contrastante [De *contrastar* + *-nte*.] *Adj. 2 g.* **1.** Que contrasta. **2.** Que se distingue fortemente, muito diferente ou discrepante: *Têm opiniões contrastantes.*

contrastar [Do lat. tard. *contrastare*.] *V. t. d.* **1.** Fazer ou estabelecer oposição a: *Sua alegria contrastava o ambiente lúgubre.* **2.** Ser contrário a; opor-se a; contrariar: *A afirmação do cientista contrastava* *sérios estudos àquele respeito;* "farejava a vitória. Que outro poder viria contrastá-lo? Sentia-se indestrutível." (Machado de Assis, *Páginas Recolhidas*, p. 106). **3.** Lutar contra; resistir a; afrontar, arrostar: *Não tinha meios para contrastar as forças inimigas;* "Assim a nave rota, / Que o vento contrastara, / Entrando o porto, esquece / Que males já sofreu." (Gonçalves Dias, *Obras Poéticas*, II, p. 147). **4.** V. *contrastear*. ***T. i.*** **5.** Estar em oposição, em contraste, ou apresentar contraste: *O filho contrastava totalmente com o pai;* "O porte e o aspecto senhoril, e sobretudo a voz cheia e imperativa daqueles dous homens, contrastavam notavelmente com a pobreza do traje e com a humildade das palavras que usavam." (Arnaldo Gama, *O Balio de Leça*, p. 1). **6.** Lutar, resistir, arrostar, afrontar: *Os bandeirantes contrastavam com feras, intempéries, doenças.*

contrastaria [De *contrastar* + *-aria*.] ***S. f.*** **1.** Profissão de quem contrasta metais preciosos. **2.** Estabelecimento onde se exerce tal profissão.

contrastável [De *contrastar* + *-vel*.] ***Adj. 2 g.*** Que se pode contrastar.

contraste [Dev. de *contrastar*.] ***S. m.*** **1.** Oposição entre coisas ou pessoas das quais uma faz que a outra sobressaia; oposição. **2.** Verificação do título (12) do ouro ou da prata. **3.** Aquele que avalia esse título e o preço das joias. **4.** Esbarrão, encontro, embate. **5.** Diferenças de tons ou de luz numa pintura, em fotografias, etc. **6.** *E. Ling.* Numa língua, diferença formal que serve para distinguir significados. **7.** *Med.* Substância radiopaca empregada em radiologia.

contrasteação [De *contrastear* + *-ção*.] ***S. f.*** Ato ou efeito de contrastear.

contrasteador (ô) [De *contrastear* + *-dor*.] ***S. m.*** Aquele que contrasteia, que faz contrasteação; avaliador.

contrastear [De *contraste* + *-ear*[2].] ***V. t. d.*** **1.** Avaliar os quilates de (metais preciosos). **2.** *P. ext.* Avaliar, aquilatar. [Sin. ger.: *contrastar*. Conjug.: v. *frear*.]

contrastivo [De *contraste* + *-ivo*.] ***Adj.*** **1.** Em que há, ou que forma contraste: *oposição contrastiva.* **2.** Que está em contraste, ou se constitui por contraste com outra coisa ou pessoa: *identidade contrastiva.* **3.** *E. Ling.* Referente a contraste (6); distintivo. ~ V. *análise —a*.

contrata [Dev. de *contratar*.] ***S. f.*** **1.** Ajuste de serviços temporários. **2.** *Pop.* Contrato (3).

contratação [De *contratar* + *-ção*.] ***S. f.*** **1.** Ato ou efeito de contratar. **2.** Trato[2] (3) de mercadorias.

contratado [Part. de *contratar*.] ***Adj.*** **1.** Que foi objeto de contrato perfeito e acabado. **2.** Diz-se de funcionário que assinou um contrato bilateral para exercer interinamente determinada função. • ***S. m.*** **3.** Funcionário contratado (2). **4.** *Áfric.* Trabalhador indígena sujeito ao regime do contrato (6): "Um contratado valia dinheiro, estava a render durante um ano e devia os impostos que a Companhia tinha pago ao Estado por antecipação aos seus salários." (Castro Soromenho, *Terra Morta*, p. 85.) [Sin. (moç.), nesta acepç.: *chibalo*.]

contratador (ô) [De *contratar* + *-dor*.] ***Adj.*** **1.** Que contrata. • ***S. m.*** **2.** Aquele que contrata; contratante.

contratalho [De *contra-* + *talho*.] ***S. m.*** *Grav.* Talho que se faz cruzar com outros, perpendicular ou obliquamente, segundo o efeito tonal desejado.

contratante [De *contratar* + *-nte*.] ***Adj. 2 g.*** **1.** Que contrata, que faz um tratado. • ***S. 2 g.*** **2.** Contratador (2).

contratar [De *contrato* + *-ar*[2].] ***V. t. d.*** **1.** Fazer contrato de; combinar; ajustar: *Antes de contratar os seus serviços, averigue os seus conhecimentos.* **2.** Empregar, assalariar; ajustar: *Contratou-o para a tarefa.* **3.** Adquirir por contrato; convencionar. ***T. d. e i.*** **4.** Fazer contrato; adquirir por contrato; negociar: *Os postos só podem contratar combustível com determinadas distribuidoras.* **5.** Tratar, combinar, ajustar. ***Int.*** **6.** Negociar, comerciar. ***P.*** **7.** Empregar-se, assalariar-se. [Pres. subj.: *contrate, contrates, contrate, contratemos, contrateis, contratem.* Cf. *contráteis*, pl. de *contrátil*, adj. 2 g.]

contratável [De *contratar* + *-vel*.] ***Adj. 2 g.*** Que se pode contratar.

contratelar [De *contra-* + *tela* + *-ar*[2].] ***V. t. d.*** Forrar (um quadro, uma tela) com um pano a fim de conservar pinturas antigas danificadas.

contratempo [Do it. *contrattempo*.] ***S. m.*** **1.** Acidente imprevisto. **2.** Contrariedade, aborrecimento. **3.** Dificuldade, obstáculo. **4.** Antigo passo de dança. **5.** *Mús.* Forma rítmica em que o som é articulado sobre um tempo fraco, ou sobre a parte fraca de um tempo, mas não se prolonga sobre um tempo forte ou sobre a parte forte de um tempo, que são substituídos por uma pausa. [Cf. *síncope* (3).] • ***Adv.*** **6.** Fora do tempo.

contratenor ***S. m.*** *Mús.* **1.** Voz aguda masculina. **2.** Na polifonia medieval e renascentista, a linha melódica sobreposta ao tenor.

contrátil [Var. de *contráctil*.] ***Adj. 2 g.*** Suscetível de contrair-se ou encolher-se; contraível (q. v.). [Pl.: *contráteis*. Cf. *contrateis*, do v. *contratar*.] ~ V. *vacúolo —*.

contratilidade [De *contrátil* + *-(i)dade*; var de *contractilidade*.] ***S. f.*** Qualidade ou estado de contrátil.

contratirante [De *contra-* + *tirante*.] ***S. m.*** *Constr.* Nas tesouras [v. *tesoura* (6)], barra horizontal, disposta a meia altura, que liga transversalmente os meios das empenas; contranível.

contratirar ***V. t. d.*** *Grav.* **1.** Tirar contraprova (3) de. **2.** Estresir (1).

contratista [De *contrato* + *-ista*.] ***S. 2 g.*** *Bras. BA* Empregado de fazenda cacaueira a quem o patrão entrega alguns hectares de terra para que plante cacau e tudo quanto for preciso para a subsistência, devendo a terra ser restituída, mediante indenização, apenas os cacaueiros frutifiquem.

contrativo [Var. de *contractivo*.] ***Adj.*** Que faz contrair.

contrato [Var. de *contracto* (q. v.).] ***Adj.*** **1.** Contraído. • ***S. m.*** **2.** Ato ou efeito de contratar. **3.** Acordo entre duas ou mais pessoas que transferem entre si algum direito ou se sujeitam a alguma obrigação. [Sin. pop., nesta acepç.: *contrata*.] **4.** O documento resultante desse acordo. **5.** *Bras.* Casa onde se desmancha a baleia e se fabrica o azeite. **6.** *Áfric.* Trabalho compulsivo organizado pela administração colonial em favor de grandes empresas privadas ou estatais: "Já não acredito no inferno / Apregoado para me submeter / Ao trabalho forçado / Ao contrato em roça / Com a corda na bunda" (Raul David, *Poemas*, p. 21). [Sin. moç., nesta acepç.: *chibalo*.] ◆ **Contrato acessório.** O que pressupõe a existência de outro, do qual depende e, por via de regra, serve de garantia; pacto adjeto. **Contrato aleatório.** Aquele em que ao menos uma contraprestação é incerta, por depender de fato futuro. **Contrato bilateral.** Aquele em que as partes estabelecem obrigações recíprocas; contrato sinalagmático. **Contrato comutativo.** O que é oneroso, sendo certas e equivalentes as contraprestações estabelecidas. **Contrato consensual.** O que se aperfeiçoa com o mero consenso das partes, podendo ser até verbal. **Contrato cotalício.** Aquele em que alguém se associa a um litigante a quem auxilia mediante certa percentagem no resultado final da demanda. **Contrato de aprendizagem.** *Dir. Trab.* Contrato de trabalho especial, ajustado por escrito e por prazo determinado, pelo qual o empregador se compromete a assegurar ao aprendiz (maior de 14 e menor de 24 anos) formação técnico-profissional compatível com o seu desenvolvimento físico, moral e psicológico, e o aprendiz, a executar com zelo e diligência as tarefas necessárias a essa formação. **Contrato formal.** Aquele para cuja validez a lei estabelece determinada forma ou solenidade; contrato solene. **Contrato leonino.** Aquele em que uma das partes leva todas as vantagens, ou a maioria delas, em detrimento da(s) outra(s) parte(s). **Contrato real.** **1.** Aquele que só se aperfeiçoa mediante a tradição da coisa que é objeto de prestação de uma das partes. **2.** O que tem por objeto bens imóveis ou direitos reais de garantia (hipoteca, penhor, etc.). **Contrato resolúvel.** Ato resolúvel. **Contrato sinalagmático.** Contrato bilateral. **Contrato solene.** Contrato formal. **Contrato sucessivo.** Aquele em que uma das partes se obriga a efetivar prestações certas e periódicas. **Contrato unilateral.** Aquele em que só uma das partes se obriga para com a outra.

contratorpedeira [De *contra-* + *torpedeira*.] ***S. f.*** *Bras. Mar. G. Desus.* V. *contratorpedeiro* (1).

contratorpedeiro [De *contra-* + *torpedeiro*.] ***S. m.*** *Mar. G.* **1.** *Ant.* Navio de combate, destinado a combater os torpedeiros, dotado de maior velocidade do que estes, e armado de canhões de médio calibre e tubos lança-torpedos. [Sin. desus, nesta acepç.: *contratorpedeira, caça-torpedeiro, destróier*.] **2.** Navio de combate, de alta velocidade, grande mobilidade, tamanho moderado, pequena autonomia, proteção estrutural nula, e cujo armamento é constituído por torpedos, canhões de pequeno ou médio calibre, armas antissubmarino ou pequenos mísseis. ◆ **Contratorpedeiro de escolta.** *Mar. G.* Contratorpedeiro-escolta. **Contratorpedeiro de esquadra.** *Mar. G.* Contratorpedeiro-líder.

contratorpedeiro-escolta ***S. m.*** *Mar. G.* Contratorpedeiro construído na II Guerra Mundial pelos aliados especialmente para escoltar comboios, e que é menor que o contratorpedeiro comum, de menor velocidade, e tem armamento preponderantemente antissubmarino; contratorpedeiro de escolta. [Pl.: *contratorpedeiros-escoltas* e *contratorpedeiros-escolta*.]

contratorpedeiro-líder ***S. m.*** *Mar. G.* Contratorpedeiro maior do que o contratorpedeiro comum, com acomodações para um comandante de força e seu estado-maior, e utilizado como líder de flotilha; contratorpedeiro de esquadra. [Pl.: *contratorpedeiros-líderes*.]

contratrilho [De *contra-* + *trilho*.] ***S. m.*** *Bras.* Segundo trilho, que se coloca lateral e interiormente ao primeiro, nas bifurcações, nos cruzamentos, etc., das linhas férreas, com o fim de evitar descarrilamentos.

contratual [De *contrato* + *-ual*.] ***Adj. 2 g.*** **1.** Referente a contrato: *É muito versado em matéria contratual.* **2.** Que consta de contrato: *Não foram cumpridas as obrigações contratuais.*

contratualidade [De *contratual* + *-(i)dade*.] ***S. f.*** Qualidade de contratual.

contratualismo [De *contratual* + *-ismo*.] ***S. m.*** Na filosofia do Direito, doutrina segundo a qual o Estado foi estabelecido mediante contrato entre os cidadãos, ou entre eles e o soberano.

contratura [Do lat. *contractura*.] ***S. f.*** **1.** Ato ou efeito de contrair(-se). **2.** *Arquit.* Numa coluna, diminuição do diâmetro do fuste entre o seu terço inferior e o topo, tornando-a troncônica. **3.** *Med.* Condição em que um músculo, ou um grupo de músculos, exibe resistência acentuada à extensão passiva, e que decorre de causas como fibrose de tecidos que sustentam músculos ou articulações, lesões dos próprios miócitos, etc.

contraturno [De *contr(a)-* + *turno*.] ***S. m.*** *Educ.* Período em que os alunos frequentam a escola para ter aulas de recuperação, aulas especiais, praticar esportes, etc., diferente, portanto, do de aulas.

contravalação [Do it. *contravallazione*; esp. *contravalación*.] ***S. f.*** *Fort.* Fosso com parapeito, destinado a impedir as surtidas dos sitiados.

contravalar [Voc. deduz. de *contravalação* (v. *-ar*[2]).] ***V. t. d.*** *Fort.* Fortificar por meio de contravalação.

contravalor (ô) [De *contra-* + *valor*.] ***S. m.*** *Econ.* Valor trocado por outro.

contravapor (ô) [De *contra-* + *vapor*.] ***S. m.*** **1.** Corrente de vapor acionada em direção contrária à que habitualmente faz andar uma máquina, e que serve para fazê-la parar, ou retroceder. **2.** *Bras. Pop.* Reação contrária imediata: *Impertinente na pergunta, levou um contravapor.*

contravariância [De *contra-* + *variância*.] ***S. f.*** *Mat.* Propriedade dos vetores e tensores contravariantes.

contravariante [De *contra-* + *variante*.] ***Adj. 2 g.*** *Mat.* Diz-se de cada índice superior de um tensor.

contraveirado [De *contraveiro* + *-ado*[1].] ***Adj.*** *Heráld.* Diz-se de escudo guarnecido com contraveiro(s).

contraveiro [De *contra-* + *veiro*.] ***S. m.*** *Heráld.* Guarnição de escudo em que se opõem metal a metal, e cor, a cor.

contravenção [Do lat. **contraventione*.] ***S. f.*** Transgressão ou infração a disposições estabelecidas. [Sin. p. us: *contraversão*.] ◆ **Contravenção penal.** *Dir. Penal* Ato ilícito menos importante que o crime, e que só acarreta a seu autor a pena de multa ou prisão simples.

contravencional [De *contravenção* + *-al*[1], seg. o padrão erudito.] ***Adj. 2 g.*** Relativo a contravenção.

contraveneno [De *contra-* + *veneno*.] ***S. m.*** *Med.* V. *antídoto* (1).

contraveniente [Do lat. med. *contraveniente*.] ***Adj. 2 g.*** ***S. 2 g.*** V. *contraventor*.

contraventamento [De **contraventar* + *-mento*.] ***S. m.*** *Constr.* Sistema de ligação entre elementos principais de uma estrutura para aumentar a rigidez do conjunto.

contravento [De *contra-* + *vento*.] ***S. m.*** **1.** V. *guarda-vento*. **2.** Porta ou persiana exterior da janela, que abre para fora e à sueste do vento e da chuva.

contraventor (ô) [Do lat. med. **contraventore*.] ***Adj. S. m.*** Que, ou aquele que contravém, transgride, perpetra contravenção; transgressor, contraveniente.

contraverga (ê) [De *contra-* + *verga*.] ***S. f.*** *Arquit. Constr.* Viga de concreto usada sob uma janela para evitar a fissuração da parede de alvenaria.

contraversão [De *contra-* + *versão*.] ***S. f.*** **1.** Versão contrária. **2.** Inversão (1). **3.** *P. us.* Contravenção.

contraverter [De *contra-* + *verter*.] ***V. t. d.*** Voltar para o lado oposto; inverter.

contravia [De *contra-* + *via*.] ***S. f.*** Via de estrada de ferro oposta à via normal.

contravigia [De *contra-* + *vigia*.] ***S. f.*** *Bras.* Pequena jangada de pesca.

contravir [Do lat. *contravenire*.] ***V. t. d.*** **1.** Transgredir, infringir, violar. **2.** Responder, retorquir. **3.** Divergir, discordar: "Siá Marciana receitou-me um simples, bom para tudo aquilo; Próspero contraveio, aconselhando outra coisa." (Godofredo Rangel, *Vida Ociosa*, pp. 57-58.) ***T. d. e i.*** **4.** Responder, retorquir: "A minha posição é excelente, porque lhes bato com a História; porém, se alguns argumentadores com uma ignorância muito acidulada ou com uma notável má-fé me contravierem, que o meu método histórico é idiota e que o meu livro é bestial — lisonjas que eu já não estranharei — nem assim me desarmam os filisteus" (Camilo Castelo Branco, *Perfil do Marquês de Pombal*, pp. X-XI). ***T. i.*** **5.** Transgredir ou infringir lei ou regulamento: "Logo, toda lei adotada fora do círculo do art. 34 contravém à Constituição." (Rui Barbosa, *Trabalhos Jurídicos*, I, p. 55.) [Irreg. Conjug.: v. *vir*.]

contravolta [De *contra-* + *volta*.] *S. f. Bras.* Volta, volteio, giro, em sentido contrário a um anterior: "Um mosquito perverso .... pôs-se a fazer voltas e contravoltas no ar, sobre a minha face." (Olavo Bilac, *Crítica e Fantasia*, p. 271.)

contrectação [Do lat. *contrectatione*.] *S. f.* Ato de tirar alguma coisa do domínio ou posse de alguém.

contribuição (u-i) [Do lat. *contributione*.] *S. f.* **1.** Ato ou efeito de contribuir. **2.** Quinhão, cota, tributo. **3.** Parte pertencente a cada um nas despesas do Estado ou em uma despesa comum. **4.** Subsídio moral, social, literário ou científico para algum fim. ◆ **Contribuição de melhoria.** *Econ.* Tributo baseado no aumento do valor de imóveis beneficiados pela realização de obra pública, e aplicado ao custeio desta.

contribuinte (u-in) [De *contribuir* + *-nte*.] *Adj. 2 g. S. 2 g.* Que, ou quem contribui, ou paga contribuição. **2.** Diz-se de, ou aquele que tem, por lei, a obrigação de pagar imposto(s).

contribuir [Do lat. *contribuere*.] *V. t. i.* **1.** Cooperar, colaborar; concorrer: *Foi ele quem mais contribuiu para a realização da minha obra;* "Resumindo essas páginas, eu contribuo decerto melhor para a educação dos jovens políticos." (Joaquim Nabuco, *Minha Formação*, p. 15). **2.** Ter parte (em um resultado); concorrer: "Os humildes ruídos da natureza contribuíam para uma voluptuosa sensação de silêncio." (Graça Aranha, *Canaã*, p. 2); "A forma, tornando-se mais variada e mais perfeita ...., contribuíra a aplainar a aspereza dos primeiros ensaios." (Latino Coelho, *Cervantes*, p. 85). **3.** Pagar contribuição: *Contribui todos os meses para obras beneficentes.* ***T. d. e i.*** **4.** Entrar com; fornecer: *Contribuiu alimentação para os refugiados.* ***Bit. i.*** **5.** Cooperar, fornecendo ou proporcionando (algo): *Contribuiu com um milheiro de tijolos para a construção da igreja; Contribuiu com vários regionalismos na elaboração do novo dicionário.* **6.** *Restr.* Ter parte numa despesa comum: *Contribuiu com meio milhão de reais para a construção do hospital.* ***Int.*** **7.** Ter parte numa despesa comum: *Foram vultosos os gastos, e ele, coitado, não pode contribuir.* [Conjug.: v. *atribuir*.]

contributário [De *con-* + *tributário*.] *Adj. S. m.* Tributário juntamente com outro(s).

contributivo [De *contribuir* + *-tivo*.] *Adj.* Referente a contribuição.

contributo [Do lat. *contributu*.] *S. m.* Aquilo com que se contribui; contribuição.

contrição [Do lat. *contritione*.] *S. f. Teol.* Espécie de arrependimento pelas próprias culpas ou pecados, motivado pela caridade sobrenatural ou amor de Deus: "exercita atos de contrição, pelo motivo de ser Deus quem é o ofendido" (P.^e^ Manuel Bernardes, *Exercícios Espirituais*, I, pp. 119-120). [Cf. *atrição*.]

contristação [Do lat. *contristatione*.] *S. f.* Ato ou efeito de contristar(-se); aflição.

contristador (ô) [De *contristar* + *-dor*.] *Adj. S. m.* Que ou o que contrista.

contristar [Do lat. *contristare*.] *V. t. d.* **1.** Tornar muito triste; causar tristeza a; afligir; penalizar. ***Int.*** **2.** Causar tristeza: *Sua pobreza contrista.* ***P.*** **3.** Entristecer(-se); penalizar-se; afligir-se.

contrito [Do lat. *contritu*.] *Adj.* Que tem contrição; pesaroso, arrependido.

contro [Da loc. *de encontro (a)*.] *Interj. Mar. Ant.* Voz de comando dada ao homem do leme para pôr o leme de encontro, *i. e.*, a sota-vento, para a embarcação arribar.

controlado [Part. de *controlar*.] *Adj.* **1.** Submetido a controle (2): *medicamento de venda controlada.* **2.** Que tem controle (5). **3.** Comedido, moderado. **4.** Ponderado, prudente. ~ V. *variável —a*.

controlador (ô) [De *controlar* + *-dor*.] *Adj.* **1.** Que controla. **2.** *Econ.* Que detém o controle acionário de empresa, grupo empresarial, etc. ● *S. m.* **3.** Aquele ou aquilo que controla. **4.** *Inform.* Interface necessária para o acesso a determinado(s) dispositivo(s) do computador, como, por ex., disco.

controladoria [De *controlador* + *-ia*[1].] *S. f.* **1.** Órgão oficial de controle (3). **2.** Funções daquele que exerce controle (3). **3.** *Cont.* Área da contabilidade voltada ao planejamento e elaboração de sistemas de informações gerenciais para o processo decisório.

controlar [Do fr. *contrôler*.] *V. t. d.* **1.** Exercer o controle de: *Controla diversas empresas.* **2.** Submeter a controle: *É pródigo, incapaz de controlar os gastos.* **3.** Dominar (emoção, temperamento, etc.). ***P.*** **4.** Manter o controle, o domínio de si mesmo; conter-se, dominar-se: *Controlou-se para não ter uma explosão de raiva.* [Pres. subj.: *controle*, *controles*, etc. Cf. *controle* (ô), s. m., pl. *controles* (ô).]

controlável [De *controlar* + *-vel*.] *Adj. 2 g.* Que pode ser controlado.

controle (ô) [Do fr. *contrôle*.] *S. m.* **1.** Ato, efeito ou poder de controlar; domínio, governo. **2.** Fiscalização exercida sobre as atividades de pessoas, órgãos, departamentos, ou sobre produtos, etc., para que tais atividades, ou produtos, não se desviem das normas preestabelecidas. **3.** *Restr.* Fiscalização financeira. **4.** Botão, chave, circuito ou parafuso destinado a ajustar ou fazer variar as características de um elemento elétrico. **5.** Autodomínio físico e psíquico. **6.** V. *equilíbrio* (6). [Sin. ger. (lus.): *controlo* (ô). Pl.: *controles* (ô). Cf. *controle* e *controles*, do v. *controlar*.] ◆ **Controle acionário.** *Econ.* Posse da maioria das ações ordinárias de uma empresa, com direito a voto. **Controle automático de cor.** *Eletrôn.* Circuito que, num receptor de TV em cores, controla o ganho do amplificador de crominância para um nível constante de cor na imagem [abrev.: *CAC*]. **Controle automático de ganho.** *Eletrôn.* Circuito, que, num receptor de rádio, mantém constante o nível do sinal de saída com as variações do sinal de entrada [abrev.: *CAG*]. **Controle de custos.** *Adm.* Atuação sobre os custos de uma operação produtiva com o intuito de mantê-los em níveis aceitáveis, que garantam a competitividade da empresa. **Controle de qualidade.** *Adm.* Utilização de instrumentos estatísticos para garantir que os produtos ou serviços realizados estejam em conformidade com padrões de qualidade previamente estabelecidos. **Controle de volume.** *Eletrôn.* Circuito que permite variar o nível de intensidade do sinal de saída dum amplificador. **Controle financeiro.** *Adm.* Conhecimento e domínio da situação das contas a pagar, contas a receber, extratos, balanço financeiro e fluxo de caixa de uma empresa. **Controle remoto.** *Eletrôn.* Método, ou dispositivo, para controlar máquinas ou equipamentos a distância.

controlista [De *controle* + *-ista*.] *S. 2 g. Bras. Mar. Merc.* Pessoa que serve de elemento de ligação entre a embarcação mercante e o seu agente.

controlo (ô) *S. m. Lus.* V. *controle*: "Nem colhe o argumento de que os fins — o controlo público sobre os políticos — justifiquem meios como as escutas telefônicas." (José Pacheco Pereira, *O Nome e a Coisa*, p. 220.)

controvérsia [Do lat. *controversia*.] *S. f.* **1.** Discussão ou debate regular acerca de assunto literário, artístico, científico, etc. **2.** Contestação, polêmica.

controversista [De *controvérsia* + *-ista*.] *S. 2 g.* **1.** Pessoa que entra em controvérsia. **2.** Polemista, argumentador.

controverso [Do lat. *controversu*.] *Adj.* Que é objeto de controvérsia; controvertível, controvertido.

controverter [Do lat. (p. us.) *controvertere*.] *V. t. d.* Pôr objeção ou dúvida a; rebater; discutir: *A tese foi vitoriosa sem que ninguém a controvertesse.* [Conjug.: v. *verter*.]

controvertido [Part. (vernáculo) de *controverter*.] *Adj.* V. *controverso*.

controvertível [De *controverter* + *-ível*.] *Adj. 2 g.* **1.** Que se pode controverter. **2.** Duvidoso, discutível; controverso.

contubernáculo [De *contubérnio* + *-culo*, a ex. de *tabernáculo*.] *S. m.* Lugar onde ocorre contubérnia, camaradagem: "Compunha-se o Palheiro de veteranos estropiados, um contubernáculo de argentários idosos com fêmeas espaventosas" (Camilo Castelo Branco, *Serões de S. Miguel de Ceide*, II, p. 10).

contubernal [Do lat. *contubernale*.] *Adj. 2 g.* **1.** Em que há, ou que vive em contubérnio. ● *S. 2 g.* **2.** Pessoa que vive em contubérnio.

contubernar [De *contubérn(io)* + *-ar*[2].] *V. t. i. P.* **1.** Viver em comum, em contubérnio (1). **2.** Viver em contubérnio (3); amancebar-se, amasiar-se, amigar-se.

contubérnio [Do lat. *contuberniu*.] *S. m.* **1.** Vida em comum; familiaridade. **2.** Convivência, camaradagem: "Além de lhes ser molesto o contubérnio com idólatras, tinham suspeitas de que a pureza não fosse flor muito do seu canteiro." (Aquilino Ribeiro, *Portugueses das Sete Partidas*, p. 297.) **3.** Mancebia, concubinato, amigação: "Revoltava-se contra a raivação danada que a bestializava, vituperando, com ódio frenético, quantos apanhava em contubérnios ou conchavos concupiscentes." (Coelho Neto, *Rei Negro*, p. 34.) **4.** Tenda de campanha.

contudo [De *com* + *tudo*.] *Conj.* Todavia; no entanto; não obstante, nada obstante: "As vozes não subiam do tom médio e, contudo, ouviam-se bem" (Machado de Assis, *Várias Histórias*, p. 26).

contumácia [Do lat. *contumacia*.] *S. f.* **1.** Grande teimosia; obstinação, aferro, afinco, pertinácia. **2.** *Jur.* Obstinação de alguém em não comparecer a juízo, quando obrigado por lei.

contumacíssimo [Do lat. *contumacissimu*.] *Adj.* Superl. abs. sint. de *contumaz*.

contumaz [Do lat. *contumace*.] *Adj. 2 g. S. 2 g.* Que, ou quem tem contumácia: "Sonhador contumaz, aprendera contudo, na luta pela vida, a conhecer o momento em que o sonho termina e a realidade começa." (Otávio Issa, *Os Inquietos*, p. 13.) [Superl. abs. sint.: *contumacíssimo*.]

contumélia [Do lat. *contumelia*.] *S. f.* Invectiva, injúria, insulto: "Consideremos que, por entre o rabeio dos políticos e a intromissão dos cortesãos, jamais se obscureceu em D. Pedro o siso que o levou, através das contumélias e contumélias turvejantes dos seus dias no Brasil, a desenvolver os haras e as olarias" (Alberto Rangel, *Dom Pedro Primeiro e a Marquesa de Santos*, p. 15).

contumelioso (ô) [Do lat. *contumeliosu*.] *Adj.* Que envolve contumélia; injurioso, insultuoso.

contundência [De *contundir* + *-ência*.] *S. f.* Qualidade ou caráter de contundente.

contundente [Do lat. *contundente*, part. pres. do lat. *contundere* (v. *contundir*).] *Adj. 2 g.* **1.** Que contunde. **2.** Incisivo, decisivo: *argumento contundente.* **3.** Extremamente agressivo: *É um caráter contundente.*

contundir [Do lat. *contundere*.] *V. t. d.* **1.** Fazer contusões em; pisar; moer; obtundir: *Na queda, contundiu o joelho.* ***P.*** **2.** Sofrer contusão (2); ferir-se, machucar-se.

conturbação [Do lat. *conturbatione*.] *S. f.* **1.** Ato de conturbar(-se). **2.** Perturbação de ânimo; agitação. **3.** Motim, sublevação.

conturbador (ô) [Do lat. *conturbatore*.] *Adj.* **1.** Que conturba; conturbativo. ● *S. m.* **2.** Aquele que conturba.

conturbar [Do lat. *conturbare*.] *V. t. d. P.* **1.** Perturbar(-se), alvoroçar(-se); alterar(-se), confundir(-se): "um frêmito de raiva a conturbar-lhe o semblante." (João da Silva Correia, *Farândola*, p. 80). **2.** Amotinar(-se), sublevar(-se).

conturbativo [De *conturbar* + *-tivo*.] *Adj.* Conturbador (1).

contusão [Do lat. *contusione*.] *S. f.* **1.** Efeito de contundir. **2.** Lesão superficial, sem laceração, produzida por impacto. **3.** *Fig.* Impressão, mossa.

contuso [Do lat. *contusu*.] *Adj.* Que sofreu contusão, ou que dela resulta. ~ V. *ferida —a*.

conubial [Do lat. *connubiale*.] *Adj. 2 g.* Conjugal, matrimonial, nupcial.

conúbio [Do lat. *connubiu*.] *S. m.* **1.** Casamento, matrimônio, núpcias: "Um homem não tem mais merecimento por nascer inteligente, que por nascer do conúbio do duque e de uma duquesa." (Santo-Tirso, *Cartas de Algures*, p. 11.) **2.** União, ligação, aliança: "Escrevi-a com a pena da galhofa e a tinta da melancolia, e não é difícil antever o que poderá sair desse conúbio." (Machado de Assis, *Memórias Póstumas de Brás Cubas*, p. IX.)

conulária [Do tax. *Conularia*.] *S. f.* **1.** *Paleont.* Gênero de celenterados do paleozoico, semelhantes às águas-vivas, que desapareceram no triássico. **2.** Espécie ou espécime desse gênero.

conurbação [Do ingl. *conurbation* < ingl. *con-* (v. *co-*[1]) + lat. *urb(s)*, 'cidade', + ingl. *-ation*.] *S. f. Demogr.* Conjunto formado por uma cidade e seus subúrbios, ou por cidades reunidas, que constituem uma sequência, sem, contudo, se confundirem: "Com o aumento populacional e o expandir das roças e das construções, verificou-se entre eles [antigos vilarejos africanos, separados por muros de terra socada] uma espécie de conurbação: as aldeias juntaram-se umas às outras, embora cada qual procurasse manter seu chefe e sua estrutura social." (Alberto da Costa e Silva, *A Enxada e a Lança*, p. 529.) [No Brasil, o ABCD (cidades de Santo André, São Bernardo do Campo, São Caetano do Sul e Diadema), que tem por núcleo a cidade de São Paulo, é exemplo de conurbação.]

convalária [Do tax. *Convallaria*.] *S. f. Bot.* **1.** Gênero monotípico de plantas liliáceas, herbáceas, perenes, de pequenas flores alvas, campanuliformes, em racemos e, ger., duas grandes folhas basais lanceoladas. **2.** A espécie desse gênero, a *Convallaria majalis* [v. *lírio-do-vale* (1)]. [v. *lírio-do-vale* (1)]. **3.** Qualquer espécime desse gênero, ou a flor dele.

convalariácea [Do tax. *Convallaria* (v. *convalária*) + *-ácea*; tax. *Convallariaceae*.] *S. f. Bot.* Espécime das convalariáceas, família da ordem das asparagales que reúne cerca de 200 espécies de ervas rizomatosas de flores ger. trímeras, frutos bacáceos ou capsulares, por vezes venenosos, e que são cultivadas como ornamentais; são nativas das regiões temperadas do hemisfério norte e de regiões da Ásia e Austrália.

convalariáceo [De *convalariácea*, com var. suf. (v. *-áceo*).] *Adj. Bot.* Pertencente ou relativo às convalariáceas.

convales [Pl. de *convale* < lat. *convalle*.] *S. m. pl.* Vales entre colinas: "os horizontes profundos de serranias e convales enevoados" (Coelho Neto, *Obra Seleta*, p. 269).

convalescença [Do lat. *convalescentia*.] *S. f.* **1.** Ato de convalescer. **2.** Período subsequente a uma doença de que alguém se restabeleceu.

convalescente [Do lat. *convalescente*.] *Adj. 2 g. S. 2 g.* Que, ou quem está em convalescença.

convalescer [Do lat. *convalescere*.] *V. int.* **1.** Recobrar a saúde; restabelecer-se, recuperar-se: *Adoeceu gravemente, mas não tardou a convalescer.* *T. d.* **2.** Fazer ficar são; restabelecer; fortalecer, fortificar: *O medicamento convalesceu o doente em poucas semanas.* *T. i.* **3.** Recuperar-se de doença, traumatismo, etc.; restabelecer-se: *convalescer de uma grave doença.* [Conjug.: v. *crescer*.]

convalidação [De *convalidar* + *-ção*.] *S. f.* Ato ou efeito de convalidar.

convalidar [De *con-* + *validar*.] *V. t. d. Jur.* **1.** Tornar válido (um ato jurídico a que faltava algum requisito), em vista da superveniência de nova lei que aboliu exigência. **2.** Restabelecer a validade ou eficácia de (ato ou contrato).

convecção [Do lat. *convectione*, 'transporte'; ingl. *convection*.] *S. f. Fís.* Em fluidos, processo de transmissão de calor que é acompanhado por um transporte de massa efetuado pelas correntes que se formam no seio do fluido. [Cf. *convicção*.]

convectivo [Do ingl. *convective*.] *Adj. Tec.* Referente a convecção.

convelir [Do lat. *convellere*.] *V. t. d.* Deslocar (o que estava firme); subverter, abalar: "época [a última do séc. XVIII] fecunda em sucessos assombrosos, que estremeceram e convelíram nos seus carcomidos fundamentos a Europa monárquica e feudal." (Latino Coelho, *Elogio Histórico de José Bonifácio*, p. 138). [Conjug.: v. *aderir*.]

convenção [Do lat. *conventione*.] *S. f.* **1.** Ajuste, acordo ou determinação sobre um assunto, fato, etc.; convênio, pacto. **2.** Aquilo que só tem valor, sentido ou realidade mediante acordo recíproco ou explicação prévia. **3.** Tudo aquilo que é tacitamente aceito, por uso ou geral consentimento, como norma de proceder, de agir, no convívio social; costume; convenção social: *É pessoa de convívio fácil, pois se atém às convenções.* **4.** *P. ext. Pej.* Apego exagerado a essas normas; convencionalismo. **5.** Acordo ou pacto internacional, particularmente para decisão dum assunto específico, como serviço postal, direito autoral, arbitragem, etc. **6.** Encontro, reunião ou assembleia de indivíduos ou representações de classe, de associações, etc., onde se delibera sobre determinados assuntos; conferência; congresso: *A convenção dos dentistas será no mês vindouro.* **7.** *Ciênc. Pol.* Assembleia partidária em que se escolhem candidatos e adotam plataformas e regras do partido. **8.** *Ciênc. Pol.* Assembleia que se reúne com o objetivo de modificar ou substituir governo existente, como a famosa assembleia francesa de 1792-1795. ◆ **Convenção cênica.** *Teatr.* V. *convenção teatral.* **Convenção coletiva de trabalho.** *Dir. Trab.* Acordo de caráter normativo pelo qual dois ou mais sindicatos representativos de categorias econômicas e profissionais estipulam condições aplicáveis no âmbito das respectivas representações às relações individuais de trabalho. **Convenção de palco.** *Teatr.* V. *convenção teatral.* **Convenção dramática.** *Teatr.* V. *convenção teatral.* **Convenção social.** Convenção (3). **Convenção teatral.** *Teatr.* **1.** Qualquer dos processos da encenação (como, por ex., a emissão de um sussurro, o uso do verso, a iluminação, a movimentação dos atores em cena) que se destinam a tornar funcionais e eficazes as condições peculiares do palco, e também a transpor corretamente os variados estilos cênicos de diferentes épocas. **2.** Situação ou movimento simplificado (cênico ou de atores [v. *gesto-chave*]), aceito pelo público, de antemão, como representativo de outro mais complexo. [Sin. ger.: *convenção cênica, convenção de palco, convenção dramática*.]

convencedor (ô) [De *convencer* + *-dor*.] *Adj.* Convincente: "São todos esses aspectos .... que vemos nos dois volumes de Cavalheiro [Edgard Cavalheiro, sobre Monteiro Lobato] fundidos num retrato impressionante, convencedor, humano." (Paulo Rónai, *Encontros com o Brasil*, p. 231.)

convencer [Do lat. *convincere*.] *V. t. d.* **1.** Persuadir de determinada coisa: *Os argumentos acabaram convencendo-o.* *T. d. e i.* **2.** Persuadir com razões, argumentos, etc.: "o amigo Gonçalves .... o convenceu de que semelhante ato seria rematada loucura." (Machado de Assis, *Relíquias de Casa Velha*, p. 112); "Ia poisando a cesta em cima do balcão, ... na ânsia de convencer o comerciante a aceitar o negócio." (João da Silva Correia, *Farândola*, p. 48). *P.* **3.** Adquirir certeza, ficar persuadido; persuadir-se: "Cada vez me convenço mais do que assegura Anatole France: são as ideias que governam o mundo" (Martins Fontes, *Terras da Fantasia*, p. 38). [Conjug.: v. *vencer*.]

convencido [Part. de *convencer*.] *Adj.* **1.** Que se convenceu, persuadiu. **2.** *Fam.* Imodesto; presumido, presunçoso: *Desde que foi premiada, ficou convencida.* ● *S. m.* **3.** *Fam.* Indivíduo convencido (2).

convencimento [De *convencer* + *-imento*.] *S. m.* **1.** Ato ou efeito de convencer(-se). **2.** Condição de quem está convencido de algo, de quem tem certeza ou convicção. **3.** *Pop.* Imodéstia, presunção, vaidade, empáfia.

convencionado [Part. de *convencionar*.] *Adj.* Ajustado, determinado ou fixado por convenção.

convencional [Do lat. *conventionale*.] *Adj. 2 g.* **1.** Relativo a, ou resultante de convenção: *valor convencional de uma moeda.* **2.** Conforme às convenções sociais: *Não pôde fugir aos abraços convencionais após a conferência.* **3.** *P. ext. Pej.* Resultante de convenção (4); pouco natural ou sincero: *Detesto aquele eterno e convencional sorriso.* **4.** Consagrado ou aprovado pelo uso, pela experiência: *Só trabalha com métodos convencionais.* ~ V. *domicílio —, guerra —, resgate —* e *submarino —.* ● *S. 2 g.* **5.** Membro de uma convenção, esp. da Convenção (8).

convencionalismo [De *convencional* + *-ismo*.] *S. m.* Convenção (4).

convencionalista [De *convencional* + *-ista*.] *Adj. 2 g.* **1.** Que se firma em convenções. **2.** Que tem caráter de convenção. **3.** Apegado às convenções [v. *convenção* (3 e 4)]. ● *S. 2 g.* **4.** Membro de uma convenção. **5.** Aquele que é apegado às convenções [v. *convenção* (3 e 4)].

convencionar [De *convenção* + *-ar*[2], seg. o padrão erudito.] *V. t. d.* **1.** Estabelecer por convenção; ajustar, combinar: *Convencionaram sinais para seus entendimentos secretos.* *P.* **2.** Acertar, combinar, ajustar entre si: *Houve um desencontro, mas convencionaram-se em reunir-se no dia seguinte.*

convencível [De *convencer* + *-ível*.] *Adj. 2 g.* Que se pode convencer.

convenente *Adj. 2 g. S. 2 g.* Diz-se de, ou participante de convenção (1).

conveniado [Part. de *conveniar*.] *Adj. S. m. Bras.* Diz-se de, ou cada um daqueles que conveniam, que firmam convênio.

convenial [De *convênio* + *-al*[1].] *Adj. 2 g. Bras.* Referente a convênio.

conveniar [De *convênio* + *-ar*[2].] *Bras. V. t. d.* **1.** Firmar convênio acerca de. *Int.* **2.** Firmar convênio. [Pres. ind.: *convenio*, etc. Cf. *convênio*.]

conveniência [Do lat. *convenientia*.] *S. f.* **1.** Qualidade de, ou caráter de conveniente; proveito, interesse, vantagem. **2.** Decoro, decência. **3.** *E. Ling. Desus.* Concordância (4). ◆ **Guardar as conveniências.** Não afastar-se das convenções sociais [v. *convenção* (3)]. **Respeitar as conveniências.** Respeitar o decoro, a decência.

conveniente[1] [Do lat. *conveniente*.] *Adj. 2 g.* **1.** Útil, proveitoso, interessante: *Sua ida nos será muito conveniente.* **2.** Vantajoso, cômodo: *A casa me é conveniente, por ser espaçosa.* **3.** Favorável, propício, oportuno: *Esperou a hora conveniente, e agiu.* **4.** Decoroso, decente. [Sin. ger.: *convinhável, convindo*.]

conveniente[2] [Por **conveniante* < *conveniar*.] *Adj. 2 g. S. 2 g.* Diz-se de, ou participante de convênio.

convênio *S. m.* V. *convênio.* [Uso freq. em P.]

convênio [Do b.-lat. *conveniu*.] *S. m.* **1.** Convenção, ajuste, acordo, pacto: "Espera-se que, no futuro, o escritor possa estabelecer convênio ou contrato equitativo com o editor de livros ou jornais" (Antônio Quadros, *A Existência Literária*, p. 219). **2.** Contrato entre dois ou mais órgãos públicos. **3.** Contrato de prestação de serviço ou outro entre um órgão público e uma instituição particular. [Cf. *convenio*, do v. *conveniar*.]

conventicular [De *conventículo* + *-ar*[1].] *Adj. 2 g.* **1.** De, ou relativo a conventículo. **2.** Clandestino, secreto.

conventículo [Do lat. *conventiculu*.] *S. m.* **1.** Assembleia clandestina de conspiradores. **2.** Conluio, maquinação, trama. **3.** Reunião secreta de pessoas.

conventilho *S. m. Bras. S.* V. *prostíbulo.*

convento [Do lat. *conventu*.] *S. m.* **1.** Habitação de comunidade religiosa. [Sin., alguns impr.: *ascetério, claustro, clausura, cenóbio* e *mosteiro*.] **2.** A própria comunidade. **3.** *Fig.* Casa muito grande.

conventual [Do lat. med. *conventuale*.] *Adj. 2 g.* **1.** Relativo a, ou próprio de convento. ~ V. *missa —.* ● *S. 2 g.* **2.** Pessoa residente num convento. **3.** *Rel.* Frade duma das ordens que seguem a regra de São Francisco de Assis.

conventualidade [De *conventual* + *-(i)dade*.] *S. f.* Morada fixa em convento.

convergência [De *convergir* + *-ência*.] *S. f.* **1.** Ato de convergir: "Dá-se aqui uma convergência de esforços entre a gramática e a história natural, esta revelando a continuidade indefinida das espécies, aquela ensinando que o vocábulo *vida* não tem antônimo..." (Fidelino de Figueiredo, *Entre Dois Universos*, p. 227.) **2.** Qualidade, caráter ou estado de convergente. **3.** Ponto ou grau em que linhas, raios luminosos, objetos, etc., convergem. **4.** *Fís.* Propriedade de um feixe de radiação ou de partículas em que os raios ou as trajetórias se dirigem para um mesmo ponto. **5.** *Mat.* Medida pela qual determinado método iterativo se aproxima do seu resultado. **6.** *Ópt.* O inverso da distância focal de um sistema óptico; potência. ◆ **Convergência adaptativa.** *Biol.* Processo que resulta no surgimento de características morfológicas ou funcionais semelhantes em espécies não aparentadas, em consequência da adaptação ao ambiente; convergência evolutiva, evolução convergente, homoplasia. **Convergência evolutiva.** *Biol.* V. *convergência adaptativa.*

convergente [De *convergir* + *-ente*.] *Adj. 2 g.* **1.** Que converge. **2.** *Biol.* Que apresenta convergência adaptativa. ~ V. *estrabismo —, evolução —, forma —, integral —, lente —, reação —, sequência —* e *série —.* ● *S. m.* **3.** *Astr.* Radiante (5).

convergir [Do lat. *convergere*.] *V. t. c.* **1.** Tender ou dirigir-se (para o mesmo ponto): *Todas as ruas da cidadezinha convergem para a praça.* *T. i.* **2.** Ser o centro de: "A arte é uma linguagem catalisadora. Nela convergem forças e influências, visíveis ou imponderáveis." (Celso Kelly, *Portinari*, p. 15.) **3.** Concorrer, afluir (ao mesmo ponto); voltar-se: *Seus pensamentos convergiam sempre para aquela ideia; Durante a recepção todas as atenções convergiram para Isadora.* **4.** Tender (para um mesmo fim): *As primeiras diligências do seu governo convergiram para a educação.* **5.** *Mat.* Em métodos interativos, aproximar-se [do objetivo (5)]. [Irreg. Conjug.: v. *divergir*.]

conversa[1] [Dev. de *conversar*.] *S. f.* **1.** V. *conversação* (1). **2.** *Pop.* V. *palavreado* (1 e 2). **3.** V. *mentira* (1): *Isto é conversa; o caso é muito outro.* **4.** Ajuste de contas; entendimento: *Precisamos de ter uma conversa.* ◆ **Conversa de cerca-lourenço.** Conversa comprida, tortuosa, que esconde segunda intenção; papo de cerca-lourenço. **Conversa fiada.** **1.** Propósito ou proposta de pessoa que não tem, na realidade, intenção de cumprir o que diz; conversa mole; papo furado [Cf. *conversa-fiada*.] **2.** V. *conversa mole* (2): "era um grande conversador e ficava batendo papo, uma conversa fiada que não tinha fim" (Antônio Carlos Vilaça, *A Descoberta do Morro*, p. 25). **Conversa mole.** *Bras. Pop.* **1.** V. *conversa fiada* (1). **2.** Conversa sem nenhum resultado prático; conversa vazia, oca; conversa fiada, conversa para boi dormir, história para boi dormir, história para menino dormir sem ceia, lereia, léria, lero-lero, papo furado. [Sin. moç., nesta acepç.: *bula-bula*.] **Conversa para boi dormir.** *Bras. Pop.* V. *conversa mole* (2). **Conversa vai, conversa vem.** Depois de muita conversa; de conversa em conversa: "Conversa vai, conversa vem e ela diz, com toda a simplicidade, que demandava a capital para tratar-se da sua gafa." (Pedro Nava, *Baú de Ossos*, p. 61.) **De conversa em conversa.** V. *conversa vai, conversa vem.* **Ir na conversa.** *Bras. Pop.* Deixar-se enganar: "Contudo, os garotos não foram na conversa e desfecharam a ofensiva de costume." (Ciro dos Anjos, *A Menina do Sobrado*, p. 149.) **Ir na conversa de.** *Bras. Pop.* Dar crédito a: "— Não vá na conversa daquele senhor que o trouxe no carro. Eu também queria trazê-lo, mas ele se precipitou com estrondo e sequestrou-o." (Carlos Drummond de Andrade, *De Notícias & Não Notícias Faz-Se a Crônica*, p. 13.) **Jogar (a) conversa fora.** Passar o tempo falando à toa, a conversar sobre inutilidades: "Noite a noite, gole a gole, o boêmio enche o papo, ... atiça as ideias, joga conversa fora." (Flávio Moreira da Costa, *Nem Todo Canário É Belga*, p. 33). **Passar a conversa em.** V. *passar uma cantada em.* **Passar uma conversa em.** V. *passar uma cantada em.* **Puxar conversa.** Iniciar conversa com alguém, ou buscar obter informações sobre algo.

conversa[2] [Do lat. *conversa*, *i. e.*, *mulier conversa*, 'mulher convertida'.] *S. f.* Mulher recolhida em convento, sem professar.

conversação [Do lat. *conversatione*.] *S. f.* **1.** Ato ou efeito de conversar; palestra, colóquio, conversa. **2.** Convivência, familiaridade.

conversadeira [De *conversar* + *-deira*.] *Adj. (f.)* **1.** Fem. de *conversador*: "A Consulesa é muito alegre e conversadeira" (José J. Veiga, *Os Pecados da Tribo*, p. 12). ● *S. f.* **2.** *Bras.* Cadeira com dois ou três assentos opostos, própria para duas ou três pessoas que queiram conversar: "uma conversadeira de palhinha, encostada à parede" (Aluísio Azevedo, *Casa de Pensão*, p. 87). **3.** *Arquit.* Assento pouco abaixo de peitoril de janela, nos flancos dos rasgos da parede, e que pode ser de madeira, cantaria, ou da própria alvenaria da parede.

conversado [Part. de *conversar*.] *Adj.* **1.** Com quem se conversou ou palestrou. **2.** A quem se sondou o pensamento íntimo por meio de conversa hábil ou astuciosa: *Os amigos conversados votaram todos com ele.* **3.** Que é dado à conversação, ou que conversa agradavelmente: "era insinuante, afável, conversado; tinha certa viveza e graça." (Machado de Assis, *Iaiá Garcia*, p. 122). **4.** Sobre que se conversou; que foi objeto de conversação: *Vários foram os assuntos conversados.* **5.** Que tem o tom simples da conversação; corrente, fluente, desafetado: *estilo conversado*; "cumpriu [Ferreira de Araújo] o seu ofício com pontualidade, largueza de ânimo e aquele estilo vivo e conversado que era o encanto dos seus escritos." (Machado de Assis, *Poesia e Prosa*, p. 166). **6.** Decorrido no meio de conversação; acompanhado de conversa: "E o almoço foi muito alegre, muito íntimo, muito conversado" (Eça de Queirós, *A Cidade e as Serras*, p. 318). ● *S. m.* **7.** *Pop. P. us. no Brasil* V. *namorado* (4): "Que vão dançar? A ciranda, ... o verde-gaio? Os conversados vão dançar a cana-verde." (Martins Fontes, *A Dança*, p. 73.) ◆ **Estar conversado.** Já ter (duas ou mais pessoas) falado o bastante sobre um assunto, dito sobre ele o que havia para dizer: "— Não falemos mais nisso, estamos conversados, você sabe muito bem que esgotei o estoque de paciência" (Elsie Lessa, *A Dama da Noite*, p. 27).

conversador (ô) [De *conversar* + *-dor*.] *Adj.* **1.** Que conversa ou gosta de conversar. [Sin. (p. us.): *conversante*.] ● *S. m.* **2.** Indivíduo conversador; conversa-fiada, papo.

conversa-fiada [De *conversa*[1] + o f. de *fiado*[2].] *S. 2 g. Bras.* **1.** Pessoa que não tem intenção de cumprir o que promete; papo-furado. **2.** Gabola; indivíduo jactancioso. **3.** V. *conversador* (2). [Pl.: *conversas-fiadas*. Cf. *conversa fiada*.]

conversante [De *conversar* + *-nte*.] *Adj. 2 g. P. us.* Conversador (1).

conversão [Do lat. *conversione*.] *S. f.* **1.** Ato ou efeito de converter(-se). [Sin., p. us.: *convertimento*.] **2.** O ato de passar dum grupo religioso para outro, duma para outra seita ou religião. **3.** A rejeição ou aceitação pública de certo número de atitudes. **4.** *Econ.* Transformação de valor monetário de uma moeda em outra: conversão de euros em dólares. **5.** *Eng. Nucl.* Produção, com base numa substância fértil, de uma substância físsil diferente da que é consumida na reação nuclear em cadeia. **6.** *Fin.* Novação duma dívida pública sob a forma de consolidação. **7.** *Lóg.* Inferência imediata obtida pela permuta entre sujeito e predicado de uma proposição, e que é válida para a proposição particular afirmativa e para a proposição universal negativa, mas, em geral, não é válida para a proposição universal afirmativa e para a proposição particular negativa. [Cf. *contraposição* (2) e *obversão*.] **8.** *Mil.* Mudança de direção duma tropa em marcha. **9.** *E. Ling.* Quiasmo. **10.** *Psiq.* Processo em virtude do qual emoções se transformam em manifestações físicas. **11.** *Quím.* Rendimento (8). ◆ **Conversão interna.** **1.** *Fís. Nucl.* Processo de decaimento radiativo em que a energia de um núcleo excitado se transfere para um elétron orbital que é ejetado do átomo, acompanhado, em geral, pela emissão de raios X característicos. **2.** *Fís.-Quím.* Transição entre dois estados de mesmo *spin*. **Conversão química.** *Tec. Quím.* Processo industrial em que se realiza, de forma controlada, uma certa e determinada transformação química, que, acoplada convenientemente a outras transformações ou a operações de natureza física, constitui a totalidade do procedimento; processo unitário.

conversar [Do lat. **conversare*, por *conversari*.] *V. t. i.* **1.** Falar, discorrer, palestrar: "Aqui nossa alma / Com Deus conversa e os homens compreende" (Guimarães Passos, *Horas Mortas*, p. 16); "Conversamos da cidade e suas dimensões." (Machado de Assis, *Memorial de Aires*, p. 68); "às horas da comida .... se demorava a conversar um pouco em coisas que não lhe inspiravam interesse." (Fialho d'Almeida, *A Cidade do Vício*, p. 201). **2.** Falar, tratar; discutir: *Conversou de um assunto e de outro, mas não definiu a sua posição*; "Ao chá, conversamos primeiramente de letras, e pouco depois de política" (Machado de Assis, *Páginas Recolhidas*, p. 162); "conversavam a respeito das compras que já tinham realizado" (José de Alencar, *A Pata da Gazela*, p. 161). *Bit. i.* **3.** Falar; tratar; discutir: *Conversou com o sócio sobre a ampliação do negócio.* *Int.* **4.** Falar com alguém; palestrar: "Fomos conversar, sentados numa carroça vazia que estava encostada ao paiol." (Macedo Miranda, *Lady Godiva*, p. 100); *Está cansado; conversou a tarde toda.* **5.** *Desus.* Conviver; morar, residir. *T. d.* **6.** Tratar intimamente, com familiaridade: *Afirmou que costuma conversar toda a alta-roda.* **7.** Sondar o pensamento de: *Está difícil arrancar-lhe uma opinião: várias vezes o conversei e ele fechou-se em copas.* **8.** Falar ou discorrer sobre: "Moço vistoso e bem-arrumado, conversando diversos assuntos, apareceu um tal Raimundo, que muito Merenciano agradou e louvou." (Bariani Ortêncio, *Vão dos Angicos*, p. 88.) **9.** *Pop.* Requestar; namorar; cantar: *O rapaz tentou conversá-la; ela, porém, não se interessou pelo seu tipo.*

conversável [De *conversar* + *-vel*.] *Adj. 2 g.* **1.** De boa conversação, convívio ou trato; sociável. **2.** Acessível a conversa, a entendimento; abordável.

conversibilidade [De *conversível* + *-(i)dade*, seg. o padrão erudito.] *S. f.* Qualidade de conversível; convertibilidade.

conversinha [De *conversa* + *-inha*.] *S. f.* **1.** Bate-papo, conversa, em geral rápida ou desimportante. **2.** *Pop. Pej.* Conversa de quem está querendo saber ou conseguir algo, sem, no entanto, falar abertamente sobre o assunto. ● *S. 2 g.* **3.** Aquele (ou aquela) que é dado a este tipo de conversa.

conversível [Do lat. tard. *conversibile*.] *Adj. 2 g.* **1.** Que se pode converter; convertível. **2.** *Econ.* Diz-se de moeda que pode ser livremente trocada por outras moedas, ou (no passado) por ouro. **3.** Que se pode trocar por outros valores. **4.** Que tem a capota dobrável ou removível (automóvel, barco, etc.). [Sin. (lus.), nesta acepç.: *descapotável*.] ~ V. *automóvel —*, *debênture —* e *moeda —*. ● *S. m.* **5.** Automóvel conversível (4). [Sin. (lus.), nesta acepç.: *descapotável*.]

conversivo [De *converso*[2] + *-ivo*.] *Adj.* Que tem a virtude ou a propriedade de converter. ~ V. *transtorno —*.

converso[1] [Dev. de *conversar*.] *S. m.* **1.** Lugar onde se conversa; locutório. **2.** *Pop.* Conversação (1).

converso[2] [Do lat. *conversu*.] *Adj.* **1.** Convertido. ● *S. m.* **2.** Religioso leigo, *i. e.*, com votos, mas sem haver recebido ordens sacras. **3.** Convertido.

conversor (ô) [De *converso*[2] + *-or*.] *S. m.* **1.** *Eng. Elétr.* Máquina que transforma corrente contínua em alternada, ou vice-versa. **2.** *Eletrôn.* Circuito que transforma a frequência de um sinal; conversor de frequência. **3.** *Inform.* Dispositivo que transforma em outra linguagem aquela em que está codificada uma informação. **4.** *Inform.* Dispositivo que converte valores, ou informações, de um tipo de sistema para outro (por ex., de sistema analógico para digital). **5.** *Metal.* Forno especial, piriforme, us. em siderurgia para obtenção de aço, mediante a injeção de uma corrente de ar na massa de ferro em fusão. ● *Adj.* **6.** Que converte. V. *reator —* e *válvula —a*. ◆ **Conversor de frequência.** *Eletrôn.* Conversor (2).

convertedor (ô) [De *converter* + *-dor*.] *Adj. S. m.* Que, ou aquele que converte.

converter [Do lat. *convertere*.] *V. t. d.* **1.** Conduzir à religião que se julga ser a verdadeira: *Depois de longa doutrinação converteu o amigo.* **2.** Fazer mudar de partido, de parecer, de modo de vida: *Com a sua habilidade, chegou a converter numerosos adversários; Era um bêbedo, mas o casamento o converteu.* *T. d. i.* **3.** *Econ.* Mudar a natureza ou as características de (título de dívida, ação, etc.) em: *converter ações preferenciais em ações ordinárias; O governo quer converter sua dívida de curto prazo em títulos de longo prazo.* **4.** Mudar (uma coisa) em outra de forma e/ou propriedade diferente; transformar, transmutar: *Converteu o bloco de cera em velas.* **5.** Mudar ou transformar o fim, a função, o uso de: *Quando a criança nasceu, converteram o escritório em quarto de dormir*; "A beleza suscita o desejo; a pequenez converte a posse em domínio total e constante" (Fidelino de Figueiredo, *Entre Dois Universos*, p. 248). **6.** Trocar em algo de valor equivalente: *converter papel-moeda em ouro.* **7.** Trazer, conduzir a (opinião, crença, etc.): "S. Revm.ª vai .... converter os Munducurus ao Cristianismo." (Inglês de Sousa, *O Missionário*, p. 214.) **8.** Comutar, substituir: *converter uma pena capital em trabalhos forçados.* **9.** *Econ.* Exprimir (uma importância) em outra moeda: *Para facilitar comparações, é conveniente converter em dólares a renda* per capita *brasileira.* **10.** *Inform.* Modificar (um arquivo), dando-lhe outro formato (5), mas sem alterar o conteúdo. *Int.* **11.** *Basq.* Acertar o arremesso à cesta, conseguindo pontos; encestar. **12.** *Esport.* Marcar gol na cobrança de falta ou pênalti. *P.* **13.** Transformar-se, mudar-se, transmudar-se: "agora esta emoção converte-se em um amor profundo, aquecido nas dúvidas, amadurecido na luta interior" (Conde de Ficalho, *Uma Eleição Perdida*, p. 145). **14.** Mudar de religião, de partido, opinião, etc.: "Apesar de livres-pensadores ...., Macário tinha certeza de que se converteriam facilmente" (Inglês de Sousa, *O Missionário*, p. 115). [Conjug.: v. *verter*.]

convertibilidade [Do lat. *convertibilitate*.] *S. f.* Conversibilidade.

convertido [Part. de *converter*.] *Adj. S. m.* Que, ou aquele que se converteu; converso.

convertimento [De *converter* + *-imento*.] *S. m. P. us.* Conversão (1).

convertível [Do lat. *convertibile*.] *Adj. 2 g.* Conversível (1).

convés [De **convesso* < *converso*[1], 'local em que os tripulantes ger. conversam'.] *S. m. Constr. Nav.* **1.** Designação comum aos pavimentos, a bordo. **2.** O piso desses pavimentos, esp. o dos pavimentos descobertos, ou cobertos apenas com toldo; deque. [Pl.: *conveses*.] ◆ **Convés balístico.** *Bras. Mar. G.* Convés protegido por couraça; convés encouraçado, convés protegido. **Convés corrido.** *Constr. Nav.* Convés principal sem superestruturas que se estendam de borda a borda (inclusive sem castelo de proa e tombadilho). **Convés da borda-livre.** *Mar. Merc.* O mais elevado convés, completamente estanque. **Convés de abrigo.** *Bras. Constr. Nav.* Em alguns navios mercantes, espaço situado entre o convés principal e a primeira coberta, não dotado de compartimentagem estanque. **Convés de arqueação.** *Bras. Mar. Merc.* Convés que a sociedade de arqueação e registro de navios mercantes estipula, segundo certas regras, como o limite superior dos espaços a serem computados na tonelagem bruta do navio. **Convés de manobra.** *Constr. Nav.* Convés superior. **Convés encouraçado.** *Bras. Mar. G.* V. *convés balístico*. **Convés lavado.** *Constr. Nav.* Convés desprovido de tombadilho. **Convés parcial.** *Constr. Nav.* Convés que não é contínuo de proa a popa. **Convés principal.** *Constr. Nav.* Primeiro convés contínuo de proa a popa, contando de cima para baixo, e que é descoberto no todo ou em parte. **Convés protegido.** *Bras. Mar. G.* V. *convés balístico*. **Convés superior.** *Constr. Nav.* Convés exposto ao tempo; convés de manobra.

convescote [De *conv(ívio)*, 'banquete', + *escote*; criação de Castro Lopes.] *S. m. Bras. P. us.* Piquenique: "desaprovou, no íntimo, a excursão, achando que ao diretor do Arquivo Histórico não assenta andar em convescotes de colegiais." (Ciro dos Anjos, *Abdias*, p. 50).

convexidade (cs) [Do lat. *convexitate*.] *S. f.* **1.** Qualidade de convexo. **2.** Curvatura exterior. [Opõe-se a *concavidade*.]

convexirrostro (cs) [De *convexo* + *-i-* + *-rostro*.] *Adj. Zool.* Que tem o bico convexo.

convexo (cs) [Do lat. *convexu*.] *Adj.* De saliência curva; arredondado externamente; bojudo. ~ V. *poliedro —* e *superfície —a*. [Opõe-se a *côncavo*.]

convicção [Do lat. *convictione*.] *S. f.* **1.** Efeito de convencer. **2.** Certeza adquirida por demonstração. **3.** Persuasão íntima. [Cf. *convecção*.]

convício [Do lat. *conviciu*.] *S. m.* Afronta de palavras injuriosas; injúria, doesto: "E logo depois, do alto, o espingardeamento, as pedradas, os convícios, os remoques." (Euclides da Cunha, *À margem da História*, p. 93.)

convicioso (ô) [De *convício* + *-oso*.] *Adj.* **1.** Que usa convícios. **2.** Em que há convício.

convicto [Do lat. *convictu*.] *Adj.* **1.** Convencido (1). **2.** Diz-se do réu cujo crime se demonstrou.

convidado [Part. de *convidar*.] *S. m.* Aquele que recebeu convite (1 e 2).

convidador (ô) [De *convidar* + *-dor*.] *S. m.* Aquele que convida ou gosta de convidar.

convidar [Do lat. vulg. **convitare*, var. de *invitare*, 'convidar', poss. com infl. de *conviviu*, 'convite'.] *V. t. d.* **1.** Pedir o comparecimento de; chamar; convocar: *Não compareceu à cerimônia porque não o convidaram.* [Sin. (p. us.), nesta acepç.: *invitar*.] *T. d. e i.* **2.** Convidar (1): "Alegres tangem os sinos convidando a prece os fiéis." (Carlos de Laet, *Obras Seletas*, I, p. 53); "Convidei-o para almoçar amanhã." (Haroldo Maranhão, *As Peles Frias*, p. 47). **3.** Solicitar, instar: *Convidaram-no a retirar-se*; "Ritinha convidou a mulher a entrar e, já íntimas, conversaram sobre Violante." (Coelho Neto, *Turbilhão*, p. 329). **4.** Atrair, seduzir: "Há veludos de imbaúba nessas redes de teus olhos, / que convidam, preguiçosas, a gente para o descanso" (Ascenso Ferreira, *Catimbó e Outros Poemas*, p. 116). **5.** Incitar, impelir, estimular: *Aquele olhar severo convidava-os ao trabalho.* *T. i.* **6.** Atrair, levar, induzir: "E irreprimível sono a repousar convida." (Alberto de Oliveira, *Poesias*, 2.ª série, p. 207.) *Int.* **7.** Despertar o apetite, a atenção, a realização de uma vontade, etc., de alguém; ser convidativo: *A mesa, repleta de iguarias, convidava; Naquele calor escaldante, a bela piscina azul convidava*; "Seduzes, e convidas, e fascinas" (Olavo Bilac, *Poesias*, p. 82). *P.* **8.** Dar-se por convidado (não o tendo sido). **9.** Oferecer-se, propor-se: *Convidou-se para representar o papel mais importante da peça.* **10.** *Bras. RS* Combinar (os corredores entre si) o começo da corrida, a largada.

convidativo [De *convidar* + *-tivo*.] *Adj.* Que convida, atrai; atraente.

convincente [Do lat. *convincente*, part. pres. do lat. *convincere*.] *Adj. 2 g.* **1.** Que convence; convencedor.

2. Capaz de convencer, de ser aceito como verdadeiro ou correto; plausível: *história convincente.*

convindo [Part. de *convir*.] *Adj.* V. *conveniente*[1].

convinhável *Adj. 2 g.* V. *conveniente*[1].

convir [Do lat. *convenire*.] *V. t. i.* 1. Concordar, admitir: *Ante os meus argumentos, conveio em que estava errado;* "Um personagem do romance [*Misael e Maria Rita*, de Gilberto de Alencar], pernambucano, elogia a culinária do Norte, mas convindo em que a mineira também é excelente" (Eduardo Frieiro, *Feijão, Angu e Couve*, p. 173). [Aparece, muitas vezes, com a preposição elíptica: "Convenhamos que o fenômeno da semelhança completa entre dois indivíduos não parentes é cousa mui rara" (Machado de Assis, *Outras Relíquias*, p. 3); *Convenhamos que ele proceda mal.*] 2. Ser conveniente, útil, proveitoso: *O negócio não lhe convém;* "O isolamento é a situação que convém ao escritor" (Oliveira Martins, *Portugal Contemporâneo*, I, p. XXIII). 3. Ser próprio ou conforme; ficar bem; condizer: *Tal procedimento não convém a homem tão educado;* "A pureza convém às almas como as rosas" (Eugênio de Castro, *Obra Poética*, I, p. 137). 4. Quadrar, servir: *Este lugar me convém.* **Bit. i.** 5. Concordar, admitir: *Devo convir com você em que ele está agindo corretamente.* [Ocorre tb. com elipse da prep. *em*.] **Int.** 6. Ser conveniente (1 a 3): *A compra do sítio convém — vou fazê-la, quanto antes;* "convinha que nos safássemos do local" (Ciro dos Anjos, *A Menina do Sobrado*, p. 248); "Convém lembrar que o adolescente Newton demonstrou já nessa idade [15 anos] o seu gosto pelas improvisações mecânicas e invenções curiosas" (Ronaldo Rogério de Freitas Mourão, *Astronomia e Astronáutica*, p. 17). 7. Ser próprio, conforme, decoroso; ficar bem: "Estamos no mês de maio — e convém falar de rosas." (Eça de Queirós, *Notas Contemporâneas*, p. 311); *Convém levar a sério as obrigações assumidas.* [Irreg. Conjug.: v. *vir*.]

convite [Do cat. *convit*.] *S. m.* 1. Ato de convidar; convocação: "Pareceu-me ler naquela palavra um convite a amá-la de vez" (Machado de Assis, *Relíquias de Casa Velha*, p. 32). [Sin., p. us., nesta acepç.: *invite*.] 2. *P. ext.* Mensagem oral ou escrita pela qual se formaliza este ato. 3. Dádiva, presente. 4. *Fig.* Aquilo que atrai ou estimula. 5. *Desus.* Banquete. 6. *Dir. Adm.* A forma mais simples de licitação, para compras ou contratos de pequeno valor, baseada em propostas solicitadas diretamente a fornecedores pelo órgão licitante. [Cf., nesta acepç., *concorrência* (6) e *tomada de preços*.]

conviva [Do lat. *conviva*.] *S. 2 g.* Pessoa que toma parte, como convidada, em banquete, almoço, jantar, etc.; comensal.

convival [Do lat. *convivale*.] *Adj. 2 g.* Relativo a convívio (1).

convivência [De *conviver* + *-ência*.] *S. f.* 1. Ato ou efeito de conviver; relações íntimas; familiaridade, convívio. 2. Trato diário.

convivente [De *conviver* + *-nte*.] *Adj. 2 g.* 1. Que convive. 2. *Bras. N.E.* Dado a amores ilícitos; femeeiro. • *S. 2 g.* 3. Pessoa que convive. 4. *Bras.* Pessoa muito afável, amiga de sociedade, de boa companhia.

conviver [Do lat. *convivere*.] *V. t. i.* 1. Viver em comum com outrem em intimidade, em familiaridade. 2. Ter convivência. 3. Habituar-se a um mal de qualquer natureza e/ou aceitar-lhe a ocorrência. **Int.** 4. Viver em comum: *Nós convivemos muito bem; Espécies distintas convivem no mesmo hábitat.*

convivial [Do lat. *conviviale*.] *Adj. 2 g.* Relativo a convivência (1).

convívio [Do lat. *conviviu*.] *S. m.* 1. *P. us.* Banquete. 2. *Fig.* V. *convivência* (1).

convizinhança [De *con-* + *vizinhança*.] *S. f.* Estado ou situação recíproca de vizinhos.

convizinhar [De *convizinho* + *-ar*[2].] *V. t. i.* 1. Ser convizinho; estar na convizinhança: *Sua casa convizinha da do irmão; Seu sítio convizinha com o meu.* 2. Avizinhar-se; aproximar-se. 3. Ter semelhança; assemelhar-se, parecer: *Seus pontos de vista convizinham dos meus nesse particular; Seu feitio moral convizinha com o de meu filho.* **Int.** 4. Ter pontos de semelhança, de contato: *Seus temperamentos convizinham.*

convizinho [De *con-* + *vizinho*.] *Adj.* 1. Vizinho com outrem; próximo: "Toda a verde serrania convizinha a Viseu é o antigo cenário épico de guerrilhas" (José Vieira, *Sol de Portugal*, p. 81); *Sua casa é convizinha da nossa.* 2. *Fig.* V. *semelhante* (1). • *S. m.* 3. Aquele ou aquilo que é convizinho.

convocação [Do lat. *convocatione*.] *S. f.* 1. Ato ou efeito de convocar. 2. Convite (1). 3. Ato ou efeito de chamar um alistado para prestação do serviço militar.

convocado [Part. de *convocar*.] *Adj. S. m.* Diz-se de, ou aquele que recebeu convocação.

convocador (ô) [De *convocar* + *-dor*.] *Adj. S. m.* Que, ou aquele que convoca.

convocar [Do lat. *convocare*.] *V. t. d.* 1. Chamar ou convidar para uma reunião; invitar: *O síndico, ontem, convocou os condôminos.* 2. Fazer reunir; constituir: *O Papa convocou o concílio.* 3. V. *convidar* (1). 4. Pedir, solicitar: *Convocou a ajuda dos presentes.* 5. *Mil.* Chamar para prestação de serviço militar. **T. d. e i.** 6. Chamar (indivíduo ou grupo) a participar; convidar: *Convocou os oficiais a conselho.* 7. *Esport.* Convidar (desportista) a participar de seleção (4). [Conjug.: v. *trancar*.]

convocatória [F. subst. de *convocatório*.] *S. f.* Carta circular cujo conteúdo é uma convocação.

convocatório [De *convocar* + *-tório*.] *Adj.* Que serve para convocar.

convocável [De *convocar* + *-vel*.] *Adj. 2 g.* Que pode ser convocado.

convolação [De *convolar* + *-ção*.] *S. f.* Ato ou efeito de convolar.

convolar [Do lat. *convolare*.] *V. t. i.* Mudar de estado, de cônjuge, de foro (ô), de partido, de sentimento, de ideias, etc.: *Governista, convolou para a oposição;* "o texto do Gênesis declara que as bodas de Lia se consumaram, e que sete dias depois Jacó convolava a novas núpcias com Raquel" (João Ribeiro, *Cartas Devolvidas*, p. 22).

convolução [Do lat. med. *convolutione*.] *S. f.* 1. Ato ou efeito de enrolar para dentro. 2. *Estat.* Distribuição de probabilidade da função soma de duas variáveis aleatórias.

convoluto [Do lat. *convolutu*, 'virado ao redor'.] *Adj. Bot.* Diz-se da prefoliação em que o limbo foliar se enrola longitudinalmente, à semelhança dum canudo, como na bananeira.

convolvulácea [Do tax. *Convolvulus* (do lat. *convolvulus*, 'trepadeira') + *-ácea*; tax. *Convolvulaceae*.] *S. f. Bot.* Espécime das convolvuláceas, família da ordem das solanales composta de ervas, subarbustos, arbustos e principalmente trepadeiras, dotados de folhas opostas e flores vistosas, grandes e coloridas. Androceu isostêmone; gineceu bicarpelar; fruto capsular, muitas vezes com cálice acrescente. Há quase 1.100 espécies, na maioria habitantes dos países quentes, inclusive o Brasil, muitas delas altamente ornamentais.

convolvuláceo [De *convolvulácea*, com var. suf. (v. *-áceo*).] *Adj. Bot.* Pertencente ou relativo às convolvuláceas.

convólvulo [Do tax. *Convolvulus* (do lat. *convolvulus, i*, 'lagarta'; 'trepadeira').] *S. m. Bot.* 1. Gênero de ervas convolvuláceas, trepadeiras ou rastejantes, e que inclui também arbustos e subarbustos. 2. Qualquer espécie desse gênero, como, p. ex., a *Convolvulus scammonia* [v. *escamônia* (1)]. 3. Qualquer espécime desse gênero, ou flor dele.

convoo [De *con(vés)* + *voo*.] *S. m. Mar.* Em certas embarcações, convés de voo (para aeronaves).

convosco (ô) [De *com* + *vosco* < lat. *voscum*, por *vobiscum*, que já encerra a prep.] **Pron.** 1. Com a(s) pessoa(s) com quem se fala: "'Misericórdia!' — bradou toda aquela multidão, ao passar por el-rei: .... | 'Convosco a tenho, mesquinha gente' — disse el-rei comovido." (Alexandre Herculano, *Lendas e Narrativas*, I, p. 302); *Gostaria de conversar a sós convosco.* 2. Em vossa companhia: *Deus seja convosco.* 3. Ao mesmo tempo que vós; juntamente convosco: *Gostais de que os fiéis orem convosco?* 4. Em vosso ser; dentro de vós: *A graça está convosco.* 5. Em vossa mente; no vosso espírito: *Tendes convosco princípios que remontam à vossa meninice.* 6. A vosso respeito; concernente à(s) vossa(s) pessoa(s); dirigido a vós: *As pilhérias são convosco?* 7. Com a vossa pessoa; para proveito vosso: *Gastais pouquíssimo convosco.* 8. De vós para vós: *Que meditais convosco, na solidão de vosso retiro?* 9. Próprio para vós; para ser feito ou resolvido por vós: *Isso de esforço não é convosco, bem o sei.* 10. Em vosso poder: *Os documentos estão convosco.* 11. A vosso cargo: *Deixo convosco a resolução do problema.* [V. nota em *conosco*.]

convulsão [Do lat. *convulsione*.] *S. f.* 1. Ato ou efeito de convulsar; convulsionar, convelir. 2. Grande agitação ou transformação. 3. V. *cataclismo* (3). 4. *Neur.* Contração, ou série de contrações, súbitas e involuntárias, dos músculos voluntários. [Cf., nesta acepç., *espasmo* (1).]

convulsar [De *convuls(ão)* + *-ar*[2].] *V. t. d.* 1. Pôr em convulsões; convulsionar. **Int. P.** 2. Cair em convulsões; convulsionar-se: "Oh! então o interior [da casa] / Todo convulsa e freme, e é contenda e furor" (Alberto de Oliveira, *Poesias*, 3ª série, p. 93); *Convulsavam-se aqueles que se acreditavam possuídos.*

convulsibilidade [De **convulsível* + *-(i)dade*.] *S. f. Med.* V. *convulsividade*.

convulsionar [De *convulsão* + *-ar*[2], seg. o padrão erudito.] *V. t. d.* 1. Pôr em convulsão; agitar; conturbar; convulsar: "O ano de 1839 abria o ciclo de perigosas lutas políticas que convulsionariam a Província das Alagoas" (Carlos Pontes, *Tavares Bastos*, p. 3). 2. Excitar à revolução, à agitação: *O desespero e a fome convulsionaram os habitantes da cidade sitiada.* **P.** 3. Tornar-se agitado, conturbado: *O mar convulsionava-se, e grandes ondas rebentavam na praia.* 4. Cair em convulsão; sofrer convulsão; convulsar(-se). [Fut. pret.: *convulsionaria*, etc. Cf. *convulsionária*, fem. de *convulsionário*.]

convulsionário [Do fr. *convulsionnaire*.] *Adj. S. m.* Que, ou aquele que tem ou finge ter convulsão (4). [Fem.: *convulsionária*. Cf. *convulsionaria*, do v. *convulsionar*.]

convulsivamente [Do f. de *convulsivo* + *-mente*.] *Adv.* De modo convulsivo; com convulsão: "Tertuliano, abraçado ao cadáver, soluçava convulsivamente, e todo o seu corpo tremia como tocado por uma pilha elétrica." (Artur Azevedo, *Contos fora da Moda*, p. 12.)

convulsivante [Do fr. *convulsivant*.] *Adj. 2 g. S. m.* Diz-se de, ou agente que produz convulsão.

convulsividade [De *convulsivo* + *-(i)dade*.] *S. f. Med.* Disposição para convulsões.

convulsivo [De *convulso* + *-ivo*.] *Adj.* 1. Relativo a convulsão. 2. Em que há, ou que se caracteriza por convulsão: *movimentos convulsivos.* 3. Que produz convulsão: *febre convulsiva; remédios convulsivos.*

convulso [Do lat. *convulsu*.] *Adj.* Em que há convulsão: "Um tremor convulso de nervos doentes agitou-me o corpo" (Alphonsus de Guimaraens, *Obra Completa*, p. 400). ~ V. *tosse —a*.

convulsoterapia [De *convuls(ão)* + *-o-*[1] + *-terapia*.] *S. f. Psiq.* Terapia em que, mediante o uso de agentes diversos (insulina, choque elétrico, etc.), se provocam convulsões, com o objetivo de tratar certos transtornos [v. *transtorno* (5)].

coo Aglut. da prep. *com* e do art. ou pron. dem. *o*; co: "Fala-me só coo revolver dos olhos." (Junqueira Freire, *Obras Póstumas*, II, p. 192.)

coobação [De *coobar* + *-ção*.] *S. f.* Destilação repetida do mesmo líquido.

coobar [Do fr. *cohober*.] *V. t. d.* Fazer a coobação de (um líquido).

coobrigação [De *co-*[1] + *obrigação*.] *S. f.* Obrigação conjunta, ou em comum, de duas ou mais pessoas.

coobrigado [De *co-*[1] + *obrigado*.] *Adj. S. m.* Diz-se de, ou aquele que assumiu obrigação juntamente com outrem.

coocupante [De *coocupar* + *-nte*.] *Adj. 2 g. S. 2 g.* Que, ou quem coocupa.

coocupar [De *co-*[1] + *ocupar*.] *V. t. d.* Ocupar juntamente com outrem.

cooferecer [De *co-*[1] + *oferecer*.] *V. t. d. T. d. e i.* Oferecer juntamente com outrem.

cooficiante [De *cooficiar* + *-nte*.] *S. 2 g.* Cada um daqueles que cooficiam; concelebrante.

cooficiar [De *co-*[1] + *oficiar*.] *V. t. d. Int.* Concelebrar.

➔ **cookie** ['kukij] [Ingl.] *S. m.* 1. *Cul.* Biscoito crocante e macio, de forma arredondada, ger. recheado com nozes, passas, etc. 2. *Inform.* Informação coletada por um navegador *Web* que fica armazenada no computador, e que pode ser us. por sites da *Intranet*.

coonestação [De *coonestar* + *-ção*.] *S. f.* Ação ou efeito de coonestar.

coonestador (ô) [De *coonestar* + *-dor*.] *Adj. S. m.* Que, ou aquele que coonesta.

coonestar [Do lat. *cohonestare*.] *V. t. d.* Dar aparência de honestidade a; fazer que pareça honesto, honrado, decente.

cooperação [Do lat. *cooperatione*.] *S. f.* 1. Ato ou efeito de cooperar. 2. *Ecol.* Associação entre duas espécies que, embora dispensável, traz vantagens para ambas.

cooperado [Part. subst. de *cooperar*.] *S. m.* Membro ou participante de uma cooperativa; cooperador, cooperativado.

cooperador (ô) [Do lat. *cooperatore*.] *Adj.* 1. Que coopera; cooperante. • *S. m.* 2. Aquele que coopera. 3. *Econ.* V. *cooperado*.

cooperante [De *cooperar* + *-nte*.] *Adj. 2 g.* Cooperador (1).

cooperar [Do lat. **cooperare*, por *cooperari*.] *V. t. i.* 1. Operar, ou obrar, simultaneamente; colaborar: *cooperar para o bem público.* 2. Prestar colaboração, serviços; trabalhar em comum; colaborar: *cooperar em trabalhos de equipe; Há anos que coopera com o Exército.* 3. Ajudar; participar: *Não quer saber de cooperar nas despesas.* **Bit. i.** 4. Prestar colaboração; colaborar: *Cooperou com o irmão no conserto do carro.* **Int.** 5. Ajudar, auxiliar; colaborar.

cooperativa [F. subst. de *cooperativo*.] *S. f.* Sociedade ou empresa constituída por membros de determinado grupo econômico ou social, e que objetiva desempenhar, em benefício comum, determinada atividade econômica.

cooperativado [De *cooperativa* + *-ado*[1].] *S. m.* V. *cooperado*.

cooperativismo [De *cooperativa* + *-ismo*.] *S. m. Econ.* Doutrina econômica que atribui às cooperativas um papel primordial.

cooperativista [De *cooperativa* + *-ista*.] *Adj. 2 g.* **1.** Respeitante a sociedades cooperativas. **2.** Que é adepto do cooperativismo. ● *S. 2 g.* **3.** Adepto dessa doutrina.

cooperativo [Do lat. *cooperativu*.] *Adj.* **1.** Que coopera. **2.** Em que há cooperação. ~ V. *anúncio* — e *fenômeno* —.

coopositor (ô) [De *co-*[1] + *opositor*.] *S. m.* Aquele que é opositor junto com outrem. ❖

cooptação [Do lat. *cooptatione*.] *S. f.* **1.** Ato ou efeito de cooptar. **2.** Tática de neutralizar ou envolver um grupo que possui ideias antagônicas, fazendo-o assimilar a cultura e os pensamentos do grupo dominante.

cooptar [Do lat. *cooptare*.] *V. t. d.* **1.** Agregar, associar. **2.** Admitir numa sociedade com dispensa das formalidades de praxe. **3.** Escolher ou unir-se a (alguém), como companheiro, parceiro ou cúmplice, para um empreendimento ou ação conjunta. **4.** Atrair (alguém) para seus objetivos: *Tanto insistiu, que logrou cooptá-lo.*

coorbital [De *co-*[1] + *orbital*.] *Adj. 2 g. Astr.* Diz-se de um corpo celeste que ocupa a mesma órbita de um outro: *Os satélites* Dione *e* Dione B *de Saturno são coorbitais.* ❖

coordenação [Do lat. tard. *coordinatione*.] *S. f.* **1.** Ato ou efeito de coordenar. **2.** Relação entre elementos que funcionam de modo articulado dentro de uma totalidade ordenada. **3.** *E. Ling.* União de elementos linguísticos sintaticamente equivalentes. [Cf., nesta acepç., *correlação* (5), *justaposição* (6), *subordinação* (3).] **4.** *Lóg.* Relação entre as classes (espécies) que compõem a extensão de uma mesma classe (gênero) em que estão incluídas. [Cf., nesta acepç., *subordinação* (4).] ◆ **Coordenação assindética.** *E. Ling.* Modalidade de coordenação (3) em que há assíndeto (q. v.); parataxe. **Coordenação sindética.** *E. Ling.* Modalidade de coordenação em que há síndeto (q. v.).

coordenada [F. subst. de *coordenado*.] *S. f.* **1.** *E. Ling.* Oração coordenada (q. v.). **2.** *Fam.* Orientação, diretriz; dado(s): *Vou-te dar a coordenada para encontrares o tal sujeito; Já tenho a coordenada para estudar o assunto.* **3.** *Mat.* Qualquer dos membros de um conjunto que determina univocamente a posição de um ponto no espaço. [O conjunto é formado por tantos membros quantas as dimensões do espaço considerado, e o número de membros constitui característica intrínseca do espaço. A coordenada pode ser uma distância, um ângulo, uma velocidade, um momento, etc. M. us. no pl.] ◆ **Coordenada astronômica.** *Astr.* Cada um dos arcos de círculo máximo da esfera celeste, us. para definir um ponto dessa esfera; coordenada celeste. **Coordenada celeste.** *Astr.* Coordenada astronômica. **Coordenada cíclica.** *Fís.* Coordenada ignorável. **Coordenada geográfica.** *Astr.* Cada uma das duas coordenadas (a latitude e a longitude) de um ponto sobre a superfície da Terra, referidas ao equador e a um meridiano-origem. **Coordenada horizontal.** *Astr.* Cada uma das coordenadas astronômicas do sistema que tem como plano fundamental o plano do horizonte real e como eixo principal, a vertical do lugar. São: o azimute, a altura e o complemento de altura. **Coordenada ignorável.** *Fís.* A que não figura explicitamente na expressão da lagrangiana dum sistema; coordenada cíclica. **Coordenada reduzida.** *Fís.* Qualquer das coordenadas, de pressão reduzida, temperatura reduzida ou volume reduzido; variável reduzida. **Coordenadas areocêntricas.** *Astr.* Coordenadas esféricas de um astro, ou de um ponto da superfície do planeta Marte, em relação ao centro deste planeta. **Coordenadas areográficas.** *Astr.* Coordenadas esféricas de um ponto da superfície do planeta Marte, em relação ao seu disco aparente. **Coordenadas cartesianas.** *Mat.* **1.** Sistema de coordenadas planas em que as famílias de curvas coordenadas são retas paralelas a dois eixos que se cortam. [São convencionadamente representadas por *x* e *y* (para sistemas com dois eixos de coordenadas) ou por *x*, *y*, *z* (para sistemas tridimensionais).] **2.** Sistema de coordenadas tridimensionais em que as famílias de superfícies coordenadas são três famílias de planos respectivamente paralelos a três planos com uma interseção comum. **3.** *P. ext.* Conjunto ordenado de *n* números que determinam a posição de um ponto num espaço de *n* dimensões e representam as distâncias desse ponto a planos generalizados que se interceptam num ponto comum. **Coordenadas cartesianas ortogonais.** *Mat.* Coordenadas cartesianas em que as famílias de retas (ou as famílias de planos) são perpendiculares entre si. **Coordenadas cilíndricas.** *Mat.* Coordenadas curvilíneas em que as superfícies coordenadas ortogonais são: superfícies cilíndricas circulares coaxiais; feixe de semiplanos coaxial à família anterior; planos perpendiculares ao eixo comum. **Coordenadas elipsoidais.** *Mat.* Coordenadas ortogonais em que as famílias de superfícies coordenadas são elipsoides hiperboloides de uma folha e hiperboloides de duas folhas, mutuamente perpendiculares e confocais. **Coordenadas elípticas.** *Mat.* Coordenadas planas ortogonais em que as curvas coordenadas pertencem a uma família de elipses e a uma família de hipérboles, ambas coaxiais e confocais entre si. **Coordenadas esféricas.** *Mat.* Coordenadas curvilíneas ortogonais em que as famílias de superfícies coordenadas são: superfícies esféricas concêntricas; superfícies cônicas coaxiais com vértice no centro das esferas; feixe de semiplanos coaxiais às superfícies cônicas. **Coordenadas esferoidais.** *Mat.* Coordenadas curvilíneas ortogonais em que as famílias de superfícies coordenadas são: elipsoides coaxiais e confocais; hiperboloides de revolução, coaxiais e confocais aos elipsoides; feixe de planos cujo eixo é o mesmo das famílias anteriores. **Coordenadas generalizadas.** *Fís.* Grupo de parâmetros independentes que fixam univocamente o estado de um sistema de natureza mecânica, e que podem ser modificados, arbitrária e independentemente, sem violar os vínculos do sistema. **Coordenadas geocêntricas.** *Astr.* Coordenadas esféricas de um ponto da esfera celeste, referidas ao centro da Terra. **Coordenadas heliográficas.** *Astr.* Coordenadas esféricas de um astro ou de um ponto na superfície do Sol, em relação ao seu disco aparente. **Coordenadas intrínsecas.** *Mat.* A curvatura, a torção e o comprimento de arco de uma curva; coordenadas naturais. **Coordenadas naturais.** *Mat.* Coordenadas intrínsecas. **Coordenadas ortogonais.** *Mat.* Aquelas em que as famílias de curvas coordenadas ou de superfícies coordenadas são mutuamente perpendiculares. **Coordenadas parabólicas.** *Mat.* Coordenadas curvilíneas ortogonais em que as famílias de superfícies coordenadas são: paraboloides de revolução com foco na origem; paraboloides de revolução com o mesmo foco e o mesmo eixo que os anteriores, mas abertos em sentido contrário; feixe de planos que passam pelo eixo. **Coordenadas paraboloidais.** *Mat.* Coordenadas curvilíneas ortogonais em que as famílias de superfícies coordenadas são: paraboloides elípticos coaxiais e confocais; paraboloides elípticos coaxiais e confocais aos anteriores, mas abertos em sentido oposto; paraboloides hiperbólicos confocais e coaxiais aos anteriores. **Coordenadas planetocêntricas.** *Astr.* Coordenadas esféricas de um astro, ou de um ponto da superfície de um planeta, em relação ao centro deste. **Coordenadas planetográficas.** *Astr.* Coordenadas esféricas de um ponto da superfície de um planeta em relação ao seu disco aparente. **Coordenadas polares.** *Mat.* Coordenadas planas em que as famílias de curvas coordenadas são: um feixe de retas com um ponto comum; circunferências de círculo com centro neste ponto. **Coordenadas retangulares.** *Mat.* Coordenadas cartesianas retangulares. **Coordenadas selenocêntricas.** *Astr.* Coordenadas esféricas de um ponto da esfera celeste, referidas ao centro da Lua. **Coordenadas selenográficas.** *Astr.* Coordenadas esféricas de um ponto da superfície lunar em relação ao disco aparente da Lua. **Coordenada tangencial.** *Astr.* Coordenada da projeção cônica de um astro sobre o plano tangente à esfera celeste. **Coordenadas topocêntricas.** *Astr.* Coordenadas esféricas de um ponto da esfera celeste, referidas ao local da observação. **Coordenadas toroidais.** *Mat.* Coordenadas curvilíneas ortogonais em que as famílias de superfícies coordenadas são: esferas com centro no eixo dos *z* e que passam por um círculo fixo no plano *xy* com centro na origem (*O*); superfícies toroidais com eixo em *Oz* e centro no plano *xy*; feixe de planos com eixo em *Oz*.

coordenado [Part. de *coordenar*.] *Adj.* Disposto segundo certos métodos e preceitos. ~ V. *eixo* —, *oração* —*a*, *plano* — e *superfície* —*a*.

coordenador (ô) [De *coordenar* + *-dor*.] *Adj. S. m.* Que, ou aquele que coordena.

coordenadoria [De *coordenador* + *-ia*[1].] *S. f.* **1.** Cargo ou funções de coordenador. **2.** Local onde se exercem essas funções.

coordenar [De *co-*[1] + *ordenar*, a partir de *coordenação*.] *V. t. d.* **1.** Dispor segundo certa ordem e método; organizar; arranjar: *Ainda não escreveu o discurso, mas já coordenou os elementos necessários.* **2.** Organizar e/ou dirigir, dando orientação: *coordenar um grupo de trabalho.* *T. d. e i.* **3.** Ligar, interligar: *coordenar a teoria com a prática.* **4.** Ligar, ajuntar por coordenação (3): *A conjunção* mas *coordena, nesta frase, a segunda oração à primeira.* *P.* **5.** Ligar-se, conectar-se, interligar-se, coerentemente: *Suas ideias já não se coordenam.*

coordenativa [F. subst. do adj. *coordenativo*.] *S. f. E. Ling.* Conjunção coordenativa (q. v.).

coordenativo [De *coordenar* + *-tivo*.] *Adj.* Relativo a, ou que produz coordenação. ~ V. *conjunção* —*a*.

coorte [Do lat. *cohorte*.] *S. f.* **1.** Parte de uma legião, entre os antigos romanos: "Viu a mansidão e paciência com que se deixou [Jesus Cristo] prender pelos soldados da coorte romana" (P.e Antônio Vieira, *Sermões*, VII, p. 267). **2.** Porção de gente armada; tropa. **3.** Multidão de pessoas; magote: "A sociedade recebeu-o prazenteiramente, deu-lhe a primeira linha na coorte dos elegantes" (Camilo Castelo Branco, *Amor de Salvação*, p. 134). **4.** *Bot. Zool.* Em taxonomia, categoria da sistemática botânica e zoológica situada entre a classe, ou a subclasse, e a ordem. **5.** *Bot. Zool.* Conjunto de ordens semelhantes. **6.** *Demogr.* Conjunto de pessoas que têm em comum um atributo relativo a um dado período de tempo: *A coorte que ingressou na primeira série do primeiro grau em 1990.*

copa[1] [Do lat. vulg. *cuppa*.] *S. f.* **1.** *Ant.* Vaso covo; taça, copo. **2.** Dorna, balseiro. **3.** A parte superior do chapéu. **4.** *Bot.* Ramagem superior de uma árvore, que forma uma superfície convexa. **5.** Compartimento da casa onde se lavam e se guardam as louças e talheres de uso diário, certos gêneros alimentícios, etc. e onde, em geral, há mesa de refeições. **6.** Louça para serviço de mesa; baixela. **7.** Torneio desportivo em que se disputa uma copa ou taça: *a copa do mundo.* **8.** *Bras. RS* Cada uma das chapas redondas e convexas, de prata, postas nas extremidades do bocal do freio campeiro. ~ V. *copas*. ◆ **Da (de) copa e cozinha.** Muito íntimo; da mais estreita intimidade.

copa[2] [Do it. *coppa*.] *S. f. Cul.* Espécie de salame feito com a parte dorsal do pescoço do porco, salgado e condimentado.

copacabanense *Adj. 2 g.* **1.** De, ou pertencente ou relativo a Copacabana, bairro do Rio de Janeiro (RJ). ● *S. 2 g.* **2.** O natural ou habitante de Copacabana.

copacabânico [Do top. *Copacabana*, bairro da cidade do Rio de Janeiro, + *-ico*[2].] *Adj.* Pertencente ou relativo a, ou próprio de Copacabana: "Sorri .... e saí para a noite copacabânica murmurosa de mar e multiflorida de estrelas." (Gilberto Amado, *Depois da Política*, p. 21.)

copacabanização [De *copacabanizar* + *-ção*.] *S. f.* Ação, efeito ou processo de copacabanizar(-se): "chegara a conhecer em Ipanema ruas de sobrados, de pequenos edifícios de quatro, seis, oito apartamentos .... quando o bairro .... iniciou o processo feroz de sua copacabanização." (Rubem Mauro Machado, *Lobos*, p. 47.)

copacabanizar [Do top. *Copacabana* + *-izar*.] *V. t. d. P.* Levar a adquirir ou adquirir um bairro o mesmo aspecto de Copacabana (bairro do Rio de Janeiro, de grande densidade demográfica).

copaço [De *copo* + *-aço*.] *S. m. Bras. Pop.* V. *copázio*.

copa-cozinha *S. f. Bras.* Compartimento da casa que serve ao mesmo tempo de copa (5) e de cozinha. [Pl.: *copas-cozinhas*.]

copada[1] [De *copo* + *-ada*[1].] *S. f.* **1.** Copo cheio. **2.** Porção de líquido que um copo contém. **3.** *Arquit.* Parte saliente e arredondada da base da coluna.

copada[2] [De *copa* + *-ada*[1].] *S. f. Bras. Bot.* Grande copa de árvore.

copado [De *copa* + *-ado*[1].] *Adj.* **1.** Que tem copa (3 e 4): "Primeiro era Vargem Alegre, com suas jabuticabeiras copadas, pendidas sobre a cerca." (Caio de Freitas, *Intrusos no Paraíso*, p. 3.) [Sin. bras., nesta acepç.: *copudo*.] **2.** Que tem forma de copa (1); convexo, bojudo.

copaeno (a-ê) [De *copa(íba)* + *-eno*[2].] *S. m. Quím.* Hidrocarboneto sesquiterpênico, tricíclico, insaturado, encontrado no óleo de copaíba [fórm.: $C_{15}H_{24}$].

copagem [De *copa* + *-agem*[2].] *S. f. Bras.* A copa das árvores: "O sol .... estava a pino e, por entre a copagem negra da mangueira um dos seus raios descia .... sobre o ventre da rapariga" (Aluísio Azevedo, *O Cortiço*, p. 203).

copaíba [Do tupi.] *S. f. Bras. AM a PR Bot.* Árvore cesalpiniácea (*Copaifera langsdorffii*) frondosa, de madeira avermelhada us. em marcenaria, flores alvas com máculas róseas, reunidas em raminhos, sendo o fruto uma vagem drupácea que contém uma semente. Produz um óleo medicinal espesso, viscoso, de tonalidade que vai do amarelo ao pardo. [Sin.: *copaibeira* e *pau-de-óleo*.]

copaíba-branca [De *copaíba* + o f. de *branco*.] *S. f. Bras. Bot.* Árvore cesalpiniácea (*Copaifera guyanensis*) de folhas alternas, penatífidas, pequenas flores dispostas em racemos tomentosos, e frutos que são vagens elípticas; fornece excelente madeira. [Sin.: *copaíba-verdadeira*, *copaíba-do-pará*. Pl.: *copaíbas-brancas*.]

copaíba-curiarana *S. f. Bras. Bot.* Árvore cesalpiniácea (*Copaifera glycycarpa*) nativa na Amaz. e em MT, e que se distingue das outras copaíbas pela vagem lenhosa e convexa e pelo sabor doce do arilo amarelo que envolve a semente; copaíba-preta. [Pl.: *copaíbas-curiaranas* e *copaíbas-curiarana*.]

copaíba-do-pará *S. f. Bras. Bot.* V. *copaíba-branca*. [Pl: *copaíbas-do-pará*.]

copaíba-jutaí *S. f. Bras. Bot.* Árvore cesalpiniácea (*Copaifera martii*) que fornece madeira de cerne duro, pardo-avermelhado, resinoso e difícil de trabalhar. [Pl.: *copaíbas-jutaís* e *copaíbas-jutaí*.]

copaibal (a-i) [De *copaíba* + *-al*[1].] *S. m.* **1.** *Bras.* Quantidade mais ou menos considerável de copaíbas dispostas proximamente entre si. **2.** Área ocupada por copaibal (1).

copaíba-marimari *S. f. Bras. Bot.* Árvore cesalpiniácea (*Copaifera reticulata*) que fornece a maior parte do óleo de copaíba produzido no Brasil, e madeira avermelhado-clara, que lembra a do cedro, porém mais dura, fibrosa e difícil de trabalhar. [Pl.: *copaíbas-marimaris* e *copaíbas-marimari*.]

copaíba-preta [De *copaíba* + o f. de *preto*.] *S. f. Bras. Bot.* Copaíba-curiarana. [Pl.: *copaíbas-pretas*.]

copaibarana (a-i) [De *copaíba* + *-rana*.] *S. f. Bras. Bot.* V. *jebaru*.

copaíba-verdadeira *S. f. Bras. Bot.* V. *copaíba-branca*. [Pl.: *copaíbas-verdadeiras*.]

copaibeira (a-i) [De *copaíba* + *-eira*.] *S. f. Bras. Bot.* V. *copaíba*.

copaibeiro (a-i) [De *copaíba* + *-eiro*.] *S. m. Bras. PA MA* Extrator de óleo de copaíba.

copal [Do hisp. -amer. *copal*, do asteca ou do náuatle *copalli*, 'resina, esp. a que se queimava nos templos'.] *S. m.* **1.** Resina que exsuda de árvores do gênero *Protium* (v. *prótio*) e *Hymenaea* (v. *himeneia*), encontrada na forma de fragmentos vítreos amarelo-claros de até 3kg, na superfície do solo ou como subfóssil, em torno de árvores velhas; é us. na fabricação de vernizes, lacas e colas. **2.** V. *almécega* (4). **3.** V. *jatobá* (2).

copar [De *copa* (4) + *-ar*[2].] *V. t. d.* **1.** Tosquiar a rama de (árvore) em derredor, para formar copa (4). **2.** Aparar (o cabelo) por igual em redor da cabeça. **3.** Dar forma convexa ou bojuda a. **4.** Fitar (3): *O cão copou as orelhas.* **5.** *Bras.* Dar a forma de tubo a. ***Int. P.*** **6.** Formar copa (a árvore): *O cajueiro está copando;* "Copa-se o bosque, escarpam-se rochedos, / De amenas flores se recamam prados" (Almeida Garrett, *Camões*, p. 9). [Pres. subj.: *cope, copes, cope, copemos, copeis, copem*. Cf. *copéis*, pl. de *copel*.]

coparrão [De *copo* + *-arrão*.] *S. m.* V. *copázio*: "abancados ao jogo, com grandes coparrões de vinho ao lado!" (Alberto Braga, *Novos Contos*, p. 3).

coparticipação [De *coparticipar* + *-ção*.] *S. f.* Ato ou efeito de coparticipar: *Mal se vê a sua coparticipação no trabalho.* ❖

coparticipante [De *coparticipar* + *-nte*.] *Adj. 2 g. S. 2 g.* Que, ou quem coparticipa. ❖

coparticipar [De *co-*[1] + *participar*.] *V. t. i.* Participar juntamente com outrem: *Os sócios do clube coparticiparam na elaboração do novo estatuto; Vários foram os que coparticiparam da reunião.* ❖

copas [Pl. de *copa* (1).] *S. f. pl.* Um dos naipes [v. *naipe* (1)], vermelho, que se figura com o desenho de um coração, e que nos antigos baralhos portugueses era em forma de taça. ~ V. *copa*. ◆ **Fazer-se em copas.** V. *fechar-se em copas*. **Fechar-se em copas.** Não dizer nada; trancar-se; fazer-se em copas: "Não aplaudia, mas não censurava. Calava-se, fechava-se em copas ao ouvir referências ao nome de Mininha" (Nélson de Faria, *Cabeça-Torta*, p. 64).

copázio [De *copo* + *-ázio*.] *S. m.* Copo grande; coparrão, copaço.

cope [Do esp. *copo*.] *S. m.* Parte do calão[2] (5) que fica no centro, e de malha mais estreita que a do resto.

copé [Do tupi = 'na roça'.] *S. m. Bras.* **1.** Cabana de madeira e palha dos guaranis. **2.** *P. ext.* V. *cabana*. [Pl.: *copés*. Cf. *cupé*, pl. *cupés*, e *cupê*, pl. *cupês*.]

copeira [De *copa* + *-eira*.] *S. f. P. us.* **1.** Copa (5). **2.** Fem. de *copeiro* (1): "Teresinha, quando veio do interior para trabalhar como copeira e arrumadeira, ... quase não cooperou nada" (Stanislaw Ponte Preta, *Febeapá 2*, p. 81).

copeiragem [De *copeiro* + *-agem*[2].] *S. f. Bras.* **1.** Serviço ou ofício de copeiro (1 e 2). **2.** O conjunto dos copeiros de uma casa.

copeirar [De *copeiro* + *-ar*[2].] *V. int. Bras.* Trabalhar como copeiro (1); exercer as funções de copeiro (1).

copeiro [De *copa* + *-eiro*.] *S. m.* **1.** Empregado doméstico que trabalha na copa (5) e serve à mesa. **2.** Aquele que preparava doces e licores. **3.** Aparador (3) para copos e garrafas. **4.** Intervalo cônico das rodas de carruagem. • ***Adj.*** **5.** ~ V. *engenho* — e *engenho* — *rasteiro*.

copejada [De *copejar* + *-ada*[1].] *S. f.* **1.** Ato ou efeito de copejar; copejadura. **2.** Parte da rede de galeão onde se reúne o peixe para ser copejado.

copejador (ô) [De *copejar* + *-dor*.] *S. m.* Aquele que copeja.

copejadura [De *copejar* + *-dura*.] *S. f.* Copejada (1).

copejar [De *cope* + *-ejar*.] *V. t. d.* **1.** Tirar do cope (os peixes que ali caíram). **2.** Pescar com arpão; arpoar. [Conjug.: v. *pelejar*.]

copel [De *cope* + *-el*.] *S. m. Bras.* Saco de malha miúda, das redes de arrastar. [Pl.: *copéis*. Cf. *copeis*, do v. *copar*.]

copela [Do it. *coppella*.] *S. f.* Cadinho us. na copelação.

copelação [De *copelar* + *-ção*.] *S. f. Metal.* Operação de refino de metais nobres (ouro, prata), na qual o material é aquecido até à fusão numa mufla e as impurezas presentes são oxidadas e se volatizam ou se depositam no fundo do cadinho.

copelar [De *copela* + *-ar*[2].] *V. t. d.* Submeter à copelação; apurar na copela; passar pela copela.

copenhaguense *Adj. 2 g.* **1.** De, ou pertencente ou relativo a Copenhague, capital da Dinamarca. • ***S. 2 g.*** **2.** O natural ou habitante dessa cidade.

copeógnato [Do gr. *kopeús*, 'cinzel', + *-gnato*; tax. *Copeognatha*.] *S. m. Adj. Zool.* V. *corrodente*.

copépode [Do gr. *kópe*, 'remo', + *-pode*; tax. *Copepoda*.] *Zool. S. m.* **1.** Espécime dos copépodes, subclasse de animais metazoários, artrópodes, crustáceos, na maioria microscópicos ou muito pequenos, e cujo tronco tem nove somitos livres, sendo os quatro últimos, nas espécies parasitas, desprovidos de apêndices e reduzidos. • ***Adj. 2 g.*** **2.** Pertencente ou relativo a eles.

copeque (é) [Do rus. *kopeĭka*, poss. pelo fr. *copeck*.] *S. m.* Moeda soviética que vale a centésima parte do rublo.

coperiódico [De *co-*[1] + *periódico*.] *Adj. 2 g. Mat.* Que tem os mesmos períodos que outro: *O seno e o cosseno são funções coperiódicas.* ❖

copernicano *Adj.* **1.** Do, pertencente ou relativo ao astrônomo polonês Nicolau Copérnico (1473-1543), ou próprio dele, ou de seu sistema cosmológico. ~ V. *sistema* —. • ***S. m.*** **2.** Aquele que segue ou aceita o sistema cosmológico de Copérnico [oposto, em geral, ao *sistema ptolemaico* (q. v.)].

copernício [Do lat. cient. *Copernicium*, em homenagem a *Nicolau Copérnico* (1473-1543), cientista e astrônomo polonês.] *S. m. Quím.* Nome proposto em 2009, por seus descobridores, para o unúmbio [símb.: Cp].

copiá [Var. de *copiara*.] *S. m. Bras.* V. *copiar*[1]: "Na frente da casa erguia-se o copiá feito de piteira e folhas de bananeiras." (Bernardo Élis, *Ermos e Gerais*, p. 60.)

cópia [Do lat. *copia*.] *S. f.* **1.** Transcrição textual do que está escrito algures; traslado. **2.** Reprodução de uma obra de arte, de uma fotografia, de um filme, etc. **3.** *Edit.* Folhas obtidas por impressão de arquivo magnético: *Enviou para a editora disquetes e cópia em papel com os arquivos do novo livro.* **4.** *Fot.* Cópia, normalmente feita em papel fotográfico, obtida a partir de um negativo; cópia fotográfica. **5.** *Pop.* Retrato, imagem: *O filho é a cópia do pai.* **6.** Imitação, reprodução: *A sua casa é uma cópia da em que ele passou a infância.* **7.** Grande quantidade; abundância: *O general passou revista a grande cópia de soldados.* [Cf. *copia*, do v. *copiar*.] ◆ **Cópia azul.** *Art. Gráf.* Cianotipia (2). **Cópia de segurança.** *Inform. Backup* (2). **Cópia fotográfica.** *Edit.* Cópia (3). **Cópia fotostática.** *Art. Gráf.* V. *fotocópia* (2). **Cópia heliográfica.** *Art. Gráf.* Cópia obtida por qualquer processo de heliografia. **Cópia por contato.** *Fot.* Cópia de um negativo colocado diretamente sobre o papel fotográfico; apresenta, destarte, as mesmas dimensões e forma do negativo. [Sin.: *cópia-contato*. Tb. se diz apenas *contato*.] **Cópia xerográfica.** *Art. Gráf.* V. *xerografia* (2).

cópia-contato *S. f. Fot.* V. *cópia por contato*. [Pl.: *cópias-contatos* e *cópias-contato*.]

copiadeira [De *copiar*[2] + *-deira*.] *S. f.* **1.** *Fot.* V. *chassi* (6). **2.** *Cin. Fot.* V. *copiadora* (2).

copiador (ô) [De *copiar*[2] + *-dor*.] *S. m.* **1.** Copista[1] (1). **2.** V. *copiógrafo*. **3.** Livro onde se copiam, por decalque ou por outro processo, cartas e outros documentos, no comércio, etc. **4.** Prensa que se usa para copiar cartas ou faturas escritas com tinta copiativa, apertando-as entre as folhas, umedecidas, do livro copiador. **5.** *Fotograv.* Fotogravador que se ocupa no trabalho de cópia. **6.** *Fotograv.* V. *chassi* (6).

copiadora (ô) [De *copiar*[2] + *-dora*.] *S. f.* **1.** Casa comercial especializada em fazer cópias heliográficas, ou fotocópias, etc., de documentos. **2.** Máquina de reprografia. **3.** *Cin. Fot.* Aparelho para copiar filmes, negativos ou *slides*; copiadeira.

copiagem [De *copiar*[2] + *-agem*[2].] *S. f.* **1.** Processo de produção de cópias a partir de matriz ou molde. **2.** *Fot.* Operação de copiar por meios fotoquímicos. **3.** *Fotograv.* Operação de copiar na superfície sensibilizada o negativo ou o diapositivo fotográfico.

copião [De *cópia* + *-ão*[1].] *S. m. Cin.* Cópia de todos os planos de um filme em que só há imagem (o som é gravado depois) e as indicações que precedem as sequências e a elas sucedem, e da qual o montador se serve para selecionar as imagens que deverão constar do filme acabado: "a Polícia recuperou em S. Paulo o copião do filme *A Selva*, baseado no romance de Ferreira de Castro, roubado há dias" (*Jornal do Brasil*, 06.11.1972).

copiar[1] [Var. de *copiara*.] *S. m. Bras. N. N.E.* **1.** Varanda contígua à casa; alpendre: "para descansar da escandalosa mandriice, atirava o corpo para o fundo duma excelente maqueira de tucum, armada no copiar" (Inglês de Sousa, *O Missionário*, pp. 367-368); "espaireceu nas circunvizinhanças e conversou no copiar de Trindade com as filhas desta vizinha." (Xavier Marques, *Jana e Joel*, p. 99). **2.** Parte aberta de barraca ou de casa rústica, espécie de vestíbulo desta.

copiar[2] [De *cópia* + *-ar*[2].] *V. t. d.* **1.** Fazer a cópia de; transcrever: *Mandaram-no copiar todo o texto.* **2.** Reproduzir, imitando: *Como exercício, copiam telas de grandes mestres da pintura.* **3.** Inspirar-se em; imitar: *Em sua obra copia o estilo de Machado de Assis.* **4.** Imitar, plagiar: *Não faz outra coisa senão copiar autores de renome.* **5.** *Fot.* Reproduzir (um negativo). **6.** Ser, ou mostrar-se parecido com, ou semelhante a: *Há no Rio montanhas que copiam um gigante adormecido.* ***T. d. e i.*** **7.** Obter, adquirir, por cópia: *Copiaram do concorrente o protótipo do novo carro.* **8.** *Inform.* Copiar[2] (1) (dado ou objeto selecionado) para a área de transferência (q. v.), possibilitando, assim, sua posterior inserção em outro local, por meio do procedimento de colar[3] (7). ***P.*** **9.** Imitar-se reciprocamente. [Pres. ind.: *copio, copias, copia*, etc.; m.-q.-perf.: *copiara, copiaras*, etc. Cf. *copio*, s. m., *cópia*, pl. *cópias*, e *copiara*, s. f., pl. *copiaras*.]

copiara [Do tupi.] *S. f. Bras.* V. *copiar*[1]. [Cf. *copiara* e *copiaras*, do v. *copiar*.]

copiativo [De *copiar*[2] + *-tivo*.] *Adj.* Que se presta para copiar: *lápis copiativo; tinta copiativa.*

copico [De *cope* + *-ico*[1].] *S. m. Bras.* Certa peça da rede de pescar.

copidescar [De *copidesque* + *-ar*[2].] *V. t. d.* Fazer o trabalho de copidesque (1) em: *Copidescou muito bem a reportagem, que estava ilegível.* [Conjug.: v. *trancar*.]

copidesque [Do ingl. *copy desk*.] *S. m. Edit. Jorn.* **1.** Redação final de um texto com vistas à sua publicação; correção, aperfeiçoamento e adequação de um texto escrito às normas gramaticais, editoriais, etc. **2.** *P. ext.* Aquele que faz o copidesque (1). **3.** Setor do jornal, revista, casa editora, etc., em que se faz o copidesque (1).

copilação *S. f.* V. *compilação*.

copilador (ô) *S. m.* V. *compilador*.

copilar *V. t. d.* V. *compilar*.

copilatório *Adj.* V. *compilatório*.

copiloto (ô) [De *co-*[1] + *piloto*.] *S. m.* **1.** *Aer.* Piloto que auxilia o comandante na operação da aeronave. **2.** Em certas provas de automobilismo, auxiliar de piloto. ❖

copio [De *cope* + *-io*[2].] *S. m.* Rede miúda de arrastar. [Cf. *copio*, do v. *copiar*.]

copiografar [De *cópia* + *-o-* + *-graf(o)-* + *-ar*[2].] *V. t. d.* Reproduzir por meio do copiógrafo; autocopiar. [Pres. ind.: *copiografo*, etc. Cf. *copiógrafo*.]

copiografia [De *cópia* + *-o-* + *-grafia*.] *S. f.* Reprodução de texto ou desenho por meio de copiógrafo.

copiográfico [De *copiografia* + *-ico*[2].] *Adj.* Referente à copiografia, ou ao copiógrafo.

copiógrafo [De *cópia* + *-o-* + *-grafo*.] *S. m.* Utensílio formado sobretudo por uma pasta gelatinosa sobre a qual se estampa um escrito ou desenho, do qual se extraem mecanicamente numerosos exemplares; autocopista, copiador, polígrafo. [Cf. *copiografo*, do v. *copiografar*.]

copiopia [Do gr. *kópos*, 'fadiga', + *-i-* + *-opia*.] *S. f. Oftalm.* Cansaço visual devido à solicitação excessiva ou inadequada da visão.

copiosamente [Do f. de *copioso* (ô) + *-mente*.] *Adj.* De maneira copiosa; com abundância; abundantemente.

copiosidade [De *copioso* + *-(i)dade*.] *S. f.* Qualidade de copioso; abundância.

copioso (ô) [Do lat. *copiosu*.] *Adj.* **1.** De que há cópia (6); abundante: "o príncipe perfeito .... saboreou .... uma tão copiosa quão delicada refeição" (José Régio, *O Príncipe com Orelhas de Burro*, p. 235). **2.** Grande, extenso.

copirraite [Do ingl. *copyright*.] *S. m.* Direito exclusivo de imprimir, reproduzir ou vender obra literária, científica ou artística. [Abrev.: *C* (ger. formando o símb. ©).]

copista¹ [Do fr. *copiste.*] *S. 2 g.* **1.** Pessoa que copia; copiador. **2.** V. *escrevente.* **3.** Escriba (3). **4.** *Fig.* Plagiário, imitador.

copista² [De *copo* + *-ista.*] *S. 2 g. Pop.* Grande bebedor; ébrio.

copiúva [Do tupi.] *S. f. Bras. RJ a PR GO Bot.* Arbusto ou pequena árvore cunoniácea (*Weinmannia pinnata*) dotada de flores alvo-esverdeadas, pequenas, numerosíssimas, e cujo fruto é pequena cápsula, de cor azul, com duas sementes pilosas; guaraparé, guarapari, guaraparim, pau-do-chapado.

copla [Do lat. *copula*, 'união', pelo esp. *copla.*] *S. f. Arte Poét.* **1.** Pequena composição poética, ger. em quadras, para ser cantada. [Sin., p. us.: *letrilha.*] **2.** V. *quadra* (4).

coplanar [De *co-¹* + *plano* + *-ar¹.*] *Adj. 2 g. Geom.* Diz-se de uma configuração pertencente ao mesmo plano que outra.

copo [De *copa.*] *S. m.* **1.** Vaso em geral cilíndrico, sem tampa, pelo qual se bebe, e para outros usos; taça. **2.** O conteúdo de um copo: "Bebera copo sobre copo" (Domingos Monteiro, *Histórias das Horas Vagas*, p. 141). **3.** Qualquer objeto semelhante a um copo. **4.** Bebida alcoólica; drinque: "se nós jantássemos um dia destes, podíamos depois ir a qualquer lado, dançar, beber um copo." (José Saramago, *História do Cerco de Lisboa*, p. 112); *tomar um copo.* [Aum.: *copaço, copázio, coparrão.*] ~ V. *copos.* ◆ **Copo químico.** *Quím.* V. *bécher.* **Cuspir no copo em que bebeu.** *Pop.* V. *sujar a água que bebe.* **Não beber nem desocupar o copo.** *Bras. GO , Pop.* V. *não atar nem desatar.* **Ser um bom copo.** *Fam.* Ser muito dado a bebidas alcoólicas; ser bom bebedor.

copo-d'água *S. m. Bras.* Lanche ou colação que se oferece em manifestação de amigos: "tem-se notícia de várias festas, danças, jantares, ... opíparos copos-d'água." (Raul Lima, *O Fio do Tempo*, p. 95). [Pl.: *copos-d'água.*]

copo-de-leite *S. m. Bras. Bot.* **1.** Planta arácea (*Calla palustris*) originária da África e muito cultivada como ornamental; tem grandes folhas oblongas e pequeninas flores unissexuais, reunidas em espiga envolvidas por grande bráctea nívea. **2.** V. *açucena* (1). **3.** V. *palma-de-são-josé.* [Pl.: *copos-de-leite.*]

copofone [De *copo* + *-fone.*] *S. m.* Série de copos graduados que, atritados ou percutidos, emitem sons musicais. [Cf. *harmônica* (1).]

copolímero [De *co-¹* + *polímero.*] *S. m. Quím.* Polímero formado por dois ou mais monômeros diferentes.

■**COPOM** [Sigla de *Comitê de Política Monetária.*] *Econ.* Órgão do Banco Central que fixa periodicamente a taxa de juros básica da economia.

copos [Pl. de *copo.*] *S. m. pl.* **1.** Ornatos de metal nos bocais dos freios das cavalgaduras. **2.** Guarda da mão na espada: "D. Pedro .... segura a espada nas mãos ambas, tendo uma na bainha e outra nos copos" (Ramalho Ortigão, *As Farpas*, I, p. 228). ~ V. *copo.*

copra [Do malaiala *koppara*, poss. do hindi *khoprā.*] *S. f.* Amêndoa do coco seca e preparada para se extrair dela o copraol.

copracrasia [De *copr(o)-* + gr. *akrasía*, 'falta de força'; 'falta de autocontrole'.] *S. f. Med.* Incontinência fecal.

copraol [De *copra* + *-ol³.*] *S. m.* Substância gordurosa, isenta das partes mais fusíveis, us. na preparação de supositórios, velas, etc., e que se extrai da copra. [Pl.: *copraóis.*]

coprémese *S. f. Med.* V. *coprêmese.* [Uso freq. em P.]

coprêmese [De *copr(o)-* + *-êmese.*] *S. f. Med.* Vômito de matéria fecal.

▲**copr(o)-** [Do gr. *kopro-* < gr. *kópros, ou.*] *El. comp.* = 'excremento', 'esterco': *coprólito, coprófito, coprêmese.*

coprodução [De *co-¹* + *produção.*] *S. f.* Ato ou efeito de coproduzir. ❖

coprodutor (ô) [De *co-¹* + *produtor.*] *S. m.* Indivíduo que coproduz. ❖

coprodutos [De *co-¹* + o pl. de *produto.*] *S. m. pl. Econ. Com.* Partes do mesmo animal ou da mesma planta, consideradas como produtos negociáveis distintos. ❖

coproduzir [De *co-¹* + *produzir.*] *V. t. d.* Produzir juntamente com outrem. [Conjug.: v. *aduzir.*] ❖

coprofagia [De *copr(o)-* + *-fag(o)-* + *-ia¹.*] *S. f.* **1.** Modo de alimentação dos animais que se nutrem de excremento. **2.** *Psiq.* Estado mórbido que impele o indivíduo a comer excremento. [Sin. ger.: *escatofagia.*]

coprofágico [De *coprofagia* + *-ico².*] *Adj.* Relativo à coprofagia.

coprófago [Do gr. *koprophágos.*] *Adj.* **1.** Que pratica a coprofagia. ● *S. m.* **2.** Animal ou indivíduo que a pratica. [Sin. ger.: *escatófago.*]

coprofilia [De *coprófilo* + *-ia¹.*] *S. f.* **1.** *Biol.* Condição de coprófilo. **2.** *Psiq.* Atração patológica por sujeira, esp. por fezes e pelo ato de defecação.

coprofílico [De *coprofilia* + *-ico².*] *Adj.* **1.** Relativo a, ou que tem coprofilia. ● *S. m.* **2.** *Psiq.* Aquele que tem coprofilia (2).

coprófilo [De *copr(o)-* + *-filo².*] *Adj. S. m.* **1.** *Biol.* Diz-se de, ou bactéria que vive nas fezes. **2.** *Psiq.* Que, ou aquele que tem coprofilia (2).

coprófito [De *copr(o)-* + *-fito.*] *S. m. Micol.* Fungo que se desenvolve sobre excrementos.

coprofobia [De *copr(o)-* + *-fobia.*] *S. f. Psiq.* Repugnância patológica à defecação e às fezes.

coprofóbico [De *coprofobia* + *-ico².*] *Psiq. Adj.* **1.** Relativo a coprofobia. **2.** Que sofre de coprofobia; coprófobo. ● *S. m.* **3.** Aquele que sofre de coprofobia; coprófobo.

coprófobo [De *copr(o)-* + *-fobo.*] *Adj. S. m. Psiq.* Coprofóbico (2 e 3).

coprolagnia [De *copr(o)-* + *-lagnia.*] *S. f. Psiq.* Modalidade de parafilia produzida pelo cheiro, visão ou contato de matérias fecais.

coprolalia [De *copr(o)-* + *-lal(o)-* + *-ia¹.*] *S. f. Psiq.* Impulso mórbido que leva o indivíduo a proferir obscenidades.

coprolálico [De *coprolalia* + *-ico².*] *Adj.* Relativo a coprolalia.

coprólito [De *copr(o)-* + *-lito.*] *S. m.* **1.** *Paleont.* Excremento fóssil. **2.** *Med.* Massa fecal endurecida; cíbalo.

coprologia [De *copr(o)-* + *-logia.*] *S. f.* **1.** Emprego de expressões obscenas, imundas, em literatura. **2.** O versar temas imundos em obras literárias. **3.** Estudo dos adubos orgânicos. **4.** Estudo das fezes.

coprológico [De *coprologia* + *-ico².*] *Adj.* Referente à coprologia.

coproma [De *copr(o)-* + *-oma¹.*] *S. m. Patol.* Fecaloma (1).

copropriedade [De *co-¹* + *propriedade.*] *S. f.* Condomínio (1). ❖

coproprietário [De *co-¹* + *proprietário.*] *S. m.* V. *condômino.* ❖

copróstase [De *copr(o)-* + *-stase.*] *S. f. Med.* V. *prisão de ventre.*

coprostasia [De *copr(o)-* + *-(e)stas(i)-* + *-ia¹.*] *S. f.* Retenção dos excrementos; constipação do ventre.

coprostasiofobia *S. f.* V. *coprostasofobia.*

coprostasiofóbico *Adj. S. m.* V. *coprostasofóbico.*

coprostasiófobo *Adj. S. m.* V. *coprostasófobo.*

coprostasofobia [De *copr(o)-* + *-(e)stas(i)-* + *-o-* + *-fobia.*] *S. f. Psiq.* Medo patológico de sofrer de constipação (1).

coprostasofóbico [De *coprostasofobia* + *-ico².*] *Psiq. Adj.* **1.** Relativo a coprostasofobia. **2.** Que sofre de coprostasofobia; coprostasófobo. ● *S. m.* **3.** Aquele que sofre de coprostasofobia; coprostasófobo.

coprostasófobo [De *copr(o)-* + *-(e)stas(i)-* + *-o-* + *-fobo.*] *Adj. S. m. Psiq.* Coprostasofóbico (2 e 3).

coprosterol [De *copr(o)-* + *-sterol.*] *S. m. Quím.* Esterol saturado, isômero do colestanol, encontrado em fezes de animais carnívoros [fórm.: $C_{27}H_{48}O$]. [Pl.: *coprosteróis.*]

copta (ó) *Adj. 2 g.* **1.** Dos, ou relativo ou pertencente aos coptas, povo egípcio do período helenístico (2) e do período sob dominação romana, que conserva suas características étnicas primitivas. ~ V. *alfabeto —.* ● *S. 2 g.* **2.** Indivíduo pertencente a esse povo. **3.** Cristão jacobita do Egito. **4.** *Gloss.* Língua camito-semítica do ramo egípcio, cujas primeiras atestações datam do séc. II, e que é, atualmente, us. apenas como língua religiosa pelos cristãos monofisistas do Egito. [F. paral.: *copto.*]

cóptico [De *copta* + *-ico².*] *Adj.* Relativo ou pertencente aos coptas.

copto *Adj. S. m.* V. *copta.*

copuda [F. subst. de *copudo.*] *S. f. Bras. Bot.* Arbusto crisobalanáceo (*Licania parinarioides*) de folhas coriáceas, pequenas flores racemosas, dispostas em panículas, e cujo fruto é uma drupa carnosa. [Sin.: *cutimandioca, pajurarana.*]

copudo [De *copa* + *-udo.*] *Adj. Bras.* Copado (1): *mangueiras copudas;* "no pouso, sob um pau-terra copudo e retorcido ouviram de longe um vozeiro estranho e agourento." (Afonso Arinos, *Lendas e Tradições Brasileiras*, p. 30).

cópula [Do lat. *copula.*] *S. f.* **1.** União, ligação. **2.** O ato sexual; coito. [Sin. (p. us.), nessas acepç.: *copulação.*] **3.** *Mús.* Registro de órgão que une um teclado com outro ou os teclados manuais com a pedaleira. **4.** *E. Ling.* Verbo que liga o atributo ao sujeito. **5.** *Lóg.* O verbo ser enquanto exprime a relação entre predicado e sujeito. [Cf. *copula*, do v. *copular.*]

copulação [Do lat. *copulatione.*] *S. f.* **1.** *P. us.* V. *cópula* (1 e 2). **2.** *Quím.* Reação entre um sal de diazônio e um fenol ou uma amina aromática, resultando em um composto azoico, e que é us. na síntese de corantes; acoplamento diazoico.

copulador (ô) [Do lat. *copulatore.*] *Adj. S. m.* Que ou o que copula.

copular [Do lat. *copulare.*] *V. t. d.* **1.** Ligar, ajuntar; unir; emparelhar, acasalar. *T. i. Int.* **2.** Ter cópula (2): "Um touro vivia copulando à vista de todos, ao ar livre." (Chico Buarque de Holanda, *Fazenda Modelo*, p. 15.) [Pres. ind.: *copulo, copulas, copula*, etc. Cf. *cópula* e *cupular.*]

copulativa [F. subst. do adj. *copulativo.*] *S. f. E. Ling.* Conjunção copulativa (q. v.).

copulativo [Do lat. *copulativu.*] *Adj.* Que serve para ligar; que liga. ~ V. *conjunção —a* e *verbo —.*

copulatório [De *copular* + *-tório.*] *Adj.* De, ou relativo a cópula. ~ V. *bolsa —a.*

➔**copyright** [ˈkapiJajt] [Ingl.] *S. m.* V. *copirraite.*

coque¹ [T. onom.] *S. m.* V. *cascudo¹.*

coque² [Do ingl. *coke.*] *S. m. Quím.* Carvão amorfo, resultante da calcinação e pirólise do carvão mineral, na qual ocorre a libertação de diversos produtos voláteis. ◆ **Coque de madeira.** *Quím.* O que se obtém pela carbonização da madeira. **Coque de petróleo.** *Quím.* Carvão relativamente puro que se obtém como resíduo na destilação do petróleo. **Coque siderúrgico.** *Metal.* O apropriado à utilização nos altos-fornos.

coque³ [Do ingl. *cook*, poss.] *S. m.* V. *cuca¹.*

coque⁴ *S. m. Bras.* Penteado feminino que consiste em enrodilhar os cabelos de trás da cabeça: "Os cabelos, penteados rentes à cabeça, formavam meticuloso coque na nuca." (Vasconcelos Maia, *O Leque de Oxum*, p. 57.) [Cf. *cocó¹.*]

coqueificação (e-i) [De *coqueificar* + *-ção.*] *S. f. Quím.* Ação de coqueificar.

coqueificar (e-i) [De *coque²* + *-ificar.*] *V. t. d.* Transformar em coque² (um carvão). [Conjug.: v. *trancar.*]

coqueiral [De *coqueiro* + *-al¹.*] *S. m.* **1.** Quantidade mais ou menos considerável de coqueiros dispostos proximamente entre si. **2.** Área ocupada pelo coqueiral (1). [Sin.: ger.: *cocal.*]

coqueirense¹ *Adj. 2 g.* **1.** De, ou pertencente ou relativo a Coqueiral (MG). ● *S. 2 g.* **2.** O natural ou habitante de Coqueiral.

coqueirense² *Adj. 2 g.* **1.** De, ou pertencente ou relativo a Coqueiros do Sul (RS). ● *S. 2 g.* **2.** O natural ou habitante de Coqueiros do Sul.

coqueirense³ *Adj. 2 g.* **1.** De, ou pertencente ou relativo a Coqueiro Seco (AL). ● *S. 2 g.* **2.** O natural ou habitante de Coqueiro Seco.

coqueirinho-do-campo *S. m. Bot.* V. *acumã.* [Pl.: *coqueirinhos-do-campo.*]

coqueiro¹ [De *coco¹* (ô) + *-eiro.*] *S. m. Bot.* Designação comum a todas as palmeiras que produzem fruto comestível ou de largo emprego industrial. [Cf. *palmeira* e *cuqueiro.*]

coqueiro² [De *coco²* (ô) + *-eiro.*] *S. m. Bras. N.E.* Cantador de coco; coquista. [Cf. *cuqueiro.*]

coqueiro³ *S. m.* **1.** *Pop. Desus.* Intrujão, embusteiro, impostor. **2.** *Bras. Gír.* Em carteado, pessoa que joga de modo comedido, firme, seguro, arriscando pouco a sorte. [Cf. *cuqueiro.*]

coqueiro-açaí [De *coqueiro¹* + *açaí.*] *S. m. Bras. Bot.* V. *açaí* (1). [Pl.: *coqueiros-açaís* e *coqueiros-açaí.*]

coqueiro-amargoso [De *coqueiro¹* + *amargoso.*] *S. m.* **1.** *Bras. Bot.* V. *palmito-amargoso* (1). **2.** V. *guariroba* (1). [Pl.: *coqueiros-amargosos.*]

coqueiro-anão *S. m. Bras. Bot.* V. *buri-da-praia.* [Pl.: *coqueiros-anões* e *coqueiros-anão.*]

coqueiro-azedo *S. m. Bras. Bot.* V. *butiá* (1). [Pl.: *coqueiros-azedos.*]

coqueiro-babunha *S. m. Bras. Bot.* V. *pupunha* (1). [Pl.: *coqueiros-babunhas* e *coqueiros-babunha.*]

coqueiro-bacaba *S. m. Bras. Bot.* V. *bacaba* (2). [Pl.: *coqueiros-bacabas* e *coqueiros-bacaba.*]

coqueiro-buriti *S. m. Bras. Bot.* V. *buriti* (1). [Pl.: *coqueiros-buritis* e *coqueiros-buriti.*]

coqueiro-cabeçudo *S. m. Bras. Bot.* **1.** V. *aricuri.* **2.** V. *butiá-de-vinagre.* [Pl.: *coqueiros-cabeçudos.*]

coqueiro-caiaué *S. m. Bras. Bot.* Caiaué. [Pl.: *coqueiros-caiaués* e *coqueiros-caiaué.*]

coqueiro-catulé *S. m. Bras. Bot.* Palmeira arecácea (*Syagrus comosa*) de até 7m, dos cerrados, campos e caatingas, cujo estipe é, ger., revestido pela base dos pecíolos; guariroba-do-campo, jerivá, palmito-amargoso. [Pl.: *coqueiros-catulés* e *coqueiros-catulé.*]

coqueiro-da-baía *S. m. Bras. N. a S. Bot.* Palmeira arecácea (*Cocos nucifera*) dotada de inflorescência em espádices de flores alvas, unissexuadas, protegidas por espata dupla, e cujo fruto é drupa ovoide, grande, fibrosa e dura, em cuja cavidade se encontra albume lactescente e oleaginoso, comestível; coco-da-baía. [Pl.: *coqueiros-da-baía.*]

coqueiro-da-praia *S. m. Bras. Bot.* V. *buri-da-praia.* [Pl.: *coqueiros-da-praia.*]

coqueiro-de-dendê *S. m. Bras. Bot.* V. *dendezeiro.* [Pl.: *coqueiros-de-dendê.*]

coqueiro-de-vênus [De *coqueiro* + *de* + o mit. lat. *Venus*, deusa do amor e dos prazeres.] *S. m. Bot.* **1.** Pequena árvore asparagácea (*Dracaena fragrans*) de folhas lanceoladas, verde-escuras, e inflorescências com pequenas flores alvas, fragrantes; é subespontânea em regiões tropicais, sendo muito cultivada como ornamental. [Sin.: *pau-d'água*.] **2.** Arbusto liliáceo (*Cordyline terminalis*) semilenhoso, com folhas ensiformes, coriáceas, e longas inflorescências terminais com flores não vistosas; cordiline, dracena-vermelha. [Pl.: *coqueiros-de-vênus*.]

coqueiro-do-campo ***S. m.*** *Bras. Bot.* V. *acumã*. [Pl.: *coqueiros-do-campo*.]

coqueiro-guariroba ***S. m.*** *Bras. Bot.* V. *guariroba* (1). [Pl.: *coqueiros-guarirobas* e *coqueiros-guariroba*.]

coqueiro-guriri ***S. m.*** *Bras. Bot.* V. *buri-da-praia*. [Pl.: *coqueiros-guriris* e *coqueiros-guriri*.]

coqueiro-jataí ***S. m.*** *Bras. Bot.* **1.** V. *butiá-verdadeiro*. **2.** V. *jataí* (3). [Pl.: *coqueiros-jataís* e *coqueiros-jataí*.]

coqueiro-macho ***S. m.*** *Bot.* Feto ciateáceo (*Cyathea arborea*) arbóreo, de até 12m de altura, da América tropical. [Pl.: *coqueiros-machos*.]

coqueiro-piaçaba ***S. m.*** *Bras. Bot.* V. *piaçaba* (1). [Pl.: *coqueiros-piaçabas* e *coqueiros-piaçaba*.]

coqueiro-piçandó ***S. m.*** *Bras. Bot.* V. *ariri*[1] (1). [Pl.: *coqueiros-piçandós* e *coqueiros-piçandó*.]

coqueiro-tarampaba ***S. m.*** *Bras. AM MT Bot.* V. *bacaba* (3). [Pl.: *coqueiros-tarampabas* e *coqueiros-tarampaba*.]

coqueiro-tucum ***S. m.*** *Bras. Bot.* V. *tucum* (1). [Pl.: *coqueiros-tucuns* e *coqueiros-tucum*.]

coqueiro-tucumã ***S. m.*** *Bras. Bot.* **1.** V. *tucum* (4). **2.** V. *tucumã* (2). [Pl.: *coqueiros-tucumãs* e *coqueiros-tucumã*.]

coqueluche [Do fr. *coqueluche*.] ***S. f.*** **1.** Doença infecciosa aguda, produzida por bactéria, altamente contagiosa, peculiar à infância, e que, lesando o sistema respiratório, se manifesta por acessos de tosse violenta; tosse convulsa, tosse comprida, tosse de guariba. **2.** *Fig.* Pessoa, coisa ou hábito que desfruta momentaneamente da preferência ou atenção popular: "Como era namorador [Alceu Amoroso Lima]. Era a coqueluche das moças." (Antônio Carlos Vilaça, *O Desafio da Liberdade*, p. 37); *Assistir a novelas pela televisão é agora a coqueluche da cidade.* **3.** Hábito ou vício dominador; paixão; mania: "Jogar castanhas era a coqueluche da meninada." (Hermano Requião, *Itapagipe*, p. 28.)

coqueluchoide (ói) [De *coqueluche* + *-oide*.] ***Adj. 2 g.*** Semelhante à coqueluche. ❖

coquense ***Adj. 2 g.*** **1.** De, ou pertencente ou relativo a Cocos (BA). • ***S. 2 g.*** **2.** O natural ou habitante de Cocos.

coqueria [De *coque*[2] + *-eria*.] ***S. f.*** *Quím.* Numa planta industrial, a instalação onde se procede à coqueificação.

coquete [Do fr. *coquet, coquette*.] ***Adj. 2 g.*** **1.** Que procura despertar a admiração de outrem: *Aos 90 anos, mostrava-se coquete ao alardear a boa condição física e mental.* **2.** Diz-se de quem é faceiro e cuida exageradamente da aparência por prazer ou a fim de agradar aos outros. [Nessas acepçs., no Brasil, é m. us. no fem.] **3.** *P. ext.* Que é leviano, volúvel, inconstante. [Diz-se de mulher.] • ***S. 2 g.*** **4.** Pessoa coquete.

coquetel [Do ingl. *cock-tail*.] ***S. m.*** **1.** Bebida preparada com a mistura de duas ou mais bebidas alcoólicas, ou suco de tomate ou de certas frutas, gelo, às vezes açúcar, etc. **2.** *Restr.* O conjunto das drogas que, tomadas simultaneamente, visam produzir determinado efeito terapêutico. **3.** Reunião social, ordinariamente com muitos convidados e a partir das 19 horas, por ocasião da qual se servem, em pé, coquetéis, salgadinhos, canapés; beberete. **4.** *Cul.* Iguaria preparada com peixe, marisco ou crustáceo, caracterizada pelo molho abundante, feito em geral com maionese, creme de leite e molho de tomate, e servida gelada em taça: *coquetel de camarão; coquetel de lagosta.* [Pl.: *coquetéis*.]

coquetelaria [De *coquetel* + *-aria*.] ***S. f.*** *Bras.* Arte ou ofício de preparar coquetéis "Um grande concurso de coquetelaria movimentou a semana paulista" (Zózimo Barroso do Amaral, em *Jornal do Brasil*, 19.07.1981).

coqueteleira [De *coquetel* (1) + *-eira*.] ***S. f.*** *Bras.* Recipiente em que se preparam coquetéis.

coquetel-molotov ***S. m.*** Espécie de bomba incendiária rudimentar, de fabricação artesanal, que consiste numa garrafa contendo líquido inflamável e um pano ou pavio nele embebido. [Pl.: *coquetéis-molotovs*.]

coqueteria [Do fr. *coquetterie*.] ***S. f.*** Coquetismo.

coquetismo [De *coquete* + *-ismo*.] ***S. m.*** Qualidade ou modos de coquete (4); coqueteria.

coquilho [De *coco*[1] (ô) + *-ilho*.] ***S. m.*** *Bot.* **1.** Grande erva canácea (*Canna glauca*) ornamental, nativa da Amaz., BA, MT e MS, de rizoma tuberoso, comestível, caule e folhas glaucas, flores amarelas e cujo fruto encerra sementes de albume córneo. [Sin.: *albará, albarã, muru, piriquiti*.] **2.** A amêndoa ou parte comerciável dos cocos explorados para produção de óleo.

coquimbita [Do top. *Coquimbo* (Chile) + *-ita*[3].] ***S. f.*** *Min.* Mineral hexagonal, hidrossulfato férrico, granular, maciço.

coquinho [De *coco*[1] (ô) + *-inho*[1].] ***S. m.*** *Bras. Bot.* V. *jerivá* (1).

coquinho-babá ***S. m.*** *Bras. Bot.* Palmeira arecácea (*Desmoncus setosus*) do N. e N.E. do Brasil, de caule nodoso, fino, flexível, de até 4m de comprimento, folhas invaginantes, flores monoicas e fruto pequeno, arredondado, polposo e mucilaginoso. [Pl.: *coquinhos-babás* e *coquinhos-babá*.]

coquirana ***S. f.*** *Bras. Amaz. Bot.* V. *ucuquirana*.

coquista [De *coco*[2] (ô) (2) + *-ista*.] ***S. m.*** *Bras. N.E.* Coqueiro[2].

cor [Do lat. *cor* (nom.).] ***S. m.*** **1.** *Ant.* Coração[1] (1). **2.** *Urb.* V. *centro* (6). [Pl.: *cores*. Cf. *cor* (ô) e o pl. *cores* (ô).] ◆ **De cor.** Com fundamento ou base na memória; de memória: *Conhece Byron de cor;* "Já a lera [a carta] muitas vezes e sabia-a quase de cor" (Domingos Monteiro, *Histórias das Horas Vagas*, p. 51). **De cor e salteado.** Perfeitamente sabido: *F. sabe o texto de cor e salteado.*

cor (ô) [Do lat. *colore*.] ***S. f.*** **1.** *Ópt.* Característica de uma radiação eletromagnética visível, de comprimento de onda situado num pequeno intervalo de espectro eletromagnético (q. v.), a qual depende da intensidade do fluxo luminoso e da composição espectral da luz, e provoca no observador uma sensação subjetiva independente de condições espaciais ou temporais homogêneas. [Contrapõe-se ao branco, que é a síntese dessas radiações, e ao preto, que é a ausência de luz.] **2.** O aspecto dos corpos decorrente da percepção daquelas radiações pelo órgão visual, determinado, basicamente, por suas variáveis (a fonte de luz e a superfície refletora, um objeto colorido), e que tem como atributos principais o matiz, a luminosidade e a saturação: *as cores do arco-íris; O vermelho é uma cor; O daltonismo é uma perturbação no reconhecimento das cores.* **3.** *P. ext.* Qualquer cor (1 e 2), exceto o branco, o preto e o cinzento. **4.** A propriedade que têm os corpos, naturais ou artificiais, de absorver ou refletir a luz em maior ou menor grau: "as cores nascem quando a luz vai despontando, / as cores morrem quando a luz vai se escondendo." (Gilca da Costa Melo Machado, *Poesias*, p. 162). **5.** Qualquer matéria corante (pigmento, tinta, etc.) existente na natureza ou obtida quimicamente, inclusive o branco, o preto e o cinzento. **6.** A cor (2) predominante num objeto ou num ambiente; colorido, tom: *a cor de um automóvel; Mudou a cor do quarto.* **7.** As cores da bandeira, ou de outra insígnia, que servem como distintivo de um país, instituição, grupo, etc.: *as cores nacionais; as cores dum clube.* **8.** O colorido da pele, e esp. das faces: *homem de cor branca; Ao ver a antiga namorada, fugiram-lhe as cores.* **9.** *Fig.* Realce, relevo; colorido: *dar cor à verdade.* **10.** *Fig.* Aparência, aspecto, mostra: *Foi uma mentira com a cor da verdade.* **11.** *Fig.* Característica particular; feição, marca, tom: *cor política; a cor polêmica dos debates; Os romances de Bernardo Guimarães têm cor local.* **12.** *P. ext.* V. *paleta* (2). **13.** *Fís. Part.* Número quântico associado ao grau de liberdade que têm os *quarks* e os glúons, e que, na cromodinâmica quântica (q. v.), tem papel análogo ao da carga elétrica na eletrodinâmica. [Cada sabor de *quark* existe em três cores distintas, que representam propriedades adicionais desta partícula.] [Trad., na acepç. 13 (Fís. Part.), do ingl. *color*.] [Pl.: *cores* (ô). Cf. *cor*, s. m., e *cores*, do v. *corar* e pl. de *cor*.] ◆ **Cor complementar.** A cor primária (específica de luz ou de tinta) excluída da mistura das duas outras da mesma variável, e correspondente a uma cor primária da variável oposta. Ex.: a cor primária (de luz) magenta é a complementar da primária (de tinta) verde, obtida quimicamente pela mistura amarelo com o ciã. [Este princípio aplica-se também à extensa gama de cores terciárias, cada uma das quais tem a sua complementar, que se forma na retina no ato da percepção da cor, segundo a tendência para o equilíbrio característico dos fenômenos da natureza.] **Cor de seleção.** *Art. Gráf.* Uma das quatro cores (amarelo, magenta, ciano e preto) us. em quadricromia por seleção de cores. **Cor espectral.** *Ópt.* A de uma radiação eletromagnética visível monocromática. **Cor fria.** A que ocupa, no espectro visível, a faixa compreendida entre o verde e o violeta, além de toda a gama de cinzas. **Cor fundamental.** Cada uma das cores do espectro visível (q. v.). **Cor local.** **1.** Na pintura tradicional, a representação dos objetos com suas características exteriores, tais como a contextura, o volume, o peso, etc., procurando-se dar ao observador a ilusão de que se encontra, objetivamente, em face desta realidade. **2.** *Fig.* Conjunto de características exteriores com que, numa obra de arte, se assinala um local, tempo ou pessoa: *um romance com muita cor local.* **Cor neutra.** Cor indefinida e pouco vistosa, como, p. ex., o cinza, o pardo, o bege. **Cor primária.** Cor (2) que não resulta da mistura de duas outras, mas depende do uso das variáveis luz ou tinta, havendo, assim, cores primárias específicas de luz (verde, vermelho, azul), quando se trata da projeção luminosa colorida sobre superfície branca, ou cores primárias específicas de tinta (amarelo, ciã e magenta), quando se trata de pigmentos expostos à luz branca. **Cor quente.** A que ocupa, no espectro visível, a faixa compreendida entre o vermelho e o amarelo, além de toda a gama de marrons e ocres. **Cor secundária.** A que resulta da mistura de duas cores primárias de luz (como, p. ex., o amarelo que se obtém pela superposição de um foco verde e de um vermelho), ou da mistura química de duas cores primárias de luz (como, p. ex., o vermelho resultante da mistura química do magenta com o amarelo). **Cor terciária.** A que resulta da mistura de uma cor primária com uma ou mais cores secundárias em proporções variáveis: o verde-azulado, o azul-esverdeado, o vermelho-arroxeado, etc. [A maioria das cores existentes na natureza pertence a essa categoria.] **De cor.** **1.** Diz-se das pessoas que têm a cor da pele naturalmente escura: *homem de cor.* **2.** Diz-se de coisa de qualquer cor [v. *cor* (3)]: *tapete de cor; blusa de cor.* **3.** Com traje de cor (3): — *A viúva estava de luto? — Não, estava de cor.* [Em expressões como *estava de azul, trajava de amarelo, vestida de branco*, etc., as palavras designativas de cores trazem implícita a ideia de vestido, roupa, traje: *estava de azul* equivale, pois, a 'estava de vestido azul'.] **Ficar sem cor.** Empalidecer de súbito por efeito de emoção, ou tornar-se pálido, macilento, por efeito de doença; perder a cor. **Mudar de cor.** Tornar-se pálido, lívido, ou corado, ruborizado, por efeito de emoção repentina. **Perder a cor.** Ficar sem cor. **Sob cor de.** V. *sob color de*: "Num instante se negociou o casamento; não conseguindo a rainha mais do que certas ressalvas, para lhe garantir o futuro, sob cor de o garantir à nação" (Oliveira Martins, *Vida de Nun'Álvares*, p. 79). **Ter boa cor.** Ter as faces naturalmente rosadas, coradas. **Ter má cor.** Ter as faces pálidas, amareladas, descoradas.

cora [Dev. de *corar*.] ***S. f.*** **1.** Ato ou efeito de corar. **2.** Branqueamento de roupa, cera, etc.

▲**-cora** V. *coro-*[1].

corá [Do mandinga.] ***S. m.*** *Guin.* Instrumento de cordas constituído de caixa de ressonância feita da metade de uma cabaça grande, forrada de pele, e de braço longo e cilíndrico: "fugiram à doce melodia / Dos corás." (Agnelo Augusto Regalla, *Mantenhas Para Quem Luta! A Nova Poesia da Guiné-Bissau*, p. 16).

coração[1] [De or. controv.; poss. do lat. *cor*, com suf. aumentativo de reforço.] ***S. m.*** **1.** *Anat.* Órgão muscular situado na cavidade torácica, que recebe o sangue das veias e o impulsiona para as artérias; no homem e em muitos outros vertebrados, divide-se, de cada lado, em duas câmaras, as receptoras (*átrios*) e as ejetoras (*ventrículos*). [Nos reptis, o coração tem três cavidades e nos peixes, duas.] **2.** *Zool.* Todo segmento que por suas contrações movimenta o sangue ou outro líquido através do corpo dos animais. **3.** *P. ext.* A parte anterior do corpo humano onde se convenciona estar o coração; o tórax, o peito: *Apertou o filho ao coração.* **4.** Coração esp. de boi ou de frango, para uso na alimentação humana. **5.** *Fig.* A parte mais interna, ou a mais central, ou a mais importante, de um lugar, de uma região: *Para vencer a guerra, era preciso alcançar o coração do país.* **6.** *P. ext. Urb.* V. *centro* (6). **7.** O coração humano, considerado como a sede dos sentimentos, das emoções, da consciência: *Sua bondade tocou-me o coração;* "E mães, a agonizar de fome e de cansaço, / Levam com o coração mais do que com os braços / Os filhos pequeninos." (Vicente de Carvalho, *Poemas e Canções*, p. 58). **8.** A natureza ou a parte emocional do indivíduo (por oposição à natureza, ou à parte intelectual, à cabeça): *Põe o coração em tudo e recusa-se a pensar nas consequências;* "Eu simplesmente sinto / Com a imaginação. / Não uso o coração." (Fernando Pessoa, *Poesias de Fernando Pessoa*, p. 238). **9.** Caráter, índole, feitio: *ter bom coração; ter coração perverso.* **10.** Amor, afeto: *Deu o coração a quem não o merecia.* **11.** O objeto do amor de alguém: *Desde muito não via o seu coração.* **12.** Coragem, ânimo: *Não lhe falta coração para a luta;* "Enfim, tens coração de ver-me aflita, / Flutuar moribunda entre estas ondas" (Santa Rita Durão, *Caramuru*, VI, p. 41). **13.** Qualquer objeto cuja forma lembra a do coração, ou a que se convencionou ser a do coração. **14.** *P. ext.* Cada um dos pesos do tear com essa forma. **15.** *Bot.* Designação comum a várias plantas. **16.** Designação comum a várias estrelas. **17.** *Bras.* O primeiro dos três compartimentos em que se divide um curral de pescaria. **18.** *Bras. N.E.* Mangará. ◆ **Coração de ouro. 1.** O de pessoa extremamente bondosa, generosa. **2.** Pessoa com essa qualidade: "Magalhães é um coração de ouro" (Machado de Assis, *Relíquias de Casa Velha*, p. 186.) **Coração de pedra. 1.** O de pessoa insensível, desalmada, cruel. **2.** Pessoa com essa qualidade. **Coração direito.** *Anat.* A parte do coração constituída pela aurícula e pelo ventrículo direito, e pela qual circula o sangue venoso (q. v.), e que é completamente isolada do coração esquerdo. **Coração esquerdo.** *Anat.* A parte do coração constituída pela aurícula e pelo ventrículo esquerdo, e pela qual circula o sangue arterial (q. v.), e que é completamente isolada do coração direito. **Abrir o coração.** Fazer confidências; desabafar(-se), abrir-se: "Ele não está mentindo, não tem nenhuma razão para mentir, já que abre despudoradamente o coração para mim." (Autran Dourado, *Ópera dos Fantoches*, p. 24.) **Cair o coração aos pés.** V. *cair a alma aos pés*. **Com o coração na mão.** V. *com o coração nas mãos*: "Diga-me uma cousa, mas fale verdade, não quero disfarce; há de responder com o coração na mão." (Machado de Assis, *D. Casmurro*, p. 135.) **Com o coração nas mãos. 1.** Aflito, angustiado, em alto grau. **2.** Com sinceridade. [Sin. ger.: *com o coração na mão*.] **Cortar o coração.** Cortar a alma (q. v.). **De todo o coração.** Sinceramente, afetuosamente. **Estar com o coração na mão.** Estar receoso em relação a algo ou alguém; ter o coração na mão. **Falar com o coração nas mãos.** Falar com sinceridade; falar do coração. **Falar do coração.** Falar com o coração nas mãos. **Pôr o coração à larga.** Não se afligir, não se preocupar com aquilo que possa suceder: "— Realmente, três dias para caminhar onze léguas! Neste andar chegaremos ao Coqueiro quando as galinhas tiverem dentes. | — Ora, ponha o coração à larga." (Cardoso de Oliveira, *Dois Metros e Cinco*, p. 323.) **Ter coração.** Diz-se de indivíduo bondoso ou caridoso. **Ter (o) coração de pedra.** Ser insensível, inexorável, cruel; ter cabelo(s) no céu da boca, ter o coração na sola do(s) pé(s). **Ter o coração na mão.** Estar com o coração na mão. **Ter o coração na sola do(s) pé(s).** V. *ter o coração de pedra*. **Ter o coração perto da goela.** *Bras. N.E. Pop.* Ser muito franco; não saber ocultar o que sente ou pensa.

coração[2] [De *corar* + *-ção*.] *S. f.* Ato ou efeito de corar.

coração[3] *S. m. Bras. RJ* Sala; varanda.

coração-bovino *S. m. Med.* Coração muito aumentado de tamanho; coração de boi. [Pl.: *corações-bovinos*.]

coração de boi *S. m. Med.* Coração-bovino. [Pl.: *corações de boi*.] ☑ notas 1 e 2

coração-de-boi *S. m. Bras. Bot.* Pequena árvore anonácea (*Annona reticulata*) de folhas ásperas, pulverulentas e avermelhadas, numerosas flores, amarelas ou de um branco esverdeado, com máculas purpúreas, e cujo fruto é baga composta, de casca avermelhada ou amarelada. Fornece madeira fibrosa e macia, usada em construção civil. [Sin.: *araticum, araticum-de-cheiro, ata, condessa, jacama, miloló, pinha*.] [Pl.: *corações-de-boi*.]

coração-de-bugre *S. m. Bras. Bot.* V. *aroeira-de-bugre*. [Pl: *corações-de-bugre*.]

coração de burro *S. m.* Carroça. [Pl.: *corações de burro*.] ☑

coração-de-estudante *S. m. Bras. Bot.* Designação comum a várias plantas bignoniáceas. [Pl.: *corações-de-estudante*.]

coração-de-negro *S. m. Bot.* **1.** Árvore mimosácea (*Albizia lebbeck*) de flores esbranquiçadas ou esverdeadas, aromáticas, e fruto que é uma vagem achatada; é cultivada como ornamental, pelas propriedades medicinais e pela madeira, e fornece tintura vermelha e tanino. [Sin.: *bugre, ébano-oriental, faveiro* e *pau-negro*.] **2.** *Bot.* V. *catinga-de-porco* (2). [Pl.: *corações-de-negro*.]

coração-de-rainha *S. m. Bras. Bot.* V. *graviola* [Pl.: *corações-de-rainha*.]

coração-magoado *S. m. Bras. Bot.* Planta amarantácea (*Iresine herbstii*) herbácea, de folhas e caule roxo-avermelhados e flores brancas, ornamentais, em panículas; orelha-de-coelho, orelha-de-porco. [Pl.: *corações-magoados*.]

coração-verde *S. m. Bras. Bot.* V. *beberu*. [Pl.: *corações-verdes*.]

coraciiforme [Do tax. *Coracii* + *-forme*; tax. *Coraciiformes*.] *Zool. S. m.* **1.** Espécime dos coraciiformes, ordem de aves neórnites, neógnatas, diurnas, de porte pequeno. Têm tarsos curtos, com o terceiro e o quarto dedos ou os dedos externos anteriores soldados até a segunda ou terceira falange; bico duro e forte. São os martins-pescadores. ● *Adj.* **2.** Pertencente ou relativo a eles.

coracirrostro [Do lat. *corax, cis*, 'corvo', + *-rostro*.] *Adj. Zool.* Diz-se de ave que tem o bico grande e forte, como o do corvo.

coracoide (ói) [Do lat. cient. *coracoides* < gr. *korakoeidés* < gr. *kórax, akos*, 'corvo'.] *Adj. 2 g.* **1.** Recurvo, coracóideo. ~ V. *apófise —a*. ● *S. m.* **2.** *Zool.* Um dos três ossos componentes da cintura escapular dos vertebrados ovíparos de respiração pulmonar. ❖

coracóideo *Adj.* Coracoide (1). ~ V. *apófise —a*.

coraçonada [Do esp. *corazonada*.] *S. f. Bras. RS* Coisa que o coração[1] (6) diz ou dita; pressentimento, palpite: "Sempre me deu uma coraçonada para fazer umas perguntas... mas engoli a língua." (Simões Lopes Neto, *Contos Gauchescos e Lendas do Sul*, p. 127.)

corado [Do lat. *coloratu*, com síncope e crase.] *Adj.* **1.** Que tem cor (ô) (1 e 2); tinto, colorido. **2.** Que tem as faces vermelhas: *meninos sadios, corados*. **3.** Rubro pela afluência de sangue à pele. **4.** *Fig.* Cheio de pudor; envergonhado: *A maliciosa anedota deixou-a corada*. **5.** Branqueado, limpo, pela exposição ao sol: *roupa corada*. **6.** Tostado ao fogo: *batatas coradas*.

coradoiro [De *corar* + *-doiro*[2].] *S. m. Bras.* Coradouro (q. v.).

coradouro [De *corar* + *-douro*[2]; var. de *coradoiro*.] *S. m. Bras.* **1.** Lugar onde se põe roupa a corar (2); quarador, quaradouro: "foi ficar à porta, olhando as lavadeiras que .... estendiam a roupa nos coradouros ou em cordas que vergavam" (Coelho Neto, *Turbilhão*, p. 189). **2.** Ato de corar (2).

coragem [Do fr. ant. *corage, curage* (atual *courage*).] *S. f.* **1.** Bravura em face do perigo. **2.** Intrepidez, ousadia. **3.** Resolução, franqueza, desembaraço: *Confessou com coragem a sua falta*. **4.** Perseverança, constância, firmeza: *Foi notável sua coragem durante todo o longo período dos estudos*. ● ***Interj.*** **5.** Us. para infundir coragem.

corais [Pl. de *coral*[1].] *S. m. pl. Zool.* Carúnculas rubras de algumas aves. ~ V. *coral*.

coraixita [Do ár. *quraysī*, 'da tribo de *qurayš*'.] *S. 2 g.* **1.** *Etnôn.* Indivíduo dos coraixitas, tribo árabe à qual pertencia Maomé. [Cf. *maometismo*.] ● *Adj. 2 g.* **2.** Pertencente ou relativo a essa tribo.

corajoso (ô) [Adapt. do fr. *courageux*.] *Adj.* **1.** Que tem coragem: *homem corajoso*; "Não sou corajoso: tenho medo de ter medo." (Guilherme Figueiredo, *Despropósitos*, p. 66). [Sin., bras., pop.: *corajudo*.] **2.** Que denota coragem: *procedimento corajoso*.

corajudo [De *corag(em)* + *-udo*.] *Adj. Bras. Pop.* Corajoso (1): "Zé Bento — eta sujeito corajudo!" (Nélson de Faria, *Tiziu e Outras Estórias*, p. 54.)

coral[1] [Do lat. tard. *corallu* (lat. cláss. *coraliu*).] *S. m.* **1.** *Zool.* Animal celenterado, antozoário, de corpo em forma de pólipo com tentáculos orais e tubo digestivo dividido em septos e com sifonóglifo. Provido de endoesqueleto ou exosqueleto calcário, vive nos mares quentes, a pouca profundidade, e é responsável pela formação de recifes e atóis. Conhecem-se atualmente cerca de 6.200 espécies. [Cf. *hidra*[2].] **2.** *Fig.* Cor vermelho-amarelada característica das colônias do coral-vermelho. ● *Adj. 2 g. e 2 n.* **3.** Que tem essa cor; coralino: *blusas coral*. ~ V. *corais*. ◆ **Coral da roda.** *Constr. Nav.* Forte peça de madeira, curva, que reforça a ligação da roda de proa à quilha, em embarcação de casco de madeira. **Coral do cadaste.** *Constr. Nav.* Forte peça de madeira, curva, que reforça a ligação do cadaste à quilha, em embarcação de casco de madeira; curva do cadaste.

coral[2] *S. f. Bot.* V. *flor-de-coral* (4).

coral[3] *S. f. Zool.* **1.** V. *cobra-coral* (1). **2.** *P. ext.* Qualquer cobra não venenosa de tom avermelhado.

coral[4] [De *coro* (ô) + *-al*[1].] *Mús. Adj. 2 g.* **1.** Referente a coro: *canto coral; declamação coral*. ~ V. *canto —*. ● *S. m.* **2.** Canto em coro; canto coral. **3.** Forma de coro (2) que se desenvolveu a partir da Reforma protestante: *coral luterano; os corais de Bach*. **4.** Designação de certos grupos corais; madrigal, coro (ô): *o coral Palestrina*.

coral[5] [Var. de *curau*[2] (2), com ultracorreção.] *S. m. Bras. MG RJ* V. *canjica* (1).

coral-azul *S. m. Zool.* Animal celenterado, antozoário, cenotecário, de esqueleto maciço de aragonita, coloração azul, perfurado por tubos largos onde se abrigam os pólipos e por tubos estreitos revestidos de tecido solenial. [Pl.: *corais-azuis*.]

coral-branco *S. m. Zool.* Madrépora. [Pl.: *corais-brancos*.]

coral-dos-jardins *S. m. Bot.* V. *flor-de-coral* (4). [Pl.: *corais-dos-jardins*.]

coral-duro *S. m. Zool.* Animal escleractínio (q. v.); coral-pétreo. [Pl.: *corais-duros*.]

coraleira [De *coral*[1] + *-eira*.] *S. f.* **1.** Pequena embarcação us. na pesca do coral[1] (1); coraleiro. **2.** *Bot.* V. *corticeira* (2). [Cf. *coral*[1] (1 e 2).]

coraleiro [De *coral*[1] + *-eiro*.] *Adj.* **1.** Concernente à pesca do coral[1] (1). ● *S. m.* **2.** Pescador de coral[1] (1). **3.** Coraleira (1). **4.** *Bras. Zool.* V. *papagaio-do-peito-roxo*.

coraliário [Do tax. *Corallia* + *-ário*; tax. *Coralliaria*.] *S. m. Adj. Zool.* V. *antozoário*.

corálico [De *coral*[5] + *-ico*[2].] *Adj. Mús. Ant.* Relativo à forma coral: "Tanto para os textos quanto para as melodias corálicas, o período clássico acabava de encerrar-se, quando J. S. Bach surgiu no cenário musical." (Henriqueta Rosa Fernandes Braga, *Do Coral e Sua Projeção na História da Música*, p. 18.)

coraliforme [De *coral*[1] + *-iforme*.] *Adj. 2 g. Bot.* ~ V. *raiz —*.

coralígeno [De *coral*[1] + *-i-* + *-geno*.] *Adj.* Que é da origem do coral[1] (1).

coralimorfário [De *coral*[1] + *-morf(o)-* + *-ário*; tax. *Corallimorpharia*.] *Zool. S. m.* **1.** Espécime dos coralimorfários, subordem de animais metazoários, celenterados, antozoários, zoantários, actiniários, desprovidos de áreas ciliadas nos filamentos e providos de tentáculos capitados. ● *Adj.* **2.** Pertencente ou relativo a eles.

coralina [F. subst. de *coralino*.] *S. f. Bot.* Incrustação calcária, variegada, de uma espécie de alga.

coralíneo [De *coralino* + *-eo*.] *Adj.* Procedente do coral[1] (1), ou da natureza dele. [Cf. *coralino*.]

coralino [Do lat. *corallinu*.] *Adj.* **1.** Coral[1] (3). **2.** *Geol.* Diz-se do recife formado pelo acúmulo de seres vivos portadores de carapaça calcária. [Cf. *coralíneo*.]

coralista [De *coral*[5] + *-ista*.] *S. 2 g. Mús.* Corista[1] (1): *A Nona Sinfonia, de Beethoven, foi cantada por 300 coralistas*.

coralítico [De *coralito* + *-ico*[2].] *Adj. Biol.* Referente ao, ou da natureza do coralito.

coralito [Do lat. *coral* + *-ito*[2].] *S. m. Biol.* Esqueleto calcário de um pólipo de coral.

coral-mole *S. m. Zool.* Designação comum aos cnidários alcionáceos. [Pl.: *corais-moles*.]

coral-negro *S. m. Zool.* Coral-preto. [Pl.: *corais-negros*.]

coral-pétreo *S. m. Zool.* Coral-duro. [Pl.: *corais-pétreos*.]

coral-preto *S. m. Zool.* Animal celenterado, antozoário, zoantário, antipatário, com esqueletos, em forma de plantas cujos galhos são formados de material córneo, do qual saem os pequenos pólipos. Ocorre em águas tropicais profundas e tem coloração escura. [Sin.: *coral-negro*. Pl.: *corais-pretos*.]

coral-venenosa *S. f. Bras. Zool.* V. *cobra-coral-venenosa*. [Pl.: *corais-venenosas*.]

coral-vermelho *S. m. Zool.* Animal celenterado, antozoário, alcionário, gorgonáceo (*Corallium marsiglio*), cujas colônias, de coloração vermelha e arborescentes, são utilizadíssimas em joalharia. [Pl.: *corais-vermelhos*.]

coramastro [Do ingl. *quartermaster*.] *S. m. Bras. Mar. Merc.* Homem de vigia ao portaló de navio mercante, e a quem compete, além da tarefa de vigilância, cuidar da amarração, folgando-a ou tesando-a quando necessário, e bater as horas no sino de bordo.

coramina [Nome registrado.] *S. f.* A piridina B-carboxildietilamina, empregada como estimulante cardíaco.

➔**coram populo** ['kor̃am 'popolɔ] [Lat.] Na presença do povo; publicamente.

coranchim *S. m. Bras. SP Pop.* V. *curanchim*.

corandel [Var. de *corondel*.] *S. m. Tip.* Parte da composição em medida mais estreita que a da página ou coluna, e destinada a vestir ilustração; recorrido. [Pl.: *corandéis*.]

corânico *Adj.* Pertencente ou relativo ao Alcorão.

corante [De *corar* + *-nte*.] *Adj. 2 g. S. m.* **1.** Que, ou aquilo que cora. **2.** Diz-se de, ou substância que cora, que dá cor (ô). **3.** *Bioquím.* Diz-se de, ou solução ou mistura de substâncias que se combinam por seus radicais ácidos ou básicos, respectivamente, com os componentes básicos ou ácidos das células, emprestando-lhes cor. ◆ **Corante ácido.** *Quím.* O que se usa para tingir fibras sintéticas e naturais, e que opera em solução ácida. **Corante ao mordente.** *Quím.* O que se usa para tingir sobretudo a lã, e cuja ação e efeito são realçados pela adição de um mordente, como, p. ex., o cromo. **Corante azoico.** *Quím.* Composto azoico, us. para tingir especialmente o algodão. **Corante básico.** *Quím.* Qualquer de certos corantes, catiônicos, nitrogenados, us. principalmente em papel. **Corante de cuba.** *Quím.* O que se fixa sobre uma fibra na forma de solução incolor e adquire depois, por oxidação, a coloração final. **Corante direto.** *Quím.* O que se usa para o tingimento de algodão e fibras vegetais, e que opera num banho ao qual se adiciona cloreto de sódio ou sal de Glauber; em muitos casos, é um corante azoico. **Corante substantivo.** *Quím.* O que tinge as fibras sem o auxílio de mordentes.

corão *S. m.* V. *Alcorão*. [Com cap.]

corar [Do lat. *colorare*, com síncope e crase.] *V. t. d.* **1.** Dar cor a; colorir, tingir, pintar: *As índias coram o corpo com urucu e outras substâncias tintoriais*. **2.** Expor ao sol (roupa, cera, etc.) para clarear. **3.** *Cul.* Dar (mais) cor a (assado ou fritura); dourar. **4.** Tornar favorável, ou aparentemente agradável; disfarçar; desculpar; atenuar: *Tentou corar a mentira com uma explicação*. *T. i.* **5.** Enrubescer nas faces (por vergonha, pudor, raiva, calor excessivo, etc.): "levantei-a nos meus braços, e confesso que foi corando de vergonha." (José de Alencar, *Lucíola*, p. 121). **6.** Envergonhar-se, pejar-se, enrubescer: "Guerreiros, não coro / Do pranto que choro." (Gonçalves Dias, *Obras Poéticas*, II, p. 25); *Não coras de proceder tão mal?* ***Int.*** **7.** Tornar-se vermelho ou corado; enrubescer, ruborizar-se: *Mesmo tendo apanhado pouco sol, o seu rosto corou muito.* **8.** *Cul.* Adquirir (assado ou fritura) cor e textura mais apuradas; dourar. **9.** Branquear, clarear (em consequência de exposição ao sol): *A lavadeira estendeu a roupa para corar.* **10.** Apresentar rubor nas faces, causado por vergonha, embaraço, etc.: *Corou, ao ouvir o galanteio.* [No Brasil, nas acepç. 2 e 9 (em geral com referência a roupa), se diz, muito comumente, *quarar*. Pres. ind.: *coro*, etc. Pres. subj.: *core*, *cores*, etc. Cf. *coro* (ô), s. m., e *cores* (ô), pl. de cor (ô), e *couro*.]

corbelha (é) [Do fr. *corbeille*.] ***S. f.*** **1.** Cesto delicado, em geral de vime ou de madeira, que se enche de doces, frutas, flores, etc. **2.** Lugar onde se expõem os presentes de núpcias.

corbeliano ***Adj.*** **1.** De, ou pertencente ou relativo a Corbélia (PR). ● ***S. m.*** **2.** O natural ou habitante de Corbélia. [Sin. ger.: *corbeliense*.]

corbeliense ***Adj. 2 g. S. 2 g.*** V. *corbeliano*.

corbícula [Do lat. cient. *corbicula*, do dim. de *corbe*, 'cesto'.] ***S. f. Zool.*** Nas operárias de certas espécies de abelhas, sistema coletor situado nas tíbias posteriores e formado por uma depressão lisa, rodeada por franja de pelos, onde o pólen é recolhido e compactado.

corbiculado [De *corbícula* + *ado*[1].] ***Adj. Zool.*** Provido de corbícula (diz-se de abelha).

corça (ô) ***S. f.*** **1.** A fêmea do corço. **2.** *Pop.* A fêmea do veado. [Cf. *corsa*, fem. de *corso*[3].]

corcel [Do fr. ant. *corsier*, atual *coursier*.] ***S. m.*** **1.** Cavalo de campanha. **2.** Cavalo muito corredor: "Era como a sensação sublime de galopar pelas alturas, num corcel de lenda, crescido magnificamente, roçando as nuvens lustrosas..." (Eça de Queirós, *A Ilustre Casa de Ramires*, p. 435). [Pl.: *corcéis*.]

corcha (ô) [Do esp. *corcha*.] ***S. f.*** **1.** *Bot.* Casca de árvore. **2.** *Bot.* Cortiça (1). **3.** Rolha de cortiça (1). **4.** Folha de madeira us. para tapar a boca das peças de artilharia.

corcho (ô) [Do esp. *corcho*.] ***S. m.*** Vaso de cortiça (1).

corço (ô) [Der. regress. do port. ant. **corzar* < lat. vulg. **curtiare* < lat. *curtu*, 'cortado'.] ***S. m. Zool.*** **1.** Mamífero eurásico, artiodáctilo, ruminante, cervídeo (*Capreolus capreolus*), leve, de pequeno porte, chifres curtos, cauda rudimentar, e cuja pelagem é parda no verão e acinzentada no inverno. **2.** *Pop.* Veado pequeno. [Cf. *corso*.]

corcoroca [F. sincopada de *cororoca*, voc. onom. imitante do ronco de algumas espécies desse peixe.] ***S. f. Bras. Zool.*** **1.** Nome comum a peixes hemulídeos, oblongos, comprimidos, de coloração variada, que alcançam até cerca de 75cm de comprimento, têm lábios grossos, dentes cônicos, nadadeira dorsal única, com alguns raios espinhosos e outros moles, as peitorais moderadamente longas e a anal ger. pouco fendida. Vivem em águas tropicais e subtropicais costeiras e habitam recifes de corais, ou fundos rochosos, arenosos ou lamacentos, e podem formar grandes cardumes. **2.** Peixe hemulídeo (*Haemulon plumiere*) do Atlântico ocidental, com cerca de 40cm, de coloração escura, com listas azuis apenas na cabeça e parte anterior do corpo. **3.** Peixe hemulídeo (*H. sciurus*), que ocorre da Flórida ao RJ, com cerca de 45cm, de coloração amarelo-esverdeada ou verde-amarelada, abdome claro, e estrias longitudinais azuladas sobre o corpo. [Sin. (nas acepçs.: 2 e 3): *abiquara* ou *biquara*, *boca-de-fogo*, *boca-de-velha*, *cambuba*, *capiúna*, *corcoroca-boca-de-fogo*, *corcoroca-mulata*, *macaca*, *negra-mina*, *pirambu*, *sapurana*, *sapuruna*, *uribaco*, *xira*.] **4.** Peixe hemulídeo (*Pomadasys corvinaeformis*), da Atlântico ocidental, da América Central ao S. do Brasil, com cerca de 25cm, de coloração acinzentada, com estrias longitudinais escuras nos flancos e ventre esbranquiçado; arrebenta-panela, corcoroca-legítima, roncador, ronco. **5.** V. *caicanha*. **6.** V. *cotinga*[2]. **7.** V. *roncador*(4). **8.** V. *salema* (1). **9.** V. *sargo-de-beiço*. [Var.: *cocoroca*, *corocoroca*, *crocoroca*.]

corcoroca-legítima ***S. f.*** V. *corcoroca* (3). [Pl.: *corcorocas-legítimas*.]

corcova [Do b.-lat. hisp. *cucurvu*, 'encurvado'.] ***S. f.*** **1.** Curva saliente: "Para além a serra crescia em corcovas doces" (Eça de Queirós, *A Cidade e as Serras*, p. 203.) **2.** V. *corcunda* (1). **3.** *Bras.* Corcovo (ô).

corcovado [De *corcova* + *-ado*[1].] ***Adj.*** **1.** Que tem corcova (1 e 2). ● ***S. m.*** **2.** *Zool. Bras.* V. *uru*[1]. **3.** *Zool.* Azul-seda.

corcovadura [De *corcovar* + *-dura*.] ***S. f.*** **1.** Ato ou efeito de corcovar(-se). **2.** V. *corcunda* (1).

corcovar [De *corcova* + *-ar*[2].] ***V. t. d.*** **1.** Dar forma arqueada a; curvar. ***Int.*** **2.** Dar corcovos; corcovar-se, corcovear(-se), ginetear. ***P.*** **3.** Dar corcovos; corcovar, corcovear. **4.** Ficar curvado; curvar-se. [Pres. ind.: *corcovo*, etc. Cf. *corcovo* (ô).]

corcoveador (ô) [De *corcovear* + *-dor*.] ***Adj.*** Que corcoveia.

corcovear [De *corcova* + *-ear*[2].] ***V. int. P.*** **1.** V. *corcovar* (2 e 3): "O cavalo corcoveava pela várzea, que parecia uma cabra" (José de Alencar, *O Sertanejo*, p. 107). **2.** Curvetear (1). [Conjug.: v. *frear*.]

corcovo (ô) [Do b.-lat. hisp. *cucurvu*; cf. *corcova*.] ***S. m.*** Salto que o cavalo dá, arqueando o dorso; pinote. [Var.: *corcova*. Sin. (bras.): *curveta*. Pl.: *corcovos* (ó). Cf. *corcovo*, do v. *corcovar*.]

corcunda [De or. incerta; poss. relacionada com *corcova*.] ***S. f.*** **1.** Protuberância deforme nas costas ou no peito; corcova, corcovadura, bossa, geba, giba, gibosidade, cacunda, marreca (lus.). ● ***S. 2 g.*** **2.** Pessoa que tem corcunda (1); cacunda, cacundo, marreco (lus). ● ***S. m.*** **3.** *Bras.* Alcunha que nos tempos da Independência se dava aos partidários dos portugueses, da monarquia absoluta e do Reino Unido. **4.** *Bras.* No período regencial, adepto do partido restaurador ou caramuru: "Gama (Bernardo José da Gama) também acusou José Bonifácio de corcunda e de tencionar conferir ao Regente o poder absoluto." (Evaldo Cabral de Melo, *A Outra Independência*, p. 77). **5.** *Bras.* V. *carimboto*. ● ***Adj. 2 g.*** **6.** Que tem corcunda (1); gebo, geboso, giboso, marreco (lus.). **7.** *Bras.* Diz-se de corcunda (3): "Pensava segundo a disposição do dia, liberal exaltado ou conservador corcunda." (Machado de Assis, *Páginas Recolhidas*, pp. 38-39.)

corda [Do lat. *chorda*.] ***S. f.*** **1.** Cabo de fios vegetais unidos e torcidos uns sobre os outros. **2.** Fio de tripa, de seda, de náilon ou de aço, esticado sobre a caixa de ressonância dum instrumento de cordas. [V. *bordão*[2] (2 e 3).] **3.** Lâmina de aço que aciona o maquinismo dos relógios e doutros instrumentos. **4.** Série, cadeia, fileira, cordão: *corda de pessoas*; "naquele dia .... andava eu no Minho, por aquela corda de chãs e outeiros, que abrangem quatro léguas" (Camilo Castelo Branco, *Amor de Salvação*, p. 10). **5.** *Anat.* Qualquer formação (5) anatômica linear, arredondada e flexível, que lembra corda ou cordão; cordão. **6.** *Anat.* Corda vocal (q. v.). **7.** *Encad.* Cada um dos barbantes que se prendem com a costura, dentro das serrotagens, e cujas pontas são enfiadas ou coladas nas pastas do livro. [V. *nervo* (7 e 8).] **8.** *Geom.* Segmento de uma secante a uma curva, ou a uma superfície, compreendido entre dois pontos de interseção. **9.** *Constr. Nav. Ant.* Cada uma das vigas longitudinais que, nas naus, galeões, etc., juntamente com os vaus e as latas, aguentavam os pavimentos. **10.** *Marinh.* Pedaço de cabo ligado ao badalo do sino de bordo. [É este, a bordo, o único cabo que tem o nome de *corda*. Cf. *sícorda*.] **11.** *Bras.* Terras próximas que se estendem na mesma direção; cordão. **12.** *Bras. RS* Entre os campeiros, o laço. **13.** Manada de porcos domésticos ou selvagens: *uma corda de queixadas*. **14.** Antiga unidade de medida de comprimento equivalente a 15 palmos, ou seja, 3,3m. ~ V. *cordas*. ◆ **Corda bamba. 1.** Maroma (2). **2.** *Fig.* Situação embaraçosa, difícil. **3.** Incerteza, instabilidade: "Deixo-me balouçar na corda bamba duma utopia sem princípio nem fim." (Aquilino Ribeiro, *Lápides Partidas*, p. 291.) **Corda dorsal.** *Embr.* V. *notocorda*. **Corda do tímpano.** *Anat.* Ramo do nervo facial que contribui para a inervação das glândulas salivares e dois terços anteriores da língua. **Corda sensível.** Lado fraco do caráter de alguém, e em que é mais fácil tocá-lo, comovê-lo. **Cordas simpáticas.** *Mús.* Cordas que, por um fenômeno acústico, vibram quando outra corda é tocada. **Corda vocal.** *Anat.* V. *prega vocal*. [Tb. se diz apenas *corda*.] **Com a corda no pescoço.** Em aperto, em apertura; em apuros: *estar, viver, andar com a corda no pescoço.* **Dar corda a.** *Bras. Fam.* **1.** Dar a (alguém) pretexto para falar muito ou para namorar. **2.** Alimentar pretensões a (alguém): "— Essa menina, que pelos modos não tem que fazer, namora a torto e a direito, dá corda a quanto bicho-careta lhe arreganha os dentes." (Artur Azevedo, *Contos Cariocas*, p. 67.) **Dar corda a alguém para se enforcar.** *Pop.* Incitar alguém a proceder de maneira imprudente e prejudicial a si mesma. **Dar corda ao relógio.** Enrolar-lhe a corda, a fim de que o maquinismo comece ou continue a andar. **Estar com a corda toda.** *Pop.* V. *estar com toda a corda*. **Estar com toda a corda. 1.** Estar com muita disposição, estar com muito ânimo. **2.** Falar incessantemente, movido por grande entusiasmo ou excitação: "— Ah! Pois o senhor não sabia do sucesso? —, prossegue o cego Daniel que estava com toda a corda" (Antônio Versiani, *Viola de Queluz*, p. 39). [Sin. ger.: *estar com a corda toda*.] **Esticar muito a corda.** Ir além dos limites; exceder-se. **Falar de corda em casa de enforcado.** Trazer à baila assuntos capazes de suscitar lembranças desagradáveis ao interlocutor. **Na corda bamba.** Em situação embaraçosa, difícil: *dançar, viver, etc. na corda bamba.* **Roer a corda. 1.** Faltar a uma promessa, a um compromisso. **2.** Desfazer um negócio, um contrato. **Serem a corda e a caçamba.** Serem inseparáveis (duas pessoas); andarem sempre juntas.

C

▲**-corda** V. *cord(o)-*.

corda-d'água ***S. f.*** Chuva forte; cordoada. [Pl.: *cordas-d'água*.]

corda de ibeji ***S. f. Bras. BA Rel.*** Festa especial dos gêmeos, na qual se estende uma corda de lado a lado do barracão, onde se penduram frutas e outros objetos, os quais, no meio da festa, as pessoas pulam para tirar. [Pl.: *cordas de ibeji*.] ☑

cordado[1] [De *cord(o)-* + *-ado*[3]; lat. cient. *Chordata*.] ***S. m. Zool.*** **1.** Espécime dos cordados, filo que reúne os vertebrados, os cefalocordados e os urocordados, animais que na fase embrionária – e alguns, mesmo na vida adulta – apresentam fendas branquiais na faringe, cordão nervoso e notocórdio. ● ***Adj.*** **2.** Pertencente ou relativo a eles.

cordado[2] [Do lat. cient. *cordatus* < lat. *cor, cordis*, 'coração', + lat. cient. *-atus*.] ***Adj. Bot.*** ~ V. *folha —a*.

cordagem [De *corda* + *-agem*[2].] ***S. f.*** V. *cordame*.

cordaitácea [Do tax. *Cordaites* (do antr. [*August K. J.*] *Corda*, botânico boêmio) + *-ácea*; tax. *Cordaitaceae*.] ***S. f. Bot.*** Espécime das cordaitáceas, família de gimnospermas fósseis pertencente à classe das cordaitales.

cordaitáceo [De *cordaitácea*, com var. suf. (v. *-áceo*).] ***Adj. Bot.*** Pertencente ou relativo às cordaitáceas.

cordaital [Do lat. cient. *Cordait-* (v. *cordaitale*) + *-al*[1].] ***Adj. 2 g. Bot.*** Pertencente ou relativo às cordaitales.

cordaitale [Do tax. *Cordaites* (v. *cordaitácea*) + *-ale*; tax. *Cordaitales*.] ***S. f. Bot.*** Espécime das cordaitales, classe de gimnospermas exclusivamente fósseis, de porte arbóreo e com folhas lineares ou lanceoladas acumuladas no ápice do tronco. Estames com cinco a seis sacos polínicos e carpelos dotados de um só óvulo na extremidade. Compuseram grandes florestas durante o período devoniano superior, as quais desapareceram no curso do mesozoico. Encerra a família das cordaitáceas.

cordame [De *corda* + *-ame*.] ***S. m.*** **1.** Conjunto de cordas; cordoada, cordoalha. **2.** Reunião dos cabos do aparelho dum navio. [Sin. ger.: *cordagem*.]

cordão [Do fr. *cordon*.] ***S. m.*** **1.** Corda delgada. **2.** Cabo de pequeno diâmetro, formado de muitos fios de cobre e empregado em ligações elétricas. **3.** Série, fileira, corda: *cordão de serras*; "caminhava triunfante e feliz no meio do cordão das irmandades religiosas" (Aluísio Azevedo, *O Mulato*, p. 18). **4.** Corrente que se usa pendente do pescoço: "A madrinha deu-lhe um cordão de ouro com a medalha de São José" (Moreira Campos, *Os Doze Parafusos*, p. 96). **5.** V. *cadarço* (3). **6.** *Bras.* Grupo de carnavalescos, ou participantes de folguedo popular, que saem juntos e muitas vezes com a mesma indumentária ou fantasia. **7.** *Bras.* A área isolada ao seu redor pelo trio ou bloco carnavalescos para a folia do cordão (6). **8.** *Anat.* Corda (5). **9.** *Bras.* Corda (11). ~ V. *cordões*. ◆ **Cordão de aningas.** *Bras. PA* Designação comum a longas faixas de aningas que, por espaço às vezes de quilômetros, serpeiam no campo baixo e nos mundongos, ocupando o leito dos antigos regos obstruídos. **Cordão de mato.** *Bras. AM* Faixa de arvoredo comprida e estreita, no campo. **Cordão espermático.** *Anat.* Cada uma de duas estruturas compostas, cada uma, de ducto deferente, vasos e nervos. **Cordão umbilical.** *Embr.* **1.** Órgão semelhante a um cordão, que liga o feto à placenta e lhe assegura a nutrição por meio de vasos sanguíneos durante a gestação; funículo, funículo umbilical. **2.** *Astron.* Tubulação entre o solo e um veículo espacial, antes do lançamento deste, destinada a provê-lo de combustível e de energia elétrica. **Apertar os cordões da bolsa.** V. *apertar os cordéis da bolsa*: "Aquilo daria para seis meses à tripa forra ou para um ano se apertasse os cordões da bolsa." (Pedro Nava, *O Círio Perfeito*, p. 269.)

cordão-de-frade ***S. m. Bras. Bot.*** Designação comum a várias plantas lamiáceas, de caule herbáceo, com propriedades medicinais, de flores grandes, alvas, amarelas, vermelhas ou roxas, e cujo fruto é aquênio; catinga-de-mulata, cordão-de-são-francisco, pau-de-praga, rubim. [Pl.: *cordões-de-frade*.]

cordão-de-são-francisco ***S. m. Bras. Bot.*** V. *cordão-de-frade*. [Pl.: *cordões-de-são-francisco*.]

cor da pele ***Adj. 2 g. e 2 n.*** Cor de carne. ☑

cordas ***S. f. pl. Mús.*** Na orquestra moderna, o conjunto dos instrumentos de cordas friccionáveis. ~ V. *corda*.

cordato [Do lat. *cordatu*.] ***Adj.*** **1.** Que se põe de acordo. **2.** Que tem bom senso; prudente, sensato.

córdax (cs) [Do gr. *kórdax*, pelo lat. *cordax* (nom.).] *S. m. 2 n. Teatr.* Dança lasciva da antiga comédia grega.

▲-corde V. *cord(o)-*.

cordeação [De *cordear* + *-ção*.] *S. f.* **1.** Ato ou efeito de cordear. **2.** Medida tirada com corda. **3.** *Bras. N.E.* Ato ou efeito de cordear (3); cordeamento.

cordeador (ô) [De *cordear* + *-dor*.] *S. m. Bras. N.E.* Funcionário municipal que tem o encargo de determinar a cordeação (3).

cordeamento [De *cordear* + *-mento*.] *S. m. Bras. N.E.* Cordeação (3).

cordear [De *corda* + *-ear*[2].] *V. t. d.* **1.** Medir com corda. **2.** Alinhar com corda. **3.** *Bras. N.E.* Alinhar (as edificações); arruar. [Conjug.: v. *frear*. Pres. ind.: *cordeio*, ... *cordeais*, *cordeiam*. Cf. *cordiais*, pl. de *cordial*.]

cor de burro fugido *Adj. 2 g. e 2 n.* Cor de burro quando foge. ☑

cor de burro quando foge *Adj. 2 g. e 2 n.* Diz-se de cor estranha, indefinida; cor de burro fugido. ☑

cor de carne *Adj. 2 g. e 2 n.* Diz-se da cor bege rosada como a da pele das pessoas brancas; cor da pele. ☑

cordeira [Fem. de *cordeiro*.] *S. f.* **1.** *Zool.* Cria ainda nova de ovelha; anha. **2.** *Fig.* Pele curtida de cordeira.

cordeiragem [De *cordeiro* + *-agem*[2].] *S. f. Bras. RS* Porção ou rebanho de cordeiros.

cordeirense[1] *Adj. 2 g.* **1.** De, ou pertencente ou relativo a Cordeiro (RJ). ● *S. 2 g.* **2.** O natural ou habitante de Cordeiro.

cordeirense[2] *Adj. 2 g.* **1.** De, ou pertencente ou relativo a Cordeiros (BA). ● *S. 2 g.* **2.** O natural ou habitante de Cordeiros.

cordeiro [Do lat. vulg. **cordariu*.] *S. m.* **1.** *Zool.* Filhote ainda novo da ovelha; anho. **2.** Prato feito com ele. **3.** *Fig.* Pessoa mansa e inocente.

cordeiropolense *Adj. 2 g.* **1.** De, ou pertencente ou relativo a Cordeirópolis (SP). ● *S. 2 g.* **2.** O natural ou habitante de Cordeirópolis.

cordel [Do cat. *cordell*.] *S. m.* **1.** Corda muito delgada; cordão, guita, barbante: 📖 "Ajeitou os restos sangrentos, ... amarrou-os com o cordel, arremessou tudo novamente na corredeira." (Nélson de Faria, *Tiziu e Outras Estórias*, p. 28). **2.** *Bras.* Folheto de literatura de cordel (q. v.). [Pl.: *cordéis*.] ◆ **Cordel detonante.** *Expl.* Acessório para iniciar uma detonação, constituído por um núcleo de alto poder explosivo recoberto por três capeamentos: um de celulose ou de material impregnado de borracha, ou de plástico, à prova de água; outro de fios de juta ou de algodão; e outro de plástico, ou de guta-percha, também impermeáveis à água. [Cf. *estopim comum*, *estopim hidráulico* e *estopim de segurança*.] **Apertar os cordéis da bolsa.** Poupar, reduzir as despesas; apertar os cordões da bolsa: 📖 "O barão .... pedia ao filho que apertasse um pouco os cordéis da bolsa." (Aluísio Azevedo, *O Coruja*, p. 89).

cordelista [De *cordel* + *-ista*.] *S. 2 g. Bras.* Autor de literatura de cordel.

cordeona [De *acordeom*.] *S. f. Bras.* V. *concertina*: 📖 "o toque .... das cordeonas." (Alcides Maia, *Tapera*, p. 59).

cor-de-rosa *Adj. 2 g. e 2 n.* **1.** Da cor vermelho-clara de certas rosas [v. *rosa* (1)]; rosa, rosado, róseo: ▤ *veludo cor-de-rosa*; 📖 "Trago-te, ainda uma vez, as cor-de-rosa / Rosas de ontem, de hoje, de amanhã" (Odilo Costa Filho, *Boca da Noite*, p. 84). **2.** *Fig.* Risonho, próspero, feliz: ▤ *um futuro cor-de-rosa*; *existências cor-de-rosa*. ● *S. m. 2 n.* **3.** A cor vermelho-clara de certas rosas; rosa, rosado, róseo: 📖 "Começou logo a sonhar que em redor a tudo se fazendo de um cor-de-rosa, a princípio muito leve e transparente, depois mais carregado" (Aluísio Azevedo, *O Cortiço*, p. 200).

▲cordi- [Do lat. *cor*, *cŏrdis*.] *El. comp.* = 'coração': *cordiforme*. [Equiv.: *-cord(i)-*: *tricordiano*.]

▲-cord(i)- Equiv. de *cordi-*.

córdia [Do tax. *Cordia* (dos antr. [*Euricius*] *Cordus* [-1535] e [*Valerius*] *Cordus* [-1544], eruditos alemães, + lat. cient. *-ia*).] *S. f. Bot.* **1.** Grande gênero de árvores e arbustos boragináceos de frutos carnosos, ger. edules, e madeira que varia de densidade e de cor, mas que é, ger., odorífera, e us. na feitura de mobiliário e em construção. **2.** Qualquer espécie desse gênero, como, p. ex., a *Cordia superba* (v. *babosa-branca*). **3.** Qualquer espécime desse gênero.

cordíaca [Do lat. med. *cordiaca*, fem. do lat. *cordiacus*.] *S. f. Veter.* Doença no coração dos cavalos.

cordial [Do lat. med. *cordiale*.] *Adj. 2 g.* **1.** Relativo ou pertencente ao coração. **2.** Afetuoso, afável. **3.** Sincero, franco. ● *S. m.* **4.** Medicamento ou bebida que fortalece ou conforta: 📖 "levam-no [a Almeida Garrett] à farmácia das Necessidades, onde lhe dão cordiais que o reanimam e lhe permitem voltar para a casa" (José Osório de Oliveira, *O Romance de Garrett*, p. 177). **5.** *Med.* Estimulante cardíaco. [Pl.: *cordiais*. Cf. *cordeais*, do v. *cordear*.]

cordialidade [De *cordial* + *-(i)dade*.] *S. f.* Qualidade do que é cordial.

cordierita [Do antr. (*Pierre Louis Antoine*) *Cordier* (1777-1861), geólogo francês, + *-ita*[3].] *S. f. Min.* Mineral ortorrômbico, aluminossilicato de magnésio e ferro.

cordifoliado [De *cordi-* + *-foli-* + *-ado*[1].] *Adj. Bot.* Que tem folhas cordiformes.

cordiforme [De *cordi-* + *-forme*.] *Adj. 2 g.* Em forma de coração: 📖 "O vento ensaiava melodias na sua flauta mágica. Tremiam as espadanas, ao rés da água, e as folhas cordiformes dos choupos." (Garibaldino de Andrade, *O Sol e a Nuvem*, p. 144.)

cordilha [De *corda* + *-ilha*.] *S. f.* O atum ao sair do ovo.

cordilheira [Do esp. *cordillera*.] *S. f.* **1.** *Geogr.* Sistema de altas montanhas que se desenvolvem em grande extensão, ger. paralelas e próximas ao litoral, lançando cadeias de montanhas secundárias, contrafortes do maciço central. **2.** *Bras. MT* Extensão de mato ao longo da barranca dos rios.

cordiline [Do tax. *Cordyline*.] *S. f. Bot.* **1.** Gênero de liliáceas com espécies nativas da Malásia, Austrália, ilhas do Pacífico, e regiões tropicais das Américas. **2.** Qualquer espécie desse gênero, como, p. ex., a *Cordyline terminalis* [v. *coqueiro-de-vênus* (2)]. **3.** Qualquer espécime desse gênero.

cordisburguense *Adj. 2 g.* **1.** De, ou pertencente ou relativo a Cordisburgo (MG). ● *S. 2 g.* **2.** O natural ou habitante de Cordisburgo.

cordislandense *Adj. 2 g.* **1.** De, ou pertencente ou relativo a Cordislândia (MG). ● *S. 2 g.* **2.** O natural ou habitante de Cordislândia.

cordite [De *cord(o)-* + *-ite*[2]; ingl. *cordite*.] *S. f. Expl.* Pólvora à base de nitrocelulose.

cordo (ô) [Regress. de *cordato*.] *Adj.* Cordato: 📖 "– O Tenente da Cruz assentou; está homem cordo. Vai casar-se com a morgada da Silvã." (Aquilino Ribeiro, *Estrada de Santiago*, [1922], p. 100.)

▲ cord(o)- [Do lat. *chorda* < gr. *chordḗ*, *ēs*; lat. cient. *chordo-*.] *El. comp.* = 'corda', 'corda de instrumento musical'; (lat. cient.) 'corda dorsal'; 'cartilagem': *cordoveias*. [Equiv.: *-corda*, *-corde*, *-cord(o)-*: *reocorda*; *harmonicorde*; *cefalocórdio*, *notocórdio*.]

▲ -cord(o)- V. *cord(o)-*.

cordoada [De *corda* + *-oada*.] *S. f.* **1.** Pancada com cordão ou corda. **2.** V. *cordame* (1). **3.** Corda-d'água. **4.** V. *aguaceiro* (1).

cordoalha [De *corda* + *-oalha*.] *S. f.* V. *cordame* (1).

cordoaria [De *corda* + *-oaria*.] *S. f.* **1.** Fábrica de cordas. **2.** *Bras. BA* Certa rede de pescar.

córdoba [Do hisp.-amer. *córdoba*.] *S. m.* Unidade monetária, e moeda, da Nicarágua, que se divide em 100 centavos.

cordocentese [De *cord(o)-* + *-centese*.] *S. f. Obst.* Punção do cordão umbilical, sob controle ultrassonográfico, que se destina à obtenção de sangue venoso fetal para investigação de doenças (distúrbios genéticos, hemopatias diversas, etc.), e a servir como via de introdução de papa de hemácias e de medicamentos no feto.

cordoeiro [De *corda* + *-oeiro*.] *S. m.* Fabricante e/ou vendedor de cordas.

cordões [Pl. de *cordão*.] *S. m. pl. Art. Gráf.* Fios que, em substituição aos cadarços (q. v.), prendem e transportam o papel, nas prensas, pautadoras e dobradoras. ~ V. *cordão*.

cordofanês *Adj.* **1.** Do, ou pertencente ou relativo ao Cordofão (Sudão). ● *S. m.* **2.** O natural ou habitante do Cordofão. [Flex.: *cordofanesa* (ê), *cordofaneses* (ê), *cordofanesas* (ê).]

cordofaniano [Do top. *Cordofão* (Sudão) + *-iano*.] *Adj.* **1.** Relativo ao Cordofão (Sudão). ● *S. m.* **2.** *Gloss.* Família de línguas faladas na região (na província do Cordofão, C. do Sudão), que se subdivide em vários grupos, como, p. ex., o *tegali* e o *talodi*. [V. *níger-cordofaniano*.]

cordofone [De *cord(o)-* + *-fone*.] *S. m. Mús.* Instrumento cordófono. Ex.: violino, guitarra, harpa, cítara, etc.

cordofônico *Adj. Mús.* V. *cordófono*. [Uso freq. em P.]

cordofônico [De *cordofone* + *-ico*[2].] *Adj. Mús.* Relativo a cordofone.

cordófono [De *cord(o)-* + *-fono*.] *Adj. Mús.* Na classificação organológica de Curt Saks (1881-1959), diz-se de qualquer instrumento que produz som pela vibração de uma ou mais cordas estendidas. [Cf. *aerófono*, *eletrófono*, *idiófono* e *membranófono*. V. *organologia*.]

➔cordon-bleu [kõʀ'dɔ̃ blø] [Fr.] *S. m.* Cozinheiro excelente.

cordotomia [De *cord(o)-* + *-tom(o)-* + *-ia*[1].] *S. f.* **1.** *Neur.* Intervenção cirúrgica realizada em cordão posterior da medula espinhal, e que visa o alívio de dor considerada intratável. **2.** *Otor.* Seção de prega vocal.

cordovaneiro [De *cordovão* + *-eiro*.] *S. m.* Fabricante e/ou vendedor de cordovão.

cordovão [Do ár.-hisp. *cordoban*, 'de Córdova', < top. ár. *qurṭuba(t)*, 'Córdova'.] *S. m.* Couro de cabra curtido e preparado esp. para calçado: 📖 "Entrou com o andar manso de costume, em chinelas de cordovão" (Machado de Assis, *Várias Histórias*, p. 212).

cordoveias [De *cord(o)-* + o pl. de *veia*.] *S. f. pl. Pop.* As veias jugulares e os tendões do pescoço.

cordovês *Adj.* **1.** De, ou pertencente ou relativo a Córdova (Espanha e República Argentina). ● *S. m.* **2.** O natural ou habitante de Córdova. [Flex.: *cordovesa* (ê), *cordoveses* (ê), *cordovesas* (ê).]

cordura [De *cordo* + *-ura*.] *S. f.* Qualidade ou caráter de cordato ou cordo (q. v.).

▲cor(e)-[1] Equiv. de *coreo-*.

▲cor(e)-[2] [Do gr. *kórē*, *ēs*.] *El. comp.* = 'pupila (3)': *corectasia*, *corectomia*. [Equiv.: *-cor(e)-*, *coro-*[2]: *anisocoria*, *corotomia*, *coroplastia*.]

▲core- [Do gr. *kóris*, *eōs*.] *El. comp.* = 'percevejo': *coreídeo*, *coreópsis*.

▲-cor(e)- Equiv. de *cor(e)-*[2].

coreano *Adj.* **1.** Da, ou pertencente ou relativo à Coreia do Norte e à Coreia do Sul (Ásia). ● *S. m.* **2.** O natural ou habitante da Coreia do Norte e da Coreia do Sul. **3.** *Gloss.* Língua falada na Coreia do Norte e na Coreia do Sul, poss. da família altaica, mas com forte influência do chinês. **4.** Vocábulo dessa língua.

coreauense (a-u) *Adj. 2 g.* **1.** De, ou pertencente ou relativo a Coreaú (CE). ● *S. 2 g.* **2.** O natural ou habitante de Coreaú.

corecaru (è) *Bras. S. 2 g.* **1.** *Etnôn.* Indivíduo dos corecarus, subgrupo indígena baníua dos rios Içana e Cuiari (AM). ● *Adj. 2 g.* **2.** Pertencente ou relativo a esses indígenas. [Tb. us. como *s. 2 g. e 2 n.* (com cap.) e *adj. 2 g. e 2 n.*]

■ Corecon Sigla de *Conselho Regional de Economia*.

corê-corê *Adj. S. m. Bras. SP Pop.* Loquaz, palrador. [Pl.: *corê-corês*.]

corectasia [De *cor(e)-*[2] + *-ectas-* + *-ia*[1].] *S. f. Oftalm.* Midríase.

coregia [Do gr. *choregía*.] *S. f.* Cargo ou funções de corego.

corégico [Do gr. *choregikós*.] *Adj. S. m.* Entre os antigos gregos, dizia-se de, ou monumento erguido em homenagem a um corego: ▤ *Existe em Atenas, perto do teatro de Dioniso, um corégico dedicado a Lisícrates.*

corego [Do gr. *choregós*.] *S. m. Teatr. Mús.* Na Grécia antiga, cidadão, sobretudo entre os homens de posse, que superintendia a escolha e os ensaios dos coros das tragédias, comédias, e demais festas públicas, e supria todas as despesas.

coregrafia [De *cor(e)-*[1] + *-grafia*; fr. *chorégraphie*.] *S. f.* V. *coreografia*.

coregráfico [De *cor(e)-*[1] + *-graf(o)-* + *-ico*[2]; fr. *choregraphique*.] *Adj.* V. *coreográfico*.

corégrafo [De *cor(e)-*[1] + *-grafo*; fr. *chorégraphe*.] *S. m.* V. *coreógrafo*: 📖 "O subtil Luciano de Samósata, corégrafo eminentíssimo, amava a dança sobre todas as artes" (Martins Fontes, *A Dança*, p. 13).

coreia[1] (éi) [Do gr. *choreía*, pelo lat. *chorea*.] *S. f.* **1.** Na Grécia antiga, dança acompanhada de cantos: 📖 "Já todo o belo coro se aparelha / Das Nereidas, e junto caminhava / Em coreias gentis, usança velha, / Pera a ilha, a que Vênus as guiava." (Luís de Camões, *Os Lusíadas*, IX, 50.) **2.** Bailado; dança. **3.** *Neur.* Distúrbio encefálico caracterizado por movimentos musculares anormais e espontâneos, sem propósito, irregulares, rápidos e transitórios, sugerindo uma dança. [Sin., nesta acepç.: *dança de São Guido*, *dança de São Vito*, *remelexo* (pop.) e (bras., Amaz.) *caruara*.] ◆ **Coreia de Huntington.** *Patol.* V. *doença de Huntington*. ❖

coreia[2] (éi) [Do top. *Coreia* (Ásia).] *S. f. Bras. N.E. MG Pop.* Zona de meretrício. ❖

coreico (éi) [De *coreia*[1] + *-ico*[2].] *Adj.* Relativo a coreia[1] (1 e 2). ❖

coreídeo [Do tax. *Coreus* (< gr. *kóris*, 'percevejo') + *-ideo*[1]; tax. *Coreidae*.] *Zool. S. m.* **1.** Espécime dos coreídeos, família de insetos hemípteros que reúne percevejos grandes, com numerosas nervuras na membrana dos hemiélitros; fitófagos, são predadores das plantações de tomate e de abóbora. ● *Adj.* **2.** Pertencente ou relativo a eles.

coreiro [De *coro* (ô) + *-eiro*.] *S. m.* Aquele que reza ou canta num coro (ô). [Cf. *coureiro*.]

corema *Bras. S. 2 g.* **1.** *Etnôn.* Indivíduo dos coremas, povo indígena extinto que habitava a região do rio Piranha (PB). ● *Adj. 2 g.* **2.** Pertencente ou relativo a esse povo. [Tb. us. como *s. 2 g. e 2 n.* (com cap.) e *adj. 2 g. e 2 n.*]

coremense *Adj. 2 g.* **1.** De, ou pertencente ou relativo a Coremas (PB). ● *S. 2 g.* **2.** O natural ou habitante de Coremas.

■ Coren Sigla de *Conselho Regional de Enfermagem*.

corenta *Num. Ant. Pop.* V. *quarenta* (1): 📖 "Quando morreu, tinha uns corenta e cinco anos." (Cardoso de Oliveira, *Dois Metros e Cinco*, p. 271.)

▲coreo- [Do gr. *choreúein*, 'dançar'.] ***El. comp.*** = 'dança': *coreografia*. [Equiv.: *cor(e)-*^{1}: *coregrafia*, f. menos correta.]

coreografia [De *coreo-* + *-grafia*.] ***S. f.*** **1.** A arte de conceber e compor a sequência de movimentos, passos e gestos de um bailado, e de fazer a respectiva notação: *A primeira coreografia da "Sagração da Primavera", de Stravinski, foi feita por Serge Diaghilev.* **2.** A arte da dança ou do bailado (2). [A f. *coregrafia* (bem como, naturalmente, *coregráfico* e *corégrafo*) parece menos boa e não tem uso.]

coreográfico [De *coreografia* + *-ico*^{2}.] ***Adj.*** Pertencente ou relativo a coreografia (q. v.).

coreógrafo [De *coreo-* + *-grafo*.] ***S. m.*** Especialista em coreografia (q. v.).

coreomania [De *coreo-* + *-mania*.] ***S. f.*** *Psiq.* Impulso mórbido para dançar; dinomania.

coreomaníaco [De *coreomania* + *-íaco*.] *Psiq.* ***Adj.*** **1.** Relativo a coreomania **2.** Que tem coreomania; coreômano. • ***S. m.*** **3.** Aquele que tem coreomania; coreômano. [Sin. ger.: *dinomaníaco*.]

coreómano ***Adj. S. m.*** *Psiq.* V. *coreômano*. [Uso freq. em P.]

coreômano [De *coreo-* + *-mano*^{1}.] ***Adj. S. m.*** *Psiq.* Coreomaníaco (2 e 3).

coreópsis [Do tax. *Coreopsis* (do gr. *kóris*, 'percevejo', + gr. *ópsis* (v. *-ops(i)-*).] ***S. 2 g. e 2 n.*** *Bot.* **1.** Gênero de plantas asteráceas, dotadas de capítulos solitários, e 6 a 10 lígulas externas de um amarelo vivo; têm largo emprego em bordaduras. **2.** Qualquer espécie desse gênero, como, p. ex., a *Coreopsis tinctoria* (v. *linda-flor*). **3.** Qualquer espécime desse gênero, ou a flor dele.

corera (ê) ***S. f.*** *Bras.* V. *crueira*^{1}.

coresma ***S. f.*** *Ant. Pop.* V. *quaresma*^{1}: "passou janeiro, passou fevereiro, chegou e passou a coresma sem que o doente nem empiorasse, nem melhorasse." (Bernardo Élis, *Veranico de Janeiro*, p. 26).

coreto (ê) [De *coro* (ô) + *-eto*^{1}.] ***S. m.*** **1.** Espécie de quiosque (1) construído ao ar livre, para concertos musicais. **2.** *Bras. MG* Reunião festiva em que se bebe fazendo saudações cantadas. **3.** *Bras. MG* O canto dessas saudações: "'Fulano faz anos hoje...' .... Fazem-se saúdes, cantam-se coretos, entre mais demonstrações de amizade.'" (Aires da Mata Machado Filho, *Dias e Noites em Diamantina*, p. 8). [Cf. *cureto*, do v. *curetar*.] ◆ **Bagunçar o coreto.** *Bras. Pop.* **1.** Causar confusão. **2.** Atrapalhar os planos de alguém, dificultar-lhe os planos: "Poxa, mãe, qual é a dele? Voltou lá de deus me livre somente pra encher meu saco? Pra bagunçar meu coreto?" (Permínio & Lúcio Asfora, *Confidências no Largo da Segunda-Feira*, p. 98.)

coreu [Do gr. *choreüos*, pelo lat. *choreu*.] ***S. m.*** **1.** Pé de verso grego ou latino, formado de uma sílaba longa seguida de outra breve. **2.** *Teatr. Mús.* Cântico acompanhado de danças dramáticas e de músicas de flautas e crótalos.

coreuta [Do gr. *choreutés*, pelo lat. *choreuta*.] ***S. 2 g.*** *Teatr.* Cada um dos membros do coro, no teatro clássico; corista.

corfiota [Do it. *corfiota*.] ***Adj. 2 g.*** **1.** Da, ou pertencente ou relativo à ilha de Corfu (Grécia). • ***S. 2 g.*** **2.** O natural ou habitante de Corfu.

corgo ***S. m.*** *Pop.* V. *córrego*.

corguinhano ***Adj. S. m.*** Corguinhense.

corguinhense ***Adj. 2 g.*** **1.** De, ou pertencente ou relativo a Corguinho (MS). • ***S. 2 g.*** **2.** O natural ou habitante de Corguinho. [Sin. ger.: *corguinhano*.]

▲cori- [Do gr. *chōrís*, adv. e prep., 'separadamente'.] ***El. comp.*** = 'separado'; 'distante': *coripétalo, corisépalo*. [Equiv.: -cor(i)-: *gonocórico*. V. *-coro*.]

▲-cor(i)- Equiv. de *cori-*.

córi ***S. m.*** *Zool.* V. *cauri* (1).

coriáceo [Do lat. *coriaceu*.] ***Adj.*** **1.** De consistência semelhante à do couro: "Tenho na memória o seu vulto atarracado, vulgar, empastado na gordura espessa, coriácea" (Maria Archer, *Nada lhe Será Perdoado*, p. 285). **2.** Semelhante ao couro, ou que o lembra.

coriambo [Do gr. *choríambos*, pelo lat. *choriambu*.] ***S. m.*** Pé de verso grego ou latino, constituído de um coreu e de um iambo, i. e., de duas sílabas breves entre duas longas.

coriandro [Do tax. *Coriandrum* (do lat. *coriandrum*, 'coentro', < gr. *koríandron*).] ***S. m.*** *Bot.* **1.** Gênero de plantas apiáceas, glabras, de raiz fusiforme e caule ereto, folhas penadas e flores brancas dispostas em umbelas compostas. **2.** Qualquer espécie desse gênero, como, p. ex., a *Coriandrum sativum* (v. *coentro*). **3.** Qualquer espécime desse gênero.

coriandrol [De *coriandro* + *-ol*^{2}; al. *Koriandrol*.] ***S. m.*** Óleo essencial de coriandro. [Pl.: *coriandróis*.]

coriária [Do lat. (*substantia*) *coriaria*, 'substância us. para curtir couro'.] ***S. f.*** **1.** Substância usada no curtume de couros. **2.** Sumagre (1) que a produz.

coriavo [Voc. onom.] ***S. m.*** *Bras. Zool.* V. *curiango*.

coribante [Do gr. *korýbas, antos*, pelo lat. *corybante*.] ***S. m.*** Sacerdote frígio de Cíbele, que dançava nas festas dessa deusa, ao som de flautas, címbalos e tamborins, soltando gritos estridentes: "estrelas, mares, formas, sons, figuras, seres, entram a dançar num coro monstruoso de coribantes loucos" (Gilberto Amado, *A Dança sobre o Abismo*, p. 200).

coribântico [Do gr. *korybantikós*.] ***Adj.*** Relativo ou pertencente aos coribantes, ou próprio deles.

coribense ***Adj. 2 g.*** **1.** De, ou pertencente ou relativo a Coribe (BA). • ***S. 2 g.*** **2.** O natural ou habitante de Coribe.

córico^{1} [Do gr. *kórykos*, pelo lat. *corycu*.] ***S. m.*** Balão de couro com que os atletas da Grécia antiga se exercitavam.

córico^{2} [Do gr. *chorikós*, pelo lat. *choricu*.] ***Adj.*** Dizia-se dos versos que eram cantados pelo coro (ô) nas peças teatrais.

corículo [Do lat. *corium*, 'couro', + *-culo*.] ***S. m.*** Tira de couro; correia.

coridálido [Do tax. *Corydalus*, gênero-tipo, + *-ido*^{3}; tax. *Corydalidae*.] *Zool.* ***S. m.*** **1.** Espécime dos coridálidos, família de grandes insetos megalópteros em que, nalgumas classificações, são incluídos os sialídeos (q. v.). • ***Adj.*** **2.** Pertencente ou relativo a eles.

coridora [Do tax. *Corydoras*.] ***S. f.*** *Zool.* **1.** Gênero de peixes actinopterígios, siluriformes, calictiídeos, revestidos de placas ósseas em duas séries, dorsal e ventral, e desprovidos de vesícula natatória, e que se alimentam de algas e detritos. São apreciados pelos aquariófilos pela constante limpeza que fazem nos aquários. Conhecem-se ao todo umas 30 espécies, distribuídas por todo o Brasil. **2.** Qualquer espécie desse gênero, como, p. ex., a espécie *Corydoras aeneus*, coridora brônzea, de tom metálico tirante ao verde ou ao marrom e grande mancha escura ao longo do corpo, e a *C. astatus*, coridora anã, com cerca de 4cm e uma listra preta de cada lado do corpo; várias espécies são vulgarmente chamadas *sarro* e *limpa-plantas*. **3.** Qualquer espécime desse gênero.

corifeu [Do lat. *coryphaeu*.] ***S. m.*** **1.** Mestre do coro, na tragédia e comédia antigas, o qual exercia a função de principal representante do povo e de intermediário entre os coreutas (v. *coreuta*) e as personagens principais. **2.** *P. ext.* Indivíduo que ocupa o primeiro lugar ou que se destaca dos demais em uma arte, profissão, categoria, etc. **3.** Chefe, diretor, caudilho. **4.** Chefe de seita: "De cada escola filosófica brotam, com os discípulos de maior e mais fecundo engenho, os corifeus de novas seitas, os fundadores de sistemas novos" (Latino Coelho, *A Oração da Coroa*, p. XXXIV).

corifodonte [Do gr. *koryphé*, 'o alto da cabeça', + *-odonte*; tax. *Coryphodon*.] ***S. m.*** *Paleont.* **1.** Gênero extinto de mamíferos semelhantes ao hipopótamo, do eoceno da Europa e Américas; tinham cérebro pequeno, dentes trituberculados, patas com cinco dedos, e eram omnívoros. **2.** Espécie ou espécime desse gênero.

corimá ***S. m.*** *Bras. SP* V. *caxambu* (2).

▲corimb(i)- [Do lat. *corymbus, i* < gr. *kórymbos, ou*, 'extremidade superior de alguma coisa'; 'cacho (de frutas)'.] ***El. comp.*** = 'corimbo': *corimbífero* (< lat.), *corimbiforme*.

corimbífero [Do lat. cient. *corymbifer* < lat. *corymbifer, era, erum*.] ***Adj.*** *Bot.* Que tem flores em corimbo; corimboso.

corimbiforme [De *corimb(i)-* + *-forme*.] ***Adj. 2 g.*** *Bot.* Semelhante ao corimbo: *cimeira corimbiforme*.

corimbo [Do gr. *kórymbos*, pelo lat. *corimbu*.] ***S. m.*** *Bot.* Tipo muito comum de inflorescência em que as flores partem de alturas diferentes e alcançam o mesmo nível, na porção superior: "Era o sertão, era a floresta inteira / Que em corimbos, festões e luz se abria." (Alberto de Oliveira, *Poesias*, 2.ª série, p. 272.)

corimbó ***S. m.*** *Bras. Bot.* V. *curimbó* (1).

corimbó-da-mata ***S. m.*** *Bras. Bot.* V. *curimbó* (1). [Pl.: *corimbós-da-mata*.]

corimboso (ô) [De *corimb(i)-* + *-oso*.] ***Adj.*** *Bot.* Corimbífero: *espécie corimbosa*.

corincho ***S. m.*** *Bras. RS* Prosa, arrogância, topete, bazófia, pimponice. ◆ **Quebrar o corincho de.** *Bras. S.* Acabar com a bazófia de (alguém); quebrar-lhe a castanha; desmoralizá-lo.

corindiba [Do tupi.] ***S. f.*** *Bras. Bot.* V. *quatindiba*.

corindiúba [Do tupi.] ***S. f.*** *Bras. Bot.* V. *quatindiba*.

corindo ***S. m.*** *Min.* Coríndon.

coríndon [Do fr. *corindon* < tâmul *kurundam*, 'rubi'.] ***S. m.*** *Min.* Mineral trigonal, sesquióxido de alumínio, pedra preciosa. [F. paral.: *corindo*.]

coringa *Bras. PE AL* ***S. f.*** **1.** Pequena vela triangular, us. à proa das canoas de embono. **2.** Vela quadrangular pequena, que se usa à proa das barcaças. • ***S. m.*** **3.** Moço de barcaça. **4.** Pessoa feia e raquítica. [Cf. *curinga*.]

corinocarpácea [Do tax. *Corynocarpus* (do gr. *korýne*, 'maça', + lat. cient. *-carpus*, v. *-carpo*) + *-ácea*; tax. *Corynocarpaceae*.] ***S. f.*** *Bot.* Espécime das corinocarpáceas, família da ordem das sapindales, que compreende árvores de folhas alternas, flores dispostas em panículas terminais, com o androceu formado por cinco estames e cinco estaminódios, e fruto drupáceo. Englobam umas poucas espécies da Nova Zelândia e adjacências.

corinocarpáceo [De *corinocarpácea*, com var. suf. (v. *-áceo*).] ***Adj.*** *Bot.* Pertencente ou relativo às corinocarpáceas.

corinósporo [Do gr. *korýne*, 'maça', + *-o-* + *-sporo*.] ***S. m.*** *Bot.* Propágulo simples de várias algas, constituído de uma célula sustentada por um pedículo. É órgão de multiplicação vegetativa.

corintiano^{1} ***Adj. S. m.*** V. *coríntio*.

corintiano^{2} *Bras.* ***Adj.*** **1.** Pertencente ou relativo ao Esporte Clube Coríntiãs Paulista (SP). **2.** Que é torcedor ou jogador dessa agremiação. • ***S. m.*** **3.** Membro, torcedor ou jogador dela; coríntiãs. [Sin. ger.: *alvinegro* e *mosqueteiro*.]

coríntiãs ***S. 2 g. e 2 n.*** *Bras.* V. *corintiano*^{2} (3).

coríntio [Do gr. *korínthios*, pelo lat. *corinthiu*.] ***Adj.*** **1.** De, ou pertencente ou relativo a Corinto (Grécia e MG). ~ V. *coluna —a* e *ordem —a*. • ***S. m.*** **2.** O natural ou habitante de Corinto. [Sin. ger. de coríntio (MG): *corintiano*.]

corinto [Do top. *Corinto* (Grécia).] ***S. m.*** **1.** Casta de uvas miúdas, sem sementes, muito usadas para passas. **2.** Passa dessas uvas.

▲cori(o)- [Do gr. *chórion, ou*, 'placenta'.] ***El. comp.*** = 'membrana': *corioide* (< gr.), *coriorretinite*.

cório ***S. m.*** *Embr.* V. *córion*.

coriocele [De *cori(o)-* + *-cele*^{1}.] ***S. f.*** *Med.* Hérnia do globo ocular por abertura da coroide.

corioide (ói) [Do gr. *chorioeidés* < gr. *chórion*, 'membrana'.] ***S. f.*** Coroide. ❖

córion [Do lat. cient. *chorion* (do gr. *chórion*.)] ***S. m.*** **1.** *Embr.* Anexo embrionário dos amniotas que dá origem ao saco coriônico (q. v.) e que é formado por duas camadas de trofoblasto e mesoderma somático extraembrionário. **2.** *Histol.* Derme. ◆ **Córion frondoso.** *Embr.* Área altamente vascularizada do córion, onde se desenvolvem as vilosidades coriônicas; córion viloso. [Var.: *cório*.] **Córion liso.** *Embr.* Membrana delgada aderida à face externa da membrana amniótica. [Var.: *cório*.] **Córion viloso.** *Embr.* Córion frondoso.

coriónico ***Adj.*** V. *coriônico*. [Uso freq. em P.]

coriônico [De *córion* + *-ico*^{2}.] ***Adj.*** De, ou pertencente ou relativo a córion. ~ V. *saco —*, *vesícula —a* e *vilosidade —a*.

coriorretinite (cò) [De *cori(o)-* + *retina* + *-ite*^{2}.] ***S. f.*** *Oftalm.* Inflamação de coroide e retina.

coripétala [De *cori-* + *-pétala*; tax. *Choripetalae*.] ***S. f.*** *P. us. Bot.* Arquiclamídea.

coripétalo^{1} [De *cori-* + *-pétalo*.] ***Adj.*** *Bot.* De pétalas livres; apopétalo, dialipétalo: *corola coripétala*. [Opõe-se a *gamopétalo*.]

coripétalo^{2} [De *coripétala*.] *Bot. P. us.* Arquiclamídeo.

coriscação [De *coriscar* + *-ção*.] ***S. f.*** Ato ou efeito de coriscar.

coriscada [De *corisco* + *-ada*^{1}.] ***S. f.*** Grande porção de coriscos.

coriscado [De *corisco* + *-ado*^{1}.] ***Adj.*** Ferido por corisco, ou por coisa ardente ou estimulante.

coriscante [De *coriscar* + *-nte*.] ***Adj. 2 g.*** Que corisca: "olhos coriscantes, e formas tão esculturais da beleza antiga" (Camilo Castelo Branco, *Noites de Lamego*, p. 166).

coriscar [Do lat. vulg. **coriscare*, por *coruscare*.] ***V. int.*** **1.** Brilhar em corisco. **2.** Brilhar como corisco: *O diamante do anel coriscava.* **3.** Faiscar, relampaguear, relampejar. ***T. d.*** **4.** Lançar, dardejar: *coriscar ameaças.* ***T. c.*** **5.** Passar muito rapidamente: *Coriscou pela sala, e não mais o vimos naquele dia.* [Conjug.: v. *trancar*. Norm. é impess. nas acepçs. 1 a 3. Cf. *coruscar*.]

corisco [Dev. de *coriscar*.] ***S. m.*** **1.** Faísca elétrica. **2.** Centelha que fende as nuvens eletrizadas sem se ouvirem trovões. [Sin. pop. (nesta acepç., no RS): *mandado de deus* ou apenas *mandado*.] **3.** *Fig.* Hóspede inesperado. **4.** *Pop.* Pessoa muito esperta, muito viva.

corísia [Do tax. *Chorisia*.] ***S. f.*** *Bot.* **1.** Gênero de grandes árvores bombacáceas, incorporadas, atualmente, ao gênero *Ceiba*, de tronco cilíndrico, volumoso, com até 1,20m de diâmetro, folhas compostas, digitadas, flores grandes e vistosas e frutos capsulares. **2.** Qualquer espécie desse gênero, como, p. ex., a *Ceiba speciosa* (v. *paineira*). **3.** Qualquer espécime desse gênero.

corista^{1} [Do lat. med. *chorista*.] ***S. 2 g.*** **1.** *Mús.* Cada um dos membros dos coros teatrais, de igreja, etc.; coralista: "os criados circulavam, oferecendo aos coristas arquejantes água nevada e azucarilhos. Depois de novo os braços se erguiam, o coro majestoso recomeçava" (Eça de Queirós, *Cartas Familiares e Bilhetes de Paris*, p. 227). 2. *Teatr.* Coreuta. ● *Adj. 2 g.* 3. Diz-se do religioso que se prepara para ser clérigo e para os deveres de recitar em coro o ofício divino. [Cf. *curista*.]

corista[2] [Do fr. *choriste*.] *S. 2 g. Teatr.* Vedete (q. v.) de companhia de revistas. [Cf. *curista*.]

coritiba *S. 2 g. Bras.* Coritibano (3).

coritibano [De *Coritiba* (*Futebol Clube*) + *-ano*[1].] *Bras. Adj.* 1. Pertencente ou relativo ao Coritiba Football Club (PR). 2. Que é torcedor ou jogador dessa agremiação. ● *S. m.* 3. Membro, torcedor ou jogador dela; coritiba. [Sin. ger.: *coxa, coxa-branca, alviverde*.] [F. impr.; a melhor f. seria *curitibano*.]

coritossauro [Do gr. *kórys, kórythos*, 'elmo', + *-sauro*; tax. *Corythosaurus*.] *S. m. Paleont.* 1. Gênero extinto de reptis hadrossaurídeos, ornitísquios, com estrutura cupuliforme que cobria o crânio; ornitópodes, herbívoros, habitavam os pântanos e planícies do atual Canadá. Atingiam até 9m de altura e 800kg de peso. 2. Espécie ou espécime desse gênero.

corixa *S. f. Bras. MT GO* Canal por onde as águas das lagoas, dos brejos ou dos campos baixos se escoam para os rios vizinhos. [Var.: *corixe* e *corixo*.]

corixão [De *corixa* + *-ão*[1].] *S. m. MT GO* Corixa de grandes proporções.

corixe *S. m. Bras. MT GO* V. *corixa*.

corixo[1] *S. m. Bras. Zool.* V. *chupim* (1).

corixo[2] *S. m. Bras. MT GO* V. *corixa*: "E assim lá vão os três, lavando palavras, clareando assunto, os animais enxaguando as patas nos corixos" (Bariani Ortêncio, *Vão dos Angicos*, p. 56).

coriza [Do gr. *kóryza*, pelo lat. *coryza*.] *S. f. Otor.* Eliminação de secreção mucosa ou mucopurulenta pelas narinas e decorrente de inflamação do revestimento mucoso das cavidades nasais. [Sin.: *defluxão, defluxo* (pop.), *defluxeira* (fam.) e, no RS, *trancaço*.]

corja [Do malaiala *korchchu*.] *S. f.* 1. Multidão de pessoas desprezíveis, de má nota; canalha, súcia: *corja de vadios*. 2. *Ant.* Vintena: *uma corja de livros*.

corjesuense *Adj. 2 g.* 1. De, ou pertencente ou relativo a Coração de Jesus (MG). ● *S. 2 g.* 2. O natural ou habitante de Coração de Jesus.

cormo [Do gr. *kormós*, 'tronco'.] *S. m. Bot.* Eixo longitudinal das plantas vascularizadas, constituído pela raiz e pelo caule.

▲**corm(o)-** [Do gr. *kormós, oû*.] *El. comp.* = 'tronco'; 'cormo': *cormófito*. [Equiv.: *-corm(o)-, -cormo*: *nanocormia, nanocormo*.]

▲**-corm(o)-** V. *corm(o)-*.

▲**-cormo** V. *corm(o)-*.

cormofítico [De *cormófito* + *-ico*[2].] *Adj. Bot.* Relativo ao cormófito.

cormófito [De *cormo-* + *-fito*.] *Adj. S. m. Bot.* Diz-se de, ou planta vascularizada dotada de cormo. [Cf. *talófito*[1].]

cormoplegia [De *corm(o)-* + *-pleg-* + *-ia*[1].] *S. f. Med.* Paralisia do tronco.

cormorão [Do ingl. *cormorant*.] *S. m. Zool.* Designação de diversas aves marinhas, palmípedes, pelicaniformes, falacrocoracídeas. Têm plumagem preta, cinza ou bronzeada, pescoço e bico longos e porte de médio a grande.

cornaca [Do cingalês *kuruneka*.] *S. m.* 1. Aquele que guia elefantes e deles cuida: "O cansado cornaca, à sombra dos gigantes, / Dorme na areia: ao sul há miragens ridentes; / Passam trombas ao norte, e beduínos distantes: / A alma do mar rodando em todo o areal pressentes." (Luís Delfino, *Algas e Musgos*, p. 142.) 2. *P. ext.* Indivíduo que guia e/ ou apadrinha outro.

cornácea [Do tax. *Cornus* (v. *corno*[2]) + *-ácea*; tax. *Cornaceae*.] *S. f. Bot.* Espécime das cornáceas, família da ordem das cornales que reúne cerca de 120 espécies de árvores, arbustos e algumas ervas rizomatosas, de folhas ger. opostas e íntegras, flores em cimeiras ou capítulos cimosos, e frutos drupáceos ou bacáceos; muitas são cultivadas como ornamentais, ou pela madeira, ou pelos frutos edules.

cornáceo [De *cornácea*, com var. suf. (v. *-áceo*).] *Adj. Bot.* Pertencente ou relativo às cornáceas.

cornaço [De *corno* + *-aço*.] *S. m. Bras. RS* V. *chifrada*.

cornada [De *corno* + *-ada*[1].] *S. f.* V. *chifrada*.

cornadura [De *cornar* + *-dura*.] *S. f.* A armação dos animais cornígeros; chifres, cornos.

cornal[1] [Do tax. *Cornus* (v. *corno*[2]) + *-al*[1].] *Adj. 2 g. Bot.* Pertencente ou relativo às cornales.

cornal[2] [De *corn(i)-* + *-al*[1].] *S. m.* Correira.

cornale [Adapt. do tax. *Cornales*.] *S. f. Bot.* Espécime das cornales, ordem de dicotiledôneas que reúne as famílias das cornáceas, alangiáceas, garryáceas e simplocáceas.

cornalina [Do fr. *cornaline*.] *S. f.* Variedade vermelha da calcedônia.

cornamusa [Do fr. *cornemuse*.] *S. f.* Gaita de foles (q. v.): "Então, ondulam no ar diáfano e fluente / Suavidades idílicas, acordes / De avenas, cornamusas e ocarinas / Que vêm de longe, da alma branca dos pastores" (Raul de Leoni, *Luz Mediterrânea*, p. 38).

cornante [De *cornar* + *-nte*.] *Adj. 2 g.* 1. Referente a boi, ou a gado cornígero. ● *S. m.* 2. *Gír.* Boi (1).

cornar [De *corno* + *-ar*[2].] *V. t. d.* Bater ou ferir com os cornos. [Pres. ind.: *corno*, etc. Cf. *corno* (ô).]

corne [Do ingl. *horn*.] *S. m. Mús.* Trompa[1] (1).

▲**-corne** V. *corn(i)-*.

córnea [Do lat. med. *cornea*.] *S. f. Anat.* A parte anterior, transparente e de curvatura acentuada, da esclera.

corneador (ô) [De *cornear* + *-dor*.] *Adj. Bras. S.* Diz-se do boi que é dado a cornear ou marrar.

corneano [De *córnea* + *-ano*[1].] *Adj. Anat.* Da córnea, ou relativo a ela.

cornear [De *corno* + *-ear*[2].] *V. t. d.* 1. Ferir com os chifres; escornar, marrar, chifrar. 2. *Pop.* Ser infiel a (a pessoa a quem se está ligado por laços de amor carnal); botar chifre em; pôr chifre em; pular a cerca; chifrar: "'Olhe aqui, Setenta-e-Um, eu acho que minha mulher me corneia, e quero saber a verdade.'" (Maria Alice Barroso, *Um Nome para Matar*, p. 101.) [Conjug.: v. *frear*.]

corneíba [Do tupi, poss.] *S. f. Bras. Bot.* V. *aroeira* (1).

corne-inglês *S. m.* 1. Oboé curvo. 2. Oboé alto, em fá, com o tubo mais longo e mais grosso que o do oboé comum, e o pavilhão esférico. [Pl.: *cornes-ingleses*.]

corneira [De *corno* + *-eira*.] *S. f.* Correia que prende o boi à canga pelos cornos; cornal.

corneíte [Do lat. cient. *corneitis*.] *S. f. Med.* Inflamação, inchação da córnea.

corneliano[1] *Adj.* 1. Pertencente ou relativo a Cornélio Pena (1896-1958), escritor brasileiro, ou próprio dele: "É natural que eu esteja buscando a generalização sem tentar a dissecação de todos os personagens cornelianos." (Fausto Cunha, *Situações da Ficção Brasileira*, p. 127.) ● *S. m.* 2. Grande admirador e/ou profundo conhecedor da obra de Cornélio Pena.

corneliano[2] *Adj.* 1. Pertencente ou relativo ao poeta dramático francês Pierre Corneille (1606-1684), ou próprio dele. 2. Diz-se da tragédia feita à maneira das de Corneille. ● *S. m.* 3. Grande admirador e/ou profundo conhecedor da obra de Corneille.

córneo [Do lat. *corneu*.] *Adj.* 1. Feito de corno (1). 2. Relativo a, ou próprio de corno (1): *objeto de consistência córnea*. 3. Que tem a natureza do corno (1); duro como corno (1): "Por causa disto, eu vivo pelos matos, / Magro, roendo a substância córnea da unha." (Augusto dos Anjos, *Eu*, p. 79.) ~ V. *camada — a e estrato —*.

córner [Do ingl. *corner*.] *S. m. Fut.* 1. Cada um dos quatro ângulos retos formados pela interseção da linha de fundo (q. v.) com a lateral. 2. V. *escanteio* (1 e 2). [Pl.: *córneres*.] ◆ **Chutar para córner.** V. *chutar para escanteio*: "Nós estamos juntos nisso, Guedes. O delegado colocou nós dois no caso. Está me chutando para córner?" (Rubem Fonseca, *Histórias de Amor*, p. 61.)

corneta[1] (ê) [Do it. *cornetta*.] *S. f.* 1. Instrumento de sopro, com bocal e pavilhão largo. 2. Trombeta[1] (1). 3. Instrumento de sopro, feito de metal, dotado de bocal, tubo cilíndrico liso, recurvado sobre si mesmo, e pavilhão cônico. 4. Registro de órgão. 5. *Gír.* Nariz (1). 6. *Bras.* Bandeirola triangular us. na marinha para sinais. 7. A entrada principal dum formigueiro. ● *S. m.* 8. Corneteiro. ◆ **Corneta acústica.** Instrumento para concentrar o som no canal auditivo das pessoas surdas. **Corneta de chaves.** A que tem no tubo, liso, orifícios fechados por válvulas ou chaves que, premidas pelos dedos, se abrem para emitir os diferentes sons cromáticos.

corneta[2] (ê) [De *corno* + *-eta* (ê).] *Adj. 2 g.* 1. *Bras.* Diz-se do boi ou vaca a que falta um dos cornos. 2. *Bras. RS* Diz-se de indivíduo intrometido e trapalhão.

cornetada [De *corneta*[1] + *-ada*[1].] *S. f.* Toque de corneta[1] (1).

cornetão de semente *S. m. Bras. BA Pop.* Marido traído que finge não saber. [Pl.: *cornetões de semente*.]

cornetear [De *corneta*[2] (2) + *-ear*[2].] *V. t. d. int. Bras. RS* Fazer o papel do indivíduo corneta[2] (2). [Conjug.: v. *frear*.]

corneteiro [De *corneta*[1] + *-eiro*.] *S. m.* Aquele que toca corneta num batalhão; corneta.

cornetim [Do esp. *cornetín*.] *S. m.* 1. Pequena corneta provida de três chaves. 2. Aquele que toca esse instrumento.

cornetinha [De *corneta*[1] + *-inha*.] *S. f. Lus. Zool.* Caramujo (1).

cornetista [De *corneta* + *-ista*.] *S. 2 g.* Aquele que toca corneta e/ou cornetim.

corneto (ê) [Do fr. *cornet*.] *S. m. Anat.* Cada uma das pequenas lâminas ósseas dobradas sobre si mesmas, localizadas no interior das cavidades nasais; cartucho.

▲**corn(i)-** [Do lat. *corni-* < lat. *cornu, us*.] *El. comp.* = 'corno', 'chifre'; 'antena'; 'de consistência semelhante à do chifre': *cornácea, cornicurto, cornífero* (< lat.). [Equiv.: *-corn(i)-, -corne*: *auricórneo; alcicorne*.]

▲**-corn(i)-** V. *corn(i)-*.

cornicabra [De *corn(i)-* + *cabra*.] *S. f. Bot.* Variedade de pimentão (1) (q. v.); charneca.

cornicho [De *corno* (1 e 2) + *-icho*.] *S. m.* 1. *Zool.* Tentáculo do caracol. 2. *Zool.* Antena dos insetos. 3. Vaso corniforme para água benta, que se costuma pendurar na parede.

córnico [Do ingl. *Cornish*, pelo fr. *cornique*.] *S. m. Gloss.* Língua celta da Cornualha, extinta desde 1777, quando morreu seu último falante. [V. *celta insular*.]

corniculado [Do lat. *corniculus*, 'pequeno chifre', + *-ado*[1].] *Adj. Bot.* Diz-se de órgãos ou partes vegetais cujo aspecto recorda o de um chifre minuto: *antera corniculada*.

cornicurto [De *corn(i)-* + *curto*.] *Adj.* Que tem cornos curtos.

cornífero [Do lat. *corniferu*.] *Adj.* Que tem corno(s) ou excrescência em forma de corno; cornígero, cornudo, cornuto, lunado.

cornificado [De **cornificar* (< *corn(i)-* + *-ficar*) + *-ado*[1].] *Adj. Zool.* Diz-se da estrutura cuja resistência ou dureza semelha à do chifre, ou de uma barbatana ou parte cartilaginosa ou levemente ossificada encontrada em certos animais, como os peixes.

corniforme [De *corn(i)-* + *-forme*.] *Adj. 2 g.* Que tem forma de corno (1).

cornígero [Do lat. *cornigeru*.] *Adj.* V. *cornífero*.

cornija [Do esp. *cornija*, var. de *cornisa*.] *S. f. Arquit.* 1. Ornato que assenta sobre o friso de uma obra. 2. Molduras sobrepostas que formam saliências na parte superior da parede, porta, etc.

cornimboque [De *corno*.] *S. m. Bras. N. N.E. MG* Ponta de chifre de boi, usada como caixa de tabaco; tabaqueiro, taroque: "A conversa foi interrompida pela chegada do Mangaba, que .... pediu ao Dunda uma pitada de rapé do seu belo cornimboque com tampa de prata." (Cardoso de Oliveira, *Dois Metros e Cinco*, p. 235). [Var.: *corrimboque*.]

cornimboque de judas *S. m. Bras.* V. *cafundó* (3).

cornimboque do diabo *S. m. Bras.* V. *cafundó* (3).

cornimboque do judas *S. m. Bras.* V. *cafundó* (3).

cornípede [Do lat. *cornipede*.] *Adj. 2 g. Zool.* De patas córneas.

cornípeto [De *corn(i)-* + *-peto*.] *Adj.* Cornúpeto.

corniso [Do esp. *cornizo*.] *S. m. Bot.* Arbusto cornáceo (*Cornus mas*) nativo da Europa e Ásia, de folhas ovaladas, flores amarelas e frutos vermelhos, edules.

cornisolo (ô) [Do esp. *cornizolo*.] *S. m.* O fruto, edule, do corniso. [Pl.: *cornisolos* (ô).]

corno[1] (ô) [Do tax. *Cornus* (do lat. *cornus* ou *cornum*, 'pilriteiro').] *S. m. Bot.* 1. Gênero de plantas cornáceas que reúne cerca de 65 espécies nativas de regiões temperadas do hemisfério norte, algumas da América do Sul e África, cultivadas como ornamentais ou pelos frutos edules, ou pela madeira. 2. Qualquer espécie desse gênero, como, p. ex., a *Cornus mas* (v. *corniso*). 3. Qualquer espécime desse gênero.

corno[2] (ô) [Do lat. *cornu*.] *S. m.* 1. *Zool.* Apêndice duro e recurvo que guarnece a fronte de alguns animais; aspa, binga, chavelho, chifre, guampa ou guampo, haste. [Há tb., correspondentes ao pl. *cornos*, os sin. *armação, armas* e *tocos*. Cf. *armadura* (3).] 2. *P. ext. Zool.* Antena ou tentáculo semelhante ao corno; chavelho. [Dim. irreg., nas acepç. 1 e 2: *cornicho*.] 3. Ponta ou objeto que apresenta semelhança com o corno (1). 4. A substância do corno (1). 5. V. *buzina* (1). 6. Trompa ou buzina rudimentar, de uso pastoril. 7. *Anat.* Formação, de aspecto pontudo, existente em diversos locais do corpo (sistema nervoso central, cóccix, etc.). 8. *Chulo* Marido de adúltera; cabrão, aspudo, cervo, faz de conta, cornudo, chifrudo, galheiro, galhudo, cabrum, mumu. 9. *Bras. N.E. Fam.* Menino manhoso ou levado: "— Cadê aquele corno? / — Tá no terreiro, jogando pião. / — Chama esse corno aqui." (Chico Anísio, *Teje Preso*, p. 36.) ● *Adj.* 10. *Chulo* Diz-se do marido de adúltera; chifrudo, galhudo, guampudo, aspudo. [Pl.: *cornos* (ó). Cf. *corno*, do v. *cornar*.] ~ V. *cornos*. ◆ **Não ir com os cornos de.** V. *não ir com*. **Pôr os cornos na Lua.** Pôr nas nuvens.

cornos (ó) *S. m. pl.* V. *armas* (7). ~ V. *corno*.

cornos-do-diabo *S. m. 2 n. Bras. Bot.* V. *chifre-de-veado* (1).

cornubianito [Do lat. *Cornubia*, 'cornualha', + *-an(o)-* + *-ito*[2].] *S. m. Geol.* Rocha finamente granulada, que se forma por metamorfismo de contato.

cornucópia [Do lat. *cornucopia*.] *S. f.* 1. Corno mitológico, atributo da abundância, e símbolo da agricultura e do comércio. 2. Vaso corniforme que se representa cheio de flores e frutos. 3. *Cul.* Pastelaria feita de massa em forma de cornucópia (1 e 2), geralmente com recheio de creme. **4.** *Anat.* A extensão do plexo coroide em cada cavidade do quarto ventrículo [v. *ventrículo* (3)].

cornuda [F. subst. do adj. *cornudo*.] ***S. f. Bras. Zool.*** V. *tubarão-martelo* (2).

cornudo [Do lat. *cornutu*.] ***Adj.*** **1.** V. *cornífero*. ● ***S. m.*** **2.** *Chulo* V. *corno* (9).

cornúpeto [Do lat. tard. *cornupeta*, 'o que ataca com o chifre'.] ***Adj.*** Que ataca com o chifre ou corno; cornípeto.

cornuto [Do lat. *cornutu*.] ***Adj.*** V. *cornífero*.

coro^{1} (ó) [Do lat. *coru*.] ***S. m. Ant.*** Vento do noroeste, no Mediterrâneo. [Cf. *coro* (ô) e *couro*.]

coro^{2} (ó) [Do hebraico, pelo gr. *kóros*.] ***S. m.*** Antiga medida hebraica: "À sua mesa gasta [Salomão], por dia, trinta coros de flor de farinha e sessenta de farinha ordinária" (Eugênio de Castro, *Obras Poéticas*, II, p. 154). [Cf. *coro* (ô) e *couro*.]

coro (ô) [Do gr. *chorós*, pelo lat. *choru*.] ***S. m.*** **1.** Conjunto vocal que se expressa pelo canto ou pela declamação. **2.** *Mús.* Conjunto de cantores, em número mais ou menos considerável, que executa peças em uníssono ou a várias vozes, com acompanhamento ou sem ele, e do qual é padrão o que é constituído por vozes mistas de soprano, contralto, tenor e baixo; orfeão: *coro sacro; coro profano; coro polifônico.* **3.** *Mús.* Composição destinada a esse tipo de execução. **4.** *Mús.* Conjunto de instrumentos musicais da mesma categoria. **5.** V. *coral*^{5} (4). **6.** *Teatr.* No teatro clássico, conjunto harmônico dos atores que, como representantes do povo junto às personagens principais, e declamando e cantando, narram a ação, a comentam, e frequentemente nela intervêm com ponderações e conselhos. **7.** *Teatr.* Conjunto harmônico de atores de qualquer peça. **8.** *Teatr.* Parte de uma obra dramática declamada ou cantada por vários atores. **9.** Balcão, nas igrejas, onde se canta e se toca. **10.** A parte da igreja, no recinto do altar-mor, onde os cônegos, membros de colegiada e seminaristas rezam em comum. **11.** Estribilho dos hinos. **12.** Conjunto de vozes de animais, ou de sons: "Um coro / De aves canta a alegria ingênua de viver" (Vicente de Carvalho, *Poemas e Canções*, p. 153); *um coro de reclamações; um coro de gargalhadas.* [Pl.: *coros* (ó). Cf. *coro*, do v. *corar* e s. m., *Coro*, top., e *couro*.] ◆ **Coro a capela.** *Mús.* Coro sem acompanhamento instrumental; orfeão. **Coro falado.** *Mús.* Coro declamado, de grandes possibilidades expressivas, us. por vários compositores do séc. XX. **Coro múltiplo.** *Mús.* Aquele cujas partituras são compostas para mais de um conjunto de cantores. **Em coro.** A uma voz; ao mesmo tempo: "De braço dado, as meninas passavam por nós aos grupos, cantando em coro valsas tristes, modinhas de serenatas." (Raquel de Queirós, *As Três Marias*, p. 6.) **Fazer coro com.** Repetir o que (alguém) diz ou faz: "Andrade Ferreira faz coro com os contemporâneos e põe em contraste Júlio Dinis com Camilo" (João Gaspar Simões, *Liberdade do Espírito*, p. 374).

▲**coro-^{1}** [Do gr. *chōros*, ou < gr. *chōra*, *as*.] ***El. comp.*** = 'lugar'; 'região', 'território', 'país': *corografia* (< gr.), *corologia*. [Equiv.: *-cora*, *-cor(o)-^{1}*: *isócora*; *sincorologia*.]

▲**coro-^{2}** V. *cor(e)-^{2}*.

▲**coro-^{3}** [Do gr. *kóros*, *ou*.] ***El. comp.*** = 'jovem': *corofilia*, *corófilo*.

▲**coro-^{4}** [Do gr. *chorós*, *oû*, 'coro (de dança)'.] ***El. comp.*** = 'dança': *coromania*, *corômano*.

▲**-cor(o)-^{1}** V. *coro-^{1}*.

▲**-cor(o)-^{2}** Equiv. de *-coro*.

▲**-coro** [Do gr. *chōreîn*, 'afastar-se'; 'avançar'; 'ir'; 'espalhar(-se)'.] ***El. comp.*** = 'que se afasta'; 'que se espalha': *anemocoro*, *hidrocoro*, *ornitocoro*, *zoocoro*. [Equiv.: *-cor(o)-^{2}*: *anemocoria*, *hidrocoria*. V. *cori-*.]

coró ***S. m. Bras. Zool.*** **1.** Bicho de esterco; bicho de paus podres. **2.** V. *rato-de-espinho*. **3.** V. *sauiá* (2). **4.** V. *rato-toró* (2). **5.** V. *roncador* (4). **6.** V. *peixe-voador*. **7.** V. *bicheira* (2) **8.** V. *escaravelho* (1).

coroa (ô) [Do gr. *koróne*, pelo lat. *corona*.] ***S. f.*** **1.** Ornato circular com que se cinge a cabeça como sinal de dignidade, vitória, poder, etc. (tanto pode ser uma grinalda de flores como uma joia de ouro e pedras preciosas [cf. *diadema* (1)]): *coroa de duque; coroa de louros; Napoleão I cingiu a coroa de ferro em 1805.* **2.** O poder ou dignidade real; a monarquia: *os partidários da coroa.* **3.** A pessoa do monarca na condição de chefe de Estado: *os bens da Coroa; o discurso da Coroa.* [Nesta acepç. e na anterior, tb. us. com cap.] **4.** *Fig.* Coroa de louros (2). **5.** V. *tonsura* (2): "lá no fim, no altar-mor, o prior lendo a epístola, numa casula verde desbotada, a pequenina coroa muito nítida nos cabelos duros" (Conde de Ficalho, *Uma Eleição Perdida*, p. 106). **6.** *Fam.* Calvície no alto ou no meio da cabeça. **7.** Cume, cimo, alto: *a coroa do morro estava coberta pelas nuvens.* **8.** A forma circular de coroa, de anel, ou objeto coroniforme: *pão de coroa; a coroa de um dossel.* **9.** *Anat.* Designação genérica de saliência em forma de coroa, ou que circunda uma outra. **10.** A face superior do diamante. **11.** Unidade monetária, e moeda, da Suécia, Noruega, Dinamarca, Eslováquia, Islândia e República Checa. **12.** *Geom.* Superfície plana entre duas circunferências concêntricas. **13.** *Rel.* Rosário com sete padre-nossos e sete dezenas de ave-marias. **14.** Flores dispostas em círculo, enviadas em homenagem aos mortos por ocasião do enterro; coroa funerária. **15.** *Zool.* Tufo circular de penas na cabeça dalgumas aves. **16.** *Zool.* Calvície nos joelhos do cavalo. **17.** *Met.* Meteoro luminoso resultante da difração da luz solar ou lunar através de fina cortina de nuvem, nevoeiro ou poeira, constituído por um círculo ou série de círculos de pequeno raio, tendo por centro o Sol, ou a Lua, cujo bordo interno é violáceo, sendo o externo avermelhado. [Cf., nesta acepç., *halo* (1).] **18.** *Bras.* Baixio, persistente ou temporário, produzido por aluviões, nos estuários e no baixo curso dos rios e lagoas; croinha. **19.** *Anat.* Coroa da glande (q. v.). [Var.: *croa*.] ● ***S. 2 g.*** **20.** *Bras. Gír.* Pessoa que está passando da maturidade à velhice. **21.** *Bras. Gír.* Pessoa idosa em relação a quem fala: *Magoou-se quando a filha a chamou coroa.* ◆ **Coroa Austral.** *Astr.* Constelação austral, ao S. do Telescópio e do Altar, a O. do Escorpião e ao N. e L. do Sagitário. [É fácil localizá-la por se encontrar no bordo da Via Láctea, atrás do dardo do Escorpião.] **Coroa branca.** *Astr.* Região da coroa solar que tem espectro semelhante ao da fotosfera, pois reflete a luz desta; coroa de Fraunhoffer. **Coroa da glande.** *Anat.* Borda proximal, arredondada, da glande (3), que está separada dos corpos cavernosos pelo colo da glande. [Tb. se diz apenas *coroa*.] **Coroa da língua.** *Anat.* Parte frontal da língua, que inclui a ponta e a lâmina. **Coroa de Dadá.** *Bras. Rel.* O ade^{1} de Baiâni. **Coroa de emissão.** *Astr.* A região mais interna da coroa solar, e que origina intensas raias de emissão. **Coroa de espinhos.** **1.** *Rel.* A que puseram em Cristo. **2.** *Fig.* Grande tormento ou aflição. **Coroa de Fraunhoffer.** *Astr.* Coroa branca. **Coroa de louros.** **1.** Na antiguidade greco-romana, coroa de folhas de louro conferida aos que se distinguiam por ações nobres e grandes. **2.** *P. ext.* Prêmio, recompensa, honra, distinção; glória. [Nesta acepç., tb. se diz apenas *coroa*.] **Coroa de máximo.** *Astr.* Coroa solar, muito extensa e intensa, que ocorre nas épocas de máximo de atividade solar. **Coroa de mínimo.** *Astr.* Coroa solar, pouco extensa e pouco intensa, que ocorre nas épocas de mínimo de atividade solar. **Coroa dentária.** *Anat.* Porção de dente, revestida de esmalte, que fica exposta na cavidade bucal, sem contato com o osso alveolar. **Coroa F.** *Astr.* A região mais interna da coroa branca do Sol. **Coroa funerária.** Coroa (14). **Coroa K.** *Astr.* A região mais externa da coroa branca do Sol. **Coroa naval.** **1.** *Ant.* Coroa criada pelo censor Ápio Cláudio (séc. IV a III a.C.), e concedida aos que praticavam feitos de valor em combates ou ações navais. **2.** *Bras. Mar. G.* Símbolo que encima todos os distintivos de órgãos, estabelecimentos e navios da Marinha do Brasil, constituído por um diadema de ouro ornamentado de pedrarias, com quatro popas de galeão e quatro velas redondas brancas, sendo visíveis no desenho apenas uma popa, duas velas e duas meias popas. **Coroa radiada.** *Biol.* Corona radiata (q. v.). **Coroa radial.** *Rel.* O resplendor das imagens de culto. **Coroa solar.** *Astr.* Camada da atmosfera solar que envolve a cromosfera e se estende a milhões de quilômetros, com estrutura complexa e variável, segundo a atividade solar. **Tríplice coroa.** *Bras. Turfe* Sequência de três grandes prêmios disputados anualmente nos grandes hipódromos do Brasil, com o fim de selecionar o melhor potro da geração dos três anos.

coroá^{1} [Var. de *caraguatá*.] ***S. m. Bras. Bot.*** V. *gravatá*.

coroá^{2} [Var. de *carauá*.] ***S. m. Bras. Bot.*** V. *caroá*.

coroá^{3} ***Bras. S. 2 g.*** **1.** *Etnôn.* Indivíduo dos coroás, povo indígena extinto, provavelmente do grupo caiapó, da família linguística jê, tronco macro-jê, que habitava Goiás. ● ***Adj. 2 g.*** **2.** Pertencente ou relativo a esse povo. [Tb. us. como *s. 2 g. e 2 n.* (com cap.) e *adj. 2 g. e 2 n.*]

coroação [Do lat. tard. *coronatione*.] ***S. f.*** **1.** Ato ou efeito de coroar; coroamento. **2.** O cerimonial da coroação; coroamento. **3.** *Fig.* Fecho, desfecho, remate. **4.** *Zool.* Esgalhos que guarnecem a cabeça do veado. **5.** *Bras. SP Restr.* Ato ou efeito de coroar (9 e 10).

coroaciense ***Adj. 2 g.*** **1.** De, ou pertencente ou relativo a Coroaci (MG). ● ***S. 2 g.*** **2.** O natural ou habitante de Coroaci.

coroa-crísti [De *coroa* + lat. *Christi*, gen. de *Christus*.] ***S. f. Bot.*** V. *esponjeira* (2). [Pl.: *coroas-crísti*.]

coroa-de-cristo ***S. f. Bot.*** **1.** Arbusto euforbiáceo (*Euphorbia tirucalli*) de ramos inermes e quase afilos, flores amareladas ou esverdeadas e frutos capsulares vilosos; é cultivado como ornamental e pelas propriedades medicinais do látex branco que exsuda. [Sin.: *árvore-de-são-sebastião*, *avelós*.] **2.** V. *dois-irmãos* (1). [Pl.: *coroas-de-cristo*.]

coroa-de-frade ***S. f. Bras. Bot.*** Planta cactácea (*Melocactus bahiensis*) mais encontradiça nas caatingas, e cujos caules, pequenos, angulados, têm o ápice coroado de pelos híspidos e meio aculeados. [Pl.: *coroas-de-frade*.]

coroa-de-moçambique [De *coroa* + *de* + o top. *Moçambique*.] ***S. f. Bot.*** Planta amarilidácea (*Haemanthus coccineus*) ornamental, de bulbo grande, tunicado, pedúnculo comprido, com duas ou três folhas grandes, carnosas, vermelhas no ápice, e flores pequenas, vermelhas, dispostas em capítulos terminais. [Sin.: *coroa-do-rei-de-moçambique*, *tulipa-do-cabo*. Pl.: *coroas-de-moçambique*.]

coroadense ***Adj. 2 g.*** **1.** De, ou pertencente ou relativo a Coroados (SP). ● ***S. 2 g.*** **2.** O natural ou habitante de Coroados.

coroa-de-viúva ***S. f. Bras. L. S. Bot.*** Trepadeira verbenácea (*Petrea subserrata*) ornamental, de flores azuis ou violáceas, com brácteas azul-celeste, dispostas em racimos axilares, e cujo fruto é cápsula coriácea; capela-de-viúva, flor-de-são-miguel, flor-de-viúva, touca-de-viúva, viuvinha. [Pl.: *coroas-de-viúva*.]

coroado^{1} ***Bras. S. m.*** **1.** *Etnôn.* Indivíduo dos coroados, povo indígena extinto que habitava a região da nascente do rio Doce (MG) e a do rio Paraíba do Sul (RJ). ● ***Adj.*** **2.** Pertencente ou relativo a esse povo. [Tb. us. como *s. 2 g. e 2 n.* (com cap.) e *adj. 2 g. e 2 n.*]

coroado^{2} [Do lat. *coronatu*.] ***Adj.*** **1.** Que tem coroa. **2.** Que tem dignidade soberana: *monarca coroado.* **3.** *Fig.* Premiado, laureado: *obra coroada.* **4.** Diz-se de uma variedade de pero^{1}. ~ V. *rimas —as* e *testa —a*. ● ***S. m.*** **5.** *Bras. Amaz. Zool.* V. *tico-tico-do-mato* (1).

coroa-do-rei-de-moçambique [De *coroa* + *do*^{1} + *rei* + *de* + o top. *Moçambique*.] ***S. f. Bot.*** V. *coroa-de-moçambique*. [Pl.: *coroas-do-rei-de-moçambique*.]

coroa-grandense ***Adj. 2 g.*** **1.** De, ou pertencente ou relativo a Coroa Grande (RJ). ● ***S. 2 g.*** **2.** O natural ou habitante de Coroa Grande. [Pl.: *coroa-grandenses*.]

coroa-imperial ***S. f. Bras. Bot.*** Erva liliácea (*Fritillaria imperialis*) bulbosa, caulescente, ornamental, com folhas sésseis e flores axilares, campanuladas, de cores variadas. [Pl.: *coroas-imperiais*.]

coroamento [Do lat. tard. *coronamentu*.] ***S. m.*** **1.** Coroação (1 e 2). **2.** *Arquit.* Ornato ou remate que coroa um edifício. **3.** *Arquit.* O ponto mais alto de uma edificação. **4.** *Teatr.* No palco italiano, trainel que se acrescenta à parte superior de um bastidor, de um rompimento, ou de qualquer elemento cenográfico vertical, e que representa abóbadas, copas de árvores, etc.

coroanha [Do tupi.] ***S. f. Bras. Bot.*** Designação comum a dois arbustos fabáceos: *Dioclea erecta*, decorativo, de flores roxas, que vegeta em MT, e *Dioclea violacea*, trepadeira ornamental, de flores bracteadas, violáceo-purpúreas, que ocorre desde as Guianas até SP.

coroar [Do lat. *coronare*.] ***V. t. d.*** **1.** Pôr coroa em; cingir com coroa: *Coroaram, na festa, a Rainha da Primavera.* **2.** Elevar à dignidade real: *Coroaram a rainha em meio de grande esplendor.* **3.** Encimar com uma coroa: *coroar a popa de um navio.* **4.** Servir de remate superior a; encimar: *Um torreão imponente coroava o palacete.* **5.** Guarnecer em redor; cingir: *Os belos cachos louros coroavam-lhe a fronte.* **6.** *Fig.* Rematar, completar de modo glorioso (ação, atividade, ou série de ações ou atividades, etc.): *O Memorial de Aires coroou a carreira literária de Machado de Assis;* "Aplausos prolongados coroaram essas palavras." (R. Magalhães Júnior, *Artur Azevedo e Sua Época*, p. 118). **7.** Recompensar com um prêmio; premiar: *Trabalhou muito, mas coroaram-lhe dignamente o esforço.* **8.** Preencher, cumprir, satisfazer: *Coroou antigo desejo da filha facultando-lhe a viagem à Europa.* **9.** *Bras. SP* Limpar uma pequena área em círculo à volta de (uma laranjeira), por falta de braços ou meios para a limpeza de toda a área do laranjal. **10.** *Bras. SP* Fazer um círculo de pedras, terra e detritos vegetais em volta de (o cafeeiro). ***T. d. e i.*** **11.** Colocar no cimo de; encimar: *Coroou o bolo com cobertura de chocolate.* ***Transobj.*** **12.** Elevar à dignidade real; aclamar, proclamar, eleger: *Em 18 de julho de 1841 coroaram D. Pedro II imperador do Brasil.* ***P.*** **13.** Cingir a si mesmo de uma coroa. **14.** Cercar-se de um círculo qualquer. [Pres. ind.: *coroo*, *coroas*, *coroa*, etc.]

coroaracaá [Do tupi.] ***S. f. Bras. RJ SC Bot.*** Trepadeira piperácea (*Peperomia hederacea*) de caule suculento e pubescente, e cujo fruto é baga ovoide, medicinal.

coroatá^{1} ***S. m. Bras. Bot.*** V. *caroá*.

coroatá^{2} ***Bras. S. 2 g.*** **1.** *Etnôn.* Indivíduo dos coroatás, povo indígena extinto que habitava a nascente do rio Araguari (AP). ● ***Adj. 2 g.*** **2.** Pertencente ou relativo a esse povo. [Tb. us. como *s. 2 g. e 2 n.* (com cap.) e *adj. 2 g. e 2 n.*]

coroataense *Adj. 2 g.* **1.** De, ou pertencente ou relativo a Coroatá (MA). ● *S. 2 g.* **2.** O natural ou habitante de Coroatá.

coroá-verdadeiro *S. m. Bras. Bot.* V. *gravatá.* [Pl.: *coroás-verdadeiros.*]

corobicho *Adj. Bras. RS* Diz-se de cavalo forte, resistente.

coroboca *S. f. Bras. MG SP* **1.** Lugar ermo ou deserto. **2.** Habitação longínqua.

coró-branco *S. m. Bras. Zool.* V. *castanha* (12). [Pl.: *corós-brancos.*]

coroca[1] *S. f. Bras.* Caroca.

coroca[2] *S. m. Bras. Zool.* V. *anu-coroca.*

coroca[3] [Do tupi = 'rabugento'.] *Bras. Adj. 2 g.* **1.** Decrépito, caduco, curungo: *velho coroca.* **2.** Diz-se de velho adoentado, achacadiço. ● *S. 2 g.* **3.** Pessoa velha e feia; coroia, curuca, curungo.

coroça [Do lat. *crocea, -orum,* 'vestimenta cor de açafrão', poss.] *S. f. Lus.* **1.** Capa de palha usada no campo para resguardo da chuva: palhiça, palhoça, palhota. [Var. (ant.): *croça*[1].] **2.** Jurisdição abusiva sob aparência legal.

coroconô [De or. indígena.] *S. m. Bras. Etnogr.* Festa dos mortos celebrada, inclusive, pelos povos indígenas pariquis.

coró-coró [Voc. onom.] *S. f. Bras. Zool.* Ave ciconiiforme, tresquiornitídea (*Phimosus infuscatus nudifrons*), do C.O. e L. do Brasil, de coloração preta com brilho verde, tendo cor-de-rosa a fronte e a parte anterior, desprovida de penas, da cabeça; maçarico-preto. [Pl.: *coró-corós.*]

corocoroca *S. f. Bras. Zool.* V. *corcoroca.*

corocoroca-boca-de-fogo *S. f. Bras. Zool.* V. *corcoroca* (2 e 3). [Pl.: *corocorocas-bocas-de-fogo.*]

corocoroca-mulata *S. f. Bras. Zool.* V. *corcoroca* (2 e 3). [Pl.: *corocorocas-mulatas.*]

coro-coró-tapuia *Bras. S. 2 g.* **1.** *Etnôn.* Indivíduo dos cororocós-tapuias [ou (etnôn. bras.) *Korokoró-tapuya], povo indígena extinto que habitava as margens do rio Uaupés, na região do alto rio Negro. ● *Adj. 2 g.* **2.** Pertencente ou relativo a esse povo. [Pl.: *coro-corós-tapuias.*]

corocotéu [T. onom., poss.] *S. m. Bras. Zool.* V. *corocoxó.*

corocoturi [Do tupi.] *S. m. Bras. Zool.* V. *caracaraí.*

corocoxó [T. onom., poss.] *S. m. Bras. Zool.* **1.** Designação comum às aves passeriformes cotingídeas, gênero *Ampelion,* da região este-meridional do Brasil, de dorso pardo-amarelado, cabeça negra, cauda quase preta com margem verde, asas escuras com coberteiras amarelas, abdome amarelo-vivo. **2.** Designação comum às aves passeriformes cotingídeas, gênero *Melanocephalus,* do S.E. do Brasil, de dorso oliváceo, parte inferior verde tirante a amarelo, e cabeça negra. [Sin. ger.: *cavalo-frouxó, corocotéu, corotéu, crocoió, rocororé, rorocoré.*]

corofilia [De *coro-*[3] + *-filia.*] *S. f. Psiq.* Propensão a dirigir o interesse sexual a jovem do sexo oposto.

corofílico [De *corofilia* + *-ico*[2].] *Psiq. Adj.* **1.** Relativo a corofilia. **2.** Que tem corofilia, corófilo. ● *S. m.* **3.** Aquele que tem corofilia; corófilo.

corófilo [De *coro-*[3] + *-filo*[2].] *Adj. S. m. Psiq.* Corofílico (2 e 3).

corografia [Do gr. *chorographía,* pelo lat. *chorographia.*] *S. f.* Estudo ou descrição geográfica de um país, região, província ou município.

corográfico [Do gr. *chorographikós.*] *Adj.* Relativo à corografia.

corógrafo [Do gr. *chorográphos,* pelo lat. tard. *chorographu.*] *S. m.* Especialista em corografia.

coroia (ói) *S. f.* **1.** *Bras.* V. *coroca*[3] (3). **2.** *Bras. RJ Zool.* A fêmea do canário-da-terra. ● *S. m.* **3.** *Bras. BA Zool.* V. *anu-coroca.*

coroide (ói) [Do lat. cient. *choroides* < gr. *choroeidés,* var. de *chorioeidés*; v. *cori(o)-* e *-oide.*] *Adj. 2 g.* **1.** Semelhante a córion. ~ V. *plexo* — e *tela* —. ● *S. f.* **2.** *Anat.* Membrana do olho, fina, vascular, pigmentada, situada entre a esclera e a retina; coroideia.

coroideia (éi) [De *Coroide* + *-eia.*] *S. f. Anat.* Coroide (2).

coróideo [De *coroide* + *-eo.*] *Adj.* ~ V. *tela* —*a.*

coroidite [De *coroide* + *-ite*[1].] *S. f. Oftalm.* Inflamação da coroide (2).

coroinha (o-í) [De *coroa* + *-inha.*] *S. 2 g.* Menino ou menina que presta serviço nas igrejas como ajudante de missas e ladainhas.

corola [Do lat. cient. *corolla,* dim. de *corona,* 'coroa'.] *S. f. Bot.* Verticilo interno do perianto da flor, quase sempre vistoso e de coloração viva, rarissimamente verde. [Cada segmento corolino é chamado *pétala.* As pétalas ou são livres entre si ou soldadas umas às outras; neste último caso, a porção estreita basal chama-se *tubo,* a porção superior livre, *limbo,* e a abertura deste, *fauce.* Dim. irreg.: *corólula.*]

coroláceo [De *corola* + *-áceo.*] *Adj.* Semelhante a corola.

corolado [De *corola* + *-ado*[1].] *Adj. Bot.* Que tem corola.

corolário [Do lat. tard. *corollariu.*] *S. m.* **1.** Proposição que imediatamente se deduz de outra demonstrada. **2.** Decorrência, dedução, consequência, resultado, consectário.

corolífero [De *corola* + *-ífero.*] *Adj. Bot.* Que sustenta a corola.

coroliforme [De *corola* + *-iforme.*] *Adj. 2 g. Bot.* Em forma de corola.

corolino [De *corola* + *-ino*[1].] *Adj. Bot.* Da natureza da corola: *segmento corolino.*

corolítico [Do fr. *corollitique* < lat. cient. *corolla.*] *Adj.* ~ V. *coluna* —*a.*

corologia [De *coro-*[1] + *-logia*; al. *Chorologie.*] *S. f. Biol.* Estudo da distribuição geográfica dos organismos.

corológico [De *corologia* + *-ico*[2].] *Adj.* Relativo a corologia.

corólula [De *corola* + *-ula.*] *S. f. Bot.* Dim. irreg. de *corola.*

coromandelense *Adj. 2 g.* **1.** De, ou pertencente ou relativo a Coromandel (MG). ● *S. 2 g.* **2.** O natural ou habitante de Coromandel.

coromania [De *coro-*[4] + *-mania.*] *S. f. Psiq.* Desejo patológico de dançar.

coromaníaco [De *coromania* + *-íaco.*] *Psiq. Adj.* **1.** Relativo a coromania. **2.** Que tem coromania; corômano. ● *S. m.* **3.** Aquele que tem coromania; corômano.

corômano [De *coro-*[4] + *-mano*[1].] *Adj. S. m. Psiq.* Coromaníaco (2 e 3).

corombó [De or. hisp.-amer., poss.] *Adj. 2 g. Bras. N.* Diz-se da rês de chifres pequenos ou quebrados.

corona [Do lat. *corona,* 'coroa', por via erudita.] *S. f.* **1.** *Bot.* Conjunto de apêndices ligulares que se encontram nas corolas de muitas plantas. **2.** *Bot.* Apêndice petaloide do perigônio de muitas amarilidáceas. **3.** *Eletr.* O fenômeno luminoso que acompanha uma descarga em corona.

coronácris [Alter. do lat. *corona Cristi,* 'coroa de Cristo', com ultracorreção.] *S. f. 2 n. Bot.* V. *esponjeira* (2).

coronada [Do fem. do lat. *coronatus*; tax. *Coronatae.*] *S. f. Zool.* Espécime das coronadas, ordem de animais cnidários, cifozoários, de campânula circundada por longo sulco acima da margem. São marinhos, na maioria de águas profundas. [Sin.: *peromedusa.*]

coronado [Do lat. cient. *coron-* (v. *coronada*) + *-ado*[1].] *Adj. Zool.* Pertencente ou relativo às coronadas.

coronal [Do lat. *coronale.*] *Adj. 2 g.* **1.** Relativo a coroa (1); coronário. **2.** V. *coroniforme.* **3.** *E. Ling.* Relativo à coroa da língua, ou a coronal (5). ~ V. *arco* —, *buraco* —, *consoante* —, *jacto* —, *jato* — e *sutura* —. ● *S. m.* **4.** *Anat.* V. *frontal* (7). ● *S. f.* **5.** *E. Ling.* Consoante coronal (q. v.).

➔**corona radiata** ['kɔɾonɐ ʀadeˈata] [Lat.] **1.** *Biol. Embr.* Camada de células foliculares que envolve completamente um óvulo. **2.** *Zool.* Disco ciliado na extremidade anterior dos rotíferos.

coronária [F. subst. de *coronário.*] *S. f. Anat.* Cada uma das duas artérias que irrigam o coração. ◆ **Coronária estomáquica.** *Anat.* Artéria que contribui para irrigar o estômago.

coronariano [De *coronária* + *-ano*[1].] *Adj.* **1.** Pertencente ou relativo às coronárias. **2.** Diz-se de medicamento indicado no tratamento das coronárias.

coronário [Do lat. *coronariu.*] *Adj.* **1.** Coronal (1). **2.** V. *coroniforme.* **3.** *Anat.* Diz-se de vários órgãos que apresentam disposição flexuosa ou circular: *artérias coronárias; plexo coronário.* ~ V. *seio* —.

coronariografia [De *coronário* + *-grafia.*] *S. f. Med.* Visualização radiológica, obtida mediante injeção de contraste, das artérias coronárias do coração.

coronariográfico [De *coronariografia* + *-ico*[2].] *Adj. Med.* Relativo a coronariografia.

coronaua *Bras. S. 2 g.* **1.** *Etnôn.* Indivíduo dos coronauas [ou (etnôn. bras.) *Koronawa], povo indígena da família linguística pano, que habita a fronteira do Brasil com o Peru. ● *Adj. 2 g.* **2.** Pertencente ou relativo a esse povo.

coronavirose [De *coronavírus* + *-ose*[1].] *S. f. Med.* Qualquer virose causada por coronavírus.

coronavírus [Do lat. *corona,* 'coroa', + *vírus.*] *S. m. 2 n. Microbiol.* Cada um de um grupo de vírus ARN que causam infecções em aves, camundongos, suínos, cães e que, no homem, são responsáveis por 10 a 30% dos casos de resfriado comum, e por gastrenterites de lactentes. [Quando vistos por microscópio eletrônico, assemelham-se a coroas, donde seu nome.]

coronavisor (ô) [Do lat. *corona,* 'coroa', + *visor.*] *S. m. Astr.* Instrumento astronômico, de princípio eletrônico, que permite a observação da coroa solar.

coroncho *S. m. Bras. Zool.* Acari-amarelo.

corondel [Do cat. *corondell,* pelo esp. *corondel.*] *S. m. Tip.* Corandel (q. v.). [Pl.: *corondéis.*]

corondó *S. m. Bras. Zool.* Molusco gastrópode, pulmonado, limneídeo, gênero *Australorbis,* de forma helicoidal, e que vive em água doce ou em banhados. Nele se processa parte do ciclo evolutivo do xistossomo (*Schistosoma mansoni*).

coronel[1] [Do fr. *colonel.*] *S. m.* **1.** V. *hierarquia militar.* **2.** Oficial que detém o posto de coronel. **3.** Designação comum a coronel e tenente-coronel. [Usa-se muito *coronel,* abreviadamente, para designar *coronel-aviador* e *tenente-coronel-aviador.*] **4.** *Bras.* Chefe político, em geral proprietário de terra, do interior do Brasil. **5.** *Bras. Gír.* Indivíduo que paga as despesas de outrem; marchador, marchante: *Que festa! Arranjaram algum coronel?*; "A palavra coronel como sinônimo de pagador talvez tenha nascido em alguma antiga pensão noturna recifense." (Mauro Mota, *Votos e Ex-Votos,* p. 64.) **6.** *Restr.* Aquele que sustenta a amante: "'O teu coronel hoje deu o bolo? Foi por isso que você veio aqui?'" (Rubem Fonseca, *Agosto,* p. 27.) [Pl.: *coronéis.*]

coronel[2] [Do esp. *coronel.*] *S. m. Heráld.* Coroa aberta, que remata superiormente um escudo: "Dos coronéis irrompem, como timbres soberbos, soberbas cabeças de águias" (Antero de Figueiredo, *Toledo,* p. 118). [Pl.: *coronéis.*]

coronelato [De *coronel*[1] + *-ato*[1].] *S. m.* Qualidade ou posto de coronel[1].

coronel-aviador *S. m.* **1.** V. *hierarquia militar.* **2.** Oficial que detém o posto de coronel-aviador. [V. *coronel*[1] (3). Pl.: *coronéis-aviadores.*]

coronel-barrense *Adj. 2 g.* **1.** De, ou pertencente ou relativo a Coronel Barros (RS). ● *S. 2 g.* **2.** O natural ou habitante de Coronel Barros. [Pl.: *coronel-barrenses.*]

coronel de barranco *S. m. Bras. AM Pop.* Homem enriquecido com o negócio fluvial. [Pl.: *coronéis de barranco.*]

coronel-ezequielense *Adj. 2 g.* **1.** De, ou pertencente ou relativo a Coronel Ezequiel (RN). ● *S. 2 g.* **2.** O natural ou habitante de Coronel Ezequiel. [Sin. ger.: *ezequielense.* Pl.: *coronel-ezequielenses.*]

coronelício [De *coronel*[1] + *-ício.*] *Adj. Bras.* **1.** *Deprec.* Próprio de coronel[1]: "Tal a extensão desse perdularismo coronelício, que alcançou o léxico." (Mauro Mota, *Votos e Ex-Votos,* p. 64.) **2.** Que ostenta importância política.

coronelismo [De *coronel*[1] + *-ismo.*] *S. m. Bras.* O poder ou influência do coronel[1] (4) na vida política e social em certas áreas do Brasil.

coronelista [De *coronelismo* + *-ista,* seg. o padrão gr.] *Adj. 2 g.* Relativo ou pertencente ao coronelismo.

coronelístico [De *coronelista* + *-ico*[2].] *Adj.* Relativo a coronel[1] (4), ou a coronelismo: "Há que se ameaçar de processo jornalistas .... quem ousar .... denunciar uma visão do poder dominada por um viés coronelístico, dentro do qual a gente faz mas não fala?" (Roberto da Matta, em *O Globo,* 12.03.2008.)

coronel-vividense *Adj. 2 g.* **1.** De, ou pertencente ou relativo a Coronel Vivida (PR). ● *S. 2 g.* **2.** O natural ou habitante de Coronel Vivida. [Pl.: *coronel-vividenses.*]

coroneno [Do lat. *corona,* 'coroa', + *-eno*[2].] *S. m. Quím.* Substância cristalina, amarelo-pálida, de alto ponto de fusão, hidrocarboneto aromático, cujas moléculas são constituídas por seis anéis benzênicos sucessivamente fundidos, de modo a formar no centro um sétimo, lembrando uma coroa [fórm.: $C_{24}H_{12}$].

corongo *S. m. Bras. Zool.* V. *congro.*

coronha[1] [Do esp. ant. *curueña,* atual *cureña.*] *S. f.* A parte das espingardas e de outras armas de fogo, ger. de madeira, onde se encaixa o cano, e por onde são empunhadas.

coronha[2] [Do lat. *corona (Christi).* V. *coronácris.*] *S. f. Bot.* V. *esponjeira* (2).

coronhada [De *coronha*[1] + *-ada*[1].] *S. f.* Golpe com coronha[1].

coronheiro [De *coronha*[1] + *-eiro.*] *S. m.* Fabricante de coronhas.

▲**coron(i)-** [Do lat. *corōna, ae,* < gr. *korōnē, ēs.*] *El. comp.* = 'coroa': *coroniforme.* [Equiv.: *-coron(i)-, coron(o)-*: *pericoronite, coronógrafo.*]

▲**-coron(i)-** V. *coron(i)-.*

corónide *S. f.* V. *corônide.* [Uso freq. em P.]

corônide [Do lat. tard. *coronide.*] *S. f.* **1.** Coroa, remate, complemento. **2.** *Paleogr.* V. *corônis.*

coroniforme [De *coron(i)-* + *-forme.*] *Adj. 2 g.* Que tem forma de coroa, esp. da coroa real, cupuliforme e vazada; coronal, coronário.

coronilha [Do hisp.-amer. (Uruguai) *coronilla,* 'certa árvore de madeira muito resistente'.] *S. f.* **1.** *Bot.* V. *espinho-de-cristo* (1). ● *S. m.* **2.** *Bras. RS* Indivíduo forte, resistente. **3.** *Bras. RS* V. *valentão* (3).

corónio *S. m.* V. *corônio.* [Uso freq. em P.]

corônio[1] [Do lat. cient. *coronium* < lat. *corona* + lat. cient. *-ium.*] *S. m. Astr.* Elemento químico imaginário, que se supunha existir na coroa solar, e que é identificado, hoje, como sendo o oxigênio e o hélio duas vezes ionizados.

corônio[2] [De *coron(i)-* + *-io*[3].] *S. m. Paleogr.* V. *corônis.*

corónis *S. f. 2 n. Paleogr.* V. *corônis*. [Uso freq. em P.]

corônis [Do lat. tard. *coronis* (nom.) < gr. *korōnís*.] *S. f. 2 n. Paleogr.* **1.** *E. Ling.* Sinal diacrítico que indica a crase em grego antigo. **2.** Sinal em forma de 3, que indica o fim de uma obra manuscrita; corônide, corônio.

▲coron(o)- [Do gr. *korōno-* < *korṓnē*, *ēs*.] V. *coron(i)-*.

coronógrafo [De *coron(o)-* + *-grafo*.] *S. m. Astr.* Instrumento inventado pelo astrônomo Bernard Lyott (1897-1952), e destinado à observação da coroa solar fora dos eclipses.

coronoide (ói) [Do gr. *koróne*, 'gralha', 'qualquer objeto curvo', + *-oide*.] *Adj. 2 g. Zool.* Coronóideo.

coronóideo [Do gr. *koróne*, 'gralha', 'qualquer objeto curvo', + *-óideo*.] *Adj. Zool.* Que tem forma de bico de gralha; coronoide.

coropati *Bras. S. 2 g.* **1.** *Etnôn.* Indivíduo dos coropatis, povo indígena que atualmente habita a região onde vivem os cariris-xocós, no município de Porto Real do Colégio (AL). • *Adj. 2 g.* **2.** Pertencente ou relativo a esse povo. [Tb. us. como *s. 2 g. e 2 n.* (com cap.) e *adj. 2 g. e 2 n.*]

coropó *Bras. S. 2 g.* **1.** *Etnôn.* Indivíduo dos coropós [ou (etnôn. bras.) *Koropó], povo indígena das imediações do rio Pomba, vizinho dos puris (v. *puri*[2]). • *Adj. 2 g.* **2.** Pertencente ou relativo a esse povo.

coroque [De *croque*, com epêntese.] *S. m.* **1.** *Bras. BA Desus.* Vara utilizada no espostejamento da baleia. **2.** *Bras. Zool.* V. *roncador* (4).

cororô *S. m. Bras. RJ* Camada de arroz esturrado que fica aderente à vasilha em que este é cozido.

cororoá *S. m. Bras. S.* Laço ou pealo feito de couro vermelho.

corote [De *ancorote*, com aférese.] *S. m. Bras.* Barrilete para transportar água: "Desceu do ombro o rastelo, na ponta de cujo cabo trazia dependurados o corote de água e o picuá da merenda." (João Pacheco, *Negra a Caminho da Cidade*, p. 84.)

corotéu *S. m. Bras. Zool.* V. *corocoxó*.

corozil [Do lat. vulg. **crocile*.] *S. m.* Espécie de colmo (2).

corozo (ô) [Do esp. *corozo*.] *S. m.* A semente da jarina (q. v.).

corpaço [De *corpo* + *-aço*.] *S. m.* V. *corpanzil* (1).

corpanzão [Do rad. *corpanz-*, como em *corpanzil*, + *-ão*[1].] *S. m.* V. *corpanzil* (1): "o sombrio corpanzão de nosso Pai venerável!" (Eça de Queirós, *Contos*, p. 190).

corpanzil [De *corpo* + *-z-* + *-il*[1], com nasalização.] *S. m.* **1.** *Fam.* Grande corpo; corpaço; corpanzão: "alçando-se na ponta dos botins o corpanzil rotundo" (Eça de Queirós, *Os Maias*, II, p. 397). **2.** Pessoa corpulenta de grande estatura.

corpeada [De *corpo* + *-eada*.] *S. f. Bras. RS* Negaça com o corpo.

corpete (ê) [Do it. *corpetto*, poss.] *S. m. Vest.* **1.** Roupa íntima feminina ajustada ao corpo, que mantém a cintura fina e o busto empinado, e que teve voga até os anos 1920; corpinho, corselete. **2.** *Desus.* V. *sutiã*: "Desapertou devagar dois botões do corpete, tirou do seio um papel dobrado." (Eça de Queirós, *O Primo Basílio*, p. 31.)

corpinho [De *corpo* + *-inho*[1].] *S. m.* **1.** V. *corpete* (1): "Traja bem; comprime a cintura e o tronco no corpinho de lã fina cor de castanha" (Machado de Assis, *Quincas Borba*, p. 57). **2.** *Bras. Vest.* Roupa íntima feminina em forma de corpete (1). **3.** *Bras.* V. *sutiã*.

corpo (ô) [Do lat. *corpus*, *oris* (neutro) > *corpos* > *corpo*.] *S. m.* **1.** A parte central ou a principal de um edifício: "O corpo principal do edifício comunicava-se, por um pequeno corredor, com o grande salão de estudo, que comportava todos os estudantes" (Daniel de Carvalho, *De Outros Tempos*, p. 9). **2.** *Anat.* A substância física, ou a estrutura, de cada homem ou animal. **3.** *Restr.* A parte do organismo humano ou animal constituída pelo tórax e pelo abdome; o tronco: *O passarinho tinha o corpo de uma cor e as asas e cabeça de outra.* **4.** *P. ext.* A parte da veste que cobre o tronco: *vestido de corpo liso e mangas e barra franzidas.* **5.** *Anat.* Designação comum a certos órgãos de estrutura ou constituição especial: *corpo cavernoso* (q. v.). **6.** A parte material, animal, ou a carne, do ser humano, por oposição à alma, ao espírito: *Chafurda-se nos prazeres do corpo.* **7.** O ser humano morto; cadáver: *O corpo do escritor foi velado na Academia.* **8.** A pessoa, o indivíduo: *separação de corpos e bens.* **9.** Grupo de pessoas que funcionam ou trabalham juntas, consideradas como uma unidade: *Seu corpo de assistentes é altamente capaz.* **10.** Corporação (1 e 2): *corpo de bombeiros.* **11.** *Mil.* Conjunto de militares que constitui uma arma (3) especial: *corpo de infantaria.* **12.** A parte essencial, principal ou central de certos objetos: *O corpo do avião praticamente desapareceu na queda.* **13.** A parte principal de livro, artigo, reportagem, etc., por oposição às partes preliminares ou finais. **14.** Porção limitada de matéria (1). **15.** Qualquer objeto natural perceptível no céu: *As estrelas são corpos celestes.* **16.** Espessura, densidade, consistência: "Cortês sorrindo, o mercador gabava / As cores vivas, o tecido, o corpo / Do estofo que vendia." (Gonçalves Dias, *Obras Poéticas*, I, p. 103); *Mexeu o mingau até tomar corpo.* **17.** Constituição, compleição: *Não tem corpo para soldado.* **18.** Riqueza de sabor, de tom, de cor, etc.: *Com a idade sua voz foi tomando corpo.* **19.** Crescimento, aumento; desenvolvimento: *A calúnia vai tomando corpo à medida que a repetem.* **20.** Vulto, importância, realce: *Os ideais republicanos adquiriram corpo depois da Abolição.* **21.** Estrutura, textura, contextura: *o corpo de uma doutrina.* **22.** Coleção de leis civis ou canônicas: *corpo de direito romano.* **23.** *Álg.* Anel de integridade cujos elementos, à exceção do zero, têm um inverso multiplicativo. [Tb. se diz, impr., *campo*.] **24.** *Art. Gráf.* Tamanho da letra us. em uma composição, correspondente à medida, em pontos tipográficos, da distância vertical entre as bases de duas letras dispostas em duas linhas sucessivas da composição, considerando-se entrelinhamento normal. **25.** *Encad.* O bloco formado pelos cadernos ou folhas, por oposição à capa; miolo. **26.** *Estat.* Numa tabela, conjunto de linhas e colunas, exceto a coluna indicadora e o cabeçalho. **27.** *Filos.* Objeto material concebido de modos variados, que é conhecido através dos sentidos, e ocupa lugar no espaço. **28.** *Filos.* Parte dos seres vivos que é o suporte material da alma (2) ou do espírito (11). **29.** *Iconogr.* Âmbito da estampa, assim denominado em relação às margens. **30.** *Ind. Pap.* Espessura (5). [Cf., nesta acepç., *gramatura*.] **31.** *Tip.* Distância entre as faces anterior e posterior do tipo ou de outro material tipográfico (fio, entrelinha, etc.), expressa em pontos. **32.** *Tip. Caligr.* Em certas letras de caixa-baixa ou minúsculas, dotadas de hastes, a parte correspondente à altura das letras médias. [Cf., nesta acepç., *corpo primitivo*.] **33.** *Tip.* Tamanho da letra utilizada em uma composição, correspondente à medida em pontos tipográficos da distância vertical entre as bases de duas letras dispostas em duas linhas sucessivas da composição, considerando-se o entrelinhamento normal ou ordinário; força do corpo. **34.** *Tec.* Parte da carcaça de uma válvula que dispõe de elementos para fixação da peça à tubulação (roscas, flanges, p. ex.), e onde se encontra o orifício de passagem do fluido. Ao corpo liga-se o castelo (11). [Pl.: *corpos* (ó); aum. irreg.: *corpanzil*, *corpaço*; dim. irreg.: *corpúsculo* (q. v.).] ◆ **Corpo a corpo.** Procurando um adversário atingir o corpo do outro, com arma branca ou sem ela: *Lutaram corpo a corpo.* [Cf. *corpo a corpo*, s.m. 2 n.] **Corpo albicans.** *Histol. Obst.* V. *corpus albicans*. **Corpo caloso.** *Anat.* Estrutura do sistema nervoso central que reúne os dois hemisférios cerebrais. **Corpo cavernoso.** *Anat.* Tecido erétil do pênis e do clitóris. **Corpo celeste.** *Astr.* Massa de matéria sólida ou fluida, natural ou artificial, situada no espaço, como, p. ex., os planetas, as estrelas, os satélites, etc. **Corpo celular.** *Citol.* A parte do neurônio que contém o núcleo; pericário. **Corpo cetônico.** *Bioquím.* Cada uma de um grupo de substâncias (acetona, ácido diacético, ácido ß-hidroxibutírico), produzidas pela degradação de gorduras; em indivíduos normais, são destruídas; em doentes com diabetes melito, em que deveriam ser eliminadas pela urina, podem sofrer retenção e causar acidose. **Corpo ciliar.** *Anat.* Formação que, em cada olho, estabelece ligação entre coroide e íris. **Corpo da guarda.** *Mil.* **1.** Certo número de soldados postados em um lugar para fazerem guarda e serem distribuídos como sentinelas, em diferentes postos. **2.** O lugar onde a guarda fica alojada; corpo de guarda. **Corpo de baile.** O conjunto dos bailarinos de um teatro, de uma escola, etc.: *o corpo de baile do Municipal.* **Corpo de Cristo.** *Rel.* O pão eucarístico. **Corpo de delito.** Fato material em que se baseia a prova de um crime. **Corpo de guarda.** Corpo da guarda (2). **Corpo de luz.** *Turfe* Cada distância aproximada do tamanho de um animal, entre dois pareIheiros: *O vencedor ficou dois corpos de luz à frente do segundo colocado.* **Corpo de texto.** **1.** *Jorn.* Parte da matéria jornalística que se segue ao lide[1] (q. v.). **2.** Parte textual principal de um documento impresso, excluindo os títulos, subtítulos, notas, legendas, etc. **Corpo diplomático.** O conjunto dos representantes dos países estrangeiros junto ao governo doutro país. **Corpo discente.** O conjunto dos alunos de um estabelecimento de ensino. **Corpo docente.** O conjunto dos professores de um estabelecimento de ensino. **Corpo esponjoso.** *Anat.* Formação peniana longitudinal que, juntamente com os corpos cavernosos, leva à ereção do pênis. **Corpo estranho.** **1.** *Cir.* Segmento de material estranho ao organismo e que nele penetrou ou foi introduzido acidental ou intencionalmente, podendo provocar reação inflamatória por parte desse organismo. **2.** *Fig.* Pessoa ou objeto não adaptado a um ambiente, a um grupo social, etc. **Corpo geniculado.** *Anat.* Cada uma de quatro saliências semiovoides, de cor acinzentada, situadas, duas de cada lado, na extremidade posterior e inferior do tálamo (4). **Corpo negro.** *Fís.* Radiador que absorve toda a energia radiante que sobre ele incidir; radiador perfeito. **Corpo perturbador.** *Astr.* Astro cuja atração modifica a órbita de outro em torno de um terceiro. **Corpo pré-estelar.** *Astr.* Massa de matéria de grande volume e pequena densidade, a qual, segundo as hipóteses cosmogônicas, se transformará numa estrela pelo efeito de contração e ativação de reações nucleares. **Corpo primitivo.** *Caligr.* Gabarito das letras médias, em harmonia com o qual se projetam as hastes das ascendentes e descendentes. [Cf. *corpo* (32).] **Corpo psamomatoso.** *Patol.* Massa esférica e laminada de matéria calcária, em geral microscópica, e que pode estar presente em tumores benignos ou malignos, e também, por vezes, em inflamação crônica. **Corpo residual.** *Citol.* Vesícula contendo material que resistiu à ação de enzimas hidrolíticas; corpúsculo residual. **Corpos redondos.** *Geom.* Designação histórica e tradicional comum ao cilindro, ao cone e à esfera. **Corpo vertebral.** *Anat.* Formação (5) semelhante a tambor, situada, anteriormente, em cada vértebra, à exceção da primeira, *atlas*, que não tem corpo vertebral. **Botar corpo.** Adquirir formas adultas: "Pois apesar da chacota de meu Pai, do tédio do Dr. Duarte e da indignação do João Abreu, o Chiquinho melhorou, cresceu, andou, botou corpo e virou um mocetão do meu tamanho" (Pedro Nava, *Baú de Ossos*, p. 49). **Criar corpo.** V. *ganhar corpo*: "As liberdades públicas criaram corpo, dia a dia, em pleno regime monárquico." (Abelardo Duarte, *Três Ensaios*, p. 30.) **Dar corpo a.** Dar forma, materialidade ou substância a; realizar, concretizar: "Velhos pernósticos, do tempo das almotolias de barro, deram corpo ao advento do Anticristo" (Aquilino Ribeiro, *Andam Faunos pelos Bosques*, p. 36). **Dar de corpo.** *Pop.* V. *defecar* (5): "Antônio Félix contou-me que outro dia vinha do campo e foi dar de corpo." (Hélio Galvão, *Cartas da Praia*, p. 56.) **De corpo e alma.** De maneira plena, total; em corpo e alma: *Entregou-se de corpo e alma ao trabalho.* **De corpo mole.** Com pouca disposição; sem entusiasmo: "Assenti, de corpo mole; como quisesse..." (Godofredo Rangel, *Vida Ociosa*, p. 171.) **De corpo presente.** Com a presença, ou em presença da pessoa: *missa de corpo presente; elogio de corpo presente.* **Deitar corpo.** V. *ganhar corpo*: "O Gesteira, não se lembra? Ninguém dava nada por ele e está aí, deitou corpo, nem parece aquele esqueleto que andava pelo Campo Grande." (Coelho Neto, *Treva*, p. 49.) **Em corpo.** Sem nenhum agasalho; despido; em pelo. **Em corpo e alma.** De corpo e alma: "Entregou-se portanto em corpo e alma ao caboclo da casa do mangue" (Manuel Antônio de Almeida, *Memórias de um Sargento de Milícias*, p. 125). **Entrar com o corpo.** *Bras. Fam.* Entrar em um negócio, no gozo de uma vantagem qualquer, sem despender dinheiro; entrar com a cara; entrar com a cara e a coragem: *É sócio de grande firma, na qual entrou com o corpo; Pobre, casou com uma pequena rica — entrou com o corpo.* **Fazer corpo mole.** Fugir, ou tentar fugir, mais ou menos manhosamente, ao atendimento de um pedido ou ao cumprimento de obrigação: *Prometeu ajudar-me na revisão do livro, e fez corpo mole; Na hora de dar aulas, muitas vezes faz corpo mole, e raramente as dá.* **Fechar o corpo.** *Bras.* **1.** Torná-lo, supostamente, invulnerável a facadas, tiros e mordidas de cobra, mediante orações e feitiçarias: "Muitas são as benzedeiras que tiram feitiços e fazem orações para fechar o corpo." (Regina Lacerda, *Papa-Ceia*, p. 17.) **2.** Ingerir bebida alcoólica a pretexto de isentar o corpo de qualquer doença. **Ganhar corpo.** Aumentar, crescer, desenvolver-se (pessoa ou coisa); criar corpo, deitar corpo: *Era fragilzinho, mas com os ares da serra ganhou corpo; O boato surgiu, e foi ganhando corpo.* **Negar (o) corpo.** **1.** Esquivar-se, afastar-se, arredar-se. **2.** V. *tirar o corpo fora*: "E logo negava corpo também, numa manobra torpe: – Eu, defender Quaderna? Eu por quê? Por que logo eu?" (Ariano Suassuna, *A Pedra do Reino*, p. 199.) **Quebrar o corpo.** *Pop.* V. *defecar* (5). **Ter o corpo fechado.** *Bras.* **1.** Estar, supostamente, imune de perigos como tiro, facada, etc., graças a amuletos e mandingas. **2.** Ser invulnerável. **Tirar o corpo fora.** Livrar-se de trabalhos ou complicações, eximir-se de alguma incumbência, ou situação indesejável, com habilidade ou astúcia; negar corpo: "Agora é na moleza, no faz-de-conta-que-vou-mas-não-vou. Sabe tirar o corpo fora, quando o encarregam de um trabalho." (Guido Vilmar Sassi, *Piá*, p. 94.)

corpo a corpo *S. m. 2 n. Bras.* Luta de corpo a corpo. [Cf. *corpo a corpo*, loc.] ☑

corpo-amarelo *S. m. Histol.* Corpo-lúteo. [Pl.: *corpos-amarelos.*]

corpo-d'água *S. m.* Designação que se dá a qualquer grande acúmulo de água, como, p. ex., oceano, lago, lagoa, etc. [Pl.: *corpos-d'água.*]

corpo de prova *S. m.* Amostra de forma e dimensões padronizadas, preparada para ser submetida a ensaios com o fim de se verificarem determinadas características do material que a constitui. [Pl.: *corpos de prova.*] ☑

corpo-lúteo *S. m. Histol.* Massa de células resultante da proliferação e modificação das células remanescentes de folículo vesicular, após a ruptura dele; corpo-amarelo. [Pl.: *corpos-lúteos.*]

corporação [Do fr. *corporation.*] *S. f.* **1.** Associação de pessoas do mesmo credo ou profissão, sujeitas à mesma regra ou estatutos, e com os mesmos deveres ou direitos; corpo. **2.** Conjunto de órgãos que administram ou dirigem determinados serviços de interesse público; corpo. **3.** Reunião de indivíduos para um fim comum; associação, agremiação.

corporal [Do lat. *corporale.*] *Adj. 2 g.* **1.** Do, relativo ao, ou próprio do corpo (2); corpóreo: 📄 *asseio corporal.* **2.** Que tem corpo (2); material. ~ V. *expressão* —, *lesão* —, *linguagem* —, *meridiano* — e *transtorno dismórfico* —. ● *S. m.* **3.** *Rel.* Pano sobre o qual o sacerdote põe o cálice e a hóstia no altar. **4.** *Desus.* O corpo ou centro da igreja, entre o cruzeiro e a porta principal.

corporalidade [Do lat. tard. *corporalitate.*] *S. f.* Qualidade de corpóreo ou corporal; corporeidade.

corporalizar [De *corporal* + *-izar.*] *V. t. d.* **1.** Dar corpo a; materializar. **2.** Tornar palpável, patente, evidente. *P.* **3.** Tomar corpo; materializar-se.

corporativismo [De *corporativo* + *-ismo.*] *S. m.* **1.** Doutrina e/ou prática de organização social com base em entidades representativas dos interesses de categorias profissionais: 📄 *O Estado novo de Vargas inspirou-se no corporativismo fascista.* **2.** Ação (sindical, política, etc.) em que prevalece a defesa dos interesses ou privilégios de um setor organizado da sociedade, em detrimento do interesse público.

corporativista [De *corporativismo* + *-ista.*] *Adj. 2 g.* **1.** Referente ao, ou que é partidário do corporativismo. ● *S. 2 g.* **2.** Partidário do corporativismo.

corporativo [Do fr. *corporatif.*] *Adj.* Relativo a corporação ou corporações. ~ V. *marketing* —.

corporatura [Do lat. *corporatura.*] *S. f.* Forma externa dum corpo (2); configuração: 📖 "Eram ambos altos, espadaúdos e bem-apessoados de corporatura." (Arnaldo Gama, *O Balio de Leça*, p. 1.)

corporeidade [De *corpór(eo)* + *-eidade.*] *S. f.* Corporalidade.

corpóreo [Do lat. *corporeu.*] *Adj.* **1.** Corporal (1): 📄 *fraqueza corpórea.* **2.** Relativo a corpo (6); material: 📄 *Prefere os bens corpóreos aos espirituais.*

corporificação [De *corporificar* + *-ção.*] *S. f.* Ato ou efeito de corporificar(-se).

corporificar [Do lat. *corpus, oris*, 'corpo', + *-ficar.*] *V. t. d.* **1.** Atribuir corpo a (aquilo que não o tem). **2.** Reunir (elementos dispersos) em um corpo. *P.* **3.** Tomar corpo; corporalizar-se: 📖 "a expectativa da inundação, que não passava de um pressentimento, corporifica-se." (Raimundo Morais, *Na Planície Amazônica*, p. 93). [Conjug.: v. *trancar.*]

corporiforme [Do lat. *corpus, oris*, 'corpo', + *-forme.*] *Adj. 2 g.* Que tem corpo, forma.

corpo-seco [De *corpo* + *seco* (ê).] *S. m. Bras. S.* **1.** V. *esqueleto* (2). **2.** *Folcl.* Duende das matas, em forma de esqueleto (2). [Pl.: *corpos-secos.*]

corpudo [De *corpo* + *-udo.*] *Adj. Bras. S. Pop.* V. *corpulento* (1).

corpulência [Do lat. *corpulentia.*] *S. f.* **1.** Qualidade de corpulento. **2.** Tamanho avantajado de um corpo de pessoa ou animal.

corpulento [Do lat. *corpulentu.*] *Adj.* **1.** Que tem corpo grande; volumoso, alentado, corpudo. **2.** *P. ext.* De grandes dimensões: 📄 *Jaqueiras corpulentas sombreavam o quintal.* **3.** *Restr.* Muito gordo; obeso.

→**corpus** ['kɔrpos] [Lat., 'corpo', 'conjunto'.] *S. m.* **1.** Conjunto de documentos, dados e informações sobre determinada matéria: 📄 *o corpus dos manuscritos do P.^e^ Antônio Vieira.* **2.** Toda a obra atribuída a um escritor. **3.** *E. Ling.* Qualquer conjunto de dados linguísticos coletados sob certas circunstâncias de controle de variáveis, para análise futura (dados fonológicos, morfológicos, sintáticos, etc.). **4.** *Semiol.* Conjunto finito de materiais significantes, os enunciados [v. *enunciado* (5)], constituído com vistas à análise semiológica. [Pl.: *corpora.*]

→**corpus albicans** ['kɔrpos 'albekans] [Lat.] *Obst. Histol.* Tecido fibroso branco que substitui o corpo-amarelo quando este regride, seja na metade final da gravidez, seja após ovulação, caso não tenha ocorrido gravidez.

→**corpus alienum** ['kɔrpos ale'eno(m)] [Lat., 'corpo estranho'.] *Jur.* Matéria estranha ao objeto da lide^{2}.

→**corpus Christi** ['kɔrpos 'kʰriste] [Lat., 'corpo de Cristo'.] *Rel.* Festa do corpo de Cristo, celebrada na quinta-feira seguinte ao domingo da Santíssima Trindade.

corpuscular [De *corpúsculo* + *-ar*^{1}.] *Adj. 2 g.* Respeitante a corpúsculo. ~ V. *radiação* —.

corpúsculo [Do lat. *corpusculu.*] *S. m.* **1.** Corpo pequeníssimo. **2.** Partícula diminutíssima de corpo (14). ◆ **Corpúsculo basal.** *Citol.* Organela celular, semelhante ao centríolo, encontrada na região basal de cílios e flagelos de células eucariontes; cinetossoma, cinetossomo. **Corpúsculo de Barr.** *Citol. Genét.* Cromatina sexual (q. v.). **Corpúsculo de Nissl.** *Citol.* Agregado de cisternas de retículo endoplasmático granular e polirribossomos livres, que se apresentam, ao microscópio óptico, como manchas basófilas no citoplasma de neurônios. **Corpúsculo polar.** *Embr.* Célula não funcional, pequena, com quantidade mínima de citoplasma, produzida durante a divisão meiótica do ovócito; glóbulo polar. **Corpúsculo residual.** *Citol.* Corpo residual.

→**corpus juris canonici** ['kɔrpos 'jur̃es ka'nonęke] [Lat.] *Jur.* Consolidação do direito eclesiástico ou canônico, a qual reúne os cânones dos concílios e as decretais dos papas.

→**corpus juris civilis** ['kɔrpos 'jur̃es ki'viles] [Lat.] *Jur.* Denominação dada por Dionísio Godofredo (séc. XVI) ao conjunto das obras do direito romano organizado por ordem do imperador Justiniano (527-565), e formado de quatro livros: *Institutas*, *Pandectas* ou *Digesto*, *Novelas* e *Código*.

corra (ô) [De or. célt.] *S. f.* Corda de esparto; correia, soga.

corradical [De *co-*^{1} + *radical.*] *Adj. 2 g. E. Ling.* Diz-se de palavras que têm o mesmo radical. ❖

corrão [De *correr.*] *Adj. Bras.* Diz-se do indivíduo que corre com velocidade incomum.

corrasão [Do ingl. *corrasion.*] *S. f. Geol.* Erosão mecânica de rocha ou solo, causada pelo impacto de partículas e fragmentos transportados por vento, água corrente ou geleira.

corré [De *co-*^{1} + *ré*^{1}.] *S. f.* Fem. de *corréu*. ❖

correada [De *correia* + *-ada*^{1}.] *S. f.* Pancada com correia (1).

correagem [De *correia* + *-agem*^{2}.] *S. f.* Correame.

correame [De *correia* + *-ame.*] *S. m.* Conjunto de correias [v. *correia* (1)], particularmente as do uniforme militar; correagem.

correão [De *correia* + *-ão*^{1}.] *S. m.* Correia (1) grande. [Cf. *corrião.*]

correaria [De *correia* + *-aria.*] *S. f.* **1.** Estabelecimento ou casa onde se vendem correias e outros artefatos de couro. **2.** Antigo bairro de correeiros.

corre-campo [Da 3.ª pess. do sing. do pres. ind. do v. *correr* + *campo.*] *S. f. Zool. Bras.* **1.** Designação genérica de vários ofídios colubrídeos, a maioria inofensiva. **2.** Ofídio colubrídeo (*Dryophylax pallidus*), pardo ou oliváceo, com manchas escuras; ubiraquá, cobra-corre-campo, corredeira. **3.** *SE* Ofídio colubrídeo (*Tomodon dorsatus*). [Pl.: *corre-campos.*]

correção [Do lat. *correctione.*] *S. f.* **1.** Ato ou efeito de corrigir(-se). **2.** Qualidade de correto. **3.** Casa de correção (q. v.). **4.** *Tip.* Emenda (8). [Cf. *correição* e *corrição.*] ◆ **Correção juliana.** *Cronol.* Correção do calendário introduzida por Júlio César (100-44 a.C.), e que consiste em acrescentar um dia em cada quatro anos, nos anos ditos bissextos. **Correção monetária.** *Econ.* Mecanismo para compensar o efeito da inflação sobre depósitos de poupança, títulos do Governo, etc., pelo aumento periódico do valor nominal destes, segundo um índice de preços.

correcional [De *correção* + *-al*^{1}, seg. o padrão erudito.] *Adj. 2 g.* **1.** Referente a correção. **2.** Diz-se do tribunal em que se julgam, sem júri, causas criminais de menor importância. **3.** Diz-se da pena que se aplica a contravenções e a delitos de pouca monta. ● *S. m.* **4.** Jurisdição de tribunais correcionais.

correcionalidade [De *correcional* + *-(i)dade.*] *S. f.* Qualidade ou caráter de certas infrações afetas, por sua natureza, à jurisdição correcional.

corre-corre [Da 3.ª pess. sing. do pres. ind. de *correr*, repetida.] *S. m.* **1.** *Bras.* V. *correria* (1). **2.** Grande afã; azáfama, lufa-lufa. [Pl.: *corre-corres* e *corres-corres.*]

corredator [De *co-*^{1} + *redator.*] *S. m.* Aquele que redige com outrem. ❖

corredeira [De *correr* + *-deira.*] *S. f.* **1.** *Bras.* Trecho de rio onde as águas, dada a inclinação do terreno, correm céleres, e que, muitas vezes, corresponde à última etapa de uma queda-d'água; cachoeira, carreira, correntada, corrida, rápido, urmana, xiririca: 📖 "Dos rumores do campo tinham ficado apenas o fresco ramalhar das árvores e o rouco perene das corredeiras que rolavam as águas pesadas por entre os penhascos escuros" (Coelho Neto, *Sertão*, p. 21). **2.** *Tip.* Parte do resvaladouro da linotipo onde desliza a correia que conduz as matrizes ao componedor. **3.** *Bras. Zool.* V. *caminheiro* (5). **4.** *Bras. S. Zool.* V. *corre-campo* (2). **5.** *Bras. S. Pop.* V. *diarreia*. ~ V. *corredeiras*.

corredeiras [Pl. de *corredeira.*] *S. f. pl.* Bancos por onde correm, nos banguês, os tabuleiros de secar o açúcar. ~ V. *corredeira*.

corredela [De *correr* + *-dela.*] *S. f. Pop.* Corrida curta.

corredentor [De *co-*^{1} + *redentor.*] *S. m.* Aquele que coopera na redenção. ❖

corrediça [F. subst. de *corrediço.*] *S. f.* **1.** Encaixe de madeira, de metal, etc., sobre o qual se movem os batentes de porta ou de janela, a tampa de uma caixa, etc.: 📖 "Ainda corre nas ruas estreitas ...., um arzinho de noite, e já as portas se abrem de par em par, rolam as corrediças nas lojas" (Aquilino Ribeiro, *Alemanha Ensanguentada*, p. 298). **2.** *Teatr.* V. *bastidor* (3). **3.** V. *estore* (1). **4.** Cortina que corre em trilho ou vara cilíndrica.

corrediço [De *correr* + *-(d)iço*^{2}.] *Adj.* **1.** Que corre ou se move com facilidade; correntio: 📄 *porta corrediça.* **2.** Que escorrega ou resvala. **3.** Cuja superfície é sem asperezas; liso. **4.** Sem embaraço(s); fácil. **5.** V. *corrente* (2). [Sin. ger.: *corredio.*] ~ V. *janela* —*a* e *porta* —*a*.

corredio [De *correr* + *-dio.*] *Adj.* V. *corrediço*: 📖 "pastem [as vacas] na solidão do bosque movediço, / à beira da água plena, alegre, corredia" (Antônio Feliciano de Castilho, *As Geórgicas*, p. 161); "Tinha os cabelos corredios e as mãos estreitas" (Fialho d'Almeida, *Contos*, p. 153).

corredoira [F. subst. de *corredoiro.*] *S. f.* Corredoura.

corredoiro [De *correr* + *-doiro*^{2}.] *S. m.* Corredouro (q. v.).

corredor (ô) [De *correr* + *-dor.*] *Adj.* **1.** Que corre, ou corre muito. ~ V. *anjo* —. ● *S. m.* **2.** Aquele que corre, ou que corre muito. **3.** Atleta que participa de uma corrida esportiva **4.** Passagem, em geral estreita e longa, no interior de uma edificação, para comunicar dois ou mais compartimentos. **5.** Qualquer passagem estreita. **6.** Passagem de águas, numa barra, por intervalo estreito e perigoso à navegação. **7.** Intervalo apertado na foz de um rio. **8.** Faixa de avenida, rua, etc., destinada, exclusivamente, a um tipo de veículo: 📄 *Os corredores de ônibus ajudam a desafogar o trânsito.* **9.** *Fort.* Caminho coberto. **10.** *Bras.* Porção de terreno estreito e limpo, dentro de um capão^{2}. **11.** *Bras.* Cavalo proveniente de raça própria para corridas. **12.** *Bras.* Aquele que guia o cavalo, em corridas. **13.** *Bras. N.E.* Osso da canela do boi, que contém abundância de tutano e por isso é muito apreciado pelos sertanejos. **14.** *Bras. SC* Fenda nos costões rochosos da costa, de paredes paralelas. **15.** *Bras. S.* Parte duma estrada que atravessa um campo de criação de gado, sendo, porém, dele separada por cerca, de um lado e do outro. **16.** *Bras. RS* Anel metálico ou de couro, us. para apertar a costura de peças do arreamento. **17.** *Bras. RS* Indivíduo encarregado de incitar à briga os galos já cansados. ◆ **Corredor ecológico.** Faixa de vegetação natural, ou seminatural, que liga áreas naturais preservadas, possibilitando o fluxo de genes e o movimento da biota.

corredora (ô) [De *correr* + *-dora.*] *S. f.* Grade de madeira ou de ferro, pesada, que corria verticalmente entre dois frisos, servindo para aumentar os obstáculos na entrada de uma fortificação. [Cf. *corredoura.*]

corredor-do-deserto [De *corredor* + *do*^{1} + *deserto.*] *S. m. Zool.* Ave africana cursória (*Cursorius cursor*) [v. *cursório*^{2} (2)], de plumagem críptica. [Pl.: *corredores-do-deserto.*]

corredoura [Var. de *corredoira.*] *S. f.* Peça localizada por baixo da mó do moinho. [Cf. *corredora.*]

corredouro [De *correr* + *-douro*^{2}; var. de *corredoiro.*] *S. m.* **1.** Lugar próprio para corridas. **2.** Ação repetida de correr.

corredura [De *correr* + *-dura.*] *S. f.* **1.** V. *corrida* (1). **2.** Os restos de um líquido aderente à medida, e que correm em proveito do vendedor.

correeiro [De *correia* + *-eiro.*] *S. m.* Fabricante ou vendedor de correias e/ou de outras obras de couro.

correferencial [De *co-* + *referencial.*] *Adj. 2 g. E. Ling.* Numa oração, diz-se de termo que tem o mesmo referente que outro. [É o caso, p. ex., do pron. reflexivo *se* em *José barbeou-se*, em relação ao termo *José*.]

corregedor (ô) [De *correger* (q. v.) + *-dor.*] *S. m.* **1.** Magistrado a quem compete corrigir os erros e abusos das autoridades judiciárias e de serventuários da justiça, promovendo-lhes a responsabilidade funcional. **2.** Antigo magistrado cujas atribuições eram análogas às dos atuais juízes de direito.

corregedoria [De *corregedor* + *-ia*^{1}.] *S. f.* **1.** Cargo ou jurisdição de corregedor; corretoria. **2.** Área de sua jurisdição.

correger [Do lat. *corrigere*.] *V. t. d.* **1.** *Ant.* Corrigir. **2.** *Ant.* Reparar, consertar. **3.** *Bras. N.E. Pop.* Revistar, vistoriar, correr. [Conjug.: v. *reger*.]

corregimento [De *correger* + *-imento*.] *S. m. P. us.* **1.** Ato ou efeito de correger. **2.** Reparação do dano; multa. **3.** Ornamento; alfaia.

córrego [Do lat. hisp. *corrugu*.] *S. m.* **1.** Regueiro ou sulco aberto pelas águas correntes. **2.** Caminho estreito, ou atalho, entre montes ou muros. **3.** *Bras.* Ribeiro de pequeno caudal; riacho. **4.** *Bras.* Na região média do São Francisco, qualquer dos afluentes desse rio. [Var.: *corgo*.]

córrego-dantense *Adj. 2 g.* **1.** De, ou pertencente ou relativo a Córrego Danta (MG). • *S. 2 g.* **2.** O natural ou habitante de Córrego Danta. [Pl.: *córrego-dantenses*.]

córrego-novense *Adj. 2 g.* **1.** De, ou pertencente ou relativo a Córrego Novo (MG). • *S. 2 g.* **2.** O natural ou habitante de Córrego Novo. [Pl.: *córrego-novenses*.]

corregorino *Adj.* **1.** De, ou pertencente ou relativo a Córrego do Ouro (GO). • *S. m.* **2.** O natural ou habitante de Córrego do Ouro.

córrego-seco *S. m. Bras. GO* Sulco torrencial temporário. [Pl.: *córregos-secos*.]

correguense *Adj. 2 g.* **1.** De, ou pertencente ou relativo a Córrego do Bom Jesus (MG). • *S. 2 g.* **2.** O natural ou habitante de Córrego do Bom Jesus.

correia [Do lat. *corrigia*.] *S. f.* **1.** Tira, ger. de couro, para atar, prender ou cingir; soga, loro. **2.** Certo jogo popular português. **3.** *Mec.* Cinta flexível que estabelece ligação entre duas rodas, transmitindo o movimento de uma à outra. ~ V. *correias*. ◆ **Encurtar as correias a.** Cercear ou diminuir a liberdade de (alguém).

correia-pintense *Adj. 2 g.* **1.** De, ou pertencente ou relativo a Correia Pinto (SC). • *S. 2 g.* **2.** O natural ou habitante de Correia Pinto. [Pl.: *correia-pintenses*.]

correias [Pl. de *correia*.] *S. f. pl.* Arreios do cavalo de tiro. ~ V. *correia*.

correição¹ [Do lat. *correctione*.] *S. f.* **1.** Ato ou efeito de corrigir; correção. **2.** Função administrativa, em via de regra de competência do poder judiciário, exercida pelo corregedor. **3.** Visita do corregedor às comarcas, no exercício de suas atribuições. **4.** *Bras. AL* Corpo de funcionários da Prefeitura incumbidos de prender os animais encontrados soltos pelas ruas, e que são restituídos aos donos mediante pagamento de multa. [Cf. *correção* e *corrição*.]

correição² [F. red. de *formiga-correição*.] *S. f. Bras.* **1.** *Zool.* V. *formiga-correição*. **2.** Desfilada de formigas em trabalho. **3.** Aparição, em determinada época, de numerosas formigas e outros insetos. [Cf. *correção* e *corrição*.]

correio [Do provenç. ant. *corrieu*.] *S. m.* **1.** Pessoa encarregada de levar ou trazer despachos e correspondência, ou notícias; mensageiro. **2.** Repartição pública que recebe e expede correspondência; posta. **3.** Edifício onde funciona essa repartição. **4.** Empregado postal encarregado da distribuição da correspondência aos destinatários; carteiro. **5.** Mala na qual se transporta correspondência. **6.** Conjunto de cartas que um indivíduo recebe ou expede; correspondência. **7.** *Fig.* Precursor, prenunciador. ◆ **Correio eletrônico.** *Inform.* **1.** Serviço que possibilita a troca assíncrona de mensagens e arquivos através de redes de computadores, como, p. ex., a rede mundial Internet. [Cf. *chat*.] **2.** Mensagem ou bloco de mensagens transmitida(s) por esse serviço. **3.** Endereço eletrônico (q. v.). [Equivale ao ingl. *e-mail* (q. v.), tb. us.]

correio-geral *S. m.* Edifício onde estão centralizados os serviços postais de uma cidade. [Pl.: *correios-gerais*.]

correlação [De *co-¹* + *relação*.] *S. f.* **1.** Relação mútua entre dois termos. **2.** Qualidade de correlativo. **3.** Correspondência (5): *Há perfeita correlação entre o ponto de vista de um e o de outro.* **4.** *Estat.* Dependência entre as funções de distribuição de duas ou mais variáveis aleatórias, em que a ocorrência de um valor de uma das variáveis favorece a ocorrência dum conjunto de valores das outras variáveis. **5.** *E. Ling.* Processo sintático que se caracteriza pela implicação mútua de dois termos, e no qual não há a independência dos elementos, como na coordenação, mas também não há a subdependência, como na subordinação. [Ocorre, p. ex., nas expressões do tipo: *não só... mas também; não só... mas ainda; tal... tal; tal... qual; tanto maior... tanto menor; quanto menos... quanto mais; pior... (do) que; tão... que*. Cf. *coordenação (3), justaposição (6), subordinação (3)*.] **6.** *Geom.* Transformação linear que, no plano, associa pontos a retas e retas a pontos, e, no espaço, associa pontos a planos e planos a pontos. ◆ **Correlação canônica.** *Estat.* A que procura identificar e quantificar as associações entre dois conjuntos de variáveis. **Correlação linear.** *Estat.* Aquela em que a dependência é linear. **Correlação não linear.** *Estat.* Aquela em que a dependência é não linear. **Correlação parcial.** *Estat.* Aquela em que se deseja a dependência entre uma variável dependente e uma variável independente particular, removendo os efeitos de todas as outras variáveis envolvidas **Correlação tetracórica.** *Estat.* A medida da associação entre duas variáveis binárias.

correlacionar [De *co-¹* + *relacionar*.] *V. t. d. e i.* **1.** Estabelecer relação ou correlação entre. *P.* **2.** Ter correlação: "em boa filosofia, as duas cousas correlacionam-se: a morte e o amor" (Eça de Queirós, *Últimas Páginas*, p. 492).

correlatar [De *co-¹* + *relatar*.] *V. t. d.* **1.** Pôr em mútua relação. *P.* **2.** Estar ou ficar em correlação.

correlativa [F. subst. do adj. *correlativo*.] *S. f. E. Ling.* Conjunção correlativa (q. v.).

correlativo [Do lat. med. *correlativu*.] *Adj.* Em que há correlação; correlato, correspondente. ~ V. *conjunção —a* e *oração —a*.

correlato [Der. regress. de *correlativo*.] *Adj.* V. *correlativo*: "acontece que o pintor enriqueceu e com o poder e a glória vieram os vícios correlatos: deu de beber, ficou vaidoso, mesquinho." (Lígia Fagundes Teles, *A Disciplina do Amor*, p. 77).

correligionário [De *co-¹* + lat. *religione*, 'religião', + *-ário*.] *Adj. S. m.* Que, ou aquele que é da mesma religião, partido, doutrina ou sistema que outrem.

correligionarismo [De *correligionário* + *-ismo*.] *S. m.* Solidariedade entre correligionários.

correlograma [De *correl(ação)* + *-o-* + *-grama*.] *S. m. Estat.* Diagrama cartesiano ortogonal em que nas abscissas são locadas as ordens dos coeficientes de correlação serial de duas séries cronológicas, e nas ordenadas, esses coeficientes.

corre-mundo [Do v. *correr* + *mundo*.] *S. m.* Aquele que vive viajando e não se fixa em nenhum lugar.

correntada [De *corrente* + *-ada¹*.] *S. f. Bras. AM* V. *corredeira* (1).

correntão [De *corrente* + *-ão¹*.] *S. m.* **1.** Grande corrente (10). **2.** *Restr.* Correntão (1) de ouro: "a fazenda se despovoou, tombaram as cercas, o coronel, sem correntão nem guarda-chuva, aderiu à canalha" (Graciliano Ramos, *Infância*, p. 38). **3.** *Bras. SP* Laço feito de couro tecido de maneira especial, imitando elos duma corrente, e que, pela excepcional resistência, serve para prender reses muito ariscas, que rebentam laços ordinários. • *Adj.* **4.** Desembaraçado no apresentar-se, conversar, ou tratar de negócios.

corrente [De *correr* + *-nte*.] *Adj. 2 g.* **1.** Que corre sem encontrar empecilho; fluente. **2.** Diz-se das águas que correm, que não se acham estagnadas; corrediço, corredio. **3.** Fácil, fluente: *estilo corrente*. **4.** Vulgar, comum, usual: *remédio corrente*. **5.** Aceito por todos; geralmente admitido: *dito de uso corrente; expressão corrente; opinião corrente*. **6.** Sabido de todos; propalado; notório: *Seu procedimento leviano é fato corrente na família*. **7.** Relativo ao tempo presente, aquele em que estamos; em curso, andante: *mês corrente; ano corrente*. ~ V. *ano —, conta —, despesa —, edição —, mês —, moeda —, obra de arte —, preço —, receitas —s, título —* e *transações —s*. • *S. f.* **8.** O curso das águas de um rio, de um ribeiro, de um regato; correnteza: "Desce a corrente do rio / O barco sem remadores." (Alberto de Oliveira, *Poesias*, 2.ª série, p. 92.) **9.** Corrente de ar; correnteza, vento. **10.** Cadeia de metal; grilhão: "sempre trazia, trespassada no colete, uma pesada corrente de ouro" (Ciro dos Anjos, *A Menina do Sobrado*, p. 98). **11.** V. *amarra* (3). **12.** O decurso do tempo. **13.** *Bras.* Receptáculo de madeira com o fundo furado, por onde, nos engenhos de açúcar, escoa a calda da cana que não chegou a coalhar-se. **14.** Grupo de indivíduos que representam ideias, tendências, opiniões, em qualquer ramo do conhecimento ou em coisas da vida prática, ou as ideias, tendências, opiniões, etc., defendidas por um desses grupos: *as correntes literárias do século XIX; Quanto ao resultado do jogo de futebol, havia várias correntes*. **15.** Corrente da felicidade. **16.** *Eletr.* V. *corrente elétrica*. **17.** *Tip.* Cada um dos trilhos sobre os quais desliza o carro, na prensa de cilindro e no prelo manual. • *S. m.* **18.** O que é comum, vulgar, habitual: *O corrente é grafar os nomes próprios com inicial maiúscula.* • *Adv.* **19.** Correntemente. ◆ **Corrente alternada.** **1.** *Eletr.* Aquela cuja intensidade varia senoidalmente com o tempo [siglas: *AC* e *CA*]. **2.** *Eletrôn.* Corrente elétrica cuja intensidade e sentido variam periodicamente com o tempo. **3.** *Ocean.* Corrente de maré que, na enchente, corre numa direção e, na vazante, na direção oposta. **Corrente ativa.** *Eletr.* Num circuito de corrente alternada, componente da corrente que está em fase com a tensão; corrente wattada. **Corrente contínua.** *Eletr.* Corrente elétrica cuja intensidade é constante, ou varia muito pouco, nunca se lhe invertendo o sentido [sigla: *CC* ou *DC*]. **Corrente da felicidade.** Série de cartas de caráter místico ou supersticioso enviadas cada uma a uma pessoa, que, por sua vez, deverá enviar certo número estipulado a outras pessoas, e assim por diante, formando uma corrente ou cadeia de cartas que, de acordo com os seus dizeres, caso seja interrompida acarretará desgraças ao causador da interrupção, à sua família, etc. [Tb. se diz apenas *corrente*.] **Corrente de aberração.** *Ocean.* Corrente paralela à costa, produzida pelas barras ou arrebentações oblíquas a esta. **Corrente de ar.** **1.** Ar encanado por uma porta ou passagem. **2.** Direção do vento. **3.** Movimento vertical do ar na troposfera. **4.** Qualquer movimento de ar nas camadas superiores da atmosfera. **Corrente de deriva.** *Ocean.* Corrente produzida diretamente pelo vento, por arrastamento da água superficial, transmitida às maiores profundidades por viscosidade. [Em águas muito profundas, dirige-se 45° para a esquerda do vento, no hemisfério sul, e 45° para a direita, no hemisfério norte. Em águas mais rasas, o ângulo é menor, mas sempre orientado para a esquerda do vento.] **Corrente de deslocamento.** *Eletr.* Num dielétrico, integral de superfície da densidade de fluxo elétrico. **Corrente de indução.** *Eletr.* Corrente induzida em um circuito por um fluxo magnético variável; corrente induzida. **Corrente de lava.** *Geol.* Jazida de rochas vulcânicas de formação mais ou menos extensa na direção em que as lavas correram. **Corrente de maré.** *Ocean.* Movimento horizontal das águas do mar registrado durante cada fluxo ou refluxo da maré. **Corrente de meteoros.** *Astr.* V. *chuva de meteoros*. **Corrente de refluxo.** *Ocean.* Corrente que, em determinados locais das praias, atravessa a barra ou arrebentação, escoando as águas retidas entre a arrebentação e a praia. **Corrente de rolos.** *Tec.* Corrente constituída por uma série de rolos metálicos articulados, como a de uma bicicleta, utilizada para transmitir esforços muito intensos. **Corrente dewattada.** *Eng. Elétr.* Corrente reativa. **Corrente eficaz.** *Eletr.* A intensidade de uma corrente contínua que, num intervalo de tempo, desprende, num resistor, a mesma quantidade de calor que uma corrente alternada que percorre o resistor no mesmo intervalo. **Corrente elétrica.** *Eletr.* **1.** Fluxo de carga elétrica através de um condutor. **2.** Intensidade do fluxo de carga elétrica através de um condutor [símb. usual: *I*]. [Tb. se diz apenas (nessas acepç.) *corrente*.] **Corrente estelar.** *Astr.* Grupo de estrelas que têm aproximadamente o mesmo movimento próprio e estão na mesma região do céu. **Corrente Foucault.** *Eletr.* Corrente induzida no interior de um corpo condutor por um campo magnético variável. **Corrente induzida.** *Eletr.* Corrente de indução. **Corrente lacustre.** Massa de águas lacustres que, impelidas pelo vento, seguem determinada direção, condicionada pela forma do respectivo lago. **Corrente marinha.** Corrente marítima. **Corrente marítima.** Massa de águas do mar que segue uma determinada direção e percorre trechos do oceano; corrente marinha, rio pelágico. **Corrente polifásica.** *Eng. Elétr.* Corrente elétrica composta, produzida por um gerador onde se formam, simultaneamente, várias tensões alternadas senoidais que guardam entre si diferenças de fase constantes. **Corrente reativa.** *Eng. Elétr.* Num circuito de corrente alternada, componente da corrente que está em quadratura com a tensão; corrente dewattada. **Correntes de d'Arsonval.** *Med.* V. *darsonvalização*. **Corrente trifásica.** *Eng. Elétr.* Corrente elétrica composta, produzida por um gerador onde se formam, simultaneamente, três tensões alternadas senoidais que guardam entre si uma diferença de fase constante e igual a 120°. **Corrente wattada.** *Eng. Elétr.* Corrente ativa. **Ao corrente de.** Informado a respeito de; a par de: *estar, andar, achar-se ao corrente dos fatos políticos*. **Ir contra a corrente.** Ir contra a opinião da maioria; nadar contra a corrente, remar contra a maré. **Nadar contra a corrente.** V. *ir contra a corrente*. **Remar contra a corrente.** V. *ir contra a corrente*.

correntense *Adj. 2 g.* **1.** De, ou pertencente ou relativo a Correntes (PE). • *S. 2 g.* **2.** O natural ou habitante de Correntes. [Sin. ger.: *corrente*.]

correnteza (ê) [De *corrente* + *-eza* (ê).] *S. f.* **1.** V. *corrente* (8 e 9). **2.** Série ou fila continuada de coisas. **3.** V. *lance de casas*: "Ganhou o atalho comprido / de casas em correntezas / e entrou num campo florido." (Cruz e Sousa, *Obra Completa*, p. 284.) **4.** Facilidade de expressão; desembaraço: *Fala com toda a correnteza.*

correntinense *Adj. 2 g.* **1.** De, ou pertencente ou relativo a Correntina (BA). • *S. 2 g.* **2.** O natural ou habitante de Correntina.

correntino¹ [Do esp. plat. *correntino*.] *Adj.* **1.** De, ou pertencente ou relativo a Corrientes, província argentina. • *S. m.* **2.** O natural ou habitante de Corrientes.

correntino² *Adj.* **1.** De, ou pertencente ou relativo a Corrente (PI). • *S. 2 g.* **2.** O natural ou habitante de Corrente.

correntino³ *Adj. S. m.* V. *correntense.*

correntio [De *corrente* + *-io*².] *Adj.* **1.** Corrediço (1). **2.** Geralmente admitido; habitual, usual: *termo, hábito correntio.* **3.** Corrente, habitual: "Desde então, transformou-se, de repente, / A nossa intimidade correntia / Em saudações de simples cortesia" (Raul de Leoni, *Luz Mediterrânea*, p. 75).

correntista [De (*conta-*) *corrente* + *-ista.*] *S. 2 g. Bras.* **1.** Empregado que escritura o livro de contas-correntes. **2.** Cada uma das partes coobrigadas no contrato de contas-correntes. **3.** Titular de conta corrente num banco.

correntoso (ô) [De *corrente* + *-oso.*] *Adj.* Que tem corrente ou correnteza forte: "a travessia de um rio correntoso com cavalos pela rédea" (Gastão Cruls, *De Pai a Filho*, p. 49).

correpetição [De *co-*¹ + *repetição.*] *S. f. Mús.* O ato de ensaiar, repetidamente, uma peça musical.

correpetidor (ô) [De *co-*¹ + *repetidor.*] *S. m. Mús.* Instrumentista, normalmente um pianista, responsável por ensaiar, p. ex., com cantores líricos, auxiliando-os, inclusive, na prosódia e pronúncia de palavras estrangeiras.

correr [Do lat. *currere.*] *V. int.* **1.** Deslocar-se, numa sequência de impulsos, repousando o corpo ora sobre uma, ora sobre outra perna, e num andamento em geral mais veloz que a marcha. **2.** Andar com muita ligeireza. **3.** Dirigir-se apressadamente, ou com afã, a algum lugar: *O visitante chegou de repente, e correram a comprar algo para lhe oferecer.* **4.** Acudir às pressas; acorrer: *A campainha da porta tocou com alarde e a empregada correu para atender.* **5.** Jorrar; escorrer: *O sangue corria aos borbotões.* **6.** Deslizar, mover-se, deslocar-se (em virtude do próprio peso, ou à força): *A cortina da sala não está correndo.* **7.** Passar, decorrer; transcorrer: "Correram ainda alguns minutos." (Machado de Assis, *Várias Histórias*, p. 24.) **8.** Ter seguimento no tempo; suceder, decorrer, passar-se: *Sua vida corria suavemente.* **9.** Ser dito, propalado; ser notório: "casara com um bacharel das Alagoas, deputado agora por outra província, e, segundo corria, prestes a ser ministro de Estado." (Machado de Assis, *Quincas Borba*, p. 223). **10.** Ter (moeda) curso legal; girar. **11.** Imprimir; rodar: *Está conforme o original, pode correr.* *T. c.* **12.** Dirigir-se apressadamente a: *Correu até a esquina, para ver se o alcançava.* **13.** Mover-se, deslocar-se, com rapidez; rolar: *As águas da correnteza corriam entre as pedras; Um rio corre ao longo da estrada;* "Entre os sinceiros da margem, / Murmura e corre o Mondego" (Gonçalves Dias, *Obras Completas*, p. 317). **14.** Jorrar; escorrer: *As lágrimas corriam-lhe abundantes.* **15.** Passar rapidamente: *Um arrepio correu-lhe pela espinha.* **16.** Aplicar (os olhos, a vista) a alguma coisa ou alguém, em geral rapidamente, ou por alto, para uma visão de conjunto: *Correu os olhos pela carta e devolveu-a.* **17.** Passar de mão em mão; circular: *A carta correu entre os presentes.* **18.** *Pop.* Sair depressa; chispar: *Corre daqui, menino!, ordenou a avó.* **19.** Ocorrer; acontecer: *Este sorteio corre às segundas.* **20.** Fazer o percurso de: *O atleta correu 10 quilômetros.* *T. d.* **21.** Percorrer; visitar: "Correram a casa toda juntos, ... murmurando orações contra malefícios." (Afonso Arinos, *Pelo Sertão*, p. 35); *Levou três dias correndo a cidade.* **22.** Pôr a correr; afugentar, dispersar: *Os policiais correram os desordeiros.* **23.** Mover, fazendo deslizar: *correr as cortinas.* **24.** Fazer entrar (o ferrolho) na fechadura. **25.** Perseguir (a caça) na carreira. **26.** Percorrer, examinando; compulsar: *Correu quase toda a obra do autor e não achou o trecho que procurava.* **27.** Estar exposto ou sujeito a (perigo, risco, etc.): *Se continuar bebendo, corre o risco de perder o emprego.* **28.** Tomar parte em uma disputa: *O cavalo correu o segundo páreo.* *T. i.* **29.** Acudir rapidamente: *Solícita, a enfermeira correu ao apelo do paciente.* **30.** Correr (22): *O policial correu com os arruaceiros.* **31.** Assumir a responsabilidade; arcar: *Ele deverá correr com o custo do processo.* **32.** Ficar sob a responsabilidade; correr por conta: *As despesas correrão pelo Estado.* **33.** Caber por obrigação; competir: *Corre à polícia o dever de averiguar as denúncias.* *T. d. e i.* **34.** Passar ligeiramente, de leve: *Correu a mão pelos cabelos.* *T. i. e c.* **35.** Mandar sair; afugentar; dispersar: *A inspetora correu com os alunos do pátio.* *Bit. c.* **36.** Ir, dirigir-se rapidamente: *Correu de casa até o armazém.* *Pred.* **37.** Decorrer, passar (em certo estado ou condição): "A conversa corre alegre" (Ciro dos Anjos, *Abdias*, p. 79); "Um ano correu sereno e feliz." (Coelho Neto, *Sertão*, p. 113). *P.* **38.** Envergonhar-se, vexar-se: "viu-se qual era, correu-se da sua comparativa pobreza, e refugiu dos bailes, das ceias" (Camilo Castelo Branco, *Amor de Salvação*, p. 216); "Correu-se de pejo, corou" (Júlio Ribeiro, *A Carne*, p. 83). **39.** Comunicar-se; dar-se: *Correm-se bem desde a infância.* **40.** Estar situado na mesma direção, ou rumo, etc.: *As duas cidades corriam-se no mapa.* [A 2ª e a 3ª pess. do sing. e a 3ª pess. do pl. do pres. ind., e a 2ª pess. do sing. do imperat. afirmativo têm o *o* do rad. aberto (ó); as demais, o *o* fechado (ô). É impessoal na acepç. 9, 'ser notório'.] ◆ **Correr tudo.** *Bras. PR* Correr à disparada, a toda a velocidade.

correria [De *correr* + *-ia*¹.] *S. f.* **1.** Corrida desordenada; corre-corre, debandada. **2.** Grande pressa; afã, corre-corre: "apesar da correria típica do centro nesse horário, a receptividade à passagem do grupo [do candidato a prefeito, Chico Alencar] foi boa" (*O Globo*, 08.07.2008). **3.** Assalto a campo inimigo; corrida. **4.** *Bras. Amaz.* Na segunda metade do séc. XIX e primeiras décadas do séc. XX, matança de índios organizada pelos grandes proprietários de terra, os seringalistas: "No Acre, ainda pela década de 40, tinha-se notícia das correrias, que eram grupos de nordestinos armados que, a serviço de seringalistas .... cercavam aldeias, ao raiar do dia, e destruíam tribos inteiras." (Edilson Martins, *Amazônia, a Última Fronteira*, p. 217.)

correspondência [De *corresponder* + *-ência.*] *S. f.* **1.** Ato ou efeito de corresponder(-se). **2.** Troca de cartas, bilhetes ou telegramas. **3.** Correio (6). **4.** Artigo de jornal em forma de carta aos redatores; carta a um jornal. **5.** Relação de conformidade; correlação: *correspondência entre a beleza e a simpatia.* **6.** *Mat.* Regra por meio da qual se associam a cada elemento de um conjunto um ou mais elementos de outro. ◆ **Correspondência contínua.** *Mat.* Transformação contínua (q. v.). **Correspondência em.** *Mat.* A que é pertinente a uma função em. **Correspondência sobre.** *Mat.* A que é pertinente a uma função sobre.

correspondente [De *corresponder* + *-nte.*] *Adj. 2 g.* **1.** Que corresponde. **2.** Apropriado, adequado. **3.** V. *correlativo.* ~ V. *ângulos —s* e *sócio —.* • *S. 2 g.* **4.** Pessoa que se corresponde [v. *corresponder* (5)] com alguém. **5.** Pessoa que trata de negócios de outra(s) fora da terra desta(s). **6.** Aquele que é encarregado de redigir a correspondência (2). **7.** *Jorn.* Jornalista que representa uma empresa de comunicação em determinada cidade, região ou país, distintos daquele onde se situa a sede da empresa; é o responsável, naquele local determinado, pela cobertura e envio regular de notícias e artigos para a empresa. [Cf., nesta acepç., *enviado especial.*] ◆ **Correspondente de guerra.** *Jorn.* Repórter encarregado de fazer a cobertura de uma região em guerra ou em revolução. **Correspondente internacional.** *Jorn.* Jornalista responsável por fazer a cobertura de um país estrangeiro para seu veículo de comunicação ou agência de notícias.

corresponder [De *co-*¹ + *responder.*] *V. t. i.* **1.** Ser próprio, adequado, conforme; estar em correspondência, em correlação: *A graça de seus movimentos corresponde à esbelteza da figura;* "A criação da Universidade por D. Dinis, em 1290, corresponde a crescentes aspirações culturais" (Feliciano Ramos, *História da Literatura Portuguesa*, p. 87). **2.** Ser proporcional; estar em equivalência: *Sua fama de inteligente não corresponde aos seus dotes reais.* **3.** Retribuir (2): *Correspondeu ao cordial aceno.* *P.* **4.** Estar em correlação, ou em equivalência. **5.** Estabelecer comunicação por meio de carta; cartear-se: "Combinaram os meios de se corresponderem, em caso de necessidade" (Machado de Assis, *Várias Histórias*, p. 10).

correspondido [Part. de *corresponder.*] *Adj.* Que se corresponde, retribui: *amores correspondidos.*

corresponsabilidade [De *co-*¹ + *responsabilidade.*] *S. f.* Responsabilidade que se divide entre duas ou mais pessoas, empresas, etc: "Algumas frases intercaladas no livro (José Veríssimo sabia bem que eu não as havia escrito) me foram atribuídas na corresponsabilidade da publicação." (João Ribeiro, *Cartas Devolvidas*, p. 192.) ❖

corresponsável [De *co-*¹ + *responsável.*] *Adj. 2 g.* Que é responsável juntamente com outras pessoas. ❖

corretagem [Do provenç. ant. *corratatge.*] *S. f.* **1.** Salário ou serviços de corretor². **2.** Agência, comércio, trato. **3.** Atividade ou serviço de corretor².

corretar [De *corretor*² + *-ar*².] *V. int. Bras.* Fazer ofício de corretor².

corretismo [De *correto* + *-ismo.*] *S. m.* Procedimento correto, irrepreensível.

corretivo [De *correto* + *-ivo.*] *Adj.* **1.** Que corrige; corretório. ~ V. *ginástica —a.* • *S. m.* **2.** Aquilo com que se corrige. **3.** Punição, castigo. **4.** V. *repreensão* (1). **5.** Líquido branco para cobrir erros e imperfeições da escrita em folha de papel. **6.** Cosmético us. para corrigir imperfeições da pele.

correto [Do lat. *correctu.*] *Adj.* **1.** Isento de erros. **2.** Emendado, corrigido: *Acaba de lançar a obra em segunda edição, correta.* **3.** Exato, irrepreensível: *conduta correta.* **4.** Íntegro, honesto, digno: *homem correto.* **5.** Esmerado, elegante. **6.** Certo, apropriado, adequado: *termo correto.* ◆ **Politicamente correto. 1.** Diz-se de atitude, comportamento, discurso, etc., em que se procura substituir uma palavra ou expressão tida, social ou culturalmente, como ofensiva ou ultrajante por outra mais amena ou eufemística. **2.** O pensamento, a atitude, o comportamento, o discurso, etc., politicamente correto: "a peça [*The Real Thing*, de Tom Stoppard] denuncia o esquerdismo disfarçado de grande arte e prevê que o politicamente correto vai erodir a cultura." (Lúcia Guimarães, em *O Globo*, 09.04.2000).

corretor¹ (ô) [Do lat. *correctore.*] *S. m.* **1.** Aquele que corrige. **2.** *Tip.* Revisor (4).

corretor² (ô) [Cruz. do provenç. *corratier* com *corredor*, por alusão à diligência dos corretores.] *Adj.* **1.** Diz-se de corretor² (2 e 3). ~ V. *sociedade —a.* • *S. m.* **2.** Agente comercial que serve de intermediário entre vendedor e comprador, representando um ou outro eventualmente. **3.** Inculcador, agenciador, intermediário. ◆ **Corretor de amores.** Aquele que serve de intermediário em relações amorosas; alcoviteiro.

corretora (ô) [F. subst. de *corretor*².] *S. f.* Instituição que atua no mercado de títulos e valores mobiliários, e que, além de outras atividades financeiras, detém o monopólio das operações nas bolsas de valores. [Cf. *distribuidora* (1).]

corretoria [De *corretor*¹ + *-ia*¹.] *S. f.* Corregedoria (1). [Cf. *corretória*, fem. de *corretório.*]

corretório [Do lat. *correctus*, part. pass. de *corrigere*, 'corrigir', *-ório.*] *Adj.* **1.** Corretivo (1). [Fem.: *corretória*. Cf. *corretoria.*] • *S. m.* **2.** Registro de correções e penas.

corréu [De *co-*¹ + *réu.*] *S. m.* V. *coacusado.* [Flex.: *corré, corréus, corrés.*] ❖

corrião [Por *correão*, de *correia.*] *S. m. Bras. MG* Cinto de homem, de couro, com fivela: "No corrião, bem arrochado na barriguinha ...., trazia sempre uma caxerenga de ponta afiada." (Nélson de Faria, *Tiziu e Outras Estórias*, p. 167). [Cf. *correão.*]

corrição [De *correr* + *-i-* + *-ção.*] *S. f.* Levantamento de caça por meio de cães. [Cf. *correção* e *correição.*]

corricar¹ [Do rad. de *corre* + *-icar.*] *V. int.* **1.** Correr a passo miúdo. **2.** Andar ligeiro. **3.** *Bras.* Andar de um lado para outro; perambular, vagabundear. [Conjug.: v. *trancar.*]

corricar² [De *corrico* + *-ar*².] *V. int. Bras.* Pescar de corrico. [Conjug.: v. *trancar.*]

corricas *S. f. pl.* Rugas, gelhas, carquilhas.

corrico [De *correr.*] *S. m. Bras.* Modalidade de pescaria de anzol que consiste em o pescador imprimir à canoa a máxima velocidade, deixando a linha estendida à tona da água para que o peixe (ger. a cavala) seja atraído pelos saltos da isca e venha prender-se ao anzol; pescaria de corrico.

corrida [De *correr* + *-ida*³.] *S. f.* **1.** Ato ou efeito de correr; carreira, corredura. **2.** Correria (2). **3.** Caminho entre dois pontos conhecidos. **4.** V. *tourada* (2). **5.** Nos automóveis de praça, a quantia estipulada, ou indicada por taxímetro, e que corresponde a um certo percurso. **6.** Competição esportiva em que se percorrem distâncias predeterminadas: *corrida automobilística; corrida de obstáculos.* **7.** O ato de verter num molde o metal em fusão: *a corrida do aço.* **8.** Afluência inopinada às casas bancárias para levantamento de depósitos em casos de crise financeira, ou a um local onde há determinada mercadoria rara ou de preço abaixo do normal, ou onde se descobriu jazida de minério, etc. **9.** *Bras. BA* V. *corredeira* (1). ~ V. *corridas.* ◆ **Corrida com obstáculos.** *Atlet.* Aquela em que o atleta, ao correr, deve saltar barreiras com dimensões determinadas colocadas a distâncias preestabelecidas. **Corrida da tainha.** *Bras. RS* A migração das tainhas. **Corrida de cavalos.** Corridas (q. v.). **Corrida de fundo.** *Atlet.* Corrida rasa de longa distância (5.000, 10.000 e 42.195m). **Corrida de meio-fundo.** *Atlet.* Corrida rasa, com percurso de 800 a 1.500m, em que o atleta se apoia em dois fatores: técnica e recuperação, numa dosagem da energia que visa a manter certa média de rendimento durante o percurso. **Corrida de revezamento.** *Atlet.* Corrida em equipe entre atletas que cumprem, cada um, uma parte do percurso, tendo de passar o bastão ao companheiro, que fará a etapa seguinte. **Corrida de velocidade.** *Atlet.* Corrida rasa disputada em percurso curto, numa distância entre 100 e 400m, e que se caracteriza pelo esforço que o atleta desenvolve desde a saída até a chegada. **Corrida rasa.** *Atlet.* A que se realiza em pista lisa, sem obstáculos. **Botar a corrida fora.** *Bras. RS* **1.** Fazer perder-se uma corrida de animais, por imperícia. **2.** *Fig.* Atrapalhar a realização de um negócio ou desejo. **De corrida.** Às pressas, à pressa; sem demora: *Passaram de corrida por aqui;* "voltou logo de corrida a dizer palavras muito cariciáveis às avezinhas que nós ouvíamos gralhear." (Camilo Castelo Branco, *A Mulher Fatal*, p. 107).

corridas [Pl. de *corrida*.] *S. f. pl.* Carreira entre dois ou mais cavaleiros sob certas condições e com apostas e prêmios; corrida de cavalos. ~ V. *corrida*.

corrido [Part. de *correr*.] *Adj.* **1.** Que correu. **2.** Escoado, passado: *Já é longo o tempo corrido após a sua vitória.* **3.** Posto fora; expulso. **4.** Perseguido, caçado. **5.** Vexado, envergonhado: *A humilhação deixou-os corridos.* **6.** Gasto, batido. **7.** *Bras. S.* Diz-se de animal que anda no cio. ~ V. *aba —a, balcão —, brita —a, caibro —, churrasco —, composição —a, convés —, folha —a, fundação —a, massa —a, matéria —a* e *tábua —a.* ● *S. m.* **8.** *Bras.* Espécie de cascalho. **9.** *Bras. BA Mús.* Tipo de samba de roda em que não há refrão coral. [Cf., nesta acepç., *apanha o bago, bate-baú, corta--jaca* (1), *miudinho* (4), *separa o visgo*.] ● *S. m.* **10.** *Bras. Cap. Mús.* Tipo de cantiga de estrofes curtas, com refrão, e que é cantada pelos capoeiristas.

corrigenda [Do lat. *corrigenda*.] *S. f.* **1.** *Tip.* Errata (1). **2.** V. *admoestação* (3).

corrigibilidade [De *corrigível* + *-(i)dade*, seg. o padrão erudito.] *S. f.* Qualidade de corrigível.

corrigir [Do lat. *corrigere*.] *V. t. d.* **1.** Dar forma correta a, emendando; fazer correção a; endireitar; retificar: *Leu a carta corrigindo a ortografia; Corrigiu a pronúncia do aluno.* **2.** Arranjar, arrumar, ordenar, endireitar, compor, concertar: "— Eu acho que você aqui na minha terra, ... vai ser a primeira mulher a andar na rua de chapéu. | E a Vanju, corrigindo os cabelos por cima da orelha: | — Alguém tinha de ser a primeira." (Josué Montelo, *Cais da Sagração*, p. 15). **3.** Eliminar, suprimir (erro, defeito, deficiência, etc.): *O mecânico facilmente corrigiu o defeito do carro; Corrigiu os erros do texto.* **4.** Atenuar os inconvenientes de: *Procuraram corrigir a severidade excessiva do estatuto.* **5.** Reparar (agravo, injustiça, etc.). **6.** Castigar, censurar, repreender: *Corrigiu o aluno perante toda a classe.* ***Int.*** **7.** Aplicar corretivo (3 e 4): "nada de castigos cruéis, corrigisse quando fosse preciso, mas sem exagero." (Coelho Neto, *Treva*, p. 254). ***P.*** **8.** Emendar, retificar, a si mesmo: *Pronunciou mal a palavra, mas corrigiu-se em seguida.* **9.** Mudar de vida; emendar-se. [Part. *corrigido* e *correto* (este, us. quase só como adj.). Conjug.: v. *dirigir*.]

corrigível [De *corrigir* + *-vel*.] *Adj. 2 g.* Que se pode corrigir.

corrilheiro [De *corrilho* + *-eiro*.] *S. m.* Promotor ou frequentador de corrilhos [v. *corrilho* (1)].

corrilho [Do esp. *corrillo*.] *S. m.* **1.** Reunião facciosa; conciliábulo, conventículo. **2.** V. *mexerico* (1). **3.** Ajuntamento, reunião.

corrimaca *S. f. Bras.* V. *quantidade* (3).

corrimaça [De *correr*, poss.] *S. f.* **1.** Perseguição com vaias; assuada. [Sin. ant.: *corrimento*.] **2.** *Pop.* Corrida, tropel.

corrimão [De *correr* + *mão*[1].] *S. m.* Peça ao longo e ao(s) lado(s) de uma escada, apoiada ou não em balaústres, e que serve de resguardo, ou apoio para a mão, de quem sobe ou desce; mainel. [Pl.: *corrimãos*.]

corrimboque *S. m. Bras.* V. *cornimboque*: "Tabaco mais abundante nos corrimboques de chifre bem lavrados" (Mauro Mota, *Votos e Ex-Votos*, p. 41). ◆ **Passado pelo corrimboque do Diabo.** *Bras. N.* V. *passado* (13).

corrimento [De *correr* + *-imento*.] *S. m.* **1.** Ato ou efeito de correr. **2.** Secreção patológica que se escoa de um órgão. **3.** *Ant.* V. *corrimaça* (1).

corrina [Do ingl. *corrin*.] *S. f. Quím.* Substância que contém quatro anéis pirrólicos hidrogenados que fazem parte de um macrociclo [fórm.: $C_{19}H_{22}N_4$].

corrinoide (ói) [De *corrina* + *-oide*; ingl. *corrinoid*.] *Quím. S. m.* **1.** Qualquer substância que se pode considerar derivada da corrina. ● *Adj. 2 g.* **2.** Próprio de, ou relativo a corrina ou a corrinoide (1). ❖

corriola [Por *correola*, dim. de *correa* (f. ant. de *correia*), + *-ola*[1].] *S. f.* **1.** Jogo no qual se enrola uma fita dobrada metendo ponteiros entre as voltas, e ganhando aquele que consegue que algum deles fique preso quando a fita se desenrola. **2.** Motim de rua; arruaça. **3.** *Fam.* Engano, logro, burla. **4.** *Bras. Gír.* Bando, quadrilha, grupo.

corriqueirice [De *corriqueiro* + *-ice*.] *S. f.* **1.** Qualidade de corriqueiro (1); vulgaridade, trivialidade. **2.** *Bras. SP* Corriqueirismo.

corriqueirismo [De *corriqueiro* + *-ismo*.] *S. m. Bras. SP* Qualidade ou caráter de corriqueiro (2); corriqueirice.

corriqueiro [De *corricar*[1] + *-eiro*.] *Adj.* **1.** Corrente, vulgar, habitual. **2.** *Bras. SP* Presumido, afetado. **3.** *Bras. BA* Irrequieto, agitado, buliçoso: "— Isto sucede a meninas corriqueiras. Que faz uma rapariga sozinha por essas locas, em hora de meio-dia?" (Xavier Marques, *Jana e Joel*, p. 75.) **4.** *Lus.* Que leva e traz novidades. ● *S. m.* **5.** *Bras.* V. *periquito*[1] (6). [Cf. *curriqueiro*.]

corriquinho [Dim. de *corrico*.] *S. m. Bras. SP* Na região do Ribeira, certa rede de pesca de malhas estreitas.

corrixo *S. m. Bras. Zool.* V. *chupim* (1).

corro (ô) [De or. controvertida. V. *curral*.] *S. m. Ant.* **1.** Circo, arena. **2.** Ajuntamento de pessoas em forma de círculo; roda. **3.** Assembleia, junta. **4.** Bando, multidão.

corró [T. onom.] *S. m. Bras. N.E. Pop.* **1.** *Zool.* Designação comum a pequenos peixes sem valor, de rios e açudes. **2.** *P. ext.* Indivíduo de baixa estatura.

corroboração [Do lat. tard. *corroboratione*.] *S. f.* Ato ou efeito de corroborar(-se).

corroborante [De *corroborar* + *-nte*.] *Adj. 2 g.* Que corrobora.

corroborar [Do lat. *corroborare*.] *V. t. d.* **1.** Dar força a; fortificar, fortalecer, roborar: *Remédio para corroborar o organismo.* **2.** Confirmar, comprovar, roborar: "A tradução dos poetas latinos é a triaga em que S. Exª encontra mais virtudes medicinais. Esta opinião corrobora-a o crítico com o antegosto da restauração próxima" (Ramalho Ortigão, *Figuras e Questões Literárias*, I, p. 37). ***P.*** **3.** Adquirir forças; fortificar-se, fortalecer-se, roborar-se.

corroborativo [De *corroborar* + *-tivo*.] *Adj.* Próprio para corroborar.

corrodente [Do lat. *corrodente*, part. pres. do lat. *corrodere*, 'roer', 'corroer'; tax. *Corrodentia*.] *Zool. S. m.* **1.** Espécime dos corrodentes, ordem de animais artrópodes, insetos, de corpo de tamanho reduzido; tórax pequeno, incompletamente fundido, sistema bucal mastigador, quatro asas reticuladas, ou ápteros. Vivem no tronco das árvores ou sob o lado inferior das folhas, protegidos por delgado véu de seda, e alimentam-se de matéria orgânica vegetal ou animal, havendo alguns frugívoros. Algumas espécies atacam coleções de insetos e livros. ● *Adj. 2 g.* **2.** Pertencente ou relativo a eles. [Sin. ger.: *copeógnato, psocóptero*.]

corroer [Do lat. *corrodere*.] *V. t. d.* **1.** Roer lentamente; consumir pouco a pouco; gastar, carcomer: *O rato corroeu os livros; Esta enfermidade corrói os órgãos.* **2.** Destruir ou danificar progressivamente: *Os séculos corroeram as inscrições dos túmulos egípcios.* **3.** Depravar, desnaturar: *Há vícios que corroem a alma.* ***P.*** **4.** Atacar ou roer reciprocamente; gastar-se: *São dois metais que, postos lado a lado, se corroem.* **5.** Depravar-se, corromper-se, viciar-se. [Conjug.: v. *moer*.]

corroído [Part. de *corroer*.] *Adj.* **1.** Carcomido, gasto. **2.** Depravado, viciado.

corroló *S. m. Bras. PI Cul.* Doce feito com raspa de requeijão e rapadura.

corrompedor (ô) [De *corromper* + *-dor*.] *Adj. S. m.* V. *corruptor*.

corromper [Do lat. *corrumpere*.] *V. t. d.* **1.** Tornar podre; estragar, decompor: *O calor corrompe certos alimentos.* **2.** Fazer perder as características originais; alterar, adulterar: *Corrompeu o texto, adaptando-o ao que pretendia.* **3.** Perverter, depravar, viciar: *As más influências corromperam-no.* **4.** Subornar, peitar; comprar: *Corrompendo a testemunha, obteve depoimento falso.* ***P.*** **5.** Apodrecer, estragar-se; adulterar-se. **6.** Perverter-se, depravar-se, viciar-se.

corrompido [Part. de *corromper*.] *Adj.* V. *corrupto*.

corrompimento [De *corromper* + *-imento*.] *S. m.* V. *corrupção*.

corrosão [Do fr. *corrosion*.] *S. f.* **1.** Ação ou efeito de corroer(-se). **2.** *Quím.* Desgaste, ou modificação química ou estrutural de um material, provocados pela ação química ou eletroquímica espontânea de agentes do meio ambiente. **3.** *Geol.* Decomposição e destruição de rochas, resultante da ação química dissolvente das águas. ◆ **Corrosão alveolar.** *Quím.* A que é muito localizada e provoca o desenvolvimento de pites na superfície metálica. **Corrosão biológica.** *Quím.* A que ocorre em virtude da atividade metabólica de microrganismos que podem ou produzir agentes corrosivos, ou provocar a formação de pilhas de concentração, ou alterar as películas superficiais dos metais, ou influenciar a velocidade das reações anódicas ou catódicas, ou finalmente alterar a composição do meio. **Corrosão catódica.** *Quím.* Aquela em que o metal atacado funciona como o catodo de uma pilha eletroquímica. **Corrosão eletroquímica.** *Quím.* A que resulta da formação de pilhas eletroquímicas constituídas pelo metal e por uma solução. **Corrosão eólica.** *Geol.* Erosão originada pelo impacto das partículas sólidas transportadas pelos ventos. **Corrosão grafítica.** *Quím.* Corrosão que ataca ferros com alto teor de grafita e que provoca a oxidação dos grãos metálicos, deixando resíduo grafítico. **Corrosão intergranular.** *Quím.* A que ocorre nas fronteiras dos grãos de um metal ou de uma liga, sem afetar os grãos cristalinos. **Corrosão magmática.** *Geol.* Modificação irregular do contorno dos fenocristais, previamente estáveis, devida à ação posterior do magma, que reage dissolvendo parcialmente os fenocristais. **Corrosão por aeração diferencial.** *Quím.* A que ataca uma região metálica que está em contato com um meio onde a concentração de oxigênio é menor que a concentração nas regiões vizinhas. **Corrosão sob tensão.** *Quím.* A que ocorre nas regiões metálicas sujeitas a uma tensão mecânica maior que a das regiões vizinhas.

corrosibilidade [De *corrosível* + *-(i)dade*, seg. o padrão erudito.] *S. f.* Qualidade de corrosível.

corrosível [Do lat. *corrosus*, part. pass. de *corrodere*, 'corroer', + *-ível*.] *Adj. 2 g.* Que pode ser corroído; sujeito a corrosão.

corrosividade [De *corrosivo* + *-(i)dade*.] *S. f.* Qualidade do que é corrosivo (1).

corrosivo [Do lat. med. *corrosivu*, fr. *corrosif*.] *Adj.* **1.** Que corrói: "Um penetrante e corrosivo frio / Anestesiou-me a sensibilidade" (Augusto dos Anjos, *Eu*, p. 105); "O dia é pardo, nuvens no alto, o vento a erguer da rua redemoinhos dum pó corrosivo à pele" (Fialho d'Almeida, *Pasquinadas*, p. 5). ~ V. *sublimado —*. ● *S. m.* **2.** Aquilo que corrói.

corrubiana [Var. de *corrupiana*.] *S. f. Bras. Met.* Fenômeno observado em certas regiões montanhosas de MG, e que consiste na queda de neblina frígida, no inverno ou no verão, acompanhada de vento sueste: "Tivemos um domingo de sol pleno, o que não é comum na Serra, ainda sujeita às visitas da 'corrubiana', nesta época do ano. É um nevoeiro denso que baixa até ao solo, como o *fog* londrino." (Ciro dos Anjos, *Abdias*, p. 49.) [Cf. *cruviana*.]

corrução [Var. de *corrupção*.] *S. f.* **1.** V. *corrupção*. **2.** *Bras.* Maculo.

corruchiar [Voc. onom.] *V. int. Bras.* Emitir (o canário--da-terra e outras aves canoras) certo canto baixo e seguido: "Um dia o canarinho amanhecera corruchiando, cantando de estalo." (Gilvã Lemos, *Jutaí Menino*, p. 96.)

corrugação [De *corrugar* + *-ção*.] *S. f.* Ato ou efeito de corrugar; enrugamento.

corrugadeira [De *corrugar* + *-deira*.] *S. f. Ind. Pap.* Onduladeira (q. v.).

corrugado [Part. de *corrugar*.] *Adj.* Que se corrugou ou enrugou. ~ V. *chapa —a* e *vidro —*.

corrugar [Do lat. *corrugare*, 'franzir, enrugar'.] *V. t. d.* **1.** V. *enrugar* (1 a 3). **2.** Prensar (chapa) de modo a torná-la ondulada. ***P.*** **3.** Enrugar (4). [Conjug.: v. *largar*.]

corruíra [Do tupi.] *S. f. Bras. Zool.* V. *garriça*.

corruiraçu (u-i) [De *corruíra* + *-açu*.] *S. f. Bras. Zool.* V. *corruiruçu*.

corruíra-do-brejo *S. f. Bras. Zool.* V. *curutié*. [Pl.: *corruíras-do-brejo*.]

corruiruçu (u-i) [De *corruíra* + *-uçu*.] *S. f. Bras. Zool.* Ave passeriforme, troglodítidea (*Thryothorus longirostris*), da faixa litorânea meridional e região este-setentrional do Brasil. Coloração pardo-acinzentada, garganta branca, e uma estria da mesma cor sobre os olhos, característica da espécie, e asas e cauda riscadas de negro. [Sin.: *cambaxirra-grande, corruiraçu*.]

corrume [De *correr* + *-ume*, poss.] *S. m.* Entalhe que se faz em uma peça para que nela corra outra embebida, encaixada.

corrupção [Do lat. *corruptione*.] *S. f.* **1.** Ato ou efeito de corromper; decomposição, putrefação. **2.** *Fig.* Devassidão, depravação, perversão. **3.** *Fig.* Suborno, peita. [Var.: *corrução*; sin. ger.: *corrompimento*.]

corrupiana [De *corrupio* + *-ana*[1].] *S. f. Bras.* Corrubiana (q. v.).

corrupião [T. onom., poss.] *S. m. Bras. Zool.* Ave passeriforme, icterídea (*Icterus jamacaii*), do Brasil este-setentrional, de coloração geral preta, dorso e barriga vermelhos com tons alaranjados, e asa com espelhos brancos. [Sin.: *concliz, concriz, sofrê*.]

corrupiar [De *corrupio* + *-ar*[2].] *V. int.* **1.** *Bras.* Rodopiar (1): "Flor voltara a embalar-se na rede, e Justa fazia outra vez corrupiar o fuso às castanholas de seus dedos ágeis." (José de Alencar, *O Sertanejo*, p. 104.) ***T. d.*** **2.** Fazer andar às voltas.

corrupiê *S. m. Bras. SP* V. *crupiê*.

corrupiê *S. m. Bras. SP* V. *crupiê*.

corrupio [De *correr*, poss.] *S. m.* **1.** *Jog. Inf.* Designação comum a diversas brincadeiras infantis e, em particular, aquela em que a pessoa, segurando a criança pelas duas mãos, rodopia juntamente com ela, rapidamente em círculos diminutos, ou daquela em que duas crianças de mãos dadas, braços esticados e os pés de cada uma em frente dos da outra, rodopiam velozmente. **2.** *Fam.* V. *roda-viva* (1). **3.** Espécie de cata-vento de penas ou de papel, para crianças. **4.** *Bras. Zool.* Designação comum aos ouriços-do-mar irregulares, disciformes ou cordiformes, com ânus marginal e simetria radial quase transformada em bilateral; bolacha. [Cf., nesta acepç., *ouriço-do-mar*.]

corrupixel *S. m. Bras. BA* Vara com uma sacola na ponta, para colher frutas sem as estragar. [Sin., bras., AL: *teteia*. Pl.: *corrupixéis*.]

corruptela [Do lat. *corruptela*.] *S. f.* **1.** Ato ou efeito de corromper; corrupção. **2.** Aquilo que é capaz de corromper. **3.** Modo errado de escrever ou pronunciar uma palavra ou locução. **4.** Alteração, modificação; abuso. **5.** *E. Ling.* Trecho de cópia que adultera a vontade do autor do texto, em virtude de erro na cópia, ou de lacuna criada por algum dano material. [Var.: *corrutela*.]

corruptibilidade [Do lat. tard. *corruptibilitate*.] *S. f.* Qualidade ou caráter de corruptível. [Var.: *corrutibilidade*.]

corruptível [Do lat. tard. *corruptibile*.] *Adj. 2 g.* **1.** Suscetível de se corromper: *alimento corruptível*. **2.** Capaz de se deixar subornar; venal, corrupto: *funcionário corruptível*. [Var.: *corrutível*; sin. ger.: *corruptivo*.]

corruptivo [Do lat. tard. *corruptivu*.] *Adj.* V. *corruptível*. [Var.: *corrutivo*.]

corrupto [Do lat. *corruptu*.] *Adj.* **1.** Que sofreu corrupção; podre, estragado, infectado. **2.** Devasso, depravado. **3.** V. *corruptível* (2): *governo corrupto*. **4.** Errado, viciado (tratando-se de linguagem). [Var.: *corruto*; sin. ger.: *corrompido*.]

corruptor (ô) [Do lat. *corruptore*.] *Adj.* **1.** Que corrompe: *políticos corruptores*. ● *S. m.* **2.** Aquele que corrompe. **3.** Alterador de textos [v. *texto* (1)]. **4.** Aquele que suborna, que peita; subornador. [Var.: *corrutor*; sin. ger.: *corrompedor*.]

corrutela *S. f.* **1.** V. *corruptela*. **2.** *Bras. GO* Pequeno arraial formado por garimpeiros na entrada das terras virgens aonde vão à procura de diamante: "Na torre ficava um relógio, luxo exagerado para uma corrutela." (Bariani Ortêncio, *Vão dos Angicos*, p. 14.) **3.** *Bras. MT* Cidadezinha; vila.

corrutibilidade *S. f.* V. *corruptibilidade*.

corrutível *Adj. 2 g.* V. *corruptível*.

corrutivo *Adj.* V. *corruptivo*.

corruto *Adj.* V. *corrupto*.

corrutor (ô) *Adj. S. m.* V. *corruptor*.

corsário [Do it. *corsaro*.] *S. m.* **1.** *Mar. G.* Navio que faz o corso[1] (1). **2.** *Mar. G.* Homem que faz o corso[1] (1). [Cf. *pirata* (1).] **3.** *P. ext.* Pirata (1). ● *Adj.* **4.** Relativo a corso[1].

corsear [De *corso*[1] + *-ear*[2].] *V. int.* Andar a corso[1]. [Conjug.: v. *frear*.]

corselete (ê) [Do fr. *corselet*.] *S. m.* **1.** Antiga armadura, leve, para o peito. **2.** V. *corpete* (1). [Var. das acepç. 1 e 2: *cossolete* e *cossoleto*.] **3.** *Zool.* Couraça peitoral protetora encontrada em alguns peixes; corsolete.

córsico [Do lat. *corsicu*.] *Adj.* **1.** Da, ou pertencente ou relativo à Córsega, ilha francesa do Mediterrâneo. ● *S. m.* **2.** O natural ou habitante dessa ilha. [Sin. ger.: *corso* (ô).]

corso[1] (ô) [Do it. *corso* < lat. *cursu*, 'ação de correr'.] *S. m.* **1.** *Ant. Mar. G.* Caça a navios mercantes do inimigo, efetuada por navio armado por particular, com a devida autorização de um governo beligerante. **2.** *Mar. G.* Ataque esporádico contra o tráfego comercial do inimigo, realizado por navio de guerra ou por navio mercante armado, e em que se tira partido, em alto grau, da surpresa. [É forma de ação utilizada pelo beligerante mais fraco no mar. Cf. *pirataria* (1).] **3.** Vida errante e vagabunda de povos bárbaros que se mantêm com o fruto dos roubos praticados nos lugares por onde passam. **4.** Desfile de carros, de carruagens. [Cf. *corço*.]

corso[2] (ô) [De *corcho*.] *S. m.* **1.** Cardume, esp. de sardinhas. **2.** Enfiada de peças de cortiça atada a aparelhos de pesca, para que flutuem. ● *Adj.* **3.** *Bras. BA* Diz-se de cardume que fica a pouca profundidade. [Cf. *corço*.]

corso[3] (ô) [Do lat. *corsu*.] *Adj. S. m.* Córsico. [Fem.: *corsa*. Cf. *corço* e *corça*.]

corsolete (ê) *S. m. Zool.* Corselete (3).

corta [Dev. de *cortar*[1].] *S. f.* **1.** Poda, desbaste. **2.** Grande corte aberto nas minas para a extração de minério.

corta-água [De *cortar*[1] + *água*[1].] *S. f. Bras.* V. *talha-mar* (4). [Pl.: *corta-águas*.]

corta-bainha [De *cortar*[1] + *bainha*.] *S. f. Bras. CE* V. *cachaça* (1). [Pl.: *corta-bainhas*.]

corta-brocha [De *cortar*[1] + *brocha*.] *S. m. Bras. CE* Chulo Discussão acalorada; altercação. [Pl.: *corta-brochas*.]

corta-capim [De *cortar*[1] + *capim*.] *S. m. Bras. Cap.* Golpe que consiste numa série ininterrupta de rasteiras [v. *rasteira* (4)], e em que o capoeirista, apoiado nas mãos e agachado numa perna, roda a outra em torno do corpo em um mesmo sentido. [Este golpe é mais utilizado em exibições e exercícios. Pl.: *corta-capins*.]

cortada [De *cortar*[1] + *-ada*[1].] *S. f. Esport.* **1.** No voleibol, ataque caracterizado pela impulsão do jogador que bate, fortemente, com a mão espalmada na bola. **2.** Golpe de raquete, rasante e muito forte.

cortadeira [De *cortar*[1] + *-deira*.] *S. f.* **1.** V. *carretilha* (2). **2.** *Bras.* Instrumento agrário de virar terra. **3.** *Bras. Zool.* Formiga-cortadeira. **4.** *Bras. PE* Peça de metal, curva e dentada, que se aplica acima das ventas das cavalgaduras, e de cujas extremidades parte uma das rédeas que firmam o governo; picadeira.

cortadela [De *cortar*[1] + *-dela*.] *S. f.* Corte[1] (2) pequeno e/ou pouco profundo; cortadura.

cortado[1] [Var. de *quartado* (q. v.).] *S. m. Bras. S.* A quarta parte da moeda boliviana, que se dividia em quatro partes para facilitar o troco.

cortado[2] [Part. de *cortar*[1].] *Adj.* **1.** Que se cortou ou separou dum todo: *O dedo cortado continua sangrando; Havia na mesa muito pão cortado.* **2.** Talhado segundo certas regras: *roupa bem cortada.* **3.** Interrompido, interceptado, impedido: *Não recebeu o telegrama em consequência das comunicações cortadas.* **4.** Atormentado, magoado: *A morte do pai deixou-o de coração cortado.* **5.** *Bras.* Diz-se do curso de água que se interrompe durante as estações secas. ● *S. m.* **6.** *Bras.* V. *roda-vida* (1): *Para sustentar a família leva a vida num cortado.* **7.** Situação difícil ou angustiosa; apuro, aperto: *Vi-me num cortado para explicar minha ausência.* **8.** Perseguição (especialmente doméstica) miúda e iterativa: *A sogra traz o genro num cortado.*

cortador (ô) [De *cortar*[1] + *-dor*.] *Adj.* **1.** Que corta; cortante. **2.** *Fig.* Que abre caminho; que fende. **3.** *Bras. BA* V. *namorador* (1). ● *S. m.* **4.** Aquele que corta a carne nos açougues. **5.** Designação comum a vários utensílios que cortam. **6.** *Bras.* Pescador que verifica se há peixe nas redes. **7.** *Bras. Esport.* Jogador de voleibol cuja função principal é a de cortar[1]. **8.** *Bras. BA* V. *namorador* (2). ◆ **Cortador de ovos.** Aparelho de cozinha para cortar ovos cozidos, constituído de uma base escavada em formato de ovo e de uma parte superior provida de fios metálicos presos numa armação.

cortador-chanfrador (ô) *S. m. Tip.* Aparelho para cortar e chanfrar entrelinhas e fios; chanfrador-cortador. [Pl.: *cortadores-chanfradores*.]

cortadura [De *cortar*[1] + *-dura*.] *S. f.* **1.** Corte[1] (2). **2.** Cortadela. **3.** Pego para escoamento de água. **4.** Abertura entre montes.

corta-fios [De *cortar*[1] + o pl. de *fio*.] *S. m. 2 n.* Espécie de alicate próprio para cortar fios.

corta-garoupa [De *cortar*[1] + *garoupa*.] *S. m. Bras. Zool.* V. *cação-garoupa*. [Pl.: *corta-garoupas*.]

cortagem [De *cortar* + *-agem*[2].] *S. f.* Corte[1] (1) de carne, em açougue.

corta-jaca [De *cortar*[1] + *jaca*.] *S. f. e m.* **1.** *Bras. BA Etnogr.* Um dos passos tradicionais do samba de roda, em que o dançarino torce e movimenta o pé como se estivesse cortando a jaca: "— Isto é o tatu, isto é a samba, isto é o quimbete, isto é a tirana, ... isto é... o corta-jaca, o fandango, o sarrabalho?" (Martins Fontes, *A Dança*, p. 90). [Cf. *corrido* (9).] ● *S. 2 g.* **2.** *Bras. PE AL Gír.* V. *bajulador* (2). [Pl.: *corta-jacas*.]

corta-luz [De *cortar*[1] + *luz*.] *S. m. Bras. Esport.* O ato de interpor-se entre o adversário e o companheiro que chutar. [Pl.: *corta-luzes*.] ◆ **Fazer o corta-luz.** *Bras. Esport.* Executar o corta-luz. [Pl.: *corta-luzes*.]

corta-mão [Do provenç. ant. *escartabont* (atual *cartabon*), poss.] *S. m.* V. *esquadro* (1). [Pl.: *corta-mãos*. Cf. *curtamão*.]

corta-mar [De *cortar*[1] + *mar*.] *S. m.* **1.** V. *quebra-mar*. **2.** Prolongamento angular dos pegões das pontes, que serve para reforçar a construção. **3.** *Bras.* V. *talha-mar* (4). [Pl.: *corta-mares*.]

cortamento [De *cortar*[1] + *-mento*.] *S. m. P. us.* Corte[1] (1).

cortante [De *cortar*[1] + *-nte*.] *Adj. 2 g.* **1.** Cortador (1). **2.** Agudo, estridente: *som cortante.* **3.** Muito frio; gelado: *vento cortante.* ~ V. *força —*. ● *S. m.* **4.** *Bras. RJ* V. *cerol* (2).

corta-palha [De *cortar*[1] + *palha*.] *S. m.* Serrote fixo para cortar a palha que se dá ao gado. [Pl.: *corta-palhas*.]

corta-papel [De *cortar*[1] + *papel*.] *S. m.* Utensílio em forma de faca, com que se corta papel dobrado ou se separam as folhas de uma publicação, cortando-lhes a ligação das margens; espátula. [Pl.: *corta-papéis*.]

cortar[1] [Do lat. *curtare*.] *V. t. d.* **1.** Dividir com instrumento de gume: *Cortou a folha de papel ao meio.* **2.** Separar (uma parte) de um todo, com instrumento cortante: *Cortou uma fatia do bolo.* **3.** Fazer incisão em; dar um talho em: *A gilete cortou-lhe o dedo.* **4.** Derrubar pelo corte: *cortar um pinheiro.* **5.** Aparar (3): *cortar a grama; cortar o cabelo.* **6.** Talhar, segundo certas regras: *cortar um vestido.* **7.** Suprimir, eliminar: *Cortou um trecho do longo romance.* **8.** Encurtar, diminuir: *Cortou caminho passando pelo atalho.* **9.** Impedir, obstar, interceptar: *Cortaram a comunicação telefônica entre Rio e São Paulo.* **10.** Fazer parar; interromper: *Cortou a palavra do orador.* **11.** Eliminar da alimentação, do uso: "Cortei o açúcar, Eduardo. / — Mas saia um pouco do regime, você emagreceu, não emagreceu?" (Lígia Fagundes Teles, *Antes do Baile Verde*, p. 10); "Cortei o jantar, tem um mês que não sei o gosto de feijão..." (Jorge Amado, *Dona Flor e Seus Dois Maridos*, p. 63). **12.** Impedir que aumente ou se agrave; atalhar, abortar: *O medicamento cortou o resfriado.* **13.** Desfazer, anular, invalidar: *A bebida cortou o efeito da medicação.* **14.** Cruzar-se com; atravessar: *Este caminho corta a rodovia.* **15.** Caminhar, passar, seguir por; atravessar, cruzar: "O Cavaleiro, tristonho agora, / Cortava a estrada deserta e nua..." (Artur de Sales, *Poesias*, p. 70); "Asas, tontas de luz, cortando o firmamento!" (Olavo Bilac, *Poesias*, p. 170). **16.** Ultrapassar (um carro, ou quem o dirige) passando de inesperada e perigosamente à sua frente, para a mesma faixa de rodagem; fechar: *O ônibus cortou o carro, que por um triz não capotou; Aquele automóvel cortou-o perto do túnel.* **17.** Sulcar, cruzar; singrar: *cortar os mares.* **18.** Cavar, sulcar: "Rugas profundas cortavam-lhe o rosto em todos os sentidos." (Inglês de Sousa, *Contos Amazônicos*, p. 262.) **19.** Provocar sensação semelhante à do corte: "Lá fora faz frio, e esse frio corta / a carne espectral dos velhos mendigos." (Francisco Carvalho, *Rosa dos Eventos*, p. 49.) **20.** Dividir (o baralho) antes de cada carteamento. **21.** *Inform.* Remover (dado ou objeto selecionado), deslocando-o para a área de transferência (q. v.), possibilitando, assim, sua posterior inserção em outro local através do procedimento de colar[3] (7). **22.** *Mat.* Cancelar (6). **23.** *Bras. RS* Separar, apartar (reses de um rebanho). **24.** *Bras. Fam.* Pôr fim a; acabar com; liquidar. *Int.* **25.** Ter bom gume: *Esta tesoura não corta.* **26.** Cortar fazenda para feitio de roupas: *Meu alfaiate corta bem; Pedro corta e Joana cose.* **27.** *Esport.* Em voleibol, tênis, tênis de mesa, etc., interceptar a trajetória da bola, batendo nela com força em direção ao campo adversário. **28.** *Bras. N.E.* Secar, no verão (um curso de água): *Com o rigor do verão, o riacho cortou.* *T. c.* **29.** Cortar (2): *Cortou dois metros de fazenda.* **30.** Encurtar caminho: *Chegaram antes porque cortaram pelo atalho do bosque.* *P.* **31.** Ferir-se com instrumento cortante: "nunca consideramos a morte como uma possibilidade cotidiana feito .... cortar-se fazendo a barba" (Caio Fernando Abreu, *Pequenas Epifanias*, p. 16). **32.** *Bras.* Interromper-se (um curso de água). **33.** *Bras. RS* Separar-se, afastar-se. [Pres. ind.: *corto*, *cortas*, *corta*, etc.; pres. subj.: *corte*, *cortes*, etc. Cf. *corto* (ô), adj., e as flex. *corta* (ô), *cortas* (ô); *corte* (ô), s. f., pl. *cortes* (ô); e *Cortes* (ô), antr. e top.] ◆ **Cortar direito.** Defender princípio justo, ou proceder com retidão, com justiça. [Sin. (bras., N.E.): *cortar pelo direito*.] **Cortar em claro.** Cortar rente.

cortar[2] *V. t. d. Bras. BA* Cortejar, requestar; namorar. [Pres. ind.: *corto*, *cortas*, *corta*, etc.; pres. subj.: *corte*, *cortes*, etc. Cf. *corto* (ô), adj., e as flex. *corta* (ô) e *cortas* (ô); *corte* (ô), s. f., pl. *cortes* (ô); e *Cortes* (ô), antr. e top.]

corta-rio [De *cortar*[1] + *rio*.] *S. m.* Canal que se constrói para modificar o trajeto de um curso de água, encaminhando-o para local mais conveniente. [Pl.: *corta-rios*.]

corta-trapo [De *cortar*[1] + *trapo*.] *S. m. Ind. Pap.* Aparelho provido de facas circulares que fragmentam os trapos destinados ao fabrico de papel. [Pl.: *corta-trapos*.]

corta-vento [De *cortar*[1] + *vento*.] *S. m. Bras.* **1.** V. *cata-vento* (3). **2.** V. *narceja*. [Pl.: *corta-ventos*.]

corte[1] *S. m.* **1.** Ato ou efeito de cortar(-se). **2.** Talho ou golpe com instrumento cortante; cortadura: *A faca, ao cair, deu-lhe um corte no pé que foi até o osso.* **3.** O gume de instrumento cortante: *A tesoura está sem corte.* **4.** V. *açougue* (1). **5.** V. *matadouro* (1). **6.** Talho feito na carne de gado, esp. para consumo. **7.** Cada uma das faces da aduela de um arco de edifício. **8.** Porção de fazenda suficiente para uma roupa ou uma peça de vestuário: *Meu corte de linho dá para uma saia.* **9.** Maneira de talhar as roupas: *As calças que ele faz têm um corte muito elegante.* **10.** Operação periódica de desbastar uma floresta, árvores, arbustos, etc. **11.** Diminuição, redução: *A perda do emprego obrigou-me a um corte nos gastos.* **12.** Interrupção, suspensão: *Houve corte de luz em todo o bairro.* **13.** Apresentação real ou representação gráfica do perfil de um objeto em três dimensões. **14.** Trecho de uma obra de criação (filme, livro, peça teatral, etc.) censurado e dela retirado: *O filme sofreu três cortes em suas cenas eróticas.* **15.** V. *atalho* (2). **16.** *Álg.* Corte de Dedekind. **17.** *Tip.* Talude (4). **18.** *Encad.* Cada uma das três faces do livro que são aparadas no processo de encadernação ou em certo gênero de brochura. **19.** *Caligr.* Linha que atravessa a haste do *t* e do *f* minúsculos. **20.** *Bras. Constr.* Escavação a céu aberto feita em uma faixa do terreno para rebaixá-lo e dar passagem a uma via de comunicação. **21.** *Arquit.* Representação gráfica de seção vertical de uma edificação, mostrando as alturas e outros detalhes construtivos de interesse. **22.** *Cin.* Ponto específico de passagem entre dois planos ou tomadas de um filme. [Pl.: *cortes*. Cf. *corte* (ô), pl. *cortes* (ô), e o antr. e top. *Cortes* (ô).] ◆ **Corte da abertura.** *Encad.* O que é paralelo à lombada; corte lateral, corte da frente, frente, dianteira. **Corte da cabeça.** *Encad.* O correspondente à cabeça do livro; corte superior. **Corte da frente.** *Encad.* V. *corte da abertura.* **Corte de Dedekind.** *Álg.* Num campo ordenado, par de subconjuntos não vazios em que o primeiro não tem mínimo e é classe majorante do segundo, e o segundo não tem máximo e é classe minorante do primeiro. [Tb. se diz apenas *corte*.] **Corte de ponte.** *Tip.* Entalhe maior que a fenda de seleção, praticado nas matrizes das linotipos misturadoras para determinar a separação automática das matrizes de magazines diferentes. **Corte do pé.** *Encad.* O que corresponde ao pé do livro; corte inferior. **Corte geológico.** Corte longitudinal ou transversal de um terreno, mediante o qual se examina a sua constituição geológica. **Corte inferior.** *Encad.* Corte do pé. **Corte lateral.** *Encad.* V. *corte da abertura.* **Corte seco.** *Cin.* Ponto de passagem entre dois planos ou tomadas de um filme em que não existe nenhum efeito de transição. **Corte superior.** *Encad.* Corte da cabeça. **Ruim de corte.** *Bras. N.E. Pop.* **1.** Em má situação financeira: *estar, andar, viver ruim de corte.* **2.** Em mau estado de saúde. [Dev. de *cortar*¹.]

corte² [De *corte* (ô), com mudança de timbre da vogal tônica.] *S. f.* V. *curral* (1): "Havia movimento de gado que saía das cortes para o pasto." (Camilo Castelo Branco, *Vulcões de Lama*, p. 224); "Em todas as cortes grunhiam porcos." (Eça de Queirós, *Últimas Páginas*, p. 4). [Pl.: *cortes*. Cf. *corte* (ô) e pl. *cortes* (ô).]

corte (ô) [Do lat. vulg. *corte* (lat. cláss. *cohorte*, 'recinto', 'estábulo', 'séquito').] *S. f.* **1.** A residência de um monarca; paço. **2.** As pessoas que habitualmente cercam um soberano. **3.** Cidade onde este reside. **4.** O governo de um país monárquico, em relação ao de outro país. **5.** *Fig.* O conjunto de pessoas que cercam outra(s), procurando agradar-lhe(s): *Aonde ela vai leva sua corte; Tem uma corte de aduladores.* **6.** V. *galanteio* (1): "às mulheres agrada sempre a corte amorosa" (Melo Nóbrega, *O Soneto de Arvers*, p. 47). **7.** *Bras.* V. *mutirão* (1). **8.** *Bras.* Denominação dada aos tribunais. ~ V. *cortes* (ô). [Pl.: *cortes* (ô). Cf. *corte* e *cortes*, do v. *cortar*; *corte*, s. m., pl. *cortes*; e *Corte*, top.] ◆ **Corte celeste.** Os anjos e os santos. **Corte marcial.** Conselho de guerra. **Fazer a corte a.** Procurar agradar a (alguém), ou conquistar-lhe o amor, as boas graças.

corteiro [De *corte*¹ + *-eiro*.] *S. m. Bras. PE* Empreiteiro de *corte*¹ (19), nas construções de estradas de ferro.

cortejador (ô) [De *cortejar* + *-dor*.] *Adj. S. m.* **1.** Que, ou aquele que corteja demasiadamente. **2.** Galanteador.

cortejar [Do it. *corteggiare*.] *V. t. d.* **1.** Fazer ou dirigir cortesia (3) a; cumprimentar: *Cortejou a vizinha, tirando o chapéu.* **2.** Fazer a corte (ô) (6) a; requestar, galantear: *Era bela e inteligente, e os rapazes cortejavam-na.* **3.** Lisonjear ou obsequiar com o intento de obter algo. *Int.* **4.** Fazer a corte (ô) (6): "Mesurado, donairosíssimo, diserto, dameja, corteja, galanteia, idiliza" (Martins Fontes, *A Dança*, p. 53). *P.* **5.** Cumprimentar-se mutuamente fazendo a corte (ô) (6), flertando: "Cortejamo-nos; ela seguiu; entrou com o marido na carruagem, que os esperava um pouco acima; fiquei atônito." (Machado de Assis, *Memórias Póstumas de Brás Cubas*, p. 144.) [Conjug.: v. *pelejar*.]

cortejo (ê) [Do it. *corteggio*.] *S. m.* **1.** Ato ou efeito de cortejar. **2.** Cumprimentos solenes. **3.** Comitiva pomposa; séquito. **4.** Procissão, acompanhamento.

corteleiro [De *corte*² + *-l-* + *-eiro*.] *S. m. Bras.* Boi manso, que volta sempre à corte² (q. v.), ao curral.

cortelha (ê) [De *corte*² + *-elha*.] *S. f.* Cortelho (q. v.).

cortelho (ê) [De *corte*² + *-elho*.] *S. m.* **1.** V. *pocilga* (2). **2.** Cortil. [F. paral.: *cortelha*.]

cortes (ô) [Pl. de *corte* (ô).] *S. m. pl. Lus.* **1.** Parlamento (1). **2.** Edifício onde ele funciona. ~ V. *corte* (ô).

cortês [De *corte* (ô) + *-ês*.] *Adj. 2 g.* Que tem cortesia; delicado. [Pl.: *corteses* (ê).]

cortesã [Do it. *cortigiana*.] *S. f.* **1.** *Ant.* Favorita do rei. **2.** Mulher dissoluta, que vive luxuosamente. **3.** Prostituta elegante: "O magras cortesãs d'olhar felino, impuro, / Ó gaviões febris de bocas esfaimadas" (Guerra Junqueiro, *A Morte de D. João*, p. 187). ● *Adj.* **4.** ~ V. *letra —.*

cortesania [De *cortesão* + *-ia*¹, seg. o padrão erudito.] *S. f.* Modos de cortesão.

cortesanice [De *cortesão* + *-ice*, seg. o padrão erudito.] *S. f.* **1.** Simulação de cortesia; urbanidade fingida. **2.** Intriga ou astúcia de cortesão.

cortesão [Do it. *cortigiano*, pelo provenç. *cortesan*.] *Adj.* **1.** Relativo ou pertencente à corte (ô) (1 a 4); áulico. **2.** Palaciano (2). ● *S. m.* **3.** Homem da corte; áulico. **4.** Adulador, bajulador. **5.** *P. us.* Indivíduo afável, cortês. [Flex.: *cortesã*; *cortesãos* (preferível), *cortesões*, *cortesãs*.]

cortesense *Adj. 2 g.* **1.** De, ou pertencente ou relativo a Cortês (PE). ● *S. 2 g.* **2.** O natural ou habitante de Cortês.

cortesia [De *cortês* + *-ia*¹.] *S. f.* **1.** Maneiras de homem da corte (ô). **2.** *P. ext.* Delicadeza, amabilidade, urbanidade. **3.** Cumprimento, mesura, reverência. **4.** Oferta ou presente feito por qualquer organização comercial ou industrial a clientes seus, como prova de cortesia, de amabilidade. ◆ **Fazer cortesia com o chapéu alheio.** Mostrar-se generoso ou pródigo à custa de outrem.

córtex (cs) [Do lat. *cortex* (nom.).] *S. m. Biol.* Camada externa de todos os órgãos animais ou vegetais, de estrutura mais ou menos concêntrica; cortiça: *córtex cerebral.* [F. paral.: *córtice*. Pl.: *córtices*.] ◆ **Córtex celular.** *Citol.* Camada do citoplasma localizada abaixo da membrana plasmática, rica em filamentos de actina.

cortiça [Do lat. *corticea*.] *S. f.* **1.** *Bot.* Casca de sobreiro e doutras árvores; corcha. [V. *súber*.] **2.** Boia, em geral de cortiça (1), com que se aprende a nadar. **3.** Cada um dos discos de cortiça (1) que, flutuando, sustentam as bordas da rede de pescar. **4.** *Biol.* Córtex.

cortiçada¹ [De *cortiça* + *-ada*¹.] *S. f.* Grande porção de cortiça (1).

cortiçada² [De *cortiço* (1) + *-ada*¹.] *S. f.* Série de cortiços.

corticado [De *córtice* + *-ado*¹.] *Adj.* Provido de córtex ou córtice.

cortical [Do lat. cient. *corticalis*.] *Adj. 2 g.* Pertencente ou relativo ao córtice ou córtex.

córtice [Do lat. *cortice*.] *S. m. Biol.* V. *córtex*.

corticeira [De *cortiça* + *-eira*.] *S. f.* **1.** Lugar onde se junta cortiça (1). **2.** *Bras. Bot.* Árvore fabácea (*Erythrina crista-galli*) regular, ornamental, de pedúnculos florais vermelhos e fruto que é vagem pedunculada, com sementes oblongas e pequenas. Fornece madeira branco-amarelada, muito leve e porosa. [Sin.: *coraleira*, *flor-de-coral*, *mulungu*, *sananduva*.] **3.** *Bot.* V. *flor-de-coral* (2).

corticeiro [De *cortiça* + *-eiro*.] *Adj.* **1.** Relativo à cortiça (1) ou à sua indústria. ● *S. m.* **2.** Indivíduo que trabalha na extração da cortiça nos sobreirais.

corticento [De *cortiça* + *-ento*.] *Adj.* **1.** Corticiforme. **2.** Que tem a natureza da cortiça.

cortíceo [Do lat. *corticeu*.] *Adj.* Feito de cortiça.

▲**cortic(i)-** [Do lat. *cortex*, *icis*.] *El. comp.* = 'cortiça', 'casca'; 'córtex'; 'glândula (suprarrenal)': *corticícola*, *corticoide*. [Equiv.: *-cortic(i)-*, *cortico-*: *hiperadrenocorticismo*; *corticosteroide*.]

▲**-cortic(i)-** V. *cortic(i)-*.

corticícola [De *cortic(i)-* + *-cola*¹.] *Adj. 2 g. Bot.* Que vive sobre a casca das árvores, como liquens, muitas algas, samambaias, musgos, e assim por diante. [Var.: *cortícola*.]

corticífero [De *cortic(i)-* + *-fero*.] *Adj. Bot.* Que produz cortiça.

corticiforme [De *cortic(i)-* + *-forme*.] *Adj. 2 g.* Que tem aparência de cortiça; corticento.

corticina [De *cortic(i)-* + *-ina*¹, poss.] *S. f. Bras. Constr. Nav.* Espécie de linóleo encorpado com que se reveste o piso nos compartimentos habitáveis das cobertas.

corticite [De *córtice*.] *S. f.* Substância com que se revestem pavimentos, composta de aparas, serradura e outros resíduos de cortiça, aglomerados por meio de um cimento.

▲**cortico-** [De *cortic(i)-* + *-o-*.] V. *cortic(i)-*.

cortiço [De *cortiça*.] *S. m.* **1.** *Apic.* Caixa na qual as abelhas se criam e fabricam o mel, a cera, etc. **2.** *Bras.* Habitação coletiva das classes pobres; caloji, cabeça-de-porco, casa de cômodos, estância, quadro, zungu.

corticoide (ói) [De *cortic(i)-* + *-oide*.] *Med. S. m.* **1.** Cada um dos hormônios produzidos pela camada cortical das glândulas suprarrenais. **2.** Cada um dos compostos naturais ou sintéticos com atividade semelhante à daqueles hormônios. ● *Adj. 2 g.* **3.** Relativo aos corticoides, ou próprio deles. [Sin. ger.: *corticosteroide*.] ❖

cortícola [De *cortic(i)-* + *-cola*¹.] *Adj. 2 g. Bot.* V. *corticícola*.

corticoso (ô) [Do lat. *corticosu*.] *Adj.* Que tem a casca muito grossa.

corticossuprarrenal (còr) [De *cortico-* + *suprarrenal*.] *Adj. 2 g. Med.* Relativo a uma ou a ambas as glândulas suprarrenais. ❖

corticosteroide (ói) [De *cortico-* + *esteroide*.] *Adj. 2 g. S. m. Med.* V. *corticoide*. ❖

corticosterona [De *cortico-* + *-ster(o)(l)-* + *-ona*².] *S. f. Quím.* Hormônio corticoide que tb. pode ser preparado sinteticamente [fórm.: $C_{21}H_{30}O_4$].

cortil [Do esp. *cortil*, poss.] *S. m.* Corte² pequena; cortelho.

cortilha [Dev. de *cortilhar*.] *S. f.* V. *carretilha* (2).

cortilhar [Do rad. de *cortar*¹ + *-ilhar*.] *V. t. d.* Cortar em pedacinhos.

cortina¹ [Do lat. tard. *cortina*.] *S. f.* **1.** Peça, ger. de pano, que, suspensa, resguarda, enfeita ou envolve algo; cortinado. **2.** Muro que liga dois baluartes. **3.** Pequeno muro que resguarda um caminho, à beira dum precipício. **4.** *P. ext.* Fileira, alinhamento, renque: *A casa se escondia atrás de uma cortina de casuarinas.* **5.** *Teatr.* V. *pano de boca*. **6.** *Teatr.* Representação ligeira nos entreatos das revistas teatrais. ◆ **Cortina alemã.** *Teatr.* Cortina teatral inteiriça, atada, na parte superior, a uma barra horizontal móvel, e que se eleva verticalmente para abrir a cena. **Cortina à polichinelo.** *Teatr.* Cortina teatral inteiriça, com um tubo na extremidade inferior, e que se abre ao ser levantada por duas cordas que a enrolam de baixo para cima. **Cortina de bambu.** *Desus.* **1.** *Fig.* As fronteiras que separavam a China e outros países socialistas da Ásia, dos Estados de regimes diferentes. **2.** *P. ext.* O regime comunista chinês. **Cortina de boca.** *Teatr.* V. *pano de boca*. **Cortina de ferro.** **1.** *Teatr.* Cortina executada em placas de amianto, situada à frente do pano de boca, e destinada a isolar o palco da plateia em caso de incêndio; cortina de segurança. **2.** *Fig. Desus.* A linha fronteiriça entre os países europeus que tinham governo comunista, e que eram integrados no bloco liderado pela ex-União Soviética, e os da Europa ocidental. **3.** *P. ext. Desus.* Designação da área que era ocupada pelos países daquele bloco. **Cortina de fumaça.** **1.** *Mil.* Nuvem artificial utilizada para ocultar movimentos e ações táticas da tropa, formada pela suspensão de agentes fumígenos no ar. **2.** *P. ext.* Qualquer expediente adotado com fim despistador. **Cortina de manobra.** *Teatr.* Cortina leve, situada atrás do pano de boca, e que é baixada quando uma troca rápida de cenário deve ocorrer sem interromper o espetáculo, ou quando os atores, nas cenas de ligação, passam a representar no proscênio, diante dela. **Cortina de segurança.** *Teatr.* Cortina de ferro (1). **Cortina grega.** Cortina de teatro composta de duas partes franzidas que se traspassam levemente no centro, e que abrem a cena afastando-se lentamente. **Cortina italiana.** Cortina teatral constituída de duas partes franzidas que, para abrir a cena, são ao mesmo tempo levantadas verticalmente e puxadas lateralmente por um cordão atado no meio do debrum interior de cada uma. **Cortina lenta.** *Teatr.* Abertura ou fechamento gradual do pano de boca, para se obterem determinados efeitos cênicos; pano lento. **Cortina rápida.** *Teatr.* Abertura ou fechamento súbito do pano de boca para a obtenção de determinados efeitos cênicos; pano rápido. **Atrás da cortina.** *Bras. MG* V. *por baixo do pano*.

cortina² [De *córt(ex)* + *-ina*³; ingl. *cortin*.] *S. f. Med.* Extrato do córtex das glândulas suprarrenais, por alguns considerado um hormônio.

cortina-de-pobre *S. f. Bras. Bot.* V. *anil-trepador*. [Pl.: *cortinas-de-pobre*.]

cortinado [De *cortina*¹ + *-ado*¹.] *S. m.* **1.** Armação de cortinas. **2.** Cortina (1).

cortinar [De *cortina*¹ + *-ar*².] *V. t. d.* **1.** Armar com cortina. **2.** Encobrir, ocultar, tapar: "Era como o pinhal a cortinar o oceano revolto d'ante a vista do conventinho descansado." (Antônio Feliciano de Castilho, *Amor e Melancolia*, p. 246.)

cortineiro [De *cortina*¹ + *-eiro*.] *S. m.* **1.** Indivíduo que faz cortinas [v. *cortina* (1)]. **2.** *Teatr.* O funcionário encarregado de abrir e fechar a cortina ou pano de boca; paneiro.

cortisol [De *cortis(ona)* + *-ol*².] *S. m. Quím.* Corticoide que é álcool esteroidal derivado da cortisona por hidrogenação [fórm.: $C_{21}H_{30}O_5$]. [Pl.: *cortisóis*.]

cortisona [Alter. de *corticosterona*, ingl. *cortisone*.] *S. f. Quím.* Hormônio produzido pelas suprarrenais, utilizado em medicina [fórm.: $C_{21}H_{28}O_5$].

corto (ô) [Part. irreg. de *cortar*¹.] *Adj. Lus.* V. *cortado*² (1 a 4). [Flex.: *corta* (ô), *cortos* (ô), *cortas* (ô). Cf. *corto*, *corta* e *cortas*, do v. *cortar*.]

coruba [Var. de *curuba* (2).] *S. f. Bras. Pop.* V. *escabiose*.

corubo *Bras. S. 2 g.* **1.** *Etnôn.* Indivíduo dos corubos [ou (etnôn. bras.) *Korubo], povo indígena da família linguística pano, que habita o vale do Javari (AM). ● *Adj. 2 g.* **2.** Pertencente ou relativo a esse povo.

corucão *S. m. Bras. Zool.* Ave caprimulgiforme, caprimulgídea (*Podager nacunda*), da região cisandina da América do Sul. Dorso, peito e garganta pardo-amarelados, pintados finamente de preto, rêmiges pretas com fita branca, retrizes amareladas listradas de preto, as laterais com largas margens brancas nas extremidades, abdome branco, mento vermelho, uma fita branca na garganta. [Sin.: *sebastião*, *tabaco-bom*, *tiom-tiom*.]

coruchéu [Do fr. *clocher*, 'campanário'.] *S. m.* 1. Remate piramidal de edifício. 2. Zimbório, torre ou torreão que coroa um edifício: 📖 "não avistou, pois, a Iola, que do coruchéu da casa paterna o seguia com o olhar." (João Ribeiro, *Crepúsculo dos Deuses*, p. 63). 3. Barrete cônico, de papelão, que os penitentes da Inquisição levavam na cabeça.

coruja[1] [Do b.-lat. *corusa*, poss.] *S. f. Bras.* 1. *Zool.* Designação comum às aves estrigiformes, especialmente as de maior porte, titonídeas e estrigídeas. São noturnas, de plumagem mole, e em geral preferem como alimento os pequenos mamíferos, sobretudo roedores, dos quais vomitam, depois, os pelos e parte dos ossos. [Sin.: *estrige*.] 2. V. *bruxa* (2). 3. Pessoa coruja (5). ● *S. 2 g.* 4. Pai ou mãe coruja (5). ● *Adj. 2 g.* 5. Diz-se do pai ou da mãe que exalta com exagero as qualidades do(s) filho(s). 6. Diz-se de pessoa notívaga, ou que troca a noite pelo dia. 7. Diz-se da pessoa que frequenta o hipódromo nas madrugadas, para ver os exercícios e apontos dos cavalos. ~ V. *voo* —.

coruja[2] *S. f. Bras. Zool.* V. *borboleta-coruja*.

coruja-branca [De *coruja*[1] + o f. de *branco*.] *S. f. Bras. Zool.* V. *suindara*. [Pl.: *corujas-brancas*.]

coruja-buraqueira *S. f. Bras. Zool.* V. *coruja-do-campo*. [Pl.: *corujas-buraqueiras*.]

coruja-católica *S. f. Bras. Zool.* V. *suindara*. [Pl.: *corujas-católicas*.]

coruja-das-torres *S. f. Bras. Zool.* V. *suindara*. [Pl.: *corujas-das-torres*.]

coruja-de-igreja *S. f. Bras. Zool.* V. *suindara*. [Pl.: *corujas-de-igreja*.]

coruja-do-campo *S. f. Zool.* Ave estrigiforme, estrigídea (*Speotyto cunicularia grallaria*), do Paraguai e de quase todo o Brasil. A coloração do dorso é pardo-cinzenta, com grandes manchas vermelhas transversais; as asas e a cauda têm manchas brancas transversais e a garganta é branca. Nidifica em cupinzeiros e buracos de tatu, e alimenta-se de insetos, sobretudo coleópteros. [Sin.: *caburé-do-campo*, *coruja-buraqueira*, *corujinha-buraqueira*, *corujinha-do-buraco*, *guedé*. Pl.: *corujas-do-campo*.]

coruja-do-mato *S. f. Bras. Zool.* 1. Designação comum às aves estrigiformes estrigídeas, especialmente as dos gêneros *Lophostrix* e *Ciccaba*, as primeiras com penacho. 2. V. *murucututu*. [Pl.: *corujas-do-mato*.]

corujão [De *coruja*[1] + *-ão*[1].] *S. m.* 1. *Bras. Zool.* V. *murucututu*. 2. *Bras. AL* Variedade de papagaio de papel. 3. *Bras.* Voo coruja (q. v.). 4. *Bras. CE* Ônibus noturno.

corujão-de-igreja *S. m. Bras. Zool.* V. *suindara*. [Pl.: *corujões-de-igreja*.]

corujão-orelhudo *S. m. Bras. Zool.* V. *jacurutu*. [Pl.: *corujões-orelhudos*.]

coruja-orelhuda [De *coruja*[1] + o f. de *orelhudo*.] *S. f. Bras. Zool.* Mocho-orelhudo (1). [Pl.: *corujas-orelhudas*.]

coruja-preta [De *coruja*[1] + o f. de *preto*.] *S. f. Bras. Zool.* Mocho-negro. [Pl.: *corujas-pretas*.]

corujar [De *coruja* + *-ar*[2].] *V. t. d. Int. Bras.* Observar; espiar, espreitar: 🖹 *Corujava, disfarçadamente, o casal de namorados; Pôs-se por trás das persianas, corujando.*

corujeira [De *coruja* + *-eira*.] *S. f.* Povoação insignificante situada em lugar penhascoso; corujeiro.

corujeiro [De *coruja* + *-eiro*.] *Adj. Bras. RS* 1. De aspecto excelente; agradável à vista; bom: 🖹 *esporas corujeiras*. 2. Disposto para tudo. ● *S. m.* 3. Corujeira.

corujinha [De *coruja* + *-inha*.] *S. f. Bras. Zool.* V. *cuspidor* (4).

corujinha-buraqueira *S. f. Bras. Zool.* V. *coruja-do-campo*. [Pl.: *corujinhas-buraqueiras*.]

corujinha-do-buraco *S. f. Bras. Zool.* V. *coruja-do-campo*. [Pl.: *corujinhas-do-buraco*.]

corujinha-do-mato *S. f. Bras. Zool.* Ave estrigiforme, estrigídea (*Otus choliba*), com três subespécies brasileiras, de coloração dorsal parda, pintada de preto; caburé-de-orelha. [Pl.: *corujinhas-do-mato*.]

corumbá [Do top. *Corumbá*, cidade do MS.] *S. m. Bras.* Lugar esquecido, desprezado ou distante. [Tb. us. no pl.] ~ V. *corumbás*.

corumbaense[1] (bà) *Adj. 2 g.* 1. De, ou pertencente ou relativo a Corumbá (MS). ● *S. 2 g.* 2. O natural ou habitante de Corumbá.

corumbaense[2] (bà) *Adj. 2 g.* 1. De, ou pertencente ou relativo a Corumbá de Goiás (GO). ● *S. 2 g.* 2. O natural ou habitante de Corumbá de Goiás.

corumbaibense (a-i) *Adj. 2 g.* 1. De, ou pertencente ou relativo a Corumbaíba (GO). ● *S. 2 g.* 2. O natural ou habitante de Corumbaíba.

corumbamba *S. m. Bras. MG* Acontecimento complicado; trapalhada.

corumbás *S. m. pl. Bras.* V. *corumbá*. ~ V. *corumbá*.

corumbataiense[1] (a-i) *Adj. 2 g.* 1. De, ou pertencente ou relativo a Corumbataí (SP). ● *S. 2 g.* 2. O natural ou habitante de Corumbataí.

corumbataiense[2] (a-i) *Adj. 2 g.* 1. De, ou pertencente ou relativo a Corumbataí do Sul (PR). ● *S. 2 g.* 2. O natural ou habitante de Corumbataí do Sul.

corumbeba *S. m. Bras. Zool.* V. *pescada-branca* (1 e 4).

corumbiara *S. 2 g. Adj. 2 g. Bras.* V. *columbiara*.

corunhês *Adj.* 1. De, ou pertencente ou relativo a Corunha (Espanha). ● *S. m.* 2. O natural ou habitante de Corunha. [Flex.: *corunhesa* (ê), *corunheses* (ê), *corunhesas* (ê).]

corupaense (pà) *Adj. 2 g.* 1. De, ou pertencente ou relativo a Corupá (SC). ● *S. 2 g.* 2. O natural ou habitante de Corupá.

coruripense *Adj. 2 g. S. 2 g.* V. *cururipense*.

coruscação [Do lat. tard. *coruscatione*.] *S. f.* 1. Ato ou efeito de coruscar. 2. Fulgor súbito: 🖹 *a coruscação de um meteorito*.

coruscante [De *coruscar* + *-nte*.] *Adj. 2 g.* Que corusca; fulgurante, reluzente, cintilante.

coruscar [Do lat. *coruscare*.] *V. int.* 1. Fulgurar; reluzir; relampaguear; rutilar: 📖 "O sol queimava, coruscando nas pedras" (Coelho Neto, *Treva*, p. 313). *T. d.* 2. Deitar de si; dardejar: 🖹 *Seus olhos coruscam chispas de ira*. [Conjug.: v. *trancar*. Norm. é defect. Cf. *coriscar*.]

coruta *S. f.* V. *coruto*[1]: 📖 "Prefere [o gaio, para fazer seu ninho].... a coruta de uma árvore que zombe da ventania" (Aquilino Ribeiro, *O Homem da Nave*, p. 78).

coruto[1] [De *cocuruto*, com haplologia.] *S. m.* 1. V. *cume* (1): 📖 "O mais importante dos corutos, com um ar maciço de zimbório, era formado pelo monte Branco" (Aquilino Ribeiro, *Os Avós dos Nossos Avós*, p. 134). 2. *Bot.* Penacho de milho e doutras plantas. [Var.: *coruta*.]

coruto[2] *S. m. Bras. Zool.* V. *pirambucu* (1).

corvacho [De *corvo* + *-acho*.] *S. m. Zool.* Corvo pequeno.

corveia (éi) [Do fr. *corvée*.] *S. f.* 1. Trabalho gratuito que no tempo do feudalismo o camponês era obrigado a prestar ao seu senhor ou ao Estado. 2. *P. ext.* Trabalho imposto e pesado. ❖

corvejamento [De *corvejar* + *-mento*.] *S. m.* Ato ou efeito de corvejar.

corvejar [De *corvo* + *-ejar*.] *V. int.* 1. Crocitar. 2. *Fig.* Fazer mau agouro ou presságio; agourentar. *T. d.* 3. Repisar, remoer (uma ideia). [Conjug.: v. *pelejar*.]

corvelo [Do top. *Corvos* (Açores) + *-elo* (ê).] (ê) *Adj. S. m.* V. *corvense*. [Cf. *Curvelo*, top.]

corvense *Adj. 2 g.* 1. De, ou pertencente ou relativo à ilha do Corvo, do arquipélago português dos Açores (oceano Atlântico). ● *S. 2 g.* 2. O natural ou habitante dessa ilha. [Sin. ger.: *corvelo*.]

corveta[1] (ê) [Do fr. *corvette*.] *S. f.* 1. *Ant.* Navio de guerra, semelhante à nau, menor e menos armado que ela, porém mais veloz. Apareceu em fins do séc. XVIII para substituir a fragata e o brigue em missões de reconhecimento ofensivo, para o qual este era demasiado fraco e aquela, forte demais; desempenhava missões de aviso, de transporte de munição, de surpresa, etc. 2. Navio de combate, de 500 a 1.200 toneladas, boa mobilidade, e velocidade de 12 a 18 nós, para patrulha antissubmarino e escolta de comboios. [Cf. *curveta*.]

corveta[2] (ê) *S. m. Bras.* V. *capitão de corveta*: 🖹 *O corveta vai ser promovido a fragata*. [Cf. *curveta*.]

corvídeo [Do tax. *Corvus* (< lat. *corvus*) + *-ídeo*[1]; tax. *Corvidae*.] *Zool. S. m.* 1. Espécime dos corvídeos, família de aves passeriformes, onívoras, tarso do tipo ocreado (escamas anteriores), tegumento não dividido, ou indistintamente dividido, em placas, a primeira das rêmiges da mão, curta, com manchas azuis ou violáceas na plumagem. Vivem nas matas e descampados. São as gralhas. ● *Adj.* 2. Pertencente ou relativo a eles.

corvina [Do esp. *corvina*.] *S. f. Zool.* 1. Designação comum a peixes cienídeos dos gêneros *Micropogon*, *Plagioscion*, *Cynoscione* outros relacionados. 2. Peixe cienídeo (*Micropogon furnieri*) do Atlântico ocidental, do Caribe à Argentina, com até 60cm de comprimento, de coloração geral prateada a marrom, com o dorso mais escuro e o ventre esbranquiçado, tendo, no período reprodutivo, coloração mais ou menos dourada. [Sin.: *corvina-crioula*, *corvina-de-linha*, *corvina-marisqueira*, *corvineta*, *cupá*, *cururuca*, *marisqueira*, *ticopá*.] 3. V. *pescada-branca* (1 e 2).

corvina-crioula *S. f. Zool.* V. *corvina* (2). [Pl.: *corvinas-crioulas*.]

corvina-de-linha *S. f. Zool.* V. *corvina* (2). [Pl.: *corvinas-de-linha*.]

corvina-marisqueira *S. f. Bras. RJ Zool.* V. *corvina* (2). [Pl.: *corvinas-marisqueiras*.]

corvina-riscada *S. f. Zool.* V. *castanha* (12). [Pl.: *corvinas-riscadas*.]

corvineta (ê) [De *corvina* + *-eta* (ê).] *S. f. Bras. Zool.* V. *corvina* (2).

corvino [Do lat. *corvinu*.] *Adj.* Do, ou pertencente ou relativo ao corvo (1): 📖 "As fétidas ciganas aumentavam com o grasnar corvino a grande agitação do rio" (Inglês de Sousa, *Contos Amazônicos*, p. 45).

corvo (ô) [Do lat. *corvu*; tax. *Corvus*.] *S. m.* 1. *Zool.* O gênero-tipo da família dos corvídeos, que reúne cerca de 40 espécies de aves passeriformes de porte relativamente grande, que emitem voz que é um grasnido áspero, desagradável, são muito ativas, têm coloração ger. preta, e são onívoras. 2. *Zool.* Qualquer espécie desse gênero, como, p. ex., a *Corvus brachyrhynchos*, o corvo comum da América do Norte. 3. *Zool.* Qualquer espécime desse gênero. 4. *Bras. Impr.* Urubu[1] (1). [Dim. irreg.: *corvacho*.] 5. *Arquit.* Modilhão. 6. *Astr.* Constelação austral limitada ao S. pela Hidra, a O. pela Taça, ao N. e L. pela Virgem. [Com cap., nesta acepç.] [Pl.: *corvos* (ó).]

corvo-marinho *S. m. Zool.* V. *biguá* (1). [Pl.: *corvos-marinhos*.]

■ **cos** *Mat.* Símb. de *cosseno*.

cós [Do cat. *cos*, ou do provenç. *cors*, 'corpo'.] *S. m. 2 n.* 1. Tira de pano que cinge certas peças do vestuário, particularmente as calças e saias, no lugar da cintura: 📖 "Os cós das saias são invariavelmente de linho branco" (Ramalho Ortigão, *As Farpas*, I, p. 31). [Tb. há o pl. *coses*, encontrável sobretudo em autores antigos:] 📖 "Cortam-se atrás os coses dos calções" (Nicolau Tolentino de Almeida, *Obras Poéticas*, I, p. 116); "Cigarro detrás da orelha e lambedeira nos coses da calça" (P.[e] Antônio Vieira, *Sertão Brabo*, p. 30). 2. Parte do vestuário onde se ajusta essa tira de pano; cinta, cintura, cinto. [Cf. *cos*, pl. de *co*.]

cosalita [Do top. *Cosala* (México) + *-ita*[3].] *S. f. Min.* Mineral ortorrômbico, sulfeto de chumbo e bismuto.

cosca *S. f. Bras. Prov. port. Pop.* V. *cócega*.

coscas *S. f. pl. Bras. Prov. lus. Pop.* V. *cócegas*.

coscorão [De **kosk*, onom. para 'golpe em objeto duro'; esp. *coscorrón*.] *S. m.* 1. Filhó de farinha e de ovos. 2. *Bras.* Casca espessa que se forma ao cicatrizar-se uma ferida. 3. *Bras. S.* Homem rústico, atrasado.

coscoro [Der. regress. de *coscorão*.] *S. m.* 1. Encrespamento e endurecimento de um tecido que se deixou secar depois de embebido em líquido espesso. 2. V. *crosta* (1). 3. Enrugamento da pele.

coscós [Do esp. plat. *coscoja*.] *S. m. Bras. S.* Roseta de ferro que se põe no freio e faz rumor quando o equídeo move a língua. [Pl.: *coscoses*.]

coscosear [De *coscós* + *-ear*[2].] *V. int. Bras. S.* Mover o coscós, produzindo ruído típico. [Conjug.: v. *frear*. Normalmente é defect., só conjugável nas 3.as pess.]

coscoseiro [De *coscosear* + *-eiro*.] *Adj. Bras. S.* Diz-se do cavalo dado a coscosear. [Cf. *cuscuzeiro*.]

coscuvilhar [De or. expressiva.] *V. int.* Fazer intrigas, enredos, mexericos; bisbilhotar, mexericar. [Cf. *cascavilhar*.]

coscuvilheiro [De *coscuvilhar* + *-eiro*.] *Adj. S. m.* Diz-se de, ou aquele que coscuvilha; mexeriqueiro, bisbilhoteiro, cuvilheiro: 📖 "Outra coscuvilheira .... rondou vários dias a porta do Hospital. Estoirava de curiosidade." (Fernando Namora, *Retalhos da Vida de um Médico*, p. 254.)

coscuvilhice [De *coscuvilheiro* + *-ice*.] *S. f.* Ato ou procedimento de coscuvilheiro; enredo, mexerico, bisbilhotice.

■ **cosec** *Mat.* Símb. de *cossecante*.

■ **cosech**[1] *Mat.* Símb. impr. de *arco cossecante hiperbólica* (q. v.).

cosedor (ô) [De *coser* + *-dor*.] *S. m.* Aparelho us. por encadernadores para coser livros.

cosedura [De *coser* + *-dura*.] *S. f.* Ação ou efeito de coser(-se). [Cf. *cozedura*.]

coser [Do lat. vulg. **cosere*, por *consuere*.] *V. t. d.* 1. Unir com pontos de agulha; costurar: 📖 "Mandei-lhe coser as mais finas cambraias, ... uma linda touca de renda" (Machado de Assis, *Histórias sem Data*, p. 35). 2. *Cir.* Unir por ponto[1] (33) as bordas de (uma estrutura); costurar. 3. *Bras.* Dar facadas em; esfaquear, costurar. *T. d. e i.* 4. Unir, encostar: 🖹 *Coseu a orelha à porta para ouvir melhor o que diziam*. *Int.* 5. Fazer trabalho de costura; costurar: 🖹 *Cose e borda para sustentar-se*; 📖 "A menina .... sabia coser, bordar" (Bernardo Guimarães, *O Seminarista*, p. 28). *P.* 6. Fazer ou consertar, cosendo, a própria roupa. 7. Unir-se, encostar-se muito a alguma coisa ou pessoa: 📖 "Trêmulos e espavoridos, tinham-se retirado para um canto, cosendo-se à parede da casa" (Bernardo Guimarães, *O Seminarista*, p. 138); 🖹 *O cão cosia-se ao dono*. [Conjug.: v. *mover*. Part.: *cosido*. Cf. *cozer* e *cozido*.]

■ **cosh** *Mat.* Símb. impr. de arco *cosseno hiperbólico* (q. v.).

cosicador (ô) [De *cosicar* + *-dor*.] *S. m. Bras.* 1. Aquele que cosica. 2. *Fig.* Aquele que une coisas desconexas.

cosicar [Do rad. de *coser* + *-icar*.] *V. t. d.* 1. Coser ou costurar à mão (coisas ligeiras). 2. *Bras.* Coser, consertando. [Conjug.: v. *trancar*.]

cósmea *S. f. Bot.* V. *amor-de-moça*.

cosmeatria [Var. de *cosmiatria*.] *S. f.* V. *cosmetologia*.

cosme e damião [Dos hag. (São) *Cosme* e (São) *Damião*.] *S. m. Bras. Desus.* Grupo de dois policiais que juntos faziam ronda. [Pl.: *cosmes e damiões* e *cosme e damiões*.]

cosmética [Do gr. *kosmetiké (téchne)*, 'arte de adornar-se, de vestir-se'.] *S. f.* A indústria da fabricação de cosméticos.

cosmético [Do gr. *kosmetikós*.] *Adj. S. m.* Diz-se de, ou qualquer dos produtos utilizados para a limpeza, conservação ou maquilagem da pele. [M. us. como s. m.]

cosmetologia [De *cosmét(ico)* + *-o-*[1] + *-logia*; fr. *cosmétologie*.] *S. f.* Estudo dos cosméticos (composição, fabricação e modo de usar); cosmeatria, cosmiatria.

cosmetológico [De *cosmetologia* + *-ico*[2].] *Adj.* Pertencente ou relativo a cosmetologia.

cosmetologista [De *cosmetologia* + *-ista*.] *S. 2 g.* Cosmetólogo.

cosmetólogo [De *cosmét(ico)* + *-o-* + *-logo*.] *S. m.* Aquele que se dedica ao estudo e à prática da cosmetologia.

cosmiatria [Adapt. do ingl. *cosmiatry*.] *S. f.* V. *cosmetologia*.

cósmico [Do gr. *kosmikós*, pelo lat. tard. *cosmicu*.] *Adj.* **1.** Pertencente ou relativo ao cosmo, ao Universo: *espaços cósmicos*. **2.** Diz-se do astro que nasce e se põe com o Sol. ~ V. *calendário* —, *espaço* —, *morte* —*a*, *nascer* —, *navegação* —*a*, *ovo* —, *poeira* —*a*, *pôr* —, *radiação* —*a*, *raios* —*s*, *repulsão* —*a* e *ruído* —. • *S. m.* **3.** Globo que representa o mundo.

cosmo [Do gr. *kósmos*, pelo lat. *cosmu*.] *S. m.* O Universo: "Grandes coisas aconteceram no mundo que ele viu, das quais teve .... uma rápida percepção, desde o cometa Halley à conquista do cosmo pelo homem." (Ascendino Leite, *Passado Indefinido*, p. 263.)

▲**cosm(o)-** [Do gr. *kósmos, ou*, 'ordem'; 'disciplina'; 'organização'; 'a ordem do Universo'; 'Universo', 'mundo'.] ***El. comp.*** = 'mundo', 'Universo': *cosmometria*, *cosmovisão*. [Equiv.: *-cosm(o)-*, *-cosmo*: *acosmismo*; *microcosmo* (< gr.), *macrocosmo*.]

▲**-cosm(o)-** V. *cosm(o)-*.

▲**-cosmo** [Do gr. *-kosmos* < gr. *kósmos, ou*.] V. *cosm(o)-*.

cosmo-amarelo *S. m. Bras. Bot.* V. *picão-grande*. [Pl.: *cosmos-amarelos*.]

cosmogénese *S. f. Astr.* V. *cosmogênese*. [Uso freq. em P.]

cosmogênese [De *cosm(o)-* + *-gênese*.] *S. f. Astr.* Cosmogonia (4).

cosmogenético [De *cosmogên(ese)* + *-ético*.] *Adj.* Relativo ou pertencente a cosmogênese.

cosmogonia [Do gr. *kosmogonía*.] *S. f.* **1.** A origem ou formação do mundo, do Universo conhecido. **2.** Parte de uma cosmologia, que trata especificamente da criação e formação do mundo. **3.** Qualquer narrativa, doutrina ou teoria a respeito da origem do mundo ou do Universo. **4.** *Astr.* Ciência afim da astronomia, e que trata da constituição, ordem e estrutura do Universo. ◆ **Cosmogonia estelar.** *Astr.* V. *astrogenia*.

cosmogónico *Adj.* V. *cosmogônico*. [Uso freq. em P.]

cosmogônico [De *cosmogonia* + *-ico*[2].] *Adj.* Respeitante a cosmogonia.

cosmogonista [De *cosmogonia* + *-ista*.] *S. 2 g.* Especialista em cosmogonia.

cosmografia [Do gr. *kosmographía*, pelo lat. tard. *cosmographia*.] *S. f. Astr.* Astronomia descritiva.

cosmográfico [De *cosmografia* + *-ico*[2].] *Adj.* Referente à cosmografia.

cosmógrafo [Do gr. *kosmográphos*, pelo lat. tard. *cosmographu*.] *S. m.* Especialista em cosmografia.

cosmolábio [De *cosm(o)-* + *(astro)lábio*.] *S. m. Astr.* Instrumento astronômico antigo, com que se media a altura dos astros.

cosmologia [De *cosm(o)-* + *-logia*; lat. cient. *cosmologia*.] *S. f.* **1.** Qualquer doutrina ou narrativa a respeito da origem, da natureza e dos princípios que ordenam o mundo ou o Universo, em todos os seus aspectos: *a cosmologia hindu*. **2.** *Antrop.* O conjunto de representações que, operando explícita ou implicitamente nos mais diversos aspectos da vida coletiva, forma a concepção que os membros de um grupo sociocultural têm a respeito do mundo; concepção de mundo; cosmovisão. **3.** *Astr.* Ciência afim da astronomia, e que trata da estrutura do Universo. ◆ **Cosmologia Alfvén-Klein.** *Cosm.* Modelo cosmológico em que o Universo inicial é descrito como gigantesca nuvem esférica colapsante de matéria e antimatéria. Quando a densidade crítica é alcançada, a matéria e a antimatéria começam a se aniquilar, e a resultante liberação de radiação e energia provoca o Universo em expansão. Dentro do atual conhecimento observacional do Universo, em especial considerando a pequena quantidade de radiação gama registrada, é muito difícil aceitar esse modelo como o mais provável. **Cosmologia newtoniana.** *Cosm.* Modelo cosmológico muito simples, que inclui modelos comuns de bigue-bangue, que podem derivar da teoria clássica da gravitação de Newton. **Cosmologia relativista.** *Cosm.* Cosmologia desenvolvida com base na teoria geral da relatividade de Einstein.

cosmológico [De *cosmologia* + *-ico*[2].] *Adj.* Relativo a cosmologia. ~ V. *constante* —*a*, *distância* —*a*, *horizonte* — e *princípio* —.

cosmologista [De *cosmologia* + *-ista*.] *S. 2 g.* Cosmólogo.

cosmólogo [De *cosm(o)-* + *-logo*.] *S. m.* Especialista em cosmologia; cosmologista.

cosmometria [De *cosm(o)-* + *-metria*.] *S. f. Astr. P. us.* Astrometria.

cosmométrico [De *cosmometria* + *-ico*[2].] *Adj. P. us.* Referente a cosmometria; astrométrico.

cosmometrista [De *cosmometria* + *-ista*.] *S. 2 g. P. us.* Especialista em cosmometria; astrometrista.

cosmonauta [De *cosm(o)-* + *-nauta*.] *S. 2 g. Astron.* Astronauta.

cosmonáutica [De *cosm(o)-* + *-náutica*.] *S. f.* Astronáutica.

cosmonave [De *cosm(o)-* + *-nave*.] *S. f. Astron.* V. *nave espacial*.

cosmonomia [De *cosm(o)-* + *-nom(o)-* + *-ia*[1].] *S. f. Astr.* Parte da astronomia que se relaciona com as leis cósmicas.

cosmonómico *Adj.* V. *cosmonômico*. [Uso freq. em P.]

cosmonômico [De *cosmomonia* + *-ico*[2].] *Adj.* Referente a cosmonomia.

cosmopolense *Adj. 2 g.* **1.** De, ou pertencente ou relativo a Cosmópolis (SP). • *S. 2 g.* **2.** O natural ou habitante de Cosmópolis.

cosmopolita [Do gr. *kosmopolítes*.] *S. 2 g.* **1.** Indivíduo que vive ora num país, ora noutro, adotando-lhes com facilidade os usos e costumes. **2.** Pessoa que se julga cidadão do mundo inteiro, ou para quem a pátria é o mundo: "Ele tinha viajado em toda a Europa ...., era um cosmopolita, na grande acepção filosófica desta palavra, inteiramente lavado de estreitos preconceitos de raça e de nação." (Ramalho Ortigão, *A Holanda*, p. 241.) • *Adj. 2 g.* **3.** Que passa a vida a viajar em diversos países. **4.** Que é de todos os países. **5.** Que apresenta aspectos comuns a vários países: *São Paulo é uma cidade cosmopolita*. **6.** Que sofre influência do estrangeiro: *mentalidade cosmopolita*. **7.** Próprio de cosmopolita (1 e 2): *costumes cosmopolitas*. **8.** *Bot. Zool.* Diz-se de espécie, gênero ou grupo que se distribui pela maior parte do globo.

cosmopolitismo [De *cosmopolita* + *-ismo*.] *S. m.* **1.** Qualidade ou maneira de viver de cosmopolita: "O bairrismo do povo contrastava com o cosmopolitismo dos fidalgos." (Antero de Figueiredo, *Leonor Teles*, p. 74.) **2.** *Filos.* Atitude ou doutrina que prega a indiferença ante a cultura, os interesses e/ou soberania nacionais, com a alegação de que a pátria de todos os homens é o Universo.

cosmorama [De *cosm(o)-* + *-orama*.] *S. m.* **1.** Série de vistas de vários países observadas por aparelhos ópticos que as ampliam. **2.** Aparelho com que se observam essas vistas. **3.** Lugar onde se expõem.

cosmoramense *Adj. 2 g.* **1.** De, ou pertencente ou relativo a Cosmorama (SP). • *S. 2 g.* **2.** O natural ou habitante de Cosmorama.

cosmos [Do tax. *Cosmos* (do gr. *kósmos*).] *S. m. 2 n. Bot.* **1.** Gênero de plantas asteráceas, herbáceas, da América tropical, de folhas opostas, flores solitárias, paniculadas, e capítulos ligulados; algumas espécies são cultivadas como ornamentais. **2.** Qualquer espécie desse gênero, como, p. ex., a *Cosmos bipinnatus* (v. *amor-de-moça*) e a *Cosmos sulphureus* (v. *picão-do-grande*): "Quando voltou, correndo, trazia consigo uma braçada de cosmos retardatários, colhidos pelo caminho." (Ciro dos Anjos, *Abdias*, p. 188.) **3.** Qualquer espécime desse gênero, ou a flor dele.

cosmosfera [De *cosm(o)-* + *-sfera*.] *S. f. Astr.* **1.** O universo físico observável. **2.** Aparelho us. para mostrar a posição da Terra em relação às estrelas fixas, em qualquer época.

cosmovisão [De *cosm(o)-* + *visão*.] *S. f.* V. *visão de mundo*. [Sin.: *mundividência*.]

cosmurgia [Do gr. *kosmourgía*.] *S. f.* Criação do mundo.

cospe-cospe [Reduplicação da 3ª pess. do sing. do pres. do ind. do v. *cuspir*.] *S. m. Zool.* **1.** *Bras.* Peixe teleósteo, ciprinodonte, pecilídeo (*Poecillia branneri*), do Amazonas, que mede até 60cm de comprimento. **2.** *Bras. AL Pop.* Qualquer peixe muito miúdo. [Var.: *gospe-gospe*. Pl.: *cospe-cospes*.]

cosquento [De *cosca* + *-ento*.] *Adj. Bras. Pop.* V. *coceguento*.

cosquilhento [Do esp. plat. *cosquilla*, 'cócega', + *-ento*.] *Adj. Bras. RS* **1.** V. *coceguento*. **2.** V. *cosquilhoso* (2).

cosquilhoso (ô) [Do esp. plat. *cosquilloso*.] *Adj. Bras. RS* **1.** V. *coceguento*. **2.** *Fig.* Que se melindra facilmente; suscetível; cosquilhento, cosquilhudo.

cosquilhudo [Do esp. plat. *cosquilla*, 'cócega', + *-udo*.] *Adj. Bras. RS* **1.** V. *coceguento*. **2.** V. *cosquilhoso* (2).

cossa *S. f. Pop.* Acossa. [Cf. *coça*, do v. *coçar* e s. f.]

cossaco [Do turco *kazac*, pelo rus. *kozak* e pelo fr. *cosaque*.] *S. m.* Soldado de um corpo de cavalaria russo, recrutado entre os povos, outrora nômades, das estepes do S. da Rússia.

cossecante [De *co-*[2] + *secante*[2].] *S. f. Mat.* Função plurívoca de uma variável definida como o inverso do seno, e cujo domínio exclui apenas os múltiplos inteiros de π [símb.: *csc* e *cosec*]. ◆ **Cossecante hiperbólica.** *Mat.* Função definida como o inverso do seno hiperbólico. **Cossecante hiperbólica inversa.** *Mat.* Arco cossecante hiperbólica. **Cossecante inversa.** *Mat.* Arco cossecante. ❖

cossefímetro [De *cosse(no)* + *fi* + *-metro*.] *S. m. Eletr.* Instrumento que mede fator de potência (q. v.).

cossegurar [De *co-*[1] + *segurar*.] *V. t. d.* Firmar um cosseguro de. ❖

cosseguro [De *co-*[1] + *seguro*.] *S. m.* Seguro que se distribui entre diversos seguradores, dividindo-se entre eles os riscos proporcionalmente às cotas distribuídas. [Cf. *resseguro*[1].] ❖

cosseira [Alter. de *coiceira*, poss.] *S. f.* Batente inferior das portas das peças de bordo. [Cf. *coceira*.]

cosseno [De *co-*[2] + *seno*.] *S. m.* **1.** *Trig.* Função de um ângulo orientado, definida como o quociente da abscissa da extremidade dum arco de circunferência subtendido por esse ângulo pelo raio da circunferência. **2.** *Mat.* Função periódica de uma variável, igual a um, quando a variável é zero, e cuja derivada segunda lhe é simétrica [símb.: *cos*]. ◆ **Cosseno hiperbólico.** *Mat.* Função transcendente igual à média aritmética entre duas exponenciais com os expoentes simétricos. **Cosseno hiperbólico inverso.** *Mat.* Arco cosseno hiperbólico. **Cosseno inverso.** *Mat.* Arco cosseno. ❖

cossenoide (ói) [De *cosseno* + *-oide*.] *S. f. Mat.* Curva que representa a função cosseno em um sistema cartesiano ortogonal. ❖

cossignatário [De *co-*[1] + *signatário*.] *S. m.* Aquele que é signatário juntamente com outrem. ❖

cossísmico [De *co-*[1] + *sismo* + *-ico*[2].] *Adj. Geofís.* Diz-se de pontos simultaneamente atingidos pela mesma fase de um sismo (q. v.). ❖

cossismo [De *co-*[1] + *sismo*.] *S. m. Geofís.* Linha traçada ao redor de um epicentro através dos pontos cossísmicos. ❖

cosso[1] (ô) [De *corso*[1], com assimilação.] *S. m. Antiq.* **1.** Ato de correr atrás, perseguindo. **2.** Ação de bater o mato, para caçar. [Cf. *coço*, do v. *coçar*.]

cosso[2] (ô) [Do fr. *cousso*.] *S. m. Bras. Bot.* Planta rosácea (*Hagenia abyssinica*) ornamental, de folhas alternadas e flores pequeninas, nativa das montanhas da África central e oriental. [Var.: *cusso*. Cf. *coço*, do v. *coçar*.]

cossoco (ô) [De *co-*[1] + *soco*, poss.] *S. m. Bras., CE, Gír.* Faca artesanal feita a partir de um pedaço de ferro que é afiado e recebe um cabo de madeira ou cano de plástico. [São frequentemente encontradas com presidiários.]

cossoiro *S. m.* V. *cossouro*.

cossolete (ê) *S. m.* V. *corselete* (1 e 2).

cossoleto (ê) *S. m.* V. *corselete* (1 e 2).

cossouro [De or. obscura.] *S. m.* Roseta de espora. [F. paral.: *cossoiro*.]

cossovar *Adj. 2 g.* **1.** De, ou pertencente ou relativo a Cossovo, região da Sérvia (Europa). • *S. 2 g.* **2.** O natural ou habitante de Cossovo. [Pl.: *cossovares*.]

▲**-cost-** Equiv. de *cost(i)-*.

costa [Do lat. *costa*.] *S. f.* **1.** *Ant. Anat.* Costela (1). **2.** Litoral (2). **3.** Porção de mar próxima da terra. **4.** A costa da África em geral. [Nesta acepç., figura em vários vocábulos ou expressões, como, p. ex., *pano da costa* e *sabão-da-costa*.] **5.** Encosta, declive. **6.** *Bot.* Em geral, linha em relevo que percorre órgãos e partes vegetais, formando ressalto. **7.** *Bot. Desus.* Nervura central. ~ V. *costas*. ◆ **Dar à costa. 1.** *Mar.* Encalhar (a embarcação) no litoral, por acidente ou má visibilidade, ou impelida por tormenta; ir à costa. **2.** *Fig.* Perder-se, arruinar-se. **Ir à costa.** *Mar.* Dar à costa (1).

costa-abaixo *S. f. Bras.* Descida de um morro ou cerro. [Pl.: *costas-abaixo*. Antôn.: *costa-acima*.]

costa-acima *S. f. Bras.* Subida de um morro ou cerro. [Pl.: *costas-acima*. Antôn.: *costa-abaixo*.]

costado [De *costa* + *-ado*[1].] *S. m.* **1.** V. *costas* (1). **2.** *Constr. Nav.* Revestimento ou forro exterior do casco acima da linha-d'água, em embarcação de grande porte. **3.** *Constr. Nav.* Revestimento ou forro exterior acima do bojo. **4.** *Constr. Nav.* Forro exterior do casco da embarcação miúda. **5.** Cada um dos quatro avós de cada indivíduo. • *Adj.* **6.** *Bot.* Provido de costa (6): *cápsula costada*. ◆ **Bater com os costados em.** Dar com os costados em: "— Nas minhas andanças pelo mundo fui bater com os costados em Argel, onde conheci uma cristã." (Hermilo Borba Filho, *O Cavalo da Noite*, p. 58.) **Dar com os costados em.** Ir ter a um lugar; bater com os costados em. **Dos quatro costados.** Pelos quatro avós. **No costado.** Na consciência (*i. e.*, pesando nela, como um fardo pesa às costas ou no costado); às costas: *Aquele bandido traz mais de vinte mortes no costado.*

costal [De *costa* + *-al*[1].] *Adj. 2 g.* **1.** *Anat.* Relativo ou pertencente às costelas. ● *S. m.* **2.** Fardo ou porção de mercadoria que se pode conduzir às costas (1): "Onde está ele? / — No sítio do Felisberto, aonde o mandei com um costal de mandioca." (Franklin Távora, *O Cabeleira*, p. 249.) **3.** Fios que atam a meada a fim de que ela não se enrede. **4.** *Bras.* Certa peça de cangalha.

costalgia [De *cost(i)-* + *-alg(o*[2]*)* + *-ia*[1].] *S. f. Med.* Dor em costela.

costálgico [De *costalgia* + *-ico*[2].] *Adj. Med.* Relativo a costalgia.

costa-marquense *Adj. 2 g.* **1.** De, ou pertencente ou relativo a Costa Marques (RO). ● *S. 2 g.* **2.** O natural ou habitante de Costa Marques. [Pl.: *costa-marquenses*.]

costaneira [Do esp. *costanera*.] *S. f.* **1.** Papel de qualidade inferior que resguarda de lado as resmas. **2.** Papel grosso e ordinário. **3.** *Carp.* Tábua obtida da extremidade exterior ou interior de um tronco, e que não é tão perfeita quanto as outras serradas da parte intermediária dele; casqueira. **4.** V. *borrador* (1). ● *S. m.* **5.** *Bras. CE* Vaqueiro que ladeia a boiada.

costaneiro *Adj.* **1.** Da, ou relativo à costaneira. ● *S. m.* **2.** Lombo (2).

costão [De *costa* + *-ão*[2].] *S. m. Bras.* Costa (2) desabrigada e sem enseadas.

costa-riquenho *Adj.* **1.** Da, ou pertencente ou relativo à Costa Rica (América Central). ● *S. m.* **2.** O natural ou habitante desse país. [Pl.: *costa-riquenhos*.]

costa-riquense[1] *Adj. 2 g. S. 2 g.* V. *costa-riquenho*. [Pl.: *costa-riquenses*.]

costa-riquense[2] *Adj. 2 g.* **1.** De, ou pertencente ou relativo a Costa Rica (MS). ● *S. 2 g.* **2.** O natural ou habitante de Costa Rica. [Pl.: *costa-riquenses*.]

costarriquenho [Do esp. *costarriqueño*.] *Adj. S. m.* V. *costa-riquenho*. [Sin.: *costarriquense, costa-riquense*. Var.: *costa-riquenho*.]

costarriquense *Adj. 2 g. S. 2 g.* V. *costa-riquenho*. [Var.: *costa-riquense*.]

costas [Pl. de *costa*.] *S. f. pl.* **1.** A parte posterior do tronco humano; dorso, lombo, costado. **2.** A parte posterior de vários objetos: *as costas do vestido;* "Cuspiu, limpou a boca com as costas da mão, e abriu para o ar a sua voz áspera" (João do Rio, *Vida Vertiginosa*, p. 145). **3.** Encosto (1): "Estiquei mais as pernas, recostei-me nas costas do banco e debrucei para trás a cabeça." (Aluísio Azevedo, *Pegadas*, p. 165). **4.** O lado oposto; reverso: "A moldura que lhe mandei pôr não encobria a dedicatória, escrita embaixo, não nas costas do cartão" (Machado de Assis, *Dom Casmurro*, pp. 338-339). **5.** *Bras. S.* Margem de um rio, arroio, lagoa, banhado, região, mata ou planície. **6.** *Encad.* Em um livro, o lado correspondente ao fim do texto. ~ V. *costa*. ◆ **Às costas.** No costado. **Carregar nas costas.** *Bras.* Numa tarefa que exija esforço de um grupo, fazer praticamente sozinho o trabalho de (todos); carregar. **Desejar ver pelas costas.** Desejar a ausência, o desaparecimento de (alguém). **Mostrar as costas.** V. *fugir* (1 e 2). **Querer ver pelas costas.** Desejar ver pelas costas: "A verdade .... é que fora enxotado, não havia nenhum casal de franceses, eu sabia, tudo desculpa, queria nos ver pelas costas." (Hermilo Borba Filho, *O Cavalo da Noite*, p. 65). **Ter as costas largas. 1.** Estar sob a proteção de alguém; ter as costas quentes, ter costas quentes, ter santo forte. **2.** Ser capaz de arrostar responsabilidades, encargos, culpas, etc. [Sin. ger.: *Ter costas largas*.] **Ter as costas quentes.** V. *ter as costas largas* (1). **Ter costas largas.** V. *ter as costas largas.* **Ter costas quentes.** V. *ter as costas largas* (1).

costeado [Part. de *costear*.] *Adj.* **1.** *Bras. MG S. MT* Diz-se do gado que se põe em pastoreio e curral para amansar. **2.** *Bras. MG* Diz-se do gado trabalhado. [Cf. *custeado*, part. de *custear*.]

costeagem [De *costear* + *-agem*[2].] *S. f.* Ato ou efeito de costear: "Os mares piscosos traziam a fartura, e alentavam a costeagem" (Capistrano de Abreu, *Capítulos de História Colonial*, p. 101).

costear [De *costa* + *-ear*[2].] *V. t. d.* **1.** Navegar perto da costa de; perlongar: "Na tarde escura de junho, o vapor vai costeando as praias fluminenses, rendilhadas e tarjadas de branco." (Jaime Adour da Câmara, *Oropa, França e Bahia*, p. 17.) **2.** Percorrer em torno; circundar, rodear: *Costeou o monte, sem encontrar a estrada; Seguiu a rua que costeava a igreja.* **3.** *Bras. S.* Arrebanhar (o gado) em determinadas épocas, não só para evitar que se disperse, mas também para acostumá-lo a reunir-se em certos pontos da fazenda. [Sin., nesta acepç., no N.E.: *vaquejar*.] **4.** *Bras. MG S. MT* Sujeitar (o gado) por algum tempo, em pastoreio ou no curral, para amansá-lo ou corrigi-lo. **5.** *Bras. MT S.* Fazer sofrer, castigar (alguém), por desforra. *Int.* **6.** Navegar chegado à praia ou seguindo a direção da costa próxima. *P.* **7.** Navegar, chegando-se: *A embarcação costeou-se à terra.* **8.** Chegar-se, aproximar-se. [Conjug.: v. *frear*. Pres. ind.: *costeio*, etc. Cf. *custeio*, do v. *custear* e s. m., e este verbo.]

costectomia [De *cost(i)-* + *-ectom-* + *-ia*[1].] *S. f. Cir.* Extração, ressecção de costela.

costeio [Dev. de *costear*.] *S. m.* **1.** Ato ou efeito de costear (1 a 4). **2.** Vaquejada (1). [Cf. *custeio*, do v. *custear* e s. m.] ◆ **Dar um costeio em.** Tratar (alguém) com energia, corrigi-lo, quando tenha praticado ação condenável.

costeira [De *costa* + *-eira*.] *S. f.* **1.** *Ant.* Costa (2) marítima. **2.** *Bras.* Serra íngreme, à beira-mar. ◆ **Bater a costeira.** *Bras. RS* Andar de casa em casa mexericando, sem ter o que fazer.

costeiro [De *costa* + *-eiro*.] *Adj.* **1.** Relativo a costa. **2.** Que navega junto à costa, ou de porto a porto na mesma costa. ~ V. *baixio —, mar — e navegação —a*.

costela [De *costa* + *-ela*.] *S. f.* **1.** *Anat.* Cada um dos 24 ossos que, distribuídos em 12 pares, se estendem das vértebras torácicas em direção à linha média, no aspecto ventral do tronco, contribuindo para formar a maior parte da gaiola torácica (q. v.). [Dos 12 pares, apenas os sete superiores estão ligados ao osso esterno por cartilagem costal — *costelas verdadeiras* —, sendo os três pares que se seguem formados pelas *costelas falsas*, que se unem à cartilagem costal superior, ligando-se ao esterno pela sétima cartilagem costal, e os dois últimos pares formados pelas *costelas flutuantes*, cujas extremidades anteriores, revestidas por cartilagens, permanecem livres.] **2.** Caverna de navio. **3.** Armadilha para pássaros. **4.** *Bot.* Nervura média de algumas folhas. **5.** *Tip.* Cada uma das nervuras da linha-bloco da linotipo aparadas, na saída, pelas facas que regulam o corpo. **6.** *Bras. Fam.* Esposa, mulher, cara-metade. **7.** *Bras.* V. *catabi* (1). ◆ **Costelas abdominais.** *Anat.* Os últimos cinco pares de costelas, que não se articulam; costelas asternais, costelas falsas, costelas inferiores. [V. *costela* (1).] **Costelas asternais.** *Anat.* V. *costelas abdominais.* **Costela de ombro.** *Tip.* Costela de pente. **Costela de pente.** *Tip.* Costela de proporções maiores que as comuns, produzida em moldes que fundem do corpo 18 para cima; costela de ombro. **Costela falsa.** *Anat.* V. *costela* (1). **Costela flutuante.** *Anat.* V. *costela* (1). **Costela verdadeira.** *Anat.* V. *costela* (1). **Costelas inferiores.** *Anat.* V. *costelas abdominais.* **Apalpar as costelas a alguém.** *Pop.* Espancá-lo, moê-lo de pancadas.

costela de vaca *S. f. Bras. RJ* V. *catabi* (1). [Pl.: *costelas de vaca*.]

costelar [De *costela* (4) + *-ar*[2].] *V. t. d. Bras. CE* Dobrar (a folha de fumo) ao centro, de modo que fique costela (4) dobrada sobre costela (4).

costeleta (ê) [De *costela* + *-eta* (ê).] *S. f.* **1.** Costela (1) de certos animais, separada com carne aderente. **2.** Iguaria feita com essa costela: "Porém, em breve, a disposição lhe volta. A comida é boa: costeletas de carneiro." (Guido Vilmar Sassi, *Piá*, p. 90.) **3.** *Bras.* Porção de barba e cabelo que se deixa crescer na parte lateral do rosto, junto à orelha. [Sin., nesta acepç. (lus.), pop.: *patilha*. (M. us. no pl.)]

costeletada [De *costeleta* + *-ada*[2].] *S. f.* V. *costuletada*.

▲**cost(i)-** [Do lat. *costa, ae*.] *El. comp.* = 'costela'; 'costas': *costalgia*. [Equiv.: *-cost-*: *intercostal*.]

costilha [De *costa* + *-ilha*.] *S. f. Mús.* Tira de madeira delgada que une o tampo ao fundo dos instrumentos de corda.

costilhar [Do esp. plat. *costillar*.] *S. m. Bras. RS* **1.** A região das costelas do vacum. **2.** A carne que se tira dessa região, junto com as *costelas* [v. *costela* (1)], em geral para fazer assado. **3.** O assado feito dessa carne.

costotomia [De *cost(i)-* + *-o-*[1] + *-tom(o)-* + *-ia*[1].] *S. f. Cir.* Ressecção de costela.

costotorácico [De *cost(i)-* + *-o-*[1] + *torácico*.] *Adj. Anat.* Relativo às costas e ao tórax.

costovita [Do antr. (*Ivã*) *Kostov*, mineralogista búlgaro, + *-ita*[3].] *S. f. Min.* Telureto de cobre e ouro.

costuletada [De *costeletada*, com dissimilação.] *S. f. Bras.* Pancada, golpe.

costumado [De *costume*[1] + *-ado*[1].] *Adj.* **1.** Que é de costume; usual, habitual, costumeiro: "A mesa estava ao lado da chaminé, ... no seu recanto costumado, abrigada pelo biombo japonês" (Eça de Queirós, *Os Maias*, I, p. 171). **2.** Habituado, acostumado. ● *S. m.* **3.** O que é costume.

costumar [De *costume*[1] + *-ar*[2].] *V. t. d.* **1.** Ter por costume; ter o hábito de; usar: *Costuma passar fora os meses de verão. T. d. e i.* **2.** Fazer adquirir o costume, o hábito de; habituar, afazer, acostumar: *Costumou os filhos a respeitá-lo. Int.* **3.** Ser costumeiro, ou habitual: *Costuma fazer frio aqui, à noitinha. P.* **4.** Habituar-se, afazer-se, acostumar-se: "Costumei-me a ver o mal em toda a parte" (José Duro, *Fel*, p. 45). [Fut. pret.: *costumaria*, etc. Cf. *costumária*, fem. de *costumário*.]

costumário [De *costume*[1] + *-ário*.] *Adj.* Que se faz por costume e uso; consuetudinário. [Fem.: *costumária*. Cf. *costumaria*, do v. *costumar*.]

costumbrismo [Do esp. *costumbrismo*.] *S. m. Liter.* Nas literaturas hispano-americana e espanhola romântica, descrição realística da vida popular e seus costumes.

costume[1] [Do lat. *consuetudine*.] *S. m.* **1.** Uso, hábito ou prática ger. observada: "Tenho o costume, em Paris, de visitar os cemitérios" (Costa Rego, *Águas Passadas*, p. 269). **2.** Particularidade, característica: *Seu relógio tem o costume de atrasar.* **3.** *Jur.* Hábito amplamente aceito cuja força normativa é reconhecida pelo direito. **4.** *Pop.* V. *menstruação* (1). **5.** Uso, moda: *o costume das calças compridas.* ~ V. *costumes*. ◆ **Às de costume.** *Jur.* Abrev. da expr. *às perguntas de costume*, empregada nos termos de depoimento e relativa aos impedimentos das testemunhas.

costume[2] [Do fr. *costume*.] *S. m.* **1.** *Bras. Vest.* Roupa de homem (calça, paletó e, por vezes, colete). **2.** *Bras. Vest.* Vestuário feminino (casaco e saia). **3.** Trajo adequado ou característico: *costume de montaria.* **4.** *Teatr.* Vestuário de teatro. ~ V. *costumes*.

costumeira [De *costume*[1] + *-eira*.] *S. f.* **1.** Costume mau, ou pouco importante; usança. **2.** Vício (6): *Não larga a costumeira de roer unhas.*

costumeiro [De *costume*[1] + *-eiro*.] *Adj.* Usual, habitual, costumário. ~ V. *direito —*.

costumes [Pl. de *costume*[1].] *S. m. pl.* **1.** Procedimento, comportamento. **2.** *Ét.* Numa sociedade determinada, os comportamentos que são prescritos, do ponto de vista moral. **3.** *Sociol.* Atitude ou valor social consagrado pela tradição e que se impõe aos indivíduos do grupo e se transmite através de gerações. ~ V. *costume*.

costura [Do lat. vulg. **consutura*.] *S. f.* **1.** Ato, efeito, arte ou profissão de coser. **2.** *P. ext.* Trabalho feito com agulha e fio, e/ou tecido ou outro material costurado ou a costurar: *A costura da saia ficou torta; A moça veio buscar as costuras.* **3.** Ação de costurar (3): "O procurador-geral não fazia propriamente articulações políticas, no sentido da costura, da conversação com os políticos." (Evandro Lins e Silva, *O Salão dos Passos Perdidos*, p. 341.) **4.** *Cir.* Sutura de tecidos. **5.** *Fig.* Cicatriz (1) profunda. **6.** *Encad.* Ato ou efeito de ligar entre si os cadernos de um livro, manual ou mecanicamente, com fio têxtil ou metálico, para formar brochuras, cartonagens e encadernações. [V. *grampeamento*.] **7.** *Constr. Nav.* Juntura entre as tábuas ou as chapas do costado dos navios. **8.** *Marinh.* Trabalho feito nos chicotes de dois cabos para ligá-los definitivamente. **9.** *Marinh.* Trabalho feito no chicote de um cabo para fazer uma mão[1] (19). **10.** *Marinh.* Trabalho feito entre o chicote de um cabo e o seio de outro, para fazer uma encapeladura. **11.** *Bras.* Ato ou efeito de costurar (4 e 5).

costuradeira [De *costurar* + *-deira*.] *S. f. Bras. Encad.* Máquina usada para costurar as brochuras ou os volumes destinados à encadernação editorial.

costurador (ô) [De *costurar* + *-dor*.] *S. m. Encad.* **1.** Operário que trabalha na costuradeira. **2.** Aparelho de madeira em que o encadernador executa a costura manual dos livros; engenho, tear, estribilhas.

costuragem [De *costurar* + *-agem*[2].] *S. f. Bras.* Ação de costurar brochuras.

costurar [De *costura* + *-ar*[2].] *V. t. d.* **1.** V. *coser* (1 a 3). **2.** *Fig.* Entretecer, ligar os elementos de (texto, ou situação, etc.), arrematando-os. **3.** *Fig.* Obter, ou tentar alcançar (um acordo, ou um compromisso, situação, etc.) mediante conversas ou negociações, ger. unilaterais, com pessoas de interesses ou opiniões divergentes; articular: *O ministro costurou a aprovação da nova lei.* **4.** *Bras. Gír.* Metralhar (1). **5.** *Bras. Gír.* Dirigir perigosamente no trânsito, cortando [v. *cortar*[1] (16)] (os outros veículos): "Ele tocou a mais de cem por hora. Costurava os outros carros." (Dalton Trevisan, *Essas Malditas Mulheres*, p. 14.) *Int.* **6.** Coser (5): "Emily Brontë, na época em que escrevia *O Morro dos Ventos Uivantes*, costurava, descascava batatas, amassava o pão." (Álvaro Lins, *Literatura e Vida Literária*, p. 213.) **7.** *Fut.* Desenvolver jogo de dribles e passes curtos bem coordenados por entre os adversários, envolvendo-os: *Garrincha era um dos que melhor costuravam.* **8.** *Bras. Gír.* Dirigir perigosamente no trânsito, cortando [v. *cortar*[1] (16)] os outros veículos: *Ia costurando como um louco, quando capotou;* "O carro embarafusta pelo tráfego, costura, buzina" (Chico Buarque, *Benjamim*, p. 130).

costureira [De *costura* + *-eira*.] *S. f.* **1.** Mulher que se ocupa em trabalhos de costura (1). **2.** *Bras. SP Gír. Mil.* V. *metralhadora*.

costureiro [De *costura* + *-eiro*.] *S. m.* **1.** Homem que se ocupa em trabalhos de costura (1). **2.** Pessoa que dirige um ateliê de costura de luxo, e cria as coleções que, a cada estação, estabelecem as novas linhas da moda. [Cf., nesta acepç., *alfaiate* (1).] **3.** *Anat.* Músculo costureiro (q. v.). ● *Adj.* **4.** *Anat.* ~ V. *músculo —*.

■ **cosv** *Mat.* Símb. impr. de *arco cosseno verso* (q. v.).

■ **cos**[-1] *Mat.* Símb. impr. de *arco cosseno* (q. v.).

➔ **cot** [ko] [Fr.] *S. m. Vitic. Enol.* V. *malbec*.

■ **cot** *Mat.* Símb. de *cotangente*.

cota[1] [Do fr. ant. *cote* (atual *cotte*) < frâncico **kotta*, 'pano de lã'.] *S. f.* **1.** Armadura de couros retorcidos ou de malhas de ferro, que cobria o corpo: "Muitos dos ginetes, armados de azagaias, lança e espada, protegiam-se com cotas de malha, capacetes metálicos e escudos de couro." (Alberto da Costa e Silva, *A Enxada e a Lança*, p. 523.) **2.** Espécie de gibão. **3.** *Rel.* Espécie de sobrepeliz, com uma abertura quadrada para a cabeça.

cota[2] [Var. de *quota*.] *S. f.* **1.** V. *quinhão* (1). **2.** Quantidade máxima permitida (de importações, exportações, imigrantes, etc.), num dado período: *cota de exportação.* **3.** Porção determinada: *Já teve a sua cota de carne.* **4.** Quantia correspondente à contribuição de cada indivíduo de um grupo para certo fim; cota-parte, prestação. **5.** *Dir. Com.* A porção do capital de cada sócio nas sociedades de responsabilidade limitada. **6.** Pronunciamento escrito de advogados, membros do Ministério Público e representantes do fisco nos autos de um processo que vão com vista a eles por ordem judicial. **7.** Citação, nota, apontamento ou referência à margem dum escrito. **8.** Letra com que se classificam as peças dum processo. **9.** Número que exprime, em metros ou noutra unidade de comprimento, a distância vertical de um ponto a uma superfície horizontal de referência (altura, altitude, diferença de nível, etc.). **10.** *Arquit. P. ext.* Qualquer medida que se apõe a projetos de arquitetura. **11.** *Mat.* Numa função de uma ou mais variáveis, diferença entre dois valores da variável dependente. [Cf., nesta acepç., *afastamento* (5).] **12.** *Topogr.* A distância vertical de um ponto do terreno a um plano horizontal de referência. ◆ **Cota de coroamento.** *Arquit.* A altura máxima permitida para uma construção, determinada por legislação ou pelo órgão licenciador. **Cota de soleira.** *Arquit.* A altura da soleira no nível térreo de uma construção, determinada por legislação ou pelo órgão licenciador. **Cota periscópica.** *Mar. G.* Profundidade de mergulho na qual o submarino mantém o periscópio acima do nível do mar. **Cota verdadeira.** Cota[2] (9) referente à altitude. **Cota vermelha.** Em projetos de estradas, a diferença medida verticalmente entre um ponto do projeto e a cota do correspondente ponto do terreno natural.

cota[3] [De *costas*, poss.] *S. f.* Lado de uma ferramenta oposto ao gume.

cota[4] [Do quimb. *kota*, 'superior'.] *S. 2 g. Angol.* Pessoa idosa e respeitável; ancião: "O pai manda dizer se quer contribuir no óbito da Dona Angelina, aquela cota viúva que morava lá no fundo" (Manuel Rui, *1 Morto & os Vivos*, p. 30).

cotação [De *cotar* + *-ção*.] *S. f.* **1.** Ato ou efeito de cotar. **2.** Preço pelo qual se negociam mercadorias, títulos, ações de bancos ou fundos públicos, moedas estrangeiras, nas bolsas ou nas praças de comércio. **3.** Determinação desses preços. **4.** *Fig.* Conceito, consideração: *Goza de elevada cotação literária.* **5.** Oportunidade de bom êxito por parte de quem compete num certame: *É excelente a sua cotação, este ano, na Bienal.*

cotado [Part. de *cotar*.] *Adj.* **1.** Que tem boa cotação no mercado: *As ações que adquiri estão muito cotadas.* **2.** Bem-conceituado; conceituado, prestigiado: *É escritor dos mais cotados.* **3.** Que tem possibilidades de vencer num certame, de obter um prêmio: *Para Prêmio Nobel é ele um dos autores mais cotados; A égua Juracê é muito cotada para o próximo clássico.*

cotador (ô) [De *cotar* + *-dor*.] *S. m.* Aquele que põe cotas.

cotalício [De **cotal* (< *cota*[2] + *-al*[1]) + *-ício*, como em *vitalício*.] *Adj.* ~ V. *contrato —*.

cotamento [De *cotar* + *-mento*.] *S. m.* Ato de pôr cotas [v. *cota*[2] (6)] num processo.

cotangente [De *co-*[1] + *tangente*.] *S. f.* **1.** *Trig.* Função de um ângulo orientado, igual à razão entre a abscissa e a ordenada da extremidade dum arco de circunferência subtendido pelo ângulo. **2.** *Mat.* Função periódica de uma variável, igual ao cociente da função cosseno pela função seno, em todos os pontos em que esta for diferente de zero [símb.: *cot*]. ◆ **Cotangente hiperbólica.** *Mat.* Função igual ao cociente do cosseno hiperbólico pelo seno hiperbólico. **Cotangente hiperbólica inversa.** *Mat.* Arco cotangente hiperbólica. **Cotangente inversa.** *Mat.* Arco cotangente. ❖

cotanilho [De *cotão*[1] + *-ilho*.] *S. m.* Pequeno cotão[1].

cotanilhoso (ô) [De *cotanilho* + *-oso*.] *Adj.* Que tem cotanilho.

cotão[1] [Do fr. *coton* < genovês *cottone*, do mesmo étimo ár. de *algodão*.] *S. m.* **1.** Pelo que se desprende dos panos. **2.** Felpazinha ou lanugem que se junta no forro dos vestidos, atrás ou embaixo dos móveis, etc. **3.** Lanugem dalguns vegetais: "Lá se encontra no algodoeiro, entre as cápsulas cheias de alvo e macio cotão, algum enfezado aleijão herbáceo que nutre as larvas." (José de Alencar, *O Gaúcho*, p. 142.)

cotão[2] [De *cota*[1] + *-ão*[1].] *S. m.* Cota[1] (1) grande.

cota-parte [Var. de *quota-parte*.] *S. f.* **1.** Fração duma soma comum que cada pessoa deve pagar ou receber. **2.** V. *cota*[2] (4). [Pl.: *cotas-partes*.]

cotar [De *cota*[2] + *-ar*[2].] *V. t. d.* **1.** Notar ou assinalar por meio de cota[2] (8 e 9). **2.** Fixar o preço ou a taxa de; cotizar. **3.** Marcar o nível ou a altura de. *T. d. e c.* **4.** Taxar; avaliar: *O corretor cotou o imóvel em R$ 200.000,00. Transobj.* **5.** Acusar, tachar: *Cotei-o de negligente.* [Pres. ind.: *coto*, etc.; fut. pret.: *cotaria*, etc. Cf. *coto* (ô), *couto*, o antr. *Couto*, e *cotária*, fem. de *cotário*.]

cotário [De *cota*[2] + *-ário*.] *S. m. Bras.* Cotista (2). [Fem.: *cotária*. Cf. *cotaria*, do v. *cotar*.]

cote[1] [Do lat. *cote*.] *S. m.* Pedra de amolar; mó.

cote[2] [Der. regress. de *cotio*.] *S. m.* Coisa de todos os dias. ◆ **A cote.** Cotidianamente; todos os dias; com frequência; de cote, a cotio, de cotio. **De cote.** V. *a cote*.

cote[3] *S. m. Marinh.* Volta singela que se dá no chicote de um cabo e na qual as duas pernadas são estendidas, lado a lado, no mesmo sentido.

cotecá [De or. indígena.] *S. m. Bras.* Instrumento indígena de percussão.

cotegipano *Adj.* **1.** De, ou pertencente ou relativo a Cotegipe (BA). ● *S. m.* **2.** O natural ou habitante de Cotegipe.

cotegipense *Adj. 2 g.* **1.** De, ou pertencente ou relativo a Barão de Cotegipe (RS). ● *S. 2 g.* **2.** O natural ou habitante de Barão de Cotegipe.

cotejador (ô) [De *cotejar* + *-dor*.] *S. m.* Aquele que coteja.

cotejamento [De *cotejar* + *-mento*.] *S. m. P. us.* V. *cotejo*.

cotejar [De *cota*[2] + *-ejar*.] *V. t. d.* **1.** Examinar (cotas [v. *cota*[2] (9)]), confrontando-as. **2.** *P. ext.* Confrontar, comparar: *Cotejar épocas.* **3.** *Restr.* Comparar (versões de um mesmo texto), para assinalar-lhes as variantes textuais: *cotejar manuscritos. T. d. e i.* **4.** Pôr em paralelo; confrontar, comparar: "Abri qualquer dicionário, — e cotejai a miséria da palavra — Beleza — com a opulência sinonímica da palavra — Graça." (Olavo Bilac, *Conferências Literárias*, p. 230.) **5.** Fazer o cotejo de (texto literário) com (outra versão do mesmo texto), para assinalar-lhes as variantes textuais: *Cotejar o manuscrito com a 1ª edição.* [Conjug.: v. *pelejar*.]

cotejo (ê) [Dev. de *cotejar*.] *S. m.* **1.** Ato ou efeito de cotejar. **2.** Comparação, confronto. [Sin. ger. (p. us.): *cotejamento*.]

cotelão *S. m. Bras. Tec. Têx.* Certo tecido em moda no séc. XVIII.

cotelê [Do fr. *côtelé*.] *Adj. Tec. Têx.* **1.** Diz-se de tecido de textura grossa, de algodão ou de lã, com ranhuras no sentido vertical. **2.** Diz-se de veludo com esse tipo de ranhura.

coteleiro [Var. de *corteleiro*.] *Adj. S. m. Bras. N.* Diz-se de, ou boi manso que procura o curral. [Cf. *cuteleiro*.]

➔ **coterie** [kɔtʁi] [Fr.] *S. f.* Panelinha, igrejinha, corrilho.

➔ **côtes-du-Rhône** [kot dy ʁon] [Fr.] *S. m. 2 n. Enol.* Vinho do vale do rio Ródano.

■ **cotg** *Mat.* Símb. impr. de *arco cotangente* (q. v.).

■ **cotgh** *Mat.* Símb. impr. de *arco cotangente hiperbólica* (q. v.).

■ **coth** *Mat.* Símb. impr. de *arco cotangente hiperbólica* (q. v.).

cotia [Adapt. do malaiala.] *S. f.* Antiga embarcação, pequena e ligeira, do Oceano Índico. [Cf. *cutia*.]

cotiado [Part. de *cotiar*.] *Adj.* Gasto pelo uso; coçado.

cotiar [De *cotio*[1] + *-ar*[2].] *V. t. d.* **1.** Usar a cote (v. *a cote*), diariamente. **2.** Gastar com o uso, usar todos os dias (roupa, ou peça do vestuário). [Pres. ind.: *cotio*, *cotias*, *cotia*, etc. Cf. *Cótio*, antr., e *cutia*, s. f.]

cotiara[1] [Do tupi = 'pintado', que ocorre no tax. *Bothrops cotiara*; cf. *boiquatiara*.] *S. f. Zool.* Reptil ofídio, crotalídeo (*Bothrops cotiara*), de coloração verde-olivácea no dorso, com duas séries de manchas triangulares pretas nos bordos e castanhas no centro, orladas de claro, que se alternam ou correspondem sem se fundirem. Atinge 90cm de comprimento, e ocorre de MG ao S. [Sin.: *jararaca-preta*, *quatiara*, *boicoatiara* ou *boiquatiara*.]

cotiara[2] *S. f. Bras. Zool.* V. *cutiaia*.

cotica [Do fr. *cotice*.] *S. f. Heráld.* Banda[2] (4) estreita que atravessa o escudo de cima a baixo.

coticado [De *cotica* + *-ado*[1].] *Adj. Heráld.* Que tem cotica(s).

cotícula [Do lat. *coticula*.] *S. f.* Pedra de toque do ouro e da prata. [Cf. *cutícula* e *cutícola*.]

cotidade [De *cota(-parte)* + *-(i)dade*.] *S. f.* Soma fixa correspondente ao montante de cada cota-parte.

cotidal [Do ingl. *cotidal*.] *Adj. 2 g. Geofís.* ~ V. *linha —*.

cotidianidade [De *cotidiano* + *-(i)dade*; var. de *quotidianidade*.] *S. f.* Qualidade do que é cotidiano.

cotidiano [Var. de *quotidiano* < lat. *quotidianu*.] *Adj.* **1.** De todos os dias; diário: *a vida cotidiana.* **2.** Que se faz ou sucede todos os dias; diário: *labor cotidiano; complicações cotidianas.* **3.** Que aparece todos os dias; diário: *jornal cotidiano.* **4.** Que sucede ou se pratica habitualmente: *Machado de Assis fazparte de suas leituras cotidianas.* ● *S. m.* **5.** Aquilo que se faz ou ocorre todos os dias. **6.** O que sucede ou se pratica habitualmente.

cotil [Do fr. *coutil*.] *S. m.* V. *cotim*.

▲**-cótila** V. *cotil(o)-*.

cotiledonar [De *cotilédone* + *-ar*[1].] *Adj. 2 g. Bot.* Cotiledôneo. ~ V. *nó —*.

cotilédone [Do lat. cient. *cotyledon* < gr. *kotyledón*, 'cavidade'.] *S. m. e f.* **1.** *Bot.* Folha seminal ou embrionária, a primeira que surge quando da germinação da semente, e cuja função é nutrir a jovem planta nas primeiras fases de seu crescimento. [As plantas floríferas angiospérmicas dividem-se em dois grupos segundo o número de cotilédones: monocotiledôneas, com um só, e dicotiledôneas, com dois. Só estas últimas exteriorizam o cotilédone ao germinar a semente.] **2.** *Anat.* Qualquer das subdivisões da superfície uterina da placenta.

cotiledóneo *Adj.* V. *cotiledôneo*. [Uso freq. em P.]

cotiledôneo [De *cotilédone* + *-eo*.] *Adj. Bot.* Que tem cotilédones; cotiledonar.

cotilhão [Do fr. *cotillon*.] *S. m.* **1.** Antiga dança de muitos pares, entremeada de várias músicas e distribuição de brindes, pela qual se usava terminar um baile. **2.** Par de objetos similares, distribuídos em reuniões dançantes, entre homens e mulheres, com o fim de animar a festa.

▲**cotil(o)-** [Do gr. *kotyl-*, *kotylo-* < *kotýlē*, *ēs* (ȳ).] *El. comp.* = 'cavidade', 'concavidade'; 'xícara', 'tigela': *cotilóforo*. [Equiv.: *-cótila*, *-cotil(o)-*, *-cótilo*: *isocotilia*; *acótilo*.]

▲**-cotil(o)-** V. *cotil(o)-*.

cótilo [Do gr. *kotýle*.] *S. m. Anat.* Cavidade dum osso na qual se articula a extremidade de outro, especialmente a do ilíaco.

▲**-cótilo** V. *cotil(o)-*.

cotilóforo [De *cótilo* + *-foro*.] *Adj. Anat.* Que tem cótilos.

cotiloide (ói) [Do gr. *kotyloeidés*.] *Adj. 2 g. Anat.* Que tem forma de cótilo; cotilóideo. ~ V. *cavidade —*. ❖

cotilóideo [De *cotil(o)-* + *-óideo*.] *Adj.* Cotiloide (q. v.).

cotilossauro [De *cotil(o)-* + *-sauro*; tax. *Cotylosauria*.] *Paleont. S. m.* **1.** Espécime dos cotilossauros, ordem de reptis primitivos, que surgiram no carbonífero; eram pequenos lagartos omnívoros, de dentes pontudos, que desapareceram no fim do triássico. ● *Adj.* **2.** Pertencente ou relativo a eles.

cotim [Var. de *cotil*.] *S. m. Tec. Têx.* Certo tecido muito leve, de linho ou de algodão: "Os remendos das calças de cotim" (José Cardoso Pires, *O Delfim*, p. 88).

cotinga[1] [Do tax. *Cotinga* (do tupi *ko'tinga*) (v. *-tinga*).] *S. f. Zool.* V. *anambé*[1] (1).

cotinga[2] [Do tupi. V. *cotinga*[1].] *S. f. Zool. Bras.* Peixe hemulídeo (*Haemulon aurolineatum*) com até 25cm, de coloração branco-prateada, com o alto da cabeça marrom-acinzentado, faixas laterais e dorsal amarelas, e mancha escura próxima à cauda. [Sin.: *corcoroca*, *garganta-de-ferro*, *sapurana*, *sapuruna*, *xira*.]

cotinga[3] [De *caatinga* e *catinga*[2], poss.] *S. f. Bras. PR* Capim de folhas largas, aproveitadas pelos tropeiros para palha de cigarros.

cotingal [De *cotinga*[3] + *-al*[1].] *S. m.* **1.** *Bras. PR* Quantidade mais ou menos considerável de cotingas (v. *cotinga*[3]) dispostas proximamente entre si. **2.** Área ocupada pelo cotingal (1).

cotíngida [Do tax. *Cotinga* + *-ida*[1]; tax. *Cotingidae*.] *S. m. Adj. 2 g. Zool.* V. *cotingídeo*.

cotingídeo [Do tax. *Cotinga* + *-ídeo*[1]; tax. *Cotingidae*.] *Zool. S. m.* **1.** Espécime dos cotingídeos, família de aves passeriformes, de porte relativamente grande, de tarso picnaspídeo, plumagem de cores brilhantes, e que se alimentam de frutos e insetos. São os pavós, os galos-da-serra, os maús, os anambés e os cricriós. ● *Adj.* **2.** Pertencente ou relativo a eles. [Sin. ger.: *cotíngida*.]

cotio[1] [Do lat. tard. *cottidio*, por *cottidie*, *quotidie*.] *S. m.* Uso cotidiano. [Cf. *Cótio*, antr.] ◆ **A cotio.** V. *a cote*. **De cotio.** V. *a cote*.

cotio² *Adj. Bot.* Diz-se de uma espécie de grão-de-bico. [Cf. *Cótio*, antr.]

cotiporanense *Adj. 2 g.* **1.** De, ou pertencente ou relativo a Cotiporã (RS). ● *S. 2 g.* **2.** O natural ou habitante de Cotiporã.

cotista [De *cota²* + *-ista*; var. de *quotista*.] *Adj. 2 g.* **1.** Que tem cotas [v. *cota²* (5)] integrantes do capital de uma sociedade mercantil de responsabilidade limitada. ● *S. 2 g.* **2.** Pessoa que é cotista; cotário.

cotização [De *cotizar* + *-ção*; var. de *quotização*.] *S. f.* Ato ou efeito de cotizar(-se). [Cf. *cutisação*.]

cotizar [De *cota²* + *-izar*; var. de *quotizar*.] *V. t. d.* **1.** Dividir ou distribuir por cota² (1). **2.** Cotar (2). *P.* **3.** Reunir-se a outros a fim de contribuir para uma despesa comum: *Seus amigos cotizaram-se para pagar a fiança.* [Cf. *cutisar*, v.]

cotizável [De *cotizar* + *-vel*; var. de *quotizável*.] *Adj. 2 g.* Que se pode cotizar.

coto [Do jap. *koto*.] *S. m. Mús.* Antigo instrumento japonês (séc. VII), de cordas dedilháveis e caixa de ressonância longa e ligeiramente abaulada, pousada sobre o chão. [É, por assim dizer, a harpa do Japão, com 13 cordas de seda, que o artista, ajoelhado diante do instrumento, faz vibrar por meio de dedeiras de marfim colocadas nos três primeiros dedos da mão direita.] [Pl.: *cotos*. Cf. *coto* (ô), pl. *cotos* (ô); *couto*, pl. *coutos*; e *Couto*, antr.]

coto (ô) [Do lat. *cubitu*.] *S. m.* **1.** Resto de vela, de tocha ou de archote: "Sobre o lavatório de vinhático, numa palmatória de cristal, havia um coto de vela; acendeu-o." (Coelho Neto, *Turbilhão*, p. 36.) **2.** *Cir.* Extremidade distal de membro ou de órgão do qual se amputou uma parte. [Sin. (bras.): *cotoco*.] **3.** *Cir.* Extremidade de órgão em que se praticou ressecção de extensão variável, ou secção completa, e que foi suturada. **4.** *Zool.* Parte da asa das aves de onde nascem as penas. **5.** Espécie de lima de serradores. **6.** V. *cotó²* (4). ~ V. *cotos* (ô). [Pl.: *cotos* (ô). Cf. *coto*, do v. *cotar* e s. m.; *cotos*, pl. de *coto*; *Coto*, antr. m.; *couto*, s. m., pl. *coutos*; e *Couto*, antr.]

cotó¹ [Do fr. *couteau* < lat. *cultellu*, 'pequena faca'.] *S. m.* **1.** *Desus.* Faca grande; cutelo. **2.** *Bras.* Faca pequena e ordinária.

cotó² [Var. de *coto* (ô).] *Adj. 2 g.* **1.** *Bras.* Que tem um braço ou perna mutilada. **2.** V. *suru* (1). ~ V. *sorte* —. ● *S. 2 g.* **3.** Pessoa cotó² (1). ● *S. m.* **4.** Coisa pequena; coto (ô), cotoco.

cotó³ *Bras. S. 2 g.* **1.** *Etnôn.* Indivíduo dos cotós [ou (etnôn. bras.) *Kotó], povo indígena extinto, da família linguística uitoto, que habitava a margem esquerda do rio Embira (AC). ● *Adj. 2 g.* **2.** Pertencente ou relativo a esse povo.

cotoco (ô) [De *coto* (ô).] *S. m.* **1.** *Bras.* Coto (ô) (2). **2.** *Bras.* V. *cotó²* (4): "— Eu até tinha umas velas aqui. Um cotoco de vela pra quem quisesse subir no escuro." (Stanislaw Ponte Preta, *Febeapá 2*, p. 105.) **3.** *Bras. BA* Cabeção (4). [Pl.: *cotocos* (ô).]

cotonar [De *cotão* + *-ar²*.] *V. t. d.* Dar aspecto de algodão a; algodoar: "Até que a vela do barco, pequenina, confundia-se com as espumas que cotonavam o oceano." (Coelho Neto, *Banzo*, p. 160).

cotonaria [De *cotão* + *-aria*.] *S. f.* V. *algodoaria*. [Cf. *cotonária*.]

cotonária [De *cotão* + *-ária*.] *S. f. Bot.* Designação comum a plantas cujas folhas têm o aspecto e a maciez do algodão. [Sin.: *cotoneira*, *gnafálio*. Cf. *cotonaria*.]

cotoneira [De *cotão* + *-eira*.] *S. f. Bot.* V. *cotonária*.

cotonete (é) *S. m.* Pequena haste, ger. de plástico, com dois pequenos chumaços de algodão nas extremidades, usada, principalmente, para fins higiênicos.

▲**coton(i)-** [Do lat. med. *cottonus, i*.] *El. comp.* = 'algodão': *cotonicultura*. [Equiv.: *-coton(i)-*: *acotonar*.]

▲**-coton(i)-** Equiv. de *coton(i)-*.

cotonicultor (ô) [De *coton(i)-* + *-cultor*.] *S. m. Bras.* Agricultor que se consagra à cotonicultura.

cotonicultura [De *coton(i)-* + *-cultura*.] *S. f. Bras.* Cultura do algodão.

cotonifício [Do it. *cotonificio*.] *S. m. Bras.* **1.** Manufatura de panos de algodão. **2.** V. *algodoaria*.

cotorra (ô) [Do esp. *cotorra*.] *S. f. Bras. Zool.* Ave psitaciforme, psitacídea (*Myiopsitta monachus cotorra*), do N. da Argentina e Paraguai, e de MS. Coloração verde, fronte e lado ventral pardacentos, rêmiges azuis; nidifica em colônia, sendo grandes os ninhos. [Sin.: *caturrita*.]

cotos (ô) [Pl. de *coto* (ô).] *S. m. pl.* Nós dos dedos das mãos. ~ V. *coto* (ô). [Cf. *cotos*, pl. de *coto*.]

cotovelaço [De *cotovelo* + *-aço*.] *S. m. Pop.* Cotovelada, golpe; chega pra lá.

cotovelada [De *cotovelo* + *-ada¹*.] *S. f.* **1.** Pancada ou empurrão com o cotovelo; cotovelão. **2.** Leve toque dado com o cotovelo em uma pessoa para chamar-lhe a atenção.

cotovelão [De *cotovelo* + *-ão³*.] *S. m.* Cotovelada (1).

cotovelar [De *cotovelo* + *-ar²*.] *V. t. d. Int. P. P. us.* V. *acotovelar*. [Pres. ind.: *cotovelo*, etc. Cf. *cotovelo* (ê).]

cotoveleira [De *cotovelo* + *-eira*.] *S. f.* Peça elástica usada por certos desportistas para proteger o cotovelo.

cotovelo (ê) [Do moçárabe *qubtél*, *qubtál*, 'cotovelo', < lat. *cubitale*.] *S. m.* **1.** *Anat.* Articulação que conecta braço e antebraço. **2.** Parte da manga de uma vestimenta que recobre o cotovelo: "porque a derradeira vez que o encontrei, ... tiritava dentro duma quinzena cor de mel, roída nos cotovelos" (Eça de Queirós, *Contos*, pp. 273-274). **3.** Ângulo saliente. **4.** Ângulo mais ou menos fechado que um rio, uma estrada, um muro, etc., apresentam: "Conhecia os diferentes vinhos selvagens, que se vendiam na sombria frescura interior das tabernas recolhidas nos cotovelos das brancas estradas" (Ramalho Ortigão, *As Farpas*, I, p. 80). [Pl.: *cotovelos* (ê). Cf. *cotovelo*, do v. *cotovelar*.] ◆ **Cotovelo de captura.** *Geogr.* Alteração brusca do traçado de um rio por haver sido capturado por outro. **Falar pelos cotovelos.** *Fam.* Falar em excesso; ser ou mostrar-se muito loquaz; engolir um disco; ter bebido água de chocalho.

cotovia [T. onom.] *S. f. Zool.* Ave passeriforme, motacilídea (*Anthus campestris*), acinzentada, da região paleártica, C. e S. da Europa, e que pelo inverno emigra para a África e a Índia.

cotovia-dos-campos *S. f. Zool.* V. *calandra²* (2). [Pl.: *cotovias-dos-campos*.]

cotreia (éi) *S. f. Bras. AM SE* **1.** Aguardente ordinária. **2.** *Pop.* V. *cachaça* (1). ❖

cotriba *S. m. Bras. SP Gír.* **1.** Indivíduo metido a valente **2.** V. *valentão* (3).

cotruco¹ [De *cá o troco* da frase *dá cá o troco*.] *S. m.* **1.** *Bras.* Vendedor ambulante de fazendas e objetos de armarinho. **2.** *Bras. RJ Gír.* V. *galego* (4).

cotruco² *S. m. Bras. N.* V. *lambedeira* (3).

➔**cottage** [ˈkɑtɪdʒ] [Ingl.] *S. m.* **1.** Casa de campo. **2.** *P. ext. Cul.* Queijo de leite de vaca fresco, de consistência macia e granulosa.

coturnado [Do lat. *cothurnatu*.] *Adj.* Que tem coturno ou forma de coturno.

coturno [Do gr. *kóthornos*, pelo lat. *cothurnu*, por via erudita.] *S. m.* **1.** Na Grécia antiga, borzeguim de solas altíssimas, que chegava até o meio da perna e se atava pela frente, us. sobretudo pelos atores trágicos: "As personagens da tragédia clássica, representadas por atores de coturno, uma espécie de calçado simbólico de alta dignidade, eram normalmente deuses, semideuses e heróis lendários." (Antônio José Saraiva e Óscar Lopes, *História da Literatura Portuguesa*, p. 306.) **2.** Calçado de sola grossa e alta; chapim. **3.** *Bras.* Bota militar; bute. **4.** Meia curta, peúga: "Vem aí a neve. Trago os pés como calhaus e olhe que pus dois pares de coturnos de lã, uns por cima dos outros." (Aquilino Ribeiro, *Caminhos Errados*, p. 18.) ◆ **De alto coturno.** Socialmente importante; de alta hierarquia: "era conde ou marquês, ao que parecia, gente de alto coturno" (Visconde de Taunay, *O Encilhamento*, p. 173). **De baixo coturno.** De baixa hierarquia; plebeu.

cotutor (ô) [De *co-¹* + *tutor*.] *S. m.* Aquele que é tutor com outrem. [Fem.: *cotutora* (ô).] ❖

cotutora *S. f.* Aquela que é tutora com outrem. ❖

■ **cot⁻¹** *Mat.* Símb. impr. de *arco cotangente* (q. v.).

couçani *Bras. S. 2 g.* **1.** *Etnôn.* Indivíduo dos couçanis [ou (etnôn. bras.) *Coussani, *Cussani], povo indígena extinto, que habitava a região da nascente do rio Araguari, no N. do AP. ● *Adj. 2 g.* **2.** Pertencente ou relativo a esse povo.

couce [Do lat. *calce*, 'calcanhar'.] *S. m.* V. *coice*.

coucear *V. t. d. Int.* V. *coicear*. [Conjug.: v. *frear*.]

couceira *S. f.* V. *coiceira*.

couceiro *Adj.* Coiceiro (q. v.).

couçoeira *S. f. Bras.* Madeira grossa para ser desdobrada ou aparelhada.

➔**coudée** [kuˈde] [Fr.] *Adj.* ~ V. *montagem* —.

coudel [Var. de *caudel* < lat. *capitellu*.] *S. m.* **1.** Antigo capitão de cavalaria. **2.** Aquele que tem a seu cargo uma coudelaria. [Pl.: *coudéis*.]

coudelaria [Var. de *caudelaria*.] *S. f.* V. *haras*.

coulomb [V.C.I., do antr. (*Charles Augustin*) *Coulomb* (1736-1806), físico francês.] *S. m. Eletr.* Unidade de medida de carga elétrica, ou quantidade de eletricidade, no Sistema Internacional: é a quantidade de eletricidade que atravessa, durante um segundo, qualquer secção transversal de um condutor percorrido por uma corrente de intensidade invariável igual a um ampère [símb.: *C*]. [Pl.: *coulombs*.]

coulombiano [De *coulomb* + *-iano*.] *Adj.* Relativo a coulomb. ~ V. *campo* —. [Cf. *colombiano*.]

coulometria (culom) [De *coulo(mb)* + *-metria*.] *S. f. Fís.-Quím.* Técnica de análise quantitativa de soluções, baseada na medida da deposição ou desprendimento eletrolítico de uma espécie química.

coulométrico [De *coulometria* + *-ico²*.] *Adj. Fís.-Quím.* Referente à coulometria.

coulómetro *S. m. Fís.-Quím.* V. *coulômetro*. [Uso freq. em P.]

coulômetro [De *coulo(mb)* + *-metro*.] *S. m. Fís.-Quím.* Célula eletrolítica na qual se realiza uma eletrólise com o objetivo de medir o equivalente eletroquímico de uma substância ou efetuar a medição eletroquímica de uma corrente elétrica; voltâmetro.

➔**countertrade** [ˈkæwntəɹejd] [Ingl.] Sistema de comércio internacional em que exportações de mercadorias ou serviços são pagas, total ou parcialmente, com importações de mercadorias ou serviços; em casos extremos, não há qualquer recebimento de moeda.

➔**country** [ˈkʌntɹij] [Ingl., lit. 'rural'.] *Adj.* **1.** Relativo a, ou que lembra o modo de vida dos caubóis do O. dos E.U.A., como por ex., o vestuário. **2.** Diz-se da, ou relativo à música originária das regiões rurais do S. e O. dos E.U.A.

➔**coup de foudre** [ku də ˈfudʁ] [Fr.] *Loc. S. m.* **1.** Raio. **2.** *Fig.* Grande desgraça inesperada. **3.** Amor à primeira vista.

➔**coup de grâce** [ku də gʁas] [Fr.] *Loc. s. m.* Golpe de misericórdia.

➔**coup de théâtre** [ku də teˈatʁ] [Fr.] *Loc. S. m.* Modificação repentina de uma situação, como costuma suceder no teatro.

➔**coupé** [kuˈpe] [Fr.] *S. m.* V. *cupê*.

➔**couplet** [kuˈple] [Fr.] *S. m. Arte Poét.* Estrofe de uma canção; copla.

coura [Var. de *coira*.] *S. f.* **1.** Antigo gibão de couro usado pelos guerreiros. **2.** *P. us.* V. *couraça* (1).

couraça [De *couro²* + *-aça*; var. de *coiraça*.] *S. f.* **1.** Armadura de couro ou de metal destinada a proteger as costas e o peito. [Sin.: *peito de prova* e, p. us., *coura*.] **2.** *Zool.* Invólucro de certos animais. **3.** *Fig.* Proteção, defesa, resguardo: *Sua calma é a couraça com que resiste às injúrias dos inimigos.* **4.** *Fig.* Aquilo que serve de resguardo contra a maledicência ou a má sorte. **5.** *Mar. G.* Chapa de aço especial, de maior espessura que o chapeamento do casco, usada para proteger os órgãos vitais dos navios de combate de maior porte. ● *Adj. 2 g.* **6.** *Mar. G. Gír.* Diz-se de quem é pouco amigo de tomar banho: *F. é couraça: só toma banho aos sábados.*

couraçado [Part. de *couraçar*.] *Adj.* **1.** Revestido de metal. **2.** Blindado (1). ~ V. *cinta* —*a*. ● *S. m.* **3.** Navio dotado de couraça. **4.** *Bras. Zool.* V. *cascudo-espinho*.

couraçamento [Var. de *coiraçamento*.] *S. m. Mar. G.* O conjunto das couraças de proteção de um navio de combate.

couraçar [Var. de *coiraçar*.] *V. t. d.* **1.** Armar ou revestir de couraça (5), blindar (navio). *P.* **2.** Proteger-se, resguardar-se. **3.** *Fig.* Tornar-se indiferente, insensível, como que protegido por couraça. [Conjug.: v. *laçar*.]

couraceiro [Var. de *coiraceiro*.] *S. m. Ant.* Soldado armado de couraça (1).

courama [Var. de *coirama*.] *S. f.* **1.** Montão de couros [v. *couro¹* (2)]; pelame. **2.** *Bras. N.E.* Couros.

courão [De *couro* + *-ão¹*.] *S. m. Chulo* V. *couro¹* (7).

courbaril [Do fr. *courbaril*.] *S. m. Bot.* V. *jatobá* (1 a 3).

coureada [Do esp. plat. *cuereada*.] *S. f. Bras. RS* Ação de courear. [Var.: *coireada*.]

coureador (ô) [De *courear* + *-dor*.] *S. m. Bras. RS* Aquele que coureia; coureiro. [Var.: *coireador*.]

courear [Do esp. plat. *cuerear*.] *V. t. d. Bras. RS* Extrair o couro de (animal). [Var.: *coirear*. Conjug.: v. *frear*.]

coureiro [Var. de *coireiro*.] *S. m.* **1.** Vendedor de couros. **2.** *Bras.* Coureador. **3.** *Bras. MA Folcl. Mús.* Tocador de tambor, no conjunto do tambor de crioula; tambozeiro. [Cf. *coreiro*.]

courela *S. f.* V. *coirela*.

➔**courier** [ˈkuɹijə] [Ingl.] *S. m.* **1.** Sistema de coleta e entrega rápida de encomendas, correspondência, etc. **2.** *P. ext.* O mensageiro ou o meio de transporte us. pelo *courier* (1).

courinho [De *couro¹* + *-inho¹*.] *S. m. Bras. CE* **1.** O couro ou pele de cabra. **2.** *Chulo* O prepúcio.

couro¹ [Var. de *coiro* (q. v.).] *S. m.* **1.** Pele espessa de certos animais. **2.** Pele curtida de animais. **3.** A indústria do couro (2). **4.** Pele da cabeça humana. **5.** *Fam.* V. *pele* (1). **6.** *Pop.* Pessoa muito feia, ou velha. **7.** *Chulo* Meretriz velha; coirão, courão. **8.** *Bras.* Bola de futebol. **9.** *Bras.* V. *chicote* (1). [Cf. *coro* (ô), s. m., e *coro*, do v. *corar* e s. m.] ~ V. *couros*. ◆ **Couro cabeludo.** A pele da cabeça onde nascem os cabelos. **Couro cru.** Couro não curtido. **Couro da Rússia.** Couro preparado com pele de vitela, cavalo, etc., curtida com casca de salgueiro, faia ou carvalho, e cujo carnaz se fricciona com óleo de bétula, para ficar macio e perfumado e afugentar insetos. Originalmente preparado na Rússia, era tingido só de vermelho, com brasil (3). Lavrado ou, mais comumente, estampado, com desenhos losângicos, usa-se na estofagem de móveis, no fabrico de bolsas e em encadernações de luxo. [Sin.: *couro de Moscóvia* ou apenas *moscóvia*.] **Couro de Moscóvia.** V. *couro da Rússia*. **Couro em sangue.** *Bras.* Couro verde. **Couro salgado.** *Bras.* Aquele cujo único tratamento, para conservação temporária, foi salga. **Couro verde.** *Bras.* O couro recém-retirado, sem qualquer tratamento; couro em sangue. **Comer o couro de.** *Bras. CE* Surrar, espancar (alguém). **Dar no couro.** *Bras. RJ SP Gír. Fig.* **1.** Acertar plenamente. **2.** Servir, satisfazer plenamente determinado objetivo: *O jogador será substituído: não dá mais no couro.* [M. us. na f. negativa.] **Dar o couro às varas.** *Fam. Pop.* V. *morrer* (1). **Em couro.** Nu, despido, pelado; em pelo. **Entrar no couro.** Apanhar para valer.

couro[2] *S. m. Guin.* Cargo; posição: "Administrador é um couro importante, acima dele só o Governador estava." (Abdulai Sila, *A Última Tragédia*, p. 22.)

couro-n'água *S. m.* **1.** *Bras. SP* V. *valentão* (3). **2.** *Bras. MG* Estroina, doidivanas. [Pl.: *couros-n'água.*]

couros [Pl. de *couro.*] *S. m. pl. Bras. N.E.* O conjunto de peças do vestuário feito de couro, us. pelos sertanejos, e que se compõe de gibão ou véstia, guarda-peito ou peitoral, e perneiras: "Amarrei-o, meti-me com ele na capoeira, estraguei-lhe os couros nos espinhos dos mandacarus, quipás, alastrados e rabos-de-raposa." (Graciliano Ramos, *S. Bernardo*, p. 15.) [Sin.: *courama.*] ~ V. *couro.*

cousa [Do lat. *causa.*] *S. f.* V. *coisa.* ~ V. *cousas.*

cousada *S. f.* Coisada.

cousa-feita *S. f. Bras.* Coisa-feita (q. v.). [Pl.: *cousas-feitas.*]

cousa-má *S. m. Bras.* Coisa-má (q. v.). [Pl.: *cousas-más.*]

cousar *V. t. d. T. i. Int.* V. *coisar.*

cousa-ruim *S. m. Bras.* Coisa-ruim (q. v.). [Pl.: *cousas-ruins.*]

cousas *S. f. pl.* V. *coisas.* ~ V. *cousa.*

cousificar [De *cousa* + *-ificar.*] *V. t. d.* V. *coisificar.* [Conjug.: v. *trancar.*]

cousíssima *El. s. f.* Us. na loc. adv. e na loc. pron. *cousíssima nenhuma.* ◆ **Cousíssima nenhuma.** Coisíssima nenhuma.

coutada [Subst. do fem. part. de *coutar.*] *S. f.* **1.** Terra onde a caça é proibida. **2.** Terra reservada para pasto. **3.** Tapada, cerrado. [Var.: *coitada.* Cf. *coitada*, fem. de *coitado.*]

coutar [De *couto*[1] + *-ar*[2].] *V. t. d.* **1.** Tornar defeso (um terreno). **2.** *Ant.* Acoitar (1 a 3). [Var.: coitar[1]. Part.: *coutado.* Cf. *coitado* e *coitar*[2].]

couteiro [De *couto*[1] + *-eiro.*] *S. m.* Guardador de coutos ou coutadas. [Var.: *coiteiro* (q. v.).]

coutense *Adj. 2 g.* **1.** De, ou pertencente ou relativo a Couto de Magalhães (TO). ● *S. 2 g.* **2.** O natural ou habitante de Couto de Magalhães.

couto[1] [Do lat. *cautu.*] *S. m.* **1.** *Ant.* Terra coutada, privilegiada. **2.** *Ant.* Lugar onde se podiam asilar os criminosos, onde não entrava a justiça do rei: *As capitanias hereditárias brasileiras foram declaradas couto e homizio para os criminosos*; "Lidara .... com grandes celerados da Beira, e dera-lhes couto muita vez, como aos Brandões de Midões." (Bulhão Pato, *Memórias*, II, p. 143). **3.** Asilo, refúgio, valhacouto. [Var.: *coito*[2] (1). Cf. *coto* (ô), pl. *cotos* (ô); *coto*, pl. *cotos*; *coto*, do v. *cotar*, e *Coto*, antr.]

couto[2] [Alter. de *côvado*, poss.] *S. m.* Medida antiga, talvez o mesmo que côvado. [Var.: *coito*[3]. Cf. *coto* (ô), pl. *cotos* (ô); *coto*, pl. *cotos*; *coto*, do v. *cotar*; e *Coto*, antr.]

couto-magalhense *Adj. 2 g.* **1.** De, ou pertencente ou relativo a Couto de Magalhães de Minas (MG). ● *S. 2 g.* **2.** O natural ou habitante de Couto de Magalhães de Minas. [Pl.: *couto-magalhenses.*]

➔**couvade** [ku'vad] [Fr.] *S. f. Antrop.* **1.** Conjunto de restrições (ger. alimentares) e de ritos a que um homem está obrigado durante a gravidez da mulher e logo após o nascimento da criança. **2.** *P. ext.* Resguardo (8) observado após o parto, e associado à asseguração do bem-estar do recém-nascido e de seus pais. **3.** O período durante o qual essas práticas são observadas.

couval [De *couve* + *-al*[1].] *S. m.* **1.** Quantidade mais ou menos considerável de couves dispostas proximamente entre si: "Medrava a fazenda ao sopro de Deus: Couval em dois palmos de terra, nabal em riba de fraga" (Aquilino Ribeiro, *Estrada de Santiago*, p. 292). **2.** Área ocupada pelo couval (1). [Cf. *coval.*]

couve [Do lat. *caule.*] *S. f.* **1.** *Bot.* Planta brassicácea (*Brassica oleracea*) glabra, bienal, de grandes flores alvas ou amarelas, dispostas em racemos frouxos, e folhas verdes, onduladas, carnosas, comestíveis; há dela inúmeros cultivares que se reúnem em grupos, abrangendo os do grupo *Acephala* os mais semelhantes ao tipo (8). **2.** As folhas dessa planta. [Sin. ger.: *couve-galega, berça, verça.*] ◆ **Couve à mineira.** *Bras.* Prato típico de nossa cozinha, feito de couve cortada fininha e refogada na gordura.

couve-de-bruxelas *S. f. Bot.* Variedade de couve cujas folhas constituem pequeninos repolhos. [Pl.: *couves-de-bruxelas.*]

couve-do-mato *S. f. Bot.* V. *charuto-do-rei.* [Pl.: *couves-do-mato.*]

couve-flor *S. f. Bot.* Planta brassicácea (*Brassica oleracea*, var. *Botrytis cauliflora*) de caule curto, folhas oblongas com a nervura central alvacenta, os pedúnculos florais que se tornam carnosos e formam um capítulo de flores abortadas comestíveis, reunidos, em grande número, na extremidade do caule. [Pl.: *couves-flores* e *couves-flor.*]

couve-galega [De *couve* + o f. de *galego.*] *S. f. Bot.* V. *couve.* [Pl.: *couves-galegas.*]

couveiro [De *couve* + *-eiro.*] *S. m.* **1.** Vendedor de couve. ● *Adj.* **2.** *Lus. Pop.* Diz-se de terreno onde se plantam couves, ou próprio para o plantio delas. [Cf. *coveiro.*]

couve-marinha [De *couve* + o f. de *marinho.*] *S. f. Bot.* Soldanela. [Pl.: *couves-marinhas.*]

couve-nabo *S. f. Bot.* Variedade de couve que tem o caule em parte hipertrofiado, com aspecto de nabo, bastante espalhada pelo mundo, e existente no Brasil. [Pl.: *couves-nabos* e *couves-nabo.*]

couve-rábano *S. f. Bot.* Planta brassicácea (*Brassica oleracea*, var. *gongylodes*) de caule carnoso, com variedades que diferem na coloração dos pecíolos e das nervuras, e no feitio das folhas, que são comestíveis. [Var.: *couve-rábão.* Pl.: *couves-rábanos* e *couves-rábano.*]

couve-rábão *S. f. Bot.* V. *couve-rábano.* [Pl.: *couves-rábãos* e *couves-rábão.*]

➔**couvert** [ku'vɛʀ] [Fr.] *S. m.* **1.** Serviço (25). **2.** Quantia que se paga por esse serviço. ◆ **Couvert artístico** Quantia que cada cliente paga ao restaurante ou bar por apresentação artística, esp. musical, oferecida pelo estabelecimento.

couvetinga [De *couve* + *-tinga*, poss.] *S. f. Bras. Bot.* Designação comum a dois arbustos solanáceos (*Solanum auriculatum* e *S. subumbellatum*) cujos frutos são considerados calmantes e diuréticos.

couve-troncha [De *couve* + o f. de *troncho.*] *S. f. Bot.* V. *couve-tronchuda.* [Pl.: *couves-tronchas.*]

couve-tronchuda [De *couve* + o f. de *tronchudo.*] *S. f. Bot.* Variedade de couve, cultivada no Brasil, de folhas com margens onduladas e nervuras e pecíolos largos; couve-troncha, troncha. [Pl.: *couves-tronchudas.*]

cova [Do lat. vulg. **cova*, fem. de *covu*, var. de *cavu*, 'oco'.] *S. f.* **1.** Abertura na terra: escavação, buraco. **2.** Abertura que se faz na terra para plantar um vegetal ou lançar uma semente. **3.** Buraco onde se escondem certos animais; toca, buraco. **4.** Concavidade, depressão, cavidade, côncavo. **5.** V. *sepultura* (1). **6.** Caverna, antro. **7.** *Bras.* Pequena elevação de terreno bem trabalhada à enxada e onde se planta a maniva de mandioca, ger. um pé só. [Dim. irreg.: *covacho.* Pl.: *covas.* Cf. *cova* (ô), f. do adj. *covo* (ô), e pl. *covas* (ô).] ◆ **Cova de Caco.** Valhacouto de ladrões; segundo a mitologia, Caco foi um famoso bandido, morto por Hércules, o qual guardava o fruto de seus assaltos numa caverna do monte Aventino: "aquela praça era uma cova de Caco, uma Calábria" (Júlio Ribeiro, *A Carne*, p. 81). **Descer à cova.** V. *morrer* (1).

covacho [De *cova* + *-acho.*] *S. m.* Pequena cova.

covada [De *cova* + *-ada*[1].] *S. f. Bras. Amaz.* Cova onde as tartarugas fazem ninho para desovar.

cova de anjo *S. f. Bras. BA* Depressão de terreno com 60 a 80cm de profundidade. [Pl.: *covas de anjo.*] ☑

cova de touro *S. f. Bras. RS* Escavação feita pelos touros com as patas e os chifres ao prepararem-se para travar luta, e que, com a ação contínua das chuvas, por vezes se torna profunda. [Pl.: *covas de touro.*] ☑

côvado [Do lat. *cubitu.*] *S. m.* Antiga unidade de medida de comprimento equivalente a três palmos, ou seja, 66cm; cúbito.

cova do ladrão *S. f. Fam.* Depressão entre a região occipital e a parte posterior do pescoço. [Pl.: *covas do ladrão.*] ☑

covagem [De *cova* + *-agem*[2].] *S. f.* **1.** Ação de abrir cova (em cemitério). **2.** O preço desse trabalho; coval, covato.

coval [De *cova* + *-al*[1].] *S. m.* **1.** Divisão do terreno dum cemitério na qual se podem abrir covas ou sepulturas. **2.** *P. ext.* Sepultura (1): "O padre por fim atirou vagamente o latim e a água benta para a plebe multitudinária, vários coveiros estavam à espera, à beira dos covais abertos" (Vergílio Ferreira, *Signo Sinal*, p. 16). **3.** V. *covagem* (2). **4.** Divisão de terreno destinada para seara ou sementeira. [Cf. *couval.*]

covalente [De *co-*[1] + *valente* (6).] *Adj. 2 g.* ~ V. *ligação —.*

covanca [De *cova.*] *S. f. Bras. S.* Terreno pouco extenso, cercado de morros, com entrada natural apenas de um lado, formando uma espécie de bacia, e que é, de ordinário, o extremo de um vale ou de uma várzea.

covão [De *cova* + *-ão*[1].] *S. m.* **1.** Cova grande; boqueirão. **2.** *Bras. AM* Poço profundo dos rios. [Cf. *côvão.*]

côvão [Do gr. *kóphinos*, pelo lat. *cophinu.*] *S. m.* Cesto com que se apanham peixes em rio. [Pl.: *côvãos.* Cf. *covão.*]

covarde [Do fr. ant. *coart* (atual *couard*).] *Adj. 2 g.* **1.** Sem coragem; tímido, medroso, poltrão. **2.** Fraco de ânimo; pusilânime. **3.** Desleal, traiçoeiro. ● *S. 2 g.* **4.** Pessoa covarde. [F. paral.: *cobarde.*]

covardia [De *covarde* + *-ia*[1].] *S. f.* **1.** Falta de coragem; medo, timidez, poltronice. **2.** Fraqueza de ânimo; pusilanimidade. **3.** Ânimo traiçoeiro. [F. paral.: *cobardia*; sin. ger.: *covardice.*]

covardice [De *covarde* + *-ice.*] *S. f.* V. *covardia.* [F. paral.: *cobardice.*]

covariação [De *co-*[1] + *variação.*] *S. f. Estat.* **1.** Tendência à variação simultânea, em grandeza e sinal, dos termos de duas séries cronológicas. **2.** Medida da tendência à variação simultânea dos termos de duas séries cronológicas.

covariância [De *co-*[1] + *variância.*] *S. f. Estat.* Entre duas variáveis aleatórias, média aritmética (ou esperança matemática) do produto dos afastamentos de cada variável em relação à respectiva média (ou à esperança matemática).

covariante [De *co-*[1] + *variante.*] *Adj. 2 g. Mat.* Diz-se de cada índice inferior de um tensor.

covas de mandioca *S. f. pl. Bras.* Região do rio São Francisco Pequenas nuvens que anunciam borrasca. ☑

covato [De *cova* + *-ato*[1].] *S. m.* **1.** Ofício de coveiro. **2.** Lugar onde se abrem sepulturas. **3.** V. *covagem* (2).

covear [De *cova* + *-ear*[2].] *V. t. d. Bras.* Abrir covas em, para plantar mudas de café. [Conjug.: v. *frear.*]

coveiro [De *cova* + *-eiro.*] *S. m.* **1.** Aquele que abre covas para defuntos; enterrador, sepultador, sepultureiro. **2.** *Fig.* Aquele que contribui para a queda de uma instituição: *os coveiros da monarquia.* [Cf. *couveiro.*]

coveitiano *Adj.* **1.** Do, ou pertencente ou relativo ao Coveite (Kwait, país da Arábia, no Golfo Pérsico). ● *S. m.* **2.** O natural ou habitante do Coveite.

covelina [Do antr. (*Nicola*) *Covelli* (1790-1829), mineralogista italiano, + *-ina*[1].] *S. f. Min.* V. *covelita.*

covelita [Do antr. (*Nicola*) *Covelli* (1790-1829), mineralogista italiano, + *-ita*[3].] *S. f. Min.* Mineral hexagonal, sulfeto de cobre em placas flexíveis, com clivagem micácea, cor azul-anil; covelina.

➔**cover-girl** ['kʌvə· gəːl] [Ingl.] *S. f.* Mulher, em geral bonita, cuja fotografia aparece em capa de revista.

coveta (ê) [De *cova* + *-eta* (ê).] *S. f. Bras. N.E.* Cova ou buraco onde se põe a semente da cana.

covil [Do lat. *cubile*, 'cama'.] *S. m.* **1.** Cova de feras; toca. **2.** *Fig.* Abrigo de salteadores, de ladrões. **3.** *Fig.* Casa miserável; choça. **4.** *Fig.* V. *prostíbulo.*

covileiro [De *covil* + *-eiro.*] *Adj.* Diz-se do caçador que pelo rasto vai dar com a caça de pelo.

covilhanense *Adj. 2 g.* **1.** De, ou pertencente ou relativo a Covilhã (Portugal). ● *S. 2 g.* **2.** O natural ou habitante de Covilhã.

covilhete (ê) [Por **cubilhete* < *cuba*[1], poss.] *S. m.* **1.** Pires chato para doce. **2.** Pequena malga; tigelinha: "O covilhete de barro com as azeitonas" (Eça de Queirós, *Contos*, p. 112). **3.** *Bras. N.E.* Engenho de açúcar no qual a roda é movida pela água que cai na sua parte mediana.

covinha [De *cova* + *-inha.*] *S. f.* **1.** Pequena depressão no queixo: "Tinha [o conselheiro Acácio] uma covinha no queixo" (Eça de Queirós, *O Primo Basílio*, p. 47). **2.** Pequena depressão em bochecha provocada por contração muscular durante o riso: "Isto pareceu cativar Rosa ainda mais. A inglesa, ao lado, sorria, com duas covinhas na face." (Id., *Os Maias*, I, p. 397.)

covo [De *côvão*, com mudança de timbre da vogal tônica.] *S. m.* **1.** *Bras.* Armadilha de pesca formada por esteiras armadas em paus e munidas de sapatas de chumbo: "Estava .... concertando uns covos para os meter em um poço onde os camarões saltavam em cardumes" (Franklin Távora, *O Cabeleira*, p. 114). [Os pescadores lançam o covo, cuja posição assinalam com três marcos, e no dia seguinte o levantam.] **2.** *Bras. AL Gír.* Relógio ordinário. [Pl.: *covos.* Cf. *covo* (ô) e pl. *covos* (ô).]

covo (ô) [Do lat. vulg. *covu*, var. de *cavu.*] *Adj.* Côncavo, fundo. [Flex.: *cova* (ô), *covos* (ô), *covas* (ô). Cf. *covo*, pl. *covos*, e *cova*, pl. *covas.*]

covoá [De *covo* (ô).] *S. m. Bras. C.O.* Designação comum a pequenos montes de altitude variada que formam os acidentes do Planalto Central do Brasil.

covoada [De *covão* + *-ada*[1], com desnasalação.] *S. f.* **1.** Série de covas: "Os detritos, acumulados pelos enxurros nas covoadas que ali formava o terreno, alimentavam as árvores altaneiras" (José de Alencar, *O Sertanejo*, p. 75). **2.** *Bras. N.E.* Encosta ou ondulação das serras coberta com alguma vegetação: "Palmilhando as covoadas da serra do Cajueiro, em cujo sopé ficava a fazenda, José Brilhante, premido pela apertura do momento, achou um ninho e uma fortaleza." (Gustavo Barroso, *Heróis e Bandidos*, p. 164.) **3.** *Bras. SP* Depressão de terreno encharcada. **4.** *Bras. RS* Vale entre duas coxilhas.

covoão [De *covo* + *-ão*[1].] *S. m. Bras.* Baixada estreita e profunda.

covoca [De *cova.*] *S. f. Bras. MG* Terreno desmoronado, à beira de morros ou de montanhas, e que forma depressão, grota ou cova funda.

covocó [De *covo*, como em *cavouco* < *cavo*.] ***S. m. Bras. PE BA*** V. *cabocó* (1).

covolume [De *co-*[2] + *volume*.] ***S. m. Fís.*** Parâmetro que é proporcional ao volume ocupado pelas moléculas dum gás real, e que figura na sua equação de estado. ◆ **Covolume balístico.** *Expl.* O dos gases formados durante a queima de uma pólvora.

➔**cowboy** ['kæwbɔj] [Ingl.] ***S. m.*** V. *caubói*.

coxa (ô) [Do lat. *coxa*.] ***S. f.* 1.** Parte do membro inferior que vai desde as virilhas até o joelho, e cujo esqueleto é o fêmur. ● ***S. 2 g.* 2.** *Bras.* V. *coritibano*. ● ***Adj. 2 g.* 3.** V. *coritibano*. [Pl.: *coxas* (ô). Cf. *cocha*, pl. *cochas*; *cocha* e *cochas*, do v. *cochar*; e *cocha* (ô), pl. *cochas* (ô).] ◆ **Em cima da coxa.** Sem atenção ou esforço; em cima da perna; nas coxas, às pressas: "Em menos de meia hora .... um deputado ou um senador escreve em cima da coxa uma emenda ou um artigo aditivo" (Joaquim Manuel de Macedo, *Os Romances da Semana*, p. 102). **Nas coxas.** *Chulo* **1.** V. *em cima da coxa*: *Como o prazo era curto, fez o trabalho nas coxas.* **2.** *Tip. Gír.* Entre parênteses, na revisão acompanhada.

coxa-branca [De *coxa* + o f. de *branco*.] ***Adj. 2 g. S. 2 g.*** *Bras.* V. *coritibano*. [Pl.: *coxas-brancas*.]

coxal [De *coxa* + *-al*[1].] ***Adj. 2 g.*** Relativo ou pertencente à coxa. ~ V. *osso* —.

coxalgia [De *coxa* + *-alg(o)-*[2] + *-ia*[1].] ***S. f. Reum.* 1.** Dor em articulação coxofemoral. **2.** Dor em coxa.

coxálgico [De *coxalgia* + *-ico*[2].] ***Adj.*** Relativo a coxalgia.

coxartria [De *coxa* + *-artr(o)-* + *-ia*[1].] ***S. f. Reum.*** Inflamação de articulação coxofemoral; coxite.

coxártrico [De *coxartria* + *-ico*[2].] ***Adj.*** Referente a coxartria.

coxartrose [De *coxa* + *artrose*.] ***S. f. Reum.*** Artrose de articulação coxofemoral.

coxé [Var. de *coxo*.] ***Adj. 2 g. Bras. PE*** **1.** Diz-se de quem tem uma perna mais curta que a outra. **2.** V. *coxo* (1).

coxeadura [De *coxear* + *-dura*.] ***S. f.*** Ato de coxear; manqueira.

coxear [De *coxo* + *-ear*[2].] ***V. int.* 1.** Andar firmando o passo mais de um lado que de outro, em decorrência de alguma deficiência física; claudicar: "— Fiquei com o joelho dorido, disse ela entrando em casa e coxeando." (Machado de Assis, *Quincas Borba*, p. 268.) [Sin. (vários deles bras.): *cambetear, capengar, capenguear, caxingar, mancar, manquejar, manquetear, manquitar, manquitolar*.] **2.** Vacilar, hesitar. ***T. i.* 3.** Manquejar, claudicar: *coxear de um pé.* [Conjug.: v. *frear*.]

coxeira [De *coxa* + *-eira*.] ***S. f.* 1.** Liga elástica us. em casos de distensão da musculatura da região coxal. **2.** Coxeadura de animal. [Cf. *cocheira*.]

coxia [Do it. *corsia*.] ***S. f.* 1.** Passagem, ger. estreita, entre duas fileiras de cadeiras, bancos, poltronas, camas, etc.: "De entre a multidão, que ainda enchia as galerias por detrás das cadeiras corais, arrebentou, por uma das coxias, um homem, em cabelo e coberto por um lorigão de couro entrançado" (Arnaldo Gama, *O Balio de Leça*, p. 142). **2.** Espaço ocupado por cada cavalo na estrebaria. **3.** *Constr. Nav.* Prancha de madeira presa entre duas bancadas consecutivas de embarcação miúda, na mediania, com uma abertura (*enora*) por onde gorne o mastro. **4.** *Bras.* Estrado de paus roliços ou de tábuas, que forma o convés de carga do ajoujo. **5.** *Bras.* Ruma de tijolos e de vários outros objetos que se dispõem ordenadamente. **6.** *Bras. BA* Colina pequena, de pouca altura, que corre pelos campos, quebrando a uniformidade das planícies. **7.** *Bras. BA MG* No médio São Francisco, a passadeira estreita que contorna a barra da barca, e por onde os remeiros manobram as varas. ~ V. *coxias*. ◆ **Correr a coxia.** Vadiar, sem destino, por toda parte.

coxias [Pl. de *coxia*.] ***S. f. pl. Teatr.*** V. *bastidores* (2). ~ V. *coxia*.

coxicoco (ô) ***S. m. Zool.*** V. *serelepe* (1).

coxilha [Do hisp.-amer. *cuchilla*.] ***S. f. Bras. S.*** Campina com pequenas e contínuas elevações, arredondadas, típica da planície sul-rio-grandense, em geral coberta de pastagem, e onde se desenvolve a pecuária: "Reconheceu os seus campos natais, os campos da fronteira, estendidos em planuras escampas, ondulados em suaves coxilhas" (Darci Azambuja, *No Galpão*, p. 73). [A boa grafia seria *cuchilha* ou *cochilha*.]

coxilhão [De *coxilha* + *-ão*[1].] ***S. m. Bras. RS*** Coxilha muito extensa.

coxilhense ***Adj. 2 g.* 1.** De, ou pertencente ou relativo a Coxilha (RS). ● ***S. 2 g.* 2.** O natural ou habitante de Coxilha.

coxim [Do cat. *coixi*.] ***S. m.* 1.** Almofada que serve de assento: "O resto da manhã, se havia calor, passava-o sobre coxins de cetim cor de pérola" (Eça de Queirós, *O Mandarim*, p. 53). **2.** Espécie de sofá sem costas; divã. **3.** Qualquer objeto semelhante a uma almofada destinado a servir de assento a alguma coisa. **4.** Parte da sela onde o cavaleiro se assenta. **5.** Prancha estofada de crina e coberta de couro em que se cortam as folhas de ouro. **6.** Almofada de couro cheia de areia, onde se fixam as peças para cinzelar. **7.** Peça reforçada de alvenaria na qual se apoia a extremidade de uma viga. **8.** Suporte de ferro fundido que se põe sobre o dormente e onde assenta o trilho.

coximpim [De *coxim*, poss.] ***S. m. Bras. SP*** V. *gangorra*[1] (1).

coxinense ***Adj. 2 g.* 1.** De, ou pertencente ou relativo a Coxim (MS). ● ***S. 2 g.* 2.** O natural ou habitante de Coxim.

coxinilho [Do esp. plat. *cojinillo*.] ***S. m. Bras. RS*** Manta, ger. de lã, que se põe sobre os arreios para comodidade do cavaleiro. [Var.: *coxonilho*.]

coxiponé *Bras.* ***S. 2 g.* 1.** *Etnôn.* Indivíduo dos coxiponés, povo indígena extinto que habitava a região do rio Cuiabá (MT). ● ***Adj. 2 g.* 2.** Pertencente ou relativo a esse povo. [Tb. us. como *s. 2 g. e 2 n.* (com cap.) e *adj. 2 g. e 2 n.*]

coxite [De *coxa* + *-ite*[1].] ***S. f. Reum.*** Coxartria.

coxo (ô) [Do lat. vulg. *coxu*.] ***Adj.* 1.** Que coxeia (1). [Sin. (bras. e pop., na maioria): *caxingó, coxé, manco, manquitó, manquitola, pencó, pengó, pepé, rengo*.] **2.** Diz-se de objeto a que falta pé ou perna: "Tipos esquálidos que atravessam o átrio, detêm-se olhando as cadeiras coxas, os bancos de cozinha imundos" (Fialho d'Almeida, *Pasquinadas*, pp. 6-7). **3.** *Fig.* Incompleto, truncado, imperfeito: *frase coxa; desculpa coxa.* ~ V. *coluna —a* e *página —a*. ● ***S. m.* 4.** Aquele que coxeia. [Sin. (bras. e pop., na maioria): *caxingó, manco, manquitó, manquitola, pencó, pengó, pepé*.] **5.** *Bras. CE Pop.* V. *diabo* (2). [Flex.: *coxa* (ô), *coxos* (ô), *coxas* (ô). Cf. *cocho* (ô), pl. *cochos* (ô); *cocha* (ô), pl. *cochas* (ô); *cocha*, pl. *cochas*; e *cocho, cochas, cocha*, do v. *cochar*.]

coxofemoral [De *coxa* + *-o-* + *femoral*.] ***Adj. 2 g. Anat.*** De, ou relativo à articulação de osso coxal e fêmur.

coxonilho ***S. m. Bras. RS GO*** V. *coxinilho*: "Em teares (horizontais) primitivos, tecelãs fazem colchas, panos para calças, sacos, coxonilhos, baixeiros e outros artefatos" (Regina Lacerda, *Papa-Ceia*, p. 16).

coxote [De *coxa* + *-ote*[2].] ***S. m. Ant.*** Parte da armadura que cobria as coxas.

cozarini *Bras.* ***S. 2 g.* 1.** *Etnôn.* Indivíduo dos cozarinis [ou (etnôn. bras.) *Kozarini], povo indígena extinto, da família linguística aruaque, que habitava a região das cabeceiras dos rios Juruena e Guaporé (MT). ● ***Adj. 2 g.* 2.** Pertencente ou relativo a esse povo.

cozedura [De *cozer* + *-dura*.] ***S. f.* 1.** Ato ou efeito de cozer; cozimento: "A criada estava no forno vigiando a cozedura do pão." (Natércia Freire, *A Alma da Velha Casa*, p. 20.) **2.** Estado do que se acha cozido. **3.** Ato de submeter à ação do fogo matérias usadas na indústria: *a cozedura da porcelana.* **4.** Quantidade de coisas que se cozem de uma vez no forno: *O pão foi assado em duas cozeduras.* **5.** Concentração de um xarope. **6.** A parte sólida do caldo. [Cf. *cosedura*.]

cozer [Do lat. vulg. *cocere*.] ***V. t. d.* 1.** Preparar (alimentos) pela ação do fogo; cozinhar: *cozer o pão; cozer a carne.* **2.** Submeter à ação do fogo (substâncias dentro de líquido); cozinhar. **3.** Reduzir ao estado de cozido (2); cozinhar: *O fogo estava tão fraco que não cozeu a carne.* **4.** Reduzir a cinza ou a carvão; calcinar; cozinhar: *O incêndio cozeu enorme área da floresta, matando centenas de animais.* **5.** Digerir (1); cozinhar: *O estômago coze certos alimentos com dificuldade.* ***Int.* 6.** Preparar alimentos ao fogo; cozinhar: *Coze com perfeição: seus quitutes têm fama.* **7.** Ser cozinheira; trabalhar como tal; cozinhar: "A Margarida trabalhava para fora, cozia, engomava, fazia renda." (Conde de Ficalho, *Uma Eleição Perdida*, p. 39.) [Conjug.: v. *mover*. Cf. *coser*.]

cozido [Part. de *cozer*.] ***Adj.* 1.** Que se cozeu; cozinhado. ● ***S. m.* 2.** Aquilo que se cozeu. **3.** *Cul.* Prato de carnes (peito, carnes salgadas, charcutaria, etc.) cozidas com verduras, legumes, ovos, batatas, etc. [Sin., nesta acepç.: *fervido* (RS) e *puchero, pucherada* (MT e MS). Cf. *cosido*, do v. *coser*.]

cozimento [De *cozer* + *-imento*.] ***S. m.* 1.** Cozedura (1). **2.** Líquido com propriedades medicinais, no qual se cozeram ervas e outras drogas; decocção, decocto; infusão: "É para ele que se manipulam os unguentos de tingir a barba, os cozimentos para amaciar a pele e os pós de lustrar as unhas." (Ramalho Ortigão, *Em Paris*, p. 229.) **3.** *Ind. Pap.* Operação em que se trata a madeira fragmentada com produtos químicos, a quente, com o intuito de obter a pasta química ou fibras de celulose; digestão.

cozinha [Do lat. vulg. *cocina*.] ***S. f.* 1.** Compartimento da casa onde se preparam os alimentos. **2.** A arte de os preparar: *A cozinha chinesa é requintada em extremo.* **3.** O conjunto dos pratos característicos de um país ou de uma região; comida: *a cozinha italiana; a cozinha baiana.* **4.** O preparo dos alimentos. **5.** *Bras. Jorn. Gír.* Preparo, para publicação, dos originais e das ficadas [v. *ficada* (5)]: "Na redação, o secretário fazia a sua cozinha, quando a senhora, não primaveril, ... dele se aproximou timidamente." (Carlos Drummond de Andrade, *Fala, Amendoeira*, p. 150.)

cozinhado [Subst. do part. de *cozinhar*.] ***Adj.* 1.** Cozido (1). ● ***S. m.* 2.** Alimento que se cozeu [v. *cozer* (1)].

cozinhador (ô) [De *cozinhar* + *-dor*.] ***S. m.* 1.** Aquele que cozinha. **2.** *Ind. Pap.* Grande recipiente metálico, vertical, horizontal, ou esférico, fixo ou rotativo, com revestimento interno anticorrosivo, e no qual se põe a madeira fragmentada e se injeta o reagente químico, a quente e sob pressão, para obter a pasta química; autoclave, digestor.

cozinhar [Do lat. vulg. **cocinare*.] ***V. t. d.* 1.** Cozer (1 a 5): "Vamos às trutas! Corro a cozinhá-las; / Corre tu a escolher na adega o vinho!" (Eugênio de Castro, *Éclogas*, p. 46.) **2.** Tramar, urdir: *cozinhar intrigas.* **3.** *Pop.* Adiar a solução de (um assunto), a efetivação de (uma medida, uma providência); cozinhar em água fria. **4.** *Pop.* Embromar, enrolar; cozinhar em banho-maria: *Ficou mais de dois anos cozinhando a noiva.* **5.** *Bras. Jorn. Gír.* Fazer a cozinha (5) de. ***Int.* 6.** Cozer (6 e 7): *Cozinha excelentemente;* "Morava com a senhora na própria loja, ... D. Maricota cozinhava, lavava e engomava." (Artur Azevedo, *Contos Cariocas*, p. 115). **7.** *Pop.* Remanchar, tardar, demorar-se: *Pedi-lhe o obséquio, mas ele cozinhou e acabou não fazendo nada.*

cozinheira [De *cozinhar* + *-eira*.] ***S. f.* 1.** Mulher que sabe cozinhar, esp. a que faz disso profissão. [Sin. fam., joc.: *tacho*.] **2.** *Marinh.* Vela triangular içada no estai do mastro real grande, por ante à ré da cozinha ou da chaminé desta; vela de fumo.

cozinheiro [De *cozinhar* + *-eiro*.] ***S. m.*** Homem que sabe cozinhar, esp. o que faz disso profissão. [Sin. pop.: *cuca, cuco, mestre-cuca*.] ◆ **Cozinheiro de forno e fogão.** Cozinheiro excepcional, de grande competência. [Tb. se diz apenas *de forno e fogão*.]

■ **cP** *Fís.* Símb. de *centipoise*.

■ **CPC** Abrev. de *Código de Processo Civil*.

■ **CPD** *Inform.* Sigla de *Centro de Processamento de Dados*.

■ **CPF** Sigla de *Cadastro de Pessoa Física*.

■ **CPI** Abrev. de *Comissão Parlamentar de Inquérito*.

■ **CPMF** Sigla de *Contribuição Provisória sobre Movimentação Financeira*.

■ **CPOR** Sigla de *Centro de Preparação de Oficiais da Reserva*.

■ **cps** *Inform.* Abrev. de *caracteres por segundo*.

■ **CPU** [Sigla do ingl. *central processing unit*.] *Inform.* V. *unidade central de processamento*.

■ **Cr** *Quím.* Símb. de *cromo*.

■ **CRA** Sigla de *Conselho Regional de Administração*.

crã[1] [Do fr. *cran*.] ***S. m. Tip.*** Risca (6).

crã[2] [Do cabo-verd.] ***Adj. 2 g. e 2 n. Cabo-verd.* 1.** Claro, límpido: "Sol alto no céu crã, limpo de nuvens." (Manuel Lopes, *Chuva Braba*, p. 187.) **2.** Forte, ardente: "Fugir daquele sol crã. Esse sol crestava a grama solta pelas achadas áridas" (Orlanda Amarílis, *Cais-do-Sodré Té Salamansa*, p. 46). **3.** Intenso, penoso, rude: "A fome era mais crã." (Manuel Ferreira, *Voz de Prisão*, p. 23). **4.** Absorto, alheado: "Beto .... parecia um pau especado à frente do mestre, com a cara crã, sem tomar fé nem atenção." (João Lopes Filho, *Estória, Estória... Contos Cabo-Verdianos*, p. 47.) **5.** Inerte, tolhido: "ficou crã, sem poder dar um passo." (Baltasar Lopes, *Chiquinho*, p. 84). ● ***Adv.* 6.** De todo; inteiramente: "A nascente antes abundante secou crã." (Osvaldo Osório, em *Raízes*, nº 4, p. 70.) **7.** Francamente; diretamente: "Tudo o que pensava dizia: na cara, dito tudo crã." (Nuno de Miranda, *Gente da Ilha*, p. 38).

craca[1] [De or. obsc.] ***S. f. Ant. Arquit.*** A parte côncava das colunas estriadas. [Cf. *estria*[1] (3).]

craca[2] ***S. f. Zool.*** V. *bálano*[2] (2). ◆ **Craca das pedras.** *Bras. Zool.* V. *craca*[2].

craca-das-pedras ***S. f. Zool.*** V. *bálano*[2] (2). [Pl.: *cracas-das-pedras*.]

cracaxá ***S. m. Bras.*** V. *caracaxá*.

crachá [Do fr. *crachat*.] ***S. m.* 1.** Insígnia honorífica (grã-cruz, comenda, etc.) que se traz ao peito; condecoração (q. v.), venera: "O Imperador, com pena da lapela de sua casaca vazia de condecorações, mandou-lhe [a Gonçalves Dias] um crachá." (José Lins do Rego, *Gordos e Magros*, p. 101.) **2.** Emblema da corporação us. nos quepes dos militares. **3.** Cartão com dados pessoais que se usa ao peito para fins de identificação ou controle, em empresas, congressos, feiras, etc.

▲**-cracia** [Do gr. *-kratía* < gr. *krátos, eos-ous*, 'força'; 'poder'; 'autoridade'; 'soberania'; 'domínio'; 'governo'.] ***El. comp.*** = 'poder'; 'domínio'; 'supremacia'; 'predomínio e/ou influência (de certo grupo ou elemento)'; 'sistema político ou modo de governo': *teocracia* (< gr.), *democracia* (< gr.), *talassocracia, timocracia* (< gr.), *aristocracia, estratocracia, dulocracia, por-*

nocracia, plutocracia, milionocracia, tecnocracia. [Note-se o valor pejorativo de certos vocábulos: *canalhocracia, papelocracia, pedantocracia.* V. *-crata* e *-ia*¹.]

cracídeo [Do lat. cient. *Crac-* (do tax. *Crax*, alter. do gr. *kréx, krekós*, 'certo pássaro') + *-ídeo*¹; tax. *Cracidae*.] *Zool. S. m.* **1.** Espécime dos cracídeos, família de aves galiformes neotropicais, de plumagem marrom ou preta, asas curtas e arredondadas, cauda ampla e longa, pernas fortes e pés com o hálux na mesma altura dos outros dedos; têm ceroma, loros e, às vezes, garganta e barbela nus e coloridos. Arborícolas, alimentam-se de frutas, folhas, insetos e pequenos animais. São os mutuns, os jacus, as aracuãs e os cujubins. ● *Adj.* **2.** Pertencente ou relativo a eles.

➔**crack** [kɹæk] [Ingl.] *S. m. Gír.* Substância sólida, cristalina, obtida pelo tratamento de um sal de cocaína, ou de pasta impura que o contém, com bicarbonato de sódio. [Esta droga (4), tóxica e ilegal, pode ser fumada, o que intensifica a ação do princípio ativo, que é a cocaína, com os seus efeitos danosos à saúde, e a ânsia por drogar-se novamente.]

➔**cracker** ['kɹækɚ] [Ingl.] *S. 2 g.* Aquele ou aquela que viola a data de expiração ou os códigos de segurança de um programa (9), de modo a fazer com que este funcione sem impedimentos.

cracolândia [De *craque*³ + *-o-*¹ + *-lândia*.] *S. f. Bras. Gír.* Região ou local em que viciados em crack compram e consomem a droga.

cracoviana¹ *S. f. Álg.* Entidade semelhante a uma matriz, porém diferente dela pela regra do produto, definida esta como o produto da transposta do multiplicando pela matriz multiplicadora.

cracoviana² [Fr. *cracovienne*.] *S. f.* Dança polonesa viva e alegre, com dois andamentos [v. *andamento* (4)].

cracoviano *Adj.* **1.** Da, ou pertencente ou relativo à Cracóvia (Polônia). ● *S. m.* **2.** O natural ou habitante da Cracóvia.

craguatá *S. f. Bras. Bot.* V. *gravatá*.

craibeira (a-i) *S. f. Bras. Bot.* V. *sambaíba-de-minas-gerais*.

craibense (a-i) *Adj. 2 g.* **1.** De, ou pertencente ou relativo a Craíbas (AL). ● *S. 2 g.* **2.** O natural ou habitante de Craíbas.

crambe ['kɹæmbij] [Do tax. *Crambe*.] *S. f. Bot.* **1.** Gênero de plantas brassicáceas do Velho Mundo, cultivadas, algumas, ou por serem comestíveis, ou ornamentais, ou pelo óleo das sementes. **2.** Qualquer espécie desse gênero, como, p. ex., a *Crambe abyssinica*, cujo óleo tem valor comercial e é um combustível alternativo potencial. **3.** Qualquer espécime desse gênero.

cranial [De *crani(o)-* + *-al*¹.] *Adj. 2 g.* **1.** *Anat.* Relativo ao crânio; cefálico. **2.** Nos primatas, em direção à extremidade superior do corpo; noutros animais, relativo à extremidade anterior do corpo.

craniano [De *crani(o)-* + *-ano*¹.] *Adj.* Pertencente ou relativo ao crânio. ~ V. *caixa —a, calota —a, índice —, nervo —* e *par —*.

craniar [De *crânio* + *-ar*².] *V. t. d. Bras. Fam.* Imaginar, idealizar; excogitar: 📖 "O sangue lhe subia e, em instantes de coragem, punha-se a craniar os meios para enfrentar a situação." (Antônio Celso, *A Porta de Jerusalém*, p. 4). [Pres. ind.: *cranio*, etc. Cf. *crânio*.]

craniectomia [De *crani(o)-* + *-ectom-* + *-ia*¹.] *S. f. Cir.* **1.** Operação pela qual se extirpa uma porção da caixa craniana. **2.** Uma das etapas da abertura da caixa craniana, ger. com o objetivo de alguma manobra sobre o conteúdo dela.

craniectómico *Adj.* V. *craniectômico*. [Uso freq. em P.]

craniectômico [De *craniectomia* + *-ico*².] *Adj.* Referente a craniectomia.

craniencefálico [De *crani(o)-* + *encefálico*.] *Adj. Anat.* Relativo ao crânio e ao encéfalo.

▲**crani(o)-** [Do gr. *kraníon*, ou (ā).] *El. comp.* = 'crânio': *craniectomia, craniotomia*. [Equiv.: *-cran(i)(o)-, -crânio*: *acrania, epicrânio*.]

▲**-cran(i)(o)-** V. *crani(o)-*.

crânio [Do gr. *kraníon*, pelo lat. med. *craniu*.] *S. m.* **1.** *Anat.* Caixa óssea que encerra e protege o encéfalo, no homem e nos vertebrados. [Sin., pop.: *cabeça*.] **2.** *Bras. Gír.* Indivíduo muito inteligente e/ou de grande preparo. [Cf. *cranio*, do v. *craniar*.]

▲**-crânio** V. *crani(o)-*.

cranioestenose [De *crani(o)-* + *estenose*.] *S. f. Ter.* Anomalia caracterizada pelo fechamento prematuro das suturas cranianas.

craniofacial [De *crani(o)-* + *facial*.] *Adj. 2 g. Anat.* Relativo ao crânio e à face.

craniografia [Do gr. *crani(o)-* + *-grafia*.] *S. f.* Descrição científica do crânio.

craniográfico [De *craniografia* + *-ico*².] *Adj.* Respeitante à craniografia.

craniolar [De *crani(o)-* + *-l-* + *-ar*¹.] *Adj. 2 g.* Que tem feitio de crânio.

craniolária [De *craniolar* + *-ia*².] *S. f.* Concha craniolar.

craniologia [De *crani(o)-* + *-logia*.] *S. f.* **1.** Estudo dos crânios. **2.** Ramo da antropologia dedicado ao estudo comparativo das diferentes formas de crânios humanos, atuais e fósseis. **3.** Arte de conhecer as aptidões e instintos das pessoas pelo estudo de seus crânios.

craniológico [De *craniologia* + *-ico*².] *Adj.* Relativo à craniologia.

craniologista [De *craniologia* + *-ista*.] *S. 2 g.* Especialista em craniologia; craniólogo.

craniólogo [De *crani(o)-* + *-logo*.] *S. m.* Craniologista.

craniomancia (cí) [De *crani(o)-* + *-mancia*.] *S. f.* Arte de adivinhar as inclinações morais e intelectuais das pessoas pela observação de seus crânios.

craniomante [De *crani(o)-* + *-mante*.] *S. 2 g.* Pessoa que pratica a craniomancia.

craniomântico *Adj.* Relativo a craniomancia, ou a craniomante.

craniometria [De *crani(o)-* + *-metria*.] *S. f.* Medição do crânio.

craniométrico [De *craniometria* + *-ico*².] *Adj.* Referente à craniometria.

craniómetro *S. m.* V. *craniômetro*. [Uso freq. em P.]

craniômetro [De *crani(o)-* + *-metro*.] *S. m.* Instrumento com que se medem os diâmetros cranianos.

craniopagia [De *crani(o)-* + *-pag(o)-* + *-ia*¹.] *S. f. Ter.* Anomalia de feto craniópago.

craniópago [De *crani(o)-* + *-pago*.] *Adj. S. m. Ter.* Diz-se de, ou cada um dos fetos gêmeos unidos pelo crânio.

cranioscopia [De *crani(o)-* + *-scop-* + *-ia*¹.] *S. f.* Exame do crânio para fins diagnósticos.

cranioscópico [De *cranioscopia* + *-ico*².] *Adj.* Referente a cranioscopia.

cranioscópio [De *crani(o)-* + *-scópio*.] *S. m.* Instrumento com que se faz a cranioscopia.

craniotomia [De *crani(o)-* + *-tom(o)-* + *-ia*¹.] *S. f. Cir. Impr.* Craniectomia.

craniotómico *Adj.* V. *craniotômico*. [Uso freq. em P.]

craniotômico [De *craniotomia* + *-ico*².] *Adj.* Craniectômico.

craô *Bras. S. 2 g.* **1.** *Etnôn.* Indivíduo dos craôs [ou (etnôn. bras.) *Krahô], povo indígena da subfamília timbira, família linguística jê, tronco macro-jê, que habita a margem direita do rio Tocantins (TO). ● *Adj. 2 g.* **2.** Pertencente ou relativo a esse povo.

craptê *Bras. S. 2 g.* **1.** *Etnôn.* Indivíduo dos craptês, povo indígena que habita a margem direita do alto rio Cachorro, no N. do PA. ● *Adj. 2 g.* **2.** Pertencente ou relativo a esse povo. [Tb. us. como *s. 2 g. e 2 n.* (com cap.) e *adj. 2 g. e 2 n.*]

crápula [Do lat. *crapula*.] *S. f.* **1.** Modo extravagante de vida; desregramento, devassidão, libertinagem: 📖 "Carlos da Maia .... desce como os outros, prolongando o incesto, à mais baixa crápula em que pode atolar-se um malandrim." (Fialho d'Almeida, *Pasquinadas*, p. 275.) ● *S. 2 g.* **2.** Indivíduo crapuloso, desregrado, libertino. **3.** Indivíduo vil, canalha, calhorda.

crapulear [De *crápula* + *-ear*².] *V. int.* Levar vida de crápula (2). [Conjug.: v. *frear*.]

crapuloso (ô) [Do lat. *crapulosu*.] *Adj.* **1.** Em que há crápula (1): 📄 *vida crapulosa*. **2.** Dado à crápula (1); libertino, devasso: 📄 *Devasso, crapuloso, dá péssimo exemplo aos filhos*. ● *S. m.* **3.** Indivíduo libertino, crapuloso; crápula.

craque¹ [Do ingl. *crack*.] *S. m. Bras.* **1.** *Turfe* Cavalo de grande poderio locomotor, ganhador dos grandes prêmios em um ou vários hipódromos. **2.** Jogador de futebol famoso por sua grande destreza. **3.** V. *crack*. ● *S. 2 g.* **4.** Pessoa exímia e/ou famosa em qualquer ramo de conhecimento ou de atividade; ás: 📄 *É um craque em medicina*; 📖 "Segundo minha empregada, que é uma craque em espíritos, eu estava bem carregada, e com uns três trabalhinhos nas costas feitos por mulher." (Marisa Raja Gabaglia, *Milho pra Galinha, Mariquinha*, p. 19).

craque² *S. m. Bras. Gír.* V. *crack*.

craque³ [Voc. onom., com infl. semântica do ingl. *crash*.] *Interj.* **1.** Voz imitativa de coisa que se quebra com ruído ou se desmorona com estrondo. ● *S. m.* **2.** O ato de quebrar-se com ruído ou desmoronar-se com estrondo. **3.** *Bras.* Sucessão de falências bancárias. **4.** *Bras.* Abalo ou ruína econômica ou financeira causada por tais falências. **5.** *Bras.* Baixa súbita e imprevista de valores negociáveis.

craqueamento [De *craquear* (< ingl. *(to) crack*, 'cindir em compostos mais simples', + *-ear*² + *-mento*.] *S. m. Quím.* Decomposição térmica dirigida de hidrocarbonetos pesados em outros mais leves, que pode ou não usar catalisadores; craqueio.

craqueio [Der. regres. de *craquear* (v. *craqueamento*).] *S. m. Quím.* Craqueamento.

craqueiro [De *craque*³ + *-eiro*.] *S. m. Bras. Gír.* Aquele que é viciado em *crack*: 📖 "os tais colchõezinhos faltam ou são vendidos para pagar dívidas, como é rotina entre os craqueiros." (Dráuzio Varela, *Estação Carandiru*, p. 40).

craquelê [Do fr. *craquelé*.] *S. m.* Risca ou estria na superfície esmaltada de porcelana, ladrilho, etc.: 📖 "O piso [do necrotério] era de cimento escuro e o craquelê dos azulejos brancos das paredes .... não contribuía em nada para amenizar esta aparência [soturna]." (Jô Soares, *O Xangô de Baker Street*, p. 231.)

crás¹ *S. m. 2 n.* Som imitativo da voz do corvo.

crás² [Do lat. *cras*.] *Adv. Ant.* Amanhã.

crase [Do gr. *krâsis*.] *S. f.* **1.** *E. Ling.* Contração ou fusão de duas vogais em uma só: 📄 *à (aa); ler (leer); dor (door)*. **2.** *E. Ling. Restr.* A contração de dois *aa*. [V. *contração* (5).] **3.** *E. Ling.* Designação vulgar do acento indicativo de certos casos de crase. Ex.: 📄 Em *vou à praia*, o *a* deve ter crase. **4.** Temperamento, constituição, índole. **5.** *Med.* Mistura harmoniosa dos humores corporais.

crasear [De *crase* + *-ear*².] *V. t. d. Bras.* Pôr crase (3) em (a partícula *a*). [Conjug.: v. *frear*.]

▲**-cras(i)-** [Do gr. *krâsis, eōs*.] *El. comp.* = 'mistura', 'fusão': *idocrásio*.

craspedódromo [Do gr. *kráspedon*, 'extremidade', 'borda', + *-dromo*.] *Adj. Bot.* Provido de nervuras secundárias que alcançam a margem da folha.

craspedota [Do lat. cient. *craspedota* < gr. *kráspedon*, 'extremidade'.] *Adj. 2 g. S. f. Zool.* Diz-se de, ou pequena medusa dos hidrozoários, provida de um véu, campânula ou umbrela.

▲**crassi-** [Do lat. *crăssus, a, um*.] *El. comp.* = 'grosso': *crassicaule*.

crassicaude [De *crassi-* + *-caude*.] *Adj. 2 g.* Que tem cauda grossa.

crassicaule [De *crassi-* + *-caule*.] *Adj. 2 g.* Que tem caule grosso.

crassície [Do lat. *crassitie*.] *S. f.* V. *crassidão*.

crassicolo [De *crassi-* + *-colo*.] *Adj.* Que tem pescoço grosso.

crassicórneo [De *crassi-* + *-corn(i)-* + *-eo*.] *Adj. Zool.* Que tem cornos ou antenas espessas.

crassidade [Do lat. *crassitate*.] *S. f.* V. *crassidão*.

crassidão [Do lat. *crassitudine*.] *S. f.* Qualidade de crasso; crassície, crassidade.

crassifoliado [De *crassi-* + *-foli-* + *-ado*¹.] *Adj. Bot.* Crassifólio.

crassifólio [De *crassi-* + *-fólio*.] *Adj. Bot.* Dotado de folhas espessas; crassifoliado.

crassilingue *Adj. 2 g. S. m.* V. *crassilíngue*. [Uso freq. em P.]

crassilíngue (güe) [De *crassi-* + *-língue*.] *Adj. 2 g.* **1.** Que tem língua grossa. ● *S. m.* **2.** *Zool.* Reptil sáurio. [Var. lus.: *crassilingue*.] ✧

crassinérveo [De *crassi-* + *-nerv(i)-* + *-eo*.] *Adj. Bot.* Que tem nervuras espessas.

crassípede [De *crassi-* + *-pede*.] *Adj. 2 g. Zool.* Que tem pés grossos.

crassipene [De *crassi-* + *-pene*.] *Adj. 2 g. Zool.* Que tem penas espessas.

crassirrostro [De *crassi-* + *-rostro*.] *Adj. Zool.* Que tem bico grosso.

crasso [Do lat. *crassu*.] *Adj.* **1.** Espesso, denso, grosso: 📄 *substância crassa*. **2.** Grosseiro, desmarcado: 📄 *erro crasso*; 📖 "E não poucos .... iam .... ditar regras e leis com entono e aprumo correspondentes à sua crassa ignorância." (Visconde de Taunay, *O Encilhamento*, p. 233). **3.** Grosseiro, rude, bronco: 📖 "Foi Abdera terra de entendimentos crassos e de espíritos rombos" (Antônio Feliciano de Castilho, *A Lírica de Anacreonte*, p. 19).

crassulácea [Do tax. *Crassula* (do lat. med. *crassula*) + *-ácea*; tax. *Crassulaceae*.] *S. f. Bot.* Espécime das crassuláceas, família de plantas da ordem das rosales, constituída por ervas e arbustos suculentos, ricos em água, cujas flores, hermafroditas, têm dois verticilos de estames e carpelos livres, tendo os frutos folículo múltiplo. Há umas 1.300 espécies, de regiões temperadas e tropicais, das quais apenas uma nativa no Brasil.

crassuláceo [De *crassulácea*, com var. suf. (v. *-áceo*).] *Adj. Bot.* Pertencente ou relativo às crassuláceas.

crasta [Var. de *claustra*.] *S. f. Ant.* V. *claustro* (1 e 2).

crástino [Do lat. *crastinu*.] *Adj. Poét.* **1.** Relativo ao dia de amanhã, ao dia seguinte. **2.** Da manhã; matutino, matinal.

▲**-crata** [Do gr. *-kratēs* < gr. *krátos, eos-ous*, 'força'; 'poder', 'autoridade'; 'soberania'; 'domínio'; 'governo'.] *El. comp.* = '(o) que tem ou exerce poder ou domínio (específico)'; '(o) que é partidário, adepto, ou sectário de certo modo de governo, ou sistema político'; 'que é próprio ou específico de certa forma de governo ou de poder': *plutocrata, teocrata, democrata, aristocrata, fisiocrata, tecnocrata, escravocrata*. [A pronúncia correta dos voc. formados com este elemento é a proparoxítona, mas o uso consagrou a acentuação paroxítona (por infl. do fr.). Daí a variação prosódica para algumas formas (em que a f. paroxítona é, sem dúvida, a mais us.), tais como: *ácrata / acrata, autócrata / autocrata, fisiócrata / fisiocrata, ginecócrata / ginecocrata, talassócrata / talassocrata, teócrata / teocrata*. Há, entretanto, vocábulos (ger. de or. fr.) que só apresentam o registro na f. paroxítona, é o caso, p. ex., de: *antiaristocrata, antidemocrata, aristocrata, aristodemocrata, burocrata, canalhocrata, democrata, escravocrata, pedantocrata, plutocrata, tecnocrata* e *timocrata*. Note tb. o valor pejorativo de certos vocábulos: *pedantocrata, canalhocrata*. V. *-cracia*.]

cratense *Adj. 2 g.* **1.** Do, ou pertencente ou relativo ao Crato (CE). ● *S. 2 g.* **2.** O natural ou habitante do Crato.

cratera [Do lat. *cratera*.] *S. f.* **1.** Abertura larga, ger. circular, por onde saem as matérias de um vulcão em erupção. **2.** Buraco aberto pela explosão duma granada. **3.** Buraco grande: *As ruas estão cheias de crateras; Este menino está com uma cratera no dente.* **4.** Vaso antigo, em forma de taça, com duas alças, onde os gregos e romanos misturavam vinho e água: "Enchem-se crateras de falerno capitoso, e a orgia pagã recrudesce." (Alphonsus de Guimaraens, *Obra Completa*, p. 420). **5.** *Fig.* Tudo quanto pode originar desgraça ou calamidade. **6.** *Eng. Ind.* Orifício macroscópico causado por corrosão superficial; covinha de corrosão superficial; pite. **7.** *Eng. Ind.* Orifício resultante do arrebentamento de bolhas gasosas na película de um metal eletrodepositado. ◆ **Cratera adventícia.** Cratera secundária. **Cratera central.** Cratera principal de um vulcão. **Cratera de explosão.** A que resulta de erupções violentas que abatem uma parte da cúpula, formando um boqueirão. **Cratera de subversão.** A que resulta de uma subversão da rocha subjacente, sob a ação das matérias em fusão. **Cratera lunar.** *Astr.* Formação lunar, de origem vulcânica ou meteorítica, com o aspecto de uma depressão, cujas dimensões variam entre a craterleta (q. v.) e imensas crateras, que chegam a 240km de diâmetro. **Cratera meteorítica.** *Astr.* A produzida pelo impacto de um meteorito sobre a superfície de um planeta ou de um satélite. [Este tipo de cratera é muito comum na Lua, pois a ausência de atmosfera permite que os meteoritos lhe atinjam a superfície.] **Cratera secundária.** A que surge no flanco de um vulcão, em consequência das pressões internas; cratera adventícia.

cratera-lago *S. f. Geol.* Antiga depressão de cratera (1), ocupada pelas águas da chuva; lago de cratera. [Pl.: *crateras-lagos*.]

crateramento [De **craterar* (< *cratera* + *-ar*^{2}) + *-mento*.] *S. m. Eng. Ind.* Formação de pites de corrosão.

crateriforme [De *cratera* + *-iforme*.] *Adj. 2 g.* Que tem forma de cratera (4) ou de taça: *célula crateriforme*.

craterizado [Part. de **craterizar* (de *cratera* + *-izar*, 'formar crateras').] *Adj.* Em que há muitas crateras: *Há regiões na Lua densamente craterizadas*.

craterleta (ê) [Do ingl. *craterlet*.] *S. f. Astr.* Pequena cratera lunar, com diâmetro de até 8km.

crateuense (e-u) *Adj. 2 g.* **1.** De, ou pertencente ou relativo a Crateús (CE). ● *S. 2 g.* **2.** O natural ou habitante de Crateús.

crauá [Var. de *carauá*.] *S. m. Bras.* **1.** *Bot.* V. *caroá*. **2.** Corda feita de caroá.

crauaçu [De *crauá* + *-açu*.] *S. m. Bras. Bot.* V. *gravatá*.

crauatá *S. m. Bras. Bot.* V. *caraguatá*.

craúba [Var. sincopada de *caraúba*.] *S. f. Bras. Bot.* V. *caraíba*^{2} (1).

crauçá (a-u) *S. m. Bras.* V. *grauçá*.

crauçanga [Do tupi, poss.] *S. f. Bras. CE Zool.* Traçanga.

craúna *S. f. Bras. Zool.* V. *graúna*.

crautá *S. m. Bras. Bot.* V. *gravatá*.

cravação [De *cravar* + *-ção*.] *S. f.* **1.** Ato ou efeito de cravar(-se); cravadura. **2.** Conjunto de pregos que se cravam para fixar alguma coisa. **3.** Ornato de pregos em simetria; pregaria. **4.** Engaste de pedras preciosas. **5.** *Tip.* Relevo produzido pelos tipos, fios, etc., no lado do papel oposto àquele em que se imprime.

cravada [De *cravar* + *-ada*^{1}.] *S. f. Esport.* No voleibol, cortada indefensável que resulta em violento choque da bola contra o piso da quadra, ger. dentro da linha de três metros.

cravador (ô) [De *cravar* + *-dor*.] *S. m.* **1.** Aquele ou aquilo que crava. **2.** Furador de sapateiro. **3.** *Tip.* Pequena haste pontuda de metal, fixada em cabo ou encimando a pinça, com que o tipógrafo move tipos e espaços na composição; ponta, furador.

cravadura [De *cravar* + *-dura*.] *S. f.* Cravação (1).

cravagem [De *cravar* + *-agem*^{2}.] *S. f. Bot.* Doença de certas poáceas, esp. o centeio, que origina o apodrecimento da espiga antes da perfeita maturação. [Sin.: *fungão, morrão, centeio-espigado, esporão, esporão-do-centeio* e (fr.) *ergot*.] [O esclerócio seco do fungo *Claviceps purpurea*, causador da cravagem, contém vários alcaloides, alguns com uso medicinal, e é um agente causador do ergotismo.]

cravamento [De *cravar* + *-mento*.] *S. m.* Ato de cravar(-se); fincamento.

cravanista *Adj. 2 g. Bras. MG* Esperto, vivo, inteligente.

cravar [Do lat. *clavare*.] *V. t. d.* **1.** Fazer penetrar à força e profundamente: *Cravou o prego; Cravou o punhal no coração do inimigo.* **2.** *Tip.* Estampar (a matriz) com o punção. **3.** Engastar (pedraria). *T. d. e c.* **4.** Cravar (1): *Cravou o punhal no coração do inimigo.* *T. d. e i.* **5.** Fixar, fitar: "A velha levantou a cabeça e cravou nele os olhos, muda e comovida" (Coelho Neto, *Turbilhão*, p. 275). *P.* **6.** Penetrar; fincar-se. **7.** Fixar-se, arraigar-se: *Aquela dúvida cravou-se no seu espírito.* **8.** Fixar-se, fitar-se: "os olhos azuis .... cravaram-se na imagem de Nossa Senhora da Glória, mas cerraram-se logo." (José de Alencar, *Alfarrábios*, p. 193).

craveira [De *cravo*^{2} + *-eira*.] *S. f.* **1.** Orifício de ferradura no qual entra o cravo. **2.** Estalão para medir a altura das pessoas: "Ao fundo, o aparelho equipático .... devia ser a craveira com que tomavam a altura dos recrutas." (Aquilino Ribeiro, *Caminhos Errados*, p. 169.) **3.** Aparelho com que o sapateiro toma medida do pé, ou o luveiro a dos dedos da mão. **4.** V. *padrão*^{1} (2). **5.** *Fig.* Estofo, jaez, laia, classe, categoria: "Todos responderam .... que, tratando-se de uma dissensão entre pai e filha, ambos de tão alta craveira, não competia aos escravos interferir." (Mário de Carvalho, *Um Deus Passeando pela Brisa da Tarde*, p. 280). **6.** *Fig.* Medida, padrão. ◆ **Não chegar à craveira (de).** Não ter a experiência ou os predicados necessários para determinado fim ou função: "e o homem, ..., um títere que ocupa uma cadeira vitalícia em S. Bento e foi duas vezes ministro, quando noutro país não chegaria sequer à craveira de contínuo, aparece-me arvorado em cacique." (Aquilino Ribeiro, *Andam Faunos pelos Bosques*, p. 74).

craveiro^{1} [De *cravo*^{1} + *-eiro*.] *S. m.* **1.** *Bot.* Planta cariofilácea (*Dianthus caryophyllus*) glauca, de caule reto, cujas flores (cravos), solitárias, são vermelhas, alvas ou variegadas, sendo o fruto uma cápsula ovoide, alongada. **2.** *Bras. PE* Peça de pirotecnia que, acesa, imita a planta de onde lhe veio o nome: "Os craveiros bizarros, de fachos esquisitos, queimados no pátio." (Mário Sete, *Senhora de Engenho*, p. 27).

craveiro^{2} [De *cravo*^{2} (1) + *-eiro*.] *S. m.* Fabricante de cravos; cravejador, cravista.

craveiro^{3} [De *cravo*^{3}, *ou decravelha*, poss.] *S. m.* Instrumento musical parecido ao cavaquinho.

craveiro^{4} [De *craveira* (q. v.).] *Adj.* **1.** Relativo a craveira. **2.** Diz-se do palmo que tem 12 polegadas e da braça que tem 10 desses palmos.

craveiro-da-índia *S. m.* Árvore alta, mirtácea (*Caryophyllus aromaticus*), originária do Arquipélago das Molucas (Indonésia) e cultivada em várias regiões tropicais do mundo, inclusive no Brasil. O fruto é uma drupa seca, ovoide, e as flores são róseas ou avermelhadas, hermafroditas, pequenas, e contêm óleo do qual se desprende aroma intenso, e que é muito us. na indústria de perfumes, sendo a madeira de excelente qualidade. [Pl.: *craveiros-da-índia*.]

craveiro-da-terra *S. m. Bras. L. SP Bot.* Designação comum a pequenos e ornamentais arbustos mirtáceos (*Calyptranthes aromatica* e *Pseudocaryophyllus sericeus*) que contêm óleo us. no fabrico de essências aromáticas, e cujas flores são alvas e aromáticas, sendo o fruto uma baga ovoide; canela-brava, chá-da-terra, louro-da-terra. [Pl.: *craveiros-da-terra*.]

craveiro-do-campo *S. m. Bot.* V. *tasneirinha*. [Pl.: *craveiros-do-campo*.]

cravejador (ô) [De *cravejar* + *-dor*.] *S. m.* **1.** Aquele que craveja. **2.** V. *craveiro*^{2}.

cravejamento [De *cravejar* + *-mento*.] *S. m.* Ato ou efeito de cravejar.

cravejar [De *cravo*^{2} + *-ejar*.] *V. t. d.* **1.** Fixar por meio de cravos; pregar com cravos. **2.** Engastar, encastoar. *T. d. e i.* **3.** Intercalar; entressachar. [Conjug.: v. *pelejar*.]

cravelha (ê) [Do lat. *clavicula*, poss.] *S. f.* **1.** Peça de madeira ou de metal de certos instrumentos musicais, destinada a retesar-lhes as cordas: "O negro está agora apertando as cravelhas do violão." (Lúcia Benedetti, *Maria Isabel*, p. 93.) **2.** V. *cravelho*. [Var.: *caravelha*.] ◆ **Apertar a cravelha.** Mostrar-se exigente com firmeza; insistir.

cravelhal [De *cravelha* + *-al*^{1}.] *S. m. Mús.* **1.** A parte dos instrumentos de corda na qual se inserem as cravelhas. **2.** O conjunto das cravelhas. [Sin. ger.: *cravelhame*.]

cravelhame [De *cravelha* + *-ame*.] *S. m. Mús.* V. *cravelhal*.

cravelho (ê) [De *cravelha*.] *S. m.* Peça grosseira de madeira com que se fecham cancelas e alguns postigos e portas; cravelha. [Var.: *caravelho*.]

cravete (ê) [De *cravo*^{2} + *-ete* (ê), poss.] *S. m.* Cada uma das pontas metálicas da fivela que servem para fixar o cinto, a correia, etc.

cravija [Do esp. *clavija*.] *S. f.* **1.** Em carro de tração animal, barra de ferro que une a lança com os varais. **2.** Barra que fixa o carro de tração animal no eixo dianteiro, facilitando-lhe os movimentos para os lados.

cravina^{1} [De *cravo*^{1} + *-ina*^{1}.] *S. f.* **1.** *Bot.* Planta cariofilácea (*Dianthus plumarius*) ornamental, com muitos caules ramificados, de cuja espécie se obtêm numerosas variedades, e que tem flores solitárias, aromáticas, unicolores ou variegadas, e folhas lanceoladas e agudas; cravo-bordado. **2.** *Zool.* V. *tico-tico-rei*.

cravina^{2} [De *carabina*, com síncope.] *S. f. Bras.* V. *carabina*.

cravina-de-túnis *S. f. Bot.* V. *cravo-de-defunto* (1). [Pl.: *cravinas-de-túnis*.]

cravinhense *Adj. 2 g.* **1.** De, ou pertencente ou relativo a Cravinhos (SP). ● *S. 2 g.* **2.** O natural ou habitante de Cravinhos.

cravinho^{1} [Dim. de *cravo*^{1}.] *S. m.* Cada um dos botões ainda fechados do cravo-da-índia.

cravinho^{2} [Dim. de *cravo*^{2}.] *S. m.* Variedade de prego pequeno.

cravinoso (ô) [De *cravina*^{1} + *-oso*.] *Adj.* Que tem forma de cravo ou de cravina.

cravista^{1} [De *cravo*^{2} + *-ista*.] *S. 2 g.* V. *craveiro*^{2}.

cravista^{2} [De *cravo*^{3} + *-ista*.] *S. 2 g.* Tocador de cravo^{3}.

cravo^{1} [Do cat. *clavell*, 'cravo^{2} (1)', 'cravo (condimento)', 'flor do craveiro^{1}', com infl. de *cravo*^{2}, poss.] *S. m. Bot.* **1.** A flor do craveiro^{1} (1). **2.** Cravo-da-índia (1).

cravo^{2} [Do lat. *clavu*, 'prego'.] *S. m.* **1.** Prego para ferradura. **2.** Prego com que os pés e as mãos dos crucificados eram fixados à cruz. **3.** *Derm.* Afecção do folículo sebáceo; ponto negro. **4.** *Derm.* Calo doloroso e aprofundado no derma, na planta do pé, como um cone.

cravo^{3} [Do fr. *clavier*, ou do fr. *clavecin*, poss.] *S. m. Mús.* Instrumento de cordas, com um ou dois teclados, da família da espineta e do virginal, e cujo som é produzido por meio de plectros [v. *plectro* (2)] que puxam as cordas, fazendo-as vibrar; clavecino, clavicêmbalo, clavicímbalo: "Quando ao cravo holandês tocavas o teclado / A tua mão de pluma era um sonho de amor." (Olegário Mariano, *Toda uma Vida de Poesia*, I, p. 233.)

cravoária [De *cravo*^{1} + *-ária*.] *S. f. Bot.* V. *cravo-de-defunto* (1).

cravo-bordado *S. m. Bot.* Cravina^{1} (1). [Pl.: *cravos-bordados*.]

cravo-da-índia *S. m. Bot.* **1.** O ovário e o cálice das flores do craveiro-da-índia, que têm aroma intenso e sabor picante, e que são us. como especiaria, e em perfumaria; cravo^{1}. **2.** V. *cravo-de-defunto* (1). [Pl.: *cravos-da-índia*.]

cravo-de-amor *S. m. Bot.* Planta cariofilácea (*Gypsophila paniculata*) ornamental, cultivada no Brasil, de raízes volumosas, caule herbáceo, nodoso até 1m de altura, folhas estreitas e lanceoladas, e flores alvas e pequenas; gipsófila. [Pl.: *cravos-de-amor*.]

cravo-de-bouba *S. m. Patol.* Eflorescência da bouba, de caráter verrucoso, mais frequente nos pés. [Pl.: *cravos-de-bouba*.]

cravo-de-cabecinha *S. m. Bot.* V. *cravo-de-defunto* (1). [Pl.: *cravos-de-cabecinha*.]

cravo-de-defunto [De *cravo*^{1} + *de* + *defunto*.] *S. m. Bot.* **1.** Designação comum a várias espécies asteráceas, ornamentais, como, p. ex., a *Tagetes erecta*, a *T. patula* e a *T. lucida*, dotadas de propriedades odoríferas, e cujas flores são alaranjadas, pardo-avermelhadas com margens amarelas, ou, ainda, amarelo-pálidas, sendo o fruto um aquênio, com sementes pretas. [Sin.: *rosa-da-índia, cravina-de-túnis, cravoária, cravo-da-índia, cravo-de-cabecinha*.] **2.** A flor de qualquer dessas espécies. [Pl.: *cravos-de-defunto*.]

cravo-do-maranhão [De *cravo*^{1} + *do*^{1} + o top. *Maranhão*.] *S. m. Bras. Bot.* V. *louro-cravo*. [Pl.: *cravos-do-maranhão*.]

cravolandense *Adj. 2 g.* **1.** De, ou pertencente ou relativo a Cravolândia (BA). ● *S. 2 g.* **2.** O natural ou habitante de Cravolândia.

→**crawl** ['kɹɔːl] [Ingl.] *S. m. Nataç.* Nado livre.

■ **CRB** Sigla de *Conselho Regional de Biologia*.

■ **CRC** Sigla de *Conselho Regional de Contabilidade*.

cré^{1} [Do fr. *craie*.] *S. m.* Calcário formado por despojos de foraminíferos, radiolários, corais, etc., que se encontra misturado sobretudo com argila. [Cf. *crê*, do v. *crer*.]

cré^{2} *El. s. m.* Us. nas expr. *cré com cré, lé com lé*; *cré com cré e lé com lé*; *lé com cré com cré*; *lé com lé e cré com cré*. [Cf. *crê*, do v. *crer*.] ◆ **Cré com cré, lé com lé.** Cada qual com os seus iguais. [Sin.: *cré com cré e lé com lé; lé com lé, cré com cré; lé com lé e cré com cré*.] **Cré com cré e lé com lé.** V. *cré com cré, lé com lé*.

■ **Crea** Sigla de *Conselho Regional de Engenharia, Arquitetura e Agronomia.*

→**cream cracker** [kɹijm ˈkɹækɚ] [Ingl.] ***S. m. Cul.*** Biscoito crocante, levemente salgado de forma quadrada, feito com farinha de trigo.

creatina [Do lat. cient. *creat-* (do gr. *kréas, kréatos,* 'carne') + *-ina*[3]; fr. *créatine.*] ***S. f. Bioquím.*** Substância nitrogenada, sintetizada no organismo; como creatina fosforilada, constitui uma forma valiosa de armazenamento de fosfato de alto poder energético [fórm.: $C_4H_9N_3O_2$].

creatinina [De *creatina* + *-ina*[3].] ***S. f. Bioquím.*** Substância nitrogenada cíclica, que é o produto final do metabolismo da creatina e que ocorre na urina [fórm.: $C_4H_7N_3O$].

crebro (é) [Do lat. *crebru.*] ***Adj. Poét.*** Frequente, amiudado; repetido: "Crebros suspiros pelo ar soavam, / Dos que feridos vão da seta aguda" (Luís de Camões, *Os Lusíadas,* IX, 32).

creca [De *careca,* com síncope.] ***S. f.* 1.** *Bras. S.* Calvície, careca. ● ***S. m.* 2.** *Bras. SP Pop.* Indivíduo calvo, careca.

creche [Do fr. *crèche.*] ***S. f.* 1.** Instituição de assistência social que abriga, durante o dia, criancinhas cujas mães são necessitadas ou trabalham fora do lar. **2.** Estabelecimento que se destina a dar assistência diurna a crianças de tenra idade.

■ **Creci** Sigla de *Conselho Regional de Corretores de Imóveis.*

credência [Do it. *credenza,* poss. pelo fr. *crédence.*] ***S. f.* 1.** *Rel.* Mesa, ao pé do altar, onde se põem as galhetas e outros acessórios da missa: "Depois de ter dito ao sacristão que os batizados e casamentos se fariam depois da missa, debruçou-se sobre a credência e .... ali ficou imóvel por largo tempo" (Bernardo Guimarães, *O Seminarista,* p. 257). **2.** Mesa onde, nas antigas basílicas, se depositavam as ofertas dos fiéis. **3.** Nicho de madeira ou de pedra, com mesa para escrever, nos corredores de alguns conventos. **4.** Espécie de aparador; bufete. **5.** Aparato, em sala de jantar, onde se colocam os objetos que devem servir durante a refeição: "Vendeu .... a velha mobília, que punha como que um perfume de grandeza extinta no arruinado casarão, as credências marchetadas, os tremós de espelho partido ao meio" (Maria Amália Vaz de Carvalho, *Contos e Fantasias,* p. 101).

credenciação [De *credenciar* + *-ção.*] ***S. f.*** Credenciamento.

credenciado [Part. de *credenciar.*] ***Adj.*** Que recebeu credenciais (1) ou está habilitado.

credenciais [Pl. de *credencial.*] ***S. f. pl. Diplom.* 1.** Procuração que o governo dum Estado outorga a embaixador ou enviado em país estrangeiro. **2.** Títulos e/ou ações que abonam uma pessoa. ~ V. *credencial.*

credencial [Do it. *credenziale.*] ***Adj. 2 g.* 1.** Digno de crédito. **2.** Que dá créditos ou poderes para representar o país perante o governo de outro. ~ V. *credenciais.*

credenciamento [De *credenciar* + *-mento.*] ***S. m.*** Ato ou efeito de credenciar; credenciação.

credenciar [De *credenci(ais)* + *-ar*[2].] ***V. t. d.* 1.** Conferir credenciais (1) a: *Vai ser embaixador, seu país em breve o credenciará.* ***T. d. e i.* 2.** Conferir poderes ou crédito a: *A comissão o credenciou a participar da convenção.* **3.** Dar credenciais (2); dar direito ou fazer merecedor: *Sua cultura e retidão credenciam-no ao cargo que ocupa.* **4.** Habilitar; capacitar: *Os exames que fez credenciam-no à função.* ***Transobj.* 5.** Conferir crédito; qualificar: *Sua idoneidade o credencia como representante da comunidade.* ***P.* 6.** Habilitar-se; qualificar-se: *credenciar-se para um cargo.*

credenciário [Do it. *credenziario.*] ***S. m.*** Aquele que tem a seu cargo a credência (1) e o altar-mor.

crediário [Por **creditário* < *crédito* + *-ário.*] ***S. m. Bras.*** Sistema de vendas a crédito, com pagamento a prestações, adotado pelo comércio, sobretudo pelas grandes lojas. [Sin., desus.: *auxiliário* e *facilitário.*]

crediarista [De *crediário* + *-ista.*] ***S. 2 g. Bras.*** Pessoa que faz compras pelo crediário.

credibilidade [Do lat. escolástico *credibilitate.*] ***S. f.*** Qualidade do que é crível (q. v.): "Estas mesmas novelas possuem credibilidade logo à primeira vista, mais um sinal por que se reconhece a obra de ficção de real valor." (Paulo Rónai, *Encontros com o Brasil,* p. 134.)

credibilíssimo ***Adj.*** Superl. abs. sint. de *credível* e *crível.*

creditante [De *creditar* + *-nte.*] ***S. 2 g.*** Pessoa que expede carta de crédito.

creditar [De *crédito* + *-ar*[2].] ***V. t. d.* 1.** Dar crédito (1) a; garantir, segurar. ***T. d. e i.* 2.** Atribuir; imputar: *Creditou o seu atraso a dificuldades no trânsito; Creditaram ao diretor o mérito pelo sucesso da peça.* ***T. d. e c.* 3.** Inscrever como credor: *O Banco creditou-o em 500 reais.* ***Bit. e c.* 4.** Depositar, lançar (uma quantia) em conta corrente; levar a crédito. ***P.* 5.** Constituir-se credor. [Pres. ind.: *credito,* etc. Cf. *crédito.*]

creditício [De *crédito* + *-ício.*] ***Adj.*** Referente ao crédito público.

crédito [Do lat. *creditu,* pelo it. *credito.*] ***S. m.* 1.** Segurança de que alguma coisa é verdadeira; confiança: *Suas afirmações merecem crédito.* **2.** Boa reputação; boa fama; consideração: *Cometeu um deslize profissional e perdeu o crédito.* **3.** Autoridade, influência, valia, importância: *Tem crédito no meio político.* **4.** Nos cursos universitários, unidade de trabalho escolar correspondente a 15 horas de trabalho-aula ministradas em um período letivo. **5.** *Cin. Rád. Telev.* Enumeração dos atores, músicos, diretores, técnicos, etc., que participaram da realização de um determinado filme, programa de televisão ou de rádio. [Sin. (lus.), nesta acepç.: *genérico.*] **6.** *Cont.* No sistema de partidas dobradas, lançamento feito na conta representativa da origem de um valor: *Quando se deposita uma importância no banco, lança-se um crédito na conta "Caixa".* **7.** *Econ.* Cessão de mercadoria, serviço ou importância em dinheiro, para pagamento futuro. **8.** *Econ.* A importância cedida: *O banco concedeu-lhe um crédito de dez mil reais.* **9.** *Econ.* Facilidade de obter empréstimos ou comprar a prazo: *F. tem crédito na praça.* **10.** *Econ.* Direito de receber o que se emprestou. **11.** *Econ.* A importância correspondente a esse direito: *Tenho com ele um crédito de 800 reais.* **12.** *Econ.* Em Finanças Públicas, autorização de despesa: *Foi aberto um crédito para construção da nova estrada.* **13.** *Edit.* Indicação do(s) autor(es) de uma obra intelectual (texto, foto, desenho, etc.) em qualquer trabalho editado; assinatura. **14.** *Edit.* Indicação do(s) responsável(veis) pelas atividades de natureza intelectual, artística ou técnica, interveniente(s) na edição de um livro, disco, etc. [Cf. *credito,* do v. *creditar.*] ◆ **Crédito adicional.** *Econ.* Crédito (10) referente a despesa não prevista no orçamento. **Crédito capital.** *Econ.* Crédito de corporação. **Crédito contingente.** *Econ.* Linha de crédito (q. v.), esp. a que se destina à utilização eventual, na ocorrência de determinadas circunstâncias. [Sin. (ingl.): *stand-by credit.*] **Crédito de confiança.** Prova de confiança ou nova oportunidade dada a alguém de quem se tem motivo para não confiar. **Crédito de corporação.** *Econ.* Crédito resultante do lançamento de debêntures pelas sociedades anônimas; crédito capital. **Crédito orçamentário.** *Econ.* Crédito (10) relativo a despesa prevista no orçamento. **Crédito real.** O que tem por base uma garantia constituída sobre propriedade imóvel ou direito de natureza real. **Crédito rotativo.** *Econ.* Crédito que continua disponível após sua utilização inicial, até determinado limite, sem necessidade de novo contrato. **A crédito.** *Com.* Para pagamento ou recebimento futuro; fiado: *comprar a crédito; vender a crédito.* **Levar a crédito.** Creditar (4).

creditório [De *crédito* + *-ório.*] ***Adj.*** Relativo a crédito.

credível [Do lat. *credibile.*] ***Adj. 2 g. P. us.*** Crível. [Superl. abs. sint.: *credibilíssimo.*]

credo [Subst. do lat. *credo,* 1.ª pess. do sing. do pres. ind. de *credere,* 'crer'.] ***S. m.* 1.** *Rel.* Oração cristã iniciada, em latim, pela palavra *credo* (creio), e que encerra os artigos fundamentais da fé católica. [Sin., fam.: *creio em deus padre* e *creio em deus pai.*] **2.** *Lit.* Parte da missa (1) que se inicia com essa oração, recitada ou cantada. [V. *liturgia da missa.*] **3.** Profissão de fé. **4.** Fé religiosa. **5.** Preceitos ou normas por que se rege uma pessoa, um partido, uma seita, etc. **6.** Programa ou doutrina de um partido. ● ***Interj.* 7.** Exprime espanto e aversão; credo em cruz, creio em deus padre, creio em deus pai, cruz-credo, cruzes. ◆ **Antes de um credo.** Num átimo; em menos de um credo: "O ladrão, porém, pôs as unhas de fora antes de um credo." (Miguel Torga, *Bichos,* p. 50.) **Com o credo na boca. 1.** Em grande perigo. **2.** Com muito medo. **Em menos de um credo.** V. *antes de um credo:* "as três lâmpadas que lá estavam se sumiram pelo mesmo caminho em menos de um credo." (José Saramago, *Memorial do Convento,* [8.ª ed.] p. 21). **(Estar) como Pilatos no credo.** Ver-se envolvido numa questão sem por ela ser responsável. **Num credo.** V. *em menos de um credo.*

credo em cruz ***Interj.*** V. *credo* (7). ☑

→**credo quia absurdum** [ˈkr̄edɔ ˈkwiapˈsur̄do(m)] [Lat.] Creio por ser absurdo.

credor (ô) [Do lat. *creditore.*] ***Adj.* 1.** Relativo a crédito. **2.** Merecedor, digno. ~ V. *saldo —.* ● ***S. m.* 3.** Aquele a quem se deve dinheiro, ou outra coisa, considerado quanto ao devedor e à dívida. [Sin. bras., pop.: *cadáver.*] **4.** Aquele que faz jus a alguma compensação útil, a considerações, etc. ◆ **Credor pignoratício.** Aquele que está garantido por um título de venda no qual se estipula que pode retirar os bens vendidos e deles gozar, mediante um aluguel. **Credor quirografário.** Aquele que é credor em virtude de documento particular não autenticado.

→**credo ut intelligam** [ˈkr̄edut inˈtellɛga(m)] [Lat., 'creio para compreender'.] Fórmula que resume a posição doutrinária fundamental de Santo Anselmo (v. *anselmiano*), o qual afirma ser a fé a fonte de todo o saber, filosófico ou teológico.

credulidade [Do lat. *credulitate.*] ***S. f.*** Qualidade de crédulo.

crédulo [Do lat. *credulu.*] ***Adj.* 1.** Que crê facilmente; que não tem malícia; ingênuo. ● ***S. m.* 2.** Indivíduo ingênuo.

→**cree** [kɹij] [Ingl., f. red. de *christeno* < fr. canadense *christino,* poss. alter. do cri *kenistenoag.*] ***S. 2 g. S. m. Adj. 2 g.*** V. *cri.*

→**creek** [kɹijk] [Ingl.] ***S. 2 g.* 1.** *Etnôn.* Indivíduo de uma etnia e de uma confederação indígena norte-americana que ocupou parte dos estados do Alabama e Geórgia. ● ***S. m.* 2.** *Gloss.* A língua desses indígenas. ● ***Adj. 2 g.* 3.** Pertencente ou relativo a *creek,* ou a sua língua.

creiatire *Bras.* ***S. 2 g.* 1.** *Etnôn.* Indivíduo dos creiatires [ou (etnôn. bras.) *Kreiatire, *Krúatire], povo indígena extinto da família linguística jê, tronco macro-jê, que habitava a margem direita do médio rio Xingu (PA). ● ***Adj. 2 g.* 2.** Pertencente ou relativo a esse povo.

creio em deus padre ***S. m. 2 n. Interj.*** V. *credo* (1 e 7). ☑

creio em deus pai ***S. m. 2 n. Interj. Bras.*** V. *credo* (1 e 7). ☑

creiom (è-i) [Do fr. *crayon.*] ***S. m.* 1.** Lápis de grafita. **2.** Desenho feito com esse lápis.

crejê *Bras.* ***S. 2 g.* 1.** *Etnôn.* Indivíduo dos crejês [ou (etnôn. bras.) *Kreyé], povo indígena da subfamília timbira, família linguística jê, tronco macro-jê, que habita a região do alto rio Guamá (PA). ● ***Adj. 2 g.* 2.** Pertencente ou relativo a esse povo.

crejica ***S. f. Bras. Zool.*** V. *crejuá.*

crejuá [De or. indígena.] ***S. m. Bras. Zool.*** Ave passeriforme, cotingídea (*Cotinga maculata*), de coloração azul-brilhante no dorso, cauda preta, mento, garganta e peito vermelho-púrpura, com uma faixa azul sobre o peito, abdome purpurino, flancos e crisso azuis, e coberteiras das asas pretas com manchas azuis; fêmeas pardas no dorso e ocre-avermelhadas na parte inferior. Habita a faixa litorânea do Brasil, da BA ao RJ. [Sin.: *catingá, crejica, curuá, quiruá, suiruá.*]

cremação [Do lat. *crematione.*] ***S. f.* 1.** Ato ou efeito de cremar. **2.** Cerimônia de cremação (1) de pessoa(s) morta(s).

cremado[1] [De *creme* + *-ado*[1].] ***Adj.*** Que tem a cor do creme (1).

cremado[2] [Part. de *cremar.*] ***Adj.*** Incinerado, queimado.

cremador (ô) [Do lat. *crematore.*] ***Adj. S. m.*** Que, ou aquele que crema.

cremalheira [Do fr. *crémaillère.*] ***S. f.* 1.** Corrente de ferro com um gancho pelo qual se suspende a caldeira sobre o fogo. **2.** Tipo de linha ferroviária em que existe um trilho dentado no qual engrenam as rodas motrizes, também dentadas, das locomotivas, e utilizado em rampas muito fortes. **3.** Esse trilho. **4.** Barra dentada sobre a qual trabalha uma engrenagem que serve para transformar movimento retilíneo em circular. **5.** Peça munida de dentes, em relógios e noutros maquinismos.

→**crémant** [kʁeˈmã] [Fr.] ***S. m. Enol.*** Vinho espumante seco de boa qualidade produzido sobretudo na Alsácia (v. *alsaciano*), em Bordéus (v. *bordelês*), na Borgonha (v. *borgonhês*), no Jura e no vale do rio Loire.

cremar [Do lat. *cremare.*] ***V. t. d.*** Incinerar, queimar (cadáver).

cremaster [Do gr. *kremastér,* 'suspenso'.] ***S. m. Anat.*** Músculo que se insere na bolsa escrotal, e que age suspendendo o testículo.

▲**cremato-** [Do gr. *chráma, atos.*] ***El. comp.*** = 'dinheiro': *crematofobia, crematófobo.*

crematofobia [De *cremato-* + *-fobia.*] ***S. f. Psiq.*** Aversão patológica a dinheiro.

crematofóbico [De *crematofobia* + *-ico*[2].] *Psiq.* ***Adj.* 1.** Relativo a crematofobia. **2.** Que sofre de crematofobia; crematófobo. ● ***S. m.* 3.** Aquele que sofre de crematofobia; crematófobo.

crematófobo [De *cremato-* + *-fobo.*] ***Adj. S. m. Psiq.*** Crematofóbico (2 e 3).

crematório [De *cremar* + *-tório.*] ***Adj.* 1.** Em que se faz cremação: *forno crematório.* ● ***S. m.* 2.** Lugar onde se crema.

creme [Do fr. *crème.*] ***S. m.* 1.** Substância espessa, gordurosa, branco-amarelada, que se forma na superfície do leite, e com a qual se faz a manteiga; nata, creme de leite, creme fresco. **2.** Designação comum a várias preparações culinárias, doces ou salgadas, em cuja composição entra o leite engrossado com farinha. 3. Denominação comum a várias qualidades de molho que têm por base um caldo engrossado com farinha ao qual se adiciona leite ou creme (1). 4. Designação comum a certas sopas de tipo cremoso: *creme de espargos*. 5. *Cul.* Iguaria mais ou menos espessa, feita com leite, ovos, açúcar, etc., e usada quer como sobremesa, quer como recheio de peças de pastelaria, ou para fazer sorvete. 6. Cor branco-amarelada como a do creme (1). 7. *Farm.* Preparado farmacêutico apresentado sob a forma de emulsão semissólida, e para uso tópico. 8. *Fig.* O que há de melhor; a nata. ● ***Adj. 2 g. e 2 n.*** 9. Que tem a cor do creme (1): "Trazia um costume folgado de casimira clara, gravata creme, camisa alvíssima" (Júlio Ribeiro, *A Carne*, p. 71). 10. Diz-se dessa cor: *sapato de cor creme*. ◆ **Creme *chantilly*.** Creme (1) fresco e batido. [Tb. se diz apenas *chantilly*.] **Creme de leite.** V. *creme* (1). **Creme de tártaro.** *Quím. Desus.* O bitartarato de potássio; cremor de tártaro. **Creme fresco.** V. *creme* (1).

→**crème brûlée** [kʀɛm bʀy'le] [Fr.] ***Loc. s. f.*** *Cul.* Doce preparado com leite e gemas de ovos cuja superfície crocante é feita com açúcar polvilhado e caramelizado com ferro ardente.

cremeira [De *creme* + *-eira*.] ***S. f.*** Recipiente próprio para guardar creme.

▲**cremno-** [Do gr. *krēmnós, oû*.] ***El. comp.*** = 'precipício': *cremnofobia, cremnófobo*.

cremnobata [Var. pros. de *cremnóbata*.] ***S. 2 g.*** Dançarino de cordas; acrobata.

cremnóbata [Do gr. *kremnobátes* (v. *-bata*[1]).] ***S. 2 g.*** Cremnobata (q. v.).

cremnofobia [De *cremno-* + *-fobia*.] ***S. f.*** *Psiq.* Medo patológico de precipícios.

cremnofóbico [De *cremnofobia* + *-ico*[2].] *Psiq.* ***Adj.*** 1. Relativo a cremnofobia. 2. Que sofre de cremnofobia; cremnófobo. ● ***S. m.*** 3. Aquele que sofre de cremnofobia; cremnófobo.

cremnófobo [De *cremno-* + *-fobo*.] ***Adj. S. m.*** *Psiq.* Cremnofóbico (2 e 3).

cremocarpo [Do lat. cient. *cremo-* (do gr. *kremannynai*, 'suspender') + *-carpo*.] ***S. m.*** *Bot.* Fruto próprio das apiáceas, que se divide, na maturidade, em dois corpos simétricos, ou mericarpos, os quais permanecem presos a dois filamentos, ou carpóforos.

cremona [Do fr. *crémone*.] ***S. f.*** Ferragem com que se trancam janelas e portas, composta de duas hastes engranzadas numa cremalheira movida por maçaneta; carmona.

cremonense ***Adj. 2 g.*** 1. Da, ou pertencente ou relativo à cidade de Cremona (N. da Itália). ● ***S. 2 g.*** 2. O natural ou habitante de Cremona.

cremor (ô) [Do lat. *cremore*.] ***S. m.*** 1. Cozimento feito com o sumo de alguma planta. 2. A parte mais espessa de um líquido. 3. *Bras. PR* V. *pirose*. ◆ **Cremor de tártaro.** *Quím.* Creme de tártaro.

cremosidade [De *cremoso* + *-(i)dade*.] ***S. f.*** Qualidade ou estado de cremoso.

cremoso (ô) [De *creme* + *-oso*.] ***Adj.*** Que tem consistência de creme (1).

crena[1] [Do lat. med. *crena*, 'entalhe', 'incisão'.] ***S. f.*** 1. Espaço entre os dentes duma roda ou duma peça denteada. 2. *Bot. Zool.* Estrutura com bordas ou margens arredondadas. 3. *Tip.* A parte do relevo da letra que, em certos caracteres, se projeta além da haste; projeção. [Dim. irreg.: *crênula*.]

crena[2] ***S. f.*** *Constr. Nav. Ant.* V. *carena* (1).

crenado [De *crena*[1] + *-ado*[1].] ***Adj.*** Que tem crena[1]. ~ V. *letra — a e tipo —*.

crenagem [De *crenar*[1] + *-agem*[2].] ***S. f.*** *Tip.* Ação ou efeito de crenar[1].

crenaque *Bras.* ***S. 2 g.*** 1. *Etnôn.* Indivíduo dos crenaques [ou (etnôn. bras.) *Krenak], povo indígena da família linguística botocuda, tronco macro-jê, que habita os municípios de Resplendor e Carmésia (MG). ● ***Adj. 2 g.*** 2. Pertencente ou relativo a esse povo.

crenar[1] [De *crena*[1] + *-ar*[2].] ***V. t. d.*** *Tip.* Desbastar (o tipo) em torno da crena[1] (3), a qual impede o acabamento normal a esmeril.

crenar[2] ***V. int.*** *Bras. N.* V. *carenar* (3).

crença [Do lat. med. *credentia*.] ***S. f.*** 1. Ato ou efeito de crer. 2. Fé religiosa. 3. Aquilo em que se crê, que é objeto de crença. 4. Convicção íntima. 5. Opinião adotada com fé e convicção: *crenças políticas*. 6. *Filos.* Forma de assentimento que se dá às verdades de fé, que é objetivamente insuficiente, embora subjetivamente se imponha com grande convicção. [Cf., nesta acepç., *certeza* (7) e *opinião* (6).]

crendeirice [De *crendeiro* + *-ice*.] ***S. f.*** 1. Qualidade de crendeiro. 2. Crendice (1).

crendeiro [Do rad. de *crendice* (q. v.) + *-eiro*, poss.] ***Adj. S. m.*** 1. Que, ou aquele que crê em absurdos, ou superstições ridículas. 2. Simplório, ingênuo.

crendice [F. irreg. a partir de *crente* e *crer* + *-ice*.] ***S. f.*** 1. Crença (5) popular absurda e ridícula; crendeirice. 2. Superstição (1).

crenêm *Bras.* ***S. 2 g.*** 1. *Etnôn.* Indivíduo dos crenéns, povo indígena extinto que habitava a região do rio São Miguel, afluente do rio Guaporé (RO). ● ***Adj. 2 g.*** 2. Pertencente ou relativo a esse povo. [Tb. us. como *s. 2 g. e 2 n.* (com cap.) e *adj. 2 g. e 2 n.*]

▲**creni-** [Do lat. *crena, ae*.] ***El. comp.*** = 'entalhe', 'incisura'; 'crena'[1]: *crenífero, crenirrostro*. [Equiv.: *-cren(i)-*: *fitocrenácea*.]

▲**-cren(i)-** Equiv. de *creni-*.

crenié *Bras.* ***S. 2 g.*** 1. Indivíduo dos creniés, povo indígena da subfamília timbira, tronco macro-jê, que habita a região do rio Mearim (MA). ● ***Adj. 2 g.*** 2. Pertencente ou relativo a esse povo. [Outra f.: *crenjê*.] [Tb. us. como *s. 2 g. e 2 n.* (com cap.) e *adj. 2 g. e 2 n.*]

crenífero [De *creni-* + *-fero*.] ***Adj.*** *Bot.* Que tem crênulas; crenulado. [Cf. *crinífero*.]

crenirrostro [De *creni-* + *-rostro*.] ***Adj.*** *Zool.* Que tem bico crenulado.

crenjê ***S. 2 g. Adj. 2 g.*** V. *crenié*.

crenoterapia [Do gr. *kréne*, 'manancial', + *-o-* + *-terapia*.] ***S. f.*** *Med.* Tratamento pelas águas minerais.

crenoterápico [De *crenoterapia* + *-ico*[2].] ***Adj.*** Relativo a crenoterapia.

crente [Do lat. *credente*.] ***Adj. 2 g.*** 1. Que crê. 2. *Restr.* Que tem fé ou crença religiosa. 3. *Irôn.* Que leva demasiado a sério as suas obrigações, as coisas em que se mete, e por elas tem entusiasmo, nelas acredita. ● ***S. 2 g.*** 4. Pessoa que acredita, que tem fé religiosa: "O mar é para mim como o Céu para um crente." (Vicente de Carvalho, *Poemas e Canções*, p. 156.) 5. *Bras.* V. *protestante* (6).

crénula ***S. f.*** V. *crênula*. [Uso freq. em P.]

crênula [De *crena*[1] + *-ula*.] ***S. f.*** Dim. de *crena*[1].

crenulado [De *crênula* + *-ado*[1].] ***Adj.*** 1. *Bot.* Crenífero. 2. Que tem forma de crênula.

▲**creo-** [Do gr. *kréas, atos* (gen. ático *kréos*).] ***El. comp.*** = 'carne': *creófilo*.

creodonte [Do tax. *Creodonta*.] *Paleont.* ***S. 2 g.*** 1. Espécime dos creodontes, ordem dos mais antigos mamíferos placentários carnívoros, de movimentos lentos, cérebro pequeno; surgiram no final do paleoceno e desapareceram no plioceno. ● ***Adj.*** 2. Pertencente ou relativo a eles.

creofagia [Do gr. *kreophagía*.] ***S. f.*** Hábito de alimentar-se de carne.

creofágico [De *creofagia* + *-ico*[2].] ***Adj.*** Referente à creofagia.

creófago [Do gr. *kreophágos*.] ***Adj. S. m.*** Que, ou aquele que tem creofagia.

creófilo [De *creo-* + *-filo*[2].] ***Adj.*** Que gosta de carne.

creolina ***S. f.*** Nome comercial de certo desinfetante líquido, com base em sabão de resina e creosoto, com propriedades germicidas, antissépticas e desodorantes.

creolinense ***Adj. 2 g. S. 2 g.*** V. *eugênio-barrense*.

creosotado [Part. de *creosotar*.] ***Adj.*** A que se aplicou creosoto.

creosotagem [De *creosotar* + *-agem*[2].] ***S. f.*** Ato de creosotar.

creosotar [De *creosoto* + *-ar*[2].] ***V. t. d.*** Aplicar creosoto a. [Pres. ind.: *creosoto*, etc. Cf. *creosoto* (ô).]

creosoto (ô) [De *creo-* + gr. *sotér*, 'que salva, preserva'; fr. *créosote*.] ***S. m.*** *Quím.* Fração da destilação do alcatrão, constituída por hidrocarbonetos, fenol e outros derivados aromáticos. [Pl.: *creosotos* (ô). Cf. *creosoto*, do v. *creosotar*.]

creosotol [De *creosoto* + *-ol*[3].] ***S. m.*** *Quím.* Mistura de carbonatos de vários fenóis contidos no creosoto. [Pl.: *creosotóis*.]

crepe [Do fr. *crêpe*.] ***S. m.*** 1. *Tec. Têx.* Tecido fino, de seda, poliéster, lã ou algodão, de aspecto granulado e toque áspero, transparente ou não, obtido com uma alta torção alternada na trama e na urdidura: "O vestido, de crepe *georgette* preto, ... fazia realçar a cor da pele mate, lisa, dum róseo muito leve" (Policarpo Feitosa, *Gisinha*, p. 45). 2. Fita ou faixa de tecido negro que se usa em sinal de luto. 3. Pano negro que recobre câmara mortuária. 4. Luto, dor. 5. *Cul.* Panqueca de massa ger. mais leve e fina, a que se costuma acrescentar recheio variado. 6. *Bras.* Rolo de borracha de maniçoba. ◆ **Crepe da china.** *Tec. Têx.* Crepe (1) fino e leve, de seda ou poliéster, originário da China. **Crepe *georgette*.** *Tec. Têx.* Crepe (1) muito leve e transparente, de seda ou de fios sintéticos, com superfície levemente crespa, que lembra a musselina. **Crepe *suzette*.** 1. *Tec. Têx.* Crepe (1) similar ao crepe *georgette*, porém com fios em torção num só sentido. 2. *Cul.* Crepe (5) doce, preparada com manteiga batida, açúcar, suco de laranja, e licor *grand marnier* ou curaçau, e, ao final, flambada.

crepeiro [De *crepe* + *-eiro*.] ***S. m.*** Aquele que prepara crepes [v. *crepe* (4)].

creperia [Do fr. *crêperie*.] ***S. f.*** Estabelecimento comercial onde se fabricam, vendem e em geral servem crepes [v. *crepe* (4)].

crépido [Adapt. imperfeita do fr. *crépu*.] ***Adj.*** *Poét.* Crespo, encarapinhado.

crepitação [Do lat. tard. *crepitatione*.] ***S. f.*** 1. Ato ou efeito de crepitar; estalo, estalido. 2. *Pneum.* Ruído percebido pela ausculta pulmonar e que é descrito como semelhante ao produzido quando se atira sal a uma chama. [É encontrada, em espaços regulares de tempo, em início de pneumonia, principalmente.] 3. *Traum.* Ruído produzido pelo atrito de superfícies que resultam de fratura óssea.

crepitante [De *crepitar* + *-nte*.] ***Adj. 2 g.*** Que crepita.

crepitar [Do lat. *crepitare*.] ***V. int.*** 1. Estalar (a madeira a arder, o sal que se deita no fogo): *A lenha crepita na lareira*. 2. Estalar ao modo da madeira a arder, ou do sal que se deita ao fogo: "A areia da praia crepitou sob o pé forte e rijo do guerreiro tabajara" (José de Alencar, *Iracema*, p. 131); "No silêncio, ouvi os círios crepitarem." (Lia Luft, *A Asa Esquerda do Anjo*, p. 117).

crepom [Do fr. *crépon*.] ***Adj.*** 1. ~ V. *papel —*. ● ***S. m.*** 2. *Tec. Têx.* Crepe (1) de algodão, com aspecto enrugado, plissado ou ondulado no sentido da urdidura.

cré-puncateié *Bras.* ***S. 2 g.*** 1. *Etnôn.* Indivíduo dos cres-puncateiés [ou (etnôn. bras.) *Kre-puncateyé, *Kré-puncateyé], povo indígena extinto, da subfamília timbira, família linguística jê, tronco macro-jê, que habitava as margens do rio Grajaú (MA). ● ***Adj. 2 g.*** 2. Pertencente ou relativo a esse povo. [Pl.: *crés-puncateiés*.]

crepuscular [De *crepúsculo* + *-ar*[1].] ***Adj. 2 g.*** 1. Do, ou pertencente ou relativo ao crepúsculo. 2. Que aparece ao anoitecer: *animais crepusculares*. 3. *Fig.* Declinante, decadente: *beleza crepuscular*. [Sin. ger. (p. us.): *crepusculino*.] ~ V. *sono —*.

crepusculário [De *crepúsculo* + *-ário*.] ***S. m.*** *Zool.* Designação comum aos insetos que aparecem à hora do crepúsculo.

crepuscular [De *crepúsculo* + *-ejar*.] ***V. int.*** Ir chegando a hora do crepúsculo: "Crepusculeja .... Fino, em múrmura corrente, / Sopra o zéfiro." (Luís Carlos, *Colunas*, p. 52.) [Conjug.: v. *pelejar*. Normalmente é defect., conjugável só nas 3.as pess.]

crepusculino [De *crepúsculo* + *-ino*[1].] ***Adj.*** *P. us.* V. *crepuscular*.

crepúsculo [Do lat. *crepusculu*.] ***S. m.*** 1. *Astr.* Luminosidade, de intensidade crescente ao amanhecer (*crepúsculo matutino*) e decrescente ao anoitecer (*crepúsculo vespertino*), proveniente da iluminação das camadas superiores da atmosfera pelo Sol, quando, embora escondido, está próximo do horizonte: "Relógio, não o tinha; contentava-se de pregoar a saudação angélica nos dois crepúsculos e ao meio-dia." (Antônio Feliciano de Castilho, *Amor e Melancolia*, p. 338.) 2. *Fig.* Decadência, declínio; ocaso: *o crepúsculo da civilização grega*. ◆ **Crepúsculo astronômico.** *Astr.* O que tem por limites os instantes do nascer ou do pôr do Sol e os instantes em que ele está a 18° abaixo do horizonte. **Crepúsculo civil.** *Astr.* O que tem por limites os instantes do nascer ou do pôr do Sol e os instantes em que ele está a 9° abaixo do horizonte. **Crepúsculo fotográfico.** *Astr.* O instante em que se podem iniciar as observações com placas fotográficas sensíveis sem se correr o risco de obter placas veladas pela luz crepuscular. **Crepúsculo matutino.** *Astr.* V. *crepúsculo* (1): "movendo-se nas labutações caseiras, à luz frouxa de crepúsculo matutino." (José de Alencar, *O Sertanejo*, p. 74). **Crepúsculo vespertino.** *Astr.* V. *crepúsculo* (1).

crer [Do lat. *credere*.] ***V. t. d.*** 1. Ter por certo; dar como verdadeiro; acreditar: *Crê apenas aquilo que a razão explica*. 2. Ter confiança em; aceitar como verdadeiras as palavras ou afirmações de: *Rogou que o cressem, apesar da inverossimilhança do que dizia*. 3. Julgar, presumir, supor: *Há cerca de um mês que não o vejo: creio que se mudou.* ***Transobj.*** 4. Julgar, reputar, supor: *Até prova em contrário, eu o creio honesto*; "ele cria a cultura eslava bem jovem de idade e muito retardada no seu normal crescimento." (Fidelino de Figueiredo, *Entre Dois Universos*, p. 157). ***T. i.*** 5. Ter confiança; ter fé; dar crédito: "Creio em ti, Deus" (Almeida Garrett, *Folhas Caídas*, p. 69); "Creio na minha Pátria e no meu povo." (Teixeira de Pascoais, *D. Carlos*, p. 18); "O crente evangélico não teme o Purgatório, porque nele não crê" (L. Lavenère, *O Padre Cornélio*, p. 169). ***Int.*** 6. Ter fé, ter crença (sobretudo religiosa). ***P.*** 7. *Desus.* Fiar-se, confiar. [Irreg. Pres. ind.: *creio, crês, crê, cremos, credes* (ê), *creem*; imperf.: *cria, crias, ... críamos, crieis*, etc.; perf: *cri, creste* (ê), *creu, cremos*, *crestes* (ê), *creram* (ê); m.-q.-perf.: *crera* (ê), *creras* (ê), etc.; fut. pres.: *crerei*, *crerás*, etc.; fut. pret.: *creria*, *crerias*, etc.; imperat.: *crê*, *creia*, *creiamos*, *crede* (ê), *creiam*; pres. subj.: *creia*, *creias*, *creia*, *creiamos*, *creiais*, *creiam*; imperf. subj.: *cresse* (ê), *cresses* (ê), ... *cressem* (ê); fut.: *crer*, *creres* (ê), *crer*, etc.; ger.: *crendo*; part.: *crido*. Cf. *crê*, s. m. e el. s. m.; *creste* e *crestes*, do v. *crestar*; *cresce*, *cresces* e *crescem*, do v. *crescer*; e *criemos*, *crieis*, do v. *criar*.]

crescença [Do lat. *crescentia*.] *S. f.* **1.** Ato ou efeito de crescer. **2.** Crescimento; medrança. **3.** Acréscimo, aumento; suplemento.

crescendo [Do it. *crescendo*.] *S. m.* **1.** Aumento progressivo de sonoridade. **2.** Progressão, gradação: "A minha obsessão vai num crescendo, chega ao frenesim" (José Rodrigues Miguéis, *Gente da Terceira Classe*, p. 140).

crescente [Do lat. *crescente*.] *Adj. 2 g.* **1.** Que cresce ou vai crescendo. **2.** Próspero, progressivo. ~ V. *ditongo — e quarto —*. ● *S. m.* **3.** O que cresce. **4.** V. *quarto crescente*. **5.** Forma aparente da lua durante o quarto crescente, quando apresenta iluminada menos da metade do seu hemisfério. **6.** *P. ext.* O que tem forma de meia-lua. **7.** Armas e estandarte do antigo império turco. **8.** *Obsol.* Na arquitetura árabe, arco maior que o semicircular. **9.** Cabelo postiço usado por mulheres para complemento de penteado. ● *S. f.* **10.** Enchente de rio ou de maré.

crescentiforme [De *crescente* + *-iforme*.] *Adj. 2 g.* Em forma de crescente (5).

crescer [Do lat. *crescere*.] *V. int.* **1.** Aumentar em volume, grandeza ou extensão: *Com as últimas chuvas o volume de água dos rios cresceu espantosamente; A fama do seu saber cresce dia a dia*; "Cresce a chuva, os rios crescem" (Gonçalves Dias, *Obras Poéticas*, II, p. 233). **2.** Aumentar em estatura ou altura: *As crianças cresciam e ficavam mais independentes; Em poucos anos cresceram os pinheiros, formando bonita alameda.* **3.** Aumentar em intensidade, força ou ímpeto: *Caía a noite, e o seu pavor crescia.* **4.** Aumentar em duração. **5.** Aumentar em número ou em quantidade; multiplicar-se: *A população do Brasil cresce rapidamente.* **6.** Tornar-se mais longo: *Seu cabelo cresceu.* **7.** Aumentar em volume: *O arroz cresce depois de cozido.* *T. c.* **8.** Nascer e desenvolver-se; medrar: *Ervas daninhas cresciam no arrozal.* *T. d.* **9.** Fazer crescer; aumentar: *O espetáculo tenebroso crescia o seu pavor.* *Pred.* **10.** Desenvolver-se (em certo estado ou condição): *Cresceu magro e pálido.* *T. i.* **11.** Investir ou avançar, como que crescendo: "viu-se o homem crescer para a fera, a espada .... sumir-se até aos copos entre a nuca do animal." (Rebelo da Silva, *Contos e Lendas*, p. 183). **12.** Aumentar; desenvolver(-se): *Cresceu em sabedoria, e em beleza.* [Muda o *c* em *ç*, naturalmente, antes de *a* e *o*. Apresenta as seguintes particularidades nas f. rizotônicas: a) no pres. ind. a 1ª pess. sing. tem o *e* fechado: *cresço* (ê), e a 2ª o sing. (e, consequentemente, a mesma do imperat.), a 3ª do sing. e a 3ª do pl. têm o *e* aberto: *cresces* (é), *cresce* (é), *crescem* (é); b) no pres. do subj. o *e* é sempre fechado: *cresça* (ê), *cresças* (ê), etc. Pres. ind.: *cresço* (ê), *cresces*, *cresce*, ... *crescem*. Cf. *cresse* (ê), *cresses* (ê), *cressem* (ê), do v. *crer*.]

crescida [De *crescer* + *-ida*[3].] *S. f. Bras. N.E.* Cheia de um rio.

crescido [Part. de *crescer*.] *Adj.* **1.** Que cresceu; aumentado, desenvolvido. **2.** Grande, considerável, avultado. **3.** Avançado, maduro: *idade crescida*. ~ V. *latitude —a e terra —a*. ~ V. *crescidos*.

crescidos [Pl. subst. de *crescido*.] *S. m. pl.* **1.** Malhas com que se alargam as meias em certos pontos. **2.** Sobras, sobejos. ~ V. *crescido*.

crescimento [De *crescer* + *-imento*.] *S. m.* **1.** Ato ou efeito de crescer. **2.** Engrandecimento, desenvolvimento. **3.** Aumento de tamanho (extensão, volume, altura, etc.), de força ou intensidade, ou de duração temporal. **4.** Aumento (por acréscimo ou por multiplicação) de uma quantidade ou grandeza, ou do número de componentes: *crescimento populacional.* **5.** Aumento da importância, influência, frequência ou disseminação: *crescimento do crime.* **6.** *Pop.* Febre intermitente. [Nesta acepç. é m. us. no pl.] ◆ **Crescimento econômico.** *Econ.* Aumento da produção de mercadorias e serviços de um país ou região, comumente medido pelo aumento do produto interno bruto (PIB). [Cf. *desenvolvimento econômico* (1).] **Crescimento orgânico.** *Adm.* Expansão de uma empresa decorrente da evolução natural dos seus negócios, sem que ocorram fusões ou aquisições.

crescimentos *S. m. pl. Pop.* Crescimento (6) (q. v.).

créscimo [De *crescer* + *-imo*.] *S. m.* **1.** A parte excedente. **2.** Resíduos, restos.

crescógrafo [Do rad. de *crescer* + *-o-*[1] + *-grafo*.] *S. m. Bot.* Aparelho registrador que permite acompanhar com grande precisão a marcha do crescimento das plantas.

cresílico [Do V.C.I.; ingl. *cresylic*.] *Adj. Quím.* Próprio ou derivado do cresol. ~ V. *ácido —*.

cresol [Do V.C.I., *cre(o)s(oto)* + *-ol*[2]; ingl. *cresol*.] *S. m. Quím.* Qualquer dos três isômeros fenólicos derivados do tolueno, líquidos, voláteis [fórm.: C_7H_8O]. [Sin., impr., *ácido cresílico*. Pl.: *cresóis*. Cf. *crisol* e pl. *crisóis*.]

crespar [Do lat. *crispare*.] *V. t. d.* Tornar crespo; encrespar, crespir. [Pres. ind.: *crespo*, *crespas*, *crespa*, etc. Cf. *crespo* (ê), as flex. *crespa* (ê), *crespas* (ê), o antr. *Crespo* (ê), e *crispar*.]

crespidão [Do lat. *crespitudine*.] *S. f.* **1.** Qualidade ou estado de crespo. **2.** Aspereza, escabrosidade: "As goelas dos vulcões, as brechas das solfataras, os dentes e as agulhas das erosões milenárias igualam-se na crespidão da serrania" (Alberto Rangel, *Livro de Figuras*, pp. 223-224).

crespina [De *crespo* + *-ina*[1].] *S. f. Zool.* V. *retículo*[1] (2).

crespir [Do fr. *crépir*.] *V. t. d.* **1.** Encrespar, crespar. **2.** Pintar aos salpicos, para imitar pedra.

crespo (ê) [Do lat. *crispu*.] *Adj.* **1.** De superfície áspera; rugoso, áspero. **2.** Riçado, anelado, eriçado, encrespado: *cabelo crespo.* **3.** Agitado, encapelado: *Observou a superfície crespa das águas.* **4.** Escabroso, pedregoso, áspero. **5.** Escabroso, indecente, indecoroso: "ria-se com gosto .... quando à sua vista contavam histórias e anedotas bem crespas" (Visconde de Taunay, *Ao Entardecer*, pp. 46-47). **6.** Ameaçador, perigoso. ~ V. *crespos*. [Flex.: *crespa* (ê), *crespos* (ê), *crespas* (ê). Cf. *crespo*, *crespas* e *crespa*, do v. *crespar*.]

crespos (ê) [Pl. de *crespo*.] *S. m. pl.* Rugas, pregas. ~ V. *crespo*.

cresta[1] [Dev. de *crestar*[1].] *S. f.* Ato ou efeito de crestar[1]; crestamento.

cresta[2] [Dev. de *crestar*[2].] *S. f.* Ato ou efeito de crestar[2].

crestadeira[1] [De *crestar*[1] + *-deira*.] *S. f.* Utensílio de cozinha com que se dá a certas iguarias a cor de queimado ou de tostado.

crestadeira[2] [De *crestar*[2] + *-deira*.] *S. f.* Instrumento com que se crestam as colmeias.

crestado[1] [Part. de *crestar*[1].] *Adj.* Que sofreu crestamento ou cresta[1].

crestado[2] [Part. de *crestar*[2].] *Adj.* Que foi objeto de cresta[2].

crestadura [De *crestar*[1] + *-dura*.] *S. f.* Queimadura leve, ligeira, superficial.

crestamento [De *crestar*[1] + *-mento*.] *S. m.* **1.** Cresta[1]. **2.** Efeito produzido pelo calor do Sol.

crestante [De *crestar*[1] + *-nte*.] *Adj. 2 g.* Que cresta; queimante.

crestar[1] [Do lat. *crustare*.] *V. t. d.* **1.** Queimar à superfície, de leve; tostar. **2.** Dar a cor de queimado a; tornar trigueiro ou atrigueirado: "O sol crestara a pele parda" (Adonias Filho, *Légua da Promissão*, p. 104). **3.** Secar, queimar, por efeito do frio intenso, ou do calor: *A geada crestou a relva*; "O sol crestava tudo. Só o mandacaru resistia, conservando-se verde" (Adalberon Cavalcanti Lins, *Curral Novo*, p. 42). **4.** Fazer vacilar; enfraquecer: *As tentações crestam, às vezes, sua virtude.* *P.* **5.** Secar, queimar, por efeito do frio ou do calor; estiolar-se: *Crestou-se toda a plantação.* [Pres. ind.: *cresto*, etc.; pres. subj.: *creste*, *crestes*, etc. Cf. *cresto* (ê), s. m., e *creste* (ê), *crestes* (ê), do v. *crer*.]

crestar[2] [Do lat. *castrare*.] *V. t. d.* **1.** Tirar o mel de (colmeia), colhendo parte dos favos. **2.** *Fig.* Reduzir a quantidade de; desfalcar. **3.** Saquear, despojar. [Pres. ind.: *cresto*, etc.; pres. subj.: *creste*, *crestes*, etc. Cf. *cresto* (ê), s. m., e *creste* (ê), *crestes* (ê), do v. *crer*.]

cresto (ê) [Dev. de *crestar*[2].] *S. m.* Chibo castrado aos oito dias de idade. [Pl.: *crestos* (ê). Cf. *cresto*, do v. *crestar*, e *Cresto*, antr.]

crestomatia [Do gr. *chrestomátheia*, 'estudo das coisas úteis'.] *S. f.* V. *antologia* (2): "Amanhã os selecionadores e os antologistas hão de, em suas crestomatias, citar trechos, artigos, ideais de Miguel Couto" (A. Austregésilo, *Obras Completas*, X, p. 27).

cretáceo [Do lat. *cretaceu*.] *Geol. Adj.* **1.** ~ V. *período —*. ● *S. m.* **2.** Período cretáceo.

cretcheu [Do cabo-verd.] *S. 2 g. e 2 n. Cabo-verd.* Pessoa muito querida; namorado ou namorada: "Mangueiras de sombra dengosa a tapar nossos beijos de fugida no pescoço das cretcheu" (Orlanda Amarílis, *A Casa dos Mastros*, p. 30).

cretense [Do lat. *cretense*.] *Adj. 2 g.* **1.** Da, ou pertencente ou relativo à ilha de Creta (Grécia). ● *S. 2 g.* **2.** O natural ou habitante de Creta. [Sin. ger.: *candiota*.] ◆ **O cretense.** *Hist. Filos.* O mentiroso.

cretinice [De *cretino* + *-ice*.] *S. f.* Qualidade, ação ou modos de cretino; cretinismo.

cretinismo [De *cretino* + *-ismo*.] *S. m.* **1.** Cretinice. **2.** *Patol.* Estado mórbido produzido pela ausência da glândula tireóidea, ou pela insuficiência muito acentuada de funcionamento dela.

cretinização [De *cretinizar* + *-ção*.] *S. f.* **1.** Estado de cretino. **2.** Embrutecimento progressivo.

cretinizante [De *cretinizar* + *-nte*.] *Adj. 2 g.* Que cretiniza, imbeciliza.

cretinizar [De *cretino* + *-izar*.] *V. t. d. P.* Tornar(-se) cretino; imbecilizar(-se).

cretino [Do fr. *crétin*.] *Adj.* **1.** *Patol.* Que sofre de cretinismo (2). **2.** *P. ext.* Lorpa, pacóvio, idiota. ● *S. m.* **3.** Indivíduo cretino.

cretinoso (ô) [De *cretino* + *-oso*.] *Adj.* Relativo a, ou próprio de cretino.

cretone [Do fr. *cretonne*.] *S. m. Tec. Têx.* **1.** Tecido encorpado, de algodão ou misto, com ligamento tela, us. na confecção de roupas de cama, cortinas, etc. **2.** Cretone (1) de algodão, tingido: "um dos [quartos] mais espaçosos e alegres do Palacete, forrado de cretones cor de canário" (Eça de Queirós, *A Ilustre Casa de Ramires*, p. 132). [Sin. ger., bras., N.E.: *bramante*.]

cri *S. 2 g.* **1.** *Etnôn.* Indivíduo dos cris, povo indígena da América do Norte, e que habita Manitoba e Saskatchewan (Canadá). ● *S. m.* **2.** *Gloss.* Língua da família linguística algonquiana falada por esse povo. ● *Adj. 2 g.* **3.** Pertencente ou relativo aos cris, ou à sua língua.

cria [Dev. de *criar*.] *S. f.* **1.** Animal que ainda mama: "Tia Carlota comprou uma vaca com cria, para vender o leite" (Helena Morley, *Minha Vida de Menina*, p. 21). **2.** Criatura (4). **3.** *Desus.* Escravo criado na casa do senhor. **4.** *Bras.* Pessoa, em geral pobre, criada em casa de outrem. **5.** *Bras. S.* Pessoa ou animal natural ou procedente de determinado lugar. ◆ **Cria de pé.** Criança nova, mas que já anda: "Durante vinte e cinco anos de sua existência (1755-1779) a Companhia Geral do Grão-Pará e Maranhão introduziu nas duas áreas do Brasil .... 28.083 escravos adultos e 84 crias de pé e de peito, trocados por açúcar, arroz, atanado .... e outros produtos" (Celso Cunha, *Língua, Nação e Alienação*, p. 45). **Cria de peito.** Criança que ainda mama. **Lamber a cria.** *Bras. RS* Tratar com muito carinho um filho novo ou um trabalho intelectual de criação recente.

criação [Do lat. *creatione*.] *S. f.* **1.** Ato ou efeito de criar: *a criação do mundo.* **2.** O conjunto dos seres criados; natureza: *as maravilhas da criação*; "Era a Criação toda, aves e flores, / Flores e sol, e astros e vaga-lumes / A amar .... a amar..." (Alberto de Oliveira, *Poesias*, 2ª série, p. 272). **3.** A propagação da espécie. **4.** Invenção, elaboração: *Seu livro é obra de criação.* **5.** Obra, invento, produção: *As criações de arte, dada a grande procura, estão custando muito caro.* **6.** Instituição, fundação, formação: *a criação de um curso de letras.* **7.** Amamentação, lactação. **8.** Educação (8): *menino de boa criação.* **9.** O período da meninice. **10.** O conjunto dos animais domésticos que se criam, principalmente para fins lucrativos: *A peste dizimou a criação da fazenda.* **11.** *Prop.* Conjunto de atividades relacionadas com a criação de mensagens e peças publicitárias. **12.** *Prop.* Produto(s) de criação (11). **13.** *Prop.* Setor da agência de propaganda encarregado da criação (11). **14.** *Bras. N. N.E.* Gado caprino e ovelhum. **15.** *Bras. S.* Alvenaria de pedras miúdas e de argamassa, que serve de enchimento aos vãos deixados pelas pedras mais volumosas. ◆ **De criação.** Diz-se do filho adotivo (q. v.) em relação a um membro da família que o adotou, ou vice-versa: *filho de criação; pai de criação; irmão de criação.*

criacionismo [De *criação* (*criacion-*) + *-ismo*, seg. o padrão erudito.] *S. m.* **1.** *Rel.* Doutrina segundo a qual a alma de uma pessoa é criada e recebida por ela no momento da sua concepção. [Cf. *traducianismo*.] **2.** Crença na origem das espécies por criação divina, e que se opõe à teoria científica da evolução por seleção natural (q. v.). **3.** *Liter.* Movimento poético latino-americano surgido nas primeiras décadas do século XX, que concebe a poesia como uma criação de imagens e situações independentes do mundo externo, sem vínculo com a realidade, e que tem no poeta chileno Vicente Huidobro (1893-1948) seu principal expoente.

criacionista [De *criacionismo* + *-ista*.] *Adj. 2 g.* **1.** Do, ou relativo ao criacionismo. ● *S. 2 g.* **2.** Partidário do criacionismo (1).

criada [Fem. de *criado* (2 e 3).] *S. f.* Mulher empregada no serviço doméstico; empregada, doméstica.

criadagem [De *criado* + *-agem*[2].] *S. f.* **1.** Conjunto de criados [v. *criado* (2)] e/ou criadas. **2.** A classe dos criados e criadas.

criadeira[1] *S. f. Bras.* V. *chuva-criadeira*.

criadeira[2] [De *criar* + *-deira*.] *S. f.* **1.** V. *ama de leite*. **2.** Acessório de incubação constituído de uma caixa adequada à vida dos pintinhos nos seus primeiros dias. **3.** *Bras.* A rês destinada a procriar. ● *Adj. (f.)* **4.** Que cria bem.

criado [Do lat. *creatu*.] *Adj.* **1.** Que se criou. ● *S. m.* **2.** Homem ou rapaz empregado em serviço doméstico;

servo, empregado. **3.** Designação que dá a si mesmo alguém que, de viva voz ou por escrito, se põe, cortesmente, à disposição de outrem: *seu criado; este seu criado; criado de V. Ex.ª* "Umas coplas que eram assim... e me lembro, porque quem as botou – para uma outra – foi mesmo este seu criado Matias!..." (Simões Lopes Neto, *Contos Gauchescos e Lendas do Sul*, p. 143).

criado-grave *S. m.* Aquele que é do serviço particular de uma pessoa; aio, escudeiro. [Pl.: *criados-graves.*]

criadoiro[1] [De *criar* + *-doiro*[2].] *S. m.* Criadouro[1] (q. v.).

criadoiro[2] [De *criar* + *-doiro*[1].] *S. m.* Criadouro[2] (q. v.).

criado-mudo *S. m.* V. *mesa de cabeceira* (1): "Tirei o revólver da cinta e o coloquei sobre o criado-mudo, o cano voltado para a parede." (Lêdo Ivo, *A Morte do Brasil*, p. 9.) [Pl.: *criados-mudos.*]

criador (ô) [Do lat. *creatore.*] *Adj.* **1.** Que cria ou criou. **2.** Fecundo, fecundante, fértil, almo: *solo criador.* **3.** Inventivo, fecundo, criativo: *talento criador.* ● *S. m.* **4.** Aquele que cria ou criou. **5.** Deus: *Que o Criador te guie.* [Com cap., nesta acepç.] **6.** Lavrador que trata da criação do gado. **7.** *Bras.* Fazendeiro de gado.

criadouro[1] [De *criar* + *-douro*[2]; var. de *criadoiro*[1].] *S. m.* Viveiro de plantas.

criadouro[2] [De *criar* + *-douro*[1]; var de *criadoiro*[2].] *Adj.* Capaz de medrar, de se criar bem.

criança [Do b.-lat. *creantia, criantia.*] *S. f.* **1.** Ser humano de pouca idade, menino ou menina. [Sin.: *párvulo* e (lus.) *puto.*] **2.** Pessoa ingênua, infantil: *Não desconfia de nada, é uma criança.* **3.** *Ant.* Criação, educação. ◆ **Criança de peito.** A que ainda mama; menino do peito.

criançada [De *criança* + *-ada*[1].] *S. f.* **1.** Grupo de crianças; as crianças: "A criançada rompeu aos gritos" (Coelho Neto, *Treva*, p. 33). **2.** Criancice (1).

criancice [De *criança* + *-ice.*] *S. f.* **1.** Ação, dito, modos ou procedimento de criança; criançada. **2.** Leviandade, imprudência, irreflexão.

crianço [De *criança.*] *S. m. Pop.* **1.** Criança de pouca idade: "– Cá tens mais um, mulher! – disse ele, quando a avistou. | – Um quê, homem? | – Um crianço que pesquei no rio. (Camilo Castelo Branco, *Novelas do Minho*, VII, p. 5.) **2.** Criançola.

criançola [De *criança* + *-ola*[1].] *S. m.* Rapaz que, já não sendo criança, por seus atos ou maneiras parece que o é; crianço: "Era ainda um criançola, preocupado com estudantadas e torrinhas do Lírico." (Gastão Cruls, *De Pai a Filho*, p. 32.)

criar [Do lat. *creare.*] *V. t. d.* **1.** Dar existência a; gerar: *Deus criou o mundo em seis dias.* **2.** Dar origem a; gerar, formar: *A insalubridade cria germes.* **3.** Formar, produzir: *O tombo criou-lhe um galo na cabeça.* **4.** Dar princípio a; produzir, inventar, imaginar: *criar uma filosofia, uma religião;* "Smetana, todos o sabem, criou a música nacional dos tchecos." (Walter Benevides, *Compositores Surdos*, p. 45). **5.** Estabelecer, fundar, instituir: *Criou escolas em suas terras.* **6.** Alimentar, sustentar: *A mãe não tinha leite para criar o filho.* **7.** Promover a procriação de: *Cria gado de raça.* **8.** Entregar-se à cultura de; cultivar: *criar rosas.* **9.** Adquirir, granjear: *Boa-praça, cria facilmente simpatias e afetos;* "No presídio o bandido criara fama de boa pessoa, de trabalhador." (José Lins do Rego, *Usina*, p. 5). **10.** Adquirir, cobrar: "pediu um copo de vinho para criar coragem" (Maria Julieta Drummond de Andrade, *Um Buquê de Alcachofras*, p. 17); *Apesar de enfraquecido, criou forças para enfrentar a situação.* **11.** Vir a ter; adquirir: *criar raízes; criar cabelos brancos.* ***T. d. e i.*** **12.** Instruir, educar: *Cria os filhos na religião católica.* **13.** Originar, causar: *Criou prejuízos para a família.* **14.** Deixar-se possuir; cobrar. ***Transobj.*** **15.** Tornar; fazer; instituir. ***Int.*** **16.** Encher-se de pus (uma ferida). ***P.*** **17.** Nascer, originar-se: *O arroz criava-se com abundância naquele vale.* **18.** Formar-se, crescer, desenvolver-se; educar-se: *Machado de Assis criou-se no morro do Livramento.* [Pres. ind.: *crio, crias, cria, criamos, criais, criam*; pres. subj.: *crie, criemos, crieis*, etc. Cf. *críamos* e *críeis*, do v. *crer.*]

criatividade [De *criativo* + *-(i)dade.*] *S. f.* **1.** Qualidade de criativo. **2.** Capacidade criadora; engenho, inventividade. **3.** *E. Ling.* Capacidade que tem um falante nativo de criar e compreender um número ilimitado de sentenças em sua língua.

criativo [Do lat. *creatus*, part. pass. de *creare*, + *-ivo.*] *Adj.* V. *criador* (3): *imaginação criativa.*

criatório [De *criar* + *-tório.*] *S. m.* **1.** Lugar onde se criam animais, esp. para fins de comercialização. **2.** *Bras. N.E.* Estabelecimento de criação de gado: "Surgiu assim uma ligação estreita entre as atividades da metalurgia e siderurgia e o vale do Rio Doce, onde a vida humana assentava no trabalho agrícola e de criatório." (Manuel Diegues Júnior, *Regiões Culturais do Brasil*, p. 261.) **3.** *Bras. PI GO* Gado bovino.

criatura [Do lat. *creatura.*] *S. f.* **1.** Coisa criada. **2.** Cada um dos seres criados: "Sei de uma criatura antiga e formidável, / Que a si mesma devora os membros e as entranhas, / Com a sofreguidão da fome insaciável." (Machado de Assis, *Poesias Completas*, p. 293.) **3.** Ser, indivíduo, pessoa: "Minha mãe era boa criatura." (Id., *Dom Casmurro*, p. 20.) **4.** *Fig.* Pessoa que tem formação intelectual ou política influenciada ou orientada por outrem; cria: *Vários poetas brasileiros atuais são criaturas de Carlos Drummond de Andrade.*

criável [Do lat. *creabile.*] *Adj. 2 g.* Que pode ser criado.

cribelo [Do lat. cient. *cribellum* < lat. tard. *cribellum*, 'pequeno crivo'.] *S. m. Zool.* Nas aranhas, órgão fiandeiro acessório.

cribriforme [Do lat. *cribrum*, 'crivo', + *-iforme.*] *Adj. 2 g.* Que tem forma de crivo.

cricati *Bras. S. 2 g.* **1.** *Etnôn.* Indivíduo dos cricatis [ou (etnôn. bras.) *Krikati], povo indígena da subfamília timbira, família linguística jê, tronco macro-jê, que habita região da cabeceira do rio Pindaré e a margem direita do rio Mearim, no município de Montes Altos (MA). ● *Adj. 2 g.* **2.** Pertencente ou relativo a esse povo.

cricetídeo [Do tax. *Cricetus* (de or. eslava) + *-ídeo*[1]; tax. *Cricetidae.*] *Zool. S. m.* **1.** Espécime dos cricetídeos, família de roedores, hoje incluída nos murídeos, que abrangia os *hamsters*, lêmingues, gerbos, camundongos e ratos do Novo Mundo. ● *Adj.* **2.** Pertencente ou relativo a eles.

criciúma [De or. tupi.] *S. f. Bras. N. a S. Bot.* Designação comum a numerosíssimas espécies poáceas, cujo colmo tem largo emprego na fabricação de balaios e cestos, cujas flores estão dispostas em espigas de cor vária segundo a espécie, podendo ser roxo-acinzentadas e verde-amarelas com máculas roxo-avermelhadas, e cujas folhas são lanceoladas; bambu-trepador, caracá, gurixima, pitinga, quixiúna, taquara-trepadora, taquari, taquarinha.

criciumalense (i-u) *Adj. 2 g.* **1.** De, ou pertencente ou relativo a Criciumal (RS). ● *S. 2 g.* **2.** O natural ou habitante de Criciumal.

criciumense (i-u) *Adj. 2 g.* **1.** De, ou pertencente ou relativo a Criciúma (SC). ● *S. 2 g.* **2.** O natural ou habitante de Criciúma.

cricóstomo [Do gr. *kríkos*, 'anel', 'argola', + *-stomo.*] *Adj.* Que tem boca ou abertura redonda.

cri-cri [Reduplicação do som do *grilo.*] *S. m. Bras.* Voz imitativa do canto dos grilos; cricrido: "E pelas moitas altas da estrada, o cri-cri fino e metálico dos grilos." (Virgílio Várzea, *Mares e Campos*, p. 30.) [Pl.: *cri-cris.*]

cricri [De *cri(ança)* + *cri(ada).*] *Adj. 2 g. S. 2 g. Bras. Gír.* **1.** Diz-se de, ou conversa exclusivamente sobre filhos e criadagem. **2.** Diz-se de, ou pessoa muito tediosa, chatíssima, que só fala de assuntos de pouco ou de nenhum interesse.

cricrido [De *cri-cri* + *-ido*[1].] *S. m. Bras.* Cri-cri.

cricrilar [De *cri-cri* + *-l-* + *-ar*[2].] *V. int.* Cantar (o grilo): "Os grilos cricrilavam, impertinentes." (Cordeiro de Andrade, *Anjo Negro*, p. 115.)

cri-crió [T. onom. que imita a voz da ave.] *S. m. Bras. Zool.* V. *vi-vió.* [Pl.: *cri-criós.*]

crífia [Do lat. *cryphia* < gr. *krýphía* < gr. *krýphios, a*, 'secreto', 'oculto'.] *S. f. Paleogr.* Sinal ( ) que indicava trecho de sentido obscuro.

crila *S. m. Bras.* V. *menino* (1).

crilada [De *crila* + *-ada*[1].] *S. f. Bras.* Grupo de crilas.

crime [Do lat. *crimen.*] *S. m.* **1.** *Dir. Penal* Segundo o conceito formal, violação culpável da lei penal; delito. **2.** *Dir. Penal* Segundo o conceito substancial, ofensa de um bem jurídico tutelado pela lei penal. **3.** *Dir. Penal* Segundo o conceito analítico, fato típico, antijurídico e culpável. **4.** Qualquer ato que suscita a reação organizada da sociedade. **5.** Ato digno de repreensão ou castigo. **6.** Ato condenável, de consequências funestas ou desagradáveis: *Seria um crime deixar apodrecer a safra de café.* ● *Adj. 2 g. e 2 n.* **7.** V. *criminal*: *processo crime.* ◆ **Crime comissivo.** *Dir. Penal* O resultante de uma ação do criminoso. **Crime culposo.** *Dir. Penal* O resultante de ato de imprudência, negligência ou imperícia do agente. **Crime de lesa-majestade.** Crime contra o rei, ou membro da família real, ou contra o poder soberano de um Estado. [Tb. se diz apenas *lesa-majestade.*] **Crime de lesa-pátria.** Crime contra a pátria; crime de leso-patriotismo. [Tb. se diz apenas *lesa-pátria.*] **Crime de lesa-razão.** Crime contra a razão. [Tb. se diz apenas *lesa-razão.*] **Crime de leso-patriotismo.** Crime de lesa-pátria. [Tb. se diz apenas *leso-patriotismo.*] **Crime de responsabilidade.** *Dir. Penal* O cometido por funcionário público, com abuso de poder ou violação de dever inerente a seu cargo, emprego ou função. **Crime doloso.** *Dir. Penal* Aquele em que o elemento subjetivo é o dolo[1], *i. e.*, em que o agente quis diretamente o resultado ilícito ou assumiu o risco de o produzir. **Crime falho.** *Dir. Penal* Aquele cuja execução se conclui sem que, no entanto, sobrevenha a consumação, por circunstância alheia à vontade do agente. **Crime formal.** *Dir. Penal* O que se consuma independentemente do resultado que possa produzir. **Crime hediondo.** *Dir.* Qualquer um daqueles assim qualificados em lei penal por não admitirem anistia, graça, indulto ou fiança, e cuja pena deve ser cumprida inicialmente em regime fechado, com restrição e maior exigência para a progressão de regime prisional. [São exemplos de crime hediondo o homicídio praticado em atividade típica de grupo de extermínio, homicídio qualificado, latrocínio, extorsão qualificada pela morte, extorsão mediante sequestro, estupro, atentado violento ao pudor, estupro de vulnerável, falsificação, corrupção, adulteração ou alteração de produto destinado a fins terapêuticos ou medicinais, genocídio.] **Crime omissivo.** *Dir. Penal* O resultante de uma omissão do criminoso. **Crime organizado.** **1.** *Jur.* O executado por uma organização criminosa estruturada tal qual fosse uma empresa. **2.** A totalidade dos bandidos que se encontram organizados e estruturados como empresa. **Crime permanente.** *Dir. Penal* Aquele cuja consumação se prolonga no tempo. **Crime preterdoloso.** *Dir. Penal* Aquele em que a vontade do criminoso, dirigida à prática de um crime menos grave, foi superada por um resultado mais grave, imputável a título de culpa, de maneira que estabelece uma causalidade psíquica complexa, por dolo no antecedente e culpa no consequente; crime preterintencional. **Crime preterintencional.** *Dir. Penal* Crime preterdoloso. **Crime privativo.** *Dir. Penal* O que só existe na imaginação do agente, que acredita estar violando uma norma penal, quando pratica um ato que, na realidade, é impunível.

criminação [Do lat. *criminatione.*] *S. f.* Ação de criminar.

criminador (ô) [Do lat. *criminatore.*] *S. m.* Aquele que crimina; acusador.

criminal [Do lat. *criminale.*] *Adj. 2 g.* Relativo ou pertencente a crime; criminoso, crime. ~ V. *direito* – e *instrução* –.

criminalidade [De *criminal* + *-(i)dade.*] *S. f.* **1.** Qualidade ou estado de criminoso. **2.** O grau de crime. **3.** O conjunto dos crimes. **4.** A história dos crimes.

criminalista [De *criminal* + *-ista.*] *S. 2 g.* **1.** Especialista em assuntos criminais; penalista. **2.** *Bras. N.E. MG SP Pop.* Jurado muito severo nos seus julgamentos, que tende sempre a condenar o réu: "Como eu era 'criminalista', como por lá se diz, isso é, justiceiro, condenando aqueles que o mereciam, os defensores me recusavam sempre" (Alphonsus de Guimaraens, *Obra Completa*, p. 449).

criminalística [De *criminalista* + *-ica.*] *S. f. Dir. Penal* Ciência auxiliar do Direito Penal, que investiga os vestígios materiais dos crimes e a identificação de seus autores.

criminalístico [De *criminalista* + *-ico*[2].] *Adj. Dir.* De, ou relativo ou próprio de criminalista ou da criminalística.

criminalização [De *criminalizar* + *-ção.*] *S. f.* Ato ou efeito de criminalizar.

criminalizado [Part. de *criminalizar.*] *Adj.* Considerado como crime.

criminalizar [De *criminal* + *-izar.*] *V. t. d.* **1.** Considerar como crime: "uma legislação interna que criminalize a posse de drogas para uso próprio?" (*Jornal do Brasil*, 04.09.1983). **2.** *Impr.* Considerar como criminoso: "Diferentemente do brasileiro, outros cinemas próximos a nós .... não adquiriram ainda o hábito de criminalizar os pobres" (Inácio Araújo, em *Folha de S.Paulo*, 08.03.2008.)

criminalmente [De *criminal* + *-mente.*] *Adj.* Mediante processo criminal: *A promotoria vai acionar criminalmente o jogador pelo golpe aplicado no adversário.*

criminar [Do lat. *criminare*, por *criminari.*] *V. t. d.* **1.** Imputar crime a; ter como criminoso; acusar, incriminar: "Criminar o infeliz que está debaixo da pressão da lei é vilíssima covardia." (Ramalho Ortigão, *Primeiras Prosas*, p. 45); "Que nobre coração deixou de criminar / Medeia, essa feroz, que os filhos extermina, / Ou Progne, essa do seu frenética assassina?" (Antônio Feliciano de Castilho, *Os Amores*, II, p. 73). ***P.*** **2.** Dar-se por criminoso; declarar-se criminoso. **3.** Deixar transparecer a própria culpa; incriminar-se.

criminável [De *criminar* + *-vel.*] *Adj. 2 g.* Que pode ser criminado.

▲**crimino-** [Do lat. *crimen, ĭnis* + *-o-.*] ***El. comp.*** = 'crime': *criminologia.*

criminologia [De *crimino-* + *-logia.*] *S. f.* **1.** Ciência que se ocupa das teorias do direito criminal. **2.** Filosofia do direito penal.

criminológico [De *criminologia* + *-ico*[2].] *Adj.* Referente à criminologia.

criminologista [De *criminologia* + *-ista*.] ***S. 2 g.*** Especialista em criminologia; criminólogo.

criminólogo [De *crimino-* + *-logo*.] ***S. m.*** Criminologista.

criminoso (ô) [Do lat. *criminosu*.] ***Adj.*** **1.** V. *criminal*. **2.** Em que há, ou que constitui ou importa crime: *Deixou os filhos em criminoso abandono.* **3.** Que cometeu crime. ● ***S. m.* 4.** Aquele que praticou crime; réu.

▲**crim(o)-** [Do gr. *krymós, oû*.] ***El. comp.*** = 'frio': *crimofilia, crimófilo*.

crimodinia [De *crim(o)-* + *-odin(o)-* + *-ia*[1].] ***S. f. Med.*** Dor produzida pelo frio ou pela umidade.

crimodínico [De *crimodinia* + *-ico*[2].] ***Adj.*** Relativo a crimodinia.

crimofilia [De *crim(o)-* + *-filia*.] ***S. f.*** V. *criofilia*.

crimofílico [De *crimofilia* + *-ico*[2].] ***Adj.*** V. *criofílico*.

crimófilo [De *crim(o)-* + *-filo*[2].] ***Adj. S. m.*** V. *criófilo*.

crina [Do lat. *crine*.] ***S. f.* 1.** *Zool.* Pelo do pescoço e da cauda do cavalo, e doutros animais, mais longo e mais firme que o conjunto da pelagem; cabeleira. **2.** *P. ext.* Coma[1] (2). **3.** *Tec. Têx.* Tecido grosseiro, fabricado com crina vegetal, para fricções, etc.: *Lavei-me com luva de crina.* [Var.: *clina*.] ◆ **Crina vegetal.** Denominação genérica de fibras retiradas de certas plantas, que têm o mesmo uso da crina (1). (p. us.)

crinal [Do lat. *crinale*.] ***Adj. 2 g.* 1.** De, ou relativo a crina. ● ***S. m.* 2.** Crineira (1).

crinalvo [De *crina* + *alvo*.] ***Adj.*** Cuja crina é mais clara que os outros pelos do corpo.

crindiúva [Do tupi.] ***S. f. Bras. Bot.*** V. *quatindiba*.

crineira [De *crina* + *-eira*.] ***S. f.* 1.** Conjunto de crinas que formam crista sobre o pescoço dos cavalos; crinal: "Adeus, gosto de soltar o pensamento por aí, feito cavalo desencilhado recém, de cola erguida, sacudindo a crineira" (M. Cavalcanti Proença, *Manuscrito Holandês*, p. 87). **2.** Conjunto de pelos flexíveis que envolvem a cabeça do leão e doutros animais; juba. **3.** O conjunto de pelos ou fios que do alto do capacete descem para trás.

▲**crin(i)-** [Do lat. *crinis, is*.] ***El. comp.*** = 'crina', 'cabelo', 'pelo': *criniforme, crinífero*.

crinicórneo [De *crin(i)-* + *-corn(i)-* + *-eo*.] ***Adj. Zool.*** Que tem antenas peludas.

crinífero [De *crin(i)-* + *-fero*.] ***Adj.*** Que tem crina; crinígero. [Cf. *crenífero*.]

criniforme [De *crin(i)-* + *-forme*.] ***Adj. 2 g.*** Que apresenta a forma de um cabelo.

crinígero [Do lat. *crinigeru*.] ***Adj.*** Crinífero.

crinipreto (ê) [De *crin(i)-* + *preto*.] ***Adj.*** Que tem crina preta, sendo o resto do pelo de outra cor.

crinisparso [De *crin(i)-* + *esparso*.] ***Adj. Poét.*** De cabelos soltos ou desgrenhados.

crinito [Do lat. *crinitu*.] ***Adj.*** Que tem crina ou coma.

crino [Do tax. *Crinum* (do lat. *crinum, crinon*, 'lírio').] ***S. m. Bot.* 1.** Grande gênero de ervas amarilidáceas, bulbíferas, tropicais, cultivadas como ornamentais pelas umbelas de exuberantes flores alvas, muitas vezes matizadas de vermelho, ger. fragrantes. **2.** Qualquer espécie desse gênero, como, p. ex., a *Crinum erubescens* [v. *açucena-d'água* (1)] **3.** Qualquer espécime desse gênero, ou a sua flor.

▲**-crin(o)-** [Do gr. *krínein*, 'separar', 'distinguir', 'segregar'.] ***El. comp.*** = 'secreção': *hipercrinia*. [Equiv.: *-crino*: *endócrino*.]

▲**-crino** Equiv. de *-crin(o)-*.

crinoide (ói) [Do tax. *Crinoidea* (< gr. *krinoeidés*, 'semelhante ao lírio').] *Zool.* ***S. m.* 1.** Espécime dos crinoides, classe de animais equinodermos, marinhos, de corpo formado por uma espécie de cálice revestido de numerosas placas, do qual saem cinco braços ramificados. São fixos por um pedúnculo ligado à face aboral, e vivem no mar até a 4.000m de profundidade. ● ***Adj.* 2.** Pertencente ou relativo a eles. ❖

crinóideo ***S. m. Adj. Zool.*** V. *crinoide*.

crinolina [Do fr. *crinoline*.] ***S. f.* 1.** *Tec. Têx.* Tecido muito resistente feito de linho e de crina de cavalo, us. em alfaiataria e próprio para forros, enchimentos de ombros, etc.: "veludos e crinolinas, sutaches e aljofres eram encontradiços nas vendas" (Nélson de Faria, *Cabeça-Torta*, p. 8). **2.** *Vest.* Anágua de crinolina, us. para armar ou entufar a saia. **3.** *Vest.* Armação em forma de gaiola, us. no século XIX para dar amplitude às saias.

crinudo [De *crina* + *-udo*.] ***Adj. Bras.*** Diz-se de animal de bastas crinas; clinudo.

▲**crio-** [Do gr. *krýos, eos-ous*.] ***El. comp.*** = 'gelo': *criogênico, crioscópio, criolita*.

criô ***S. m. Gloss.*** Crioulo (12) de base inglesa falado em Serra Leoa e ainda na Gâmbia e na Guiné Equatorial (África).

crioantena [De *crio-* + *antena*.] ***S. f. Astr.*** Antena que funciona a baixa temperatura.

criobiologia [De *crio-* + *biologia*.] ***S. f. Biol.*** O estudo dos efeitos, nos sistemas biológicos, de temperaturas extremamente baixas.

criobiológico [De *criobiologia* + *-ico*[2].] ***Adj. Biol.*** Relativo a criobiologia e a criobiólogo.

criobiologista [De *criobiólogo* + *-ista*.] ***S. 2 g.*** Criobiólogo.

criobiólogo [De *crio-* + *biólogo*.] ***S. m.*** Especialista em criobiologia; criobiologista.

criocirurgia [De *crio-* + *cirurgia*.] ***S. f. Cir.*** Método cirúrgico que, mediante aparelhagem especial, emprega temperaturas muito baixas para a incisão e extração de tecidos.

criocirúrgico [De *criocirurgia* + *-ico*[2].] ***Adj.*** Referente a criocirurgia.

crioconservação [De *crio-* + *conservação*.] ***S. f. Biol.*** Conservação de células ou de outras matérias biológicas em temperaturas extremamente baixas.

criofilia [De *crio-* + *-filia*.] ***S. f.* 1.** *Biol.* Condição de organismo que se desenvolve melhor em baixas temperaturas. **2.** Preferência a viver em local de clima frio. [Sin. ger.: *crimofilia*.]

criofílico [De *criofilia* + *-ico*[2].] ***Adj.*** Relativo a criofilia, ou a criófilo; crimofílico.

criófilo [De *crio-* + *-filo*[2].] ***Adj. S. m.* 1.** *Biol.* Diz-se de, ou organismo que se desenvolve melhor em baixas temperaturas. **2.** Que ou o que apresenta criofilia (2). [Sin. ger.: *crimófilo*.]

criófita [De *crio-* + *-fita*.] ***Adj. 2 g. S. f. Bot.*** V. *criófito*.

criófito [De *crio-* + *-fito*.] ***Adj. S. m. Bot.*** Diz-se de, ou vegetal que vive no gelo ou na neve, ou em temperaturas extremamente baixas. [F. paral.: *criófita*.]

criogenia [De *crio-* + *-genia*.] ***S. f. Fís.*** Ciência da produção e manutenção de temperaturas muito baixas em sistemas, e do estudo das propriedades físico-químicas desses sistemas naquelas temperaturas.

criogénico ***Adj. Fís.*** V. *criogênico*. [Uso freq. em P.]

criogênico [De *crio-* + *-gen(o)-* + *-ico*[2].] ***Adj. Fís.*** Relativo a temperaturas muito baixas, ou à determinação delas.

criogenização [De *criogenizar* + *-ção*; ingl. *cryogenization*.] ***S. f.*** Ato ou efeito de criogenizar; congelamento.

criogenizar [Adapt. do ingl. *(to) cryogenize*; v. *-ar*[2].] ***V. t. d.*** Congelar segundo os princípios da criogenia.

crioglobulina [De *crio-* + *globulina*.] ***S. f. Imun.*** Imunoglobulina, de que há vários tipos, que se precipita a baixa temperatura e que se torna a dissolver a 37°C; alguns tipos estão presentes em doenças, como as de origem neoplásica, as infecciosas, etc.

crio-hidrato [De *crio-* + *-hidr(o)-* + *-ato*[2].] ***S. m. Fís.-Quím.*** Eutético constituído por um sal e água. [Pl.: *crio-hidratos*.] ❖

crio-hídrico [De *crio-* + *-hidr(o)-* + *-ico*[2].] ***Adj. Fís.-Quím.*** Próprio ou característico de um crio-hidrato. [Pl.: *crio-hídricos*.] ❖

crioidrato (o-i) [De *crio-* + *-idr(o)-* + *-ato*[2].] ***S. m. Fís.-Quím.*** V. *crio-hidrato*.

crioídrico [De *crio-* + *-idr(o)-* + *-ico*[2].] ***Adj. Fís.-Quím.*** V. *crio-hídrico*.

criol [Dessa língua.] ***Gloss. Guin. S. m.* 1.** Língua derivada do português e de várias línguas africanas, falada pela maior parte da população da Guiné-Bissau e da Casamansa (S. do Senegal), sem ter, no entanto, o *status* de língua oficial: "Na narrativa oral em criol os termos *serpenti* e *iran* são utilizados como equivalentes." (Teresa Montenegro, *As Enxadas do Rei: os Animais no Imaginário Guineense*, p. 12.) **2.** Vocábulo dessa língua. ● ***Adj. 2 g. e 2 n.* 3.** Pertencente ou relativo ao criol: "São alguns desses fenômenos que são descritos aqui, exemplificados através de um conjunto de vocábulos criol de origem portuguesa." (Elly M. Opazo, em *Soronda*, n.º 10, p. 28.)

criolita [De *crio-* + *-lita*; al. *Cryolith*.] ***S. f.*** Mineral monoclínico, fluoreto de alumínio e sódio [fórm.: Na_3AlF_6].

crioscopia [De *crio-* + *-scop-* + *-ia*[1].] ***S. f. Fís.-Quím.*** Conjunto de técnicas de medida de massa molecular dum soluto não volátil, baseado na medida do abaixamento do ponto de fusão dum solvente puro quando se lhe adiciona o soluto.

crioscópico [De *crioscopia* + *-ico*[2].] ***Adj.*** Referente à crioscopia. ~ V. *constante — a*.

crioscópio [De *crio-* + *-scópio*.] ***S. m. Fís.-Quím.*** Aparelho em que se fazem as medições e observações da crioscopia.

criostato [De *crio-* + *-stato*.] ***S. m. Fís.*** Termostato para ser usado em temperaturas muito baixas.

crioterapia [De *crio-* + *-terapia*.] ***S. f. Med.*** No tratamento de doenças, ou para fins anestésicos, uso de temperatura baixa obtida por meios diversos, tais como ducha, envoltório, banho, bolsa de gelo, cloreto de metila, etc.

crioterápico [De *crioterapia* + *-ico*[2].] ***Adj.*** Relativo a crioterapia.

crioulada [De *crioulo* + *-ada*[1].] ***S. f.*** Grupo de crioulos; criouléu.

criouléu [De *crioulo*.] ***S. m.* 1.** *Bras. RJ* Baile popular, que se realizava em geral aos sábados, e no qual predominavam negros. **2.** Crioulada.

crioulinho [Dim. de *crioulo*.] ***S. m.*** Pequeno crioulo (11). ◆ **Crioulinho do Pastoreio.** *Bras.* S. V. *Negrinho do Pastoreio*. **Crioulinho do Pastorejo.** *Bras.* S. V. *Negrinho do Pastoreio*.

crioulismo [De *crioulo* + *-ismo*.] ***S. m. Liter.*** Nas literaturas hispano-americanas, tendência nativista.

crioulista [De *crioulo* + *-ista*.] ***S. 2 g. E. Ling.*** Aquele que se dedica à crioulística.

crioulística [De *crioulo* + *-ist(a)-* + *-ica*.] ***S. f. E. Ling.*** O estudo das línguas crioulas e dos pídgins.

crioulístico [De *crioulística*, com var. suf. (v. *-ico*[2]).] ***Adj. E. Ling.*** Da crioulística, ou relativo a ela.

crioulização [De **crioulizar* (< *crioulo* + *-izar*) + *-ção*.] ***S. f. E. Ling.*** Processo de transformação de um pídgin em língua que tem falantes nativos. [Cf. *descrioulização*.]

crioulo [De *cria* (*criar*) + el. incerto (poss. **-oulo*, **-oilo* [do lat. *-olu*, pelo moçárabe]), poss.] ***Adj.* 1.** Diz-se de qualquer indivíduo negro. **2.** Diz-se de indivíduo branco, nascido nas colônias europeias, particularmente na América. **3.** *Ant.* Referente ao negro nascido no Brasil. **4.** *Ant.* Referente ao negro nascido na América. **5.** *Ant.* Referente ao escravo nascido na casa de seu senhor. **6.** *Ant.* Referente àquele que nasce de pais de raças diferentes: "era muito valido d'el Rei hum Sacerdote crioulo: assim chamão lá [no Congo] os que têm mistura de dous sangues" (Fr. Luís de Sousa, *Anais de el-rei dom João III*). **7.** *P. ext.* Que não vem de fora: *galinha crioula; capões crioulos.* **8.** Diz-se da galinha comum, sem tipo nem raça definida. **9.** *E. Ling.* Referente a crioulo (12): *língua crioula.* **10.** *Bras. RS* Diz-se de indivíduo natural de qualquer parte do estado: *O rapazinho é crioulo de Bajé.* ● ***S. m.* 11.** Indivíduo crioulo (1 a 6 e 10). **12.** *E. Ling.* O resultado da transformação de um pídgin, ainda que no estágio de jargão[1] (4), em língua que tem falantes nativos. [Tal como o pídgin (q. v.), o crioulo é tradicionalmente classificado tomando-se por base a língua lexificadora (q. v.): *crioulo de base portuguesa, crioulo de base holandesa, crioulo de base francesa.*] **13.** *E. Ling.* Denominação de muitas dessas línguas: *crioulo de Cabo Verde.* **14.** *Bras.* Cigarro de palha feito de fumo de rolo. ◆ **Crioulo de Cabo Verde.** *Gloss.* Crioulo (13) de base portuguesa falado em Cabo Verde (África). **Crioulo do Pastoreio.** *Bras.* S. V. *Negrinho do Pastoreio*. **Crioulo do Pastorejo.** *Bras.* S. V. *Negrinho do Pastoreio*.

criouloide (ói) [De *crioulo* + *-oide*.] ***S. m. E. Ling.*** Língua que, por suas características, se assemelha a um crioulo (13), embora não resulte de um processo de crioulização; semicrioulo. ❖

cripta [Do lat. *crypta* < gr. *krýpte, es*.] ***S. f.* 1.** Galeria subterrânea; caverna, gruta: "A Torre de Marfim mudou-se em cripta escura" (Eugênio de Castro, *Obras Poéticas*, III, p. 139). **2.** Nalgumas igrejas, galeria subterrânea onde se enterravam mártires ou se guardavam relíquias. **3.** Capela subterrânea, não raro mais antiga do que a igreja sob a qual se encontra. **4.** Lugar secreto e subterrâneo. **5.** *Anat.* Pequena depressão tubular que se abre em superfície livre. **6.** *Anat.* Antro, cavidade. **7.** *Bot.* Qualquer pequena cavidade de uma parte ou órgão vegetal. ◆ **Cripta estomática.** *Bot.* Espaço aerífero onde se localizam os estômatos, na superfície de certas folhas grossas e rígidas.

criptando [Do ingl. *cryptand*, voc. formado a partir do gr. *kryptós* (v. *cript(o)-*).] ***S. m. Quím.*** Qualquer de certas substâncias bicíclicas, em ponte, cujas moléculas contêm vários átomos doadores de elétrons, como, p. ex., o nitrogênio e o oxigênio, e que são capazes de complexar forte e especificamente determinados metais em seu interior.

criptandro [De *cript(o)-* + *-andro*.] ***Adj. Bot.*** Diz-se dos vegetais desprovidos de órgãos masculinos aparentes.

criptato [Do ingl. *cryptate* (v. *criptando*).] ***S. m. Quím.*** O complexo formado entre um criptando e um metal.

cripterónia ***S. f. Bot.*** V. *cripterônia*. [Uso freq. em P.]

cripterônia [Do tax. *Crypteronia* (v. *cript(o)-*, *-er(o)-* e *-ia*[2]).] ***S. f. Bot.* 1.** Gênero-tipo das cripteroniáceas, que abrange quatro espécies, distribuídas pela Ásia tropical, do N.E. da Índia ao S.E. do continente, pela Malásia e Filipinas. **2.** Espécie, ou espécime desse gênero.

cripteroniácea [Do tax. *Crypteronia* (v. *cripterônia*) + *-ácea*; tax. *Crypteroniaceae*.] ***S. f. Bot.*** Espécime das cripteroniáceas, família da ordem das mirtales, que encerra árvores de folhas opostas e flores racemosas. Estames numerosos, carpelos concrescentes, ovário súpero; fruto capsular que se separa em duas partes que ger. se unem pelo estilo.

cripteroniáceo [De *cripteroniácea*, com var. suf. (v. *-áceo*).] *Adj. Bot.* Pertencente ou relativo às cripteroniáceas.

criptestesia [De *cript(o)-* + *-estes(i)-* + *-ia*[1]; lat. cient. *crypt(a)esthesia*.] *S. f. Filos.* Metagnomia.

criptestésico [De *criptestesia* + *-ico*[2].] *Adj.* Relativo a criptestesia.

críptico [Do gr. *kryptikós*, pelo lat. *crypticu*.] *Adj.* **1.** Pertencente, ou relativo, ou semelhante a cripta. **2.** *Fig.* Cifrado: *código críptico*. **3.** *Fig.* Secreto, oculto. **4.** *Zool.* Que serve para ocultar (diz-se, esp., de coloração de animal). [A coloração críptica reduz a predação, já que dificulta a identificação do animal, tornando-o pouco perceptível em relação ao fundo. Cf. *crítico*.]

criptite [De *cripta* (6) + *-ite*[1].] *S. f. Patol.* Designação genérica de inflamação de cripta (6).

▲cript(o)- [Do gr. *kryptós, ḗ, ón*.] *El. comp.* = 'escondido', 'oculto', 'obscuro': *criptandro, criptograma*. [Equiv.: *-cript(o)-*: *hemicriptófita*.]

▲-cript(o)- Equiv. de *cript(o)-*.

criptoanalisar [De *criptoanálise* + *-ar*[2].] *V. t. d.* Aplicar a criptoanálise a (um criptograma). [Pres. subj.: *criptoanalise*, etc. Cf. *criptoanálise*.]

criptoanálise [De *cript(o)-* + *análise*.] *S. f.* **1.** Ciência que abrange os princípios, métodos e meios para se chegar à decriptação de um criptograma, sem prévio conhecimento dos códigos ou cifras empregados na produção dele. **2.** Ato de criptoanalisar. [Cf. *criptoanalise*, do v. *criptoanalisar*.]

criptobrânquio [De *cript(o)-* + *-brânquio*; tax. *Cryptobranchia*.] *S. m. Adj. Zool.* V. *mutabílio*.

criptocarpo [De *cript(o)-* + *-carpo*.] *Adj. Bot.* Diz-se dos vegetais cujos frutos estão ocultos.

criptocéfalo [De *cript(o)-* + *-céfalo*; tax. *Cryptocephala*.] *S. m. Zool.* V. *sedentário*[2].

criptocerado [Adapt. do tax. *Cryptocerata*.] *Zool. S. m.* **1.** Espécime dos criptocerados, subordem de insetos hemípteros, de antenas pequenas e ocultas sob a cabeça, aquáticos, e, na maioria, predadores. ● *Adj.* **2.** Pertencente ou relativo a eles. [Sin. ger.: *hidrocorísido*.]

criptoclido [De *cript(o)-* + *-clido*; tax. *Cryptocleidus*.] *S. m. Paleont.* **1.** Gênero de reptis sauropterígios marinhos, ictiófagos, que atingiam até 3m de comprimento e 140kg. Habitavam os mares rasos da Europa, no jurássico superior. **2.** Espécie, ou espécime desse gênero.

criptococácea [Do tax. *Cryptococcus* + *-ácea*; tax. *Cryptococcaceae*.] *S. f. Micol.* Espécime das criptococáceas, família de fungos imperfeitos da ordem das moniliales, que não formam balistósporos, e que em seu estágio vegetativo podem ser unicelulares ou podem formar algum tipo de micélio. Certas espécies são saprotróficas.

criptococáceo [De *criptococácea*, com var. suf. (v. *-áceo*).] *Adj. Micol.* Pertencente ou relativo às criptococáceas.

criptococo [Do tax. *Cryptococcus* (v. *cript(o)-* e *-coco*).] *S. m. Micol.* **1.** Gênero de fungos criptococáceos, encontrados ger. no solo, em matéria em decomposição, com cerca de 17 espécies, sendo algumas patogênicas para o homem e outros animais. [Sin.: *tórula*.] **2.** Qualquer espécie desse gênero, como, p. ex., a *Cryptococcus neoformans*, agente etiológico da criptococose. **3.** Qualquer espécie, ou espécime desse gênero.

criptococose [De *criptococo* + *-ose*[1].] *S. f. Patol.* Infecção causada por *Cryptococcus neoformans*, que pode comprometer vários órgãos (pele, pulmões, etc.), mas que afeta, na maioria das vezes, encéfalo e meninges; torulose.

criptocomunista [De *cript(o)-* + *comunista*.] *Adj. 2 g. S. 2 g.* Que, ou quem é comunista sem o aparentar.

criptocristalino [De *cript(o)-* + *cristalino*.] *Adj.* Diz-se da textura cristalina tão fina que é impossível distinguir-lhe os componentes, mesmo com o auxílio do microscópio.

criptodiro [Adap. do tax. *Cryptodira*.] *Zool. S. m.* **1.** Espécime dos criptodiros, subordem de quelônios que, ao se protegerem, retraem a cabeça verticalmente. Surgiram no cretáceo e distribuem-se atualmente em todo o mundo. São as tartarugas terrestres, fluviais e marinhas. ● *Adj.* **2.** Pertencente ou relativo a eles.

criptófito [De *cript(o)-* + *-fito*.] *S. m. Bot.* Categoria da classificação das formas de vida constituída por plantas cujas gemas ficam protegidas sob o solo ou água. Engloba os geófitos, os helófitos e os hidrófitos.

criptofone [Adapt. do ingl. *cryptophone*; marca registrada] *S. m.* Aparelho misturador de vozes, à prova de grampos [v. *grampo* (7)], utilizado em telefones.

criptogamia [De *cript(o)-* + *-gam(o)-* + *-ia*[1].] *S. f. Bot.* Classe do antigo sistema sexual de Lineu, a qual abrange as plantas destituídas de flores e que, portanto, apresentam órgãos reprodutivos inaparentes. Inclui os fungos, as algas, os liquens, os musgos e os pteridófitos.

criptogâmico [De *criptógamo* + *-ico*[2].] *Adj. Bot.* Pertencente ou relativo aos criptógamos: *moléstia criptogâmica*.

criptógamo [De *cript(o)-* + *-gamo*.] *S. m. Bot.* Vegetal que não se reproduz por meio de flores, e que tem órgãos reprodutivos pequeninos, dificilmente perceptíveis pelo leigo. [Hoje os criptógamos já não constituem um grupo sistemático; estão divididos em muitos grupos independentes.]

criptogenético [De *cript(o)-* + *-gen(o)-* + *-ético*.] *Adj. Med.* V. *essencial* (6).

criptografado [Part. de *criptografar*.] *Adj.* Que se criptografou; cifrado.

criptografar [De *cript(o)-* + *-graf(o)-* + *-ar*[2].] *V. t. d.* **1.** Tornar incompreensível, com observância de normas especiais consignadas numa cifra ou num código, o texto de (uma mensagem escrita com clareza). **2.** *Inform.* Codificar (uma informação) de forma a tornar difícil sua decodificação sem a chave (20) adequada. [Cf. *cifrar* e *codizar*.]

criptografia [De *cript(o)-* + *-grafia*.] *S. f.* **1.** Arte de escrever em cifra ou em código. **2.** Conjunto de técnicas que permitem criptografar informações (como mensagens escritas, dados armazenados ou transmitidos por computador, etc.).

criptográfico [De *criptografia* + *-ico*[2].] *Adj.* Referente à criptografia.

criptógrafo [De *cript(o)-* + *-grafo*.] *S. m.* Especialista em criptografia (1).

criptograma [De *cript(o)-* + *-grama*.] *S. m.* O texto criptografado de uma mensagem.

criptologia [De *cript(o)-* + *-logia*.] *S. f.* Ciência oculta; ocultismo.

criptológico [De *criptologia* + *-ico*[2].] *Adj.* Respeitante à criptologia.

criptomania [De *cript(o)-* + *-mania*.] *S. f. Psiq.* Tendência mórbida a ocultar-se.

criptomaníaco [De *criptomania* + *-íaco*.] *Psiq. Adj.* **1.** Relativo a criptomania. **2.** Que tem criptomania; criptômano. ● *S. m.* **3.** Aquele que tem criptomania; criptômano.

criptómano *Adj. S. m. Psiq.* V. *criptômano*. [Uso freq. em P.]

criptômano [De *cript(o)-* + *-mano*[1].] *Adj. S. m. Psiq.* Criptomaníaco (2 e 3).

criptomenorreia (éi) [De *cript(o)-* + *menorreia*.] *S. f. Gin. Obst.* Situação em que os fenômenos gerais de período menstrual estão presentes, mas não há perda de sangue, podendo o fato ter causas diversas. ❖

criptoméria [De *cript(o)-* + *-mer(o)-*[1] + *-ia*[2]; tax. *Cryptomeria*.] *S. f. Bot.* **1.** Gênero de plantas gimnospérmicas coníferas. **2.** Qualquer espécie desse gênero, como, p. ex., a *Cryptomeria japonica* (v. *cedro-japonês*). **3.** Qualquer espécime desse gênero.

criptomerismo [De *criptômero* + *-ismo*.] *S. m. Biol.* Recessividade.

criptómero *S. m. Genét.* V. *criptômero*. [Uso freq. em P.]

criptômero [De *cript(o)-* + *-mero*.] *S. m. Genét.* Gene recessivo.

criptomnésia [De *cript(o)-* + *-mnésia*.] *S. f. Psiq.* Distúrbio de memória em que o indivíduo tem como novo um conhecimento que já possuía.

criptomonadino [Do lat. cient. *Cryptomonad-* (< tax. *Cryptomonas*) + *-ino*[3]; tax. *Cryptomonadina*.] *Zool. S. m.* **1.** Espécime dos criptomonadinos, ordem de animais protozoários, fitomastiginos, ovais, achatados, não ameboides, com dois flagelos, e na maioria holofíticos. Algumas espécies vivem como zooxantelas em outros protozoários e metazoários. ● *Adj.* **2.** Pertencente ou relativo a eles.

crípton [Do gr. *kryptón* (neutro); v. *cript(o)-*.] *S. m. Quím. Desus.* Criptônio.

criptónimo *Adj.* V. *criptônimo*. [Uso freq. em P.]

criptônimo [De *cript(o)-* + *-ônimo*.] *Adj.* **1.** Que oculta ou disfarça o nome. ● *S. m.* **2.** V. *pseudônimo* (1).

criptónio *S. m. Quím.* V. *criptônio*. [Uso freq. em P.]

criptônio [De *crípton* + *-io*[3].] *S. m. Quím.* Elemento de número atômico 36, pertencente à família dos gases nobres, incolor, presente em diminuta proporção na atmosfera [símb.: *Kr*].

criptonita [Do mit. *Crypton*, 'certo planeta imaginário', + *-ita*[3].] *S. m. Pop.* Qualquer substância considerada complexa, de origem obscura, esp. se for tóxica.

criptoplasma [De *cript(o)-* + *-plasma*.] *S. m. Citol.* A parte não granulada do protoplasma.

criptópode [De *cript(o)-* + *-pode*.] *Adj. 2 g. S. m. Zool.* Diz-se de, ou animal que não tem pés aparentes.

criptorquia [De *cript(o)-* + *-orqu(i)-* + *-ia*[1].] *S. f. Urol.* Ausência de testículo no escroto, por haver ficado retido na cavidade abdominal ou no canal inguinal. [F. paral.: *criptorquidia*.]

criptorquidia [De *cript(o)-* + *-orquid(o)-* + *-ia*[1].] *S. f. Urol.* V. *criptorquia*.

criptostomado [Do tax. *Cryptostomata*.] *Paleont. S. m.* **1.** Espécime dos criptostomados, grupo de briozoários do paleozoico de boca quase imperceptível. ● *Adj.* **2.** Pertencente ou relativo a eles.

cripturiforme [Do tax. *Cryptur(ellus)* + *-iforme*.] *S. m. Adj. 2 g. Zool.* V. *tinamiforme*.

criquete [Do ingl. *cricket*.] *S. m.* Jogo muito popular na Inglaterra, disputado por dois times de 11 jogadores, em campo gramado, no meio do qual se encontram duas balizas, afastadas entre si de 20,1m e defendidas (com bastões de madeira), cada uma por vez, por dois jogadores de um dos times, contra a bola arremessada com a mão por um dos jogadores adversários.

cris[1] [Do malaio *kris*.] *S. m.* Punhal malaio, de lâmina ondulada. [Pl.: *crises*.]

cris[2] [Var. de *gris*.] *Adj. 2 g.* Cinzento, gris. [Pl.: *crises*.]

cris[3] [De *eclipse*, com aférese, rotacismo e síncope.] *Adj. 2 g.* **1.** *Ant.* Que está em eclipse (1): *lua cris*. **2.** *P. ext.* Que causa medo; medonho, terrível. ● *S. m.* **3.** *Ant.* Eclipse. [Sin. bras., nesta acepç.: *criso*. Pl.: *crises*.]

crisada [De *cris*[1] + *-ada*[1].] *S. f.* Golpe de cris[1].

crisalho [Do fr. *grisaille*; cf. *grisalha*.] *S. m.* Gênero de pintura monocrômica, em tons grisalhos ou acinzentados.

crisálida [Do lat. *chrysallida* < gr. *chrysallís, idos*.] *S. f.* **1.** *Zool.* Estado intermediário por que passam os lepidópteros para se transformarem de lagarta em borboleta. **2.** *Zool.* Ninfa de borboleta, ou o envoltório dessa forma larvar. **3.** *Fig.* Coisa latente. [Var.: *crisálide*. Cf. *crisalida* e *crisalide*, do v. *crisalidar*.]

crisalidar [De *crisálida* + *-ar*[2].] *V. int. P.* Transformar-se (a lagarta) em crisálida (2). [Normalmente é defect., conjugável só nas 3.as pess. Pres. ind.: *crisalida*, ... *crisalidam*; pres. subj.: *crisalide*, ... *crisalidem*. Cf. *crisálida* e *crisálide*.]

crisálide *S. f.* V. *crisálida*. [Cf. *crisalide*, do v. *crisalidar*.]

crisantêmico [Do tax. *Crysanthemam* + *-ico*.] *Adj. Quím.* V. *ácido* —.

crisântemo [Do tax. *Chrysanthemum* (do gr. *chrysánthemon*).] *S. m. Bot.* **1.** Gênero de plantas herbáceas ou subarbustivas das asteráceas que, assim como as dos gêneros *Dendranthema* (v. *dendrântema*) e *Leucanthemum* (v. *leucântemo*), tb. das asteráceas, e com as quais se confundem, são cultivadas como ornamentais, e muito us. no comércio de flores. **2.** Qualquer espécie desse gênero, como, p. ex., a *Chrysanthemum coronarium* (v. *estrela-de-ouro*). **3.** Subarbusto asteráceo (*Dendranthema sinensis*) nativo da Ásia, e cultivado internacionalmente; monsenhor, despedidas-de-verão. **4.** Planta asterácea (*Argyranthemum frutescens*) herbácea, perene, muito ramificada, de inflorescências com capítulos brancos, amarelos ou róseos.

crise[1] [Do lat. *crise* < gr. *krísis*.] *S. f.* **1.** *Med.* Alteração (melhora, ou piora) que sobrevém no curso de uma doença. **2.** *Med.* Acidente repentino que sobrevém numa pessoa em estado aparente de boa saúde ou agravamento súbito de um estado crônico: *crise de asma*; *crise de apendicite*; *crise epiléptica*; *crise cardíaca*. **3.** Manifestação violenta e repentina de ruptura de equilíbrio: *crise emocional*. **4.** Manifestação violenta de um sentimento: *crise de raiva*; *crise de ternura*. **5.** Estado de dúvidas e incertezas: *crise religiosa*; *crise moral*. **6.** Fase difícil, grave, na evolução das coisas, dos fatos, das ideias: *período de crise*; *crise familiar*; *crise literária*; *crise política*, *crise agrícola*. **7.** Momento perigoso ou decisivo: *crise histórica*. **8.** Lance embaraçoso; lance, conjuntura: *crise amorosa*. **9.** Tensão, conflito: *crise diplomática*; *crise internacional*. **10.** Deficiência, falta, penúria: *crise de mão de obra*; *crise do café*. **11.** Qualquer mau funcionamento, ou ruptura, num sistema econômico, político ou social. **12.** *Econ.* Período de piora acentuada na situação da economia, ger. de início súbito: *A crise do petróleo, na década de 1970, decorreu de um extraordinário aumento no preço desse produto; A crise financeira de 2008 originou-se no mercado de hipotecas dos Estados Unidos*. **13.** *Teatr.* Complicação e agravamento da intriga, que leva a ação dramática a uma catástrofe ou a consequência grave e decisiva; crise dramática. **14.** *Bras. Pop.* Paradeiro (2). ◆ **Crise dramática.** *Teatr.* Crise (12). **Crise epiléptica.** *Neur. Psiq.* Distúrbio paroxístico e transitório de função cerebral, e em que podem ser observados perda de consciência, fenômenos motores anormais, etc. **Crise epiléptica generalizada.** *Neur. Psiq.* A que se caracteriza, clinicamente, por alteração da consciência e por manifestações vegetativas maciças, acompanhando-se, ou não, de fenômenos motores que comprometem, simultaneamente, ambos os lados do corpo. **Crise epiléptica parcial.** *Neur. Psiq.* Aquela cujos sintomas iniciais (motores, sensoriais, etc.) não têm o caráter maciço que apresentam no curso das crises generalizadas (v. *crise epiléptica generalizada*).

crise[2] [De or. obsc.] *S. f. Tec. Têx.* Certo tecido antigo.

criselefantino [Do gr. *chryselephántinos.*] *Adj.* Feito de ouro e de marfim: "Moldei o Homem tal qual a criselefantina / Estátua modelar que Ateneia destina / A Febo-Apolo, Deus da Luz!" (Martins Fontes, *Nos Jardins de Augusto Comte*, p. 95.)

criseno [De *cris(o)-* + *-eno*[2]; fr. *chrysène* e ingl. *chrysene.*] *S. m. Quím.* Substância cristalina, incolor, hidrocarboneto aromático tetracíclico, cujas moléculas podem ser vistas como dois naftalenos fundidos, antissimetricamente, por um lado [fórm.: $C_{18}H_{12}$].

crisíase [De *cris(o)-* + *-íase.*] *S. f. Patol.* Acúmulo de ouro em tecido orgânico; auríase.

crisma [Do gr. *chrisma*, 'óleo', 'unção' (< gr. *chríein*, 'ungir'), pelo lat. *chrisma.*] *S. m.* **1.** Óleo perfumado que se usa na administração dalguns sacramentos. • *S. f.* **2.** *Rel.* Confirmação (2). **3.** A cerimônia desse sacramento. **4.** *P. ext.* Mudança de nome.

crismar [Do lat. *chrismare.*] *V. t. d.* **1.** Conferir o sacramento da crisma (2) a. **2.** Apadrinhar no sacramento da crisma: *O tio fez questão de crismá-lo.* *Transobj.* **3.** Alcunhar, apelidar; batizar: *Por ser muito agitado crismaram-no de maluquinho.* *P.* **4.** Receber o sacramento da crisma. **5.** Apelidar-se, cognominar-se.

criso *S. m. Bras. Pop.* Cris[3] (3).

▲cris(o)- [Do gr. *chryso-* < gr. *chrysós, oû.*] *El. comp.* = 'ouro': *crisófilo.* [Equiv.: *-criso*: *bibliocriso.*]

▲-criso Equiv. de *cris(o)-*.

crisobalanácea [Do tax. *Chrysobalanus* (v. *crisobálano*) + *-ácea*; tax. *Chrysobalanaceae.*] *S. f. Bot.* Espécime das crisobalanáceas, família da ordem das rosales, recentemente destacada das rosáceas para conter alguns gêneros desta, como *Chrysobalanus, Licania* e *Parinari*, e constituída por plantas arbóreas quase sempre das matas pluviais, comuns no Brasil.

crisobalanáceo [De *crisobalanácea*, com var. suf. (v. *-áceo*).] *Adj. Bot.* Pertencente ou relativo às crisobalanáceas.

crisobálano [Do tax. *Chrysobalanus* (< gr. *chrysós*, v. *cris(o)-*, + lat. *balanus*, 'glande de carvalho', 'arbusto perfumado').] *S. m. Bot.* **1.** Gênero de plantas arbóreas crisobalanáceas. **2.** Qualquer espécie desse gênero, como, por ex., a *Chrysobalanus icaco*, nativa da América tropical e subtropical. **3.** Qualquer espécime desse gênero.

crisoberilo [Do lat. *chrysoberillu.*] *S. m. Min.* Mineral ortorrômbico, aluminato de glucínio, pedra semipreciosa.

crisocola [Do lat. *chrysocolla.*] *S. f. Min.* Mineral criptocristalino, terroso, silicato hidratado de cobre, minério de cobre de escasso valor econômico.

crisodermia [De *cris(o)-* + *-derm(o)-* + *-ia*[1].] *S. f. Patol.* Alteração de coloração da pele, devida a depósito de ouro.

crisofícea [De *cris(o)-* + *-fic(o)-*[2] + *-ea*; tax. *Chrysophyceae.*] *S. f. Bot.* Espécime das crisofíceas, grupo complexo de algas flageladas de cromatóforos dourados. Compreendem várias classes, um tanto variáveis segundo os autores.

crisofíceo [De *crisofícea*, com var. suf. (v. *-eo*).] *Adj. Bot.* Pertencente ou relativo às crisofíceas.

crisofilo[1] [Do tax. *Chrysophyllum.*] *S. m. Bot.* **1.** Grande gênero de árvores sapotáceas de folhas oblongas, e de um dourado sedoso na página inferior, e pequenas flores, esp. nas axilas foliares. **2.** Qualquer espécie desse gênero, como, p. ex., a *Chrysophyllum gonocarpum* [v. *aguaí* (2)]. **3.** Qualquer espécime desse gênero.

crisofilo[2] [De *cris(o)-* + *-filo*[1].] *Adj. Bot.* Que tem folhas douradas.

crisófito [De *cris(o)-* + *-fito*; tax. *Chrysophyta.*] *Adj. S. m. Bot.* Diz-se de, ou espécime dos crisófitos, divisão do reino vegetal que reúne classes de algas com grande diversidade de formas, tipos de parede celular e de flagelos, etc.; são em sua maioria unicelulares, abundantes em meios marinhos e de águas continentais, e sua característica principal é a predominância dos carotenoides sobre as clorofilas, donde a sua coloração amarelada ou dourada.

crisografia [Do gr. *chrysographía.*] *S. f.* Arte de escrever a ouro.

crisográfico [De *crisografia* + *-ico*[2].] *Adj.* Relativo à crisografia.

crisógrafo [De *criso-* + *-grafo.*] *S. m.* Aquele que pratica a crisografia.

crisol [Do esp. *crisol.*] *S. m.* **1.** Cadinho. **2.** *Fig.* Aquilo em que se apuram os sentimentos. **3.** *Fig.* Aquilo que serve para evidenciar as boas qualidades do indivíduo. **4.** *Tip.* Recipiente das máquinas fundidoras e compositoras, onde se derrete o metal-tipo; caldeira. [Pl.: *crisóis*. Cf. *cresol* e pl. *cresóis.*]

crisolita [Do fr. *chrysolithe.*] *S. f. Min.* Variedade verde límpida da olivina, ortorrômbica. [Cf. *crisólita.*]

crisólita [De *cris(o)-* + *-lita.*] *S. f.* Crisólito. [Cf. *crisolita.*]

crisólito [Do gr. *chrysólithos*, pelo lat. *chrysolithu.*] *S. m.* Pedra preciosa da cor do ouro; crisólita.

crisomelídeo [Do tax. *Chrysomela* (alter. do gr. *chrysómelon*, 'marmelo') + *-ídeo*[1]; tax. *Chrysomelidae.*] *Zool. S. m.* **1.** Espécime dos crisomelídeos, família de insetos coleópteros, semelhantes aos cerambicídeos, porém com antenas mais curtas, menores. Fitófagos, constituem uma praga muito séria para a agricultura. • *Adj.* **2.** Pertencente ou relativo a eles.

crisomonadino [De *cris(o)-* + lat. *monade*, 'unidade', + *-ino*[3]; tax. *Chrysomonadina.*] *Zool. S. m.* **1.** Espécime dos crisomonadinos, ordem de animais protozoários, fitomastiginos. São solitários ou coloniais, ger. ameboides; um, dois ou três flagelos; produzem cistos endógenos de sílica; holofíticos ou holozoicos. Algumas espécies transmitem sabor desagradável à água doce onde vivem. • *Adj.* **2.** Pertencente ou relativo a eles.

crisopa [Do tax. *Chrysopa.*] *S. f. Zool.* **1.** Gênero de insetos neurópteros crisopídeos, de corpo delicado, em geral de coloração verde, antenas filiformes, tão compridas quanto o corpo, ou mais, asas hialinas, longas, com máculas escuras, e larvas predadoras. **2.** Espécie, ou espécime desse gênero.

crisopídeo [Do tax. *Chrysopa* (v. *crisopa*) + *-ídeo*[1]; tax. *Chrysopidae.*] *Zool. S. m.* **1.** Espécime dos crisopídeos, família de insetos neurópteros, pequenos, esverdeados, olhos dourados ou da cor do cobre, e que, tocados, soltam um odor desagradável, semelhante ao da barata. São considerados neurópteros estritos, vivendo sobre ervas e folhagem. • *Adj.* **2.** Pertencente ou relativo a eles.

crisopolense *Adj. 2 g.* **1.** De, ou pertencente ou relativo a Crisópolis (BA). • *S. 2 g.* **2.** O natural ou habitante de Crisópolis.

crisópraso [Do gr. *chrysóprasos*, pelo lat. *chrysoprasu.*] *S. m. Min.* Variedade de calcedônia verde-clara.

crisóstomo [Do gr. *chrysóstomos*, pelo lat. *chrysostomu.*] *Adj.* **1.** Que tem boca de ouro. **2.** *Fig.* Que fala bem; eloquente.

crisotila [De *cris(o)-* + gr. *tílos* (< gr. *tillein*, 'arrancar'); al. *chrysotil.*] *S. f. Min.* Mineral monoclínico, variedade fibrosa de serpentina.

crispação [De *crispar* + *-ação.*] *S. f.* Ato ou efeito de crispar(-se); crispamento, crispatura.

crispamento [De *crispar* + *-mento.*] *S. m.* V. *crispação.*

crispar [Do lat. *crispare.*] *V. t. d.* **1.** Encrespar, franzir: *Crispou a folha em que acabara de escrever.* **2.** Contrair, encolher: *Crispou os músculos do rosto, num ricto de dor;* "Parou, sufocado de raiva e despeito, mordendo os beiços, crispando os punhos." (Herman Lima, *Tijipió*, p. 148). *P.* **3.** Contrair-se espasmodicamente: "A mão direita contraiu-se, os dedos crisparam-se como se apertassem o cabo de uma arma pronta a ser brandida na luta..." (Afonso Arinos, *Pelo Sertão*, p. 45). [Cf. *crespar.*]

crispatura [De *crispar* + *-tura.*] *S. f.* V. *crispação.*

crispim[1] [T. onom.] *S. m. Bras. N.E. Zool.* V. *saci* (2).

crispim[2] [Do ficción. it. *Crispino.*] *S. m. Teatr.* Personagem da *commedia dell'arte* (q. v.) e da antiga comédia francesa, que representava o criado irrequieto, pretensioso, velhaco e bajulador. [Vestia-se ger. de negro, e usava espadim e botas.]

crisso [Do lat. cient. *crissum* < lat. *crissare.*] *S. m. Zool.* Região em volta do ânus das aves.

crista [Do lat. *crista.*] *S. f.* **1.** *Zool.* Excrescência carnosa existente na cabeça dos galos e doutros galináceos. **2.** *Zool.* A parte terminal do abdome dos pássaros, entre as coxas e a cauda. **3.** *Zool.* Saliência no alto da cabeça de certos peixes e reptis. **4.** *Zool.* Penacho, poupa. **5.** *Bot.* Lígula da folha das palmeiras. **6.** O ponto mais alto; cocuruto, grimpa: "Ao fundo o mar batia a crista dos escolhos..." (Manuel Bandeira, *Estrela da Vida Inteira*, p. 44.) **7.** Aresta (de monte) resultante da união das vertentes pela parte superior. **8.** V. *cume* (1). **9.** *Anat.* Designação comum às saliências estreitas e alongadas de certos ossos. **10.** *Bras. Gír.* Cabeleira, cabelo. ◆ **Crista dorsal.** *Zool.* Quilha dorsal. **Crista mitocondrial.** *Citol.* Cada dobra existente no interior de mitocôndria, e formada por invaginação da membrana interna da organela. **De crista caída.** *Fam.* Desanimado, desencantado, abatido; desiludido. **Jogar as cristas.** Brigar, lutar. **Na crista da onda.** *Fig.* Em situação relevante (na sociedade, na política, nas artes, etc.): *estar, achar-se, andar na crista da onda;* "Por algum tempo meu Pai se manteria na crista da onda" (Ciro dos Anjos, *A Menina do Sobrado*, p. 218.)

cristã *S. f.* Fem. de *cristão* (q. v.).

crista-de-galo *S. f. Bras. Bot.* **1.** Nome comum a várias plantas amarantáceas, ornamentais de folhas comestíveis, flores dispostas em espiga, com bractéolas estreitas, e cujo fruto é cápsula ovoide, com sementes; beijo-de-palmas, bredo-de-namorado, bredo-vermelho, caruru-do-mato, veludo. **2.** Planta amarantácea (*Celosia cristata*) herbácea, anual, ornamental, e cujas inflorescências, terminais, aveludadas, lembram uma crista de galo; galacrista, galicrista, martinete. [Pl.: *cristas-de-galo.*]

crista-de-mutum *S. f. Bras. Bot.* Trepadeira fabácea (*Mucuna huberi*) de grandes flores alaranjadas. [Pl.: *cristas-de-mutum.*]

crista-de-peru *S. f. Bot.* Arbusto euforbiáceo (*Acalypha wilkesiana*) comuníssimo em jardins, de folhagem multicor, folhas grandes e delicadas, e flores avermelhadas. [Sin.: *cauda-de-raposa, rabo-de-macaco, rabo-de-raposa, tapiá-guaçu, veludo-de-penca.* Pl.: *cristas-de-peru.*]

cristado [Do lat. *cristatu.*] *Adj.* Que tem crista.

cristal [Do lat. *crystallu* < gr. *krýstallos*, 'gelo', 'cristal'.] *S. m.* **1.** *Fís.* Substância sólida cujas partículas constitutivas (átomos, íons ou moléculas) estão arrumadas regularmente no espaço. **2.** *Min.* Cristal de rocha. **3.** *Quím.* Vidro de chumbo (q. v.). **4.** Vidro muito límpido e puro. **5.** Objeto de cristal (3). **6.** *Fig.* Limpidez, transparência: *o cristal das águas.* **7.** *Fig.* O que tem sonoridade cristalina [v. *cristalino* (4)]: *É belo o cristal de sua voz.* ◆ **Cristal biaxial.** *Min.* O que tem dois eixos ópticos. **Cristal de rocha.** *Min.* Quartzo vítreo incolor. [Tb. se diz apenas *cristal.*] **Cristal gêmeo.** *Min.* Designação comum aos cristais grupados de modo regular e que não cresceram isorientados na sua estrutura cristalina. **Cristal hemiédrico.** *Min.* O que apresenta hemiedria. **Cristal hemiprismático.** *Min.* O que só deixa ver metade das suas faces. **Cristal hemisferoédrico.** O que tem a aparência de um hemisferoide. **Cristal heterônomo.** *Min.* Aquele cuja formação se desvia das leis conhecidas. **Cristal leptomórfico.** *Min.* Cristal muito miúdo. **Cristal líquido.** *Quím.* Líquido formado por moléculas que se alinham com certa regularidade, que lembra a de um cristal sólido comum, e que possui propriedades ópticas características, como, p. ex., tornar-se transparente, ou opaco, pela aplicação de um campo elétrico, e que é us. em telas de microcomputadores portáteis, nos mostradores de certos brinquedos e relógios eletrônicos, etc. **Cristal negativo.** *Ópt.* Cristal monaxial em que o índice de refração extraordinário é menor que o índice de refração ordinário. **Cristal piezelétrico.** *Fís.* Aquele entre cujas faces uma compressão cria uma diferença de potencial elétrico. **Cristal positivo.** *Ópt.* Cristal monaxial em que o índice de refração extraordinário é maior que o índice de refração ordinário.

cristalandense[1] *Adj. 2 g.* **1.** De, ou pertencente ou relativo a Cristalândia (TO). • *S. 2 g.* **2.** O natural ou habitante de Cristalândia.

cristalandense[2] *Adj. 2 g.* **1.** De, ou pertencente ou relativo a Cristalândia do Piauí (PI). • *S. 2 g.* **2.** O natural ou habitante de Cristalândia do Piauí.

cristaleira [De *cristal* + *-eira.*] *S. f. Bras.* Armário envidraçado onde se guardam objetos de cristal, garrafas, copos, etc.

cristaleiro [De *cristal* + *-eiro.*] *S. m.* **1.** *Bras.* Garimpeiro (2). **2.** *Bras. MG* Homem que se ocupa com a exploração de cristais.

cristalense[1] *Adj. 2 g.* **1.** De, ou pertencente ou relativo a Cristais (MG). • *S. 2 g.* **2.** O natural ou habitante de Cristais.

cristalense[2] *Adj. 2 g.* **1.** De, ou pertencente ou relativo a Cristais Paulista (SP). • *S. 2 g.* **2.** O natural ou habitante de Cristais Paulista.

cristalense[3] *Adj. 2 g.* **1.** De, ou pertencente ou relativo a Cristal (RS). • *S. 2 g.* **2.** O natural ou habitante de Cristal.

cristalense[4] *Adj. 2 g.* **1.** De, ou pertencente ou relativo a Cristália (MG). • *S. 2 g.* **2.** O natural ou habitante de Cristália.

cristaleria [De *cristal* + *-eria.*] *S. f.* Fábrica e/ou loja de cristais.

▲cristal(i)- [Do lat. *crystăllus, i* < gr. *krýstallos, ou.*] Equiv. de *cristal(o)-*.

cristalífero [De *cristal* + *-ífero.*] *Adj.* Que contém cristais.

cristalinense *Adj. 2 g.* **1.** De, ou pertencente ou relativo a Cristalina (GO). • *S. 2 g.* **2.** O natural ou habitante de Cristalina.

cristaliniano [De *cristalino* + *-iano.*] *Adj. Anat.* Cristalino (5).

cristalinidade [De *cristalino* + *-(i)dade.*] *S. f.* Qualidade de cristalino.

cristalino [Do gr. *krystállinos*, pelo lat. *crystallinu.*] *Adj.* **1.** Pertencente ou relativo ao cristal. **2.** Que tem a forma de cristal (1). **3.** Límpido como cristal; muito claro; transparente: "Junto ao rio cristalino / Brincava o ledo menino." (Gonçalves Dias, *Obras Poéticas*, II, p. 50.) **4.** Cujo som semelha o do cristal quando ferido: *voz cristalina.* **5.** *Anat.* Relativo ao cristalino (6); cristaliniano. ~ V. *estrutura —a, grupamento —, retículo —, rocha —a* e *sistema —.*

• *S. m.* 6. *Anat.* Estrutura ocular biconvexa, transparente, localizada entre a câmara posterior e o corpo vítreo, e que constitui parte do mecanismo de refração ocular.

cristalito [De *cristal(i)-* + *-ito*[2].] *S. m. Min.* Cristal microscópico, de forma variada, que ocorre disseminado em certos vidros vulcânicos.

cristalização [De *cristalizar* + *-ção*.] *S. f.* 1. Ato ou efeito de cristalizar(-se). 2. *Fís.-Quím.* Passagem de uma substância dum estado amorfo (líquido ou gás) para o estado cristalino, ou de uma solução para esse estado. 3. Aglomerado de cristais. [V. *cristal* (2).] 4. Estado do que cristalizou [v. *cristalizar* (2)]: *a cristalização de uma mentalidade.* ◆ **Cristalização fracionada.** *Quím.* Processo de separação de substâncias dissolvidas, baseado nas diferenças de solubilidade de cada uma, e que consiste em evaporar uma solução, em condições controladas de pressão, temperatura e concentração, para obter a cristalização de cada soluto sob forma pura.

cristalizado [Part. de *cristalizar*.] *Adj.* 1. Que se cristalizou. 2. Diz-se da fruta preparada para ser envolvida em açúcar, o qual, depois de seco, se solidifica, formando na superfície dela uma leve crosta: *caju cristalizado; figo cristalizado.*

cristalizador (ô) [De *cristalizar* + *-dor*.] *Adj.* 1. Que cristaliza. • *S. m.* 2. Frasco aberto, em geral com diâmetro maior que a altura, us. em laboratório para se obterem cristais por evaporação do solvente, ou como cuba em diversos misteres. 3. *Tec. Quím.* Vaso provido de elementos de calefação e de agitação, no qual se efetua, mediante a vaporização de um solvente, a cristalização de um soluto. 4. *Bras.* Tanque no qual se põe em movimento, por meio de pás ou de hélices, a massa cozida do açúcar, antes de centrifugado, a fim de aumentar-lhe os cristais. 5. *Bras. RJ Marn.* Cada um dos espaços quadrados de salina, onde o sal se cristaliza: "a salina desdobrava-se .... nos mil esquadrejamentos ordenados dos seus cristalizadores." (Herberto Sales, *Rebanho do Ódio*, p. 298).

cristalizar [De *cristal* + *-izar*.] *V. t. d.* 1. Dar a forma e a textura do cristal a; converter em cristal: "— O sol ouviu-os e redarguiu que sim, que cristalizassem as lágrimas e fizessem delas uma estrela." (Machado de Assis, *Páginas Recolhidas*, p. 109.) 2. Manter estacionário; estagnar: *cristalizar emoções.* *T. i.* 3. Permanecer (em um mesmo estado); não experimentar mudança: *Suas ideias cristalizaram na mentalidade obsoleta de seu século.* *Int. P.* 4. Adquirir a forma de cristal ou cristais. 5. Permanecer em um mesmo estado; não experimentar mudança. 6. Tornar-se concreto; consolidar-se, materializar-se: "No momento em que um grande infortúnio nos fere, temos apenas alma para sofrer e chorar. Depois, sim! depois é que o sofrimento pode cristalizar-se em versos." (Olavo Bilac, *Conferências Literárias*, p. 41.)

cristalizável [De *cristalizar* + *-vel*.] *Adj. 2 g.* Suscetível de se cristalizar.

▲**cristal(o)-** [Do gr. *krýstallos, ou*, 'gelo', 'água congelada'; 'cristal', 'vidro'.] *El. comp.* = 'cristal': *cristalomancia.* [Equiv.: *cristal(i)-*: *cristalífero*.]

cristaloblástico [De *cristal(o)-* + *-blast(o)-* + *-ico*[2].] *Adj. Geol.* ~ V. *textura — a.*

cristalografia [De *cristal(o)-* + *-grafia*.] *S. f.* Ciência que se ocupa dos cristais, das suas formas e estrutura, e das leis que regem a sua formação.

cristalográfico [De *cristalografia* + *-ico*[2].] *Adj.* Referente à cristalografia. ~ V. *eixo —.*

cristalógrafo [De *cristal(o)-* + *-grafo*.] *S. m.* Especialista em cristalografia.

cristaloide (ói) [Do gr. *krystalloeidés*.] *Adj. 2 g.* 1. Semelhante a cristal. • *S. m.* 2. *Anat.* Membrana que envolve o cristalino do olho. 3. *Fís.-Quím.* Substância que usualmente não forma soluções coloidais, e que pode atravessar membranas semipermeáveis. 4. *Min.* Corpo diminuto, sem contorno geométrico, que polariza a luz por ser dotado de estrutura cristalina. ❖

cristalologia [De *cristal(o)-* + *-logia*.] *S. f.* Tratado acerca dos cristais.

cristalológico [De *cristalologia* + *-ico*[2].] *Adj.* Referente à cristalologia.

cristalomancia (cí) [De *cristal(o)-* + *-mancia*.] *S. f.* Adivinhação por meio de imagens que se formam, ou se supõe formarem-se, em cristais, espelhos, cubos de gelo e outros objetos capazes de reflexão.

cristalomante [De *cristal(o)-* + *-mante*.] *S. 2 g.* Pessoa dada à prática da cristalomancia.

cristalomântico *Adj.* Relativo a cristalomancia, ou a cristalomante.

cristalotecnia [De *cristal(o)-* + *-tecn(o)-* + *-ia*[1].] *S. f.* Arte de trabalhar os cristais ou de produzi-los artificialmente.

cristalotécnico [De *cristalotecnia* + *-ico*[2].] *Adj.* Pertencente ou relativo à cristalotecnia.

cristalotomia [De *cristal(o)-* + *-tom(o)-* + *-ia*[1].] *S. f.* Arte de talhar ou cortar os cristais.

cristalotômico *Adj.* V. *cristalotômico.* [Uso freq. em P.]

cristalotômico [De *cristalotomia* + *-ico*[2].] *Adj.* Pertencente ou relativo à cristalotomia.

cristaluria [De *cristal* + *-uria*.] *S. f. Med.* V. *cristalúria.*

cristalúria [De *cristal* + *-úria*.] *S. f. Med.* Presença de cristais na urina. [F. paral.: *cristaluria*.]

cristandade [Do lat. tard. *christianitate*.] *S. f.* 1. O conjunto dos povos ou países cristãos. 2. Qualidade do que é cristão.

cristã-nova *S. f.* Judia convertida à fé cristã. [Pl.: *cristãs-novas*.]

cristão [Do lat. *christianu*.] *Adj.* 1. Do, ou relativo ou pertencente ao cristianismo. 2. Que o professa. 3. Que sofre ou sofreu influência do cristianismo: *humanismo cristão; vida cristã.* ~ V. *ciência —ã* e *era —ã.* • *S. m.* 4. Aquele que professa o cristianismo, que é sectário dele. 5. *Gloss.* Crioulo (12) de base portuguesa surgido no séc. XVI, falado na zona cristã de Malaca (Malásia) e de Sri Lanka (antigo Ceilão), no S.E. Asiático; *kristang*, malaqueiro, malaquês, malaquense, malaquenho, português-basu. 6. *Bras. Cabo-verd.* Criatura humana; pessoa: *Dói na alma de um cristão ver tanta miséria.* 7. *Bras. SC* Alcunha que se dava aos membros do partido conservador, em contraposição a *judeu*, como eram alcunhados os liberais. [Flex.: *cristã, cristãos, cristãs*; superl. abs. sint.: *cristianíssimo*.]

cristão-novo *S. m.* Judeu convertido à fé cristã. [Fem.: *cristã-nova*. Pl.: *cristãos-novos*.]

cristão-velho *S. m.* Cristão que não descende de judeus. [Fem.: *cristã-velha*. Pl.: *cristãos-velhos*.]

cristã-velha *S. f.* Cristã que não descende de judeus. [Pl.: *cristãs-velhas*.]

cristear [De *cristo* (3) + *-ear*[2].] *V. t. d. Pop.* 1. Enganar, lograr, intrujar. 2. Zombar de; desfrutar. [Conjug.: v. *frear*.]

cristel *S. m. Ant. Pop.* V. *clister*. [Pl.: *cristéis*.]

cristianense *Adj. 2 g.* 1. De, ou pertencente ou relativo a Cristiano Otoni (MG). • *S. 2 g.* 2. O natural ou habitante de Cristiano Otoni.

cristianismo [Do gr. *christianismós*, pelo lat. *christianismu*.] *S. m. Rel.* 1. O conjunto das religiões cristãs, *i. e.*, baseadas nos ensinamentos, na pessoa e na vida de Jesus Cristo: o catolicismo, o protestantismo, e religiões ortodoxas orientais. 2. Cada uma dessas religiões.

cristianíssimo [Do lat. *christianissimu*.] *Adj.* Superl. abs. sint. de *cristão*: "tomou a decisão heroica de correr em auxílio da pobre sofredora. A sua formação cristianíssima, arrebatada pela sublimidade do gesto, não hesitou um só momento." (Orlando Gonçalves, *Este Mundo dos Homens*, p. 101).

cristianização[1] [De *cristianizar*[1] + *-ção*.] *S. f.* Ato ou efeito de *cristianizar*[1].

cristianização[2] [De *cristianizar*[2] + *-ção*.] *S. f.* Ato ou efeito de *cristianizar*[2].

cristianizador (ô) [De *cristianizar* + *-dor*.] *Adj. S. m.* Que, ou aquele que cristianiza.

cristianizar[1] [Do gr. *christianízein*, pelo lat. *christianizare*.] *V. t. d.* 1. Tornar cristão; converter à fé cristã: "Havia que batizar todos os negros, segundo os Mandamentos da Santa Madre Igreja, cristianizá-los, para que assim se salvassem" (Herberto Sales, *Os Pareceres do Tempo*, p. 31). 2. Dar caráter cristão a: *Cristianizou o texto antes de o publicar.* *P.* 3. Fazer-se cristão.

cristianizar[2] [Do antr. de *Cristiano* (Monteiro Machado [1893-1953], candidato a presidente, derrotado por Getúlio Vargas [v. *getulismo*] em 1950) + *-izar*.] *V. t. d. Bras.* Abandonar um partido o seu candidato, para apoiar o de outro partido, com mais chance de vitória.

cristianopolino *Adj.* 1. De, ou pertencente ou relativo a Cristianópolis (GO). • *S. m.* 2. O natural ou habitante de Cristianópolis.

cristinapolitano *Adj.* 1. De, ou pertencente ou relativo a Cristinápolis (SE). • *S. m.* 2. O natural ou habitante de Cristinápolis.

cristinense *Adj. 2 g.* 1. De, ou pertencente ou relativo a Cristina (MG). • *S. 2 g.* 2. O natural ou habitante de Cristina.

cristino-castrense *Adj. 2 g.* 1. De, ou pertencente ou relativo a Cristino Castro (PI). • *S. 2 g.* 2. O natural ou habitante de Cristino Castro. [Pl.: *cristino-castrenses*.]

cristo [Do lat. *Christu* < gr. *Christós*, 'o que foi ungido'.] *S. m.* 1. A imagem de Jesus Cristo crucificado: "sobressaía uma lindíssima cruz d'ouro fosco sobre a qual agonizava um Cristo artisticamente burilado pregado com cravos de diamantes" (Bernardo Pinheiro Pindela, *Azulejos*, p. 105). [Seria mais razoável o emprego de minúscula inicial, nesta acepç.] 2. Redentor, Messias. [Com cap., nesta acepç.] 3. *Bras. Pop.* Vítima de logro, perseguição, zombaria, coisa desagradável. ◆ **Bancar o cristo.** *Bras.* Expiar ou pagar pelos outros; ser o cristo. **Ser o cristo.** *Bras.* Bancar o cristo.

cristocêntrico [De *Cristo* + *-centr(o)-* + *-ico*[2].] *Adj.* Diz-se de qualquer sistema teológico, filosófico, cultural, etc., que tem Jesus Cristo como centro.

cristologia [De *Cristo* + *-logia*.] *S. f.* Tratado acerca da pessoa de Jesus Cristo e sua doutrina.

cristológico [De *cristologia* + *-ico*[2].] *Adj.* Referente à cristologia.

cristólogo [De *Cristo* + *-logo*.] *S. m.* Especialista em cristologia.

cristopolense *Adj. 2 g.* 1. De, ou pertencente ou relativo a Cristópolis (BA). • *S. 2 g.* 2. O natural ou habitante de Cristópolis.

cristovense *Adj. 2 g.* 1. De, ou pertencente ou relativo a São Cristóvão (SE). • *S. 2 g.* 2. O natural ou habitante de São Cristóvão.

critério [Do gr. *kritérion*, pelo lat. *criteriu*.] *S. m.* 1. Aquilo que serve de base para comparação, julgamento ou apreciação. 2. Princípio que permite distinguir o erro da verdade. 3. V. *discernimento* (2). 4. Discernimento, circunspeção, prudência. 5. Modo de apreciar coisas e/ou pessoas. 6. *Filos.* Caráter, norma ou modelo que serve para a apreciação (4) de um objeto (coisa, ideia, acontecimento). ◆ **Critério de caixa.** *Cont.* V. *regime de caixa.* **Critério de competência.** *Cont.* V. *regime de competência.*

criteriologia (è) [De *critério* + *-logia*.] *S. f.* Parte da lógica que estuda os critérios da verdade.

criteriológico (è) [De *criteriologia* + *-ico*[2].] *Adj.* Referente à criteriologia.

criterioso (ô) [De *critério* + *-oso*.] *Adj.* 1. Que revela, ou em que há critério. 2. Acertado, ajuizado, judicioso.

crítica [Do gr. *kritiké*, do fem. de *kritikós*.] *S. f.* 1. Arte ou faculdade de examinar e/ou julgar as obras do espírito, em particular as de caráter literário ou artístico: *O "Jornal de Crítica", de Álvaro Lins, passa em revista diversos aspectos da literatura; crítica musical; crítica cinematográfica.* 2. A expressão da crítica (1), em geral por escrito, sob forma de análise, comentário ou apreciação teórica e/ou estética: *As críticas de Sainte-Beuve são clássicas na literatura francesa.* 3. O conjunto daqueles que exercem a crítica; os críticos: *Seu livro foi bem recebido pela crítica;* "Sem receio de erro, afirmamos que grande parte da orientação cultural do nosso teatro se deve à crítica." (Sábato Magaldi, *Panorama do Teatro Brasileiro*, p. 265). 4. Juízo crítico; discernimento, critério. 5. Discussão dos fatos históricos. 6. Apreciação minuciosa; julgamento. 7. Ato de criticar, de censurar; censura, condenação. 8. *Filos.* Apreciação (4). 9. *Restr.* Julgamento ou apreciação desfavorável, censura: *Não suporta a mínima crítica.* [Cf. *critica*, do v. *criticar*.] ◆ **Crítica do texto.** V. *crítica textual.* **Crítica textual.** Disciplina que tem por finalidade a restituição de um texto à sua forma linguística original, dele retirando todas as alterações que possa ter sofrido no decurso de sua transmissão (6) do autor ao leitor. [Sin.: *crítica do texto* e *filologia*. Cf. *ecdótica*.] **Abaixo da crítica.** Muito mau ou censurável; lastimável: *um texto abaixo da crítica; procedimento abaixo da crítica.* **Nova crítica.** Movimento crítico-literário surgido nos E.U.A. (*The New Criticism*) na década de 1930, que modificou profundamente a crítica e o estilo da literatura, por considerar a obra literária como um todo autônomo e autossuficiente, com seus elementos organicamente relacionados, independente de dados históricos ou biográficos do autor, atribuindo a verdadeira significação dela à intenção do autor ao escrevê-la.

criticador (ô) [De *criticar* + *-dor*.] *S. m.* Aquele que tem por costume criticar, dizer mal de alguém ou de algo.

criticalidade [De *critical* + *-(i)dade*.] *S. f. Eng. Nucl.* Estado de um reator nuclear em que cada nêutron libertado em uma fissão produz, em média, uma fissão.

criticante [De *criticar* + *-nte*.] *Adj. 2 g. S. 2 g.* Que, ou quem critica.

criticar [De *crítica* + *-ar*[2].] *V. t. d.* 1. Fazer a crítica (2) de; analisar. 2. Dizer mal de; censurar. [Conjug.: v. *trancar*. Pres. ind.: *critico, criticas, critica*, etc. Cf. *crítico*, adj. e s. m., e *crítica*, s. f.]

criticaria [De *crítica* + *-aria*.] *S. f. Deprec.* Conjunto de críticas ou de críticos.

criticastro [De *crítico* + *-astro*.] *S. m. Deprec.* Crítico reles; critiqueiro.

criticável [De *criticar* + *-vel*.] *Adj. 2 g.* Que se pode ou deve criticar.

criticismo [Do al. *Kritizismus*.] *S. m. Filos.* Posição metodológica própria do kantismo (q. v.) caracterizada por considerar que a análise crítica da possibilidade, da origem, do valor, das leis e dos limites do conhecimento racional, deve ser o ponto de partida da reflexão filosófica. [Cf. *dogmatismo* (2).]

criticista [De *criticismo* + *-ista*.] ***Adj.* 2 *g.*** **1.** Respeitante ao, ou que é sectário do criticismo. • ***S.* 2 *g.*** **2.** Sectário do criticismo.

crítico [Do gr. *kritikós*, pelo lat. *criticu*.] ***Adj.*** **1.** Pertencente ou relativo à crítica. **2.** Relativo a crise. **3.** Que encerra crítica, julgamento: *observações críticas*. **4.** Grave, perigoso: *o período crítico de uma doença*. **5.** Embaraçoso, difícil, perigoso: *situação crítica*. **6.** *Eng. Nucl.* Diz-se de qualquer sistema ou processo em que se opera uma reação em cadeia com um fator de multiplicação efetivo igual à unidade. ~ V. *acoplamento —, aparato —, área —a, conjunto —, descarga epiléptica —a, edição —a, editor —, fortuna —a, frequência —a, idealismo —, massa —a, manifestação epiléptica —a, montagem —a, ponto —, pressão —a, realismo —, temperatura —a, valor —* e *velocidade —a*. • ***S. m.*** **7.** Aquele que faz críticas; censor. [Deprec., nesta acepç.: *criticastro, critiqueiro*. Cf. *critico*, do v. *criticar*, e *críptico*.]

critiqueiro [De *crítico* + *-eiro*.] ***S. m.*** *Deprec.* Criticastro.

critiquice [De *crítico* + *-ice*.] ***S. f.*** *Deprec.* **1.** Crítica ordinária. **2.** Mania de criticar ou censurar à toa.

crivação [De *crivar* + *-ção*.] ***S. f.*** Ato ou efeito de crivar(-se).

crivado [Part. de *crivar*.] ***Adj.*** Furado em muitas partes; cravejado; atravessado: *Esfaquearam-no, o corpo estava crivado*. ~ V. *placa —a*.

crivador (ô) [De *crivar* + *-dor*.] ***Adj.*** **1.** Que criva. • ***S. m.*** **2.** Aquele que criva. **3.** *Bras. MA Mús.* O mais agudo dos três tambores us. para acompanhar a punga[2] ou tambor de crioula; socador.

crivar [Do lat. *cribare*.] ***V. t. d.*** **1.** Passar por crivo. **2.** Furar em muitos pontos: "Previa-os relutantes ...., amarrando-o a uma árvore, crivando-o de setas como a outro S. Sebastião." (Inglês de Sousa, *O Missionário*, p. 214.) **3.** Encher de pintas; sarapintar. ***T. d. e i.*** **4.** Encher, cobrir: "Ao sairmos da aula, Beirão foi cercado por um magote de alunas que lhe interceptavam os passos, crivando-o de perguntas." (Ciro dos Anjos, *Abdias*, p. 25.) ***P.*** **5.** Ficar crivado, traspassado. [Pres. subj.: *crive*, ... *crivemos, criveis, crivem*. Cf. *críveis*, pl. de *crível*.]

crível [Do lat. *credibile*.] ***Adj.* 2 *g.*** Que se pode crer; acreditável. [Pl.: *críveis*; superl. abs. sint.: *credibilíssimo*. Cf. *criveis*, do v. *crivar*.]

crivo [Do lat. *cribru*.] ***S. m.*** **1.** Peneira de arame; joeira. **2.** Coador (2). **3.** V. *pausa* (4). **4.** Objeto muito esburacado. **5.** *Bras.* A grelha das fornalhas dos engenhos. **6.** *Bras.* Cada uma das barras de que ela se constitui. **7.** *Bras. Bord.* Bordado de bastidor para o qual se prepara o pano tirando-lhe alguns fios interpolados, tanto na largura como no comprimento, até formarem uma espécie de grade: "Sinhá Rita vivia principalmente de ensinar a fazer renda, crivo e bordado." (Machado de Assis, *Páginas Recolhidas*, p. 5.) [Sin., nesta acepç.: *labirinto* (N. e N.E.), *barafunda* e *lavarinto*.] **8.** *Fig.* Apreciação minuciosa; crítica: *passar pelo crivo da censura*. ◆ **Crivo de Eratóstenes.** *Mat.* Método de construir uma tábua de números primos escrevendo a sucessão dos números naturais ímpares e eliminando sucessivamente os múltiplos de 3, de 5, de 7, etc.

crivoso (ô) [De *crivo* + *-oso*.] ***Adj.*** *Bot.* Provido de pequeninas perfurações: *tubo crivoso*.

crixaná ***S.* 2 *g. Adj.* 2 *g.*** *Bras.* V. *crizaná*.

crixasense (xà) ***Adj.* 2 *g.*** **1.** De, ou pertencente ou relativo a Crixás (GO). • ***S.* 2 *g.*** **2.** O natural ou habitante de Crixás.

crizaná *Bras.* ***S.* 2 *g.*** **1.** *Etnôn.* Indivíduo dos crizanás, povo indígena da família linguística caraíba que habita a região do rio Jauaperi (AM). • ***Adj.* 2 *g.*** **2.** Pertencente ou relativo a esse povo. [Sin. ger.: *crixaná*.] [Tb. us. como *s.* 2 *g.* e 2 *n.* (com cap.) e *adj.* 2 *g.* e 2 *n.*]

■ **CRM** Sigla de *Conselho Regional de Medicina*.

■ **CRMV** Sigla de *Conselho Regional de Medicina Veterinária*.

■ **CRO** Sigla de *Conselho Regional de Odontologia*.

cró ***S. m.*** Jogo de cartas que lembra a paciência (6), e em que ganha o parceiro que primeiro reúne um naipe completo, quando deve dizer *cró*.

croa ***S. f.*** V. *coroa* (1 a 19).

▲ **-cro(a)-** [Do gr. *chróa, as*.] ***El. comp.*** = 'cor', 'coloração': *dicroísmo, pleocroísmo*.

croá [Var. de *carauá*.] ***S. m.*** *Bras. Bot.* V. *caroá*.

croácio ***Adj.*** Croata (1).

croassã [Do fr. *croissant*.] ***S. m.*** Pãozinho de massa folhada ao qual se dá a forma de crescente (5). [Sin., lus.: *cruassã*.]

croata [Do eslavônio *krovat*, 'montanhês', pelo fr. *croate*.] ***Adj.* 2 *g.*** **1.** Da, ou pertencente ou relativo à Croácia (Europa); croácio. • ***S.* 2 *g.*** **2.** O natural ou habitante da Croácia.

croatá ***S. m.*** *Bras. Bot.* V. *caroá*.

croataense (tà) ***Adj.* 2 *g.*** **1.** De, ou pertencente ou relativo a Croatá (CE). • ***S.* 2 *g.*** **2.** O natural ou habitante de Croatá.

croca[1] ***S. f.*** **1.** Porca que trata mal os leitões. **2.** Mulher pouco amorosa para com os filhos.

croca[2] [De or. obscura.] ***S. f.*** Uma das peças da charrua.

croça[1] ***S. f.*** *Ant. Lus.* V. *coroça* (1): "Um dia destes acordas no caminho com uma croça como parede e abrigo." (Agustina Bessa-Luís, *A Sibila*, p. 202.)

croça[2] ***S. f.*** V. *crossa*.

crocal [Do lat. *crocallis* (nom.).] ***S. m.*** Pedra fina, da cor da cereja ou do açafrão.

crocante [Do fr. *croquant*.] ***Adj.* 2 *g.*** **1.** Que produz, ao ser mordido, um ruído seco característico. **2.** Diz-se de biscoito, chocolate, ou outra guloseima preparada com castanhas, ou amendoins, ou amêndoas, ou nozes, ou açúcar caramelado.

cróceo [Do lat. *croceu*.] ***Adj.*** Da cor do açafrão: "Veludo cróceo, deslumbrante, quente, / Cheio d'alma odorosa das violetas" (Luís Delfino, *Algas e Musgos*, p. 89).

croché ***S. m.*** V. *crochê*: "Dona Santa .... limitava-se a ouvir a conversa, ora fumando, ora fazendo croché" (M. Rodrigues de Melo, *Várzea do Açu*, p. 181).

crochê [Do fr. *crochet*.] ***S. m.*** **1.** *Tec. Têx.* Tecido rendado executado à mão com uma agulha provida dum gancho na extremidade, e utilizado na confecção de peças ornamentais, de vestuário e outras. [Cf. *ponto alto*.] **2.** O ato de fazer crochê: *O crochê era sua principal ocupação*. **3.** *Bras. GO Pop.* Permuta de várias coisas ao mesmo tempo. [Var. pros.: *croché*.]

crocheteira [Do fr. *crochet* + *-eira*.] ***S. f.*** Mulher que se ocupa em trabalhos de crochê.

crociano [Do antr. *(Benedetto) Croce* + *-iano*.] ***Adj.*** **1.** De, ou relativo ou pertencente a Benedetto Croce (1866-1952), filósofo, historiador, crítico literário e político italiano. **2.** Que é seu admirador e/ou profundo conhecedor de sua obra. • ***S. m.*** **3.** Admirador e/ou profundo conhecedor da obra de Benedetto Croce.

crocidismo [Do gr. *krokydismós, krokidismós*, pelo lat. *crocidismu*.] ***S. m.*** *Psiq.* Carfologia (1).

crocidolita [Do gr. *krokýs, ýdos*, 'floco de lã', + *-lita*; al. *krokydolith*.] ***S. f.*** *Min.* Variedade azulada de asbesto, de fibras longas e finas.

crocitante [Do lat. *crocitante*.] ***Adj.* 2 *g.*** Que crocita: "E, sobre o humano açougue, crocitante, / Abre o sinistro corvo as asas largas..." (Raimundo Correia, *Poesias*, p. 224).

crocitar [Do lat. *crocitare*.] ***V. int.*** **1.** Soltar a sua voz (o corvo); corvejar: "E ao pino do meio-dia, quando o Sol faiscava causticante nos rochedos — passava na direção da montanha, crocitando lugubremente, a esfaimada legião dos amaldiçoados corvos..." (Trindade Coelho, *Os Meus Amores*, p. 208). **2.** Imitar a voz do corvo; corvejar. [Norm., é unipess. na acepç. 1.]

crocito [Do lat. *crocitu*.] ***S. m.*** A voz do corvo, do condor, e doutras aves.

croco [Do tax. *Crocus* (do lat. *crocus, i*, 'açafrão').] ***S. m.*** *Bot.* **1.** Grande gênero de plantas, iridáceas, herbáceas, perenes, nativas, principalmente, da região mediterrânea, mas muitíssimo cultivadas pelas suas flores solitárias, tubulosas, juntamente com as folhas lineares, de um cormo de revestimento fibroso. **2.** Qualquer espécie desse gênero, como, p. ex., a *Crocus sativus* (v. *açafrão*), dotada de flores purpúreas. **3.** Qualquer espécime desse gênero, ou o bulbo, ou a flor dele.

crocodiliano [Do tax. *Crocodilia* (< lat. *crocodilus*) + *-ano*[1]; tax. *Crocodilianae*.] *Zool.* ***S. m.*** **1.** Espécime dos crocodilianos, ordem de reptis de grande porte, coração com quatro cavidades, fenda anal longitudinal, dentes alveolados e palato bem constituído. Habitam os rios, deixando à tona da água só as narinas e os olhos. [A ordem compreende, além do crocodilo, os jacarés, o gavial e os aligatores.] • ***Adj.*** **2.** Pertencente ou relativo a eles.

crocodilo [Do lat. *crocodilu* < gr. *krokódeilos*; tax. *Crocodilus*.] ***S. m.*** Designação comum aos reptis crocodilianos, em especial aos do gênero *Crocodilus*.

croco-indiano ***S. m.*** *Bot.* V. *açafrão-da-terra* (1). [Pl.: *crocos-indianos*.]

crocoió ***S. m.*** *Bras. SP Zool.* **1.** V. *alma-de-gato* (1). **2.** V. *corocoxó*.

crocoíta [Do gr. *krókos*, 'açafrão', + *-ita*[3].] ***S. f.*** *Min.* Mineral monoclínico, vermelho, cromato de chumbo.

crocoroca ***S. f.*** *Bras. Zool.* V. *corcoroca*.

croia (ói) [De *coira*, com metátese.] ***S. f.*** *Lus. Deprec.* Meretriz. ❖

croinha (o-í) [De *coroinha*, com *síncope*.] ***S.* 2 *g.*** *Bras.* **1.** Coroinha. **2.** V. *coroa* (18).

➔ **croissant** [kʁwa'sɑ̃] [Fr.] ***S. m.*** V. *croassã*.

croma [Do gr. *chrôma*.] ***S. m.*** *Telev.* Sinal que contém a informação referente às cores da imagem.

▲ **-croma** V. *crom(o)-*.

cromado[1] [De *cromo*[2] + *-ado*[1].] ***Adj.*** Que tem cromo[2].

cromado[2] [Part. de *cromar*.] ***Adj.*** **1.** Diz-se do metal a que se deu revestimento de cromo[1]. • ***S. m.*** **2.** Acessório cromado de um veículo automóvel, etc.

cromadorídio [Do tax. *Chromadora* (< gr. *chrôma*, 'cor', + gr. *dorá*, 'pele') + *-ídio*[1]; tax. *Chromadorida*.] *Zool.* ***S. m.*** **1.** Espécime dos cromadorídios, ordem de animais asquelmintos nematódios, afasmídios, de esôfago curto e dividido em três regiões. Vivem na água doce ou salgada. • ***Adj.*** **2.** Pertencente ou relativo a eles.

cromagem [De *cromar* + *-agem*[2].] ***S. f.*** Ação ou efeito de cromar.

cromano [De *crom(o)-* + *-ano*[2].] ***S. m.*** *Quím.* Substância bicíclica heterocíclica, da qual o tocoferol é derivado [fórm.: $C_9H_{10}O$].

cromar [De *cromo*[1] + *-ar*[2].] ***V. t. d.*** *Quím.* Recobrir (uma superfície metálica), em geral por processo eletrolítico, com uma película de cromo. [Pres. subj.: *crome*, ... *cromeis, cromem*. Cf. *croméis*, pl. de *cromel*.]

cromatelopsia [De *crom(o)-* + *-atel(o)-* + *-opsia*.] ***S. f.*** *Oftalm.* Percepção inadequada de cores.

cromatelóptico [De *cromatel(opsia)* + *-óptico*, seg. o padrão erudito.] ***Adj.*** **1.** Relativo a cromatelopsia, ou que a apresenta. • ***S. m.*** **2.** Aquele que tem cromatelopsia.

cromática [De *cromat(o)-* + *-ica*.] ***S. f.*** **1.** Ciência que estuda as cores. **2.** A arte de combinar as cores.

cromaticidade [De *cromático* + *-(i)dade*.] ***S. f.*** *Ópt.* Propriedade de uma radiação luminosa visível que caracteriza a sua cor, independentemente da sua intensidade.

cromático [Do gr. *chromatikós*, pelo lat. *chromaticu*.] ***Adj.*** **1.** Respeitante a cores; crômico. **2.** Relativo a cor (ô) (3). **3.** *Citol.* Relativo à cromatina. **4.** *Mús.* Composto de uma série de semitons. ~ V. *aberração —a, escala —a, sistema —* e *trompete —*.

cromátide [De *cromat(o)-* + *-ide*[3].] ***S. f.*** *Citol. Genét.* Cada um dos dois filamentos, unidos pelo centrômero, formados pela duplicação do cromossomo durante a divisão celular. ◆ **Cromátides filhas.** *Citol. Genét.* Cada cromátide destinada a uma célula-filha após a disjunção. **Cromátides homólogas.** *Citol. Genét.* Cromátides não idênticas pertencentes a dois cromossomos homólogos distintos. **Cromátides irmãs.** *Citol. Genét.* Cromátides geneticamente idênticas de um cromossomo duplicado, unidas através do centrômero.

cromatídio [De *cromat(o)-* + *-ídio*[4].] ***S. m.*** *Citol.* V. *cromátide*.

cromatina [De *cromat(o)-* + *-ina*[3].] ***S. f.*** *Citol. Genét.* O material intranuclear, com exceção dos nucléolos, constituído pelo DNA e pelas proteínas e que cora intensamente com corantes básicos; cariotina (desus.). [Classifica-se, quanto ao nível de condensação, em *eucromatina* e *heterocromatina*.] ◆ **Cromatina sexual.** *Citol. Genét.* Massa de cromatina condensada presente em núcleo interfásico de célula de fêmea de mamífero, inclusive na espécie humana; corresponde a um cromossomo X inativo no metabolismo celular. [Sin.: *corpúsculo de Barr*.]

cromatínico [De *cromatina* + *-ico*[2].] ***Adj.*** De, ou relativo a cromatina.

cromatismo [Do gr. *chromatismós*.] ***S. m.*** **1.** Distribuição harmoniosa das cores. **2.** *Mús.* Divisão da oitava em 12 partes iguais, mediante a decomposição de cada tom (11) da escala diatônica em dois semitons, um cromático e outro diatônico, obtendo-se, assim, uma escala cromática cuja notação depende do tom e do modo da escala diatônica de que se originou a escala cromática. [O cromatismo tende a destruir a noção de tonalidade devido à igual dignidade concedida aos 12 graus da escala cromática.] **3.** *Mús.* Emprego do cromatismo (2) na composição: *cromatismo wagneriano*.

cromato [De *cromo*[1] + *-ato*[2].] ***S. m.*** *Quím.* Qualquer sal do ácido crômico.

▲ **cromat(o)-** V. *crom(o)-*.

▲ **-cromat(o)-** V. *crom(o)-*.

cromatofilia (crô) [De *cromat(o)-* + *-filia*.] ***S. f.*** Cromofilia.

cromatofílico (crô) [De *cromatofilia* + *-ico*[2].] ***Adj. S. m.*** Cromofílico.

cromatófilo [De *cromat(o)-* + *-filo*[2].] ***Adj. S. m.*** Cromófilo.

cromatofobia (crô) [De *cromat(o)-* + *-fobia*.] ***S. f.*** *Psiq.* Medo patológico de cor(es).

cromatofóbico (crô) [De *cromatofobia* + *-ico*[2].] *Psiq.* ***Adj.*** **1.** Relativo a cromatofobia. **2.** Que sofre de cromatofobia; cromatófobo. • ***S. m.*** **3.** Aquele que sofre de cromatofobia; cromatófobo.

cromatófobo [De *cromat(o)-* + *-fobo*.] ***Adj. S. m.*** *Psiq.* Cromatofóbico (2 e 3).

cromatóforo [De *cromat(o)-* + *-foro*.] ***S. m.*** **1.** *Citol.* Célula pigmentada da derme de alguns animais, e que possibilita rápidas modificações de coloração daquele que a possui. 2. *Bot.* V. *plastídio.*

cromatogénico (crô) *Adj.* V. *cromatogênico.* [Uso freq. em P.]

cromatogênico (crô) [De *cromat(o)-* + *-gen(o)-* + *-ico*[2].] *Adj.* Que produz cor.

cromatografia (crô) [De *cromat(o)-* + *-grafia.*] *S. f. Quím.* Técnica para separação dos componentes de uma mistura fluida, ger. líquida ou gasosa, e que se baseia na adsorção ou partição seletivas de cada um desses componentes por duas fases imiscíveis em contato, uma das quais estacionária e a outra, móvel. ◆ **Cromatografia de troca iônica.** *Quím.* Aquela que usa como fase estacionária uma resina de troca iônica e, como fase móvel, um solvente líquido, ger. aquoso. **Cromatografia em camada delgada.** *Quím.* Cromatografia em camada fina. **Cromatografia em camada fina.** *Quím.* Aquela que usa como fase estacionária um adsorvente sólido (p. ex., sílica ou alumina), aderido a uma placa retangular plana, e como fase móvel, um solvente líquido que se desloca devido à capilaridade; cromatografia em camada delgada. **Cromatografia em coluna.** *Quím.* Aquela que usa uma coluna cromatográfica contendo a fase estacionária e, como fase móvel, um solvente líquido. **Cromatografia em fase gasosa.** *Quím.* Aquela em que a amostra é inicialmente vaporizada, e que usa para efetuar a separação uma coluna cromatográfica contendo a fase estacionária (ger. líquida) e, como fase móvel, um gás sob pressão; cromatografia gasosa. **Cromatografia em papel.** *Quím.* Aquela que usa, como fase estacionária, água adsorvida em uma folha de papel e, como fase móvel, um solvente líquido que se desloca devido à capilaridade. **Cromatografia gasosa.** *Quím.* Cromatografia em fase gasosa. **Cromatografia líquida de alta eficiência.** *Quím.* Aquela que usa uma coluna cromatográfica contendo a fase estacionária e, como fase móvel, um solvente líquido, pressurizado por uma bomba adequada. **Cromatografia por bioafinidade.** *Quím.* Aquela que depende, para seu funcionamento, de interações específicas entre moléculas biológicas (ou derivadas destas) ligadas à fase estacionária e aquelas componentes da mistura a ser separada. **Cromatografia por filtração em gel.** *Quím.* Técnica para separação dos componentes de uma mistura líquida, que se baseia na retenção de moléculas menores por um gel, que constitui a fase estacionária, enquanto as moléculas maiores, menos retidas por não conseguirem penetrar os poros do gel, irão sofrer eluição mais rapidamente; cromatografia por permeação em gel. [F. red.: *filtração em gel.*] **Cromatografia por permeação em gel.** *Quím.* Cromatografia por filtração em gel.

cromatográfico (crô) [De *cromatografia* + *-ico*[2].] *Adj.* Relativo a, ou próprio de cromatografia. ~ V. *coluna —a.*

cromatógrafo [De *cromat(o)-* + *-grafo.*] *S. m. Quím.* Qualquer instrumento que se destina a realizar uma cromatografia.

cromatólise [De *cromat(o)-* + *-lise.*] *S. f. Citol.* Dissolução de cromatina no núcleo celular.

cromatopsia (crô) [De *cromat(o)-* + *-opsia.*] *S. f. Oftalm.* 1. Visão das cores. 2. Distúrbio visual em que, por efeito de fator tóxico, p. ex., objeto(s) incolor(es) aparece(m) corado(s). 3. Distúrbio visual adquirido em que há uma percepção defeituosa de cor(es), de modo que todos os objetos parecem ter uma só e mesma cor. [Cf. *discromatopsia.*]

cromatóptico [De *cromat(opsia)* + *-óptico*, seg. o padrão erudito.] *Adj.* 1. Relativo a cromatopsia, ou que a apresenta. ● *S. m.* 2. Aquele que tem cromatopsia.

cromatossomo [De *cromat(o)-* + *-somo.*] *S. m. Citol. Genét.* Nucleossomo.

cromel [De *cromo*[1] + *-el.*] *S. m. Quím.* Liga metálica constituída por 90% de níquel e 10% de cromo, utilizada, com frequência, na feitura de pares termelétricos. [Pl.: *croméis.* Cf. *cromeis*, do v. *cromar.*]

crómico *Adj.* V. *crômico.* [Uso freq. em P.]

crômico [De *cromo*[1] + *-ico*[2].] *Adj.* 1. Cromático (1). 2. *Quím.* Diz-se dos derivados do cromo[1] trivalente. ~ V. *ácido —.*

cromífero [De *crom(o)-* + *-ífero.*] *Adj.* Que contém cromo[1].

crominiense *Adj. 2 g.* 1. De, ou pertencente ou relativo a Crominia (GO). ● *S. 2 g.* 2. O natural ou habitante de Crominia.

crómio *Adj.* V. *crômio.* [Uso freq. em P.]

crômio [Do lat. cient. *chromium.*] *S. m.* Cromo[1].

cromista [De *crom(o)-* + *-ista.*] *S. 2 g. Fotogrv.* Gráfico (6) que, nos processos de tricromia, prepara as placas, clichês, etc., correspondentes a cada cor, e faz os retoques necessários, inclusive nos negativos.

cromita [De *crom(o)-* + *-ita*[3].] *S. f. Min.* Mineral monométrico, cromato de ferro, minério de cromo.

cromo[1] [Do gr. *chrôma*, 'cor'.] *S. m. Quím.* Elemento de número atômico 24, metálico, duro, maleável, prateado, com um leve tom azulado, que forma inúmeras ligas e tem diversos usos importantes; *crômio* [símb.: *Cr*].

cromo[2] [F. red. de *cromolitografia.*] *S. m.* 1. Figura estampada em cores, em geral com relevo, constituindo pequeno impresso recortado para colagem em álbuns, etc., ou imagem maior para pendurar em parede, inclusive como suporte de calendário: 📖 "nas paredes distanciavam-se pequenos cromos amarelados, representando marujos de chapéu de palha" (Aluísio Azevedo, *Casa de Pensão*, p. 87). 2. V. *cromolitografia.* 3. *Fot. Art. Gráf.* Fotografia positiva e transparente em cores; transparência de cor; diapositivo. [Cf. *eslaide.*]

▲**crom(o)-** [Do gr. *chrâma, atos*, 'a superfície de um corpo'; 'pele'; 'cor da pele'; 'cor'.] *El. comp.* = 'cor', 'pigmento'; 'tom'; 'cromo'[1]: *cromatelopsia*; *cromífero.* [Equiv.: *-crom(o)-*, *-croma*, *cromat(o)-*, *-cromat(o)-*, *-cromo*: *heliocromia*; *hipercroma*; *cromatina*; *discromatopsia*; *calicromo.*]

▲**-crom(o)-** V. *crom(o)-.*

▲**-cromo** V. *crom(o)-.*

cromocalcografia [De *crom(o)-* + *calcografia.*] *S. f. Tip. P. us.* Calcografia em cores.

cromocalcográfico [De *cromocalcografia* + *-ico*[2].] *Adj. P. us.* Relativo a cromocalcografia.

cromocentro [Do V.C.I. *crom(o)-* + *centro*; it. *cromocentro.*] *S. m. Citol. Genét.* Heterocromatina.

cromodinâmica [De *crom(o)-* + *dinâmica* (1); ingl. *chromodynamics.*] *S. f. Fís. Part.* Us. na loc. *cromodinâmica quântica.* ◆ **Cromodinâmica quântica.** *Fís. Part.* Teoria das interações fortes que explica as forças nucleares como resultantes das interações entre *quarks* e glúons. [Abrev. *QCD.*]

cromofilia [De *crom(o)-* + *-filia.*] *S. f.* 1. Atração ou preferência por cores, esp. as fortes, intensas. 2. *Histol.* Afinidade de célula, ou de estrutura celular, por corante(s). [Sin. ger.: *cromatofilia.*]

cromofílico [De *cromofilia* + *-ico*[2].] *Adj.* 1. Relativo a, ou que tem cromatofilia. ● *S. m.* 2. Aquilo ou aquele que tem cromatofilia.

cromófilo [De *crom(o)-* + *-filo*[2].] *Adj. S. m.* Diz-se de, ou aquele ou aquilo que tem cromofilia.

cromófobo [De *crom(o)-* + *-fobo.*] *Adj. Citol.* Que não se cora por corante básico.

cromofónico *Adj.* V. *cromofônico.* [Uso freq. em P.]

cromofônico *Adj.* ~ V. *música —a.*

cromofórico [De *cromóforo* + *-ico*[2].] *Adj. Quím.* Relativo a, ou próprio de, ou que contém cromóforo.

cromóforo [De *crom(o)-* + *-foro.*] *S. m. Quím.* Grupo responsável pela cor de um composto.

cromógeno [De *crom(o)-* + *-geno.*] *Adj. S. m. Biol.* Diz-se de, ou microrganismo que produz coloração no meio onde se encontra.

cromogravura [De *crom(o)-* + *gravura.*] *S. f.* Gravura em cores.

cromolitografia [De *crom(o)-* + *litografia.*] *S. f.* Litografia em cores, obtida pela impressão sucessiva, com as tintas escolhidas, das pedras ou chapas de metal nas quais foram gravadas em separado as várias partes do desenho. [F. red.: *cromo*; sin. (p. us.): *litocromia.*]

cromolitográfico [De *cromolitografia* + *-ico*[2].] *Adj.* Relativo a cromolitografia.

cromómero *S. m. Citol. Genét.* V. *cromômero.* [Uso freq. em P.]

cromômero [De *crom(o)-* + *-mero.*] *S. m. Citol. Genét.* Região altamente condensada de cromatina em um cromossomo.

cromona [De *crom(o)-* + *-ona*[2].] *S. f. Quím.* 1. Substância cristalina incolor, cetona insaturada derivada do cromano e cuja estrutura está presente em várias substâncias naturais [fórm.: $C_9H_6O_2$]. 2. Qualquer de certos derivados de cromona.

cromonema [De *crom(o)-* + *-nema*; lat. cient. *chromonema.*] *S. m. Biol.* Filamento central, espiralado, de uma cromátide.

cromoplasto [De *crom(o)-* + *-plasto.*] *S. m. Bot.* Plastídio que contém pigmentos diferentes da clorofila, ger. carotenoides, vermelhos, amarelos e alaranjados, e que é responsável pela coloração de algumas flores e frutos (como tomate, cenoura, etc.).

cromoplastofonia [De *crom(o)-* + *-plast(o)-* + *-fon(o)-* + *-ia*[1].] *S. f.* Composição artística que se caracteriza pelo uso simultâneo de cores, formas visuais e sons.

cromoplastofónico *Adj.* V. *cromoplastofônico.* [Uso freq. em P.]

cromoplastofônico [De *cromoplastofonia* + *-ico*[2].] *Adj.* Relativo a cromoplastofonia.

cromorno [Adapt. do al. *Krummhorn.*] *S. m. Mús.* Antiga família de instrumentos de sopro dotados de palheta dupla e com a extremidade inferior do tubo recurvada como um anzol.

cromosfera [De *crom(o)-* + *-sfera.*] *S. f. Astr.* Camada da atmosfera solar, de cor vermelha brilhante, acima da camada inversora e abaixo da coroa.

cromosférico [De *cromosfera* + *-ico*[2].] *Adj.* Relativo a cromosfera.

cromossoma *S. m. Citol.* V. *cromossomo.*

cromossómico *Adj.* V. *cromossômico.* [Uso freq. em P.]

cromossômico [De *cromossomo* + *-ico*[2].] *Adj.* De, ou pertencente ou relativo a cromossomo. ~ V. *aberração —a* e *fibra —a.*

cromossomo [De *crom(o)-* + *-somo.*] *S. m. Citol. Genét.* Estrutura constituída por uma molécula de DNA e proteínas associadas e que contém a informação genética. São evidentes ao microscópio óptico durante a divisão celular, quando se encontram condensados. Cada espécie vegetal ou animal possui um número constante de cromossomos. [Var.: *cromossoma.*] ◆ **Cromossomo em anel.** *Genét.* Anel cromossômico (q. v.). **Cromossomo sexual.** *Citol. Genét.* Cromossomo que contém, entre outros genes, aqueles que serão responsáveis pela codificação de proteínas envolvidas na determinação do desenvolvimento dos órgãos sexuais e dos caracteres sexuais secundários. [Sin.: *idiocromossomo* e *idiossomo.*]

cromoterapia [De *crom(o)-* + *-terapia.*] *S. f. Med.* 1. Terapêutica que utiliza luzes de várias cores. 2. Emprego terapêutico de áreas limitadas do espectro.

cromoterápico [De *cromoterapia* + *-ico*[2].] *Adj.* Relativo a cromoterapia.

cromotipia [De *crom(o)-* + *-tip(o)-* + *-ia*[1].] *S. f. Tip.* Qualquer processo de impressão tipográfica em cores; cromotipografia.

cromotípico [De *cromotipia* + *-ico*[2].] *Adj.* Relativo a cromotipia.

cromotipografia [De *crom(o)-* + *tipografia.*] *S. f. Tip.* Cromotipia.

cromotipográfico [De *cromotipografia* + *-ico*[2].] *Adj.* Relativo a cromotipografia.

cron [Do gr. *chrónos.*] *S. m.* Unidade de tempo evolutivo, correspondente a 1 milhão de anos.

cronaxia (cs) [De *cron(o)-* + *-ax(i)(o)-* + *-ia*[1].] *S. f. Fisiol.* O tempo mínimo necessário para que uma corrente elétrica, que seja o dobro da reóbase, provoque contração muscular.

cronhada *S. f.* V. *coronhada*: 📖 "alvorotada [a passarada] pelo estrondo das cronhadas à porta principal" (Camilo Castelo Branco, *A Brasileira de Prazins*, p. 155).

crónica *S. f.* V. *crônica.* [Uso freq. em P.]

crônica [Do lat. *chronica* (pl.).] *S. f.* 1. Narração histórica, ou registro de fatos comuns, feitos por ordem cronológica. 2. Genealogia de família nobre. 3. Pequeno conto de enredo indeterminado. 4. Texto jornalístico redigido de forma livre e pessoal, e que tem como temas fatos ou ideias da atualidade, de teor artístico, político, esportivo, etc., ou simplesmente relativos à vida cotidiana. 5. Seção ou coluna de revista ou de jornal consagrada a um assunto especializado: *crônica política*; *crônica teatral.* 6. O conjunto das notícias ou rumores relativos a determinados assuntos: *É inacreditável a crônica dos conchavos ocorridos naquele distante município.* 7. Biografia, em geral escandalosa, de uma pessoa: *Sua crônica é bem conhecida.*

cronicão *S. m.* Crônicon: 📖 "Vocábulos .... que só por acaso se encontram nalgum velho cronicão ou antigo escritor continuam a viver entre o povo" (Dr. J. J. Nunes, *Digressões Lexicológicas*, p. 42).

cronicidade [De *crônico* + *-(i)dade.*] *S. f.* Qualidade de crônico.

crónico *Adj.* V. *crônico.* [Uso freq. em P.]

crônico [Do gr. *cronikós*, pelo lat. *chronicu.*] *Adj.* 1. Relativo a tempo. 2. Que dura há muito. 3. *Fig.* Persistente; entranhado, inveterado: *Coitado, sofre de burrice crônica.* 4. *Med.* Diz-se das doenças de longa duração, por oposição às de manifestação aguda: *bronquite crônica.* ~ V. *glomerulonefrite —a.*

crónicon *S. m.* V. *crônicon.* [Us. freq. em P.]

crônicon [Do b.-lat. *chronicon.*] *S. m.* Volumosa crônica medieval; cronicão.

croniqueiro [De *crônica* + *-eiro.*] *S. m. Fam. Deprec.* Cronista.

cronista [De *crônica* + *-ista.*] *S. 2 g.* Quem escreve crônicas. [Sin., fam. e deprec.: *croniqueiro.*]

▲**cron(o)-** [Do gr. *chron-*, *chrono-* < gr. *chrónos, ou.*] *El. comp.* = 'tempo': *cronaxia*, *cronograma.* [Equiv.: *-cron(o)-*, *-crono*: *diacronia*; *tautócrono.*]

▲**-cron(o)-** V. *cron(o)-.*

▲**-crono** V. *cron(o)-.*

cronobiologia [De *cron(o)-* + *biologia.*] *S. f. Biol.* Estudo da variação dos fenômenos biológicos com o tempo, esp. daqueles que são recorrentes, como os ciclos circadianos.

cronobiológico [De *cronobiologia* + *-ico*[2].] *Adj. Biol.* Relativo a cronobiologia.

cronofobia [De *cron(o)-* + *-fobia.*] *S. f. Psiq.* Medo patológico do tempo, ou do envelhecimento.

cronofóbico [De *cronofobia* + *-ico*[2].] *Psiq. Adj.* 1. Relativo a cronofobia. 2. Que sofre de cronofobia;

cronófobo. ● *S. m.* 3. Aquele que sofre de cronofobia; cronófobo.

cronófobo [De *cron(o)-* + *-fobo.*] *Adj. S. m. Psiq.* Cronofóbico (2 e 3).

cronofotografia [De *cron(o)-* + *fotografia.*] *S. f.* Método de análise do movimento por meio de fotografias tiradas sucessivamente com intervalos iguais, e do qual proveio a cinematografia atual.

cronofotográfico [De *cronofotografia* + *-ico*².] *Adj.* Referente a cronofotografia.

cronofotógrafo [De *cron(o)-* + *fot(o)-* + *-grafo.*] *S. m.* Aparelho com que se tiram cronofotografias.

cronogeológico [De *cron(o)-* + *-ge(o)-* + *-log(o)-* + *-ico*².] *Adj.* Relativo à datação geológica.

cronografia [Do gr. *chronographía.*] *S. f. P. us.* V. *cronologia.*

cronográfico [De *cronografia* + *-ico*².] *Adj. P. us.* Relativo a cronografia.

cronógrafo [De *cron(o)-* + *-grafo.*] *S. m. Astr.* Instrumento para medição de tempo e conservação de sua unidade.

cronograma [De *cron(o)-* + *-grama.*] *S. m.* 1. Inscrição que encerra letras com realce especial, as quais, reunidas, formam uma data expressa em algarismos romanos. 2. Representação gráfica da previsão da execução de um trabalho, na qual se indicam os prazos em que se deverão executar as suas diversas fases. 3. *Astr.* Registro de um cronógrafo.

cronoinversão (o-in) [De *cron(o)-* + *inversão.*] *S. f. Med. Leg.* Gerontofilia.

cronologia [De *cron(o)-* + *-logia*; lat. cient. *chronologia.*] *S. f.* 1. Tratado das datas históricas. 2. *Astr.* Ciência da utilização de regras baseadas na astronomia e em convenções próprias para estabelecer as divisões do tempo e a fixação das datas. [Sin., nestas acepç.: *cronografia* (p. us.).] 3. A sucessão dos acontecimentos no tempo.

cronológico [De *cronologia* + *-ico*².] *Adj.* Relativo a cronologia, ou que respeita ou reproduz a ordem de sucessão dos fatos. ~ V. *índice — e ordem —a.*

cronologista [De *cronologia* + *-ista.*] *S. 2 g.* Especialista em cronologia.

cronometrado [Part. de *cronometrar.*] *Adj.* Em que houve cronometragem.

cronometragem [De *cronômetro* + *-agem*².] *S. f.* Ato ou efeito de cronometrar.

cronometrar [De *cronômetro* + *-ar*².] *V. t. d.* 1. Registrar de modo preciso, com o cronômetro, a duração de (um fenômeno, um ato, e, em especial, uma prova desportiva). 2. *Fig.* Exercer, ou procurar exercer, controle sobre; controlar: *Tem o péssimo hábito de cronometrar-me os passos.* [Pres. ind.: *cronometro*, etc. Cf. *cronômetro.*]

cronometria [De *cron(o)-* + *-metria.*] *S. f.* Técnica de medição dos intervalos de tempo e da conservação de sua unidade.

cronométrico [De *cronometria* + *-ico*².] *Adj.* Referente a cronometria, ou a cronômetro.

cronometrista [De *cronometria* + *-ista.*] *S. 2 g.* 1. Fabricante e/ou vendedor de cronômetros. 2. Pessoa encarregada de cronometrar.

cronómetro *S. m.* V. *cronômetro.* [Uso freq. em P.]

cronômetro [De *cron(o)-* + *-metro.*] *S. m.* Instrumento mecânico de precisão, para medir intervalos de tempo com aproximação de décimo de segundo ou menos. [Cf. *cronometro*, do v. *cronometrar.*]

cronónimo *S. m.* V. *cronônimo.* [Uso freq. em P.]

cronônimo [De *cron(o)-* + *-ônimo.*] *S. m.* Designação de divisões do tempo: nomes referentes ao calendário (*domingo, terça-feira, fevereiro, setembro*); de eras históricas (*Idade Média, Hégira*), ou de épocas (*Quinhentos* [o séc. XVI], *Oitocentos* [o séc. XIX]).

cronoscópio [De *cron(o)-* + *-scópio.*] *S. m. Eletrôn.* Dispositivo para medir pequenos intervalos de tempo entre dois fenômenos mediante a posição de dois impulsos elétricos, originados por aqueles numa linha de transmissão.

➔**crooner** ['kɹuwnɚ] [Ingl.] *S. 2 g.* Vocalista.

croque [Do fr. *croc.*] *S. m.* 1. *Marinh.* Vara provida de um gancho na extremidade, e utilizada pelos marinheiros para atracar barcos. [Cf. *ganchorra.*] 2. *Bras. Prov. port.* V. *cascudo*¹. [Var., bras. S.: *cocre.*]

croqué [Do fr. *croquet.*] *S. m.* Jogo em que bolas de madeira, impelidas por um taco em forma de marreta, devem passar sob pequenos arcos, seguindo um trajeto predeterminado; toque-emboque.

croquete [Do fr. *croquette.*] *S. m. Cul.* Bolinho de carne, galinha, camarão, etc. moídos, passado em farinha de rosca e frito. [Cf. *almôndega.*]

croqui [Do fr. *croquis.*] *S. m.* Esboço, em breves traços, de desenho ou de pintura.

crossa [Do fr. *crosse* < frâncico **krukkya.*] *S. f.* 1. Báculo (1). 2. *Anat.* Órgão ou porção de órgão em forma de báculo (1). [A f. *croça*², m. us., é errônea.]

crossandra [Do tax. *Crossandra* (v. *cross(o)-* e *-andra*).] *S. f. Bot.* 1. Gênero de acantáceas originárias da Índia, cultivadas como ornamentais. 2. Qualquer espécie desse gênero, como, p. ex., a *Crossandra undulaefolia* (v. *abolim*). 3. Qualquer espécime desse gênero, ou a sua flor.

➔**cross-country** [kɹɔs'kʌntɹij] [Ingl.] *S. m. Esport.* Corrida que não se realiza em pistas convencionais, e na qual os competidores enfrentam obstáculos naturais, durante o percurso.

cróssima [Do ingl. *crossing*, 'cruzamento'.] *S. f. Bras.* Peça triangular de ferro ou de aço, colocada nos desvios das vias férreas, nos pontos em que os trilhos se interceptam.

➔**crossing over** ['kɹɔsɪŋ,owvɚ] [Ingl.] *S. m. Biol.* V. *dissintomia.*

▲**cross(o)-** [Do lat. cient. *cross-*, *crosso-* < gr. *krossós.*] *El. comp.* = 'franja(s)': *crossopterígio, crossossomatáceo.*

crossopterígio [De *cross(o)-* + *-pterígio*; tax. *Crossopterygii.*] *Paleont. Zool. Adj. S. m.* 1. Diz-se de ou espécime dos crossopterígios, ordem de peixes sarcopterígios que inclui espécies extintas e exstantes, sendo estes representados pelo celacanto. ● *Adj.* 2. Pertencente ou relativo a eles.

crossossomatácea [Do lat. cient. *Crossosomat-* (do tax. *Crossosoma*, v. *cross(o)-* e *-somat(o)-*) + *-ácea*; tax. *Crossosomataceae.*] *S. f. Bot.* Espécime das crossossomatáceas, família de plantas floríferas, da ordem das rosales, que se distingue pelas sementes reniformes, as quais levam tecido nutritivo abundante e arilo multífido. Há tão só duas espécies de arbustos microfilos, na América do Norte.

crossossomatáceo [De *crossossomatácea*, com var. suf. (v. *-áceo*).] *Adj. Bot.* Pertencente ou relativo às crossossomatáceas.

crosta (ô) [Do lat. *crusta.*] *S. f.* 1. Camada de substância espessa que se forma sobre um corpo; coscoro, crusta. 2. Casca, côdea, crusta: *a crosta do pão.* 3. *Med.* Escama que se forma na pele sobre uma ferida, ou por dessecação dalgum líquido segregado. ◆ **Crosta da Terra.** *Geofís.* V. *litosfera.* **Crosta terrestre.** *Geofís.* V. *litosfera.*

crotalídeo [Do tax. *Crotalus* (v. *crótalo*¹) + *-ídeo*¹; tax. *Crotalidae.*] *Zool. S. m.* 1. Espécime dos crotalídeos, família de serpentes peçonhentas com caracteres muito próximos aos dos viperídeos, mas que apresentam fossetas sensíveis ao calor logo atrás das narinas; a cauda tem um chocalho cornificado, formado pelo resto de cada muda de pele. Ocorrem na América e na Ásia tropical. ● *Adj.* 2. Pertencente ou relativo a eles.

crótalo¹ [Do tax. *Crotalus* < lat. *crotalus*, 'espécie de castanholas'.] *S. m. Zool.* Designação científica vulgarizada de cobras do gênero *Crotalus* [v. *cascavel* (3)].

crótalo² [Do gr. *krótalon*, 'espécie de castanholas', pelo lat. *crotalu.*] *S. m. Mús.* Antigo instrumento musical semelhante a castanholas, us. em especial pelos sacerdotes e sacerdotisas de Cíbele: 📖 "Tíbios flautins finíssimos gritavam; / E, as curvas harpas de ouro acompanhando, / Crótalos claros de metal cantavam..." (Olavo Bilac, *Poesias*, p. 135.)

crotaloide (ói) [Do tax. *Crotalus* (v. *crótalo*¹) + *-oide.*] *Adj. 2 g.* Semelhante às espécies do gênero *Crotalus*, em especial à cascavel. ❖

crotão *S. m. Bot.* V. *cróton.*

cróton [Do tax. *Croton* (do gr. *krotón*, 'carrapato', 'carrapateira').] *S. m. Bot.* 1. Gênero de plantas herbáceas, arbustos e árvores euforbiáceos, tropicais e subtropicais, de folhas verticiladas, pubescentes, inflorescências com pequenas flores dioicas, e frutos capsulares. 2. Qualquer espécie desse gênero, como, p. ex., a *Croton eluteria* [v. *cascarilha* (1)]. 3. Qualquer espécime desse gênero: 📖 "O jardim todo tratado com roseiras florindo e crótons a vicejar." (José Lins do Rego, *Meus Verdes Anos*, p. 144.) [F. paral.: *crotão.*]

➔**crottin de chavignol** [kʀɔ'tẽ də ʃavi'ɲɔl] [Fr.] *S. m. Cul.* Queijo de leite de cabra fabricado no Sancerrois (França central), de 4 a 5cm de diâmetro e 3 a 4cm de espessura, de consistência macia e casca natural.

➔**croûton** [kʀu'tõ] [Fr.] *S. m. Cul.* Pequeno cubo de pão, dourado na manteiga, frito em óleo ou apenas postos no forno para ficar crocante, e que se usa sobretudo para acompanhar sopas, caldos e saladas.

➔**crowding-out** ['kɹæwdɪŋ æwt] [Ingl.] *S. m. Econ.* Redução que um aumento de gastos do Governo possa provocar nos gastos privados, de forma a amortecer ou anular os efeitos estimuladores daquele aumento sobre a produção e o emprego.

■ **CRQ** Sigla de *Conselho Regional de Química.*

cru [Do lat. *crudu.*] *Adj.* 1. Que não está cozido: 📄 *carne crua.* 2. Que não passou por preparação ou beneficiamento: 📖 "a alpercata de couro cru estalava rudemente junto do sapato fino, pontiagudo, ... do reinol casquilho" (Euclides da Cunha, *Contrastes e Confrontos*, p. 57); 📄 *algodão cru.* 3. Que nada tem que lhe atenue ou suavize a intensidade: 📄 *luz crua; tom cru;* 📖 "depois duns dias de aguaceiros, / Vibra uma imensa claridade crua." (Cesário Verde, *Obra Completa*, p. 98). 4. Sem disfarce; sem rebuço: 📄 *Queria a verdade nua e crua: teve-a;* 📖 "Talvez em breve diga o que é o Cairo e o que é Jerusalém na sua crua e positiva realidade" (Eça de Queirós, *Notas Contemporâneas*, p. 1). 5. Bárbaro, cruel: 📖 "esse homem cru amava particularmente o chicote e empregava-o a miúdo, sem hesitação nem remorso." (Machado de Assis, *Páginas Recolhidas*, p. 105). 6. Áspero, duro: 📄 *palavras cruas.* 7. Demasiado livre; chocante: 📄 *linguagem crua.* 8. Angustiante, aflitivo, penoso, cruciante: 📖 "O cru dessossego / Do pai fraco e cego, / Enquanto não chego, / Qual seja, — dizei!" (Gonçalves Dias, *Obras Poéticas*, II, p. 24). [Pl.: *crus.* Cf. *cruz*, s. f., e *Cruz*, hier. e antr.] ~ V. *couro —, pano —, seda —a* e *tijolo —.* ◆ **A cru.** Sem rebuço ou disfarce; cruamente: 📖 "Viu tudo a cru: / Viu, sem refolhos, / Com os próprios olhos, / Seu corpo nu." (Martins Fontes, *Verão*, p. 223.)

cruá [De or. tupi, poss.] *S. f. Bras. Bot.* Trepadeira cucurbitácea (*Sicana odorifera*) da América do Sul tropical, de caule anguloso e sulcado, gavinhas com ventosas, e flores campanuladas, amarelo-alaranjadas. Usa-se como planta ornamental, e seus frutos e sementes são empregados na medicina popular: melão-caboclo.

cruassã *S. m. Lus. V. croassã:* 📖 "Raimundo Silva .... foi sentar-se a uma mesa por trás da montra onde se exibiam as seduções da doçaria habitual, os queques, ... os jesuítas, e, infalíveis, os cruassãs, com a forma que lhes deu o nome em francês, de crescente" (José Saramago, *História do Cerco de Lisboa*, p. 62).

crubixá [Do tupi = 'lugar onde se apanha seixo'.] *S. m. Bras. Zool.* Coral negro que se encontra em diversos pontos da costa brasileira.

▲**cruci-** [Do lat. *cruci-* < lat. *crux, ŭcis.*] *El. comp.* = 'cruz': *crucifixo* (< lat.), *cruciforme, crucirrostro.*

cruciação [De *cruciar* + *-ção.*] *S. f.* Ato ou efeito de cruciar.

cruciador (ô) [Do lat. *cruciatore.*] *Adj.* 1. V. *cruciante* (1). ● *S. m.* 2. Aquele que crucia.

crucial [De *cruci-* + *-al*¹; ingl. *crucial.*] *Adj. 2 g.* 1. Cruciforme. 2. Difícil, árduo, duro: 📄 *Desempregado, está vivendo o momento mais crucial de sua vida.* 3. Terminante, categórico, decisivo: 📄 *argumento crucial.* 4. Muito importante; capital: 📄 *problema crucial.*

cruciana *S. f. Bras. Bot.* Bambu (q. v.) cujo caule é desprovido de cavidade central.

cruciante [Do lat. *cruciante.*] *Adj. 2 g.* 1. Que crucia; cruciador, cruciário: 📖 "O Pereira da Costa, morto há um ano de doença cruciante, cerrou os olhos sem haver soltado um gemido." (João de Araújo Correia, *Sem Método*, p. 83.) 2. V. *cru* (8).

cruciar [Do lat. *cruciare.*] *V. t. d.* 1. Crucificar (1). 2. *Fig.* Crucificar (2): 📖 "Procura / Curtir sem queixa o mal que te crucia" (Manuel Bandeira, *Estrela da Vida Inteira*, p. 46). [Fut. pret.: *cruciaria*, etc. Cf. *cruciária*, fem. de *cruciário.*]

cruciário [Do lat. *cruciariu.*] *Adj.* V. *cruciante* (1). [Fem.: *cruciária.* Cf. *cruciaria*, do v. *cruciar.*]

crucífera [De *cruci-* + *-fera*; tax. *Cruciferae.*] *S. f. Bot.* Brassicácea.

cruciferário [Do lat. *crucifer*, 'que leva a cruz', + *-ário.*] *S. m.* Aquele que leva a cruz, nas procissões.

crucífero¹ [Do lat. *cruciferu.*] *Adj.* 1. Que traz ou sustenta uma cruz: 📄 *estandarte crucífero.* 2. *Bot.* Que tem flor cruciforme; crucígero.

crucífero² [De *crucífera.*] *Adj. Bot.* Brassicáceo.

crucificação [De *crucificar* + *-ção.*] *S. f.* 1. Ato ou efeito de crucificar. 2. *Restr.* Suplício do Cristo na cruz. [Sin. ger.: *crucificamento, crucifixão.*]

crucificado [Part. de *crucificar.*] *Adj.* 1. Pregado na cruz; crucifixo. ● *S. m.* 2. Aquele que padeceu o suplício da cruz. 3. *Restr. Rel.* Jesus Cristo. [Com cap., nesta acepç.]

crucificador (ô) [De *crucificar* + *-dor.*] *S. m.* Aquele que crucifica.

crucificamento [De *crucificar* + *-mento.*] *S. m.* V. *crucificação.*

crucificar [Do lat. *crucifigere*, pelo lat. *crucificare.*] *V. t. d.* 1. Pregar na cruz; aplicar o suplício da cruz a; cruciar: 📖 "finalmente o crucificariam [a Jesus] entre dois ladrões aos olhos da sua própria mãe." (Ramalho Ortigão, *As Farpas*, I, p. 88). 2. *Fig.* Afligir muito; torturar, mortificar, atormentar, martirizar, cruciar: 📄 *As saudades crucificam-no; O mau comportamento do rapaz crucifica a família.* 3. Criticar acerbamente, maldizer de, condenar (alguém): 📖 "louvando-o [ao Marquês de Pombal] uns em alta voz, ... crucificando-o outros sem piedade, para saciarem os ódios." (Rebelo da Silva, *Contos e Lendas*, p. 172). [Sin. ger.: *crucifixar.* Conjug.: v. *trancar.*]

crucifixão (cs) [Do lat. *crucifixione.*] *S. f.* V. *crucificação.*
crucifixar (cs) [De *crucifixo* + *-ar*[2]] *V. t. d.* V. *crucificar.*
crucifixo (cs) [Do lat. *crucifixu.*] *S. m.* **1.** Imagem de Cristo pregado na cruz. • *Adj.* **2.** Crucificado (1).
cruciforme [De *cruci-* + *-forme.*] *Adj. 2 g.* Em forma de cruz; crucial: "Por influência dos equinócios e solstícios, sem falar nos símbolos cruciformes, a influência do quatro chegou a estender-se a muitos setores." (Augusto Meyer, *A Forma Secreta*, p. 158); "Este bloco de pedra cruciforme mergulha no amplo vão quadrado que se escavou na rocha." (Alberto da Costa e Silva, *A Enxada e a Lança*, p. 283).
crucígero [De *cruci-* + *-gero.*] *Adj. Bot.* Crucífero[1] (2).
crucilandense *Adj. 2 g.* **1.** De, ou pertencente ou relativo a Crucilândia (MG). • *S. 2 g.* **2.** O natural ou habitante de Crucilândia.
crucirrostro [De *cruci-* + *-rostro.*] *Adj. Zool.* Diz-se de bico de ave em forma de cruz.
crudelíssimo [Do lat. *crudelissimu.*] *Adj.* Superl. abs. sint. de *cruel*; cruelíssimo.
▲**crudi-** [Do lat. *crudus, a, um.*] *El. comp.* = 'cru': *crudívoro.*
crudivorismo [De *crudívoro* + *-ismo.*] *S. m.* Procedimento ou hábito de crudívoro.
crudívoro [De *crudi-* + *-voro.*] *Adj. S. m.* Que, ou aquele que se nutre de alimentos crus.
crueira[1] [Var. de *curuera.*] *S. f. Bras. Angol.* Resíduos da fabricação da farinha de mandioca que, por grossos, não passam na urupema ou peneira; quirera. [Outras var. (bras.): *caruera, corera* e *cruera.*]
crueira[2] [De or. indígena.] *S. f. Bras. Amaz.* Fenômeno observado em certos rios nos quais a maré, depois de repontar, enche durante uns 15 minutos e recomeça a vazar durante igual tempo, para em seguida encher de vez; cuinhira, cuiuíra, cunhira.
crueira[3] *S. f. Bras. PE* Tumor seco que se manifesta na cabeça dos galináceos.
cruel [Do lat. *crudele.*] *Adj. 2 g.* **1.** Que se compraz em fazer mal, em atormentar ou prejudicar; cruento: *indivíduo cruel.* **2.** Duro, insensível, desumano, cruento: *homem de natureza cruel.* **3.** Severo, rigoroso, tirano: *juiz cruel.* **4.** Que denota crueldade: *ação cruel; lei cruel.* **5.** Pungente, doloroso: *Foi-lhe cruel a perda do amigo;* "só depois de cruéis angústias tive o consolo de vê-la recobrar os sentidos" (José de Alencar, *Lucíola*, p. 185). **6.** V. *cruento* (1): *luta cruel.* [Superl. abs. sint.: *crudelíssimo* e *cruelíssimo.*]
crueldade [Do lat. *crudelitate.*] *S. f.* **1.** Qualidade do que é cruel: *A crueldade do seu procedimento horripilou a todos.* **2.** Ato cruel; crueza: *Lampião praticou muitas crueldades.* **3.** Dureza, rigor: *a crueldade do destino.*
cruelíssimo *Adj.* Crudelíssimo.
cruentação [Do lat. *cruentatione.*] *S. f.* Ato ou efeito de cruentar(-se).
cruentar [Do lat. *cruentare.*] *V. t. d. P.* V. *ensanguentar.*
cruento [Do lat. *cruentu.*] *Adj.* **1.** Em que há sangue; sanguinolento, sangrento, cruel: *luta cruenta.* **2.** Banhado em sangue; ensanguentado. **3.** V. *cruel* (1 e 2): "Cafuz de força e agilidade sem medidas, cruento como Pajeú, primitivo a ponto de não proferir palavras senão grunhidos" (João Felício dos Santos, *João Abade*, p. 94). **4.** Duro (4): "Mas quando se tem uma vida cruenta, de nada adianta tecer divagações." (Lívia Garcia-Rosa, *Milamor*, p. 85.)
cruera (ê) *S. f. Bras.* V. *crueira*[1].
crueza (ê) [De *cru* + *-eza* (ê).] *S. f.* **1.** Estado de cru, do que não está cozido. **2.** Crueldade (2). **3.** Qualidade ou condição daquilo que se encontra despido de qualquer suavidade ou edulcoração **4.** Indisposição estomacal, por má qualidade dos alimentos ou difícil digestão deles. **5.** Estado da água que contém muitos sais calcários e é fria e indigesta.
➔**crumble** ['kɹʌmbəl] [Ingl.] *S. m. Cul.* Doce britânico de massa crocante feita com farinha (ou biscoito picado), açúcar e manteiga; a massa é espalhada sobre pedaços de fruta e depois levada ao forno.
crume *S. m. Zool.* V. *crúmen.*
crúmen [Do lat. *crumen*, 'bolsa', pelo ingl. *crumen.*] *S. m. Zool.* Glândula suborbicular de certos ruminantes, cuja secreção é odorífera. [F. paral.: *crume.* Pl.: *crumens* e (p. us. no Brasil) *crúmenes.*]
cruor (ô) [Do lat. *cruore.*] *S. m.* **1.** Sangue derramado. **2.** Coágulo de sangue em que há hemácias.
crupe[1] [Do ingl. *croup*, pelo fr. *croup.*] *S. m. Patol.* Obstrução laríngea aguda devida a processo inflamatório, corpo estranho, ou neoplasma, levando à sufocação. ◆ **Crupe diftérico.** *Patol.* O que ocorre na infecção laríngea pelo *Corynebacterium diphtheriae* com formação de membranas; difteria laríngea, garrotilho.
crupe[2] [Do antr. *(Alfred) Krupp* (1812-1887), industrial alemão em cujas empresas se produziu novo tipo de aço fundido, com o qual se conseguiu montar numa só peça um tubo de canhão pesado.] *S. m.* Canhão fabricado nas indústrias Krupp, ou segundo o sistema de Krupp.
crupiara [Do tupi = 'jazida em cascalho'.] *S. f. Bras. C.* V. *gupiara.*
crupiê [Do fr. *croupier.*] *S. m.* Empregado que, esp. nos cassinos, dirige o jogo, e paga e recolhe as apostas. [Var., em SP: *corrupiê* ou *corrupié.*]
crural [Do lat. *crurale.*] *Adj. 2 g. Anat.* Relativo ou pertencente a coxa: *artéria crural.*
crurifrágio [Do lat. *crurifragiu.*] *S. m.* Antigo suplício de quebradura das pernas: "Os mais devotos reclamavam que se aplicasse aos crucificados, se ainda viviam, o crurifrágio romano, quebrando-lhes os ossos com barras de ferro" (Eça de Queirós, *A Relíquia*, p. 295).
crusta [Do lat. *crusta.*] *S. f.* **1.** V. *crosta* (1 e 2): "lá fora a umidade crescia, liquefazendo a crusta da terra." (Aluísio Azevedo, *Pegadas*, p. 141). **2.** Tártaro ou viscosidade marítima que endurece na superfície das conchas.
crustáceo[1] [De *crusta* + *-áceo.*] *Adj.* **1.** Coberto de crusta. **2.** *Bot.* Diz-se do talo dos liquens que se aplica estreitamente ao substrato, lembrando uma crosta.
crustáceo[2] [Do lat. cient. *crustaceus*; tax. *Crustacea.*] *Zool. S. m.* **1.** Espécime dos crustáceos, classe de animais artrópodes, predominantemente aquáticos e de respiração branquial, exosqueleto calcário, cabeça e tórax fundidos numa só peça (*cefalotórax*), dois pares de antenas e apêndices birremes. Ex.: caranguejo, camarão, lagosta, craca, tatuí, etc. • *Adj.* **2.** Pertencente ou relativo a eles.
cruviana [Var. de *corrupiana* < *corrupio.*] *S. f.* **1.** *Bras. N.* Vento intenso, gelado, frígido. **2.** *Bras. N.E.* Chuvisco, garoa. **3.** *Bras. N. N.E.* Vento frio da madrugada: "— A cruviana não se vê, se sente. Tarde da noite, pela segunda cantada dos galos, ela vai chegando, e quem dorme da banda de fora das casas começa a ter aquele friozinho." (José Vieira, *Vida e Aventura de Pedro Malasarte*, p. 48.) [No CE: *curviana.* Cf. *corrubiana.*]
cruz [Do lat. *cruce.*] *S. f.* **1.** Antigo instrumento de suplício, constituído por dois madeiros, um atravessado no outro, em que se amarravam ou pregavam os condenados à morte. **2.** *P. ext.* Aflição, pena, infortúnio, trabalhos: *Aquele casamento foi a sua cruz.* **3.** O madeiro em que foi pregado Jesus Cristo. **4.** Representação da cruz (3): *Trazia sempre consigo uma cruz de ouro.* **5.** *Rel.* A paixão e morte de Cristo. **6.** Símbolo da redenção, para os cristãos. **7.** Poder eclesiástico: *a cruz e a espada.* **8.** *Fig. Rel.* O cristianismo. **9.** Gesto de persignar(-se). **10.** Insígnia cruciforme de várias ordens militares e religiosas. **11.** Sinal cruciforme, escrito ou impresso: *assinalar com uma cruz os substantivos e com duas, os adjetivos.* **12.** *Marinh.* Parte da âncora em que os braços se prendem com a haste. **13.** *Tip.* Sinal em forma de cruz latina, de significação variada, porém us. sobretudo para indicar ano de falecimento e como chamada de nota; adaga, obelisco. **14.** *Bras. Bot.* V. *cruz-de-malta* (2). **15.** *Bras. Cap.* Contra-ataque desequilibrante em que o capoeirista, com o tronco flexionado e os braços abduzidos, se encaixa sob uma das pernas do seu adversário, a fim de derrubá-lo. [Cf. *crus*, pl. de *cru.*] ~ V. *cruzes.* ◆ **Cruz alçada.** *Rel.* Crucifixo que se leva processionalmente, em certas solenidades da Igreja Católica. **Cruz de Genebra.** Cruz vermelha. **Cruz de Lorena.** Cruz com dois braços transversais. **Cruz de Santo André.** Cruz em forma de *X.* **Cruz de Santo Antônio.** Cruz em forma de *T.* **Cruz do Norte.** *Astr.* V. *Cisne* (2). **Cruz do Sul.** *Astr.* V. *Cruzeiro do Sul.* **Cruz dupla.** *Tip.* Sinal em forma de cruzes superpostas, us. para indicar sede de arcebispado, ou como chamada de nota; adaga dupla. **Cruz florenciada.** Cruz cujos braços terminam em flor de lis. **Cruz gamada.** V. *suástica.* **Cruz grega.** Cruz de quatro braços iguais. **Cruz latina.** Cruz que tem um braço maior que os outros três. **Cruz recruzetada.** A que tem em cada extremidade uma cruz menor. **Cruz vermelha.** Cruz de cor vermelha sobre fundo branco, indicativa de neutralidade das ambulâncias em virtude da Convenção de Genebra; cruz de Genebra. **Assinar de cruz. 1.** Fazer uma cruz por assinatura, por não saber escrever. **2.** Assinar sem ler. **3.** Estar por tudo. [Sin. ger.: *assinar em cruz.*] **Assinar em cruz.** V. *assinar de cruz.* **Carregar a sua cruz.** Suportar com resignação aflições, sofrimentos, trabalhos penosos, etc.; levar a sua cruz. **Entre a cruz e a água benta.** V. *entre a cruz e a caldeirinha.* **Entre a cruz e a caldeirinha.** Num dilema, em situação crítica, sem saber como livrar-se; entre a cruz e a água benta; entre a espada e a parede; entre o fogo e a frigideira: "Ao receber o livro do Professor Pedro Pinto, senti-me, na qualidade de crítico, entre a cruz e a caldeirinha, assistindo a encarniçada luta entre dois grandes amigos que muito prezo e tenho em grande conta." (João Ribeiro, *Crítica*, V, p. 161.) **Fazer cruz na boca.** Não ter que comer. **Levar a cruz ao Calvário.** Levar ao cabo empresa difícil: "Mas a sorte não quis assim; que lhe hei de eu fazer?... Agora é levar a cruz ao Calvário!" (Aluísio Azevedo, *Filomena Borges*, p. 117.) **Levar a sua cruz.** V. *carregar a sua cruz.*
cruza [F. red. de *cruzamento.*] *S. f.* **1.** *Biol.* Produto de um cruzamento (5 e 6). **2.** *Restr.* Cruzamento (5 e 6). **3.** *Bras. S.* Segundo amanho que se dá a um terreno cortando transversalmente o primeiro.
cruzada [De *cruzar* + *-ada*[1]; esp. *cruzada.*] *S. f.* **1.** Expedição militar de caráter religioso que se fazia na Idade Média, contra hereges ou infiéis. **2.** *Fig.* Campanha de propaganda ou defesa de certos interesses, princípios ou ideias: *cruzada contra o analfabetismo.* **3.** *Bras. RS* V. *cruzamento* (1 e 2): "Numa cruzada de carreiros sentiu ruído de ferros que se chocavam" (Simões Lopes Neto, *Contos Gauchescos e Lendas do Sul*, p. 309). **4.** *Bras. Tên.* Bola lançada no sentido diagonal da quadra.
cruzadismo [De *cruzado*[2] + *-ismo.*] *S. m.* Cultivo, gosto ou mania das palavras cruzadas.
cruzadista [De *cruzadismo* + *-ista.*] *S. 2 g. Bras.* Pessoa que se dedica ao cruzadismo.
cruzado[1] [De *cruzada.*] *S. m.* **1.** Expedicionário das cruzadas [v. *cruzada* (1)]. **2.** *Fig.* Defensor ou pregador ardente dalguma ideia ou doutrina.
cruzado[2] [Part. de *cruzar.*] *Adj.* **1.** Disposto ou posto em cruz: "os olhos baixos pareciam contemplar as mãos caídas e cruzadas" (Eça de Queirós, *Últimas Páginas*, p. 53). **2.** Resultante de um cruzamento (4 e 5). **3.** Interceptado, interrompido. **4.** *Antrop.* Relativo a, ou que envolve uma relação de parentesco em que um indivíduo está ligado a outro através de uma cadeia de relações de filiação e germanidade que inclui, pelo menos, um par de germanos [v. *germano*[1] (3)] de sexo oposto. [Os parentes mais distantes, em relação aos quais a aplicação desse critério resulta ambígua, são classificados como cruzados conforme sejam assimilados terminologicamente aos parentes cruzados próximos (germanos dos pais, filhos de germanos ou os primos de primeiro grau). Cf. *paralelo* (5).] ~ V. *cheque —, estratificação —a, fecundação —a, linha —a, luz —a, palavras —as, parente —, prima —a, prima —a bilateral, prima —a matrilateral, prima —a patrilateral, primo —, primo — bilateral, primo — matrilateral, primo — patrilateral* e *rimas —as.* • *S. m.* **5.** Antiga moeda portuguesa, de ouro ou de prata: "Ai, fortunas, ai, fortunas... / doblas, oitavas, cruzados, / vastos dinheiros antigos" (Cecília Meireles, *Obra Poética*, p. 884). **6.** Moeda de quatrocentos réis. **7.** Unidade monetária brasileira (símb.: Cz$) no período de 28.02.1986 até 15.01.1989, quando foi substituída pelo cruzado novo (1.000 cruzados = 1 cruzado novo). [Cf., nesta acepç., *cruzeiro* (4).] **8.** Soco preferido pelo pugilista que luta em meia distância ou no corpo a corpo, e desferido enquanto gira rápido para o lado do punho com que tenciona acertar o alvo. ◆ **Cruzado novo.** Unidade monetária brasileira (símb.: NCz$) no período de 16.01.1989 a 15.03.1990, quando foi substituída pelo cruzeiro (1 cruzado novo = 1 cruzeiro). [Cf. *cruzeiro* (4).]
cruzador (ô) [De *cruzar* + *-dor.*] *Adj.* **1.** Que cruza. ~ V. *peso* — • *S. m.* **2.** Aquele que cruza. **3.** *Mar. G.* Navio de combate, de tamanho médio, grande velocidade, proteção moderada, grande raio de ação, boa mobilidade, e armamento de calibre médio e tiro rápido, destinado a efetuar explorações, coberturas, escoltas de comboios (contra-ataques de superfície), guerra de corso, bombardeios de costa, etc.
cruzaliense *Adj. 2 g.* **1.** De, ou pertencente ou relativo a Cruzália (SP). • *S. 2 g.* **2.** O natural ou habitante de Cruzália.
cruz-almense *Adj. 2 g.* **1.** De, ou pertencente ou relativo a Cruz das Almas (BA). • *S. 2 g.* **2.** O natural ou habitante de Cruz das Almas. [Pl.: *cruz-almenses.*]
cruz-altense *Adj. 2 g.* **1.** De, ou pertencente ou relativo a Cruz Alta (RS). • *S. 2 g.* **2.** O natural ou habitante de Cruz Alta. [Pl.: *cruz-altenses.*]
cruzamento [De *cruzar* + *-mento.*] *S. m.* **1.** Ato ou efeito de cruzar(-se). **2.** Ponto onde se cruzam caminhos; encruzilhada, encruzada. **3.** Intercepção, interrupção. **4.** *Antrop.* A condição de parente cruzado [v. *cruzado*[2] (4)], que funciona como critério de classificação de relações de parentesco em determinada categoria terminológica. **5.** *Biol.* Acasalamento ao acaso, onde cada gameta masculino tem igual oportunidade de unir-se a um gameta feminino. **6.** *Restr.* Acasalamento de indivíduos de raças diferentes. ◆ **Cruzamento entre sistemas.** *Fís.-Quím.* Transição entre dois estados que diferem em *spin.* **Cruzamento sintático.** *E. Ling.* V. *quiasma* (1).
cruzar [De *cruz* + *-ar*[2].] *V. t. d.* **1.** Dispor em cruz: *cruzar as pernas, os braços;* "permaneci ali muito tempo, com as mãos para trás, cruzando e descruzando os dedos" (Caio de Freitas, *Intrusos no Paraíso*, p. 4). **2.** Dar forma de cruz a: *Cruzou dois pedaços de*

madeira e colocou-os sobre o túmulo. **3.** Cortar; atravessar: *A Avenida Rio Branco cruza a Presidente Vargas;* "Cruzam o firmamento as estrelas cadentes..." (Martins Fontes, *Verão*, p. 154). **4.** Passar por; percorrer; atravessar: *Lembrava-se bem do tempo em que cruzara aquelas estradas.* **5.** Transpor, penetrar: *Saiu dizendo que jamais voltaria a cruzar aqueles umbrais.* **6.** Percorrer em diversos sentidos: *cruzar os mares; cruzar estradas.* **7.** Acasalar (animais). **8.** *Econ.* Traçar em (a face de um cheque) duas linhas paralelas, tornando-o pagável apenas a um banco. **9.** *Bras.* Transmitir supostamente a (pessoa, objeto) forças mágico-espirituais de proteção e ajuda. ***T. d. e i.*** **10.** Cruzar (7): *Cruzou sua cadela com o cão do vizinho.* ***T. c.*** **11.** Cortar, atravessar: "cruzam pelos ares sibilantes balas" (Correia Garção, *Obras Poéticas e Oratórias*, p. 584). ***T. i.*** **12.** Encontrar-se, vindo em direções opostas: "cruzara com um caboclo espadaúdo e rijo" (Herman Lima, *Garimpos*, p. 142). ***Int.*** **13.** Formar cruz; cruzar-se: *Os dois caminhos cruzam perto da lagoa.* **14.** Percorrer o mar em direções diversas. **15.** Estar atravessado; colocar-se de través. **16.** Encontrar-se, vindo em direções opostas; cruzar-se: "A multidão marcha apressada, os milhares de automóveis cruzam, a ordem é perfeita e tudo se faz sem barulho." (Dario de Almeida Magalhães, *Páginas Avulsas*, p. 17.) **17.** Correr, percorrer os ares: "O canário cantava na gaiola / a andorinha cruzava, em liberdade." (Hermes Fontes, *A Fonte da Mata...*, p. 27.) ***P.*** **18.** Cruzar (13): *As alças do vestido cruzam-se nas costas.* **19.** Cruzar (16): *Os navios cruzaram-se em pleno equador;* "Neste retiro os longos dias passo, / Sem alegrias e sem dissabores, / Vendo as aves cruzarem-se no espaço" (Ricardo Gonçalves, *Ipês*, p. 37).

cruz-credo ***Interj.*** V. *credo* (7).

cruz de malta ***S. f.*** Cruz de quatro braços iguais que se alargam nas extremidades. [Pl.: *cruzes de malta.*] ☑ notas 1 e 2

cruz-de-malta ***S. f.*** **1.** *Bras. N. a S. Bot.* Designação de várias plantas onagráceas, de flores solitárias, amarelas, e cujos frutos são cápsulas tetrágonas, com sementes pequenas, sendo as folhas, em algumas espécies, tidas por medicinais; erva-de-bicho, mãos-de-sapo, mururé, negreira, salsa-do-brejo. **2.** *Bras. Bot.* Nome comum a várias plantas onagráceas do gênero *Ludwigia*, de flores solitárias, amarelas, e cujos frutos são cápsulas tetrágonas, com sementes pequenas, sendo as folhas, em algumas espécies, tidas por medicinais. [Tb. se diz apenas *cruz*. Sin.: *mãos-de-sapo, mururé, negreira, salsa-do-brejo.*] **3.** *Bras. Bot.* V. *mururé* (3). **4.** *Bras. Bot.* Camarambaia. [Pl.: *cruzes-de-malta.*]

cruzeira [De *cruz* + *-eira.*] ***S. f.*** **1.** *Tip.* Barra de metal, móvel ou fixa, que, nos formatos maiores, atravessa a rama, vertical e às vezes tb. horizontalmente. **2.** *Tip.* O claro correspondente a essa barra e que divide ao meio a folha impressa. (V. *medianiz.*) **3.** *Bras. Zool.* V. *urutu*.

cruzeirense[1] ***Adj. 2 g.*** **1.** De, ou pertencente ou relativo a Cruzeiro (SP). • ***S. 2 g.*** **2.** O natural ou habitante de Cruzeiro.

cruzeirense[2] ***Adj. 2 g.*** **1.** De, ou pertencente ou relativo a Cruzeiro da Fortaleza (MG). • ***S. 2 g.*** **2.** O natural ou habitante de Cruzeiro da Fortaleza.

cruzeirense[3] ***Adj. 2 g.*** **1.** De, ou pertencente ou relativo a Cruzeiro do Iguaçu (PR). • ***S. 2 g.*** **2.** O natural ou habitante de Cruzeiro do Iguaçu.

cruzeirense[4] ***Adj. 2 g.*** **1.** De, ou pertencente ou relativo a Cruzeiro do Oeste (PR). • ***S. 2 g.*** **2.** O natural ou habitante de Cruzeiro do Oeste. [Sin. ger.: *cruz-oestano.*]

cruzeirense[5] ***Adj. 2 g.*** **1.** De, ou pertencente ou relativo a Cruzeiro do Sul (AC e RS). • ***S. 2 g.*** **2.** O natural ou habitante de Cruzeiro do Sul.

cruzeirense[6] *Bras.* ***Adj. 2 g.*** **1.** Pertencente ou relativo ao Cruzeiro Esporte Clube (MG). **2.** Que é torcedor ou jogador dessa agremiação. • ***S. 2 g.*** **3.** Membro, torcedor ou jogador dela; cruzeiro. [Sin. ger.: *raposa.*]

cruzeirense-do-sul ***Adj. 2 g.*** **1.** De, ou pertencente ou relativo a Cruzeiro do Sul (PR). • ***S. 2 g.*** **2.** O natural ou habitante de Cruzeiro do Sul. [Pl.: *cruzeirenses-do-sul.*]

cruzeiro [De *cruz* + *-eiro.*] ***Adj.*** **1.** Que tem cruz ou é marcado com uma cruz. • ***S. m.*** **2.** Grande cruz, erguida nos adros, cemitérios, largos, praças, etc. **3.** A parte da igreja compreendida entre a capela-mor e a nave central. **4.** Unidade monetária brasileira (símb.: Cr$) nos seguintes períodos: de 01.11.1942 até 12.02.1967, quando foi substituída pelo cruzeiro novo (1.000 cruzeiros = 1 cruzeiro novo); de 15.05.1970 até 27.02.1986, quando foi substituída pelo cruzado (1.000 cruzeiros = 1 cruzado); e de 16.03.1990 a 31.07.1993, quando foi substituída pelo cruzeiro real (1.000 cruzeiros = 1 cruzeiro real). [Cf. *mil-réis.*] **5.** *Mar. G.* Navegação feita em vários rumos, dentro de uma área limitada, para fins de policiamento das águas ou para observação de movimentos do inimigo. **6.** *Mar. Merc.* Viagem de navio de passageiros, com turistas, em visita a vários portos. **7.** *Astr.* Cruzeiro do Sul. [Com cap., nesta acepç.] **8.** *Bras. Bot.* Planta rubiácea (*Declieuxia chiococcoides*), encontrada em quase todo o Brasil, e da qual se conhecem numerosas variedades. Folhas sésseis, fruto seco e achatado, e flores azuis; atinge 1,30m de altura. **9.** *Bras. Zool.* V. *urutu*. **10.** *Bras.* V. *cruzeirense*[6] (3). ◆ **Cruzeiro do Sul.** *Astr.* Constelação austral, característica de nosso hemisfério, situada ao S. do Centauro e ao N. da Mosca. A olho nu, compõe-se de cinco estrelas — quatro delas dispostas em forma de cruz, e uma, a *Intrometida* ou *Intrusa*, situada sobre o menor braço da cruz —, e de uma nebulosa escura, o *Saco de Carvão*. [Tb. se diz apenas *Cruzeiro*. Sin.: *Cruz do Sul.*] **Cruzeiro novo.** Unidade monetária brasileira (símb.: NCr$) no período de 13.02.1967 a 15.05.1970, quando foi eliminada a palavra "novo" e a unidade monetária voltou a ser o cruzeiro (1 cruzeiro novo = 1 cruzeiro). [Cf. *cruzeiro* (4).] **Cruzeiro real.** Unidade monetária brasileira (símb.: CR$) no período de 01.08.1993 a 01.07.1994, quando foi substituída pelo real (2.750 cruzeiros reais = 1 real). [Cf. *cruzeiro* (4).]

cruzense ***Adj. 2 g.*** **1.** De, ou pertencente ou relativo a Cruz (CE). • ***S. 2 g.*** **2.** O natural ou habitante de Cruz.

cruzes [Pl. de *cruz.*] ***S. f. pl.*** **1.** Os quadris: "Artur aproveitava o ligeiro tumulto para ir, ... com as cruzes quebradas de fadiga, fumar, para a saleta." (Eça de Queirós, *A Capital*, p. 368.) **2.** Reverso com cruz, de certas moedas. **3.** A parte da cavalgadura onde se unem as espáduas. • ***Interj.*** **4.** V. *credo* (7): "Cruzes! Tibe! Vote! Abrenúncio!" (Alberto Rangel, *Lume e Cinza*, p. 169); "Cruzes! Parecia até que era ainda em sonho!" (Hugo de Carvalho Ramos, *Tropas e Boiadas*, p. 75). ~ V. *cruz*.

cruzeta (ê) [De *cruz* + *-eta* (ê).] ***S. f.*** **1.** Pequena cruz. **2.** Régua em forma de *T*, usada pelos operários para nivelar, com auxílio do fio de prumo. **3.** Peça formada de braços que se empunham para fazer girar os cilindros da prensa de talho-doce ou deslizar o carro da prensa litográfica; molinete. **4.** *Arquit.* Moldura dum ornato de janela ou de porta de sacada, que excede pelos lados o nível da base. **5.** *Bras. AM a CE Lus.* V. *cabide* (3). **6.** *Bras. SP* Remanso de rio onde se cruzam duas correntezas opostas, formando no centro um remoinho.

cruzetado [De *cruzeta* + *-ado*[1].] ***Adj.*** Que tem forma de cruzeta.

cruzetense ***Adj. 2 g.*** **1.** De, ou pertencente ou relativo a Cruzeta (RN). • ***S. 2 g.*** **2.** O natural ou habitante de Cruzeta.

cruziliense ***Adj. 2 g.*** **1.** De, ou pertencente ou relativo a Cruzília (MG). • ***S. 2 g.*** **2.** O natural ou habitante de Cruzília.

crúzio [De (*Congregação de Santa*) *Cruz* (*de Coimbra*) + *-io*[3].] ***Adj. S. m.*** Diz-se de, ou aquele que pertence à Congregação de Santa Cruz de Coimbra.

cruz-machadense ***Adj. 2 g.*** **1.** De, ou pertencente ou relativo a Cruz Machado (PR). • ***S. 2 g.*** **2.** O natural ou habitante de Cruz Machado. [Pl.: *cruz-machadenses.*]

cruz-maltino [De *cruz de malta*, símbolo do Clube de Regatas Vasco da Gama (RJ), + *-ino*[1].] ***Adj. S. m.*** *Bras.* V. *vascaíno*. ❖

cruzo [Dev. de *cruzar.*] ***S. m.*** *Bras. S.* **1.** Caminho nos campos, que cruza com outro. **2.** O lugar desse cruzamento; encruzilhada.

cruz-oestano ***Adj. S. m.*** V. *cruzeirense*[4]. [Pl.: *cruz-oestanos.*]

cruz-serrano ***Adj.*** **1.** De, ou pertencente ou relativo a Santa Cruz de la Sierra (Bolívia). • ***S. m.*** **2.** O natural ou habitante dessa cidade. [Pl.: *cruz-serranos.*]

■ **C.S.** Abrev. de centro-sul.

■ **Cs** *Quím.* Símb. do *césio*.

■ **csc** *Mat.* Símb. de *cossecante* (q. v.).

■ **csc^{-1}** *Mat.* Símb. impr. de *arco cossecante* (q. v.).

■ **csch** *Mat.* Símb. impr. de *arco cossecante hiperbólica* (q. v.).

C.S.E. Abrev. de centro-sudeste e de centro-sueste.

csi [Do gr. *kseî, ksî.*] ***S. m.*** **1.** A 14ª letra do alfabeto grego (Ξ, ξ) e que corresponde ao nosso *x* (com som de /cs/). **2.** *Fís. Part.* Denominação genérica dos bárions que contêm dois *quarks* estranhos (v. *estranho*) e um *quark u* ou *d*; cascata [símb.: Ξ].

csi-c-mais ***S. m.*** *Fís. Part.* Bárion de massa 2465,1MeV/c^2, *isospin* 1/2, *spin* 1/2, paridade positiva, carga elétrica igual à do próton, estranheza -1, charme +1, composto de *quarks u, s* e *c* [símb.: Ξc+]. [Seu *isospin, spin* e paridade, previstos pelo modelo de *quarks*, necessitam de confirmação experimental.] [Pl.: *csis-c-mais.*]

csi-c-menos ***S. m.*** *Fís. Part.* Antipartícula (q. v.) do csi-c-mais [símb.: Ξc−]. [Pl.: *csis-c-menos.*]

csi-c-zero ***S. m.*** *Fís. Nucl.* Bárion de massa 2470,3 MeV/c^2, *isospin* 1/2, *spin* 1/2, paridade positiva, carga elétrica nula, estranheza -1, charme +1, composto de *quarks d, s* e *c* [símb.: Ξc^0]. [Seu *isospin, spin* e paridade, previstos pelo modelo de *quarks*, necessitam de confirmação experimental.] [Pl.: *csis-c-zero.*]

csi-mais ***S. m.*** *Fís. Nucl.* Antipartícula (q. v.) do bárion csi-menos [símb.: Ξ+]. [Pl.: *csis-mais.*]

csi-menos ***S. m.*** *Fís. Nucl.* Bárion de massa 1321,32 MeV/c^2, *isospin* 1/2, *spin* 1/2, paridade positiva, carga elétrica igual à do elétron, estranheza -2, composto de *quarks d, s* e *s* [símb.: Ξ−]. [Pl.: *csis-menos.*]

csi-zero ***S. m.*** *Fís. Nucl.* Bárion de massa 1314,9 MeV/c^2, *isospin* 1/2, *spin* 1/2, paridade positiva, carga elétrica nula, estranheza -2, composto de *quarks u, s* e *s* [símb.: Ξ0]. [Pl.: *csis-zero.*]

■ **C.S.O.** Abrev. de centro-sudoeste.

■ **CTA** Sigla de *Centro Técnico Aeroespacial*.

■ **CTB** Abrev. de *Código de Trânsito Brasileiro*.

ctenário [De *cten(o)-* + *-ário.*] ***S. m. Adj.*** *Zool.* V. *ctenóforo*.

ctenídeo [De *cten(o)-* + *-ídeo*[1]; tax. *Ctenidae.*] *Zool.* ***S. m.*** **1.** Espécime dos ctenídeos, família de aranhas araneídeas que se caracterizam por apresentar os olhos dispostos em três filas, usualmente 2-4-2, sendo os primeiros menores. São comuns no solo das matas, e existem espécies grandes, como a *Phoneutria nigriventer*, de picada perigosa e muito dolorosa. São as aranhas armadeiras, que habitam lugares escuros e úmidos. • ***Adj.*** **2.** Pertencente ou relativo a eles.

ctenídio [De *cten(o)-* + *-ídio.*] ***S. m.*** *Zool.* **1.** Cada uma das brânquias cteniformes dos moluscos. **2.** Estrutura semelhante aos dentes de um pente, na cabeça e tórax de moscas niteribiídeas.

cteniforme [De *cten(o)-* + *-iforme.*] ***Adj. 2 g.*** *Zool.* Cuja superfície é denteada como um pente; ctenoide.

ctenismo [Do tax. *Ctenus* + *-ismo.*] ***S. m.*** *Med.* Envenenamento provocado por peçonha da aranha.

▲**cten(o)-** [Do gr. *kteís, enós.*] ***El. comp.*** = 'pente'; 'objeto dentado': *ctenóforo*. [Equiv.: *-cten(o)-*: *platictênio.*]

▲**-cten(o)-** Equiv. de *cten(o)-*.

ctenodonte [De *cten(o)-* + *-odonte.*] ***S. m.*** *Zool.* Dente cteniforme.

ctenóforo [De *cten(o)-* + *-foro*; lat. cient. *Ctenophora.*] *Zool.* ***S. m.*** **1.** Espécime dos ctenóforos, ramo de animais enterozoários, radiados, marinhos, solitários, desprovidos de nematocistos, e cujo corpo é revestido de oito fileiras de palhetas com cílios em forma de pente, para locomoção. • ***Adj.*** **2.** Pertencente ou relativo a eles. [Sin. ger.: *ctenário.*]

ctenoide (ói) [De *cten(o)-* + *-oide.*] ***Adj. 2 g.*** *Zool.* **1.** Cteniforme. **2.** Diz-se de escama, comum nos osteíctes, que apresenta pequenos dentes na porção exposta e na parte posterior. ❖

ctenoluciídeo [Adapt. do tax. *Ctenoluciidae.*] *Zool.* ***S. m.*** **1.** Espécime dos ctenoluciídeos, família de peixes carnívoros de água doce, com 2 gêneros e 7 espécies; têm o corpo alongado, as nadadeiras dorsal e anal situadas na porção posterior do corpo e habitam a América Central e do Sul. • ***Adj.*** **2.** Pertencente ou relativo a eles.

ctenomídeo [De *cten(o)-* + *-m(i)-* + *-ídeo*[1]; tax. *Ctenomyidae.*] *Zool.* ***S. m.*** **1.** Espécime dos ctenomídeos, família de mamíferos roedores, pequenos, de cabeça grande e arredondada, cores variadas, membros curtos e fortes, terminando por unhas curvas. Vivem em galerias que abrem no solo. • ***Adj.*** **2.** Pertencente ou relativo a eles.

ctenostomado [De *cten(o)-* + *-stom(o)-* + *-ado*[3]; tax. *Ctenostomata.*] *Zool.* ***S. m.*** **1.** Espécime dos ctenostomados, ordem de animais briozoários, gimnolemados, com zoécios quitinosos ou gelatinosos, e ectocistos desprovidos de opérculos, fechados apenas pelos divertículos dos tentáculos. Vivem em colônias incrustadas em rochas ou em conchas. • ***Adj.*** **2.** Pertencente ou relativo a eles. [Sin. ger.: *ctenóstomo.*]

ctenóstomo [De *cten(o)-* + *-stomo.*] ***S. m. Adj.*** *Zool.* V. *ctenostomado*.

ctetologia [Do gr. *ktetós*, 'que se pode adquirir', 'adquirido', + *-logia.*] ***S. f.*** Ramo da biologia que estuda caracteres adquiridos.

ctetológico [De *ctetologia* + *-ico*[2].] ***Adj.*** Relativo a ctetologia.

■ **ctg** *Mat.* Símb. impr. de *arco cotangente* (q. v.).

■ **ctgh** *Mat.* Símb. impr. de *arco cotangente hiperbólica* (q. v.).

■ **CTI** Sigla de *Centro de Tratamento Intensivo*.

■ **ctn** *Mat.* Símb. impr. de *arco cotangente* (q. v.).

■ **ctnh** *Mat.* Símb. impr. de *arco cotangente hiperbólica* (q. v.).

▲**-ctone** [Do gr. *-chthôn* (como em *hieróchthôn*, 'de uma terra sagrada') < gr. *chthôn, chthonós*, 'terra'.] ***El. comp.*** = 'terra': *alóctone, autóctone* (< gr.).

▲-ctono [Do gr. *-ktonos* (como em *adelphoktónos*, 'fratricida'), do v. gr. *kteínein*, 'matar'.] ***El. comp.*** = 'que mata': *andróctono* (< gr.), *rizóctono*.

cu [Do lat. *culu*.] ***S. m.*** *Chulo* **1.** V. *ânus*. **2.** *P. ext.* Nádegas (1). **3.** Fundo da agulha, oposto à ponta ou bico. **4.** *Marinh. Ant.* A parte inferior dum poleame, oposta à cabeça. ◆ **Até o cu fazer bico.** *Chulo* De modo excessivo, demasiadamente. **Dar o cu.** *Chulo* Sofrer penetração, durante o coito anal; tomar no cu. **Encher o cu.** *Chulo* Comer demasiadamente; empanturrar-se. **Ficar com o cu na mão.** *Bras. Chulo* Ficar cheio de medo, apavorado. **Lamber o cu de.** *Chulo* Adular servilmente; bajular: 📖 "– Canalhas! Vocês viviam lambendo o cu do Padre! Só esse frangote é que tinha coragem..." (Odilo Costa Filho, *Histórias da Beira do Rio*, p. 70.) **Não ter no cu o que periquito roa.** *Bras. Chulo* Ser extremamente pobre. **Tirar o cu da reta.** *Bras. Chulo* Livrar-se de situação difícil ou embaraçosa; fugir com o rabo à seringa; tirar o cu da seringa; tirar da reta. **Tirar o cu da seringa.** *Bras. Chulo* V. *tirar o cu da reta*. **Tomar no cu.** *Chulo* V. *dar o cu*.

■ **Cu** *Quím.* Símb. de *cobre*.

cua [Aportuguesamento de *Kwa*, t. cunhado por Joseph H. Greenberg (1915), antropólogo e linguista norte-americano.] ***S. m.*** **1.** *Gloss.* Subfamília do níger-congo, composta por várias línguas faladas na África ocidental, da Libéria aos Camarões, e que inclui o acã, o ibo, o ioruba e o ijó. • ***Adj. 2 g.*** **2.** Pertencente ou relativo ao cua: 📖 "O iorubano, o edo, o igala, o idoma, o ibo, o ijó, o nupê, o ebira e o *gbari* — línguas da subfamília cua da família níger-congo — teriam, com efeito, começado a diferenciar-se há muitíssimo tempo." (Alberto da Costa e Silva, *A Enxada e a Lança*, p. 449.)

cuacha ***S. f.*** Unidade monetária, e moeda, do Maláui e da Zâmbia (África).

cuada [De *cu* + *-ada*[1].] ***S. f.*** *Chulo* **1.** Pancada com as nádegas. **2.** Parte das calças, das ceroulas ou das cuecas correspondente às nádegas. **3.** Remendo que se põe nessa parte: 📖 "sentava-se a costurar ao pé de uma janela. Deitava pela terceira vez umas cuadas nas calças do marido." (João de Araújo Correia, *Terra Ingrata*, p. 194). [Cf. *coada*, s. f., e fem. do part. de *coar*.]

cuandu [Do tupi.] ***S. m.*** *Bras.* **1.** *Zool.* V. *ouriço-cacheiro*. **2.** *Bot.* A carnaubeira quando nova.

cuanza [Do top. *Kwanza*, principal rio interior de Angola (África).] ***S. m.*** Unidade monetária, e moeda, de Angola, dividida em 100 centavos.

cuatá [Do tupi.] ***S. m.*** *Bras.* Designação comum aos primatas cebídeos, gênero *Ateles*, da Amaz., com duas espécies e quatro subespécies no Brasil. São macacos de grande porte, com membros excessivamente longos e finos, cauda muito longa, preênsil, toda coberta de pelos, face nua, polegar ausente ou rudimentar. [Sin.: *macaco-aranha*.]

cuatá-branco ***S. m.*** *Bras. Zool.* Manquiçapá. [Pl.: *cuatás-brancos*.]

cuatatere *Bras.* ***S. 2 g.*** **1.** *Etnôn.* Indivíduo dos cuatateres, povo indígena provavelmente da família linguística ianomâmi, que habita nas margens do igarapé Coatu, afluente do alto rio Uraricoera (RR). • ***Adj. 2 g.*** **2.** Pertencente ou relativo a esse povo. [Tb. us. como *s. 2 g. e 2 n.* (com cap.) e *adj. 2 g. e 2 n.*]

cuaxinduba ***S. f.*** *Bras. Bot.* V. *guaxinguba*.

cuba[1] [Do lat. *cupa*.] ***S. f.*** **1.** Vasilha grande de madeira na qual se guarda vinho ou outros líquidos; tina. **2.** Grande vasilha utilizada para vários fins industriais. **3.** Bacia de uma pia. **4.** *Autom.* Cuba de nível constante (q. v.). ◆ **Cuba da agulha.** *Náut.* Recipiente que contém o elemento sensível duma agulha magnética (ímãs, flutuador, rosa dos ventos) e o líquido que envolve esse elemento, e que leva marcada internamente a linha de fé, indicadora da direção da proa da embarcação. **Cuba de nível constante.** *Autom.* Reservatório de gasolina do carburador. [Tb. se diz apenas *cuba*.]

cuba[2] [Do top. *Cuba* (América Central).] ***S. f.*** Variedade de tabaco.

cuba[3] [De *cuebas*, com síncope e apócope.] ***S. m.*** **1.** *Bras.* Indivíduo entendido em práticas de feitiçaria. **2.** *Bras. PE* Indivíduo poderoso e influente; cuebas, mancueba. **3.** *Bras. PE* Indivíduo astuto, atilado, matreiro; cuebas, mancueba.

cubagem [De *cubar* + *-agem*[2].] ***S. f.*** **1.** Ato, efeito ou método de cubar[1] (2). **2.** Quantidade de unidades cúbicas que se podem conter num certo espaço. **3.** Cálculo da capacidade dum recipiente ou dum recinto.

cubanita [De *cubano* + *-ita*[3]; ingl. *cubanite*.] ***S. f.*** *Min.* Sulfeto de cobre e ferro, fortemente magnético, cor amarela de bronze.

cubano[1] ***Adj.*** **1.** Da, ou pertencente ou relativo à República de Cuba, a maior ilha do mar das Antilhas. • ***S. m.*** **2.** O natural ou habitante de Cuba.

cubano[2] [De *cubo*[1] + *-ano*[2].] ***S. m.*** *Quím.* Hidrocarboneto saturado, cuja molécula tem a forma de um cubo [fórm.: C_8H_8].

cubar[1] [De *cubo*[1] + *-ar*[2].] ***V. t. d.*** **1.** Elevar ao cubo[1] (2). **2.** Avaliar ou medir (o volume de um sólido ou de uma jazida mineral, a capacidade dum recipiente ou dum recinto); cubicar. **3.** Fazer a cubagem (3) de.

cubar[2] [Do quimb. *ku-kuba*, 'praguejar'.] ***V. int.*** *Angol.* Rogar pragas; amaldiçoar, ger. batendo com as mãos no chão ou erguendo-as juntas: 📖 "Cubara, tinha batido surras: | — Te vão te correr no emprego, juro!" (Luandino Vieira, *Velhas Estórias*, p. 170.)

cubata ***S. f.*** Choça formada de folhas, habitação de certos povos africanos: 📖 "Naquela noite, Samba, a escrava bângala, mal dormira. No aconchego da cubata, durante horas a sua voz rendeu-se em preces aos espíritos protetores" (Castro Soromenho, *Rajada e Outras Histórias*, p. 118); "Fora dos amuralhados, acumulavam-se as cubatas, numerosas, a formarem a verdadeira vila ou cidade." (Alberto da Costa e Silva, *A Enxada e a Lança*, p. 419).

cubatão ***S. m.*** *Bras. SP* Pequena elevação no sopé de cordilheiras.

cubatão-vermelho ***S. m.*** *Bras. Bot.* V. *gonçalo-alves*.

cubatiense ***Adj. 2 g.*** **1.** De, ou pertencente ou relativo a Cubati (PB). • ***S. 2 g.*** **2.** O natural ou habitante de Cubati.

cubatonense ***Adj. 2 g.*** **1.** De, ou pertencente ou relativo a Cubatão (SP). • ***S. 2 g.*** **2.** O natural ou habitante de Cubatão.

cubatura [De **cubar* (< cubo[1]) + *-tura*, por anal. com *quadratura* (< lat.).] ***S. f.*** Redução geométrica de um sólido qualquer a um cubo equivalente em volume.

cubé [Do tupi.] ***S. m.*** *Bras. Zool.* V. *cubiú*.

cubeba (é) [Do ár. *kubāba(t)*.] ***S. f.*** *Bot.* **1.** Arbusto piperáceo (*Piper cubeba*) originário da Índia, e cuja semente já foi utilizada em medicina. **2.** O fruto desse arbusto.

cubelo (ê) [De *cubo*[1] + -elo *(ê)*.] ***S. m.*** Torreão das fortificações antigas, cúbico, que veio a ser substituído pelo baluarte: 📖 "Posto que em paz com os cristãos, os mouros de Toledo têm pelas torres, cubelos e adarves seus atalaias e vigias" (Alexandre Herculano, *Lendas e Narrativas*, II, p. 43).

cubeu *Bras.* ***S. 2 g.*** **1.** *Etnôn.* Indivíduo dos cubeus [ou (etnôn. bras.) *Kubeo, *Cobewa], povo indígena de filiação linguística tucano que habita a região do alto rio Negro conhecida como Boca do Cachorro (AM). • ***Adj. 2 g.*** **2.** Pertencente ou relativo a esse povo.

cúbica [F. subst. de *cúbico*.] ***S. f.*** **1.** *Álg.* Equação cúbica. **2.** *Mat.* Curva cúbica. ◆ **Cúbica reversa.** *Geom.* Curva reversa que corta um plano em três pontos, reais ou complexos, distintos ou não.

cubicar [De *cubo*[1] + *-icar*.] ***V. t. d.*** Cubar[1] (2). [Conjug.: v. *trancar*. Pres. ind.: *cubico*, etc. Cf. *cúbico*.]

cúbico [Do lat. *cubicu*.] ***Adj.*** **1.** Relativo ou pertencente a cubo[1]. **2.** Que tem a forma de cubo[1] (1); cuboide, cubiforme. ~ V. *cônica —a, curva —a, equação —a, média —a, metro —, parábola —a, pedra —a, polegada —a, raiz —a*, e *sistema —*. [Cf. *cubico*, do v. *cubicar*.]

cubicular [Do lat. *cubiculare*.] ***Adj. 2 g.*** Respeitante a cubículo.

cubiculário [Do lat. *cubiculariu*.] ***S. m.*** *Ant.* Criado de quarto.

cubículo [Do lat. *cubiculu*.] ***S. m.*** **1.** Pequeno compartimento. **2.** Cela de convento. **3.** *Ant.* Quarto de cama; câmara. **4.** *Bras.* V. *cadeia* (3). [Var. (pop., PB): *cuvico*.]

cubiforme [De *cubo*[1] + *-iforme*.] ***Adj. 2 g.*** V. *cúbico* (2).

cubilô [Do fr. *cubilot*, poss. alter. do ingl. dial. (Sheffield) *cupilo, cupelow*, para designar *cupola* (< it.), 'forno de cúpula'.] ***S. m.*** *Metal.* Forno cilíndrico no qual se refunde o ferro para lançá-lo nos moldes de fundição. [F. paral.: *cubilote*.]

cubilote ***S. m.*** *Tec.* V. *cubilô*.

cúbio [De or. obsc.] ***S. m.*** *Bras. Bot.* Arbusto solanáceo (*Solanum sessiliflorum*) da Amaz., de ramos grossos, folhas serreadas e pilosas, flores com pétalas verde-claras, e infrutescências comestíveis, vermelhas, alaranjadas ou amarelas.

cubismo [De *cubo*[1] + *-ismo*.] ***S. m.*** *Art. Plást.* Escola de pintura (que veio a estender-se à escultura) surgida, por volta de 1910, através da obra dos artistas Pablo Picasso (v. *picassiano*), Georges Braque (1882-1963) e André Lhote (1885-1962), e que se caracteriza pela decomposição e geometrização das formas naturais, num processo intelectual arbitrário que, negando o realismo visual e as leis da perspectiva, tende a representar os objetos em sua totalidade, como se fossem contemplados simultaneamente por todos os lados.

cubista [De *cubismo* + *-ista*.] ***Adj. 2 g.*** **1.** Referente ao, ou próprio do cubismo. **2.** Que é adepto ou seguidor dessa escola. • ***S. 2 g.*** **3.** Adepto ou seguidor do cubismo.

cubital [De *cúbito* + *-al*[1].] ***Adj. 2 g.*** *Anat. Denom. ant.* Ulnário.

cúbito [Do lat. *cubitu*.] ***S. m.*** **1.** *Anat. Denom. ant.* Ulna (1). **2.** *Ant.* Côvado.

cubiú [Do tupi.] ***S. m.*** *Bras. Zool.* Peixe caracídeo (*Tetragonopterus argenteus*) das bacias amazônica e do Prata, prateado, pequeno, de até 12cm, mais ou menos arredondado, de opérculo transparente, permitindo ver o tom avermelhado das brânquias, e mácula preta na base da nadadeira caudal; cubé, pataca, sauá.

cubo[1] [Do gr. *kýbos*, pelo lat. *cubu*.] ***S. m.*** **1.** *Geom.* Poliedro regular com seis faces quadradas; hexaedro regular. **2.** *Mat.* A terceira potência de uma variável. **3.** Objeto cubiforme: *cubo de gelo*. **4.** Peça onde se encaixa a extremidade do eixo dos carros. **5.** *Constr. Nav.* Parte central da hélice, que se fixa ao eixo propulsor e de onde partem as pás. ◆ **Cubo perfeito.** *Mat.* Número inteiro que é o cubo[1] (2) de outro.

cubo[2] [Adapt. do jap.] ***S. m.*** Nome que se deu, no Japão, após a revolução de 1585, ao imperador temporal, dando-se ao espiritual a designação de *dairo*.

cuboide (ói) [Do lat. cient. *cuboides* < gr. *kyboeidés*.] ***Adj. 2 g.*** **1.** V. *cúbico* (2). • ***S. m.*** **2.** *Anat.* Osso curto existente em cada tarso. ❖

cubomancia (cí) [De *cubo*[1] + *-mancia*.] ***S. f.*** Arte de adivinhar por meio de cubos [v. *cubo*[1] (1)].

cubomante [De *cubo*[1] (1) + *-mante*.] ***S. 2 g.*** Pessoa que se consagra à cubomancia.

cubomântico ***Adj.*** Relativo a cubomancia, ou a cubomante.

cubomedusa [Do lat. cient. *cubo-* (v. *cubo*[1]) + tax. *Medusa* (< mit. *Medusa*, v. *medusa*); tax. *Cubomedusae*.] ***S. f.*** *Zool.* Espécime das cubomedusas, ordem de animais celenterados cifozoários de forma cúbica, sem lobos marginais, com uma dobra interna na umbrela, semelhante ao véu; quatro tentáculos ou quatro grupos de tentáculos. Vivem nos mares tropicais e subtropicais, e alimentam-se, em geral, de peixes. [Sin.: *carideída*.]

cubomedúseo [De *cubomedusa* + *-eo*.] ***Adj.*** *Zool.* Pertencente ou relativo às cubomedusas; carideída.

cuca[1] [Do ingl. *cook*, 'cozinheiro', pelo tsonga *kuka*.] ***S. m.*** *Bras. Moç.* Cozinheiro: 📖 "Quando acaba de cozinhar, o cuca começa a distribuição da papa" (Izaac Zita, *Os Molwenes*, p. 54).

cuca[2] [Alter. de *coca* (ô).] ***S. f.*** *Bras.* **1.** V. *papão*[1] (1). **2.** V. *bruxa* (2).

cuca[3] ***S. f.*** *Bras. Gír.* **1.** V. *cabeça* (1): 📖 "Chapéu inexistente em cima, só tem aba, que é de três cores bem espantadas. Com um chapéu desses, a gente protege os olhos e areja a cuca, um barato." (Carlos Drummond de Andrade, em *Jornal do Brasil*, 16.11.1972.) **2.** Mente, raciocínio, intelecto: *Levou bomba porque sua cuca não anda nada boa.* ◆ **Encher a cuca.** *Bras. Gír.* V. *embriagar* (4). **Fundir a cuca.** *Bras. Gír.* **1.** Fazer perder o senso, o siso, o rumo, a direção; baratinar, encucar: 📖 "A visão das companheiras desfilando tranquilamente peladas acabou de fundir a cuca da Rosinalva." (Marisa Raja Gabaglia, *Milho pra Galinha, Mariquinha*, p. 15.) **2.** Confundir, perturbar, baralhar, encucar: 📖 "Quando Eduardo começa a projetar em mim os complexos edipianos dele, funde a minha cuca." (Id., *ib.*, p. 90.) **3.** Perder o senso, o siso; baratinar; endoidar; encucar.

cuca[4] [Var. de *cuque*.] ***S. f.*** *Bras. Cul.* Bolo de origem alemã, feito com ovos, farinha de trigo, manteiga, fermento, e coberto com açúcar; cuque.

cuca[5] [De *quicuca*, com aférese.] ***S. f.*** *Bras. PE* Rolo que se faz com o mato depois da roçagem em que se usa o gancho; quicuca, ticuca.

cuca[6] ***S. f.*** *Bras. MG* V. *luxo* (1).

cucaburra [De *kookaburra*, designação nativa da Austrália.] ***S. f.*** *Zool.* Espécie de martim-pescador da Austrália (*Dacelo gigas*), cujo crocitar lembra uma gargalhada. Alimenta-se principalmente de reptis.

cucar[1] [De *cuco*[1] + *-ar*[2].] ***V. int.*** Cantar (o cuco); cucular. [Conjug.: v. *trancar*. Normalmente é defect., conjugável só nas 3.ªs pess. Cf. *cocar*, v. e s. m.]

cucar[2] ***V. int.*** V. *cocar*[2]. [Conjug.: v. *trancar*. Cf. *cocar*, v. e s. m.]

cucar[3] [De *cuca*[3] + *-ar*[2].] *Gír. RJ* ***V. t. d.*** **1.** Bolar[1] (2). ***Int.*** **2.** Remoer uma ideia, um pensamento; matutar. [Conjug.: v. *trancar*. Cf. *cocar*, v. e s. m.]

cucaracho [Do ingl. *cucaracho*, do espn. *cucaracha*.] ***S. m.*** *Pej.* O imigrante latino-americano, esp. o mexicano ou seu descendente, nos E.U.A.

cucharra [Do esp. plat. *cuchara*.] ***S. f.*** *Bras. RS* Colher grosseira, de chifre ou de pau, usada no campo.

cuchê [Do fr. *couché*.] ***Adj.*** ~ V. *papel —*.

cuche-cuche [Do chissena.] ***S. m.*** *Moç.* Feitiçaria, bruxaria: 📖 "a mulher dele levou o filho ao feiticeiro para fazer cuche-cuche." (Conde Chioco, *Taúlo*, p. 121). [Pl.: *cuche-cuches*.]

cuchilha ***S. f.*** V. *coxilha*.

cuco[1] [Do lat. *cuculu*, 'cuco', pela f. ant. **cucuo*.] ***S. m.*** **1.** *Zool.* Ave cuculídea (*Cuculus canorus*) da Europa, com cerca de 32cm de comprimento, com a cabeça e o dorso cinzentos e as partes inferiores listradas, e que é capaz de imitar a voz de numerosas espécies de pássaros e põe ovos nos ninhos de outras aves, para que estas os choquem. **2.** Relógio que, ao dar as horas, imita o canto dessa ave: 📖 "Tinham dado onze horas no cuco da sala de jantar." (Eça de Queirós, *O Primo Basílio*, p. 5.) **3.** *Lus.* Marido a quem a mulher é infiel. ● *Adj.* **4.** *Lus.* Diz-se de cuco[1] (3). [O Volp. registra a palavra, a exemplo de *cri-cri*, com hífen, esquecendo-se, porém, do étimo da palavra, o latim *cucūlus* ou *cucūlus*, e da sua evolução no português (lat. *cuculu* > **cucuo/cuquo* > *cuco*).]

cuco[2] [Do ingl. *cook*.] *S. m. Bras. Pop.* Mestre-cuca.

cucoecamecra *Bras. S. 2 g.* **1.** *Etnôn.* Indivíduo dos cucoecamecras [ou (etnôn. bras.) *Kukóekamekra], povo indígena da subfamília timbira, família linguística jê, tronco macro-jê, que habitava nas margens do rio Grajaú (MA). ● *Adj. 2 g.* **2.** Pertencente ou relativo a esse povo.

cu-cosido *S. m. Bras. Zool.* V. *tuim*. [Pl.: *cus-cosidos*.]

cucu [De or. incerta.] *S. m. Bras. RS* Papa-lagarta. [No Volp. 5ª ed., com hífen.]

cucuia [Var. de *cacuia*, us. na loc. *ir para a cacuia*.] *El. s. f.* Us. na loc. *ir para a Cucuia*. ◆ **Ir para a Cucuia.** *Bras. Pop.* **1.** V. *morrer* (1). **2.** Falhar, malograr-se; ir para o beleléu (q. v.).

cuculado [Do lat. med. *cucullatu* < lat. *cucullu*, 'capuz'.] *Adj. Bot.* Em forma de capuz; cuculiforme: 📖 *pétala cuculada*.

cucular[1] [De *cuculo*[1] + *-ar*[1].] *Adj. 2 g.* Que tem forma de cuculo[1]. [Cf. *cocular*.]

cucular[2] [Do lat. *cuculare*.] *V. int.* Cucar[1]. [Cf. *cocular*.]

cucular[3] *V. t. d. T. d. e i.* V. *cogular*. [Cf. *cocular*.]

cuculídeo [Do tax. *Cuculus* (< lat. *cuculus*, 'cuco[1]') + *-ídeo*[1]; tax. *Cuculidae*.] *Zool. S. m.* **1.** Espécime dos cuculídeos, família de aves cuculiformes que engloba os anus, as almas-de-gato e os sacis. ● *Adj.* **2.** Pertencente ou relativo a eles.

cuculiforme[1] [Do lat. *cucullus*, 'capuz', + *-iforme*.] *Adj. Bot.* Cuculado.

cuculiforme[2] [Do tax. *Cuculus* (v. *cuculídeo*) + *-iforme*; tax. *Cuculiformes*.] *Zool. S. 2 g.* **1.** Espécime dos cuculiformes, ordem de aves cosmopolitas, de corpo delgado, bico forte e curvo, cauda longa e graduada, pés zigodáctilos, e que não apresentam dimorfismo sexual. Alimentam-se de artrópodes, pequenos anfíbios, frutas, sementes, etc. ● *Adj. 2 g.* **2.** Pertencente ou relativo a eles. [Sin. ger.: *coccígeo*.]

cuculo[1] [Do lat. *cucullu*, 'capuz'.] *S. m.* **1.** Capuz, capelo. **2.** *Bras. N.E. Lus. Pop.* V. *cogulo*: 📖 "só abrigava [o alpendre] madeira, um cuculo de cestos vazios e um carro de bois" (Eça de Queirós, *A Cidade e as Serras*, p. 289). **3.** *Bras. N.E. Lus. Pop.* Monte, porção. [Cf. *coculo*, do v. *cocular* e s. m.]

cuculo[2] [Do lat. cient. *cucullus*.] *S. m. Zool.* Órgão dos podogônios, em forma de lâmina articulada, na porção interior do cefalotórax, e que cobre as quelíceras e os palpos. [Cf. *coculo*, do v. *cocular* e s. m.]

cucumbi [Do quimb., poss.] *S. m. Bras. BA Etnogr.* Antigo folguedo de negros, vestidos de peles e penas, figurando um cortejo para a celebração do rito da puberdade, e no curso do qual se representa a morte e a ressurreição do filho do chefe; cocumbi. [Cf. *cacumbi* e *cabocolinhos*.]

cucura [Do tupi.] *S. f. Bras. Bot.* V. *mapati*.

cucúrbita[1] [Do lat. *curcubita*, 'cabaça'; 'abóbora'; tax. *Cucurbita*.] *S. f. Bot.* **1.** O gênero-tipo das cucurbitáceas, trepadeiras herbáceas, de folhas alternas, cordiformes, flores gamopétalas, de corola campanulada, e fruto carnoso, com sementes marginadas, que habitam regiões tropicais. **2.** Qualquer espécie desse gênero, como, p. ex., a *Cucurbita maxima* (v. *abóbora-menina*). **3.** Qualquer espécime desse gênero. [Cf. *cucurbita*, do v. *cucurbitar*.]

cucúrbita[2] [Do lat. *cucurbita*.] *S. f.* No alambique, a peça que recebe a substância que vai ser destilada. [Cf. *cucurbita*, do v. *cucurbitar*.]

cucurbitácea [Do tax. *Cucurbita*[1] + *-ácea*; tax. *Cucurbitaceae*.] *S. f. Bot.* Espécime das cucurbitáceas, família da ordem das violales que reúne 775 espécies de plantas ger. herbáceas, prostradas ou trepadeiras, muitas vezes com gavinhas, de flores grandes ou pequenas, unissexuais. Cinco estames, livres ou soldados; ovário com estilete trífido, e estigmas bífidos; o fruto é uma baga, às vezes lenhosa. Há umas 750 espécies, sobretudo tropicais, muitas brasileiras e numerosas delas, como, p. ex., a aboboreira, a melancia, a bucha, importantes para o homem.

cucurbitáceo[1] [De *cucúrbita*[1] + *-áceo*.] *Adj. Bot.* **1.** Pertencente ou relativo à abóbora (1 e 2). **2.** Semelhante à abóbora; cucurbitino.

cucurbitáceo[2] [De *cucurbitácea*, com var. suf. (v. *-áceo*).] *Adj. Bot.* Pertencente ou relativo às cucurbitáceas.

cucurbitacina [Do tax. *Cucurbitac(eae)* (v. *cucurbitácea*) + *-ina*[3].] *S. f. Quím.* Qualquer de certos triperpenoides, tetracíclicos, encontrados em cucurbitáceas, dos quais muitos têm ação antineoplástica.

cucurbitar [Do lat. *cucurbita*, 'abóbora', 'cabaça', + *-ar*[2].] *V. int.* Nascer em forma de cabaça. [Defect., conjugável só nas 3ªs pess. Pres. ind.: *cucurbita*, ... *cucurbitam*. Cf. *cucúrbita*.]

cucurbitino [Do lat. *cucurbitinu*.] *Adj. Bot.* Cucurbitáceo[1] (2).

cucuri *S. m. Bras. Zool.* V. *cação-frango*.

cucuricar [Voc. onom.] *V. int.* Cantar (o galo); cocoricar, cucuritar: 📖 "Cachorro late e galo cucurica." (Humberto Crispim Borges, *Cacho de Tucum*, p. 57.) [Conjug.: v. *trancar*. Normalmente é defect., conjugável só nas 3ªs pess.]

cucuritar [Voc. onom.] *V. int.* V. *cucuricar*: 📖 "Na alvorada lua, cucuritam os galos, pensando que é a madrugada..." (Martins Fontes, *A Dança*, p. 73.) [Normalmente é defect., conjugável só nas 3ªs pess.]

cucurucaio *S. m. Bras.* V. *cacurucaio*.

cucutiribá *S. f. Bras. Bot.* V. *cutitiribá*.

cu da mãe joana *S. m. Bras. Chulo* Coisa, negócio em que todos se intrometem, sobre o qual todos dão opinião. [Cf. *casa da mãe joana*. Pl.: *cus da mãe joana*.] ☑

cu de boi *S. m.* **1.** *Bras. Pop.* V. *rolo*[1] (16). **2.** *Bras. BA* Garrucha (3). [Pl.: *cus de boi*.] ☑

cu de breu *S. m. Bras. PE* V. *busca-pé*. [Pl.: *cus de breu*.] ☑

cu-de-cachorro *S. m. Bot.* V. *amarelinha*[1] (1). [Pl.: *cus-de-cachorro*.]

cu de ferro *Adj. 2 g. S. 2 g. Bras. Gír.* Diz-se de, ou pessoa que leva extremamente a sério seus trabalhos, estudos, compromissos, etc.; cê-dê-efe. [Pl.: *cus de ferro*.] ☑

cu de galinha *S. m. Bras. N. SC* Remendo de um rasgão em que a linha que o costurou é puxada formando um bolinho; rosquinha. [Pl.: *cus de galinha*.] ☑

cu de gato *S. m. Bras. Pop.* V. *rolo*[1] (16). [Pl.: *cus de gato*.] ☑

cu de jegue *S. m. Bras. AL* Cachaça com rodelas de limão e sal. [Pl.: *cus de jegue*.] ☑

cu de judas *S. m. Bras. Chulo* V. *cafundó* (3): 📖 "Nunca vi lugar mais insípido! Nem que fosse pra Nosso Senhor me fazer moça de novo eu me sujeitaria a morar naquele cu de judas." (Jorge de Lima, *Calunga*, p. 138.) [Pl.: *cus de judas*.] ☑

cudelume [De *cu* + *de* + *lume*.] *S. m. Bras. Pop. Zool.* V. *pirilampo*.

cu-de-mulata *S. m. Bras. Bot.* V. *amarelinha*[1] (1). [Pl.: *cus-de-mulata*.]

cudo *S. m. Moç. Zool.* Grande antílope (*Tragelaphus strepsiceros*), de chifres compridos, em espiral: 📖 "Quando eles matavam os leões e os búfalos, os cudos e os javalis, eu também lhes dava um tiro" (Álvaro Récio, *Tchaya — Da Inocência à Revolução Adiada*, p. 39).

cu-doce *S. 2 g. Bras. Chulo* **1.** Pessoa cheia de luxo (q. v.). **2.** Negaça melindrosa, desinteresse fingido. [Pl.: *cus-doces*.] ◆ **Fazer cu-doce.** *Bras. Chulo* Fingir não aceitar alguma coisa, quando intimamente muito a deseja: 📖 "O sujeito que me atendeu .... ficou fazendo cu-doce, fingindo que não sabia de nada sobre o desaparecimento do corpo, e tive que passar uma grana para ele abrir o jogo." (Rubem Fonseca, *O Seminarista*, pp. 19-20.)

cu do conde *S. m. Bras. Chulo* V. *cafundó* (3). [Pl.: *cus do conde*.] ☑

cu do mundo *S. m. Chulo* V. *cafundó* (3): 📖 "Hospedando-se naquele 'cu do mundo' do Rio Vermelho, vinha logo cedo, antes do almoço, para a casa da filha" (Jorge Amado, *Dona Flor e Seus Dois Maridos*, p. 351). [Pl.: *cus do mundo*.] ☑

cuebas *S. m. 2 n. Bras. PE* V. *cuba*[3] (2 e 3).

cueca [De *cu*.] *S. f.* **1.** Peça íntima do vestuário masculino, usada sob a calça, calção, etc. **2.** *Lus.* Calça (3); cuequinha. [Tb. us. no plural.]

cuecas *S. f. pl.* V. *cueca*.

cueca-virada [De *cueca* + o f. de *virado*.] *S. f. Bras. Cul.* Massa especial us. para fazer sonho (9). [Pl.: *cuecas-viradas*.]

cueiro [De *cu* + *-eiro*.] *S. m.* Pano em que se envolve o corpo das crianças de peito da cintura para baixo, esp. as nádegas e pernas: 📖 "A Joaquina .... enrolou o filho no cueiro de flanela e deitou-o com cuidado." (Natércia Freire, *A Alma da Velha Casa*, p. 93.) ◆ **Feder a cueiro.** Ser ainda muito criança; usar cueiros. **Usar cueiros.** Feder a cueiro.

cuequinha *S. m. Lus.* Cueca (2).

cuequinhas *S. f. pl.* V. *cuequinha*.

cuera [De or. tupi, poss.] *S. f. Bras. RS* Matadura ao lado do fio do lombo dos cavalos, originada do uso dos lombilhos; unheira, tubuna. [Cf. *quera*.]

cueretu *Bras. S. 2 g.* **1.** *Etnôn.* Indivíduo dos cueretus [ou (etnôn. bras.) *Kueretú], povo indígena extinto da família linguística tucano, que habitava as margens do rio Japurá, na fronteira do AM com a Colômbia. ● *Adj. 2 g.* **2.** Pertencente ou relativo a esse povo.

cuerudo [De *cuera* + *-udo*.] *Adj. Bras. RS* Diz-se do cavalo que sofre de cuera. [Cf. *querudo*.]

cúfia [Do it. *cuffia*.] *S. f. Constr.* Peça de aço que se encaixa sobre pilastra de fundações para protegê-la, e na qual bate o martelo do bate-estaca.

cuí [Do tupi = 'farinha'.] *S. m.* **1.** *Bras.* Escória de fumo em forma de pó. **2.** *Bras. Amaz.* Farinha fina, peneirada.

cuia [Do tupi.] *S. f.* **1.** Fruto da cuieira. **2.** Vaso feito desse fruto maduro e de outros, como os de certas cucurbitáceas e bignoniáceas, depois de esvaziado do miolo. [Sin., nessas acepçs.: *cabaça* ou *cabaço*, *coité*, *cuieté* ou *cuiete*, *cuité* ou *cuitê*.] **3.** *Bras. Gír.* V. *cabeça* (1). **4.** *Bras. MA Bot.* Abóbora-d'água (2). **5.** *Bras. MA Bot.* Abóbora-menina (2). **6.** *Bras. N.E.* Medida de capacidade para secos, equivalente a 1/32 do alqueire. **7.** *Bras. N.E.* O conteúdo dessa medida. **8.** *Bras. MG Pop. Deprec.* Meretriz. **9.** *Bras. RS* A cabaça, quase sempre ricamente prateada e lavrada, em que se prepara e se bebe o mate por meio de uma bombilha. ◆ **Juntar as cuias.** *Bras. Pop.* Transferir a residência; mudar-se. **Levar na cuia dos quiabos.** V. *tomar na cuia dos quiabos*: 📖 "— Qual nada!.... .... Gosto deste Maranhãozinho, porque não perdoa os tipos que vêm prá cá com pomadas!... O sujeito aqui, que se quiser fazer mais sabichão do que os outros, há de levar na cuia dos quiabos, para não ser pedante!" (Aluísio Azevedo, *O Mulato*, p. 192). **Tomar na cuia dos quiabos.** *Bras. BA Pop.* Ser logrado.

cuiabano *Adj.* **1.** De, ou pertencente ou relativo a Cuiabá, capital do Estado de Mato Grosso. ● *S. m.* **2.** O natural ou habitante de Cuiabá. [Sin., nesta acepç., (joc.): *papa-peixe*.]

cuiaca *S. f. Bras. GO* Certo utensílio de que se utiliza o minerador de diamantes.

cuiada [De *cuia* + *-ada*[1].] *S. f. Bras.* Porção de infusão de mate contida em uma cuia.

cuia-de-macaco *S. f. Bras. Bot.* V. *castanha-de-macaco*. [Pl.: *cuias-de-macaco*.]

cuia-do-brejo *S. f. Bras. Bot.* Planta estiracácea (*Styrax camporum*, ornamental, de folhagem belíssima e flores campanuladas, alvas ou creme, e que exsuda uma resina aromática, que substitui o incenso oriental. Ocorre em MG, SP e PR. [Sin.: *estoraque-do-campo*. Pl.: *cuias-do-brejo*.]

cuiambuca [Do tupi.] *S. f. Bras.* Cumbuca (1): 📖 "das traves do teto pendiam cuiambucas rachadas, donde escorria — um líquido vermelho parecendo sangue." (Inglês de Sousa, *Contos Amazônicos*, p. 49).

cuiame [De *cuia* + *-ame*.] *S. m. Bras.* Grande porção de cuias.

cuiana *Bras. S. 2 g.* **1.** *Etnôn.* Indivíduo dos cuianas [ou (etnôn. bras.) *Kuyana], povo indígena da família linguística caraíba, que habita a região da cabeceira do rio Cuá, no N. do PA, até o rio Cachorro. ● *Adj. 2 g.* **2.** Pertencente ou relativo a esse povo.

cuianaua *Bras. S. 2 g.* **1.** *Etnôn.* Indivíduo dos cuianauas [ou (etnôn. bras.) *Kuyanawa], povo indígena da família linguística pano que habita a região do rio Tarauacá, próximo ao rio Moá e ao Paraná dos Mouras (AM). ● *Adj. 2 g.* **2.** Pertencente ou relativo a esse povo.

cuiapeua [Do tupi = 'cuia chata'.] *S. f. Bras. Amaz.* Cuia chata empregada na cerâmica para dar polimento à manufatura.

cuiapitinga [Do tupi = 'cuia de cor clara'.] *S. f. Bras. AM PA* Cuia que, embebida na decocção de certas plantas expostas a vapores amoniacais da urina, adquire cor preta lustrosa e indelével, e serve de recipiente para líquidos e sólidos. [Cf. *pitinga* (2).]

cuiara [De or. indígena.] *Bras. Adj. 2 g.* **1.** Esperto no jogo. **2.** Velhaco, matreiro. ● *S. m.* **3.** *Bras.* Indivíduo cuiara. **4.** *SP Zool.* V. *rato-d'água*.

cuiarana [Do tupi = 'semelhante a cuia'.] *S. f. Bras. Bot.* Árvore combretácea (*Buchenavia grandis*) nativa do Brasil, de flores aglomeradas no ápice dos ramos, inflorescências espiciformes, frutos drupáceos que lembram a azeitona, e madeira de boa qualidade.

cuíca [Do tupi.] *S. f. Bras.* **1.** *Zool.* Designação comum às espécies de mamíferos marsupiais didelfídeos, gênero *Didelphis*, exceto os gambás. Numerosas delas são desprovidas de bolsas marsupiais e muito semelhantes aos ratos, dos quais diferem por terem acima de 12 dentes incisivos, ao passo que os roedores têm 12 no máximo. [Sin.: *jupati*, *quaiquica*. Cf. *catitá*[3] (1).] **2.** *Mús.* Instrumento feito com um pequeno barril em uma de cujas bocas se prende uma pele bem estirada, em cujo centro está presa uma pequena vara, a qual, ao ser atritada com um pano úmido ou com a palma da mão molhada, faz vibrar o singular tambor, produzindo ronco; adufo, fungador-onça, socador, omelê, tambor-onça, roncador, puíta, vu: 📖 "negros, mulatos, todos tocando as cuícas e os tambores roucos, todos cantando a marcha carnavalesca." (Telmo Vergara, *Contos da Vida Breve*, p. 55).

cuíca-d'água *S. f. Bras. Zool.* Mamífero marsupial didelfídeo (*Chironectes minimus*), distribuído por toda a América do Sul, de coloração cinzenta ornada de grandes manchas pretas que formam duas placas no dorso e se estendem sobre as extremidades e grande parte da cabeça, e com manchas brancas sobre os olhos. Tem membranas natatórias nos pés, dedos da mão normais, e orelhas redondas e nuas. Vive nos barrancos dos rios, lagos, saindo à noite para se alimentar de pequenos peixes, crustáceos e insetos aquáticos. [Sin.: *chichica-d'água*. Pl.: *cuícas-d'água*.]

cuicuro *Bras. S. 2 g.* **1.** *Etnôn.* Indivíduo dos cuicuros [ou (etnôn. bras.) *Kuikuro], povo indígena da família linguística caraíba, que habita a região dos formadores orientais do rio Xingu (MT). • *Adj. 2 g.* **2.** Pertencente ou relativo a esse povo.

cuicutle *Bras. S. 2 g.* **1.** *Etnôn.* Indivíduo dos cuicutles [ou (etnôn. bras.) *Kuikutl], povo indígena extinto, da família linguística caraíba, que habitava as margens do rio Culuene, na região do alto rio Xingu (MT). • *Adj. 2 g.* **2.** Pertencente ou relativo a esse povo.

cuidado [Do lat. *cogitatu*, 'pensado'; 'pensamento', 'reflexão'.] *S. m.* **1.** Atenção (1): *Seus trabalhos são feitos com muito cuidado.* **2.** Precaução, cautela: *Cuidado para não cair!* **3.** Diligência, desvelo, zelo: *Sempre teve cuidado com seus livros.* **4.** Encargo, responsabilidade, conta: *Deixei a encomenda dos livros sob seus cuidados.* **5.** Inquietação de espírito: *O filho é todo o seu cuidado;* "Disto enfim já não duvido, / No mundo o maior cuidado / Vem do bem que foi perdido / Antes de ser alcançado." (José Albano, *Rimas*, p. 46.) **6.** Pessoa ou coisa que é objeto de desvelos: *O filho mais velho é o cuidado da casa.* • *Adj.* **7.** Pensado, imaginado, meditado. **8.** Previsto, calculado, suposto. • *Interj.* **9.** Atenção, cuidado, cautela.

cuidador (ô) [De *cuidar* + *-dor*.] *S. m.* Aquele que cuida.

cuidadoso (ô) [De *cuidado* + *-oso*.] *Adj.* **1.** Que tem ou denota cuidado: *menino cuidadoso; trabalho cuidadoso.* **2.** Diligente, zeloso: *É um pequeno limpo, cuidadoso.* [Var. haplológica: *cuidoso*.]

cuidar [Do lat. *cogitare*.] *V. t. d.* **1.** Imaginar, pensar, meditar; cogitar, excogitar: *Cuidou maduramente o plano.* **2.** Julgar, supor: *Cuidei que ele dormia, e estava desperto.* *T. i.* **3.** Julgar, supor: *Depois de tamanha deslealdade, nem sabiam o que cuidavam dele.* **4.** Aplicar a atenção, o pensamento, a imaginação; atentar, pensar, refletir: *Cuidou muito no assunto antes da decisão.* **5.** Ter cuidado (3); tratar: *Cuida da saúde;* "A velha tapuia Rosa já não podia cuidar da pequena lavoura que lhe deixara o marido." (Inglês de Sousa, *Contos Amazônicos*, p. 3); "elas lavam, cozinham; passam roupa. Cuidam das crianças da casa." (Ana Elisa Gregori, *Os Barões da Candeia*, p. 5). **6.** Fazer os preparativos; tratar: *cuidar do almoço.* *Transobj.* **7.** Julgar, supor: *Eu cuidava-o rico, e é bem pobre.* *P.* **8.** Ter-se por; julgar-se, considerar-se: *Cuida-se muito inteligente, mas é apenas esperto.* **9.** Prevenir-se, acautelar-se. **10.** Ter cuidado consigo mesmo, com a sua saúde, a sua aparência ou apresentação: "a própria D. Marfisa .... já andaria à procura dos dois, espigada na sua cinta, os sapatos de salto alto, os cabelos anilados. Era mulher que se cuidava." (Moreira Campos, *Portas Fechadas*, p. 37).

cuidaru *S. m. Bras.* Espécie de clava chata e esquinada, de cerca de 1m de tamanho, usada pelos indígenas; tamarana.

cuidoso (ô) *Adj.* V. *cuidadoso*: "o verso flui fácil, como era natural sucedesse numa época acima de tudo cuidosa da forma." (Hernâni Cidade, *Lições de Cultura e Literatura Portuguesas*, I, p. 294).

cuieira [De *cuia* + *-eira*.] *S. f. Bras. Bot.* **1.** Árvore bignoniácea (*Crescentia cujete*) de caule tortuoso, grandes flores solitárias, a qual fornece madeira castanho-amarelada, dura e forte, própria para marcenaria, e cujo fruto, uma baga, é us. como vasilha, cuia e instrumento musical: "iriam abrigar-se sob a copada cuieira" (Inglês de Sousa, *O Missionário*, p. 260). [Sin.: *árvore-da-cuia, cabaça, cabaceira, cabaceiro, coité, cuité* ou *cuitê, cuitezeira, cuitezeiro*.] **2.** Abóbora-d'água (1).

cuieté *S. m. Bras.* V. *cuietê*.

cuietê [Do tupi = 'cuia verdadeira'.] *S. m. Bras.* V. *cuia* (1 e 2). [Var. pros.: *cuieté*.]

cuietezeira (etê) [De *cuietê* + *-zeira*.] *S. f. Bras. Bot.* V. *cabaceiro-amargoso*.

cuietezeiro (etê) [De *cuietê* + *-zeiro*.] *S. m. Bras. Bot.* V. *cabaceiro-amargoso*.

cuim[1] (u-ím) [Voc. onom.] *S. m. Bras. Zool.* V. *ouriço-cacheiro*.

cuim[2] (u-ím) [Voc. onom.] *S. m.* O grunhir do porco quando sofre.

cuim[3] (u-ím) [Do tupi, 'farinha', com nasalação.] *S. m. Bras.* Alimpadura do arroz.

■ **cu in** Abrev. de *polegada cúbica*. [Em ingl., *cubic inch*.]

cuinchar (u-i) [Voc. onom.] *V. int.* Gritar (o porco); cuinhar: "Bácoros cuinchavam" (Coelho Neto, *A Conquista*, p. 444).

cuincho (u-i) [Dev. de *cuinchar*.] *S. m.* Ato de cuinchar; a voz do porco: "as leitegadas reunidas aos cuinchos em volta das porcas de mamas flácidas" (Coelho Neto, *Obra Seleta*, I, p. 443).

cuinhar (u-i) [Voc. onom.] *V. int.* Cuinchar: "vinte índios, em fila, saem do mato, imitando uma vara de caititus, cuinhando, roncando, grunhindo" (Martins Fontes, *A Dança*, p. 83).

cuinhira (u-i) [De or. indígena.] *S. f. Bras. Amaz.* V. *crueira*[2].

cuintau (u-in) [Do tupi.] *S. m. Bras. Zool.* V. *anhima* (2).

cuipuna [Do tupi.] *S. f. Bras. Bot.* Pequena árvore mirtácea (*Myrcia tingens*) nativa do Brasil, de casca lisa, que fornece matéria tintorial preta, folhas luzidias, flores brancas e frutos bacáceos.

➔**cuique suum** ['kwikwɛ 'suo(m)] [Lat., 'a cada um o seu'.] Aforismo do direito romano.

cuíra [Do tupi.] *Adj. 2 g. Bras. Amaz.* Que não para; que está em contínuo movimento; irrequieto, traquinas: *um cavalo cuíra; criança cuíra.*

cuité *S. f. e m. Bras.* V. *cuitê*.

cuitê [Var. de *cuietê*.] *S. f. e m. Bras.* **1.** *Bot.* V. *cuieira* (1): "a polpa dos frutos do cuitê entremaduros ou verdoengos" (Leôncio C. de Oliveira, *Vida Roceira*, p. 29). **2.** V. *cuia* (1 e 2). [Var. pros.: *cuité*; outra var.: *coité*.]

cuité-açu [De *cuité* + *-açu*.] *S. m. Bras. Bot.* V. *cardamomo-da-terra*. [Pl.: *cuités-açus*.]

cuiteense (èen) *Adj. 2 g.* **1.** De, ou pertencente ou relativo a Cuité (PB). • *S. 2 g.* **2.** O natural ou habitante de Cuité.

cuitegiense *Adj. 2 g.* **1.** De, ou pertencente ou relativo a Cuitegi (PB). • *S. 2 g.* **2.** O natural ou habitante de Cuitegi.

cuitejiense *Adj. 2 g. S. 2 g.* V. *cuitegiense*.

cuitelão [De *cuitelo* + *-ão*[1].] *S. m. Bras. Zool.* **1.** Ave piciforme, galbulídea (*Jamaralcyon tridactyla*), do S.E. do Brasil, de colorido verde-metálico, cabeça com estrias longitudinais ferruginosas, peito e abdome esbranquiçados, e pé com três dedos apenas. Alimenta-se de insetos. [Sin.: *guanumbiguaçu, violeiro*.] **2.** V. *bicudo* (10).

cuitelo *S. m. Bras. SP Zool.* Entre os caipiras, designação comum aos beija-flores. [V. *beija-flor*.]

cuitezeira (tè) [De *cuitê* + *-zeira*.] *S. f. Bras. Bot.* **1.** V. *cabaceiro-amargoso*. **2.** V. *cuieira* (1).

cuitezeiro [De *cuitê* + *-zeiro*.] *S. m. Bras. Bot.* V. *cuieira* (1).

cuiuba (ui-ú) [De or. tupi, poss.] *S. m. Bras. Zool.* V. *tuim*. ❖

cuiú-cuiú [Do tupi.] *S. m. Bras. Zool.* **1.** Ave psitacídea (*Pionopsitta pileata*), do S.E. do Brasil e países limítrofes, com cerca de 20cm, de coloração verde-azeitona, asas azul-cobalto, sendo a fronte sanguínea no macho adulto, e azul no macho jovem e na fêmea. [Sin.: *caturra, iuiú, maitaca-da-cabeça-vermelha, periquito-real, periquito-rei, tuimaitaca*.] **2.** Designação comum a peixes doradídeos que têm uma fileira de placas córneas imbricadas ao longo da linha lateral, tendo cada uma delas um espinho voltado para trás. [Sin.: *abotoado, armado, focinho-de-porco, iuiú, peixe-de-manilha, queruqueru, quiriquiri*.] **3.** Peixe doradídeo (*Oxydoras kneri*) da bacia dos rios Paraná e Paraguai, de dorso plúmbeo, flancos mais claros, abdome amarelado, com placas córneas da mesma cor. Comprimento até 70cm; tem hábitos noturnos. [Sin.: *abotoado, cari, focinho-de-porco, peixe-de-manilha, tuiú, vacu*.] **4.** Peixe doradídeo (*Oxydoras niger*) da bacia amazônica e de rios das Guianas, de coloração geral cinza a negra, e que chega a medir cerca de 1m de comprimento. [Sin.: *abotoado, cari, tuiú, vacu*.] **5.** Peixe doradídeo (*Pterodoras granulosus*) da Amaz., e bacia dos rios Paraná e Paraguai, de coloração geral vinosa, com o abdome mais claro, e que chega a ter 1m de comprimento. [Sin.: *abotoado, botoado, armado, armado-comum, bacu, bacu-pedra*.]

cuiuíra (cui-u-í) *S. f. Bras. AM* V. *crueira*[2].

cuiumari *S. m. Bras. AM Bot.* V. *cujumari*.

cujara [Var. de *cuiara*.] *S. m. Bras. SP Zool.* V. *rato-d'água*.

cujigenere *Bras. S. 2 g.* **1.** *Etnôn.* Indivíduo dos cujigeneres [ou (etnôn. bras.) *Kujigeneri], povo indígena extinto, da família linguística aruaque, que habitava a região do alto rio Purus, na fronteira do AC com o Peru. • *Adj. 2 g.* **2.** Pertencente ou relativo a esse povo.

cujo [Do lat. *cuju* < lat. *cujus, a, um*.] *Pron. rel.* **1.** De que ou de quem; do qual, da qual, dos quais, das quais: *É um gás a cujas exalações ninguém resiste;* "Vós, poderoso Rei, cujo alto Império / O Sol logo em nascendo vê primeiro." (Luís de Camões, *Os Lusíadas*, I, 8); "Aquela, cujo amor me causa alguma pena, / Põe o chapéu ao lado, abre o cabelo à banda." (Cesário Verde, *Obra Completa*, p. 86). [À ideia de referência e relação acrescenta a de posse ou pertença, etc. Reclama, em regra, antecedente e consequente expressos, e concorda em gênero e número com este, que não pode ser igual àquele. O antecedente é representado por um substantivo (tal qual o consequente), ou por um pronome, como se vê nos dois últimos exemplos citados. É arcaico o emprego do *cujo* sem essa característica, embora disso haja documentação em autores modernos: "Antes de o tragar o inferno, cujo [= do qual] é, o árabe sensual passava pelo paraíso, que nos tinha roubado!" (Rebelo da Silva, *Contos e Lendas*, p. 20); "Ele recebeu com o batismo o nome do santo, cujo era o dia." (José de Alencar, *Iracema*, p. 138); "aquelas reservas, restrições, insinuações e dúvidas cujas principais já mais ou menos indicamos." (José Régio, *O Príncipe com Orelhas de Burro*, p. 20).] • *S. m.* **2.** *Bras. Fam.* Qualquer pessoa, indeterminada ou de quem não se quer dizer o nome; sujeito, indivíduo, fulano, camarada, cara; dito-cujo: "Então, seu alferes, me cheguei peito a peito, e mandei o cujo prós quintos!..." (Amadeu de Queirós, *Os Casos do Carimbamba*, p. 100.) **3.** *Bras. Pop. P. ext.* V. *diabo* (2): "Conta-se que um marido .... ao fazer uma viagem deixou o diabo guardando-lhe a mulher. — Mas esta, que não era tola, percebeu que o guarda era o cujo." (Lindolfo Gomes, *Contos Populares Brasileiros*, p. 73.).

cujuba[1] [Do tupi.] *S. f.* **1.** *Bras. CE Bot.* Pequena cuia (1). **2.** *Bras. MA* Desenvolvimento monstruoso dos testículos.

cujuba[2] [De or. indígena.] *Interj. Bras. AM* Voz empregada pelos tiradores de madeira para que todos a um tempo se empenhem na tração.

cujubi [Do tupi.] *S. m. Bras. Amaz. Zool.* V. *cujubim*.

cujubim [Var. de *cujubi*.] *S. m. Bras. Zool.* Designação comum às aves galiformes, cracídeas, gênero *Pipile*, que ocorrem na Amaz., especialmente *P. cumanensis*; têm a pele da garganta nua e coloração azul-escura, com parte das coberteiras das asas superiores branca e as pontas pretas. [Sin.: *cajubi, cajubim*.]

cujumari [De or. tupi, poss.] *S. m. Bras. AM Bot.* Grande árvore laurácea (*Ocotea cujumary*) dotada de flores dioicas, de exterior amarelo-pálido e interior alvacento, cujo fruto é baga com cúpula crassa na base, e que fornece madeira própria para marcenaria; cuiumari, cuxeri, cuxumari, cumari.

cujuna *Bras. S. 2 g.* **1.** *Etnôn.* Indivíduo dos cujunas [ou (etnôn. bras.) *Kujuna], povo indígena extinto, da família linguística xapacura, que habitava na margem direita do rio São Miguel (RO). • *Adj. 2 g.* **2.** Pertencente ou relativo a esse povo.

▲**-cula** [Do lat. *-cŭla*. V. *-culo*.] *El. comp.* = 'diminuição'; 'especialização' (em cientificismos): *acícula* (< lat.), *aurícula* (< lat.), *arbúscula* (< lat.), *avícula* (< lat.), *bursícula, cicatrícula* (< lat.), *cotícula* (< lat.), *cutícula* (< lat.), *edícula* (< lat.), *falcícula* (< lat.), *febrícula* (< lat.), *fontícula, fúrcula* (< lat.), *retícula*. [V. *-ula*.]

culape *S. m. Bras. RS* **1.** Susto. **2.** Naco, pedaço.

culatra [Do it. *culatta*.] *S. f.* **1.** O fundo do cano de arma de fogo. **2.** A parte posterior do canhão. **3.** *Mec.* Tampa que fecha a parte superior dos cilindros dos motores de explosão. **4.** *Gír.* Nádegas. **5.** *Bras. S.* O remanescente duma partida de gado. **6.** *Bras. S.* A retaguarda de um rebanho.

culatrão [De *culatra* + *-ão*[1].] *S. m. Lus.* **1.** Mulher muito gorda. **2.** Prostituta reles.

culatrear [De *culatra* + *-ear*[2].] *V. t. d.* **1.** *Bras. S.* Seguir na culatra (6), tangendo (o rebanho). **2.** *Fig.* Ir no encalço de; perseguir. [Conjug.: v. *frear*.]

culatreiro [De *culatra* + *-eiro*.] *Adj.* Que fica na culatra (6), na parte traseira do rebanho: *boi culatreiro.*

➔**cul-de-lampe** [kyl də lãp] [Fr.] *S. m.* Vinheta no fim de um capítulo, em um livro. [Pl.: *culs-de-lampe*.]

➔**cul-de-sac** [kyl də sak] [Fr.] *S. m. Arquit.* Rua sem saída, que tem ger., no final, uma área para manobra de veículos. [Pl.: *culs-de-sac*.]

cule [Do hindi *kulī, qulī*, pelo ingl. *coolie*, poss.] *S. m.* Operário nativo não especializado, em particular na Índia, na antiga China, etc.

▲**culic(i)-** [Do lat. *culex, icis*.] *El. comp.* = 'mosquito': *culiciforme*.

culicídeo [Do lat. cient. *Culic-* (< tax. *Culex* < lat. *culex, icis*, 'mosquito') + *-ídeo*[1]; tax. *Culicidae*.] *Zool. S. m.* **1.** Espécime dos culicídeos, família de insetos dípteros, nematóceros. Conhecidos como pernilongos, mosquitos, carapanãs e muriçocas, constituem grande família, em que as fêmeas são hematófagas e causam prejuízos graves, servindo de vetores na transmissão de doenças. • *Adj.* **2.** Pertencente ou relativo a eles.

culiciforme (cù) [De *culic(i)-* + *-iforme*.] *Adj. 2 g.* Semelhante a mosquito[1] (1).

culimar [De *ku-lima*, 'cultivar', em várias línguas do grupo banto (v. *banto* [2]).] *Moç. V. t. d.* **1.** Cultivar a terra: "Culimaram muita terra nesse dia." (Momed Kadir, em *Xiphefo*, nº 7, p. 12.) *Int.* **2.** Exercer a agricultura: "Cheguei a um sítio onde vi uma senhora a culimar com bois." (Lina Magaia, *Duplo Massacre em Moçambique*, p. 136.) [Cf. *colimar*.]

culina *Bras. S. 2 g.* **1.** *Etnôn.* Indivíduo dos culinas [ou (etnôn. bras.) *Kulina], povo indígena da família linguística arauá que habita os municípios de Manuel Urbano e Feijó (AC) e no S.E. do AM, próximo ao rio Javari. ● *Adj. 2 g.* **2.** Pertencente ou relativo a esse povo. [Cf. *colina*.]

culina-pano *Bras. S. 2 g.* **1.** *Etnôn.* Indivíduo dos culinas-panos [ou (etnôn. bras.) *Kulina-pano], povo indígena da família linguística pano que habita a margem esquerda do rio Solimões, entre o baixo Javari e a foz do rio Jandiuatuba (AM). ● *Adj. 2 g.* **2.** Pertencente ou relativo a esse povo. [Pl.: *culinas-panos*.]

culinária [F. subst. de *culinário*.] *S. f.* A arte de cozinhar.

culinário [Do lat. *culinariu* < lat. *culina*, 'cozinha'.] *Adj.* Pertencente ou relativo à cozinha: *petrechos culinários.* ~ V. *arte* —*a*.

culme *S. m. Zool.* V. *cúlmen*.

cúlmen [Do lat. cient. *culmen* < lat. *culmen*, 'cume', 'cimo'.] *S. m. Zool.* Crista mediana dorsal do bico das aves que se desenvolve da ponta do bico até a fronte. [Var.: *culme*. Pl.: *culmens* e, p. us. no Brasil, *cúlmenes*.]

culminação [De *culminar* + *-ção*.] *S. f.* **1.** V. *culminância*. **2.** *Astr.* Posição de um astro quando, no seu movimento diurno, atinge o mínimo de sua distância zenital.

culminância [De *culminar* + *-ância*.] *S. f.* Auge, apogeu, zênite; culminação: *Chegou à culminância do poder.*

culminante [De *culminar* + *-nte*.] *Adj. 2 g.* Que é o mais elevado, o mais alto. ~ V. *ponto* —.

culminar [Do lat. *culminare*.] *V. int.* Chegar ao ponto culminante, mais alto, ao auge: *Na década de 1880 culminou o movimento abolicionista brasileiro; O virtuosismo do futebol brasileiro culminou com a obtenção da Taça Jules Rimet.*

▲**-culo** [Do lat. *-cŭlus* (m.) ou *-cŭlum* (neutro).] *El. comp.* = 'diminuição'; 'especialização'; 'depreciação'; 'valor pejorativo': *animálculo, caudículo, dentículo* (< lat.), *montículo* (< lat.), *receptáculo* (< lat.); *vermículo* (< lat.); *governículo, ministrículo*. [V. *-cula* e *-ulo*.]

culote [Do fr. *culotte*.] *S. m. Bras.* **1.** Calça larga na parte superior e justa a partir do joelho, usada por militares e para montaria, em geral com botas de cano alto ou com perneiras. **2.** Acúmulo de gordura localizado na face externa de articulação coxofemoral.

culpa [Do lat. *culpa*.] *S. f.* **1.** Conduta negligente ou imprudente, sem propósito de lesar, mas da qual proveio dano ou ofensa a outrem. **2.** Falta voluntária a uma obrigação, ou a um princípio ético. **3.** Delito, crime, falta: "Não blasfemeis contra Deus, minha mãe, que é enorme culpa." (Alexandre Herculano, *Lendas e Narrativas*, II, p. 37.) **4.** Transgressão de preceito religioso; pecado. **5.** Responsabilidade por ação ou por omissão prejudicial, reprovável ou criminosa: *A criança não tem culpa de haver esquecido os livros em casa; A moça não tem culpa de ter despertado tão grande paixão.* **6.** Sentimento que resulta da consciência da violação de uma regra moral. **7.** *Jur.* Violação ou inobservância duma regra de conduta, de que resulta lesão do direito alheio. [Cf. *dolo*[1].] ◆ **Por culpa de.** Por causa de (algum mal ou inconveniente): *Cheguei atrasado por culpa do trânsito.* **Ter culpa(s) no cartório.** Estar implicado em um delito ou falta: "Eu não gostei desse indivíduo, fala medindo as palavras, como quem tem culpa no cartório." (Rubem Fonseca, *Histórias de Amor*, pp. 67-68.)

culpabilidade [De *culpável* + *-(i)dade*, seg. o padrão erudito.] *S. f.* Estado ou qualidade de culpável ou de culpado.

culpabilizar [De *culpável* + *-izar*, seg. o padrão erudito.] *V. t. d.* **1.** Atribuir culpa a; inculpar, acusar: *Como culpabilizá-la, sem razões objetivas? T. d. e i.* **2.** Inculpar (alguém ou algo): *Vamos culpabilizá-lo por tal excesso.*

culpado [Do lat. *culpatu*.] *Adj.* **1.** Que tem culpa(s). ● *S. m.* **2.** Aquele que cometeu ato culposo. **3.** *Restr.* Criminoso, delinquente.

culpando [Do lat. *culpandu*.] *Adj.* Que merece ou deve ser culpado.

culpar [Do lat. *culpare*.] *V. t. d.* **1.** Acusar de culpa; declarar culpado; incriminar: *Os jurados culparam o réu. T. d. e i.* **2.** Acusar, incriminar, responsabilizar: *Culparam-no de crime que não cometeu.* **3.** Apontar como causa: *Culpou o trânsito pelo seu atraso. P.* **4.** Cair em culpa; confessar-se culpado. **5.** Sentir-se responsável; atribuir-se culpa: *Culpa-se pela separação dos pais.*

culpável [Do lat. *culpabile*.] *Adj. 2 g.* **1.** A que se pode lançar a culpa. **2.** Digno de censura; condenável, repreensível: *atitude culpável.*

culposo (ô) [De *culpa* + *-oso*.] *Adj.* **1.** Que cometeu culpa. **2.** Em que há culpa. ~ V. *crime* — e *receptação* —*a*.

➔**cult** [kʌlt] [Ingl.] *Adj. 2 g. e 2 n.* **1.** Diz-se do que ou de quem se tornou objeto de culto em seu meio. **2.** *Restr.* Cultuado ou muito apreciado no meio artístico e/ou intelectual.

culteranismo [Do esp. *culteranismo*.] *S. m.* **1.** Excessivo apuro ou afetação no uso da linguagem. **2.** Estilo purístico, afetado. [Sin. ger.: *cultismo*.]

culteranista [De *culteranismo* + *-ista*.] *Adj. 2 g.* **1.** Relativo ao, ou que é partidário do culteranismo. ● *S. 2 g.* **2.** Partidário do culteranismo; cultista. [Sin. ger.: *culterano*.]

culterano [Do esp. *culterano*.] *Adj. S. m.* V. *culteranista*.

cultígeno [De *culti(vado)* + *-geno*.] *S. m. Biol.* Espécie cuja origem é desconhecida, por não se ter registro de seu ancestral (2) silvestre.

cultismo [De *culto*[2] + *-ismo*.] *S. m.* **1.** Qualidade de culto[2], ou de civilizado. **2.** V. *culteranismo*. **3.** *E. Ling.* V. *palavra erudita*.

cultista [De *cultismo* + *-ista*.] *Adj. 2 g.* **1.** Referente ao, ou que é partidário do cultismo. ● *S. 2 g.* **2.** Partidário do cultismo; culteranista.

cultivação [De *cultivar* + *-ção*.] *S. f. P. us.* V. *cultivo*.

cultivador (ô) [De *cultivar* + *-dor*.] *S. m.* **1.** Aquele que cultiva; cultor. **2.** Agricultor, lavrador.

cultivar[1] [Do ingl. *cultivar* < *cultiv(ated) var(iety)*.] *S. f. Bot.* Variedade híbrida de vegetal obtida mediante cultivo. [T. criado para estabelecer a distinção entre o híbrido cultivado e o híbrido silvestre.] "Estes ensaios têm por objetivo a avaliação contínua das diferentes cultivares de milho em praticamente todo o território nacional"; "O programa busca a obtenção de cultivares modernas, que apresentem porte mais baixo, ... tolerância à seca e a estresse mineral." (em *Relatório Técnico Anual do Centro Nacional de Pesquisa de Milho e Sorgo 1980-1984*, Sete Lagoas, Embrapa, 1986).

cultivar[2] [Do b.-lat. *cultivare*.] *V. t. d.* **1.** Fertilizar (a terra) pelo trabalho; amanhar: *Em vão procuraram os lavradores cultivar aqueles campos cansados.* **2.** Dar condições para o nascimento e desenvolvimento de (planta): *cultivar o trigo;* "gostava muito de flores ..... Bem pena tinha de não possuir um pedacinho de quintal onde as cultivasse!" (José Régio, *Histórias de Mulheres*, p. 83). **3.** *Fig.* Procurar formar; desenvolver: *cultivar o gosto pelas letras.* **4.** Aplicar-se ou dedicar-se a: *cultivar as artes.* **5.** Procurar manter ou conservar: *Cultiva suas amizades da infância.* **6.** Formar, educar ou desenvolver pelo estudo, pelo exercício: *Não cultiva os seus talentos. Int.* **7.** Exercer a agricultura. *P.* **8.** Formar-se pela educação; adquirir cultura.

cultivável [De *cultivar* + *-vel*.] *Adj. 2 g.* Que pode ser cultivado.

cultivo [Dev. de *cultivar*.] *S. m.* **1.** Ato ou efeito de cultivar: *O cultivo da cana-de-açúcar no Brasil principiou na primeira metade do séc. XVI.* **2.** Modo de cultivar[2] (6); cultura. [Sin. ger. (p. us.): *cultivação*.]

culto[1] [Do s. lat. *cultu* < v. lat. *colere*, 'cultivar', 'cuidar', 'tratar'; 'honrar', 'venerar'.] *S. m.* **1.** Adoração ou homenagem à divindade em qualquer de suas formas, e em qualquer religião: *o culto da Santíssima Trindade; o culto das forças da natureza.* **2.** Modo ou sistema de exteriorizar o culto (1); ritual [cf. *liturgia*]: *o culto cristão; o culto budista.* **3.** Cerimônia de culto (2) protestante. **4.** V. *religião* (3). **5.** *Fig.* Adoração, veneração, reverência, preito: "Leonardo, no seu culto da perfeição, dobrava o joelho ante as estátuas, ainda úmidas de terra, encontradas no sulco dos arados de Itália." (Alcides Maia, *Crônicas e Ensaios*, p. 143.) ◆ **Culto de possessão.** *Antrop.* Religião de possessão (q. v.).

culto[2] [Do adj. lat. *cultu*, 'tratado', 'aprimorado', part. pass. de *colere* (v. *culto*[1]).] *Adj.* **1.** Que tem cultura (5); instruído, ilustrado: *homem culto.* **2.** Civilizado, adiantado: *povo culto; país culto.*

cultor (ô) [Do lat. *cultore*.] *S. m.* **1.** Cultivador (1). **2.** Aquele que se dedica a determinado estudo: *cultor das artes.* **3.** *Fig.* Partidário, sectário.

▲**-cultor** (ô) [Do lat. *-cultor, ōris* < lat. *cultor, ōris*.] *El. comp.* = 'que cultiva'; 'que cuida', 'trata'; 'que se ocupa de'; 'que pratica'; 'especialista em': *cafeicultor, carcinicultor, fruticultor, viniculor, praticultor, puericultor*.

▲**cultri-** [Do lat. *culter, tri*.] *El. comp.* = 'faca': *cultriforme, cultrifoliado; cultrirrostro*.

cultrifoliado [De *cultri-* + *-foli-* + *-ado*[1].] *Adj. Bot.* Que tem folhas cultriformes.

cultriforme [De *cultri-* + *-forme*.] *Adj. 2 g.* Que tem forma de lâmina de faca.

cultrirrostro[1] [De *cultri-* + *-rostro*.] *Adj. Zool.* Cujo bico é cultriforme.

cultrirrostro[2] [Adapt. do tax. *Cultrirostres*.] *Zool. S. m.* **1.** Espécime dos cultrirrostros, família de pernaltas de bico pontiagudo e comprido como lâmina de faca. ● *Adj.* **2.** Pertencente ou relativo a eles.

cultual [De *culto*[1] + *-ual*.] *Adj. 2 g.* Relativo ao, ou próprio do culto: "No Reino Unido o nome da rainha é em toda a imprensa objeto de um respeito quase cultual" (Ramalho Ortigão, *As Farpas*, IX, p. 40).

cultuar [De *culto*[1] + *-uar*.] *V. t. d.* **1.** Prestar, render culto a: *Os gregos cultuavam os deuses do Olimpo.* **2.** Tornar objeto de culto: *Após a sua morte, cultuam-lhe o nome.*

cultura [Do lat. *cultura*.] *S. f.* **1.** Ato, efeito ou modo de cultivar; cultivo: *terras estéreis, em que a cultura é quase impossível.* **2.** *Restr.* Cultivo agrícola: *A cultura do arroz é a principal atividade da região.* **3.** Atividade econômica dedicada à criação, desenvolvimento e procriação de plantas ou animais, ou à produção de certos derivados seus: *cultura extensiva de cereais; cultura de subsistência; cultura de pérolas.* **4.** *P. ext.* Os animais ou plantas assim criados: *cultura de carpas; A praga destruiu a cultura de cacau.* **5.** O conjunto de características humanas que não são inatas, e que se criam e se preservam ou aprimoram através da comunicação e cooperação entre indivíduos em sociedade. [Nas ciências humanas, opõe-se por vezes à ideia de *natureza*, ou de constituição biológica, e está associada a uma capacidade de simbolização considerada própria da vida coletiva e que é a base das interações sociais.] **6.** A parte ou o aspecto da vida coletiva, relacionados à produção e transmissão de conhecimentos, à criação intelectual e artística, etc. **7.** O processo ou estado de desenvolvimento social de um grupo, um povo, uma nação, que resulta do aprimoramento de seus valores, instituições, criações, etc.; civilização, progresso. **8.** Atividade e desenvolvimento intelectuais de um indivíduo; saber, ilustração, instrução. **9.** Refinamento de hábitos, modos ou gostos. **10.** Apuro, esmero, elegância. **11.** *Antrop.* O conjunto complexo dos códigos e padrões que regulam a ação humana individual e coletiva, tal como se desenvolvem em uma sociedade ou grupo específico, e que se manifestam em praticamente todos os aspectos da vida: modos de sobrevivência, normas de comportamento, crenças, instituições, valores espirituais, criações materiais, etc. [Como conceito das ciências humanas, esp. da antropologia, *cultura* pode ser tomada abstratamente, como manifestação de um atributo geral da humanidade (cf. acepç. 5), ou, mais concretamente, como patrimônio próprio e distintivo de um grupo ou sociedade específica (cf. acepç. 6).] **12.** *Filos.* Categoria dialética de análise do processo pelo qual o homem, por meio de sua atividade concreta (espiritual e material), ao mesmo tempo que modifica a natureza, cria a si mesmo como sujeito social da história. **13.** *Biol.* Método ou atividade que consiste em promover, em meios artificialmente controlados, o desenvolvimento ou proliferação de matéria viva, como microrganismos, células e tecidos orgânicos, órgãos ou parte de órgãos. **14.** *P. ext. Biol.* O meio nutriente em que tais microrganismos, células, etc. são criados e mantidos: *células mantidas em cultura.* **15.** *P. ext. Biol.* Conjunto de microrganismos, células, etc. assim criados e mantidos: *Observaram-se numerosas culturas de bactérias nas amostras analisadas.* ◆ **Cultura de massa.** Cultura imposta pela indústria cultural; indústria cultural. **Cultura empreendedora.** *Adm.* Conjunto de valores e crenças compartilhados pelos integrantes de uma organização que considera que a criatividade, a inovação e o aproveitamento de oportunidades de mercado são fatores essenciais para a sobrevivência da empresa em um ambiente em mutação. **Cultura física.** Desenvolvimento sistemático do corpo humano por meio de ginástica e desportos. **Cultura material.** Designação geral dos aspectos culturais determinantes da produção e uso de artefatos [v. *artefato* (1)]. **Cultura organizacional.** *Adm.* Conjunto de valores, costumes, tradições, normas, etc. que caracterizam uma organização.

▲**-cultura** [Do lat. *cultūra, ae*.] *El. comp.* = 'cultivo'; 'plantação', 'criação', 'desenvolvimento': *cafeicultura, fruticultura, vinicultura, canaricultura, praticultura, puericultura*.

cultural [De *cultura* + *-al*; al. *kulturell*.] *Adj. 2 g.* Relativo à, ou próprio da cultura. ~ V. *antropologia* —, *área* —, *bem* —, *ciclo* —, *complexo* —, *ecologia* —, *espaço* —, *indústria* —, *inventário* —, marketing —, *patrimônio* —, *relativismo* — e *traço* —.

culturalismo [De *cultural* + *-ismo*.] *S. m.* **1.** Tendência para privilegiar a cultura (5 a 8 e 11) como aspecto ou fator autônomo. **2.** *Antrop.* Perspectiva antropológica segundo a qual a cultura de cada sociedade consiste numa realidade objetiva, de natureza coletiva e que escapa ao controle dos indivíduos, sendo dotada de coerência e especificidade próprias, de tal modo que qualquer elemento cultural só pode ser apreendido em seu contexto geral.

culturalista [De *cultural* + *-ista*.] ***Adj. 2 g.*** **1.** Relativo ao culturalismo, ou próprio dele. • ***S. 2 g.*** **2.** Adepto ou defensor do culturalismo (2).

culumi ***S. m.*** *Bras. Amaz.* V. *curumi*.

culumim ***S. m.*** *Bras. Amaz.* V. *curumi*.

cumã [Do tupi.] ***S. f.*** *Bras. Amaz. Bot.* V. *sorva* (2).

cumáceo [Do tax. *Cuma* (< gr. *kýma*, 'vaga', 'onda'; f. irreg.) + *-áceo*; tax. *Cumacea*.] *Zool.* ***S. m.*** **1.** Espécime dos cumáceos, ordem de crustáceos, malacostráceos, peracarídios, de corpo provido de carapaça cobrindo os cinco primeiros segmentos torácicos e três pares de maxilípedes urópodes; a maioria vive no mar, enterrada na lama ou na areia. • ***Adj.*** **2.** Pertencente ou relativo a eles.

cumachama [De *como (se) chama*, poss.] ***S. 2 g.*** *Bras. CE Pop.* Palavra com que se designa vagamente alguém cujo nome se ignora ou não se quer mencionar.

cumaí [Do tupi.] ***S. m.*** *Bras. Bot.* V. *sorva* (2).

cumaná *Bras.* ***S. 2 g.*** **1.** *Etnôn.* Indivíduo dos cumanás [ou (etnôn. bras.) *Kumaná], povo indígena extinto, da família linguística xapacura, que habitava a margem esquerda do rio Cautário (RO). • ***Adj. 2 g.*** **2.** Pertencente ou relativo a esse povo.

cumanã [De or. indígena.] ***S. f.*** *Bras. Bot.* Pau-de-cumanã.

cumanaxó *Bras.* ***S. 2 g.*** **1.** *Etnôn.* Indivíduo dos cumanaxós [ou (etnôn. bras.) *Kumanaxó], povo indígena extinto, da família linguística maxacali, tronco macro-jê, que habitava a costa S. da BA. • ***Adj. 2 g.*** **2.** Pertencente ou relativo a esse povo.

cumandá [De or. indígena.] ***S. f.*** *Bras. Bot.* V. *acapurana*.

cumandatiá [Do tupi = 'feijão'.] ***S. f.*** *Bras. Bot.* Trepadeira fabácea (*Dolichos lablab*) de folhas alternas, ovaladas, flores desde o branco ao violáceo, em longos racemos axilares, frutos que são vagens achatadas, e que constitui ótima forragem; lablabe.

cumaré ***S. m.*** *Bot.* V. *cumaru-do-ceará*.

cumari [Var. de *cumbari*.] ***S. m.*** *Bras. Bot.* **1.** V. *pimenta-malagueta*. **2.** V. *tucum* (2). **3.** V. *cujumari*.

cumarim [Var. de *cumbari*.] ***S. m.*** *Bras. Bot.* **1.** V. *pimenta-malagueta*. **2.** V. *tucum* (2).

cumarina [De *cumari* + *-ina*[3].] ***S. f.*** *Quím.* Substância odorífera, cristalina, incolor, existente nas sementes do cumari [fórm.: $C_9H_6O_2$].

cumarino ***Adj.*** **1.** De, ou pertencente ou relativo a Cumari (GO). • ***S. m.*** **2.** O natural ou habitante de Cumari.

cumarona [De *cumaru* + *-ona*[2].] ***S. f.*** *Quím.* Benzofurano.

cumaru [Var. de *cumbaru*.] ***S. m.*** *Bras. Bot.* **1.** Árvore fabácea (*Coumarouna odorata* ou *Dipterix odorata*) própria da mata úmida, de grande porte, casca avermelhada ou amarelada, folhas grandes, alternas, flores vermelhas e perfumadas, dispostas em panículas, e cujos frutos drupáceos contêm grandes sementes negras, odoríferas, ricas em cumarina; fornece madeira-de-lei muitíssimo apreciada. [Sin.: *cumbaru*, *cumburu*, *cumaru-verdadeiro*, *cumaru-amarelo*, *cumaru-do-amazonas*, *cumaruzeiro*, *baru*, *paru*.] **2.** V. *fava-de-cheiro*.

cumaru-amarelo ***S. m.*** *Bras. Bot.* V. *cumaru* (1). [Pl.: *cumarus-amarelos*.]

cumaru-do-amazonas [De *cumaru* + *do*[1] + o top. *Amazonas*.] ***S. m.*** *Bras. Bot.* V. *cumaru*. (1) [Pl.: *cumarus-do-amazonas*.]

cumaru-do-ceará [De *cumaru* + *do*[1] + o top. *Ceará*.] ***S. m.*** *Bras. N.E. a L. Bot.* Árvore fabácea (*Amburana cearensis*) de casca aromática, folíolos arredondados, flores alvas, perfumadas, e frutos leguminiformes pretos com uma semente alada, rugosa; amburana, cumaré, cumbaru-das-caatingas, imburana-de-cheiro. [Pl.: *cumarus-do-ceará*.]

cumaruense ***Adj. 2 g.*** **1.** De, ou pertencente ou relativo a Cumaru (PE). • ***S. 2 g.*** **2.** O natural ou habitante de Cumaru.

cumarurana [De *cumaru* + *-rana*.] ***S. f.*** *Bras. Bot.* **1.** Árvore fabácea (*Dipteryx alata*) de folhas persistentes, alternas, inflorescências paniculadas, com flores do branco ao róseo, e fruto que é uma vagem drupácea. **2.** Árvore fabácea (*Taralea oppositifolia*) de até 25m, de folhas opostas, pecioladas, flores roxas ou violáceas dispostas em grandes panículas, e fruto que é uma vagem drupácea; fornece madeira dura, pesada, própria para marcenaria, carpintaria, obras externas, etc.

cumaru-verdadeiro ***S. m.*** *Bras. AM MT Bot.* V. *cumaru* (1). [Pl.: *cumarus-verdadeiros*.]

cumaruzeiro [De *cumaru* + *-zeiro*.] ***S. m.*** *Bras. Bot.* V. *cumaru* (1).

cumatanga ***S. m.*** *Bras. Zool.* V. *xauã*.

cumatê [De or. tupi, poss.] ***S. m.*** *Bot.* **1.** *Bras. N. a S.* Designação de arbustos melastomáceos, ornamentais, cujas cascas são ricas em tanino, e que têm poucas flores, dispostas em panículas terminais, e frutos capsulares, com muitas sementes. **2.** V. *axuá* (2).

cumati [Do tupi.] ***S. m.*** *Bras. Bot.* Árvore mirtácea (*Myrcia atramentifera*) de até 5m, folhas coriáceas, flores em panícula; a madeira de cerne escuro, resistente, é própria para a construção civil, e a casca, depois de triturada, serve para calafetar embarcações.

cumã-uaçu [Do tupi.] ***S. f.*** *Bras. Amaz. Bot.* V. *sorva-grande*. [Pl.: *cumãs-uaçus*.]

cumba ***Adj. 2 g.*** ***S. 2 g.*** *Bras. SP Gír.* V. *valentão* (1 e 3).

cumbá ***S. m.*** *Bras. MG* Saco improvisado com a saia, cuja barra fica presa ao cós, e empregado na colheita do café.

cumbaca [Do tupi = 'língua virada'.] ***S. f.*** *Bras. Zool.* **1.** V. *anujá*. **2.** V. *cangati* (1).

cumbari [Do tupi = 'variedade de pimenta'.] ***S. m.*** *Bras. Bot.* **1.** V. *pimenta-malagueta*. **2.** V. *tucum* (2).

cumbarim [Var. de *cumbari*.] ***S. m.*** *Bras. Bot.* **1.** V. *pimenta-malagueta*. **2.** V. *tucum* (2).

cumbaru [Do tupi.] ***S. m.*** *Bras. Bot.* V. *cumaru* (1).

cumbaru-das-caatingas ***S. m.*** *Bras. Bot.* V. *cumaru-do-ceará*. [Pl.: *cumbarus-das-caatingas*.]

cumbe ***S. f.*** *Bras. CE Pop.* V. *cachaça* (1).

cumbé ***S. m.*** *Bras. Pop. Zool.* V. *lesma* (1).

cumbense ***Adj. 2 g.*** **1.** De, ou pertencente ou relativo a Cumbe (SE). • ***S. 2 g.*** **2.** O natural ou habitante de Cumbe.

cúmbrico ***Adj.*** **1.** Pertencente ou relativo à Cúmbria (N.O. da Inglaterra). • ***S. m.*** **2.** *Gloss.* Língua celta que era falada na Cúmbria e em parte da Escócia. [V. *celta insular*.]

cumbuca [De *cuiambuca*, com síncope.] ***S. f.*** *Bras.* **1.** Vaso feito de cabaça na parte superior da qual se fez uma abertura circular, e destinado principalmente a conter água ou qualquer outro líquido; cuiambuca. **2.** *Bras.* Rifa. **3.** *Gír.* Casa de jogo. **4.** Cabaça onde se faz um furo por onde possa o mico introduzir a mão e parte do braço, e da qual não pode libertar-se por não ter o expediente de largar o engodo ali colocado.

cumbuca-de-macaco ***S. f.*** *Bras. Bot.* V. *sapucaia* (1). [Pl.: *cumbucas-de-macaco*.]

cumbuco [De *cumbuca*.] ***Adj.*** *Bras. N.* Diz-se do bovino cujos chifres, encurvados, têm as pontas voltadas uma para a outra.

cumburu ***S. m.*** *Bras. Bot.* V. *cumaru* (1).

cume [Do lat. *culmen*.] ***S. m.*** **1.** O ponto mais alto de um monte; cimo, crista, cocuruto ou cocuruta, coruta ou coruto, cumeeira, picaroto, pináculo, píncaro, pinguruto; ponto culminante. **2.** *Fig.* Auge, apogeu, ápice; ponto culminante: *o <u>cume</u> da glória*.

cumeada [De *cume* + *-eada*.] ***S. f.*** **1.** Sequência de cumes de montanhas: "as <u>cumeadas</u> da grande cordilheira das Vertentes" (Afonso Arinos, *Pelo Sertão*, p. 109). **2.** *Constr.* V. *cumeeira* (2). [Sin. ger.: *encumeada*.]

cumeeira [De *cume* + *-eira*.] ***S. f.*** **1.** V. *cume* (1) **2.** *Constr.* A parte mais alta do telhado, na interseção das águas [v. *água* (12)]; cavalete de telhado, cumeada. **3.** *Constr.* Peça de madeira da cumeeira (2), posta na horizontal, e que serve de apoio às extremidades superiores dos caibros; pau de cumeeira, pau-comprido.

cumeeira da casa ***S. m.*** *Bras. BA* O chefe de uma família. [Pl.: *cumeeiras da casa*.] ☑

cumeno [Do lat. *cum(inu)*, 'cominho', + *-eno*[2]; fr. *cumène*.] ***S. m.*** *Quím.* Derivado líquido do benzeno, em que um dos átomos de hidrogênio deste é substituído por um grupo isopropila [fórm.: C_9H_{12}]. [Sin.: *isopropilbenzeno*. Cf. *pseudocumeno*.]

➔**cum grano salis** [kuŋ 'grãno 'sales] [Lat., 'com um grão de sal'.] Com um tudo-nada de brincadeira; não de todo a sério.

cumim ***S. m.*** *Bras.* Ajudante de garçom.

cummingtonita [Do top. *Cummington* (E.U.A.) + *-ita*[3].] ***S. f.*** *Min.* Mineral monoclínico, silicato básico de ferro e magnésio do grupo dos anfibólios.

cúmplice [Do lat. *complice*, 'unido', 'junto'.] ***S. 2 g.*** **1.** Pessoa que tomou parte em um delito ou crime; coautor. **2.** *P. ext.* Pessoa que colabora em, ou participa com outrem de algum fato; parceiro, sócio.

cumpliciar [De *cúmplice* + *-iar*[2].] ***V. t. d. P.*** Acumpliciar(-se).

cumplicidade [De *cúmplice* + *-(i)dade*.] ***S. f.*** Ato ou qualidade de cúmplice.

cumpridor (ô) [De *cumprir* + *-dor*.] ***Adj.*** **1.** Que cumpre ou executa: *É <u>cumpridor</u> de suas obrigações.* **2.** *Restr.* Que cumpre ou executa os seus deveres, obrigações, promessas: *É um funcionário <u>cumpridor</u>.* • ***S. m.*** **3.** Aquele que cumpre ou executa; executor. **4.** Aquele que cumpre seu dever. **5.** *Restr.* Executor testamentário; testamenteiro.

cumprimentar [De *cumprimento* + *-ar*[2].] ***V. t. d.*** **1.** Dirigir ou fazer cumprimento(s) a; saudar, cortejar: "Ela entrou cerimoniosamente, <u>cumprimentou</u>-o com um gesto de cabeça" (Artur Azevedo, *Contos Possíveis*, p. 85). **2.** Fazer elogios a; elogiar, louvar; felicitar: *Sua atuação honesta levou amigos e inimigos a <u>cumprimentarem</u>-no.* ***T. d. e i.*** **3.** Dirigir cumprimento (3) a; felicitar: *<u>Cumprimentou</u>-o pela sua bravura durante o incêndio.* ***Int.*** **4.** Apresentar cumprimento(s) (2 e 3): "Uma senhora, perto, sorriu; outros indivíduos sorriram, <u>cumprimentaram</u>." (Graciliano Ramos, *Viagem*, pp. 65-66.) ***P.*** **5.** Trocar cumprimentos; saudar-se: "eles <u>cumprimentaram-se</u>, o que era muito natural, porque na roça não se encontram duas pessoas que não <u>se cumprimentem</u>" (Artur Azevedo, *Contos Cariocas*, p. 135). [Pres. ind.: *cumprimento*, etc.; pres. subj.: *cumprimente*, etc. Cf. *comprimento* e *comprimente*.]

cumprimenteiro [De *cumprimento* + *-eiro*.] ***Adj.*** Que cumprimenta muito.

cumprimento [Do port. arc. *comprimento* (séc. XIII) < port. arc. *comprir* + *-mento*. V. *comprimento*.] ***S. m.*** **1.** Ato ou efeito de cumprir: *<u>cumprimento</u> de um dever, de uma promessa.* **2.** Gesto ou expressão falada ou escrita de cortesia; saudação: "Fazendo um cerimonioso <u>cumprimento</u> às meninas, estendeu-lhes a mão" (Coelho Neto, *Treva*, p. 178). **3.** Elogio, louvor, gabo: *Devo tomar suas palavras como <u>cumprimento</u> ou como censura?* [Cf. *comprimento*.]

cumprir [Do lat. *complere*, 'preencher', 'completar', 'concluir'.] ***V. t. d.*** **1.** Tornar efetivo (o que foi determinado ou prescrito, ou a que nos obrigamos perante nós mesmos); executar; desempenhar: *<u>Cumpriu</u> religiosamente as últimas vontades do pai; <u>cumprir</u> ordens; <u>cumprir</u> a missão;* "<u>Cumpra</u> o que lhe ordeno." (Camilo Castelo Branco, *Mistérios de Fafe*, p. 21); "<u>Cumpriu</u> João Cocá a promessa generosa de tornar menos precárias as condições do casebre de Ana Monção" (Antônio Versiani, *Viola de Queluz*, p. 33). **2.** Preencher, realizar: *Sem o saber, <u>cumpria</u>, daquele modo, a profecia divina.* **3.** Satisfazer (pedido, desejo). **4.** Sujeitar-se, submeter-se a: "regressou [Charles Nodier] a Paris ...., <u>cumprindo</u> pena de prisão" (Melo Nóbrega, *O Soneto de Arvers*, p. 12). ***T. i.*** **5.** Cumprir (1): *<u>cumprir</u> com um dever.* **6.** Ser necessário, conveniente ou proveitoso; convir: "<u>Cumpria</u>-lhe ser duro e implacável, era poderoso e forte." (Machado de Assis, *Quincas Borba*, pp. 30-31.) **7.** Competir, caber, pertencer: *<u>Cumpria</u>-lhe chefiar a delegação.* ***T. c.*** **8.** Completar, atingir: "Gonçalo Mendes da Maia, o velho fronteiro de Beja, <u>cumpria</u> os noventa e cinco anos" (Alexandre Herculano, *Lendas e Narrativas*, II, p. 86). **9.** Completar, passar (certo período) detido por determinação judicial: *Ele <u>cumpriu</u> dez anos de prisão.* ***Int.*** **10.** Ser necessário, conveniente, proveitoso: *<u>Cumpre</u> trabalhar com ordem; <u>Cumpre</u> que todos vivam honestamente.* ***P.*** **11.** Realizar-se, verificar-se: *<u>Cumpriu-se</u> a profecia do astrólogo.* **12.** Completar-se, inteirar-se: *<u>Cumpriam-se</u> 10 anos de sua residência aqui.* [Impess. na acepç. 7. Part.: *cumprido*. Cf. *comprido*.]

cumulação [Do lat. *cumulatione*.] ***S. f.*** Ato ou efeito de cumular; acumulação.

cumulaia ***S. f.*** *Bras. RJ Pop.* V. *cachaça* (1).

cumulante [De *cumular* + *-nte*.] ***S. m.*** *Estat.* Qualquer dos coeficientes do desenvolvimento em série do logaritmo da função característica de uma variável aleatória.

cumular [Do lat. *cumulare*.] ***V. t. d. T. d. e i.*** **1.** V. *acumular* (1 a 6). **2.** Dar, conceder em alto grau ou grande quantidade: "dezembro trouxe outra coisa além do calor: Sofia. Bartoleu foi buscá-la. <u>Cumulou</u>-a de carinhos e privilégios dentro de casa." (Carlos Heitor Cony, *A Verdade de Cada Dia*, p. 107). ***P.*** **3.** V. *acumular* (8 a 12). [Pres. ind.: *cumulo*, etc. Cf. *cúmulo*.]

cumulativo [De *cumular* + *-tivo*.] ***Adj.*** **1.** Feito por acumulação. **2.** Que consiste em acumular: *sistema <u>cumulativo</u>.* ~ V. *avales —s* e *índice —*.

cúmulo [Do lat. *cumulu*.] ***S. m.*** **1.** Reunião de coisas sobrepostas; montão. **2.** O ponto mais alto; o mais alto grau; auge, máximo: "Chegou teu gênio [do P.e Antônio Vieira] finalmente ao <u>cúmulo</u> / De ser preciso levantar dos mares / Um continente para ser teu túmulo!" (Humberto de Campos, *Poesias Completas*, p. 163); *Perdeu os pais num desastre de avião, e, por <u>cúmulo</u> de desgraça, o filho também.* **3.** *Met.* Nuvem branca, de grande desenvolvimento vertical, de base retilínea e topo arredondado, constituída de elementos que lembram novelos, flocos de algodão ou torreões de castelo; carneirinho, algodão: "Já os horizontes .... começavam a se encher de sangue e os duros <u>cúmulos</u> de alabastro iam se desfazendo em cirros, se alongando em estratos." (Pedro Nava, *Baú de Ossos*, p. 313.) [Cf. *cumulo*, do v. *cumular*.] ◆ **Cúmulo de galáxias.** *Astr.* V. *aglomerado de galáxias.* **Cúmulo estelar.** *Astr.* V. *aglomerado estelar.* **Cúmulo galáctico.** *Astr.* V. *aglomerado galáctico.* **Cúmulo globular.** *Astr.* V. *aglomerado globular.* **Cúmulo móvel.** *Astr.* Aglomerado móvel.

cúmulo-cirro *S. m. Met.* Cirro-cúmulo. [Pl.: *cúmulos-cirros* e *cúmulos-cirro*.]

cúmulo-estrato *S. m. Met.* Estrato-cúmulo. [Pl.: *cúmulos-estratos* e *cúmulos-estrato*.]

cúmulo-nimbo *S. m. Met.* Nuvem núncia de trovoadas, de aspecto fibroso (por causa da presença de cristais de gelo), constituída de um ou vários elementos que lembram grandes torreões cujas bases se emendam umas às outras, e que pode estender-se verticalmente de 1.000 a 6.000m acima do solo. [Sin.: *nimbo-cúmulo*. Pl.: *cúmulos-nimbos* e *cúmulos-nimbo*.]

cuna [Do lat. *cuna*.] *S. f.* **1.** *Poét.* Berço (1). **2.** *Fig.* Origem, pátria, berço.

cunabi [De or. indígena.] *S. m. Bras. Bot.* Erva asterácea (*Ichthyothere cunabi*) ereta, de folhas opostas, coriáceas, tóxicas. [Var.: *cunabim*.]

cunabim *S. m. Bras. Bot.* V. *cunabi*.

cunambi *S. m. Bras. Bot.* V. *conambim*.

cunau *S. m. Bras. Zool.* V. *cunauaru*.

cunauaru [Do tupi.] *S. m. Bras.* **1.** *Zool.* Anfíbio anuro, hilídeo (*Hyla venulosa*), distribuído desde o México até o ES. Coloração cinza-chumbo tirante ao marrom ou ao verde-oliva. Comprimento: cerca de 0,9m. Nidifica em ocos de árvores, onde prepara câmaras em que põe os ovos. Este sapo, segundo a crendice dos indígenas, traz felicidade. **2.** Resina perfumada segregada por esse sapo. [Sin. ger.: *cunau*, *cunuaru*, *curucucica*.]

cunca[1] *S. f. Bras. Bot.* Designação comum a tubérculos sumarentos que se desenvolvem nas raízes horizontais do imbuzeiro, e com que, à falta de água, os vaqueiros e caçadores matam a sede.

cunca[2] [Do ingl. *cooncan*.] *S. m. Bras.* Certo jogo de cartas: "Na sala de jantar duas mulheres velhas jogavam <u>cunca</u> silenciosamente, com um colega e um desconhecido." (João Alphonsus, *Pesca da Baleia*, p. 68.)

cunctatório [Do lat. *cunctatus*, part. pass. de *cunctari*, 'contemporizar', + *-ório*.] *Adj.* V. *cuntatório*.

cundunda *S. m. Bras. PE Zool.* V. *amboré*.

cundurango [Do tupi.] *S. m. Bras. L. S. Bot.* Designação comum a várias trepadeiras ou arbustos trepadores asteráceos, dotados de flores alvas em numerosos capítulos e dispostas em panículas ou corimbos, e cujos frutos são aquênios com cerdas vermelhas.

cunduru [Do tupi.] *S. m. Bras. Bot.* **1.** Conduru (1). **2.** V. *conduru-de-sangue*. **3.** V. *mururerana*.

cuneado [De *cune(i)-* + *-ado*[1].] *Adj. Bot.* ~ V. *folha —a*.

cuneano [De *cune(i)-* + *-ano*[1].] *Adj.* Cuneiforme (q. v.).

▲**cune(i)-** [Do lat. *cunĕus, i*.] *El. comp.* = 'cunha': *cuneano*, *cuneiforme*, *cuneirrostro*.

cuneifoliado [De *cune(i)-* + *-foli-* + *-ado*[1].] *Adj. Bot.* Que tem folhas em forma de cunha (1).

cuneifólio [De *cune(i)-* + *-fólio*.] *Adj. Bot.* Que tem folhas cuneadas.

cuneiforme [De *cune(i)-* + *-forme*.] *Adj. 2 g.* **1.** Que tem forma de cunha (1); cuneano. **2.** Pertencente ou relativo à escrita cuneiforme: "Considerando o formulário para declaração de imposto de renda algo assimilável aos textos em caracteres <u>cuneiformes</u>, sempre me abstive religiosamente de preenchê-lo." (Carlos Drummond de Andrade, *Cadeira de Balanço*, p. 35.) ~ V. *escrita — e folha —*. ● *S. m.* **3.** *Anat.* Osso cuneiforme existente em cada tarso.

cuneirrostro [De *cune(i)-* + *-rostro*.] *Adj. Zool.* Que tem bico em forma de cunha (1).

cúneo [Do lat. *cuneu*.] *S. m.* Na Roma antiga, formação de batalha em forma de cunha ou triângulo.

cunete *S. m. Bras. Chulo* V. *cunilíngua*.

cungue [Adapt. do chinês.] *S. m.* Na antiga China, título nobiliárquico de alta hierarquia.

cunha [Do lat. *cunea*.] *S. f.* **1.** Peça de ferro ou de madeira, em forma de diedro sólido, bastante agudo, que se introduz em uma brecha para fender pedras, madeira, etc., para servir de calço e para firmar ou ajustar certas coisas. **2.** Corpo de tropa formada em triângulo. **3.** *Fig.* V. *pistolão*[2]. **4.** Palavra suplementar que arredonda verso ou período. **5.** *Geom.* Porção de uma esfera limitada por um fuso e pelos planos que o determinam; cunha esférica. **6.** *Tip.* Cada uma das pequenas peças de madeira que, premidas pelo bandulho entre os biséis e os lados da rama, serviam outrora para apertar a fôrma. **7.** *Tip. Desus.* V. *cunho* (8). **8.** *Tip.* Cada uma das peças de metal biseladas que, na unidade fundidora da monotipo, servem para estabelecer a largura das letras e espaços. [O conjunto compreende duas cunhas de justificação, a cunha normal, a cunha de transferência dos espaços e a cunha de transferência dos tipos.] ◆ **Cunha de justificação.** *Tip.* V. *cunha* (8). **Cunha de transferência dos espaços.** *Tip.* V. *cunha* (8). **Cunha de transferência dos tipos.** *Tip.* V. *cunha* (8). **Cunha esférica.** *Geom.* Cunha (5). **Cunha normal.** *Tip.* V. *cunha* (8). **À cunha.** Muito cheio, lotado: "Garrett fazia o papel de um cavaleiro .... E, naquela noite, com o Municipal <u>à cunha</u>, Garrett foi anunciado mas não entrou." (Olavo de Barros, *Palco Giratório*, p. 60.)

cunhã [Do tupi.] *S. f.* **1.** *Bras. Amaz.* Mulher (1). **2.** *Bras. MA* Mulher (1) jovem. **3.** *Bras. Bot.* Designação de duas plantas fabáceas (*Bradburya angustifolia* e *B. sagittata*) forrageiras: "A <u>cunhã</u> é uma leguminosa forrageira adaptada às condições dos trópicos, chegando ao Ceará em 1963, através da Universidade." (*Jornal Universitário*, junho, 1982.)

cunhada [Do lat. *cognata*.] *S. f.* Irmã de um dos cônjuges em relação ao outro.

cunhadia [De *cunhadio*.] *S. f.* Cunhadio.

cunhadio [De *cunhado* + *-io*[1].] *S. m.* Parentesco entre cunhados; cunhadia.

cunhado[1] [Do lat. *cognatu*.] *S. m.* **1.** Irmão de um dos cônjuges em relação ao outro. **2.** *Bras. Amaz.* Entre os caboclos, tratamento equivalente a *companheiro*, *amigo*, *senhor*, etc.

cunhado[2] [Part. de *cunhar*.] *Adj.* Que se cunhou; amoedado. ~ V. *moeda —a*.

cunhador (ô) [De *cunhar* + *-dor*.] *Adj. S. m.* Que, ou aquele que cunha.

cunhagem [De *cunhar* + *-agem*[2].] *S. f.* **1.** Ato ou efeito de cunhar (moeda). **2.** *Fig.* Criação, invenção, produção de algo novo (como palavras, ideias).

cunhal [De *cunha* + *-al*[1].] *S. m.* Ângulo saliente formado por duas paredes convergentes; esquina: "O soalho era igualmente escuro, de grossas tábuas que reluziam, e nos <u>cunhais</u> pendiam argolas, retorciam-se ganchos à espera das redes." (Coelho Neto, *Treva*, p. 80.)

cunhantã [Var. de *cunhantaim*.] *S. f. Bras. Amaz.* **1.** Menina (1). **2.** Moça (1): "crianças sadias correndo, <u>cunhantãs</u> gordotas sorrindo" (Raimundo Morais, *País das Pedras Verdes*, p. 275). [Outra var.: *cunhatã*.]

cunhantaim (a-ím) [Do tupi = 'mulher adolescente'.] *S. f. Bras.* V. *cunhantã*.

cunha-porense *Adj. 2 g.* **1.** De, ou pertencente ou relativo a Cunha Porã (SC). ● *S. 2 g.* **2.** O natural ou habitante de Cunha Porã. [Pl.: *cunha-porenses*.]

cunhar [Do lat. *cuneare*.] *V. t. d.* **1.** Imprimir cunho (2) em: "se os fenícios, esses formidáveis esgravatadores de ouro e de metais preciosos, estiveram .... nas regiões da Venezuela, receio bem que não se encontre nelas .... ouro bastante para <u>cunhar</u> uma libra falsa." (Eça de Queirós, *Cartas Familiares e Bilhetes de Paris*, p. 132). **2.** V. *amoedar* (1): *<u>cunhar</u> o ouro, a prata, o cobre.* **3.** *Fig.* Tornar notável, difundido; difundir: *Sabe <u>cunhar</u> as suas ideias.* **4.** Criar, inventar, amoedar: *<u>cunhar</u> novas palavras.*

cunharapixara *Adj. Bras. Amaz.* Efeminado (2).

cunhatã *S. f. Bras. Amaz.* V. *cunhantã*.

cunhense *Adj. 2 g.* **1.** De, ou pertencente ou relativo a Cunha (SP). ● *S. 2 g.* **2.** O natural ou habitante de Cunha.

cunhete (ê) *S. m.* Caixote de madeira utilizado sobretudo para guardar ou transportar munição de guerra.

cunhira [De or. indígena, poss.] *S. f. Bras. Amaz.* V. *crueira*[2].

cunho [Do lat. *cuneu*.] *S. m.* **1.** *Numism.* Objeto metálico composto por duas partes, o anverso e o reverso, us. para fabricar moedas e medalhas. **2.** *Numism.* A marca em relevo impressa por esse objeto. **3.** *Numism.* Uma das faces de certas moedas na qual se representavam as armas reais: "E os olhos a apalpavam [à moeda], de longe, e transmitiam-lhe a sensação fria do metal e até a do relevo do <u>cunho</u>." (Machado de Assis, *Várias Histórias*, p. 35.) **4.** *P. ext. Fig.* Marca, selo: *Via-se nos seus escritos o <u>cunho</u> da cultura humanística.* **5.** *Fig.* Feição, caráter, índole: *Seu discurso era de <u>cunho</u> marcadamente liberal.* **6.** *Constr. Nav.* Peça de metal incudiforme, que se fixa na amurada das embarcações, nos turcos, ou nos lugares por onde possam passar cabos de laborar, para dar-lhes volta. **7.** *Art. Gráf.* Chapa de metal gravada a entalhe, usada, com o contramolde, para produzir a gofragem de papéis e a impressão em relevo. **8.** *Tip.* Cada uma das peças de metal que, com o auxílio de chave, servem para apertar a fôrma na rama. [Sin., nesta acepç.: *aperto* e (desus.) *cunha*. V. *enviesado*.]

cuniba *Bras. S. 2 g.* **1.** *Etnôn.* Indivíduo dos cunibas [ou (etnôn. bras.) *Kuniba], povo indígena extinto da família linguística aruaque, que habitava as margens do rio Juruá (AM). ● *Adj. 2 g.* **2.** Pertencente ou relativo a esse povo.

cuniculídeo [Do tax. *Cuniculus* + *-ídeo*[1].] *Zool. S. m.* **1.** Espécime dos cuniculídeos, família de roedores histricomorfos, de porte grande, cauda quase nula, mãos com cinco dedos, sendo o interno muito reduzido, pés com cinco dedos, o primeiro e o quinto reduzidos, e unhas em forma de casco. As espécies mais representativas são as pacas do Brasil e do México e as das florestas andinas. ● *Adj.* **2.** Pertencente ou relativo a eles.

cunículo [Do tax. *Cuniculus*.] *S. m. Zool.* **1.** Gênero de roedores cuniculídeos. **2.** Qualquer espécie desse gênero, como, p. ex., a *Cuniculus paca* (v. *paca*[2]). **3.** Espécime desse gênero.

cunicultor (ô) [De *cuni*, abrev. do lat. *cuniculus*, 'coelho', + *cultor*.] *S. m.* Criador de coelhos.

cunicultura [De *cuni*, abrev. do lat. *cuniculus*, 'coelho', + *-cultura*.] *S. f.* Criação de coelhos.

cunilíngua [Adapt. do lat. mod. *cunnilingus* < lat. *cunnus, i*, 'vulva', + lat. cient. *-lingus* < v. lat. *lingere*, 'lamber'.] *S. f.* Ato de aplicar a língua na vulva e/ou clitóris. [Sin., bras.: *cunete* e *minete*.]

cunoniácea [Do tax. *Cunonia* (do antr. [*John C.*] *Cuno*, botânico holandês do séc. XVIII, + lat. cient. *-ia* [v. *ia*[2]]) + *-ácea*; tax. *Cunoniaceae*.] *S. f. Bot.* Espécime das cunoniáceas, família de árvores e arbustos da ordem das rosales, de folhas opostas ou verticiladas e estipuladas, flores pequenas, ordenadas em inflorescências racemosas, e óvulos dispostos em duas fileiras. As 250 espécies habitam a África e a América do Sul, possuindo o Brasil diversos representantes.

cunoniáceo [De *cunoniácea*, com var. suf. (v. *-áceo*).] *Adj. Bot.* Pertencente ou relativo às cunoniáceas.

cuntango [Do criol.] *S. m. Guin. Cul.* Prato de arroz sem molho, sem mafé (q. v.) e, por conseguinte, de difícil digestão: "Aprenderemos no sofrimento / das manhãzinhas de <u>cuntango</u> / sem pão / sem manteiga" (Tony Tcheka, *Noites de Insônia na Terra Adormecida*, p. 81).

cuntatório [Var. de *cunctatório*.] *Adj.* **1.** Relativo a, ou em que há delonga(s); vagaroso. **2.** Contemporizador, transigente, condescendente.

cunuaru *S. m. Bras. Zool.* V. *cunauaru*.

cunuri[1] [Do tupi.] *S. m. Bras. Bot.* Designação comum a duas árvores euforbiáceas (*Cunuria crassipes* e *C. spruceana*) da região amazônica.

cunuri[2] *Bras. S. 2 g.* **1.** *Etnôn.* Indivíduo dos cunuris, povo indígena que habitava a margem esquerda do rio Amazonas. [Foram confundidos com mulheres pelos descobridores espanhóis, donde se terá poss. originado a lenda das amazonas (v. *amazona*).] ● *Adj. 2 g.* **2.** Pertencente ou relativo a esse povo. [Sin. ger.: *conduri*.] [Tb. us. como *s. 2 g. e 2 n.* (com cap.) e *adj. 2 g. e 2 n.*]

➔**cuore** ['kwɔri] [It., 'coração'.] *S. m. Urb.* V. *centro* (6).

➔**cup** [kʌp] [Ingl., do lat. tard. *cuppa*, 'vaso ou tonel'.] *S. f. Esport.* No golfe, recipiente que forma o buraco onde a bola deve cair, ger. assinalado por uma bandeira.

cupá *S. m. Bras. Zool.* V. *corvina* (2).

cupaí [De *cupá* + *-í*, poss.] *S. m. Bras. Bot.* Árvore clusiácea (*Clusia rosea*) de flores alvas ou róseas e frutos capsulares. Sua madeira é bastante dura e a casca tem propriedades adstringentes, sendo utilizada em preparações farmacêuticas contra o reumatismo.

cupana *S. f. Bras. AM Bot.* Designação que davam ao guaraná os índios da Mundurucânia (PA).

cupânia [Do tax. *Cupania*, poss. de or. tupi.] *S. f. Bot.* **1.** Gênero de árvores, arbustos e lianas sapindáceos. **2.** Qualquer espécie desse gênero, como, p. ex., a *Cupania vernalis* (v. *caboatã*). **3.** Qualquer espécime desse gênero.

cupão[1] *S. m.* Cupom.

cupão[2] [Do malaio *kupang*.] *S. m.* Pequeno peso antigo de Malaca.

cupé[1] *S. m. Bras. MA* Alcunha dada aos portugueses no Brasil colonial. V. *galego* (4). [Pl.: *cupés*. Cf. *copé*, pl. *copés*, e *cupê*, pl. *cupês*.]

cupé[2] *S. m.* V. *cupê*.

cupê [Do fr. *coupé*.] *S. m.* **1.** Carruagem fechada, de quatro rodas, ger. para dois passageiros. **2.** Carro de passeio ou carro esporte, de duas portas. [Cf., nesta acepç., *sedã*.] [Pl.: *cupês*. Cf. *cupé*, pl. *cupés*, e *copé*, pl. *copés*.]

cuperope *Bras. S. 2 g.* **1.** *Etnôn.* Indivíduo dos cuperopes [ou (etnôn. bras.) *Kupe-rop], povo indígena extinto, de filiação linguística tupi-guarani, tronco tupi, que habitava a margem esquerda do baixo rio Tocantins (PA). ● *Adj. 2 g.* **2.** Pertencente ou relativo a esse povo.

cupi [Do tupi.] *S. f. Bras. Desus.* V. *cupim*.

cupidez (ê) [De *cúpido* + *-ez*.] *S. f.* Qualidade ou ação de cúpido; cobiça: "Decerto que .... me formigava na polpa dos dedos uma <u>cupidez</u> atávica, encadeada desde os tetravós romanos, sôfregos pelo vil metal" (Aquilino Ribeiro, *Cinco Réis de Gente*, p. 63).

cupidíneo [Do lat. *cupidineu*.] *Adj.* Relativo a Cupido, ao amor, ou próprio dele.

cupidinoso (ô) [Do lat. *cupidine*, 'desejo', 'ambição', + *-oso*.] *Adj.* Que tem, ou em que há cupidez.

cupido [Do mit. *Cupido*, deus do amor, filho de Vênus (q. v.).] *S. m.* **1.** *Mit.* Designação latina de Eros (1), o deus alado do amor, que é representado frequentemente de olhos vendados e munido de arco, flecha e carcás. [Sin.: os epítetos *o deus cego*, *o frecheiro cego*, *o frecheiro*.] **2.** *Mit.* Cada um dos gênios infantis alados que acompanham Cupido e Vênus e aparecem representados nas obras de arte romanas rodeando esses ou outros personagens mitológicos: "O frecheiro [Cupido (1)], que contra o céu se atreve, / A recebê-la vem, ledo e contente, / Vêm todos os cúpidos servidores, / Beijar a mão à Deusa dos amores." (Luís de Camões, *Os Lusíadas*, IX, p. 36.) **3.** *P. ext.* Personificação do amor; amor. **4.** Homem ridículo, metido a galanteador. [Cf. *cúpido*.]

cúpido [Do lat. *cupidu*, 'que deseja', 'que gosta'.] *Adj.* **1.** Ávido de dinheiro ou bens materiais; cobiçoso: *Auxiliares cúpidos desmoralizaram a administração do prefeito.* **2.** *P. ext.* Possuído de, ou que revela desejos amorosos: "Os grupos das esquinas lambiam-na de olhares cúpidos, demorados" (Jorge de Lima, *Salomão e as Mulheres*, p. 32). [Cf. *cupido*, s. m., e *Cupido*, mit. e antr.]

cupim [Var. de *cupi*.] *S. m. Bras.* **1.** *Zool.* Designação comum aos insetos isópteros. São sociais, vivendo em comunidades ger. populosas, formadas por indivíduos ápteros e alados; constroem cupinzeiros na madeira ou no solo. Vegetarianos, alguns atacam plantas vivas, raízes, sementes, cereais e tubérculos, mas podem alimentar-se, também, de objetos de madeira ou compensado, de papel, etc., causando sérios prejuízos. Algumas espécies são xilófagas, possuindo protozoários intestinais que digerem a celulose. [Sin.: *térmita*, *térmite*, (bras., Amaz.) *itapicuim*, (guin.) *baga-baga*, (angol. e santom.) *salalé* e (moç.) *muchém*.] **2.** O ninho do cupim. [Sin., nesta acepç.: (bras.) *cupineiro*, *cupinzeiro*, *itacuru*, *itacurubá*, *itapecuim*, *tacuri*, *tacuru*, *tapecuim*, *termiteira*, *termiteiro*, *tucuri*, (guin.) *baga-baga* e (angol. e santom.) *salalé*.] **3.** *Zool.* V. *aleluia* (6). **4.** Geba ou toutiço dos touros da raça zebu: "O toutiço aprumado, como um cupim de touro" (Francisco Julião, *Cachaça*, p. 16).

cupincha [Por *copincha*, do rad. de *companheiro*, poss.] *S. 2 g. Bras.* Camarada, companheiro, comparsa, amigo.

cupineiro [De *cupim* + *-eiro*.] *S. m. Bras.* V. *cupinzeiro*.

cupinhoró *Bras. S. 2 g.* **1.** *Etnôn.* Indivíduo dos cupinhorós, povo indígena que habitava o MA. • *Adj. 2 g.* **2.** Pertencente ou relativo a esse povo. [Tb. us. como *s. 2 g. e 2 n.* (com cap.) e *adj. 2 g. e 2 n.*]

cupinudo [De *cupim* (4) + *-udo*.] *Adj. S. m. Bras. RS* **1.** Diz-se de, ou touro de grande cupim (4): "pulou para o cupinudo, ainda meio azonzado do trompaço" (Simões Lopes Neto, *Contos Gauchescos e Lendas do Sul*, p. 233). **2.** *Fig.* V. *valentão* (1 e 3).

cupinzama [De *cupim* (4) + *-z-* + *-ama*.] *S. f. Bras. S.* Grande quantidade de cupins [v. *cupim* (1)], ou de *cupinzeiros*.

cupinzeiro [De *cupim* + *-zeiro*.] *S. m. Bras.* **1.** V. *cupim* (2). **2.** Árvore quase morta por ataque de cupim (1). [F. paral.: *cupineiro*.]

cupira [Do tupi.] *S. f.* **1.** *Bras. Zool.* Abelha meliponínea (*Partamona cupira*) agressiva, de corpo totalmente preto, e que constrói ninhos na terra, ou em muros, ou em termiteiros. **2.** Boca-de-sapo (2).

cupirense *Adj. 2 g.* **1.** De, ou pertencente ou relativo a Cupira (PE). • *S. 2 g.* **2.** O natural ou habitante de Cupira.

cupiúba [Do tupi.] *S. f. Bras. AM Bot.* Grande árvore celastrácea (*Goupia glabra*) de casca cinzenta com manchas alvas e córtex castanho; flores hermafroditas, esverdeadas e dispostas na axila das folhas, em falsas umbrelas, frutos que são bagas pequenas e pretas, e madeira cinzento-amarelada, que, cortada, exala odor forte. [Var.: *cupiúva*, *cutiúba*.]

cupiúva *S. f. Bras. AM Bot.* V. *cupiúba*.

cupom [Do fr. *coupon*.] *S. m.* **1.** Pedaço de cartão ou de papel impresso que dá a seu possuidor certos direitos; tíquete: *cupom de desconto.* **2.** *Econ.* Pedaço de papel impresso destacável de certos títulos ou ações ao portador, e que dá direito ao recebimento de juros e dividendos. [F. paral.: *cupão*.]

cupópia [Do quimb. *ku-pupia*, 'falar'.] *S. m. Gloss.* V. *falange*[1] (5).

cupramónio *S. m. Quím.* V. *cupramônio*. [Uso freq. em P.]

cupramônio [De *cupr(i)-* + *amônio*.] *S. m. Quím.* Íon complexo divalente positivo de cobre [fórm.: $[Cu(NH_3)_4]^{+2}$].

cúpreo [Do lat. *cupreu*.] *Adj.* Da cor do cobre.

cupressácea [Do tax. *Cupressus* (do lat. *cupressus*, 'cipreste'), + *-ácea*; tax. *Cupressaceae*.] *S. f. Bot.* Espécime das cupressáceas, família de coníferas caracterizada pelos estames com três a cinco sacos polínicos e pelos carpelos com número variável de óvulos. São árvores ou arbustos de folhas escamiformes ou aciculares, opostas ou verticiladas. Os cones, lignificados, chamam-se *gálbulas*. Vivem nas regiões temperadas e frias do hemisfério norte, e só se desenvolvem no Brasil quando cultivadas.

cupressáceo [De *cupressácea*, com var. suf. (v. *-áceo*).] *Adj. Bot.* Pertencente ou relativo às cupressáceas.

cupressiforme [Do lat. *cupressus*, 'cipreste', + *-iforme*.] *Adj. 2 g.* Semelhante ao cipreste.

▲**cupr(i)-** [Do lat. *cuprum*, *i*.] *El. comp.* = 'cobre': *cúprico*, *cupripene*. [Equiv.: *cupro-*: *cuproníquel*.]

cúprico [De *cupr(i)-* + *-ico*[2].] *Adj.* **1.** De cobre. **2.** Em que há cobre. **3.** *Quím.* Referente a, ou próprio de qualquer sal de cobre divalente. ~ V. *óxido* —.

cuprífero [De *cupr(i)-* + *-fero*.] *Adj.* Que contém cobre.

cuprino [De *cupr(i)-* + *-ino*[1].] *Adj.* Relativo a cobre.

cupripene [De *cupr(i)-* + *-pene*.] *Adj. 2 g. Zool.* Que tem asas ou élitros da cor do cobre.

cuprirrostro [De *cupr(i)-* + *-rostro*.] *Adj. Zool.* Que tem bico da cor do cobre.

cuprita [De *cupr(i)-* + *-ita*[3].] *S. f. Min.* Mineral monométrico, vermelho, óxido de cobre.

▲**cupro-** Equiv. de *cupr(i)-*.

cuproso (ô) [De *cupr(i)-* + *-oso*.] *Adj.* Referente a, ou próprio de qualquer sal de cobre monovalente. ~ V. *sal* —.

cupu [Do tupi.] *S. m. Bras. N. Bot.* V. *cupuaçu*.

cupuaçu [Do tupi = 'cupu grande'.] *S. m. Bras. N. N.E. L. Bot.* **1.** Árvore esterculiácea (*Theobroma grandiflorum*) grande ou pequena, cujo fruto, cápsula oblonga, tem polpa aromática, doce, comestível, usada em compotas e refrescos, e cujas sementes lembram, no sabor, o cacau-verdadeiro, sendo as flores vermelho-purpúreas com as margens alvas, e dispostas em panículas; cupuaçuzeiro: "Cupuaçu, o veludo perfumado da casca do estojo ovalado onde se abrigam os bagos carnudos" (Tiago de Melo, *Mormaço na Floresta*, p. 77). **2.** O fruto dessa árvore. **3.** V. *cacau-do-peru*. [Sin. ger.: *cupu*.]

cupuaçurana [Do tupi = 'semelhante ao cupuaçu'.] *S. f. Bras. Bot.* Árvore bombacácea (*Matisia paraensis*) de folhas pecioladas, membranosas ou coriáceas, flores tubulosas, madeira mole e esbranquiçada, própria para o fabrico de papel, e casca que fornece fibra de boa qualidade.

cupuaçuzeiro [De *cupuaçu* (2) + *-zeiro*.] *S. m. Bot.* Cupuaçu (1).

cupuaí [Do tupi = 'cupu pequeno'.] *S. m. Bras. Bot.* **1.** Grande árvore esterculiácea (*Theobroma subincanum*) nativa da Amazônia, de folhas pecioladas, flores pedunculadas, frutos adocicados, cujas sementes substituem, sem vantagem, as do cacau. **2.** O fruto dessa árvore.

cúpula[1] [Do it. *cupola* < lat. *cupula*.] *S. f.* **1.** A parte superior, côncava e interna, dalguns edifícios. **2.** A parte superior, convexa, externa, de grandes edifícios, ger. hemisférica, e rematada pelo zimbório (1): *Via-se à distância a cúpula de São Pedro.* **3.** O próprio zimbório. **4.** Abóbada (1). **5.** As pessoas dirigentes, as mais graduadas de um partido, organização, estabelecimento de ensino, etc.; direção, chefia: *a cúpula do Partido Democrático; reunião de cúpula.* ◆ **Cúpula de horizonte.** *Teatr.* V. *ciclorama*.

cúpula[2] [Do lat. cient. *cupula* < lat. *cupula*, dim. de *cupa*, 'cuba'.] *S. f. Bot.* **1.** Produção de origem receptacular que se localiza na base de flores e frutos, com forma de taça, dentro da qual se acha inserido o pedicelo da flor ou do fruto. **2.** Carapulo.

cupulado [De *cúpula*[2] + *-ado*[1].] *Adj.* Que tem cúpula[2]: *flor cupulada.*

cupular[1] [De *cúpula*[1] + *-ar*[1].] *Adj. 2 g.* Relativo a, ou semelhante a cúpula[1]. [Cf. *copular*.]

cupular[2] [De *cúpula*[2] + *-ar*[1].] *Adj. 2 g.* Relativo a, ou semelhante a cúpula[2]: *bordo cupular.* [Cf. *copular*.]

cupulífero [De *cúpula*[2] + *-ífero*.] *Adj.* Portador de cúpula[2].

cupuliforme[1] [De *cúpula*[1] + *-iforme*.] *Adj. 2 g.* Que tem forma de cúpula[1].

cupuliforme[2] [De *cúpula*[2] + *-iforme*.] *Adj. 2 g.* Que tem forma de cúpula[2]: *receptáculo cupuliforme.*

cuque [Do al. *Kuchen*.] *S. f. Bras.* Cuca[4].

cuqueiro [De *cuca*[6] + *-eiro*.] *Adj. Bras. MG* Que gosta de luxo ou cuca. [Cf. *coqueiro*.]

cura [Do lat. *cura*.] *S. f.* **1.** Ato ou efeito de curar(-se). **2.** Restabelecimento da saúde. **3.** Meio de debelar uma doença; tratamento: "Se não morrer da cura ficará melhor" (prov.). **4.** Tratamento preventivo de saúde: *Fez uma cura de banhos de mar para fortalecer-se.* **5.** *Constr.* Sazonamento (2). **6.** Processo de curar (6) queijos e outros alimentos. **7.** *Fig.* Solução, remédio: *Sua paixão por ele é um caso sem cura.* **8.** *Fig.* Regeneração, emenda: *Pensava-se que a cura fosse definitiva, mas o rapaz continua vadio.* **9.** *Constr.* Processo de endurecimento do concreto. • *S. m.* **10.** Vigário de aldeia ou povoação: *O senhor cura é muito querido pelos paroquianos.*

curabi [Do caraíba.] *S. m. Bras. PA* Pequena flecha ervada, de uso entre os indígenas.

curabilidade [De *curável* + *-(i)dade*, seg. o padrão erudito.] *S. f.* Qualidade de curável.

curaca [Do quíchua *kuraj-ka*, 'o mais idoso', pelo hisp.-amer. *curaca*.] *S. m. Bras. AM* V. *morubixaba* (1).

curaçaense (çà) *Adj. 2 g.* **1.** De, ou pertencente ou relativo a Curaçá (BA). • *S. 2 g.* **2.** O natural ou habitante de Curaçá.

curaçau [Do top. *Curaçau*.] *S. m.* Licor alcoólico, feito com aguardente de cana e casca de laranja amarga.

curacirari *Bras. S. 2 g.* **1.** *Etnôn.* Indivíduo dos curaciraris, povo indígena extinto que habitava a margem esquerda do rio Amazonas, na confluência com o rio Tefé (AM). • *Adj. 2 g.* **2.** Pertencente ou relativo a esse povo. [Tb. us. como *s. 2 g. e 2 n.* (com cap.) e *adj. 2 g. e 2 n.*]

curadá *S. m. Bras. AM Cul.* Beiju grande e espesso, feito de tapioca umedecida, e que leva pedacinhos de castanha crua.

curado [Part. de *curar*.] *Adj.* **1.** Restabelecido de doença; sarado. **2.** Que foi seco ao sol ou ao calor do fogo: *queijos curados; linguiças curadas.* **3.** Diz-se de mal, doença ou ferida que já foram extintos. **4.** *Bras.* Supostamente preservado do veneno das cobras, de facadas, tiros e outros males por meio de mezinhas ou sortilégios. ~ V. *sal* —.

curador[1] (ô) [Do lat. *curatore*.] *S. m.* **1.** Pessoa que tem, por incumbência legal ou judicial, a função de zelar pelos bens e pelos interesses dos que por si não o possam fazer (órfãos, loucos, toxicômanos, etc.); aquele que exerce curadoria. **2.** Membro do Ministério Público que, por efeito de lei, exerce, junto às varas cíveis e especializadas, funções específicas na defesa de incapazes, ou de certas instituições e pessoas. **3.** Curador de artes. ◆ **Curador de artes.** Responsável pela organização e manutenção de acervo de museu, etc. [Tb. se diz apenas *curador*.] **Curador de casamentos.** O que zela pela juridicidade do vínculo matrimonial. **Curador de família.** O defensor da família constituída e do vínculo matrimonial; curador do vínculo. **Curador de massas falidas.** O que tem o encargo de zelar pelos interesses da massa, nos processos falimentares e nos de concordata, e promover, perante o juízo criminal, a responsabilidade do autor de crime falimentar. **Curador de menores.** Aquele cujas funções se exercem junto ao juízo de menores com relação aos menores abandonados e delinquentes. **Curador de resíduos.** O que zela pela execução perfeita da vontade do testador, intervindo em qualquer processo em que haja interesses ligados a testamentos, extinção de usufruto e fideicomisso, sub-rogação de bens gravados, e a quem cabe, ainda, velar pelas fundações. **Curador do vínculo.** Curador de família. **Curador geral dos órfãos.** O que zela pelos direitos, bens e pessoa dos órfãos em qualquer processo em que eles sejam partes ou meros interessados.

curador[2] (ô) [De *curar* (10) + *-dor*.] *S. m. Bras.* Feiticeiro ou rezador que, supostamente, cura pessoas mordidas por ofídios venenosos, ou que, com sua arte, as torna respeitadas por esses animais.

curadoria [De *curador*[1] + *-ia*[1].] *S. f.* Cargo, poder ou função de curador[1]; curatela.

curanaua *Bras. S. 2 g.* **1.** *Etnôn.* Indivíduo dos curanauas, povo indígena extinto que habitava a região do rio Marauiá, no N. do AM. • *Adj. 2 g.* **2.** Pertencente ou relativo a esse povo. [Outra f.: *curanaue*.] [Tb. us. como *s. 2 g. e 2 n.* (com cap.) e *adj. 2 g. e 2 n.*]

curanaue *S. 2 g. Adj. 2 g. Bras.* V. *curanaua*.

curanchim *S. m. Bras. SP Pop.* **1.** *Zool.* V. *uropígio* (1). **2.** O cóccix (q. v.) e região adjacente. [Var.: *coranchim*.]

curandeirice [De *curandeiro* + *-ice*.] *S. f.* V. *curandice*.

curandeirismo [De *curandeiro* + *-ismo*.] *S. m. Bras.* A atividade ou conjunto das práticas dos curandeiros.

curandeiro [De **curando* (< *curar* + *-ando*) + *-eiro*.] *S. m.* **1.** Aquele que cura; indivíduo que se atribui (ou a quem é atribuída) a função, capacidade, poder ou conhecimento para curar. **2.** Aquele que cura sem título nem habilitações, em geral por meio de rezas e feitiçarias. [Sin.: *jalapeiro* e (em MG) *carimbamba*, *puçanguara*.] **3.** *P. ext.* Medicastro (1).

curandice [De *curand(eiro)* + *-ice*.] *S. f.* Ato de curandeiro. [Seria preferível *curandeirice*.]

curar [Do lat. *curare*.] *V. t. d.* **1.** Restabelecer a saúde a. **2.** Debelar (doenças, feridas, etc.): "Curaram ferida com pedra-lipes." (José Lins do Rego, *Meus Verdes Anos*, p. 66); "As salsas águas do mar / As fundas feridas curam" (Guimarães Passos, *Horas Mortas*, p. 52). **3.** Fazer (alguém) perder defeito moral ou hábito prejudicial: *Sabia que o rapaz era alcoólatra, mas não perdia a esperança de curá-lo.* **4.** Remediar; emendar, corrigir: *Uma boa sova curaria a sua desobediência.* **5.** Branquear, expondo ao sol; corar: *curar o linho.* **6.** Secar ao calor, ou ao fumeiro: *curar queijos; curar peixes.* **7.** *Bras.* Preparar, tornando melhor para o uso: *curar a madeira.* *T. i.* **8.** Tratar, cuidar: "Os nossos maiores .... curavam mais de praticar façanhas do que de conservar os monumentos delas." (Alexandre Herculano, *Lendas e Narrativas*, I, p. 219.) *Int.* **9.** Exercer a medicina. **10.** *P. ext.* Praticar o curandeirismo. *P.* **11.**

Recuperar a saúde; restabelecer-se, sarar: *Bem tratado como foi, curou-se de todo.* **12.** Emendar-se de algum defeito moral, ou de mau hábito: *Foi jogador apaixonado, mas acabou curando-se.*

curare [Do caraíba, pelo tupi amaz. *curare*.] *S. m.* **1.** Veneno muito violento, de ação paralisante, vermelho-escuro, de aspecto resinoso, solúvel na água, extraído da casca de certos cipós, e com o qual alguns povos indígenas ervam as suas flechas. [Sin.: *ervadura, ervagem, ticuna, uirari, voorara.* V. *curare* (2).] **2.** *Quím.* Extrato de composição variável, segundo o uso e região de origem, preparado de várias espécies de vegetais (*Strychnos* e *Chondodendron*) e que contém vários alcaloides, como, p. ex., curarina, tubocurarina e curina[1], extremamente venenosos.

curaremimético [De *curare* + *mimético*.] *Adj. Med.* Que tem ação semelhante à do curare, ou produz efeitos similares aos dele.

curariforme [De *curare* + *-iforme*.] *Adj. 2 g. Med.* Que produz o relaxamento muscular característico do curare.

curarina [De *curare* + *-ina*[3].] *S. f. Quím.* Designação genérica de certos alcaloides encontrados no curare, muito venenosos, como, p. ex., a C-curarina I (fórm.: $C_{40}H_{44}N_4O^{+2}$) e seu dicloreto (fórm.: $C_{40}H_{44}Cl_2N_4O$); C-curarina III (fórm.: $C_{20}H_{23}N_2O^{+}$) e seu cloreto (fórm.: $C_{20}H_{23}ClN_2O$). [Cf. *tubocurarina*.]

curarismo [De *curare* + *-ismo*.] *S. m.* Envenenamento pelo curare.

curarização [De *curarizar* + *-ção*.] *S. f.* Ato ou efeito de curarizar.

curarizante [De *curarizar* + *-nte*.] *Adj. 2 g.* Que curariza; paralisante.

curarizar [De *curare* + *-izar*.] *V. t. d.* **1.** Envenenar com curare. **2.** *Terap.* Submeter (pessoa ou animal) à ação do curare, a qual leva a estado de relaxamento muscular ou, até, paralisia mediante ministração de curare ou derivado.

curassês *S. m. Gloss.* Papiamento.

curatá [De or. tupi.] *S. m. Bot.* Arbusto poligonáceo (*Coccoloba cordifolia*), com até 2,50m de altura, de grandes folhas cordiformes, inflorescências em racemos terminais solitários, frutos bacáceos, e cuja raiz e casca são tidas como medicinais.

curatela [Do lat. *curatela*.] *S. f.* Curadoria.

curatelado [De *curatela* + *-ado*[1].] *Adj. S. m. Bras.* Que, ou aquele que está sujeito a curatela.

curativo [De *curar* + *-tivo*.] *S. m.* **1.** Ato ou efeito de curar. **2.** Aplicação local de remédios em ferida, úlcera, incisões cirúrgicas, etc., para tratá-las, limpá-las e protegê-las de agentes infecciosos, e/ou facilitar a regeneração dos tecidos; penso. **3.** *P. ext.* A gaze, o adesivo, a faixa de tecido, etc., com que se fixam os produtos terapêuticos ou antissépticos de um curativo (2); penso. **4.** V. *parche*. ● *Adj.* **5.** Relativo a cura (2 e 3), ou a curativo (2 e 3).

curato [De *cura* (9) + *-ato*[1].] *S. m.* **1.** Cargo de cura (9). **2.** Residência de cura (9). **3.** Povoação pastoreada por um cura (9).

cura-tudo [De *curar* + *tudo*.] *S. m. 2 n.* Remédio de que se diz ser capaz de curar tudo; panaceia.

curau[1] *S. m.* **1.** *Bras.* V. *caipira* (1). **2.** *Bras. Amaz. Zool.* Ave psitacídea (*Amazonas aestiva*) e de outras espécies do mesmo gênero; são papagaios com o dorso verde polvilhado de cinza-claro. **3.** *Bras. SE Pop.* Sertanejo retirante. **4.** *Bras. MT* Indivíduo inexperiente, ingênuo, novato.

curau[2] *S. m. Cul.* **1.** *Bras. N.* Comida feita de carne salgada pilada junto com farinha de mandioca. **2.** *Bras. SP MT GO* V. *canjica* (1).

curauá [Do tupi.] *S. m.* **1.** *Bras. Bot.* V. *gravatá*. **2.** *Bras. Marajó Zool.* Cavalo de pelagem branca. ● *Adj. 2 g.* **3.** *Bras. Marajó Zool.* Diz-se de equídeo de pelagem branca.

curável [Do lat. *curabile*.] *Adj. 2 g.* Que se pode curar.

curbaril [Var. de *courbaril*.] *S. m. Bot.* V. *jatobá* (1 a 3).

curcúligo [Do tax. *Curculigo*.] *S. m. Bot.* **1.** Gênero de plantas amarilidáceas, vivazes, cultivadas como ornamentais por suas folhas plicadas, que lembram as de certas palmeiras. **2.** Qualquer espécie desse gênero, como, p. ex., a *Curculigo recurva* e a *C. orchioides*. **3.** Qualquer espécime desse gênero.

curcúlio [Do tax. *Curculio*.] *S. m. Zool.* **1.** O gênero-tipo dos curculionídeos (q. v.). **2.** Espécie ou espécime desse gênero.

curculionídeo[1] [Do lat. *curculione*, 'gorgulho', + *-ídeo*[3].] *Adj.* Relativo ou semelhante ao gorgulho.

curculionídeo[2] [Do lat. cient. *Curculion-* (< tax. *Curculio* < lat. *curculio, onis*, 'gorgulho') + *-ídeo*[1]; tax. *Curculionidae*.] *Zool. S. m.* **1.** Espécime dos curculionídeos, família de insetos coleópteros cujo gênero-tipo é o curcúlio; são besouros de tamanho variável (de 1mm até 50mm) com élitros espessos e escamas coloridas ou metalizadas. As larvas escarabeiformes são pragas de vegetais. ● *Adj.* **2.** Pertencente ou relativo a eles.

curcurana [Do tupi.] *S. f. Bras. BA* Alagadiço ou brejo que se forma junto às praias.

curdo *Adj.* **1.** Do, ou pertencente ou relativo ao Curdistão (região que se distribui por vários países: Turquia, Iraque, Irã, Síria, Armênia e Azerbaijão). ● *S. m.* **2.** Indivíduo dos curdos, povo, majoritariamente, de religião muçulmana que habita essa região. **3.** *Gloss.* O idioma deles.

curema *S. m. Bras. PB PE* **1.** V. *valentão* (3). **2.** Indivíduo importante; figurão.

curera (ê) [Do tupi.] *S. f. Bras. Amaz.* A mandioca ao sair do tipiti, reduzida a massa mole e imprópria à fabricação de farinha.

cureta (ê) [Do fr. *curette*.] *S. f.* **1.** Instrumento cirúrgico para raspar, em forma de colher e com bordas cortantes. ● *S. m.* **2.** *Bras. Gír.* V. *aborteiro*. [Pl.: *curetas* (ê). Cf. *cureta* e *curetas*, do v. *curetar*.]

curetagem [De *curetar* + *-agem*[2].] *S. f.* Ação ou operação de curetar; raspagem.

curetar [De *cureta* + *-ar*[2].] *V. t. d.* Raspar com a cureta. [Pres. ind.: *cureto, curetas, cureta*, etc. Cf. *cureta* (ê), pl. *curetas* (ê), e *coreto* (ê).]

cureteiro [De *cureta* (ê) + *-eiro*.] *S. m. Bras. Gír.* V. *aborteiro*.

curi[1] [Do tupi.] *S. m.* **1.** *Bras. Amaz.* A argila vermelha. **2.** *Bras. S. Bot.* V. *pinheiro-do-paraná*.

curi[2] *Bras. S. 2 g.* **1.** *Etnôn.* Indivíduo dos curis, povo indígena extinto que habitava a margem esquerda do alto rio Solimões (AM). ● *Adj. 2 g.* **2.** Pertencente ou relativo a esse povo. [Tb. us. como *s. 2 g. e 2 n.* (com cap.) e *adj. 2 g. e 2 n.*]

cúria [Do lat. *curia*.] *S. f.* **1.** *Ecles.* A corte pontifícia: "Um repreende o pontífice romano, chamando-lhe imprevidente! Outro condena a política da Cúria!" (Antero de Quental, *Prosas*, I, p. 291.) **2.** *Ecles.* Tribunal eclesiástico dos bispados. **3.** Antiga divisão das tribos romanas. **4.** O antigo senado romano. **5.** Lugar onde se reunia esse senado. ◆ **Cúria romana.** **1.** O conjunto de entidades e autoridades que colaboram com o Papa, em Roma. **2.** A corte papal.

curia-aruaque *Bras. S. 2 g.* **1.** *Etnôn.* Indivíduo dos curias-aruaques [ou (etnôn. bras.) *Kuria-aruak], povo indígena extinto, da família linguística aruaque, que habitava a região entre os rios Maru e Embira (AC). ● *Adj. 2 g.* **2.** Pertencente ou relativo a esse povo. [Pl.: *curias-aruaques*.]

curiacica [De or. tupi, poss.] *S. m. Bras. Zool.* V. *bagre-amarelo* (3).

curiacica-da-branca *S. m. Bras. Zool.* V. *mandi-pintado* (1). [Pl.: *curiacicas-da-branca*.]

curial [Do lat. *curiale*.] *Adj. 2 g.* **1.** Pertencente ou relativo à cúria: "a necessidade de uma crescente descentralização da Igreja e .... autonomia episcopal muito maior do que a permitida pela centralização curial" (Alceu Amoroso Lima, *João XXIII*, p. 206). **2.** *Fig.* Próprio, conveniente: "Não me tenhas por sacrílego, leitora minha devota; a limpeza da intenção lava o que puder haver menos curial no estilo." (Machado de Assis, *Dom Casmurro*, p. 42.) ● *S. m.* **3.** Oficial da cúria pontifícia. **4.** Membro da cúria (4).

curiangada [De *curiango* + *-ada*[1].] *S. f. Bras. S.* Bando de curiangos.

curiango [Do quimb.] *S. m. Bras. Zool.* Ave caprimulgiforme, caprimulgídea (*Nyctidromus albicollis*), uma das mais comuns, distribuída desde o S. do México até o N.E. da Argentina, de coloração pardo-amarelada finamente pintada de preto e com manchas pretas maiores, rêmiges pretas com fita branca. [Var.: *curiangu*. Sin.: *coriavo, engole-vento, mariangu*.]

curiango-tesoura *S. m. Bras. Zool.* **1.** Ave caprimulgiforme, caprimulgídea (*Macropsalis forcipata*), cujo macho tem a cauda longa, do S.E. do Brasil. **2.** Ave caprimulgiforme, caprimulgídea (*Hydropsalis torquata*), distribuída pelo Brasil inteiro, de corpo cinzento com pintinhas pretas e com manchas maiores pretas e vermelhas, retrizes laterais do macho duas vezes mais longas que as médias. [Sin. ger.: *bacurau-tesoura*. Pl.: *curiangos-tesouras* e *curiangos-tesoura*.]

curiangu *S. m. Bras. Zool.* V. *curiango*: "os curiangus saíam das moitas demandando a larga planura por onde a lua, solitária no céu liso, ... estendia a sua claridade triste" (Coelho Neto, *Banzo*, p. 120).

curiantã *S. m. e f. Bras. Zool.* V. *gaturamo*.

curião [Do lat. *curione*.] *S. m.* Chefe de cúria (q. v.) entre os antigos romanos.

curiató *Bras. S. 2 g.* **1.** *Etnôn.* Indivíduo dos curiatós, povo indígena extinto que habitava na divisa do AM com o PA. ● *Adj. 2 g.* **2.** Pertencente ou relativo a esse povo. [Tb. us. como *s. 2 g. e 2 n.* (com cap.) e *adj. 2 g. e 2 n.*]

curibatá *S. f. Bras. Zool.* V. *curimbatá*.

curiboca (ó) *S. 2 g. Bras. N. N.E.* V. *cariboca*: "À proporção que as mesclas se vão operando, que os novos descendentes se vão afastando dos tipos primitivos, surgem mestiços disfarçados que são então julgados semibrancos e curibocas e, por fim, o chamado branco nacional" (A. Austregésilo, *Obras Completas*, X, p. 156).

curica [Do tupi.] *S. f.* **1.** *Bras. Zool.* Ave psitaciforme, psitacídea (*Eucinetus barrabandi*), da Amaz., de coloração verde, cabeça, garganta e ponta da cauda pretas, faces e encontro alaranjados, peito amarelo-oliváceo, coberteiras inferiores da asa encarnadas, e rêmiges pretas marginadas de azul. **2.** *Bras. AM MA PA* Espécie de papagaio (5) de papel, pequeno e sem talas. ◆ **Cortar a curica de.** *Bras. AM MA PA* Frustrar o projeto, os planos de: "Já tinha prometido roubar o Land Rover dos pais e passear com ela até as cachoeiras do Tarumã. Zana desconfiou, escondeu a chave do jipe, cortou a curica do Caçula". (Milton Hatoum, *Dois Irmãos*, pp. 21-22).

curicaca [Do tupi.] *S. f. Bras. Zool.* Ave ciconiiforme, tresquiornitídea (*Theristicus caudatus*), da América do Sul, de dorso cinzento, com brilho esverdeado; rêmiges da mão e cauda pretas; partes das coberteiras superiores das asas e das rêmiges da mão esbranquiçadas. [Var.: *curucaca*.]

curicaca-parda [De *curicaca* + o f. de *pardo*[2].] *S. f. Bras. Zool.* V. *tapicuru*[1]. [Pl.: *curicacas-pardas*.]

curie [Do antr. (*Pierre*) *Curie*. V. *cúrio*.] *S. m. Fís. Nucl.* Unidade de medida de radioatividade, igual à atividade de uma amostra na qual o número de desintegrações por segundo é $3{,}700 \times 10^{10}$ [símb.: *Ci*].

curieterapia [Do antr. *Curie*, de Pierre e Maria Curie (v. *cúrio*), + *-terapia*.] *S. f. Med.* Terapêutica pelo rádio[2].

curieterápico [De *curieterapia* + *-ico*[2].] *Adj.* Relativo à curieterapia.

curimã [Do tupi.] *S. f. Bras. N.E. Zool.* **1.** Espécie de tainha (*Mugil cephalus*), da costa do Brasil, próxima da tainha verdadeira, porém menor, com 0,60 a 0,80m de comprimento. [Em PE são mantidas em viveiros especiais, cuja despesca é feita na Semana Santa. Sin.: *tainhota, tamatarana, tapuji, urichoa*. Cf. *curimãi*.] **2.** V. *tainha* (1).

curimãí [De *curimã* + *-i*.] *S. f. Bras. N.E. Pop. Zool.* Designação comum às curimãs novas, quando no ponto de serem levadas para os viveiros. [Cf. *curimã* (1).]

curimatá [Do tupi.] *S. m.* **1.** *Bras. RN PB* Zona das caatingas apropriada à criação do gado; curimataú. **2.** *Bras. MA MG Zool.* V. *curimbatá*.

curimatã *S. m. Bras. Zool.* V. *curimbatá*.

curimataense *Adj. 2 g.* **1.** De, ou pertencente ou relativo a Curimatá (PI). ● *S. 2 g.* **2.** O natural ou habitante de Curimatá.

curimataú [Do tupi.] *S. m. Bras.* **1.** Curimatá (1). **2.** *Zool.* V. *curimbatá*.

curimatídeo [Adapt. do tax. *Curimatidae*.] *Zool. S. m.* **1.** Espécime dos curimatídeos, família de peixes caraciformes, desprovidos de dentes quando adultos, com 11 gêneros e 125 espécies, distribuídos nas Américas Central e do Sul. ● *Adj.* **2.** Pertencente ou relativo a eles.

curimba *S. m. Bras. Zool.* V. *curimbatá*.

curimbaba [Do tupi = 'força', 'valentia', 'valor'.] *S. m. Bras. MG* V. *capanga* (4).

curimbatá [Var. de *curimatá* < *curumatá*, do tupi.] *S. m. Bras. Zool.* Designação comum aos peixes proquilodontídeos, esp. do gênero *Prochilodus*, com 21 espécies distribuídas por todo o Brasil. Sua pesca é feita com redes; alimenta-se de vegetais, sobretudo do lodo, prestando-se bem para piscicultura. [Var.: *curibatá, curimatá, curimatã, curimataú, curimba, curumbatá, curumatá, curumatã, curumatão*. Sin.: *grumatã* ou *grumatá, papa-terra*.]

curimbatá-da-lagoa *S. m. Bras. Zool.* Peixe proquilodontídeo (*Prochilodus vimboides*) das bacias dos rios S. Francisco, Paraná, Jequitinhonha e Doce, com até 30cm de comprimento. [Sin.: *soguá, soguagrá, soguaguá*. Pl.: *curimbatás-da-lagoa*.]

curimbó [De or. tupi.] *S. m. Bras.* **1.** *Bot.* Trepadeira bignoniácea (*Tanaecium nocturnum*) alta, de ramos flexuosos, de folhas opostas, flores alvas, muito grandes, aromáticas, dispostas em racemos terminais; o fruto é capsular, lenhoso, e a casca é tida como medicinal; corimbó, corimbó-da-mata. **2.** *Mús.* V. *atabaque* (2).

curina[1] [De *cur(are)* + *-ina*[3]; al. *Kurin*.] *S. f. Quím.* Alcaloide encontrado em certos tipos de curare [fórm.: $C_{36}H_{38}N_2O_6$].

curina[2] *S. 2 g. Adj. 2 g. Bras.* V. *culina*.

curinga [De or. afr.] *S. m.* **1.** Carta de baralho, que, em certos jogos, muda de valor segundo a combinação que o parceiro tem em mão. [Sin.: *dunga* (N.E.) e *melé* (MA e AL). Cf. *curingão*.] **2.** *Bras. P. ext.* Aquele ou aquilo que tem capacidade de exercer mais de uma função, conforme as circunstâncias. **3.** *Inform.* Caractere (ger. um asterisco) us. na formulação de uma busca (7) e que representa quaisquer outros caracteres. **4.** *Bras. Fig.* Pessoa esperta, sem escrúpulos, que tira partido de qualquer situação. **5.** *Bras. Fut.*

Jogador que joga em muitas posições e, por isso, pode substituir qualquer companheiro. 6. *Bras. Teatr.* Ator que interpreta vários papéis numa mesma peça: "Rodrigo é uma espécie de curinga .... que cumpre a entrada de meia dúzia de personagens efêmeros" (Geraldinho Vieira, em *Jornal de Brasília*). [Cf. *coringa*.] ◆ **Curinga imaginário.** Em certos jogos, carta inexistente na mão do jogador, mas de que ele pode valer-se para fechar um jogo e bater.

curingão [De *curinga* + *-ão*[2].] *S. m.* Carta com desenho especial (ger. a figura de um bobo da corte), que se inclui no baralho comum em alguns jogos como canastra, biriba, buraco, etc., e que funciona como curinga (1).

curió [Do tupi.] *S. m. Bras. Zool.* Ave passeriforme, fringilídea (*Oryzoborus angolensis*), distribuída por todo o Brasil. O macho é preto, com abdome vermelho, um espelho branco na asa, e a fêmea, parda, com a parte inferior amarelada. [Sin.: *avinhado*[1], *bico-de-furo*, *papa-arroz*. Cf. *peito-roxo*.]

cúrio [Do lat. cient. *curium*, do sobrenome de Pierre *Curie* (1859-1906), físico francês, e de sua mulher, Marie Sklodowska *Curie* (1867-1934), física polonesa.] *S. m. Quím.* Elemento transurânico de número atômico 96, artificial, radioativo, metálico [símb.: *Cm*].

curiola [De or. obsc.] *S. f. Bras. Bot.* V. *acá* (1).

curionopolense *Adj. 2 g.* 1. De, ou pertencente ou relativo a Curionópolis (PA). ● *S. 2 g.* 2. O natural ou habitante de Curionópolis.

curiosa [F. subst. de *curioso*.] *S. f. Fam.* Parteira sem habilitação legal. [Cf. *curioso* (11).]

curiosidade [Do lat. *curiositate*.] *S. f.* 1. Qualidade ou caráter daquele ou daquilo que é curioso. 2. Desejo de ver, saber, informar-se, desvendar, alcançar etc.; interesse: *A matéria deste jornal satisfaz a curiosidade dos leitores.* 3. Desejo de aprender, conhecer, investigar determinados assuntos; interesse: *Quem, por curiosidade, quiser conhecer a Campanha de Canudos, deve ler* Os Sertões, *de Euclides da Cunha.* 4. Desejo irreprimível de conhecer os segredos, os negócios alheios; bisbilhotice, indiscrição: *A curiosidade perdeu as mulheres do Barba-Azul.* 5. Informação que revela algo desconhecido e interessante: *Seu livro está cheio de curiosidades folclóricas.* 6. Tendência de amador a procurar coisas raras e originais: *a curiosidade de um colecionador, de um bibliófilo.* 7. Objeto raro e/ou interessante; raridade: *loja de curiosidades.*

curioso (ô) [Do lat. *curiosu*.] *Adj.* 1. Cuidadoso, cuidoso, zeloso. 2. Que tem, ou em que há curiosidade (2 a 4): *criança curiosa; estudante curioso; olhar curioso;* "Com um gesto pegou na fulgurante mosca, / Curioso de a examinar." (Machado de Assis, *Poesias Completas*, p. 316); "alma curiosa de perfeição" (Id., *Várias Histórias*, p. 134). 3. Ávido de esquadrinhar assuntos de outrem; indiscreto, bisbilhoteiro: *repórter curioso.* 4. Diz-se de indivíduo que, embora sem interesse pessoal num fato, dele participa como espectador. 5. Que merece atenção, desperta interesse; interessante: *ideia curiosa; informação curiosa; personagem curiosa.* 6. Surpreendente, interessante, singular, notável: *Coisa curiosa: não consigo lembrar-me de sua fisionomia.* 7. Diz-se de objeto raro, original, excepcional: *escultura curiosa.* ● *S. m.* 8. Indivíduo curioso. 9. *Restr.* Coisa, fato, aspecto curioso, surpreendente, singular: *O curioso neste crime é a aparente ausência de motivo.* 10. *Bras.* Indivíduo que, embora sem conhecimentos teóricos, entende de muita coisa; prático. 11. *Bras.* Profissional sem diploma. [Cf., nesta acepç., *curiosa*.]

curista [De *cura* + *-ista*.] *S. 2 g. Bras. MG* Pessoa que faz estação de águas minerais com o fito de tratar-se ou curar-se de alguma doença. [Cf. *corista*.]

curitibanense *Adj. 2 g.* 1. De, ou pertencente ou relativo a Curitibanos (SC). ● *S. 2 g.* 2. O natural ou habitante de Curitibanos.

curitibano[1] *Adj.* 1. De, ou pertencente ou relativo a Curitiba, capital do Estado do Paraná. ● *S. m.* 2. O natural ou habitante de Curitiba.

curitibano[2] *Adj. S. m. Bras.* V. *coritibano*.

curiuvense (i-u) *Adj. 2 g.* 1. De, ou pertencente ou relativo a Curiúva (PR). ● *S. 2 g.* 2. O natural ou habitante de Curiúva.

curivaurana *Bras. S. 2 g.* 1. *Etnôn.* Indivíduo dos curivauranas, povo indígena extinto que habitava o extremo N. do AM. ● *Adj. 2 g.* 2. Pertencente ou relativo a esse povo. [Tb. us. como *s. 2 g. e 2 n.* (com cap.) e *adj. 2 g. e 2 n.*]

curra [De *curro*.] *S. f. Bras. Gír.* Ato ou efeito de currar.

currado [Part. de *currar*.] *Adj. S. m. Bras. Gír.* Que, ou aquele que foi vítima de curra.

currais-novense *Adj. 2 g.* 1. De, ou pertencente ou relativo a Currais Novos (RN). ● *S. 2 g.* 2. O natural ou habitante de Currais Novos. [Pl.: *currais-novenses*.]

curral [De or. controversa; poss. do lat. vulg. **currale* < lat. *curru*, 'carro'.] *S. m.* 1. Lugar onde se junta e recolhe o gado; arribana, corte, malhada. [Cf. *cercado* (5).] 2. *Bras.* Armadilha para apanhar peixe; caiçara. [Sin. no N.: *cacuri*.] 3. *Tip.* V. *dente de cachorro*. 4. *Bras. CE Gír.* Zona (11).

curralada [De *curral* + *-ada*[1].] *S. f.* Série de currais: "a grande curralada dos bois, enorme, atulhada de feno" (Trindade Coelho, *Os Meus Amores*, p. 245).

curral de peixe *S. m. Bras.* Cercado destinado à pesca junto à praia, composto de três partes: a *espia* (entrada), a *sala* (espaço elíptico maior) e o *chiqueiro* (espaço circular). [Pl.: *currais de peixe*. Cf. *cercada*.]

curraleira [De *curral* + *-eira*.] *S. f.* 1. *Bras. Bot.* Subarbusto euforbiáceo (*Croton antisyphiliticus*) de folhas alternas, lanceoladas, tidas como medicinais quando secas e maceradas, pequenas flores alvas dispostas em racemos, e sementes que encerram óleo drástico (1). 2. *Bras. SP Folcl.* Certa dança rústica. 3. *Bras. MT* Certa raça bovina.

curraleiro[1] [De *curral* + *-eiro*.] *Adj.* 1. Diz-se do gado bovino que fica em curral. 2. *Bras.* Diz-se de certa raça bovina.

curraleiro[2] [F. red. do *papagaio-curraleiro*.] *S. m. Zool.* V. *papagaio-do-peito-roxo*.

curralense *Adj. 2 g. S. 2 g.* V. *curralinense*.

curralinense *Adj. 2 g.* 1. De, ou pertencente ou relativo a Curralinho (PA). ● *S. 2 g.* 2. O natural ou habitante de Curralinho. [Sin. ger.: *curralense*.]

curral-velhense *Adj. 2 g.* 1. De, ou pertencente ou relativo a Curral Velho (PB). ● *S. 2 g.* 2. O natural ou habitante de Curral Velho. [Pl.: *curral-velhenses*.]

currar [De *curra* + *-ar*[2].] *V. t. d. Bras. Pop.* Servir-se para fins libidinosos, e/ou cometer estupro contra (mulher ou homem) em parceria com outro(s) criminoso(s).

→**currente calamo** [kor'rẽnte 'kalamɔ] [Lat., 'ao correr da pena'.] Sem muita reflexão; rapidamente: *um poema escrito currente calamo.*

curricular [De *currículo*[2] + *-ar*[1].] *Adj. 2 g.* De, ou relativo a currículo. ~ V. *componente — e grade —.*

currículo[1] [Do lat. *curriculu*.] *S. m.* 1. Ato de correr. 2. Atalho, corte. 3. *Bras.* Parte de um curso literário. 4. *Bras. P. ext.* As matérias constantes de um curso.

currículo[2] *S. m.* F. red. e adapt. de *curriculum vitae*.

→**curriculum vitae** [kor'rikolo 'vitaj] [Lat., 'carreira da vida'.] Conjunto de dados concernentes ao estado civil, ao preparo profissional e às atividades anteriores de quem se candidata a um emprego, a um concurso, etc. [Pl.: *curricula vitae*.] [Tb. se diz, apenas, e em port., *currículo*.]

curriqueiro *S. m. Bras. RS Zool.* Ave passeriforme, furnariídea (*Geositta cunicularia*), distribuída do extremo S. do Brasil até a Patagônia, de dorso terroso, rêmiges cor de canela com coberteiras leonadas claras, pescoço e peito da mesma cor, este último estriado de escuro, e parte inferior mais clara. Alimenta-se de insetos, e nidifica no solo, em galerias. [Cf. *corriqueiro*.]

curro [Der. regress. de *curral*.] *S. m.* 1. Lugar anexo à praça de touros, e onde estes ficam antes e depois da corrida. 2. Conjunto de touros que se correm no mesmo dia. 3. *Bras. Gír.* V. *prostíbulo*. 4. *Bras. Chulo* Cópula violenta. [Cf., nesta acepç., *curra* e *currar*.] 5. *Bras. SP* Reunião de senzalas.

currumbá *S. m. Bras. PE* V. *sambongo*.

currupira *S. m. Bras. Folcl.* V. *curupira*.

cursar [Do lat. *cursare*.] *V. t. d.* 1. Percorrer, andar: *Cursou longas terras, antes de esbarrar por aqui.* 2. Seguir o curso (8 ou 9) de (uma matéria): *Cursa medicina na UFRJ.* 3. Seguir o curso (8 ou 9) de (um estabelecimento): "Já então os dous gêmeos cursavam um a Faculdade de Direito, em São Paulo; outro a Escola de Medicina, no Rio." (Machado de Assis, *Esaú e Jacó*, p. 107.) 4. Frequentar; visitar: *Seu bisavô cursava a corte de D. Pedro II.* 5. Ter (arma de fogo) o alcance de: *Este fuzil cursa mil metros.* *Int.* 6. Percorrer terras; viajar. 7. Percorrer mares; navegar. 8. V. *defecar* (5).

cursilhista [De *cursilho* + *-ista*.] *S. 2 g.* 1. Pessoa que adere ao cursilho (1). 2. Pessoa que já praticou o cursilho (2).

cursilho [Do esp. *cursillo*.] *S. m. Rel.* 1. Movimento da Igreja surgido na Espanha em 1948, e que consiste, em princípio, num encontro destinado a orientar os católicos adultos leigos no sentido da reflexão acerca dos fatos fundamentais da fé cristã e das consequências práticas que dela decorrem para o comportamento do indivíduo e suas relações com a comunidade. 2. Técnica específica dos exercícios espirituais praticada no cursilho (1).

cursinho [De *curso* + *-inho*[1].] *S. m.* Curso pré-vestibular.

cursista [De *curso* + *-ista*.] *S. 2 g.* Pessoa que frequenta um curso.

cursivo [Do lat. med. *cursivu*.] *Adj.* 1. Diz-se da letra manuscrita, ger. pequena, traçada de maneira rápida e corrente. 2. Executado sem esforço; ligeiro. ~ V. *letra chanceleresca —a* e *letra humanística —a*. ● *S. m.* 3. Letra cursiva.

curso [Do lat. *cursu*.] *S. m.* 1. Ato de correr. 2. Movimento numa direção; corrente, fluxo: *curso das águas; curso dos automóveis.* 3. A direção que um rio segue da nascente à foz. 4. Caminho, percurso: *navegação de longo curso.* 5. Andamento, direção, rumo: *Suas ideias seguiam determinado curso.* 6. Seguimento, sequência, sucessão, decurso: *o curso dos anos.* 7. Voga, uso, circulação: *A palavra lealdoso está fora de curso.* 8. O conjunto das matérias ensinadas em escolas, classes, etc., de acordo com um programa traçado e que em geral se adapta aos diferentes níveis de adiantamento dos alunos: *curso primário; curso superior; curso supletivo.* 9. Série de aulas, conferências ou palestras sobre um tema, ou sobre vários temas, conexos ou não: *Seguiu o curso de jornalismo na Academia Brasileira;* "Fez cursos muito completos de matemática" (Júlio Ribeiro, *A Carne*, p. 3). 10. Tratado ou compêndio sobre determinada matéria de ensino: *Publicou um curso de português.* 11. Designação comum a certos estabelecimentos de ensino especializado. 12. *Econ.* Preço dos títulos ou mercadorias negociados nas bolsas de valores ou no mercado ordinário. 13. *Econ.* O conjunto de operações realizadas na bolsa (7). 14. *Econ.* Equivalência de moedas cambiáveis, expressa por uma relação numérica. 15. *Econ.* Circulação e aceitação (de moeda). 16. *Med.* Evacuação alvina do homem, normal ou patológica. 17. *Bras.* Certa moléstia dos bovinos. 18. *Bras. BA SP* Piracema (3). ◆ **Curso de água.** Água corrente que pode constituir um regato, um ribeirão ou um rio; curso fluvial. **Curso de formação.** *Bras. MG* V. *normal* (7). **Curso divagante.** *Geogr.* Curso de rio que corre em zonas de planície e que, de ordinário, se apresenta em feitio sinuoso, formando meandros. **Curso fluvial.** Curso de água. **Curso forçado.** *Econ.* Aceitação compulsória de uma moeda como meio de pagamento, em decorrência de obrigatoriedade legal. **Curso inferior.** *Geogr.* Parte final do curso de um rio, já para perto da foz, onde pode ocorrer depósito de aluvião. **Curso médio.** *Geogr.* Trecho intermediário do curso de um rio, onde ger. ocorre o transporte fluvial. **Curso superior.** 1. *Geogr.* Parte do rio próxima à sua cabeceira, e onde predomina a ação de desgaste vegetal. 2. Curso (8) universitário. **Curso supletivo.** Curso (8) em que se ministra o ensino supletivo (q. v.). **Dar livre curso a.** *Fig.* Deixar correr ou seguir livremente; não opor nenhuma resistência a. **Em curso.** Corrente (7): *mês em curso.*

cursor (ô) [Do lat. *cursore*.] *Adj.* 1. Que corre ao longo. ● *S. m.* 2. Na Antiguidade, escravo que acompanhava a pé a carruagem do senhor. 3. Mensageiro do Papa. 4. Peça que corre ao longo de outra, em certos instrumentos. 5. *Inform.* Sinal que, na tela de um monitor de computador, indica o ponto de inserção dos caracteres digitados no teclado, ou o ponto sobre o qual incidem certos comandos de edição de texto. 6. *Tip.* Peça cuneiforme que compõe o espaçador da linotipo. [V. *cabeça* (25).] ◆ **Cursor de banco de dados.** *Inform.* Dispositivo de controle utilizado para processar registros individuais resultantes de busca no banco de dados. **Cursor do *mouse*.** *Inform.* Ícone, ger. uma seta, que se desloca na tela acompanhando movimentos do *mouse*, e que indica onde a ação deste terá efeito, caso seja clicado.

cursório[1] [Do lat. *cursorius*, 'próprio para carreira (1)'.] *Adj.* Adaptado para a corrida; dotado de membros especializados para a corrida: *ave cursória.*

cursório[2] [Do tax. *Cursorius* (v. *cursório*[1]).] *S. m. Zool.* 1. Gênero de aves glareolídeas, que compreende animais tipicamente cursórios e terrestres. 2. Qualquer espécie desse gênero, como, p. ex., a *Cursorius cursor* ou *corredor-do-deserto*. 3. Qualquer espécime desse gênero.

cursório[3] [Do tax. *Cursoria*, do neutro pl. do lat. *cursorius* (v. *cursório*[1]).] *S. m. Adj. Zool.* V. *blatário*.

curta[1] *S. m.* V. *curta-metragem*: "Curta brasileiro [*Meow*, de Marcos Magalhães] ganha prêmio especial." (*Jornal do Brasil*, 27.05.1982.)

curta[2] [F. subst. de *curto*[2].] *El. s. f.* Us. na loc. *à curta*. ◆ **À curta.** À ligeira; apressadamente.

curta[3] [Eufemismo por *puta*.] *S. f.* Meretriz: "Quanto à língua, nunca alevantei falsos testemunhos, nem acoimei de curta mulher honrada, nem de corno sujeito que não tivesse testa para marrar." (Aquilino Ribeiro, *Estrada de Santiago*, pp. 111-112.)

curtamão [De *corta-mão*.] *S. m. Bras.* Esquadro, de grandes proporções, us. pelos pedreiros, carpinteiros, etc. [Pl.: *curtamãos*. Cf. *corta-mão*.]

curta-metragem [Do f. de *curto*[2] + *metragem*.] *S. m. Cin.* Filme com a duração de até 20 minutos, normalmente rodado para fins artísticos, educativos, comerciais, etc., e que trata, em geral, de um único assunto; filme de curta metragem. [F. red.: *curta*. Cf. *metragem* (3). Pl.: *curtas-metragens*.]

curta-metragista [De *curta-metrag(em)* + *-ista*.] ***S. 2 g.*** *Cin.* Criador, diretor e/ou produtor de curta-metragem. [Pl.: *curtas-metragistas*.]

curtarém [Do concani.] ***S. m.*** Espécie de toucado das bailarinas hindus.

curteza (ê) [De *curto*^{2} + *-eza (ê)*.] ***S. f.*** **1.** Qualidade de curto^{2}. **2.** Pequenez, tacanhice, acanhamento.

curtição [De *curtir* + *-ção*.] ***S. f.*** **1.** V. *curtimento*. **2.** *Bras. Gír.* Sensação provocada por droga (4); barato. **3.** *Bras. Gír.* V. *onda* (13).

curtido [Part. de *curtir*.] ***Adj.*** **1.** Preparado por curtimento. **2.** Calejado, endurecido: *É homem curtido, aguenta bem o rojão.*

curtidor (ô) [De *curtir* + *-dor*.] ***Adj. S. m.*** Que, ou aquele que curte.

curtidura [De *curtir* + *-dura*.] ***S. f.*** V. *curtimento*.

curtimenta [De *curtimento*.] ***S. f.*** **1.** Fermentação do mosto com o bagaço. **2.** *P. us.* Curtimento de peles.

curtimento [De *curtir* + *-mento*.] ***S. m.*** Ato ou efeito de curtir (q. v.); curtidura, curtição.

curtir [De or. incerta; poss. do lat. vulg. **corretrire* < lat. vulg. **retrire* < lat. *reterere*, 'desgastar pelo atrito'.] ***V. t. d.*** **1.** Preparar (couro) para torná-lo imputrescível. **2.** Preparar (alimento), pondo-o de molho em líquido adequado. **3.** Tornar rijo, são, saudável (uma pessoa), expondo-a ao sol, ao ar livre. **4.** Queimar, enrijecer (a pele). **5.** Padecer, sofrer, suportar: *curtir saudades, tristezas;* "Acerbas penas / curtiu naquelas regiões" (Machado de Assis, *Poesias Completas*, p. 254); "curtindo violentas dores nevrálgicas" (Machado de Assis, *Páginas Recolhidas*, p. 155); "curti uma insônia atroz" (Graciliano Ramos, *Caetés*, p. 88); "curti fome e sede" (Mário da Silva Brito, *O Fantasma sem Castelo*, p. 120). **6.** Sofrer os efeitos de (bebedeira). **7.** *Bras. Gír.* Gozar, desfrutar, deleitar-se, em: *curtir uma festa; curtir uma viagem, um bom papo; curtir um som.* ***T. c.*** **8.** Passar ou viver sofrendo: *Curtiu dez anos na prisão.* ***Int.*** **9.** *Bras. Gír.* Gozar, desfrutar, deleitar-se.

curto^{1} ***S. m.*** *Bras.* V. *curto-circuito* (1).

curto^{2} [Do lat. *curtu*.] ***Adj.*** **1.** De pequeno comprimento: *dedos curtos.* **2.** *P. ext.* De comprimento inferior ao que deveria ser, ou ao habitual: *Ela usa vestido curto para a sua idade.* **3.** Rápido, breve: *Conversamos só durante curtos momentos.* **4.** *Fig.* Limitado, acanhado, tacanho: *homem de entendimento curto.* **5.** Escasso, parco; pouco: "As pedras viram alcanfor no cascalho, as poucas achadas vendem-se por uma miséria de preço; o dinheiro é curto e vasqueiro, chorado, e pela hora da morte" (Afrânio Peixoto, *Bugrinha*, p. 173). ~ V. *letra —a*, *linha —a*, *onda —a*, *página —a*, *piscina —a*, *tonelada —a* e *vista —a*.

curto-circuitar [De *curto-circuito* + *-ar*^{2}.] ***V. int.*** Provocar um curto-circuito.

curto-circuito [De *curto*^{2} + *circuito*.] ***S. m.*** **1.** *Eletr.* Conexão de resistência muito baixa entre dois pontos de potencial diferente num circuito elétrico. [F. red.: *curto*.] **2.** *Cir.* V. *derivação* (3). [Pl.: *curtos-circuitos*.]

curtose [Do gr. *kýrtosis*, 'convexidade'.] ***S. f.*** *Estat.* Propriedade duma curva de densidade de probabilidade, ger. unimodal, caracterizada pelo seu maior ou menor achatamento medido em relação à curva da distribuição de Gauss; achatamento.

curtume [De *curtir* + *-ume*.] ***S. m.*** **1.** Curtimento (de couros, peles, etc.). **2.** Maneira de curti-los. **3.** Estabelecimento onde se curtem couros; alcaçaria, anoque. **4.** Substância com que se curtem couros.

curtumeiro [De *curtume* + *-eiro*.] ***S. m.*** *Bras.* Proprietário de, ou aquele que trabalha em curtume (3): "Segundo o industrial, 'o preço do couro se tornou proibitivo e está estrangulando os calçadistas e curtumeiros ....'" (*Jornal do Brasil*, 19.02.1979).

curu [De or. indígena.] ***S. m.*** *Bras.* Manto feito de fibras de urtiga grande, us. pelos índios coroados.

curuá [Do tupi.] ***S. m.*** *Bras.* **1.** *Bot.* V. *cumari* (1). **2.** *Zool.* V. *anambé-azul*. **3.** *Zool.* V. *crejuá*. **4.** *Zool.* V. *rato-de-espinho*.

curuaia *Bras.* ***S. 2 g.*** **1.** *Etnôn.* Indivíduo dos curuaias [ou (etnôn. bras.) *Kuruaya], povo indígena da família linguística munduruku, tronco tupi, que habita a região da cabeceira do rio Curuá (PA). • ***Adj. 2 g.*** **2.** Pertencente ou relativo a esse povo. [Outra f.: *curuaie*.]

curuaie ***S. 2 g. Adj. 2 g.*** *Bras.* V. *curuaia*.

curuapé [De or. indígena.] ***S. m.*** *Bras. Bot.* V. *cipó-cururu*.

curuatá [Do tupi.] ***S. m.*** *Bras. AM Bot.* **1.** Invólucro das flores de certas palmeiras. **2.** V. *caraguatá*.

curuatá-açu [De *curuatá* + *-açu*.] ***S. m.*** *Bras. Bot.* V. *caraguatá-piteira*. [Pl.: *curuatás-açus*.]

curuatá-de-pau ***S. m.*** *Bras. Bot.* V. *caraguatá*. [Pl.: *curuatás-de-pau*.]

curuatá-pinima ***S. m.*** *Bras. Zool.* V. *bonito-pintado*. [Pl.: *curuatás-pinimas*.]

curuba [Do tupi = 'sarna'.] ***S. f.*** *Bras.* **1.** V. *borbulha* (4). **2.** *Pop.* V. *escabiose*. [Var., nesta acepç.: *coruba*.] **3.** O parasita que provoca a sarna.

curubento [De *curuba* + *-ento*.] ***Adj. S. m.*** *Bras.* Diz-se de, ou indivíduo atacado de curuba.

curubixá [Do tupi.] ***S. m.*** *Bras. Zool.* Designação comum às larvas dos insetos tricópteros. São campodeiformes ou eruciformes, abrigadas em estojos ou galerias feitos com grãos de areia ou detritos vegetais. [Var.: *grumixá*.]

curuca^{1} [Do tupi.] ***S. 2 g.*** *Bras.* V. *coroca*^{3} (3).

curuca^{2} [De or. tupi, poss.] ***S. f.*** *Bras.* Agitação de peixes que vêm à flor da água na época da desova.

curuca^{3} ***S. m.*** *Bras. N.E. Zool.* Decápode macruro atiídeo (*Atya scabra*), que vive na água doce, frequentando as corredeiras. Tem três pares de patas de tamanho decrescente, revestidos por acúleos vermelho-escuros em fileiras, terminados em unha articulada, e dos quais os dois primeiros são delgados e terminam em pinças com tufos de pelos vermelhos em forma de pincel. A espécie é comum na BA e PE, e mede até 0,10m de comprimento.

curucaca ***S. f.*** *Bras. Zool.* V. *curicaca*.

curuçaense ***Adj. 2 g.*** **1.** De, ou pertencente ou relativo a Curuçá (PA). • ***S. 2 g.*** **2.** O natural ou habitante de Curuçá.

curucuá *Bras.* ***S. 2 g.*** **1.** *Etnôn.* Indivíduo dos curucuás [ou (etnôn. bras.) *Kurukuan], povo indígena extinto que habitava as margens do rio Caciporé (AP). • ***Adj. 2 g.*** **2.** Pertencente ou relativo a esse povo.

curucucica [Do tupi.] ***S. m.*** *Bras. MA Zool.* V. *cunauaru*.

curu-curu [De or. tupi, poss.] ***S. m.*** *Bras. Zool.* V. *tuco-tuco*. [Pl.: *curu-curus*.]

curuense ***Adj. 2 g.*** **1.** De, ou pertencente ou relativo a São Luís do Curu (CE). • ***S. 2 g.*** **2.** O natural ou habitante de São Luís do Curu.

curuera (ê) [Do tupi.] ***S. f.*** V. *crueira*^{1}.

curugu [De or. indígena.] ***S. m.*** *Bras.* Grande instrumento de percussão, de som lúgubre, usado por alguns povos indígenas.

curuiri (u-i) [De or. indígena.] ***S. m.*** *Bras. Bot.* Árvore mirtácea (*Eugenia luschnathiana*) de folhas pecioladas, lanceoladas, flores dispostas em pedúnculos axilares, e frutos bacáceos, que encerram polpa um tanto ácida, aromática, edule; pitombeira-da-baía.

curul [Do lat. *curule*.] ***Adj. 2 g.*** **1.** Relativo ou pertencente a certa classe de antigos magistrados romanos. ~ V. *cadeira — e estátua —*. • ***S. f.*** **2.** Cadeira curul. **3.** *P. ext.* Cadeira que ocupam os magistrados ou outras pessoas revestidas de altas dignidades: "A conquista da curul senatorial era para os políticos do regime monárquico a suprema aspiração." (Carlos Pontes, *Motivos e Aproximações*, p. 161.)

curulana ***S. f.*** *Bras. Zool.* V. *jacaré-coroa*.

curumã [Var. de *curimã*.] ***S. f.*** *Bras. Zool.* V. *tainha* (1).

curumatá [Do tupi.] ***S. f. e m.*** *Bras. Zool.* V. *curimbatá*. [Var.: *curumatã* e *curumatão*.]

curumatã ***S. f. e m.*** *Bras. Zool.* V. *curimbatá*.

curumatão ***S. m.*** *Bras. Zool.* V. *curimbatá*.

curumba [De or. express., poss.] ***S. 2 g.*** **1.** *Bras. N.E. Deprec.* Designação comum aos homens de baixa condição que, a pé ou a cavalo, e malvestidos, transitam pelas estradas. **2.** *Bras. N.E.* Indivíduo que desce do sertão à procura de trabalho nos engenhos, usinas e estradas. **3.** *Bras. N.E.* Retirante (2). **4.** *Bras. PE* Sertanejo que trabalha nos canaviais e nas usinas de açúcar durante a safra. **5.** *Bras. PE* V. *caipira* (1). • ***S. f.*** **6.** Mulher velha.

curumbatá ***S. m.*** *Bras. Zool.* V. *curimbatá*.

curumi [Do tupi.] ***S. m.*** *Bras. Amaz.* **1.** V. *menino* (1). **2.** Criado jovem. **3.** A vara de pesca do pirarucu. [Var.: *colomim, culumim, colomi, curumim* e *culumi*.]

curumiá *Bras.* ***S. 2 g.*** **1.** *Etnôn.* Indivíduo dos curumiás, povo indígena extinto que habitava a região do rio Brilhante (MS). • ***Adj. 2 g.*** **2.** Pertencente ou relativo a esse povo. [Tb. us. como *s. 2 g. e 2 n.* (com cap.) e *adj. 2 g. e 2 n.*]

curumim ***S. m.*** *Bras. Amaz.* V. *curumi* (1): "Caboclo olha para a mulher e os filhos. Os curumins têm barriga grande" (Eneida, *Cão da Madrugada*, p. 15).

curuminzada [De *curumim* + *-zada*.] ***S. f.*** *Bras. Amaz.* **1.** Grupo de curumins [v. *curumim* (1)]. **2.** Os curumins.

curumuiana *Bras.* ***S. 2 g.*** **1.** *Etnôn.* Indivíduo dos curumuianas, povo indígena que habita as margens do rio Paru de Leste (PA). • ***Adj. 2 g.*** **2.** Pertencente ou relativo a esse povo. [Tb. us. como *s. 2 g. e 2 n.* (com cap.) e *adj. 2 g. e 2 n.*]

curungo ***Adj. S. m.*** *Bras.* V. *coroca*^{3} (1 e 3).

curupé [Do tupi.] ***S. f.*** *Bras. Amaz. Zool.* Tarapé.

curuperê [Do tupi.] ***S. m.*** *Bras. Amaz.* Pequeno riacho ou afluente de igarapé central que seca no verão.

curupeté [De or. tupi, poss.] ***S. m.*** *Bras. Amaz. Zool.* Tambaqui.

curupiá [De or. tupi, poss.] ***S. f.*** *Bras. Bot.* Árvore ulmácea (*Celtis glycicarpa*) de até 6m de altura, provida de espinhos curvos, folhas grandes, alternas, oblongas, flores apétalas, esverdeadas ou amareladas, dispostas em cimeiras axilares, e fruto edule; fornece madeira útil.

curupira [Do tupi.] ***S. m.*** *Bras. Folcl.* Ente fantástico que, segundo a crendice popular, habita as matas e é um índio cujos pés apresentam o calcanhar para diante e os dedos para trás. [Var.: *currupira*.]

curupitá [Do tupi.] ***S. f.*** *Bras. Bot.* **1.** Árvore euforbiácea (*Sapium aucuparium*) de folhas oblongas ou lanceoladas, membranosas, flores espiciformes e frutos capsulares; exsuda látex que produz borracha de qualidade inferior. [Sin.: *pau-de-bicho*.] **2.** Árvore euforbiácea (*Sapium glandulosum* ou *S. hamatum*) de folhas oblongas, coriáceas, flores espiciformes e frutos pequenos, capsulares; o látex forma borracha. [Sin.: *árvore-de-leite, murupita*.]

curupiti *Bras.* ***S. 2 g.*** **1.** *Etnôn.* Indivíduo dos curupitis [ou (etnôn. bras.) *Curupity], povo indígena extinto que habitava a região do rio Pacajá, afluente do Amazonas (PA). • ***Adj. 2 g.*** **2.** Pertencente ou relativo a esse povo.

curupu [Do tupi.] ***S. m.*** *Bras. AM* Pulsação dos vasos periféricos, visível em certas pessoas que sofrem de distúrbios cardíacos.

curupuruí [Do tupi.] ***S. m.*** *Bras. Zool.* V. *garriça* (1).

curuquerê [Do tupi = 'lagarta propensa a dormir'.] ***S. m.*** *Bras. Zool.* Lagarta do inseto lepidóptero noctuídeo (*Alabama argillacea*), a qual é verde, com listras longitudinais, e ataca folhas e brotos novos do algodoeiro. A mariposa adulta é olivácea ou parda, e tem nas asas anteriores algumas listras transversais escuras, em zigue-zague, e uma pequena mancha na parte central. Envergadura: 30 a 35mm.

curuqui ***S. m.*** *Bras.* Tambor feito de tronco de madeira leve e ocada, usado pelos indígenas.

cururipense ***Adj. 2 g.*** **1.** De, ou pertencente ou relativo a Cururipe (AL). • ***S. 2 g.*** **2.** O natural ou habitante de Cururipe.

cururu [Do tupi.] ***S. m.*** **1.** *Bras. Zool.* Designação comum a alguns sapos de grande porte de pele enrugada. **2.** *Bras. N. N.E. Zool.* Designação comum às espécies do gênero *Bufo*, de pele verrucosa, provida de glândulas de peçonha; sapo-cururu. **3.** *Bras. AM Bot.* Trepadeira sapindácea (*Paullinia cururu*) de suco venenoso, flores pequenas, pediceladas, alvas ou esverdeadas, e cujo fruto é cápsula cilíndrica, vermelha, com várias sementes; arari^{1}. **4.** *Bras. AM Bot.* V. *cipó-cururu*. **5.** *Bras. Amaz. Etnogr.* Certa dança indígena. **6.** *Bras. SP MT Folcl.* Dança de roda em que se canta ao desafio: "Um dia se engraçou com a Tudinha, num cururu em casa de Maneco Lopes." (M. Cavalcanti Proença, *Manuscrito Holandês*, p. 80.) **7.** *Bras. SP Folcl.* Dança de roda, palmeada e sapateada, semelhante, nos seus passos e ademanes, à coreografia ameríndia. • ***Adj. 2 g.*** **8.** *Bras.* V. *jururu* (2).

cururuá [Do tupi.] ***S. m.*** *Bras. Amaz. Zool.* V. *rato-de-espinho*.

cururuboia (ói) [Do tupi = 'cobra-sapo'.] ***S. f.*** *Bras. Zool.* Réptil ofídio, colubrídeo (*Xenodon serverus*), do C.O. e N. do Brasil. Os jovens apresentam faixas angulares, pardacentas, com margens mais escuras, separadas por espaços pardo-claros, mancha branca arredondada na nuca e faixas curvas na cabeça, ventre pardo ou negro, com grandes manchas amareladas dos lados; os adultos têm dorso pardo e abdome amarelado. [Sin.: *jacanarana, quiriripitá*.] ❖

cururuca [De or. tupi, poss.] ***S. m.*** *Bras. Zool.* V. *corvina* (2).

cururucica [Do tupi.] ***S. f.*** *Bras.* Certa resina medicinal.

cururuí ***S. m.*** *Bras. Zool.* Designação popular, em língua tupi, para várias espécies de sapos ou anuros de pequeno porte.

cururupuense ***Adj. 2 g.*** **1.** De, ou pertencente ou relativo a Cururupu (MA). • ***S. 2 g.*** **2.** O natural ou habitante de Cururupu.

cururuxoré ***S. m.*** *Bras. Amaz. Zool.* V. *rato-de-espinho*.

curutié [Voc. onom.] ***S. m.*** *Bras. Zool.* Ave passeriforme, furnariídea (*Certhiaxis cinnamomea russeola*), do S. do Brasil. Dorso pardo-acinzentado, abdome branco, garganta amarelo-clara. Constrói ninho com gravetos, em árvores ou arbustos, nos brejos, e alimenta-se de insetos. [Sin.: *corruíra-do-brejo, marrequinho-do-brejo*. Cf. *joão-teneném*.]

curuzu ***S. m.*** *Bras.* ***S.*** **1.** Bolo fecal. **2.** Monte de cascalho de mineração.

curva [F. subst. de *curvo*.] ***S. f.*** **1.** *Geom.* Lugar geométrico de um ponto que se desloca num espaço com um único grau de liberdade; linha curva. [O conceito pode abranger, como caso particular, a linha reta.] **2.** Qualquer linha ou superfície curva: *a curva de um arabesco; A curva das montanhas desenhava-se no horizonte.* **3.** Trecho sinuoso de rua, estrada, ou qualquer via; volta: *A estrada de Cabo Frio é cheia de* *curvas*. **4.** V. *curvatura* (2): *O arame, fino demais, perdeu toda a curva, deformando o fundo da sacola.* **5.** Peça arqueada em construções, móveis, etc.: *a curva do para-lama.* **6.** Linha que liga pontos de antemão cotados em ordenadas e abscissas, nos gráficos demonstrativos ou estatísticos. ~ V. *curvas*. ◆ **Curva algébrica.** *Mat.* Curva cujas equações cartesianas são algébricas racionais inteiras. **Curva analagmática.** *Geom.* Qualquer curva plana que possa inverter-se em si mesma, como, p. ex., o caracol, a cardioide, a cassinoide e a estrofoide. **Curva binodal.** *Fís.-Quím.* Num diagrama de equilíbrio dum sistema líquido ternário, a curva que separa uma região de existência de uma fase líquida, da região de existência de duas fases líquidas. **Curva braquistócrona.** *Mat.* Trajetória de uma partícula que, sob a ação de uma determinada força, passa de um ponto inicial a um final num intervalo de tempo mínimo. [Tb. se diz apenas *braquistócrona*.] **Curva característica. 1.** *Eng. Elétr.* Representação gráfica da dependência entre um parâmetro do sinal de saída dum circuito e outro parâmetro do sinal de entrada. [Tb. se diz apenas *característica*.] **2.** *Mat.* Sobre uma superfície, qualquer das curvas cujas tangentes, em um ponto, são direções características da superfície nesse ponto. **Curva característica de operação (CCO).** *Estat.* Curva representada num sistema cartesiano ortogonal, que tem no eixo das abscissas valores das diversas hipóteses consideradas verdadeiras e, no eixo das ordenadas, o erro de tipo II correspondente. **Curva catacáustica.** *Geom.* Curva plana resultante da interseção de uma superfície catacáustica com um plano que contém a fonte luminosa e a normal à superfície. **Curva cáustica.** *Mat.* Curva plana resultante da interseção de uma superfície cáustica com um plano que contém a fonte luminosa e a normal à superfície. [Tb. se diz apenas *cáustica*.] **Curva cilíndrica.** *Geom.* Curva contida numa superfície cilíndrica. **Curva composta.** A que consiste em dois ou mais arcos de círculos concordantes, de raios diferentes e curvaturas do mesmo sentido. **Curva cônica.** *Geom.* Curva contida numa superfície cônica. **Curva cúbica.** *Mat.* Curva algébrica plana cuja equação cartesiana é do terceiro grau. [Tb. se diz apenas *cúbica*.] **Curva da perna.** A parte por onde ela se dobra, por trás do joelho. **Curva de calibração.** *Fís.* Num gráfico apropriado, a curva que relaciona os valores duma grandeza física diretamente mensurável com os valores duma segunda grandeza. **Curva de contorno.** *Mat.* Curva de nível (2). **Curva de cristalização.** *Fís.* Curva de equilíbrio formada pelos pontos em que, num resfriamento isobárico de um líquido, aparece pela primeira vez a fase sólida em equilíbrio com o líquido. **Curva de demanda.** *Econ.* Curva de procura. **Curva de ebulição.** *Fís.* Curva de equilíbrio entre um líquido e o vapor, formada pelos pontos em que este aparece pela primeira vez num processo de aquecimento isobárico daquele. **Curva de frequência.** *Estat.* A que traduz, num sistema de coordenadas cartesianas, a função de frequência duma variável estocástica. **Curva de fusão.** *Fís.* Num diagrama de equilíbrio, curva de equilíbrio entre uma fase sólida e uma líquida, e que é constituída pelos pontos onde pela primeira vez aparece a fase líquida, quando se aquece isobárica e continuamente a fase sólida. **Curva de Gauss.** *Mat.* Curva plana que representa, num sistema de coordenadas cartesianas ortogonais, uma exponencial com expoente quadrático negativo; curva normal. **Curva de giração.** *Lus. Mar.* Curva de giro (q. v.). **Curva de giro.** *Bras. Mar.* A que o centro de gravidade duma embarcação descreve quando se mantém o leme carregado para um dos bordos; curva de giração. **Curva de luz.** *Astr.* Representação gráfica da magnitude de uma estrela em função do tempo. **Curva de nível. 1.** *Topogr.* Linha que, nas cartas topográficas, liga pontos de uma mesma cota^{2}; iso-hipsa. [Curvas de nível muito juntas indicam terreno muito íngreme, ab-rupto; afastamento de uma para a outra indica região pouco íngreme.] **2.** *Mat.* Qualquer das projeções ortogonais, sobre um plano, das interseções de uma superfície com uma família de planos paralelos ao das projeções; curva de contorno. **Curva de oferta.** *Econ.* Representação gráfica da relação entre o preço de um bem e a quantidade desse bem que seus produtores estão dispostos a oferecer no mercado, a tal preço. **Curva de orvalho.** *Fís.* Curva de equilíbrio formada pelos pontos em que, no resfriamento isobárico de um vapor, aparece pela primeira vez uma fase líquida em equilíbrio com esse vapor. **Curva de procura.** *Econ.* Representação gráfica da relação entre o preço de um bem e a quantidade que os consumidores estão dispostos a comprar desse bem, a tal preço; curva de demanda. **Curva de resposta.** *Fís.* A dependência funcional, expressa graficamente, entre o sinal que entra num instrumento e o sinal de saída. **Curva de transição.** *Topogr.* Curva cujo raio varia gradualmente, de modo que se suavize uma mudança de direção. **Curva dextrogira.** *Mat.* A que tem torção positiva. [A hélice dextrogira assemelha-se às bordas de um parafuso de rosca direita.] **Curva diacáustica.** *Mat.* Curva plana resultante da interseção de uma superfície diacáustica com um plano que contém a fonte luminosa e a normal à superfície. [Tb. se diz apenas *diacáustica*. Sin.: *cáustica por refração*.] **Curva do cadaste.** *Constr. Nav.* Coral do cadaste. **Curva empírica.** *Fís.* Num sistema de coordenadas, curva que se aproxima, segundo um critério de natureza estatística, dum conjunto de pontos obtidos experimentalmente. **Curva esférica.** *Geom.* A que está contida numa superfície esférica. **Curva espacial.** *Geom.* A que está situada num espaço de três dimensões, e que não é necessariamente uma curva reversa, podendo ser plana. **Curva fechada.** *Geom.* A que divide uma superfície em duas regiões, uma das quais finita, de modo que os pontos de uma região não podem ser ligados aos da outra por arcos de curvas contínuas contidos na superfície sem cortar a curva. **Curva geodésica.** *Mat.* V. *geodésica*. **Curva hipsográfica.** Perfil topográfico que abrange as terras emersas e o relevo submarino que se lhes segue. **Curva hodográfica.** V. *hodógrafo*. **Curva isobárica.** *Fís.* Curva que, num diagrama qualquer, é o lugar geométrico dos pontos onde a pressão tem um certo valor constante, como, p. ex., numa carta sinóptica; isóbara, isóbare. [Tb. se diz apenas *isobárica*.] **Curva isógona.** *Topogr.* V. *linha isógona*. **Curva isóptica.** *Mat.* Lugar geométrico da interseção de duas tangentes a uma curva plana ou reversa, que fazem entre si um ângulo constante. [Tb. se diz apenas *isóptica*.] **Curva levogira.** *Mat.* A que tem torção negativa; curva sinistrogira. **Curva mesocúrtica.** *Mat.* Curva de frequência com mesmo achatamento da curva normal ou de Gauss. **Curva normal.** *Mat.* Curva de Gauss. **Curva ortóptica.** *Mat.* Curva isóptica gerada por tangentes que fazem um ângulo reto. [Tb. se diz apenas *ortóptica*.] **Curva ovoide.** *Mat.* Fólio simples (q. v.). **Curva podária.** *Mat.* Lugar geométrico dos pés das perpendiculares baixadas de um ponto fixo às tangentes duma curva. [Tb. se diz apenas *podária*.] **Curva quadrática.** *Geom.* V. *cônica*. **Curva reversa.** *Geom.* A que não está contida num plano. **Curva senoidal.** *Mat.* V. *senoide*. **Curva sigmoide.** *Geom.* A que tem o aspecto de um *s*. **Curva sinistrogira.** *Mat.* Curva levogira (q. v.). **Curva sinusoidal.** *Mat.* V. *senoide*. **Curva transcendente.** *Mat.* A que representa uma função transcendente (q. v.).

curvaça [De *curva* + *-aça*.] ***S. f. Patol.*** Tumor ósseo localizado na região da base do jarrete dos equídeos.

curvado [Part. de *curvar*.] ***Adj.*** Que se curvou; curvo: *As costas curvadas denotam-lhe um desvio de espinha.*

curvador (ô) [De *curvar* + *-dor*.] ***S. m. Tip.*** Curva-linhas.

curval [De *curva* + *-al*^{1}.] ***Adj. 2 g. Anat.*** Referente à curva da perna (q. v.).

curva-linhas [De *curvar* + o pl. de *linha*.] ***S. m. 2 n. Tip.*** Utensílio com que se dá a forma de arco ou de círculo às entrelinhas e aos fios de chumbo ou de latão; curvador.

curvar [Do lat. *curvare*.] ***V. t. d.* 1.** Tornar curvo; dobrar, arquear: "Curva os bambuais o vento." (Olavo Bilac, *Poesias*, p. 94.) **2.** Dobrar em arco ou em ângulo. **3.** Inclinar para diante ou para baixo: *Curvou a cabeça diante do altar;* "Alina corou, curvando a fronte para subtrair-se ao olhar que penetrava-lhe os seios d'alma." (José de Alencar, *O Sertanejo*, p. 181). **4.** *Fig.* Abater; dominar, oprimir, sujeitar: *Pretende curvar todos aqueles que se rebelaram contra sua vontade.* ***Int.* 5.** Tornar-se curvo; vergar, envergar(-se): *Curvava ao peso da carga; Curvou com a idade.* ***P.* 6.** Curvar (5): *Curva-se cada dia mais, ao peso da idade.* **7.** Dobrar, inclinar o corpo, a cabeça, cumprimentando: "foi ao piano, perguntou a Luísa curvando-se: / — É alguma canção do Tirol, D. Luísa?" (Eça de Queirós, *O Primo Basílio*, p. 67). **8.** Prostrar-se; ajoelhar-se: *Exigiram-lhe que se curvasse ante o pai e pedisse perdão.* **9.** Apresentar-se, aparecer, com a sua curvatura: *A cúpula da igreja curvava-se contra o céu cinzento.* **10.** Sujeitar-se, resignar-se; submeter-se: *Curvou-se à vontade da família;* "renunciou à virtude, infringiu a moral, curvou-se à lei do instinto." (Graciliano Ramos, *Infância*, pp. 38-39).

curvas [Pl. de *curva*.] ***S. f. pl.*** Formas [v. *forma* (1)] arredondadas: *A pequena era só curvas.* ~ V. *curva*.

curvatão [Do esp. *curvatón* < cat. *corbató*.] ***S. m. Constr. Nav. Ant.*** Cada uma das duas fortes peças de madeira presas à romã do mastro ou mastaréu, e sobre as quais assenta o cesto da gávea.

curvatura [Do lat. *curvatura*.] ***S. f.* 1.** Forma curva de qualquer corpo. [Sin., p. us.: *curvidade*.] **2.** Dobramento, arqueamento: *A curvatura do metal foi insuficiente, e a peça ficou defeituosa.* [Sin.: *curva* e (p. us.) *curvidade*.] **3.** Cumprimento com inclinação do corpo para a frente: *Fez uma exagerada curvatura ao chefe.* **4.** *Mat.* Derivada do ângulo formado por duas tangentes a uma curva em relação ao comprimento do arco da curva compreendido entre os dois pontos de tangência. ◆ **Curvatura de campo.** *Ópt.* Aberração de um sistema óptico em que a superfície focal não é plana. **Curvatura do espaço. 1.** *Astron.* Propriedade geométrica do espaço, que, segundo a teoria da relatividade, seria produzida pela gravidade. **2.** *Fís.* Característica intrínseca do espaço, a qual se identifica por não serem retilíneas as trajetórias dos raios luminosos que o atravessam. **Curvatura gaussiana.** *Mat.* Produto das curvaturas principais duma superfície num ponto. **Curvatura geodésica.** *Mat.* Num ponto de uma curva sobre uma superfície, curvatura da projeção ortogonal da curva sobre o plano tangente à superfície no ponto; curvatura tangencial. **Curvatura normal.** *Mat.* A curvatura da seção normal de uma superfície num certo ponto e numa dada direção. **Curvatura principal.** *Mat.* Valor máximo ou mínimo da curvatura normal de uma superfície. **Curvatura tangencial.** *Mat.* Curvatura geodésica (q. v.).

curvejão [Do esp. *corvejón*.] ***S. m.*** V. *jarrete* (2).

curvelano ***Adj.* 1.** De, ou pertencente ou relativo a Curvelo (MG). • ***S. m.* 2.** O natural ou habitante de Curvelo.

curveta (ê) [Do fr. *courbette*.] ***S. f.* 1.** Volta ou curva de caminho ou de atalho. **2.** Volta tortuosa; zigue-zague. **3.** Movimento que faz o equídeo erguendo e dobrando as patas dianteiras e baixando a garupa: "O murzelo lustrino de Arlequim, ... depois de alçar as mãos em engraçada curveta, começou a avançar a passos amiudados e rítmicos de dança." (Xavier Marques, *As Voltas da Estrada*, p. 67.) **4.** *Bras.* V. *corcovo*. [Cf. *corveta*.]

curvetear [De *curveta* + *-ear*^{2}.] ***V. int.* 1.** Fazer curvetas; corcovear: "Os cavalos .... nitriam alegremente ao avistar a comitiva, ... enquanto os poldrinhos curveteavam travessos à cola das mães." (José de Alencar, *O Sertanejo*, p. 205.) ***T. d.* 2.** Fazer curvetear (1): *Curveteou o cavalo para ser visto pela namorada.* [Conjug.: v. *frear*.]

▲ **curvi-** [Do lat. *curvus, a, um*.] ***El. comp.*** = 'curvo', 'recurvado'; 'curva': *curvirrostro, curvígrafo*.

curviana ***S. f. Bras. CE Pop.*** V. *cruviana*.

curvicórneo [De *curvi-* + *-corn(i)-* + *-eo*.] ***Adj. Zool.*** Que tem cornos curvos.

curvidade [De *curvo* + *-(i)dade*.] ***S. f. P. us.*** V. *curvatura* (1 e 2).

curvifloro [De *curvi-* + *-floro*] ***Adj. Bot.*** Que tem a corola curva.

curvifoliado [De *curvi-* + *-foli-* + *-ado*^{1}.] ***Adj. Bot.*** Que tem folhas recurvadas.

curvígrafo [De *curvi-* + *-grafo*.] ***S. m.*** Instrumento com que se traçam curvas.

curvilhão [De **curvilho* < *curvo*, poss.] ***S. m.*** V. *jarrete* (2): "a um sacalão de rédeas, estacou empinado, curvilhões contractos, cabeça ao alto, mastigando o freio" (Alcides Maia, *Tapera*, pp. 7-8).

curvilíneo [De *curvi-* + *-líneo*.] ***Adj.* 1.** Formado de linhas curvas. **2.** De forma curva. **3.** Que segue direção curva. ~ V. *integral —a*.

curvinervado [De *curvi-* + *-nerv(i)-* + *-ado*^{1}.] ***Adj. Bot.*** Curvinérveo.

curvinérveo [De *curvi-* + *-nerv(i)-* + *-eo*.] ***Adj. Bot.*** Provido de nervuras longitudinais curvas e aproximadamente paralelas; curvinervado: *folha curvinérvea.*

curvípede [Do lat. *curvipede*.] ***Adj. 2 g.*** Que tem pernas curvas.

curvirrostro [De *curvi-* + *-rostro*.] ***Adj. Zool.*** Que tem bico curvo.

curvo [Do lat. *curvu*.] ***Adj.* 1.** Que muda de direção sem formar ângulos; arqueado: *traço curvo; a lâmina curva de uma adaga; as linhas curvas do estilo D. João V.* **2.** Que não é reto nem poligonal: *a forma curva de um anel.* **3.** Que não é plano nem poliédrico; abaulado, arqueado, arredondado: *as chapas curvas que formam o casco de um navio; o teto curvo da igreja.* **4.** Curvado, inclinado, vergado: *Este ramo curvo impede a passagem dos veículos.* **5.** *Fig.* Em atitude humilde e respeitosa, ou submissa; curvado, dobrado: *Vive curvo perante os poderosos.* ~ V. *estereotipia —a, estereótipo —* e *linha —a*.

cuscada [De *cusca* + *-ada*^{1}.] ***S. f. Bras. RS* 1.** Porção de cuscos. **2.** Os cuscos. **3.** *Fig.* Gente reles, ou inútil, imprestável.

cusco [Do esp. plat. *cusco*.] ***S. m. Bras. RS* 1.** Cão pequeno, de raça comum. **2.** *Fig.* Pessoa sem importância, reles, ou inútil, imprestável. [Sin. ger.: *guaipé, guaiapeca, guaiapeva, guapeva*.]

cuscuta [Do b.-lat. *cuscuta*, do ár., e este do gr. *kasýtas*.] ***S. f. Bot.*** V. *cipó-chumbo*.

cuscutácea [Do tax. *Cuscuta* (do b.-lat. *cuscuta*) + *-ácea*.] *S. f. Bot.* Espécime das cuscutáceas, família de plantas parasíticas, afilas, aclorofiladas, de uma tonalidade amarelada ou mesmo dourada, filamentosas, dotadas de flores inconspícuas. Vivem sobre outras plantas superiores, recebem o nome vulgar de cipó-chumbo, e são consideradas por vários autores como subfamília das convolvuláceas.

cuscutáceo [De *cuscutácea*, com var. suf. (v. *-áceo*).] *Adj. Bot.* Pertencente ou relativo às cuscutáceas.

cuscuz [Do ár. *kuskus*.] *S. m. 2 n.* **1.** *Bras. Cabo-verd. Guin. Cul.* Iguaria feita de farinha de milho (em geral graúda), cozida ao vapor. **2.** *Bras. Cul.* Iguaria preparada como o cuscuz (1), mas com outra farinha, como, p. ex., a de arroz. **3.** *Bras. RJ Cul.* Bolinho de farinha de milho ou de tapioca assado na grelha. **4.** *Bras. Cul.* V. *cuscuz de tapioca*. **5.** *Cul.* Prato magrebino feito com sêmola de trigo em grãos, servido com carne ou peixe, legumes e molhos picantes. **6.** *Bras. PE* Morro isolado. [Admite-se tb., como s. m., o pl. *cuscuzes*.] ◆ **Cuscuz de tapioca.** *Bras. Cul.* Espécie de bolo de farinha de tapioca embebida em leite de vaca e leite de coco, ger. coberto com coco ralado, mas que não vai ao forno. [Tb. se diz apenas *cuscuz*.]

cuscuzeira [De *cuscuz* + *-eira*.] *S. f. Bras.* Cuscuzeiro (1).

cuscuzeiro [De *cuscuz* + *-eiro*.] *S. m.* **1.** *Bras.* Fôrma para se fazer cuscuz, de lata, de alumínio ou de barro, e cujo fundo, cheio de orifícios, é adaptado à boca de uma panela com água fervendo; cuscuzeira. **2.** *Bras. S.* Pico arredondado, que se destaca de uma chapada. [Cf. *coscoseiro*.]

cuscuz-paulista *S. m. Bras. Cul.* Cuscuz (1) de farinha de milho, feito com peixe e camarão, ou galinha, ovos cozidos e muito tempero. [Pl.: *cuscuzes-paulistas*.]

cuspada [De *cuspe* + *-ada*[1].] *S. f.* V. *cusparada*.

cusparada [De *cuspe* + *-arada*.] *S. f. Bras.* **1.** Grande porção de cuspo. **2.** Ato de emitir uma cusparada (1). [Sin. ger.: *cuspada, cuspidura, cuspinhada*.]

cuspe *S. m.* V. *cuspo*: "Enquanto duravam as visitas chamadas de cerimônia ou as outras, recebiam as escarradeiras .... as cusparadas em série dos fumantes, o cuspe preto dos tomadores de rapé." (Mauro Mota, *Votos e Ex-Votos*, p. 43.) ◆ **Quebrar o cuspe.** *Bras. N.E. Pop.* Tomar a primeira refeição no dia; quebrar o jejum.

cuspe-de-tropeiro *S. m. Bras. Bot.* Pequena planta asterácea (*Soliva sessilis*) herbácea, de folhas alternas, penadas, flores em capítulos globosos, aglomerados, sésseis; os espinhos de seus aquênios são prejudiciais aos animais que pastam, já que vegeta nos campos, misturada às forrageiras. [Pl.: *cuspes-de-tropeiro*.]

cuspidado [De *cúspide* + *-ado*[1].] *Adj.* Acabado em nítida ponta aguda: *pétala cuspidada; folha cuspidada; dente cuspidado*.

cuspidal [De *cúspide* + *-al*[1].] *Adj. 2 g.* ~ V. *ponto —*.

cuspidato [Do lat. *cuspidatu*.] *Adj.* Que termina em cúspide.

cúspide [Do lat. *cuspide*.] *S. f.* **1.** Extremidade aguda; ponta, vértice. **2.** O ferrão das abelhas, do lacrau, etc. **3.** *Mit.* O tridente de Netuno. **4.** *Anat.* Formação pontiaguda que se apresenta como projeção, em especial cada uma das formações triangulares que compõem a valva cardíaca. **5.** *Bot.* Porção afilada e aguda que termina vários órgãos vegetais laminares, como pétalas e folhas. **6.** *Geom.* Numa curva, ponto duplo em que as duas tangentes são coincidentes; ponto duplo em que o hessiano é nulo. [Sin., nesta acepç.: *ponto cuspidal, ponto de reversão*.] **7.** *Odont.* Ponto ou saliência do dente, destinada a cortar, dilacerar ou moer o alimento.

▲**-cúspide** Equiv. de *cuspidi-*.

cuspideira [De *cuspir* + *-deira*.] *S. f.* V. *escarradeira*.

cuspidela [De *cuspir* + *-dela*.] *S. f.* Cuspidura (1).

▲**cuspidi-** [Do lat. *cuspis, idis*.] *El. comp.* = 'cúspide', 'ponta': *cuspidiforme*. [Equiv.: *-cúspide*: *quadricúspide*.]

cuspidiforme (cùs) [De *cuspidi-* + *-forme*.] *Adj. 2 g.* Que tem a forma de pequena ponta [v. *cúspide* (1)].

cuspido [Part. de *cuspir*.] *Adj.* **1.** Em que se cuspiu: *assoalho sujo, cuspido*. **2.** *Fig.* Ultrajado, abocanhado. ◆ **Cuspido e escarrado.** Exatamente como; tal qual; sem tirar nem pôr; direitinho, escritinho, escarrado; escrito e escarrado; escarrado e cuspido: *Este menino é o avô, cuspido e escarrado; Saiu ao pai, cuspido e escarrado*.

cuspidor (ô) [De *cuspir* + *-dor*.] *Adj.* **1.** Que cospe muito. ● *S. m.* **2.** V. *escarradeira*. **3.** *Bras. Zool.* Ave passeriforme, conopofagídea, (*Conopophaga lineata*), do L. e S. do Brasil, de dorso pardo-oliváceo, cabeça e peito avermelhados, capuz pardo com penas brancas; chupa-dente. **4.** *Zool.* Ave passeriforme, conopofagídea (*C. melanops*), do S.E. do Brasil; chupa-dente-de-coroa-vermelha, corujinha.

cuspidura [De *cuspir* + *-dura*.] *S. f.* **1.** Ato ou efeito de cuspir; cuspidela. **2.** V. *cusparada*.

cuspilhar [De *cuspir* + *-ilhar*.] *V. t. d. Int.* Cuspinhar: "um cotovelo sobre o peitoril, as pernas cruzadas, a cuspilhar consecutivamente pedacinhos de fumo que ele mascava do cigarro." (Aluísio Azevedo, *O Coruja*, p. 259); *Cuspilhou uma substância esverdeada*.

cuspinhada [De *cuspinhar* + *-ada*[1].] *S. f.* V. *cusparada*.

cuspinhador (ô) [De *cuspinhar* + *-dor*.] *Adj. S. m.* Que, ou aquele que cuspinha.

cuspinhadura [De *cuspinhar* + *-dura*.] *S. f.* Ato ou efeito de cuspinhar.

cuspinhar [Do rad. de *cuspir* + *-inhar*.] *V. t. d. Int.* Cuspir amiúde, e pouco de cada vez; cuspilhar: "retiram-se velozes, cuspinhando de engulho pela má companhia." (Ramalho Ortigão, *As Farpas*, VIII, p. 260); *cuspinhar sangue*.

cuspir [Do lat. vulg. *conspuire < lat. *conspuere*.] *V. t. d.* **1.** Lançar da boca; lançar de si: "não se engasgaria mais, nos acessos de tosse, nem cuspiria sangue." (Macedo Miranda, *Pequeno Mundo Outrora*, p. 35). **2.** Lançar, soltar, proferir (injúrias, afrontas, calúnias). *T. i.* **3.** Lançar saliva em: *Cuspia em quem se aproximava*. **4.** Dirigir ultrajes, ofensas; abocanhar: *Após a sua infâmia, cuspiam-lhe por onde passasse*. *Int.* **5.** Lançar da boca cuspe ou outra substância líquida. **6.** Lançar (uma arma de fogo), pelo ouvido, grãos de pólvora ou centelhas. [Irreg. Conjug.: v. *bulir*.]

cuspo [Dev. de *cuspir*.] *S. m.* V. *saliva*. [Var.: *cuspe*.]

cusquenho [Do esp. *cuzqueño*.] *Adj.* **1.** De, ou pertencente ou relativo a Cusco (Peru). ● *S. m.* **2.** O natural ou habitante de Cusco.

cusso *S. m. Bras. Bot.* V. *cosso*[2].

custa [De *custo*.] *S. f.* **1.** *Ant.* Dispêndio, despesa. **2.** Custo, expensas: *O serviço foi feito à minha custa*. ~ V. *custas*. ◆ **À custa da barba longa.** Sem trabalhar; à custa do pai. **À custa de. 1.** Com sacrifício, dano, ou prejuízo de: *Faz concessões à custa da honra*; "Divertiam-se à custa dele; riam-se com repugnância das suas orelhas cheias de cera escura." (Aluísio Azevedo, *O Mulato*, pp. 37-38.) **2.** Com o emprego, a prática ou o auxílio de; à força de, a poder de: *Aquele burro só anda à custa de pancadas; Obteve o poder à custa de traições*. **3.** Com recursos ou dinheiro de; a expensas de: *Vive à custa do sogro*. **À custa do pai.** À custa da barba longa (q. v.).

custar [Do lat. *constare*.] *V. t. c.* **1.** Ter determinado preço ou valor; ser adquirido por certo preço ou valor: *A pulseira custou 10.000 reais*. *T. i.* **2.** Ser difícil ou doloroso: "Custava-lhe acreditar que o apartamento de Polanco, o seu lar mexicano, também fora desmontado" (Viana Moog, *Toia*, p. 38); *A morte do filho muito lhe custou*. **3.** *Bras.* Ter dificuldade: *Custou a entender o que lhe diziam*. **4.** *Bras.* Tardar, demorar: *Custou a chegar*. *Int.* **5.** Ser difícil, penoso: *Muito custa viver entre mal-educados*. **6.** Levar tempo, tardar, demorar: "Vai casar. Arranjou um noivo. Custou, mas acertou." (Machado de Assis, *Quincas Borba*, p. 333); "Custou muito a esfriar o rescaldo dessa luta inglória." (Povina Cavalcanti, *Volta à Infância*, p. 20). *T. d.* **7.** *Fig.* Ter como que o custo, o valor: *Seu gosto pela velocidade custou-lhe a vida*. ◆ **Custar barato.** Estar à venda, ou ser obtido, por preço baixo, módico: *Comprarei aquela camisa, porque custa barato; Os tapetes custaram barato porque estavam em liquidação*. **Custar caro. 1.** Estar à venda, ou ser obtido, por preço alto, elevado: *Não compro um carro novo porque custa caro; O sapato custou caro, mas é ótimo*. **2.** Ser obtido à custa de grande sacrifício, aborrecimento, desgosto, etc.: *Custou-lhe caro a reconciliação dos pais*. **3.** Acarretar consequências graves ou penosas: *Sua vadiação vai-lhe custar caro*. **Custe o que custar.** A qualquer preço; de qualquer modo; haja o que houver.

custas [Pl. de *custa*.] *S. f. pl.* Despesas feitas em processo judicial. ~ V. *custa*.

custeamento [De *custear* + *-mento*.] *S. m.* Custeio.

custear [De *custo* + *-ear*[2].] *V. t. d.* Cobrir despesas de; financiar. [Conjug.: v. *frear*. Pres. ind.: *custeio*, etc.; part.: *custeado*. Cf. *costeio*, do v. *costear* e s. m., esse verbo, e *costeado*.]

custeio [Dev. de *custear*.] *S. m.* Ato ou efeito de custear; custeamento. [Cf. *costeio*, do v. *costear* e s. m.] ◆ **Custeio alvo.** *Econ.* Definição do custo que se deseja incorrer na produção de determinado produto, para que seja possível praticar um preço competitivo no mercado. **Despesas de custeio.** Em contabilidade pública, as referentes à manutenção das atividades dos órgãos do governo, abrangendo basicamente os gastos com pessoal, material de consumo e serviços de terceiros.

custenau *Bras. S. 2 g.* **1.** *Etnôn.* Indivíduo dos custenaus [ou (etnôn. bras.) *Kustenau], povo indígena extinto da família linguística aruaque que habitava as margens dos rios Ronuro e Batovi (MT). ● *Adj. 2 g.* **2.** Pertencente ou relativo a esse povo.

custo [Dev. de *custar*.] *S. m.* **1.** O que deve ser despendido (em dinheiro, tempo, esforço, etc.) para se obter algo. **2.** *Econ.* Preço pago pela aquisição ou produção de um bem. **3.** *Fig.* Dificuldade, trabalho, esforço: "Coitada da Joaninha! Lembro-me bem .... de sua maneira retraída, encabulada. Era um custo fazê-la entrar na roda." (Osvaldo Orico, *Vinha do Senhor*, p. 55.) **4.** *Bras.* Demora, tardança. ◆ **Custo Brasil.** *Econ.* Expressão, us. esp. na linguagem jornalística, indicando um conjunto de características da economia brasileira que causam ineficiências e aumento de custos na atividade produtiva, como inadequada infraestrutura de transportes, excesso de burocracia, complexidade do sistema tributário, legislação trabalhista obsoleta, etc. **Custo comparativo.** *Econ.* Custo de produção de um bem em relação ao de outro bem. **Custo de oportunidade.** *Econ.* Custo dado pelo uso alternativo de recursos produtivos: *O custo de oportunidade de um dia em que o cirurgião não trabalhe é o que ele poderia ter ganho nesse período*. **Custo de produção.** *Econ.* Soma dos dispêndios em que se incorre no processo de produção de uma mercadoria ou serviço. **Custo de reposição.** *Cont.* Na avaliação de estoques, o preço atual da mercadoria. [Cf. *custo histórico*.] **Custo de vida.** *Econ.* Gastos regulares, em bens de consumo, de uma unidade familiar típica de certa faixa de renda. [Cf. *índice do custo de vida*.] **Custos de transação.** *Econ.* Custos adicionais, associados ao processo de compra e venda, além do preço pago (como o custo de obter informação sobre preços, de negociar e implementar contratos, etc.). **Custo direto.** *Econ.* Custo variável. **Custo fixo.** *Econ.* Parcela do custo de produção (q. v.) que não varia com a quantidade produzida (como o aluguel ou a manutenção das instalações). **Custo histórico.** *Cont.* Na avaliação de estoques, o preço pelo qual a mercadoria foi comprada. [Cf. *custo de reposição*.] **Custo marginal.** *Econ.* Aumento no custo de produção causado pela produção de uma unidade adicional. **Custo social.** *Econ.* Custo de uma atividade econômica para a sociedade, em geral superior ao privado: *O custo social da operação de uma fábrica de cimento inclui a poluição ambiental*. **Custo variável.** *Econ.* Parcela do custo de produção que varia diretamente com a quantidade produzida (como o gasto com matérias-primas); custo direto. **A custo.** A duras penas; dificilmente: "Dois de Ouros, desesperado, a custo rompia a multidão." (Fran Martins, *Dois de Ouros*, p. 9); "Terra ingrata onde a urze a custo desabrocha" (Guerra Junqueiro, em *Agostinho de Campos, Junqueiro*, p. 174). **A custo de.** Com dispêndio de (esforço, trabalho, etc.). **A todo custo.** Sem deixar de usar o que for necessário; custe o que custar. **Dar pelo custo.** Contar alguma coisa a alguém tal como a ouviu de outrem: "Foi ele mesmo quem me referiu o caso. Aqui o dou pelo custo, sem nada de meu." (Lúcio de Mendonça, *Horas do Bom Tempo*, p. 221.)

custo-benefício [Calque (2) do ingl. *cost-benefit*.] *S. m.* **1.** O resultado da comparação entre o custo de fazer algo e o benefício final. **2.** *P. ext.* Relação entre o valor pago por algo e o benefício alcançado. [Pl.: *custos-benefícios*.]

custódia [Do lat. *custodia*.] *S. f.* **1.** Lugar onde se guarda alguma coisa com segurança. **2.** Lugar onde se conserva alguém detido; detenção. **3.** Guarda, segurança; proteção. **4.** Objeto de ouro ou prata em que se expõe a hóstia consagrada. **5.** *Econ.* Guarda de títulos e valores por instituição financeira. [Cf. *custodia*, do v. *custodiar*.]

custodiar [De *custódia* + *-ar*[2].] *V. t. d.* Ter ou manter em custódia; guardar; proteger. [Pres. ind.: *custodio, custodias, custodia*, etc. Cf. *Custódio, Custódia*, antr.; *custódio*, adj.; e *custódia*, s. f.]

custodiense *Adj. 2 g.* **1.** De, ou pertencente ou relativo a Custódia (PE). ● *S. 2 g.* **2.** O natural ou habitante de Custódia.

custódio [De *custódia*.] *Adj.* Que guarda, que defende ou protege. [Cf. *custodio*, do v. *custodiar*.]

customização [De *customizar* + *-ção*.] *S. f.* Ato ou efeito de customizar.

customizar [Adapt. do ingl. *(to) customize*.] *V. t. d.* Personalizar roupa, acessório, etc., para ajustá-los ao interesse ou ao gosto do usuário.

custoso (ô) [De *custo* + *-oso*.] *Adj.* **1.** Que custa muito dinheiro; de alto custo: *vestes custosas; vinhos custosos*. **2.** Árduo, difícil, trabalhoso. **3.** *Bras.* Diz-se de coisa demorada. **4.** *Bras. GO* V. *arteiro* (2).

■ **CUT** Sigla de *Central Única dos Trabalhadores*.

cutaguá *S. 2 g. Adj. 2 g.* V. *cuteguá*.

cutâneo [Do lat. cient. *cutaneus* < lat. *cutis*, 'pele'.] *Adj.* **1.** Pertencente ou relativo à cútis ou cute: *Existem visíveis variações cutâneas entre indivíduos da mesma raça*. **2.** *P. ext.* De, ou relativo à pele ou ao couro de certos animais.

cu-tapado *S. m. Bras. Zool.* V. *tuim*. [Pl.: *cus-tapados*.]

cutaxó *Bras. S. 2 g.* **1.** *Etnôn.* Indivíduo dos cutaxós [ou (etnôn. bras.) *Kutaxó], povo indígena extinto, da família linguística camacã, que habitava o S. da BA. ● *Adj. 2 g.* **2.** Pertencente ou relativo a esse povo.

➔**cutback** ['kʌtbæk] [Ingl.] *S. m. Surf.* Manobra que o surfista faz com o objetivo de voltar ao encontro da espuma da onda quando esta fica mais lenta.

cute [Do lat. *cute.*] *S. f. P. us.* V. *cútis.*

cuteguá *Bras. S. 2 g.* **1.** *Etnôn.* Indivíduo dos cuteguás, povo indígena extinto que habitava a região do rio Dourados (MG). ● *Adj. 2 g.* **2.** Pertencente ou relativo a esse povo. [Var.: *cutaguá.* Tb. us. como *s. 2 g.* e *2 n.* (com cap.) e *adj. 2 g.* e *2 n.*]

cutela [De *cutelo.*] *S. f.* Faca larga para cortar carne. [Cf. *cutelo*[1] (2).]

cutelão [De *cutelo* + *-ão*[1].] *S. m.* Cutilão.

cutelaria [De *cutelo* + *-aria.*] *S. f.* Arte, ofício ou oficina de cuteleiro. [Cf. *cutilaria,* do v. *cutilar.*]

cuteleiro [De *cutelo* + *-eiro.*] *S. m.* Fabricante ou vendedor de instrumentos de corte; acerador. [Cf. *coteleiro.*]

cutelo[1] [Do lat. *cultellu,* 'faquinha'.] *S. m.* **1.** Instrumento cortante, semicircular, de ferro. **2.** Utensílio semelhante ao cutelo (1), especial para cortadores e correeiros. [Aum.: *cutelão, cutilão.*] **3.** *Ant. Marinh.* Cada uma das velas suplementares quadrangulares, caçadas junto às testas do velacho e da gávea, quando o vento era de feição, para aumentar a superfície do pano; vela de cutelo.

cutelo[2] *S. m. Cabo-verd.* Morro, outeiro: 📖 "imaginou-se no alto do cutelo abarcando nitidamente as suas terras." (Hugo D. F. Rodrigues, em *Magma,* nº 1, p. 17).

cúter [Do ingl. *cutter.*] *S. m.* Embarcação pequena de mastreação constituída de gurupés e um mastro envergando pano latino e gafetope, usada especialmente em regatas à vela. [Pl.: *cúteres.*]

cuterebrídeo [Do tax. *Cuterebra* (do lat. *cutis,* 'pele', + *terebra,* 'verruma', 'broca') + *-ídeo*[1]; tax. *Cuterebridae.*] *Zool. S. m.* **1.** Espécime dos cuterebrídeos, família de insetos dípteros, neotropicais, de grande porte, pilosos, moscas cujas larvas são parasitos subcutâneos de roedores e lagomorfos, mas também infectam o gado, animais domésticos, pássaros e, ocasionalmente, o homem. ● *Adj.* **2.** Pertencente ou relativo a eles.

cutia [Var. de *acuti.*] *S. f. Bras. Zool.* **1.** Mamífero roedor, dasiproctídeo, gênero *Dasyprocta,* com sete espécies em território brasileiro. As cutias têm apenas vestígio de cauda, extremidades anteriores bem mais curtas que as posteriores, e pés compridos com cinco dedos, sendo três desenvolvidos, com unhas cortantes equivalentes a pequenos cascos, e o quinto dedo muito reduzido. Vivem nas matas e capoeiras, donde saem à tardinha para alimentar-se de frutos e sementes caídos das árvores. A coloração é variável entre as espécies. [Var. de *acuti;* outras var.: *acuchi, acouti, aguti.*] **2.** *Bot.* V. *pau-de-cutia.* **3.** *Bot.* V. *jaborandi* (3). **4.** *Bot.* Nome comum a várias árvores rutáceas do gênero *Pilocarpus* (v. *pilocarpo*). [Cf. *cotia,* do v. *cotiar* e s.f.]

cutia-de-pau *S. f. Bras. BA Zool.* V. *serelepe* (1). [Pl.: *cutias-de-pau.*]

cutia-de-rabo *S. f. Bras. Zool.* V. *cutiaia.* [Pl.: *cutias-de-rabo.*]

cutia-diapá *Bras. S. 2 g.* **1.** *Etnôn.* Indivíduo dos cutias-diapás [ou (etnôn. bras.) *Kutia-dyapá], povo indígena extinto, da família linguística catuquina, que habitava a margem esquerda do rio Jutaí (AM). ● *Adj. 2 g.* **2.** Pertencente ou relativo a esse povo. [Pl.: *cutias-diapás.*]

cutiaia [Do tupi.] *S. f. Bras. Zool.* Mamífero roedor dasiproctídeo (*Myoprocta acouchy*), da região do baixo Amazonas, e mais três espécies do alto Amazonas. É menor que a cutia comum, mas tem uma pequena cauda, de 8cm de comprimento, e possui hábitos noturnos. [Var.: *cotiara*[2], *cutiuaia.* Sin.: *cutia-de-rabo.*]

cutiano *Adj.* **1.** De, ou pertencente ou relativo a Cutia (SP). ● *S. m.* **2.** O natural ou habitante de Cutia.

cutícola [Do lat. *cutis,* 'pele', + *-cola*[1].] *Adj. 2 g.* Que vive na pele. [Cf. *coticula* e *cutícula.*]

cutícula [Do lat. *cutis,* 'pele', + *-cola*[1].] *S. f.* **1.** A flor da pele; película, epiderme. **2.** Película que se destaca da pele em torno das unhas. [Sin., nesta acepç.: *pele, pele da unha, pelinha.*] **3.** *Bot.* Fina camada impermeável que recobre externamente a epiderme do caule primário e das folhas, protegendo a planta contra os agentes do meio exterior, e não leva celulose, mas uma substância peculiar, a cutina. [Cf. *coticula* e *cutícola.*]

cuticular [Do lat. *cuticulare.*] *Adj. 2 g.* Relativo ou pertencente à cútis, ou à cutícula (1 e 2): 📄 *transpiração cuticular.*

cutículo [De *cutícula.*] *S. m.* Invólucro, simples ou complexo, do corpo de um animal.

cuticuloso (ô) [De *cutícula* + *-oso.*] *Adj.* Que tem forma de cutícula.

cutidura [Do lat. *cutis,* 'pele', + *-dura.*] *S. f. Zool.* Parte da membrana ceratogênica (q. v.), que se aloja no bordo superior do casco, desempenhando o papel de matriz da muralha (4); bordalete.

cutieira [De *cutia*[2] + *-eira.*] *S. f. Bras. Bot.* V. *andá-açu.*

cutieiro [De *cutia*[2] + *-eiro.*] *S. m. Bras. Bot.* V. *andá-açu.*

cutielão *S. m. Bras. Zool.* V. *ariramba-da-mata-virgem.*

cutilada [Do arc. *cuitellada* < arc. *cuitello, coitello* (v. *cutelo*) + *-ada*[1].] *S. f.* Golpe de cutelo, sabre, espada, etc.

cutilão [Var. de *cutelão.*] *S. m.* Cutelo (1 e 2) grande; cutelão.

cutilar [Por **cutelar* < *cutela* + *-ar*[2].] *V. t. d. Bras.* Ferir com cutelo, ou com instrumento análogo. [Fut. pret.: *cutilaria,* etc. Cf. *cutelaria.*]

cutiliquê [Da ant. abrev. de *que* (= *ô*), soletrada *cu til,* por chamar-se *cu* a letra *q.*] *S. m.* Pessoa ou coisa sem importância: 📖 "E não tardou que a padraria toda entrasse de roldão .... cruzando cutiliquês conforme seu desafogo de homens naquele trânsito de rigidez hierática" (Aquilino Ribeiro, *Andam Faunos pelos Bosques,* p. 74). ◆ **De cutiliquê.** De pouca monta; sem importância: 📄 *razões, questões de cutiliquê.* [Cf. *quotiliquê.*]

cutimandioca [Do tupi.] *S. f. Bras. Bot.* V. *copuda.*

cutimboia (ói) *S. f. Bras. Amaz. Zool.* V. *acutimboia.* ✣

cutina [Do lat. *cutis,* 'pele', + *-ina*[3].] *S. f. Bot.* Substância particular da cutícula, de constituição química mal conhecida, e muito resistente aos reagentes químicos.

cutinização [De **cutinizar* (< *cutina*) + *-ção.*] *S. f. Bot.* Formação de cutina numa membrana celular vegetal.

cutipaca [Do tupi.] *S. m. Bras. SP Zool.* Cavaleiro (10).

cutipuruí [Do tupi.] *S. f. Bras. Zool.* V. *garriça* (1).

cutirreação [De *cúti(s)* + *reação.*] *S. f. Med.* Reação cutânea local à introdução ou aplicação na pele de determinada substância em relação à qual se supõe esteja o organismo sensibilizado, e que possibilita o diagnóstico de certas enfermidades.

cútis [Do lat. *cutis.*] *S. f. 2 n.* **1.** A pele humana. **2.** Epiderme, tez. [F. paral. (p. us.): *cute.* Cf. *carnaz.*]

cutisação [De *cutisar* + *-ção.*] *S. f.* Ato ou efeito de cutisar. [Cf. *cotização.*]

cutisar [De *cútis* + *-ar*[2].] *V. t. d. Med.* Converter (uma mucosa) em estado semelhante ao da cútis. [Cf. *cotizar.*]

cutiti *S. m. Bras. Bot.* V. *cutitiribá.*

cutitiribá [Do tupi.] *S. m. Bras. Bot.* Grande árvore sapotácea (*Lucuma rivicoa*) da Amaz., de até 25m de altura, de folhas membranosas, flores solitárias ou ternadas, e frutos bacáceos comestíveis; a casca tem uso medicinal contra disinteria. A madeira é própria para construção e obras externas. [Var.: *cucutiribá, cutiti, cututiribá, guitiroba, guititiroba, tutiribá.*]

cutitiribá-grande *S. m. Bras. Bot.* Árvore sapotácea (*Lucuma macrocarpa*) de ramos grossos, folhas grandes, subcoriáceas, agrupadas no ápice dos ramos, flores grandes e numerosas, e frutos comestíveis. [Pl.: *cutitiribás-grandes.*]

cutitiribarana [De *cutitiribá* + *-rana.*] *S. f. Bras. Bot.* **1.** Grande árvore sapotácea (*Lucuma duckei*) de folhas coriáceas, flores axilares, ger. solitárias, e frutos com polpa farinácea. **2.** Árvore sapotácea (*Pouteria venosa*) da Amaz., com até 30m, de folhas coriáceas, flores axilares e frutos bacáceos, edules; abiurana-grande, abiurana-preta, guajará.

cutiuaia (i-u) *S. f. Bras. Zool.* V. *cutiaia.*

cutiúba [De or. tupi, poss.] *S. f. Bras. Bot.* V. *cupiúba.*

cutiú-preto *S. m. Bras. Zool.* V. *gavião pega-macaco* (1). [Pl.: *cutiús-pretos.*]

cutruca *S. 2 g.* **1.** *Bras. Gír.* V. *galego* (4). **2.** Pessoa inculta, ignorante.

cutuba [De or. tupi, poss.] *Adj. 2 g. Bras. N. N.E.* **1.** Muito inteligente. **2.** Muito bom. **3.** Bonito, belo. **4.** Importante, poderoso. **5.** V. *valentão* (1).

cutúbea [Do tax. *Coutoubea.*] *S. f. Bot.* **1.** Gênero de plantas gencianáceas, herbáceas, anuais, de caule ereto, ramoso, com até 1m de altura, grandes folhas sésseis, opostas, lanceoladas, flores alvas, caliciformes, tb. sésseis, reunidas em espigas, e fruto capsular, ovoide. **2.** Qualquer espécie desse gênero, como, p. ex., a *Coutoubea spicata* ou *C. alba,* cuja raiz, amarga, é tida como medicinal. **3.** Qualquer espécime desse gênero.

cutuca *S. f. Bras. GO* Espécie de selim com dois arções altos, usado sobretudo em cavalos de doma: 📖 "Na quinta-feira das Dores, o sol ia descambando, o patrão manda-me chamar, passar a cutuca no lombilho do matungo, e partir sem detença para o povoado." (Hugo de Carvalho Ramos, *Tropas e Boiadas,* p. 5.) [Sin. (no N.E.): *ginete.*]

cutucação [De *cutucar* + *-ção.*] *S. f.* Cutucada. [Var.: *catucação.*]

cutucada [De *cutucar* + *-ada*[1].] *S. f. Bras. Pop.* Ato ou efeito de cutucar; cutucação. [Var.: *catucada.*]

cutucão [Der. regress. de *cutucar.*] *S. m. Bras. Pop.* **1.** Cutucada grande. **2.** Cutilada, facada. [Var.: *catucão.*]

cutucar [Do tupi, ger. de *ku'tug,* 'espetar, ferir'.] *V. t. d. Pop. Bras. Angol.* **1.** Tocar ligeiramente (alguém) com o dedo, o cotovelo, etc., ou algum objeto, principalmente para fazer uma advertência que não se quer ou não se pode fazer de viva voz: 📖 "Diziam que ele, nas mesas de jogo das reuniões familiares, era useiro e vezeiro em cutucar as senhoras próximas com esse artelho" (Gustavo Barroso, *Mississípi,* p. 131). **2.** Introduzir a ponta do dedo, ou objeto fino, pontiagudo, em (orifício do corpo, fechadura, etc.): 📄 *cutucar a orelha.* **3.** *Fam.* Coçar ou bulir insistentemente em (ferida, machucado). **4.** Machucar levemente; incomodar: 📄 *O fecho do broche cutucava-lhe a mama.* [Var., bras.: *catucar* e *futucar.* Conjug.: v. *trancar.*]

cutucurim [De or. tupi, poss.] *S. m. Bras. Zool.* V. *harpia*[2] (2 e 3).

cututiribá *S. m. Bras. Bot.* **1.** V. *cutitiribá.*

cuviara [De or. indígena.] *S. f. Bras. MT Zool.* Reptil lacertílio, iguanídeo (*Hoplocercus spinosus*), do Brasil Central, de coloração parda, com manchas pardo-escuras, cauda curta e grossa, provida de espinhos, terminada em acúleo, e comprimento de até 0,15m. Vive em pequenas galerias, em regiões de cerrado, e alimenta-se de pequenos artrópodes. [Sin.: *taguirapeva* e *truirapeva.*]

cuvico [Alter. de *cubículo.*] *S. m. Bras. PB Pop.* V. *cubículo* (1).

cuvilheira [Do lat. *cubicularia.*] *S. f.* Alcoviteira (3).

cuvilheiro [De *cuvilheira.*] *Adj. S. m.* V. *coscuvilheiro.*

cuvu *S. m. Bras.* Aparelho de pescaria us. nos lugares rasos e lodosos dos rios e lagoas; juquiá.

cuxá [Do tupi = 'o que conserva', + o tupi = 'azedo'.] *S. m.* **1.** *Bras. Guin. Bot.* V. *caruru-azedo.* **2.** *Bras. Cul.* Molho feito com folhas de caruru-azedo (q. v.), gengibre e outros temperos.

cuxeri *S. m. Bras. AM Bot.* V. *cujumari.*

cuxita *S. 2 g.* **1.** *Etnôn.* Indivíduo de uma das numerosas nações cuxitas, povos do N.E. e E. da África. ● *S. m.* **2.** *Gloss.* Grupo de línguas camíticas ou afro-asiáticas, faladas no N.E. e E. da África, e ao qual pertencem o somali e o gala. ● *Adj. 2 g.* **3.** Pertencente ou relativo ao antigo reino de Cuxe, na Núbia (N.E. da África). **4.** Pertencente ou relativo aos cuxitas, ou ao cuxita (2).

cuxiú [Do tupi.] *S. m. Bras. Zool.* **1.** Designação comum às espécies de primatas cebídeos, gênero *Chiropotes,* da Amaz., especialmente o *C. chiropotes,* ao N., e o *C. satanas,* ao S. do rio Amazonas. Muito próximos dos saguis, os cuxiús diferenciam-se destes em serem pretos, terem uma barba alongada por baixo do queixo e garganta e peito pilosos. [A espécie *satanas* diferencia-se de *chiropotes* por ter o redemoinho da cabeça no centro do vértice, enquanto que, nesta última, ele é na região occipital. Sin.: *cuxiú-negro.*] **2.** V. *parauaçu.*

cuxiú-de-nariz-branco *S. m. Bras. Zool.* Primata cebídeo (*Chiropotes albinasa*), do PA e N. de MT. Coloração preta, com nariz e centro do focinho (onde a pele é nua) cor-de-rosa vivo, e pelos brancos entre as narinas. [Pl.: *cuxiús-de-nariz-branco.* Sin.: *piroculu.*]

cuxiú-negro *S. m. Bras. Zool.* Cuxiú (1). [Pl.: *cuxiús-negros.*]

cuxumari *S. m. Bras. AM Bot.* V. *cujumari.*

cuxuta *Bras. S. 2 g.* **1.** *Etnôn.* Indivíduo dos cuxutas [ou (etnôn. bras.) *Kuxúta], povo indígena extinto, da família linguística tucano, que habitava as margens do rio Traíra (AM), na fronteira com a Colômbia. ● *Adj. 2 g.* **2.** Pertencente ou relativo a esse povo.

■ **cv** *Fís.* Símb. de *cavalo-vapor.*

■ **CVM** Sigla de *Comissão de Valores Mobiliários.*

czar [Do rus. *tsar* (< lat. *Caesar*), pelo fr. *czar* (atual *tsar*).] *S. m.* Título que se dava ao imperador na Rússia, e aos antigos soberanos sérvios e búlgaros. [Fem.: *czarina.*]

czarda *S. f.* V. *xarda.*

czaréviche [Do russo *tsarevich,* pelo fr. *czaréwitch* (atual *tsarévitch*).] *S. m.* Título que se dava, na Rússia imperial, ao príncipe herdeiro do trono.

czarevna [Do russo *tsarevna,* pelo fr. *czarevna* (atual *tsarevna*).] *S. f.* Título que se dava, na Rússia imperial, à princesa herdeira do trono.

czarina [Do al. *Zarin,* pelo fr. *czarine* (atual *tsarine*).] *S. f.* Título que se dava, na Rússia imperial, à imperatriz.

czarismo [De *czar* + *-ismo.*] *S. m.* **1.** Sistema político em vigor na Rússia no tempo dos czares. **2.** *P. ext.* Período da história russa em que reinavam os czares: 📄 *Ao czarismo sucedeu a revolução, na Rússia.*

czarista [De *czarismo* + *-ista.*] *Adj. 2 g.* **1.** Pertencente ao, ou próprio do czarismo. **2.** Que é partidário do czarismo. ● *S. 2 g.* **3.** Partidário dele.

MINÚSCULA MODERNA | MAIÚSCULA MODERNA | MINÚSCULA CAROLÍNGIA | ROMANO | ROMANO | ETRUSCO | GREGO | GREGO | FENÍCIO

Em 1936, aos 26 anos de idade, formou-se na Faculdade de Direito do Recife. Nesse mesmo ano, tornou-se professor de Português, Francês e Literatura no Colégio Estadual de Alagoas.

d (dê) *S. m.* **1.** A 4.ª letra do nosso alfabeto. [Representa a consoante oclusiva dental sonora. Soa ger. como consoante palatoalveolar sonora (/dj/) antes de *i*, e antes de *e* em final de sílaba aberta postônica: *dia, onde.*] **2.** A figura dessa letra, ou qualquer representação sua: *Escreveu um d no quadro-negro.* **3.** O som representado por essa letra. **4.** Conceito (6), ger. correspondente a reprovação com grau ou nível abaixo do mediano.● *Num.* **5.** Quarto (1), numa série ordenada ou hierárquica cujos elementos são designados ou representados pelas letras do alfabeto: *Dirigiu-se à sala d* (ou *sala D*). [Tb. us. adjetivamente, denotando classificação e significando 'de quarta categoria', 'de qualidade, importância ou valor muito baixos': *um assunto de prioridade D.*] [Pl. (nas acepç. 1 a 4) indicado graficamente pela duplicação da letra: *dd.*]

■ **d** **1.** Abrev. de *dia* (4). **2.** Abrev. de *dom* ou *dona.* [Tb. se usa a maiúscula *D.*] **3.** Símb. de *deci-* (q. v.). **4.** *Fís. Part.* Símb. de *down.* **5.** *Quím.* Abrev. de *dextrogiro* (3).

■ **D** **1.** No sistema romano de numeração, símb. do número 500. **2.** No sistema hexadecimal de numeração, o décimo quarto algarismo, equivalente ao número decimal 13. **3.** Abrev. de *Dom* ou *Dona.* **4.** *Fís. Nucl.* Símb. de *dêuteron.* **5.** *Mús.* Sinal com que se representa a nota ré (v. *ré*[3]), ou a escala de que essa nota é a tônica, ou o acorde em que o ré é a nota fundamental. [Deriva da notação musical alfabética, ainda us. nos países germânicos e anglo-saxões.] **6.** *Quím.* Símb. de *deutério.* **7.** Designação, num par de enantiômeros, daquele (ou sua configuração absoluta) cuja estrutura pode ser correlacionada à do gliceraldeído dextrogiro, segundo uma convenção us. principalmente para açúcares e aminoácidos. [Us. com valor de adj., posposto a um substantivo: *enantiômero D.*] [Cf., nesta acepç.: *L.*]

▲ **-d-** Consoante de ligação.

da[1] Contr. da prep. *de* com o art. *a.* [Cf. *dá,* do v. *dar.*]

da[2] Contr. da prep. *de* com o pron. dem. *a.* [Cf. *dá,* do v. *dar.*]

■ **da** *Mat.* Símb. de *dec(a)-*[2].

dã [Do jeje.] *S. m. Bras. Rel.* **1.** Vodum correspondente ao orixá Oxumarê, dos nagôs, de que é o modelo de origem Dangbé. [Nesta acepç., com cap.] **2.** Pulseira serpentiforme, us. por alguns chefes de terreiro com fins apotropaicos. **3.** Serpente sagrada dos daomeanos.

■ **DABCO** *Quím.* Sigla de *diazabiciclooctano.*

dáblio *S. m.* A letra *w*: "Wanda e Wlado, uma família de nomes começando com dáblio, mamãe se chamava Webe." (Lígia Fagundes Teles, *Seminário dos Ratos,* p. 64.)

■ **DAC** Sigla de *Departamento de Aviação Civil.*

dação [Do lat. *datione.*] *S. f.* **1.** *Desus.* Ato de dar; doação. **2.** *Dir. Civ.* Entrega de uma coisa em pagamento de outra que se devia.

➔ **da capo** [da 'kapo] [It., 'desde o início'.] *Mús.* Indica que se deve repetir a peça desde o começo.

dacarense *Adj. 2 g.* **1.** Da, ou pertencente ou relativo à cidade de Dacar (Senegal).● *S. 2 g.* **2.** O natural ou habitante de Dacar.

➔ **dacha** ['datʃa] [Rus.] *S. f.* Na Rússia, casa de campo ou de veraneio.

dachiardita [Do antr. *(Antônio) d'Achiardi* (1839-1902), mineralogista italiano, + *-ita*[3].] *S. f. Min.* Mineral monoclínico, aluminossilicato hidratado de cálcio, sódio e potássio.

dácio [Do lat. *daciu.*] *Adj.* **1.** Da, ou pertencente ou relativo à Dácia, antiga província romana.● *S. m.* **2.** O natural ou habitante da Dácia. [Sin. ger.: *daco.*]

dacito [Do top. *Dácia* + *-ito*[2].] *S. m. Geol.* Rocha magmática efusiva de composição correspondente à do diorito quartzoso.

dacma [Do persa *dakhma* < persa médio *dakhmak* < avéstico *daxma,* 'local de funeral'.] *S. f.* Espécie de torre, aberta no alto, onde os parses, da Índia, expunham os corpos dos mortos à voracidade dos abutres, segundo seu rito religioso.

▲ **dacno-** [Do gr. *dáknein.*] *El. comp.* = 'morder': *dacnomania.*

dacnomania [De *dacno-* + *-mania.*] *S. f. Psiq.* Impulso mórbido que leva o indivíduo a se morder e/ou a morder os circunstantes.

dacnomaníaco [De *dacnomania* + *-íaco.*] *Psiq. Adj.* **1.** Relativo a dacnomania. **2.** Que tem dacnomania; dacnômano.● *S. m.* **3.** Aquele que tem dacnomania; dacnômano.

dacnômano [De *dacno-* + *-mano.*] *Adj. S. m. Psiq.* Dacnomaníaco (2 e 3).

daco *Adj. S. m.* Dácio.

dacolá Contr. da prep. *de* com o adv. *acolá.*

dacota [Do dacota *Dakota,* pelo ingl.] *S. 2 g.* **1.** Indivíduo dos dacotas, povo indígena norte-americano que ocupava a região dos atuais estados norte-americanos de Dacota do Norte, Dacota do Sul, Montana e ainda de Manitoba (Canadá).● *S. m.* **2.** *Gloss.* Língua indígena desse povo, pertencente à família siú. **3.** Vocábulo dessa língua.● *Adj. 2 g.* **4.** De, pertencente ou relativo aos dacotas, ou à sua língua. [Sin. ger.: *siú.*]

dacriadenalgia (dà) [De *dacri(o)-* + *-aden(o)-* + *-alg(o)-*[2] + *-ia*[1].] *S. f. Oftalm.* Dor em glândula lacrimal.

dacriadenálgico (dà) [De *dacriadenalgia* + *-ico*[2].] *Adj.* Referente a dacriadenalgia.

▲ **dacri(o)-** [Do gr. *dákryon, ou.*] *El. comp.* = 'lágrima': *dacriadenalgia, dacriocele.* [Equiv.: *-dacr(i)(o)-*: *oligodacria.*]

▲ **-dacr(i)(o)-** Equiv. de *dacri(o)-.*

dácrio [Do gr. *dákryon,* 'lágrima'.] *S. m. Anat.* Ponto de confluência dos ossos frontal e lacrimal e da apófise ascendente de maxilar.

dacriocele (dà) [De *dacri(o)-* + *-cele*[1].] *S. f. Oftalm.* V. *dacriocistocele.*

dacriociste (dà) [De *dacri(o)-* + *-ciste.*] *S. f. Oftalm.* O saco lacrimal.

dacriocistite (dà) [De *dacriociste* + *-ite*[1].] *S. f. Oftalm.* Inflamação do dacriociste.

dacriocistocele (dà) [De *dacriociste* + *-o-* + *-cele*[1].] *S. f. Oftalm.* Hérnia de saco lacrimal; dacriocele.

dacriocistotomia [De *dacri(o)-* + *-cist(o)-* + *-tom(o)-* + *-ia*[1].] *S. f. Oftalm.* Incisão em saco lacrimal.

dacrioma [De *dacri(o)-* + *-oma*[1].] *S. m. Oftalm.* Tumoração produzida por obstrução de conduto lacrimal.

dacriorreia (dà...éi) [De *dacri(o)-* + *-reia.*] *S. f. Oftalm.* Fluxo excessivo de lágrimas.❖

dácron [Marca registrada.] *S. m. Tec. Têx.* **1.** Certa fibra têxtil sintética. **2.** O tecido feito com essa fibra.

dactílico [Do gr. *daktylikós,* pelo lat. *dactylicu.*] *Adj.* **1.** Pertencente ao dáctilo. **2.** Constituído por dáctilos. ~ V. *verso —.* [Var.: *datílico.*]

dactilífero [De *da(c)til(o)-* + *-ífero.*] *Adj. Zool.* Diz-se de animal que apresenta dedos. [Var.: *datilífero.*]

dactilino [De *da(c)til(o)-* + *-ino*[1].] *Adj.* Semelhante a um dedo; dactiloide. [Var.: *datilino.*]

dactiloteca [Do gr. *daktyliothéke,* pelo lat. *dactyliotheca.*] *S. f.* Museu, armário ou caixa onde se guardam coleções de anéis, joias e pedras gravadas. [Var.: *datilioteca.* Cf. *dactiloteca.*]

dactilite [De *da(c)til(o)-* + *-ite*[1].] *S. f. Med.* Inflamação em dedo.

▲ **da(c)til(o)-** [Do gr. *dáktylos, ou* (ў).] *El. comp.* = 'dedo': *da(c)tilino, da(c)tilografia.* [Equiv.: *-da(c)til(o)-, -dá(c)tilo*: *ada(c)tilia; microdá(c)tilo.*]

▲ **-da(c)til(o)-** V. *da(c)til(o)-.*

dáctilo [Do gr. *dáktylos.*] *Adj. S. m.* Diz-se de, ou pé de verso, grego ou latino, formado de uma sílaba longa seguida de duas breves. [Var.: *dátilo.*]

▲ **-dá(c)tilo** V. *da(c)til(o)-.*

dactilografado [Part. de *dactilografar.*] *Adj.* Escrito à máquina (v. *máquina de escrever*). [Var.: *datilografado.*]

dactilografar [De *da(c)til(o)-* + *-graf(o)-* + *-ar*[2].] *V. t. d. Int.* Produzir texto, por meio de máquina de escrever (q. v.), ou com outro instrumento similar, acionado por toques dos dedos; bater à máquina. [Cf. *digitar* (3 e 4). Var.: *datilografar.*]

dactilografia [De *da(c)til(o)-* + *-grafia*.] ***S. f.*** Arte de dactilografar, de escrever à máquina (v. *máquina de escrever*). [Var.: *datilografia*.]

dactilográfico [De *dactilografia* + *-ico*^{2}.] ***Adj.*** Relativo à dactilografia. [Var.: *datilográfico*.]

dactilógrafo [De *da(c)til(o)-* + *-grafo*.] ***S. m.*** **1.** *Desus.* Máquina de escrever (1). **2.** Indivíduo que escreve à máquina. **3.** *Bras. RJ Pop.* Indivíduo que escreve a música das peças de compositores populares ignorantes da arte musical. [Var.: *datilógrafo*. Cf. *dactilografo*, do v. *dactilografar*.]

dactilograma [De *da(c)til(o)-* + *-grama*.] ***S. m.*** Documento que reproduz as impressões digitais de alguém. [Var.: *datilograma*.]

dactiloide (ói) [De *da(c)til(o)-* + *-oide*.] ***Adj. 2 g.*** Dactilino. [Var.: *datiloide*.] ❖

dactilologia [De *da(c)til(o)-* + *-logia*.] ***S. f.*** Quirologia. [Var.: *datilologia*.]

dactilológico [De *dactilologia* + *-ico*^{2}.] ***Adj.*** Quirológico. [Var.: *datilológico*.]

dactilomancia (cí) [De *da(c)til(o)-* + *-mancia*.] ***S. f.*** Arte de adivinhar por meio dos dedos. [Var.: *datilomancia*.]

dactilomante [De *da(c)til(o)-* + *-mante*.] ***S. 2 g.*** Pessoa que pratica a dactilomancia. [Var.: *datilomante*.]

dactilomântico ***Adj.*** Referente a dactilomancia, ou a dactilomante. [Var.: *datilomântico*.]

dactilopterídeo [De *da(c)til(o)-* + *-pter(o)-* + *-ídeo*^{1}; tax. *Dactylopteridae*.] *Zool.* ***S. m.*** **1.** Espécime dos dactilopterídeos, pequena família de peixes escorpeniformes com enormes nadadeiras peitorais aliformes, cabeça quadrada protegida por ossos fortes, os dois primeiros espinhos da primeira dorsal livres e capaz de usar as nadadeiras pélvicas para caminhar sobre o fundo do mar. Ex.: peixe-voador. ● ***Adj.*** **2.** Pertencente ou relativo a eles. [Var.: *datilopterídeo*.]

dactiloquirotídeo [De *da(c)til(o)-* + *-quir(o)-* + *-ot(a)-* + *-ídeo*^{1}; tax. *Dactylochirotida*.] *Zool.* ***S. m.*** **1.** Espécime dos dactiloquirotídeos, ordem de animais equinodermos, holoturoides, que apresentam tentáculos ligeiramente ramificados. São, p. ex., os pepinos-do-mar. ● ***Adj.*** **2.** Pertencente ou relativo a eles. [Var.: *datiloquirotídeo*.]

dactiloscopia [De *da(c)til(o)-* + *-scop-* + *-ia*^{1}.] ***S. f.*** Sistema de identificação por meio das impressões digitais. [Var.: *datiloscopia*.]

dactiloscópico [De *dactiloscopia* + *-ico*^{2}.] ***Adj.*** Relativo à dactiloscopia. [Var.: *datiloscópico*.]

dactiloscopídeo [De *da(c)til(o)-* + *-scop-* + *ídeo*^{1}; tax. *Dactyloscopidae*.] *Zool.* ***S. m.*** **1.** Espécime dos dactiloscopídeos, família de peixes actinopterígios, perciformes, tropicais, do Atlântico e do Pacífico. Têm cabeça volumosa, boca grande e quase vertical, olhos no alto da cabeça, nadadeiras anais e dorsal muito compridas. Enterram-se na areia, deixando livre a cabeça para surpreender as presas. ● ***Adj.*** **2.** Pertencente ou relativo a eles. [Var.: *datiloscopídeo*.]

dactiloscopista [De *dactiloscopia* + *-ista*.] ***S. 2 g.*** **1.** Especialista em dactiloscopia. **2.** Funcionário encarregado de colher impressões digitais. [Var.: *datiloscopista*.]

dactiloscrito [De *da(c)til(o)-* + *escrito*.] ***S. m.*** Mecanoscrito. [Var.: *datiloscrito*.]

dactilospasmo [De *da(c)til(o)-* + *espasmo*.] ***S. m.*** *Med.* Contração espasmódica de quirodáctilo ou pododáctilo; cãibra de dedo. [Var.: *datilospasmo*.]

dactilospasmódico [De *dactilospasmo* + *-ico*^{2}, p. anal. com *espasmódico* (q. v.).] ***Adj.*** Relativo a dactilospasmo. [Var.: *datilospasmódico*.]

dactiloteca [De *da(c)til(o)-* + *-teca*.] ***S. f.*** **1.** *Zool.* Pele que envolve cada um dos dedos dos mamíferos. **2.** Coleção de dactilogramas em arquivo de identificação. [Var.: *datiloteca*. Cf. *dactilioteca*.]

dactilozooide (ói) [De *da(c)til(o)-* + *zooide*.] ***S. m.*** *Zool.* Pólipo defensivo e protetor encontrado nas colônias de cnidários, cuja boca, tentáculos e ênteron são reduzidos ou vestigiais; tem a forma de um bastão coroado de células urticantes. [Var.: *datilozooide*.] ❖

■ **DAD** Sigla de *disco de áudio digital*.

dada [De *dar* + *-ada*^{1}.] ***S. f.*** **1.** *Ant.* Ato de dar; doação, dádiva. **2.** *Bras. SP* Ataque, batida ou assalto organizado contra aldeia de índios.

dadá^{1} [Do fr. *dada*.] ***S. m.*** **1.** Dadaísmo. ● ***S. 2 g.*** **2.** Dadaísta (2). ● ***Adj. 2 g.*** **3.** Dadaísta (1).

dadá^{2} [Do antr. *Dada*, rei mítico de Oio (atual Nigéria) que teria abdicado em favor de Xangô, seu irmão.] *Rel.* ***S. m.*** **1.** *Bras. BA* V. *Baiâni*. **2.** *Bras. BA* V. *Airá*. **3.** *Bras.* Orixá cuja epifania são os vegetais, e que seria o filho mais velho de Iemanjá. ● ***S. f.*** **4.** *Bras. PE* Nos xangôs [v. *xangô* (2)], divindade representada por uma capa coberta de búzios, com capuz provido de dois espelhos na frente. [Com cap.]

dadaísmo [Do fr. *dadaïsme*.] ***S. m.*** Movimento surgido entre artistas e intelectuais durante a I Guerra Mundial, como forma de repúdio ao conflito e aos valores da civilização ocidental, e que se extinguiu no início da década de 1920, quando muitos de seus adeptos passaram a integrar novas correntes da literatura e das artes plásticas, esp. o surrealismo. [Sin.: *dadá*.]

dadaísta [Do fr. *dadaïste*.] ***Adj. 2 g.*** **1.** Relativo ao, ou que é partidário do dadaísmo. ● ***S. 2 g.*** **2.** Artista ou partidário do dadaísmo. [Sin. ger.: *dadá*.]

▲ **-dade** V. *-(i)dade*.

dadeira [De *dar* + *-deira*.] *Bras.* ***S. f.*** **1.** Mulher sujeita a ataques. **2.** *Deprec.* Meretriz. ● ***Adj.*** ***(f.)*** **3.** Diz-se da mulher sujeita a ataques.

dádiva [Do b.-lat. *dativa*, pl. de *dativum*, 'donativo', com deslocação do acento, com infl. de voc. como *dívida*.] ***S. f.*** **1.** Aquilo que se dá; presente, oferta, donativo, dom. **2.** Doação (1 e 2). [Cf. *dadiva*, do v. *dadivar*.] ◆ **Dádiva de sangue.** *Lus.* Doação de sangue.

dadivar [De *dádiva* + *-ar*^{2}.] ***V. t. d.*** Conceder dádiva(s) a; presentear: *O avô leva o tempo a dadivar o netinho.* [Pres. ind.: *dadivo, dadivas, dadiva*, etc. Cf. *dádiva*.]

dadivosidade [De *dadivoso* + *-(i)dade*.] ***S. f.*** Qualidade ou caráter de dadivoso.

dadivoso (ô) [De *dádiva* + *-oso*.] ***Adj.*** Amigo de dar, de dadivar; liberal, generoso: *É dadivoso com os que o servem; É homem de índole dadivosa.*

dado^{1} [Da f. *dadu, de or. incerta, poss. do ár. *dad*, ou do persa *dadā*, ou *dadan*.] ***S. m.*** Peça cúbica, de madeira, osso, marfim, etc., marcada em cada uma das faces com pontos, de 1 a 6, e que se usa em certos jogos. ◆ **Lançar os dados.** V. *lançar a sorte*.

dado^{2} [Do lat. *datu*, part. pass. de *dare*, 'dar'.] ***Adj.*** **1.** Que se deu; oferecido, presenteado; gratuito: "A cavalo dado não se olham os dentes" (prov.). **2.** Permitido, concedido, facultado: *Usou de todos os recursos dados.* **3.** Habituado, acostumado, afeito: *Homem dado às letras;* "Eu era então um pouco dado a essas crenças, e ainda hoje não deixo de as ter." (Machado de Assis, *Contos Avulsos*, p. 151). **4.** Que se dá bem com os outros; afável, lhano, tratável: *O rapaz é rico, porém muito dado;* "Um cão amável, muito alegre e dado" (Otávio de Faria, *Novelas da Masmorra*, p. 16). ● ***Pron. indef.*** **5.** V. *certo* (9): *Em dado instante calou-se.* ● ***S. m.*** **6.** Elemento ou quantidade conhecida, que serve de base à resolução de um problema. **7.** Princípio em que assenta uma discussão. **8.** Elemento ou base para a formação dum juízo. **9.** *Filos.* O que se apresenta à consciência como imediato, não construído ou não elaborado. [Cf., nesta acepç., *fenômeno* (7) e *imediato* (5).] **10.** *Inform.* Elemento de informação, ou representação de fatos ou de instruções, em forma apropriada para armazenamento, processamento ou transmissão por meios automáticos. **11.** *Bras.* Condição ou exigência estabelecida: *Não, isso não foi do dado* (*i. e.*, não foi o que se combinou). **12.** *Bras.* O que é habitual, normal, em alguma coisa, ou próprio dela: *O dado da cadeira é ter quatro pernas.* ◆ **Dado bruto.** *Estat.* Dado primitivo (q. v.). **Dado estatístico.** *Estat.* **1.** Número dos membros de um subconjunto de uma população ou de uma amostra que têm as características definidas por um subconjunto do domínio de uma variável aleatória; numa população ou numa amostra, número de membros que têm um determinado conjunto de características definidas por meio de um subconjunto do domínio de uma variável aleatória. **2.** *P. ext.* Medida estatística da presença dum determinado conjunto de valores de uma variável aleatória numa população ou numa amostra. **Dado primitivo.** *Estat.* O que ainda não sofreu qualquer espécie de tratamento estatístico; dado bruto. **Dado que.** Suposto que; admitido que; na hipótese de que: *Não gosta de viagens, e, dado que gostasse, a pobreza não lhe permitiria fazê-las.*

dado^{3} [Do it. *dado*, 'plinto', poss. do ár. *dad* (v. *dado*^{1}).] ***S. m.*** **1.** *Arquit.* Parte superior de pedestal, sobre a qual assenta a base da coluna. **2.** *Arquit.* Plinto ou cubo que serve de base para um ornato qualquer. **3.** *Bras.* Dormente de pedra.

dado^{4} ***Adj.*** Datado^{1}: *Este alvará é dado da cidade do Rio de Janeiro aos 5 de março.*

dador (ô) [Do lat. *datore*.] ***Adj.*** **1.** Que dá ou concede. ~ V. *rolo* —. ● ***S. m.*** **2.** Aquele que dá ou concede. **3.** *Lus. Restr.* Doador (2): "A malária pode contrair-se por uso de seringas infectadas, que contenham sangue, ou por transfusões de sangue de dadores contaminados." (Clara Pinto Correia, *Histórias Naturais*, p. 163.) [Cf. *doador*.]

■ **DAE** Abrev. de *Departamento de Água e Esgoto*.

■ **DAEE** Abrev. de *Departamento de Águas, Esgoto e Energia Elétrica*.

dafina ***S. f.*** V. *adafina*.

dafne [Do tax. *Daphne* (do gr. *dáphne, es*, 'loureiro').] ***S. f.*** *Bot.* **1.** Gênero de arbustos timeliáceos com cerca de 50 espécies, algumas delas cultivadas; a casca fornece fibras para o fabrico de cordas, papel e raiom, e encerra glucosídeos como a dafnina. **2.** Qualquer espécie desse gênero, como, por ex., a *Daphnis racemosa* [v. *embira* (3)].

▲ **dafni-** [De *dafn(o)-* + *-i-*.] Equiv. de *dafn(o)-*.

dáfnia [Do tax. *Daphnia* < mit. gr. *Dáphne* + lat. cient. *-ia* (v. *-ia*^{2}).] ***S. f.*** *Zool.* **1.** Gênero de crustáceos cladóceros cujo corpo é revestido por carapaça transparente e cuja cabeça é provida de antenas muito longas, com função locomotora. **2.** Qualquer espécie desse gênero, como, p. ex., a vulgarmente conhecida como *pulga-d'água*, us. na alimentação de peixes de aquário. **3.** Qualquer espécime desse gênero.

dafnifilácea [Do tax. *Daphniphyllum* (v. *dafni-* e *-filo*^{1}) + *-ácea*; tax. *Daphniphyllaceae*.] ***S. f.*** *Bot.* Espécime das dafnifiláceas, família da ordem das geraniales, que engloba só o gênero *Daphniphyllum*, com 30 espécies asiáticas. Flores unissexuais, sem pétalas; androceu diplostêmone; fruto drupáceo; folhas inteiras e sem estípulas.

dafnifiláceo [De *dafnifilácea*, com var. suf. (v. *-áceo*).] ***Adj.*** *Bot.* Pertencente ou relativo às dafnifiláceas.

dafnina [De *dafne* + *-ina*^{3}.] ***S. f.*** Substância branca, amarga, cristalizável, pouco solúvel na água, extraída da casca de árvores do gênero *Daphne* (v. *dafne*) [fórm.: $C_{15}H_{16}O_{9}$].

▲ **dafn(o)-** [Do gr. *daphno-* < gr. *dáphnē, ēs*.] ***El. comp.*** = 'loureiro': *dafnomancia, dafnomante*. [Equiv.: *dafni-*: *dafnifilácea*.]

dafnomancia (cí) [De *dafn(o)-* + *-mancia*.] ***S. f.*** Adivinhação por meio de folhas de loureiro queimadas.

dafnomante [De *dafn(o)-* + *-mante*.] ***S. 2 g.*** Pessoa que pratica a dafnomancia.

dafnomântico ***Adj.*** Relativo a dafnomancia, ou a dafnomante.

dafnopse [Do tax. *Daphnopsis* (v. *dafn(o)-* e *-opse*).] ***S. f.*** *Bot.* **1.** Gênero de timeleáceas que abrange cerca de 55 espécies. **2.** Qualquer espécie, ou espécime desse gênero.

■ **dag** Abrev. de *decagrama*.

daga ***S. f.*** *Ant.* V. *adaga* (1).

dagã [Do ior.] ***S. f.*** *Bras. Rel.* A mais antiga das filhas de santo que oficiam o padê de Exu juntamente com o chefe do terreiro e a ossidagã; iadagã.

dágaba ***S. f.*** Santuário búdico em forma de cúpula.

dagora [Contr. da prep. *de* + *agora*^{2}.] ***Adv.*** De agora: *Há um livro de João do Rio chamado Portugal dagora.*

daguerreotipar [De *daguerreótipo* + *-ar*^{2}.] ***V. t. d.*** **1.** Reproduzir por daguerreótipo. **2.** *Fig.* Apresentar, representar ou descrever com a máxima exatidão; reproduzir fielmente; retratar: *Zola daguerreotipou em sua obra os mais variados tipos sociais.* ***P.*** **3.** Retratar-se pelo daguerreótipo. **4.** *Fig.* Mostrar-se ou apresentar-se tal como é. [Pres. ind.: *daguerreotipo*, etc. Cf. *daguerreótipo*.]

daguerreotipia [De *daguerreótipo* + *-ia*^{1}.] ***S. f.*** Arte de daguerreotipar.

daguerreotípico [De *daguerreotipia* + *-ico*^{2}.] ***Adj.*** Relativo à daguerreotipia.

daguerreótipo [Do fr. *daguerréotype* < antr. (*Louis-Jacques-Mandé*) *Daguerre* (1789-1851), pintor e físico francês, + *-o-* + fr. *type*.] ***S. m.*** **1.** Aparelho primitivo de fotografia, inventado por Daguerre em 1839. **2.** Imagem reproduzida por esse aparelho. **3.** *Fig.* Pintura ou reprodução exata. [Cf. *daguerreotipo*, do v. *daguerreotipar*.]

dáhlia [Do tax. *Dahlia*.] ***S. f.*** V. *dália*^{1}.

daí Contr. da prep. *de* com o adv. *aí*. Pode significar: **a)** Que algo ou alguém provém de onde se encontra a pessoa a quem se fala, ou das cercanias onde ela está: *Ele veio daí de Alagoas para o Rio.* **b)** Desse lugar: *Você já saiu daí, menino?* **c)** O espaço de tempo de uma ação ou acontecimento a outro: *Rompeu o namoro, mas daí a uma semana já estava pedindo para voltar.* **d)** Desse tempo ou momento: *Brigamos por uma bobagem, mas a partir daí não mais nos falamos.* **e)** Indica motivo, razão; por isso, por esse motivo: *Os dois são muito parecidos, daí não se entenderem.* **f)** Indica consequência; donde: *Não anda bem de saúde, daí o seu aspecto melancólico.* **g)** *Pop.* Disso: *O que se conclui daí?* [Cf. *dai*, do v. *dar*.]

daimiado [De *daimio* + *-ado*^{2}.] ***S. m.*** Daimiato.

daimiato [De *daimio* + *-ato*^{1}.] ***S. m.*** Território governado por um daimio; daimiado.

daimio [Do jap. *daimyō*.] ***S. m.*** Designação comum aos senhores feudais japoneses, que perderam os seus privilégios na revolução de 1868.

daimista ***Adj. 2 g.*** Pertencente ou relativo ao santo-daime: "De acordo com os ensinamentos da doutrina daimista, a visita dos três reis magos ao menino Jesus marca simbolicamente o fim de um ciclo espiritual" (Paulo Mota, em *Folha de S.Paulo*, 06.01.1992).

daimoso (ô) [De or. obsc.] ***Adj.*** Carinhoso, afetuoso, delicado: "Gostava era da voz cristalina da dona nova, da índole daimosa da patroa velha e da mão calejada do velhote." (Miguel Torga, *Bichos*, p. 10.)

daiquiri [Do hisp.-amer. *daiquiri* < top. *Daiquiri* (Cuba).] ***S. m.*** Coquetel feito com rum ger. branco, suco de limão e açúcar.

dairo ***S. m.*** V. *cubo*[2].

■ **dal** Símb. de *decalitro*.

dala[1] [Do fr. *dale*.] ***S. f.*** **1.** Calha ou sulco para escoamento de água e doutros líquidos. **2.** *Constr. Nav.* Calha ou tubo de ferro preso ao costado de embarcação, para que se lancem ao mar águas servidas, cinzas ou lixo, sem sujar o costado. [Antigamente se usavam dalas de madeira ou de lona.]

dala[2] [Do ingl. *dale*, poss.] ***S. f.*** Terreno ou caminho entre montanhas; desfiladeiro.

dalai-lama [Do mongol *dalai*, 'oceano', + mongol *lama*, 'lama[2]'.] ***S. m.*** O chefe supremo do lamaísmo (q. v.). [Pl.: *dalai-lamas*.]

dalcerídeo [Do tax. *Dalcera* + *-ídeo*[1]; tax. *Dalceridae*.] *Zool.* ***S. m.*** **1.** Espécime dos dalcerídeos, família de lepidópteros da região neotropical que reúne mariposas pequenas e médias, de asas arredondadas, corpo peludo, antenas pectíneas, sem probóscides, e cujas larvas, popularmente denominadas lagartas-de-vidro (v. *lagarta-de-vidro*), são encontradas em folhas de laranjeira, cafeeiro, cacaueiro, etc. ● ***Adj.*** **2.** Pertencente ou relativo a eles.

dalém Contr. da prep. *de* com o adv. *além*: "Este luar que se levanta / Dalém, das bandas do mar" (Alberto de Oliveira, *Poesias*, 3.ª série, p. 45).

d'alembertiano (lam) [Do antr. (*Jean*) *d'Alembert* (1717-1783), cientista francês, enciclopedista, + *-iano*.] ***S. m.*** *Fís. Mat.* Importante operador (4) da física matemática, constituído pelo operador laplaciano e por uma parcela negativa que envolve a derivada parcial segunda em relação ao tempo, dividida pelo quadrado da velocidade da luz; operador de d'Alembert.

dalgum Contr. da prep. *de* com o pron. indef. *algum*: "Lá fora ouviam-se a chiadeira dos grilos e o pio agoureiro dalguma ave noturna" (Inglês de Sousa, *O Missionário*, p. 330).

dali Contr. da prep. *de* com o adv. *ali*: "Dali vão em demanda da água pura" (Luís de Camões, *Os Lusíadas*, IV, p. 64).

dália[1] [Do tax. *Dahlia* (do antr. [*Anders*] *Dahl* [1751-1789], botânico sueco, + lat. cient. *-ia* [v. *-ia*[2]]).] ***S. f.*** *Bot.* **1.** Gênero de plantas asteráceas, herbáceas, nativas de regiões montanhosas da América, desde o México até a Colômbia, dotadas de raiz tuberosa, folhas opostas, penadas, e flores radiais em capítulos que têm pápus escamoso e dentado; têm lígulas vermelhas, originalmente, e disco amarelo. **2.** Qualquer espécie desse gênero, como, p. ex., a *Dahlia pinnata*, muito cultivada em jardins. **3.** Qualquer espécime desse gênero. **4.** A flor de qualquer dessas plantas. [F. paral.: *dáhlia*.]

dália[2] ***S. f.*** *Bras. Cin. Teatr. Telev.* Recurso us. para ocultar dos espectadores, ou do enquadramento da câmara, o texto a ser dito pelo locutor, apresentador ou intérprete. [Cf. *ponto* (45).]

daliano (i) [Do antr. (*Salvador*) *Dalí* + *-iano*.] ***Adj.*** **1.** Do, ou pertencente ou relativo ao pintor espanhol Salvador Dalí (1904-1989), um dos mais proeminentes membros do movimento surrealista. **2.** Que é seu admirador e/ou profundo conhecedor de sua obra. ● ***S. m.*** **3.** Admirador ou profundo conhecedor da obra de Salvador Dalí, ou seu seguidor.

dálmata [Do lat. *dalmata*.] ***Adj. 2 g.*** **1.** Da, ou pertencente ou relativo à Dalmácia (Croácia), ou ao dálmata (3); dalmatense; dalmático. ● ***S. 2 g.*** **2.** O natural ou habitante da Dalmácia; dalmatense. ● ***S. m.*** **3.** *Gloss.* Língua românica (q. v.) que se falava na Dalmácia, extinta com a morte de seu último falante, em 1898; dalmático. **4.** *Cinol.* Cão possivelmente originário da Dalmácia, com altura entre 0,55m e 0,60m, de forte musculatura, focinho vigoroso, orelhas finas e pendentes, e pelagem branca com manchas negras.

dalmatense ***Adj. 2 g. S. 2 g.*** V. *dálmata* (1 e 2).

dalmática [Do lat. *dalmatica*, *i. e.*, *dalmatica vestis*, 'túnica dos dálmatas (lit.)'; 'certa túnica larga e de mangas compridas'.] ***S. f.*** **1.** Túnica de mangas longas, usada pelos antigos romanos. [Cf. *colóbio*.] **2.** *Lit.* Veste que diáconos e subdiáconos usam sobre a alva[1] (2): "Havia de tudo nesse tesouro episcopal de sobrepelizes, amictos, estolas, casulas e até uma dalmática chamalotada e incrustada de pérolas falsas." (Alberto Rangel, *Livro de Figuras*, p. 119.) **3.** *Lit.* Tunicela (2).

dalmático [Do lat. *dalmaticu*.] ***Adj. S. m.*** V. *dálmata* (1 e 3).

dálton [Do antr. (*John*) *Dalton* (v. *daltonismo*).] ***S. m.*** *Quím.* Unidade de massa atômica: a de um átomo hipotético que, na escala química de massas, é igual à unidade. Vale 1,66018 x 10^{-27} kg.

daltoniano ***Adj.*** **1.** Pertencente ou relativo a John Dalton (1766-1844), físico e químico inglês. **2.** Que é seguidor e/ou grande admirador de seus trabalhos. ● ***S. m.*** **3.** Seguidor e/ou admirador de John Dalton, ou de seus trabalhos.

daltônico ***Adj. S. m.*** V. *daltônico*. [Uso freq. em P.]

daltônico [De *daltonismo* + *-ico*[2].] ***Adj.*** **1.** Relativo a, ou que sofre de daltonismo. ● ***S. m.*** **2.** Aquele que sofre de daltonismo.

daltonismo [Do antr. (*John*) *Dalton* (1766-1844), físico e químico inglês, que sofria desta deficiência (v. *daltonismo* [2]), + *-ismo*.] ***S. m.*** **1.** *Oftalm.* Incapacidade para diferençar cores; acromatopsia. **2.** *Restr.* Incapacidade de perceber certas cores, em especial o vermelho, donde a impossibilidade de distinguir, p. ex., o vermelho do verde. [Cf., nessas acepç., *discromatopsia*.] **3.** *Fig.* Deficiência intelectual que impossibilita perceber e compreender certos assuntos: *Seu daltonismo político dificulta-lhe a carreira.*

daltonizar [De *daltonismo* + *-izar*, seg. o padrão erudito.] ***V. t. d.*** *Fig.* Deturpar a percepção ou a inteligência de: *As paixões daltonizam sua visão das coisas.*

■ **dam** Símb. de *decâmetro*[1].

dama[1] [Do fr. *dame*.] ***S. f.*** **1.** Mulher nobre; dona: *dama do paço*. **2.** Senhora (1): *Havia muitas damas no banquete*. **3.** A mulher que dança com um homem. [Nesta acepç., opõe-se a *cavalheiro* (3).] **4.** Mulher que se sobressai pela inteligência, brilho, competência, etc. [Us., ger., antecedido do adj. *grande*]: *Itália Fausta foi uma grande dama do teatro brasileiro; A grande dama da química é Mme Curie.* **5.** A carta do baralho com a figura feminina; rainha. **6.** Rainha (7). **7.** *Constr.* Mestra (3). **8.** *Bras. N.E. MG GO* Meretriz. [Tb. us. deprec.] ● ***S. m.*** **9.** *Bras. BA* Celibatário boêmio. ● ***Adj.*** **10.** *Bras. BA* Diz-se de dama (9). ~ V. *damas*. ◆ **Dama de companhia.** Senhora ou moça que se emprega como acompanhante de alguém. **Dama de honor. 1.** *Ant.* A que assistia junto das pessoas reais e estava a seu serviço palaciano. **2.** Moça ou menina que acompanha a noiva, em lugar preferencial, na cerimônia de casamento. [Sin. ger., bras.: *dama de honra*.] **Dama de honra.** *Bras.* V. *dama de honor*. **Ser uma dama.** *Bras. Fam.* Ser uma moça (q. v.).

dama[2] [De *damas* (q. v.).] ***S. f.*** Tábula de jogo de damas que atingiu a última linha do tabuleiro.

dama[3] [Do neerl. *dam*, 'dique', pelo fr. *dame*, 'pequeno monte de terra que se deixa como marco, em lugares em que houve escavação'.] ***S. f.*** *Topogr.* Bloco de terra que, em serviços de desaterro, é deixado verticalmente intacto, como marco da altura original do terreno; morro-testemunho, testemunha, testemunho, mestra.

dama-da-noite ***S. f.*** *Bras.* Planta arbustiva (*Cestrum nocturnum*) da família das solanáceas, de caule um tanto escandente, folhas lanceoladas de até 9cm de comprimento, pequeninas flores branco-esverdeadas, dispostas em racemos curtos, axilares, e que, à noite, exalam forte perfume. É muito cultivada como ornamental: "Havia, no jardim da casa, uma trepadeira a que, no sertão, chamamos 'dama-da-noite', por despontarem suas flores somente à noite e murcharem durante o dia." (Ciro dos Anjos, *O Amanuense Belmiro*, p. 42.) [Sin.: *jasmim-da-noite*, *jasmim-verde*. Pl.: *damas-da-noite*.]

dama-de-ovos ***S. f.*** *Bras. Bot.* Variedade de manga da BA. [Pl.: *damas-de-ovos*.]

dama-do-lago ***S. f.*** *Bras. Bot.* Designação comum a ervas ninfeáceas, fixadas no fundo de águas rasas, com folhas natantes e flores azuis, que ocorrem em todo o Brasil; baronesa. [Pl.: *damas-do-lago*.]

dama do paço ***S. f.*** *Bras. PE Folcl.* Personagem feminina do maracatu que dança com o calunga, saudando o povo, e, com gestos, solicita dádivas. [Pl.: *damas do paço*.]

dama-entre-verdes [De *dama*[1] + *entre* + o pl. de *verde*.] ***S. f.*** *Bot.* Planta ranunculácea (*Nigella damascena*) ornamental, de caule ereto e ramoso, de grandes flores azuladas ou alvacentas, solitárias, terminais, e cujo fruto é cápsula globosa, com sementes trígonas, rugosas e aromáticas; cabelos-de-vênus. [Pl.: *damas-entre-verdes*.]

damaísmo [De *dama*[1] + *-ismo*.] ***S. m.*** **1.** Conjunto de damas. **2.** As damas em geral. **3.** Trato ou modos de dama.

damanense ***Adj. 2 g.*** **1.** De, ou pertencente ou relativo a Damão (Índia). ● ***S. 2 g.*** **2.** O natural ou habitante de Damão.

damanivá *Bras.* ***S. 2 g.*** **1.** *Etnôn.* Indivíduo dos damanivás, povo indígena de RR, da região do Caracaraí, Serra Grande e serra do Urubu. ● ***Adj. 2 g.*** **2.** Pertencente ou relativo a esse povo. [Tb. us. como *s. 2 g. e 2 n.* (com cap.) e *adj. 2 g. e 2 n.*]

damas [De or. obscura.] ***S. f. pl.*** Jogo em que, num tabuleiro dividido em 64 quadrados, alternadamente pretos e brancos, jogam dois parceiros, cada um com 12 tábulas (pretas para um, brancas para o outro), ganhando quem comer ou eliminar todas as tábulas do adversário; jogo de damas. ~ V. *dama*.

damasceno [Do gr. *damaskenós*, pelo lat. *damascenu*.] ***Adj.*** **1.** De, ou pertencente ou relativo a Damasco (Síria); damasquino. ● ***S. m.*** **2.** O natural ou habitante de Damasco.

damasco [Do top. ár. *dimašq*, nome da cidade de Damasco (Síria atual).] ***S. m.*** **1.** *Bot.* O fruto do damasqueiro; abricó, abricoque, abricote, albricoque, alberge, alpece, alperce, alperche. **2.** *Bot.* V. *damasqueiro*. **3.** *Tec. Têx.* Tecido de seda encorpada, de uma só cor, com fundo fosco e desenhos acetinados, que era us. em trajes de aparato e, atualmente, esp. em estofos de luxo: "Um longo vestido de damasco preto, liso, ... desenha-lhes as formas esbeltas" (Ramalho Ortigão, *A Holanda*, p. 159). **4.** *P. ext. Tec. Têx.* Adamascado[2] (3) de lã, algodão, etc.

damasela [Do fr. ant. *dameiselle*, 'donzela', atual *demoiselle*, poss.] ***S. f.*** *Bras.* Certa fazenda fina do séc. XVIII.

damasqueiro [De *damasco* + *-eiro*.] ***S. m.*** *Bot.* Árvore rosácea (*Prunus armenica*) de até 10m, de folhas cordiformes ou ovadas, flores grandes, solitárias ou geminadas, róseas ou alvas, fasciculadas, e fruto drupáceo, edule; é cultivada pela madeira dura e pelos frutos. [Sin.: *abricoqueiro*, *albricoqueiro*, *abricoteiro*, *alperceiro*, *alpercheiro*, *damasco*.]

damasquilho [De *damasco* + *-ilho*.] ***S. m.*** *Tec. Têx.* Tecido adamascado; damasquim.

damasquim [De *damasco* + *-im*.] ***S. m.*** *Tec. Têx.* Damasquilho.

damasquinagem [De *damasquinar* + *-agem*[2].] ***S. f.*** **1.** Operação de damasquinar. **2.** V. *tauxia* (1).

damasquinar [De *damasquino* + *-ar*[2]; fr. *damasquiner*.] ***V. t. d.*** **1.** Ornar com o damasco (2). **2.** Ornar ou embutir (metal) com lavores de outro metal; lavrar com tauxia; tauxiar; atauxiar: *damasquinar uma espada*. [Pres. ind.: *damasquino*, etc.; fut. pret.: *damasquinaria*, etc. Cf. *damasquino*, adj., e *damasquinaria*, s. f.]

damasquinaria [Do fr. *damasquinerie*.] ***S. f.*** V. *tauxia* (1). [Cf. *damasquinaria*, do v. *damasquinar*.]

damasquino [Do top. *Damasco* (< ár. *dimašq*) + *-ino*[1].] ***Adj.*** **1.** Damasceno (1). **2.** *Restr.* Diz-se das armas brancas com lavores. [Cf. *damasquino*, do v. *damasquinar*.]

dambirá [Do jeje.] ***S. m.*** *Bras. Rel.* Vodum marrim, chefe da família da Terra. [Com cap.]

damborô [Do afr.] ***S. m.*** *Bras. Rel.* Anderé.

damejar [De *dama*[1] + *-ejar*.] ***V. t. d.*** **1.** Fazer a corte a (damas); cortejar, galantear; namorar: *Dameja uma senhora belíssima.* ***Int.*** **2.** Fazer a corte; cortejar, galantear; namorar: "Mesurado, donairosíssimo, diserto, dameja, corteja, galanteia" (Martins Fontes, *Fantástica*, p. 141); *É um dom-juan: vive damejando.* [Conjug.: v. *pelejar*.]

damiana [Do hisp.-amer. *damiana*.] ***S. f.*** *Bot.* Arbusto turneráceo (*Turnera diffusa*) ramoso, de flores aromáticas amarelas, de cujas folhas pecioladas se faz chá, tido popularmente como afrodisíaco.

damianopolino ***Adj.*** **1.** De, ou pertencente ou relativo a Damianópolis (GO). ● ***S. m.*** **2.** O natural ou habitante de Damianópolis.

damice [De *dama*[1] + *-ice*.] ***S. f.*** **1.** Melindre feminino; dengue. **2.** Modos de dama afetada; afetação.

damista [De *damas* + *-ista*.] ***S. 2 g.*** Jogador de damas.

damolandense ***Adj. 2 g.*** **1.** De, ou pertencente ou relativo a Damolândia (GO). ● ***S. 2 g.*** **2.** O natural ou habitante de Damolândia.

danação [Do lat. *damnatione*.] ***S. f.*** **1.** Ato ou efeito de danar(-se). **2.** Fúria, raiva. **3.** V. *raiva* (1). **4.** Condenação da alma às penas do inferno: *a danação de Fausto*. **5.** *P. ext.* Maldição, castigo. **6.** *Bras. Fam.* Diabrura, travessura, reinação: *Veja só a danação daquele menino!* **7.** *Bras. N.E.* Confusão, balbúrdia, trapalhada: *Encontrei a casa na maior danação.*

danada [F. subst. de *danado*.] ***S. f.*** *Bras. Pop.* V. *cachaça* (1).

danado [Part. de *danar*.] ***Adj.*** **1.** Amaldiçoado, condenado: *alma danada*. **2.** Que sofreu dano; corrompido, estragado, arruinado, danificado. **3.** Furioso, irado, zangadíssimo: *Está danado com o sócio.* **4.** V. *raivoso* (1). **5.** Mau, malvado, ímpio. **6.** Incrível, pasmoso, extraordinário: *Que sorte danada!; Tem um apetite danado.* **7.** *Bras. Fam.* Endiabrado, travesso: *criança danada.* **8.** *Bras.* V. *valentão* (1). **9.** *Bras.* Inteligente, hábil, jeitoso, esperto: *É danado para negócios.* **10.** *Bras.* Que causa dor ou sofrimento. **11.** *Bras. N.E. Pop.* Seguido da prep. *de* e anteposto a um adjetivo, ou, sem preposição, posposto a um adjetivo, equivale a 'muito, extraordinariamente': *É um cabra danado de bom; Comi uma curimã boa danada.* ● ***S. m.*** **12.** Indivíduo amaldiçoado, condenado: *os danados do inferno.* **13.** Pessoa atacada de hidrofobia. **14.** Sujeito malvado, mau, ímpio. **15.** *Bras.* V. *valentão* (3). **16.** *Bras.* Indivíduo hábil, vivo, esperto, inteligente, capaz de coisas extraordinárias.

danador (ô) [Do lat. *damnatore*.] *Adj. S. m.* Que, ou aquele que dana.

danaida *S. f.* V. *danaide*[1].

danaide[1] [Do gr. *danaís, ídos*, pelo lat. *danaide*.] *S. f. Mit.* Entre os gregos antigos, cada uma das 50 filhas de Dânao que tendo assassinado os maridos na noite de núpcias, foram condenadas, no Tártaro (v. *tártaro*[1]), a encher de água um tonel sem fundo. [Var.: *danaida*.]

danaide[2] [Do fr. *danaïde* < gr. *danaís, ídos*.] *S. f.* Espécie de roda hidráulica que imprime à corrente de água vários movimentos rotatórios.

danaide[3] [Do tax. *Danaus* (v. *danaídeo*) + *-ide*[1].] *S. f. Zool.* Borboleta diurna, danaídea, que habita a África.

danaídeo [Do tax. *Danaus* (< mit. gr. *Danaós*, 'Dânao, rei de Argos') + *-ídeo*[1]; tax. *Danaidae*.] *Zool. S. m.* **1.** Espécime dos danaídeos, família de lepidópteros que reúne borboletas de cores brilhantes, patas anteriores pequenas e inadequadas à locomoção, nervura radial na asa anterior com cinco ramos. Os adultos produzem líquidos de sabor desagradável, o que explica serem raramente atacados pelos predadores. ● *Adj.* **2.** Pertencente ou relativo a eles.

danaquil [De or. cuxita.] *S. m. Gloss.* Afar (2).

danar [Do lat. *damnare*.] *V. t. d.* **1.** Causar dano a; prejudicar, estragar, adulterar, danificar: *A ferrugem danou os metais.* **2.** Perverter, corromper, depravar: *Há vícios que danam o espírito.* **3.** Irritar, enfurecer, encolerizar: *Aquela injúria o danou.* **4.** Transmitir hidrofobia a; tornar hidrófobo. **5.** Amaldiçoar, condenar: *O ancião danou os que dele escarneciam.* ***T. d. e i.*** **6.** Atirar, jogar, atacar: *Danou uma pedra na vidraça.* ***Int.*** **7.** Enfurecer-se, encolerizar-se; desesperar-se, danar-se. **8.** Ser atacado de hidrofobia; danar-se. ***P.*** **9.** Corromper-se, estragar-se, adulterar-se, danificar-se: *O vinho, velho demais, danou-se.* **10.** Perverter-se, corromper-se, depravar-se. **11.** Enfurecer-se, encolerizar-se; desesperar-se; danar: *Dana-se com as loucuras do filho.* **12.** Danar (8). **13.** *Bras.* Sair ou partir com ímpeto; escapulir-se, escapar-se, ir-se: "Danou-se de escada abaixo, / se atirou no mar azul." (Ascenso Ferreira, *Catimbó e Outros Poemas*, p. 166); *Cavalgou e danou-se.* **14.** *Bras. Fam.* Sair-se mal; levar na cabeça: *Quis ser esperto, mas danou-se.* ◆ **Danar a.** *Bras.* Pôr-se; começar: *Irritado, danou a dizer desaforos; danou a correr.* **E danou-se.** *Bras. Gír.* V. *e lá vai fumaça*. [Cf. *danou-se*.] **Pra danar.** *Bras. Pop.* Muitíssimo; extraordinariamente: *É rico pra danar*; "Bonita e cheirosa pra danar." (Anilda Leão, *Riacho Seco*, p. 25).

danburita [Do top. *Danbury* (E.U.A.) + *-ita*[3].] *S. f. Min.* Mineral ortorrômbico, silicato de cálcio e boro.

dança [Der. regress. de *dançar*.] *S. f.* **1.** Sequência de movimentos corporais executados de maneira ritmada, em geral ao som de música: *dança de salão; dança folclórica; dança ritual; passos de dança; curso de dança.* **2.** A arte da dança (1): *A dança de Isadora Duncan surpreendeu e encantou os meios artísticos.* **3.** Música destinada a ser dançada: *A valsa é uma dança de origem germânica.* **4.** *Mús.* Composição musical inspirada em ritmo de dança: *As "Danças Húngaras" de Brahms.* **5.** V. *baile* (2). **6.** *Fig.* V. *baile* (4). **7.** *Fig.* Negócio intricado; questão. ◆ **Dança clássica.** Dança (1) pautada num conjunto de normas que regem os movimentos, passos e gestos desenvolvidos no ensino coreográfico, e que se aplicam sistematicamente em exercícios de técnica e espetáculos. **Dança da fecundidade.** *Teatr.* Entre os antigos gregos, dança ritual e dramática em honra a Dioniso, deus dos ciclos vitais; dança fálica. **Dança de São Guido.** *Patol.* V. *coreia*[1] (3). **Dança de São Vito.** *Patol.* V. *coreia*[1] (3). **Dança do ventre.** Dança oriental de mulheres, caracterizada pela movimentação contínua e ondulante do ventre nu. **Dança dos paulitos.** *Lus. Folcl.* Laços dos ofícios (q. v.). **Dança dramática.** *Bras.* Expressão criada por Mário de Andrade (1893-1945), escritor brasileiro, para designar cada um dos bailados populares — *bumba meu boi, chegança, fandango, pastoril, maracatu*, etc. — que têm uma parte representada, ou que se baseiam num assunto. **Dança fálica.** *Teatr.* Dança da fecundidade (q. v.). **Dança macabra.** Dança alegórica do século XIV, na qual se representava a morte arrastando consigo pessoas de todas as idades e condições. **Dança moderna.** Forma contemporânea da dança (1), com técnica própria, e em que se desenvolve um sentido de liberdade de expressão e de movimentos, por oposição ao rigor acadêmico da dança clássica. **Entrar na dança.** Meter-se ou empenhar-se numa empresa, assunto, negócio, etc.

dança da santa cruz *S. f. Bras. SP Folcl.* Dança de origem portuguesa, em que um grupo de pessoas, partindo da igreja, vai entoar cantigas religiosas diante duma casa ou dum logradouro, no dia 3 de maio. [Pl.: *danças da santa cruz*.]

dança de camaradas *S. f. Bras. C.O. Folcl.* Tipo de batuque (2) com sapateado e palmas, executado por pares de homens que se colocam frente a frente: "O resto formou alas do lado oposto e caíram todos com entusiasmo, batendo palmas, na velha dança de camaradas." (Hugo de Carvalho Ramos, *Tropas e Boiadas*, p. 83.) [Pl.: *danças de camaradas*.]

dançadeira [De *dançar* + *-deira*.] *Adj. (f.)* **1.** Diz-se de mulher que dança ou gosta de dançar: "Eram graciosas, os diabos das cunhãs, animadas, dançadeiras" (Milton Dias, *As Cunhãs*, p. 50). ● *S. f.* **2.** Mulher dançadeira; dançarina, bailarina.

dança de rato *S. f. Bras. S. Pop.* Confusão, balbúrdia, reviravolta. [Pl.: *danças de rato*.]

dançado [De *dança* + *-ado*[1].] *Adj.* Próprio da dança, ou de quem dança: "Desse homem baixinho, apesar de seu modo dançado de andar, a impressão que se desprendia era, paradoxalmente, a de verticalidade." (Gilberto Amado, *Minha Formação no Recife*, p. 255.)

dança do lelê *S. f. Bras. MA Folcl.* Lelê[3]. [Pl.: *danças do lelê*.]

dançador (ô) [De *dançar* + *-dor*.] *Adj.* **1.** Que dança; dançante. ● *S. m.* **2.** Aquele que dança ou que gosta de dançar. **3.** Dançarino, bailarino. **4.** *Bras. Zool.* V. *tangará*.

dança dos velhos *S. f. Bras. BA Folcl.* Dança de influência ibérica, na região do São Francisco, em que as mulheres e os homens desenvolvem uma espécie de sapateado. [Pl.: *danças dos velhos*.]

dança-grande *S. f. Bras. MA Folcl.* A segunda parte do lelê[3], e a mais longa, em que os brincantes executam uma coreografia diversificada, os passos recebendo nomes especiais, além de apresentarem um diálogo, quando os pares se cortejam, como na quadrilha. [Pl: *danças-grandes*.]

dançante [De *dançar* + *-nte*.] *Adj. 2 g.* **1.** Dançador (1). **2.** Em que há dança; em que se dança: *reunião dançante*. **3.** Próprio da dança (1): *ritmo dançante*. ● *S. 2 g.* **4.** Pessoa que dança. ● *S. m.* **5.** *Folcl.* Catopê (2).

dançar [Do fr. ant. *dancier* (atual *danser*), de or. incerta.] *V. int.* **1.** Executar movimentos corporais de maneira ritmada, em geral ao som de música; bailar. **2.** Balançar, oscilar; sacudir-se, agitar-se: *Soprava o vento, e a chama do candeeiro dançava; As ondas estavam bravias, e o barco dançava.* **3.** Girar, rodar: *O pião dança.* **4.** *Bras. Gír.* Sair-se mal; não alcançar o que esperava: *Fez o exame vestibular e dançou.* **5.** *Bras. Gír.* Ser preso, detido. **6.** Mexer-se, movimentar-se. **7.** Estar folgado, largo, frouxo. ***T. d.*** **8.** Executar segundo as regras de dança: *dançar uma valsa; dançar danças antigas*; "Cada um rezava uma reza, dançava a sua dança, cantava o seu canto" (Antônio Olinto, *Copacabana*, p. 36). [Conjug.: v. *laçar*.] ◆ **Dançar conforme tocam.** Dançar conforme a música (q. v.).

dançarina [F. de *dançarino*.] *S. f.* **1.** Mulher que dança por profissão; bailarina. **2.** Mulher que dança bem; bailarina. **3.** Dançadeira (2). **4.** *Bras. Pop.* Designação que em algumas regiões se deu à gripe de 1918. [V. *espanhola* (1).]

dançarinar [De *dançarino* + *-ar*[2].] *V. int.* Agitar-se ou mover-se como dançarino: "Aí vem ele, dançarinando no andar." (Augusto Meyer, *No Tempo da Flor*, p. 35.)

dançarino [De *dançar* + *-ino*[1], poss. com infl. do it. *ballerino*.] *S. m.* **1.** Homem que dança por ofício; bailarino. **2.** Homem que dança bem. **3.** *Bras. Zool.* V. *tangará*. ● *Adj.* **4.** Relativo a dança.

dançarola [De *dançar* + *-ola*[1].] *S. f. Bras. S.* Baile popular; bailarico, dançata.

dançata [De *dançar* + *-ata*.] *S. f. Bras. S.* V. *dançarola*.

dançatriz [De *dançar* + *-(t)riz*.] *S. f.* V. *dançarina* (1).

danceteria [De *dançar*, por analogia de palavras como *cafeteria*.] *S. f.* Estabelecimento comercial em que há pista de dança e bar.

→ **dancing** ['dænsıŋ] [Ingl.] *S. m.* Estabelecimento público onde se dança, em geral mediante pagamento.

danço-congo [Do forro[2].] *S. m. Santom. Folcl.* Dança popular, com acompanhamento de tambores e flautins, em que os dançarinos se apresentam mascarados, representando diversas personagens (capitão, soldados, Diabo, bobos, feiticeiro, etc.): "O danço-congo exibe-se ao ar livre, nas clareiras do mato ou nos terreiros." (Fernando Reis, *Povô Flogá*, p. 36.) [Cf. *congada*. Pl.: *danços-congos* e *danços-congo*.]

dandalunda [De or. afr.] *S. f. Bras. Rel.* **1.** Enquice correspondente ao orixá Iemanjá, dos nagôs. **2.** No candomblé angola-congo e afins, epíteto dos orixás a quem se atribui proveniência marinha. [Com cap. Var.: *Dandalunga*.]

dandalunga *S. f. Bras. Rel.* V. *Dandalunda*. [Com cap.]

dândi [Do ingl. *dandy*.] *S. m.* **1.** Homem que se veste com extremo apuro. **2.** *Deprec.* Janota, almofadinha.

dandinar [Do fr. *dandiner*.] *V. int. P.* **1.** Mover ou balançar o corpo com afetação e desgraciosamente: *O gordo curvou-se ante as senhoras, dandinando-se.* **2.** Caminhar bamboleando-se.

dandismo [De *dândi* + *-ismo*.] *S. m.* **1.** Qualidade ou maneiras de dândi. **2.** Futilidade, frivolidade: *dandismo espiritual*.

danês [Do fr. *danois*.] *Adj. S. m. Gal. P. us.* V. *dinamarquês* (1 e 3). [Flex.: *danesa* (ê), *daneses* (ê), *danesas* (ê).]

dangbé [Do jeje.] *S. m. Rel.* **1.** *Bras.* Dã (1). [Com cap.] **2.** *Bras. MA* Na Casa-Grande das Minas, em São Luís, certo toboci (q. v.).

danificação [De *danificar* + *-ção*.] *S. f.* Ato ou efeito de danificar(-se); estrago, deterioração, danificamento, dano.

danificado [Part. de *danificar*.] *Adj.* Que sofreu dano.

danificador (ô) [De *danificar* + *-dor*.] *Adj. S. m.* Que, ou aquele que danifica; daninhador.

danificamento [De *danificar* + *-mento*.] *S. m.* V. *danificação*.

danificar [Do lat. *damnificare*.] *V. t. d.* **1.** Causar dano a; prejudicar, estragar, deteriorar: *A geada danificou os cafezais; As calúnias danificaram-lhe a honra.* ***P.*** **2.** Sofrer dano; estragar-se, prejudicar-se, deteriorar-se: *Danificaram-se as colheitas.* [Conjug.: v. *trancar*. Pres. ind.: *danifico*, etc. Cf. *danífico*.]

danífico [Do lat. *damnificu*.] *Adj.* Que causa dano; danoso, danificador. [Cf. *danifico*, do v. *danificar*.]

daninhador (ô) [De *daninhar* + *-dor*.] *Adj. S. m.* Que, ou aquele que daninha, que causa danos; danificador.

daninhar [De *daninho* + *-ar*[2].] *Bras. S. V. t. d.* **1.** Causar dano a; danificar. ***Int.*** **2.** Fazer diabruras (uma criança): *Este garoto só sabe daninhar.* **3.** Mostrar-se daninho (2).

daninheza (ê) [De *daninho* + *-eza* (ê).] *S. f.* **1.** *Bras.* Qualidade ou ato de daninho (1). **2.** *Bras. SP* Travessura (de criança); traquinagem, diabrura.

daninho [De *dano* + *-inho*[2].] *Adj.* **1.** Que causa dano ou mal; danoso, nocivo: *ervas daninhas.* **2.** Mau, ruim, malvado: *gênio daninho.* **3.** *Bras. N.E.* Travesso, traquinas, endiabrado. ~ V. *erva —a*.

danisco [De *dano*[1] + *-isco*[2].] *Adj. Bras. Fam.* Incrível, pasmoso, danado: *raiva danisca; apetite danisco; inteligência danisca.*

dannemorita [Do top. *Dannemora* (Suécia) + *-ita*[3].] *S. f. Min.* Silicato básico de ferro, manganês e magnésio.

d'annunziano *Adj.* Pertencente ou relativo a, ou próprio de Gabriele D'Annunzio (1863-1938), escritor italiano.

dano[1] [Do lat. *damnu*.] *S. m.* **1.** Mal ou ofensa pessoal; prejuízo moral: *Grande dano lhe fizeram as calúnias.* **2.** Prejuízo material causado a alguém pela deterioração ou inutilização de bens seus. **3.** Estrago, deterioração, danificação: *Com o fogo, o prédio sofreu enormes danos.* ◆ **Dano emergente.** *Dir. Civ.* Prejuízo sofrido em razão de ato ilícito ou descumprimento de obrigação por parte de terceiro. **Dano infecto.** *Dir. Civ.* Prejuízo possível, eventual, iminente.

dano[2] [Do fr. *danois*.] *Adj. S. m. Gal. Ant.* V. *dinamarquês* (1 e 3).

danoso (ô) [Do lat. *damnosu*.] *Adj.* **1.** V. *daninho* (1). **2.** Que resulta em sérios danos materiais ou morais: *temporal de consequências danosas; intriga danosa.*

danou-se [Da 3ª pess. do sing. do pret. perf. do v. *danar(-se)*.] ***Interj.*** *Bras. N.E. Pop. Fam.* Exprime espanto, surpresa, admiração, entusiasmo: *— O Brasil é tetracampeão? Danou-se!*; "— Lá vem Papa-Légua em toda [a] carreira / e vem com os arreios luzindo no sol! | — Danou-se! Vai tirar a argolinha!" (Ascenso Ferreira, *Catimbó e Outros Poemas*, p. 44). [Cf. *e danou-se* (em *danar*).]

dantes [Contr. de *de*[1] + *antes*.] *Adv.* **1.** Antes, anteriormente: *Trilhou caminhos nunca dantes palmilhados*; "Estava como dantes" (José de Alencar, *Cinco Minutos*, p. 29). **2.** Outrora, antigamente: *Dantes não se via tanta soltura de costumes.*

dantesco (ê) [Do it. *dantesco*.] *Adj.* **1.** Pertencente ou relativo a, ou próprio de Dante Alighieri (1265-1321), poeta italiano. **2.** Que lembra as cenas horríveis descritas por Dante no "Inferno" da sua *Divina Comédia*: "Era um sonho dantesco. .... O tombadilho, / Que das luzernas avermelha o brilho, / Em sangue a se banhar." (Castro Alves, *Poesias Escolhidas*, p. 330.)

dantólogo [Do antr. *Dante* (v. *dantesco*) + *-o-* + *-logo*.] *S. m.* Aquele que se dedica ao estudo da obra de Dante Alighieri [v. *dantesco* (1)] e/ou é versado em matérias referentes a esse poeta, ou é seu admirador ou seguidor.

dantzigano *Adj.* **1.** Da, ou pertencente ou relativo à cidade de Dantzig (ou Danzig), nome alemão de Gdansk (Polônia). ● *S. m.* **2.** O natural ou habitante dessa cidade.

danubiano *Adj.* Pertencente ou relativo ao Danúbio, rio europeu; danubino.

danubino [Do lat. *danubinu.*] *Adj.* Danubiano.

danura [De *dan(ado)* + *-ura.*] *S. f. Bras. GO Fam.* Travessura, diabrura, danação.

dão-dão *S. m.* **1.** *Bras.* Pesadelo noturno. **2.** *Bras. SP PR RS* Modalidade de fandango. [Pl.: *dão-dãos.*] ❄

daomé *S. m. Gloss.* V. *fom* (2).

daomeano (mè) *Adj.* **1.** Do, ou pertencente ou relativo ao antigo Daomé, atual Benim (África). • *S. m.* **2.** O natural ou habitante do antigo Daomé. **3.** *Gloss.* V. *fom* (2).

dapsona [Voc. farmac.] *S. f. Quím.* Sulfona aromática, com dois grupos amina, us. no tratamento da lepra e, tb., como agente de endurecimento de resinas epóxi [fórm.: $C_{12}H_{12}N_2O_2S$].

daqueiro *S. m. Bras. Zool.* V. *bacu-de-pedra.*

daquele (ê) Contr. da prep. *de* com o pron. *aquele.* [Flex.: *daquela, daqueles* (ê), *daquelas.*] ~ V. *daqueles.*

daqueles (ê) [Pl. de *daquele.*] *Adj. 2 n. Bras. Pop. Fam.* Fora do comum; extraordinário; indizível: "Lá pelas tantas, *Miss* Glazer insistiu numa foto com a presença do camelo. O animal estava com um humor daqueles" (Marisa Raja Gabaglia, *Milho pra Galinha, Mariquinha,* p. 34); "Penca explicou tudo, deu uma bronca daquelas com eles, pediram mil desculpas" (Luís Vilela, *Tremor de Terra,* pp. 82-83). [Fem.: *daquelas.*] ~ V. *daquele.*

daqueloutro Contr. de *daquele* com o pron. indef. *outro.* [Flex.: *daqueloutra, daqueloutros, daqueloutras.*]

daquém Contr. da prep. *de* com o adv. *aquém.*

daqui [Contr. da prep. *de* com o adv. *aqui.*] **1.** Deste lugar. **2.** Deste momento; a partir de agora. [V. *daqui a.*] **3.** *Bras. Gír.* V. *da pontinha*: "O alambique que produzia uma cachaça 'daqui'" (Chico Anísio, *Teje Preso,* pp. 16-17). [Vem sempre acompanhado de um gesto de comprimir e puxar o lóbulo de uma das orelhas.] ◆ **Daqui a.** Deste momento a contar (dado tempo); após (um certo tempo a partir deste instante): Daqui a dez anos; Daqui a pouco.

daquilo Contr. da prep. *de* com o pron. dem. *aquilo.*

dar [Do lat. *dare.*] *V. t. d.* **1.** Ceder, presentear; doar: *Deu todos os seus livros.* **2.** Obsequiar com; oferecer, conceder: *dar casa e comida.* **3.** Prestar, conceder: *dar garantias.* **4.** Conceder, outorgar: *dar licença;* "Dá que eu veja uma vez o céu da pátria, / O céu do meu Brasil!" (Casimiro de Abreu, *Obras,* p. 73). **5.** Lançar de si; produzir, criar: *O pomar dá muitos frutos.* **6.** Emitir, enunciar: *dar conselhos.* **7.** Resultar em; tornar-se: *Oxigênio e hidrogênio combinados dão vapor de água.* **8.** Prescrever, preceituar, ditar: *dar instruções; dar ordens.* **9.** Admitir, supor: *Demos que você prefira viajar.* **10.** Manifestar, revelar: *Deu sinais de preocupação.* **11.** Incorrer em; praticar, cometer: *Deu uma rata.* **12.** Exalar, emanar, emitir: *dar mau cheiro.* **13.** Soltar, emitir: *dar estalos; dar gritos; dar gemidos.* **14.** Publicar, divulgar, comunicar: *Os jornais deram a notícia.* **15.** Deixar livre; facultar, abrir, franquear: *dar entrada; dar lugar.* **16.** Realizar, efetuar; oferecer: *dar um banquete; dar uma festa.* **17.** Vender muito barato: *É um louco: deu a casa ao primeiro comprador que apareceu.* **18.** Lançar, deitar, brotar: *A fonte dá muita água.* **19.** Ministrar, administrar: *dar um clister.* **20.** Infligir, impor, cominar: *dar castigo.* **21.** Dedicar, consagrar: *dar amor.* **22.** Infundir, inspirar: *dar alento; dar cuidados.* **23.** Levar à cena; representar: *Neste teatro deram várias peças clássicas;* "De noite foi ao Ginásio; dava-se a *Dama das Camélias*; Marocas estava lá, e, no último ato, chorou como uma criança." (Machado de Assis, *Histórias sem Data,* p. 47). **24.** Executar em público; exibir: *dar uma récita.* **25.** Apresentar, sugerir, propor: *dar um alvitre.* **26.** Permitir, consentir: *dar licença; dar consentimento.* **27.** Acontecer, suceder: *Deu que mãos inábeis usassem seus pincéis.* **28.** Julgar, entender: *Dou que a melhor atitude é esta.* **29.** Ser causa determinante de: *A doença infecciosa deu a morte.* **30.** Causar; gerar; produzir: "Só o trabalho dá a verdadeira alegria, concreta, fecunda, palpável." (Pontes de Miranda, *Obras Literárias,* p. 181.) **31.** Constituir, formar, perfazer: *O texto dá um livro de 300 páginas.* **32.** Conter; trazer: *Aquela antologia não dá o conto de que lhe falei.* **33.** Registrar, consignar; trazer: *O dicionário não dá a palavra* leitoril. **34.** Ensinar, lecionar: *O prof. X dá muitas matérias.* ***T. d. e i.*** **35.** Fazer doação de; presentear, ceder, doar: *Deu a casa ao filho.* **36.** Oferecer, conceder: "Dou-lhe camarote, dou-lhe chá, dou-lhe cama; só não lhe dou moça." (Machado de Assis, *Dom Casmurro,* p. 2.) **37.** Fazer esmola de: *Demos pão ao mendigo.* **38.** Proporcionar: *dar oportunidade a alguém.* **39.** Ceder para uso ou serviço: *Deram-me um bom quarto no hotel.* **40.** Desfazer-se de; vender: *Só dou a propriedade por muito dinheiro.* **41.** Aplicar: *Deu-lhe uma bofetada.* **42.** Ministrar, administrar: *Deu remédio ao doente.* **43.** Entregar: *dar a encomenda ao portador.* **44.** Destinar, dedicar, consagrar: *Dava muitas horas ao estudo;* "Dei os primeiros dias ao conhecimento da cidade" (Machado de Assis, *Páginas Recolhidas,* p. 64). **45.** Conceder, outorgar: *dar deferimento à petição.* **46.** Renunciar a; sacrificar: *dar a vida por alguém.* **47.** Confiar, cometer, incumbir: *O governo deu-lhe a missão mais difícil.* **48.** Permitir, conceder: *O pai deu-lhe o prometido.* **49.** Atribuir, conferir: *A crítica deu a Camilo a autoridade de clássico;* "Os romanos costumavam dar às mulheres nomes diminutivos: Messalina, Agripina (de Messala e Agripa)" (João Ribeiro, *Curiosidades Verbais,* p. 76). **50.** Obsequiar com; oferecer: *Deu um banquete a correligionários seus.* **51.** Participar, comunicar: *Os amigos deram-lhe a notícia.* **52.** Prestar, render: *Davam obediência ao seu líder.* **53.** Causar, ocasionar: *Dava preocupações aos pais.* **54.** Conferir, conceder, facultar: *O diretor deu-lhe, por fim, a licença.* **55.** Expressar, enunciar, exprimir: *Deu-nos boa-tarde.* **56.** Trocar, permutar: *Deu dois carneiros por um bezerro.* **57.** Conseguir, obter: *Demos à pátria a vitória.* **58.** Fazer adquirir ou tomar; imprimir: *Fernando Pessoa deu novos rumos à poesia de língua portuguesa.* **59.** Infundir, inspirar; suscitar: *Necessita, coitado, que lhe deem fé e esperança;* "Sua beleza envolvia os homens e dava espanto e mágoa nas mulheres." (Elias José, *Inquieta Viagem no Fundo do Poço,* p. 23). **60.** Fazer atribuir ou conquistar; atrair, granjear: *Tais costumes deram a esse povo a fama de devasso;* "Suas ideias [de Benedetto Croce] sobre Lógica e Estética deram-lhe renome universal, sendo mesmo o mais universal dos italianos." (José Honório Rodrigues, *Teoria da História do Brasil,* p. 57). **61.** Atribuir, imputar: *dar a culpa a alguém.* **62.** Expor, mostrar: *Dê-lhe a razão de sua discórdia.* **63.** Atribuir: "Raquítico, miúdo, acanhado, ninguém de boa mente me daria mais do que dez anos." (Cordeiro de Andrade, *Anjo Negro,* p. 106.) ***Transobj.*** **64.** Considerar, reputar: *Leu o romance no original e o deu por bom.* ***T. i.*** **65.** Fazer dádiva de alguma coisa; presentear com ela: "Quem dá aos pobres empresta a Deus" (prov.). **66.** Bater, espancar: *Deu no filhinho por uma tolice.* **67.** Manifestar-se, aparecer: *Deu-lhe varíola.* **68.** Acertar, atinar: *Dei com a solução do problema.* **69.** Dar de cara; avistar, divisar: *Quando levantei a cabeça, dei com ele em frente de mim.* **70.** Tomar conhecimento; perceber, notar: "Parava indeciso, como que .... a pedir desculpa de importunar os raros leitores, que continuavam a ler sem dar pelo visitante ilustre" (Mário de Alencar, *Alguns Escritos,* p. 35); "Quando dei por mim estava na Rua da Glória." (Machado de Assis, *Páginas Recolhidas,* p. 72). **71.** Resultar, redundar: *Aquela conversa deu em confusão.* **72.** Ser suficiente, ou ter capacidade suficiente para; chegar, bastar: *O dinheiro não dá para os gastos;* "Mesa comprida, estreita e imponente, que dá para doze pessoas" (Vanda Fabian, *Zé Canarinho,* p. 29). **73.** Adquirir o hábito; começar, principiar: "O moço deu de chegar ao hotel altas horas da noite." (Mário Donato, *A Parábola das 4 Cruzes,* p. 24); "Deu agora para conversar comigo à mesa." (Dias da Costa, *Canção do Beco,* p. 6); "Dão todos em dizer que és inconstante" (Guimarães Passos, *Horas Mortas,* p. 6). **74.** Começar a, pôr-se a: "A terra deu em tremer, cada vez mais fortemente, mais fortemente cada vez." (Ferreira de Castro, *Obra Completa,* 3º vol., p. 267.) **75.** Ter jeito, vocação, aptidão, inclinação: *Não dou para isso;* "— Que diabo é isso?!... — exclamou —, deste para maluco?! Pois não vês, homem, que já não te ficam bem essas coisas?!... Queres acabar num hospício?!..." (Aluísio Azevedo, *Filomena Borges,* p. 117). **76.** Fazer-se, transformar-se: "Nesse mesmo dia encontrou Abreu que, depois de ter esbanjado a herança, dera em jogador, e vivia, segundo era fama, da banca." (José de Alencar, *Senhora,* p. 306.) **77.** Dedicar-se, aplicar-se: "Ao som das canções de Sarah Vaughan, dei ultimamente .... de reler o poeta Rainer Maria Rilke." (Vinícius de Morais, *Para Viver um Grande Amor,* p. 117.) **78.** *Chulo* Entregar-se sexualmente (mulher ou homem): *Dá a qualquer um.* ***T. c.*** **79.** Bater, soar: "Ouvi nitidamente o relógio da portaria dar as onze horas." (Pedro Nava, *Beira-Mar,* p. 35.) **80.** Ir de encontro; bater: *O navio deu no recife.* **81.** Ter vista ou saída; deitar, dizer: *A janela dá para o jardim.* **82.** Ir ter; desembocar: *A rua vai dar na pracinha.* **83.** Incidir, bater: *O sol dava na murada da casa.* ***T. i. e c.*** **84.** Deparar, defrontar-se; achar, encontrar: *Deu com o livro na estante.* **85.** Pagar: *Dei 60 reais por este livro.* ***Bit. i.*** **86.** Bater, atingir. **87.** Ser suficiente; bastar: *O ordenado dá-lhe para viver.* ***Pred.*** **88.** Ter determinado resultado: *O negócio deu errado; Seu palpite deu certo.* ***Int.*** **89.** Fazer dádiva(s). **90.** Bater, soar: "E a noite ia se passando. Deram dez horas." (Aluísio Azevedo, *O Cortiço,* p. 155.) **91.** Ser sorteado em jogo: *Que bicho deu hoje?* **92.** Produzir ou criar frutos; frutificar: "Fruteiras quase no ponto de dar, mangueirinha com flores." (José Carlos Cavalcanti Borges, *Padrão G,* p. 83.) **93.** Surgir, manifestar-se (doença epidêmica): "Primeiro, deu a bexiga, e levou mais da metade dos pretos." (Josué Montelo, *A Noite sobre Alcântara,* p. 91.) **94.** Aparecer: "Como redil em que deu lobo, o arraial era presa do mais desvairado pavor." (Aquilino Ribeiro, *Andam Faunos pelos Bosques,* p. 53.) **95.** *Chulo* Entregar-se sexualmente: "Dizia que era donzela / Nem isso não era ela / Era uma moça que dava." (Vinícius de Morais, *Poemas, Sonetos e Baladas,* p. 93.) **96.** *Bras. Pop.* Dar pé (2). ***P.*** **97.** Sentir-se; passar: *Dou-me bem aqui.* **98.** Estar de acordo; viver em harmonia: "— foram sempre unha com carne, unidos — inseparáveis; mas depois... esfriaram, nunca mais se deram" (Aluísio Azevedo, *Filomena Borges,* p. 54). **99.** Realizar-se, acontecer, ocorrer: *O descobrimento da América deu-se em 12 de outubro de 1492;* "O monólogo puro, que seria o ato verbal em que um sujeito único, isolado, independente de qualquer outro sujeito, não teria um interlocutor nem em si mesmo, não se dá .... na linguagem." (José G. Herculano de Carvalho, *Teoria da Linguagem,* I, p. 44). **100.** Render-se, entregar-se. **101.** Dedicar-se, aplicar-se: *dar-se à matemática.* **102.** Procurar passar por; inculcar-se: *Dava-se por grande advogado.* **103.** Prestar-se: *dar-se ao desfrute.* [Irreg. Pres. ind.: *dou, dás, dá, damos, dais, dão*; perf.: *dei, deste, deu, demos, destes, deram*; m.-q.-perf.: *dera, deras, dera, déramos, déreis, deram*; imperat.: *dá, dê, demos, dai, deem*; etc.; pres. subj.: *dê, dês, dê, demos, deis, deem*; imperf. subj.: *desse, desses, desse, déssemos, désseis, dessem*; fut. subj.: *der, deres, der, dermos, derdes, derem.* O imperf. ind., o fut. pres. e o fut. pret. são regulares. Cf. *d*; *de,* prep.; *da*; *deste* (ê) e pl. *destes* (ê); *desse* (ê) e pl. *desses* (ê); *daí*; e *déu.* Em Portugal, acentua-se a 1ª pess. do pl. do pres. do subj. (*dêmos*) para distinguir da forma do pret. perf. do ind. (*demos*).] ◆ **Dar a saber.** Fazer constar. **Dar certo.** Ter bom resultado, bom êxito: "– .... Já pensei até em dar outro jeito, me amigar em vez de casar... Ficava mais fácil de separar se não desse certo." (Odilo Costa Filho, *Histórias da Beira do Rio,* p. 43.) **Dar de si.** Sofrer abalo ou deslocamento. **Dar duro.** *Bras. Gír.* Trabalhar muito, duramente. **Dar em cima de.** *Bras.* **1.** Elogiar, lisonjear, visando a uma conquista amorosa: *Deu em cima da secretária, que não atendeu à cantada.* **2.** Insistir com: *Deu em cima do pai para conseguir-lhe a viagem.* **Dar em nada.** Não ter bom êxito; falhar; dar em droga. **Dar para trás. 1.** Retroceder, retrogradar, regredir. **2.** Entrar em declínio; declinar; ir piorando; piorar. **Dar por bem-empregado.** Congratular-se pelos resultados obtidos com (coisa qualquer, dinheiro, esforço). **Dar que falar.** Dar motivo a comentários (em geral maliciosos). **Dar uma dentro.** *Bras. Pop.* Fazer algo bem, direito: "O time pode estar péssimo, cheio de pernas de pau, sem comando, sem dar uma dentro, mas ninguém deixa de torcer por ele." (Carlos Heitor Cony, em *Folha de S.Paulo,* 15.04.2008.) **Não dar nada por (alguém).** *Bras. Pop.* **1.** Diz-se de pessoa que não merece consideração ou que não tem nenhum valor: "É um velhinho de ar humilde, que tem sua casa em um subúrbio do Rio; ninguém dá nada por ele. Vale, entretanto, muitas centenas de milhares de cruzados – pois não é certo que o homem vale pelo que tem?" (Rubem Braga, *As Boas Coisas da Vida,* p. 33.) **2.** Diz-se de quem está às portas da morte. **Não se dar por achado. 1.** V. *fazer ouvidos de mercador.* **2.** Não dar demonstração de (preocupação, insegurança, vergonha, cansaço, etc.). [Sin. ger.: *não se dar por entendido.*] **Não se dar por entendido.** V. *não se dar por achado*: "A cantiga do aldeão irritou-o, pareceu-lhe que era uma alusão insolente; mas teve a prudência de se não dar por entendido e passou sem dizer nada." (Júlio Dinis, *As Pupilas do Senhor Reitor,* p. 228.) **Não se lhe dar.** Pouco se lhe dar. **Para dar e vender.** De sobra; em excesso, demais. [Diz-se daquilo que se tem em excesso.] **Para o que der e vier.** Para enfrentar o que possa sobrevir, seja de bom, seja de ruim. **Pouco se lhe dar.** Pouco lhe importar; ser-lhe indiferente; não se lhe dar: "para desmentir esta súcia daqui, que anda dizendo à boca pequena que a V. S.ª pouco se lhe dá de Óbidos, de eleições e de câmara municipal" (Inglês de Sousa, *O Coronel Sangrado,* p. 111).

daraf [Inversão de *farad* (q. v.).] *S. m. Fís. P. us.* Unidade de elastância, igual ao inverso de um farad.

darameçalá *S. m.* Na Índia, pousada ou estalagem onde os viajantes se hospedam gratuitamente.

D

dardada [De *dardo* + *-ada*[1].] *S. f.* Golpe ou tiro de dardo.

dardânio [Do gr. *dardánios*, pelo lat. *dardaniu*.] *Adj. S. m.* V. *troiano*.

dardar [De *dardo* + *-ar*[2].] *V. t. d.* **1.** Ferir com dardo(s); dardejar. *Int.* **2.** *Bras.* Brilhar muito; cintilar, dardejar: "Darda o sol mais rijo, como acesa frágua" (Alberto de Oliveira, *Poesias*, 2.ª série, p. 233); *Seus olhos dardam de paixão.*

dardejamento [De *dardejar* + *-mento*.] *S. m.* Ato de dardejar; dardejo.

dardejante [De *dardejar* + *-nte*.] *Adj. 2 g.* **1.** Que dardeja. **2.** Que irradia chamas como dardos; cintilante, chamejante.

dardejar [De *dardo* + *-ejar*.] *V. t. d.* **1.** Arremessar dardo(s) contra: *Os invasores dardejam a fortaleza.* **2.** Mover ou vibrar à maneira de dardo: *A serpente dardejava a língua.* **3.** Lançar de si; desferir, emitir: *Dardejou suas ferinas ironias.* ***T. d. e i.*** **4.** Lançar, emitir, projetar, desferir: *Dardejou-me as chispas do seu olhar inflamado; Ergueu-se dardejando impropérios ao desafeto.* **5.** Ferir com dardo(s); alancear, lancear: *Dardejou-o pelas costas*; "O Sol, nascendo apenas, vem primeiro / Seus raios nessa campa dardejar" (Gonçalves Dias, *Obras Poéticas*, II, p. 99). ***Int.*** **6.** Arremessar dardos. **7.** Projetar cintilações; chamejar, cintilar, resplandecer, fulgurar: "O sol dardeja a prumo. O azul é resplendente" (Guerra Junqueiro, *A Morte de D. João*, p. 18). [Conjug.: v. *pelejar*.]

dardejo (ê) [Dev. de *dardejar*.] *S. m.* Dardejamento.

dardo [Do frâncico **darod*, pelo fr. *dard*.] *S. m.* **1.** Pequena lança. **2.** *Atlet.* Pau terminado em lança de ferro, e que se atira com a mão; amento. **3.** Ferrão de alguns insetos. **4.** A língua da cobra. **5.** *Arquit.* Ornato em forma de ponta de flecha. **6.** *Fig.* Aquilo que fere, punge ou magoa: *O dardo da angústia invadiu-lhe o espírito.* **7.** *Fig.* Censura ou dito mordaz: *Os dardos de Gregório de Matos.*

dares [Pl. subst. de *dar*.] ***El. s. m. pl.*** Us. na loc. *dares e tomares.* ◆ **Dares e tomares.** Desavenças; contendas, altercações: *ter seus dares e tomares com alguém*; "Foi o caso, que os ditos poetas, depois de vários dares e tomares, alcunharam, contumeliosa e prosaicamente, os seus respectivos namoros com o nome de *peixeiras*." (Ramalho Ortigão, *Crônicas Portuenses*, p. 110).

dari *S. 2 g.* **1.** *Etnôn.* Indivíduo dos daris, povo que habita a região de Coraçã (Irã). ● *S. m.* **2.** *Gloss.* V. *persa* (3). ● *Adj. 2 g.* **3.** Pertencente ou relativo aos daris, ou à sua língua.

darico (í) [Do gr. *dareikós*.] *S. m.* Antiga moeda persa, que também teve curso entre os hebreus.

dário-meirense *Adj. 2 g.* **1.** De, ou pertencente ou relativo a Dário Meira (BA). ● *S. 2 g.* **2.** O natural ou habitante de Dário Meira. [Pl.: *dário-meirenses*.]

darma [Do sânscr.] *S. m. Filos.* Nas filosofias e religiões da Índia, os preceitos morais e religiosos, o exercício da virtude, a conformidade à lei. Ex.: no budismo, a doutrina do Buda; no bramanismo, as regras de vida dos brâmanes.

darmstádtio [Do lat. cient. *Darmstadtium* (do top. *Darmstadt*, na Alemanha).] *S. m. Quím.* Nome dado em 2003 ao ununílio (q. v.) [símb.: *Ds*].

daroês [Do ár. *darwī*, 'pobre', 'mendigo'; 'asceta religioso', de or. persa.] *S. m. Rel.* Religioso muçulmano, esp. o pertencente a uma ordem ascética ou mendicante e que manifesta sua devoção ou estados místicos por atos como danças, gritos, etc.: "grande cópia de daroeses ...., os quais por insígnia do sacerdócio andam vestidos de roxo, com .... as cabeças e barbas e sobrancelhas rapadas, e contas ao pescoço por onde rezam, mas não pedem esmola" (Fernão Mendes Pinto, *Peregrinação*, III, p. 185). [Sin.: *dervis* e *dervixe*, f. menos recomendadas, porém de maior uso, esp. a última. Pl.: *daroeses* (ê).]

darsana *S. m.* V. *dársana*.

dársana [Do sânscr.] *S. m.* **1.** Culto de uma divindade pela contemplação da sua imagem. **2.** Cada uma das escolas filosóficas da Índia, que se classificam, ger., em ortodoxas e heterodoxas, conforme aceitem ou não a autoridade do Veda. São seis as ortodoxas: *niaia, vaisesica, sânquia, ioga, mimansa* e *vedanta*; e duas as heterodoxas principais: o *budismo* e o *jainismo*. [Var. pros.: *darsana*.]

darsonvalização [Do fr. *darsonvalisation* < antr. (*Arsène*) *d'Arsonval* (1851-1940), fisiologista francês.] *S. f. Med.* Aplicação terapêutica de correntes elétricas de alta frequência, também ditas *correntes de d'Arsonval*, no tratamento de moléstias; arsonvalização.

darto [Do gr. *dartós* (*chitón*), 'membrana do escroto', < gr. *dartós*, 'esfolado', 'escorchado'.] *S. m. Anat.* Camada de músculo liso que envolve o testículo, revestindo internamente o escroto. [Cf. *dartro*.]

dartrial [De *dartro* + *-ial*.] *S. m. Bras. Amaz. a RJ Bot.* Arbusto cesalpiniáceo (*Cassia alata*) ereto e glabro, dotado de propriedades medicinais, cujas flores são amarelas, grandes, dispostas em racemos, com brácteas cor de laranja, e cujo fruto é vagem bivalve, quase preta, coriácea, tendo em toda a extensão longitudinal uma grande asa crenulada e saliente; mata-pasto, fedegoso, manjerioba-grande.

dartro [Do fr. *dartre* < lat. med. *derbita*, de or. gaulesa.] *S. m. Derm.* **1.** Designação genérica, e imprecisa, de várias dermatoses. **2.** Designação vulgar do herpes. [Cf. *darto*.]

dartroso (ô) [De *dartro* + *-oso*.] *Adj.* **1.** Que tem dartro. **2.** Da natureza do dartro.

darwiniano (w=u-i) [Do antr. (*Charles*) *Darwin* + *-iano*.] *Adj.* **1.** Do, ou pertencente ou relativo ao geólogo e naturalista inglês Charles Darwin (1809-1892), ou próprio dele. **2.** Que é seu admirador e/ou profundo conhecedor de sua obra. **3.** Darwinista (1). ● *S. m.* **4.** Admirador e/ou profundo conhecedor da obra de Charles Darwin. **5.** Darwinista (3).

darwinismo (w=u-i) [Do antr. *Darwin* (v. *darwiniano*) + *-ismo*.] *S. m.* Sistema de história natural cuja conclusão extrema é o parentesco fisiológico e a origem comum de todos os seres vivos, com a formação de novas espécies por um processo de seleção natural (q. v.). ◆ **Darwinismo social.** Corrente teórica da segunda metade do séc. XIX e primeira metade do séc. XX, ou a doutrina por ela formulada, que aplica alguns princípios básicos da ideia darwinista de evolução (como os de seleção natural, luta pela existência, e sobrevivência do mais apto) ao estudo e interpretação da vida humana em sociedade. [A designação é historicamente imprecisa, uma vez que as primeiras obras ligadas a essa corrente antecederam a elaboração e publicação dos trabalhos de C. Darwin em biologia.]

darwinista (w=u-i) [Do antr. *Darwin* (v. *darwiniano*) + *-ista*.] *Adj. 2 g.* **1.** Relativo ou pertencente ao darwinismo, ou próprio dele; darwiniano. **2.** Darwiniano (1). ● *S. 2 g.* **3.** Adepto ou seguidor do darwinismo; darwiniano.

▲ **dasi-** [Do gr. *dasýs, eîa, ý.* = ***El. comp.*** = 'felpudo'; 'denso', 'espesso': *dasímetro*. [Equiv.: *-dasi-*: *macrodasióideo*. V. *daso-*.]

▲ **-dasi-** Equiv. de *dasi-*.

dasiatídeo [Do tax. *Dasyatis* (f. irreg. a partir do gr. *dasýs* [v. *dasi-*] + gr. *batís*, 'espécie de raia'[2]) + *-ídeo*[1]; tax. *Dasyatidae*.] *Zool. S. m.* **1.** Espécime dos dasiatídeos, família de peixes miliobatiformes, ovovivíparos, de disco amplo, desprovidos de nadadeira anal e ger. também da dorsal; na base da cauda, longa e fina, muitas espécies apresentam um espinho longo e venenoso. Ex.: raia-amarela. ● *Adj.* **2.** Pertencente ou relativo a eles.

dasicladácea [Do tax. *Dasycladus* (v. *dasi-* e *-clado*) + *-áceo*; tax. *Dasycladaceae*.] *S. f. Bot.* Espécime das dasicladáceas, família da ordem das dasicladales que reúne oito gêneros de algas clorofíceas cujo talo é ereto e cenocítico.

dasicladal [Do tax. *Dasycladus* + *-al*[1].] *Adj. 2 g. Bot.* Pertencente ou relativo às dasicladales.

dasicladale [Adapt. do tax. *Dasycladales*.] *S. f. Bot.* Espécime das dasicladales, ordem de algas clorofíceas que habitam mares tropicais e subtropicais, e cujo talo, ereto, tem simetria radial.

dasimetria [De *dasi-* + *-metria*.] *S. f.* Medida da densidade do ar nas diferentes camadas atmosféricas.

dasimétrico [De *dasimetria* + *-ico*[2].] *Adj.* Referente à dasimetria.

dasímetro [De *dasi-* + *-metro*.] *S. m.* Instrumento, constituído de um delgado bulbo de vidro, us. para medir a densidade de vapores e gases, esp. do ar.

dasipodídeo [Do lat. cient. *Dasypod-* (< tax. *Dasypus* [v. *dasi-* e *pod(o)-*]) + *-ídeo*[1]; tax. *Dasypodidae*.] *Zool. S. m.* **1.** Espécime dos dasipodídeos, família de mamíferos desdentados cujo corpo é revestido de carapaça córnea provida de bandas móveis do lado dorsal. Dentes molares em número superior a cinco em cada maxilar; pelagem relativamente rala, cobrindo as partes moles do corpo. São os tatus verdadeiros. ● *Adj.* **2.** Pertencente ou relativo a eles.

dasiproctídeo [Do tax. *Dasyprocta* (v. *dasi-* e *-procto*) + *-ídeo*[1]; tax. *Dasyproctidae*.] *Zool. S. m.* **1.** Espécime dos dasiproctídeos, família de roedores histricomorfos, com 3 gêneros e 15 espécies, que reúne animais terrestres, encontrados desde o S. do México ao S. do Brasil; são animais de porte pequeno a médio, com pelagem áspera e cauda curta, quatro dedos nas mãos e três nos pés, todos revestidos de unhas fortes, cortantes, e membros posteriores mais compridos que os anteriores, adaptados à corrida. São as cutias e as pacas. ● *Adj.* **2.** Pertencente ou relativo a eles.

dasiterapia [Do gr. *dáis* (com iota subscrito), var. do gr. *daís, daídos*, 'árvore resinosa', + *-i-* + *-terapia*.] *S. f. Terap.* Tratamento de moléstias pela residência em florestas de pinheiros ou doutras árvores resinosas.

dasiterápico [De *dasiterapia* + *-ico*[2].] *Adj.* Referente à dasiterapia.

dasiurídeo (i-u) [Do tax. *Dasyurus* (< gr. *dasýs* [v. *dasi-*] + gr. *ourá* [v. *-uro*]) + *-ídeo*[1]; tax. *Dasyuridae*.] *Zool. S. m.* **1.** Espécime dos dasiurídeos, família de marsupiais carnívoros, noturnos e arborícolas, da Austrália e Nova Guiné. São os dasiúros. ● *Adj.* **2.** Pertencente ou relativo a eles.

dasiúro [De *dasi-* + *-uro*; tax. *Dasyurus*.] *S. m. Zool.* **1.** Gênero de marsupiais carnívoros, mais ou menos arborícolas, nativos da Austrália e da Tasmânia, e que reúne várias espécies de tamanho médio, pelagem escura, com manchas brancas; algumas delas lembram doninhas, ou martas. **2.** Qualquer espécie desse gênero, como, p. ex., a *Dasyuros viverrinus*, carnívora e predadora, que habita a Austrália. **3.** Qualquer espécime desse gênero.

▲ **daso-** [Do gr. *daso-* < gr. *dásos*, 'bosque espesso', < gr. *dasýs, eîa, ý.* = ***El. comp.*** = 'bosque', 'floresta': *dasometria*. [V. *dasi-*.]

dasometria [De *daso-* + *-metria*.] *S. f.* Disciplina que trata da mensuração de árvores em pé e de madeira, para o cálculo de seu crescimento, do volume de madeira que ela fornecerá, etc. [Cf. *dendrometria*.]

dasométrico [De *dasometria* + *-ico*[2].] *Adj.* Relativo à dasometria.

dasonomia [De *daso-* + *-nom(o)-* + *-ia*[1].] *S. f.* Disciplina que trata das florestas, de sua composição, estrutura, produtividade, conservação, etc.

dasonómico *Adj.* V. *dasonômico*. [Uso freq. em P.]

dasonômico [De *dasonomia* + *-ico*[2].] *Adj.* Referente a dasonomia.

■ **DASP** Abrev. de *Departamento de Administração do Serviço Público*.

■ **DAT** [Sigla do ingl. *digital audio tape*.] Fita magnética de 4mm de largura us. para gravação digital de áudio e de dados de computador.

data [Do lat. *data*, f. de *datus*, 'dado[2]', part. pass. de *dare*.] *S. f.* **1.** Indicação precisa do ano, mês ou dia em que ocorreu ou deverá ocorrer algum fato. **2.** Data (1) assinalada em cartas, publicações, moedas, etc. **3.** Tempo, época, período: *Naquela data ainda não existia a televisão.* **4.** Porção ou faixa de terra. **5.** Grande porção, grande quantidade: *Levou uma data de pancadas.* **6.** *Tip.* Porção de originais que se dá ao tipógrafo para compor. **7.** *Bras.* Jazida ou mineração de ouro ou de pedras preciosas. **8.** *Bras. MG SP PR* Porção de terreno com 20 a 22 metros por 40 a 44 metros. ◆ **De fresca data.** V. *de fresco*: "Eram ainda de fresca data os grandes exemplos da fraternidade que em conjunturas gravíssimas ligara raças estrangeiras com raças e castas nacionais" (Franklin Távora, *O Matuto*, p. 96).

data-base *S. f. Econ.* Data em que entram em vigor mudanças nas condições de trabalho (esp. salários) de determinada categoria profissional, negociadas anualmente entre sindicato respectivo e empregador(es): "O Sindicato dos Metalúrgicos de Taubaté conquistou na Justiça a mudança de sua data-base do dia 1.º de abril para o dia 1.º de novembro." (*Gazeta Mercantil*, 27.05.1994, p. 10.) [Pl.: *datas-bases* e *datas-base*.]

datação [De *datar* + *-ção*.] *S. f.* **1.** Ação ou efeito de datar. **2.** *Fís. Nucl.* Processo de determinação da idade de um material, baseado na medida da atividade de nuclídeo de meia-vida relativamente grande, presente em sua composição. ◆ **Datação por carbono 14.** *Arqueol.* Datação (2) de materiais de origem orgânica, esp. madeira ou carvão, baseada na comparação entre o valor da radioatividade devida à desintegração do carbono 14 nesse material e o valor encontrado em organismos vivos, no presente. [Devido ao fato de a meia-vida (q. v.) do carbono 14 ser de 5.370 anos, o limite de aplicabilidade desta técnica de datação é de cerca de 50.000-70.000 anos.] **Datação por radiocarbono.** *Arqueol.* Método de datação de material arqueológico baseado na análise da desintegração de isótopo de radiocarbono nesse material; datação por carbono 14.

datado[1] [Part. *datar*.] *Adj.* Que se datou; dado: *documento datado e assinado.*

datado[2] [De *data* + *-ado*[1].] *Adj.* Que traz a marca da época em que ocorreu; que já não é atual: *um filme datado, gíria datada.*

datador (ô) [De *datar* + *-dor*.] *Adj.* Que registra data ou serve para datar (1): *carimbo datador.* ~ V. *carimbo* —.

datagrama *S. m. Inform.* Pacote (8).

datal [De *data* + *-al*[1].] *Adj. 2 g.* Relativo a data (1 e 2).

■ **Dataprev** Sigla de *Empresa de Processamento de Dados da Previdência Social*.

datar [Do lat. med. *datare* < lat. *data*, 'data'.] *V. t. d.* **1.** Pôr data em: *datar uma carta.* ***T. c.*** **2.** Principiar a contar-se; durar, existir (desde certo tempo): *A abolição data de 1888*; "Data de 1916 o início de minha vida de artista." (E. di Cavalcanti, *Viagem da Minha Vida*, p. 77). ***T. d. e c.*** **3.** Principiar a contar; considerar que dura ou existe (desde certo tempo):

"Sustentam-se as mais variadas opiniões sobre a época do nascimento da Idade Média. Pirene e Fueter datam-na de 622, com a aparição do Islã." (José Honório Rodrigues, *Teoria da História do Brasil*, p. 115.)

dataria [Do it. *dateria*.] *S. f.* 1. Repartição da Santa Sé, donde se expedem todos os negócios regulados pelo Papa fora do consistório. 2. Cargo de datário.

datário *S. m.* Membro da dataria (1).

data-*show* [Do ingl. *data show*.] *S. m.* Aparelho de vídeo que, através de um sistema de lentes, projeta imagens numa tela de projeção. [Pode ser conectado ao computador ou sistema de *home theatre*.] [Pl.: data-*shows*.]

datável [De *datar* + *-vel*.] *Adj. 2 g.* Que pode ser datado: "a quase totalidade das poesias agora oferecidas é datada ou datável de antes desse ano" (José Régio, em João Gaspar Simões, *Perspectiva da Literatura Portuguesa do Século XIX*, p. 70).

→**data venia** ['data 'vença] [Lat., 'com a devida vênia'.] Expressão respeitosa com que se principia uma argumentação, ou opinião, divergente da de outrem.

datense *Adj. 2 g.* 1. De, ou pertencente ou relativo a Datas (MG). • *S. 2 g.* 2. O natural ou habitante de Datas.

datil [Do esp. *dátil* < cat. *dàtil* < lat. *dactylus*, 'tâmara', < gr. *dáktylos*, 'dedo'.] *S. m. Bot.* 1. Fruto da datileira; tâmara. 2. *Bras.* V. *jerivá* (1). [Seria melhor a f. *dátil*.]

datilado [De *datil* + *-ado*[1].] *Adj.* Atamarado.

datileira [De *datil* + *-eira*.] *S. f.* Tamareira.

datílico *Adj.* V. *dactílico*.

datilífero *Adj. Zool.* V. *dactilífero*.

datilino *Adj.* V. *dactilino*.

datilioteca *S. f.* V. *dactilioteca*.

dátilo *Adj. S. m.* V. *dáctilo*.

datilografado (dà) [Part. de *datilografar*; var. de *dactilografado*.] *Adj.* V. *dactilografado*: "destacou entre os papéis umas tiras datilografadas" (Gilberto Amado, *Depois da Política*, p. 242).

datilografar (dà) *V. t. d. Int.* V. *dactilografar*. [Pres. ind.: *datilografo*, etc. Cf. *datilógrafo*.]

datilografia (dà) *S. f.* V. *dactilografia*.

datilográfico (dà) *Adj.* V. *dactilográfico*.

datilógrafo *S. m.* V. *dactilógrafo*. [Cf. *datilografo*, do v. *datilografar*.]

datilograma (dà) *S. m.* V. *dactilograma*.

datiloide (ói) *Adj. 2 g.* V. *dactiloide*. ❖

datilologia (dà) *S. f.* V. *dactilologia*.

datilológico (dà) *Adj.* V. *dactilológico*.

datilomancia (dà...cí) *S. f.* V. *dactilomancia*.

datilomante (dà) *S. 2 g.* V. *dactilomante*.

datilomântico (dà) *Adj.* V. *dactilomântico*.

datilopterídeo (dà) *S. m. Adj. Zool.* V. *dactilopterídeo*.

datiloquirotídeo (dà) *S. m. Adj. Zool.* V. *dactiloquirotídeo*.

datiloscopia (dà) *S. f.* V. *dactiloscopia*.

datiloscópico *Adj.* V. *dactiloscópico*.

datiloscopídeo (dà) *S. m. Adj. Zool.* V. *dactiloscopídeo*.

datiloscopista (dà) *S. 2 g.* V. *dactiloscopista*.

datiloscrito (dà) *S. m.* V. *dactiloscrito*.

datilospasmo (dà) *S. m.* V. *dactilospasmo*.

datilospasmódico (dà) *Adj.* V. *dactilospasmódico*.

datiloteca (dà) *S. f.* V. *dactiloteca*.

datilozooide (ói) *S. m. Zool.* V. *dactilozooide*. ❖

datiscácea [Do tax. *Datisca* (do gr. *datíska*, 'sêmen de cordeiro casto') + *-ácea*; tax. *Datiscaceae*.] *S. f. Bot.* Espécime das datiscáceas, família da ordem das cucurbitales, formada por apenas duas espécies herbáceas, a *Datisca glomerata*, que ocorre na América do Norte, e a *Datisca cannabina*, originária da Ásia central e do Oriente Médio.

datiscáceo [De *datiscácea*, com var. suf. (v. *-áceo*).] *Adj. Bot.* Pertencente ou relativo às datiscáceas.

datismo [Do gr. *datismós* < antr. gr. *Dátis*, de um sátrapa persa que se expressava desta forma.] *S. m.* Repetição tediosa de vários sinônimos para exprimir ideias muito simples.

dativo [Do lat. *dativu*.] *Adj.* 1. *Jur.* Nomeado por magistrado e não por lei: *tutor dativo*. 2. *E. Ling.* Relativo a dativo (3 e 4); indireto. ~ V. *caso* —. • *S. m.* 3. *E. Ling.* Caso dativo (q. v.). 4. Constituinte que expressa aquele a quem se dá algo (dativo propriamente dito ou dativo de atribuição), ou aquele em detrimento ou interesse de quem algo é feito (dativo de interesse) e, de modo mais restrito, a finalidade em razão da qual algo é feito (dativo de fim). ◆ **Dativo de atribuição.** *E. Ling.* V. *dativo* (4). **Dativo de fim.** *E. Ling.* V. *dativo* (4). **Dativo de interesse.** *E. Ling.* Dativo ético (q. v.). [V. *dativo* (4).] **Dativo ético.** *E. Ling.* Dativo que expressa aquele em detrimento ou benefício de quem algo é feito; dativo de proveito. [No português, classificam-se como dativo de interesse os pron. oblíquos *me, te, nos, vos, lhe, lhes*, quando em frases ger. imperativas, como: *Não me gaste todo o dinheiro!*] **Dativo de proveito.** *E. Ling.* Dativo ético (q. v.).

datolita [Do rad. gr. de *dateîsthai*, 'dividir', + *-lita*.] *S. f.* Mineral monoclínico, silicato básico de boro e cálcio.

daturismo [Do tax. *Datura* + *-ismo*.] *S. m. Med.* Envenenamento por plantas do gênero *Datura* que contenham alcaloides solanáceos, esp. atropina, hiosciamina e hioscina.

daubentoniídeo [Do tax. *Daubentonia* + *-ídeo*[1]; tax. *Daubentoniidae*.] *Zool. S. m.* 1. Espécime dos daubentoniídeos, família de primatas lemuroides, de hábitos noturnos, com orelhas grandes e móveis, um par de incisivos grandes, garras nos dedos, com exceção do polegar, e o terceiro dedo da mão muito comprido. Há apenas um gênero, com duas espécies, encontradas apenas em Madagascar (oceano Índico). • *Adj.* 2. Pertencente ou relativo a eles.

dauciforme [Do lat. *daucum, i*, 'cenoura', + *-iforme*.] *Adj. 2 g.* Que tem forma de cenoura.

dauco [Do tax. *Daucus* (do lat. *daucus, i*, 'cenoura brava').] *S. m. Bot.* 1. Gênero de ervas apiáceas, cultivadas em todo o mundo, pela raiz comestível; conta cerca de 22 espécies cosmopolitas. 2. Qualquer espécie desse gênero, como, por ex., a *Daucus carota* (v. *cenoura*). 3. Qualquer espécime desse gênero.

davaliácea [Do tax. *Davallia* (do antr. [*E.*] *Davall* [séc. XIX], botânico inglês) + *-ácea*; tax. *Davalliaceae*.] *S. f. Bot.* Espécime das davaliáceas, família da classe das filicópsidas que reúne sete gêneros com 44 espécies, ger. epifíticos, dotados de folhas simples ou articuladas, que habitam regiões tropicais e subtropicais do Velho Mundo e da Oceania.

davaliáceo [De *davaliácea*, com var. suf. (v. *-áceo*).] *Adj. Bot.* Pertencente ou relativo às davaliáceas.

davídico [Do antr. *Davi* (*david-*) + *-ico*[2], seg. o padrão erudito.] *Adj.* Pertencente ou relativo a Davi (c.1000-962 a. C.), rei dos hebreus.

davinopolino *Adj.* 1. De, ou pertencente ou relativo a Davinópolis (GO). • *S. m.* 2. O natural ou habitante de Davinópolis.

dawsonita [Do antr. (*John William*) *Dawson* (1820-1899), geólogo canadense, + *-ita*[3].] *S. f. Min.* Mineral ortorrômbico, carbonato básico de sódio e alumínio.

dazibao [Do chinês.] *S. m.* Jornal mural, ger. manuscrito, afixado em lugares públicos e que, por vezes, exprime opiniões individuais.

dB *Fís.* Símb. de *decibel*.

■ **Db** *Quím.* Símb. de *dúbnio*.

■ **DBHQ** *Quím.* Abrev. de *dibutil-hidroquinona*.

■ **DBHT** *Quím.* Abrev. de *dibutil-hidroxitolueno*.

■ **DBN** *Quím.* Sigla de *diazabiciclononeno*.

■ **DBU** *Quím.* Sigla de *diazabicicloundeceno*.

■ **dc** [Ingl., abrev. de *direct current*.] *Eletr.* V. cc. [Tb. com cap.]

■ **d.C.** Abrev. de *depois de Cristo*. [V. *a. D.* Cf. *a. C.*]

■ **D.C.** [Do it. *da capo*, 'do começo'.] *Mús.* Abrev. indicativa de *repetição* (q. v.).

■ **DDC** Sigla de *discagem direta a cobrar*.

■ **DDD** Sigla de *discagem direta a distância*.

■ **DDG** Sigla de *discagem direta gratuita*.

■ **DDI** Sigla de *discagem direta internacional*.

■ **d.d.p.** *Fís.* Abrev. de *diferença de potencial*.

■ **DDT** *Quím.* Sigla de *diclorodifeniltricloroetano*.

de [Do lat. *de*.] *Prep.* Partícula de larguíssimo emprego em português. Usa-se, além de noutros casos, nos seguintes: 1. Entre dois substantivos, indicando: a) relação atributiva possessiva que era expressa pelo genitivo latino: *casa de João; a biblioteca de Murilo Mendes*. b) adjunto adnominal: *jura de amor*; "os bisonhos milicianos seriam transformados em bons elementos de combate, ao contacto da gente belígera de Pernambuco" (Elísio de Carvalho, *Brava Gente*, p. 43); "Não havia .... um problema tão grave quanto o da falta de meios de transporte." (Fausto Cunha, *Caminhos Reais, Viagens Imaginárias*, p. 81). c) a relação duma denominação especial: *o alcaide de Santarém*. d) a de pertença, proveniência, origem: *o paço do imperador; uma voz de moça*. e) a de natureza, qualidade, caráter, índole, pendor: *curso de água*; "O sol agora é de um fulgor compacto." (Augusto dos Anjos, *Eu*, p. 81); "eu era... maneiro de corpo" (Afonso Arinos, *Pelo Sertão*, p. 183). f) a de fim, destino, acomodação, uso, aplicação (equivalendo à prep. *para*): *máquina de escrever; sala de recepção*. g) a de profissão, ocupação: "Homens do mar!" (Castro Alves, *Obra Completa*, p. 278); *moço do comércio*. h) a de tenção, disposição, propósito: *homem de luta; atitude de provocação*. i) a de naturalidade, habitação, situação: *negro da Abissínia; animais de países frios*. j) a de duração, idade, data: *um trabalho de três meses; moça de 22 anos; as ocorrências de ontem*. l) a de formação, composição, participação, constituição, conteúdo: *os senadores da oposição; um copo de leite*. m) a de matéria: "Agora contarei a história do relógio de ouro." (Machado de Assis, *Histórias da Meia-Noite*, p. 199); "Boneca de pano dos olhos de conta, / vestido de chita, cabelo de fita." (Jorge de Lima, *Obra Completa*, I, p. 268). n) a de assunto, objeto (equivalendo às prep. *sobre, acerca de, a respeito de*): *obra de crítica literária; um ensaio de economia*. o) a de forma: *chapéu de dois bicos*. p) a de dimensão: *um sofá de três metros*. q) a de valor: *uma joia de milhões*. r) a de quantidade, número: "— Muito bem, ... um exército de sessenta mil homens entrará em Portugal e fará..." (Rebelo da Silva, *Contos e Lendas*, p. 172.) s) a de causa (equivalendo à prep. *por*): *sofrimento de amor*; "Minh'alma, de sonhar-te, anda perdida." (Florbela Espanca, *Sonetos Completos*, p. 60). t) a de primazia, quando posta entre um substantivo e este mesmo substantivo repetido no plural: *o poeta dos poetas; o rei dos reis*. 2. Introduz o complemento terminativo de alguns verbos, adjetivos e substantivos: "Falas de amor" (Augusto dos Anjos, *Eu*, p. 43); "De cumprir meu voto ninguém poderá mover-me" (Alexandre Herculano, *Lendas e Narrativas*, II, p. 303); *É incapaz de odiar*. 3. Com os verbos auxiliares *ter* e *haver* e o infinitivo impessoal de outros, forma locuções perifrásticas do futuro: *Hei de vencer*; "Ah! Por todos os séculos vindouros / Há de travar-se essa batalha vã / Do dia de hoje contra o de amanhã" (Augusto dos Anjos, *Eu*, p. 115); "os membros seus inermes / Têm de ser fatalmente o pábulo dos vermes / Frios e roedores..." (Raimundo Correia, *Poesias*, p. 179). 4. Pospõe-se a certos verbos, quando seguidos de infinitivo: "Começais hoje, solenemente, de pagar o vosso tributo." (Amadeu Amaral, *O Elogio da Mediocridade*, p. 86); "e se dignou de falar ao seu servo" (P.ᵉ Manuel Bernardes, *Vários Tratados*, I, p. 195); *Deu de gritar; Principiou de rezar; Entrou de falar*. 5. Usa-se com numerosos verbos para designar o agente da passiva (equivalendo a *por*): "De balas traspassado / — Duas, de lado a lado —, / Jaz morto, e arrefece." (Fernando Pessoa, *Poesias de Fernando Pessoa*, p. 219.) 6. Emprega-se no predicativo de verbos transobjetivos: *Tacham-no de maluco*; "Chamaram de 'mensagem' ao tomito precedente *Música e Pensamento*" (Fidelino de Figueiredo, *Um Homem na Sua Humanidade*, Prólogo); *Apelidaram-no de Bolinha*. 7. Funciona como termo de ligação, no superlativo relativo dos adjetivos: "Fi-los [estes versos] pensando em ti, fi-los pensando / Na mais pura de todas as mulheres." (Olavo Bilac, *Poesias*, p. 49.) 8. Funciona, às vezes, como partitivo: *Comeu do pão e bebeu do vinho*. 9. Contribui para formar inúmeras locuções prepositivas: *perto de; longe de; de pé; a propósito de; à feição de; de acordo com; de concerto com*. 10. Entra na constituição de locuções conjuntivas, regendo o substantivo fundamental da expressão: *de arte que; de sorte que; de maneira que*. 11. Auxilia a formação de numerosíssimos adjuntos adverbiais, que exprimem: a) a origem dum movimento; direção, proveniência: *de Belo Horizonte a Maceió*. b) o tempo desde que, ou o tempo em que: "de segunda-feira até domingo" (Augusto dos Anjos, *Eu*, p. 110); "De madrugada os galos cantam, a quinta acorda" (Eça de Queirós, *A Correspondência de Fradique Mendes*, p. 215); "De manhã saio em Olhão deslumbrado." (Raul Brandão, *Pescadores*, p. 282). c) modo ou maneira: "Caio de joelhos, trêmulo..." (Augusto dos Anjos, *Eu*, p. 103); *Vi-o de costas*. d) meio ou instrumento: *Armou-se de rifle*; "armado de arcabuz" (Augusto dos Anjos, *Eu*, p. 114). e) causa, razão, motivo: "Ele chorou de cobarde" (Gonçalves Dias, *Obras Poéticas*, II, p. 30); "Por entre as penhas / de incultas brenhas / cansa-me a vista / de te buscar." (Alvarenga Peixoto, em M. Rodrigues Lapa, *Vida e Obra de Alvarenga Peixoto*, p. 21). f) estado, situação, condição; emprego, posto: *Está de cama; Ficou de sentinela; Passou uma semana de dieta; Está de balconista numa grande loja*. g) conformidade: *Estão todos de harmonia; Acham-se de acordo*. 12. Combina-se, não raro, com certas preposições, como, p. ex., *sobre, sob, entre a*: *Baixou de sobre o telhado; Surgiu de sob a terra*; "Começava a soltar, dentre o arvoredo, / Verdadeiras risadas de cristal" (Guerra Junqueiro, *A Velhice do Padre Eterno*, p. 153); "ouvimos então a gritaria das mulheres, que tinham vindo de a pé" (Simões Lopes Neto, *Contos Gauchescos e Lendas do Sul*, p. 148). 13. Entra como expletivo em certas frases: *um pobre de um mendigo; o infeliz do homem*; "o bom do padre cura" (Guerra Junqueiro, *A Velhice do Padre Eterno*, p. 157); "O bom do velho ao sobressalto acorda" (Alexandre Herculano, *Poesias*, p. 117). [Cf. *d*, e *dê*, do v. *dar* e s. m.]

▲ **de-** [Do lat. *de*.] *Pref.* = 'movimento de cima para baixo'; 'origem, procedência'; 'afastamento'; 'extração'; 'intensidade'; 'significação contrária': *deborcar; decompor; depenar; defedação; decifrar; defibrilar*.

dê *S. m.* A letra *d*. [Pl.: *dês*. Cf. *de*.]

deadjetival [De *de-* + *adjetivo* + *-al*[1].] *Adj. 2 g. E. Ling.* Que deriva de adjetivo.

➔**deadline** ['dɛdlajn] [Ingl.] *S. m.* Prazo máximo para a conclusão de uma tarefa.

deado *S. m.* V. *decanato* (1 a 3).

dealbação [Do lat. *dealbatione.*] *S. f.* **1.** Ato ou efeito de dealbar; branqueamento. **2.** *Fig.* Purificação, depuração.

dealbar [Do lat. *dealbare.*] *V. t. d.* **1.** Branquear, clarear, aclarar: 📖 "Subiu serena a Lua, dealbando as entranhas do vale" (Godofredo Rangel, *Vida Ociosa*, p. 150). **2.** *Fig.* Depurar, purificar. *Int.* **3.** Tornar-se ou mostrar-se alvo; clarear: 📖 "No alto da serra, quando dealba o dia / Sobe um canto festivo de alegria / Das árvores molhadas de relento." (Olegário Mariano, *Toda uma Vida de Poesia*, II, p. 506.) [Var.: *dealvar*.]

dealvar *V. t. d. Int.* V. *dealbar*.

deambulação [Do lat. *deambulatione.*] *S. f.* Ato de deambular; passeio, digressão.

deambulador (ô) [De *deambular* + *-dor*.] *Adj. S. m.* Que, ou aquele que deambula.

deambular [Do lat. *deambulare.*] *V. int.* Passear; vaguear, vagar: 📖 "a população dá-se ainda ao prazer de deambular; anda pelos parques, vai até as fortificações" (Aquilino Ribeiro, *É a Guerra*, p. 243); "Deambulei pela cidade como um passeante caminhando sem destino." (Antônio Silva Graça, *Viagem ao Fim da História*, p. 61).

deambulatório [Do lat. *deambulatoriu.*] *Adj.* **1.** Relativo a passeio. **2.** *Fig.* Erradio; desnorteado. ● *S. m.* **3.** *Arquit.* Galeria que circunda o coro ou o altar-mor de certas igrejas; charola. **4.** *Arquit.* Galeria coberta, para passeio. [Sin., nessas acepç.: *ambulatório.*]

deão [Do fr. ant. *deiien*, atual *doyen.*] *S. m.* **1.** *Ecles.* Dignitário eclesiástico que preside ao cabido; decano. **2.** Decano[1] (1). **3.** *Ecles.* Coordenador de um grupo de párocos. [Pl.: *deãos, deães, deões.*]

dearticulação [De *dearticular* + *-ção*.] *S. f.* Pronúncia das palavras com toda a clareza; articulação clara; boa dicção.

dearticular [De *de-* + *articular*[2].] *V. t. d.* Pronunciar ou articular bem, com toda a clareza.

➔**de auditu** ['dawdetu] [Lat.] Por ouvir dizer.

deaurar [Do lat. *deaurare.*] *V. t. d. P. us.* Cobrir de ouro, ou como que de ouro; dourar: 📖 "É a umidade que nas leiras, / De mansinho, / Faz abrolhar as sementeiras, / Sazona, purpura a uva, / Adoça, torna olorosa, / Deaura, amacia a fruta." (Martins Fontes, *Verão*, p. 50.)

debacle [Do fr. *débâcle.*] *S. f.* **1.** Ruína, derrocada. **2.** Derrota ou debandada (de tropas).

➔**débâcle** [de'bɑklə] [Fr.] V. *debacle*.

debaixo [De *de* + *baixo*[1].] *Adv.* **1.** Em posição inferior, mas na mesma direção vertical; baixo: 📄 *Numa coluna, o capitel é a parte superior, o fuste a intermediária, e a base, a que fica debaixo.* **2.** Em condição ou situação inferior; em desprestígio; por baixo: 📄 *Agora está debaixo, e perdeu a arrogância.* ◆ **Debaixo de. 1.** Em posição inferior a (uma coisa que está por cima, ou acima); sob: 📄 *Escondeu um dinheirão debaixo do travesseiro; Ainda que não se falem, continuam a viver debaixo do mesmo teto.* **2.** Em consequência de: 📄 *Acovardou-se, debaixo de tais acusações.* **3.** Exprime relações de dependência, sujeição, subordinação, etc.: 📄 *Vive cada dia mais atormentado, debaixo das dívidas que contraiu.*

debalde [De *de* + *balde*[2].] *Adv.* Inutilmente, em vão; baldadamente, embalde.

debandada [De *debandar* + *-ada*[1].] *S. f.* **1.** Ato ou efeito de debandar (1 e 2); fuga desordenada. **2.** Desarranjo, mistura, desarrumação, confusão.

debandar [De *de-* + *bando*[1] + *-ar*[2].] *V. t. d.* **1.** Pôr em fuga desordenada: 📄 *Conseguimos debandar os assaltantes. Int. P.* **2.** Pôr-se em debandada; fugir desordenadamente; dispersar-se: 📄 *Os soldados debandaram; Os presos debandaram-se.* **3.** Desarranjar-se, desordenar-se, confundir-se: 📄 *Estavam todos em ordem, mas de repente debandaram; De tal forma se debandou no seu discurso que ninguém mais o entendeu.*

debar *V. t. d. Int. Ant. Pop.* Dobar (q. v.). [Pres. ind.: *debo*, etc. Cf. *debo* (ê).]

debate [Do fr. *débat*, dev. de *débattre*, poss.] *S. m.* **1.** Troca de ideias em que se alegam razões pró ou contra, com vistas a uma conclusão: 📄 *debate sobre alfabetização; os debates na câmara.* **2.** Contestação; contradição; dúvida: 📄 *Este assunto não comporta debates.* **3.** Altercação, contenda, disputa. **4.** *Liter.* Designação comum a poemas medievais dialogados, particularmente alegóricos e satíricos.

debatedor (ô) [De *debater* + *-dor*.] *Adj. S. m.* Que, ou aquele que debate.

debater [Do fr. *débattre* < lat. *debattuere*, poss.] *V. t. d.* **1.** Examinar em debate; tratar de; discutir: 📄 *Os parlamentares debateram as novas leis.* **2.** Contestar, questionar: 📄 *Debateu destemerosamente a ordem absurda.* **3.** Tratar de; discutir: 📄 *Dirigi-me ao proprietário e debatemos o preço da casa. Int.* **4.** Discutir, porfiar, contender. *P.* **5.** Agitar-se muito, resistindo ou procurando libertar-se, ou tentando fugir de situação penosa: 📄 *A ave debatia-se na armadilha; Anos a fio debateu-se na miséria;* 📖 "Aqui [no leito] lânguido à noite debati-me / Em vãos delírios anelando um beijo..." (Álvares de Azevedo, *Obras Completas*, I, p. 151).

debatidiço *Adj.* Que se debate muito.

debatidura [De *debater* + *-i-* + *-dura*.] *S. f.* Ato de debater-se (a presa) para fugir.

debelação [De *debellatione.*] *S. f.* Ato ou efeito de debelar.

debelador (ô) [Do lat. *debellatore.*] *Adj.* **1.** V. *debelatório*. ● *S. m.* **2.** Aquele ou aquilo que debela.

debelar [Do lat. *debellare.*] *V. t. d.* **1.** Sujeitar; vencer, dominar: 📖 "Era coisa capital debelar essas insurreições" (João Ribeiro, *História do Brasil*, p. 387). **2.** Reprimir, combater: 📄 *Lutou para debelar seus vícios.* **3.** Destruir, extinguir: 📄 *debelar uma crise; debelar uma doença.*

debelatório [Do lat. *debellatoriu*; v. *debelar* e *-tório*.] *Adj.* Que debela; vitorioso, vencedor, debelador.

debenturagem [De *debênture* + *-agem*[2].] *S. f. Bras.* Ato de debenturar.

debenturar [De *debênture* + *-ar*[2].] *V. int. Bras.* Emitir debêntures. [Pres. subj.: *debenture*, etc. Cf. *debênture.*]

debênture [Do ingl. *debenture.*] *S. f. Econ.* Título de crédito emitido por sociedade anônima, ger. ao portador; obrigação ao portador, obrigação. [Cf. *apólice* (1), *bônus* (3), e *debenture*, do v. *debenturar*. V. *título de crédito.*] ◆ **Debênture conversível.** *Econ.* Aquela que pode ser convertida em ações da sociedade, sob determinadas condições.

debenturista [De *debênture* + *-ista*.] *S. 2 g. Bras.* Pessoa que possui debêntures; obrigacionista.

debenturístico [De *debenturista* + *-ico*[2].] *Adj.* Relativo a debênture.

debicador (ô) [De *debicar* + *-dor*.] *Adj.* Que debica.

debicar [De *de-* + *bicar*.] *V. t. d.* **1.** Comer pequena porção de; provar: 📄 *Mal debicou a sobremesa.* **2.** Zombar de; escarnecer: 📄 *Disse isto só para debicá-lo. T. i.* **3.** Tirar ou puxar com o bico (a ave): 📄 *Os pombos debicavam no milho.* **4.** Tocar de leve; comer em pequena quantidade: 📄 *O menino debicava no pão.* **5.** Zombar; escarnecer: 📄 *Não debique do pobre velho. Int.* **6.** Comer pouco; comer pequena quantidade de uma coisa. **7.** Zombar, escarnecer: 📄 *Gosta de debicar.* [Conjug.: v. *trancar.*]

débil [Do lat. *debile.*] *Adj. 2 g.* **1.** Sem vigor físico; fraco, franzino: 📄 *criança débil; organismo débil.* **2.** Em que não há energia; frouxo, fraco: 📄 *vontade débil.* **3.** Pouco resistente; fraco, frágil, quebradiço: 📖 "Todos cantam sua terra, / Também vou cantar a minha, / Nas débeis cordas da lira / Hei de fazê-la rainha" (Casimiro de Abreu, *Obras*, p. 60). **4.** Pouco perceptível aos sentidos: 📄 *luz débil; sons débeis.* **5.** Minguado, insignificante, diminuto: 📄 *resultados débeis.* **6.** *Psiq.* Que sofre de debilidade mental. **7.** *Bras. Gír.* V. *tolo* (1 a 3). ● *S. 2 g.* **8.** *Psiq.* Débil mental (1). **9.** *Bras. Gír.* V. *tolo* (8). [Pl.: *débeis.*] ◆ **Débil mental. 1.** *Psiq.* Indivíduo com debilidade mental. [Tb. se diz apenas *débil.*] **2.** *P. ext.* Indivíduo tolo, bobo, simples.

debilidade [Do lat. *debilitate.*] *S. f.* **1.** Qualidade ou estado de débil; falta de vigor ou energia (física ou psíquica); fraqueza. **2.** Frouxidão, tenuidade, leveza. ◆ **Debilidade mental.** *Psiq.* Retardo mental leve caracterizado sobretudo por dificuldade de adaptação social e perturbações ou deficiência de julgamento.

debilitação [Do lat. *debilitatione.*] *S. f.* Ato ou efeito de debilitar(-se); perda de forças; enfraquecimento, debilitamento.

debilitado [Part. de *debilitar.*] *Adj.* **1.** Que está sem saúde, sem vigor. **2.** Sem força, enfraquecido; desprotegido: 📖 "Com o enfraquecimento de Antônio de Souza, os de sua facção sentiam-se debilitados." (Ana Miranda, *Boca do Inferno*, p. 289.)

debilitamento [De *debilitar* + *-mento*.] *S. m.* V. *debilitação*.

debilitante [De *debilitar* + *-nte*.] *Adj. 2 g.* Que debilita; enfraquecedor: 📄 *clima debilitante.*

debilitar [Do lat. *debilitare.*] *V. t. d.* **1.** Tornar débil; enfraquecer: 📄 *As muitas preocupações debilitam seus nervos.* **2.** Causar perdas a; tirar recursos a: 📄 *As guerras debilitam as nações.* **3.** *Eng. Elétr.* Fornecer (corrente elétrica) a um circuito. *P.* **4.** Tornar-se débil; enfraquecer(-se).

debilitável [De *debilitar* + *-vel*.] *Adj. 2 g.* Que se pode debilitar.

debiloide (ói) [De *débil* (8) + *-oide*.] *Adj. 2 g. S. 2 g. Bras. Pop. Deprec.* Que, ou quem é um tanto débil mental: 📖 "Tenho horror de sapateado, não aguento mais aquela debiloide da Shirley Temple." (Autran Dourado, *As Imaginações Pecaminosas*, p. 46.) ❖

debique [Dev. de *debicar.*] *S. m.* Ato de debicar ou escarnecer; zombaria, troça, desfrute: 📄 *Não me presto a debiques.*

debitar [De *débito* + *-ar*[2].] *V. t. d. T. d. e i. T. d. e c.* **1.** Constituir ou inscrever como devedor: 📄 *Fez várias compras e pediu que o debitassem; Debitamos F. em mil reais;* 📖 "pode mandar debitar-me nos seus livros pelas dívidas de seu pai." (José de Alencar, *A Viuvinha*, p. 96). **2.** Lançar (determinada quantia) na conta devedora de alguém; levar a débito. *T. c. e i.* **3.** *Cont.* Carregar (uma parcela) em contas do débito: 📄 *Debite à caixa 10.000 reais.* **4.** *Eng. Elétr.* Fornecer (uma corrente elétrica) a um circuito. *P.* **5.** Tornar-se ou constituir-se devedor: 📄 *Debitou-se em 2.000 reais que retirou do banco.* [Pres. ind.: *debito*, etc. Cf. *débito* e *creditar.*]

débito [Do lat. *debitu.*] *S. m.* **1.** Aquilo que se deve; dívida. **2.** *Cont.* No sistema de partidas dobradas, lançamento feito na conta representativa da destinação de um valor: 📄 *Quando se deposita uma importância no banco, lança-se um débito na conta "Bancos".* **3.** V. *deflúvio* (3). [Cf. *debito*, do v. *debitar*, e *crédito.*] ◆ **Débito fluvial.** V. *deflúvio* (3). [Tb. se diz apenas *débito.*] **Levar a débito.** Debitar (2).

deblateração [De *deblaterar* + *-ção*.] *S. f.* Ato ou efeito de deblaterar.

deblaterar [Do lat. *deblaterare.*] *V. int. T. i.* **1.** Falar ou clamar com violência contra pessoas ou coisas; imprecar: 📄 *Deblaterou contra os desmandos políticos do adversário. T. d.* **2.** Bradar; clamar: 📄 *Deblaterava que a sociedade ia caminhando para o caos.*

debo (ê) [F. eufemística de *diabo.*] *S. m. Bras. CE Pop.* V. *diabo* (2). [Pl.: *debos* (ê). Cf. *debo*, do v. *debar.*]

debochado [Do fr. *débauché.*] *Adj.* **1.** Devasso, libertino, dissoluto. **2.** *Bras.* Gaiato, gozador; debochador: 📄 *É um tipo brincalhão, debochado.* **3.** *Bras.* Próprio de quem é debochado (2); debochativo: 📄 *Falou-me em tom debochado.* ● *S. m.* **4.** Indivíduo debochado (1 e 2).

debochador (ô) [De *debochar* + *-dor*.] *Bras. Adj.* **1.** V. *debochado* (2). ● *S. m.* **2.** Indivíduo debochador.

debochar [Do fr. *débaucher.*] *V. t. d.* **1.** Lançar no deboche; tornar devasso, libertino, viciar, corromper. **2.** *Bras.* Zombar de; escarnecer: 📄 *Debocharam-no sem dó.* **3.** *Bras.* Desafiar com zombarias. **4.** *Bras.* Não levar em conta; desprezar, menosprezar, menoscabar. *T. i.* **5.** *Bras.* Zombar de; escarnecer: 📄 *Não deboche dos seus superiores.* **6.** Desafiar com zombarias. **7.** Não levar em conta; desprezar, menosprezar: 📄 *Debocha da minha capacidade. P.* **8.** Tornar-se devasso, libertino; corromper-se, viciar-se. [Pres. subj.: *deboche, deboches*, etc. Cf. *deboche*, s. m., pl. *deboches.*]

debochativo [De *debochar* + *-tivo*.] *Adj. Bras.* V. *debochado* (3).

deboche [Do fr. *débauche.*] *S. m.* **1.** Devassidão, libertinagem: 📖 "Era um deboche enorme, era um festim devasso!" (Cesário Verde, *Obras Completas*, p. 166.) **2.** *Bras.* V. *zombaria*.

debocheira [De *deboche* + *-eira*.] *S. f. Bras. S.* Grande troça ou deboche.

deborcado [Part. de *deborcar.*] *Adj.* Virado de borco; emborcado: 📖 "em todo o lado há pessoas, a maioria em pé, outros sentam-se .... em cima .... de baldes deborcados." (Teolinda Gersão, *A Árvore das Palavras*, p. 136).

deborcar [De *de-* + *borcar* (1).] *V. t. d.* Virar de borco; emborcar: 📄 *deborcar uma jarra.* [Conjug.: v. *trancar.*]

debordamento [Do fr. *débordement*, 'transbordamento'.] *S. m.* **1.** *Arte Poét.* V. *enjambement*. **2.** *E. Ling.* Numa forma linguística, substituição de um fonema por outro que com ele faz par opositivo, criando, assim, uma flutuação na escolha de um ou de outro fonema. É o caso de /u/ e /o/ na pronúncia de *voar* como [vuar] ou [voar].

debordante [De *debordar* + *-nte*.] *Adj. 2 g.* V. *desbordante*.

debotar [De *de-* + *borda* + *-ar*[2].] *V. t. d. Int. P. P. us.* V. *desbotar*.

debrear [Do fr. *débrayer.*] *V. t. d. Int. Bras.* V. *embrear*[2]. [Conjug.: v. *idear.*]

debridamento [De *debridar* + *-mento*.] *S. m. Med.* Desbridamento.

debridar [De *de-* + *bridar*.] *V. t. d. Med.* Desbridar (2).

debruadeira [De *debruar* + *-deira*.] *S. f.* **1.** Mulher que trabalha em debruns. **2.** *Bras.* Máquina da indústria de fiação e tecelagem, para debruar.

debruado [Part. de *debruar.*] *Adj.* **1.** Guarnecido com debrum: 📄 *chapéu debruado.* **2.** Orlado, beirado, ladeado; rodeado, circundado. **3.** *Heráld.* Diz-se de peça separada do campo por debrum de esmalte diferente. **4.** *Bras.* Diz-se do cavalo cujo pelo apresenta listras brancas.

debruar [De *debrum* + *-ar*[2], com desnasalação, poss.] *V. t. d.* **1.** Guarnecer com debrum: 📄 *debruar o casaco.* **2.** Orlar, marginar, margear, beirar: 📄 *Belos coquei-*

rais ***debruam*** *as praias do Nordeste.* **3.** Ornar em volta: *debruar um desenho.* **4.** *Fig.* Ornar, apurar, trabalhar: *Debruou o discurso cuidadosamente.*

debruçar [De *de-* + *bruço(s)* + *-ar*[2].] ***V. t. d.*** **1.** Pôr de bruços: *Debruçou o doente para as massagens.* **2.** Inclinar, abater, pender: *Debruçou a cabeça; A árvore debruça os ramos.* ***P.*** **3.** Inclinar o busto para a frente: "À noite, se debruçam nas janelas, / Sem olhos, sem ouvidos, sem risadas" (Afonso Schmidt, *Mocidade*, p. 16); "O doutor debruçou-se delicadamente sobre a enferma" (Artur Azevedo, *Contos Cariocas*, pp. 221-222). **4.** Pender, abater-se: *Seus cabelos debruçavam-se em louras mechas.* [Conjug.: v. *laçar*.]

debrum [De or. incerta.] ***S. m.*** **1.** Tira que se cose dobrada sobre a orla de um tecido para guarnecê-lo ou reforçá-lo. **2.** Listra ou filete circundante; orla, cercadura: *debrum de uma gravura.* **3.** *Heráld.* Cotica, filete ou vergueta que rodeia uma peça.

debulha [Dev. de *debulhar*.] ***S. f.*** Ato de debulhar; descasca, debulho.

debulhador (ô) [De *debulhar* + *-dor*.] ***Adj.*** **1.** Que debulha. • ***S. m.*** **2.** Aquele que debulha. **3.** Máquina de debulhar.

debulhadora (ô) [De *debulhar* + *-dora*.] ***S. f.*** Máquina de debulhar cereais.

debulhar [Do lat. **depoliare* < lat. *despoliare*, 'espoliar'.] ***V. t. d.*** **1.** Extrair os grãos ou sementes de; esbagoar: "debulhava milho" (Coelho Neto, *Sertão*, p. 203); *debulhar uma romã.* **2.** Tirar a pele ou casca de; descascar: *debulhar o arroz.* **3.** Desfiar (5): *debulhar o terço.* ***T. d. e i.*** **4.** Debulhar (3) em intenção ou louvor: "Virás, talvez, e então, por certo, as minhas / Mãos de sombra debulharão rosários / Para a maior de todas as Rainhas..." (Alphonsus de Guimaraens, *Obra Completa*, p. 157.) ***P.*** **5.** *Fig.* Desfazer-se, desmanchar-se, desatar-se: *Debulhou-se em lágrimas.* [F. paral., p. us.: *desbulhar*[1].]

debulho [Dev. de *debulhar*.] ***S. m.*** **1.** V. *debulha.* **2.** Resíduo de grãos debulhados. **3.** *Bras.* Alimentos triturados e em começo de digestão que se encontram no estômago dos ruminantes.

debutante [Do fr. *débutante*.] ***S. f.*** *Gal.* Mocinha que se estreia na vida social.

debutar [Do fr. *débuter*.] ***V. int.*** **1.** Iniciar-se, estrear-se. **2.** *Restr.* Estrear-se na vida social: *Minha filha debutará no próximo ano.* **3.** *Turfe* Correr (um animal) pela primeira vez num hipódromo.

debute [Do fr. *début*.] ***S. m.*** *Gal.* V. *estreia* (3 a 6).

debuxador (ô) [De *debuxar* + *-dor*.] ***Adj.*** **1.** Que debuxa; debuxante. • ***S. m.*** **2.** Aquele que debuxa.

debuxante [De *debuxar* + *-nte*.] ***Adj. 2 g.*** Debuxador (1).

debuxar [Do fr. ant. *deboissier*, 'entalhar', 'lavrar em madeira', poss.] ***V. t. d.*** **1.** Fazer o debuxo de; desenhar, delinear, traçar, esboçar, bosquejar: *O pintor debuxou a paisagem.* **2.** Planear, rascunhar, traçar, bosquejar: *debuxar um discurso, um poema.* **3.** Representar na ideia; figurar, imaginar: *É capaz de debuxar sucessos futuros.* ***T. d. e i.*** **4.** Representar, pintar, traçar, delinear, desenhar: "Que multidão de males me repete, / Aterrada, a penosa fantasia! / Como com ígneos traços me debuxa / O quadro de meus males!..." (Marquesa de Alorna, *Poesias*, p. 126.) ***P.*** **5.** Representar-se, desenhar-se: *Debuxava-se no seu espírito a providência adequada.*

debuxo [Dev. de *debuxar*.] ***S. m.*** **1.** Desenho dum objeto em suas linhas gerais; esboço, risco, bosquejo, delineamento: *debuxo de um retrato.* **2.** Plano, rascunho, projeto, traçado: *debuxo de um romance.* **3.** Traço, feição, aspecto. **4.** Chapa lavrada em relevo, com a qual se estampam tecidos.

➔ **debye** [də'baj] [V.C.I., do antr. (*Pieter J. W.*) *Debye* (1884-1966), físico e químico holandês.] ***S. m.*** *Eng. Elétr. Obsol.* Unidade de medida de momento de dipolo, igual a 10^{-18} unidades eletrostáticas de carga no sistema cgs vezes centímetro.

▲ **dec-** [Do gr. *déka*, 'dez'.] ***El. comp.*** *Quím.* Indica cadeia de dez átomos de carbono, em grupamento ou substância: *decila, decano.*

▲ **dec(a)-**[1] [Do gr. *déka*.] ***El. comp.*** = 'dez': *decatlo.* [Equiv.: *-dec(a)-*: *octadecaedro*.]

▲ **dec(a)-**[2] ***Pref.*** Anteposto ao nome duma unidade de medida, forma o nome de uma unidade derivada 10 vezes maior que a primeira [símb.: *da*]. Ex.: *decagrama, decalitro.*

▲ **-dec(a)-** Equiv. de *dec(a)-*.

decá [Do ior. ou do jeje.] ***S. m.*** *Bras. Rel.* **1.** No candomblé e em alguns centros de umbanda, investidura de um ou de uma ebômim (2) no cargo de babalorixá, ou ialorixá, quando é de sua intenção abrir uma nova casa de culto: *receber o decá.* **2.** A cerimônia dessa investidura. **3.** O conjunto dos paramentos (filá e colar) e a bandeja com material consagrante us. nessa cerimônia.

decacampeã ***S. f.*** Fem. de *decacampeão* (q. v.).

decacampeão [De *dec(a)-*[1] + *campeão*.] ***Adj. S. m.*** **1.** Diz-se de, ou indivíduo, equipe, grupo, etc. que foi campeão por dez vezes (consecutivas ou não) em competição ou modalidade esportiva, artística, ou cultural, ou em concurso. **2.** *Restr.* Diz-se de, ou indivíduo que participou da conquista de um decacampeonato. [Fem.: *decacampeã*.]

decacampeonato [De *dec(a)-*[1] + *campeonato*.] ***S. m.*** **1.** Campeonato (2) obtido por um mesmo disputante pela décima vez. **2.** *Restr.* Aquele que é conquistado pela décima vez consecutiva.

década [Do lat. tard. *decas, adis* < gr. *dekás, ádos*.] ***S. f.*** **1.** Série de dez; dezena. **2.** *P. us.* Decêndio. **3.** Decênio: *Nas décadas de 50 e 60, verificou-se enorme progresso na tecnologia;* "A década de 70 é colocada como um marco pelos cirurgiões plásticos" (*Folha de S.Paulo*, 04.08.1981).

decadáctilo [Do gr. *decadáktylos*.] ***Adj.*** Que tem 10 dedos. [Var.: *decadátilo*.]

decadátilo ***Adj.*** V. *decadáctilo.*

decadência [Do b.-lat. *decadentia*, pelo fr. *décadence*, poss.] ***S. f.*** **1.** Estado daquele ou daquilo que decai; aproximação do fim; decaimento, declínio: *a decadência do Império Romano; decadência duma empresa.* **2.** Enfraquecimento, abatimento, empobrecimento: *decadência das artes.* **3.** Estrago, corrupção: *decadência dos costumes.* **4.** Época em que alguma coisa decaiu ou se corrompeu: *o latim da decadência.* **5.** *Jur.* Extinção de direito potestativo por haver decorrido o prazo prefixado para exercício deste, sem que seu titular agisse nos termos da lei. [Cf., nesta acepç., *prescrição* (5) e *perempção*.]

decadencial [De *decadência* + *-al*[1].] ***Adj. 2 g.*** *Jur.* Relativo a decadência (5).

decadente [Do lat. *decadente*.] ***Adj. 2 g.*** **1.** Que decai; que está em decadência; declinante. **2.** Relativo a, ou próprio de um período de decadência: *costumes decadentes.* **3.** V. *decadista* (2). • ***S. 2 g.*** **4.** V. *decadista* (3).

decadentismo [Do fr. *décadentisme*.] ***S. m.*** *Liter.* Decadismo.

decadentista [De *decadentismo* + *-ista*.] ***Adj. 2 g. S. 2 g.*** V. *decadista.*

decadismo [Do fr. *décadisme*.] ***S. m.*** *Liter.* Arte ou escola cujos adeptos se comprazem em refinamentos mais ou menos doentios da sensibilidade e do estilo, típicos das épocas de decadência das letras, e disso tiram a sua glória; decadentismo.

decadista [Do fr. *décadiste*.] ***Adj. 2 g.*** **1.** Referente ao decadismo. **2.** Que é adepto do decadismo; decadente. • ***S. 2 g.*** **3.** Adepto do decadismo; decadente. [Sin. ger.: *decadentista*.]

decaedro [De *dec(a)-*[1] + *-edro*.] ***Adj.*** **1.** Que tem dez faces. • ***S. m.*** **2.** *Geom.* Poliedro de dez faces.

decafilo [De *dec(a)-* + *-filo*[1].] ***Adj.*** *Bot.* Que tem dez folhas ou dez folíolos.

decagonal [De *decágono* + *-al*[1].] ***Adj. 2 g.*** *Geom.* Que tem dez lados e dez ângulos; decangular.

decágono [Do lat. *decagonu*.] ***S. m.*** *Geom.* Polígono de dez lados. [A pronúncia correta seria *decagono*, v. *-gono*.]

decagrama [De *dec(a)-*[2] + *grama*[2].] ***S. m.*** Medida de peso, equivalente a 10 gramas [símb.: *dag*].

deca-hidratado ***Adj.*** *Quím.* V. *decaidratado.* ❖

decaída [De *decair* + *-ida*[3].] ***S. f.*** **1.** Efeito de decair; decaimento. **2.** *Deprec.* Meretriz.

decaído [Part. de *decair*.] ***Adj.*** **1.** Que decaiu; malcaído. **2.** Diminuído; enfraquecido. **3.** Empobrecido. **4.** Arruinado, estragado. **5.** Decrépito, caduco. • ***S. m.*** **6.** Aquele que decaiu.

decaidratado (a-i) [De *dec(a)-*[1] + *hidratado*.] ***Adj.*** *Quím.* Diz-se de substância da qual cada uma das moléculas se acha associada quimicamente a dez moléculas de água.

decaimento (a-i) [De *decair* + *-mento*.] ***S. m.*** **1.** Ato ou efeito de decair; decaída. **2.** Decadência, declínio. **3.** *Fís. Nucl.* Diminuição da atividade de uma amostra de um radionuclídeo com o correr do tempo. **4.** *Fís. Part.* Desintegração de partícula instável em outras de menor massa. [Sin., lus., nas acepçs. 3 e 4: *declínio*.]
◆ **Decaimento múltiplo.** *Fís. Nucl.* Ramificação (4).

decair [Do lat. vulg. *decadere*, poss.] ***V. int.*** **1.** Ir para baixo; baixar, abater-se, pender: *As plantas decaem sob o sol forte.* **2.** Sofrer diminuição; cair, baixar, diminuir, enfraquecer: *A pressão atmosférica decaiu; Decaem-me as forças.* **3.** Passar a uma situação inferior; ir em decadência; aproximar-se do fim; declinar: *O império decaía; Nosso prestígio decai; Decaíram os costumes.* **4.** Afrouxar, diminuir: *A velocidade do veículo ia decaindo.* **5.** Pender, abater-se: *Decai-lhe às costas um belo manto.* ***T. i.*** **6.** Sofrer diminuição; perder a posse ou a posição: *decair de importância; decair da confiança de alguém.* **7.** *Jur.* Incidir em decadência (5): *decair da causa.* [Irreg. Conjug.: v. *sair*.]

decalagem [Do fr. *décalage*.] ***S. f.*** *Eletrôn.* Deslocamento da frequência da portadora de vídeo em relação à sua frequência nominal.

decalcar [Do fr. *décalquer*.] ***V. t. d.*** **1.** Reproduzir (um desenho) comprimindo-o de encontro a uma superfície; calcar. **2.** *Edit.* Comparar prova (11) revisada com prova (11) com emendas, pondo uma sobre a outra, e levantando a de cima a cada emenda, para verificar se foram feitas corretamente. **3.** *Fig.* Imitar servilmente, quase copiando: *Alguns autores novos decalcam Guimarães Rosa.* ***T. d. e i.*** **4.** *Fig.* Fazer aparecer ou surgir, como que reproduzindo por decalcomania: "De encontro à Lua, as hirtas galharias / Estão paradas como nos vitrais / E o luar decalca nas paredes frias / Misteriosas janelas fantasmais..." (Mário Quintana, *A Rua dos Cata-Ventos*, p. 62.) [Conjug.: v. *trancar*.]

decalco [Dev. de *decalcar*.] ***S. m.*** V. *decalque.*

decalcomania [Do fr. *décalcomanie*.] ***S. f.*** **1.** Processo de transportar imagens desenhadas de um papel para o suporte que deve ser decorado. **2.** Imagem assim obtida; decalque.

decalina [Nome comercial (ingl. *Decalin*), f. abrev. de *decahydronaphthalene*.] ***S. f.*** *Quím.* Qualquer de duas substâncias líquidas, isoméricas, que são resultantes da hidrogenação total do naftaleno e são us. como solvente [fórm.: $C_{10}H_{18}$].

decalitro [De *dec(a)-*[2] + *litro*.] ***S. m.*** Medida de capacidade, equivalente a 10 litros [símb.: *dal*].

decálogo [Do gr. *dekálogos*, pelo lat. *decalogu*.] ***S. m.*** **1.** *Rel.* Segundo a Bíblia (Êxodo), os dez mandamentos da lei de Deus, escritos em duas tábuas de pedra e entregues a Moisés (v. mosaico[2]) no monte Sinai. [Com cap.] **2.** Conjunto de dez leis ou princípios filosóficos, morais, políticos, etc.

decalque [Dev. de *decalcar*.] ***S. m.*** **1.** Ato ou efeito de decalcar. **2.** Desenho ou imagem decalcada; decalcomania. **3.** Cópia; plágio. **4.** *Edit.* Ato ou efeito de decalcar (2). **5.** *E. Ling.* V. *calque* (2). [F. paral.: *decalco*. Sin. de 1 a 3: *calco* (lus.), *calque*.]

decamerónico ***Adj.*** V. *decamerônico.* [Uso freq. em P.]

decamerônico ***Adj.*** Relativo ou pertencente ao, ou que lembra o livro *Decamerone*, do escritor italiano Giovanni Boccaccio (1313-1375).

decamétrico [De *decâmetro*[1] + *-ico*[2].] ***Adj.*** **1.** Relativo ao decâmetro. **2.** Que tem um decâmetro. **3.** Que se mede por decâmetros. ~ V. *onda —a.*

decâmetro[1] [De *dec(a)-*[2] + *-metro*.] ***S. m.*** Unidade de comprimento equivalente a dez metros [símb.: *dam*].

decâmetro[2] [Do gr. *dekámetron*.] ***Adj. S. m.*** V. *verso decâmetro.*

decampamento [De *decampar* + *-mento*.] ***S. m.*** Ato ou efeito de decampar.

decampar [De *de-* + *campar* (1).] ***V. int.*** Mudar de campo ou de acampamento; levantar acampamento: *A tropa decampou às primeiras horas da manhã.*

decana *Bras.* ***S. 2 g.*** **1.** *Etnôn.* Indivíduo dos decanas, povo indígena extinto que habitava a região banhada pelo rio Içana, afluente do rio Negro (AM). • ***Adj. 2 g.*** **2.** Pertencente ou relativo a esse povo. [Tb. us. como *s. 2 g. e 2 n.* (com cap.) e *adj. 2 g. e 2 n.*]

decanado [De *decano*[1] + *-ado*[2].] ***S. m.*** V. *decanato.*

decanato [De *decano*[1] + *-ato*[1].] ***S. m.*** **1.** Dignidade de decano[1]; deado. **2.** Qualidade de decano[1]; deado. **3.** Jurisdição eclesiástica presidida por um deão; deado. **4.** *Astrol. Astr.* V. *decania* (4). [F. paral.: *decanado*; sin. ger.: *decania*.]

decandria [De *dec(a)-*[1] + *-andr(o)-* + *-ia*[1].] ***S. f.*** *Bot.* Caráter de decandro.

decandro [De *dec(a)-*[1] + *-andro*.] ***Adj.*** *Bot.* Que tem dez estames livres entre si.

decangular [De *dec(a)-*[1] + *ângulo* + *-ar*[1].] ***Adj. 2 g.*** *Geom.* Decagonal.

decani [Do hindustâni *dakhani*.] ***Adj. 2 g.*** **1.** Do, ou pertencente ou relativo ao Decão, região da Índia em que se acha Goa (v. *goense*). • ***S. 2 g.*** **2.** O natural ou habitante do Decão. [Var.: *decanim*.]

decania [De *decano*[1] + *-ia*[1].] ***S. f.*** **1.** V. *decanato* (1 a 3). **2.** Corporação presidida por decano[1]. **3.** Grupo de dez indivíduos. **4.** *Astrol. Astr.* Cada uma das três divisões, em dez graus, de cada signo do zodíaco; decanato, decúria. [Em Astrologia, diz-se, de preferência, *decanato*.]

decanim ***Adj. 2 g. S. 2 g.*** V. *decani.*

decano[1] (cã) [Do lat. *decanu*.] ***S. m.*** **1.** O mais antigo ou mais velho dos membros de uma classe, instituição ou corporação; deão: "Mais longe, no Uruguai, por exemplo, é português o venerando decano da Universidade de Montevidéu." (Ramalho Ortigão, *Últimas Farpas*, p. 253.) **2.** *P. ext.* O mais antigo ou mais velho dos membros de uma assembleia, ou de um grupo de pessoas: "um, que não bebera nem fumara, chamou o decano da reunião .... . — É agora a tua vez, amigo. És o mais velho de todos. Terás muito que nos contar." (Fidelino de Figueiredo, *Um Colecionador de Angústias*, pp. 222-223). **3.** Deão (1).

4. Sub-reitor, ou diretor de centro, em uma universidade.

decano[2] (cã) [De *dec(a)-*[1] + *-ano*[2].] *S. m. Quím.* Hidrocarboneto líquido, incolor, us. como solvente [fórm.: $C_{10}H_{22}$].

decanoico (ói) [De *decano*[2] + *-oico.*] *Adj. Quím.* ~ V. *ácido —*. ❖

decanol [De *decano*[2] + *-ol*[2].] *S. m. Quím.* Álcool saturado, líquido, incolor, com cheiro adocicado, us. na fabricação de detergentes e em perfumaria [fórm.: $C_{10}H_{22}O$]. [Pl.: *decanóis.*]

decantação [De *decantar*[1] + *-ção.*] *S. f.* Ato ou efeito de decantar[1] (1 e 2).

decantado [Part. de *decantar*[2].] *Adj.* Famoso, notável: *Todos admiram seu decantado talento.*

decantar[1] [Do lat. dos alquimistas *decanthare* < lat. *de-* + lat. *canthus*, 'bico de vasilha'.] *V. t. d.* **1.** Separar, por gravidade, impurezas sólidas que se contenham em (um líquido). *T. d. e i.* **2.** Limpar, livrar, purificar: *Os anos decantaram sua alma do sedimento das paixões. P.* **3.** Transvazar-se, desaguar: *A corrente do rio decanta-se no mar.*

decantar[2] [Do lat. *decantare.*] *V. t. d.* **1.** Celebrar ou exaltar em cantos ou em versos: *Camões decantou os feitos portugueses.* **2.** Celebrar, engrandecer, exaltar: *Decantava a sua cidade como a mais importante do país.*

➔**decanter** [di'kæntə·] [Ingl.] *S. m. Enol.* Espécie de jarra, ger. de cristal ou vidro, utilizada para despejar o vinho de guarda durante a decantação.

decapagem [De *decapar* + *-agem*[2].] *S. f.* Ato ou efeito de decapar; descascamento.

decapante [De *decapar* + *-nte.*] *Adj. 2 g. S. m.* Diz-se de, ou substância usada para decapar.

decapar [Do fr. *décaper.*] *V. t. d.* **1.** Remover ferrugem, tinta, incrustações da superfície metálica. **2.** Limpar e preparar a superfície de (material sólido) para receber revestimento protetor.

decapê [Do fr. *décapé*, part. de *décaper*, us. impropriamente.] *S. m.* **1.** Processo de tratar a madeira à base de gesso, análogo ao aparelhamento [v. *aparelhar* (8)], e que confere à superfície uma aparência lisa e esbranquiçada, por efeito da penetração do gesso nas fibras da madeira. **2.** Peça tratada por esse processo. ● *Adj. 2 g.* **3.** Diz-se de qualquer dessas peças.

decapitação [De *decapitar* + *-ção.*] *S. f.* Ação de decapitar (1); degolação, decepamento.

decapitador (ô) [De *decapitar* + *-dor.*] *Adj. S. m.* Que, ou aquele ou aquilo que decapita.

decapitar [Do b.-lat. *decapitare.*] *V. t. d.* **1.** Cortar a cabeça de; degolar: *A coroa inglesa fez decapitar Maria Stuart.* **2.** *Fig.* Tornar acéfalo; privar de chefe, de direção: *decapitar o governo do país.* **3.** *P. ext.* Cortar (parte de um todo); decepar: *decapitar um braço; decapitar um tronco.*

decápode[1] [Do gr. *dekápodos.*] *Adj. 2 g.* Que tem 10 pés.

decápode[2] [De *dec(a)-*[1] + *-pode*; tax. *Decapoda.*] *Zool. S. m.* **1.** Espécime dos decápodes, ordem de artrópodes crustáceos, malacostráceos, eucarídeos, com cinco pares de patas ambulatórias e três pares de maxilípedes. Apêndices torácicos quase todos unirremes; na maioria marinhos, algumas espécies de água doce, ou terrestres. São as lagostas, os camarões, os caranguejos, os siris e os bernardos-eremitas. **2.** Espécime dos decápodes, ordem de moluscos, cefalópodes, dibrânquios, dotados de 10 braços ou tentáculos. São, p. ex., as lulas e as sépias. ● *Adj. 2 g.* **3.** Pertencente ou relativo a eles.

decasségui [Do jap.] *Adj. 2 g. S. 2 g.* Diz-se de, ou estrangeiro, frequentemente descendente de japoneses, que vai trabalhar no Japão.

decassílabo [Do gr. *dekasýllabos*, pelo lat. *decasyllabu.*] *Adj.* **1.** Diz-se do verso ou da palavra que tem 10 sílabas. ● *S. m.* **2.** Verso de 10 sílabas.

decastere *S. m.* V. *decastéreo.*

decastéreo [De *dec(a)-*[2] + *estéreo*[1].] *S. m.* Medida para lenha, equivalente a 10 estéreos (v. *estéreo*[1]). [Var.: *decastere.*]

decastilo [Do gr. *dekástylos*, pelo lat. *decastylu.*] *Adj. S. m. Arquit.* Diz-se de, ou monumento, edifício ou templo com 10 colunas na fachada.

decatlo [De *dec(a)-*[1] + *-atlo.*] *S. m. Esport.* Conjunto de 10 provas de atletismo: corridas (100m, 400m, 1500m e 110m com barreiras), saltos (em distância, em altura e com vara) e lançamentos (de peso, de disco e de dardo). [Var. *decátlon*. Cf. *pentatlo* e *triatlo.*]

decátlon *S. m. Esport.* V. *decatlo.*

decatron [De *dec(a)-*[1] + *-tron.*] *S. m. Eletrôn.* Válvula a gás, com 10 catodos dispostos simetricamente em torno de uma placa, e na qual a descarga luminosa entre um catodo e a placa pula para o catodo vizinho, desde que a válvula receba um impulso.

deceção *S. f.* V. *decepção.* [Uso próprio de P.] ⊙

dececionante *Adj. 2 g.* V. *decepcionante.* [Uso próprio de P.] ⊙

dececionar *V. t. d. P.* V. *decepcionar.* [Uso próprio de P.] ⊙

decedura *S. f.* **1.** *Med.* V. *delivramento.* **2.** *Ant.* V. *decesso* (1).

deceinar [De or. incerta; poss. relacionado ao lat. *cinis, eris.*] *V. t. d.* Lavar (meadas) para despojá-las da cinza da barrela: *deceinar meadas de linho.*

decemplicar [Do lat. *decem*, 'dez', + a term. *-plicar*, como em *duplicar.*] *V. t. d. Int.* V. *decuplicar.* [Conjug.: v. *trancar.*]

decenal [Do lat. *decennale.*] *Adj. 2 g.* **1.** Que dura 10 anos: *plano decenal.* **2.** Que se realiza de 10 em 10 anos.

decenário [De *decen-*, como em *decenal*, + *-ário.*] *Adj.* **1.** Que se divide em dezenas. ● *S. m.* **2.** Décimo aniversário. **3.** Decênio (q. v.).

decência [Do lat. *decentia.*] *S. f.* **1.** Decoro na aparência, na conduta, etc.; compostura. **2.** Correção moral; honestidade, honradez. **3.** Respeito à conveniência, em matéria sexual; pudor. **4.** Asseio, limpeza.

decendial [De *decêndio* + *-al*[1].] *Adj. 2 g.* **1.** Relativo a decêndio. **2.** Que dura um decêndio. [Sin. ger.: *decendiário.*]

decendiário [De *decêndio* + *-ário.*] *Adj.* V. *decendial.*

decêndio [Do lat. *decem* + *-dio.*] *S. m.* Espaço de 10 dias; década. [Cf. *decênio.*]

decênio *S. m.* V. *decênio.* [Uso freq. em P.]

decênio [Do lat. *decenniu.*] *S. m.* Período de 10 anos; década. [Cf. *decêndio.*]

decenovenal [Do lat. *decennovenale.*] *Adj. 2 g.* Que dura 19 anos.

decente [Do lat. *decente.*] *Adj. 2 g.* **1.** Conforme à decência, ao decoro, ao bom-tom; correto, digno: *existência decente; atitude decente.* **2.** Que age com decência; honesto, honrado, sério: *É pessoa decente e confiável.* **3.** Que mostra recato, pudor: *moça decente.* **4.** Conveniente, satisfatório, adequado: *remuneração decente.* **5.** Asseado, limpo: *banheiro decente e arejado*; "E alvejam-te, na sombra dos pinheiros, / Sobre os teus pés decentes, verdadeiros, / As saias curtas, frescas, engomadas." (Cesário Verde, *Obra Completa*, p. 118). [Cf. *descente* e *discente.*]

decentemente [De *decente* + *-mente.*] *Adv.* De maneira decente; com decência: "Não tinha meios para receber decentemente as visitas." (Alberto Rangel, *Sombras n'Água*, p. 174.)

decenvirado [Do lat. *decemviratu*, por via semierudita.] *S. m.* Decenvirato.

decenvirato [Do lat. *decemviratu*, por via erudita.] *S. m.* Governo ou dignidade dos decênviros. [F. paral.: *decenvirado.*]

decênviro [Do lat. *decemviru.*] *S. m.* Cada um dos dez magistrados que foram, na república romana, incumbidos de codificar as leis.

decepador (ô) [De *decepar* + *-dor.*] *Adj. S. m.* Que, ou aquele que decepa.

decepagem [De *decepar* + *-agem*[2].] *S. f.* Decepamento.

decepamento [De *decepar* + *-mento.*] *S. m.* Ato ou efeito de decepar; decepagem.

decepar [De *de-* + *cepo* + *-ar*[2], seg. o padrão erudito.] *V. t. d.* **1.** Cortar, separando do corpo de que faz parte; partir, mutilar, truncar: *decepar um braço.* **2.** Decapitar, degolar. **3.** *Fig.* Interceptar, interromper, cortar: *Os gritos deceparam a conversa.* **4.** *Fig.* Desunir, desligar: *As divergências deceparam a unidade do partido.* **5.** *Fig.* Pôr termo a; cortar, destruir, eliminar: *As ameaças deceparam-lhe o atrevimento.* **6.** *Fig.* Abater, quebrar, quebrantar: *Os sofrimentos deceparam-lhe a resistência.* **7.** *Fig.* Tirar a vida a; abater: *Um dia a morte nos decepará.*

decepção [Do lat. *deceptione.*] *S. f.* **1.** Malogro de uma esperança; desilusão, desengano, desapontamento. **2.** Surpresa desagradável; desapontamento. **3.** Contrariedade, desgosto: *Você só me dá decepções.*

decepcionador (ô) [De *decepcionar* + *-dor.*] *Adj. 2 g.* V. *decepcionante.*

decepcionante [De *decepção* + *-nte*, seg. o padrão erudito.] *Adj. 2 g.* Que causa decepção; decepcionador, frustrante.

decepcionar [De *decepção* + *-ar*[2], seg. o padrão erudito.] *V. t. d.* **1.** Causar decepção a; desenganar, desiludir: *Já não acredita em mim: decepcionei-o.* **2.** Surpreender desagradavelmente; desapontar: *O resultado da eleição decepcionou o público. P.* **3.** Ter, sentir, ou sofrer decepção.

decertar [Do lat. *decertare.*] *V. int. P. us.* Lutar, pelejar, combater. [Pres. ind.: *decerto*, etc. Cf. *disserto*, do v. *dissertar*, e este verbo.]

decerto [De *de* + *certo.*] *Adv.* Com certeza; por certo, certamente: *Decerto fará o que lhe pedimos*; "Se houve alguém no meio teatral brasileiro, que tivesse o coração na mão, esse alguém foi decerto Artur Azevedo" (R. Magalhães Júnior, *Artur Azevedo e Sua Época*, p. 204). [Cf. *disserto*, do v. *dissertar.*]

decesso [Do lat. *decessu.*] *S. m.* **1.** Morte, óbito, passamento. [Sin. (ant.): *decedura.*] **2.** Diminuição, rebaixamento. **3.** Redução de alguém a cargo (ou função) de classe inferior ao que ocupa. [Antôn., nesta acepç.: *promoção*[1] (1 e 2).]

decessor (ô) [Do lat. *decessore.*] *S. m. Ant.* Antecessor.

decho [Alter. de *diacho.*] *S. m. Ant. Pop.* V. *diabo* (2).

▲**deci-** [Do lat. *decimus, a, um.*] *Pref.* Anteposto ao nome duma unidade de medida, forma o nome de uma unidade derivada 10 vezes menor que a primeira [símb.: *d*]. Ex.: *decigrama, decímetro.*

decibel [De *deci-* + *bel.*] *S. m. Fís.* Unidade adimensional us. para exprimir a razão de duas potências, igual a 1/10 do bel, correspondendo, pois, a 10 vezes o logaritmo decimal da razão das potências [símb.: *dB*].

decibelímetro [De *decibel* + *-i-* + *-metro.*] *S. m.* Sonômetro (2) eletroacústico com escala de leitura em decibéis.

decidido [Part. de *decidir.*] *Adj.* **1.** Sobre que se tomou uma decisão; resolvido, definido, determinado, assente: *negócio decidido.* **2.** Que atua com decisão; pronto, resoluto, desembaraçado; destemido, corajoso, arrojado, decisivo: *homem decidido.* **3.** Firme, enérgico, inabalável, decisivo: *vontade decidida.* **4.** V. *valentão* (1).

decididor (ô) [De *decidir* + *-dor.*] *Adj.* Que decide: "Oh, se uma decisão interviesse logo, fixadora de polo, marcadora de eixo, decididora de caminho a seguir!" (Gilberto Amado, *Depois da Política*, p. 134.)

decidir [Do lat. *decidere.*] *V. t. d.* **1.** Determinar, assentar, resolver, deliberar: *Decidiu partir, e partiu.* **2.** Dar solução a; resolver, solucionar, desatar: *decidir dúvidas, dificuldades.* **3.** Dar decisão (2) a; julgar, sentenciar: *O juiz decidiu o pleito.* **4.** Fazer tomar decisão ou resolução: *Estava irresoluta, mas o agravamento da situação decidiu-a.* **5.** Ser a causa decisiva de: *A morte do marido decidiu a sua partida. T. d. e i.* **6.** Convencer, persuadir, induzir: *Tudo fez para decidi-lo a aceitar a proposta*; "Depois uma tosse forte de Luisinha decidiu Melquior a transferi-la para o quarto da mãe" (Coelho Neto, *Treva*, p. 215). *T. i.* **7.** Dar decisão; resolver, dispor, deliberar: *O governo decidiu dos vencimentos dos funcionários públicos.* **8.** Emitir juízo; opinar: *De nada entende, e quer decidir de tudo. Int.* **9.** Tomar decisão ou decisões; resolver, deliberar: *Bom chefe, decide rápida e sensatamente. P.* **10.** Resolver-se, determinar-se. **11.** Propender, inclinar-se: *Hesitou na escolha e, enfim, decidiu-se pelo pior.* **12.** Dar preferência; optar: *Entre tantas moças, decidiu-se pela mais feia, só porque é rica.* [Imperf. ind.: *decidia*, etc. Cf. *dissidia*, dos v. *dissidiar* e *dissidir*, e este verbo.]

decídua [Do lat. cient. *decidua*, f. subst. do lat. *deciduus* (v. *decíduo*).] *S. f. Embr. Obst.* O endométrio, a partir do momento de implantação do blastocisto, e que se elimina após o parto. ◆ **Decídua basal.** *Embr. Obst.* Porção sobre a qual se implanta o blastocisto. **Decídua capsular.** *Embr. Obst.* Porção que fica sobre o blastocisto. **Decídua parietal.** *Embr. Obst.* Todo o endométrio que, implantado o blastocisto, não se encontre ocupado pelas decíduas basal e capsular.

deciduado [De *decídua* + *-ado*[1].] *Adj. Zool.* Diz-se de mamíferos cuja placenta apresenta membrana caduca.

deciduidade (u-i) [De *decíduo* + *-(i)dade.*] *S. f.* Condição de decíduo.

deciduifólio (u-i) [De *decíduo* + *-i-* + *-fólio.*] *Adj. Bot.* Que perde as folhas durante certa época do ano, em geral fria ou seca.

decíduo [Do lat. *deciduu.*] *Adj.* **1.** Que cai; caduco, cadivo. **2.** *Bot.* Que se desprende precocemente: *estípulas decíduas.* ~ V. *dente —*.

decifração [De *decifrar* + *-ção.*] *S. f.* Ato ou efeito de decifrar; deciframento.

decifrador (ô) [De *decifrar* + *-dor.*] *Adj. S. m.* Que, ou aquele que decifra.

deciframento [De *decifrar* + *-mento.*] *S. m.* Decifração.

decifrar [De *de-* + *cifrar.*] *V. t. d.* **1.** Ler, explicar ou interpretar (o que está escrito em cifra, ou mal escrito): *decifrar um hieróglifo; decifrar uma carta.* **2.** Compreender, revelar: *A ciência busca decifrar os mistérios do Universo.* **3.** Adivinhar, prever: *decifrar o futuro.* **4.** Compreender o gênio, as tendências, os sentimentos de: *Personalidade estranha, é muito difícil decifrá-lo.* **5.** Traduzir, verter (trecho difícil, ou considerado por alguém como tal): *Como se arranjarão os estrangeiros para decifrar certas passagens de Guimarães Rosa?; Entregou-lhe o texto em inglês para obrigá-lo a decifrar o português.* **6.** Ler à primeira vista (música).

decifrável [De *decifrar* + *-vel.*] *Adj. 2 g.* Que se pode decifrar.

decigrama [De *deci-* + *grama*[2].] *S. m.* Unidade de massa, equivalente à décima parte de um grama[2] [símb.: *dg*].

decil [Do lat. *dec(em)*, 'dez', + *-il*[1].] *Estat.* *S. m.* **1.** Separatriz correspondente ao valor do argumento que divide a distribuição numa razão decimal. ● *Adj. 2 g.* **2.** ~ V. *amplitude —*.

▲ **decil-** *El. comp. Quím.* Indica presença do grupo decila.

decila [De *dec(ano)* + *-ila*[2].] *S. f. Quím.* Grupo monovalente $-C_{10}H_{21}$, derivado de decano.

decilhão [De *dec(a)*-[1] + *-ilhão*.] *Num. S. m.* Mil nonilhões; 10 elevado à 33ª potência. [Var.: *decilião*.]

decilião [De *dec(a)*-[1] + *-ilião*.] *Num. S. m.* V. *decilhão*.

decilitro [De *deci-* + *litro*.] *S. m.* Medida de capacidade, equivalente à décima parte do litro [símb.: *dl*].

décima [F. subst. de *décimo*.] *S. f.* **1.** Uma das dez partes iguais em que se divide a unidade; décimo. **2.** V. *dízima* (1). **3.** *P. ext.* Contribuição direta; tributo. **4.** *Arte Poét.* Estrofe de 10 versos. **5.** *Liter. Pop. Bras.* Estrofe de 10 versos de sete sílabas, cujo esquema rimático é, mais comumente, ABBAACCDDC, empregada sobretudo na glosa dos motes, conquanto se use igualmente nas pelejas e, com menos frequência, no corpo dos romances [v. *romance* (9)]. **6.** *Bras. S.* Quadra, verso ou canção. [Cf. *decima*, do v. *decimar*.]

decimal [Do lat. med. *decimale*.] *Adj. 2 g.* **1.** Referente a décimo. ~ V. *casa —*, *classificação —*, *fração —*, *logaritmo —*, *numeração —*, *número —*, *sistema —*, *sistema métrico —* e *vírgula —*. ● *S. f.* **2.** V. *fração decimal*. ● *S. m.* **3.** V. *número decimal*.

decimar [Do lat. *decimare*, por via erudita.] *V. t. d. Int.* V. *dizimar*. [Pres. ind.: *decimo*, *decimas*, *decima*, etc. Cf. *décima*, s. f., e *décimo*, num. e s. m.]

decimável [De *decimar* + *-vel*.] *Adj. 2 g.* Sujeito à décima (2 e 3); tributável.

decimétrico [De *decímetro* + *-ico*[2].] *Adj.* **1.** Relativo ao decímetro. **2.** Que tem um decímetro. **3.** Dividido em decímetros. ~ V. *onda —a*.

decímetro [De *deci-* + *metro*.] *S. m.* Medida de comprimento, equivalente à décima parte do metro [símb.: *dm*].

décimo [Do lat. *decimu*.] *Num.* **1.** Ordinal e fracionário correspondente a dez: *o décimo mês*. ● *S. m.* **2.** A décima parte; décima. **3.** Aquele ou aquilo que ocupa o décimo lugar. [Cf. *decimo*, do v. *decimar*.]

decisão [Do lat. *decisione*.] *S. f.* **1.** Ato ou efeito de decidir(-se); resolução, determinação, deliberação. **2.** Sentença, julgamento. **3.** Desembaraço, disposição; coragem. **4.** Capacidade de decidir; de tomar decisões: *Não pode ser chefe: falta-lhe decisão.*

decisivo [Do lat. *decisus*, 'decidido', + *-ivo*.] *Adj.* **1.** Que decide; resolutivo, deliberativo. **2.** Peremptório, definitivo, categórico, terminante: *ordem decisiva*. **3.** Indubitável, insofismável; terminante: *Chegamos a uma compreensão decisiva do caso.* **4.** V. *decidido* (2 e 3): *indivíduo decisivo; espírito decisivo*. **5.** Que decide, resolve, termina; terminante: *jogo decisivo; batalha decisiva*. **6.** Grave, supremo; crítico: *momento decisivo*.

decisório [Do lat. *decisus*, part. pass. de *decidere*, + *-ório*.] *Adj.* **1.** Que tem o poder de decidir. ● *S. m.* **2.** *Jur.* Parte da sentença em que o juiz manifesta sua decisão; dispositivo.

decistere *S. m.* V. *decistéreo*.

decistéreo [De *deci-* + *estéreo*[1].] *S. m.* A décima parte do estéreo[1]. [Var.: *decistere*.]

declamação [Do lat. *declamatione*.] *S. f.* **1.** Ato, modo ou arte de declamar. **2.** Palavreado oco. **3.** Maneira pomposa, enfática, de discursar.

declamado [Part. de *declamar*.] *Adj.* Que se disse, ou recitou, em voz alta. ~ V. *teatro —*.

declamador (ô) [Do lat. *declamatore*.] *Adj. S. m.* Que, ou aquele que declama.

declamar [Do lat. *declamare*.] *V. t. d.* **1.** Recitar em voz alta, com os gestos e entonações apropriadas: *Declamou poemas de Camões e de Bilac.* **2.** Dizer com ênfase ou violência: *declamar impropérios*. **3.** Proclamar, pregar: *Declamou a sua plataforma política.* *T. d. e i.* **4.** Bradar, deblaterar: *Declamou impropérios aos presentes.* *Int.* **5.** Recitar em voz alta, com os gestos e entonações apropriadas: *Demóstenes declamava diante do mar.* **6.** *Deprec.* Falar ou discursar com afetação e pompa, em estilo campanudo. *T. i.* **7.** Declamar (1): *Declamou para todos os presentes.* **8.** Falar com violência contra alguém ou algo; bradar, deblaterar, invectivar: *Declamou contra o ministro, contra as instituições.*

declamativo [De *declamar* + *-tivo*.] *Adj.* V. *declamatório*.

declamatório [Do lat. *declamatoriu*.] *Adj.* **1.** Em que há declamação. **2.** Relativo a, ou próprio de declamação. **3.** Pomposo, empolado, enfático. [Sin. ger.: *declamativo*.]

declaração [Do lat. *declaratione*.] *S. f.* **1.** Ato ou efeito de declarar(-se). **2.** Aquilo que se declara. **3.** Prova escrita; documento. **4.** Depoimento; explicação: *prestar declarações*. **5.** Lista pormenorizada; inventário, rol: *declaração de bens*. **6.** Confissão de amor. **7.** *E. Ling.* V. *afirmação* (8). **8.** *Inform.* Trecho de um programa em que se declara [v. *declarar* (9)] variável, constante, tipo de dado, rotina, etc.

declarado [Part. de *declarar*.] *Adj.* Que se declarou; manifestado, confessado, patenteado; claro, evidente: *inimigo declarado; febre declarada*.

declarador (ô) [Do lat. *declaratore*.] *Adj.* **1.** Declarante (1). ● *S. m.* **2.** Declarante (2).

declarante [Do lat. *declarante*.] *Adj. 2 g.* **1.** Que declara; declarador. ● *S. 2 g.* **2.** Pessoa que declara; declarador. **3.** *Jur.* Depoente.

declarar [Do lat. *declarare*.] *V. t. d.* **1.** Dar a conhecer; manifestar, pronunciar, expor, dizer: *Já declarou a sua opinião.* **2.** Esclarecer, explicar, aclarar: *Não conseguiu declarar as razões do seu gesto.* **3.** Anunciar, comunicar, publicar, proclamar, apregoar: *Declarou publicamente as suas intenções.* **4.** Proclamar solenemente: *declarar guerra; declarar os direitos do homem.* **5.** Confessar, revelar: *Declarou ter sido o autor do crime.* **6.** Fazer referência a; referir, mencionar; dar: *O documento não declara os nomes das testemunhas.* **7.** Determinar, resolver, decretar: *Os credores declararam a falência.* **8.** Indigitar, indicar, apontar, designar: *A testemunha declarou os autores do crime.* **9.** *Inform.* Definir (variáveis, constantes, tipos de dados, rotinas, etc.) em linguagem ou ambiente de programação, para serem us. na constituição de programa (9) ou tarefa. *T. d. e i.* **10.** Dar a conhecer; manifestar, expor: *Declarei-lhe o meu ponto de vista.* **11.** Confessar, revelar: "Fernando fez-se sério e declarou à mulher de Soares que não poderia amá-la." (Machado de Assis, *Contos Recolhidos*, p. 82.) **12.** Esclarecer, explicar: *Só aos íntimos declarou seu plano.* **13.** Dar ao manifesto. **14.** Anunciar solenemente: *A Alemanha declarou guerra à França.* **15.** Submeter à apreciação do Estado (rendimentos de pessoa física ou jurídica); apresentar: *declarar o imposto de renda à Receita Federal.* **16.** Legalizar a entrada ou saída de (objetos e/ou valores): *Declarou os importados à Alfândega.* *Transobj.* **17.** Julgar; reputar, considerar: *Declarou-o culpado*; "E a baronesa, do lado, declarou também a *galantine* uma perfeição." (Eça de Queirós, *Os Maias*, II, p. 81). **18.** Nomear, eleger, aclamar: *Declaro-as minhas herdeiras; Declarou-o rei.* *Int.* **19.** *Bras. MG Pop.* Ficar louco; enlouquecer, endoidecer. *P.* **20.** Dar a conhecer as suas intenções; manifestar-se, abrir-se: *Declarou-se à pequena.* **21.** Considerar-se como; reconhecer-se, confessar-se: *Declarou-se culpado.* **22.** Manifestar-se, surgir: *A epidemia declarou-se há um mês.* **23.** Pronunciar-se ou manifestar-se: *Declaro-me pela democracia.*

declarativo [Do lat. *declarativu*.] *Adj.* Em que há declaração; declaratório. ~ V. *frase —a* e *verbo —*.

declaratório [De *declarar* + *-tório*.] *Adj.* Declarativo. ~ V. *ação —a*.

declinação [Do lat. *declinatione*.] *S. f.* **1.** Ato de declinar. **2.** Inclinação, declive; desvio. **3.** Diminuição de intensidade; abaixamento. **4.** Aproximação do fim; decadência, declínio. **5.** Enfraquecimento, afrouxamento. **6.** *Astr.* Uma das coordenadas equatoriais: arco do círculo horário de um dado ponto da esfera celeste, contado positivamente para o N., e negativamente para o S., a partir do equador, até o ponto considerado. [V. *bússola de declinação*.] **7.** *E. Ling.* Conjunto de formas que um substantivo, um pronome ou um adjetivo assume para a expressão do caso (5): *A declinação do nome em latim apresenta seis casos.* **8.** *E. Ling.* Cada um dos subconjuntos de uma classe gramatical que segue o mesmo paradigma (3): *a primeira declinação latina.* [Cf., nas acepç. 7 e 8, *conjugação* (7).] ◆ **Declinação geocêntrica.** *Astr.* Declinação de um ponto da esfera celeste, referida ao centro da Terra. **Declinação heliocêntrica.** *Astr.* Declinação de um ponto da esfera celeste, referida ao centro do Sol. **Declinação magnética.** *Geofís.* Ângulo medido sobre um plano horizontal, entre a direção do norte magnético e a do norte verdadeiro. **Declinação topocêntrica.** *Astr.* Declinação de um ponto da esfera celeste, referida ao local da observação.

declinador (ô) [De *declinar* + *-dor*.] *Adj.* **1.** Declinante (1). ● *S. m.* **2.** *Fís.* Instrumento com que se determina a declinação do plano de um quadrante.

declinante [Do lat. *declinante*.] *Adj. 2 g.* **1.** Que declina; declinador. **2.** Decadente (1).

declinar [Do lat. *declinare*.] *V. int.* **1.** Desviar-se do rumo; afastar-se dum ponto ou direção: *Com o nevoeiro, o avião declinou.* **2.** *Astr.* Afastar-se (o astro) do equador celeste. **3.** *Fís.* Afastar-se (a agulha magnética) do norte verdadeiro. **4.** Descer, descair, inclinar-se, abaixar-se: *Aqui o terreno começa a declinar*; "A tarde ia morrendo. | O sol declinava no horizonte e deitava-se sobre as grandes florestas, que iluminava com os seus últimos raios." (José de Alencar, *O Guarani*, I, p. 126). **5.** Avizinhar-se do termo; aproximar-se do fim; decair: *Aos poucos foi declinando o brilho do império; O dia declina.* **6.** Baixar, cair, descer: *A temperatura declinou.* **7.** Afrouxar, diminuir, ceder: *A febre declina.* **8.** Enfraquecer(-se), debilitar-se; decair: *Suas forças declinam dia a dia.* **9.** *E. Ling.* Apresentar formas casuais: *Advérbios não declinam.* *T. d.* **10.** Eximir-se a; não aceitar; recusar, rejeitar: *declinar honrarias; declinar uma responsabilidade.* **11.** Repelir, desviar, arredar. **12.** Apartar, desviar: *declinar a conversa.* **13.** Desviar, baixando: *declinar o olhar.* **14.** Rebaixar, abater: *A repreensão declinou-lhe o orgulho.* **15.** Enunciar ou revelar (o nome de); nomear: *O presidente declinou o nome do próximo orador.* **16.** *E. Ling.* Enunciar as flexões de (nomes e pronomes): *O aluno não sabia declinar rosa em latim.* *T. i.* **17.** Desviar-se, afastar-se: *declinar do assunto; declinar do caminho certo*; "Sofre, mas não declines da confiança, / Que sereno puseste no futuro." (Luís Carlos, *Colunas*, p. 149). **18.** Propender, inclinar-se: *declinar para o mal.* **19.** Eximir-se, recusar, rejeitar; desistir: *declinar do cargo.* **20.** Entrar em decadência; aproximar-se do fim; enfraquecer(-se), debilitar-se, decair: *Seu corpo foi declinando para a morte.* **21.** *Jur.* Recusar a jurisdição de um juiz ou tribunal, por incompetente. *T. d. e i.* **22.** Eximir-se a; fugir a; recusar, rejeitar: *Não pretendo declinar de mim esta responsabilidade.* **23.** Enunciar ou revelar (o nome de); nomear: *Declinou aos eleitores os nomes dos candidatos.* *T. c.* **24.** Ir-se extinguindo; baixar, cair, descer, diminuir: *A temperatura declinou a 15°C.*

declinativo [De *declinar* + *-tivo*.] *Adj.* **1.** Declinatório (1). **2.** Em que há declinação. ~ V. *língua —a*.

declinatória [F. subst. de *declinatório*.] *S. f. Jur.* Ato de declinar (21); exceção oposta pelo réu para recusar a jurisdição dum juiz ou dum tribunal.

declinatório [De *declinar* + *-tório*.] *Adj.* **1.** Que declina; declinativo. **2.** Próprio para declinar jurisdição: *meios declinatórios*.

declinável [Do lat. *declinabile*.] *Adj. 2 g.* Que se pode declinar: *palavra declinável*.

declínio [De *declin(ar)* + *-io*[3].] *S. m.* **1.** Ato de declinar; declinação. **2.** Diminuição gradativa de força, de valor, de intensidade, etc.: *o declínio da luz ao entardecer; o declínio de uma paixão.* **3.** V. *decadência* (1). **4.** *Lus. Fís. Nucl.* V. *decaimento* (3 e 4).

declinoso (ô) [De *declin-*, como em *declinar*, + *-oso*.] *Adj.* Em que há inclinação ou declinação.

declivar [De *declive* + *-ar*[2].] *V. int.* **1.** Formar declive: *Aqui o caminho começa a declivar.* *T. d.* **2.** Formar declive em; tornar íngreme.

declive [Do lat. *declive*.] *S. m.* **1.** Pendor ou inclinação de terreno, considerado este de cima para baixo; descida, declividade, declívio. **2.** V. *vertente* (3). ● *Adj. 2 g.* **3.** Inclinado, formando ladeira (no sentido da descida). [Antôn. de 1 e 3: *aclive*.]

declividade [Do lat. *declivitate*.] *S. f.* **1.** Qualidade de declivoso. **2.** V. *declive* (1). **3.** Inclinação, em relação a plano horizontal, de terreno, ou telhado, ou estrada, ou rio, etc.

declívio [Do lat. *decliviu*.] *S. m.* **1.** V. *declive* (1). **2.** V. *vertente* (3).

declivoso (ô) [De *declive* + *-oso*.] *Adj.* Em que há declive; ladeiroso, ladeirento.

decô [Do fr. *déco*, f. red. de *décoratif*, 'decorativo'.] *Adj. 2 g. e 2 n.* Do, ou pertencente ou relativo ao *art déco* (q. v.): *mobiliário decô; luminária decô*.

decoada [De *decoar* + *-ada*[1].] *S. f.* **1.** V. *barrela*. **2.** Ato de coar a água da barrela.

decoar *V. t. d.* Lavar em decoada, em água de barrela, lixiviar: *decoar a roupa.* [Conjug.: v. *coroar*.]

decocção [Do lat. *decoctione*.] *S. f.* **1.** *Farm.* Operação de extrair os princípios ativos duma substância vegetal por contato mais ou menos prolongado com um líquido em ebulição. **2.** *Farmac.* O produto líquido dessa operação; decocto. **3.** V. *cozimento* (2).

decocto [Do lat. *decoctu*.] *S. m.* **1.** *Farmac.* Decocção (2). **2.** V. *cozimento* (2).

decodificação [De *decodificar* + *-ção*.] *S. f.* Ato ou efeito de decodificar. [F. paral.: *descodificação*.]

decodificador (ô) [De *decodificar* + *-dor*.] *S. m.* **1.** *Teor. Com.* Aquele (pessoa ou mecanismo) que faz a decodificação. **2.** *Telev.* Aparelho, ger. acoplado a televisor, destinado a processar sinais codificados ou criptografados de transmissão, e que visa à apresentação da imagem e do som na tela. [Sin. ger.: *descodificador*.]

decodificar [De *de-* + *codificar*.] *V. t. d. Teor. Com.* Fazer operação inversa à de codificar (9). [Sin.: *descodificar*. Conjug.: v. *trancar*.]

decolagem [Do fr. *décollage*.] *S. f.* Ato de decolar.

decolar [Do fr. *décoller*.] *V. int.* **1.** *Aer. Av.* Despegar-se (aeronave) da terra ou da água. [Cf. *pousar* (12 e 13).] *T. d.* **2.** Começar a sobressair; subir, ascender:

“uma atriz conhecida minha não conseguia decolar na carreira.” (Mauro Rasi, em *Jornal do Brasil*, 14.01.1993).

de-comer [De *de* + *comer*.] *S. m. 2 n. Bras. Pop.* Coisa de comer; alimento, comida: “Com o cheiro do de-comer seu estômago roncava” (Bernardo Élis, *Veranico de Janeiro*, p. 47).

decomponente [De *decompor* + *-ente*, p. anal. com *componente*, seg. o padrão erudito.] *Adj. 2 g.* Que decompõe.

decomponível [De *decompor* + *-ível*, p. anal. com *componível*, seg. o padrão erudito.] *Adj. 2 g.* Que se pode decompor.

decompor [De *de-* + *compor*.] *V. t. d.* **1.** Separar os elementos componentes de: *decompor o sal; decompor uma palavra; decompor um número.* **2.** Dividir em partes para exame e estudo; analisar: *decompor uma obra.* **3.** Alterar, modificar, transformar, demudar, transtornar: *O ódio decompôs-lhe o semblante.* **4.** Corromper, estragar, apodrecer: *O calor decompôs a carne.* *P.* **5.** Modificar-se (uma coisa) em virtude de se lhe separarem os elementos constitutivos. **6.** Modificar-se, alterar-se, demudar-se, transtornar-se: *Ao ouvir a má notícia, decompuseram-se-lhe as feições.* **7.** Corromper-se, estragar-se. [Irreg. Conjug.: v. *pôr*.]

decomposição [De *decompor* + *-ção*, p. anal. com *composição*, seg. o padrão erudito.] *S. f.* **1.** Ato ou efeito de decompor(-se). **2.** Redução a elementos simples: *a decomposição de uma amostragem.* **3.** Alteração profunda: *decomposição de um rosto.* **4.** Análise[1] (2). **5.** *Fig.* Desorganização: *a decomposição do corpo social.* **6.** Corrupção, estrago, apodrecimento: *decomposição de um cadáver, de uma fruta.* **7.** *Álg.* Partição (2). **8.** *Mat.* Determinação das componentes de um vetor segundo direções determinadas.

decompositor (ô) [Voc. deduz. de *decompor*, por anal. com *compositor* (< lat. *compositore* < lat. *compositus*, part. pass. de *componere*, 'compor').] *Adj. S. m. Ecol.* Diz-se de, ou organismo que transforma a matéria orgânica, decompondo-a em substâncias inorgânicas ou reduzindo-a a substâncias mais simples; biorredutor.

decomposto (ô) [Part. de *decompor*.] *Adj.* Que sofreu decomposição, ou está em decomposição. ~ V. *folha —a*.

→ **décor** [de'kɔʀ] [Fr.] *S. m.* **1.** *Teatr.* Decoração de cena. **2.** *P. ext.* V. *cenário*[1] (1).

decoração[1] [De *decorar*[1] + *-ção*.] *S. f.* Ato ou efeito de decorar[1]: “As aulas de gramática, de decoração maciça das regras gramaticais, abrem-se nas ruas que hoje caracterizam o centro da cidade.” (Delso Renault, *O Rio Antigo nos Anúncios de Jornais*, p. 13.)

decoração[2] [Do lat. *decoratione*.] *S. f.* **1.** Ato ou efeito de decorar[2]. **2.** Arte e prática de planejar e arranjar espaços, escolhendo e/ou combinando os diversos elementos de um ambiente e estabelecendo relações (estéticas, funcionais, etc.) que dependam do fim a que este se destina; decoração de interior: *decoração de um pátio, de um teatro, de um escritório.* **3.** O conjunto ou arranjo dos elementos de um ambiente (8), esp. dos ornamentos. **4.** Ornamento, ornato, enfeite, adorno: *decoração de uma coluna.* ◆ **Decoração de interior.** Decoração (2).

decorador[1] (ô) [De *decorar*[1] + *-dor*.] *Adj. S. m.* Que, ou aquele que decora, que aprende de cor.

decorador[2] (ô) [Do lat. *decoratore*.] *S. m.* Indivíduo especializado em decoração[1] (2).

decorar[1] [Da loc. *de cor* + *-ar*[2].] *V. t. d.* **1.** Aprender de cor; reter na memória: *decorar uma lição.* *Int.* **2.** Procurar guardar na memória aquilo que leu. [Pres. ind.: *decoro*, etc. Cf. *decoro* (ô).]

decorar[2] [Do lat. *decorare*.] *V. t. d.* **1.** Guarnecer com adorno(s); dispor formas e cores em; ornamentar, embelezar: *Decorou o ambiente com muito gosto.* **2.** Realçar, avivar, adornar: “a literatura latina formava humanistas, decorava os espíritos” (Hermes Lima, *Tobias Barreto*, p. 2). *T. d. e i.* **3.** *P. us.* Condecorar, agraciar: *O governo decorou-os com insígnias.* **4.** Honrar, enobrecer. [Pres. ind.: *decoro*, etc. Cf. *decoro* (ô).]

decorativamente [Do f. de *decorativo* + *-mente*.] *Adv.* De modo decorativo: “o velho guarda-roupa envidraçado, com as pratas muito tratadas a gesso-cré, resplandecendo decorativamente” (Eça de Queirós, *O Primo Basílio*, p. 7).

decorativo [De *decorar*[2] + *-tivo*.] *Adj.* **1.** Concernente a decoração[2]: *artes decorativas.* **2.** Que serve para enfeitar, embelezar; que decora: *cortinas decorativas; efeitos decorativos.*

decoreba [De *decorar*[1].] *S. f. Bras. Gír.* **1.** Hábito ou mania de decorar[1], de aprender de cor, sem assimilar. ● *S. 2 g.* **2.** Pessoa que tem o hábito, a mania de decorar[1].

decoro (ô) [Do lat. *decoru*.] *S. m.* **1.** Correção moral; compostura, decência. **2.** Dignidade, nobreza, honradez, brio, pundonor. **3.** Conformidade do estilo do orador, do escritor, com o assunto de que trata. [Pl.: *decoros* (ô). Cf. *decoro*, do v. *decorar*.]

decoroso (ô) [De *decoro* (ô) + *-oso*.] *Adj.* Conforme ao decoro; decente, honesto, digno: *conduta decorosa.* [Antôn.: *indecoroso* e (p. us.) *indécoro*.]

decorrência [De *decorrer* + *-ência*.] *S. f.* Decurso, derivação, consequência.

decorrente [De *decorrer* + *-nte*.] *Adj. 2 g.* **1.** Que decorre, que passa, que se escoa; decursivo. **2.** Que decorre, que se origina: “a inteligência goza de privilégios e oportunidades especiais, decorrentes da necessidade inelutável, para a nacionalidade jovem, de tomar consciência de si mesma” (Barreto Filho, *Introdução a Machado de Assis*, p. 28). ~ V. *folha —*.

decorrer [Do lat. *decurrere*.] *V. int.* **1.** Passar, escoar-se (o tempo): “Uma hora decorreu. Outras passaram” (Augusto Gil, *Luar de Janeiro*, p. 140). **2.** Passar(-se), suceder, acontecer: *Muitas coisas decorreram após a sua partida; A festa decorreu normalmente.* *T. i.* **3.** Originar-se, derivar(-se): *Suas vitórias na vida decorreram do talento.* *T. c.* **4.** Passar-se, transcorrer: *O filme decorre na Amazônia.* ● *S. m.* **5.** Ato de decorrer; decurso, transcurso: “No decorrer do mês de maio, ... D. João baixou decisões de interesse para a Colônia” (Delso Renault, *O Rio Antigo nos Anúncios de Jornais*, p. 10).

decorrido [Part. de *decorrer*.] *Adj.* **1.** Que decorreu; passado. **2.** Findo, acabado. [Sin. ger.: (p. us.): *decurso*.]

decorticação [Do lat. *decorticatione*.] *S. f.* Ato de decorticar.

decorticar [Do lat. *decorticare*.] *V. t. d.* Tirar o córtice, a cortiça, a casca a; descascar, descortiçar; descorticar: *decorticar um tronco de árvore.* [Conjug.: v. *trancar*.]

decotado [Part. de *decotar*.] *Adj.* **1.** Cortado ou aparado na parte superior: *árvore decotada.* **2.** Que tem decote (3): *vestido decotado.* **3.** Que usa decote (3): *mulher decotada.* **4.** Descoberto, exposto, por efeito do decote (3): *ombros decotados.*

decotador (ô) [De *decotar* + *-dor*.] *Adj. S. m.* Que, ou aquele que decota ou apara; cortador, aparador.

decotar [Da mesma or. incerta que o esp. *escotar*, cat. *escotar* e o provenç. *escotar*, com mudança de pref.; poss. de *cota*[1] (voc. comum tb. aos três idiomas), pela cava (3) que as cotas levavam, para facilitar a movimentação dos braços.] *V. t. d.* **1.** Cortar por cima e/ou em volta de; aparar, podar: *O jardineiro decotava os arbustos.* **2.** Cortar, amputar, mutilar: *Decotou a cauda do animal.* **3.** Fazer corte ou abertura na parte superior de (peça de vestuário). **4.** Fazer que use vestes decotadas [v. *decotado* (2)]: “decotava a mulher sempre que podia, e até onde não podia, para mostrar aos outros as suas venturas particulares.” (Machado de Assis, *Quincas Borba*, pp. 57-58). **5.** *Fig.* Cortar, extirpar, eliminar. *P.* **6.** Trajar-se descobrindo o pescoço e as espáduas: *Decotou-se para ir ao baile.* [Var. (pop.): *degotar*.]

decote [Dev. de *decotar*.] *S. m.* **1.** Ato de cortar ou aparar ramos de árvores; poda. **2.** Decepamento, mutilação. **3.** Abertura no alto do vestuário para deixar o colo a descoberto; degolo: “no decote do casaco justo aflorava a turgência macia do seio moreno e lindo.” (Herman Lima, *Garimpos*, p. 144). [Var. (pop.): *degote*.]

decrementar [De *decremento* + *-ar*[2].] *V. t. d. e i. Mat. Inform.* Subtrair dada quantidade de (uma variável).

decremento [Do lat. *decrementu*.] *S. m.* **1.** V. *decrescimento*. **2.** *Mat. Inform.* Ato de decrementar uma variável. **3.** *Mat. Inform.* A quantidade decrementada de uma variável. [Sin., nas acepç. 2 e 3: *decréscimo*.] ◆ **Decremento logarítmico.** *Fís.* Num movimento harmônico amortecido, o logaritmo neperiano do quociente das amplitudes de duas oscilações sucessivas.

decrepidez (ê) [De *decrépito* + *-ez*, com (natural) sonorização.] *S. f.* Decrepitude (2).

decrepitação [Do lat. cient. *decrepitatio* (*onis*).] *S. f. Quím.* A perda de água, acompanhada por pequeninos ruídos, que sofrem alguns cristais ao serem aquecidos.

decrépito [Do lat. *decrepitu*.] *Adj.* **1.** Muito idoso, ou muito enfraquecido e desgastado fisicamente: *Aos 70 anos é um homem precocemente decrépito, incapaz de resoluções.* **2.** *P. ext.* Diz-se de animal velhíssimo e fraco. **3.** Diz-se de coisa muito deteriorada e em ruína.

decrepitude [De *decrépito* + *-(t)ude*.] *S. f.* **1.** Estado ou condição de decrépito; velhice extrema. **2.** Decadência física e/ou mental; decrepidez.

decrescendo [Do it. *decrescendo*.] *Adv. S. m. Mús.* V. *diminuindo*.

decrescente [Do lat. *decrescente*.] *Adj. 2 g.* Que decresce. ~ V. *ditongo —*.

decrescer [Do lat. *decrescere*.] *V. int.* Tornar-se menor; diminuir; ceder, enfraquecer: *As forças decresceram; O som decresceu; O vento decresceu.* [Conjug.: v. *crescer*.]

decrescimento [De *decrescer* + *-imento*.] *S. m.* Ato de decrescer; diminuição, decremento, decréscimo.

decréscimo *S. m.* **1.** V. *decrescimento*. **2.** *Mat. Inform.* Decremento (2 e 3).

decretação [De *decretar* + *-ção*.] *S. f.* Ato de decretar.

decretado [Part. de *decretar*.] *Adv. Bras. N.E. Pop.* De propósito; determinadamente, intencionalmente: *Veio decretado para insultar o rapaz.*

decretal [Do lat. *decretale*.] *S. f.* Antiga carta ou constituição pontifícia, em resposta a consultas sobre questões de moral ou de direito.

decretalista [De *decretal* + *ista*.] *Adj. 2 g.* **1.** Relativo a decreto ou a decretal. ● *S. 2 g.* **2.** Jurisconsulto versado em decretais.

decretar [De *decreto* + *-ar*[2].] *V. t. d.* **1.** Ordenar por decreto ou lei: *O governo decretou novas eleições.* **2.** Determinar, ordenar, estabelecer: *A própria experiência vai decretando os passos que devemos dar.* **3.** *Pop.* Declarar em tom categórico, peremptório: “O poeta enfureceu-se e decretou: | — Não canto mais!...” (Nestor de Holanda, *Memórias do Café Nice*, p. 111.) **4.** Prescrever, preceituar, doutrinar. *T. d. e i.* **5.** Determinar, ordenar, estabelecer: *Aquele povo decretou a si mesmo o seu regime político.* **6.** Destinar, designar. *Int.* **7.** Dar ordens; ordenar, mandar: *Em casa é a mulher e não ele quem decreta.*

decretatório [De *decretar* + *-tório*.] *Adj.* Relativo a decreto.

decreto [Do lat. *decretu* < lat. *decernere*, 'decidir', 'determinar'.] *S. m.* **1.** Determinação escrita, emanada do chefe do Estado, ou de outra autoridade superior. **2.** Mandado judicial: *decreto de arresto, de penhora.* **3.** Determinação, ordem, decisão. **4.** Vontade, desígnio: *os decretos da Providência.* ◆ **Decreto judiciário.** *Jur.* Decisão, sentença. **Nem por decreto.** De modo nenhum; em nenhuma hipótese: *Não faço as pazes com ele nem por decreto.*

decreto-lei *S. m.* Decreto que o chefe do poder executivo expede, com força de lei, por estar absorvendo, anormalmente, as funções próprias do legislativo, eventualmente supresso. [Cf. *lei* (2). Pl.: *decretos-leis* e *decretos-lei*.]

decretório [Do lat. *decretoriu*.] *Adj.* Decisivo, terminante, peremptório, resolvente. ~ V. *ano —* e *dias —s*.

decriptação [De *decriptar* + *-ção*.] *S. f.* Ato ou efeito de decriptar.

decriptar [De *de-* + *-cript(o)-* + *-ar*[2].] *V. t. d.* Traduzir ou decifrar (mensagens cifradas, das quais não se tem a chave).

decrua [Dev. de *decruar*.] *S. f.* Decruagem.

decruagem [De *decruar* + *-agem*[2].] *S. f.* Ato ou operação de decruar; decrua.

decruar [De *de-* + *cru* + *-ar*[2].] *V. t. d.* **1.** Dar leve fervura a, para que não fique cru; cozer ligeiramente: *decruar os legumes.* **2.** Lavar a seda crua.

decúbito [Do lat. *decubitu*.] *S. m.* Posição de quem está deitado: *decúbito ventral*; “Qualquer delas mede de comprimento a altura dum homem, ... e tem lavrada a figura da personagem que protege, em decúbito dorsal, trajando ao tempo” (Fialho d'Almeida, *Estâncias d'Arte e de Saudade*, p. 153).

→ **de cujus** [de 'kujos] [Lat., primeiras palavras da expr. lat. *de cujus successione agitur* ('de cuja sucessão se trata').] *Jur.* Pessoa falecida cuja sucessão está aberta aos herdeiros e legatários.

decumbente [Do lat. *decumbente*.] *Adj. 2 g.* **1.** Que está deitado ou caído. **2.** *Bot.* Que se acha voltado para o solo: *caule decumbente.*

decupagem [Do fr. *découpage*.] *S. f. Cin. Telev.* Ato, processo ou efeito de decupar.

decupar [Do fr. *découper*.] *V. t. d. Cin. Telev.* Dividir (um roteiro) em planos numerados, com as indicações dramáticas e técnicas necessárias à filmagem ou à gravação das cenas.

decuplar [Do lat. *decuplare*.] *V. t. d. Int.* V. *decuplicar*. [Pres. ind.: *decuplo*, etc. Cf. *décuplo*.]

decuplicar *V. t. d.* **1.** Multiplicar por 10. **2.** Tornar 10 vezes maior. *Int.* **3.** Tornar-se 10 vezes maior. [Sin. ger.: *decuplar* e *decemplicar*. Conjug.: v. *trancar*.]

décuplo [Do lat. *decuplu*.] *Num.* **1.** Que contém 10 vezes uma quantidade. **2.** Que é 10 vezes maior. ● *S. m.* **3.** Quantidade 10 vezes maior que outra. [Cf. *decuplo*, do v. *decuplar*.]

decúria [Do lat. *decuria*.] *S. f.* **1.** Grupo de 10 coisas ou de 10 indivíduos. **2.** Corpo militar de cavalaria e infantaria, entre os romanos. **3.** Classe de alunos duma aula a cargo de um decurião (2). **4.** *Astrol. Astr.* V. *decania* (4).

decuriado [Do lat. *decuriatu*, por via semierudita.] *S. m.* Cargo de decurião.

decurião [Do lat. *decurione*.] *S. m.* **1.** Chefe de decúria (2). **2.** Monitor (2).

decuriato [Do lat. *decuriatu*, por via erudita.] *S. m.* Cargo de decurião: “Tinha .... qualidades de chefia, virtudes militares óbvias e uma fortuna apropriada ao decuriato." (Mário de Carvalho, *Um Deus Passeando pela Brisa da Tarde*, p. 246.)

decurionato [Do lat. *decurionatu*.] *S. m.* V. *decuriato*.

decursivo [De *decurso* + *-ivo*.] *Adj.* Decorrente (1).

decurso [Do lat. *decursu*.] *S. m.* **1.** Ato de decorrer; passagem do tempo: *Com o decurso dos anos tornou-se um grande poeta.* **2.** Tempo de duração: *o decurso do governo.* **3.** Sucessão, sequência: *o decurso dos acontecimentos.* **4.** Extensão (considerada pelo tempo que leva para ser percorrida); percurso: *no decurso da caminhada.* ● *Adj.* **5.** *P. us.* Decorrido.

decussação [Do lat. *decussatione*.] *S. f. Anat.* Cruzamento em forma de X.

decussado [Do lat. *decussatu*.] *Adj. Bot.* Diz-se de peças ou órgãos vegetais que se dispõem de maneira oposta em forma de cruz: *brácteas decussadas.*

dedada [De *dedo* + *-ada*[1].] *S. f.* **1.** Porção de substância aderente que se toma com um dedo. **2.** Impressão ou nódoa que o dedo deixa num objeto. **3.** Pancada ou toque com dedo.

dedal [Do lat. *digitale*.] *S. m.* **1.** Utensílio cilíndrico que se encaixa no terceiro dedo da mão direita de quem cose, a fim de empurrar a agulha. [Sin. (no PR): *pequerrucho*.] **2.** Porção muito pequena: *um dedal de vinho.* **3.** *Bras. Bot.* V. *pacari*.

dedal à vista *S. m. Jog. Inf.* Jogo de salão em que o grupo se afasta enquanto o chefe põe um dedal em lugar à vista, porém insuspeitado. Na volta, cada participante que o descobre segreda ao chefe o lugar onde ele se acha, e vai sentar-se, perdendo a brincadeira o último a encontrá-lo. [Pl.: *dedais à vista*.] ☑

dedal-de-dama [De *dedal* + *de* + *dama*[1].] *S. m. Bot.* Trepadeira apocinácea (*Allamanda cathartica*) lactescente, dotada de folhas brilhantes e espessas e inflorescências com flores amarelas em forma de funil; alamanda-amarela, orélia, santa-maria. [Pl.: *dedais-de-dama*.]

dedal de repuxo *S. m. Bras. Marinh.* Instrumento circular, de metal, que se cose no repuxo (8), e do qual os marinheiros se servem para coser pano. [Pl.: *dedais de repuxo*.] ☑

dedal-de-rosa *S. m. Bot.* V. *alamanda-rosa*. [Pl.: *dedais-de-rosa*.]

dedaleira [De *dedal* + *-eira*.] *S. f. Bras. Bot.* **1.** Planta escrofulariácea (*Digitalis purpurea*) herbácea bienal ou perene, que se caracteriza pelos longos cachos eretos de flores tubulares, violáceas, com máculas internas mais escuras, hermafroditas, sendo o fruto uma cápsula glandulosa que contém sementes com bastante albume; possui propriedades medicinais que, dependendo da dose, podem ser venenosas. Pode alcançar 1,50m e de suas flores secas são extraídos os princípios ativos da digitalina. [Sin., lus.: *erva-dedal* e *abeloura*.] **2.** V. *pacari*.

dedaleira-preta [De *dedaleira* + o f. de *preto*.] *S. f. Bras. SP a GO Bot.* Árvore voquisiácea (*Qualea cordata*) de flores irregulares, pequenas, pálidas, com uma pétala amarela, maculada de roxo, dispostas em racimos, sendo o fruto uma cápsula, e que fornece madeira própria para carpintaria; dedaleiro-preto, pau-terra. [Pl.: *dedaleiras-pretas*.]

dedaleiro-preto [De *dedaleiro* (< *dedal* + *-eiro*) + *preto*.] *S. m. Bras. Bot.* V. *dedaleira-preta*. [Pl.: *dedaleiros-pretos*.]

dedáleo [De *dédalo* + *-eo*.] *Adj.* **1.** Relativo a dédalo; labiríntico, emaranhado, intricado; confuso, complicado. **2.** Engenhoso, imaginoso.

dédalo [Do antr. *Dédalo*, arquiteto grego construtor do labirinto de Creta.] *S. m.* **1.** Cruzamento confuso de caminhos; encruzilhada, labirinto: *o dédalo das metrópoles*; "Que interessante dédalo de vielas, estreitinhas, ... ondulosas, cruzando-se, cambaleando, voltando atrás, abrindo panças, fazendo hemiciclos de roda das igrejas!" (Fialho d'Almeida, *Estâncias d'Arte e de Saudade*, p. 32). **2.** *Fig.* Coisa complicada ou obscura; confusão, emaranhamento: *o dédalo das leis.*

dedão [Aum. de *dedo*.] *S. m.* V. *dedo polegar* (2).

dedar [De *dedo* + *-ar*[2].] *V. t. d. Int. Bras.* V. *dedo-durar*.

dedecorar [Do lat. *dedecorare*.] *V. t. d.* Tornar indecoroso; fazer que falte ao decoro; desonestar: *A grande metrópole absorveu-a e dedecorou-a.*

dedeira [De *dedo* + *-eira*.] *S. f.* **1.** Pedaço de couro, pano, borracha, etc. com que se reveste o dedo, ger. para protegê-lo. **2.** Pequeno instrumento us. no polegar pelo tocador de violão para percutir as cordas graves. **3.** Cada um dos entalhes que constituem o índice de dedo (q. v.) de um livro.

dedetê [Substantivação da sigla *DDT*.] *S. m. Quím. Pop.* V. *diclorodifeniltricloroetano*.

dedetização [De *dedetizar* + *-ção*.] *S. f.* Ato ou efeito de dedetizar.

dedetizado [Part. de *dedetizar*.] *Adj.* Em que se fez dedetização.

dedetizar [De *dedetê* + *-izar*.] *V. t. d.* Usar dedetê, ou outros inseticidas em.

dedéu *El. s. m.* Us. na loc. adv. *pra dedéu*. ◆ **Pra dedéu.** *Bras. Gír.* Muito, ou em grande quantidade.

dedicação [Do lat. *dedicatione*.] *S. f.* **1.** Qualidade de quem se dedica; abnegação, consagração, devotamento. **2.** Afeição profunda; veneração, amor.

dedicado [Part. de *dedicar*.] *Adj.* **1.** Que se dedica ou se sacrifica; devotado, abnegado: *filho dedicado.* **2.** Extremamente afetuoso. ~ V. *linha* —*a*.

dedicador (ô) [Do lat. *dedicatore*.] *Adj.* *S. m.* Que, ou aquele que dedica; ofertante.

dedicar [Do lat. *dedicare*.] *V. t. d. e i.* **1.** Oferecer ou destinar com afeto ou dedicação: *Dediquei-lhe um poema.* **2.** Consagrar, votar, devotar, tributar: *Dedico-lhe grande amizade.* **3.** Consagrar ao culto de: *Os gregos dedicaram vários templos a Zeus.* **4.** Pôr ao serviço de; aplicar, empregar, destinar: *Dedica o seu tempo à medicina.* *P.* **5.** Consagrar sua afeição e/ou seus serviços a alguém; consagrar-se; dar-se: *Julieta dedicou-se a Romeu até a morte.* **6.** Aplicar-se, destinar-se, ocupar-se, empregar-se, entregar-se, consagrar-se, dar-se: "Escritores de todas as nações dedicaram-se .... a cultivar o novo filão de emoções [a ficção científica]." (Mário da Silva Brito, *O Fantasma sem Castelo*, p. 40); *dedicar-se ao comércio, às letras; Dedica-se exclusivamente às manobras políticas.* [Conjug.: v. *trancar*.]

dedicatória [De *dedicar* + o f. de *-tório*.] *S. f.* Palavras escritas com as quais se oferece a alguém uma publicação qualquer, um retrato, etc.

dedignação [Do lat. *dedignatione*.] *S. f.* Ato de dedignar-se.

dedignar-se [Do lat. **dedignare*, por *dedignari*, + *se*[1].] *V. p.* Julgar indigno de si; não se dignar; desdenhar: *Não se dedignava de conversar com os humildes*; "E o próprio arcebispo de Tessalonica .... não se dedignava de proteger os Ferreiras, arrematantes dos contrabandos." (Oliveira Martins, *História de Portugal*, II, p. 213).

dedilhação [De *dedilhar* + *-ção*.] *S. f.* V. *dedilhamento*.

dedilhado [Part. subst. de *dedilhar*.] *S. m. Mús.* **1.** V. *dedilhamento*. **2.** Modo de colocar os dedos num instrumento de teclado, de cordas ou de sopro para propiciar uma boa execução. **3.** Num trecho musical, indicação, por meio de algarismo, do dedo que o executante deve usar para cada nota.

dedilhamento [De *dedilhar* + *-mento*.] *S. m.* Ato de dedilhar; dedilhação, dedilhado.

dedilhar [De *dedo* + *-ilhar*.] *V. t. d.* **1.** Fazer vibrar com os dedos: "ao fundo do terraço aparece Belkiss, avançando lentamente, dedilhando uma harpa." (Eugênio de Castro, *Obras Poéticas*, II, p. 131). **2.** *Mús.* Executar com os dedos (peça ou trecho musical) em instrumento de cordas: *dedilhar um prelúdio.* **3.** *Mús.* Indicar por algarismo o dedo de que o executante se deve servir para cada nota em (peça ou trecho de peça musical). *T. i.* **4.** Bater ou tocar com os dedos; tamborilar: "repetia, / dedilhando no leque rendilhado, / Que a doces galanteios preferia / De um — papelito — o fumo perfumado." (Gonçalves Crespo, *Obras Completas*, p. 155).

dedilhável [De *dedilhar* + *-vel*.] *Adj. 2 g.* Que pode ser dedilhado; próprio para se dedilhar.

dedo (ê) [Do lat. *digitu*, por via pop.] *S. m.* **1.** Cada um dos prolongamentos articulados que terminam os pés e as mãos do homem e doutros animais. **2.** Cada uma das partes da luva correspondentes a um dedo: "Uma luva ficara caída no chão: ergueu-se, ainda trôpega, foi apanhá-la, esteve a esticar-lhe os dedos maquinalmente" (Eça de Queirós, *O Primo Basílio*, p. 348). **3.** Medida aproximadamente igual à da largura de um dedo: *três dedos de vinho; calça com quatro dedos de bainha.* **4.** *Fig.* Aptidão, capacidade, tino, jeito: *Todos elogiam o seu dedo para negócios.* **5.** *Fig.* Mão[1] (9): *Vê-se nesta obra o dedo do mestre.* **6.** *Bras. ES* A banana quando ainda muito pequena, com a flor na extremidade. ◆ **Dedo anular.** Aquele em que mais habitualmente se usa anel. [Tb. se diz apenas *anular*; sin., fam.: *seu-vizinho*.] **Dedo auricular.** V. *dedo mínimo*. **Dedo do impulsor.** *Tip.* Peça da linotipo presa à placa que desliza na guia do impulsor, e que leva em sua parte mais curta o amortecedor. **Dedo frio.** *Quím.* Parte de certos equipamentos de destilação, com a forma de um dedo oco, que fica mergulhado no vapor e é resfriado por uma mistura refrigerante no seu interior, continuamente renovada. **Dedo grande do pé.** V. *dedo polegar* (2). **Dedo hipocrático.** Aquele cuja última falange adquire o aspecto de uma baqueta de tambor. **Dedo índex.** V. *dedo indicador*. **Dedo indicador.** O que está situado entre o polegar e o médio: "fez um gesto com o dedo indicador da mão direita ao lado da fronte" (Ana Elisa Gregori, *Os Barões da Candeia*, p. 15). [Tb. se diz apenas *indicador*; sin.: *dedo índex, índex, índice, dedo mostrador* e (fam.) *fura-bolo* ou *fura-bolos*.] **Dedo médio.** O maior dos dedos da mão, situado entre o anular e o indicador. [Sin. (fam.): *maior de todos* e *pai de todos*.] **Dedo meiminho.** V. *dedo mínimo*. **Dedo mindinho.** V. *dedo mínimo*. **Dedo minguinho.** *Bras. Fam.* V. *dedo mínimo*. **Dedo mínimo.** O menor dos dedos da mão: "O anel de brasão luzindo no dedo mínimo" (Lígia Fagundes Teles, *A Disciplina do Amor*, p. 123). [Tb. se diz apenas *mínimo*; sin.: *dedo auricular, dedo meiminho, dedo mindinho, dedo minguinho, meiminho, mindinho, minguinho*.] **Dedo mostrador.** V. *dedo indicador*. **Dedo polegar. 1.** O primeiro e mais curto e grosso dos dedos da mão. [Tb. se diz apenas *polegar*; sin.: *pólex* (ou melhor, *pólice*) e (bras., N., N.E. e S., fam.) *mata-piolho* e *cata-piolho*.] **2.** O primeiro e mais grosso dos dedos do pé; dedo grande do pé; dedão. **A dedo. 1.** Com o máximo cuidado; com a maior atenção: "Escolheu, a dedo, os mais destemidos bacamartistas das redondezas." (Amando Fontes, *Os Corumbas*, p. 4.) **2.** De caso pensado; calculadamente: *Para que o candidato fosse aprovado, escolheram a dedo a banca examinadora.* **Botar o dedo no suspiro.** *Bras.* Valer-se de situação vantajosa para impor condições vexatórias. **Cheio de dedos. 1.** Confuso, embaraçado, atrapalhado: "O homem parou, cheio de dedos, para procurar os fósforos nos bolsos." (Mário Quintana, *Sapato Florido*, p. 17); "Muito vermelho, o mestre de campo ficou cheio de dedos por não saber como dar a fundamental resposta negativa aos desejos de D. Afonso Jorge." (João Ubaldo Ribeiro, *O Feitiço da Ilha do Pavão*, p. 308). **2.** Cheio de ademanes, mesuras, trejeitos; amaneirado: "Quando .... a irmã e o cunhado apareceram, Porto todo cheio de dedos, ela [D. Rosilda] fez uma cena daquelas" (Jorge Amado, *Dona Flor e Seus Dois Maridos*, p. 133). **Contar nos dedos. 1.** Esperar alguma coisa com ansiedade: "No fim da tarde o mormaço pesava e Jucundina contava nos dedos os dias que faltavam para o navio sair." (Jorge Amado, *Seara Vermelha*, p. 130.) **2.** Ser em número reduzido: "Os *go-go boys*, aqueles modelos musculosos das festas gays, contavam-se nos dedos." (Laura Capriglione e Roberto de Oliveira, em *Folha de S.Paulo*, 26.05.2008.) **Dois dedos de.** Pequena quantidade de; um pouco de; algum: *dois dedos de conversa; dois dedos de latim.* **Jurar dedo com dedo.** *Bras.* Jurar pela cruz que se faz cruzando os dedos indicadores. **Meter o dedo em tudo.** Ser abelhudo, intrometido; intrometer-se. **Não levantar um dedo.** Não fazer esforço algum: *Não levantou um dedo para me ajudar.* **Pôr o dedo na ferida.** *Fig.* Indicar ou reconhecer o ponto vulnerável ou fraco. **Ter dedo.** Ser hábil; ter jeito. **Tirar o dedo.** *Bras. CE Pop.* Realizar algo pela primeira vez.

dedo-de-dama *S. m. Bot.* Variedade de uva branca de longos bagos. [Pl.: *dedos-de-dama*.]

dedo-durar [De *dedo-duro* + *-ar*[2].] *V. t. d. Int. Bras. Gír.* Delatar, alcaguetar. [Sin.: *dedar, dedurar*.]

dedo-duro *S. 2 g. Bras. Gír.* V. *alcaguete* (3 e 4). [Pl.: *dedos-duros*.]

dedômetro [De *dedo* + *-metro*.] *S. m. Joc.* Os dedos, us. para medir ou sentir: "Molhar plantas é tarefa simples. .... Imponha um ritmo às regas e use o dedômetro." (Márcia Loureiro, "Casa e Decoração", em *Jornal do Brasil*, 10.10.1993.)

dedução [Do lat. *deductione*.] *S. f.* **1.** Ação de deduzir; subtração, diminuição; abatimento. **2.** O que resulta de um raciocínio; consequência lógica; ilação, inferência; conclusão. **3.** *Lóg.* Na lógica clássica, raciocínio que parte de uma ou mais premissas gerais e chega a uma ou mais conclusões particulares. **4.** *Lóg.* Na lógica formal contemporânea, raciocínio cuja conclusão é necessária em virtude da aplicação correta das regras lógicas. [Cf., nas acepç. 3 e 4, *indução* (2).] **5.** *Lóg.* Método dedutivo. [Cf., nas acepç. 3 a 5, *demonstração* (6), *prova* (18) e *raciocínio* (4).] **6.** *Jur.* Exposição minuciosa; enumeração de fatos e argumentos. [Cf. *didução*.]

deducional [De *dedução* + *-al*[1], seg. o padrão erudito.] *Adj. 2 g.* Feito por dedução.

deduragem [De *dedurar* + *-agem*[2].] *S. f.* Ato ou efeito de dedurar.

dedurar [De *dedo-durar*, com haplologia.] *V. t. d. Int. Bras. Gír.* V. *dedo-durar*.

dedurismo [De *dedur(ar)* + *-ismo*.] *S. m. Bras. Gír.* Hábito e/ou gosto de dedo-durar.

dedutível [Do lat. *deductus*, part. pass. do lat. *deducere* (v. *deduzir*), + *-ível*.] *Adj. 2 g.* Que se pode deduzir.

dedutivo [Do lat. *deductivu*.] *Adj.* Que procede por dedução. ~ V. *método* —.[Cf. *indutivo*.]

deduzir [Do lat. *deducere*.] *V. t. d.* **1.** Tirar de fatos ou princípios; tirar como consequência; inferir, concluir: *Os fatos me levam a deduzir que ele não será nomeado.* **2.** Expor minuciosamente; enumerar (fatos e argumentos): *A defesa deduziu com segurança os argumentos.* **3.** *Jur.* Demandar pretensão em juízo. *T. d. e i.* **4.** Tirar, diminuir, subtrair, abater,

D

descontar: *deduzir da receita a despesa.* **5.** Tirar como consequência lógica; inferir, concluir: *De suas maneiras frias deduzi que está magoado comigo.* **6.** Expor circunstanciadamente; enumerar: *Deduziu ao juiz todas as suas razões.* ***T. c.*** **7.** Diminuir, abater, reduzir: *A conta era grande, mas o negociante deduziu 15 por cento.* ***Bit. c.*** **8.** Tirar, extrair. ***Int.*** **9.** Tirar dedução ou deduções: *O filósofo observa, induz e deduz.* [Irreg. Conjug.: v. *aduzir.*]

deênfase [Adapt. do ingl. *de-emphasis.*] ***S. f.*** *Eletrôn.* Restauração de um sinal que sofreu pré-ênfase à sua forma original.

→ **de facto** [de ˈfaktɔ] [Lat.] *Jur.* De fato. [Antôn.: *de jure.*]

defasado [Part. de *defasar.*] ***Adj.*** Que apresenta defasagem: *projeto defasado; tecnologia defasada.*

defasagem [Do fr. *déphasage.*] ***S. f.*** **1.** *Fís.* Diferença de fase entre dois fenômenos. **2.** *Fig.* Diferença, discrepância, descompasso: *Houve uma defasagem entre a data prevista para a execução do plano e a data real da execução.*

defasar [Voc. deduz. de *defasagem* (v. *-ar*[2]).] ***V. t. d.*** **1.** Pôr fora de fase. **2.** *Fís.* Estabelecer uma diferença de fase entre (duas oscilações ou vibrações).

→ **default** [dəˈfɔlt] [Ingl. (termo originalmente jurídico, 'na falta de', 'na ausência de'; 'em dívida', 'inadimplente').] ***S. m.*** *Inform.* Valor (de uma variável, ou de um campo de entrada de dados) assumido automaticamente por programa (9), quando o usuário não o determina explicitamente. [Tb. us. com função adjetiva (com sentido de 'implícito', 'padrão'), quando posposto a outro substantivo.]

defecação [Do lat. *defaecatione.*] ***S. f.*** **1.** *Fisiol.* Evacuação de matérias fecais, de fezes; dejeção, dejeto. **2.** Depuração, purificação, limpeza. **3.** *Quím.* Eliminação de impurezas que turvam um líquido, mediante precipitação ou coagulação.

defecado [Part. de *defecar.*] ***Adj.*** **1.** Limpo de fezes ou impurezas; depurado. **2.** Magro, extenuado.

defecador (ô) [De *defecar* + *-dor.*] ***Adj.*** **1.** Que defeca, ou defeca muito. • ***S. m.*** **2.** Vaso em que se defeca. **3.** *Bras.* Aparelho das usinas de açúcar destinado a eliminar as substâncias albuminoides que o caldo da cana contém.

defecar [Do lat. *defaecare*, 'purificar'.] ***V. t. d.*** **1.** Separar as fezes ou impurezas de (líquido); depurar, limpar, purificar: *defecar o vinho.* **2.** *Fig.* Purificar, purgar, limpar; depurar, acrisolar. **3.** Enfraquecer, debilitar. ***T. d. e i.*** **4.** Limpar, purificar, livrar: *Defecou o vinho das impurezas.* ***Int.*** **5.** Expelir os excrementos. [Sin., nesta acepç.: *cursar, evacuar, obrar, operar*; (chulos) *barrear, borrar, cagar, descomer*, e (bras., pop.) *ajustar contas com a natureza, aliviar-se, amarrar o gato, dar de corpo, desistir, despachar, estercar, fazer cacá, fazer necessidade, fazer obra, fazer precisão, ir aos pés, passar telegrama, quebrar o corpo.*] ***P.*** **6.** Sujar-se com os próprios excrementos. [Sin.: *obrar-se* e (chulo) *borrar-se, cagar-se.*] **7.** *Fig.* Limpar-se, purificar-se; livrar-se: *defecar-se das parvoíces.* **8.** Enfraquecer(-se), debilitar-se; emagrecer, definhar(-se). [Conjug.: v. *trancar.*]

defecatório [De *defecar* + *-tório.*] ***Adj.*** Que defeca ou faz defecar.

defecção [Do lat. *defectione.*] ***S. f.*** **1.** Falta, desaparecimento. **2.** Abandono de partido, opinião ou empreendimento; deserção: "Borges fugiu, em vez de pôr-se à frente dos elementos que sublevara, deixando-lhes da fuga um documento lamentável. Aos seus cúmplices, porém, ocultou os motivos verdadeiros da sua defecção" (Craveiro Costa, *História das Alagoas*, p. 82). **3.** Abjuração, apostasia. **4.** Sublevação, rebelião.

defectibilidade [De *defectível* + *-(i)dade*, seg. o padrão erudito.] ***S. f.*** Qualidade do que é defectível.

defectível [Do lat. *defectibile* < lat. *defectus*, part. pass. de *deficere*, 'abandonar'; 'faltar', 'falhar'.] ***Adj. 2 g.*** **1.** Que tem defeito; imperfeito, incompleto, defeituoso. **2.** Suscetível de enganar-se; falível.

defectividade [De *defectivo* + *-(i)dade.*] ***S. f.*** *E. Ling.* Propriedade do que é defectivo (2). [Cf. *perífrase morfológica* e *supletivismo.*]

defectivo [Do lat. *defectivu.*] ***Adj.*** **1.** A que falta alguma coisa; imperfeito, defeituoso. **2.** *E. Ling.* Diz-se do vocábulo a que faltam formas flexionais que existem para outros vocábulos da mesma classe: *A verbos defectivos como* banir, colorir, demolir, *faltam a 1.ª pess. do sing. do pres. do ind., todo o pres. do subj. e o imperat. neg., além da 3.ª pess. do sing., da 1.ª e 3.ª do pl. do imperat. afirmativo.* ~ V. *paradigma* — e *verbo* —.

defedação [De *de-* + lat. *foedatione*, 'ação de manchar'.] ***S. f.*** Mancha na pele.

defeito [Do lat. *defectu.*] ***S. m.*** **1.** Imperfeição; balda, senão. [Sin. pop.: *cafanga* (no CE, MG), *cafangada* (CE).] **2.** Deficiência, deformidade. **3.** Imperfeição moral; vício, labéu, desdouro. **4.** Balda, mania. **5.** Desarranjo, enguiço. **6.** *Ant.* Falta, carência. **7.** *Fís.* Substituição de uma partícula (átomo ou íon) por outra, numa rede cristalina; defeito pontual. **8.** *Fís.* Alteração do arranjo regular das partículas constitutivas de uma rede cristalina. **9.** *Med.* Termo genérico que designa imperfeição ou ausência, congênita ou adquirida, de um órgão ou de parte dele. ◆ **Defeito de massa.** *Fís. Nucl.* Diferença entre a soma das massas em repouso dos núcleons que constituem um núcleo e a massa em repouso deste núcleo. **Defeito pontual.** *Fís.* Defeito (7). **Para não se botar (ou pôr) defeito.** *Bras. Fam.* Para ninguém botar (ou pôr) defeito. **Para ninguém botar (ou pôr) defeito.** *Bras. Fam.* Muito bom; excelente; para não se botar (ou pôr) defeito.

defeituoso (ô) [De *defeito* + *-uoso.*] ***Adj.*** **1.** Que tem, ou em que há defeito; imperfeito, incompleto. **2.** Desarranjado, enguiçado.

defendedor (ô) [De *defender* + *-dor.*] ***Adj. S. m. P. us.*** V. *defensor.*

defendente [De *defender* + *-nte.*] ***Adj. 2 g. S. 2 g. P. us.*** V. *defensor.*

defender [Do lat. *defendere.*] ***V. t. d.*** **1.** Prestar socorro ou auxílio a; proteger, amparar: *defender os humildes.* **2.** Opor a força, oferecer resistência, a um ataque ou agressão feita a: *defender a praça.* **3.** Resguardar, preservar, abrigar: *O capuz defende-lhe a cabeça.* **4.** Proibir, vedar, impedir, interditar, tolher: *defender o caminho; defender a caça.* **5.** Falar em abono de; pleitear em favor de; interceder por; patrocinar: *defender o réu.* **6.** Sustentar com argumentos ou razões: *defender um princípio.* **7.** *Bras.* Conseguir, obter, arranjar, em geral, valendo-se de expedientes hábeis ou menos lícitos. **8.** *Bras.* Executar ou desempenhar em competição: *O cantor defendeu a minha música; O ator defende bem aquele papel.* **9.** *Esport.* Tomar uma postura defensiva. ***T. d. e i.*** **10.** Oferecer resistência; proteger, socorrer: *defender o território do ataque; defender a Pátria contra a invasão.* **11.** Resguardar, abrigar; preservar: *defender a casa do temporal.* **12.** Proibir, vedar, impedir: "Não parta o Gama enfim, que lho defende / O Regedor dos bárbaros profanos" (Luís de Camões, *Os Lusíadas*, VIII, 84). **13.** Sustentar com argumentos ou razões: *defender a causa contra os opositores.* **14.** Interceder por; desculpar: *Defendeu-o da calúnia.* ***Int.*** **15.** *Bras. Fut.* Agarrar (10). ***P.*** **16.** Repelir um ataque ou agressão; opor defesa; resistir. **17.** Abrigar-se, resguardar-se, proteger-se: *defender-se do frio.* **18.** Rebater uma acusação. **19.** Justificar-se, desculpar-se. **20.** Proteger-se, preservar-se, livrar-se: *Defendemo-nos da epidemia com a vacinação.* **21.** *Bras.* Cavar a vida habilmente, ou de maneira menos lícita. **22.** *Bras.* Tirar das inclinações amorosas proveito de caráter sexual. [Part.: *defendido* e *defeso*. A f. irreg. só é us. no sentido de *proibir*.]

defendimento [De *defender* + *-imento.*] ***S. m. P. us.*** V. *defesa* (1).

defendível [De *defender* + *-ível.*] ***Adj. 2 g.*** V. *defensável* (1).

defenestração [Do fr. *défenestration.*] ***S. f.*** Ato de atirar alguém ou algo pela janela fora: *A defenestração de Praga ocorreu em 1618.*

defenestrado [Part. de *defenestrar.*] ***Adj.*** **1.** Que alguém atirou janela afora. **2.** *Fig.* Expulso, afastado. **3.** *Fig.* Demitido (sumariamente).

defenestrar [Do lat. *defenestrare*, poss. pelo fr. *défenestrer.*] ***V. t. d.*** **1.** Atirar (algo ou alguém) pela janela, com violência. **2.** *P. ext. Fig.* Expulsar ou afastar (de um plano, lugar, cargo, posição, etc.) violenta ou impiedosamente.

defensa [Do lat. tard. *defensa.*] ***S. f.*** **1.** V. *defesa* (1). **2.** *Marinh.* Trançado de cabo, recheado de cortiça granulada, borracha, pedaços de cabo velho ou um toro de madeira, e destinado a defender o casco da embarcação contra danos e avarias, nas atracações: "A guarnição arranjava o navio para a atracação, estendia as espias no convés, ajeitava defensas, limpava anteparas." (Moacir C. Lopes, *Maria de Cada Porto*, p. 282.) ◆ **Defensa de balão.** *Marinh.* Defensa de forma esférica, feita de cabo velho e coberta por uma rede ou por um entrelaçado de cabo de cairo.

defensão [Do lat. *defensione.*] ***S. f.*** V. *defesa* (1): "Lá estão mancebos franceses da primeira plana, conjurados na defensão da honra nacional." (Camilo Castelo Branco, *A Enjeitada*, p. 222.)

defensável [Do lat. *defensabile* < lat. *defensare*, freq. de *defendere.*] ***Adj. 2 g.*** **1.** Que pode ser defendido; defendível, defensível. **2.** *Ant.* Defensivo (1 e 2).

defensiva [F. subst. de *defensivo.*] ***S. f.*** **1.** Conjunto de meios de defesa ou proteção. **2.** Posição de quem se defende, de quem resiste a um ataque: *ficar na defensiva.*

defensível [Do lat. *defensibile.*] ***Adj. 2 g.*** V. *defensável* (1).

defensivo [Do lat. *defensus*, 'defeso', + *-ivo.*] ***Adj.*** **1.** Que serve para defesa: *arma defensiva.* **2.** Que visa à defesa, a resistir ao ataque: *guerra defensiva; posição defensiva.* [Sin. (ant.), nessas acepçs.: *defensável.*] • ***S. m.*** **3.** V. *preservativo* (2). ◆ **Defensivo agrícola.** *Quím.* Produto químico utilizado no combate e prevenção de pragas agrícolas; agrotóxico: *É preciso esclarecer agricultores em todo o país sobre o uso correto de defensivos agrícolas.*

defensor (ô) [Do lat. *defensore.*] ***Adj. S. m.*** Que, ou aquele que defende. [Sin. (p. us.): *defendente, defendedor*. P. us. como adj.]

defensório [Do lat. *defensoriu.*] ***Adj.*** Relativo a defensa ou defesa.

deferência [De *deferir* + *-ência.*] ***S. f.*** **1.** Consideração, acatamento, atenção. **2.** Respeito, reverência. **3.** Condescendência, complacência.

deferente[1] [Do lat. *deferente.*] ***Adj. 2 g.*** **1.** Que defere, atende, concede; anuente. **2.** Obsequioso, cortês. **3.** Respeitoso, reverente. **4.** Condescendente, complacente. ~ V. *canal* — e *ducto* —. [Cf. *diferente.*]

deferente[2] ***Adj. 2 g.*** *Ant. Pop.* V. *diferente.*

deferentectomia [De (*ducto*) *deferente*[1], + *-ectom-* + *-ia*[1].] ***S. f.*** *Cir.* Intervenção cirúrgica em que um ducto deferente é ligado em dois pontos de seu trajeto, sendo ressecada parte desse ducto, entre as duas ligaduras; vasectomia (denom. antiga). [A deferentectomia é utilizada para a esterilização do homem (4), e para que esta seja eficaz é necessária a obliteração bilateral dos ductos.]

deferido [Part. de *deferir.*] ***Adj.*** Atendido, outorgado, aprovado; despachado favoravelmente. [Cf. *diferido.*]

deferimento [De *deferir* + *-mento.*] ***S. m.*** **1.** Ato de deferir. **2.** Anuência, aprovação. [Cf. *diferimento.*]

deferir [Do lat. **deferere*, por *deferre.*] ***V. t. d.*** **1.** Anuir a (o que se pede ou requer); atender: *deferir uma petição.* ***T. d. e i.*** **2.** Outorgar, conferir, conceder: "Ouviu-o repousadamente D. Duarte e deferiu-lhe o requerimento, com cujo decreto pôs em terra as intrigas dos murmuradores" (Haroldo Maranhão, *O Tetraneto del-Rei*, p. 16); *A comissão julgadora deferiu-lhe o prêmio.* ***T. i.*** **3.** Atender, condescender, anuir: *deferir ao pedido.* **4.** Estar de acordo; concordar, aceitar: *O governo deferiu à sugestão do partido.* **5.** Ter acatamento, atenção ou complacência: *O soberano deferia aos mais humildes vassalos.* [Irreg. Conjug.: v. *aderir*. Cf. *diferir.*]

deferível [De *deferir* + *-vel.*] ***Adj. 2 g.*** Que se pode deferir.

defervescência [Do lat. *defervescentia.*] ***S. f.*** *Med.* Período de desaparecimento da febre.

defesa (ê) [Do lat. *defensa.*] ***S. f.*** **1.** Ato de defender(-se); socorro, auxílio; defensa, defensão, defendimento: *defesa dos oprimidos.* **2.** Aquilo que serve para defender: *Sua única defesa era o punhal.* **3.** Ato ou forma de repelir um ataque; resistência: *a defesa do forte; defesa costeira.* **4.** Contestação de uma acusação; refutação, impugnação: *advogado de defesa.* **5.** Justificação, alegação. **6.** Resguardo, proteção: *muro de defesa.* **7.** Impedimento, interdição, proibição. **8.** Cada um dos dentes caninos dos animais. **9.** Chifre, corno: *as defesas do javali.* **10.** *Jur.* Pessoa(s) que em juízo patrocina(m) outra: *A defesa falou com segurança.* **11.** *Fut.* Grupo de jogadores que atuam na defensiva. **12.** *Psicol.* Mecanismo de defesa (q. v.). **13.** *Tip.* Claro com que se recolhe, de um ou de ambos os lados, trecho de composição que deve ficar mais estreito que a medida geral do impresso. **14.** *Bras.* Proveito que habilmente se tira de algo; arranjo, cavação. [V. *defender* (21).] ◆ **Legítima defesa.** *Jur.* O emprego dos meios necessários e ao alcance para resistir a força ou agressão, sem que ultrapassem os limites da razão ou da justiça natural.

defeso (ê) [Do lat. *defensu.*] ***Adj.*** **1.** Defendido por uma proibição; proibido, vedado, impedido, interdito: *arma defesa; território defeso;* "Bebe-se diariamente [entre os índios fulniôs] a jurema, ralada e machucada numa cuia; é bebida defesa às crianças e às mulheres (acreditam os índios que a jurema faz mal ao mênstruo)." (Estêvão Pinto, *Etnologia Brasileira*, p. 113). • ***S. m.*** **2.** *Ecol.* Época do ano em que é defeso ou proibido caçar ou pescar. [Cf. *defesso.*]

defesso (é) [Do lat. *defessu.*] ***Adj.*** Cansado, fatigado. [Cf. *defeso* (ê).]

defetibilidade ***S. f.*** V. *defectibilidade*. [Uso próprio de P.] ⊙

defetível ***Adj. 2 g.*** V. *defectível*. [Uso próprio de P.] ⊙

defetividade ***S. f.*** V. *defectividade*. [Uso próprio de P.] ⊙

defetivo ***Adj.*** V. *defectivo*. [Uso próprio de P.] ⊙

defibrilar [De *de-* + *fibrilar*[2].] ***V. t. d.*** Deter a fibrilação de.

deficiência [Do lat. *deficientia.*] ***S. f.*** **1.** Falta, falha, carência. **2.** Imperfeição, defeito. **3.** *Med.* Insuficiência (3). **4.** *Mat.* Gênero (10).

deficiente [Do lat. *deficiente*.] *Adj. 2 g.* **1.** Em que há deficiência; falho, imperfeito: *informações deficientes*. ~ V. *número* —. ● *S. 2 g.* **2.** Pessoa que apresenta deficiência física ou psíquica.

➔ **deficit** ['defisit] (atual) ['defeḳet] (lat.) [Lat., 3ª pess. do singular do pres. do ind. do lat. *deficere*, 'faltar'.] *S. m. 2 n. Econ.* Déficit (q. v.).

déficit [Aport. do lat. *deficit*.] *S. m. Econ.* **1.** O que falta para completar uma quantidade (esp. soma em dinheiro) necessária ou prevista. **2.** Excesso de despesas sobre receitas, ou de saída sobre entrada de divisas: *A queda na arrecadação de impostos causou um déficit nas contas do governo; O déficit na balança comercial foi influenciado pelo grande aumento na importação de máquinas para a indústria.* [Pl.: *déficits*. Antôn.: *superávit*.] [O Volp. registra apenas a f. lat.] ◆ **Déficit público.** *Econ.* Resultado negativo nas contas públicas (gastos maiores do que receitas).

deficitário [De *déficit* + *-ário*.] *Adj.* **1.** Que acusa déficit; que apresenta saldo de contas negativo: *orçamento deficitário*. **2.** *P. ext.* Deficiente, falho. [Antôn.: *superavitário*.]

defina *S. f.* V. *adafina*.

definhado [Part. de *definhar*.] *Adj.* **1.** Emagrecido, abatido, consumido. **2.** Sem forças; debilitado; extenuado, consumido. **3.** Ralado, mortificado. **4.** Decaído, murcho.

definhamento [De *definhar* + *-mento*.] *S. m.* **1.** Perda de forças; emagrecimento, abatimento. **2.** Peco (1).

definhar [De *fim*.] *V. t. d.* **1.** Tornar magro; extenuar: *A doença definhou-o.* *Int.* **2.** Enfraquecer(-se), consumir-se pouco a pouco; extenuar-se: *Alimentando-se mal, vai definhando a olhos vistos.* **3.** Abater-se, decair; murchar, secar: *Com o mau clima as plantas definharam.* *P.* **4.** Consumir-se aos poucos; enfraquecer(-se), abater-se.

definibilidade [De *definível* + *-(i)dade*, seg. o padrão erudito.] *S. f.* Qualidade de definível.

definição [Do lat. *definitione*.] *S. f.* **1.** Ato ou efeito de definir(-se). **2.** Expressão com que se define. **3.** Explicação precisa; significação: *definição de uma palavra.* **4.** Exposição, descrição, enunciação. **5.** Decisão, resolução. **6.** Qualidade duma visão ou duma fotografia em que os detalhes são nítidos e os contrastes, marcados. **7.** *Lóg.* Equivalência estabelecida entre um termo (v. *definiendum*) e outros termos conhecidos (v. *definiens*), e pela qual se cria um objeto determinado de pensamento. ◆ **Definição conceitual.** *Lóg.* V. *definição real*. **Definição conotativa.** *Lóg.* V. *definição real*. **Definição denotativa.** *Lóg.* V. *definição por extensão*. **Definição enumerativa.** *Lóg.* V. *definição por extensão*. **Definição genérica.** *Lóg.* Definição real (q. v.) em que a compreensão (3) do *definiendum* é determinada pelo gênero (2) e pela diferença específica. [Cf. *essência* (7).] **Definição nominal.** *Lóg.* Definição em que o *definiens* ora é um sinônimo, uma tradução ou a decodificação do *definiendum*, ora o simboliza por meio de um termo convencional forjado, ou da linguagem comum; definição verbal. **Definição por compreensão.** *Lóg.* V. *definição real*. **Definição por enumeração.** *Lóg.* V. *definição por extensão*. **Definição por extensão.** *Lóg.* Definição em que, mediante exemplos, o *definiens* apresenta o próprio objeto designado pelo *definiendum*; definição denotativa, definição enumerativa, definição por enumeração. **Definição por postulado.** *Lóg.* Definição dos termos de uma teoria pelos axiomas ou postulados que enunciam suas relações fundamentais. **Definição real.** *Lóg.* Aquela cujo *definiens* determina as características gerais do objeto designado pelo *definiendum*; definição conceitual, definição conotativa, definição por compreensão. **Definição verbal.** *Lóg.* Definição nominal (q. v.). **Dar definição de.** *Bras. Pop.* Dar conta ou notícia de; estar a par de: *Sabe da vida de todo o mundo, dá definição de tudo.*

definido [Part. de *definir*.] *Adj.* **1.** Determinado com exatidão; preciso, exato: *formato definido; objetivos definidos.* **2.** De que se deu a explicação precisa, a significação: *vocábulos definidos.* **3.** Demarcado, limitado. [F. paral., nas acepç. 1 e 3: *definito*.] ~ V. *artigo* — e *integral* —*a*. ● *S. m.* **4.** Aquilo que se definiu.

definidor (ô) [Do lat. *definitore*.] *Adj.* **1.** Que define. ● *S. m.* **2.** Aquele que define. **3.** Assessor de um superior maior de ordem religiosa.

➔ **definiendum** [defenḛ'endo(m)] [Lat., 'definido', 'a definir'.] *Lóg.* Parte constitutiva de uma definição: o termo que designa o objeto a ser determinado. [Cf. *definição* (7).]

➔ **definiens** [de'fineens] [Lat., 'que define', 'definidor'.] *Lóg.* Parte constitutiva de uma definição: termos com os quais se determina o objeto a definir. [Cf. *definição* (7).]

definir [Do lat. *definire*.] *V. t. d.* **1.** Determinar a extensão ou os limites de; limitar, demarcar: *definir uma área.* **2.** Enunciar os atributos essenciais e específicos de (uma coisa), de modo que a torne inconfundível com outra: *definir um losango.* **3.** Explicar o significado de; indicar o verdadeiro sentido de: *definir um termo, uma expressão.* **4.** Dar a conhecer de maneira exata; expor com precisão; explicar: *definir uma ideia; definir uma situação.* **5.** Manifestar com exatidão; esclarecer: *definir uma posição.* **6.** Demarcar, fixar, estabelecer: *definir a autoridade*; "O Tratado de 1750 define mais ou menos a configuração geográfica que hoje possui o Brasil." (Visconde de Carnaxide, *D. João V e o Brasil*, p. 45). **7.** Decidir, decretar: *O Vaticano definiu o dogma da Trindade.* **8.** Ajuizar o sentido ou o objetivo de; interpretar: *É-me difícil definir a sua visita.* **9.** Tornar conhecido; revelar: *O comportamento define o caráter.* *P.* **10.** Dizer o que pensa a respeito de algo; declarar-se, exprimir-se, explicar-se. **11.** Tomar uma resolução ou um partido; assumir posição; decidir-se.

definitivamente [Do f. de *definitivo* + *-mente*.] *Adv.* **1.** De modo ou em caráter definitivo. **2.** Decididamente, terminantemente.

definitivo [Do lat. *definitivu*.] *Adj.* **1.** Que define; determinante, determinativo: *A preposição de tem sentido definitivo.* **2.** Decisivo, concludente, terminante: *argumentos definitivos.* **3.** Absoluto, categórico, inabalável, inapelável: *sentença definitiva.* **4.** Final; total: *Foi piorando de vida, até que chegou à ruína definitiva.* ~ V. *edição* —*a* e *órbita* —*a*. ◆ **Em definitivo.** De vez (q. v.): "Como não dava o cavaco, acabaram desistindo das piadas, mas não do apelido, que pegou em definitivo" (Marques Rebelo, *Marafa*, p. 132).

definito [Do lat. *definitu*.] *Adj.* V. *definido*.

definitório [De *definir* + *-tório*.] *S. m.* **1.** Congregação dos definidores [v. *definidor* (3)]. **2.** Lugar onde eles se reúnem.

definível [De *definir* + *-vel*.] *Adj. 2 g.* Que se pode definir.

deflação[1] [Do ingl. *deflation*.] *S. f. Econ.* **1.** Redução geral de preços; desinflação. **2.** Eliminação do efeito da inflação numa série de valores monetários, com utilização de um deflator. **3.** Redução da demanda global por mercadorias e serviços resultante de medidas de política econômica, em geral visando a reduzir a inflação. [Antôn.: *inflação*.]

deflação[2] [Do lat. *deflare*, 'levantar com sopro', 'limpar soprando', + *-ção*.] *S. f. Geol.* Carregamento pelo vento dos detritos de decomposição das rochas.

deflacionado [Part. de *deflacionar*.] *Adj. Econ.* Diz-se do valor monetário do qual se eliminou o efeito do aumento de preços; real[3]: *Meu salário do mês passado foi menor do que um ano atrás, em valores deflacionados.*

deflacionar [De *deflação*[1] + *-ar*[2], seg. o padrão erudito.] *V. t. d. Econ.* Produzir ou efetuar deflação[1] de; desinflacionar. [Fut. pret.: *deflacionaria*, etc. Cf. *deflacionária*, fem. de *deflacionário*, adj.]

deflacionário [De *deflação*[1] + *-ário*, seg. o padrão erudito.] *Adj.* **1.** Relativo à deflação[1]. **2.** Em que há deflação[1]. [Antôn.: *inflacionário*. Fem.: *deflacionária*. Cf. *deflacionaria*, do v. *deflacionar*.]

deflacionável [De *deflacionar* + *-vel*.] *Adj. 2 g.* Que pode ser deflacionado. [Antôn.: *inflacionável*.]

deflacionista [Do ingl. *deflationist*.] *Adj. 2 g.* **1.** Relativo à deflação[1], ou que é partidário dela. ● *S. 2 g.* **2.** Partidário da deflação[1]. [Antôn.: *inflacionista*.]

deflagração [Do lat. *deflagratione*.] *S. f.* **1.** *Expl.* Autocombustão que se propaga de partícula em partícula de um combustível, com velocidades compreendidas entre alguns centímetros por segundo e 400m por segundo. **2.** Combustão ativa e completa, com chama intensa. **3.** *Fig.* Ocorrência súbita e impetuosa; irrupção: *a deflagração da revolta.*

deflagrador (ô) [De *deflagrar* + *-dor*.] *Adj.* Que deflagra ou produz deflagração.

deflagrar [Do lat. *deflagrare*.] *V. int.* **1.** Inflamar-se com chama intensa, centelhas ou explosões; arder: *A mina de pólvora deflagrou.* **2.** *Fig.* Irromper repentinamente: *A tempestade está prestes a deflagrar*; "Sabia a revolução pronta, preparada, a pique de deflagrar." (Afonso Arinos de Melo Franco, *A Alma do Tempo*, p. 331). *T. d.* **3.** Fazer inflamar-se com chama cintilante: *deflagrar o salitre.* **4.** *Fig.* Atear, provocar, excitar: *deflagrar a rebelião*; "Estarei mesmo pronta para construir e derrubar heróis, deflagrar paixões .... ?" (Nélida Piñon, *A Força do Destino*, p. 18).

deflator (ô) [Do ingl. *deflator*.] *S. m. Econ.* Fator de correção aplicado a valor monetário para expressá-lo em termos de poder aquisitivo de outro período: *O Índice Geral de Preços da Fundação Getúlio Vargas é um dos deflatores mais utilizados no Brasil.*

deflectir [Do lat. *deflectere*.] *V. t. d. e c.* **1.** Mudar a direção de um movimento para um dos lados: *Deflectiu os raios luminosos para a esquerda.* **2.** Mudar a posição ou o movimento natural; desviar: *Deflecti para a direita o curso do rio.* **3.** *Topogr.* Seguir o ângulo da deflexão. *Int.* **4.** Desviar-se, deslocar-se: *Os raios luminosos deflectiram.* [Var.: *defletir*. Sin. ger.: *deflexionar*. Defect. Conjug.: v. *genuflectir*.]

deflector (ô) *Adj. S. m.* Que, ou aquilo que faz deflectir. [Var.: *defletor*.]

deflegmação [De *deflegmar* + *-ção*.] *S. f. Quím.* Operação em que se condensa parcialmente uma mistura de vapores, recolhendo como líquido o menos volátil; desflegmação.

deflegmador (ô) [De *deflegmar* + *-dor*.] *S. m. Quím.* **1.** Aparelho em que os sucos fermentados sofrem uma destilação parcial, donde provém a flegma (2). **2.** Coluna de destilação fracionada colocada entre o alambique e o condensador; desflegmador.

deflegmar [De *de-* + *flegma* (2) + *-ar*[2].] *V. t. d. Quím.* Realizar a deflegmação de; desflegmar.

defletir *V. t. d. e c. Int.* V. *deflectir*. [Defect. Conjug.: v. *genuflectir*.]

defletor (ô) *Adj. S. m.* V. *deflector*.

deflexão (cs) [Do lat. *deflexione*.] *S. f.* **1.** Ato ou efeito de deflectir. **2.** Movimento com que se abandona uma linha que se descrevia, para seguir outra. **3.** *Topogr.* Ângulo existente entre dois caminhamentos: deflexão à esquerda ou à direita. **4.** *Náut.* Desvio da agulha magnética da direção do norte magnético, provocado pela presença, nas suas proximidades, de ferros, motores elétricos em operação, etc.

deflexionar (cs) [De *deflexão* + *-ar*[2], seg. o padrão erudito.] *V. t. d. e c. Int.* V. *deflectir*.

deflexo (cs) [Do lat. *deflexu*.] *Adj.* Recurvado para baixo: *pedúnculo deflexo.*

defloração [Do lat. *defloratione*.] *S. f.* V. *desfloração*.

deflorado [Part. de *deflorar*.] *Adj.* Que se deflorou.

deflorador (ô) [Do lat. *defloratore*.] *Adj. S. m.* V. *desflorador*.

defloramento [De *deflorar* + *-mento*.] *S. m.* V. *desfloração*.

deflorar [Do lat. *deflorare*.] *V. t. d.* **1.** Desflorar (1). **2.** V. *estuprar*. **3.** Compilar as melhores passagens de.

defluência [De *defluir* + *-ência*.] *S. f.* **1.** V. *deflúvio* (1): *a defluência das águas.* **2.** Decorrência, decurso, sucessão; deflúvio: *a defluência dos anos.* **3.** Influência, influxo: *a defluência duma ideia.* [Cf. *difluência*.]

defluente [Do lat. *defluente*.] *Adj. 2 g.* **1.** Que deflui. ● *S. m.* **2.** *Geogr.* Braço formado pela divisão das águas dum rio: "No ocidente do vale, à ourela dos rios, na várzea plástica, a selva é quase hostil. Aí, meio fechadas na ramaria, ao longo dos afluentes, dos confluentes, dos defluentes — as tristes choupanas." (Raimundo Morais, *Na Planície Amazônica*, p. 22.) [Cf. *difluente*, *afluente* e *confluente*.]

defluir [Do lat. *defluere*.] *V. int.* **1.** Derivar (um líquido); ir correndo. *T. i.* **2.** Derivar, emanar, manar, decorrer, provir: "A linguagem que o romancista [Machado de Assis] atribui às suas principais criações de semiloucos filósofos parece defluir de uma página inflamada de Artur de Oliveira, justamente pela ênfase romântica" (Eugênio Gomes, *Machado de Assis*, p. 139). [Conjug.: v. *atribuir*. Cf. *difluir*.]

deflúvio [Do lat. *defluviu*.] *S. m.* **1.** Ação de defluir; corrimento, escoamento, percurso (de líquidos); defluência, defluxão. **2.** V. *defluência* (2). **3.** Vazão de um curso de água, expressa em volume, por unidade de tempo; débito, despesa, débito fluvial, despesa fluvial.

defluxão (cs ou ss) [Do lat. *defluxione*.] *S. f.* **1.** V. *deflúvio* (1). **2.** *Med.* Descarga abundante. **3.** *Med.* Fluxão. **4.** *Pop.* V. *coriza*.

defluxeira (cs ou ss) [De *defluxo* + *-eira*.] *S. f.* V. *coriza*.

defluxo (cs ou ss) [Do lat. *defluxu*.] *S. m.* V. *coriza*.

➔ **de fond en comble** [də fõ ã kɔ̃bl] [Fr.] De baixo a cima; inteiramente.

deforete (ê ou é) *S. m. Bras. PE AL Pop.* **1.** Descanso durante o serviço; folga. **2.** Pilhéria de mau gosto.

deformação [Do lat. *deformatione*.] *S. f.* **1.** Ação ou efeito de deformar(-se); modificação da forma primitiva; alteração. **2.** Desfiguração, deturpação: *deformação de uma ideia.* **3.** *Mat.* Deformação contínua (q. v.). ◆ **Deformação contínua.** *Mat.* A que se processa numa linha, numa superfície ou num volume materiais, sem provocar o seu rompimento. [Tb. se diz apenas *deformação*.] **Deformação elástica.** A que desaparece com a cessação da causa. [Opõe-se à *deformação plástica*.] **Deformação linear.** A que se caracteriza pela variação da distância entre dois pontos vizinhos. **Deformação orogênica.** *Geol.* Deformação da crosta terrestre, devida a um levantamento ocasionado por movimentos verticais ou tangenciais. **Deformação plástica.** A que permanece após cessada a causa. [Opõe-se à *deformação elástica*.] **Deformação profissional.** Característica de quem apresenta na vida corrente traços marcantes da profissão que exerce.

deformado [Part. de *deformar*.] ***Adj.*** **1.** Que sofreu deformação. **2.** Cuja forma se perdeu ou se alterou profundamente.

deformador (ô) [De *deformar* + *-dor*.] ***Adj. S. m.*** Que ou o que deforma.

deformar [Do lat. *deformare*, 'desfigurar'.] ***V. t. d.*** **1.** Alterar a forma de; tornar deforme: *Os espelhos côncavos deformam as imagens.* **2.** Deturpar, alterar, modificar: *O tradutor deformou o pensamento do autor.* ***P.*** **3.** Perder a forma primitiva; alterar-se, modificar-se: *Seu rosto deformou-se com a velhice.* [Sin. ger.: *desformar*.]

deformatório [De *deformar* + *-tório*.] ***Adj.*** Que produz deformidade.

deformável [De *deformar* + *-vel*.] ***Adj. 2 g.*** Que se pode deformar; sujeito a deformar-se.

deforme [Do lat. *deforme*.] ***Adj. 2 g.*** **1.** Que perdeu a sua forma primitiva; alterado, deformado. **2.** Que tem forma irregular e desagradável; monstruoso, disforme, desconforme.

deformidade [Do lat. *deformitate*.] ***S. f.*** **1.** Estado do que é deforme; irregularidade, desproporção ou anormalidade de conformação; defeito, aleijão. **2.** Vício, perversão. **3.** Dano estético. **4.** *Ter.* V. *má-formação* (3).

defraudação [Do lat. *defraudatione*.] ***S. f.*** Ato ou efeito de defraudar; espoliação fraudulenta; defraudamento, fraude.

defraudador (ô) [Do lat. *defraudatore*.] ***Adj. S. m.*** Que, ou aquele que defrauda.

defraudamento [De *defraudar* + *-mento*.] ***S. m.*** V. *defraudação*.

defraudar [Do lat. *defraudare*.] ***V. t. d.*** **1.** Espoliar fraudulentamente; fraudar: *defraudar o tesouro público.* **2.** Privar dolosamente de: *defraudar uma herança.* **3.** Lesar dolosamente; prejudicar, esbulhar; fraudar: *defraudar os clientes.* **4.** Contrariar, iludindo com subterfúgios: *defraudar a lei.* **5.** Iludir, desenganar; fraudar: *defraudar a expectativa.* ***T. d. e i.*** **6.** Privar fraudulentamente; espoliar: *O miserável defraudou o órfão de sua pequena herança.*

defrontação [De *defrontar* + *-ção*.] ***S. f.*** **1.** Ato de defrontar(-se); defrontamento. **2.** Estado daquilo que defronta.

defrontamento [De *defrontar* + *-mento*.] ***S. m.*** Defrontação (1).

defrontante [De *defrontar* + *-nte*.] ***Adj. 2 g.*** Que defronta.

defrontar [De *defronte* + *-ar*[2].] ***V. t. i.*** **1.** Estar fronteiro ou defronte: *Sua casa defronta com a minha.* **2.** Ver-se defronte; deparar, topar: *Na curva da estrada, defrontei com o rio.* **3.** Arrostar, encarar: *defrontar com o perigo.* ***T. d.*** **4.** Colocar-se defronte de; encarar, enfrentar: *defrontar o adversário.* ***T. d. e i.*** **5.** Pôr defronte; confrontar: *defrontar a filosofia com a religião.* ***P.*** **6.** Estar frente a frente; confrontar-se: *Os muros defrontam-se.* **7.** Ver-se defronte; topar, deparar-se, confrontar-se. **8.** Arrostar, encarar, enfrentar.

defronte [De *de* + *fronte*.] ***Adv.*** **1.** Em face; frente a frente: "É já de minha terra esta colina, / Aquele capão de árvores defronte" (Alberto de Oliveira, *Poesias*, 3ª série, p. 245). • ***Adj. 2 g.*** **2.** *Bras. MT* Diferente, diverso. ◆ **Defronte a.** V. *defronte de*: "Vou sentar-me defronte ao corvo magro e rudo" (Machado de Assis, *Poesias Completas*, p. 303). **Defronte de. 1.** Em frente de; diante de. **2.** Em oposição a. **3.** Em comparação com: *Você, metido a rico, defronte de Carlos é um pobretão.* [Sin. ger.: *defronte a*.]

defumação [De *defumar* + *-ção*.] ***S. f.*** **1.** Ato ou efeito de defumar; defumadura. **2.** *Bras. N.* Processo empregado na preparação da borracha. **3.** *Bras. Folcl.* Queima de ervas e raízes aromáticas a fim de afastar malefícios de pessoas e casas, e atrair boa sorte.

defumado [Part. de *defumar*.] ***Adj.*** Que se defumou: *carne defumada; tacho defumado.*

defumadoiro [De *defumar* + *-doiro*[2].] ***S. m.*** Defumadouro (q. v.).

defumador (ô) [De *defumar* + *-dor*.] ***Adj.*** **1.** Que defuma. • ***S. m.*** **2.** Aquele que defuma. **3.** Vaso onde se queimam substâncias para defumar ou perfumar; caçoula, perfumador, defumadouro. **4.** *P. ext.* Substância para defumar (4). **5.** *Bras. Amaz.* Pequena palhoça, junto da habitação onde o seringueiro defuma a borracha; defumadouro.

defumadouro [De *defumar* + *-douro*[2]; var. de *defumadoiro*.] ***S. m.*** **1.** Substância que defuma. **2.** V. *defumador* (3 e 5). **3.** Lugar onde se defuma alguma coisa; fumeiro. **4.** Ato de defumar.

defumadura [De *defumar* + *-dura*.] ***S. f.*** Defumação (1).

defumar [De *de-* + fumo + *-ar*[2].] ***V. t. d.*** **1.** Expor, curar, secar ao fumo: *defumar presuntos.* **2.** Enegrecer com fumo. **3.** Perfumar com o fumo[1] (1) de substâncias aromáticas: *defumar os lençóis; defumar a sala.* **4.** Proceder à queima de ervas, raízes ou substâncias aromáticas a fim de afastar malefícios de (pessoas, casas ou objetos), e atrair boa sorte. ***P.*** **5.** Perfumar-se.

defunção [Do lat. *defunctione*.] ***S. f.*** Falecimento, óbito, decesso.

defuntar [De *defunto* + *-ar*[2].] ***V. int.*** *Bras. S. Fam.* V. *morrer* (1). [Cf. *defuntear*.]

defuntear [Do esp. plat. *defuntear*.] ***V. t. d.*** *Bras. RS Pop.* Matar, assassinar: "— Mas... não é pra defuntear o homem... amarrado? / — Não! Acoquiná-lo, só..." (Simões Lopes Neto, *Contos Gauchescos e Lendas do Sul*, p. 179.) [Conjug.: v. *frear*. Cf. *defuntar*.]

defunteiro [De *defunto* + *-eiro*.] ***S. m.*** **1.** *Bras. S.* V. *papa-defuntos*. • ***Adj.*** **2.** Próprio de funeral, de enterro.

defunto [Do lat. *defunctu*.] ***Adj.*** **1.** Que faleceu; morto, falecido, extinto. **2.** Esquecido, olvidado; extinto: *glórias defuntas.* **3.** De, ou próprio de defunto (4): "Garcia tinha-se chegado ao cadáver, levantara o lenço e contemplara por alguns instantes as feições defuntas." (Machado de Assis, *Várias Histórias*, pp. 117-118.) • ***S. m.*** **4.** Pessoa que morreu; cadáver. ◆ **Defunto sem choro.** *Bras.* Pessoa desprezada, desamparada, sem proteção. **Matar defunto.** *Bras.* Contar história já sabida.

degas [De or. controversa.] ***S. m. 2 n.*** *Bras. Gír.* **1.** Eu (modo de alguém referir-se à própria pessoa); o papai; o boneco: "Ainda que Suçuarana é o sobrenome cá do degas; por causa de ser malhado como a bicha." (José de Alencar, *Til*, p. 111); "Aqui onde vês este degas, já desanquei uma capangada!" (*Id.*, *ib.*, p. 107); *Aqui o degas não vai nessa onda.* [Us., ger., antecedido do art. def. *o*, ou do pron. dem. *este*.] **2.** Sujeito importante. **3.** Contador de vantagens.

degasar [De *de-* + *gás* + *-ar*[2].] ***V. t. d.*** *Quím.* Desgasar.

degelar [De *de-* + gelo + *-ar*[2].] ***V. t. d.*** **1.** Derreter (o que estava congelado); descongelar: *O sol degelou a neve.* **2.** *Fig.* Aquecer, reanimar: *Sua presença degelou a reunião, que estava muito sem vida; Em pouco tempo degelou a rigidez.* **3.** *Fig.* Amolecer, abrandar: *degelar o coração.* ***Int. P.*** **4.** Derreter-se (o que estava congelado). **5.** *Fig.* Amolecer(-se), abrandar(-se), desenrijar(-se). [Sin. ger.: *desgelar*. Pres. ind.: *degelo*, etc. Cf. *degelo* (ê).]

degelo (ê) [Dev. de *degelar*.] ***S. m.*** **1.** Ato ou efeito de degelar; descongelação. **2.** *Met.* Desaparição gradual da água congelada (gelo). [Pl.: *degelos* (ê). Cf. *degelo*, do v. *degelar*.]

degeneração [Do lat. *degeneratione*.] ***S. f.*** **1.** Ato ou efeito de degenerar. **2.** Passagem de um estado natural a outro inferior; alteração para pior; definhamento, estrago, degenerescência. **3.** Corrupção, depravação: *degeneração dos costumes.* **4.** Abastardamento. **5.** *Fís.* Fenômeno apresentado por um sistema quantificado que tem estados degenerados [v. *degenerado* (5)]; degenerescência. **6.** *Eletrôn.* Realimentação negativa. **7.** *Patol.* Processo ger. irreversível em que, devido a causas diversas, há deterioração celular e consequente perturbação funcional, podendo, muitas vezes, evoluir no sentido da necrose. **8.** *Restr.* Alteração de tecido para uma forma funcionalmente inferior, ou menos ativa. [Quando há alteração química do próprio tecido, a degeneração é dita *verdadeira*.] ◆ **Degeneração de permuta.** *Fís.* A de um estado de um sistema constituído por diversas partículas idênticas, e que decorre da indistinguibilidade dessas partículas. **Degeneração walleriana.** *Patol.* Degeneração gorda de fibra nervosa que foi separada, por seção (12), de seu centro nutritivo.

degenerado [Part. de *degenerar*.] ***Adj.*** **1.** Que degenerou. **2.** Em que há degeneração ou degenerescência. **3.** Diminuído na força e no valor; enfraquecido. **4.** Depravado, corrompido. [Sin., nessas acepçs.: *degênere*.] **5.** *Fís.* Diz-se de grupo de dois ou mais estados de um sistema quantificado que têm a mesma energia, mas números quânticos diferentes. ~ V. *matéria —a*. • ***S. m.*** **6.** Indivíduo degenerado.

degenerante [De *degenerar* + *-nte*.] ***Adj. 2 g.*** **1.** Que degenera. **2.** *Constr.* Diz-se do arco em que as linhas do intradorso e do extradorso se tornaram retas e paralelas, ficando oblíquas às juntas das pedras.

degenerar [Do lat. *degenerare*.] ***V. int. P.*** **1.** Perder as qualidades ou características primitivas; abastardar-se: *A planta degenerou.* **2.** Desviar-se das qualidades da raça; abastardar-se. **3.** Modificar-se ou alterar-se para pior; estragar-se: *O vinho degenerou.* **4.** Corromper-se, aviltar-se, depravar-se: *No convívio dos delinquentes ele degenerou-se.* ***T. d.*** **5.** Deturpar, alterar: *Degenerou toda a narração dos acontecimentos.* **6.** Tornar degenerado; corromper: *Tais costumes degeneram a nação.* ***T. i.*** **7.** Desviar-se (das qualidades primitivas): *Esta espécie degenerou do tipo original.* **8.** Modificar-se para pior; transformar-se em, piorando: "O valor com que domáramos o oceano .... degenerara rapidamente num egoísmo sórdido." (Ramalho Ortigão, *Figuras e Questões Literárias*, I, p. 148.) [Pres. subj.: *degenere*, etc. Cf. *degênere*.]

degenerativo [De *degenerar* + *-tivo*.] ***Adj.*** Que produz degeneração ou é da natureza dela. ~ V. *doença —a* e *força —a*.

degénere ***Adj. 2 g.*** V. *degênere*. [Uso freq. em P.]

degênere [Do lat. *degenere*.] ***Adj. 2 g.*** V. *degenerado* (1 a 4): "Tentei compreendê-lo [ao poeta Luís Guimarães Júnior]; senhores, confesso-vos que fiz essa experiência mortal e saí dela edificado. Dela trouxe, se não a voz, ao menos o eco degênere, o vagido elementar do seu grito adulto e valoroso." (João Ribeiro, *O Fabordão*, p. 47.) [Cf. *degenere*, do v. *degenerar*.]

degenerescência [Do fr. *dégénérescence*.] ***S. f.*** **1.** Degeneração, decaimento, definhamento. **2.** Disposição para degenerar. **3.** Alteração dos caracteres dum corpo organizado. **4.** *Fís.* Degeneração (5). **5.** *Genét.* Existência de mais de uma sequência de três bases que representam um mesmo aminoácido no código genético.

degenerescente [Do fr. *dégénérescent*.] ***Adj. 2 g.*** Que revela degenerescência.

deglaçar [Do fr. *déglacer*.] ***V. t. d.*** Desprender (os restos de fritura ou gordura) do fundo de frigideira ou panela, derramando sobre ele um pouco de vinho, água, etc., a fim de obter um molho: "Deglace a assadeira do peru no fogo, adicionando água e mexendo com uma colher para desprender do fundo as substâncias solidificadas do assado." (Revista *Gula*, novembro de 2008.) [Conjug.: v. *laçar*.]

deglutição [De *deglutir* + *-ção*.] ***S. f.*** *Fisiol.* Ato de deglutir; passagem do bolo alimentar da boca para o esôfago, passando pela faringe.

deglutinação [De *de-* + *glutinar* + *-ção*.] ***S. f.*** *E. Ling.* Modalidade de aférese em que, num vocábulo, se separam os fonemas *a* ou *o* iniciais, por serem confundidos com o artigo. Ex.: *bodega* (q. v.), *relógio* (q. v.). [Cf. *composição* (7).]

deglutir [Do lat. tard. *degluttire*.] ***V. t. d. Int.*** Engolir, ingerir: *Deglutiu avidamente dois churrascos*; "deglutia [D. Leopoldina] bocados de um prato apreciado, sozinha, com o apetite voraz de gulosa que o era." (Alberto Rangel, *Dom Pedro Primeiro e a Marquesa de Santos*, p. 144); *O mal da garganta impede-o de deglutir.*

degola [Dev. de *degolar*.] ***S. f.*** **1.** V. *degolação*. **2.** *Fig.* Reprovação em massa. **3.** *Fig.* Dispensa em massa de empregados. **4.** *Bras.* Reentrância do eixo dos carros de bois.

degolação [Do lat. tard. *decollatione*.] ***S. f.*** Ato ou efeito de degolar(-se); decepamento, decapitação; degola, degoladura, degolamento.

degoladoiro [De *degolar* + *-doiro*[2].] ***S. m.*** Degoladouro (q. v.).

degolador (ô) [Do lat. tard. *decollatore*.] ***S. m.*** **1.** Aquele que degola. **2.** Ferramenta de serralheiro para formar cantos redondos e outras superfícies côncavas, e para estirar e adelgaçar os metais.

degoladouro [De *degolar* + *-douro*[2]; var. de *degoladoiro*.] ***S. m.*** Lugar no qual se degolam ou matam animais; matadouro.

degoladura [De *degolar* + *-dura*.] ***S. f.*** V. *degolação*.

degolamento [De *degolar* + *-mento*.] ***S. m.*** V. *degolação*.

degolar [Do lat. *decollare*.] ***V. t. d.*** **1.** Cortar o pescoço ou a cabeça a; decapitar. **2.** Cortar, decepar. **3.** *Encad.* Mutilar (livro ou parte de livro), atingindo no aparo a mancha da impressão. ***P.*** **4.** Cortar o pescoço a si próprio; suicidar-se por degolação. [Pres. ind.: *degolo*, *degolas*, etc. Cf. *degolo* (ô).]

degolo (ô) [Dev. de *degolar*.] ***S. m.*** Decote (3). [Cf. *degolo*, do v. *degolar*.]

degotar ***V. t. d. P.*** *Pop.* V. *decotar*.

degote ***S. m.*** *Pop.* V. *decote*.

degradação [Do lat. tard. *degradatione*.] ***S. f.*** **1.** Destituição ignominiosa de um grau, dignidade, encargo, qualidade, etc.: *degradação militar.* **2.** Deterioração, desgaste, estrago: *degradação das rochas.* **3.** Atenuação gradual; diminuição: *degradação das cores dum quadro.* **4.** *Fig.* Aviltamento, rebaixamento, abjeção: *degradação moral.* **5.** *Fís. Nucl.* Processo em que as partículas, atravessando um meio, perdem suas identidades ou suas energias. ◆ **Degradação ambiental.** *Ecol.* Mudança para pior nas condições do meio ambiente, devida, principalmente, à ação humana. **Degradação de energia.** *Fís.* Fenômeno ocorrente em todos os processos espontâneos ou irreversíveis na natureza, e no qual a energia, sob forma diferente de energia térmica, se transforma, pelo menos parcialmente, em calor.

degradador (ô) [De *degradar* +*-dor*.] ***Adj.*** **1.** V. *degradante*. • ***S. m.*** **2.** Aquele ou aquilo que degrada.

degradante [De *degradar* + *-nte*.] ***Adj. 2 g.*** Que degrada; aviltante, infamante, degradador.

degradar[1] [Do lat. tard. *degradare*.] ***V. t. d.*** **1.** Privar de graus, dignidades ou encargos; exautorar: *degradar um magistrado.* **2.** Tornar vil ou desprezível; aviltar, envilecer: *Tal comportamento degrada o* país. **3.** Estragar, deteriorar, desgastar: *Os ventos e as chuvas degradaram as rochas.* **4.** Atenuar ou diminuir gradualmente; graduar: *degradar tonalidades duma pintura. T. d. e i.* **5.** Privar, rebaixar: *O comando degradou dos seus títulos alguns dos oficiais. P.* **6.** Envilecer-se, aviltar-se, rebaixar-se: "Sim, é o culto da palavra que está em crise, é a retórica que entrou em decadência, é o estilo que deperece, é a eloquência que se degrada" (Neemias Gueiros, *A Advocacia e o Seu Estatuto*, p. 27). [Cf. *degredar*.]

degradar² [De *degredo* (ê) + *-ar²*.] *V. t. d.* V. *degredar*.

➔ dégradé [degʁaˈde] [Fr.] *Adj.* **1.** Diz-se de cor que vai esmaecendo em tonalidades cada vez menos vivas. ● *S. m.* **2.** O conjunto dessas tonalidades.

degranar [De *de-* + *-gran(i)-* + *-ar²*.] *V. t. d.* Desprender os grãos de: *degranar o milho.*

degrau [De *de-* + *grau* ou do lat. **degradus*.] *S. m.* **1.** Cada uma das peças, constituídas essencialmente de um plano sólido horizontal, em que se põe o pé para subir ou descer escadas fixas. [A parte horizontal é chamada *piso*, e a vertical, *espelho*.] **2.** *P. ext.* Qualquer peça transversal que proporcione firmeza para apoio do pé nas escadas móveis. **3.** *Fig.* V. *escalão*. **4.** *Fig.* Meio de que alguém usa para se elevar ou conseguir certo fim: *A bajulação é um degrau para ele conquistar posições.* ◆ **Degrau em balanço.** Aquele que tem apenas piso, e, ger., é unido aos demais por meio de vigas laterais inclinadas [v. *banzo²* (1)].

degredado [Part. de *degredar*.] *Adj. S. m.* **1.** Que, ou aquele que sofreu pena de degredo; desterrado. **2.** *P. ext.* Banido, exilado.

degredar [De *degredo* (ê) + *-ar²*.] *V. t. d.* **1.** Impor a pena de degredo a; desterrar. **2.** *P. ext.* Exilar, banir. [Var.: *degradar²*. Cf. *degradar¹*. Pres. ind.: *degredo*, etc. Cf. *degredo* (ê).]

degredo (ê) [Do lat. *decretu*.] *S. m.* **1.** Pena de desterro que a justiça impõe a criminosos. **2.** *P. ext.* Exílio, banimento. **3.** Lugar no qual se cumpre a pena de degredo (1); desterro. [Pl.: *degredos* (ê). Cf. *degredo*, do v. *degredar*.]

degringolada [Do fr. *dégringolade*.] *S. f.* **1.** *Gal.* Ação de degringolar. **2.** *Fig.* Decadência, queda, ruína, derrota.

degringolar [Do fr. *dégringoler*.] *V. int.* **1.** *Gal.* Descer precipitadamente de alto a baixo; rolar, cair. **2.** *Fig.* Cair em rápida decadência; arruinar-se: *Com a inflação, a empresa não tardou a degringolar.* **3.** Desorganizar-se, desordenar-se, desarranjar-se: *Se errarmos a posição de uma só carta, o jogo degringola todo.*

degustação [Do lat. tard. *degustatione*.] *S. f.* **1.** Ato de degustar. **2.** *Bras.* Reunião para degustar vinho(s), queijos, etc.

degustador (ô) [Do lat. tard. *degustatore*.] *S. m.* Aquele que degusta (v. *degustar*).

degustar [Do lat. *degustare*.] *V. t. d.* Avaliar pelo paladar o sabor de; provar: *degustar um caqui; Degustou o vinho com delícia.*

dei [De or. obscura.] *S. m.* Título que os janízaros, que constituíam as guarnições de Argel e Túnis após a conquista dessas cidades pelos turcos, no séc. XVI, davam aos chefes eleitos por eles.

▲ **de(i)-** [Do lat. *deus, i*.] *El. comp.* = 'Deus', 'deus': *deiforme, deísmo*.

deia (éi) [Do lat. *dea*.] *S. f. Poét.* Deusa. ❖

■ **Deic** Sigla de *Departamento Estadual de Investigações Criminais*.

deicida (e-i) [Do lat. tard. *deicida*.] *Adj. 2 g. S. 2 g.* Que, ou quem mata um deus.

deicídio (e-i) [De *de(i)-* + *-cídio*.] *S. m.* **1.** Morte infligida a um deus. **2.** *Rel.* A morte que os judeus deram a Cristo.

deícola [Do lat. tard. *deicola*.] *S. 2 g.* Deísta (2).

deíctico *Adj. S. m. E. Ling.* V. *díctico* (1 e 2). [Var.: *dêitico*.]

deidade [Do lat. tard. *deitate*.] *S. f.* **1.** Divindade, nume; deus ou deusa. **2.** *Fig.* Pessoa ou coisa que se admira e venera. **3.** *Fig.* Mulher formosíssima.

deificação (e-i) [Do lat. tard. *deificatione*.] *S. f.* Ato ou efeito de deificar.

deificado (e-i) [Do lat. tard. *deificatu*.] *Adj.* Incluído entre os deuses; divinizado.

deificador (e-i...ô) [Do lat. *deificar* + *-dor*.] *Adj.* **1.** Deífico (1). ● *S. m.* **2.** Aquele que deifica.

deificar (e-i) [Do lat. tard. *deificare*.] *V. t. d.* **1.** Incluir em o número dos deuses; divinizar. **2.** Promover a apoteose de. [Pres. ind.: *deifico*, etc. Cf. *deífico*. Conjug.: v. *trancar*.]

deífico [Do lat. tard. *deificu*.] *Adj.* **1.** Que deifica ou diviniza; deificador. **2.** Divino (1). [Cf. *deifico*, do v. *deificar*.]

deiforme (e-i) [Do lat. med. *deiforme*.] *Adj. 2 g.* **1.** Conforme com Deus. **2.** *Poét.* Que tem a aparência de um deus.

deimático [Do gr. *deîma, atos*, 'receio'; 'susto', + *-ico²*; ingl. *deimatic*.] *Adj. Zool.* Diz-se do comportamento de defesa de certos animais cujo objetivo é o de intimidar ou assustar possíveis predadores. Ex.: o ato de aumentar o corpo, inflando os pulmões, como ocorre com os sapos, ou de liberar secreções fétidas, como ocorre com o jaritataca ou cangambá.

deimos [Do mit. gr. *Deîmos*, 'o pavor', 'o terror'; ingl. *Deimos*.] *S. m. Astr.* O menor e mais externo dos satélites do planeta Marte, com 13km de diâmetro médio (sua forma é irregular) e magnitude aparente de 12,8, na oposição. [Foi descoberto em 11.08.1877 pelo astrônomo norte-americano Asaph Hall (1829-1907).] [Com cap.]

▲ **deino-** Equiv. de *dino-*.

deinodonte [Do tax. *Deinodon*.] *S. m. Paleont.* **1.** Gênero de enormes dinossauros saurísquios que viveram em Alberta (Canadá) no cretáceo superior e que, juntamente com o tiranossauro e gêneros afins, constitui família distinta. **2.** Espécie, ou espécime desse gênero. [É preferível a f. *dinodonte*.]

deinorrinco [De *deino-* + *-rinco*; tax. *Deinorhynchus*.] *S. m. Paleont.* **1.** Gênero de dinossauros tetrápodes, celurossauros, carnívoros, do cretáceo inferior da América do Norte, que atingiam 2,40m; habitavam planícies secas e margens de rios. **2.** Espécie, ou espécime desse gênero. [É preferível a f. *dinorrinco*.]

deinossuco [De *deino-* + gr. *soûchos*, 'crocodilo'.] *S. m. Paleont.* **1.** Gênero de crocodilos que, há cerca de 75 milhões de anos, habitavam lagos e pântanos na região onde, hoje, é o Texas (E.U.A.). Atingiam até 16m de comprimento e são tidos como os maiores crocodilianos de todos os tempos. **2.** Espécie, ou espécime desse gênero. [É preferível a f. *dinossuco*.]

deionizar [De *de-* + *ionizar*.] *V. t. d.* Desionizar.

deípara [Do lat. tard. *deipara*.] *S. f.* **1.** Aquela que deu à luz um deus. **2.** Epíteto dado a Maria, mãe de Jesus Cristo.

▲ **-deira** V. *-eiro*.

▲ **-deiro** V. *-eiro*.

deiscência (e-is) [Do lat. cient. *dehiscentia* < lat. *dehiscens, ntis* (part. pres. de *dehiscere*, 'abrir-se', 'rachar-se'; 'entreabrir-se') + lat. cient. *-ia* (v. *-ia²*).] *S. f.* **1.** *Bot.* Abertura espontânea de órgão ou partes vegetais ao alcançarem a maturidade. **2.** *Cir.* Afastamento, após terem sido estes unidos artificialmente, dos planos anatômicos atingidos por uma incisão cirúrgica ou uma ferida.

deiscente (e-is) [Do lat. *dehiscente*.] *Adj. 2 g. Bot.* ~ V. *fruto —*.

deísmo [De *de(i)-* + *-ismo*.] *S. m. Filos.* Sistema ou atitude dos que, rejeitando toda espécie de revelação divina e, portanto, a autoridade de qualquer Igreja, aceitam, todavia, a existência de um Deus, destituído de atributos morais e intelectuais, e que poderá ou não haver influído na criação do Universo. [Cf. *teísmo¹*.]

deísta [De *deísmo* + *-ista*.] *Adj. 2 g.* **1.** Relativo ao, ou que é adepto do deísmo. ● *S. 2 g.* **2.** Adepto do deísmo; deícola.

deita [Dev. de *deitar*.] *S. f. Pop.* Deitada.

deitada [De *deitar* + *-ada¹*.] *S. f. Pop.* Ato de deitar-se alguém para dormir; deita.

deitado [Part. de *deitar*.] *Adj.* **1.** Estendido horizontalmente; acamado. ~ V. *página —a*. ● *S. m.* **2.** *Tip.* Esquema a que, na imposição (5), devem obedecer as páginas em relação ao formato escolhido.

deitar [Do lat. *dejectare*, poss. pelo lat. vulg. **dectare*.] *V. t. d.* **1.** Estender ao comprido; pôr ou dispor mais ou menos horizontalmente; inclinar: *Deitou as sacas para arrumá-las melhor.* **2.** Pôr em posição de decúbito; estender na cama: *deitar a criança.* **3.** Fazer ou deixar pender; inclinar, abater, abaixar: *deitar a cabeça; O vento deitava o milharal.* **4.** Fazer cair: *deitar o sal.* **5.** Entornar, verter: *deitar água.* **6.** Atirar, lançar, arremessar: *deitar pedras.* **7.** Lançar, largar, soltar: *deitar foguetes.* **8.** Lançar de si; expelir, ressumar, segregar: *A ferida deita sangue.* **9.** Trescalar, exalar: *deitar cheiro agradável.* **10.** Espalhar, difundir: *O lampião deita pouca luz.* **11.** Emitir, expedir, soltar: *deitar gritos.* **12.** Exprimir, enunciar: *deitar palpites.* **13.** Produzir, criar: *deitar flores.* **14.** Pôr, colocar, aplicar: "deita a luneta, lê com atenção a lista dos pratos" (Artur Azevedo, *Contos Efêmeros*, p. 226); *deitar um remendo; deitar uma atadura.* **15.** Ostentar, exibir, mostrar: *deitar um vestido novo.* **16.** Estender para segurar ou apanhar: *Deitou a rede de pesca.* **17.** Estabelecer, instalar: *deitar um negócio.* **18.** Percorrer, andar (certa distância): *A embarcação deita muitas milhas.* **19.** *Bras. Gír.* Matar: "Que filho da puta! Vou deitar ele" (Paulo Lins, *Cidade de Deus*, p. 40). *T. d. e i.* **20.** Emitir, expedir, lançar: *Deitou impropérios aos seus inimigos.* **21.** Dirigir, lançar; volver: "Rita sorriu, deitando-me uns olhos de censura" (Machado de Assis, *Memorial de Aires*, p. 8). **22.** Imputar, atribuir: *deitar a culpa ao adversário. T. c.* **23.** Ter vista ou saída: *A varanda deita para o jardim;* "A sala deitava para um corredor" (Santo-Tirso, *De Rebus Pluribus*, p. 23). **24.** Montar, importar: *As despesas deitam a 100 reais. T. d. e c.* **25.** Estender horizontalmente; pôr ao comprido: *deitar o tapete no chão.* **26.** Fazer ou deixar pender; inclinar: *Deitei o chapéu para trás.* **27.** Entornar, verter: *deitar a cerveja no copo.* **28.** Fazer cair: *deitar o adversário no chão; deitar o açúcar no café.* **29.** Atirar, lançar, arremessar: *deitar uma pedra ao ar.* **30.** Pôr, colocar, aplicar: *deitar a renda na saia.* **31.** Estender-se, dilatar-se; circunvagar: *Deitou os olhos pela paisagem. Bit. c.* **32.** Estender-se, dilatar-se, alongar-se: *O artigo deita da página 20 à 53. T. i.* **33.** Pôr-se subitamente; lançar-se: *Deitou a comer;* "E deitou a correr por entre as sebes cheirosas" (Coelho Neto, *Banzo*, p. 147); *Deitou a correr casa adentro. P.* **34.** Estender-se, lançar-se ao comprido, sobre leito, sofá, etc., ou no chão: "Despiu-se e deitou-se." (Artur Azevedo, *Contos Possíveis*, p. 83.) **35.** Arremessar-se; arrojar-se, botar-se: *Deitou-se ao mar.* **36.** Acometer, investir: *Deitou-se aos inimigos.* **37.** Atirar-se, aplicar-se, empenhar-se: *deitar-se ao trabalho.* **38.** V. *recolher* (23): "Deitei-me à hora habitual, depois da ceia." (Josué Montelo, *A Noite sobre Alcântara*, p. 158.) ◆ **Deitar abaixo.** Deitar por terra. **Deitar a perder.** **1.** Ser a causa da ruína ou desgraça de. **2.** Dar cabo de; destruir. **Deitar e rolar.** *Bras.* **1.** Fazer o que quer, quando em posição de mando, aproveitando eventual superioridade em relação a outrem; pintar e bordar. **2.** V. *pintar o sete* (1). **Deitar fora.** **1.** Desfazer-se de. **2.** Fazer sair; expulsar. **3.** Passar inutilmente, sem proveito: *Deitou fora as suas férias.*

deítico *Adj. S. m. E. Ling.* V. *díctico*. [Uso próprio de P.] ⊙

dêitico *Adj. S. m.* V. *deíctico*.

deixa [Dev. de *deixar*.] *S. f.* **1.** Ato ou efeito de deixar; deixação, deixada, deixamento. **2.** Legado, herança. **3.** *Teatr.* Palavra, frase ou atitude do ator, que indica a outro(s) o momento em que deve(m) falar ou entrar em cena. **4.** *Teatr.* Ruído, sinal ou movimento de luzes ou de cenários, que marca o instante da entrada em cena de um ou mais atores, ou do início de novo movimento cênico. **5.** *P. ext.* Palavra, frase ou circunstância que dá ocasião a que alguém aja ou fale: *Aproveitei a deixa e falei.* **6.** *Bras. S.* Espaço alagado que formam os rios quando voltam ao primitivo leito, após a enchente. **7.** *Bras. SP* Antigo leito de um rio; álveo antigo de cuja existência se conservam claros vestígios. ◆ **Pegar na deixa.** *Bras. N.E.* Nas cantorias, principiar uma estrofe rimando com o último verso da anterior.

deixação [De *deixar* + *-ção*.] *S. f.* V. *deixa* (1). ◆ **Deixação de si mesmo.** Abandono, desprendimento, abnegação da sua pessoa.

deixada [De *deixar* + *-ada¹*.] *S. f.* V. *deixa* (1).

deixa-disso *El. s. m.* Us. na loc. *turma do deixa-disso* (q. v.).

deixamento [De *deixar* + *-mento*.] *S. m.* V. *deixa* (1).

deixar [Do ant. *leixar* < lat. *laxare*.] *V. t. d.* **1.** Sair de; afastar-se, retirar-se: *deixar a sala.* **2.** Separar-se, apartar-se de: *deixar os companheiros.* **3.** Ausentar-se: *deixar a pátria.* **4.** Sair de; desviar-se de: *deixar a estrada principal.* **5.** Não continuar a reter; não conservar mais; largar, soltar: *deixar a presa.* **6.** Abandonar, desprezar: *deixar a mulher.* **7.** Desistir de; renunciar a: *deixar honrarias.* **8.** Pôr de parte; não considerar; esquecer, abstrair: *Deixemos este ponto da questão.* **9.** Afastar, arredar, desviar, repelir: *Deixe esses devaneios bobos.* **10.** Não obstar; permitir, consentir: *Deixou que o apanhassem.* **11.** Adiar, delongar: *Deixemos por enquanto este negócio.* **12.** Dar (como lucro ou proveito); render: *O empreendimento deixou pouco dinheiro.* **13.** Largar, abandonar; exonerar-se, demitir-se: *deixar o emprego.* **14.** Não referir; omitir: *deixar os pormenores.* **15.** Desabituar-se de: *deixar o vício do jogo.* **16.** Ser despojado de; perder: *deixar a vida; A planta deixa as suas folhas.* **17.** Desertar de; abandonar, abjurar: *deixar o partido, a religião.* **18.** Transmitir, comunicar; imprimir, infundir: *O prato deixou um sabor picante; Esta música deixa uma ponta de nostalgia.* **19.** Causar, ou transmitir, ao ausentar-se ou morrer: *deixar saudades; deixar exemplos.* **20.** Transmitir como legado¹ (1), ou (caso não haja testamento) como natural consequência da morte, automaticamente: *Morreu, deixando uma fortuna.* **21.** Transmitir como legado¹ (2): "O modernismo como revolução não deixou monumentos literários." (Hélio Pólvora, *A Força da Ficção*, p. 15); "Deixou [Tchekov] umas 300 histórias curtas." (*Id., ib.*, p. 37). **22.** Tornar possível; facultar: *O nevoeiro mal deixava enxergar o caminho.* **23.** Ser a causa ou motivo de; causar, provocar: *O furacão deixou várias vítimas. T. d. e c.* **24.** Adiar, pospor: *A família deixou o enterro para o dia seguinte; Deixou o assunto para outra ocasião.* **25.** Suspender, parar: *Deixo o trabalho às 17h; Deixarei minhas atividades em novembro.* **26.** Pôr, colocar: *Deixou o envelope no balcão; Deixou a bengala na cadeira.* **27.** Fazer que fique (em certo lugar): *Deixou o irmão em casa; Deixou o carro na oficina. Transobj.* **28.** Fazer que fique (em certo estado ou condição); tornar: *Deixei-o alegre; A transação deixou-o rico.* **29.** Instituir, constituir, nomear: *O avô deixou-o por herdeiro.* **30.** Deixar só, abandonar, desamparar: *A mãe deixou-o pequeno. T. i.* **31.** Cessar, desistir: *Por que deixou de estudar?* **32.** Fugir a; evitar: *Não posso deixar de agir assim T. d. e i.* **33.** Transferir, legar: *O pai deixou-lhe uma casa.* **34.** Por à disposição; ceder: *Deixou-me o seu lugar.* **35.** Não privar, não despojar (de alguém ou de algo): "Levai o que me mata ou me invalida, / Mas deixai-me a saudade, que esta vida / Só bem se vive morto de saudade." (Luís Carlos, *Colunas*, p. 113.) *P.* **36.** Cessar, desistir; abster-se: *Deixe-se de palavras e procure agir.* **37.** Separar-se, apartar-se: *Viveram anos juntos, sem nunca se deixarem.* **38.** Não obstar ou resistir; consentir, permitir: *deixar-se prender.* ◆ **Deixar a desejar.** Não corresponder ao que se esperava, ou ao que seria de esperar. **Deixar atrás. 1.** Não mencionar, omitir. **2.** Exceder, superar, suplantar. **Deixar cair.** *Bras.* V. *deixar correr.* **Deixar correr. 1.** Deixar que aconteça. **2.** Não fazer caso de. [Sin. ger.: *deixar cair, deixar ir, deixar rolar.*] **Deixar de fora.** Não dar oportunidade de participar; excluir. **Deixar ir.** V. *deixar correr.* **Deixar para lá.** Não fazer caso de; não se incomodar com. **Deixar passar. 1.** Não impedir que passe. **2.** Admitir, tolerar: *Impossível deixar passar semelhante desaforo.* **Deixar perceber.** Dar a entender. **Deixar rolar.** V. *deixar correr.* **Deixar ver.** Mostrar, apresentar; demonstrar.

dêixis (cs) [Do gr. *deîxis*, 'modo de provar', 'demonstração'.] *S. f. 2 n. E. Ling.* Propriedade que têm alguns elementos linguísticos, tais como pronomes pessoais e demonstrativos, de fazer referência ao contexto situacional ou ao próprio discurso (5), em vez de serem interpretados semanticamente por si sós; referência. [A melhor forma para esse voc. é *díxis*, mas a f. *dêixis* é a usual. V. *anáfora* (2), *catáfora* (2), *endófora* e *exófora*.]

→**déjà entendu** [deˈʒa ãtaˈdy] [Fr., 'já ouvido'.] **1.** *Neur.* Ilusão epiléptica (q. v.) que representa manifestação epiléptica crítica, e durante a qual o paciente interpreta mal sons que, entretanto, percebe bem e que passam a ter, para ele, características anormalmente familiares. **2.** *Psiq.* Sensação, não associada à realidade, de que em algum momento anterior já ouvimos aquilo que estamos ouvindo, na verdade, pela primeira vez. [Cf. *jamais entendu.*]

dejarretar [De *de-* + *jarrete* + *-ar*².] *V. t. d.* Cortar pelo jarrete; jarretar.

→**déjà vécu** [deˈʒa veˈky] [Fr., 'já vivido'.] *Neur. Psiq.* Ilusão epiléptica (q. v.) que representa manifestação epiléptica crítica, e durante a qual o indivíduo interpreta mal situação ou situações que, entretanto, percebe bem e que passa(m) a ter, para ele, características anormalmente familiares. [Cf. *jamais vécu.*]

→**déjà vu** [deˈʒa vy] [Fr., da loc. *c'est du déjà vu.*] **1.** *Neur.* Ilusão epiléptica (q. v.) durante a qual o indivíduo interpreta mal objetos que, entretanto, vê bem, e que passam a ter, para ele, características anormalmente familiares. [Cf., nesta acepç., *jamais vu* (1).] **2.** *Psiq.* Sensação falsa de já ter visto ou presenciado algo que se está vendo ou presenciando pela primeira vez. **3.** *Psiq.* Sensação, não associada à realidade, de já haver estado em determinado lugar ou em certa situação quando isso, na realidade, não aconteceu.

dejeção [Do lat. *dejectione.*] *S. f.* **1.** *Fisiol.* V. *defecação* (1). **2.** *Fisiol.* Dejeto (2). **3.** *Geol.* Substância não gasosa expelida por vulcões. **4.** *Med.* Evacuação (2).

dejecção *S. f.* V. *dejeção.*

dejecto *S. m.* V. *dejeto.*

dejejua [Dev. de *dejejuar.*] *S. f.* V. *desjejua.*

dejejuadoiro [De *dejejuar* + *-doiro*².] *S. m.* Dejejuadouro (q. v.).

dejejuadouro [De *dejejuar* + *-douro*²; var. de *dejejuadoiro.*] *S. m.* V. *desjejum.*

dejejuar [De *de-* + *jejuar.*] *V. int. P. T. d.* V. *desjejuar.*

dejejum *S. m.* V. *desjejum.*

dejetar [Do lat. *dejectare.*] *V. int.* **1.** Fazer dejeção (1); defecar. *T. d.* **2.** Fazer dejeção (1) de.

dejeto [Do lat. *dejectu.*] *S. m.* **1.** *Fisiol.* V. *defecação* (1). **2.** Conjunto de matérias fecais expelidas por vez; dejeção.

dejetório [De *dejeto* + *-ório.*] *S. m. Bras.* V. *latrina* (1).

dejua [De *dejejua*, com haplologia.] *S. f.* V. *desjejum.*

dejuação *S. f.* V. *desjejum.*

dejungir [Do lat. *dejungere.*] *V. t. d.* Desjungir. [Defect. Conjug.: v. *jungir.*]

→**de jure** [de ˈjure] [Lat.] *Jur.* De direito. [Aplica-se, esp., na expressão *juris et de jure*, para significar, p. ex., presunção que se funda em princípio absoluto de direito, em sentido oposto à expressão *juris tantum* (q. v.).] [Antôn.: *de facto.*]

→**de jure constituendo** [de ˈjurɛ kɔnsteṭoˈendɔ] [Lat., 'do direito a constituir'.] *Jur.* A propósito de matérias ou situações jurídicas não previstas em leis vigentes, mas que poderão ou deverão, com o tempo, constituir normas de direito objetivo; *de lege ferenda.*

dejúrio [Do lat. *dejuriu.*] *S. m. P. us.* Juramento solene.

dela¹ [Do fr. *dalle.*] *S. f.* **1.** Calha ou sulco para escoamento de água e doutros líquidos. **2.** *Constr. Nav.* Calha ou tubo de ferro preso ao costado de embarcação, para que se lancem ao mar águas servidas, cinzas ou lixo, sem sujar o costado.

dela² Contr. da prep. *de* com o pron. *ela.*

▲**-dela** Equiv. de *-ela.*

delação [Do lat. *delatione.*] *S. f.* **1.** Ato de delatar; denúncia. **2.** Revelação, manifestação, mostra. [Cf. *dilação.*]

delafossita [Do antr. *(Gabriel) Delafosse* (1795-1878), mineralogista francês, + *ita*³.] *S. f. Min.* Mineral hexagonal, óxido de cobre e ferro, que pode conter 3,52% de alumínio.

delamber [Do lat. *delambere.*] *V. t. d.* **1.** Tocar de leve em; roçar, lamber: "brisa da pátria além revoa, / E a delamber-lhe o braço de alabastro, / Falou-lhe de partir... e parte... e voa..." (Castro Alves, *Poesias Escolhidas*, p. 132). *P.* **2.** Lamber o próprio corpo; lamber-se. **3.** Mostrar grande alegria ou contentamento; regozijar-se, entusiasmar-se: *Delambia-se diante do namorado.* **4.** *Fig.* Mostrar-se vaidoso de si mesmo; narcisar-se. **5.** *Fig.* Apurar-se ridiculamente; afetar-se.

delambido [Part. de *delamber.*] *Adj.* **1.** Que se delambeu ou foi lambido. **2.** Afetado, presumido. **3.** Sem expressão ou vivacidade; chocho, desenxabido, deslambido: *desenho delambido.* ● *S. m.* **4.** Indivíduo afetado, presumido.

delaminação [De *de-* + *laminação.*] *S. f. Art. Gráf.* Separação das camadas que compõem papel, cartão, etc.

delaminado [Part. de *delaminar.*] *Adj. Art. Gráf.* Que sofreu delaminação.

delaminar [De *de-* + *laminar*².] *V. t. d. Art. Gráf.* Separar em camadas.

delapidar *V. t. d.* V. *dilapidar.*

delas-frias *S. f. 2 n. Bras. N.E. Gír.* V. *cachaça* (1).

delatar [Voc. deduz. de *delação* e *delator.*] *V. t. d.* **1.** Denunciar, revelar (crime ou delito); acusar: *Delatou com veemência os desmandos da administração.* **2.** Acusar como autor de crime ou delito: *Silvério dos Reis delatou os conjurados.* **3.** Deixar perceber; denunciar, evidenciar, revelar: *O olhar ardente delatava seu amor;* "Enganar-se-ia .... quem supusesse inteiramente broncos os paulistas da época. A redação dos documentos seiscentistas delata um avanço notável sobre a dos anteriores" (Alcântara Machado, *Vida e Morte do Bandeirante*, p. 100). *T. d. e i.* **4.** Denunciar como culpado: *Delatou os companheiros à autoridade.* **5.** Revelar, denunciar: *Delatou à polícia o esconderijo dos ladrões. P.* **6.** Denunciar-se como culpado; acusar-se. [Cf. *dilatar*, v.]

delatável [De *delatar* + *-vel.*] *Adj. 2 g.* Que pode ou deve ser delatado.

delator (ô) [Do lat. *delatore.*] *S. m.* Aquele que delata; denunciante.

delatório [Do lat. tard. *delatoriu.*] *Adj.* Relativo a delação. [Cf. *dilatório.*]

delavê [Do fr. *délavé.*] *Adj. 2 g.* Diz-se de tecido cuja cor manchada imita um tecido desbotado.

→**délavé** [delaˈve] [Fr.] *Adj.* V. *delavê.*

→**del-credere** [del ˈkredere] [Ital.] *S. m. Econ.* **1.** Garantia de pagamento pelas vendas efetuadas, dada por representante comercial ou consignatário a quem, por seu intermédio, oferece a mercadoria. **2.** Comissão cobrada pela prestação de tal garantia. ● *Adj.* **3.** Diz-se de cláusula de contrato de consignação na qual se estipula tal garantia. **4.** Diz-se do representante ou consignatário que oferece tal garantia.

dele (ê) Contr. da prep. *de* com o pron. *ele.* [Flex.: *dela, deles* (ê), *delas.* Cf. *dele* e *deles*, do v. *delir.*]

delé *S. m. Bras. Rel.* V. *delê.* [Com cap.]

delê [De or. afric.] *S. m. Bras. Rel.* **1.** Denominação cabocla [v. *caboclo* (13)] de Ogum. **2.** Na umbanda esotérica, caboclo chefe de legião, na linha de Ogum. [Com cap. Var.: *Delé, Dilé, Dilê, de Lei.*]

→**deleatur** [deˈleatur] [Lat.] *S. m. Tip.* Sinal de revisão [] que indica supressão de letra, palavra, trecho, etc.; sinal de supressão: "Disse o revisor, Sim, o nome deste sinal é deleatur" (José Saramago, *História do Cerco de Lisboa*, p. 11).

deleção [Do ing. *deletion* < lat. *deletione*, 'destruição'.] *S. f. Genét.* Perda de material genético, que pode variar da perda de um fragmento cromossômico, visível ao microscópio óptico, à perda de um ou mais nucleotídeos de uma molécula de ácido desoxirribonucleico.

delegação [Do lat. *delegatione.*] *S. f.* **1.** Ato ou efeito de delegar. **2.** Comissão que dá a alguém o direito de agir em nome de outrem, quer em caráter particular, quer como representante (3); mandato. **3.** Delegacia (1). **4.** *Adm.* Ação pela qual o chefe ou responsável distribui tarefas entre os seus funcionários, levando em consideração sua habilidade e disponibilidade. **5.** *Jur.* Modalidade de novação (q. v.) pela qual um devedor passa a terceiro o encargo de pagar a sua dívida. [V. *expromissão.*] **6.** *Lus.* V. *sucursal* (2).

delegacia [Do lat. *delegatu* (v. *delegado*) + *-ia*¹.] *S. f.* **1.** Cargo ou jurisdição de delegado; delegação. **2.** Repartição em que o delegado exerce a sua função: *delegacia policial; a Delegacia do Tesouro no exterior.*

delegado [Do lat. *delegatu*, part. pass. de *delegare* (v. *delegar*).] *S. m.* **1.** Aquele que é autorizado por outrem a representá-lo; comissário. **2.** Enviado, emissário. **3.** Aquele que tem a seu cargo serviço público dependente de autoridade superior. **4.** A maior autoridade policial numa delegacia. **5.** Representante (3).

delegante [Do lat. *delegante.*] *Adj. 2 g. S. 2 g.* Que, ou quem delega.

delegar [Do lat. *delegare.*] *V. t. d.* **1.** Investir na faculdade de obrar; transmitir por delegação: *Delega mal os encargos que exigem maior competência. T. d. e i.* **2.** Transmitir poderes; investir na faculdade de obrar: *O país delega ao Congresso função legislativa; Delegou à comissão poderes especiais.* **3.** Enviar (alguém) com poderes de julgar, resolver, obrar; encarregar, incumbir: *A empresa delegou dois representantes ao simpósio.* [Conjug.: v. *regar.*]

delegatário [De *delegar* + *-tário.*] *Adj. S. m.* Diz-se de, ou aquele a quem se delega encargo ou poderes.

delegatório [Do lat. tard. *delegatoriu.*] *Adj.* Em que há delegação.

delegável [De *delegar* + *-vel.*] *Adj. 2 g.* Que se pode delegar.

→**de lege data** [de ˈlege ˈdata] [Lat.] *Jur.* Da lei posta, vigente. [Antôn.: *de lege ferenda.*]

→**de lege ferenda** [de ˈlegɛ feˈrenda] [Lat., 'da lei a criar'.] *Jur. De jure constituendo.* [Antôn.: *de lege data.*]

deleitação [Do lat. *delectatione.*] *S. f.* Ação de deleitar(-se); prazer prolongado; gozo, regalo, delícia, deleite, deleitamento.

deleitamento [Do lat. *delectamentu.*] *S. m.* V. *deleitação.*

deleitante [Do lat. *delectante.*] *Adj. 2 g.* V. *deleitável.*

deleitar [Do lat. *delectare.*] *V. t. d.* **1.** Causar prazer, deleite, a; deliciar: *A vida ao ar livre deleita-o. P.* **2.** Sentir ou receber grande prazer; deliciar-se: *Deleita-se com música clássica.*

deleitável [Do lat. *delectabile.*] *Adj. 2 g.* Que deleita, que é muito agradável, que dá prazer; delicioso, deleitoso, deleitante.

deleite [Dev. de *deleitar.*] *S. m.* **1.** Gozo íntimo e suave. **2.** Prazer inteiro, pleno; delícia, deleitação.

deleitoso (ô) [De *deleite* + *-oso.*] *Adj.* V. *deleitável.*

deleixo *S. m. P. us.* Desleixo, desleixamento: "Neste lânguido deleixo / Correr deixo / Minha vida descuidosa" (Bernardo Guimarães, *Poesias Completas*, p. 125).

→**delenda Carthago** [deˈlenda karˈtʰago] [Lat., 'Cartago deve ser destruída'.] Sentença com que Marco Pórcio Catão (234-149 a. C.) terminava suas intervenções no Senado romano. Diz-se para insistir na conveniência de se tomarem medidas drásticas.

deleriado *Adj. Bras. S. Pop.* Sem sentidos; desfalecido, desmaiado.

deletar [Adapt. do ingl. *(to) delete*, 'destruir', 'eliminar'; 'apagar ou rasurar (texto)', < lat. *deletus*, part. pass. do v. lat. *delere*, 'apagar', 'riscar' (v. *delir* e *-ar*²).] *V. t. d. Inform.* V. *apagar* (9). [Em port., o termo é tido por alguns como malformado.]

deletério [Do gr. *deletérios*, pelo lat. med. *deleteriu.*] *Adj.* **1.** Que destrói ou danifica; prejudicial, danoso: *elemento deletério;* "Perguntado por que deixara de tomar rapé, ... respondeu que alguns escritores modernos atribuíam ao amoníaco, parte componente do rapé, o depreciamento das faculdades retentivas, pela ação deletéria que o poderoso álcali exercitava sobre a massa encefálica." (Camilo Castelo Branco, *A Queda dum Anjo*, p. 159). **2.** Nocivo à saúde: *germes deletérios.* **3.** Que corrompe ou desmoraliza: *ambiente deletério.*

deletrear [De *de-* + *letra* + *-ear*².] *V. t. d. Int.* **1.** Ler letra por letra; soletrar: "Ponho-me a silabá-lo; e não descubro. Entro a deletreá-lo; e não percebo." (Rui Barbosa, *Réplica*, p. 110); "Repetiu as frases silabificando, quase deletreando, com o olho esquerdo fechado, com a atenção concentrada." (Júlio

Ribeiro, *A Carne*, p. 140). **2.** Ler mal: *Deletreou o bilhete; Não leu com fluência: deletreou.* [Sin. ger.: *letrear*. Conjug.: v. *frear*.]

delével [Do lat. *delebile*.] ***Adj. 2 g.*** Que se pode apagar ou delir: "Tobias escrevia com uma tinta roxa muito usada no seu tempo e facilmente delével" (Hermes Lima, *Tobias Barreto*, pp. 284-285).

délfica [Do gr. *delphikḗ (trápeza)*, pelo lat. *delphica (mensa)*.] ***S. f.*** A trípode da pitonisa de Delfos.

délfico [Do gr. *delphikós*, pelo lat. *delphicu*.] ***Adj.*** De, ou pertencente ou relativo a Delfos, na Fócida (Grécia), ou a seu antigo oráculo.

delfim[1] [Do gr. *delphís, ínos*, pelo lat. *delphine*.] ***S. m.*** **1.** *Zool.* Mamífero cetáceo, delfinídeo (*Delphinus delphis*), cosmopolita, com rostro separado da fronte por um sulco que vai de um olho ao outro, 38 a 65 dentes superiores e 40 a 58 inferiores, dorso preto, com os lados cinzentos, e ventre branco. Atinge até 2m de comprimento, e alimenta-se de peixinhos, moluscos e crustáceos. [Sin.: *golfinho*.] **2.** *Astr.* Constelação boreal, ao N. do Aquário e da Águia, ao S. da Raposa e a O. do Pégaso. [Com cap., nesta acepç.]

delfim[2] [Do lat. pop. **Dalfinu* < lat. *Dalphinus*, 'título de dignitários franceses', < gr. *delphís*.] ***S. m.*** Título dado aos antigos soberanos do Delfinado, e que, com a cessão desse feudo à coroa francesa, passou para os herdeiros do rei da França.

delfim[3] [Var. de *alfim* (< ár. *al-fil*).] ***S. m. Ant.*** V. *bispo* (6).

delfinense ***Adj. 2 g.*** **1.** De, ou pertencente ou relativo a Delfim Moreira (MG). ● ***S. 2 g.*** **2.** O natural ou habitante de Delfim Moreira.

delfínida [Do tax. *Delphinus* (v. *delfinídeo*) + *-ida*[1].] ***S. m. Adj. 2 g.*** *Zool.* V. *delfinídeo*.

delfinídeo [Do tax. *Delphinus* (< lat. *delphinus*, 'golfinho') + *-ídeo*[1]; tax. *Delphinidae*.] *Zool.* ***S. m.*** **1.** Espécime dos delfinídeos, família de mamíferos cetáceos, de porte médio, cabeça terminada em rostro curto, dentes grandes e fortes e nadadeira dorsal bem desenvolvida. São os botos, as toninhas e o delfim. ● ***Adj.*** **2.** Pertencente ou relativo a eles. [Sin. ger.: *delfínida*.]

delfino [Cruz. de *finado* com o antr. *Delfino*, poss.] ***S. m.*** *Bras. N. Pop.* Defunto, finado.

delfinopolitano ***Adj.*** **1.** De, ou pertencente ou relativo a Delfinópolis (MG). ● ***S. m.*** **2.** O natural ou habitante de Delfinópolis.

▲ **-delf(o)-** Equiv. de *-delfo*.

▲ **-delfo** [Do gr. *delphýs, ýos*. = ***El. comp.*** = 'útero': *didelfo, monodelfo, ornitodelfo*. [Equiv.: *-delf(o)-*: *monodelfia*.]

delgadeza (ê) [De *delgado* + *-eza*.] ***S. f.*** Qualidade de quem ou daquilo que é delgado; delgado.

delgado [Do lat. *delicatu*.] ***Adj.*** **1.** De pouca espessura; fino: *tábua delgada; lâmina delgada.* **2.** De reduzida grossura ou diâmetro: *cintura delgada; pulsos delgados.* **3.** De corpulência escassa; magro, fino: *um rapazinho pálido e delgado.* **4.** Agudo, fino: *voz delgada.* **5.** Pontudo, afiado, aguçado: *flechas delgadas.* **6.** De escassa densidade; ralo, tênue, leve: *vinho delgado; delgado vapor.* **7.** *Fig.* Sutil, fino, arguto: *espírito delgado.* ~ V. *intestino* — e *lente* —*a*. ● ***S. m.*** **8.** A parte delgada de alguns objetos. **9.** Delgadeza.

delíaco [Do gr. *deliakós*, pelo lat. *deliacu*.] ***Adj. S. m.*** V. *délio*.

délias [Adapt. do gr. *Délia*.] ***S. f. pl.*** Na Grécia antiga, festas em honra do deus Apolo, celebradas de cinco em cinco anos na ilha de Delos.

deliasta [Do gr. *deliastés*.] ***S. m.*** Representante das antigas cidades gregas às délias.

delibação [Do lat. tard. *delibatione*.] ***S. f.*** Ato de delibar; prova.

delibar [Do lat. *delibare*.] ***V. t. d.*** **1.** Libar (1): *Delibou o néctar.* **2.** Provar bebendo; avaliar pelo paladar; degustar: *delibar o vinho;* "Do seio intacto o leite / Inda eu não delibava" (P.[e] Sousa Caldas, *Salmos de Davi*, p. 97). **3.** *Poét.* Tocar com os lábios para sentir e provar; saborear, experimentar: "Era-me grato petiscar, delibar aquela boa comida sergipana" (Gilberto Amado, *Presença na Política*, p. 245).

deliberação [Do lat. *deliberatione*.] ***S. f.*** **1.** Ação de deliberar; discussão para se estudar ou resolver um assunto, um problema, ou tomar uma decisão: *O conselho está em deliberação.* **2.** Exame interior; reflexão, meditação. **3.** Resolução, decisão: *tomar uma deliberação.* **4.** Capacidade de resolver, decidir, deliberar; decisão, resolução: *Resolvem tudo por ele: não tem deliberação.*

deliberante [Do lat. *deliberante*.] ***Adj. 2 g.*** **1.** Que delibera; deliberativo. ● ***S. 2 g.*** **2.** Quem delibera.

deliberar [Do lat. *deliberare*.] ***V. t. d.*** **1.** Resolver depois de exame ou discussão; decidir, assentar; delivrar: *A Junta deliberou a prisão do culpado.* ***Int.*** **2.** Meditar no que se há de fazer; consultar a si mesmo, ou a outrem; ponderar, refletir: *Deliberaram longamente antes da ação final.* **3.** Decidir, resolver. ***T. i.*** **4.** Discutir, examinar: *Reuniu-se o Parlamento para deliberar sobre a situação do país.* ***P.*** **5.** Resolver-se consideradamente; decidir-se, determinar-se: *Finalmente, deliberou-se a procurá-lo.*

deliberativo [Do lat. *deliberativu*.] ***Adj.*** **1.** Referente a deliberação. **2.** Deliberante (1). ~ V. *voto* —.

deliberatório [De *deliberar* + *-tório*.] ***Adj.*** Em que há, ou que envolve deliberação.

delicada [F. subst. de *delicado*.] ***S. f.*** *Bras. N.E. Pop.* V. *tuberculose*.

delicadeza (ê) [De *delicado* + *-eza*.] ***S. f.*** **1.** Qualidade de delicado; finura, delgadeza; tenuidade, leveza: *delicadeza dos ramos.* **2.** Moleza, macieza, brandura: *delicadeza da pele.* **3.** Debilidade, fraqueza, fragilidade: *a delicadeza de um órgão.* **4.** Suavidade, leveza: *a delicadeza de um vinho.* **5.** Sensibilidade, sutileza, finura: *delicadeza de espírito.* **6.** Sagacidade, penetração, perspicácia: *delicadeza intelectual.* **7.** Perfeição, esmero, apuro, primor: *delicadeza de entalhes.* **8.** Destreza, ligeireza: *delicadeza de um pincel.* **9.** Sensibilidade extrema; melindre, escrúpulo. **10.** Cortesia, urbanidade, afabilidade: *Sempre nos recebe com muitas delicadezas.* **11.** Mimo, ternura: *as delicadezas da namorada.* **12.** Embaraço, complicação, dificuldade: *Sentiu a delicadeza da situação.*

delicado [Do lat. *delicatu*.] ***Adj.*** **1.** Delgado, fino: "desejo / Ter nos braços teu corpo delicado, / Ter na boca a doçura de teu beijo." (Olavo Bilac, *Poesias*, p. 68); *pano delicado; traços delicados; cintura delicada.* **2.** Mole, macio. **3.** Leve, tênue: *aragem delicada.* **4.** Suave, brando: *o delicado verdor dos bosques.* **5.** Fraco, frágil: *hastes delicadas.* **6.** Doce, terno, meigo. **7.** Sensível, sutil, fino: *alma delicada; gosto delicado.* **8.** Atencioso, obsequioso, afável; urbano; cortês. **9.** Suscetível de se ofender; melindroso, escrupuloso. **10.** Efeminado, afeminado, adamado. **11.** Suave, tenro, leve, fino: *iguaria delicada.* **12.** Esmerado, apurado, primoroso: *entalhe delicado.* **13.** Pouco perceptível; sutil: *diferença delicada.* **14.** Precário, débil: *saúde delicada.* **15.** Embaraçoso, complicado; difícil: *assunto delicado.*

➔**delicatessen** [delikaˈtesin] [Ingl. (< al.).] ***S. f.*** Loja onde se vendem bebidas, frios, conservas, pães, etc. [Cf. *loja de conveniência*.]

delícia [Do lat. *delicia*.] ***S. f.*** **1.** Prazer intenso; sensação deleitosa; voluptuosidade, deleite: *a delícia de amar.* **2.** Extrema felicidade; enlevo, encanto, êxtase, deleite: *as delícias da música.* **3.** Coisa deliciosa: *Este abacaxi é uma delícia.* **4.** Pessoa encantadora, ou pitoresca, ou desfrutável. [Cf. *delicia*, do v. *deliciar*.]

deliciado [Part. de *deliciar*.] ***Adj.*** Que experimentou ou experimenta delícia.

deliciar [Do lat. **deliciare*, por *deliciari*.] ***V. t. d.*** **1.** Causar grande prazer ou delícia a; deleitar: *O ar puro matinal delicia os caminhantes.* ***P.*** **2.** Sentir grande prazer ou delícia; deleitar-se: *Deliciou-se com o banho de mar e o bom almoço.* [Pres. ind.: *delicio, delicias, delicia*, etc. Cf. *delícia*.]

delicioso (ô) [Do lat. tard. *deliciosu*.] ***Adj.*** **1.** Que causa delícia (1); extremamente agradável; deleitável: *passeio delicioso; vinho delicioso.* **2.** Excelente, perfeito, encantador: *pessoa deliciosa.* **3.** Vivaz, gracioso, chistoso: *anedota deliciosa.*

deligação ***S. f.*** Aplicação de ligaduras.

delimitação [Do lat. tard. *delimitatione*.] ***S. f.*** Ato de delimitar; demarcação.

delimitador (ô) [De *delimitar* + *-dor*.] ***Adj.*** **1.** Que delimita; delimitativo. ● ***S. m.*** **2.** Aquele que delimita; demarcador.

delimitar [Do lat. *delimitare*.] ***V. t. d.*** **1.** Fixar os limites de; estremar, demarcar: *delimitar um terreno.* **2.** Pôr limites a; circunscrever, restringir: *delimitar a esfera de trabalho.*

delimitativo [De *delimitar* + *-tivo*.] ***Adj.*** Delimitador (1).

delineação [Do lat. tard. *delineatione*.] ***S. f.*** V. *delineamento*.

delineado [Part. de *delinear*.] ***Adj.*** **1.** Que se delineou. **2.** Bosquejado, esboçado, tracejado.

delineador (ô) [De *delinear* + *-dor*.] ***Adj.*** **1.** Que delineia. ● ***S. m.*** **2.** O que delineia. **3.** *Restr.* Cosmético para avivar ou alterar o contorno dos olhos e/ou dos lábios.

delineamento [De *delinear* + *-mento*.] ***S. m.*** **1.** Ato de delinear; representação por traços gerais; traçado, esboço. **2.** O primeiro esboço ou projeto de qualquer obra; plano geral. **3.** Limitação, demarcação, delimitação. [Sin. ger.: *delineação*.]

delinear [Do lat. *delineare*.] ***V. t. d.*** **1.** Fazer os traços gerais de; traçar, esboçar, debuxar: *O desenhista delineou o modelo.* **2.** Traçar as linhas gerais, o plano de; projetar, planear: *delinear um empreendimento; delinear um romance.* **3.** Descrever de modo sucinto; expor em linhas gerais: *delinear um caráter.* **4.** Demarcar, delimitar: *delinear os compartimentos.* ***P.*** **5.** V. *desenhar* (9): *A musculatura delineava-se debaixo da camisa.* [Conjug.: v. *frear*.]

delineativo [De *delinear* + *-tivo*.] ***Adj.*** Concernente a delineamento.

delineável [De *delinear* + *-vel*.] ***Adj. 2 g.*** Que se pode delinear.

delinquência (qüên) [Do lat. *delinquentia*.] ***S. f.*** **1.** Ato de delinquir. **2.** Estado, qualidade ou caráter de delinquente. ❖

delinquente (qüen) [Do lat. *delinquente*.] ***Adj. 2 g. S. 2 g.*** Que, ou quem delinquiu. ❖

delinquido (qüi) [De *delíquio*[2], poss.] ***Adj.*** **1.** Desmaiado, desfalecido. **2.** *Bras. Pop.* Muito magro; enfermiço, debilitado. ❖

delinquir (qüir) [Do lat. *delinquere*.] ***V. int.*** Cometer falta, crime, delito: *Os que delinquiram serão castigados;* "Que o mesmo rei .... os obrigava a pagar pesadas multas ...., com o pretexto de haverem delinquido contra as leis civis" (Alexandre Herculano, *História de Portugal*, III, p. 106). [Embora tradicionalmente defect. (sem a 1.ª pess. sing. do pres. ind. e, portanto, todo o pres. subj.), este verbo, segundo o novo acordo, pode ser conjugado semelhantemente a averiguar (q. v.), por dois paradigmas.] ❖

délio [Do gr. *délios*, pelo lat. *deliu*.] ***Adj.*** **1.** Da, ou pertencente ou relativo à ilha de Delos (Grécia). ● ***S. m.*** **2.** O natural ou habitante dessa ilha. [Sin. ger.: *delíaco*. Fem.: *délia*. Cf. *delia*, do v. *delir*.]

deliquescência (qües) [De *deliquescer* + *-ência*.] ***S. f.*** **1.** *Fís.-Quím.* Formação de uma película de solução sobre os cristais de um sal que está numa atmosfera em que a pressão de vapor de água é maior que a pressão de vapor da solução aquosa saturada com o sal, na mesma temperatura. **2.** *Fig.* Desagregação, degeneração, decadência: *a deliquescência dos costumes.* ❖

deliquescente (qües) [Do lat. *deliquescente*, part. pres. de *deliquescere*.] ***Adj. 2 g.*** **1.** Sujeito a deliquescência. **2.** *Fig.* Que se desfaz, que se dissolve. **3.** *Fig.* Desagregado, decadente: *moral deliquescente; estilo deliquescente.* ❖

deliquescer (qües) [Do lat. *deliquescere*.] ***V. int.*** **1.** Sofrer deliquescência. ***T. i.*** **2.** *Fig.* Dissolver-se, desfazer-se; esfumar-se: "Também na Espanha, vinha de longe aquela cena informe, de sabor e intentos religiosos quase exclusivos, a deliquescer em quadros cândidos" (J. Carlos Lisboa, *O Teatro de Cervantes*, p. 15). [Conjug.: v. *crescer*.] ❖

delíquio[1] [Do lat. *deliquiu* < lat. *deliquere*, 'verter', 'transvazar'.] ***S. m.*** Liquefação sob a ação da umidade do ar.

delíquio[2] [Do lat. *deliquiu*, 'desfalecimento', < lat. *delinquere*, 'faltar', 'deixar de comparecer'.] ***S. m.*** *Med.* V. *síncope* (1).

delir [Do lat. *delere*. Cf. *deletar*.] ***V. t. d.*** **1.** Apagar, desvanecer, esvanecer, esvaecer: *Sucessivas lavagens deliram a nódoa.* **2.** Fazer desaparecer; destruir, desfazer: "Nas suturas das rochas, pelas brechas dos lançantes, escorrem teimosos fios d'água que vão delindo a rigidez dos blocos e filtrando-lhes no imo a fúria com que arremetem uns contra os outros." (Afonso Arinos, *Pelo Sertão*, p. 102.) **3.** Dissolver, diluir, desfazer: *delir os favos; delir uma pasta.* **4.** Abater, gastar, consumir: *As privações deliram suas forças.* ***P.*** **5.** Desfazer-se, desmanchar-se: "algumas porções desiguais de muros esboroados a delir-se." (Antônio Feliciano de Castilho, *O Presbitério da Montanha*, p. 39); "O seu sonhar não era devaneio vago, ... nem os seus ataques à vida se deliam em fumaradas como as que azulavam o ar nesse momento" (Alberto d'Oliveira, *Prosa e Verso*, I, p. 203). [Conjug.: v. *aderir*. Defect. Falta-lhe a 1.ª pess. sing. do pres. ind. e, dela derivado, o pres. subj. Pres. ind.: *deles, dele, delimos, delis, delem*; imperf.: *delia, delias*, etc. Cf. *dele* (ê) e pl. *deles* (ê); *délia*, fem. de *délio*; *Délia*, mit. e antr.; e *Délias*, heort.]

delirado [Part. de *delirar*.] ***Adj.*** Que está em delírio; louco, estonteado, delirante.

deliramento [Do lat. *deliramentu*.] ***S. m. P. us.*** Ação ou efeito de delirar; delírio.

delirante [Do lat. *delirante*.] ***Adj. 2 g.*** **1.** Que delira; atacado de delírio. **2.** Próprio de quem delira; extravagante, insensato: *imaginação delirante.* **3.** Que manifesta grande exaltação ou entusiasmo: *aplausos delirantes.* **4.** Aloucado, desvairado, desordenado: *gestos delirantes.* **5.** *Fam.* Extraordinário, maravilhoso, arrebatador: *espetáculo delirante.* ~ V. *ideia* — e *transtorno* —.

delirar [Do lat. *delirare*.] ***V. int.*** **1.** Estar ou cair em estado de delírio: *O doente tinha febre e delirava.* **2.** Estar ou ficar fora de si; praticar desvarios; variar, tresvariar: *Aquele bêbado delira e diz asneiras.* **3.** Sentir e/ou manifestar com excesso ou grande intensidade: *delirar de ódio; delirar de prazer.* **4.** Disparatar, despropositar.

delírio [Do lat. *deliriu.*] *S. m.* **1.** *Psiq.* Ideia falsa, devido a prejuízo grave na interpretação da realidade e que, em face de um raciocínio correto, não se modifica, ou pouco se modifica. [Sin., p. us.: *delusão.* Cf. *ideia delirante.*] **2.** Transporte, êxtase, arrebatamento. **3.** Imoderada excitação do espírito; agitação, desvairamento. **4.** Entusiasmo extremo; exaltação.

delirioso (ô) [De *delírio* + *-oso.*] *Adj. P. us.* **1.** Que tem, ou em que há delírio; delirante. **2.** Proveniente de delírio.

→**delirium tremens** [dɛˈliɾeɔn ˈtremens] [Lat.] *Psiq.* Forma de perturbação mental aguda passível de ocorrer em dependentes de álcool e de outros depressores do sistema nervoso central, e caracterizada por tremores, sudorese, agitação e alucinações terrificantes. [Expressão criada pelo médico inglês T. Sutton em 1813.]

delitescência [Do lat. *delitescere,* 'ocultar-se', 'esconder-se', + *-ência.*] *S. f. Med.* **1.** Desaparecimento repentino dos sinais objetivos de doença. **2.** Período em que o agente mórbido permanece latente no organismo.

delitivo [De *delito* + *-ivo.*] *Adj. P. us.* Delituoso.

delito [Do lat. *delictu.*] *S. m.* **1.** Fato que a lei declara punível; crime. **2.** Culpa, falta; pecado. ◆ **Flagrante delito.** Delito (1) em cuja prática o agente é surpreendido.

delituoso (ô) [De *delito* + *-uoso.*] *Adj.* Em que há, ou que constitui delito. [Sin. (p. us.): *delitivo.*]

→**delivery order** [dəˈlɪvəɹi ˈɔɹdə] [Ingl., 'ordem de entrega'.] *Jur.* Título à ordem, endossável, de entrega de lotes de mercadorias agrupadas num único conhecimento relacionado ao título.

delivramento [De *delivrar*[1] + *-mento.*] *S. m. Obst.* Expulsão das páreas ou secundinas, após o parto; decedura, dequitação, dequitadura.

→**délivrance** [deliˈvʀɑ̃s] [Fr.] *S. f.* Parto[1] (2).

delivrar[1] [Do fr. *délivrer.*] *Ant. V. t. d.* **1.** Dar liberdade a; livrar; soltar. *P.* **2.** *Obst.* Expelir as secundinas (a parturiente); dequitar-se.

delivrar[2] *V. t. d. Ant.* V. *deliberar* (1).

delmirense *Adj. 2 g.* **1.** De, ou pertencente ou relativo a Delmiro Gouveia (AL). ● *S. 2 g.* **2.** O natural ou habitante de Delmiro Gouveia.

▲ **-delo** [Do gr. *dêlos, ē, on.*] *El. comp.* = 'visível', 'aparente': *enterodelo, urodelo*[1].

delogum *S. m. Bras. Rel.* V. *dilogum.*

delonga [Dev. de *delongar.*] *S. f.* **1.** Ato de delongar; demora, adiamento, dilação, atraso. **2.** Embaraço que retarda a execução de um ato.

delongador (ô) [De *delongar* + *-dor.*] *Adj. S. m.* Que, ou aquele que delonga; atrasador.

delongar [De *de-* + *longo* + *-ar*[2].] *V. t. d.* **1.** Tornar longo, demorado; demorar; retardar; adiar, dilatar: *O funcionário delongou o encaminhamento do processo. P.* **2.** Demorar-se, retardar-se, prolongar-se: "Delongou-se a conversação até alta noute." (Camilo Castelo Branco, *A Enjeitada,* p. 198.) [Conjug.: v. *largar.*]

delta [Do gr. *délta,* pelo lat. *delta.*] *S. m.* **1.** A 4.ª letra do alfabeto grego (Δ, δ), correspondente ao nosso *d.* **2.** Foz caracterizada pela presença de ilhas de aluvião, geralmente de configuração triangular, assentadas à embocadura de um rio, e que forma canais até o mar: *o delta do Nilo;* "As águas caudalosas de dois rios, juntando-se num delta, corriam algum tempo soltas, numa levada tranquila, até uma apertada garganta." (Coelho Neto, *Treva,* p. 269). **3.** Sinal triangular ou estrelado, nas extremidades digitais, na planta e na palma humanas, orientador da classificação dactiloscópica dos tipos dermopapilares. **4.** *Quím.* Designação de átomo (ou substituinte a este ligado) ligado a um átomo gama (1). [Nesta acepç., posposto a outro substantivo tem valor adjetivo: *carbono delta;* tb. se usa a letra grega Δ.] ◆ **Delta de Dirac.** *Mat.* Funcional que, aplicado a uma função, dá o valor dessa função na origem do seu domínio. **Delta de Kronecker.** *Mat.* Tensor misto de segunda ordem, que é nulo quando os seus índices são diferentes, e igual à unidade quando são iguais. **Delta luminoso.** *Maç.* Triângulo, símbolo do Poder Supremo, que se situa sobre a cadeira do venerável mestre.

▲ **delta-** *Quím. Pref.* **1.** Indica, numa molécula, átomo ou grupo delta: *ácido delta-ceto-carboxílico.* **2.** Designa, segundo critérios mais ou menos arbitrários, uma entre várias moléculas relacionadas: *delta-caroteno.* **3.** Indica, em lactona ou lactama, anel de seis átomos: *delta-lactona.* [Tb. é us. a letra grega Δ.]

deltacismo [De *delta* + a term. de *(lambda)cismo.*] *S. m.* Vício de articulação que consiste na pronúncia defeituosa do *d,* em geral trocado pelo *t.*

deltaico [De *delta* + *-aico.*] *Adj.* Relativo ou semelhante a delta (2): *aluviões deltaicos.*

deltaíta [De *delta* + *-ita*[3].] *S. f. Min.* Mineral hexagonal, hidrofosfato de cálcio e alumínio.

delta-mais *S. m. Fís. Nucl.* Bárion que no estado fundamental tem massa 1232 MeV/c^2, *isospin* 3/2, *spin* 3/2, paridade positiva, carga elétrica igual à do próton, composto de dois *quarks u* e um *quark d* [símb.: Δ+]. [Pl.: *deltas-mais.*]

delta-mais-mais *S. m. Fís. Nucl.* Bárion que no estado fundamental tem massa 1232 MeV/c^2, *isospin* 3/2, *spin* 3/2, paridade positiva, carga elétrica igual a duas vezes a do próton, composto de três *quarks u* [símb.: Δ++]. [Pl.: *deltas-mais-mais.*]

delta-menos *S. m. Fís. Nucl.* Bárion que no estado fundamental tem massa 1232 MeV/c^2, *isospin* 3/2, *spin* 3/2, paridade positiva, carga elétrica igual à do elétron, composto de três *quarks d* [símb.: Δ–]. [Pl.: *deltas-menos.*]

delta-zero *S. m. Fís. Nucl.* Bárion que no estado fundamental tem massa 1232 MeV/c^2, *isospin* 3/2, *spin* 3/2, paridade positiva, carga elétrica nula, composto de dois *quarks d* e um *quark u* [símb.: Δ°]. [Pl.: *deltas-zero.*]

deltense *Adj. 2 g.* **1.** De, ou pertencente ou relativo a Delta (MG). ● *S. 2 g.* **2.** O natural ou habitante de Delta.

deltocarpo [Do gr. *délta,* 'delta', + *-o-* + *-carpo.*] *Adj. Bot.* Diz-se do vegetal cujos frutos têm seção triangular.

deltoide (ói) [Do gr. *deltoeidés,* pelo lat. mod. *deltoides.*] *Adj. 2 g.* **1.** Que tem forma de delta (1) maiúsculo; deltóideo. ~ *V. folha —.* ● *S. m.* **2.** *Anat.* Músculo triangular que recobre a articulação do ombro. ● *S. f.* **3.** *Geom.* Tricúspide (3).

deltóideo *Adj.* Deltoide (1).

deltoidiano [De *deltoide* + *-iano.*] *Adj. Anat.* Relativo ou pertencente a deltoide (2).

delubro [Do lat. *delubru.*] *S. m.* Templo pagão.

deludir [Do lat. *deludere.*] *V. t. d.* **1.** Enganar, lograr, iludir: *Deludiu a vigilância do sentinela e fugiu.* **2.** Infringir, transgredir: *deludir o regulamento.*

delusão [Do lat. tard. *delusione.*] *S. f.* **1.** Engano, logro, burla. **2.** *Psiq. P. us.* V. *delírio* (1).

deluso [Do lat. *delusu.*] *Adj.* **1.** Que engana. **2.** Que foi deludido; enganado, iludido, iluso.

delusório [Do lat. *delusoriu.*] *Adj.* Enganador, ilusório: "Meu caro amigo! vais morrer obscuro, / Tu que deixaste o gozo pela glória / E tiveste uma vida delusória / Como um clarão de sol sobre um monturo." (A. J. Pereira da Silva, *Holocausto,* p. 123.)

deluzir-se [De *de-* + *luzir* + *se*[1].] *V. p.* **1.** Perder a luz ou o brilho; deslustrar-se, desluzir-se. **2.** Desvanecer-se, apagar-se. [Unipessoal. Conjug.: v. *aduzir.*]

delvauxita [Do antr. (*J. S. P. J.*) *Delvaux* (séc. XVIII), químico belga, + *-ita*[3].] *S. f. Min.* Mineral amorfo, fosfato de ferro hidratado.

demacuri *Bras. S. 2 g.* **1.** *Etnôn.* Indivíduo dos demacuris, povo indígena extinto que habitava as margens do rio Cauaburi, afluente da margem esquerda do rio Negro (AM). ● *Adj. 2 g.* **2.** Pertencente ou relativo a esse povo. [Tb. us. como *s. 2 g. e 2 n.* (com cap.) e *adj. 2 g. e 2 n.*]

demagogia [Do gr. *demagogía.*] *S. f.* **1.** Dominação ou preponderância das facções populares. **2.** Conjunto de processos políticos hábeis tendentes a captar e utilizar, com objetivos menos lícitos, a excitação e as paixões populares. **3.** *Fam.* Afetação ou simulação de modéstia, de pobreza, de humildade, de desprendimento, de tolerância, etc., com finalidade demagógica. **4.** *Pej.* Demagogice.

demagogice [De *demagogo* + *-ice.*] *S. f. Pej.* Ato ou dito de demagogo; demagogia.

demagógico [Do gr. *demagogikós.*] *Adj.* **1.** Relativo à demagogia. **2.** Dado à demagogia (2 e 3); demagogo. **3.** Próprio de demagogo: *atitudes demagógicas.*

demagogismo [De *demagogo* + *-ismo.*] *S. m.* Sistema ou processos de demagogo.

demagogo (ô) [Do gr. *demagogós.*] *S. m.* **1.** Na Grécia antiga, cada um dos chefes do partido democrático durante a guerra do Peloponeso. **2.** Chefe de facção popular. **3.** Político inescrupuloso e hábil que se vale das paixões populares para fins menos lícitos. **4.** Partidário da demagogia. ● *Adj.* **5.** Demagógico (2).

demais [De *de* + *mais.*] *Adv.* **1.** Excessivamente; em demasia. **2.** Muitíssimo; intensamente: *Eles se amam demais.* **3.** Além disso; ademais: *Não o pude atender por estar ocupadíssimo; demais, estava muito cansado.* ● **Pron. (pl.)** **4.** Os mais, os outros, os restantes. [Ger. precedido de artigo, nesta acepç. Cf. a loc. adv. *de mais,* à qual se opõe *de menos.*] ◆ **Por demais.** Em excesso; em demasia, demasiadamente, demasiado.

demanda [Dev. de *demandar.*] *S. f.* **1.** Ação de demandar. **2.** Ação judicial; processo, litígio. **3.** Contestação; discussão, disputa. **4.** Combate, peleja, pugna. **5.** *Desus.* Pergunta. **6.** *Econ.* Disposição de comprar determinada mercadoria ou serviço, por parte dos consumidores; procura: *No verão há grande demanda por cerveja.* **7.** *Econ.* Quantidade de mercadoria ou serviço que um consumidor ou conjunto de consumidores está disposto a comprar, a determinado preço: *A demanda de pneus diminui quando aumenta o preço dos automóveis.* **8.** *Eletr.* Cota de quilowatts necessários ao consumo de uma cidade, de uma empresa industrial, etc. ◆ **Demanda agregada.** *Econ.* Demanda global (q. v.). **Demanda de cloro.** *Eng. Ind.* No tratamento de água, quantidade de cloro consumida por substâncias presentes na água, quando tais substâncias ficam em contato com um excesso de cloro durante 10 minutos. **Demanda global.** *Econ.* Conjunto das mercadorias e serviços demandados num país em certo período (ger. um ano), abrangendo os gastos de consumo e de investimento e o excesso das exportações sobre as importações; demanda agregada. **Em demanda de.** Em busca de; à procura de: *Vive em demanda de glória.*

demandado [Part. de *demandar.*] *Adj. S. m.* Diz-se de, ou aquele contra quem se intenta demanda (2).

demandador (ô) [De *demandar* + *-dor.*] *S. m.* V. *demandante* (2).

demandante [Do lat. *demandante.*] *Adj. 2 g.* **1.** Que demanda. ● *S. 2 g.* **2.** Pessoa que demanda; pleiteador, demandista, demandador.

demandar [Do lat. *demandare.*] *V. t. d.* **1.** Ir em busca de; procurar: *demandar novas terras.* **2.** Dirigir-se para; ir em direção a: *demandar a cidade;* "Vai pensativo demandando a praia, / Onde o Timbira mensageiro o aguarda." (Gonçalves Dias, *Obras Poéticas,* p. 313). **3.** Ter necessidade de; precisar de; necessitar: *Faminto, demanda alimentação.* **4.** Reclamar, pedir, requerer, exigir: *A tarefa demanda muito tempo e competência.* **5.** Pedir, solicitar. **6.** Intentar ação judicial, ou demanda contra; processar, acionar. **7.** *Econ.* Exercer demanda (6): *Com a baixa do dólar os consumidores demandam mais produtos importados. T. d. e i.* **8.** Perguntar, indagar: *Demandou-me se eu poderia viajar. Int.* **9.** Propor demanda(s). **10.** Disputar, contender, litigar.

demandista [De *demanda* + *-ista.*] *S. 2 g.* **1.** Pessoa que intenta demandas. **2.** Pessoa muito dada a demandas. [V. *demandante* (2).]

demão [De *de-* + *mão*[1].] *S. f.* **1.** Cada película de tinta ou de produto afim aplicada sobre uma superfície base ou sobre outra película anteriormente aplicada; mão. **2.** Cada uma das vezes em que se recomeça um trabalho ou se retoma um assunto. **3.** Auxílio, ajuda, mão. [Pl.: *demãos.*]

demarcação [De *demarcar* + *-ção.*] *S. f.* **1.** Determinação de limites por meio de marcos ou balizas; delimitação. **2.** Definição, fixação. **3.** Separação, distinção.

demarcador (ô) [De *demarcar* + *-dor.*] *Adj. S. m.* Que, ou aquele que demarca.

demarcar [De *de-* + *marcar.*] *V. t. d.* **1.** Marcar os limites de; estremar, delimitar: *demarcar um terreno.* **2.** Definir, determinar, fixar: *demarcar o campo de ação; demarcar o prazo.* **3.** Separar, distinguir: *demarcar os pontos principais da questão.* [Conjug.: v. *trancar.*]

demarcativo [De *demarcar* + *-tivo.*] *Adj.* Que serve para demarcar; demarcatório: *linha demarcativa.*

demarcatório [De *demarcar* + *-tório.*] *Adj.* **1.** Em que há demarcação. **2.** Referente a demarcação. **3.** Demarcativo: "O ano de 1927 foi .... uma espécie de linha demarcatória para a cultura da nossa terra, com a publicação dos *Poemas* de Jorge de Lima." (Carlos Moliterno, *Notas sobre Poesia Moderna em Alagoas,* p. 38.)

demarcável [De *demarcar* + *-vel.*] *Adj. 2 g.* Que se pode demarcar, delimitar.

→**démarche** [deˈmaʀʃ] [Fr.] *S. f.* Diligência; providência.

→**demarketing** [dijˈmaɹkɛtɪŋ] [Ingl.] *Market.* Estratégia de *marketing* us. para reduzir a demanda de produtos e serviços.

demasia [Do esp. *demasía.*] *S. f.* **1.** Aquilo que é demais; excesso, sobra, resto, sobejo. **2.** Desregramento, imoderação, intemperança. **3.** Abuso, temeridade. **4.** *Lus.* Troco (3): *Tua demasia é de três escudos, pois deste-me cinco.* ◆ **Em demasia.** V. *demasiado* (5): "Dei-lhe os emboras .... estofados de palavras e ideias em demasia literárias." (Camilo Castelo Branco, *A Mulher Fatal,* p. 98.)

demasiado [De *demasia* + *-ado*[1].] *Adj.* **1.** Que passa dos justos limites; excessivo. **2.** Descomedido, desregrado, imoderado. **3.** Exorbitante, abusivo. **4.** Supérfluo, inútil. ● *Adv.* **5.** Em quantidade ou grau demasiados [v. *demasiado* (1 a 3)], excessivamente ou em excesso; em demasia, por demasiado: "As condições do meio e a sua índole arrastaram-no demasiado à vida exterior" (Euclides da Cunha, *Contrastes e Confrontos,* p. 282). ◆ **Por demasiado.** V. *demasiado* (5).

demasiar-se [De *demasia* + *-ar*^{2} + *se*^{1}.] *V. p.* Ir além dos limites razoáveis; exceder-se: *Demasia-se no trabalho; Demasiou-se na bebida.*
demasioso (ô) [De *demasia* + *-oso.*] *Adj.* Demasiado, excessivo.
demência [Do lat. *dementia.*] *S. f.* **1.** *Psiq.* Qualquer deterioração mental; afrenia, afrenesia, atimia. **2.** *Pop.* Loucura, doidice, parvoíce. **3.** Procedimento insensato. [Sin. ger.: *dementação* e (p. us.) *amência.*] ◆ **Demência precoce.** *Psiq. Desus.* Esquizofrenia. **Demência senil.** *Psiq.* Demência que acomete pessoas idosas, em decorrência de esclerose no sistema nervoso central, e cujo tipo mais frequente é a doença de Alzheimer (q. v.).
demencial [De *demência* + *-al*^{1}.] *Adj. 2 g.* Em que ocorre demência, ou relativo a ela.
dementação [De *dementar* + *-ção.*] *S. f.* V. *demência.*
dementado [Part. de *dementar.*] *Adj. S. m.* Que, ou aquele que perdeu o juízo; demente.
dementar [Do lat. tard. *dementare.*] *V. t. d.* **1.** Tornar demente; fazer perder a razão; enlouquecer. *P.* **2.** Tornar-se demente; perder a razão; enlouquecer. [Sin. ger.: *amentar.*]
demente [Do lat. *demente.*] *Adj. 2 g. S. 2 g.* **1.** Que, ou quem apresenta demência. **2.** *Pop.* Louco, insensato. [Sin. ger.: *dementado* e (p. us.) *amente.*]
demerara [Do top. *Demerara*, região da Guiana.] *S. m.* Açúcar-demerara.
➔**de meritis** [de ˈmɛɾetʃs] [Lat., 'sobre o mérito'.] *Jur.* Pronunciamento (do juiz ou das partes) acerca da relação jurídica principal da demanda, em face das provas produzidas e do direito aplicável.
demérito [Do lat. tard. *demeritu.*] *S. m.* **1.** Falta ou perda de mérito ou merecimento; desmerecimento; desmérito. ● *Adj.* **2.** Falto de mérito. **3.** Que perdeu o merecimento; desmerecedor.
demeritório [De *demérito* + *-ório.*] *Adj.* Que constitui ou implica demérito (1).
demerso [Do lat. *demersus*, part. pass. de *demergere*, 'mergulhar', 'afundar'.] *Adj. Zool.* Diz-se de peixe que vive próximo ao fundo do mar, como, p. ex., o bacalhau e o linguado.
demífugo [De *demo*^{1} + *-i-* + *-fugo*^{2}.] *Adj.* Que afugenta o demônio.
demissão [Do lat. *demissione.*] *S. f.* Ato ou efeito de demitir(-se).
demissibilidade [De *demissível* + *-(i)dade*, seg. o padrão erudito.] *S. f.* Qualidade de demissível.
demissionário [De *demissão* + *-ário*, seg. o padrão erudito.] *Adj.* **1.** Que se demitiu; que pediu demissão; demitente. **2.** *Fig.* Que abdica do seu direito; que não o faz valer.
demissível [Do lat. *demissus*, part. pass. de *demittere* (v. *demitir*), + *-ível.*] *Adj. 2 g.* Que pode ser demitido; sujeito a demissão.
demisso [Do lat. *demissu.*] *Adj.* **1.** Voltado para a terra; abatido: "É vê-lo agora vir, demissa a fronte, e o dorso" (Alberto de Oliveira, *Poesias*, 3ª série, p. 103). **2.** Humilhado; ultrajado.
demissório [De *demisso* + *-ório.*] *Adj.* Respeitante a demissão. [Fem. pl.: *demissórias*. Cf. *dimissórias.*]
demitente [Do lat. *demittente.*] *Adj. 2 g.* Demissionário (1).
demitir [Do lat. *demittere.*] *V. t. d.* **1.** Tirar cargo, função ou dignidade de; destituir, exonerar: *O governo demitiu vários funcionários.* **2.** Licenciar, despedir: *O quartel demitiu as tropas.* **3.** Renunciar a; desistir de; abdicar de, abdicar: *demitir os seus direitos.* **4.** Largar, deixar, depor: *Vencidos, demitiram as armas. T. d. e i.* **5.** Afastar, desviar: *Demito de mim a ideia de vingança.* **6.** Destituir, exonerar, desempregar: *A empresa demitiu-o do cargo. P.* **7.** Pedir demissão; exonerar-se. **8.** Renunciar a; desistir de; abster-se: *Demitiu-se de todas as falsas honrarias.*
demitização [De *demitizar* + *-ção.*] *S. f. Rel.* Movimento manifestado na teologia protestante e católica, originado dos escritos de Rudolf Bultmann (1884-1976), teólogo alemão.
demitizar [De *de-* + *mito* + *-izar.*] *V. int. Rel.* **1.** Separar o essencial das narrativas bíblicas de sua forma literária mítica. **2.** Escoimar de mitos a mensagem cristã.
demiurgia [Do gr. *demiourgía*, 'prática de uma arte'; 'produção', 'criação'.] *S. f.* Ação criadora; criação: "Se alguém tem dúvidas sobre estas novas demiurgias não tem mais que lembrar-se de que assim mesmo foi o mundo feito e feito o homem" (José Saramago, *História do Cerco de Lisboa*, p. 50).
demiúrgico [Do gr. *demiourgikós.*] *Adj.* Relativo a, ou próprio de demiurgo.
demiurgo (i-úr) [Do gr. *demiourgós*, pelo lat. *demiurgu.*] *S. m.* **1.** *Hist. Filos.* Segundo Platão (v. *platonismo*), o Deus que cria o Universo, organizando a matéria preexistente. **2.** *Rel.* Criatura intermediária entre a natureza divina e a humana: "Já passou a época dos heróis, demiurgos e reis para a história, das catástrofes para a geologia — hoje é o átomo aqui, ali o infusório, acolá a vil plebe e a multidão dos pequeninos que definem, explicam e governam o mundo." (João Ribeiro, *Páginas de Estética*, p. 56.)
demo^1 [F. red. de *demônio.*] *S. m.* **1.** Demônio. V. *diabo* (2). **2.** Pessoa turbulenta ou muito astuciosa.
demo^2 [Do gr. *dêmos*, pelo lat. *demos*, por via erudita.] *S. m.* **1.** Povoação na Ática antiga. **2.** Cada um dos burgos que constituem certos povoados da África.
demo^3 [F. red. de *demonstração.*] *S. m.* Fita (de áudio ou de vídeo), filme, ou programa de computador, produzidos para simples demonstração.
▲ **demo-** [Do gr. *dêmos, ou.*] *El. comp.* = 'povo': *demografia, demopsicologia.*
democracia [Do gr. *demokratía.*] *S. f.* **1.** Governo do povo; soberania popular; democratismo. [Cf. *vulgocracia.*] **2.** Doutrina ou regime político baseado nos princípios da soberania popular e da distribuição equitativa do poder, ou seja, regime de governo que se caracteriza, em essência, pela liberdade do ato eleitoral, pela divisão dos poderes e pelo controle da autoridade, *i. e.*, dos poderes de decisão e de execução; democratismo. [Cf., nesta acepç., *ditadura* (1).] **3.** País cujo regime é democrático. **4.** As classes populares; povo, proletariado. ◆ **Democracia autoritária.** *Ciênc. Pol.* Sistema de governo surgido após a 1ª Guerra Mundial, em geral anticomunista, firmado na supremacia do poder executivo em relação aos demais poderes. **Democracia participativa.** *Ciênc. Pol.* Sistema que atribui legitimidade decisória à participação direta da população em atos de governo. **Democracia popular.** *Ciênc. Pol.* Designação comum aos regimes políticos monopartidários dominantes nos países da área socialista. [Cf., nesta acepç., *república popular.*]
democrata [Do fr. *démocrate.*] *S. 2 g.* **1.** Pessoa que adota uma concepção democrática de governo. **2.** Partidário da democracia (2). **3.** *Bras.* Indivíduo democrático (4). ● *Adj. 2 g.* **4.** Democrático (1). [Sobre a prosódia deste voc., v. *-crata.*]
democraticida [De *democrata* + *-i-* + *-cida.*] *Adj. 2 g.* Que elimina ou combate a democracia: "Chaves .... teve seu projeto de perpetuação barrado nas urnas ..... Agora é Uribe quem flerta com essa ideia de claro viés democraticida." (*Folha de S.Paulo*, 06.06.2008.)
democrático [Do gr. *demokratikós.*] *Adj.* **1.** Relativo ou pertencente à democracia (1 e 2); democrata. **2.** Que se adapta aos interesses do povo (5): *espírito democrático.* **3.** Que emana do povo, ou que a ele pertence; popular: *representação democrática; governo democrático.* **4.** *Bras.* Que convive harmoniosamente com todas as classes sociais: *O empresário é muito democrático perante seus subordinados.*
democratismo [De *democrata* + *-ismo.*] *S. m.* Democracia (1 e 2).
democratização [De *democratizar* + *-ção.*] *S. f.* Ato ou efeito de democratizar(-se).
democratizado [Part. de *democratizar.*] *Adj.* **1.** Que se tornou democrata. **2.** Convertido à democracia. **3.** Popularizado.
democratizador (ô) [De *democratizar* + *-dor.*] *Adj.* Democratizante.
democratizante [De *democratizar* + *-nte.*] *Adj. 2 g.* Que democratiza; democratizador.
democratizar [Do gr. *demokratízein.*] *V. t. d.* **1.** Levar à democracia; tornar democrático ou democrata: *democratizar um país; democratizar os jovens.* **2.** Pôr ao alcance do povo; popularizar: *democratizar as artes. P.* **3.** Tornar-se democrata ou democrático. **4.** Popularizar-se: *Na Grécia as artes se democratizaram.*
democritiano *Adj.* Pertencente ou relativo ao filósofo grego Demócrito de Abdera (460-c. 362 a.C.), ou próprio dele; democrítico. [V. *atomismo.*]
democrítico *Adj.* Democritiano.
➔ **démodé** [demɔˈde] [Fr.] *Adj.* Fora de moda.
demodulação [De *demodular* + *-ção.*] *S. f.* **1.** *Eletrôn.* Processo que consiste em extrair, duma onda de RF modulada em amplitude, frequência, ou fase, o sinal de áudio original us. na modulação (5); detecção. **2.** *Inform.* Ato, processo ou efeito de demodular (2). [Sin. ger.: *desmodulação.*]
demodulador (ô) [De *modular* + *-dor.*] *S. m. Eletrôn.* Circuito us. para realizar o processo de demodulação; detector. [Sin. ger.: *desmodulador.*]
demodular [De *de-* + *modular*^{2}.] *V. t. d.* **1.** Efetuar a demodulação de (uma onda modulada). **2.** Reconverter (o sinal analógico e modulado recebido por meio de ondas portadoras) no sinal digital original, tal como ocorre com a recepção de dados por *modem* ou fax. [Opõe-se a *modular*^{2}. Sin. ger.: *desmodular.*]
demofilia [De *demo-* + *-filia.*] *S. f.* Qualidade de demófilo; amor ou simpatia ao povo.
demofílico [De *demofilia* + *-ico*^{2}.] *Adj.* Relativo a demofilia, ou a demófilo.
demófilo [De *demo-* + *-filo*^{2}.] *Adj. S. m.* Que, ou aquele que ama o povo.
demofobia [De *demo-* + *-fobia.*] *S. f. Psiq.* Temor patológico a multidão.
demofóbico [De *demofobia* + *-ico*^{2}.] *Psiq. Adj.* **1.** Relativo a demofobia. **2.** Que sofre de demofobia; demófobo. ● *S. m.* **3.** Aquele que sofre de demofobia; demófobo.
demófobo [De *demo-* + *-fobo.*] *Adj. S. m. Psiq.* Demofóbico (2 e 3).
demografia [De *demo-* + *-grafia.*] *S. f.* Estudo estatístico das populações, no qual se descrevem as características de uma coletividade, sua natalidade, migrações, mortalidade, etc.
demográfico [De *demografia* + *-ico*^{2}.] *Adj.* Relativo à demografia; populacional. ~ V. *censo* — e *explosão* —*a.*
demógrafo [De *demo-* + *-grafo.*] *S. m.* Especialista em demografia.
demolhar [De *de-* + *molho* (ô) + *-ar*^{2}.] *V. t. d.* Pôr de molho em água: *demolhar o bacalhau.*
demolição [Do lat. *demolitione.*] *S. f.* Ato ou efeito de demolir.
demolidor (ô) [Do lat. *demolitore.*] *Adj. S. m.* Que, ou aquele que demole; desmantelador; destruidor.
demolir [Do lat. *demolire.*] *V. t. d.* **1.** Deitar abaixo, deitar por terra (qualquer construção); desfazer, desmantelar; destruir, derribar, derrubar: *demolir uma fábrica, um edifício.* **2.** *Fig.* Reduzir a nada; arruinar, aniquilar, destruir: *demolir uma reputação.* [Defect. Não se conjuga na 1ª pess. sing. do pres. ind. nem, portanto, no pres. subj.]
demolitório [De *demolir* + *-tório.*] *Adj. Jur.* Que contém ordem de demolição; que manda demolir: *mandado demolitório.*
demologia [De *demo-* + *-logia.*] *S. f.* V. *demopsicologia.*
demológico [De *demologia* + *-ico*^{2}.] *Adj.* V. *demopsicológico.*
demonete (ê) *S. m.* **1.** Pequeno demônio. **2.** Criança endiabrada, travessa, traquinas. [Sin. ger.: *diabrete, demonico.*]
demonetização [Do fr. *démonétisation.*] *S. f.* V. *desmonetização.*
demonetizar [Do fr. *démonétiser.*] *V. t. d.* V. *desmonetizar.*
demoníaco [Do lat. tard. *daemoniacu.*] *Adj.* Relativo a, ou próprio de demônio; diabólico, satânico.
demonico *S. m. P. us.* V. *demonete.*
demónio *S. m.* V. *demônio.* [Uso freq. em P.]
demônio [Do gr. *daimónion*, pelo lat. tard. *daemoniu.*] *S. m.* **1.** Nas crenças da Antiguidade e no politeísmo, gênio inspirador, bom ou mau, que presidia o caráter e o destino de cada indivíduo; alma, espírito. **2.** Nas religiões judaica e cristã, anjo mau que, tendo-se rebelado contra Deus, foi precipitado no Inferno e procura a perdição da humanidade; gênio ou representação do mal; espírito maligno, espírito das trevas; Lúcifer, Satanás, Satã, Diabo. **3.** *Rel.* Cada um dos anjos caídos ou gênios maléficos do Inferno, sujeitos a Lúcifer ou Satanás; diabo. **4.** Personificação do Mal; Diabo. **5.** Pessoa má, ruim, perversa, de maus instintos; Diabo. **6.** Pessoa (especialmente criança) importuna ou barulhenta, turbulenta, irrequieta, travessa; diabo. **7.** Pessoa antipática ou de feições desagradáveis; diabo. **8.** Força ou estímulo interior que excita ou conturba os sentimentos e paixões: *o demônio da ira; o demônio da dúvida.* **9.** *Inform.* Programa executado em segundo plano, ger. invisível ao usuário, e que realiza tarefas utilitárias. [Calque (2), do ingl. *daemon.*] ◆ **Demônio familiar.** *Folcl.* Demônio que se supõe ter um trato com uma pessoa, de acompanhá-la e servi-la. [Tb. se diz apenas *familiar.*] **Com os demônios.** Com os diabos: *Com os demônios! Perdi um dinheirão no negócio.* **Como um demônio.** Com ardor, disposição, ímpeto ou paixão: *Trabalha como um demônio.*
demonismo [De *demônio* + *-ismo.*] *S. m.* **1.** Crença em demônios. **2.** Demonolatria.
demonista [De *demônio* + *-ista.*] *Adj. 2 g.* **1.** Pertencente ou relativo ao, ou que é sectário do demonismo. **2.** Demonolátrico. ● *S. 2 g.* **3.** Sectário do demonismo. **4.** Demonólatra.
demonização [De *demonizar* + *-ção.*] *S. f.* Ato ou efeito de demonizar.
demonizar [De *demon(o)-* + *-izar.*] *V. t. d.* Atribuir características demoníacas, ou influências maléficas, a: "É preciso evitar a atitude simplista de demonizar a indústria química [como fonte de poluição ambiental]." (*Gazeta Mercantil*, 18.09.1996.)
▲**demon(o)-** [Do lat. tard. *daemonium, ii.*] *El. comp.* = 'deus', 'deusa', 'divindade'; 'demônio': *demonolatria, demonologia.* [Equiv.: *-demon(o)-*: *cacodemonomania.*]
▲**-demon(o)-** Equiv. de *demon(o)-.*
demonografia [De *demon(o)-* + *-grafia.*] *S. f.* Demonologia.
demonográfico [De *demonografia* + *-ico*^{2}.] *Adj.* Demonológico.

D

demonógrafo [De *demon(o)-* + *-grafo*.] *S. m.* Demonólogo.

demonólatra [De *demon(o)-* + *-latra*.] *S. 2 g.* Adorador de demônios; praticante de demonolatria; demonista.

demonolatria [De *demon(o)-* + *-latria*.] *S. f.* Culto dos demônios; demonismo.

demonolátrico [De *demonolatria* + *-ico*[2].] *Adj.* Relativo a demonolatria; demonista.

demonologia [De *demon(o)-* + *-logia*.] *S. f.* **1.** Teoria ou ciência dos demônios; tratado da natureza e influência dos demônios; demonografia. **2.** *Psiq.* Forma de conhecimento primitiva, segundo a qual um doente mental estaria possuído de espíritos malignos, constituindo, pois, uma tentativa inicial de interpretar psicopatias.

demonológico [De *demonologia* + *-ico*[2].] *Adj.* Relativo a demonologia; demonográfico.

demonólogo [De *demon(o)-* + *-logo*.] *S. m.* Aquele que é versado em demonologia e/ou escreve sobre essa matéria; demonógrafo.

demonomancia (cí) [De *demon(o)-* + *-mancia*.] *S. f.* Adivinhação por influência de demônios.

demonomania [De *demon(o)-* + *-mania*.] *S. f. Psiq.* Mania dos loucos que se julgam possessos do Demônio; demonopatia.

demonomaníaco [De *demonomania* + *-íaco*.] *Psiq. Adj.* **1.** Relativo a demonomania. **2.** Que sofre de demonomania; demonômano. • *S. m.* **3.** Aquele que sofre de demonomania; demonômano. [Sin., nas acepçs. 2 e 3: *demonopata* e *demonópata*.]

demonómano *Adj. S. m. Psiq.* V. *demonômano*. [Uso freq. em P.]

demonômano [De *demon(o)-* + *-mano*[1].] *Adj. S. m. Psiq.* V. *demonomaníaco* (2 e 3).

demonomante [De *demon(o)-* + *-mante*.] *S. 2 g.* Pessoa que pratica a demonomancia.

demonomântico *Adj.* Relativo a demonomancia, ou a demonomante.

demonopata [Var. pros. de *demonópata*.] *Adj. 2 g. S. 2 g. Psiq.* V. *demonomaníaco* (2 e 3).

demonópata [De *demon(o)-* + *-pata* (q. v.).] *Adj. 2 g. S. 2 g. Psiq.* V. *demonopata*.

demonopatia [De *demon(o)-* + *-patia*.] *S. f. Psiq.* Demonomania.

demonstrabilidade [De *demonstrável* + *-(i)dade*, seg. o padrão erudito.] *S. f.* Qualidade do que é demonstrável.

demonstração [Do lat. *demonstratione*, por via semierudita.] *S. f.* **1.** Ato de demonstrar. **2.** Tudo que serve para provar qualquer coisa; prova. **3.** Manifestação, sinal, testemunho: *demonstração de amizade*. **4.** Lição prática e experimental. **5.** Exibição, apresentação: *Os acrobatas fizeram várias demonstrações*. **6.** *Lóg.* Dedução que prova a verdade de sua conclusão por se apoiar em premissas admitidas como verdadeiras. [Cf., nesta acepç., *dedução* (3 a 5).] ◆ **Demonstração circular.** *Lóg.* Círculo vicioso (q. v.). **Demonstração por absurdo.** *Lóg.* Raciocínio por absurdo (q. v.). **Demonstrações financeiras.** *Econ. Fin.* Relatórios contábeis que exprimem a situação da empresa, apresentados a seus acionistas, incluindo o balanço patrimonial, os lucros ou prejuízos acumulados, o resultado do exercício, etc.

demonstrador (ô) [Do lat. *demonstratore*.] *Adj.* **1.** Que demonstra; demonstrante, demonstrativo: *argumentos demonstradores*. • *S. m.* **2.** Aquele que faz a demonstração de uma ciência, ou de uma prática: *demonstrador de anatomia*. **3.** Aquele que demonstra a possíveis usuários a utilização de um aparelho, ou as vantagens do artigo que oferece.

demonstrante [Do lat. *demonstrante*.] *Adj. 2 g.* V. *demonstrador* (1).

demonstrar [Do lat. *demonstrare*.] *V. t. d.* **1.** Provar por meio de raciocínio concludente; fazer a demonstração de; comprovar, patentear, confirmar: *demonstrar um conceito; demonstrar um teorema*. **2.** Mostrar, manifestar, evidenciar, revelar: *demonstrar apreço; demonstrar antipatia*. **3.** Ensinar praticamente; explicar mostrando o objeto de que se trata: *demonstrar a evaporação da água*. *T. d. e i.* **4.** Dar a conhecer; fazer ver; mostrar: *Demonstrei-lhe a gravidade do seu erro*. **5.** Manifestar, indicar, revelar: *Demonstrava amizade por todos os presentes*. **6.** Provar, confirmar, evidenciar: *Quis demonstrar a si mesmo que não era covarde*. *P.* **7.** Dar-se a conhecer; revelar-se.

demonstrativo [Do lat. *demonstrativu*.] *Adj.* **1.** V. *demonstrador* (1). **2.** Próprio para demonstrar. ~ V. *pronome — e silogismo —*. • *S. m.* **3.** *E. Ling.* V. *pronome demonstrativo*.

demonstrável [Do lat. tard. *demonstrabile*.] *Adj. 2 g.* **1.** Que se pode demonstrar. **2.** Comprovável.

demopsicologia [De *demo-* + *psicologia*.] *S. f.* **1.** Estudo da psicologia de um povo. **2.** V. *folclore* (3). [Sin. ger.: *demologia*.]

demopsicológico [De *demopsicologia* + *-ico*[2].] *Adj.* Referente a demopsicologia; demológico.

demora [Dev. de *demorar*.] *S. f.* **1.** Ato de demorar(-se). **2.** Dilação, atraso, delonga. **3.** Detença, paragem, pausa: *Qual a demora do trem na estação?*

demorado [Part. de *demorar*.] *Adj.* **1.** Que demora; de duração apreciável; diuturno: *parada demorada*. **2.** Que demora a se realizar; tardio, retardado: *floração demorada*. **3.** Vagaroso, lento: *transporte demorado; serviço demorado*. ~ V. *voga —a*. [Sin. ger.: *demoroso*.]

demorar [Do lat. **demorare*, por *demorari*.] *V. t. d.* **1.** Fazer que fique ou espere; deter, reter: *Tudo fez para demorar os amigos*. **2.** Atrasar, retardar, adiar: *Procurou não demorar o cumprimento da promessa*. *Int.* **3.** Tardar a vir; retardar-se: *Não virá agora, vai demorar*. **4.** Tardar a ser feito; ser de execução demorada: *Tenha paciência: o serviço demora*. **5.** Levar tempo; tardar: *Esperou ansioso, mas a resposta demorava*. *T. i.* **6.** Levar tempo; tardar, custar: *Demorou a voltar à casa*. *T. c.* **7.** Estar situado; ficar, jazer: *O chalé demora entre dois montes*; "A quase totalidade do Brasil demora no hemisfério meridional" (Capistrano de Abreu, *Capítulos de História Colonial*, p. 41). **8.** Habitar, residir, morar: *Sua família demora na Europa*. **9.** Permanecer, ficar: *Demorou longo tempo na praia*. *P.* **10.** Ficar, permanecer: *Demorou-se em casa para almoçar*. **11.** Atrasar-se, retardar-se, tardar: "Sim, demorei-me a divagar sem rumo" (Gonçalves Dias, *Obras Poéticas*, II, p. 27). **12.** Levar tempo; custar: *Demorou-se em decifrar a charada*. **13.** Estar parado; esperar, deter-se: *O trem demorou-se apenas 15 minutos*.

demoroso (ô) [De *demora* + *-oso*.] *Adj.* V. *demorado*.

demospôngia [De *demo-* + gr. *spongía*, 'esponja'; tax. *Demospongiae*.] *S. f. Zool.* Espécime das demospôngias, classe de poríferos que compreende espécies puramente silicosas, e outras tb. sustentadas por esqueleto de fibras orgânicas de espongina. É o maior grupo de esponjas, na maioria marinhas, existentes desde o cambriano.

demospôngio [De *demospongia*, com var. suf.] *Adj. Zool.* Pertencente ou relativo às demospôngias.

demosténico *Adj.* V. *demostênico*. [Uso freq. em P.]

demostênico [Do gr. *demosthenikós*, pelo lat. tard. *demosthenicu*.] *Adj.* Pertencente ou relativo a, ou próprio de Demóstenes (384-322 a. C.), o maior dos oradores gregos, do seu estilo ou da sua eloquência.

demostração [Do lat. *demonstratione*, por via pop.] *S. f. Desus.* V. *demonstração*.

demostrador (ô) [Do lat. *demonstratore*, por via pop.] *S. m. Desus.* V. *demonstrador*.

demostrar [Do lat. *demonstrare*, por via pop.] *V. t. d. T. d. e i. P. Desus.* V. *demonstrar*.

demótico [Do gr. *demotikós*, 'do povo'.] *Adj.* **1.** *E. Ling.* Diz-se de uma variedade de uso cotidiano numa comunidade linguística. [Em geral, opõe-se a *hierático*.] **2.** *Graf.* Relativo à escrita do antigo Egito. **3.** *Gloss.* No período que vai do séc. I a. C. até o período bizantino medieval, diz-se do grego falado em situação de diglossia (q. v.) com a língua literária. **4.** *Gloss.* Relativo ao grego moderno, em especial no que toca ao uso coloquial. [Cf., nesta acepç., *catarévussa*.] ~ V. *escrita —a*. • *S. m.* **5.** *Graf.* A escrita demótica do antigo Egito. **6.** *Gloss.* O grego demótico (3 e 4).

demover [Do lat. *demovere*.] *V. t. d.* **1.** Tirar ou mudar de lugar; deslocar; remover: *A pedra era imensa, custou muito demovê-la*. **2.** Fazer renunciar a um intuito; dissuadir, despersuadir: *Não logrando demovê-lo com raciocínios, recorreu às lágrimas*. *T. d. e i.* **3.** Afastar, desviar, despersuadir, dissuadir: *Esforcei-me por demovê-lo do mau intento*; "não houve ponderação que demovesse meu pai da resolução tomada." (Povina Cavalcanti, *Volta à Infância*, p. 16). *P.* **4.** Mover-se de um lugar para outro; deslocar-se. **5.** Abalar-se, abalançar-se, dispor-se: *Não se demoveu a replicar ao adversário*. **6.** Renunciar a um intuito ou objetivo; dissuadir-se; afastar-se, desviar-se: *Meu partido não se demove de suas diretrizes*. [Conjug.: v. *mover*.]

demudado [Part. de *demudar*.] *Adj.* **1.** Mudado, alterado, desfigurado: *Via-se que muito sofrera: tinha o rosto demudado*. **2.** Perturbado, alterado, transtornado: "Trêmulo, arquejante, demudado, aproximei-me da banca do voltarete." (Artur Azevedo, *Contos Possíveis*, p. 6); *No semblante demudado líamos seu espanto*.

demudar [Do lat. *demutare*.] *V. t. d.* **1.** Tornar diferente do que era; modificar, transformar, alterar, mudar: *O tempo demudou-lhe o caráter*. **2.** Perturbar, comover, transtornar, abalar: *A triste notícia demudou-lhe o ânimo*. *T. d. e i.* **3.** Transformar, mudar: *Demudou a hostilidade em simpatia*; "aquilo tudo .... demudou a má opinião de Afonso em estima atenciosa e quase amigável." (Camilo Castelo Branco, *Amor de Salvação*, p. 135). *P.* **4.** Modificar-se, transformar-se, alterar-se: *Ao ouvir aquele nome, sua fisionomia demudou-se*.

demulcente [Do lat. *demulcente*.] *Adj. 2 g. S. m. Med.* Emoliente.

denário [Do lat. *denariu*, por via erudita.] *Adj.* **1.** Que contém dez. • *S. m.* **2.** Antiga moeda romana que valia dez asses. **3.** Antigo peso de farmácia e ourivesaria.

dendê [De or. afr.] *S. m.* **1.** *Bras. Angol. Santom. Bot.* V. *dendezeiro*. **2.** O fruto do dendezeiro. [Sin., nesta acepç.: *chabéu* (guin.), *andim* (santom.), *caroço, dendém* (angol. e santom.).] **3.** O óleo extraído desse fruto; azeite de cheiro, azeite de dendê, óleo de palma.

dendém *S. m. Angol. Santom.* V. *dendê* (2): "A Judite tem uns olhos que parecem / dois bagos maduros / de um cacho de dendém." (Ernesto Lara Filho, *O Canto do Martrindinde*, p. 59.)

dendezeiro (dê) [De *dendê* + *-zeiro*.] *S. m. Bras. Guin. Bot.* Palmeira arecácea (*Elaesis guineensis*) dotada de inflorescência em espádice grande, monoica e protegida por espata dupla, cujos frutos, drupáceos, de um amarelo avermelhado ou alaranjado quando maduros, dotados de tamanho variável, fornecem óleo de duas qualidades, um extraído da polpa e o outro da amêndoa, de largo emprego na culinária e na indústria do sabão. [Sin.: *aabora, aavora*, (bras.) *coqueiro-de-dendê, palmeira-do-azeite* e (bras., angol. e santom.) *dendê*.]

dendi *Bras. S. 2 g.* **1.** *Etnôn.* Indígena dos dendis, povo extinto que habitava uma região situada entre MG e BA. • *Adj. 2 g.* **2.** Pertencente ou relativo a esse povo. [Tb. us. como *s. 2 g. e 2 n.* (com cap.) e *adj. 2 g. e 2 n.*]

dendrantema [Do tax. *Dendranthema*.] *S. f. Bot.* **1.** Gênero de plantas asteráceas, herbáceas ou subarbustivas, com cerca de 37 espécies nativas da Eurásia e cultivadas internacionalmente; são mais conhecidas como *crisântemo* [v. *crisântemo* (1 e 3)]. **2.** Qualquer espécie, ou espécime desse gênero.

dendraxónio (cs) *S. m. Anat.* V. *dendraxônio*. [Uso freq. em P.]

dendraxônio (cs) [De *dendr(o)-* + *-axon(o)-* + *-io*[3].] *S. m. Anat.* Neurônio em que o axônio, ao abandonar a célula, se divide em filamentos terminais.

dendria [De *dendr(o)-* + *-ia*[1].] *S. f.* Pedra que apresenta figuras semelhantes a plantas.

dendrite [Do gr. *dendrítes*, 'de uma árvore ou relativo a ela'.] *S. f.* **1.** Dendrolite. **2.** *Histol.* Dentrito (2).

dendrito [De *dendr(o)-* + *-ito*[2].] *S. m.* **1.** *Geol.* Deposição arborescente, em rochas, em virtude da infiltração de águas carregadas de óxido de ferro, manganês, etc. **2.** *Histol.* Cada um dos prolongamentos do corpo celular do neurônio, especializados na recepção e integração de múltiplos impulsos nervosos; dentrite.

▲**dendr(o)-** [Do gr. *dendro-* < gr. *déndron, ou*.] *El. comp.* = 'árvore'; 'caule', 'haste': *dendrite, dendroclasta*. [Equiv.: *-dendr(o)-, -dendro*: *acrodendrofilia, clerodendro, siringodendro*.]

▲**-dendr(o)-** V. *dendr(o)-*.

▲**-dendro** [Do lat. cient. *-dendron* < gr. *déndron, ou*.] V. *dendr(o)-*.

dendrobata [Var. pros. de *dendróbata*.] *Zool. Adj. 2 g.* **1.** V. *arborícola* (1 e 2). • *S. 2 g.* **2.** Animal dendrobata. [Var. pros.: *dendróbata*.]

dendróbata [De *dendr(o)-* + *-bata*[1] (q. v.).] *S. 2 g.* Dendrobata (q. v.).

dendróbates [Do tax. *Dendrobates*.] *S. m. 2 n. Zool.* **1.** Gênero de ranídeos neutrópicos, sem dentes, ger. pequenos e coloridos, cuja pele secreta substância venenosa. **2.** Espécie, ou espécime desse gênero.

dendróbio [De *dendr(o)-* + *-bio*; tax. *Dendrobium*.] *S. m. Bot.* **1.** Gênero de orquidáceas epífitas das regiões tropicais e subtropicais da Ásia, ilhas do Pacífico e Austrália, de flores solitárias ou grupadas em racemos ou espigas; as sépalas laterais são fundidas na base, formando uma espécie de saco. **2.** Espécime, ou espécie desse gênero. **3.** A flor dessas plantas.

dendrocélio [De *dendr(o)-* + *-célio*; tax. *Dendrocoela*.] *Zool. S. m.* **1.** Espécime dos dendrocélios, divisão de animais metazoários, platelmintos, turbelários, que apresentam o tubo digestivo ramificado. • *Adj.* **2.** Pertencente ou relativo a eles.

dendroclasta [De *dendr(o)-* + *-clasta*.] *Adj. 2 g. S. 2 g.* Que, ou quem não respeita as árvores, ou as destrói. [Antôn.: *dendrólatra*.]

dendroclastia [De *dendroclasta* + *-ia*[1].] *S. f.* Qualidade de dendroclasta. [Antôn.: *dendrolatria*.]

dendroclástico [De *dendroclastia* + *-ico*[2].] *Adj.* Referente a dendroclastia.

dendrocolaptídeo [De *dendr(o)-* + gr. *koláptein*, 'bicar', + *-ídeo*[1]; tax. *Dendrocolaptidae*.] *Zool. S. m.* **1.** Espécime dos dendrocolaptídeos, família de aves passeriformes, trepadoras, de tarso endaspidiano e bico ger. curvo, longo e forte. São, p. ex., os arapaçus. • *Adj.* **2.** Pertencente ou relativo a eles.

dendrocronologia [De *dendr(o)-* + *cronologia*.] *S. f. Geofís.* Datação que se baseia nos círculos dos troncos das árvores, e que tem por objetivo o estudo das variações climáticas do passado, em especial as dos períodos de seca ou de chuva.

dendrocronológico [De *dendrocronologia* + *-ico*[2].] *Adj.* Referente a dendrocronologia.

dendrofilia [De *dendr(o)-* + *-filia*.] *S. f.* Amor às árvores. [Opõe-se a *dendrofobia*.]

dendrofílico [De *dendrofilia* + *-ico*[2].] *Adj.* **1.** Relativo a dendrofilia. **2.** Que tem dendrofilia; dendrófilo. ● *S. m.* **3.** Aquele que tem dendrofilia; dendrófilo.

dendrófilo [De *dendr(o)-* + *-filo*[2].] *Adj. S. m.* Dendrofílico (2 e 3).

dendrofobia [De *dendr(o)-* + *-fobia*.] *S. f. Psiq.* Horror às árvores. [Opõe-se a *dendrofilia*.]

dendrofóbico [De *dendrofobia* + *-ico*[2].] *Psiq. Adj.* **1.** Relativo a dendrofobia. **2.** Que sofre de dendrofobia; dendrófobo. ● *S. m.* **3.** Aquele que sofre de dendrofobia; dendrófobo.

dendrófobo [De *dendr(o)-* + *-fobo*.] *Adj. S. m. Psiq.* Dendrofóbico (2 e 3). [Opõe-se a *dendrófilo*.]

dendroide (ói) [De *dendr(o)-* + *-oide*.] *Adj. 2 g.* Que tem forma ou aparência de árvore; dendróideo. ❖

dendróideo [De *dendr(o)-* + *-óideo*.] *Adj.* Dendroide.

dendrólatra [De *dendr(o)-* + *-latra*.] *Adj. 2 g. S. 2 g.* Que, ou quem professa a dendrolatria. [Antôn.: *dendroclasta*.]

dendrolatria [De *dendr(o)-* + *-latria*.] *S. f.* Adoração ou culto das árvores. [Antôn.: *dendroclastia*.]

dendrolátrico [De *dendrolatria* + *-ico*[2].] *Adj.* Referente a dendrolatria.

dendrolite [De *dendr(o)-* + *-lite*.] *S. m. Paleont.* Árvore petrificada, fóssil; dendrite.

dendrologia [De *dendr(o)-* + *-logia*.] *S. f. Bot.* Estudo científico das árvores.

dendrológico [De *dendrologia* + *-ico*[2].] *Adj.* Relativo a dendrologia.

dendrologista [De *dendrologia* + *-ista*.] *S. 2 g. Bot.* Especialista em dendrologia.

dendrometria [De *dendr(o)-* + *-metria*.] *S. f.* Medição das dimensões das árvores. [Cf. *dasometria*.]

dendrômetro *S. m.* V. *dendrómetro*. [Uso freq. em P.]

dendrómetro [De *dendr(o)-* + *-metro*.] *S. m.* Instrumento com que se medem as árvores e se avalia a quantidade de madeira que podem fornecer.

dendromorfo [De *dendr(o)-* + *-morfo*.] *Adj.* Que tem forma de árvore.

dendroquiroto (ô) [De *dendr(o)-* + *-quir(o)-* + *-oto*[2]; tax. *Dendrochirota*.] *Zool. S. m.* **1.** Espécime dos dendroquirotos, ordem de equinodermos holoturoides providos de tentáculos com ramificações arborescentes. ● *Adj.* **2.** Pertencente ou relativo a eles.

denegação [Do lat. tard. *denegatione*.] *S. f.* **1.** Ato de denegar; recusa, negação. **2.** Indeferimento, desatendimento. **3.** Desmentido, contestação.

denegar [Do lat. *denegare*.] *V. t. d.* **1.** Dizer que não é verdade; negar: *Denegou o crime.* **2.** Não dar; recusar, negar: *Denegou o seu apoio.* **3.** Desatender, indeferir: *denegar um requerimento; denegar um pedido.* **4.** Abjurar; renegar: *denegar a sua fé.* **5.** Não aceitar; recusar: *Denegou a oferta.* **6.** Desmentir; contradizer: *O adversário denegou-o publicamente. T. d. e i.* **7.** Não conceder; recusar, negar: *Os pais denegaram seu apoio ao filho ingrato.* **8.** Impedir, obstar: *A Alfândega denegou entrada ao contrabando. P.* **9.** Recusar-se, negar-se. [Conjug.: v. *regar*.]

denegatório [De *denegar* + *-tório*.] *Adj.* Que denega, indefere; que envolve denegação: *despacho denegatório.*

denegrecer [De *de-* + *negro* + *-ecer*.] *V. t. d. P.* V. *denegrir*. [Conjug.: v. *aquecer*.]

denegrido [Part. de *denegrir*.] *Adj.* **1.** Enegrecido, fusco. **2.** *Fig.* Maculado, manchado; desacreditado, infamado.

denegridor (ô) [De *denegrir* + *-dor*.] *Adj. S. m.* Que, ou aquele que denigre.

denegrir *V. t. d.* **1.** Tornar negro, escuro; enegrecer, escurecer: *Os cigarros denegriram-lhe os dentes.* **2.** *Fig.* Macular, manchar: *Sua vida dissoluta denegriu-lhe a alma*; "sendo alferes, não podia, sem penas e agravos, denegrir as leis e regulamentos da guerra." (José Cândido de Carvalho, *O Coronel e o Lobisomem*, p. 11). **3.** *Fig.* Desacreditar, desabonar, infamar: "não podia permitir .... que alguém pensasse em denegrir a reputação do amigo João Fonseca" (*Id., ib.*, p. 202). *P.* **4.** Tornar-se negro, escuro; enegrecer-se, escurecer-se: *Seus cabelos denegriram-se com os cosméticos.* [Sin. ger.: *denegrecer*. Irreg. Conjug.: v. *agredir*.]

dengo *S. m. Bras.* V. *dengue* (2 a 5).

dengosa [F. subst. de *dengoso*.] *S. f. Bras. N.E. Gír.* V. *cachaça* (1).

dengoso (ô) [De *dengo* + *-oso*.] *Adj.* **1.** Cheio de dengues; afetado, delambido, requebrado. **2.** Faceiro, jovial, feiticeiro. **3.** Manhoso, astuto. **4.** Efeminado, adamado. **5.** Diz-se da criança birrenta, choramingas. [Sin. ger.: *dengue* e *dengueiro*.]

dengue [Do esp. *dengue*, voc. de criação express.] *Adj. 2 g.* **1.** V. *dengoso*. ● *S. m. Bras.* **2.** Melindre feminino; denguice. **3.** Faceirice, feitiço, requebro, denguice: "A mulatinha selvagem, ... com os seus dengues lascivos, havia-o escravizado." (Coelho Neto, *Treva*, p. 51.) **4.** Birra ou choradeira de criança. **5.** Manha, treta. [Var., nas acepçs. 2 a 5: *dengo*.] ● *S. m. e f.* **6.** *Med.* Doença infecciosa produzida por arbovírus, transmitida pelo mosquito *Aedes aegypti*, e caracterizada por cefaleia, mialgias, artralgias, comprometimento de vias aéreas superiores, febre, exantema, linfadenopatia. Incide, em caráter epidêmico ou de modo esporádico, nas Américas (do México ao Brasil e tb. no Caribe), África, Índia, Japão e Pacífico Sul. ◆ **Dengue hemorrágico (a).** *Med.* O que é acompanhado de fenômenos hemorrágicos e incide, preferentemente, em criança.

dengué *S. m. Bras. BA Cul.* Prato da culinária afro-brasileira, feito com milho branco cozido e açúcar.

dengueiro [De *dengue* + *-eiro*.] *Adj.* V. *dengoso*.

denguice [De *dengue* + *-ice*.] *S. f.* **1.** Qualidade de quem é dengue ou dengoso. **2.** Modos ou ademanes de dengoso; afetação de maneiras; dengue. **3.** Dengue (3).

deni *Bras. S. 2 g.* **1.** *Etnôn.* Indivíduo dos denis, povo indígena da família linguística arauá, que habita a região dos rios Juruá e Purus (AM). ● *Adj. 2 g.* **2.** Pertencente ou relativo a esse povo. [Tb. us. como *s. 2 g. e 2 n.* (com cap.) e *adj. 2 g. e 2 n.*]

denier [Do fr. *denier*.] *S. m. Tec. Têx.* Unidade convencional, us. em fiação, igual ao peso, em gramas, de nove metros de fio.

denigridor (ô) *Adj.* Que denigre.

denim [Do fr. de *Nîmes*, 'da cidade de Nîmes', pelo ingl. *denim*.] *S. m. Tec. Têx.* Tecido resistente de algodão, us. originalmente na confecção de calças de marinheiros e outras roupas de trabalho, e que foi adotado na feitura de *jeans* (q. v.).

denisense *Adj. 2 g.* **1.** De, ou pertencente ou relativo a Denise (MT). ● *S. 2 g.* **2.** O natural ou habitante de Denise.

denodado [Do lat. *denotatu*, 'conhecido' (part. do lat. *denotare*), *i. e.*, 'conhecido por sua bravura'.] *Adj.* **1.** Que demonstra desenvoltura e coragem face ao perigo; ousado, destemido, intrépido, valente, bravo. **2.** Impetuoso, arrebatado.

denodar [De *de-* + lat. *nodus*, 'nó', + *-ar*[2].] *V. t. d.* Cortar o nó a; desatar; desembaraçar. [Pres. ind.: *denodo*, etc. Cf. *denodo* (ô) e *denudar*.]

denodo (ô) [Der. regress. de *denodado*.] *S. m.* **1.** Qualidade de denodado; ousadia, intrepidez, valor, coragem, bravura, destemor: "Estava Bernardo Pires dizendo palavras de sincera gratidão ao denodo e humanidade com que ela se arriscara aos perigos" (Camilo Castelo Branco, *Doze Casamentos Felizes*, p. 133). **2.** Ímpeto, arrebatamento. **3.** Agitação, impetuosidade, violência: *o denodo das ondas em dia de borrasca.* [Pl.: *denodos* (ô). Cf. *denodo*, do v. *denodar*.]

denominação [Do lat. *denominatione*.] *S. f.* **1.** Ato de denominar; nomeação. **2.** Designação, nome. **3.** Nos países anglo-saxônios, designação geral das congregações eclesiásticas, seitas, etc. ◆ **Denominação de origem.** Marca indicativa da região ou zona de produção de um vinho, queijo, etc.

denominado [Part. de *denominar*.] *Adj.* Que se denominou; que tem por nome.

denominador (ô) [Do lat. tard. *denominatore*.] *Adj.* **1.** Que denomina, que designa pelo nome. ● *S. m.* **2.** Aquele ou aquilo que denomina. **3.** *Mat.* Termo que fica abaixo do traço de uma fração ordinária; o divisor, numa fração ordinária. ◆ **Denominador comum. 1.** *Mat.* Um múltiplo de todos os denominadores de um conjunto de frações ordinárias. **2.** *Fig.* Ponto(s) em que estão de acordo as partes em litígio, e que pode(m) servir de fundamento de uma conciliação entre elas. **3.** *Fig.* Elemento, traço, aspecto comum a duas ou mais coisas, pessoas ou animais: "O elogio fúnebre, a trenodia, o epitáfio, têm todos um denominador comum, que é o louvor à personalidade morta, cantada pelos seus feitos heroicos." (José Honório Rodrigues, *Teoria da História do Brasil*, p. 204.)

denominal [De *de-* + *nominal*.] *Adj. 2 g. E. Ling.* Que é derivado de nome (11).

denominar [Do lat. *denominare*.] *V. t. d.* **1.** Pôr nome em; designar, nomear: *Procurou denominar bem a nova substância química.* **2.** Indicar ou chamar pelo nome; nomear: *denominar pessoas; denominar as plantas. Transobj.* **3.** Pôr nome a; chamar, nomear: *Pela sua vida exemplar denominaram-no santo. P.* **4.** Intitular-se, designar-se, dizer-se: *Compôs uns versos e logo se denominou poeta.*

denominativo [Do lat. tard. *denominativu*.] *Adj.* Próprio para denominar ou nomear: *termo denominativo.*

denotação [Do lat. *denotatione*.] *S. f.* **1.** Ato de denotar. **2.** Sinal, indicação. **3.** *Lóg.* Extensão (11). [Opõe-se a *conotação* (3).]

denotador (ô) [De *denotar* + *-dor*.] *Adj. S. m.* Que, ou aquilo que denota, indica: *resposta denotadora de dúvida; O gesto ab-rupto foi um denotador de seu nervosismo.*

denotar [Do lat. *denotare*.] *V. t. d.* **1.** Revelar por meio de notas ou sinais; fazer notar; fazer ver; manifestar, indicar, mostrar: *Sua fisionomia denotava preocupação; Suas ações denotam verdadeira amizade.* **2.** Significar, exprimir, simbolizar: *A espada e a balança denotam o caráter da justiça.* **3.** Encontrar, observar, notar: *Denotamos muitas qualidades de estilo no poema.*

➔ **denotata** [denɔ'tata] [Lat., neutro pl. do lat. *denotatus*, 'indicado'.] *S. f. pl. E. Ling.* Num dicionário, o conjunto das entradas [v. *entrada* (22)]. [Cf. *realia*.]

denotativo [De *denotar* + *-tivo*.] *Adj.* Relativo a denotação, ou que a encerra. ~ V. *definição —a*, *função —a* e *linguagem —a*.

▲ **densi-** [Do lat. *densus, a, um*.] ***El. comp.*** = 'denso': *densifloro, densímetro.*

densidade [Do lat. *densitate*.] *S. f.* **1.** Qualidade daquilo que é denso, compacto, cerrado; densidão: *densidade da mata; densidade das trevas.* **2.** Relação entre a massa e o volume de um corpo; massa volumar. **3.** *Fig.* Força, peso, intensidade, profundidade: *densidade poética.* **4.** *Demogr.* Concentração de população. **5.** *Fís.* Densidade relativa (q. v.). ◆ **Densidade de corrente de deslocamento.** *Eng. Elétr.* Num dielétrico, derivada, em relação ao tempo, da densidade de fluxo elétrico (q. v.). **Densidade de fluxo elétrico.** *Eng. Elétr.* Vetor igual ao produto do vetor de intensidade do campo elétrico pela permissividade do meio. [Sin.: *deslocamento elétrico* e *vetor deslocamento*.] [Unid.: *coulomb/m*[2].] **Densidade de fluxo magnético.** *Fís.* Indução magnética. **Densidade de fluxo radiante.** *Fís.* V. *emitância energética*. **Densidade de frequência.** *Estat.* V. *densidade de probabilidade*. **Densidade de probabilidade.** *Estat.* **1.** Para uma variável aleatória discreta, função da variável que dá a probabilidade de ela assumir um valor pertencente ao seu domínio. **2.** Para uma variável aleatória contínua, derivada da função de distribuição; função de uma variável aleatória contínua que, multiplicada por acréscimo infinitesimal dessa variável, dá a probabilidade de ela assumir um valor na vizinhança infinitesimal de qualquer ponto de seu domínio; limite do quociente da probabilidade de uma variável aleatória contínua assumir um valor num intervalo de seu domínio pela amplitude do intervalo quando esta tende para zero. [Sin. de 1 e 2: *densidade de frequência, função de densidade de frequência, função de frequência, função de frequência relativa, função de densidade de probabilidade, função probabilidade* e *função de distribuição* ou apenas *distribuição*.] **Densidade dinâmica.** *Sociol.* Grau de concentração da vida coletiva, medido pela intensidade das trocas econômicas e culturais. **Densidade eletrônica.** *Quím.* Probabilidade de se encontrar um elétron em uma região do espaço. [Seu valor se relaciona ao valor do quadrado da função de onda eletrônica.] **Densidade estática.** *Sociol.* Número de habitantes em determinada área, p. ex., por quilômetro quadrado. **Densidade fotográfica.** *Fot.* Logaritmo decimal da opacidade de uma chapa fotográfica. **Densidade óptica.** *Fís.-Quím.* V. *absorbância*. **Densidade relativa.** *Fís.* Quociente entre a massa específica de uma substância e a massa específica de outra tomada como padrão; gravidade específica. [Para sólidos e líquidos, o padrão ger. adotado é a água a 4°C; para gases e vapores, os padrões usuais são o ar e o hidrogênio. Tb. se diz apenas *densidade*.]

densidão [De *denso* + *-idão*.] *S. f.* Densidade (1).

densifloro [De *densi-* + *-floro*.] *Adj. Bot.* Que tem flores numerosas e aproximadas.

densifoliado [De *densi-* + *-foli-* + *-ado*[1].] *Adj. Bot.* Que tem folhas muito juntas.

densimetria [De *densi-* + *-metria*.] *S. f. Radiol.* Estudo da densidade de um órgão examinado radiologicamente; densitometria.

densimétrico [De *densimetria* + *-ico*[2].] *Adj.* Relativo à densimetria.

densímetro [De *densi-* + *-metro*.] *S. m. Fís.* Instrumento que dá a densidade dum líquido ou a concentração duma solução líquida.

densitometria [Do lat. *densit-* (< lat. *densitas, atis*, 'densidade') + *-o-* + *-metria*.] *S. f. Radiol.* Densimetria.

densitómetro *S. m. Ópt.* V. *densitômetro*. [Uso freq. em P.]

densitômetro [De *densit-*, como no lat. *densitate*, 'densidade', + *-o-* + *-metro*.] *S. m. Ópt.* Instrumento destinado a medir a densidade óptica de chapas fotográficas impressionadas.

denso [Do lat. *densu*.] *Adj.* **1.** Que tem muita massa e peso em relação ao volume. **2.** Compacto, cerrado, espesso: *mata densa*; "despertando mais cedo ainda vi que um denso nevoeiro envolvia a cidade." (Povina Cavalcanti, *Volta à Infância*, p. 17). **3.** Diz-se de líquido grosso, quase pastoso; espesso: *licor denso*; *sopa densa*. **4.** *Fig.* Intenso, carregado: *céu de um azul denso*. **5.** *Fig.* De grande penetração; profundo: *ensaio rigoroso e denso*. ~ V. *conjunto* —.

dentada [De *dente* + *-ada*[1].] *S. f.* **1.** Ferimento com os dentes; mordidela, mordedura. **2.** Vestígio de mordedura. **3.** *Fig.* Dito picante, mordaz.

dentado[1] [Do lat. *dentatu*.] *Adj.* Guarnecido de dentes; denteado, adentado.

dentado[2] [Part. de *dentar*.] *Adj.* **1.** Recortado em dentes; denteado, adentado. **2.** Ferido ou cortado com os dentes; mordido. **3.** *Arquit. Constr.* Diz-se de elemento arquitetônico ou peça de construção que tem ornatos e/ou entalhes em forma de dentes; denteado.

dentadura [De *dentar* + *-dura*.] *S. f.* **1.** Conjunto dos dentes, nas pessoas e nos animais; dentição. **2.** Dentes artificiais, devidamente montados. **3.** A totalidade dos dentes de certas rodas.

dental[1] [Do lat. *dentale*.] *S. m.* Dente do arado.

dental[2] [De *dente* + *-al*[1].] *Adj. 2 g.* **1.** Relativo ou pertencente aos dentes: *esmalte dental*. **2.** Que serve para a limpeza dos dentes: *fio dental*; *pasta dental*. ~ V. *alvéolo* —, *erosão* — e *fio* —. **3.** *E. Ling.* Relativo a dental[2] (4). ● *S. f.* **4.** *E. Ling.* Consoante dental (q. v.).

dentalídeo [Do tax. *Dentalium*, gênero-tipo, + *-ídeo*[1]; tax. *Dentaliidae*.] *Zool. S. m.* **1.** Espécime dos dentalídeos, família de moluscos escafópodes que têm por tipo o dentálio (q. v.). ● *Adj.* **2.** Pertencente ou relativo a eles.

dentálio [Do rad. lat. *dental-* (< lat. *dentalis*, 'dental') + *-io*[3]; tax. *Dentalium*.] *S. m. Zool.* **1.** Gênero de moluscos escafópodes, dentalídeos, dotados de concha tubular não espiralada, mas ligeiramente recurva, corniforme, aberta nas duas extremidades, desprovida de opérculo, cabeça não diferenciada, boca envolvida por palpos foliáceos, e apêndice cilíndrico, curto, trilobado. **2.** Qualquer espécie desse gênero, como, p. ex., a *Dentalium vulgare*, das costas do N. de Portugal. **3.** Qualquer espécime desse gênero.

dentama [De *dente* + *-ama*.] *S. f. Bras.* **1.** Grande quantidade de dentes. **2.** Dentadura toda igual.

dentão [De *dente* + *-ão*[1].] *S. m.* **1.** Dente (1) (q. v.) grande. **2.** *Bras. PA* V. *vermelho*[2] (1).

dentar [De *dente* + *-ar*[2].] *V. t. d.* **1.** Dar dentadas em; morder. **2.** Formar ou fazer dentes em; dentear: *dentar uma roda*. **3.** Recortar, formando pontas ou chanfraduras; chanfrar, dentear: *dentar o couro*, *o papel*. *Int.* **4.** Começar a ter dentes: *O filhote já está dentando*. [Sin. ger.: *adentar*. Fut. pret.: *dentaria*, etc.; pres. subj.: *dente*, *denteis*, etc. Cf. *dentária*, fem. de *dentário*; *dentéis*, pl. de *dentel*; e *dintéis*, pl. de *dintel*.]

dentário [Do lat. tard. *dentariu*.] *Adj.* **1.** Relativo aos, ou próprio dos dentes. **2.** Em que se pratica a odontologia: *gabinete dentário*. ~ V. *arcada* —*a*, *cárie* —*a*, *coroa* —*a*, *germe* —, *piorreia alveolar* —*a*, *polpa* —*a* e *raiz* —*a*. [Fem.: *dentária*. Cf. *dentaria*, do v. *dentar*.]

dente [Do lat. *dente*.] *S. m.* **1.** *Anat.* Cada uma das peças duras, semelhantes a osso, que guarnecem os maxilares e mandíbula do homem e doutros animais, e servem especialmente para morder e triturar alimentos. [Na dentição permanente do homem, são em número de 32, oito em cada maxilar e 16 na mandíbula, distribuídos assim, a partir da frente da arcada em direção às partes laterais: quatro dentes incisivos, dois caninos, quatro pré-molares e seis molares. Tb. se usam substantivamente: os incisivos; o canino direito; um pré-molar; um dos molares esquerdos. Aum.: *dentão*, *dentilhão*, *dentola*. Dim. irreg.: *dentículo*.] **2.** Cada uma das pontas ou saliências que guarnecem a engrenagem de certos objetos. **3.** Cume pontiagudo de montanha. **4.** *Arquit.* V. *dentilhão* (2). **5.** *Bot.* Segmento, recorte ou divisão pouco profunda que órgãos e partes vegetais apresentam com frequência. **6.** *Tip.* V. *pinça* (8). **7.** *Zool.* Saliência espicular no tórax dos insetos. ◆ **Dente apontado.** O que sofreu mutilação feita com o fim de torná-lo triangular. **Dente canino.** V. *dente* (1). **Dente carniceiro.** *Zool.* O que é característico dos animais carnívoros, de coroa grande muito afiada e pontuda; serve para estraçalhar a carne da presa quando o animal a sacode lateralmente; carniceiro. **Dente decíduo.** *Anat.* Dente componente da primeira dentição e que é substituído por um dente permanente na infância ou na puberdade. [Sin., pop.: *dente de leite*.] **Dente de coelho. 1.** Dificuldade ou obstáculo difícil de remover: *Neste problema há dente de coelho*. **2.** Roubalheira, maroteira: *Esse negócio tem dente de coelho*. [Cf. *dente de coelho*, s.m.] **Dente de leite.** *Anat. Pop.* Dente decíduo. [Cf. *dente de leite*, s.m.] **Dente de siso.** *Anat.* O último dos dentes molares, que rompe ger. entre os 17 e os 21 anos de idade. [Tb. se diz apenas *siso*; sin. (bras.): *dente queiro*, *dente queixeiro*, *dente do juízo*.] **Dente do juízo.** *Bras.* V. *dente de siso*. **Dente incisivo.** *Anat.* V. *dente* (1). **Dente incluso.** *Anat.* Dente que, mesmo completamente desenvolvido, não fez sua erupção e permanece totalmente rodeado por tecido ósseo e mucosa. **Dente molar.** *Anat.* V. *dente* (1). **Dente permanente.** Cada um dos dentes da segunda dentição. **Dente por dente.** Com desforra igual à ofensa. **Dente pré-molar.** *Anat.* V. *dente* (1). **Dente queiro.** *Bras. N.E.* V. *dente de siso*. **Dente queixeiro.** *Bras.* V. *dente de siso*. **Dente vomerino.** *Zool.* Dente encontrado nos peixes, e que se acha implantado na base do vômer. **Dentes viliformes.** *Zool.* Dentes muito pequenos e juntos uns dos outros, frequentes em peixes marinhos. **Armado até os dentes.** Armado em excesso, preparando-se para uma possível luta renhida. **Falar entre os dentes.** Falar sem articular bem as palavras; resmungar. **Mostrar os dentes a.** Ameaçar (alguém).

denteação [De *dentear* + *-ção*.] *S. f.* Ato ou efeito de dentear; denteadura.

denteado[1] [De *dente* + *-eado*.] *Adj.* V. *dentado*[1]. ~ V. *folha* —*a*.

denteado[2] [Part. de *dentear*.] *Adj.* **1.** V. *dentado*[2] (1). **2.** *Arquit. Constr.* Dentado[2] (3).

denteadura [De *dentear* + *-dura*.] *S. f.* Denteação.

dentear [De *dente* + *-ear*[2].] *V. t. d.* V. *dentar* (2 e 3). [Conjug.: v. *frear*.]

dente de cachorro *S. m. Tip.* Defeito de composição que consiste em espacejamento exagerado entre as palavras; curral, dente de cão, dente de coelho. [Pl.: *dentes de cachorro*.] ☑

dente de cão *S. m.* **1.** *Arquit.* Ornato pontiagudo formado de florões de quatro folhas. **2.** *Min.* Cristal de calcita, escalenoedro, que lembra a forma de um dente de cão. **3.** *Tip.* V. *dente de cachorro*. **4.** *Bras. MG* Designação vulgar do quartzo em pequenos fragmentos de bordos vivos e agudos. [Pl.: *dentes de cão*.] ☑ notas 1 e 2

dente-de-cão *S. m. Bras. Zool.* V. *pirapucu* (1). [Pl.: *dentes-de-cão*.]

dente-de-cavalo *S. m. Bras. Bot.* Variedade de milho (1). [Pl.: *dentes-de-cavalo*.]

dente de coelho *S. m. Tip.* V. *dente de cachorro*. [Pl.: *dentes de coelho*. Cf. *dente de coelho* (loc.).] ☑

dente de cutia *S. m. Bras. Amaz.* Buril usado na cerâmica marajoara. [Pl.: *dentes de cutia*.] ☑

dente-de-leão *S. m. Bras. N. a S. Bot.* **1.** Planta asterácea (*Taraxacum officinale*) acaule, lactescente, de folhas com lobos desiguais, triangulares, agudos, dentados-acuminados, tidas por medicinais, flores liguladas, amarelo-ouro, dispostas em capítulos grandes, e fruto aquênio, estriado, com papilas alvas e dentes no ápice. **2.** A flor dessa planta. [Pl.: *dentes-de-leão*.]

dente de leite *S. m. Fut. Ant.* **1.** Categoria de jogador de futebol entre os sete e os 12 anos. **2.** Categoria de time de futebol formado por esses jogadores. **3.** Jogador dessa categoria. [Pl.: *dentes de leite*. Cf. *dente de leite* (loc.).] ☑

dente de lobo *S. m. Encad.* V. *brunidor de ágata*. [Pl.: *dentes de lobo*.] ☑

dente de ovo *S. m. Bras.* Cristal de aragonita que se encontra na ponta do bico do pinto quando sai da casca. [Pl.: *dentes de ovo*.] ☑

dente de velha *S. m. Bras.* V. *gangão*[1]. [Pl.: *dentes de velha*.] ☑

dentel [Do lat. vulg. **dentellu*, poss. pelo it. *dentel*.] *S. m. Carp.* Entalhe para regular a altura das prateleiras. [Pl.: *dentéis*. Cf. *denteis*, do v. *dentar*, e *dintel*, pl.: *dintéis*.]

■ **DENTEL** Abrev. de *Departamento Nacional de Telecomunicações*.

dentelária-da-china [De *dentelária* + *da*[1] + o top. *China*.] *S. f. Bot.* Planta plumbaginácea (*Plumbago larpental*) ornamental, dotada de propriedades medicinais, e cujas flores, azuis, são dispostas em fascículos densos e de notável durabilidade. [Pl.: *dentelárias-da-china*.]

dentelária-da-índia [De *dentelária* + *da*[1] + o top. *Índia*.] *S. f. Bot.* Arbusto plumbagináceo (*Plumbago rosea*) ornamental, de caule ereto, dotado de propriedades medicinais, e que tem flores róseo-vermelhas, dispostas em longas espigas terminais e axilares, com numerosas glândulas no cálice, sendo o fruto uma cápsula, e a raiz e as folhas vesiculosas. [Pl.: *dentelárias-da-índia*.]

dentelária-do-cabo *S. f. Bot.* V. *bela-emília*. [Pl.: *dentelárias-do-cabo*.]

dentelo (ê) [Do lat. vulg. **dentellu*, poss. pelo it. *dentello*.] *S. m. Arquit.* Entalhe em forma de dente; dentículo.

dente-seco [De *dente* + *seco* (ê).] *Adj. S. m. Bras. RS Pop.* V. *valentão* (1 e 3). [Pl.: *dentes-secos*.]

▲ **dent(i)-** [Do lat. *dens*, *dentis*.] *El. comp.* = 'dente': *dentígero*, *dentirrostro*[1], *dentina*. [Equiv.: *-dent(i)-*: *serridêntеo*.]

▲ **-dent(i)-** Equiv. de *dent(i)-*.

dentição [Do lat. *dentitione*.] *S. f.* **1.** Formação e nascimento dos dentes; odontíase. **2.** Dentadura (1). ◆ **Terceira dentição.** *Pop. Irôn.* Dentadura postiça.

denticeto *S. m. Adj. Zool. Desus.* V. *odontoceto*.

denticórneo [De *dent(i)-* + *-corn(i)-* + *-eo*.] *Adj. Zool.* Que tem as antenas dentadas.

dentícula [Do f. do lat. *denticulus*; ingl. *denticle*.] *S. f. Zool.* Escama de peixe formada por dentina, com uma cavidade interna, semelhante a um dente. Nos elasmobrânquios, pode recobrir todo o corpo.

denticulado[1] [Do lat. *denticulatu*.] *Adj.* Guarnecido de dentículos.

denticulado[2] [Part. de *denticular*[2].] *Adj.* Recortado em forma de dentículos ou dentes.

denticular[1] [De *dentículo* + *-ar*[1].] *Adj. 2 g.* Que tem dentículos ou entalhos em forma de dentes.

denticular[2] [De *dentículo* + *-ar*[2].] *V. t. d.* Recortar formando dentículos ou dentes. [Pres. ind.: *denticulo*, etc. Cf. *dentículo*.]

dentículo [Do lat. *denticulu*.] *S. m.* **1.** Pequeno dente (1) (q. v.). **2.** *Arquit.* Dentelo. **3.** *Bot.* Pequeno recorte na orla de certas folhas. [Cf. *denticulo*, do v. *denticular*.]

dentificação [De *dent(i)-* + *-fic(a)(r)-* + *-ção*.] *S. f.* Formação dos dentes ou da sua substância.

dentiforme [De *dent(i)-* + *-forme*.] *Adj. 2 g.* Que tem forma de dente.

dentifrício [Do lat. *dentifriciu*.] *Adj. S. m.* Diz-se de, ou preparado que serve para limpar os dentes. [Sin. (lus.): *dentífrico*.]

dentífrico *Adj. S. m. Lus.* Dentifrício.

dentígero [De *dent(i)-* + *-gero*.] *Adj.* Que tem dentes.

dentilhão [De *dente*.] *S. m.* **1.** Dente muito grande [v. *dente* (1)]. **2.** *Arquit.* Conjunto de tijolos ou pedras salientes deixado numa parede para amarrar outra parede; espera, dente. **3.** *Arquit.* Designação genérica de obras de arquitetura em forma dentada.

dentina [De *dent(i)-* + *-ina*[1].] *S. f. Anat.* O marfim dos dentes, que circunda a polpa dentária e está recoberto por esmalte, na coroa, e por cemento, na raiz.

dentinogênese [De *dentina* + *-o-*[1] + *-gênese*.] *S. f. Odont.* Formação de dentina por odontoblastos.

dentirrostro[1] [De *dent(i)-* + *-rostro*.] *Adj. Zool.* Que tem o bico denteado.

dentirrostro[2] [Do tax. *Dentirostres*.] *Zool. S. m.* **1.** Espécime dos dentirrostros, grupo de aves passeriformes, com a borda do bico denteada. ● *Adj.* **2.** Pertencente ou relativo a eles.

dentista [Do fr. *dentiste*.] *S. 2 g.* Profissional que trata das moléstias dentárias. [Sin.: *odontologista*, *odontólogo*, *saca-molas* (deprec.), *tira-dentes* (pop.).]

dentística [De *dentista* + *-ica*.] *S. f. Odont.* Ramo da odontologia que se ocupa da recuperação da forma dos dentes por meio da utilização de materiais restauradores.

dentola [De *dente* + *-ola*[1].] *S. m. Fam.* Dente grande [v. *dente* (1)]. ~ V. *dentolas*.

dentolas *S. 2 g. e 2 n.* Indivíduo que tem dentes grandes e feios. [Cf. *dentuço*.] ~ V. *dentola*.

dentre [De *de* + *entre*.] *Prep.* Do meio de: "Logo de manhã cedo / Começava [o melro] a soltar, dentre o arvoredo, / Verdadeiras risadas de cristal." (Guerra Junqueiro, *A Velhice do Padre Eterno*, p. 153); *Dentre a multidão saiu uma criança correndo*. [Não confundir com *entre*.]

dentro [Do lat. *de* + *intro*.] *Adv.* Do lado interior; interiormente. ◆ **Dentro de. 1.** No interior de: *Vive dentro de casa*. **2.** No íntimo de: *dentro de minha alma*. **3.** No espaço de: "dentro de alguns instantes desceria as ladeiras do outro lado do morro" (Fran Martins, *Dois de Ouros*, pp. 11-12). [Sin. ger.: *dentro em*.] **Dentro em.** V. *dentro de*: "Mapa sentimental dentro em mim estampado" (Hermes-Fontes, *Gênese*, p. 71); "Andei léguas de sombra / Dentro em meu pensamento." (Fernando Pessoa, *Obra Poética*, p. 131). **Por dentro.** Informado, inteirado de algo: *Fingia não saber de nada, mas é claro que estava por dentro*. [Cf. *por fora*].

dentrosa [De *dentro*, poss.] *S. f. Bras. RJ Gír.* Entre os ladrões, chave de abrir portas e cofres.

dentuça [F. subst. de *dentuço*.] *S. f.* **1.** *Fam.* Arcada dentária com dentes grandes e/ou ressaídos. **2.** *Bras. Zool.* V. *pescada-foguete*. **3.** *Bras. Zool.* V. *pescadinha* (2).

dentuço [De *dente* + *-uço*.] *Adj. S. m. Bras.* Que, ou aquele que tem os dentes grandes e/ou ressaídos. [Cf. *dentolas*.]

dentudo [De *dente* + *-udo*.] *Adj.* **1.** Que tem dentes grandes. ● *S. m.* **2.** Aquele que tem dentes grandes. **3.** *Bras. Zool.* V. *peixe-cachorro* (1).

dentudo-dourado *S. m. Bras. Zool.* Peixe caracídeo (*Acestrorhynchus falcatus*) carnívoro, de coloração prateada, de até 26cm, das bacias do Amazonas, Paraná-Paraguai, S. Francisco e Prata. [Sin.: *peixe-cachorro*. Pl.: *dentudos-dourados*.]

dentudo-pintado *S. m. Bras. Zool.* V. *peixe-cadela*. [Pl.: *dentudos-pintados*.]

denudação [Do lat. tard. *denudatione*.] *S. f.* Ato ou efeito de denudar(-se); desnudamento.

denudar [Do lat. *denudare*.] *V. t. d. P.* V. *desnudar*. [Cf. *denodar*.]

denúncia [Dev. de *denunciar*.] *S. f.* **1.** Ato ou efeito de denunciar. **2.** *Dir. Proc. Penal* Peça inauguratória da ação penal de atribuição do Ministério Público; denunciação. **3.** *Dir. Civ.* Comunicação que uma das partes contratantes faz à outra no sentido de que tem o contrato por findo; denunciação. **4.** Acusação secreta ou não que se faz de alguém, com base ou sem ela, em falta ou crime cometido: *O estudante foi preso por denúncia de inimigos políticos.* **5.** Anúncio ou comunicação do fim de um acordo: *a denúncia de um Tratado.* [Cf. *denuncia*, do v. *denunciar*.] ◆ **Denúncia cheia.** *Jur.* Denúncia (3) de contrato de locação feita pelo locador, por motivo de infração do locatário. **Denúncia vazia.** *Jur.* Faculdade que tem o locador de denunciar o contrato de locação por conveniência própria, independentemente de motivar a denúncia.

denunciação [Do lat. *denuntiatione*.] *S. f.* **1.** Declaração, revelação. **2.** *Dir. Civ. Dir. Proc. Penal* V. *denúncia* (2 e 3). ◆ **Denunciação da lide.** *Dir. Proc. Civ.* Ato pelo qual se busca fazer terceiro integrar na relação processual, esp. para assegurar direito de evicção.

denunciado [Part. de *denunciar*.] *Adj. S. m.* Que, ou aquele que foi objeto de denúncia.

denunciador (ô) [Do lat. tard. *denuntiatore*.] *Adj. S. m.* Que, ou aquele que denuncia, que mostra, que revela.

denunciante [De *denunciar* + *-nte*.] *Adj. 2 g. S. 2 g.* Que, ou quem denuncia.

denunciar [Do lat. *denuntiare*.] *V. t. d.* **1.** Fazer ou dar denúncia de; acusar, delatar: *O jornalista denunciou os criminosos.* **2.** Dar a conhecer; revelar, divulgar: *denunciar uma trama.* **3.** Publicar, proclamar, anunciar: *denunciar as festividades.* **4.** Dar a perceber; evidenciar: *Sua fisionomia denunciava medo; Caminhava sem denunciar fadiga.* **5.** *Jur.* Oferecer denúncia contra (alguém). **6.** *Jur.* Promover a denúncia (3 e 5) de; declarar findo: *denunciar um acordo, um contrato.* ***T. d. e i.*** **7.** Delatar como autor de um crime; fazer denúncia: *Denunciou à justiça o conspirador.* **8.** Dar a conhecer; revelar: *Denunciou ao advogado que o testamento era falso.* **9.** Dizer, comunicar, revelar, anunciar: *Denunciou aos fiéis o novo dogma.* **Transobj. 10.** Declarar, reconhecer, instituir: *Denunciou-o por seu herdeiro.* ***P.*** **11.** Revelar-se, manifestar-se, mostrar-se, evidenciar-se: *A pobreza da família denuncia-se facilmente.* **12.** Tornar-se perceptível ou visível: *Denunciam-se na escura mata os movimentos do animal.* **13.** Revelar-se; trair-se: *Denuncia-se pelo seu modo de andar.* **14.** Confessar-se culpado; delatar-se: *O criminoso denunciou-se.* **15.** Dar sinais de si; fazer-se notar: *O visitante denunciou-se pela elegância.* [Pres. ind.: *denuncio, denuncias, denuncia*, etc. Cf. *denúncia*, s. f.]

denunciativo [Do lat. tard. *denuntiativu*.] *Adj.* Que denuncia; denunciador: *olhar denunciativo; sorriso denunciativo de piedade.*

denunciatório [De *denunciar* + *-tório*.] *Adj.* Que envolve ou implica denúncia.

denunciável [De *denunciar* + *-vel*.] *Adj. 2 g.* Que pode ser denunciado.

denuncismo [De *denunciar* + *-ismo*.] *S. m.* **1.** Ação, prática, mania ou efeito de denunciar. **2.** *Pej.* Prática, esp. jornalística, de fazer denúncias que têm por base fatos ou acontecimentos que não foram devidamente averiguados. **3.** *Restr. Pej.* A publicação sistemática de matéria, reportagem, etc. com este conteúdo.

denuncista [De *denuncismo* + *-ista*, seg. o padrão gr.] *Adj. 2 g.* **1.** Que denuncia. **2.** *Pej.* Que é adepto do denuncismo. **3.** Próprio do denuncismo (2).

deodapolense *Adj. 2 g.* **1.** De, ou pertencente ou relativo a Deodápolis (MS). ● *S. 2 g.* **2.** O natural ou habitante de Deodápolis.

deodorense *Adj. 2 g.* **1.** De, ou pertencente ou relativo a Marechal Deodoro (AL). ● *S. 2 g.* **2.** O natural ou habitante de Marechal Deodoro.

→**Deo gratias** ['deɔ 'grateas] [Lat., 'graças a Deus'.] *laus Deo* (q. v.).

deolepsia [Do lat. *deo*, 'Deus', + *-leps(i)-* + *-ia*[1].] *S. f. Psiq.* Psicopatia em que o indivíduo se acredita possuído por um deus.

deoléptico [De *deo*, como em *deolepsia* (q. v.), + *-léptico*.] *Adj.* **1.** Relativo a diolepsia. **2.** Que apresenta diolepsia. ● *S. m.* **3.** Indivíduo dioléptico (2).

→**de omni re scibili et quibusdam aliis** ['domnẹ re 'skibẹlẹt kwe'busda'lijęs] [Lat., 'de todas as coisas sabíveis e de mais algumas'.] A primeira parte da expressão é do famoso polímata Pico della Mirandola, que pretendia responder a qualquer pergunta; a segunda, de algum trocista, Voltaire (v. *voltairiano*) talvez, que achava um tanto exagerada essa pretensão. Usa-se a propósito de pessoas que pretendem saber tudo.

deôntico [Do gr. *déontos*, 'aquilo que é obrigatório', + *-ico*[2].] *Adj.* Deontológico.

deontologia [Do gr. *déontos*, 'o que é obrigatório, necessário', + *-logia*.] *S. f.* **1.** O estudo dos princípios, fundamentos e sistemas de moral. **2.** Tratado dos deveres.

deontológico [De *deontologia* + *-ico*[2].] *Adj.* Referente à deontologia; deôntico.

deontologismo [De *deontologia* + *-ismo*.] *S. m.* Sistema moral baseado na deontologia.

deontologista [De *deontologismo* + *-ista*.] *Adj. 2 g.* **1.** Relativo ao, ou que é partidário do deontologismo. ● *S. 2 g.* **2.** Partidário dele.

→**de pane lucrando** [de 'pane lo'krandɔ] [Lat., 'para ganhar o pão'.] Diz-se das obras literárias feitas de um jato, buscando quem as escreveu resolver dificuldades financeiras eventuais.

deparador (ô) [De *deparar* + *-dor*.] *Adj. S. m.* Que, ou aquele que depara; achador, descobridor.

deparar [Do lat. med. *deparare*.] *V. t. d.* **1.** Fazer aparecer de repente; trazer ou apresentar inesperadamente: *O acaso depara muitas vezes a felicidade.* **2.** Encontrar inesperadamente; defrontar, topar: *Na curva da estrada deparamos um lago belíssimo.* ***T. d. e i.*** **3.** Fazer aparecer inesperadamente; fazer achar ou encontrar; trazer, apresentar: *Seus livros nos deparam passagens penetrantes.* ***T. i.*** **4.** Encontrar inesperadamente; defrontar, topar: *Deparei com ele quando passeava.* ***P.*** **5.** Vir, chegar, aparecer, apresentar-se, oferecer-se, inesperadamente: *Deparou-se-me uma rara ocasião de iniciar o negócio.* **6.** Encontrar inesperadamente; defrontar-se: "E deparou-se com um jovem forte, alto, de grande beleza." (Clarice Lispector, *A Via-Crúcis do Corpo*, p. 95.)

deparável [De *deparar* + *-vel*.] *Adj. 2 g.* Que se pode deparar.

departamental [De *departamento* + *-al*[1].] *Adj. 2 g.* Relativo ou pertencente a departamento.

departamentalização [De *departamentalizar* + *-ção*.] *S. f.* Ato ou efeito de departamentalizar.

departamentalizar [De *departamental* + *-izar*.] *V. t. d. P.* Dividir(-se) em departamentos: *departamentalizar uma instituição; A empresa cresceu e departamentalizou-se.*

departamento [Do fr. *département*.] *S. m.* **1.** Divisão administrativa da França e de algumas outras nações. **2.** Seção, divisão, setor, numa repartição pública, num ministério, num estabelecimento comercial ou industrial, etc.: *departamento de vendas a crédito.* **3.** *P. ext. Fam.* As atribuições ou obrigações de alguém: *Este assunto não é do meu departamento.* **4.** *Bras. Restr.* Segundo a atual legislação brasileira, a menor fração da estrutura universitária para efeitos de organização administrativa e didático-científica, em cursos que visam a completar a formação universitária do aluno. [Cf. *departimento*.]

departição [De *departir* + *-ção*.] *S. f.* Departimento.

departimento [De *departir* + *-mento*.] *S. m.* Ato ou fato de departir(-se); departição. [Cf. *departamento*.]

departir [De *de-* + *partir*.] *P. us. V. t. d.* **1.** Separar em partes; dividir, distribuir, repartir: *departir a propriedade.* **2.** Perturbar; desarmonizar. ***T. d. e i.*** **3.** Separar, distinguir, apartar: *departir o joio do trigo.* **4.** Narrar minuciosamente; minudenciar: *Nada omitiu: departiu-lhe toda a história.* **Int. 5.** Contar despreocupadamente. ***P.*** **6.** Sair, apartar-se, separar-se, afastar-se.

depascente [Do lat. *depascente*, part. pres. de *depascere*, 'devorar'; 'destruir'.] *Adj. 2 g.* Que corrói; que (se) alastra.

depauperação [De *depauperar* + *-ção*.] *S. f.* Depauperamento.

depauperado [Part. de *depauperar*.] *Adj.* Que se depauperou; que sofre depauperamento.

depauperador (ô) [De *depaupera* + *-dor*.] *Adj.* Que depaupera; depauperante.

depauperamento [De *depauperar* + *-mento*.] *S. m.* Ato ou efeito de depauperar(-se); depauperação.

depauperante [De *depauperar* + *-nte*.] *Adj. 2 g.* Depauperador.

depauperar [Do lat. med. *depauperare*.] *V. t. d.* **1.** Esgotar os recursos de; tornar pobre; empobrecer: *Os gastos excessivos depauperaram a economia do País.* **2.** Esgotar as forças de; extenuar, debilitar, enfraquecer, exaurir: *A vida dissoluta depauperou-o.* ***P.*** **3.** Enfraquecer(-se), debilitar-se, extenuar-se.

depenado [Part. de *depenar*.] *Adj.* **1.** Que ficou sem penas, ou que as perdeu. **2.** *Fam.* Que ficou sem dinheiro; aliviado.

depenador (ô) [De *depenar* + *-dor*.] *S. m.* **1.** Aquele que depena. **2.** *Fam.* Indivíduo que com astúcia e manha se apossa do dinheiro de outrem.

depenar [De *de-* + *pena*[1] + *-ar*[2].] *V. t. d.* **1.** Tirar as penas a; deplumar, despenar: *depenar frangos.* **2.** *P. ext.* Arrancar os pelos a; arrepelar: *Chorava, depenando as barbas e cabelos.* **3.** *Fam.* Extorquir dinheiro astuciosamente a: *Depenaram o coitado no cassino.* **4.** *Fam.* Tirar os haveres de (alguém), deixando-o sem nada; pelar. ***P.*** **5.** Perder ou ir perdendo as penas: *O frango depenou-se; O passarinho está a depenar-se.*

dependência [De *depender* + *-ência*.] *S. f.* **1.** Estado ou caráter de dependente. **2.** Sujeição, subordinação: *Tem uma relação de dependência com a namorada.* **3.** Acessório, complemento, anexo. **4.** Cada uma das peças ou cômodos de uma casa. **5.** *Farmac. Psiq.* Farmacodependência (q. v.). **6.** *Farmac. Psiq.* V. *dependência física*. **7.** *Farmac. Psiq.* V. *dependência psíquica*. **8.** *Bras.* Edificação anexa a uma casa; puxado, puxada. ◆ **Dependência estatística.** *Estat.* Relação que existe entre duas ou mais variáveis aleatórias quando a probabilidade de ocorrência simultânea de determinados valores de seus domínios não é igual ao produto das probabilidades de ocorrência desses valores isoladamente; dependência estocástica. **Dependência estocástica.** *Estat.* Dependência estatística (q. v.). **Dependência física.** *Farmac. Psiq.* Cada um dos estados mórbidos em que surgem importantes alterações físicas quando é interrompido o uso de certo medicamento, ou droga, e que varia segundo este ou esta, com apresentação de sinais e sintomas de natureza física. [Tb. se diz apenas *dependência*.] **Dependência funcional.** *Mat.* A que existe entre duas ou mais funções relacionadas por uma identidade. Ex.: o seno e o cosseno são funcionalmente dependentes, já que $sen^2 x + cos^2 x = 1$. **Dependência linear.** *Mat.* Propriedade de conjunto de quantidades de um conjunto cuja combinação linear, com constantes nesse conjunto, pode ser nula sem que todas as constantes o sejam. **Dependência psíquica.** *Farmac. Psiq.* Cada um dos estados mórbidos em que a impressão de bem-estar causada por medicamento, ou droga, leva o indivíduo a tomá-lo, ou tomá-la, em caráter contínuo ou periódico, inclusive para evitar a sensação de mal-estar que lhe causaria a privação daquele medicamento ou daquela droga. [Tb. se diz apenas *dependência*.] **Dependência química.** *Impr.* V. *farmacodependência*.

dependente [De *depender* + *-nte*.] *Adj. 2 g.* **1.** Que depende. **2.** *E. Ling.* Subordinado (3). **3.** *E. Ling.* V. *regido* (1). ~ V. *fonte —, morfema —, nó —* e *variável —*. ● *S. 2 g.* **4.** Pessoa que não dispõe de recursos para promover a sua subsistência. **5.** Pessoa que vive a expensas de outra. **6.** *Farmac. Psiq.* Aquele que sofre de dependência (5 a 7). **7.** *Bras.* Estudante que, reprovado numa disciplina de uma série escolar, obtém matrícula na série imediata, dependendo da aprovação naquela disciplina a sua promoção a esta série. **8.** V. *regido* (2).

depender [Do lat. *dependere*.] *V. t. i.* **1.** Estar na dependência; estar sujeito; pender: *Ele trabalha e depende dos horários.* **2.** Ter conexão ou relação imediata; estar ligado: *O efeito depende da causa.* **3.** Resultar, derivar, proceder: *O prestígio de que desfruta depende do seu caráter.* **4.** Estar subordinado; estar sob o domínio, autoridade, influência ou arbítrio; ser dependente: *Todos dependemos de Deus.* **5.** Envolver decisão, resolução: *A solução do caso depende do presidente.* **6.** Fazer parte; estar ligado ou anexo: *O engenho depende da propriedade.*

dependura [Dev. de *dependurar*.] *S. f.* **1.** Ato ou efeito de dependurar; pendura. **2.** Objeto(s) pendurado(s); pendura. ◆ **Estar à dependura.** V. *estar na dependura*. **Estar na dependura.** **1.** Estar na miséria. **2.** Estar em perigo de vida. [Sin. ger.: *estar à dependura, estar por uma dependura*.] **Estar por uma dependura.** *Bras. S.* V. *estar na dependura*. **Na dependura.** *Bras. Pop.* V. *na pendura*.

dependurado [Part. de *dependurar*.] *Adj.* **1.** Que se dependurou; pendurado. ~ V. *olhos —s*. ● *S. m.* **2.** *Bras. GO* Encosta de montanha mais ou menos sem vegetação.

dependurar [De *de-* + *pendurar*.] *V. t. d. T. d. e c. T. d. e i.* V. *pendurar*. [Antôn.: *despendurar*.]

depenicar [De *de-* + *pena*[1] + *-icar*.] *V. t. d.* **1.** Tirar ou arrancar as penas ou os pelos de, aos poucos; debicar, depenar. **2.** Comer, ou tirar para comer, pequenas porções de; debicar, beliscar: *Antes do jantar vai depenicando as comidas.* ***T. i.*** **3.** Comer em pequenas porções; debicar: *depenicar no pão.* **Int. 4.** Comer aos pouquinhos, ou muito pouco; debicar, beliscar: *Ela só depenicava no almoço.* [Conjug.: v. *trancar*.]

D

deperecer [De *de-* + *perecer*.] *V. int.* **1.** Ir-se finando pouco a pouco; desperecer: "Começou [Machado de Assis] a deperecer, a enfraquecer-se, e .... o seu abatimento era tamanho que não lhe permitiu rever as provas do *Esaú e Jacó*." (Lúcia Miguel Pereira, *Machado de Assis*, p. 257.) *T. i.* **2.** Enfraquecer, definhar: *Deperecia em saúde.* [Conjug.: v. *aquecer*.]

deperecimento [De *deperecer* + *-imento*.] *S. m.* Ato de deperecer; desfalecimento ou consunção gradual; desperecimento.

depilação [De *depilar* + *-ção*.] *S. f.* Ato ou efeito de depilar(-se); epilação.

depilado [Part. de *depilar*.] *Adj.* Que se depilou; em que se fez depilação.

depilador (ô) [Do lat. tard. *depilatore*.] *Adj.* **1.** Que serve para depilar. ● *S. m.* **2.** Aquele que faz depilação profissionalmente. **3.** Aparelho depilador.

depilar [Do lat. *depilare*.] *V. t. d.* **1.** Arrancar ou fazer cair o pelo ou o cabelo a; pelar, rapar: "— É a única mulher que se pode dar ao luxo de não depilar as axilas!" (Adovaldo Fernandes Sampaio, *O Sol na Rede*, p. 17.) *P.* **2.** Arrancar ou fazer cair o próprio pelo; pelar-se, rapar-se.

depilatório [De *depilar* + *-tório*.] *Adj.* **1.** Diz-se daquilo que depila. ● *S. m.* **2.** Preparado para arrancar ou fazer cair o cabelo ou o pelo. [Sin. ger.: *epilatório*.]

depleção [Do lat. tard. *depletione*, 'esvaziamento'.] *S. f. Med.* Redução de qualquer matéria armazenada no corpo.

depletivo [Do rad. culto *deplet-* (do lat. *depletione*, fonte de *depleção* [q. v.]), + *-ivo*.] *Adj.* Que produz depleção.

deploração [Do lat. *deploratione*.] *S. f.* **1.** Ato de deplorar. **2.** Palavras com que se deplora.

deplorador (ô) [De *deplorar* + *-dor*.] *S. m.* Aquele que deplora.

deplorar [Do lat. *deplorare*.] *V. t. d.* **1.** Chorar, lastimar, prantear: *Muito deplorou a morte do amigo.* **2.** Sentir, lamentar: *Deploro haver despendido tanto dinheiro sem proveito. P.* **3.** Lastimar-se, prantear-se, lamentar-se, chorar-se: *A infeliz deplorava-se e acusava-o de tudo.*

deplorativo [De *deplorar* + *-tivo*.] *Adj.* **1.** Relativo a deploração; deploratório. **2.** Que deplora ou lastima; lastimoso.

deploratório [De *deplorar* + *-tório*.] *Adj.* Deplorativo (1).

deplorável [De *deplorar* + *-vel*.] *Adj. 2 g.* **1.** Digno de deploração; lamentável, lastimável. **2.** Detestável, abominável: *procedimento deplorável.*

deplumar [Do lat. med. *deplumare*.] *V. t. d.* Depenar (1).

depoente [Do lat. *deponente*.] *Adj. 2 g.* **1.** *E. Ling.* ~ V. *verbo* —. ● *S. 2 g.* **2.** *Jur.* Pessoa que depõe em juízo ou perante autoridade administrativa.

depoimento (o-i) [Da f. ant. *despoer* (v. *depor*) + *-imento*.] *S. m.* **1.** Ato de depor. **2.** Aquilo que as testemunhas depõem; testemunho.

depois [Do lat. *depost*, pelas f. ant. *depos* e *depus*.] *Adv.* **1.** Posteriormente, em seguida: "Amor? Receios, desejos, / promessas de paraísos, / Depois sonhos, depois risos, / Depois beijos!" (Menotti del Picchia, *Juca Mulato*, p. 55.) **2.** Atrás, detrás. **3.** Ademais, demais; além disso: *É muito rico e inteligente, e, depois, é simpático em extremo.* ◆ **Depois de. 1.** Seguidamente a: "Deitei-me à hora habitual, depois da ceia." (Josué Montelo, *A Noite sobre Alcântara*, p. 158.) **2.** Em posição inferior a. **Depois que.** Desde o tempo, ou depois do tempo, em que: "Como hei de eu, de hoje em diante, / Viver, depois que partires?" (Olavo Bilac, *Poesias*, p. 212.)

depolarização [De *depolarizar* + *-ção*.] *S. f. Fís.-Quím. Eletr.* V. *despolarização*.

depolarizar [De *de-* + *polarizar*.] *V. t. d. Fís.-Quím. Eletr.* V. *despolarizar*.

depolmar *V. int. Bras. CE Pop.* Ostentar-se presunçosamente.

depopular [Do lat. *depopulare*.] *V. t. d.* V. *despovoar* (1).

depor [Do lat. *deponere*, pela f. ant. *despoer*.] *V. t. d.* **1.** Pôr de parte, pôr de lado (algo que se trazia); deixar: *Depôs o jornal que estava lendo.* **2.** Despojar de cargo ou dignidade; destituir: *A revolução depôs o monarca.* **3.** Tirar de posição elevada; colocar abaixo; abaixar: *Depôs o fardo que trazia à cabeça.* **4.** Pôr de parte; abandonar, perder: *depor a dissimulação; Certas palavras com o tempo depõem algumas acepções.* **5.** *Jur.* Declarar em juízo: *Depôs que o assalto se dera de madrugada.* **6.** Desistir de; abdicar, renunciar: *depor a autoridade.* **7.** Exprimir, expressar: *Os documentos depõem o contrário do que alega a testemunha. T. d. e i.* **8.** Despojar de cargo ou dignidade; destituir: *Depuseram-no do ministério.* **9.** Depositar, colocar, pôr: *Depôs no médico toda a sua esperança. T. i.* **10.** Declarar, revelar, expor: *Não deporei de fatos que o possam comprometer.* **11.** Fornecer indícios, provas: *Tais costumes depõem contra a sua honestidade. T. d. e c.* **12.** Depositar, colocar, pôr: *depor a lanterna sobre a mesa; depor a criança no chão. Int.* **13.** Prestar depoimento em juízo: *Instaurado o processo, foram diversos funcionários convidados a depor. P.* **14.** Ir ao fundo; descer, depositar-se: *Depuseram-se as impurezas do líquido.* [Irreg. Conjug.: v. *pôr*. Perf. ind.: *depus, depuseste, depôs*, etc. Cf. *depós*.]

deportação [Do lat. *deportatione*.] *S. f.* Ato ou efeito de deportar; desterro, banimento, exílio.

deportado [Part. de *deportar*.] *Adj. S. m.* Diz-se de, ou aquele que foi condenado à deportação; desterrado, exilado, banido.

deportar [Do lat. *deportare*.] *V. t. d. T. d. e c.* Levar para fora, para longe; condenar a degredo; desterrar, expatriar, exilar, banir: *deportar um conspirador; Deportou os presos para a Índia.*

deporte[1] [Do it. *diporto*.] *S. m. Ant.* V. *esporte* (1 e 2).

deporte[2] [Do fr. *déport*.] *S. m. Fin.* **1.** Operação de bolsa pela qual o vendedor, jogando na baixa, adquire títulos à vista na alta e depois os revende a termo, para liquidação posterior, à mesma pessoa de quem os adquiriu. **2.** Diferença superior do curso a termo em relação ao curso à vista, nas operações de bolsa. [Antôn.: *reporte*.]

depós [De *de* + lat. *post*.] *Prep. P. us.* Depois de; após, empós: "Ergueu-se a gente toda, e foi depós o brasileiro." (Camilo Castelo Branco, *No Bom Jesus do Monte*, p. 20); "trepavam as encostas verdejantes os rebanhos, depós eles os pegureiros" (Id., *A Mulher Fatal*, p. 32). [Cf. *depôs*, do v. *depor*.]

deposição [Do lat. *depositione*.] *S. f.* Ato ou efeito de depor, ou de depor-se. ◆ **Deposição eletrolítica.** *Fís.-Quím.* Formação de uma camada de metal sobre um eletrodo por meio duma eletrólise.

depositação [De *depositar* + *-ção*.] *S. f. Geol.* Ação de depositar.

depositador (ô) [De *depositar* + *-dor*.] *S. m. P. us.* Depositante (2).

depositante [De *depositar* + *-nte*.] *Adj. 2 g.* **1.** Que deposita. ● *S. 2 g.* **2.** Pessoa que deposita. [Sin. (p. us.), nesta acepç.: *depositador*.]

depositar [De *depósito* + *-ar*[2].] *V. t. d.* **1.** Pôr em depósito; guardar: *Depositou as suas economias. T. d. e c.* **2.** Guardar (em lugar seguro): *Depositei meu dinheiro no banco.* **3.** Pôr, colocar, depor: *Depositou na mesa o seu embrulho.* **4.** Dar a guardar; pôr em segurança: *Depositamos o menor em casa de seus tios.* **5.** Colocar ou entregar com solenidade: *O governo depositou-lhe o corpo na capela presidencial. T. d. e i.* **6.** Confiar, fiar: *Depositou seus segredos ao amigo. P.* **7.** Ficar no fundo; depor-se, assentar: *As fezes do vinho depositaram-se na garrafa.* [Pres. ind.: *deposito*, etc.; fut. pret.: *depositaria*, etc. Cf. *depósito*, s. m., e *depositária*, fem. de *depositário*.]

depositária *S. f.* Fem. de *depositário*.

depositário [Do lat. tard. *depositariu*.] *Adj.* **1.** Que serve de depósito: "as grandes revoluções do século 20, depositárias de tantas esperanças, deram no que deram." (Bóris Fausto, em *Folha de S.Paulo*, 17.06.2008). ● *S. m.* **2.** Aquele que recebe em depósito. **3.** *Fig.* Confidente (2). [Fem.: *depositária*. Cf. *depositaria*, do v. *depositar*.]

depósito [Do lat. *depositu*.] *S. m.* **1.** Ato de depositar(-se). **2.** Aquilo que se depositou. [Cf., nesta acepç., *retém* (2).] **3.** Lugar em que se deposita alguma coisa. **4.** Reservatório (2). **5.** Armazém (1). **6.** Substâncias que se depositam no fundo de um líquido; sedimento. **7.** *Bibliot.* Parte da biblioteca onde se armazena o acervo menos utilizado. **8.** *Econ.* Depósito bancário (q. v.). **9.** *Geol.* Concentração natural de qualquer substância de natureza rochosa. **10.** *Tip. P. us.* V. *magazine* (4). **11.** *Lus.* Tanque[1] (1 e 2). ◆ **Depósito alóctone.** *Geol.* Depósito constituído por materiais de outras áreas, ou exógenos. **Depósito aluviano.** *Geol.* Depósito formado por aluvião (1). **Depósito anagênico.** *Geol.* Depósito constituído de rochas detríticas ou clásticas com pedaços de tamanho variável. **Depósito a prazo.** *Econ.* Depósito bancário que só pode ser retirado pelo depositante após determinado prazo. **Depósito autóctone.** *Geol.* Depósito constituído pela desagregação ou destruição do material no próprio lugar. **Depósito à vista.** *Econ.* Depósito bancário que pode ser retirado pelo depositante a qualquer momento. **Depósito bancário.** *Econ.* Quantia de dinheiro depositada em banco comercial. [Tb. se diz apenas *depósito*.] **Depósito compulsório.** *Econ.* Parcela dos depósitos recebidos do público que os bancos comerciais são obrigados a depositar no Banco Central, como forma de controle da quantidade de moeda na economia. **Depósito de mar profundo.** *Geol.* V. *depósito marinho*. **Depósito eólico.** *Geol.* Sedimento formado por deposição eólica. **Depósito legal.** *Bibliot.* Entrega que, por lei, estão os editores de um país obrigados a fazer, às bibliotecas nacionais ou órgãos congêneres, de um ou mais exemplares de todos os livros que publiquem. **Depósito litorâneo.** *Geol.* V. *depósito marinho*. **Depósito marinho.** *Geol.* Material acumulado no fundo do mar e que se assenta sobre o solo oceânico. [Quanto à profundidade, os depósitos marinhos distinguem-se em *litorâneos* (de mar pouco profundo) e de *mar profundo*; quanto à origem, podem ser *terrígenos* e *pelágicos*.] **Depósito paleogêneo.** *Geol.* Designação comum aos primeiros depósitos do terciário. **Depósito pelágico.** Material orgânico (esqueletos, carapaças, conchas, etc.) que se acumula nas profundezas dos oceanos e mares e constitui um lodo ou vasa de origem variada (diatomáceas, radiolários, etc.). [Cf. *depósito marinho*.] **Depósito terrígeno.** Material acumulado na plataforma continental, intimamente relacionado com as terras emersas que lhe ficam próximas, e constituído por seixos, cascalhos, areia, lodo ou vasa, etc. [Cf. *depósito marinho*.]

deposto (ô) [Do lat. *depositu*.] **1.** Que foi posto de lado. **2.** Que foi tirado do poder, que não governa mais. **3.** Despojado de cargo ou dignidade.

depravação [Do lat. *depravatione*.] *S. f.* **1.** Ato ou efeito de depravar(-se); perversão, corrução. **2.** Degeneração mórbida.

depravado [Part. de *depravar*.] *Adj.* **1.** Devasso, corrompido, pervertido. **2.** Perverso, malvado. ● *S. m.* **3.** Indivíduo depravado.

depravador (ô) [Do lat. tard. *depravatore*.] *Adj. S. m.* Que, ou aquele que deprava, corrompe ou perverte.

depravar [Do lat. *depravare*.] *V. t. d.* **1.** Alterar prejudicialmente; estragar, danificar, corromper: *Estas substâncias depravam o sangue.* **2.** *Fig.* Perverter, corromper, degenerar: *Tais costumes depravam a sociedade.* **3.** Falsificar, adulterar: *depravar um documento. P.* **4.** Alterar-se para pior; estragar-se, danificar-se. **5.** Perverter-se, corromper-se, degenerar-se: *Depravou-se naquela súcia.*

deprê[1] *S. f. Bras. Gír.* V. *depressão*: *Depois do acidente, ficaram na maior deprê.*

deprê[2] [F. red. de *depressivo*.] *Adj. 2 g. Bras. Gír.* **1.** Deprimido (1): *Hoje ela está meio deprê.* **2.** V. *deprimente*: *Seu novo filme é bastante deprê.*

deprecação [Do lat. *deprecatione*.] *S. f.* **1.** Ato de deprecar. **2.** *Jur.* V. *deprecada*. **3.** Súplica de perdão; rogativa.

deprecada [Do lat. *deprecata* (v. *deprecata*), por via semierudita.] *S. f. Jur.* Documento em que um juiz ou tribunal pede a outro a realização dum ato ou diligência judicial; deprecação. [F. paral.: *deprecata*; sin.: *deprecação*.]

deprecado [Do lat. *deprecatu*, part. de *deprecari* (v. *deprecar*).] *Adj.* Diz-se de juiz, etc. a quem se expediu deprecada.

deprecante [De *deprecar* + *-nte*.] *Adj. 2 g. S. 2 g.* Que, ou quem depreca.

deprecar [Do lat. **deprecare*, por *deprecari*.] *V. t. d.* **1.** Pedir com instância e submissão; rogar, suplicar, implorar: "com a boca em fogo, ... gemeu fundamente, como se deprecara, numa prece suprema, a assistência divina a seu martírio." (Afonso Arinos, *Histórias e Paisagens*, p. 60). *T. d. e i.* **2.** Pedir submissamente; rogar, suplicar, implorar: *O preso deprecava piedade ao carrasco. Bit. i.* **3.** Suplicar, implorar; orar: *Deprecou a Deus pela vida de seus filhos. Int.* **4.** Fazer súplicas; implorar. **5.** *Jur.* Expedir deprecada(s). [Conjug.: v. *trancar*.]

deprecata [Do lat. *deprecata*, do f. do lat. *deprecatus* (v. *deprecado*), por via erudita.] *S. f. Jur.* V. *deprecada*.

deprecativo [Do lat. tard. *deprecativu*.] *Adj.* Em que há deprecação.

deprecatório [Do lat. tard. *deprecatoriu*.] *Adj.* Relativo a deprecação.

depreciação [De *depreciar* + *-ção*.] *S. f.* **1.** Ação de depreciar. **2.** Baixa de preço ou de valor. **3.** *Fig.* Desprezo, menosprezo, desdém. **4.** *Econ.* Diminuição progressiva de valor, legalmente contabilizável, do capital fixo de uma empresa (imóveis, equipamentos, instalações, etc.), devida ao desgaste físico. **5.** *Econ.* V. *deságio*.

depreciado [Part. de *depreciar*.] *Adj.* Que teve ou experimentou depreciação.

depreciador (ô) [Do lat. tard. *depretiatore*.] *Adj. S. m.* Que, ou aquele que deprecia.

depreciar [Do lat. tard. *depretiare*.] *V. t. d.* **1.** Abaixar o preço ou o valor de; desvalorizar: *depreciar mercadorias.* **2.** Rebaixar, desestimar, desprezar, desdenhar, menoscabar: *O professor depreciava as qualidades dos alunos. P.* **3.** Abaixar de preço ou de valor; desvalorizar-se: *Estes produtos depreciaram-se no mercado.* **4.** Perder a estima, a consideração; aviltar-se, desacreditar-se.

depreciativo [De *depreciar* + *-tivo*.] *Adj.* **1.** Em que há, ou que envolve depreciação. [Antôn.: *apreciativo*.] **2.** V. *pejorativo* (1).

depreciável [De *depreciar* + *-vel*.] *Adj. 2 g.* Sujeito a depreciação.

depredação [Do lat. tard. *depraedatione.*] ***S. f.*** Ato de depredar; saque, pilhagem, devastação.

depredado [Part. de *depredar.*] ***Adj.*** Que se depredou; que foi objeto de depredação.

depredador (ô) [Do lat. tard. *depraedatore.*] ***Adj. S. m.*** Que, ou aquele que pratica depredação.

depredando [De *depredar* + *-ando.*] ***Adj.*** Que vai ser depredado: "Furtivos retiremos do horto mundo / Os depredandos pomos." (Fernando Pessoa, *Odes de Ricardo Reis*, p. 92.)

depredar [Do lat. tard. *depraedare.*] ***V. t. d.*** **1.** Destruir, assolar, devastar, talar: *A turba depredou a propriedade.* **2.** Roubar, saquear, espoliar: *Os ladrões depredaram a casa.* ***T. d. e i.*** **3.** Roubar, saquear, espoliar: *Depredaram-lhe muitas reses.*

depredatório [De *depredar* + *-tório.*] ***Adj.*** Em que há, ou que tem por fim depredação.

depreender [Do lat. *deprehendere.*] ***V. t. d.*** **1.** Atingir a compreensão de; perceber, compreender: *Depreendemos perfeitamente a ideia.* **2.** Concluir, inferir, deduzir: *É fácil depreender que o povo não se acha satisfeito.* ***T. i.*** **3.** Concluir, deduzir, inferir: "A muita lição do hipocondríaco Edgar Quinet, como depreendo das epígrafes dos seus versos, ainda assim, não o saturou do sombrio menospreço das coisas boas da vida." (Camilo Castelo Branco, *Serões de São Miguel de Ceide*, III, p. 59.) ***T. d. e i.*** **4.** Chegar à conclusão; deduzir, concluir: *Do seu silêncio depreendi que estava contrariado.*

depreensão [Do lat. *deprehensione.*] ***S. f.*** Ato ou efeito de depreender.

depressa [De *de-* + *pressa.*] ***Adv.*** Com pressa; com rapidez; em breve tempo.

depressão [Do lat. *depressione.*] ***S. f.*** **1.** Ato de deprimir(-se). **2.** Abaixamento de nível resultante de pressão ou de peso. **3.** Baixa de terreno. **4.** Diminuição, redução. **5.** *Anat.* Achatamento ou cavidade superficial. **6.** *Astr.* Distância angular, medida sobre um círculo vertical, entre um ponto da esfera celeste abaixo do horizonte e este último; altura negativa. **7.** *Econ.* Período de redução acentuada e prolongada na atividade econômica e no emprego, como a que atingiu os Estados Unidos e outros países na década de 1930. [Cf. *recessão* (2).] **8.** *Med.* Diminuição de função fisiológica. **9.** *Psiq.* Distúrbio mental caracterizado por adinamia, desânimo, sensação de cansaço, e cujo quadro muitas vezes inclui, também, ansiedade, em grau maior ou menor. **10.** *Fig.* Abatimento moral ou físico; letargia.

depressivo [De *depresso* + *-ivo.*] ***Adj.*** **1.** V. *deprimente.* **2.** Que revela depressão. **3.** *Psiq.* Que produz depressão (9).

depresso [Do lat. *depressu*, part. do v. lat. *deprimere* (v. *deprimir*).] ***Adj.*** **1.** Em que há depressão. **2.** *Bot.* Deprimido (2).

depressor (ô) [Do lat. *depressus* (v. *depresso*) + *-or.*] ***Adj.*** **1.** Que deprime; depressivo. **2.** *Fisiol. Farm.* Diz-se de agente que diminui atividade fisiológica. • ***S. m.*** **3.** Aquele que deprime. **4.** *Fisiol. Farm.* Agente depressor (2).

deprimente [Do lat. *deprimente.*] ***Adj. 2 g.*** Que deprime; depressivo, depressor.

deprimido [Part. de *deprimir.*] ***Adj.*** **1.** *Psiq.* Que apresenta depressão; abatido. **2.** *Bot.* Comprimido, achatado: *fruto deprimido.*

deprimir [Do lat. *deprimere.*] ***V. t. d.*** **1.** Causar depressão em; abaixar, abater: *Este medicamento deprime a pressão sanguínea; A violência acabou deprimindo sua força moral.* **2.** Debilitar, enfraquecer: *A febre deprime os doentes.* **3.** Causar angústia, ou penosa sensação moral, em; abater, angustiar: *As sérias dificuldades do amigo deprimiriam-no.* **4.** Rebaixar, humilhar, aviltar, desprezar, menosprezar: *deprimir os pretensiosos.* ***P.*** **5.** Sofrer depressão; abaixar-se, abater-se: *O terreno deprimiu-se.* **6.** Rebaixar-se, humilhar-se, diminuir-se. **7.** Abater-se, angustiar-se; sofrer.

depuração [De *depurar* + *-ção.*] ***S. f.*** Ato, efeito, ou processo de depurar(-se).

depurador (ô) [De *depurar* + *-dor.*] ***Adj.*** **1.** V. *depurante.* • ***S. m.*** **2.** O que depura. **3.** *Ind. Pap.* Aparelho que completa ou substitui a ação do areeiro (q. v.), na separação das impurezas da pasta (areia, nós da madeira, etc.), antes de sua chegada à caixa de entrada. **4.** *Inform.* Ferramenta (programa ou rotina) que auxilia o programador na tarefa de depurar (3) um programa (9) em desenvolvimento.

depurante [De *depurar* + *-nte.*] ***Adj. 2 g.*** Que depura; depurador, depurativo.

depurar [Do lat. tard. *depurare.*] ***V. t. d.*** **1.** Tornar puro ou mais puro; limpar, purificar: *depurar águas; depurar o sangue; depurar o espírito.* **2.** Excluir (um representante eleito), não apurando os votos por ele obtidos. **3.** *Inform.* Procurar, detectar e corrigir erros em [programa (9)]. ***T. d. e i.*** **4.** Tornar puro; limpar, purificar: *As lágrimas depuraram-no de todas as culpas.* ***P.*** **5.** Purificar-se, limpar-se: *A água depurou-se com a filtragem.*

depurativo [De *depurar* + *-tivo.*] ***Adj.*** **1.** V. *depurante.* **2.** Diz-se de medicamento ou de ato fisiológico que promova a eliminação, do organismo, de substâncias inúteis ou nocivas. • ***S. m.*** **3.** *Farm.* Medicamento depurativo.

deputação [Fem. *deputado*, poss. pelo fr. *députation.*] ***S. f.*** **1.** Ato de deputar. **2.** Reunião de pessoas encarregadas de missão especial.

deputada [Do lat. *deputatu.*] ***S. f.*** Aquela que foi eleita membro de assembleia legislativa, esp. das do poder legislativo estadual ou federal.

deputado [Do lat. *deputatu.*] ***S. m.*** **1.** Indivíduo comissionado para tratar de negócios de outrem. **2.** Membro eleito de assembleia legislativa, esp. das do poder legislativo estadual ou federal.

deputar [Do lat. *deputare.*] ***V. t. d. e i.*** **1.** Transmitir por delegação; delegar: *O Presidente deputou no ministro plenos poderes.* **2.** Mandar em comissão; encarregar de uma missão; incumbir, delegar: *O Conselho deputou três dos seus membros à conferência.*

deque [Do ingl. *deck.*] ***S. m.*** **1.** *Mar. Merc.* Convés (2). **2.** *P. ext. Arquit.* Terraço ou plataforma feita de tábuas ger. paralelas.

dequitação [De *dequitar* + *-ção.*] ***S. f. Obst.*** V. *delivramento.*

dequitadura [De *dequitar* + *-dura.*] ***S. f. Obst.*** V. *delivramento.*

dequitar-se [De *de-* + *quitar* + *se*[1].] ***V. p. Obst. P. us.*** **1.** Expelir a placenta. **2.** Dar à luz.

■ **DER** Abrev. de *Departamento de Estradas de Rodagem.*

→**derby** ['dɚbij] [Ingl.] ***S. m.*** *Turfe* A mais importante e tradicional carreira inglesa, disputada em Epsom pela primeira vez no séc. XVII, e que veio a dar nome ao primeiro clube de corridas de cavalo do Brasil, no RJ, depois incorporado ao Jóquei Clube.

derbylita [Do antr. (*Orville A.*) *Derby* (1851-1915), geólogo norte-americano, naturalizado brasileiro, + *-ita*[3].] ***S. f.*** *Min.* Mineral ortorrômbico, óxido de ferro, titânio e antimônio.

dereísmo [Do ingl. *dereism* (do lat. *de re*, 'afastado da realidade', + *-ism*).] ***S. m.*** *Psiq.* Atividade mental fantasiosa, atrelada a uma lógica subjetiva e idiossincrática, e que não leva em conta os dados da realidade e da experiência.

dereito [Do lat. vulg. **derectu.*] ***Adj. S. m.*** *Ant. Pop.* Direito.

derelito ***Adj. S. m.*** V. *derrelito.*

deriva [Do fr. *dérive.*] ***S. f.*** **1.** Desvio que um instrumento sofre com o tempo, a partir do ponto de repouso, quando a variável medida e as condições ambientes permanecem constantes. **2.** *Cronol.* Variação progressiva de marcha de um relógio. **3.** *E. Ling.* Na evolução de uma língua, a direção para a qual parecem apontar diversas mudanças não relacionadas; conspiração. [A partir do séc. XVI, p. ex., diferentes modificações no português, como a ditongação (*mã-o* > *mão*) e a contração de vogais (*que-ente* > *quente*), tiveram como resultado a eliminação dos muitos hiatos do galego-português.] ◆ **Deriva dos continentes.** *Geofís.* Fenômeno pelo qual os continentes se deslocam sobre a superfície terrestre, como que flutuando sobre o magma. **À deriva.** Sem rumo; solto, perdido; arrastado, levado: *O bote ia à deriva; Os destroços ficaram à deriva.*

derivação [Do lat. *derivatione.*] ***S. f.*** **1.** Ato ou efeito de derivar[1]. **2.** *Mat.* Ato de calcular a derivada de uma função. **3.** *Cir.* Etapa, principal ou complementar, de intervenção cirúrgica, e pela qual, para contornar um obstáculo ou para recompor a continuidade de via natural, se possibilita o trânsito duma matéria (sangue, conteúdo do tubo digestivo, etc.) pelo interior do próprio corpo, ou, segundo a natureza da própria matéria, para o meio exterior. [Sin., nesta acepç.: *curto-circuito*, (ingl.) *by-pass* ou *shunt.*] **4.** *E. Ling.* Processo de formação de palavras que consiste, basicamente, na adjunção de afixos a uma raiz. **5.** *Fig.* Origem, princípio. **6.** *E. Ling.* Na linguística histórica, o conjunto de mudanças que afetaram uma forma linguística. [Cf., nesta acepç., *etimologia* (1).] **7.** *E. Ling.* Conjunto das etapas em que se desenvolve a análise de uma forma linguística. **8.** *Patol.* Lesão de natureza congênita, trombótica ou traumática, em que se comunicam, anormalmente, formações anatômicas. ◆ **Derivação equivocada.** *E. Ling.* Criação inaceitável, por existir outra, previamente formada com afixo diverso, a partir da mesma raiz, e com idênticas funções: Adequacidade *é uma derivação equivocada, em função da existência do vocábulo* adequação. **Derivação imprópria.** *E. Ling.* Emprego de um vocábulo numa classe gramatical diferente, como em *O rir e o coçar é questão de começar*, em que *rir* e *coçar* são empregados como substantivos, e não como verbos. **Derivação parassintética.** *E. Ling.* Derivação (4) em que há adjunção simultânea de prefixo e sufixo a um radical (6) como em *manhã* > *amanhecer*. **Derivação prefixal.** *E. Ling.* Derivação (4) pela adjunção de prefixo: *ler* > *reler*. **Derivação regressiva.** *E. Ling.* Formação de palavras pelo apagamento de um sufixo ou suposto sufixo: *arrochar* > *arrocho*; *pescar* > *pesca*. [Cf. *deverbal* (2).] **Derivação sufixal.** *E. Ling.* Derivação (4) pela adjunção de sufixo a um radical (6): *arrecadar* > *arrecadamento*; *arrecadar* > *arrecadação*; *arrecadar* > *arrecadador*; *arrecadar* > *arrecadável*; *derivação* > *derivacional*.

derivacional [De *derivação* + *-al*[1], seg. o padrão erudito.] ***Adj. 2 g.*** Relativo a derivação. ~ V. *afixo —*, *morfologia —* e *sufixo —*.

derivada [F. subst. de *derivado.*] ***S. f.*** *Mat.* Limite do cociente do acréscimo de uma função pelo acréscimo da variável independente, quando esse acréscimo tende para zero. ◆ **Derivada à direita.** *Mat.* Derivada obtida quando se toma o limite à direita do cociente que a define. **Derivada à esquerda.** *Mat.* Derivada obtida quando se toma o limite à esquerda do cociente que a define. **Derivada direcional.** *Mat.* Produto escalar do gradiente de uma função de ponto pelo versor da tangente a uma curva que passa por um ponto dado. **Derivada enésima.** *Mat.* A que se obtém derivando uma função *n* vezes. **Derivada logarítmica.** *Mat.* O cociente da derivada de uma função pela própria função. **Derivada normal.** *Mat.* Derivada direcional numa direção perpendicular a uma superfície. **Derivada ordinária.** *Mat.* A derivada de uma função duma única variável. **Derivada parcial.** *Mat.* A derivada de uma função de diversas variáveis em relação a uma delas, quando as outras permanecem constantes. **Derivada primeira.** *Mat.* A que se obtém quando se deriva uma função apenas uma vez. **Derivada total.** *Mat.* Numa função de diversas variáveis que, por sua vez, são funções deriváveis de uma variável, o somatório dos produtos das derivadas parciais da função pelas respectivas derivadas das variáveis em relação àquela de que dependem.

derivado [Part. de *derivar*[1].] ***Adj.*** **1.** Apartado, desviado. **2.** Proveniente, oriundo, originário, resultante. **3.** *Econ.* Diz-se de operação financeira baseada em expectativas quanto ao comportamento futuro de um dado mercado; derivativo. **4.** *E. Ling.* Diz-se de, ou relativo ao vocábulo formado por derivação (4 e 6). [Cf., nesta acepç., *derivante* (2).] **5.** *Quím.* Diz-se de substância, composto ou estrutura, que se considera proveniente de outra, mediante uma ou mais modificações nesta, mesmo que tais modificações não sejam exequíveis na prática. ~ V. *conjunto —*, *equação —a*, *instrumento —*, *modo —* e *receita —a*. • ***S. m.*** **6.** Substância ou produto que deriva de outro: *os derivados do leite.* **7.** *Econ.* V. *instrumento derivado.* [Ger. us. no pl., nesta acepç.] **8.** *E. Ling.* Palavra formada por derivação (4 e 6). **9.** *Quím.* Substância derivada [v. *derivado* (5)]. ◆ **Derivado a.** *Lus.* V. *devido a*: "não cheguei a conviver com ele derivado a um aneurisma" (Lobo Antunes, *Ontem não te vi em Babilónia*, p. 381). **Derivado de.** V. *devido a*. **Derivado do petróleo.** Qualquer substância que se obtém pela destilação ou craqueamento do petróleo, como gasolina, querosene, nafta, óleo combustível, óleo lubrificante, asfalto. **Derivado halogenado.** *Quím.* Designação genérica usual de substâncias que contêm um átomo de halogênio diretamente ligado a um grupo hidrocarbônico.

derivante [De *derivar*[1] + *-nte.*] ***Adj. 2 g.*** **1.** Que deriva ou se deriva. **2.** *E. Ling.* Diz-se do elemento que serve de base (25) a uma derivação (4). [Cf., nesta acepç., *derivado* (4).] • ***S. m.*** **3.** *E. Ling.* Palavra que dá origem a outra por derivação (6).

derivar[1] [Do lat. *derivare*, 'desviar um curso de água'; 'voltar'; 'originar-se (uma palavra)', < lat. *rivus*, 'regato'.] ***V. t. d.*** **1.** Desviar do seu curso; mudar a direção de; dirigir para outro ponto: *As enchentes derivaram o rio; O orador derivou o seu discurso.* **2.** *Mat.* Calcular a derivada de (uma função). ***T. d. e i.*** **3.** *E. Ling.* Indicar a origem (de forma linguística): *O etimologista derivou erroneamente a palavra saudade do espanhol.* **4.** Desviar o curso; mudar a direção: *Derivou a conversa para certos assuntos.* **5.** Fazer provir ou resultar; dar como origem: *Muitos reis derivavam de Deus o seu poder.* ***T. i.*** **6.** Originar-se, formar-se, provir, resultar: *Seu êxito deriva do trabalho.* **7.** *E. Ling.* Provir, originar-se, formar-se (uma forma linguística de outra): *Beleza deriva de belo; O sufixo português -dade deriva do latino -tate.* **8.** Originar-se, descender: *Seus pais derivam dos Albuquerques.* ***Pred.*** **9.** Correr, manar, fluir; derivar-se: *O regato deriva tranquilo.* ***Int.*** **10.** Decorrer, transcorrer, passar(-se), escoar(-se): *O tempo ia derivando; Derivaram dois anos após aqueles sucessos.* ***P.*** **11.** Originar-se, provir. **12.** Descender, provir. **13.** V. *derivar* (9): *Derivam-se pelos rochedos os braços do rio.* **14.** Espalhar-se, difundir-se, propagar-se: *A fé derivou-se pelo reino.*

derivar[2] [Do ingl. (*to*) *drive*, 'ser levado pela corrente', 'descair', pelo fr. *dériver* (ant. *driver*).] ***T. c.*** **1.** *Náut.* Apartar-se do rumo; mudar de direção; descair; derivar-se: *O navio derivou para o sul.* **2.** Ser levado ou deixar-se levar; ir à deriva: *As flores derivam pelo lago.* ***Pred.*** **3.** Derivar[2] (2): *As folhinhas derivam tontas.* ***Int.*** **4.** *Náut.* V. *derivar[2]* (1): *O bote derivou com a brisa.* ***P.*** **5.** *Náut.* V. *derivar[2]* (1). **6.** Deixar-se levar: *Os fanáticos derivam-se pelas ideias do boato.*

derivativo[1] [Do lat. tard. *derivativu.*] ***Adj.*** **1.** Relativo a derivação; derivatório. **2.** *Terap.* V. *revulsivo* (1). • ***S. m.*** **3.** *Farm.* Revulsivo (2). **4.** *Bras.* Ocupação ou divertimento para fazer esquecer, ou para atenuar, um pensamento triste, uma ideia fixa, ou para quebrar a monotonia de uma tarefa, etc.

derivativo[2] [Trad. impr. do ingl. *derivative.*] *Econ.* ***Adj.*** **1.** V. *derivado* (3). ~ V. *instrumento* —. • ***S. m.*** **2.** V. *instrumento derivado*: "Os derivativos tomaram literalmente de assalto o mercado financeiro internacional desde o início dos anos 80." (*Gazeta Mercantil*, 06-08.11.1993.) [Ger. us. no pl., nesta acepç.]

derivatização [Do ingl. *derivatization.*] ***S. f.*** *Quím.* Reação química que provoca modificação previsível numa substância, ger. a fim de torná-la mais adequada a algum tipo de análise química.

derivatório [Do lat. tard. *derivatoriu.*] ***Adj.*** Derivativo[1] (1).

derivável [Do lat. tard. *derivabile.*] ***Adj. 2 g.*** **1.** Que se pode derivar[1]. **2.** Que tem derivação provável.

derma [Do gr. *dérma*, 'pele'.] ***S. m.*** V. *pele* (1).

▲ **derma-** V. *dermat(o)-*.

▲ **-derma** V. *dermat(o)-*.

dermabrasão [De *derm(o)-* + *abrasão.*] ***S. f.*** *Cir. Plást.* Raspagem parcial de pele, até a camada dérmica, realizada com dermátomo, com preparado químico (v. *peeling*) ou com lixas de água.

dermáptero [De *derma-* + *-ptero*; tax. *Dermaptera.*] *Zool.* ***S. m.*** **1.** Espécime dos dermápteros, ordem de insetos pterigotos, heterometabólicos, dotados de sistema bucal mastigador, élitros curtos, asas posteriores dobradas transversalmente, cercos transformados em par de pinças, articulados com o abdome. Têm hábitos noturnos e abrigam-se sob pedras ou cascas de árvores. São as lacrainhas. • ***Adj.*** **2.** Pertencente ou relativo a eles. [Sin. ger.: *euplexóptero.*]

dermatergose [De *dermat(o)-* + *-erg(o)-[1]* + *-ose[1]*.] ***S. f.*** *Derm.* Qualquer doença profissional (q. v.) da pele.

dermatite [De *dermat(o)-* + *-ite[1]*.] ***S. f.*** *Patol.* Inflamação da pele; dermite. ◆ **Dermatite exfoliativa.** *Patol.* Dermatopatia que pode surgir a partir de várias outras, tais como erupção cutânea devida a drogas e psoríase, e que se caracteriza por eritema que pode ser generalizado, por descamação, prurido, queda de pelos, etc. **Dermatite herpetiforme.** *Patol.* Hidroa.

▲ **dermat(o)-** [Do gr. *dérma, atos.*] ***El. comp.*** = 'pele': *dermatite, dermatologia, dermatopatia.* [Equiv.: *derma-, -derma, -dermat(o)-, derm(o)-, -derm(o)-, -dermo, -derme*: *dermáptero, endoderma, acaro dermatite, dermite, dermopapilar, piodermite, osteodermo, endoderme.*]

▲ **-dermat(o)-** V. *dermat(o)-*.

dermatogénio ***S. m.*** *Bot.* V. *dermatogênio.* [Uso freq. em P.]

dermatogênio [De *dermat(o)-* + *-gen(o)-* + *-io[3]*.] ***S. m.*** *Bot.* Dermatógeno.

dermatógeno [De *dermat(o)-* + *-geno.*] ***S. m.*** *Bot.* Camada externa do meristema, constituída, ger., por um único estrato de células, e da qual se originam os tecidos da casca das plantas; dermatogênio.

dermatóglifo [De *dermat(o)-* + *-glifo.*] ***S. m.*** *Genét.* Impressão das dobras cutâneas encontradas na epiderme das palmas das mãos e dos quirodáctilos, e das plantas dos pés e dos pododáctilos, cujos padrões auxiliam nos diagnósticos genéticos.

dermatografismo [De *dermat(o)-* + *-graf(o)-* + *-ismo.*] ***S. m.*** *Imun. Derm.* Urticária devida a alergia, e em que se produz vergão pálido, saliente, com uma linha vermelha de cada lado, ao se riscar a pele com instrumento rombo, com moderada intensidade.

dermatoide (ói) [De *dermat(o)-* + *-oide.*] ***Adj. 2 g.*** Semelhante à pele ou ao couro. ❖

dermatologia [De *dermat(o)-* + *-logia.*] ***S. f.*** Ramo da medicina que trata do diagnóstico e tratamento das doenças da pele.

dermatológico [De *dermatologia* + *-ico[2]*.] ***Adj.*** Referente a dermatologia.

dermatologista [De *dermat(o)-* + *-log(o)-* + *-ista.*] ***S. 2 g.*** Especialista em dermatologia.

dermátomo [De *derma-* + *-tomo.*] ***S. m.*** **1.** *Anat.* Qualquer área cutânea que contém neurofibras provenientes de uma única raiz posterior ao nervo espinhal. **2.** *Cir. Plást.* Instrumento acionado manual ou eletricamente, passível de regulagem quanto à espessura da excisão, e destinado a retirada de lâmina(s) delgada(s) de pele, para enxertia(s), com a finalidade de recobrir área(s) cutânea(s) cruenta(s). **3.** *Embr.* Subdivisão de somito, que se origina de dermomiótomo e que originará derme.

dermatopatia [De *dermat(o)-* + *-patia.*] ***S. f.*** *Derm.* Designação genérica de doenças da pele; dermatose, dermopatia.

dermatopático [De *dermatopatia* + *-ico[2]*.] ***Adj.*** *Derm.* Referente a dermatopatia; dermatótico, dermopático.

dermatose [De *dermat(o)-* + *-ose[1]*.] ***S. f.*** *Derm.* V. *dermatopatia.*

dermatótico [De *dermat(ose)* + *-ótico.*] ***Adj.*** *Derm.* V. *dermatopático.*

derme [De *derma*, com infl. de *epiderme.*] ***S. f.*** *Histol.* Camada da pele, formada de tecido conjuntivo, logo abaixo da epiderme, e que é constituída pela camada papilar e pela camada reticular; córion.

▲ **-derme** V. *dermat(o)-*.

dermestídeo [Do tax. *Dermestes* + (< gr. *dermestés*, 'que corrói a pele') + *-ídeo[1]*; tax. *Dermestidae.*] *Zool.* ***S. m.*** **1.** Espécime dos dermestídeos, família de coleópteros cosmopolitas que reúne pequenos besouros ovais, de antenas curtas, importantes pela destruição e prejuízo que causam. São ger. necrófagos e nutrem-se de lãs, sedas, peles, couros curtidos, pergaminhos, carniças, etc. As larvas são extremamente vorazes. • ***Adj.*** **2.** Pertencente ou relativo a eles.

dérmico [De *derm(o)-* + *-ico[2]*.] ***Adj.*** Relativo ao derma. ~ V. *osso* — e *placa* —*a*.

dermite [De *derm(o)-* + *-ite[1]*.] ***S. f.*** *Derm.* Dermatite.

▲ **derm(o)-** V. *dermat(o)-*.

▲ **-derm(o)-** V. *dermat(o)-*.

▲ **-dermo** V. *dermat(o)-*.

dermodermáptero [De *derm(o)-* + tax. *Dermaptera* (v. *dermáptero*); tax. *Dermodermaptera.*] ***S. m. Adj.*** *Zool.* V. *diploglossado.*

dermográfico [De *derm(o)-* + *-graf(o)-* + *-ico[2]*.] ***Adj.*** ~ V. *lápis* —.

dermoide (ói) [De *derm(o)-* + *-oide.*] ***Adj. 2 g.*** Semelhante a pele. ~ V. *cisto* —. ❖

dermolipectomia [De *derm(o)-* + *-lip(o)-* + *-ectom-* + *-ia[1]*.] ***S. f.*** *Cir. Plást.* Excisão de pele e de tecido gorduroso. [Cf. *abdominoplastia.*]

dermomiótomo [De *derm(o)-* + *-mio(s)-* + *-tomo.*] ***S. m.*** *Embr.* Porção dorsal de somito, e que, ao se dividir, forma dermátomo, que dará origem à derme, e miótomo, cujas células formam os mioblastos.

dermopapilar [De *derm(o)-* + *papila* + *-ar[1]*.] ***Adj. 2 g.*** *Anat.* Relativo ou pertencente às papilas dérmicas.

dermopatia [De *derm(o)-* + *-patia.*] ***S. f.*** *Derm.* V. *dermatopatia.*

dermopático [De *dermopatia* + *-ico[2]*.] ***Adj.*** V. *dermatopático.*

dermóptero [De *derm(o)-* + *-ptero*; tax. *Dermoptera.*] *Zool.* ***S. m.*** **1.** Espécime dos dermópteros, ordem de mamíferos insetívoros, de cauda longa, providos de patágio de pele dupla, que liga o pescoço às patas dianteiras e lhes permite planar de uma árvore a outra. Engloba uma única família, a dos cinocefalídeos (q. v.). • ***Adj.*** **2.** Pertencente ou relativo a eles. [Sin. ger.: *galeopiteco.*]

dermoquelídeo [Do tax. *Dermochelys* (< gr. *derma* [v. *derm (o)-*] + gr. *chélys*, 'tartaruga'), + *-ídeo[1]*; tax. *Dermochelidae.*] *Zool.* ***S. m.*** **1.** Espécime dos dermoquelídeos, família de quelônios atecos, com uma só espécie, a tartaruga-de-couro, dos oceanos quentes, que pode medir até 2m e pesar até 600kg. Há espécies fósseis que se desenvolveram depois do jurássico. • ***Adj.*** **2.** Pertencente ou relativo a eles.

→ **dernier cri** [dɛʁˈnje kʁi] [Fr.] A última moda.

derotremado [Adapt. do tax. *Derotremata* (< gr. *déros*, 'pele', + gr. *trêma, atos*, 'abertura', 'orifício').] ***S. m. Adj.*** *Zool.* V. *mutabílio.*

derrabado [Part. de *derrabar.*] ***Adj.*** **1.** Diz-se do animal que tem o rabo cortado. **2.** *Ant. Mar.* Dizia-se do navio ou embarcação que, por má distribuição da carga, mergulhava a popa mais do que o normal. [Antôn., nesta acepç.: *afocinhado, embicado.*]

derrabar [De *de-* + *rabo* + *-ar[2]*.] ***V. t. d.*** **1.** Amputar o rabo ou cauda a: *O veterinário derrabou o buldogue.* **2.** Cortar a cauda ou as abas de (veste). **3.** Cortar a parte posterior de. ***P.*** **4.** Cortar o próprio rabo. [Sin. ger.: *desrabar.*]

derradeiras [Fem. pl., substantivado, de *derradeiro.*] ***S. f. pl.*** *Bras. Pop.* V. *secundinas.*

derradeiro [Do lat. vulg. **derretrariu, derratrariu* < lat. *retro*, 'para trás'.] ***Adj.*** **1.** Que vem atrás; que está depois; último. **2.** Extremo, final; último: *Aplicaram tal medida como derradeiro recurso.* ◆ **Por derradeiro.** Afinal de contas; além de tudo: *É mentiroso, pedante, e, por derradeiro, é corrupto.*

derrama [Dev. de *derramar.*] ***S. f.*** **1.** V. *derrame* (1). **2.** Desrama. **3.** Tributo local, repartido em proporção com os rendimentos de cada contribuinte. **4.** *Bras.* No séc. XVIII, na região das minas, cobrança dos quintos em atraso ou de imposto extraordinário.

derramadeiro [De *derramar* + *-deiro.*] ***Adj.*** *P. us.* Derramador (2). ~ V. *nuvem* —*a*.

derramado [Part. de *derramar.*] ***Adj.*** Que se derramou: *leite derramado.*

derramador (ô) [De *derramar* + *-dor.*] ***S. m.*** **1.** Aquele que derrama. • ***Adj.*** **2.** Que derrama; derramadeiro.

derramamento [De *derramar* + *-mento.*] ***S. m.*** Ato ou efeito de derramar(-se); derrame.

derrama-molho [De *derramar* + *molho* (ô).] ***S. m.*** *Bras. PE* Pequena barca, ou canoa de embono, que tem boca diminuta ou que é muito estreita. [Pl.: *derrama-molhos.*]

derramar [Do lat. vulg. **diramare*, 'arrancar os ramos a'.] ***V. t. d.*** **1.** Cortar ou aparar os ramos a; desramar: *derramar os arbustos.* **2.** Espalhar, espargir, esparzir: *À passagem do cortejo derramamos palmas e flores.* **3.** Espalhar, dispersar: *Brincando na praia, cavava e derramava a areia.* **4.** Fazer correr (líquido) para fora; entornar: *derramar o vinho.* **5.** Deixar correr (líquido) por fora; verter: *Não derramou uma lágrima.* **6.** Alijar o conteúdo de: *derramar um vaso.* **7.** Emitir, espalhar, difundir: *O Sol derrama a sua luz.* **8.** Exalar, emitir: *As rosas derramam suave perfume.* **9.** Tornar conhecido; vulgarizar, divulgar, difundir, propagar: *Saiu a derramar a doutrina.* **10.** Distribuir, repartir. **11.** Repartir com largueza; liberalizar, prodigalizar, prodigar: *derramar seus bens.* **12.** Produzir ou fazer brotar em abundância: *Ali a natureza derrama os seus frutos.* **13.** Soltar com frequência, ou em excesso: *derramar suspiros.* **14.** Dispersar, debandar: *A polícia derramou os manifestantes.* ***T. d. e i.*** **15.** Distribuir, repartir: *derramar dinheiro aos pobres.* **16.** Divulgar, difundir, propagar: *derramar a fé a todos os povos.* ***T. d. e c.*** **17.** Espalhar, esparramar, esparzir: *A árvore derramava sua sombra na calçada; Derramou o olhar pela cidade.* ***P.*** **18.** Espalhar-se, difundir-se: *O luar derramava-se pelo campo;* "A sombra do crepúsculo ia de manso derramando-se pela devesa." (Bernardo Guimarães, *O Seminarista*, p. 12). **19.** Espalhar-se, dispersar-se: *Após o comício a multidão derramou-se pelos arredores;* "E os moços inquietos, que a festa enamora, / Derramam-se em torno dum índio infeliz." (Gonçalves Dias, *Obras Poéticas*, II, p. 19). **20.** Divulgar-se, propagar-se. **21.** Entornar-se, verter: *derramar-se o sangue.* **22.** Difluir, manar, correr: *derramar-se o rio.* **23.** Emitir em abundância ou excessivamente; exceder-se, prodigalizar-se: "Em demorada saudação, o professor derramou-se em galanteios às cinco mulheres que nos acompanhavam." (Graciliano Ramos, *Viagem*, p. 35); *derramar-se em palavras.* **24.** *Lus.* Tornar-se hidrófobo (o animal); danar-se.

derrame [Dev. de *derramar.*] ***S. m.*** **1.** Derramamento. [F. paral.: *derrama.*] **2.** *Med.* Acúmulo de líquidos ou gases em cavidade natural ou acidental. **3.** *Pop.* Hemorragia, ger. cerebral. **4.** *Bras. S. GO* Lombada de morro: "Pelo derrame do morro descia a estrada de onde se avistavam as terras lavradas." (José Godói Garcia, *O Caminho de Trombas*, p. 133.)

derrancar[1] [De *de-* + lat. *rancor*, 'ranço'; 'rancor', + *-ar[2]*.] ***V. t. d.*** **1.** Tornar rançoso; estragar, alterar, deteriorar: *O calor derrancou a manteiga.* **2.** Molestar, afetar, irritar. **3.** Depravar, corromper, perverter: *derrancar os costumes.* **4.** Encolerizar, irritar, enraivecer, enfurecer: *O insulto derrancou-o.* ***P.*** **5.** Tornar-se rançoso; estragar-se, deteriorar-se, alterar-se. **6.** Corromper-se, perverter-se, depravar-se. **7.** Encolerizar-se, irar-se. [Conjug.: v. *trancar.*]

derrancar[2] [De *arrancar*, com var. pref., poss.] ***V. t. d.*** **1.** Desarraigar, arrancar: *Tais ideias derrancam as nossas crenças.* ***Int. P.*** **2.** *Bras. SP* Abalar(-se), arrancar(-se), fugir (q. v.). [Conjug.: v. *trancar.*]

derranco [Dev. de *derrancar[1]*.] ***S. m.*** **1.** Ação de derrancar[1]. **2.** Alteração dos alimentos e licores pela ação do ar. [F. paral.: *derranque.*]

derranque [Dev. de *derrancar[1]*.] ***S. m.*** Derranco.

derrapagem [Do fr. *dérapage.*] ***S. f.*** *Bras.* **1.** Ato ou efeito de derrapar. **2.** *Aer. Av.* Manobra em que a aeronave gira em torno do seu eixo vertical, formando um ângulo entre o sentido de seu deslocamento e o eixo longitudinal da aeronave. [Sin. ger. (lus.): *resvalo.*]

derrapar [Do fr. *déraper.*] ***V. int.*** *Bras.* Escorregar de lado (veículo de rodas), perdendo a direção; desgovernar-se: "Derrapando, o caminhão quase colidira com um bonde" (Malu de Ouro Preto, *Siri na Noite sem Lua*, p. 36).

derreador (ô) [De *derrear* + *-dor.*] ***Adj. S. m.*** Que, ou aquele que derreia.

derreamento [De *derrear* + *-mento.*] ***S. m.*** Efeito de derrear(-se).

derrear [Do lat. vulg. **derenare* < lat. *renes*, 'rins'.] ***V. t. d.*** **1.** Fazer vergar ao peso de: *O fardo derreou-lhe as costas.* **2.** Vergar, curvar, abater, arriar: *derrear a cabeça.* **3.** Prostrar, maltratar, desancar: *A surra derreou-o.* **4.** Enfraquecer, alquebrar; cansar, extenuar: *Tantos trabalhos e preocupações a derreavam.* 5. Menoscabar, desacreditar. *P.* 6. Curvar-se, vergar-se, inclinar-se: *derreiam-se as árvores.* 7. Prostrar-se, cansar-se, extenuar-se: *Derreou-se com a caminhada.* 8. *Bras. S.* Perder o ânimo; esmorecer, desanimar. [Conjug.: v. *frear.*]

derredor [De *de* + *redor.*] *Adv.* 1. Em volta, à roda; em derredor: "um sorvo longo de vida e contentamento errava derredor, no catingueiro roxo dos serrotes, emperolados da orvalhada" (Hugo de Carvalho Ramos, *Tropas e Boiadas*, p. 11). • *S. m.* 2. *Ant.* Circuito; roda. ◆ **Derredor de.** V. *em derredor de*: "os cortesãos, / em prantos derredor do mortuário leito, / Erguem a voz em grita aos céus levando as mãos." (Gonçalves Crespo, *Obras Completas*, p. 333). **Em derredor.** À volta, à roda, em torno, em redor, derredor. **Em derredor de.** À volta de, em torno de; em redor de; derredor de: "Os meninos quedos e taciturnos olhavam em derredor de si com tristeza." (Bernardo Guimarães, *O Seminarista*, p. 12.)

derregar [De *de-* + *rego* + *-ar*².] *V. t. d.* Abrir novos regos em (a terra) para que recebam e escoem águas pluviais. [Conjug.: v. *regar.*]

derrelição [Do lat. *derelictione.*] *S. f.* 1. Abandono; desamparo. 2. *Jur.* Abandono voluntário de coisa móvel, com a intenção de não mais a ter para si. [Cf., nesta acepç., *ocupação* (6).]

derrelito [Do lat. *derelictu.*] *Adj.* 1. Abandonado, desamparado. • *S. m.* 2. *Bras. Mar.* Embarcação abandonada, soçobrada ou à deriva, e que constitui perigo para a navegação.

derrengado [Part. de *derrengar.*] *Adj.* 1. *Bras.* Descadeirado (3). 2. *Bras. N.* Diz-se dos animais imprestáveis, com a coluna vertebral muito curvada por doença consequente às grandes cargas que suportaram. 3. *Bras. CE* Diz-se de pessoa cheia de mesuras e lábias.

derrengar [Do lat. vulg. **derenicare* < lat. *renes*, 'rins', pelo esp. *derrengar.*] *Bras. V. t. d.* 1. Desancar, descadeirar. 2. Curvar à força de peso excessivo a coluna vertebral de (animais de carga), inutilizando-os para o serviço. *P.* 3. Requebrar-se em trejeitos afetados; requebrar-se, rebolar-se, saracotear. [Var. (em PE), nesta acepç.: *redengar-se.* Conjug.: v. *largar.*]

derrengo [Dev. de *derrengar.*] *S. m.* Derrengue.

derrengue [Dev. de *derrengar.*] *S. m.* 1. Ato ou efeito de derrengar(-se). 2. Requebro de corpo. [F. paral.: *derrengo.*]

derrete (ê) [Dev. de *derreter.*] *S. m. Lus.* Namoro: "A sentinela talvez nos sentisse, ..., mas, ..., passaríamos por vizinhos que matam um pedaço da noite ao cavaco ou namorados no derrete." (Aquilino Ribeiro, *Lápides Partidas*, p. 303.)

derretedura [De *derreter* + *-dura.*] *S. f.* Derretimento (1).

derreter [De *de-* + port. arc. *reter*, 'desfazer-se'; 'fundir'¹, poss. do lat. vulg. **retrire* < lat. *reterere*, 'desgastar'.] *V. t. d.* 1. Tornar líquido; liquefazer, fundir: *derreter o gelo, a manteiga.* 2. Consumir, gastar, dissipar, malbaratar: *Derreteu a herança em pouco tempo.* 3. Consumir, apoquentar, amofinar: *Os sofrimentos derreteram-lhe a alma.* 4. Dissipar, desvanecer: *A amabilidade do rapaz derreteu as prevenções do futuro sogro.* 5. Enternecer; comover: *As carícias da filha logo derreteram o pai ranzinza. Int.* 6. *Bras. S. Pop.* V. *fugir* (1 e 2). *P.* 7. Tornar-se líquido; fundir-se. 8. Enternecer-se, comover-se. 9. Enamorar-se, apaixonar-se: *Derreteu-se por ele desde o primeiro encontro.* 10. Requebrar-se, derrengar-se. 11. Exceder-se, desdobrar-se em amavios. [Conjug.: v. *verter.*]

derretido [Part. de *derreter.*] *Adj.* 1. Que se derreteu; liquefeito, dissolvido. 2. *Fig.* Enamorado, namorado, apaixonado.

derretimento [De *derreter* + *-imento.*] *S. m.* 1. Ato ou efeito de derreter(-se); derretedura. 2. *Fig.* Desvanecimento, afetação. 3. *Fig.* Modo afetado de expressar ternura, amor, etc.

derribada [De *derribar* + *-ada*¹.] *S. f. Bras.* V. *derrubada* (1 a 3).

derribadinha [F. subst. do dim. de *derribado.*] *S. f. Bras. MG* Corte, a machado ou a foice, duma pequena porção de mato.

derribadinhense *Adj. 2 g.* 1. De, ou pertencente ou relativo a Derribadinha (MG). • *S. 2 g.* 2. O natural ou habitante de Derribadinha.

derribado [Part. de *derribar.*] *Adj.* Que se derribou; que sofreu derribamento; derrubado.

derribamento [De *derribar* + *-mento.*] *S. m.* Ato de derribar(-se); derrubamento.

derribar [Do lat. vulg. **deripare* < lat. *ripa*, 'margem', 'ribanceira'.] *V. t. d.* 1. Lançar por terra; fazer cair; abater: *Derribou o inimigo com um murro violento.* 2. Prostrar, vencer, subjugar: *Os romanos derribaram os povos da Europa Central.* 3. Abater, prostrar: *A longa enfermidade o derribou.* 4. Obrigar a exonerar-se; destituir; depor: *derribar um chefe de governo.* 5. Demitir, exonerar. 6. Pôr em riste para arremeter: *derribar lanças. T. d. e i.* 7. Destituir, depor: *Derribou-o do poder.* 8. Demitir, exonerar: *Derribou-o do cargo. P.* 9. Lançar-se por terra; atirar-se de cima para baixo; precipitar-se, arrojar-se. [Sin.: *derrubar.*]

derriça [Dev. de *derriçar.*] *S. f. Bras. Pop.* 1. Ato de derriçar. 2. Caçoada, troça. 3. *P. ext.* Contenda, rixa.

derriçador (ô) [De *derriçar* + *-dor.*] *Adj. S. m.* Que, ou aquele que derriça, namora; namorador.

derriçagem [De *derriçar* + *-agem*².] *S. f. Bras. S.* Ato de derriçar (3): "para criá-los [aos filhos] a Maria Cearense se esbaforia, de sol a sol, na limpa das ruas entre os cafezais, entanguia os dedos na apressada e dolorosa derriçagem dos grãos." (Miroel Silveira, *Bonecos de Engonço*, p. 108).

derriçar [De *riço*, poss.] *V. t. d.* 1. Puxar, com a mão ou com os dentes, para arrancar ou rasgar: *O louco derriçou-lhe as vestes.* 2. Destramar, desenriçar. 3. *Bras. S.* Tirar (os frutos do cafeeiro) dos galhos correndo a mão de cima para baixo e deixando-os cair no chão: "Trabalham. Que ardor de mouro! / Todos derriçam café." (Paulo Setúbal, *Alma Cabocla*, p. 54.) *Int.* 4. Dirigir motejos; gracejar. 5. *Pop.* V. *namorar* (9). [Conjug.: v. *laçar.*]

derriço [Dev. de *derriçar.*] *S. m.* 1. *Pop.* V. *namoro* (1). 2. V. *namorado* (4). 3. Escárnio, zombaria, mofa. 4. Impertinência, inconveniência.

derrisão [Do lat. tard. *derisione.*] *S. f.* 1. Riso motejador. 2. Escárnio, irrisão.

derriscar [De *de-* + *riscar.*] *V. t. d.* 1. Riscar o nome em (o rol dos confitentes). 2. Apagar, riscar, cancelar. *T. d. e i.* 3. Excluir, banir. [Conjug.: v. *trancar.*]

derrisório [Do lat. tard. *derisoriu.*] *Adj.* Em que há derrisão.

derrocada [De *derrocar* + *-ada*¹.] *S. f.* Desmoronamento; ruína.

derrocado [Part. de *derrocar.*] *Adj.* Desmoronado, arruinado, derrubado.

derrocador (ô) [De *derrocar* + *-dor.*] *Adj. S. m.* Que, ou aquele que derroca.

derrocamento [De *derrocar* + *-mento.*] *S. m.* Ato ou operação de derrocar.

derrocar [De *de-* + *roca*² + *-ar*².] *V. t. d.* 1. Derribar; destruir; arrasar, desmoronar: *Derrocaram as posições inimigas.* 2. Remover rochas, particularmente do leito de (rios ou canais), para os desobstruir. 3. Destituir, derribar, depor. 4. Humilhar, abater. *P.* 5. Cair em ruína; desmoronar-se, aluir-se. [Conjug.: v. *trancar.*]

derrogação [Do lat. *derogatione.*] *S. f.* Ação de derrogar; derrogamento.

derrogador (ô) [Do lat. tard. *derogatore.*] *Adj. S. m.* Que, ou aquele que derroga.

derrogamento [De *derrogar* + *-mento.*] *S. m.* Derrogação.

derrogante [De *derrogar* + *-nte.*] *Adj. 2 g.* Que derroga.

derrogar [Do lat. *derogare.*] *V. t. d.* 1. Anular, abolir: "Da morte a férrea lei não se derroga; / Nas páginas fatais é tudo eterno! / O que se escreve ali jamais se risca!" (Bocage, *Poesias*, p. 142.) *T. i.* 2. *Jur.* Substituir (preceitos legais); revogar parcialmente (uma lei). 3. Produzir alteração essencial. 4. *Jur.* Conter disposições contrárias a alguma lei ou uso. *Int.* 5. *Jur.* Praticar atos com quebra, infração ou detrimento de alguma lei ou uso. [Cf. *ab-rogar.* Conjug.: v. *largar.*]

derrogatório [Do lat. tard. *derogatoriu.*] *Adj.* Que envolve ou implica derrogação. [Cf. *ab-rogatório.*]

derrogável [De *derrogar* + *-vel.*] *Adj. 2 g.* Que pode ser derrogado. [Cf. *ab-rogável*, adj. 2 g.]

derrota¹ [Dev. de *derrotar*¹.] *S. f.* 1. Ação ou efeito de derrotar¹. [Sin., pop.: *pilota.*] 2. Desbarato de tropas. 3. Selvagem desbaste de árvores. 4. Grande estrago; ruína. 5. *Bras. Pop.* Coisa sem préstimo ou de má qualidade: *Esta fazenda se esgarça facilmente: é uma derrota.* 6. *Bras. Pop.* Acontecimento funesto; desgraça: *A festa ia pelo meio quando se deu o crime: foi uma derrota.*

derrota² [Do lat. *dirupta*, i. e., *via dirupta*, 'caminho aberto através de obstáculos'.] *S. f. Náut.* O caminho percorrido por uma embarcação numa viagem por mar; rota.

derrotado [Part. de *derrotar*¹.] *Adj.* 1. Vencido (1). 2. *Bras.* Extenuado; desanimado.

derrotador (ô) [De *derrotar*¹ + *-dor.*] *Adj. S. m.* Que, ou aquele que derrota, vence.

derrotamento [De *derrotar*² + *-mento.*] *S. m. Jur.* Desvio da rota dum navio neutro por vaso de guerra de Estado beligerante, com o fim de fazer presa dele ou de suas mercadorias.

derrotar¹ [Do fr. ant. *desroter*, 'debandar', 'dispensar'.] *V. t. d.* 1. Estroçar; desbaratar: *O general derrotou as tropas inimigas.* 2. Vencer em discussão, competição ou jogo. 3. Fatigar ao extremo; exaurir; prostrar: *A longa caminhada derrotou-o.* 4. *Bras.* Inutilizar, invalidar.

derrotar² [De *de-* + *rota*² + *-ar*².] *V. t. d. T. d. e c.* 1. Desviar da rota; perder-se: *A tempestade derrotou o navio; O barco derrotou-o do litoral. Int.* 2. Desviar da rota: *O barco derrotou. P.* 3. Perder o rumo; desencaminhar-se.

derroteiro [Do esp. *derrotero.*] *S. m. Ant. Náut.* Roteiro (1).

derrotismo [De *derrota*¹ + *-ismo.*] *S. m. Bras.* Pessimismo daqueles que só acreditam em derrotas, em fracassos.

derrotista [De *derrotismo* + *-ista.*] *Adj. 2 g.* 1. Inclinado ou afeito ao derrotismo. 2. Em que há, ou que envolve derrotismo: *mentalidade derrotista; concepção derrotista.* • *S. 2 g.* 3. Pessoa inclinada ou afeita ao derrotismo.

derruba [Dev. de *derrubar.*] *S. f. Bras.* V. *derrubada* (1 a 3).

derrubada [De *derrubar* + *-ada*¹.] *S. f. Bras.* 1. Ato de derrubar, ou o resultado deste ato. 2. Ato de abater as árvores de uma mata a fim de aproveitar o terreno para plantações. 3. Demissão, em massa, de funcionários públicos, quando ascende ao poder um novo partido político ou novo chefe de governo. [Sin., nessas acepç., *derruba, derrube, derrubamento.*] 4. *Turfe Gír.* Ação de derrubar (4).

derrubado [Part. de *derrubar.*] *Adj.* 1. Derribado. 2. *Bras. Gír.* Diz-se de pessoa, festa, etc., desanimada, sem graça.

derrubamento [De *derrubar* + *-mento.*] *S. m.* V. *derrubada* (1 a 3).

derrubar [Do lat. vulg. **derupare*, 'despenhar', < lat. *rupes*, 'rochedo'; 'desfiladeiro', 'precipício'.] *V. t. d.* 1. V. *derribar.* 2. *Bras.* Pousar ou arriar (carga). 3. *Bras. Gír.* Agir deslealmente em prejuízo de; dar uma rasteira em: *Fez tudo para derrubar o amigo, tomar-lhe a namorada. Int.* 4. *Bras. Turfe Gír.* Divulgar falsas barbadas entre os apostadores. *P.* 5. Prostrar-se, derribar-se.

derrube [Dev. de *derrubar.*] *S. m.* V. *derrubada* (1 a 3).

derruído [Part. de *derruir.*] *Adj.* Que sofreu derruimento.

derruimento (u-i) [De *derruir* + *-mento.*] *S. m.* Ato ou efeito de derruir(-se).

derruir [Do lat. *deruere*, 'derribar', 'destruir', ou lat. *diruere*, 'demolir', 'arruinar', ambos do v. lat. *ruere*, 'impelir'; 'derribar'.] *V. t. d.* 1. Desmoronar; derribar: *derruir um muro; derruir uma instituição.* 2. Destruir, anular: *Seu último pronunciamento derruiu toda a sua ação anterior;* "Os românticos vieram tirar os últimos corolários da civilização cristã, por um lado, e por outro principalmente derruir os preconceitos fundamentais que dela restavam." (Nestor Vítor, *A Crítica de Ontem*, p. 57). *P.* 3. Desmoronar-se, ruir: "O velho edifício está a derruir-se." (Camilo Castelo Branco, *Noites de Lamego*, p. 64.) [Sin. ger.: *diruir.* Conjug.: v. *atribuir.*]

dervis [Do persa *darwis.*] *S. m.* V. *daroês.* [Pl.: *dervises.*]

dervixe [Do persa *darwis*, pelo turco *dervis.*] *S. m.* V. *daroês.*

▲ **des-** [De or. controvertida; da junção das prep. latinas *de* (v. *de-*) e *ex* (v. *ex-*¹), ou da romanização do pref. *dis-* (v. *di-*²).] *Pref.* = 'separação'; 'transformação'; 'intensidade'; 'ação contrária'; 'negação', 'privação': *despedaçar, desfazer, dessangrar, desumano, desacordo, deslavrar.* [Assume, às vezes, caráter reforçativo: *desafastar, desalhear, desalijar, desaliviar, desapagar, despartar, despear, desborcar, desenxabido, desfear, desinfelicidade, desinfeliz, desinquietar, desinquieto, deslisar, desnudez, despelar;* e, em um caso (pelo menos), reiterativo: *deslavrar.*] [É sempre grafado sem hífen, mesmo quando o 2.º el. começa por h: desumano, desumidificar.]

dês [Do lat. *de ex.*] *Prep. Ant.* Desde.

desabado [Part. de *desabar.*] *Adj.* 1. Que desabou. 2. De abas largas, direitas ou caídas: "Usava [Gilberto Amado] um panamá desabado" (Guedes de Miranda, *Eu e o Tempo*, p. 61). • *S. m.* 3. *Bras.* V. *vertente* (3). 4. *Bras. SP* Terreno em declive; ladeira, encosta.

desabafado [Part. de *desabafar.*] *Adj.* 1. Desagasalhado, descoberto. 2. Livre, desembaraçado, desimpedido. 3. Sereno, tranquilo.

desabafamento [De *desabafar* + *-mento.*] *S. m.* V. *desabafo.*

desabafar [De *des-* + *abafar*².] *V. t. d.* 1. Desagasalhar, descobrir. 2. Tornar livre (a respiração); desafrontar. 3. Desimpedir, desembaraçar, descobrir: *Cortaram o mato para desabafar o caminho.* 4. Dar livre curso a (sentimento); desafogar: *Desabafou as queixas longamente reprimidas. T. d. e i.* 5. Desabafar (3): *Desabafou a casa de móveis velhos.* 6. Aliviar; livrar: *Desabafou-o de responsabilidades. T. i.* 7. Desafogar-se; expandir-se: *Após desabafar em lágrimas, sentiu-se aliviada. Int.* 8. Desafogar-se, revelando o que sente ou pensa: *Sofrera* *calado, queria desabafar.* 9. Respirar livremente. *P.* 10. Desagasalhar-se, descobrir-se. 11. Desafogar-se; expandir-se.

desabafo [Dev. de *desabafar.*] *S. m.* Ato ou efeito de desabafar(-se); expansão, desafogo, desabafamento.

desabalado [Part. de *desabalar,* poss.] *Adj. Pop.* Que é em excesso, descompassado, desmedido.

desabalar [De *des-* + *abalar.*] *V. bit. c. T. c.* V. *fugir* (1 e 2): "Lídia desabalou pela velha escada para os fundos da casa." (Carlos Castelo Branco, *Continhos Brasileiros,* p. 3.)

desabalroamento *S. m. Mar.* Ato de desabalroar.

desabalroar [De *des-* + *abalroar.*] *V. int. Mar.* Tirar as balroas. [Conjug.: v. *coroar.*]

desabamento [De *desabar* + *-mento.*] *S. m.* Ato ou efeito de desabar; desabe.

desabar [De *des-* + *aba*[1] + *-ar*[2].] *V. t. d.* 1. Abaixar a aba de (o chapéu); abar. *Int.* 2. Desmoronar, ruir, cair; abater-se: *Os casebres desabaram com o vendaval;* "Cedros antigos, como os do Líbano, desabavam de pancada." (Rebelo da Silva, *Contos e Lendas,* p. 27). 3. Desencadear-se, cair com força (chuva, tempestade): "Certo sábado fui visitá-la, e desabou um desses dilúvios cariocas, que ameaçam engolir a cidade." (Maria Julieta Drummond de Andrade, *Um Buquê de Alcachofras,* p. 49).

desabastecer [De *des-* + *abastecer.*] *V. int.* Ficar sem abastecimento, sem provimento.

desabastecimento [De *des-* + *abastecimento.*] *S. m.* 1. Ato ou efeito de desabastecer. 2. *Econ.* Escassez de produtos no mercado: "Quando (os congelamentos de preços) ruíam, pelo ágio e pelo desabastecimento, era tarde demais para salvar os planos de estabilização." (Mário Henrique Simonsen, *30 Anos de Indexação,* p. 107.)

desabe [Dev. de *desabar.*] *S. m.* 1. Desabamento. 2. A parte que desabou [v. *desabar* (2)] de uma construção.

desabelhar [De *des-* + *abelha* + *-ar*[2].] *V. int.* Partir em bandos, como um enxame de abelhas; debandar. [Conjug.: v. *aparelhar.*]

desabilidade [De *des-* + *habilidade.*] *S. f.* Falta de habilidade; inabilidade.

desabilitar [De *des-* + *habilitar.*] *V. t. d.* Tornar inábil ou inapto.

desabitado [Part. de *desabitar.*] *Adj.* Que não tem habitantes; deserto, ermo.

desabitar [De *des-* + *habitar.*] *V. t. d.* Deixar sem habitantes, sem moradores; despovoar. [Pres. ind.: *desabito,* etc. Cf. *desábito.*]

desábito [De *des-* + *hábito.*] *S. m.* Falta de hábito, de costume; descostume. [Cf. *desabito,* do v. *desabitar.*]

desabituação [De *desabituar* + *-ção.*] *S. f.* Ato de desabituar(-se).

desabituar [De *des-* + *habituar.*] *V. t. d. e i.* 1. Fazer perder o hábito a; desacostumar: *A carreira de advogado desabituou-o das letras;* "Meses e meses de intoxicação citadina desabituam-nos do ar livre." (Luís Forjaz Trigueiros, *Campos Elísios,* p. 13). *P.* 2. Perder o hábito; desacostumar-se.

desabocar [De *desbocar,* com epêntese, poss.] *V. int. Bras.* Dizer asneiras. [Conjug.: v. *trancar.*]

desaboçar [De *des-* + *aboçar.*] *V. t. d. Mar.* Tirar as boças a. [Conjug.: v. *laçar.*]

desabonado[1] [De *des-* + *abonado.*] *Adj.* 1. Sem abonador ou sem abonação. 2. Falto de meios ou recursos; não abonado.

desabonado[2] [Part. de *desabonar.*] *Adj.* Falto de crédito, de autoridade, de apreço; desacreditado.

desabonador (ô) [De *desabonar* + *-dor.*] *Adj. S. m.* Que, ou aquele que desabona, desacredita.

desabonar [De *des-* + *abonar.*] *V. t. d.* 1. Desacreditar; depreciar: *O modo como agiu agora desabona sua conduta anterior. P.* 2. Perder o crédito, a autoridade: "É dura afronta, mas com essa afronta / Eu não me avilto, / nem me desabono" (Laurindo Rabelo, *Poesias Completas,* p. 109).

desabono [Dev. de *desabonar.*] *S. m.* 1. Ato ou efeito de desabonar. 2. Descrédito, depreciação.

desabordamento [De *desabordar* + *-mento.*] *S. m. Desus.* Ato de desabordar.

desabordar [De *des-* + *abordar.*] *Desus. V. t. d.* 1. Separar (uma embarcação) de outra à qual estava abordada. *Int.* 2. Largar (18) (o navio que se tinha abordado).

desabotinado [De *botina*[1], poss.] *Adj. Bras. MG S. Pop.* 1. V. *valentão* (1). 2. Insensato, adoidado.

desabotoado [Part. de *desabotoar.*] *Adj.* 1. Que se desabotoou. 2. A que se fez sair o botão da casa: "Gosta de andar com a blusa desabotoada e pra fora das calças curtas." (Manuel Lobato, *Garrucha 44,* p. 82.) 3. A que se abriram os botões; desabrochado.

desabotoadura [De *desabotoar* + *-dura.*] *S. f.* Desabotoamento.

desabotoamento [De *desabotoar* + *-mento.*] *S. m.* Ato ou efeito de desabotoar; desabotoadura.

desabotoar [De *des-* + *abotoar.*] *V. t. d.* 1. Fazer sair o botão da casa de: "desabotoou o paletó, tirou a carteira, abriu-a" (Machado de Assis, *Papéis Avulsos,* p. 204). 2. Abrir ou desapertar (qualquer tipo de fecho de). 3. Abrir, descerrar: *Desabotoou os lábios, ensaiando um sorriso. Int.* 4. Abrir os botões; desabrochar(-se), desabrolhar, desabotoar-se. *P.* 5. Abrir o próprio vestuário, desabotoando-o. 6. Dizer sem reserva o que pensa. 7. V. *desabotoar* (4). [Conjug.: v. *coroar.*]

desabraçar [De *des-* + *abraçar.*] *V. t. d. e i.* Desprender dos braços (o que estava abraçado): *Não conseguiram desabraçá-lo do irmão.* [Conjug.: v. *laçar.*]

desabridamente [Do f. de *desabrido* + *-mente.*] *Adv.* De maneira desabrida; com desabrimento; asperamente, rudemente: "O padre levantava a voz também enfurecida, e insultava desabridamente o inimigo do gênero humano" (Camilo Castelo Branco, *Noites de Lamego,* p. 171).

desabrido [De *dessaborido,* com síncope.] *Adj.* 1. Rude, grosseiro: "sentia-se humilhada pelos grosseiros galanteios que ele lhe dirigira sem o menor rebuço, com desabrida petulância e desenvoltura sensual" (Domingos Olímpio, *Luzia-Homem,* p. 33). 2. Áspero, violento: "Foi .... numa noite de junho, com desabridos ventos e águas desabaladas, que apareceu, molhado e transido" (Coelho Neto, *Treva,* p. 173). 3. Insolente, inconveniente: "O que mais me atraía, talvez, em Baroja [Pío Baroja] era o seu dom de impertinência, as suas opiniões desabridas." (Eduardo Frieiro, *O Alegre Arcipreste,* p. 187.)

desabrigado [Part. de *desabrigar.*] *Adj.* 1. Que não tem abrigo. 2. Exposto às intempéries. • *S. m.* 3. Indivíduo desabrigado.

desabrigar [De *des-* + *abrigar.*] *V. t. d.* 1. Tirar o abrigo a; deixar exposto ao tempo. 2. Desamparar, desproteger, abandonar. *P.* 3. Sair do abrigo; expor-se ao tempo: *Apesar do temporal, os filhotes se desabrigaram.* [Conjug.: v. *largar.*]

desabrigo [De *des-* + *abrigo.*] *S. m.* 1. Falta de abrigo. 2. *Fig.* Desamparo; abandono.

desabrimento [De *desabrir* + *-mento.*] *S. m.* 1. Aspereza no trato; rudeza, grosseria. 2. Rigor do tempo.

desabrir [De *des-* + *abrir.*] *V. t. d. e i.* 1. Us. na expr. *desabrir mão de* (q. v.). *P.* 2. Irritar-se, encolerizar-se. 3. Malquistar-se com alguém. [Conjug.: v. *abrir.* Cf. *desabrido.*]

desabrochado [Part. de *desabrochar.*] *Adj.* Desapertado, solto, aberto.

desabrochamento [De *desabrochar* + *-mento.*] *S. m.* Ato ou efeito de desabrochar(-se). [Sin. (bras.): *desabrocho.*]

desabrochar [De *des-* + *abrochar*[1].] *V. t. d.* 1. Desapertar, abrir (o que estava preso com broche ou outro fecho). 2. Fazer abrir; desabrolhar: "O pobre moço ignora que lhe há de morrer a mulher antes que volte outra primavera a desabrochar as flores da claustra." (Camilo Castelo Branco, *A Mulher Fatal,* p. 100.) 3. Abrir; mostrar: *desabrochar um sorriso.* 4. Desvendar; revelar: *desabrochar um segredo. Int.* 5. Principiar a abrir, abrir-se (a flor); desabotoar(-se), desabrolhar, desabrochar-se, desbrochar: "Rosa a desabrochar, botão de rosa" (Alberto de Oliveira, *Poesias,* 2.ª série, p. 155). 6. Desenvolver-se; crescer; desabrolhar, desabrochar-se. 7. Principiar a manifestar-se: "Vinha entretanto desabrochando a primavera." (Oliveira Martins, *A Vida de Nun'Álvares,* p. 59); *Sua inteligência desabrochou tardiamente. P.* 8. Desabotoar-se, despertar-se. 9. Soltar-se; romper, irromper: *Desabrochou-se em impropérios.* 10. V. *desabrochar* (5). 11. V. *desabrochar* (6): *Há talentos que se desabrocham despercebidos.* [Pres. ind.: *desabrocho,* etc. Cf. *desabrocho* (ô).] • *S. m.* 12. *Fig.* Princípio, começo: *o desabrochar da vida, da juventude.*

desabrocho (ô) [Dev. de *desabrochar.*] *S. m. Bras.* Desabrochamento. [Pl.: *desabrochos* (ô). Cf. *desabrocho,* do v. *desabrochar.*]

desabrolhar [De *des-* + *abrolhar.*] *V. t. d. Int.* V. *desabrochar* (2, 5 e 6).

desabusado [Part. de *desabusar.*] *Adj.* 1. Isento de abusões ou preconceitos. 2. Confiado, inconveniente. 3. Petulante, insolente, atrevido.

desabusar [De *des-* + *abusar.*] *V. t. d.* 1. Livrar de abusões; tirar do erro; desenganar, desiludir; esclarecer. *P.* 2. Livrar-se de erro; desiludir-se, desenganar-se. 3. Tornar-se confiado, inconveniente, ou insolente, petulante.

desabuso [Dev. de *desabusar.*] *S. m.* Ato ou efeito de desabusar(-se).

desaçaimado [Part. de *desaçaimar.*] *Adj.* A que se tirou o açaimo; desaçamado.

desaçaimar [De *des-* + *açaimar.*] *V. t. d.* Tirar o açaimo a, desaçamar.

desaçamado [Part. de *desaçamar.*] *Adj.* Desaçaimado.

desaçamar [De *des-* + *açamar.*] *V. t. d.* Desaçaimar.

desacampar [De *des-* + *acampar.*] *V. int.* Levantar arraial; deixar de estar em acampamento.

desacanhado [Part. de *desacanhar.*] *Adj.* Que não tem acanhamento; afoito, resoluto.

desacanhar [De *des-* + *acanhar.*] *V. t. d.* Livrar de acanhamento; tornar esperto ou desembaraçado: "deixou tudo para vir falar-me, com um alvoroço, um prazer tão sincero, que me desacanhou logo." (Machado de Assis, *Memórias Póstumas de Brás Cubas,* p. 94).

desacasalar [De *des-* + *acasalar.*] *V. t. d.* Separar (os acasalados); descasalar.

desacatamento [De *desacatar* + *-mento.*] *S. m.* Desacato (1).

desacatar [De *des-* + *acatar.*] *V. t. d.* 1. Faltar ao devido respeito a; afrontar: *Foi punido por desacatar o seu superior hierárquico.* 2. Menosprezar, menoscabar, desprezar; profanar: *Ateu, desacata qualquer preceito religioso.* 3. *Bras. Gír.* Causar espanto ou estupefação a, pela beleza, elegância, inteligência, ou por outra qualidade. *Int.* 4. *Bras. Gír.* Desacatar (3).

desacato [Dev. de *desacatar.*] *S. m.* 1. Falta de respeito, de consideração; desacatamento. 2. Profanação, desprezo. 3. *Bras. Gír.* Ato de desacatar (3). 4. *Bras. Gír.* Pessoa que desacata, *i. e.,* que provoca admiração, ficando num plano superior às demais, pela beleza e/ou por outra qualidade.

desacaudilhado [De *des-* + o part. de *acaudilhar.*] *Adj.* 1. Sem caudilho. 2. Privado de chefe.

desacautelado [Part. de *desacautelar.*] *Adj.* Que não tem cautela; descuidado, imprevidente, desprecatado.

desacautelar [De *des-* + *acautelar.*] *V. t. d.* 1. Não ter cautela com. *P.* 2. Ser imprevidente; descuidar-se, desprevenir-se. [Sin. ger.: *desprecaver.*]

desacavalar [De *des-* + *acavalar.*] *V. t. d.* Separar (o que estava acavalado ou sobreposto).

desaceitar [De *des-* + *aceitar.*] *V. t. d.* Não aceitar; rejeitar. [Part.: *desaceitado* e *desaceito.*]

desaceleração [De *desacelerar* + *-ção.*] *S. f.* Ato ou efeito de desacelerar.

desacelerar [De *des-* + *acelerar.*] *V. t. d.* 1. Reduzir a velocidade de; retardar. 2. Diminuir o ritmo de: *O governo tomou medidas para desacelerar o crescimento do crédito. Int.* 3. Perder a velocidade: *Na ladeira, o carro desacelerou.* 4. Ter seu ritmo diminuído: "a inflação medida pelo IGP (Índice Geral de Preços) está chegando ao pico, e deve desacelerar" (*Folha de S.Paulo,* 19.06.2008).

desacentuar [De *des-* + *acentuar.*] *V. t. d.* Tirar a acentuação de.

desacerbar [De *des-* + *acerbar.*] *V. t. d.* Tirar a acerbidade de; abrandar, suavizar.

desacertado [Part. de *desacertar.*] *Adj.* 1. Não acertado; errado. 2. Importuno, inconveniente. 3. Despropositado, desatinado.

desacertar [De *des-* + *acertar.*] *V. t. d.* 1. Fazer, dizer, empregar, etc., com desacerto. 2. Tirar da ordem ou do acerto; tornar desacertado. 3. Não atinar com; não alcançar. *Int.* 4. Proceder erradamente. *P.* 5. Sair da ordem; deixar de regular bem: *O motor desacertou-se.* 6. Baldar-se, frustrar-se. [Pres. ind.: *desacerto,* etc. Cf. *desacerto* (ê).]

desacerto (ê) [De *des-* + *acerto* (ê).] *S. m.* 1. Falta de acerto; erro. 2. Tolice, asneira. 3. Equívoco, mal-entendido. [Pl.: *desacertos* (ê). Cf. *desacerto,* do v. *desacertar.*]

desachegar [De *des-* + *achegar.*] *V. t. d. T. d. e c.* 1. Separar (o que estava chegado); afastar: *Desachegou-o; desachegar o bebê da mama. P.* 2. Afastar-se, separar-se. [Conjug.: v. *chegar.*]

desacidificar [De *des-* + *acidificar.*] *V. t. d.* Tirar o sabor ácido de. [Conjug.: v. *trancar.*]

desaclimação [De *desaclimar* + *-ção.*] *S. f.* Ato ou efeito de desaclimar(-se).

desaclimar [De *des-* + *aclimar.*] *V. t. d. P.* Desabituar(-se) de um clima; desaclimatar(-se).

desaclimatar [De *des-* + *aclimatar.*] *V. t. d. P.* Desaclimar.

desacobardar [De *des-* + *acobardar.*] *V. t. d. P.* Desacovardar.

desacochar [De *des-* + *acochar.*] *V. t. d.* 1. *Marinh.* Desapertar ou desfazer as cochas de (um cabo). 2. *Bras. SP* Perturbar, desorientar; tornar envergonhado: *A piada desacochou a moça. Int.* 3. *Bras. SP* Perder a compostura altiva ou presunçosa. 4. *Bras. SP* Ficar desorientado e envergonhado. [Sin. ger.: *descochar.*]

desacoimar [De *des-* + *acoimar.*] *V. t. d.* 1. Absolver de coima; livrar de pena ou castigo: *desacoimar o acusado.* 2. Desobrigar de pagamento de coima ou multa. 3. Restabelecer o crédito de; reabilitar. ***Transobj.*** 4. Levantar a pecha lançada sobre alguém: *desacoimam-no de preguiçoso.* [F. paral.: *descoimar.*]

desacoitado [Part. de *desacoitar.*] *Adj.* Sem refúgio ou coito; desabrigado; desacoutado.

desacoitar [De *des-* + *acoitar.*] *V. t. d.* Fazer sair do coito ou guarida; desabrigar, desacoutar.

desacolchetar [De *des-* + *acolchetar.*] *V. t. d.* Desprender dos colchetes; desapertar, desprendendo os colchetes. [Conjug.: v. *colchetar.*]

desacolchoar [De *des-* + *acolchoar.*] *V. t. d.* Desmanchar (o que estava acolchoado). [Conjug.: v. *coroar.*]

desacolher [De *des-* + *acolher.*] *V. t. d.* **1.** Acolher ou receber mal. **2.** Negar acolhida ou abrigo a. [Conjug.: v. *mover.* M.-q.-perf.: *desacolhera* (ê), *desacolheras* (ê), *desacolhera* (ê), *desacolhêramos, desacolhêreis, desacolheram* (ê). Cf. *desacolheras, desacolhera, desacolheramos, desacolheram,* do v. *desacolherar.*]

desacolherar [De *des-* + *acolherar.*] *V. t. d. Bras. S.* Tirar (o animal) da colhera; desprendê-lo da parelha. [Pres. ind.: *desacolhero, desacolheras, desacolhera, desacolheramos, desacolherais, desacolheram.* Cf. *desacolheras* (ê), *desacolhera* (ê), *desacolhêramos, desacolheram* (ê), do v. *desacolher.*]

desacolhimento [De *desacolher* + *-imento.*] *S. m.* Ato de desacolher.

desacomodado [Part. de *desacomodar.*] *Adj.* Que está fora do seu lugar; desarrumado, desordenado, desarranjado.

desacomodar [De *des-* + *acomodar.*] *V. t. d.* **1.** Tirar do(s) cômodo(s), do lugar; desalojar: *Desacomodou a família para hospedar o amigo.* **2.** Tirar a acomodação de; desorganizar, desordenar: *desacomodar os livros de uma estante.* **3.** Privar do emprego ou ocupação; destituir; desempregar. *P.* **4.** Perder o emprego.

desacompanhado [Part. de *desacompanhar.*] *Adj.* Sem companhia; só, isolado, solitário.

desacompanhar [De *des-* + *acompanhar.*] *V. t. d.* **1.** Deixar de acompanhar. **2.** Deixar de proteger, de prestar auxílio ou apoio a. **3.** Deixar de estar de acordo ou em harmonia com; separar-se de. **4.** Deixar de estar de acordo, de concordar com: *Quase sempre vota com o amigo; raramente o desacompanha.*

desaconchegar [De *des-* + *aconchegar.*] *V. t. d.* Desconchegar. [Conjug.: v. *chegar.*]

desaconselhado [De *des-* + *aconselhado.*] *Adj.* Privado de conselho; não avisado, não prevenido.

desaconselhar [De *des-* + *aconselhar.*] *V. t. d. e i.* Desviar de uma resolução; dissuadir, despersuadir, desadmoestar. [Conjug.: v. *aparelhar.*]

desaconselhável [De *desaconselhar* + *-ável.*] *Adj. 2 g.* Não aconselhável.

desacoplamento [De *desacoplar* + *-mento.*] *S. m.* Ato ou efeito de desacoplar.

desacoplar [De *des-* + *acoplar.*] *V. t. d.* Desfazer o acoplamento de.

desacorçoado [Part. de *desacorçoar.*] *Adj.* **1.** V. *descoroçoado.* **2.** *Bras. Amaz.* Marginalizado; abandonado: "Redundante falar que hoje passam todo o tipo de privações, sem ter o que comer, ... sem direito a nada, completamente desacorçoados — esse é o termo da região." (Edilson Martins, *Nós, do Araguaia,* p. 32.) ● *S. m.* **3.** V. *descoroçoado.*

desacorçoar [De *des-* + *acorçoar.*] *V. t. d. Int.* V. *descoroçoar.* [Conjug.: v. *coroar.*]

desacordado [Part. de *desacordar.*] *Adj.* Que perdeu os sentidos; desmaiado.

desacordante [De *desacordar* + *-nte.*] *Adj. 2 g.* Que desacorda.

desacordar [De *des-* + *acordar.*] *V. t. d.* **1.** Pôr em desacordo, discordância, dissidência ou oposição. *T. i.* **2.** Estar em desacordo, em desarmonia; discordar: *Minha opinião desacorda vivamente da sua.* **3.** Esquecer-se, olvidar-se. *Int.* **4.** Não concordar; discordar. **5.** Falar sem coerência. **6.** Perder os sentidos, o acordo, a lembrança; desacordar-se. **7.** Soar com dissonância; desafinar, desentoar. *P.* **8.** Desacordar (6). **9.** Deixar de estar de acordo. [Pres. ind.: *desacordo,* etc. Cf. *desacordo* (ô).]

desacorde [De *des-* + *acorde*[2].] *Adj. 2 g.* Dissonante; desarmônico, discordante.

desacordo (ô) [De *des-* + *acordo.*] *S. m.* **1.** Falta de acordo; divergência, discordância, desarmonia. **2.** Desmaio, delíquio, síncope. **3.** Descordo (2). [Pl.: *desacordos* (ô). Cf. *desacordo,* do v. *desacordar.*]

desacoroçoado [Part. de *desacoroçoar.*] *Adj. S. m.* V. *descoroçoado.*

desacoroçoar [De *des-* + *acoroçoar.*] *V. t. d. Int.* V. *descoroçoar.* [Conjug.: v. *coroar.*]

desacorrentamento [De *desacorrentar* + *-mento.*] *S. m.* Ato de desacorrentar.

desacorrentar [De *des-* + *acorrentar.*] *V. t. d.* **1.** Desligar da corrente. **2.** Desprender; soltar.

desacostar [De *des-* + *acostar.*] *V. t. d.* **1.** Afastar (o que estava acostado). *Int.* **2.** *Bras. Rel.* Desincorporar (4).

desacostumado [Part. de *desacostumar.*] *Adj.* **1.** Não acostumado; não costumeiro; inabitual, desusado: *Aos domingos o cinema tem uma frequência desacostumada.* **2.** Desabituado, desafeito: *Passou anos sem escrever, e agora, desacostumado, custa-lhe redigir um artiguete.*

desacostumar [De *des-* + *acostumar.*] *V. t. d. e i.* **1.** Fazer perder um hábito ou costume; desabituar: *O cultivo das letras desacostumou-o da ciência. P.* **2.** Perder hábito ou costume; desabituar-se. [Sin. ger.: *descostumar.*]

desacoutado [Part. de *desacoutar.*] *Adj.* V. *desacoitado.*

desacoutar [De *des-* + *acoutar.*] *V. t. d.* V. *desacoitar.*

desacovardar [De *des-* + *acovardar.*] *V. t. d.* **1.** Tirar a covardia a; dar coragem, ânimo, a; animar. *P.* **2.** Perder a covardia; recuperar o ânimo, a coragem. [F. paral.: *desacobardar.*]

desacreditado [Part. de *desacreditar.*] *Adj.* **1.** Que perdeu o crédito ou a reputação. **2.** Malconceituado, mal-afamado.

desacreditador (ô) [De *desacreditar* + *-dor.*] *Adj. S. m.* Que, ou aquele que desacredita.

desacreditar [De *des-* + *acreditar.*] *V. t. d.* **1.** Fazer perder o crédito ou a reputação; difamar: *Rompeu com o amigo e tentou desacreditá-lo.* **2.** Desmerecer, depreciar: *A falta de sistematização contribuiu para desacreditar sua obra.* **3.** Não acreditar: *Todos desacreditaram aquela explicação fabulosa. P.* **4.** Perder o crédito, a reputação. [Sin. ger.: *descreditar.*]

desacumular [De *des-* + *acumular.*] *V. t. d. e i.* Separar (o que estava acumulado).

desacunhar [De *des-* + *acunhar.*] *V. t. d. Náut.* Tirar a(s) cunha(s) a.

desadmoestar [De *des-* + *admoestar.*] *V. t. d. e i.* V. *desaconselhar.*

desadoração [De *desadorar*[1] + *-ção.*] *S. f.* Ato ou efeito de desadorar[1].

desadorado [Part. de *desadorar*[2].] *Adj. Bras. N. N.E.* **1.** Incomodado por dor violenta. **2.** Desmedido, excessivo. **3.** Impertinente; endiabrado, irrequieto, turbulento: *Que pequeno desadorado!*

desadorador (ô) [De *desadorar*[1] + *-dor.*] *Adj. S. m.* Que, ou aquele que desadora (v. *desadorar*[1]).

desadorar[1] [De *des-* + *adorar.*] *V. t. d.* **1.** Recusar-se a adorar; não adorar. **2.** Detestar, abominar: *É um misantropo: desadora o convívio social.* **3.** Reprovar, desaprovar: *Desadora o procedimento do filho, mas não interfere em sua vida.* [Pres. ind.: *desadoro,* etc. Cf. *desadoro* (ô).]

desadorar[2] [De *des-* + *adorar,* 'causar dor' (< *a-*[2] + *dor* + *-ar*[2]).] *Bras. N. N.E. V. t. d.* **1.** Causar incômodo a, com impertinência; importunar, amolar. *Int.* **2.** Sofrer dor violenta. **3.** Causar incômodo a outrem com impertinência. **4.** Indignar-se, irar-se. [Pres. ind.: *desadoro,* etc. Cf. *desadoro* (ô).]

desadormecer [De *des-* + *adormecer.*] *V. t. d.* **1.** Cortar o sono a; despertar. **2.** Desentorpecer, reanimar. [Conjug.: v. *aquecer.*]

desadornado [De *des-* + *adornar* + *-ado*[1].] *Adj.* Que não tem adorno; simples, singelo.

desadornar [De *des-* + *adornar.*] *V. t. d.* Tirar os adornos a; desenfeitar. [Pres. ind.: *desadorno,* etc. Cf. *desadorno* (ô).]

desadorno (ô) [De *des-* + *adorno* (ô).] *S. m.* **1.** Falta de adorno. **2.** Desalinho, desarranjo. [Pl.: *desadornos* (ô). Cf. *desadorno,* do v. *desadornar.*]

desadoro (ô) [Dev. de *desadorar*[2].] *S. m. Bras. N. N.E.* **1.** Estado de quem sofre dor violenta, de quem desadora. **2.** Importunação, amolação. **3.** Barulho, ruído, assuada, latomia. **4.** Quantidade excessiva. V. *quantidade* (3). [Pl.: *desadoros* (ô). Cf. *desadoro,* do v. *desadorar.*]

desadunado [Part. de *desadunar.*] *Adj.* Desunido, separado, afastado.

desadunar [De *des-* + *adunar.*] *V. t. d.* Desunir, separar, afastar.

desadvertido [De *des-* + *advertido.*] *Adj.* **1.** Inadvertido. **2.** Que não reflete. **3.** Indiscreto, imprudente.

desafabilidade [De *des-* + *afabilidade.*] *S. f.* Falta de afabilidade.

desafaimar [De *des-* + *afaimar.*] *V. t. d.* Tirar a fome a; saciar; fartar.

desafamar [De *des-* + *afamar.*] *V. t. d.* Tirar a boa fama a; desacreditar.

desafastar [De *des-* + *afastar.*] *V. t. d. T. d. e i. Int. P. Pop.* Afastar.

desafável [De *des-* + *afável.*] *Adj. 2 g.* Que não é afável.

desafazer [De *des-* + *afazer.*] *V. t. d. e i.* **1.** Desacostumar, desabituar. *P.* **2.** Desacostumar-se, desabituar-se. [Irreg. Conjug.: v. *fazer.*]

desafeado [Part. de *desafear.*] *Adj.* A que se tirou a fealdade. [Cf. *desafiado,* part. de *desafiar.*]

desafear [De *des-* + *afear.*] *V. t. d.* Tirar a fealdade a. [Conjug.: v. *frear.* Cf. *desafiar.*]

desafectação *S. f.* V. *desafetação.*

desafectado *Adj.* V. *desafetado.*

desafecto *Adj. S. m.* V. *desafeto*[2].

desafeição [De *des-* + *afeição.*] *S. f.* Falta de afeto[1]; desamor, desafeto.

desafeiçoado [Part. de *desafeiçoar*[2].] *Adj.* Inimigo, adverso, contrário, desafeto.

desafeiçoar[1] [De *des-* + *afeiçoar*[1].] *V. t. d.* Tirar a feição a; desfigurar; alterar. [Conjug.: v. *coroar.*]

desafeiçoar[2] [De *des-* + *afeiçoar*[2].] *V. t. d. e i.* **1.** Tirar a afeição; fazer desgostar: *Desafeiçoou-os ao velho companheiro; Certos desentendimentos o desafeiçoaram do amigo. P.* **2.** Perder a afeição a quem se tinha. [Sin. ger.: *desapegar, despegar.* Conjug.: v. *coroar.*]

desafeitar [De *des-* + *afeitar.*] *V. t. d. P.* V. *desenfeitar.*

desafeito [De *des-* + *afeito.*] *Adj.* V. *desacostumado* (2).

desaferrar [De *des-* + *aferrar.*] *V. t. d.* **1.** Soltar (o que estava aferrado, preso com ferro). **2.** Soltar (o que estava seguro). *T. d. e i.* **3.** Fazer desistir; dissuadir: *Não conseguimos desaferrá-lo daquela ideia. P.* **4.** Desprender-se, soltar-se. **5.** Dissuadir-se; desistir. [Pres. ind.: *desaferro,* etc. Cf. *desaferro* (ê).]

desaferro (ê) [Dev. de *desaferrar.*] *S. m.* Ato de desaferrar(-se). [Pl.: *desaferros* (ê). Cf. *desaferro,* do v. *desaferrar.*]

desaferrolhar [De *des-* + *aferrolhar.*] *V. t. d.* **1.** Abrir (o que estava fechado com ferrolho). **2.** Correr o ferrolho de, para abrir. **3.** Pôr em liberdade; soltar. *P.* **4.** Desprender-se, soltar-se.

desafervorar [De *des-* + *afervorar.*] *V. t. d.* **1.** Afrouxar o fervor de. **2.** Abrandar o ímpeto de.

desafetação [De *des-* + *afetação.*] *S. f.* Falta de afetação; singeleza, despretensão, naturalidade.

desafetado [De *des-* + *afetado.*] *Adj.* Sem afetação.

desafeto[1] [De *des-* + *afeto*[1].] *S. m.* V. *desafeição.*

desafeto[2] [De *des-* + *afeto*[2].] *Adj.* **1.** Contrário, oposto, adverso: *É desafeto à nossa causa.* ● *S. m.* **2.** *Bras.* Adversário, inimigo, rival.

desafiado[1] [Part. de *desafiar*[1].] *Adj.* Chamado a desafio. [Cf. *desafeado,* part. de *desafear.*]

desafiado[2] [Part. de *desafiar*[2].] *Adj.* Que perdeu o fio (7); embotado. [Cf. *desafeado,* part. de *desafear.*]

desafiador (ô) [De *desafiar*[1] + *-dor.*] *Adj. S. m.* Que, ou aquele que desafia; provocador, desafiante.

desafiante [De *desafiar*[1] + *-nte.*] *Adj. 2 g. S. 2 g.* Desafiador.

desafiar[1] [De *des-* + ant. *afiar,* 'confiar', < lat. **fidare,* por *fidere.*] *V. t. d.* **1.** Propor duelo ou combate a. **2.** Instigar, incitar, excitar, estimular, provocar: *Calmo e imperturbável, desafiava a cólera impotente do amigo.* **3.** Fazer face a; afrontar, arrostar: *desafiar a sorte.* **4.** Desinquietar, tentar. **5.** *Bras.* Chamar a desafio (4). *P.* **6.** Provocar-se ou instigar-se mutuamente. [Pres. ind.: *desafio, desafias, desafia,* etc. Cf. *desafear* e *disfia.*]

desafiar[2] [De *des-* + *afiar.*] *V. t. d.* Tirar o fio (7) a; embotar: *desafiar uma navalha.* [Pres. ind.: *desafio, desafias, desafia,* etc. Cf. *desafear* e *disfia.*]

desafinação [De *desafinar* + *-ção.*] *S. f.* **1.** Ato de desafinar. **2.** Falta de harmonia; desarmonia. **3.** *Mús.* Falta de afinação (7 a 10) de instrumento ou de voz. [Sin. ger.: *desafinamento.*]

desafinado [Part. de *desafinar.*] *Adj.* **1.** *Mús.* Que perdeu a afinação (7 a 10). **2.** Diz-se de indivíduo que canta sem afinação. **3.** Desacorde, dissonante. [Antôn.: *afinado.*]

desafinamento [De *desafinar* + *-mento.*] *S. m.* V. *desafinação.*

desafinar [De *des-* + *afinar.*] *V. t. d.* **1.** *Mús.* Fazer perder a afinação (7 a 10). **2.** Perturbar, alterar, atrapalhar: *As intromissões de estranhos desafinaram a harmonia do casal. T. i.* **3.** Destoar, desdizer: *Tal proceder desafina da sua aparência circunspecta. Int.* **4.** *Mús.* Perder a afinação (7 a 10); produzir sons discordantes; desafinar-se. **5.** Pôr-se de mau humor; destemperar-se, zangar-se, irritar-se, desafinar-se: *Desafina com qualquer contrariedade. P.* **6.** V. *desafinar* (4 e 5).

desafio [Dev. de *desafiar*[1].] *S. m.* **1.** Ato de desafiar[1]. **2.** Incitação a uma luta, a uma competição, etc. **3.** Aquilo que representa um desafio, que é difícil, ou perigoso, etc.: *Escalar tal montanha é um desafio.* **4.** *Bras. Liter. Pop.* Cantoria em duelo, mais violenta do que a cantoria comum. **5.** *Bras. Liter. Pop.* Composição poética escrita por um cantador e que pretensamente reproduz uma cantoria travada por ele mesmo com outro cantador, ou entre dois outros; peleja: "Foi ainda Jacó Passarinho que me recitou este longo desafio composto por Leandro Gomes de Barros e atribuído a Manuel Serrador e Josué Romano" (Leonardo Mota, *Cantadores,* p. 61). **6.** *Bras. Mús.* Diálogo popular cantado, espécie de duelo com versos improvisados, e ger. acompanhado de viola e rabeca, no N., e de sanfona e violão, no S. ◆ **A desafio.** *Bras. Liter. Pop.* De modo agressivo, violento, com insultos mordazes ao contendor: *Cantei martelo a desafio.*

desafivelar [De *des-* + *afivelar.*] *V. t. d.* Desapertar a fivela de.

desafixar (cs) [De *des-* + *afixar.*] *V. t. d.* Despregar (o que estava afixado).

desafogado [Part. de *desafogar*.] *Adj.* Aliviado; desembaraçado.

desafogar [De *des-* + *afogar*.] *V. t. d.* **1.** Libertar daquilo que afoga, sufoca ou oprime; desoprimir: *desafogar a garganta; desafogar o ânimo, o espírito.* **2.** Desapertar, desoprimir, descomprimir: *Desafogou o pescoço, tirando o pesado colar.* **3.** Diminuir o peso de; tornar mais leve; descarregar. **4.** Expandir, dizer, desabafar (o que sente ou pensa). **5.** Libertar-se, aliviar-se de: *desafogar saudades.* **6.** Deixar que se manifeste, se expanda livremente; dar livre curso a: *desafogar paixões. T. d. e i.* **7.** Libertar; desoprimir: *Desafogou o filho dos problemas.* **8.** Esvaziar; desobstruir: *Desafogou a biblioteca dos livros inúteis. Int. T. i.* **9.** Expandir-se, desabafar-se; desafogar-se: *Tentou sufocar as queixas, mas, não resistindo, desafogou; Angustiado, desafogou em lágrimas. P.* **10.** Livrar-se do que apertava ou comprimia; desapertar-se. **11.** Esvaziar-se, desobstruir-se: *Os pastos desafogaram-se das velhas reses.* **12.** Expandir-se, desabafar-se: *Desafogou-se comigo sobre dificuldades que o afligiam.* [Conjug.: v. *largar*. Pres. ind.: *desafogo*, etc. Cf. *desafogo* (ô).]

desafogo (ô) [Dev. de *desafogar*.] *S. m.* **1.** V. *desabafo*. **2.** *Fig.* Abastança, folga. [Antôn.: *afogo* (ô). Pl.: *desafogos* (ó). Cf. *desafogo*, do v. *desafogar*.]

desafoguear [De *des-* + *afoguear*.] *V. t. d.* Tirar o calor de; refrigerar. [Conjug.: v. *frear*.]

desaforado [Part. de *desaforar*.] *Adj.* **1.** Inconveniente, atrevido, insolente. **2.** *Jur.* Que foi objeto de desaforamento.

desaforama [De *desaforo* + *-ama*.] *S. f. Bras. S. Pop.* Chorrilho de insultos, de más palavras, de desaforos.

desaforamento [De *desaforar* + *-mento*.] *S. m.* **1.** Ato de desaforar. **2.** V. *desaforo*.

desaforar [De *des-* + *aforar*[1].] *V. t. d.* **1.** Isentar do pagamento de um foro. **2.** Privar de direitos ou privilégios. **3.** Deslocar (um processo ou o julgamento dele) de um foro para outro. **4.** Tornar insolente, atrevido, impudente. *P.* **5.** Renunciar aos privilégios do foro. **6.** Privar-se, abster-se. **7.** Tornar-se insolente, atrevido, impudente. [Pres. ind.: *desaforo*, etc. Cf. *desaforo* (ô).]

desaforo (ô) [Dev. de *desaforar*.] *S. m.* **1.** Pouca-vergonha, impudência. **2.** Atrevimento, insolência, petulância. [Sin. ger.: *desaforamento*. Pl.: *desaforos* (ó). Cf. *desaforo*, do v. *desaforar*.]

desafortunado [De *des-* + *afortunado*.] *Adj.* Desfavorecido da fortuna; infeliz.

desafreguesar [De *des-* + *afreguesar*.] *V. t. d.* **1.** Tirar os fregueses de. *P.* **2.** Deixar de comprar na mesma loja. **3.** Deixar de frequentar um mesmo lugar, uma mesma casa.

desafronta [Dev. de *desafrontar*.] *S. f.* **1.** Ato ou efeito de desafrontar(-se). **2.** Satisfação que se tira de uma afronta.

desafrontado [Part. de *desafrontar*.] *Adj.* **1.** Vingado, desforçado. **2.** Aliviado, desoprimido.

desafrontador (ô) [De *desafrontar* + *-dor*.] *Adj. S. m.* Que, ou aquele que desafronta.

desafrontar [De *des-* + *afrontar*.] *V. t. d.* **1.** Livrar ou vingar de afronta; desagravar: *Não teve sossego enquanto não desafrontou a memória do pai.* **2.** Defender de afronta, ataque, assédio, perseguição, etc. **3.** Aliviar de (dor, pesar, cansaço, etc.). *T. d. e i.* **4.** Desoprimir, livrar: *A confissão desafrontou-o do enorme peso. P.* **5.** Vingar-se de afronta recebida; desagravar-se. **6.** Aliviar-se, livrar-se.

desagaloar [De *des-* + *agaloar*.] *V. t. d.* Tirar os galões de. [Conjug.: v. *coroar*.]

desagarrar [De *des-* + *agarrar*.] *V. t. d.* Despegar, soltar, desarraigar; desgarrar.

desagasalhado [Part. de *desagasalhar*.] *Adj.* Pouco enroupado; desabrigado.

desagasalhador (ô) [De *desagasalhar* + *-dor*.] *Adj. S. m.* Que, ou aquele que desagasalha.

desagasalhar [De *des-* + *agasalhar*.] *V. t. d.* **1.** Tirar o agasalho a; desabrigar. *P.* **2.** Desabrigar-se, desabafar-se, descobrir-se.

desagasalho [De *des-* + *agasalho*.] *S. m.* **1.** Falta de agasalho, ou de proteção. **2.** Desabrigo.

desagastamento [De *desagastar* + *-mento*.] *S. m.* Ato de desagastar(-se).

desagastar [De *des-* + *agastar*.] *V. t. d.* **1.** Fazer cessar o agastamento ou irritação de; reconciliar, desenfadar. *P.* **2.** Desenfadar-se, divertir-se.

deságio [De *des-* + *ágio*.] *S. m. Econ.* Diferença a menor entre o valor nominal de um título, ou o preço tabelado de uma mercadoria, e o valor efetivamente pago; depreciação; desconto.

desaglomerar [De *des-* + *aglomerar*.] *V. t. d.* Separar (o que estava aglomerado); desacumular.

desagradado [Part. de *desagradar*.] *Adj.* Não satisfeito; descontente, desgostoso.

desagradar [De *des-* + *agradar*[1].] *V. t. i.* **1.** Não agradar; descontentar; desgostar: *Com sua falta de tato, desagrada a gregos e troianos;* "Deixou aquela conversa, que lhe desagradava" (Graciliano Ramos, *Caetés*, p. 247); "Com suas qualidades e principalmente com suas ideias abolicionistas desagradou logo à família da mulher." (Pedro Nava, *Baú de Ossos*, p. 198). *P.* **2.** Descontentar-se, desgostar-se.

desagradável [De *desagradar* + *-vel*.] *Adj. 2 g.* Que desagrada; não agradável.

desagradecer [De *des-* + *agradecer*.] *V. t. d. T. d. e i.* Não agradecer; receber ou retribuir com ingratidão: *Desagradeceu os favores recebidos; Desagradece ao velho amigo o apoio dado em hora difícil.* [Conjug.: v. *aquecer*.]

desagradecido [Part. de *desagradecer*.] *Adj. S. m.* Que, ou aquele que não agradece ou não agradeceu; ingrato, mal-agradecido.

desagradecimento [De *desagradecer* + *-imento*.] *S. m.* Ato de desagradecer; ingratidão.

desagrado [Dev. de *desagradar*.] *S. m.* **1.** Ato ou efeito de desagradar. **2.** Falta de agrado; desprazer. **3.** Rudeza, indelicadeza. ◆ **Cair em/no desagrado de alguém.** Agir de tal modo que se possa perder a consideração desse indivíduo: "– Porque a adoro, como te disse. Porque só a ideia de lhe 'cair em desagrado' me faz tremer!" (Aluísio Azevedo, *Filomena Borges*, p. 111.)

desagravador (ô) [De *desagravar* + *-dor*.] *Adj. S. m.* Que, ou aquele que desagrava.

desagravar [De *des-* + *agravar*.] *V. t. d.* **1.** Reparar (ofensa, injúria). **2.** Tornar menos grave, menos culposo: *Um pedido de desculpa não desagravará falta tão grave.* **3.** Aliviar, suavizar (um mal). **4.** Desinflamar (1): *A pomada não desagravou a ferida.* **5.** *Jur.* Dar provimento a, emendando o agravo, que ofende o direito da parte, do juiz de instância inferior. *P.* **6.** Vingar-se, desforrar-se, desafrontar-se.

desagravo [De *des-* + *agravo*.] *S. m.* **1.** Ato ou efeito de desagravar; reparação de agravo, afronta; desafronta. **2.** *Jur.* Emenda de agravo, mediante sentença de tribunal superior.

desagregação [De *desagregar* + *-ção*.] *S. f.* **1.** Ato ou efeito de desagregar(-se). **2.** Separação de partes que estavam agregadas. **3.** *Fig.* Dispersão, dissolução, desorganização: *É triste ver a desagregação da família.*

desagregado [Part. de *desagregar*.] *Adj.* Que se desagregou; que foi objeto de desagregação.

desagregador (ô) [De *desagregar* + *-dor*.] *Adj.* **1.** Que desagrega; desagregante. ● *S. m.* **2.** Aquilo que desagrega.

desagregante [De *desagregar* + *-nte*.] *Adj. 2 g.* Desagregador (1).

desagregar [De *des-* + *agregar*.] *V. t. d.* **1.** Desunir, separar (o que estava agregado). *T. d. e i.* **2.** Separar; fragmentar: *A professora desagregou a classe em duas turmas.* **3.** Arrancar, desarraigar: *A brusca partida desagregou a criança do seu meio, traumatizando-a.* **4.** *Fig.* Causar a desagregação (3) de. *P.* **5.** Separar-se; desunir-se; dissociar-se. [Var., p. us.: *desgregar*. Conjug.: v. *regar*.]

desagregável [De *desagregar* + *-vel*.] *Adj. 2 g.* Que se pode desagregar.

desagrilhoar [De *des-* + *agrilhoar*.] *V. t. d.* Livrar de grilhões; libertar. [F. paral.: *desgrilhoar*. Conjug.: v. *coroar*.]

desaguachado [Part. de *desaguachar*.] *Adj.* Diz-se do animal cavalar que após longo descanso está novamente exercitado e ágil.

desaguachar [De *des-* + esp. *aguachar*.] *Bras. S. V. t. d.* **1.** Fazer correr, por exercício (cavalo que passou muito tempo desocupado, tornando-se, por isso, gordo e/ou preguiçoso), para torná-lo ágil. *P.* **2.** Fazer exercício(s); exercitar-se **3.** *Fig.* Aliviar-se (dalguma repressão).

desaguache [Dev. de *desaguachar*.] *S. m. Bras. S.* Ato de desaguachar.

desaguadoiro [De *desaguar* + *-doiro*[2].] *S. m.* Desaguadouro (q. v.).

desaguadouro [De *desaguar* + *-douro*[2]; var. de *desaguadoiro*.] *S. m.* Rego, vala, canal, sarjeta, etc., para escoamento de águas.

desaguamento [De *desaguar* + *-mento*.] *S. m.* Ato ou efeito de desaguar(-se).

desaguar [De *des-* + *aguar*.] *V. t. d.* **1.** Esgotar a água de: *desaguar um barco.* **2.** Enxugar, secar. **3.** Dar algo a comer a (animais) para não aguarem. *T. c.* **4.** Lançar as suas águas (rio): *Alguns rios deságuam no mar. Int.* **5.** *Bras. Pop.* V. *urinar* (1): "Os cachorros de Hamburgo! São mais ricos de forma e variedade que os próprios pães hamburgueses, de uma compostura, um andar tão digno, uma tal decência, que desaprenderam a ladrar, a homenagear os postes, desaguando um pouco." (Augusto Meyer, *A Chave e a Máscara*, p. 213.) *P.* **6.** Vazar-se, despejar-se: *rios que se desaguam no mar.* [Conjug.: v. *aguar*.]

desaguaxado *Adj.* V. *desaguachado*.

desaguaxar *V. t. d. P.* V. *desaguachar*.

desaguaxe *S. m.* V. *desaguache*.

desaguisado *S. m.* **1.** Conflito entre pessoas; rixa, contenda: "uma feita, ... o General e o Coronel Onofre Pires tiveram um desaguisado; o General deu as costas, num pouco caso, e o Coronel saiu, num rompante, batendo forte os saltos dos botins" (Simões Lopes Neto, *Contos Gauchescos e Lendas do Sul*, p. 221). **2.** Confusão, desordem.

desainadura [Do esp. *desainadura*.] *S. f.* Doença nos cascos dos cavalos muito gordos.

desainar [Do esp. *desainar*.] *V. t. d. Ant.* Amansar (o falcão) privando-o de carne.

desairar [Do esp. *desairar*.] *V. t. d.* **1.** Causar desaire a; tornar desairoso. **2.** Tirar ou diminuir o merecimento de: *Não revelou a pequena falta do empregado para não o desairar. P.* **3.** Desmerecer-se, apoucar-se, amesquinhar-se.

desaire [Do esp. *desaire*.] *S. m.* **1.** Falta de elegância, de distinção; deselegância. **2.** Falta de decoro; ação condenável, inconveniência: "Não há de ser com os procedimentos que conduziram a Geórgia ao recente desaire que os Estados Unidos vão estabelecer a democracia ou a independência dos países da esfera de influência russa." (Luís Filipe Lampreia, em *O Globo*, 31.08.2008.) **3.** Descrédito, desdouro, mancha. "Tem um paço municipal muito decente na rua Direita, e uma matriz e mais oito templos que podem pertencer sem desaire a uma capital." (Franklin Távora, *O Cabeleira*, pp. 210-211.) [Sin. ger.: *desar*.]

desairoso (ô) [De *desaire* + *-oso*.] *Adj.* **1.** Que tem, ou em que há desaire; indecoroso, inconveniente: "Devido à onda cada vez mais forte de comentários, alguns desairosos para com as tradições de virtude do lugar, o Prefeito .... fez circular uma portaria proibindo .... quaisquer comentários sobre a vida íntima das viúvas e dos defuntos" (Fernando Sabino, *O Grande Mentecapto*, p. 43). **2.** Que não tem elegância; deselegante.

desajeitado [De *des-* + *ajeitar* + *-ado*[1].] *Adj.* **1.** Que não tem jeito; desastrado, desazado, maljeitoso. **2.** Bronco, pateta, lorpa. [Sin. ger.: *desjeitoso*.]

desajeitamento [De *desajeitar* + *-mento*.] *S. m.* Feitio, ato ou modos de desajeitado; falta de jeito; desjeito.

desajeitar [De *des-* + *ajeitar*.] *V. t. d.* Tirar o jeito de; deformar.

desajoujar [De *des-* + *ajoujar*.] *V. t. d.* **1.** Desprender do ajoujo. **2.** *P. ext.* Desprender, soltar. **3.** Aliviar, desoprimir. *P.* **4.** Desprender-se, soltar-se.

desajoujo [Dev. de *desajoujar*.] *S. m.* Ato de desajoujar(-se).

desajuda [De *des-* + *ajuda*.] *S. f.* Falta de ajuda; desamparo.

desajudado [Part. de *desajudar*.] *Adj.* Que não tem ou não teve ajuda ou auxílio; desfavorecido.

desajudar [De *des-* + *ajudar*.] *V. t. d.* **1.** Não ajudar; não prestar auxílio a; desfavorecer. **2.** Estorvar, atrapalhar.

desajuizado (u-i) [De *des-* + *ajuizado*.] *Adj. S. m.* **1.** Que, ou aquele que perdeu o juízo; insensato. **2.** *Fam.* Leviano, imprudente.

desajuizar (u-i) [De *des-* + *ajuizar*.] *V. t. d.* Tirar o juízo a; entontecer, desjuizar: *A cólera desajuizou-o.* [Conjug.: v. *ajuizar*.]

desajuntar [De *des-* + *ajuntar*.] *V. t. d.* Desunir, desligar, disjungir.

desajustado [Part. de *desajustar*.] *Adj.* **1.** A que se desfez o ajuste. **2.** Desordenado; transtornado. **3.** Desajuntado, desunido. **4.** *Psic.* Diz-se daquele que se encontra psicológica ou emocionalmente desequilibrado. **5.** *Sociol.* Diz-se daquele que não se ajusta ou não se adapta bem ao meio social. ● *S. m.* **6.** Indivíduo desajustado (4 e 5).

desajustamento [De *desajustar* + *-mento*.] *S. m.* **1.** Desajuste. **2.** *Psic.* Falta de equilíbrio psicológico ou emocional. **3.** *Sociol.* Falta de ajustamento ou adaptação do indivíduo ao meio social. **4.** *Biol.* Inadaptação do organismo às condições ambientes.

desajustar [De *des-* + *ajustar*.] *V. t. d.* **1.** Desfazer o ajuste de; desunir, desajuntar, separar. **2.** Desordenar, desarranjar, transtornar (o que estava disposto de certo modo). *P.* **3.** Desfazer o ajuste que tinha feito com outrem. **4.** Desunir-se, separar-se. **5.** Desavir-se, indispor-se.

desajuste [Dev. de *desajustar*.] *S. m.* Ato ou efeito de desajustar(-se); desajustamento.

desalado [De *des-* + *alado*.] *Adj.* Que não tem asas; áptero.

desalagar [De *des-* + *alagar*.] *V. t. d.* **1.** Livrar da água (aquilo que estava alagado ou inundado). *T. d. e i.* **2.** Desembaraçar, livrar; evacuar: *Desalagou o bairro de malandros.* [Conjug.: v. *largar*.]

desalastrar [De *des-* + *alastrar*.] *V. t. d.* Tirar o lastro de; aliviar do lastro.

desalbardar [De *des-* + *albardar*.] *V. t. d.* Tirar a albarda a.

desalegre [De *des-* + *alegre*².] *Adj. 2 g. P. us.* Sem alegria; tristonho, triste.

desaleitar [De *des-* + *aleitar*¹.] *V. t. d.* V. *desmamar*.

desalentado [Part. de *desalentar*.] *Adj.* 1. Sem ânimo ou alento; desanimado. 2. Cansado, fatigado, afadigado, extenuado.

desalentador (ô) [De *desalentar* + *-dor*.] *Adj.* 1. Que desalenta. ● *S. m.* 2. Aquele ou aquilo que desalenta.

desalentar [De *des-* + *alentar*.] *V. t. d.* 1. Tirar o ânimo, o alento, a; esmorecer, desanimar: *Ocultou-lhe a má notícia, para não desalentá-lo. Int. P.* 2. Desanimar(-se); esmorecer.

desalento [De *des-* + *alento*.] *S. m.* Falta de alento; desânimo, abatimento: "Desânimo... Desesperança... Desalento..." (Manuel Bandeira, *Estrela da Vida Inteira*, p. 41).

desalforjar [De *des-* + *alforjar*.] *V. t. d.* 1. Tirar do(s) alforje(s). 2. Vazar o conteúdo de; despejar. 3. *Fig.* Tirar da algibeira.

desalgemar [De *des-* + *algemar*.] *V. t. d.* Tirar as algemas a; libertar.

desalhear [De *des-* + *alhear*.] *V. t. d.* 1. Alhear; desnortear; distrair. 2. Alienar (bens). [Conjug.: v. *frear*.]

desaliar [De *des-* + *aliar*.] *V. t. d.* 1. Romper, quebrar, desfazer (aliança). 2. Desligar, separar (aliados).

desalijar [De *des-* + *alijar*.] *V. t. d.* 1. Aliviar de (a carga); alijar. 2. Aliviar; despejar; descarregar.

desalinhado [Part. de *desalinhar*.] *Adj.* Sem alinho; desordenado, descuidado.

desalinhamento [De *desalinhar* + *-mento*.] *S. m.* 1. Ato ou efeito de desalinhar(-se). 2. Falta ou perda de alinhamento (4).

desalinhar [De *des-* + *alinhar*.] *V. t. d.* 1. Tirar do alinhamento. 2. Desarranjar, desordenar: *O vento desalinhou-lhe os cabelos.* 3. Desadornar, desenfeitar, desataviar. *P.* 4. Desarranjar-se, desordenar-se. 5. Desadornar-se, desataviar-se.

desalinhavado [Part. de *desalinhavar*.] *Adj.* Em que não há concatenação; desconexo; descosido: *palavras, ideias desalinhavadas.*

desalinhavar [De *des-* + *alinhavar*.] *V. t. d.* Tirar os alinhavos a.

desalinho [De *des-* + *alinho*.] *S. m.* 1. Falta de alinho; descuido no traje; desarranjo, desordem. 2. Perturbação de ânimo.

desalistar [De *des-* + *alistar*.] *V. t. d.* 1. Tirar da lista ou rol. 2. Dar baixa a (um recruta).

desaliviar [De *des-* + *aliviar*.] *V. t. d. T. d. e i. Int. P.* Aliviar de todo.

desalmado [De *des-* + *alma* + *-ado*¹.] *Adj.* Que demonstra maus sentimentos; cruel, perverso, desumano.

desalmamento [De **desalmar*, por *desalmado*, + *-mento*.] *S. m. P. us.* Qualidade ou ação de desalmado; desumanidade, crueldade, malvadez.

desalojamento [De *desalojar* + *-mento*.] *S. m.* Ato ou efeito de desalojar(-se).

desalojar [De *des-* + *alojar*¹.] *V. t. d.* 1. Fazer sair do alojamento. 2. Obrigar a sair, fazer sair, de um lugar ou de um posto: *Desalojou o menino para fazer sentar a gorda senhora; Desalojou o antigo funcionário para nomear outro mais dinâmico. T. d. e i.* 3. Fazer sair (do alojamento ou posto): *O diretor desalojou-o do alto cargo. Int.* 4. Sair do alojamento, do posto, ou do lugar em que se encontrava. *P.* 5. Abandonar o alojamento ou o posto. 6. Levantar acampamento.

desalterar [De *des-* + *alterar*.] *V. t. d.* 1. Fazer cessar a alteração de; acalmar; abrandar, aplacar: *desalterar mágoas.* 2. Aplacar (a sede ou a fome): "só se interrompia para mascar ervas apanhadas a esmo por desalterar a fome e a sede." (João Ribeiro, *Floresta de Exemplos*, p. 220). 3. Aplacar a sede a: *Estava sedento e eu o desalterei. P.* 4. Aplacar-se, acalmar-se, sossegar. 5. Aplacar a própria sede; dessedentar-se: "serpentes enormes de dorso luzente, que vão descendo preguiçosamente a desalterar-se no rio que corre embaixo." (Afonso Arinos, *Pelo Sertão*, p. 101).

desalumiado [De *des-* + *alumiado*.] *Adj.* 1. Sem luz. 2. *Fig.* Ignorante, ignaro.

desamabilidade [De *desamável* + *-(i)dade*, seg. o padrão erudito.] *S. f.* Qualidade ou caráter de desamável; falta de amabilidade.

desamagoar-se [De *des-* + *magoar* + *se*¹, com epêntese.] *V. p. Bras.* Livrar-se de mágoa; consolar-se. [Conjug.: v. *coroar*.]

desamalgamar [De *des-* + *amalgamar*.] *V. t. d. T. d. e i.* Separar, desunir (aquilo que estava amalgamado).

desamamentar [De *des-* + *amamentar*.] *V. t. d.* V. *desmamar*.

desamanhar [De *des-* + *amanhar*.] *V. t. d.* Tirar o amanho a; descompor, desalinhar.

desamar [De *des-* + *amar*.] *V. t. d.* 1. Deixar de amar; perder a afeição a; não amar: *Adorava os tios, e agora os desama*; "Amo o rato, não desamo o gato." (Machado de Assis, *Dom Casmurro*, p. 313). 2. Odiar, aborrecer: "um autor é como um pai: um pai não desama seus filhos ainda os mais feios: um autor não desama as suas obras ainda as mais defeituosas." (Joaquim Manuel de Macedo, *Os Romances da Semana*, p. VI). *Int.* 3. Deixar de amar: "Coragem de amar e desamar, de morrer e desmorrer." (Lígia Fagundes Teles, *A Disciplina do Amor*, p. 21.) 4. Desamar (2): "Neste viver oscilante ele dá a tudo quanto pratica, na terra que devasta e desama, um caráter provisório" (Euclides da Cunha, *À margem da História*, p. 80). *P.* 5. Malquerer-se; odiar-se.

desamarrar [De *des-* + *amarrar*.] *V. t. d.* 1. Soltar (o que estava amarrado); desprender; desatar: *Desamarrou a fita que lhe prendia os cabelos.* 2. Soltar da amarra. *T. d. e i.* 3. Fazer abandonar; afastar: *Ninguém o desamarra dos pais; Não conseguiram desamarrá-lo do local antes da chegada da polícia. T. i.* 4. Levantar ferro; largar. *P.* 5. Desatar-se; soltar-se. 6. Levantar ferros. 7. Dissuadir-se, desaferrar-se: *desamarrar-se de uma ideia, de uma opinião.*

desamarrotar [De *des-* + *amarrotar*.] *V. t. d.* Alisar (o que estava amarrotado).

desamassamento [De *desamassar* + *-mento*.] *S. m.* Ato ou efeito de desamassar.

desamassar [De *des-* + *amassar*.] *V. t. d.* 1. Desfazer (a massa do pão), para que demore a levedar. 2. Desamolgar: *Deu uma batida com o carro, e teve de mandar desamassar o para-lama. Int.* 3. Desfazer a massa do pão para que tarde a levedar.

desamável [De *des-* + *amável*.] *Adj. 2 g.* Não amável; indelicado, incivil, inamável.

desambição [De *des-* + *ambição*.] *S. f.* 1. Falta de ambição; desinteresse. 2. Desprendimento, abnegação.

desambicioso (ô) [De *des-* + *ambicioso*.] *Adj.* Que não tem ambição.

desambientado [Part. de *desambientar*.] *Adj.* 1. Que está fora de seu ambiente. 2. Que ainda não se adaptou ou não se pode adaptar ao novo meio onde vive.

desambientar [De *des-* + *ambientar*.] *V. t. d.* 1. Tirar (pessoa, animal ou coisa) de seu ambiente. *P.* 2. Sair de seu ambiente.

desamigar [De *des-* + *amigar*.] *V. t. d.* Desfazer a amizade de. [Conjug.: v. *largar*.]

desamigo [De *des-* + *amigo*.] *Adj.* Não amigo; hostil.

desaminação [De *desaminar* + *-ção*.] *S. f. Quím.* Qualquer reação que remove um grupo amina de uma molécula, inclusive as que, catalisadas por certas enzimas, ocorrem em organismos.

desaminar [De *des-* + *amina* + *-ar*².] *V. t. d. Quím.* Remover o grupo amina de (uma molécula).

desaminase [De *des-* + *-amin(o)-* + *-ase*.] *S. f. Quím.* Qualquer das enzimas que catalisam desaminações.

desamizade [De *des-* + *amizade*.] *S. f.* Falta de amizade.

desamoador (ô) *S. m. Bras.* V. *desmuador*.

desamodorrar [De *des-* + *amodorrar*.] *V. t. d.* 1. Fazer sair da modorra; excitar; animar. *Int.* 2. Sair da modorra; acordar, despertar.

desamoedação [De *desamoedar* + *-ção*.] *S. f.* V. *desmonetização*.

desamoedar [De *des-* + *amoedar*.] *V. t. d.* V. *desmonetizar*.

desamofinar [De *des-* + *amofinar*.] *V. t. d.* Tirar a mofineza de; fazer perder a mofineza: "Um cornicho carregado de unguentos — amuleto que lhe viera das mãos de um feiticeiro, com poiso lá para as bandas do Luita, que é terra de afamados curandeiros, para desamofinar os maus espíritos que lhe entraram no corpo pondo-o enfermo." (Castro Soromenho, *Rajada e Outras Histórias*, pp. 11-12.)

desamolgar [De *des-* + *amolgar*.] *V. t. d.* Endireitar ou aplanar (o que estava amolgado); desamassar. [Conjug.: v. *largar*.]

desamontoar [De *des-* + *amontoar*.] *V. t. d.* Separar; desacumular. [Conjug.: v. *coroar*.]

desamor (ô) [De *des-* + *amor*.] *S. m.* 1. Falta de amor; desapego. 2. Desprezo, desdém, desculto.

desamorado [De *desamor* + *-ado*¹.] *Adj.* Que tem desamor.

desamorável [De *des-* + *amorável*.] *Adj. 2 g.* Não amorável; desamoroso.

desamoroso (ô) [De *des-* + *amoroso*.] *Adj.* Não amoroso; desamorável.

desamortalhar [De *des-* + *amortalhar*.] *V. t. d.* Tirar a mortalha (1) a.

desamortização [De *desamortizar* + *-ção*.] *S. f.* Ato ou efeito de desamortizar.

desamortizar [De *des-* + *amortizar*.] *V. t. d.* Sujeitar (bens de mão-morta) ao direito comum.

desamortizável [De *desamortizar* + *-vel*.] *Adj. 2 g.* Que se pode desamortizar.

desamotinar [De *des-* + *amotinar*.] *V. t. d.* Fazer cessar o motim de.

desamparado [Part. de *desamparar*.] *Adj.* 1. Deixado ao desamparo; abandonado. 2. Solitário, ermo.

desamparar [De *des-* + *amparar*.] *V. t. d.* 1. Deixar de amparar; não auxiliar; abandonar. 2. Deixar de sustentar: *Sumiu-se no mundo, desamparando a pobre mãe viúva.* 3. Deixar de sustentar, de segurar, de resguardar: *Sentia-se abatida, suas forças a desamparavam cada dia mais.* 4. Afastar-se de; desertar, abandonar: *Desamparou, sem dó, a cabeceira do doente. P.* 5. Largar aquilo a que se apoiava ou arrimava.

desamparo [De *des-* + *amparo*.] *S. m.* Falta de amparo; abandono. ◆ **Ao desamparo.** Em estado de abandono; em esquecimento: "Sozinha e ao desamparo ela vivia / Nesse pobre casebre abandonado" (Gonçalves Crespo, *Obras Completas*, p. 161).

desamuador (ô) [De *desamuar* + *-dor*.] *S. m. Bras.* Instrumento de aço empregado pelos calafates para repuxar cavilhas, pregos, etc. [Var.: *desamoador*.]

desamuar [De *des-* + *amuar*.] *V. t. d.* 1. Fazer perder o amuo a. *Int. P.* 2. Perder o amuo. [Sin. ger.: *desemburrar, desembezerrar*.]

desana *Bras. S. 2 g.* 1. *Etnôn.* Indivíduo dos desanas, povo indígena da família linguística tucano, que habita as margens dos rios Tiquié e Papuri (AM). ● *Adj. 2 g.* 2. Pertencente ou relativo a esse povo. [Sin. ger.: *uíra*. Outra f.: *desano*.] [Tb. us. como *s. 2 g. e 2 n.* (com cap.) e *adj. 2 g. e 2 n.*]

desancador (ô) [De *desancar* + *-dor*.] *S. m.* Aquele que desanca; espancador.

desancamento [De *desancar* + *-mento*.] *S. m.* Ato ou efeito de desancar.

desancar [De *des-* + *anca* + *-ar*².] *V. t. d.* 1. Derrear com pancadas na anca: "Meteu-se no meio do gado, fez um estrago desancando os bois com um pau." (Ilza Espírito Santo Porto, *João sem Terra e Outros Contos*, p. 15.) 2. Bater muito em; maltratar: *Embriagado, desancou o filho.* 3. Vencer em discussão. 4. Criticar severamente: *Em sua coluna literária desanca bons e maus autores.* [Conjug.: V. *trancar*.]

desancorar [De *des-* + *ancorar*.] *V. t. d. Desus.* 1. Levantar a âncora de: *desancorar um barco. Int.* 2. Levantar âncora; desaferrar do porto.

desanda [Dev. de *desandar*.] *S. f. Pop.* 1. V. *descompostura* (2). 2. V. *repreensão* (1). 3. *Pop.* Diarreia.

desandar [De *des-* + *andar*.] *V. t. d.* 1. Fazer andar para trás; tresandar: *Desandou a montadura para não atropelar a criança.* 2. Percorrer em sentido contrário: *Sentindo-se mal, desandou o caminho e voltou para casa.* 3. Desatarraxar: *desandar parafusos. T. d. e i.* 4. Dar com força: *Em resposta à injúria, desandou no inimigo várias bofetadas. T. i.* 5. Pôr-se de repente; prorromper, desatar: *desandar a rir*; "O engenheiro, lacônico, dessa vez desandou a falar mal do irmão" (Milton Hatoum, *Dois Irmãos*, p. 91). 6. Acabar, degenerar, descambar: "Se acontece faltar um dos seus 'bichos', a dona da casa .... descompõe os filhos e filhas, atribui o furto à vizinha tal. Esta vem a saber, e eis um bate-boca formado, que às vezes desanda em pugilato entre os maridos." (Lima Barreto, *Clara dos Anjos*, p. 116.) 7. Dar em resultado; redundar, reverter: *Sua paixão desandou em loucura. Int.* 8. Andar para trás; retroceder: *Em face da superioridade das tropas aliadas, o exército inimigo desandou*; "João Fernandes foi até à Rua Primeiro de Março; desandou, os dois caixeiros despediram-se" (Machado de Assis, *Contos sem Data*, p. 35). 9. Entrar em decadência; decair, declinar, retroceder: "quando tudo estava tão bonito, as coisas pegaram a desandar. | Foi a praga. Pois ia tudo correndo tão bem!" (Rute Guimarães, *Água Funda*, p. 110). 10. Tornar-se mau; adquirir hábitos condenáveis: *As más companhias levaram-no a desandar.* 11. *Bras. Pop.* Decompor-se, alterar-se por influência de qualquer fator externo: *A maionese desandou ao ser misturada à salada.* 12. *Bras. Pop.* Estar com diarreia.

desando [Dev. de *desandar*.] *S. m.* 1. Ato de desandar. 2. *Fig.* Decadência, declínio, piora.

desanelar [De *des-* + *anelar*².] *V. t. d.* Desfazer os anéis de: *desanelar os cabelos.*

desanexar (cs) [De *des-* + *anexar*.] *V. t. d.* 1. Separar (aquilo que estava anexado); desligar, desmembrar. *T. d. e i.* 2. Separar, desligar, desmembrar: *Desanexou do processo alguns documentos.*

desanexo (cs) [De *des-* + *anexo*.] *Adj.* Que não está anexo; separado, desligado.

desanichar [De *des-* + *anichar*.] *V. t. d.* 1. Tirar do nicho. 2. *Fig.* Desalojar, desaninhar.

desanimação [De *des-* + *animação*.] *S. f.* Falta de animação; desânimo, esmorecimento, desalento.

desanimado [Part. de *desanimar*.] *Adj.* 1. Que perdeu o ânimo, a coragem, o alento, o valor. 2. Que revela desânimo, desalento: *um semblante desanimado.* 3. Sem animação (4): *festa desanimada.*

desanimar [De *des-* + *animar*.] *V. t. d.* 1. Fazer perder o ânimo, a coragem, a energia; desalentar: *Os obstáculos ao seu plano desanimaram-no.* 2. Esmorecer, entibiar: *A má receptividade ao projeto desanimou sua vontade de prosseguir.* 3. Desfavorecer. *T. i.* 4. Perder o ânimo; desistir: *Por falta de pista,* *desanimaram de ir ao encalço do criminoso.* ***Int.*** **5.** Perder o ânimo, a coragem, o alento; desalentar-se, desanimar-se: "Da falta de espírito é até desagradável falar. Ela põe a gente jururu. Desilude. Abate. Desanima." (Antônio de Alcântara Machado, *Cavaquinho e Saxofone*, p. 108.) ***P.*** **6.** Desanimar (5). [Pres. ind.: *desanimo*, etc. Cf. *desânimo*.]

desânimo [De *des-* + *ânimo*.] ***S. m.*** Falta de ânimo; desalento, abatimento. [Cf. *desanimo*, do v. *desanimar*.]

desaninhar [De *des-* + *aninhar*.] ***V. t. d.*** **1.** Tirar do ninho. **2.** Fazer sair; desalojar: *Só a muito custo desaninhou os maus inquilinos.* **3.** Descobrir o lugar no qual se acha (alguém ou algo).

desanistiar [De *des-* + *anistiar*.] ***V. t. d.*** Tornar sem efeito a anistia concedida a.

desano ***S. 2 g. Adj. 2 g. Bras.*** V. *desana*.

desanojar [De *des-* + *anojar*.] ***V. t. d.*** **1.** Aliviar o nojo ou desgosto a; consolar. ***T. d. e i.*** **2.** Aliviar, desenfadar: *Os amigos procuravam, em vão, desanojá-lo daquele tédio.* ***P.*** **3.** Desenfadar-se, desagastar-se. [Sin. ger.: *desenojar*. Pres. ind.: *desanojo*, etc. Cf. *desanojo* (ô).]

desanojo (ô) [Dev. de *desanojar*.] ***S. m.*** Ato ou efeito de desanojar. [Pl.: *desanojos* (ô). Cf. *desanojo*, do v. *desanojar*.]

desanuviado [Part. de *desanuviar*.] ***Adj.*** **1.** Limpo de nuvens: "Branquejou agora uma clareira de céu desanuviado!" (Camilo Castelo Branco, *A Mulher Fatal*, pp. 19-20.) **2.** Sereno, tranquilo: *semblante desanuviado.*

desanuviar [De *des-* + *anuviar*.] ***V. t. d.*** **1.** Dissipar as nuvens de; limpar de nuvens. **2.** Desassombrar, serenar, tranquilizar: *A boa notícia desanuviou-lhe o espírito.* ***P.*** **3.** Limpar-se de nuvens. **4.** Serenar-se, tranquilizar-se.

desapadrinhar [De *des-* + *apadrinhar*.] ***V. t. d.*** Tirar a proteção a; desproteger, desauxiliar, desamparar.

desapagar [De *des-* + *apagar*.] ***V. t. d.*** Obliterar (o que está escrito ou desenhado); apagar. [Conjug.: v. *largar*.]

desapaixonado [De *des-* + *apaixonado*.] ***Adj.*** **1.** Que não tem, ou em que não há paixão; isento. **2.** Que age com imparcialidade; imparcial.

desapaixonar [De *des-* + *apaixonar*.] ***V. t. d.*** **1.** Fazer perder ou esquecer uma paixão. **2.** Alegrar, distrair, confortar: *Passados os primeiros dias do luto, os amigos procuraram desapaixoná-lo.* ***P.*** **3.** Acalmar ou vencer as próprias paixões.

desaparafusagem [De *desaparafusar* + *-agem*[2].] ***S. f.*** Ação de desaparafusar; desparafusagem.

desaparafusar [De *des-* + *aparafusar*.] ***V. t. d.*** **1.** Desandar ou desatarraxar os parafusos de; desenroscar. ***P.*** **2.** Tornar-se malseguro (o que estava aparafusado); desatarraxar-se. [Sin. ger.: *desparafusar*.]

desaparecer [De *des-* + *aparecer*.] ***V. int.*** **1.** Deixar de ser visto; sumir-se: *O sol desapareceu e o dia anuviou-se;* "Vejo-a, e cuido uma dríada estar vendo, / Por entre os claros de uma selva basta, / Aparecendo e desaparecendo..." (Raimundo Correia, *Poesias*, p. 130). **2.** Perder-se; sumir(-se): *Não conseguem encontrar os livros que desapareceram com a mudança.* **3.** V. *morrer* (1): *Todos desaparecemos um dia.* **4.** Retirar-se, afastar-se: *Frequentava a alta-roda, mas, com a morte da mulher, desapareceu.* **5.** Apagar-se, ofuscar-se, obscurecer(-se): *Quando se põe a falar, desaparece aquele físico insignificante: é o homem de inteligência superior.* ***T. c.*** **6.** Ocultar-se, esconder-se; sumir(-se): *O casebre desaparecia entre as folhagens.* **7.** Esquivar-se furtivamente: *Roubou a casa e desapareceu pela porta dos fundos.* [Conjug.: v. *aquecer*.]

desaparecido [Part. de *desaparecer*.] ***Adj. S. m.*** Que, ou aquele que desapareceu.

desaparecimento [De *desaparecer* + *-imento*.] ***S. m.*** **1.** Ato de desaparecer. **2.** ***Fig.*** Falecimento (1). [Sin. ger.: *desaparição*.]

desaparelhar [De *des-* + *aparelhar*.] ***V. t. d.*** **1.** Tirar o(s) aparelho(s) a; desguarnecer. ***Int.*** **2.** ***Marinh.*** Ficar desmastreado (o navio). [Conjug.: v. *aparelhar*.]

desaparição [De *des-* + *aparição*.] ***S. f.*** Desaparecimento.

desapartar [De *des-* + *apartar*.] ***V. t. d. T. d. e i. P. Pop.*** Apartar: "Abriu a bolsa, desapartou algumas cédulas de um bolo grudento" (Gilvã Lemos, *Jutaí Menino*, p. 9).

desapavorar [De *des-* + *apavorar*.] ***V. t. d.*** Tirar o pavor a.

desapear [De *des-* + *apear*.] ***V. t. d. T. d. e i. Int. P.*** V. *apear*: "A montaria mal se encostara à cerca de limão-brabo, e o cavaleiro já desapeava." (Mário Palmério, *Chapadão do Bugre*, p. 5.) [Conjug.: v. *frear*.]

desapegado [Part. de *desapegar*.] ***Adj.*** **1.** Desunido, despegado. **2.** Desafeiçoado. **3.** Indiferente, desinteressado.

desapegamento [De *desapegar* + *-mento*.] ***S. m.*** V. *desapego* (ê).

desapegar [De *des-* + *apegar*[1].] ***V. t. d. T. d. e i. P.*** Despegar. [Conjug.: v. *regar*. Pres. ind.: *desapego*, etc. Cf. *desapego* (ê).]

desapego (ê) [Dev. de *desapegar*.] ***S. m.*** **1.** Falta de apego, de afeição; desamor. **2.** Desinteresse, indiferença. [Sin. ger.: *desapegamento* e *despego* (ê). Pl.: *desapegos* (ê). Cf. *desapego*, do v. *desapegar*.]

desaperceber [De *des-* + *aperceber*.] ***V. t. d.*** **1.** Privar ou despojar de apercebimentos, provisões ou munições. ***T. d. e i.*** **2.** Não prover; desabastecer. ***P.*** **3.** Desprover-se; desprevenir-se. **4.** Descuidar-se, desprevenir-se, desacautelar-se, desperceber-se. [Conjug.: v. *mexer*.]

desapercebido [Part. de *desaperceber*.] ***Adj.*** **1.** Desprevenido, desacautelado. **2.** Desprovido, desguarnecido; despercebido.

desapercebimento [De *desaperceber* + *-imento*.] ***S. m.*** **1.** Ato ou efeito de desaperceber(-se). **2.** Falta de precaução.

desaperrar [De *des-* + *aperrar*.] ***V. t. d. P.*** Desengatilhar(-se) (a espingarda).

desapertar [De *des-* + *apertar*.] ***V. t. d.*** **1.** Afrouxar, alargar (o que estava apertado): "desapertou o cinturão de que pendiam as perdizes e contou-as vagarosamente" (Domingos Monteiro, *Histórias das Horas Vagas*, p. 9). **2.** Desabotoar, desafivelar, desacolchetar. **3.** Desoprimir, aliviar: *desapertar o peito, a alma, o coração.* ***T. d. e i.*** **4.** Soltar, livrar: *Não queria desapertá-la dos braços.* ***P.*** **5.** Soltar-se, livrar-se. **6.** Abrir-se, expandir-se, desabafar-se: *Desapertou-se com o amigo.* **7.** ***Bras.*** Sair; esquivar-se. [Pres. ind.: *desaperto*, etc. Cf. *desaperto* (ê).]

desaperto (ê) [Dev. de *desapertar*.] ***S. m.*** Ato ou efeito de desapertar. [Pl.: *desapertos* (ê). Cf. *desaperto*, do v. *desapertar*.]

desapiedado [De *des-* + *apiedado*.] ***Adj.*** Falto de piedade ou compaixão; desumano, cruel, despiedado.

desapiedar [De *des-* + *apiedar*.] ***V. t. d.*** **1.** Tirar a piedade a; tornar impiedoso, cruel, duro, desumano. ***P.*** **2.** Perder a compaixão; tornar-se insensível aos males alheios. [Var.: *despiedar*. Conjug.: v. *apiedar*.]

desaplaudir [De *des-* + *aplaudir*.] ***V. t. d.*** Não aplaudir; desaprovar.

desaplauso [De *des-* + *aplauso*.] ***S. m.*** Falta de aplauso; desaprovação, reprovação.

desaplicação [De *desaplicar* + *-ção*.] ***S. f.*** **1.** Ato ou efeito de desaplicar. **2.** Falta de aplicação; negligência.

desaplicar [De *des-* + *aplicar*.] ***V. t. d.*** **1.** Desviar a aplicação de. **2.** Tirar (aquilo que estava aplicado). [Conjug.: v. *trancar*.]

desapoderado [Part. de *desapoderar*.] ***Adj.*** **1.** Privado da posse, do poder, do domínio. **2.** Incapaz de ser senhor de si; fora de si. **3.** ***Fig.*** Furioso, desenfreado, desabalado.

desapoderar [De *des-* + *apoderar(-se)*.] ***V. t. d. e i.*** **1.** Privar da posse, do poder, do domínio; desapossar, privar. ***P.*** **2.** Privar-se da posse, do poder, do domínio.

desapoiar [De *des-* + *apoiar*.] ***V. t. d.*** Tirar o apoio a; não concordar com. [Conjug.: v. *apoiar*. Pres. ind.: *desapoio*, etc. Cf. *desapoio*.]

desapoio [Dev. de *desapoiar*.] ***S. m.*** **1.** Ato de desapoiar. **2.** Falta de apoio. [Cf. *desapoio*, do v. *desapoiar*.]

desapolvilhar [De *des-* + *apolvilhar*.] ***V. t. d.*** Tirar os pós a; limpar dos pós; desempoar.

desapontado [Do ingl. *disappointed*.] ***Adj.*** **1.** Logrado, burlado. **2.** Envergonhado, vexado, corrido. **3.** Decepcionado, desiludido.

desapontador (ô) [De *desapontar*[2] + *-dor*.] ***Adj.*** Que desaponta: É .... desapontador que certa crítica ainda não tenha prestado atenção a este seu volume de contos [*Eis a Noite!*, de João Alphonsus]" (Guilherme Figueiredo, *Cobras & Lagartos*, p. 71).

desapontamento [Do ingl. *disappointment*.] ***S. m.*** Sucesso desagradável, que surpreende; decepção, desilusão. [Sin. (bras.): *desaponto*.]

desapontar[1] [De *des-* + *apontar*[2].] ***V. t. d.*** Apontar mal; tirar da pontaria.

desapontar[2] [Do ingl. *(to) disappoint* (v. *-ar*[2]).] ***V. t. d.*** **1.** Causar desapontamento a. ***P.*** **2.** Ter ou sentir desapontamento; enfiar(-se).

desaponto [Dev. de *desapontar*[2].] ***S. m. Bras.*** V. *desapontamento*.

desapoquentar [De *des-* + *apoquentar*.] ***V. t. d. P.*** Livrar(-se) de apoquentações; tranquilizar(-se), aliviar(-se).

desaportuguesar [De *des-* + *aportuguesar*.] ***V. t. d.*** Tirar a feição portuguesa a.

desaposentar [De *des-* + *aposentar*.] ***V. t. d.*** Privar de aposento; desalojar.

desapossamento [De *desapossar* + *-mento*.] ***S. m.*** Ato ou efeito de desapossar(-se); despojamento.

desapossar [De *des-* + *apossar*.] ***V. t. d. e i.*** **1.** Tirar ou privar da posse, do domínio; despojar: *Desapossaram-no de sua casa.* **2.** Obrigar a largar; esbulhar, privar. ***P.*** **3.** Privar-se do domínio; renunciar à posse. [Sin. ger.: *desempossar, despossar, despossuir*.]

desaprazer [De *des-* + *aprazer*.] ***V. t. i.*** Não aprazer; causar contrariedade; desagradar; desprazer: *Posso ajudá-lo, se isto não lhe desapraz.* [Irreg. Conjug.: v. *aprazer*.]

desaprazível [De *desaprazer* + *-ível*.] ***Adj. 2 g.*** Que não apraz; desagradável, desprazível.

desapreçar [De *des-* + *apreçar*.] ***V. t. d.*** Desapreciar. [Pres. ind.: *desapreço*, etc. Cf. *desapreço* (ê) e *desapresso*, do v. *desapressar*, e este verbo. Conjug.: v. *começar*.]

desapreciar [De *des-* + *apreciar*.] ***V. t. d.*** Não dar apreço a; amesquinhar; desapreçar.

desapreço (ê) [De *des-* + *apreço*.] ***S. m.*** Falta de apreço; menosprezo. [Pl.: *desapreços* (ê). Cf. *desapreço*, do v. *desapreçar*, e *desapresso*, do v. *desapressar*.]

desaprender [De *des-* + *aprender*.] ***V. t. d. T. i.*** Esquecer (aquilo que aprendera, que sabia): *Desaprendeu o pouco de latim que sabia;* "Os cachorros de Hamburgo! São mais ricos de forma e variedade que os próprios pães hamburgueses, de uma compostura, um andar tão digno, uma tal decência, que desaprenderam a ladrar, a homenagear os postes, desaguando um pouco." (Augusto Meyer, *A Chave e a Máscara*, p. 213); "desaprendera de andar na cidade e fora visto a perguntar onde era a Rua Direita." (Ciro do Anjos, *A Menina do Sobrado*, pp. 124-125).

desapresilhar [De *des-* + *apresilhar*.] ***V. t. d.*** Desprender (o que estava apresilhado).

desapressar [De *des-* + *apressar*.] ***V. t. d. e i.*** **1.** Livrar, desembaraçar; aliviar. ***P.*** **2.** Tornar-se vagaroso; não mostrar ou não ter pressa. **3.** Livrar-se, desembaraçar-se. [Pres. ind.: *desapresso*, etc. Cf. *desapreço* (ê), s. m.; *desapreço*, do v. *desapreçar*; e este verbo.]

desaprimorado [De *des-* + *aprimorado*.] ***Adj.*** Que não tem primor; indelicado.

desapropositado [De *des-* + *apropositado*.] ***Adj.*** Fora de propósito; inoportuno, despropositado.

desapropósito [De *des-* + *propósito*, com epêntese.] ***S. m.*** Falta de propósito; inconveniência, despropósito.

desapropriação [De *desapropriar* + *-ção*.] ***S. f.*** Ato ou efeito de desapropriar.

desapropriador (ô) [De *desapropriar* + *-dor*.] ***Adj. S. m.*** Que, ou aquele que desapropria; desapropriante.

desapropriando [De *desapropriar* + *-ando*.] ***S. m. Jur.*** Aquele ou aquilo que vai ser desapropriado.

desapropriante [De *desapropriar* + *-nte*.] ***Adj. 2 g. S. 2 g.*** Desapropriador.

desapropriar [De *des-* + *apropriar*.] ***V. t. d.*** **1.** Privar alguém da propriedade de; expropriar; desapossar: *A Prefeitura desapropriou várias casas a fim de alargar a rua.* ***T. d. e i.*** **2.** Privar, desapossar: *O governo desapropriou os revoltosos de todos os bens.* ***P.*** **3.** Privar-se (do que é seu).

desapropriatório [De *desapropriar* + *-tório*.] ***Adj.*** Que desapropria; desapropriador.

desaprovação [De *desaprovar* + *-ção*.] ***S. f.*** Ato de desaprovar; censura, reprovação.

desaprovar [De *des-* + *aprovar*.] ***V. t. d.*** Não aprovar; reprovar, censurar, improvar.

desaprovativo [De *desaprovar* + *-tivo*.] ***Adj.*** Que denota, encerra ou exprime desaprovação.

desaproveitado [Part. de *desaproveitar*.] ***Adj.*** **1.** Abandonado, perdido, desperdiçado. **2.** Perdulário, dissipador, dissipado, desperdiçador: *Tem talento, mas é um indivíduo desaproveitado.*

desaproveitamento [De *desaproveitar* + *-mento*.] ***S. m.*** **1.** Falta de aproveitamento; desperdício. **2.** Falta de progresso nos estudos.

desaproveitar [De *des-* + *aproveitar*.] ***V. t. d.*** Não aproveitar; desperdiçar.

desaprumar [De *des-* + *aprumar*.] ***V. t. d.*** **1.** Desviar do prumo: *As chuvas desaprumaram o paredão.* ***Int. P.*** **2.** Desviar-se do prumo; pender, inclinar-se.

desaprumo [De *des-* + *aprumo*.] ***S. m.*** **1.** Desvio do prumo. **2.** Efeito de desaprumar.

desapurado [De *des-* + *apurado*.] ***Adj.*** Feito com desapuro; descuidado.

desapuro [De *des-* + *apuro*.] ***S. m.*** Falta de apuro, cuidado, esmero, primor; descuido, desprimor.

desaquartelar [De *des-* + *aquartelar*[2].] ***V. t. d.*** Tirar do quartel; desalojar.

desaquecer [De *des-* + *aquecer*.] ***V. t. d.*** **1.** Tirar o aquecimento a. **2.** Enfraquecer, desacelerar: *As reformas desaqueceram a economia; A recessão desaqueceu a produção industrial.* [Conjug.: v. *aquecer*.]

desaquecimento [De *desaquecer* + *-imento*.] ***S. m.*** Ato ou efeito de desaquecer.

desaquinhoar [De *des-* + *aquinhoar*.] ***V. t. d.*** **1.** Privar do quinhão. ***P.*** **2.** Prescindir do quinhão a que tinha direito. [Conjug.: v. *coroar*.]

desar [De *des-* + *ar*.] ***S. m.*** **1.** Revés da fortuna; desgraça: "o meu [nome] se converterá em ludíbrio da populaça, que folga, a vil, com o desar dos grandes." (Gonçalves Dias, *Teatro*, p. 237). **2.** V. *desaire*.

desaranhar [De *des-* + *aranha* + *-ar*[2].] *V. t. d.* **1.** Tirar as teias de aranha de. **2.** *Fig.* Esclarecer, clarear; desemaranhar, desenredar.

desarar [De *des-* + *aro*[1] + *-ar*[2].] *V. int.* **1.** Despegar-se (o casco da besta). **2.** *Fig.* Pôr em desordem; desarranjar.

desarborizar [De *des-* + *arborizar.*] *V. t. d.* Privar de árvores; cortar as árvores de.

desarcar [De *des-* + *arcar*[1].] *V. t. d.* **1.** Tirar os arcos a (pipas, tonéis, etc.). *P.* **2.** Desunir-se, desconjuntar-se. [Conjug.: v. *trancar.*]

desarear [De *des-* + *arear*[1].] *V. t. d.* Limpar de areia; tirar a areia de. [Conjug.: v. *frear.*]

desarmado [Part. de *desarmar.*] *Adj.* **1.** Que se desarmou; desativado. **2.** Não armado. **3.** *Bot.* Mútico.

desarmamentismo [De *desarmamento* + *-ismo.*] *S. m.* **1.** *Ciênc. Pol.* Movimento político de caráter internacional, contrário ao incremento ou manutenção de poderio militar excessivo. **2.** *P. ext.* Pacifismo. **3.** Movimento que almeja o fim da comercialização de armas de fogo e o desarmamento da população, como forma de reduzir a violência. [Cf. *armamentismo.*]

desarmamentista [De *desarmamento* + *-ista.*] *Adj. 2 g.* **1.** Que é partidário do desarmamentismo. ● *S. 2 g.* **2.** Partidário do desarmamentismo.

desarmamento [De *desarmar* + *-mento.*] *S. m.* **1.** Ato ou efeito de desarmar(-se). **2.** Licenciamento de tropas. **3.** Redução das forças do exército ao efetivo de paz. [Sin. ger., p. us.: *desarme.*]

desarmar [De *des-* + *armar.*] *V. t. d.* **1.** Tirar as armas ou meios de ataque ou defesa a: *Desarmaram os soldados aprisionados; Desarmou o louco, tirando-lhe da mão a faca.* **2.** Desguarnecer de armamento: *desarmar um exército.* **3.** Tirar a armação ou os adornos de: *Desarmaram a capela depois do casamento.* **4.** Desembaraçar ou despir de armadura. **5.** Desengatilhar, desaperrar (uma arma). **6.** Separar as peças componentes de; desmontar: *desarmar um brinquedo.* **7.** Travar o funcionamento de; desativar. **8.** Serenar, aplacar, apaziguar: *Sua placidez terminava desarmando o irado acusador.* **9.** Frustrar, baldar: *Sua autoconfiança desarmou as objeções do chefe.* **10.** Fazer cessar a animosidade, a prevenção, a resistência de: *Estava irritado, mas a doçura da mulher desarmou-o; Tantos argumentos acabaram desarmando-o.* *Int.* **11.** Depor as armas; desarmar-se. *P.* **12.** Desarmar (11): *Acovardado pela violência do outro, desarmou-se e pediu clemência.* **13.** Despir-se de armadura; despojar-se. **14.** Aplacar-se, serenar-se: "o instinto rude se desarma em prece" (Hermes Fontes, *A Fonte da Mata...*, p. 32).

desarme [Dev. de *desarmar.*] *S. m. P. us.* Desarmamento: "Papa conclama as potências ao desarme total." (*Jornal do Brasil*, 02.01.1983.)

desarmonia [De *des-* + *harmonia.*] *S. f.* **1.** Falta de harmonia: "A desarmonia do lencinho com o vestido ofendia o belo ideal, e a simetria plástica das damas da terra" (Camilo Castelo Branco, *A Queda dum Anjo*, p. 266). **2.** *Fig.* Divergência, discordância. **3.** Desproporção ou má disposição das partes de um todo.

desarmónico *Adj.* V. *desarmônico.* [Uso freq. em P.]

desarmônico [De *desarmonia* + *-ico*[2].] *Adj.* Em que há desarmonia.

desarmonizador (ô) [De *desarmonizar* + *-dor.*] *Adj. S. m.* Que, ou aquele que causa desarmonia.

desarmonizar [De *des-* + *harmonizar.*] *V. t. d.* **1.** Produzir a desarmonia de, ou entre: *Suas grosserias vieram desarmonizar o ambiente.* *P.* **2.** Pôr-se em desacordo; discordar, desavir-se.

desaromar [De *des-* + *aromar.*] *V. t. d.* Desaromatizar.

desaromatizar [De *des-* + *aromatizar.*] *V. t. d.* Tirar o aroma de; fazer perder o aroma; desaromar.

desarquear [De *des-* + *arquear.*] *V. t. d.* **1.** Fazer perder a forma de arco. **2.** Tirar os arcos de. [Conjug.: v. *frear.*]

desarquivar [De *des-* + *arquivar.*] *V. t. d.* **1.** Tirar (o que estava guardado em arquivo). **2.** Promover o andamento de (processo, inquérito, etc., que estava arquivado).

desarraigamento [De *desarraigar* + *-mento.*] *S. m.* Ato de desarraigar; desenraizamento, erradicação; desarreigamento.

desarraigar [De *des-* + *arraigar.*] *V. t. d.* **1.** Arrancar(-se) pela raiz ou com raízes; tirar inteiramente. **2.** Extirpar ou extinguir de todo; destruir: *desarraigar maus hábitos.* *T. d. e c.* **3.** Fazer sair: *Os portugueses desarraigaram os árabes da Península Ibérica.* *T. d. e i.* **4.** Desarraigar (2). [Sin. ger.: *desarreigar;* (lus.), *desraizar, desenraizar, desraigar, erradicar.* Conjug.: v. *largar.*]

desarrancar [De *des-* + *arrancar.*] *V. t. d. T. d. e i. T. d. e c. T. i. Int. P.* Arrancar(-se) com ímpeto. [Conjug.: v. *trancar.*]

desarranchado [Part. de *desarranchar.*] *Adj.* Que não toma as refeições no quartel.

desarranchar [De *des-* + *arranchar.*] *V. t. d.* **1.** Tirar de rancho (1 a 3, 8 e 9). **2.** Privar do rancho (5). *Int. P.* **3.** Abandonar ou desmanchar o rancho (1 a 3). **4.** Separar-se ou desligar-se do rancho (1 a 3).

desarranjado [Part. de *desarranjar.*] *Adj.* **1.** Que se desarranjou. **2.** Desordenado. **3.** Escangalhado (1).

desarranjador (ô) [De *desarranjar* + *-dor.*] *Adj. S. m.* Que, ou aquele que desarranja.

desarranjar [De *des-* + *arranjar.*] *V. t. d.* **1.** Tirar da ordem ou disposição costumada; pôr em desordem. **2.** Alterar ou prejudicar o bom arranjo, a boa ordem, a boa disposição ou o bom funcionamento de: *A queda desarranjou o relógio; O vatapá desarranjou-lhe o estômago.* **3.** Embaraçar, alterar, estorvar, empecer, transtornar: *A chegada de seu pai veio desarranjar os nossos planos.* *P.* **4.** Desavir-se, desentender-se, indispor-se: *Desarranjou-se com a família: não mais a procurou.* **5.** Alterar-se, transtornar-se.

desarranjo [Dev. de *desarranjar.*] *S. m.* **1.** Falta de arranjo; desordem, confusão. **2.** Obstáculo, contratempo. **3.** *Fig.* Enguiço (4): *O automóvel parou com desarranjo no motor.* **4.** *Pop.* V. *diarreia.*

desarrazoado [De *des-* + *arrazoado.*] *Adj.* **1.** Em que não há razão; não razoável; injusto; despropositado. **2.** Que não tem razão; que procede sem razão ou bom senso; disparatado.

desarrazoar [De *des-* + *arrazoar.*] *V. int.* Falar ou proceder sem razão, ou com falta de bom senso; disparatar. [Conjug.: v. *coroar.*]

desarrear [De *des-* + *arrear.*] *V. t. d.* **1.** Tirar os arreios a: "Enquanto se punha a janta, desarreou a besta" (Lúcio de Mendonça, *Horas do Bom Tempo*, p. 223). *P.* **2.** Retirar-se, desligar-se. [Conjug.: v. *frear.*]

desarredondar [De *des-* + *arredondar.*] *V. t. d.* Tirar a forma redonda a.

desarregaçar [De *des-* + *arregaçar.*] *V. t. d.* Soltar, fazer cair ou descer (o que estava arregaçado). [Conjug.: v. *laçar.*]

desarreigamento [De *desarreigar* + *-mento.*] *S. m. Lus.* V. *desarraigamento.*

desarreigar [De *des-* + *arreigar.*] *V. t. d. T. d. e i. Lus.* V. *desarraigar.* [Conjug.: v. *largar.*]

desarrimar [De *des-* + *arrimar.*] *V. t. d.* **1.** Tirar o arrimo, o apoio, a; desamparar: *desarrimar a planta; desarrimar a família.* *T. d. e i.* **2.** Separar, desamparar (do arrimo ou apoio): *Desarrimaram-no da bengala.*

desarrimo [Dev. de *desarrimar.*] *S. m.* **1.** Falta de arrimo. **2.** Desamparo, abandono.

desarrochar [De *des-* + *arrochar.*] *V. t. d.* Desapertar (o que estava arrochado).

desarrolhar[1] [De *des-* + *arrolhar*[1].] *V. t. d.* Tirar a rolha de; desrolhar.

desarrolhar[2] [Do esp. *desarrollar.*] *V. t. d. Bras. RS* Espalhar (o gado que se acha arrolhado).

desarroupado [De *des-* + *arroupado.*] *Adj.* V. *desenroupado.*

desarruar [De *des-* + *arruar*[1].] *V. t. d.* Tirar da rua ou do arruamento: *desarruar um jardim.*

desarrufar [De *des-* + *arrufar*[2].] *V. t. d.* **1.** Fazer cessar o arrufo a; reconciliar: *Os agrados da namorada desarrufaram-no.* *P.* **2.** Deixar de estar arrufado; reconciliar-se.

desarrufo [Dev. de *desarrufar.*] *S. m.* Cessação de arrufo; reconciliação.

desarrugamento [De *desarrugar* + *-mento.*] *S. m.* Ato ou efeito de desarrugar.

desarrugar [De *des-* + *arrugar.*] *V. t. d. P.* V. *desenrugar.* [Conjug.: v. *largar.*]

desarrumação [De *desarrumar* + *-ção.*] *S. f.* **1.** Ato ou efeito de desarrumar; desordem, desarrumo. **2.** Confusão do que está desarrumado; desarranjo.

desarrumar [De *des-* + *arrumar.*] *V. t. d.* Tirar do arrumo; pôr fora do seu lugar; desordenar; desarranjar.

desarrumo [Dev. de *desarrumar.*] *S. m.* V. *desarrumação* (1).

desarticulação [De *desarticular* + *-ção.*] *S. f.* **1.** Ato ou efeito de desarticular(-se). **2.** Falta de articulação. [Sin. ger.: *exarticulação.*]

desarticular [De *des-* + *articular*[2].] *V. t. d.* **1.** Amputar na articulação: *desarticular um braço.* **2.** Fazer sair da articulação; torcer, destroncar, desconjuntar, deslocar: *desarticular o tornozelo.* **3.** Desconjuntar; desunir, desordenar: *O exército desarticulou o inimigo.* *P.* **4.** Sofrer ou apresentar desarticulação. [Sin. ger.: *exarticular.*]

desartificioso (ô) [De *des-* + *artificioso.*] *Adj.* **1.** Que não tem artifício. **2.** *Fig.* Modesto, simples; natural.

desarvorado [Part. de *desarvorar.*] *Adj.* **1.** *Mar.* Diz-se de embarcação sem árvores ou mastros. **2.** *Mar.* Que voga sem governo; desaparelhado. **3.** *Fig.* Que fugiu desordenadamente. **4.** *Bras.* Diz-se do indivíduo desorientado, desnorteado, perturbado, transtornado: "Se aquela garota morresse ou se mudasse, o moleque Zé Belmiro estaria desarvorado." (Gentil Ursino Vale, *Confidências do Agreste*, p. 11); *A morte trágica do filho deixou-o desarvorado.*

desarvoramento [De *desarvorar* + *-mento.*] *S. m.* Ato ou efeito de desarvorar(-se).

desarvorar [De *des-* + *arvorar.*] *V. t. d.* **1.** Deitar abaixo, abater (o que estava arvorado). **2.** *Mar.* Tirar ou derrubar os mastros ou as enxárcias a (embarcação); desaparelhar: *A tormenta desarvorou a nau.* *Int.* **3.** *Mar.* Perder os mastros; desmastrear-se. **4.** *Fam.* Fugir desordenadamente; abalar. *P.* **5.** *Bras.* Desnortear-se, desorientar-se; perturbar-se.

desasa [Dev. de *desasar.*] *S. f. Bras.* Muda das aves.

desasado [Part. de *desasar.*] *Adj.* **1.** Que tem as asas caídas ou partidas. **2.** Derreado, desancado. [Cf. *desazado.*]

desasar [De *des-* + *asar.*] *V. t. d.* **1.** Partir ou abater as asas de: *desasar uma ave; desasar uma jarra.* **2.** V. *surrar* (2). [Pres. ind.: *desaso*, etc. Cf. *desazo.*]

desasir [De *des-* + *asir.*] *V. t. d.* **1.** Soltar da mão; largar: *desasir o peso.* *P.* **2.** Despegar-se, soltar-se. **3.** Livrar-se; desembaraçar-se: *desasir-se dum importuno.*

desasnar [De *des-* + *asno* + *-ar*[2].] *V. t. d.* **1.** Tirar da ignorância; ensinar: "Tinha [o engenho de cana-de-açúcar] escola de primeiras letras, onde o padre-mestre desasnava meninos." (Sérgio Buarque de Holanda, *Raízes do Brasil*, p. 48); "Ele está ainda muito pequeno, mas vou tratar de o ir desasnando aqui mesmo em casa, e quando tiver 12 ou 14 anos há de me entrar para a escola." (Manuel Antônio de Almeida, *Memórias de um Sargento de Milícias*, p. 121). **2.** Tirar de engano ou erro; desenganar, desiludir.

desassanhar [De *des-* + *assanhar.*] *V. t. d.* **1.** Aplacar a sanha de; tranquilizar, serenar. *P.* **2.** Perder a sanha; apaziguar-se.

desassazonado [De *des-* + *assazonado.*] *Adj.* **1.** Que está fora do tempo próprio, da sazão ou estação; temporão: *fruto desassazonado.* **2.** Intempestivo; inoportuno.

desasseado [De *des-* + *asseado.*] *Adj.* Falto de asseio; sujo.

desassear [De *des-* + *assear.*] *V. t. d.* Tirar o asseio ou limpeza de; sujar: *Os animais desassearam a casa.* [Conjug.: v. *frear.*]

desasseio [Dev. de *desassear.*] *S. m.* Falta de asseio; sujeira.

desasselvajar [De *des-* + *asselvajar.*] *V. t. d.* Tirar do estado selvagem.

desassemelhar [De *des-* + *assemelhar.*] *V. t. d.* Tornar dessemelhante. [Conjug.: v. *aparelhar.*]

desassenhorear [De *des-* + *assenhorear.*] *V. t. d.* Tirar a qualidade de senhor a; tirar da posse; desapossar. [Conjug.: v. *frear.*]

desassestar [De *des-* + *assestar.*] *V. t. d.* Deslocar, desviar (o que estava assestado): *desassestar o binóculo.*

desassimilação [De *des-* + *assimilação.*] *S. f.* Processo pelo qual uma substância é transformada em produto excrementício.

desassimilador (ô) [De *desassimilar* + *-dor.*] *Adj. S. m.* Que ou o que desassimila.

desassimilar [De *des-* + *assimilar.*] *V. t. d.* Tirar ou fazer cessar a assimilação de; alterar: *desassimilar uma substância.*

desassisado [De *des-* + *siso* + *-ado*[1], com epêntese.] *Adj. S. m.* Que, ou aquele que não tem siso; louco, desatinado.

desassisar [De *des-* + *siso* + *-ar*[2], com epêntese.] *V. t. d.* **1.** Fazer perder o siso; tornar louco ou maníaco; desajuizar, desatinar: *A paixão desassisou-o.* *P.* **2.** Perder o siso; desatinar.

desassistência [De *des-* + *assistência.*] *S. f.* **1.** Falta de assistência. **2.** Retirada de auxílio ou proteção.

desassistido [De *des-* + *assistido.*] *Adj.* Privado de assistência, amparo, ajuda; desprotegido.

desassistir [De *des-* + *assistir.*] *V. t. i.* Deixar de assistir, de prestar ajuda a: *Embora muito rico, desassiste aos seus.*

desassociar [De *des-* + *associar.*] *V. t. d.* **1.** Desligar, separar, desunir (aquele ou aquilo que estava associado). *P.* **2.** Deixar de formar sociedade; desligar-se, separar-se.

desassombrado [De *des-* + *assombrado.*] *Adj.* **1.** Que não é sombrio; exposto ao sol. **2.** Franco, afável. **3.** Corajoso, bravo.

desassombrar [De *des-* + *assombrar.*] *V. t. d.* **1.** Tirar a sombra a; clarear, aclarar: *Podou os arbustos para desassombrar a varanda.* **2.** Tirar o assombramento a; livrar de susto, temor, tristeza, ódio ou suspeita; serenar, desanuviar: *desassombrar o espírito.* *P.* **3.** Perder o assombro, o medo, o receio; recobrar o ânimo; desanuviar-se, desassustar-se.

desassombro [De *des-* + *assombro.*] *S. m.* **1.** Falta de assombro; firmeza. **2.** Franqueza, confiança. **3.** Destemor, intrepidez.

desassoreamento [De *desassorear* + *-mento*.] *S. m.* Ato ou efeito de desassorear.

desassorear [De *des-* + *assorear*.] *V. t. d.* Desfazer o assoreamento de. [Conjug.: v. *frear*.]

desassossegado [Part. de *desassossegar*.] *Adj.* Inquieto, aflito, sobressaltado.

desassossegador (ô) [De *desassossegar* + *-dor*.] *Adj.* Que causa desassossego.

desassossegar [De *des-* + *assossegar*.] *V. t. d.* **1.** Tirar o sossego a; turbar a paz de; inquietar. *P.* **2.** Perder o sossego, inquietar-se. [Sin. ger.: *dessossegar*. Conjug.: v. *regar*. Pres. ind.: *desassossego*, etc. Cf. *desassossego* (ê).]

desassossego (ê) [Dev. de *desassossegar*.] *S. m.* **1.** Falta de sossego; inquietação. **2.** Aflição, perturbação. [Sin.: *dessossego* (ê). Pl.: *desassossegos* (ê). Cf. *desassossego*, do v. *desassossegar*.]

desassunto [De *des-* + *assunto*.] *S. m.* Falta de assunto: "mudaram rápido de assunto ou desassunto" (Autran Dourado, *As Imaginações Pecaminosas*, p. 48).

desassustar [De *des-* + *assustar*.] *V. t. d.* **1.** Livrar de susto, medo ou temor; tranquilizar, desassombrar. *P.* **2.** Perder o susto ou temor; tranquilizar-se, desassombrar-se.

desastrado [De *desastre* + *-ado*[1].] *Adj.* **1.** Que redundou em desastre. **2.** Proveniente de desastre; funesto, desgraçado. **3.** Sem jeito para nada; desajeitado. **4.** Sem graça; desgracioso, desairoso. **5.** Inoportuno, inconveniente: *palavras desastradas.*

desastre [Do provenç. ant. *desastre*.] *S. m.* **1.** Acontecimento calamitoso, esp. o que ocorre de súbito e ocasionando grande dano ou prejuízo. **2.** Acidente (2). **3.** Mau êxito; fracasso: *A peça foi um desastre.*

desastroso (ô) [De *desastre* + *-oso*.] *Adj.* Em que há, ou que produz desastre.

desatabafar [De *des-* + *atabafar*.] *V. t. d.* **1.** Aliviar do excesso de roupa; fazer que deixe de estar atabafado; desabafar: *A mãe desatabafou o filhinho, pois fazia calor. Int.* **2.** Respirar livremente, com desafogo. **3.** Falar livremente, com desafogo; desabafar.

desatacar [De *des-* + *atacar*[2].] *V. t. d.* **1.** Desapertar a ataca ou atacador de; soltar, desligar, desatar: *desatacar as sandálias.* **2.** Desabotoar, desacolchetar, desafivelar: *desatacar o colete.* **3.** Descarregar; despejar: *desatacar os alforjes; desatacar o cano da espingarda.* [Conjug.: v. *trancar*.]

desatado [Part. de *desatar*.] *Adj.* **1.** Não atado; desligado, desprendido, solto. **2.** Isento, desobrigado. **3.** Desencadeado, liberto. ~ V. *sangria —a*.

desatador (ô) [De *desatar* + *-dor*.] *Adj. S. m.* Que, ou aquele que desata.

desatadura [De *desatar* + *-dura*.] *S. f.* V. *desatamento*.

desatamento [De *desatar* + *-mento*.] *S. m.* Ato ou efeito de desatar(-se); desatadura, desate.

desatar [De *des-* + *atar*[2].] *V. t. d.* **1.** Desprender, desapertar, desligar: "ela contava / A sua triste infância, e desatava / Pelos ombros as tranças vaporosas" (Gonçalves Crespo, *Obras Completas*, p. 186); *desatar a sandália.* **2.** Desfazer, desdar (nó ou liame). **3.** Soltar, desfraldar: *desatar as velas.* **4.** Resolver, solucionar, explicar, elucidar; dirimir: *desatar dúvidas; desatar dificuldades.* **5.** Rescindir, dissolver: *desatar um pacto.* **6.** Prorromper em; soltar: *desatar risadas. T. d. e i.* **7.** Livrar, desobrigar, isentar, libertar: *Que Deus o desate daquele padecimento. T. i.* **8.** Começar de repente; prorromper: "aloés, hipogrifos e licornes desataram a morder-lhe nas pernas e a puxá-lo." (Aquilino Ribeiro, *Estrada de Santiago*, p. 313). *P.* **9.** Soltar-se, desligar-se, desprender-se. **10.** Livrar-se, libertar-se, isentar-se **11.** Desabrochar(-se), abrir-se: *Os campos desatam-se em flores.* **12.** Expandir-se, romper: *desatar-se em lágrimas.* **13.** Manifestar-se livremente; expandir-se: *Tímido a princípio, pouco a pouco se desatou.*

desatarraxar [De *des-* + *atarraxar*.] *V. t. d.* Despregar, desunir, desapertar, desprender, tirando a(s) tarraxa(s) ou parafuso(s) de; desaparafusar, desentarraxar.

desatascar [De *des-* + *atascar*.] *V. t. d. T. d. e i.* **1.** Tirar ou arrancar do atascadeiro, da lama; desatolar: *desatascar o carro; desatascar o amigo do vício. P.* **2.** Sair do atascadeiro; desatolar-se. [Conjug.: v. *trancar*.]

desatável [De *desatar* + *-vel*.] *Adj. 2 g.* Que se pode desatar.

desataviado [De *des-* + *ataviado*.] *Adj.* Que não traz atavios; desadornado, desornado.

desataviar [De *des-* + *ataviar*.] *V. t. d.* **1.** Tirar os atavios a; desadornar, desornar, desenfeitar; despir: *desataviar o estilo. P.* **2.** Desadornar-se, desornar-se, desenfeitar-se.

desatavio [De *des-* + *atavio*.] *S. m.* Falta de atavio; desalinho.

desate [Dev. de *desatar*.] *S. m.* **1.** V. *desatamento*. **2.** Desenlace, desfecho.

desatemorizar [De *des-* + *atemorizar*.] *V. t. d.* **1.** Fazer perder o temor; sossegar, tranquilizar. **2.** Inspirar ânimo a; afoitar, animar.

desatenção [De *des-* + *atenção*.] *S. f.* **1.** Falta de atenção. **2.** Descortesia, indelicadeza.

desatencioso (ô) [De *des-* + *atencioso*.] *Adj.* **1.** Que não dá atenção. **2.** Que não tem atenções; descortês, indelicado.

desatender [De *des-* + *atender*.] *V. t. d.* **1.** Não atender, não dar atenção, a; não fazer caso de. **2.** Desconsiderar, desprezar. *T. i.* **3.** Não atender: *Desatendeu aos gritos de socorro do pequeno.*

desatendível [De *desatender* + *-ível*.] *Adj. 2 g.* Que não merece atenção: "dama de trinta anos, espírito francês e matéria não desatendível sem os realces do espírito" (Camilo Castelo Branco, *A Mulher Fatal*, p. 14).

desatentar [De *des-* + *atentar*[1].] *V. t. i.* **1.** Não atentar; não prestar atenção; não reparar: *Distraído, desatentou no amigo que o saudara.* **2.** Distrair-se, deixar: *Desatentou de fechar a porta.*

desatento [De *des-* + *atento*.] *Adj.* **1.** Que não presta atenção; distraído: "desatento, andava na rua aos encontrões, meio cego, meio surdo." (Graciliano Ramos, *Infância*, p. 229). **2.** Inconsiderado, leviano.

desaterrar [De *des-* + *aterrar*[2].] *V. t. d.* **1.** Desfazer (um aterro); escavar, aplanar ou desobstruir (um terreno). **2.** Fazer escavações em. **3.** *Eng. Elétr.* Desconectar de terra (16 e 17). [Pres. ind.: *desaterro*, etc. Cf. *desaterro* (ê).]

desaterro (ê) [Dev. de *desaterrar*.] *S. m.* **1.** Ato de desaterrar. **2.** O terreno que se desaterrou. [Pl.: *desaterros* (ê). Cf. *desaterro*, do v. *desaterrar*.]

desatestar [De *des-* + *atestar*[1].] *V. t. d.* **1.** Desembaraçar ou aliviar (o que estava atestado ou inteiramente cheio): *desatestar uma vasilha. T. d. e i.* **2.** Desobrigar, desembaraçar, aliviar: *Desatestei-o do grave compromisso.*

desatilado [De *des-* + *atilado*.] *Adj.* Que não é atilado.

desatinado [Part. de *desatinar*.] *Adj.* **1.** Falto de tino; fora de si; louco, estouvado. • *S. m.* **2.** Indivíduo desatinado.

desatinar [De *des-* + *atinar*.] *V. t. d.* **1.** Fazer perder o tino ou a razão; alucinar, desvairar, enlouquecer: *A pobreza e o sofrimento desatinaram-no.* **2.** Não atinar com; desacertar: *desatinar o alvo. Int.* **3.** Dizer ou praticar desatinos. **4.** Fazer perder o tino ou a razão; desvairar, alucinar, enlouquecer: "É [o amor] dor que desatina sem doer." (Luís de Camões, *Rimas*, p. 135.) *T. i.* **5.** Não atinar, desacertar: *Desatinava no que dizia.*

desatino [Dev. de *desatinar*.] *S. m.* **1.** Falta de tino, de juízo; loucura. **2.** Ato ou palavras de desatinado. [Var. sincopada (pop.): *destino*[2].]

desativação [De *desativar* + *-ção*.] *S. f.* **1.** Ação de desativar. **2.** *Eng. Nucl.* Redução da atividade de uma amostra fortemente radioativa, pelo decaimento radioativo; refrigeração.

desativado [Part. de *desativar*.] *Adj.* Que foi objeto de desativação.

desativador (ô) [De *desativar* + *-dor*.] *Adj. Quím.* Diz-se de grupo que, ligado a uma molécula, reduz a sua propensão a sofrer certo tipo de reação.

desativar [De *des-* + *ativar*.] *V. t. d.* **1.** *Bras.* Tirar do serviço, da atividade, tornar inativo (coisa): *A Marinha desativou vários navios*; "Suécia desativa usinas nucleares até o ano 2000" (*Jornal do Brasil*, 24.11.1979). **2.** Tirar a (algo) a capacidade de atuar, de operar: *Os peritos desativaram a bomba.*

desatolado[1] [Part. de *desatolar*.] *Adj.* Saído do atoleiro; desatascado.

desatolado[2] [Part. de *desatolar-se*.] *Adj. Bras. N.E. Pop.* Diz-se do indivíduo desembaraçado, sem acanhamento, sem timidez.

desatolar [De *des-* + *atolar*[1].] *V. t. d. T. d. e i.* **1.** Tirar do atoleiro; desatascar. *P.* **2.** Sair do atoleiro; desatascar-se.

desatolar-se [De *des-* + *atolar*[2] + *se*[1].] *V. p. Bras. N.E. Pop.* Deixar de ser tolo, acanhado; perder o acanhamento; proceder com desembaraço.

desatordoar [De *des-* + *atordoar*.] *V. t. d.* Tirar do atordoamento; fazer que recobre os sentidos, que volte a si: *O remédio desatordoou-o.* [Conjug.: v. *coroar*.]

desatracação [De *desatracar* + *-ção*.] *S. f.* Ato de desatracar(-se).

desatracar [De *des-* + *atracar*.] *V. t. d.* **1.** Desencostar e afastar (embarcação) de cais ou de outra embarcação a que esteja atracada: *O prático desatracou o navio às 10 horas.* **2.** Desprender, apartar: *Os policiais desatracaram os provocadores. Int.* **3.** *Mar.* Desencostar-se e afastar-se (a embarcação) de cais ou de outra embarcação a que esteja atracada: *Só agora o navio desatracou. P.* **4.** Desprender-se, apartar-se. [Conjug.: v. *trancar*.]

desatravancar [De *des-* + *atravancar*.] *V. t. d.* **1.** Tirar as travancas a; desobstruir: *desatravancar o caminho.* **2.** *Fig.* Desimpedir, desembaraçar, facilitar: *desatravancar o andamento do processo.* [Sin. ger.: *destravancar*. Conjug.: v. *trancar*.]

desatravessar [De *des-* + *atravessar*.] *V. t. d.* **1.** Tirar as travessas a; destrancar: *desatravessar uma porta.* **2.** Desatravancar; desembaraçar. *P.* **3.** Afastar-se ou desviar-se para um lado: *desatravessar-se do caminho.*

desatrelado [Part. de *desatrelar*.] *Adj.* **1.** Tirado ou solto da trela. **2.** Desprendido, desengatado.

desatrelar [De *des-* + *atrelar*.] *V. t. d. P.* **1.** Tirar(-se) ou soltar(-se) da trela; desengatar(-se): *desatrelar os cães.* **2.** Desprender(-se), desengatar(-se) (animais atrelados a um carro): *desatrelar as parelhas.* **3.** Desengatar(-se) (1): *desatrelar um vagão.* [Sin. ger.: *destrelar*.]

desatremar [De *des-* + *atremar*.] *V. int.* **1.** Perder o tino, o juízo; desatinar: *Apesar do vinho, falava calmo e não desatremava.* **2.** Desviar-se do bom caminho; desorientar-se, transviar-se. *T. d.* **3.** Fazer perder o tino; desassisar, desatinar.

desatualizado [Part. de *desatualizar*.] *Adj.* Não atualizado; sem atualização.

desatualizar [De *des-* + *atualizar*.] *V. t. d. P.* Tornar(-se) desatualizado.

desautoração [De *desautorar* + *-ção*.] *S. f.* Desautorização (1 e 3).

desautorado [Part. de *desautorar*.] *Adj.* Que sofreu desautoração; desautorizado.

desautorar [De *des-* + *autor* + *-ar*[2].] *V. t. d.* **1.** Privar de cargo, dignidade ou insígnia, por castigo; exautorar, desautorizar. *T. d. e i.* **2.** Destituir, privar, por castigo; exautorar: *O governo desautorou-o do encargo diplomático.* **3.** Rebelar-se contra a autoridade de; desacatar, desconsiderar. *P.* **4.** Perder a autoridade, descer de dignidade; rebaixar-se, desautorizar-se.

desautoridade [De *des-* + *autoridade*.] *S. f. P. us.* Quebra de autoridade ou de decoro.

desautorização [De *desautorizar* + *-ção*.] *S. f.* **1.** Ato ou efeito de desautorizar; desautoração. **2.** Falta de devido respeito; descrédito. **3.** Perda da dignidade ou autoridade; desautoração.

desautorizado [Part. de *desautorizar*.] *Adj.* **1.** Que se desautorizou; desautorado, desacreditado. **2.** Que sofreu desautorização (3); desautorado.

desautorizar [De *des-* + *autorizar*.] *V. t. d.* **1.** Tirar a autoridade a; desacreditar, desabonar, desautorar: *Em vão tenta desautorizar os mestres.* **2.** Fazer perder a autoridade, o prestígio; desprestigiar, desconsiderar: *Tais excessos o desautorizam diante do povo. P.* **3.** Rebaixar-se, dedignar-se, desautorar-se.

desavagar *V. t. d.* Arrancar (a ferradura) depois de lhe cortar os rebites. [Conjug.: v. *largar*.]

desavença [De *des-* + *avença*.] *S. f.* Quebra de boas relações; inimizade, discórdia, dissensão.

desaverbar [De *des-* + *averbar*[1].] *V. t. d.* **1.** Anular o averbamento de. **2.** *P. ext.* Cancelar, riscar, derriscar.

desavergonhado [Part. de *desavergonhar*.] *Adj. S. m.* Que, ou aquele que não tem vergonha; desbriado, descarado, insolente, petulante.

desavergonhar [De *des-* + *avergonhar*.] *V. t. d.* **1.** Fazer perder a vergonha; tornar descarado ou impudente. *P.* **2.** Perder a vergonha; descarar-se. [Sin. ger.: *desvergonhar*.]

desavexar [De *des-* + *avexar*.] *V. t. d.* Livrar de vexame; fazer sair de situação vexatória. [Conjug.: v. *fechar*.]

desavezado [Part. de *desavezar*.] *Adj.* Desacostumado, desabituado, desvezado.

desavezar [De *des-* + *avezar*[1].] *V. t. d.* **1.** Tirar o vezo a; desacostumar, desabituar. *P.* **2.** Perder o vezo; desacostumar-se, desabituar-se: *Desavezou-se do trabalho.* [Pres. ind. *desavezo*, etc. Cf. *desavezo* (ê).]

desavezo (ê) [Dev. de *desavezar*.] *S. m.* Ato ou efeito de desavezar(-se). [Pl.: *desavezos* (ê). Cf. *desavezo*, do v. *desavezar*.]

desaviar [De *des-* + *aviar*.] *V. t. d. Desus.* **1.** Não aviar; não dar aviamento a. **2.** Apartar do caminho; desviar. **3.** Impedir; estorvar.

desavindo [Part. de *desavir*.] *Adj.* Que anda em desavença; desacorde; malquisto, mal-avindo: "os dous esposos ... altercavam tão azedos e desavindos que bem podiam assinalar aquelas horas como as mais infernadas de sua vida." (Camilo Castelo Branco, *A Enjeitada*, p. 202).

desavir [De *des-* + *avir*.] *V. t. d. T. d. e i.* **1.** Suscitar desavenças ou discórdia entre; indispor; malquistar: *desavir famílias; desavir o país com os vizinhos. P.* **2.** Discordar, desconcordar: *Desavieram-se no preço.* **3.** Quebrar a amizade; indispor-se; malquistar-se. [Irreg. Conjug.: v. *vir*.]

desavisado [De *des-* + *avisado*.] *Adj.* **1.** Que é imprudente, leviano. **2.** Que não sabe; mal informado. • *S. m.* **3.** Aquele que é desavisado (1 e 2).

desavisar [De *des-* + *avisar*.] *V. t. d.* **1.** Dar contra-aviso a: "avisar à Embaixada que o ato fora suspenso, pedir às emissoras radiofônicas que desavisassem os ouvintes" (Maria Julieta Drummond de Andrade, *Um Buquê de Alcachofras*, p. 16). **2.** Tornar leviano, imprudente: *O sucesso desavisou-o*. ***P.* 3.** Não atentar, não dar fé: *desavisar-se do perigo*.

desaviso [Dev. de *desavisar*.] ***S. m.* 1.** V. *contraordem*. **2.** Imprudência, indiscrição, leviandade.

desavistar [De *des-* + *avistar*.] ***V. t. d.*** Perder de vista; deixar de ver, de avistar.

desavolumar [De *des-* + *avolumar*.] ***V. t. d.* 1.** Tirar ou diminuir o volume de: *Desavolumou a cintura com exercícios*. ***P.* 2.** Perder o volume; adelgaçar(-se).

desazado [De *des-* + *azado*.] ***Adj.* 1.** Maljeitoso, inapto: "Eu seria, talvez, desazado, no conceito dos outros; era um demolidor que nada sabia ainda construir." (Xavier Marques, *A Cidade Encantada*, p. 194.) **2.** Desmazelado, descuidado. **3.** Impróprio, descabido. [Cf. *desasado*.]

desazo [De *des-* + *azo*.] ***S. m.* 1.** Falta de jeito; desjeito, inaptidão: "exclui os desvarios da paixão, os desazos da inépcia" (Machado de Assis, *Papéis Avulsos*, p. 212). **2.** Desmazelo, desleixo; descuido. [Cf. *desaso*, do v. *desasar*.]

desbabar [De *des-* + *babar*.] ***V. t. d.*** Limpar a baba a.

desbabelização [De *desbabelizar* + *-ção*.] ***S. f.*** Ação de desbabelizar.

desbabelizar [De *des-* + *babel* + *-izar*.] ***V. int.*** Diminuir a confusão das línguas (a qual, segundo a Bíblia, se deu quando da construção da torre de Babel), esp. pela elaboração de idiomas auxiliares universais.

desbagoar [De *des-* + *bago* + *-oar*.] ***V. t. d.*** Esbagoar (1). [Conjug.: v. *coroar*.]

desbagulhar [De *des-* + *bagulho* + *-ar*^{2}.] ***V. t. d.*** Tirar o(s) bagulho(s) a.

desbalanceamento [De *des-* + *balancear* + *-mento*.] ***S. m.*** *Autom.* Falta de balanceamento (2).

desbalizar [De *des-* + *baliza* + *-ar*^{2}.] ***V. t. d.*** Tirar as balizas a.

desbancar [De *des-* + *banca* + *-ar*^{2}.] ***V. t. d.* 1.** Ganhar o dinheiro da banca. **2.** Levar vantagem a; vencer; exceder, suplantar: "No último andar deste estabelecimento comercial é que está o salão de chá que desbancou o da casa Mappin." (Antônio de Alcântara Machado, *Cavaquinho e Saxofone*, p. 5); *Desbancou todos os concorrentes*. **3.** Desbancar (2), tomando-lhe o lugar, a posição, ou o mérito: *desbancou o chefe*. ***T. d. e i.* 4.** Desbancar (2 e 3). [Conjug.: v. *trancar*.]

desbandeirar [De *des-* + *bandeira* + *-ar*^{2}.] ***V. t. d.* 1.** Desembandeirar. **2.** Tirar a panícula ou bandeira a (o milho).

desbaratador (ô) [De *desbaratar* + *-dor*.] ***Adj. S. m.* 1.** Que, ou aquele que desbarata ou destroça. **2.** *Restr.* Dissipador, perdulário.

desbaratamento [De *desbaratar* + *-mento*.] ***S. m.* 1.** Ato ou efeito de desbaratar(-se). **2.** Desperdício, esbanjamento. **3.** Derrota. [Sin. ger.: *desbarate* ou *desbarato*.]

desbaratar [Do esp. ant. *desbaratar* (< *baratar*, 'negociar'), poss.] ***V. t. d.* 1.** Esbanjar, dilapidar, malgastar, malbaratar: *Em poucos meses desbaratou a herança*. **2.** Estragar, arruinar, destruir: *desbaratar a saúde*. **3.** Bater, vencer; derrotar, destroçar: "Não se contenta a gente portuguesa, / Mas seguindo a vitória estrui e mata; / A povoação sem muro, e sem defesa, / Esbombardeia, acende e desbarata." (Luís de Camões, *Os Lusíadas*, I, 90.) **4.** Pôr em desordem; tratar sem cuidado; maltratar: *desbaratar os livros*. ***P.* 5.** Estragar-se, arruinar-se. **6.** Desfazer-se em pedaços; despedaçar-se, espedaçar-se, destroçar-se: *Com o temporal o barco desbaratou-se*.

desbarate [Dev. de *desbaratar*.] ***S. m.*** V. *desbaratamento*: "É bastante provável que eu .... não possa concluir a tarefa planejada e estudada desde muito. Foi um desbarate de tempo, de paciência e de interesses." (Camilo Castelo Branco, *D. Luís de Portugal*, p. 7.)

desbarato [Dev. de *desbaratar*.] ***S. m.*** V. *desbaratamento*.

desbarbado [De *des-* + *barbado*^{1}.] ***Adj.*** Sem barba, imberbe, lampinho.

desbarbar [De *des-* + *barbar*.] ***V. t. d.* 1.** Tirar a barba a. **2.** Cortar os pelos de. **3.** Grosar ou limar (as pontas do grão de trigo). **4.** *Tec.* Tirar as rebarbas de (uma peça metálica); rebarbar.

desbarrancado [De *des-* + *barranco* + *-ado*^{1}.] ***S. m.* 1.** *Bras. SP* Despenhadeiro, precipício. **2.** *Bras. MG RS GO* V. *quebrada* (3).

desbarrancamento [De *desbarrancar* + *-mento*.] ***S. m.*** *Bras.* Ato ou efeito de desbarrancar.

desbarrancar [De *des-* + *barranco* + *-ar*^{2}.] ***V. t. d.* 1.** *Bras.* Escavar profundamente; desaterrar, esbarrancar. **2.** *Bras. S.* Desfazer barrancos de (terreno), aplainando-o. [Conjug.: v. *trancar*.]

desbarrar^1 [De *des-* + *barrar*^{2}.] ***V. t. d.*** Tirar a barra a; destrancar: *desbarrar o portão*.

desbarrar^2 [De *des-* + *barrar*^{1}.] ***V. t. d.*** Tirar o barro de; desembarrar.

desbarretar [De *des-* + *barrete* + *-ar*^{2}.] ***V. t. d.* 1.** Tirar o barrete da cabeça de. ***P.* 2.** Tirar o barrete ou chapéu; descobrir-se. **3.** Tirar o chapéu, cumprimentando.

desbarrigado [De *des-* + *barriga* + *-ado*^{1}.] ***Adj.* 1.** Que tem pouca barriga; desembarrigado: "era duma elegância física pouco comum — fino, desbarrigado, bem-proporcionado e pisando como um rei" (Pedro Nava, *Beira-Mar*, p. 49). **2.** Que traz o colete desapertado na cintura ou as calças desapertadas no cós. **3.** *Bras. MG* Diz-se do animal faminto ou malnutrido.

desbastador (ô) [De *desbastar* + *-dor*.] ***Adj.* 1.** Que desbasta. • ***S. m.* 2.** Aquele que desbasta. **3.** Plaina grande de carpinteiro.

desbastamento [De *desbastar* + *-mento*.] ***S. m.*** Ato ou efeito de desbastar; desbaste.

desbastar [De *des-* + *basto*^{2} + *-ar*^{2}.] ***V. t. d.* 1.** Tornar menos basto; fazer mais ralo: *desbastar o cabelo*. **2.** Desengrossar (uma peça), cortando: *desbastar uma tábua*. **3.** *Fig.* Tornar menos grosseiro; polir, aperfeiçoar, melhorar: *desbastar os modos*. **4.** Tirar a bruteza ou ignorância a; desemburrar, desasnar.

desbastardar [De *des-* + *bastardo* + *-ar*^{2}.] ***V. t. d.*** Legitimar (o que era bastardo).

desbaste [Dev. de *desbastar*.] ***S. m.* 1.** Desbastamento. **2.** *Bras. N.E.* Operação agrícola que consiste em arrancar, após a semeadura mecânica do algodão, as plantas em excesso, deixando nas distâncias convenientes as que devem permanecer.

desbatizar [De *des-* + *batizar*.] ***V. t. d.* 1.** Privar da graça do batismo. **2.** Tirar ou mudar o nome de batismo a. **3.** Tirar ou mudar o nome de: *desbatizar uma rua*. ***P.* 4.** Perder ou mudar o nome de batismo.

desbeiçar [De *des-* + *beiço* + *-ar*^{2}.] ***V. t. d.* 1.** Cortar o beiço ou os beiços a. **2.** Cortar ou quebrar as bordas a; esborcinar, desborcinar: *desbeiçar um muro*. [Conjug.: v. *laçar*.]

desbenzido [De *des-* + *benzido*.] ***Adj.*** Que não foi benzido: "Fracioná-la [a fé], decompô-la, ... é pregar-se o homem estupidamente numa cruz desbenzida, revirado com a cabeça para a terra, e os calcanhares contra o Céu." (Antônio Feliciano de Castilho, *O Presbitério da Montanha*, p. 116).

desbloquear [De *des-* + *bloquear*.] ***V. t. d.* 1.** Desfazer ou cortar o bloqueio a: *Desbloquearam o porto*. **2.** Permitir a movimentação de; desimpedir, destravar, desentravar. **3.** Desfazer o bloqueio psicológico a; desinibir: *O psiquiatra desbloqueou-lhe a mente*. ***P.* 4.** Perder o bloqueio psicológico; desinibir-se: *Sua memória desbloqueou-se, e ele reconheceu o velho amigo*. [Conjug.: v. *frear*.]

desbloqueio [Dev. de *desbloquear*.] ***S. m.*** Ato ou efeito de desbloquear.

desbobinar [De *des-* + *bobinar*.] ***V. t. d. T. d. e i.*** *Moç.* V. *desfiar* (3 e 8): "Outras latas se sucedem e o madalá, que já vinha encharcado em cabanga, desbobina toda a história da sua vida" (Nuno Bermudes, *O Círculo de Luz*, p. 86).

desbocado [Part. de *desbocar*.] ***Adj.* 1.** *Equit.* Que não obedece ao freio (o cavalo); desenfreado. **2.** *Fig.* Obsceno em palavras; impudico, inconveniente.

desbocamento [De *desbocar* + *-mento*.] ***S. m.*** *Bras.* Descomedimento na linguagem.

desbocar [De *des-* + *boca*^{1} (ô) + *-ar*^{2}.] ***V. t. d.* 1.** Calejar a boca de (cavalgadura), com freio duro. **2.** Despejar, entornar, desborcar: *desbocar um balde de água*. **3.** Tornar desbocado (2): *As más companhias desbocaram-na*. ***T. c.* 4.** Despejar, vazar, desaguar, desembocar: *O Tocantins desboca no Amazonas*. ***P.* 5.** Não obedecer ao governo (a cavalgadura). **6.** Tornar-se desbocado (2); descomedir-se. [Conjug.: v. *trancar*.]

desbolado [De *des-* + *bola* + *-ado*^{1}.] ***Adj.*** Sem bola ou juízo; desajuizado.

desbolinar [De *des-* + *bolina* + *-ar*^{2}.] ***V. t. d.*** *Marinh.* Desfazer as cocas de (um cabo).

desbolotar [De *des-* + *bolota* + *-ar*^{2}.] ***V. t. d.*** *Bras. S.* Tirar de (um ovino) as bolas de excremento que lhe ficam presas à lã.

desborcar [De *des-* + *borcar*.] ***V. t. d.* 1.** Virar de borco; despejar, entornar: *desborcar um pote*. ***Int.* 2.** Entornar-se; despejar-se. **3.** Esvaziar-se, voltando-se de borco. [Conjug.: v. *trancar*.]

desborcinar ***V. t. d.*** V. *esborcinar*.

desbordante [De *desbordar* + *-nte*.] ***Adj. 2 g.*** Que desborda; debordante.

desbordar [De *des-* + *borda* + *-ar*^{2}.] ***V. int.* 1.** Encher-se em demasia; transbordar, extravasar: *Os recipientes desbordavam*. **2.** Sair para fora do leito (rio). **3.** Estar ou ficar cheio em demasia; transbordar: *Todos saíram de casa: as ruas desbordam*. ***T. i.* 4.** Ultrapassar os limites: *A discussão desbordou da esfera religiosa*. ***T. d.* 5.** Fazer transbordar. ***P.* 6.** Extravasar-se, exceder-se: *Desbordava-se em exaltação*. [Sin. ger.: *desbordar*, *esbordar*. Pres. ind.: *desbordo*, etc. Cf. *desbordo* (ô).]

desbordo (ô) [Dev. de *desbordar*.] ***S. m.*** Ato ou efeito de desbordar. [Pl.: *desbordos* (ô). Cf. *desbordo*, do v. *desbordar*.]

desboroar [De *des-* + *boroa* + *-ar*^{2}.] ***V. t. d. P.*** V. *esboroar*. [Conjug.: v. *coroar*.]

desborrar [De *des-* + *borra* (ô) + *-ar*^{2}.] ***V. t. d.*** Tirar as borras a; limpar das borras: *desborrar uma vasilha*.

desbotado [Part. de *desbotar*.] ***Adj.* 1.** Diz-se da cor que perdeu a viveza primitiva; desmaiado, pálido. **2.** Diz-se daquilo que perdeu a sua cor; desmaiado: *vestido desbotado*. **3.** Sem brilho; amortecido.

desbotadura [De *desbotar* + *-dura*.] ***S. f.*** Desbotamento.

desbotamento [De *desbotar* + *-mento*.] ***S. m.*** Ato ou efeito de desbotar; desbotadura.

desbotar [De or. incerta.] ***V. t. d.* 1.** Fazer desvanecer a cor ou brilho de. **2.** Tornar menos viva (a cor). **3.** Alterar a cor de. **4.** Deslustrar; amortecer; afear. ***Int.* 5.** Perder a viveza da cor; desbotar-se: *O tecido, de um azul tão bonito, desbotou*. **6.** Sofrer mudança de cor. **7.** Deslustrar-se, amortecer. **8.** Apagar-se, obliterar-se; desbotar-se: "Mas desbotaram as imagens do meu primeiro curso." (Augusto Meyer, *Segredos da Infância*, p. 93.) ***P.* 9.** Desbotar (5). **10.** Desbotar (8): *Seu valor nunca se desbotará de nossa memória*. **11.** Perder a vivacidade ou brilho; deslustrar-se, amortecer-se: *Seu olhar desbotou-se com o tempo*. [Var. (p. us.): *debotar*.]

desbotável [De *desbotar* + *-vel*.] ***Adj. 2 g.*** Que desbota; sujeito a desbotar.

desbote [Dev. de *desbotar*.] ***S. m.*** Perda do viço e da viveza da cor.

desbragadamente [Do f. de *desbragado* + *-mente*.] ***Adv.*** De modo desbragado; descomedidamente: "Taioba contava casos, inventava histórias, mentia desbragadamente." (Antônio Celso Alves Pereira, *A Porta de Jerusalém*, p. 29.)

desbragado [Part. de *desbragar*.] ***Adj.* 1.** Descomedido, impudico; indecoroso. • ***S. m.* 2.** Indivíduo desbragado.

desbragamento [De *desbragar* + *-mento*.] ***S. m.* 1.** Qualidade ou ato de desbragado. **2.** Descomedimento de linguagem ou de atitudes; despudor, despejo.

desbragar [De *des-* + *braga* + *-ar*^{2}.] ***V. t. d.* 1.** *Marinh.* Desprender da braga (2). **2.** Não refrear (a linguagem, os modos, a ironia, etc.), fugindo, assim, do conveniente ou convencionado. **3.** Tornar libertino, dissoluto, impudico: *O mau convívio desbragou-o*. [Conjug.: v. *largar*.]

desbravador (ô) [De *desbravar* + *-dor*.] ***Adj. S. m.*** Que, ou aquele que desbrava.

desbravamento [De *desbravar* + *-mento*.] ***S. m.*** Ato ou efeito de desbravar.

desbravar [De *des-* + *bravo*^{1} + *-ar*^{2}.] ***V. t. d.* 1.** Tornar manso; domar, amansar: *desbravar o cavalo*. **2.** Preparar (terreno) para cultura; arrotear. **3.** Explorar (terras desconhecidas). **4.** Limpar, mondar; abrir: *desbravar um caminho*. ***Int.* 5.** Perder a braveza; amansar-se.

desbravejado [Part. de *desbravejar*.] ***Adj.*** *Bras. S.* Diz-se de terreno que se desbravejou.

desbravejar [De *des-* + *bravo*^{1} + *-ejar*.] ***V. t. d.*** *Bras. S.* Limpar, roçar, tirar as coivaras a (o terreno); desbravar. [Conjug.: v. *pelejar*.]

desbriado [De *des-* + *brio* + *-ado*^{1}.] ***Adj. S. m.*** Diz-se de, ou indivíduo sem brio; desavergonhado.

desbriamento [De *desbriar* + *-mento*.] ***S. m.*** Desbrio.

desbriar [De *des-* + *brio* + *-ar*^{2}.] ***V. t. d.* 1.** Tirar o brio a; causar desbrio a; humilhar. ***P.* 2.** Perder o brio, o caráter, a dignidade; rebaixar-se, aviltar-se.

desbridamento [De *desbridar* + *-mento*.] ***S. m.*** *Cir.* Remoção, em lesão traumática ou de outra natureza, de corpo estranho ou de tecido desvitalizado; debridamento. ◆ **Desbridamento cirúrgico.** *Cir.* O que se faz por meios cirúrgicos. **Desbridamento enzimático.** *Med.* O que se faz mediante emprego de enzimas atóxicas, não irritantes, e que não lesem tecido são.

desbridar [De *des-* + *bridar*.] ***V. t. d.* 1.** Tirar a brida ou bridão a; desembridar. **2.** *Cir.* Praticar desbridamento em; debridar. ***P.* 3.** Soltar-se da brida (o animal); desembridar.

desbrio [De *des-* + *brio*.] ***S. m.*** Falta de brio, de vergonha, de pundonor; desbriamento.

desbrioso (ô) [De *des-* + *brioso*.] ***Adj.*** Que não é brioso; que não tem brio.

desbrochar [De *des-* + *brocha* + *-ar*^{2}.] ***V. int.*** *P. us.* V. *desabrochar* (5): "Secar-se o orvalho à flor que desbrochava, / E o inverno negrejar a primavera!..." (Barão de Paranapiacaba, *Poesias Escolhidas*, p. 34.)

desbulhar^1 [Do lat. *despoliare*, 'despojar'.] ***V. t. d. T. d. e i. P.*** *P. us.* Debulhar.

desbulhar^2 [De *esbulhar*, com var. pref.] ***V. t. d. T. d. e i.*** V. *espoliar*.

desbundado [Part. de *desbundar.*] *Adj. Bras. Gír.* Diz-se daquele que desbundou.

desbundante [De *desbundar* + *-nte.*] *Adj. 2 g. Bras. Gír.* Que desbunda [v. *desbundar* (1)]; maravilhoso, deslumbrante: *É uma atriz desbundante em qualquer papel.*

desbundar [De *des-* + *bunda* + *-ar*².] *V. int. Bras. Gír.* **1.** Causar grande admiração, impacto. **2.** Perder o autodomínio; perder a compostura, o comedimento. **3.** Rasgar a fantasia (q. v.).

desbunde [Dev. de *desbundar.*] *S. m. Bras. Gír.* **1.** Ato ou efeito de desbundar. **2.** Deslumbramento; loucura.

desburocratização [De *desburocratizar* + *-ção.*] *S. f.* Ato ou efeito de desburocratizar(-se).

desburocratizante [De *desburocratizar* + *-nte.*] *Adj. 2 g.* Que desburocratiza.

desburocratizar [De *des-* + *burocratizar.*] *V. t. d.* **1.** Fazer perder o caráter, a feição, os hábitos burocráticos. *P.* **2.** Perder esse caráter, essa feição, esses hábitos.

desburrificar [De *des-* + *burrificar.*] *V. t. d.* Fazer que deixe de ser burro; desasnar. [Conjug.: v. *trancar.*]

descabaçar [De *des-* + *cabaço*² + *-ar*².] *V. t. d. Bras. Chulo* Tirar o cabaço a; desvirginar. [Conjug.: v. *laçar.*]

descabeçado [De *des-* + *cabeça* + *-ado*¹.] *Adj. S. m. Bras.* Diz-se de, ou indivíduo sem cabeça (6), sem juízo; maluco, desmiolado.

descabeçar [De *des-* + *cabeça* + *-ar*².] *V. t. d.* **1.** Cortar a cabeça a; decapitar. **2.** Cortar a(s) ponta(s) a; amputar. **3.** *Bras. SP* Limpar (um terreno) de touceiras e tocos. *Int.* **4.** Perder a parte alta; diminuir em altura; descair, baixar: *A maré começa a descabeçar.* [Conjug.: v. *começar.*]

descabelado[1] [De *des-* + *cabelo* + *-ado*¹.] *Adj.* Sem cabelo (por natureza); escabelado.

descabelado[2] [Part. de *descabelar.*] *Adj.* **1.** Cujo cabelo foi arrancado; sem cabelo, escabelado. **2.** *Fam.* Despenteado, desgrenhado, escabelado. **3.** *Fig.* Exagerado, excessivo: *mentira descabelada.*

descabelar [De *des-* + *cabelo* + *-ar*².] *V. t. d.* **1.** Tirar ou arrancar os cabelos a. **2.** Desgrenhar, despentear: *O vento descabelou-a. P.* **3.** Arrancar os cabelos a si mesmo; desgrenhar-se, arrepelar-se. [Sin. ger.: *escabelar.*] **4.** Desmedir-se. **5.** Desesperar-se. **6.** Enfurecer-se.

descaber [De *des-* + *caber.*] *V. int.* **1.** Não ter cabimento ou cabida; não caber; não vir a propósito: *Tais comentários descabem. T. i.* **2.** Não competir; não tocar: *Descabe-lhe o voto no julgamento desta causa.* [Irreg. Conjug.: v. *caber*, mas ger. só se usa no part. e nas 3as pess.]

descabido [Part. de *descaber.*] *Adj.* Que não tem cabimento; impróprio, inconveniente, inoportuno.

descachaçar [De *des-* + *cachaça* + *-ar*².] *V. t. d. Bras.* Limpar (o suco da cana-de-açúcar) da cachaça (1). [Conjug.: v. *laçar.*]

descadeirado [Part. de *descadeirar.*] *Adj. Bras.* **1.** Diz-se do animal que, por acidente ou por doença, arrasta as patas traseiras. **2.** *P. ext.* Diz-se de quem, por qualquer enfermidade, tem dor nas cadeiras. **3.** *P. ext.* Diz-se de quem foi espancado; derrengado. **4.** *P. ext.* Fatigado, cansado, extenuado.

descadeirar [De *des-* + *cadeira* + *-ar*².] *V. t. d.* **1.** Bater nas ancas ou cadeiras de. **2.** Derrear com pancadas; derrengar, desancar. *P.* **3.** Mover muito as cadeiras; saracotear-se. [Sin.: *escadeirar.*]

descafeinação (e-i) [De *descafeinar* + *-ção.*] *S. f.* Ato ou efeito de descafeinar.

descafeinado (e-i) [Part. de *descafeinar.*] *Adj.* Que se descafeinou; sem cafeína.

descafeinar (e-i) [De *des-* + *cafeína* + *-ar*².] *V. t. d.* Extrair (do café, do guaraná, etc.) a cafeína.

descaída [De *descair* + *-ida*³.] *S. f.* **1.** Ato de descair. **2.** Lapso, erro, descuido. **3.** Indiscrição (1).

descaído [Part. de *descair.*] *Adj.* **1.** Caído, inclinado, tombado. **2.** Abatido, prostrado.

descaimento (a-i) [De *descair* + *-mento.*] *S. m.* **1.** Estado do que descai ou descaiu; declinação, decadência. **2.** Abatimento, prostração.

descair [De *des-* + *cair.*] *V. t. d.* **1.** Deixar pender ou cair: *descair os braços. Int.* **2.** Inclinar-se lentamente; abaixar-se, declinar: *O Sol vai descaindo.* **3.** Curvar-se, vergar: *As árvores descaíam ao vento.* **4.** Cair, pender: *Suas pálpebras descaem*; "Descaía-lhe o rosto esmaecido / Sobre o mármore branco de seu peito." (Gonçalves Crespo, *Obras Completas*, p. 186). **5.** Sofrer diminuição ou decadência; declinar: *Sua reputação descai.* **6.** Perder as forças; esmorecer, desfalecer: *Os caminhantes descaíam de fadiga.* **7.** Mudar de rumo, derivar (embarcação). **8.** Abrandar, serenar, amainar: *A tempestade foi descaindo. T. i.* **9.** Descambar; derivar: *Seu estilo se complica e descai em prolixidade.* **10.** Afastar-se, apartar-se: *descair do rumo.* **11.** Sofrer diminuição; decair: *descair da fama. T. c.* **12.** Desviar-se; apartar-se: *O menino pulou o muro e descaiu para o beco.* **13.** Estar inclinado em (certa direção): *A casa descaía para o lado do rio. P.* **14.** Tornar-se indiscreto ou inconveniente. [Irreg. Conjug.: v. *sair.*]

descalabro [Do esp. *descalabro.*] *S. m.* **1.** Grande dano ou perda; ruína: "Os desacertos naturais à implantação do regime e os descalabros, evitáveis ou inevitáveis, cunharam por aqui a ideia de 'republicanizar a República'." (João Neves da Fontoura, *Memórias*, I, p. 13.) **2.** Desgraça, derrota.

descalar [De *des-* + *calar*².] *V. t. d. Bras. Marinh.* Tirar (o leme da embarcação) do lugar.

descalçadeira [De *descalçar* + *-deira.*] *S. f.* **1.** V. *calçadeira.* **2.** *Fig.* V. *descompostura* (2). **3.** *Fig.* V. *repreensão* (1).

descalçadela [De *descalçar* + *-dela.*] *S. f. Pop.* **1.** V. *descompostura* (2). **2.** V. *repreensão* (1).

descalçador (ô) [De *descalçar* + *-dor.*] *Adj.* **1.** Que descalça. ● *S. m.* **2.** V. *calçadeira.*

descalçar [Do lat. *discalceare.*] *V. t. d.* **1.** Tirar (aquilo que vestia a perna, o pé ou a mão): *descalçar as luvas.* **2.** Despir (pé, mão ou perna) daquilo com que estava calçado. **3.** Tirar o calço ou apoio a: *descalçar um móvel; descalçar a roda do carro.* **4.** *Fig.* Privar de auxílio ou recurso; desamparar. **5.** Tirar o empedramento de; desempedrar: *descalçar uma rua. P.* **6.** Tirar o próprio calçado: "O hóspede descalçou-se, despiu-se, ... deitou-se" (Artur Azevedo, *Contos Cariocas*, p. 59). [Conjug.: v. *laçar.* Tem part. duplo: *descalçado* e *descalço.*]

descalcificação [De *descalcificar* + *-ção.*] *S. f. Med. Odont.* Perda de sais de cálcio, a partir de osso ou de dente.

descalcificado [Part. de *descalcificar.*] *Adj.* Que se descalcificou.

descalcificar [De *des-* + *calcificar.*] *V. int. P.* Sofrer perda de cálcio.

descalço [Do lat. vulg. **discalceu.*] *Adj.* **1.** Tirado do pé; descalçado: "Tenda de neve — a cortina; / Dois bustos, um ramilhete / Além; descalça botina / Sobre o tapete." (Alberto de Oliveira, *Poesias*, 1ª série, p. 220.) **2.** Sem calçado. **3.** De pés nus, ou calçados apenas com meias. **4.** *Fig. Pop.* Desprevenido (2). **5.** *Turfe* Diz-se do cavalo que corre sem ferraduras.

descalhoar [De *des-* + *calhau* + *-ar*².] *V. t. d.* Limpar dos calhaus; tirar os calhaus ou pedras de; desempedrar. [Conjug.: v. *coroar.*]

descalibrado [Part. de *descalibrar.*] *Adj.* Que se descalibrou: *Os pneus descalibrados foram a causa do acidente.*

descalibrar [De *des-* + *calibrar.*] *V. t. d.* **1.** Fazer diminuir, ou aumentar, a conveniente pressão de ar de (câmara de ar, pneu, etc.). *Int.* **2.** Perder a conveniente pressão de ar.

descaliçar [De *des-* + *caliça* + *-ar*².] *V. t. d.* Tirar a caliça a; escaliçar. [Conjug.: v. *laçar.*]

descalvadense *Adj. 2 g.* **1.** De, ou pertencente ou relativo a Descalvado (SP). ● *S. 2 g.* **2.** O natural ou habitante de Descalvado.

descalvado [Part. de *descalvar.*] *Adj.* V. *escalvado* (1 e 2).

descalvar [De *des-* + *calvo* + *-ar*².] *V. t. d.* Escalvar.

descamação [De *descamar* + *-ção.*] *S. f.* **1.** Ato de descamar. **2.** *Geol.* Separação, em forma de escama, das partes exteriores de uma rocha; esfoliação. **3.** *Derm.* Queda, sob a forma de escamas, de elementos epiteliais da pele.

descamante [De *descamar* + *-nte.*] *Adj. 2 g.* **1.** Que (se) descama; escamante. **2.** *Bot.* Que se esfolia em lâminas delgadas, como, p. ex., o súber e a casca externa das árvores.

descamar [De *escamar*, com mudança de pref.] *V. t. d. P.* Escamar (1 e 3).

descambação [De *descambar* + *-ção.*] *S. f.* Ato ou efeito de descambar.

descambada [F. subst. de *descambado.*] *S. f.* **1.** *Bras.* Lapso, erro, descaída. **2.** *Bras. RS* Encosta mais ou menos íngreme; descambado.

descambado [Part. de *descambar.*] *Adj.* **1.** Que descambou. ● *S. m.* **2.** *Bras.* Terreno em declive. **3.** *Bras. RS* Descambada (2).

descambar [De *des-* + *cambar*¹.] *V. int.* **1.** Cair, desabar, tombar: *descambou uma tempestade.* **2.** *Bras. RS* Descer (coxilha ou cerro). *T. i.* **3.** *Fig.* Dizer inconveniências. **4.** Passar a pior; descair, degenerar: *As pilhérias descambaram em ofensas; Após alguns minutos, a conversa descambou em patifaria.* **5.** *Bras. S.* Espancar com (relho, facão, etc.): *Descambou o rebenque no rapaz por uma tolice. T. c.* **6.** Descer, declinar: *O Sol descamba no ocaso. T.* **7.** Tender, derivar: *O veículo descamba para a esquerda.*

descaminhar [De *des-* + *caminhar.*] *V. t. d. T. d. e i. P.* V. *desencaminhar.*

descaminho [Dev. de *descaminhar.*] *S. m.* **1.** Ato ou efeito de descaminhar(-se). **2.** Extravio, sumiço. **3.** Exportação clandestina. [Cf., nesta acepç., *contrabando* (1).]

descamisa [Dev. de *descamisar.*] *S. f.* V. *descamisada.*

descamisada [De *descamisar* + *-ada*¹.] *S. f.* Ato de descamisar (o milho); descamisa, desfolhada, desfolho, escamisada, escamisadela, esfolhada, esfolhadela.

descamisado [Part. de *descamisar.*] *Adj. S. m.* **1.** Que, ou aquele que não tem camisa. **2.** Maltrapilho, roto, esfarrapado.

descamisar [De *des-* + *camisa* + *-ar*².] *V. t. d.* **1.** Tirar a camisa a. **2.** Tirar a camisa (7) a; desfolhar; escarpelar. [Sin. ger.: *desencamisar, escamisar.*]

descampado [De *des-* + *campo* + *-ado*¹.] *Adj.* **1.** Diz-se de lugar desabrigado e desabitado: *terreno descampado.* ● *S. m.* **2.** Campo extenso, inculto, aberto e desabitado. [Sin. ger.: *escampado.*]

descampar [De *des-* + *campo* + *-ar*².] *V. int.* **1.** Correr pelo campo: *Os animais descamparam.* **2.** Desarvorar, sumir, desaparecer.

descangar [De *des-* + *canga.*] *V. t. d.* Tirar a canga a: *descangar os bois.* [Conjug.: v. *largar.*]

descangotado [Part. de *descangotar.*] *Adj. Bras.* **1.** Que tem a cabeça caída para trás. **2.** Prostrado, combalido, abatido.

descangotar [De *des-* + *cangote* + *-ar*².] *V. int. Bras.* **1.** Ficar com a cabeça caída para trás. **2.** Ficar prostrado, combalido, enfraquecido; abater-se.

descanhotar [De *des-* + *canhota* + *-ar*².] *V. t. d. Bras.* **1.** Destroncar, desengonçar, desarticular: *Na queda, descanhotou o pulso.* **2.** Quebrar a força do braço a. *P.* **3.** *Bras. S. Pop.* Andar com ligeireza e desembaraço: "e passeou a ferramenta pelo vazio da mula, que se descanhotou logo, estrada afora, violenta e macia no trote de cão." (Valdomiro Silveira, *Os Caboclos*, p. 67).

descanjicar [De *des-* + *canjica* + *-ar*².] *V. t. d.* **1.** *Bras.* Reduzir a fragmentos, partir miúdo, como se faz com o milho para canjica. **2.** *Bras.* Fazer em pedaços; fazer pedaços, espatifar, espedaçar: *descanjicar um vaso.* **3.** *Bras. SP* Bater com violência em. [Conjug.: v. *trancar.*]

descansadeiro [De *descansar* + *-deiro.*] *S. m.* Lugar onde se descansa.

descansado [Part. de *descansar.*] *Adj.* **1.** Tranquilo, sossegado, descuidoso: *Fique descansado, que tudo sairá bem.* **2.** Lento, vagaroso: *É pessoa muito descansada no trabalho.*

descansar [De *des-* + *cansar.*] *V. t. d.* **1.** Dar descanso a; livrar de fadiga: *descansar o corpo.* **2.** Livrar de receio, cuidado, aflição; Tranquilizar, acalmar, sossegar: *A boa notícia descansou-o.* **3.** Aliviar, mitigar, diminuir, suavizar: *Estas alegrias descansam as penas da vida.* **4.** Dar pausa a; suspender, interromper. *T. d. e i.* **5.** Fixar, fitar: *Descansou os olhos no irmão. T. i.* **6.** Basear-se, estribar-se, fundar-se: *Sua teoria descansa na experiência.* **7.** Acreditar, confiar, crer: *Descansei na eficácia da prece*; "Em mim se apoiava, / Em mim se firmava, / Em mim descansava, / que filho lhe sou." (Gonçalves Dias, *Obras Poéticas*, II, pp. 24-25). **8.** Deixar aos cuidados de; confiar: *O diretor descansa no gerente. T. d. e c.* **9.** Apoiar, encostar, firmar: *Descansou o cotovelo na mesa. T. c.* **10.** Firmar-se, apoiar-se, escorar-se, assentar: *A sacada descansa em três colunas.* **11.** Estar pousado; jazer: *À margem do rio descansam os seixos. Int.* **12.** Tomar descanso; repousar do cansaço: *Deitou-se para descansar*; "Teu coração dentro do meu descansa." (Antônio Nobre, *Só*, p. 108). **13.** Ficar de pousio (terra): *O roçado descansou um ano.* **14.** Estar na cama; dormir. **15.** Estar sepultado; repousar eternamente. **16.** Tranquilizar-se, aliviar-se, acalmar-se, sossegar: *Só descansarei quando encontrar meu filho.* **17.** *Bras.* V. *morrer* (1). **18.** *Bras.* Dar à luz; parir: "Papai manda dizer ao senhor e a Dona Filomena que mamãe descansou e que lá em casa tem mais um criadinho às ordens." (Mário Souto Maior, *Como Nasce um Cabra da Peste*, p. 67.)

descansense *Adj. 2 g.* **1.** De, ou pertencente ou relativo a Descanso (SC). ● *S. 2 g.* **2.** O natural ou habitante de Descanso.

descanso [Dev. de *descansar.*] *S. m.* **1.** Ato ou efeito de descansar. **2.** *Fig.* Sossego, tranquilidade; paz. **3.** Ócio, folga, vagar. **4.** Pachorra, lentidão. **5.** Apoio, proteção. **6.** Alívio, consolo. **7.** Sono (2). **8.** Objeto sobre o qual outro assenta ou se apoia. **9.** Forquilha (2). **10.** Ressalto existente no gatilho, o qual oferece resistência ao dedo do atirador durante o acionamento do disparo. **11.** *Arquit.* Espaço ao lado da chegada de uma escada, em cada pavimento, para tornar mais suave a subida. **12.** *Arquit.* Nas escadas de lanços compridos, patamar. **13.** Habitação, morada. ◆ **Descanso cômico.** *Teatr.* V. *alívio cômico.* **Descanso eterno.** A morte.

descantar[1] [De *des-* + *cantar.*] *V. t. d. Int.* **1.** *Mús.* Cantar ao som de um instrumento. **2.** *Mús.* Cantar ao desafio. **3.** *Mús.* Cantarolar (1). *T. i.* **4.** Dizer mal, censurar: *descantar do próximo.* **5.** Harmonizar-se, condizer, afinar.

descantar^2 [De *des-* + *canto*^{3} + *-ar*^{2}.] *V. t. d.* Descantear.

descante [Dev. de *descantar*^{1}.] *S. m. Mús.* **1.** Ato de descantar^1. **2.** *Mús.* Cantiga popular, acompanhada de um instrumento. **3.** *Mús. Ant.* Espécie de viola pequena. **4.** *Mús.* Desafio entre cantadores. **5.** *Mús.* Instrumento musical que toca a voz do soprano. [Cf. descanto.]

descantear [De *des-* + *canto*^{3} + *-ear*^{2}.] *V. t. d.* Limpar de cantos (as pedras); descantar^2. [Conjug.: v. *frear*.]

descanto [Dev. de *descantar*^{1}.] *S. m. Mús.* **1.** Forma polifônica medieval (séc. XI) que sucedeu ao órgano, já com o emprego do movimento contrário sobre o canto firme, mas ainda baseada em vozes ritmicamente iguais. [Cf. *diafonia* (2).] **2.** Desde o séc. XII, canto a várias vozes; canto de estante. **3.** Voz superior de uma polifonia. **4.** Voz de soprano, na música polifônica. [Cf. *descante*.] ◆ **Descanto florido.** *Mús.* No séc. XII, o descanto, em geral a três vozes, no qual a cada som do canto firme correspondiam, nas outras vozes, sons de valores diferentes.

descapacitar-se [De *des-* + *capacitar* + *se*^{1}.] *V. p.* Despersuadir-se, dissuadir-se: *Descapacitou-se de sua convicção inicial.*

descapitalização [De *descapitalizar* + *-ção*.] *S. f. Econ.* Redução no valor do capital; diminuição do patrimônio.

descapitalizado [Part. de *descapitalizar*.] *Adj.* Que se descapitalizou.

descapitalizar [De *des-* + *capitalizar*.] *V. t. d. Econ.* **1.** Promover a descapitalização de. *Int. P.* **2.** Sofrer descapitalização: "a perda maior foi para aqueles que haviam investido grandes capitais em escravos e viam a rentabilidade destes baixar dia a dia. O sistema se descapitalizava lentamente" (Celso Furtado, *Formação Econômica do Brasil*, p. 85).

descapotável [De **descapotar* (< *des-* + *capota* + *-ar*^{2}) + *-vel*.] *Adj. 2 g. S. m. Lus.* Conversível (4 e 5).

descaracterização [De *descaracterizar* + *-ção*.] *S. f.* Ato ou efeito de descaracterizar(-se). [Var.: *descaraterização*.]

descaracterizar [De *des-* + *caracterizar*.] *V. t. d.* **1.** Tirar o caráter a; fazer perder o característico a: *As fábricas e os edifícios descaracterizavam a vila.* **2.** Desfazer a caracterização a: *O maquilador descaracterizou a atriz. P.* **3.** Perder os característicos. **4.** Desfazer ou tirar a caracterização: *Depois do espetáculo o intérprete descaracterizou-se.* [Var.: *descaraterizar*.]

descarado [Part. de *descarar*.] *Adj. S. m.* **1.** Desavergonhado, impudente. **2.** Insolente, atrevido.

descaramento [De *descarar* + *-mento*.] *S. m.* **1.** Falta de vergonha; impudência. **2.** Desaforo, insolência, atrevimento. [Sin. ger.: *descaro*.]

descarapuçar [De *des-* + *carapuça* + *-ar*^{2}.] *V. t. d.* Tirar a carapuça a. [Conjug.: v. *laçar*.]

descarar [De *des-* + *cara* + *-ar*^{2}.] *V. t. d.* **1.** Tirar o pejo a; desavergonhar: *O dinheiro e as más companhias o descaravam. P.* **2.** Perder a vergonha; tornar-se atrevido, impudente.

descaraterização *S. f.* V. *descaracterização*.

descaraterizar *V. t. d. P.* V. *descaracterizar*.

descarbonetação [De *descarbonetar* + *-ção*.] *S. f. Metal.* Aquecimento de ferro, ou aço rico em carbono, a alta temperatura em atmosfera livre deste elemento, o que provoca perda de átomos de carbono, por difusão. [É us. para transformar ferro-gusa em aço.]

descarbonetar [De *des-* + *carboneto* + *-ar*^{2}.] *V. t. d. Metal.* Realizar a descarbonetação de.

descarbonizar [De *des-* + *-carbon(i)-* + *-izar*.] *V. t. d.* Retirar o carvão depositado no cabeçote, no interior do motor.

descarboxilação (cs) [De *descarboxilar* + *-ção*.] *S. f. Quím.* Operação em que, mediante reagentes apropriados, se retira uma carboxila de um ácido orgânico.

descarboxilar (cs) [De *des-* + *carboxila* + *-ar*^{2}.] *V. t. d. Quím.* Provocar a descarboxilação de (um ácido).

descarburização [De *descarburizar* + *-ção*.] *S. f. Quím.* Diminuição do teor de carbono de um sistema composto.

descarburizar [De *des-* + *carburizar*.] *V. t. d. Quím.* Provocar descarburização em.

descarga [De *des-* + *carga*.] *S. f.* **1.** Ato de descarregar; descarregamento. **2.** Cancelamento de carga; baixa. **3.** Tiro de espingarda, revólver, canhão, etc. **4.** Muitos tiros disparados simultaneamente. **5.** Escapamento dos gases da combustão (em motor de explosão). **6.** *Art. Gráf.* V. *folha de descarga*. **7.** *Eletr.* Condução de eletricidade através de um gás; descarga elétrica. **8.** *Eletr.* Escoamento da carga elétrica de um capacitor. **9.** *Eletr.* Fornecimento de corrente elétrica por uma bateria. **10.** V. *vazão* (2). **11.** *P. ext.* Dispositivo que controla a saída de água de um vaso sanitário. ◆ **Descarga elétrica.** *Eletr.* Descarga (7). **Descarga em arco.** *Eletr.* Descarga elétrica em um gás, realizada sob tensão baixa e com intensidade de corrente elevada. **Descarga epiléptica.** *Neur. Psiq.* Descarga oriunda de neurônios, decorrente da atividade simultânea de muitas dessas células. **Descarga epiléptica crítica.** *Neur. Psiq.* Registro de onda ou de grupos de ondas pelo eletrencefalograma, que acompanha(m), de modo paroxístico, as manifestações clínicas de crises epilépticas. **Descarga fluvial.** V. *vazão* (2). **Descarga sólida.** Proporção de matéria sólida transportada, em suspensão ou dissolução, por um curso de água, e ger. expressa em gramas por metro cúbico do líquido.

descargo [De *des-* + *cargo*.] *S. m.* V. *desencargo*: "Quando viu aquele senhor beijar a rapariga, atirou-lhe uma ladradela, por descargo de consciência." (Miguel Torga, *Bichos*, p. 11.)

descaridade [De *des-* + *caridade*.] *S. f.* Falta de caridade.

descaridoso (ô) [De *des-* + *caridoso*.] *Adj.* Que não tem, ou em que não há caridade: "Fui cruel e descaridoso com Nhá Chica." (Francisco Ribeiro Sampaio, *Renembranças*, p. 1); *procedimento descaridoso.*

descarinhoso (ô) [De *des-* + *carinhoso*.] *Adj.* **1.** Não carinhoso; seco. **2.** Severo, ríspido.

descarnado [Part. de *descarnar*.] *Adj.* **1.** Que se descarnou. **2.** Que tem poucas carnes. **3.** Muito magro. **4.** Privado de carnes.

descarnadura [De *descarnar* + *-dura*.] *S. f.* Operação de descarnar.

descarnar [De *des-* + *carne*^{1} + *-ar*^{2}.] *V. t. d.* **1.** Separar a carne os ossos de: *descarnar uma ave.* **2.** Separar da casca (polpa de fruta, árvore, etc.); descascar: *descarnar um tronco de árvore.* **3.** Cavar, escavar: *As chuvas prolongadas descarnaram a montanha.* **4.** Tornar muito magro; emagrecer muito; ressequir: *A doença descarnou-o.* **5.** *Arquit. Fig.* Pôr a descoberto base ou alicerce de (um edifício). *T. d. e i.* **6.** Separar de si; afastar: *descarnar a inveja do coração.* **7.** Desapegar, desafeiçoar. *P.* **8.** Perder as carnes; emagrecer.

descaro [Dev. de *descarar*.] *S. m.* V. *descaramento*.

descaroável [De *des-* + *caroável*.] *Adj. 2 g.* Descaridoso, inclemente; descarinhoso.

descaroavelmente (àv) [De *descaroável* + *-mente*.] *Adv.* De modo descaroável; cruelmente, descaridosamente: "três meses esteve esperando a rainha, até que afinal D. Pedro se casou um dia, para, no outro, abandonar descaroavelmente a esposa." (Oliveira Martins, *A Vida de Nun'Álvares*, p. 21).

descaroçador (ô) [De *descaroçar* + *-dor*.] *Adj.* **1.** Que descaroça. ● *S. m.* **2.** Aparelho, ou máquina, para descaroçar.

descaroçamento [De *descaroçar* + *mento*.] *S. m.* Operação de descaroçar.

descaroçar [De *des-* + *caroço* + *-ar*^{2}.] *V. t. d.* Tirar o(s) caroço(s) a. [Conjug.: v. *laçar*.]

descarrar [De *des-* + *carro* + *-ar*^{2}.] *V. t. d.* Tirar do carro; descarregar: *descarrar as mercadorias.*

descarregadoiro [De *descarregar* + *-doiro*^{2}.] *S. m.* Descarregadouro (q. v.).

descarregador (ô) [De *descarregar* + *-dor*.] *Adj.* **1.** Que descarrega. ● *S. m.* **2.** Aquele que descarrega. **3.** Instrumento para descarregar.

descarregadouro [De *descarregar* + *-douro*^{2}; var. de *descarregadoiro*.] *S. m.* Lugar próprio para descargas.

descarregamento [De *descarregar* + *-mento*.] *S. m.* Descarga (1).

descarregar [De *des-* + *carregar*.] *V. t. d.* **1.** Tirar a carga (1) de: *descarregar um caminhão; descarregar os animais.* **2.** Tirar ou extrair a carga de (arma de fogo). **3.** Disparar a carga de (arma de fogo). **4.** Tirar de um carro; descarrar: *descarregar as sacas.* **5.** Tranquilizar, sossegar, desoprimir, aliviar: *A confissão do erro descarregou sua consciência.* **6.** Desafogar, desabafar, expandir: *descarregou a raiva.* **7.** Vibrar com força; dar com ímpeto: *descarregar uma paulada.* **8.** *Eletr.* Retirar carga elétrica de (um sistema que a tenha acumulado). **9.** *Inform.* V. *baixar* (4). **10.** *Med.* Lançar, evacuar: *descarregar humores. T. d. e i.* **11.** Livrar do que pesa, aliviar, desobrigar, desonerar: *O governo descarregou o povo dos impostos.* **12.** Transmitir, confiar: *Descarregou no amigo seus cuidados.* **13.** Arremessar, vibrar: *Descarregou rudes golpes no adversário.* **14.** Imputar, atribuir: *Descarregou a culpa no sócio. T. d. e c.* **15.** Arremessar, lançar, despejar: *O rio descarrega suas águas no Atlântico. T. c.* **16.** Dar com ímpeto; cair, incidir, tombar: *A tempestade descarregou sobre a cidade. Int.* **17.** Despejar carga. **18.** *Autom.* Ficar sem carga; arriar: *A bateria do fusca descarregou. P.* **19.** Livrar-se, aliviar-se, desonerar-se: *descarregar-se das responsabilidades.* **20.** Serenar(-se), acalmar(-se): *Depois de se confessar, seu espírito descarregou-se.* **21.** Esvaziar-se. [Conjug.: v. *regar*. Pres. ind.: *descarrego*, etc. Cf. *descarrego* (ê).]

descarrego (ê) [Dev. de *descarregar*.] *S. m. Ant. Pop.* Ato de descarregar; descargo. [Pl.: *descarregos* (ê). Cf. *descarrego*, do v. *descarregar*.]

descarreirar [De *des-* + *carreira* + *-ar*^{2}.] *V. t. d.* Tirar ou desviar da carreira ou carreiro; desencaminhar, descaminhar, desencarreirar: *O guia era inapto e descarreirou a expedição.*

descarreto (ê) [De *des-* + *carreto*.] *S. m.* **1.** *Bras. S.* Local de rio onde, por este oferecer dificuldade à navegação, a embarcação deve ser aliviada de carga. **2.** *Bras. GO* Ação de descarregar(-se). [Pl.: *descarretos* (ê).]

descarrilamento [De *descarrilar* + *-mento*.] *S. m.* Ato ou efeito de descarrilar. [Var. (bras.): *descarrilhamento*. Sin.: *desencarrilamento* e *desencarrilhamento*.]

descarrilar [De *des-* + *carril* + *-ar*^{2}.] *V. t. d.* **1.** Fazer sair, ou desviar, dos trilhos do carril: *A árvore caída descarrilou o trem. Int.* **2.** Saltar (uma carruagem) fora dos trilhos sobre os quais ia rodando: "Um trem de carga .... descarrilou na madrugada de ontem numa zona desértica da Califórnia" (*Jornal do Brasil*, 09.01.1982). **3.** *Fig.* Sair da linha reta ou do bom caminho; desviar-se da lógica ou do bom senso; disparatar, desassisar. **4.** *Fig.* Comportar-se mal; desregrar-se: *Leviana, não tardou a descarrilar.* [Var. (bras.): *descarrilhar*. Sin.: *desencarrilar* e *desencarrilhar*.]

descarrilhamento *S. m. Bras.* V. *descarrilamento*.

descarrilhar *V. t. d. Int. Bras.* V. *descarrilar*: "o major não viu a expressão do rosto, não percebeu que o espírito do homem ia talvez descarrilhar" (Machado de Assis, *Quincas Borba*, p. 335).

descartar [De *des-* + *carta* + *-ar*^{2}.] *V. t. d.* **1.** Rejeitar (a carta de baralho que não serve, devolvendo-a à mesa). **2.** Obrigar a jogar (certas cartas). **3.** Pôr de parte; não levar em conta; afastar: *A polícia descartou qualquer hipótese de acidente.* **4.** Pôr de parte; deixar de usar ou jogar fora após o uso: *Dada a injeção, descartou a seringa. P.* **5.** Pôr de lado certas cartas, no jogo; baldar-se. **6.** Livrar-se de pessoa ou coisa incômoda, enfadonha ou importuna: *Tudo fez para descartar-se do repórter.* **7.** Pôr de parte; deixar de usar ou jogar fora após o uso: *Descartou-se das lâminas usadas.*

descartável [De *descartar* + *-vel*.] *Adj. 2 g.* Que se pode ou se deve descartar (4): *fraldas descartáveis.*

descarte [Dev. de *descartar*.] *S. m.* **1.** Ato ou efeito de descartar(-se). **2.** As cartas descartadas [v. *descartar* (1)] no jogo. **3.** *Fig.* Evasiva.

descasado [Part. de *descasar*.] *Adj. Bras. Fam.* Que se separou (de cônjuge ou parceiro): *Este rapaz descasado tem mil pretendentes.*

descasalar [De *des-* + *casal* + *-ar*^{2}.] *V. t. d.* Desacasalar.

descasamento [De *descasar* + *-mento*.] *S. m.* Ato de descasar(-se). ◆ **Descasamento de impedância.** *Eng. Elétr.* Condição que ocorre quando a impedância de uma carga não é igual à impedância de saída da fonte à qual está conectada.

descasar [De *des-* + *casar*.] *V. t. d.* **1.** Anular ou desfazer o casamento de. **2.** Separar (pessoas casadas ou animais acasalados); desacasalar. **3.** Desirmanar, desemparelhar: *descasar as luvas. T. d. e i.* **4.** Separar, tirar (de pessoa, ou coisa, etc.): *Descasou do regimento aquele item. P.* **5.** Desligar-se, desunir-se, separar-se. **6.** Divorciar-se, separar-se.

descasca [Dev. de *descascar*.] *S. f.* **1.** V. *descascamento*. **2.** V. *descompostura* (2).

descascação [De *descascar* + *-ção*.] *S. f.* V. *descascamento*.

descascadela [De *descascar* + *-dela*.] *S. f.* **1.** V. *repreensão* (1). **2.** Crítica violenta.

descascadinha [F. subst. do dim. de *descascado*.] *S. f. Bras. S. Pop.* Mulher clara.

descascado [Part. de *descascar*.] *Adj.* **1.** A que se tirou a casca, ou dela saiu. **2.** Que perdeu parte da cobertura tintorial: "Guedes ficou em pé, olhando as paredes sujas e descascadas da capela" (Rubem Fonseca, *Histórias de Amor*, p. 58).

descascador (ô) [De *descascar* + *-dor*.] *S. m.* **1.** Aquele que descasca. **2.** Máquina para descascar cereais.

descascadura [De *descascar* + *-dura*.] *S. f.* V. *descascamento*.

descascamento [De *descascar* + *-mento*.] *S. m.* Ato de descascar^1; descascação, descascadura, descasque, descasca.

descascar^1 [De *des-* + *casca* + *-ar*^{2}.] *V. t. d.* **1.** Tirar a casca de; cascar, escascar. **2.** *Bras.* Repreender severamente; censurar, admoestar. **3.** *Bras.* Falar mal de. **4.** *Bras. S.* Desembainhar (facão, faca); pelar: "uma indiada macanuda, capaz de bolear a perna e descascar o facão até pra Cristo, salvo seja!..." (Simões Lopes Neto, *Contos Gauchescos e Lendas do Sul*, p. 168). *Int.* **5.** Largar ou perder a casca: *O feijão descascou. P.* **6.** Libertar-se, safar-se, desembaraçar-se. [Conjug.: v. *trancar*.]

descascar^2 [De *des-* + *casco* + *-ar*^{2}.] *V. int.* Perder o casco (a besta). [Conjug.: v. *trancar*.]

descaso [De *des-* + *caso*.] *S. m.* **1.** Desatenção, desconsideração, desprezo, desapreço. **2.** Irreflexão, inadvertência.

descaspar [De *des-* + *caspa* + *-ar*².] *V. t. d. P. us.* Tirar a caspa a: *Descaspou a cabeça.*

descasque [Dev. de *descascar*.] *S. m.* V. *descascamento.*

descativar [De *des-* + *cativar*.] *V. t. d.* **1.** Livrar do cativeiro; libertar: *descativar os presos.* **2.** Deixar livre; soltar, desprender: *descativar a imaginação.* *P.* **3.** Livrar-se do cativeiro; libertar-se.

descativo [De *des-* + *cativo*.] *Adj.* Liberto do cativeiro; livre.

descaudado [De *des-* + *caudado*.] *Adj.* Sem cauda; descaudato.

descaudar [De *des-* + *cauda* + *-ar*².] *V. t. d.* Tirar a cauda a; derrabar.

descaudato [De *des-* + *caudato*.] *Adj.* Descaudado.

descaulino [De *des-* + *caul(i)-* + *-ino*¹.] *Adj. Bot.* V. *acaule.*

descautela [De *des-* + *cautela*.] *S. f.* Falta de cautela.

descavalgamento [De *descavalgar* + *-mento*.] *S. m.* Ato de descavalgar.

descavalgar [De *des-* + *cavalgar*.] *V. t. d.* **1.** Fazer desmontar; tirar da cavalgadura; apear. *Int.* **2.** Descer da cavalgadura; apear(-se). [Conjug.: v. *largar*.]

descavar [De *des-* + *cavar*.] *V. t. d. P.* Escavar; cavar.

descaveirado [De *des-* + *caveirado*.] *Adj.* V. *escaveirado* (2 e 3).

descaxelado *Adj. Bras. Pop.* V. *desqueixelado.*

descendência [De *descender* + *-ência*.] *S. f.* **1.** Vínculo de parentesco baseado na filiação. **2.** *P. ext.* O conjunto de pessoas ligadas dessa forma a um antepassado comum: *O ancião não deixou descendência.* **3.** *Antrop.* Relação de parentesco baseada numa série de relações sucessivas de filiação, e que envolve a transmissão de direitos e deveres (como de propriedade, sucessão, afiliação a um grupo, etc.). **4.** *Antrop. Impr.* Regra de descendência (q. v.). **5.** *P. ext. Antrop.* O conjunto de práticas, instituições e costumes baseados na existência de grupos de descendência (v. *grupo de descendência*). **6.** *Genét.* Série de novos indivíduos que resultam do processo de reprodução sexuada ou assexuada; filiação, progênie.

descendente [De *descender* + *-nte*.] *Adj. 2 g.* **1.** Que descende. **2.** Que desce; decrescente. ~ V. *letra —, maré —, nodo —, pielografia —* e *seiva —*. • *S. 2 g.* **3.** Pessoa que descende de outra, ou de um povo. • *S. m.* **4.** *Fís. Nucl.* Nuclídeo que se forma na desintegração de outro nuclídeo. • *S. f.* **5.** *Tip.* A haste que, em certas letras de caixa-baixa, se projeta para baixo, como no *q* e no *p*. [Cf. *letra descendente*.] ~ V. *descendentes.*

descendentes [Pl. de *descendente*.] *S. m. pl.* Os indivíduos que constituem uma descendência. ~ V. *descendente.*

descender [Do lat. *descendere*.] *V. t. i.* **1.** Provir por geração; descer: *Descende de gente nobre.* **2.** Derivar, originar-se: *O português descende do latim.* *T. c.* **3.** *P. us.* V. *descer* (20): "Isto dizendo irado e quase insano, / Sobre a terra africana descendeu" (Luís de Camões, *Os Lusíadas*, I, p. 77).

descendimento [De *descender* + *-imento*.] *S. m. P. us.* V. *descida* (1).

descensão [Do lat. *descensione*.] *S. f.* V. *descida* (1). [Cf. *dissensão*.]

descensional [De *descensão* + *-al*¹, seg. o padrão erudito.] *Adj. 2 g.* Relativo a descensão.

descenso [Do lat. *descensu*.] *S. m.* **1.** V. *descida* (1). [Antôn.: *ascenso*.] **2.** *Patol.* Ptose. [Cf. *dissenso*.]

descente [De *descer* + *-nte*.] *Adj. 2 g.* **1.** Que desce. • *S. f.* **2.** Descida; vazante. [Cf. *decente* e *discente*.]

descentralismo [De *des-* + *centralismo*.] *S. m.* Regime político em que os órgãos administrativos têm autonomia marcante, ficando tanto quanto possível desprendidos do poder central. [Cf. *municipalismo*.]

descentralista [De *descentralismo* + *-ista*.] *Adj. 2 g.* **1.** Relativo ao, ou que é adepto do descentralismo. • *S. 2 g.* **2.** Adepto do descentralismo. [Cf. *municipalista*.]

descentralização [De *descentralizar* + *-ção*.] *S. f.* Ato ou efeito de descentralizar. ◆ **Descentralização administrativa.** Princípio constitucional que reconhece que o Estado deve concentrar seus esforços nas atividades sociais e econômicas que o particular não possa desempenhar, transferindo para a administração indireta (autarquias, empresas públicas, sociedades de economia mista e fundações públicas) o controle de atividades não essenciais.

descentralizado [Part. de *descentralizar*.] *Adj.* Que se descentralizou; em que houve descentralização.

descentralizador (ô) [De *descentralizar* + *-dor*.] *Adj.* **1.** Que descentraliza ou tende a descentralizar; descentralizante. **2.** Que é partidário da descentralização. • *S. m.* **3.** Aquele que descentraliza ou tende a descentralizar. **4.** Aquele que é partidário da descentralização.

descentralizante [De *descentralizar* + *-nte*.] *Adj. 2 g.* Descentralizador (1).

descentralizar [De *des-* + *centralizar*.] *V. t. d.* **1.** Afastar ou separar do centro; descentrar. **2.** Aplicar o descentralismo a; dar autonomia administrativa a. *Int.* **3.** Aplicar o descentralismo.

descentralizável [De *descentralizar* + *-vel*.] *Adj. 2 g.* Que pode ser descentralizado.

descentrar [De *des-* + *centrar*.] *V. t. d.* **1.** Descentralizar (1). **2.** Desviar ou tirar do centro geométrico: *descentrar um eixo.*

descer [Do lat. *descendere*.] *V. t. d.* **1.** Remover de cima para baixo; pôr embaixo: *descer um painel.* **2.** Percorrer do alto para baixo: "Agora ele desce as escadas com rapidez, não teve paciência para esperar o elevador." (Hilda Hilst, *Ficções*, p. 292); "Desci montanhas e galguei encostas" (Francisca Júlia, *Esfinges*, p. 110). **3.** Baixar, pender, abaixar: *descer o chapéu.* **4.** Trazer para posição ou nível inferior; baixar, diminuir: *descer o ordenado.* **5.** Obrigar a ceder, a humilhar-se: *descer a arrogância.* **6.** Desfechar, desferir, baixar: *descer pauladas.* **7.** *Inform.* V. *baixar* (4). **8.** *Mús.* V. *baixar* (3). *T. d. e i.* **9.** Transferir, cometer, entregar, passar: *Desceu o encargo ao auxiliar.* *T. i.* **10.** Proceder, provir, descender: *descer de família nobre.* **11.** Apear(-se), saltar. **12.** Rebaixar-se, aviltar-se: *O político desceu à maior humilhação.* **13.** Passar a outro assunto ou aspecto de pouca ou nenhuma significação: *descer a pormenores sem importância.* **14.** Baixar, cair: *descer de sua dignidade.* **15.** *Bras. Rel.* Manifestar-se (um orixá, um espírito, uma entidade, etc.) na mente ou no corpo de (uma filha de santo, um médium, etc.); incorporar-se, baixar: *Oxum desceu no seu cavalo.* **16.** Cair, recair, incidir. *T. d. e c.* **17.** Tirar, retirar (de lugar elevado); pôr embaixo: *Desceu-o do muro.* *T. c.* **18.** Desmontar, descavalgar, apear. **19.** Sair ou vir de lugar elevado: *descer do morro.* **20.** Inclinar-se, declinar: *O Sol descia no ocaso.* **21.** Baixar, pousar, descender: *A nave desceu sobre o descampado.* *Bit. c.* **22.** Mover-se de cima para baixo. *Int.* **23.** Vir a nível inferior; diminuir, baixar: *Os lucros descem sensivelmente; As águas desceram.* **24.** Formar ladeira; inclinar-se: *Neste ponto a estrada desce.* **25.** Desvalorizar-se, depreciar-se: *A nossa moeda desceu.* **26.** Perder ou diminuir o valor ou a honra; desacreditar-se, decair. **27.** *Bras. N.E.* Correr (um rio) após estiada. *Pred.* **28.** Ser vibrado ou desferido: *O golpe desceu violento.* **29.** Fluir, manar, derramar-se: *As lágrimas desceram-lhe copiosas.* **30.** *Bras. Rel.* Manifestar-se [uma entidade (6)] na mente ou no corpo de alguém: *Há orixás que não descem.* *P.* **31.** Baixar (de um ponto a que se tinha subido); apear-se. **32.** Desistir de opinião, posição ou pretensão: *Desceu-se de sua severidade.* [Conjug.: v. *crescer*.] ◆ **Descer redondo.** *Bras.* V. *cair bem.*

descercar [De *des-* + *cercar*.] *V. t. d.* **1.** Tirar (o que rodeia ou cerca): *descercar um pátio.* **2.** Levantar o cerco a (praça de guerra). *P.* **3.** Libertar-se do que rodeia. [Pres. ind.: *descerco*, etc. Cf. *descerco* (ê). Conjug.: v. *trancar*.]

descerco (ê) [Dev. de *descercar*.] *S. m.* Ato ou efeito de descercar(-se). [Pl.: *descercos* (ê). Cf. *descerco*, do v. *descercar*.]

descerebração [De *descerebrar* + *-ção*.] *S. f.* Ato ou efeito de descerebrar. [No que se refere a descerebrar (2), o fenômeno pode ser observado no curso de experiências em animais ou verificar-se, no homem, em consequência do ato anestésico, de traumatismo, etc.]

descerebrado [Part. de *descerebrar*.] *Adj. S. m.* **1.** *Neur.* Que, ou aquele que sofreu descerebração. **2.** *Fig.* Idiota, cretino.

descerebrar [De *des-* + *cérebro* + *-ar*².] *V. t. d.* **1.** Tirar o juízo a; tornar idiota ou cretino: *A grave enfermidade descerebrou-o.* **2.** *Neur.* Tirar o cérebro a, ou interromper as comunicações dele com centros encefálicos que lhe estão abaixo. *P.* **3.** Perder o juízo; desassisar-se.

descerimónia *S. f.* V. *descerimônia*. [Uso freq. em P.]

descerimônia [De *des-* + *cerimônia*.] *S. f.* Sem-cerimônia (1).

descerimonioso (ô) [De *des-* + *cerimonioso*.] *Adj.* **1.** Que não é de cerimônia: *O ministro é pessoa descerimoniosa.* **2.** Em que não há cerimônia: *homem de maneiras simples, descerimoniosas.*

descerrar [De *des-* + *cerrar*.] *V. t. d.* **1.** Abrir (o que estava cerrado): *descerrar as pálpebras;* "Acorda, minha Teresa, / Descerre a janela tua!" (Gonçalves Crespo, *Obras Completas*, p. 315); "Quando os lábios descerra, só murmura / frases, cujos sentidos não se alcança" (Gonçalves Dias, *Obras Poéticas*, II, p. 149). **2.** Manifestar, divulgar, patentear, descobrir, revelar: *descerrar um segredo.* **3.** Despertar, afrouxar: *descerrar as amarras.* *T. d. e i.* **4.** Descobrir, revelar, descortinar, abrir: *O estudo descerra ao homem novos caminhos.* *P.* **5.** Abrir-se, franquear-se: "A lingueta correu macia, uma folha da porta se descerrou." (Graciliano Ramos, *Insônia*, p. 23.) **6.** Descobrir-se, revelar-se; descortinar-se.

deschancelar [De *des-* + *chancela* + *-ar*².] *V. t. d.* Tirar a chancela a.

deschapelar-se [De *des-* + *chapéu* (< fr. ant. *chapel*) + *-ar*² + *se*¹, seg. o padrão erudito.] *V. p.* Tirar o chapéu; descobrir-se: *Deschapelou-se ao entrar.*

descida [De *descer* + *-ida*³.] *S. f.* **1.** Ato de descer. [Sin.: *descimento* e (p. us.) *descendimento, descensão, descenso*.] **2.** Terreno inclinado, ladeira, quando se desce; declive. **3.** V. *vertente* (3). **4.** Diminuição, abaixamento, abatimento. **5.** *Fig.* Decadência, declínio. **6.** *Bras. Rel.* Incorporação (5). [Antôn.: *subida*.]

descido [Part. de *descer*.] *S. m. Tip.* Letra, número ou outro sinal de olho menor que o de sua fonte e fundido abaixo da linha, us. na composição de índices em fórmulas matemáticas e químicas. [Cf. *elevado* (5).]

descimbramento [De *descimbrar* + *-mento*.] *S. m.* Ato de descimbrar. [Sin. (lus.): *descofragem*.]

descimbrar [De *des-* + *cimbre* + *-ar*².] *V. t. d. Constr.* Tirar os cimbres a; retirar as fôrmas de (o concreto de uma construção), após ter ele endurecido suficientemente; desmoldar. [Sin. (lus.): *descofrar*.]

descimentar [De *des-* + *cimento* + *-ar*².] *V. t. d.* **1.** Tirar, desfazer o cimento de. **2.** Fazer perder a solidez; abalar, abater, arruinar: *descimentar as bases da sociedade.*

descimento [De *descer* + *-imento*.] *S. m.* **1.** V. *descida* (1). **2.** *Bras.* Na era colonial, transporte para o litoral de silvícolas aprisionados nos sertões, e que eram escravizados.

descingir [De *des-* + *cingir*.] *V. t. d.* **1.** Tirar o que cingia ou apertava; desapertar, alargar, desatar: *descingir o cinto.* **2.** Tirar, retirar: *descingir a coroa.* *T. d. e i.* **3.** Privar (de coisa que cinge): *Descingiu o guerreiro da sua espada.* [Conjug.: v. *dirigir*.]

desclaridade [De *des-* + *claridade*.] *S. f.* Falta de claridade.

desclassificação [De *desclassificar* + *-ção*.] *S. f.* Ato de desclassificar.

desclassificado [Part. de *desclassificar*.] *Adj. S. m.* **1.** Que, ou aquele que não teve classificação. **2.** Que, ou aquele que é indigno da consideração social; desacreditado. [Sin. ger.: *desqualificado*.]

desclassificar [De *des-* + *classificar*.] *V. t. d.* **1.** Deslocar ou tirar de uma classe ou categoria: *O veterinário desclassificou três animais.* **2.** Privar do bom conceito; desacreditar, desmoralizar, desconceituar, desqualificar. **3.** Eliminar (concorrente) em competição, concurso, etc.; desqualificar: *As derrotas desclassificaram vários times; A prova de português desclassificou metade dos candidatos.* [Conjug.: v. *trancar*.]

descloroformização [De *descloroformizar* + *-ção*.] *S. f.* *Anest.* Ato ou efeito de descloroformizar.

descloroformizado [Part. de *descloroformizar*.] *Adj.* Que deixou de estar cloroformizado; que saiu do efeito da cloroformização.

descloroformizar [De *des-* + *cloroformizar*.] *V. t. d.* Tirar do efeito da cloroformização; fazê-la cessar.

descoagulação [De *descoagular* + *-ção*.] *S. f.* O inverso da coagulação; descoagulamento.

descoagulado [Part. de *descoagular*.] *Adj.* Que se descoagulou; liquefeito, fundido, derretido, descoalhado.

descoagulamento [De *descoagular* + *-mento*.] *S. m.* Descoagulação.

descoagular [De *des-* + *coagular*.] *V. t. d.* **1.** Liquefazer, derreter, fundir (o que estava coagulado); proceder à descoagulação de: *descoagular o azeite.* *Int. P.* **2.** Tornar-se líquido; fundir-se. [Sin. ger.: *descoalhar*.]

descoalhado [Part. de *descoalhar*.] *Adj.* V. *descoagulado*: "é já pouca / A neve, ao sol fundida e descoalhada..." (Raimundo Correia, *Poesias*, p. 91).

descoalhar [De *des-* + *coalhar*.] *V. t. d. Int. P.* V. *descoagular.*

descoalho [Dev. de *descoalhar*.] *S. m.* Ato de descoalhar(-se).

descoberta [F. subst. de *descoberto*.] *S. f.* **1.** Aquilo que se descobriu ou encontrou por acaso ou mediante busca, pesquisa, observação, dedução ou invenção: *A descoberta do ouro no Brasil deu-se no fim do séc. XVII; a descoberta da penicilina; a descoberta de um novo planeta.* **2.** *Restr.* Terra que se descobriu ou se encontrou pela primeira vez. **3.** Achado, invenção, inovação. **4.** Solução conveniente, bem arquitetada; achado. [Sin. ger.: *descobrimento*.]

descoberta-chave *S. f.* Aquilo que se descobriu e que servirá de chave para solução de problema, crime, etc. [Pl.: *descobertas-chaves* e *descobertas-chave*.]

descobertense[1] *Adj. 2 g.* **1.** De, ou pertencente ou relativo a Descoberto (MG). • *S. 2 g.* **2.** O natural ou habitante de Descoberto.

descobertense[2] *Adj. 2 g.* **1.** De, ou pertencente ou relativo a Santo Antônio do Descoberto (GO). • *S. 2 g.* **2.**

O natural ou habitante de Santo Antônio do Descoberto.

descoberto [Part. de *descobrir*.] *Adj.* **1.** Que não está coberto; nu. **2.** Destapado. **3.** Patente, evidente. **4.** Divulgado, propalado. **5.** Denunciado, revelado. **6.** Inventado, achado. **7.** Aberto (3). ● *S. m.* **8.** *Bras.* Local onde se descobriu ouro e se estabeleceu serviço de mineração. ◆ **A descoberto.** **1.** Sem proteção. **2.** Francamente, abertamente. **3.** Sem garantia, a não ser a confiança pessoal.

descobridor (ô) [De *descobrir* + *-dor*.] *Adj. S. m.* **1.** Que, ou aquele que faz descobertas. **2.** Explorador (4).

descobrimento [De *descobrir* + *-mento*.] *S. m.* **1.** Ato ou efeito de descobrir(-se). **2.** V. *descoberta*.

descobrir [De *des-* + *cobrir*.] *V. t. d.* **1.** Tirar cobertura, véu, tampa, ou qualquer outra coisa que ocultava total ou parcialmente, deixando à vista: *descobrir a cabeça; descobrir a panela.* **2.** Deixar ver; mostrar: *A maré vazante descobriu as areias.* **3.** Encontrar pela primeira vez: *Cabral descobriu o Brasil.* **4.** Resolver, solver, solucionar; decifrar: *descobrir um enigma.* **5.** Dar com; achar, encontrar: *descobrir um tesouro; descobrir um atalho.* **6.** Patentear, evidenciar: *descobrir a verdade.* **7.** Manifestar, revelar: *descobrir segredos.* **8.** Dar a conhecer: *Suas atitudes descobriram seu caráter.* **9.** Denunciar, delatar; revelar: "o padre morre mas não descobre o que ouviu no confessionário." (Raquel de Queirós, *Memorial de Maria Moura*, p. 28). **10.** Alcançar com a vista; divisar, avistar: *Descobriu o avião sobrevoando a montanha.* **11.** Notar, perceber: "Só agora, já velho, é que descubro a minha infância e todos os seus encantamentos." (Mário da Silva Brito, *O Fantasma sem Castelo*, p. 40); *Descubro em seu olhar funda melancolia.* **12.** Reconhecer, identificar: *Olhando em torno, descobriu o irmão.* **13.** *P. us.* Desfazer, dissipar: *A alvorada vem descobrindo a escuridão.* **14.** Percorrer, explorar: *A vanguarda avançou a descobrir o campo.* ***Int.*** **15.** Descobrir (20). **16.** Aparecer à vista; emergir: *Os rochedos descobrem na maré baixa.* ***P.*** **17.** Tirar o chapéu, o barrete, etc.: *Descobriu-se e cumprimentou-nos.* **18.** Mostrar-se, aparecer: *A Lua descobriu-se.* **19.** Destapar-se, destampar-se: *O cesto descobriu-se com a queda.* **20.** Aclarar-se, desanuviar-se, descobrir: *O Sol descobriu-se.* **21.** Tirar de si, afastar, o que cobre: *O doente, em delírio, descobriu-se todo.* **22.** Deixar a proteção; expor-se: *O duelista descobriu-se.* **23.** Dar-se a conhecer; revelar-se, identificar-se. **24.** Fazer confidências; revelar segredos ou intentos; confessar-se. [Irreg. Conjug.: v. *cobrir*.] ◆ **Descobrir o Brasil.** Descobrir o que já é conhecido de todos; descobrir a América; descobrir a pólvora. **Descobrir a América.** V. *descobrir o Brasil*: "Claro, ele escreve, mas escrever não é saber; contar uma história significaria, antes e durante, desconhecê-la, maneira de todo autor descobrir a américa (*sic*), pois o primeiro a lê-la depois de pronta." (Flávio Moreira da Costa, *Nem Todo Canário É Belga*, p. 54.)

descocado *Adj.* **1.** Insolente, atrevido, descarado. **2.** Insensato (1).

descocar-se *V. p.* Proceder com descoco. [Conjug.: v. *trancar*. Pres. ind.: *descoco-me*, etc. Cf. *descoco* (ô).]

descochar *V. t. d. Int. Bras.* V. *desacochar*.

descoco (ô) [De *des-* + *coco*[1] (ô), na acepç. de 'cabeça', poss.] *S. m.* **1.** Descaramento, insolência, atrevimento. **2.** Insensatez, disparate. [Pl.: *descocos* (ô). Cf. *descoco-me*, do v. *descocar-se*.]

descodear [De *des-* + *côdea* + *-ar*[2].] *V. t. d.* **1.** Tirar a côdea a: *descodear o pão.* **2.** Dar ou ministrar as primeiras noções de civilização a. [Conjug.: v. *frear*.]

descodificação [De *descodificar* + *-ção*.] *S. f.* Decodificação.

descodificador (ô) [De *descodificar* + *-dor*.] *S. m. Comun.* Decodificador.

descodificar [De *des-* + *codificar*.] *V. t. d.* Decodificar. [Conjug.: v. *trancar*.]

descofragem [Do fr. *décoffrage*.] *S. f. Lus.* Ato de descofrar; descimbramento.

descofrar [Do fr. *décoffrer*.] *V. t. d. Lus.* V. *descimbrar*.

descoimar [De *des-* + *coimar*.] *V. t. d. Transobj.* Desacoimar.

descoivarar [De *des-* + *coivarar*.] *V. t. d. Bras.* Limpar (um terreno) da coivara proveniente duma queimada; desencoivarar.

descolagem [De *descolar* + *-agem*[2].] *S. f.* Ato ou efeito de descolar.

descolar [De *des-* + *colar*[3].] *V. t. d.* **1.** Desligar, despegar (aquilo que estava colado): *descolar o selo.* **2.** *Bras. Gír.* Conseguir, obter, arranjar: "— Pai, bem que você podia me descolar essa nota de cinco mil. Tou precisando de uns trocados." (Carlos Drummond de Andrade, em *Jornal do Brasil*, 15.05.1982.) ***T. d. e i.*** **3.** *Bras. Gír.* Conseguir, arranjar: *Descolou um emprego para o amigo.* ***T. d. e c.*** **4.** Puxar, arrancar, tirar: *Descolou-o do banco e deu-lhe uns bofetões.* ***T. i.*** **5.** Separar-se, afastar-se, despegar-se, descolar-se: *O pequeno não descola da mãe.* ***Int.*** **6.** Decolar; despegar-se: *O avião descolou.* ***P.*** **7.** Descolar (5): *Descolou-se da mulher, que ainda dormia.*

descolmar [De *des-* + *colmar*[1].] *V. t. d.* **1.** Arrancar, levar, tirar o colmo a: *A ventania descolmou o casebre.* **2.** Desprover ou desguarnecer de colmo.

descolocado [De *des-* + *colocado* (2).] *Adj. S. m.* Desempregado.

descolonização [De *descolonizar* + *-ção*.] *S. f.* Ato ou efeito de descolonizar.

descolonizar [De *des-* + *colonizar*.] *V. t. d.* Tirar a condição de colônia a.

descoloração [De *descolorar* + *-ção*.] *S. f.* Ato ou efeito de descolorar; perda da cor.

descolorante [De *descolorar* + *-nte*.] *Adj. 2 g. S. m.* Descorante.

descolorar [De *des-* + *colorar*.] *V. t. d. Int. P.* V. *descorar*[1]. [Pres. subj.: *descolore*, *descolores*, etc. Cf. *discolores* (ô), pl. de *discolor*.]

descolorir [De *des-* + *colorir*.] *V. t. d.* **1.** V. *descorar*[1]: *O novo preparado descoloriu-lhe os cabelos.* **2.** Tirar a expressividade ou colorido a; empobrecer; afear: *Seu estilo descolore a linguagem e entedia o leitor.* ***Int.*** **3.** V. *descorar*[1]. ***P.*** **4.** V. *descorar*[1]. **5.** Perder a expressividade ou colorido; afear-se, desvigorar-se. [Conjug.: v. *colorir*. Pres. ind.: *descolores*, *descolore*, etc. Cf. *discolores* (ô), pl. de *discolor*.]

descombinação [De *descombinar* + *-ção*.] *S. f.* Ato ou efeito de descombinar.

descombinar [De *des-* + *combinar*.] *V. t. d. Bras.* **1.** Desmarcar ou desfazer (o que estava combinado): *Vamos descombinar a reunião; estarei viajando naquele dia.* ***Int.*** **2.** Desmarcar ou desfazer o que estava combinado: *Estava tudo acertado para aquela data, mas acabaram descombinando.*

descomedido [De *des-* + *comedido*.] *Adj.* **1.** Sem comedimento; inconveniente. **2.** Disparatado, absurdo.

descomedimento [De *descomedir(-se)* + *-mento*, ou de *des-* + *comedimento*.] *S. m.* Falta de comedimento; insolência, excesso.

descomedir-se [De *des-* + *comedir* + *se*[1].] *V. p.* Praticar excessos; mostrar-se inconveniente, disparatado; exceder-se, desmedir-se. [Irreg., defect. Conjug.: v. *medir*, mas falta-lhe a 1ª pess. sing. do pres. ind. e, portanto, todo o pres. subj.]

descomensurável [De *des-* + *comensurável*.] *Adj. 2 g.* V. *incomensurável*.

descomer [De *des-* + *comer*.] *V. int. Bras. Pop.* **1.** V. *defecar* (5). ***T. d.*** **2.** Expelir; defecar: "É que o gato que eu lhe trouxe descome dinheiro." (Ariano Suassuna, *Auto da Compadecida*, p. 94.)

descometer [De *des-* + *cometer*.] *V. t. d. e i.* Livrar ou eximir de encargo; desobrigar: *Descometeu-o da tarefa.* [Conjug.: v. *mexer*.]

descomissionado [De *des-* + *comissionado*, ou part. de descomissionar.] *Adj.* **1.** Que perdeu cargo em comissão. **2.** Que deixou de exercer comissão.

descomissionamento [De *descomissionar* + *-mento*.] *S. m.* Ato ou efeito de descomissionar.

descomissionar [De *des-* + *comissão* + *-ar*[2], seg. o padrão erudito.] *V. t. d.* Destituir (alguém) de cargo em comissão.

descomodidade [De *des-* + *comodidade*.] *S. f.* Falta de comodidade; descômodo.

descômodo *S. m.* V. *descômodo*. [Uso freq. em P.]

descômodo [De *des-* + *cômodo*.] *S. m.* Descomodidade.

descomover [De *des-* + *comover*.] *V. t. d.* Tirar a comoção a; restituir à serenidade; serenar, apaziguar, sossegar. [Conjug.: v. *mover*.]

descompadrar [De *des-* + *compadre* + *-ar*[2].] *V. t. d.* **1.** Malquistar, indispor (amigos ou compadres). ***P.*** **2.** Malquistar-se, inimizar-se.

descompaixão [De *des-* + *compaixão*.] *S. f.* Falta de compaixão.

descompassado [Part. de *descompassar*.] *Adj.* **1.** Que se descompassou, saiu da medida, dos limites; desmedido, descomunal. **2.** Desordenado, desacertado.

descompassar [De *des-* + *compassar*.] *V. t. d.* **1.** Tirar do compasso; executar sem regularidade; desproporcionar, exagerar: *descompassar a fala, o andar.* **2.** Tornar inconveniente, descomedido: *descompassar as atitudes.* **3.** *Mús.* Fazer sair do compasso: *Emocionado, descompassou a tocata.* ***Int.*** **4.** *Mús.* Perder o compasso, a cadência, o ritmo: *O dançarino descompassou.* ***P.*** **5.** Sair do ritmo (2); tornar-se irregular: *Nesses últimos anos as chuvas descompassaram-se.* **6.** Descomedir-se, exceder-se: "Evidentemente, Sílvio [Sílvio Romero] às vezes descompassou-se na apreciação do valor de Tobias, como ao estudar o estro do grande companheiro." (Hermes Lima, *Tobias Barreto*, p. 279.)

descompasso [De *des-* + *compasso*.] *S. m.* **1.** Falta de medida, de compasso. **2.** Falta de acordo, de ordem. **3.** Desacordo, desarmonia, divergência; desajustamento: "seu descompasso com o mundo chegava a ser cômico de tão grande: não conseguia acertar o passo com as coisas ao seu redor." (Clarice Lispector, *Uma Aprendizagem ou O Livro dos Prazeres*, p. 17). **4.** Descomedimento.

descompensação [De *descompensar* + *-ção*.] *S. f. Med.* **1.** Qualquer situação em que se verifica um tipo de insuficiência funcional, inclusive mental. **2.** Estado de um órgão cujo funcionamento está gravemente comprometido, sendo insuficiente o esforço que este despende para dar resposta adequada ao que lhe é solicitado.

descompensado [Part. de *descompensar*.] *Adj. Med.* Que está em descompensação.

descompensar [De *des-* + *compensar*.] *V. int. Med.* Entrar em fase de descompensação.

descomplicação [De *descomplicar* + *-ção*.] *S. f.* Ato ou efeito de descomplicar.

descomplicado [Part. de *descomplicar*.] *Adj.* Que não apresenta complicação; sem complicação; simples.

descomplicar [De *des-* + *complicar*.] *V. t. d.* Fazer cessar a complicação de. [Conjug.: v. *trancar*.]

descomponenda [De *descompor*, retomando o rad. lat. *compon(ere)*, + *-enda*.] *S. f.* **1.** V. *descompostura* (2). **2.** Saraivada de insultos.

descompor [De *des-* + *compor*.] *V. t. d.* **1.** Tirar a composição, a ordem, a simetria, a; desalinhar, desarranjar, desordenar: *A tempestade descompôs a tropa.* **2.** Alterar, transtornar: *A droga descompôs-lhe a mente.* **3.** Tirar a feição regular de; desfigurar: *O medo descompôs sua fisionomia.* **4.** Desfazer, decompor: *A luz intensa descompôs a treva.* **5.** Desnudar, despir. **6.** Tirar o(s) ornato(s) a; desadornar, desornar, desenfeitar. **7.** Injuriar, afrontar: *O bêbedo passou a descompor todos os presentes.* **8.** Censurar acremente; repreender ou admoestar com violência: *Descompôs o empregado por haver quebrado a taça.* ***P.*** **9.** Desarranjar-se, desordenar-se, desalinhar-se. **10.** Alterar-se, transtornar-se, perturbar-se. **11.** Perder o controle ou a compostura; descomedir-se. [Irreg. Conjug.: v. *pôr*.]

descomposição [De *descompor* + *-ção*, p. anal. com *composição*, seg. o padrão erudito.] *S. f.* Ato ou efeito de descompor.

descomposto [Part. de *descompor*.] *Adj.* **1.** Desordenado, desarranjado. **2.** Indecoroso, inconveniente.

descompostura [De *des-* + *compostura*.] *S. f.* **1.** Ato ou efeito de descompor. **2.** Censura acrimoniosa; injúria, invectiva. [Sin. (muitos deles fam., pop. ou de gír.): *bigode, chega pra lá, desanda, descalçadeira, descalçadela, descasca, descomponenda, escaldarabo, esporada, foguetada, jiribanda, pavana, raspanete, responso, retambana, reverbério, ripada, sabão* e (bras.) *articulação, despacho, destampatório, esbregue, espinafração, esporro, foguete, fubeca, fubecada, lambada, lavagem, puteação, raspe, respe, surra de língua*.]

descomprazente [De *descomprazer* + *-nte*.] *Adj. 2 g.* Que descompraz.

descomprazer [De *des-* + *comprazer*.] *V. t. d.* **1.** Não comprazer; não satisfazer o desejo, a vontade de: *Tais encargos o descomprazem.* ***T. i.*** **2.** Não satisfazer; desagradar: *Seus trabalhos descomprazem ao professor.* **3.** Não condescender; ser descomprazente. [Conjug.: v. *comprazer*.]

descompressão [De *des-* + *compressão*.] *S. f.* Ato ou efeito de descomprimir.

descomprimir [De *des-* + *comprimir*.] *V. t. d.* **1.** Cessar ou aliviar a compressão de. **2.** Reduzir a pressão de.

descomprometer-se [De *des-* + *comprometer* + *se*[1].] *V. p.* Fazer cessar compromisso assumido.

descomprometido [Part. de *descomprometer-se*.] *Adj.* Que deixou de estar comprometido; cujo compromisso cessou ou se desfez.

descompromisso [De *des-* + *compromisso*.] *S. m.* Falta de compromisso: "A condição de nômade estimulou neles uma espécie de descompromisso com as normas da vida sedentária e seus valores." (Ferreira Gullar, *Cidades Inventadas*, p. 30.)

descomunal [De *des-* + *comunal* (2).] *Adj. 2 g.* Fora do comum; colossal, extraordinário; escomunal.

descomungar [Var. de *desexcomungar*, com haplologia.] *V. t. d.* Desexcomungar. [Conjug.: v. *largar*.]

descomunhão *S. f.* Desexcomunhão.

desconceito [De *des-* + *conceito*.] *S. m.* **1.** Mau conceito; má fama; descrédito. **2.** Desrespeito, desconsideração.

desconceituado [Part. de *desconceituar*.] *Adj. S. m.* Que, ou aquele que perdeu o conceito, a reputação.

desconceituar [De *des-* + *conceituar*.] *V. t. d.* **1.** Privar do bom conceito; desacreditar, desconsiderar, desclassificar. ***P.*** **2.** Perder o conceito, a reputação, desacreditar-se, desclassificar-se.

desconcentração [De *desconcentrar* + *-ção*.] *S. f.* Ato ou efeito de desconcentrar.

desconcentrar [De *des-* + *concentrar*.] *V. t. d.* **1.** Tirar do centro; descentralizar. **2.** Tirar da concentração; fazer que deixe de estar concentrado. 3. Tornar menos denso, ou forte, ou ativo.

desconcertado [Part. de *desconcertar*.] *Adj.* 1. Descomposto, descomedido, desregrado; desacertado. 2. Embaraçado, contrafeito, perturbado, sem jeito. [Cf. *desconsertado*.]

desconcertador (ô) [De *desconcertar* + *-dor*.] *Adj.* 1. V. *desconcertante*. ● *S. m.* 2. Aquele que desconcerta. [Cf. *desconsertador*.]

desconcertante [De *desconcertar* + *-nte*.] *Adj. 2 g.* Que desconcerta; desconcertador, desorientador: "Essas fases de mudança de regime costumam ser tempestuosas, contraditórias, desconcertantes, comumente autofágicas." (Barbosa Lima Sobrinho, *Presença de Alberto Torres*, p. 89.)

desconcertar [De *des-* + *concertar*.] *V. t. d.* 1. Fazer perder o concerto, a boa disposição; desarranjar: *desconcertar um aparelho.* 2. Desalinhar, descompor: *desconcertar os cabelos.* 3. Atrapalhar, desorientar, desnortear: *A ironia desconcertou-o.* 4. Pôr em divergência; desavir. *T. i.* 5. Discordar, discrepar, dissentir: *desconcertar da opinião geral. Int.* 6. Disparatar, despropositar. *P.* 7. Desarranjar-se, desconjuntar-se, estragar-se: *A máquina desconcertou-se.* 8. Desordenar-se. 9. Deslocar-se; desarticular-se: *Desconcertou-se o braço esquerdo da velha.* 10. Desconvir, desconcordar: *desconcertar-se no preço.* 11. Desentender-se, desarmonizar-se, desavir-se. 12. Descompor-se, desativar-se, desadornar-se. 13. Atrapalhar-se, perturbar-se, desnortear-se: *Não se desconcertou com a brincadeira.* [Pres. ind.: *desconcerto*, etc. Cf. *desconcerto* (ê); *desconserto* (ê); e o v. *desconsertar*.]

desconcerto (ê) [De *des-* + *concerto*.] *S. m.* 1. Ato ou efeito de desconcertar(-se). 2. Desordem, desarranjo, transtorno. 3. Desarmonia, discordância. [Pl.: *desconcertos* (ê). Cf. *desconcerto*, do v. *desconcertar*; *desconserto* (ê), s. m.; e *desconserto*, do v. *desconsertar*.]

desconchavar [De *des-* + *conchavar*.] *V. t. d.* 1. Desligar, desprender, descombinar, desencaixar: *desconchavar as engrenagens. T. d. e i.* 2. Desencaixar, desligar: *Desconchavou a roda do eixo. Int.* 3. Dizer ou fazer despautérios; disparatar, despropositar. *P.* 4. Desconcordar, desarmonizar-se, desavir-se: *Desconchavou-se com o sócio.*

desconchavo [Dev. de *desconchavar*.] *S. m.* Ato de desconchavar; disparate, tolice.

desconchegar [De *des-* + *conchegar*.] *V. t. d.* 1. Separar (o que estava conchegado); tirar o conchego a; desunir, desaproximar: *Desconchegou a criança e a pôs no berço.* 2. Desarranjar, desacomodar: *desconchegar os cobertores.* [Sin.: *desaconchegar*. Conjug.: v. *chegar*.]

desconciliar [De *des-* + *conciliar*[2].] *V. t. d.* Tornar desavindo; pôr em desacordo; provocar desavença em; desacordar, desavir.

desconcordância [De *des-* + *concordância*.] *S. f.* 1. Falta de concordância; discrepância. 2. Desarmonia, dissonância. 3. Erro de concordância gramatical.

desconcordante [De *des-* + *concordante*, ou de *desconcordar* + *-nte*.] *Adj. 2 g.* 1. V. *discorde* (2). 2. Incoerente, inconsequente. [Sin. ger.: *desconcorde*.]

desconcordar [De *des-* + *concordar*.] *V. t. d.* 1. Separar por desacordo; desavir, desconciliar: *A discussão do problema desconcordou a assembleia. T. i.* 2. Não concordar; discrepar, discordar: *Desconcordo desta ideia absurda.*

desconcorde [De *des-* + *concorde*.] *Adj. 2 g.* V. *desconcordante*.

desconcórdia [De *des-* + *concórdia*.] *S. f.* Falta de concórdia.

descondensar [De *des-* + *condensar*.] *V. t. d.* 1. Tirar a qualidade de denso a; tornar tênue ou ralo; dissolver. 2. *Fig.* Atenuar, dissipar: *A paisagem tranquila descondensou a sua melancolia. P.* 3. Deixar de estar condensado; dissolver-se.

desconectar [De *des-* + *conectar*.] *V. t. d.* 1. Desfazer a conexão existente entre. 2. *P. ext.* Desunir, desligar.

desconexão (cs) [De *des-* + *conexão*.] *S. f.* Falta de conexão.

desconexo (cs) [De *des-* + *conexo*.] *Adj.* 1. Sem conexão, desunido. 2. Sem nexo; incoerente.

desconfiado [Part. de *desconfiar*.] *Adj.* 1. Que desconfia, não confia, não se fia; falto de confiança. 2. Que desconfia, se agasta, se melindra, com facilidade.

desconfiança [De *des-* + *confiança*.] *S. f.* 1. Qualidade de desconfiado. 2. Falta de confiança.

desconfiante [De *desconfiar* + *-nte*.] *Adj. 2 g.* Que tem desconfiança.

desconfiar [De *des-* + *confiar*.] *V. t. d.* 1. Ter suposição de; supor, julgar, conjeturar: *Desconfio que não se entendem bem. T. i.* 2. Não ter confiança, ou deixar de a ter; suspeitar, duvidar: *Desconfia até dos íntimos;* "Desconfia dos que não fumam: esses não têm vida interior, não têm sentimentos." (Mário Quintana, *Sapato Florido*, p. 27.) 3. Agastar-se, amuar-se, zangar-se, melindrar-se: *A mulher desconfiou com o marido. Int.* 4. Mostrar-se desconfiado; não fiar; duvidar. 5. Perder a confiança, o ânimo; desanimar, desesperançar-se.

desconfiável [De *desconfiar* + *-vel*.] *Adj. 2 g.* De que se pode desconfiar; não confiável.

desconfiômetro [De *desconfiar* + *-o-*[1] + *-metro*.] *S. m. Bras. Burl.* 1. Capacidade de perceber quando se é inoportuno, inconveniente, ou maçante. [Sin.: *mancômetro, semancol, semancômetro*.] 2. Capacidade de desconfiar do que os outros dizem ou pretendem: "Brenda percebeu onde o outro queria chegar. Uma das suas qualidades era ter o desconfiômetro ligado." (Edla van Steen, *Madrugada*, p. 51.)

desconformar [De *des-* + *conformar*.] *V. t. i.* Não ser conforme; discordar, divergir, desconcordar: *desconformar da decisão.*

desconforme [De *des-* + *conforme*.] *Adj. 2 g.* 1. Que não é conforme. 2. Que não se conforma. 3. V. *deforme* (2).

desconformidade [De *des-* + *conformidade*, ou de *desconforme* + *-(i)dade*.] *S. f.* 1. Divergência, discordância, desacordo. 2. Desarmonia, desproporção: "Já escrevi que foi aqui, nesta cidade [do Rio de Janeiro], que se viu — viram brasileiros e estrangeiros, a desconformidade das instituições políticas com as realidades nacionais." (José Honório Rodrigues, *Vida e História*, p. 144.)

desconfortante [De *des-* + *confortante*, ou de *desconfortar* + *-nte*.] *Adj. 2 g.* Que provoca desconforto; desconfortativo.

desconfortar [De *des-* + *confortar*.] *V. t. d.* 1. Tirar o conforto a. 2. Desconsolar, desalentar, afligir, desanimar. [Sin. ger.: *inconfortar*. Pres. ind.: *desconforto*, etc.; Cf. *desconforto* (ô), s. m.]

desconfortativo [De *des-* + *confortativo*, ou de *desconfortar* + *-tivo*.] *Adj.* Desconfortante.

desconfortável [De *des-* + *confortável*.] *Adj. 2 g.* Não confortável; inconfortável: "o passeio não tinha muitos encantos: o casarão era enorme e desconfortável, o quintal sem árvores" (Raquel de Queirós, *As Três Marias*, p. 25).

desconforto (ô) [De *des-* + *conforto*[2].] *S. m.* 1. Falta de conforto. 2. Desconsolo, aflição. [Pl.: *desconfortos* (ô). Cf. *desconforto*, do v. *desconfortar*.]

desconfranger [De *des-* + *confranger*.] *V. t. d.* Tirar o confrangimento a; descontrair, desapertar: *desconfranger os lábios.* [Conjug.: v. *tanger*.]

descongelação [De *descongelar* + *-ção*.] *S. f.* Ato ou efeito de descongelar(-se), descongelamento, degelo.

descongelamento [De *descongelar* + *-mento*.] *S. m.* V. *descongelação*.

descongelar [De *des-* + *congelar*.] *V. t. d.* 1. Liquefazer (o que estava congelado); degelar. 2. *Econ.* Fazer cessar o congelamento de preços de. *P.* 3. Derreter-se.

descongestionamento [De *descongestionar* + *-mento*.] *S. m.* Ato ou efeito de descongestionar(-se).

descongestionante [De *descongestionar* + *-nte*.] *Adj. 2 g.* *S. m.* Que, ou substância que descongestiona.

descongestionar [De *des-* + *congestionar*.] *V. t. d.* 1. Livrar de congestão. 2. Desintumescer, desinchar. 3. Desobstruir, desacumular. 4. Restabelecer em (via pública) o trânsito congestionado: *O viaduto descongestionou as ruas da praia. P.* 5. Livrar-se de congestão.

desconhecedor (ô) [De *desconhecer* + *-dor*.] *Adj.* 1. Que desconhece ou ignora. 2. V. *desconhecido* (3). ● *S. m.* 3. Aquele que desconhece ou ignora.

desconhecer [De *des-* + *conhecer*.] *V. t. d.* 1. Não conhecer; ignorar: *Cometeu a infração por desconhecer o regulamento do trânsito.* 2. Não reconhecer; estranhar: *Fez plástica de rosto, e até as amigas a desconheceram.* 3. Não reconhecer (benefício recebido): *Ingrato, desconhece tudo quanto se faz por ele.* 4. Ser ingrato a: *Recebe os favores, e depois desconhece quem os fez.* 5. Não admitir; não aceitar; não reconhecer: *Desconheço a competência dele para criticar-me o romance. T. d. e i.* 6. Não reconhecer: *Desconheceu naquele homem-feito o filho que deixara criança.* 7. Não reconhecer; não admitir; negar: *Desconhece à palavra uma acepção regional. Transobj.* 8. Não querer reconhecer: *Desconheço-o por meu amigo. P.* 9. Achar-se mudado; não se reconhecer. [Conjug.: v. *aquecer*.]

desconhecido [Part. de *desconhecer*.] *Adj.* 1. Que não é conhecido; ignorado, incógnito. 2. Que não tem conhecimentos ou relações: *Passou mal os primeiros dias na cidade, sozinho, desconhecido.* 3. Desagradecido, ingrato, desconhecedor. ~ V. *soldado* —. ● *S. m.* 4. Pessoa a quem não se conhece: *Apareceu-me ontem aqui com um desconhecido.* ◆ **Ilustre desconhecido.** *Irôn.* Pessoa sem credenciais, que ninguém conhece nem sabe de onde veio.

desconhecimento [De *desconhecer* + *-imento*.] *S. m.* 1. Ato ou efeito de desconhecer. 2. Falta de conhecimento. 3. Ingratidão.

desconhecível [De *desconhecer* + *-ível*.] *Adj. 2 g.* Que não se pode conhecer.

desconjunção [De *des-* + *conjunção*.] *S. f.* V. *desconjuntamento*.

desconjuntado [Part. de *desconjuntar*.] *Adj.* 1. Que sofreu desconjuntamento. 2. V. *desengonçado* (2).

desconjuntamento [De *desconjuntar* + *-mento*.] *S. m.* Ato ou efeito de desconjuntar(-se); desconjunção, desconjuntura.

desconjuntar [De *des-* + *conjuntar*.] *V. t. d.* 1. Tirar fora das junturas ou juntas: *O contorcionista desconjuntava as articulações, assumindo posturas incríveis;* "Eu faço versos como os saltimbancos / Desconjuntam os ossos doloridos." (Mário Quintana, *A Rua dos Cata-Ventos*, p. 50). 2. Separar, desunir. 3. Deslocar, desarticular, luxar; desmentir: *Desconjuntou o braço na queda.* 4. Desmanchar, desorganizar, desfazer: *A morte do pai desconjuntou seus planos de viagem. P.* 5. Separar-se, desunir-se. 6. Desmanchar-se, desfazer-se; arruinar-se.

desconjunto [De *des-* + *conjunto*.] *Adj.* 1. Separado, desunido. 2. Diferente, desarmonioso; discordante.

desconjuntura [De *desconjunto* + *-ura*.] *S. f.* V. *desconjuntamento*.

desconjurar [De *des-* + *conjurar*.] *V. t. d.* 1. Esconjurar (1 a 4). 2. Ofender, desacatar. *T. d. e i.* 3. Esconjurar (5): *Desconjurei-o que me dissesse como se chama. P.* 4. Esconjurar (6).

desconsagração [De *desconsagrar* + *-ção*.] *S. f.* Ato ou efeito de desconsagrar.

desconsagrar [De *des-* + *consagrar*.] *V. t. d.* Profanar (1).

desconsciência [De *des-* + *consciência*.] *S. f.* Falta de consciência; inconsciência.

desconseguir [De *des-* + *conseguir*.] *V. t. d. Afric.* Não conseguir: "tudo fizeram, mas desconseguiram mesmo pôr fora da Mbanza-Kongo o filho de Mpudi a Nzinga." (Manuel Pacavira, *Nzinga Mbandi*, p. 28).

desconsentimento [De *desconsentir* + *-mento*.] *S. m.* Ação ou efeito de desconsentir; falta de consentimento.

desconsentir [De *des-* + *consentir*.] *V. t. i.* 1. Não consentir, não permitir. 2. Discordar, divergir. [Irreg. Conjug.: v. *aderir*.]

desconsertado [Part. de *desconsertar*.] *Adj.* Desarranjado, estragado. [Cf. *desconcertado*.]

desconsertador (ô) [De *desconsertar* + *-dor*.] *Adj. S. m.* Que, ou aquele que desconserta. [Cf. *desconcertador*.]

desconsertar [De *des-* + *consertar*.] *V. t. d.* Desarranjar, desconjuntar, estragar. [Pres. ind.: *desconserto*, etc. Cf. *desconserto* (ê); *desconcerto*, (ê); e o v. *desconcertar*.]

desconserto (ê) [De *des-* + *conserto* (ê).] *S. m.* 1. Desarranjo, defeito. 2. Estrago, dano. 3. *Fig.* Transtorno, contrariedade. [Pl.: *desconsertos* (ê). Cf. *desconserto*, do v. *desconsertar*; *desconcerto* (ê), s. m.; e *desconcerto*, do v. *desconcertar*.]

desconsideração [De *des-* + *consideração*.] *S. f.* 1. Falta de consideração, de acatamento; desrespeito, desatenção. 2. Ofensa, agravo, ultraje.

desconsiderar [De *des-* + *considerar*.] *V. t. d.* 1. Não considerar; não examinar convenientemente. 2. Tratar sem respeito ou com desatenção: *Desconsiderou o chefe, e foi demitido.* 3. Desacreditar, desconceituar: *Seu comportamento leviano o desconsiderou em seu emprego. P.* 4. Perder a consideração ou o respeito dos outros.

desconsolação [De *desconsolar* + *-ção*.] *S. f.* Falta de consolação; desconsolo: "Quando de ti me aparto, sinto logo / A desconsolação dos infelizes / Que despertam dum sonho venturoso..." (Eugênio de Castro, *Obras Poéticas*, V, p. 50.)

desconsoladamente [Do f. de *desconsolado* + *-mente*.] *Adv.* De modo desconsolado; sem consolação: "— Ora aí está! exclama o filho de Israel deixando pender desconsoladamente os braços." (Eça de Queirós, *Notas Contemporâneas*, p. 85.)

desconsolado [Part. de *desconsolar*.] *Adj.* 1. Que não tem consolação; triste, consternado. 2. *Fam.* Insípido, insulso, desenxabido (pessoa ou coisa).

desconsolador (ô) [De *desconsolar* + *-dor*.] *Adj.* Que desconsola, aflige, entristece; desconsolativo.

desconsolar [De *des-* + *consolar*.] *V. t. d.* 1. Causar desconsolação a; afligir, entristecer, desanimar ao extremo: *A perda do amigo desconsolou-o. Int.* 2. Causar desconsolação, tristeza. *P.* 3. Entristecer-se, afligir-se. [Pres. ind.: *desconsolo*, etc. Cf. *desconsolo* (ô), s. m.]

desconsolativo [De *desconsolar* + *-tivo*.] *Adj.* Desconsolador.

desconsolável [De *des-* + *consolável*.] *Adj. 2 g.* Não consolável; inconsolável.

desconsolo (ô) [De *des-* + *consolo* (ô).] *S. m.* 1. Desconsolação. 2. Tristeza, desolação. [Pl.: *desconsolos* (ô). Cf. *desconsolo*, do v. *desconsolar*.]

descontador (ô) [De *descontar* + *-dor*.] *S. m. Jur.* Aquele que desconta um título de crédito pagando-lhe antecipadamente o valor ao endossante.

descontaminação [De *descontaminar* + *-ção*.] *S. f. Hig.* Processo que objetiva livrar um indivíduo ou um objeto de substância que o contamine, como, p. ex., material radioativo.

descontaminar [De *des-* + *contaminar*.] *V. t. d.* **1.** Erradicar a contaminação de. *P.* **2.** Deixar de estar contaminado.

descontar [De *des-* + *contar*.] *V. t. d.* **1.** Pagar ou receber (um título de crédito) antes do vencimento, mediante desconto. **2.** Tirar de uma conta, de uma quantidade ou de um todo; deduzir, abater: *Descontou o que lhe deviam, antes de pagar a conta.* **3.** Não levar em conta; não fazer caso: *Como lhe devo favores, desconto a grosseria que me fez.* **4.** *Fut.* Dar desconto (5). **5.** *Bras. Fam.* Revidar, responder: *Exaltado, deu um soco para descontar o que levara.* *T. d. e i.* **6.** Desforrar-se em alguém: *Descontou nos empregados seu problema familiar.* *T. i. e c.* **7.** Tirar, deduzir, abater: *Do total descontou 100 reais.* *Int.* **8.** Fazer operação ou comércio de descontos. [Fut. pret.: *descontaria*, etc. Cf. *descontária*, fem. de *descontário*.]

descontário [De *desconto* + *-ário*.] *Adj. S. m.* Diz-se de, ou portador legítimo de um título descontado; descontatário. [Fem.: *descontária*. Cf. *descontaria*, do v. *descontar*.]

descontatário [De *descontar* + *-tário*.] *Adj. S. m.* V. *descontário*.

descontentadiço *Adj.* Que facilmente se descontenta; difícil de contentar.

descontentamento [De *descontentar* + *-mento*.] *S. m.* Falta de contentamento; desprazer, desgosto.

descontentar [De *des-* + *contentar*.] *V. t. d.* **1.** Tornar descontente; desgostar, aborrecer, contrariar. *P.* **2.** Estar ou ficar descontente; experimentar desgosto, contrariedade.

descontente [De *des-* + *contente*.] *Adj. 2 g.* **1.** Que não está contente; insatisfeito, malcontente. **2.** Triste, desgostoso, malcontente. **3.** Que exprime ou denota desgosto, tristeza, aborrecimento: *atitude descontente.* ● *S. 2 g.* **4.** Pessoa descontente.

descontinência [De *des-* + *continência*.] *S. f.* Incontinência (1).

descontingenciar [De *des-* + *contingência* + *-ar*[2].] *V. t. d. Econ.* Suprimir limites ou quotas a (importação de mercadoria, gasto de uma verba orçamentária, etc.).

descontinuação [De *descontinuar* + *-ção*.] *S. f.* Ato ou efeito de descontinuar.

descontinuado [Part. de *descontinuar*.] *Adj.* Que se descontinuou; interrompido, suspenso.

descontinuar [De *des-* + *continuar*.] *V. t. d.* **1.** Não continuar; interromper, suspender. *Int.* **2.** Interromper-se, cessar: *Falou mais de uma hora sem descontinuar;* "Fumava sem descontinuar." (Graciliano Ramos, *Memórias do Cárcere*, I, p. 152.) [Pres. ind.: *descontinuo*, etc. Cf. *descontínuo*.] ◆ **Sem descontinuar.** Sem solução de continuidade; ininterruptamente: "até à meia-noite, sem descontinuar, subiram comissões com oradores." (Coelho Neto, *A Conquista*, p. 433); "Os olhos oblíquos de uma rapariga chinesa, realmente bela, riam sem descontinuar." (Graciliano Ramos, *Viagem*, p. 37).

descontinuidade (u-i) [De *descontínu(o)* + *-(i)dade*.] *S. f.* **1.** Qualidade do que é descontínuo. **2.** *Mat.* Propriedade duma função que não é contínua. **3.** *Mat.* Ponto de descontinuidade. **4.** *Geofís.* Superfície que separa zonas de condições diferentes de densidade, temperatura, pressão e estado físico no interior do globo terrestre. ◆ **Descontinuidade de Gutemberg.** *Geol.* Camada que se situa a 292km de profundidade da superfície terrestre, e que separa o manto (8) do nife. **Descontinuidade de Mohorovicic.** *Geol.* Zona de divisão do sial continental que flutua sobre o sima, e que se encontra, em média, à profundidade de 28-30km, sendo mais profunda sob os grandes maciços e quase superficial sob o fundo dos oceanos. **Descontinuidade de primeira espécie.** *Mat.* Propriedade duma função para a qual existem, mas são diferentes, os limites laterais num ponto do seu domínio; descontinuidade ordinária. **Descontinuidade de segunda espécie.** *Mat.* Propriedade de uma função para a qual não existe algum dos limites laterais num ponto do seu domínio. **Descontinuidade essencial.** *Mat.* Descontinuidade irremovível. **Descontinuidade finita.** *Mat.* Propriedade de uma função cujos limites laterais num ponto são diferentes, sendo a diferença finita. **Descontinuidade infinita.** *Mat.* Propriedade de uma função cujos limites laterais num ponto são diferentes, sendo a diferença infinita. **Descontinuidade irremovível.** *Mat.* A que não é removível; descontinuidade essencial. **Descontinuidade não essencial.** *Mat.* Descontinuidade removível. **Descontinuidade ordinária.** *Mat.* Descontinuidade de primeira espécie. **Descontinuidade removível.** *Mat.* Propriedade de uma função para a qual existem e são iguais os limites laterais num ponto de seu domínio, mas cujo valor nesse ponto não coincide com os dos limites; descontinuidade não essencial. [A função pode tornar-se contínua se se der uma definição adequada do seu valor no ponto.]

descontínuo [De *des-* + *contínuo*.] *Adj.* **1.** Não contínuo; interrompido, interrupto. **2.** *Biol.* Diz-se dos caracteres que se apresentam em graus nitidamente delimitados, e não continuamente. [Cf. *descontinuo*, do v. *descontinuar*.] ~ V. *função —a*. ◆ **Descontínuo de Cantor.** *Mat.* V. *conjunto de Cantor*.

desconto [Dev. de *descontar*.] *S. m.* **1.** Ato ou efeito de descontar. **2.** V. *abatimento* (7). **3.** *Econ.* Negociação de título de crédito em data anterior a seu vencimento: *O desconto de duplicatas em bancos é uma forma de financiamento muito utilizada por pequenas empresas.* **4.** *Econ.* A comissão cobrada (pelos bancos) nessa operação. **5.** *Fut.* Tempo que o árbitro acrescenta a uma partida de futebol para compensar certas paralisações. **6.** *Bras.* Perda de peso que o gado sofre durante uma viagem. ◆ **Dar um desconto.** Mostrar tolerância; não ser rigoroso demais.

descontração [De *descontra(ir)* + *-ção*, p. anal. com *contração*.] *S. f.* Ato ou efeito de descontrair-se: "Meu amigo Alberto .... disse que centenas de pessoas acotoveladas na calçada, nos ônibus, carros, ... assistiram às cenas de violência .... com a mesma descontração com que acompanham suas novelas preferidas." (Carlos Eduardo Novais, em *Jornal do Brasil*, 05.10.1980.)

descontraído [De *des-* + *contraído*.] *Adj.* **1.** Que não tem, ou em que não há constrangimento ou embaraço; simples, espontâneo, natural; informal: *É um rapaz descontraído; ambiente descontraído.* **2.** Tranquilo, sereno: *fisionomia descontraída.*

descontrair [De *des-* + *contrair*.] *V. t. d.* **1.** Fazer perder o constrangimento: *Estava muito tenso, mas a minha brincadeira o descontraiu.* *P.* **2.** Perder o constrangimento; ficar natural; desembaraçar-se. [Conjug.: v. *sair*.]

descontramantelo (ê) [Cruz. de *desmantelo*, com *contratempo*.] *S. m. Bras. CE Pop.* Contratempo (1 a 3).

descontratar [De *des-* + *contratar*.] *V. t. d.* Desfazer um contrato sobre (transação).

descontrolado [Part. de *descontrolar*.] *Adj.* **1.** Fora de controle; desgovernado. **2.** Não controlado; desequilibrado, descomedido, desmedido. ● *S. m.* **3.** Indivíduo descontrolado.

descontrolar [De *des-* + *controlar*.] *V. t. d.* **1.** Fazer perder o controle, o domínio de si mesmo, o equilíbrio: *O acidente automobilístico descontrolou-o por muito tempo.* *P.* **2.** Perder o controle, o domínio de si mesmo; desequilibrar-se, descomedir-se, desmedir-se. [Pres. subj.: *descontrole*, *descontroles*, etc. Cf. *descontrole* (ô) e pl. *descontroles* (ô).]

descontrole (ô) [De *des-* + *controle* (ô).] *S. m.* Falta de controle. [Pl.: *descontroles* (ô). F. paral. (lus.): *descontrolo*. Cf. *descontrole* e *descontroles*, do v. *descontrolar*.]

descontrolo (ô) *S. m. Lus.* V. *descontrole*.

desconvencer [De *des-* + *convencer*.] *V. t. d. Int. P.* Despersuadir(-se), dissuadir(-se). [Conjug.: v. *vencer*.]

desconveniência [De *des-* + *conveniência*.] *S. f.* Falta de conveniência; inconveniência.

desconveniente [De *des-* + *conveniente*[1].] *Adj. 2 g.* Não conveniente; inconveniente.

desconversação [De *desconversar* + *-ção*.] *S. f.* **1.** Ato ou efeito de desconversar. **2.** Falta de conversação; falta de trato social.

desconversão [De *des-* + *conversão*.] *S. f.* Ação ou efeito de desconverter.

desconversar [De *des-* + *conversar*.] *V. t. d. e i.* **1.** Deixar de conversar. *Int.* **2.** *Bras.* Mudar de assunto, em uma conversação; fazer-se de desentendido; dissimular: *Quando lhe perguntam a idade, desconversa.*

desconversável [De *des-* + *conversável*.] *Adj. 2 g.* **1.** Não conversável; insociável; intratável; rude, inconversável. **2.** Diz-se de lugar solitário, desfrequentado.

desconverter [De *des-* + *converter*.] *V. t. d.* Desfazer a conversão de. [Conjug.: v. *mexer*.]

desconvidar [De *des-* + *convidar*.] *V. t. d.* Revogar um convite feito a: *Depois de o convidar com insistência, desconvidou-o.*

desconvir [De *des-* + *convir*.] *V. int.* **1.** Ser inconveniente; não ser proveitoso. *T. i.* **2.** Não estar de acordo; não admitir; não convir; discordar, discrepar: *Desconveio em que se convocasse a reunião para terça-feira.* [Irreg. Conjug.: v. *vir*.]

desconvocação [De *desconvocar* + *-ção*.] *S. f.* Ato ou efeito de desconvocar.

desconvocado [Part. de *desconvocar*.] *Adj.* De quem se anulou a convocação.

desconvocar [De *des-* + *convocar*.] *V. t. d.* Suspender ou anular a convocação de (indivíduo ou grupo).

descoordenação [De *des-* + *coordenação*.] *S. f.* Falta de coordenação, de ajuste: *Há descoordenação entre as políticas fiscal e monetária do governo.*

descoordenado [Part. de *descoordenar*.] *Adj.* Em que não há coordenação: *O doente apresentava desorientação e movimentos descoordenados.*

descoordenar [De *des-* + *coordenar*.] *V. t. d.* **1.** Tirar a coordenação de. **2.** Desordenar, desorganizar.

descor (ô) [De *des-* + *cor* (ô).] *S. f.* Falta de cor; palidez: "Viu-se ao espelho; a descor da face e a linha roxa que lhe circulava as pálpebras dificilmente podiam deixar de impressionar a família." (Machado de Assis, *Helena*, p. 129.) [Pl.: *descores* (ô). Cf. *descores*, do v. *descorar*.]

descorado [Part. de *descorar*[1].] *Adj.* **1.** Que perdeu a cor. **2.** Sem cor; pálido.

descoramento [De *descorar*[1] + *-mento*.] *S. m.* **1.** Ação ou efeito de descorar[1](-se). **2.** Palidez, palor.

descorante [De *descorar*[1] + *-nte*.] *Adj. 2 g. S. m.* Que ou o que descora, faz perder a cor; descolorante.

descorar[1] [De *des-* + *cor* (ô) + *-ar*[2].] *V. t. d.* **1.** Fazer perder a cor: "As volúpias da noite descoraram-te / A fronte enfebrecida." (Álvares de Azevedo, *Obras Completas*, I, p. 497.) *Int. P.* **2.** Perder a cor; empalidecer: "fitou os olhos na escritura, descorou subitamente e passou o pergaminho a Diogo Lopes, dizendo-lhe: / Estamos perdidos!" (Alexandre Herculano, *Lendas e Narrativas*, I, p. 145); "Um mancebo no jogo se descora" (Id., *ib.*, p. 197). [Sin. ger.: *descolorar*, *descolorir*. Pres. subj.: *descore*, *descores*, etc. Cf. *descores* (ô), pl. de *descor* (ô).]

descorar[2] [De *des-* + *cor* + *-ar*[2].] *V. t. d.* Esquecer-se de (aquilo que havia decorado). [Pres. subj.: *descore*, *descores*, etc. Cf. *descores* (ô), pl. de *descor* (ô).]

descorçoado [Part. de *descorçoar*.] *Adj. S. m.* V. *descoroçoado*: "parei junto a um ponto de jornais, descorçoado, com vontade de ir-me embora para outra terra, outro planeta." (Ribeiro Couto, *Prima Belinha*, p. 83).

descorçoar [De *descoroçoar*, com síncope.] *V. t. d. Int.* V. *descoroçoar*. [Conjug.: v. *coroar*.]

descordar [De *des-* + *corda* + *-ar*[2].] *V. int. Lus.* Cortar (o toureiro), com o estoque, a medula espinhal do touro, fazendo-o cair, sem que possa mais levantar-se. [Pres. ind.: *descordo*, etc. Cf. *descordo* (ô) e *discordo* (ô), s. m.; *discorde*, adj.; *discordo*, do v. *discordar*, e este v.]

descordo (ô) *S. m.* **1.** Poesia trovadoresca de caráter amoroso, na qual o poeta lamentava paixão não correspondida. **2.** Dança ou canção medieval trovadoresca, talvez de origem provençal; desacordo. [Pl.: *descordos* (ô). Cf. *descordo*, do v. *descordar*; *discordo* (ô), s. m., pl. *discordos* (ô); e *discordo*, do v. *discordar*.]

descorna [Dev. de *descornar*.] *S. f.* Ação de descornar (1).

descornamento [De *descornar* + *-mento*.] *S. m.* Ação de descornar.

descornar [De *des-* + *corno* + *-ar*[2].] *V. t. d.* **1.** Tirar os cornos a (um animal); esmochar. *P.* **2.** Ficar sem cornos um animal. [Cf. *escornar*.]

descoroar [De *des-* + *coroar*.] *V. t. d.* **1.** Tirar a coroa a: *Descoroaram o soberano; O temporal descoroou as ameias do velho muro.* **2.** Derribar, derrocar: *A Revolução Francesa descoroou a dinastia dos Bourbons.* [Sin.: *escoroar*. Conjug.: v. *coroar*.]

descoroçoado [Part. de *descoroçoar*.] *Adj. S. m.* Diz-se de, ou indivíduo sem coragem, sem ânimo; desanimado, desalentado. [Var.: *desacorçoado*, *desacoroçoado*, *descorçoado*.]

descoroçoar [De *des-* + *coração*[1] + *-ar*[2], com assimilação e desnasalação.] *V. t. d.* **1.** Tirar o ânimo ou a coragem a: *A morte do seu general descoroçoou os soldados em ação.* *Int.* **2.** Perder a coragem; desanimar. [Var.: *descorçoar*, *desacoroçoar*, *desacorçoar*. Conjug.: v. *coroar*.]

descorolado [De *des-* + *corolado*.] *Adj. Bot.* Sem corola.

descorrelação [De *des-* + *correlação*.] *S. f.* Ausência de correlação.

descorrelacionar [De *des-* + *correlacionar*.] *V. t. d.* Tirar a correlação a.

descortejar [De *des-* + *cortejar*.] *V. t. d.* **1.** Não cortejar [v. *cortejar* (1)]. **2.** Tratar com descortesia; desconsiderar. [Conjug.: v. *pelejar*.]

descortês [De *des-* + *cortês*.] *Adj. 2 g.* Falto de cortesia; grosseiro, indelicado. [Pl.: *descorteses* (ê).]

descortesia [De *des-* + *cortesia*, ou de *descortês* + *-ia*[1].] *S. f.* Ação descortês; grosseria, indelicadeza.

descorticamento [De *descorticar* + *-mento*.] *S. m.* Ato ou efeito de descorticar.

descorticar *V. t. d.* V. *decorticar*. [Conjug.: v. *trancar*.]

descortiçar [De *des-* + *cortiça* + *-ar*[2].] *V. t. d.* Tirar a cortiça a; decorticar (q. v.). [Conjug.: v. *laçar*.]

descortinar [De *des-* + *cortina* + *-ar*[2].] *V. t. d.* **1.** Patentear, mostrar, correndo a cortina. **2.** Enxergar, avistar: *Da janela do palácio descortinou a multidão reunida na praça.* **3.** Descobrir, notar, distinguir: *Naquela explosão de cólera descortinou o temperamento do amigo.* **4.** Tornar manifesto; patentear, revelar: *O documento secreto descortinava a ação dos revolucionários.* **5.** Abrir clareiras em (mata).

descortinável [De *descortinar* + *-vel.*] ***Adj. 2 g.*** Que se pode descortinar.

descortino [Dev. de *descortinar.*] ***S. m. Bras.*** **1.** Ação de descortinar ou descobrir. **2.** *Fig.* Qualidade de quem vê de longe; capacidade de antever. **3.** Percepção aguda; perspicácia: "inteligência de largo descortino, servida por uma cultura variadíssima" (Sousa Bandeira, *Evocações e Outros Escritos*, p. 54).

descosedura [De *descoser* + *-dura.*] ***S. f.*** Ato ou efeito de descoser(-se).

descoser [De *des-* + *coser.*] ***V. t. d.*** **1.** Desmanchar a costura de; descosturar. **2.** Desfazer (costura); descosturar. **3.** Desconjuntar, desmantelar: *As tempestades descoseram o barco.* **4.** Rasgar, dilacerar. **5.** Delatar, divulgar: *Passa a vida a descoser a vida alheia.* ***P.*** **6.** Romperem-se as costuras; descosturar-se: "Olhe a saia de riscado, / Descoseu-se-lhe a bainha..." (Augusto Gil, *O Craveiro da Janela*, p. 70.) **7.** *Fam.* Dizer tudo o que sente; desabafar. [Conjug.: v. *mover.*]

descosido [Part. de *descoser.*] ***Adj.*** **1.** Cuja costura se desfez; descosturado: "Suas calcinhas remendadas, o bolso da camisa descosido..." (Gilvã Lemos, *Jutaí Menino*, p. 37.) **2.** *Fig.* Sem nexo ou concatenação; desalinhavado: *ideias descosidas.* **3.** Desconjuntado, desprendido, solto.

descostumar [De *des-* + *costumar.*] ***V. t. d. e i. P.*** V. *desacostumar.*

descostume [De *des-* + *costume*[1].] ***S. m.*** Falta de costume.

descosturado [Part. de *descosturar.*] ***Adj.*** Descosido (1).

descosturar [De *des-* + *costurar.*] ***V. t. d. P.*** Descoser (1, 2 e 6).

descotoar [De *des-* + *cotão*[1] + *-ar*[2], com desnasalação.] ***V. t. d.*** Tirar o cotão[1] a. [Conjug.: v. *coroar.*]

descravar [De *des-* + *cravar.*] ***V. t. d.*** **1.** Arrancar (ferro, pedras de engaste, etc.); desencravar. ***T. d. e i.*** **2.** Despregar, desviar (os olhos, a vista): *Não descravava os olhos da noiva.*

descravejar [De *des-* + *cravejar.*] ***V. t. d.*** **1.** Tirar os cravos a. **2.** Desengastar (1). [Conjug.: v. *pelejar.*]

descravizar [De *des-* + *escravizar*, com haplologia.] ***V. t. d.*** Livrar da escravidão.

descredenciado [Part. de *descredenciar.*] ***Adj.*** A que se tiraram as credenciais; que já não as tem.

descredenciamento [De *descredenciar* + *-mento.*] ***S. m.*** Ato ou efeito de descredenciar.

descredenciar [De *des-* + *credenciar.*] ***V. t. d.*** Fazer cessar o credenciamento a, ou retirá-lo.

descreditar [De *des-* + *crédito* + *-ar*[2].] ***V. t. d. P.*** V. *desacreditar.* [Pres. ind.: *descredito*, etc. Cf. *descrédito.*]

descrédito [De *des-* + *crédito.*] ***S. m.*** **1.** Falta, perda ou diminuição de crédito. **2.** V. *difamação.* **3.** Má fama, ou desonra, resultante de mau procedimento. [Cf. *descredito*, do v. *descreditar.*]

descremação [De *descremar* + *-ção.*] ***S. f. Bras.*** Ação ou operação de descremar.

descremar [De *des-* + *creme* + *-ar*[2].] ***V. t. d. Bras.*** Separar o creme de (o leite).

descrença [De *des-* + *crença.*] ***S. f.*** Falta ou perda de crença; incredulidade.

descrente [De *descrer* + *-nte.*] ***Adj. 2 g. S. 2 g.*** Que, ou quem descrê; incrédulo, descrido.

descrer [De *des-* + *crer.*] ***V. t. d.*** **1.** Não crer; negar: *Descrê tudo aquilo que a razão não explica.* **2.** Deixar de crer. ***T. i.*** **3.** Não crer; não ter fé ou não dar crédito: *Descrê de Deus, dos amigos, de tudo.* [Irreg. Conjug.: v. *crer.*]

descrever [Do lat. *describere.*] ***V. t. d.*** **1.** Fazer a descrição de; narrar. **2.** Expor, contar minuciosamente: *descrever a viagem.* **3.** Fazer, perfazer, produzir, movimentando-se; traçar: *O jato, cortando o ar, descrevia uma reta perfeita.* ***T. d. e i.*** **4.** Expor, contar minuciosamente: *Descrevi-lhe as peripécias da viagem.* [Part. irreg.: *descrito.* Conjug.: v. *mexer.*]

descrição [Do lat. *descriptione.*] ***S. f.*** **1.** Ato ou efeito de descrever. **2.** Exposição circunstanciada feita pela palavra falada ou escrita. **3.** Enumeração, relação. [Cf. *discrição.*] ◆ **Descrição bibliográfica.** *Bibliogr. Bibliot.* Catalogação (2).

descrido [Part. de *descrer.*] ***Adj. S. m.*** V. *descrente.*

descriminação [De *descriminar* + *-ção.*] ***S. f. Jur.*** Ato ou efeito de descriminar. [Cf. *discriminação.*]

descriminador (ô) [De *descriminar* + *-dor.*] ***Adj. Jur.*** Descriminante. [Cf. *discriminador.*]

descriminalização [De *descriminalizar* + *-ção.*] ***S. f.*** Ato ou efeito de descriminalizar: "O candidato a governador Fernando Gabeira (PT-PV) explicou que defende a descriminalização, e não a liberação da maconha" (*Jornal do Brasil*, 18.09.1986).

descriminalizar [De *des-* + *criminalizar.*] ***V. t. d.*** V. *descriminar.*

descriminante [De *descriminar* + *-nte.*] ***Adj. 2 g. Jur.*** Que descrimina; descriminador. [Cf. *discriminante.*]

descriminar [De *des-* + *criminar.*] ***V. t. d.*** **1.** Absolver de crime; tirar a culpa de; inocentar. **2.** *Jur.* Excluir a criminalidade ou antijuridicidade de (um fato). [Sin. ger.: *descriminalizar.* Cf. *discriminar*, v.]

descriminável [De *descriminar* + *-vel.*] ***Adj. 2 g.*** Que se pode descriminar.

descrioulização [De *des-* + **crioulizar* + *-ção.*] ***S. f. E. Ling.*** Processo de reestruturação de um crioulo (12) sob a influência da língua-padrão. [Cf. *crioulização.*]

descristianização [De *descristianizar* + *-ção.*] ***S. f.*** Ato ou efeito de descristianizar.

descristianizar [De *des-* + *cristianizar.*] ***V. t. d.*** Tirar a qualidade de cristão, as crenças cristãs, a.

descritível [Do lat. *descriptus*, part. pass. de *describere* (v. *descrever*) + *-ível.*] ***Adj. 2 g.*** Que pode ser descrito.

descritivo [Do lat. *descriptivu.*] ***Adj.*** **1.** Em que há descrição; que apresenta descrições: *estilo descritivo.* **2.** Próprio para descrever: *linguagem descritiva.* **3.** Relativo a descrições. ~ V. *astronomia —a*, *biogeografia —a*, *botânica —a*, *geometria —a*, *linguística —a*, *memória —a*, *memorial* — e *música —a.* ● ***S. m.*** **4.** *P. us.* Descrição (1). [Cf. *discretivo.*]

descrito [Do lat. *descriptu.*] ***Adj.*** **1.** Que se descreveu. **2.** Relatado, narrado. **3.** Desenhado, traçado. **4.** Diz-se de linha, imaginária ou não, que acompanha o contorno de um corpo ou superfície, ou que representa o deslocamento deste quando em movimento.

descritor [Do lat. *descriptore.*] ***Adj.*** **1.** Que descreve. ● ***S. m.*** **2.** Aquele que descreve. **3.** *Bibliot.* Palavra ou expressão utilizada em indexação e tesauro para representar, sem ambiguidade, um determinado conceito.

descruzar [De *des-* + *cruzar.*] ***V. t. d.*** Separar (o que estava cruzado); desencruzar: "Silencioso, permanecia ali muito tempo, com as mãos para trás, cruzando e descruzando os dedos." (Caio de Freitas, *Intrusos no Paraíso*, p. 4.)

descuidado [Part. de *descuidar.*] ***Adj.*** **1.** Que não tem cuidado. **2.** Desleixado, negligente, descuidoso. **3.** Precipitado, irrefletido. **4.** Preguiçoso, indolente. ● ***S. m.*** **5.** Pessoa descuidada.

descuidadoso (ô) [De *des-* + *cuidadoso.*] ***Adj. P. us.*** Não cuidadoso; descuidado, descuidoso: "Mães-d'água de grandes cabeleiras gotejantes, surgindo dos pegos para furtarem crianças de sete meses às mães descuidadosas." (Guedes de Miranda, *Eu e o Tempo*, p. 16.)

descuidar [De *des-* + *cuidar.*] ***V. t. d.*** **1.** Tratar sem cuidado; descurar: *Descuidou os seus negócios para tratar dos alheios.* **2.** Não fazer caso de; desprezar: *Descuida os humildes.* ***T. d. e i.*** **3.** Fazer esquecer-se; distrair: *As preocupações o descuidaram dos deveres.* ***T. i.*** **4.** Não cuidar; esquecer-se; descurar: *Descuidou da tarefa que se propusera terminar.* ***P.*** **5.** Descuidar (4). ***Int.*** **6.** Estar ou ficar desatento.

descuidista [De *descuido* + *-ista.*] ***S. 2 g. Bras. Gír.*** Gatuno que atua valendo-se de uma distração, descuido, falta de vigilância da vítima; lalau.

descuido [Dev. de *descuidar.*] ***S. m.*** **1.** Falta de cuidado. **2.** Inadvertência, irreflexão. **3.** Negligência, desleixo. **4.** Desalinho, desarranjo: *descuido no vestir.* **5.** Lapso ou distração do espírito. **6.** Falta, erro. **7.** *Bras. Gír.* Furto devido a uma distração. **8.** *Fam.* Filho concebido sem que houvesse intenção.

descuidoso (ô) [De *descuidadoso*, com haplologia.] ***Adj.*** **1.** V. *descuidado* (2). **2.** Descansado, tranquilo: "Pouco depois chegou Celestina, bela, descuidosa, inocente como da primeira vez" (Machado de Assis, *Contos Esparsos*, p. 34).

desculpa [Dev. de *desculpar.*] ***S. f.*** **1.** Ação ou efeito de desculpar(-se). **2.** Perdão, indulgência, absolvição. **3.** Escusa, justificação: *Apresentou desculpas por não poder ir ao banquete.* **4.** Pretexto, evasiva: *A doença que alegou para entrar em férias é pura desculpa: nunca o vi tão bem.*

desculpador (ô) [De *desculpar* + *-dor.*] ***Adj. S. m.*** Que, ou aquele que desculpa ou absolve.

desculpar [De *des-* + *culpar.*] ***V. t. d.*** **1.** Eliminar ou atenuar a culpa de; justificar: *A má saúde desculpa a sua negligência no trabalho.* **2.** Absolver, perdoar: *Intolerante, não desculpa faltas alheias.* ***T. d. e i.*** **3.** Relevar, absolver (de falta cometida): *Dada a nossa velha amizade, desculpei-lhe a desatenção com que ontem me tratou.* ***P.*** **4.** Expor as razões que eliminam ou atenuam a própria culpa; justificar-se: "Na primeira semana chegou atrasado duas vezes: a mulher tivera um ataque de madrugada — desculpou-se." (Maria Julieta Drummond de Andrade, *Um Buquê de Alcachofras*, p. 27.) **5.** Pedir escusa. [Sin. ger.: *exculpar.*]

desculpável [De *desculpar* + *-vel.*] ***Adj. 2 g.*** Que pode ser desculpado.

descultivar [De *des-* + *cultivar*[1].] ***V. t. d.*** Deixar de cultivar; conservar inculto.

descultivo [De *des-* + *cultivo.*] ***S. m.*** **1.** Ato ou efeito de descultivar. **2.** Falta de cultivo, ou de cultura.

desculto[1] [De *des-* + *culto*[1].] ***S. m.*** **1.** Ausência ou falta de culto[1]. **2.** V. *desamor.* **3.** Irreverência.

desculto[2] [De *des-* + *culto*[2].] ***Adj.*** Não cultivado; inculto, incivilizado.

descumpridor (ô) [De *descumprir* + *-dor.*] ***S. m.*** **1.** Aquele que descumpre, que deixa de cumprir. **2.** Aquele que é inadimplente.

descumprimento [De *descumprir* + *-mento.*] ***S. m.*** **1.** Falta de cumprimento. **2.** Inadimplemento.

descumprir [De *des-* + *cumprir.*] ***V. t. d.*** **1.** Não cumprir; deixar de cumprir. **2.** *Jur.* Inadimplir.

descupinização [De *descupinizar* + *-ção.*] ***S. f. Bras.*** Ação de descupinizar.

descupinizar [De *des-* + *cupim* + *-izar.*] ***V. t. d.*** Exterminar o cupim de: *Mandou descupinizar as estantes.*

descuramento [De *descurar* + *-mento.*] ***S. m.*** **1.** Ato ou efeito de descurar. **2.** Desleixo, descuido.

descurar [De *des-* + *curar.*] ***V. t. d.*** **1.** Não curar; desleixar, descuidar. **2.** Não fazer caso de; abandonar, descuidar. **3.** Tornar descuidoso. ***T. i.*** **4.** Não tratar, não cuidar; descuidar: *Descura dos próprios interesses.*

descuriosidade [De *des-* + *curiosidade.*] ***S. f.*** Falta de curiosidade.

descurioso (ô) [De *des-* + *curioso.*] ***Adj.*** Falto de curiosidade.

descurvar [De *des-* + *curvar.*] ***V. t. d.*** Desencurvar.

desdar [De *des-* + *dar.*] ***V. t. d.*** **1.** Desatar (nó, laçada, etc.): "Juliano desdeu o nó da carta e leu." (Alexandre Herculano, *Eurico, o Presbítero*, p. 64.) **2.** *P. us.* Retomar (o que se tinha dado). ***P.*** **3.** Desatar-se, soltar-se; desfazer-se. [Irreg. Conjug.: v. *dar.*]

desde (ê) [Da ant. prep. *des* < lat. *de ex*, 'de dentro de'.] ***Prep.*** A começar de, a partir de: "São duas da manhã. E espera desde as nove..." (Ribeiro Couto, *Poesias Reunidas*, p. 31); "Desde então para cá fiquei sombrio!" (Augusto dos Anjos, *Eu*, p. 105); "não suportava aquela residência conventual, que *cheirava* a incenso desde a entrada" (Coelho Neto, *Treva*, p. 63). ◆ **Desde que. 1.** Desde o tempo, o momento em que; desde quando: "Desde que meus olhos fitaram o seu rosto cândido, a tranquilidade desertou a minh'alma." (Camilo Castelo Branco, *A Queda dum Anjo*, p. 111.) **2.** Visto que; uma vez que: *Desde que é rico, não lhe é difícil auxiliar o próximo.*

desdém [Do provenç. *desdenh.*] ***S. m.*** **1.** Ato ou efeito de desdenhar; desprezo com orgulho. **2.** Altivez, arrogância. ◆ **Ao desdém.** Descuidosamente, negligentemente; desafetadamente: "Manga de camisa solta, / Faixa pregada ao desdém" (Francisco Rodrigues Lobo, *Églogas*, p. 254).

desdenhador (ô) [De *desdenhar* + *-dor.*] ***Adj. S. m.*** Que, ou aquele que desdenha.

desdenhar [Do lat. vulg. **desdignare* < lat. *dedignare*, por *dedignari.*] ***V. t. d.*** **1.** Mostrar ou ter desdém a; desprezar com altivez: *Desdenha as amizades que não lhe aproveitam*; "Eu sei de certos senhores / Que desdenham, sérios, graves, / O doce aroma das flores / E o terno canto das aves." (Ricardo Gonçalves, *Ipês*, p. 49.) **2.** Motejar, escarnecer. ***T. i.*** **3.** Não fazer caso; menoscabar: *Não desdenhemos dos humildes.* ***P.*** **4.** Não se dignar.

desdenhativo [De *desdenhar* + *-tivo.*] ***Adj.*** **1.** Desdenhoso (1). **2.** Que menospreza; depreciativo.

desdenhável [De *desdenhar* + *-vel.*] ***Adj. 2 g.*** Digno de desdém.

desdenhosamente [Do f. de *desdenhoso* + *-mente.*] ***Adv.*** De maneira desdenhosa; com desdém.

desdenhoso (ô) [De *desdém* + *-oso*, ou de *desdenh-*, como em *desdenhar*, + *-oso.*] ***Adj.*** **1.** Que tem, ou em que há desdém; desdenhativo. **2.** Que liga pouca importância; menosprezador.

desdentado[1] [De *des-* + *dentado*[1].] ***Adj.*** **1.** Que apresenta falta de todos os dentes, ou de parte deles. [Sin.: *edentado.*] **2.** Que deixa ver a falta de dentes: "seus cândidos olhos cor do céu, seu sorriso desdentado, e seu ar simples, ingênuo" (Malu de Ouro Preto, *Siri na Noite de Lua*, p. 13). ● ***S. m.*** **3.** Indivíduo desdentado (1); edentado.

desdentado[2] [Adapt. do tax. *Edentata*, com mudança de prefixo.] *Zool.* ***S. m.*** **1.** Espécime dos desdentados, ordem de mamíferos sem dentes ou com dentição imperfeita, caninos e incisivos raramente representados, e pré-molares, quando os há, desprovidos de raiz e de esmalte. São os tamanduás, preguiças e tatus, sendo, os dois últimos, monofiodontes. ● ***Adj.*** **2.** Pertencente ou relativo a eles. [Cf. *xenartro.*]

desdentar [De *des-* + *dente* + *-ar*[2].] ***V. t. d.*** **1.** Tirar ou quebrar os dentes a. ***P.*** **2.** Perder os dentes.

desdita [De *des-* + *dita*[1].] ***S. f.*** Falta de dita; infelicidade, desventura.

desditado [De *desdita* + *-ado*[1].] ***Adj.*** V. *desditoso* (1).

desdito[1] [De *desdita*.] ***Adj.*** *P. us.* V. *desditoso* (1).
desdito[2] [Part. de *desdizer*.] ***Adj.*** Que se desdisse, desmentiu.
desditoso (ô) [De *des-* + *ditoso*.] ***Adj.*** **1.** Infeliz, desgraçado, desventurado, mal-aventurado, inditoso, desditado, desdito: *seres desditosos; desditosa formosura.* ● ***S. m.*** **2.** Aquele que é desditoso; infeliz, desgraçado, desventurado, inditoso.
desdizer [De *des-* + *dizer*.] ***V. t. d.*** **1.** Contradizer a afirmação ou asserção de; desmentir: *Aborrecido, viu-se obrigado a desdizer o amigo.* **2.** Dizer o contrário de; negar: *Desdisse tudo que antes afirmara.* ***T. i.*** **3.** Não condizer; discordar: *Seu atual depoimento desdiz do anterior.* **4.** Desviar-se das qualidades; degenerar: *Inteligente e responsável, não desdirá da família.* ***P.*** **5.** Negar o que havia dito; retratar-se. [Irreg. Conjug.: v. *dizer*.]
desdobar [De *des-* + *dobar*.] ***V. t. d. P.*** Desnovelar(-se), desenredar(-se), desembaraçar(-se).
desdobramento [De *desdobrar* + *-mento*.] ***S. m.*** Ato ou efeito de desdobrar(-se); desdobre, desdobro. **2.** Consequência: "A associação entre dieta e melancolia não era rara à época, e terá desdobramentos, como logo veremos." (Moacir Scliar, *Saturno nos Trópicos*, p. 106.) **3.** Curso, desenvolvimento.
desdobrar [De *des-* + *dobrar*.] ***V. t. d.*** **1.** Abrir ou estender (o que estava dobrado). **2.** Dividir em dois. **3.** Fracionar ou dividir em grupos. **4.** Dar maior incremento ou atividade a: *desdobrar esforços.* **5.** Dividir (uma tora de madeira) em tábuas. ***P.*** **6.** Abrir-se (o que estava dobrado). **7.** Fazer-se em dois. **8.** Desenvolver-se, incrementar-se. **9.** Prolongar-se no espaço ou no tempo. **10.** Manifestar-se, produzir-se. **11.** Envidar o máximo esforço para; empenhar-se a fundo em: *Embora pobre, desdobrou-se para ajudar o velho amigo.* [Pres. ind.: *desdobro*, etc. Cf. *desdobro* (ô), s. m.]
desdobrável [De *desdobrar* + *-vel*.] ***Adj. 2 g.*** Que pode ser desdobrado. ~ V. *prospecto* —.
desdobre [Dev. de *desdobrar*.] ***S. m.*** **1.** V. *desdobramento*. **2.** *Bras.* Desenvolvimento, incremento, aumento.
desdobro (ô) [Dev. de *desdobrar*.] ***S. m.*** **1.** Certa máquina de serraria. **2.** Corte das toras feito pelas serrarias para a formação de pranchões. **3.** Corte de tais pranchões para a formação de tábuas, vigas e barrotes. **4.** V. *desdobramento*. [Pl.: *desdobros* (ô). Cf. *desdobro*, do v. *desdobrar*.]
desdoirar ***V. t. d. P.*** V. *desdourar*: "Sua trança doirada desdoirou-se" (Eugênio de Castro, *Obras Poéticas*, X, p. 191).
desdoiro [Dev. de *desdoirar*.] ***S. m.*** V. *desdouro*.
desdormido [De *des-* + *dormido*.] ***Adj. Bras.*** Diz-se de quem não dormiu.
desdouramento [De *desdourar* + *-mento*.] ***S. m.*** Ato ou efeito de desdourar.
desdourar [De *des-* + *dourar*.] ***V. t. d.*** **1.** Tirar a douradura a. **2.** Fazer perder o brilho. **3.** Deslustrar, obscurecer; manchar, desacreditar: *Negociatas em que se meteu desdouraram sua reputação na praça.* ***P.*** **4.** Perder a douradura. **5.** Perder a cor dourada. **6.** Manchar-se, deslustrar-se. [Var.: *desdoirar*.]
desdouro [Dev. de *desdourar*.] ***S. m.*** **1.** Ato ou efeito de desdourar(-se). **2.** *Fig.* Deslustre, mácula, descrédito. [Var.: *desdoiro*.]
deseclipsar [De *des-* + *eclipsar*.] ***V. t. d.*** **1.** Tirar da frente de (algum objeto) aquilo que o encobria ou obscurecia; descobrir, desvendar. **2.** *Fig.* Restituir o brilho, a fama, a glória, etc., a. ***Int.*** **3.** Reaparecer depois do eclipse. ***P.*** **4.** Ficar como antes do eclipse; recobrar a claridade. **5.** Patentear-se com brilho; esclarecer-se.
deseconomia [De *des-* + *economia*.] ***S. f.*** *Econ.* Ineficiência na utilização de recursos produtivos, com consequente aumento do custo de produção. ◆ **Deseconomia de escala.** *Econ.* Aumento do custo unitário de produção, decorrente de expansão da escala de produção. **Deseconomia externa.** *Econ.* Aumento do custo de produção de empresa ou indústria decorrente da operação de outra empresa ou indústria.
desedificação [De *desedificar* + *-ção*.] ***S. f.*** Ato ou efeito de desedificar.
desedificar [De *des-* + *edificar*.] ***V. t. d.*** **1.** Dar maus exemplos a; desmoralizar. **2.** Desviar da moral ou da crença religiosa. **3.** Escandalizar, melindrar. [Conjug.: v. *trancar*.]
deseducação [De *deseducar* + *-ção*.] ***S. f.*** Ato ou efeito de deseducar.
deseducar [De *des-* + *educar*.] ***V. t. d.*** **1.** Estragar a educação de. **2.** Educar mal. [Conjug.: v. *trancar*.]
deseducativo [De *deseducar* + *-tivo*.] ***Adj.*** Que deseduca.
deseixar [De *des-* + *eixo*[1] + *-ar*[2].] ***V. t. d.*** **1.** Tirar o eixo a. **2.** Tirar do eixo.
desejado [Part. de *desejar*.] ***Adj.*** Que é objeto de desejo.
desejador (ô) [De *desejar* + *-dor*.] ***Adj.*** **1.** Que deseja; desejoso. **2.** Cobiçoso, ávido. ● ***S. m.*** **3.** Pessoa desejadora.
desejar [De *desejo* + *-ar*[2].] ***V. t. d.*** **1.** Ter desejo ou vontade de; querer, apetecer, ambicionar: "Não me basta saber que sou amado, / Nem só desejo o teu amor; desejo / Ter nos braços teu corpo delicado" (Olavo Bilac, *Poesias*, p. 68). **2.** Ter gosto ou empenho em: *Desejaria que o filho fosse o que ele não pôde ser.* **3.** Cobiçar, ambicionar: *Deseja coisas fora de seu alcance.* **4.** Ter desejo (6) de. ***Transobj.*** **5.** Querer (alguém ou algo) para determinado fim: *Teve provas da alta capacidade do correligionário, e logo o desejou seu ministro.* ***T. d. e i.*** **6.** Exprimir (um desejo) às vezes sob forma de votos, de cumprimentos: *Desejo-lhe boas-festas;* "Desejei-lhe um amor verdadeiro e ele riu, desafiante." (Lígia Fagundes Teles, *A Disciplina do Amor*, p. 122.) ***Int.*** **7.** Aspirar ao que não possui ou goza; ter desejos: *Quem tem pouco deseja muito.* [Conjug.: v. *pelejar*.]
desejável [De *desejar* + *-vel*.] ***Adj. 2 g.*** Digno de se desejar.
desejo (ê) [Do lat. vulg. **desidiu*.] ***S. m.*** **1.** Ato ou efeito de desejar. **2.** Vontade de possuir ou de gozar. **3.** Anseio, aspiração. **4.** Cobiça, ambição. **5.** Vontade de comer ou beber; apetite. **6.** Apetite sexual: "Adeus, corpo gentil, pátria do meu desejo!" (Olavo Bilac, *Poesias*, p. 182.) **7.** *Pop.* Na gravidez, vontade exacerbada de comer e/ou beber determinada(s) coisa(s).
desejoso (ô) [De *desejo* + *-oso*.] ***Adj.*** Que tem desejo; desejador: *desejoso de glória.*
deselegância [De *des-* + *elegância*.] ***S. f.*** **1.** Falta de elegância. **2.** Ação ou procedimento deselegante.
deselegante [De *des-* + *elegante*.] ***Adj. 2 g.*** **1.** Falto de elegância. **2.** Destituído de polidez, de decoro; desairoso. **3.** Sem graça no trajar.
desemaçar [De *des-* + *emaçar*.] ***V. t. d.*** Separar (coisas que estavam emaçadas). [Conjug.: v. *laçar*.]
desemadeirar [De *des-* + *emadeirar*.] ***V. t. d.*** Tirar o madeiramento de.
desemalar [De *des-* + *emalar*.] ***V. t. d.*** Tirar da mala.
desemalhar [De *des-* + *emalhar*.] ***V. t. d.*** Tirar das malhas da rede.
desemaranhar [De *des-* + *emaranhar*.] ***V. t. d.*** **1.** V. *desenredar* (1): *Procurava desemaranhar a vasta cabeleira.* **2.** Desenriçar, desencrespar. **3.** Esclarecer, desintricar, desintrincar; explicar; decifrar: *desemaranhar um mistério.*
desembaciar [De *des-* + *embaciar*.] ***V. t. d.*** Limpar, desempanar (o que estava embaciado).
desembainhar (a-i) [De *des-* + *embainhar*.] ***V. t. d.*** **1.** Tirar da bainha; despir: "Ocultei-me também nas sombras da viela, / Desembainhei a espada" (Júlio Dantas, *A Ceia dos Cardeais*, p. 21); "Desembainha torva durindana" (Álvares de Azevedo, *Obras Completas*, I, p. 178). **2.** Desmanchar a bainha de (uma costura). [Conjug.: v. *embainhar*.]
desembalar[1] [De *des-* + *embalar*[2].] ***V. t. d.*** Tirar da embalagem; desenfardar: *desembalar fardos, pacotes.*
desembalar[2] [De *des-* + *embalar*[3].] ***V. t. d.*** **1.** Tirar a bala de (um cartucho). **2.** Descarregar (arma de fogo).
desembandeirar [De *des-* + *embandeirar*.] ***V. t. d.*** Tirar a(s) bandeira(s) a; arriar a(s) bandeira(s) de; desbandeirar.
desembaraçado [Part. de *desembaraçar*.] ***Adj.*** **1.** Isento ou livre de embaraços. **2.** Ativo, diligente, expedito. **3.** Livre de acanhamento, de timidez; desinibido.
desembaraçador (ô) [De *desembaraçar* + *-dor*.] ***Adj. S. m.*** Que, ou aquele que desembaraça.
desembaraçar [De *des-* + *embaraçar*.] ***V. t. d.*** **1.** Livrar de embaraço; desimpedir: *Desembaraçaram as ruas por onde passaria o cortejo.* **2.** Desenredar, desemaranhar: *desembaraçar um novelo.* **3.** V. *desenredar* (1). ***T. d. e i.*** **4.** Pôr a salvo; livrar, safar, desembargar: *Logrou desembaraçá-lo das dificuldades.* ***P.*** **5.** Andar ou trabalhar ligeiro. **6.** Desfazer-se, livrar-se. **7.** Perder a timidez, o acanhamento: *A menina, tímida, desembaraçou-se depois de entrar para o colégio.* [Conjug.: v. *laçar*.]
desembaraço [De *des-* + *embaraço*.] ***S. m.*** **1.** Ato ou efeito de desembaraçar(-se). **2.** Falta de embaraço; desimpedimento, facilidade. **3.** Agilidade, presteza. **4.** Coragem, denodo.
desembaralhar [De *des-* + *embaralhar*.] ***V. t. d.*** Pôr em ordem (o que estava embaralhado); desembaraçar.
desembarcadoiro [De *desembarcar* + *-doiro*[2].] ***S. m.*** Desembarcadouro (q. v.).
desembarcadouro [De *desembarcar* + *-douro*[2]; var. de *desembarcadoiro*.] ***S. m.*** Lugar no qual se desembarca; desembarque.
desembarcar [De *des-* + *embarcar*.] ***V. t. d.*** **1.** Tirar de uma embarcação: *Desembarcaram enorme carga de explosivos.* ***T. d. e c.*** **2.** Pôr em terra: *Desembarcaram os passageiros clandestinos no primeiro porto.* ***T. c.*** **3.** Sair de uma embarcação, ou de outro meio de transporte; saltar em terra: *Os passageiros do ônibus desembarcaram na estação rodoviária.* ***Int.*** **4.** Desembarcar (3). [Conjug.: v. *trancar*.]
desembargado [Part. de *desembargar*.] ***Adj.*** **1.** Livre de embargo. **2.** Desembaraçado, despachado.
desembargador (ô) [De *desembargar* + *-dor*.] ***S. m.*** Juiz do Tribunal de Justiça, ou de Apelação.
desembargar [De *des-* + *embargar*.] ***V. t. d.*** **1.** Tirar o embargo a. **2.** Pôr desembargo a. ***T. d. e i.*** **3.** Desembaraçar (4): *Antes de entrar para a firma, procurou desembargá-la de possíveis problemas.* [Conjug.: v. *largar*.]
desembargatório [De *desembargar* + *-tório*.] ***Adj.*** **1.** Relativo a desembargo. **2.** Relativo ou pertencente a desembargador.
desembargo [Dev. de *desembargar*.] ***S. m.*** **1.** Ato ou efeito de desembargar. **2.** Levantamento de embargo ou arresto. **3.** Antiga magistratura de desembargador. **4.** *Ant.* Despacho em que se concede determinada mercê ou privilégio (tença, dote, etc.). **5.** *Ant.* Ordem do erário para pagamento de uma dívida ou mercê.
desembarque [Dev. de *desembarcar*.] ***S. m.*** **1.** Ato de desembarcar. **2.** Lugar de desembarque; desembarcadouro. ◆ **Desembarque à viva força.** Operação anfíbia [v. *anfíbio* (5)]. [Expressão anterior à 2ª Guerra Mundial (1939-1945).]
desembarrancar [De *des-* + *embarrancar*.] ***V. t. d.*** **1.** Tirar de um barranco. **2.** Desatolar; desatascar. **3.** Desembaraçar, desimpedir. [Conjug.: v. *trancar*.]
desembarrar [De *des-* + *embarrar*[1].] ***V. t. d.*** Desbarrar[2].
desembarrigado [Part. de *desembarrigar*.] ***Adj. Bras. S.*** **1.** Desbarrigado (1). **2.** Delgado, magro.
desembarrigar [De *des-* + *embarrigar*.] ***V. t. d. Bras. S.*** **1.** Fazer desaparecer a barriga volumosa de. **2.** Tornar delgado. [Conjug.: v. *largar*.]
desembarrilar [De *des-* + *embarrilar*.] ***V. t. d.*** **1.** Tirar do barril. **2.** *Fig.* Desenganar, desiludir.
desembaular (a-u) [De *des-* + *embaular*.] ***V. t. d.*** Tirar do baú. [Conjug.: v. *saudar*.]
desembebedar [De *des-* + *embebedar*.] ***V. t. d.*** **1.** Fazer cessar a embriaguez a. ***P.*** **2.** Cessar de estar bêbedo. [Sin. ger.: *desemborrachar*, *desembriagar*.]
desembestada [De *desembestar* + *-ada*[1].] ***S. f.*** **1.** *Bras.* Corrida insofreável de cavalo ou de outro animal, quando toma os freios nos dentes; disparada. **2.** V. *galopada*.
desembestado [Part. de *desembestar*.] ***Adj.*** Desenfreado, arrebatado, descomedido.
desembestamento [De *desembestar* + *-mento*.] ***S. m.*** Ato ou efeito de desembestar.
desembestar [De *des-* + *-em-* + *besta* + *-ar*[2].] ***V. t. d.*** **1.** Despedir da besta (seta, virote, etc.). **2.** Proferir com violência; despedir: *Irritado, desembestou uma série de impropérios.* ***T. d. e i.*** **3.** Arremessar, atirar (como besta): *Desembestou do arco diversas flechas.* ***Int.*** **4.** Partir ou sair da besta (seta, virote, etc.). **5.** Correr impetuosamente. **6.** Dar por paus e por pedras; descomedir-se, exceder-se.
desembezerrar [De *des-* + *embezerrar*.] ***V. t. d. Int. P.*** V. *desamuar*.
desembirrar [De *des-* + *embirrar*.] ***V. t. d.*** **1.** Tirar a birra a. ***Int.*** **2.** Deixar de estar embirrado.
desembocadura [De *desembocar* + *-dura*.] ***S. f.*** **1.** Ato de desembocar. **2.** Lugar em que o rio desemboca; foz.
desembocar [De *des-* + *embocar*.] ***V. t. c.*** **1.** Transpor, saindo, a embocadura de rio, canal, rua, etc.; sair de um lugar relativamente estreito para outro mais largo; abocar: *Numerosos rios desembocam no São Francisco; Saiu da Avenida Rio Branco, desembocando na Praça Mauá.* **2.** Ir dar, ir ter (uma rua, o qualquer logradouro público), a outra rua ou logradouro; abocar: *A Rua da Alfândega desemboca na Praça da República.* **3.** *Fig.* Ir dar, ir ter: "A Revolução Russa desembocou no stalinismo" (Bóris Fausto, em *A Folha de S.Paulo*, 17.06.2008). ***T. d.*** **4.** *P. us.* Servir de boca ou embocadura a: *A encruzilhada desemboca três caminhos.* [Conjug.: v. *trancar*.]
desembolar[1] [De *des-* + *embolar*[1].] ***V. t. d.*** Tirar as bolas a (touro, florete, etc.).
desembolar[2] [De *des-* + *embolar*[2].] ***V. t. d.*** Desfazer o bolo (1) de; desemaranhar.
desembolsar [De *des-* + *embolsar*.] ***V. t. d.*** **1.** Tirar da bolsa, ou do bolso. **2.** Despender, gastar: *Desembolsou muito dinheiro, tudo o que tinha.* [Pres. ind.: *desembolso*, etc. Cf. *desembolso* (ô).]
desembolso (ô) [Dev. de *desembolsar*.] ***S. m.*** **1.** Ato ou efeito de desembolsar. **2.** Aquilo que se gastou ou pagou. [Pl.: *desembolsos* (ô). Cf. *desembolso*, do v. *desembolsar*.]
desemborcar [De *des-* + *emborcar*.] ***V. t. d.*** Voltar para cima (o que se achava emborcado). [Conjug.: v. *trancar*.]
desemborrachar [De *des-* + *emborrachar*.] ***V. t. d. P.*** V. *desembebedar*.
desemborrascar [De *des-* + *emborrascar*.] ***V. t. d.*** **1.** Desassombrar, desanuviar. **2.** Tornar sereno; abrandar, amainar. [Conjug.: v. *trancar*.]

D

desemboscar [De *des-* + *emboscar.*] *V. t. d.* Fazer sair do bosque ou da emboscada. [Conjug.: v. *trancar.*]

desembotar [De *des-* + *embotar.*] *V. t. d.* **1.** Tornar cortante, agudo (o que estava embotado); afiar. **2.** Tornar ligeiro, ágil. **3.** Tornar desembaraçado (3): *Sua mudança para a capital desembotou-o.*

desembraçar [De *des-* + *embraçar.*] *V. t. d.* Largar (aquilo que estava embraçado). [Conjug.: v. *laçar.*]

desembramar *V. t. d. Bras. SP* Desembaraçar, desenredar; desenroscar.

desembravecer [De *des-* + *embravecer.*] *V. t. d. P.* **1.** Tirar a braveza a; acalmar, serenar. **2.** Amansar, domesticar: *desembravecer animais.* *Int. P.* **3.** Perder a braveza; acalmar(-se); serenar(-se). **4.** Amansar(-se), domesticar(-se). [Conjug.: v. *aquecer.*]

desembrear[1] [De *des-* + *embrear*[1].] *V. t. d.* Limpar do breu. [Conjug.: v. *frear.*]

desembrear[2] [De *des-* + *embrear*[2].] *V. t. d. P.* Soltar(-se) a embreagem de (o veículo); desengatar(-se), desengrenar(-se). [Conjug.: v. *frear.*]

desembrenhar [De *des-* + *embrenhar.*] *V. t. d.* **1.** Fazer sair, tirar, arrancar das brenhas. *P.* **2.** Sair das brenhas; libertar-se.

desembriagar [De *des-* + *embriagar.*] *V. t. d. P.* V. *desembebedar.* [Conjug.: v. *largar.*]

desembridar [De *des-* + *embridar.*] *V. t. d. P.* V. *desbridar* (1 e 3).

desembrulhar [De *des-* + *embrulhar.*] *V. t. d.* **1.** Tirar de embrulho (1). **2.** Desdobrar, estender (o que estava embrulhado). **3.** Esclarecer, explicar; desenredar: *desembrulhar uma situação escusa.*

desembrulho [Dev. de *desembrulhar.*] *S. m.* Ato ou efeito de desembrulhar.

desembrumar [De *des-* + *embrumar.*] *V. t. d.* **1.** Tirar a aparência brumosa a; tornar claro. *P.* **2.** Perder o aspecto brumoso; tornar-se claro: "enigmas se desembrumam; perguntas obtêm respostas." (Gilberto Amado, *Depois da Política*, p. 250).

desembruscar [De *des-* + *embruscar.*] *V. t. d.* Tornar limpo ou claro; desanuviar. [Conjug.: v. *trancar.*]

desembrutecer [De *des-* + *embrutecer.*] *V. t. d.* **1.** Tirar a bruteza a. **2.** Tornar esperto; instruir; civilizar. [Conjug.: v. *aquecer.*]

desembruxar [De *des-* + *embruxar.*] *V. t. d.* Livrar de bruxaria ou bruxedo; desenfeitiçar.

desembuçar [De *des-* + *embuçar.*] *V. t. d.* **1.** Tirar o embuço a. **2.** Esclarecer; revelar, patentear. *P.* **3.** Descobrir o rosto, afastando aquilo que o cobria. [Conjug.: v. *laçar.*]

desembuchar [De *des-* + *embuchar*[1].] *V. t. d.* **1.** Desimpedir (o que estava embuchado). **2.** Descobrir, confessar (coisa que se embuchou): *Interrogado pela polícia, desembuchou toda a história.* **3.** *Pop.* Tirar da carteira ou do bolso. *Int.* **4.** Expandir-se, abrir-se, desabafar.

desemburrar [De *des-* + *emburrar.*] *V. t. d.* **1.** Dar instrução a; polir; civilizar. **2.** V. *desamuar* (1). *Int.* **3.** V. *desemburrar* (5). *P.* **4.** Polir-se, aperfeiçoar-se. **5.** Deixar de estar emburrado; desamuar-se, desembezerrar-se; desemburrar.

desemedar [De *des-* + *emedar.*] *V. t. d.* Desmanchar as medas de.

desemoinhar (o-i) [De *des-* + *moinha* + *-ar*[2], com epêntese.] *V. t. d.* Tirar a moinha, a pragana, a.

desemoldurar [De *des-* + *emoldurar.*] *V. t. d.* Tirar da moldura; desencaixilhar; desenquadrar.

desempacar [De *des-* + *empacar*[2].] *V. t. d. Bras.* Desemperrar (a cavalgadura que empacou). [Conjug.: v. *trancar.*]

desempacavirar [De *des-* + *empacavirar.*] *V. t. d.* Desenrolar (o fumo empacavirado).

desempachar [De *des-* + *empachar.*] *V. t. d.* **1.** Livrar de empacho; desobstruir, desimpedir. *P.* **2.** Libertar-se, livrar-se; desembaraçar-se.

desempacho [Dev. de *desempachar.*] *S. m.* Ato ou efeito de desempachar(-se).

desempacotamento [De *desempacotar* + *-mento.*] *S. m.* Ato ou efeito de desempacotar; desembrulho.

desempacotar [De *des-* + *empacotar.*] *V. t. d.* Tirar do pacote; desembrulhar, desembalar.

desempalhar [De *des-* + *empalhar.*] *V. t. d.* **1.** Tirar da palha. **2.** Tirar a palha a.

desempalmar [De *des-* + *empalmar.*] *V. t. d.* Largar ou mostrar (aquilo que estava empalmado).

desempambado [De *des-* + *empambado.*] *Adj. Bras. BA Pop.* Desembaraçado, franco, positivo.

desempanado [Part. de *desempanar.*] *Adj.* **1.** Diz-se daquilo a que se tiraram os panos. **2.** Desembaciado, limpo. **3.** *Fig.* Esclarecido, elucidado, compreensível. **4.** *Bras.* Que diz abertamente o que pensa e age como pensa; franco, verdadeiro, positivo.

desempanar[1] [De *des-* + *empanar*[1].] *V. t. d.* **1.** Tirar os panos de. **2.** Restituir o brilho a (objeto que estava empanado ou embaciado); desembaciar. **3.** *Fig.* Esclarecer, elucidar: *Desempanar uma questão.*

desempanar[2] [De *des-* + *-em-* + *pane* + *-ar*[2].] *V. t. d. Lus.* Consertar, reparar (o que estava em pane).

desempapelar [De *des-* + *empapelar.*] *V. t. d.* **1.** Tirar do papel ou dos papéis; desembrulhar. **2.** *Bras.* Tirar o revestimento de papel de: *Mandou desempapelar as paredes e pintá-las.*

desempar [De *des-* + *empar.*] *V. t. d.* Tirar as estacas que sustentam (as videiras).

desemparceirar [De *des-* + *emparceirar.*] *V. t. d.* Separar (quem está emparceirado); desparceirar.

desemparedar [De *des-* + *emparedar.*] *V. t. d.* Soltar, livrar (o que estava emparedado).

desemparelhar [De *des-* + *emparelhar.*] *V. t. d.* Separar (o que estava emparelhado). [Conjug.: v. *aparelhar.*]

desempastar [De *des-* + *empastar.*] *V. t. d.* Desmanchar (aquilo que estava empastado).

desempastelar [De *des-* + *empastelar.*] *Tip. V. t. d.* **1.** Distribuir corretamente (tipo ou outro material empastelado). *T. d. e i.* **2.** Desembaraçar (a caixa tipográfica) do material empastelado.

desempatador (ô) [De *desempatar* + *-dor.*] *Adj.* **1.** Que desempata. • *S. m.* **2.** Aquele que desempata. **3.** V. *sobreárbitro.*

desempatar [De *des-* + *empatar.*] *V. t. d.* **1.** Tirar o empate a; resolver, decidir (o que estava empatado). *Int.* **2.** Decidir-se, deliberar-se.

desempate [Dev. de *desempatar.*] *S. m.* Ato ou efeito de desempatar.

desempavesar [De *des-* + *empavesar.*] *V. t. d.* **1.** *Mar.* Tirar os paveses a. *P.* **2.** Deixar de arrogância (uma pessoa).

desempeçar [De *des-* + *empeçar*[1].] *V. t. d.* Tirar o empeço ou empecilho a; desenredar. [Conjug.: v. *começar.* Pres. ind.: *desempeço, desempeças, desempeça, ..., desempeçam.* Cf. *desempeço* (ê), do v. *desempecer* e s. m.; *desempeça* (ê), *desempeças* (ê), *desempeçam* (ê), do v. *desempecer;* e *desimpeço, desimpeças, desimpeça, desimpeçam,* do v. *desimpedir.*]

desempecer [De *des-* + *empecer.*] *V. t. d.* **1.** Deixar de empecer; desimpedir. *T. d. e i.* **2.** Desembaraçar, livrar. *P.* **3.** Desembaraçar-se; livrar-se. [Sin. ger.: *desempecilhar.* Conjug.: v. *aquecer.* Pres. ind.: *desempeço* (ê), etc.; pres. subj.: *desempeça* (ê), *desempeças* (ê), ..., *desempeçam* (ê). Cf. *desempeço, desempeças, desempeça, desempeçam,* do v. *desempeçar;* e *desimpeço, desimpeças, desimpeça, desimpeçam,* do v. *desimpedir.*]

desempecilhar [De *des-* + *empecilho* + *-ar*[2].] *V. t. d. T. d. e i. P.* V. *desempecer.*

desempeço (ê) [Dev. de *desempeçar.*] *S. m.* **1.** Alívio; desopressão. **2.** Desembaraço; desobstrução. [Pl.: *desempeços* (ê). Cf. *desempeço,* do v. *desempeçar,* e *desimpeço,* do v. *desimpedir.*]

desempeçonhar [De *des-* + *empeçonhar.*] *V. t. d.* Tirar a peçonha ou o veneno a.

desempedernir [De *des-* + *empedernir.*] *V. t. d.* **1.** Amolecer (o que estava empedernido). **2.** Abrandar; enternecer: *Seus rogos acabaram desempedernindo o coração paterno.* [Defect., só conjugável nas f. em que ao *n* da raiz se segue um *i.*]

desempedrar [De *des-* + *empedrar.*] *V. t. d.* **1.** Tirar o empedramento a, as pedras a. **2.** Limpar de pedras ou calhaus (um campo); descalhoar.

desempegar [De *des-* + *empegar.*] *V. t. d.* Tirar do pego[1]. [Conjug. v. *regar.* Pres. ind.: *desempego,* etc. Cf. *desempego* (ê).]

desempego (ê) [Dev. de *desempegar.*] *S. m.* Ação ou efeito de desempegar. [Pl.: *desempegos* (ê). Cf. *desempego,* do v. *desempegar.*]

desempenadeira [De *desempenar* + *-deira.*] *S. f.* **1.** *Constr.* Peça de madeira ou de metal, retangular, provida de alça numa face e bem aplainada na outra, que os pedreiros empregam para distribuir o emboço sobre a parede ou o teto e o reboco sobre o emboço, e para regularizar, desempenando, deixando sem empeno, a superfície final; esparavel, talocha, broquel. [Cf. *desempoladeira.*] **2.** Máquina provida de um tambor com lâminas, rotativo, usada para desempenar tábuas.

desempenado [Part. de *desempenar.*] *Adj.* **1.** Sem empenamento; direito. **2.** *Bras.* Forte; galhardo, desenvolto: "um belo caboclo — .... alto, espadaúdo, desempenado." (Coelho Neto, *Treva*, p. 253). **3.** V. *valentão* (1).

desempenar [De *des-* + *empenar*[2].] *V. t. d.* **1.** Tirar o empenamento a; desentortar, endireitar. **2.** Alisar, aplainar (o reboco ou o emboço). *P.* **3.** Perder o empenamento; endireitar-se. **4.** Adquirir ou tomar postura elegante; aprumar-se: *Estava corcunda, mas, à custa de ginástica, desempenou-se.*

desempenhar [De *des-* + *empenhar.*] *V. t. d.* **1.** Resgatar (o que se dera como penhor). **2.** Livrar de dívidas. **3.** Cumprir (aquilo a que se estava obrigado): *Tardou muito, mas acabou desempenhando a sua obrigação.* **4.** Exercer, executar: *desempenhar uma função, um cargo.* **5.** Representar, interpretar: *desempenhar um papel.* *Int.* **6.** Representar ou interpretar um papel, ou papéis: *Fernanda Montenegro desempenha de modo admirável.* *P.* **7.** Cumprir, executar: *Desempenhou-se bem da melindrosa tarefa.*

desempenho [Dev. de *desempenhar.*] *S. m.* **1.** Ato ou efeito de desempenhar(-se). **2.** Execução de um trabalho, atividade, empreendimento, etc., que exige competência e/ou eficiência: *O desempenho de Rui Barbosa na Conferência de Haia causou grande impressão no plenário; O desempenho de Pelé na Copa do Mundo deu-lhe fama internacional.* **3.** Conjunto de características ou de possibilidades de atuação de máquina, motor ou veículo (terrestre, aéreo ou marítimo), tais como velocidade, capacidade de carga, agilidade, autonomia de movimentos, rendimento, etc.: *O seu novo automóvel tem excelente desempenho.* **4.** Atuação, comportamento: "Também ajudou no desempenho da Bolsa de São Paulo a forte alta da Bolsa de Nova Iorque, que fechou com valorização de 1,5%" (Tatiana Bautzer, em *Jornal do Brasil*, 31.10.1998). **5.** *E. Ling.* O uso da língua. [Cf., nesta acepç., *competência* (4).] **6.** *Teatr.* V. *interpretação* (3). [V. *performance.*]

desempeno [Dev. de *desempenar.*] *S. m.* **1.** Ato ou efeito de desempenar(-se). **2.** Cada uma das réguas com que o carpinteiro verifica se uma peça está plana ou desempenada. **3.** Aprumo, elegância, galhardia: "Falta-lhe [ao sertanejo] a plástica impecável, o desempeno, a estrutura corretíssima das organizações atléticas." (Euclides da Cunha, *Os Sertões*, p. 114.) **4.** Desembaraço, agilidade.

desemperramento [De *desemperrar* + *-mento.*] *S. m.* **1.** Ato ou efeito de desemperrar(-se). **2.** Desistência de perrice ou teima. [Sin. ger.: *desemperro.*]

desemperrar [De *des-* + *emperrar.*] *V. t. d.* **1.** Tornar lasso (o que estava perro). **2.** Soltar; desembaraçar: *É caladão, mas depois de uns uísques desemperra a língua.* **3.** Tirar a perrice ou teima a. *Int. P.* **4.** Deixar de estar perro: *Azeitada, a fechadura desemperrou; A peça desemperrou-se.* [Pres. ind.: *desemperro,* etc. Cf. *desemperro* (ê).]

desemperro (ê) [Dev. de *desemperrar.*] *S. m.* Desemperramento. [Cf. *desemperro,* do v. *desemperrar.*]

desempertigar [De *des-* + *empertigar.*] *V. t. d.* **1.** Fazer com que não fique empertigado. *P.* **2.** Deixar de estar empertigado, de mostrar-se rígido e hirto.

desempestar [De *des-* + *empestar.*] *V. t. d.* **1.** Livrar da peste. **2.** Desinfeccionar.

desempilhar [De *des-* + *empilhar.*] *V. t. d.* Desarrumar, tirar do lugar (o que estava empilhado).

desempinar [De *des-* + *empinar.*] *V. int.* Deixar de pôr-se a pino; desaprumar(-se).

desemplastrar [De *des-* + *emplastrar.*] *V. t. d.* Tirar o emplastro de.

desemplastro [Dev. de *desemplastrar.*] *S. m.* Ação de desemplastrar.

desemplumar [De *des-* + *emplumar.*] *V. t. d.* Tirar as plumas ou penas a.

desempoado [Part. de *desempoar.*] *Adj.* **1.** A que se tirou o pó; limpo do pó. **2.** Lhano; tratável. **3.** Despretensioso, modesto.

desempoar [De *des-* + *empoar.*] *V. t. d.* **1.** Tirar o pó a; limpar do pó: "Sentou-se o conselheiro .... em um tamborete que o Chico desempoou com a manga da camisa" (Valentim Magalhães, *Vinte Contos*, p. 100). **2.** *Fig.* Tirar preconceitos a. **3.** Tornar afável, modesto. *P.* **4.** Perder os preconceitos. [Conjug.: v. *coroar.*]

desempobrecer [De *des-* + *empobrecer.*] *V. t. d.* **1.** Tirar da pobreza; tornar rico; enriquecer. *Int.* **2.** Sair da pobreza; enriquecer(-se). [Conjug.: v. *aquecer.*]

desempoçar [De *des-* + *empoçar.*] *V. t. d.* **1.** Tirar do poço ou poça. **2.** Tirar água de (um poço). **3.** Desfazer as poças de. *T. d. e c.* **4.** Tirar (de poço ou lugar semelhante). [Conjug.: v. *laçar.* Cf. *desempossar.*]

desempoeirar [De *des-* + *empoeirar.*] *V. t. d.* Limpar de poeira; desempoar.

desempoladeira [De *desempolar* + *-deira.*] *S. f. Bras. Constr.* Instrumento de pedreiro que consiste numa tábua ou régua com empunhadura no centro, e é empregado para alisar ou desempolar o reboco; trolha. [Cf. *desempenadeira* (1).]

desempolar [De *des-* + *empolar*[2].] *V. t. d.* **1.** Tirar as empolas a. **2.** Aplanar, alisar. *Int.* **3.** Desfazerem-se as empolas a: *O ferimento desempolou.*

desempoleirar [De *des-* + *empoleirar.*] *V. t. d.* Tirar do poleiro (1).

desempolgadura [De *desempolgar* + *-dura.*] *S. f.* Ação de desempolgar.

desempolgar [De *des-* + *empolgar.*] *V. t. d.* Largar das mãos ou das garras; desgarrar. [Conjug.: v. *largar.*]

desempossar [De *des-* + *empossar.*] *V. t. d. e i. P.* V. *desapossar.* [Cf. *desempoçar.*]

desempregado [Part. de *desempregar.*] *Adj. S. m.* Que, ou aquele que está sem emprego; descolocado.

desempregar [De *des-* + *empregar.*] *V. t. d.* Demitir do emprego ou cargo; destituir; exonerar. [Conjug.: v.

regar. Pres. ind.: *desemprego*, etc. Cf. *desemprego* (ê).]

desemprego (ê) [De *des-* + *emprego* (ê).] *S. m.* **1.** Falta de emprego. **2.** *Econ.* Situação em que parcela(s) da força de trabalho (q. v.) não consegue(m) obter ocupação: "Sai hoje plano que reduz desemprego." (*Jornal do Brasil*, 03.11.1998.) [Pl.: *desempregos* (ê). Cf. *desemprego*, do v. *desempregar*.] ◆ **Desemprego disfarçado.** *Econ.* Situação em que o desemprego efetivo é mais grave do que o registrado nas estatísticas (pela ocorrência de subemprego, p. ex.). **Desemprego estrutural.** *Econ.* O que decorre de um excesso não temporário de mão de obra em relação às possibilidades de geração de emprego na economia. **Desemprego friccional.** *Econ.* O que decorre de desajustamento temporário entre a oferta e a procura de mão de obra. **Desemprego tecnológico.** *Econ.* O que decorre da adoção de novas tecnologias na atividade produtiva, que provoquem redução no volume de mão de obra empregada ou tornem obsoletas certas habilitações.

desemprenhar [De *des-* + *emprenhar*.] *V. int.* **1.** Dar à luz (1). **2.** *Fig.* Desembuchar.

desemproar [De *des-* + *emproar*.] *V. t. d. Fig.* Abater a vaidade, a presunção, a proa de. [Conjug.: v. *coroar*.]

desempunhar [De *des-* + *empunhar*.] *V. t. d.* Largar do punho ou da mão.

desemudecer [De *des-* + *emudecer*.] *V. t. d.* **1.** Fazer sair do silêncio. *Int.* **2.** Deixar de estar silencioso; recuperar a fala. [Conjug.: v. *aquecer*.]

desemulsificação [De *desemulsificar* + *-ção*.] *S. f.* Ato ou efeito de desemulsificar.

desemulsificador (ô) [De *desemulsificar* + *-dor*.] *Adj. S. m. Fís.-Quím.* Diz-se de, ou qualquer substância que destrói uma emulsão ou impede que esta se forme; desemulsificante.

desemulsificante [De *desemulsificar* + *-nte*.] *Adj. 2 g. S. 2 g. Fís.-Quím.* Desemulsificador.

desemulsificar [De *des-* + *emulsificar*.] *V. t. d.* Evitar a emulsão de. [Conjug.: v. *trancar*.]

desenamorar [De *des-* + *enamorar*.] *V. t. d.* **1.** Fazer perder o amor, o afeto, a. *P.* **2.** Deixar de estar enamorado.

desenastrar [De *des-* + *enastrar*.] *V. t. d.* Soltar do(s) nastro(s); desnastrar.

desencabar [De *des-* + *encabar*.] *V. t. d.* **1.** Tirar do cabo (instrumento, utensílio). *P.* **2.** Sair ou soltar-se do cabo.

desencabeçar [De *des-* + *encabeçar*.] *V. t. d. e i.* **1.** Tirar da cabeça ou da ideia; dissuadir, despersuadir: *Desencabecei-o do propósito de viajar. T. d. Bras.* **2.** Desviar (alguém) do bom caminho, do procedimento correto, induzindo-o, por conselhos e exemplos, a proceder mal. [Conjug.: v. *começar*.]

desencabrestar [De *des-* + *encabrestar*.] *V. t. d.* **1.** Tirar o cabresto a. **2.** *Fig.* Tornar desenfreado, descomedido. *P.* **3.** Soltar-se do cabresto. **4.** Desordenar-se, descomedir-se.

desencabritar [De *des-* + *encabritar*.] *V. int. Bras.* Fugir apressadamente.

desencabular [De *des-* + *encabular*.] *V. t. d.* **1.** Fazer perder a inibição, o acanhamento; desinibir. *Int.* **2.** Perder o acanhamento; desinibir-se. **3.** *Turfe* Ganhar (o cavalo) uma corrida após algumas tentativas em que chegara sempre em segundo ou terceiro lugar.

desencadeador (ô) [De *desencadear* + *-dor*.] *Adj.* Desencadeante.

desencadeamento [De *desencadear* + *-mento*.] *S. m.* Ação de desencadear(-se).

desencadeante [De *desencadear* + *-nte*.] *Adj. 2 g.* Que desencadeia; desencadeador.

desencadear [De *des-* + *encadear*.] *V. t. d.* **1.** Soltar, desatar, desprender (o que estava preso ou atado por cadeias). **2.** Desunir, desligar (coisas que têm conexão entre si). **3.** Despertar, provocar, excitar: *A grosseria do rapaz desencadeou a raiva de seu amigo. Int.* **4.** Cair com força (chuva); romper com ímpeto (tempestade, etc.). *P.* **5.** Soltar-se, desprender-se. **6.** Soltar-se ou romper com ímpeto. **7.** Manifestar-se de súbito e/ou com ímpeto; irromper: "E desencadeou-se na sala uma gritaria histérica" (Augusto Meyer, *No Tempo da Flor*, p. 33); *Desencadearam-se as paixões.* [Conjug.: v. *frear*.]

desencadernação [De *desencadernar* + *-ção*.] *S. f.* Ação de desencadernar.

desencadernado [De *des-* + *encadernado*.] *Adj.* **1.** Que não está encadernado. **2.** *Fig.* Desconexo, desconjuntado.

desencadernar [De *des-* + *encadernar*.] *V. t. d.* **1.** Tirar a encadernação a. **2.** *Fig.* Tirar fora das junturas; desconjuntar.

desencaiporar [De *des-* + *encaiporar*.] *V. t. d. Bras.* **1.** Fazer perder o caiporismo. *Int.* **2.** Perder o caiporismo; voltar a ser feliz.

desencaixadura [De *desencaixar* + *-dura*.] *S. f.* V. *desencaixamento*.

desencaixamento [De *desencaixar* + *-mento*.] *S. m.* Ato ou efeito de desencaixar(-se); desencaixe, desencaixadura.

desencaixar [De *des-* + *encaixar*.] *V. t. d.* **1.** Fazer sair do encaixe. **2.** Deslocar, desconjuntar. **3.** Descolocar, desempregar. **4.** Aplicar, ou investir (dinheiro que vinha sendo mantido em caixa). *T. d. e c.* **5.** Desviar, deslocar. *P.* **6.** Sair do encaixe; deslocar-se. **7.** Desconjuntar-se.

desencaixe [Dev. de *desencaixar*.] *S. m.* **1.** Ato ou efeito de desencaixar (4): "O fato [o aumento do Índice VB de Fundos de Investimento e o decréscimo do I. B. V.] significa uma inversão de tendência, sendo explicado pelo desencaixe das instituições, que começou a ser forte naquele dia." (*Jornal do Brasil*, 03.12.1971.) **2.** V. *desencaixamento*.

desencaixilhar [De *des-* + *encaixilhar*.] *V. t. d.* Tirar do caixilho; desenquadrar, desemoldurar.

desencaixotamento [De *desencaixotar* + *-mento*.] *S. m.* Ato ou efeito de desencaixotar.

desencaixotar [De *des-* + *encaixotar*.] *V. t. d.* Tirar de caixote ou de caixa.

desencalacração [De *desencalacrar* + *-ção*.] *S. f.* Ato ou efeito de desencalacrar(-se).

desencalacrar [De *des-* + *encalacrar*.] *V. t. d.* **1.** Livrar de apuros, de dívidas. *P.* **2.** Livrar-se de dificuldades financeiras. [Sin. ger., pop.: *desencravilhar*.]

desencalhar [De *des-* + *encalhar*.] *V. t. d.* **1.** Tirar do encalhe (uma embarcação). **2.** Desobstruir, desimpedir. *Int.* **3.** Sair do encalhe. **4.** *Bras. Joc.* Encontrar casamento (aquele que estava encalhado); desencravar.

desencalhe [Dev. de *desencalhar*.] *S. m.* Ato ou efeito de desencalhar; desencalho.

desencalho [Dev. de *desencalhar*.] *S. m.* Desencalhe.

desencalmado [Part. de *desencalmar*.] *Adj.* Tranquilo, sereno, despreocupado.

desencalmar [De *des-* + *encalmar*.] *V. t. d.* **1.** Tirar ou moderar a calma ou calor a; refrescar. **2.** *Fig.* Moderar o ardor de; tranquilizar. *P.* **3.** Refrescar-se da calma.

desencaminhador (ô) [De *desencaminhar* + *-dor*.] *Adj. S. m.* **1.** Que, ou aquele que desencaminha. **2.** Corruptor, pervertedor, passador.

desencaminhamento [De *desencaminhar* + *-mento*.] *S. m.* Ato ou efeito de desencaminhar(-se).

desencaminhar [De *des-* + *encaminhar*.] *V. t. d.* **1.** Desviar do verdadeiro caminho: *A névoa baixa desencaminhou os alpinistas.* **2.** Desviar do bom caminho; aliciar para o mal; corromper, perverter: *As más companhias desencaminharam o rapaz.* **3.** Seduzir, desonrar, desvirginar: "foi despedido do hospital de S. Marcos por ter desencaminhado a filha da enfermeira, uma rapariga de bons costumes, como são todas as raparigas antes de terem maus costumes." (Camilo Castelo Branco, *Novelas do Minho*, VI, p. 4). **4.** Extraviar; perder: *Desencaminhou os documentos que tinha em seu poder.* **5.** Roubar, defraudar: *Desencaminhou a herança dos irmãos mais novos.* **6.** Subtrair ao pagamento de direito. *T. d. e i.* **7.** Desviar, apartar: *Desencaminhei-o das más influências. P.* **8.** Desviar-se do caminho que seguia; extraviar-se. **9.** Perder-se; perverter-se; desmoralizar-se. [Sin. ger.: *descaminhar*.]

desencamisar [De *des-* + *-en-* + *camisa* + *-ar*[2].] *V. t. d.* V. *descamisar*.

desencampar [De *des-* + *encampar*.] *V. t. d.* Desfazer a encampação de.

desencanar[1] [De *des-* + *encanar*[1].] *V. t. d.* Tirar ou desviar de cano.

desencanar[2] [Corrupt. de *desencarnar*, poss.] *Bras. Gír. V. t. i.* **1.** Desencanar (3). *Int.* **2.** Despreocupar-se, desapoquentar-se; tranquilizar-se; desligar-se.

desencanastrar [De *des-* + *encanastrar*.] *V. t. d.* **1.** Tirar da canastra. **2.** Desentrançar, desmanchar (tecido encanastrado).

desencantação [De *desencantar* + *-ção*.] *S. f.* V. *desencantamento*.

desencantador (ô) [De *desencantar* + *-dor*.] *Adj. S. m.* Que, ou aquele que desencanta.

desencantamento [De *desencantar* + *-mento*.] *S. m.* Ato ou efeito de desencantar(-se); desencanto, desencantação.

desencantar [De *des-* + *encantar*.] *V. t. d.* **1.** Tirar, desfazer, quebrar o encanto ou encantamento de: *Com um beijo o príncipe desencantou a bela adormecida.* **2.** Causar decepção a, desiludir: *A convivência do rapaz desencantou a noiva.* **3.** Achar, descobrir, encontrar (coisa perdida ou difícil de achar): *Conseguiu desencantar documentos considerados como perdidos. P.* **4.** Decepcionar-se, desiludir-se.

desencanto [Dev. de *desencantar*.] *S. m.* V. *desencantamento*.

desencantoar [De *des-* + *encantoar*.] *V. t. d. T. d. e c.* **1.** Tirar do canto[1]: *Desencantoou o velho piano; Desencantoou-o do esconderijo.* **2.** Trazer ao convívio; tirar do isolamento, ou da inércia. [Conjug.: v. *coroar*.]

desencapamento [De *desencapar* + *-mento*.] *S. m.* Ato ou efeito de desencapar.

desencapar [De *des-* + *encapar*.] *V. t. d.* Tirar a capa, a cobertura, a.

desencapelar [De *des-* + *encapelar*[2].] *V. t. d.* **1.** Tirar o capelo a. **2.** *Marinh.* Tirar a encapeladura de (mastro ou mastaréu). **3.** *Marinh.* Desfazer as voltas do capelo de (a amarra), passadas na abita. *Int.* **4.** Deixar (o mar) de estar encapelado; serenar, amansar.

desencapoeirar [De *des-* + *encapoeirar*.] *V. t. d.* **1.** Tirar da capoeira[1] (1). **2.** *P. ext.* Trazer para fora.

desencapotar [De *des-* + *encapotar*.] *V. t. d.* **1.** Tirar o capote a. **2.** Descobrir, mostrar, patentear. *Int.* **3.** Revelar-se tal qual é; abrir-se.

desencapsular [De *des-* + *encapsular*.] *V. t. d.* Retirar de cápsula.

desencaracolar [De *des-* + *encaracolar*.] *V. t. d.* Desfazer (caracóis ou anéis de cabelo); desanelar, desencrespar.

desencarapelar [De *des-* + *encarapelar*.] *V. t. d.* V. *desencarapinhar*.

desencarapinhar [De *des-* + *encarapinhar*.] *V. t. d.* Alisar (cabelo encarapinhado); desencrespar, desencarapelar.

desencarceramento [De *desencarcerar* + *-mento*.] *S. m.* Ato ou efeito de desencarcerar.

desencarcerar [De *des-* + *encarcerar*.] *V. t. d.* Tirar do cárcere; soltar, libertar.

desencardimento [De *desencardir* + *-mento*.] *S. m.* **1.** Ação de desencardir. **2.** Limpeza, purificação, expurgação.

desencardir [De *des-* + *encardir*.] *V. t. d.* **1.** Embranquecer (a roupa encardida); clarear. **2.** Lavar, limpar. *T. d. e i.* **3.** Limpar, purificar: *Procurou desencardir de antigas máculas a sua reputação.*

desencarecer [De *des-* + *encarecer*.] *V. t. d. Int.* Depreciar, aviltar. [Conjug.: v. *aquecer*.]

desencargo [De *des-* + *encargo*.] *S. m.* **1.** Cumprimento ou desobrigação de um encargo: *desencargo de uma tarefa; desencargo de consciência.* **2.** Ato de desobrigar-se. **3.** Alívio, desabafo. [Sin. ger.: *descargo*.]

desencarnação [De *desencarnar* + *-ção*.] *S. f.* Ato ou efeito de desencarnar.

desencarnar [De *des-* + *encarnar*.] *V. int.* **1.** Deixar a carne; passar para o mundo espiritual. **2.** V. *morrer* (1). *T. i.* **3.** Deixar de perseguir ou de assediar. [Sin., nesta acepç., (bras., gír.): *desencanar*.]

desencarquilhar [De *des-* + *encarquilhar*.] *V. t. d.* Tirar as carquilhas ou rugas a; desenrugar, desrugar, alisar.

desencarrancar [De *des-* + *encarrancar*.] *V. t. d.* Tirar a carranca a; fazer que deixe de estar carrancudo. [Conjug.: v. *trancar*.]

desencarregar [De *des-* + *encarregar*.] *V. t. d.* **1.** Livrar de culpa; aliviar: *desencarregar a consciência. T. d. e i.* **2.** Livrar (de encargo, obrigação, etc.); desobrigar: *Vendo-o pouco disposto a trabalhar, desencarregou-o da tarefa.* **3.** Destituir de emprego. [Conjug.: v. *regar*.]

desencarreirar [De *des-* + *encarreirar*.] *V. t. d.* Desencaminhar, descarreirar.

desencarretar [De *des-* + *encarretar*.] *V. t. d.* Tirar (peça de artilharia, etc.) da carreta.

desencarrilamento [De *desencarrilar* + *-mento*.] *S. m.* V. *descarrilamento*.

desencarrilar [De *des-* + *encarrilar*.] *V. t. d. Int.* V. *descarrilar*.

desencarrilhamento [De *desencarrilhar* + *-mento*.] *S. m. Bras.* V. *descarrilamento*.

desencarrilhar [De *des-* + *encarrilhar*.] *V. t. d. Int. Bras.* V. *descarrilar*.

desencartar [De *des-* + *encartar*.] *V. t. d.* **1.** Tirar o encarte a. **2.** Destituir do emprego em que estava encartado.

desencasar [De *des-* + *encasar*.] *V. t. d.* **1.** Tirar da casa, do encaixe. *P.* **2.** Sair da casa: "e, ao ribombo formidável da gargalhada de Pantagruel, estremece, desanca, desencasando-se dos gonzos, a velha caixilharia de todo o edifício social." (Martins Fontes, *A Alegria*, p. 18).

desencascar[1] [De *des-* + *encascar*[1].] *V. t. d.* Lavar, limpar; desencardir. [Conjug.: v. *trancar*.]

desencascar[2] [De *des-* + *encascar*[2].] *V. t. d.* Tirar do casco, pipa ou tonel (o líquido que contenham). [Conjug.: v. *trancar*.]

desencasquetar [De *des-* + *encasquetar*.] *V. t. d. Fam.* **1.** Tirar da cabeça (ideia, mania, teima, etc.). *T. d. e i.* **2.** Dissuadir, despersuadir: *Só a duras penas o desencasquetou daquela ideia. P.* **3.** Perder a mania de fazer alguma coisa.

desencastelar [De *des-* + *encastelar.*] *V. t. d.* **1.** Desalojar de castelo. **2.** Desmanchar (o que estava encastelado ou empilhado).

desencastoar [De *des-* + *encastoar.*] *V. t. d.* **1.** Tirar o castão a. **2.** Tirar do engaste; desengastar. [Conjug.: v. *coroar.*]

desencatarroar [De *des-* + *encatarroar.*] *V. t. d. P.* Curar(-se) de catarro. [Conjug.: v. *coroar.*]

desencavar [De *des-* + *encavar.*] *V. t. d. Bras.* Descobrir, desencovar.

desencavernar [De *des-* + *encavernar.*] *V. t. d.* Tirar da caverna; desencovilar.

desencavilhar [De *des-* + *encavilhar.*] *V. t. d.* Tirar a cavilha a.

desencepar [De *des-* + *encepar.*] *V. t. d.* **1.** Tirar do cepo. **2.** *Marinh.* Prolongar o cepo de (uma âncora) com a sua haste. **3.** *Marinh.* Desfazer as voltas que (uma amarra) tenha dado em torno do cepo da âncora.

desencerar [De *des-* + *encerar.*] *V. t. d.* Tirar a cera que reveste: *desencerar o assoalho.*

desencerramento [De *desencerrar* + *-mento.*] *S. m.* Ação ou efeito de desencerrar(-se).

desencerrar [De *des-* + *encerrar.*] *V. t. d.* **1.** Soltar do encerro; libertar. **2.** Abrir, descerrar. **3.** *Fig.* Patentear; descobrir. *P.* **4.** Sair de clausura ou da prisão. **5.** Mostrar-se; surgir.

desencharcar [De *des-* + *encharcar.*] *V. t. d.* **1.** Tirar do charco. **2.** Tornar seco; enxugar. [Conjug.: v. *trancar.*]

desencher [De *des-* + *encher.*] *V. t. d.* Esvaziar; despejar. [Part.: *desenchido.* Cf. *encher.*]

desencilhado [Part. de *desencilhar.*] *Adj.* A que se tirou a cilha.

desencilhar [De *des-* + *encilhar.*] *V. t. d.* **1.** Tirar a cilha a. **2.** *Bras.* Tirar os arreios a (o cavalo).

desenclaustrar [De *des-* + *enclaustrar.*] *V. t. d.* Tirar do claustro.

desenclavinhar [De *des-* + *enclavinhar.*] *V. t. d.* Destravar ou desimpedir (aquilo que estava enclavinhado).

desencobrir [De *des-* + *encobrir.*] *V. t. d.* Descobrir, tirando a cobertura ou aquilo que ocultava. [Irreg. Conjug.: v. *cobrir.*]

desencoifar [De *des-* + *encoifar.*] *V. t. d.* Tirar a coifa a.

desencoivarar [De *des-* + *encoivarar.*] *V. t. d. Bras.* Descoivarar.

desencolar [De *des-* + *encolar*[1].] *V. t. d.* Desbastar a borda de (uma tábua), para depois aplainar.

desencolerizar [De *des-* + *encolerizar.*] *V. t. d.* **1.** Fazer passar a cólera; desagastar, aplacar, serenar. *P.* **2.** Aplacar-se, apaziguar-se, desagastar-se.

desencolher [De *des-* + *encolher.*] *V. t. d.* **1.** Estender (o que estava encolhido). *P.* **2.** Tornar às dimensões anteriores. **3.** Perder o acanhamento; desembaraçar-se. [Conjug.: v. *colher.*]

desencomendar [De *des-* + *encomendar.*] *V. t. d.* Desistir de (o que estava encomendado).

desenconchar [De *des-* + *enconchar.*] *V. t. d.* **1.** Tirar da concha. **2.** *Fig.* Soltar, libertar. *T. d. e c.* **3.** Fazer sair (de um lugar em que estava encolhido ou agasalhado): *Desenconchei-o do seu cantinho. P.* **4.** Sair de lugar recôndito.

desencontrado [Part. de *desencontrar.*] *Adj.* **1.** Que vai em direção oposta à de outro. **2.** Contrário, oposto, encontrado: *opiniões desencontradas; sentimentos desencontrados.*

desencontrar [De *des-* + *encontrar.*] *V. t. d.* **1.** Fazer que não se encontrem, ou que sigam caminhos ou direções diversas (dois ou mais indivíduos ou coisas). *Int.* **2.** Ser incompatível; discordar: *Não podem continuar juntos: suas opiniões desencontram. P.* **3.** Não se encontrar: *Por um atraso de poucos minutos, desencontraram-se.* **4.** Ser incompatível; discordar, divergir.

desencontro [Dev. de *desencontrar.*] *S. m.* Ato ou efeito de desencontrar(-se).

desencorajar [De *des-* + *encorajar.*] *V. t. d.* Tirar a coragem a.

desencordoar [De *des-* + *encordoar.*] *V. t. d.* Tirar as cordas a: *Desencordoou o violino.* [Conjug.: v. *coroar.*]

desencorpar [De *des-* + *encorpar.*] *V. t. d.* Fazer diminuir o corpo ou volume a.

desencorrear [De *des-* + *encorrear.*] *V. t. d.* **1.** Soltar (o que estava atado com correias). *Int.* **2.** Perder a rijeza própria da correia ou do couro. [Conjug.: v. *frear.*]

desencortiçar [De *des-* + *encortiçar.*] *V. t. d.* Desenrugar, alisar; desencoscorar. [Conjug.: v. *laçar.*]

desencoscorar [De *des-* + *encoscorar.*] *V. t. d.* **1.** Tirar o coscoro ou a crosta a. **2.** Desencrespar; desencortiçar.

desencostar [De *des-* + *encostar.*] *V. t. d.* **1.** Desviar ou afastar do encosto. *T. d. e i.* **2.** Afastar, privar (daquilo em que se apoiava); desarrimar: *Desencostou da cadeira ambos os braços. P.* **3.** Afastar-se daquilo em que se apoiava.

desencovador (ô) [De *desencovar* + *-dor.*] *Adj. S. m.* Que, ou aquele que desencova.

desencovar [De *des-* + *encovar.*] *V. t. d.* **1.** Tirar ou fazer sair da cova. **2.** Patentear, descobrir (o que estava escondido); desencavar.

desencovilar [De *des-* + *encovilar.*] *V. t. d.* **1.** Tirar ou fazer sair do covil. *P.* **2.** Sair do covil.

desencravar [De *des-* + *encravar.*] *V. t. d.* **1.** Tirar os pregos a; despregar. **2.** Tirar (cravo ou objeto cravado). **3.** *Tip.* Desentupir (o olho do tipo). [V. *pontilha* (5).] *T. d. e c.* **4.** Tirar (o que estava cravado); despregar: *Desencravou o prego da parede. Int.* **5.** *Pop.* Casar-se (aquele que estava encravado); desencalhar.

desencravilhar [De *des-* + *encravilhar.*] *V. t. d.* **1.** Desencravar; desentalar. **2.** *Pop.* Desencalacrar (1). *P.* **3.** *Pop.* Desencalacrar (2).

desencrencar [De *des-* + *encrencar.*] *V. t. d. Bras.* Desfazer encrenca de. [Conjug.: v. *trancar.*]

desencrespar [De *des-* + *encrespar.*] *V. t. d.* **1.** Tirar o encrespamento a; desencarapinhar; alisar. **2.** Desembaraçar, desemaranhar. *Int.* **3.** Desencapelar, serenar-se (o mar). *P.* **4.** Desencaracolar-se; alisar-se. **5.** Desanuviar-se; serenar(-se): *Passada a angústia, o seu semblante desencrespou-se.*

desencruzar [De *des-* + *encruzar.*] *V. t. d.* Descruzar.

desencurralar [De *des-* + *encurralar.*] *V. t. d.* **1.** Soltar do curral; desencantoar. **2.** Pôr em liberdade; soltar.

desencurvar [De *des-* + *encurvar.*] *V. t. d.* Desfazer a curva ou curvatura de, endireitar (o que era curvo); descurvar.

desendemoninhar [De *des-* + *endemoninhar.*] *V. t. d.* **1.** Tirar o demônio do corpo de; livrar do demônio. **2.** *Fig.* Desencolerizar, aplacar.

desendeusar [De *des-* + *endeusar.*] *V. t. d.* **1.** Não reconhecer o caráter divino de. **2.** Negar culto ou adoração a. **3.** Deixar de ter em alto conceito; refrear a admiração a: *Após a ingratidão do amigo, passou a desendeusá-lo.*

desendividar [De *des-* + *endividar.*] *V. t. d.* **1.** Solver dívida(s) de; desobrigar. **2.** Dar quitação a. *P.* **3.** Pagar suas próprias dívidas.

desenegrecer [De *des-* + *enegrecer.*] *V. t. d.* Fazer deixar de ser negro; clarear; branquear. [Conjug.: v. *aquecer.*]

desenervação [De *desenervar* + *-ção.*] *S. f.* Ato ou efeito de desenervar.

desenervar [De *des-* + *enervar*[1].] *V. t. d.* Tirar a enervação ou debilitação a; tonificar.

desenevoar [De *des-* + *enevoar.*] *V. t. d.* **1.** Limpar de névoas ou nuvens; desanuviar: *A ventania desenevoou o céu.* **2.** Aclarar, alegrar; desanuviar: *desenevoar o semblante. P.* **3.** Tornar-se claro, desanuviado: *O céu desenevoou-se; Seu rosto desenevoou-se com a boa nova.* [Conjug.: v. *coroar.*]

desenfadadiço *Adj.* **1.** Que desenfada. **2.** Divertido, pândego.

desenfadado [Part. de *desenfadar.*] *Adj.* **1.** Que perdeu o enfado. **2.** Plácido, sossegado; despreocupado: *um ar desenfadado.*

desenfadamento [De *desenfadar* + *-mento.*] *S. m.* V. *desenfado.*

desenfadar [De *des-* + *enfadar.*] *V. t. d.* **1.** Tirar o enfado a; divertir; distrair. *P.* **2.** Divertir-se, distrair-se.

desenfado [Dev. de *desenfadar.*] *S. m.* **1.** Alívio do enfado. **2.** Passatempo agradável; divertimento, recreação. [Sin. ger.: *desenfadamento.*]

desenfaixar [De *des-* + *enfaixar.*] *V. t. d.* Tirar as faixas a.

desenfardar [De *des-* + *enfardar.*] *V. t. d.* Tirar do(s) fardo(s); desembalar.

desenfardo [Dev. de *desenfardar.*] *S. m.* Ato ou efeito de desenfardar.

desenfarpelar [De *des-* + *enfarpelar.*] *V. t. d.* Tirar ou despir a farpela a.

desenfastiadiço *Adj.* Próprio para desenfastiar; desenfastioso.

desenfastiar [De *des-* + *enfastiar.*] *V. t. d.* **1.** Tirar o fastio a; despertar o apetite de: *Preparou quitutes para desenfastiar o convalescente.* **2.** Fazer cessar o aborrecimento de; distrair, alegrar, recrear. **3.** Suavizar, amenizar: *Omitiu detalhes para desenfastiar a longa narrativa. P.* **4.** Alegrar-se, distrair-se.

desenfastioso (ô) [De *des-* + *enfastioso.*] *Adj.* Desenfastiadiço.

desenfeitado [Part. de *desenfeitar.*] *Adj.* V. *desornado.*

desenfeitar [De *des-* + *enfeitar.*] *V. t. d.* **1.** Tirar os enfeites a; desadornar, desornar, desataviar. *P.* **2.** Tirar de si os adornos, os enfeites; desadornar-se, desornar-se, desataviar-se. [Sin. ger.: *desafeitar.*]

desenfeitiçar [De *des-* + *enfeitiçar.*] *V. t. d.* **1.** Livrar do feitiço; desencantar. **2.** *Fig.* Livrar da paixão. *T. d. e i.* **3.** Livrar, libertar: *Desenfeiticei-o da má companhia. P.* **4.** Cessar (alguém) de estar enfeitiçado. [Conjug.: v. *laçar.*]

desenfeixar [De *des-* + *enfeixar.*] *V. t. d.* **1.** Tirar do feixe. **2.** Desmanchar (o que estava enfeixado). **3.** Separar, desunir.

desenfermar [De *des-* + *enfermar.*] *V. int.* Deixar de estar enfermo; convalescer.

desenferrujar [De *des-* + *enferrujar.*] *V. t. d.* **1.** Tirar a ferrugem a. **2.** Dar exercício a articulações [v. *articulação* (3)] de: *Convalescente, dá pequenas caminhadas, para desenferrujar as pernas.*

desenfezar [De *des-* + *enfezar.*] *V. t. d.* **1.** Limpar das fezes. **2.** Tirar o enfezamento a; fazer crescer ou desenvolver-se fisicamente: *As férias passadas ao ar livre desenfezaram o menino.* **3.** Desenfadar; desencolerizar: *As justificativas acabaram por desenfezar o pai enraivecido.*

desenfiado [Part. de *desenfiar.*] *Adj.* Que se desenfiou. – V. *tiro* –.

desenfiar [De *des-* + *enfiar.*] *V. t. d.* **1.** Tirar o fio a; desfiar. **2.** Tirar de fio ou linha: *desenfiar uma agulha.* **3.** Tirar (algum objeto) daquilo em que estava enfiado. *Int.* **4.** Soltar o fio ou linha: *A agulha desenfiou. P.* **5.** Sair, soltar-se (o que estava enfiado). **6.** *Desus.* Desviar-se, apartar-se.

desenfileirar [De *des-* + *enfileirar.*] *V. t. d.* Tirar da fileira; desalinhar.

desenflorar [De *des-* + *enflorar.*] *V. t. d.* **1.** Tirar as flores de; fazer cair as flores a: *A ventania desenflorou o jasmineiro. Int.* **2.** Despojar-se das flores; perder as flores.

desenfocar [De *des-* + *enfocar.*] *V. t. d.* V. *desfocalizar.* [Conjug.: v. *trancar.*]

desenforcar [De *des-* + *enforcar.*] *V. t. d.* Desprender da forca. [Conjug.: v. *trancar.*]

desenforjar [De *des-* + *enforjar.*] *V. t. d.* Tirar da forja.

desenformar [De *des-* + *enformar*[1].] *V. t. d.* Tirar da fôrma.

desenfornar [De *des-* + *enfornar.*] *V. t. d.* Tirar do forno.

desenfrascar [De *des-* + *enfrascar.*] *V. t. d.* Tirar de frasco(s). [Conjug.: v. *trancar.*]

desenfreado [Part. de *desenfrear.*] *Adj.* **1.** Que não tem freio. **2.** Arrebatado; descomedido.

desenfreamento [De *desenfrear* + *-mento.*] *S. m.* Ato ou efeito de desenfrear(-se); desenfreio.

desenfrear [De *des-* + *enfrear.*] *V. t. d.* **1.** Tirar o freio a; soltar. **2.** Dar largas a; soltar: *desenfrear a voz, a imaginação. P.* **3.** Tomar o freio nos dentes. **4.** Arremessar-se, soltar-se com ímpeto: *As águas desenfrearam-se, rompendo a muralha.* **5.** Encolerizar-se, enfurecer-se; irritar-se. **6.** Tornar-se dissoluto; exceder-se, descomedir-se. [Conjug.: v. *frear.*]

desenfreio [Dev. de *desenfrear.*] *S. m.* Desenfreamento.

desenfrenar [Do esp. plat. *desenfrenar.*] *V. t. d. Bras. RS* Tirar o freio a (cavalgadura); desenfrear.

desenfronhar [De *des-* + *enfronhar.*] *V. t. d.* **1.** Tirar da fronha. **2.** *P. ext.* Despir, desnudar. **3.** *Fig.* Patentear; mostrar. *P.* **4.** Sair da fronha.

desenfueirar [De *des-* + *enfueirar.*] *V. t. d.* Tirar os fueiros a.

desenfunar-se [De *des-* + *enfunar* + *se*[1].] *V. p.* **1.** Deixar de estar bojuda, enfunada (vela de embarcação). **2.** *Fig.* Deixar de ser vaidoso.

desenfurecer [De *des-* + *enfurecer.*] *V. t. d.* **1.** Tirar o furor a; desencolerizar; acalmar. *P.* **2.** Perder o furor ou a fúria; acalmar-se. [Conjug.: v. *aquecer.*]

desenfurnar [De *des-* + *enfurnar.*] *V. t. d.* **1.** Tirar de furna. **2.** *Fam.* Fazer voltar ao convívio social ou humano (quem estava enfurnado, retraído, isolado). **3.** V. *desenterrar* (3 e 4). **4.** *Marinh.* Tirar do seu lugar (os mastros de uma embarcação). *P.* **5.** *Fam.* Voltar ao convívio social ou humano (quem estava enfurnado, retraído, isolado).

desengaçar [De *des-* + *engaço*[1] + *-ar*[2].] *V. t. d.* Separar do engaço (bagos de uvas). [Conjug.: v. *laçar.*]

desengaiolar [De *des-* + *engaiolar.*] *V. t. d.* **1.** Tirar da gaiola. **2.** *Fig.* Soltar da prisão; libertar. *P.* **3.** Sair da gaiola; soltar-se.

desengajado [Part. de *desengajar.*] *Adj. S. m.* **1.** Diz-se de, ou militar que reside fora do quartel. **2.** Diz-se de, ou aquele que não assumiu posição política, ou que abdicou da que assumira.

desengajar [De *des-* + *engajar.*] *V. int.* **1.** Quebrar o ajuste com a firma ou pessoa com quem estava engajado. *P.* **2.** Desligar-se de, ou interromper participação em (empreendimento ou atividade em que estava engajado).

desengalfinhar [De *des-* + *engalfinhar.*] *V. t. d.* **1.** Separar (quem estava engalfinhado). *P.* **2.** Separar-se (aquele[s] que estava[m] engalfinhado[s]).

desenganado [Part. de *desenganar.*] *Adj.* **1.** Desiludido, desesperançado. **2.** Que não tem cura; que está à morte.

desenganador (ô) [De *desenganar* + *-dor.*] *Adj. S. m.* Que, ou aquele que desengana, que desilude.

desenganar [De *des-* + *enganar.*] *V. t. d.* **1.** Tirar de engano, erro, esperança ilusória ou falsa crença: *Vendo-o tão convencido da inocência do filho, não teve coragem de o desenganar.* **2.** Tirar as esperanças de salvação de: *desenganar um doente.* **3.** *Bras. RS* Tirar toda a resistência de (o cavalo), fazendo-o fiel e manso. *T. d. e i.* **4.** Desiludir, despersuadir: *Desenganei-o do sonho em que estava envolvido. P.* 5. Sair (de engano ou erro). 6. Desiludir-se, desesperançar-se.

desenganchar [De *des-* + *enganchar.*] *V. t. d.* Soltar, desprender (o que estava enganchado).

desengano [Dev. de *desenganar.*] *S. m.* 1. Ato ou efeito de desenganar. 2. Desilusão, desesperança. 3. Franqueza nas palavras e ações.

desengarrafar [De *des-* + *engarrafar.*] *V. t. d.* 1. Tirar da garrafa. 2. Fazer cessar o engarrafamento (2) de: “Consegue-se com a pista seletiva não apenas desengarrafar o trânsito, aumentando a velocidade média das vias em questão, como reduzir o número de pequenos acidentes.” (*Jornal do Brasil,* 01.09.1982); “Detran promete em dois meses desengarrafar Copacabana” (*Jornal do Brasil,* 28.05.1979).

desengarranchar [De *des-* + *-en-* + *garrancho* + $-ar^2$.] *V. t. d. Bras.* Desimpedir, desembaraçar (o terreno).

desengasgamento [De *desengasgar* + *-mento.*] *S. m.* V. *desengasgue.*

desengasgar [De *des-* + *engasgar.*] *V. t. d.* Tirar o engasgamento a. [Conjug.: v. *largar.*]

desengasgo [Dev. de *desengasgar.*] *S. m.* Desengasgue.

desengasgue [Dev. de *desengasgar.*] *S. m.* Ato ou efeito de desengasgar; desengasgo, desengasgamento.

desengastar [De *des-* + *engastar.*] *V. t. d.* 1. Tirar do engaste. *T. d. e i.* 2. Tirar (do engaste); desprender: *Desengastou da coroa o maior diamante.*

desengatar [De *des-* + *engatar.*] *V. t. d. P.* 1. Desprender(-se) ou soltar(-se) do engate; desatrelar(-se): *desengatar os vagões de um trem.* 2. Desembrear(-se)². 3. Desatrelar(-se) (2). 4. Desaperrar(-se) (espingarda).

desengate [Dev. de *desengatar.*] *S. m.* Ato ou efeito de desengatar.

desengatilhar [De *des-* + *engatilhar.*] *V. t. d.* 1. Disparar, desfechar (arma de fogo). 2. Alterar; mudar, modificar: *Respondeu secamente, sem desengatilhar a carranca.*

desengavetar [De *des-* + *engavetar.*] *V. t. d.* 1. Tirar (o que estava engavetado): “desengavetou, escovou e vestiu a sobrecasaca dos dias solenes” (Artur Azevedo, *Contos Efêmeros,* p. 29). 2. *Fig.* Retomar (o que havia sido posto de lado).

desengenhoso (ô) [De *des-* + *engenhoso.*] *Adj.* Falto de engenho ou de jeito; não engenhoso.

desenglobar [De *des-* + *englobar.*] *V. t. d.* Separar (o que estava englobado).

desengodar [De *des-* + *engodar.*] *V. t. d.* 1. Tirar o engodo a. 2. *Fig.* Desiludir; desenganar.

desengolfar [De *des-* + *engolfar.*] *V. t. d.* 1. Tirar do golfo. *T. d. e i.* 2. Livrar de (abismo, vício, erro): *Nada mais poderá fazer para desengolfá-lo do mau caminho.*

desengolir [De *des-* + *engolir.*] *V. t. d. Int.* Vomitar, lançar, bolçar. [Irreg. Conjug.: v. *engolir.*]

desengomar [De *des-* + *engomar.*] *V. t. d.* Tirar a goma a.

desengonçado [Part. de *desengonçar.*] *Adj.* 1. Tirado dos engonços; desconjuntado. 2. Sem aprumo; desaprumado, desajeitado, desconjuntado.

desengonçar [De *des-* + *engonçar.*] *V. t. d.* 1. Tirar dos engonços: *desengonçar um portão. P.* 2. Sair dos engonços; desconjuntar-se. 3. *Fig.* Mover-se desajeitadamente como se estivesse desconjuntado: *O menino cresceu depressa e desengonçou-se no andar.* [Conjug.: v. *laçar.*]

desengonço [Dev. de *desengonçar.*] *S. m.* Ato ou efeito de desengonçar(-se).

desengordar [De *des-* + *engordar.*] *V. t. d.* 1. Tirar ou diminuir a gordura a; tornar magro. *Int.* 2. Tornar-se magro; emagrecer(-se).

desengordurar [De *des-* + *engordurar.*] *V. t. d.* Tirar a gordura ou a(s) mancha(s) de gordura a.

desengraçado [De *des-* + *engraçado.*] *Adj.* 1. Que não tem graça; sem atrativos ou encantos: *Casal desengraçado, maçante, o que chegou no fim da reunião.* 2. Que não tem graça; deselegante, desairoso, desgracioso: *vestido desengraçado.* 3. Sem espírito ou animação; insípido, desenxabido: *anedota desengraçada.* • *S. m.* 4. Indivíduo desengraçado.

desengraçar [De *des-* + *engraçar.*] *V. t. d.* 1. Tirar a graça a. *T. i.* 2. Antipatizar: *Desengraçou com o rapaz à primeira vista, e entrou a persegui-lo;* “pulsos de ferro, olhos coriscantes, e formas tão esculturais da beleza antiga, que eu fiquei cismando se o demônio desengraça com as raças adelgaçadas, e vai às montanhas procurar corpos com capacidade de o receberem.” (Camilo Castelo Branco, *Noites de Lamego,* p. 166). [Conjug.: v. *laçar.*]

desengrandecer [De *des-* + *engrandecer.*] *V. t. d.* Apoucar, menoscabar, amesquinhar, aviltar: *Sua atitude anterior o enobreceu, mas a de agora o desengrandece.* [Conjug.: v. *aquecer.*]

desengranzar [De *des-* + *engranzar.*] *V. t. d.* Soltar, desprender (o que estava engranzado). [Var.: *desengrazar.*]

desengravescer [De *des-* + *engravescer.*] *V. t. d.* Tirar ou diminuir a gravidade de. [Conjug.: v. *crescer.*]

desengraxar [De *des-* + *engraxar.*] *V. t. d.* 1. Tirar a graxa ou o lustre de. 2. *Pop.* Destingir (o que estava pintado de preto).

desengrazar [De *des-* + *engrazar.*] *V. t. d.* V. *desengranzar.*

desengrenar [De *des-* + *engrenar.*] *V. t. d. P. Autom.* V. *desembrear*².

desengrimpar-se [De *des-* + *engrimpar-se.*] *V. p.* 1. Descer das grimpas. 2. *Fig.* Abater-se, humilhar-se.

desengrinaldar [De *des-* + *engrinaldar.*] *V. t. d.* 1. Tirar a grinalda a. *P.* 2. Desadornar-se de grinalda. [Sin. ger.: *desgrinaldar.*]

desengrossar [De *des-* + *engrossar.*] *V. t. d.* 1. Tornar menos grosso; desbastar; adelgaçar. *Int.* 2. Desinchar, desintumescer. [Pres. ind.: *desengrosso,* etc. Cf. *desengrosso* (ô).]

desengrosso (ô) [Dev. de *desengrossar.*] *S. m.* Ato ou efeito de desengrossar. [Pl.: *desengrossos* (ô). Cf. *desengrosso,* do v. *desengrossar.*]

desengrumar [De *des-* + *engrumar.*] *V. t. d.* Desfazer ou dissolver os grumos de.

desenguiçar [De *des-* + *enguiçar.*] *V. t. d.* 1. Tirar o enguiço a. *P.* 2. Livrar-se de enguiço. [Conjug.: v. *laçar.*]

desengulhar [De *des-* + *engulhar.*] *V. t. d.* Fazer passar o engulho a; desenjoar.

desenhador (ô) [De *desenhar* + *-dor.*] *S. m. P. us.* Desenhista.

desenhar [Do it. *disegnare.*] *V. t. d.* 1. Traçar o desenho (1, 5 e 6) de: *desenhar uma árvore.* 2. Dar relevo a; delinear: *O vestido de jérsei desenhava-lhe as belas formas.* 3. Descrever, apresentar, caracterizando, oralmente ou por escrito: “Assunto escocês [o da ópera *Lúcia de Lammermoor*], tratado por pena escocesa, e das mais admiráveis em desenhar tipos simpáticos e imortais.” (Júlio Dinis, *Uma Família Inglesa,* p. 158.) 4. Tornar perceptível; representar, acusar: *Os últimos acontecimentos vieram desenhar as atuais tendências da nação.* 5. Conceber, projetar, imaginar, idear: *Desenhou um plano diabólico, que por um triz não se executou;* “Desenhava o velho levar Balbina diante do indigente, apontar-lha como senhora daquela casa, e obrigá-lo a agradecer-lhe a ela a esmola do pão e da enxerga.” (Camilo Castelo Branco, *Noites de Lamego,* p. 102.) *T. d. e c.* 6. Desenhar (1): “A mão de meu pai sobre o papel desenha, / Quase num só traço, o menino a cavalo.” (Alberto da Costa e Silva, *As Linhas da Mão,* p. 130.) *Int.* 7. Traçar desenho(s). 8. Exercer a profissão de desenhista; trabalhar como tal. *P.* 9. Apresentar-se com os contornos bem definidos; ressair, ressaltar; avultar, destacar(-se); delinear-se: *A montanha desenha-se contra o azul do céu.* 10. Aparecer, representar-se ou reproduzir-se na mente, na imaginação; afigurar-se, figurar-se: *A cena violenta desenhou-se outra vez a seus olhos.*

desenhista [De *desenho* + *-ista.*] *S. 2 g.* 1. Pessoa que exerce a arte do desenho. 2. Pessoa que desenha ou sabe desenhar. [Sin. ger. (p. us.): *desenhador.*]

desenhista de produto *S. 2 g.* Indivíduo com formação em desenho de produto (q. v.), ou profissional que exerce ocupação própria dessa especialização; *designer.* [Pl.: *desenhistas de produto.*] ☑

desenhista-industrial *S. 2 g.* Indivíduo diplomado em desenho industrial (q. v.), ou profissional que exerce ocupação própria dessa atividade; *designer.* [Pl.: *desenhistas-industriais.*]

desenho [Dev. de *desenhar.*] *S. m.* 1. Representação de formas sobre uma superfície, por meio de linhas, pontos e manchas, com objetivo lúdico, artístico, científico, ou técnico: *um desenho de criança; o desenho de uma paisagem; um desenho de anatomia; o desenho de um motor.* 2. A arte e a técnica de representar, com lápis, pincel, pena, etc., um tema real ou imaginário, expressando a forma e ger. abandonando a cor: *o desenho de um modelo-vivo; o desenho abstrato.* [O desenho tende a representar o tema racionalmente, configurando ou sugerindo seus limites, enquanto a cor tende a transmitir valores de ordem emotiva.] 3. Toda obra de arte executada segundo as condições acima descritas: *um desenho de Portinari; um desenho expressionista.* 4. A disciplina relativa à arte e à técnica do desenho (1 e 2): *uma aula de desenho.* 5. Versão preparatória de um desenho artístico ou de um quadro; esboço, estudo: *Os desenhos de Leonardo da Vinci revelam a riqueza de seu gênio criador.* 6. Traçado, risco, projeto, plano: *O desenho da igreja de S. Francisco de Ouro Preto é obra do Aleijadinho.* 7. Forma, feitio, configuração: *o desenho de uma letra, de uma boca.* 8. *Fig.* Delineamento, esboço; elaboração: *o desenho de uma ideia; o desenho de uma personagem de ficção.* 9. *Fig.* Intento, propósito, desígnio: “O manhoso cortesão vira claramente que a partida del-rei transtornava todos os seus desenhos” (Alexandre Herculano, *Lendas e Narrativas,* I, p. 149). ◆ **Desenho à mão livre.** O que é feito sem o auxílio de instrumentos (régua, esquadro, compasso, etc.). **Desenho animado.** 1. Filme cinematográfico, em geral de curta metragem, baseado numa série de desenhos que representam as fases sucessivas de uma ação, e que, fotografados e projetados, dão a ilusão do movimento. 2. Ramo da indústria cinematográfica relativo a esse gênero de filmes. **Desenho arquitetônico.** Desenho técnico, segundo processo de projeções, para representação de um edifício e seus detalhes através de plantas, cortes ou seções e elevações ou fachadas. **Desenho a traço.** *Art. Gráf.* Qualquer arte criada com linhas pretas chapadas, normalmente com caneta e tinta, gerando desenho sem tons lavados ou diluídos. **Desenho industrial.** 1. Atividade especializada de caráter técnico e artístico, que se ocupa da concepção da forma de objetos tridimensionais (desenho de produto) e bidimensionais (programação visual) a partir de critérios de funcionalidade e estéticos, com vistas à produção industrial ou em série. 2. O produto dessa atividade. [Sin. ger.: *design.*]

desenho de produto *S. m.* Parte do desenho industrial (q. v.) que se ocupa da concepção de sistemas e produtos tridimensionais (postos de trabalho, mobiliário, utensílios, máquinas, ferramentas, exposições, etc.); *design.* [Pl.: *desenhos de produto.*] ☑

desenjoar [De *des-* + *enjoar.*] *V. t. d.* 1. Tirar o enjoo a; desengulhar. 2. Distrair, desenfadar, desentediar. *P.* 3. Livrar-se do enjoo. [Conjug.: v. *coroar.*]

desenjoativo [De *desenjoar* + *-tivo.*] *Adj.* 1. Que desenjoa. • *S. m.* 2. Iguaria aperitiva, ou que corta o enjoo.

desenlaçamento [De *desenlaçar* + *-mento.*] *S. m.* Ação ou efeito de desenlaçar(-se); desenlace.

desenlaçar [De *des-* + *enlaçar.*] *V. t. d.* 1. Desfazer o laço ou as laçadas de: *desenlaçar uma faixa, um cinto.* 2. *Bras.* Desprender do laço (6): *Desenlaçar um boi.* 3. Soltar, desprender (o que estava enlaçado): *desenlaçar os braços.* 4. Desenredar, aclarar, deslindar, destrinçar: *desenlaçar um mistério.* 5. Dar desenlace (2) a: *Cena altamente patética desenlaça o drama. P.* 6. *Bras.* Soltar-se do laço (6). 7. Livrar-se, desprender-se. [Sin.: *deslaçar.* Conjug.: v. *laçar.*]

desenlace [Dev. de *desenlaçar.*] *S. m.* 1. Desenlaçamento. 2. Desfecho, solução, remate; desenredo: *o desenlace da novela.* 3. *Teatr.* V. *catástase* (2).

desenlambuzar [De *des-* + *enlambuzar.*] *V. t. d. Pop.* Limpar (coisa ou pessoa que estava enlambuzada); tirar nódoas ou porcaria de; limpar, assear.

desenlamear [De *des-* + *enlamear.*] *V. t. d.* 1. Tirar a lama¹ (1) a. 2. Tirar da lama¹ (2); restabelecer a honra, o crédito de; desenodoar. *P.* 3. Limpar-se lama¹ (1). 4. Sair da lama¹ (2). [Sin. ger.: *desenlodar.* Conjug.: v. *frear.*]

desenlapar [De *des-* + *enlapar.*] *V. t. d.* Fazer sair da lapa¹; desentocar.

desenlatar [De *des-* + *enlatar*¹.] *V. t. d.* Retirar da lata.

desenleado [Part. de *desenlear.*] *Adj.* 1. Expedito, rápido. 2. Desembaraçado, franco.

desenlear [De *des-* + *enlear.*] *V. t. d.* 1. Desfazer o enleio de. 2. Desprender, soltar (o que estava enleado). 3. Desenredar, desemaranhar. 4. Livrar de dificuldade ou embaraço; desembaraçar. *P.* 5. Desprender-se, soltar-se. 6. Livrar-se de enleio ou dificuldade; desembaraçar-se. [Conjug.: v. *frear.*]

desenleio [Dev. de *desenlear.*] *S. m.* Ato ou efeito de desenlear(-se).

desenlevar [De *des-* + *enlevar.*] *V. t. d.* 1. Tirar o enlevo a. 2. Desiludir, desenganar.

desenliçar [De *des-* + *enliçar.*] *V. t. d.* 1. Desenredar, destrinçar, destramar. *P.* 2. Soltar-se, desprender-se; libertar-se. [Conjug.: v. *laçar.*]

desenlodar [De *des-* + *enlodar.*] *V. t. d. P.* V. *desenlamear.*

desenlouquecer [De *des-* + *enlouquecer.*] *V. t. d.* 1. Curar da loucura; equilibrar. *Int.* 2. Recobrar o juízo, a razão; equilibrar-se. [Conjug.: v. *aquecer.*]

desenlutar [De *des-* + *enlutar.*] *V. t. d.* 1. Tirar o luto a. 2. Alegrar; consolar. *P.* 3. Tirar o luto. 4. Alegrar-se; consolar-se.

desenobrecer [De *des-* + *enobrecer.*] *V. t. d.* 1. Privar de título de nobreza. 2. Desdourar; aviltar. *P.* 3. Perder a nobreza. [Sin.: *desnobrecer.* Conjug.: v. *aquecer.*]

desenodoar [De *des-* + *enodoar.*] *V. t. d.* 1. Tirar as nódoas a; desenlamear; limpar. 2. Desenlamear (2). [Sin. ger.: *desnodoar.* Conjug.: v. *coroar.*]

desenojar [De *des-* + *enojar.*] *V. t. d.* 1. Fazer cessar o nojo ou a náusea a. 2. Desanojar (1). *T. d. e i.* 3. Desanojar (2). *P.* 4. Desanojar (3).

desenovelar [De *des-* + *enovelar.*] *V. t. d.* 1. Desenrolar (o que estava enovelado). 2. Achar ou seguir o fio de (uma história, uma intriga). *P.* 3. Estender-se; desenrolar-se. 4. Desenrolar-se; passar(-se); ocorrer:

Importantes acontecimentos desenovelavam-se ante seus olhos. [Sin.: *desnovelar.*]

desenquadrar [De *des-* + *enquadrar.*] *V. t. d.* Tirar de quadro ou de moldura.

desenraiar [De *des-* + *enraiar.*] *V. t. d.* Destravar (uma roda de carro).

desenraivecer [De *des-* + *enraivecer.*] *V. t. d.* **1.** Tirar ou abrandar a raiva a; tornar sereno; aplacar, serenar. *P.* **2.** Perder a raiva; desenfurecer-se, serenar(-se). [Conjug.: v. *aquecer.*]

desenraizamento (a-i) [De *desenraizar* + *-mento.*] *S. m.* V. *desarraigamento.*

desenraizar (a-i) [De *des-* + *enraizar.*] *V. t. d. T. d. e i. P.* V. *desarraigar.* [Conjug.: v. *enraizar.*]

desenramar[1] [De *des-* + *enramar*[1].] *V. t. d.* Tirar os ramos a.

desenramar[2] [De *des-* + *enramar*[2].] *V. t. d. Tip.* Tirar da rama (a composição tipográfica).

desenrascar [De *des-* + *enrascar.*] *V. t. d.* **1.** Livrar de embaraço(s), de dificuldade(s). **2.** *Marinh.* Desembaraçar (cabo, vela, adriça, bandeira, etc., que esteja enrascado). *P.* **3.** Livrar-se de embaraço(s), de dificuldade(s). [Conjug.: v. *trancar.*]

desenredador (ô) [De *desenredar* + *-dor.*] *S. m.* Aquele que desenreda, que desfaz o enredo de.

desenredar [De *des-* + *enredar.*] *V. t. d.* **1.** Desfazer o enredo de; estirar ou separar (o que estava enredado); desenlear, desembaraçar, desemaranhar: "A flor da vaga, o seu cabelo verde, / Que o torvelinho enreda e desenreda..." (Camilo Pessanha, *Clepsidra e Outros Poemas*, p. 195.) **2.** Resolver, destrinçar (negócio ou questão complicada). **3.** Descobrir; esclarecer; destrinçar; desintrincar: *desenredar a trama de um mistério. T. d. e i.* **4.** Desembaraçar, livrar, libertar: *Desenredou o cipó dos galhos que o prendiam. P.* **5.** Desenlaçar-se, soltar-se. **6.** Tornar-se claro, nítido, perceptível. **7.** Desembaraçar-se, desemaranhar-se. **8.** Sair de apuros; desembaraçar-se. [Pres. ind.: *desenredo*, etc. Cf. *desenredo* (ê).]

desenredo (ê) [Dev. de *desenredar.*] *S. m.* **1.** Ato ou efeito de desenredar. **2.** Solução, desenlace, desfecho. **3.** *Teatr.* V. *catástase* (2). [Pl.: *desenredos* (ê). Cf. *desenredo*, do v. *desenredar.*]

desenregelar [De *des-* + *enregelar.*] *V. t. d.* **1.** Degelar, descongelar. **2.** *Fig.* Aquecer, esquentar.

desenriçar [De *des-* + *enriçar.*] *V. t. d.* **1.** Desencrespar, alisar. **2.** Desembaraçar, desemaranhar. [Sin.: *desriçar.* Conjug.: v. *laçar.*]

desenrijar [De *des-* + *enrijar.*] *V. t. d.* **1.** Tirar a rijeza a. *P.* **2.** Perder a rijeza; enfraquecer(-se).

desenriquecer [De *des-* + *enriquecer.*] *V. t. d.* **1.** Tirar a riqueza a; empobrecer. *Int. P.* **2.** Tornar-se pobre; empobrecer(-se). [Conjug.: v. *aquecer.*]

desenristar [De *des-* + *enristar.*] *V. t. d.* Tirar (a lança) do riste.

desenrizar [De *des-* + *enrizar.*] *V. t. d. Ant. Marinh.* Desrizar.

desenrodilhar [De *des-* + *enrodilhar.*] *V. t. d.* **1.** Estender, separar (o que estava enrodilhado); desenrolar. *P.* **2.** Desenrolar-se; estender-se: "a primeira parte do conto é a descrição de uma cascavel que, tocada pelo sol, se desenrodilha e sai do buraco" (Hélio Pólvora, *A Força da Ficção*, p. 26).

desenrolado [Part. de *desenrolar.*] *Adj.* Que se desenrolou; desenroscado.

desenrolamento [De *desenrolar* + *-mento.*] *S. m.* **1.** Ato ou efeito de desenrolar(-se). **2.** Desdobramento; desenvolvimento.

desenrolar [De *des-* + *enrolar.*] *V. t. d.* **1.** Desenvolver, estender (o que estava enrolado); desfazer o rolo de: *Desenrolou as tiras de papel e pôs-se a discursar.* **2.** Desembrulhar: *Desenrolando a caixa, deparou com o belo presente.* **3.** Rolar; verter: *Noutras eras um rio desenrolara suas águas por aquelas paragens.* **4.** Expor minuciosamente; explicar, explanar: *Desenrolou com precisão aquele caso escabroso. P.* **5.** Desdobrar-se, desenroscar-se: *Espicaçou a serpente, que se desenrolou, desfazendo o bote.* **6.** Estender-se, mostrar-se, apresentar-se, patentear-se: "Nós íamos seguindo; e, em torno, imensa, / Ia desenrolando-se a paisagem..." (Raimundo Correia, *Poesias*, p. 51.) **7.** Acontecer, suceder: "Os acontecimentos acima se desenrolaram no dia 23 de junho deste ano, durante a invasão da favela de Vigário Geral." (*O Globo*, 21.08.2007.)

desenroscar [De *des-* + *enroscar.*] *V. t. d.* **1.** Estirar (o que estava enroscado); desenrolar. **2.** Desaparafusar (1). *P.* **3.** Estirar-se; estender-se, desenrolar-se, desfazendo as voltas ou roscas. [Conjug.: v. *trancar.*]

desenroupado [Part. de *desenroupar.*] *Adj.* Sem roupa; despido, nu; desarroupado.

desenroupar [De *des-* + *enroupar.*] *V. t. d.* Tirar a roupa a; despir, desnudar.

desenrubescer [De *des-* + *enrubescer.*] *V. t. d.* **1.** Tirar a cor vermelha a. **2.** Fazer perder a cor vermelha; descorar. *Int.* **3.** Perder a cor vermelha. **4.** Empalidecer; desmaiar, desbotar. [Conjug.: v. *crescer.*]

desenrugado [Part. de *desenrugar.*] *Adj.* Que se desenrugou; desfranzido.

desenrugar [De *des-* + *enrugar.*] *V. t. d.* **1.** Tirar as rugas de; desfranzir, alisar; desrugar. *P.* **2.** Perder as rugas: *A pele desenrugou-se com o uso de cosméticos.* [Sin. ger.: *desarrugar.* Conjug.: v. *largar.*]

desenrustir [De *des-* + *enrustir.*] *V. t. d.* **1.** Tornar menos inibido ou introvertido; livrar de introversão: *O convívio com amigos tão sociáveis desenrustiu-o. Int. P.* **2.** Tornar-se menos inibido ou introvertido; deixar de estar enrustido: *Com a mudança para o Rio, desenrustiu-se.* **3.** *Gír.* Aceitar e/ou assumir (o indivíduo) a sua sexualidade.

desensaboar [De *des-* + *ensaboar.*] *V. t. d.* Tirar o sabão a. [Conjug.: v. *coroar.*]

desensaburrar [De *des-* + *ensaburrar.*] *V. t. d.* Limpar da saburra; dessaburrar.

desensacar [De *des-* + *ensacar.*] *V. t. d.* Tirar do(s) saco(s) ou da(s) saca(s). [Conjug.: v. *trancar.*]

desensanguentar (güen) [De *des-* + *ensanguentar.*] *V. t. d.* Limpar o sangue de. ❖

desensarado [De *des-* + *-en-*[1] + *sarado.*] *S. m. Bras.* Indivíduo que ainda não se restabeleceu de doença grave.

desensarilhar [De *des-* + *ensarilhar.*] *V. t. d.* Separar (o que estava ensarilhado).

desensebar [De *des-* + *ensebar.*] *V. t. d.* **1.** Limpar do sebo. **2.** Tirar as manchas de sebo ou gordura a. [Conjug.: v. *chegar.*]

desensinar [De *des-* + *ensinar.*] *V. t. d.* Fazer esquecer (o que se tinha ensinado); fazer desaprender.

desensino [Dev. de *desensinar.*] *S. m.* Ato ou efeito de desensinar.

desensoberbecer [De *des-* + *ensoberbecer.*] *V. t. d.* **1.** Tirar a soberba de. **2.** Humilhar, vexar. *P.* **3.** Deixar de ser soberbo. [Conjug.: v. *aquecer.*]

desensolvar [De *des-* + *ensolvar.*] *V. t. d. Ant.* Tirar a pólvora úmida de (canhão, morteiro).

desensombrar [De *des-* + *ensombrar.*] *V. t. d.* **1.** Tirar aquilo que fazia sombra a; desenevoar, clarear. **2.** Tornar alegre e claro.

desensopar [De *des-* + *ensopar.*] *V. t. d.* V. *enxugar* (1).

desensurdecer [De *des-* + *ensurdecer.*] *V. t. d.* **1.** Tirar a surdez a. *Int.* **2.** Curar-se da surdez; deixar de ser surdo. [Conjug.: v. *aquecer.*]

desentabuar [De *des-* + *entabuar.*] *V. t. d.* Tirar as tábuas a (um forro ou soalho).

desentaipar [De *des-* + *entaipar.*] *V. t. d.* **1.** Tirar de entre taipas. **2.** Soltar, libertar; desembaraçar.

desentalado [Part. de *desentalar.*] *Adj.* V. *destabocado* (3).

desentalar [De *des-* + *entalar.*] *V. t. d.* **1.** Tirar ou soltar das talas. **2.** Livrar de dificuldades; desenrascar; desembaraçar: *Preveni-o de que, caso se metesse noutra enrascada, nada faria para desentalá-lo. T. d. e i.* **3.** Livrar, desembaraçar: *Desentalei-o da complicação. P.* **4.** Soltar-se, livrar-se, desembaraçar-se.

desentaramelar [De *des-* + *entaramelar.*] *V. t. d.* Desembaraçar (a língua) falando muito.

desentarraxar [De *des-* + *entarraxar.*] *V. t. d.* V. *desatarraxar.*

desentediar [De *des-* + *entediar.*] *V. t. d.* **1.** Tirar o tédio a; desenjoar. **2.** Distrair; alegrar.

desentender [De *des-* + *entender.*] *V. t. d.* **1.** Não entender. **2.** Fingir que não entende: *Compreendeu a conversa, mas desentendeu as indiretas que lhe atiraram. P.* **3.** Não se compreender mutuamente: *Impossível a harmonia entre os dois: desentendem-se por qualquer insignificância.*

desentendido [Part. de *desentender.*] *Adj. S. m.* Que, ou aquele que não entende.

desentendimento [De *desentender* + *-imento.*] *S. m.* **1.** Falta de entendimento. **2.** Estupidez, asneira, burrice. **3.** Discussão, altercação; briga.

desentenebrecer [De *des-* + *entenebrecer.*] *V. t. d.* **1.** Dissipar as trevas de; tornar menos escuro; iluminar. **2.** Tornar mais claro ou compreensível; aclarar, esclarecer. [Conjug.: v. *aquecer.*]

desenternecer [De *des-* + *enternecer.*] *V. t. d.* **1.** Fazer perder a ternura. *P.* **2.** Deixar de estar terno ou enternecido. [Conjug.: v. *aquecer.*]

desenterrado [Part. de *desenterrar.*] *Adj.* **1.** Tirado de debaixo da terra. **2.** Diz-se de pessoa de aspecto doentio, pálida, cadavérica.

desenterrador (ô) [De *desenterrar* + *-dor.*] *Adj. S. m.* **1.** Que, ou aquele que desenterra. **2.** Esquadrinhador, pesquisador, investigador.

desenterramento [De *desenterrar* + *-mento.*] *S. m.* Ato ou efeito de desenterrar.

desenterrar [De *des-* + *enterrar.*] *V. t. d.* **1.** Tirar de debaixo da terra: *Desenterrou raízes, das quais se alimentou.* **2.** Exumar (1): *desenterrar cadáveres.* **3.** Tirar de lugar recôndito; desenfurnar. **4.** Tirar do esquecimento; desenfurnar: *O poeta desenterrou todo um vocabulário medieval.* **5.** Descobrir, patentear: *Conseguiu desenterrar toda a história da família. T. d. e i.* **6.** Livrar, libertar: *Tudo fizeram para o desenterrar do alcoolismo.* [Sin. ger.: *dessoterrar.*]

desenterroar [De *des-* + *enterroar.*] *V. t. d.* Desfazer os torrões a; esterroar; pulverizar. [Conjug.: v. *coroar.*]

desentesar [De *des-* + *entesar.*] *V. t. d.* **1.** Fazer perder a tesura; tornar lasso. *Int. P.* **2.** Perder a tensão; tornar-se frouxo ou bambo.

desentesoirador (ô) [De *desentoirar* + *-dor.*] *S. m. Adj.* V. *desentesourador.*

desentesoirar [De *des-* + *entesoirar.*] *V. t. d.* V. *desentesourar.*

desentesourador (ô) [De *desentesourar* + *-dor*; var. de *desentesoirador.*] *S. m. Adj.* Quem ou que desentesoura; desentesoirador.

desentesourar [De *des-* + *entesourar*; var. de *desentoirar.*] *V. t. d.* **1.** Tirar do tesouro; desentesoirar. **2.** Descobrir, encontrar, desencantar, desentesoirar.

desentibiar [De *des-* + *entibiar.*] *V. t. d.* Tirar a tibieza a.

desentoação [De *desentoar* + *-ção.*] *S. f.* Ato ou efeito de desentoar(-se); desentoamento, desentoo.

desentoado [Part. de *desentoar.*] *Adj.* Desafinado, dissonante, destoante.

desentoamento [De *desentoar* + *-mento.*] *S. m.* V. *desentoação.*

desentoar [De *des-* + *entoar.*] *V. int.* **1.** Sair do tom; desafinar, dissonar, destoar. **2.** *Fig.* Fazer ou dizer inconveniências; disparatar, despropositar: *Naquela reunião de pessoas sérias só ele desentoava. P.* **3.** Disparatar, despropositar. [Conjug.: v. *coroar.*]

desentocar [De *des-* + *entocar.*] *V. t. d.* **1.** Tirar de toca ou cova; destocar. *P.* **2.** Sair da toca ou cova. [Conjug.: v. *trancar.*]

desentolher [De *des-* + *-en-*[1] + *tolher.*] *V. t. d.* Fazer cessar o tolhimento ou o entorpecimento a.

desentonar [De *des-* + *entonar.*] *V. t. d.* Abater o entono, a altivez, a; humilhar.

desentoo [Dev. de *desentoar.*] *S. m.* V. *desentoação*: "cantando com desentoo na voz apagada e rouca as modinhas banzeiras da senzala." (Francisco Ribeiro Sampaio, *Renembranças*, p. 1). ❖

desentorpecer [De *des-* + *entorpecer.*] *V. t. d.* **1.** Tirar o torpor a. **2.** *Fig.* Reanimar; excitar: *desentorpecer as ideias. Int.* **3.** Deixar de estar entorpecido; reanimar-se. *P.* **4.** Readquirir o vigor. **5.** Sair da inércia; revigorar-se: *Desentorpeceu-se, afinal: está trabalhando com afinco.* [Sin. ger.: *destorpecer.* Conjug.: v. *aquecer.*]

desentortar [De *des-* + *entortar.*] *V. t. d.* Tirar a qualidade de torto a; endireitar.

desentralhar [De *des-* + *entralhar.*] *V. t. d. Marinh.* Tirar a tralha (3 e 4) de.

desentrançado [Part. de *desentrançar.*] *Adj.* V. *destrançado.*

desentrançar [De *des-* + *entrançar.*] *V. t. d.* V. *destrançar.* [Conjug.: v. *laçar.*]

desentranhamento [De *desentranhar* + *-mento.*] *S. m.* Ato ou efeito de desentranhar(-se).

desentranhar [De *des-* + *entranhar.*] *V. t. d.* **1.** Tirar das entranhas. **2.** Arrancar as entranhas a; estripar. **3.** Tirar ou extrair do íntimo da alma, como que das próprias entranhas: *À medida que falava, ia desentranhando antigas lembranças. T. d. e c.* **4.** Tirar de lugar oculto ou recôndito: *Desentranhava da arca velhos documentos. T. d. e i.* **5.** Retirar (um documento ou uma peça) do corpo dos autos. *P.* **6.** Patentear o que tem no íntimo da alma; desafogar-se, desabafar-se. **7.** Desfazer-se (em dádivas ou produtos). **8.** Sacrificar a si mesmo por um fim elevado.

desentravar [De *des-* + *entravar.*] *V. t. d.* Tirar os entraves a; destravar.

desentrelinhado [Part. de *desentrelinhar.*] *Adj.* ~ V. *composição —a.*

desentrelinhamento [De *desentrelinhar* + *-mento.*] *S. m. Tip.* Ato ou efeito de desentrelinhar.

desentrelinhar [De *des-* + *entrelinhar.*] *V. t. d. Tip.* Tirar as entrelinhas de.

desentrincheirar [De *des-* + *entrincheirar.*] *V. t. d.* **1.** Romper as trincheiras a. **2.** Desalojar das trincheiras.

desentristecer [De *des-* + *entristecer.*] *V. t. d.* **1.** Tirar a tristeza a; alegrar. *Int. P.* **2.** Perder a tristeza; alegrar-se. [Sin. ger.: *destristecer.* Conjug.: v. *aquecer.*]

desentronizar [De *des-* + *entronizar.*] *V. t. d.* V. *destronar.*

desentropilhar [De *des-* + *entropilhar.*] *V. int. Bras. RS* Desfazer a tropilha, nela introduzindo animais de pelos diversos.

desentrosado [Part. de *desentrosar.*] *Adj.* Que já não está entrosado; de que ou quem cessou o entrosamento.

desentrosamento [De *desentrosar* + *-mento.*] *S. m.* Ato ou efeito de desentrosar(-se).

desentrosar [De *des-* + *entrosar.*] *V. t. d.* **1.** Fazer cessar o entrosamento de; desencaixar. *Int. P.* **2.** Deixar de entrosar(-se).

desentubação [De *desentubar* + *-ção.*] *S. f. Anest.* Ato ou efeito de desentubar.

desentubar [De *des-* + *entubar.*] *V. t. d. Anest.* Retirar o tubo ou a cânula de. [Us. mais frequentemente com referência a tubo ou cânula traqueal.]

desentulhador (ô) [De *desentulhar* + *-dor.*] *Adj. S. m.* Que, ou aquele que desentulha.

desentulhar [De *des-* + *entulhar.*] *V. t. d.* **1.** Tirar o entulho a. **2.** Tirar da tulha. **3.** Desobstruir (o que estava entulhado).

desentulho [Dev. de *desentulhar.*] *S. m.* **1.** Ato ou efeito de desentulhar. **2.** Aquilo que se tirou do entulho; socavado.

desentumecer *V. t. d. Int.* V. *desintumescer.* [Conjug.: v. *aquecer.*]

desentupidor (ô) [De *desentupir* + *-dor.*] *Adj.* **1.** Que desentope. • *S. m.* **2.** Aquele ou aquilo que desentope. **3.** *Restr.* Utensílio, máquina, etc. com que se desentopem encanamentos.

desentupimento [De *desentupir* + *-mento.*] *S. m.* Ação ou efeito de desentupir(-se).

desentupir [De *des-* + *entupir.*] *V. t. d.* **1.** Abrir, desobstruir (o que estava entupido). *Int.* **2.** *Pop.* Dizer o que sabe; falar, desembuchar: *Acossado pela polícia, acabou desentupindo. P.* **3.** Livrar-se de obstrução (o que estava entupido). [Irreg. Conjug.: v. *entupir.*]

desenturmado [De *des-* + *enturmado.*] *Adj.* **1.** Não enturmado (1). **2.** Que não se adapta ao convívio social; solitário. **3.** *Turfe* Diz-se do cavalo inscrito num páreo em que a média dos concorrentes tem, reconhecidamente, maior capacidade locomotora do que ele.

desenturvar [De *des-* + *enturvar.*] *V. t. d.* Tirar a enturvação de; tornar claro ou evidente (o que era turvo).

desenvasar [De *des-* + *envasar*[2].] *V. t. d.* **1.** Tirar ou desencalhar da vasa (a embarcação). **2.** Pôr a nado (a embarcação), tirando-a do estaleiro.

desenvasilhar [De *des-* + *envasilhar.*] *V. t. d.* Tirar da vasilha.

desenvencilhar [De *des-* + *envencilhar.*] *V. t. d. T. d. e i. P.* V. *desvencilhar.*

desenvenenar [De *des-* + *envenenar.*] *V. t. d.* **1.** Curar dos efeitos do veneno. **2.** Fazer expelir o veneno. **3.** Destruir as propriedades venenosas de. [Sin. ger.: *desintoxicar.*]

desenvergar [De *des-* + *envergar.*] *V. t. d.* **1.** *Mar.* Tirar (a vela) da verga. **2.** *Mar.* Tirar (o toldo) dos vergueiros. **3.** *Fam.* Despir; tirar: *Desenvergou o casaco novo.* [Conjug.: v. *largar.*]

desenvernizar [De *des-* + *envernizar.*] *V. t. d.* Tirar o verniz a; deslustrar.

desenviesar [De *des-* + *enviesar.*] *V. t. d.* Tirar o viés a.

desenviolar [De *des-* + *-en-*[1] + *violar*[2].] *V. t. d. P. us.* Purificar (coisa violada, poluída, profanada).

desenviscar [De *des-* + *enviscar.*] *V. t. d.* Tirar o visco a. [Conjug.: v. *trancar.*]

desenvolto (ô) [De *des-* + *envolto.*] *Adj.* **1.** Desembaraçado, expedito. **2.** Inquieto, travesso, turbulento. **3.** Libertino, impudico, desonesto.

desenvoltura [De *desenvolto* + *-ura.*] *S. f.* Qualidade de desenvolto.

desenvolução [De *desenvolver* + *-ção*, a exemplo de *evolução* e *revolução*, seg. o padrão erudito.] *S. f.* Desenvolvimento (1).

desenvolvente [De *desenvolver* + *-nte.*] *Adj. 2 g.* Que desenvolve.

desenvolver [De *des-* + *envolver.*] *V. t. d.* **1.** Fazer crescer ou medrar: *A luz solar desenvolve os vegetais.* **2.** Fazer que progrida, aumente, melhore, se adiante: *O hábito do estudo desenvolve a capacidade intelectual.* **3.** Fazer uso de; pôr em prática; empregar; exercer, aplicar: *Desenvolveu, para me convencer, toda a sua força de persuasão.* **4.** Dar origem a; originar, gerar, produzir. **5.** Expor extensamente, ou com minúcia: *Não teve tempo para desenvolver o seu raciocínio.* **6.** Tirar o acanhamento, a timidez, a. **7.** Tirar do invólucro; desenrolar: *Desenvolvia, um por um, os objetos que comprara.* **8.** *Mat.* Efetuar o desenvolvimento de (uma expressão analítica); expandir. **9.** *Bras. Rel.* Aumentar as faculdades mediúnicas de. *T. c.* **10.** Movimentar-se a embarcação, o automóvel, etc., com determinada velocidade: *O navio desenvolve até 10 nós. P.* **11.** Tornar-se maior ou mais forte; crescer: *Os meninos desenvolveram-se nas últimas férias;* "A vegetação incubada por muito tempo desenvolvia-se com tamanho arrojo, que mais parecia uma explosão" (José de Alencar, *O Sertanejo*, p. 205). **12.** Estender-se, prolongar-se: *A nova rodovia desenvolve-se pelo Sul do País.* **13.** Aumentar, progredir: *A indústria de informática desenvolveu-se enormemente nos últimos anos.* **14.** Progredir intelectualmente; adiantar-se; instruir-se: *As crianças desenvolveram-se bem com os novos métodos de ensino.* **15.** Ter desenvolvimento (3): *É fundamental que o País se desenvolva.*

desenvolvido [Part. de *desenvolver.*] *Adj.* **1.** Aumentado, acrescido, adiantado. **2.** De bom desenvolvimento físico; crescido, grande: *criança desenvolvida.* **3.** Instruído, adiantado, culto: *povos desenvolvidos.* **4.** *Econ.* Diz-se de país ou região em etapa avançada de desenvolvimento econômico, com sistema produtivo diversificado, nível relativamente alto de renda *per capita* e bons indicadores sociais. [Cf. *subdesenvolvido.*] **5.** *Rel.* Diz-se de médium que cumpriu o desenvolvimento (6).

desenvolvimentismo [De *desenvolvimento* + *-ismo.*] *S. m. Econ. Bras.* Doutrina que defende uma política governamental de promoção do desenvolvimento econômico, em especial da industrialização: *O período do Presidente Juscelino Kubitschek foi marcado pelo desenvolvimentismo.*

desenvolvimentista [De *desenvolvimento* + *-ista.*] *Bras. Adj. 2 g.* **1.** Relativo ao, ou conforme o desenvolvimentismo: *política desenvolvimentista.* **2.** Que é adepto do desenvolvimentismo. • *S. 2 g.* **3.** Adepto do desenvolvimentismo.

desenvolvimento [De *desenvolver* + *-imento.*] *S. m.* **1.** Ato ou efeito de desenvolver(-se); desenvolução. **2.** Adiantamento, crescimento, aumento, progresso. **3.** *Econ.* Desenvolvimento econômico (1 e 2). [Cf., nesta acepç., *subdesenvolvimento* (1).] **4.** *Mús.* Parte duma peça em que um elemento temático é desenvolvido em suas diversas possibilidades musicais, podendo variar em termos rítmicos, harmônicos e formais. **5.** *Mús.* Trecho da fuga em que o tema é apresentado em outras regiões tonais, além da tônica e da dominante. **6.** *Rel.* No espiritismo e na umbanda, série de etapas progressivas em que um médium aprimora suas capacidades de intermediário entre o mundo dos mortos e o mundo dos vivos, e aprende o comportamento considerado ortodoxo de encarnar as entidades [v. *entidade* (6)]. **7.** *Mat.* Representação duma expressão analítica mediante uma soma finita ou infinita de parcelas que se obtêm por meio de regras apropriadas. **8.** *Topogr.* Comprimento real, extensão efetiva (de uma estrada). ◆ **Desenvolvimento de projeto.** *Arquit.* **1.** Processo de estudo e trabalho pelo qual o arquiteto, baseado no anteprojeto, elabora as peças do projeto da obra que se pretende construir. **2.** O conjunto de plantas, elevações, seções e memórias que constituem as peças de um projeto de arquitetura. **Desenvolvimento econômico.** *Econ.* **1.** Crescimento econômico (q. v.), esp. quando acompanhado por modificações na estrutura produtiva do país ou região, como a industrialização, e por melhora nos indicadores sociais. **2.** *P. ext.* O resultado de um processo de crescimento econômico: *O Japão atingiu, no após-guerra, um alto nível de desenvolvimento econômico.* **3.** Parte da Economia (1) que estuda o crescimento econômico e o subdesenvolvimento. **Desenvolvimento sustentável.** Processo de desenvolvimento econômico em que se procura preservar o meio ambiente, levando-se em conta os interesses das futuras gerações. **Em desenvolvimento.** F. eufemística de *subdesenvolvido* (1).

desenvolvível [De *desenvolver* + *-ível.*] *Adj. 2 g.* **1.** Que pode ser desenvolvido. ~ V. *superfície* —. • *S. f.* **2.** *Geom.* Superfície desenvolvível.

desenxabidez (ê) [De *desenxabido* + *-ez.*] *S. f.* Qualidade de desenxabido; desenxabimento, enxabidez.

desenxabido [De *des-* + *enxabido.*] *Adj.* **1.** Sem sabor; insípido, insulso. **2.** Sem graça ou sem animação; monótono, insípido, insulso. [Var. bras.: *desenxavido.* Sin. ger.: *enxabido, espapaçado.*]

desenxabimento [De *desenxabir* + *-mento.*] *S. m.* V. *desenxabidez.*

desenxabir [Voc. deduz. de *desenxabido.*] *V. t. d.* Tornar desenxabido.

desenxamear [De *des-* + *enxamear*[1].] *V. t. d.* Dispersar (o que enxameava). [Conjug.: v. *frear.*]

desenxarciar [De *des-* + *enxarciar.*] *V. t. d. Constr. Nav.* **1.** Tirar as enxárcias a. **2.** Partir, avariar as enxárcias de.

desenxavido *Adj. Bras.* V. *desenxabido.*

desenxoframento [De *desenxofrar* + *-mento.*] *S. m.* Ato de desenxofrar.

desenxofrar [De *des-* + *enxofrar.*] *V. t. d.* **1.** Limpar do enxofre; extrair o enxofre a. **2.** *Fig.* Desencolerizar; desagastar.

desenxovalhado [Part. de *desenxovalhar.*] *Adj.* **1.** Limpo; asseado; bem-posto. **2.** Desafrontado, desagravado, vingado.

desenxovalhar [De *des-* + *enxovalhar.*] *V. t. d.* **1.** Tornar limpo, asseado; lavar. **2.** Desamarrotar. **3.** *Fig.* Desafrontar, desagravar: *Tudo fez para desenxovalhar a honra do pai.*

desenxovalho [Dev. de *desenxovalhar.*] *S. m.* Ato ou efeito de desenxovalhar.

desenxovar [De *des-* + *enxova* + *-ar*[2].] *V. t. d.* Tirar da enxovia.

desequilibrado [Part. de *desequilibrar.*] *Adj.* **1.** Que não está em equilíbrio (2). **2.** *Psiq.* Que perdeu o equilíbrio mental; louco, alienado. **3.** Imponderado, irrefletido, descomedido. **4.** Que não tem equilíbrio (2): *mesa desequilibrada.* • *S. m.* **5.** Aquele que perdeu o equilíbrio mental; louco, alienado.

desequilibrador (ô) [De *desequilibrar* + *-dor.*] *Adj.* Que desequilibra; desequilibrante.

desequilibrante [De *desequilibrar* + *-nte.*] *Adj. 2 g.* Desequilibrador: "o trem para num último e desequilibrante solavanco" (Marques Rebelo, *Cenas da Vida Brasileira*, p. 105).

desequilibrar [De *des-* + *equilibrar.*] *V. t. d.* **1.** Tirar o equilíbrio (2) a. **2.** Tirar o equilíbrio mental a; desatinar, desvairar, enlouquecer: *A morte da mãe acabou de desequilibrá-lo. P.* **3.** Sair do equilíbrio, perder o equilíbrio.

desequilíbrio [De *des-* + *equilíbrio.*] *S. m.* **1.** Ausência de equilíbrio. **2.** *Psicol.* Anomalia psíquica, que se caracteriza, essencialmente, pela variabilidade de humor, emotividade excessiva e instabilidade geral, e que leva à inadaptação social.

deserção [Do lat. *desertione.*] *S. f.* **1.** Ato ou efeito de desertar. **2.** *Dir. Proc.* Perecimento de um recurso por falta de preparo, *i. e.*, de pagamento das custas. **3.** *Turfe Forfait.*

deserdação [De *deserdar* + *-ção.*] *S. f.* Ato ou efeito de deserdar(-se); exerdação, deserdamento.

deserdado [Part. de *deserdar.*] *Adj.* **1.** Privado de herança. **2.** Destituído de bens ou qualidades; não dotado: *deserdado da sorte, de talento.* • *S. m.* **3.** Indivíduo deserdado.

deserdamento [De *deserdar* + *-mento.*] *S. m.* V. *deserdação.*

deserdar [De *des-* + *herdar.*] *V. t. d.* **1.** Excluir de herança ou da sucessão. **2.** Privar de bens, de dons concedidos a outros. *P.* **3.** Privar-se. [Sin. ger.: *exerdar.*]

deserotizado [Part. de *deserotizar.*] *Adj.* Que se deserotizou: "Aos poucos os maiôs foram diminuindo de tamanho, o que significa que certas áreas foram sendo, gradualmente, deserotizadas." (Luís Fernando Veríssimo, em *Veja*, 07.01.1987.)

deserotizar [De *des-* + *erotizar.*] *V. int. T. d.* Deixar de provocar erotismo (em).

desertar [De fr. *déserter.*] *V. t. d.* **1.** Tornar ermo, deserto; despovoar: *Com a seca, os lavradores desertaram os campos.* **2.** Abandonar, deixar: *Desertando as boas companhias, entregou-se a uma vida dissipada;* "Desde que meus olhos fitaram o seu rosto cândido, a tranquilidade desertou a minh'alma." (Coelho Neto, *Sertão*, p. 111.) *T. i.* **3.** Renunciar, desistir: "Os operários da Europa desertaram daquele trabalho perigoso." (Eça de Queirós, *Notas Contemporâneas*, p. 11.) **4.** Afastar-se, desviar-se: *Desgostoso, desertou de seus ideais políticos.* **5.** Fugir, retirar-se: *Desertou do convívio dos amigos.* **6.** Passar, bandear-se: *Desertou para a facção oposta. T. c.* **7.** Ausentar-se, afastar-se: *Desertou, ainda jovem, da terra natal. Int.* **8.** Deixar o serviço militar sem licença. **9.** *Turfe* Fazer *forfait* (1). [Pres. ind.: *deserto*, etc. Cf. *diserto.*]

desértico [De *deserto* + *-ico*[2].] *Adj.* Diz-se de terreno ou região que, embora não seja perfeito deserto, a um deserto se assemelha pelo aspecto do solo ou pelo clima, como ocorre em grande parte da Sibéria. ~ V. *clima* —.

desertificação [De *desertificar* + *-ção.*] *S. f.* **1.** *Geogr.* Transformação de uma região em deserto pela ação de fatores climáticos ou humanos. **2.** Desaparecimento de toda a atividade humana numa região aos poucos transformada em deserto.

desertificar [De *deserto* + *-ificar.*] *V. t. d. Geogr.* **1.** Produzir a desertificação (1) em. *P.* **2.** Sofrer (uma região) desertificação (2). [Conjug.: v. *trancar.*]

deserto [Do lat. *desertu.*] *Adj.* **1.** Desabitado, despovoado, descampado, ermo. **2.** Pouco frequentado; solitário: *rua deserta.* **3.** *Dir. Proc.* Em que há deserção (2). **4.** *Lus.* Desejoso, ansioso: *Após longa ausência, está deserto de vê-la.* • *S. m.* **5.** *Ecol.* Região que recebe anualmente precipitação de água inferior a 250mm, ou em que essa precipitação é maior, porém distribuída de forma heterogênea, e que se caracteriza pela vegetação xerófila ou anual e pela fraca densidade populacional. [Podem ser quentes ou frios.] **6.** Lugar solitário; solidão, ermo. [Cf. *diserto.*] ◆ **Pregar no deserto.** Falar sem ser ouvido ou atendido pelas pessoas a quem se dirige; pregar aos peixes.

desertor (ô) [Do lat. *desertore.*] *S. m.* **1.** Militar que deserta, que abandona as fileiras do exército. **2.** Trânsfuga (1). **3.** *Fig.* Aquele que abandona um partido, uma causa.

desescalada [De *des-* + *escalada.*] *S. f.* **1.** Redução progressiva de uma atividade guerreira. **2.** Retirada progressiva de armas potentes numa guerra. **3.** Retirada progressiva de tropas numa guerra. **4.** Redução de armamentos.

desesperação [De *desesperar* + *-ção*.] *S. f.* Ato ou efeito de desesperar(-se); desespero, desesperança.

desesperado [Part. de *desesperar*.] *Adj.* **1.** Que perdeu a esperança; desesperançado. **2.** Que está entregue ao desespero. **3.** Próprio de quem perdeu a esperança: *situação desesperada; esforço desesperado.* **4.** Renhido, encarniçado: *combate desesperado.* **5.** Arrebatado, precipitado. ● *S. m.* **6.** Indivíduo desesperado.

desesperador (ô) [De *desesperar* + *-dor*.] *Adj.* **1.** Que desespera, que faz desesperar; desesperante, desesperativo. ● *S. m.* **2.** Aquele que faz desesperar.

desesperança [De *des-* + *esperança*.] *S. f.* Falta ou perda de esperança; desespero, desesperação.

desesperançado [Part. de *desesperançar*.] *Adj.* Desesperado (1).

desesperançar [De *des-* + *esperançar*.] *V. t. d.* **1.** Tirar a esperança a; desanimar. *P.* **2.** Perder a esperança; desanimar: "Não me desesperançava de avistar uma figura amiga, receber notícias, um gesto ao menos." (Graciliano Ramos, *Memórias do Cárcere*, I, p. 142.) [Conjug.: v. *laçar*.]

desesperante [De *desesperar* + *-nte*.] *Adj. 2 g.* V. *desesperador* (1).

desesperar [De *des-* + *esperar*.] *V. t. d.* **1.** Tirar a esperança a; desanimar; desalentar: *A nefasta notícia desesperou toda a família.* **2.** Causar desespero a; afligir muito. **3.** Causar furor ou raiva a; irritar, encolerizar: *A vitória do velho inimigo político desesperou o candidato a governador.* **4.** Perder a esperança de atingir (determinado fim); deixar de esperar: *Os soldados já desesperavam aquela difícil vitória.* *T. i.* **5.** Perder a esperança: "desesperando da terra, voltou-se para Deus" (Machado de Assis, *Várias Histórias*, p. 32). *Int.* **6.** Perder a esperança: *Viam-se compelidos a desesperar.* *P.* **7.** Perder a esperança de conseguir algo. **8.** Enraivecer-se; encolerizar-se. [Pres. ind.: *despespero*, etc. Cf. *desespero* (ê).]

desesperativo [De *desesperar* + *-tivo*.] *Adj.* V. *desesperador* (1).

desespero (ê) [Dev. de *desesperar*.] *S. m.* **1.** V. *desesperação*. **2.** Aflição extrema. **3.** Raiva, cólera, furor. [Pl.: *desesperos* (ê). Cf. *desespero*, do v. *desesperar*.] ◆ **Dar o desespero.** *Bras.* Irar-se, encolerizar-se, enfurecer-se. **Em desespero de causa.** Como última tentativa de remediar ou contornar situação gravíssima.

desespero-dos-pintores [De *desespero* + o pl. *do*[1] + o pl. de *pintor*.] *S. m. Bot.* Planta saxifragácea (*Saxifraga umbrosa*) ornamental, de flores pequenas, alvas, com pontoações purpúreas, róseas ou amarelas, dispostas em racemos paniculados, compactos, e cujo fruto é cápsula. [Pl.: *desesperos-dos-pintores*.]

desestabilização [De *desestabilizar* + *-ção*.] *S. f.* Ato ou efeito de desestabilizar.

desestabilizado [Part. de *desestabilizar*.] *Adj.* Em que houve desestabilização.

desestabilizador (ô) [De *desestabilizar* + *-dor*.] *Adj. S. m.* Que, ou aquele ou aquilo que desestabiliza.

desestabilizar [De *des-* + *estabilizar*.] *V. t. d.* **1.** Tirar a estabilidade de: *A oposição tenta desestabilizar o governo.* *P.* **2.** Perder a estabilidade.

desestagnação [De *desestagnar* + *-ção*.] *S. f.* Ação ou operação de desestagnar.

desestagnar [De *des-* + *estagnar*.] *V. t. d.* Fazer que cesse a estagnação a; fazer correr (água que estava estagnada).

desestatização [De *desestatizar* + *-ção*.] *S. f.* Ato ou efeito de desestatizar.

desestatizado [Part. de *desestatizar*.] *Adj.* Que sofreu desestatização.

desestatizar [De *des-* + *estatizar*.] *V. t. d. Econ.* **1.** Transferir para indivíduos ou firmas privadas a propriedade de (empresa pública). **2.** Diminuir ou fazer diminuir a presença do Estado em (a economia).

desesteirar [De *des-* + *esteirar*.] *V. t. d.* **1.** Tirar as esteiras a. **2.** Descobrir (um pavimento), levantando as esteiras.

desestima [De *des-* + *estima*.] *S. f.* Falta de estima; menosprezo, desestimação.

desestimação [De *desestimar* + *-ção*.] *S. f.* V. *desestima*.

desestimador (ô) [De *desestimar* + *-dor*.] *Adj. S. m.* **1.** Que, ou aquele que desestima. **2.** Maldizente, depreciador.

desestimar [De *des-* + *estimar*.] *V. t. d.* **1.** Não estimar; não ter em estima. **2.** Deixar de estimar; retirar a estima a. *P.* **3.** Não ter, ou demonstrar não ter apreço ou estima a si mesmo.

desestimulador (ô) [De *desestimular* + *-dor*.] *Adj.* Desestimulante: "Se esperei palavra desestimuladora da viagem ...., enganei-me, redondamente." (Gilberto Amado, *Depois da Política*, p. 16.)

desestimulante [De *desestimular* + *-nte*.] *Adj. 2 g.* Que desestimula; desestimulador.

desestimular [De *des-* + *estimular*.] *V. t. d.* **1.** Fazer perder o estímulo. *P.* **2.** Perder o estímulo. [Pres. ind.: *desestimulo*, etc. Cf. *desestímulo*.]

desestímulo [De *des-* + *estímulo*.] *S. m.* Falta ou perda de estímulo. [Cf. *desestimulo*, do v. *desestimular*.]

desestiva [De *des-* + *estiva*.] *S. f. Mar. Merc.* Ato ou efeito de desestivar.

desestivar [De *des-* + *estivar*.] *V. t. d. Mar. Merc.* Retirar carga de bordo de (um navio).

desestorvar [De *des-* + *estorvar*.] *V. t. d.* Livrar de estorvo. [Pres. ind.: *desestorvo*, etc. Cf. *desestorvo* (ô).]

desestorvo (ô) [Dev. de *desestorvar*.] *S. m.* Ação de desestorvar. [Pl.: *desestorvos* (ô). Cf. *desestorvo*, do v. *desestorvar*.]

desestressar [De *des-* + *estressar*.] *V. t. d.* **1.** Eliminar o estresse de. *Int. P.* **2.** Livrar-se do estresse ou tensão.

desestruturação [De *desestruturar* + *-ção*.] *S. f.* Ato ou efeito de desestruturar.

desestruturar [De *des-* + *estruturar*.] *V. t. d.* **1.** Desfazer a estrutura de. *P.* **2.** Perder a estrutura.

desevangelizar [De *des-* + *evangelizar*.] *V. t. d.* **1.** Tirar a doutrina evangélica a. **2.** Inutilizar a propagação de (certa doutrina ou sistema).

desexcomungar [De *des-* + *excomungar*.] *V. t. d.* Levantar a excomunhão a; descomungar. [Conjug.: v. *largar*.]

desexcomunhão [De *des-* + *excomunhão*.] *S. f.* Ação de desexcomungar; descomunhão.

desfabricar [De *des-* + *fabricar*.] *V. t. d.* Desmanchar, destruir, arruinar (o que estava fabricado). [Conjug.: v. *trancar*.]

desfabular [De *des-* + *fabular*[2].] *V. t. d.* Desfazer a fábula de; revelar a verdade de.

desfaçado [Adapt. do it. *sfacciato*.] *Adj.* Atrevido, descarado, insolente, impudente. [Cf. *disfarçado*.]

desfaçamento [De *desfaçar(-se)* + *-mento*.] *S. m. P. us.* Desfaçatez: "o furor de Camargo não teve limites, quando os intrusos tiveram o desfaçamento de confessar o motivo que ali os reunia." (José de Alencar, *Senhora*, p. 223).

desfaçar-se [De *des-* + *face* + *-ar*[2] + *se*[1], por dedução (v. *desfaçado*).] *V. p.* Tornar-se ou mostrar-se desfaçado. [Conjug.: v. *laçar*. Cf. *disfarçar*.]

desfaçatez (ê) [Adapt. do it. *sfacciatezza*.] *S. f.* Falta de vergonha; descaramento, impudor, cinismo: "o alambicado personagem tivera a desfaçatez de se vir sentar diante de mim, na mesma mesa..." (Mário de Sá-Carneiro, *A Confissão de Lúcio*, p. 123). [Sin., p. us.: *desfaçamento*.]

desfadiga [Dev. de *desfadigar*.] *S. f.* Ato ou efeito de desfadigar(-se); descanso, alívio.

desfadigar [De *des-* + *fadigar*.] *V. t. d.* **1.** Tirar a fadiga a; aliviar do cansaço, da fadiga. *P.* **2.** Aliviar-se de fadiga, de cansaço. [Conjug.: v. *largar*.]

desfalcado [Part. de *desfalcar*.] *Adj.* **1.** Que se desfalcou. **2.** Que não está inteiro; incompleto. **3.** A que se tirou uma parte ou porção: "E a pedreira, onde uns vultos miudinhos se moviam, era como se em seis meses de trabalho não tivesse sido desfalcada." (Graciliano Ramos, *S. Bernardo*, p. 34.) **4.** Que se espoliou; roubado.

desfalcar [Do it. *defalcare* (< it. ant. *falcare* < longobardo *falkan*), com mudança de pref., poss.] *V. t. d.* **1.** Tirar, subtrair parte de: *Desfalcou a quantia destinada ao pagamento da dívida.* **2.** Reduzir, diminuir: *O excessivo esforço desfalcou-lhe a energia.* **3.** Defraudar, dissipar. *T. d. e i.* **4.** V. *alcançar* (12). **5.** Roubar, explorar. [Conjug.: v. *trancar*.]

desfalcável [De *desfalcar* + *-vel*.] *Adj. 2 g.* Que pode ser desfalcado.

desfalecente [De *desfalecer* + *-nte*.] *Adj. 2 g.* Que desfalece; que se encontra em estado de desfalecimento.

desfalecer [De *des-* + *falecer*.] *V. t. d.* **1.** Tirar as forças a; enfraquecer: *O choque desfaleceu-o;* "A fresca e vivace expansão de saúde desaparecera sob uma langue morbidez que a desfalecia" (José de Alencar, *Lucíola*, p. 176). **2.** Desalentar; desanimar; esmorecer. *Int.* **3.** Perder as forças; desmaiar. **4.** Esmorecer; desalentar-se. **5.** Diminuir, minguar, decrescer, decair: *Nem com os anos e o sofrimento a sua vivacidade desfaleceu.* *T. i.* **6.** Desfalecer (5): *Não desfaleceu em poder criativo; Desfaleceu de sua grandeza.* [Sin. ger.: *esfalecer*. Conjug.: v. *aquecer*.]

desfalecido [Part. de *desfalecer*.] **1.** Falto de forças; abatido, enfraquecido, desmaiado. **2.** Pouco intenso; amortecido, mortiço.

desfalecimento [De *desfalecer* + *-imento*.] *S. m.* **1.** Estado do que desfalece; desmaio, fraqueza, vertigem. **2.** Diminuição gradual de atividade, intensidade, viveza, brilho. ◆ **Desfalecimento cardíaco.** *Patol.* Diminuição repentina da ação cardíaca.

desfalque [Dev. de *desfalcar*.] *S. m.* **1.** Ato ou efeito de desfalcar. **2.** Diminuição ou redução de uma quantidade: *A chegada repentina do inverno ocasionou um desfalque na venda de roupas de lã.* **3.** Alcance (8): *O desfalque na empresa causou pânico entre os acionistas.* **4.** O resultado material do desfalque (3); rombo: *O desfalque no banco atinge cifras altíssimas.*

desfanatizar [De *des-* + *fanatizar*.] *V. t. d.* Tirar o fanatismo a.

desfarelar [De *des-* + *farelo* + *-ar*[2].] *V. t. d.* Esfarelar (1).

desfascistização [De *desfascistizar* + *-ção*.] *S. f.* Ato ou efeito de desfascistizar.

desfascistizar [De *des-* + *fascistizar*.] *V. t. d.* **1.** Anular, ou revogar, o caráter fascista de. *P.* **2.** Perder o caráter fascista, adotar ideias e atitudes mais liberais e mais democráticas.

desfastio [De *des-* + *fastio*.] *S. m.* **1.** Falta de fastio; apetite. **2.** Graça, bom humor, jovialidade. ◆ **Por desfastio.** Para entreter; por graça.

desfavelamento [De *desfavelar* + *-mento*.] *S. m.* Ato ou efeito de desfavelar.

desfavelar [De *des-* + *favela*[1] + *-ar*[2].] *V. t. d.* Acabar com favela existente em: *Vão desfavelar alguns morros.*

desfavor (ô) [De *des-* + *favor*.] *S. m.* **1.** Falta de favor, de graça. **2.** Desdém, desprezo, desconsideração. **3.** Malquerença, inimizade.

desfavorável [De *des-* + *favorável*.] *Adj. 2 g.* **1.** Que não é favorável; desvantajoso. **2.** Adverso, contrário, oposto: *O juiz decretou sentença desfavorável ao réu.*

desfavorecedor (ô) [De *desfavorecer* + *-dor*.] *Adj. S. m.* Que, ou aquele que desfavorece.

desfavorecer [De *des-* + *favorecer*.] *V. t. d.* **1.** Não favorecer; ser desfavorável a; desajudar: *A medida tomada desfavorece a indústria automobilística.* **2.** Tirar o favor a; desestimar: *Há súditos que o monarca desfavoreceu.* [Conjug.: v. *aquecer*.]

desfazedor (ô) [De *desfazer* + *-dor*.] *Adj.* **1.** Que desfaz ou destrói. ● *S. m.* **2.** Aquele que desfaz. **3.** *Fam.* Pessoa invejosa, que deprecia tudo e todos.

desfazer [De *des-* + *fazer*.] *V. t. d.* **1.** Modificar a forma ou o arranjo de; desmanchar: *desfazer a cama; desfazer o penteado.* **2.** Inutilizar, destruir, desmanchar: *desfazer uma costura.* **3.** Reduzir a fragmentos; despedaçar, quebrar, destroçar: *Puxou a toalha, desfazendo toda a louça.* **4.** Destroçar, desbaratar: *Com o ataque de surpresa, desfez as posições inimigas.* **5.** Desatar, desdar: *desfazer um nó.* **6.** Desunir, separar, dispersar: *Desfez os grupos que se formavam.* **7.** Tornar sem efeito; desmanchar, anular: *desfazer um negócio, um acordo.* **8.** Resolver; suprimir; dirimir: *Procurou desfazer as dúvidas que o assaltavam.* **9.** Dissipar, desvanecer, esvaecer: *Não alcançou desfazer a má impressão.* **10.** Espalhar, dispersar: *O vento desfez as nuvens.* **11.** Abater, enfraquecer: *A doença o desfez em pouco tempo.* *T. d. e i.* **12.** Livrar, desembaraçar: *Desfez a sua casa de presenças incômodas.* **13.** Reduzir a fragmentos; picar: *Desfez a carta em mil pedaços.* **14.** Dissolver, diluir: *desfazer o pó na água.* *T. i.* **15.** Reduzir a importância de; apoucar, amesquinhar, menosprezar: *Costuma desfazer do trabalho dos outros;* "escolheu algumas armas, pagou-as sem desfazer na modicidade do preço" (Camilo Castelo Branco, *Mistérios de Fafe*, p. 54). *P.* **16.** Desmanchar (6): *O velho tecido desfazia-se ao menor toque.* **17.** Converter-se, transformar-se; virar: *Atirados ao fogo, os papéis desfizeram-se em cinzas.* **18.** Reduzir-se a fragmentos; quebrar-se. **19.** Desunir-se; separar-se; dispersar-se. **20.** Dissolver-se, diluir-se; liquefazer-se, derreter-se. **21.** Dissipar-se, desvanecer-se, esvanecer-se, esvair-se. **22.** Espalhar-se, dispersar-se. **23.** Desembaraçar-se, livrar-se: "banho-me, desfaço-me daquelas impurezas que me irritam os olhos" (Osmã Lins, *Nove, Novena*, p. 235). **24.** Desapossar-se: "— Quem seria o dono execrável deste bichinho, que teve ânimo de se desfazer dele por alguns pares de níqueis?" (Machado de Assis, *Páginas Recolhidas*, p. 93.) **25.** Dissolver-se; anular-se: *Com a morte dum dos sócios a sociedade se desfez;* "Precária .... a minha paz, indo-se, desfazendo-se, liquidando a ilusão" (Geraldo França de Lima, *Branca Bela*, p. 210). **26.** Acabar, findar; dissipar-se: *Ao toque da vara de condão, desfez-se o encantamento.* **27.** Dar largas a um sentimento, uma expansão, um gesto, desmanchar-se: *desfez-se em lágrimas; desfaz-se em obséquios, em atenções.* [Sin. ger.: *esfazer*. Irreg. Conjug.: v. *fazer*. Imperf. ind: *desfazia*, etc. Cf. *disfasia*.]

desfazimento [De *desfazer* + *-imento*.] *S. m.* Ato de desfazer(-se): "ia devagar, tecendo o frágil tecido do difícil entendimento que os levaria ao desfazimento formal daquele casamento insustentável" (Antônio Bulhões, *Contos Inatuais*, p. 56).

desfeado [Part. de *desfear*.] *Adj.* Afeado, enfeado. [Cf. *desfiado*.]

desfear [De *des-* + *feio* + *-ar*[2].] *V. t. d. P.* V. *afear*: "chama belas às belas e feias às feias, e não te esqueças de contar anedotas que desfeiem as belas" (Machado de

Assis, *Esaú e Jacó*, p. 138); "Desfeava-lhe a testa uma grande cicatriz" (Aluísio Azevedo, *O Mulato*, p. 38). [Conjug: v. *frear*. Cf. *desfiar*.]

desfechar [De *des-* + *fechar*.] ***V. t. d.*** **1.** Tirar o fecho ou selo a. **2.** Disparar, descarregar (arma de fogo): *Trêmulo, mal conseguia desfechar a pistola*; "é quem escreve [a mão direita], quem segura o livro e o folheia, ... quem desembainha e vibra a espada, quem desfecha a arma de fogo" (Lúcio de Mendonça, *Horas do Bom Tempo*, p. 216). **3.** Dar, disparar (tiro). **4.** Descarregar, vibrar; desferir: *desfechar um murro, um golpe.* **5.** Abrir, descerrar: *desfechar os olhos; desfechar uma porta.* **6.** Dar, soltar: *desfechar uma gargalhada.* **7.** Exprimir com violência: *desfechar insultos, ofensas.* **8.** Lançar ou desencadear com ímpeto: *desfechar uma campanha.* **9.** Lançar, atirar (o olhar, a vista, etc.): *Encolerizado, desfechou uma terrível mirada.* ***T. i.*** **10.** Desafogar-se, desabafar-se: *Desfechou em sentido pranto.* **11.** Sair-se inopinadamente: *Desfechou com um palpite absurdo.* ***Int.*** **12.** Soltar-se, desencadear-se; romper: *Poucos instantes depois desfechou tremenda tempestade.* **13.** Ter desenlace; concluir, rematar: *O segundo ato da tragédia desfecha inesperadamente.* [Conjug.: v. *fechar*.]

desfecho (ê) [Dev. de *desfechar*.] ***S. m.*** **1.** Conclusão, remate, epílogo de um romance, drama, tragédia, etc. **2.** Desenlace, remate, conclusão: *Os amores de Inês de Castro e D. Pedro, o Cru, tiveram desfecho trágico.*

desfeita [F. subst. de *desfeito*.] ***S. f.*** **1.** Ofensa, injúria, insulto. **2.** Derrota, desbarato (de exército). **3.** *Cul.* Iguaria feita de bacalhau desfiado, grão-de-bico, cebola, etc. [Sin. (nesta acepç.): *desfeito*.]

desfeiteador (ô) [De *desfeitear* + *-dor*.] ***S. m.*** Aquele que desfeiteia.

desfeitear [De *desfeita* + *-ear*[2].] ***V. t. d.*** Fazer desfeitas a; insultar; desconsiderar. [Conjug.: v. *frear*.]

desfeiteira [De *desfeita* + *-eira*, poss.] ***S. f. Bras. AM Pop.*** Brincadeira de salão em que a música para de repente e o par que se acha mais perto dos instrumentistas deve cantar uma quadra, sob pena de ser vaiado e pagar prenda.

desfeito [Part. de *desfazer*.] ***Adj.*** **1.** Que mudou inteiramente de forma. **2.** Desmanchado; destruído. **3.** Anulado, invalidado: *contrato desfeito.* **4.** Desvanecido; dissipado: *sonhos desfeitos.* **5.** Diluído, dissolvido. **6.** Alterado, transfigurado. **7.** Derrotado, desbaratado (exército). **8.** Diz-se de temporal violento, impetuoso: "Ouves? é o vento! é um temporal desfeito!" (Olavo Bilac, *Poesias*, p. 167.) ● ***S. m.*** **9.** *Pop.* Desfeita (3).

desferir [De *des-* + *ferir*.] ***V. t. d.*** **1.** *Ant. Marinh.* Soltar, desfraldar (vela[1]). **2.** Aplicar, dar, desfechar (4): *desferir um golpe.* **3.** Fazer vibrar as cordas de (instrumento musical): "A casa, onde vivo, rodeiam-na pinhais gementes, que sob qualquer lufada desferem suas harpas." (Camilo Castelo Branco, *Amor de Salvação*, p. 41.) **4.** Emitir (som): "Um bando de gralhas do cerrado .... passou alto desferindo seu grito intercadente, longo" (Afonso Arinos, *Pelo Sertão*, p. 81). **5.** Despedir, lançar: *desferir o arco.* **6.** Abrir; levantar: *desferir voo.* **7.** Erguer, levantar, altear. [Irreg. Conjug.: v. *aderir*. Cf. *disferir*.]

desferrar [De *des-* + *ferrar*.] ***V. t. d.*** **1.** Tirar a ferradura de. ***P.*** **2.** Perder as ferraduras (o animal). **3.** *Marinh.* Desatar os amarrilhos que sujeitam (a vela, o toldo) à verga, estai ou vergueiro, para pô-los em uso.

desfertilizar [De *des-* + *fertilizar*.] ***V. t. d.*** Tirar a fertilidade a; esterilizar.

desfervoroso (ô) [De *des-* + *fervoroso*.] ***Adj.*** Falto de fervor; não fervoroso.

desfiado [Part. de *desfiar*.] ***Adj.*** **1.** Desfeito em fios. **2.** Esmiuçado, explicado, analisado. ~ V. *desfiados*. ● ***S. m.*** **3.** Aquilo que se desfia. [Cf. *desfeado*.]

desfiados ***S. m. pl.*** Espécie de franjas. ~ V. *desfiado*.

desfiadura [De *desfiar* + *-dura*.] ***S. f.*** Ato ou efeito de desfiar(-se).

desfiar [De *des-* + *fiar*[1].] ***V. t. d.*** **1.** Desfazer em fios; reduzir a fios: *desfiar um tecido*; "tirou um cigarro, abriu-o, desfiou o fumo com os dedos" (Machado de Assis, *Quincas Borba*, pp. 245-246). **2.** Soltar em fios ou vapores tênues: *O cigarro desfiava espirais de fumaça.* **3.** Referir ou narrar minudentemente: *Desfiou, durante horas, o acidente.* [Sin. (moç), nesta acepç.: *desbobinar*.] **4.** Referir ou expor em sequência: *Desfiava, um a um, os inconvenientes da viagem.* **5.** Passar (rosário) de conta em conta: "freiras sem idade desfiando rosários longos" (Malu de Ouro Preto, *Siri na Noite sem Lua*, p. 8). **6.** Desenfiar (1). ***T. d. e i.*** **7.** Narrar, explicar, referir: *Desfiou-me os motivos da viagem.* [Sin. (moç.), nesta acepç.: *desbobinar*.] **8.** Mover as contas de (rosário ou terço), passando-as por entre o polegar e o indicador, em oração: *As religiosas desfiavam o terço pelos pecadores.* ***Int.*** **9.** Correr em fio. ***P.*** **10.** Desfazer-se em fios. [Sin. ger.: *esfiar*. Cf. *desfear*.]

desfibrado [Part. de *desfibrar*.] ***Adj.*** **1.** A que se tiraram as fibras. **2.** Cujas fibras se separaram. **3.** Sem fibra, sem energia física; mole, fraco. **4.** Sem fibra, sem energia moral; de caráter pouco firme; mole, fraco, pusilânime. ● ***S. m.*** **5.** Indivíduo desfibrado.

desfibrador (ô) [De *desfibrar* + *-dor*.] ***Adj.*** **1.** Que desfibra; desfibrante. ● ***S. m.*** **2.** *Bras. N.E.* Aquele que trabalha nas máquinas desidratadoras de uma desfibradora (q. v.). **3.** *Ind. Pap.* Aparelho para converter a madeira em pasta mecânica, constituído por uma grande mó de arenito, etc., que gira dentro de uma câmara e contra a qual os toros de madeira são premidos, em geral por meio de pistões ou de correntes, enquanto um jato de água contínuo resfria a pedra e carreia para um depósito a madeira desintegrada; moinho de pasta.

desfibradora (ô) [F. subst. de *desfibrador*.] ***S. f. Bras. N.E.*** Usina de caroá.

desfibramento [De *desfibrar* + *-mento*.] ***S. m.*** **1.** Ato ou efeito de desfibrar(-se). **2.** Qualidade ou caráter de indivíduo desfibrado.

desfibrante [De *desfibrar* + *-nte*.] ***Adj. 2 g.*** Desfibrador (1).

desfibrar [De *des-* + *fibra* + *-ar*[2].] ***V. t. d.*** **1.** Tirar as fibras a. **2.** Esmiuçar, esmiudar, analisar: *desfibrar sentimentos.* **3.** *Ind. Pap.* Desintegrar (a madeira), reduzindo-a a pasta mecânica. ***P.*** **4.** Separarem-se as fibras.

desfibrável [De *desfibrar* + *-vel*.] ***Adj. 2 g.*** Que se pode desfibrar.

desfibrilação [De *des-* + *fibrilação*.] ***S. f. Fisiol. Card.*** Cessação de fibrilação. ◆ **Desfibrilação auricular.** *Card.* Supressão de fibrilação auricular, mediante choque elétrico aplicado externamente ou, em caso de cirurgia cardíaca, diretamente sobre o coração. **Desfibrilação ventricular.** *Card.* Supressão de fibrilação ventricular, em caráter de urgência, por choque elétrico aplicado seja externamente, seja diretamente sobre o coração, neste último caso mediante intervenção cirúrgica cardíaca.

desfibrilador (ô) [De **desfibrilar* (< *des-* + *fibrilar*[2]) + *-dor*.] ***S. m.*** *Anest.* Instrumento us. para combater fibrilação auricular, ou ventricular, mediante choques elétricos no coração, aplicados diretamente ou por meio de eletrodos colocados na parede torácica.

desfibrinação [De *desfibrinar* + *-ção*.] ***S. f.*** *Hemat.* Retirada de fibrina do sangue.

desfibrinar [De *des-* + *fibrina* + *-ar*[2].] ***V. t. d.*** Tirar as fibrinas de.

desfiguração [De *desfigurar* + *-ção*.] ***S. f.*** Ato ou efeito de desfigurar(-se).

desfigurado [Part. de *desfigurar*.] ***Adj.*** **1.** Transtornado ou demudado de feições. **2.** Alterado, transtornado.

desfigurador (ô) [De *desfigurar* + *-dor*.] ***Adj. S. m.*** Que, ou aquele que desfigura.

desfigurar [De *des-* + *figurar*.] ***V. t. d.*** **1.** Alterar a figura ou o aspecto de; adulterar, deturpar. **2.** V. *afear* (1). ***P.*** **3.** Sofrer alteração ou modificação no aspecto; alterar-se. **4.** Transtornar (12).

desfigurável [De *desfigurar* + *-vel*.] ***Adj. 2 g.*** Que se pode desfigurar.

desfilada [De *desfilar* + *-ada*[1].] ***S. f.*** V. *desfile*. ◆ **À desfilada.** V. *à disparada*: "enterrou as esporas no ventre do seu cavalo, que partiu à desfilada" (Joaquim Manuel de Macedo, *Os Romances da Semana*, p. 182).

desfiladeiro [De *desfilada* + *-eiro*.] ***S. m.*** **1.** Passagem estreita entre montanhas; garganta, passo, estreito: "No sopé da serrania, à esquerda, se abria o desfiladeiro da direita, por onde se meteu atrevidamente, em disparada, o esquadrão de cavalaria." (Euclides da Cunha, *Os Sertões*, pp. 415-416.) **2.** *Fig.* Situação embaraçosa, dificilmente resolúvel; aperto, apertura.

desfilamento [De *desfilar* + *-mento*.] ***S. m. P. us.*** V. *desfile*.

desfilante [De *desfilar* + *-nte*.] ***S. 2 g.*** Pessoa que desfila [v. *desfilar* (3)].

desfilar [De *des-* + *fila*[1] + *-ar*[2].] ***V. int.*** **1.** Marchar em fila(s); passar um após outro. **2.** Seguir-se imediatamente um ao outro; suceder-se: *As candidatas a "miss" desfilaram perante a multidão.* **3.** *Bras.* Sair dançando, cantando, ou em exibição, numa escola de samba (1). ***T. d.*** **4.** Ostentar com alarde; exibir: *Passou desfilando o vestido novo.*

desfile [Dev. de *desfilar*.] ***S. m.*** Ação ou efeito de desfilar; desfilada, desfilamento. ◆ **Desfile de moda.** Evento (3) em que estilistas, empresas e grifes de vestuário apresentam, aos jornalistas de moda e clientes, as novas coleções [v. *coleção* (4)].

desfilhar [De *des-* + *filhar*[1].] ***V. t. d.*** **1.** Tirar os filhos ou rebentos demasiados a. **2.** Separar (parte das abelhas de uma colmeia). **3.** *P. us.* Despovoar (1). ***P.*** **4.** *P. us.* Despovoar (3).

desfitar [De *des-* + *fitar*.] ***V. t. d.*** **1.** Não fitar; deixar de fitar: "Cristo abria um dos olhos e piscava para mim, deixando-me estática, apavorada, incapaz de retribuir o gesto ou desfitar a cabeleira rígida." (Maria Julieta Drummond de Andrade, *O Valor da Vida*, p. 39.) ***T. d. e i.*** **2.** Desviar, despregar (os olhos, a vista): "Estupefatos, os velhos não desfitavam a vista dela. Era a primeira vez que a viam chorando por tal forma." (Amando Fontes, *Os Curumbas*, p. 25); "D. Ana parecia não entender, e não desfitava olhos do soldado" (Camilo Castelo Branco, *No Bom Jesus do Monte*, p. 70). **3.** Tirar; retirar.

desflegmação [De *desflegmar* + *-ção*.] ***S. f.*** *Quím.* Deflegmação (2).

desflegmador (ô) [De *desflegmar* + *-dor*.] ***S. m.*** *Quím.* Deflegmador (2).

desflegmar [De *des-* + *flegma* + *-ar*[2].] ***V. t. d.*** *Quím.* Deflegmar.

desfloração [De *desflorar* + *-ção*.] ***S. f.*** **1.** Queda das flores. **2.** Violação da virgindade. [Sin. ger.: *defloração*, *desfloramento* e *defloramento*.]

desflorador (ô) [De *desflorar* + *-dor*.] ***Adj. S. m.*** Que, ou aquele que desflora; deflorador.

desfloramento [De *desflorar* + *-mento*.] ***S. m.*** V. *desfloração*.

desflorar [De *des-* + *flor* + *-ar*[2].] ***V. t. d.*** **1.** Tirar as flores a; deflorar: "O vento desflorava os laranjais em roda..." (Vicente de Carvalho, *Versos da Mocidade*, p. 81.) **2.** V. *estuprar*. **3.** *Bras. RS* Tirar a (o gado ou a tropa) as melhores reses. **4.** *Bras. S.* Maltratar ou cansar (o cavalo). ***P.*** **5.** Perder as flores: "No jardim as folhas caem, os arbustos se desfloram" (Afonso Arinos, *Histórias e Paisagens*, p. 221).

desflorescer [De *des-* + *florescer*.] ***V. int.*** **1.** Perder as flores. **2.** Perder o viço; murchar. **3.** Perder o brilho, o frescor. [Sin. ger.: *desflorir*. Conjug.: v. *crescer*.]

desflorescido [Part. de *desflorescer*.] ***Adj.*** Que desfloresceu; desflorido.

desflorescimento [De *desflorescer* + *-imento*.] ***S. m.*** Ação de desflorescer.

desflorestador (ô) [De *desflorestar* + *-dor*.] ***Adj. S. m. Bras.*** Que, ou aquele que desflоresta.

desflorestamento [De *desflorestar* + *-mento*.] ***S. m. Bras.*** Ação ou efeito de desflorestar; desmatamento.

desflorestar [De *des-* + *floresta* + *-ar*[2].] ***V. t. d. Bras.*** Derrubar árvores de (um terreno, uma região) em larga escala, desfazendo florestas; desmatar; desmadeirar.

desflorido [Part. de *desflorir*.] ***Adj.*** Que desfloriu; desflorescido: "Os desfloridos braços do arvoredo, / Que encruzados lá em cima o vento agita, / Falam de um dia que morreu bem cedo." (Alberto de Oliveira, *Poesias*, 1.ª série, p. 223.)

desflorir [De *des-* + *florir*.] ***V. int.*** **1.** V. *desflorescer*. ***P.*** **2.** Desvanecer-se; extinguir-se. [Conjug.: v. *florir*.]

desfocado [Part. de *desfocar*.] ***Adj.*** *Fot.* Diz-se de imagem sem nitidez, por erro de focalização ou por efeito intencional de desfocalização.

desfocalização [De *desfocalizar* + *-ção*.] ***S. f.*** **1.** Ato ou efeito de desfocalizar. **2.** *Cin. Fot.* Ato de desfocalizar uma imagem propositalmente.

desfocalizar [De *des-* + *focalizar*.] ***V. t. d.*** **1.** Tirar do foco. **2.** *Fig.* Desviar a atenção de (assunto, questão, etc.). **3.** *Fot. Cin.* Tirar (certa imagem, ou sequência de imagens) propositadamente do foco, para se produzir efeito especial. **4.** *Fot. Edit.* Alterar a focagem (de aparelho fotográfico, lente, etc.) de forma a se obter imagem sem nitidez. [Sin. ger.: *desenfocar*, *desfocar*.]

desfocar [De *des-* + *focar*.] ***V. t. d.*** V. *desfocalizar*. [Conjug.: v. *trancar*.]

desfolha (ó) [Dev. de *desfolhar*.] ***S. f.*** V. *desfolhação*.

desfolhação [De *desfolhar* + *-ção*.] ***S. f.*** Ato ou efeito de desfolhar; desfolhamento, desfolha, desfolhadura.

desfolhada [De *desfolhar* + *-ada*[1].] ***S. f.*** V. *descamisada*.

desfolhador (ô) [De *desfolhar* + *-dor*.] ***Adj. S. m.*** Que, ou aquele que desfolha.

desfolhadura [De *desfolhar* + *-dura*.] ***S. f.*** V. *desfolhação*.

desfolhamento [De *desfolhar* + *-mento*.] ***S. m.*** V. *desfolhação*.

desfolhante [De *desfolhar* + *-nte*.] ***Adj. 2 g.*** Que provoca desfolhação; que desfolha.

desfolhar [De *des-* + *folhar*.] ***V. t. d.*** **1.** Tirar as folhas ou as pétalas a. **2.** V. *descamisar* (2). **3.** Destruir, extinguir: *O desespero desfolhou-lhe as esperanças.* **4.** Manipular, repassar (cédulas de dinheiro): *Desfolhou um maço de notas de cem.* **5.** *Bras. N.E.* Desembainhar (o facão). ***P.*** **6.** Perder as folhas, as pétalas. [Pres. ind.: *desfolho*, etc. Cf. *desfolho* (ô).]

desfolho (ô) [Dev. de *desfolhar*.] ***S. m.*** V. *descamisada*. [Pl.: *desfolhos* (ó). Cf. *desfolho*, do v. *desfolhar*.]

desfontaineácea [Do tax. *Desfontainea* (do antr. [*R. L.*] *Desfontaines* [1750-1833], botânico francês) + *-ácea*; tax. *Desfontaineaceae*.] ***S. f. Bot.*** Espécime das desfontaineáceas, família de plantas da ordem das rubiales, que engloba pequenas plantas lenhosas dotadas de folhas opostas e espinhosas, corola largamente tubulosa e ovário quinquelocular, com muitos óvulos. Compreende apenas o gênero *Desfontainea*, o qual encerra duas ou três espécies andinas.

desfontaineáceo [De *desfontainácea*, com var. suf. (v. *-áceo*).] *Adj. Bot.* Pertencente ou relativo às desfontaineáceas.

desforçado [Part. de *desforçar*.] *Adj.* **1.** Vingado, desafrontado, desagravado. **2.** Animoso, corajoso, esforçado, forte.

desforçar [De *des-* + *forçar*.] *V. t. d.* **1.** Vingar, reparar (um agravo, uma afronta). **2.** Desagravar, desafrontar: *Viu insultarem-lhe o pai, e não teve coragem de o desforçar.* **3.** Tomar satisfação de; desafrontar. *P.* **4.** Tirar vingança; desforrar-se, vingar-se, desafrontar-se. [Conjug.: v. *laçar*. Pres. ind.: *desforço*, etc. Cf. *desforço* (ô).]

desforço (ô) [Dev. de *desforçar*.] *S. m.* **1.** Vingança, desforra, desafronta, desagravo: "Há quem se zangue quando recebe descomposturas sem nome de autor. O infeliz picado por um maribondo invisível ameaça Céus e Terra, procurando aquele de quem deva tirar desforço." (Constâncio Alves, *Figuras*, p. 148.) **2.** *Jur.* Reação que é feita para trazer à posse de alguém bem que lhe foi subtraído injustamente. [Pl.: *desforços* (ó). Cf. *desforço*, do v. *desforçar*.]

desformar [De *des-* + *formar*.] *V. t. d.* **1.** V. *deformar*. **2.** *Mil.* Fazer sair da linha de formatura; tirar da forma. [Pres. subj.: *desforme*, etc. Cf. *disformar* e *disforme*.]

desforra (ó) [Dev. de *desforrar*².] *S. f.* Ato de desforrar²; vingança, desforço, despique. [F. paral., p. us.: *desforro* (ô).]

desforrado [Part. de *desforrar*¹.] *Adj.* A que se tirou o forro¹ ou a que este caiu: "Pelo teto desforrado, em surtos trôpegos, alguns morcegos erravam às tontas" (Hugo de Carvalho Ramos, *Tropas e Boiadas*, p. 68).

desforrar¹ [De *des-* + *forro*¹ (ô) + *-ar*².] *V. t. d.* Tirar o forro¹ (1 e 2) a: *desforrar um casaco.* [Pres. ind.: *desforro*, etc. Cf. *desforro* (ô).]

desforrar² [De *des-* + *forra*¹ + *-ar*².] *V. t. d.* **1.** Vingar, desafrontar; despicar: *Desforrou a ofensa recebida.* **2.** Indenizar-se ou forrar-se de; ressarcir: *desforrar um prejuízo. T. d. e i.* **3.** Vingar, desafrontar, despicar: *Desforrou a família da ofensa. P.* **4.** Tirar desforra; vingar-se de afronta; desafrontar-se, despicar-se. **5.** Indenizar-se ou forrar-se de; ressarcir-se de. [Pres. ind.: *desforro*, etc. Cf. *desforro* (ô).]

desforro (ô) [Dev. de *desforrar*².] *S. m. P. us.* Desforra. [Pl.: *desforros* (ó). Cf. *desforro*, do v. *desforrar*.]

desfortalecer [De *des-* + *fortalecer*.] *V. t. d.* Tirar a fortaleza ou a força a. [Conjug.: v. *aquecer*.]

desfortuna [De *des-* + *fortuna*.] *S. f.* Má fortuna; desgraça, desdita, infelicidade, infortúnio.

desfradar [De *des-* + *frade*¹ + *-ar*².] *V. t. d.* Tirar a qualidade de frade a. [Cf. *secularizar* (3).]

desfraldar [De *des-* + *fralda* + *-ar*².] *V. t. d.* **1.** *Marinh.* Soltar ao vento, desferir, largar (as velas). **2.** Abrir, soltar: *desfraldar bandeiras. P.* **3.** Agitar-se, tremular (a bandeira): "Desfraldam-se os pendões ao claro céu do Oriente..." (Gonçalves Crespo, *Obras Completas*, p. 278.)

desfrangir [De *des-* + *frangir*.] *V. t. d. P. Desus.* Desfranzir. [Conjug.: v. *dirigir*.]

desfranjar [De *des-* + *franjar*.] *V. t. d.* Tirar a(s) franja(s) a.

desfranzido [Part. de *desfranzir*.] *Adj.* A que se tirou o franzimento; desenrugado.

desfranzir [De *des-* + *franzir*.] *V. t. d.* **1.** Alisar (aquilo que estava franzido). **2.** Desfazer as pregas ou rugas a; desenrugar: *desfranzir a testa*; "Desfranze essas sobrancelhas / e empresta agora atenção" (Stella Leonardos, *Romanceiro do Bequimão*, p. 152). *P.* **3.** Desenrugar-se: *Com a boa notícia seu rosto se desfranziu.* **4.** Perder o franzimento: "o Viajante sem Porto foi mansamente deslizando sobre as águas escuras do rio, que à sua passagem se franziam, rasgadas pela quilha, para logo se desfranzirem e numa lâmina líquida e densa se alisarem." (Herberto Sales, *Os Pareceres do Tempo*, p. 68).

desfrechar [De *des-* + *frechar*.] *V. t. d.* **1.** Atirar, arremessar (frechas, setas). **2.** Disparar, desfechar; dar: *desfrechar tiros.* [Conjug.: v. *flechar*.]

desfrequentado (qüen) [De *des-* + o part. de *frequentar*.] *Adj.* Não frequentado, ou que o é pouquíssimo; deserto ou quase deserto: *bar desfrequentado; rua desfrequentada.* ❖

desfrisante [De *desfrisar* + *-nte*.] *Adj.* **1.** Que desfrisa. ● *S. m.* **2.** Creme para alisar cabelos crespos.

desfrisar [De *des-* + *frisar*.] *V. t. d.* Desencrespar, desanelar.

desfruir [De *des-* + *fruir*.] *V. t. d. T. i.* V. *fruir*: *desfruir um bem; desfruir de privilégios.* [Conjug.: v. *fruir*.]

desfruta [Dev. de *desfrutar*.] *S. f. Bras. N.E.* Colheita de cocos.

desfrutador (ô) [De *desfrutar* + *-dor*.] *Adj. S. m.* Que, ou aquele que desfruta, que tem o uso, o gozo, a posse de alguma coisa; usufrutuário.

desfrutar [De *des-* + *fruto* + *-ar*².] *V. t. d.* **1.** V. *usufruir* (2): *Agora desfruta benefícios prestados*; "E à cansada velhice é bem fagueiro / Esses restos da vida desfrutar." (Gonçalves Dias, *Obras Poéticas*, II, p. 99.) **2.** Deliciar-se com; apreciar: *Sádico, desfrutou as cenas brutais do filme.* **3.** Viver à custa de. **4.** Zombar de; troçar, chacotear: "O primo Gamboa é um patarata sem juízo, que te diz essas coisas para te desfrutar." (Camilo Castelo Branco, *A Queda dum Anjo*, p. 185.) *T. i.* **5.** Fruir (4): *Desfruta de bom conceito no meio científico.*

desfrutável [De *desfrutar* + *-vel*.] *Adj. 2 g.* **1.** Que se pode desfrutar, usufruir. **2.** Que se presta a desfrute (2). **3.** *Bras.* Diz-se de pessoa dada a desfrutes, a excessos ridículos, escandalosos ou levianos. ● *S. 2 g.* **4.** *Bras.* Pessoa desfrutável (3).

desfrute [Dev. de *desfrutar*.] *S. m.* **1.** Ato de desfrutar; desfruto. **2.** Zombaria, chacota, troça, desfruto. **3.** *Econ.* Proveito máximo da produção. **4.** *Bras.* Ação ridícula, escandalosa ou leviana, própria de pessoa desfrutável (3).

desfruto [Dev. de *desfrutar*.] *S. m.* V. *desfrute* (1 e 2).

desfundar [De *des-* + *fundo* + *-ar*².] *V. t. d.* **1.** Tirar o fundo a. *P.* **2.** Ficar sem o fundo.

desgabado [Part. de *desgabar*.] *Adj.* Que não é ou não foi objeto de gabo.

desgabar [De *des-* + *gabar*.] *V. t. d.* Falar mal de; depreciar, deslouvar.

desgabo [Dev. de *desgabar*.] *S. m.* Ato de desgabar; depreciação, deslouvor.

desgadelhado [Part. de *desgadelhar*.] *Adj.* V. *desguedelhado*.

desgadelhar *V. t. d. P.* V. *desguedelhar*. [Conjug.: v. *aparelhar*.]

desgalante [De *des-* + *galante*.] *Adj. 2 g.* Não galante; descortês.

desgalgar [De *des-* + *galgar*.] *V. t. d.* **1.** Lançar por declive abaixo; despenhar. *Int.* **2.** Precipitar-se por declive. *P.* **3.** Lançar-se por declive abaixo; despenhar-se: "O mestre e as equipagens desgalgaram-se aos trancos, pelo escuro, sofrendo as rabanadas do sul que os açoitava de frente." (Xavier Marques, *Jana e Joel*, p. 18.) [Conjug.: v. *largar*.]

desgalhar [De *des-* + *galho* + *-ar*².] *V. t. d.* **1.** Cortar os galhos de. *P.* **2.** Perder os galhos: *As árvores desgalharam-se com o temporal.*

desgarrada [F. subst. de *desgarrar*.] *S. f.* Cantiga popular, ger. improvisada e ao desafio. ◆ **À desgarrada.** Ao desafio.

desgarrado [Part. de *desgarrar*.] *Adj.* **1.** Que se desgarrou; desviado do rumo; erradio, extraviado. **2.** Sem arrimo; só. **3.** Devasso, pervertido. **4.** *Fig.* Livre, solto; espontâneo: *Entoou uma cantiga desgarrada.*

desgarrão [De *desgarrar* + *-ão*¹.] *Adj.* **1.** Que desgarra [v. *desgarrar* (1)] com violência; esgarrão: *vento desgarrão.* ● *S. m.* **2.** Impulso, empurrão violento; esgarrão.

desgarrar [De *des-* + *garra*¹ + *-ar*².] *V. t. d.* **1.** Desviar do rumo. **2.** Perverter; extraviar; desencaminhar: *As más companhias desgarraram o rapaz.* **3.** Tornar extravagante ou excêntrico. **4.** *Bras. RS* Retirar as garras ou pontas de (o couro). *T. d. e i.* **5.** Dirigir para lugar, caminho, tendência oposta; desviar, esgarrar: *Más companhias desgarraram ao crime o bom rapaz. T. i.* **6.** Desviar-se, afastar-se: *desgarrar de um assunto. Int.* **7.** Perder o rumo; desgarrar-se. **8.** Desviar-se do rumo; desgarrar-se. *P.* **9.** Desgarrar (7 e 8): "vira uma pastora no caminho a tornar à manada uma cabra que se desgarrara" (Camilo Castelo Branco, *Noites de Lamego*, p. 88). **10.** Afastar-se do bom caminho; extraviar-se, desencaminhar-se.

desgarre [Dev. de *desgarrar*.] *S. m.* **1.** Ato ou efeito de desgarrar(-se). **2.** Desplante, audácia, ousadia. **3.** Depravação, libertinagem. **4.** Elegância ou requinte exagerados; extravagância: "Bem entroncado, de porte esbelto, movimentos vivos e olhar inquieto, a sua pessoa tinha um desgarre natural" (Gastão Cruls, *4 Romances*, p. 40). **5.** Cantiga à desgarrada. [F. paral.: *desgarro*.]

desgarro [Dev. de *desgarrar*.] *S. m.* V. *desgarre*: "amimada, acriançando-se em trejeitos e dizeres, descompondo os artifícios pueris com uns ares de desgarro e desenvoltura." (Camilo Castelo Branco, *Novelas do Minho*, I, p. 12).

desgarronar [Do esp. plat. *desgarronar*.] *V. t. d. Bras. RS* Cortar o garrão ou jarrete de (animal).

desgasar [De *des-* + *gás* + *-ar*².] *V. t. d. Quím.* V. *desgaseificar*.

desgaseificação (e-i) [De *des-* + *gaseificação*.] *S. f. Quím.* Eliminação de gás de um sistema, por aquecimento, ou por absorção, ou pela adição de substâncias apropriadas; desgasificação.

desgaseificar (e-i) [De *des-* + *gaseificar*.] *V. t. d. Quím.* Provocar a desgaseificação de (um sistema); degasar, desgasar, desgasificar.

desgaseificável (e-i) [De *desgaseificar* + *-vel*.] *Adj. 2 g. Quím.* Que se pode desgaseificar; desgasificável.

desgasificação [De *des-* + *gasificação*.] *S. f. Quím.* V. *desgaseificação*.

desgasificar [De *des-* + *gasificar*.] *V. t. d. Quím.* V. *desgaseificar*.

desgasificável [De *desgasificar* + *-vel*.] *Adj. 2 g. Quím.* Desgaseificável.

desgastante [De *desgastar* + *-nte*.] *Adj. 2 g.* **1.** Que desgasta. **2.** *Fig.* Incômodo, tedioso, chato.

desgastar [De *des-* + *gastar*.] *V. t. d.* **1.** Gastar ou consumir pelo atrito: *O tempo e o uso desgastaram os degraus da velha igreja.* **2.** Gastar; destruir: *Os anos que passou recluso desgastaram os seus hábitos de cortesia.* **3.** *Pop.* Digerir (1). *P.* **4.** Gastar-se ou destruir-se pouco a pouco.

desgaste [Dev. de *desgastar*.] *S. m.* Ato ou efeito de desgastar(-se); desgasto.

desgasto [Dev. de *desgastar*.] *S. m.* Desgaste.

desgelar [De *des-* + *gelar*.] *V. t. d. Int. P.* Degelar.

desglamourizar [De *des-* + *glamour* + *-izar*.] *V. t. d. P.* Fazer perder o *glamour*, ou perdê-lo: *O novo corte de cabelo desglamourizou a atriz; Com roupas muito austeras as jovens se desglamourizam.*

desgorjado [De *des-* + *gorja* + *-ado*¹.] *Adj.* Que traz o pescoço descoberto; esgorjado.

desgornir [De *des-* + *gornir*.] *V. t. d. Marinh.* Fazer sair (o cabo) do gorne.

desgostar [De *des-* + *gostar*.] *V. t. d.* **1.** Causar desgosto, aborrecimento, contrariedade, a; descontentar; contrariar: "Temendo a cada momento / Ofendê-la, desgostá-la, / Quer ler em seu pensamento / E balbucia, não fala..." (Manuel Bandeira, *Estrela da Vida Inteira*, p. 18.) **2.** Desagradar ao extremo a; mortificar. **3.** Fazer perder o gosto. *T. i.* **4.** Não gostar; desagradar-se, aborrecer-se: *Passou a desgostar da companhia do amigo. P.* **5.** Perder o gosto; descontentar-se. **6.** Magoar-se; melindrar-se: *Desgostou-se com aquelas palavras irônicas.* [Pres. ind.: *desgosto*, etc. Cf. *desgosto* (ô).]

desgosto (ô) [De *des-* + *gosto* (ô).] *S. m.* **1.** Ausência de gosto ou prazer; desprazer. **2.** Pesar, mágoa, tristeza, descontentamento. **3.** Nojo, aversão, repugnância. [Pl.: *desgostos* (ô). Cf. *desgosto*, do v. *desgostar*.]

desgostoso (ô) [De *desgosto* + *-oso*.] *Adj.* **1.** Que sente desgosto; descontente, penalizado, triste. **2.** Que denota desgosto, descontentamento: *Murmurou palavras desgostosas.* **3.** Que tem gosto ou sabor desagradável.

desgovernação [De *desgovernar* + *-ção*.] *S. f.* Falta de governo; desgoverno.

desgovernado [Part. de *desgovernar*.] *Adj.* **1.** Que não sabe governar-se; desregrado. **2.** Gastador, perdulário, dissipador, dissipado, mãos-rotas. **3.** *Bras.* Desnorteado, desorientado, desarvorado. **4.** *Bras.* Descontrolado.

desgovernar [De *des-* + *governar*.] *V. t. d.* **1.** Governar mal; dar má direção a. **2.** Desviar do bom caminho. **3.** Gastar, desperdiçar; dilapidar: *Desgovernou a herança paterna em pouco tempo. Int.* **4.** Navegar sem governo (uma embarcação). *P.* **5.** Governar-se mal. **6.** Perder o governo ou domínio de si mesmo; portar-se mal; desregrar-se: *Desgovernou-se vergonhosamente na reunião.* **7.** *Bras.* Desnortear-se, desorientar-se. [Pres. ind.: *desgoverno*, etc. Cf. *desgoverno* (ê).]

desgoverno (ê) [De *des-* + *governo*.] *S. m.* **1.** Mau governo. **2.** Esbanjamento, desperdício. **3.** Excesso, intemperança, desregramento. **4.** *Bras.* Falta de governo, de orientação; desorientação, desgovernação; desnorteamento. [Pl.: *desgovernos* (ê). Cf. *desgoverno*, do v. *desgovernar*.]

desgraça [De *des-* + *graça*.] *S. f.* **1.** Sucesso funesto; má sorte, infortúnio, desdita, infelicidade, desventura. **2.** Miséria, penúria: *A morte do velho deixou a família na desgraça.* **3.** Privação da graça de alguém; desfavor: *No governo de D. José I, em Portugal, os Távoras caíram em desgraça.* **4.** Aflição, ansiedade, angústia. **5.** *Fam.* Calamidade (3). **6.** *Pop.* Pessoa inábil, incapaz, inepta. [Cf. *calamidade*.]

desgraçadamente [Do f. de *desgraçado* + *-mente*.] *Adv.* **1.** De modo desgraçado; com desgraça, infelizmente: "Desgraçadamente entre nós o violão foi sempre cultivado de uma maneira desleixada." (Manuel Bandeira, *Flauta de Papel*, p. 56.) **2.** Na pior das hipóteses.

desgraçado [Part. de *desgraçar*.] *Adj.* **1.** De má sorte; infeliz, desventurado, infausto. **2.** Muito pobre; miserável, indigente. **3.** Inábil, incapaz. **4.** Vil, desprezível, abjeto. **5.** *Fam.* Levado, arteiro, traquinas, travesso. [Sin. (bras. gír.), nesta acepç.: *desgranido*.] **6.** *Bras. Pop.* Admirável pela habilidade, astúcia, força, inteligência, etc., e até pela boa sorte; infeliz

(q. v.): *Ganhou 1 milhão na loteria? Puxa, que sujeito desgraçado!* ● *S. m.* 7. Indivíduo desgraçado.

desgraçar [De *desgraça* + *-ar*².] *V. t. d.* 1. Causar a desgraça a; tornar desgraçado, desditoso: *O seu mau gênio desgraçou-o.* 2. *Gír.* Deflorar, desvirginar. *P.* 3. Tornar-se infeliz, desditoso. [Conjug.: v. *laçar*.]

desgraceira [De *desgraça* + *-eira*.] *S. f. Bras.* 1. Desgraça contínua. 2. Sucessão de desgraças.

desgraciado [Do esp. *desgraciado*.] *Adj. P. us.* 1. Desgraçado (1): "— Essa tua amiga, ela sim, é uma desgraciada." (Dalton Trevisan, *Essas Malditas Mulheres*, p. 11.) 2. V. *desgracioso*.

desgracioso (ô) [De *des-* + *gracioso*.] *Adj.* Que não tem graça; falto de elegância; desajeitado, desgraciado: "É [o sertanejo] desgracioso, desengonçado, torto." (Euclides da Cunha, *Os Sertões*, p. 114.)

desgramado [De *des-* + *grama*¹ + *-ado*¹, com eufemismo.] *Adj. S. m. Bras. Pop.* Diz-se de, ou indivíduo desgraçado (6).

desgranido *Adj. Bras. S. Gír.* 1. V. *desgraçado* (5). 2. Vivo, esperto, decidido.

desgravação [De *desgravar* + *-ção*.] *S. f.* Ato ou efeito de desgravar.

desgravar [De *des-* + *gravar*¹.] *V. t. d.* Desfazer a gravação¹ (2) de: *Desgravou vários sambas para gravar sinfonias.*

desgravidar [De *des-* + *gravidar*.] *V. t. d.* 1. Tirar a gravidez a. *Int.* 2. Dar à luz; parir.

desgraxamento [De *desgraxar* + *-mento*.] *S. m.* Ação de desgraxar.

desgraxar [De *des-* + *graxa* + *-ar*².] *V. t. d.* Tirar a gordura a; desengordurar.

desgregar *V. t. d. T. d. e i. P.* V. *desagregar*: "as beiras / do rio que em cachões das penhas se desgrega" (Antônio Feliciano de Castilho, *As Geórgicas*, p. 213). [Conjug.: v. *regar*.]

desgrenhado [Part. de *desgrenhar*.] *Adj.* 1. Diz-se do cabelo despenteado, revolto, emaranhado. [Sin., bras., N.E.: *alvoroçado*.] 2. *P. ext.* Que tem o cabelo desgrenhado. 3. *Fig.* Desordenado, irregular (no falar e/ou no escrever).

desgrenhamento [De *desgrenhar* + *-mento*.] *S. m.* Ato ou efeito de desgrenhar(-se).

desgrenhar [De *des-* + *grenha* + *-ar*².] *V. t. d.* 1. Tornar revolto como grenha, emaranhar (os cabelos); despentear, desguedelhar. *P.* 2. Despentear-se, desguedelhar-se.

desgrilhoar [De *des-* + *grilhão* + *-ar*², com desnasalação.] *V. t. d.* Desagrilhoar. [Conjug.: v. *coroar*.]

desgrinaldar [De *des-* + *grinaldar*.] *V. t. d. P.* Desengrinaldar.

desgrudar [De *des-* + *grudar*.] *V. t. d.* 1. Despegar (o que estava grudado); descolar: "acordou estrovinhado a desgrudar os olhos, que se haviam fechado com duas lágrimas" (Camilo Castelo Branco, *A Queda dum Anjo*, p. 154). *T. d. e i.* 2. Tirar, afastar, desviar: "A mulher não desgrudava os olhos dela" (Maria Julieta Drummond de Andrade, *O Valor da Vida*, p. 158). *T. i.* 3. Afastar-se, apartar-se: "Quando Paulinha descobriu a televisão, foi uma tragédia. Não queria mais desgrudar do aparelho." (Pedro Bloch, *Essas Crianças de Hoje!*, p. 74.) *P.* 4. Despegar-se, descolar-se.

desgrumar [De *des-* + *grumar*.] *V. t. d.* Desfazer os grumos de.

desguampar [De *des-* + *guampa* + *-ar*².] *V. t. d. Bras. RS* Tirar as guampas ou cornos de (a rês), serrando-os ou usando de outro meio, para lhe permitir maior desenvolvimento físico.

desguardar [De *des-* + *guardar*.] *V. t. d.* Não guardar; desacautelar.

desguaritar [De *des-* + *guarita* + *-ar*².] *V. int. P. Bras. SP a RS* 1. Perder-se; extraviar-se. 2. Separar-se ou afastar-se dos companheiros de grupo, de bando. 3. Desgarrar-se (animal ou indivíduo) do rebanho ou da tropa.

desguarnecer [De *des-* + *guarnecer*.] *V. t. d.* 1. Privar de guarnição. 2. Privar de forças militares ou de munições de guerra: *desguarnecer uma praça de guerra.* 3. Tirar os ornatos, os enfeites, a; desornar: *desguarnecer uma toalete.* 4. Tirar os móveis de; desmobiliar. 5. *Tip.* Tirar a guarnição de (fôrma tipográfica). [Cf. (nesta acepç.) *despaginar*.] *P.* 6. Privar-se de guarnição, de ornamentos, de enfeite, etc. [Conjug.: v. *aquecer*.]

desguarnecido [Part. de *desguarnecer*.] *Adj.* 1. Que se desguarneceu. 2. Que está sem guarnição ou sem guarnições. 3. Desadornado, desenfeitado.

desguedelhado [Part. de *desguedelhar*.] *Adj.* 1. Diz-se do cabelo em desalinho; desgrenhado, despenteado. 2. *P. ext.* Diz-se da pessoa que traz o cabelo desguedelhado. [Tb. se diz *desgadelhado*, *esguedelhado* e *esgadelhado*.]

desguedelhar [De *des-* + *guedelha* + *-ar*².] *V. t. d.* 1. Pôr em desalinho (os cabelos), desgrenhar, despentear. *P.* 2. Despentear-se, desgrenhar-se. [Tb. se diz *desgadelhar*, *esguedelhar* e *esgadelhar*. Conjug.: v. *aparelhar*.]

desguiar [De *des-* + *guiar*.] *V. int. Bras. RJ Gír.* Ir embora; dar o fora. "Então, abri o braço, como se já fosse desguiar" (João Antônio, *Casa de Loucos*, p. 19).

➔ **déshabillé** [dezabi'je] [Fr.] *S. m. Vest.* Espécie de penhoar de luxo, feito de tecido leve, de rendas, etc. "Ela nos recebeu .... em seu quarto, no segundo andar da casa, vestida num *déshabillé* (coisa daquele tempo) de cetim pérola, cheio de rendas." (Ana Ramalho, em *Jornal do Brasil*, 07.11.2009.)

desiderativo [Do lat. tard. *desiderativu*.] *Adj.* Que exprime desejo. ~ V. *verbo* —.

desiderato [Do lat. *desideratu*.] *S. m.* Aquilo que se deseja, a que se aspira; aspiração: "Foi Camões o poeta que .... levou a cabo a epopeia, desiderato do Renascimento português" (Antônio José Saraiva e Óscar Lopes, *História da Literatura Portuguesa*, p. 334).

desídia [Do lat. *desidia*.] *S. f.* 1. Preguiça, indolência, inércia, negligência. 2. Desleixo, descaso, incúria: "Julgo do meu dever consignar .... que há muita desídia, negligência e até, como me pesa dizê-lo, má vontade em atender a gente que quer vir para o Brasil." (Gilberto Amado, *Sabor do Brasil*, p. 80.) 3. *Dir. Trab.* Comportamento negligente e displicente do empregado no desempenho das funções o qual pode ensejar sua dispensa por justa causa.

desidioso (ô) [De *desídia* + *-oso*.] *Adj.* Que tem, ou em que há desídia: *rapaz desidioso*; *procedimento desidioso.*

desidratação [De *desidratar* + *-ção*.] *S. f.* 1. Ato ou efeito de desidratar(-se). 2. *Med.* Síndrome resultante de perda significativa ou excessiva, e não compensada, de água corporal. 3. *Quím.* Perda ou remoção de água de uma substância ou de uma mistura, quer por processo ordinário de secagem ou aquecimento, quer por absorção, adsorção, reação química, condensação do vapor de água, quer por força centrífuga ou pressão hidráulica. [Não se aplica, em geral, o termo desidratação no caso de perda de água de uma solução aquosa por evaporação ou ebulição.]

desidratado [Part. de *desidratar*.] *Adj. S. m.* Que, ou aquele que se desidratou, que sofre de desidratação.

desidratador (ô) [De *desidratar* + *-dor*.] *Adj.* Desidratante.

desidratante [De *desidratar* + *-nte*.] *Adj. 2 g.* Que desidrata; que produz desidratação; desidratador.

desidratar [De *des-* + *hidratar*.] *V. t. d.* 1. Extrair, pelo calor, pelo vácuo ou por substância higroscópica, a água de (um composto). 2. *Med.* Causar desidratação (2) em. 3. *Fig.* Fazer perder a força; enfraquecer: "A saída do PDT desidrataria a candidatura do chamado bloquinho, composto ainda por PSB e PC do B." (*Folha de S.Paulo*, 06.06.2008.) *P.* 4. *Med.* Apresentar desidratação (2).

desidremia [De *des-* + *-idr(o)-* + *-emia*.] *S. f. Med.* Redução da taxa de água no sangue.

desidrêmico *Adj. Med.* V. *desidrêmico*. [Uso freq. em P.]

desidrêmico [De *desidremia* + *-ico*².] *Adj. Med.* Relativo a desidremia.

desidro- [De *des-* + *hidro(gênio)*.] *El. comp. Quím.* Indica a perda de átomo(s) de hidrogênio: *ácido desidroascórbico.*

desidroalogenação [Adapt. do ingl. *dehydrohalogenation*, com troca do pref. (*de-* por *des-*).] *S. f. Quím.* Processo em que há perda de hidrogênio e de halogênio de um composto.

desidrocloração [Adapt. do ingl *dehydrochloration* (por *dehydrochlorination*), com troca de pref. (*de-* por *des-*).] *S. f. Quím.* Processo em que há perda de hidrogênio e de cloro de um composto.

desidrogenação [De *desidrogenar* + *-ção*.] *S. f.* 1. Ato ou efeito de desidrogenar. 2. *Quím.* Processo pelo qual se remove o hidrogênio dos compostos, por meios químicos.

desidrogenado [Part. de *desidrogenar*.] *Adj. Quím.* A que se tirou hidrogênio.

desidrogenar [De *des-* + *hidrogenar*.] *V. t. d.* Tirar o hidrogênio a.

desidrogenase [De *des-* + *hidrogên(io)* + *-ase*.] *S. f. Quím.* Qualquer das enzimas que catalisam desidrogenações.

desidrogênase *S. f.* V. *desidrogenase*.

➔ **design** [dɪ'zajn] [Ingl.] *S. m.* 1. Concepção de um projeto ou modelo; planejamento. 2. O produto desse planejamento. 3. *Restr.* Desenho industrial. 4. *Restr.* Desenho de produto. 5. *Edit. Restr.* Programação visual.

designação [Do lat. *designatione*.] *S. f.* 1. Ato ou efeito de designar; indicação. 2. Denominação, qualificação. 3. Nomeação, indicação, escolha: *Estava a seu cargo a designação de um sucessor.*

designado [Part. de *designar*.] *Adj. S. m.* Que, ou aquele que recebeu a designação.

designador (ô) [Do lat. *designatore*.] *Adj. S. m.* Que, ou aquele que designa ou indica; designante.

designante [De *designar* + *-nte*.] *Adj. 2 g. S. 2 g.* Designador.

designar [Do lat. *designare*.] *V. t. d.* 1. Dar a conhecer; nomear; indicar: *Substantivo é a palavra que designa os seres em geral.* 2. Ser o sinal, o símbolo de: *A balança designa a Justiça.* 3. Fixar, determinar; marcar, assinalar: *Ainda não designou a data da partida.* *T. d. e i.* 4. Nomear (para cargo ou emprego): *O Presidente designou-o para um posto elevado.* 5. Fixar, determinar; marcar, assinalar. *Transobj.* 6. Qualificar; denominar; classificar: *Grande estadista, designaram-no como esteio da democracia em seu país.*

designatário [De *designar* + *-tário*.] *S. m. Bras. Com.* O banco designado para receber a importância de um cheque cruzado.

designativo [De *designar* + *-tivo*.] *Adj.* Que designa, ou próprio para designar.

➔ **designer** [dɪ'zajnə] [Ingl.] *S. 2 g.* 1. Indivíduo que planeja ou concebe um projeto ou modelo. 2. *Restr.* Desenhista-industrial. 3. *Restr.* Desenhista de produto. 4. *Edit. Restr.* Programador visual.

desígnio [Do b.-lat. *designiu*.] *S. m.* Intento, intenção, plano, projeto, propósito: *os desígnios da Providência.*

desigual [De *des-* + *igual*.] *Adj. 2 g.* 1. Não igual; diferente, diverso. 2. Variável, mutável, mudável; incerto: *tempo desigual.* 3. Inconstante, instável, volúvel, voltário: *temperamento, caráter, índole desigual.* 4. Não uniforme; irregular: *pulsações desiguais.* 5. Em que não há equilíbrio de forças; desproporcional: *combate desigual.* 6. Parcial; injusto. 7. Acidentado, irregular: *terreno desigual.* 8. *P. us.* Extravagante, extraordinário, singular. 9. *Ant.* Desconforme, impróprio. ~ V. *temperamento* —.

desigualar [De *des-* + *igualar*.] *V. t. d.* 1. Estabelecer a diferença ou distinção entre; fazer desigual: *A lei não deve desigualar os cidadãos de um país.* *T. d. e i.* 2. *Fig.* Tornar desigual; distinguir, diferenciar, estremar: *A sorte desigualou-o dos companheiros.* *T. i.* 3. Ser desigual, diferente. *P.* 4. Tornar-se desigual; diferenciar-se.

desigualdade [De *desigual* + *-(i)dade*.] *S. f.* 1. Qualidade ou estado do que é desigual. 2. *Mat.* Relação entre os membros de um conjunto, que envolve os sinais de "maior que" ou "menor que"; inequação. ◆ **Desigualdade paraláctica.** *Astr.* Irregularidade no valor da longitude da Lua, resultante de a órbita ser excêntrica e deslocada em relação ao Sol, e que se traduz por variações na paralaxe da Lua na ordem de 1 segundo de arco.

desiludido [Part. de *desiludir*.] *Adj.* 1. Que se desiludiu; desenganado, decepcionado. [Sin., p. us.: *desiluso*.] ● *S. m.* 2. Aquele que se desiludiu: "Almas tristes, sinistras e angustiadas, / Almas sombrias dos desiludidos" (Da Costa e Silva, *Sangue*, p. 28).

desiludir [De *des-* + *iludir*.] *V. t. d.* 1. Tirar ilusões a; desenganar: *A resposta franca desiludiu-o.* 2. Causar decepção a: *A real versão dos fatos desiludiu-a.* *T. d. e i.* 3. Desenganar, dissuadir: "A infelicidade não o desiludiu [a Almeida Garrett] o amor, incapaz como é de viver sem a tepidez duma ternura feminina." (José Osório de Oliveira, *O Romance de Garrett*, p. 93.) *Int.* 4. Fazer perder a ilusão: "Da falta de espírito é até desagradável falar. Ela põe a gente jururu. Desilude. Abate. Desanima." (Antônio de Alcântara Machado, *Cavaquinho e Saxofone*, p. 108.) *P.* 5. Perder as ilusões; desesperançar-se, desenganar-se.

desilusão [De *des-* + *ilusão*.] *S. f.* Ato ou efeito de desiludir(-se); desengano; decepção.

desiluso [De *des-* + *iluso*.] *Adj. P. us.* V. *desiludido* (1).

desimaginar [De *des-* + *imaginar*.] *V. t. d. e i.* 1. Tirar ou apagar do espírito, da memória; tirar da imaginação; dissuadir: *Não conseguiram desimaginá-lo daquele intento.* *P.* 2. Deixar de pensar; esquecer-se; dissuadir-se, despersuadir-se.

desimobilização [De *desimobilizar* + *-ção*.] *S. f.* Ato ou efeito de desimobilizar.

desimobilizar [De *des-* + *imobilizar*.] *V. t. d.* Fazer que se mobilize; fazer cessar a imobilidade ou imobilização de.

desimpedido [Part. de *desimpedir*.] *Adj.* 1. Livre, desembaraçado, desatravancado. 2. Desembaraçado, franco. 3. Livre de compromisso: *Pode aceitar o trabalho, pois está desimpedido; É rapaz solteiro, desimpedido.*

desimpedimento [De *desimpedir* + *-mento*.] *S. m.* Ação de desimpedir.

desimpedir [De *des-* + *impedir*.] *V. t. d.* 1. Tirar o impedimento, o obstáculo, a; desembaraçar; desobstruir: *desimpedir o tráfego.* 2. Facilitar, removendo o que impede ou embaraça: *O funcionário prometeu desimpedir a tramitação do processo.* [Irreg. Conjug.: v. *medir*. Pres. ind.: *desimpeço*, etc.; pres.

subj.: *desimpeça, desimpeças, ... desimpeçam.* Cf. *desempeço, desempeças, desempeça, desempeçam,* do v. *desempeçar; desempeço* (ê), do v. *desempecer* e s. m.; e *desempeça* (ê), *desempeças* (ê), *desempeçam* (ê), do v. *desempecer.*]

desimplantar [De *des-* + *implantar.*] *V. t. d.* Tirar o que estava implantado; extrair com violência: "A tudo investe, abala / desimplanta, / Destrói, derruba, na evulsão crescente" (Alberto de Oliveira, *Poesias,* I, p. 131).

desimplicar [De *des-* + *implicar.*] *V. t. d.* Separar (o que estava implicado); simplificar, desenredar. [Conjug.: v. *trancar.*]

desimportante [De *des-* + *importante.*] *Adj. 2 g.* De nenhuma ou pouca importância: "elemento episódico, fortuito e, em princípio, desimportante e desnecessário" (Mário de Andrade, *O Empalhador de Passarinho,* p. 125).

desimprensar [De *des-* + *imprensar.*] *V. t. d.* **1.** Tirar da prensa. **2.** Tirar (um objeto que estava imprensado).

desimpressionar [De *des-* + *impressionar.*] *V. t. d.* **1.** Apagar ou desvanecer uma impressão moral em: *Chocou-se com a grosseria do velho amigo, mas eu consegui desimpressioná-lo. T. d. e i.* **2.** Apagar ou desvanecer uma impressão moral: *Ninguém o desimpressiona do abalo sofrido com a morte do filho. P.* **3.** Deixar de sentir-se impressionado.

desinçar [De *des-* + *inçar.*] *V. t. d. e i.* **1.** Livrar de coisas, animais ou pessoas prejudiciais ou nocivas; desinfestar: *desinçar as matas de animais daninhos; desinçar de ladrões a cidade.* **2.** Livrar; desembaraçar. [Conjug.: v. *laçar.*]

desinchação [De *desinchar* + *-ção.*] *S. f.* Ação de desinchar; detumescência.

desinchar [De *des-* + *inchar.*] *V. t. d.* **1.** Desfazer ou diminuir a inchação de; desintumescer. **2.** Abater o orgulho, a vaidade, a soberba, de; humilhar, vexar. *Int.* **3.** Deixar de estar inchado; desintumescer, desinchar-se. *P.* **4.** Desinchar (3). **5.** Perder o orgulho, a vaidade, a soberba.

desinclinação [De *desinclinar* + *-ção.*] *S. f.* Ato ou efeito de desinclinar.

desinclinar [De *des-* + *inclinar.*] *V. t. d.* **1.** Endireitar, erguer ou aprumar (o que estava inclinado). *T. d. e i.* **2.** Tirar a inclinação, o gosto, a; desafeiçoar: *Seus conselhos desinclinaram o amigo da vadiagem.*

desincompatibilização [De *desincompatibilizar* + *-ção.*] *S. f.* Ato ou efeito de desincompatibilizar(-se).

desincompatibilizar [De *des-* + *incompatibilizar.*] *V. t. d.* **1.** Tirar a incompatibilidade a. *P.* **2.** Deixar de estar incompatibilizado.

desincorporação [De *desincorporar* + *-ção.*] *S. f.* Ação ou efeito de desincorporar(-se).

desincorporar [De *des-* + *incorporar.*] *V. t. d.* **1.** Separar (o que estava incorporado). **2.** Tirar de uma corporação. **3.** Desunir, desligar. *Int.* **4.** *Bras. Rel.* Abandonar (a entidade, o guia, etc.) o corpo de (o médium) ao qual se incorporara no transe; desacostar. *P.* **5.** Separar-se; desligar-se; desmembrar-se.

desincumbir [De *des-* + *incumbir* + *se*[1].] *V. p.* **1.** Dar cumprimento a uma incumbência. **2.** Livrar-se de uma incumbência.

desindexação (cs) [De *desindexar* + *-ção.*] *S. f.* Ato ou efeito de desindexar.

desindexar (cs) [De *des-* + *indexar.*] *V. t. d.* **1.** *Econ.* Eliminar a indexação de. **2.** Tornar (valor monetário) não sujeito a correção monetária.

desindiciação [De *desindiciar* + *-ção.*] *S. f. Jur.* Ato ou efeito de desindiciar.

desindiciar [De *des-* + *indiciar.*] *V. t. d. Jur.* Excluir (o indiciado) de um inquérito; livrar (o indiciado) de processamento criminal. [Cf. *impronunciar.*]

desindividualizar [De *des-* + *individualizar.*] *V. t. d.* **1.** Não distinguir particularmente; generalizar. *P.* **2.** Perder a individualidade.

desindustrialização [De *des-* + *industrialização.*] *S. f. Econ.* **1.** Desaparecimento de empresas ou setores industriais, devido à concorrência externa. **2.** Redução da participação da indústria no Produto Interno Bruto.

desinência [Do lat. med. *desinentia.*] *S. f.* **1.** Extremidade, fim, termo. **2.** *E. Ling.* Elemento morfológico indicador da flexão; sufixo flexional. [Cf. *afixo* (2) e *vogal temática.*]

desinencial [De *desinência* + *-al*[1].] *Adj. 2 g.* Relativo ou pertencente a desinência.

desinente [Do lat. *desinente,* part. pres. de *desinere,* 'cessar', 'finalizar'.] *Adj. 2 g. Bot.* ~ V. *folha* —.

desinfamar [De *des-* + *infamar.*] *V. t. d.* Limpar de infâmia; reabilitar moralmente.

desinfeção *S. f.* V. *desinfecção.*

desinfecção [De *des-* + *infecção.*] *S. f.* Ato ou efeito de desinfeccionar. [Var.: *desinfeção.*]

desinfeccionar [De *des-* + *infeccionar.*] *V. t. d.* **1.** V. *desinfetar* (1). **2.** Fazer desaparecer a infecção de. [Var.: *desinfecionar, desinficionar.*]

desinfecionar [De *des-* + *infecionar;* var. de *desinfeccionar.*] *V. t. d.* V. *desinfeccionar.*

desinfelicidade [De *des-* + *infelicidade.*] *S. f. Pop.* Infelicidade.

desinfeliz [De *des-* + *infeliz.*] *Adj. 2 g. S. 2 g. Pop.* Infeliz: "Nunca dantes me sentira / Tão desinfeliz assim: / É que ando dentro da vida / Sem vida dentro de mim." (Manuel Bandeira, *Estrela da Vida Inteira,* p. 354.)

desinfernar [De *des-* + *infernar.*] *V. t. d.* Livrar daquilo que inferna, atormenta; tranquilizar, acalmar.

desinfestação [De *desinfestar* + *-ção.*] *S. f. Med.* Extermínio de quaisquer formas animais capazes de agir como vetores de infecção, ou de produzirem doença por si mesmas, e que estejam presentes numa pessoa, em seu ambiente, ou na sua indumentária. [Cf. *desinfetação.*]

desinfestar [De *des-* + *infestar.*] *V. t. d. e i.* Livrar daquilo que infesta; desinçar.

desinfetação [De *desinfetar* + *-ção.*] *S. f.* Ato ou efeito de desinfetar. [Cf. *desinfestação.*]

desinfetador (ô) [De *desinfetar* + *-dor.*] *Adj.* **1.** Desinfetante (1). • *S. m.* **2.** Aquele que desinfeta. **3.** Aparelho para desinfetar.

desinfetante [De *desinfetar* + *-nte.*] *Adj. 2 g.* **1.** Que desinfeta; desinfetador. • *S. m.* **2.** Substância desinfetante.

desinfetar [De *des-* + *infetar.*] *V. t. d.* **1.** Livrar do que infeta; sanear, desinfeccionar. *Int.* **2.** Destruir os micróbios vivos: *O preparado contém uma substância que desinfeta.* **3.** *Bras. Gír.* Retirar-se de um lugar.

desinfetório [Do rad. de *desinfetar,* por 'desinfecção', + *-ório.*] *S. m. Bras.* Lugar onde se praticam desinfecções; posto de desinfecção.

desinficionar *V. t. d.* V. *desinfeccionar.*

desinflação [De *des-* + *inflação.*] *S. f. Econ.* V. *deflação*[1].

desinflacionar [De *des-* + *inflacionar.*] *V. t. d. Econ.* V. *deflacionar.*

desinflamação [De *desinflamar* + *-ção.*] *S. f. Med.* Ato de desinflamar(-se).

desinflamado [Part. de *desinflamar.*] *Adj. Med.* Em que ocorreu desinflamação.

desinflamar [De *des-* + *inflamar.*] *V. t. d. e i.* **1.** Fazer cessar a inflamação (3) de. *Int. P.* **2.** Deixar de estar inflamado; desinchar.

desinfluir [De *des-* + *influir.*] *V. t. d. e i.* Fazer cessar a influência ou o entusiasmo a; desanimar. [Conjug.: v. *atribuir.*]

desinformação [De *desinformar* + *-ção.*] *S. f.* **1.** Ato ou efeito de desinformar. **2.** Informação propositadamente desvirtuada, deformada ou falseada para induzir o adversário em erro de apreciação.

desinformado [Part. de *desinformar.*] *Adj.* Não informado ou insuficientemente informado.

desinformar [De *des-* + *informar.*] *V. t. d.* Deixar de informar, ou informar erroneamente.

desingurgitar [De *des-* + *ingurgitar.*] *V. t. d.* Desfazer o ingurgitamento de.

desinibido [Part. de *desinibir.*] *Adj.* **1.** Livre de inibições. **2.** Livre de acanhamento, de timidez; desembaraçado: "O carnaval carioca tem fama universal. Não há, provavelmente, outra cidade do mundo em que .... sejam mais buliçosos, alegres e desinibidos os participantes da folia." (Austregésilo de Ataíde, *Conversas na Barbearia Sol,* p. 247.)

desinibir [De *des-* + *inibir.*] *V. t. d.* **1.** Fazer cessar a inibição (2 a 4) a. *P.* **2.** Tornar-se desinibido.

desinjuriar [De *des-* + *injuriar.*] *V. t. d.* Desafrontar, desagravar.

desinquietação [De *desinquietar* + *-ção.*] *S. f.* Ato ou efeito de desinquietar.

desinquietador (ô) [De *desinquietar* + *-dor.*] *Adj. S. m.* Que, ou aquele que desinquieta.

desinquietar [De *des-* + *inquietar.*] *V. t. d.* **1.** Perturbar a paz, a tranquilidade de; inquietar: *Tem um temperamento nervoso: qualquer novidade o desinquieta.* **2.** Tirar do sossego; importunar, incomodar: *Aquela prolongada visita desinquietou os donos da casa.* **3.** *Desus.* Induzir ao mal; desencaminhar.

desinquieto [De *des-* + *inquieto.*] *Adj.* **1.** Inquieto, agitado, desassossegado. **2.** *Fam.* Traquinas, travesso, turbulento: *menino desinquieto.*

desinserido [Part. de *desinserir.*] *Adj.* Que se desinseriu.

desinserir [De *des-* + *inserir.*] *V. t. d.* Desfazer a inserção de.

desinsetização [De *desinsetizar* + *-ção.*] *S. f.* Ato, efeito, ou processo de desinsetizar.

desinsetizador (ô) [De *desinsetizar* + *-dor.*] *Adj. S. m.* Que, ou aquele que desinsetiza.

desinsetizar [De *des-* + *inseto* + *-izar.*] *V. t. d.* Eliminar os insetos de.

desinsofrido [De *des-* + *insofrido.*] *Adj.* Muito impaciente; inquieto, insofrido.

desinsofrimento [De *des-* + *insofrimento.*] *S. m.* Estado ou caráter de desinsofrido.

desintegração [De *desintegrar* + *-ção.*] *S. f.* **1.** Ato ou efeito de desintegrar(-se). **2.** *Fís. Nucl.* Processo, espontâneo ou provocado, em que um núcleo atômico emite uma partícula. ◆ **Desintegração alfa.** *Fís. Nucl.* Desintegração radioativa em que há emissão de uma partícula alfa. **Desintegração artificial.** *Fís. Nucl.* Desintegração radioativa provocada pela captura de uma partícula por um núcleo. **Desintegração beta.** *Fís. Nucl.* Desintegração radioativa em que há emissão de um elétron. **Desintegração espontânea.** *Fís. Nucl.* Desintegração natural. **Desintegração gama.** *Fís. Nucl.* Desintegração radioativa em que há emissão de raios gama. **Desintegração múltipla.** *Fís. Nucl.* Desintegração ramificada. **Desintegração natural.** *Fís. Nucl.* Desintegração radioativa de um núcleo atômico que é naturalmente instável; desintegração espontânea. **Desintegração ramificada.** *Fís. Nucl.* A que se pode realizar segundo diferentes reações de desintegração; desintegração múltipla.

desintegrador (ô) [De *desintegrar* + *-dor.*] *Adj. S. m.* Que, ou aquele ou aquilo que desintegra.

desintegrar [De *des-* + *integrar.*] *V. t. d.* **1.** Tirar a integração de; separar de um todo. **2.** Promover a desintegração (2) de. *T. d. e i.* **3.** Separar (de um todo): *Desintegrou do conjunto duas peças importantes.* **4.** Promover a desintegração (2). *P.* **5.** Perder a integridade; dividir-se; reduzir-se. **6.** Sofrer desintegração (2).

desinteirar [De *des-* + *inteirar.*] *V. t. d. Bras.* Tirar algumas unidades, uma parte, a (uma quantidade ou quantia certa, em números redondos, ou esp. reservada para algum fim): *Com os gastos do tratamento do filho desinteirou a quantia com que sonhava comprar uma casa.*

desinteiriçar-se [De *des-* + *inteiriçar* + *se*[1].] *V. p.* Deixar de estar teso, inteiriçado. [Conjug.: v. *laçar.*]

desinteligência [De *des-* + *inteligência*[1].] *S. f.* **1.** Divergência, desacordo. **2.** Inimizade, malquerença.

desintencional [De *des-* + *intencional.*] *Adj. 2 g.* Não intencional; involuntário.

desinterditar [De *des-* + *interditar.*] *V. t. d.* Levantar a interdição de: "O juiz .... desinterditou ontem a área do acidente" (*Jornal do Brasil,* 14.09.1982).

desinteressado [Part. de *desinteressar.*] *Adj.* **1.** Que não tem interesse; que se desinteressou. **2.** Que mostra isenção; desapaixonado; desprendido. **3.** Abnegado, desprendido.

desinteressante [De *des-* + *interessante.*] *Adj. 2 g.* Que não interessa; não interessante.

desinteressar [De *des-* + *interessar.*] *V. t. d. e i.* **1.** Privar do interesse, dos lucros: *Resolveram afastá-lo da diretoria e desinteressá-lo da firma. P.* **2.** Cessar de ter interesse: *Desinteressou-se do trabalho, passando-o a outra pessoa;* "Desinteressei-me do carro de bois, igual a outros já vistos" (Graciliano Ramos, *Infância,* p. 36). **3.** Não se importar; ser indiferente: *Desde que enviuvou, desinteressou-se de seu aspecto pessoal.* [Pres. subj.: *desinteresse, desinteresses,* etc. Cf. *desinteresse* (ê) e pl. *desinteresses* (ê).]

desinteresse (ê) [De *des-* + *interesse* (ê).] *S. m.* **1.** Falta de interesse. **2.** Abnegação, desprendimento; generosidade. **3.** Isenção, imparcialidade. [Pl.: *desinteresses* (ê). Cf. *desinteresse* e *desinteresses,* do v. *desinteressar.*]

desinteresseiro [De *des-* + *interesseiro.*] *Adj.* Que não é interesseiro; que tem ou mostra desinteresse.

desinternar [De *des-* + *internar.*] *V. t. d.* **1.** Fazer sair do interior. **2.** Tirar a qualidade de interno (4) a: *Mudando-se para a cidade, resolveu desinternar o filho.*

desintimidar [De *des-* + *intimidar.*] *V. t. d.* Fazer perder a timidez; animar.

desintoxicação (cs) [De *desintoxicar* + *-ção.*] *S. f.* **1.** Ato ou efeito de desintoxicar. **2.** *Med. Psiq.* Tratamento que se destina a eliminar os efeitos fisiológicos de uma droga, em dependentes. [Var.: *destoxificação.*]

desintoxicante (cs) [De *desintoxicar* + *-nte.*] *Adj. 2 g. Med.* Que desintoxica.

desintoxicar (cs) [De *des-* + *intoxicar.*] *V. t. d. Med.* **1.** Reduzir ou eliminar a atividade tóxica de (substância); destoxificar. **2.** V. *desenvenenar.* [Conjug.: v. *trancar.*]

desintricar [De *des-* + *intricar.*] *V. t. d.* Tornar claro, simples; desenredar, desemaranhar, esclarecer: *desintricar um mistério.* [Var.: *desintrincar.* Conjug.: v. *trancar.*]

desintrincar [De *des-* + *intrincar;* var. de *desintricar.*] *V. t. d.* V. *desintricar.* [Conjug.: v. *trancar.*]

desintumescer [De *des-* + *intumescer.*] *V. t. d.* **1.** Tirar ou reduzir a intumescência de; desinchar, descongestionar. *Int.* **2.** Perder a intumescência; desinchar-se. [Var.: *desentumecer.* Conjug.: v. *crescer.*]

desinvernar [De *des-* + *invernar*.] *V. int.* **1.** Deixar os quartéis de inverno. **2.** Perder (o tempo) a aspereza do inverno.

desinvestimento [De *desinvestir* + *-mento*.] *S. m. Econ.* Ato ou efeito de desinvestir (2 e 3).

desinvestir [De *des-* + *investir*.] ***V. t. d. e i.*** **1.** Tirar a investidura; destituir; exonerar: *Desinvestiram-no do cargo de ministro.* ***Int.*** **2.** *Econ.* Reduzir (uma empresa) seu capital, por perda ou venda de parte do ativo fixo, ou pela não reposição de bem de capital desgastado pelo uso. **3.** *P. ext.* Vender bens para custeio de gastos de consumo. [Irreg. Conjug.: v. *aderir*.]

desionizar [De *des-* + *íon* + *-izar*.] *V. t. d. Quím.* Eliminar (íons) de uma solução; deionizar.

desipnotizar [De *des-* + *hipnotizar*.] *V. t. d.* Fazer cessar o estado hipnótico em; fazer que deixe de estar hipnotizado: "Até que ficou decidido desipnotizar o senhor Valdemar. Vieram os passes e a uma pergunta de um dos assistentes, o paciente exclamou: | — Pelo amor de Deus! Depressa! Depressa! Faça-me dormir..." (Guilherme Figueiredo, *Cobras & Lagartos*, p. 107.)

desipotecar [De *des-* + *hipotecar*.] *V. t. d. Bras.* Levantar a hipoteca de. [Conjug.: v. *trancar*.]

desirmanado [Part. de *desirmanar*.] *Adj.* **1.** Separado de coisa ou pessoa com que estava emparelhado, irmanado; desunido. **2.** Não semelhante; desigual, diferente: *Não chegaram a acordo: seus pontos de vista eram desirmanados.*

desirmanar [De *des-* + *irmanar*.] *V. t. d.* **1.** Tornar desirmanado. ***P.*** **2.** Desavir-se (quebrando os laços de amizade ou fraternidade).

desirmão [De *des-* + *irmão*.] *Adj.* Desirmanado, desigual. [Flex.: *desirmã, desirmãos, desirmãs*.]

desiscar [De *des-* + *iscar*.] *V. t. d.* Tirar a isca a. [Conjug.: v. *trancar*.]

desistência [De *desistir* + *-ência*.] *S. f.* Ato ou efeito de desistir.

desistente [Do lat. *desistente*.] *Adj. 2 g.* Que desiste ou desistiu.

desistir [Do lat. *desistere*.] *V. t. i.* **1.** Não prosseguir (num intento); renunciar: "sentindo a inutilidade de meu esforço, desisti de lutar." (Josué Montelo, *A Noite sobre Alcântara*, p. 159); *A oposição dos correligionários levou-o a desistir da candidatura.* ***Int.*** **2.** Não prosseguir num intento; renunciar: *As ameaças têm-no abalado, mas ainda assim não desistiu.* **3.** *Bras. Pop.* V. *defecar* (5).

desistivo [De *desistir* + *-tivo*, com haplologia.] *Adj. Bras. Pop.* V. *purgante* (1).

desitivo [Do lat. *desitus*, 'que cessou', 'cessado', + *-ivo*.] *Adj. E. Ling.* ~ V. *verbo —*.

desjarretar [De *des-* + *jarretar*.] *V. t. d.* Cortar o jarrete a.

desjeito [De *des-* + *jeito*.] *S. m.* V. *desajeitamento*.

desjeitoso (ô) [De *des-* + *jeitoso*.] *Adj.* V. *desajeitado*.

desjejua [Dev. de *desjejuar*.] *S. f.* **1.** Ato de desjejuar. **2.** V. *desjejum*. [Sin. ger.: *dejejua*.]

desjejuar [De *des-* + *jejuar*.] ***V. int. P.*** **1.** Comer pela primeira vez no dia; quebrar o jejum: *Costuma desjejuar às 7 horas da manhã; Viajou sem se desjejuar.* ***T. d.*** **2.** Tirar o jejum a: *Não tem com que desjejuar o amigo.* [Sin. ger.: *dejejuar*.]

desjejum [De *des-* + *jejum*.] *S. m.* V. *café da manhã*.

desjuizar (u-i) *V. t. d.* V. *desajuizar*. [Conjug.: v. *ajuizar*.]

desjungir [De *des-* + *jungir*.] *V. t. d.* **1.** Desprender do jugo, da canga. **2.** *P. ext.* Desligar, desunir. [Sin. ger.: *dejungir*. Defect. Conjug.: v. *jungir*. Cf. *disjungir*.]

→**desktop** ['dɛsktạp] [Ingl., lit., 'tampo de mesa de trabalho'.] *S. m. Inform.* **1.** Microcomputador de mesa, não portátil. **2.** Interface gráfica (q. v.) básica de alguns sistemas operacionais, baseada numa analogia entre o ambiente apresentado na tela do computador e o espaço, objetos e procedimentos típicos numa mesa de trabalho. ◆ ***Desktop publishing.*** *Inform.* V. *editoração eletrônica*.

deslabiado [De *des-* + *lábio* + *-ado*^{1}.] *Adj. Bras.* Sem lábios.

deslaçamento [De *deslaçar* + *-mento*.] *S. m.* Ato ou efeito de deslaçar(-se).

deslaçar [De *des-* + *laçar*.] *V. t. d.* **1.** Desfazer o(s) laço(s) ou a(s) laçada(s) de; desenlaçar: "As roupas deslaçando, entra no banho / A lânguida sultana enamorada" (Gonçalves Crespo, *Obras Completas*, p. 215). **2.** Separar (o que estava enlaçado): *Deslaçou-lhe as mãos e beijou-as.* ***P.*** **3.** Soltar-se, desprender-se. [Cf. *deslassar*. Conjug.: v. *laçar*.]

deslacrar [De *des-* + *lacrar*.] *V. t. d.* Partir ou tirar (o lacre que fecha ou sela): "deslacrou esta carta, leu oito folhas de papel, e lançou-as ao braseiro" (Camilo Castelo Branco, *Carlota Ângela*, p. 62).

deslado [De *des-* + *lado*.] *S. m.* Parte lateral; banda, lado: "Não restava livre um só quarto. A deslado no Coburg-Hotel, tudo ocupado" (Aquilino Ribeiro, *Alemanha Ensanguentada*, p. 22).

desladrilhar [De *des-* + *ladrilhar*.] *V. t. d.* Tirar os ladrilhos de.

deslajeamento [De *deslajear* + *-mento*.] *S. m.* Ato ou efeito de deslajear.

deslajear [De *des-* + *lajear*.] *V. t. d.* Tirar ou arrancar as lajes de. [Conjug.: v. *frear*.]

deslambido *Adj. Bras.* **1.** Cínico, sem-vergonha. **2.** Sem graça, sem jeito; desenxabido, insulso, delambido.

deslanar [De *des-* + lat. *lana*, 'lã', + *-ar*^{2}.] *V. t. d.* Tosquiar a lã a.

deslanchar [Do fr. *déclencher*, com infl. de *lancha*.] ***V. int.*** *Bras. Pop.* **1.** Dar partida; partir: *O automóvel deslanchou.* **2.** Ir para a frente; ter andamento: *A transação estava emperrada, mas afinal deslanchou.* **3.** *P. ext.* Ir(-se) embora; ir(-se), partir, abalar. ***T. d.*** **4.** Fazer tomar impulso; fazer com que se desencadeie: *Tão logo tomou posse, deslanchou a campanha antiviolência, como prometera.*

deslapar [De *des-* + *lapa*^{1} + *-ar*^{2}.] *V. t. d.* Tirar da lapa.

deslassar [De *des-* + *lassar*.] *V. t. d.* Tornar lasso, frouxo; alargar. [Cf. *deslaçar*.]

deslastrador (ô) [De *deslastrar* + *-dor*.] *S. m.* Aquele que deslastra.

deslastrar [De *des-* + *lastrar*.] *V. t. d.* Tirar o lastro a; descarregar do lastro; deslastrear.

deslastre [Dev. de *deslastrar*.] *S. m.* Ação de deslastrar; deslastro.

deslastrear [De *des-* + *lastrear*.] *V. t. d.* Deslastrar. [Conjug.: v. *frear*.]

deslastro [Dev. de *deslastrar*.] *S. m.* Deslastre.

deslavadamente [Do f. de *deslavado* + *-mento*.] *Adv.* De maneira deslavada; com deslavamento.

deslavado [Part. de *deslavar*.] *Adj.* **1.** Desbotado, descolorido. **2.** Descarado, atrevido, petulante. ~ V. *mentira —a*.

deslavamento [De *deslavar* + *-mento*.] *S. m.* **1.** Ato ou efeito de deslavar; desbotamento. **2.** *Fig.* Descaro, atrevimento.

deslavar [De *des-* + *lavar*.] *V. t. d.* **1.** Fazer perder a cor; fazer desbotar; destingir, descolorir. **2.** *Fig.* Tornar descarado, atrevido, sem-vergonha: desavergonhar: *As más companhias deslavaram-no.* **3.** Tornar insulso ou insípido.

deslavrar [De *des-* + *lavrar*.] *V. t. d.* Tornar a lavrar.

desleal [De *des-* + *leal*.] *Adj. 2 g.* **1.** Falto de lealdade; falso, traidor, infiel: *amigo desleal.* **2.** Que revela deslealdade: *ação, procedimento desleal.* [Sin., (p. us.): *deslealdoso*. Pl.: *desleais*. Cf. *desliais*, do v. *desliar*.]

deslealdade [De *des-* + *lealdade*.] *S. f.* **1.** Falta de lealdade; falsidade, traição. **2.** Qualidade de quem é desleal. **3.** Ato desleal.

deslealdar [De *deslealdade* + *-ar*^{2}, com haplologia.] *V. t. d.* Ser desleal a; tratar com deslealdade; trair.

deslealdoso (ô) [De *des-* + *lealdoso*.] *Adj. P. us.* V. *desleal*.

deslealmente [De *desleal* + *-mente*.] *Adv.* De maneira desleal; com deslealdade.

deslegitimar [De *des-* + *legitimar*.] *V. t. d.* Tirar a qualidade de legítimo a; excluir a legitimidade de.

desleita [Dev. de *desleitar*.] *S. f.* Ação de desleitar; desleitagem, desmama.

desleitagem [De *desleitar* + *-agem*^{2}.] *S. f.* **1.** V. *desleita*. **2.** Operação de separar o leite da manteiga.

desleitar [De *des-* + *leite* + *-ar*^{2}.] *V. t. d.* **1.** Tirar o leite a; desmamar. **2.** *Bras. BA* Ordenhar, mungir.

desleixação [De *desleixar* + *-ção*.] *S. f.* V. *desleixamento*.

desleixado [Part. de *desleixar*.] *Adj. S. m.* Descuidado; negligente.

desleixamento [De *desleixar* + *-mento*.] *S. m.* Ato ou efeito de desleixar(-se); desleixação, desleixo.

desleixar [De *des-* + *leixar*.] *V. t. d.* **1.** Descurar, descuidar: *desleixar a aparência pessoal.* ***P.*** **2.** Tornar-se negligente; descuidar-se.

desleixo [Dev. de *desleixar*.] *S. m.* V. *desleixamento*.

deslembrado [Part. de *deslembrar*.] *Adj.* **1.** Esquecido, desmemoriado: *Com a idade, ele, de tão boa memória, tornou-se deslembrado.* **2.** Que foi objeto de esquecimento; esquecido, olvidado: *Tão festejado quando poderoso, hoje vive deslembrado;* "duma harpa antiga / As deslembradas cordas" (Gonçalves Dias, *Obras Poéticas*, II, p. 101).

deslembrança [De *des-* + *lembrança*.] *S. f.* Falta de lembrança; esquecimento.

deslembrar [De *des-* + *lembrar*.] *V. t. d.* **1.** Não lembrar; esquecer. **2.** Omitir, por esquecimento: *Não foi convocado por lhe haverem deslembrado o nome.* ***P.*** **3.** Esquecer-se, olvidar-se.

deslembrativo [De *deslembrar* + *-tivo*.] *Adj.* **1.** Que faz deslembrar. **2.** Que revela esquecimento.

deslendear [De *des-* + *lêndea* + *-ar*^{2}.] *V. t. d.* Tirar as lêndeas de. [Conjug.: v. *frear*.]

desliar [De *des-* + *liar*.] *V. t. d.* Desligar; separar; desatar. [Pres. ind.: *deslio, ... desliamos, desliais, desliam*. Cf. *desleais*, pl. de *desleal*.]

desligadão [De *desligado* + *-ão*^{1}.] *S. m. Fam.* Indivíduo muito desligado (4). [Fem.: *desligadona*.]

desligado [Part. de *desligar*.] *Adj.* **1.** Separado, desunido, desprendido. **2.** Afastado, longe, distante: *Separou-se de todos, vive desligado.* **3.** *Pop.* Voltado para si mesmo ou para suas ocupações; que se abstrai, que se alheia. **4.** *Pop.* Aéreo, desatento, distraído: *Não repara em nada, é um sujeito completamente desligado;* "Lia sem ler, desligado." (Oto Lara Resende, *As Pompas do Mundo*, p. 37). ● *S. m.* **5.** Indivíduo desligado (4).

desligadona *S. f.* Fem. de *desligadão*.

desligador (ô) [De *desligar* + *-dor*.] *Adj.* **1.** Que desliga. ● *S. m.* **2.** Aquele ou aquilo que desliga. ◆ **Desligador da pressão.** *Tip.* Salva-folhas.

desligadura [De *desligar* + *-dura*.] *S. f. P. us.* V. *desligamento*.

desligamento [De *desligar* + *-mento*.] *S. m.* **1.** Ato ou efeito de desligar(-se). **2.** Falta de ligação ou nexo. **3.** Distância, afastamento: *É notório o seu atual desligamento dos fatos cotidianos.* [Sin. ger. (p. us.): *desligadura*.]

desligar [De *des-* + *ligar*^{2}.] *V. t. d.* **1.** Separar (o que estava ligado); desatar; desprender; soltar. **2.** Separar, desunir, desajuntar, apartar: "logo que eu houver feito de vós ambos uma só pessoa, nenhum outro poder vos desligará mais." (Machado de Assis, *Páginas Recolhidas*, p. 103); *Um desentendimento à toa desligou-os.* **3.** Despedir, demitir; exonerar: *Desligaram-no por mau cumprimento de sua função.* **4.** Interromper a alimentação (5) de (aparelho elétrico). ***T. d. e i.*** **5.** Soltar, desprender, desatar: *Desligaram-no das algemas.* **6.** Desobrigar; libertar: *Desligaram o sacerdote do voto.* ***P.*** **7.** Desatar-se, desprender-se, soltar-se. **8.** Separar-se; afastar-se: *desligar-se de um partido; desligar-se de um amigo.* **9.** Desobrigar-se, livrar-se. **10.** *Gír.* Esquecer-se de, ou deixar de pensar em algo penoso ou problemático. [Conjug.: v. *largar*.]

deslindação [De *deslindar* + *-ção*.] *S. f.* Ato ou efeito de deslindar; deslindamento, deslinde.

deslindador (ô) [De *deslindar* + *-dor*.] *Adj. S. m.* Que, ou aquele que deslinda.

deslindamento [De *deslindar* + *-mento*.] *S. m.* V. *deslindação*.

deslindar [De *des-* + *lindar*.] *V. t. d.* **1.** Estabelecer a demarcação de; demarcar; estremar, lindar: *deslindar uma propriedade.* **2.** Desenredar, destrinçar, aclarar: *deslindar um mistério.* **3.** Investigar, esmiuçar. **4.** Apurar, descobrir (coisa difícil ou complicada). ***T. d. e i.*** **5.** Separar, apartar: *Conseguiu, enfim, deslindar a realidade da fantasia.*

deslindável [De *deslindar* + *-vel*.] *Adj. 2 g.* Que se pode deslindar.

deslinde [Dev. de *deslindar*.] *S. m.* V. *deslindação*.

deslinguado [Part. de *deslinguar*.] *Adj.* **1.** Sem língua. **2.** Solto da língua; falador, loquaz. **3.** Inconveniente no falar; desbocado. ● *S. m.* **4.** Aquele a que se tirou a língua (1).

deslinguar [De *des-* + *língua* + *-ar*^{2}.] *V. t. d.* **1.** Tirar a língua a; privar da língua. ***P.*** **2.** *Fig.* Falar muito e sem acanhamento; desbocar-se. [Conjug.: v. *averiguar*.]

deslisar [De *des-* + *liso* + *-ar*^{2}.] *V. t. d. P. P. us.* Tornar(-se) liso, plano; alisar(-se): "ora carregando o sobrolho, ora deslisando as rugas da fronte, repreendia ou aprovava com eloquência muda os primores ou as imperfeições do artífice" (Alexandre Herculano, *Lendas e Narrativas*, I, p. 234); "duas rugas que lhe desciam da fronte e se uniam entre os sobrolhos, contraindo-se e deslisando-se rapidamente" (Id., *ib.*, p. 87). [Pres. subj.: *deslise*, etc. Cf. *deslizar* e *deslize*.]

deslisura [De *des-* + *lisura*.] *S. f.* Falta de lisura (3).

deslizadeiro [De *deslizar* + *-deiro*.] *S. m.* V. *resvaladouro* (1, 2, 3 e 5).

deslizador (ô) [De *deslizar* + *-dor*.] *Adj.* **1.** Deslizante (1). ~ V. *matriz —a*. ● *S. m.* **2.** Aquele que desliza. **3.** *Bras.* Prancha presa a uma embarcação, com a qual se desliza sobre a água. **4.** Barco de pequeno calado, que se usa nos rios de MT.

deslizamento [De *deslizar* + *-mento*.] *S. m.* V. *deslize* (1 e 2).

deslizante [De *deslizar* + *-nte*.] *Adj. 2 g.* **1.** Que desliza; deslizador. **2.** Em que se desliza; escorregadiço, escorregadio: *chão deslizante.* ~ V. *vetor —*.

deslizar [De or. obscura.] *V. int.* **1.** Escorregar brandamente; derivar com suavidade; resvalar: "Saudade! Olhar de minha mãe rezando / E o pranto lento deslizando em fio..." (Da Costa e Silva, *Sangue*, p. 41.) **2.** Cometer deslize(s), falha(s); afastar-se do bom caminho: *É homem íntegro, nunca deslizou.* ***T. i.*** **3.** Afastar-se pouco a pouco; desviar-se: *Com o tempo, deslizou de suas antigas crenças.* **4.** Decorrer; passar: *O ano deslizara por entre acontecimentos felizes.* ***T. d.*** **5.** Passar em silêncio sobre; omitir: *Como a conversa se prolongava, deslizaram vários itens.* ***T. c.*** **6.** Deslizar (1): *Os esquiadores deslizavam monta-*

nha abaixo. ***T. d. e c.*** **7.** Fazer mover-se; conduzir: *Deslizava os dedos pelo piano.* ***Pred.*** **8.** Deslizar (1): *O trenó deslizava macio.* ***P.*** **9.** Escorregar de manso; passar de leve: "Sobre nuvem de perfumes / Te deslizas sonoroso" (Bernardo Guimarães, *Poesias Completas*, p. 21). **10.** Desviar-se, afastar-se. [Cf. *deslisar*.]

deslize [Dev. de *deslizar*.] ***S. m.*** **1.** Ato ou efeito de deslizar; deslizamento. **2.** Escorregadela, deslizamento. **3.** Desvio do bom caminho; falha, falta. **4.** Quebra do bom procedimento; desaire. **5.** Engano involuntário; lapso. [Cf. *deslise*, do v. *deslisar*.]

deslocação [De *deslocar* + *-ção*.] ***S. f.*** **1.** V. *deslocamento*. **2.** *Lus. Fut.* V. *impedimento* (4).

deslocado [Part. de *deslocar*.] ***Adj.*** **1.** Que mudou ou está fora do seu lugar. **2.** Luxado, desarticulado. **3.** Fora de propósito.

deslocador (ô) [De *deslocar* + *-dor*.] ***Adj.*** Que desloca.

deslocalização [De *des-* + *localização*.] ***S. f. Quím.*** Numa molécula, dispersão, por vários átomos, de carga elétrica, de elétron, ou de uma ligação.

deslocalizado [De *des-* + *localizado*.] ***Adj. Quím.*** ~ V. *ligação —a*.

deslocamento [De *deslocar* + *-mento*.] ***S. m.*** **1.** Ato ou efeito de deslocar(-se). **2.** Mudança de um lugar para outro. **3.** Mudança de direção; desvio: *deslocamento de ar.* **4.** Desarticulação de osso; luxação. **5.** *Constr. Nav.* Peso da água deslocada pela embarcação flutuando em águas tranquilas, o qual, de acordo com o princípio de Arquimedes, é igual ao peso da própria embarcação. [Cf. *tonelagem de arqueação*.] **6.** *Mec.* Cilindrada (2). [Sin. ger.: *deslocação*.] ◆ **Deslocamento Compton.** *Fís.* No efeito Compton, diferença entre o comprimento de onda dos fótons espalhados e o dos fótons iniciais. **Deslocamento Doppler.** *Fís.* Deslocamento Doppler-Fizeau. **Deslocamento Doppler-Fizeau.** *Fís.* Diferença entre a frequência de uma onda emitida por uma fonte e a frequência da mesma onda recebida por um observador quando existe um movimento relativo entre a fonte emissora e o observador. [Tb. se diz apenas *deslocamento Doppler*.] **Deslocamento einsteiniano.** *Fís.* Diminuição da frequência de uma onda eletromagnética quando ela passa num campo gravitacional intenso. **Deslocamento elétrico.** *Eletr.* V. *densidade de fluxo elétrico*. **Deslocamento para o azul.** *Quím.* Efeito hipsocrômico (q. v.). [Cf. *desvio para o azul*.] **Deslocamento para o vermelho.** *Quím.* Efeito batocrômico (q. v.). [Cf. *desvio para o vermelho*.] **Deslocamento químico.** Medida do efeito de um campo magnético sobre a frequência da radiação eletromagnética absorvida por certos núcleos atômicos. **Deslocamento radioativo.** *Fís. Nucl.* Modificação do lugar ocupado por um nuclídeo radioativo na classificação periódica dos elementos em consequência da desintegração.

deslocar [De *des-* + lat. *locare*, 'colocar'.] ***V. t. d.*** **1.** Tirar do lugar em que se encontrava: *Deslocou a estante que estorvava a passagem.* **2.** Fazer mudar de lugar; afastar; desviar: *A baleia movia-se deslocando enorme massa de água.* **3.** Afastar do lugar onde se encontrava; transferir: *deslocar um funcionário.* **4.** Desconjuntar, desarticular; luxar: *Com a queda deslocou o pé.* **5.** Transferir (6): *Adoentado, deslocou a cerimônia da posse.* ***P.*** **6.** Desconjuntar-se, desarticular-se. **7.** Desprender-se, despegar-se: *Deslocou-se da montanha enorme bloco de pedra.* [Cf. *desloucar*. Conjug.: v. *trancar*.]

deslodar [De *des-* + *lodo* (ô) + *-ar*[2].] ***V. t. d.*** Limpar do lodo.

deslograr [De *des-* + *lograr*.] ***V. t. d.*** Não lograr; deixar de lograr.

deslombado [Part. de *deslombar*.] ***Adj.*** **1.** Derreado com pancadas; espancado. **2.** Vencido, abatido, derrotado.

deslombar [De *des-* + *lombo* + *-ar*[2].] ***V. t. d.*** **1.** Derrear os lombos de, com pancadas; bater muito em. **2.** *Fig.* Abater, vencer: *Deslombou o candidato concorrente com uma bela defesa de tese.*

desloucar ***V. t. d.*** Gradar (a terra) ligeiramente. [Cf. *deslocar*. Conjug.: v. *trancar*.]

deslouvado [Part. de *deslouvar*.] ***Adj.*** Não louvado; desgabado, depreciado: "Não faltaram aqui os cireneus para a cruzada higiênica – dedicações desveladas e deslouvadas se mostraram e continuam" (Ricardo Jorge, *Sermões dum Leigo*, p. 289).

deslouvar [De *des-* + *louvar*.] ***V. t. d.*** Desgabar; depreciar.

deslouvor (ô) [De *des-* + *louvor*.] ***S. m.*** Ausência de louvor; desaplauso, depreciação.

deslumbrado [Part. de *deslumbrar*.] ***Adj.*** **1.** Que tem ou teve deslumbramento. ● ***S. m.*** **2.** *Bras. Gír.* Pessoa que se deslumbra [v. *deslumbrar* (7)], que se entusiasma facilmente por qualquer coisa.

deslumbrador (ô) [De *deslumbrar* + *-dor*.] ***Adj.*** **1.** V. *deslumbrante*. ● ***S. m.*** **2.** Aquele que deslumbra, que fascina.

deslumbradoramente [Do f. de *deslumbrador* + *-mente*.] ***Adv.*** De modo deslumbrador; deslumbrantemente: "E nuas, deslumbradoramente nuas, ... começam [as três graças atenienses], voluptuosamente, modulando nas flautas geminadas, a dançar o calínico" (Martins Fontes, *A Dança*, pp. 12-13).

deslumbramento [De *deslumbrar* + *-mento*.] ***S. m.*** **1.** Ato ou efeito de deslumbrar(-se). **2.** *Fig.* Fascinação, encanto, maravilha. **3.** *Fig.* Cegueira, obcecação.

deslumbrante [De *deslumbrar* + *-nte*.] ***Adj. 2 g.*** **1.** Que deslumbra, ofusca; ofuscante. **2.** *P. ext.* Luxuoso, suntuoso. [Sin. ger.: *deslumbrador*, *deslumbrativo*.]

deslumbrantemente [De *deslumbrante* + *-mente*.] ***Adv.*** Deslumbradoramente.

deslumbrar [Do esp. *deslumbrar*.] ***V. t. d.*** **1.** Ofuscar ou turvar a vista de, pela muita luz ou pelo brilho excessivo; encandear; translumbrar: *O sol fortíssimo deslumbrou-a*; "Enfunando os papos, / Saem da penumbra, / Aos pulos, os sapos. / A luz os deslumbra." (Manuel Bandeira, *Estrela da Vida Inteira*, p. 51.) **2.** Perturbar o entendimento de: *A audácia do inimigo deslumbrou-o a ponto de não entender toda a extensão dela.* **3.** Causar assombro a; maravilhar, fascinar: *A pompa do espetáculo deslumbrou-o.* **4.** Seduzir; fascinar: *As vantagens oferecidas pelo magnata deslumbraram-no.* ***Int.*** **5.** Causar deslumbramento: *Sua beleza deslumbra.* **6.** Ofuscar ou turvar a vista; translumbrar. ***P.*** **7.** Deixar-se fascinar ou seduzir.

deslumbrativo [De *deslumbrar* + *-tivo*.] ***Adj.*** V. *deslumbrante*.

deslustrador (ô) [De *deslustrar* + *-dor*.] ***Adj.*** **1.** Que tira o lustre, que deslustra. **2.** *Fig.* Que desdoura, deslustra, desonra. ● ***S. m.*** **3.** Aquele ou aquilo que tira o lustre.

deslustrar [De *des-* + *lustrar*.] ***V. t. d.*** **1.** Tirar ou diminuir o lustre de; embaciar, despolir. **2.** Empanar, obscurecer; desluzir: *Sua beleza deslustra as demais.* **3.** Infamar, macular, desonrar; desacreditar, conspurcar: *Tal infâmia deslustra um nome.* ***P.*** **4.** Perder o lustre ou o brilho. **5.** Poluir-se; macular-se; conspurcar-se.

deslustre [Dev. de *deslustrar*.] ***S. m.*** **1.** Ato ou efeito de deslustrar. **2.** Desdouro, descrédito, desonra. [F. paral.: *deslustro*.]

deslustro [Dev. de *deslustrar*.] ***S. m.*** V. *deslustre*.

deslustroso (ô) [De *des-* + *lustroso* (ô).] ***Adj.*** **1.** Falto de lustre. **2.** Que deslustra.

desluzido [Part. de *desluzir*.] ***Adj.*** **1.** Que não tem brilho; embaciado. **2.** Minguado no peso ou na medida. **3.** *Fig.* Depreciado, apagado, modesto: "Pela terceira vez estou entre vós, ... a encher quinze minutos de vossa reunião semanal com a minha desluzida palavra." (Téu Brandão, *Folclore de Alagoas*, p. 16.)

desluzimento [De *desluzir* + *-mento*.] ***S. m.*** **1.** Qualidade ou estado de desluzido. **2.** *Fig.* Vergonha, opróbrio.

desluzir [De *des-* + *luzir*.] ***V. t. d.*** **1.** Tirar a luz, o brilho, a; deslustrar: *A ação do tempo desluz as cores.* **2.** Apagar, extinguir: *desluzir suspeitas.* **3.** Empanar, obscurecer; deslustrar; embaciar. **4.** Diminuir o mérito a; depreciar, menoscabar, desdourar: *Certas revelações vieram desluzir a memória do estadista.* **5.** Tirar a luz, o entendimento, a; perturbar, desvairar. ***P.*** **6.** Perder o brilho, a luz; ofuscar-se. [Conjug.: v. *aduzir*.]

▲**-desma** V. *desm(o)-*.

desmacular [De *des-* + *macular*.] ***V. t. d.*** Tirar as manchas ou máculas a.

desmadeiramento [De *desmadeirar* + *-mento*.] ***S. m.*** Corte de madeiras praticado em floresta.

desmadeirar [De *des-* + *madeira* + *-ar*[2].] ***V. t. d.*** V. *desflorestar*.

desmagnetização [De *desmagnetizar* + *-ção*.] ***S. f.*** **1.** Ato de desmagnetizar (1). **2.** *Fís.* Eliminação do campo magnético de uma amostra magnetizada. ◆ **Desmagnetização adiabática.** *Fís.* Desmagnetização de uma substância paramagnética, realizada em condições adiabáticas. [Quando efetuada em temperaturas baixas, provoca intenso resfriamento da substância desmagnetizada.]

desmagnetizado [Part. de *desmagnetizar*.] ***Adj.*** Em que se operou desmagnetização.

desmagnetizador (ô) [De *desmagnetizar* + *-dor*.] ***S. m.*** Instrumento com que se desmagnetizam corpos magnetizados.

desmagnetizar [De *des-* + *magnetizar*.] ***V. t. d.*** **1.** Subtrair à ação magnética. **2.** Proceder à desmagnetização de.

desmagnetizável [De *desmagnetizar* + *-vel*.] ***Adj. 2 g.*** Que se pode desmagnetizar.

desmaiado [Part. de *desmaiar*.] ***Adj.*** **1.** Que tem pouca viveza ou brilho; esmaecido, pálido, desbotado. **2.** Que perdeu os sentidos; desfalecido, amortecido.

desmaiar [De *esmaiar*, com mudança de pref.] ***V. t. d.*** **1.** Fazer perder a cor; descorar; desbotar: *A velhice desmaiou-lhe a pele.* **2.** Empanar, deslustrar: *Pequenos defeitos não chegam a desmaiar seu excelente caráter.* ***Int. P.*** **3.** Perder a cor; descorar, desbotar: "Vivo há pouco, de púrpura, sangrento, / Desmaia agora o ocaso." (Olavo Bilac, *Poesias*, p. 94.) **4.** Perder os sentidos; desfalecer, esmorecer: *A dor, intensíssima, fê-lo desmaiar.* **5.** Perder ou diminuir o brilho; obscurecer-se: "Desmaiavam no azul as últimas estrelas..." (Guimarães Passos, *Versos de um Simples*, p. 1); "E o meu olhar se desmaia, / Transido de te buscar." (Manuel Bandeira, *Estrela da Vida Inteira*, p. 26.) ***T. i.*** **6.** Desistir por desânimo ou desalento: *desmaiar de uma resolução.* [Sin. ger. (p. us.): *esmaiar*. Como pronominal, só é us. em ling. literária.]

desmaio [Dev. de *desmaiar*.] ***S. m.*** **1.** Perda das forças, dos sentidos; desfalecimento. **2.** V. *síncope* (1). **3.** Abatimento, desânimo, desalento. **4.** Desvanecimento de cor, de brilho.

desmalhar [De *des-* + *malha*[1] + *-ar*[2].] ***V. t. d.*** Tirar as malhas a.

desmalicioso (ô) [De *des-* + *malicioso*.] ***Adj.*** Que não tem, ou em que não há malícia: *um rapaz desmalicioso; maneiras desmaliciosas.*

desmama [Dev. de *desmamar*.] ***S. f.*** Ação de desmamar; desmame, desleita.

desmamado [Part. de *desmamar*.] ***Adj.*** Que se desmamou; exúbere.

desmamar [De *des-* + *mama* + *-ar*[2].] ***V. t. d.*** **1.** Apartar do leite; desleitar. **2.** Fazer perder o costume de mamar. [Sin. ger.: *desamamentar*, *desaleitar*.]

desmame [Dev. de *desmamar*.] ***S. m.*** V. *desmama*.

desmanar [Do esp. *desmanar*, poss.] ***V. t. d.*** **1.** Separar da manada; tresmalhar. ***P.*** **2.** Desgarrar-se, tresmalhar-se.

desmancha [Dev. de *desmanchar*.] ***S. f. Bras.*** **1.** Desmancho (1). **2.** Operação de reduzir a mandioca a farinha, da raspagem ao forno; farinhada.

desmanchadão [De *desmanchado* + *-ão*[1].] ***Adj. S. m.*** *Fam.* Diz-se de, ou indivíduo desajeitado, desmazelado. [Fem.: *desmanchadona*.]

desmanchadiço ***Adj.*** Que se desmancha com facilidade.

desmanchado [Part. de *desmanchar*.] ***Adj.*** Que se desmanchou.

desmanchadona ***S. f.*** Fem. de *desmanchadão*.

desmancha-dúvidas [De *desmanchar* + o pl. de *dúvida*.] ***S. m. 2 n. Fam.*** V. *dicionário* (2).

desmancha-prazeres [De *desmanchar* + o pl. de *prazer*.] ***S. 2 g. e 2 n. Fam.*** Pessoa que estorva divertimento ou prazer alheio. [Sin., no RS: *trompeta*.]

desmanchar [Do fr. ant. *desmancher* (atual *démancher*).] ***V. t. d.*** **1.** Desfazer (1 e 2): *desmanchar o penteado; desmanchar uma costura.* **2.** Tornar sem efeito; anular, desfazer; revogar, rescindir: *desmanchar um compromisso; desmanchar um contrato.* **3.** Destruir, demolir: *desmanchar uma parede.* **4.** Frustrar, baldar: *desmanchar um conluio.* **5.** *Bras.* Reduzir (a mandioca) a farinha. ***P.*** **6.** Alterar-se, desarranjar-se; inutilizar-se; desfazer-se. **7.** Ter atitudes, modos ou gestos não muito corretos ou elegantes, no andar, no falar, etc. **8.** Descomedir-se, desregrar-se.

desmancha-samba [De *desmanchar* + *samba*[1].] ***S. f.*** **1.** *Bras. Pop.* V. *cachaça* (1). ● ***S. m.*** **2.** *Bras. CE Pop.* Desmancha-sambas (q. v.). [Pl.: *desmancha-sambas*.]

desmancha-sambas [De *desmanchar* + o pl. de *samba*[1].] ***S. m. 2 n.*** *Bras. CE Pop.* V. *valentão* (3). [F. paral.: *desmancha-samba*.]

desmanche ***S. m.*** *Bras. Gír.* Oficina clandestina onde automóveis, ger. roubados ou furtados, são desmontados, para venda de suas peças.

desmancho [Dev. de *desmanchar*.] ***S. m.*** **1.** Ato ou efeito de desmanchar(-se); desmancha. **2.** Desarranjo, transtorno. **3.** *P. us.* Desregramento, descomedimento. **4.** *Fam.* V. *aborto* (1). **5.** *Bras.* Negócio malogrado.

desmandar [De *des-* + *mandar*.] ***V. t. d.*** **1.** *P. us.* Mandar o contrário de (o que se tinha mandado); contramandar, contraordenar. **2.** Tirar o mando a; privar do mando. ***P.*** **3.** Não cumprir o que se ordenou; transgredir ordens. **4.** Exceder-se, descomedir-se, desmedir-se: *Era moderado no beber, mas, ultimamente, desmandou-se.* **5.** Tornar-se dissoluto; desregrar-se.

desmandibular [De *des-* + *mandíbula* + *-ar*[2].] ***V. t. d.*** **1.** Tirar a mandíbula a. **2.** Fazer abrir exageradamente a boca a (alguém) por espanto ou admiração. ***P.*** **3.** Abrir muito a boca: "foi-nos encarando um por um e desmandibulou-se num riso imenso e prenunciador de catástrofes." (Pedro Nava, *Chão de Ferro*, p. 11).

desmando [Dev. de *desmandar*.] ***S. m.*** **1.** Ato ou efeito de desmandar(-se). **2.** Ato de indisciplina; transgressão de ordens; desobediência. **3.** Excesso; abuso; desregramento.

desmanear [Do esp. plat. *desmanear.*] *V. t. d. Bras. RS* Tirar a maneia de (animal). [Conjug.: v. *frear.*]

desmangolado *Adj. Bras. N.E. Pop.* Malfeito de corpo; desajeitado.

desmanivado [Part. de *desmanivar.*] *Adj. Bras. N. N.E. Fig.* Extravagante, adoidado, estroina.

desmanivar [De *des-* + *maniva* + *-ar*[2].] *V. t. d. Bras. N. N.E.* **1.** Aparar a rama de (a mandioca) com o fim de melhorar o produto. **2.** Desembaraçar (um negócio). **3.** Vencer (uma dificuldade). **4.** Dissipar; desbaratar.

desmantelado [Part. de *desmantelar.*] *Adj.* **1.** Derribado, demolido, arruinado: *Casas desmanteladas empobreciam a paisagem verdejante do vale.* **2.** Desaparelhado, desmastreado (o navio). **3.** Desarranjado, desmanchado, desconsertado.

desmantelador (ô) [De *desmantelar* + *-dor.*] *Adj. S. m.* Que, ou aquele que desmantela, destrói, quebra, desorganiza.

desmantelamento [De *desmantelar* + *-mento.*] *S. m.* Ato ou efeito de desmantelar(-se); desmantelo.

desmantelar [De *des-* + *mantel* + *-ar*[2].] *V. t. d.* **1.** Demolir, arruinar, derribar (muralha, fortificação, parede, etc.). **2.** Separar as peças de, desarranjando o todo: *desmantelar um relógio; O guri desmantelou o brinquedo.* **3.** Desorganizar, desarranjar; transtornar: *A antecipação de sua chegada desmantelou os meus planos. P.* **4.** Vir abaixo; desmoronar-se, ruir: *A parede desmantelou-se com as chuvas.* [Pres. ind.: *desmantelo*, etc. Cf. *desmantelo* (ê).]

desmantelo (ê) [Dev. de *desmantelar.*] *S. m.* **1.** Desmantelamento. **2.** *Bras. CE Pop.* A época das regras da mulher. **3.** *Bras. CE Pop.* Afecção ou enfermidade genital feminina. [Pl.: *desmantelos* (ê). Cf. *desmantelo*, do v. *desmantelar* e *desmastreio* (1 e 2).]

desmanto [De *desm(o)-* + *-anto.*] *S. m. Bot.* V. *carrapicho* (3).

desmarcado [Part. de *desmarcar.*] *Adj.* **1.** Fora das marcas. **2.** Desmedido, enorme: "Um velho vi, que andava passeando, / De desmarcada e incógnita estatura" (Manuel de Santa Maria Itaparica, *ap.* Sérgio Buarque de Holanda, *Antologia dos Poetas Brasileiros da Fase Colonial*, I, p. 167). **3.** Descompassado, irregular. **4.** Revogado, desfeito; cancelado: *encontro desmarcado.*

desmarcar [De *des-* + *marcar.*] *V. t. d.* **1.** Tirar as marcas a. **2.** Tirar os marcos a. **3.** Tornar enorme, desmedido. **4.** Revogar, cancelar, anular, desfazer (compromisso). **5.** Transferir, adiar (compromisso, solenidade): *Despedido do emprego, desmarcou o casamento.* [Conjug.: v. *trancar.*]

desmarcializar [De *des-* + *marcializar.*] *V. t. d.* Tirar o caráter marcial a.

desmarear [De *des-* + *marear.*] *V. t. d.* **1.** Tirar as manchas a (objetos de metal). *P.* **2.** *Ant. Marinh.* Perder (o navio) o governo, à falta de mareação adequada. [Conjug.: v. *frear.*]

desmarginar [De *des-* + *marginar.*] *V. t. d.* Cortar ou mutilar a margem ou margens de.

desmascaramento [De *desmascarar* + *-mento.*] *S. m.* Ato ou efeito de desmascarar(-se).

desmascarar [De *des-* + *mascarar.*] *V. t. d.* **1.** Descobrir, tirando a máscara: *Desmascarou o rosto e deu-se a conhecer.* **2.** Tirar a máscara a: *Desmascararam o bandido para identificá-lo.* **3.** Desmoralizar, revelando os desígnios ocultos de: *A oposição desmascarou o candidato a prefeito.* **4.** Dar a conhecer, tornar patente, descobrir (coisa que se ocultava): *A polícia pôde, finalmente, desmascarar o criminoso. P.* **5.** Tirar a si mesmo a máscara. **6.** Dar-se a conhecer tal qual é; revelar os próprios desígnios.

desmasia *S. f. Ant. Pop.* Demasia.

desmastrar [De *des-* + *mastro* + *-ar*[2].] *V. t. d. P.* Desmastrear.

desmastreado [Part. de *desmastrear.*] *Adj.* **1.** A que se tiraram os mastros, ou que os perdeu. **2.** Sem rumo, ou orientação; desorientado, desarvorado.

desmastreamento [De *desmastrear* + *-mento.*] *S. m.* Ato ou efeito de desmastrear(-se).

desmastrear [De *des-* + *mastrear.*] *V. t. d.* **1.** Tirar os mastros a; desaparelhar. *P.* **2.** Perder os mastros. [Sin.: *desmastrar.* Conjug.: *frear.*]

desmastreio [Dev. de *desmastrear.*] *S. m. Bras. Pop.* **1.** Irregularidade menstrual. **2.** Distúrbios do sistema geniturinário da mulher. [Cf., nessas acepçs., *desmantelo* (2 e 3).] **3.** Estorvo inesperado; contratempo.

desmatador (ô) [De *desmatar* + *-dor.*] *Adj. S. m.* Diz-se de, ou aquele ou aquilo que desmata; desflorestador.

desmatamento [De *desmatar* + *-mento.*] *S. m. Bras.* Ato ou efeito de desmatar; desflorestamento, desmate.

desmatar [De *des-* + *mato* + *-ar*[2].] *V. t. d. Bras.* V. *desflorestar.*

desmate [Dev. de *desmatar.*] *S. m.* V. *desmatamento.*

desmaterialização [De *desmaterializar* + *-ção.*] *S. f.* **1.** Ato ou efeito de desmaterializar(-se). **2.** *Fís. Nucl.* Processo em que uma partícula interage com a sua antipartícula e o par se transforma em energia; aniquilação, aniquilamento.

desmaterializado [Part. de *desmaterializar.*] *Adj.* Que se desmaterializou.

desmaterializar [De *des-* + *materializar.*] *V. t. d.* **1.** Tornar imaterial; imaterializar. *P.* **2.** Perder a forma material.

desmazelado [Do ant. *desmazalado* < *des-* + hebr. *mazzal*, 'estrela', 'destino', 'sorte', + *-ado*[1], com infl. de *mazela.*] *Adj.* **1.** Descuidado, desleixado, negligente. **2.** *Pop.* Adoentado, enfezado; raquítico. • *S. m.* **3.** Indivíduo desmazelado.

desmazelar [Voc. deduz. de *desmazelado.*] *V. t. d.* **1.** Tratar com desmazelo: "tu desmazelas a casa do Senhor... Os altares são arranjados sem arte; as flores murcham nos vasos" (Aquilino Ribeiro, *Jardim das Tormentas*, p. 30). *P.* **2.** Tornar-se desmazelado; desleixar-se, descuidar-se. [Pres. ind.: *desmazelo*, etc. Cf. *desmazelo* (ê).]

desmazelo (ê) [Dev. de *desmazelar-se.*] *S. m.* **1.** Desleixo, descuido, negligência: "Sou o primeiro a reconhecer a falta de merecimento, a pobreza da ação, e os descuidos e desmazelo de estilo que amesquinham estes pobres romances que improvisei." (Joaquim Manuel de Macedo, *Os Romances da Semana*, p. V.) **2.** *Bras. MG* Alfinete de mola. [Pl.: *desmazelos* (ê). Cf. *desmazelo-me*, do v. *desmazelar-se.*]

desmazorrar [De *des-* + *mazorro* + *-ar*[2].] *V. t. d. Bras.* Tirar a qualidade de mazorro (3) a; fazer perder a tristeza.

desmedida [De *des-* + *medida.*] *S. f.* Atitude, gesto ou dito que ultrapassa a medida: *Os deuses do Olimpo não permitiam qualquer desmedida dos mortais.*

desmedido [Part. de *desmedir-se.*] *Adj.* **1.** Que excede as medidas. **2.** Enorme, incomensurável; excessivo. [Sin. ger.: *desmesurado.*]

desmedir-se [De *des-* + *medir* + *se*[1].] *V. p.* Descomedir-se. [Irreg. Conjug.: v. *medir.*]

desmedra [Dev. de *desmedrar.*] *S. f. Bras.* Ato ou efeito de impedir medrança, ou o progresso e prosperidade.

desmedrado [Part. de *desmedrar.*] *Adj.* **1.** Que não medrou, que desmedrou; enfezado. **2.** Pouco produtivo, pouco valioso.

desmedramento [De *desmedrar* + *-mento.*] *S. m.* Ato ou efeito de desmedrar.

desmedrança [De *desmedrar* + *-ança.*] *S. f.* Falta de medrança. [Sin., p. us.: *desmedro* (ê).]

desmedrar [De *des-* + *medrar*[1].] *V. int.* **1.** Não medrar; crescer pouco. **2.** Tornar-se raquítico; emagrecer, definhar; enfezar-se. *T. d.* **3.** Impedir a medrança de; tolher o desenvolvimento de. [Pres. ind.: *desmedro*, etc. Cf. *desmedro* (ê).]

desmedro (ê) [Dev. de *desmedrar.*] *S. m. P. us.* Desmedrança. [Pl.: *desmedros* (ê). Cf. *desmedro*, do v. *desmedrar.*]

desmedroso (ô) [De *des-* + *medroso.*] *Adj.* Não medroso; que não tem medo; intrépido, corajoso.

desmedular [De *des-* + *medula* + *-ar*[2].] *V. t. d.* Tirar a medula ou miolo a.

desmelancolizar [De *des-* + *melancolizar.*] *V. t. d.* Tirar a melancolia a; alegrar.

desmelhorar [De *des-* + *melhorar.*] *V. t. d. P. us.* Tolher o melhoramento a; piorar.

desmelindrar [De *des-* + *melindrar.*] *V. t. d.* Livrar de melindres; desagravar.

desmembração [De *desmembrar* + *-ção.*] *S. f.* **1.** Desmembramento (1). **2.** Separação da parte de um todo. **3.** A parte desmembrada. **4.** Separação, desagregação. **5.** *Fig.* Partilha, divisão.

desmembrado [Part. de *desmembrar.*] *Adj.* **1.** Que se desmembrou; separado, desapegado. **2.** *Fig.* Desfalecido, derreado.

desmembramento [De *desmembrar* + *-mento.*] *S. m.* **1.** Ato ou efeito de desmembrar(-se); desmembração. **2.** *Urb.* Parcelamento da terra em lotes [v. *lote*[1] (10)], não sendo necessária a abertura de logradouros. [Cf. *remembramento* (2) e *loteamento.*]

desmembrar [De *des-* + *membro* + *-ar*[2].] *V. t. d.* **1.** Cortar, amputar o(s) membro(s) de. **2.** Dividir em partes; separar uma ou mais partes de (um todo); dividir: *Morto Carlos Magno, seus filhos desmembraram o império por ele conquistado. T. d. e i.* **3.** Desanexar, desagregar: *Desmembrou a sua casa das demais casas da vila. P.* **4.** Separar-se, desligar-se. **5.** Desconjuntar-se, deslocar-se.

desmemória [De *des-* + *memória.*] *S. f.* Falta de memória ou lembrança; esquecimento. [Cf. *desmemoria*, do v. *desmemoriar.*]

desmemoriado [Part. de *desmemoriar.*] *Adj.* **1.** Falto de memória; esquecido. **2.** Sem atenção; distraído. **3.** Absolutamente esquecido. • *S. m.* **4.** Aquele que por efeito de choque ou doença perdeu a memória da própria personalidade anterior a esse acidente.

desmemoriar [De *des-* + *memória* + *-ar*[2].] *V. t. d.* **1.** Fazer perder a memória: *A comoção cerebral desmemoriou-o. T. d. e i.* **2.** Fazer esquecer: *A glória desmemoriou-o dos benefícios recebidos. P.* **3.** Perder a memória; tornar-se desmemoriado. **4.** Perder a memória; esquecer-se, olvidar-se. [Pres. ind.: *desmemorio, desmemorias, desmemoria*, etc. Cf. *desmemória.*]

desmensurabilidade [De *desmensurável* + *-(i)dade*, seg. o padrão erudito.] *S. f.* Condição do que é desmensurável.

desmensurável [De *des-* + *mensurável.*] *Adj. 2 g.* V. *incomensurável.*

desmentido [Part. de *desmentir.*] *Adj.* **1.** Que foi contraditado. **2.** *Bras. N. N.E.* Luxado, deslocado, desconjuntado. • *S. m.* **3.** Declaração ou palavras com que se desmente. **4.** Negação ou contestação implícita: *Seu procedimento é um desmentido de suas declarações.*

desmentidor (ô) [De *desmentir* + *-dor.*] *Adj. S. m.* Que, ou aquele que desmente.

desmentidura [De *desmentir* + *-dura.*] *S. f. Bras. N. N.E.* Ação ou efeito de desmentir (4 e 5).

desmentir [De *des-* + *mentir.*] *V. t. d.* **1.** Declarar que (alguém) não diz a verdade; contradizer; contestar: *Embora soubesse falsa a declaração do velho, não teve coragem de o desmentir.* **2.** Negar (o que outrem afirmara): *A testemunha desmentiu a afirmação do réu.* **3.** Não corresponder a; destoar de; discrepar de; desdizer: *Seu aspecto jovial desmentia a tristeza em que dizia viver;* "começou a despencá-las e comê-las [as passas], mostrando duas fileiras de dentes que desmentiam as unhas." (Machado de Assis, *Várias Histórias*, p. 16). **4.** *Bras.* Luxar, deslocar, desconjuntar: *desmentir um dedo; desmentir o braço.* **5.** *Bras.* Sofrer, ou produzir em outrem, torcedura de (uma articulação), traumatismo de (músculo, ou tendão). *T. i.* **6.** Não corresponder; destoar; desdizer: "O estilo desmentia da pessoa, assaz rude e aparentemente alheia a locuções rebuscadas." (Machado de Assis, *Memórias Póstumas de Brás Cubas*, p. 65.) *P.* **7.** Contradizer-se. [Irreg. Conjug.: v. *aderir.*]

desmentível [De *desmentir* + *-ível.*] *Adj. 2 g.* Que pode ser desmentido.

desmerecedor (ô) [De *desmerecer* + *-dor.*] *Adj.* **1.** Que desmerece. **2.** Demérito (3).

desmerecer [De *des-* + *merecer.*] *V. t. d.* **1.** Não merecer; ser indigno de: *Com tal deslealdade, desmerece a estima em que o tinha.* **2.** Apoucar, menoscabar; deslustrar; desfazer em: *Vaidoso, costuma desmerecer o talento alheio em benefício próprio. T. i.* **3.** Não estar à altura; não igualar em merecimento, em qualidade; ser inferior: *O rapaz desmerece da bela jovem;* "Os outros capítulos, salvo alguns compostos em dia menos propício, ... não desmerecem do primeiro." (Mário de Alencar, *Alguns Escritos*, p. 13.) **4.** Rebaixar; apoucar, desfazer, deslustrar. *Int.* **5.** Perder o valor, o merecimento. **6.** Desbotar, descorar, desmaiar: *Logo à primeira lavagem a fazenda desmereceu; As cores desmereceram com o uso do vestido.* [Conjug.: v. *aquecer.*]

desmerecido [Part. de *desmerecer.*] *Adj.* **1.** Que desmereceu. **2.** Desbotado, desmaiado, esmaecido. **3.** *Bras. Pop.* Abatido, fraco, emagrecido, anêmico.

desmerecimento [De *des-* + *merecimento.*] *S. m.* **1.** Falta de mérito(s). **2.** Perda ou falta de merecimento. [Sin. ger.: *demérito.*]

desmérito [De *des-* + *mérito.*] *S. m. Adj.* V. *demérito.*

desmesura [De *des-* + *mesura.*] *S. f.* Falta de cortesia; descortesia, indelicadeza.

desmesurado [Part. de *desmesurar.*] *Adj.* V. *desmedido.*

desmesurar [De *des-* + *mesura* + *-ar*[2].] *V. t. d.* **1.** Alargar demasiadamente; estender muito. **2.** Exceder as medidas de. *P.* **3.** Descomedir-se; desregrar-se.

desmesurável [De *desmesurar* + *-vel.*] *Adj. 2 g.* Que não se pode medir; incomensurável.

desmetódico [De *des-* + *metódico.*] *Adj.* **1.** Que não é metódico. **2.** Em que não há método.

desmidiácea [Do tax. *Desmidium* + *-ácea*; tax. *Desmidiaceae.*] *S. f. Bot.* Espécime das desmidiáceas, família de algas verdes, unicelulares ou coloniais, da ordem das desmidiales.

desmidiáceo [De *desmidiácea*, com var. suf. (v. *-áceo*).] *Adj. Bot.* Pertencente ou relativo às desmidiáceas.

desmidial [Do tax. *Desmidium* + *-al*[1].] *Adj. 2 g. Bot.* Pertencente ou relativo às desmidiales.

desmidiale [Adapt. do tax. *Desmidiales.*] *S. f. Bot.* Espécime das desmidiales, em algumas classificações, ordem de algas verdes unicelulares, ou coloniais, providas de testa silicosa, bivalve.

desmielinizante [De **desmielinizar* (< *des-* + *mielina* + *-izar*) + *-nte.*] *Adj. 2 g. Neur.* Diz-se de fenômeno que leva à destruição ou à perda de mielina.

desmilinguido (güi) [Part. de *desmilinguir-se.*] *Adj. Bras. Gír.* Enfraquecido, debilitado. ❖

desmilinguir-se (güir) *V. p. Bras. Gír.* Perder a força, o vigor; enfraquecer, debilitar-se. ❖

desmilitarização [De *desmilitarizar* + *-ção*.] *S. f.* Ato ou efeito de desmilitarizar(-se).

desmilitarizar [De *des-* + *militarizar*.] *V. t. d.* **1.** Tirar o caráter militar a. **2.** Privar de armamentos. *P.* **3.** Perder o caráter militar.

desmineralização [De *desmineralizar* + *-ção*.] *S. f.* **1.** Ato ou efeito de desmineralizar. **2.** *Med.* Perda excessiva de substâncias minerais que ocorre em presença de certas doenças. **3.** *Tec.* Tratamento de água em que se retiram os íons de natureza mineral capazes de formar incrustações nos equipamentos.

desmineralizador (ô) [De *desmineralizar* + *-dor*.] *Adj.* Que desmineraliza.

desmineralizar [De *des-* + *mineralizar*.] *V. t. d.* **1.** *Bras.* Tirar a mineralização (3) de. **2.** *Tec.* Proceder à desmineralização (3) de.

desmiolado[1] [De *des-* + *miolo* + *-ado*[1].] *Adj.* Que não tem miolos.

desmiolado[2] [Part. de *desmiolar*.] *Adj.* **1.** Que perdeu o(s) miolo(s). **2.** *Fig.* Sem juízo; desajuizado, insensato. **3.** Desmemoriado, esquecido. ● *S. m.* **4.** Indivíduo desmiolado. [Sin. ger.: *esmiolado*.]

desmiolar [De *des-* + *miolo* + *-ar*[2].] *V. t. d.* **1.** Tirar o(s) miolo(s) a. **2.** *Fig.* Fazer perder o juízo; tornar louco: *A paixão não correspondida desmiolou-a.* [Sin. ger.: *esmiolar*.]

desmistificação [De *desmistificar* + *-ção*.] *S. f.* Ato ou efeito de desmistificar. [Cf. *desmitificação*.]

desmistificar [De *des-* + *mistificar*.] *V. t. d.* Livrar ou tirar da mistificação. [Conjug.: v. *trancar*. Cf. *desmitificar*.]

desmitificação [De *desmitificar* + *-ção*.] *S. f.* Ato ou efeito de desmitificar. [Cf. *desmistificação*.]

desmitificar [De *des-* + *mitificar*.] *V. t. d.* Fazer cessar a mitificação existente a respeito de (pessoa ou coisa). [Conjug.: v. *trancar*. Cf. *desmistificar*.]

desmiudar (i-u) [De *des-* + *miúdo* + *-ar*[2].] *V. t. d.* **1.** Converter em miúdos. **2.** V. *esmiuçar*. [Conjug.: v. *saudar*.]

▲**desm(o)-** [Do gr. *desmós, oû*.] *El. comp.* = 'laço', 'ligamento': *desmanto, desmopexia*. [Equiv.: *-desma, -desm(o)-, -desmo*: *plasmodesma*; *eudésmia*; *peridesmo*.]

▲**-desm(o)-** V. *desm(o)-*.

▲**-desmo** V. *desm(o)-*.

desmobilar [De *des-* + *mobilar*.] *V. t. d.* V. *desmobiliar*.

desmobilhar *V. t. d. Bras.* V. *desmobiliar*.

desmobiliar [De *des-* + *mobiliar*.] *V. t. d.* Desguarnecer de mobília (casa, aposento, etc.). [Var. (bras.): *desmobilhar*; f. paral.: *desmobilar*. Conjug.: v. *mobiliar*.]

desmobilização [De *desmobilizar* + *-ção*.] *S. f.* Ato ou efeito de desmobilizar(-se).

desmobilizado [Part. de *desmobilizar*.] *Adj.* Que se desmobilizou.

desmobilizar [De *des-* + *mobilizar*.] *V. t. d. P.* Desfazer(-se) a mobilização de tropa, etc.

desmobilizável [De *desmobilizar* + *-vel*.] *Adj. 2 g.* Que pode ser desmobilizado. [Pl.: *desmobilizáveis*. Cf. *desmobilizáveis*, do v. *desmobilizar*.]

desmochar [De *des-* + *mochar*.] *V. t. d.* **1.** Cortar os chifres a (animal); tornar mocho[2] (1). **2.** Cortar os ramos a; desramar. *T. d. e i.* **3.** Privar (de coisa ressaltada ou que serve de defesa).

desmoderar [De *des-* + *moderar*.] *V. t. d.* **1.** Tirar a moderação a. *P.* **2.** Portar-se sem moderação; fazer excessos.

desmodontídeo [De *desm(o)-* + *-odont(o)-* + *-ídeo*[1]; tax. *Desmodontidae*.] *Zool. S. m.* **1.** Espécime dos desmodontídeos, família de quirópteros sem cauda e com uropatágio reduzido a uma membrana estreita. Têm apenas 24 dentes, e um só par de incisivos superiores. São os vampiros [v. *vampiro* (5)]. ● *Adj.* **2.** Pertencente ou relativo a eles.

desmodulação [De *desmodular* + *-ção*.] *S. f. Eletrôn.* V. *demodulação*.

desmodulador (ô) [De *desmodular* + *-dor*.] *S. m. Eletrôn.* Demodulador.

desmodular [De *des-* + *modular*.] *V. t. d. Eletrôn.* V. *demodular*.

desmoita [Dev. de *desmoitar*.] *S. f.* Ato ou efeito de desmoitar. [F. paral.: *desmouta*.]

desmoitador (ô) [De *desmoitar* + *-dor*.] *Adj. S. m.* Que, ou aquele que desmoita. [F. paral.: *desmoutador*.]

desmoitar [De *des-* + *moita* + *-ar*[2].] *V. t. d.* **1.** Desembaraçar ou limpar (um terreno) do mato e plantas silvestres, para cultivá-lo. **2.** Desbastar (árvores ou arbustos). **3.** *Fig.* Tornar culto, civilizado; instruir. [F. paral.: *desmoutar*.]

desmoldagem [De *desmoldar* + *-agem*[2].] *S. f.* Ato ou efeito de desmoldar.

desmoldante [De *desmoldar* + *-nte*.] *Adj. 2 g. S. m. Tec. Quím.* Diz-se de, ou substância us. para facilitar a desmoldagem de um objeto ou peça.

desmoldar [De *des-* + *molde* + *-ar*[2].] *V. t. d.* **1.** Tirar o molde de. **2.** V. *descimbrar*.

desmomiário [De *desm(o)-* + *-mio(s)-* + *-ário*.] *S. m. Zool.* Salpa (2).

desmonetização [Do fr. *démonétisation*.] *S. f.* Ato ou operação de desmonetizar; demonetização, desamoedação.

desmonetizar [Do fr. *démonétiser*.] *V. t. d.* Tirar o valor ou o curso legal de moeda a; demonetizar, desamoedar: *O governo brasileiro desmonetizou o mil-réis.*

desmonopolizar [De *des-* + *monopolizar*.] *V. t. d.* Libertar de monopólio.

desmontada [De *desmontar* + *-ada*[1].] *S. f.* Ação de desmontar (10).

desmontado [Part. de *desmontar*.] *Adj.* **1.** Apeado (da cavalgadura). **2.** Que perdeu a cavalgadura em que montava. **3.** Desorganizado, desarranjado. **4.** Desarmado (aparelho, máquina). **5.** Diz-se da ave que tem uma asa partida.

desmontar [De *des-* + *montar*.] *V. t. d.* **1.** Fazer descer ou apear da cavalgadura; derrubar da cavalgadura; descavalgar: *Quando desmontou o inimigo, considerou ganha a batalha.* **2.** Retirar donde estava montado; tirar de cima: *Como o cavalo era perigoso, o pai desmontou o menino; Míope, para ler, desmonta os óculos.* **3.** Tirar do engaste (pedra preciosa). **4.** Pôr abaixo; destruir, arruinar: *Certos imprevistos desmontaram o planejamento financeiro da firma.* **5.** Pôr abaixo, arrasar (um morro). **6.** Desarmar (6): *desmontar o móvel.* **7.** *Bras. S.* Humilhar, rebaixar (o contendor). **8.** *Bras. S.* Desmentir, contradizer. *T. d. e i.* **9.** Fazer descer ou apear: *Desmontei-o da égua.* *T. i.* **10.** Descer, apear(-se). *Int. P.* **11.** Descer da cavalgadura; apear(-se), descavalgar.

desmontável [De *desmontar* + *-vel*.] *Adj. 2 g.* Que pode ser desmontado.

desmonte [Dev. de *desmontar*.] *S. m.* **1.** Ato ou efeito de desmontar. **2.** Extração de minério das jazidas. **3.** Conjunto de seixos e areia. **4.** Arrasamento (de morro). ◆ **Desmonte hidráulico.** Desmonte (4) executado por meio de jatos de água.

desmopatia [De *desm(o)-* + *-patia*.] *S. f. Med.* Qualquer doença ligamentar.

desmopexia (cs) [De *desm(o)-* + *-pex-* + *-ia*[1].] *S. f.* **1.** Fixação cirúrgica de ligamento. **2.** *Gin.* Fixação dos ligamentos redondos à parede abdominal, ou à vaginal, a fim de corrigir deslocamento uterino.

desmoralização [De *desmoralizar* + *-ção*.] *S. f.* **1.** Ato ou efeito de desmoralizar(-se). **2.** Falta ou perda de moralidade ou de força moral. **3.** Corrução, depravação.

desmoralizado [Part. de *desmoralizar*.] *Adj.* **1.** Pervertido, depravado, corruto. **2.** Desacreditado, desconsiderado, desautorizado: *chefe desmoralizado.* **3.** Que perdeu a força moral; intimidado, atemorizado: *adversário desmoralizado.* ● *S. m.* **4.** Indivíduo desmoralizado.

desmoralizador (ô) [De *desmoralizar* + *-dor*.] *Adj.* **1.** Que desmoraliza; desmoralizante. ● *S. m.* **2.** Aquele ou aquilo que desmoraliza.

desmoralizante [De *desmoralizar* + *-nte*.] *Adj. 2 g.* Desmoralizador (1).

desmoralizar [De *des-* + *moralizar*.] *V. t. d.* **1.** Tornar imoral; perverter; corromper: *Hábitos que desmoralizam a sociedade.* **2.** Tirar o bom nome de; desmerecer: *A revelação de certos fatos de sua vida pregressa desmoralizou-a.* **3.** Fazer perder a força moral; abater o moral de: *As sucessivas derrotas desmoralizaram o candidato.* *P.* **4.** Perder a moralidade, a moral; perverter-se, corromper-se; degradar-se.

desmoronadiço *Adj.* Que desmorona com facilidade.

desmoronamento [De *desmoronar* + *-mento*.] *S. m.* **1.** Ato ou efeito de desmoronar(-se). **2.** Queda ou derrubamento de muro, edifício, etc.

desmoronar [Do esp. *desmoronar*.] *V. t. d.* **1.** Fazer vir abaixo; derribar, derrubar; abater; demolir: *A ventania desmoronou o velho casarão; A inflação desmoronou seus planos de riqueza.* *Int. P.* **2.** Vir abaixo; soltar-se; desabar.

desmorrer [De *des-* + *morrer*.] *V. int. P. us.* Restabelecer-se após haver estado quase à morte.

desmortificar [De *des-* + *mortificar*.] *V. t. d. Bras.* Tirar a mortificação a; aliviar: "Mortifica os pés, desgraçado, desmortifica-os depois" (Machado de Assis, *Memórias Póstumas de Brás Cubas*, p. 112). [Conjug.: v. *trancar*.]

desmossomo [De *desm(o)-* + *-somo*.] *S. m. Citol.* Tipo de junção intercelular encontrada em células animais, formada por complexos proteicos nas membranas plasmáticas de duas células adjacentes, com função de aderência e manutenção tecidual.

desmotivado [De *des-* + *motivado*.] *Adj.* **1.** Que não tem motivo ou fundamento; infundado, imotivado. **2.** Que não tem justificação. **3.** Desinteressado, desanimado: *Trabalha muito, embora às vezes se sinta desmotivado.*

desmotivar [De *des-* + *motivar*.] *V. t. d.* **1.** Tirar a motivação a; desestimular: *A ausência do filho desmotivou-o completamente.* *P.* **2.** Perder a motivação; desestimular-se: *Aquela menina desmotiva-se facilmente.*

desmotomia [De *desm(o)-* + *-tom(o)-* + *-ia*[1].] *S. f. Ort.* Secção de ligamento.

desmotropia [De *desm(o)-* + *-trop(o)-* + *-ia*[1].] *S. f. Quím.* Existência simultânea, em determinadas condições, de duas formas isômeras de uma substância, em virtude da pequena velocidade com que se transforma uma na outra.

desmouta [Dev. de *desmoutar*.] *S. f.* Desmoita.

desmoutador (ô) [De *desmoutar* + *-dor*.] *Adj. S. m.* Desmoitador.

desmoutar [De *des-* + *mouta* + *-ar*[2].] *V. t. d.* V. *desmoitar*.

desmunhecado [Part. de *desmunhecar*.] *Adj. S. m. Bras. Gír.* Que, ou aquele que desmunheca; efeminado.

desmunhecar [De *des-* + *munheca* + *-ar*[2].] *V. t. d. Bras.* **1.** Cortar a munheca a (o braço). **2.** Decepar ou quebrar a mão a. **3.** *Fig.* Tirar parte de (um todo). *Int.* **4.** *Bras. Gír.* Ser, mostrar-se ou tornar-se efeminado (2). [Conjug.: v. *trancar*.]

desmuniciado [Part. de *desmuniciar*.] *Adj.* Desprovido de munições.

desmuniciar [De *des-* + *municiar*.] *V. t. d. P.* V. *desmunicionar*.

desmunicionar [De *des-* + *municionar*.] *V. t. d.* **1.** Tirar a munição a; privar de munição. *P.* **2.** Ficar sem munição. [Sin. ger.: *desmuniciar*.]

desmurar [De *des-* + *muro* + *-ar*[2].] *V. t. d.* Demolir os muros de.

desnacionalização [De *desnacionalizar* + *-ção*.] *S. f.* Ato ou efeito de desnacionalizar(-se).

desnacionalizado [Part. de *desnacionalizar*.] *Adj. S. m.* Que, ou aquele que sofreu desnacionalização.

desnacionalizador (ô) [De *desnacionalizar* + *-dor*.] *Adj.* Desnacionalizante.

desnacionalizante [De *desnacionalizar* + *-nte*.] *Adj. 2 g.* Que desnacionaliza; desnacionalizador.

desnacionalizar [De *des-* + *nacionalizar*.] *V. t. d.* **1.** Tirar o caráter ou a feição nacional a. **2.** *Jur.* Impor perda de nacionalidade, originária ou adquirida, a. *P.* **3.** Abandonar ou perder o feitio nacional; desnaturalizar-se.

desnacionalizável [De *desnacionalizar* + *-vel*.] *Adj. 2 g.* Que pode ou deve ser desnacionalizado.

desnalgado[1] [De *des-* + *nalga* + *-ado*[1].] *Adj.* **1.** Que tem ancas pequenas e magras. **2.** Esgalgado, escanzelado.

desnalgado[2] [Part. de *desnalgar*.] *Adj.* Que se desnalgou ou desnalga.

desnalgar-se [De *des-* + *nalga* + *-ar*[2] + *se*[1].] *V. p.* **1.** Mostrar as nalgas, suspendendo as vestes. **2.** Mover muito as nalgas (na dança); requebrar-se, saracotear-se, rebolar-se. [Conjug.: v. *largar*.]

desnarigado [De *des-* + o rad. *narig-*, como em *narigudo* (q. v.), + *-ado*[1].] *Adj.* Diz-se daquele a quem falta o nariz, ou que o tem demasiado pequeno.

desnarigar [De *des-* + o rad. *narig-*, como em *narigudo* (q. v.), + *-ar*[2].] *V. t. d.* Cortar ou arrancar o nariz a. [Conjug.: v. *largar*.]

desnasalação [De *desnasalar* + *-ção*.] *S. f. E. Ling.* Ato ou efeito de desnasalar; desnasalização.

desnasalar [De *des-* + *nasalar*.] *V. t. d. E. Ling.* Tirar a nasalação a; desnasalizar.

desnasalização [De *desnasalizar* + *-ção*.] *S. f. E. Ling.* Desnasalação.

desnasalizar [De *des-* + *nasal* + *-izar*.] *V. t. d.* Desnasalar.

desnastrado [Part. de *desnastrar*.] *Adj.* A que se tiraram os nastros; desentrançado, destrançado: "Recorda a água a cair desnastrados cabelos, / Paralelos cordões, finas teias de aranha..." (Goulart de Andrade, *Poesias*, p. 152.)

desnastrar [De *des-* + *nastro* + *-ar*[2].] *V. t. d. P.* **1.** Tirar os nastros a. **2.** Desentrançar, destrançar: "os cabelos, as tranças que se desnastraram, as tranças que ela costumava fazer à tardinha" (Coelho Neto, *Sertão*, p. 105).

desnatação [De *desnatar* + *-ção*.] *S. f.* Ato ou efeito de desnatar.

desnatadeira [De *desnatar* + *-deira*.] *S. f.* Aparelho que desnata o leite, para se empregar a nata no fabrico da manteiga.

desnatado [Part. de *desnatar*.] *Adj.* A que se tirou a nata. V. *leite —*.

desnatar [De *des-* + *nata* + *-ar*[2].] *V. t. d.* Tirar a nata a (o leite).

desnaturação [De *desnaturar* + *-ção*.] *S. f.* **1.** Ato ou efeito de desnaturar(-se). **2.** *Quím.* Processo ou efeito de desnaturar (5).

desnaturado [Part de *desnaturar*.] *Adj.* **1.** Diz-se de substância cuja natureza foi alterada pela adição de outras substâncias: *álcool desnaturado.* **2.** Que não é conforme à natureza ou aos sentimentos naturais; desumano, cruel. ● *S. m.* **3.** Indivíduo desnaturado.

desnatural [De *des-* + *natural*.] *Adj. 2 g.* **1.** Que não é natural; contrário à ordem natural. **2.** Sem naturalidade; constrangido, contrafeito. **3.** Excêntrico, extravagante, esdrúxulo. **4.** Inverossímil; inacreditável.

desnaturalização [De *desnaturalizar* + *-ção*.] *S. f.* Ato ou efeito de desnaturalizar(-se).

desnaturalizar [De *des-* + *naturalizar*.] *V. t. d.* **1.** Tirar os direitos de cidadão de um país a. **2.** Perverter ou corromper a natureza de. *P.* **3.** Renunciar aos direitos de natural de um país; desnaturar-se: *Desnaturalizou-se anos depois de haver-se naturalizado;* "Fernão de Magalhães desnaturalizou-se de português, e foi-se a Castela pedir que o inscrevessem ali como cidadão." (Latino Coelho, *Fernão de Magalhães*, p. 140.)

desnaturante [De *desnaturar* + *-nte*.] *Adj. 2 g.* **1.** Que desnatura. **2.** Que altera ou adultera uma substância. ● *S. m.* **3.** *Quím.* Aditivo com que se procura tornar imprópria ao consumo humano uma substância edível. ◆ **Desnaturante nuclear.** *Eng. Nucl.* Substância adicionada a um material físsil para o tornar impróprio ao uso nas armas atômicas, e que, por via de regra, é um isótopo não físsil do nuclídeo físsil contido no material.

desnaturar [De *des-* + *natura* + *-ar*[2].] *V. t. d.* **1.** Alterar a natureza de. **2.** Fazer adquirir sentimentos opostos aos naturais ao homem; tornar cruel, desumano: *A vida em contato com gente primitiva o desnaturou.* **3.** Desfigurar, adulterar, deturpar: *Desnaturar a verdade.* **4.** *Fís. Nucl.* Contaminar (um material físsil), tornando-o impróprio para ser usado numa arma atômica. **5.** *Quím.* Modificar a estrutura de (proteína) pelo uso de calor ou outros agentes, físicos e químicos, destruindo ou alterando suas propriedades fisiológicas e físicas, mas sem alterar a sequência de seus aminoácidos constituintes. *P.* **6.** Desnaturalizar-se.

desnazificação [De *desnazificar* + *-ção*.] *S. f.* Ato ou efeito de anular ou revogar o caráter nazista de, de desnazificar: *Após a guerra assistiu-se à desnazificação da Alemanha.*

desnazificar [De *des-* + *nazificar*.] *V. t. d.* Retirar a qualidade ou o caráter nazista de.

desnecessário [De *des-* + *necessário*.] *Adj.* Não necessário; inútil, escusado; dispensável.

desnecessidade [De *des-* + *necessidade*.] *S. f.* Falta de necessidade ou de utilidade; inutilidade.

desnegociar [De *des-* + *negociar*.] *V. t. d.* Desfazer o negócio ou combinação acerca de. [Conjug.: v. *negociar* (no Bras. e em Port.).]

desnervação [De *desnervar* + *-ção*.] *S. f. Cir.* Ato ou efeito de desnervar.

desnervar [De *des-* + *nervo* + *-ar*[2].] *V. t. d.* **1.** V. *enervar*[1]. **2.** *Cir.* Excisar ou secionar nervo(s) de uma área, de um órgão, ou de parte dele ou dela.

desnevada [De *desnevar* + *-ada*[1].] *S. f.* **1.** Ação de desnevar (1). **2.** Época de desnevar (2).

desnevar [De *des-* + *nevar*.] *V. t. d.* **1.** Derreter a neve de. *Int.* **2.** Ficar sem a neve de que estava coberto: *Com o sol intenso o monte vai desnevando.*

desniquelagem [De *desniquelar* + *-agem*[2].] *S. f.* Operação de desniquelar; desniquelamento.

desniquelamento [De *desniquelar* + *-mento*.] *S. m.* Desniquelagem.

desniquelar [De *des-* + *niquelar*.] *V. t. d.* Tirar ou separar o níquel de.

desnível [De *des-* + *nível*.] *S. m.* Diferença de nível.

desnivelado [Part. de *desnivelar*.] *Adj.* **1.** Que se desnivelou; que perdeu o nivelamento. **2.** Que apresenta diferença de nível.

desnivelamento [De *desnivelar* + *-mento*.] *S. m.* Ato ou efeito de desnivelar.

desnivelar [De *des-* + *nivelar*.] *V. t. d.* Tirar do nivelamento.

desnobilíssimo *Adj.* Superl. abs. sint. de *desnobre*; desnobríssimo.

desnobre [De *des-* + *nobre*.] *Adj. 2 g.* **1.** Que não é nobre; plebeu. **2.** Não nobre; vil. [Superl. abs. sint.: *desnobilíssimo* e *desnobríssimo*.]

desnobrecer [De *des-* + *nobrecer*.] *V. t. d.* *P.* V. *desenobrecer*. [Conjug.: v. *aquecer*.]

desnobríssimo *Adj.* Desnobilíssimo.

desnodoar [De *des-* + *nodoar*.] *V. t. d.* V. *desenodoar*. [Conjug.: v. *coroar*.]

desnodoso (ô) [De *des-* + *nodoso*.] *Adj.* Que não tem nós; que não é nodoso.

desnoivar [De *des-* + *noivar*.] *V. t. d.* Apartar (noivos); dissolver os esponsais de.

desnorteado [Part. de *desnortear*.] *Adj. S. m.* **1.** Que, ou aquele que perdeu o norte ou rumo. **2.** Desorientado, tonto, desatinado.

desnorteador (ô) [De *desnortear* + *-dor*.] *Adj.* V. *desnorteante*.

desnorteamento [De *desnortear* + *-mento*.] *S. m.* Ação ou efeito de desnortear(-se); desnorteio.

desnorteante [De *desnortear* + *-nte*.] *Adj. 2 g.* Que desnorteia; desnorteador, desorientador.

desnortear [De *des-* + *nortear*.] *V. t. d.* **1.** Desviar do norte, do rumo; fazer perder o rumo; desorientar: *A bruma desnorteou o navegante.* **2.** Perturbar, embaraçar; desorientar: *A pergunta capciosa desnorteou o aluno. Int.* **3.** Perturbar-se, embaraçar-se, desorientar-se; desnortear-se. *P.* **4.** Perder o rumo; desorientar-se. **5.** Perturbar-se, embaraçar-se, desorientar-se; desnortear. [Conjug.: v. *frear*.]

desnorteio [Dev. de *desnortear*.] *S. m.* Desnorteamento.

desnotar [De *des-* + *notar*.] *V. t. d.* Tirar a nota de.

desnovelar [De *des-* + *novelo* (ê) + *-ar*[2].] *V. t. d. P.* V. *desenovelar*.

desnu [De *des-* + *nu*.] *Adj. Ant.* Nu, desnudo: "ao pescoço enrolado / Um lenço de xadrez, os pés desnus" (Alberto de Oliveira, *Póstuma*, p. 87). [Fem.: *desnua*.]

desnuar [De *desnu* + *-uar*.] *V. t. d. P.* V. *desnudar*: "E onde, ao cúpido olhar do amante, Vênus / Desnua o lácteo colo delicioso" (Raimundo Correia, *Poesias*, p. 43).

desnublado [Part. de *desnublar*.] *Adj.* **1.** Limpo de nuvens; desanuviado. **2.** *Fig.* Esclarecido, aclarado.

desnublar [De *des-* + *nublar*.] *V. t. d.* **1.** Dissipar as nuvens de; desanuviar, aclarar: *A ventania desnublara o horizonte. P.* **2.** Desobscurecer-se, aclarar-se.

desnucado [Part. de *desnucar*.] *Adj.* A que se desarticulou a nuca: "e o negro caiu, como boi desnucado, de boca aberta, a língua pontuda, mexendo em tremura uma perna" (Simões Lopes Neto, *Contos Gauchescos e Lendas do Sul*, p. 136).

desnucar [De *des-* + *nuca* + *-ar*[2].] *V. t. d.* **1.** Deslocar a cabeça de (a rês) pela nuca. **2.** *Bras. S.* Matar (a rês) introduzindo-lhe na região da nuca um estilete ou ponta de faca até atingir a medula. [Conjug.: v. *trancar*.]

desnudamento [De *desnudar* + *-mento*.] *S. m.* Ato ou efeito de desnudar(-se); denudação.

desnudar [De *desnudo* + *-ar*[2], ou do lat. *denudare*.] *V. t. d.* **1.** Pôr nu; despir. **2.** Pôr a descoberto; mostrar, revelar, patentear: *Em sua reportagem, desnuda a miséria da região.* **3.** Desembainhar: *desnudar a espada. P.* **4.** Ficar nu; despir-se. [Sin. ger.: *desnuar*, *denudar*.]

desnudez (ê) [De *desnudo* + *-ez*.] *S. f.* V. *nudez*.

desnudo [De *des-* + lat. *nudu*, 'nu'.] *Adj.* Nu, despido: "Do casaquinho desfeito .... surdiam os ombros roliços, a pele dourada do torso, os seios duros, desnudos." (Herman Lima, *Tijipió*, p. 146.)

desnutrição [De *des-* + *nutrição*.] *S. f.* Deficiência ou falta de nutrição; enfraquecimento.

desnutrido [Part. de *desnutrir*.] *Adj.* **1.** Malnutrido, ou não nutrido. **2.** Emagrecido, definhado. ● *S. m.* **3.** Indivíduo desnutrido: "Um rapaz franzino, meio alto, de roupa clara, mostrando na magrez malsã de desnutrido um estranho constrangimento" (Gilberto Amado, *Depois da Política*, p. 145).

desnutrir [De *des-* + *nutrir*.] *V. t. d.* **1.** Nutrir mal, ou não nutrir. *P.* **2.** Emagrecer(-se), definhar.

desobedecer [De *des-* + *obedecer*.] *V. t. i.* **1.** Não obedecer. **2.** Não se submeter; transgredir, infringir, violar: *desobedecer à lei. Int.* **3.** Faltar à obediência; não obedecer. [Conjug.: v. *aquecer*.]

desobediência [De *des-* + *obediência*.] *S. f.* Falta de obediência; inobediência.

desobediente [De *des-* + *obediente*.] *Adj. 2 g.* **1.** Que desobedece; inobediente. ● *S. 2 g.* **2.** Pessoa desobediente.

desobriga [Dev. de *desobrigar*.] *S. f.* **1.** Desobrigação. **2.** Quitação de uma conta. **3.** *Rel.* Visita periódica feita a regiões desprovidas de clero por padres, com o fim de desobrigar (2) os fiéis.

desobrigação [De *desobrigar* + *-ção*.] *S. f.* Ato ou efeito de desobrigar(-se); desobriga.

desobrigado [Part. de *desobrigar*.] *Adj.* **1.** Quite da obrigação. **2.** Que está ou anda à vontade; livre, desembaraçado.

desobrigar [De *des-* + *obrigar*.] *V. t. d.* **1.** Desendividar (1). **2.** *Rel.* Proporcionar ocasião a (os fiéis católicos) de receber os sacramentos da Igreja, esp. batismo e matrimônio. *T. d. e i.* **3.** Isentar, livrar (de obrigação): *O não comparecimento do amigo desobrigou-o do compromisso. P.* **4.** Cumprir a sua obrigação. **5.** Isentar-se; desencarregar-se. **6.** *Rel.* Cumprir o preceito pascal (comungar pela Páscoa e confessar-se ao menos uma vez ao ano). [Conjug.: v. *largar*.]

desobrigatório [De *desobrigar* + *-tório*.] *Adj.* Que desobriga.

desobscurecer [De *des-* + *obscurecer*.] *V. t. d.* Dissipar as sombras de; aclarar, esclarecer, desentenebrecer. [Conjug.: v. *aquecer*.]

desobstrução [De *desobstru(ir)* + *-ção*, por anal. com *obstrução*, seg. o padrão erudito.] *S. f.* Ato ou efeito de desobstruir; desimpedimento, desobstruência.

desobstruência (u-ên) [De *desobstru(ir)* + *-ência*, seg. o padrão erudito.] *S. f.* V. *desobstrução*.

desobstruente (u-en) [De *desobstruir* + *-ente*, seg. o padrão erudito.] *Adj. 2 g.* V. *desobstrutivo*.

desobstruinte (u-in) [De *desobstruir* + *-nte*.] *Adj. 2 g.* V. *desobstrutivo*.

desobstruir [De *des-* + *obstruir*.] *V. t. d.* Desimpedir, desembaraçar, removendo o que obstruía. [Conjug.: v. *atribuir*.]

desobstrutivo [De *desobstru(ir)* + *-tivo*.] *Adj.* Que desobstrui; desobstruente.

desocupação [De *desocupar* + *-ção*.] *S. f.* **1.** Ato ou efeito de desocupar(-se). **2.** Falta de ocupação; inocupação. **3.** Estado de quem se encontra desocupado. **4.** Ociosidade; indolência.

desocupado [Part. de *desocupar*.] *Adj.* **1.** Que não tem ocupação; que não trabalha; ocioso. **2.** Livre de qualquer trabalho ou compromisso; livre, disponível: *Estando hoje desocupado, poderá dar-me um auxílio.* **3.** Em condições de ser utilizado; livre: *ter as mãos desocupadas; O telefone está desocupado.* **4.** Não preenchido por nenhuma tarefa ou obrigação; livre: *horas desocupadas.* **5.** Vago, vazio, desabitado; devoluto: *terreno desocupado; quarto desocupado.* **6.** Que não tem nada; vazio: *duas estantes desocupadas.* ● *S. m.* **7.** Indivíduo desocupado.

desocupar [De *des-* + *ocupar*.] *V. t. d.* **1.** Deixar de ocupar, sair de (lugar que ocupava). **2.** Livrar de ocupação; desimpedir: *desocupar um empregado.* **3.** Livrar, liberar, desembaraçar. **4.** Deixar devoluto. *P.* **5.** Desembaraçar-se, desimpedir-se. **6.** Livrar-se, liberar-se.

desodorante [De *desodorar* + *-nte*.] *Adj. 2 g.* **1.** Que desodora; desodorizante. ● *S. m.* **2.** Substância que desodora ou desodoriza; desodorizante. **3.** Preparado industrializado que contém essa substância.

desodorar [De *des-* + *odor* + *-ar*[2].] *V. t. d. P. us.* Desodorizar.

desodorização [De *desodorizar* + *-ção*.] *S. f.* Ato ou efeito de desodorizar.

desodorizado [Part. de *desodorizar*.] *Adj.* Que sofreu desodorização; que perdeu o odor, ou o mau odor.

desodorizante [De *desodorizar* + *-nte*.] *Adj. 2 g.* **1.** Desodorante (1). ● *S. m.* **2.** Desodorante (2).

desodorizar [De *des-* + *odor* + *-izar*.] *V. t. d.* Tirar o odor, ou o mau odor, a; desodorar.

desoficialização [De *desoficializar* + *-ção*.] *S. f.* Ato ou efeito de desoficializar.

desoficializar [De *des-* + *oficializar*.] *V. t. d.* Tirar o caráter oficial a.

desofuscar [De *des-* + *ofuscar*.] *V. t. d.* **1.** Tornar claro; clarear, esclarecer, iluminar: *A luz do Sol desofuscou os salões sombrios; Não conseguiu desofuscar o entendimento. Int. P.* **2.** Tornar-se claro; clarear, esclarecer-se; desanuviar-se. [Conjug.: v. *trancar*.]

desolação [Do lat. *desolatione*.] *S. f.* **1.** Ato ou efeito de desolar(-se). **2.** Devastação, ruína, destruição. **3.** Isolamento, solidão; desamparo. **4.** Estrago causado por calamidade. **5.** Grande tristeza; consternação. [Sin. ger., p. us.: *desolamento*.]

desolado [Do lat. *desolatu*.] *Adj.* **1.** Que apresenta aspecto de desolação (2 a 4): "No decurso da nossa viagem deixamos em claro as mortíferas baixas do Guadiana: nem vale a pena demorarmo-nos nesta região desolada" (Oliveira Martins, *História de Portugal*, I, p. 43). **2.** Muito triste, inconsolável.

desolador (ô) [Do lat. *desolatore*.] *Adj. S. m.* Que ou o que desola, que causa desolação.

desoladoramente [Do f. de *desolador* + *-mente*.] *Adv.* De modo desolador; com desolação: "Almas desoladoramente frias" (Raul de Leoni, *Luz Mediterrânea*, p. 179).

desolamento [De *desolar* + *-mento*.] *S. m. P. us.* V. *desolação*: "O desolamento daquelas paradas grises .... enche-lhe a caixa de ar do seu pobre machete arcádico" (Vitorino Nemésio, *A Mocidade de Herculano*, II, p. 280).

desolar [Do lat. *desolare*.] *V. t. d.* **1.** V. *despovoar* (1): "A terrível epidemia tinha desolado povoações inteiras." (Franklin Távora, *O Cabeleira*, p. 180.) **2.** Devastar, arruinar, assolar. **3.** Tornar triste, melancólico, ao extremo; afligir, desgraçar: *A perda do filho desolou a pobre viúva. P.* **4.** Despovoar-se.

desolha [Dev. de *desolhar*.] *S. f.* Ato ou efeito de desolhar (1).

desolhado[1] [De *des-* + *olho* (ô) + *-ado*[1].] *Adj.* Que tem olhos mortiços; com grandes olheiras.

desolhado[2] [Part. de *desolhar*.] *Adj.* **1.** Diz-se da planta a que se tiraram os olhos ou borbulhas. **2.** *Bras.* Diz-se daquele a quem se tirou o mau-olhado.

desolhar [De *des-* + *olho* (ô) + *-ar*[2].] *V. t. d.* **1.** Tirar os olhos ou borbulhas de (a planta). **2.** *Bras.* Tirar o mau-olhado de.

desoneração [De *desonerar*[1] + *-ção*.] *S. f.* Ato ou efeito de desonerar[1]; exoneração.

desonerar[1] [De *des-* + *onerar*.] *V. t. d.* **1.** Tirar ônus, encargo, a; exonerar: *Com esta proposta, o governo desonera a folha de pagamentos das empresas. T. d. e i.*

2. V. *exonerar* (3): *Desonerou o filho da tarefa.* *P.* 4. Desobrigar-se, eximir-se, exonerar-se: "Pungia-lhe o coração imensa saudade, o pressentimento de nunca mais tornar a vê-lo, remorso de haver provocado a separação com o excesso de brio, ressumante nas palavras cruéis com as quais se desonerara da piedosa tarefa de visitá-lo todos os dias" (Domingos Olímpio, *Luzia Homem*, p. 107).

desonerar[2] [Alter. de *degenerar*.] *V. t. d. Pop.* Liquefazer-se (o doce, a coalhada, etc.); degenerar.

desonestamente [Do f. de *desonesto* + *-mente*.] *Adv.* De modo desonesto; com desonestidade.

desonestar [De *des-* + *honesto* + *-ar*[2].] *V. t. d. P.* V. *desonrar* (1 e 3): "Desonestavam todas as cachopas destas três léguas em roda." (Camilo Castelo Branco, *Noites de Insônia*, IV, p. 9.)

desonestidade [De *des-* + *honestidade*.] *S. f.* 1. Falta de honestidade. 2. Torpeza, indignidade.

desonesto [De *des-* + *honesto*.] *Adj.* 1. Que não tem honestidade. 2. Indigno, torpe, desprezível. 3. Impudico, devasso. ● *S. m.* 4. Indivíduo desonesto.

desonra [De *des-* + *honra*.] *S. f.* 1. Falta de honra. 2. Perda de honra; descrédito. 3. Ação ou acontecimento que provoca a perda da honra de alguém.

desonradez (ê) [De *desonrado* + *-ez*.] *S. f.* Qualidade ou estado de desonrado.

desonrado [De *des-* + *honra* + *-ado*[1].] *Adj.* Que não tem honra; que a perdeu.

desonrador (ô) [De *desonrar* + *-dor*.] *Adj.* 1. V. *desonroso* (1). ● *S. m.* 2. Aquele que desonra.

desonrante [De *desonrar* + *-nte*.] *Adj. 2 g.* V. *desonroso* (1).

desonrar [De *des-* + *honrar*.] *V. t. d.* 1. Ofender a honra de; infamar, desacreditar, desonestar: *Aquela situação duvidosa o desonraria.* 2. Deflorar, desflorar, desvirginar. *P.* 3. Praticar ato desonesto ou desonroso; desonestar-se. 4. *P. us.* Perder (a mulher) a virgindade sem haver contraído matrimônio.

desonroso (ô) [De *desonra* + *-oso*.] *Adj.* 1. Que desonra; desonrador, desonrante. 2. Em que há desonra; que encerra desonra.

desopilação [De *desopilar* + *-ção*.] *S. f.* 1. Ato ou efeito de desopilar; desobstrução. 2. Alívio; descarga: *O clima da reunião de ontem propiciou uma desopilação geral.*

desopilante [De *desopilar* + *-nte*.] *Adj. 2 g.* Que desopila; desopilativo.

desopilar [De *des-* + *opilar*.] *V. t. d.* Desobstruir; aliviar.

desopilativo [De *desopilar* + *-tivo*.] *Adj.* Desopilante.

desoportuno [De *des-* + *oportuno*.] *Adj.* V. *inoportuno*.

desopressão [De *des-* + *opressão*.] *S. f.* 1. Ato ou efeito de desoprimir(-se). 2. Alívio, desafogo.

desopressar [De *des-* + *opresso* + *-ar*[2].] *V. t. d. Desus.* Desoprimir (1).

desopressor (ô) [De *des-* + *opressor*.] *Adj.* 1. Que desoprime; desoprimente. ● *S. m.* 2. Aquele que desoprime.

desoprimente [De *desoprimir* + *-ente*, seg. o padrão erudito.] *Adj. 2 g.* Desopressor (1).

desoprimir [De *des-* + *oprimir*.] *V. t. d.* 1. Livrar da opressão; aliviar: *A notícia da imprudência desoprimiu-lhe o coração.* [Sin. (desus.): *desopressar*.] *T. d. e i.* 2. Libertar; aliviar: *Com a boa notícia desoprimi-o de sua angústia.* *P.* 3. Libertar-se; aliviar-se.

desoras [De *des-* + o pl. de *hora*.] *S. f. pl.* V. *horas mortas* (1): "E ouvirás, no silêncio das desoras, / Uma voz que transmite aos teus ouvidos / A legenda de tudo quanto ignoras" (José Oiticica, *Ode ao Sol*). ◆ **A desoras.** 1. Fora de horas; tarde; por desoras: "O viandante tresmalhado, ou o vaqueiro que se recolhia a desoras, ébrio das delícias do batuque, fugiria apavorado" (Afonso Arinos, *Pelo Sertão*, p. 125). 2. Fora de propósito; inoportunamente. **Por desoras.** V. *a desoras* (1): "Lá por desoras de chuvosa noite / Soa um baque" (Alberto de Oliveira, *Poesias*, 3ª série, p. 137).

desorbitar [De *des-* + *órbita* + *-ar*[2].] *V. t. d.* Tirar ou fazer sair da órbita; exorbitar.

desordeiro [De *des-* + *ordeiro*.] *Adj. S. m.* Que, ou aquele que promove desordens; arruaceiro.

desordem [De *des-* + *ordem*.] *S. f.* 1. Falta de ordem; desarranjo, desarrumo, desorganização. 2. Desconcerto, desalinho. 3. Confusão, barulho, gritaria, algazarra. 4. Confusão, tumulto, briga, motim. V. *rolo*[1] (16). 5. Desvairamento, loucura, alucinação: *desordem da mente.*

desordenadamente [Do f. de *desordenado* + *-mente*.] *Adv.* De modo desordenado.

desordenado [Part. de *desordenar*.] *Adj.* Que não tem ordem; desarranjado.

desordenador (ô) [De *desordenar* + *-dor*.] *Adj. S. m.* Que, ou aquele que desordena.

desordenar [De *des-* + *ordenar*.] *V. t. d.* 1. Tirar da ordem; desarranjar; confundir. 2. Amotinar, sublevar. *P.* 3. Sair da ordem; desarranjar-se. 4. Descomedir-se, exceder-se.

desorelhado [Part. de *desorelhar*.] *Adj.* 1. Diz-se daquele a quem tiraram as orelhas, ou as arrecadas das orelhas. ● *S. m.* 2. *Ant.* Indivíduo condenado por crime infamante, a quem a justiça portuguesa mandava cumprir pena no Brasil.

desorelhamento [De *desorelhar* + *-mento*.] *S. m.* Ato de desorelhar.

desorelhar [De *des-* + *orelha* + *-ar*[2].] *V. t. d.* 1. Arrancar as orelhas a. 2. *P. us.* Tirar as arrecadas das orelhas de. [Conjug.: v. *aparelhar*.]

desorganização [De *des-* + *organização*, ou *desorganizar* + *-ção*.] *S. f.* 1. Falta de organização; desordem. 2. Dissolução (3): *A desorganização de tão forte sociedade causou espanto na praça.*

desorganizado [Part. de *desorganizar*.] *Adj.* Que não tem organização; desordenado. ~ V. *esquizofrenia* — *a*.

desorganizador (ô) [De *desorganizar* + *-dor*.] *Adj. S. m.* Que, ou aquele que desorganiza.

desorganizar [De *des-* + *organizar*.] *V. t. d.* 1. Destruir a organização de. 2. Destruir a boa ordem de; desordenar, desarranjar; perturbar. *P.* 3. Ficar com a organização destruída; dissolver-se: *A firma desorganizou-se.*

desorientação [De *desorientar* + *-ção*.] *S. f.* 1. Ato ou efeito de desorientar(-se). 2. Falta de orientação, de critério. 3. Insensatez, desnorteamento, desvairamento. 4. *Psiq.* Perturbação na capacidade de situar-se em relação ao tempo, ambiente e pessoas. [Sin. ger. (p. us.): *desorientamento*.]

desorientado [Part. de *desorientar*.] *Adj.* 1. Falto de orientação, de critério. 2. Embaraçado, confuso, desnorteado. 3. *Psiq.* Diz-se daquele que padece de desorientação (4). ● *S. m.* 4. Indivíduo desorientado.

desorientador (ô) [De *desorientar* + *-dor*.] *Adj.* 1. Que desorienta; desnorteante. ● *S. m.* 2. Aquele que desorienta.

desorientamento [De *desorientar* + *-mento*.] *S. m. P. us.* V. *desorientação*.

desorientar [De *des-* + *orientar*.] *V. t. d.* 1. Fazer perder o rumo, a boa direção; desnortear. 2. Perturbar, embaraçar, desnortear: *A chegada súbita do inimigo desorientou-o.* 3. Desvairar, enlouquecer, endoidecer, ensandecer. *P.* 4. Perder a direção, o rumo; desnortear-se. 5. Perturbar-se, turbar-se, embaraçar-se, desnortear-se. 6. Perder-se em conjeturas; atrapalhar-se.

desornado [Part. de *desornar*.] *Adj.* Que não tem adorno ou ornato; singelo, desenfeitado, desataviado.

desornar [De *des-* + *ornar*.] *V. t. d.* 1. Tirar os ornatos ou enfeites a; desadornar, desenfeitar, desataviar. *P.* 2. Tirar de si os enfeites, os adornos; desenfeitar-se, desataviar-se.

desossado [Part. de *desossar*.] *Adj.* Que não tem ossos, a que se tiraram os ossos: *frango desossado.*

desossar [De *des-* + *osso* + *-ar*[2].] *V. t. d.* Tirar os ossos a.

desova [Dev. de *desovar*.] *S. f.* 1. Ato de desovar; desovamento. 2. *Bras. Gír. Fig.* Ato ou efeito de desovar (5): *"Desova em Austin" era a manchete da primeira página daquele jornal.*

desovamento [De *desovar* + *-mento*.] *S. m.* Desova (1).

desovar [De *des-* + *ovo* + *-ar*[2].] *V. int.* 1. Pôr ovos. [Aplica-se esp. a peixes, anfíbios e reptis.] 2. *Pop.* Dar à luz; parir. *T. d.* 3. Fornecer em grande quantidade: "O governo começou ontem a desovar seus estoques de carne congelada para supermercados ...., com o objetivo de forçar a baixa dos preços do produto para o consumidor" (*Folha de S.Paulo*, 09.06.1985). 4. *Bras.* Dizer; revelar; desembuchar: *Indiscreto, terminou desovando o segredo.* 5. *Bras. Gír. Fig.* Deixar, em determinado lugar, cadáver de pessoa assassinada em outro: "Fanfarrão, chegou ao restaurante comentando que havia 'desovado um presunto'." (*Jornal do Brasil*, 05.07.1985.)

▲**desoxi-** (cs) [De *des-* + *-ox(i)-*.] *Quím. El. comp.* Indica 1. 'que contém menos oxigênio na molécula do que o composto ao qual está intimamente relacionado' 2. 'que se pode derivar de outro composto pela remoção de um átomo de oxigênio': *desoxinucleotídeo*.

desoxiadenílico (cs) [De *desoxi-* + *adenílico*.] *Adj. Quím.* ~ V. *ácido* —.

desoxiadenosina (cs) [De *desoxi-* + *adenosina*.] *S. f. Quím.* Nucleosídeo que, por hidrólise, fornece desoxirribose e adenina, e que ocorre em ADN.

desoxicitidílico (cs) *Adj. Quím.* ~ V. *ácido* —.

desoxicitidina (cs) [De *desoxi-* + *citidina*.] *S. f. Quím.* Nucleosídeo que, por hidrólise, fornece desoxirribose e citosina, e que ocorre em ADN.

desoxidação (cs) [De *desoxidar* + *-ção*.] *S. f. Quím.* Ato ou efeito de desoxidar.

desoxidado (cs) [Part. de *desoxidar*.] *Adj. Quím.* Que sofreu desoxidação.

desoxidador (cs... ô) [De *desoxidar* + *-dor*.] *Quím. Adj.* 1. Desoxidante. ● *S. m.* 2. Qualquer agente capaz de remover o oxigênio de um composto ou de um metal fundido.

desoxidante (cs) [De *desoxidar* + *-nte*.] *Adj. 2 g. Quím.* Que desoxida; desoxidador.

desoxidar (cs) [De *des-* + *oxidar*.] *V. t. d. Quím.* 1. Tirar o óxido a. 2. Tirar a ferrugem a. 3. Desoxigenar.

desoxigenação (cs) [De *desoxigenar* + *-ção*.] *S. f. Quím.* Ato ou efeito de desoxigenar.

desoxigenante (cs) [De *desoxigenar* + *-nte*.] *Adj. 2 g. Quím.* Que desoxigena.

desoxigenar (cs) [De *des-* + *oxigenar*.] *V. t. d. Quím.* Tirar o oxigênio de; desoxidar.

desoxiguanílico (cs) [De *desoxi-* + *guanílico*.] *Adj. Quím.* ~ V. *ácido* —.

desoxiguanosina (cs) [De *desoxi-* + *guanosina*.] *S. f. Quím.* Nucleosídeo que, por hidrólise, fornece desoxirribose e guanina, e que ocorre em ADN.

desoxirribonucleico (cs...éi ou êi) [Do ingl. *desoxyrribonucleic* (*acid*) < *desoxyrribo(se)* (v. *desoxirribose*) + *nucleic* (*acid*) (< V.C.I. *nucle-* [< lat. *nucleus*, 'núcleo'] + ingl. *-ic* [= *-ico*[2]]).] *Adj. Quím.* ~ V. *ácido* —. [A pronúncia aberta para *desoxirribonucleico* (éi) é a correta, porém a pronúncia fechada *desoxirribonucleico* (êi) é a us. em Portugal, e a mais us. no Brasil.] ❖

desoxirribose (cs) [De *desoxi-* + *ribose*.] *S. f. Quím.* Açúcar componente da estrutura dos ácidos desoxirribonucleicos [fórm.: $C_5H_{10}O_4$].

desoxitimidílico (cs) [De *desoxi-* + *timidílico*.] *Adj. Quím.* ~ V. *ácido* —.

desoxitimidina (cs) [De *desoxi-* + *timidina*.] *S. f. Quím.* Nucleosídeo que, por hidrólise, fornece desoxirribose e timina, e que ocorre em ADN; timidina.

despachadamente [Do f. de *despachado* + *-mente*.] *Adv.* De maneira despachada, com despacho; com desembaraço ou desenvoltura: "Pousada, não era costume dar-se ali; Alfenas ficava a uma légua, e os donos da casa diziam despachadamente que aquilo não era hospedaria." (Lúcio de Mendonça, *Horas do Bom Viver*, p. 222.)

despachadão [De *despachado* + *-ão*[1].] *Adj. S. m. Bras.* Diz-se de, ou indivíduo muito despachado, de maneiras e palavras muito desembaraçadas, francas. [Fem.: *despachadona*.]

despachado [Part. de *despachar*.] *Adj.* 1. Que se despachou. 2. Que obteve despacho (2). 3. Expedito, ativo, desembaraçado, franco: "Minha avó tinha criado no sertão uma menina escurinha, órfã de pai e mãe. .... Era trabalhadeira e despachada." (Povina Cavalcanti, *Volta à Infância*, p. 147.) 4. Valente, atrevido. V. *valentão* (1).

despachadona *S. f. Bras.* Fem. de *despachadão*.

despachador (ô) [De *despachado* + *-dor*.] *Adj.* 1. Despachante (1). 2. Diz-se de homem expedito, rápido na execução de qualquer trabalho. ● *S. m.* 3. Indivíduo despachador (2).

despachante [De *despachar* + *-nte*.] *Adj. 2 g.* 1. Que despacha; despachador. ● *S. 2 g.* 2. Pessoa que despacha mercadorias. 3. Agente comercial incumbido de desembaraçar negócios, mercadorias, pagar direitos e fretes, encaminhar papéis, etc., sobretudo junto às repartições fiscais, aduaneiras, policiais, etc.

despachar [Do fr. ant. *despeechier* (< lat. *impedicare*, com mudança de pref.), pelo provenç. *despachar*.] *V. t. d.* 1. Pôr despacho (2) em. 2. Resolver, decidir: *Pela manhã despacha os negócios da firma.* 3. Incumbir de serviço, missão, etc.: *Uma de suas tarefas é despachar diariamente os demais empregados.* 4. Atender; servir: *O caixeiro demorou a despachar o freguês.* 5. Expedir, remeter: *Despachou a mercadoria fora do prazo.* 6. *Bras.* Dispensar os serviços de; mandar embora; despedir: *Despachou o empregado por ineficiência.* 7. V. *matar* (1). 8. *Bras. Rel.* No candomblé e em seitas afins, enviar (Exu) aos orixás como mensageiro, ao mesmo tempo aplacando-o com oferendas e sacrifícios, para que não perturbe as cerimônias do culto. 9. *Bras. Rel.* No candomblé angola-congo, e em cultos por ele influenciados, libertar (a alma de um morto) de seu corpo por meio de cerimônias específicas, enviando-a para o mundo dos espíritos. *T. d. e i.* 10. *Bras. Rel.* Depositar, num local designado por um orixá, por uma entidade, etc. (os restos de uma oferenda votiva, de um despacho [12], etc.). ***Transobj.*** 11. Nomear, designar (para um cargo): *Despachou-o ministro.* *T. i.* 12. Fazer ou acabar depressa: *— Ande, despache com esse trabalho.* *Int.* 13. Lavrar despacho (2). 14. *Bras. S. Pop.* V. *defecar* (5). *P.* 15. Fazer alguma coisa às pressas; aviar-se.

despacho [Dev. de *despachar*.] *S. m.* 1. Ato ou efeito de despachar. 2. Nota lançada por autoridade em petição ou requerimento, deferindo-o ou indeferindo-o. 3. Nomeação para cargo público. 4. Provimento em emprego público. 5. *Diplom.* Carta ou ofício enviado por um ministro a outro, acerca de assuntos de interesse público. **6.** Rapidez na execução de um negócio. **7.** *Bras.* Desenvoltura, desembaraço. **8.** *Bras. Rel.* V. *padê.* **9.** *Bras. Rel.* V. *ebó*[1] (2). **10.** *Bras. Rel.* Ebó[1] (2), para desmanchar um trabalho (20) malfazejo. **11.** *Bras. Rel.* Ação de depositar num determinado local (cachoeira, mata, etc.) as oferendas aos orixás, as quais se achavam no peji e foram trocadas por novas. **12.** *Bras. Rel.* Conjunto das oferendas votivas a Exu ou aos orixás, cujos restos são abandonados em determinado local. **13.** *Bras. Gír.* V. *descompostura* (2). ◆ **Despacho de Exu.** *Bras. Rel.* V. *padê.* **Despacho interlocutório.** *Dir. Proc.* Aquele em que o juiz não decide a demanda principal, mas apenas alguma questão de ponto incidente. **Despacho saneador.** *Dir. Proc.* Aquele em que o juiz se pronuncia, antes da sentença final, a respeito das irregularidades e nulidades, legitimidade das partes, sua representação, etc., mandando sanar o que for possível.

despadrar [De *des-* + *padre* + *-ar*[2].] *V. t. d.* **1.** Tirar a qualidade de padre a. *P.* **2.** Deixar de ser padre.

despaginar [De *des-* + *paginar*.] *V. t. d. Tip.* Desfazer (composição tipográfica paginada), separando o material para distribuição; fazer a retranca de. [Cf. *desguarnecer* (5).]

despalatalização [De *despalatalizar* + *-ção*.] *S. f. E. Ling.* Ação ou efeito de despalatalizar (um fonema); despalatização.

despalatalizar [De *des-* + *palatalizar*.] *V. t. d. E. Ling.* Tirar o caráter palatal a (um fonema); despalatizar. Ex.: *companía* em vez de *companhia*.

despalatização [De *despalatizar* + *-ção*.] *S. f. E. Ling.* Despalatalização.

despalatizar [De *des-* + *palatizar*.] *V. t. d. E. Ling.* Despalatalizar.

despaletar [De *des-* + *paleta* + *-ar*[2].] *V. t. d. Bras. RS* Desarticular a paleta de (o animal); despaletear.

despaletear [De *des-* + *paleta* + *-ear*[2].] *V. t. d. Bras. RS* Despaletar. [Conjug.: v. *frear*.]

despalha [Dev. de *despalhar*.] *S. f. Bras.* Ato de limpar a haste de cana-de-açúcar das palhas que a acompanham; despalhamento.

despalhamento [De *despalhar* + *-mento*.] *S. m. Bras.* Despalha.

despalhar [De *des-* + *palha* + *-ar*[2].] *V. t. d.* Tirar a palha a.

despalmar [De *des-* + *palma*[1] + *-ar*[2].] *V. t. d.* Cortar a (o cavalo) a palma[1] (2).

despalmilhado [Part. de *despalmilhar*.] *Adj.* **1.** Sem palmilha(s). **2.** *Bras. S.* Diz-se do cavalo molestado na parte mole do casco.

despalmilhar [De *des-* + *palmilhar*.] *V. t. d.* **1.** Tirar a(s) palmilha(s) a. *Int. P.* **2.** *Bras. S.* Molestar-se (o cavalo) na parte mole do casco.

despampanar [De *des-* + *pâmpano* + *-ar*[2].] *V. t. d.* Tirar os pâmpanos a (vinha).

despapar [De *des-* + *papo* + *-ar*[2].] *V. int. P.* Erguer muito o focinho, ao andar (o cavalo); espapar.

desparafinação [De *desparafinar* + *-ção*.] *S. f. Eng. Ind.* Ato ou efeito de desparafinar.

desparafinador (ô) [De *desparafinar* + *-dor*.] *S. m. Tec.* Equipamento destinado a recolher, por condensação, as parafinas de massa molecular elevada presentes no fluido de processo de uma refinaria de petróleo.

desparafinar [De *des-* + *parafina* + *-ar*[2].] *V. t. d. Eng. Ind.* Retirar parafina de (petróleo bruto).

desparafusagem [De *desparafusar* + *-agem*[2].] *S. f.* Desaparafusagem.

desparafusar [De *des-* + *parafusar*.] *V. t. d.* **1.** V. *desaparafusar* (1). *P.* **2.** V. *desaparafusar* (2). **3.** *Bras. PE* Romper em explosões de irritação, de cólera.

desparamentar [De *des-* + *paramentar*.] *V. t. d.* **1.** Tirar os paramentos a. *P.* **2.** Tirar os paramentos.

desparceirar [De *des-* + *parceiro* + *-ar*[2].] *V. t. d.* Desemparceirar.

desparecer [De *des-* + *parecer*.] *V. int. P. us.* Desaparecer: "E nas quebradas ínvias / Como um tufão veloz desparecias" (Bernardo Guimarães, *Poesias Completas*, p. 138). [Conjug.: v. *aquecer*.]

despargir [De *espargir*, com mudança de pref. (v. *des-*).] *V. t. d. T. d. e c. T. d. e i. P.* V. *espargir*. [Conjug.: v. *dirigir*.]

desparramar [Do esp. plat. *desparramar*.] *V. t. d. Int. P.* V. *esparramar*.

desparrar [De *des-* + *parra* + *-ar*[2].] *V. t. d.* Tirar as parras a.

despartir [De *des-* + *partir*.] *V. t. d.* Apartar, separar. [Cf. *dispartir*.]

desparzir [De *esparzir*, com mudança de pref. (v. *des-*).] *V. t. d. T. d. e c. P.* V. *espargir*: "Formosa virgem de cabelos d'ouro [a aurora], / Que prazenteira os passos antecedes / Do rei do firmamento, / Em seus caminhos flores desparzindo!" (Bernardo Guimarães, *Poesias Completas*, p. 19.) [Us. preferentemente nas f. em que ao *z* se segue a vogal *i*.]

despassar [De *des-* + *passar*.] *V. t. d.* Passar além de; transpor, ultrapassar.

despastar [De *des-* + *pastar*.] *V. t. d. Bras.* Tirar (o gado bovino) dum lugar de pastagem.

➔**despatch money** [dɪsˈpætʃ ˈmʌnij] [Ingl.] *Dir. Com.* Prêmio que o afretador ou destinatário do navio ajusta e paga pela redução de tempo de serviço de carga ou descarga.

despatriota [De *des-* + *patriota*.] *Adj. 2 g. S. 2 g.* Antipatriota.

despatriótico [De *des-* + *patriótico*.] *Adj.* Antipatriótico.

despautério [Do antr. *Despauterius*, f. latina do sobrenome de *Johannes van Pauteren* (1460-1520), gramático flamengo cuja obra permaneceu em uso do séc. XVI ao XVIII, em especial na França, e ganhou fama de confusa e obscura.] *S. m.* Grande disparate; asneira desmedida; desconchavo ou despropósito grave: "…. e fizeste aquele despautério quando íamos para Sant Ana de Oliveira." (Camilo Castelo Branco, *Aventuras de Basílio*, p. 80).

despavorido[1] [De *des-* + *espavorido*, com síncope.] *Adj.* Que perdeu o pavor; que deixou de ter medo ou pavor.

despavorido[2] [Do esp. *despavorido*.] *Adj.* Muito assustado, espavorido, aterrado, apavorado: "O espingardeiro ficou despavorido, vendo a um tempo a mulher que fugia com as clavinas, homens armados que entravam, e os três desconhecidos que se quedavam diante de quatro espingardas aperradas, e duas pistolas de alcance nas mãos do fidalgo." (Camilo Castelo Branco, *Mistérios de Fafe*, p. 89.)

despavorir [Do esp. *despavorir*.] *V. t. d.* Causar susto ou pavor a; espavorir, aterrar. [Defect., conjugável unicamente nas f. em que ao *r* se segue a vogal *i*.]

despear[1] [De *des-* + *peia* + *-ar*[2].] *V. t. d.* **1.** Tirar as peias a. *P.* **2.** Desprender-se das peias; libertar-se, livrar-se: "naqueles tempos turbados e revoltos, em que a humanidade, já cansada do seu diuturno cativeiro, fazia esforços inauditos para se despear de seus grilhões." (Latino Coelho, *Elogio Histórico de José Bonifácio de Andrada e Silva*, p. 138). [Conjug.: v. *frear*.]

despear[2] [De *des-* + *pé* + *-ar*[2].] *V. t. d.* **1.** Molestar muito os pés de. **2.** Gastar os cascos de (cavalgadura). *Int.* **3.** Gastar (a cavalgadura) os cascos. [Conjug.: v. *frear*.]

despedaçador (ô) [De *despedaçar* + *-dor*.] *Adj. S. m.* Que, ou aquele que despedaça.

despedaçamento [De *despedaçar* + *-mento*.] *S. m.* Ato ou efeito de despedaçar(-se); dilaceração.

despedaçar [De *des-* + *pedaço* + *-ar*[2].] *V. t. d.* **1.** Partir em pedaços; partir, quebrar, dilacerar: *Em sua ira, despedaçava o que via à frente.* **2.** Rasgar, esfrangalhar: *Despedaçou, na briga, o paletó do outro.* **3.** *Fig.* Lancinar, pungir: *Suas palavras despedaçaram o coração do amigo.* *P.* **4.** Quebrar-se, partir-se: "uma bulha de louças que se despedaçam" (Luís Edmundo, *De um Livro de Memórias*, III, p. 686). **5.** Quebrar-se com violência; rebentar(-se), arrebentar(-se): "Quando este mar embravece, vagalhões como montanhas despedaçam-se com fúria nas falésias maciças." (Raul Brandão, *As Ilhas Desconhecidas*, pp. 227-228.) [Conjug.: v. *laçar*.]

despedida [De *despedir* + *-ida*[3].] *S. f.* **1.** Ato de despedir(-se); despedimento. **2.** *Fig.* Termo, conclusão, fim. ~ V. *despedidas.* ◆ **Despedida de solteiro.** Festa, ger. licenciosa, oferecida ao noivo na véspera de seu casamento, por amigos do sexo masculino. **Por despedida.** Em conclusão; por fim.

despedidas *S. f. pl.* Expressões corteses ou saudosas usadas por quem se despede: *O viajante apresenta suas despedidas.* ~ V. *despedida.*

despedidas-de-verão [Do pl. de *despedida* + *de* + *verão*.] *S. f. pl. Bot.* V. *crisântemo* (3).

despedido [Part. de *despedir*.] *Adj.* **1.** Que se despediu. **2.** Desprendido, solto. **3.** Exonerado.

despedimento [De *despedir* + *-mento*.] *S. m.* Despedida (1).

despedir [Do port. ant. *espedir* (< lat. *expetere* < lat. *petere*, 'pedir'), com mudança de pref. (v. *des-*).] *V. t. d.* **1.** Fazer sair; dispensar a presença de; despachar: *Atendia aos que o procuravam, mas pouco depois os despedia.* **2.** Dispensar os serviços de; mandar embora; despachar: *Despediu os empregados faltosos.* **3.** Separar-se de (pessoa com quem se está). **4.** V. *expedir* (1): *Despediu um emissário para desempenhar a missão.* **5.** Lançar de si; lançar, soltar; expedir: "Diana acorda despedindo um grito / De intensa mágoa!…" (Luís Guimarães [Filho], *Pedras Preciosas*, p. 74); *O fogo despedia faíscas.* **6.** Desfechar, desferir; dar: *despedir tiros, facadas.* **7.** Arremessar, atirar: *despedir setas, flechas.* **8.** Desprender, soltar, exalar: *despedir suspiros, gemidos.* *T. d. e i.* **9.** Aviar, despachar: *Despediu com o secretário os assuntos mais urgentes.* *Int.* **10.** Cessar, terminar. **11.** Partir; ir-se. *P.* **12.** Ir-se embora, apartar-se, retirar-se, cumprimentando: "Despedi-me efusivamente do garçom e voltei para casa" (Lígia Fagundes Teles, *A Disciplina do Amor*, p. 93). **13.** Ir-se; acabar(-se): *O século despedia-se em meio a grandes festejos.* **14.** Deixar um emprego; demitir-se. **15.** *Gír. Turfe* Passar (o cavalo) com toda a facilidade por um ou por vários competidores, e distanciar-se deles; dar adeus. [Irreg. Conjug.: v. *pedir*.]

despegar [De *des-* + *pegar*.] *V. t. d.* **1.** Desunir, separar, despregar (o que estava pegado, unido, colado): *Despegou cuidadosamente as páginas coladas.* **2.** Tornar menos afeiçoado: *A distância da família despegou-o.* *T. d. e i.* **3.** Afastar, apartar, arredar: *Não conseguia despegar o pensamento daquela moça.* **4.** V. *desafeiçoar*[2] (1). *P.* **5.** Descolar-se, desunir-se, desprender-se: "parte do seu corpo desfazia-se, a carne despegava-se dos ossos e caía ensanguentada" (Coelho Neto, *Sertão*, p. 358). **6.** V. *desafeiçoar*[2] (2). [Sin. ger.: *desapegar.* Conjug.: v. *regar.* Pres. ind.: *despego*, etc. Cf. *despego* (ê).]

despego (ê) [Dev. de *despegar*.] *S. m.* V. *desapego.* [Pl.: *despegos* (ê). Cf. *despego*, do v. *despegar*.]

despeitado[1] [De *des-* + *peito* + *-ado*[1].] *Adj.* **1.** Que tem o peito magro. **2.** *Bras. Joc.* Diz-se da mulher de mamas muito pequenas.

despeitado[2] [Part. de *despeitar*.] *Adj.* **1.** Que tem despeito; ressentido, magoado. **2.** Desavindo, indisposto, desacorde. **3.** Irritado, zangado. ● *S. m.* **4.** Indivíduo despeitado.

despeitador (ô) [De *despeitar* + *-dor*.] *Adj. S. m.* Que, ou aquele que despeita.

despeitamento [De *despeitar* + *-mento*.] *S. m. P. us.* Despeito.

despeitar [De *despeito* + *-ar*[2].] *V. t. d.* **1.** Causar despeito a; tornar amuado, ressentido; irritar. **2.** Tratar com despeito. *P.* **3.** Amuar-se, irritar-se, zangar-se.

despeito [Do lat. *despectu*.] *S. m.* Desgosto mesclado de raiva, provocado por uma decepção ou pelo amor-próprio ferido. [Sin. (p. us.): *despeitamento*.] ◆ **A despeito de.** Apesar de; não obstante, nada obstante: "A despeito do ódio que lhe votava, achava-o bonito" (Aluísio Azevedo, *O Mulato*, p. 65).

despeitorar [De *des-* + lat. *pectus, oris*, 'peito', + *-ar*[2].] *V. t. d.* **1.** *Desus.* Dizer com franqueza; desabafar. *P.* **2.** Descobrir muito o peito; decotar-se. **3.** *Fig.* Demonstrar muita franqueza; abrir-se, desabafar-se.

despeitoso (ô) [De *despeito* + *-oso*.] *Adj.* **1.** Que provoca despeito. **2.** Que encerra despeito.

despejado [Part. de *despejar*.] *Adj.* **1.** Desobstruído, desocupado. **2.** Evacuado, esvaziado. **3.** Sem pejo; sem-vergonha, impudente, descarado. **4.** Diz-se daquele contra quem se moveu uma ação de despejo (8). ● *S. m.* **5.** Indivíduo despejado (4).

despejamento [De *despejar* + *-mento*.] *S. m.* Ato de despejar; despejo.

despejar [De *des-* + *pejar*.] *V. t. d.* **1.** Livrar de estorvo ou obstáculo; desobstruir, desembaraçar, desocupar: *despejar as vias públicas.* **2.** Desocupar; evacuar: *despejar um aposento.* **3.** Vazar o conteúdo de: *Despejou a garrafa de vinho.* **4.** Tirar o pejo, a vergonha, os sentimentos de brio a. **5.** *Jur.* Promover o despejo (8) de. **6.** *Bras. Gír.* Esvaziar bebendo: *Despejou, de uma vez, a garrafa de cerveja.* *T. d. e i.* **7.** Entornar, vazar: *Despejou a água nos copos.* *Int.* **8.** Deixar a casa, o lugar; sair. *P.* **9.** Ficar livre; desembaraçar-se. **10.** Perder o pejo, o acanhamento. [Conjug.: v. *pelejar*.]

despejo (ê) [Dev. de *despejar*.] *S. m.* **1.** Ato ou efeito de despejar. **2.** Aquilo que se despeja. **3.** Lixo, imundície; dejeção. **4.** Quarto ou aposento onde se guardam trastes velhos ou utensílios de pouco uso; quarto de despejo, casa de despejo. **5.** Falta de pejo; impudor, impudência, descaramento, despudor. **6.** Desenvoltura, desembaraço. **7.** Ousadia, intrepidez. **8.** *Jur.* Desocupação compulsória dum imóvel alugado, por decisão judicial.

despela [Dev. de *despelar*.] *S. f.* Ação de despelar.

despelar [De *des-* + *pelar*[2].] *V. t. d.* **1.** Tirar a pele a: "O Arcanjo acabou de despelar a leitoa no tacho de água quente, raspou-a a faca com caprichosa paciência" (Mário Palmério, *Chapadão do Bugre*, p. 290). **2.** Tirar a casca a; descortiçar.

despenar[1] [De *des-* + *pena*[1] + *-ar*[2].] *V. t. d.* **1.** V. *depenar* (1). **2.** *Bras. Fig.* Tirar as folhas ou as raízes a (um vegetal).

despenar[2] [De *des-* + *penar*.] *V. t. d.* **1.** Livrar de pena[2] (2); consolar. *T. d. e i.* **2.** Livrar, libertar (daquilo que causa pena ou pesar): *Peço a Deus que o despene de tal humilhação.* *Int. P.* **3.** Deixar de penar; livrar-se de pena[2] (2).

despencar [De *des-* + *penca* + *-ar*[2].] *V. t. d.* **1.** *Bras.* Separar (esp. bananas) da penca ou do cacho. **2.** Desprender do ramo ou da haste: "Ninhos cantando! Em flor a terra toda! O vento / Despencando os rosais, sacudindo o arvoredo…" (Olavo Bilac, *Poesias*, p. 170.) *T. c. Int.* **3.** Cair desastradamente de grande altura: *Despencou do coqueiro; Subiu ao topo da escada e, distraído, despencou.* ***P.*** **4.** Deitar a correr precipitadamente e/ou desabaladamente: *Despencou-se atrás do ladrão;* "Desembainhou a espada, deu um — viva a Sua Majestade! — e despencou-se, firme nos estribos" (Simões Lopes Neto, *Contos Gauchescos e Lendas do Sul*, p. 193). [Conjug.: v. *trancar*.]

despendedor (ô) [De *despender* + *-dor*.] ***S. m.*** **1.** Aquele que despende. **2.** Indivíduo gastador, dissipador, esbanjador.

despender [Do lat. *dispendere*.] ***V. t. d.*** **1.** Fazer despesa de; gastar: *Despendeu todo o ordenado em três dias.* **2.** Espalhar com liberalidade; prodigalizar: *Por onde passava, a moça despendia encanto e graça.* ***T. d. e i.*** **3.** Gastar; consumir. ***Int.*** **4.** Fazer despesas, dispêndios; gastar.

despendurar [De *des-* + *pendurar*.] ***V. t. d. T. d. e c.*** Tirar do seu lugar (o que estava pendurado). [Antôn.: *pendurar, dependurar*.]

despenhadeiro [De *despenhar* + *-deiro*.] ***S. m.*** **1.** Precipício, alcantil. **2.** *Fig.* Perigo, ou desgraça horrível.

despenhamento [De *despenhar* + *-mento*.] ***S. m.*** Despenho (1).

despenhar [De *des-* + *penha* + *-ar*[2].] ***V. t. d.*** **1.** Lançar ou precipitar de grande altura. **2.** Deitar abaixo; derribar, derrubar. **3.** Fazer cair na desgraça ou na ruína; arruinar: *A vida desregrada o despenhou.* ***P.*** **4.** Lançar-se, precipitar-se em lugar profundo: "Sinto que vou despenhar-me num grande abismo ouriçado de cardos e piteiras" (Eugênio de Castro, *Obras Poéticas*, II, p. 163). **5.** Cair do alto. **6.** Correr precipitadamente; arremessar-se: *A correnteza despenhava-se por entre as pedras.* **7.** Cair na desgraça; arruinar-se: *Com o jogo e a bebida despenhou-se.*

despenho [Dev. de *despenhar*.] ***S. m.*** **1.** Ação de despenhar(-se); despenhamento. **2.** Queda em um precipício. **3.** V. *queda-d'água*.

despenhoso (ô) [De *despenho* + *-oso*.] ***Adj.*** Cortado de despenhadeiros; alcantilado.

despenque [Dev. de *despencar*.] ***S. m.*** *Bras. RS* Ação de lançar-se a galope; disparada.

despensa [Do lat. *dispensa*.] ***S. f.*** Repartimento de casa, navio, escola, hospital, etc., onde se guardam mantimentos. [Cf. *dispensa*, do v. *dispensar* e s. f.]

despenseiro [De *despensa* + *-eiro*.] ***S. m.*** O encarregado da despensa; ecônomo. [Sin., ant.: *ovençal* (2).]

despentear [De *des-* + *pentear*.] ***V. t. d.*** **1.** Desmanchar o penteado de: *O vento despenteou-a.* **2.** Desmanchar, desordenar (o cabelo que estava penteado): "O vento despenteava seus cabelos luminosos" (Lígia Fagundes Teles, *A Disciplina do Amor*, p. 540). ***P.*** **3.** Soltar-se, desordenar-se (o cabelo que estava penteado). **4.** Desfazer, ou dar lugar a que se desfaça, o próprio penteado. [Conjug.: v. *frear*.]

desperceber [De *des-* + *perceber*.] ***V. t. d.*** **1.** Não perceber; não notar; não atentar em. ***P.*** **2.** Desprevenir-se, desacautelar-se; desaperceber-se: *Despercebeu-se e repetiu o lapso.*

despercebido [Part. de *desperceber*.] ***Adj.*** **1.** Que não se viu ou não se ouviu; em que não se atentou; impercebido. **2.** Desatento, distraído, desacautelado; desapercebido.

despercebimento [De *desperceber* + *-imento*.] ***S. m.*** Ato ou efeito de desperceber(-se).

desperdiçado [Part. de *desperdiçar*.] ***Adj.*** **1.** Gasto sem proveito; esbanjado, desbaratado, malbaratado. **2.** Que gasta muito sem necessidade; que desperdiça. • ***S. m.*** **3.** Indivíduo desperdiçado; desperdiçador (q. v.).

desperdiçador (ô) [De *desperdiçar* + *-dor*.] ***Adj. S. m.*** Que, ou aquele que desperdiça; gastador, esbanjador, pródigo, desperdiçado, esperdiçador.

desperdiçamento [De *desperdiçar* + *-mento*.] ***S. m.*** Ato ou efeito de desperdiçar.

desperdiçar [Do esp. *desperdiciar* < esp. *desperdicio* (v. *desperdício*).] ***V. t. d.*** Gastar sem proveito; esbanjar, desbaratar, malbaratar, desaproveitar, esperdiçar. [Conjug.: v. *laçar*.]

desperdício [Do esp. *desperdicio* < b.-lat. *desperditio, onis*, 'ação de perder-se totalmente'.] ***S. m.*** **1.** Ato ou efeito de desperdiçar; esbanjamento, desbaratamento, desbarato, desbarate. **2.** Desaproveitamento, extravio; perda: *desperdício de talentos.* **3.** *Bras. PE* Terra que se extraiu dos cortes das estradas e não foi aproveitada nos aterros; extravio. [Sin. ger.: *esperdício*.] ~ V. *desperdícios*.

desperdícios ***S. m. pl.*** **1.** Restos, refugos, sobras. **2.** Fios inaproveitáveis para a tecelagem, utilizados na limpeza das máquinas. ~ V. *desperdício*.

desperecer [De *des-* + *perecer*.] ***V. int. T. i.*** V. *deperecer*. [Conjug.: v. *aquecer*.]

desperecimento [De *desperecer* + *-imento*.] ***S. m.*** Ato ou efeito de desperecer; deperecimento.

desperfilamento [De *desperfilar* + *-mento*.] ***S. m.*** Ato ou efeito de desperfilar(-se).

desperfilar [De *des-* + *perfilar*.] ***V. t. d.*** **1.** Tirar do alinhamento, desarranjar (o que estava perfilado). ***P.*** **2.** Sair do alinhamento.

despersonalização [De *despersonalizar* + *-ção*.] ***S. f.*** **1.** Ato ou efeito de despersonalizar(-se). **2.** *Psiq.* Distúrbio da percepção de si mesmo.

despersonalizar [De *des-* + *personalizar*.] ***V. t. d.*** **1.** Mudar a personalidade e o caráter a; tirar ou reduzir as propriedades que formam a personalidade, o caráter de. ***P.*** **2.** Perder ou enjeitar a própria personalidade; proceder em desacordo com o seu caráter.

despersonificar [De *des-* + *personificar*.] ***V. t. d.*** Deixar de personificar, de ser a personificação de.

despersuadir [De *des-* + *persuadir*.] ***V. t. d.*** **1.** Fazer mudar de opinião, de convicção, de intento, etc.; dissuadir: *Era teimoso, mas os amigos conseguiram despersuadi-lo.* ***T. d. e i.*** **2.** Dissuadir; desaconselhar: *Despersuadi-o de sair à rua, pois estava doente.* ***P.*** **3.** Mudar de opinião ou resolução; dissuadir-se: "– .... Não posso despersuadir-me que foi ele o assassino do infeliz Pacheco..." (Camilo Castelo Branco, *Novelas do Minho*, I, p. 294.)

despersuasão [De *des-* + *persuasão*.] ***S. f.*** Ato ou efeito de despersuadir(-se); dissuasão.

despertador (ô) [De *despertar* + *-dor*.] ***Adj.*** **1.** Que desperta. • ***S. m.*** **2.** Aquele ou aquilo que desperta. **3.** Relógio provido de dispositivo que se regula para soar em hora determinada, ger. para acordar quem dorme. [Sin. (bras., gír. de gat.), nesta acepç.: *alcaguete*.]

despertar [De *espertar*, com mudança de pref. (v. *des-*).] ***V. t. d.*** **1.** Tirar do sono; acordar; espertar: *Nenhum barulho o desperta.* **2.** Excitar, estimular: *medicamento para despertar o apetite.* **3.** Fazer nascer; dar origem a: *despertar suspeita.* **4.** Dar ocasião a; provocar: *Aquela paisagem despertava reminiscências de sua infância.* ***T. d. e i.*** **5.** Tirar, arrancar: *A parada brusca do trem despertou-o daquele estado de letargia.* **6.** Causar, provocar, produzir: "Tinha-me vindo o pensamento de que os meus romances nenhum interesse despertariam àqueles homens" (Graciliano Ramos, *Viagem*, p. 47). ***Pred.*** **7.** Acordar em certo estado: *Despertou alegre;* "Sonhando, fora rei, mas despertou mendigo" (Eugênio de Castro, *Obras Poéticas*, III, p. 139). ***Int.*** **8.** Sair do sono; acordar, espertar: "O Homem desperta e sai cada alvorada / Para o acaso das cousas..." (Raul de Leoni, *Luz Mediterrânea*, p. 85.) **9.** Aparecer, despontar, mostrar-se, revelar-se: *Seu velho ciúme novamente despertou.* ***P.*** **10.** Sair do sono; acordar, espertar. **11.** Sair do estado de torpor ou de inércia; readquirir força ou atividade. [Part.: *despertado* e (irreg.) *desperto*.] • ***S. m.*** **12.** Ato de despertar: "Não! Durmo; e o despertar vai ser medonho!" (Raimundo Correia, *Poesias*, p. 61.)

desperto [Part. irreg. de *despertar*.] ***Adj.*** Que despertou; acordado.

despesa (ê) [Do lat. *dispensa*.] ***S. f.*** **1.** Ato ou efeito de despender. **2.** Aquilo que se despende; gasto, dispêndio. **3.** V. *deflúvio* (3). ◆ **Despesa corrente.** *Econ.* Em Contabilidade Pública, a que se refere ao custeio da administração pública ou a transferências. **Despesa financeira.** *Econ.* Encargos financeiros decorrentes de empréstimos e financiamentos, tais como juros, mora, multas contratuais, etc. [Em Contabilidade Pública, abrange também os encargos decorrentes da concessão, pelo governo, de empréstimos subsidiados a setores ou atividades de interesse nacional.] **Despesa fluvial.** V. *deflúvio* (3). [Tb. se diz apenas *despesa*.]

despesca [Dev. de *despescar*.] ***S. f.*** *Bras.* Ato de despescar (1).

despescar [De *des-* + *pescar*.] ***V. t. d.*** *Bras.* **1.** Colher com a rede ou tarrafa (os peixes dos açudes, viveiros ou currais). **2.** Tirar a outrem (objetos de valor, joias, roupas, etc.). [Conjug.: v. *trancar*.]

despesismo [De *despesa* + *-ismo*.] ***S. m.*** *Lus.* Abuso de despesas, de gastos; ação de gastar de modo excessivo ou descontrolado: "Coleccionava impaciências num caderninho: a burocracia, o despesismo do governo, o racismo" (Inês Pedrosa, *Fica comigo essa Noite*, p. 52).

despesista [De *despesa* + *-ista*.] ***Adj. 2 g.*** *Lus.* De, ou relativo a despesa ou a despesismo.

despetalado[1] [Part. de *despetalar*.] ***Adj.*** A que se arrancaram as pétalas.

despetalado[2] [De *des-* + *-petal(o)-* + *-ado*[1].] ***Adj.*** *Bot.* Sem pétalas; apétalo.

despetalar [De *des-* + *pétala* + *-ar*[2].] ***V. t. d.*** **1.** Arrancar as pétalas de: "Ao redor de nós, somente o vento selvagem, que dobra vergônteas, ondeia cidreiras e despetala flores." (Mário da Silva Brito, *Conversa Vai, Conversa Vem*, p. 12.) ***Int. P.*** **2.** Perder as pétalas. [Sin. ger.: *espetalar*.]

despicador (ô) [De *despicar* + *-dor*.] ***S. m.*** Aquele que despica.

despicar [De *des-* + *picar*.] ***V. t. d. P.*** Desforrar(-se), desagravar(-se), desafrontar(-se), vingar(-se): "Piedade assomou-se com a descompostura, quis despicar-se, chegou a arregaçar as mangas e sungar a saia" (Aluísio Azevedo, *O Cortiço*, p. 315). [Conjug.: v. *trancar*.]

despicativo [De *despicar* + *-tivo*.] ***Adj.*** V. *desprezativo*.

despiciendo [Do lat. *despiciendu*.] ***Adj.*** Que merece desprezo; desprezível, desdenhável: "as questões mais altas e os casos mais ao parecer despiciendos revezam-se" (Euclides da Cunha, *À margem da História*, p. 227).

despiciente [Do lat. *despiciente*.] ***Adj. 2 g.*** Que despreza, desdenha.

despidginização [De *des-* + *pidginização*.] ***S. f.*** *E. Ling.* Processo de reestruturação de um pídgin (q. v.) sob o impacto da língua lexificadora (q. v.), em virtude da renovação da influência desta sobre aquele.

despido [Part. de *despir*.] ***Adj.*** **1.** Sem vestuário; nu: "Outros por outra parte vão topar / Com as deusas despidas, que se lavam" (Luís de Camões, *Os Lusíadas*, IX, 72). **2.** *Fig.* Livre, isento, desprovido: *É moça despida de vaidade.*

despiedade [De *des-* + *piedade*.] ***S. f.*** Falta de piedade; desumanidade, crueldade.

despiedado [Part. de *despiedar*.] ***Adj.*** V. *despiedoso* (1): "A amante despiedada e a mulher-mãe fecunda [Vênus], / Fonte de todo o bem, de todo o mal origem." (Raimundo Correia, *Poesias*, p. 186.)

despiedar ***V. t. d. P.*** V. *desapiedar*. [Irreg. Conjug.: v. *apiedar*.]

despiedoso (ô) [De *des-* + *piedoso*.] ***Adj.*** **1.** Que não tem piedade; desapiedado, despiedado. **2.** Em que não há piedade.

despigmentação [De *des-* + *pigmentação*.] ***S. f.*** Ausência de pigmentação.

despigmentado [De *des-* + *pigmentado*.] ***Adj.*** Desprovido de pigmento.

despilchar [Do esp. plat. *despilchar*.] ***V. t. d.*** *Bras. RS* **1.** Despojar (animal) de arreios de valor. **2.** *P. ext.* Despojar de joias; roubar.

despimento [De *despir* + *-mento*.] ***S. m.*** Ato de despir(-se).

despinçar [De *des-* + *pinça* + *-ar*[2].] ***V. t. d.*** Tirar com pinça. [Conjug.: v. *laçar*.]

despinicar ***V. t. d.*** *Bras. Pop.* **1.** Desfiar (principalmente carne). **2.** Separar as ramas dos frutos de (o amendoim). [Conjug.: v. *trancar*.]

despintar [De *des-* + *pintar*.] ***V. t. d.*** **1.** Desfazer, apagar, borrar a pintura de; destingir. **2.** Desfigurar, adulterar, narrando: *Narrou o caso despintando os pormenores.* ***P.*** **3.** Perder o colorido.

despique [Dev. de *despicar*.] ***S. m.*** **1.** Ato de despicar(-se). **2.** Desagravo de injúria. **3.** Desforço, desforra, vingança.

despir [Do port. arc. *espir* (< lat. *expedire*), com mudança de pref. (v. *des-*).] ***V. t. d.*** **1.** Tirar o vestuário a. **2.** Tirar do corpo (o vestuário, ou parte dele): *Despiu o paletó, tirou a gravata;* "despe o teu gibão e embrulha-te neste manto." (Eugênio de Castro, *Obras Poéticas*, III, p. 94); "Abrindo a blusa, despi o porta-seios" (Osmã Lins, *Nove, Novena*, p. 66). **3.** Despojar de folhagem: *O inverno despe as árvores.* **4.** Descalçar (1): *Despiu as luvas.* **5.** Deixar ou pôr de lado; abandonar: *Despiu a velha prudência e aventurou o negócio.* **6.** Despojar; defraudar. **7.** Desembainhar (1): "Despiu tremendo a reluzente espada." (Álvares de Azevedo, *Obras Completas*, I, p. 174.) ***T. d. e i.*** **8.** V. *despojar* (2): *Despiram-no de seus bens.* ***P.*** **9.** Tirar as vestes; ficar nu; desnudar-se, desnuar-se: "Maria gostou de exibir o corpo e passou a despir-se sempre, no rio ou na praça." (Elias José, *Inquieta Viagem no Fundo do Poço*, p. 24.) **10.** Perder as folhas: "Já o sol da manhã rompia as névoas a custo e as árvores despiam-se das folhas" (Coelho Neto, *Treva*, p. 23). **11.** Largar, abandonar; despojar-se: *Despiu-se de todo o amor-próprio e rogou auxílio;* "Procuro despir-me do que aprendi" (Fernando Pessoa, *Poemas de Alberto Caeiro*, p. 66). [Irreg. Conjug.: v. *aderir*.]

despirocado ***Adj.*** *Bras. Gír.* Enlouquecido, desvairado; pirado.

despirocar ***V. int.*** *Bras. Gír.* Enlouquecer, endoidar, desvairar; pirar. [Conjug.: v. *trancar*.]

despistador (ô) [De *despistar* + *-dor*.] ***Adj.*** Que despista ou serve para despistar.

despistamento [De *despistar* + *-mento*.] ***S. m.*** Ato ou efeito de despistar.

despistar [De *des-* + *pista* + *-ar*[2].] ***V. t. d.*** **1.** Fazer perder a pista; desnortear. **2.** Iludir, desfazendo as suspeitas: *Sabendo-o ciente da trama, conseguiu, a duras penas, despistá-lo.*

despiste [Dev. de *despistar*.] *S. m.* **1.** Ato ou efeito de despistar; disfarce, artifício. **2.** *Lus.* Perda de direção, ou derrapagem, de veículo, que o faz sair da pista (8).

desplantar [De *des-* + *plantar*[2].] *V. t. d.* **1.** Arrancar as plantas de. **2.** Arrancar a fim de plantar em outro lugar. **3.** *Fig.* Despovoar (1). *Int.* **4.** *P. us.* Perder a boa postura.

desplante [Dev. de *desplantar*.] *S. m.* **1.** Posição de esgrima em que o peso do corpo cai sobre a perna esquerda, um tanto curva e com o pé firmado atrás da direita. **2.** *Fig.* Arrojo, ousadia, audácia, atrevimento.

desplasmólise [De *des-* + *plasmólise*; ingl. *deplasmolysis*.] *S. f. Citol. Bot.* Aumento de volume sofrido por célula animal ou vegetal, ao passar de uma solução hipertônica para uma hipotônica.

desplumar [De *des-* + *pluma* + *-ar*[2].] *V. t. d.* Tirar as plumas a; depenar.

despoético [De *des-* + *poético*.] *Adj.* **1.** Não poético; apoético. **2.** Oposto à poesia.

despoetização [De *despoetizar* + *-ção*.] *S. f.* Ato de despoetizar(-se).

despoetizador (ô) [De *despoetizar* + *-dor*.] *Adj. S. m.* Que, ou aquele que despoetiza.

despoetizar [De *des-* + *poetizar*.] *V. t. d.* **1.** Tirar a poesia ou a feição poética a. *P.* **2.** Perder a poesia ou a feição poética.

despois *Adv. Ant. Pop.* Depois: "Primeiro tratarei da larga terra, / Despois direi da sanguinosa guerra." (Luís de Camões, *Os Lusíadas*, III, 5.)

despojado [Part. de *despojar*.] *Adj.* **1.** Que sofreu despojamento, ou a si mesmo se despojou. **2.** Despido de ambição; desprendido, desambicioso. **3.** *P. ext.* Diz-se do estilo despido de ornatos, simples, enxuto.

despojador (ô) [De *despojar* + *-dor*.] *Adj. S. m.* Que, ou aquele que despoja; espoliador.

despojamento [De *despojar* + *-mento*.] *S. m.* Ato de despojar(-se).

despojar [Do esp. *despojar* < lat. *despoliare*, 'saquear'.] *V. t. d.* **1.** Roubar; saquear; defraudar: *Os invasores despojavam quantos encontravam em seu caminho.* *T. d. e i.* **2.** Privar da posse; espoliar, desapossar, despir. **3.** Privar (1): *A ventania despojou as árvores de suas folhas.* *P.* **4.** Despir (11). [Pres. ind.: *despojo*, etc. Cf. *despojo* (ô).]

despojo (ô) [Do esp. *despojo*.] *S. m.* **1.** V. *presa* (2). **2.** O que caiu ou se arrancou, tendo servido de revestimento ou adorno. [Pl.: *despojos* (ó). Cf. *despojo*, do v. *despojar*.] ~ V. *despojos*.

despojos (ó) [Pl. de *despojo* (ô).] *S. m. pl.* Restos (2): "Durmam na urna calada, / Que os teus despojos encerra, / Teus ossos em paz sagrada!" (Antônio Feliciano de Castilho, *Os Amores*, III, p. 63.) ~ V. *despojo* (ô).

despolarização [De *despolarizar* + *-ção*.] *S. f.* **1.** *Fís.-Quím.* Num eletrodo de uma pilha, eliminação de gás ou de outras substâncias que lhe impossibilitam ou dificultam o funcionamento reversível. **2.** *Eletr.* Diminuição ou eliminação da polarização de um dielétrico. [Sin., nessas acepç.: *depolarização*.] **3.** *Citol.* Estado em que a membrana celular permite a passagem de íons aos quais, normalmente, é impermeável. Nesse estado, a distribuição de íons negativos e positivos é igual em ambos os lados da membrana.

despolarizante [De *despolarizar* + *-nte*.] *Adj. 2 g. Fís.-Quím. Eletr.* Diz-se da substância que na pilha elétrica impede a polarização.

despolarizar [De *des-* + *polarizar*.] *V. t. d. Fís.-Quím. Eletr.* Efetuar a despolarização de; depolarizar.

despoletar [De *des-* + *(es)poletar*.] *V. t. d.* **1.** Desarmar o mecanismo de deflagração de (arma de fogo, bomba, etc.). **2.** *Lus.* Deflagrar: *despoletar uma granada.* **3.** *Lus. Fig.* Dar surgimento a; deflagrar: "Xavier participara no ataque da Frelimo ao quartel de Mueda, que despoletara o início da luta armada, em retaliação ao massacre ocorrido há quatro anos." (Inês Pedrosa, *Nas Tuas Mãos*, p. 109.)

despolidez (ê) [De *des-* + *polidez*.] *S. f. P. us.* Impolidez.

despolir [De *des-* + *polir*.] *V. t. d.* **1.** Tirar o polimento ou o brilho a; tornar fosco; deslustrar. *P.* **2.** Perder o polimento ou o brilho; deslustrar-se. [Irreg. Conjug.: v. *polir*.]

despolpador (ô) [De *despolpar* + *-dor*.] *S. m.* **1.** Aquele que despolpa. **2.** Aparelho ou instrumento para despolpar. **3.** *Restr.* Aparelho com que se despolpa o grão de café.

despolpamento [De *despolpar* + *-mento*.] *S. m.* Ação de despolpar.

despolpar [De *des-* + *polpa* + *-ar*[2].] *V. t. d.* Tirar a polpa a.

despoluente [De *des-* + *poluente*.] *Adj. 2 g.* Que provoca despoluição.

despoluição (u-i) [De *despoluir* + *-ção*.] *S. f.* Ato ou efeito de despoluir.

despoluído [Part. de *despoluir*.] *Adj.* Em que houve despoluição.

despoluir [De *des-* + *poluir*.] *V. t. d.* Fazer cessar a poluição de: "Um programa que vai investir Cr$ 65 bilhões para despoluir a baía de Guanabara vai ser anunciado dia 26, no Rio" (*Jornal do Brasil*, 26.01.1982). [Conjug.: v. *atribuir*.]

desponderação [De *des-* + *ponderação*.] *S. f.* Imponderação.

desponderado [De *des-* + *ponderado*.] *Adj.* Imponderado.

desponderar [De *des-* + *ponderar*.] *V. t. d.* Não ponderar; fazer sem ponderação.

despongar [De *des-* + *pongar*.] *V. int. Bras.* Saltar, ou descer de carro em movimento.

desponsório *S. m.* V. *desposório*.

despontado [Part. de *despontar*.] *Adj.* **1.** A que se cortou ou tirou a ponta, ou as pontas. **2.** Que não tem ponta(s); embotado, rombo.

despontante [De *despontar* + *-nte*.] *Adj. 2 g.* Que desponta.

despontar [De *des-* + *ponta* + *-ar*[2].] *V. t. d.* **1.** Gastar a ponta a; embotar: *despontar espinhos.* **2.** Cortar as pontas ou chifres a (o vacum). *T. d. e i.* **3.** Ocorrer; lembrar: *Despontou-lhe, de repente, a solução do problema.* *Int.* **4.** Começar a surgir; nascer: "O Sol desponta / Lá no horizonte, / Doirando a fonte, / E o prado e o monte / E o céu e o mar" (Gonçalves Dias, *Obras Poéticas*, II, p. 230). *P.* **5.** Ficar sem ponta; embotar-se na ponta.

desponte [Dev. de *despontar*.] *S. m. Bras.* Operação agrícola de cortar o caule do milho acima da última espiga, a fim de fazer convergir para a espiga a seiva que seria absorvida pela parte amputada.

despontuar [De *des-* + *pontuar*.] *V. t. d. Graf.* Tirar a pontuação a.

despopularizar [De *des-* + *popularizar*.] *V. t. d. P.* Impopularizar(-se).

desporte [Do fr. ant. *desport*.] *S. m.* V. *esporte* (1 e 2).

desportilhar[1] [De *des-* + *porta* + *-ilhar*.] *V. t. d.* Derribar as portas de.

desportilhar[2] [Do esp. *desportillar*, poss.] *V. t. d. Veter.* Deteriorar o bordo inferior das tapas do casco de (cavalgadura).

desportismo [De *desporte* + *-ismo*.] *S. m.* Gosto ou prática do desporte ou esporte; esportismo.

desportista [De *desporte* + *-ista*.] *Adj. 2 g. S. 2 g.* Que, ou quem pratica o desporte, ou, sem o praticar, por ele se interessa muito; esportista.

desportivo [De *desporte* + *-ivo*.] *Adj.* Do, ou pertencente ou relativo ao desporte.

desporto (ô) [Do fr. ant. *desport*.] *S. m.* V. *esporte* (1 e 2). [F. paral.: *desporte*. Pl.: *desportos* (ó).]

desposado [Part. de *desposar*.] *Adj.* **1.** Que contraiu esponsais; noivo, esposado. **2.** Unido; abraçado. ● *S. m.* **3.** Indivíduo recém-casado, ou noivo.

desposar [De *de-* + *esposar*.] *V. t. d.* **1.** Contrair esponsais com; esposar: "Ou eu não devo casar nunca, ou posso desposar um homem digno, que me ame." (Machado de Assis, *Helena*, p. 180.) **2.** Promover os esponsais, o casamento de; fazer casar: *Achava que já era tempo de desposar a filha.* *T. d. e i.* **3.** Contratar, ajustar, promover o casamento. *P.* **4.** Contrair esponsais; casar-se, esposar-se: "— Eu, disse ela, nasci de família nobre e desposei-me com Macário" (João Ribeiro, *Floresta de Exemplos*, p. 97). **5.** Contrair união íntima; esposar-se: *Disse que sua alma se desposara com Deus.*

desposório [De *desposar*.] *S. m.* **1.** Esponsais, noivado. **2.** Casamento. [Sin. ger.: *desponsório*.]

despossar [De *des-* + *posse* + *-ar*[2].] *V. t. d. e i. P.* V. *desapossar*.

despossuir [De *des-* + *possuir*.] *V. t. d. e i. P.* V. *desapossar*. [Conjug.: v. *atribuir*.]

despostigar [De *des-* + *postigo* + *-ar*[2].] *V. t. d.* Tirar o postigo a. [Conjug.: v. *largar*.]

déspota [Do gr. *despótes*, pelo lat. med. *despota*.] *S. 2 g.* **1.** Senhor absoluto e arbitrário; tirano, opressor. **2.** Dominador absoluto. **3.** Pessoa de tendências dominadoras. ● *Adj. 2 g.* **4.** Que é senhor absoluto e arbitrário; despótico: *um rei déspota.*

despótico [Do gr. *despotikós*.] *Adj.* **1.** Próprio de déspota (1 a 3). **2.** Déspota (4). **3.** Em que há despotismo; tirânico, opressivo.

despotismo [De *déspota* + *-ismo*.] *S. m.* **1.** Autoridade de déspota. **2.** Poder absoluto e arbitrário. **3.** Sistema de governo que se funda no poder de dominação sem freios. **4.** Ato próprio de déspota; tirania. **5.** *Bras. Pop.* V. *quantidade* (3): "as cédulas espalharam-se no chão, uma infinidade, um despropósito, um despotismo." (Viriato Correia, *Novelas Doidas*, p. 223.) **6.** *Bras.* Lugar inacessível, não sabido, oculto, no mato.

despotizar [De *déspota* + *-izar*.] *V. t. d.* **1.** Governar despoticamente; tiranizar: *Despotizou a nação durante um quinquênio.* *Int.* **2.** Governar despoticamente; tiranizar.

despovoação [De *despovoar* + *-ção*.] *S. f.* Ato ou efeito de despovoar(-se); despovoamento.

despovoado [Part. de *despovoar*.] *Adj.* **1.** Que não é povoado ou habitado. ● *S. m.* **2.** Lugar sem casas, ou sem habitantes.

despovoamento [De *despovoar* + *-mento*.] *S. m.* Despovoação.

despovoar [De *des-* + *povoar*.] *V. t. d.* **1.** Privar de habitantes; tornar despovoado; extinguir ou reduzir a população de; depopular, desolar. **2.** *Fig.* Tirar (os objetos que guarnecem ou adornam). *P.* **3.** Ficar sem habitantes; tornar-se deserto: "Mas as dívidas se avolumaram, a fazenda se despovoou" (Graciliano Ramos, *Infância*, p. 38). [Conjug.: v. *coroar*.]

despratear [De *des-* + *pratear*.] *V. t. d.* Tirar a prata ou a cor de prata a. [Conjug.: v. *frear*.]

desprazer [De *des-* + *prazer*.] *V. t. i. Int.* **1.** Desagradar, desaprazer: "O mato, de seu natural sombrio e ermo, desprazia antes do que convidava naquele momento a quem não fosse obrigado a buscá-lo por grande negócio." (Franklin Távora, *O Matuto*, p. 22.) [Irreg. Conjug.: v. *aprazer*.] ● *S. m.* **2.** Falta de prazer; desagrado, desprazimento.

desprazimento [De *desprazer* + *-imento*.] *S. m.* V. *desprazer* (2).

desprazível [De *desprazer* + *-ível*.] *Adj. 2 g.* Que despraz; desagradável.

desprecatado [De *des-* + *precatado*.] *Adj.* Descuidado, desprevenido, desacautelado; incauto.

desprecatar-se [De *des-* + *precatar* + *se*[1].] *V. p.* Descuidar-se, desprevenir-se, desacautelar-se.

desprecaver [De *des-* + *precaver*.] *V. t. d. P.* Desacautelar. [Defect. Conjug.: v. *precaver*.]

desprecavido [Part. de *desprecaver*.] *Adj.* Não precavido (q. v.).

despregado [Part. de *despregar*.] *Adj.* **1.** Que se despregou; solto. **2.** Desenfreado, solto. **3.** *Fig.* Insolente, atrevido.

despregadura [De *despregar*[1] + *-dura*.] *S. f.* Ação ou operação de despregar(-se).

despregar[1] [De *des-* + *pregar*[1].] *V. t. d.* **1.** Arrancar (aquilo que estava pregado); descravar. *T. d. e i.* **2.** Desviar, apartar: *Não despregava os olhos do namorado;* "segurava o braço da prima, ... sem despregar a vista da paisagem" (Aluísio Azevedo, *O Mulato*, p. 145). *P.* **3.** Desprender-se, soltar-se. [Conjug.: v. *regar*.]

despregar[2] [De *des-* + *pregar*[2].] *V. t. d.* **1.** Desfazer as pregas de; desenrugar. **2.** Desenrolar; desenvolver; estender. **3.** Soltar ao vento; largar, desfraldar. **4.** Despedir, desprender (voo). [Conjug.: v. *regar*.]

despreguiçar [De *des-* + *preguiça* + *-ar*[2].] *V. t. d. P.* V. *espreguiçar*. [Conjug.: v. *laçar*.]

despremiar [De *des-* + *premiar*.] *V. t. d.* Deixar de premiar, de recompensar: *A má sorte despremiou os seus esforços.* [Conjug.: v. *negociar* (no Bras. e em Port.).]

desprendado [De *des-* + *prendado*.] *Adj.* Que não tem prendas, habilidade ou talento.

desprender [De *des-* + *prender*.] *V. t. d.* **1.** Soltar (o que estava preso); desligar, desatar, desamarrar, despregar. **2.** Desencarcerar, libertar, soltar. **3.** Emitir, proferir: *Desprendia gemidos pungentes.* *T. d. e i.* **4.** Soltar, desligar, desatar, desamarrar, despregar: *Desprendi-o da corrente.* **5.** Afastar, apartar, desviar, demover: "nada o desprendia [a Cristóvão Colombo] da ideia .... de que precisamente as novas Índias, para onde o guiara a mão da Providência, se situavam na orla do Paraíso Terreal." (Sérgio Buarque de Holanda, *Visão do Paraíso*, p. 19.) *P.* **6.** Soltar-se, desligar-se: "E desprendeu-se dos braços da mãe, com uma violenta expressão de pavor." (José de Alencar, *Encarnação*, p. 336.)

desprendido [Part. de *desprender*.] *Adj.* Que tem ou denota desprendimento ou abnegação.

desprendimento [De *desprender* + *-imento*.] *S. m.* Ato ou efeito de desprender(-se); abnegação, altruísmo, independência. ◆ **Desprendimento de posse.** *Jur.* Constituto-possessório.

despreocupação [De *des-* + *preocupação*.] *S. f.* Estado de quem se acha ou é despreocupado.

despreocupado [De *des-* + *preocupado*.] *Adj.* Que não tem preocupação.

despreocupar [De *des-* + *preocupar*.] *V. t. d.* **1.** Livrar ou isentar de preocupação. *P.* **2.** Livrar-se de preocupação; deixar de se preocupar.

despreparado [De *des-* + *preparado*.] *Adj.* Que não tem preparo, não está preparado: *As tropas despreparadas não resistiram ao inimigo; O menino despreparado não passou no exame.*

despreparo [De *des-* + *preparo*.] *S. m.* **1.** Falta de preparo, de cultura, de competência. **2.** Desarranjo, desarrumação.

despresilhar [De *des-* + *presilha* + *-ar*[2].] *V. t. d.* Soltar das presilhas.

D

despressurização [De *despressurizar* + *-ção*.] ***S. f.*** Ato ou efeito de despressurizar.

despressurizado [Part. de *despressurizar*.] ***Adj.*** Que sofreu despressurização.

despressurizar [De *des-* + *pressurizar*.] ***V. t. d.*** Fazer cessar a pressurização de.

desprestigiar [De *desprestígio* + *-ar*^{2}.] ***V. t. d.* 1.** Tirar o prestígio a; desacreditar: *Seus comentários maliciosos desprestigiaram o amigo.* ***P.* 2.** Perder o prestígio. [Pres. ind.: *desprestigio*, etc. Cf. *desprestígio*.]

desprestígio [De *des-* + *prestígio*.] ***S. m.*** Falta de prestígio. [Cf. *desprestigio*, do v. *desprestigiar*.]

despresumido [De *des-* + *presumido*.] ***Adj.*** Que não tem presunção ou vaidade; despretensioso.

despretensão [De *des-* + *pretensão*.] ***S. f.*** Falta de pretensão; desambição, modéstia.

despretensioso (ô) [De *des-* + *pretensioso*.] ***Adj.*** Que não tem, ou em que não há pretensão ou pretensões; modesto; franco; desafetado: *Tão célebre que é, e tão despretensioso!; A todos cativou com as suas maneiras naturais, despretensiosas.*

desprevenção [De *des-* + *prevenção*.] ***S. f.*** Falta de prevenção; imprevidência.

desprevenido [De *des-* + *prevenido*.] ***Adj.* 1.** Desacautelado, desapercebido. **2.** *Pop.* Sem dinheiro no bolso, ou disponível.

desprevenir [De *des-* + *prevenir*.] ***V. t. d. e i.* 1.** Não prevenir; desacautelar, desprecaver. ***P.* 2.** Ser imprevidente; desacautelar-se, desprecaver-se, desprecatar-se. [Irreg. Conjug.: v. *agredir*.]

desprezado [Part. de *desprezar*.] ***Adj.* 1.** Que se desprezou. **2.** A que se deu desprezo.

desprezador (ô) [De *desprezar* + *-dor*.] ***Adj. S. m.*** Que, ou aquele que despreza. [Sin. (p. us.): *contemptor*.]

desprezar [De *des-* + *prezar*.] ***V. t. d.* 1.** Ter, sentir, testemunhar desprezo a: *Mau-caráter, despreza os humildes.* **2.** Não fazer caso de; não dar importância a; não prezar: "Despreza o que estimou" (Gonçalves Dias, *Obras Poéticas*, II, p. 149); *Os eremitas desprezam os bens materiais.* **3.** Recusar, rejeitar: *desprezar um oferecimento.* **4.** Não levar em conta, não meter em conta; não incluir no cômputo: *No cálculo das despesas, desprezou as frações.* ***P.* 5.** Envergonhar-se de si mesmo; ter-se em má conta. **6.** Aviltar-se, envilecer-se, rebaixar-se. [Pres. ind.: *desprezo*, etc. Cf. *desprezo* (ê).]

desprezativo [De *desprezar* + *-tivo*.] ***Adj.*** Em que há, ou que revela desprezo; depreciativo, desprezivo, despicativo.

desprezilho [De *desprezo* + *-ilho*.] ***S. m.*** Indício de desprezo; desdém.

desprezível [De *desprezar* + *-vel*, poss. com infl. de *desprezivo*.] ***Adj. 2 g.*** Digno de desprezo; vil, abjeto, miserável, vergonhoso.

desprezivo [De *desprezo* + *-ivo*.] ***Adj.*** V. *desprezativo*.

desprezo (ê) [Dev. de *desprezar*.] ***S. m.* 1.** Falta de apreço; desconsideração, desdém. [Sin., ant.: *contemptamento*, *contempto*.] **2.** Repulsa com nojo. [Pl.: *desprezos* (ê). Cf. *desprezo*, do v. *desprezar*.] ◆ **Dar-se ao desprezo.** Fazer-se desprezível; abandalhar-se, aviltar-se. **Ser o desprezo de.** Ser objeto de desprezo por parte de.

desprimor (ô) [De *des-* + *primor*.] ***S. m.* 1.** Falta de primor. **2.** Descortesia, indelicadeza. [Pl.: *desprimores* (ô). Cf. *desprimores*, do v. *desprimorar*.]

desprimorar [De *des-* + *primor* + *-ar*^{2}.] ***V. t. d.* 1.** Tirar o primor a; deslustrar; depreciar. ***P.* 2.** Perder o primor moral; desonrar-se, aviltar-se. [Pres. subj.: *desprimore*, *desprimores*, etc. Cf. *desprimores* (ô), pl. de *desprimor*.]

desprimoroso (ô) [De *des-* + *primoroso*.] ***Adj.* 1.** Que não tem primor; imperfeito. **2.** Descortês, incivil, indelicado.

desprivar [De *des-* + *privar*.] ***V. t. d.*** Tirar a privança ou o valimento a.

desprivilegiar [De *des-* + *privilegiar*.] ***V. t. d.* 1.** Tirar o privilégio a. **2.** Tornar comum; generalizar.

desprofanar [De *des-* + *profanar*.] ***V. t. d.*** Fazer voltar ao estado anterior à profanação; purificar.

desprogramação [De *desprogramar* + *-ção*.] ***S. f.*** Ato ou efeito de desprogramar.

desprogramar [De *des-* + *programar*.] ***V. t. d.*** Desfazer (o que estava programado).

despronúncia [Dev. de *despronunciar*.] ***S. f.*** *Dir. Proc. Penal* Ato ou efeito de despronunciar. [Cf. *despronuncia*, do v. *despronunciar*.]

despronunciar [De *des-* + *pronunciar*.] ***V. t. d.*** *Dir. Proc. Penal* Anular a pronúncia de (um réu). [Pres. ind.: *despronuncio*, *despronuncias*, *despronuncia*, etc. Cf. *despronúncia*.]

despropério [De *impropério*, poss. com infl. de *despropósito*.] ***S. m.*** *Bras.* *S.* **1.** Disparate, absurdo, contrassenso. **2.** Impropério, vitupério.

desproporção [De *des-* + *proporção*.] ***S. f.* 1.** Falta de proporção. **2.** Monstruosidade; desconformidade.

desproporcionação [De *desproporcionar* + *-ção*.] ***S. f.*** *Quím.* V. *desproporcionamento*.

desproporcionado [De *des-* + *proporcionado*.] ***Adj.* 1.** Que não é proporcionado; desigual, desproporcional. **2.** Desconforme, descomunal.

desproporcional [De *des-* + *proporcional*.] ***Adj. 2 g.* 1.** V. *desproporcionado* (1). **2.** *P. ext.* Gigantesco, descomunal.

desproporcionalidade [De *desproporcional* + *-(i)dade*.] ***S. f.*** Qualidade de desproporcional.

desproporcionamento [De *desproporcionar* + *-mento*.] ***S. m.*** *Quím.* Tipo de reação de oxirredução em que moléculas de um mesmo composto interagem de tal modo que, para cada uma oxidada, uma outra é reduzida; desproporcionação; dismutação.

desproporcionar [De *des-* + *proporcionar*.] ***V. t. d.*** Tirar ou alterar as proporções de; não proporcionar.

despropositado [Part. de *despropositar*.] ***Adj.* 1.** Que não tem propósito. **2.** Que não vem a propósito; inoportuno, desapropositado. **3.** Imprudente, estouvado, arrebatado.

despropositar [De *despropósito* + *-ar*^{2}.] ***V. int.* 1.** Proceder com despropósito; disparatar. **2.** Dizer despropósito(s); falar arrebatadamente. [Pres. ind.: *desproposito*, etc. Cf. *despropósito*.]

despropósito [De *des-* + *propósito*.] ***S. m.* 1.** Falta de propósito; desapropósito. **2.** Destempero; descomedimento; estouvamento. **3.** Dito ou ato sem propósito. **4.** *Bras. Pop.* V. *quantidade* (3). **5.** *Pop.* Grandeza ou excesso de qualquer coisa. [Cf. *desproposito*, do v. *despropositar*.]

desproteção [De *des-* + *proteção*.] ***S. f.*** Falta de proteção; abandono, desamparo; desfavor.

desproteger [De *des-* + *proteger*.] ***V. t. d.*** Faltar com, ou retirar a proteção a; não proteger; desamparar, desauxiliar, desassistir. [Conjug.: v. *reger*.]

desprotegido [Part. de *desproteger*.] ***Adj.*** Que não tem proteção; desamparado.

desprotonação [De *desprotonar* + *-ção*.] ***S. f.*** *Quím.* Ato ou efeito de desprotonar.

desprotonar [De *des-* + *próton* + *-ar*^{2}; ingl. (*to*) *deprotonate*.] ***V. t. d.*** *Quím.* Retirar próton de (substância). [A melhor forma é *desprotonizar*.]

desprotonizar [De *des-* + *próton* + *-izar*.] ***V. t. d.*** *Quím.* Desprotonar.

desproveito [De *des-* + *proveito*.] ***S. m.* 1.** Desperdício; desaproveitamento. **2.** Prejuízo, dano, detrimento: *Favorecer alguns em desproveito de muitos.*

desprover [De *des-* + *prover*.] ***V. t. d.* 1.** Tirar as provisões a. **2.** Recusar as provisões necessárias a. ***T. d. e i.* 3.** Privar (de provisões ou coisas necessárias). [Irreg. Conjug.: v. *ver*, salvo no pret. perf. e m.-q.-perf. ind., imperf. subj., e part., que são regulares.]

desprovido [Part. de *desprover*.] ***Adj.* 1.** Falto de provisões. **2.** Privado de recursos; desprevenido. **3.** V. *destituído*.

desprovimento [De *des-* + *provimento*.] ***S. m.* 1.** Falta de provimento; não provimento. **2.** Carência de provisões, ou de coisas necessárias.

despucelar [Do fr. *dépuceler*.] ***V. t. d.*** Fazer perder a condição de pucela; desvirginar, deflorar.

despudor (ô) [De *des-* + *pudor*.] ***S. m.*** Falta de pudor; impudor, impudência.

despudorado [De *despudor* + *-ado*^{1}.] ***Adj. S. m.*** Diz-se de, ou indivíduo sem pudor; impudente.

despuerilizar [De *des-* + *puerilizar*.] ***V. t. d.* 1.** Fazer que deixe de ser pueril; tirar a puerilidade, a feição pueril a. ***P.* 2.** Perder a puerilidade.

despundonor (ô) [De *des-* + *pundonor*.] ***S. m.*** Falta de pundonor.

despundonoroso (ô) [De *despundonor* + *-oso*.] ***Adj.*** Que tem ou revela despundonor.

desquadrar [De *des-* + *quadrar*.] ***V. t. i.*** Não quadrar; não condizer; divergir, destoar.

desquadrilhar [Por *desquadrilar*, de *des-* + *quadril* + *-ar*^{2}.] ***V. t. d.* 1.** Torcer, mexer, bambolear (os quadris). **2.** Derrear, derrengar, desancar, esquadrilhar.

desqualificação [De *desqualificar* + *-ção*.] ***S. f.*** Ato ou efeito de desqualificar(-se).

desqualificado [Part. de *desqualificar*.] ***Adj. S. m.* 1.** Que, ou aquele que perdeu as qualidades que o recomendavam à consideração pública. **2.** Que, ou aquele que foi excluído de um torneio, certame, etc. [Sin. ger.: *desclassificado*.]

desqualificar [De *des-* + *qualificar*.] ***V. t. d.* 1.** Tirar ou fazer perder as boas qualidades a. **2.** Excluir de um torneio, certame, etc.: *O juiz desqualificou o jogador que cometeu a falta.* **3.** *Dir. Proc. Penal* Excluir a circunstância qualificadora de (um crime). ***Transobj.* 4.** Tirar a qualificação a: *Disse à moça que aquele reparo não a desqualificava de bela.* ***P.* 5.** Tornar-se inapto, indigno; inabilitar-se. [Conjug.: v. *trancar*.]

desqualificativo [De *desqualificar* + *-tivo*.] ***Adj.*** Que desqualifica.

desquartado [Part. de *desquartar*.] ***Adj.*** *Bras. S.* Diz-se do animal pobre de gordura ou músculos nos quartos.

desquartar [De *des-* + *quart(os)* + *-ar*^{2}.] ***V. int. P.*** *Bras. S.* **1.** Sofrer (o animal) desarticulação num dos quartos. **2.** Perder (o animal) a gordura, ficando de quartos finos.

desqueixado [Part. de *desqueixar*.] ***Adj.*** Que não tem queixos ou os tem partidos.

desqueixador (ô) [De *desqueixar* + *-dor*.] ***S. m.*** Aquele que desqueixa.

desqueixar [De *des-* + *queixo* + *-ar*^{2}.] ***V. t. d.*** Deslocar, quebrar ou arrancar os queixos a.

desqueixelado ***Adj.*** *Bras.* Que ficou de queixo caído; espantado, admirado, pasmado, boquiaberto. [Var. (pop.): *descaxelado*.]

desquerer [De *des-* + *querer*.] ***V. t. d.*** Deixar de querer; não querer bem a; não amar; não prezar. [Irreg. Conjug.: v. *querer*.]

desquiciar [De *des-* + *quício* + *-ar*^{2}.] ***V. t. d.* 1.** Tirar dos quícios ou gonzos; desengonçar. ***P.* 2.** Sair dos quícios; desencaixar-se.

desquietar [De *des-* + *quieto* + *-ar*^{2}.] ***V. t. d.*** V. *inquietar* (1).

desquitação [De *desquitar* + *-ção*.] ***S. f.*** *P. us.* Desquite (q. v.).

desquitado [Part. de *desquitar*.] ***Adj. S. m.*** Diz-se de, ou aquele que se separou por desquite.

desquitando [De *desquitar* + *-ando*.] ***Adj. S. m.*** Que, ou aquele que vai desquitar-se, que está promovendo ação de desquite.

desquitar [De *des-* + *quitar*.] ***V. t. d.* 1.** Separar (os cônjuges) por desquite. **2.** *Lus. Pop.* Desmamar, destetar. ***T. d. e i.* 3.** Desobrigar; libertar: *Desquitou-o de sua palavra.* ***P.* 4.** Separar-se (os cônjuges) por desquite. **5.** Renunciar; deixar. **6.** *P. us.* Desforrar-se, vingar-se.

desquite [Dev. de *desquitar*.] ***S. m.*** *Dir. Civ.* Dissolução da sociedade conjugal, pela qual se separam os cônjuges, com eventual partilha de bens, sem quebra do vínculo matrimonial. [Sin. (p. us.): *desquitação*. Cf. *divórcio* (1).]

desrabar [De *des-* + *rabo* + *-ar*^{2}.] ***V. t. d. P.*** Derrabar.

desraigar (a-i) ***V. t. d. T. d. e c. T. d. e i.*** V. *desarraigar*. [Conjug. v. *largar*.]

desraizar (a-i) [De *des-* + *raiz* + *-ar*^{2}.] ***V. t. d. T. d. e c. T. d. e i.*** V. *desarraigar*.

desrama [Dev. de *desramar*.] ***S. f.*** Ato ou efeito de desramar; derrama.

desramar [De *des-* + *ramo* + *-ar*^{2}.] ***V. t. d.*** Cortar os ramos a; derramar: "e os negros, desramando mangueiras, enfeitaram o terreiro com arcos de folhagem." (Coelho Neto, *Treva*, p. 183).

desratização [De *desratizar* + *-ção*.] ***S. f.*** Ato ou efeito de desratizar.

desratizar [De *des-* + *rato*^{1} + *-izar*.] ***V. t. d.*** Extinguir os ratos de (algum lugar): *desratizar o sótão da casa.*

desrazão [De *des-* + *razão*.] ***S. f.*** Falta de razão; sem-razão.

desrefolhar [De *des-* + *refolho* + *-ar*^{2}.] ***V. t. d.*** Devassar a parte mais íntima ou os refolhos de. [Pres. ind.: *desrefolho*, etc. Cf. *desrefolho* (ô).]

desrefolho (ô) [Dev. de *desrefolhar*.] ***S. m.*** Ação de desrefolhar. [Pl.: *desrefolhos* (ô). Cf. *desrefolho*, do v. *desrefolhar*.]

desregrado [Part. de *desregrar*.] ***Adj.* 1.** Que não é conforme à regra; descomedido. **2.** Irregular, desordenado. **3.** Perdulário, dissipador. **4.** Devasso, libertino. • ***S. m.* 5.** Indivíduo desregrado.

desregramento [De *desregrar* + *-mento*.] ***S. m.* 1.** Falta de regularidade ou de regra; descomedimento. **2.** Abuso, desordem. **3.** Devassidão, libertinagem.

desregrar [De *des-* + *regrar*.] ***V. t. d.* 1.** Afastar da regra ou da ordem estabelecida. **2.** Tornar inconveniente, descomedido; fazer praticar excessos: *As más companhias desregraram-no.* ***P.* 3.** Sair da regra; exceder-se, descomedir-se.

desregulado [Part. de *desregular*.] ***Adj.*** Que se desregulou: "Limpador de para-brisas quebrado, folga na direção, freio desregulado." (Fernando Sabino, *A Falta Que Ela Me Faz*, p. 94.)

desregulamentação [De *desregulamentar* + *-ção*.] ***S. f.*** Ato ou efeito de desregulamentar.

desregulamentar [De *des-* + *regulamentar*^{2}.] ***V. t. d.*** Eliminar regras ou normas (esp. governamentais) de: *Foi proposto projeto de lei para desregulamentar o transporte aéreo.*

desregular [De *des-* + *regular*^{2}.] ***V. t. d.* 1.** Fazer que deixe de estar regulado. ***P.* 2.** Deixar de estar regulado.

desrelvar [De *des-* + *relvar*.] ***V. t. d.*** Cortar a relva a.

desremediado [De *des-* + *remediado*.] ***Adj.* 1.** Falto de remédio. **2.** Desvalido, desprotegido; desgraçado.

desremediar [De *des-* + *remediar*.] ***V. t. d.* 1.** Não dar remédio ou solução a. **2.** Dificultar, complicar, agravar. [Irreg. Conjug.: v. *odiar*.]

desrepressão [De *des-* + *repressão*.] ***S. f.*** Ato ou efeito de desreprimir.

desreprimir [De *des-* + *reprimir*.] *V. t. d.* Fazer cessar a repressão existente contra.
desrepublicanizar [De *des-* + *republicanizar*.] *V. t. d.* Tirar o caráter republicano a.
desrespeitador (ô) [De *desrespeitar* + *-dor*.] *Adj. S. m.* Que, ou aquele que desrespeita.
desrespeitar [De *des-* + *respeitar*.] *V. t. d.* **1.** Faltar ao respeito a; desacatar. **2.** Perturbar, alterar: *desrespeitar a ordem pública.*
desrespeito [De *des-* + *respeito*.] *S. m.* Falta de respeito.
desrespeitoso (ô) [De *des-* + *respeitoso*.] *Adj.* Que não tem, ou em que não há respeito; não respeitoso.
desresponsabilizar [De *des-* + *responsabilizar*.] *V. t. d. P.* Livrar(-se) de responsabilidade.
desrevestir-se [De *des-* + *revestir* + *se*[1].] *V. p.* **1.** Tirar (o sacerdote) as vestes que usa ao celebrar a missa. **2.** Despojar-se, privar-se, despir-se. [Irreg. Conjug.: v. *aderir*.]
desriçar [De *des-* + *riçar*.] *V. t. d.* Desenriçar. [Conjug.: v. *laçar*.]
desrizar [De *des-* + *rizar*.] *V. t. d. Ant. Marinh.* Tirar dos rizes (a vela); desenrizar.
desrolhar [De *des-* + *rolhar*.] *V. t. d.* Desarrolhar[1].
desrugar [De *des-* + *rugar*.] *V. t. d.* Desenrugar (1). [Conjug.: v. *largar*.]
desrumar [De *des-* + *rumar*.] *V. t. d.* **1.** Fazer perder o rumo. *Int. P.* **2.** Perder o rumo; desnortear-se.
dessaber [De *des-* + *saber*.] *V. t. d.* **1.** Esquecer; desaprender. *Int.* **2.** Mostrar ignorância; proceder como ignorante. **3.** Esquecer-se do que sabia. [Irreg. Conjug.: v. *saber*.]
dessabor (ô) [De *des-* + *sabor*.] *S. m.* Falta de sabor. [Pl.: *dessabores* (ô). Cf. *dessabores*, do v. *dessaborar*, e *dissabor*.]
dessaborar [De *des-* + *sabor* + *-ar*[2].] *V. t. d.* Tirar o sabor a; tornar insípido; dessaborear. [Pres. subj.: *dessabore*, *dessabores*, etc. Cf. *dessabores* (ô), pl. de *dessabor*.]
dessaborear [De *des-* + *sabor* + *-ear*[2].] *V. t. d.* Dessaborar. [Conjug.: v. *frear*. Cf. *dissaborear*.]
dessaborido [De *des-* + *saborido*.] *Adj.* **1.** Falto de sabor; insulso, insípido. **2.** De mau sabor. [Sin. ger.: *dessaboroso*. Cf. *dissaborido*.]
dessaboroso (ô) [De *des-* + *saboroso*.] *Adj.* V. *dessaborido*. [Cf. *dissaboroso*.]
dessaburrar [De *des-* + *saburra* + *-ar*[2].] *V. t. d.* Desensaburrar.
dessacralização [De *dessacralizar* + *-ção*.] *S. f.* Ato ou efeito de dessacralizar.
dessacralizado [Part. de *dessacralizar*.] *Adj.* A que se tirou o caráter sagrado.
dessacralizar [De *des-* + *sacralizar*.] *V. t. d.* Tirar o caráter sagrado de.
dessagrar [De *des-* + *sagrar*.] *V. t. d.* **1.** Tirar as ordens sacras a. **2.** Tirar a qualidade de sagrado a; profanar: "Não é oração aceitável a do ocioso; porque a ociosidade a dessagra." (Rui Barbosa, *Oração aos Moços*, p. 34.)
dessaibrar [De *des-* + *saibrar*.] *V. t. d.* **1.** Tirar o saibro a. **2.** Enfraquecer, debilitar.
dessalgação [De *dessalgar* + *-ção*.] *S. f.* Ação ou efeito de dessalgar; dessalgamento.
dessalgado [Part. de *dessalgar*.] *Adj.* A que se tirou o sal; sem sal; insosso, insípido.
dessalgamento [De *dessalgar* + *-mento*.] *S. m.* Dessalgação.
dessalgar [De *des-* + *salgar*.] *V. t. d.* **1.** Tirar o sal (2) a; tornar insípido. **2.** Tornar sem sal (4); desengraçado. [Conjug.: v. *largar*.]
dessalinização [De *dessalinizar* + *-ção*.] *S. f.* Ato ou processo de dessalinizar.
dessalinizar [De *des-* + *salino* + *-izar*.] *V. t. d.* Separar o sal de (a água do mar), para dela obter água pura ou potável.
dessamoucar [De *des-* + *samouco* (1) + *-ar*[2].] *V. t. d.* Tirar o samouco a. [Conjug.: v. *trancar*.]
dessangrar [De *des-* + *sangrar*.] *V. t. d.* **1.** Tirar todo o sangue a. **2.** Debilitar, enfraquecer, entibiar; exaurir, esgotar. **3.** Privar de recursos, de meios; empobrecer: *Longos anos de guerra dessangraram o país.* *P.* **4.** Esvair-se em sangue. **5.** Perder o que é necessário para a sua força, o seu sustento; empobrecer.
dessarroar [De *des-* + *sarro* + *-oar*.] *V. t. d.* Tirar o sarro a. [Conjug.: v. *coroar*.]
dessarte [De *dessa*, fem. de *desse*, + *arte*.] *Adv.* V. *destarte*.
dessaudar (a-u) [De *des-* + *saudar*.] *V. t. d.* Não saudar; desacatar. [Conjug.: v. *saudar*.]
dessaudoso (ô) [De *des-* + *saudoso*.] *Adj.* Que não é saudoso.
dessazonalizar [De *des-* + *sazonal* + *-izar*.] *V. t. d. Estat.* Excluir de (uma série de dados temporais, como, p. ex., um índice de produção agrícola) o efeito de variações sazonais.
dessazonar [De *des-* + *sazonar*.] *V. t. d.* Tirar o sabor a; destemperar.
desse (ê) Contr. da prep. *de* com o pron. dem. *esse*. [Flex.: *dessa*, *desses* (ê), *dessas*. Cf. *desse* e *desses*, do v. *dar*.]
dessecação [De *dessecar* + *-ção*.] *S. f.* Ato ou efeito de dessecar(-se); desidratação, dessecagem, dessecamento. [Cf. *dissecação*.]
dessecador (ô) [De *dessecar* + *-dor*.] *S. m.* **1.** Aquele ou aquilo que desseca. **2.** *Quím.* Recipiente de vidro, us. em laboratórios, provido de uma tampa com fecho estanque, e que contém substância dessecante. **3.** *Quím.* Máquina ou aparelho para dessecar frutas, leite e outros alimentos, em geral por intermédio de calor e vácuo.
dessecagem [De *dessecar* + *-agem*[2].] *S. f.* V. *dessecação*.
dessecamento [De *dessecar* + *-mento*.] *S. m.* V. *dessecação*.
dessecante [De *dessecar* + *-nte*.] *Adj. 2 g.* **1.** Que desseca. • *S. m.* **2.** *Eng. Ind.* Qualquer agente de dessecação (como o ácido sulfúrico, sílica-gel, etc.); dessecativo.
dessecar [Do lat. *desiccare*.] *V. t. d.* **1.** Secar inteiramente; enxugar. **2.** Tornar seco, árido: *O longo verão dessecou o terreno.* **3.** Tornar insensível, duro, frio: *A miséria dessecou-lhe o coração.* **4.** *Eng. Ind.* Retirar por inteiro, ou quase por inteiro, a umidade, não combinada quimicamente, de (um corpo ou substância). *P.* **5.** Tornar-se seco. **6.** Tornar-se frio, duro, insensível. [Conjug.: v. *trancar*. Cf. *dissecar*.]
dessecativo [De *dessecar* + *-tivo*.] *Adj.* **1.** Que tem a propriedade de dessecar. • *S. m.* **2.** *Farm.* Medicamento que promove a cicatrização das úlceras. **3.** *Eng. Ind.* Dessecante.
dessedentar [De *des-* + *sedento* + *-ar*[2].] *V. t. d.* **1.** Matar a sede a. *P.* **2.** Saciar, matar a própria sede.
dessegredar [De *des-* + *segredo* + *-ar*[2].] *V. t. d.* Tornar público (o que era segredo); divulgar. [Pres. ind.: *dessegredo*, etc. Cf. *dessegredo* (ê).]
dessegredo (ê) [De *des-* + *segredo*.] *S. m.* Falta de segredo; publicidade. [Pl.: *dessegredos* (ê). Cf. *dessegredo*, do v. *dessegredar*.]
desseguir [De *des-* + *seguir*.] *V. t. d.* Deixar de seguir; desacompanhar. [Irreg. Conjug.: v. *seguir*.]
dessegurar [De *des-* + *segurar*.] *V. t. d.* Tirar ou diminuir a segurança de.
desseivagem [De *desseivar* + *-agem*[2].] *S. f. Eng. Ind.* Ato de desseivar (2).
desseivar [De *des-* + *seiva* + *-ar*[2].] *V. t. d.* **1.** Retirar a seiva de. **2.** *Eng. Ind.* Retirar seiva de (madeira), mediante exposição a vapor de água, em ambiente confinado, como o de uma estufa.
desselar[1] [De *des-* + *selar*[1].] *V. t. d.* Tirar a sela a.
desselar[2] [De *des-* + *selar*[2].] *V. t. d.* Tirar o(s) selo(s) a.
dessemelhança [De *des-* + *semelhança*.] *S. f.* Falta de semelhança; diferença, desigualdade, dissimilitude.
dessemelhante [De *des-* + *semelhante*.] *Adj. 2 g.* Não semelhante; diferente, desigual, dissímil.
dessemelhar [De *des-* + *semelhar*.] *V. t. d.* **1.** Tornar dessemelhante. *T. d. e i.* **2.** Fazer dessemelhante; diferençar: *Vários traços de seu caráter dessemelham-na dos pais.* *P.* **3.** Diferençar-se. [Conjug.: v. *aparelhar*.]
dessemelhável [De *dessemelhar* + *-vel*.] *Adj. 2 g.* Que se pode dessemelhar.
dessensibilização [De *dessensibilizar* + *-ção*.] *S. f.* **1.** Ato ou efeito de dessensibilizar. **2.** *Imun.* Processo que visa à profilaxia ou à diminuição de reações de hipersensibilidade imediata (q. v.) pela ministração de doses crescentes de alérgeno. **3.** *Psiq.* Tratamento, dentro da linha behaviorista, de fobias e de manifestações correlatas, expondo-se propositadamente o paciente, ou no plano da imaginação ou no plano da realidade, a situações que lhe sejam perturbadoras emocionalmente.
dessensibilizado [De *dessensibilizar* + *-ado*[1].] *Adj.* Que se dessensibilizou, ou que passou por dessensibilização.
dessensibilizador (ô) [De *desensibilizar* + *-dor*.] *Adj.* Dessensibilizante (1).
dessensibilizante [De *dessensibilizar* + *-nte*.] *Adj. 2 g.* **1.** Que dessensibiliza; dessensibilizador. • *S. 2 g.* **2.** Substância que dessensibiliza.
dessensibilizar [De *des-* + *sensibilizar*.] *V. t. d.* **1.** Fazer que cesse de estar sensibilizado. **2.** Insensibilizar. *P.* **3.** Insensibilizar-se.
dessentir [De *des-* + *sentir*.] *V. t. d.* Perder o sentimento de; deixar de sentir; já não sentir. [Irreg. Conjug.: v. *aderir*. Cf. *dissentir*.]
dessepultar [De *des-* + *sepultar*.] *V. t. d.* Tirar da sepultura; exumar.
dessepulto [De *des-* + *sepulto*.] *Adj.* Insepulto.
desserviçal [De *des-* + *serviçal*.] *Adj. 2 g.* **1.** Que não é serviçal. **2.** Que desserve.
desserviço [De *des-* + *serviço*.] *S. m.* Mau serviço.
desservido [Part. de *desservir*.] *Adj.* **1.** Que não foi bem servido. **2.** Privado, falto, desprovido.
desservir [De *des-* + *servir*.] *V. t. d.* **1.** Fazer desserviço a; servir mal. *Int.* **2.** Não servir. [Irreg. Conjug.: v. *aderir*.]
dessexuado (cs) [De *des-* + *-sex(o)-* + *-uado*.] *Adj.* **1.** Que perdeu as qualidades ou atributos próprios do seu sexo. **2.** Privado de sexo; assexuado. **3.** *Fig.* Que jamais conheceu apetites sexuais.
dessexualizar (cs) [De *des-* + *sexual* + *-izar*.] *V. t. d.* Dessexuar.
dessexuar (cs) [De *des-* + *-sex(o)-* + *-uar*.] *V. t. d.* **1.** Fazer (alguém) perder as qualidades próprias do seu sexo. **2.** Tornar dessexuado (2). [Sin. ger.: *dessexualizar*.]
dessimetria [De *des-* + *simetria*.] *S. f.* V. *assimetria* (1).
dessimétrico *Adj.* V. *assimétrico*.
dessimpatizar [De *des-* + *simpatizar*.] *V. t. i.* Não simpatizar; antipatizar: *Dessimpatizo com os pedantes.*
dessintonia *S. f.* V. *dissintonia*: "Essa afirmação fornece um dado fundamental na direção do encontro de razões mais verdadeiras para a dessintonia [entre Estado e sociedade] do que o velho e irreal diagnóstico sobre os erros de comunicação." (Dora Kramer, em *Jornal do Brasil*, 08.08.1999.)
dessiso [De *des-* + *siso*.] *S. m.* Falta de siso, de juízo, de bom senso.
dessistema [De *des-* + *sistema*.] *S. m.* **1.** Falta de sistema, de método. **2.** Desordem, desorganização.
dessisudo [De *des-* + *sisudo*.] *Adj.* Que não é sisudo; estouvado.
dessitiar [De *des-* + *sitiar*.] *V. t. d.* Livrar de sítio ou cerco; descercar.
dessoalhar [De *des-* + *soalhar*.] *V. t. d.* Tirar o soalho a.
dessoar [De *des-* + *soar*.] *V. t. i.* Dissonar, destoar: *Seus costumes dessoam dos da maioria.* [Conjug.: v. *coroar*. Cf. *dessuar*.]
dessobraçar [De *des-* + *sobraçar*.] *V. t. d.* Tirar ou largar (aquilo que estava sobraçado). [Conjug.: v. *laçar*.]
dessocar *V. t. d. Bras. RS* Fazer nas mãos de (animal matreiro) incisão dos tendões de certos músculos daqueles membros, para lhe dificultar a carreira. [Conjug.: v. *trancar*.]
dessociável [De *des-* + *sociável*.] *Adj. 2 g.* V. *insociável*.
dessoçobrar [De *des-* + *soçobrar*.] *V. t. d. Desus.* Fazer flutuar novamente (embarcação que soçobrou); livrar de soçobro ou naufrágio. [Pres. ind.: *dessoçobro*, etc. Cf. *dessoçobro* (ô).]
dessoçobro (ô) [Dev. de *dessoçobrar*.] *S. m. Desus.* Ato de dessoçobrar. [Pl.: *dessoçobros* (ô). Cf. *dessoçobro*, do v. *dessoçobrar*.]
dessocorrer [De *des-* + *socorrer*.] *V. t. d.* Não socorrer, deixar de socorrer; desamparar, abandonar.
dessolar [De *des-* + *solar*[5].] *V. t. d.* Tirar as solas a.
dessoldar [De *des-* + *soldar*.] *V. t. d.* **1.** Tirar a solda a. *P.* **2.** Desunir-se, despregar-se (o que estava soldado).
dessolhar [De *des-* + *solhar*[2].] *V. t. d.* Tirar ou arrancar o solho ou soalho a.
dessorado [Part. de *dessorar*.] *Adj.* **1.** Convertido em soro (ô). **2.** *Fig.* Enfraquecido, entibiado; enlanguescido.
dessorar [De *des-* + *soro* (ô) + *-ar*[2].] *V. t. d.* **1.** Converter em soro (ô). **2.** Tirar a substância a; enfraquecer, debilitar, entibiar: *A angústia dessorou a sua existência;* "Assim a música amolecia a substância de um homem para as lidas, dessorava o rijo." (João Guimarães Rosa, *Corpo de Baile*, I, p. 210.) *P.* **3.** Converter-se em soro (ô). **4.** Debilitar-se, enfraquecer-se: *As crianças dessoraram-se com a doença.*
dessorção [De *des-* + *sorção*.] *S. f. Fís.-Quím.* Processo inverso da adsorção ou da absorção.
dessortear [De *des-* + *sorte* + *-ear*[2].] *V. t. d. Tip.* Subtrair sortes a (caixa tipográfica). [Conjug.: v. *frear*.]
dessorver [De *des-* + *sorver*, por *adsorver* e *absorver*.] *V. t. d. Fís.-Quím.* Libertar (uma substância adsorvida ou absorvida).
dessossegar [De *des-* + *sossegar*.] *V. t. d. P.* V. *desassossegar*. [Conjug.: v. *regar*. Pres. ind.: *dessossego*, etc. Cf. *dessossego* (ê).]
dessossego (ê) [De *des-* + *sossego* (ê).] *S. m.* V. *desassossego*. [Pl.: *dessossegos* (ê). Cf. *dessossego*, do v. *dessossegar*.]
dessoterrado [Part. de *dessoterrar*.] *Adj.* Desenterrado (1).
dessoterrar [De *des-* + *soterrar*.] *V. t. d. T. d. e i.* V. *desenterrar*. [Antôn.: *soterrar* (q. v.).]
dessoutro Contr. de *desse* com o pron. indef. *outro*; dessoutro. [Flex.: *dessoutra*, *dessoutros*, *dessoutras*.]
dessuar [De *des-* + *suar*.] *V. int.* **1.** Deixar de suar. *T. d.* **2.** Enxugar o suor a. [Cf. *dessoar*.]
dessubjugar [De *des-* + *subjugar*.] *V. t. d.* Livrar do jugo ou da sujeição; libertar. [Conjug.: v. *largar*.]
dessubstanciar [De *des-* + *substanciar*.] *V. t. d.* Tirar a substância a.
dessueto [Do lat. *desuetu*.] *Adj.* Caído em dessuetude; desacostumado: "Fez [Coelho Neto] repousar todo seu talento na procura de vocábulos raros ou

dessuetos." (Fausto Cunha, *Situações da Ficção Brasileira*, p. 146.)

dessuetude [Do lat. *desuetudine*.] *S. f.* Falta de costume; descostume, desábito.

dessujar [De *des-* + *sujar*.] *V. t. d.* Tirar a sujidade a; limpar.

dessujeito [De *des-* + *sujeito*.] *Adj.* Não sujeito; liberto, livre.

dessulfuração [De *dessulfurar* + *-ção*.] *S. f. Quím.* Dessulfurização.

dessulfurar [De *des-* + *sulfurar*.] *V. t. d. Quím.* Dessulfurizar.

dessulfurização [De *dessulfurizar* + *-ção*.] *S. f. Quím.* Ato ou efeito de dessulfurizar; dessulfuração.

dessulfurizador (ô) [De *dessulforizar* + *-dor*.] *S. m. Tec.* Equipamento ou dispositivo que realiza dessulfurização.

dessulfurizar [De *des-* + *-sulfur(i)-* + *-izar*.] *V. t. d. Tec.* Remover, por meios físico-químicos, enxofre ou substâncias sulfuradas de (matéria-prima, combustível, gases efluentes de um motor, processo industrial, etc.); dessulfurar.

dessultório [Do lat. *desultoriu*.] *Adj.* **1.** Que salta de um lado para outro; que volteia. **2.** *Fig.* Que não é persistente.

dessumir [Do lat. *desumere*.] *V. t. d.* Inferir, deduzir, concluir. [Conjug.: v. *sumir*.]

dessurdo [De *des-* + *surdo*.] *Adj.* Que não é surdo; que ouve bem.

destabocado [Part. de *destabocar-se*.] *Adj. Bras. Fam.* **1.** Diz-se daquele que, sem respeito a conveniências, dá por paus e por pedras; adoidado, amalucado. **2.** Que não tem papas na língua; atrevido, audacioso. **3.** Valente, destemido; desempenado, desentalado, destalado. **4.** Brincalhão; tagarela.

destabocar-se [De *des-* + *taboca*^{1} + *-ar*^{2} + *se*^{1}.] *V. p. Bras. Fam.* Perder o acanhamento, a vergonha, deixando de respeitar conveniências; proceder como destabocado. [Conjug.: v. *trancar*.]

destacado^{1} [Part. de *destacar*.] *Adj.* **1.** Separado, apartado: *O escritor leu de seu romance capítulos destacados.* **2.** Que sobressai ou se destaca; relevante, eminente.

destacado^{2} [De *des-* + it. *staccato*.] *S. m. Mús.* Na técnica dos instrumentos musicais, sinal de intensidade representado por um pontinho ou uma espécie de acento agudo sobre as notas ou sob elas, e que indica que o som deve ser interrompido mediante um toque seco e breve; estacado^{2}. [Sin. (it.): *staccato*.]

destacamento [De *destacar* + *-mento*.] *S. m. Exérc.* Unidade ou parte de unidade, sob comando único, com atuação independente, em caráter temporário e missão tática definida. ◆ **Destacamento precursor.** *Mil.* Conjunto de elementos motorizados que precedem uma coluna e têm por missão reconhecer o terreno, facilitar o trânsito, desobstruir a estrada de marcha, e também guiar e repartir a tropa do comboio no estacionamento que se deve ocupar, e cuja preparação é também sua incumbência.

destacar [Adapt. do fr. *détacher*, poss. com infl. de *atacar*.] *V. t. d.* **1.** Enviar ou fazer partir (um destacamento); enviar (tropas) em destacamento: *destacar um batalhão, um pelotão.* **2.** Fazer sobressair; dar vulto ou relevo a: *O pintor soube destacar, no retrato, a tristeza do seu olhar.* **3.** *Mús.* Executar (notas sucessivas), separando-as bem umas das outras. **4.** *Bras.* Excluir das fileiras. **5.** *Bras. Gír.* V. *matar* (1). *T. d. e i.* **6.** Separar, apartar: *Destacou três capítulos de suas memórias e deu-os a ler ao amigo.* **7.** Despedir, lançar: *Destacou para o interlocutor um olhar feroz.* *Int.* **8.** Destacar (11): *Sua enorme figura destaca entre os presentes.* **9.** Ir com o destacamento. *P.* **10.** Separar-se, desligar-se. **11.** Sobressair, salientar-se, distinguir-se, avultar, destacar. [Conjug.: v. *trancar*.]

destacável [De *destacar* + *-vel*.] *Adj. 2 g.* Que pode ser destacado.

destalado [Alter. de *desentalado* (q. v.).] *Adj.* V. *destabocado* (3).

destalar [De *des-* + *talo* + *-ar*^{2}.] *V. t. d. Bras. RS* Retirar o talo de (a folha da palmeira).

destalingar [De *des-* + *talingar*.] *V. t. d. Marinh.* Soltar o chicote (5) de (amarra, amarreta, virador do anete, arganéu ou olhal em que foi talingado). [Conjug.: v. *largar*.]

destampado [Part. de *destampar*.] *Adj.* **1.** A que se tirou o tampo ou a tampa. **2.** *Fig.* Despropositado, desmedido; excessivo: *Os pequenos faziam um berreiro destampado.*

destampar [De *des-* + *tampar*.] *V. t. d.* **1.** Tirar o tampo ou a tampa a: "o pai rodopiava por dentro de casa batendo pelas cadeiras, destampando latas, remexendo panelas" (Permínio Asfora, *O Amigo Lourenço*, p. 3). *T. i.* **2.** Começar, principiar, entrar, com desatino, despropositadamente: *Destampou a dizer impropérios.* **3.** Romper, prorromper: *Destampou em soluços convulsivos.* **4.** Redundar, culminar: *Sua filosofia destampa em conclusões absurdas.*

destampatório [De *destampar* + *-tório*.] *S. m. Bras.* **1.** Despropósito, descomedimento. **2.** Discussão muito acesa. **3.** V. *descompostura* (2).

destapamento [De *destapar* + *-mento*.] *S. m.* Ato de destapar.

destapar [De *des-* + *tapar*.] *V. t. d.* Descobrir (o que estava tapado).

destaque [Dev. de *destacar*.] *S. m.* **1.** Qualidade ou estado do que sobressai, do que se destaca. **2.** Realce, relevo. **3.** Figura ou assunto de destaque, relevante: *Gigi era destaque na Escola de Samba da Mangueira; Fernanda Montenegro é um grande destaque em nosso teatro; As eleições foram o destaque do noticiário do dia.* ◆ **Dar um destaque em.** *Bras. Gír.* Demonstrar a (alguém), por palavras e/ou gestos, ou por indiferença, que sua presença não é desejada ou apreciada.

destaquear [De *des-* + *estaquear*^{1}, com haplologia.] *V. t. d. Bras. RS* Retirar (a pessoa ou o couro) das estacas. [Conjug.: v. *frear*.]

destaramelar [De *des-* + *taramelar*.] *V. t. d.* Abrir, virando a taramela de.

destarte [De *desta*, fem. de *deste*, + *arte*^{1}.] *Adv.* **1.** Por esta forma; deste modo; assim: "Responde a moça destarte: / — Teu pensamento quero eu!" (Manuel Bandeira, *Estrela da Vida Inteira*, p. 72.) **2.** Assim sendo; assim; diante disto. [Sin. ger.: *dessarte*.]

deste (ê) Contr. da prep. *de* e do pron. dem. *este*. [Flex.: *desta, destes* (ê) e *destas*. Cf. *deste* e *destes*, do v. *dar*. Encontra-se *de este* (sem a contração) em escritores portugueses, como, p. ex., Afonso Lopes Vieira (*Nova Demanda do Graal*, pp. 137-138, e *Os Versos*, pp. 139, 266, 277) e Sílvio Lima (*Ensaio sobre a Essência do Ensaio*, p. 138).]

destecedura [De *destecer* + *-dura*.] *S. f.* Ação de destecer.

destecer [De *des-* + *tecer*.] *V. t. d.* **1.** Desmanchar, desfazer (o tecido). **2.** *Fig.* Desenredar, destramar, desfazer, desmanchar. *P.* **3.** Desfazer-se, desmanchar-se. [Conjug.: v. *aquecer*.]

destelhado (ê) [Part. de *destelhar*.] *Adj.* A que se tiraram ou arrancaram as telhas.

destelhamento [De *destelhar* + *-mento*.] *S. m.* Ato ou efeito de destelhar.

destelhar [De *des-* + *telhar*.] *V. t. d.* Tirar ou arrancar as telhas de (um prédio). [Conjug.: v. *aparelhar*.]

destemer [De *des-* + *temer*.] *V. t. d.* Não temer, não ter medo de.

destemeroso (ô) [De *des-* + *temeroso*.] *Adj.* Destemido, intrépido, impávido: *jovem audaz, destemeroso;* "Saíram do mato em lombo de burro, destemerosos dos cangaceiros em andanças na região" (Ciro de Matos, *Os Brabos*, p. 25).

destemidez (ê) [De *destemido* + *-ez*.] *S. f.* Qualidade ou caráter de destemido. [Cf. *destimidez*.]

destemido [Part. de *destemer*.] *Adj.* **1.** Que não tem temor; intrépido, impávido, arrojado, destemeroso: *lutador destemido.* **2.** Que denota coragem, audácia, intrepidez: *Os jovens levaram a cabo a destemida empresa.* **3.** V. *valentão* (1). [Cf. *destímido*.]

destemor (ô) [De *des-* + *temor*.] *S. m.* Falta de temor; arrojo, audácia, intrepidez.

destêmpera [Dev. de *destemperar*.] *S. f.* Operação de destemperar (o aço). [Cf. *destempera*, do v. *destemperar*.]

destemperado [Part. de *destemperar*.] *Adj.* **1.** Imoderado, desregrado, descomedido. **2.** Despropositado, disparatado. **3.** Desordenado, desarranjado. **4.** Dissonante, desafinado: "No mais, Musa, no mais, que a Lira tenho / Destemperada, e a voz enrouquecida" (Luís de Camões, *Os Lusíadas*, X, 145). **5.** A que se adicionou água ou outro líquido, alterando-o o sabor, a tonalidade ou a temperatura; aguado: *molho destemperado; tinta destemperada; água destemperada.* ● *S. m.* **6.** Aquele que é destemperado (1).

destemperança [De *des-* + *temperança*.] *S. f.* V. *intemperança.*

destemperar [De *des-* + *temperar*.] *V. t. d.* **1.** Fazer perder a têmpera (2). **2.** Diminuir a têmpera ou a força a. **3.** Alterar o sabor de (algo), tornando-o menos acentuado: *destemperar o vinho.* **4.** Enfraquecer (tinta), diluindo-a em água. **5.** Desafinar: *A laringite destemperou-lhe a voz.* **6.** Desorganizar, desordenar; alterar. **7.** Tornar descomedido; desregrar. **8.** Causar distúrbio gastrintestinal em: *A feijoada destemperou-o.* *Int.* **9.** Destemperar (11). **10.** Praticar despropósito(s); exceder-se em palavras ou ações; descomedir-se, desatinar, desvairar; destemperar-se. *P.* **11.** Perder a têmpera (2); destemperar. **12.** Desafinar-se. **13.** V. *destemperar* (10). [Pres. ind.: *destempero, destemperas, destempera*, etc. Cf. *destempero* (ê) e *destêmpera*.]

destempero (ê) [Dev. de *destemperar*.] *S. m.* **1.** Disparate, desconchavo. **2.** Despropósito, destampatório. **3.** *Pop.* V. *diarreia*. **4.** *Bras. Fam.* V. *quantidade* (3): "sobrou muita comida. Seu avô apareceu na cozinha e exigiu que fizessem um destempero de assado, de frito e de paçoca." (O. G. Rego de Carvalho, *Somos Todos Inocentes*, p. 117). [Pl.: *destemperos* (ê). Cf. *destempero*, do v. *destemperar*.]

destempo [De *des-* + *tempo*.] *El. s. m.* Us. na loc. adv. *a destempo*. ◆ **A destempo.** Fora de tempo; inoportunamente.

desteridade [Do lat. *dexteritate* < lat. *dexter*, 'direito'.] *S. f.* V. *destreza.*

desterneirar [De *des-* + *terneiro* + *-ar*^{2}.] *V. t. d. Bras. RS* Separar de (as vacas), para engordá-las ou aliviá-las, os terneiros ou crias.

desterpenação [De *desterpenar* (< *des-* + *terpeno* + *-ar*^{2}) + *-ção*.] *S. f. Quím.* Operação a que se submetem certos óleos essenciais com o objetivo de eliminarem-se os terpenos e sesquiterpenos, com o que se melhoram a solubilidade e a estabilidade do material.

desterrado [Part. de *desterrar*.] *Adj. S. m.* Que, ou aquele que foi banido da pátria; exilado, banido.

desterrador (ô) [De *desterrar* + *-dor*.] *Adj. S. m.* Que, ou aquele que desterra.

desterrar [De *des-* + *terra* + *-ar*^{2}.] *V. t. d.* **1.** Fazer sair da terra, do país; exilar, banir. **2.** Condenar a desterro; deportar; degredar. **3.** Afastar; afugentar: *Pretendia desterrar as lembranças do passado.* *P.* **4.** Expatriar-se, emigrar: *Escapou à morte desterrando-se.* **5.** Apartar-se, distanciar-se. [Pres. ind.: *desterro*, etc. Cf. *desterro* (ê), s. m., e o top. *Desterro* (ê).]

desterrense^{1} *Adj. 2 g.* **1.** De, ou pertencente ou relativo a Desterro (PB). ● *S. 2 g.* **2.** O natural ou habitante de Desterro.

desterrense^{2} *Adj. 2 g.* **1.** De, ou pertencente ou relativo a Desterro de Entre Rios (MG). ● *S. 2 g.* **2.** O natural ou habitante de Desterro de Entre Rios.

desterro (ê) [Dev. de *desterrar*.] *S. m.* **1.** Ato ou efeito de desterrar; degredo, banimento. **2.** Lugar onde vive o desterrado. **3.** Pena de degredo. **4.** Solidão, insulamento. [Pl.: *desterros* (ê). Cf. *desterro*, do v. *desterrar*.]

desterroador (ô) [De *desterroar* + *-dor*.] *S. m. Tec.* Máquina que se destina a quebrar em pequenos fragmentos material que se apresenta na forma de torrões.

desterroar [De *des-* + *terrão* + *-ar*^{2}, com desnasalação.] *V. t. d.* **1.** Desfazer os terrões a; esterroar, destorroar. **2.** Tirar terra de; destorroar. [Conjug.: v. *coroar*.]

destetadeira [De *destetar* + *-deira*.] *S. f. Bras. RS* Tabuleta (4).

destetar [De *des-* + *teta* (ê) + *-ar*^{2}.] *V. t. d.* Desmamar, desleitar.

destilação [Do lat. *destillatione*.] *S. f.* **1.** Ato de destilar. **2.** Estabelecimento onde se destila. **3.** *Quím.* Processo em que se vaporiza uma substância líquida e, em seguida, se condensam os vapores resultantes, para obter-se de novo um líquido, ger. mais puro. ◆ **Destilação a pressão reduzida.** *Quím.* A que é efetuada sob vácuo, o que se consegue conectando a aparelhagem que contém a mistura a ser destilada a uma bomba de vácuo; destilação a vácuo. **Destilação a vácuo.** *Quím.* Destilação a pressão reduzida. **Destilação azeotrópica.** *Quím.* A que se aproveita da formação de um azeótropo para possibilitar a obtenção de um dos componentes da mistura destilada. **Destilação bulbo a bulbo.** *Quím.* Procedimento us. para purificar ou separar pequenas quantidades de substâncias de alto ponto de ebulição, em que se usa um conjunto de pequenos bulbos de vidro ligados em série, submetidos a aquecimento sob vácuo. **Destilação extrativa.** *Quím.* A que se realiza mediante a adição de um componente à mistura, visando a formar um azeótropo que irá arrastar a substância que se quer obter pura. **Destilação fracionada.** *Quím.* Procedimento em que se separam os componentes voláteis de uma mistura por vaporizações e condensações alternadas e repetidas. **Destilação por vapor.** *Quím.* Técnica que consiste em passar vapor de água através de mistura que contenha componente imiscível com água, porém razoavelmente volátil, condensando-se, depois, os vapores resultantes; arraste a vapor.

destilado [Part. de *destilar*.] *Adj.* **1.** Que sofreu destilação. ~ V. *água* —*a*. ● *S. m.* **2.** *Quím.* Líquido que, numa destilação, resulta da condensação dos vapores.

destilador (ô) [De *destilar* + *-dor*.] *Adj.* **1.** Que destila. ● *S. m.* **2.** Alambique.

destilar [Do lat. *destillare*.] *V. t. d.* **1.** Submeter (uma substância) a destilação (3); estilar. **2.** Deixar cair gota a gota; ressumar, gotejar, estilar. **3.** *Fig.* Instilar; insinuar: *As suas palavras destilavam veneno.* **4.** *Fig.* Provocar (3): "Mares engolidos nos céus, ilhas sumidas nos mares, e, nelas perdidos, os homens pequeninos, tudo isto destila tristeza e uma espécie de saudade do absurdo." (Vitorino Nemésio,

A Mocidade de Herculano, II, p. 280.) *T. c.* **5.** Cair ou escorrer gota a gota: *A seiva destilava do tronco ferido.* ***Int.*** **6.** Cair gota a gota; gotejar, estilar. [Pres. ind.: *destilo*, etc. Cf. *distilo*.]

destilaria [De *destilar* + *-ia*[1].] ***S. f.*** Local ou estabelecimento onde se destila, se faz destilação.

destilatório [De *destilar* + *-tório*.] ***Adj.*** Que serve para destilar.

destimidez (ê) [De *destímido* + *-ez*.] ***S. f.*** Qualidade ou estado de destímido. [Cf. *destemidez*.]

destímido [De *des-* + *tímido*.] ***Adj.*** **1.** Que não é tímido. **2.** Que perdeu o temor. [Cf. *destemido*.]

destinação [Do lat. *destinatione*.] ***S. f.*** **1.** Ato de destinar(-se). **2.** Direção, destino, fim.

destinado [Part. de *destinar*.] ***Adj.*** Que se destinou ou destina (a algo ou a alguém).

destinador (ô) [Do lat. *destinatore*.] ***Adj. S. m.*** Que, ou aquele que destina ou remete algo.

destinar [Do lat. *destinare*.] ***V. t. d.*** **1.** Determinar com antecipação; fixar previamente: *Acreditava poder destinar a sorte do filho.* **2.** Decidir, determinar, resolver: *Destinou afastar-se dali.* ***T. d. e i.*** **3.** Designar, reservar (para determinado fim ou destino): *Destinava aquele dinheiro para os gastos da viagem; Destinava o filho à carreira das armas;* "A posição geográfica de Portugal destinava-o à vida marítima" (Capistrano de Abreu, *Capítulos de História Colonial*, p. 67). ***Transobj.*** **4.** Reservar para certo fim: *Destinara-o seu sucessor.* ***P.*** **5.** Dedicar-se, consagrar-se: *Destinou-se a seguir a carreira paterna.*

destinatário [De *destinar* + *-tário*.] ***S. m.*** **1.** Aquele a quem se destina ou remete alguma coisa. **2.** *Teor. Inf.* Elemento terminal de um sistema de comunicação (q. v.). [Cf. *receptor* (7).]

destingir [De *des-* + *tingir*.] ***V. t. d.*** **1.** Tirar a cor ou a tinta a. **2.** Fazer desbotar; descorar. ***Int. P.*** **3.** Perder a cor; descorar(-se), desbotar(-se). [Conjug.: v. *dirigir*, mas tem dois part.: *destingido* e *destinto*.]

destino[1] [Dev. de *destinar*.] ***S. m.*** **1.** Sucessão de fatos que podem ou não ocorrer, e que constituem a vida do homem, considerados como resultantes de causas independentes de sua vontade; sorte, fado, fortuna. **2.** *P. ext.* Aquilo que acontecerá a alguém; futuro. **3.** Fim ou objeto para que se reserva ou designa alguma coisa; aplicação, emprego. **4.** Lugar aonde se dirige alguém ou algo; direção.

destino[2] ***S. m. Bras. Pop.*** V. *desatino*.

destintagem [De *des-* + *tintagem*.] ***S. f. Tec.*** Na indústria de papel, remoção da tinta de papéis usados, pela ação da soda, com o intuito de se obter pasta alvejada para posterior processamento.

destinto [De *des-* + *tinto*.] ***Adj.*** Que se destingiu. [Cf. *distinto*.]

destiranizar [De *des-* + *tiranizar*.] ***V. t. d.*** Livrar de tirania.

destituição (u-i) [Do lat. *destitutione*.] ***S. f.*** **1.** Ato ou efeito de destituir; demissão, deposição. **2.** Falta, carência, privação.

destituído [Part. de *destituir*.] ***Adj.*** Em que falta; falto, desprovido, privado.

destituir [Do lat. *destituere*.] ***V. t. d.*** **1.** Privar de autoridade, dignidade ou emprego; exonerar, demitir: *Em face da campanha da oposição, o Presidente destituiu o ministro.* ***T. d. e i.*** **2.** Demitir, exonerar: *Destituiu-o da função de chefe.* **3.** Privar (1): *Destituíram-no de seus bens.* ***P.*** **4.** Privar-se, fraudar-se. [Conjug.: v. *atribuir*.]

destituível [De *destituir* + *-vel*.] ***Adj. 2 g.*** Que pode ser destituído.

destoante [De *destoar* + *-nte*.] ***Adj. 2 g.*** **1.** Que sai do tom, destoa, desafina; desentoado: *No coro havia uma voz destoante.* **2.** Que destoa ou discorda; discordante, divergente: *opiniões destoantes.* **3.** Que destoa ou não condiz; não condicente: *Suas maneiras destoantes da posição que ocupa.*

destoar [De *des-* + *toar*.] ***V. int.*** **1.** Sair do tom; desentoar, desafinar. **2.** Soar mal: *Seu nome, Francisca Gomes, destoa.* ***T. i.*** **3.** Discordar, divergir: *Excêntrico, apraz-se em destoar das normas sociais.* **4.** Não condizer; não ser próprio; discordar: *Aquele exagerado luxo destoava da modéstia de sua origem.* [Conjug.: v. *coroar*.]

destocador (ô) [De *destocar*[1] + *-dor*.] ***Adj.*** **1.** Que destoca. ● ***S. m.*** **2.** *Bras.* Máquina que arranca os tocos das árvores após a derrubada da floresta; arranca-tocos.

destocamento [De *destocar*[1] + *-mento*.] ***S. m.*** Ato ou operação de destocar[1].

destocar[1] [De *des-* + *toco* (ô) + *-ar*[2].] ***V. t. d.*** **1.** Arrancar os tocos ou cepos de (árvores). **2.** Limpar de tocos (um terreno), para fins de lavoura ou de construção. **3.** *Bras. MG* Escanhoar (a barba). [Conjug.: v. *trancar*. Cf. *destoucar*.]

destocar[2] [De *des-* + *tocar*[2].] ***V. t. d.*** Desligar; separar; abrir. [Conjug.: v. *trancar*. Cf. *destoucar*.]

destocar[3] [De *des-* + *toca* + *-ar*[2].] ***V. t. d. Bras.*** Tirar (animal) da toca ou buraco onde se abrigara; desentocar. [Conjug. v. *trancar*. Cf. *destoucar*.]

destoldar [De *des-* + *toldar*.] ***V. t. d.*** **1.** Tirar o toldo ou tolda a, descobrindo. **2.** *Fig.* Tornar claro, límpido; clarificar, desanuviar. ***P.*** **3.** Desanuviar-se, aclarar-se, clarificar-se.

destom [De *des-* + *tom*.] ***S. m.*** O que destoa, que está fora do tom; desarmonia, divergência.

destombamento [De *destombar* + *-mento*.] ***S. m.*** Ato ou efeito de destombar.

destombar [De *des-* + *tombar*[2].] ***V. t. d.*** Fazer cessar ou anular o tombamento[2] de.

destopadeira [De **destopar* (< *des-* + *topo* [ô] + *-ar*[2]) + *-deira*.] ***S. f.*** Máquina usada para cortar o topo de tábuas, regularizando-os ou atribuindo-lhes inclinação conveniente.

destopeteação [De *destopetear* + *-ção*.] ***S. f. Bras. RS*** Ato de destopetear.

destopetear [De *des-* + *topete* + *-ear*[2].] ***V. t. d.*** **1.** Tirar o topete a. **2.** *Bras. RS* Cortar a (o animal) as últimas crinas que existem entre as orelhas, as quais, por serem longas, lhe tapam a vista. [Conjug.: v. *frear*.]

destorar [De *des-* + *toro* + *-ar*[2].] ***V. t. d.*** Cortar os toros a; detorar.

destorcedor (ô) [De *destorcer* + *-dor*.] ***Bras. PE S. m.*** **1.** Pequena moenda, movida a braço, feita, em geral, de dois cilindros de madeira, e empregada para extrair o caldo da cana. ● ***Adj.*** **2.** Diz-se do indivíduo esperto, que logra sair das dificuldades, ou se recusa a cumprir o prometido.

destorcer [Do lat. **distorcere*, por *distorquere*.] ***V. t. d.*** **1.** Desfazer a torcedura a; tornar direito (o que era torcido). **2.** Virar ou voltar para o lado oposto. **3.** *Bras. PE* Fazer-se desentendido. **4.** *Bras. PE* Mudar de (assunto em que não se pode ter razão). ***T. d. e i.*** **5.** Desviar com esforço: *A custo conseguiu destorcer do coração aquele afeto.* ***T. c.*** **6.** Dirigir-se; mudar de direção: *O caminho destorcia para o desfiladeiro.* ***Int.*** **7.** Dar voltas em sentido contrário a outras. ***P.*** **8.** *Bras. S.* Proceder com desembaraço, obtendo resultado proveitoso. [Conjug.: v. *torcer*. Cf. *distorcer*.]

destorcido [Part. de *destorcer*.] ***Adj.*** **1.** Que se destorceu. **2.** *Bras. Fam.* Desembaraçado, lépido, ligeiro, pronto, hábil. **3.** V. *valentão* (1). [Cf. *distorcido*.]

destorpecer [De *des-* + *torpecer*.] ***V. t. d. Int. P.*** V. *desentorpecer*. [Conjug.: v. *aquecer*.]

destorroamento [De *destorroar* + *-mento*.] ***S. m.*** Ação de destorroar.

destorroar [De *des-* + *torrão* + *-ar*, com desnasalação.] ***V. t. d.*** V. *desterroar*. [Conjug.: v. *coroar*.]

destoucar [De *des-* + *toucar*.] ***V. t. d.*** **1.** Tirar a touca da cabeça de. **2.** Desarranjar o toucado de. **3.** *Fig.* Desenfeitar, desadornar, desataviar. [Conjug.: v. *trancar*. Cf. *destocar*.]

destouтро Contr. de *deste* com o pron. indef. *outro*; deste outro. [Flex.: *destoutra, destoutros, destoutras*.]

destoxificação (cs) [De *destoxificar* + *-ção*; trad. do ingl. *detoxification*.] ***S. f.*** V. *desintoxicação*. ◆ **Destoxificação metabólica.** *Bioquím.* Num organismo, redução da(s) propriedade(s) tóxica(s) de uma substância mediante alterações químicas, e que resulta num composto menos tóxico, ou que se pode mais facilmente eliminar.

destoxificar (cs) [De *des-* + *-tox(i)-* + *-ficar*; trad. do ingl. *detoxify*.] ***V. t. d.*** Desintoxicar (1).

destra (ê) [Do lat. *dextera*, *i. e.*, *dextera manus*.] ***S. f.*** A mão direita: "— Uma ova! explodia o farmacêutico, fazendo com a destra fechada um gesto indecoroso." (Ribeiro Couto, *Prima Belinha*, p. 3.) [Cf. *sinistra* e *sestra*.]

destraçar [De *des-* + *traçar*[1].] ***V. t. d.*** Fazer que deixe de estar traçado; descruzar, desencruzar: "Depois destraçou as pernas, passou a esquerda para cima da direita" (Valentim Magalhães, *Vinte Contos*, p. 50); "para em frente da escadaria do Tesouro, traça e destraça a capa espanhola" (Augusto Meyer, *No Tempo da Flor*, p. 14). [Conjug.: v. *laçar*.]

destramar [De *des-* + *tramar*.] ***V. t. d.*** **1.** Desfazer a trama de; destecer. **2.** Desenredar, deslindar: *destramar uma intriga, uma fofoca.*

destrambelhado [Part. de *destrambelhar*.] ***Adj.*** **1.** A que se tirou o trambelho que torce a corda; destorcido. **2.** Que é desordenado, desorganizado, disparatado. **3.** Diz-se de indivíduo confuso, atrapalhado. **4.** Diz-se de indivíduo adoidado, aloprado. ● ***S. m.*** **5.** Indivíduo destrambelhado (3 e 4).

destrambelhar [De *des-* + *trambelho* + *-ar*[2].] ***V. t. d.*** **1.** Tirar o trambelho que torce a corda de; destorcer. ***Int.*** **2.** Desarranjar-se, escangalhar-se. **3.** Proceder como destrambelhado (4). [Conjug.: v. *aparelhar*.]

destrambelho (ê) [Dev. de *destrambelhar*.] ***S. m.*** **1.** Desordem, desorganização, desarranjo. **2.** Disparate, despropósito.

destrançado [Part. de *destrançar*.] ***Adj.*** A que se desfez a trança; que se destrançou; desentrançado: "Um lenço posto no liso / Dos teus ombros jaspeados, / Os cabelos destrançados..." (Gonçalves Crespo, *Obras Completas*, p. 316.)

destrancamento [De *destrancar* + *-mento*.] ***S. m.*** Ato ou efeito de destrancar.

destrancar [De *des-* + *trancar*.] ***V. t. d.*** Tirar a(s) tranca(s) a. [Conjug.: v. *trancar*.]

destrançar [De *des-* + *trançar*.] ***V. t. d.*** **1.** Desfazer a trança a. **2.** Desmanchar (o que estava entrançado). [Sin. ger.: *desentrançar*. Conjug.: v. *laçar*.]

destranque ***S. m. Bras. SP*** **1.** Luta, briga, rixa. **2.** V. *rolo*[1] (16).

destratar [De *des-* + *tratar*.] ***V. t. d. Bras.*** Maltratar com palavras; descompor, insultar: *Destratou cruelmente a pobre senhora.* [Pres. ind.: *destrato*, etc.; pres. subj. *destrate*, etc. Cf. *distratar, distrate* e *distrato*.]

destravancar [De *des-* + *travanca* + *-ar*[2].] ***V. t. d.*** Desatravancar. [Conjug.: v. *trancar*.]

destravar [De *des-* + *travar*.] ***V. t. d.*** **1.** Desprender do travão ou das travas. **2.** Desembaraçar; soltar, desentravar: *Caladão, só a bebida lhe destrava a língua.* ***P.*** **3.** Desembaraçar-se, soltar-se.

destrelar [De *des-* + *trela* + *-ar*[2].] ***V. t. d. P.*** V. *desatrelar*.

destrepar [De *des-* + *trepar*.] ***V. int.*** **1.** Descer de lugar aonde se havia trepado: *Subiu à mangueira, mas logo depois destrepou.* ***T. c.*** **2.** Descer (de lugar aonde trepara): *Destrepou da árvore, com receio de cair.*

destreza (ê) [De *destro*[2] + *-eza* (ê).] ***S. f.*** **1.** Qualidade de quem é destro[2]. **2.** Agilidade de mãos e de todos os movimentos. **3.** Habilidade, aptidão. **4.** Sagacidade, astúcia. [Sin. ger.: *desteridade*.]

▲ **destri-** V. *dextr(o)-*.

destribalização [De *destribalizar* + *-ção*.] ***S. f.*** **1.** Ato ou efeito de destribalizar(-se). **2.** *Antrop.* Perda da condição tribal. [Como processo sociocultural, pode envolver ou afetar grupos tribais cuja organização social tradicional é abalada pelo contato (6 e 7), ou indivíduos que se separam de suas comunidades e são absorvidos pela sociedade envolvente.]

destribalizado [Part. de *destribalizar*.] ***Adj.*** Diz-se de indivíduo ou de grupo social que sofreu destribalização.

destribalizar [De *des-* + *tribal* + *-izar*.] ***V. t. d.*** **1.** Fazer com que (grupo étnico ou social) perca o caráter tribal. **2.** Retirar ou afastar (indígena) da tribo, ou do ambiente nativo. ***P.*** **3.** Sofrer processo de destribalização.

destribar-se [Por **desestribar-se*, de *des-* + *estribar-se*, com haplologia.] ***V. p.*** Deixar que os pés se soltem dos estribos; perder os estribos.

destrimanismo [De *destrímano* + *-ismo*.] ***S. m.*** Qualidade ou condição de destrímano.

destrímano [De *destri-* + *-mano*[2].] ***Adj.*** Que se utiliza mais da mão direita que da esquerda.

destrinça [Dev. de *destrinçar*.] ***S. f.*** Ato ou efeito de destrinçar.

destrinçador (ô) [De *destrinçar* + *-dor*.] ***Adj. S. m.*** Que, ou aquele que destrinça.

destrincar ***V. t. d.*** V. *estrincar*. [Conjug.: v. *trancar*.]

destrinçar [De or. incerta.] ***V. t. d.*** **1.** Separar os fios de; desenredar, desenlear. **2.** Desenredar, resolver: *destrinçar um assunto.* **3.** Dizer ou expor com minúcia; esmiuçar, minudenciar, particularizar: *Destrinçou o caso tim-tim por tim-tim.* **4.** Dividir proporcionalmente (um foro (ô) [1]). [Var. (bras.): *destrinchar*. Sin. ger. (p. us.): *estriçar*. Conjug.: v. *laçar*.]

destrinçável [De *destrinçar* + *-vel*.] ***Adj. 2 g.*** Que se pode destrinçar.

destrinchar ***V. t. d. Bras.*** V. *destrinçar*.

destripar [De *des-* + *tripa* + *-ar*[2].] ***V. t. d.*** V. *estripar*.

destripular [De *des-* + *tripular*.] ***V. t. d. Desus.*** Tirar a tripulação a (um navio).

destristecer [De *des-* + *triste* + *-ecer*.] ***V. t. d. Int. P.*** V. *desentristecer*. [Conjug.: v. *aquecer*.]

destro[1] (ê) ***S. m. Ant.*** Passal (2).

destro[2] (ê) [Do lat. *dextru*.] ***Adj.*** **1.** Direito (1). **2.** Que fica do lado direito. **3.** Dotado de destreza (2 a 4); hábil. **4.** Ágil, desembaraçado; rápido: *Nadador destro.*

▲ **destro-** V. *dextr(o)-*.

destroca [Dev. de *destrocar*.] ***S. f.*** Ato ou efeito de destrocar.

destroçador (ô) [De *destroçar* + *-dor*.] ***Adj. S. m.*** Que, ou quem destroça.

destrocar [De *des-* + *trocar*.] ***V. t. d.*** Desfazer a troca de: "Nada mais tenho teu; é finda a troca, / Se o desejo não tens (ah! se o tivesses...) / De destrocar os beijos que trocamos..." (Eugênio de Castro, *Obras Poéticas*, V, p. 146.) [Conjug.: v. *trancar*.]

destroçar [De *des-* + *troço* (ô) + *-ar*[2].] ***V. t. d.*** **1.** Pôr em debandada; debandar, dispersar: *destroçar um batalhão.* **2.** Derrotar, destruindo; desbaratar: *O Almirante Nelson destroçou a frota franco-espanhola em Trafalgar.* **3.** Quebrar, despedaçar: *Em minutos a criança destroçou o brinquedo.* **4.** Arruinar, assolar, devastar: *As secas destroça-*

ram toda a região. 5. Esbanjar, dissipar, malbaratar, malgastar: *Farrista, destroçou a herança.* [Sin. ger.: *estroçar.* Conjug.: v. *laçar.* Pres. ind.: *destroço,* etc. Cf. *destroço* (ô).]

destrocardia [De *destro-* + *-cardia.*] *S. f. Embr.* Distúrbio de desenvolvimento em que o coração está no hemitórax direito.

destrocardíaco [De *destrocardia* + *-íaco.*] *Adj. Embr.* Relativo a destrocardia.

destroço (ô) [Dev. de *destroçar.*] *S. m.* **1.** Ato ou efeito de destroçar. **2.** Aquilo que está destroçado, partido; ruínas. [Pl.: *destroços* (ó). Cf. *destroço,* do v. *destroçar.*]

destrógrado [De *destro-* + *-grado*[1].] *Adj. Paleogr.* Diz-se da escrita orientada da esquerda para a direita. [Cf. *sinistrógrado.*]

destróier [Do ingl. *destroyer.*] *S. m. Bras. Mar. G. Desus.* V. *contratorpedeiro* (1). [Pl.: *destróieres.*]

destronado [Part. de *destronar.*] *Adj.* Derribado do trono[1] (2); destituído da soberania: "E ela vaga nas praias rumorosas, / Triste como as rainhas destronadas" (Cesário Verde, *Obra Completa,* p. 47).

destronamento [De *destronar* + *-mento.*] *S. m.* **1.** Ação de destronar. **2.** Perda do trono[1] (2). **3.** Abdicação.

destronar [De *des-* + *trono*[1] + *-ar*[2].] *V. t. d.* **1.** Derribar do trono[1]; destituir da soberania. **2.** *Fig.* Abater, humilhar, rebaixar, abaixar, aviltar: *Com a sua excepcional beleza, destronou as demais mulheres presentes.* [Sin. ger.: *desentronizar* e *destronizar.*]

destronável [De *destronar* + *-vel.*] *Adj. 2 g.* Que pode ser destronado.

destroncado [Part. de *destroncar.*] *Adj.* **1.** Que está separado do tronco. **2.** Desmembrado, mutilado, decapitado. **3.** Desconjuntado, deslocado: *Seu pé destroncado doía muito.*

destroncar [De *des-* + *tronco*[1] + *-ar*[2].] *V. t. d.* **1.** Separar do tronco; decepar, desmembrar. **2.** Separar do tronco; desgalhar, esgalhar, truncar. **3.** Fazer sair (um membro) da junta ou articulação; desarticular, deslocar, desconjuntar. [Sin. ger.: *estroncar.* Conjug.: v. *trancar.*]

destronização [De *destronizar* + *-ção.*] *S. f.* Ato ou efeito de destronizar.

destronizar [De *des-* + *trono*[1] + *-izar.*] *V. t. d.* V. *destronar.*

destruição (u-i) [Do lat. *destructione.*] *S. f.* Ato ou efeito de destruir.

destruído [Part. de *destruir.*] *Adj.* Que se destruiu, estragou, arruinou.

destruidor (u-i... ô) [De *destruir* + *-dor.*] *Adj.* **1.** Que destrói; destrutor, destrutivo, diruptivo. • *S. m.* **2.** Aquele que destrói; destrutor.

destruir [Do lat. *destruere.*] *V. t. d.* **1.** Demolir, arruinar, aniquilar (o que estava construído). **2.** Fazer desaparecer; dar cabo de; extinguir: *Destruiu a carta logo depois de a ler.* **3.** Assolar, arrasar, devastar, destroçar: *A epidemia destruiu a povoação.* **4.** Matar, exterminar. **5.** Desarranjar, desorganizar, transtornar, desfazer: *Um imprevisto destruiu todos os nossos planos.* ***Int.*** **6.** Ter efeito negativo; reduzir a nada: *São argumentos que destroem e nada constroem.* **7.** *Bras. Gír.* Apresentar ótimo desempenho em qualquer setor de atividade: *Pelé destruiu em muitos jogos.* [Conjug.: v. *atribuir.* V. *construir.*]

destrunfar[1] [De *des-* + *trunfa* + *-ar*[2].] *V. t. d.* Tirar a trunfa a.

destrunfar[2] [De *des-* + *trunfo* + *-ar*[2].] *V. t. d.* Obrigar (o parceiro) a jogar trunfo.

destrutibilidade [De *destrutível* + *-(i)dade,* seg. o padrão erudito.] *S. f.* Qualidade do que é destrutível.

destrutível [Do lat. *destructibile.*] *Adj. 2 g.* Que pode ser destruído.

destrutivo [Do lat. *destructivu.*] *Adj.* V. *destruidor* (1).

destrutor (ô) [Do lat. *destructore.*] *Adj.* **1.** V. *destruidor* (1). • *S. m.* **2.** Destruidor (2). **3.** *Astron.* Dispositivo que se coloca intencionalmente em míssil ou foguete espacial, e capaz de provocar-lhe a destruição.

desultrajar [De *des-* + *ultrajar.*] *V. t. d.* e *i.* Desagravar, desafrontar.

desumanar [De *des-* + *humanar.*] *V. t. d. P.* Tornar(-se) desumano; desumanizar(-se): "A ignomínia que barbariza e desumana o escravo conspurca a família livre, escandaliza no lar doméstico a pureza das virgens e a castidade das mães." (Rui Barbosa, *Ensaios Literários,* p. 48.)

desumanidade [De *des-* + *humanidade.*] *S. f.* **1.** Falta de humanidade; crueldade. **2.** Ato desumano.

desumanizador (ô) [De *desumanizar* + *-dor.*] *Adj.* Que desumaniza: "convidou-me a fundar com ela um jornaleco .... em que combateríamos os males do progresso desumanizador." (Carlos Drummond de Andrade, em *Jornal do Brasil,* 24.03.1980).

desumanizar [De *des-* + *humanizar.*] *V. t. d. P.* Desumanar(-se).

desumano [De *des-* + *humano.*] *Adj.* **1.** Que não é humano; ferino, bestial, desnaturado: *indivíduo desumano.* **2.** Que denota desumanidade; bárbaro, cruel: *tratamento desumano.* [Sin. ger.: *anti-humano.*]

desumidificação [De *desumidificar* + *-ção.*] *S. f. Quím.* **1.** Remoção da umidade (vapor de água) do ar. **2.** *Restr.* Designação dos processos análogos de remoção de vapor duma mistura gasosa.

desumidificado [Part. de *desumidificar.*] *Adj.* Que sofreu desumidificação.

desumidificador (ô) [De *desumidificar* + *-dor.*] *S. m. Tec.* Equipamento que, ao forçar a circulação do ar num ambiente fechado, elimina também a umidade, mediante a condensação do vapor de água.

desumidificar [De *des-* + *umidificar.*] *V. t. d.* Efetuar a desumidificação de. [Conjug.: v. *trancar.*]

desunhar [De *des-* + *unha* + *-ar*[2].] *V. t. d.* **1.** Arrancar as unhas a. **2.** Fazer andar muito; fadigar. **3.** *Bras.* Preparar, fazer (um trabalho) sofregamente ou empregando grande atividade. **4.** *Marinh.* Desprender do fundo a unha de (a âncora). ***Int.*** **5.** *Bras. Gír.* V. *fugir* (1 e 2). ***P.*** **6.** Rachar os cascos (o cavalo) por caminhar em excesso. **7.** Afadigar-se em trabalho manual.

desunião [De *des-* + *união.*] *S. f.* **1.** Falta de união. **2.** Desavença; discordância, discórdia: *É antiga a desunião entre as duas famílias.* **3.** Separação, afastamento: *A desunião dos dois amantes era esperada.*

desunificar [De *des-* + *unificar.*] *V. t. d.* Tirar a unificação a. [Conjug.: v. *trancar.*]

desunir [De *des-* + *unir.*] *V. t. d.* **1.** Desfazer a união de; separar, desligar. **2.** Produzir discórdia entre; desarmonizar, desavir: *O mal-entendido desuniu as duas famílias.* **3.** Desmembrar; dividir. ***P.*** **4.** Separar-se, desligar-se.

desurdir [De *des-* + *urdir.*] *V. t. d.* **1.** Desfazer ou desmanchar a urdidura de. **2.** *Fig.* Desfazer, desmanchar (urdidura, maquinação, trama); destramar.

desusado [Part. de *desusar.*] *Adj.* **1.** Que está fora de uso. **2.** Que não é usado. [Sin. ger.: *insueto.*]

desusar [De *des-* + *usar.*] *V. t. d.* **1.** Não usar; deixar de usar. ***P.*** **2.** Cair em desuso.

desuso [De *des-* + *uso.*] *S. m.* **1.** Falta de uso, de emprego ou aplicação: *palavras, vestes, máquinas em desuso.* **2.** Falta de uso, de hábito, de costume; desábito, descostume: *Com o longo desuso de ensinar, foi esquecendo o que sabia.*

desútil [De *des-* + *útil.*] *Adj. 2 g. P. us.* Inútil (1 a 3). [Pl.: *desúteis.*]

desutilidade [De *des-* + *utilidade.*] *S. f. Econ.* Em microeconomia, dano e/ou inconveniência causados por um bem econômico (como o ruído e a poluição provenientes de uma estrada). [Opõe-se a *utilidade* (4).]

desvaecer (a-e) *V. t. d. P.* V. *desvanecer.* [Conjug.: v. *aquecer.*]

desvaidade [De *des-* + *vaidade.*] *S. f.* Ausência de vaidade; modéstia; simplicidade.

desvaidoso (ô) [De *des-* + *vaidoso.*] *Adj.* Que tem ou denota desvaidade; não vaidoso.

desvairadamente [Do f. de *desvairado* + *-mente.*] *Adv.* De maneira desvairada; com desvairamento.

desvairado [Part. de *desvairar* (q. v.).] *Adj.* **1.** Que perdeu o juízo; alucinado: *A desvairada mulher foi internada no manicômio.* **2.** Desnorteado, desorientado, desatinado, estonteado: *Desvairado, o rapaz acabou errando a saída.* **3.** Que denota desvario, desatino: "Cabelos esparsos ao sopro dos ventos, / Olhar desvairado, sinistro, fatal" (Castro Alves, *Obra Completa,* p. 115). **4.** Variado; diferente: "As capas de desvairadas cores, orladas de lhama d'ouro ou de prata" (Alexandre Herculano, *O Monge de Cister,* II, p. 254). [Sin., nessas acepçs.: *esvairado.*] • *S. m.* **5.** Aquele que está desvairado: *Só a muito custo o desvairado sossegou.*

desvairador (ô) [De *desvairar* + *-dor.*] *Adj. S. m.* Que ou o que desvaira, desatina, alucina.

desvairamento [De *desvairar* + *-mento.*] *S. m.* **1.** Alucinação, desvario. **2.** V. *desorientação* (3).

desvairança [De *desvairar* + *-ança.*] *S. f. P. us.* **1.** Desvairamento, desvario. **2.** Diferença, diversidade.

desvairar [Do esp. *desvariar,* com metátese.] *V. t. d.* **1.** Fazer cair em desvario; causar alucinação a; alucinar, endoidecer, enlouquecer, desvariar: "Sei que tudo me alegra e me desvaira, / E a paz desfruto, suportando a guerra." (Olavo Bilac, *Poesias,* p. 125.) **2.** Tornar exaltado; exasperar ao extremo; enfurecer: *A violência do insulto desvairou-o, levando-o à reação extrema.* **3.** Aconselhar mal; iludir, enganar: *Maus políticos desvairam a opinião pública.* ***T. i.*** **4.** Discordar, discrepar: *Os meus princípios desvairam dos seus.* ***Int.*** **5.** Perder a cabeça; alucinar-se; endoidecer-se; desvariar. **6.** Praticar desatinos; desencaminhar-se, desorientar-se, desvariar. ***P.*** **7.** Errar, vagar, vaguear. **8.** Praticar ou dizer desatinos; desencaminhar-se, desorientar-se.

desvairo [Dev. de *desvairar.*] *S. m.* **1.** V. *desvario:* "São criaturas todas marcadas indelevelmente pelo sinete da tragédia, entregues ao delírio, ao desvairo e à obsessão" (Mário da Silva Brito, *Conversa Vai, Conversa Vem,* p. 12). **2.** Discordância; desunião.

desvair-se *V. p.* V. *esvair* (2 a 6). [Irreg. Conjug.: v. *sair.*]

desvalente [De *desvaler* + *-nte.*] *Adj. 2 g.* Que desvale; que não acode ou ampara.

desvaler [De *des-* + *valer.*] *V. t. d.* **1.** Não valer a; não acudir, não amparar; deixar de socorrer: *Desvaleu o amigo em hora difícil.* **2.** Fazer perder o valor: *Sua má vontade desvalia a ajuda que prestava.* ***Int.*** **3.** Perder o valor ou o valimento. [Irreg. Conjug.: v. *valer.*]

desvalia [De *des-* + *valia.*] *S. f.* Falta de valia; desvalimento.

desvaliação [De *desvaliar* + *-ção.*] *S. f.* Ação ou efeito de desvaliar(-se).

desvaliar [De *desvalia* + *-ar*[2].] *V. t. d.* **1.** Tirar a valia, o merecimento, a; avaliar mal. ***P.*** **2.** Perder a valia ou merecimento.

desvalidar [De *des-* + *validar.*] *V. t. d. P.* V. *invalidar.*

desvalido [Part. de *desvaler.*] *Adj.* **1.** Sem valimento ou valia. **2.** Desprotegido, desamparado: *É um ser desvalido da sorte.* **3.** Desgraçado, miserável: *A desvalida mulher cobria-se de trapos.* • *S. m.* **4.** Aquele que não tem valimento ou valia: *O grupo de desvalidos engoliu a grave ofensa.* **5.** Indivíduo desvalido, miserável, desgraçado: *Mal tinha o que comer, o desvalido.*

desvalijar [Do esp. *desvalijar.*] *V. t. d.* **1.** Roubar a mala ou os alforjes a. ***T. d.*** e ***i.*** **2.** Roubar; despojar.

desvalimento [De *des-* + *valimento.*] *S. m.* **1.** Falta de valimento; desvalia: "a sua inocência e culpa [dos homens], o seu desvalimento e o esforço .... para a transcendência" (Mário da Silva Brito, *Conversa Vai, Conversa Vem,* p. 12). **2.** Perda de proteção. **3.** Desfavor; desprezo.

desvalioso (ô) [De *des-* + *valioso.*] *Adj.* Não valioso; sem valia.

desvalor (ô) [De *des-* + *valor.*] *S. m.* Falta de valor.

desvalorização [De *desvalorizar* + *-ção.*] *S. f.* **1.** Perda de valor; depreciação. **2.** *Econ.* Depreciação (2) de uma moeda em relação a outra(s) moeda(s), ou ao ouro: *A desvalorização do dólar em relação ao iene estimulou as exportações dos Estados Unidos para o Japão.*

desvalorizador (ô) [De *desvalorizar* + *-dor.*] *Adj. S. m.* Que, ou aquele que desvaloriza.

desvalorizar [De *des-* + *valorizar.*] *V. t. d.* **1.** Tirar o valor a; depreciar: *Desvaloriza as ações alheias para exaltar as próprias;* "O dólar subiu em Nova Iorque diante da notícia de que o governo brasileiro não pretende desvalorizar a moeda" (Nélson Franco Jobim, em *Jornal do Brasil,* 29.10.1998). ***P.*** **2.** Perder o valor; depreciar-se.

desvalvulado [De *des-* + *valvulado.*] *Adj. Bot.* Que não tem válvulas ou as perdeu.

desvanecedor (ô) [De *desvanecer* + *-dor.*] *Adj.* Que desvanece.

desvanecer [Do lat. *evanescere,* com mudança de prefixo (v. *des-*).] *V. t. d.* **1.** Fazer passar ou desaparecer; dissipar, extinguir, expungir: *O sol veio desvanecer as trevas e os maus pressentimentos.* **2.** Extinguir, destruir: *Tentou desvanecer a má impressão.* **3.** Acalmar, aliviar (dor ou processo inflamatório). **4.** Causar vaidade a; tornar orgulhoso. ***P.*** **5.** Desaparecer, passar, apagar-se, sumir-se; esvanecer-se, esvaecer-se: *Suas esperanças desvaneceram-se.* **6.** Dissolver-se, desfazer-se: *Ao vento forte, as nuvens desvaneceram-se.* **7.** Esmorecer, desbotar: *Com as lavagens, a cor do tecido desvaneceu-se.* **8.** Apagar-se, extinguir-se; desaparecer. **9.** Sentir-se ou mostrar-se vaidoso, orgulhoso; ufanar-se: *Desvaneceu-se com o êxito de seu livro.* [Var.: *desvaecer.* Sin. ger., desus.: *vanecer.* Conjug.: v. *aquecer.*]

desvanecido [Part. de *desvanecer.*] *Adj.* **1.** Dissipado, extinto, desfeito. **2.** Desbotado, apagado: *A escrita, de tão desvanecida, mal permitia a leitura.* **3.** Vaidoso, orgulhoso: *Tão merecidos elogios o tornaram desvanecido, feliz.* **4.** *Bras. N.E. Fam.* Exagerado nas maneiras; saliente, espevitado, descomedido.

desvanecimento [De *desvanecer* + *-imento.*] *S. m.* **1.** Esmorecimento, desânimo; esvaecimento. **2.** Vaidade, orgulho, presunção. **3.** *Bras. N.E. Fam.* Exagero nos modos; saliência, espevitamento, descomedimento.

desvanecível [De *desvanecer* + *-ível.*] *Adj. 2 g.* Que se pode desvanecer.

desvantagem [De *des-* + *vantagem.*] *S. f.* Falta de vantagem; inferioridade, prejuízo.

desvantajoso (ô) [De *des-* + *vantajoso.*] *Adj.* Não vantajoso; inconveniente.

desvão [De *des-* + *vão.*] *S. m.* **1.** Espaço entre o telhado e o forro de uma casa: "O mundo era estreito para Alexandre; um desvão de telhado é o infinito para as andorinhas." (Machado de Assis, *Memórias Póstumas de Brás Cubas,* p. 193.) **2.** Pavimento superior de uma casa, logo abaixo da cobertura; mansarda, água-furtada. **3.** Recanto esconso; esconderijo: "é [a análise proustiana] uma redescoberta da alma humana, dos seus infinitos desvãos, dos seus meandros complicados como vielas de cidade árabe." (Fidelino de Figueiredo, *Últimas Aventuras*, p. 180). [Var.: *esvão*. Pl.: *desvãos*.]

desvariar [De *des-* + *variar*.] *V. t. d.* 1. Desvairar (1). 2. Fazer variar, mudar: *Os costumes desvariam os valores morais. Int.* 3. Desvairar (5 e 6).

desvario [Do esp. *desvarío*.] *S. m.* Ato de loucura; delírio, alucinação, desacerto; desatino, extravagância; desvairamento, desvairo.

desvascularização [De *des-* + *vascularização*.] *S. f. Fisiol. Med.* Interrupção, intencional ou não, da circulação sanguínea de um órgão ou de uma área.

desvelado[1] [Part. de *desvelar*[1].] *Adj.* Cheio de desvelo; zeloso, cuidadoso, vigilante.

desvelado[2] [Part. de *desvelar*[2].] *Adj.* 1. Que deixou de estar velado[1] (1). 2. Não velado; despido, desnudo. 3. Descoberto, patente, revelado.

desvelamento[1] [De *desvelar*[1] + *-mento*.] *S. m.* Ato ou efeito de desvelar[1].

desvelamento[2] [De *desvelar*[2] + *-mento*.] *S. m.* Ato ou efeito de desvelar[2].

desvelar[1] [De *des-* + *velar*[3].] *V. t. d.* 1. Provocar vigília em; não deixar dormir: *A ambição desvelava-o.* 2. Passar ou fazer passar (o tempo) sem dormir, em claro: *Desvelava as noites a estudar;* "faleceu de ânimo para o ato ..... É que desvelava uma noite, cismando nas vantagens de ser rico" (Camilo Castelo Branco, *Noites de Lamego*, p. 25). *P.* 3. Encher-se de zelo; ter muito cuidado; diligenciar. [Pres. ind.: *desvelo*, etc. Cf. *desvelo* (ê).]

desvelar[2] [De *des-* + *velar*[2].] *V. t. d.* 1. Tirar o véu a; descobrir, revelar: *desvelar o rosto; desvelar uma estátua.* 2. Dar a conhecer; patentear, revelar: *desvelar um enigma, um mistério.* 3. Aclarar, esclarecer, elucidar: *desvelar acontecimentos obscuros. P.* 4. Mostrar-se, patentear-se, revelar-se. [Pres. ind.: *desvelo*, etc. Cf. *desvelo* (ê).]

desvelejar [De *des-* + *velejar*.] *V. int. Náut. Ant.* Amainar as velas. [Conjug.: v. *pelejar*.]

desvelo (ê) [Dev. de *desvelar*[1].] *S. m.* 1. Grande cuidado; carinho; vigilância, dedicação: *Tem para o filho todos os desvelos.* 2. O objeto de tais sentimentos: *Seu desvelo era aquela criancinha doente.* [Pl.: *desvelos* (ê). Cf. *desvelo*, do v. *desvelar*.]

desvencilhar [De *des-* + *vencilho* + *-ar*[2].] *V. t. d.* 1. Soltar do vencilho. 2. Soltar, desatar, desprender: *Em vão tentava desvencilhar as mãos atadas. T. d. e i.* 3. Soltar, desatar, desprender: *Conseguiu desvencilhar as mãos das algemas. P.* 4. Livrar-se, desembaraçar-se. [Var.: *desvincilhar*. Sin. ger.: *desenvencilhar*.]

desvendar [De *des-* + *vendar*.] *V. t. d.* 1. Tirar a venda dos olhos de: *Só desvendaram a vítima quando a trancafiaram num quarto.* 2. Destapar, tirando a venda: *Vendaram-lhe os olhos, e só depois de algum tempo os desvendaram.* 3. Tornar patente ou manifesto; revelar, manifestar: *desvendar uma opinião. T. d. e i.* 4. Dar a conhecer; revelar: *Recusou-se a desvendar a um estranho sua vida íntima.*

desveneração [De *des-* + *veneração*.] *S. f.* Falta de veneração; desrespeito, desacato.

desvenerar [De *des-* + *venerar*.] *V. t. d.* Deixar de venerar; desrespeitar; desacatar.

desventoso (ô) [De *des-* + *ventoso*[2].] *Adj.* Não ventoso.

desventrar [De *des-* + *ventre* + *-ar*[2].] *V. t. d.* Rasgar o ventre a; estripar, esventrar.

desventura [De *des-* + *ventura*.] *S. f.* Falta de venturas; desgraça, desdita, infortúnio, infelicidade.

desventurado [Part. de *desventurar*.] *Adj. S. m.* Infeliz, desgraçado, desditoso, desventuroso: *seres desventurados; desventurado amor; um desventurado.*

desventurar [De *des-* + *ventura* + *-ar*[2].] *V. t. d.* Tirar a ventura a; tornar infeliz, desventurado.

desventuroso (ô) [De *des-* + *venturoso*.] *Adj. S. m.* V. *desventurado*.

desverde (ê) [De *des-* + *verde*.] *Adj. 2 g.* Que perdeu o verdor, deixou de ser verde.

desverdecer [De *des-* + *verdecer*.] *V. int.* 1. Perder a cor verde. 2. Perder o viço; murchar. [Conjug.: v. *aquecer*.]

desvergonha [De *des-* + *vergonha*.] *S. f.* Falta de vergonha; descaramento, desfaçatez, impudência, desaforo, desvergonhamento.

desvergonhamento [De *desvergonhar* + *-mento*.] *S. m.* 1. Perda da vergonha. 2. V. *desvergonha*.

desvergonhar [De *des-* + *vergonha* + *-ar*[2].] *V. t. d. P.* V. *desavergonhar*.

desverminação [De *desverminar* + *-ção*.] *S. f. Zootec.* Ato ou efeito de desverminar; everminação.

desverminar [De *des-* + *verminar*.] *V. t. d. Zootec.* Combater ou erradicar os vermes gastrintestinais de; everminar.

desvestir [De *des-* + *vestir*.] *V. t. d.* 1. Despir, desnudar: *Desvestiu-a devagar, voluptuosamente.* 2. Tirar do corpo (o vestuário ou parte dele); despir: "Nas residências os figurantes desvestiam os trajes animalescos, humanizando-se." (Pelópidas Soares, *Cordão dos Bichos*, p. 14.) *P.* 3. Despir-se, desnudar-se: "Valeriano não tinha chegado a se desvestir, apenas tirara o cinturão" (Autran Dourado, *As Imaginações Pecaminosas*, p. 11). [Conjug.: v. *aderir*.]

desvezado [Part. de *desvezar*.] *Adj.* Desacostumado, desavezado.

desvezar [De *des-* + *vezar*.] *V. t. d.* Desacostumar, desabituar, desavezar.

desviado [Part. de *desviar*.] *Adj.* Que fica longe, remoto, afastado, apartado.

desviar [Do lat. *deviare*, com mudança de pref. (v. *des-*).] *V. t. d.* 1. Mudar a direção de: *desviar o curso de um rio.* 2. Afastar do ponto onde se encontrava; mudar a posição de; deslocar: *desviar um móvel.* 3. Afastar, evitar; atalhar, esquivar: *Desviou a tempo o golpe do machado.* 4. Alterar o destino ou a aplicação de; desencaminhar: *desviar verbas. T. d. e i.* 5. Pôr em distância; afastar: *Conseguiu desviar o filho das más companhias.* 6. Demover, dissuadir, despersuadir: *Desviou-o do intento sinistro. P.* 7. Apartar-se, afastar-se, separar-se. 8. Fugir, refugir; furtar-se; evitar: *Buscou sintetizar seu pensamento, desviando-se dos pormenores.*

desvidraçado [Part. de *desvidraçar*.] *Adj.* A que se tiraram ou partiram as vidraças: "Através das janelas desvidraçadas, ... o ar entrava" (Eça de Queirós, *Contos*, pp. 109-110).

desvidraçar [De *des-* + *vidraça* + *-ar*[2].] *V. t. d.* Tirar ou partir as vidraças a. [Conjug.: v. *laçar*.]

desvidrar-se [De *des-* + *vidro* + *-ar*[2] + *se*[1].] *V. p.* 1. Perder o vidrado. 2. Perder o brilho ou a transparência; deslustrar-se.

desvigar [De *des-* + *viga* + *-ar*[2].] *V. t. d.* Tirar as vigas, o vigamento, a. [Conjug.: v. *largar*.]

desvigiar [De *des-* + *vigiar*.] *V. t. d.* Deixar de vigiar; não ter cuidado em.

desvigorar [De *des-* + *vigorar*.] *V. t. d.* 1. Tirar o vigor a. *P.* 2. Perder o vigor; enfraquecer. [Sin. ger.: *desvigorizar*.]

desvigorizar [De *des-* + *vigor* + *-izar*.] *V. t. d. P.* V. *desvigorar*.

desvincar [De *des-* + *vincar*.] *V. t. d.* Tirar os vincos a; desenrugar, desrugar, alisar. [Conjug.: v. *trancar*.]

desvincilhar *V. t. d. T. d. e i. P.* V. *desvencilhar*.

desvinculação [De *desvincular* + *-ção*.] *S. f.* Ato ou efeito de desvincular(-se).

desvinculado [Part. de *desvincular*.] *Adj.* Que se desvinculou.

desvincular [De *des-* + *vincular*[2].] *V. t. d.* 1. Desatar ou desligar (o que estava vinculado). 2. Liberar (bens que constituíam vínculo). *T. d. e i.* 3. Desatar ou desligar (o que estava vinculado): "Empson [William Empson] conferiu ao vocábulo *ambiguidade* um significado bastante lato, procurando desvincular a palavra da conotação pejorativa que lhe anda adstrita (equívoco, falta de clareza)" (Vítor Manuel de Aguiar e Silva, *Teoria da Literatura*, p. 29). *P.* 4. Desligar-se; libertar-se: *Desvinculou-se de todos os partidos políticos.*

desvinculável [De *desvincular* + *-vel*.] *Adj. 2 g.* Que pode ser desvinculado.

desvio [Der. regress. de *desviar*.] *S. m.* 1. Ato ou efeito de desviar(-se). 2. Afastamento da direção ou da posição normal: *desvio do curso de um rio; desvio da coluna vertebral.* 3. Volta, sinuosidade, curva: *O carro derrapou num desvio da estrada.* 4. Ponto que se afasta do caminho principal; desvão, recanto: *A chácara está situada num desvio difícil de achar.* 5. Desaparecimento, sumiço: *desvio de documentos.* 6. Subtração fraudulenta; roubo: *desvio de dinheiro; desvio de mercadorias.* 7. Afastamento de uma linha (de conduta, de regras, etc.) tomada como base: *desvio moral; desvio de doutrina.* 8. Falha, erro: *desvio de cálculo.* 9. Concussão (4). 10. Linha secundária das ferrovias, ligada à principal, e destinada a servir de abrigo ou de depósito de vagões, a dar passagem a outros carros, etc. 11. *Automat.* Diferença entre o valor instantâneo da variável controlada e o valor da variável correspondente ao ponto quiescente. 12. *Estat.* Afastamento (4). 13. Chave (28). ◆ **Desvio da agulha.** *Geofís.* Desvio da bússola. **Desvio da bússola.** *Geofís.* Desvio da orientação dela, causado pelo magnetismo do ambiente, e que se mede pelo ângulo entre o meridiano magnético e a direção da agulha; desvio da agulha. **Desvio da vertical.** *Geofís.* Em um dado lugar da superfície terrestre, é o ângulo entre a direção da gravidade e a perpendicular, nesse ponto, à superfície do elipsoide terrestre. **Desvio de frequência.** *Eletrôn.* Em modulação de frequência, variação instantânea da frequência portadora para cima e para baixo do seu valor nominal resultante da modulação. **Desvio mínimo.** *Ópt.* Ângulo de desvio mínimo (q. v.). **Desvio padrão.** *Estat.* Medida de dispersão dos valores de uma variável em torno de sua média, dada pela raiz quadrada da variância; afastamento padrão, afastamento quadrático médio da média. **Desvio para o azul.** *Cosm.* Desvio das linhas espectrais em direção aos comprimentos de onda mais curtos no espectro de uma fonte de radiação que se aproxima do observador; fuga para o azul. [Cf. *efeito Doppler-Fizeau* e *deslocamento para o azul*.] **Desvio para o vermelho.** *Cosm.* Desvio das linhas espectrais em direção aos comprimentos de onda mais longos no espectro de uma fonte de radiação em recessão, ou seja, que se afasta em relação ao observador; fuga para o vermelho. [Cf. *efeito Doppler-Fizeau* e *deslocamento para o vermelho*.] **Desvio social.** *Antrop.* Ato ou comportamento que viola as normas definidas culturalmente por um grupo. **Estar no desvio.** *Bras. Pop.* Estar desempregado. [Sin., no N.E.: *trabalhar na companhia do desvio*.]

desvirar [De *des-* + *virar*.] *V. t. d.* 1. Fazer voltar à posição normal (aquilo ou aquele que estava virado); virar do avesso. *P.* 2. Voltar à posição normal, ou à posição anterior.

desvirgar [De *des-* + *virgo* + *-ar*[2].] *V. t. d.* V. *desvirginar*. [Conjug.: v. *largar*.]

desvirginamento [De *desvirginar* + *-mento*.] *S. m.* Ato de desvirginar.

desvirginar [Do lat. *devirginare*, com troca de prefixo (v. *des-*).] *V. t. d.* Tirar a virgindade a; deflorar, desflorar, desvirginizar, desvirgar.

desvirginizar [De *des-* + lat. *virgine*, 'virgem', + *-izar*.] *V. t. d.* V. *desvirginar*.

desvirgular [De *des-* + *virgular*.] *V. t. d.* Tirar ou omitir as vírgulas de.

desvirilizar [De *des-* + *virilizar*.] *V. t. d.* Tirar a virilidade a.

desvirtuação [De *desvirtuar* + *-ção*.] *S. f.* Desvirtuamento.

desvirtuamento [De *desvirtuar* + *-mento*.] *S. m.* Ação ou efeito de desvirtuar; desvirtuação.

desvirtuar [De *des-* + lat. *virtus*, 'virtude', + *-uar*.] *V. t. d.* 1. Depreciar a virtude, o valor, o merecimento de: *O biógrafo, em certos passos da obra, desvirtua o biografado.* 2. Privar de mérito ou prestígio; julgar desfavoravelmente. 3. Tomar em mau sentido; torcer o sentido de; malsinar: *Distorceram a declaração do político, desvirtuando as suas palavras.*

desvirtude [De *des-* + *virtude*.] *S. f.* 1. Ausência de virtude. 2. Defeito, imperfeição.

desvirtuoso (ô) [De *des-* + *virtuoso*[2].] *Adj.* Que não tem virtude; que não é virtuoso; invirtuoso.

desviscerado [Part. de *desviscerar*.] *Adj.* A que se tiraram as vísceras.

desviscerar [De *des-* + *víscera* + *-ar*[2].] *V. t. d.* V. *eviscerar*.

desvisgar [De *des-* + *visgo* + *-ar*[2].] *V. t. d.* Tirar o visgo a. [Conjug.: v. *largar*.]

desvitalização [De *desvitalizar* + *-ção*.] *S. f.* 1. Ato ou efeito de desvitalizar. 2. Falta de vitalidade.

desvitalizado [Part. de *desvitalizar*.] *Adj.* Privado da vitalidade.

desvitalizar [De *des-* + *vitalizar*.] *V. t. d.* Privar da vitalidade.

desvitrificação [De *desvitrificar* + *-ção*.] *S. f. Quím.* Processo de passagem de um vidro do estado amorfo para o estado cristalino; devitrificação.

desvitrificado [Part. de *desvitrificar*.] *Adj.* Que sofreu desvitrificação; devitrificado.

desvitrificar [De *des-* + *vitrificar*.] *V. t. d.* Fazer cessar a vitrificação de; devitrificar. [Conjug.: v. *trancar*.]

desviver [De *des-* + *viver*.] *V. int.* Deixar de viver; morrer: "Sofrer não significa desviver, mas, pelo contrário, conhecer e sentir a vida." (Pontes de Miranda, *Obras Literárias*, p. 39.)

desvizinhar [De *des-* + *vizinhar*.] *V. t. i.* Deixar de vizinhar; não ser vizinho.

deszelar [De *des-* + *zelar*.] *V. t. d.* Não ter zelo por; descurar; desvigiar.

deszincificação [Do ingl. *dezincification*, com mudança de pref. (v. *des-*).] *S. f. Eng. Ind.* Forma de corrosão de latão, na qual o zinco é retirado da liga, deixando um resíduo esponjoso de cobre.

detalhamento [De *detalhar* + *-mento*.] *S. m.* Ato ou efeito de detalhar.

detalhar [Do fr. *détailler*.] *V. t. d.* 1. Narrar minuciosamente; minudenciar; particularizar: *Referiu o caso com muita exatidão, detalhando aspectos mais significativos.* 2. Planejar, planear; delinear. 3. Repartir, distribuir (serviços militares). 4. Reproduzir os detalhes de: "Isidro já desenhava um corpo nu ou um canto de bosque, detalhava, com a mesma perícia, os músculos de um braço rijo ou as árvores de um horto" (Coelho Neto, *Treva*, p. 16). 5. *Arquit.* Desenhar os detalhes de uma obra.

detalhe [Do fr. *détail*.] *S. m.* 1. Particularidade, minudência, minúcia, pormenor. 2. *Arquit.* Desenho de particularidade de obra projetada, elaborado em escala maior que a do projeto. 3. *Lus. Mar.* Tabela mestra (q. v.).

detalhismo [De *detalhar* + *-ismo*.] *S. m.* Preocupação excessiva com detalhes ou minúcias.

detalhista [De *detalhe* + *-ista*.] *Adj. 2 g. S. 2 g.* Diz-se de, ou quem cuida muito dos detalhes, das minúcias.

detecção [Do ingl. *detection*.] *S. f.* **1.** Ato ou efeito de detectar. **2.** *Eletrôn.* Demodulação.

detectar [Do lat. *detectus*, 'descoberto', part. pass. de *detegere*, 'descobrir', + *-ar*[2]; ingl. (*to*) *detect*.] *V. t. d.* **1.** Revelar ou perceber a existência de (o que está escondido). **2.** *P. ext.* Reconhecer ou atestar a existência de: "Especialistas detectam surto de gripe no Rio." (*O Globo*, 06.05.2000.) **3.** *Eletrôn.* Fazer a detecção ou demodulação de. **4.** *Mar. G.* Perceber (um objeto buscado), ou com ele estabelecer contato por meio visual, ou de radar, de sonar, de rádio, etc.: *Detectou o inimigo às 10 horas.*

detectável [De *detectar* + *-vel*.] *Adj. 2 g.* Que pode ou deve ser detectado.

detective *S. m. detetive.*

detector (ô) [Do ingl. *detector*.] *S. m.* **1.** *Eletrôn.* Demodulador. **2.** Qualquer aparelho ou sistema capaz de revelar a existência dum fenômeno ondulatório em um meio e de, eventualmente, determinar-lhe a intensidade. **3.** *Quím.* Instrumento capaz de revelar a presença de uma ou mais substâncias num local e, ger., apresentar gráfica ou eletronicamente as quantidades encontradas. ◆ **Detector de mentira(s).** *Med. Leg.* Espécie de polígrafo (5) us. para detectar, pelo registro da alteração de certos fenômenos fisiológicos, se o indivíduo está mentindo. **Detector de vídeo.** *Eletrôn.* Circuito no receptor de televisão que demodula a informação referente à imagem.

detença [De *deter* + *-ença*.] *S. f.* Demora, dilação, delonga.

detenção [Do lat. *detentione*.] *S. f.* **1.** Ato de deter. **2.** Possessão ilegítima. **3.** Prisão provisória; retenção. **4.** *Bras. Jur.* Pena que se cumpre com rigor penitenciário menor que o da reclusão.

→**détente** [de'tɑ̃t] [Fr., 'descanso'.] *S. f.* Afrouxamento ou distensão nas relações tensas entre nações ou governos.

detento [Do lat. *detentu*.] *S. m. Bras.* **1.** Aquele que se acha detido ou preso; preso, prisioneiro. **2.** *Jur.* Aquele que está detido ou preso.

detentor (ô) [Do lat. *detentore*.] *S. m.* Aquele que detém; depositário.

deter [Do lat. *detinere*.] *V. t. d.* **1.** Fazer parar, fazer cessar; não deixar ir por diante; impedir de avançar; interromper: *Uma barragem detinha o curso do rio; Quem consegue deter o curso do tempo?* **2.** Fazer demorar; reter: *O amigo deteve-o por meia hora.* **3.** Suspender, suster, reprimir: *A custo deteve o riso.* **4.** Adiar, espaçar, delongar: *deter uma resposta, uma decisão.* **5.** Reter ou conservar em seu poder: *deter um documento.* **6.** Determinar a detenção ou prisão provisória de; guardar em prisão ou em custódia. *P.* **7.** Cessar de andar, de mover-se; parar: "Para! Uma terra nova ao teu olhar fulgura! / Detém-te!" (Olavo Bilac, *Poesias*, p. 239.) **8.** Deixar-se estar; ficar; demorar-se: *Detinha-se aqui e ali, matando o tempo.* **9.** Conter-se, reprimir-se: *Faminto, diante da comida mal conseguia deter-se.* **10.** Ocupar-se demoradamente: *Fez da obra uma apreciação sintética, sem se deter em pormenores.* [Irreg. Conjug.: v. *ter*.]

detergente [Do lat. *detergente*.] *Adj. 2 g.* **1.** Que deterge; detersivo, detersório. ● *S. m.* **2.** *Hig.* Substância que deterge.

detergir [Do lat. *detergere*.] *V. t. d.* Limpar ou purificar por meio de substâncias ou ingredientes químicos. [Defect. Conjug.: v. *aderir*, mas ger. só se usa nas 3.as pess.]

deterioração [De *deteriorar* + *-ção*.] *S. f.* Ato ou efeito de deteriorar(-se); dano, ruína, degeneração.

deteriorante [De *deteriorar* + *-nte*.] *Adj. 2 g.* Que deteriora.

deteriorar [Do lat. *deteriorare*.] *V. t. d.* **1.** Danificar; estragar. **2.** Tornar degenerado; alterar, adulterar; estragar, corromper, danificar, arruinar: *O calor deteriora certos alimentos.* **3.** Dissipar, desperdiçar. *P.* **4.** Danificar-se, estragar-se, corromper-se, apodrecer. **5.** Agravar-se, complicar-se: *Deterioraram-se as relações entre os dois países.*

deteriorável [De *deteriorar* + *-vel*.] *Adj. 2 g.* Que se pode deteriorar.

determinação [Do lat. *determinatione*.] *S. f.* **1.** Ato ou efeito de determinar(-se). **2.** Resolução, decisão: *É firme a sua determinação de viajar.* **3.** Capacidade de determinação ou decisão: *É homem de grande determinação.* **4.** Ordem superior: *Por determinação do reitor, todos voltaram às aulas.* **5.** *Bot.* Reconhecimento da família, gênero e espécie aos quais pertence uma planta. **6.** *Lóg.* Especificação de características que distinguem um conceito de outro do mesmo gênero, aumentando-lhe a compreensão. **7.** *Lóg.* Característica que serve a determinação: uma qualidade, um atributo, etc. [Cf., nas acepç. 6 e 7, *abstração* (2) e *generalização* (5).] **8.** *Quím.* Verificação da quantidade ou concentração de uma substância em uma amostra.

determinado [Part. de *determinar*.] *Adj.* **1.** Que se determinou; definido, fixo, estabelecido: *A festa seria no dia determinado.* **2.** Resoluto, decidido: *Era de gente determinada o grupo invasor.* **3.** Expedito, diligente, rápido. **4.** *Prop.* Diz-se de anúncio ou de comercial cuja posição no veículo de comunicação é determinada no ato da compra do espaço. ● *Pron. Indef.* **5.** V. *certo* (9): *Em determinado instante ele chegou.* ● *S. m.* **6.** *E. Ling.* Elemento (10) que, junto com o determinante (3), forma um sintagma.

determinador (ô) [Do lat. *determinatore*.] *Adj.* **1.** Determinante (1). **2.** Que determina, decide, regula, estabelece. ● *S. m.* **3.** Aquele que determina, decide, regula, estabelece.

determinante [Do lat. *determinante*.] *Adj. 2 g.* **1.** Que determina; determinador. ● *S. m.* **2.** *Álg.* Função algébrica racional inteira dos elementos de uma matriz quadrada de ordem n, que se obtém formando todos os produtos de n elementos de modo que em cada um deles apareça uma e somente uma vez um elemento de qualquer das linhas e qualquer das colunas, e atribuindo ao produto o sinal mais ou o sinal menos, conforme seja par ou ímpar o número de inversões na ordem dos elementos que constituem. **3.** *E. Ling.* Elemento (10) que modifica o determinado (6), e com ele forma um sintagma. ◆ **Determinante antissimétrico.** *Álg.* Determinante em que são iguais, mas de sinais contrários, os termos simétricos em relação à diagonal principal, que, portanto, é nula; determinante hemissimétrico. **Determinante característico.** *Álg.* O que se obtém acrescentando ao determinante principal de um sistema de equações uma coluna formada pelos termos constantes e uma linha formada pelos coeficientes de uma equação que não tenha contribuído para o determinante principal. **Determinante funcional.** *Mat.* Aquele em que os elementos são funções de uma ou mais de uma variável. **Determinante hemissimétrico.** *Álg.* Determinante antissimétrico. **Determinante infinito.** *Álg.* Determinante associado a uma matriz quadrada infinita. **Determinante menor.** *Álg.* O que se forma eliminando de outro determinante um número igual de linhas e de colunas. **Determinante principal.** *Álg.* O determinante de maior ordem e não nulo que se pode formar com os coeficientes das incógnitas de um sistema de equações lineares de sorte que, em cada coluna, apareçam os coeficientes de uma só das incógnitas e em cada linha, os coeficientes das incógnitas de uma só equação. **Determinante simétrico.** *Álg.* Aquele em que são iguais os elementos simetricamente colocados em relação à diagonal principal. **Determinante transposto.** *Álg.* Determinante que se obtém de outro quando neste se substitui cada elemento pelo seu simétrico em relação à diagonal principal. [Tb. se diz apenas *transposto*.] **Determinante triangular.** *Álg.* Aquele em que são nulos todos os elementos abaixo ou acima da diagonal principal.

determinar [Do lat. *determinare*.] *V. t. d.* **1.** Marcar termo a; delimitar; fixar: *O Barão do Rio Branco, quando ministro das Relações Exteriores, conseguiu determinar definitivamente as fronteiras do Brasil com as Guianas.* **2.** Indicar com precisão; definir, precisar: *determinar a composição de um elemento químico; É impossível determinar bem a data do nascimento de Gil Vicente.* **3.** Prescrever, ordenar, estabelecer, decretar: *O chefe de serviço determinou que os funcionários trabalhassem horas extras.* **4.** Decidir, resolver: *Determinou antecipar a viagem.* 'Carlota determinara ir ao teatro, não havia persuadi-la de outra coisa." (Machado de Assis, *Contos sem Data*, p. 128.) **5.** Motivar, causar, ocasionar: *A Abolição foi uma das causas que determinaram a proclamação da República.* **6.** Distinguir, discriminar, especificar: *Um exame de laboratório determinará os bacilos da infecção.* **7.** Fixar, firmar, assentar: *Determinou dia e hora para o encontro.* *T. d. e i.* **8.** Persuadir, levar, mover; decidir: *Os conselhos do professor determinaram-no a estudar.* "Macário contou-me o que o determinara mais precisamente àquela resolução profunda e perpétua." (Eça de Queirós, *Contos*, p. 715). *T. i.* **9.** Fazer tenção; ter o propósito: *Determinara de conceder-lhes o perdão;* "Determinei por armas de tomá-la" (Luís de Camões, *Os Lusíadas*, V, 53). *P.* **10.** Resolver-se, decidir-se.

determinativo [De *determinar* + *-tivo*.] *Adj.* **1.** Que determina. **2.** Que restringe; definitivo, restritivo. ~ V. *adjetivo* — e *verbo* —. ● *S. m.* **3.** *Graf.* Numa escrita ideográfica, símbolo que indica o conteúdo semântico. [Cf., nesta acepç., *logograma* e *fonograma*.]

determinável [De *determinar* + *-vel*.] *Adj. 2 g.* Que pode ser determinado.

determinismo [De *determinar* + *-ismo*.] *S. m. Filos.* Relação entre os fenômenos pela qual estes se acham ligados de modo tão rigoroso que, a um dado momento, todo fenômeno está completamente condicionado pelos que o precedem e acompanham, e condiciona com o mesmo rigor os que lhe sucedem. [Se relacionado a fenômenos naturais, o determinismo constitui o princípio da ciência experimental que fundamenta a possibilidade de busca de relações constantes entre os fenômenos; se se refere a ações humanas e a decisões da vontade, entra em conflito com a possibilidade da liberdade.] [Cf. *fatalismo* (1) e *indeterminação* (3 e 4).] ◆ **Determinismo ambiental.** *Antrop.* Hipótese ou teoria segundo a qual as condições ambientais são os fatores determinantes das variações nas formas de organização social e nas configurações culturais.

determinista [De *determinismo* + *-ista*.] *Adj. 2 g.* **1.** Relativo ao, ou que é partidário do determinismo. ● *S. 2 g.* **2.** Partidário do determinismo.

determinístico [De *determinista* + *-ico*[2].] *Adj.* Que envolve determinismo.

deterrência [Do lat. *deterrere*, 'desviar de'; 'dissuadir', + *-ência*; ingl. *deterrence*.] *S. f.* Ato ou efeito de impedir o ataque de um possível agressor mediante intimidação ou ameaça de retaliação; dissuasão. [Us. em ecologia para descrever certos mecanismos de defesa contra predadores.]

deterrente [Do lat. *deterrente*, part. pres. do lat. *deterrere* (v. *deterrência*).] *Adj. 2 g. S. m.* **1.** Diz-se de, ou o que exerce deterrência; dissuasor. **2.** *Ecol.* Diz-se de, ou composto produzido por organismo, e que impede a sua predação sem ser, necessariamente, venenoso para o predador: "Atividade deterrente de tefrosina e rotenona contra alguns lepidópteros." (P. C. Vieira e C. C. Andrei, *Produtos Naturais no Controle de Insetos*, p. 136.)

detersão [Do fr. *détersion*.] *S. f.* **1.** Ato de detergir. **2.** *Hig.* Purificação ou limpeza por meio de remédio.

detersivo [Do lat. *detersus*, 'limpo', + *-ivo*.] *Adj.* V. *detergente* (1).

detersório [Do lat. *detersus*, 'limpo', + *-ório*.] *Adj.* V. *detergente* (1).

detestação [Do lat. *detestatione*.] *S. f.* Abominação, repulsa, ódio.

detestando [De *detestar* + *-ando*.] *Adj.* V. *detestável*.

detestar [Do lat. **detestare*, por *detestari*, 'abominar'.] *V. t. d.* **1.** Ter horror a; abominar, aborrecer, odiar. **2.** Ter aversão a; antipatizar com; aborrecer. *P.* **3.** Ter aversão a si mesmo; aborrecer sua própria pessoa. **4.** Ter aversão recíproca; odiar-se: "Muito embora detestando-se mutuamente, trabalhavam ambos [Gonçalves Ledo e José Bonifácio] sob a mesma inspiração patriótica" (Afonso d'E. Taunay, *Grandes Vultos da Independência Brasileira*, p. 45).

detestável [Do lat. *detestabile*.] *Adj. 2 g.* **1.** Que se deve detestar; abominável. **2.** Péssimo; insuportável: *Era pessoa de gênio detestável.* [Sin. ger.: *detestando*.]

detetive [Do ingl. *detective*.] *S. m.* Agente investigador de crimes. [Var.: *detective*.]

detetivesco (ê) [De *detetive* + *-esco*.] *Adj.* De, relativo a, ou próprio de detetive: "– Vivia só? – insisti, trocando olhares detetivescos com o funcionário. (Fernando Namora, *Retratos da Vida de um Médico*, p. 24.)

detido [Part. de *deter*.] *Adj.* **1.** Retardado, demorado. **2.** Que está preso provisoriamente. ● *S. m.* **3.** Aquele que está preso provisoriamente. **4.** *P. ext.* Prisioneiro, preso.

detonação [De *detonar* + *-ção*.] *S. f.* **1.** Ato ou efeito de detonar; detono. **2.** Ruído súbito devido a explosão. **3.** *Expl.* Combustão com características semelhantes às da explosão, mas cuja velocidade de propagação atinge até 8.500m por segundo.

detonador (ô) [De *detonar* + *-dor*.] *Adj.* **1.** Que detona. ~ V. *máquina* —*a*. ● *S. m.* **2.** *Expl.* Substância ou mecanismo destinado a provocar a detonação de cargas explosivas.

detonante [De *detonar* + *-nte*.] *Adj. 2 g.* Que detona. ~ V. *cordel* —.

detonar [Do lat. *detonare*.] *V. int.* **1.** Produzir detonação; estrondar explodindo: "entrou, apanhou o rifle, saiu ao meio da trilha e detonou." (Coelho Neto, *Banzo*, p. 93). **2.** *Bras. Gír.* Abafar, arrasar. **3.** *Bras. Gír.* Zonear. *T. d.* **4.** Fazer explodir (projetil, bomba, etc.). **5.** Disparar (arma de fogo). **6.** *P. ext.* Dar início a, desencadear, com alarde: *O chefe de polícia detonou as investigações.* **7.** *Fig.* Dar fim a; acabar; prejudicar muitíssimo: *A falta de recursos detonou o projeto de informatização da escola.*

detono [Dev. de *detonar*.] *S. m.* Detonação (1).

detorar [De *de-* + *torar*[1].] *V. t. d.* Destorar: "Que lhe importa que lá fora, aos urros da procela, detore o raio o cedro secular em deflagrar soturno" (Leôncio C. de Oliveira, *Vida Roceira*, p. 270).

detração [Do lat. *detractione*.] *S. f.* **1.** Maledicência, difamação, murmuração. **2.** Menosprezo, depreciação.

detrair [Do lat. *detrahere*.] *V. t. d.* **1.** Abater o crédito de; depreciar o mérito, a reputação ou a fama de; difamar, infamar; detratar. *T. i.* **2.** Dizer ou falar mal; murmurar: "E se são muitos os que se ajudam a detrair e maldizer do próximo, sucede-lhes espiritualmente o que sucedeu aos dous homens do seguinte caso bem raro." (P.e Manuel Bernardes, *Nova Floresta*, II, p. 247.) [Conjug.: v. *sair*.]

■ **Detran** Sigla de *Departamento Estadual de Trânsito*.

➔ **détraqué** [detʀaˈke] [Fr.] *S. m.* Indivíduo amalucado, desequilibrado.

detrás [De *de-* + *trás*[1].] *Adv.* **1.** Na parte posterior; posteriormente. **2.** Em seguida; depois.

detratar [Do lat. *detratus*, part. pass. de *detrahere* (v. *detrair*), + *-ar*[2].] *V. t. d. Bras.* V. *detrair* (1).

detrativo [De *detrair* + *-tivo*.] *Adj.* Que detrai.

detrator (ô) [Do lat. *detractore*.] *Adj. S. m.* Que, ou aquele que detrai ou detrata.

detrição [Do lat. med. *detritione*.] *S. f.* **1.** Decomposição provocada por atrito. **2.** *Patol.* Desgaste por atrito.

detrimento [Do lat. *detrimentu*.] *S. m.* Dano, perda, prejuízo: *agir em detrimento de outrem*; "O escândalo que lhe causou a superestimação dos méritos de Malvino Reis em detrimento dos de Zacarias não é senão uma reafirmação daquele sentimento" (R. Magalhães Júnior, *Machado de Assis Desconhecido*, p. 121).

detrítico [De *detrito* + *-ico*[2].] *Adj.* Relativo a detritos; alotígeno.

detritívoro [De *detrito* + *-i-* + *-voro*.] *Adj. S. m.* Que, ou aquele que se nutre de detritos.

detrito [Do lat. *detritu*, 'gasto pelo atrito'.] *S. m.* Resíduo de uma substância; restos.

detruncar [Do lat. *detruncare*.] *V. t. d.* Truncar. [Conjug.: v. *trancar*.]

detrusor (ô) [Do ingl. *detrusor* (< lat. *detrudere*, 'empurrar para baixo').] *S. m. Anat.* Designação genérica de formação anatômica cuja função é empurrar para baixo.

detuaná *Bras. S. 2 g.* **1.** *Etnôn.* Indivíduo dos detuanás, povo indígena que habita as margens do rio Apaporis (AM). ● *Adj. 2 g.* **2.** Pertencente ou relativo a esse povo. [Tb. us. como *s. 2 g. e 2 n.* (com cap.) e *adj. 2 g. e 2 n.*]

detumescência [Do lat. *detumescentia*.] *S. f.* Desinchação.

deturbação [De *deturbar* + *-ção*.] *S. f.* Ato de deturbar; perturbação.

deturbar [Do lat. *deturbare*.] *V. t. d.* Perturbar, alterar, abalar.

deturpação [De *deturpar* + *-ção*.] *S. f.* Ato ou efeito de deturpar.

deturpador (ô) [De *deturpar* + *-dor*.] *Adj. S. m.* Que, ou aquele que deturpa.

deturpar [Do lat. *deturpare*.] *V. t. d.* **1.** Tornar torpe, feio; desfigurar, afear, desfear, enfear: *Monumentos de mau gosto deturpam a cidade.* **2.** Manchar, conspurcar, poluir, inquinar: *Praticou baixezas que deturpam sua honra.* **3.** Viciar, corromper; estragar: *Uma vida libertina deturpou-lhe os hábitos.* **4.** Alterar, modificar, de maneira viciosa; adulterar: *O uso deturpa muitas palavras. P.* **5.** Alterar-se, modificar-se, de maneira viciosa; adulterar-se: *O vocábulo cegada deturpou-se muito feiamente, na primeira edição das* Poesias Completas *de Machado de Assis.*

déu *El. s. m.* Us. na loc. adv. *de déu em déu*. [Cf. *deu*, do v. *dar*.] ◆ **De déu em déu.** *Bras. Prov. port.* **1.** De casa em casa, de porta em porta, à procura de alguma coisa. "Fiz-me andejo. Andei de déu em déu, por Ceca e Meca, desfazendo cataratas, recompondo nervos ópticos" (Monteiro Lobato, *Cidades Mortas*, p. 229). **2.** Às cambalhotas, às viravoltas.

deus [Do lat. *deus*.] *S. m.* **1.** Princípio supremo considerado pelas religiões como superior à natureza. **2.** Ser infinito, perfeito, criador do Universo. **3.** Nas religiões politeístas, divindade de personificação masculina, superior aos homens, e à qual se atribui influência especial, benéfica ou maléfica, nos destinos do Universo. [Com cap., nestas acepç.] **4.** *Fig.* Objeto de um culto ou de um desejo ardente, que se antepõe a todos os demais desejos ou afetos. **5.** *Filos.* Princípio supremo de explicação da existência, da ordem e da razão universais, e garantia dos valores morais. [Fem.: *deusa*; pl.: *deuses*.] ◆ **Deus e o mundo.** V. *todos*: *Ela namora com deus e o mundo.* **Deus louvado.** Expressão com que se dão graças por um acontecimento, uma circunstância feliz. **A Deus e à ventura.** V. *ao deus-dará*: "o onagro deixou-se enfrear e selar; e, a Deus e à ventura, o mancebo cavalgou nele e deitou pela encosta abaixo." (Alexandre Herculano, *Lendas e Narrativas*, II, p. 28). **Como Deus é servido.** Como é da vontade de Deus (us. para expressar que dada coisa não é da vontade daquele que fala, mas que não há o que fazer): "Aqui, cada um está sossegado no seu sítio e trabalha para viver, como Deus é servido, sem se importar com a vida alheia." (Inglês de Sousa, *O Coronel Sangrado*, p. 114.) **O deus cego.** V. *cupido* (1): "então vejo que o deus cego, / com semblante carregado, / assim me fala" (Tomás Antônio Gonzaga, *Marília de Dirceu*, p. 74). **Quando Deus é servido.** Ocasionalmente. **Santo Deus.** V. *Nossa Senhora* (2). **Sozinho e Deus.** Absolutamente só; sem nenhuma companhia: "Como lhe interessasse acabar o serviço no menor tempo, ele entrava pela noite a trabalhar, sozinho e Deus." (Povina Cavalcanti, *Volta à Infância*, p. 18.).

deusa [Fem. de *deus*.] *S. f.* **1.** Cada uma das divindades femininas do politeísmo. **2.** *Fig.* Mulher que é objeto de adoração: *Fez da simples companheira de todos os dias a sua deusa.* **3.** Mulher que personifica a suprema aspiração, os valores supremos de uma classe, um grupo social, etc. **4.** Mulher muito atraente, ou de extraordinária beleza física: *Marilyn Monroe foi a deusa da década de 1950.*

deus-dará *El. s. m.* Us. na loc. adv. *ao deus-dará*. ◆ **Ao deus-dará.** À toa; a esmo; ao acaso; à ventura; a Deus e à ventura.

➔ **deus ex machina** [ˈdeos eks ˈmakʰena] [Lat.] **1.** *Teatr.* No antigo teatro greco-romano, ator que personificava um deus e que era trazido à cena por meio de mecanismos: "Eurípides baixa ao palco num ecíclema, engenho que, nos espetáculos, servia para as divindades aparecerem milagrosamente nos desfechos, origem da expressão deus ex machina." (Sábato Magaldi, *O texto no teatro*, pp. 32-33.) **2.** *Teatr. Deprec.* Solução artificiosa dum problema dramático ou cênico. **3.** *Fig.* Personagem ou circunstância que propicia desfecho inesperado e feliz duma situação grave.

deus me livre *S. m. 2 n. Bras. RJ* V. *cafundó* (3): *Mora lá em deus me livre.* ☑

deus nos acuda *S. m. 2 n.* Desordem, confusão, tumulto, balbúrdia. [Us. sempre antecedido do artigo *um*: *Foi um deus nos acuda.*] ☑

deuteragonista (êu) [Do gr. *deuteragonistés*.] *S. 2 g. Teatr.* O segundo ator do drama grego, introduzido por Ésquilo (v. *esquiliano*). [Cf. *protagonista* (1) e *tritagonista*.]

deutergia [De *deut(o)-* + *-erg(o)-*[1] + *-ia*[1].] *S. f. Farmac.* Conjunto dos efeitos secundários dum medicamento.

deutério [De *deuter(o)-* + *-io*[3].] *S. m. Quím.* Isótopo do hidrogênio, com número de massa 2, gasoso, incolor [símb.: *D*].

▲ **deuter(o)-** [Do gr. *deúteros, a, on*.] *El. comp.* = 'segundo' e, p.ext., 'dois': *deuterógamo, deutério*. [Equiv.: *deut(o)-*: *deutergia, deutoneurônio*.]

deuterocanónico *Adj. Rel.* V. *deuterocanônico*. [Uso freq. em P.]

deuterocanônico (êu) [De *deuter(o)-* + *canônico*.] *Adj.* **1.** Relativo a, ou que forma um segundo cânon (11). **2.** *Restr. Rel.* Diz-se de certos livros da Bíblia, ou de trechos deles, que não figuram no cânon hebraico do Antigo Testamento nem no cânon cristão dos primeiros séculos, e que foram posteriormente admitidos como canônicos pela Igreja Católica, por serem considerados divinamente inspirados. [Os livros ou trechos deuterocanônicos do Antigo Testamento são: *Macabeus 1* e *2*, *Tobias*, *Judite*, *Ester*, *Sabedoria*, *Eclesiástico*, *Baruc*, além do *Cântico de Azarias*, *Suzana* e *Bel e o Dragão* (estes três, acréscimos ao *Livro de Daniel*), bem como a *Oração de Manassés*, no cânon da Igreja Oriental.]

deuterogamia (êu) [Do gr. *deuterogamía*.] *S. f.* Estado de deuterógamo.

deuterogâmico (êu) [De *deuterogamia* + *-ico*[2].] *Adj.* Relativo à deuterogamia.

deuterógamo (êu) [De *deuter(o)-* + *-gamo*.] *S. m.* Aquele que se casa pela segunda vez.

deuterologia (êu) [Do gr. *deuterología*.] *S. f.* Discurso que, nos tribunais de Atenas, o defensor oficioso fazia após o discurso do acusado, que invariavelmente falava primeiro.

deuteromiceto (êu) [Do lat. cient. *Deuteromycetes* (v. *deuter(o)-* e *-miceto*).] *S. m. Adj. Micol.* V. *deuteromicotino*.

deuteromicotino (êu) [Adapt. do tax. *Deuteromycotina*.] *Micol. S. m.* **1.** Espécime dos deuteromicotinos, subdivisão artificial do Reino *Fungi* que abrange todos os fungos nos quais o estágio sexual ou não foi identificado, ou parece ter sido substituído por outros mecanismos; reúne mais de 15.000 espécies e cerca de 1.825 gêneros, a maior parte dos quais apresenta afinidades com os ascomicetos. ● *Adj.* **2.** Pertencente ou relativo a eles. [Sin. ger.: *deuteromiceto*.]

dêuteron [De *deutér(io)* + *-on*.] *S. m. Fís. Nucl.* Núcleo de um átomo de deutério, constituído por um próton e um nêutron; dêuton [símb.: *D*].

deuteronómico (êu) *Adj.* V. *deuteronômico*. [Uso freq. em P.]

deuteronômico (êu) [De *deuteronômio* + *-ico*[2].] *Adj.* Do Deuteronômio, ou relativo a ele.

deuteronômio (êu) [Do gr. *deuteronómion*, 'segunda lei', pelo lat. ecles. *Deuteronomion*.] *S. m.* O quinto livro do Pentateuco (q. v.). [Com cap.]

deuteropatia (êu) [De *deuter(o)-* + *-patia*.] *S. f. Med.* Qualquer doença que seja secundária a outra.

deuterose [Do gr. *deutérosis*, 'ação de recomeçar'.] *S. f.* **1.** Repetição ou reprodução de uma coisa. **2.** Tradição.

▲ **deut(o)-** Equiv. de *deuter(o)-*.

dêuton *S. m. Fís. Nucl.* Dêuteron.

deutoneurónio *S. m. Anat.* V. *deutoneurônio*. [Uso freq. em P.]

deutoneurônio [De *deut(o)-* + *neurônio*.] *S. m. Anat.* O segundo neurônio de um arco reflexo.

deva (ê) [Do sânscr. *deva*, 'sagrado', 'dos deuses'.] *S. m. Rel.* No hinduísmo e no budismo, cada uma das diversas divindades que se situam entre os seres divinos superiores e os homens. [Fem.: *devi*.]

devagar [De *de-* + *vagar*[1].] *Adv.* Sem pressa; lentamente, vagarosamente. [Cf. *divagar*.]

devagarinho [De *devagar* + *-inho*[1].] *Adv.* Bem devagar: "Foi Josephson que lhe [a Billie Holiday] sugeriu que .... saísse devagarinho do palco, sem agradecer." (Rui Castro, *Saudades do Século 20*, p. 26.)

devanágari [Do sânscr. *devanagari* < sânscr. *deva*, 'sagrado', 'dos deuses', + sânscr. *nagari*, 'citadino'.] *S. m.* **1.** *Graf.* Alfabeto, composto de 48 letras escritas da esquerda para a direita, utilizado na escrita do sânscrito, do hindi, e de outras línguas da Índia, como, p. ex., o marata. [V. *alfabeto gurmuqui*.] ● *Adj. 2 g.* **2.** Relativo ao devanágari (1); devanagárico.

devanagárico [De *devanágari* + *-ico*[2].] *Adj.* Devanágari (2).

devaneador (ô) [De *devanear* + *-dor*.] *Adj. S. m.* Que, ou aquele que devaneia; sonhador, utopista.

devanear [De *de-* + lat. *vanus*, 'vão', + *-ear*[2].] *V. t. d.* **1.** Pensar em (coisas vãs); imaginar, fantasiar. **2.** Imaginar, fantasiar, sonhar: *Devaneava façanhas absurdas que o levassem à glória.* **3.** Pensar, meditar vagamente em. *T. i.* **4.** Cuidar, pensar: *Ora devaneava nisto, ora naquilo – não se concentrava. Int.* **5.** Divagar com o pensamento; absorver-se em cogitações vagas: "Não divago, Srs. Senadores, não devaneio, não vos entretenho com abstrações minhas" (Rui Barbosa, *Obras Seletas*, V, p. 201). **6.** Dizer coisas sem nexo; delirar; desvairar: *Os sofrimentos, as dores, o faziam devanear.* [Conjug.: v. *frear*.]

devaneio [Dev. de *devanear*.] *S. m.* Capricho da imaginação; fantasia, sonho, quimera: "ela puxava-me para si e cobria-me de beijos, que me mergulhavam num longo devaneio" (Aquilino Ribeiro, *Cinco Réis de Gente*, p. 101).

devassa [F. subst. de *devasso*.] *S. f.* **1.** Sindicância para apurar um ato criminoso. **2.** Processo que encerra as provas dum ato criminoso. **3.** *P. ext.* Sindicância, inquérito.

devassado [Part. de *devassar*.] *Adj.* **1.** Diz-se de propriedade particular facilmente acessível ao público: *A falta de um muro torna devassado aquele terreno.* **2.** Diz-se de casa, compartimento, lugar, aberto ou franqueado à vista: *Os apartamentos térreos são muito devassados.* **3.** Que foi objeto de devassa; investigado, sindicado: *É homem de vida pregressa devassada.*

devassador (ô) [De *devassar* + *-dor*.] *Adj. S. m.* **1.** Que, ou aquele que devassa. **2.** Divulgador, propagador.

devassamento [De *devassar* + *-mento*.] *S. m.* **1.** Ato ou efeito de devassar. **2.** Franqueamento ou invasão do que estava defeso ou resguardado.

devassante [De *devassar* + *-nte*.] *Adj. 2 g.* Que abre uma devassa, ou que a faz.

devassar [De *devasso* + *-ar*[2], poss.] *V. t. d.* **1.** Invadir e pôr a descoberto (o que estava defeso ou vedado): *O espião devassou os arquivos do Ministério do Exterior.* **2.** Ter vista para dentro de: *O novo edifício de apartamentos devassou a ala direita do casarão.* **3.** Penetrar na essência de; descobrir: *devassar mistérios.* **4.** Submeter a devassa (1). **5.** Olhar; perscrutar: *Seu olhar devassava o que lhe ia em volta.* **6.** Tornar relaxado, licencioso, devasso, dissoluto; corromper: *O ambiente libertino em que vive devassou-lhe os hábitos. T. i.* **7.** Inquirir, indagar: *Procurou devassar dos costumes daquele país.* **8.** Tirar ou abrir devassa (1). *P.* **9.** Fazer-se conhecer; publicar-se; divulgar-se. **10.** Generalizar-se, vulgarizar-se: *É um costume que já se devassou.* **11.** Tornar-se devasso, dissoluto; corromper-se, prostituir-se.

devassável [De *devassar* + *-vel*.] *Adj. 2 g.* Que pode ser devassado.

D

devassidão [De *devasso* + *-idão*.] *S. f.* Caráter ou procedimento de devasso; libertinagem, licenciosidade.

devasso [De or. obscura.] *Adj.* 1. *Antiq.* Devassado. 2. Dissoluto, libertino, licencioso. ● *S. m.* 3. Homem dissoluto, libertino, licencioso.

devastação [Do lat. *devastatione*.] *S. f.* 1. Destruição vandálica. 2. Ruína proveniente de grande desgraça. 3. Assolação, destruição.

devastador (ô) [Do lat. *devastatore*.] *Adj. S. m.* Que, ou aquele que devasta.

devastar [Do lat. *devastare*.] *V. t. d.* 1. Destruir, assolar, talar: *A peste devastou o país.* 2. Danificar, arruinar: *O cupim devasta a madeira.* 3. Tornar deserto; despovoar.

deve [Da 3ª pess. sing. do pres. ind. de *dever*.] *S. m.* 1. Débito ou despesa que se lança no livro comercial chamado *razão*. 2. Coluna desse livro na qual se registram as despesas feitas por alguém. 3. Débito ou despesa já contabilizada de um estabelecimento mercantil.

devedor (ô) [Do lat. *debitore*.] *Adj.* 1. Que deve. 2. Que constitui ou apresenta débito. ~ V. *saldo* —. ● *S. m.* 3. Aquele que deve. 4. Aquele que é reconhecido a outrem por favores ou benefícios recebidos: *Por tudo quanto dele recebi sou seu eterno devedor.* 5. *Cont.* O titular de obrigação ou de conta devedora.

devenir[1] [Do fr. *devenir* < lat. *devenire*.] *V. int.* Devir[1]. [Conjug.: v. *vir*. Defect., normalmente só conjugável nas 3ªs pess.]

devenir[2] [Do fr. *devenir*, s. m., trad. do al. *das Werden*.] *S. m. Filos.* Transformação incessante e permanente pela qual as coisas se constroem e se dissolvem noutras coisas; devir, vir a ser.

deventre [De *de* + *ventre*.] *S. m. Zool.* Intestino dos animais.

dever [Do lat. *debere*.] *V. t. d.* 1. Ter obrigação de: *O estudante deve estudar.* 2. Ter de pagar; estar na obrigação de restituir: *Não posso viajar porque devo muito dinheiro.* 3. Ter de; precisar: *Devo partir dentro em pouco.* *T. d. e i.* 4. Estar obrigado; estar em agradecimento: *Deve todo o seu saber ao mestre.* 5. Dever (6): *Deve mais de meio milhão ao sócio.* *T. c. e i.* 6. Estar obrigado ao pagamento de: *Deve 50 reais ao irmão.* *T. i.* 7. Seguido da preposição *de* e de um verbo no infinitivo, indica probabilidade, suposição: "As súplicas e às mágoas / Tua alma de mulher deve de palpitar" (Machado de Assis, *Poesias Completas*, p. 42); "As barcaças do cais estão cansadas, / Devem de estar muito cansadas" (Adelmar Tavares, *Poesias Completas*, p. 98); "Quando a manhã nasceu, / Eu devia de ter um vago olhar louco" (José Régio, *As Encruzilhadas de Deus*, p. 100); *Deve de chover hoje.* [O uso moderno da língua pouco atende a essa peculiaridade; assim, é mais comum que se diga, com a mesma acepç., *Deve chover hoje*, etc.] *Int.* 8. Ter dívidas ou deveres. 9. V. *dever* (7): *Amanhã deve chover.* *P.* 10. Consagrar-se, dedicar-se, aplicar-se: *Atualmente, a grande atriz deve-se, apenas, à vida religiosa.* [Imperf. ind.: *devia*, etc.; m.-q.-perf.: *devera* (ê), *deveras* (ê), etc.; part.: *devido*. Cf. *dévia*, fem. de *dévio*, *deveras*, adv., e *divido*, do v. *dividir*.] ● *S. m.* 11. Obrigação, tarefa; incumbência. 12. *Ét.* Obrigação moral. 13. *Ét.* Obrigação moral determinada, expressa numa regra de ação. ◆ **Dever de casa.** Fazer aquilo que é preciso ser feito, ou seja, a incumbência ou o compromisso assumidos.

deveras [De *de* + *veras*.] *Adv.* A valer; verdadeiramente, realmente; muito, em alto grau: "Tu crês deveras nessas cousas?" (Machado de Assis, *Várias Histórias*, p. 4.) [Cf. *deveras* (ê), do v. *dever*.]

deverbal [De *de-* + *verbal*.] *E. Ling.* *Adj. 2 g.* 1. Que é derivado de verbo. ● *S. m.* 2. Substantivo formado de verbo por derivação regressiva (q. v.): *desdoiro* < *desdoirar*; *sufoco* < *sufocar*.

devesa (ê) [Do lat. *defensa*.] *S. f.* 1. Alameda que limita um terreno. 2. Arvoredo ou terreno cercado ou murado: "Espalha-se a luz da lua / Pela poética devesa..." (Gonçalves Crespo, *Obras Completas*, p. 315.)

devi (ê) [Do sânscr. *devi*.] *S. f.* Feminino de deva (q. v.).

deviação [Do fr. *déviation*.] *S. f.* Desvio ou mudança de viagem.

devido [Part. de *dever*.] *Adj.* 1. Que se deve: *Trato-o com o respeito devido.* ● *S. m.* 2. O que é de direito ou dever. 3. Aquilo que se deve. 4. O justo, o legítimo. 5. *Bras. RS Folcl.* Promessa a pagar com vela ou penitência. [Cf. *divido*, do v. *dividir*.] ◆ **Devido a.** Por causa de; em razão de; em virtude de: "Muitos tropeiros, devido à falta de pastos e a outras razões poderosas, preferiram não entrar na cidade." (Afonso Arinos, *Histórias e Paisagens*, p. 169.) [Sin. (lus.): *derivado a*, *derivado de*.]

dévio [Do lat. *deviu*.] *Adj.* 1. Extraviado, tresmalhado. 2. Intransitável, impérvio, ínvio. [Fem.: *dévia*. Cf. *devia*, do v. *dever*.]

devir[1] [Do lat. *devenire*.] *V. int.* Vir a ser; tornar-se; devenir. [Irreg. Conjug.: v. *vir*.]

devir[2] [De *devenir*[2], com síncope.] *S. m. Filos.* V. *devenir*[2]: "O Romantismo Alemão, observa Guido de Ruggiero, é um processo, um devir espiritual que dialeticamente emerge do impulso originário do *Sturm und Drang*, mediante as limitações do Classicismo." (Augusto Meyer, *A Chave e a Máscara*, p. 89.)

devisar [Do ant. *devisa*, 'divisa', + *-ar*[2].] *V. t. d.* *P. us.* Planejar (2). [Cf. *divisar*.]

→ **de visu** [de 'viso] [Lat.] Por ter visto.

devitrificação [De *devitrificar* + *-ção*.] *S. f. Quím.* Desvitrificação.

devitrificado [Part. de *devitrificar*.] *Adj.* Desvitrificado.

devitrificar [De *de-* + *vitrificar*.] *V. t. d.* Desvitrificar. [Conjug.: v. *trancar*.]

devoção [Do lat. *devotione*.] *S. f.* 1. Ato de dedicar-se ou consagrar-se a alguém ou entidade. 2. Sentimento religioso: *Era evidente a sua devoção ao rezar.* 3. Culto, prática religiosa: *Cumpria suas devoções com todo o rigor.* 4. Dedicação íntima; afeição, afeto: *É comovente sua devoção ao noivo enfermo.* 5. Objeto de especial veneração: *Aquele não era santo de sua devoção.*

devocionário [De *devoção* + *-ário*, seg. o padrão erudito.] *S. m.* Livro de orações.

devocionista [De *devoção* + *-ista*, seg. o padrão erudito.] *Adj. 2 g. S. 2 g.* Diz-se de, ou pessoa muito devota, frequentadora assídua de igrejas.

devolução [Do lat. med. *devolutione*.] *S. f.* 1. Ato ou efeito de devolver. 2. *Dir. Civ.* Restituição da coisa a um primeiro estado, como, p. ex., ocorre no usufruto, quando o domínio útil cessa para o usufrutuário e a titularidade plena do bem é reintegrada ao até então nu-proprietário. 3. *Dir. Proc.* Técnica processual que permite a tribunal de instância superior conhecer, mediante recurso, toda a matéria versada na demanda. 4. Restituição ao primeiro possuidor. 5. *Com.* Retorno (7).

devolutivo [De *devoluto* + *-ivo*.] *Adj.* 1. Que devolve. 2. Que determina devolução; devolutório. 3. *Dir. Proc.* Diz-se do efeito de um recurso pelo que se entrega a tribunal superior o pleno conhecimento da causa decidida na instância inferior.

devoluto [Do lat. *devolutu*.] *Adj.* 1. Adquirido por devolução. 2. Desocupado; desabitado, vago: "Entre uma e outra capitania havia grandes espaços devolutos de dezenas de léguas." (Capistrano de Abreu, *Ensaios e Estudos*, 1ª série, p. 324.) ~ V. *terras* —*as*.

devolutório [Do lat. *devolutus*, part. pass. de *devolvere*, 'devolver', + *-ório*.] *Adj.* Devolutivo (2).

devolver [Do lat. *devolvere*.] *V. t. d.* 1. Mandar ou dar de volta (o que havia sido entregue, remetido, esquecido, etc.); restituir: *Costuma devolver o que lhe emprestam.* 2. Dizer em resposta; replicar, retrucar, redarguir: *Não teve ocasião de devolver a fala.* 3. Não aceitar; recusar: *Devolveu a proposta por considerá-la desvantajosa.* 4. Refletir, retratar: "O espelho devolve um rosto fino e apagado." (Maria Julieta Drummond de Andrade, *A Busca*, p. 71.) 5. *Bras. Pop.* V. *vomitar* (1). *T. d. e i.* 6. Mandar ou dar de volta; restituir: *Amanhã lhe devolverei o livro que me emprestou.* 7. Transferir (a outrem, um direito ou propriedade). 8. Reenviar, recambiar. 9. Entregar; dar; conceder. 10. Transferir; transmitir. *P.* 11. Desenvolver-se, desdobrar-se.

devoniano [Do ingl. *devonian*, 'de Devon' (top.).] *S. m. Geol.* 1. O quarto dos seis períodos [v. *período* (10)] da era paleozoica. ● *Adj.* 2. ~ V. *período* —.

devoração [Do lat. *devoratione*.] *S. f.* Ato de devorar.

devorador (ô) [Do lat. *devoratore*.] *Adj.* 1. V. *devorante*. ● *S. m.* 2. Aquele que devora.

devorante [Do lat. *devorante*.] *Adj. 2 g.* 1. Que devora ou traga. 2. Que consome, corrói, destrói. 3. Comilão, glutão. [Sin. ger.: *devorador*, *voraz*.]

devorar [Do lat. *devorare*.] *V. t. d.* 1. Engolir de uma só vez; comer avidamente; tragar: *Em segundos devorou o pastelão.* 2. Destruir, consumir: *O fogo devorou o quarteirão inteiro.* 3. Ler com avidez, muito rapidamente: *Devorou toda a obra de Machado de Assis.* 4. Dissipar, desbaratar, malbaratar, malgastar: *Devorou, em poucos dias, uma fortuna.* 5. Atormentar, consumir: *Devora-o velha paixão não correspondida; A ambição devora-o.* 6. Percorrer velozmente: *O automóvel devorava a estrada.*

devorê [Do fr. *dévoré*.] *S. m. Tec. Têx.* Tecido cuja estampa mostra desenho em relevo sobre fundo transparente, obtido pela corrosão com ácido dos fios de celulose que, juntamente com os de poliéster, o compõem.

devorismo [De *devor(ar)* + *-ismo*.] *S. m.* 1. Despesa excessiva e injustificada. 2. Dissipação dos dinheiros públicos em benefício próprio.

devorista [De *devorar* + *-ista*.] *Adj. 2 g. S. 2 g.* Que, ou quem pratica o devorismo.

devotação [De *devotar* + *-ção*.] *S. f.* V. *devotamento*.

devotado [Part. de *devotar*.] *Adj.* 1. Oferecido em voto (2). 2. Afeiçoado; dedicado.

devotamento [De *devotar* + *-mento*.] *S. m.* Ato de devotar(-se); dedicação, devotação.

devotar [Do lat. *devotare*.] *V. t. d. e i.* 1. Oferecer em voto (2). 2. Dedicar; consagrar; tributar: *Devota grande amor às artes.* *P.* 3. Dedicar-se, consagrar-se.

devoto [Do lat. *devotu*.] *Adj.* 1. Que tem devoção (2); piedoso, religioso; beato. 2. Dedicado, devotado. ~ V. *o sexo* —. ● *S. m.* 3. Aquele que tem devoção (2). 4. Amigo dedicado. 5. Admirador, venerador; sectário: *É um devoto das letras.*

devulgado [Part. de *devulgar*.] *Adj. Ant.* Notório, público: "vereis um novo exemplo / De amor dos pátrios feitos valerosos / Em versos devulgados numerosos." (Luís de Camões, *Os Lusíadas*, I, 9).

devulgar *V. t. d.* *P. Ant.* V. *divulgar*. [Conjug.: v. *largar*.]

dewattado (w=u) [De *de-* + *watt* + *-ado*[1].] *Adj.* ~ V. *corrente* —*a*.

deweyano [Do antr. (*John*) *Dewey* + *-ano*[1].] *Adj.* 1. Pertencente, relativo ao, ou próprio do filósofo, educador e reformador social americano John Dewey (1859-1952). 2. Que é adepto das concepções de John Dewey, ou profundo conhecedor de sua obra. ● *S. m.* 3. Seguidor de suas concepções ou profundo conhecedor de sua obra.

dexametasona (cs) [Voc. farmac.] *S. f. Quím.* Substância esteroide sintética, isômero da betametasona, us. como medicamento anti-inflamatório corticoide [fórm.: $C_{22}H_{29}FO_5$].

dextração (ês) *S. f. Fís.-Quím.* Processo de extração em que se usam fluidos em estado supercrítico.

dextralidade (ês) [Do ingl. *dextrality* (< ingl. *dextral* [v. *dextr(o)-*] + ingl. *-ity* [v. *-(i)dade*]).] *S. f.* O uso preferencial do membro direito de cada par de órgãos ou de estruturas (olhos, mãos, etc.).

dextrana (ês) [De *dextr(o)-* + *-ana*[2].] *S. f. Quím.* Qualquer de certos polissacarídeos, semelhantes ao amido e ao glicogênio e que, como estes, fornece por hidrólise somente glicose.

dextrina (ês) [Do fr. *dextrine*.] *S. f. Quím.* Produto intermediário formado na hidrólise do amido a açúcar, e que pode ter diferentes composições, usado como adesivo.

▲ **dextr(o)-** [Do lat. *dextro-* (como em *dextrōrsus*) < lat. *dexter, tra, trum*.] *El. comp.* = 'que está ao lado direito'; 'direito': *dextrogiro*. [Em quím.: 'dextrogiro': *dextrana*.] [Equiv. (exceto em quím.): *destri-*, *destro-*: *destrímano*, *destrógrado*.]

dextrocardia (ês) [De *dextr(o)-* + *-cardia*.] *S. f. Anat.* Anomalia em que o coração se encontra no hemitórax direito.

dextrocerebral (ês) [De *dextr(o)-* + *cerebral*.] *Adj. 2 g. Med.* Localizado no hemisfério cerebral direito, ou que funciona de preferência com o lado direito do cérebro.

dextrogiro (ês) [De *dextr(o)-* + *-giro*.] *Adj.* 1. Que vira para a direita; dextrovolúvel. 2. Diz-se, em grafologia, da letra que é inclinada para a direita. [Cf., nessas acepç., *sinistrogiro*.] 3. *Quím.* Diz-se de qualquer composto que, em solução, tem a propriedade de girar o plano da luz polarizada para a direita, *i. e.*, no sentido dos ponteiros de um relógio. [Representa-se pelo símbolo *d* ou por um sinal de adição anteposto ao nome do composto, ger. entre parênteses em ambos os casos. Opõe-se, nesta acepç., a *levogiro*.] ~ V. *curva* —*a*. ● *S. m.* 4. *Quím.* Esse composto.

dextroposição (ês) [De *dextr(o)-* + *posição*.] *S. f. Patol.* Deslocamento de um órgão para o lado direito.

dextrorso (ês) [Do lat. *dextrorsus*, 'à direita'.] *Adj. Bot.* Diz-se do caule volúvel que gira para a direita. [Cf. *sinistrorso*.]

dextrose (ês) [De *dextr(o)-* + *-ose*[2].] *S. f. Quím.* Glicose dextrogira, que é a encontrada ger. na natureza.

dextrosuria (ês) [De *dextrose* + *-uria*.] *S. f. Med.* V. *dextrosúria*.

dextrosúria (ês) [De *dextrose* + *-úria*.] *S. f. Med.* Teor de dextrose na urina. [F. paral.: *dextrosuria*.]

dextrovolúvel (ês) [De *dextr(o)-* + *volúvel* (1).] *Adj. 2 g.* Dextrogiro (1).

dez (é) [Do lat. *decem*.] *Num.* 1. Quantidade que é uma unidade maior que nove; nove mais um. 2. Número (4) correspondente a essa quantidade. [Nessas acepç., representa-se em algarismos arábicos por 10, e em algarismos romanos, por X.] 3. Que está marcado ou identificado com o número 10. 4. Décimo (1). ● *S. m.* 5. Representação, em algarismos, do número dez. 6. Carta de baralho ou face de peça de jogo de mesa marcada com esse número: *dez de copas.* 7. Aquilo ou aquele que numa série de dez ocupa o último lugar. 8. A nota dez, em exame, concurso, ou avaliação. ◆ **Dar de dez em.** *Bras. Pop.* Ser muito superior a.

dezanove *Num. S. m.* *P. us. no Brasil* . V. *dezenove*: "Contava dezanove primaveras" (Guerra Junqueiro, *Vibrações Líricas*, p. 13).

dezasseis *Num. S. m. P. us. no Brasil*. V. *dezesseis*.
dezassete *Num. S. m. P. us. no Brasil*. V. *dezessete*: 📖 "Dezassete, talvez dezoito anos franzinos, delicados, diáfanos, cheios de doçura e suavidade" (João da Silva Correia, *Farândola*, p. 25); "Com dezassete anos ainda incompletos, igualara o recorde nacional dos cem metros." (Antônio Silva Graça, *Viagem ao Fim da História*, p. 204).
dez de queixo caído *S. m. 2 n. Bras. N.E. Liter. Pop.* Décima (5) que finda obrigatoriamente com o refrão "Nos dez de queixo caído". ☑
dezembrada [De *dezembro* + *-ada*^{1}.] *S. f. Bras.* Série de combates e batalhas que permitiu ao então Marquês de Caxias, em 1868, destruir o exército do Paraguai e apossar-se de Assunção.
dezembrino [De *dezembro* + *-ino*^{1}.] *Adj. P. us.* Relativo a, ou próprio de dezembro.
dezembro [Do lat. *decembre*.] *S. m. Cronol.* O duodécimo e último mês dos calendários juliano e gregoriano, com 31 dias.
dezena [Do lat. *decena*.] *S. f.* **1.** Conjunto de 10 quantidades. **2.** Espaço de dez dias; decêndio. **3.** *Mat.* Unidade de segunda ordem, no sistema decimal de numeração. [Cf. *dozena*.]
dezeno *Num. P. us.* Que ocupa o último lugar em uma série de dez. [Cf. *dozeno*.]
dezenove [Do lat. vulg. *decem et novem*, por *novemdecim*.] *Num.* **1.** Quantidade que é uma unidade maior que dezoito; dezoito mais um. **2.** Número (4) correspondente a essa quantidade. [Nessas acepçs., representa-se em algarismos arábicos por 19, e em algarismos romanos, por XIX.] **3.** Que está marcado ou identificado com o número 19. **4.** Décimo nono. ● *S. m.* **5.** Representação, em algarismos, do número dezenove. **6.** Aquilo ou aquele que numa série ocupa o décimo nono lugar. [Var.: *dezanove*.]
dezesseis [Do lat. vulg. *decem et sex*, por *sedecim*.] *Num.* **1.** Quantidade que é uma unidade maior que quinze; quinze mais um. **2.** Número (4) correspondente a essa quantidade. [Nessas acepçs., representa-se em algarismos arábicos por 16, e em algarismos romanos, por XVI.] **3.** Que está marcado ou identificado com o número 16. **4.** Décimo sexto. ● *S. m.* **5.** Representação, em algarismos, do número dezesseis. **6.** Aquilo ou aquele que numa série ocupa o décimo sexto lugar. [Var.: *dezasseis*.] ◆ **Dezesseis milímetros.** Formato de filme com bitola de dezesseis milímetros: 📰 *Muitos cineastas participaram do concurso de dezesseis milímetros patrocinado pela Secretaria de Cultura*. [Cf. *oito milímetros* e *trinta e cinco milímetros*.]
dezesseizense *Adj. 2 g.* **1.** De, ou pertencente ou relativo a Dezesseis de Novembro (RS). ● *S. 2 g.* **2.** O natural ou habitante de Dezesseis de Novembro.
dezessete [Do lat. vulg. *decem et septem*, por *septemdecim*.] *Num.* **1.** Quantidade que é uma unidade maior que dezesseis; dezesseis mais um. **2.** Número (4) correspondente a essa quantidade. [Nessas acepçs., representa-se em algarismos arábicos por 17, e em algarismos romanos, por XVII.] **3.** Que está marcado ou identificado com o número 17. **4.** Décimo sétimo. ● *S. m.* **5.** Representação, em algarismos, do número dezessete. **6.** Aquilo ou aquele que numa série de dezessete ocupa o último lugar. [Var.: *dezassete*.]
dez e um *S. 2 g. e 2 n. Bras.* V. *onze-letras*. ☑
dezoito [Do lat. vulg. *decem et octo*, por *octodecim*.] *Num.* **1.** Quantidade que é uma unidade maior que dezessete; dezessete mais um. **2.** Número (4) correspondente a essa quantidade. [Nessas acepçs., representa-se em algarismos arábicos por 18, e em algarismos romanos, por XVIII.] **3.** Que está marcado ou identificado com o número 18. **4.** Décimo oitavo. ● *S. m.* **5.** Representação, em algarismos, do número dezoito. **6.** Aquilo ou aquele que numa série ocupa o décimo oitavo lugar.
dezoito-grande *S. m. Bras. BA* Certo instrumento de pesca. [Pl.: *dezoitos-grandes*.]
dezoito-pequeno *S. m. Bras. BA* Certo instrumento de pesca. [Pl.: *dezoitos-pequenos*.]
dez pés em quadrão *S. m. 2 n. Bras. Liter. Pop.* Décima (5) dialogada verso a verso pelos dois participantes da cantoria, e, obrigatoriamente, com o refrão final "lá vai dez pés em quadrão" ou "nas dez linhas do quadrão". ☑
dez-réis *S. m. 2 n.* Antiga moeda de Portugal e do Brasil deste valor. ◆ **Dez-réis de mel coado.** **1.** Quantia ínfima. **2.** Insignificância, bagatela, ninharia. **Não valer um dez-réis.** Valer pouquíssimo.
■ **DF** Sigla de Distrito Federal.
■ **DFA** Sigla de *difosfato de adenosina*. [Tb. us. a sigla (ingl.) *ADP*.]
■ **dg** Símb. de *decigrama*.
D-glicose *S. f. Quím.* O enantiômero da glicose que se correlaciona, em sua configuração, ao enantiômero dextrogiro do gliceraldeído. [Tb. é usada a f. *(D)-glicose*.] [Pl.: *D-glicoses*.]
■ **Di** *Quím. Obsol.* Símb. de *didímio*.

▲ **di-**^{1} [Do gr. *di-* < gr. *dís*.] *Pref.* = 'em dois'; 'duas vezes'; 'dois': *dígrafo, dispermo*. [É seguido de hífen quando anteposto a palavra iniciada por *h* ou *i*: *di-hibridismo, di-iodeto* (em tais casos, apenas o 2º el. é flexionado na formação do plural); é grafado com *r* ou *s* duplicados quando anteposto a palavra iniciada por *r* ou *s*: *dissílabo*.] [Equiv.: *-di-, dis-*^{3}: *cercidifilácea, dissubstituído*.]
▲ **di-**^{2} [Do lat. *di* e *dis*.] *Pref.* = 'separação'; 'movimento para diversos lados'; 'negação': *difração*. [Equiv.: *dis-*^{1}: *discolor*. Cf. *des-*.]
▲ **-di-** V. *di-*^{1}.
dia [Do lat. vulg. **dia*, lat. class. *dies*.] *S. m.* **1.** Tempo em que a Terra está clara, ou o intervalo entre uma noite e outra. **2.** A claridade que o Sol envia à Terra. **3.** *Cronol.* Tempo que qualquer corpo celeste leva para descrever uma volta em torno de seu eixo de rotação. **4.** *P. ext.* Este intervalo (24 horas) considerado como unidade de medida de tempo [Símb.: *d*]. **5.** Tempo, temperatura: 📰 *O dia está quente; Era um dia frio*. **6.** As horas ou período diariamente estabelecido pelo uso ou pela lei para o trabalho: 📰 *Meu dia no banco é de seis horas*. **7.** Ocasião própria; oportunidade: 📰 *Tudo tem seu dia*. **8.** Atualidade, momento: 📰 *o livro do dia; o homem do dia*. **9.** *Bras. Amaz.* Manso (5). ~ V. *dias*. ◆ **Dia a dia.** **1.** Todos os dias; quotidianamente: 📰 *Não é trabalho para se fazer de supetão, mas dia a dia*. **2.** À proporção que os dias passam; com o correr dos dias: 📖 "Dia a dia eu me sentia mais e mais acuado." (Francisco Jorge Torres, *Bruxaxá*, p. 20); 📰 *Dia a dia nossa doente melhora*. [Cf. *dia a dia*, s.m.] **Dia alitúrgico.** O que não tem na Igreja ofício próprio. **Dia artificial.** *Cronol.* Dia solar médio. **Dia cheio.** **1.** Aquele que se passa de modo muito agradável, regaladamente. **2.** Dia de muitas ocupações. **Dia D.** *Mil.* Dia escolhido para a realização ou o começo de determinada operação. **Dia da ficada.** V. *dia do fico*. **Dia de ano-bom.** O primeiro dia do ano; o 1º de janeiro. **Dia de anos.** V. *aniversário* (5). **Dia de branco.** *Bras. Fam.* Dia útil. **Dia de dar o nome.** *Bras. Rel.* Oruncó. **Dia de fazer.** Dia útil: 📖 "Pouco a pouco, ..., embora dia de fazer, juntou-se o gentio a admirar-nos, olharapo e boquiaberto ante as espingardas de aço polido" (Aquilino Ribeiro, *Maria Benigna*, p. 130.) **Dia de finados.** O dia 2 de novembro, consagrado à memória dos mortos: 📖 "Passa gente de preto... É dia de Finados." (Ribeiro Couto, *Poesias Reunidas*, p. 65.) [Tb. se diz apenas *finados*.] **Dia de negro.** *Bras. Fam.* Domingo, dia de descanso. **Dia de Reis.** *Rel.* Comemoração da adoração do Menino Jesus pelos Reis Magos (Baltasar, Melchior e Gaspar). [Sin.: *epifania*. Tb. se diz apenas *Reis*.] **Dia de rosas.** Dia sereno, sem nuvens nem vento. **Dia de São Nunca.** Dia que nunca há de vir; calendas gregas: 📰 *Vou-me casar no dia de São Nunca*. [Us. às vezes com reforço: *dia de São Nunca, de tarde*.] **Dia de São Nunca, de tarde.** V. *dia de São Nunca*. **Dia de semana.** Qualquer dia, salvo os domingos. **Dia do fico.** O dia 9 de janeiro de 1822, quando o Príncipe Regente D. Pedro disse, perante os representantes da Câmara do Rio de Janeiro: "Como é para o bem de todos e felicidade geral da Nação, estou pronto; diga ao povo que fico." [Tb. se diz apenas *fico*; sin.: *dia da ficada*.] **Dia do juízo.** **1.** *Rel.* Dia do julgamento final (v. *juízo final*). **2.** Grande clamor ou confusão, desgraça ou pancadaria. **Dia enforcado.** *Bras.* V. *dia imprensado*. **Dia epagômeno.** *Cronol.* Dia que não pertence a nenhum mês, e que se introduz num calendário para fazer que um ano tenha 365 dias. **Dia feriado.** Dia em que, por determinação governamental, não há aula nem funcionam o comércio, a rede bancária, a indústria, as repartições públicas, etc.; feriado. [Cf. *dia letivo, dia útil* e *dia morto*.] **Dia gordo.** Dia em que a Igreja não prescreve abstinência de carne. **Dia imprensado.** *Bras.* Aquele que cai entre um feriado e um sábado, ou entre um domingo e um feriado, e em que os escritórios e os colégios em geral não funcionam; dia enforcado. **Dia judicial.** *Cronol.* Período compreendido entre as seis e as 18 horas; dia legal. **Dia legal.** *Cronol.* **1.** Dia judicial. **2.** Dia solar médio, contado a partir da meia-noite de um meridiano de referência, adaptado convencionalmente para um determinado território; dia oficial. **Dia letivo.** Aquele em que há aula. [Cf. *dia feriado* e *dia útil*.] **Dia magro.** Dia em que a Igreja proíbe o uso da carne. **Dia mais, dia menos.** V. *mais dia, menos dia*: 📖 "Envergonhava-os verem-se vencidos por este punhado de rebeldes ocidentais, corte subalterna que, dia mais, dia menos, havia de ser absorvida pelo movimento de expansão já declarado como destino ao velho trono reconquistador da Espanha, o trono de Leão e Castela." (Oliveira Martins, *A Vida de Nun'Álvares*, p. 314.) **Dia morto.** *Bras.* Aquele em que há pouca ou nenhuma atividade profissional. [Cf. *dia útil* e *dia feriado*.]
Dia oficial. *Cronol.* Dia legal (2). **Dia profesto.** Entre os antigos romanos, dia que não era feriado nem solene, dia em que se trabalhava, dia útil. **Dia santificado.** V. *dia santo*. **Dia santo.** Dia consagrado ao culto, e em que a Igreja proíbe o trabalho; dia santificado; dia santo de guarda. [Cf. *dia-santo*.] **Dia santo de guarda.** V. *dia santo*. **Dia santo dispensado.** Dia que a Igreja consagra a certas solenidades, mas em que não proíbe que se trabalhe. **Dias decretórios.** *Med.* Aqueles em que a doença, por assim dizer, se define, seus sinais se tornam claros. **Dias de data.** *Com.* Prazo do vencimento de uma cambial, que se conta a partir de sua emissão; dias de vista. **Dias de vista.** Dias de data. **Dias gordos.** Os três dias do carnaval e os três próximos anteriores. **Dia solar.** *Cronol.* Intervalo de tempo que separa duas passagens consecutivas do Sol pelo meridiano. **Dia solar médio.** *Cronol.* Intervalo de tempo entre duas passagens consecutivas do Sol médio pelo meridiano superior ou inferior do lugar; dia artificial. **Dia solar verdadeiro.** *Cronol.* Intervalo de tempo entre duas passagens consecutivas do Sol verdadeiro pelo meridiano superior ou inferior do lugar. **Dia útil.** Dia de trabalho; dia de fazer. **Andar em dia.** Ter as contas saldadas ou reguladas. **Andar em dia com.** **1.** Cumprir pontualmente: 📰 *Anda em dia com suas obrigações*. **2.** Estar a par de, ciente de: 📰 *Anda em dia com a moda*. **Claro como o dia.** Claro como água (q. v.). **Com dia.** Antes de ser noite. **De dia.** Enquanto há luz do Sol. **De dias.** De pouco tempo, de alguns dias de vida: 📰 *uma criança de dias*. **De um dia para outro.** Quando menos se espera; de repente. **Do dia para a noite.** Em muito pouco tempo; muito rapidamente; de repente: 📰 *Ficou moça do dia para a noite*. **Em dia.** **1.** Sem atraso; pontualmente: 📰 *Cumpre os seus compromissos sempre em dia*. **2.** Bem informado; atualizado. **Estar com os dias contados.** Ter pouco tempo de vida; estar prestes a morrer; ter os dias contados; estar por dias. **Estar contando os dias.** Esperar ansiosamente pela realização de um fato agradável ou feliz. **Estar por dias.** **1.** V. *estar com os dias contados*. **2.** Estar prestes a dar à luz, a parir. **3.** Estar prestes a acabar: 📰 *O que vale é que este trabalho está por dias, pois todos estão exaustos*. **Foi um dia.** **1.** Acabou-se, desapareceu, foi-se. **2.** Teve curta duração: 📰 *Foi um dia o seu entusiasmo: hoje é um céptico*. **Hoje em dia.** Nos tempos de agora; atualmente. **Mais dia, menos dia.** Quando menos se esperar; em futuro próximo; mais hoje, mais amanhã; dia mais, dia menos: 📖 "— E tenho meus longes de que, mais dia, menos dia, aí o temos pela proa com a Srª D. Madalena." (Rebelo da Silva, *Contos e Lendas*, p. 84.) **Olhar para o dia de amanhã.** Ser previdente; acautelar-se; pensar no dia de amanhã. **Pensar no dia de amanhã.** Olhar para o dia de amanhã. **Só ter de seu o dia e a noite.** Nada ter de seu; ser extremamente pobre. **Ter os dias contados.** V. *estar com os dias contados*. **Todo santo dia.** Todos os dias; diariamente. **Um belo dia.** Certo dia, quando menos se esperava (ou se espera) determinado fato: 📖 "Pois Raimundo .... um belo dia conduziu ao altar a mameluca bonita." (Artur Azevedo, *Contos Possíveis*, p. 49.) **Um dia.** Em ocasião indeterminada, em certo dia. **Ver o dia.** **1.** Vir ao mundo; nascer. **2.** Vir a lume (q. v.).
▲ **di(a)-** [Do gr. *dia-* < gr. *diá*.] *Pref.* = 'separação'; 'através': *diacáustico, diacronia, diurese*. [Equiv.: *-di(a)-*: *epidiascópio, paradiafonia*.]
▲ **-di(a)-** Equiv. de *di(a)-*.
diá [F. eufêmica de *diabo*.] *S. m. Bras. Pop.* V. *diabo* (2).
dia a dia *S. m.* A sucessão dos dias; o viver cotidiano; o labor de todos os dias: 📖 "Demover D. Glória da sua promessa é uma façanha que se apaga no dia a dia raso das vidinhas anônimas." (Augusto Meyer, *Machado de Assis*, pp. 145-146.) [Pl.: *dias a dias* e *dia a dias*. Cf. *dia a dia*, loc. adv.] ☑
diaba *S. f.* Fem. de *diabo*. [F. paral.: *diáboa* e (ant.) *diabra*.]
diabada [De *diabo* + *-ada*^{1}.] *S. f. Bras.* **1.** Porção de diabos, de indivíduos maus, endiabrados. **2.** Cambada, récua, súcia. **3.** Os diabos.
diábase [Do gr. *diábasis*, 'travessia', < gr. *diabaínein*, 'cruzar'.] *S. f. Geol.* Rocha magmática hipabissal, de textura ofítica, constituída essencialmente por plagioclásios básicos, piroxênio, magnetita e ilmenita; diabásio.
diabásio [De *diábase* + *-io*^{3}.] *S. m. Geol.* Diábase.
diabete *S. m. e f.* V. *diabetes*.
diabetes [Do gr. *diabétes*, pelo lat. *diabetes*.] *S. m. e f. e 2 n. Med.* **1.** Síndrome caracterizada por uma eliminação exagerada e permanente de urina. **2.** *Restr.* V. *diabetes melito*. [Var.: *diabete*.] ◆ **Diabetes açucarada.** *Med.* V. *melitúria*. **Diabetes açucarado.** *Med.* V. *melitúria*. **Diabetes insípida.** *Med.* Diabetes insípido. **Diabetes insípido.** *Med.* Distúrbio metabólico consequente a baixa produção de hormônio

D

antidiurético, e caracterizado por polidipsia, poliúria, e, muitas vezes, grande apetite e perda de força; diabetes insípida. **Diabetes melito.** *Med.* Distúrbio metabólico em que está prejudicada, em grau variável, a capacidade de metabolização de glicídios, surgindo, em consequência, hiperglicemia, glicosúria e poliúria, além de sintomas tais como sede, fome, fraqueza, e distúrbios do metabolismo de lipídios. [Sin.: *diabetes sacarina, diabetes sacarino.* Tb. se diz apenas *diabetes.*] **Diabetes sacarina.** *Med.* V. *diabetes melito.* **Diabetes sacarino.** *Med.* V. *diabetes melito.*

diabético [De *diabete* + *-ico*[2].] ***Adj. S. m.*** *Med.* Diz-se de, ou aquele que sofre de diabetes, esp. de diabetes melito.

diabetologia [De *diabete* + *-o-* + *-logia.*] ***S. f.*** Ramo da medicina que estuda o diabetes.

diabetológico [De *diabetologia* + *-ico*[2].] ***Adj.*** Referente à diabetologia.

diabetólogo [De *diabete* + *-o-* + *-logo.*] ***S. m.*** Especialista em diabetes.

diabinho [Dim. de *diabo.*] ***S. m.*** **1.** Diabrete. **2.** *Bras. N.E.* Um dos fogos de S. João; espécie de pequenino busca-pé (q. v.) sem bomba, usado pelas crianças.

diabinho-maluco ***S. m.*** Busca-pé sem flecha, e que por isso zigue-zagueia muito, mais do que os outros; bicha. [Pl.: *diabinhos-malucos.*]

diabo [Do gr. *diábolos*, pelo lat. ecles. *diabolu.*] ***S. m.*** **1.** V. *demônio* (2 a 7). **2.** *Restr.* O chefe dos demônios, ger. representado, na tradição popular, como um ser meio homem e meio cabra, de orelhas pontudas, chifres, asas, braços, e com a ponta da cauda e as patas bifurcadas; Demônio, Satanás, Satã, Lúcifer, anjo rebelde, belzebu, bruxo do inferno, dragão, espírito das trevas, espírito maligno, gênio das trevas, gênio do mal, pai da mentira, pai do mal, príncipe da treva, príncipe das trevas, príncipe do ar, príncipe dos demônios, serpente infernal, serpente maldita. [Para não enunciar o nome *diabo*, a superstição popular substituí-o por muitos outros, como: *anhangá, anhanguera, anjo mau, arrenegado, atentado, azucrim, beiçudo, bicho, bicho-preto, bode-preto, bute, cafuçu, cafute, caneco, canheta, canhim, canhoto, cão, cão-miúdo, cão-tinhoso, capa-verde, capeta, capete, capiroto, capirote, careca, carocho, cifé, coisa, coisa à toa, coisa-má, coisa-ruim, contra, coxo, cujo, debo, decho* (este, ant. e pop.), *demo, diá, diabro, diacho, diale, dialho, diangas, dianho, diogo, droga, dubá, ele* (ê), *excomungado, exu, feio, figura, fute, futrico, galhardo, gato-preto, grão-tinhoso, indivíduo, inimigo, mafarrico* ou *manfarrico, maioral, maldito, mal-encarado, maligno* ou *malino, malvado, mau, mofento, mofino, moleque, moleque do surrão, não sei que diga, nem sei que diga, pé-cascudo, pé de cabra, pé de gancho, pé de pato, pé de peia, pedro-botelho, pero-botelho* (ê), *porco, porco-sujo, que-diga, rabão, rabudo, rapaz, romãozinho, sapucaio, sarnento, satânico, sujo, temba, tendeiro, tentação, tentador, tição, tinhoso, tisnado.* (A palavra diabo, e bem assim a quase totalidade dos seus sinônimos, escreve-se comumente com cap.)] **3.** V. *jurupari* (1 e 2). **4.** Pessoa má, de mau gênio, feia, atrevida, petulante, importuna, etc. **5.** Pessoa esperta, sagaz, astuta: *Ela é um diabo — como ia deixar passar tal oportunidade?* **6.** Coisa indeterminada ou desconhecida: *Que diabo trazes aí?; Não sei que diabo ele me disse.* [Fem. (de 1 a 5): *diaba, diáboa, diabra.*] ● ***Interj.*** **7.** Exprime contrariedade, perplexidade, impaciência, raiva, etc.; diacho: *Diabo! O maldito rapaz não aparece!* **8.** Serve para suprir a enumeração de fatos, acontecimentos, coisas, etc.: *Disse o diabo; Fez o diabo; Aconteceu o diabo.* **9.** Usa-se como expletivo: *Aonde diabo vai você a estas horas?; Que diabo queres de mim?* **10.** Usa-se como partícula afetiva: *O diabo do menino não quer estudar!; O diabo do rapaz é muito engraçado.* ◆ **Comer o que o diabo enjeitou.** *Bras. CE Pop.* V. *comer da banda podre.* **Como diabo.** Como o diabo. **Como o diabo.** Muito; extremamente; como quê; como diabo: "Quinhentos contos, seiscentos contos, nem sei, dinheiro como o diabo nas mãos de uma velha inútil." (Graciliano Ramos, *Caetés*, p. 90); *É forte como o diabo.* **Com os diabos!** Exprime espanto, irritação, zanga; com os demônios: *Com os diabos! Que tenho eu com isso?* **De todos os diabos.** V. *do diabo.* **Dizer o diabo (de).** Fazer acusações acerbas, censuras violentas, revelações íntimas, etc., a: *Disse-lhe o diabo, e ele nem abriu a boca para se defender.* "Dizia o diabo de seus tios, dois dos primeiros moradores do município" (Pedro Nava, *Balão Cativo*, p. 48). **Do diabo. 1.** Incômodo, terrível, excessivo, medonho: *Estava um calor do diabo.* **2.** V. *da peste.* [Sin. ger.: *dos seiscentos diabos, dos seiscentos, de todos os diabos, dos diabos.*] **Dos diabos.** V. *do diabo.* **Dos seiscentos diabos.** *Fam.* V. *do diabo*: "Se não fosse ele, certamente haveria levado uma carga de chumbo dos seiscentos diabos." (Adalberon Cavalcanti Lins, *Curral Novo*, p. 92.) **Enquanto o diabo esfrega um olho.** Num instante; num abrir e fechar de olhos. **Estar com o diabo no corpo.** Estar inquieto, alvoroçado, assanhado; ter o diabo no corpo; ter o diabo no couro: *Esta menina está com o diabo no corpo; não para um segundo.* **Levado do diabo.** V. *levado da breca.* **Levado dos diabos.** V. *levado da breca.* **Levar o diabo. 1.** Perder-se, arruinar-se. **2.** Ter sumiço; morrer, acabar-se. **O diabo a quatro. 1.** Coisas espantosas: *Desde que saiu de casa, anda fazendo o diabo a quatro.* **2.** Grande balbúrdia; barafunda, desordem. **Passar o que o diabo enjeitou.** *Bras. CE Pop.* V. *comer da banda podre.* **Pintar o diabo.** V. *pintar o sete*: "Depois conta-os na farmácia, e pinta o diabo se alguém o desmente." (Miguel Torga, *Portugal*, p. 41.) **Ser o diabo em figura de gente. 1.** Ser muito mau. **2.** Ser (esp. a criança) muito travesso ou endiabrado. **Ter o diabo no corpo.** V. *estar com o diabo no corpo.* **Ter o diabo no couro.** V. *estar com o diabo no corpo.* **Ter o diabo nos chifres.** Ser endiabrado.

diáboa ***S. f.*** V. *diaba.*

diabo-do-mar ***S. m.*** *Zool.* V. *jamanta*[1]. [Pl.: *diabos-do-mar.*]

diabolepsia [Do gr. *diábolos*, 'demônio', + *-leps(i)-* + *-ia*[1], com haplologia.] ***S. f.*** *Psiq.* Estado em que um paciente acredita estar possuído por um demônio, ou que dispõe de poderes sobrenaturais.

diaboléptico [De *diabo(lepsia)* + *-léptico*, seg. o padrão gr.] ***Adj.*** Relativo à diabolepsia.

diabólico [Do gr. *diabolikós*, pelo lat. ecles. *diabolicu.*] ***Adj.*** **1.** Próprio do diabo ou relativo a ele: *maldade diabólica.* **2.** Infernal, terrível, atroz: *um ruído diabólico, alucinante.* **3.** Intricado, obscuro, emaranhado.

diabolismo [Do gr. *diábolos*, 'diabo', + *-ismo.*] ***S. m.*** **1.** O culto do diabo; satanismo. **2.** Qualidade de diabólico; maldade.

diabolô [Do fr. *diabolo.*] ***S. m.*** Brinquedo que consiste em aparar num cordel estirado, atado pelas pontas a duas varas, uma espécie de carretel com o centro mais fino que o resto, que se atira no ar.

diabo-marinho ***S. m.*** *Bras. Zool.* V. *peixe-pescador.* [Pl.: *diabos-marinhos.*]

diabra ***S. f.*** *Ant.* V. *diaba.*

diabrete (ê) [De *diabro* + *-ete* (ê).] ***S. m.*** **1.** Pequeno diabo. **2.** *Fig.* Criança travessa, irrequieta. **3.** *P. ext.* Animal de estimação travesso, irrequieto.

diabro ***S. m.*** *Ant.* V. *diabo* (2).

diabrose [Do gr. *diábrosis.*] ***S. f.*** *Cir.* Erosão numa parte do corpo, provocada por substância corrosiva.

diabrótico [Do gr. *diabrotikós.*] ***Adj.*** Relativo a diabrose.

diabrura [De *diabro* + *-ura.*] ***S. f.*** **1.** Coisa própria do diabo. **2.** *Fig.* Travessura de criança.

diacáustica [F. subst. de *diacáustico.*] ***S. f.*** *Mat.* V. *curva diacáustica.*

diacáustico [De *di(a)-* + *cáustico.*] ***Adj.*** ~ V. *curva —a* e *superfície —a.*

diacetona-álcool [De *diacetona* (de *di-*[1] + *acetona*) + *álcool.*] ***S. f.*** *Quím.* Nome tradicional do produto de condensação de duas moléculas de acetona, que é uma cetona hidroxilada usada em sínteses [fórm.: $C_6H_{12}O_2$]. [Pl.: *diacetonas-álcoois* e *diacetonas-álcool.*]

diacho [F. eufêmica de *diabo.*] ***S. m.*** **1.** V. *diabo* (2). ● ***Interj.*** **2.** Diabo (7).

diácido [De *di-*[1] + *ácido.*] ***S. m.*** *Quím.* Qualquer substância cujas moléculas contêm, cada uma, dois grupamentos ácidos.

diacidrão ***S. m.*** Casca de cidra em doce.

diacinese [De *di(a)-* + *cinese.*] ***S. f.*** *Citol. Genét.* Estágio final da prófase I da primeira divisão meiótica, durante a qual ocorre condensação dos cromossomos.

diáclase [Do gr. *diáklasis*, 'fratura'.] ***S. f.*** *Geol.* Plano que separa ou tende a separar em duas partes uma unidade rochosa, sem haver separação dos bordos.

diacódio [Do lat. cient. *diacodium* < lat. *diacodion.*] ***S. m.*** *Farm.* Xarope preparado com extrato de ópio.

diacomática [De *di(a)-* + gr. *kómma, atos*, 'pedaço (coma[3])', + o f. de *-ico*[2].] ***S. f.*** *Mús.* Transição harmônica de tom maior para menor, e vice-versa.

diaconado ***S. m.*** V. *diaconato.*

diaconal [De *diácono* + *-al*[1].] ***Adj. 2 g.*** Respeitante ou pertencente a diácono.

diaconato [Do lat. ecles. *diaconatu.*] ***S. m.*** Dignidade e/ou função de diácono; diaconia. [Var.: *diaconado.*]

diaconia [Do gr. *diakonía.*] ***S. f.*** **1.** V. *diaconato.* **2.** Serviço prestado ao próximo. **3.** *Ant.* Lugar onde a Igreja estabelecia diáconos para receberem e distribuírem esmolas.

diaconisa [Do gr. *diakónissa*, pelo lat. ecles. *diaconissa.*] ***S. f.*** **1.** Na Igreja primitiva, jovem, ou viúva, que recebia a imposição das mãos e era investida de certas funções eclesiásticas. **2.** Mulher investida pela Igreja em funções análogas às cinco do diácono.

diácono [Do gr. *diákonos*, 'servo', pelo lat. ecles. *diaconu.*] ***S. m.*** **1.** *Ecles.* Clérigo que tem o segundo grau das ordens maiores, imediatamente inferior ao presbítero, ou padre: "As rezas precipitaram-se, mais ardentes, entre soluços ..... E os diáconos perpassavam rapidamente, sofregamente" (Eça de Queirós, *A Relíquia*, p. 139). **2.** *Maç.* Um dos oficiais da loja (4). [Fem.: *diaconisa.*]

diácope [Do gr. *diakopé*, pelo lat. tard. *diacope.*] ***S. f.*** **1.** *E. Ling.* Figura pela qual se repete uma palavra, pondo outra(s) de permeio. Ex.: "Dargo, o valente Dargo, a quem na guerra / ninguém nunca jamais não viu as costas" (Almeida Garrett, *Obras Completas*, I, p. 143). **2.** *Cir.* Incisão feita no crânio por instrumento cortante.

diacraniano [De *di(a)-* + *craniano.*] ***Adj.*** *Anat.* Que se articula com o crânio.

diácrino [De *di(a)-* + *-crino.*] ***Adj.*** *Fisiol.* Que expele secreção à semelhança de um filtro.

diacrítica [Do gr. *diakritikḗ (téchne)*, 'arte de dividir, de distinguir'.] ***S. f.*** *Med.* Diagnóstico.

diacrítico [Do gr. *diakritikós.*] ***Adj.*** **1.** *Med.* Patognomônico (2). ~ V. *sinal —.* ● ***S. m.*** **2.** *Graf.* Sinal diacrítico (q. v.).

diacromiodiano [De *diacromiodo* + *-iano.*] ***Adj.*** *Zool.* De, relativo a, ou próprio do diacromiodo.

diacromiodo [Adapt. do tax. *Diacromyodi* (< *di-*[1] + tax. *Acromyodi*).] ***S. m.*** *Zool.* Pássaro cujos músculos intrínsecos da siringe se fixam adiante e atrás, nos anéis brônquicos.

diacronia [De *di(a)-* + *-cron(o)-* + *-ia*[1].] ***S. f.*** **1.** *E. Ling.* Desenvolvimento de uma língua ao longo do tempo. **2.** *E. Ling.* O estudo desse desenvolvimento. **3.** *P. ext.* Caráter dos fenômenos culturais, sociais, etc., observados quanto à sua evolução no tempo. [Cf. *sincronia.*]

diacrónico ***Adj.*** V. *diacrônico.* [Uso freq. em P.]

diacrônico [De *diacronia* + *-ico*[2].] ***Adj.*** **1.** *E. Ling.* Relativo à diacronia, ou que dela resulta. **2.** Que lida com a evolução temporal de determinado fato.

diacústica [De *di(a)-* + *acústica.*] ***S. f.*** Parte da física que estuda a refração dos sons.

díada ***S. f.*** **1.** V. *díade* (1). **2.** *Mat.* Operador formado pela justaposição de dois vectores, no qual não se indica nem o produto escalar nem o produto vectorial; produto diádico. [Cf., nesta acepç., *tríada, políada* e *tétrada.*]

díade [Do gr. *dyás, ádos*, pelo lat. tard. *dyade.*] ***S. f.*** **1.** Um par; grupo de dois. [Var.: *díada.*] **2.** *Bot.* Par de partes ou órgãos vegetais, como ocorre, p. ex., nas flores de várias espécies do gênero *Psittacanthus*, das lorantáceas. **3.** *Citol.* Cada par de cromátides, na tétrade.

diadelfia [De *di-*[1] + *adelfia.*] ***S. f.*** *Bot.* **1.** Soldadura dos estames pelos filetes em dois feixes. **2.** Classe do sistema sexual de Lineu (v. *lineano*) que se caracteriza pelas flores hermafroditas com estames diadelfos.

diadelfo [De *di-*[1] + *adelfo.*] ***Adj.*** *Bot.* Que apresenta diadelfia (1).

diadema [Do gr. *diádema*, pelo lat. *diadema.*] ***S. m.*** **1.** Faixa ornamental com que os soberanos cingem a cabeça: *diadema real.* [Cf. *coroa* (1).] **2.** Coroa, grinalda: "Na popa da galé, que varre com festões verdes as espumas, avulta em pé Anacreonte, manto de grã retinta a esvoaçar-se-lhe com as auras, diadema de bastas flores na cabeça, barbas perfumadas de essências, sobre o peito a lira" (Antônio Feliciano de Castilho, *A Lírica de Anacreonte*, p. 16). **3.** Joia ou ornato circular que cinge os cabelos e/ou adorna a fronte; coroa.

diademado [De *diadema* + *-ado*[1].] ***Adj.*** **1.** Que tem diadema ou ornato semelhante. **2.** *Heráld.* Diz-se de animal representado com diadema.

diademar [De *diadema* + *-ar*[2].] ***V. t. d. P.*** Ornar(-se) com diadema.

diadema-real [De *diadema* + *real*[2].] ***S. m.*** *Bot.* Planta amarilidácea (*Haemanthus katharinae*) ornamental, de bulbo grande, dotada de flores com perianto e filamentos vermelho-escuros, dispostas em umbelas compactas, e cujo fruto é cápsula globulosa. [Pl.: *diademas-reais.*]

diademense ***Adj. 2 g.*** **1.** De, ou pertencente ou relativo a Diadema (SP). ● ***S. 2 g.*** **2.** O natural ou habitante de Diadema.

diádico [De *díada* (2) + *-ico*[2].] ***S. m.*** *Mat.* **1.** A soma de duas ou mais díadas; polinômio diádico. ● ***Adj.*** **2.** ~ V. *polinômio — e produto —.*

diádoco [Do gr. *diádochos*, 'sucessor'.] ***S. m.*** *Filos.* Escolarca.

diádromo [De *di(a)-* + *-dromo.*] ***Adj.*** **1.** *Bot.* Diz-se de nervação em que as nervuras divergem a partir da base, bifurcando-se, depois, repetidamente. **2.** *Zool.* Diz-se de organismo que migra entre água doce e água salgada, como, por ex., enguias e carpas.

diafa ***S. f.*** V. *adiafa.*

diafaneidade [Do fr. *diaphanéité*.] *S. f.* Qualidade do que é diáfano. [F. pref.: *diafanidade*.]

diafanidade [De *diáfano* + *-(i)dade*.] *S. f.* V. *diafaneidade*.

diáfano [Do gr. *diaphanés*.] *Adj.* **1.** Que, sendo compacto, dá passagem à luz; transparente: "Iam correndo assim as horas sobre esses suspiros, doces como prelúdios de harpa, e sobre a magreza diáfana desse corpo que pesava uma folha de magnólia" (Fialho d'Almeida, *O País das Uvas*, p. 270). **2.** *Fig.* Muito magro; macérrimo.

diafanômetro *S. m.* V. *diafanômetro*. [Uso freq. em P.]

diafanômetro [De *diáfano* + *-metro*.] *S. m.* Instrumento com que se avaliam as variações da transparência do ar.

diafilme [De *di(a)-* + *filme*.] *S. m. Bras.* Fotografia positiva, em filme para projeção.

diafisário [De *diáfise* + *-ário*.] *Adj.* Relativo a diáfise (2).

diáfise [Do gr. *diáphysis* (ỹ).] *S. f.* **1.** Separação. **2.** *Anat.* Porção mais estreita de osso longo, situada entre as duas extremidades deste, as quais são mais largas do que ela e, em geral, articulares.

diafonia [Do gr. *diaphonía*, 'desacordo', 'dissonância'.] *S. f.* **1.** *Mús.* Designação dada pelos gregos aos intervalos dissonantes, entre os quais incluíam os de terça e de sexta. **2.** *Mús.* Nos primórdios da polifonia escrita (sécs. IX a XI), marcha simultânea de várias vozes por movimentos oblíquos ou paralelos. [Cf., nesta acepç., *órgano* e *descanto* (1).] **3.** *Mús.* Na Idade Média, a voz superior de uma polifonia. **4.** *Radiotéc.* Em radiodifusão, ocorrência de um sinal não desejado em um canal, pelo sinal de outro canal.

diáfora [Do gr. *diaphorá*.] *S. f. E. Ling.* Repetição duma palavra na frase, com sentidos diferentes; dialogia, dilogia. Ex.: "Com pena peguei na pena, / Com pena de te escrever" (*de uma quadra popular*).

diaforese [Do gr. *diaphóresis*, pelo lat. tard. *diaphorese*.] *S. f. Med.* Perspiração, sobretudo a abundante.

diaforético [Do gr. *diaphoretikós*, pelo lat. tard. *diaphoreticu*.] *Adj.* **1.** Em que há diaforese. **2.** V. *sudorífero* (1).

diafragma [Do gr. *diáphragma*, pelo lat. tard. *diaphragma*.] *S. m.* **1.** *Anat.* Largo músculo que separa a cavidade torácica da abdominal, mas que apresenta orifícios que permitem que várias formações anatômicas (artéria aorta, esôfago, etc.) pertençam àquelas duas cavidades. **2.** *Anat.* Designação comum a várias formações que servem de elemento de separação entre estruturas diversas, em setores variados do corpo humano. **3.** Placa ou outro objeto que divide duas cavidades. **4.** Membrana da bomba injetora de combustível nos motores de veículos automóveis. **5.** *Gin.* Artefato contraceptivo circular, ger. flexível, que se introduz na vagina para fechar o colo do útero e impedir a entrada de espermatozoides. **6.** *Bot.* Divisão transversal de fruto capsular. **7.** *Fís.* Membrana elástica us. para provocar ou para detectar e transmitir vibrações. **8.** *Ópt.* Anteparo opaco, provido de um orifício, us. para limitar a abertura de uma lente ou de um sistema óptico. ◆ **Diafragma de campo.** *Ópt.* Diafragma que limita o campo de um instrumento óptico. **Diafragma íris.** *Ópt.* O que dispõe de uma abertura circular de diâmetro continuamente regulável. [Tb. se diz apenas *íris*.]

diafragmático [De *diafragma* + *-ático*.] *Adj.* Pertencente ou relativo ao diafragma.

diagénese *S. f. Geol.* V. *diagênese*. [Uso freq. em P.]

diagênese [De *di(a)-* + *-gênese*.] *S. f. Geol.* Transformação em virtude da qual sedimentos incoerentes se tornam sedimentos consolidados.

diagnose [Do gr. *diágnosis*.] *S. f.* **1.** *Med.* Diagnóstico[1] (2 e 3). **2.** *Biol.* Descrição que caracteriza, em termos precisos, espécie, gênero, família, etc.

diagnosticador (ô) [De *diagnosticar* + *-dor*.] *Adj.* **1.** Que diagnostica; indicador. ● *S. m.* **2.** Aquele que sabe diagnosticar.

diagnosticar [De *diagnóstico*[1] + *-ar*[2].] *V. t. d.* **1.** Fazer o diagnóstico[1] (2) de: *Doença misteriosa, ninguém até agora a diagnosticou.* **2.** Dar ou estabelecer como diagnóstico: "Frazão foi acometido de mal súbito. ... O médico diagnosticara enfarte." (Nestor de Holanda, *Memórias do Café Nice*, p. 185.) [Conjug.: v. *trancar*. Pres. ind.: *diagnostico*, etc. Cf. *diagnóstico*, s.m.]

diagnosticável [De *diagnosticar* + *-vel*.] *Adj. 2 g.* Que pode ser diagnosticado.

diagnóstico[1] [Do gr. *diagnostikós*.] *Adj.* **1.** Respeitante a diagnose. ~ V. *avaliação —a*. ● *S. m.* **2.** Conhecimento ou determinação duma doença pelo(s) sintoma(s), sinal ou sinais e/ou mediante exames diversos (radiológicos, laboratoriais, etc.). **3.** O conjunto dos dados em que se baseia essa determinação. [Cf. *diagnostico*, do v. *diagnosticar*.] ◆ **Diagnóstico pré-implantação.** *Med.* Procedimento laboratorial em que se examinam uma ou duas células obtidas de embrião recente de oito células, produzido por fertilização *in vitro*, sendo apenas o embrião sem anomalias implantado, posteriormente, no útero materno. [Tal procedimento só deve ser indicado quando há acentuada probabilidade de grave anomalia genética, passível de acarretar morte prematura.]

diagnóstico[2] *S. m. Inform.* V. *teste-diagnóstico*. [Cf. *diagnostico*, do v. *diagnosticar*.]

diagonal [Do lat. *diagonale*.] *Adj. 2 g.* **1.** Oblíquo, inclinado. **2.** Diz-se da fazenda sulcada em sentido diferente do longitudinal ou do transversal da peça. ~ V. *matriz —*. ● *S. f.* **3.** Direção oblíqua, indireta. **4.** *Geom.* Num polígono, segmento de reta que une um vértice a outro não consecutivo. **5.** *Geom.* Num poliedro, segmento de reta que une um vértice a outro não situado numa face comum ao primeiro. **6.** *Álg.* Diagonal principal. **7.** *Astr.* Pequeno espelho existente nos refletores astronômicos do tipo newtoniano e que reflete a luz da objetiva para a ocular. **8.** *Bras.* Vôlei Cortada (1) com direção oblíqua. ◆ **Diagonal principal.** *Álg.* Numa matriz quadrada ou num determinante, o conjunto dos elementos que têm iguais entre si a ordem da linha e a da coluna. [Tb. se diz apenas *diagonal*.]

diagrama [Do gr. *diágramma*, pelo lat. tard. *diagramma*.] *S. m.* **1.** Representação gráfica de determinado fenômeno. **2.** Bosquejo; delineação. ◆ **Diagrama de Argand.** *Mat.* Representação gráfica de um complexo, no plano de Argand. **Diagrama de barras.** *Estat.* Gráfico utilizado na representação de variáveis qualitativas, sendo um retângulo para cada categoria, separados um do outro por um espaço, com base constante sobre o eixo vertical e altura proporcional à frequência da categoria; gráfico de barras. **Diagrama de blocos.** *Eletrôn.* Representação esquemática de circuito eletrônico em que as partes do circuito são simbolizadas por figuras geométricas simples (ger. retângulos), sem que se especifiquem as particularidades das ligações e dos componentes. **Diagrama de colunas.** *Estat.* Gráfico utilizado na representação de variáveis qualitativas, sendo um retângulo para cada categoria, separados um do outro por um espaço, com base constante sobre o eixo horizontal e altura proporcional à frequência da categoria. **Diagrama de cromaticidade.** *Fís.* Diagrama us. para caracterizar a cor de uma radiação luminosa visível, e cujas coordenadas são os coeficientes tricromáticos. **Diagrama de energia.** *Fís.* **1.** Gráfico em que se representa a dependência funcional entre a energia de um sistema e uma coordenada deste sistema. **2.** Diagrama simbólico em que se representam, de maneira convencional, os níveis de energia de um sistema microscópico. **Diagrama de entidades e relacionamentos.** *Inform.* Diagrama, us. na modelagem conceitual de dados, que representa entidades [v. *entidade* (3)], seus relacionamentos e, eventualmente, seus atributos. [Sigla: *DER*.] **Diagrama de equilíbrio.** *Fís.-Quím.* Gráfico em que estão locadas variáveis de um sistema físico-químico em equilíbrio, com a indicação das fases e da natureza das fases existentes; diagrama de fase. **Diagrama de estado.** *Fís.-Quím.* Diagrama de equilíbrio dum sistema de um só componente. **Diagrama de fase.** *Fís.-Quím.* Diagrama de equilíbrio. **Diagrama de fluxo.** **1.** *Eng. Elétr.* V. *diagrama de fluxo de sinal*. **2.** *Inform.* Fluxograma. **Diagrama de fluxo de sinal.** *Eng. Elétr.* Gráfico que representa a relação causal entre as diversas variáveis selecionadas para a análise de um circuito físico linear em termos de ramos orientados, que se interligam em nós [v. *nó* (9)]. [É construído associando-se a cada nó genérico um sinal (ou uma variável), e a cada ramo genérico, uma transmitância de ramo (q. v.).] [Sin.: *diagrama de fluxo*; *fluxograma*.] **Diagrama de Hertzsprung-Russel.** *Astr.* Diagrama proposto pelos astrônomos Henry N. Russel, norte-americano (1877-1957), e Ejnar Hertzsprung, dinamarquês (1873-1967), que estabelece a relação entre a magnitude absoluta e o tipo espectral, e permite distinguir as estrelas anãs das gigantes. **Diagrama de Hubble.** *Cosm.* Gráfico que representa a magnitude aparente das galáxias em relação ao seu desvio para o vermelho. **Diagrama de isolux.** *Fotom.* Conjunto de curvas isolux. **Diagrama de setores em círculo.** *Estat.* Gráfico utilizado na representação de variáveis qualitativas, onde cada categoria é representada por um setor circular com área proporcional à intensidade da ocorrência.

diagramação [De *diagramar* + *-ção*.] *S. f.* Ato ou efeito de diagramar.

diagramador (ô) [De *diagramar* + *-dor*.] *S. m.* Programador visual, ou técnico que se ocupa de diagramação de impressos.

diagramar [De *diagrama* + *-ar*[2].] *V. t. d. Edit.* **1.** Determinar a disposição de (os espaços a serem ocupados pelos elementos — textos, ilustrações, legendas, etc. — de livro, jornal, cartaz, anúncio, etc.), precisando o formato do impresso, os tipos a serem utilizados, as medidas das colunas, etc.: *diagramar um livro.* **2.** Dispor, de acordo com estrutura predeterminada, os elementos que devem ser impressos: *diagramar um jornal.*

diagramático [De *diagrama* + *-ático*.] *Adj.* Relativo a um diagrama.

dial[1] [Do ingl. *dial*.] *S. m. Radiotéc.* Dispositivo para girar o capacitor de sintonia num rádio receptor, e que é, por via de regra, associado a uma escala indicadora da frequência sintonizada: "o rádio está ligado, todo o volume aberto, minhas mãos não alcançam o dial." (Manuel Lobato, *Os Outros São Diferentes*, p. 25).

dial[2] [Do lat. vulg. **dia* + *-al*[1].] *Adj. 2 g.* V. *diário* (1).

diale [F. eufêmica de *diabo*.] *S. m. Bras. CE Pop.* V. *diabo* (2).

dialectal *Adj. 2 g.* V. *dialetal*.

dialéctica *S. f.* V. *dialética*.

dialéctico *Adj. S. m.* V. *dialético*.

dialecto *S. m.* V. *dialeto*.

dialectologia *S. f.* V. *dialetologia*.

dialectológico *Adj.* V. *dialetológico*.

dialectólogo *S. m.* V. *dialetólogo*.

dialelo [Do gr. *diállelos*.] *S. m. Hist. Filos.* Argumento céptico contra qualquer demonstração em favor do valor da razão, demonstração essa que, diz o argumento, é um círculo vicioso, pois supõe justamente o que está em causa, *i. e.*, o valor da razão. [Cf. *círculo vicioso*.]

dialeta *S. 2 g.* Dialético (3).

dialetal [De *dialeto* + *-al*[1].] *Adj. 2 g. E. Ling.* Relativo ou pertencente a dialeto. ~ V. *contínuo —*.

dialética [Do gr. *dialektiké (téchne)*, pelo lat. *dialectica*.] *S. f.* **1.** *Filos.* Arte do diálogo ou da discussão, quer num sentido laudativo, como força de argumentação, quer num sentido pejorativo, como excessivo emprego de sutilezas. **2.** *Filos.* Desenvolvimento de processos gerados por oposições que provisoriamente se resolvem em unidades. **3.** *Hist. Filos.* Conforme Hegel (v. *hegelianismo*), a natureza verdadeira e única da razão e do ser que são identificados um ao outro e se definem segundo o processo racional que procede pela união incessante de contrários — *tese* e *antítese* — numa categoria superior, a *síntese*. **4.** *Hist. Filos.* Segundo Marx (v. *marxismo*), o dinamismo do mundo material leva a mudanças devido às contradições surgidas, a partir dos antagonismos das classes, no processo de produção social.

dialético [Do gr. *dialektikós*, pelo lat. *dialecticu*.] *Adj.* **1.** Respeitante à dialética. **2.** Que se caracteriza ou realiza pela dialética: *método dialético; raciocínio dialético.* ~ V. *lógica —a*, *materialismo —*, *momento —*, *silogismo —* e *teatro —*. ● *S. m.* **3.** Bom argumentador; dialeta.

dialeto [Do gr. *diálektos*, pelo lat. *dialectu*.] *S. m. E. Ling.* **1.** Variedade subpadrão ou não padrão de uma língua, associada a grupos que não contam com prestígio social. [Sin.: *linguajar* (2).] **2.** Variedade regional de uma língua que conta com forte tradição literária. **3.** Variedade linguística regional que não tem escrita; patoá. **4.** Cada uma das subdivisões que se podem aplicar a determinada língua, utilizando como critério básico a região geográfica ou a camada social a que pertence o falante; variedade. [V. *falar* (28).]

dialetologia [De *dialeto* + *-logia*.] *S. f. E. Ling.* Estudo da variação dialetal cuja meta é o estabelecimento das fronteiras geográficas para os usos linguísticos, e que tem como fonte de dados as zonas rurais, vistas como áreas não contaminadas pelo contato com outras variedades [v. *variedade* (6)]. [Cf. *sociolinguística*.] [Sin.: *geografia linguística*.] ◆ **Dialetologia social.** *E. Ling.* V. *sociolinguística*. **Dialetologia urbana.** *E. Ling.* V. *sociolinguística*.

dialetológico [De *dialetologia* + *-ico*[2].] *Adj.* Referente à dialetologia.

dialetólogo [De *dialeto* + *-logo*.] *S. m.* Especialista em dialetologia.

dialho *S. m. Pop.* V. *diabo* (2).

▲ **diali-** [Do gr. *dialýein*, 'separar'.] *El. comp.* = 'separado', 'livre': *dialipétalo*. [V. *-diálise*.]

dialicarpelar [De *diali-* + *carpelar*.] *Adj. 2 g. Bot.* Que apresenta carpelos livres: *ovário dialicarpelar.*

dialipetalantácea [Do tax. *Dialypetalanthus* + *-ácea*; tax. *Dialipetalanthaceae*.] *S. f. Bot.* Espécime das dialipetalantáceas, família de árvores floríferas brasileiras da ordem das rosales, que abrange uma única espécie, a *Dialypetalanthus fuscescens*, dotada de folhas opostas, estipuladas, flores grandes, numerosos estames, fruto capsular polispérmico, e que vive na floresta pluvial.

dialipetalantáceo [De *dialipetalantácea*, com var. suf. (v. *-áceo*).] *Adj. Bot.* Pertencente ou relativo às dialipetalantáceas.

dialipétalo [De *diali-* + *-pétalo*.] *Adj. Bot.* V. *coripétalo* (1).

dialisador (ô) [De *dialisar* + *-dor*.] ***S. m.*** Instrumento que serve para dialisar.

dialisar [De *diálise* + *-ar*[2].] ***V. t. d.*** Submeter a processo de diálise. [Pres. subj.: *dialise*, etc. Cf. *diálise*.]

diálise [Do gr. *diálysis*.] ***S. f.*** *Fís.-Quím.* Processo para separar um coloide de um soluto molecular ou iônico por meio de uma membrana permeável apenas ao soluto. [Cf. *dialise*, do v. *dialisar*.] ◆ **Diálise peritonial.** *Med.* Aquela que se realiza através do peritônio, introduzindo-se e removendo-se da cavidade peritonial, de modo contínuo ou intermitente, a solução a ser dialisada, depurando-se o organismo de substâncias nocivas.

▲ **-diálise** [Do gr. *diálysis, eōs* (ȳ) < v. gr. *dialýein*, 'separar'.] ***El. comp.*** = 'separação', 'dissolução': *estafilodiálise, litodiálise*. [V. *diali-*.]

dialissépalo [De *diali-* + *-sépalo*.] ***Adj.*** *Bot.* Com sépalas livres: *cálice dialissépalo*. [Opõe-se a *gamossépalo*.]

dialogado [Part. de *dialogar*.] ***Adj.*** Exposto ou escrito em forma de diálogo; dialogal.

dialogador (ô) [De *dialogar* + *-dor*.] ***S. m.*** Aquele que dialoga.

dialogal [De *diálogo* + *-al*[1].] ***Adj. 2 g.*** **1.** Relativo a diálogo. **2.** Dialogado. [Sin. ger.: *dialógico*.]

dialogar [De *diálogo* + *-ar*[2].] ***V. t. d.*** **1.** Pôr em diálogo; dizer ou escrever em forma de diálogo. ***Int.*** **2.** Falar alternadamente; conversar: *Dialogaram demoradamente.* **3.** Travar ou manter entendimento (duas ou mais pessoas, grupos, entidades, etc.) com vista à solução de problemas comuns; entender-se, comunicar-se: *Aquele casal vê agravados os seus problemas porque não dialoga; O vencedor recusa-se a dialogar com os vencidos.* [Conjug.: v. *largar*. Pres. ind.: *dialogo*, etc. Cf. *diálogo*.]

dialogia [Do gr. *diálogos* + *-ia*[1].] ***S. f.*** *E. Ling.* V. *diáfora*.

dialógico [Do gr. *dialogikós*.] ***Adj.*** V. *dialogal*. ~ V. *avaliação —a*.

dialogismo [Do gr. *dialogismós*, pelo lat. tard. *dialogismu*.] ***S. m.*** **1.** Arte do diálogo. **2.** *E. Ling.* Figura que reproduz em diálogo as ideias das personagens.

dialogista [Do gr. *dialogistés*, pelo lat. tard. *dialogista*.] ***S. 2 g.*** **1.** Escritor de diálogos. **2.** Pessoa que discute ou argumenta bem.

dialogístico [Do gr. *dialogistikós*.] ***Adj.*** Pertencente a diálogo.

diálogo [Do gr. *diálogos*, pelo lat. *dialogu*.] ***S. m.*** **1.** Fala entre duas ou mais pessoas; conversação, colóquio. **2.** Obra literária ou científica em forma dialogada. **3.** Troca ou discussão de ideias, de opiniões, de conceitos, com vista à solução de problemas, ao entendimento ou à harmonia; comunicação: *Sua maior dificuldade na vida vem de não ter diálogo com os filhos.* **4.** *Teatr.* Colóquio entre os atores, móvel da ação da peça, a partir do qual se desenvolveu o gênero teatral. [Cf. *dialogo*, do v. *dialogar*.]

dia-luz ***S. m.*** Distância percorrida pela luz em um dia e equivalente a 26 bilhões de quilômetros. [Pl.: *dias-luz*.]

diamagnético [De *di(a)-* + *magnético*.] ***Adj.*** *Fís.* Diz-se do material que apresenta suscetibilidade magnética negativa, e que é repelido por um ímã.

diamagnetismo [De *diamagnético* + *-ismo*, seg. o padrão erudito.] ***S. m.*** *Fís.* Propriedade de diamagnético.

diamantário [De *diamante* + *-ário*.] ***S. m.*** *Bras. C.O.* Aquele que negocia com diamantes.

diamante [Do lat. vulg. *diamante*, alter. do lat. *adamas, antis* < gr. *adámas, antos*, 'indomável', 'aço'; 'diamante'.] ***S. m.*** **1.** *Min.* Mineral monométrico, carbono puro, a mais dura e brilhante das pedras preciosas. **2.** Utensílio formado de um fragmento de diamante ou doutro cristal de grande dureza, fixo num cabo, e us. para cortar vidro. **3.** *Bras.* Ferramenta de feitio variado, para tornear metais. **4.** *Bras.* Formão longamente biselado em ambas as faces, us. para tornear madeira. **5.** *Tip.* Tamanho de tipo equivalente a corpo entre 3 e 4 1/2 pontos. **6.** *Tip. P. ext. Ant.* V. *edição diamante*. ◆ **Diamante bruto.** O não lapidado.

diamantense[1] ***Adj. 2 g. S. 2 g.*** V. *diamantino*[2].

diamantense[2] ***Adj. 2 g.*** **1.** De, ou pertencente ou relativo a Diamante d'Oeste (PR). • ***S. 2 g.*** **2.** O natural ou habitante de Diamante d'Oeste.

diamantense[3] ***Adj. 2 g.*** **1.** De, ou pertencente ou relativo a Diamante do Norte (PR). • ***S. 2 g.*** **2.** O natural ou habitante de Diamante do Norte. [Sin. ger.: *diamantino*[3].]

diamantense-do-sul ***Adj. 2 g.*** **1.** De, ou pertencente ou relativo a Diamante do Sul (PR). • ***S. 2 g.*** **2.** O natural ou habitante de Diamante do Sul. [Pl.: *diamantenses-do-sul*.]

diamante-rosa ***S. m.*** Diamante (1) talhado por cima em facetas, e que por baixo apresenta uma superfície chata ou por lapidar. [Pl.: *diamantes-rosas* e *diamantes-rosa*.]

diamantífero [De *diamante* + *-ífero*.] ***Adj.*** Diz-se de terreno onde há diamantes.

diamantinense[1] ***Adj. 2 g.*** **1.** De, ou pertencente ou relativo a Diamantina (MG). • ***S. 2 g.*** **2.** O natural ou habitante de Diamantina.

diamantinense[2] ***Adj. 2 g.*** **1.** De, ou pertencente ou relativo a Diamantino (MT). • ***S. 2 g.*** **2.** O natural ou habitante de Diamantino.

diamantino[1] [De *diamante* + *-ino*[1].] ***Adj.*** **1.** De, ou relativo a diamante: *lavras diamantinas*. **2.** Que tem brilho ou a dureza do diamante. **3.** *Fig.* Estimável em alto grau; precioso: *um poema diamantino*. **4.** *Fig.* Íntegro, intocável: *caráter diamantino*. [Sin. de 2 a 4: *adamantino, adiamantino*.]

diamantino[2] ***Adj.*** **1.** De, ou pertencente ou relativo a Diamante (PB). • ***S. m.*** **2.** O natural ou habitante de Diamante. [Sin. ger.: *diamantense*[1].]

diamantino[3] ***Adj. S. m.*** V. *diamantense*[3].

diamantista [De *diamante* + *-ista*.] ***S. 2 g.*** Pessoa que trabalha em diamantes, ou que negocia com eles.

diamantizar [De *diamante* + *-izar*.] ***V. t. d.*** **1.** Dar brilho análogo ao do diamante a. **2.** *Fig.* Tornar precioso; valorizar.

diamão [Do lat. *diama* + *-ão*[1], poss.] ***S. m.*** *Ant.* Diamante. [Pl.: *diamães*.]

diamastigose [Do gr. *diamastígosis*, pelo lat. tard. *diamastigose*.] ***S. f.*** Festa dos lacedemônios, em honra de Ártemis, na qual se fustigavam crianças no altar dessa deusa.

diamba [Var. de *liamba*.] ***S. f.*** V. *maconha* (1 e 2).

diambarana [De *diamba* + *-rana*.] ***S. f.*** *Bras. Bot.* Planta gencianácea (*Coutoubea ramosa*) polimorfa, de caule ereto, considerada medicinal, cujas flores estão dispostas em racimo, e cujo fruto é cápsula com pequenas sementes ovais, de testa areolada.

diametral [De *diâmetro* + *-al*[1].] ***Adj. 2 g.*** Relativo a diâmetro.

diametralmente [De *diametral* + *-mente*.] ***Adv.*** **1.** No sentido do diâmetro; transversalmente. **2.** Diretamente; absolutamente, inteiramente: *concepções diametralmente opostas*.

diâmetro [Do lat. tard. *diametru* < gr. *diámetros*.] ***S. m.*** **1.** *Mat.* Num conjunto de pontos, o supremo das distâncias entre os pontos. **2.** *Geom.* Numa curva, lugar geométrico dos pontos médios das cordas paralelas a uma dada direção. [Numa circunferência, o diâmetro é o comprimento de qualquer corda que lhe passe pelo centro.] **3.** Numa superfície, lugar geométrico dos centros das seções planas paralelas a um dado plano. ◆ **Diâmetro angular.** *Astr.* Ângulo subtendido pelo diâmetro de um astro, e com o vértice no observador. **Diâmetro conjugado verdadeiro da pelve.** *Anat.* Diâmetro anteroposterior de abertura superior da pequena pelve, medido da margem superior da sínfise (1) pubiana ao ângulo formado pelo osso sacro com a última vértebra lombar. **Diâmetros conjugados.** *Geom.* Par de diâmetros de uma curva, em que cada um é paralelo às cordas que definem o outro.

diamina [De *di-*[1] + *amina*.] ***S. f.*** *Quím.* Qualquer substância que contém dois grupos amina.

diana [Do mit. *Diana*.] ***S. f.*** **1.** *Poét.* A Lua. **2.** *Bras. N.E. Folcl.* No pastoril (5), a pastorinha neutra, *i. e.*, que não defende nem o encarnado nem o azul, e cuja indumentária é feita de ambas as cores.

diandria [De *diandro* + *-ia*[1].] ***S. f.*** *Bot.* Ocorrência de dois estames. [V. *estame* (3).] [Cf. *diândria*.]

diândria [Do lat. cient. *Diandria*.] ***S. f.*** *Bot.* O conjunto de vegetais diandros, no sistema de Lineu (v. *lineano*). [Cf. *diandria*.]

diandro [De *di-*[1] + *-andro*.] ***Adj.*** *Bot.* Que apresenta diandria.

dianeologia ***S. f.*** Dianoiologia (q. v.).

diangas ***S. m. 2 n.*** *Pop.* V. *diabo* (2).

dianho ***S. m.*** *Pop.* V. *diabo* (2).

diânion [De *di-*[1] + *ânion*.] ***S. m.*** *Quím.* Ânion com duas cargas negativas.

dianoético [Do gr. *dianoetikós*.] ***Adj.*** *Filos.* Pertencente ou relativo ao pensamento discursivo. [Cf. *noético*.]

dianoiologia [Do gr. *diánoia*, 'inteligência', *-o-* + *-logia*.] ***S. f.*** *Filos.* Doutrina das leis do pensamento. [A melhor f. é *dianeologia*.]

dianopolino ***Adj.*** **1.** De, ou pertencente ou relativo a Dianópolis (TO). • ***S. m.*** **2.** O natural ou habitante de Dianópolis.

diante [De *de* + o lat. tard. *inante*.] ***Adv.*** **1.** *Desus.* Adiante. • ***Prep.*** **2.** *P. us.* Diante de: "A minha intrepidez .... vacilou diante a singular hospitalidade." (Alberto Rangel, *Inferno Verde*, p. 109.) ◆ **Diante de. 1.** Na frente de; defronte de; em presença de; ante. **2.** Por efeito ou influxo de; ante: *Diante das razões expostas, teve de ceder.* **Por diante.** Para o futuro: *Espero que daqui por diante sejas mais atento.*

dianteira [F. subst. de *dianteiro*.] ***S. f.*** **1.** O ponto mais avançado; frente, vanguarda. [Antôn.: *traseira* (1).] **2.** Rodapé (de cama). **3.** *Encad.* V. *corte da abertura*.

dianteiro [De *diante* + *-eiro*.] ***Adj.*** **1.** Que está ou vai adiante, na frente ou em primeiro lugar. [Antôn.: *traseiro* (1).] **2.** *Bras. N.E. Pop.* Diz-se da mulher cujas partes genitais ficam sensivelmente proeminentes. ~ V. *tração —a*. • ***S. m.*** **3.** *Bras. Fut.* Atacante (4).

dianto [Do tax. *Dianthus* (v. *di-*[1] e *-anto*).] ***S. m.*** *Bot.* **1.** Grande e importante gênero de plantas cariofiláceas, herbáceas, vivazes, de até 80cm de altura; folhas lineares, flores solitárias, vermelhas, raro brancas ou variegadas, de cinco pétalas, com limbo cuneiforme e denteado. **2.** Qualquer espécie desse gênero, como, p. ex., a *Dianthus caryophylus* [v. *craveiro*[1] (1)] e *D. plumarius* [v. *cravina*[1] (1)]. **3.** Qualquer espécime desse gênero, ou a flor dele. [Sin. ger.: *cariófilo*.]

diapalmo [De *di(a)-* + *-palmo*.] ***S. m.*** *Farmac.* Unguento dessecante.

diapasão [Do gr. *dià pasôn, i. e., chordôn dià pasôn*, 'através de todas as cordas', pelo lat. *diapason*.] ***S. m.*** **1.** *Fís.* Instrumento gerador de audiofrequências, constituído por uma haste de metal cuja frequência própria de vibração pode ser excitada por um impulso ou por um sistema oscilante acoplado à haste. **2.** *Mús. Ant.* O intervalo de oitava. **3.** *Mús.* Âmbito ou extensão de uma voz ou de um instrumento. **4.** *Mús.* Altura relativa de um som na escala geral; tom. **5.** *Mús.* Pequena forqueta metálica, cuja vibração produz um som de altura determinada (ger. o lá$_3$), e que serve para afinar os instrumentos e as vozes; afinador, lamiré, tonário. [Cf., nesta acepç., *tipótono*.] **6.** *Mús.* A nota lá de 440Hz por segundo, fixada por esse instrumento e que regula a altura absoluta dos sons musicais. **7.** *Mús.* Registro ou tessitura. **8.** *Fig.* Padrão, medida. **9.** *Otor.* Instrumento us. para estudo da sensibilidade vibratória osteoarticular, e que constitui forma de avaliar a sensibilidade óssea profunda. **10.** *Fig. Bras.* Rojão[1] (4 e 5). **11.** *Bras. RJ Gír.* Arma branca.

diapausa [Do gr. *diápausis*, 'interrupção', 'pausa'.] ***S. f.*** *Zool.* Pausa, ger. decorrente de períodos sazonais ou de situações adversas, durante a metamorfose de um inseto, e que pode ocorrer na fase de ovo, larva, pupa ou adulto.

diapedese [Do gr. *diapédesis*.] ***S. f.*** *Histol. Patol.* Passagem de células sanguíneas para fora de vaso cujas paredes estão intactas.

diapensiácea [Do tax. *Diapensia* + *-ácea*; tax. *Diapensiaceae*.] ***S. f.*** *Bot.* Espécime das diapensiáceas, família de plantas floríferas da ordem das ericales, formada por ervas perenes e subarbustos, dos quais só há umas 13 espécies, dos países boreais. Flores hermafroditas, simpétalas, com estames soldados à corola e gineceu tricarpelar; ovário súpero, trilocular; fruto capsular.

diapensiáceo [De *diapensiácea*, com var. suf. (v. *-áceo*).] ***Adj.*** *Bot.* Pertencente ou relativo às diapensiáceas.

diápiro [Do ingl. *diapir* < gr. *diapeírein*, 'perfurar'; 'atravessar'.] ***S. m.*** *Geol.* Dobra anticlinal, cujo núcleo, em geral salino, perfura as camadas superiores.

diaporese [Do gr. *diapóresis*.] ***S. f.*** *E. Ling.* Figura pela qual o orador se interrompe, como que a indagar de si mesmo o que deve dizer.

diapositivo [De *di(a)-* + *positivo*.] ***S. m.*** **1.** *Fot.* Reprodução fotográfica em uma chapa transparente apropriada para projeção num diascópio (q. v.) ou num projetor. **2.** *Fot. Art. Gráf.* V. *cromo*[2] (3).

diápsido[1] [De *di-*[1] + gr. *hapsís, îdos*, 'objeto de forma curva'; 'arco'.] ***Adj.*** *Zool.* Diz-se de crânio que apresenta duas aberturas distintas nos temporais [v. *temporal*[2] (2)], como ocorre nos lagartos, nas cobras e nos crocodilos.

diápsido[2] [Adapt. do tax. *Diapsida*.] *Zool.* ***S. m.*** **1.** Espécime dos diápsidos, em algumas classificações, subclasse de reptis dotados de crânio diápsido, e que se dividem em dois grupos, o dos reptis mais primitivos (v. *lepidossáurio*) e o dos mais evoluídos (v. *arcossáurio*). [Esta classificação tornou-se obsoleta, já que as espécies mais primitivas, e as mais evoluídas, não se relacionam claramente.] • ***Adj.*** **2.** Pertencente ou relativo a eles.

diaquilão [Do lat. tard. *diachylon*, pelo lat. med. *diaquilon*.] ***S. m.*** Emplastro medicamentoso em que entram diversas substâncias: cera, terebintina, gálbano, etc.

diarca [De *di-*[1] + *-arca*[1].] ***S. m.*** Cada um dos soberanos duma diarquia.

diarco [De *di-*[1] + *-arco*.] ***Adj.*** *Bot.* Diz-se do xilema primário quando existem dois feixes vasculares.

diária [F. subst. de *diário*.] ***S. f.*** **1.** Receita ou despesa de cada dia. **2.** *Bras.* Salário que se paga por dia de trabalho. **3.** Importância paga aos viajantes de determinada categoria, a funcionários públicos ou de firmas particulares em serviço fora de sua sede, etc., para estada, alimentação, transporte, etc. **4.** Preço cobrado, nos hotéis e estabelecimentos congêneres, hospitais, etc., por dia de hospedagem ou internamento.

diariamente [Do fem. de *diário* + *-mente*.] ***Adv.*** Todos os dias; dia a dia.

diário [Do lat. *diariu*.] *Adj.* **1.** Que se faz ou sucede todos os dias; cotidiano, dial, diurnal. ● *S. m.* **2.** Relação do que se faz ou sucede em cada dia. **3.** Obra em que se registram, diária ou quase diariamente, acontecimentos, impressões, confissões: *O* Diário *de Miguel Torga já chegou ao 12.º volume; O grande escritor vai publicar o seu diário.* **4.** Jornal que se publica todos os dias. **5.** *Fam.* Despesa diária. **6.** *Cont.* Livro onde se registram, em ordem cronológica, todas as operações contabilizáveis de uma empresa. ◆ **Diário de obras.** Caderno que permanece no canteiro de obras e no qual o mestre, os engenheiros e o arquiteto fiscal anotam as ocorrências importantes de cada jornada de trabalho.

diarismo [De *diário*+ *-ismo*.] *S. m.* Jornalismo diário.

diarista[1] [De *diário* + *-ista*.] *S. 2 g.* Redator de um diário (4).

diarista[2] [De *diária* + *-ista*.] *Adj. 2 g. S. 2 g. Bras.* **1.** Diz-se de, ou trabalhador sem vencimentos fixos, que ganha somente nos dias em que trabalha. **2.** Diz-se de, ou empregado cujo salário é calculado por dia.

diarquia [De *di-*[1] + *-arquia*.] *S. f.* **1.** Estado governado simultaneamente por dois reis. **2.** Governo exercido por dois soberanos ao mesmo tempo.

diárquico [De *diarquia* + *-ico*[2].] *Adj.* Respeitante a diarquia.

diarreia (éi) [Do gr. *diárrhoia*, pelo lat. tard. *diarrhoea*.] *S. f. Med.* Evacuação frequente de fezes amolecidas ou líquidas, e abundantes; fluxo de ventre. [Sin. (quase todos pop. e muitos deles bras.): *afitamento, afito, borra, caganeira, câmaras* ou *cambras, carreirinha, caseira, corredeira, desanda, desarranjo, destempero, ligeira, piriri, reira, sedeca, soltura, soltura de ventre*.] ❖

diarreico (éi) [Do gr. *diarrhoïkós*, pelo lat. tard. *diarrhoicu*.] *Adj.* **1.** Relativo a, ou que padece de diarreia. ● *S. m.* **2.** Indivíduo que dela padece. ❖

diartrose [Do lat. cient. *diarthrosis* < gr. *diárthrosis*.] *S. f. Anat.* Articulação que permite o movimento dos ossos em todas as direções; abarticulação.

dias *S. m. pl.* Tempo de vida, de existência; dias de vida, vida: *Amou-a até o fim de seus dias.* ~ V. *dia*.

dia-santo *S. m. Bras. Prov. port.* Buraco na meia ou noutra peça do vestuário. [Sin. (RJ): *feriado*. Pl.: *dias-santos*. Cf. *dia santo*.]

diascevasta [Do gr. *diaskeuastés*.] *S. m.* **1.** No antigo teatro grego, crítico que revia e corrigia as peças dos concorrentes aos certames dramáticos. **2.** Na Grécia antiga, crítico ou gramático encarregado de rever, discutir e verificar a autenticidade dos textos homéricos. **3.** *P. ext.* Crítico que revê e corrige obras alheias.

diascopia [De *di(a)-* + *-scop-* + *-ia*[1].] *S. f. Ópt.* Projeção da imagem de objetos iluminados por luz transmitida através deles.

diascópico [De *di(a)-* + *-scop-* + *-ico*[2].] *Adj.* Relativo à diascopia, ou ao diascópio.

diascópio [De *di(a)-* + *-scópio*.] *S. m. Ópt.* Instrumento óptico para projetar imagens estacionárias de objetos transparentes.

diascórdio [Do lat. cient. *diascordium* (< gr. *diá* [v. *di(a)-*] + gr. *skórdion*, 'carvalhinha').] *S. m. Farmac.* Certo remédio estomacal.

dias-d'avilense *Adj. 2 g.* **1.** De, ou pertencente ou relativo a Dias d'Ávila (BA). ● *S. 2 g.* **2.** O natural ou habitante de Dias d'Ávila. [Pl.: *dias-d'avilenses*.]

dias-há [Do port., pelo cabo-verd.] *Adv. Cabo-verd.* Há muito tempo: 📖 "Sorte assim, dias-há que eu não vi." (Nuno de Miranda, *Cais de Pedra*, p. 188.)

diaspidídeo [Adapt. do tax. *Diaspididae*.] *Zool. S. m.* **1.** Espécime dos diaspidídeos, família de insetos homópteros dotados de aparelho bucal uniarticulado e cuja fêmea segrega escama de consistência firme, que a envolve, e aos seus ovos. ● *Adj.* **2.** Pertencente ou relativo a eles.

diáspora [Do gr. *diasporá*, 'dispersão'.] *S. f.* **1.** A dispersão dos judeus, no decorrer dos séculos. **2.** *P. ext.* Dispersão de povos por motivos políticos ou religiosos, em virtude de perseguição de grupos dominadores intolerantes: 📖 "Uma nova diáspora se iniciava. Os parentes estavam dispersos pelo mundo. Uns se adaptavam noutras terras aprendendo inglês, outros francês." (Orígenes Lessa, *Balbino, Homem do Mar*, p. 81.) **3.** *P. ext.* Dispersão de um ou mais povos. **4.** *Bot.* Diásporo (2).

diaspório [Do gr. *diasporá*, 'dispersão', + *-io*[3].] *S. m.* **1.** *Bot.* V. *disseminula*. **2.** *Min.* Mineral ortorrômbico, hidróxido de alumínio.

diásporo [De *di(a)-* + *-sporo*, em correspondência ao fr. *diaspore* (do gr. *diasporá*, 'dispersão').] *S. m.* **1.** *Bot.* V. *disseminula*. **2.** *Min.* Mineral ortorrômbico, óxido de alumínio hidratado, branco, cinza, amarelo ou marrom, constituinte da bauxita.

diassintomia [Do V.C.I., de *di(a)-* + gr. *sýntomos*, 'trajeto curto', + *-ia*[1].] *S. f. Biol.* Troca de genes entre cromossomos homólogos; permuta; permutação e (ingl.) *crossing over*.

diassintômico *Adj.* V. *diassintômico*. [Uso freq. em P.]

diassintômico [De *diassintomia* + *-ico*[2].] *Adj.* Referente à diassintomia.

diástase [Do gr. *diástasis*, 'separação'.] *S. f.* **1.** Fermento ou outra substância produzida por células vivas, por seres vivos microscópicos ou por glândulas, e que decompõem os alimentos ou a matéria orgânica. **2.** Conjunto dos fermentos solúveis retirados da cevada germinada. **3.** *Patol.* Afastamento de duas estruturas que normalmente se apresentam em contato mediato ou imediato. ◆ **Diástase dos músculos retos abdominais.** *Cir.* Separação desses músculos na linha média. **Diástase óssea.** *Ort.* Afastamento de dois ossos que eram contíguos sem ocorrer propriamente luxação.

diastema [Do lat. cient. *diastema* < lat. tard. *diastema* < gr. *diástema*, 'intervalo'.] *S. m.* **1.** *Zool.* Nas mandíbulas dos vertebrados, espaço sem dentes. **2.** *Anat.* Poros pequenos que escapam a exame direto. **3.** *Geol.* Descontinuidade na sedimentação, de valor subsidiário com relação à discordância paralela.

diastereoisomérico (tè... o-i) [De *diastereoisômero* + *-ico*[2].] *Adj. Quím.* Relativo ou próprio de diastereoisômero.

diastereoisómero (tè... o-i) *S. m. Quím.* V. *diastereoisômero*. [Uso freq. em P.]

diastereoisômero (tè... o-i) [De *di(a)-* + *estereoisômero*.] *S. m. Quím.* Qualquer dos estereoisômeros de uma molécula, que não é o seu enantiômero.

diastereotópico (tè) *Adj. Quím.* Diz-se de átomo ou grupo de uma molécula quiral, ou de face de uma molécula insaturada aquiral, que, mediante reação de substituição ou de adição, pode levar ao surgimento de um par de diastereoisômeros, ou de um dos diastereoisômeros desse par. [Cf. *enantiotópico, heterotópico*.]

diastilo [Do gr. *diástylos*, pelo lat. tard. *diastylos*.] *S. m. Arquit.* **1.** Intercolúnio correspondente a três diâmetros das colunas, ou seis módulos. **2.** Edifício cujas colunas estão ajustadas entre si de três diâmetros ou seis módulos.

diástole [Do gr. *diastolé*, pelo lat. tard. *diastole*.] *S. f.* **1.** *Med.* Movimento de dilatação do coração, após a fase de contração. [Cf. *sístole* (2).] **2.** *E. Ling.* V. *hiperbibasmo*. **3.** *E. Ling.* Éctase.

diastólico [De *diástole* + *ico*[2].] *Adj.* Referente à diástole.

diastrofia [Do gr. *diastrophé*, 'torção', 'deslocamento', + *-ia*[1].] *S. f. Ort.* **1.** Luxação de ossos. **2.** Deslocamento de músculo ou tendão.

diastrófico [De *diastrofia* + *-ico*[2].] *Adj.* Relativo a diastrofia.

diastrofismo [Do gr. *diastrophé*, 'distorção', + *-ismo*.] *S. m. Geol.* Designação comum aos movimentos orogênicos ou epirogenéticos.

diatérmano [Do fr. *diathermane* < gr. *diathermainein*, 'aquecer'.] *Adj.* Diatérmico (2).

diatermia [De *di(a)-* + *-term(o)-* + *-ia*[1].] *S. f. Med.* Aplicação terapêutica da eletricidade, com base no desenvolvimento de calor, em virtude de correntes induzidas no interior dos tecidos, por aplicação dum campo externo de alta frequência. ◆ **Diatermia cirúrgica.** *Cir.* Formação de calor suficiente para coagular ou destruir tecido; diatermocoagulação. **Diatermia médica.** *Med.* Aquecimento dos tecidos sem destruição deles; termopenetração.

diatérmico [De *di(a)-* + *-term(o)-* + *-ico*[2].] *Adj.* **1.** Referente à diatermia. **2.** Diz-se dos corpos que transmitem calor; diatérmano. [Quando separam dois sistemas a temperaturas diversas, estes acabam entrando em equilíbrio térmico.]

diatermocoagulação [De *diaterm(ia)* + *-o-* + *coagulação*.] *S. f. Cir.* Diatermia cirúrgica (q. v.).

diátese [Do gr. *diáthesis*.] *S. f.* **1.** *Med.* Disposição geral em virtude da qual um indivíduo reage de maneiras especiais a determinados estímulos extrínsecos, o que lhe confere uma tendência a ser mais suscetível do que o habitual a certas doenças. **2.** *Fig.* Disposição ou tendência moral mórbida: 📖 "Ao 'cabano', se ajuntariam no correr do tempo o 'balaio', no Maranhão, o 'ximango', no Ceará, o 'cangaceiro', em Pernambuco, nomes diversos de uma diátese social única." (Euclides da Cunha, *À margem da História*, p. 262.)

diatésico [De *diátese* + *-ico*[2].] *Adj.* V. *diatético*.

diatético [De *diát(ese)* + *-ético*.] *Adj.* Respeitante a diátese.

diátiro [Do gr. *diáthyra, on*.] *S. m.* Corredor entre a porta de entrada e a do pátio interno, nas antigas casas gregas.

diátoma [Do tax. *Diatoma* (do gr. *diátomos*, 'cortado ao meio').] *S. f. Bot.* **1.** Gênero de algas diatomáceas que reúne espécies dotadas de frústulas e que têm extraordinário poder de movimentação. **2.** Espécie, ou espécime desse gênero.

diatomácea [Do tax. *Diatoma* (v. *diátoma*) + *-ácea*; tax. *Diatomaceae*.] *S. f. Bot.* Espécime das diatomáceas, família da classe das bacilariofíceas que reúne algas unicelulares que são microrganismos autotróficos providos de rígida carapaça formada de frústulas. Vivem na água doce e na salgada, formando, não raro, colônias gelatinosas. [Sin.: *bacilariácea*.]

diatomáceo [De *diatomácea*, com var. suf. (v. *-áceo*).] *Adj. Bot.* Pertencente ou relativo às diatomáceas; bacilariáceo.

diatómico *Adj. Quím.* V. *diatômico*. [Uso freq. em P.]

diatômico [De *di-*[1] + *atômico*.] *Adj. Quím.* Formado por dois átomos.

diatomito [Do tax. *Diatoma* (v. *diatomácea*) + *-ito*[2].] *S. m. Geol.* Rocha sedimentar constituída essencialmente de carapaças silicosas de diatomáceas.

diatónico *Adj. Mús.* V. *diatônico*. [Uso freq. em P.]

diatônico [Do gr. *diatonikós*, pelo lat. tard. *diatonicu*.] *Adj. Mús.* Que procede conforme a sucessão natural dos tons e semitons. ~ V. *escala —a*.

diatribe [Do fr. *diatribe* < lat. tard. *diatriba*, 'discussão filosófica', < gr. *diatribé*, 'conversação filosófica'.] *S. f.* Crítica acerba; escrito ou discurso violento e injurioso: 📖 "Desde a mais desbragada diatribe, a sátira mais cruel, até a censura mais leve, a tudo se chama crítica." (Sílvio Romero, *Martins Pena*, p. 49.)

diatrima [Do tax. *Diatryma* (< gr. *diá* [v. *di(a)-*]) + gr. *trýme*, 'buraco'.] *S. f. Paleont.* **1.** Gênero de aves cursoras, semelhantes à avestruz, com cerca de 2m de altura, pescoço muito forte e bico pontudo e grosso. Viveram no eoceno inferior da América do Norte e da Europa. **2.** Espécie, ou espécime desse gênero.

diaulo [Do gr. *díaulos*.] *S. m.* **1.** *Mús.* Flauta dupla, us. entre os gregos. **2.** *Mús.* Música para esse instrumento. **3.** *Mús.* Tocador de diaulo. **4.** Medida itinerária grega, do valor de dois estádios.

diazabiciclooctano *S. m. Quím.* Amina bastante básica, porém muito pouco nucleofílica, us. em sínteses orgânicas [fórm.: $C_6H_{12}N_2$]. [Sigla: *DABCO*. A rigor, o nome é *1,4-diazabiciclo[2.2.2]octano*.]

diazabiciclononeno *S. m. Quím.* Amina bastante básica, porém muito pouco nucleofílica, us. em sínteses orgânicas [fórm.: $C_7H_{12}N_2$]. [Sigla: *DBN*. A rigor, o nome é *1,5-diazabiciclo[4.3.0]non-5-eno*.]

diazabicicloundeceno *S. m. Quím.* Amina bastante básica, porém muito pouco nucleofílica, us. em sínteses orgânicas [fórm.: $C_9H_{16}N_2$]. [Sigla: *DBU*. A rigor, o nome é *1,8-diazabiciclo[5.4.0]undec-7-eno*.]

diazepam (pã) [Voc. farmac.] *S. m. Quím.* Substância cristalina, heterocíclica, benzodiazepínica, us. como medicamento anticonvulsivante e ansiolítico [fórm.: $C_{16}H_{13}ClN_2O$].

diazepina [Voc. farmac.] *S. f. Quím.* **1.** Substância cujas moléculas, cíclicas, contêm três ligações duplas, com sete átomos no anel, sendo dois de nitrogênio e os outros, carbonos, e da qual certos derivados (v. *benzodiazepina*) são us. como tranquilizantes [fórm.: $C_5H_6N_2$]. **2.** Qualquer derivado da diazepina (1).

diazepínico [De *diazepina* + *-ico*[2].] *Adj. Quím.* **1.** Próprio da diazepina, ou relativo a ela. **2.** Diz-se de qualquer substância que se pode considerar derivada da diazepina, inclusive as benzodiazepínicas.

diazina [De *di-*[1] + *-az(a)-* + *-ina*[2].] *S. f. Quím.* Qualquer substância aromática heterocíclica, com dois nitrogênios em anel de seis átomos.

diazo *S. m. Quím.* **1.** Designação genérica de qualquer composto diazoico. [Ger. não é us. isoladamente, e sim como parte de locuções: *composto diazo*.] **2.** O grupo divalente =N_2.

▲ **diaz(o)-** *Quím. El. comp.* Indica a presença de grupo diazo ou, às vezes, de grupo diazônio ou, ainda, de grupo azo, na molécula: *diazometano*.

diazoalcano [De *diaz(o)-* + *alcano*.] *S. m. Quím.* Qualquer substância derivada de alcano, que contém o grupo divalente =N_2.

diazocomposto [De *diaz(o)-* + *composto*.] *S. m. Quím.* **1.** Designação genérica, usual, de substâncias que contêm os grupos =N_2, -N_2^+ ou -N=N-; composto diazoico. **2.** Designação genérica de substâncias que contêm o grupo diazo =N_2.

diazoico (ói) [De *diaz(o)-* + *-oico*[2].] *Adj. Quím.* **1.** Diz-se de, ou relativo a diazocomposto (1). **2.** Diz-se de certos corantes que contêm o grupo azo, que seriam mais bem denominados corantes azoicos. ~ V. *acoplamento —*. ❖

diazoma [Do gr. *diázoma*, pelo lat. tard. *diazoma*.] *S. m. Teatr.* **1.** Espaço estreito que separava os assentos, nos antigos teatros gregos e romanos. **2.** Círculo das bancadas, nesses teatros.

diazometano [De *diaz(o)-* + *metano*.] *S. m. Quím.* Substância gasosa, tóxica, us. em sínteses [v. *síntese* (13)] [fórm.: CH_2N_2].

diazónio *S. m. Quím.* V. *diazônio*. [Uso freq. em P.]

diazônio [De *diaz(o)-* + *-ônio*.] *S. m. Quím.* **1.** Designação genérica de cátions de fórm. RN_2^+, onde R é um grupo hidrocarbônico. **2.** O grupo monovalente -N_2^+.

diazotação [De **diazotar* (< *di-*[1] + *azoto* + *-ar*[2]) + *-ção*; ingl. *diazotation*.] ***S. f. Quím.*** Processo de obtenção de compostos de diazônio a partir de aminas aromáticas.
dibásico [De *di-*[1] + *básico*.] ***Adj. Quím.*** **1.** Diz-se de ácido que cede dois prótons por molécula, em solução (ex.: o ácido sulfúrico); diprótico. **2.** Diz-se de base que cede duas hidroxilas por molécula, em solução (ex.: o hidróxido de cálcio). ~ V. *ácido —*.
diborano [De *di-*[1] + *borano*.] ***S. m. Quím.*** Substância gasosa, o mais simples dos boranos estáveis [fórm.: B_2H_6].
dibranquiado [De *di-*[1] + *branquiado*.] ***Adj. Zool.*** Diz-se de animal aquático que apresenta um par de brânquias.
dibrânquio [De *di-*[1] + *-brânquio*; tax. *Dibranchia*.] *Zool.* ***S. m.*** **1.** Espécime dos dibrânquios, ordem de cefalópodes providos de bolsa tintória, massa visceral nua, concha rudimentar e interna, um par de ctenídios, oito a dez braços cefálicos, com ventosas, um par de brânquias e um par de nefrídios. São os polvos, as lulas e as sépias. • ***Adj.*** **2.** Pertencente ou relativo a eles.
▲**dibutil-** [De *di-*[1] + *-butil-*.] *Quím.* ***El. comp.*** Indica a presença de dois grupos butila: *dibutil-hidroquinona*.
dibutil-hidroquinona [De *dibutil-* + *hidroquinona*.] ***S. f.*** *Quím.* Substância derivada da hidroquinona, mais precisamente o 2,6-di(t-butil)-4-hidroxifenol, us. como antioxidante em alimentos [fórm.: $C_{14}H_{22}O_2$]. [Abrev.: *BHQ*. Pl.: *dibutis-hidroquinonas*.]
dibutil-hidroxitolueno (cs) [De *dibutil-* + *-hidrox(i)-* + *tolueno*.] ***S. m. Quím.*** Fenol derivado do tolueno, mais precisamente o 2,6-di(t-butil)-4-metil-fenol, us. como antioxidante em alimentos [fórm.: $C_{15}H_{24}O$]. [Abrev.: *DBHT* ou *BHT*. Pl.: *dibutis-hidroxitoluenos*.]
dica [Por *indica*, dev. de *indicar*, poss.] ***S. f. Bras. Gír.*** Informação ou indicação nova, ou útil, que se dá a interlocutor ou ouvinte; pala, plá.
▲**dic(a)-** [Do gr. *dícha*, 'em dois', 'separadamente', 'à parte'.] ***El. comp.*** = '(separado) em dois': *dicapetalácea*. [Equiv.: *dico-*: *dicogamia*.]
dicacidade [Do lat. *dicacitate*.] ***S. f.*** Qualidade de dicaz; mordacidade.
dicacíssimo [Do lat. *dicacissimu*.] ***Adj.*** Superl. abs. sint. de *dicaz*.
dicana *Bras.* ***S. 2 g.*** **1.** *Etnôn.* Indivíduo dos dicanas, povo indígena das margens do rio Içá (AM). • ***Adj. 2 g.*** **2.** Pertencente ou relativo a esse povo. [Tb. us. como *s. 2 g. e 2 n.* (com cap.) e *adj. 2 g. e 2 n.*]
dição ***S. f.*** V. *dicção*.
dicapetalácea [Do tax. *Dichapetalum* (< gr. *dícha* [v. *dic(a)-*] + gr. *pétalon* [v. *-petal(o)-*]) + *-ácea*; tax. *Dichapetalaceae*.] ***S. f. Bot.*** Espécime das dicapetaláceas, família de plantas arbóreas, por vezes arbustivas ou trepadeiras, com folhas alternas e estipuladas, flores pequeninas, dispostas em cimeiras quase sempre inseridas sobre o pecíolo, e fruto drupáceo. Há umas 250 espécies, sobretudo africanas; o Brasil possui algumas.
dicapetaláceo [De *dicapetalácea*, com var. suf. (v. *-áceo*).] ***Adj. Bot.*** Pertencente ou relativo às dicapetaláceas.
dicar [Do lat. *dicare*.] ***V. t. d. e i.*** Dedicar, tributar, consagrar. [Conjug.: v. *trancar*.]
dicarboxílico (cs) [De *di-*[1] + *carboxila* + *-ico*[2].] ***Adj.*** *Quím.* Diz-se de substância que tem duas carboxilas por molécula. ~ V. *ácido —*.
dicarpelar [De *di-*[1] + *carpelo* + *-ar*[2].] ***Adj. 2 g. Bot.*** Que tem dois carpelos.
dicásio [Do lat. cient. *dichasium* (< gr. *díchasis*, 'separação', 'divisão', + lat. cient. *-ium* [= *-io*[3]]).] ***S. m. Bot.*** Tipo de inflorescência cimosa em que abaixo da flor terminal surgem dois ramos laterais floríferos.
dicataléctico [De *di-*[1] + *cataléctico*.] ***Adj.*** V. *verso —*. [Var.: *dicatalético*.]
dicatalético ***Adj.*** ~ V. *dicataléctico*.
dicaz [Do lat. *dicace*.] ***Adj. 2 g.*** Severo em crítica; mordaz, satírico. [Superl. abs. sint.: *dicacíssimo*.]
dicção [Do lat. *dictione*.] ***S. f.*** **1.** Maneira de dizer ou falar: *a dicção lusitana*. **2.** Arte de dizer, recitar, falar, com articulação e modulação apropriadas: "a companhia de D. Maria .... curou de bem servir o público, ... cultivando a dicção com certo escrúpulo" (Fialho d'Almeida, *Vida Irônica*, p. 132). **3.** Vocábulo, palavra; período, frase. [Var.: *dição*.]
dicéfalo [De *di-*[1] + *-céfalo*.] ***Adj.*** Que tem duas cabeças. [Sin. (poét.): *bicípite*.]
diceologia [Do gr. *dikaiología*.] ***S. f.*** Ramo da ética prática que trata dos direitos dos indivíduos.
dícero [De *di-*[1] + *-cero*.] ***Adj. Zool.*** Diz-se de artrópode ou de molusco provido de um par de antenas ou de tentáculos.
dicerorrino [De *di-*[1] + *-cer(o)-*[3] + *-rino*; tax. *Dicerorhinus*.] ***S. m.*** *Paleont.* **1.** Gênero de mamíferos, mais próximos dos proboscídeos, com dois chifres desiguais e defesas retas. Viveram no plistoceno da América do Norte e nos períodos interglaciais da Europa. **2.** Espécie ou espécime desse gênero.
diceteno [De *di-*[1] + *ceteno* (1).] ***S. m. Quím.*** Substância líquida, lacrimogênea, formada por dimerização do ceteno (1) e us. em sínteses [fórm.: $C_4H_4O_2$].
dicetona [De *di-*[1] + *cetona*.] ***S. f. Quím.*** Qualquer substância que contém dois grupos funcionais de cetona.
dichote [Do esp. *dicho* + *-ote*[1].] ***S. m.*** Dito picante; motejo, gracejo, chufa.
dicíclico[1] [De *di-*[1] + *-cicl(o)-* + *-ico*[2].] ***Adj. Zool.*** Diz-se de animal, ger. verme, que tem o ciclo vital desenvolvido em duas partes: uma no hospedeiro intermediário e outra no hospedeiro definitivo.
dicíclico[2] [Adapt. do tax. *Dicyclica*.] *Zool.* ***S. m.*** **1.** Espécime dos dicíclicos, divisão de animais metazoários, equinodermos, crinoides, providos de placas basilares e infrabasilares. • ***Adj.*** **2.** Pertencente ou relativo a eles.
diciêmio [De *di-*[1] + gr. *kýema*, 'embrião', + *-io*[3]; tax. *Dicyema*.] *Zool.* ***S. m.*** **1.** Espécime dos diciêmios, ordem de mesozoários de corpo nematoide, comprimento até 8mm, com apenas uma célula interna. É o mais simples dos metazoários e parasita de nefrídio de cefalópodes. • ***Adj.*** **2.** Pertencente ou relativo a eles.
dicinodonte [Do tax. *Dicynodon* (v. *di-*[1], *-cin(o)(s)-* e *-odonte*).] ***S. m.*** *Paleont.* **1.** Gênero de reptis terápsidos, de tamanho pequeno a médio, e de constituição robusta, que habitaram o permiano; eram poss. herbívoros, semiaquáticos ou paludícolas, tinham a mandíbula recoberta por um bico córneo, e os machos eram dotados de grandes caninos. **2.** Espécie ou espécime desse gênero.
dicionariar [De *dicionário* + *-ar*[2].] ***V. t. d. Int.*** V. *dicionarizar*. [Pres. ind.: *dicionario*, etc. Cf. *dicionário*.]
dicionário [Do lat. med. *dictionariu*.] ***S. m.*** **1.** Conjunto de vocábulos duma língua ou de termos próprios duma ciência ou arte, dispostos, em geral, alfabeticamente, e com o respectivo significado, ou a sua versão em outra língua. **2.** Obra ou livro que os consigna: "Para todas as coisas: dicionário / Para que fiquem prontas: paciência" (Nando Reis, na canção *Diariamente*). [Sin. (pop.), nesta acepç.: *desmancha-dúvidas, pai dos burros, tira-teimas*.] **3.** Exemplar de uma dessas obras. **4.** Dicionário vivo. [Cf. *dicionario*, do v. *dicionariar*.] ◆ **Dicionário de dados.** *Inform.* Documento originado no projeto conceitual de um sistema de informações, e que define nomes, significados, domínios e outras características específicas dos itens que constituirão o banco de dados do sistema (21). **Dicionário eletrônico.** *Inform.* Modalidade eletrônica de dicionário (2). **Dicionário vivo.** V. *enciclopédia* (3). [Tb. se diz apenas *dicionário*.]
dicionarista [De *dicionarizar* + *-ista*, seg. o padrão erudito.] ***S. 2 g.*** Autor de dicionário(s); lexicógrafo.
dicionarístico [De *dicionarista* + *-ico*[2].] ***Adj.*** Relativo a dicionário ou a dicionarista.
dicionarização [De *dicionarizar* + *-ção*.] ***S. f.*** Ação de dicionarizar.
dicionarizado [Part. de *dicionarizar*.] ***Adj.*** **1.** Incluído ou registrado em dicionário. **2.** Organizado em forma de dicionário. [Antôn.: *indicionarizado*.]
dicionarizar [De *dicionário* + *-izar*.] ***V. t. d.*** **1.** Incluir ou registrar em dicionário: *Urge dicionarizar muitas palavras de largo emprego*. **2.** Organizar em forma de dicionário: *Aquele autor vai dicionarizar sua gramática*. ***Int.*** **3.** Escrever ou organizar dicionários. [Sin. ger.: *dicionariar, lexicografar*.]
dicionarizável [De *dicionarizar* + *-vel*.] ***Adj. 2 g.*** Que pode ou deve ser dicionarizado.
dickensiano [Do antr. *(Charles) Dickens* + *-iano*.] ***Adj.*** **1.** Relativo ou pertencente ao romancista inglês Charles Dickens (1812-1870), ou próprio dele. **2.** Que é seu admirador e/ou profundo conhecedor de sua obra. • ***S. m.*** **3.** Admirador e/ou profundo conhecedor da obra de Charles Dickens.
diclamídeo [De *di-*[1] + *-clamid(o)-* + *-eo*.] ***Adj. Bot.*** Que apresenta dois verticilos protetores: cálice e corola. [Opõe-se a *monoclamídeo*.]
diclidanterácea [Do tax. *Diclidanthera* (v. *di-*[1], *-clid(o)-* e *anter(o)-*) + *-ácea*; tax. *Diclidantheraceae*.] ***S. f. Bot.*** Espécime das diclidanteráceas, família de plantas da ordem das ebenales, constituída de poucas espécies brasileiras classificadas em dois gêneros. São árvores de folhas alternas e flores em cachos axilares. Androceu com 10 estames, ordenados em dois verticilos; ovário quinquelocular; fruto bacáceo.
diclidanteráceo [De *diclidanterácea*, com var. suf. (v. *-áceo*).] ***Adj. Bot.*** Pertencente ou relativo às diclidanteráceas.
diclinia [De *di-*[2] + *-clin(o)-*[1] + *-ia*[1].] ***S. f. Bot.*** Ocorrência de flores diclinas.
diclino [De *di-*[1] + *-clino*[1].] ***Adj. Bot.*** Unissexuado (2): *flor diclina*.
dicloreto (ê) [De *di-*[1] + *cloreto*.] ***S. m. Quím.*** Bicloreto.
▲ **diclor(o)-** [De *di-*[1] + *cloro*.] *Quím.* ***El. comp.*** Em nomes de compostos químicos, indica a presença de dois átomos de cloro: *diclorometano*.
diclorodifeniltricloroetano ***S. m.*** *Quím. Impr.* Designação impr. porém corrente do *2,2-bis(p-clorofenil)-1,1,1-tricloroetano*, sólido cristalino, incolor, inseticida organoclorado (q. v.) poderoso, mas ao qual os insetos passaram a ter tolerância e que, por ser pouco biodegradável, se acumula no ecossistema, provocando-lhe danos, razões pelas quais foi desaconselhado ou proibido [fórm.: $C_{14}H_9C_{12}$]. [Sigla.: *DDT*. Sin.: *diclorofeniltricloroetano* e (pop.) *dedetê*.]
diclorofeniltricloroetano [Voc. farmac.] ***S. m.*** *Quím.* Diclorodifeniltricloroetano.
diclorofenoxiacético (cs) [De *diclor(o)-* + *fenoxiacético*.] ***Adj.*** *Quím.* V. *ácido —*.
diclorometano [De *diclor(o)-* + *metano*.] ***S. m.*** *Quím.* Substância volátil, us. como solvente [fórm.: CH_2Cl_2].
▲ **dico-** [Do gr. *dicho-* < gr. *dícha*.] Equiv. de *dic(a)-*.
▲**-(d)iço**[1] Equiv. de *-(t)ício*.
▲**-(d)iço**[2] V. *-io*[2].
dicoco [De *di-*[1] + *-coco*.] ***Adj. Bot.*** Com dois cocos: *fruto dicoco*.
dicogamia [De *dico-* + *-gam(o)-* + *-ia*[1].] ***S. f. Bot.*** Fenômeno ocorrente em certas flores, e que consiste na maturação dos estames e do gineceu em épocas distintas, de modo que a flor, conquanto morfologicamente hermafrodita, é fisiologicamente unissexuada.
dicogâmico [De *dicogamia* + *-ico*[2].] ***Adj.*** Referente à dicogamia.
diconroque [De or. obsc.] ***S. m.*** *Bras. Bot.* Grande árvore morácea (*Trophis brasiliensis*) lactescente, cujo fruto é suculento e encerra uma semente carnosa que, cozida à maneira de feijão, era usada como alimento pelos aborígines; feijão-dos-caboclos.
dicopodia [De *dico-* + *-pod(o)-* + *-ia*[1].] ***S. f. Bot.*** Dicotomia (5).
dicotilédone [De *di-*[1] + *cotilédone*.] ***Adj. 2 g. Bot.*** V. *dicotiledôneo*[1].
dicotiledónea ***S. f. Bot.*** V. *dicotiledônea*. [Uso freq. em P.]
dicotiledônea [Adapt. do tax. *Dicotyledoneae*, alter. do tax. *Dicotyledones* (v. *di-*[1] e *cotilédone*).] ***S. f. Bot.*** Espécime das dicotiledôneas, classe de angiospermas caracterizadas pelo embrião provido de dois cotilédones, e ainda pelos seguintes caracteres principais: raiz axial, estrutura secundária, feixes vasculares em círculo, folhas pecioladas com nervação penada, flores pentâmeras, etc. Divide-se em duas subclasses: *arquiclamídeas* e *metaclamídeas*.
dicotiledóneo ***Adj. Bot.*** V. *dicotiledôneo*. [Uso freq. em P.]
dicotiledôneo[1] [De *di-*[1] + *cotil(édone)* + *-eo*.] ***Adj. Bot.*** Portador de dois cotilédones; dicotilédone, dicotíleo.
dicotiledôneo[2] [De *dicotiledônea*, com var. suf. (v. *-eo*).] ***Adj. Bot.*** Pertencente ou relativo às dicotiledôneas.
dicotíleo [De *di-*[1] + *-cotil(o)-* + *-eo*.] ***Adj. Bot.*** V. *dicotiledôneo*[1].
dicotilídeo [Do tax. *Dicotyles* (gr. *dís* [v. *di-*[1]] + gr. *kótylos*) + *-ídeo*[1]; tax. *Dicotylidae*.] *Zool.* ***S. m.*** **1.** Espécime dos dicotilídeos, família de artiodáctilos suínos que têm só três dedos nas patas traseiras, e cujo tipo é o taiaçu. [V. *taiaçuídeo*.] • ***Adj.*** **2.** Pertencente ou relativo a eles.
dicotomia [Do gr. *dichotomía*.] ***S. f.*** **1.** Método de classificação em que cada uma das divisões e subdivisões não contém mais de dois termos. [Cf. *politomia*.] **2.** Repartição dos honorários médicos, à revelia do doente, entre o médico assistente e outro chamado por este. **3.** *Astr.* Aspecto de um planeta ou de um satélite quando apresenta exatamente a metade do disco iluminada. [Ocorre na *quadratura*.] **4.** *Lóg.* Divisão lógica de um conceito em dois outros conceitos, em geral contrários, que lhe esgotam a extensão. Ex.: animal = vertebrado e invertebrado. **5.** *Bot.* Tipo de ramificação vegetal em que a ponta do órgão (caule, raiz, etc.) se divide repetidamente em duas porções idênticas, e que é próprio dos talófitos e briófitos, sendo muito raramente observado nas plantas floríferas; dicopodia. **6.** *Teol.* Princípio que afirma a existência única, no ser humano, de corpo e alma.
dicotómico ***Adj.*** V. *dicotômico*. [Uso freq. em P.]
dicotômico [De *dicotomia* + *-ico*[2].] ***Adj.*** Dividido ou subdividido em dois; bifurcado, dicótomo. ~ V. *ramificação —a*.
dicotomizado [Part. de *dicotomizar*.] ***Adj.*** **1.** Classificado por dicotomia. **2.** Dividido em dois. **3.** *Astr.* Diz-se de um planeta ou de um satélite em dicotomia (3).
dicotomizar [De *dicotomia* + *-izar*, seg. o padrão erudito.] ***V. t. d.*** **1.** Classificar por dicotomia (1). **2.** Dividir em dois.
dicótomo [Do gr. *dichótomos*.] ***Adj.*** V. *dicotômico*.

dicroico (ói) *Adj.* Que possui dicroísmo. ~ V. *lâmpada —a.* ❖

dicroísmo [Do gr. *díchroos*, 'bicolor', + *-ismo*.] *S. m. Ópt.* Propriedade das substâncias anisotrópicas que têm diferentes coeficientes de absorção para a luz polarizada em planos diversos; pleocroísmo.

dicromático [De *di-*² + *-cromat(o)-* + *-ico*².] *Adj.* **1.** Que apresenta duas cores. **2.** *Quím.* Diz-se da propriedade característica de certos corantes e indicadores, segundo a qual eles se apresentam de diferentes cores, conforme a espessura e concentração da solução observada. [Sin. ger.: *dicrômico*.]

dicromato [De *di-*¹ + *cromato*.] *S. m. Quím.* Qualquer sal com o ânion $Cr_2O_7^{-2}$; bicromato.

dicrómico *Adj.* V. *dicrômico*. [Uso freq. em P.]

dicrômico [De *di-*¹ + *crômico*.] *Adj.* V. *dicromático*.

dicroscópio [De *dicro(ísmo)* + *-scópio*.] *S. m. Ópt.* Instrumento para observar o dicroísmo de cristais.

dicrótico [De *dícroto* + *-ico*².] *Adj.* ~ V. *pulso —*.

dicrotismo [De *dícroto* + *-ismo*.] *S. m. Med.* Aparecimento de duas ondas esfigmográficas a cada batimento do pulso.

dícroto [Do gr. *díkrotos*, 'que bate duas vezes'.] *Adj.* V. *dicrótico*.

dicteríade [Do gr. *deikteriás, ádos*.] *S. f. Teatr.* No antigo teatro grego, atriz que representava sátiras e pantomimas. [Var.: *diteríade*.]

dictério [Do gr. *deiktérion*, pelo lat. *dicteriu*.] *S. m.* Troça, zombaria, motejo, escárnio, chufa; dichote: 📖 "Mas devera / Expor-te em pública praça, / Como um alvo à populaça, / Um ção aos dictérios seus?" (Gonçalves Dias, *Obras Poéticas*, I, p. 345.) [Var.: *ditério*.]

díctico [Do gr. *deiktikós*.] *E. Ling. Adj.* **1.** Relativo à dêixis, ou díxis. ● *S. m.* **2.** Elemento que expressa dêixis, ou díxis. [Var.: *dítico*.]

▲ **dicti(o)-** [Do gr. *dikty-, diktyo-* < gr. *díktyon, ou*.] *El. comp.* = 'rede'; *p. ext.* 'retina': *dictiopsia, dictite*.

dictioide (ói) [Do gr. *diktyoeidés*.] *Adj. 2 g. Biol.* Reticulado (1 e 2). ❖

dictiopsia (ic) [De *dicti(o)-* + *-opsia*.] *S. f. Oftalm.* Distúrbio visual em que o doente vê como que uma fina rede ou teia de aranha diante dos olhos.

dictiópsico [De *dictiopsia* + *-ico*².] *Adj. S. m. Oftalm.* V. *dictióptico*.

dictióptero [De *dicti(o)-* + *-ptero*; tax. *Dictioptera*.] *Zool. Desus. S. m.* **1.** Espécime dos dictiópteros, grupo de insetos que incluía as baratas e os louva-a-deus. [V. *blatário* e *mantódeo*.] ● *Adj.* **2.** Pertencente ou relativo a eles.

dictióptico [De *dicti(opsia)* + *-óptico*, seg. o padrão gr.] *Oftalm. Adj.* **1.** Relativo à dictiopsia, ou que a tem. ● *S. m.* **2.** Aquele que tem dictiopsia. [F. paral.: *dictiópsico*.]

dictiossoma (ic) [De *dicti(o)-* + *-soma*.] *S. m. Citol.* V. *dictiossomo*.

dictiossomo (ic) [De *dicti(o)-* + *-somo*.] *S. m. Citol.* V. *sáculo lameliforme*.

dictiostelo (ic) [De *dicti(o)-* + *-stelo*.] *S. m. Bot.* Sifonostelo que tem o xilema reticulado em virtude da existência de numerosos interstícios.

dictite [De *dicti(o)-* + *-ite*¹.] *S. f. Oftalm.* Retinite.

didáctilo [De *di-*¹ + *-dá(c)tilo*.] *Adj. Zool.* **1.** Diz-se de animal que tem dois dedos em cada pé. **2.** Diz-se de marsupiais em que o segundo e o terceiro dedos posteriores não estão unidos por membrana comum. [Var.: *didátilo*.]

didactologia [Do gr. *didaktós*, 'ensinado', + *-logia*.] *S. f.* **1.** Doutrina do ensino; pedagogia. **2.** O gênero didático em composições literárias. [Var.: *didatologia*.]

didactológico [De *didactologia* + *-ico*².] *Adj.* Referente à didactologia. [Var.: *didatológico*.]

didascália [Do gr. *didaskalía*, 'instrução'.] *S. f.* **1.** *Teatr.* Na Grécia antiga, conjunto ordenado de preceitos e instruções relativos à representação teatral, de ordinário elaborados pelo autor dramático e dados aos atores que lhe representavam as obras. [Cf. *rubrica* (8).] **2.** *P. ext. Teatr.* Entre os antigos gregos, a representação dramática. **3.** Conjunto de preceitos e normas de uma arte ou ciência: 📖 "A Bela possui uma didascália grudada na parede, onde se lê, entre informações biográficas, uma frase poética" (Guilherme Figueiredo, *14 Tilsitt*, Paris, p. 176).

didascálico [Do gr. *didaskalikós*, pelo lat. tard. *didascalicu*.] *Adj.* **1.** *P. us.* Didático: 📖 "exposição lúcida do ensino no melhor feitio didascálico" (Ricardo Jorge, *Sermões dum Leigo*, p. 14). **2.** Relativo à didascália.

didata [Do gr. *didaktós*.] *S. 2 g.* **1.** Pessoa que instrui. **2.** Autor de obra(s) didática(s).

didática [F. subst. de *didático*.] *S. f. Pedag.* **1.** Arte de bem ensinar, de transmitir conhecimento. **2.** A técnica de dirigir e orientar a aprendizagem; técnica de ensino. **3.** O estudo dessa técnica.

didático [Do gr. *didaktikós*.] *Adj.* **1.** Relativo ao ensino ou à instrução, ou próprio deles: 📄 *problemas didáticos*. **2.** Próprio para instruir; destinado a instruir: 📄 *livro didático*. **3.** *Educ.* Que torna o ensino eficiente: 📄 *Bom professor, recorre em suas aulas a todos os expedientes didáticos*. **4.** Típico de quem ensina, de professor, de didata: 📄 *Tem um modo didático de se exprimir*. [Sin. ger. (p. us): *didascálico*.] ~ V. *intervenção —a, livro —, manual —* e *transposição —a*.

didático-pedagógico *Adj. Educ. Pedag.* Que diz respeito à didática e à pedagogia concomitantemente. ~ V. *competência —a* e *estratégia —a*. [Flex.: *didático-pedagógicos, didático-pedagógica(s)*.]

didátilo *Adj. Zool.* V. *didáctilo*.

didatização [De *didatizar* + *-ção*.] *S. f. Pedag.* **1.** Ato, processo ou efeito de didatizar. **2.** Forma de ensinar na qual prevalece a didática, como técnica de ensino.

didatizar [De *didático* + *-izar*, seg. o padrão gr.] *V. t. d. Int.* **1.** Tornar didático. **2.** *Pedag.* Valer-se da didática ou buscar o seu prevalecimento ao ensinar.

didatologia *S. f.* V. *didactologia*.

didatológico *Adj.* V. *didactológico*.

didelfídeo [Do tax. *Didelphia* (< gr. *dís* [v. *di-*¹] + gr. *delphys*, 'útero') + *-ídeo*; tax. *Didelphidae*.] *Zool. S. m.* **1.** Espécime dos didelfídeos, família de mamíferos marsupiais arborícolas, noturnos, insetívoros ou onívoros, dotados de mais de três pares de incisivos nas maxilas superior e inferior, e em que o segundo e terceiro dedos das patas posteriores são didáctilos. Distribuem-se pelas regiões tropicais e subtropicais das Américas, incluindo 12 gêneros e cerca de 66 espécies. ● *Adj.* **2.** Pertencente ou relativo a eles.

didelfo [Adapt. do tax. *Didelphis*.] *S. m.* **1.** *Zool.* O gênero-tipo dos didelfídeos. **2.** Qualquer espécie desse gênero, como, p. ex., a *Didelphis aurita*, que habita o Brasil desde a Amazônia até o N. do RS, a *D. paraguayensis*, do RS, e a *D. virginiana*, dos E.U.A., esta última vulgarmente chamada *opóssum*; são, todas elas, marsupiais arborícolas, ger. noturnos, insetívoros ou onívoros, que têm o marsúpio bem desenvolvido. A cauda, que é inicialmente cerdosa, termina nua, e é preênsil; o pelo é todo de cerdas longas, cuja cor varia. Todas as espécies brasileiras são vulgarmente conhecidas como *gambá* (q. v.). **3.** Qualquer espécie desse gênero.

didérmico [De *di-*¹ + *-derm(o)-* + *-ico*².] *Adj. Biol.* Que tem duas camadas.

didi-da-porteira *S. f. Bras. N.E. L. Bot.* Planta comelinácea (*Commelina pohliana*) herbácea, ornamental e medicinal, dotada de flores de pétalas azul-pálidas ou alvas, com sépalas amarelas, e cujo fruto é cápsula pequena; trapoeraba-azul. [Pl.: *didis-da-porteira*.]

didiereácea [Do tax. *Didiera* (de or. incerta; poss. do antr. [*Alfred*] *Grandidier* [1836-1921], naturalista francês) + *-e-* + *-ácea*; tax. *Didiereaceae*.] *S. f. Bot.* Espécime das didiereáceas, família de plantas da ordem das sapindales, que engloba apenas sete espécies de Madagascar. Plantas lenhosas, dioicas, cactiformes, espinhosas, com folhas minutas e alternas, flores unissexuadas, as masculinas com oito a 10 estames e as femininas com ovário trilocular e fruto indeiscente, monospérmico.

didiereáceo [De *didiereácea*, com var. suf. (v. *-áceo*).] *Adj. Bot.* Pertencente ou relativo às didiereáceas.

didimalgia [De *didim(o)-* + *-alg(o)-*² + *-ia*¹.] *S. f. Urol.* V. *orquialgia*.

didimálgico [De *didimalgia* + *-ico*².] *Adj. Urol.* Relativo a didimalgia.

didímio [De *didim(o)-* + *-io*³.] *S. m. Quím. Obsol.* Mistura de neodímio e praseodímio que foi, durante algum tempo no passado, julgada substância elementar [símb.: *Di*].

didimite [De *didim(o)-* + *-ite*¹.] *S. f. Urol.* V. *orquite*.

-didim(o)- V. *didim(o)-*.

▲ **didim(o)-** [Do gr. *dídymos, ē* ou *os, on* (ŷ).] *El. comp.* = 'duplo', 'gêmeo'; 'testículo': *didimalgia*. [Equiv.: *-didim(o)- esternodidimia*; *-dídimo*: *epidídimo, peridídimo*.]

dídimo [Do gr. *dídymos*, 'gêmeo'.] *Adj.* **1.** Formado de duas partes. **2.** Subdividido em duas porções simétricas.

▲ **-dídimo** V. *didim(o)-*.

didimodinia [De *didim(o)-* + *-odin(o)-* + *-ia*¹.] *S. f. Urol.* V. *orquialgia*.

didimodínico [De *didimodinia* + *-ico*².] *Adj.* Relativo a didimodinia.

didínamo [De *di-*¹ + *-dínamo*.] *Adj. Bot.* Diz-se do androceu que tem quatro estames, dos quais dois são maiores.

didoniano *Adj. S. m. Tip.* Diz-se do, ou o tipo de obra de grande contraste de finos e grossos, e serifas em forma de filete. [É tradicionalmente denominado *romano moderno*.]

➔ **didot** [di'do] [Fr., do antr. fr. *Didot*, de *François-Ambroise* e de seu filho *Firmino Didot*.] *S. m. Art. Gráf.* **1.** Designação de sistema de medidas tipográficas criado pelo tipógrafo francês François-Ambroise Didot (1730-1804), no qual um ponto mede 0,3759mm e um cícero (q. v.) mede 4,511mm. **2.** Designação de tipo, ou família de caracteres, criados pelo tipógrafo francês Firmino Didot (1764-1836), e que constitui um dos primeiros exemplos do estilo romano moderno (q. v.), como, por ex., o *bodoni*.

didução [Do lat. *diductione*.] *S. f. Zool.* Movimento lateral da mandíbula, que combina a ascensão com o afastamento, à direita e à esquerda, em relação às maxilas. É acentuado nos herbívoros, esp. nos ruminantes, e permite o trabalho de trituração com os molares. [Cf. *dedução*.]

diécio [Do lat. cient. *dioecius* < gr. *di-*, 'dois' (< gr. *dís*, 'duas vezes'), + gr. *oíkos*, 'casa'.] *Adj. Biol.* V. *dioico*. [Cf. *monécio*.]

dieco [De *di-*¹ + *-eco*².] *Adj. Biol.* V. *dioico*.

diédrico [De *diedro* + *-ico*².] *Adj.* Respeitante aos ângulos diedros.

diedro [De *di-*¹ + *-edro*.] *Adj.* **1.** ~ V. *ângulo —*. ● *S. m.* **2.** Ângulo diedro. ◆ **Diedro retângulo.** *Geom.* O que tem um ângulo plano de 90°.

■ **Dieese** Sigla de *Departamento Intersindical de Estatística e Estudos Socioeconômicos*.

diefa *S. f.* V. *adiafa*.

diegese *S. f.* Tudo aquilo que compõe o universo da história de um romance, de um filme, etc.

diegético *Adj.* De, ou relativo à diegese.

dieldrin [De 'reação de Diels-Alder' (< antr. (*Otto*) *Diels* [1876-1954] + [*Kurt*] *Alder* [1902-1958], químicos alemães).] *S. m. Quím.* Inseticida clorado derivado do aldrin, tóxico, cujo uso é proibido em vários países [fórm.: $C_{12}H_8Cl_6O$].

dielétrico [De *di(a)-* + *elétrico*.] *Eletr. Adj.* **1.** Diz-se de substância ou objeto isolador da eletricidade. ~ V. *aquecimento —, constante —a* e *rigidez —a*. ● *S. m.* **2.** Substância ou objeto isolador da eletricidade.

diencéfalo [De *di(a)-* + *encéfalo*.] *S. m. Anat.* Porção posterior do prosencéfalo, e que compreende o tálamo, o hipotálamo e, para alguns autores, o subtálamo, este como setor independente.

dieno [De *di-*¹ + *-eno*².] *S. m. Quím.* Qualquer hidrocarboneto que contenha, em sua molécula, duas ligações duplas; diolefina.

dienófilo [De *dieno* + *-filo*².] *S. m. Quím.* Um dos reagentes, ger. alceno ou alcino, que participa em uma reação de Diels-Alder.

diérese [Do gr. *diaíresis*, 'divisão', 'separação', pelo lat. tard. *diaerese*.] *S. f.* **1.** *Cir.* Seção operatória de uma formação anatômica, com bisturi ou por outros meios. **2.** *E. Ling.* Divisão do ditongo em duas sílabas. [Cf., nesta acepç., *sinérese* (1).] **3.** *Graf.* Sinal ortográfico dessa divisão; trema. **4.** *Lóg.* Passagem do gênero às espécies inferiores.

▲ **-diérese** [Do gr. *diaíresis, eōs*.] *El. comp.* = 'divisão', 'separação', 'distribuição': *cariodiérese, citodiérese*.

dierético [De *dier(ese)* + *-ético*.] *Adj.* Referente a, ou em que há diérese.

diese [Do gr. *díesis*, pelo lat. tard. *diese*.] *S. f. Mús.* **1.** *Ant.* Intervalo de quarto de tom. **2.** V. *semitom*.

➔ **diesel** ['dijzəl] [Ingl. (< antr. [*Rudolf*] *Diesel* [1858-1913], inventor alemão).] *S. m.* V. *óleo* diesel.

diesel-elétrico *Adj.* Diz-se do processo de tração no qual um motor *diesel*, no próprio veículo, aciona um gerador que fornece energia elétrica às rodas motrizes: 📄 *locomotiva diesel-elétrica*. [Pl.: *diesel-elétricos*.]

➔ **dies irae** ['dies 'iraj] [Lat., 'o dia da ira', *i. e.*, o dia do juízo final.] Primeiras palavras de um famoso hino atribuído a Tomás de Celano, monge da Ordem dos Frades Menores (séc. XIII).

➔ **diet** ['dajit] [Ingl., 'dieta'¹.] *Adj. Impr.* V. *dietético*.

dieta¹ [Do lat. *diaeta* (< gr. *díaita*, 'modo de vida').] *S. f.* **1.** *Med.* Ingestão de alimentos habituais, ou aquela que se faz visando preencher as necessidades específicas de um indivíduo, incluindo ou excluindo certos itens de sua alimentação. **2.** Conjunto de alimentos, sólidos e líquidos, prescritos pelo médico; regime. **3.** Privação total ou parcial de alimentação, prescrita pelo médico. **4.** Alimentação ou normas alimentares seguidas por um indivíduo ou por um grupo de indivíduos: 📄 *A dieta dos indígenas é frugal; A dieta muçulmana proíbe a carne de porco.* ◆ **Dieta balanceada.** *Med.* Dieta (4) em que os alimentos entram nas proporções adequadas. **Dieta macrobiótica.** Dieta (4) que se baseia essencialmente no consumo de cereais e grãos integrais preparados em óleo vegetal ou cozidos em água. [Tb. se diz apenas *macrobiótica*.] **Dieta zero.** *Med.* Situação em que o paciente deve ser privado da ingestão de qualquer substância.

dieta² [Do lat. med. *dieta* < lat. *dies*, 'dia'.] *S. f.* **1.** Assembleia política de alguns Estados. **2.** Pavilhão de recreio em parque ou jardim.

dietanolamina [De *di-*¹ + *etanolamina*.] *S. f. Quím.* Amina secundária di-hidroxilada, de amplo uso industrial [fórm.: $C_4H_{11}NO_2$].

dietética [F. subst. de *dietético*.] *S. f.* Ramo da medicina que se ocupa do estudo de dieta¹.

dietético [Do gr. *diaitetikós*, pelo lat. tard. *diaeteticu.*] *Adj.* **1.** Concernente a dieta[1]. **2.** Determinado ou orientado pela dietética: *alimentação dietética.*

▲ **dietil-** [De *di-*[1] + *-etil-*.] *Quím.* ***El. comp.*** Indica a presença de dois grupos etila: *dietílico.*

dietilcarbamazina [Voc. farmac.] ***S. f.*** *Quím.* Substância cristalina, carbamato heterocíclico, us. como anti-helmíntico, esp. filaricida [fórm.: $C_{10}H_{21}N_3O$].

dietilenoglicol [De *di-*[1] + *etilenoglicol*.] ***S. m.*** *Quím.* Líquido incolor, de alto ponto de ebulição, us. como solvente [fórm.: $C_4H_{10}O_3$]. [Pl.: *dietilenoglicóis.*]

dietilestilbestrol [Voc. farmac.] ***S. m.*** *Quím.* Substância sintética, derivada do estilbeno, que tem atividade semelhante à de certos esteroides hormonais, us. como indutor de crescimento em gado de corte, mas que está banida em vários países por ser considerada cancerígena [fórm.: $C_{18}H_{20}O_2$]. [Pl.: *dietilestilbestróis.*]

dietílico [De *dietil-* + *-ico*[2].] ***Adj.*** *Quím.* Diz-se de composto cuja molécula contém duas etilas.

dietista [De *dieta*[1] + *-ista*.] ***S. 2 g.*** Nutricionista.

difalia [De *di-*[1] + *-fal(o)-* + *-ia*[1].] ***S. f.*** *Ter.* Duplicação peniana.

difalo [De *di-*[1] + *-falo*.] ***S. m.*** *Ter.* Pênis duplo.

difamação [Do lat. tard. *diffamatione.*] ***S. f.*** Ato de difamar; calúnia, descrédito.

difamador (ô) [De *difamar* + *-dor*.] ***Adj.*** **1.** Que difama; difamante, difamatório. ● ***S. m.*** **2.** Aquele que difama. [Cf. *pasquineiro.*]

difamante [De *difamar* + *-nte*.] ***Adj. 2 g.*** V. *difamador* (1).

difamar [Do lat. *diffamare.*] ***V. t. d.*** **1.** Tirar a boa fama ou o crédito a; desacreditar publicamente; infamar, detrair: *A cantora processou o jornal que a difamou em reportagem; O panfleto difama uma instituição pública.* **2.** *Jur.* Imputar a (alguém) um fato concreto e circunstanciado, ofensivo de sua reputação, conquanto não definido como crime. [Cf. *caluniar* (2) e *injuriar* (1).] ***T. i.*** **3.** Falar mal; detrair: *Difama até dos amigos.* ***P.*** **4.** Perder a reputação; desacreditar-se, infamar-se.

difamatório [De *difamar* + *-tório*.] ***Adj.*** **1.** V. *difamador* (1). **2.** Em que há difamação.

difásico [De *di-*[1] + *-fas-* + *-ico*[2].] ***Adj.*** Bifásico.

difenidramina [De *di-*[1] + *-fen(o)-* + *-idr(o)-* + *amina*.] ***S. f.*** *Quím.* Amina terciária, com dois anéis benzênicos, us. como anti-histamínico [fórm.: $C_{17}H_{21}NO$].

difenol [De *di-*[1] + *fenol*.] ***S. m.*** *Quím.* Qualquer substância cujas moléculas contêm duas hidroxilas fenólicas. [Pl.: *difenóis.*]

difenólico [De *difenol* + *-ico*[2].] ***Adj.*** *Quím.* Que tem duas hidroxilas fenólicas.

diferença [Do lat. *differentia.*] ***S. f.*** **1.** Qualidade de diferente. **2.** Falta de semelhança ou igualdade; dessemelhança; dissimilitude: *Não há diferença entre os gêmeos.* **3.** Alteração, modificação: *Nota-se diferença na cor do leite.* **4.** Diversidade, disparidade, variedade: *Grande era a diferença das cores.* **5.** Desconformidade, divergência, desarmonia: *Notava-se no grupo uma viva diferença de opiniões.* **6.** Transtorno, prejuízo: *É claro que o resultado me faz diferença.* **7.** Distinção (1): *Não faz diferença entre os amigos: a todos trata muito bem.* **8.** *Lóg.* Um dos predicáveis: característica que distingue uma espécie de outras do mesmo gênero; diferença específica. [V. *predicáveis*; cf. *divisão lógica.*] **9.** Desproporção; desigualdade: *Era sensível a diferença no tratamento dispensado às filhas.* **10.** *Mat.* Resultado da subtração de duas quantidades. **11.** *Mat.* Conjunto de elementos que pertencem a um conjunto, mas não pertencem a outro nele contido. ~ V. *diferenças.* ◆ **Diferença de potencial.** *Eletr.* Trabalho necessário para levar de um ponto a outro (no espaço ou num circuito elétrico) uma unidade de carga elétrica. [Abrev.: *d. d. p.*] **Diferença específica.** *Lóg.* Diferença (8).

diferençado [Part. de *diferençar.*] ***Adj.*** Em que há diferença(s); diferenciado.

diferençal [De *diferença* + *-al*[1].] ***Adj. 2 g.*** Relativo a diferença.

diferençar [De *diferença* + *-ar*[2].] ***V. t. d.*** **1.** Estabelecer diferença ou distinção entre; tornar diverso; diversificar, distinguir: *São muito parecidos, mas há traços de caráter que os diferençam fundamentalmente.* **2.** Conhecer distintamente; discriminar, distinguir: *À distância, não conseguiu diferençar as pessoas presentes.* **3.** *Mat.* Calcular as diferenças finitas de (uma função ou sequência). ***T. d. e i.*** **4.** Tornar diverso; distinguir. ***P.*** **5.** Distinguir-se por alguma diferença. [Sin. ger.: *diferenciar*. Conjug.: v. *laçar.*]

diferenças ***S. f. pl.*** Desavenças, dissensões, divergências: *Apesar de parecerem amigas, as duas famílias têm lá suas diferenças.* ~ V. *diferença.*

diferençável [De *diferençar* + *-vel*.] ***Adj. 2 g.*** Que se pode diferençar.

diferenciação [De *diferenciar* + *-ção*.] ***S. f.*** **1.** Ato ou efeito de diferenciar(-se). **2.** *Adm.* Criação de percepção entre os clientes de distinção entre o produto ou serviço ofertado pela empresa e os dos concorrentes, com o intuito de auferir vantagem competitiva. **3.** *Mat.* Ato de calcular a diferencial de uma função. **4.** *Biol.* V. *diferenciação celular.* ◆ **Diferenciação celular.** *Biol.* Formação (5) de células modificadas, mais especializadas em estrutura, localização e função, a partir de outras mais simples, e que ocorre durante o desenvolvimento, ou regeneração, dos órgãos e tecidos de um organismo; citodiferenciação. [Tb. se diz apenas *diferenciação.*]

diferenciado [Part. de *diferenciar.*] ***Adj.*** Diferençado.

diferenciador (ô) ***Adj.*** **1.** Que diferencia ou faz a diferenciação. **2.** *Eletrôn.* Diz-se de circuito cuja tensão de saída é diretamente proporcional à derivada, no tempo, da tensão de entrada. ● ***S. m.*** **3.** *Eletrôn.* Circuito diferenciador (2). [De *diferenciar* + *-dor.*]

diferencial [Do fr. *différentiel* < lat. tard. *differentialis*, poss.] ***Adj. 2 g.*** **1.** Relativo a diferença. **2.** Que indica diferença. ~ V. *acento —, biologia —, equação —, equação — exata, equação — homogênea, equação — integrável, equação — linear, equação — linear homogênea, equação — ordinária, equação — ordinária linear, equação — parcial, equação — parcial linear, geometria —, limiar —, operador —, psicologia —* e *som —.* ● ***S. m.*** **3.** *Autom.* Aparelho que conserva o automóvel em equilíbrio na passagem das curvas, permitindo às rodas motrizes moverem-se com velocidade diferente uma da outra. **4.** *Market.* Diferença competitiva de produto, serviço ou empresa, em relação aos seus concorrentes. ● ***S. f.*** **5.** *Mat.* O produto da derivada de uma função duma variável pelo acréscimo infinitesimal dessa variável. **6.** *Mat.* Diferencial total. ◆ **Diferencial exata.** *Mat.* Forma diferencial exata. **Diferencial parcial.** *Mat.* Produto da derivada parcial de uma função pelo acréscimo infinitesimal da variável em relação à qual foi derivada. **Diferencial total.** *Mat.* Somatório de todas as diferenciais parciais de uma função de diversas variáveis. [Tb. se diz apenas *diferencial.*]

diferenciar [Do fr. *différencier*, poss.] ***V. t. d.*** **1.** Diferençar (1 e 2). **2.** *Mat.* Determinar a diferencial de (uma função). ***T. d. e i.*** **3.** Diferençar (4). ***P.*** **4.** Diferençar (5). [Pres. ind. (Bras. e Port.): *diferencio, diferencias, diferencia*, etc. Segundo Rodrigo de Sá Nogueira, conconjugava-se, em Port., a exemplo de *negociar*, com duplo paradigma. Atualmente, segundo estudos, prefere-se a forma regular, a exemplo do Brasil.]

diferendo [Do lat. *differendu*, com infl. do fr. *différend.*] ***S. m.*** *Lus.* Desacordo, desentendimento: "a minha avó .... depois da morte do meu avô presidia ao negócio e a casa .... resolvia os diferendos, se zangava com os filhos" (Lobo Antunes, *Exortação aos Crocodilos*, p. 5).

diferente [Do lat. *differente.*] ***Adj. 2 g.*** **1.** Que não é igual; que não coincide; que difere, diverge; divergente, diverso, desigual: *São diferentes as nossas opiniões; Nossas somas deram resultados diferentes.* **2.** Não semelhante: *fisionomias diferentes.* **3.** Variado, variegado: *fitas de diferentes cores.* **4.** Alterado, modificado: *A doença o deixou de gênio diferente.* **5.** *Bras. Pop.* De amizade abalada ou desfeita; de relações quase rotas, ou rotas: *Tão íntimas que eram, hoje estão diferentes.* [Var. ant. e pop.: *deferente*[2].]

diferido [Part. de *diferir.*] ***Adj.*** **1.** Adiado, retardado. **2.** *Com.* Diz-se da despesa ou renda cujo pagamento anual principia ao termo dum determinado prazo. **3.** *P. ext. Com.* Diz-se desse pagamento. [Cf. *deferido.*]

diferimento [De *diferir* + *-mento*.] ***S. m.*** Ato ou efeito de diferir; adiamento. [Cf. *deferimento.*]

diferir [Do lat. **differere*, por *differre.*] ***V. t. d.*** **1.** Adiar, procrastinar, retardar. **2.** Demorar, delongar. ***T. i.*** **3.** Divergir, discordar: *Seu ponto de vista difere do meu.* **4.** Ser diferente; distinguir-se: *Esta tonalidade de azul difere daquela.* ***Int.*** **5.** Ser diferente; distinguir-se. **6.** Divergir, discordar, discrepar. [Irreg. Conjug.: v. *aderir*. Cf. *deferir.*]

dificerca [De *difi(o)-* + *-cerca*.] ***S. f.*** *Zool.* Nadadeira dificerca.

dificerco [De *difi(o)-* + *-cerco*.] ***Adj.*** *Zool.* Que tem as partes inferior e superior iguais ou quase iguais, e a coluna vertebral seguindo reta até a ponta (diz-se de nadadeira caudal).

difícil [Do lat. *difficile.*] ***Adj. 2 g.*** **1.** Que apresenta dificuldade; árduo, custoso: *trabalho difícil.* **2.** Trabalhoso, duro: *vida difícil.* **3.** Penoso, triste: *horas difíceis.* **4.** Delicado, embaraçoso: *situação difícil.* **5.** Intricado, complicado, obscuro, confuso: *autor difícil; texto difícil.* **6.** Que não é fácil de contentar, exigente: *Tem um paladar difícil.* **7.** Intratável, insociável, áspero: *Sujeito difícil aquele: nem com a família se entende.* **8.** Que dificulta a aproximação, o entendimento, o convívio: *gênio difícil; caráter difícil.* **9.** Que não é certo, seguro ou provável; improvável: *É difícil chegarem cedo.* ~ V. *figura —* e *figurinha —.* ● ***S. m.*** **10.** Aquilo que é difícil; dificuldades: *O difícil do caso é a divergência entre os dois.* ● ***Adv.*** **11.** De maneira complicada ou requintada, difícil de ser entendida: *falar difícil; escrever difícil.* [Pl. (do adj.): *difíceis*; superl. abs. sint.: *dificílimo* e *dificilíssimo*. Antôn.: *fácil.*] ◆ **Bancar o difícil. 1.** Fazer-se de importante, superior, diferente dos outros. **2.** Procurar dar a impressão de que não se deixa render ou conquistar facilmente: *Aquela moça gosta de bancar a difícil.* [Sin. ger.: *fazer-se difícil.*] **Fazer-se difícil.** Bancar o difícil.

dificílimo [Do lat. *difficillimu.*] ***Adj.*** Superl. abs. sint. de *difícil*; dificilíssimo.

dificilíssimo ***Adj.*** Dificílimo.

dificuldade [Do lat. *difficultate.*] ***S. f.*** **1.** Caráter ou qualidade do que é difícil: *a dificuldade de um empreendimento, de uma tarefa.* **2.** Aquilo que é difícil: *Tem o gosto da dificuldade.* **3.** Obstáculo, estorvo, impedimento: *Dificuldades materiais impedem-no de prosseguir.* **4.** Complexidade, complicação: *Não vejo dificuldade neste texto; parece-me, até, bem claro.* **5.** Oposição, objeção: *Não oporei dificuldades ao seu plano.* **6.** Relutância, repugnância: *Não tenho dificuldade em aceitar sua proposta.* **7.** Situação crítica; apuro, aperto, apertura: *Creio que sairá bem daquela dificuldade; Ganha pouco e passa dificuldade.* [Antôn.: *facilidade.*]

dificultação [De *dificultar* + *-ção*.] ***S. f.*** Ato de dificultar(-se). [Antôn.: *facilitação.*]

dificultar [Do lat. tard. *difficultare.*] ***V. t. d.*** **1.** Tornar difícil ou custoso de fazer: *A escrita cerrada dificultava o entendimento do texto.* **2.** Pôr impedimento ou dificuldade a: *A má vontade do funcionário dificultou o andamento do processo.* ***T. d. e i.*** **3.** Tornar difícil ou custoso de fazer: *A vista fraca dificulta-lhe muito a leitura.* **4.** Representar como difícil: *Pela maneira como lhe falaram, viu que estavam a dificultar-lhe o caso.* ***P.*** **5.** Fazer-se difícil. **6.** Não condescender; recusar-se. [Antôn.: *facilitar.*]

dificultoso (ô) [De *dificult-*, como em *dificultar*, + *-oso*.] ***Adj.*** Que apresenta dificuldade; difícil. [Antôn.: *fácil.*]

difidência [Do lat. *diffidentia.*] ***S. f.*** *P. us.* Qualidade de difidente; desconfiança.

difidente [Do lat. *diffidente.*] ***Adj. 2 g.*** *P. us.* Que tem pouca fé ou confiança; desconfiado.

difilídeo [De *di-*[1] + *-fil(o)-*[1] + *-ídeo*[1]; tax. *Diphyllidea.*] *Zool.* ***S. m.*** **1.** Espécime dos difilídeos, ordem de animais platelmintos, cestódeos, parasitas de elasmobrânquios, de escólex grande, lobado, com duas ventosas; pescoço com oito fileiras de ganchos. ● ***Adj.*** **2.** Pertencente ou relativo a eles.

difilo [De *di-*[1] + *-filo*[1].] ***Adj.*** *Bot.* Que tem duas folhas ou dois folíolos.

difilobotríase [Do tax. *Diphyllobothrium* + *-íase*.] ***S. f.*** *Med.* Infecção por parasito intestinal do gênero *Diphyllobothrium*; botriocefalíase.

difilobotrídeo [Do tax. *Diphyllobothrium* + *-ídeo*[1]; tax. *Diphyllobothridae.*] *Zool.* ***S. m.*** **1.** Espécime dos difilobotrídeos, classe de vermes achatados, cestóideos, platelmintos, pseudofilídeos. Ex.: *Diphyllobothrium latum.* ● ***Adj.*** **2.** Pertencente ou relativo a eles.

▲ **difi(o)-** [Do lat. cient. *diphy-, diphyo-* < gr. *diphyḗs, ḗs, és.*] ***El. comp.*** = 'duplo', 'dobrado': *difiodonte, dificerco.*

difiodonte [De *difi(o)-* + *-odonte*.] ***Adj. 2 g. S. m.*** *Zool.* Diz-se de, ou animal, como, por ex., o homem, em que a primeira dentição, decídua, é substituída pela segunda, permanente. [Cf. *monofiodonte* e *polifiodonte.*]

difiomorfismo [De *difi(o)-* + *-morf(o)-* + *-ismo*.] ***S. m.*** *Mat.* Bijeção diferenciável cuja inversa também o é.

difluência [Do lat. tard. *diffluentia.*] ***S. f.*** Qualidade ou estado do que é difluente. [Cf. *defluência.*]

difluente [Do lat. *diffluente.*] ***Adj. 2 g.*** Que difluí. [Cf. *defluente.*] ~ V. *movimento —.*

difluir [Do lat. *diffluere.*] ***V. int.*** Espalhar-se, difundir-se; derramar-se; correr. [Usa-se com relação a fluidos e ao que lhes é compossível. Conjug.: v. *atribuir*. Cf. *defluir.*]

difonia [De *di-*[1] + *-fon(o)-* + *-ia*[1].] ***S. f.*** *Med.* Produção de dois sons diferentes na fala.

difosfato ***S. m.*** *Quím.* Designação genérica de certos compostos que contêm a cadeia de átomos -O-P-O-P-O-, e que podem fornecer, por hidrólise, um fosfato e ácido fosfórico. ◆ **Difosfato de adenosina.** *Quím.* Substância que pode fornecer, por hidrólise, ácido adenílico e ácido fosfórico [sigla (ingl.): *ADP*].

difração [Do lat. cient. *diffractio, onis* < lat. *diffractus*, part. pass. do lat. *diffringere*, 'quebrar em pedaços'.] ***S. f.*** *Fís.* Fenômeno que ocorre quando uma onda caminhante é limitada, em seu avanço, por um objeto opaco que deixa passar apenas uma fração das frentes de onda, e que pode ser observado como uma propagação da onda para regiões além do objeto e situadas na sombra deste em relação à direção da onda incidente, ou como a propagação da onda em direções preferenciais, etc.

difratar [Do lat. *diffractus* (v. *difração*) + *-ar*[2].] *V. t. d.* Fazer difração de.

difrativo [Do lat. *diffractus* (v. *difração*) + *-ivo*.] *Adj.* Que pode originar difração.

difringente [Do lat. *diffringente*.] *Adj. 2 g.* Que difrata.

difteria [Do gr. *diphthéra*, 'membrana', + *-ia*[1].] *S. f. Med.* Doença bacteriana, infectocontagiosa aguda, provocada por bacilos da *Corynebacterium diphtheriae*, que incide, principalmente, em crianças de um a quatro anos, e cujas principais manifestações são febre, dispneia, afonia e disfagia; localmente, pode acometer tonsilas, faringe, laringe e fossas nasais, havendo formação de pseudomembranas. ◆ **Difteria laríngea.** *Med.* V. *crupe diftérico*. **Difteria laringotraqueal.** *Med.* Forma grave de difteria em que a infecção se estende à laringe e à traqueia, ocasionando, além de congestão e edema locais, a instalação de pseudomembrana, com sufocação.

diftérico [De *difteria* + *-ico*[2].] *Adj.* Relativo a difteria. ~ V. *crupe —*.

difundir [Do lat. *diffundere*.] *V. t. d.* **1.** Espalhar ou derramar, liquefazendo: *O sol difundiu a camada de neve.* **2.** Irradiar, emitir: *A vela difundia uma luz fraca.* **3.** Espalhar, disseminar, espargir: *difundir um aroma.* **4.** Propagar, divulgar: *difundir uma notícia. P.* **5.** Espalhar-se, estender-se, liquefazendo-se. **6.** Espalhar-se, disseminar-se, espargir-se: "Aromas impolutos / Difundem-se no espaço" (Antônio Feijó, *Poesias Completas*, p. 100). **7.** Propagar-se, divulgar-se: "A notícia se difundira com rapidez, e cada qual que a transmitia acrescentava, por conta própria, novos detalhes." (Herberto Sales, *Cascalho*, p. 67.)

difusão [Do lat. *diffusione*.] *S. f.* **1.** Ato ou efeito de difundir. **2.** Estado ou condição do que se difundiu ou foi difundido. **3.** *Fig.* Propagação, divulgação. **4.** *Fig.* Prolixidade, redundância. **5.** *Antrop.* Processo pelo qual elementos ou características culturais são transmitidos a outras sociedades ou a outras regiões por meio de contato ou de migrações, produzindo semelhanças que não decorrem de invenção independente. **6.** *Fís. Nucl.* Espalhamento (3). **7.** *Fís.-Quím.* Processo espontâneo de transporte de massa num sistema físico-químico, por efeito de gradientes de concentração. **8.** *Ópt.* Espalhamento de um raio luminoso, determinado pela sua passagem através de um meio que contém pequenas partículas, ou irregularidades microscópicas. ◆ **Difusão lexical.** *E. Ling.* Hipótese que prevê ser a mudança sonora lenta e gradual, em virtude de afetar primeiramente algumas palavras específicas e só então estender-se, paulatinamente, para outras formas.

difusibilidade [De *difusível* + *-(i)dade*.] *S. f.* Qualidade do que é difusível.

difusionismo [De *difusão* + *-ismo*, seg. o padrão erudito.] *S. m. Antrop.* **1.** Hipótese ou teoria que considera a difusão (5) como o principal fator determinante do desenvolvimento cultural (seja de sociedades específicas, seja da humanidade em geral). **2.** Corrente ou tendência teórica, surgida no séc. XIX, que propõe ou defende tal hipótese explicativa.

difusionista [De *difusionismo* + *-ista*.] *Adj. 2 g.* **1.** Relativo ao difusionismo. ● *S. 2 g.* **2.** Adepto do difusionismo.

difusível [Do lat. *difusus*, part. pass. de *diffundere* (v. *difundir*), + *-ível*.] *Adj. 2 g.* Que se pode difundir; difusivo.

difusividade [De *difusivo* + *-(i)dade*.] *S. f. Fís.* Em uma substância condutora de calor, o cociente da condutividade térmica dessa substância pela capacidade calorífica e pela massa específica.

difusivo [De *difuso* + *-ivo*.] *Adj.* **1.** Que tem sobre o organismo ação rápida e enérgica. **2.** Difusível. **3.** V. *difuso* (2).

difuso [Do lat. *diffusu*, part. pass. de *diffundere* (v. *difundir*).] *Adj.* **1.** Em que há difusão; disseminado, divulgado. **2.** Prolixo, redundante; difusivo: *estilo difuso*; "O artigo de Lindolfo Xavier, 'O Ministério da Viação do Tempo de Machado de Assis e Artur Azevedo', ... é prolixo, difuso e pouco informativo, no que toca às tarefas desempenhadas pelo primeiro." (R. Magalhães Júnior, *Machado de Assis Desconhecido*, p. 178.) **3.** *Lóg. Mat. Inform.* Diz-se de uma série de teorias, algoritmos e técnicas de tratamento de informações imprecisas. [Sin., nesta acepç.: *impreciso*.] **4.** Não circunscrito: *lesão difusa*. ~ V. *lógica —a*, *luz —a* e *nebulosa —a*.

difusor (ô) [Do lat. tard. *diffusore*.] *Adj.* **1.** Que difunde. ● *S. m.* **2.** Aquilo ou aquele que difunde. ◆ **Difusor de ar.** Aparelho de ventilação artificial, us. para difundir o ar injetado em um recinto. **Difusor perfeito.** *Ópt.* Corpo que não absorve luz, e cuja luminância é a mesma em todas as direções e independe da direção de incidência da luz que o ilumina.

digamia [De *di-*[1] + *-gam(o)-* + *-ia*[1].] *S. f.* **1.** A prática de casar-se uma segunda vez, após a morte do primeiro cônjuge. **2.** Condição do indivíduo assim casado. [Cf. *bigamia*.]

digâmico [De *di-*[1] + *-gam(o)-* + *-ico*[2].] *Adj.* Dígamo (1 e 2).

dígamo [Do lat. tard. *digamu* < gr. *dígamos*, 'bígamo', 'que se casou pela segunda vez'.] *Adj.* **1.** Relativo a digamia (1). **2.** Diz-se de indivíduo que se casa novamente, após a morte do cônjuge. ● *S. m.* **3.** Indivíduo dígamo. [Cf. *bígamo*.]

digástrico [Do lat. cient. *digastricus* (v. *di-*[1] e *gástrico*).] *Adj.* ~ V. *músculo —*.

digêneo [De *di-*[1] + *-gen(o)-* + *-eo*; tax. *Digenea*.] *Zool. S. m.* **1.** Espécime dos digêneos, ordem de animais trematódeos, providos de duas ventosas, uma oral e uma ventral sem ganchos, e um poro excretor posterior. Um ou mais estádios larvares em hospedeiros intermediários antes de atingir a forma adulta; endoparasitos de vertebrados, larvas em invertebrados e peixes. ● *Adj.* **2.** Pertencente ou relativo a eles. [Sin. ger.: *malacocotíleo*.]

digerido [Part. de *digerir*.] *Adj.* **1.** Que se digeriu. **2.** Transformado pela digestão. [Sin. ger.: *digesto*.]

digerir [Do lat. *digerere*.] *V. t. d.* **1.** Fazer a digestão de. [Sin., pop.: *desgastar*.] **2.** Suportar, sofrer, com resignação: *digerir insultos, afrontas.* **3.** Compreender, entender, perceber, assimilar, depois de estudo ou meditação atenta: *Só ao cabo de três horas de esforço digeriu o intricado texto.* **4.** Macerar em um líquido. *Int.* **5.** Realizar a digestão. **6.** Digerir (3): *Estuda muito, mas digere pouco.* [Irreg. Conjug.: v. *aderir*.]

digerível [De *digerir* + *-vel*.] *Adj. 2 g.* Que pode ser digerido, ou facilmente digerido; digestível.

digestão [Do lat. *digestione*.] *S. f.* **1.** *Fisiol.* Transformação dos alimentos em substâncias absorvíveis e assimiláveis. **2.** *Ind. Pap.* Cozimento (3).

digestibilidade [De *digestível* + *-(i)dade*, seg. o padrão erudito.] *S. f.* Qualidade do que é digerível.

digestir [De *digestão*.] *V. t. d. Bras. RS* Suportar, aguentar. [Cf. *digerir* (2).]

digestível [Do lat. tard. *digestibile*.] *Adj. 2 g.* Digerível: "o pepino-do-mato é digestível, mas não aconselho" (Carlos Drummond de Andrade, *Autorretrato e Outras Crônicas*, p. 36).

digestivo [Do lat. tard. *digestivu*.] *Adj.* **1.** Relativo a digestão. **2.** Que facilita a digestão; digestor. **3.** *Irôn.* Leve, ligeiro, superficial: *Sobre assunto tão sério escreveu um artiguinho digestivo; Assisti a um filme digestivo.* ~ V. *sistema —* e *tubo —*.

digesto[1] [Do adj. lat. *digestu*.] *Adj.* **1.** Digerido. ● *S. m.* **2.** *Farm.* Forma (23) que resulta do contato de substância medicinal com líquido capaz de extrair dela, em temperatura mais elevada do que a ambiente e inferior a 100°C, certo(s) princípio(s) medicamentoso(s), e que é indicada quando a infusão se mostra ineficaz.

digesto[2] [Do lat. *digesta* (s. pl.).] *S. m.* **1.** Coleção das decisões dos jurisconsultos romanos mais célebres, transformadas em lei por Justiniano, imperador romano do Oriente (c. 483-565), e que é uma das quatro partes do *Corpus Juris Civilis*; Pandectas. [Com. cap.] **2.** Publicação, especializada ou não, composta de artigos, livros, etc., condensados.

digestor (ô) [Do lat. tard. *digestore*.] *Adj.* **1.** Digestivo (2). ● *S. m.* **2.** Aparelho para cocção de certas substâncias. **3.** *Ind. Pap.* V. *cozinhador* (2).

digestório [Do lat. tard. *digestoriu*.] *Adj.* Que tem a propriedade ou o poder de digerir. ~ V. *sistema —*.

digitação [De *digitar* + *-ção*.] *S. f.* **1.** Ato ou efeito de digitar (3 e 4). **2.** Movimento de exercício dos dedos. **3.** Qualidade do que é digitado. **4.** A forma digitada.

digitado [De *digit(i)-* + *-ado*[1].] *Adj.* Que tem forma ou disposição de dedos; digitiforme. ~ V. *folha*[1]*—a*.

digitador (ô) [De *digitar* + *-dor*.] *Adj.* **1.** Que digita. ● *S. m.* **2.** *Inform.* Operador que digita dados.

digitagnosia [De *digit(i)-* + *agnosia*.] *S. f. Neur.* Incapacidade de identificar ou de designar cada dedo da própria mão, ou da mão de outrem.

digital[1] [Do lat. *digitale*.] *Adj. 2 g.* **1.** Dos, ou pertencente ou relativo aos dedos: *impressão digital.* **2.** Relativo a dígito (2). **3.** *Inform.* Que tem intervalos discretos, *i. e.*, em que há um número finito de valores possíveis entre dois valores quaisquer. **4.** *Inform.* Que é representado exclusivamente por números (segundo um código convencionado) e, portanto, passível de processamento por computadores digitais: *imagem digital; som digital.* **5.** *Eletrôn.* Diz-se de aparelho ou circuito cujo funcionamento é baseado em microprocessador. [Sin., nas acepçs. 3, 4 e 5: *numérico*.] ~ V. *balança —*, *biblioteca —*, *câmara —*, *computador —*, *edição —*, *fotolito —*, *impressão —*, *jornalismo —*, *mídia —*, *projetor —*, *publicação, — relógio —* e *televisão —*.

digital[2] [Do tax. *Digitalis*.] *S. m. Bot.* V. *digitális* (2 e 3).

digitálico [De *digital(ina)* + *-ico*[2].] *Adj. S. m. Farm.* Diz-se de, ou substância cardiotônica de ação semelhante à da digitalina.

digitaliforme [Do lat. *digitalis, e*, 'dedal', + *-iforme*.] *Adj. 2 g.* Que tem forma de dedal.

digitalina [Do tax. *Digitalis (purpurea)* + *-ina*[3].] *S. f. Quím.* Substância cristalina, glicosídeo, que se usa como tônico cardíaco, extraída das folhas da *Digitalis purpurea* [v. *dedaleira* (1)] [fórm.: $C_{36}H_{56}O_{14}$].

digitális [Do tax. *Digitalis*.] *S. f. Bot.* **1.** Gênero de plantas escrofulariáceas, herbáceas, eurasianas, de folhas alternas e flores campanuliformes, exuberantes. **2.** Qualquer espécie desse gênero como, p. ex., a *Digitalis purpurea* [v. *dedaleira* (1)], cujas folhas fornecem a digitalina. **3.** Qualquer espécime desse gênero, ou a flor dele; dedaleira. [Sin., nas acepçs. 2 e 3: *digital*.]

digitalismo [Do tax. *Digitalis* (v. *digitális*) + *-ismo*.] *S. m. Farmac.* Efeito produzido por qualquer das espécies de digital[2] sobre um organismo vivo.

digitalização[1] [De *digitalizar*[1] + *-ção*.] *S. f. Inform.* Ato ou efeito de digitalizar.

digitalização[2] [De *digitalizar*[2] + *-ção*.] *S. f. Med.* **1.** Ministração de digitalina, ou de composto semelhante, quanto aos efeitos fisiológicos. **2.** Estado orgânico decorrente da ação desse tipo de composto.

digitalizador (ô) [De *digitalizar*[1] + *-dor*.] *Adj.* Que digitaliza (v. *digitalizar*[1]), ou que é us. em digitalização[1]. ~ V. *mesa —a*.

digitalizar[1] [De *digital* + *-izar*.] *V. t. d. Inform.* Converter (imagem ou sinal analógico) para o código digital, por meio de um *scanner* ou de uma mesa digitalizadora gráfica, ou mediante dispositivo de conversão de sinal analógico para digital.

digitalizar[2] [De *digital(ina)* + *-izar*.] *V. t. d. Terap.* Ministrar digitalina, ou um de seus glicosídios, em doses adequadas para produzir e manter as melhores concentrações terapêuticas em.

digitar [De *digit(i)-* + *-ar*[2].] *V. t. d.* **1.** Dar a forma de dedos a. **2.** Prover de dedos. **3.** *Inform.* Introduzir (informação) em um computador, por meio de toques em teclado. **4.** *Inform.* Dactilografar ao teclado do computador.

▲**digit(i)-** [Do lat. *digĭtus, i*.] *El. comp.* = 'dedo'; 'dígito': *digitar, digitígrado*. [Equiv.: *-digit(i)-, digito-*: *prestidigitação, sexdigitário; digitoplastia*.]

▲**-digit(i)-** V. *digit(i)-*.

digitifoliado [De *digit(i)-* + *-foli-* + *-ado*[1].] *Adj. Bot.* Que tem folhas digitadas.

digitiforme (di) [De *digit(i)-* + *-forme*.] *Adj. 2 g.* Digitado.

digitígrado[1] [De *digit(i)-* + *-grado*[1].] *Adj.* Que anda nas pontas dos dedos.

digitígrado[2] [Do tax. *Digitigrada*.] *Zool. S. m.* **1.** Espécime dos digitígrados, grande grupo de mamíferos carnívoros que marcham apoiados nas extremidades dos dedos, como as hienas, os cães, os gatos, etc. ● *Adj.* **2.** Pertencente ou relativo a eles.

▲**digito-** V. *digit(i)-*.

dígito [Do lat. *digitu*, 'dedo'.] *S. m.* **1.** *Poét.* Dedo (1). **2.** *Mat.* Qualquer dos algarismos arábicos de 0 a 9. **3.** *Astron.* Cada uma das 12 partes iguais em que se dividem os diâmetros do Sol e da Lua, para o cálculo dos eclipses. **4.** *Inform.* Elemento de um conjunto de caracteres numéricos ou daqueles que representam valores numéricos. ◆ **Dígito binário.** *Inform.* **1.** Em notação binária, qualquer dos caracteres 0 (zero) e 1 (um). **2.** V. *bit*. **Dígito de controle.** *Inform.* Dígito de verificação. **Dígito de verificação.** *Inform.* Dígito que se adiciona ao final de um código, para verificar se este é válido ou se contém algum erro originado no processo de digitação; dígito de controle. [O valor do dígito depende de todos os dígitos que o precedem, segundo uma função algébrica determinada; esta é recalculada a cada vez que o código é usado, e o resultado é comparado ao(s) dígito(s) de verificação para comprovar a correção do dado. Ex.: o último dígito nos números de contas bancárias, ou os dois últimos dígitos do código do CPF.]

digitoplastia (di) [De *digito-* + *-plast(o)-* + *-ia*[1].] *S. f. Cir.* Qualquer intervenção cirúrgica destinada a restaurar forma e função de quirodáctilo(s).

digitoxigenina (di... cs) [De *digitoxi(na)-* + *-gen(o)-* + *-ina*[3].] *S. f. Quím.* Cardenolídeo que é a aglicona da digitoxina [fórm.: $C_{23}H_{34}O_4$].

digitoxina (di... cs) [Do lat. cient. *Digit-* (< tax. *Digitalis*, v. *digitális*) + *(t)oxina*.] *S. f. Quím.* Glicosídeo cardiotônico, natural, tb. presente na *Digitalis purpurea*, e que tem uso medicinal [fórm.: $C_{41}H_{64}O_{13}$].

digladiador (ô) [De *digladiar* + *-dor*.] *Adj. S. m.* Que, ou aquele que (se) digladia.

digladiar [Do lat. **digladiare*, por *digladiari*.] *V. int. P.* **1.** Combater com espada, corpo a corpo. **2.** Discutir com calor; disputar, combater, contender, lutar: *Digladiam, há meses, numa polêmica malcriada;* "No decurso do século XVIII, correu uma polêmica agitada à volta do valor de Camões, digladiando-se em luta apaixonada inúmeros panegiristas e detratores do poeta." (Feliciano Ramos, *História da Literatura Portuguesa*, p. 446.) [Sin. ger.: *gladiar.*]

díglifo [Do gr. *díglyphos*.] ***S. m.*** *Arquit.* **1.** Ornato composto de duas estrias ou caneluras, em modilhões ou cachorros. **2.** O modilhão ou o cachorro ornado com duas estrias.

diglima [De *di(etileno)* + *gli(col)* + *-m(etil)-* + *é(ter)* (ingl. *diglyme*), com adapt. da term.] ***S. f.*** *Quím.* Líquido, us. como solvente de alto ponto de ebulição, éter dimetílico do dietilenoglicol [fórm.: $C_6H_{14}O_3$].

diglossia [De *di-*[1] + *-gloss(o)-* + *-ia*[1].] ***S. f.*** *E. Ling.* Numa sociedade, a existência de dois ou mais códigos [v. *código* (12)] distintos, cada qual deles com funções claramente diversas, determinadas pela estratificação social, mas em que apenas um deles goza de prestígio.

diglóssico [De *diglossia* + *-ico*[2].] ***Adj.*** *E. Ling.* Relativo à diglossia.

dignação [Do lat. *dignatione*.] ***S. f.*** *P. us.* **1.** Ato de dignar-se. **2.** Concessão, mercê.

dignar-se [Do lat. *dignare*, por *dignari*, + *se*[1].] ***V. p.*** Ter a bondade, a generosidade, a condescendência; fazer mercê, favor; haver por bem; ser servido: *Solicitou ao Presidente se dignasse de ouvi-lo por cinco minutos;* "De longe em longe é que se dignava [Alexandre Herculano] dar alguns conselhos aos novos" (Gomes Monteiro, *Vencidos da Vida*, p. 215). [Usa-se com a prep. *de* ou sem ela.]

dignidade [Do lat. *dignitate*.] ***S. f.*** **1.** Cargo e antigo tratamento honorífico. **2.** Função, honraria, título ou cargo que confere ao indivíduo uma posição graduada: *Foi elevado à dignidade de reitor.* **3.** Autoridade moral; honestidade, honra, respeitabilidade, autoridade: *É pessoa de alta dignidade.* **4.** Decência, decoro: *Manteve-se em todo o incidente com perfeita dignidade.* **5.** Respeito a si mesmo; amor-próprio, brio, pundonor: *Empobrecido ao extremo, sabe conservar a dignidade.*

dignificação [De *dignificar* + *-ção*.] ***S. f.*** Ato ou efeito de dignificar(-se).

dignificador (ô) [De *dignificar* + *-dor*.] ***Adj.*** **1.** Que dignifica; dignificante. • ***S. m.*** **2.** Aquele que dignifica.

dignificante [De *dignificar* + *-nte*.] ***Adj. 2 g.*** Dignificador (1).

dignificar [Do lat. tard. *dignificare*.] ***V. t. d.*** **1.** Tornar digno. **2.** Elevar a uma dignidade. **3.** Honrar, distinguir; glorificar, enobrecer: *A presença daquele mestre dignificava a solenidade.* ***P.*** **4.** Tornar-se digno. **5.** Atingir o maior grau de dignidade; nobilitar-se. [Conjug.: v. *trancar*.]

dignitário [Do lat. *dignit(ate)* + *-ário*; fr. *dignitaire*.] ***S. m.*** Aquele que exerce cargo elevado, que tem alta graduação honorífica, que foi elevado a alguma dignidade (2).

digno [Do lat. *dignu*, por via erudita.] ***Adj.*** **1.** Merecedor: *digno de respeito;* "Quem abusa da vitória não é digno de tê-la alcançado." (Ernâni Sátiro, *Sempre aos Domingos*, p. 123). **2.** Apropriado, adequado: *resposta digna da pergunta.* **3.** Que tem, ou em que há dignidade: *homem digno; procedimento digno.*

digo [Da 1.ª pess. sing. do v. *dizer*.] Partícula corretiva, de sentido equivalente ao que têm, em certos casos, as loc. *ou seja* e *isto é*: *Comprei 8 livros, digo, nove.*

digonal [De *di-*[1] + *-gon(o)-* + *-al*[1].] ***Adj. 2 g.*** *Quím.* Diz-se de átomo cujas valências se orientam segundo os eixos que vão do centro às extremidades de um segmento de linha reta, ou de orbitais que têm tal disposição; ou da hibridização que nela resulta. ~ V. *orbital* —.

dígono [De *di-*[1] + *-gono*.] ***Adj.*** Que tem dois ângulos. [A pronúncia correta seria *digono*, v. *-gono*.]

digoxigenina (cs) [De *digoxi(na)* + *-gen(o)-* + *-ina*[3].] ***S. f.*** *Quím.* Cardenolídeo que é a aglicona da digoxina [fórm.: $C_{23}H_{34}O_5$].

digoxina (cs) [Do lat. cient. *Dig(it)-* (v. *digitoxina*) + *-o-* + *(to)xina*.] ***S. f.*** *Quím.* Glicosídeo cardiotônico, natural, que tem uso medicinal [fórm.: $C_{41}H_{64}O_{14}$].

digráfico [De *di-*[1] + *-graf(o)-* + *-ico*[2].] ***S. m.*** *Álg.* Conjunto finito de pontos conectados dois a dois por segmentos orientados que podem ou não ligar todos os pontos.

dígrafo [De *di-*[1] + *-grafo*.] ***S. m.*** *Bras. E. Ling.* Grupo de duas letras que representa um único som ou articulação; digrama. Ex.: *lh, nh, rr, ss, ue* (em *guerra*, p. ex.), etc.

digrama [De *di-*[1] + *-grama*.] ***S. m.*** *E. Ling.* Dígrafo.

digressão [Do lat. *digressione*.] ***S. f.*** **1.** Desvio de rumo ou de assunto: "Sem se perder em digressões inúteis, a autora vai às últimas consequências, na aplicação dos princípios adotados." (Aires da Mata Machado Filho, *Falar, Ler e Escrever*, p. 103.) **2.** Excursão, passeio. **3.** Subterfúgio, evasiva. **4.** *Liter.* Recurso literário utilizado com o fim de esclarecer ou criticar o assunto em questão.

digressionar [De *digressão* + *-ar*[2], seg. o padrão erudito.] ***V. int.*** Fazer digressão ou digressões.

digressivo [Do lat. tard. *digressivu*.] ***Adj.*** **1.** Em que há, ou que envolve digressão: "Por vezes, a frase digressiva envereda por uma ramificação secundária e perde de vista o pensamento inicial." (Antônio José Saraiva e Óscar Lopes, *História da Literatura Portuguesa*, p. 719.) **2.** Que digressiona, se afasta, se desvia.

digresso [Do lat. *digressu*.] ***S. m.*** Desvio, afastamento, digressão.

diguice ***S. f.*** *Bras. Pop.* Disparate, asneira, tolice.

di-hibridismo [De *di-* + *hibridismo*.] ***S. m.*** *Genét.* Condição em que há um cruzamento entre dois indivíduos heterozigóticos para apenas dois lócus. [Pl.: *di-hibridismos*.] ❖

di-híbrido [De *di-* + *híbrido*.] ***Adj.*** *Genét.* Diz-se de cruzamento em que há di-hibridismo. [Pl.: *di-híbridos*.] ❖

di-hidroesfingosina [De *di-*[1] + *-hidr(o)-* + *esfingosina*.] ***S. f.*** *Bioquím.* Esfingosina hidrogenada que ocorre, combinada, em esfingolipídios [fórm.: $C_{18}H_{39}NO_2$]. ❖

▲ **di-hidrogeno-** [De *di-*[1] + *-(h)idrogeno-*.] *Quím.* ***El. comp.*** Indica a presença de dois átomos de hidrogênio: *di-hidrogenofosfato.* ❖

di-hidrogenofosfato [De *di-hidrogeno-* + *fosfato*.] ***S. m.*** *Quím.* Qualquer sal derivado do ácido fosfórico por perda de um dos três hidrogênios ácidos deste; fosfato diácido. ❖

▲ **di-hidroxi-** [De *di-*[1] + *-(h)idroxi-*.] *Quím.* ***El. comp.*** Indica a presença de dois grupos hidroxila: *di-hidroxiacetona.* ❖

di-hidroxiacetona (cs) [De *di-hidroxi-* + *acetona*.] ***S. f.*** *Quím.* Substância cristalina, a menor das cetoses [fórm.: $C_3H_6O_3$]. ❖

di-hidroxifenilalanina (cs) [De *di-hidroxi-* + *fenilalanina*.] ***S. f.*** *Quím.* Derivado di-hidroxilado da fenilalanina, do qual o enantiômero levogiro, a levodopa (q. v.), é us. no tratamento do parkinsonismo; dopa. ❖

di-hidroxilado (cs) [De *di-*[1] + *hidroxila* + *-ado*[1].] ***Adj.*** *Quím.* Diz-se de substância que tem duas hidroxilas por molécula. ❖

dijina [Do quimb.] ***S. 2 g.*** *Bras. Rel.* No candomblé angola-congo e na umbanda, nome por que a filha de santo ou o filho de santo passam a ser ritualmente conhecidos, ao fim de sua iniciação. [É o nome do orixá, ou entidade protetora do iniciado, acrescido de uma qualidade (11) sua e, por vezes, do local de sua origem.]

dilação [Do lat. *dilatione*.] ***S. f.*** **1.** Adiamento, prorrogação: *O casamento teve uma dilação de 15 dias.* **2.** Demora, tardança, delonga: *Dê o recado sem dilação.* **3.** Prazo (2): *Teve uma dilação de 15 dias para efetuar o negócio.* [Cf. *delação*.]

dilaceração [Do lat. tard. *dilaceratione*.] ***S. f.*** Ação ou efeito de dilacerar(-se); despedaçamento, dilaceramento.

dilacerador (ô) [De *dilacerar* + *-dor*.] ***Adj.*** **1.** V. *dilacerante*. • ***S. m.*** **2.** Aquele que dilacera.

dilaceramento [De *dilacerar* + *-mento*.] ***S. m.*** V. *dilaceração*.

dilacerante [De *dilacerar* + *-nte*.] ***Adj. 2 g.*** **1.** Que dilacera. **2.** Que tortura; aflitivo, cruel. [Sin. ger.: *dilacerador, lacerante*.]

dilacerar [Do lat. *dilacerare*.] ***V. t. d.*** **1.** Rasgar em pedaços; despedaçar com violência: *A fera assanhada dilacerou a presa.* **2.** Afligir muito; torturar, mortificar: "Dilacerem-te os pés urzes e cardos." (Da Costa e Silva, *Sangue*, p. 51); *Os ciúmes dilaceram-na.* **3.** Difamar, desacreditar; desdourar; atassalhar: *Os jornais dilaceraram o candidato.* ***P.*** **4.** Ferir-se; espedaçar-se. [Sin. ger.: *lacerar*.]

dilapidação [Do lat. tard. *dilapidatione*.] ***S. f.*** **1.** Ato ou efeito de dilapidar; desbarato, esbanjamento. **2.** Roubo, furto.

dilapidador (ô) [De *dilapidar* + *-dor*.] ***Adj. S. m.*** Que, ou quem dilapida.

dilapidar [Do lat. *dilapidare*.] ***V. t. d.*** **1.** Destruir, arruinar, demolir. **2.** Gastar desmedidamente; dissipar, esbanjar, malbaratar, malgastar: *Dilapidou a fortuna em um ano;* "Não dando valor ao dinheiro, Nordeste dilapidou a pequena herança, com a imprevidência de um pródigo." (Vivaldo Coaraci, *91 Crônicas Escolhidas*, p. 159.) [A f. *delapidar*, de largo uso, é menos boa.]

dilatabilidade [De *dilatável* + *-(i)dade*, seg. o padrão erudito.] ***S. f.*** Propriedade do que é dilatável.

dilatação [Do lat. tard. *dilatatione*.] ***S. f.*** **1.** Ação ou efeito de dilatar(-se). **2.** Aumento de dimensões. **3.** Aumento de volume. **4.** Alargamento, ampliação. **5.** Incremento, propagação, expansão. **6.** Prorrogação, alongamento, dilação. [Sin. ger.: *dilatamento*.] ◆ **Dilatação do tempo.** *Fís.* Efeito relativístico em virtude do qual o tempo medido por um relógio situado num corpo que se desloca em relação a um dado sistema de referência, com velocidade próxima da velocidade da luz, parece mais lento que o tempo medido por um relógio fixo no sistema de origem.

dilatado [Part. de *dilatar*.] ***Adj.*** **1.** Amplo, largo, extenso. **2.** Desenvolvido, aumentado.

dilatador (ô) [Do lat. tard. *dilatatore*.] ***Adj.*** **1.** Que serve ou é próprio para dilatar. • ***S. m.*** **2.** *Cir.* Instrumento próprio para alargar um ducto ou abertura.

dilatamento [De *dilatar* + *-mento*.] ***S. m.*** V. *dilatação*.

dilatância [De *dilatar* + *-ância*.] ***S. f.*** *Fís.* Propriedade de fluidos cuja viscosidade aumenta com o aumento da tensão de cisalhamento.

dilatar [Do lat. *dilatare*.] ***V. t. d.*** **1.** Aumentar as dimensões ou o volume de: *O calor dilatou a madeira.* **2.** Estender, alargar, ampliar, amplificar: *Napoleão dilatou as fronteiras da França conquistando os países vizinhos.* **3.** Distender: *dilatar as narinas.* **4.** Propagar, divulgar, difundir: *dilatar a fé; dilatar uma doutrina.* **5.** Prolongar no tempo; fazer durar: *Rogo a Deus dilate a vida do velho mestre.* **6.** Retardar, adiar, delongar, diferir: *Dilatou de novo o encontro, já duas vezes adiado.* **7.** Alongar, desenvolver: *Dilatou excessivamente o discurso.* ***P.*** **8.** Estender-se; distender-se. **9.** Aumentar, crescer, alargar-se: "na face contorcida, onde os olhos se dilatam exageradamente e exageradissimamente a boca se abre num grito de triunfo." (Euclides da Cunha, *Contrastes e Confrontos*, p. 43). **10.** Alongar-se, demorar-se: *Não se dilataram na visita.* **11.** Prolongar-se; estender-se: *A cidade dilata-se pelo vale.* [Cf. *delatar*, v.]

dilatável [De *dilatar* + *-vel*.] ***Adj. 2 g.*** Que se pode dilatar.

dilatório [Do lat. tard. *dilatoriu*.] ***Adj.*** Que faz adiar; que retarda; moratório. [Cf. *delatório*.]

dilé ***S. m.*** *Bras. Rel.* V. *Delê*. [Com cap.]

dilê ***S. m.*** *Bras. Rel.* V. *Delê*. [Com cap.]

dileção [Do lat. tard. *dilectione*.] ***S. f.*** Afeição especial; estima.

dilema [Do gr. *dílemma*, pelo lat. tard. *dilemma*.] ***S. m.*** **1.** *Lóg.* Raciocínio (4) cuja premissa é alternativa, de sorte que qualquer dos seus termos conduz à mesma consequência. **2.** *Fig.* Situação embaraçosa com duas saídas difíceis ou penosas. [Cf., nesta acepç., *trilema*.]

dilemático [De *dilema* + *-ático*.] ***Adj.*** Relativo a, ou que encerra dilema.

dileniácea [Do tax. *Dillenia* + *-ácea*; tax. *Dilleniaceae*.] ***S. f.*** *Bot.* V. *dilleniácea*.

dileniáceo [De *dileniácea*, com var. suf. (v. *-áceo*).] ***Adj.*** *Bot.* V. *dilleniáceo*.

diletante [Do it. *dilettante*.] ***Adj. 2 g. S. 2 g.*** **1.** Amador ou apreciador apaixonado de música; melômano. **2.** Que, ou quem se ocupa de qualquer assunto, ou exerce uma arte, por gosto, como amador, e não por ofício ou obrigação.

diletantismo [De *diletante* + *-ismo*.] ***S. m.*** Qualidade, caráter, modos, atitude, procedimento de diletante.

diletantista [De *dilatante* + *-ista*.] ***Adj. 2 g.*** **1.** De, ou relativo a diletantismo. **2.** Que age ou se comporta como diletante. • ***S. 2 g.*** **3.** Aquele que age ou se comporta como diletante.

dileto [Do lat. *dilectu*.] ***Adj.*** Preferido na estima, na afeição; querido especialmente; amado: "Já que meu Deus foi tão misericordioso para com os homens, que os quis ensinar pela própria pessoa de seu diletíssimo Filho, ... eu quero, mediante a sua graça, aprender por este exemplar." (P.e Manuel Bernardes, *Exercícios Espirituais*, I, p. 47.)

diligência[1] [Do lat. *diligentia*.] ***S. f.*** **1.** Cuidado ativo; zelo, aplicação: *Sua diligência nos negócios trouxe-lhe a riqueza.* **2.** Atividade, rapidez, presteza: *Acudiu aos chamados com diligência.* **3.** Providência; medida: *Tomou as diligências que o caso reclamava.* **4.** Investigação, pesquisa, busca: *Inúteis foram as diligências para encontrar o fugitivo.* **5.** Execução de certos serviços judiciais fora dos respectivos tribunais ou cartórios: *as diligências da penhora.* [Cf. *diligencia*, do v. *diligenciar*.]

diligência[2] [Do fr. *diligence*.] ***S. f.*** Carruagem puxada a cavalos, com suspensão de molas, que servia para o transporte coletivo de passageiros antes dos trens de ferro e do automóvel; carruagem. [Cf. *diligencia*, do v. *diligenciar*.]

diligenciador (ô) [De *diligenciar* + *-dor*.] ***Adj. S. m.*** Que, ou aquele que diligencia.

diligenciar [De *diligência*[1] + *-ar*[2].] ***V. t. d.*** **1.** Esforçar-se por; empregar os meios para; empenhar-se por: *Em tão ilustre presença, diligenciou expressar-se com apuro de linguagem.* ***T. i.*** **2.** Esforçar-se, forcejar, empenhar-se: *Diligenciava por chegar cedo ao trabalho.* [Conjug.: v. *negociar* (Bras. e Port.). Pres. ind.: *diligencio, diligencias, diligencia*, etc. Cf. *diligência*.]

diligente [Do lat. *diligente.*] ***Adj. 2 g.*** **1.** Ativo, zeloso, aplicado: "Assim, naquela vastidão de areias, que ondulava do Egito até à Arábia, sob essa imensa curva do céu onde se cansava a asa das águias e dos ventos, se movia aquela forma solitária, única entre tanta imensidade, sempre diligente como uma abelha que faz o seu mel." (Eça de Queirós, *Últimas Páginas*, p. 227.) **2.** Ligeiro, rápido.

dillênia [Do antr. (*Johann J.*) *Dillen* (1684-1747), botânico da Universidade de Oxford, + *-ia*[2]; tax. *Dillenia.*] ***S. f. Bot.*** Flor-de-abril.

dilleniácea [Do tax. *Dillenia* (v. *dillênia*) + *-ácea*; tax. *Dilleniaceae.*] ***S. f. Bot.*** Espécime das dilleniáceas, família de plantas floríferas, que engloba árvores, arbustos e trepadeiras com folhas alternas, cálice com três a cinco sépalas, corola com duas a cinco pétalas, estames, ger. numerosos, e fruto capsular. Existem umas 300 espécies tropicais, bem representadas no Brasil.

dilleniáceo [De *dilleniácea*, com var. suf. (v. *-áceo*).] ***Adj. Bot.*** Pertencente ou relativo às dilleniáceas.

dilobulado [De *di-*[1] + *lóbulo* + *-ado*[1].] ***Adj.*** Que tem dois lóbulos.

dilofossauro [De *di-*[1] + *-lof(o)-* + *-sauro*; tax. *Dilophosaurus.*] ***S. m. Paleont.*** **1.** Gênero de reptis carnívoros do jurássico, de esqueleto muito leve, dentes muito afiados, e caracterizados por uma crista dupla, em V na cabeça. **2.** Espécie ou espécime desse gênero.

dilogia [Do gr. *dilogía.*] ***S. f. E. Ling.*** V. *diáfora.*

dilogum [Do ior.] ***S. m. Bras. Rel.*** Nas religiões afro-brasileiras, divinação por meio do jogo de búzios, em que o mensageiro das respostas dos orixás é Exu. [Var.: *delogum, dologum.*]

dilucidação [Do lat. tard. *dilucidatione.*] ***S. f.*** Ato de dilucidar; dilucidamento.

dilucidamento [De *dilucidar* + *-mento.*] ***S. m.*** Dilucidação.

dilucidar [Do lat. tard. *dilucidare.*] ***V. t. d. P.*** V. *elucidar(-se)*: "Daquela centelha rompeu o clarão que dilucidou tudo: queriam-no obrigar a assentar praça como voluntário." (Aquilino Ribeiro, *Caminhos Errados*, p. 173.) [Pres. ind.: *dilucido*, etc. Cf. *dilúcido.*]

dilúcido [Do lat. *dilucidu.*] ***Adj.*** Lúcido, claro. [Cf. *dilucido*, do v. *dilucidar.*]

dilucular [De *dilúculo* + *-ar*[2].] ***Adj. 2 g.*** Do, ou relativo ao dilúculo: "Já das assomadas raia / O clarão dilucular" (Manuel Bandeira, *Estrela da Vida Inteira*, p. 26).

dilúculo [Do lat. *diluculu.*] ***S. m.*** Crepúsculo matutino; alvorada.

diluente [De *diluir* + *-ente*, seg. o padrão erudito.] ***Adj. 2 g.*** Que dilui.

diluição (u-i) [De *diluir* + *-ção.*] ***S. f.*** Ação ou efeito de diluir(-se); diluimento. ◆ **Diluição isotópica.** *Quím.* Dosagem dum elemento numa amostra mediante a adição dum isótopo radioativo e a determinação subsequente da sua atividade após uma separação conveniente.

diluimento (u-i) [De *diluir* + *-mento.*] ***S. m.*** Diluição.

diluir [Do lat. *diluere.*] ***V. t. d.*** **1.** Diminuir a concentração de (uma solução), mediante adição dum líquido conveniente. **2.** Misturar com água. **3.** Desfazer; diminuir; abrandar, suavizar: *A viagem diluiu a sua grande dor. P.* **4.** Desfazer-se em um líquido. **5.** Desfazer-se; diminuir; abrandar(-se), suavizar-se. **6.** Diminuir, atenuar-se, desfazer-se: "E dia a dia mais se diluem as fronteiras que separam os gêneros literários." (Nereu Correia, *O Canto do Cisne Negro e Outros Estudos*, p. 86.) [Conjug.: v. *atribuir.*]

diluto [Do lat. *dilutu.*] ***Adj.*** **1.** Que se diluiu. **2.** *Bras. RS* Diz-se do vinho ou de qualquer bebida misturada com água.

diluvial [Do lat. tard. *diluviale.*] ***Adj. 2 g.*** V. *diluviano.* ~ V. *época —.*

diluviano [De *dilúvio* + *-ano*[1].] ***Adj.*** **1.** Referente ao dilúvio universal, ou a qualquer dilúvio. **2.** Relativo a aluviões do plistoceno. **3.** *Fig.* Torrencial, abundantíssimo. [Sin. ger.: *diluvial.*]

diluvião [Do lat. tard. *diluvione.*] ***S. m.*** Terreno em que há vestígios de aluviões do plistoceno.

diluviar [Do lat. *diluviare.*] ***V. int.*** Chover a cântaros.

dilúvio [Do lat. *diluviu.*] ***S. m.*** **1.** Inundação universal; cataclismo. **2.** Grande chuva; inundação. **3.** V. *quantidade* (3).

diluvioso (ô) [De *dilúvio* + *-oso.*] ***Adj. Poét.*** Muito abundante de águas.

dimanação [De *dimanar* + *-ção.*] ***S. f.*** **1.** Emanação, proveniência, procedência. **2.** Curso brando de um líquido.

dimanador (ô) [De *dimanar* + *-dor.*] ***Adj.*** Dimanante.

dimanante [De *dimanar* + *-nte.*] ***Adj. 2 g.*** Que dimana; dimanador.

dimanar [Do lat. *dimanare.*] ***V. t. c.*** **1.** Brotar; derivar (-se); fluir, correr: *O riacho dimana entre pedregulhos*; "Teu nome — água lustral que das fontes dimana — / É triste como uma canção napolitana." (Olegário Mariano, *Toda uma Vida de Poesia*, p. 29.) **2.** Derivar, provir, proceder, originar-se; emanar: "Hosanas / E aleluias a ti por sobre os mares, / A ti, branca açucena que dimanas / Dos celestes jardins que não têm pares." (Alphonsus de Guimaraens, *Obra Completa*, p. 167.) ***T. i.*** **3.** Dimanar (2).

dimático ***Adj. Zool.*** Deimático (q. v.).

dimenidrinato [Voc. farmac.] ***S. m. Quím.*** Sal cristalino, sintético, formado pela combinação de certa amina terciária aromática e um derivado clorado da teofilina (que tem caráter ácido), us. como antiemético [fórm.: $C_{24}H_{28}ClN_5O_3$].

dimensão [Do lat. *dimensione.*] ***S. f.*** **1.** Sentido em que se mede a extensão para avaliá-la. **2.** V. *tamanho* (3). **3.** *Fig.* Importância, valor: *a dimensão universal da obra de Camões.* **4.** *Álg.* A ordem das matrizes na representação matricial de um grupo; grau. **5.** *Mat.* Num espaço vetorial, o número de vetores de sua base. **6.** *Mat.* Num espaço, o número mínimo de coordenadas necessárias à determinação unívoca de seus pontos. **7.** *Mat.* O número mínimo de variáveis necessárias à descrição analítica de um conjunto. ◆ **Dimensão extra.** *Fís.* Dimensão espacial suplementar prevista pela teoria das supercordas (q. v.) que existiria além das três dimensões usuais (comprimento, largura e altura) e que poderia estar compactada em um ponto. Nessa teoria o espaço-tempo teria dez ou mais dimensões. **Dimensão fractal.** *Mat.* Número fracionário ou irracional que caracteriza a geometria de um fractal. **Dimensão topológica.** *Mat.* Número inteiro que caracteriza a geometria de um objeto euclidiano (p. ex., zero para um ponto, um para uma linha, etc.). **Quarta dimensão.** *Fís.* A dimensão tempo no complexo tetradimensional espaço-tempo.

dimensional [De *dimensão* + *-al*[1], seg. o padrão erudito.] ***Adj. 2 g.*** Referente a dimensão. ~ V. *análise — e fórmula —.*

dimensionalidade [De *dimensional* + *-(i)dade.*] ***S. f. Mat.*** O número de dimensões de uma grandeza.

dimensionamento [De *dimensionar* + *-mento.*] ***S. m.*** Ato ou efeito de dimensionar.

dimensionar [De *dimensão* + *-ar*[2], seg. o padrão erudito.] ***V. t. d.*** Calcular ou preestabelecer as dimensões ou proporções de.

dimensível [Do lat. *dimensus*, part. pass. de *dimetiri*, 'medir', + *-ível.*] ***Adj. 2 g.*** V. *mensurável.*

dimensório [Do lat. *dimensus*, 'medido', + *-ório.*] ***Adj.*** Relativo a dimensões.

dimerização [Do ingl. *dimerization.*] ***S. f. Quím.*** Reação de formação de um dímero.

dímero [De *di-*[1] + *-mero.*] ***S. m.*** **1.** *Quím.* Composto formado pela união de duas moléculas de um monômero. ● ***Adj.*** **2.** *Biol.* Constituído de dois segmentos.

▲**dimetil-** [De *di-*[1] + *-metil-.*] *Quím.* ***El. comp.*** Indica a presença de dois grupos metila: *dimetilformamida.*

dimetilamina [De *dimetil-* + *-amina.*] ***S. f. Quím.*** Substância gasosa à temperatura ambiente, básica, com cheiro característico [fórm.: C_2H_7N].

dimetilaminopiridina [De *dimetil-* + *-amin(o)-* + *piridina.*] ***S. f. Quím.*** Qualquer de três derivados da piridina, isômeros, sendo um deles us. como catalisador em certas reações [fórm.: $C_7H_{10}N_2$].

dimetilformamida [De *dimetil-* + *formamida.*] ***S. f. Quím.*** Substância líquida, derivada do ácido fórmico e da dimetilamina, us. como solvente [fórm.: C_3H_7NO]. [Sigla: *DMF.*]

dimetilglioxima (cs) [De *dimetil-* + *glioxima.*] ***S. f. Quím.*** Substância cristalina us. em química analítica para a detecção e quantificação de níquel e outros metais [fórm.: $C_4H_8N_2O_2$].

dimetílico [De *dimetil-* + *-ico*[2].] ***Adj. Quím.*** Diz-se de composto cuja molécula contém duas metilas.

dimetilmercúrio [De *dimetil-* + *mercúrio.*] ***S. m. Quím.*** Substância organometálica, muito tóxica, produzida por microrganismos a partir do mercúrio existente como poluente no meio ambiente aquático, e que contamina peixes e outros animais.

dimetilsulfóxido (cs) [De *dimetil-* + *sulfóxido.*] ***S. m. Quím.*** Substância líquida, solúvel em água, us. como solvente [fórm.: C_2H_6SO]. [Sigla: *DMSO.*]

dímetro [Do gr. *dímetros*, pelo lat. tard. *dimetru.*] ***S. m.*** Verso grego ou latino de duas medidas ou quatro pés.

dimetrodonte [Do tax. *Dimetrodon* (v. *di-*[1], *-metr(o)-* e *-odonte*).] ***S. m. Paleont.*** **1.** Gênero de dinossauros pelicossáurios do permiano, que mediam cerca de 3m e pesavam até 300kg; dentes semelhantes aos dos crocodilianos, com duas dimensões diferentes, pontudos e afilados, crânio volumoso e grande crista dorsal com espinhos pontiagudos. Carnívoros vorazes, de hábitos semiaquáticos, predavam animais terrestres e peixes. **2.** Espécie, ou espécime desse gênero.

dimiário [De *di-*[1] + *-m(i)-* + *-ário*; tax. *Dimyaria.*] *Zool.* ***S. m.*** **1.** Espécime dos dimiários, divisão de moluscos, pelecípodes, metazoários, com dois pares de músculos adutores iguais. ● ***Adj.*** **2.** Pertencente ou relativo a eles.

dimidiação [Do lat. tard. *dimidiatione.*] ***S. f.*** Ato ou efeito de dimidiar.

dimidiado [Do lat. *dimidiatu.*] ***Adj.*** Que sofreu dimidiação. ~ V. *folha —a.*

dimidiar [Do lat. *dimidiare.*] ***V. t. d.*** Dividir ou partir pelo meio; mear.

dimidiato [Do lat. *dimidiatu.*] ***Adj.*** Dividido ou partido ao meio.

dimídio [Do lat. *dimidium, ii.*] ***S. m.*** **1.** A metade. **2.** *Med.* Uma das duas metades do corpo (no sentido vertical).

➔**diminuendo** [diminu'endo] [It.] ***Adv. S. m. Mús.*** Diminuindo (q. v.).

diminuendo [Do lat. *diminuendu*, gerundivo de *diminuere*, 'diminuir'.] ***S. m. Ant.*** Número de que se subtrai outro. [Sin., bras.: *minuendo.*]

diminuente [Do lat. *diminuente.*] ***Adj. 2 g.*** Diminuidor.

diminuição (u-i) [Do lat. *diminutione.*] ***S. f.*** **1.** Ato ou efeito de diminuir. **2.** *Mat.* Subtração (3).

diminuidor (u-i... ô) [De *diminuir* + *-dor.*] ***Adj.*** **1.** Que diminui; diminuente. ● ***S. m.*** **2.** *Mat.* Termo subtrativo da diminuição.

diminuindo [Ger. de *diminuir.*] *Mús.* ***Adv.*** **1.** Enfraquecendo progressivamente a intensidade sonora de um trecho; decrescendo. ● ***S. m.*** **2.** Sequência de notas executadas dessa maneira; decrescendo. [Tb. us., embora menos, a f. it., *diminuendo.*]

diminuir [Do lat. *diminuere.*] ***V. t. d.*** **1.** Reduzir a menos (em dimensão, quantidade ou intensidade); tornar menor: *A descoberta dos antibióticos diminuiu o índice de mortalidade; As chuvas diminuíram o calor.* **2.** Fazer parecer menor: *A distância diminui os objetos.* **3.** Tornar raro ou mais raro; escassear: *O lançamento de detritos nos rios diminui a fauna ictiológica.* **4.** Tornar menos duradouro; abreviar, encurtar: *A desatenção aos conselhos médicos diminuiu-lhe a vida.* **5.** Abrandar, amortecer; remitir: *O remédio aplicado diminuiu a dor*; "Alma, dizia então comigo, chora, / Que o pranto diminui as agonias." (Félix Pacheco, *Poesias*, p. 15.) **6.** Abater, abaixar, debilitar, deprimir: *Esta leviandade diminuiu seu valor perante os amigos.* ***T. c. e i.*** **7.** Subtrair, deduzir: *O comerciante diminuiu 10 reais no preço da mercadoria.* ***Bit. c.*** **8.** Subtrair (um número de outro): *Se de 100 diminuímos 15, restam 85.* ***T. i.*** **9.** Decrescer, abater: *Diminuiu de peso.* ***Int.*** **10.** Tornar-se menor: *A carne diminuiu muito depois de cozida.* **11.** Decrescer; abrandar; enfraquecer: *Para sair, esperou que a chuva diminuísse.* **12.** Acalmar(-se), abrandar(-se), moderar-se: *Ao ter início o discurso, a agitação do público diminuiu.* ***P.*** **13.** Gastar-se, perder-se; estragar-se. **14.** Humilhar-se, rebaixar-se, apoucar-se: *Sentia que, se agisse com tolerância, se diminuiria.* [Sin. ger. (p. us.): *minuir.* Conjug.: v. *atribuir.*]

diminutíssimo ***Adj.*** Superl. abs. sint. de diminuto.

diminutivo [Do lat. tard. *diminutivu.*] ***Adj.*** **1.** Que dá ou adiciona ideia de pequenez. **2.** Relativo ao diminutivo (3). ~ V. *verbo —.* ● ***S. m.*** **3.** *E. Ling.* Palavra formada com sufixo diminutivo, ou locução que indica a noção de pequenez, como, respectivamente, *gatinho* e *gato pequeno*, e que pode implicar ainda, por parte do falante, uma ideia apreciativa (*filhinho*, 'apelativo carinhoso para *filho*'), depreciativa (*gentinha*, 'ralé'), ou mesmo intensiva (*agarradinhos*, 'muito agarrados'). ◆ **Diminutivo analítico.** *E. Ling.* Aquele que é expresso por locução: *gato pequeno.* **Diminutivo sintético.** *E. Ling.* Aquele que é formado por derivação (4): *sapatinho.*

diminuto [Do lat. *diminutu.*] ***Adj.*** **1.** Diminuído, apequenado. **2.** Muito pouco. **3.** Muito pequeno. **4.** Escasso, raro.

dimissórias [Adapt. do lat. tard. *dimissoriae, i. e., dimissoriae litterae.*] ***S. f. pl.*** Cartas dimissórias. [Cf. *dimissórias*, fem. pl. de *dimissório.*]

dimissório [Do lat. tard. *dimissoriu.*] ***Adj.*** ~ V. *cartas —as.*

➔**dimmer** ['dımər] [Ingl.] ***S. m. Eletr.*** Dispositivo elétrico ou eletrônico que se destina a controlar a intensidade da luz emitida por lâmpada elétrica.

dimorfia [De *dimorfo* + *-ia*[1].] ***S. f. Genét. Min.*** Dimorfismo.

dimórfico [De *dimorfo* + *-ico*[2].] ***Adj.*** **1.** De, ou relativo a dimorfismo. **2.** Que pode apresentar duas formas distintas.

dimorfina ***S. f. Bioquím.*** Cada um de um grupo de peptídeos opioides encontrados disseminadamente no sistema nervoso, tanto central quanto periférico; alguns teriam papel na percepção dolorosa, na medula espinhal e no bulbo (3) e outros, na regulação hipotalâmica de ingestão de sólidos e de líquidos.

dimorfismo [De *dimorfo* + *-ismo.*] ***S. m.*** **1.** *Genét.* Presença de dois diferentes tipos de indivíduos numa mesma espécie. [Por ex., a diferença entre machos e

D

fêmeas, em que os primeiros apresentam, ger., maior tamanho, ou plumagem mais colorida (pássaros), ou pelagem mais exuberante (o leão, em relação à leoa), etc.] **2.** *Min.* Propriedade pela qual uma substância cristalina se pode apresentar sob duas fases diferentes de cristalização. [Sin. ger.: *dimorfia.*]

dimorfo [Do lat. cient. *dimorphus* < gr. *dímorphos.*] ***Adj.*** Que apresenta dimorfismo. [Cf. *biforme.*]

dimorfodonte [Do tax. *Dimorphodon* (v. *di-*[1], *morf(o)-* e *-odonte*).] ***S. m.*** *Paleont.* **1.** Gênero de pterossáurios de cabeça grande, cauda longa, e corpo curto e leve; voavam e eram possivelmente planadores. **2.** Qualquer espécie desse gênero como, p. ex., a *Dimorphodon macronix*, que viveu no liássico da Inglaterra e atingia até 1,20m, com a cauda. **3.** Qualquer espécime desse gênero.

dimorfoteca [Do tax. *Dimorphoteca.*] ***S. f.*** *Bot.* **1.** Gênero de plantas asteráceas, herbáceas e subarbustivas, originárias do S. da África, de folhas alternas, oblongas, flores liguladas, amarelo-laranja, dispostas em capítulos solitários, terminais, e cujos frutos são aquênios rugosos. **2.** Espécie desse gênero, como, p. ex., a *Dimorphoteca aurantiaca* (v. *margarida-africana*). **3.** Qualquer espécime desse gênero.

■ **DIN** [Sigla do al. *Deutsche Industrie Normenausschuss* (o conselho alemão para normas industriais).] *Fot.* Unidade de medida de sensibilidade à luz de película fotográfica, conforme o sistema alemão de normalização técnica.

dina[1] [Do fr. *dyne* < gr. *dýnamis*(v. *dinam(o)-*).] ***S. f.*** *Fís.* Unidade de medida de força no sistema c. g. s., igual a 10^{-5} newtons [símb.: *dyn*].

dina[2] [Do ingl. *dinner*, 'jantar', pelo tsonga.] ***S. m.*** *Moç.* Pausa para o almoço (1): 📖 "As pessoas que trabalham na machamba ou noutra parte qualquer precisam de comer quando chega o dina!" (Luís Bernardo Honwana, *Nós Matamos o Cão Tinhoso*, p. 57.)

dinamarquês ***Adj.*** **1.** Da, ou pertencente ou relativo à Dinamarca (Europa). **2.** *Cinol.* Diz-se de certa raça de cães. [V. *dinamarquês* (6).] ● ***S. m.*** **3.** O natural ou habitante da Dinamarca. **4.** *Gloss.* A língua desse país. V. *germânico* (4). **5.** Vocábulo dessa língua. **6.** *Cinol.* Cão originário da Alemanha, de grande porte, cabeça alongada, focinho largo, pescoço comprido e musculoso, orelhas pontudas e eretas, pelo curto, aderente e lustroso, unicolor (ruivo, cinza ou negro) ou manchado (negro sobre fundo branco); dogue alemão. [Flex.: *dinamarquesa* (ê), *dinamarqueses* (ê), *dinamarquesas* (ê). Sin., nas acepçs. 1 e 3: *danês* (p. us.) e *dano* (ant.).]

dinamelétrico ***Adj.*** V. *dinamoelétrico*. ~ V. *amplificador* —.

dinamia [De *dinam(o)-* + *-ia*[1].] ***S. f.*** *Patol. Obsol.* Fenômeno decorrente da exaltação das propriedades características dos vários tecidos.

dinâmica [F. subst. de *dinâmico*.] ***S. f.*** **1.** Parte da mecânica que estuda o movimento dos corpos, relacionando-os às forças que o produzem. [Cf. *cinemática* e *estática* (1).] **2.** *Mús.* Graduação dos níveis de intensidade dos sons, durante a execução de um trecho musical, por meio de nuanças que vão do fortíssimo ao pianíssimo, quer em progressão mais ou menos lenta, quer em oposição brusca.

dinâmico [Do gr. *dynamikós.*] ***Adj.*** **1.** Respeitante ao movimento e às forças, ou ao organismo em atividade. **2.** Ativo ou diligente em alto grau; muito empreendedor: 📄 *administrador honesto e dinâmico*. ~ V. *alto-falante* —, *densidade* —*a*, *íleo* —, *leitura* —*a*, *paralaxe* —*a*, *pressão* —*a*, *universo* — e *viscosidade* —*a*.

▲ **dinamio-** V. *dinam(o)-*.

dinamiogenia [De *dinamio-* + *-genia*.] ***S. f.*** Dinamogenia.

dinamiogénico ***Adj.*** V. *dinamiogênico*. [Uso freq. em P.]

dinamiogênico [De *dinamiogenia* + *-ico*[2].] ***Adj.*** Dinamogênico.

dinamiologia [De *dinamio-* + *-logia*.] ***S. f.*** Tratado das forças [v. *força* (18)].

dinamiológico [De *dinamiologia* + *-ico*[2].] ***Adj.*** Relativo à dinamiologia.

dinamiometria [De *dinamio-* + *-metria*.] ***S. f.*** Dinamometria.

dinamiométrico [De *dinamiometria* + *-ico*[2].] ***Adj.*** Dinamométrico.

dinamiómetro ***S. m.*** *Fís. Eletr.* V. *dinamiômetro*. [Uso freq. em P.]

dinamiômetro [De *dinamio-* + *-metro*.] ***S. m.*** *Fís. Eletr.* Dinamômetro.

dinamismo [De *dinam(o)-* + *-ismo*; fr. *dynamisme*.] ***S. m.*** **1.** Atividade, energia. **2.** Diligência ou atividade intensa; espírito empreendedor: 📄 *Muitos melhoramentos deve a cidade ao dinamismo do prefeito.* [Nessas acepçs., opõe-se a *estatismo*[2].] **3.** *Filos.* Doutrina que identifica a matéria com uma força ou energia primitiva, irredutível à massa ou ao movimento; energetismo; energética. [Cf., nesta acepç., *duodinamismo* e *vitalismo*.] **4.** *Filos.* Doutrina que considera que o ser se define por características do movimento.

dinamista [De *dinamismo* + *-ista*.] ***Adj. 2 g.*** **1.** Referente ao, ou que é partidário do dinamismo. ● ***S. 2 g.*** **2.** Partidário do dinamismo.

dinamitador (ô) [De *dinamitar* + *-dor*.] ***Adj. S. m.*** **1.** Que, ou aquele que dinamita (v. *dinamitar*). **2.** *Fig.* Que, ou aquele que desfaz, que destrói: 📖 "Sou muito mais construtor do que dinamitador. Até porque para dinamitar, no Brasil a fila está muito grande." (Aécio Neves, em *O Estado de São Paulo*, 15.08.2007.)

dinamitar [De *dinamite* + *-ar*[2].] ***V. t. d.*** Fazer ir pelos ares por meio da dinamite.

dinamite [Do V.C.I., t. criado por Alfred B. Nobel (1833-1896), químico sueco, em 1867.] ***S. f.*** *Expl.* Explosivo à base de nitroglicerina a que se adiciona uma substância inerte.

dinamiteiro [De *dinamite* + *-eiro*.] ***S. m.*** *Desus.* Aquele que emprega a dinamite em atentados [v. *atentado*[1] (1).]

dinamitista [De *dinamite* + *-ista*.] ***Adj. 2 g. S. 2 g.*** Que, ou quem faz uso da dinamite e/ou a fabrica.

dinamização [De *dinamizar* + *-ção*.] ***S. f.*** **1.** Ato ou efeito de dinamizar (1). **2.** *Homeop.* Segundo a homeopatia, liberação da energia terapêutica de um medicamento mediante diluição ou cominuição.

dinamizador (ô) [De *dinamizar* + *-dor*.] ***Adj. S. m.*** Diz-se de, ou aquele ou aquilo que dinamiza; incentivador.

dinamizar [De *dinam(o)-* + *-izar*.] ***V. t. d.*** **1.** Dar caráter dinâmico a. **2.** Aplicar os processos da dinamização (2) a.

▲ **dinam(o)-** [Do gr. *dýnamis, eōs* (ўă).] ***El. comp.*** = 'força', 'potência': *dinamite*, *dinamogenia*. [Equiv.: *dinamio-*, *-dinam(o)-*, *-dínamo*: *dinamiometria*; *isodinamia*, *didínamo*, *amplidínamo*, *tetradínamo*.]

▲ **-dinam(o)-** V. *dinam(o)-*.

dínamo [Do fr. *dynamo*, abrev. de *dynamo-électrique* (subentende-se *machine*).] ***S. m.*** *Eng. Elétr.* Máquina rotativa que converte energia mecânica em elétrica.

▲ **-dínamo** V. *dinam(o)-*.

dinamoelétrico [De *dinam(o)-* + *elétrico*.] ***Adj.*** Diz-se de aparelho ou máquina que transforma a energia mecânica em energia elétrica. [Var.: *dinamelétrico*.]

dinamogenia [De *dinam(o)-* + *-gen(o)-* + *-ia*[1].] ***S. f.*** Exaltação funcional dum órgão, sob a influência duma excitação. [F. paral.: *dinamiogenia*.]

dinamogénico ***Adj.*** V. *dinamogênico*. [Uso freq. em P.]

dinamogênico [De *dinamogenia* + *-ico*[2].] ***Adj.*** Relativo à dinamogenia. [F. paral.: *dinamiogênico*.]

dinamometria [De *dinam(o)-* + *-metria*.] ***S. f.*** Medida de forças feita pelo dinamômetro. [F. paral.: *dinamiometria*.]

dinamométrico [De *dinamometria* + *-ico*[2].] ***Adj.*** Referente à dinamometria. [F. paral.: *dinamiométrico*.]

dinamómetro ***S. m.*** V. *dinamômetro*. [Uso freq. em P.]

dinamômetro [De *dinam(o)-* + *-metro*.] ***S. m.*** **1.** *Fís.* Instrumento destinado a medir forças por meio da deformação causada por essas sobre um sistema elástico. [Os tipos mais usuais são constituídos por uma mola cuja deformação varia linearmente com a força que a produz.] **2.** *Eletr.* Instrumento com que se mede a potência de um motor elétrico, e baseado num processo de medição direta do momento da força tangencial que, aplicada ao eixo do motor, é capaz de pará-lo. **3.** *Fisiol. Med.* Ergômetro. [F. paral.: *dinamiômetro*.]

dinamotermal [De *dinam(o)-* + *-term(o)-* + *-al*[1].] ***Adj. 2 g.*** *Geol.* Diz-se do tipo de metamorfismo produzido pela deformação das rochas graças aos movimentos orogênicos em profundidades grandes, em que atuam, ao mesmo tempo, pressão orientada e temperatura alta. [As rochas características desse tipo de metamorfismo são os xistos.]

dinar [Do lat. *denarius (numus)*, '(moeda) denária; denário'; pelo gr. bizantino *denárion*, pelo ár. *dīnār* e pelo persa *dinar*.] ***S. m.*** **1.** Antiga unidade árabe de peso. **2.** Antiga moeda de ouro, cunhada pelos califas árabes. **3.** Unidade monetária, e moeda, da Argélia, Bareine, Coveite, Iraque, Jordânia, Líbia, Macedônia, Sérvia, Sudão e Tunísia. **4.** Moeda divisionária do rial iraniano.

dinasta [Do gr. *dynástes*, pelo lat. *dynasta*.] ***S. m.*** **1.** Título dado outrora a príncipes reinantes. ● ***S. 2 g.*** **2.** Partidário duma dinastia.

dinastia [Do gr. *dynasteía*.] ***S. f.*** Série de soberanos pertencentes a uma mesma família: 📄 *D. Pedro II pertencia à dinastia dos Braganças*; 📖 "No tempo do Império, ... a necessidade de celebrar e perpetuar os fastos da dinastia eram outros tantos incentivos à munificência com que se liberalizavam graças e recompensas a artistas e homens de letras." (Alberto Ramos, *Prosas de Ariel*, p. 37.)

dinástico [Do gr. *dynastikós*.] ***Adj.*** Respeitante à dinastia.

dinda ***S. f.*** *Bras. Fam.* V. *dindinha* (1).

dindinha ***S. f.*** *Bras.* **1.** *Fam.* Dim. carinhoso de madrinha. [F. red. *dinda*.] **2.** *Pop.* V. *cachaça* (1).

dindinho ***S. m.*** *Bras. Fam.* **1.** Dim. carinhoso de *padrinho*. **2.** Designação carinhosa de avô.

dingo [De uma língua australiana.] ***S. m.*** *Cinol.* Cão selvagem da Austrália.

dinheirada [De *dinheiro* + *-ada*[1].] ***S. f.*** Porção considerável de dinheiro; dinheirama, dinheirame, dinheirão.

dinheirama [De *dinheiro* + *-ama*.] ***S. f.*** **1.** Grandes recursos de dinheiro. **2.** V. *dinheirada*.

dinheirame [De *dinheiro* + *-ame*.] ***S. m.*** V. *dinheirada*.

dinheirão [De *dinheiro* + *-ão*[1].] ***S. m.*** **1.** Grande porção, indeterminada, de dinheiro. **2.** V. *dinheirada*.

dinheirento [De *dinheiro* + *-ento*.] ***Adj.*** *Bras.* V. *dinheiroso*.

dinheiro [Do lat. vulg. **dinariu* < lat. cláss. *denarius* < lat. *deni*, 'cada dez'.] ***S. m.*** **1.** V. *moeda* (2): 📄 *Na Antiguidade o sal foi usado como dinheiro.* **2.** Cédulas e moedas aceitas como meio de pagamento: 📄 *Esta loja só recebe pagamentos em dinheiro.* **3.** Moeda (4). **4.** *P. ext.* Tudo que representa dinheiro (1), ou nele pode ser convertido (cheques, títulos, ações, mercadorias negociáveis, etc.): 📄 *Tem dinheiro em imóveis.* **5.** Qualquer soma, definida ou indefinida, de dinheiro (1). [Sin. (na maioria pop. ou gír.): *arame*, *bufunfa*, *bagalhoça*, *bagarote(s)*, *bago*, *bomba*, *borós*, *bronze*, *capim*, *caraminguá(s)*, *caroço*, *changa*, *chapa*, *chelpa*, *cobre(s)*, *cominho*, *erva*, (lus.) *estaleca*, *ferro*, *gaita*, *grana*, *guita*, *jabaculê*, *jibungo*, *jimbo*, *jimbongo*, *jimbra*, *legume*, *luz*, *mango*, *maquia*, *massa*, *metal*, *milho*, *mufunfa*, *níquel*, *nota*, *numerário*, *óleo*, *ouro*, *pacotes*, *pataca*, *pecúnia*, *pilcha*, *prata*, *tacho*, *teca*, *tostão*, *tuncum*, *tusta*, *tutu*, *unto*, *vento*, *verba*, *zinco*. Cf. *ostubos*.] **6.** Dinheiro (1) de curso legal; moeda circulante: 📄 *A nota de 50 cruzeiros deixou de ser dinheiro.* **7.** Recursos financeiros; abastança, riqueza, pataca(s): 📄 *Não tem dinheiro para custear a educação dos filhos.* ◆ **Dinheiro a risco.** *Jur.* V. *câmbio marítimo*. **Dinheiro de botija.** *Bras.* Dinheiro enterrado. [Cf. *botija* (4).] **Dinheiro de contado.** O que é pago a vista ou por ocasião dos contratos, em moeda corrente. **Dinheiro de S. Pedro.** Esmolas que os fiéis dão para o Papa. **Dinheiro miúdo.** Dinheiro de pouco valor (sobretudo em moedas); dinheiro trocado; trocados, miúdos, quebrados. **Dinheiro vivo.** Dinheiro em moeda metálica ou papel-moeda: 📖 "— É dinheiro vivo? — indagou [Marques], impaciente. | .... | E ele próprio abriu o rosto, dilatou os olhos, ... ao ver o Major tirar do saco de pano, uma a uma, sucessivas moedas de ouro" (Josué Montelo, *Largo do Desterro*, p. 186). **Fazer dinheiro.** Ganhar muito dinheiro. **Ter dinheiro como bagaço.** Ser muito rico. **Trocar dinheiro.** **1.** Fazer troco. **2.** Fazer câmbio.

dinheiro-em-penca [De *dinheiro* + a loc. *em penca*.] ***S. m.*** *Bras. Bot.* Planta urticácea (*Pilea nummulariifolia*) herbácea, reptante, perene, estolhosa, nativa de regiões tropicais da América, de folhagem ornamental; pequenas folhas simples, arredondadas, sulcadas, rugosas, verde-claras, e diminutas flores laterais. [Pl.: *dinheiros-em-penca*.]

dinheiro-papel ***S. m.*** V. *papel-moeda*. [Pl.: *dinheiros-papéis* e *dinheiros-papel*.]

dinheiroso (ô) [De *dinheiro* + *-oso*.] ***Adj.*** Que tem muito dinheiro: 📖 "Os negociantes dinheirosos arregalavam olhos concupiscentes" (Artur Azevedo, *Contos Possíveis*, p. 25). [Sin.: *rico*, *endinheirado* e (bras.) *dinheirento*, *dinheirudo*.]

dinheirudo [De *dinheiro* + *-udo*.] ***Adj.*** V. *dinheiroso*.

▲ **-din(i)-** V. *din(o)-*

dinitrato [De *di-*[1] + *nitrato*.] ***S. m.*** *Quím.* Composto que contém dois grupos nitrato. ◆ **Dinitrato de isossorbida.** *Quím.* Substância cristalina, resultante da nitração da isossorbida (q. v.), que contém dois grupos nitrato, ambos sob forma de éster, us. no tratamento da angina [fórm.: $C_6H_8N_2O_8$].

dino [Do lat. *dignu*, por via pop.] ***Adj.*** *Ant.* Digno: 📖 "Estava o Padre ali sublime e dino, / Que vibra os feros raios de Vulcano" (Luís de Camões, *Os Lusíadas*, I, p. 22).

▲ **din(o)-** [Do gr. *dînos, ou*.] ***El. comp.*** = 'movimento de rotação', 'turbilhão'; 'vertigem'; 'que se relaciona à eletricidade, à eletrônica': *dinoflagelada*. [Equiv.: *-din(i)-*, *-dino*: *adinimonadácea*, *antidínico*; *heteródino*, *neutródino*.]

▲ **dino-** [Do gr. *deinós, ḗ, ón*.] ***El. comp.*** = 'poderoso'; 'terrível': *dinossauro*. [Equiv. impr.: *deino-*: *deinossuco*.]

▲ **-dino** V. *din(o)-*.

dinocerado [Adapt. do tax. *Dinocerata*.] *Paleont.* ***S. m.*** **1.** Espécime dos dinocerados, subordem de mamíferos ungulados, amblípodes, do início do quaternário e, particularmente, do eoceno dos E. U. A., de caninos muito grandes, três pares de cornos e cérebro minúsculo. ● ***Adj.*** **2.** Pertencente ou relativo a eles.

dinodo [Do gr. *dyn(amis)* (v. *dinam(o)-*) + *-odo*.] ***S. m.*** *Eletrôn.* Numa válvula, eletrodo que emite elétrons por meio do fenômeno da emissão secundária.

dinodonte ***S. m.*** *Paleont.* Deinodonte (q. v.).

dinodontossauro [Do tax. *Dinodontosaurus* (v. *dino-*, *-(o)dont(o)-* e *-sauro*).] ***S. m.*** *Paleont.* **1.** Gênero de dinossauros terápodes, dicinodontes, herbívoros, com cerca de 1,50m de altura e 50kg de peso, que habitavam as planícies úmidas da América do Sul no período triássico. **2.** Espécie, ou espécime desse gênero.

dinoflagelada [De *din(o)-* + *-flagel(i)-* + *-ada*[2]; tax. *Dinoflagellata*.] ***S. f.*** *Bot.* Espécime das dinoflageladas, divisão do reino vegetal que compreende organismos unicelulares, flagelados e assimétricos, e cujas células, muito elaboradas, em geral se mostram cobertas por uma carapaça celulótica, não raro com aspecto de mosaico, e provida de dois sulcos. Têm dois flagelos, plastídios escuros, manchas fotorreceptoras; o amido é a substância de reserva, ao lado de óleo. Reproduzem-se por divisão longitudinal e, às vezes, compõem colônias. Também classificadas entre protozoários pelos zoólogos. [Sin.: *cilioflagelada, cistoflagelada*.]

dinoflagelado [De *dinoflagel-* (v. *dinoflagelada*) + *-ado*[1].] ***Adj.*** *Bot.* Pertencente ou relativo às dinoflageladas. [Sin.: *cilioflagelado, cistoflagelado*.]

dinomania [De *din(o)-* + *-mania*.] ***S. f.*** *Psiq.* Coreomania.

dinomaníaco [De *dinomania* + *-ico*[2].] ***Adj. S. m.*** *Psicol.* V. *coreomaníaco*.

dinomiídeo [Do tax. *Dinomys* (< gr. *deinós* [v. *dino-*] + gr. *mŷs* [v. *mio(s)-*]) + *-ídeo*; tax. *Dinomyidae*.] *Zool.* ***S. m.*** **1.** Espécime dos dinomiídeos, família monoespecífica de roedores histricomorfos, de cauda longa e peluda, pés e mãos munidos de quatro dedos com unhas fortes, conhecidos vulgarmente como pacaranas. ● ***Adj.*** **2.** Pertencente ou relativo a eles.

dinorfina [Comb. do gr. *dýnamis* e o ingl. *morphine*.] ***S. f.*** *Bioquím.* Qualquer de certos peptídeos opioides que ocorrem no sistema nervoso central e que participam na regulação de vários processos fisiológicos, como a sensação de dor, o apetite, a temperatura corpórea, etc.

dinórnis [Do tax. *Dinornis*.] ***S. f.*** *Zool.* **1.** Gênero de aves ratitas, herbívoras, de grande porte, que nidificavam no solo. Recentemente extintas, habitavam a Nova Zelândia, eram corredoras velozes com patas muito desenvolvidas terminando em três dedos, e não tinham asas nem úmero. **2.** Qualquer espécie desse gênero como, p. ex., a *Dinornis maximus*, conhecida popularmente como *moa*. **3.** Qualquer espécime desse gênero.

dinornitídeo [Do lat. cient. *Dinornith-* (< tax. *Dinornis*) + *-ídeo*[1]; tax. *Dinornithidae*.] *Zool.* ***S. m.*** **1.** Espécime dos dinornitídeos, família extinta de aves semelhantes às emus, ápteras, ratitas. Confinada à Nova Zelândia, reunia seis gêneros, com dezenove espécies. Os últimos exemplares alcançaram o século XIX. ● ***Adj.*** **2.** Pertencente ou relativo a eles.

dinorrinco ***S. m.*** *Paleont.* Deinorrinco (q. v.).

dinossauro [De *dino-* + *-sauro*; tax. *Dinosauria*.] ***S. m.*** *Paleont.* Nome comum a diversos reptis terrestres, que viveram na era mesozoica. Dividem-se em dois grupos principais: os ornitísquios (q. v.) e os saurísquios (q. v.), subdividindo-se estes últimos em saurópodes e terópodes. Extinguiram-se no final do cretáceo, há cerca de 65 milhões de anos.

dinossuco ***S. m.*** *Paleont.* Deinossuco (q. v.).

dinoteriídeo [Do tax. *Deinotherium* + *-ídeo*[1]; tax. *Deinotheriidae*.] *Paleont.* ***S. m.*** **1.** Espécime dos dinoteriídeos, família de mamíferos proboscídeos, de presas superiores ausentes e inferiores largas e voltadas para baixo. Viveram do mioceno até o fim do plistoceno, quando desapareceram juntamente com os grandes mamíferos de todos os continentes. As formas mais antigas eram pequenas e as ulteriores, do tamanho de um elefante atual. ● ***Adj.*** **2.** Pertencente ou relativo a eles.

dinotério [De *dino-* + *-tério*[1]; tax. *Deinotherium*.] ***S. m.*** *Paleont.* **1.** Gênero de mamíferos proboscídeos, semelhantes ao elefante atual, sem presas na maxila e com as do inferior em forma de pá ou enxada. Habitaram a Eurásia do mioceno até o fim do plistoceno. **2.** Espécie, ou espécime desse gênero.

dinotim [De or. oriental.] ***S. m.*** Pano hindu, semelhante ao fustão.

dintel [Do esp. *dintel* < fr. médio *lintel* (atual *linteau*) < lat. vulg. **limitale*, alter do lat. *liminaris*, 'relativo à porta de entrada'.] ***S. m.*** **1.** *Arquit.* Verga de porta ou de janela, feita em diversas formas, e com pedra, tijolos, madeira ou metal. **2.** Apoio lateral de prateleiras, nas estantes; lintel. [Pl.: *dintéis*. Cf. *dentel*, pl. *dentéis*, e *denteis*, do v. *dentar*.]

▲ **-dio** V. *-io*[2].

diocesano [De *diocese* + *-ano*[1].] ***Adj.*** **1.** Respeitante a diocese. ● ***S. m.*** **2.** Aquele que é fiel a uma diocese, em relação a seu bispo.

diocese [Do gr. *dioíkesis*, pelo lat. *diocese*.] ***S. f.*** *Ecles.* Circunscrição territorial sujeita à administração eclesiástica de um bispo ou, por vezes, arcebispo, ou dum patriarca.

dioctofimatino [Do lat. cient. *Dioctophymat-* (< tax. *Dioctophyma*) + *-ino*[3]; tax. *Dioctophymatina*.] ***S. m. Adj.*** *Zool.* V. *enóplida*.

diodo (ô) [De *di-*[1] + *-odo*.] ***S. m.*** *Eletrôn.* Dispositivo semicondutor de dois terminais, construído à base de silício ou germânio, que permite a passagem da corrente elétrica num sentido, e impede a sua passagem no sentido inverso. [*Díodo* seria preferível, mas é p. us.] ◆ **Diodo a cristal.** *Eletrôn.* Componente eletrônico constituído por um cristal de semicondutor, e que pode ser utilizado para retificar correntes alternadas. **Diodo a gás.** *Eletrôn.* Diodo que contém um gás ou vapor sob pressão reduzida. **Diodo de dupla base.** *Eletrôn.* V. *transistor unijunção*. **Diodo de ponta.** *Eletrôn.* Diodo constituído por uma ponta metálica em contato com um cristal de semicondutor (usualmente germânio), e no qual existe uma junção PN. **Diodo emissor de luz.** *Eletrôn.* Dispositivo semicondutor constituído de materiais eletroluminescentes como o fosfeto de arseniato de gálio ou fosfeto de gálio, capaz de emitir luz quando energizado através de uma fonte elétrica. [Sigla (ingl.): *led*.] **Diodo túnel.** *Eletrôn.* Semicondutor com resistência negativa numa parte da região de operação, e cujo funcionamento é baseado no efeito-túnel. **Duplo diodo.** *Eletrôn.* Válvula que exerce as funções de dois diodos, constituída por dois catodos e duas placas, independentes, colocados num mesmo bulbo.

díodo ***S. m.*** *Eletrôn.* V. *diodo*.

dioense ***Adj. 2 g.*** **1.** De, ou pertencente ou relativo a Dio (Índia). ● ***S. 2 g.*** **2.** O natural ou habitante de Dio.

diofantino [Do antr. *Diofanto* (gr. *Dióphantos*), matemático grego, + *-ino*[1].] ***Adj.*** V. *análise —a* e *equação —a*.

diogo (ô) ***S. m.*** *Bras. Pop.* V. *diabo* (2).

dioico (ói) [Do lat. cient. *dioicus* (< gr. *di-*, 'dois', + gr. *oîkos*, 'casa'), pelo fr. *dioïque*.] ***Adj.*** *Biol.* Que tem órgãos reprodutores masculinos e femininos em indivíduos distintos, unissexuais. [Sin.: *dieco, diécio*.] [A melhor f. é *dieco*, mas o uso consagrou *dioico*.] ❖

diol [De *di-*[1] + *-ol*[2].] ***S. m.*** *Quím.* Qualquer substância que contenha dois grupos hidroxila de álcool; glicol. [Pl.: *dióis*.]

▲ **-diol** [V.C.I. *-diol* < *di-*[1] (q. v.) + *-ol*[2] (q. v.).] ***Suf.*** *Quím.* = 'dois grupos OH (hidroxila)': *estradiol*.

diola [Desta língua.] ***S. 2 g.*** **1.** *Etnôn.* Indivíduo dos diolas, um dos grupos étnicos que habitam a República da Gâmbia e o Senegal (África). ● ***S. m.*** **2.** *Gloss.* Língua nigero-congolesa falada nesses países. ● ***Adj. 2 g.*** **3.** Relativo ou pertencente a diola (1 e 2). [Cf. *diúla*.]

diolefina [De *di-*[1] + *olefina*.] ***S. f.*** *Quím.* Dieno.

diomedeídeo [Do tax. *Diomedea* (< mit. gr. *Diomédes*) + *-ídeo*[1]; tax. *Diomedeidae*.] *Zool.* ***S. m.*** **1.** Espécime dos diomedeídeos, família de aves procelariiformes, oceânicas, de porte avantajado, narinas distantes uma da outra, asas estreitas e muito longas e voo planado e veloz. São os albatrozes. ● ***Adj.*** **2.** Pertencente ou relativo a eles.

dioncofilácea [Do tax. *Dioncophyllum* + *-ácea*; tax. *Dioncophyllaceae*.] ***S. f.*** *Bot.* Espécime das dioncofiláceas, família da ordem das nepentales que reúne três espécies de arbustos que têm glândulas secretoras de mucilagem que capturam insetos.

dioncofiláceo [De *dioncofilácea*, com var. suf. (v. *-áceo*).] ***Adj.*** *Bot.* Pertencente ou relativo às dioncofiláceas.

dioneia (éi) [Do tax. *Dionaea* (do gr. *dionaía*).] ***S. f.*** *Bot.* **1.** Gênero monoespecífico de plantas droseráceas. **2.** A única espécie desse gênero, a *Dionaea muscipula*, nativa do S.E. dos E.U.A., dotada de folhas espatuladas, dispostas em roseta basal, com pelos sensitivos e dois lobos denteados, que se fecham assim que os pelos são tocados; é us. como ornamental. **3.** Qualquer espécime desse gênero. ❖

dionisíacas [F. pl. subst. de *dionisíaco*.] ***S. f. pl.*** Entre os antigos gregos, festas rituais e dramáticas em honra ao deus Dioniso, constituídas de procissões, danças, recitativos e cantos corais ou ditirambos, a que vieram associar-se os concursos de tragédias e comédias; dionísias. ◆ **Dionisíacas rurais.** Entre os antigos gregos, festas dramáticas celebradas em fins de dezembro nas aldeias da Ática; dionísias rurais. **Dionisíacas urbanas.** Festas dramáticas dos antigos gregos, celebradas, durante seis dias, na primavera, e cujo programa compreendia uma grande procissão e concursos de tragédias e de comédias; dionísias urbanas. [Cf. *leneanas*.]

dionisíaco[1] [Do gr. *dionysiakós*, pelo lat. *dionysiacu*.] ***Adj.*** **1.** Relativo a Dioniso, deus grego dos ciclos vitais, da alegria e do vinho, chamado Baco entre os romanos: 📖 "a tragédia, nascida do culto dionisíaco, faz-se, com Eurípides, veículo de crítica à religião tradicional." (Sábato Magaldi, *Temas da História do Teatro*, p. 108). **2.** Cuja natureza é semelhante à de Dioniso ou Baco, *i. e.*, agitada, arrebatada, desinibida. [Opõe-se, nesta acepç., a *apolíneo* (3).] **3.** Relativo ao entusiasmo, à inspiração criadora. **4.** Instintivo, natural, espontâneo. **5.** Tumultuário, confuso, desordenado. **6.** V. *báquico* (1 e 2). ~ V. *espírito —*. [Sin. ger.: *dionísico*.]

dionisíaco[2] [Do lat. *Dionysius* (f. lat. do antr. fr. *Denys* e do port. *Dinis*) + *-ico*[2].] ***Adj.*** Concernente ao rei português D. Dinis (1261-1325), ou à sua época.

dionisiano ***Adj.*** **1.** De, ou pertencente ou relativo a Dionísio (MG). ● ***S. m.*** **2.** O natural ou habitante de Dionísio.

dionísias [Do gr. *Dionýsia*, pelo lat. *Dionysia*.] ***S. f. pl.*** Dionisíacas. ◆ **Dionísias rurais.** Dionisíacas rurais. **Dionísias urbanas.** Dionisíacas urbanas.

dionísico ***Adj.*** V. *dionisíaco*[1].

dionisiense ***Adj. 2 g. S. 2 g.*** V. *cerqueirense*[2].

diopsídio [Do fr. *diopside* + *-io*[3].] ***S. m.*** *Min.* Mineral monoclínico do grupo dos piroxênios, silicato de cálcio e magnésio.

dioptásio [Do fr. *dioptase* (v. *-io*[3]).] ***S. m.*** *Min.* Mineral hexagonal, verde-esmeralda, silicato de cobre hidratado.

dioptria [Do V.C.I. *dioptr-* (< lat. *diopter, dioptre*) + *-ia*[1].] ***S. f.*** *Ópt.* Medida de convergência de uma lente, igual ao inverso da distância focal expressa em metros [símb.: *dptr*]: 📖 "Usa óculos com tais dioptrias que, aproximando muito um livro ou a caderneta, as lentes lhe servem de espelho." (Aquilino Ribeiro, *Estrada de Santiago*, p. 104.)

dióptrica [Do fr. *dioptrique*.] ***S. f.*** Parte da física que estuda a refração da luz.

dióptrico [Do gr. *dioptrikós*.] ***Adj.*** Referente à dióptrica.

diorama [De *di(a)-* + *-orama*.] ***S. m.*** Quadro iluminado na parte superior por luz móvel, e que produz ilusão óptica.

dioramense ***Adj. 2 g.*** **1.** De, ou pertencente ou relativo a Diorama (GO). ● ***S. 2 g.*** **2.** O natural ou habitante de Diorama.

diorâmico [De *diorama* + *-ico*[2].] ***Adj.*** Pertencente ou relativo a diorama.

diore *Bras.* ***S. 2 g.*** **1.** *Etnôn.* Indivíduo dos diores [ou (etnôn. bras.) *Dyóre], povo indígena extinto que habitava a região da cabeceira do rio Itacaiunas, afluente do Tocantins (PA). ● ***Adj. 2 g.*** **2.** Pertencente ou relativo a esse povo.

diorito [Do gr. *dior(ízein)*, 'limitar', 'distinguir', + *-ito*[2].] ***S. m.*** *Geol.* Rocha de textura granular constituída essencialmente de oligoclásio ou andesita e de um mineral fêmico, de ordinário a hornblenda.

dioscórea [Do tax. *Dioscorea*.] ***S. f.*** *Bot.* **1.** Gênero de trepadeiras herbáceas, dioscoreáceas. **2.** Qualquer espécie desse gênero, como, p. ex., a *Dioscorea panniculata* (v. *inhame*). **3.** Qualquer espécime desse gênero.

dioscoreácea [Do tax. *Dioscorea* (v. *dioscórea*) + *-ácea*; tax. *Dioscoreaceae*.] ***S. f.*** *Bot.* Espécime das dioscoreáceas, família de plantas monocotiledôneas, da ordem das liliifloras, composta de trepadeiras herbáceas, raramente ervas eretas, com rizomas tuberosos e ricos em amido, donde o valor alimentar de várias espécies. Flores pequeninas, folhas pecioladas, tépalas diminutas; ovário ínfero, trilocular, às vezes unilocular e fruto capsular ou bacáceo. Há umas 650 espécies das regiões quentes, sendo o Brasil rico em representantes; só o gênero *Dioscorea* abrange quase 600 espécies.

dioscoreáceo [De *dioscoreácea*, com var. suf. (v. *-áceo*).] ***Adj.*** *Bot.* Pertencente ou relativo às dioscoreáceas.

diosfenol [Do lat. cient. *dios-* (v. *diosma*) + *fenol*.] ***S. m.*** *Quím.* Substância natural, cetona cíclica monoterpênica, que contém o grupo enol, o que explica as suas propriedades ácidas [fórm.: $C_{10}H_{16}O_2$]. [Pl.: *diosfenóis*.]

diosgenina [Do lat. cient. *dios-* (v. *dioscórea*) + *-gen(o)-* + *-ina*[3].] ***S. f.*** *Quím.* Substância cristalina esteroidal, que é a aglicona de uma saponina encontrada em certos inhames, e que é us. industrialmente como matéria-prima para a síntese de hormônios e anticoncepcionais [fórm.: $C_{27}H_{42}O_3$].

diosma [Do tax. *Diosma* (do gr. *dîos*, 'divino', + gr. *osmé* ou gr. *osmós*, v. *osm(o)-*[1]).] ***S. f.*** *Bot.* **1.** Pequeno gênero de arbustos rutáceos, de folhas odoríferas e pequenas flores brancas ou róseas. **2.** Espécie, ou espécime desse gênero.

diósmea [De *diosma* (q. v.) + *-ea*.] ***S. f.*** *Bras. SP Bot.* Subarbusto rutáceo (*Coleonema album*) ornamental, cujas folhas têm glândulas, e cujas flores são alvas, solitárias e terminais, com cálice e brácteas ciliadas.

diospiral [Do lat. cient. *Diospyr-* (v. *diospirale*) + *-al*[1].] *Adj. 2 g. Bot.* Ebenal.

diospirale [Do tax. *Diospyros* (< gr. *Diós* [gen. de *Zeus*] + gr. *pyrós*, 'trigo') + *-ale*; tax. *Dyospyrales*.] *S. f. Bot.* Ebenale.

dióspiro [Do lat. *diospyros* (do gr. *dióspyron* ou *dióspyros*); tax. *Diospyros*.] *S. m. Bot.* **1.** Gênero de árvores e arbustos ebenáceos que habitam regiões tropicais, de folhas alternas, coriáceas, e fruto bacáceo, edule em algumas espécies. **2.** Qualquer espécie desse gênero, como, p. ex., a *Diospyros kaki* (v. *caquizeiro*). **3.** Qualquer espécime desse gênero. **4.** *Lus.* V. *caqui*.

diostilo [De *di-*[1] + *-o-* + *-stilo*[2].] *S. m. Arquit.* Fachada ou frontaria formada por colunas emparelhadas.

dioxana (cs) [De *di-*[1] + *-ox(i)-* + *-ana*[2].] *S. f. Quím.* Substância heterocíclica saturada, com anel de seis átomos, sendo quatro de carbono e dois de oxigênio, estes em posições diametralmente opostas, e que é um líquido incolor, odoroso, usado como solvente [fórm.: $C_4H_8O_2$].

dioxano (cs) [De *di-*[1] + *-ox(i)-* + *-ano*[2]; V.C.I. *dioxane*.] *S. m. Quím.* Dioxana.

dioxetana (cs) [De *di-*[2] + *-ox(a)-* + *-etana*.] *S. f. Quím.* Substância heterocíclica saturada, cujo anel, tetragonal, tem dois átomos de carbono e dois de oxigênio: a 1,2-dioxetana, tem, no anel, átomos iguais adjacentes e a 1,3-dioxetana os tem alternados [fórm.: $C_2H_4O_2$].

dióxido (cs) [De *di-*[1] + *óxido*.] *S. m. Quím.* Óxido de cuja molécula participam dois oxigênios; bióxido ◆ **Dióxido de carbono.** *Quím.* Gás carbônico.

dioxina (cs) [De *di-*[1] + *-ox(i)-* + *-ina*[3].] *S. f. Quím.* **1.** Designação genérica de compostos heterocíclicos com dois átomos de oxigênio num anel hexagonal. **2.** *Impr.* Nome usual da 2,3,7,8-tetraclorodibenzo-p-dioxina, substância extremamente tóxica, presente como impureza no agente laranja (q. v.).

dioxolana (cs) [Do ingl. *dioxolane*.] *S. f. Quím.* Qualquer de duas substâncias heterocíclicas saturadas, com anéis de cinco átomos, sendo três de carbono e dois de oxigênio, e na mais comum os dois oxigênios estão separados por um carbono [fórm.: $C_3H_6O_2$].

dipenteno [De *di-*[1] + *penteno*.] *S. m. Quím.* Mistura racêmica dos dois enantiômeros do limoneno, us. industrialmente como solvente [fórm.: $C_{10}H_{16}$].

diperiantado [De *di-*[1] + *periantado*.] *Adj. Bot.* Provido de dois verticilos protetores (cálice e corola): *flor diperiantada*.

dipétalo [De *di-*[1] + *-pétalo*.] *Adj. Bot.* Que tem duas pétalas.

dipirona [Voc. farmac.] *S. f. Quím.* Substância cristalina, incolor, cujo uso como analgésico e antipirético é desaconselhável, por causar agranulocitose [fórm.: $C_{13}H_{16}N_3NaO_4S$].

dipladênia [Do tax. *Dipladenia*.] *S. f. Bot.* **1.** Gênero de trepadeiras e arbustos apocináceos, lenhosos, cultivados como ornamentais pela beleza de suas grandes e numerosas flores. **2.** Qualquer espécie desse gênero, como, p. ex., a *Dipladenia crassinoda*, de grandes flores róseas, campanuláceas, odoríferas, e a *D. nobilis*, de flores brancacentas tirantes a violáceas, dispostas em espigas ou em racemos terminais alongados. **3.** Qualquer espécime desse gênero, ou a flor dele.

diplasiocelo [Do gr. *diplásios*, 'duplo', 'em quantidade', + *-celo*[1]; tax. *Diplasiocoela*.] *Zool. S. m.* **1.** Espécime dos diplasiocelos, ordem de animais cordados, anfíbios anuros, caracterizados pela cintura peitoral soldada ao esterno. ● *Adj.* **2.** Pertencente ou relativo a eles.

diple [Do gr. *diplê*.] *S. f. Paleogr.* Sinal em forma de V deitado [>] com a abertura para a esquerda, que se usa para distinguir citações da Bíblia e de outros textos importantes. [Cf. *antilambda*.]

diplegia [De *di-*[1] + *-pleg-* + *-ia*[1].] *S. f. Neur.* Paralisia que compromete partes iguais, de ambos os lados do corpo; paralisia bilateral.

diplégico [De *diplegia* + *-ico*[2].] *Neur. Adj.* **1.** Referente a, ou que sofre de diplegia. ● *S. m.* **2.** Aquele que sofre de diplegia.

▲ **dipl(o)-** [Do gr. *diplóos, oûs*.] *El. comp.* = 'duplo': *diplococo, diplopia, diplópode*. [Equiv.: *-dipl(o)-*: *haplodiplobionte*.]

▲ **-dipl(o)-** Equiv. de *dipl(o)-*.

díploa *S. f. Anat.* V. *díploe*.

diploaplonte [De *dipl(o)-* + *haplonte*.] *S. m. Biol.* V. *diplobionte*.

diploaplôntico [De *diploaplonte* + *-ico*[2].] *Adj. Biol.* V. *diplobiôntico*.

diplobionte [De *dipl(o)-* + *-bi(o)-* + *-onte*.] *S. m. Biol.* Organismo que apresenta alternância de gerações (q. v.); diploaplonte, haplodiplobionte.

diplobiôntico [De *dipl(o)-* + *-biont(e)-* + *-ico*[2].] *Adj. Biol.* De, ou relativo a diplobionte; diploaplôntico, haplodiplobiôntico. ~ V. *ciclo* —.

diploblástico [De *dipl(o)-* + *-blast(o)-* + *-ico*[2].] *Adj. Zool.* Diz-se de animal que se desenvolve a partir de duas camadas de tecido embrionário: o ectoderma e o endoderma.

diplococo [De *dipl(o)-* + *-coco*.] *S. m. Microbiol.* Coco[1] (1) que se apresenta aos pares.

diplódoco [Do tax. *Diplodocus* (< gr. *diplóos* [v. *dipl(o)-*]) + gr. *dokós*, 'barra'.] *S. m. Paleont.* **1.** Gênero de dinossauros saurísquios, saurópodes, herbívoros, gigantes, com cerca de 20m de comprimento e 25t de peso; cabeça pequena, pescoço longo e flexível, grande cauda terminando em chicote. Habitaram, no jurássico superior, os E.U.A. (Colorado e Wyoming), nos charcos, pântanos, lagos e margens de rios. **2.** Espécie, ou espécime desse gênero.

díploe [Do lat. cient. *diploe* < gr. *diplóe*.] *S. f. Anat.* Tecido esponjoso existente entre as duas lâminas de tecido compacto que formam os ossos do crânio. [Var.: *díploa*.]

diplófase [De *dipl(o)-* + *-fase*[2].] *S. f. Biol.* Fase do ciclo de reprodução sexuada de um organismo durante a qual as células são diploides.

diplofonia [De *dipl(o)-* + *-fon(o)-* + *-ia*[1].] *S. f. Otor.* Perturbação da voz, caracterizada pela formação simultânea de dois sons na laringe.

diplofónico *Adj.* V. *diplofônico*. [Uso freq. em P.]

diplofônico [De *diplofonia* + *-ico*[2].] *Adj.* Referente a diplofonia.

diploglossado [De *dipl(o)-* + *-gloss(o)-* + *-ado*[3]; tax. *Diploglossata*.] *Zool. S. m.* **1.** Espécime dos diploglossados, ordem de artrópodes, insetos de pequeno porte, corpo achatado, sistema bucal mastigador, abdome com cercos longos e não segmentados, pernas robustas, com unhas. Vivíparos, vivem como ectoparasitos de roedores da África do Sul. ● *Adj.* **2.** Pertencente ou relativo a eles. [Sin. ger.: *dermodermáptero* e *hemimerino*.]

diploide[1] (ói) [De *dipl(o)-* + *-oide*.] *Adj. 2 g. Biol.* Que tem o dobro do número de cromossomos típico dos gametas normais: *núcleo diploide; organismo diploide*. ~ V. *célula* — e *número* —. ❖

diploide[2] (ói) *S. m.* Vestido ou manto que dava duas voltas ao corpo, de uso entre os orientais antigos. [Do gr. *diplois, ídos*, pelo lat. tard. *diploide*.] ❖

diploma [Do lat. *diploma, atis*, 'permissão por escrito', 'documento oficial', < gr. *díploma, atos*, 'dupla quantidade'; 'papel dobrado em dois'.] *S. m.* **1.** Documento oficial pelo qual se confere cargo, dignidade, mercê ou privilégio; carta. **2.** Documento conferido por uma instituição de ensino, e que afirma as habilitações de alguém ou lhe confere um grau (6): *diploma de bacharel*. **3.** Título comprobatório de um direito ou de uma obrigação. **4.** Qualquer lei ou decreto. **5.** Carta real. **6.** Qualquer documento público.

diplomação [De *diplomar* + *-ção*.] *S. f. Bras.* Ação de diplomar(-se).

diplomacia [Do fr. *diplomatie*.] *S. f.* **1.** Ciência das relações exteriores ou negócios estrangeiros dos Estados. **2.** Ciência ou arte das negociações. **3.** O corpo dos representantes dos governos estrangeiros junto a um Estado. **4.** Circunspeção e gravidade nas maneiras. **5.** Delicadeza, finura. **6.** *Fig.* Astúcia ou consumada habilidade com que se trata qualquer negócio.

diplomaciar [De *diplomacia* + *-ar*[2].] *V. int.* **1.** Praticar a diplomacia; cuidar da diplomacia. *T. i.* **2.** Tratar com diplomacia, com delicadeza e finura: *Diplomaciou com os nativos para obter mantimentos.*

diplomado [Part. de *diplomar*.] *Adj.* **1.** Que tem diploma ou título justificativo de certas habilitações científicas, ou literárias, etc. ● *S. m.* **2.** Indivíduo diplomado.

diplomando [De *diplomar* + *-ando*.] *S. m. Bras.* Aquele que está em via de se diplomar: "O Senhor se lembra, Coronel, do dia em que teve de envergar o seu velho fraque e servir de padrinho às três diplomandas?" (Caci Cordovil, *Ronda de Fogo*, p. 42.)

diplomar [De *diploma* + *-ar*[2].] *V. t. d.* **1.** Conferir diploma a: "As nossas academias diplomam todos os anos centenas de novos bacharéis, que só excepcionalmente farão uso, na vida prática, dos ensinamentos recebidos durante o curso." (Sérgio Buarque de Holanda, *Raízes do Brasil*, p. 115.) *P.* **2.** Receber diploma de ciência ou arte que se estudou.

diplomata [Do fr. *diplomate*.] *S. 2 g.* **1.** Pessoa que tem por profissão a diplomacia (1). **2.** Funcionário pertencente ao quadro do serviço diplomático de um país. **3.** Representante de um Estado junto a outro. **4.** *Fig.* Indivíduo de aspecto fino, porte distinto. **5.** *Fig.* Negociador hábil.

diplomática [Do fr. *diplomatique*.] *S. f.* Estudo da tradição (6), elaboração e forma dos documentos legais e administrativos.

diplomático [Do fr. *diplomatique*.] *Adj.* **1.** Da diplomacia, ou respeitante a ela. **2.** *Fig.* Grave, discreto, cortês. **3.** Referente a diploma. ~ V. *carreira* —*a*, *corpo* — e *edição* —*a*. ● *S. m.* **4.** Especialista em diplomática; diplomatista.

diplomatista [De *diplomática* + *-ista*, seg. o padrão erudito.] *S. 2 g.* Diplomático (4).

diplonte [De *dipl(o)-* + *-onte*.] *S. m. Biol.* Organismo durante a fase diploide do seu ciclo de vida.

diplôntico [De *diplonte* + *-ico*[2].] *Adj. Biol.* De, ou relativo a diplonte.

diplopia [De *dipl(o)-* + *-opia*.] *S. f. Oftalm.* Visão dupla de um objeto; ambiopia.

diplópode [De *dipl(o)-* + *-pode*; tax. *Diplopoda*.] *Zool. S. m.* **1.** Espécime dos diplópodes, subclasse de animais miriápodes, progoniados, de corpo cilíndrico, tórax com quatro segmentos, cada um com um par de patas, e abdome com um número de segmentos que oscila entre 20 e mais de 100, cada um com dois pares de patas. São os embuás ou gongolôs. ● *Adj. 2 g.* **2.** Pertencente ou relativo a eles. [Sin. ger.: *quilógnato*.]

diplóptero [De *dipl(o)-* + *-ptero*.] *Adj. Zool.* Diz-se de inseto cujas asas se dobram longitudinalmente, quando em repouso.

diplostémone *Adj. 2 g. Bot.* V. *diplostêmone*. [Uso freq. em P.]

diplostêmone [De *dipl(o)-* + *-stêmone*.] *Adj. 2 g. Bot.* Que tem androceu provido de número duplo de estames em relação às peças da corola.

dipóstraco [De *dipl(o)-* + *-óstraco*.] *Zool. S. m.* **1.** Espécime dos diplóstracos, ordem de crustáceos branquiópodes, cujo corpo é comprimido lateralmente e parcialmente envolvido por uma carapaça bivalve. ● *Adj.* **2.** Pertencente ou relativo a eles.

dipóteno [De *dipl(o)-* + *-teno*.] *S. m. Citol. Genét.* Estágio da prófase da primeira divisão meiótica, na qual os cromossomos iniciam sua separação, evidenciando os quiasmas.

dipluro [De *dipl(o)-* + *-uro*; tax. *Diplura*.] *Zool. S. m.* **1.** Espécime dos dipluros, ordem de artrópodes, insetos, apterigotos, ametábolos, desprovidos de olhos, antenas longas, abdome terminado por dois cercos articulados ou pinças, sistema bucal entógnato e corpo geralmente desprovido de escamas. Atingem 50mm, e vivem em matéria orgânica vegetal em decomposição. ● *Adj.* **2.** Pertencente ou relativo a eles. [Sin. ger.: *campodeóideo, entógnato, entótrofo*.]

dipnêumone [De *di-*[1] + *-pnêumone*; tax. *Dipneumones*.] *Zool. S. m.* **1.** V. *araneomorfa*. **2.** V. *lepidossirenídeo*. ● *Adj. 2 g.* **3.** V. *araneomorfo*. **4.** V. *lepidossirenídeo*.

dipneusta [Do tax. *Dipneusti* (f. irreg. a partir do gr. *di* [v. *di-*[1]] e gr. *pneust*[*ikós*], 'relativo à respiração').] *S. m. Adj. 2 g. Zool.* V. *dipnoico*[2].

dipnoico[1] (ói) [De *di-*[1] + gr. *-pnoikós*, 'relativo à respiração'.] *Adj. Zool.* Diz-se dos peixes que respiram por guelras e pulmões. ❖

dipnoico[2] (ói) [Do lat. cient. *dipnous* + *-ico*[2]; tax. *Dipnoi*.] *Zool. S. m.* **1.** Espécime dos dipnoicos, subordem de peixes coanictes, crossopterígios, celacantiformes, de corpo alongado, sem pré-maxila ou maxila, dentes em duas placas no palatal e uma em cada maxilar inferior, situada na margem interna, bexiga natatória em forma de pulmão, e nadadeiras pares, estreitas. São os peixes ditos pulmonados. ● *Adj.* **2.** Pertencente ou relativo a eles. [Sin. ger.: *dipneusta*.] ❖

dípode [Do gr. *dípous, odos*.] *Adj. 2 g.* Que tem dois pés; bípede.

dipodia [Do gr. *dipodía*.] *S. f. Arte Poét.* Reunião de dois pés de verso grego ou latino.

dipolar [De *dipolo* + *-ar*[1].] *Adj. 2 g.* Relativo a ou que contém dipolo (1). ~ V. *momento* —.

dipolo [De *di-*[1] + *polo*[1].] *S. m. Fís.* **1.** Sistema constituído por duas cargas elétricas pontuais, do mesmo valor, mas de sinais opostos, separados por distância pequena; dipolo elétrico. **2.** Sistema constituído por dois polos magnéticos iguais, mas de sinais opostos, separados por pequena distância; dipolo magnético. ◆ **Dipolo dobrado.** *Eng. Eletrôn.* Antena que consiste em dois condutores com as extremidades ligadas e separados por uma distância muito breve em relação ao comprimento de onda. **Dipolo elétrico.** **1.** *Fís.* Dipolo (1). **2.** *Eng. Eletrôn.* Antena linear de pequenas dimensões, que irradia ondas esféricas. **Dipolo magnético.** **1.** *Fís.* Dipolo (2). **2.** *Eng. Eletrôn.* Antena constituída por uma pequena bobina alimentada por uma tensão variável. **Dipolo oscilante.** **1.** *Fís.* Dipolo em que a distância que separa as duas cargas varia periodicamente. **2.** *Eng. Eletrôn.* Antena emissora ou receptora constituída por um pequeno condutor metálico, ou por uma pequena bobina, acoplados a um circuito oscilante.

diprosopia [De *diprosopo* + *-ia*[1].] *S. f. Ter.* Anomalia que se caracteriza pela duplicidade de face.

diprosópico [De *diprosopia* + *-ico*[2].] *Adj. Ter.* Relativo a, ou que tem diprosopia.

diprosopo [Do lat. cient. *diprosopus* < gr. *diprósopos*.] *S. m. Ter.* Aquele que apresenta diprosopia.

diprótico [De *di-*[1] + *prót(on)* + *-ico*[2].] ***Adj.*** *Quím.* Dibásico (1).

diprotodonte [Do *di-*[1] + *-prot(o)-* + *-odonte*; tax. *Diprotodontia*.] *Zool.* ***S. m.* 1.** Espécime dos diprotodontes, subordem de animais metazoários, cordados, mamíferos, metatérios, marsupiais, herbívoros, como o canguru e o coala. Têm dois incisivos inferiores grandes e permanentes, e outros incisivos e caninos pequenos ou ausentes; molares com tubérculos ou quilhas transversais. ● ***Adj. 2 g.* 2.** Pertencente ou relativo a eles.

dipsacácea [Do tax. *Dipsacus* (do gr. *dípsakos*, ou, 'espécie de diabetes'; 'certa planta') + *-ácea*; tax. *Dipsacaceae*.] ***S. f.*** *Bot.* Espécime das dipsacáceas, família de ervas e arbustos com flores pentâmeras, hermafroditas e zigomorfas com, no máximo, quatro estames, ovário bicarpelar e unilocular com um só óvulo, pêndulo, e com cerca de 155 espécies que, em sua grande maioria, ocorrem no Mediterrâneo. Só existem no Brasil formas cultivadas, hortenses.

dipsacáceo [De *dipsacácea*, com var. suf. (v. *-áceo*).] ***Adj.*** *Bot.* Pertencente ou relativo às dipsacáceas.

dipsacal [Do tax. *Dipsacus* + *-al*[1].] ***Adj. 2 g.*** *Bot.* Pertencente ou relativo às dipsacales.

dipsacale [Do tax. *Dipsacus* + *-ale*; tax. *Dipsacales*.] ***S. f.*** *Bot.* Espécime das dipsacales, ordem de plantas dicotiledôneas floríferas, que abrange cinco famílias e cerca de mil espécies.

dipsético [Do gr. *dipsetikós*.] ***Adj.*** Que produz sede (ê).

dípsis [Do tax. *Dypsis* (de or. incerta).] ***S. m.*** *Bras. RJ SP Bot.* **1.** Gênero de palmeiras arecáceas com cerca de 50 espécies. **2.** Qualquer espécie desse gênero, como, p. ex., a *Dypsis madagascariensis*, de espique alto e inerme, originária de Madagascar e introduzida no Brasil há muitos anos, que tem folhas pinadas, muito longas, inflorescência em espádice, e é protegida por espata dupla membranosa. **3.** Qualquer espécime desse gênero.

▲ **dipso-** [Do lat. cient. *dipso-* < gr. *dípsa, ēs*.] ***El. comp.*** = 'sede': *dipsomania, dipsômano.*

dipsomania [De *dipso-* + *-mania*.] ***S. f.*** *Psiq.* Impulso mórbido periódico e irresistível que leva a ingerir grande porção de bebidas alcoólicas. [Sin., pop.: *alcoolismo*. Cf. *metomania*.]

dipsomaníaco [De *dipsomania* + *-íaco*.] ***Adj.* 1.** Relativo a dipsomania. **2.** Que tem dipsomania; dipsômano. ● ***S. m.* 3.** Aquele que tem dipsomania; dipsômano.

dipsômano [De *dipso-* + *-mano*[1].] ***Adj.*** ***S. m.*** *Psiq.* Dipsomaníaco (2 e 3).

dipteracanto [Do tax. *Dipteracanthus*.] ***S. m.*** *Bot.* **1.** Gênero de plantas acantáceas, herbáceas, atualmente incluídas no gênero *Ruellia* (v. *ruélia*). **2.** Qualquer espécie desse gênero, como, por ex., a *Dipteracanthus cyaneus* (*Ruellia cyanea*), nativa do Brasil. **3.** Qualquer espécime desse gênero.

diptérico [De *díptero*[1] + *-ico*[2].] ***Adj.*** Pertencente ou relativo a díptero[1] (2).

dipterígio [De *di-*[1] + *-pterígio*.] ***Adj.*** *Zool.* Diz-se do peixe que tem duas barbatanas.

díptero[1] [Do gr. *dípteros*.] ***Adj.* 1.** Que tem duas asas. ● ***S. m.* 2.** Edifício com duas ordens de colunas à volta, construído principalmente na Grécia antiga.

díptero[2] [De *di-*[1] + *-ptero*; tax. *Diptera*.] *Zool.* ***S. m.* 1.** Espécime dos dípteros, ordem de insetos com sistema bucal sugador ou lambedor, duas asas no mesotórax, providas de nervuras variáveis, e metatórax com um par de balancins. Holometabólicos, larvas terrestres ou aquáticas, vermiformes, ápodes; pupas livres, ou incluídas em estojo pela última pele larvária. São as moscas, os mosquitos, as mutucas, os pernilongos e borrachudos. ● ***Adj.* 2.** Pertencente ou relativo a eles. [Sin. ger.: *antliado, halterado, halteríptero*.]

dipterocarpácea [Do tax. *Dipterocarpus* (v. *di-*[1], *-pter(o)-* e *-carpo*) + *-ácea*; tax. *Dipterocarpaceae*.] ***S. f.*** *Bot.* Espécime das dipterocarpáceas, família de plantas floríferas, da ordem das malvales, formada por árvores e arbustos de folhas alternas e estipuladas e com flores paniculadas, actinomorfas e hermafroditas, cujo perianto é pentâmero. Androceu com número variável de estames acima de cinco; fruto nuciforme, monospérmico. Há cerca de 580 espécies distribuídas em 16 gêneros, com área de ocorrência nos trópicos asiáticos.

dipterocarpáceo [De *dipterocarpácea*, com var. suf. (v. *-áceo*).] ***Adj.*** *Bot.* Pertencente ou relativo às dipterocarpáceas.

díptico [Do gr. *díptychos*, pelo lat. tard. *diptychu*.] ***S. m.*** *Paleogr.* V. *tábula* (2).

dique [Do neerl. *dijk*, poss. pelo fr. ant. *dique* (atual *digue*).] ***S. m.* 1.** Construção sólida, para represar águas correntes; represa, açude. **2.** Construção com comportas, para controlar ou confinar as águas: *os diques da Holanda.* **3.** *Mar.* Escavação em terra firme, à beira-mar ou beira-rio, revestida de cantaria ou concreto armado, e destinada a receber navios para reparação, limpeza ou vistoria, para o que é dotada de um porta-batel (q. v.), que, uma vez alagada a escavação, é removido para entrarem e/ou saírem os navios; dique seco. **4.** *Geol.* Massa rochosa de forma tabular discordante, que preenche uma fenda aberta que seciona outra rocha preexistente. **5.** *Fig.* Obstáculo, estorvo, empecilho, barreira. ◆ **Dique flutuante.** *Bras. Mar.* Grande plataforma flutuante, dotada de grande variedade de oficinas e de compartimentagem estanque suscetível de ser parcialmente alagada e, depois, esgotada, destinada a erguer da água navios cujas carenas tenham de sofrer reparos, limpeza ou vistoria. **Dique seco.** *Mar.* Dique (3).

diquíxi [Do quimb.] ***S. m.*** *Angol. Etnogr.* Monstro com muitas cabeças: "O chefe dos diquíxis — ente de cem cabeças — chama-a imediatamente" (Óscar Ribas, *Missosso*, 1º vol., p. 157).

direção [Do lat. *directione*.] ***S. f.* 1.** Ato ou arte de dirigir. **2.** Ato de dirigir exercendo autoridade: governo, comando, administração, superintendência, etc. **3.** Cargo de diretor; diretoria, diretorado. **4.** Corporação presidida por um diretor; diretoria. **5.** Sede de serviços distribuídos por diversas repartições. **6.** Critério, norma, orientação. **7.** Banda ou lado para onde alguém se volta ou dirige; rumo. **8.** Alinhamento, ala, fileira: *edifícios situados na mesma direção.* **9.** *Autom.* Conjunto de mecanismos que permitem conduzir o veículo em qualquer direção ou rumo. **10.** *P. ext. Autom.* Volante (12). **11.** *Geom.* Relação entre dois pontos não dependente da distância entre eles. **12.** *Geom.* Ângulo que, num plano de coordenadas cartesianas, uma reta faz com o eixo dos xx. **13.** *Geom.* Qualquer dos ângulos que, no espaço, uma reta faz com os eixos de um sistema de coordenadas cartesianas. **14.** *Geom.* Num ponto de uma curva, direção da tangente à curva no ponto. **15.** *Lus.* Endereço (1 e 2). ◆ **Direção de fabricação.** *Ind. Pap.* Sentido da folha de papel, paralelo aos bordos da mesa de fabricação; direção de máquina. [Cf. *direção transversal*.] **Direção de máquina.** *Ind. Pap.* Direção de fabricação (q. v.). **Direção hidráulica.** *Autom.* Sistema de direção (9) em que um conjunto de mecanismos do tipo convencional é auxiliado por um sistema hidráulico que reduz o esforço despendido pelo condutor. **Direção mecânica.** *Autom.* Sistema de direção (9) em que o condutor do veículo aplica integralmente o esforço necessário à sua movimentação. **Direção negativa.** *Mat. Impr.* Sentido negativo (1). **Direção positiva.** *Mat. Impr.* Sentido positivo (1). **Direção transversal.** *Ind. Pap.* Sentido da folha de papel, perpendicular aos bordos da mesa de fabricação. [Cf. *direção de fabricação*.] **Em direção a.** V. *rumo a*: "Lavínia transpõe a porta em direção ao quarto." (Ana Elisa Gregori, *Os Barões da Candeia*, p. 12.) **Em direção de.** V. *rumo a*: "— Fica esta taba? / — Na direção do sol, quando transmonta." (Gonçalves Dias, *Obras Poéticas*, II, p. 29.)

direcional [De *direção* + *-al*[1], seg. o padrão erudito.] ***Adj. 2 g.* 1.** Relativo a direção. **2.** Diz-se das lanternas (uma à direita e uma à esquerda) que indicam, com pisca-pisca, nos veículos automotores, a direção que eles vão tomar. **3.** Suscetível de ser orientado em determinada direção ou concentrado dentro de determinado setor: *luz direcional; som direcional.* ~ V. *antena —, caso —, derivada —, linha —* e *onda —.* ● ***S. m.* 4.** *E. Ling.* Caso direcional (q. v.).

direcionamento [De *direcionar* + *-mento*.] ***S. m.*** Ato ou efeito de direcionar; orientação.

direcionar [De *direção* + *-ar*[2], seg. o padrão erudito.] ***V. t. d.*** Dar direção, orientação, a; encaminhar, conduzir, orientar, dirigir.

direita [F. subst. do adj. *direito*.] ***S. f.* 1.** A mão direita; destra: "E, travando de seu filho com a esquerda, fez no ar com a direita, uma e outra vez, o sinal da cruz." (Alexandre Herculano, *Lendas e Narrativas*, II, p. 14.) **2.** Lado direito; ala direita. **3.** Lado direito de uma rua, de uma estrada, etc., sobre o qual devem andar os veículos, na maioria dos países: *Conservar a direita é uma das regras da grande maioria dos códigos de trânsito.* **4.** Grupo parlamentar que, em princípio, senta-se ao lado direito do presidente da respectiva assembleia, e tradicionalmente constituído por elementos pertencentes aos partidos conservadores. **5.** Os diferentes partidos que compõem esse grupo. **6.** Os direitistas. **7.** Regime político de caráter conservador. **8.** *P. ext.* Parte conservadora da opinião pública. **9.** *Surf.* Onda que quebra da esquerda para a direita de quem a desce. ◆ **Direita alta.** *Teatr.* O lado direito e posterior do palco. **Direita baixa.** *Teatr.* O lado direito e anterior do palco. **Direita hegeliana.** *Hist. Filos.* O conjunto dos filósofos, seguidores imediatos de Hegel (v. *hegelianismo*), que desenvolveram as tendências conservadoras do hegelianismo, procurando ajustá-lo à defesa da religião. Citam-se, entre outros, Karl Rosenkranz (1805-1879) e Johann Eduard Erdmann (1805-1892). [Cf. *esquerda hegeliana*.] **Às direitas. 1.** Pelo lado direito. **2.** Como convém ou é justo.

direiteiro [De *direito* + *-eiro*.] ***S. m.*** *Bras. S. Deprec.* Bacharel em direito.

direiteza (ê) [De *direito* + *-eza* (ê).] ***S. f.*** *P. us.* V. *direitura*.

direitinho [Dim. de *direito*.] ***Adv.*** *Bras.* **1.** V. *cuspido* e *escarrado*. **2.** Sem nenhum desvio; diretamente, direto: *Bom como é, quando morrer vai direitinho para o Céu.*

direitismo [De *direito* + *-ismo*.] ***S. m.* 1.** Posição ou tendência política dos direitistas. **2.** Os direitistas. **3.** *P. ext.* Espírito conservador, rígido, reacionário, que lembra o dos direitistas: *Seu comportamento no grupo é de um direitismo atroz.*

direitista [De *direita* + *-ista*.] ***Adj. 2 g. S. 2 g.*** *Bras.* Partidário e/ou militante da direita (7).

direito [Do lat. clás. *directu*.] ***Adj.* 1.** Do, ou pertencente ao lado do corpo humano em que a ação muscular é, no tipo normal, mais forte e mais ágil; destro. **2.** Correspondente a esse lado para um observador colocado em frente: *a ala direita de um edifício.* **3.** Nos rios, diz-se do lado que fica à direita do observador que olha a parte para onde as águas descem. **4.** Que segue sempre a mesma direção; reto, direto: "A sua bucólica serenidade irradia uma sugestão penetrante e subtil, que vai direita àquele lugar dos sentidos onde a emoção estética principia." (Miguel Torga, *Portugal*, p. 99.) **5.** Que não é curvo. **6.** Aprumado, ereto. **7.** Íntegro, probo, justo, honrado. **8.** Leal, franco, sincero. ~ V. *braço —, coração —, ducto hepático —, margem —a, pá —a, primo —* e *valva atrioventricular —a.* ● ***S. m.* 9.** Aquilo que é justo, reto e conforme à lei. **10.** Faculdade legal de praticar ou deixar de praticar um ato. **11.** Prerrogativa, que alguém possui, de exigir de outrem a prática ou abstenção de certos atos, ou o respeito a situações que lhe aproveitam; jus. **12.** Faculdade concedida pela lei; poder legítimo: *direito de caça; direito de pesca.* **13.** Ciência das normas obrigatórias que disciplinam as relações dos homens em sociedade; jurisprudência. **14.** O conjunto de conhecimentos relativos a esta ciência, ou que tem implicações com ela, ministrados nas respectivas faculdades: *estudante de direito.* **15.** O conjunto das normas jurídicas vigentes num país. **16.** Complexo de normas não formuladas que regem o comportamento humano; lei natural: *direito universal.* **17.** Taxa alfandegária; imposto: *direitos de importação.* **18.** Regalia, privilégio, prerrogativa: *direito de primogenitura.* **19.** O lado principal, ou mais perfeito, de um objeto, de um tecido, etc. (em oposição ao avesso) [v. *avesso* (3)]; anverso. **20.** *Bras.* Murro ou golpe do braço direito, no jogo do boxe. ● ***Adv.* 21.** Em linha reta; diretamente, direto: "tirei a pistola da bolsa e, com ela na mão, corri como um louco direito à árvore onde tínhamos deixado o prisioneiro" (João Sarmento Pimentel, *Memórias do Capitão*, p. 219). **22.** Bem, normalmente, convenientemente; direitamente: *Vive direito; Trabalhou direito, apesar de adoentado.* ◆ **Direito adjetivo.** Conjunto de leis que determinam a forma por que se devem fazer valer os direitos; conjunto de leis reguladoras dos atos judiciários; direito processual, direito judiciário. **Direito administrativo.** Complexo de normas e princípios que presidem à organização e ao funcionamento dos serviços públicos. **Direito adquirido.** O que se constituiu de modo definitivo e se incorporou irreversivelmente ao patrimônio do seu titular. **Direito aéreo.** Complexo de normas e princípios, de caráter internacional, reguladores da navegação aérea, civil e comercial, e das atividades relacionadas com o espaço aéreo. **Direito agrário.** Ramo da ciência jurídica, composto de normas imperativas e supletivas, que rege as relações emergentes da atividade do homem sobre a terra, observados os princípios de produtividade e justiça social. **Direito assistencial.** Conjunto de normas com que o Estado provê às necessidades gerais do trabalhador, fazendo-o beneficiário da assistência e previdência social. **Direito autoral.** Direito exercido pelo autor ou por seus descendentes sobre suas obras, no tocante a publicação, tradução, venda, etc. **Direito cambiário.** Conjunto de normas que disciplinam as relações jurídicas entre as pessoas vinculadas em operações de natureza cambial. [Cf. *cambial* (2).] **Direito canônico.** O que estabelece a ordem jurídica da Igreja Católica Apostólica Romana. **Direito civil.** Conjunto de normas reguladoras dos direitos e obrigações de ordem privada atinentes às pessoas, aos bens e às suas relações. **Direito clássico.** Direito romano. **Direito comercial.** Complexo de normas que regem as operações comerciais e disciplinam os direitos e obrigações das pessoas que exercem profissional e habitualmente o comércio. **Direito constitucional.** Conjunto de normas e princípios fundamentais que regulam a organização política do Estado, a forma de governo, as atribuições e o funcionamento dos poderes políticos, seus limites e relações, e bem assim os direitos individuais e a intervenção estatal na esfera social, econômica, intelectual e ética. **Direito consuetudinário.** Complexo de normas não escritas originárias dos usos e costumes tradicionais dum povo; direito costumeiro. **Direito costumeiro.** Direito consuetudinário. **Direito criminal.** Direito penal. **Direito das gentes.** Direito internacional público. **Direito de arena.** Dentre os direitos conexos, o que é usufruído por artistas e atletas, relativo à transmissão e retransmissão de espetáculos públicos. **Direito de cidade.** **1.** Faculdade de gozar dos privilégios reservados a um cidadão. **2.** *P. ext.* Faculdade de ser reconhecido em determinado domínio ou contexto, ou de nele fazer-se admitir: "Os dicionários ainda não trazem o termo [caiporismo], mas ele corre já pelas salas e ruas e adquiriu direito de cidade." (Machado de Assis, *Contos Avulsos*, p. 31.) **Direito de fundo.** **1.** Aquilo que define a essência ou a matéria do direito objetivo. **2.** Conjunto de normas jurídicas abstratas, geradoras das relações concretas de direito (as disposições de direito civil, comercial, penal, etc.); direito substantivo. **Direito de pernada.** *Hist.* Direito que assistia ao senhor feudal de passar a primeira noite de núpcias com a mulher de um servo. **Direito de petição.** Faculdade que tem o cidadão de representar aos poderes públicos acerca de providências de interesse do país, ou denunciar abusos ou iniquidades de agentes da autoridade. **Direito de preferência.** Direito que a lei assegura aos titulares de certos créditos de serem satisfeitos com prioridade em relação aos outros. **Direito de regresso.** **1.** Direito que cabe ao portador de título cambiário de exigir do sacador, endossadores e respectivos avalistas o pagamento não feito pelo sacado. **2.** Direito conferido por lei a quem satisfaz obrigação de outrem, ou a totalidade de obrigação comum, para haver das pessoas anteriormente vinculadas o ressarcimento que lhe couber. [Sin. ger.: *direito de retorno, direito regressivo de recurso.*] [V. *sub-rogação.*] **Direito de reprodução.** V. *copirraite.* **Direito de resposta.** Direito da pessoa física ou jurídica à veiculação de resposta, em jornal ou emissora que haja divulgado matéria ofensiva ou enganosa a seu respeito. **Direito de retorno.** V. *direito de regresso.* **Direito do trabalho.** Conjunto de normas que regem as relações de trabalho entre empregados e empregadores, e bem assim os direitos resultantes da condição jurídica dos trabalhadores. **Direito escrito.** O que se acha expresso na lei. **Direito falencial.** Conjunto de normas substantivas e adjetivas que disciplinam a falência e a concordata, e regulam a condição, responsabilidade e obrigações do falido ou concordatário, e os direitos dos credores destes; direito falimentar. **Direito falimentar.** Direito falencial. **Direito financeiro.** O que rege a economia estatal e fixa normas de aplicação dos fundos públicos às necessidades da administração. **Direito fiscal.** Conjunto de normas e princípios que regulam a arrecadação de tributos, obrigações dos tributários, constituição, atribuições e funcionamento dos órgãos fiscalizadores; direito tributário. **Direito individual.** O relativo a tudo quanto se refere à dignidade da pessoa humana, tal como a vida, a liberdade, a segurança, a propriedade, etc., garantido pela Constituição. **Direito industrial.** Conjunto de leis e regulamentos acerca de marcas de fábrica e de comércio, privilégios de invenção, e tudo que se relacione com a propriedade e o trabalho industrial. **Direito internacional privado.** Complexo de normas e princípios destinados a determinar qual é, dentre as leis conflitantes de dois ou mais países, a aplicável a certa relação jurídica de direito privado. **Direito internacional público.** Complexo de normas, princípios e doutrinas aceitos pelos Estados, para regular as suas relações recíprocas e bem assim os conflitos de direito público que entre eles surjam; direito das gentes. **Direito intertemporal.** Complexo de normas destinadas a resolver os conflitos de leis no tempo. **Direito judiciário.** V. *direito adjetivo.* **Direito líquido e certo.** Aquele cuja existência dispensa demonstração, *i. e.*, que pode ser reconhecido de plano. **Direito marítimo.** Conjunto de princípios e leis reguladores da navegação marítima, fluvial e lacustre, bem como das relações jurídicas que nela têm origem. **Direito natural.** Complexo de regras e doutrinas baseadas no bom senso e na equidade, e que se impõem às legislações dos povos cultos. **Direito normativo.** Conjunto de normas de caráter obrigatório impostas pelo Estado, e que compreende o direito escrito e o consuetudinário; direito positivo, direito objetivo. **Direito objetivo.** V. *direito normativo.* **Direito penal.** Complexo de preceitos legais que definem os crimes e determinam as penas e medidas de segurança aplicáveis aos delinquentes; direito criminal. **Direito personalíssimo.** O que é intransferível e inalienável, só podendo, pois, ser exercido pelo seu titular. **Direito pessoal.** Direito que tem uma pessoa de exigir de outra que dê, faça ou não faça alguma coisa. **Direito político.** O que tem por objeto as faculdades concedidas, e deveres impostos aos cidadãos, como, p. ex., votar, ser votado, exercer cargo público. [Cf. *direito constitucional*]. **Direito positivo.** V. *direito normativo.* **Direito privado.** Conjunto de normas que regulam a condição civil dos indivíduos e das pessoas jurídicas, inclusive o Estado e as autarquias, e bem assim os modos por que se adquirem, conservam e transmitem os bens (*direito civil* e *direito comercial*). **Direito processual.** V. *direito adjetivo.* **Direito público.** **1.** Complexo de normas que disciplinam a constituição e a competência dos órgãos do Estado, assim como o exercício dos direitos e poderes políticos dos cidadãos e a estes concedem o gozo dos serviços públicos e dos bens do domínio público. **2.** Direito que dispõe sobre interesses ou utilidades imediatas da comunidade (*direito constitucional* ou *político, direito administrativo, direito criminal* ou *penal, direito judiciário* ou *processual*). **Direito real.** Poder que tem alguém sobre uma coisa específica, e que vincula esta coisa direta e imediatamente ao seu titular, o qual pode opor esse direito contra todos (propriedade, usufruto, hipoteca, anticrese, etc.). **Direito real de habitação.** *Jur.* Direito que tem uma pessoa e sua família de habitar gratuitamente casa alheia. **Direito regressivo de recurso.** V. *direito de regresso.* **Direito romano.** Conjunto de regras jurídicas observadas pelos habitantes da antiga Roma, entre o séc. VIII a. C. e o séc. VI d. C.; direito clássico. **Direitos conexos.** O conjunto dos direitos que têm os intérpretes, produtores e radiodifusoras, relativos à execução pública de obras musicais, literárias, ou científicas, ou de programas e transmissões. **Direitos de estola.** Contribuições que os fregueses deviam aos vigários. [Sin.: *direitos de pé de altar, dízimos diretos, benesses* e (porque se pagavam por ocasião da Páscoa) *aleluias.*] **Direitos de mercê.** Aqueles que se pagavam por concessão de título honorífico ou provimento em certos cargos públicos. **Direitos de pé de altar.** V. *direitos de estola.* **Direito subjetivo.** Poder de ação assegurado pela ordem pública. **Direito substantivo.** Direito de fundo (2). **Direito tributário.** Direito fiscal. **A direito.** *Lus.* **1.** De frente: "Nunca mais poderia olhar para ele a direito" (Augusto Abelaira, *Bolor*, p. 50). **2.** Sempre em frente. **Cortar direito.** Defender princípio justo; proceder com justiça. [Sin., bras., N. E., pop.: *cortar pelo direito.*] **Cortar pelo direito.** *Bras. N.E. Pop.* Cortar direito.

direitura [Do lat. *directura.*] *S. f.* **1.** Qualidade do que é direito ou reto: *a direitura da estrada.* **2.** Direção retilínea: *a direitura das filas de um batalhão.* [Sin. ger., p. us.: *direiteza.*] ◆ **Em direitura a.** Na direção de; a caminho de; na direitura de: "Pela frente da igrejinha, em direitura ao alto de São Sebastião, seguem as ruas de ruínas." (Afonso Arinos, *Histórias e Paisagens*, p. 93.) **Na direitura de.** V. *em direitura a*: "e logo o facão relampeou na direitura do coração de nhá Velinda!..." (Simões Lopes Neto, *Contos Gauchescos e Lendas do Sul*, p. 257).

dirém [Do ár. *dirham* ou *dirhim*, 'dinheiro'.] *S. m.* **1.** Unidade monetária, e moeda, do Marrocos e dos Emirados Árabes Unidos. **2.** Antiga moeda de prata, cunhada pelos califas e sultões islâmicos.

direme *S. m.* V. *adarme.*

direta [F. subst. do adj. *direto.*] *S. f.* Eleição direta (q. v.): "Comício pela aprovação das diretas para o Rio e reúne 800 mil pessoas na Candelária" (*Jornal do Brasil*, 11.04.1984).

diretamente [Do fem. de *direto* + *-mente.*] *Adv.* **1.** De modo direto: *Referiu-se diretamente a seus inimigos.* **2.** Sem desvios ou paradas: *Ele foi diretamente para casa.*

diretiva [F. subst. de *diretivo.*] *S. f.* Diretriz (3 e 4).

diretividade [Do ingl. *directivity.*] *S. f.* Capacidade que tem uma antena de concentrar energia em determinada direção.

diretivo [De *direto* + *-ivo.*] *Adj.* Que dirige; diretor. ~ V. *aconselhamento* — e *aconselhamento não* —.

direto [Do lat. *directu*, por via semierudita.] *Adj.* **1.** Que vai em linha reta; reto, direito. **2.** Que segue determinada direção; que não se desvia: *caminho direto.* **3.** Em que não há intermediário; imediato: *contato direto.* **4.** Sem rodeios ou circunlóquios: *argumento direto.* **5.** Franco, desembaraçado, espontâneo. **6.** Relativo ao parentesco em linha reta: *primo direto.* **7.** Diz-se da contribuição que incide imediatamente sobre pessoas ou bens. **8.** Que não para, ou para pouco: *trem direto.* **9.** *Mat.* Diz-se do que é orientado segundo o sentido direto. **10.** *E. Ling.* Que não é regido por preposição, ou que não pede preposição: *objeto direto; transitivo direto.* [Cf., nesta acepç., *indireto* (7).] **11.** *E. Ling.* Diz-se do caso reto (q. v.). ~ V. *anunciante —, apropriação —a, caminho —, caso —, competição —a, colocação —a, complemento —, corante —, custo —, discurso —, dízimos —s, domínio —, eleição —a, estilo —, função circular —a, imposto —, impressão —a, ligação —a, maré —a, marketing —, método —, movimento —, objeto —, objeto — preposicional, polarização —a, resposta —a, senhorio —, sentido —, tensão —a, tiro —, venda —a, verbo transitivo —* e *verbo transitivo — e indireto.* ● *S. m.* **12.** No jogo do boxe, golpe que se dá distendendo com violência o antebraço para a frente: *um direto de esquerda.* **13.** *E. Ling.* Caso direto (q. v.). **14.** *Bras.* Soco que acerta em cheio. ● *Adv.* **15.** Direito (21): "Pé ante pé, abafando a respiração, silencioso como o mais matreiro dos gatos, eu ia direto ao maço de cigarros sobre a mesinha de cabeceira" (Marques Rebelo, *A Guerra Está em Nós*, p. 317). **16.** Sem parar nem desviar-se; diretamente: "Às vezes não dava confiança nem de parar na estação: passava direto." (Permínio Asfora, *Vento Nordeste*, p. 159.) ◆ **Em direto.** *Lus.* Ao vivo (2).

diretor (ô) [Do lat. tard. *directore*, por via semierudita.] *Adj.* **1.** Que dirige; diretivo. [Fem.: *diretora* e *diretriz.*] ~ V. *cone* — e *plano* —. ● *S. m.* **2.** Aquele que dirige; dirigente, administrador, superintendente. **3.** Guia, mentor. **4.** Cada um dos cinco membros do diretório[3] (1). **5.** *Cin. Teatr. Telev.* Dirigente de uma peça, filme ou outro espetáculo, e responsável artístico por essa produção. [Sin., em teatr.: *encenador* e (fr.) *metteur-en-scène*; (em cin., lus.) *realizador.*] ◆ **Diretor artístico.** *Rád. Telev.* Aquele que tem a responsabilidade geral pela produção e execução de programas; diretor de produção. [Cf. *diretor de programa.*] **Diretor de antena.** *Eng. Eletrôn.* Elemento parasito de uma antena direcional, localizado na direção geral do maior lóbulo de radiação. **Diretor de arte.** **1.** *Edit. Prop.* Profissional responsável pela concepção gráfica e visual de anúncios, revistas, livros, folhetos, etc. [Cf. *designer* e *dupla de criação.*] **2.** *Cin.* Aquele que concebe o aspecto visual de um filme no que diz respeito ao que aparece materialmente diante da câmera, incluindo cenários, figurinos, objetos de cena, etc. **Diretor de cena.** *Teatr.* Administrador das providências necessárias ao bom andamento do palco, função preenchida, nos pequenos teatros, pelo contrarregra (1). **Diretor de fotografia.** *Cin.* Profissional que cuida da qualidade da imagem fotográfica, da composição da luz nas tomadas, dos efeitos fotográficos de laboratório, etc. [Cf. *diretor de imagem.*] **Diretor de imagem.** *Telev.* Profissional responsável pela seleção de imagens a serem transmitidas, pela utilização de efeitos visuais, pelo posicionamento das câmaras, etc. [Cf. *diretor de fotografia.*] **Diretor de produção.** **1.** *Cin.* O que é responsável pela organização, administração e logística da produção de um filme. **2.** *Rád. Telev.* Diretor artístico. **Diretor de programa.** *Rád. Telev.* Profissional responsável pela execução de determinado programa, conforme determinação do diretor artístico. **Diretor de programação.** *Rád. Telev.* Aquele que tem a responsabilidade final pela transmissão de programas, esp. quanto à qualidade, e adequação aos horários. **Diretor de texto.** *Edit.* Editor de texto. **Diretor espiritual.** *Rel.* Eclesiástico, religioso ou religiosa, leigo ou leiga, que dirige alguém em assuntos de moral e religião.

diretorado [De *diretor* + *-ado*[2].] *S. m.* **1.** Cargo de diretor; direção. **2.** O tempo de exercício desse cargo.

diretoria [De *diretor* + *-ia*[1].] *S. f.* V. *direção* (3 e 4).

diretorial [De *diretório*[1] + *-al*[1].] *Adj. 2 g.* Referente ou pertencente a diretório.

diretório[1] [Do lat. tard. *directoriu* (adj.).] *Adj.* **1.** Que dirige. ● *S. m.* **2.** Comissão diretora. **3.** Conselho encarregado da gerência de negócios públicos. **4.** Conselho que dirige alguma corporação, partido, associação, etc. ◆ **Diretório acadêmico.** **1.** Grupo de estudantes universitários eleito em assembleia geral para, durante determinado período, defender os interesses dos alunos do estabelecimento a que pertencem. **2.** Local onde exercem suas atividades; centro acadêmico.

diretório[2] [Do fr. *directoire.*] *S. m.* **1.** *Hist.* Conselho formado de cinco membros, que governou a França de 27 de outubro de 1795 a 9 de novembro de 1799, quando foi derrubado por Napoleão. **2.** *P. ext.* Período de tempo em que governou o diretório[3] (1). ● *Adj. 2 g.* e *2 n.* **3.** Próprio ou típico do diretório[3] (2): *cômoda diretório; móveis diretório.*

diretório[3] [Do lat. med. *directoriu* (subst.).] *S. m.* **1.** Livro que contém as indicações necessárias para o desempenho de determinado cargo ou para a execução de certos negócios. **2.** Livro que indica os ofícios de cada dia do ano litúrgico. **3.** *Inform.* Subdivisão lógica de uma unidade de armazenamento físico (como disco rígido ou disco flexível), que, para efeitos de organização, visa agrupar arquivos (ou outros diretórios, ditos *subdiretórios*) de mesmo tipo ou de mesma finalidade. [Cf., nesta acepç., *diretório-raiz*.] **4.** *Inform.* Lista de arquivos.

diretório-raiz *S. m. Inform.* Em uma estrutura hierárquica de arquivamento em disco, diretório^{2} (3) principal ou inicial, do qual toda a árvore (3) de diretórios se origina. [Tb. se usa apenas *raiz*.] [Pl.: *diretórios-raízes* e *diretórios-raiz*.]

diretriz [Do lat. med. *directrice*.] ***Adj. (f.)*** **1.** Fem. de *diretor* (1) (q. v.). ~ V. *velocidade —*. • ***S. f.*** **2.** Linha reguladora do traçado de um caminho ou de uma estrada. **3.** Conjunto de instruções ou indicações para se tratar e levar a termo um plano, uma ação, um negócio, etc.; diretiva. **4.** *Fig.* Norma de procedimento; diretiva. **5.** *Geom.* Numa superfície regrada, curva que é constantemente interceptada pela reta móvel que a gera. **6.** *Geom.* Numa cônica central, reta perpendicular ao eixo que contém os vértices, e cuja distância ao centro é o cociente entre o comprimento do semieixo e a excentricidade. **7.** *Geom.* Reta cuja distância aos pontos de uma parábola é igual à distância desses pontos ao foco da parábola.

dirigente [De *dirigir* + *-ente*, seg. o padrão erudito.] ***Adj. 2 g. S. 2 g.*** Que, ou quem dirige; diretor.

dirigibilidade [De *dirigível* + *-(i)dade*, seg. o padrão erudito.] ***S. f.*** Qualidade do que é dirigível.

dirigido [Part. de *dirigir*.] ***Adj.*** **1.** Administrado, gerido. **2.** Encaminhado, guiado, orientado. ~ V. *carga —a*, *economia —a*, *luz —a* e *projetil —*.

dirígio ***S. m.*** *Bras. Amaz.* V. *maconha* (2).

dirigir [Do lat. *dirigere*.] ***V. t. d.*** **1.** Dar direção a; administrar; gerir; governar: *dirigir uma empresa*; *dirigir um país.* **2.** Dar orientação a; comandar, superintender; conduzir: *Não se sabe ainda quem dirigiu o assalto.* **3.** Encaminhar, orientar; conduzir: *Dirigiu os primeiros passos do filho na vida profissional.* **4.** Operar o mecanismo e controles de (veículo, automóvel), fazendo-o seguir trajeto ou rumo. ***T. d. e i.*** **5.** Encaminhar; enviar; endereçar: *Dirigiu a petição ao Ministro.* **6.** Dizer, endereçar, lançar: "Nenhuma voz me diriges!... / Julgas-te acaso ofendida?" (Gonçalves Dias, *Obras Poéticas*, I, p. 344); "O desembargador aproximou-se dos dois, cumprimentou-os afetuosamente, dirigindo-lhes um gracejo" (J. F. da Costa Filho, *As Facetas do Diabo*, p. 78). **7.** Voltar, volver: *Dirigiu a atenção para o que lhe diziam.* ***Int.*** **8.** Operar o mecanismo e controles de veículo automóvel, fazendo-o seguir trajeto ou rumo: *Aquele chofer dirige bem*; "Olha, meu filho: eu dirijo na Paraíba há mais de ano e o meu carro está aí pra você ver. Não tem ferida." (Haroldo Maranhão, *A Estranha Xícara*, p. 140.) ***P.*** **9.** Encaminhar-se; guiar: *Os rapazes dirigem-se ao colégio*; "As duas senhoras dirigiram-se para a casa do Masset." (José de Alencar, *A Pata da Gazela*, p. 280.) **10.** Tender, propender: *Sua atividade dirige-se às letras*; *O seu maior esforço dirige-se para a ciência.* [Muda o *g* em *j* antes de *a* e de *o*: *dirijo*, *diriges*, *dirige*, etc.; *dirija*, *dirijas*, etc.]

dirigismo [De *dirig(ir)* + *-ismo*.] ***S. m.*** Doutrina e prática da economia dirigida (pelo Estado).

dirigista [De *dirigismo* + *-ista*.] ***S. 2 g.*** Partidário da economia dirigida.

dirigível [De *dirigir* + *-vel*.] ***Adj. 2 g.*** **1.** Que se pode dirigir. • ***S. m.*** **2.** V. *aeróstato* (1).

dirijo ***S. m.*** *Bras. Amaz.* V. *maconha* (2).

dirimente [Do lat. *dirimente*.] ***Adj. 2 g.*** **1.** Que dirime. **2.** Que resolve; decisivo, terminante. **3.** *Jur.* Que obsta ou anula de modo irremediável: *impedimento dirimente.* [Cf., nesta acepç., *impediente* (2).] **4.** *Jur.* Que isenta de pena; isentivo. **5.** *Jur.* Diz-se do impedimento que, não observado, torna nulo o casamento.

dirimir [Do lat. *dirimere*.] ***V. t. d.*** **1.** Impedir de modo absoluto. **2.** Anular; dissolver; extinguir, suprimir: *O juiz dirimiu a sentença.* **3.** Fazer cessar; decidir, resolver: *dirimir uma questão*; "Nenhuma pessoa educada dirime as suas controvérsias a socos e bengaladas, com impropérios e violências." (Fidelino de Figueiredo, *O Medo da História*, p. 42.)

dirimível [De *dirimir* + *-vel*.] ***Adj. 2 g.*** Que se pode dirimir.

diro [Do lat. *diru*.] ***Adj.*** *Ant. Poét.* Cruel, desumano.

dirofilária [Do tax. *Dirofilaria* (< lat. *dirus*, 'temível', 'ameaçador', + lat. cient. *Filaria*).] ***S. m.*** *Zool.* **1.** Gênero de vermes nematelmintos, filariídeos, parasitas do homem e do cão. **2.** Espécie, ou espécime desse gênero.

diruir [Do lat. *diruere*.] ***V. t. d. P.*** V. *derruir*. [Irreg. Conjug.: v. *atribuir*.]

dirupção [Do lat. *diruptione*.] ***S. f.*** **1.** Ruína, desmoronamento. **2.** Rompimento, ruptura. [Sin. ger.: *disrupção*.]

diruptivo [Do lat. *diruptus*, 'quebrado', + *-ivo*.] ***Adj.*** **1.** Que arruína; destrutivo, destruidor. **2.** Que provoca ruptura.

▲ **dis-^{1}** V. *di-^{2}*.

▲ **dis-^{2}** [Do gr. *dys-*.] ***Pref.*** = 'mau estado', 'defeito', 'dificuldade': *disopia*, *dislalia*. [Equiv.: *-dis-*: *egodistonia*.]

▲ **dis-^{3}** V. *di-^{1}*.

▲ **-dis-** Equiv. de *dis-^{2}*.

disacusia [De *dis-^{2}* + *-acus(i)-* + *-ia^{1}*.] ***S. f.*** *Fonoaud. Otor.* **1.** Distúrbio auditivo em que os sons são deturpados, em sua frequência ou em sua intensidade. **2.** Distúrbio auditivo em que alguns sons molestam o paciente. [Cf. *anacusia* e *hipacusia*.]

disacústico ***Adj.*** Relativo a disacusia.

disafia [De *dis-^{2}* + gr. *haphé*, 'tato', + *-ia^{1}*.] ***S. f.*** *Med.* Perturbação no sentido do tato. [Cf. *desafia*, do v. *desafiar*.]

disáfico [De *disafia* + *-ico^{2}*.] ***Adj.*** Relativo a disafia.

disartria [De *dis-^{2}* + *-artr(o)-* + *-ia^{1}*.] ***S. f.*** *Neur.* Dificuldade na articulação das palavras, resultante de perturbação em centros nervosos.

disártrico [De *disartria* + *-ico^{2}*.] ***Adj.*** *Neur.* Referente a disartria.

disbasia [De *dis-^{2}* + *-bas(i)-* + *-ia^{1}*.] ***S. f.*** *Neur.* Perturbação da marcha, de origem nervosa.

disbásico [De *disbasia* + *-ico^{2}*.] ***Adj.*** Referente a disbasia.

disbulia [Do gr. *dysboulía*.] ***S. f.*** *Psiq.* V. *abulia*.

disbúlico [De *disbulia* + *-ico^{2}*.] ***Adj. S. m.*** *Psiq.* V. *abúlico*.

discagem [De *discar* + *-agem^{2}*.] ***S. f.*** *Bras.* Ação ou possibilidade de discar: *Há discagem direta para quase todo o Brasil.*

discar [De *disco* + *-ar^{2}*.] ***V. int.*** **1.** *Bras.* Fazer girar o disco do aparelho telefônico automático para estabelecer ligações. ***T. d.*** **2.** Marcar (um número) rodando esse disco: *Disque 266-7474.* [Conjug.: v. *trancar*.]

discente [Do lat. *discente*.] ***Adj. 2 g.*** **1.** Que aprende. **2.** *Educ.* Relativo a alunos. [Cf. *docente*, *descente* e *decente*.] ~ V. *corpo —*.

disceptação [Do lat. *disceptatione*.] ***S. f.*** Controvérsia, debate, discussão.

discernente [Do lat. *discernente*.] ***Adj. 2 g.*** Que discerne; discernidor.

discerníc ulo [Do lat. *discerniculu*.] ***S. m.*** Agulha com que, em Roma, as mulheres apartavam o cabelo.

discernidor (ô) [De *discernir* + *-dor*.] ***Adj.*** Discernente. ◆ **Discernidor de fontes.** *Tip.* Dispositivo da linotipo que impede o empastelamento de matrizes pertencentes a diferentes magazines.

discernimento [De *discernir* + *-mento*.] ***S. m.*** **1.** Faculdade de discernir. **2.** Faculdade de julgar as coisas clara e sensatamente; critério, tino, juízo. **3.** Apreciação, análise. **4.** Penetração, sagacidade, perspicácia.

discernir [Do lat. *discernere*.] ***V. t. d.*** **1.** Conhecer distintamente; perceber claro por qualquer dos sentidos; apreciar; distinguir; discriminar: *Sabe discernir móveis antigos genuínos*; *Discerne como ninguém um bom vinho*; "Permaneceria alheio ou indiferente em face de tudo isso, numa posição passiva de quem sofria os choques e os repelões dos acontecimentos sem curiosidade para buscar discernir-lhes, superficialmente que fosse, as causas e os fins" (Otávio Tarquínio de Sousa, *A Vida de D. Pedro I*, I, p. 142). ***T. d. e i.*** **2.** Estabelecer diferença; separar, distinguir: *Não sabe discernir o amigo leal do falso amigo*; "Na sua inacreditável inexperiência, não discernia o bem do mal." (Patrícia Joyce, *Anúncio de Casamento*, pp. 123-124). ***Int.*** **3.** Fazer apreciação; julgar, decidir: *Pouco inteligente, é quase incapaz de discernir.* [Irreg. Conjug.: v. *aderir*.]

discernível [Do lat. tard. *discernibile*.] ***Adj. 2 g.*** Que se pode discernir.

discetação ***S. f.*** V. *disceptação*. [Uso próprio de P.] ⊙

▲ **disc(i)-** [Do lat. *dīscus*, *i*.] ***El. comp.*** = 'disco': *discite*, *disciforme*. [Equiv.: *-disc(i)-*; *disco-*: *espondilodiscite*; *discocéfalo*; *discólito*.]

▲ **-disc(i)-** V. *disc(i)-*.

disciforme [De *disc(i)-* + *-forme*.] ***Adj. 2 g.*** Que tem forma de disco; discoide.

discinesia [De *dis-^{2}* + *-cines(i)-* + *-ia^{1}*.] ***S. f.*** *Neur.* Perturbação do poder de movimentação, que resulta no aparecimento de movimentos fragmentários ou insuficientes.

discinésico [De *discinesia* + *-ico^{2}*.] ***Adj.*** V. *discinético*.

discinético [De *discin(esia)* + *-ético*.] ***Adj.*** Relativo a discinesia; discinésico.

disciplina [Do lat. *disciplina*.] ***S. f.*** **1.** Regime de ordem imposta ou livremente consentida. **2.** Ordem que convém ao funcionamento regular duma organização (militar, escolar, etc.). **3.** Relações de subordinação do aluno ao mestre ou ao instrutor. **4.** Observância de preceitos ou normas. **5.** Submissão a um regulamento. **6.** Qualquer ramo do conhecimento (artístico, científico, histórico, etc.). **7.** Ensino, instrução, educação. **8.** *Educ.* Conjunto específico de conhecimentos; divisão, fragmentação do conhecimento em partes que apresentam características próprias. **9.** *Restr.* Conjunto de conhecimentos em cada cadeira dum estabelecimento de ensino; matéria de ensino. ~ V. *disciplinas*.

disciplinador (ô) [De *disciplinar* + *-dor*.] ***Adj.*** **1.** Que disciplina; disciplinante. **2.** Que faz observar a disciplina. **3.** Amigo da disciplina. • ***S. m.*** **4.** Aquele que disciplina.

disciplinamento [De *disciplinar* + *-mento*.] ***S. m.*** **1.** Ação ou efeito de disciplinar(-se). **2.** Flagelação com disciplinas.

disciplinante [De *disciplinar* + *-nte*.] ***Adj. 2 g.*** **1.** Disciplinador (1). • ***S. m.*** **2.** Penitente que se disciplina.

disciplinar^{1} [Do adj. lat. *disciplinare*.] ***Adj. 2 g.*** Respeitante à disciplina; disciplinatório.

disciplinar^{2} [Do v. lat. tard. *disciplinare*, por *disciplinari*.] ***V. t. d.*** **1.** Sujeitar ou submeter a disciplina: *disciplinar uma tropa.* **2.** Fazer obedecer ou ceder; acomodar, sujeitar; corrigir: *Procurou disciplinar os instintos selvagens da criança.* **3.** Castigar com disciplinas. ***P.*** **4.** Tornar-se disciplinado. **5.** Castigar a si mesmo com disciplinas; açoitar-se.

disciplinaridade [De *disciplinar^{1}* + *-(i)dade*.] ***S. f.*** *Pedag.* **1.** Qualidade ou caráter de disciplinar^{1}. **2.** Conjunto específico de conhecimentos. **3.** Aspecto delimitado, fragmentado, com limites estabelecidos para cada área do conhecimento, separado por disciplinas com características próprias.

disciplinas ***S. f. pl.*** Correias com que frades e devotos se açoitam por penitência ou castigo. ~ V. *disciplina*.

disciplinatório [De *disciplinar* + *-tório*.] ***Adj. 2 g.*** Disciplinar^{1}: *Para coibir a violência, tomou medidas disciplinatórias.*

disciplinável [Do lat. tard. *disciplinabile*.] ***Adj. 2 g.*** Que pode ser disciplinado.

discipulado [Do lat. tard. *discipulatu*.] ***S. m.*** **1.** Estado ou condição de discípulo. **2.** Conjunto dos alunos de uma escola. **3.** Aprendizado, tirocínio.

discipular [De *discípulo* + *-ar^{1}*.] ***Adj. 2 g.*** Referente a discípulo, a condição de discípulo.

discípulo [Do lat. *discipulu*.] ***S. m.*** **1.** Aquele que recebe ensino de alguém. **2.** Aquele que aprende. **3.** Aquele que aprende ou estuda qualquer disciplina; aluno. **4.** Aquele que segue as ideias ou doutrinas de outrem.

discite [De *disc(i)-* + *-ite^{1}*.] ***S. f.*** *Med.* Inflamação de disco (6), esp. daquele em situação interarticular.

disc-jóquei [Do ingl. *disc-jockey*.] ***S. m.*** **1.** *Rád.* Comunicador (3) de programa de música popular. • ***S. 2 g.*** **2.** Discotecário (1). [Abrev.: *dj*. Pl.: *disc-jóqueis*.]

disclímax (cs) [De *dis-^{1}* + *clímax*.] ***S. m. 2 n.*** *Fitogeogr.* Formação vegetal, perturbada ou degradada por agentes externos desfavoráveis como a seca e o fogo, tal o cerrado no Brasil.

disco [Do gr. *dískos*, pelo lat. *discu*.] ***S. m.*** **1.** Objeto chato e circular. **2.** Chapa redonda, branca de um lado e vermelha de outro, que sinaliza as estradas de ferro. **3.** Chapa redonda, de ferro ou de pedra, para arremesso, e usada em atletismo. **4.** Chapa redonda, de ebonite ou de outro material, onde se gravam os sons para reproduzi-los nos fonógrafos; gravação. **5.** Peça de certos aparelhos telefônicos automáticos por meio da qual se faz a ligação com o número desejado. **6.** *Anat.* Designação genérica de formação arredondada e chata. **7.** *Arquit.* Ornato que representa, em relevo, um conjunto de pequenos discos achatados ou ligeiramente abaulados, enfiados como contas de rosário, e ger. empregado em molduras convexas. **8.** *Astr.* Projeção, sobre a esfera celeste, da superfície visível de um astro bastante próximo para que possa ser observado com forma aparente. **9.** *Bot.* Excrescência anular, ger. glandulífera, que se encontra sobre o receptáculo, dentro da flor. **10.** *Bot.* Porção maciça e basal dos bolbos, que corresponde ao prato. **11.** *Pop.* Pessoa que fala sem parar. **12.** *Zool.* Área central da asa dos insetos. ◆ **Disco de acreção.** *Astr.* Disco de matéria que orbita ao redor de um buraco negro. **Disco de áudio.** *Eletrôn.* Disco de áudio digital. **Disco de áudio digital.** *Eletrôn.* Disco com registro de sinais sonoros, gravado em código de modulação de pulsos, e cuja leitura é feita por processo óptico a *laser*. [Tb. se diz apenas *disco de áudio*. Sigla: *DAD*.] **Disco de *boot*.** *Inform.* Disco de inicialização. **Disco de inicialização.** *Inform.* Disquete, CD ou DVD que contém o sistema operacional necessário para a iniciação do computador; disco de *boot*. **Disco de moldes.** *Tip.* Roda dentada, numa face da qual ficam dispostos os moldes da linotipo; roda de moldes. **Disco embrionário.** *Embr.* Blastoderma (2). **Disco embrionário didérmico.** *Embr.* Estágio em que o embrião apresenta inicialmente os dois folhetos (o epiblasto e hipoblasto) que dão origem, respectivamente, ao ectoderma e ao endoderma. **Disco embrionário tridérmico.** *Embr.* Estágio em que o embrião apresenta os três folhetos germinativos (q. v.) sobrepostos. **Disco epifisário.** *Histol.* Cada um dos discos de cartilagem hialina, localizados entre diáfise e epífise de osso longo, e responsável pelo crescimento ósseo em extensão; cartilagem epifisária. **Disco final.** *Turfe Ant.* O disco que havia sobre a linha de chegada. [V. *espelho* (10).] **Disco fixo.** *Inform.* Disco rígido (q. v.). **Disco flexível.** *Inform.* Disquete. **Disco galáctico.** *Astr.* Região que, numa galáxia em forma de disco, concentra a maior parte da matéria que a constitui. **Disco imaginal.** *Zool.* Cada célula diploide de larva de díptero sem cromossomos politênicos e que se destina a produzir a estrutura adulta, após a metamorfose. **Disco intercalar.** *Histol.* Cada uma das membranas duplas, onduladas, que, em fibras do músculo cardíaco, separam células adjacentes, auxiliando na contração sincronizada do tecido cardíaco. **Disco intervertebral.** *Anat.* Cada uma das formações chatas e arredondadas, constituídas por camadas de cartilagem fibrosa, e situadas entre duas vértebras justapostas. **Disco lunar.** *Astr.* Projeção da Lua sobre a esfera celeste, a qual constitui a imagem da Lua que observamos. **Disco magnético.** *Inform.* Dispositivo de armazenamento de dados e programas constituído de uma ou mais placas planas circulares, em cuja(s) superfície(s) se registram as informações pela magnetização seletiva de porções dela(s). [Pode ser fixo ou removível.] [Cf. *disco flexível* e *disco rígido*.] **Disco planetário.** *Astr.* Projeção de um planeta sobre a esfera celeste, a qual constitui a imagem observável através de um telescópio. **Disco rígido.** *Inform.* Disco magnético (q. v.), não removível e interno ao computador, com grande capacidade de armazenamento e alta velocidade de acesso, e no qual se armazenam, ger., programas e arquivos de trabalho; disco fixo, *winchester*. [Tb. se usam as siglas (do ingl.) *HD* e *HDD*.] **Disco solar.** *Astr.* Projeção do Sol sobre a esfera celeste, a qual constitui a imagem do Sol que observamos. **Disco voador.** *Impr.* Expressão popular para designar objeto voador não identificado. **Engolir um disco.** *Pop.* V. *falar pelos cotovelos*. **Mudar o disco.** *Pop.* Mudar de assunto; virar o disco, virar a folha. **Virar o disco.** *Pop.* 1. V. *mudar o disco*. 2. Tornar-se homossexual (3).

▲ **disco-** V. *disc(i)-*.

discóbolo [Do gr. *diskobólos*, pelo lat. *discobolu*.] ***S. m.*** Atleta lançador do disco (3) nos jogos da Grécia antiga.

discocéfalo [De *disco-* + *-céfalo*; tax. *Discocephali*.] *Zool.* ***S. m.*** 1. Espécime dos discocéfalos, ordem de peixes actinopterígios, cuja nadadeira dorsal modificada em ventosa é situada sobre a cabeça e formada por duas fileiras de lâminas que têm na borda livre uma série de pequenos espinhos agudos. São as rêmoras ou peixes-piolhos. • ***Adj.*** 2. Pertencente ou relativo a eles.

discófilo [De *disco* + *-filo*².] ***Adj. S. m.*** Diz-se de, ou amador e/ou colecionador de discos musicais.

discoglossídeo [Do tax. *Discoglossus* (v. *disco-* e *-glosso*) + *-ídeo*¹; tax. *Discoglossidae*.] *Zool.* ***S. m.*** 1. Espécime dos discoglossídeos, família de anfíbios anuros cuja língua é semelhante a um disco e os maxilares inferiores são desprovidos de dentes; apresentam oito vértebras opistocélicas. Distribuem-se na Europa, Ásia e África. • ***Adj.*** 2. Pertencente ou relativo a eles.

discografia [De *disco* + *-grafia*.] ***S. f.*** Descrição metódica dos discos de uma coleção, de um executante, etc.

discográfico [De *discografia* + *-ico*².] ***Adj.*** Relativo a discografia.

discoide (ói) [De *disc(i)-* + *-oide*.] ***Adj. 2 g.*** Disciforme. ✧

discolíquen [De *disco-* + *líquen*.] ***S. m.*** *Bot.* Ascolíquen cujos apotécios são disciformes e de apreciáveis dimensões. [Pl.: *discolíquens* e (p. us. no Brasil) *discolíquenes*.]

díscolo [Do gr. *dýskolos*, pelo lat. tard. *dyscolu*.] ***Adj.*** 1. Áspero no trato; agressivo. 2. Brigão, desordeiro. 3. V. *dissidente* (2). • ***S. m.*** 4. Indivíduo díscolo: "Apeiam-se todos e o Imperador bate de modo particular à porta conhecida, a do 'Apostolado', coio de díscolos e enfáticos, refúgio da dissidência maçônica" (Alberto Rangel, *Dom Pedro Primeiro e a Marquesa de Santos*, pp. 324-325).

discolor (ô) [De *dis-*¹ + *-color*.] ***Adj. 2 g.*** *Bot.* Cuja coloração difere de um lado para outro. [Pl.: *discolores* (ô). Cf. *descolores*, dos v. *descolorar* e *descolorir*.]

discomedusa [De *disco-* + *medusa*; tax. *Discomedusae*.] ***S. f.*** *Zool.* Espécime das discomedusas, ordem de animais cnidários, cifozoários, na qual se inclui o maior número de medusas conhecidas, com os cantos da boca prolongados por quatro braços orais sulcados. Na maioria, vivem em águas da costa.

discomedúseo [De *discomedusa* + *-eo*.] ***Adj. 2 g.*** *Zool.* Pertencente ou relativo às discomedusas.

discômetro [De *disco-* + *-metro*.] ***S. m.*** *Astr.* Micrômetro que determina o diâmetro dos planetas por meio de disco de diâmetro variável; micrômetro a disco.

discomiceto [De *disco-* + *-miceto*.] ***S. m.*** *Micol.* Fungo provido de apotécios discoides, visivelmente desenvolvidos, dos ascomicetos. [Sin., pop.: *chapéu*.]

➔ **disco-music** [ˈdɪskəʊ ˈmjuwzɪk] [Ingl.] ***S. f.*** *Mús.* Tipo de música popular dos anos 1970-1980, caracterizada pela batida repetitiva, forte e acelerada, ger. acompanhada de efeitos sonoros eletrônicos.

discordância [De *discordar* + *-ância*.] ***S. f.*** 1. Desacordo, divergência, discrepância, discórdia. 2. Disparidade, desigualdade, discrepância. 3. Incompatibilidade, inconciliação. 4. Dissonância, desarmonia, desafinação. 5. Diferença de opinião. 6. *Geol.* Ocorrência do depósito de camadas em épocas distintas, não se havendo conservado o paralelismo ou a composição mineralógica das camadas; discordância de camadas. ◆ **Discordância angular.** *Geol.* Aquela em que as camadas posteriores formam um ângulo com as anteriores infracolocadas; inconformidade. **Discordância de camadas.** *Geol.* Discordância (6).

discordante [De *discordar* + *-nte*.] ***Adj. 2 g.*** 1. Que discorda; discorde. • ***S. 2 g.*** 2. Pessoa que discorda.

discordar [Do lat. *discordare*.] ***V. int.*** 1. Não concordar; estar em desarmonia; ser incompatível; divergir: *Discordamos com frequência, raro estamos de acordo.* ***T. i.*** 2. Não concordar; divergir, discrepar: *Discordo da sua opinião.* [Pres. ind.: *discordo*, etc. Cf. *discordo* (ô) e *descordo* (ô), s. m.; *descordo*, do v. *descordar*, e este v.]

discorde [Do lat. tard. *discorde*.] ***Adj. 2 g.*** 1. Discordante (1). 2. Oposto, contrário; desconcordante. 3. Incompatível, inconciliável, incompossível. 4. Destoante, desafinado. [Cf. *descorde*, do v. *descordar*.]

discórdia [Do lat. *discordia*.] ***S. f.*** 1. V. *discordância* (1). 2. Desarmonia, desentendimento, desinteligência, desavença. 3. Desordem, luta.

discordo (ô) [Dev. de *discordar*.] ***S. m.*** *P. us.* V. *discordância* (1). [Pl.: *discordos* (ô). Cf. *discordo*, do v. *discordar*; *descordo* (ô), s. m., pl. *descordos* (ô), e *descordo*, do v. *descordar*.]

discorrer [Do lat. *discurrere*.] ***V. int.*** 1. Correr para diversos lados ou diferentes partes. 2. Vaguear, vagar, errar: *Saiu a discorrer, e levou horas.* 3. Falar, discursar: *Discorreu durante uma hora sem aparentar cansaço.* 4. Meditar, raciocinar: *Discorre inseguradamente.* ***T. d.*** 5. Percorrer, atravessar: *Discorreu toda a região*; "Em verde-negro, esconso lenho / Discorro o mar, de além a além..." (Augusto de Lima, *Poesias*, p. 249.) 6. Examinar, analisar. 7. Pensar, meditar. ***T. i.*** 8. Falar, discursar: "Essa Rosaura das Bruxas e Joana Marreira .... nunca discorriam sobre coisa alguma" (Ciro dos Anjos, *A Menina do Sobrado*, p. 25). ***Pred.*** 9. Decorrer; passar: *As horas discorriam, tristes, monótonas.*

discorrimento [De *discorrer* + *-imento*.] ***S. m.*** 1. Faculdade de discorrer. 2. Análise, discernimento, raciocínio.

discoteca [De *disco* + *-teca*.] ***S. f.*** 1. Coleção de discos, dispostos ordenadamente para fins de estudo ou recreação. 2. Móvel destinado à guarda de discos de fonógrafo. 3. Edifício ou sala onde se colecionam discos, e que ger. é equipado com aparelhagem de som para audições. 4. *Bras.* Boate cuja música é apenas de gravação. [Cf. *fitoteca*² e *fonoteca*.]

discotecário [De *discoteca* + *-ário*.] ***S. m.*** *Bras.* 1. Indivíduo que superintende uma discoteca (4); disc-jóquei. 2. Profissional que organiza e dirige os trabalhos de guarda e localização de discos, fitas e cartuchos.

discotríquio [De *disco-* + *-triqu(i)-* + *-io*³.] ***Adj.*** *Zool.* Diz-se dos protozoários ciliados que têm, abaixo da membrana, fibrilas contráteis longitudinais, dispostas em várias camadas. São, em geral, fixos ao substrato.

discrasia [Do gr. *dyskrasía*, 'mau gênio', 'intempérie', pelo lat. med. *dyscrasia* e pelo lat. cient. *dyscrasia*, conservando, entretanto, a prosódia grega.] ***S. f.*** 1. *Hist. Med.* Má composição ou má circulação de líquidos corporais. 2. *Hemat.* Alteração patológica do sangue, com modificação de taxas de seus componentes celulares, de fatores de coagulação, não se estendendo, contudo, à bioquímica sanguínea. [Cf. *eucrasia*.]

discrásico [De *discrasia* + *-ico*².] ***Adj.*** 1. Referente a, ou que padece discrasia. • ***S. m.*** 2. Aquele que a padece.

discrepância [Do lat. *discrepantia*.] ***S. f.*** V. *discordância* (1 e 2).

discrepante [Do lat. *discrepante*.] ***Adj. 2 g.*** Que discrepa; divergente, discordante.

discrepar [Do lat. *discrepare*.] ***V. t. i.*** 1. Ser diverso; diversificar, diferir: *Os dados estatísticos recentes discrepavam muito dos seus.* 2. Divergir de opinião; discordar, dissentir: *Sua opinião discrepa do parecer do chefe*; "Atacava agora a maneira injusta com que eram tratados todos quantos discrepassem da opinião oficial e pugnassem pela felicidade do povo." (Albertino Moreira, *Gente de Serra Acima*, p. 250.)

discretamente [Do f. de *discreto* + *-mente*.] ***Adv.*** De maneira discreta; com discrição.

discreteador (ô) [De *discretear* + *-dor*.] ***Adj. S. m.*** Que, ou aquele que discreteia.

discretear [De *discreto* + *-ear*².] ***V. int.*** 1. Discorrer com discrição ou discernimento, calmamente: *Saíram a passear pela rua sossegada, discreteando.* ***T. i.*** 2. Discorrer com discrição ou discernimento sobre um assunto; falar a propósito e com circunspeção: "Quem o ouvia discretear de coisas de arte admirava-lhe o espírito culto e versado em todos os segredos da pintura, da poesia, da botânica, da numismática" (Lúcio de Mendonça, *Caricaturas Instantâneas*, p. 158); *Discreteiam sobre literatura.* [Conjug.: v. *frear*.]

discretivo [Do lat. tard. *discretivu*.] ***Adj.*** Que distingue; discernente. [Cf. *descritivo*.]

discreto [Do lat. *discretu*.] ***Adj.*** 1. Reservado em suas palavras e seus atos. 2. Que tem ou revela discrição: *homem discreto; procedimento discreto.* 3. Que sabe guardar um segredo. 4. Prudente, circunspeto. 5. Recatado, modesto. 6. Que não se faz sentir com intensidade; brando: *dor discreta.* 7. Que não avulta sensivelmente; pequeno, diminuto: *mancha discreta no pulmão.* 8. Relativo a, ou que envolve objetos, elementos, valores, etc. não contínuos: *conjunto discreto.* 9. Que não está em continuidade com a vizinhança; separado, distinto: *pontos discretos.* ~ V. *conjunto* — e *fonte* —*a*.

discrição [Do lat. *discretione*.] ***S. f.*** 1. Qualidade ou caráter de discreto. 2. Discernimento, sensatez. 3. Qualidade de quem sabe guardar segredo. 4. Prudência, reserva, circunspeção. 5. Modéstia, recato, decência: *A dama veste-se com discrição.* [Cf. *descrição*.] ◆ **À discrição.** À vontade; sem restrições.

discricional [De *discrição* + *-al*¹, seg. o padrão erudito.] ***Adj. 2 g.*** V. *discricionário*.

discricionariedade [De *discricionári(o)* + *-edade*.] ***S. f.*** Qualidade ou natureza de discricionário.

discricionário [De *discrição* + *-ário*, seg. o padrão erudito.] ***Adj.*** Que procede, ou se exerce, à discrição, sem restrições, sem condições; arbitrário, caprichoso, discricional: *indivíduo discricionário; poder discricionário.*

discrime [Do lat. *discrimen*.] ***S. m.*** 1. Ação de discriminar. 2. Linha divisória. 3. Lide, combate. 4. Risco, perigo. [F. paral.: *discrímen*.]

discrímen ***S. m.*** V. *discrime*. [Pl.: *discrimens* e (p. us. no Brasil) *discrímenes*.]

discriminação [Do lat. *discriminatione*.] ***S. f.*** 1. Ato ou efeito de discriminar. 2. Faculdade de distinguir ou discernir; discernimento. 3. Separação, apartação, segregação: *discriminação racial.* 4. *Eletrôn.* Eliminação de todos os sinais que entram num circuito, exceto aqueles que têm uma determinada característica de fase, de frequência ou de amplitude. [Cf. *descriminação*.] ◆ **Discriminação de preços.** *Econ.* Fixação de preços diferentes para distintos compradores de um mesmo produto. **Discriminação genética.** Recusa em aceitar candidato a emprego, a cobertura pessoal por seguro, etc., com base em informações obtidas, principalmente, mediante provas laboratoriais de investigação genética. **Discriminação racial.** Segregação racial.

discriminador (ô) [Do lat. *discriminatore*.] ***Adj.*** 1. Que discrimina; discriminante, discriminativo. • ***S. m.*** 2. Aquele que discrimina. 3. *Eletrôn.* Circuito que pode transformar a frequência ou a fase de um sinal na amplitude de outro sinal. [Cf. *descriminador*.]

discriminante [Do lat. *discriminante*.] ***Adj. 2 g.*** 1. V. *discriminador* (1). ~ V. *análise* —. • ***S. m.*** 2. *Álg.* Expressão formada com os coeficientes de uma equação polinomial e cujo valor permite conclusões sobre a natureza das raízes da equação. [Para a equação quadrática $ax^2 + bx + c = 0$, tem a forma $b^2 - 4ac$.] [Cf. *descriminante*.]

discriminar [Do lat. *discriminare*.] ***V. t. d.*** 1. Diferençar, distinguir; discernir: *Era quase impossível discriminar os caracteres no velho manuscrito; Cumpre discriminar os verdadeiros e os falsos valores.* 2. Separar, especificar: *Discriminamos os prós e contras antes de aceitar a proposta.* ***T. d. e i.*** 3. Diferençar, distinguir, discernir: *discriminar o bem do mal.* 4. Separar, estremar. ***T. i.*** 5. Estabelecer diferença; distinguir: *discriminar entre o bom senso e o absurdo.* [Cf. *descriminar*, v.]

discriminativo [De *discriminar* + *-tivo*.] ***Adj.*** V. *discriminador* (1).

discriminatório [De *discriminar* + *-tório*.] ***Adj.*** Que estabelece ou implica discriminação: *medida discriminatória; procedimento discriminatório.*

discriminável [De *discriminar* + *-vel*.] *Adj. 2 g.* Que se pode discriminar.

discromatopsia [De *dis-*^{2} + *-cromat(o)-* + *-opsia*.] *S. f. Oftalm.* Alteração de visão de cores; discromopsia. [Cf. *cromatopsia* e *daltonismo* (1 e 2).]

discromatópsico [De *discromatopsia* + *-ico*^{2}.] *Adj. S. m.* V. *discromatóptico*.

discromatóptico [De *discromat(opsia)* + *-óptico*, seg. o padrão gr.] *Oftalm. Adj.* **1.** Relativo à discromatopsia, ou que a tem. ● *S. m.* **2.** Aquele que a tem. [F. paral.: *discromatópsico*. Sin. ger.: *discromóptico*, *discromópsico*.]

discromia [De *dis-*^{2} + *-crom(o)-* + *-ia*^{1}.] *S. f. Med.* Perturbação pigmentar da pele ou dos pelos.

discromopsia [De *dis-*^{2} + *-crom(o)-* + *-opsia*.] *S. f. Oftalm.* V. *discromatopsia*.

discromópsico [De *discromopsia* + *-ico*^{2}.] *Adj. S. m. Oftalm.* V. *discromatóptico*.

discromóptico [De *discrom(opsia)* + *-óptico*, seg. o padrão gr.] *Adj. S. m. Oftalm.* V. *discromatóptico*.

discursador (ô) [Do lat. *discursatore*.] *Adj. S. m.* Que, ou aquele que discursa.

discursar [Do lat. *discursare*.] *V. int.* **1.** Fazer discurso; falar em público. *T. i.* **2.** Discorrer, falar: *Costuma discursar sobre assuntos que desconhece.* **3.** Pensar, refletir, raciocinar, discorrer: "No fim da vida humana discursando, / Dos males e dos bens fiz conta certa" (Fr. Agostinho da Cruz, *Obras*, p. 217). *T. d.* **4.** Tratar ou expor com método; explicar: *O estudo discursa os pontos da doutrina.*

discurseira [De *discurso* + *-eira*.] *S. f. Bras.* **1.** Discurso longo e tedioso. **2.** Grande porção de discursos. **3.** Falação, verborragia. [Sin. ger.: *discursório*.]

discurseta (ê) [De *discurso* + *-eta* (ê).] *S. f. P. us.* Discurso pequeno, curto.

discursista [De *discurso* + *-ista*.] *Adj. 2 g. S. 2 g.* Que, ou quem faz discursos.

discursivo [Do lat. med. *discursivu*.] *Adj.* **1.** *Filos.* Diz-se de operação mental que se processa por uma série de operações intermediárias e parciais, como o raciocínio, a dedução e a demonstração. **2.** Que costuma discursar; falador, palrador. **3.** Dissertativo.

discurso [Do lat. *discursu*.] *S. m.* **1.** Peça oratória proferida em público ou escrita como se tivesse de o ser. **2.** Exposição metódica sobre certo assunto; arrazoado. **3.** Oração, fala. **4.** *E. Ling.* Qualquer manifestação concreta da língua. [Sin., nesta acepç.: *fala* e (fr.) *parole*.] **5.** *E. Ling.* Unidade linguística maior do que a frase; enunciado, fala. **6.** *Ant.* Raciocínio, discernimento. **7.** *Fam.* Palavreado vão, e/ou ostentoso: *Nada de discurso, vá direto ao assunto.* **8.** *Fam.* Fala longa e fastidiosa, de natureza ger. moralizante: *Toda vez que chega tarde, o pai faz-lhe um discurso.* **9.** *Liter.* Qualquer manifestação por meio da linguagem, em que há predomínio da função poética (q. v.): "O estatuto americano dos textos borgianos não invalida o fato de ele pertencer ao discurso do sistema cultural universal." (Bella Jozef, *Jorge Luis Borges*, p. 41.) ◆ **Discurso direto.** *Liter.* Reprodução das palavras de alguém nos termos exatos em que foram ditas: "— Não é sua filha que está doente, minha senhora?" (Eça de Queirós, *Os Maias*, II, p. 13.) **Discurso indireto.** *Liter.* Reprodução das palavras de alguém na terceira pessoa, quer atribuindo-as claramente a outra pessoa em orações subordinadas a um verbo *dicendi* (v. esta expr.), quer dizendo-as por sua própria conta em orações independentes: "Foi então que ela ... disse-lhe que havia muita cousa misteriosa e verdadeira neste mundo." (Machado de Assis, *Várias Histórias*, p. 4); *Perguntei-lhe se vai à Europa. Ele vai.* **Discurso indireto aparente.** *Liter.* Discurso indireto livre. **Discurso indireto livre.** *Liter.* Discurso indireto (q. v.) caracterizado pela ausência de verbo *dicendi*, e no qual o autor insere elementos da fala direta do personagem; discurso indireto aparente: "Sentei-a ao pé de mim, falei-lhe do marido, da filha, dos negócios, de tudo. Tudo ia bem; a filha estava linda como os amores." (Machado de Assis, *Memórias Póstumas de Brás Cubas*, pp. 217-218.) No trecho seguinte, como se vê, misturam-se o discurso direto (nos dois primeiros parágrafos e no último) e o indireto livre (no terceiro parágrafo): "— Bom café, Dona Zefinha!/ — Nada, doutor. O senhor aceita um biscoito? // O doutor não comia nada depois do jantar. Era hábito vindo dos pais. // — Mas não faz mal, doutor. É muito leve, de goma." (Bernardo Élis, *Ermos e Gerais*, p. 155.)

discursório [De *discurso* + *-ório*.] *S. m. Bras.* V. *discurseira*.

discussão [Do lat. *discussione*.] *S. f.* **1.** Ação de discutir; debate, controvérsia; polêmica. **2.** Altercação, contenda, disputa. ◆ **Discussão bizantina.** Discussão infrutífera. **Discussão de relação.** *Bras. Gír.* Aquela que namorados, amantes, etc. têm com o objetivo de acertar as diferenças e corrigir as dificuldades do relacionamento. [Abrev. (gír.): *DR*.]

discutição [De *discutir* + *-ção*.] *S. f. Bras. S. Pop.* Discussão.

discutidor (ô) [De *discutir* + *-dor*.] *Adj. S. m.* Que, ou aquele que discute ou gosta de discutir; questionador.

discutir [Do lat. *discutere*.] *V. t. d.* **1.** Debater (questão, problema, assunto). **2.** Examinar, investigar, questionando: *Não consentiu em discutir os inconvenientes de sua atitude.* **3.** Pôr em debate, em discussão; contestar: *Impossível discutir os méritos daquele romance.* **4.** Defender ou impugnar (assunto controvertido); questionar: *O autor discute, no prólogo, a validade da sua tese.* *T. i.* **5.** Travar discussão; questionar: *Não costuma discutir com o pai;* "voltou-se para escutar melhor o Ega, que ao lado discutia com o Gouvarinho sobre mulheres." (Eça de Queirós, *Os Maias*, II, p. 85.) *Int.* **6.** Tomar parte em discussão: *Gosta de discutir.* **7.** Questionar, contender: *Nunca se entenderam: passam os dias a discutir.*

discutível [De *discutir* + *-vel*.] *Adj. 2 g.* **1.** Que se pode discutir. **2.** Problemático, incerto.

disel *S. m.* V. *disel*

disemia [De *dis-*^{2} + *-emia*.] *S. f. Med. Obsol.* Qualquer alteração sanguínea.

disémico *Adj.* V. *disêmico*. [Uso freq. em P.]

disêmico [De *disemia* + *-ico*^{2}.] *Adj.* Relativo a disemia.

disenteria [Do gr. *dysentería*, pelo lat. *dysenteria*.] *S. f.* **1.** *Gastr.* Síndrome decorrente de inflamação intestinal, e que inclui dor abdominal, tenesmo e defecações frequentes, podendo conter sangue e muco. **2.** *Pop.* Diarreia. ◆ **Disenteria amebiana.** *Gastr.* A produzida por *Entamoeba histolytica*. **Disenteria bacilar.** *Gastr.* Doença infecciosa produzida por bactérias do gênero *Shigella*.

disentérico [Do gr. *dysenterikós*, pelo lat. *dysentericu*.] *Adj.* **1.** Relativo a, ou que sofre disenteria. ● *S. m.* **2.** Aquele que a sofre.

diserto [Do lat. *disertu*.] *Adj.* **1.** Que se exprime com facilidade, simplicidade e elegância: "O autor é talentoso, campeador, diserto, e li-o com interesse e simpatia espontânea" (Antônio Sérgio, *Ensaios*, IV, p. 247). **2.** Facundo, eloquente. [Cf. *deserto*, do v. *desertar*, adj. e s. m.]

disestesia [De *dis-*^{2} + *-estes(i)-* + *-ia*^{1}.] *S. f. Neur.* Perturbação de qualquer dos sentidos, em especial do tato.

disestésico [De *disestesia* + *-ico*^{2}.] *Adj.* Relativo a disestesia.

disfagia [De *dis-*^{2} + *-fag(o)-* + *-ia*^{1}.] *S. f. Med.* Dificuldade na deglutição, ou deglutição dolorosa, de causa otorrinolaringológica, digestiva ou neurológica. [Sin.: *odinofagia*, *acatápose*.]

disfágico [De *disfagia* + *-ico*^{2}.] *Adj.* Relativo a disfagia.

disfaniácea [Do tax. *Dysphania* + *-ácea*; tax. *Dysphaniaceae*.] *S. f. Bot.* Espécime das disfaniáceas, família de plantas floríferas, da ordem das centrospermas, caracterizada pelas flores cíclicas, hermafroditas ou unissexuais, com uma a três pétalas e um a três estames. Fruto monospérmico. Há somente o gênero *Dysphania*, composto de seis representantes australianos.

disfaniáceo [De *disfaniácea*, com var. suf. (v. *-áceo*).] *Adj. Bot.* Pertencente ou relativo às disfaniáceas.

disfarçado [Part. de *disfarçar*.] *Adj.* **1.** Que tem disfarce; encoberto, mascarado. **2.** Simulado, fingido, falso. [Cf. *desfaçado*.] ~ V. *desemprego* —.

disfarçar [Da mesma or. incerta que o esp. *disfrazar* e o cat. *disfressar*.] *V. t. d.* **1.** Encobrir; tapar; ocultar: *O remendo disfarça o rasgão do paletó.* **2.** Reprimir, conter; dissimular, mascarar: *Não soube disfarçar a contrariedade.* **3.** Mudar, modificar, alterar, para tornar, ou fingir tornar, desconhecido: *Disfarçou a voz, mas todos o conheceram; Escreveu com a mão esquerda para disfarçar a letra.* *T. d. e i.* **4.** Vestir de modo que não se conheça: *Disfarçaram o milionário em carregador.* *P.* **5.** Vestir-se de maneira diferente, a fim de parecer outro ou não ser conhecido. [Conjug.: v. *laçar*. Cf. *desfaçar-se*, v.]

disfarçável [De *disfarçar* + *-vel*.] *Adj. 2 g.* Que se pode disfarçar.

disfarce [Dev. de *disfarçar*.] *S. m.* **1.** Ação de disfarçar(-se). **2.** Aquilo que serve para disfarçar. **3.** Fingimento, dissimulação. **4.** *Fig.* Máscara (11).

disfasia [De *dis-*^{2} + *-fas(i)-* + *-ia*^{1}.] *S. f. Neur.* Distúrbio da palavra, devido a lesão do sistema nervoso central. [Cf. *desfazia*, do v. *desfazer*.]

disfásico [De *disfasia* + *-ico*^{2}.] *Adj.* Relativo a disfasia.

disfemia [Do ingl. *dysphemy* (do lat. cient. *dysphemia*).] *S. f. Psiq.* Gagueira, ou outro distúrbio de fala, de origem psicogenética.

disfémico *Adj.* V. *disfêmico*. [Uso freq. em P.]

disfêmico [De *disfemismo* + *-ico*^{2}, seg. o padrão erudito.] *Adj.* Referente a, ou que constitui disfemismo. [Antôn.: *eufêmico*, *eufemístico*.]

disfemismo [De *dis-*^{2} + *-femismo*, como em *eufemismo*.] *S. m. E. Ling. P. ext.* Expressão grosseira ou desagradavelmente direta, em vez de outra, indireta ou neutra: *Esse horroroso porco imundo.* [Cf. *eufemismo*.]

disferir *V. t. d.* Engrandecer; dilatar. [Irreg. Conjug.: v. *aderir*. Cf. *desferir*.]

disfonia [Do gr. *dysphonía*, 'aspereza da voz', ou de *dis-*^{2} + *-fon(o)-* + *-ia*^{1}.] *S. f. Fonoaud. Otor.* Qualquer distúrbio da voz.

disfónico *Adj. S. m.* V. *disfônico*. [Uso freq. em P.]

disfônico [De *disfonia* + *-ico*^{2}.] *Adj.* **1.** Relativo a, ou que sofre de disfonia. ● *S. m.* **2.** Aquele que dela sofre.

disforia [Do gr. *dysphoría*.] *S. f. Med.* Inquietação, mal-estar provocado por ansiedade. [Opõe-se a *euforia*. Cf. *ansiedade* (2).]

disfórico [De *disforia* + *-ico*^{2}.] *Adj.* Relativo a, ou que tem disforia. [Opõe-se a *eufórico*.]

disformar [De *disforme* + *-ar*^{2}.] *V. t. d.* Tornar disforme; deformar. [Cf. *desformar*.]

disforme [De *dis-*^{2} + *-forme*.] *Adj. 2 g.* **1.** Desconforme, desmedido, descomunal. **2.** Monstruoso, horrendo. [Cf. *desforme*, do v. *desformar*.]

disfrasia [De *dis-*^{2} + *-fras(i)-* + *-ia*^{1}.] *S. f. Neur.* Pronúncia defeituosa, consequente a lesão cerebral.

disfunção [De *dis-*^{2} + *função*.] *S. f. Med.* Função (1) que se efetua de maneira anormal. ◆ **Disfunção cerebral mínima.** *Psiq. Desus.* Transtorno de déficit de atenção (q. v.). **Disfunção erétil.** *Med.* Tipo de impotência masculina. **Disfunção organizacional.** *Adm.* Espécie de anormalidade em processo administrativo de uma organização, como, p. ex., defesa de interesses pessoais ou de grupos específicos, excesso de regras, hierarquia muito rígida, alienação das pessoas.

disfuncional [De *disfunção* (sob o rad. *disfuncion-*) + *-al*^{1}, seg. o padrão erudito.] *Adj. 2 g.* Que apresenta ou revela disfunção.

disga *S. f. Bras. Gír.* V. *disgra*.

disgenesia [De *dis-*^{2} + *-genes(i)-* + *-ia*^{1}.] *S. f. Med.* **1.** Anomalia própria dos indivíduos que, infecundos entre si, são fecundos com indivíduos de outras etnias. **2.** Qualquer distúrbio da capacidade de procriação.

disgenésico [De *disgenesia* + *-ico*^{2}.] *Adj.* V. *disgenético*.

disgenético [De *disgen(esia)* + *-ético*.] *Adj.* Que tem disgenesia; disgenésico.

disgenia [De *dis-*^{2} + *-genia*.] *S. f. Genét.* Condição do caráter (10) que resultará em prejuízos para o patrimônio genético de gerações futuras.

disgénico *Adj.* V. *disgênico*. [Uso freq. em P.]

disgênico [De *disgenia* + *-ico*^{2}.] *Adj.* Relativo a disgenia, ou que a apresenta.

disgra [F. eufêmica de *desgraça*.] *S. f. Bras. Gír.* Falta de dinheiro; quebradeira (q. v.). [Var.: *disga*.]

disgregação [De *disgregar* + *-ção*.] *S. f.* **1.** Ação de disgregar; desagregação. **2.** *Fís.* Em moléculas não rígidas, a propriedade que têm algumas de suas partes de se moverem sem que se rompam as ligações de valência.

disgregar [Do lat. *disgregare*.] *V. t. d.* Separar, desagregar. [Conjug.: v. *regar*.]

disidria [De *dis-*^{2} + *-idr(o)-* + *-ia*^{1}.] *S. f. Derm.* Disidrose (1).

disidrose [De *dis-*^{2} + *-idr(o)-* + *-ose*^{1}.] *S. f. Derm.* **1.** Distúrbio da secreção sudoral; disidria. **2.** Forma de eczema que atinge mãos e pés, e que se acompanha de sensação de queimadura, sendo frequentes as recidivas.

disjunção [Do lat. *disjunctione*.] *S. f.* **1.** Ato de disjungir; separação. **2.** *Citol. Genét.* Separação de cromátides irmãs ou de cromossomos homólogos na anáfase da mitose. **3.** *E. Ling.* Supressão da conjunção aditiva entre várias frases. **4.** *Geol.* Separação numa rocha pelas juntas. **5.** *Lóg.* Operação lógica que combina duas proposições ou fórmulas, de tal modo que seu resultado é verdadeiro quando ao menos um dos componentes é verdadeiro. [A operação de disjunção corresponde à *alternativa* (3) e seu operador lógico é a partícula *ou*. Cf. *conjunção* (7), *disjunção exclusiva* e *negação* (8).] **6.** *Lóg.* Sistema de proposições relacionadas por disjunção; alternativa. ◆ **Disjunção exclusiva.** *Lóg.* Operação lógica que combina duas proposições ou fórmulas, de tal modo que o resultado é verdadeiro quando um e apenas um dos componentes é verdadeiro. [A operação de disjunção exclusiva corresponde à *alternativa exclusiva*. Cf. *conjunção* (7), *disjunção* (5) e *negação* (8).] **Disjunção inclusiva.** *Lóg.* Disjunção em que pelo menos uma das proposições é verdadeira e, portanto, não exclui necessariamente as outras; alternativa inclusiva, adição lógica, soma lógica. [Cf. *subcontrariedade*.]

disjungir [Do lat. *disjungere*.] *V. t. d.* **1.** Soltar do jugo; desprender. **2.** Separar, desunir, desajuntar. [Defect. Conjug.: v. *jungir*. Cf. *desjungir*.]

disjuntiva [F. subst. de *disjuntivo*.] ***S. f.*** **1.** *E. Ling.* Conjunção disjuntiva. **2.** *Lóg.* Cada uma das proposições relacionadas por disjunção; proposição alternada.

disjuntivo [Do lat. *disjunctivu*.] ***Adj.*** Próprio para disjungir, para separar. ~ V. *conjunção —a* e *silogismo —*.

disjunto [Do lat. *disjunctu*.] ***Adj.*** Não junto; separado, desunido.

disjuntor (ô) [Do lat. *disjunctus*, 'separado', + *-or*.] ***S. m.*** *Eng. Elétr.* Dispositivo destinado a desligar automaticamente um circuito elétrico sempre que ocorrer sobretensão da corrente. [Cf. *interruptor*.]

dislalia [De *dis-*^{2} + *-lal(o)-* + *-ia*^{1}.] ***S. f.*** *Fonoaud.* Distúrbio da pronúncia, e que se deve a lesão de órgãos externos responsáveis pela fala. [Opõe-se a *eulalia*.]

dislálico [De *dislalia* + *-ico*^{2}.] ***Adj.*** Referente a dislalia.

dislate [Do esp. *dislate*, poss.] ***S. m.*** V. *asneira* (1): "Aqui para nós, e o meu Reverendíssimo Prelado perdoe os meus dislates, a eternidade mete-me medo." (Aquilino Ribeiro, *Dom Frei Bertolameu*, p. 168.)

disléctico ***Adj. S. m.*** *Lus.* V. *dislético*.

dislético [De *dis-*^{2} + *-lé(c)tico*.] ***Adj.*** **1.** Relativo a, ou que sofre de dislexia. • ***S. m.*** **2.** Aquele que dela sofre. [Sin. ger.: *disléxico*.]

dislexia (cs) [De *dis-*^{2} + *-lex(i)-* + *-ia*^{1}.] ***S. f.*** *Neur.* **1.** Incapacidade de compreensão do que se lê, devida a lesão de sistema nervoso central. **2.** Condição em que o paciente consegue ler, mas experimenta fadiga e sensações desagradáveis.

disléxico (cs) [De *dislexia* + *-ico*^{2}.] ***Adj. S. m.*** Dislético.

dislogia [De *dis-*^{2} + *-logia*.] ***S. f.*** *Psiq.* **1.** Perturbação do poder de raciocínio. **2.** Perturbação da fala, devida a alterações mentais.

dislógico [De *dislogia* + *-ico*^{2}.] ***Adj.*** Relativo a dislogia.

dismenorreia (éi) [De *dis-*^{2} + *-men(o)-* + *-reia*.] ***S. f.*** *Gin.* Menstruação dolorosa. ❖

dismenorreico (éi) [De *dismenor(reia)* + *-reico*.] ***Adj.*** Referente a dismenorreia. ❖

dismnesia [De *dis-*^{2} + *-mnesia*.] ***S. f.*** V. *dismnésia*.

dismnésia [De *dis-*^{2} + *-mnésia*; var. pros. de *dismnesia*.] ***S. f.*** *Psiq. Neur.* Transtorno (5) que se caracteriza pela dificuldade de fixar, associar ou recordar informações, com esquecimento de nomes, rostos, datas, etc.

dismnésico [De *dismnésia* + *-ico*^{2}.] ***Adj.*** Relativo a dismnésia.

dismorfia [De *dismorf(o)-* + *-ia*^{1}.] ***S. f.*** Deformidade.

dismórfico [De *dismorfia* + *-ico*^{2}.] ***Adj.*** De, ou relativo a dismorfia. ~ V. *transtorno — corporal*.

▲ **dismorf(o)-** [Do gr. *dýsmorphos, os, on*, 'disforme'.] ***El. comp.*** = 'deformidade': *dismorfofobia, dismorfófobo*.

dismorfofobia [De *dismorf(o)-* + *-fobia*.] ***S. f.*** *Psiq.* **1.** Medo patológico de deformidade corporal, presente ou futura. **2.** Transtorno (5) caracterizado por preocupação excessiva com defeito imaginário na própria aparência; transtorno dismórfico corporal.

dismorfofóbico [De *dismorfofobia* + *-ico*^{2}.] *Psiq.* ***Adj.*** **1.** Relativo a dismorfofobia. **2.** Que sofre de dismorfofobia; dismorfófobo. • ***S. m.*** **3.** Aquele que sofre de dismorfofobia; dismorfófobo.

dismorfófobo [De *dismorfo-* + *-fobo*.] ***Adj. S. m.*** *Psiq.* Dismorfofóbico (2 e 3).

dismutação [De *dis-*^{2} + *mutação*.] ***S. f.*** *Quím.* V. *desproporcionamento*.

dismutase [De *dismut(ação)* + *-ase*.] ***S. f.*** *Bioquím.* Enzima que cataliza reação de dismutação.

disopia [De *dis-*^{2} + *-opia*.] ***S. f.*** *Oftalm.* Visão defeituosa.

disópico [De *disopia* + *-ico*^{2}.] ***Adj.*** Relativo a disopia.

disorexia (cs) [De *dis-*^{2} + *-orex-* + *-ia*^{1}.] ***S. f.*** *Med.* Perturbação do apetite.

disoréxico (cs) [De *disorexia* + *-ico*^{2}.] ***Adj.*** Relativo a disorexia.

disosmia [De *dis-*^{2} + *-osm(o)-*^{1} + *-ia*^{1}.] ***S. f.*** *Neur.* Perturbação do sentido da olfação.

disósmico [De *disosmia* + *-ico*^{2}.] ***Adj.*** Referente a disosmia.

disostose [De *dis-*^{2} + *-ost(e)(o)-* + *-ose*^{1}.] ***S. f.*** *Ort.* Distúrbio de desenvolvimento que compromete, no esqueleto, um ou mais ossos, mediante processo deficiente de ossificação.

díspar [Do lat. *dispare*.] ***Adj. 2 g.*** Desigual, diferente, dessemelhante: "Eram flores diferentes, de perfumes díspares, mas harmoniosamente reunidas pelo mistério da adolescência, que é a idade mágica para a mulher." (Augusto Frederico Schmidt, *O Galo Branco*, p. 198.) [Pl.: *díspares*. Cf. *dispares*, do v. *disparar*.]

disparada [F. subst. de *disparado*.] ***S. f.*** **1.** *Bras.* Desembestada (1). **2.** Dispersão do gado à desfilada em várias direções; estouro da boiada. ◆ **À disparada.** A toda a brida; à desfilada; a toda, em disparada; disparado: "Viu João aproximar-se um cavaleiro à disparada, e pouco depois esbarrar no terreiro." (José de Alencar, *O Gaúcho*, p. 126.) **Em disparada.** V. *à disparada*.

disparado [Part. de *disparar*.] ***Adj.*** **1.** Arrojado, ousado, destemido, atrevido, audaz. **2.** *Bras.* Muito veloz; célere; desembestado. • ***Adv.*** **3.** *Bras.* Em grande velocidade; à disparada: *O automóvel ia disparado quando atropelou o pedestre.* **4.** *Bras.* Com enorme vantagem ou superioridade em relação a outro: *A égua Argentina vai ganhando disparado; No primeiro dia da apuração, o candidato ia à frente do rival disparado.* **5.** *Bras. Turfe* A grande distância e dianteira dos outros (cavalos): *O vencedor do 4.º páreo ganhou disparado.*

disparador (ô) [De *disparar* + *-dor*.] ***Adj.*** **1.** *Bras.* Diz-se do cavalo acostumado a tomar o freio nos dentes, e que não obedece às rédeas. **2.** Diz-se do animal que foge quando perseguido. **3.** *Bras. S.* Medroso, covarde, pusilânime. • ***S. m.*** **4.** V. *gatilho* (1). **5.** *Fot.* Dispositivo que comanda o diafragma da máquina fotográfica e possibilita a exposição do filme; propulsor.

disparar [Do lat. *disparare*, 'separar'.] ***V. t. d.*** **1.** Atirar, lançar, arremessar, arrojar, jogar: *Disparou uma pedra para defender-se da agressão.* **2.** Desfechar, descarregar (arma de fogo). **3.** Desfechar, dar [tiro(s)]. **4.** Soltar ou emitir com força: *Apavorado, disparou um grito lancinante.* **5.** Desfechar, lançar (o olhar, a vista): *Irritado, disparou uma mirada sarcástica.* ***T. d. e i.*** **6.** Atirar, lançar, arremessar, arrojar: *Disparou setas contra o inimigo.* **7.** Atirar (2): "chegou a disparar contra ela dois tiros" (Lúcio de Mendonça, *Horas do Bom Tempo*, p. 289). ***T. i.*** **8.** Desafogar-se, desabafar-se; desfechar: *Enciumada, disparou num choro convulso.* ***Int.*** **9.** Dar partida; principiar a corrida. **10.** Repelir energicamente ofensas ou insinuações, depois de esgotada a paciência. **11.** Tresmalhar-se (uma manada). **12.** *Eletrôn.* Iniciar o funcionamento de (um circuito). **13.** *Bras.* Correr desabaladamente: "Seu filho Michel pôs-me um dia sobre o cavalo e chicoteou-o, fazendo-o disparar comigo." (Afonso Arinos Filho, *Primo Canto*, p. 31.) [Aplica-se em relação ao cavalo e a outros animais, e, ainda, ao homem.] **14.** *Bras.* Iniciar-se com ímpeto (ação ou processo) como se em corrida desabalada: "Há condições de promover o pacto social com a inflação disparando?" (*Veja*, 07.01.1987.) [Pres. subj.: *dispare, dispares*, etc. Cf. *díspares*, pl. de *díspar*.]

disparatadamente [Do f. de *disparatado* + *-mente*.] ***Adv.*** De maneira disparatada, confusa; tontamente.

disparatado [Part. de *disparatar*.] ***Adj.*** **1.** Que diz ou comete disparates. **2.** Que revela ou em que há disparate.

disparatar [De *disparate* + *-ar*^{2}.] ***V. int.*** Dizer ou cometer disparate(s).

disparate [Do esp. *disparate* (< esp. ant. *desbarate*, com infl. do v. esp. *disparar*), com infl. do lat. *disparatus*, 'oposto'.] ***S. m.*** **1.** Dito ou ação desarrazoada; absurdo. **2.** V. *asneira* (1). **3.** Desvario, desatino, despropósito. **4.** *Bras.* V. *quantidade* (3): *Herdou da avó um disparate de bens.* **5.** *Jog. Inf.* Jogo de salão, feito em roda, em que cada participante deve escutar uma pergunta segredada pelo vizinho de um lado e uma resposta cochichada pelo outro vizinho (que não ouviu a indagação), para só então anunciar ambas, em geral disparatadas.

dispareunia [De *dis-*^{2} + gr. *páreunos*, 'companheiro de leito', + *-ia*^{1}.] ***S. f.*** *Gin.* Cópula dolorosa para a mulher.

disparidade [De *díspar* + *-(i)dade*.] ***S. f.*** **1.** Qualidade do que é díspar; desigualdade; dessemelhança. **2.** *Bras. S.* Palavra ou expressão insensata; despropósito.

disparo [Dev. de *disparar*.] ***S. m.*** **1.** Ato ou efeito de disparar. **2.** Carga desfechada por arma de fogo; tiro, detonação. **3.** *Astron.* Explosão inicial que lança um foguete de sua plataforma. **4.** *Eletrôn.* V. *gatilho* (2). **5.** *Inform.* Gatilho (4).

dispartir [Do lat. *dispartire*.] ***V. t. d.*** **1.** Distribuir; repartir: *Dispartiu as horas de estudo de modo que atendesse ao horário de trabalho.* **2.** Separar ou dividir em diversas partes. ***T. d. e i.*** **3.** Distribuir; repartir: *Dispartiu seus bens aos pobres.* ***P.*** **4.** Partir ou seguir em direções diversas; dispersar-se: "todo o opaco / Das cousas se alongava, / Se dispartia, dava entrada àquela / Luz indecisa" (Alberto de Oliveira, *Poesias*, 1.ª série, p. 231). [Cf. *despartir*.]

dispêndio [Do lat. *dispendiu*.] ***S. m.*** **1.** V. *gasto* (6). **2.** *Fig.* Prejuízo, dano.

dispendioso (ô) [De *dispêndio* + *-oso*.] ***Adj.*** Que obriga a grandes dispêndios; custoso, caro.

dispensa [Dev. de *dispensar*.] ***S. f.*** **1.** Licença ou permissão para não fazer algo a que se estava obrigado; isenção de serviço, dever ou encargo. **2.** Documento em que se pede dispensa (1). **3.** Documento em que se concede desobrigação. [Cf. *despensa*.] ◆ **Dispensa de idade.** Permissão para praticar determinados atos antes da idade estabelecida em lei.

dispensabilidade [De *dispensável* + *-(i)dade*, seg. o padrão erudito.] ***S. f.*** Qualidade ou estado do que ou de quem é dispensável.

dispensação [Do lat. *dispensatione*.] ***S. f.*** **1.** Ato de dispensar; dispensa. **2.** Concessão, prestação: *dispensação de favores, de serviços.* **3.** *Farm.* Fornecimento ao consumidor de medicamentos e outros insumos farmacêuticos. **4.** *Rel.* Entre os protestantes, período em que o indivíduo é experimentado quanto à sua obediência a alguma revelação especial da vontade de Deus.

dispensado [Part. de *dispensar*.] ***Adj.*** Que teve dispensa; desobrigado. ~ V. *dia santo —*.

dispensador (ô) [Do lat. *dispensatore*.] ***S. m.*** Aquele que dispensa ou concede.

dispensar [Do lat. *dispensare*.] ***V. t. d.*** **1.** Dar dispensa (1) a; desobrigar: *Sendo espinhosa a missão, pediu que o dispensassem.* **2.** Não precisar de; prescindir de: *Fará sozinho o trabalho, dispensando qualquer ajuda*; "A verdade dispensa a verossimilhança." (José de Alencar, *A Viuvinha*, p. 128.) **3.** Conceder, conferir, distribuir: *dispensar graças, mercês.* ***T. d. e i.*** **4.** Dar dispensa; desobrigar: *Dispensei-o da obrigação.* **5.** Conceder, conferir; prestar: *Dispensaram ao embaixador as honras de praxe.* **6.** Ceder provisoriamente; emprestar. ***P.*** **7.** Não se julgar obrigado; eximir-se: *Dispensou-se de cumprir a promessa.* [Pres. ind.: *dispenso, dispensas, dispensa*, etc. Cf. *despensa*, s. f.]

dispensário [Do fr. *dispensaire*.] ***S. m.*** Estabelecimento de beneficência onde se trata gratuitamente dos enfermos pobres, dando-lhes remédios, alimentos, roupas, etc.

dispensatário [De *dispensar* + *-tário*.] ***S. m.*** Aquele que concede dispensas.

dispensativo [Do lat. *dispensativu*.] ***Adj.*** Que dispensa ou que é motivo para dispensar.

dispensatório [De *dispensar* + *-tório*.] ***S. m.*** **1.** Laboratório destinado à preparação de medicamentos. **2.** Código, farmacopeia. ◆ **Dispensatório farmacêutico.** Laboratório anexo às salas de aulas de farmácia, nas escolas de medicina e farmacologia, para demonstrações práticas.

dispensável [De *dispensar* + *-vel*.] ***Adj. 2 g.*** Que pode ser dispensado.

dispepsia [Do gr. *dyspepsía*.] ***S. f.*** *Gastr.* Dificuldade de digerir.

dispéptico [Do gr. *dýspeptos*, 'de difícil digestão', + *-ico*^{2}.] ***Adj.*** **1.** Referente a, ou que sofre de dispepsia. • ***S. m.*** **2.** Aquele que dela sofre.

disperder [Do lat. *disperdere*.] ***V. t. d.*** **1.** Deitar a perder; destruir, arruinar, aniquilar. ***P.*** **2.** Desabafar-se; desfazer-se: *Disperdeu-se em lágrimas.* [Irreg. Conjug.: v. *perder*.]

dispermático [De *di-*^{1} + *-spermat(o)-* + *-ico*^{2}.] ***Adj.*** V. *dispérmico*.

dispermia [De *di-*^{1} + *-sperm(o)-* + *-ia*^{1}.] ***S. f.*** *Biol.* Fenômeno raro de penetração de dois espermatozoides no mesmo óvulo.

dispérmico [De *di-*^{1} + *-sperm(o)-* + *-ico*^{2}.] ***Adj.*** Que contém duas sementes; dispermático, dispermo.

dispermo [De *di-*^{1} + *-spermo*.] ***Adj.*** V. *dispérmico*.

dispersador (ô) [De *dispersar* + *-dor*.] ***Adj.*** **1.** Que dispersa. • ***S. m.*** **2.** Aquele ou aquilo que dispersa.

dispersão [Do lat. *dispersione*.] ***S. f.*** **1.** Ato ou efeito de dispersar(-se). **2.** Separação de pessoas ou de coisas em diferentes sentidos. **3.** Debandada, desbarato. **4.** *Ecol.* Deslocamento de organismos, ampliando sua área de expansão. **5.** *Estat.* Flutuação de uma variável aleatória num conjunto de observações; variação do resultado de uma experiência que visa a medir uma variável aleatória no decorrer de uma sequência de observações. ◆ **Dispersão absoluta.** *Ópt.* Medida da dispersão da luz em um meio: diferença entre o índice de refração do meio para a raia *F* e o índice de refração do meio para a raia *C*. **Dispersão anômala.** *Ópt.* A que ocorre quando o comprimento de onda da radiação que percorre um meio se aproxima de uma banda de absorção do meio, e que se traduz por um desvio anormal da onda. **Dispersão ativa.** *Ecol.* Dispersão (4) voluntária. **Dispersão normal.** *Ópt.* A que ocorre num meio em que o índice de refração diminui monotonamente com o comprimento de onda da radiação, e que é observada como um desvio maior para as radiações de menor comprimento de onda. **Dispersão passiva.** *Ecol.* Dispersão (4) involuntária. [Podem ser carregados por agentes físicos (vento, água, etc.) ou biológicos (hospedeiros, aves, morcegos, etc.), ou ainda por meios de transporte (navios, etc.).] **Dispersão relativa.** *Ópt.* Medida da dispersão da luz em um meio: razão da dispersão absoluta pela diferença entre o índice de refração do meio para a raia *D* e a unidade; poder dispersor. **Dispersão rotatória.** *Ópt.* Fenômeno decorrente da variação do poder rotatório duma substância opticamente ativa com o comprimento de onda, e que é observado como uma diferença de rotação do plano da luz polarizada quando o comprimento de onda desta é alterado.

dispersar [De *disperso* + *-ar*².] *V. t. d.* **1.** Fazer ir para diferentes partes; pôr em debandada; espalhar: *Os tiros dispersaram os desordeiros.* **2.** Dissipar, desfazer: *A gargalhada dispersou a tensão nervosa geral.* **3.** Fazer sair, desviar, para diversos pontos: *Seus numerosos afazeres dispersam-lhe a atenção.* ***Int.*** **4.** Sair, espalhar-se, para diversos pontos; debandar(-se), espalhar-se, dispersar-se: *Terminado o comício, a multidão dispersou.* ***P.*** **5.** Sair, espalhar-se, para diversos pontos; debandar(-se), espalhar-se, dispersar. **6.** Sumir(-se), dissipar-se: *Aos poucos a visão se dispersou.* **7.** Não fixar a atenção no que faz; não se concentrar.

dispersivo [De *disperso* + *-ivo*.] ***Adj.*** **1.** Que causa dispersão; dispersor. **2.** Que se dispersa, que não se concentra no que faz. ● ***S. m.*** **3.** Indivíduo dispersivo (2).

disperso [Do lat. *dispersu*.] ***Adj.*** **1.** Separado sem ordem; espalhado. **2.** Posto em debandada; desbaratado. **3.** Desordenado, desarrumado. ~ V. *fase —a*.

dispersor (ô) [De *disperso* + *-or*.] ***Adj.*** Dispersivo (1). ~ V. *fase —a* e *poder —*.

dispina [Do mit. *Dispina*, 'deusa romana do Destino'.] ***S. f.*** *Astr.* Um dos satélites de Netuno, com diâmetro de 140km e órbita equatorial quase circular de 52.500km, no sentido direto. [Foi descoberto em julho de 1989 pela sonda espacial norte-americana *Voyager 2*. Com cap.]

displasia [De *dis-*² + *-plas(i)-* + *-ia*¹.] ***S. f.*** *Patol.* Anormalidade no desenvolvimento.

displástico [De *dis-*² + *-plast(o)-* + *-ico*².] ***Adj.*** Referente a displasia.

➔**display** [dɪsˈplej] [Ingl.] ***S. m.*** *Market.* **1.** Estrutura us. para expor, em destaque, determinado produto; mostruário, expositor. **2.** Material promocional, ger. anúncio impresso montado em cartão, produzido para ser colocado em balcão, vitrine, etc. **3.** Dispositivo para a apresentação visual de informações em aparelhos eletrônicos, como calculadora, forno de micro-ondas, etc.; mostrador.

displicência [Do lat. *displicentia*.] ***S. f.*** **1.** Predisposição de espírito para a tristeza ou o tédio. **2.** Descontentamento, desagrado, aborrecimento, desgosto. **3.** *Bras.* Descuido, ou mesmo desleixo, nas maneiras, no vestir, no proceder; descaso, desmazelo, negligência. **4.** *Bras.* Negligência, indiferença, desinteresse.

displicente [Do lat. *displicente*.] ***Adj. 2 g.*** **1.** Que produz displicência, desagrado, aborrecimento. **2.** *Bras.* Que revela, ou em que há displicência, descuido, descaso; desleixado, desmazelado. ● ***S. 2 g.*** **3.** *Bras.* Pessoa displicente.

dispneia (éi) [Do gr. *dýspnoia*, pelo lat. *dyspnoea*.] ***S. f.*** *Pneum.* Dificuldade na respiração. [Opõe-se a *eupneia*.] ❖

dispneico (éi) [Do gr. *dyspnoikós*.] ***Adj.*** **1.** Relativo a, ou que sofre de dispneia. ● ***S. m.*** **2.** Aquele que dela sofre. ❖

disponente [Do lat. *disponente*.] ***Adj. 2 g. S. 2 g.*** *Jur.* Que, ou quem dispõe (de bens a favor de alguém) por negócio entre vivos ou por testamento.

disponibilidade [De *disponível* + *-(i)dade*, seg. o padrão erudito.] ***S. f.*** **1.** Qualidade ou estado do que é disponível. **2.** Estado de espírito caracterizado pela predisposição a aceitar as solicitações do mundo exterior. **3.** Situação do funcionário público estável, do juiz de direito ou do militar que temporariamente não se acha em efetivo exercício. **4.** *P. ext.* Situação do indivíduo que está desempregado. **5.** Qualidade dos valores e títulos integrantes do ativo dum comerciante, que podem ser prontamente convertidos em numerário. **6.** *Fís.* Função termodinâmica definida como a soma da energia interna dum sistema com o produto da pressão externa pelo volume, menos o produto da temperatura externa pela entropia. **7.** *Jur.* Faculdade de dispor de seus bens. ◆ **Disponibilidade de caixa.** Dinheiro de contado, disponível.

disponibilizar [De *disponível* (*disponibil-*) + *-izar*, seg. o padrão erudito.] ***V. t. d.*** Tornar disponível; viabilizar o acesso a ou o uso de (material, dados, etc.).

disponível [De *dispor* (< lat. *disponere*) + *-ível*, seg. o padrão erudito.] ***Adj. 2 g.*** **1.** De que se pode dispor. **2.** Livre, desimpedido, desembaraçado. **3.** Que se pode negociar (títulos e mercadorias) e transferir imediatamente para o patrimônio do comprador. ~ V. *metade —*.

dispor [Do lat. *disponere*.] ***V. t. d.*** **1.** Arrumar, colocar em lugar(es) próprio(s), adequado(s), conveniente(s): *dispor os livros de uma estante; dispor os móveis de uma casa.* **2.** Pôr em boa ordem, em bom estado, em bom andamento, em boa disposição, etc.; dispor bem: *É preciso dispor o corpo e a mente.* **3.** Colocar em certa ordem; arrumar de determinado modo: *dispor os convidados de um banquete.* **4.** Preparar, arrumar, organizar: *Dispôs a tropa de maneira que cortasse a retirada do inimigo.* **5.** Pôr em ordem ou no devido andamento: *Antes de viajar, dispôs os seus negócios.* **6.** Planejar, planear, planificar, programar: *dispor uma viagem; dispor um itinerário.* **7.** Imaginar, criar, conceber: *Conseguiu, enfim, dispor o desfecho do drama.* **8.** Prescrever, determinar: *A lei dispõe que todo criminoso deve ir a julgamento.* **9.** Estabelecer, estatuir: *dispor normas.* **10.** Promover, ensejar; preparar: *O seu primeiro êxito dispôs o segundo.* **11.** Armar, urdir, maquinar, forjar: *dispor uma cilada.* **12.** Tornar benévolo; dispor favoravelmente: *Tudo fez para dispor os ânimos amotinados.* **13.** Plantar; transplantar: *dispor hortaliças.* ***T. d. e i.*** **14.** Aplicar, assentar; arrumar: *Dispôs os tijolos em várias camadas.* **15.** Preparar, predispor: *dispor o moribundo para a morte.* **16.** Empregar, aproveitar, utilizar: *Dispôs toda sua inteligência para tal fim.* **17.** Pôr de acordo; harmonizar, conciliar: *O jogo consiste em dispor as respostas com as perguntas adequadas.* **18.** Acostumar, habituar, afazer: *Conseguiu dispor os alunos ao novo método de ensino.* **19.** Fazer propender; inclinar, predispor: *O depoimento das testemunhas dispôs o júri à absolvição.* **20.** Induzir, incitar, aliciar: *Os maus-tratos dispuseram os presos à sublevação.* **21.** Persuadir, convencer: *O médico conseguiu dispor o doente a submeter-se ao tratamento.* ***T. i.*** **22.** Usar livremente; fazer o que se quer (de alguém ou de algo): *Dispõe quando quer da casa do irmão; dispor de tempo;* "— Dispõe de mim, meu velho; estou às tuas ordens" (Artur Azevedo, *Contos fora da Moda*, p. 13). **23.** Desfazer-se (de alguma coisa). **24.** Ter a posse; ser senhor: *Dispõe de grande fortuna.* **25.** Dar aplicação a; despender: *Já dispôs do dinheiro que recebeu; Dispôs de tudo o que lhe restara.* **26.** Tratar, discorrer; doutrinar: *dispor acerca de um assunto.* ***Int.*** **27.** Resolver em caráter definitivo; resolver, decidir, determinar, deliberar: *O homem põe e Deus dispõe.* ***P.*** **28.** Estar pronto ou resolvido: *Dispôs-se finalmente a estudar.* **29.** Preparar-se, aprestar-se: *Dispôs-se para a viagem.* **30.** Tencionar, projetar. **31.** Resolver-se, decidir-se; determinar-se: "Fui colocar a xícara na bandeja. E dispunha-me a sair, porque sentia acanhamento e não encontrava assunto para conversar." (Graciliano Ramos, *Caetés*, p. 85); *Dispôs-se a aceitar a proposta.* **32.** Dedicar-se, consagrar-se: *Dispôs-se à catequização de infiéis.* [Irreg. Conjug.: v. *pôr*.] ● ***S. m.*** **33.** Ato ou efeito de dispor; disposição. **34.** Determinação, disposição, vontade.

disposição [Do lat. *dispositione*.] ***S. f.*** **1.** Colocação metódica; distribuição ordenada; arranjo: *A boa disposição dos móveis torna acolhedor o salão.* **2.** Estado de espírito ou de saúde; temperamento; humor: *Ótimo companheiro: está sempre com boa disposição para tudo.* **3.** Tendência, inclinação, propensão, vocação: *Desde cedo mostrava disposição para as letras.* **4.** Intento, propósito, desígnio, determinação: *Sua disposição é ser um grande médico.* **5.** Prescrição legal; determinação, preceito: *as disposições transitórias da lei.* **6.** Emprego, uso: *Fez da herança boa disposição.* **7.** Situação: *A disposição do lugar era conveniente à construção do curral.* ◆ **À disposição.** Pronto a servir, a auxiliar; ao dispor, às ordens.

➔**dispositio** [despoˈsiteo] [Lat.] *E. Ling.* V. *retórica* (2).

dispositivo [Do lat. *dispositus* (v. *disposto*) + *-ivo*.] ***Adj.*** **1.** Que contém disposição, ordem, prescrição. ● ***S. m.*** **2.** Regra, preceito, prescrição. **3.** Artigo de lei. **4.** Mecanismo disposto para se obter certo fim. **5.** Conjunto de meios planejadamente dispostos com vista a um determinado fim: *dispositivo de ataque; dispositivo de segurança; dispositivo de combate aos tóxicos.* **6.** *Jur.* Parte duma lei, declaração ou sentença que contém, respectivamente, a matéria legislada, a resolução ou decisão, distinta do preâmbulo, da exposição de razões ou dos motivos. **7.** *Jur.* Decisório (2). **8.** *Bras.* Modo peculiar como se acham dispostos os órgãos de um aparelho. ◆ **Dispositivo cênico.** *Teatr.* V. *cenário*¹ (1). **Dispositivo de apontamento.** *Inform.* Dispositivo de indicação (q. v.). **Dispositivo de entrada.** *Inform.* V. *entrada* (18). **Dispositivo de indicação.** *Inform.* Dispositivo periférico (q. v.) de entrada de dados, essencial em interfaces gráficas, com o qual se podem indicar, e eventualmente ativar ou manipular, objetos de interface na tela do computador; dispositivo de apontamento. [O ex. mais comum é o *mouse*.] **Dispositivo de saída.** *Inform.* V. *saída* (13). **Dispositivo periférico.** *Inform.* Qualquer dispositivo ligado ao computador e que complementa as suas funções, como, p. ex., a tela, o teclado, a impressora, os discos de armazenamento secundário. [Tb. se diz apenas *periférico*.] **Dispositivo prático de Briot.** *Álg.* Algoritmo de Briot-Ruffini.

disposto (ô) [Do lat. *dispositu*.] ***Adj.*** **1.** Posto de certa maneira: *batalhões dispostos em linha.* **2.** Arranjado, organizado, preparado: *Está tudo disposto para a sua chegada.* **3.** Inclinado, propenso, dado: *É pouco disposto a brincadeiras.* **4.** Ordenado, determinado, decidido: *disposto em testamento.* **5.** *Bras.* Que revela boa disposição de ânimo; vivo; animado. **6.** Trabalhador, laborioso, ativo. **7.** *Bras.* Pronto para o que der e vier; valente. [V. *valentão* (1).] ● ***S. m.*** **8.** Aquilo que se dispôs ou determinou; regra, norma, preceito.

disprósio [Do lat. cient. *dysprosium* < gr. *dysprós(itos)*, 'de difícil acesso', + lat. cient. *-ium* (= *-io*³).] ***S. m.*** *Quím.* Elemento de número atômico 66, pertencente aos lantanídeos, metálico, com interesse apenas científico [símb.: *Dy*].

disprosódia [De *dis-*² + *prosódia*.] ***S. f.*** *Psiq.* Distúrbio da fala em que há maior demora na silabação das palavras, e anomalia em sua entonação, ritmo e altura.

disputa [Dev. de *disputar*.] ***S. f.*** **1.** Altercação, briga, rixa, contenda. **2.** Discussão, debate, contestação. **3.** Competição, rivalidade, luta: *No II Festival da Canção foi renhida a disputa pelo primeiro lugar.*

disputador (ô) [Do lat. *disputatore*.] ***Adj. S. m.*** Que, ou aquele que disputa; disputante.

disputante [De *disputar* + *-nte*.] ***Adj. 2 g. S. 2 g.*** Disputador.

disputar [Do lat. *disputare*.] ***V. t. d.*** **1.** Lutar ou esforçar-se por obter (algo ou alguém): *Os irmãos disputaram a posse da casa; As duas disputam o amor do mesmo homem; Muitos a disputam: é linda.* **2.** Concorrer a; pleitear: *Vários professores disputaram a cadeira.* **3.** Sustentar em discussão. ***T. d. e i.*** **4.** Procurar obter em concorrência: *Não quis disputar ao amigo a colocação;* "mil párias disputando aos cães um osso" (Raimundo Correia, *Poesias*, p. 230). ***T. i.*** **5.** Discutir, questionar, altercar: *Disputou com os amigos por uma tolice.* **6.** Rivalizar; competir: *Suas qualidades literárias disputam com as dos maiores escritores.* ***Int.*** **7.** Ter dissensão; contender, altercar.

disputativo [De *disputar* + *-tivo*.] ***Adj.*** **1.** Que é dado a disputas; inclinado a disputar: *indivíduo disputativo; ânimo disputativo.* **2.** Que é objeto de discussão ou disputa: *assuntos disputativos.*

disputatório [De *disputar* + *-tório*.] ***Adj.*** Em que se disputa alguma coisa: *campanha disputatória.*

disputável [Do lat. *disputabile*.] ***Adj. 2 g.*** Que pode ser objeto de disputa.

disque-denúncia [Do v. *discar* + *denúncia*.] ***S. m.*** Serviço de atendimento ligado, em geral, à Secretaria de Segurança Pública, por meio do qual as pessoas podem fazer denúncias, anonimamente. [Pl.: *disque-denúncias*.]

disquesia [Do lat. cient. *dyschesia*, *dyschezia* < gr. *dys* (= *dis-*²) + gr. *chízein*, 'defecar', + lat. cient. *-ia* (= *-ia*¹).] ***S. f.*** *Proct.* Perturbação na evacuação de fezes pelo reto.

disquete (é) [Do ingl. *diskette*.] ***S. m.*** *Inform.* Disco de material plástico flexível, revestido com material magnético e acondicionado em capa plástica quadrada, e us. para armazenamento de dados e programas de computador; disco flexível. [Removível, torna fácil o transporte de dados e programas de um computador para outros computadores compatíveis.] [Cf. *disquete* (ê).]

disquete (ê) [De *disco* + *-ete* (ê).] ***S. m.*** Pequeno disco. [Cf. *disquete* (é).]

disquisição [Do lat. *disquisitione*.] ***S. f.*** Pesquisa, investigação, indagação; exame: *disquisições filosóficas;* "E há a emoção como choque brusco da realidade coetânea do investigador, o conjunto de sensações de prazer ou desagrado, com que um grande acontecimento vem perturbar a meditação do pensador ou a disquisição do sábio." (Fidelino de Figueiredo, *Últimas Aventuras*, p. 10).

disrafia [De *dis-*² + *rafe*² (1) + *-ia*¹.] ***S. f.*** *Patol.* União defeituosa em rafe² (1).

disritmia [De *dis-*² + *ritmo* + *-ia*¹.] ***S. f.*** *Med.* Distúrbio de ritmo, como, p. ex., do ritmo cardíaco, do cerebral, etc.

disrítmico [De *disritmia* + *-ico*².] ***Adj.*** **1.** Relativo a, ou que tem disritmia. ● ***S. m.*** **2.** Aquele que a tem.

disrupção [Do lat. *disrup(t)-* (do part. pass. do lat. *disrumpere*, 'romper', 'quebrar'; 'destruir') + *-ção*, por via erudita.] ***S. f.*** Dirupção (q. v.).

dissabor (ô) [De *dis-*¹ + *sabor*.] ***S. m.*** **1.** Desgosto, mágoa, tristeza. **2.** Contrariedade, aborrecimento, desprazer, amolação. **3.** Sensaboria, insipidez. [Cf. *dessabor*.]

dissaborear [De *dissabor* + *-ear*².] ***V. t. d.*** Causar dissabor a. [Conjug.: v. *frear*. Cf. *dessaborear*.]

dissaborido [De *dissabor* + *-ido*¹.] ***Adj.*** **1.** Que tem ou em que há dissabor; triste, desgostoso. **2.** Que dissaboreia. [Sin. ger.: *dissaboroso*. Cf. *dessaborido*.]

dissaboroso (ô) [De *dissabor* + *-oso*.] ***Adj.*** V. *dissaborido*. [Cf. *dessaboroso*.]

dissacarídeo [De *di-*¹ + *sacarídeo*.] ***S. m.*** *Quím.* Holosídeo que fornece, por hidrólise, duas oses.

D

dissecação [De *dissecar* + *-ção.*] *S. f.* **1.** *Anat. Cir.* Individualização, mediante o uso de instrumental adequado, de parte(s) ou de órgão(s), seja de um ser vivo (em caso de intervenção cirúrgica), seja de um cadáver (para estudo anatômico). **2.** *Fig.* Análise minuciosa; exame rigoroso. [F. paral.: *dissecção.* Cf. *dessecação.*]

dissecar [Do lat. *dissecare.*] *V. t. d.* **1.** Fazer dissecação de. **2.** Analisar minuciosamente: *dissecar um trecho literário.* [Conjug.: v. *trancar.* Cf. *dessecar.*]

dissecção [Do lat. *dissectione.*] *S. f.* V. *dissecação.*

dissector (ô) [Do lat. *dissectus*, 'cortado em dois', + *-or.*] *S. m. Anat. Cir.* **1.** Aquele que disseca. **2.** Instrumento para dissecar; bisturi, escalpelo.

disseminação [Do lat. *disseminatione.*] *S. f.* **1.** Ato ou efeito de disseminar(-se). **2.** Espalhamento, derramamento, dispersão. **3.** Difusão, propagação, vulgarização.

disseminado [Part. de *disseminar.*] *Adj.* **1.** Semeado ou espalhado por muitas partes. **2.** Difundido, divulgado. ~ V. *coagulação intravascular —a* e *toxoplasmose —a.*

disseminador (ô) [De *disseminar* + *-dor.*] *Adj. S. m.* Que, ou aquele que dissemina.

disseminar [Do lat. *disseminare.*] *V. t. d.* **1.** Semear ou espalhar por muitas partes: *disseminar o pólen; disseminar a seiva.* **2.** Difundir, divulgar, propagar; espalhar: *disseminar boatos. P.* **3.** Difundir-se, propagar-se.

dissemínula [De *dis-*[1] + *-semin(i)-* + *-ula.*] *S. f. Bot.* Qualquer estrutura reprodutiva de um organismo, como semente, fruto ou esporo, e que, destacando-se deste, se dispersa, dando origem a um novo indivíduo idêntico ao que a originou. [Sin.: *diáspora, diaspório, diásporo.* Cf. *propágulo.*]

disse não disse [Da 3ª pess. sing. do pret. perf. do ind. do v. *dizer* + *não* + a mesma 3ª pess.] *S. m. 2 n. Bras.* V. *diz que diz que.* ❄

dissensão [Do lat. *dissensione.*] *S. f.* **1.** Divergência de opiniões ou de interesses. **2.** Desavença, desinteligência, dissidência: "O ano de 1827 parecia .... destinado às primeiras dissensões entre os dois amantes. [D. Pedro I e a Marquesa de Santos]" (Tobias Monteiro, *O Primeiro Reinado*, II, p. 162). **3.** *Fig.* Discrepância, contraste, oposição. [Sin. ger.: *dissenso, dissentimento, dissídio.* Cf. *descensão.*]

dissenso [Do lat. *dissensu.*] *S. m.* **1.** V. *dissensão.* **2.** Arrependimento de um dos contratantes antes de vencido o contrato. [Cf. *descenso.*]

dissentâneo [Do lat. *dissentaneu.*] *Adj.* Que dissente.

dissentimento [De *dissentir* + *-mento.*] *S. m.* V. *dissensão.*

dissentir [Do lat. *dissentire.*] *V. t. i.* **1.** Estar em desacordo; discordar, discrepar, divergir: *Sempre dissente da opinião da maioria;* "Pode-se dissentir do seu parecer, ter uma opinião em contrário firmemente estabelecida" (Gonçalves Dias, *Meditação*, p. 267). **2.** Não combinar; estar em desarmonia: *Seu linguajar obsceno dissentia de suas boas maneiras.* [Irreg. Conjug.: v. *sentir.* Cf. *dessentir.*]

dissépalo [De *di-*[1] + *-sépalo.*] *Adj. Bot.* Que tem duas sépalas distintas.

dissepimento [Do lat. *dissepimentu.*] *S. m. Biol. P. us.* Septo.

disse que disse [Da 3ª pess. sing. do pret. perf. do ind. do v. *dizer* + *que* + a mesma pess.] *S. m. 2 n.* V. *diz que diz que:* "Em verdade sentia falta de Ilhéus, do seu escritório movimentado, das intrigas, dos disse que disse, de certas figuras locais." (Jorge Amado, *Gabriela, Cravo e Canela*, p. 64.) ☑

dissertação [Do lat. *dissertatione.*] *S. f.* **1.** Exposição desenvolvida, escrita ou oral, de matéria doutrinária, científica ou artística. **2.** Trabalho escrito, apresentado a instituição de ensino superior, e defendido, publicamente, por candidato ao grau de mestre. **3.** Discurso; conferência; preleção.

dissertador (ô) [Do lat. *dissertatore.*] *S. m.* **1.** Aquele que disserta ou é dado a fazer dissertações. **2.** Aquele que é prolixo na exposição de qualquer matéria.

dissertar [Do lat. *dissertare.*] *V. t. i.* **1.** Fazer dissertação; tratar com desenvolvimento um ponto doutrinário ou um tema qualquer; discorrer: *Dissertou com brilho acerca da poesia de Jorge de Lima;* "Ia dissertando sobre as dificuldades da lavoura e sobre as consequências funestas das geadas últimas." (Rodrigo Otávio, *Contos de ontem e de hoje*, p. 79.) *Int.* **2.** Fazer dissertação. [Pres. ind.: *disserto*, etc. Cf. *decerto*, do v. *decertar* e adv., e esse verbo.]

dissertativo [De *dissertar* + *-tivo.*] *Adj.* **1.** De, ou relativo a dissertação. **2.** Diz-se de sistema de aferição de conhecimento (prova, teste, etc.) em que as respostas exigem exposição escrita; discursivo. [Cf., nesta acepç., *múltipla escolha.*]

dissidência [Do lat. *dissidentia.*] *S. f.* **1.** V. *dissensão* (2). **2.** Parte dos membros de uma corporação que se separa desta por divergência de opiniões. **3.** Cisma, cisão.

dissidente [Do lat. *dissidente.*] *Adj. 2 g.* **1.** Que diverge das opiniões de outrem ou da opinião geral. **2.** Que se separa de uma corporação por discordância de opiniões; separatista, cismático, díscolo. ● *S. 2 g.* **3.** Indivíduo dissidente.

dissidiar [De *dissídio* + *-ar*[2].] *V. int. T. i.* Ser dissidente; divergir; dissidir: *Embora muitas vezes dissidiem, são excelentes amigos; Os dois técnicos dissidiam em vários pontos.* [Pres. ind.: *dissidio, dissidias, dissidia*, etc. Cf. *dissídio*, s. m., e *decidia*, do v. *decidir.*]

dissídio [Do lat. *dissidiu.*] *S. m.* **1.** V. *dissensão:* "Isto tinha um importante sentido, que em breve se desvendaria com o espetacular dissídio havido na política baiana entre os grupos que obedeciam à chefia do Governador José Marcelino e do Ex-Governador Severino Vieira." (Afonso Arinos de Melo Franco, *Um Estadista da República*, II, p. 486.) **2.** *Dir. Trab.* Denominação comum às controvérsias individuais ou coletivas submetidas à Justiça do Trabalho. [Cf. *dissidio*, do v. *dissidiar.*]

dissidir [Do lat. *dissidere.*] *V. int. T. i.* V. *dissidiar.* [Imperf. ind.: *dissidia*, etc. Cf. *decidia*, do v. *decidir*, e este v.]

dissilábico [De *dissílabo* + *-ico*[2].] *Adj. E. Ling.* **1.** V. *dissílabo* (1). **2.** Diz-se de certas línguas cujas palavras têm apenas duas sílabas.

dissilabismo [De *dissílabo* + *-ismo.*] *S. m. E. Ling.* Caráter das línguas cujas palavras têm só duas sílabas.

dissílabo [Do gr. *disýllabos*, pelo lat. *disyllabu.*] *E. Ling. Adj.* **1.** Que tem duas sílabas; dissilábico, bissílabo. ● *S. m.* **2.** Palavra de duas sílabas.

dissilano [De *di-*[1] + *silano.*] *S. m. Quím.* Substância gasosa, de cheiro repulsivo, inflamável espontaneamente em contato com o ar, que é um silano (1) análogo do etano (q. v.) [fórm.: Si_2H_6].

dissimetria [De *dis-*[1] + *simetria.*] *S. f.* V. *assimetria.*

dissimétrico [De *dissimetria* + *-ico*[2].] *Adj.* V. *assimétrico.*

dissímil [Do lat. *dissimile.*] *Adj. 2 g.* V. *dessemelhante.* [Pl.: *dissímeis.* Superl. abs. sint.: *dissimílimo.*]

dissimilação [De *dis-*[2] + *(as)similação.*] *S. f. E. Ling.* Supressão ou diferenciação fonética motivada pela influência de outros fonemas existentes no mesmo vocábulo. Ex.: *menhã* por *manhã; exprobar* por *exprobrar.* [Antôn.: *assimilação* (3).]

dissimilado [Part. de *dissimilar*[3].] *Adj. E. Ling.* Em que ocorreu dissimilação: *Lantejoula é forma dissimilada de lentejoula; polvarinho é forma dissimilada de polvorinho.*

dissimilar[1] [De *dissímil* + *-ar*[1].] *Adj. 2 g.* Que é de espécie ou gênero diferente; heterogêneo.

dissimilar[2] [De *dissímil* + *-ar*[2].] *V. t. d.* Tornar dissímil; dessemelhar.

dissimilar[3] [Voc. deduz. de *dissimilação.*] *V. t. d.* **1.** Fazer a dissimilação de. *P.* **2.** Sofrer dissimilação.

dissimílimo [Do lat. *dissimillimu.*] *Adj.* Superl. abs. sint. de *dissímil.*

dissimilitude [Do lat. *dissimilitudine.*] *S. f.* V. *dessemelhança.*

dissimulação [Do lat. *dissimulatione.*] *S. f.* **1.** Ato ou efeito de dissimular(-se). **2.** Encobrimento das próprias intenções. **3.** Disfarce, fingimento, hipocrisia, refolho. [Sin. (desus.): *dissímulo.*]

dissimulado [Part. de *dissimular.*] *Adj.* **1.** Encoberto, disfarçado. **2.** Que tem por hábito dissimular; astucioso, fingido, hipócrita; simulado. ● *S. m.* **3.** Indivíduo dissimulado.

dissimulador (ô) [Do lat. *dissimulatore.*] *Adj.* **1.** Que dissimula; dissimulante. ● *S. m.* **2.** Aquele que dissimula.

dissimulante [De *dissimular* + *-nte.*] *Adj. 2 g.* Dissimulador (1).

dissimular [Do lat. *dissimulare.*] *V. t. d.* **1.** Ocultar ou encobrir com astúcia; disfarçar: *Procurou dissimular o seu erro para não o inculparem; Dissimulou a idade avançada usando vários artifícios.* **2.** Não dar a perceber; calar: *Dissimulou o agravo recebido.* **3.** Fingir, simular: *Dissimulou indiferença, quando tinha o coração apaixonado.* **4.** Atenuar o efeito de; tornar pouco sensível ou notável. *T. d. e i.* **5.** Dissimular (1): "Dissimular erros no amigo, não é amor, é lisonja, não é prudência, é traição, ou quando menos pusilanimidade." (Pe. Manuel Bernardes, *Nova Floresta*, I, p. 112.) *T. i.* **6.** Usar de dissimulação; proceder com fingimento, hipocrisia. *Int.* **7.** Ter reserva; não revelar os seus sentimentos ou desígnios: "Simular é fingir o que não é; dissimular é encobrir o que é." (Pe. Manuel Bernardes, *Nova Floresta*, IV, p. 5.) *P.* **8.** Ocultar-se, esconder-se. [Pres. ind.: *dissimulo*, etc. Cf. *dissímulo*, s. m.]

dissimulável [De *dissimular* + *-vel.*] *Adj. 2 g.* Que pode ser dissimulado.

dissímulo [Dev. de *dissimular.*] *S. m. Desus.* V. *dissimulação.* [Cf. *dissimulo*, do v. *dissimular.*]

dissintonia [De *dis-*[1] + *sintonia.*] *S. f.* Falta ou perda de sintonia.

dissipação [Do lat. *dissipatione.*] *S. f.* **1.** Ato ou efeito de dissipar(-se). **2.** Esbanjamento, desperdício. **3.** Desaparição; evaporação: *dissipação da umidade do ar.* **4.** Desregramento, devassidão, libertinagem. **5.** *Fís.* Processo de perda de energia dum sistema por uma emissão ou troca de natureza térmica; dissipação de energia. ◆ **Dissipação de energia.** *Fís.* Dissipação (5).

dissipado [Part. de *dissipar.*] *Adj.* **1.** Que se dissipou; desfeito; desaparecido. **2.** Que dissipa; gastador, esbanjador. **3.** Desregrado, devasso, libertino. **4.** *Bras. N.E. Pop.* Sem método; desorganizado, desmazelado. ● *S. m.* **5.** Indivíduo dissipado.

dissipador (ô) [Do lat. *dissipatore.*] *Adj. S. m.* Que, ou aquele que dissipa; perdulário, esbanjador, dissipado.

dissipar [Do lat. *dissipare.*] *V. t. d.* **1.** Espalhar, dispersar; desfazer: *A ventania dissipou a cerração.* **2.** Fazer cessar ou desaparecer; pôr fim a: "a iluminação a gás dissipou de uma vez para sempre as trevas" (Joaquim Manuel de Macedo, *Os Romances da Semana*, p. 86); "A emoção de estar na velha casa da sua família dissipara a impressão desagradável da conferência eleitoral." (Conde de Ficalho, *Uma Eleição Perdida*, p. 28) **3.** Esbanjar, desperdiçar, malbaratar, malgastar; dilapidar: *Em poucos meses dissipou a fortuna.* **4.** Causar a ruína de; arruinar, estragar: *Dissipou a saúde. P.* **5.** Espalhar-se, dispersar-se; desvanecer-se, esvaecer-se; evaporar-se: "Sentia uma moleza preguiçosa, vendo o fumo branco do charuto dissipar-se em aroma." (Eça de Queirós, *A Capital*, p. 339.) **6.** Deixar de existir; desaparecer: "Não distinguindo perigos, supunha que eles se haviam dissipado inteiramente." (Graciliano Ramos, *Infância*, p. 82); "O passado para mim foi como um simples pesadelo que se dissipa com o dia." (Cordeiro de Andrade, *Anjo Negro*, p. 150). **7.** *Fís.* Perder (energia) sob forma térmica.

dissipativo [De *dissipar* + *-tivo.*] *Adj.* Em que há, ou que envolve dissipação. ~ V. *acoplamento —, campo —, força —a, processo —* e *sistema —.*

dissipável [Do lat. *dissipabile.*] *Adj. 2 g.* **1.** Que se pode dissipar. **2.** Que se dissipa com facilidade.

dissistolia [De *dis-*[1] + *sístole* + *-ia*[1].] *S. f. Patol.* V. *assistolia.*

disso Contr. da prep. *de* com o pron. dem. *isso.*

dissociabilidade [De *dissociável* + *-(i)dade*, seg. o padrão erudito.] *S. f.* Qualidade do que é dissociável.

dissociação [Do lat. *dissociatione.*] *S. f.* **1.** Ação de dissociar(-se). **2.** *Quím.* Processo de divisão duma molécula em partes menores. **3.** *Psiq.* Transtorno dissociativo (q. v.).

dissocial [Do lat. *dissociale.*] *Adj. 2 g.* Que não se pode associar, agregar, unir. [V. *insociável.*]

dissociar [Do lat. *dissociare.*] *V. t. d.* **1.** Dissolver (o que estava associado); desagregar; desunir. **2.** Decompor quimicamente. *P.* **3.** Desunir-se; separar-se; desagregar-se.

dissociativo [De *dissociar* + *-tivo.*] *Adj.* **1.** Relativo a dissociação. **2.** *Psiq.* Que produz dissociação (3). ~ V. *transtorno —.*

dissociável [Do lat. *dissociabile.*] *Adj. 2 g.* Que se pode ou deve dissociar.

dissolubilidade [De *dissolúvel* + *-(i)dade*, seg. o padrão erudito.] *S. f.* Qualidade do que é dissolúvel.

dissolução [Do lat. *dissolutione.*] *S. f.* **1.** Ato ou efeito de dissolver; dissolvência. **2.** Decomposição de um organismo pela separação dos elementos constituintes: *dissolução das matérias vegetais.* **3.** Rompimento ou extinção de um contrato, de uma sociedade, de uma entidade ou órgão coletivo. **4.** Perversão de costumes; devassidão; libertinagem.

dissolutivo [De *dissoluto* + *-ivo.*] *Adj.* Que dissolve.

dissoluto [Do lat. *dissolutu.*] *Adj.* **1.** Dissolvido, desfeito. **2.** Devasso, corruto.

dissolúvel [Do lat. *dissolubile.*] *Adj. 2 g.* Que pode ser dissolvido.

dissolvência [De *dissolver* + *-ência.*] *S. f.* Dissolução (1).

dissolvente [De *dissolver* + *-nte.*] *Adj. 2 g.* **1.** Que dissolve; solvente. **2.** *Fig.* Desorganizador, desmoralizador, corrutor. ● *S. m.* **3.** Aquilo que dissolve; solvente.

dissolver [Do lat. *dissolvere.*] *V. t. d.* **1.** Fazer passar (uma substância) para a solução; desfazer; exsolver; solver: *dissolver cristais de cloreto de sódio.* **2.** Fazer evaporar: *O sol da manhã dissolve a neblina.* **3.** Desagregar, dispersar: *O vento dissolve a fumaça.* **4.** Tornar nulo; extinguir; invalidar: *O juiz dissolveu os laços matrimoniais do casal.* **5.** Fazer desaparecer; resolver; eliminar: *Aquela resposta clara dissolvia qualquer dúvida.* **6.** Desmembrar; separar; dispersar: *A polícia dissolveu o motim.* **7.** Tornar dissoluto; corromper: *As más companhias dissolveram-lhe o espírito. P.* **8.** Entrar em dissolução. **9.** Desmembrar-se; dissipar-se.

dissolvível [De *dissolver* + *-ível*.] *Adj. 2 g.* Que se pode dissolver; dissolúvel.

dissonância [Do lat. *dissonantia*.] *S. f.* **1.** Som ou conjunto de sons desagradáveis à audição. **2.** *Fig.* Desarmonia, discordância (de cores, de estilos, de opiniões, de formas, etc.). **3.** *Mús.* Intervalo que não satisfaz a ideia de repouso e pede resolução em uma consonância.

dissonante [Do lat. **dissonante*.] *Adj. 2 g.* **1.** Que provoca ou produz dissonância (1); ábsono, díssono, dissonoro. **2.** *Fig.* Destoante, discordante, desarmônico; ábsono: *Aquele sujeito era a nota dissonante da reunião.* **3.** *Mús.* Em que há dissonância (3): *acorde dissonante*; ~ V. *intervalo —*.

dissonar [Do lat. *dissonare*.] *V. int.* Produzir dissonância; soar desentoado. [Sin.: *absonar*. Pres. ind.: *dissono*, etc. Cf. *díssono*.]

díssono [Do lat. *dissonu*.] *Adj.* V. *dissonante* (1). [Cf. *dissono*, do v. *dissonar*.]

dissonoro (nó) [Do lat. *dissonoru*.] *Adj.* V. *dissonante* (1).

dissuadir [Do lat. *dissuadere*.] *V. t. d. e i.* **1.** Tirar de um propósito; despersuadir; desaconselhar: *Difícil dissuadi-lo de seu propósito.* *P.* **2.** Desistir, despersuadir-se. [Antôn.: *persuadir*.]

dissuasão [Do lat. *dissuasione*.] *S. f.* **1.** Despersuasão. **2.** Deterrência. ◆ **Dissuasão pelo medo.** A que decorre do medo, receio ou temor das consequências de se cometer um ato que possa gerar represália muito violenta.

dissuasivo [Do rad. lat. *dissuas-*, do lat. *dissuasum*, supino do v. lat. *dissuadere* (v. *dissuadir*), + *-ivo*.] *Adj.* Próprio para dissuadir; dissuasório: *argumentos dissuasivos*; *palavras dissuasivas*. [Antôn.: *persuasivo*, *persuasório*.]

dissuasor (ô) [Do lat. *dissuasore*.] *Adj. S. m.* **1.** Que, ou aquele que dissuade. **2.** Deterrente.

dissuasório [Do rad. *dissuas-* (v. *dissuasivo*) + *-ório*.] *Adj.* Dissuasivo.

dissubstituído [De *dis-*[3] + *substitu(inte)* + *-ido*[1].] *Adj. Quím.* Que tem dois substituintes.

dissulfeto (ê) [De *di-*[1] + *sulfeto*.] *S. m. Quím.* Sulfeto com dois átomos de enxofre por molécula. ◆ **Dissulfeto de carbono.** *Quím.* Substância líquida, volátil e muito inflamável, tóxica, com cheiro característico e desagradável [fórm.: CS_2].

dissulfiram (firã) [Voc. farmac.] *S. m. Quím.* Substância orgânica nitrogenada e sulfurada, us. como fungicida, e no tratamento do alcoolismo [fórm.: $C_{10}H_{20}N_2S_4$].

distal [Do ingl. *distal* (do ingl. *distant* [v. *distante*] + ingl. *-al*, v. *-al*[1]).] *Adj. 2 g.* **1.** *Anat.* Diz-se do ponto em que uma estrutura ou um órgão fica afastado de seu centro ou de sua origem. **2.** *Anat.* Que fica voltado no sentido oposto ao da cabeça. [Cf., nessas acepç., *proximal* (3).] **3.** *Odont.* Mais afastado da linha média dos dentes incisivos. **4.** Remoto, distante. ~ V. *falange —*.

distalização [De *distalizar* + *-ção*.] *S. f. Odont.* Movimentação de dente e de outras estruturas da cavidade bucal para posição distal (3), por motivos patológicos ou por correção ortodôntica.

distalizado [Part. de *distalizar*.] *Adj. Odont.* Que sofreu distalização.

distalizar [De *distal* + *-izar*.] *V. t. d. P. Odont.* Causar ou sofrer distalização.

distanasia [De *dis-*[2] + *-tanasia*.] *S. f. Med.* Distanásia (q. v.).

distanásia [Var. pros. de *distanasia* (q. v.).] *S. f. Med.* Morte lenta, ansiosa e com muito sofrimento. [Antôn.: *eutanásia*, *eutanasia*.]

distância [Do lat. *distantia*.] *S. f.* **1.** Espaço entre duas coisas ou pessoas; intervalo. **2.** Intervalo de tempo entre dois momentos. **3.** Lonjura, longitude. **4.** Separação, apartamento, afastamento. **5.** Diferença entre categorias sociais. [Cf., nesta acepç., *distância social*.] **6.** *Mat.* Comprimento do segmento de reta que une dois pontos. **7.** *Mat.* Num espaço riemaniano, integral da forma quadrática diferencial que caracteriza o afastamento infinitesimal entre dois pontos vizinhos. [Cf. *distancia*, do v. *distanciar*.] ◆ **Distância angular.** *Geom.* Ângulo entre duas retas que se interceptam. **Distância de frenagem.** *Autom.* Distância percorrida pelo veículo antes de deter-se, após os freios serem acionados com força total. **Distância cosmológica.** *Cosm.* Distância estabelecida por intermédio de processos em que se aceita a validade da relação de Hubble (v. *lei de Hubble*) entre os desvios para o vermelho e as distâncias. **Distância focal.** **1.** *Ópt.* Numa lente delgada, distância entre o foco principal e o centro da lente [símb.: *f*]. **2.** *Ópt.* Num sistema óptico, distância entre o plano focal e o plano principal correspondente [símb.: *f*]. [Abrev., nessas acepç.: *F*.] **3.** *Mat.* Distância entre os dois focos de uma cônica central. **Distância geodésica.** Distância entre dois pontos de uma superfície, medida sobre uma geodésica que passa por eles. **Distância hiperfocal.** *Fot.* Distância entre a objetiva de uma máquina fotográfica focalizada para o infinito e um objeto de que ela forma uma imagem nítida sobre o filme. **Distância média.** *Astr.* Semieixo maior. **Distância periélia.** *Astr.* Distância de um astro do sistema solar ao Sol no instante da passagem desse astro pelo periélio. **Distância polar.** *Astr.* Arco de círculo horário de um dado astro, a começar do polo celeste norte, ou do polo celeste sul, até o astro, o que faz que seja o complemento da declinação (q. v.). Conta-se também a distância polar só a partir do polo celeste norte, de 0° a 180°. **Distância social.** *Sociol.* Noção que implica a de espaço social e designa a posição social (aproximação, afastamento) duma pessoa ou dum grupo em suas relações de superioridade e de inferioridade, com outros indivíduos ou outros grupos. **Distância zenital.** *Astr.* Distância angular de um ponto do zênite. **A distância.** **1.** Um tanto longe: *Ouvimos vagos rumores a distância.* **2.** Sem familiaridade: *Sua casmurrice mantinha todos a distância.* [Tb. se usa *à distância* (com acento no *a*): "Parede acima vais (a lagartixa). E eu, à distância, / Olho as tuas pesquisas apressadas" (Fernando de Mendonça, *13 Decassílabos*, p. 8).] **Tomar distância de.** Afastar-se de: *Ao avistar o inimigo tomou distância dele.*

distanciado [Part. de *distanciar*.] *Adj.* Afastado, apartado, distante: "a evocação dos tempos distanciados e dos vultos de ébano submissos revigorou-lhe a alma." (Joaquim Paço d'Arcos, *Carnaval e Outros Contos*, p. 67).

distanciamento [De *distanciar* + *-mento*.] *S. m.* **1.** Ato ou efeito de distanciar(-se). **2.** *Teatr.* Efeito que os dramaturgos e diretores [v. *diretor* (5)] da escola moderna do teatro épico (q. v.) visam a obter e que tem como objetivo afastar o envolvimento emocional do espectador; efeito de estranhamento.

distanciar [De *distância* + *-ar*[2].] *V. t. d.* **1.** Pôr distante; afastar; apartar: *As vicissitudes da vida acabaram distanciando-os.* **2.** Colocar por distância em distância; colocar por intervalos: *Os técnicos aconselham a distanciar os sinais de trânsito.* *T. d. e i.* **3.** Afastar, apartar: *Tudo fiz para distanciá-lo do perigo.* *P.* **4.** Afastar-se, apartar-se. [Pres. ind.: *distancio*, *distancias*, *distancia*, etc. Cf. *distância*.]

distanciômetro *S. m.* V. *distanciômetro*. [Uso freq. em P.]

distanciômetro [De *distância* + *-o-* + *-metro*.] *S. m.* Telêmetro.

distante [Do lat. *distante*.] *Adj. 2 g.* **1.** Que dista; que está a certa distância. **2.** Afastado, remoto, longínquo: *terras distantes*; *época distante.* **3.** *Fig.* Sem calor humano; calado, reservado, frio. **4.** *Fig.* Alheado, absorto. ● *Adv.* **5.** Ao longe; a distância: "Distante, às vivas / Luzes da tarde, interrogando o vento, / Balançam-se as palmeiras pensativas." (Alberto de Oliveira, *Poesias*, 1ª série, p. 225); "Os rouxinóis ouviam-se distante." (Augusto Gil, *Luar de Janeiro*, p. 74.)

distar [Do lat. *distare*.] *V. int.* **1.** Ser ou estar distante ou a certa distância: *A cidade não dista muito: estamos chegando lá.* *T. i.* **2.** Diferençar-se, divergir: *O orgulho dista muito da intolerância.* **3.** Ficar longe, muito abaixo, em plano de nítida inferioridade; ser visivelmente inferior: *Antônio Boto dista muito de um Fernando Pessoa*; *É bela, porém dista da sua rival.* **Bit. c.** **4.** Distar (1): *O Rio dista 402km de São Paulo*; "Ficava [a fazenda São José] no distrito de São José da Bela Vista, que distava uma hora de forde de bigode da sede da comarca" (Francisco Ribeiro Sampaio, *Renembranças*, p. 11).

distelazia [De *dis-*[2] + gr. *thelázein*, 'amamentar', + *-ia*[1].] *S. f. Med.* Incapacidade para amamentar.

disteleologia [De *dis-*[1] + *-tel(e)(o)-* + *-logia*.] *S. f.* **1.** *Med.* Estudo de órgão, ou parte de órgão, aparentemente inúteis. **2.** Falta de propósito, ou de contribuição útil, para um resultado final.

disteleológico [De *disteleologia* + *-ico*[2].] *Adj.* Relativo à disteleologia.

distender [Do lat. *distendere*.] *V. t. d.* **1.** Estender em diversos sentidos; estender muito. **2.** Desenvolver; alongar: *Os jornais muitas vezes distendem as notícias.* **3.** Retesar; estirar: *distender o arco.* **4.** Dilatar; inchar: *A umidade distende o reboco do muro.* **5.** *Med.* Sofrer distensão (2) em; estirar: *O jogador distendeu o músculo da perna direita.* *P.* **6.** Estender-se em diversos sentidos; estender-se muito: *A bolha de sabão foi-se distendendo até soltar-se do canudo.* **7.** Dilatar-se. **8.** Retesar-se, estirar-se. **9.** Afrouxar-se; relaxar-se: "Aquela carícia tão humilde, tão tocante, quebrou-a; os seus nervos distenderam-se" (Eça de Queirós, *O Primo Basílio*, p. 208).

distendido [Part. de *distender*.] *Adj.* Distenso.

distênio [De *di-*[2] + *-sten(o)-* + *-io*[3]; fr. *disthène*.] *S. m. Min.* V. *cianita*.

distensão [Do lat. *distensione*.] *S. f.* **1.** Ato de distender(-se). **2.** *Med.* Tração excessiva e/ou violenta que provoca deslocamento ou repuxo; estiramento: *distensão de um músculo, de um nervo, dos ligamentos de uma articulação.* **3.** Tensão demasiada; estiramento, retesamento: *distensão das cordas do violino.* **4.** Afrouxamento, relaxação. **5.** Prolongamento, continuação. **6.** *E. Ling.* V. *articulação* (5).

distenso [Do lat. *distensu*.] *Adj.* Que sofreu distensão; distendido.

distensor (ô) [De *distenso* + *-or*.] *Adj.* **1.** Que distende. ● *S. m.* **2.** Aquele ou aquilo que distende.

dístico[1] [Do gr. *dístichon*, pelo lat. *distichon*.] *S. m.* **1.** Grupo de dois versos; parelha. **2.** Máxima de dois versos. **3.** Rótulo; letreiro. **4.** *P. ext. Herált.* Divisa de um escudo ou brasão; mote.

dístico[2] [Do lat. *distichu* (< gr. *dístichos*), 'que tem duas ordens ou fileiras'.] *Adj. Biol.* Ordenado em duas séries ou fileiras, porém no mesmo plano: *flores dísticas.* [Sin. (p. us.): *bifário*.]

distilo [De *di-*[1] + *-stilo*[1].] *Adj. Bot.* Que tem dois estiletes. [Cf. *destilo*, do v. *destilar*.]

distimbria [De *dis-*[2] + *timbre* + *-ia*[1].] *S. f. Fonoaud.* Deficiência da qualidade ou na ressonância da voz.

distimia [De *dis-*[2] + *-tim(o)-*[3] + *-ia*[1].] *S. f. Psiq.* Transtorno distímico (q. v.).

distímico [De *distimia* + *-ico*[2].] *Adj. Psiq.* Relativo a distimia. ~ V. *transtorno —*.

distinção [Do lat. *distinctione*.] *S. f.* **1.** Ato ou efeito de distinguir(-se); diferença, separação: "já Aristóteles, na *Poética*, fazia a distinção entre o historiador (conta o que aconteceu) e o narrador (conta o que poderia ter acontecido)." (Álvaro Lins, *Literatura e Vida Literária*, p. 224). **2.** Caracteres, características, qualidades, pelos quais uma pessoa ou uma coisa difere de outra: *Pouca distinção havia entre as duas irmãs.* **3.** Elegância e reserva no porte, nas maneiras: *É mulher de tato e rara distinção.* **4.** Correção de procedimento; dignidade. **5.** Prerrogativa, honraria, privilégio: *Recebeu do governo as mais altas distinções.* **6.** Classificação de distinto em provas ou exames: *O aluno obteve distinção em português.*

distinguibilidade [De *distinguível* + *-(i)dade*, seg. o padrão erudito.] *S. f.* Qualidade de distinguível.

distinguidor (ô) [De *distinguir* + *-dor*.] *S. m.* Aquele que distingue.

distinguir [Do lat. *distinguere*.] *V. t. d.* **1.** Diferençar; discriminar; discernir: *Na filosofia cumpre distinguir bem as categorias fundamentais.* **2.** Dividir; separar: *A origem não deve constituir razão para distinguir as pessoas.* **3.** Avistar, divisar: "no meio da folhagem distingue um camaleão." (Hélio Galvão, *Cartas da Praia*, pp. 56-57); *A escuridão impossibilitava distinguir os edifícios mais afastados.* **4.** Caracterizar; determinar; especificar: *A brandura é o traço que distingue o seu feitio*; "No vislumbre de suas reminiscências aparecia um vulto formoso e elegante; mas ela não conseguia distinguir-lhe as feições" (José de Alencar, *Encarnação*, p. 327). **5.** Perceber, ouvir: *Daqui é possível distinguir os ruídos da rua.* **6.** Tornar notável; pôr em evidência: *Não são as medalhas que o distinguem.* **7.** Mostrar preferência por, consideração especial a: *Onde quer que esteja, todos o distinguem.* **8.** Dar distinção (6) a. *T. d. e i.* **9.** Fazer distinção; discriminar: *distinguir o bem do mal.* *Int.* **10.** Fazer distinção: *Mau crítico, mistura os valores, não sabe distinguir.* *P.* **11.** Salientar-se, sobressair-se; relevar-se, evidenciar-se: *O artista distingue-se pela alta sensibilidade.* **12.** Diferençar (5): *O livro distingue-se dos similares pela massa de informações novas.* [Conjug.: v. *extinguir*. O part. irreg., *distinto*, hoje é apenas adjetivo.]

distinguível [De *distinguir* + *-vel*.] *Adj. 2 g.* Que se pode distinguir.

distintivo [De *distinto* + *-ivo*.] *Adj.* **1.** Próprio para distinguir. **2.** *E. Ling.* V. *contrastivo*. ● *S. m.* **3.** Coisa que distingue; emblema, insígnia.

distinto [Do lat. *distinctu*.] *Adj.* **1.** Que não se confunde; diverso, diferente: *Versejador e poeta são coisas distintas.* **2.** Separado, isolado. **3.** Que sobressai; notável, ilustre, eminente, preeminente: *orador distinto.* **4.** Perceptível, claro: *Começou a falar em tom baixo, mas terminou com voz distinta.* **5.** Que tem distinção de porte e/ou de maneiras: *mulher bela e distinta.* **6.** Que teve classificação superior a bom em provas ou exames: *Foi aluno distinto em todo o curso.* **7.** Em cujas provas ou exames se obteve classificação superior a bom: *curso ou currículo distinto*; *ano distinto.* [Cf. *destinto*.]

distiquíase [Do gr. *distichíasis*.] *S. f. Oftalm.* Anomalia que se caracteriza pela existência de duas fileiras de cílios, uma delas, ou ambas, dirigidas para o globo ocular.

distitia [De *dis-*[2] + gr. *tith(éne)*, 'ama de leite', + *-ia*[1].] *S. f. Med.* Dificuldade de amamentar.

disto Contr. da prep. *de* com o pron. dem. *isto*.

distocia [De *dis-*[2] + *-toc(o)-* + *-ia*[1].] *S. f. Obst.* Complicação, devida a problema materno ou fetal, na progressão de parto normal; mogitocia, parodinia. [Opõe-se a *eutocia*.]

distocíaco [De *distocia* + *-íaco*.] *Adj.* Referente a, ou próprio de distocia.

distomatose [Do tax. *Distomata* + *-ose*[1].] *S. f. Med.* Distomíase.

distomia [De *dístomo* + *-ia*[2].] *S. f. Ter.* Anomalia que se caracteriza pela presença de duas bocas.

distomíase [Do tax. *Distomum* + *-íase*.] *S. f. Med.* Infecção por vermes trematódeos, outrora incluídos no gênero *Distomum*; distomatose.

dístomo[1] [Do gr. *dístomos*.] *Adj.* **1.** Que tem duas bocas. • *S. m.* **2.** *Ter.* Indivíduo que apresenta distomia.

dístomo[2] [De *di-*[1] + *-stomo*; tax. *Distoma*.] *S. m. Zool.* **1.** Gênero de metazoários, platelmintos, trematódeos, providos de duas ventosas. São endoparasitos e possuem ciclo evolutivo complexo, com hospedeiro intermediário. **2.** Espécie ou espécime desse gênero.

distonia [De *dis-*[2] + *-ton(o)-* + *-ia*[1].] *S. f. Med.* **1.** Perturbação funcional que afeta, ger., o sistema cardiovascular, ou o digestório, ou ambos, e em cuja gênese é significativo um fator psicológico. **2.** Distúrbio de tonicidade muscular. ◆ **Distonia neurovegetativa.** *Neur.* Distúrbio funcional dos setores simpático e parassimpático do sistema nervoso autônomo, seja no sentido de aumento ou de diminuição concomitante da excitabilidade de ambos, seja no aumento da excitabilidade de um, com diminuição da do outro ou sem ela.

distónico *Adj.* V. *distônico*. [Uso freq. em P.]

distônico [De *distonia* + *-ico*[2].] *Adj.* Relativo a, ou próprio de distonia.

distopia[1] [De *dis-*[2] + *-top(o)-* + *-ia*[1].] *S. f. Patol.* Situação anômala de um órgão, em geral congênita.

distopia[2] [Do ingl. *dystopia*, formado a partir de *utopia*, com troca prefixal (v. *dis-*[2]).] *S. f.* Descrição ou representação sombria de sociedade submetida a regime totalitário, como a apresentada em romances como *1984* de George Orwell, *Fahrenheit 451* de Ray Bradbury ou *Admirável Mundo Novo* de Aldous Huxley. [Cf. *utopia*.]

distópico[1] [De *distopia* + *-ico*[2].] *Adj.* Referente a, ou próprio de distopia.

distópico[2] [De *distopia*[2] + *-ico*[2].] *Adj.* Da, ou relativo à distopia[2].

distorção [Do lat. *distortione*.] *S. f.* **1.** Ato de distorcer. **2.** *Ópt.* Aberração num sistema óptico, caracterizada por diferenças de ampliação para diferentes regiões do sistema e pelo fato de serem deformadas as imagens por ele produzidas. **3.** *Eletrôn.* Alteração da forma de uma corrente elétrica ao ser amplificada em um circuito.

distorcer [De *dis-*[1] + *torcer*.] *V. t. d.* **1.** Mudar o sentido, a intenção, a substância de; desvirtuar; torcer: *distorcer uma declaração*; "Dispositivos legais que privilegiem um Partido ou um grupo *distorcem* a manifestação popular" (Carlos Castelo Branco, em *Jornal do Brasil*, 27.06.1981). **2.** Mudar a direção, ou a posição normal, de: *distorcer um órgão*. [Conjug.: v. *torcer*. Cf. *destorcer*.]

distorcido [Part. de *distorcer*.] *Adj.* Que se distorceu ou desvirtuou; desvirtuado: *Apresentou a respeito dos fatos uma versão distorcida*. [Cf. *destorcido*.]

distorsivo [Do ingl. *distorsive*.] *Adj.* Em que há, ou que causa ou revela distorção: *taxas distorsivas, efeitos distorsivos*.

distoversão [De *dist(al)* + *-o-*[1] + *versão*.] *S. f. Odont.* Posicionamento distal e anormal de um dente que apresenta giro em torno de seu eixo.

distração [Do lat. *distractione*, 'divisão', 'separação', 'afastamento'.] *S. f.* **1.** Desatenção, descuido, irreflexão, inadvertência: *O erro proveio de pura distração*. **2.** Alheamento, abstração: *Seu ar distante denota distração*. **3.** Divertimento, recreação, entretenimento: *Queria uma distração, foi ao circo*. **4.** Palavras, modos, ato ou omissão proveniente de distração. **5.** *Pop.* Desvio de dinheiro ou de coisas. [Sin. nessas acepç. (p. us.): *distraimento*.] **6.** *Cir.* Modalidade de luxação na qual as superfícies articulares foram afastadas, sem ruptura de seus ligamentos e sem deslocamento. **7.** *Cir.* Presença de espaço excessivo entre fragmentos de fratura, e devido ou a interposição tecidual ou a uma tração muito forçada. **8.** *Cir.* Afastamento, efetuado cirurgicamente, das duas partes de um osso, depois que este é secionado. ◆ **Distração osteogênica.** *Odont.* Método us. para induzir neoformação tecidual entre dois segmentos de um osso, por meio de uma força lenta e progressiva de tração.

distraído [Part. de *distrair*.] *Adj.* Desatento (1).

distraimento (a-i) [De *distrair* + *-mento*.] *S. m. P. us.* V. *distração*.

distrair [Do lat. *distrahere*, 'puxar para diversas partes'.] *V. t. d.* **1.** Tornar desatento, esquecido: *A todo momento as preocupações o distraíam*. **2.** Atrair ou chamar a atenção de (alguém) para outro ponto ou objeto: *Os anúncios luminosos distraem os motoristas*. **3.** Desviar, fazer sair, daquilo em que estava concentrado ou fixo: *Não se fixa 10 minutos em uma tarefa: qualquer insignificância distrai sua atenção*. **4.** Divertir, recrear: *Qualquer brinquedo distrai uma criança*. **5.** Dar emprego diverso a; desencaminhar, extraviar. **6.** Livrar de preocupação, de ideia fixa; entreter: *Conversando com o doente, o médico procurava distraí-lo*. *T. d. e i.* **7.** Desviar, desencaminhar, afastar: *O convívio de amigos alegres não o distrai de suas obrigações*. **8.** Afastar o espírito de (um pensamento fixo, uma ocupação); fazer esquecer: "As palmas e aclamações não o distraíam .... do seu caso sentimental." (Afrânio Peixoto, *Castro Alves*, p. 37.) *P.* **9.** Descuidar-se; esquecer-se. **10.** Desencaminhar-se, desviar-se. **11.** Divertir-se, recrear-se. [Irreg. Conjug.: v. *sair*.]

distratar [De *distrato* + *-ar*[2].] *V. t. d.* Efetuar o distrato de, desfazer, anular, rescindir (pacto ou contrato). [Cf. *destratar*.]

distrate *S. m.* V. *distrato*. [Cf. *destrate*, do v. *destratar*.]

distrativo [De *distra(ir)* + *-tivo*.] *Adj.* Que distrai; recreativo.

distrato [Do lat. *distractu*.] *S. m.* Ato de distratar; rescisão ou anulação de contrato. [Var.: *distrate*. Cf. *destrato*, do v. *destratar*.]

distribucional [De *distribuição* + *-al*[1], seg. o padrão erudito.] *Adj. 2 g.* Relativo a distribuição.

distribuição (u-i) [Do lat. *distributione*.] *S. f.* **1.** Ato de distribuir; repartição: *Na distribuição das tarefas, couberam-lhe as mais árduas*. **2.** Classificação, disposição: *A distribuição da matéria segue uma ordem rigorosa*. **3.** Serviço de entrega da correspondência postal aos destinatários: *O correio alterou o horário da distribuição*. **4.** O arranjo, a disposição interior de uma casa. **5.** *Arquit.* Designação comum a certos vestíbulos ou corredores que distribuem a circulação, conduzindo a diversos compartimentos. **6.** *Tip.* Operação pela qual se reconduz às respectivas caixas, caixotins, magazines, etc. o material tipográfico já utilizado. **7.** *Econ.* Distribuição de renda (q. v.). **8.** *Fitogeogr.* Repartição das plantas sobre a superfície da Terra. **9.** *Estat.* Distribuição de frequência (q. v.). **10.** *Estat.* Distribuição de frequência relativa. **11.** *Estat.* Distribuição de probabilidade (q. v.). **12.** *Estat.* V. *função de distribuição*. **13.** *E. Ling.* Conjunto de contextos em que uma unidade linguística pode ocorrer. **14.** *Market.* Conjunto de operações por meio das quais produtos e serviços são postos à disposição dos consumidores. ◆ **Distribuição amostral.** *Estat.* Distribuição de certa característica (média, variância, etc.) obtida para todas as amostras possíveis, de mesmo tamanho, de certa população. **Distribuição complementar.** *E. Ling.* Ocorrência de variantes [v. *variante* (7)] de uma determinada forma linguística em contextos mutuamente exclusivos. [Cf. *oposição*.] **Distribuição de frequência.** *Estat.* Função que estabelece uma correspondência entre subconjuntos do domínio de uma variável aleatória e o número de indivíduos que, numa população, apresentam a variável aleatória com valor pertencente a cada subconjunto. [Tb. se diz apenas *distribuição*.] **Distribuição de frequência acumulada.** *Estat.* Função que relaciona a frequência acumulada de uma variável aleatória numa distribuição ao valor da variável. Se a frequência acumulada for a relativa, a função é idêntica à função de distribuição. **Distribuição de frequência relativa.** *Estat.* Função que estabelece uma correspondência entre subconjuntos do domínio duma variável aleatória e a fração de indivíduos que, numa população, a apresentam com valor pertinente a cada subconjunto. [Tb. se diz apenas *distribuição*.] **Distribuição de probabilidade.** *Estat.* Distribuição de frequência relativa numa população com um número muito grande de membros. [Tb. se diz apenas *distribuição*.] **Distribuição de renda.** *Econ.* Forma como a renda nacional é repartida entre indivíduos ou segmentos da sociedade de um país. [Tb. se diz apenas *distribuição*.]

distribuído [Part. de *distribuir*.] *Adj.* **1.** Dado ou entregue a diferentes pessoas, ou atribuído a coisas diversas; repartido entre vários. **2.** *Inform.* Relativo ao compartilhamento não hierárquico e não centralizado de informações e recursos por computadores interconectados, que os podem processar independentemente, no caso de tarefas locais, e de forma coordenada, no caso de funções de maior abrangência: *rede distribuída*. **3.** *Lóg.* Diz-se de termo ou conceito que designa ou representa cada um dos objetos de sua extensão. [Opõe-se, nesta acepç., a *não distribuído*.] ~ V. *processamento — e sistema —*.

distribuidor (u-i ... ô) [De *distribuir* + *-dor*.] *Adj.* **1.** Que distribui. ~ V. *fuso — e rolo —*. • *S. m.* **2.** Aquele que distribui. **3.** V. *carteiro* (1). **4.** *Jur.* Cartório, órgão ou serventuário de justiça encarregado de distribuir os processos às varas, câmaras, turmas, etc. **5.** *Market.* Distribuidora (2). **6.** *Tip.* O gráfico encarregado do trabalho de distribuição (6). **7.** *Tip.* Conjunto de peças que, na linotipo e congêneres, tem por fim a recondução das matrizes aos canais do magazine.

distribuidora (u-i ... ô) [De *distribuir* + *-dora*.] *S. f.* **1.** *Econ.* Entidade financeira que atua no mercado de ações e outros valores mobiliários, mas que não pode liquidar operações nos pregões da bolsa. [Cf. *corretora*.] **2.** *Market.* Firma ou empresa responsável pela distribuição (14); distribuidor.

distribuir [Do lat. *distribuere*.] *V. t. d.* **1.** Atirar, soltar, dar para diferentes partes, em diferentes direções: *distribuir sorrisos*; *distribuir golpes*. **2.** Conferir; atribuir: *O professor distribuiu as tarefas de acordo com a capacidade dos alunos*. **3.** Pôr em ordem; classificar: *O autor distribuiu os capítulos por ordem cronológica*. *T. d. e i.* **4.** Dar, entregar (a uns e outros); repartir: *Distribuiu todos os bens pelos amigos*. **5.** Dirigir; endereçar: *O laureado distribuía agradecimentos aos circunstantes*. **6.** *Tip.* Repor (o material tipográfico) nas respectivas caixas e caixotins, após a impressão. **7.** *Tip.* Fazer voltar (as matrizes da linotipo ou de similar) aos seus canais, depois de fundida a linha-bloco. *T. d. e c.* **8.** Levar, espalhar: *Os canais distribuem a água pelas plantações*. [Conjug.: v. *atribuir*.]

distributividade [De *distributivo* + *-(i)dade*.] *S. f. Mat.* Propriedade duma operação A, em relação a uma operação B, que permite, indiferentemente, efetuar A sobre um conjunto de elementos combinados segundo B, ou combinar segundo B os mesmos elementos operados por A.

distributivo [Do lat. *distributivu*.] *Adj.* **1.** Que distribui. **2.** Que indica distribuição.

distrição [Do lat. *districtione*.] *S. f. P. us.* Embaraço, perturbação, dificuldade; aflição.

distrital [De *distrito* + *-al*[1].] *Adj. 2 g.* Pertencente ou relativo a distrito.

distrito [Do lat. med. *districtu*.] *S. m.* **1.** Divisão administrativa de município ou cidade, compreendendo ger. mais de um bairro. **2.** *Bras.* Distrito policial. ◆ **Distrito da culpa.** *Dir. Penal* Lugar onde se consumou um delito ou se realizou o último ato de tentativa dele. **Distrito federal.** Território ou cidade onde se estabelece a sede do governo central ou a capital, numa república federativa.

distrofia [De *dis-*[2] + *-trofia*.] *S. f. Med.* **1.** Perturbação grave da nutrição, principalmente muscular. [Opõe-se a *eutrofia*. Cf. *cacotrofia*.] **2.** Anomalia de desenvolvimento.

distrofiado [De *distrofia* + *-ado*[1].] *Adj.* Que padece de distrofia; distrófico.

distrófico [De *distrofia* + *-ico*[2].] *Adj.* **1.** Relativo a distrofia. **2.** Distrofiado. [Opõe-se a *eutrófico*.]

disturbar [Do lat. *disturbare*.] *V. t. d.* Causar distúrbio a; perturbar.

distúrbio [Do lat. med. *disturbiu*.] *S. m.* **1.** Ato de disturbar; perturbação. **2.** *Automat.* Variável indesejada que, aplicada a um sistema, tende a afetar o valor da variável controlada. **3.** *Patol.* Perturbação ou desvio da normalidade; mau funcionamento de órgão ou sistema; doença. ◆ **Distúrbio esquizotípico.** *Psiq.* Designação que engloba numerosos fenômenos observáveis na esquizofrenia, como comportamento excêntrico, anormalidades do pensamento e dos afetos [v. *afeto*[1] (4)], etc., sem que, todavia, estejam presentes as alucinações, ideias delirantes e distúrbios de comportamento que ocorrem naquela patologia.

disuria [Do gr. *dysouría*.] *S. f. Med.* V. *disúria*.

disúria [Do lat. *dysuria* < gr. *dysouría*.] *S. f. Med.* Dificuldade em urinar; emissão dolorosa e difícil da urina. [F. paral.: *disuria*.]

disúrico [Do gr. *dysourikós*.] *Adj.* **1.** Relativo a, ou que sofre de disúria. • *S. m.* **2.** Aquele que sofre de disúria.

disvitaminose [De *dis-*[2] + *vitamina* + *-ose*[1].] *S. f. Med.* Perturbação que se deve a excesso ou a deficiência de uma vitamina.

dita[1] [Do lat. *dicta*, 'coisas ditas'.] *S. f.* Fortuna, sorte; boa sorte.

dita[2] [F. subst. de *dito*, poss.] *S. f. Bras. RJ Gír.* V. *cadeia* (3).

ditado [Do lat. *dictatu*.] *S. m.* **1.** Aquilo que se dita ou se ditou para ser escrito. **2.** A escrita feita por ditado. **3.** V. *provérbio* (1).

ditador (ô) [Do lat. *dictatore*.] *S. m.* **1.** Aquele que concentra todos os poderes do Estado. **2.** *Fig.* Indivíduo despótico, autoritário.

ditadura [Do lat. *dictatura*.] ***S. f.*** **1.** Forma de governo em que todos os poderes se enfeixam nas mãos dum indivíduo, dum grupo, duma assembleia, dum partido, ou duma classe. [Cf. *democracia* (2).] **2.** Qualquer regime de governo que cerceia ou suprime as liberdades individuais. **3.** *Fig.* Excesso de autoridade; despotismo, tirania. ◆ **Ditadura do proletariado.** Regime político, social e econômico desenvolvido teórica e praticamente por Lenin (v. *leninismo*), e que se baseia no poder absoluto da classe operária, como primeira etapa na construção do comunismo.

ditame [Do lat. *dictamen*.] ***S. m.*** **1.** Aquilo que se dita. **2.** O que a consciência e a razão dizem que se deve ser: *Na dúvida, preferiu seguir os ditames da sua consciência.* **3.** Regra, aviso, ordem, doutrina: *Teve de executar os ditames da lei.*

ditar [Do lat. *dictare*.] ***V. t. d.*** **1.** Pronunciar (o que outrem há de escrever): *ditar uma carta, um discurso*; "Nada mais curioso que ver Lamartine Babo ditando composições suas para serem escritas." (Nestor de Holanda, *Memórias do Café Nice*, p. 122.) **2.** Sugerir; inspirar: *O ódio por vezes dita as mais cruéis vinganças.* **3.** Impor; prescrever: *Por vezes a honra dita resoluções extremas.* ***T. d. e i.*** **4.** Pronunciar em voz alta o que outrem há de escrever: *Ditou à secretária um ofício e uma carta*; "Ambos [Fernando Pessoa e Mário de Sá-Carneiro] demonstravam enorme curiosidade pelo autor [Camilo Pessanha] que não se preocupava em editar seus versos, sabendo-os de cor e ditando-os a amigos, nas eventuais visitas a Portugal." (Henriqueta Lisboa, *Vigília Poética*, p. 133.) **5.** Sugerir; inspirar: *O amor tem ditado aos poetas um sem-número de sonetos.* **6.** Impor; prescrever: *A ambição ditava-lhe atitudes mesquinhas.*

ditatorial [Do lat. *dictatore* + *-ial*.] ***Adj. 2 g.*** **1.** Referente a ditador ou a ditadura. **2.** Promulgado em ditadura. [Sin. ger.: *ditatório*.]

ditatorialismo [De *ditatorial* + *-ismo*.] ***S. m.*** **1.** Qualidade do que é ditatorial. **2.** Sistema de governo ditatorial. **3.** Mentalidade ditatorial.

ditatório [Do lat. *dictatoriu*.] ***Adj.*** V. *ditatorial*.

diteríade ***S. f.*** *Teatr.* V. *dicteríade*.

ditério [Var. de *dictério*.] ***S. m.*** **1.** V. *dictério*. **2.** *Bras. S. Pop.* V. *dito* (5).

diterpeno [De *di-*[1] + *terpeno*.] ***S. m.*** *Quím.* Designação genérica dos terpenos [v. *terpeno* (1)] com vinte átomos de carbono.

diterpenoide (ói) [De *diterpeno* + *-oide*.] *Quím.* ***Adj. 2 g.*** **1.** Semelhante em estrutura, ou derivado, de diterpeno. ● ***S. m.*** **2.** Substância diterpenoide. ❖

dítico ***Adj. S. m.*** *E. Ling.* V. *díctico* (1 e 2).

ditinho [De *dito* + *-inho*[1].] ***S. m.*** V. *dito* (5).

ditiolana [Do ingl. *dithiolane*.] ***S. f.*** *Quím.* **1.** Qualquer de duas substâncias heterocíclicas saturadas, análogas às dioxolanas, porém com átomos de enxofre em lugar dos de oxigênio [fórm.: $C_5H_6S_2$].

ditionito [De *di-*[1] + *-tio(n)-* + *-ito*[3].] ***S. m.*** *Quím.* **1.** O ânion $S_2O_4^{-2}$. **2.** Qualquer sal que contém o ânion ditionito. [Sin. ger.: *hidrossulfito*.]

ditirâmbico [Do gr. *dithyrambikós*, pelo lat. *dithyrambicu*.] ***Adj.*** **1.** Referente a ditirambo. **2.** Em forma de ditirambo.

ditirambo [Do gr. *dithýrambos*, pelo lat. *dithyrambu*.] ***S. m.*** **1.** *Teatr. Mús.* Nas origens do teatro grego, canto coral de caráter apaixonado (alegre ou sombrio), constituído de uma parte narrativa, recitada pelo cantor principal, ou corifeu, e de outra propriamente coral, executada por personagens vestidos de faunos e sátiros, considerados companheiros do deus Dioniso, em honra do qual se prestava essa homenagem ritualística. **2.** *P. ext.* Composição lírica que exprime entusiasmo ou delírio.

ditizona [De *di(fenil)ti(ocarba)zona*.] ***S. f.*** *Quím.* Substância cristalina, azul-escura, us. em química analítica para determinação de metais pesados, esp. o chumbo [fórm.: $C_{13}H_{12}N_4S$].

dito [Do lat. *dictu*.] ***Adj.*** **1.** Que se disse; mencionado, referido. ● ***S. m.*** **2.** Palavra, expressão. **3.** Sentença, frase. **4.** Provérbio, ditado. **5.** Mexerico, enredo. [Sin. (nesta acepç.): *ditinho* e (no S. do Brasil) *ditério*.] **6.** Aquilo que se disse. ◆ **Dar o dito por não dito. 1.** Considerar sem efeito o que se disse ou combinou: "— Já a Zulmira estava apalavrada para um ricaço de Carolina. Fui a ele, ... e consegui dar o dito por não dito." (Josué Montelo, *Noite sobre Alcântara*, p. 87.) **2.** Desdizer-se. **Dizer dito.** *Bras. N.E. Pop.* Proferir obscenidade.

▲ **dito-** [Do gr. ático *dittós*.] ***El. comp.*** = 'duplo': *ditografia, ditologia*.

dito-cujo ***S. m.*** *Bras. Fam.* V. *cujo* (2). [Pl.: *ditos-cujos*.]

ditografia [De *dito-* + *-grafia*.] ***S. f.*** *E. Ling.* Erro de copista, que consiste em repetir o que devia escrever só uma vez.

ditográfico [De *ditografia* + *-ico*[2].] ***Adj.*** Relativo à ditografia.

ditologia [De *dito-* + *-logia*.] ***S. f.*** *E. Ling.* Tratado das palavras de forma dupla duma língua.

ditológico [De *ditologia* + *-ico*[2].] ***Adj.*** Referente à ditologia.

ditongação [De *ditongar* + *-ção*.] ***S. f.*** *E. Ling.* Ação ou efeito de ditongar; alargamento.

ditongal [De *ditongo* + *-al*[1].] ***Adj. 2 g.*** Referente a, ou que forma ditongo.

ditongar [De *ditongo* + *-ar*[2].] ***V. t. d.*** *E. Ling.* Fazer ditongo de; converter em ditongo. [Conjug.: v. *largar*.]

ditongo [Do gr. *díphthongos*, pelo lat. *diphthongu*.] ***S. m.*** *E. Ling.* Grupo de duas vogais proferidas em uma só sílaba, e das quais uma funciona como consoante e se chama *semivogal*. ◆ **Ditongo crescente.** *E. Ling.* Aquele em que a semivogal soa antes que a vogal, como, p. ex., em *quando*. [Sin., p. us.: *semiditongo*.] **Ditongo decrescente.** *E. Ling.* Aquele em que a vogal soa primeiro que a semivogal, como, p. ex., em *mais, sei, réis, teu, boi*.

dítono [Do gr. *dítonon*.] ***S. m.*** *Mús.* Intervalo de dois tons.

ditoso (ô) [De *dita*[1] + *-oso*.] ***Adj.*** Que tem dita; feliz, venturoso.

ditríglifo [De *di-*[1] + *tríglifo*.] ***S. m.*** *Arquit.* V. *métopa*.

ditroqueu [Do gr. *ditróchaios*.] ***S. m.*** Pé de verso grego ou latino composto de dois troqueus.

→**ditto** ['dito] [It., part. pass. de *dire*, 'dizer'.] ***S. m.*** **1.** Algo mencionado previamente ou acima. **2.** Sinal (" ou " ou ») us. para substituir palavra(s) idêntica(s) dispostas em coluna (5), em linhas sucessivas.

ditute [Do quimb.] ***S. m.*** *Bot.* V. *abó*.

diúla [Desta língua.] ***S. 2 g.*** **1.** *Etnôn.* Indivíduo dos diúlas, povo mandinga que vive na Costa do Marfim, em Burquina Faso e em regiões vizinhas da África ocidental. ● ***S. m.*** **2.** Língua da família nigero-congolesa, do grupo mandê, falada na Costa do Marfim, em Burquina Faso e em Gana. ● ***Adj. 2 g.*** **3.** Pertencente ou relativo aos diúlas, ou ao diúla (2). [Cf. *diola*.]

diurese (i-u) [Do lat. cient. *diuresis*, voc. deduz. do lat. *diureticus* (v. *diurético*), a ex. do gr. *ouretikós* < gr. *oúresis*.] ***S. f.*** *Med.* Secreção urinária, natural ou provocada.

diurético (i-u) [Do gr. *diouretikós*, pelo lat. *diureticu*.] ***Adj.*** **1.** Que facilita a diurese. ● ***S. m.*** **2.** *Terap.* Medicamento diurético.

diurnal (i-ur) [Do lat. *diurnale*.] ***Adj. 2 g.*** **1.** Diurno (1 e 2). **2.** V. *diário* (1). ● ***S. m.*** **3.** Livro de orações cotidianas.

diurno (i-úr) [Do lat. *diurnu*.] ***Adj.*** **1.** Que se faz ou acontece num dia; diurnal. **2.** Que se faz ou acontece de dia; diurnal: *trabalho diurno*. [Antôn.: *noturno*. Cf. *diuturno*.] ~ V. *aberração —a, amplitude —a, arco —, cegueira —a, círculo —, libração —a, marcha —a, movimento —* e *paralaxe —a*. ● ***S. m.*** **3.** *Ecles.* Livro de rezas dos eclesiásticos, que contém as horas menores do breviário.

diuturnidade (i-u) [Do lat. *diuturnitate*.] ***S. f.*** **1.** Largo espaço de tempo. **2.** Longa duração.

diuturno (i-u) [Do lat. *diuturnu*.] ***Adj.*** **1.** Que vive muito tempo. **2.** Que tem longa duração: "A sua vida é uma conquista arduamente feita, em faina diuturna." (Euclides da Cunha, *Os Sertões*, p. 121.) [Cf. *diurno*.]

■ **div** *Mat.* Símb. de *divergência* (4).

diva [Do it. *diva*.] ***S. f.*** **1.** Deusa (q. v.). **2.** Epíteto de cantora, atriz, etc. notável.

divã [Do persa *dīwān*, pelo fr. *divan*.] ***S. m.*** **1.** Espécie de sofá sem encosto. **2.** Espécie de canapé que pode ser usado como cama. **3.** No Império Otomano, o Conselho de Estado presidido pelo sultão, e, por ext., a sala ou o edifício onde aquele se reunia. **4.** Coleção de poemas islâmicos, sobretudo árabes e persas; cancioneiro: *O Divã de Hafiz*; "Tudo se altera, porém, conforme as leituras e as interpretações que se façam dos autores árabes e das fontes canúris, dentre as quais se destaca o *Divã dos sultões de Bornu*" (Alberto da Costa e Silva, *A Enxada e a Lança*, p. 368).

divagação [De *divagar* + *-ção*.] ***S. f.*** **1.** Ato de divagar, de andar sem rumo certo. **2.** *Fig.* Digressão no seguimento de um discurso ou de um escrito. **3.** Produto de um espírito que divaga [v. *divagar* (3 e 4)]: *Nas divagações do louco há, por vezes, sensatez.*

divagador (ô) [De *divagar* + *-dor*.] ***Adj.*** **1.** Que divaga; divagante. ● ***S. m.*** **2.** Aquele que divaga. **3.** Aquele que é dado a espraiar-se em divagações alheias ao assunto de que trata.

divagante [De *divagar* + *-nte*.] ***Adj. 2 g.*** Divagador (1). ~ V. *curso —*.

divagar [Do lat. **divagare*, por *divagari*.] ***V. int.*** **1.** Andar sem rumo certo; vaguear: "— Sim, demorei-me a divagar sem rumo, / Perdi-me nestas matas intrincadas" (Gonçalves Dias, *Obras Poéticas*, II, p. 27); *Derrotados, os guerreiros divagavam pelo campo.* **2.** Sair arbitrariamente do assunto que estava sendo tratado; desconversar: *Qualquer pergunta mais direta levava o entrevistado a divagar.* **3.** Discorrer sem nexo; desvairar; desvariar: *O doente divagava horas a fio.* **4.** Fantasiar; devanear: "E o seu espírito divagava, fixava-se em cousas indistintas, abstraindo-se .... da tragédia que o vitimava." (Braga Montenegro, *Uma Chama ao Vento*, p. 182.) ***T. d.*** **5.** Percorrer, correr, viajar: *Quantas vezes, outrora, divagara aqueles campos!* [Conjug.: v. *largar*. Cf. *devagar*.]

divalente [De *di-*[1] + *valente*.] ***Adj. 2 g.*** **1.** *Quím.* Que tem duas valências. **2.** *Lóg.* Bivalente (1).

divão ***S. m.*** V. *divã*.

divaricado [Do lat. *divaricatu*.] ***Adj.*** **1.** Muito divergente. **2.** *Bot.* Que forma ângulo muito aberto: *caule divaricado*.

divergência [De *divergir* + *-ência*.] ***S. f.*** **1.** Posição de linhas que se afastam progressivamente. **2.** Discordância, desacordo, discrepância, dissensão. **3.** *Mat.* Ato ou efeito de divergir (3). **4.** *Mat.* Função escalar que resulta da multiplicação escalar do operador nabla por uma função vetorial de ponto [símb.: *div*]. ◆ **Divergência modal.** *Estat.* Diferença entre a média aritmética e a moda de uma distribuição de frequência.

divergente [De *divergir* + *-ente*.] ***Adj. 2 g.*** **1.** Que diverge. **2.** Em que há divergência. ~ V. *forma —, integral —, lente —, reação —, sequência —* e *série —*.

divergir [Do lat. med. *divergere*.] ***V. int.*** **1.** Afastar-se progressivamente; desviar-se: *Dali em diante os caminhos divergiam.* **2.** Estar em desarmonia; discordar: "Carregávamos destinos diferentes, mas respeitávamo-nos tanto que, se divergíamos, nenhuma de nós saía mais forte dessa divergência." (Eneida, *Cão da Madrugada*, p. 100.) **3.** *Mat.* Não ter limite (uma série infinita). ***T. i.*** **4.** Discordar, discrepar, dissentir: *Divirjo de sua opinião, ainda que a reconheça honesta.* **5.** Estar em desacordo; não se harmonizar, não se coadunar; discrepar: *Seus atos divergem de sua pregação.* [Irreg. Muda o *e* em *i* e o *g* em *j* na 1.ª pess. do sing. do pres. ind.: *divirjo*, e, portanto, em todo o pres. subj.: *divirja, divirjas, divirja, divirjamos, divirjais, divirjam*.]

diversão [Do lat. *diversione*.] ***S. f.*** **1.** Mudança de direção para uma e outra parte; desvio, diversionismo. **2.** Divertimento, entretenimento, distração. **3.** *Mil.* V. *ação diversionária*.

diversicolor (èr... ôr) [Do lat. *diversicolore*.] ***Adj. 2 g.*** V. *versicolor*.

diversidade [Do lat. *diversitate*.] ***S. f.*** **1.** Diferença, dessemelhança, dissimilitude. **2.** Divergência, contradição; oposição. **3.** *Filos.* Caráter do que, por determinado aspecto, não se identifica com algum outro. **4.** *Filos.* Multiplicidade de coisas diversas. ◆ **Diversidade biológica.** *Ecol.* V. *biodiversidade*.

diversificação [De *diversificar* + *-ção*.] ***S. f.*** Ato ou efeito de diversificar.

diversificado [Part. de *diversificar*.] ***Adj.*** Que diversifica ou varia; diversificante.

diversificante [De *diversificar* + *-nte*.] ***Adj. 2 g.*** Diversificado.

diversificar [Do lat. *diversificare*.] ***V. t. d.*** **1.** Tornar diverso; fazer variar: *O século XX diversificou grandemente os meios de comunicação; Para reduzir riscos, o investidor diversificou suas aplicações.* ***T. d. e i.*** **2.** Estabelecer diferença ou diversidade entre coisas ou pessoas: *Procurou diversificar os maus dos bons.* ***T. i.*** **3.** Ser diverso; diferençar-se: *A opinião do juiz diversifica da jurisprudência.* ***Int.*** **4.** Divergir; variar: *As regalias diversificam segundo a posição social.* [Conjug.: v. *trancar*.]

diversificável [De *diversificar* + *-vel*.] ***Adj. 2 g.*** Que se pode diversificar.

diversifloro [De *diverso* + *-ifloro*.] ***Adj.*** *Bot.* Diz-se da inflorescência em que as flores do centro são de um tipo e as da circunferência, de outro.

diversionário [De *diversão* + *-ário*, seg. o padrão erudito.] ***Adj.*** ~ V. *ação —a*.

diversionismo [De *diversão* + *-ismo*, seg. o padrão erudito.] ***S. m.*** **1.** V. *diversão* (1). **2.** Manobra usada nos órgãos legislativos ou deliberativos, e que consiste em desviar a atenção dos seus membros para matéria diversa daquela que se discute, com o fim de lhe impedir a aprovação.

diversionista [De *diversão* + *-ista*, seg. o padrão erudito.] ***Adj. 2 g. S. 2 g.*** **1.** Que, ou quem promove diversão. **2.** Que, ou quem é agente do diversionismo (2): "A crítica de parlamentares e membros do Judiciário à fixação de teto [salarial] definitivo .... é diversionista." (*Jornal do Brasil*, 03.11.1998.)

diversivo [De *diverso* + *-ivo*.] ***Adj.*** Em que há diversão; diversório. ~ V. *ação —a*.

diverso [Do lat. *diversu*.] ***Adj.*** **1.** Diferente, distinto: *duas fitas de cor diversa.* **2.** Vário, variado: *fitas de diversas cores.* **3.** Mudado, alterado: *É agora um homem diverso.* **4.** Discordante, divergente:

O resultado era *diverso* do anterior. **5.** Que apresenta vários aspectos. ~ V. *diversos*.

diversório[1] [De *diverso* + *-ório*.] ***Adj.*** **1.** Diversivo. ● ***S. m.*** **2.** Aquilo que diverte; diversão.

diversório[2] [Do lat. *diversoriu*.] ***S. m.*** *Ant.* Pousada, estalagem, hospedaria.

diversos ***Pron. indef. pl.*** Vários, alguns: *Diversos gostaram, outros não.* ~ V. *diverso*.

diverticulite [De *divertículo* + *-ite*[1].] ***S. f.*** *Med.* Inflamação em divertículo.

divertículo [Do lat. cient. *diverticulum* < lat. *diverticulum*, 'caminho estreito'; 'desvio'.] ***S. m.*** *Patol.* Formação (5) circunscrita, em forma de bolsa ou de saco, de dimensões variáveis, produzida em órgão tubular, através de camadas musculares, por herniação de parte do revestimento mucoso desse órgão.

divertido [Part. de *divertir*.] ***Adj.*** **1.** Alegre, pândego, folgazão: *pessoa divertida.* **2.** Recreativo, alegre: *espetáculo divertido.*

divertimento[1] [De *divertir* + *-mento*.] ***S. m.*** Entretenimento, distração; recreio.

divertimento[2] [Do it. *divertimento*.] ***S. m.*** *Mús.* Nos sécs. XVII e XVIII, pequena ópera com danças. **2.** *Mús.* Trecho da fuga que apresenta material musical não relacionado ao tema. **3.** *Mús.* Pequena peça musical de caráter ligeiro. **4.** *Mús.* Conjunto de peças instrumentais do gênero suíte; partita, sonata. **5.** *Teatr. Mús.* Composição coreográfica que se intercalava nos atos das peças teatrais, óperas, óperas-balés, etc., ou se executava no final dos espetáculos.

divertir [Do lat. *divertere*, 'afastar-se', 'apartar-se'.] ***V. t. d.*** **1.** Recrear, distrair, entreter: *O palhaço divertiu a multidão.* **2.** Fazer mudar de fim, de objeto; distrair; desviar: *O chamado telefônico divertiu a atenção do vigia.* ***T. d. e i.*** **3.** Dissuadir, despersuadir: *Diverti-o daqueles maus propósitos.* **4.** Fazer esquecer; distrair: *A contemplação da paisagem divertia-o das obrigações.* ***P.*** **5.** Recrear-se, distrair-se, entreter-se; folgar: *As crianças divertiam-se no parque*; "Com cerca de 200 mil habitantes, o Rio não se diverte" (Delso Renault, *O Rio Antigo nos Anúncios de Jornais*, p. 193). **6.** Desviar-se; afastar-se. [Irreg. Conjug.: v. *aderir*.]

divícia [Do lat. *divitia*.] ***S. f.*** *Poét.* Riqueza: "Pois que direi daqueles que em delícias, / Que o vil ócio no mundo traz consigo, / Gastam as vidas, logram as divícias, / Esquecidos de seu valor antigo?" (Luís de Camões, *Os Lusíadas*, II, 8.)

dívida [Do lat. *debita*, nom. pl. de *debitum*, 'débito' (q. v.).] ***S. f.*** **1.** Aquilo que se deve: *A dívida vai a três mil reais.* **2.** Obrigação, dever: *É minha dívida para com ele a educação desta criança.* [Cf. *divida*, do v. *dividir*.] ◆ **Dívida ativa.** *Econ.* Débitos com a fazenda pública quando, apurada sua liquidez e certeza, são inscritos em registro próprio; dívida inscrita. **Dívida consolidada.** *Econ.* Dívida pública de longo prazo; dívida fundada. **Dívida de cabelos brancos.** Dívida muito antiga. **Dívida de honra.** A que está garantida apenas pela probidade do devedor; obrigação moral. **Dívida externa.** *Econ.* Dívida de um país (incluindo Governo, empresas estatais e setor privado) com credores no exterior. **Dívida flutuante.** *Econ.* Dívida pública de curto prazo (em geral, inferior a doze meses). **Dívida fundada.** *Econ.* Dívida consolidada. **Dívida inscrita.** *Econ.* Dívida ativa. **Dívida interna.** *Econ.* Dívida pública contraída dentro do país. **Dívida mobiliária.** *Econ.* Dívida pública representada por títulos de crédito emitidos pelo Governo. **Dívida privilegiada.** A que goza de preferência em relação a todos os demais credores do devedor comum. **Dívida pública.** *Econ.* Dívida contraída pelo Governo (federal, estadual ou municipal). **Dívida quirografária.** A que é desprovida de privilégio creditório ou direito de preferência. **Dívida solidária.** Aquela cuja importância total pode ser exigida de qualquer dos codevedores, em conjunto ou separadamente, ficando todos eles desonerados pelo pagamento que um fizer.

dividendo [Do lat. *dividendu*.] ***Adj.*** **1.** Que se há de, ou se deve dividir. ● ***S. m.*** **2.** *Mat.* Quantidade que, numa divisão, se divide por outra. **3.** *Com.* Cota-parte que, na liquidação de uma sociedade, cabe a cada sócio ou interessado, ou, no rateio falimentar, a cada credor. **4.** *Econ.* Parcela do lucro de uma sociedade anônima atribuída a cada ação em que se subdivide seu capital. **5.** *P. ext.* Lucro, ganho: *Acusam o governo de só visar a dividendos eleitorais com estas medidas.*

dividido [Part. de *dividir*.] ***Adj.*** Diviso.

dividimento [De *dividir* + *-mento*.] ***S. m.*** *Ant. Arquit.* Divisória (2).

dividir [Do lat. *dividere*.] ***V. t. d.*** **1.** Partir ou distinguir em diversas partes; separar as diversas partes de; desunir: *Os cientistas dividiram o átomo.* **2.** Estabelecer desavença entre; pôr em discórdia; desavir; indispor: *A notícia dividiu os legisladores.* **3.** Limitar, demarcar, estremar: *A cordilheira dos Andes divide vários países.* **4.** Cortar; sulcar: *O barco divi-dia as águas tranquilas da lagoa.* **5.** Separar; apartar: *Um tabique de madeira divide os dois cômodos.* **6.** Ratear[1] as despesas de (habitação em que se reside conjuntamente com outrem): *F. alugou um apartamento, e o divide com o irmão.* ***T. d. e i.*** **7.** Distribuir, repartir: *A cooperativa dividiu os lucros pelos associados*; "O próprio Alceu [Amoroso Lima] gosta de dividir a sua vida em três fases, a das formas, a das ideias, a dos acontecimentos." (Antônio Carlos Vilaça, *O Desafio da Liberdade*, p. 14.) ***T. d. e c.*** **8.** Dividir (5). **9.** Classificar: *Lineu dividiu os animais em seis classes.* ***Bit. c.*** **10.** Fazer com (um número) a operação da divisão: *Dividir oito por dois.* ***Int.*** **11.** Efetuar operação de divisão: *O pequeno já sabe dividir.* **12.** Dispersar esforços em detrimento de um interesse comum: *A hora é de somar, e não de dividir.* ***P.*** **13.** Separar-se em diversas partes; desunir-se. **14.** Divergir, discordar, dissentir, discrepar: "Inconscientemente me divido / Entre mim e a missão que o meu ser tem" (Fernando Pessoa, *Obra Poética*, p. 128). [Pres. ind.: *divido*, etc.; pres. subj.: *divida*, etc. Cf. *devido*, do v. *dever*, adj. e s. m., e *dívida*, s. f.]

dividivi [Do caraíba (da Venezuela) *diwidiwi*, pelo esp. *dividivi*.] ***S. f.*** *Bras. Bot.* Árvore cesalpiniácea (*Caesalpinia coriaria*) que ocorre do S. do México ao N. da América do Sul, dotada de propriedades melíferas, de flores alvas, aromáticas, dispostas em racimos curtos, paniculadas, e cujo fruto é vagem séssil, curvada e contorcida, de polpa amarela, amarga e resinosa, que envolve as sementes e é considerada medicinal. [Sin.: *libidibi*.]

divíduo [Do lat. *dividuu*.] ***Adj.*** Divisível (1).

divinação [Do lat. *divinatione* < lat. *divinare*.] ***S. f.*** **1.** Arte de adivinhar. **2.** Adivinhação (1). **3.** Pressentimento, palpite.

divinal [Do lat. *divinale*.] ***Adj. 2 g.*** V. *divino* (4).

divinatório [Do lat. *divinatus*, part. pass. de *divinare*, 'adivinhar', + *-ório*; fr. *divinatoire*.] ***Adj.*** **1.** Relativo a divinação ou adivinhação. **2.** Que tem a faculdade de adivinhar: "Eu tenho que Isadora Duncan é um caso de gênio. Só o gênio, divinatório e subconsciente, podia assim com tão simples segurança penetrar sem guia no formoso mistério sem caminhos, e aí viver com a perfeição natural." (Tristão da Cunha, *Cousas do Tempo*, p. 130.)

divindade [Do lat. *divinitate*.] ***S. f.*** **1.** Qualidade de divino. **2.** Natureza divina. **3.** Deus. **4.** Coisa ou pessoa que se adora: *Ela é tudo para ele, é a sua divindade.* **5.** V. *deidade* (1): *Vênus é uma divindade pagã.*

divinense[1] ***Adj. 2 g.*** **1.** De, ou pertencente ou relativo a Divino (MG). ● ***S. 2 g.*** **2.** O natural ou habitante de Divino.

divinense[2] ***Adj. 2 g.*** **1.** De, ou pertencente ou relativo a Divino das Laranjeiras (MG). ● ***S. 2 g.*** **2.** O natural ou habitante de Divino das Laranjeiras.

divinesiano ***Adj.*** **1.** De, ou pertencente ou relativo a Divinésia (MG). ● ***S. m.*** **2.** O natural ou habitante de Divinésia.

divinização [De *divinizar* + *-ção*.] ***S. f.*** Ato ou efeito de divinizar(-se).

divinizado [Part. de *divinizar*.] ***Adj.*** **1.** A que se atribui caráter divino. **2.** Tornado divino.

divinizador (ô) [De *divinizar* + *-dor*.] ***Adj.*** **1.** Que diviniza; divinizante. ● ***S. m.*** **2.** Aquele que diviniza.

divinizante [De *divinizar* + *-nte*.] ***Adj. 2 g.*** Divinizador (1).

divinizar [De *divino* + *-izar*.] ***V. t. d.*** **1.** Atribuir caráter divino a; considerar divino: "A Hélada, com a sua poderosa cultura estética, devia necessariamente divinizar a mulher." (Pardal Mallet, *Pelo Divórcio!*, p. 31); "Todas as mitologias divinizaram os ventos como seres alados" (Antônio de Pádua, *Aspectos Estilísticos da Poesia de Castro Alves*, p. 42). **2.** *Fig.* Tornar sublime; exaltar: *Os poetas divinizam as amadas.* ***P.*** **3.** Tornar-se divino; sublimar-se. **4.** Tornar-se pouco comunicativo, insociável. **5.** Exigir que se lhe tribute reverência, veneração, como se fora um deus; considerar-se divino: *Inebriado pelo poder, o ditador divinizava-se.*

divino [Do lat. *divinu*.] ***Adj.*** **1.** Respeitante ou pertencente a Deus; deífico. **2.** Proveniente de Deus; concedido por Deus: *a graça divina*; "Prova. Olha. Toca. Cheira. Escuta. / Cada sentido é um dom divino." (Manuel Bandeira, *Estrela da Vida Inteira*, p. 20.) **3.** Sobrenatural, sublime. **4.** Perfeito, encantador, divinal: *Era uma figura divina.* **5.** Bonito, lindo, maravilhoso: *Comprei um casaco divino!* ~ V. *missão —*, *ofício —* e *Pessoas —as*. ● ***S. m.*** **6.** *Bras. Rel.* Outro nome do Espírito Santo, especialmente usado na festa de Pentecostes e noutras solenidades populares.

divinolandense[1] ***Adj. 2 g.*** **1.** De, ou pertencente ou relativo a Divinolândia (SP). ● ***S. 2 g.*** **2.** O natural ou habitante de Divinolândia.

divinolandense[2] ***Adj. 2 g.*** **1.** De, ou pertencente ou relativo a Divinolândia de Minas (MG). ● ***S. 2 g.*** **2.** O natural ou habitante de Divinolândia de Minas.

divino-pastorense ***Adj. 2 g.*** **1.** De, ou pertencente ou relativo a Divina Pastora (SE). ● ***S. 2 g.*** **2.** O natural ou habitante de Divina Pastora. [Pl.: *divino-pastorenses*.]

divinopolino[1] ***Adj.*** **1.** De, ou pertencente ou relativo a Divinópolis de Goiás (GO). ● ***S. m.*** **2.** O natural ou habitante de Divinópolis de Goiás.

divinopolino[2] ***Adj.*** **1.** De, ou pertencente ou relativo a Divinópolis do Tocantins (TO). ● ***S. m.*** **2.** O natural ou habitante de Divinópolis do Tocantins.

divinopolitano ***Adj.*** **1.** De, ou pertencente ou relativo a Divinópolis (MG). ● ***S. m.*** **2.** O natural ou habitante de Divinópolis.

divisa [F. subst. de *diviso*.] ***S. f.*** **1.** Sinal divisório; marco, fronteira. **2.** V. *limite* (2). **3.** Sentença ou frase que simboliza a ideia ou o sentimento de alguém, ou a norma dum partido. **4.** Cada um dos galões indicativos das patentes militares. **5.** *Econ.* Título que permite a um residente do país receber moeda ou mercadoria de um residente no exterior. [M. us. no pl.] **6.** *Bras.* Marca a fogo usada pelos criadores. **7.** *Bras. PA* Marca a fogo que indica a fazenda secundária a que pertence a rês duma grande fazenda. ~ V. *divisas*.

divisa-novense ***Adj. 2 g.*** **1.** De, ou pertencente ou relativo a Divisa Nova (MG). ● ***S. 2 g.*** **2.** O natural ou habitante de Divisa Nova. [Pl.: *divisa-novenses*.]

divisão [Do lat. *divisione*.] ***S. f.*** **1.** Ação de dividir. **2.** Segmentação, separação. **3.** Divisória (1). **4.** Porção, parcela. **5.** Compartimento, repartimento: *A gaveta tem duas pequenas divisões.* **6.** Separação (por categorias ou classes): *Fez-se a divisão entre os alunos adiantados e atrasados.* **7.** Partilha, repartição: *A divisão dos bens foi perfeita.* **8.** Discórdia, dissensão: *Houve divisão entre os sócios.* **9.** Subdivisão organizacional de departamento, diretoria ou chefia. **10.** Área de algumas jurisdições. **11.** *Mat.* Operação que tem por fim determinar o maior número de vezes que um número chamado *dividendo* contém outro que se chama *divisor*. **12.** *Arquit.* V. *divisória* (2). **13.** *Arquit.* Compartimento, peça ou parte de uma casa: *A mansão tem 20 divisões.* **14.** *Astr.* Falha existente entre anéis de planetas ou anéis de asteroides; lacuna; brecha. **15.** *Bot.* Na classificação das plantas segundo o botânico alemão Adolf Ender (1844-1930), a mais elevada categoria sistemática. Cada divisão do reino vegetal representa um grande grupo independente de plantas. Ex.: *divisão dos antófitos.* **16.** *Exérc.* Grande unidade tática composta de duas a cinco brigadas. **17.** *Mar. G.* Parte de esquadra, composta de diversos navios de guerra de um mesmo tipo. **18.** *Zool.* Na classificação sistemática dos animais, grupo taxonômico eventual, situado logo abaixo do subfilo. ◆ **Divisão binária.** *Biol. Genét.* V. *esquizogênese*. **Divisão celular.** *Biol.* Processo pelo qual uma célula se fraciona, originando duas ou mais novas células. [V. *meiose* e *mitose*.] **Divisão de Cassini.** *Astr.* Intervalo aparentemente vazio entre os anéis A e B de Saturno, descoberto pelo astrônomo francês G. C. Cassini (1625-1714), em 1675. **Divisão de Encke.** *Astr.* Divisão do anel A de Saturno, menos nítida que a divisão de Cassini (q. v.), descoberta pelo astrônomo alemão J. F. Encke (1791-1865), em 1837. **Divisão do trabalho.** *Sociol.* **1.** Distribuição das tarefas (econômicas, políticas, etc.) entre os membros de um agrupamento social. **2.** Distribuição das tarefas dentro de uma empresa, etc., de acordo com a especialização de cada indivíduo, ou de cada grupo de indivíduos. **Divisão exata.** *Mat.* A que tem resto igual a zero. **Divisão geodésica.** *Jur.* Procedimento judicial de divisão de imóvel tido em condomínio por várias pessoas. **Divisão harmônica.** *Geom.* A de um segmento orientado de reta que é dividido, na mesma razão, mediante um ponto que lhe é externo e outro que lhe é interno. **Divisão lógica.** *Lóg.* Decomposição de um gênero em espécies por meio de diferenças. [Cf. *diferença* (8).]

divisar [Do lat. *divisus* (v. *diviso*) + *-ar*[2].] ***V. t. d.*** **1.** Avistar, distinguir: *Da estrada Rio-Petrópolis divisamos a baía de Guanabara*; "Tenho frio e não diviso / Luz na treva em que me vejo" (Olavo Bilac, *Poesias*, p. 93). **2.** Notar, observar; descobrir: *Nada o impediu de divisar o bem na ação dos homens.* **3.** Marcar, delimitar: *divisar um campo de futebol.* [Cf. *devisar*.]

divisas [Pl. de *divisa*.] ***S. f. pl.*** *Econ.* Disponibilidades de um país em moeda estrangeira. ~ V. *divisa*.

divisibilidade [De *divisível* (*divisibil-*) + *-(i)dade*, seg. o padrão erudito.] ***S. f.*** **1.** Qualidade ou característica do que é divisível. **2.** *Mat.* Propriedade de um elemento ser múltiplo inteiro de outro inteiro.

divisional [De *divisão* + *-al*[1], seg. o padrão erudito.] ***Adj. 2 g.*** Relativo a divisão.

divisionário [De *divisão* + *-ário*, seg. o padrão erudito.] ***Adj.*** Respeitante a divisão militar. ~ V. *moeda —a*.

divisionismo [Do fr. *divisionnisme*.] ***S. m.*** *Art. Plást.* Técnica de pintura que consiste em justapor manchas ou traços de cores puras em vez de misturá-los previamente, e que foi adotado pelos adeptos do pontilhismo (q. v.).

divisionista [De *divisionismo* + *-ista*.] ***Adj. 2 g.*** **1.** Pertencente ou relativo ao divisionismo. ● ***S. 2 g.*** **2.** Artista que adota o divisionismo.

divisível [Do lat. *divisibile*.] ***Adj. 2 g.*** **1.** Que pode ser dividido; divíduo. **2.** *Mat.* Que se pode dividir exatamente.

diviso [Do lat. *divisu*, part. pass. de *dividere* (v. *dividir*).] ***Adj.*** Que se dividiu; dividido. ~ V. *bens —s*.

divisor (ô) [Do lat. *divisore*.] ***Adj.*** **1.** Que divide. ● ***S. m.*** **2.** Aquilo ou aquele que divide. **3.** V. *partidor* (3). **4.** *Mat.* Número pelo qual se divide outro. ◆ **Divisor de águas.** Linha que limita as terras drenadas por uma bacia fluvial; linha divisória de águas. **Divisor de frequência.** *Eletrôn.* Dispositivo que produz um sinal de saída cuja frequência é um submúltiplo integral da frequência de entrada. **Divisor de zero.** *Álg.* Elemento não nulo cuja multiplicação por outro, também não nulo, dá o resultado zero. **Divisor próprio.** *Mat.* Cada um dos divisores dum número menores que esse número, inclusive a unidade. **Máximo divisor comum.** *Mat.* O maior número que divide simultaneamente cada membro de um conjunto de inteiros [símb.: *MDC*].

divisora (ô) [F. subst. de *divisor*.] ***S. f.*** *Metal.* Máquina-ferramenta que tem a função de dividir e marcar, mediante incisão, peças ou partes delas, para indicar limites, posições, etc.

divisória [F. subst. do adj. *divisório*.] ***S. f.*** **1.** Linha que divide ou separa; divisão. **2.** *Arquit.* Tapume, parede, biombo, etc., que serve para dividir uma casa ou um espaço qualquer; divisão.

divisório [De *diviso* + *-ório*.] ***Adj.*** **1.** Que divide. **2.** Que serve para delimitar. **3.** Relativo a divisão. ~ V. *linha —a*. ● ***S. m.*** **4.** *Tip.* Haste de madeira com ponta de ferro, para fixar-se na caixa, e atravessada por um ou dois mordentes, para prender o original, durante a composição. **5.** *Tip.* Peça onde se coloca o original, nas máquinas compositoras; porta-original.

divo [Do lat. *divu*.] ***Adj. Poét.*** **1.** Divino (1 e 2): "Ouvindo assim tocar, fui-me em demanda / Do divo tocador" (Eugênio de Castro, *Obras Poéticas*, V, p. 99). ● ***S. m.*** **2.** Homem divinizado; Deus.

divorciar [De *divórcio* + *-ar*[2].] ***V. t. d.*** **1.** Provocar ou decretar o divórcio (1) de. **2.** Separar, desunir: *As intrigas divorciavam as famílias.* ***T. d. e i.*** **3.** Separar, afastar; apartar: *Cumpre não divorciar o povo da arte.* ***P.*** **4.** Separar-se judicialmente (cônjuges). **5.** Separar-se, afastar-se, desviar-se: *divorciar-se da vida social.* **6.** Desunir-se, desligar-se. [Pres. ind.: *divorcio*, etc. Cf. *divórcio*.]

divórcio [Do lat. *divortiu*.] ***S. m.*** **1.** Dissolução do vínculo matrimonial, ficando os divorciados livres para contraírem novas núpcias. [Cf. *desquite*.] **2.** Desunião, separação. [Cf. *divorcio*, do v. *divorciar*.]

divorcista [De *divórc(io)* + *-ista*.] ***Adj. 2 g. S. 2 g.*** Que, ou quem é favorável ao divórcio.

→ **divot** ['divət] [Ingl., do ingl. médio *duvat*.] ***S. m.*** *Esport.* No golfe, pedaço de grama arrancada na tacada, pela cabeça do taco.

divulgação [Do lat. *divulgatione*.] ***S. f.*** Ação de divulgar(-se); vulgarização, propagação, difusão.

divulgado [Part. de *divulgar*.] ***Adj.*** Que foi objeto de divulgação; propalado: *As notícias divulgadas ontem eram falsas.*

divulgador (ô) [Do lat. *divulgatore*.] ***Adj. S. m.*** Que, ou aquele que divulga.

divulgar [Do lat. *divulgare*.] ***V. t. d.*** **1.** Tornar público ou notório; publicar; propagar, difundir, vulgarizar: *Os jornais divulgaram o plano governamental*; "Em *O Constitucional* de 1883, Alberto Torres divulga diversos poemas" (Barbosa Lima Sobrinho, *Presença de Alberto Torres*, p. 37). ***P.*** **2.** Tornar-se público ou conhecido; propagar-se, difundir-se. [Var. ant.: *devulgar*. Conjug.: v. *largar*.]

divulsão [Do lat. *divulsione*.] ***S. f.*** **1.** Separação violenta; arranco, ruptura, rotura. **2.** *Anat. Cir.* Afastamento instrumental realizado num órgão, ou entre dois ou mais órgãos.

dixe [Do esp. *dije*, do pret. perf. do v. *decir*.] ***S. m.*** **1.** Ornamento de ouro ou de pedraria. **2.** Enfeite, joia: "fingia-se às vezes difícil, reclamando contra a falta de algum alfinete ou dixe encomendado para os outros" (Ricardo Jorge, *Canhenho dum Vagamundo*, p. XVI). **3.** Berloque para corrente de relógio. **4.** *P. ext.* Berloque.

díxis (cs) [Do gr. *dêixis, eos*, 'ação de provar', 'demonstração'.] ***S. f. 2 n. E. Ling.*** Dêixis (q. v.).

dix-septiense ***Adj. 2 g.*** **1.** De, ou pertencente ou relativo a Governador Dix Sept Rosado (RN). ● ***S. 2 g.*** **2.** O natural ou habitante de Governador Dix Sept Rosado. [Pl.: *dix-septienses*.]

dizedor (ô) [De *dizer* + *-dor*.] ***Adj. S. m.*** **1.** Falador, palrador. **2.** Diz-se de, ou indivíduo que conta anedotas, gracejos; gracejador.

dizer [Do lat. *dicere*.] ***V. t. d.*** **1.** Exprimir por palavras; enunciar: "Ai! quem há de dizer as ânsias infinitas / Do sonho?" (Olavo Bilac, *Poesias*, p. 145); *A testemunha disse o que sabia.* **2.** Pronunciar, proferir: *O bêbado dizia palavras sem nexo.* **3.** Pronunciar (de certa maneira): *O menino disse pégada em vez de pegada.* **4.** Exprimir (de outra maneira que não por palavras): *Disse tudo por gestos; Aquela melodia diz a tristeza da solidão.* **5.** Enunciar ou declarar por escrito; escrever: *Dizia, na carta, que estava bem de saúde.* **6.** Exclamar, bradar: *Ao fim do excelente número, toda a plateia disse "bis!".* **7.** Ensinar, preceituar: *Os provérbios dizem, não raro, grandes verdades.* **8.** Asseverar, afirmar: *Por mais que o pressionassem, dizia sempre a mesma coisa.* **9.** Contar, narrar, referir: *O poema dizia uma história de amor.* **10.** Recitar, declamar: *dizer versos.* **11.** Proferir (oração). **12.** Celebrar (missa). **13.** Indicar, mostrar, denotar: *O rosto envelhecido diz bem o seu sofrimento.* **14.** Ordenar, mandar, determinar: *Diz o quinto mandamento: "Não matarás."* **15.** Significar (1): "Há em latim o verbo *fricare*, que diz 'esfregar'" (Sousa da Silveira, *Lições de Português*, p. 76). ***T. d. e i.*** **16.** Expor ou exprimir por palavras; enunciar: *Disse-lhe as últimas*; "Diga ao Fernando Pessoa que não tenho razão." (Fernando Pessoa, *Páginas de Doutrina Estética*, p. 87.) **17.** Dirigir (palavras). **18.** Exclamar, bradar. **19.** Afirmar, assegurar. **20.** Ordenar, mandar, determinar: *Disse-lhe que obedecesse às minhas instruções!* **21.** Despertar interesse; exercer atração; interessar, atrair, seduzir: *O álcool não lhe diz nada; Pouquíssimo lhe dizem os poetas.* **22.** Dar conselho; aconselhar: *Bem lhe havia dito que não se comprometesse.* ***Transobj.*** **23.** Ter na qualidade de; considerar: "diziam-no intelectual do futebol" (Antônio Olinto, *Copacabana*, p. 32); *Todos o dizem paciente.* ***T. i.*** **24.** Alegar (de fato, de direito). **25.** Pronunciar-se a respeito; falar: *Convidaram-no a dizer da obra de Machado de Assis.* **26.** Importar, interessar: *Este caso não diz ao que tratamos agora.* **27.** Condizer, combinar, quadrar; harmonizar-se: *Aquelas maneiras não dizem bem com sua educação; Suas afirmações não dizem com a verdade; A cor azul diz bem com a amarela*; "Dizem bem os bandós com seu perfil de santa." (Félix Pacheco, *Poesias*, p. 13.) **28.** Ter valor sentimental para: "meu pai me deu antes de casar .... um anel sem pedras que se calhar lhe dizia imenso mas não valia um centavo" (Lobo Antunes, *O Esplendor de Portugal*, p. 26). ***T. c.*** **29.** Abrir; comunicar; dar: *A porta dizia para uma saleta*; "E, alegre como nunca, foi abrindo as janelas que diziam para a Rua da Misericórdia." (Adolfo Caminha, *Bom-Crioulo*, p. 83.) **30.** *Mar.* Ter a direção de: *A amarra diz para vante.* ***Int.*** **31.** Falar (1): *— Posso-lhe fazer uma pergunta? — Diga!* ***P.*** **32.** Ter-se na conta de: *Diz-se médico.* **33.** Afirmar ou declarar de si: *Eles dizem-se príncipes; Diz-se doente, bom pretexto para não trabalhar.* [Irreg. Pres. ind.: *digo, dizes, diz, dizemos, dizeis, dizem*; pret. imperf.: *dizia, dizias, dizia, dizíamos, dizíeis, diziam*; pret. perf.: *disse, disseste, disse, dissemos, dissestes, disseram*; pret. m.-q.-perf.: *dissera, disseras, dissera, disséramos, disséreis, disseram*; fut. pres.: *direi, dirás, dirá, diremos, direis, dirão*; fut. pret.: *diria, dirias, diria, diríamos, diríeis, diriam*; imperat.: *dize* ou *diz, diga, digamos, dizei, digam*; pres. subj.: *diga, digas, diga, digamos, digais, digam*; imperf. subj.: *dissesse, dissesses, dissesse, disséssemos, disséssseis, dissessem*; fut. subj.: *disser, disseres, disser, dissermos, disserdes, disserem*; ger.: *dizendo*; part.: *dito*. Cf. *dígamos*, pl. de *dígamo*.] ● ***S. m.*** **34.** Expressão, dito: "Existem .... duas edições de *Os Lusíadas* datadas de 1572, com os mesmos dizeres na folha de rosto, sem que nenhuma declare ser nova edição." (José Honório Rodrigues, *Teoria da História do Brasil*, p. 389.) **35.** Linguagem falada; maneira de se exprimir; estilo: *o dizer do povo*. ◆ **Dizer com.** Condizer: "Tudo o que diz com a terra, até os sete palmos derradeiros, merecia-lhe carinho meticuloso." (Carlos Lacerda, *A Casa do Meu Avô*, p. 92.) **A bem dizer.** Falando com precisão; na realidade; em verdade: *Vem aqui todos os dias — a bem dizer, mora aqui.* **Até dizer basta.** *Bras. Pop.* Até dizer chega. **Até dizer chega.** *Bras. Pop.* Em grande quantidade ou intensidade; ao extremo; muito; até dizer basta: *É rico até dizer chega.* **Como diz o outro.** Segundo a maneira de ver de uma suposta pessoa: "Eram da primeira grandeza os fidalgos; mas, a cavalo, ficavam maiores, e sentiam-se eletrizados pelo fluido da admiração de todas aquelas Europas e Didos, como dizia o outro." (Camilo Castelo Branco, *Perfil do Marquês de Pombal*, pp. 34-35.) **É como quem diz.** É uma forma de falar: "– Terá também o Bicho-Mau ferrado o dente em mocinhas tão adoráveis? | – O Bicho-Mau é como quem diz... – respondeu o engenheiro .... . – Uma delas deixou-se cometer por um barbeiro, tocador de banza e jogador de faca, a outra por certo figurinha de Viseu. Da terceira, não me consta nada." (Aquilino Ribeiro, *Andam Faunos pelos Bosques*, p. 236). **E dizer que...** Introduz um comentário que surpreende por ser inusitado ou por causar espanto. **Não dizer ao que veio.** Não se mostrar interessado; não dar conta de uma incumbência: *Está trabalhando aqui há dois meses e ainda não disse ao que veio.* **Não ser lá para que digamos.** Não ser na realidade o que se pensa, não prestar muito. **Para assim dizer.** V. *por assim dizer*: "D. Mécia não lia romances, mas estava impregnada, para assim dizer, da poesia do tempo." (Camilo Castelo Branco, *O Santo da Montanha*, p. 140.) **Por assim dizer.** Pouco mais ou menos; aproximadamente, quase; para assim dizer: *Tinha Flaubert, por assim dizer, a religião da forma, do estilo.* **Que dirá.** Quanto mais; muito menos: *Se eu não sei inglês, que dirá ele!*

dize tu direi eu ***S. m. 2 n.*** **1.** Discussão forte, acalorada; bate-boca. **2.** Altercação em que os dois contendores falam quase ao mesmo tempo. ☑

dizigótico [De *di-* + *zigoto* + *-ico*[2].] ***Adj.*** Que se origina da gestação de fetos provenientes de dois diferentes zigotos; hetero-ovular.

dízima [F. subst. do adj. *dízimo*.] ***S. f.*** **1.** Imposto equivalente à décima parte do rendimento; décima, dízimo. **2.** *Mat.* Dízima periódica. [Cf. *dizima*, do v. *dizimar*.] ◆ **Dízima periódica.** *Mat.* Representação decimal de um número no qual um conjunto de um ou mais algarismos se repete indefinidamente, a começar de certa ordem decimal. [Tb. se diz apenas *dízima*.] **Dízima periódica composta.** *Mat.* Dízima periódica cujo período não começa logo após a vírgula decimal. **Dízima periódica simples.** *Mat.* Dízima periódica cujo período começa logo após a vírgula decimal.

dizimação [Do lat. *decimatione*.] ***S. f.*** **1.** Ato de dizimar. **2.** Cerceamento, destruição.

dizimador (ô) [De *dizimar* + *-dor*.] ***Adj. S. m.*** Que, ou aquele que dizima.

dizimar [Do lat. *decimare*, por via pop.] ***V. t. d.*** **1.** Matar (um soldado) em cada grupo de dez. **2.** Lançar dízima (1) sobre. **3.** Destruir ou exterminar em parte: "a seca dizimava uma grande parte desses rebanhos." (Adalberon Cavalcanti Lins, *Curral Novo*, pp. 25-26); "o senhor de engenho .... resistia bravamente, dizimando a tropa nas emboscadas preparadas nas matas" (A. S. de Mendonça Júnior, *O Anel de Brilhante e Outras Estórias*, p. 14). **4.** *Fig.* Desfalcar; dissipar, desbaratar: *Dizimou a herança paterna.* **5.** Fazer rarear; desfalcar; diminuir: *A massificação dizima a originalidade.* ***Int.*** **6.** Produzir devastação ou devastações; destruir, devastar: "Os anos matam e dizimam tanto / Como as inundações e como as pestes..." (Olavo Bilac, *Poesias*, p. 180.) **7.** *Ant.* Cobrar dízimas. [F. paral.: *decimar*. Pres. ind.: *dizimo, dizimas, dizima*, etc. Cf. *dízima* e *dízimo*.]

dizimeiro [De *dízimo* + *-eiro*.] ***S. m.*** Cobrador de dízima ou de dízimo.

dízimo [Do lat. *decimu*.] ***S. m.*** **1.** A décima parte. **2.** *Ant.* V. *dízima* (1). [Cf. *dizimo*, do v. *dizimar*.] ◆ **Dízimos diretos.** V. *direitos de estola*.

dizível [De *dizer* + *-ível*.] ***Adj. 2 g.*** Que se pode dizer: "nada se passara dizível em palavras escritas ou faladas" (Clarice Lispector, *Uma Aprendizagem ou O Livro dos Prazeres*, p. 11).

diz-que [De *diz*, 3ª pess. sing. do pres. ind. de *dizer*, + *que*[8].] ***S. m. 2 n. Bras.*** V. *diz que diz que*.

diz que diz ***S. m. 2 n.*** V. *diz que diz que*: "Faz bem o empregado da leiteria em não dar ouvidos ao diz que diz." (José Saramago, *História do Cerco de Lisboa*, p. 66.) ☑

diz que diz que [Da 3ª pess. sing. do pres. ind. de *dizer* + *que*[8], repetidos.] ***S. m. 2 n. Bras.*** Boato, falatório, intriga, mexerico, fofoca; diz que diz, diz-que, diz que me diz que, disse que disse, disse não disse: "isso .... fica entre nós. Já faz muito tempo, mas não convém levantar diz que diz que sobre essas coisas." (Darci Azambuja, *Coxilhas*, p. 19). ☑

diz que me diz que ***S. m. 2 n. Bras.*** V. *diz que diz que*. ☑

■ **dj** [Sigla do ingl. *disc jockey*.] ***S. m.*** V. *disc-jóquei*.

djacutá [Do ior.] *Bras. Rel.* ***S. m.*** **1.** Qualidade (11) ioruba de Xangô relacionada com sua característica de arremessar pedras de raio ou meteoritos. ● ***Adj. 2 g.*** **2.** Diz-se dessa qualidade. [Com cap.]

djagudi ***S. m.*** *Guin. Zool.* V. *jagudi*.

→ **djallaba** [dʒal'laba] [Ár.] ***S. f.*** Túnica longa com capuz, us. no N. da África.

djalmaíta [Do antr. *Djalma* (*Guimarães*) (1894-1974), geólogo brasileiro, + *-ita*[3].] ***S. f.*** *Min.* Mineral monométrico, óxido complexo de tântalo, cálcio, urânio e nióbio.

djibutiano *Adj.* **1.** Da, ou pertencente ou relativo à República do Djibuti (África oriental). ● *S. m.* **2.** O natural ou habitante da República do Djibuti. [Sin.: *djibutiense*.]

djibutiense *Adj. 2 g. S. 2 g.* V. *djibutiano*.

djidiu [De *judeu*, pelo criol.] *S. m. Guin.* Músico e poeta, depositário da tradição oral: "Se ainda tiver alguém com mania de djidiu no meio, então é festa todos os dias, porque de conversa vai passar à cantiga, sem falta." (Abdulai Sila, *A Última Tragédia*, p. 53.)

djila [Do mandinga, pelo criol.] *S. m. Guin.* Comerciante ambulante que circula entre a Guiné-Bissau (África) e os países vizinhos. [Var.: *jila, djiló, djula*.]

djiló *S. m. Guin.* V. *djila*.

djim [Do ár. *gönn*.] *S. m. Rel.* Na tradição e folclore árabes, entidade de poderes superiores aos humanos e inferiores aos dos anjos; gênio, espírito, demônio. [Var.: *djin*.]

djin *S. m.* V. *djim*.

djula *S. m. Guin.* V. *djila*.

djumbai [Do criol.] *S. m. Guin.* Conversa amena, ger. ao serão (3): "Amanhã no djumbai poderão ouvir a história de Saliu e Lamarana" (Odete Costa Semedo, em *Tcholona*, nº 2/3, p. 22). [Outra forma: *jumbai*.]

djumbair [Do criol.] *V. int. Guin.* Conversar sobre assuntos amenos, ger. ao serão (3). [Outra forma: *jumbair*.]

■ **dl** Símb. de *decilitro*.

■ **dm** Símb. de *decímetro*.

D-mais *S. m. 2 n. Fís. Part.* Méson de massa 1869,4 MeV/c², *isospin* 1/2, *spin* zero, paridade negativa, carga elétrica igual à do próton e charme +1, composto de um *quark c* e um *antiquark d* [símb.: *D*+].

D-menos *S. m. 2 n. Fís. Part.* Antipartícula de D-mais [símb.: *D*-].

■ **DMF** *Quím.* Sigla de *dimetilformamida*.

■ **DMSO** *Quím.* Sigla de *dimetilsulfóxido*.

■ **DNA** [Ingl., Sigla de *desoxyribonucleic acid*.] *Citol. Genét.* ADN (q. v.).

■ **DNC** Abrev. de *Departamento Nacional de Combustíveis*.

■ **DNER** Sigla de *Departamento Nacional de Estradas de Rodagem*.

■ **DNOCS** Sigla de *Departamento Nacional de Obras Contra as Secas*.

■ **DNPM** Sigla de *Departamento Nacional de Pesquisas Minerais*.

do¹ Contr. da prep. *de* e do art. *o*: *o livro do menino.* [Flex.: *da, dos, das*. Cf. *dó*.]

do² Contr. da prep. *de* e do pron. dem. *o*; daquele: *A casa não é deste meu amigo, mas do que eu lhe apresentei ontem.* [Flex.: *da, dos, das*. Cf. *dó*.]

do³ Contr. da prep. *de* e do pron. neutro *o*; daquilo: *Minha decisão depende do que eu apurar na sindicância.* [Cf. *dó*.]

▲ **-do** [Do lat. *-tus*.] *Suf.* formador do particípio (q. v.).

dó¹ [Do lat. *dolu*.] *S. m.* **1.** Comiseração, lástima, compaixão: "Se inda contudo nesse peito resta / Algum benigno dó de um solitário, / Vem, vem! desmente a acusação funesta!" (Antônio Feliciano de Castilho, *Os Amores*, II, p. 82.) **2.** Tristeza, dor, luto. [Cf. *do*.]

dó² [Do it. *dò*, sílaba sem significação, escolhida por sua sonoridade para substituir *ut* (q. v.).] *S. m. Mús.* **1.** Nota correspondente ao primeiro grau da escala natural do modo maior (q. v.). [Corresponde a *C*, na notação alfabética; cf. *ut*.] **2.** O sinal que representa essa nota na pauta. [Cf. *do*.]

doação [Do lat. *donatione*.] *S. f.* **1.** Ato ou efeito de doar: *Os calouros fizeram uma doação de sangue para o hospital.* **2.** Aquilo que se doou. [Sin., nessas acepç.: *dádiva*.] **3.** Documento que legaliza e assegura a doação. ◆ **Doação inoficiosa.** *Dir. Civ.* Aquela que excede o montante de que o doador poderia dispor por testamento, no momento da liberalidade, invadindo a legítima (1).

doado [Part. de *doar*.] *Adj.* Transferido por doação.

doador (ô) [Do lat. *donatore*.] *S. m.* **1.** Aquele que doa, que faz doação. [Cf., nesta acepç., *donatário* (2).] **2.** Indivíduo que doa sangue ou qualquer órgão para enxerto. [Sin. (lus.), nesta acepç.: *dador*.] **3.** *Quím.* Designação de composto, molécula, grupo (13) ou átomo capaz de ceder um fragmento poliatômico, atômico ou subatômico a um aceitador (3): *doador de elétron, doador de hidrogênio.* ● *Adj.* **4.** Que doa. **5.** *Quím.* Diz-se de doador (3). ~ V. *átomo —, impureza —a* e *nível —*.

doar [Do lat. *donare*.] *V. t. d. e i.* **1.** Transmitir gratuitamente (bens, etc.) a outrem; fazer doação: *O poeta doou seus livros à Academia Brasileira de Letras.* **2.** Dar, conceder: *Põe nos seus livros todo o talento que a natureza lhe doou.* **3.** Consagrar, dedicar: *A mãe doou toda sua vida ao filho doente.* *T. d.* **4.** Fazer doação de: *Doou muitos de seus bens.* *P.* **5.** Consagrar-se, dedicar-se, devotar-se; dar-se: *Doou-se à Pátria.* [Conjug.: v. *coroar*. Pres. subj.: *doe* (ô), ..., *doem* (ô). Cf. *dói, doem*, do v. *doer*.]

dobação [De *dobar* + *-ção*.] *S. f.* V. *dobagem*.

dobadeira [De *dobar* + *-deira*.] *S. f.* Mulher que doba.

dobadoira [De *dobar* + o f. de *-doiro*².] *S. f.* Dobadoura.

dobadoura [Var. de *dobadoira*.] *S. f.* **1.** Aparelho para dobar, que em geral se compõe de quatro varas dispostas vertical e paralelamente em torno de um eixo, e em volta das quais se enrolam meadas, seguras duas a duas nas extremidades por meio de réguas dispostas em cruz. **2.** *Fotograv.* V. *torniquete* (7). **3.** *Fam.* Azáfama; roda-viva. **4.** *Ant. Mar.* Espécie de cabrestante destinado a, na praia, arrastar embarcação para o seco ou para a água.

dobagem [De *dobar* + *-agem*².] *S. f.* **1.** Ato de dobar. **2.** Oficina onde se doba ou enovela o fio da meada, nas fábricas de fiação. [Sin. ger.: *dobação*.]

dobale [Do ior.] *S. m. Bras. Rel.* Reverência que o filho de santo ou a filha de santo, que têm orixá feminino, fazem diante do peji, do chefe do terreiro, dos orixás incorporados ou de visitantes grados, deitando-se de bruços, com a cabeça no chão, e virando-se uma vez para o lado direito e outra para o esquerdo. [Var.: *adobale, adubale*. Cf. *icá* e *gicá*.]

dobar [Do lat. **depanare* < lat. *panus*, 'fio da trama posto na dobadoura'.] *V. t. d.* **1.** Enrolar (o fio da meada, do novelo), com dobadoura ou sem ela. **2.** *Fig.* Voltear; revolutear. *Int.* **3.** Fazer novelos. **4.** Cair dando voltas; rodopiar.

➔ **dobermann** ['dobeʀman] [Al.] *S. m. Cinol.* Cão de guarda de origem alemã, com cerca de 0,70m de altura, conformação esguia, musculosa e elegante, focinho alongado, crânio achatado, orelhas pontudas, pelo curto, espesso e aderente, e cujas cores vão do negro ao castanho-avermelhado. Provém do cruzamento do *pinscher* (q. v.) com outras raças.

dobla [Do lat. *dupla* < lat. *duplex*, 'duplo'.] *S. f.* V. *dobra*²: "em segredo lhe fez entrega de uma cinta de couro e uma caixa de pau pejadas de um bom par de doblas em ouro e prata" (Manuel Antônio de Almeida, *Memórias de um Sargento de Milícias*, p. 145); "Ai, fortunas, ai, fortunas... / doblas, oitavas, cruzados, / vastos dinheiros antigos" (Cecília Meireles, *Obra Poética*, p. 884).

doble [Do esp. *doble*.] *Adj. 2 g.* **1.** Dobrado, duplicado, dobre. **2.** Fingido, enganoso, falso; dobre, dobrado². [Var., nessas acepç.: *dobre*².] ● *S. m.* **3.** *Bras. RS* Dobro.

doblete (ê) [Do fr. *doublet*.] *S. m.* Pedaço de vidro, que imita pedra preciosa.

doblez (ê) [Do esp. *doblez*.] *S. f.* Qualidade de doble (2); insinceridade, fingimento, hipocrisia: "Calisto Elói também não suscitou conversação relativa às senhoras, porque já a doblez do espírito lhe tolhia a usual franqueza e familiaridade." (Camilo Castelo Branco, *A Queda dum Anjo*, p. 160.) [Var.: *dobrez*.]

dobra¹ [Dev. de *dobrar*.] *S. f.* **1.** Parte de um objeto que, voltada, fica sobreposta a outra. **2.** Vinco, prega. **3.** *Geol.* Encurvamento ou flexão que sofrem as rochas por diversas causas, que podem ou não ser tectônicas; plissamento. ◆ **Dobra em cruz.** *Encad.* Dobra com ângulo de 90° em relação à outra dobra. **Dobra seca.** *Art. Gráf.* Vinco (6).

dobra² [Var. de *dobla*.] *S. f.* **1.** Antiga moeda portuguesa, cujo valor variou nos diferentes reinados. **2.** Unidade monetária, e moeda, de São Tomé e Príncipe (África), dividida em 100 cêntavos.

dobração [De *dobrar* + *-ção*.] *S. f.* **1.** V. *dobradura*. **2.** *Bras. PA* Operação que consiste em o vaqueiro percorrer os limites da fazenda, logradouros, etc., para reunir o gado na malhada.

dobrada [F. subst. do adj. *dobrado*.] *S. f.* **1.** *Bras. S.* Lugar onde, do alto de um morro, monte ou espigão, se começa a descer; ondulação ou depressão do terreno; quebrada. **2.** *Lus.* V. *dobradinha* (1 e 2).

dobradeira [De *dobrar* + *-deira*.] *S. f.* **1.** *Encad.* Utensílio semelhante a um corta-papel, e comumente de osso ou madeira, usado para fazer dobras nas folhas de papel. **2.** *Art. Gráf.* Máquina ou dispositivo que dobra folhas de papel; dobradora, dobrador.

dobradense *Adj. 2 g.* **1.** De, ou pertencente ou relativo a Dobrada (SP). ● *S. 2 g.* **2.** O natural ou habitante de Dobrada.

dobradiça [F. subst. de *dobradiço*.] *S. f.* **1.** Peça de metal formada de duas chapas unidas por um eixo comum, e sobre que gira a porta, janela, etc.; bisagra, charneira, gonzo, mancal, missagra. **2.** *Bras. PE* Certo passo do frevo em que o homem, servindo de pino, leva uma dama em cada braço.

dobradiço *Adj.* Que se dobra facilmente; flexível.

dobradinha [Dim. do f. subst. de *dobrado*.] *S. f. Bras.* **1.** A parte do estômago do boi usada na alimentação. **2.** *Cul.* Guisado feito com a dobradinha (1). [Sin., nessas acepç.: *tripa* e (lus.) *dobrada*.] **3.** *Turfe* Dupla formada por dois cavalos da mesma chave (q. v.), de maneira que os algarismos que a compõem são sempre repetidos: 11, 22, 33 e 44. **4.** *Bras.* Dupla (1): "Ulisses [Guimarães] comentou que Dante [de Oliveira] e Rubem Ilgenfritz — presidente do Incra — 'formam uma boa dobradinha, gente nova para trabalhar'" (*Jornal do Brasil*, 27.06.1986).

dobrado¹ [Part. de *dobrar*.] *Adj.* **1.** Duplicado (1). **2.** Voltado sobre si; enrolado, virado. **3.** *Bras. Pop.* De compleição robusta; muito forte: *Fraquinho, lutou com um sujeito dobrado.* **4.** *Bot.* Diz-se de flor cujos estames e pistilos se transformam em pétalas: "Há rosas dobradas / E há-as singelas" (Guerra Junqueiro, *A Musa em Férias*, p. 110). ~ V. *dipolo —, ferro —, parede —a, partidas —as, rondó —, talha —a, tenções —as* e *vírgulas —as*. ● *S. m.* **5.** *Bras.* Música de marcha militar. **6.** *Bras. S. MT* Terreno acidentado, de altos e baixos, de morros e vales. ◆ **Cortar um dobrado.** V. *cortar volta*.

dobrado² [Do esp. *doblado*.] *Adj.* V. *doble* (2).

dobrador (ô) [De *dobrar* + *-dor*.] *Adj.* **1.** Que dobra **2.** *Lus. Cin. Telev.* Dublador. ● *S. m.* **3.** Aquele que dobra. **4.** *Art. Gráf.* V. *dobradeira* (2). **5.** *Lus. Cin. Telev.* Dublador.

dobradora (ô) [De *dobrar* + *-dora*.] *S. f. Art. Gráf.* V. *dobradeira* (2).

dobradura [De *dobrar* + *-dura*.] *S. f.* Ato ou efeito de dobrar; dobramento, dobração.

dobragem [De *dobrar* + *-agem*².] *S. f.* **1.** Ato ou operação de dobrar. **2.** *Lus. Cin. Telev.* V. *dublagem*.

dobramento [De *dobrar* + *-mento*.] *S. m.* **1.** V. *dobradura*. **2.** *Geol.* Ação que provoca o aparecimento de dobras ou rugas nas rochas.

dobrão [De *dobra*² + *-ão*¹.] *S. m.* **1.** Antiga moeda portuguesa de ouro. **2.** Certa moeda espanhola. **3.** *Bras. N. N.E.* Moeda antiga de cobre, do valor de 40 réis.

dobrar [Do lat. *duplare*.] *V. t. d.* **1.** Tornar duas vezes maior; duplicar: *As chuvas dobraram o volume de água da represa.* **2.** Tornar maior; aumentar: *Sua tristeza, tão grande, dobrou com a morte do irmão.* **3.** Tornar mais completo, mais intenso: *A proximidade do perigo dobrava-lhe a coragem.* **4.** Voltar ou virar (um objeto) de modo que uma ou mais partes dele se sobreponham a outra(s): *Após a cerimônia os soldados dobraram a bandeira.* **5.** Fazer vergar; curvar; flexionar, flectir: *dobrar os joelhos*; "Ao redor de nós, o vento selvagem que dobra vergônteas, ondeia cidreiras e despetala flores." (Mário da Silva Brito, *Conversa Vai, Conversa Vem*, p. 12.) **6.** Abater, domar; amansar: *A idade dobrou o velho guerreiro.* **7.** Fazer ceder; levar a transigir; abalar, vergar, submeter: *Ameaça não o dobra.* **8.** Demover, dissuadir: *Ação diplomática dobrou o presidente.* **9.** Passar além de, circundando: *Vasco da Gama dobrou o cabo da Boa Esperança em 1498.* **10.** *Teatr.* Interpretar dois ou mais papéis numa mesma peça. **11.** *Lus. Cin. Telev.* Dublar. *T. i.* **12.** Soar (o sino) dando volta sobre o eixo (o que ger. é sinal de morte): "Os sinos dobram por anjinho, / Lá no Minho!" (Antônio Nobre, *Só*, p. 69.) *Int.* **13.** Tornar-se duas vezes maior; duplicar: *De 1930 a 1960, a população do Brasil praticamente dobrou.* **14.** Vergar-se, curvar-se. **15.** Ceder, transigir. **16.** Pôr-se (o Sol). **17.** *Bras.* Gorjear, cantar (pássaro). **18.** *Bras. PA* Proceder a uma dobração (2). *P.* **19.** Tornar-se maior; aumentar(-se). **20.** Curvar-se, inclinar-se; vergar. **21.** Afrouxar(-se); ceder. [Pres. ind.: *dobro*, etc. Cf. *dobro* (ô), s. m.]

dobrável [De *dobrar* + *-vel*.] *Adj. 2 g.* Que se pode dobrar. ~ V. *porta —*.

dobre¹ [Dev. de *dobrar*.] *S. m.* **1.** Ato ou efeito de dobrar (12): "A sineta da comida repicou três dobres compassados." (Rebelo da Silva, *Contos e Lendas*, p. 41.) **2.** *Arte Poét.* Repetição da mesma palavra ou expressão em certos lugares da estrofe.

dobre² *Adj. 2 g.* V. *doble* (1 e 2).

dobrez (ê) *S. f.* Doblez: "propondo, argumentando, definindo sem fingimento, sem dobrezes, sem enganos, nem cavilações" (Fr. Luís de Sousa, *Vida de D. Fr. Bertolameu dos Mártires*, I, p. 358).

dobro (ô) [Do lat. *duplu*.] *S. m.* **1.** Duplo (2). **2.** V. *duplicação* (1). [Sin. (RS): *doble*. Pl. *dobros* (ô). Cf. *dobro*, do v. *dobrar*.]

doburu *S. m. Bras. Rel.* V. *duburu*.

■ **DOC¹** [Sigla de *Documento de Ordem de Crédito*.] *Econ.* Instrumento de transferência de dinheiro entre contas bancárias.

■ **DOC²** Abrev. de *Denominação de Origem Controlada* (v. *AOC*).

doca¹ [Do ingl. *dock*.] *S. f.* **1.** Parte de um porto onde atracam os navios para carga e descarga. **2.** Dique para construção ou reparo de navios. **3.** Armazém de entreposto, para o comércio marítimo.

doca² *Adj. 2 g. Bras.* Cego de um olho.

doçaina [Do fr. ant. e med. *douçaine*.] ***S. f. Mús.*** Espécie de charamela que se usou do séc. XII ao XVII: "Violas e doçainas acompanham as coplas dos trovadores." (Rebelo da Silva, *Contos e Lendas*, p. 37.)

docar [De *doca*[1] + *-ar*[2].] ***V. t. d.*** **1.** Pôr (o navio) na doca[1] (1 e 2). ***Int.*** **2.** Pôr o navio na doca[1] (1 e 2). [Conjug.: v. *trancar*.]

doçaria [De *doce* + *-aria*.] ***S. f.*** **1.** Conjunto de doces: *A gema de ovo é um dos principais ingredientes da doçaria portuguesa.* **2.** Abundância de doces. **3.** Lugar onde se fabricam e/ou vendem doces.

doce (ô) [Do lat. *dulce*.] ***Adj. 2 g.*** **1.** Que tem sabor como o do mel ou o do açúcar. **2.** Que tem sabor agradável. **3.** Que não é salgado, azedo nem picante. **4.** Meigo, terno, afável, afetuoso: *um ar doce; um semblante doce.* **5.** Suave, ameno: *luz, voz, cor doce.* **6.** Que não é escabroso. **7.** Brando, benigno. **8.** Ditoso, feliz: *Levam, na serenidade do campo, uma doce vida.* **9.** Encantador, atraente; delicioso: "Tal está morta a pálida donzela, / Secas do rosto as rosas, e perdida / A branca e viva cor, coa doce vida." (Luís de Camões, *Os Lusíadas*, III, 134.) **10.** *Bras.* Diz-se da fechadura, cão de espingarda, etc., que não emperram. [Superl. abs. sint.: *dulcíssimo* e *docíssimo*.] ~ V. *aço —*, *ferro —*, *flauta —* e *vinho —*. ● ***S. m.*** **11.** Aquilo que é doce. **12.** Confeição culinária em que entra açúcar, mel ou outro adoçante. **13.** *Bras. BA MG MT* Açúcar (1). ◆ **Dar um doce a.** Expressão de dúvida, afetuosa ou irônica: "Agora sabe por que foi ao dicionário; mas dou-lhe um doce, se me disser o que é plebiscito sem se arredar dessa cadeira!" (Artur Azevedo, *Contos fora da Moda*, p. 67.) **Um doce.** V. *um amor* (1). **Fazer doce.** Fazer-se de difícil.

doce-amarga [De *doce* + o f. de *amargo*.] ***S. f. Bot.*** Subarbusto solanáceo (*Solanum dulcamara*) trepador e ornamental, cujo caule contém o alcaloide solanina, estupefaciente enérgico, e cujas flores são roxas ou azuis, com máculas esverdeadas, dispostas em racimos corimbiformes, sendo o fruto uma baga ovoide, pequena, com sementes; dulcamara, maria-preta, uva-de-cão. [Pl.: *doce-amargas* e *doces-amargas*.]

doce de coco ***S. m. Bras.*** Pessoa afável, boa, de trato fácil e agradável. [Pl.: *doces de coco*.] ◆ **Um doce de coco.** *Bras.* V. *um amor* (1). ☑

doce de pimenta ***S. m. Bras. Cul.*** Certo bolo feito de farinha de mandioca, açúcar e pimenta-da-índia; bonita, fruita. [Pl.: *doces de pimenta*.] ☑

doceira [De *doce* + *-eira*.] ***S. f.*** **1.** Mulher que faz ou vende doces. **2.** V. *confeitadeira*. **3.** *Zool.* Designação comum às formigas que se alimentam de doce e açúcar.

doceiro [De *doce* + *-eiro*.] ***S. m.*** Homem que faz ou vende doces; confeiteiro.

docemente [De *doce* + *-mente*.] ***Adv.*** De maneira doce, com doçura; suavemente: "Sobre as ondas oscila o batel docemente..." (Olavo Bilac, *Poesias*, p. 79.)

docência [Voc. deduz. de *docente* (q. v.); v. *-ia*[2].] ***S. f.*** **1.** Qualidade de docente. **2.** O exercício do magistério (1).

docência-livre ***S. f.*** Atividade exercida por docente-livre. [Sin., bras.: *livre-docência*. Pl.: *docências-livres*.]

docente [Do lat. *docente*, part. pres. do lat. *docere*, 'ensinar'.] ***Adj. 2 g.*** **1.** Que ensina. **2.** *Educ.* Respeitante a professores. ~ V. *corpo —*. ● ***S. 2 g.*** **3.** *Educ.* Professor, lente. [Cf. *discente*.]

docente-livre ***S. m.*** **1.** Título, obtido mediante concurso, que habilita a reger certos tipos de curso e/ou a examinar em concursos para magistério superior. ● ***S. 2 g.*** **2.** Pessoa que obteve o docente-livre (1). ● ***Adj. 2 g.*** **3.** Que obteve o docente-livre (1). [Sin. ger. (bras.): *livre-docente*. Pl.: *docentes-livres*.]

doceria [De *doce* + *-eria*.] ***S. f.*** V. *doçaria*.

doceta [Do gr. *doketés* < v. gr. *dókein*, 'parecer'.] ***S. 2 g.*** *Rel.* Partidário do docetismo.

docetismo [De *doceta* + *-ismo*.] ***S. m. Rel.*** Doutrina gnóstica do séc. II, segundo a qual o corpo de Cristo não era real, porém só aparente, ou que negava tivesse ele realmente nascido de Maria.

dócil [Do lat. *docile*.] ***Adj. 2 g.*** **1.** *P. us.* Que se submete ao ensino; que aprende facilmente. **2.** Fácil de conduzir, de guiar. **3.** Que aceita facilmente o que se lhe impõe ou sugere; de fácil trato; cordato, dúctil. [Pl.: *dóceis*. Superl. abs. sint.: *docílimo* e *docilíssimo*.]

docilidade [Do lat. *docilitate*.] ***S. f.*** Qualidade ou caráter do que é dócil.

docílimo ***Adj.*** Superl. abs. sint. de *dócil*; docilíssimo.

docilíssimo ***Adj.*** Docílimo.

docilizar [De *dócil* + *-izar*.] ***V. t. d. P.*** Tornar(-se) dócil, submisso; submeter(-se).

docimasia [Do gr. *dokimasía*, 'prova', < gr. *dokimázein*, 'pôr à prova'.] ***S. f.*** **1.** Inquérito acerca das aptidões morais dos candidatos a uma função pública, entre os antigos gregos. **2.** Parte da química que procura determinar a proporção em que os metais entram nos minérios. **3.** *Med. Leg.* Exame, avaliação, para prova oficial e/ou judicial. ◆ **Docimasia hepática.** *Med. Leg.* Dosagem de glicose e glicogênio no fígado, para distinguir a morte súbita da agônica. **Docimasia pulmonar.** *Med. Leg.* Verificação para determinar se um feto chegou a respirar, ou não.

docimástico [Do gr. *dokimastikós*.] ***Adj.*** Respeitante à docimasia.

docinho [Dim. de *doce*.] ***S. m. Bras. S.*** Água do monte (q. v.).

docíssimo ***Adj.*** Dulcíssimo.

docoglosso [Do gr. *dokós*, 'viga', + *-glosso*; tax. *Docoglossa*.] *Zool.* ***S. m.*** **1.** Espécime dos docoglossos, subordem de animais metazoários, moluscos, gastrópodes, estreptoneuros, aspidobrânquios. Olhos sem cristalino, em forma de cavidade aberta; dois osfrádios, um só maxilar, sem opérculo; massa visceral cônica. ● ***Adj.*** **2.** Pertencente ou relativo a eles.

▲ **docosa-** [Do V.C.I. < gr. *do-* (como em *dodec(a)-* [q. v.]) + *-cosa-* (como em *eicos(a)-* [q. v.]).] ***El. comp.*** = '22': *docosaedro, docoságono*.

docosaedro [De *docosa-* + *-edro*.] ***S. m. Geom.*** Poliedro de 22 faces.

docoságono [De *docosa-* + *-gono*.] ***S. m. Geom.*** Polígono de 22 lados. [A pronúncia correta seria *docosagono*, v. *-gono*.]

docosano [De *docosa-* + *-ano*[2].] ***S. m. Quím.*** Qualquer alcano acíclico com 22 átomos de carbono, esp. o linear [fórm.: $C_{22}H_{46}$].

doctiloquente (qüen) [Voc. deduz. de *doctíloquo*, a ex. de voc. como *eloquente*.] ***Adj. 2 g. Poét.*** V. *doctíloquo*. ❖

doctiloquentíssimo (qüen) ***Adj.*** Superl. abs. sint. de *doctíloquo*. ❖

doctilóquio [Do lat. *doctiloquus* (< lat. *doctus*, 'instruído', + lat. *loqui*, 'falar', 'discorrer') + *-io*[3].] ***S. m.*** Qualidade de doctíloquo; eloquência.

doctíloquo [Do lat. *doctiloquu*.] ***Adj. Poét.*** Que fala doutamente; eloquente; doctiloquente. [Superl. abs. sint.: *doctiloquentíssimo*.]

documentação [De *documentar* + *-ção*.] ***S. f.*** **1.** Ato ou efeito de documentar. **2.** Conjunto de conhecimentos e técnicas que têm por fim a pesquisa, reunião, descrição, produção e utilização de documentos de qualquer natureza, abrangendo, assim, a bibliologia, a museologia, a arquivologia, a iconografia, a discografia, a filmografia e as coleções de história natural (herbários, jardins botânicos, jardins zoológicos, etc.); documentologia. **3.** *Restr.* Esse mesmo conjunto de conhecimentos e técnicas, mas objetivados apenas os documentos gráficos; documentologia. **4.** Conjunto de documentos destinado a esclarecer ou provar determinado assunto ou fato.

documentado [Part. de *documentar*.] ***Adj.*** Fundado em documentos; provado com documentos; documental.

documental [De *documento* + *-al*[1].] ***Adj. 2 g.*** **1.** Relativo a documento. **2.** Documentado.

documentalista [De *documental* + *-ista*.] ***S. 2 g.*** Pessoa especializada em documentação (2 e 3).

documentar [De *documento* + *-ar*[2].] ***V. t. d.*** **1.** Juntar documentos a; provar, com documentos, que (algo) é verdadeiro, autêntico, etc. **2.** Fazer o registro de: *Os repórteres documentaram a chegada do presidente.* **3.** *Inform.* Registrar (informações que explicitem as decisões tomadas no desenvolvimento de um *software*), visando maior organização e referência para posteriores alterações. ***P.*** **4.** Munir-se de documento(s): *Antes de iniciar um processo trabalhista o advogado deve documentar-se bem.* [Fut. pret.: *documentaria*, etc. Cf. *documentária*, fem. do adj. *documentário*, adj. e s. m.]

documentário [De *documento* + *-ário*.] ***Adj.*** **1.** Relativo a documentos. **2.** Que tem o valor de documento. [Fem.: *documentária*. Cf. *documentaria*, do v. *documentar*.] ~ V. *edição —a*. ● ***S. m.*** **3.** Aquilo que vale como documento. **4.** *Cin.* Filme, em geral de curta metragem, que registra, interpreta e comenta fatos autênticos da vida humana, ou de um ambiente, ou de uma situação.

documentarista [De *documentário* + *-ista*.] ***Adj. 2 g.*** **1.** Que documenta, que faz o registro de algo. **2.** *Cin.* Que é especializado em documentários. ● ***S. 2 g.*** **3.** Indivíduo documentarista (1): "[O pintor Nicolas-Antoine Taunay] Foi recebido [na corte de D. João VI] como paisagista, mas não tinha o interesse de ser documentarista como Debret, um artista menos refinado." (Raquel Bertol, em *O Globo*, 18.03.2008.) **4.** *Cin.* Cineasta ou técnico documentarista (2).

documentativo [De *documentar* + *-tivo*.] ***Adj.*** Que serve para documentar.

documentável [De *documentar* + *-vel*.] ***Adj. 2 g.*** Que pode ser documentado.

documento [Do lat. *documentu* < lat. *docere*, 'ensinar', 'mostrar'.] ***S. m.*** **1.** Qualquer base de conhecimento, fixada materialmente e disposta de maneira que se possa utilizar para consulta, estudo, prova, etc. **2.** Escritura destinada a comprovar um fato; declaração escrita, revestida de forma padronizada, sobre fato(s) ou acontecimento(s) de natureza jurídica. **3.** *Restr.* Qualquer registro gráfico. **4.** *Ant.* Recomendação; preceito. **5.** *Inform.* Qualquer arquivo com dados gerados por um aplicativo (2), ger. aquele criado em processador de textos.

documentologia [De *documento* + *-logia*.] ***S. f.*** Documentação (2 e 3).

documentológico [De *documentologia* + *-ico*[2].] ***Adj.*** Relativo à documentologia.

doçura [De *doce* + *-ura*.] ***S. f.*** **1.** Qualidade do que é doce. **2.** Gosto do doce. **3.** *Fig.* Brandura, suavidade, serenidade. **4.** *Fig.* Meiguice, ternura.

▲ **dodec(a)-** [Do gr. *dṓdeka* < gr. *do-*, 'dois', (< gr. *dýo*) + gr. *deka*, 'dez'.] ***El. comp.*** = 'doze': *dodecaedro, dodecassílabo*.

dodecaedrano (a-e) [De *dodecaedro* + *-ano*[2].] ***S. m. Quím.*** Hidrocarboneto saturado cuja molécula tem a forma de um dodecaedro regular [fórm.: $C_{20}H_{20}$].

dodecaédrico [De *dodecaedro* + *-ico*[2].] ***Adj.*** Referente a, ou que tem forma de dodecaedro.

dodecaedro (a-e) [Do gr. *dodekáedros*.] ***S. m. Geom.*** Poliedro de 12 faces.

dodecafónico ***Adj.*** V. *dodecafônico*. [Uso freq. em P.]

dodecafônico [De *dodecafonismo* + *-ico*[2], seg. o padrão erudito.] ***Adj.*** Relativo ao dodecafonismo.

dodecafonismo [De *dodec(a)-* + *-fon(o)-* + *-ismo*.] ***S. m. Mús.*** Sistema de composição atonal, criado pelo compositor austríaco Arnold Schönberg (1874-1951) e baseado no livre emprego dos 12 semitons da escala temperada. [Cf. *atonalidade* e *série* (11).]

dodecágino [De *dodec(a)-* + *-gino*.] ***Adj. Bot.*** Diz-se da flor com 12 pistilos, estiletes ou estigmas sésseis.

dodecagonal [De *dodecágono* + *-al*[1].] ***Adj. 2 g.*** Relativo a dodecágono.

dodecágono [Do gr. *dodekágonon*.] ***S. m. Geom.*** Polígono de 12 lados. [A pronúncia correta seria *dodecagono*, v. *-gono*.]

dodecandro [De *dodec(a)-* + *-andro*.] ***Adj. Bot.*** Que tem 12 estames livres entre si.

dodecano [De *dodec(a)-* + *-ano*[2].] ***S. m. Quím.*** Qualquer hidrocarboneto saturado com doze átomos de carbono, esp. o linear [fórm.: $C_{12}H_{26}$].

dodecanoico (ói) [De *dodecano* + *-oico*[2].] ***Adj. Quím.*** ~ V. *ácido —*. ❖

dodecanol [De *dodecano* + *-ol*[2].] ***S. m. Quím.*** Qualquer álcool saturado, com doze átomos de carbono, esp. o álcool laurílico. [Pl.: *dodecanóis*.]

dodecapétalo [De *dodec(a)-* + *-pétalo*.] ***Adj. Bot.*** Que tem 12 pétalas.

dodecarquia [Do gr. *dodékarchos* + *-ia*[1].] ***S. f.*** **1.** Sistema de governo em que o poder é exercido por um conselho de 12 membros. **2.** Governo de 12 reis do antigo Egito.

dodecassílabo [De *dodec(a)-* + *-sílabo*.] ***Adj.*** **1.** De 12 sílabas. ● ***S. m.*** **2.** Palavra ou verso de doze sílabas.

▲ **dodecil-** *Quím.* ***El. comp.*** Indica a presença de um grupo dodecila: *dodecilbenzeno*. [Ocorre, tb., como infixo.]

▲ **-dodecil-** *Quím.* V. *dodecil-*.

dodecila [De *dodec(a)-* + *-ila*[2].] ***S. f. Quím.*** Grupo $-C_{12}H_{25}$, derivado de dodecano por abstração de um átomo de hidrogênio.

dodecilbenzeno [De *dodecil-* + *benzeno*.] ***S. m. Quím.*** Hidrocarboneto derivado do benzeno pela substituição de um hidrogênio por uma alquila com doze átomos de carbono, us. no fabrico de detergentes [fórm.: $C_{18}H_{30}$]. [V. *ácido dodecilbenzenossulfônico*.]

dodecilbenzenossulfónico ***Adj. Quím.*** V. *dodecilbenzenossulfônico* . [Uso freq. em P.]

dodecilbenzenossulfônico [De *dodecilbenzeno* + *sulfônico*.] ***Adj. Quím.*** ~ V. *ácido —*.

dó de peito [De *dó*[2] + *de* + *peito*.] ***S. m.*** **1.** *Mús.* Nota agudíssima (*dó*[2]) que dão certos tenores. **2.** *Mús.* Tenor capaz de emitir essa nota. **3.** *Fig.* Aquilo que desperta louvor ou grande admiração. [Pl.: *dós de peito*.] ☑

dodô [Do neerl. *dod-aers*.] ***S. m. Zool.*** Ave columbiforme, rafídea, extinta quando o último espécime (*Raphus cucculatus*) foi morto em 1884, na Islândia. [V. *rafídeos*.]

dodói [Da 3.ª pess. sing. do pres. ind. de *doer*, repetida, observando-se apócope na 1.ª vez.] ***S. m. Bras. Inf.*** **1.** Doença (1). **2.** Dor[1] (1): "Às onze horas o menino voltou a gemer. | — Tem dodói, meu filho?" (Dalton Trevisan, *Novelas nada Exemplares*, p. 13.) **3.** Ferida; machucado. ● ***Adj. 2 g.*** **4.** Doente, enfermo: *O pequeno está dodói.* ◆ **Ser cheio de dodóis.** *Turfe* Ter (o cavalo) várias partes do corpo doloridas.

doença [Do lat. *dolentia*.] ***S. f.*** **1.** *Med.* Denominação genérica de qualquer desvio do estado normal. **2.** *Med.* Conjunto de sinais e/ou sintomas que têm uma só causa; moléstia. **3.** *Fig.* Mania, vício, defeito: *Sua paixão pela música é uma doença.* **4.** *Bras. MG Pop.* Parto[1] (1). ◆ **Doença aguda.** Aquela que se instala subitamente, podendo ter, ou não, uma evolução grave. **Doença autoimune.** *Med.* Doença por autoagressão. **Doença azul.** *Patol.* V. *cianose congênita.* **Doença carencial.** A que é devida à insuficiência, no organismo, de fator(es) necessário(s) a seu desenvolvimento e/ou funcionamento normal. **Doença cerebrovascular.** *Neur.* A que compromete vasos sanguíneos cerebrais. **Doença congênita.** A que, independentemente de sua causa, existe, por ocasião do nascimento. **Doença contagiosa.** A que é transmitida por contato de indivíduo infectado a outro indivíduo. **Doença crônica.** A que, ger., tem começo insidioso e apresenta longa duração. **Doença de Adams-Stoke.** *Card. Neur.* A que se caracteriza por perturbações neurológicas (síncope, eventuais convulsões) consequentes a baixa súbita de perfusão sanguínea encefálica, devida a bloqueio cardíaco. [Sin.: *síndrome de Adams-Stoke.*] **Doença de Addison.** *Med.* Aquela que se deve a lesão destrutiva de córtex suprarrenal, e que se caracteriza por hipotensão, anorexia, perda de peso, fraqueza, e hiperpigmentação cutânea de tom bronzeado, causados por insuficiência de funcionamento de glândula suprarrenal. **Doença de Alzheimer.** *Psiq. Neur.* Afecção demencial crônica, progressiva, de origem multifatorial, e em que se podem observar, além de grave distúrbio da memória, desorientação temporal e espacial, afasia, apraxia e agnosia, entre outros sintomas. **Doença de Basedow.** *Patol.* V. *doença de Graves.* [De Karl Adolf von Basedow (1799-1854), médico alemão.] **Doença de Besnier-Boeck-Schaumann.** *Med.* Sarcoidose. **Doença de Bright.** *Patol.* Glomerulonefrite crônica. **Doença de Carrion.** *Med.* Doença infecciosa, veiculada por artrópode, produzida pela *Bartonella bacilliformis* (v. *bartonela*), e que pode apresentar duas etapas: a primeira, aguda (chamada *febre de Oroya*), e que se caracteriza por anemia e febre, e a segunda (chamada *verruga-peruana* ou *verruga do peru*), que surge várias semanas após, apresentando-se como uma erupção cutânea nodular. [Sin.: *bartonelose.*] **Doença de Chagas.** *Bras. Med.* V. *tripanossomíase americana.* **Doença de Creutzfeldt-Jakob.** *Psiq.* Encefalopatia rara que incide, em muitos casos, na quinta década da vida, e que constituiria uma forma de encefalopatia espongiforme, de evolução subaguda, à qual se associam fenômenos demenciais e neurológicos, evoluindo em poucos meses para a morte. **Doença de descompressão.** *Med.* Conjunto de manifestações clínicas caracterizadas por artralgias, distúrbios respiratórios, lesões cutâneas e alterações neurológicas, e que pode ser observado em aviadores que voam a grandes altitudes, bem como em pessoas que, respirando ar comprimido, sofrem redução brusca da pressão do ar, como sucede com aqueles que usam equipamentos de mergulho. [Sin.: *aerobulose*, mal dos aviadores, mal dos mergulhadores.] **Doença de Dukes.** *Med.* V. *quarta-doença.* **Doença de Filatow-Dukes.** *Med.* V. *quarta-doença.* **Doença degenerativa.** *Patol.* Aquela em que um tecido ou um órgão tem as células transformadas em uma substância inerte, perdendo, assim, esse tecido ou órgão, a sua capacidade funcional. **Doença de Gilles de la Tourette.** *Patol.* Doença rara, por vezes familiar, de etiologia desconhecida, e que se inicia na infância ou na adolescência e se caracteriza por tiques motores e, pelo menos, um sonoro; a este quadro clínico podem associar-se fenômenos obsessivo-compulsivos, ecolalia e coprolalia; síndrome de Gilles de la Tourete. [De Georges Gilles de la Tourette, neurologista francês (1857-1904).] **Doença de Graves.** *Patol.* Doença de maior incidência na mulher e em que há hipertireoidismo, frequentemente com bócio, comprometimento ocular, etc.; doença de Graves-Basedow, doença de Basedow. [De Robert James Graves (1796-1853), médico irlandês.] **Doença de Graves-Basedow.** *Patol.* V. *doença de Graves.* **Doença de Heine-Medin.** *Med.* V. *paralisia infantil.* **Doença de Hodgkin.** *Patol.* Forma de linfoma maligno, e de que há mais de um tipo, caracterizada por aumento indolor e progressivo de linfonodos, baço e tecido linfoide, podendo ocorrer, tb., perda de peso, sensação de cansaço, febre, etc. [Sin.: *linfogranulomatose maligna.*] **Doença de Huntington.** *Psiq.* Forma crônica e progressiva de coreia (q. v.), em que o paciente apresenta comprometimento mental, que leva à demência; coreia de Huntington. [De George Sumner Huntington (1850-1916), médico americano.] **Doença de inclusão citomegálica.** *Med.* Infecção produzida por citomegalovírus. [Pode ser congênita, apresentando comprometimento hepático e esplênico, e do sistema nervoso (deficiências mental e motora), ou adquirida, quando seu quadro clínico é semelhante ao da mononucleose infecciosa.] **Doença de Lutz-Splendore-Almeida.** *Patol.* Paracoccidioidomicose. [De Adolfo Lutz (1855-1940), médico brasileiro, Alfonso Splendore (1871-1953), médico italiano, e Floriano Paulo de Almeida (1898-1977), médico brasileiro.] **Doença de Lyme.** Infecção causada pela *Borrelia burgdorferi*, de caráter recidivante, que compromete vários setores orgânicos (músculos, articulações, sistema nervoso, sistema cardiovascular, e que tem como vetores carrapatos *Ixodes scapularis* e *Ixodes pacificus*. [De Old Lyme, local do estado de Connecticut, EUA, de onde proveio o primeiro relato dessa doença (1975).] **Doença de Marie.** *Endocr.* V. *acromegalia.* **Doença de Menière.** *Otor.* A que se caracteriza por perda de audição, tinido e vertigem, decorrentes de afecção labiríntica; síndrome de Menière. **Doença de Nicolas-Favre.** *Med.* V. *linfogranuloma venéreo.* **Doença de Paget.** *Med.* Doença de caráter crônico, que se manifesta nos ossos, provocando-lhes deformações. **Doença de Parkinson.** *Neur.* Moléstia nervosa, de causa desconhecida, caracterizada por tremores rítmicos, rigidez facial e festinação; moléstia de Parkinson, mal de Parkinson, paralisia agitante. [Cf. *parkinsonismo.*] **Doença de Raynaud.** *Patol.* Vasculopatia, de maior incidência na mulher, e que tem como característica surtos bilaterais do fenômeno de Raynaud. [De Maurice Raynaud (1834-1881), médico francês.] **Doença de Recklinghausen.** *Patol.* **1.** V. *neurofibromatose.* **2.** Osteíte fibrosa cística, que se caracteriza por áreas de rarefação óssea, com degeneração fibrosa e formação de cistos; deve-se a hiperfunção paratireoidiana. [De Friedrich Daniel von Recklinghausen (1833-1910), patologista alemão.] **Doença do colágeno.** *Patol.* Qualquer uma de um grupo de doenças que, embora diferentes em manifestações clínicas, têm como característica comum lesões do tecido conjuntivo; colagenose. **Doença do peito.** *Pop.* V. *tuberculose.* **Doença dos legionários.** *Patol.* Infecção bacteriana, devida à *Legionella pneumophila*, e caracterizada por pneumonia, febre alta, cefaleia e, eventualmente, por comprometimento renal, hepático e neurológico. [Observada, primeiramente em 1967, nos EUA, em ex-combatentes, membros da *American Legion*, reunidos em um hotel de Philadelphia, donde a denominação da doença.] **Doença do sono.** *Med.* Doença causada por protozoário (ou *Trypanosoma gambiense*, ou *T. rhodesiense*), e que em fase tardia compromete o sistema nervoso central, originando sono invencível e morte; hipnosia. **Doença do soro.** *Imun.* Manifestação de hipersensibilidade que pode suceder a ministração de soro de origem animal e a outros antígenos. **Doença dos tiques.** *Patol.* V. *doença de Gilles de la Tourette.* **Doença emergente.** *Med.* Aquela que eclode em um meio em que, ademais dos fatores causais, há ocorrências tais como de natureza social, econômica, ecológica, epidemiológica, e outras consequentes a evolução, seleção e adaptação de uma espécie, migração humana ou animal, intercâmbio comercial, movimentação de tropas, má higiene, alimentação deficiente, baixa biodiversidade, fatores genéticos, alterações climáticas e alteração imunológica. **Doença endêmica.** *Patol.* A que existe, permanentemente, em uma população ou em uma região geográfica, ocasionando, ger., baixa mortalidade. **Doença enxerto *versus* hospedeiro.** *Patol.* Aquela produzida por reação imunológica de células histocompatíveis e imunocompetentes do doador contra tecidos de hospedeiro imunocompetente; reação enxerto *versus* hospedeiro. **Doença epidêmica.** *Patol.* A que, subitamente, incide em uma população ou em uma região geográfica e mata em uma quantidade muito maior do que a habitual. **Doença fibrocística do pâncreas.** *Patol.* Mucoviscidose. **Doença fibrocística mamária.** *Patol.* Displasia mamária, em que se formam cistos de variáveis dimensões, em cujo interior existe um líquido turvo. **Doença hemolítica do recém-nascido.** *Med.* V. *eritroblastose fetal.* **Doença hereditária.** *Patol.* A que, por via genética, se transmite de pais a filhos. **Doença infecciosa.** *Patol.* Qualquer doença causada por organismos patogênicos (vírus, bactérias, protozoários, etc.), podendo ser transmitida de um indivíduo a outro, ou originar-se no próprio indivíduo. **Doença infectocontagiosa.** *Patol.* Doença transmissível. **Doença orgânica.** Qualquer uma em que se demonstre lesão em algum integrante do organismo. **Doença pandêmica.** A que se apresenta com caráter de pandemia. **Doença parasitária.** Aquela causada por parasito. **Doença por autoagressão.** *Med.* A que é devida a autoanticorpo presente no soro de um indivíduo. [Esse anticorpo, reagindo contra tecido alterado e contra tecido análogo normal, provoca lesões anatômicas e distúrbios funcionais. Sin.: *doença autoimune.*] **Doença profissional.** **1.** *Med.* A que é causada pelo exercício de uma profissão. **2.** *Med. Dir. Trab.* Moléstia resultante de exposição do empregado a fatores (físicos, químicos ou biológicos) bem determinados no meio ambiente laboral, a qual assegura ao paciente, pelo prazo mínimo de doze meses, a manutenção do seu contrato de trabalho no empregador, após a cessação do auxílio-doença acidentário. **Doença psicossomática.** Aquela em que a lesão somática é causada ou acentuada por fator psicológico. **Doença sagrada.** V. *epilepsia.* **Doença sexualmente transmissível.** Qualquer infecção que se transmite mediante contato homo ou heterossexual. [Constituem um grupo de infecções diversas, e algumas (doenças venéreas) só se transmitem pela atividade sexual e outras (hepatites, infecções intestinais) podem, também, transmitir-se por outros meios que não o sexual. Abrev.: DST.] **Doença sistêmica.** *Patol.* A que compromete o organismo como um todo. **Doença ressurgente.** *Med.* Doença que, tida como sob controle por muito tempo, retorna com apreciável intensidade. **Doença ruim.** *Bras. Pop.* Doença incurável, ou de cura difícil, como, p. ex., o câncer, a lepra, a tuberculose. **Doença terminal.** *Med.* Denominação imprópria de etapa final de uma doença, e que leva à morte. **Doença transmissível.** *Patol.* Doença infecciosa que se transmite de contaminado a não contaminado, e por contato direto ou indireto (vetor, fômite); doença infectocontagiosa. **Doença tropical.** *Med.* Qualquer das doenças — a opilação, a malária, o beribéri, a febre amarela, a doença do sono, etc. — erroneamente atribuídas ao clima tropical por alguns autores europeus. **Doença venérea.** *Med.* Qualquer daquelas que se contraem, sobretudo, pelo contato sexual: a sífilis, a blenorragia, etc. [Sin., bras., pop.: *doença do mundo.*]

doença do mundo *S. f. Bras.* V. *doença venérea*: "Como consequências naturais do regime de libertinagem ou do amor livre, ocorrem então as chamadas doenças do mundo, que não poupam sequer o governador Cunha Meneses" (Afonso Ávila, *Resíduos Seiscentistas em Minas*, I, p. 70). [Pl.: *doenças do mundo.*]

doençaria [De *doença* + *-aria.*] *S. f. Pop.* Porção de doenças.

doente [Do lat. *dolente.*] ***Adj. 2 g.*** **1.** Que tem doença; enfermo. **2.** Fraco, achacadiço; doentio. **3.** *P. ext.* Que sofre mal moral. **4.** *Bras.* Apaixonado, louco, maníaco, fanático: *Helena é flamengo doente.* • ***S. 2 g.*** **5.** Pessoa doente. ◆ **Doente terminal.** *Med.* Denominação imprópria de doente que se encontra na etapa final de uma doença, *i. e.*, próximo da morte.

doentio [De *doente* + *-io*[2].] ***Adj.*** **1.** Que adoece com facilidade; débil: *É criança doentia.* **2.** Prejudicial ou nocivo à saúde: *clima doentio.* **3.** Que tem caráter de doença; mórbido: *É de um pessimismo doentio.*

doer [Do lat. *dolere.*] ***V. int.*** **1.** Causar dor, sofrimento; fazer sofrer: "É [o amor] dor que desatina sem doer." (Luís de Camões, *Rimas*, p. 135); "Ah! como dói assim viver, sentindo / Asas nos ombros e grilhões nos pulsos!" (Olavo Bilac, *Poesias*, p. 125.) **2.** Causar dó, pena: *A mendicância infantil é um espetáculo que dói;* "— Ah, como dói viver quando falta a esperança!" (Manuel Bandeira, *Estrela da Vida Inteira*, p. 46.) **3.** Experimentar sensação dolorosa; estar dorido: *Doía-lhe todo o corpo.* ***T. i.*** **4.** Causar pena, dó; pesar: *A miséria do amigo doía-lhe.* ***P.*** **5.** Ressentir-se (física ou moralmente); magoar-se: *O artista doeu-se das críticas à sua obra.* **6.** Sentir remorsos; arrepender-se: *Velho, doía-se dos pecados da juventude.* **7.** Apiedar-se, compadecer-se, comiserar-se, amiserar-se, condoer-se: "Dói-te de mim que t'imploro / Perdão a teus pés curvado" (Gonçalves Dias, *Obras Poéticas*, I, p. 348). [Como int. e t. i., só se conjuga nas 3.as pess. Pres. ind.: *dói, doem*; imperf.: *doía, doíam*; perf.: *doeu, doeram* (ê); m.-q.-perf.: *doera* (ê), *doeram* (ê); fut. pres.: *doerá, doerão*; fut. pret.: *doeria, doeriam*; pres. subj.: *doa* (ô), *doam* (ô); imperf.: *doesse* (ê), *doessem* (ê); fut.: *doer* (ê), *doerem* (ê); ger.: *doendo*; part.: *doído*. Como pron., conjuga-se em todas as pess.: *eu me doo*, etc. Cf. *doe* (ô), *doem* (ô), do v. *doar*, e *doído*.] ◆ **De doer.** *Pej.* Extremamente; em excesso: *É feio de doer; São burros de doer.* **Doa a quem doer.** Independentemente do incômodo, irritação ou prejuízo que possa ser causado a alguém, a vontade enunciada há de prevalecer; doesse a quem doesse. **Doesse a quem doesse.** V. *doa a quem doer*: "Agora, doesse a quem doesse, santa paciência: ali mandava ele." (Miguel Torga, *Bichos*, p. 50.)

doestador (ô) [De *doestar* + *-dor.*] ***Adj. S. m.*** Que, ou aquele que doesta.

doestar [Do lat. *dehonestare.*] ***V. t. d.*** **1.** Dirigir doestos a; injuriar; insultar. ***P.*** **2.** Injuriar-se reciprocamente. [Sin. ger.: *adoestar.*]

doesto (ê) [Dev. de *doestar.*] ***S. m.*** Acusação desonrosa; vitupério, insulto, injúria: "maltrataram ao licencioso monge, com doestos e pancadas, até a prisão." (João Ribeiro, *Crepúsculo dos Deuses*, pp. 40-41).

dogado ***Adj.*** *Cabo-verd.* Embriagado, bêbado: "Dos circunstantes, como se, acaso, estivessem dogados, ninguém mais falou." (Nuno de Miranda, *Cais de Pedra*, p. 67.)

dogal [De *doge* + *-al*¹.] *Adj. 2 g.* Pertencente ou relativo a, ou próprio de doge.

dogaresa (ê) [Var. de *dogaressa*.] *S. f.* V. *dogesa*.

dogaressa (ê) [Do it. *dogaressa*.] *S. f.* V. *dogesa*.

doge [Do it. *dòge*.] *S. m.* Magistrado supremo das antigas repúblicas de Veneza e Gênova: "Quanto à diversidade de materiais do templo [a igreja de S. Marcos, em Veneza], explicou-a um historiador no constante rapinagem de Veneza aos povos vizinhos e no fato de serem os navegantes da República obrigados, por decreto do doge, a trazer sempre, de onde quer que retornassem, um dom qualquer à futura catedral." (Agripino Grieco, *O Sol dos Mortos*, p. 138.) [Fem.: *dogesa, dogaresa* e *dogaressa*.]

dogesa (ê) [De *doge* + *-esa*.] *S. f.* Mulher do doge; dogaressa, dogaresa.

dogma [Do lat. *dogma, atis* < gr. *dógma, atos*, 'decisão'.] *S. m.* **1.** Ponto fundamental e indiscutível duma doutrina religiosa, e, p. ext., de qualquer doutrina ou sistema: "Segundo o dogma calvinista, o homem perdeu, pelo pecado original, todas as forças do bem" (Oto Maria Carpeaux, *A Cinza do Purgatório*, p. 302). **2.** *Rel.* Na Igreja Católica Apostólica Romana, ponto de doutrina já por ela definido como expressão legítima e necessária de sua fé.

dogmático [Do lat. *dogmaticu*.] *Adj.* **1.** Respeitante a, ou próprio de dogma. **2.** *Fig.* Autoritário; sentencioso. ~ V. *realismo* —.

dogmatismo [De *dogma* (< lat. *dogma, atis*) + *-ismo*.] *S. m. Filos.* **1.** Doutrina que afirma a existência de verdades certas e que se podem provar indiscutíveis. [Cf. *agnosticismo* e *ceticismo*.] **2.** No kantismo, doutrina cujos princípios e proposições são aceitos de modo não crítico. [Cf., nesta acepç., *criticismo*.]

dogmatista [Do gr. *dogmatistés*, pelo lat. *dogmatistes*.] *Adj. 2 g. S. 2 g.* **1.** Diz-se de, ou sectário do dogmatismo. **2.** *Fig.* Diz-se de, ou pessoa de ideias autoritárias.

dogmatizador (ô) [De *dogmatizar* + *-dor*.] *Adj. S. m.* Que, ou aquele que dogmatiza; dogmatizante.

dogmatizante [De *dogmatizar* + *-nte*.] *Adj. 2 g. S. 2 g.* Dogmatizador.

dogmatizar [Do gr. *dogmatízein*, pelo lat. *dogmatizare*.] *V. t. d.* **1.** Proclamar como dogma; ensinar com autoritarismo: *Intolerante, dogmatiza sua concepção do mundo. Int.* **2.** Estabelecer dogma(s). **3.** Falar ou escrever em tom dogmático; atribuir às suas afirmações o valor de indiscutíveis: *Mau professor: antes dogmatiza do que dialoga.*

dogom *S. 2 g. Etnôn.* **1.** Indivíduo dos dogons, povo da atual República do Mali (N.O. da África). • *Adj. 2 g.* **2.** Pertencente ou relativo a esse povo.

dogue [Do ingl. *dog*, poss. pelo fr. *dogue*.] *S. m. Cinol.* Designação comum a cães de guarda de diversas raças, ger. de grande porte, e que se caracterizam por ter o maxilar inferior largo e forte, o focinho curto, e pele enrugada. ◆ **Dogue alemão.** *Cinol.* Dinamarquês (6).

doida [F. de *doido*.] *S. f.* **1.** Mulher doida: "A doida partiu todos os candelabros glabros" (Fernando Pessoa, *Poesias de Fernando Pessoa*, p. 23). **2.** Moléstia que ataca os miolos do gado lanígero. [F. paral.: *douda*. Cf. *doída*, fem. de *doído*.] ◆ **À doida. 1.** Sem juízo; estouvadamente. **2.** V. *à toa* (1). **3.** Sem medida nem reflexão: "Era o homem dos asilos, das caixas de beneficência, dos hospitais, ... para onde dava dinheiro à doida" (Luís de Magalhães, *O Brasileiro Soares*, p. 23).

doidão [De *doido* + *-ão*¹.] *Adj. S. m.* **1.** Aum. de *doido*; doidarrão. **2.** *Bras. Gír.* Diz-se de, ou aquele que faz uso de entorpecente (2). [F. paral.: *doudão*. Fem.: *doidona*.]

doidaria [De *doido* + *-aria*.] *S. f.* **1.** Os doidos. **2.** V. *doidice*. [F. paral.: *doudaria*.]

doidarrão [De *doido* + *-arrão*.] *Adj. S. m.* **1.** Aum. de *doido*. **2.** Idiota; pateta, parvo. [Sin. ger.: *doidão*. F. paral.: *doudarrão*. Fem.: *doidarrona*.]

doidarrona *S. f.* Fem. de *doidarrão* (q. v.). [F. paral.: *doudarrona*.]

doideira [De *doido* + *-eira*.] *S. f.* V. *doidice*: "Doideira! Por que fizera a pergunta ao cuco, na presença daquelas trocistas?" (Garibaldino de Andrade, *O Sol e a Nuvem*, p. 163.) [F. paral.: *doudeira*.]

doidejante [De *doidejar* + *-nte*.] *Adj. 2 g.* Que doideja. [F. paral.: *doudejante*.]

doidejar [De *doido* + *-ejar*.] *V. int.* **1.** Praticar doidices, loucuras, desatinos; disparatar: *Doidejou durante os três dias de carnaval.* **2.** Brincar; foliar; folgar: *As crianças doidejavam pelo parque. T. c.* **3.** Vagabundear, vadiar, vaguear; errar: *Alta noite, doidejava pelas ruas ermas.* [F. paral.: *doudejar*. Conjug.: v. *pelejar*.]

doidejo (ê) [Dev. de *doidejar*.] *S. m.* Ato de doidejar. [F. paral.: *doudejo*.]

doidelo [De *doido* + *elo*.] *S. m. Bras.* V. *doidivanas*. [F. paral.: *doudelo*.]

doidice [De *doido* + *-ice*.] *S. f.* **1.** Ato ou palavras de doido. **2.** Ato impensado ou leviano; imprudência, maluquice: *Comete suas doidices, e quer passar por ajuizado.* **3.** Extravagância, excesso, exagero: *É uma doidice o que ela gasta em roupas.* **4.** Paixão, arrebatamento, alucinação. [F. paral.: *doudice*; sin. ger.: *doidaria, doideira, loucura*.]

doidivanas [De *doido*.] *S. 2 g. e 2 n. Fam.* Indivíduo leviano, imprudente, estouvado; adoidado, doidelo, girolas. [F. paral.: *doudivanas*.]

doido [De or. controv.] *Adj.* **1.** Louco, alienado, demente. **2.** Que age como doido; extravagante, insensato, imprudente, arrebatado, exagerado: *indivíduo doido.* **3.** Extravagante, exagerado: *moda doida; maneiras doidas*; "mordia-lhe o coração um ciúme doido" (Herman Lima, *Tijipió*, p. 144). **4.** Insensato, temerário: *coragem doida; pensamento doido.* **5.** Apaixonado, arrebatado, entusiasmado: *É doido por literatura.* **6.** Muito contente; encantado; envaidecido: *Está doido com o prêmio que recebeu.* **7.** Ansioso, desejoso, ávido: "A rua chega a preocupar os loucos. Nos hospícios, onde esses cavalheiros andam doidos por se verem cá fora, encontrei planos de ruas ideais" (João do Rio, *A Alma Encantadora das Ruas*, p. 29). • *S. m.* **8.** Indivíduo doido. [F. paral.: *doudo*. Aum.: *doidão, doidarrão*. Cf. *doído*.] ◆ **Doido de pedra.** Muitíssimo doido; doido varrido. **Doido manso.** Pessoa amalucada, mas incapaz de atitudes agressoras. **Doido varrido.** Doido de pedra. **Dar em doido.** Ficar maluco, perder o juízo, enlouquecer: "Ora essa! Se acho?! Se lhe parece! Uma peça de 7$000 réis! .... Safa! Eu dava em doido!" (Eça de Queirós, *Contos*, p. 715.)

doído [Part. de *doer*.] *Adj.* **1.** Dorido, sensibilizado, magoado. **2.** Que denota ou revela dor; dorido: *um grito doído.* **3.** Que causa dor; doloroso: *Tomei uma injeção muito doída.* **4.** *Bras. Turfe* Baleado (2). [Fem.: *doída*. Cf. *doido* e *doida*.]

doidona *S. f.* Fem. de *doidão* (q. v.). [F. paral.: *doudona*.]

do-in *S. m.* Espécie de massagem, que inclui pressão feita com os dedos sobre vários pontos do corpo, com intuito terapêutico: "Saí ao sol onde tentei um do-in" (Ana Cristina César, *Inéditos e Dispersos*, p. 201).

doiração *S. f.* V. *douração*.

doirada *S. f.* V. *dourada*.

doiradão *S. m.* V. *douradão*.

doiradilho *Adj. Bras. S.* V. *douradilho*.

doiradinha *S. f.* V. *douradinha*.

doirado [Part. de *doirar*.] *Adj. S. m.* V. *dourado*: "Sua trança doirada desdoirou-se" (Eugênio de Castro, *Obras Poéticas*, X, p. 191).

doirador (ô) *S. m.* V. *dourador*.

doiradura *S. f.* V. *douradura*.

doiramento *S. m.* V. *douramento*.

doirar *V. t. d. Int. P.* V. *dourar*: "Doirara o sol de outubro a areia dos caminhos" (Olavo Bilac, *Poesias*, p. 227); "Pensa em mim, como em ti saudoso penso, / Quando a lua no mar se vai doirando" (Álvares de Azevedo, *Obras Poéticas*, I, p. 313).

▲**-doiro**¹ V. *-douro*¹.

▲**-doiro**² [Do lat. *-toriu*, por via pop.] V. *-douro*².

dois [Var. de *dous*.] *Num.* **1.** Quantidade que é uma unidade maior do que um (1); um mais um. **2.** *Mat.* Número (4) correspondente a essa quantidade. [Nessas acepçs., representa-se por 2 em algarismos arábicos, e por II, em algarismos romanos.] **3.** Us. como interjeição, exprime concordância com o que outrem acaba de dizer, valendo por redução de 'somos dois': — *Eu detesto uísque.* | — *Dois.* [Fem., nas acepçs. 1 a 3: *duas*.] **4.** Que está marcado ou identificado com o número 2. **5.** Segundo¹ (1). [Nas acepçs. 4 e 5, é us. como aposto (sem flexão), em seguida a um substantivo: *linha dois; loja dois.*] • *S. m. 2 n.* **6.** Representação, em algarismos, do número dois. **7.** Aquilo ou aquele que numa série ocupa o segundo lugar. **8.** Carta de jogar, face de dado ou pedra de dominó que tem dois sinais. **9.** A nota dois, em exame, concurso ou algum tipo de avaliação. ◆ **Dar um dois.** *Bras. Gír.* Fumar maconha: "Deixa eu dar um dois também", afirma, usando uma gíria comum para "fumar maconha". Famílias como a dele, ... , não são tão difíceis de se encontrar." (Tarso Araújo, em *Folha de S.Paulo*, 23.11.2009.)

dois-amigos *S. m. 2 n. Bras. Bot.* V. *dois-irmãos* (1).

dois-amores [De *dois* + o pl. de *amor*.] *S. m. 2 n. Bras. Amaz. Bot.* Arbusto euforbiáceo (*Pedilanthus tithymaloides*), provido de látex, com flores vermelhas, pequenas, dispostas em circunferência, reunidas em cimeiras, sendo o fruto uma cápsula larga, com várias sementes; dois-irmãos, picão, sapatinho-de-judeu, sapatinho-do-diabo, sapatinho-dos-jardins.

dois-correguense *Adj. 2 g.* **1.** De, ou pertencente ou relativo a Dois Córregos (SP). • *S. 2 g.* **2.** O natural ou habitante de Dois Córregos. [Pl.: *dois-correguenses*.]

■ **2D** [Sigla de *bidimensional*.] Diz-se de imagens com duas dimensões, largura e comprimento.

dois de paus *S. m. 2 n. Bras.* Indivíduo insignificante, esp. o incapaz de qualquer iniciativa.

dois-dois *S. m. 2 n. Bras. Rel. Pop.* Designação de Ibêji (q. v.). [Ger. com as iniciais maiúsculas.]

dois-irmanense *Adj. 2 g.* **1.** De, ou pertencente ou relativo a Dois Irmãos do Tocantins (TO). • *S. 2 g.* **2.** O natural ou habitante de Dois Irmãos do Tocantins. [Pl.: *dois-irmanenses*.]

dois-irmãos [De *dois* + o pl. de *irmão*.] *S. m. 2 n. Bot.* **1.** *Bras.* Arbusto euforbiáceo (*Euphorbia splendens*) ornamental, cultivado em jardins e para cercas vivas, armado de numerosíssimos espinhos, e cujas flores são vermelhas, pedunculadas, com brácteas vermelho-vivas e dispostas em cimeiras terminais; bem-casados, coroa-de-cristo, dois-amigos, martírio. **2.** V. *dois-amores*.

dois-irmãosense¹ *Adj. 2 g.* **1.** De, ou pertencente ou relativo a Dois Irmãos (RS). • *S. 2 g.* **2.** O natural ou habitante de Dois Irmãos. [Pl.: *dois-irmãosenses*.]

dois-irmãosense² *Adj. 2 g.* **1.** De, ou pertencente ou relativo a Dois Irmãos das Missões (RS). • *S. 2 g.* **2.** O natural ou habitante de Dois Irmãos das Missões. [Pl.: *dois-irmãosenses*.]

dois-lajeadense *Adj. 2 g.* **1.** De, ou pertencente ou relativo a Dois Lajeados (RS). • *S. 2 g.* **2.** O natural ou habitante de Dois Lajeados. [Pl.: *dois-lajeadenses*.]

dois-pombinhos [De *dois* + o pl. de *pombinho*.] *S. m. pl.* Pombinhos.

dois-pontos *S. m. 2 n.* **1.** V. *sinal de pontuação*. **2.** *Joc.* Expressão que destaca o que se vai dizer em seguida: *O que eu quero dizer é o seguinte, dois-pontos, não vou sair.*

dois-quartos *S. m. 2 n. Bras.* Apartamento de dois quartos.

dois-sem *S. m. 2 n. Esport.* Modalidade, em competição de remo, em que não há um timoneiro.

dois-vizinhense *Adj. 2 g.* **1.** De, ou pertencente ou relativo a Dois Vizinhos (PR). • *S. 2 g.* **2.** O natural ou habitante de Dois Vizinhos. [Pl.: *dois-vizinhenses*.]

dolabriforme [Do lat. *dolabra*, 'machadinha', + *-iforme*.] *Adj. 2 g.* ~ V. *folha* —.

dólar¹ [Do ingl. *dollar*.] *S. m.* **1.** Unidade monetária, e moeda, de Antígua e Barbuda, Austrália, Baamas, Barbados, Belize, Brunei, Canadá, Singapura, Dominica, Equador, E.U.A., Fiji, Granada, Guiana, Ilhas Marshall, Ilhas Salomão, Jamaica, Libéria, Micronésia, Namíbia, Nauru, Nova Zelândia, Palau, Quiribate, Santa Lúcia, São Cristóvão e Névis, São Vicente e Granadinas, Taiwan (Formosa), Timor-Leste, Trinidad e Tobago, Tuvalu, Zimbábue, igual a 100 cêntimos. **2.** *Bras. Gír.* Pacote de maconha para um cigarro. [Pl.: *dólares*.]

dólar² *S. f. Bras. Bot.* V. *hera-terrestre*.

dolarização [De *dolarizar* + *-ção*.] *S. f. Econ.* **1.** Utilização do dólar dos E.U.A. como unidade de valor ou forma de entesouramento. **2.** Vinculação de uma moeda ao dólar dos E.U.A., ficando sua emissão condicionada à existência de reservas em dólar, e adotando-se uma taxa de câmbio fixa entre as duas moedas.

dolarizar [De *dólar*¹ + *-izar*.] *V. t. d. Econ.* Introduzir a dolarização em: *O Plano Cavallo dolarizou a economia argentina no início da década de 90.*

➔**dolby** ['dowlbi] [Ingl., marca registrada, do antr. (*Ray Milton*) *Dolby* (1933), engenheiro eletricista e inventor norte-americano.] *S. m. Eletrôn.* **1.** Sistema de gravação e reprodução de áudio em fitas magnéticas, que permite redução de ruído inerente a essas fitas. **2.** Dispositivo eletrônico munido desse sistema. [Com cap.]

➔**dolce far niente** ['doltʃe far 'njente] [It.] Agradável ociosidade.

dolcinopolitano *Adj.* **1.** De, ou pertencente ou relativo a Dolcinópolis (SP). • *S. m.* **2.** O natural ou habitante de Dolcinópolis.

dolé *S. m. Bras. PR* Picolé (1).

doleiro [De *dól(ar)*¹ + *-eiro*.] *S. m. Bras.* Aquele que se ocupa ilegalmente em compra e venda de dólares: "os doleiros foram multados em até 100% sobre o equivalente em cruzeiros dos dólares adquiridos." (*Jornal do Brasil*, 31.03.1983).

dolência [Do lat. *dolentia*.] *S. f.* Mágoa, lástima, dor.

dolente [Do lat. *dolente*.] *Adj. 2 g.* Que manifesta dor; magoado; lamentoso; lastimoso: "E nas salas ressoam uns suspiros / Dolentes como as súplicas dos cegos." (Cesário Verde, *Obra Completa*, p. 47.)

dolero *Adj. Bras. PE Pop.* Bonito, formoso; benfeito, bem-posto; elegante.

▲**dolico-** [Do gr. *dolichós-* < gr. *dolichós, ḗ, ón* (ĭ).] *El. comp.* = 'longo', 'comprido': *dolicocéfalo*.

dólico [Do tax. *Dolichos* (do gr. *dolichós, é, ón*, 'longo').] *S. m. Bot.* **1.** Gênero de trepadeiras fabáceas, ger. tropicais, dotadas de estilo com barba, flores dispostas em cachos axilares pedunculados, e vagem comprimida, arqueada, bivalve, com duas a quatro sementes. 2. Qualquer espécie desse gênero, como, por ex., a *Dolichos lablab* [v. *lablabe* (2)]. 3. Qualquer espécie desse gênero.

dolicocefalia [De *dolico-* + *-cefal(o)-* + *-ia*[1].] *S. f.* Estado de dolicocéfalo.

dolicocefálico [De *dolicocefalia* + *-ico*[2].] *Adj.* Referente a dolicocefalia, ou a dolicocéfalo.

dolicocéfalo [De *dolico-* + *-céfalo.*] *Adj. S. m. Antropom.* Diz-se do, ou o tipo humano cujo crânio é oval, sendo o diâmetro transversal menor, em um quarto, do que o longitudinal. [Cf. *braquicéfalo* e *mesaticéfalo.*]

dolicópode [De *dolico-* + *-pode.*] *Adj. 2 g. Zool.* Que tem patas grandes.

dolicopsilídeo [Do tax. *Dolichopsylla* (< gr. *dolichós* [v. *dolico-*] + gr. *psýlla*, 'pulga') + *-ídeo*[1]; tax. *Dolichopsyllidae.*] *Zool. S. m.* 1. Espécime dos dolicopsilídeos, a maior família de insetos sifonápteros, largamente distribuídos. São as pulgas encontradas em roedores e aves e que apresentam duas ou mais fileiras de cerdas nos tergitos abdominais. ● *Adj.* 2. Pertencente ou relativo a eles.

doliídeo [Do tax. *Dolium* (< lat. *dolium*, 'jarra bojuda') + *-ídeo*[1]; tax. *Doliidae.*] *Zool. S. m.* 1. Espécime dos doliídeos, família de moluscos gastrópodes, prosobrânquios, dos mares tropicais, com concha grande, nacarada e fina. Ex.: gênero *Dollium.* ● *Adj.* 2. Pertencente ou relativo a eles.

dolina [Do eslavo *dolina*, 'vale'.] *S. f. Geol.* Depressão afunilada, produzida pela dissolução em regiões calcárias ou pelo desmoronamento resultante de tais dissoluções.

doliolídeo [Do tax. *Doliolum* + *-ídeo*[1]; tax. *Doliolidae.*] *Zool. S. m. Adj.* V. *doliólido.*

doliólido [Adapt. do tax. *Doliolida.*] *Zool. S. m.* 1. Espécime dos doliólidos, ordem de tunicados taliáceos, de corpo em forma de barril, bandas musculares completas ao redor do corpo, com oito anéis regulares, fendas branquiais curtas, poucas ou numerosas, larva com cauda. ● *Adj.* 2. Pertencente ou relativo a eles. [Sin. ger.: *doliolídeo.*]

➔**dolly** ['dɑlij] [Ingl.] *S. m. Cin. Telev.* Carrinho us. para movimentar câmara ou microfone.

➔**dolly-in** ['dɑlij ɪn] [Ingl.] *S. m. Cin. Telev.* Ato de aproximar, com o *dolly*, a câmara do assunto (3).

➔**dolly-out** ['dɑlij æwt] [Ingl.] *S. m. Cin. Telev.* Ato de afastar, com o *dolly*, a câmara do assunto (3).

dólmã [Do fr. *dolman.*] *S. m.* Veste ou casaco militar que, em geral, leva alamares: 📖 "Usava farda cáqui, dólmã abotoado de modo irrepreensível." (Pedro Nava, *Beira-Mar*, p. 26.)

dólmen [Do fr. *dolmen.*] *S. m.* Monumento druídico formado de uma grande pedra chata posta sobre duas outras verticais: 📖 "Gargântua é o herói de mil aventuras picarescas, ou maravilhosas ..... Aqui, as pedras conservam traços de suas mãos e de seus pés. Ali, montões de rochedos são os seus resíduos. Acolá, um menir é um de seus dentes, um dólmen é um de seus sapatos" (Gustavo Barroso, *Através dos Folclores*, pp. 68-69). [Pl.: *dolmens* e (p. us. no Brasil) *dólmenes.* Cf. *anta*[1] (1) e *menir.*]

dolmênico *Adj.* V. *dolmênico.* [Uso freq. em P.]

dolmênico [De *dólmen* + *-ico*[2].] *Adj.* Relativo a dólmen.

dolo[1] (ó) [Do lat. *dolu.*] *S. m.* 1. Qualquer ato consciente com que alguém induz, mantém ou confirma outrem em erro; má-fé, logro, fraude, astúcia; maquinação. 2. *Jur.* Vontade conscientemente dirigida ao fim de praticar crime ou ilícito civil, ou de assumir o risco de que ocorra um ou outro. [Cf. *culpa* (6).]

dolo[2] (ó) *S. m.* Espécie de punhal usado outrora na Península Hispânica.

dologum *S. m. Bras. Rel.* V. *dilogum.*

dolomia [Do antr. *Dolomieu* (v. *dolomita*) + *-ia*[1].] *S. f. Min.* Dolomita.

dolomita [Do antr. (*Déodat-Guy-Sylvian Gratet de*) *Dolomieu* (1750-1801), geólogo e mineralogista francês, + *-ita*[3].] *S. f. Min.* Mineral hexagonal, carbonato duplo de cálcio e magnésio; dolomia.

dolomítico[1] [De *dolomita* + *-ico*[2].] *Adj.* Da natureza da dolomita, ou que a contém.

dolomítico[2] [Do top. (*Alpes*) *Dolomíticos.*] *S. m. Gloss.* Dialeto do rético falado na região dos Alpes Dolomíticos (Itália).

dolomito [Do antr. *Dolomieu* (v. *dolomita*) + *-ito*[2].] *S. m. Geol.* Rocha constituída essencialmente de dolomita.

dolorido [Part. de *dolorir.*] *Adj.* 1. Que tem dor; dorido. 2. Magoado, lastimoso, lamentoso, dolente; doloroso: 📖 "Rever-me em teu rosto amigo, / Pensar em quanto hei perdido, / E este pranto dolorido / Deixar correr a teus pés." (Gonçalves Dias, *Obras Poéticas*, I, p. 344.)

dolorífico [Do lat. *dolorificu.*] *Adj.* Doloroso (1).

dolorosa [Trad. do fr. *douloureuse.*] *S. f. Bras. Gír.* A conta que se deve pagar: 📄 *Garçom, traga a dolorosa.*

dolorosamente [Do f. de *doloroso* + *-mente.*] *Adv.* De modo doloroso; sentindo e/ou provocando dor.

doloroso (ô) [Do lat. *dolorosu.*] *Adj.* 1. Que produz dor; dolorífico. 2. Dorido, magoado, lastimoso. 3. Amargurado, aflito. ~ V. *tique — e mistérios —s.*

doloso (ô) [Do lat. *dolosu.*] *Adj.* 1. Em que há dolo[1]. 2. Que procede com dolo[1]. 3. Causado por dolo[1]. ~ V. *crime —.*

dom[1] [Do lat. *donu.*] *S. m.* 1. Donativo, dádiva, presente: 📖 "Prova. Olha. Toca. Cheira. Escuta. / Cada sentido é um dom divino." (Manuel Bandeira, *Estrela da Vida Inteira*, p. 20.) 2. Dote ou qualidade natural, inata. 3. *Fig.* Mérito, merecimento, vantagem. 4. Poder, virtude, privilégio: 📖 "D. Carmo possui o dom de falar e viver por todas as feições" (Machado de Assis, *Memorial de Aires*, p. 19).

dom[2] [Do lat. *dominu*, 'senhor'.] *S. m.* Forma de tratamento dada a reis, príncipes e nobres e dignitários da igreja católica, sempre seguida do nome de batismo: 📄 *Dom Pedro I, Dom Hélder Câmara.* [Com cap.]

doma [Dev. de *domar.*] *S. f. Bras.* Ato ou efeito de domar (1).

domabilidade [De *domável* + *-(i)dade*, seg. o padrão erudito.] *S. f.* Qualidade ou caráter de domável.

domação [De *domar* + *-ção.*] *S. f. Bras.* Ato de domar.

domácia [Do lat. cient. *domatia*, neutro pl. do lat. cient. *domatium.*] *S. f. Bot.* Pequeninas estruturas que se encontram na face inferior de muitas folhas, no ângulo formado pela nervura central com as nervuras laterais, e que apresentam forma variada; tufos de pelos, bolsas saciformes, etc.

domado [Part. de *domar.*] *Adj.* Que se domou, amansou.

domador (ô) [Do lat. *domatore.*] *Adj. S. m.* Que, ou aquele que doma ou domestica.

domadora (ô) [Fem. de *domador.*] *S. f.* Fem. de *leão* (8) (q. v.).

dom-aquinense *Adj. 2 g.* 1. De, ou pertencente ou relativo a Dom Aquino (MT). ● *S. 2 g.* 2. O natural ou habitante de Dom Aquino. [Pl.: *dom-aquinenses.*]

domar [Do lat. *domare.*] *V. t. d.* 1. Amansar; domesticar: 📄 *O lenhador domou o lobo.* 2. Vencer; subjugar; sujeitar: 📄 *domar os inimigos.* 3. Refrear, reprimir, conter: 📄 *Os estoicos pretendiam domar as paixões.* *P.* 4. Reprimir-se, refrear-se, conter-se.

▲ **domato-** [Do gr. *dōmat-*, *dōmato-* < gr. *dômas, atos*, 'construção'; 'casa'; 'morada'.] *El. comp.* = 'construção'; 'casa': *domatofobia, domatófobo.*

domatofobia (dô) [De *domato-* + *-fobia.*] *S. f. Psiq.* Medo patológico de estar dentro de uma casa.

domatofóbico (dô) [De *domatofobia* + *-ico*[2].] *Psiq. Adj.* 1. Relativo à domatofobia. 2. Que sofre de domatofobia; domatófobo. ● *S. m.* 3. Aquele que sofre de domatofobia; domatófobo.

domatófobo [De *domato-* + *-fobo.*] *Adj. S. m. Psiq.* Domatofóbico (2 e 3).

domável [Do lat. *domabile.*] *Adj. 2 g.* Que se pode domar.

dom-basiliense *Adj. 2 g.* 1. De, ou pertencente ou relativo a Dom Basílio (BA). ● *S. 2 g.* 2. O natural ou habitante de Dom Basílio. [Pl.: *dom-basilienses.*]

dombeia [Do tax. *Dombeya* (do antr. [*Joseph*] *Dombey* [-1794], botânico francês + lat. cient. *-ia* [v. *-ia*[2]]).] *S. f. Bot.* 1. Gênero de arbustos e pequenas árvores esterculiáceos originários da África, dotados de grandes folhas com nervuras palmadas, flores exuberantes, em inflorescências pendentes, e frutos capsulares. 2. Qualquer espécie desse gênero, como, por ex., a *Dombeya tiliacea* [v. *borla* (4)]. 3. Qualquer espécime desse gênero, ou a sua flor. [Sin. ger.: *astrapeia.*]

dom-bernardo *S. m. Bras. MG SP PR Bot.* Arbusto rubiáceo (*Psychotria tetraphylla*) de flores alvas, dispostas em panículas piramidais, terminais, pubescentes e fruto drupáceo, com sementes sulcadas. [Pl.: *dom-bernardos.*]

dom-cavatiano *Adj.* 1. De, ou pertencente ou relativo a Dom Cavati (MG). ● *S. m.* 2. O natural ou habitante de Dom Cavati. [Pl.: *dom-cavatianos.*]

dom-dom *S. m. Bras. PR Folcl.* Dança de fandango, valsada do começo ao fim, conservando todos o mesmo par. ❄

domeikita [Do antr. (*Ignácio*) *Domeiko* (1802-1889), mineralogista chileno, + *-ita*[3].] *S. f. Min.* Mineral isométrico, arsenieto de cobre, cinza a prateado.

dom-eliseuense *Adj. 2 g.* 1. De, ou pertencente ou relativo a Dom Eliseu (PA). ● *S. 2 g.* 2. O natural ou habitante de Dom Eliseu. [Pl.: *dom-eliseuenses.*]

doméstica [F. de *doméstico* (4).] *S. f.* Empregada doméstica; empregada, criada. [Cf. *domestica*, do v. *domesticar.*]

domesticação [De *domesticar* + *-ção.*] *S. f.* 1. Ato de domesticar(-se). 2. *Biol.* Conjunto de técnicas que visam a incorporar uma planta silvestre ao acervo de plantas disponíveis para o uso e consumo pelo homem, como, por ex., modo de reprodução da espécie, sistema de cruzamento, etc. [A espécie que sofre domesticação tem sua evolução determinada pela seleção natural e pela seleção artificial, tornando-se o homem um agente seletivo de maior força que os tradicionais.]

domesticador (ô) [De *domesticar* + *-dor.*] *Adj.* 1. Que domestica ou serve para domesticar. ● *S. m.* 2. Aquele que domestica. 3. Aquilo que serve para domesticar.

domesticante [De *domesticar* + *-nte.*] *Adj. 2 g.* Que domestica, amansa, doma: 📖 "ostentava, ao entrar para o meu serviço, uma brenha cerrada, um espinheiro, no qual pente tentaria em vão penetrar, e dentro do qual cosméticos, banhas, lanolinas se sumiriam sem produzir efeito amolecente ou domesticante." (Gilberto Amado, *Depois da Política*, p. 95.)

domesticar [De *doméstico* + *-ar*[2].] *V. t. d.* 1. Tornar doméstico; amansar; domar: 📄 *domesticar animais.* 2. Civilizar; colonizar. 3. Adaptar (animal ou planta) à vida em associação íntima com os seres humanos e/ou outras espécies, modificando-lhe(s) o desenvolvimento e outras características originais, o que, quase sempre, leva a forma domesticada a perder a capacidade de sobreviver livremente na natureza. *P.* 4. Tornar-se doméstico; amansar-se. 5. Tornar-se sociável; civilizar-se. [Conjug.: v. *trancar.* Pres. ind.: *domestico, domesticas, domestica*, etc. Cf. *doméstico*, adj. e s. m., e *doméstica*, s. f.]

domesticável [De *domesticar* + *-vel.*] *Adj. 2 g.* Que pode ser domesticado.

domesticidade [De *doméstico* + *-(i)dade.*] *S. f.* Estado, qualidade ou caráter daquele ou daquilo que é doméstico.

doméstico [Do lat. *domesticu.*] *Adj.* 1. Da, ou referente à casa, à vida da família; familiar: 📄 *vida doméstica.* 2. Necessário ao funcionamento de uma casa, à saúde ou ao conforto de seus moradores: 📄 *serviço doméstico; limpeza doméstica.* 3. Que se realiza dentro das fronteiras de um país: 📄 *política doméstica; voo doméstico.* 4. Diz-se do animal que vive ou é criado em casa. ~ V. *economia —a, empregado —, grupo —, prendas —as* e *voo —.* ● *S. m.* 5. Empregado que executa o serviço doméstico; empregado, criado. [Cf. *domestico*, do v. *domesticar.*]

dom-expedito-lopense *Adj. 2 g.* 1. De, ou pertencente ou relativo a Dom Expedito Lopes (PI). ● *S. 2 g.* 2. O natural ou habitante de Dom Expedito Lopes. [Pl.: *dom-expedito-lopenses.*]

domiciliado [Part. de *domiciliar.*] *Adj.* Que fixou domicílio, residência; residente, morador.

domiciliar[1] [De *domicílio* + *-ar*[1].] *Adj. 2 g.* Domiciliário.

domiciliar[2] [De *domicílio* + *-ar*[2].] *V. t. d.* 1. Dar domicílio a; recolher em domicílio: 📄 *domiciliar os órfãos.* *P.* 2. Fixar residência ou domicílio: 📄 *José Lins do Rego domiciliou-se no Rio em 1935.* [Pres. ind.: *domicilio*, etc.; fut. pret.: *domiciliaria*, etc. Cf. *domicílio*, s. m., e *domiciliária*, fem. de *domiciliário.*]

domiciliário [De *domicílio* + *-ário.*] *Adj.* 1. Relativo a domicílio. 2. Feito no domicílio. [Sin. ger.: *domiciliar.* Fem. *domiciliária.* Cf. *domiciliaria*, do v. *domiciliar.*]

domicílio [Do lat. *domiciliu.*] *S. m.* 1. Casa de residência; habitação fixa. 2. *Jur.* Lugar onde alguém reside com ânimo de permanecer. 3. Lugar da sede da administração das pessoas jurídicas. [Cf. *domicilio*, do v. *domiciliar.*] ◆ **Domicílio convencional.** *Jur.* V. *domicílio especial.* **Domicílio eletivo.** *Jur.* V. *domicílio especial.* **Domicílio especial.** *Jur.* O que é estipulado em contrato escrito, para exercício dos direitos e cumprimentos das obrigações dele decorrentes; domicílio convencional, domicílio eletivo. **Domicílio necessário.** *Jur.* O que a lei impõe a determinadas categorias de pessoas, como, p. ex., os incapazes, os funcionários públicos, os militares, os oficiais e tripulantes da marinha mercante, os presos ou exilados. **A domicílio.** Na residência, no lugar em que se reside ou habita: 📄 *Entregas a domicílio.* [Há gramáticos que entendem que essa expressão só poderia ser us. após um verbo de movimento (como, p. ex., *enviar, levar, trazer*, etc.) e que a expressão *em domicílio* deveria ser empregada nos casos em que não existe essa noção (*Dão-se aulas de matemática em domicílio*); no uso, porém, não há distinção, e, embora correta, a forma *em domicílio* raras vezes é usada.] **Em domicílio.** *P. us.* V. *a domicílio.*

dominação [Do lat. *dominatione.*] *S. f.* 1. Autoridade exercida soberanamente; autoridade, soberania. 2. Exercício do poder sobre indivíduos ou grupos; domínio. ~ V. *dominações.*

dominações *S. f. pl. Rel.* Um dos nove coros de anjos admitidos pela teologia. ~ V. *dominação.*

dominador (ô) [Do lat. *dominatore.*] *Adj.* 1. Que domina, exerce grande poder ou influência; dominante: 📄 *mulher dominadora; espírito dominador.* 2. Que infunde respeito; que se impõe: 📄 *Apesar da pequena estatura, é dominador; Tem um ar dominador.* ● *S. m.* 3. Aquele que domina: 📄 *os dominadores do Ocidente.* 4. Aquele que alcançou lugar de relevo no mundo das finanças, na política ou na sociedade, por esforço próprio.

dominância [De *dominar* + *-ância*.] *S. f.* **1.** Qualidade de dominante. **2.** *Genét.* Fenômeno em que um gene num determinado cruzamento consegue absorver o seu alelo. [Cf., nesta acepç., *recessividade*.]

dominante [Do lat. *dominante*.] *Adj. 2 g.* **1.** Dominador (1). **2.** Que domina, prepondera, influi; influente: *a política dominante.* **3.** Que é mais geral, mais difundido; predominante: *O traço dominante de seu espírito é a capacidade de observar.* ~ V. *gene —*, *língua —* e *valor —*. ● *S. f.* **4.** *Mús.* Na harmonia tonal, o quinto grau da escala, o qual é o som mais importante, depois da tônica, e constitui a base do acorde de sétima da dominante, o acorde tonal por excelência. ● *S. m.* **5.** *Genét.* Gene dominante.

dominar [Do lat. *dominare, por dominari.] *V. t. d.* **1.** Ter autoridade ou poder sobre: *Antônio Conselheiro dominava os fanáticos de Canudos.* **2.** Exercer influência ou domínio sobre: *Há mulheres que dominam os maridos;* "Em minha segunda adolescência dominaram meu espírito Shakespeare e Milton, assim como, acessoriamente, aqueles poetas românticos ingleses que são sombras irregulares deles" (Fernando Pessoa, *Obras em Prosa*, p. 68). **3.** Conter; reprimir: *dominar os instintos;* "O Cosme sentiu então uma grande vontade de chorar, mas remordendo os beiços dominou-a." (Trindade Coelho, *Os Meus Amores*, p. 96.) **4.** Elevar-se acima de; ser ou estar sobranceiro a: *O Corcovado domina a cidade do Rio;* "Tinham ambos entrado em um terraço que dominava um belo jardim" (Joaquim Manuel de Macedo, *Os Romances da Semana*, p. 273). **5.** Preponderar, predominar, em: "Peças de Dumas pai dominam, por um momento, os cartazes de quase todos os teatros de Paris" (R. Magalhães Júnior, *Artur Azevedo e Sua Época*, p. 30). **6.** Estender-se por; ocupar; tomar: *As tropas dominavam toda a planície.* **7.** Ter conhecimento; saber: *Os candidatos devem dominar o inglês.* **T. c. 8.** Exercer domínio; ter grande influência: *Na década de 30, o cangaço dominava no Nordeste.* **T. i. 9.** Preponderar, prevalecer, predominar: *O amarelo domina nas obras de Van Gogh.* **P. 10.** Conter-se; moderar-se.

dominável [De *dominar* + *-vel*.] *Adj. 2 g.* Que pode ser dominado.

dominga [Do lat. *dominica*, *i. e.*, *dies dominica*, 'dia do Senhor'.] *S. f. Rel.* Domingo, em especial o do Advento, o da Quaresma e o doutras festividades da Igreja.

domingo [Do lat. *dies dominicu*, 'dia do Senhor'.] *S. m.* O primeiro dia da semana, destinado ao descanso e à oração. ◆ **Domingo da rosa.** *Rel.* O que vem após a oitava da Assunção. **Domingo de Páscoa.** *Lit.* Páscoa (3). **Domingo de Ramos.** *Lit.* Ramos. **Domingo gordo.** O que antecede a quarta-feira de cinzas.

domingos-mouronense *Adj. 2 g.* **1.** De, ou pertencente ou relativo a Domingos Mourão (PI). ● *S. 2 g.* **2.** O natural ou habitante de Domingos Mourão. [Pl.: *domingos-mouronenses*.]

domingueira [De *domingo* + *-eira*.] *S. f. Bras.* Reunião festiva, desportiva, etc., realizada aos domingos.

domingueiro [De *domingo* + *-eiro*.] *Adj.* **1.** Do domingo. **2.** Que se veste ou se usa aos domingos: *traje domingueiro.*

dominguense *Adj. 2 g.* **1.** De, ou pertencente ou relativo a São Domingos (SC). ● *S. 2 g.* **2.** O natural ou habitante de São Domingos.

dominguinha [De or. incerta.] *S. f. Bras. Bot.* Arbusto solanáceo (*Cestrum laevigatum*) de flores sésseis e fasciculadas, e fruto bacáceo.

dominial [De *domínio* + *-al*[1].] *Adj. 2 g. Jur.* Referente a domínio; dominical.

dominialidade [De *dominial* + *-(i)dade*.] *S. f.* Capacidade de um ente público de ter o domínio sobre determinado bem: *Os municípios não têm dominialidade sobre os recursos hídricos, mesmo que bacias hidrográficas se localizem inteiramente dentro do território municipal.*

dominical [Do lat. *dominicale*.] *Adj. 2 g.* **1.** Relativo ao Senhor. **2.** Relativo ao domingo. **3.** *Jur.* Dominial. ~ V. *bens dominicais*, *escola —* e *letra —*.

dominicano[1] [Do antr. lat. *Dominicus*, 'Domingos', + *-ano*[1].] *Adj. 2 g.* **1.** Pertencente ou relativo à Ordem de S. Domingos. ● *S. m.* **2.** Frade da ordem de S. Domingos. [F. red., nesta acepç.: *domínico*.]

dominicano[2] *Adj.* **1.** Da, ou pertencente ou relativo à República Dominicana ou São Domingos (Antilhas). ● *S. m.* **2.** O natural ou habitante da República Dominicana.

dominicano[3] *Adj.* **1.** De, ou pertencente ou relativo a São Domingos (GO). ● *S. m.* **2.** O natural ou habitante de São Domingos (GO).

dominicense *Adj. 2 g.* e *S. 2 g.* V. *dominiquês*.

domínico *S. m.* V. *dominicano*[1] (2).

domínio [Do lat. *dominiu*.] *S. m.* **1.** Dominação, autoridade, poder. **2.** Propriedade, senhorio. **3.** Grande extensão territorial pertencente a um indivíduo. **4.** V. *colônia*[1] (4). **5.** Âmbito de uma arte ou de uma ciência; pertença. **6.** Esfera de ação. **7.** *Mat.* Numa função, conjunto dos valores que as variáveis independentes podem tomar. [Cf., nesta acepç., *campo de definição* e *contradomínio*.] **8.** *Mat.* Conjunto conexo aberto que contém pelo menos um ponto; região. **9.** *Fís.* Num sólido ferromagnético, conjunto de cristais vizinhos cujos momentos magnéticos são paralelos a uma mesma direção. **10.** *Imun.* Porção de macromolécula com ação biológica, e que se comporta como uma unidade estrutural, tendo um papel específico na atividade exercida por essa macromolécula; pode manter sua forma original quando se partem ligações da cadeia química a que pertença. **11.** *Inform.* Conjunto de valores que um atributo ou uma variável de programa podem assumir. **12.** *Inform.* Numa rede como a Internet, o segmento final de um endereço eletrônico (q. v.), que identifica a rede local, a instituição, ou o provedor de acesso do servidor. ◆ **Domínio complexo.** *Mat.* Domínio cujos elementos são números complexos; domínio dos complexos. **Domínio de integridade.** *Álg.* Conjunto de elementos para os quais são definidas as operações de soma e de produto, com os seguintes postulados: **a)** o conjunto é fechado para a soma e para o produto; **b)** a soma e o produto são unívocos; **c)** a soma e o produto são comutativos; **d)** a soma e o produto são associativos; **e)** o produto é distributivo em relação à soma; **f)** o conjunto contém identidade para a soma; **g)** o conjunto contém a identidade para o produto; **h)** o conjunto contém o inverso aditivo; **i)** vale a lei do corte. **Domínio direto.** *Jur.* O domínio do senhorio, que recebe do enfiteuta um foro ou pensão anual, certa, invariável e perpétua. **Domínio dos complexos.** *Mat.* Domínio complexo. **Domínio dos reais.** *Mat.* Domínio real. **Domínio ordenado.** *Álg.* Domínio cujos elementos formam um conjunto ordenado. **Domínio real.** *Mat.* Aquele em que a variável só assume valores reais; domínio dos reais. **Domínios isomórficos.** *Álg.* Aqueles entre os quais se pode estabelecer isomorfismo. **Domínio útil.** *Jur.* O domínio do enfiteuta, que consiste no aproveitamento da utilidade das coisas aforadas e na percepção dos frutos delas. **De domínio público.** *Edit.* Diz-se de obras literárias, etc., que, por se ter expirado o prazo de proteção legal, podem ser reproduzidas livremente.

dominiquense *Adj. 2 g.* e *S. 2 g.* V. *dominiquês*.

dominiquês *Adj.* **1.** Da, ou pertencente ou relativo à Dominica (Antilhas). ● *S. m.* **2.** O natural ou habitante da Dominica. [Sin. ger.: *dominicense*, *dominiquense*. Flex.: *dominiquesa* (ê), *dominiqueses* (ê), *dominiquesas* (ê).]

dominó [De or. incerta; poss. relacionado ao ablat. de *dominus*, 'mestre', 'senhor', extraído de uma fórmula de oração tal *benedicamus domino*, 'bendizemos ao senhor'.] *S. m.* **1.** Túnica, com capuz e mangas, para disfarce de mascarados pelo carnaval: "Os nossos dominós eram negros, e negras eram as nossas máscaras." (Manuel Bandeira, *Estrela da Vida Inteira*, p. 75.) **2.** Pessoa que veste esse traje. **3.** Conjunto de 28 peças (pedras) retangulares, de osso, marfim, plástico ou madeira, com pontos marcados de um a seis, formando várias combinações, e com o qual se joga o dominó. **4.** Jogo em que disputam dois, três ou quatro parceiros, entre os quais se distribuem igualmente as 28 peças referidas, e em que ganha quem faz dominó, ou se descarta primeiro de suas pedras.

dom-joão [Do esp. *Don Juan*.] *S. m.* Homem a quem as mulheres não resistem; sedutor, conquistador. [V. *donjuanismo*. Pl.: *dom-joões*.]

dom-joaquinense *Adj. 2 g.* **1.** De, ou pertencente ou relativo a Dom Joaquim (MG). ● *S. 2 g.* **2.** O natural ou habitante de Dom Joaquim. [Pl.: *dom-joaquinenses*.]

dom-juan [Do ficción. esp. *Don Juan*, da obra *El burlados de Sevilla* e *Convidado de piecha*, de Tirso de Molina (pseudônimo de *Frei Gabriel Telléz*, [1583-1648]), inspirado, prov., no nobre espanhol *Conde de Villamediana*.] *S. m.* V. *dom-joão*. [Pl.: *dom-juans*.]

domo [Do it. *duomo*.] *S. m.* **1.** *Arquit.* Cobertura hemisférica de um edifício; o extradorso de uma cúpula; zimbório. **2.** *Arquit. P. ext.* Cobertura de forma curva, executada com material translúcido, para iluminação do interior de uma edificação. [Cf. *claraboia* (1).] **3.** V. *catedral* (3). **4.** *Astr.* Pequena elevação com convexidade voltada para cima, na superfície lunar. **5.** *Geol.* Dobra de comprimento e largura quase idênticos, cujas camadas mostram direção periclinalmente variável e mergulhos aproximadamente idênticos. Em secção transversal horizontal, apresenta forma circular ou elíptica, e é frequentemente observada em jazidas de sal. [Sin. (nesta acepç.): *braquianticlinal*.] **6.** *Mar. G.* Estrutura de forma hidrodinâmica que envolve o transdutor do sonar (que é instalado para fora do costado da embarcação, junto à quilha), a fim de reduzir os ruídos provocados pelo turbilhonamento de filetes líquidos que por ele passam.

dom-pedrense *Adj. 2 g.* **1.** De, ou pertencente ou relativo a Dom Pedro (MA). ● *S. 2 g.* **2.** O natural ou habitante de Dom Pedro. [Pl.: *dom-pedrenses*.]

dom-quixote *S. m.* V. *quixote*. [Pl.: *dom-quixotes*.]

dom-quixotismo *S. m.* V. *quixotismo*. [Pl.: *dom-quixotismos*.]

dom-silveriense *Adj. 2 g.* **1.** De, ou pertencente ou relativo a Dom Silvério (MG). ● *S. 2 g.* **2.** O natural ou habitante de Dom Silvério. [Pl.: *dom-silverienses*.]

dom-viçosense *Adj. 2 g.* **1.** De, ou pertencente ou relativo a Dom Viçoso (MG). ● *S. 2 g.* **2.** O natural ou habitante de Dom Viçoso. [Pl.: *dom-viçosenses*.]

dona [Do lat. *domna* < lat. *domina*.] *S. f.* **1.** Senhora de alguma coisa; proprietária. **2.** Título de tratamento honorífico que antecede o nome próprio das mulheres pertencentes às famílias reais de Portugal e do Brasil. **3.** Título que precede o nome próprio das senhoras. [Com cap., nas acepç. 2 e 3.] **4.** *Ant.* Dama, senhora. **5.** *Bras. Pop.* Mulher, moça: "Nossa mãe, o que é aquele / vestido, naquele prego? // Minhas filhas, é o vestido / de uma dona que passou." (Carlos Drummond de Andrade, *Poemas*, p. 157.) **6.** *Bras. Pop.* Mulher; esposa. **7.** *Guin.* Avó. ◆ **Dona das Folhas.** *Bras. Rel.* Denominação cabocla [v. *caboclo*[1] (13)] de Oçânhim. **Dona de casa.** *Bras.* Mulher que dirige e/ou administra o lar. **Dona do Mato.** *Bras. Rel.* Denominação cabocla [v. *caboclo*[1] (13)] de Oçânhim. **Dona Janaína.** *Bras. Rel.* Denominação cabocla [v. *caboclo*[1] (13)] de Iemanjá. **Dona Maria.** *Bras. Rel.* Denominação cabocla [v. *caboclo*[1] (13)] de Oçânhim.

dona-branca *S. f.* **1.** *Bras.* V. *cachaça* (1). **2.** *Bras. SP* V. *geada branca*. [Pl.: *donas-brancas*.]

donacídeo [Do lat. cient. *Donac-* (< tax. *Donax* < gr. *dónax*, *akos*, 'cana'; 'certo peixe') + *-ídeo*[1]; tax. *Donacidae*.] *Zool. S. m.* **1.** Espécime dos donacídeos, família de moluscos pelecípodes, abundantes nos mares quentes e caracterizados por manto com papilas, dois sifões e brânquias desiguais. ● *Adj.* **2.** Pertencente ou relativo a eles.

donadio *S. m. Ant.* Donativo.

donaire [Do esp. *donaire*.] *S. m.* **1.** Gentileza, elegância, garbo, graça. **2.** Adorno, enfeite, atavio.

donairear [De *donaire* + *-ear*[2].] *V. t. d.* **1.** Dizer com donaire, graça, elegância. *Int.* **2.** Falar com chiste. **3.** Mostrar garbo e gentileza. [Conjug.: v. *frear*.]

donairoso (ô) [Do esp. *donairoso*.] *Adj.* Que tem donaire; gentil, garboso.

donataria [De *donat(ário)* + *-aria*.] *S. f.* **1.** Jurisdição de um donatário. **2.** V. *capitania hereditária*. [Cf. *donatária*, fem. de *donatário*.]

donatário [Do lat. *donatariu*.] *S. m.* **1.** Senhor de uma donataria. **2.** *P. ext.* Indivíduo que recebeu uma doação. [Cf., nesta acepç., *doador* (1). Fem.: *donatária*. Cf. *donataria*.]

donatismo [De *donatista* + *-ismo*.] *S. m.* Heresia dos donatistas.

donatista [Do lat. med. *Donatista*.] *S. 2 g.* Membro de uma seita religiosa fundada, no séc. IV, por Donato, bispo de Cartago.

donativo [Do lat. *donativu*.] *S. m.* Dádiva em dinheiro ou em espécie, com finalidade beneficente; doação, dom.

donato [Do lat. *donatu*, 'que se deu', 'doado'.] *S. m.* Leigo que servia num convento e usava o hábito de frade.

donde [Contr. da prep. *de* e do adv. *onde*.] **1.** Indica procedência, origem; do qual lugar; de que lugar: *Donde vem?*; "Era um homem não sei donde." (Carlos Lacerda, *A Casa do Meu Avô*, p. 173.) **2.** Indica origem; causa; de quê: *Donde aquela magreza?* **3.** Indica conclusão; daí: *É autor de categoria, donde a indicação de seu nome para o prêmio literário.*

dondoca *S. f. Bras. Fam.* Mulher de boa situação social, ociosa e fútil.

dondona *S. f. Guin.* Bisavó.

donemense *Adj. 2 g.* **1.** De, ou pertencente ou relativo a Dona Ema (SC). ● *S. 2 g.* **2.** O natural ou habitante de Dona Ema.

➔**dong** ['dɔŋ] [Vietnamita.] *S. m.* Antiga moeda e unidade monetária oficial do Vietnã (Sudeste Asiático). ◆ **Dong novo.** Unidade monetária e moeda do Vietnã.

dongo [Do quimb. *ndongo*.] *S. m.* **1.** *Angol. Santom.* Canoa feita de tronco de árvore escavado: "Passa um dongo no mar / tem uma vela branca / é um raio de luz / nesta alma franca." (Ernesto Lara Filho, *O Canto do Martrindinde*, p. 37.) **2.** *Gloss.* V. *quimbundo* (1). **3.** *Bot.* V. *malagueta* (1).

doninha [De *dona* + *-inha*.] *S. f. Zool.* Animal mamífero carnívoro da família dos mustelídeos (*Putorius vulgaris*), da Europa. Tem o aspecto do furão brasileiro.

D

→**don Juan** [doŋ χwan] [Esp.] *S. m.* V. *dom-joão*. [Com cap.]

donjuanesco (ê) [Do esp. *donjuanesco*.] *Adj.* **1.** Que tem maneiras de Don Juan. [V. *donjuanismo*.] **2.** Próprio de Don Juan. [V. *dom-joão*.]

donjuanismo [Do esp. *donjuanismo*.] *S. m.* Mania de bancar Don Juan (tipo espanhol de galanteador), de conquistar todas as mulheres. [V. *dom-joão*.]

dono [Do lat. *domnu* < lat. *dominu*.] *S. m.* **1.** Senhor; possuidor, proprietário. **2.** Chefe (de uma casa). ◆ **O dono da bola.** *Bras.* Aquele que tem o controle absoluto de uma situação. **Dono da cabeça.** *Bras. Rel.* Orixá pessoal que cada indivíduo tem, e cuja identidade é confirmada por divinação (p. ex., por meio do opelê-ifá ou do dilogum). **Dono das Folhas.** *Bras. Rel.* Denominação por vezes atribuída a Oxoce. **Dono do Mato.** *Bras. Rel.* Oxoce. **O dono da verdade.** *Irôn.* Aquele que pretende estar sempre com a verdade, ter sempre razão.

dono de serra *S. m. Bras. BA* Proprietário de terreno diamantífero. [Pl.: *donos de serra*.] ☑

donoso (ô) [Do esp. *donoso*.] *Adj.* **1.** Donairoso, gracioso, galante. **2.** Bonito, formoso, belo: "Castelã donosa e gaia, / Acode ao meu suspirar / Antes que a luz se me esvaia..." (Manuel Bandeira, *Estrela da Vida Inteira*, p. 27.)

→**donut** ['downət] [Ingl.] *S. m. Cul.* Massa com a forma de rosca, frita e envolta em açúcar ou, eventualmente, chocolate.

donzel [Do cat. *donzell* < lat. vulg. **domnicillu*.] *Adj.* **1.** Puro, ingênuo. ● *S. m.* **2.** Na Idade Média, moço que ainda não era armado cavaleiro. [Pl.: *donzéis*.]

donzela [Do lat. vulg. **domnicilla*, dim. de *domna*, 'senhora'.] *S. f.* **1.** Primitivamente, mulher moça nobre: "Donzela, deixa tua aia, / Tem pena do meu penar." (Manuel Bandeira, *Estrela da Vida Inteira*, p. 26.) **2.** Hoje, mulher virgem. **3.** Espécie de redoma de cristal ou vidro, de grandes dimensões, aberta também na parte de cima, e destinada a proteger o castiçal. **4.** *Ant.* Donzela de candeeiro (1). **5.** *Zool.* V. *maria-mole* (5). ● *Adj.* (*f.*) **6.** Diz-se de mulher virgem. ~ V. *semana* —.

donzela de candeeiro *S. f.* **1.** Peça de madeira torneada, com uma abertura no centro, sobre a qual se põe candeeiro ou castiçal. **2.** *Bras. PE* Mulher que pretende passar por virgem sem o ser. [Pl.: *donzelas de candeeiro*.] ☑

donzelaria [De *donzela* + *-aria*.] *S. f.* Comitiva de donzelas.

donzelice [De *donzela* + *-ice*.] *S. f.* Estado ou condição de donzela.

donzelinha [De *donzela* + *-inha*.] *S. f. Zool.* V. *libélula* (3).

donzelo [De *donzela*.] *S. m. Pop.* Homem que não teve relações sexuais; homem casto: "— E é donzelo... Vai casar de branco e com flor de laranjeira na lapela!" (Antônio Celso Alves Pereira, *Rua do Quenta-Sol*, p. 209.)

donzelona [De *donzela* + *-ona*[1].] *S. f. Fam.* Solteirona.

dopa [Abrev. do ingl. *d(ihydr)o(xi)p(henil)a(mina)*.] *S. f. Quím.* Di-hidroxifenilalanina.

dopado [Part. de *dopar*.] *Adj. Bras.* **1.** Diz-se do cavalo em que se inoculou substância excitante ou estupefaciente. **2.** *P. ext.* Diz-se do atleta em quem se administrou substância excitante. **3.** Diz-se daquele que fez uso de droga (4). **4.** *Eletrôn.* Diz-se do semicondutor ao qual se adicionou certa quantidade de impurezas doadoras e/ou aceitadoras.

dopagem [De *dopar* + *-agem*[2].] *S. f. Eletrôn.* Processo que consiste em introduzir, num semicondutor, pequenas quantidades de impurezas (doadoras e/ou aceitadoras). ◆ **Dopagem tipo N.** *Eletrôn.* Aquela feita com impurezas doadoras. **Dopagem tipo P.** *Eletrôn.* Aquela feita com impurezas aceitadoras.

dopamina [De *dopa* + *(catecol)amina*.] *S. f. Quím.* Catecolamina natural, com uso terapêutico [fórm.: $C_8H_{11}NO_2$].

dopante [De *dopar* + *-nte*.] *Adj. 2 g.* **1.** Que dopa. ● *S. 2 g.* **2.** Aquilo que dopa. **3.** *Eletrôn.* Impureza doadora ou impureza aceitadora (q. v.).

dopar [Adapt. do ingl. *(to) dope* (v. *-ar*[2]).] *Bras. V. t. d.* **1.** Administrar substância excitante ou estupefaciente a (cavalo). **2.** *P. ext.* Administrar substância excitante a (atleta). **3.** Fazer ingerir droga (4). **4.** *Eletrôn.* Adicionar pequenas quantidades de impurezas doadoras e/ou aceitadoras em (um semicondutor). *P.* **5.** Intoxicar-se com droga (4).

dope [Do ingl. *dope*.] *S. m. Tec.* Na fabricação de fibras têxteis artificiais, líquido viscoso que contém em solução o material polimerizado ou por polimerizar, e que é injetado nas fiandeiras, de onde sai com a forma de longos filamentos.

→**doping** ['dowpɪŋ] [Ingl.] *S. m.* **1.** Aplicação ilegal de estimulante em competidor (pessoa ou animal) para lhe aumentar o rendimento (5). **2.** *Fís. Part.* Adição de substância química ou impureza a um material de forma a dar-lhe propriedade desejada.

dopplerfluxometria (cs) [De *(efeito) Doppler* + *fluxo* + *-metria*.] *S. f. Angiol.* Avaliação do fluxo sanguíneo ocorrente no interior de vaso[1] (6), mediante equipamento ultrassonográfico e utilizando o efeito Doppler.

doqueiro [De *doca* + *-eiro*.] *S. m. Bras.* Aquele que trabalha nas docas.

dor[1] (ô) [Do lat. *dolore*.] *S. f.* **1.** *Med.* Sensação desagradável, variável em intensidade e em extensão de localização, produzida por fatores múltiplos, e ger. associada à estimulação de fibras nervosas e transmitidas ao sistema nervoso central. **2.** Sofrimento moral; mágoa, pesar, aflição: *Grande foi sua dor com a morte do pai.* **3.** Dó, compaixão, condolência: *sentir dor da pobreza de alguém.* [Pl.: *dores* (ô). Cf. *dóris*, pl. de *dóri*, e *Dóris*, antr., mit. e top.] ◆ **Dor cansada.** Dor surda. **Dor ciática.** *Med.* A que se manifesta ao longo do trajeto do nervo ciático. **Dor de corno.** Ciúme, inveja: "a atriz pediu rescisão do contrato, casou-se às pressas com um fazendeiro do Norte, ..., deixando Miranda com uma terrível dor de corno." (Hermilo Borba Filho, *O Cavalo da Noite*, p. 72.) **Dor fulgurante.** Designação comum a certas dores intensas e rápidas. **Dor referida.** *Med.* A que é percebida em local outro que não o em que se situa a sua causa; telalgia. **Dor surda.** Dor que nem é forte nem aguda; dor cansada. **Dor terebrante.** *Med.* Designação comum a certas dores que dão a impressão de que se está produzindo uma perfuração. **Tomar as dores por alguém.** Defender uma pessoa quando ela é acusada ou ofendida: "a companhia em peso, tomando as dores pelo dono da casa, não tardou igualmente a lançar-se sobre ele, e, em menos de dois segundos, travou-se o mais formidável sarilho." (Aluísio Azevedo, *Filomena Borges*, p. 150.)

dor[2] (ô) *S. m. Rel.* Oração que os parses fazem ao meio-dia. [Pl.: *dores* (ô). Cf. *dóris*, pl. de *dóri*, e *Dóris*, antr. mit. e top.]

▲ **-dor** [Do lat. *-tore* < *-t-* (< part. pass. lat.) + lat. *-ore* (v. *-or*).] *Suf. nom.* que ocorre em voc. formados no latim (*abjurador*), ou no vernáculo, a partir de rad. verbal, com as noções de 'ofício', 'profissão'; 'que, ou aquele que pratica determinada ação (definida pelo rad. verbal)', 'agente', 'instrumento de ação': *apreciador, carregador, trabalhador; regador.* [Equiv.: *-dora*: *joeiradora*.]

▲ **dora-** [Do gr. *dorá, âs*.] *El. comp.* = 'pele', 'couro de animal': *dorafobia, doráfobo.*

▲ **-dora** Equiv. de *-dor*.

doradídeo [Do lat. cient. *Dorad-* (< tax. *Doras*) + *-ídeo*[1]; tax. *Doradidae*.] *Zool. S. m.* **1.** Espécime dos doradídeos, família de peixes siluriformes da América do Sul, que se caracterizam por terem uma fileira de placas espessas em cada lado do corpo, três pares de bárbulas em torno da boca, nadadeira dorsal com grande espinho e de 4 a 6 raios moles, peitorais tb. com espinho, e ger. apresentam nadadeira adiposa. Emitem ruídos audíveis. Ex.: bacu-de-pedra, cuiú-cuiú. ● *Adj.* **2.** Pertencente ou relativo a eles.

dorafobia [De *dora-* + *-fobia*.] *S. f. Psiq.* Medo patológico de pele ou pelo de animal.

dorafóbico [De *dorafobia* + *-ico*[2].] *Psiq. Adj.* **1.** Relativo à dorafobia. **2.** Que sofre de dorafobia; doráfobo. ● *S. m.* **3.** Aquele que sofre de dorafobia; doráfobo.

doráfobo [De *dora-* + *-fobo*.] *Adj. S. m. Psiq.* Dorafóbico (2 e 3).

doravante [De *de* + *ora*[2] + *avante*.] *Adv.* De agora em diante; para o futuro.

dor de canela [De *dor*[1] + *de* + *canela*[2].] *S. f. Bras. Gír.* V. *dor de cotovelo*. [Pl.: *dores de canela*.] ☑

dor de corno *S. f. Bras. Gír.* V. *dor de cotovelo*: "não faz outra coisa senão chatear meio Rio de Janeiro com sua bebedeira e sua dor de corno." (Antônio Olinto, *Copacabana*, p. 24.) [Pl.: *dores de corno*.] ☑

dor de cotovelo *S. f. Bras. Gír.* Ciúme ou despeito por motivo de amor; cabeça-inchada, cachorra, canela, canelagem, dor de canela, dor de corno. [Pl.: *dores de cotovelo*.] ☑

dor de facão *S. f.* Dor aguda e intensa. [Pl.: *dores de facão*.] ☑

dor de tortos [De *dor*[1] + *de* + o pl. de *torto*; essa dor faz a parturiente torcer-se.] *S. f.* Cólica uterina que acomete parturiente depois do parto. [Pl.: *dores de tortos*.] ☑

dor de veado *S. f. Bras. N. N.E. Pop.* Dor forte que se manifesta do lado direito do abdome, resultante de uma árdua corrida. [Pl.: *dores de veado*.] ☑

dor de viúva *S. f. Bras. Pop.* Dor peculiar no cotovelo, resultante de contusão ou de batida. [Pl. *dores de viúva*.] ☑

dor-d'olhos *S. f. Bras. Pop.* Designação comum a diversas afecções oculares, como a conjuntivite, a blefarite, o tracoma, etc. [Pl.: *dores-d'olhos*.]

dó-ré-mi *S. m. Zool.* V. *capitão* (13). [Pl.: *dó-ré-mis*.]

dorense[1] *Adj. 2 g.* **1.** De, ou pertencente ou relativo a Dores de Campos (MG). ● *S. 2 g.* **2.** O natural ou habitante de Dores de Campos.

dorense[2] *Adj. 2 g.* **1.** De, ou pertencente ou relativo a Dores de Guanhães (MG). ● *S. 2 g.* **2.** O natural ou habitante de Dores de Guanhães.

dorense[3] *Adj. 2 g.* **1.** De, ou pertencente ou relativo a Dores do Indaiá (MG). ● *S. 2 g.* **2.** O natural ou habitante de Dores do Indaiá.

dorense[4] *Adj. 2 g.* **1.** De, ou pertencente ou relativo a Dores do Turvo (MG). ● *S. 2 g.* **2.** O natural ou habitante de Dores do Turvo.

dorense[5] *Adj. 2 g.* **1.** De, ou pertencente ou relativo a Nossa Senhora das Dores (SE). ● *S. 2 g.* **2.** O natural ou habitante de Nossa Senhora das Dores.

doresopolitano *Adj.* **1.** De, ou pertencente ou relativo a Doresópolis (MG). ● *S. m.* **2.** O natural ou habitante de Doresópolis.

dóri [Do ingl. *dory*.] *S. m. Lus.* Douro. [Pl.: *dóris*. Cf. *dores* (ô), pl. de *dor*, e *Dores* (ô), hier. e antr.]

dórico [Do gr. *dorikós*, pelo lat. *doricu*.] *Adj.* **1.** Dório (2). **2.** Relativo a dórico (3). ~ V. *coluna* —*a* e *ordem* —*a*. ● *S. m.* **3.** *Gloss.* Grupo de dialetos falados no N.O. da Grécia antiga, no Peloponeso, na costa meridional da Ásia Menor, nas ilhas de Creta e Rodes e na Magna Grécia. É a língua de Píndaro (v. *pindárico*), Teócrito (c. 310-250 a. C.) e de toda a poesia bucólica e coral. [V. *zacônio*.]

dorido [De *dolorido*, com síncope.] *Adj.* **1.** Que tem ou em que há dor; magoado, dolorido: *Está com o braço dorido.* **2.** *Fig.* Consternado, triste, magoado, dolorido: *alma dorida*; "Chorava continuamente, num choro lento, dorido, monótono, que retalhava." (Maria Archer, *Fauno Sovina*, p. 99.)

dorilaimino [Do tax. *Dorylaimus* (< gr. *dóry*, 'madeira', + gr. *laimós*, 'garganta') + *-ino*[3], tax. *Dorylaimina*.] *S. m. Adj. Zool.* V. *enóplida*.

dorilídeo [Do tax. *Dorylus* (v. *dorilíneo*) + *-ídeo*[1].] *S. m. Adj. Zool.* V. *dorilíneo*.

dorilíneo [Do tax. *Dorylus* (< gr. *dóry*, 'madeira', 'tronco') + *-in(o)-*[3] + *-eo*; tax. *Dorylinae*.] *Zool. S. m.* **1.** Espécime dos dorilíneos, subfamília de insetos himenópteros que reúne as formigas popularmente denominadas legionárias. De hábitos nômades, mudam-se com frequência em fileiras separadas. Extremamente predadoras. V. *formiga-correição*. ● *Adj.* **2.** Pertencente ou relativo a eles. [Sin. ger.: *dorilídeo*.]

dório [Do gr. *Dórios*, pelo lat. *doriu*.] *S. m.* **1.** Indivíduo dos dórios, uma das três principais divisões dos gregos antigos e que habitavam o Peloponeso. ● *Adj.* **2.** Pertencente ou relativo aos dórios; dórico.

dorme-dorme [Reduplic. da 3ª pess. sing. do pres. ind. do v. *dormir*.] *S. m. Bras. Zool.* **1.** V. *traíra* (1). **2.** V. *dormideira* (4 a 7). [Pl.: *dormes-dormes* e *dorme-dormes*.]

dorme-maria [Da 3ª pess. sing. do pres. do ind. do v. *dormir* + o antr. *Maria*.] *S. f. Bras. BA a SP GO MT Bot.* Arbusto mimosáceo (*Mimosa vellosiana*) trepador, armado de acúleos recurvados, com folhas bipenadas, flores pequenas, sésseis, róseas, dispostas em capítulos globosos, e cujo fruto é vagem chata, glabra, setácea nas margens; dormideira-grande. [Pl.: *dorme-marias*.]

dormência [De *dormir* + *-ência*.] *S. f. Bras.* **1.** Estado de quem dorme ou está entorpecido. **2.** *Med.* Insensibilidade parcial ou total em qualquer parte do corpo, sobretudo nas extremidades. **3.** Estado de absoluto repouso; quietação.

dorme-nenê [De *dormir* + *nenê*.] *S. m. Bras. SP Pop. Mús.* V. *acalento* (2). [Pl.: *dorme-nenês*.]

dormente [Do lat. *dorm(i)ente*.] *Adj. 2 g.* **1.** Que dorme; adormecido. **2.** Entorpecido, insensível: *Estou com o braço dormente.* **3.** *Fig.* Quieto, sereno, calmo: "Barcos de proa luzente, / Sem remos, sem remadores, / Dormindo na água dormente" (Alberto de Oliveira, *Poesias*, 3ª série, p. 49). **4.** Estagnado, parado. **5.** *Bot.* Diz-se das plantas cujas folhas se enrolam ou se dobram de noite. **6.** *Bras. N.E.* Indiferente a conselhos; insensível, desavergonhado, deslavado. ~ V. *água* —*s*. ● *S. m.* **7.** Peça fixa de marcenaria ou de serralharia, assim chamada em contraposição a outras do mesmo tipo ou aparência, porém móveis. **8.** Peça da atafona. **9.** Cada uma das peças de madeira em que se pregam as tábuas do soalho. **10.** *Constr. Nav.* Cada uma das fortes vigas de madeira que correm de proa à popa, sobre o topo das balizas, e sobre as quais se apoiam os topos dos vaus. **11.** *Constr. Nav.* Cada uma das vigas de madeira que correm de proa à popa, presas às cavernas de embarcação miúda, um pouco abaixo do alcatrate, e sobre as quais se apoiam as bancadas dos remadores. **12.** *Eng. Civ.* Peça, em geral de madeira, colocada transversalmente à via, e em que se assentam e fixam os trilhos das estradas de ferro: "Muito importantes eram os cassacos empilhando os dormentes para substituição sob os trilhos da estrada de ferro." (Povina Cavalcanti,

Volta à Infância, pp. 25-26.) [Sin., nesta acepç.: *sulipa, chulipa* e (lus.) *travessa.*]

dorme-sujo [De *dormir + sujo.*] ***S. m. 2 n. Bras. BA*** Operário ou trabalhador cujo serviço deixa a pele impregnada de resíduos de graxa, de óleo e de pó.

dormião ***S. m. Bras. Zool.*** V. *joão-bobo*.

dormida [De *dormir + -ida*^{3}.] ***S. f.*** **1.** Ato de dormir. **2.** Estado de quem dorme. **3.** O tempo durante o qual se dorme. **4.** Pousada para pernoitar, para dormir. **5.** *Bras.* Dormitório (5).

dormideira [De *dormir + -deira.*] ***S. f.*** **1.** Sonolência, modorra: *Depois do almoço foi tomado de irresistível dormideira.* **2.** *Bras. N. a S. Bot.* Designação comum a várias mimosáceas, como, p. ex., a *Mimosa dolens* var. acerba [v. *mimosa*^{1} (1)], a *M. pudica*, ou *M. pudibunda*, ou *M. sensitiva*, de flores róseas dispostas em capítulos e reunidas em racemos, e frutos que são vagens espinescentes; algumas delas são cultivadas como ornamentais, pela curiosidade que apresentam seus folíolos, em que ocorre sismonastia (q. v.); são ainda conhecidas como *caacó, feijão-de-árvore, juquiri-rasteiro, morre-joão, malícia, malícia-de-mulher, sensitiva, vergonha, vergonhosa.* **3.** *Bot.* V. *papoula* (2). **4.** *Bras. Zool.* Reptil ofídio, colubrídeo (*Sibon sibon*), das regiões oriental e setentrional; dorme-dorme, dorminhoca. **5.** *Bras. Zool.* Reptil ofídio, colubrídeo (*Dipsas*), com quatro espécies; dorme-dorme, dorminhoca. **6.** *Bras. Zool.* Nome comum a reptis ofídios colubrídeos do gênero *Sibynomorphus*, com nove espécies. São cobras de pequeno tamanho, alimentam-se de insetos e moluscos sem concha; come-dorme, dorme-dorme, dorminhoca. **7.** *Bras. Zool.* Reptil ofídio, colubrídeo (*Siphlophis cervinus*), da região tropical, de coloração amarelada em cima, com manchas irregulares pardo-escuras, formando faixas transversais sobre o dorso, e ventre amarelado, salpicado de pardo; dorme-dorme, dorminhoca.

dormideira-grande ***S. f. Bras. Bot.*** Dorme-maria. [Pl.: *dormideiras-grandes.*]

dormido [Part. de *dormir.*] ***Adj.*** V. *adormecido*. ~ V. *feijão* — e *pão* —.

dormidor (ô) [De *dormir + -dor.*] ***Adj. S. m.*** Que, ou aquele que dorme muito; dorminhoco.

dorminhar [De *dormir + -inhar.*] ***V. int.*** **1.** *Bras. PE Prov. port.* Fazer pouco caso; não ligar importância: *Repreendi-o, e ele ficou dorminhando.* **2.** Dormitar, cochilar, toscanejar: "Essa minha conversa no Petrópolis abrilino ...., Avenida Kœller dorminhando num embalo de perfumes (o cheiro de flores em torno do Palácio era demais)" (Gilberto Amado, *Depois da Política*, p. 228).

dorminhoca [F. de *dorminhoco.*] ***S. f. Bras. Zool.*** V. *dormideira* (4 a 7).

dorminhoco (ô) [De *dormir.*] ***Adj.*** **1.** *Fam.* Que dorme muito; dormidor, napeiro. ● ***S. m.*** **2.** Aquele que dorme muito; dormidor. [Flex., de 1 e 2: *dorminhoca, dorminhocos* (ô), *dorminhocas.*] **3.** *Bras. Zool.* Ave ciconiiforme, ardeídea (*Nyctanassa violacea cayennensis*), que ocorre da Colômbia ao Peru, e ao N. e L. do Brasil, de corpo cinzento com raias quase negras, cabeça preta, fronte branca, nas faces vértice e estria da mesma cor, e parte inferior cinzento-clara; matirão, sabacu-de-coroa, socó-criminoso, tamatião. **4.** *Bras. Zool.* V. *prejereba*. **5.** *Bras. RS Zool.* V. *taquiri*.

dormir [Do lat. *dormire.*] ***V. int.*** **1.** Estar entregue ao sono; descansar no sono: "O João dorme, o Inocente! / Dorme, dorme eternamente, / Teu calmo sono profundo!" (Antônio Nobre, *Só*, pp. 112-113.) [Sin.: *nanar* (inf.), *fazer nanã*, (bras., SP, inf.); e *puxar palha, puxar uma palha, pregar olho, pregar olhos.*] **2.** Estar imóvel, quieto, sereno: "A capelinha — um céu silvestre e vivo — / dormia no sossego da montanha." (Alphonsus de Guimaraens Filho, *Poemas Reunidos*, p. 163.) **3.** Ficar sem ação ou sem eficácia; não se executar: *Se em diversos períodos da história a justiça dorme, a culpa é dos poderosos.* **4.** Não agir com a atenção ou a presteza devida; descuidar-se; distrair-se: *O revisor dormiu numa passagem importante do livro.* **5.** Descansar na eternidade; jazer morto: *Naquele monumento dormem heróis da Pátria.* **6.** Estar latente ou entorpecido: *As paixões juvenis ainda lhe dormem na alma.* **7.** *Bras.* Mover-se (um objeto) com tanta rapidez que parece estar parado: *A piorra dormia.* **8.** Moverem-se (os pés) com tanta rapidez que pareçam estar parados (como no sapateado miúdo dos sambistas). ***T. i.*** **9.** Ter relações sexuais; copular: "A viúva Correia Lopes havia dormido com a cidade inteira." (Fernando Sabino, *O Grande Mentecapto*, p. 49.) ***T. d.*** **10.** Passar dormindo, em sono: *Dormi uma deliciosa noite.* **11.** Entregar-se a (o sono); descansar em (o sono): "Dorme, dorme teu sono, ó vã cidade" (Junqueira Freire, *Obras Poéticas*, I, p. 119); "Dorme, dorme eternamente, / Teu calmo sono profundo!" (Antônio Nobre, *Só*, pp. 112-113.) ***T. c.*** **12.** Ficar, à noite, em determinado lugar: *Meus óculos dormiram em cima do fogão.* **13.** Estar ou ficar esquecido, deixado, abandonado: *Os processos dormiam nas gavetas da repartição.* [Irreg. na 1ª pess. sing. do pres. ind., *durmo*, e, portanto, em todo o pres. subj.: *durma, durmas*, etc.] ● ***S. m.*** **14.** O estado de quem dorme. ◆ **Dormir sobre. 1.** Adiar a decisão sobre (algo) para o dia seguinte, a fim de dar-se tempo para refletir. **2.** Não tomar, no devido tempo, as providências sobre (um caso, uma decisão).

dormitar [Do lat. *dormitare.*] ***V. int.*** **1.** Dormir levemente; passar pelo sono; estar ou ficar meio adormecido: *Exausto da noite passada em claro, vinha dormitando no ônibus.* **2.** Cabecear; toscanejar, tosquenejar; cochilar: *Os alunos dormitavam durante a aula.* **3.** Estar tranquilo, sereno, por algum tempo, ou por tempo indeterminável; descansar: *O vulcão dormita.* ***T. d.*** **4.** Dormir levemente: "estirada numa velha cadeira de vime ...., dormitava a sesta." (Eça de Queirós, *O Primo Basílio*, p. 195).

dormitivo [De *dormir + -tivo.*] ***Adj.*** Que provoca o sono, que faz dormir; narcótico.

dormitoreiro [De *dormitório + -eiro.*] ***S. m. Bras. S.*** Aquele que se ocupa com o arranjo de dormitórios.

dormitório [Do lat. *dormitoriu.*] ***S. m.*** **1.** Pavilhão ou ala de edifício, com muitos quartos de dormir. **2.** Sala equipada com muitas camas. **3.** Quarto de dormir. **4.** Mobília de quarto de dormir. **5.** *Bras.* Lugar onde dormem os animais, sobretudo as aves; dormida.

dorna [De or. controversa.] ***S. f.*** Grande vasilha de aduelas, sem tampa, e destinada a pisar uvas. [Dim. irreg.: *dornacho.*]

dornacho [De *dorna + -acho.*] ***S. m.*** Pequena dorna.

dorneira [De *dorna + -eira.*] ***S. f.*** Peça do moinho na qual se lança o grão para ser moído.

▲ **doro-** [Do gr. *dôron, ou.*] ***El. comp.*** = 'dom'; 'presente': *doromania, dorômano.*

doromania [De *doro- + -mania.*] ***S. f. Psiq.*** Tendência patológica a dar presentes.

doromaníaco [De *doromania + -íaco.*] *Psiq.* ***Adj.*** **1.** Relativo a doromania. **2.** Que tem doromania; dorômano. ● ***S. m.*** **3.** Aquele que tem doromania; dorômano.

dorómano ***Adj. S. m.*** *Psiq.* V. *dorômano*. [Uso freq. em P.]

dorômano [De *doro- + -mano*^{1}.] ***Adj. S. m.*** *Psiq.* Doromaníaco (2 e 3).

dorsal [Do lat. med. *dorsale.*] ***Adj. 2 g.*** **1.** Relativo ou pertencente ao dorso (1). ~ V. *consoante* —, *corda* —, *crista* —, *espinha* — e *quilha* —. ● ***S. f.*** **2.** *E. Ling.* Consoante dorsal (q. v.). ◆ **Dorsal oceânica.** *Ocean.* Cordilheira submarina que se estende longitudinalmente no meio dos grandes oceanos, e cujos picos às vezes emergem como ilhas vulcânicas.

dorsalgia [De *dors(i)- + -alg(o)-*^{2} *+ -ia*^{1}.] ***S. f. Med.*** Dor no dorso (1).

▲ **dors(i)-** [Do lat. *dōrsum, i.*] ***El. comp.*** = 'dorso': *dorsifixo, dorsiventral.* [Equiv.: *dorso-*: *dorsolateral.*]

dorsífero [Do lat. *dorsiferu.*] ***Adj.*** Que tem alguma coisa sobre o dorso.

dorsifixo (cs) [De *dors(i)- + -fixo.*] ***Adj.*** Fixo no dorso.

dorsilateral [De *dors(i)- + -later(o)- + -al*^{1}.] ***Adj. 2 g.*** Dorsolateral.

dorsiventral [De *dors(i)- + ventral.*] ***Adj. 2 g.*** **1.** *Biol.* Que se estende do lado dorsal em direção ao lado ventral. **2.** *Bot.* Achatado ou laminar, donde um único plano de simetria: *estrutura dorsiventral.*

dorso (ô) [Do lat. *dorsu.*] ***S. m.*** **1.** *Anat.* Porção posterior do tronco, a qual se estende do pescoço à bacia. **2.** *Anat.* Porção superior de várias formações anatômicas, como língua, mão, pênis, etc. **3.** *Fig.* Parte posterior; reverso: "Estava de pé, sobrecasaca abotoada, a mão esquerda no dorso de uma cadeira" (Machado de Assis, *Dom Casmurro*, p. 338). **4.** Parte superior convexa. **5.** *Bibliol.* V. *lombada*^{1} (2).

▲ **dorso-** Equiv. de *dors(i)-*.

dorsolateral [De *dorso- + -later(o)- + -al*^{1}.] ***Adj. 2 g.*** *Anat.* Situado ou existente no dorso e em porção lateral; dorsilateral.

dorsoventral [De *dorso- + ventral.*] ***Adj. 2 g.*** *Biol. Bot.* Dorsiventral.

➔ **dorsum** ['dɔrso(m)] [Lat., 'cume'.] *Astr.* Designação latina adotada pela U.A.I. para designar a cumeeira de montanhas em superfície de satélites e planetas.

■ **DOS** [Sigla do ingl. *D(isk) O(perating) S(ystem)*, 'Sistema Operacional de Disco'.] *Inform.* **1.** Nome genérico de alguns sistemas operacionais (v. *sistema operacional*), em que se enfatiza a inclusão (atualmente, trivial) de recursos para o gerenciamento de arquivos em disco. **2.** *Restr.* Sistema operacional (q. v.) tradicional da maior família de microcomputadores, a dos PCs (v. *PC*), atualmente obsoleto devido, esp., à sua interface de linha de comando (q. v.) e à reduzida capacidade de executar mais de uma tarefa (3) simultaneamente.

dosagem [De *dosar + -agem*^{2}.] ***S. f.*** **1.** Operação de dosar; doseamento. **2.** Determinação do traço de um concreto ou argamassa. ◆ **Dosagem racional.** Dosagem de um concreto estabelecida de acordo com os materiais disponíveis, de modo que empreste ao concreto a resistência desejada.

dosar [De *dose + -ar*^{2}.] ***V. t. d.*** **1.** Regular por dose, determinar a dose ou quantidade de (substância, medicamento, etc.). **2.** Combinar a mistura de; misturar nas devidas proporções: *Sabe dosar as poções a olho.* **3.** Graduar (6): *O professor dosa as lições segundo a capacidade dos alunos.* [Sin. ger.: *dosear*. Pres. subj.: *dose*, etc. Cf. *doze.*]

dose [Do gr. *dósis.*] ***S. f.*** **1.** Quantidade fixa de uma substância que entra na composição de um medicamento, numa combinação química, etc. **2.** *Terap.* Quantidade de medicamento que se usa com fim curativo, ou profilático. **3.** Porção de bebida servida de cada vez: *Tomou três doses de cachaça logo de manhã.* **4.** Quantidade, porção. **5.** *Fís. Nucl.* Exposição (12). [Cf. *doze.*] ◆ **Dose absorvida.** *Fís.* Energia absorvida por unidade de massa dum sistema sujeito à ação duma radiação ionizante. **Dose absorvida integral.** *Fís.* Quantidade total de energia absorvida por um sistema sujeito à ação duma radiação ionizante. **Ser dose.** *Bras. Fam. Pop.* V. *ser dose para leão.* **Ser dose para elefante.** *Bras. Fam. Pop.* V. *ser dose para leão.* **Ser dose para leão.** *Bras. Fam. Pop.* Ser muito árduo ou árido (um trabalho, uma tarefa), muito desagradável, tedioso, cacete, etc. (pessoa, coisa ou situação): *Traduzir 100 páginas num dia é dose para leão; Não aguento aquele chato: é dose para leão.* [Tb. se diz apenas *ser dose*; sin.: *ser dose para elefante.*]

doseamento [De *dosear + -mento.*] ***S. m.*** Dosagem (1).

dosear [De *dose + -ear*^{2}.] ***V. t. d.*** Dosar. [Conjug.: v. *frear.*]

▲ **dosi-** [Do V.C.I. *dosi-* < gr. *dósis, eōs*, 'ação de dar'; 'porção'.] ***El. comp.*** = 'dose': *dosimetria, dosímetro.*

dosificar [De *dosi- + -ficar.*] ***V. t. d.*** Dividir em doses; reduzir a doses. [Conjug. v. *trancar.*]

dosimetria [De *dosi- + -metria.*] ***S. f.*** **1.** *Quím. Nucl.* Conjunto de técnicas de medição da atividade de amostras radioativas ou da intensidade de radiações ionizantes. **2.** *Radiol.* Medida da quantidade, frequência e distribuição de radiações ionizantes a que um ser vivo esteve exposto.

dosimétrico [De *dosimetria + -ico*^{2}.] ***Adj.*** Relativo a dosimetria, ou a dosímetro.

dosímetro [De *dosi- + -metro.*] ***S. m.*** *Fís. Nucl.* Qualquer medidor de radioatividade capaz de medir e registrar uma dose de radiação.

dossel [Do cat. *dosser*, poss. pelo esp. ant. *dosser* (atual *dosel*).] ***S. m.*** **1.** Armação ornamental, saliente, forrada e franjada, que encima altar, trono, leito, etc.; sobrecéu: "Amplo dossel de seda levantina, / Por colunas de jaspe sustentado, / Cobre os cetins e a caxemira fina / Do régio leito de ébano lavrado." (Olavo Bilac, *Poesias*, p. 25.) **2.** Qualquer cobertura a meia altura no interior de um repartimento. **3.** *Fig.* Cobertura de flores; copa de verdura: "Alfredo aceitou com ares de contente um quarto que lhe deram, cuja janela enramada de trepadeiras parecia a graciosa avenida de uma gruta, abobadada externamente de dosséis de hidranjas e baunilhas." (Camilo Castelo Branco, *A Enjeitada*, p. 15.) **4.** Cobertura ornamental. **5.** *Maç.* Cobertura colocada sobre o altar do venerável mestre, que varia de cor ou formato, conforme o rito. [Pl.: *dosséis.*]

dossiê [Do fr. *dossier.*] ***S. m.*** Coleção de documentos referentes a certo processo, a determinado assunto, ou a certo indivíduo, etc.

dostoievskiano ***Adj.*** **1.** Pertencente ou relativo a Fedor M. Dostoievski (1821-1881), escritor russo, ou próprio dele. **2.** Que é seu admirador e/ou profundo conhecedor de sua obra. ● ***S. m.*** **3.** Grande admirador e/ou profundo conhecedor da obra de Dostoievski.

dotação [De *dotar + -ção.*] ***S. f.*** **1.** Ato ou efeito de dotar. **2.** Renda destinada à manutenção de pessoa ou corporação. **3.** Coisa ou renda dotada. **4.** *Econ.* Em Finanças Públicas, quantia consignada em orçamento ou em crédito adicional para fazer face a determinada despesa. **5.** *Turfe* Prêmio pago aos proprietários dos cavalos vencedores das corridas. **6.** *Bras. Mar. G.* Conjunto de complementos ou de sobressalentes que se levam a bordo para operar determinado equipamento, armamento, máquina, etc.

dotado [Part. de *dotar.*] ***Adj.*** **1.** Que recebeu dote. **2.** Que tem dotes [v. *dote* (5)]; prendado.

dotador (ô) [De *dotar + -dor.*] ***S. m.*** Aquele que dota.

dotal [Do lat. *dotale.*] ***Adj. 2 g.*** Relativo a dote; dotalício.

dotalício [De *dotal + -ício.*] ***Adj.*** Dotal.

dotalização [De *dotalizar + -ção.*] ***S. f.*** Ato ou efeito de dotalizar.

dotalizar [De *dotal + -izar.*] ***V. t. d.*** *Jur.* Converter em dote (4).

dotamento [De *dotar + -mento.*] ***S. m.*** Ação de dotar.

dotar [Do lat. *dotare.*] ***V. t. d.*** **1.** Dar dote a: *O pai dotou a filha.* **2.** Atribuir algum dom a; favorecer:

A natureza dotou-a muito bem. ***T. d.*** **3.** Dar em doação como dote ou prenda; consignar para dotação: *O industrial dotou a instituição com avultada soma.* **4.** Prendar, favorecer, beneficiar (com algum dom natural): "Alguns bons e generosos instintos, de que o dotara a natureza, haviam-se apagado em seu coração" (Bernardo Guimarães, *A Escrava Isaura*, p. 33). **5.** Prover, munir: "o importante é dotar o País de um instrumento processual que permita uma distribuição rápida da Justiça." (Ernâni Sátiro, *Sempre aos Domingos*, p. 115.) ***P.*** **6.** Constituir dote para si.

dote [Do lat. *dote*.] ***S. m.*** **1.** Conjunto de bens que leva a pessoa que se casa. **2.** Bens que a mulher recebe de ascendentes ou de terceiros ao casar-se. **3.** Bens que a freira leva para o convento. **4.** *Jur.* Bens incomunicáveis que a mulher, ou seus ascendentes ou terceiros, transfere ao marido, para com os frutos e rendimentos deles o ajudar na satisfação dos encargos econômicos do matrimônio, sob a cláusula de restituição de tais bens se houver dissolução da sociedade conjugal. **5.** *Fig.* Dom natural; merecimento; predicado moral, físico ou intelectual: *dotes do espírito; dote da beleza.* ◆ **Dote inoficioso.** *Jur.* Aquele que excede a legítima e mais a metade disponível. **Dotes profetícios.** *Jur.* V. *bens profetícios.* **Vender por um dote.** *Bras.* Vender (algo) muito caro.

▲**dotriaconta-** [Do V.C.I. < gr. *do-* (como em *dodeca-* [q. v.]) + gr. *triákonta*, '30'.] ***El. comp.*** = '32': *dotriacontaedro, dotriacontágono.* [V. *triacont(a)-.*]

dotriacontaedro [De *dotriaconta-* + *-edro*.] ***S. m.*** *Geom.* Poliedro de 32 faces.

dotriacontágono [De *dotriaconta-* + *-gono*.] ***S. m.*** *Geom.* Polígono de 32 lados. [A pronúncia correta seria *dotriacontagono*, v. *-gono*.]

doú [Do ior.] ***S. m.*** *Bras. BA Rel.* Irmão, ou companheiro, ou guardião do orixá duplo Ibêji (q. v.). [É representado numa espécie de trindade, entre as imagens de São Cosme e São Damião, dentro das casas de culto afro-brasileiras e fora delas.] [Com cap. Var.: *Doum*.]

→**doublé** [du'ble] [Fr.] ***S. m.*** *Art. Gráf.* **1.** Impressão de uma estampa sobre fundo uniforme de outra cor. **2.** Bicromia (3).

→**double-bogey** ['dʌbļ 'bowgij] [Ingl.] ***S. m.*** *Esport.* No golfe, jogada em que o golfista utiliza duas tacadas a mais do que o par, para atingir o buraco.

→**double-face** [dublə'fas] [Ingl., 'dupla face'.] ***S. m.*** *Vest.* Tecido, roupa, etc., sem avesso, que podem ser utilizados tanto de um lado como do outro. [Cf. *reversível* (4).]

→**double-faced** [dʌbəl fejst] [Ingl.] ***Adj.*** Reversível (4).

douda ***S. f.*** V. *doida.*

doudão [De *doudo* + *-ão*[1].] ***Adj. S. m.*** V. *doidão.* [Fem.: *doudona.*]

doudaria [De *doudo* + *-aria*.] ***S. f.*** V. *doidaria.*

doudarrão [De *doudo* + *-arrão*.] ***Adj. S. m.*** V. *doidarrão.* [Fem.: *doudarrona.*]

doudarrona ***S. f.*** Fem. de *doudarrão* (q. v.).

doudeira [De *doudo* + *-eira*.] ***S. f.*** V. *doideira.*

doudejante [De *doudejar* + *-nte*.] ***Adj. 2 g.*** Doidejante: "a multidão doudejante e inquieta, que atestava as vielas e torvelinhava nas praças" (Euclides da Cunha, *Contrastes e Confrontos*, p. 56).

doudejar [De *doudo* + *-ejar*.] ***V. int. T. c.*** V. *doidejar.* [Conjug.: v. *pelejar.*]

doudejo (ê) [Dev. de *doudejar*.] ***S. m.*** Doidejo.

doudelo [De *doudo* + *-elo*.] ***S. m.*** *Bras.* V. *doidelo.*

doudice [De *doudo* + *-ice*.] ***S. f.*** V. *doidice.*

doudivanas ***S. 2 g. e 2 n.*** V. *doidivanas.*

doudo ***Adj. S. m.*** V. doido: "Almas doudas de amor, martirizadas, / Almas errantes dos incompreendidos" (Da Costa e Silva, *Sangue*, p. 28). [Aum.: *doudão, doudarrão.*]

doudona ***S. f.*** Fem. de *doudão* (q. v.).

doula [Do gr. *doûle*, 'aquela que serve'.] ***S. f.*** Profissional que acompanha a gestante antes, durante e após o parto, cuida do seu bem-estar físico e emocional, e explica a ela (e a seu companheiro) a linguagem e os procedimentos dos médicos e enfermeiras.

doum (o-um) ***S. f.*** *Bras. Rel.* V. *Doú.* [Com cap.]

douração [De *dourar* + *-ção*.] ***S. f.*** **1.** Ato ou efeito de dourar; douradura, dourado. **2.** *Encad.* A arte de ornamentar livros a ouro. [Var.: *doiração.*]

dourada [F. subst. de *dourado*.] ***S. f.*** *Bras.* **1.** *Bot.* V. *douradão* (3). **2.** *Zool.* Bagre pimelodídeo (*Brachyplatystoma flavicans*), da Amaz., com até 1,50m de comprimento, de coloração dourada, barbilhões que não ultrapassam as nadadeiras peitorais e carne excelente, estimadíssima na região; dourado. [Var.: *doirada.*]

douradão [De *dourado* + *-ão*[1].] ***S. m.*** **1.** Espécie de jogo de cartas, semelhante ao truque. **2.** *Bras. Bot.* V. *douradinha* (4). **3.** *Bras. AM a SP Bot.* Arbusto rubiáceo (*Policourea rigida*) glabro, dotado de folhas muito grandes, rígidas e coriáceas, flores amareladas, pequenas, dispostas em grandes panículas terminais, cujo fruto drupáceo contém sementes sulcadas na face ventral, e que vegeta nos cerrados e campos; dourada, douradinha-do-campo, gritadeira. [Var.: *doiradão.*]

douradense[1] ***Adj. 2 g.*** **1.** De, ou pertencente ou relativo a Dourado (SP). ● ***S. 2 g.*** **2.** O natural ou habitante de Dourado.

douradense[2] ***Adj. 2 g.*** **1.** De, ou pertencente ou relativo a Dourados (MS). ● ***S. 2 g.*** **2.** O natural ou habitante de Dourados.

douradense[3] ***Adj. 2 g. S. 2 g.*** V. *espírito-santense-do-dourado.*

douradense[4] ***Adj. 2 g.*** **1.** De, ou pertencente ou relativo a Pedra Dourada (MG). ● ***S. 2 g.*** **2.** O natural ou habitante de Pedra Dourada.

douradilho [Do esp. plat. *doradillo*.] ***Adj.*** *Bras. S.* Diz-se do cavalo de pelo amarelado, com reflexos dourados quando exposto ao sol. [Var.: *doiradilho.*]

douradinense ***Adj. 2 g.*** **1.** De, ou pertencente ou relativo a Douradina (MS e PR). ● ***S. 2 g.*** **2.** O natural ou habitante de Douradina.

douradinha [Subst. do dim. de *dourada*.] ***S. f.*** **1.** Espécie de jogo de cartas. **2.** A dama de ouros, nesse jogo. **3.** *Bot.* Variedade de pera. **4.** *Bras. N. a S. Bot.* Designação comum a várias espécies de plantas polipodiáceas dotadas de rizoma ereto, frondes oblongas com pontas estreitas, pinas horizontais, lanceoladas, arredondadas ou agudas no ápice, e cujos soros são em forma de meia-lua, arredondados ou oblongos, numerosos, enchendo quase toda a página inferior; são tb. conhecidas como douradão, samambaia-douradinha. **5.** *Bot.* Planta escrofulariácea (*Lindernia diffusa*) anual, nativa do Brasil, dotada de propriedades eméticas, diuréticas, e febrífugas; caataia, mata-cana, matucana. **6.** *Bot.* Designação comum a várias espécies esterculiáceas do gênero *Waltheria*, como, p. ex., a *Waltheria indica*, de pequenas flores amarelas fragrantes, que crescem em densos racimos axilares. **7.** *Bras. PE Gír.* Moeda de ouro. [Var.: *doiradinha.*]

douradinha-do-campo ***S. f.*** *Bras.*, *Bot.* V. *douradão* (3). [Pl.: *douradinhas-do-campo.*]

dourado [Part. de *dourar*.] ***Adj.*** **1.** Da cor do ouro: *caneta dourada; luvas douradas; cabelos dourados.* **2.** Revestido de camada ou folha de ouro: *a imagem dourada do santo.* **3.** Enfeitado ou bordado a ouro: *Sua blusa era toda dourada.* **4.** *Fig.* Feliz, alegre, despreocupado: *os anos dourados da vida.* ~ V. *prata —a* e *sonho —.* ● ***S. m.*** **5.** Douradura (2): *O dourado da caixa era todo trabalhado.* **6.** V. *douração* (1). **7.** A cor dourada: *o dourado do Sol.* **8.** *Bras. Zool.* Peixe caracídeo (*Salminus brevidens* ou *S. brasiliensis*) carnívoro, da bacia do rio São Francisco, de coloração dourada tendente ao vermelho e cuja fêmea atinge cerca de 1m de comprimento e 20kg de peso; língua-roxa, piraju, pirajuba, saijé, tubarana. **9.** *Bras. Zool.* Peixe caracídeo (*Salminus maxillosus*) originário da bacia do Paraná, de coloração dourada, com algumas linhas pretas longitudinais; atinge cerca de 1,20m de comprimento (fêmea) e 30kg de peso, e como o anterior é muito apreciado para a pesca esportiva; piraju, pirajuba, saijé, saipé. **10.** *Bras. Zool.* Dourada (2). [Var.: *doirado.*]

dourado-branco ***S. m.*** *Bras. Zool.* V. *tubarana* (1). [Pl.: *dourados-brancos.*]

douradoquarense ***Adj. 2 g.*** **1.** De, ou pertencente ou relativo a Douradoquara (MG). ● ***S. 2 g.*** **2.** O natural ou habitante de Douradoquara.

dourador (ô) [De *dourar* + *-dor*.] ***S. m.*** Operário ou artista que se dedica à douração. [Var.: *doirador.*]

douradura [De *dourar* + *-dura*.] ***S. f.*** **1.** Arte ou operação de dourar. **2.** Camada ou folha de ouro que reveste um objeto; dourado. **3.** O objeto dourado: *Toda a douradura da igreja era da época colonial.* **4.** V. *douração* (1). [Var.: *doiradura.*]

douramento [De *dourar* + *-mento*.] ***S. m.*** Ação de dourar. [Var.: *doiramento.*]

dourar [Do lat. *deaurare*.] ***V. t. d.*** **1.** Revestir com camada de ouro: *dourar um relógio, uma pulseira.* **2.** Dar cor de ouro a: "Uma larga planície o Sol dourava" (Alberto de Oliveira, *Poesias*, 1ª série, p. 224). **3.** Dar brilho a; realçar; enaltecer: *Os nobres sentimentos douram o destino mais miserável.* **4.** Tornar ditoso, feliz; alegrar: *Os netos douram a velhice.* **5.** Adornar, cataviar, com enfeites dourados. **6.** Encobrir (um fato desagradável) com aparências ou razões aceitáveis; sobredourar, disfarçar: *Os jornais douraram a catástrofe.* **7.** *Cul.* Corar (3). **8.** *Encad.* Estampar lombada, pastas ou corte de livro, álbum, etc. com ouro, ou com material dourado, por meio de ferros e tipos, letreiros e ornatos. ***Int.*** **9.** *Cul.* Corar (8). ***P.*** **10.** Tornar-se brilhante; iluminar-se; resplandecer. [Var.: *doirar.*]

douro [Var. de *dóri*.] ***S. m.*** *Lus.* Pequeno barco de fundo chato, empregado na pesca do bacalhau; dóri.

▲**-douro**[1] [Do lat. *turu*.] ***Suf. nom.*** = 'passível de', 'que poderá vir a': *duradouro* (< lat.); *vindouro* (< lat.). [Equiv.: *-doiro*[1]: *vindoiro.*]

▲**-douro**[2] [Var. de *-doiro*[2] < lat. *-toriu*, por via pop.] ***Suf. nom.*** = 'pertencente ou relativo a'; 'próprio para'; 'ação'; 'lugar da ação'; 'instrumento da ação': *logradouro* (ou *logradoiro*), *suadouro* (ou *suadoiro*). [Equiv.: *-tório* (q. v.): *lavatório* (< lat.), *depredatório*. Casos há em que o suf. *-tório* apresenta conotação pejorativa, como, p. ex., em *falatório*.]

dous [Do lat. *duos*.] ***Num. S. m. 2 n.*** Dois (q. v.).

douto [Do lat. *doctu*.] ***Adj.*** **1.** Que aprendeu muito; muito instruído; erudito, sábio: *o douto acadêmico.* **2.** Que denota erudição, sabedoria: *doutas palavras.*

doutor (ô) [Do lat. *doctore*.] ***S. m.*** **1.** Aquele que completou o doutorado (2). **2.** Aquele que se diplomou numa universidade. [Cf. *licenciado* (4) e *mestre* (13).] **3.** Médico, esculápio: *A doente sentiu-se melhor após a visita do doutor.* **4.** Homem muito douto; sábio; erudito. **5.** *Pej.* Sabichão (4). **6.** *Teatr.* Personagem-tipo da *commedia dell'arte*, que representa um membro de qualquer profissão satirizada, em especial a medicina e a advocacia. **7.** *Bras. Zool.* V. *galo-branco* (2). [Flex.: *doutora* (ô), *doutores* (ô), *doutoras* (ô); aum. deprec.: *doutoraço*. Cf. *doutora, doutoras, doutores*, do v. *doutorar*.] ◆ **Doutor da Igreja.** Teólogo de grande autoridade. **Doutor *honoris causa*.** Aquele que recebeu título universitário sem curso nem exame, como pura homenagem.

doutora (ô) ***S. f.*** **1.** Mulher que recebeu o grau de doutor. **2.** *Pej.* Fem. de doutor (5). [Pl.: *doutoras* (ô). Cf. *doutora* e *doutoras*, do v. *doutorar*.]

doutoraço [De *doutor* + *-aço*.] ***S. m.*** **1.** Aum. deprec. de *doutor*. **2.** *Pop.* Homem que, ridiculamente, presume de sábio.

doutorado [Do lat. med. *doctoratu*.] ***S. m.*** **1.** O grau de doutor. **2.** Curso de pós-graduação, mais avançado que o mestrado, que capacita o graduado à execução e orientação de pesquisas em uma área de conhecimento, e do qual constam, ger., aulas e trabalho de investigação original, sob a direção de um orientador, e cuja conclusão é condicionada à apresentação de trabalho escrito (sob a forma de tese) ou tarefa congênere e, muitas vezes, exames e outras avaliações. [Cf., nesta acepç., *licenciatura* (2), *especialização* e *mestrado* (5).]

doutoral [De *doutor* + *-al*[1].] ***Adj. 2 g.*** **1.** De, ou relativo a doutor. **2.** *P. ext. Pej.* Próprio de doutor; pedante, pretensioso, pernóstico: *ar doutoral; tom doutoral.*

doutoramento [De *doutorar* + *-mento*.] ***S. m.*** **1.** Ato de doutorar(-se). **2.** V. *doutorado* (2).

doutorando [De *doutorar* + *-ando*.] ***S. m.*** Aquele que se prepara para receber o grau de doutor, que está prestes a doutorar-se.

doutorar [De *doutor* + *-ar*[2].] ***V. t. d.*** **1.** Conferir o grau de doutor a: *Foi a Universidade Federal do Rio de Janeiro que o doutorou.* ***P.*** **2.** Receber o grau de doutor: "mandou-o estudar no Colégio Pio Brasileiro, em Roma, para se doutorar." (Lustosa da Costa, *Sobral do Meu Tempo*, p. 89). [Pres. ind.: *doutoro, doutoras, doutora*, etc.; pres. subj.: *doutore, doutores*, etc. Cf. *doutora* (ô) e pl. *doutoras* (ô), e *doutores* (ô), pl. de *doutor*.]

doutor de raiz ***S. m.*** *Bras. AL BA* V. *raizeiro.* [Pl.: *doutores de raiz.*] ☑

doutorice [De *doutor* + *-ice*.] ***S. f.*** *Deprec.* **1.** Ares de doutor. **2.** Ditos de sabichão. **3.** Exibição de saber inútil ou falso: "a ortografia existente, pura convenção de pedantes, reles doutorice, asquerosamente pretensiosa" (Ramalho Ortigão, *Figuras e Questões Literárias*, II, p. 119).

doutrina [Do lat. *doctrina*.] ***S. f.*** **1.** Conjunto de princípios que servem de base a um sistema religioso, político, filosófico, científico, etc. **2.** Catequese cristã. **3.** Ensinamento, pregação. **4.** Opinião de autores. **5.** Texto de obras escritas. **6.** Regra, preceito, norma: *Tal procedimento fez doutrina.*

doutrinação [De *doutrinar* + *-ção*.] ***S. f.*** Ato de doutrinar (q. v.); instrução em qualquer doutrina; prédica; catequese, catequização; doutrinamento.

doutrinado [Part. de *doutrinar*.] ***Adj.*** Instruído, ensinado, amestrado.

doutrinador (ô) [De *doutrinar* + *-dor*.] ***Adj. S. m.*** Que, ou aquele que doutrina; doutrinante.

doutrinal [Do lat. *doctrinale*.] ***Adj. 2 g.*** **1.** Relativo a doutrina. **2.** Doutrinário[1].

doutrinamento [De *doutrinar* + *-mento*.] ***S. m.*** V. *doutrinação.*

doutrinante [De *doutrinar* + *-nte*.] ***Adj. 2 g. S. 2 g.*** Doutrinador.

doutrinar [De *doutrina* + *-ar*[2].] ***V. t. d.*** **1.** Instruir numa doutrina; ensinar: *O mestre doutrina pacientes os discípulos.* ***Int.*** **2.** Pronunciar ou escrever doutrinas, ensinamentos; pregar: "O vigário domina-os com brandura, ... ensinando o catecismo, doutrinando sobre a virtude." (Coelho Neto, *Treva*, p. 86.)

[F. paral.: *adoutrinar*. Fut. do pret.: *doutrinaria*, etc. Cf. *doutrinária*, fem. de *doutrinário*[1], adj., e *doutrinário*[2], adj. e s. m.]

doutrinário[1] [De *doutrina* + *-ário*.] ***Adj.*** Que encerra doutrina; doutrinal. [Fem.: *doutrinária*. Cf. *doutrinaria*, do v. *doutrinar*.]

doutrinário[2] [Do fr. *doctrinaire*.] ***Adj. S. m.*** Que ou o que é partidário do doutrinarismo[2]. [Fem.: *doutrinária*. Cf. *doutrinaria*, do v. *doutrinar*.]

doutrinarismo[1] [De *doutrinário*[1] + *-ismo*.] ***S. m.*** Qualidade ou caráter do que é doutrinário[1].

doutrinarismo[2] [Do fr. *doctrinairisme*.] ***S. m.*** Teoria e ação política do liberalismo francês na primeira metade do séc. XIX.

doutrinarista [De *doutrinarismo*[2] + *-ista*.] ***Adj. 2 g.*** **1.** Relativo ao, ou que é partidário do doutrinarismo[2]. ● ***S. 2 g.*** **2.** Partidário dele.

doutrinável [De *doutrinar* + *-vel*.] ***Adj. 2 g.*** Que se pode doutrinar.

doutrineiro [De *doutrina* + *-eiro*.] ***S. m. Deprec.*** **1.** Aquele que prega ou defende doutrinas extravagantes. **2.** *Pop.* Aquele que ensina a doutrina cristã.

doutro Contr. da prep. *de* com o pron. indef. *outro*: 📖 "És doutro agora, e pra sempre!" (Gonçalves Dias, *Obras Poéticas*, I, p. 347.) [Flex.: *doutra, doutros, doutras*.]

doutrora [Contr. da prep. *de* + o adv. *outrora*.] ***Adv.*** De outrora.

doverlandense ***Adj. 2 g.*** **1.** De, ou pertencente ou relativo a Doverlândia (GO). ● ***S. 2 g.*** **2.** O natural ou habitante de Doverlândia.

→**down** [dæwn] [Ingl.] ***S. m. Fís. Part.*** Quark com carga elétrica -1/3, *spin* 1/2, número bariônico 1/3, e com a componente z do *isospin* -1/2 [símb.: *d*]. [Cf. *próton*.]

→**download** ['dæwnlowd] [Ingl., de *down(line)*, 'linha abaixo (*i. e.*, seguindo o fluxo de informações)', + *load*, 'carga', 'ato de carregar'.] ***S. m. Inform.*** Numa rede de computadores, obtenção de cópia, em máquina local, de um arquivo originado em máquina remota. [Cf. *upload*.] ◆ **Fazer (um) *download*.** *Inform.* V. *baixar* (4).

→**downsizing** ['dawn͵sajzıŋ] [Ingl.] ***S. m. Adm.*** Revisão dos processos e estrutura da empresa visando a torná-los mais simples, eficientes e enxutos.

▲ **dox(o)-** [Do gr. *doxo-* < gr. *dóxa, ēs*.] ***El. comp.*** = 'glória'; 'crença', 'opinião': *doxomania*. [Equiv.: *-dox(o)-*, *-doxo*: *filodoxia, heterodoxo* (< gr.).]

▲ **-dox(o)-** V. *dox(o)-*.

▲ **-doxo** V. *dox(o)-*.

doxografia (cs) [De *dox(o)-* + *-grafia*.] ***S. f.*** **1.** Arte do doxógrafo. **2.** Compilação filosófica.

doxográfico (cs) [De *doxografia* + *-ico*[2].] ***Adj.*** Relativo à doxografia.

doxógrafo (cs) [De *dox(o)-* + *-grafo*.] ***S. m.*** Cada um dos compiladores gregos que coligiam extratos dos filósofos antigos.

doxologia (cs) [De *dox(o)-* + *-logia*.] ***S. f. Lit.*** Fórmula litúrgica de louvor a Deus, ger. ritmada.

doxológico (cs) [De *doxologia* + *-ico*[2].] ***Adj.*** Referente à doxologia.

doxomania (cs) [De *dox(o)-* + *-mania*.] ***S. f. Psiq.*** Paixão de adquirir glória.

doxomaníaco (cs) [De *doxomania* + *-íaco*.] ***Psiq. Adj.*** **1.** Relativo à doxomania. **2.** Que tem doxomania; doxômano. ● ***S. m.*** **3.** Aquele que tem doxomania; doxômano.

doxómano (cs) ***Adj. S. m. Psiq.*** V. *doxômano*. [Uso freq. em P.]

doxômano (cs) [De *dox(o)-* + *-mano*[1].] ***Adj. S. m. Psiq.*** Doxomaníaco (2 e 3).

doxorrubicina (cs) [Voc. farmac.] ***S. f. Quím.*** Antibiótico natural us. como antineoplásico [fórm.: $C_{27}H_{29}NO_{11}$].

doze (ô) [Do lat. *duodecim*, poss. pelo lat. vulg. **dodece*.] ***Num.*** **1.** Quantidade que é uma unidade maior que onze; onze mais um. **2.** Número (4) correspondente a essa quantidade. [Nessas acepç., representa-se em algarismos arábicos por 12, e em algarismos romanos, por XII.] **3.** Que está marcado ou identificado com o número 12. **4.** Décimo segundo, duodécimo. ● ***S. m.*** **5.** Representação, em algarismos, do número doze. **6.** Aquilo ou aquele que numa série de 12 ocupa o último lugar. ◆ **Cortar um doze.** *Bras. S. C.O.* V. *cortar volta*: 📖 "– Ele <u>corta um doze</u> comigo." (José J. Veiga, *A Máquina Extraviada*, p. 16.)

dozena [F. subst. de *dozeno*.] ***S. f.*** **1.** Dúzia. **2.** *Mús.* Intervalo compreendido entre 12 graus conjuntos. [Cf. *dezena*.]

dozeno [De *doze* + *-eno*[1].] ***Num. Desus.*** Duodécimo (1). [Cf. *dezeno*.]

■ **DPC** Sigla de *Diretoria de Portos e Costas do Ministério da Marinha*.

■ **DPI** [Abrev. do ingl. *dots per inch*.] *Edit. Eletrôn.* V. *ppp*.

DPT Sigla de vacina tríplice contra difteria, coqueluche e tétano.

■ **dptr** *Ópt.* Símb. de *dioptria*.

■ **DPVAT** Abrev. de *Danos Pessoais Causados por Veículos Automotores de Via Terrestre*, em *Seguro DPVAT*.

■ **Dr** Abrev. de *doutor*.

■ **DR** *Gír.* Abrev. de *discussão de relação*.

dracar [Do nórdico *drakkar*.] ***S. m. Ant.*** Embarcação comprida, movida a remos e, ocasionalmente, por uma vela redonda que tinha como figura de proa uma cabeça de dragão e na popa um apêndice como se fora o rabo dele.

dracena [Do tax. *Dracaena* (do lat. *dracaena*, 'dragão fêmea').] ***S. f. Bot.*** **1.** Gênero de subarbustos asparagáceos, ornamentais, de folhas variegadas, flores alvas, amarelo-pálidas, alvo-esverdeadas ou purpúreas, exteriormente, e alvas interiormente, dispostas em panículas terminais e cujos frutos são bagas carnosas, pequenas e alaranjadas. **2.** Qualquer espécie desse gênero, como a conhecida popularmente por *coqueiro-de-vênus* e a *Dracaena draco* [v. *dragoeiro*]. **3.** Qualquer espécime desse gênero.

dracena-vermelha [De *dracena* + o f. de *vermelho*[1].] ***S. f. Bot.*** V. *coqueiro-de-vênus* (2). [Pl.: *dracenas-vermelhas*.]

dracenense ***Adj. 2 g.*** **1.** De, ou pertencente ou relativo a Dracena (SP). ● ***S. 2 g.*** **2.** O natural ou habitante de Dracena.

dracma [Do gr. *drachmé*, pelo lat. *drachma*.] ***S. f.*** **1.** Moeda e peso da Grécia antiga. **2.** Antiga unidade monetária, e moeda, da Grécia, substituída pelo euro. **3.** Unidade de peso de alguns países. **4.** Oitava (6).

dracocéfalo [Do tax. *Dracocephalum*.] ***S. m. Bot.*** **1.** Gênero de plantas lamiáceas, herbáceas, de folhas opostas, serradas, e flores bilabiadas. **2.** Qualquer espécie desse gênero, como, p. ex., a *Dracocephalum ruyschianum*, de belas flores azuis, com corola duas vezes mais comprida que o cálice, reunidas em glomérulos dispostos em espigas compactas, curtas, terminais, cultivada como ornamental. **3.** Qualquer espécime desse gênero, ou a flor dele.

draconiano ***Adj.*** **1.** Pertencente ou relativo a Drácon, legislador de Atenas (séc. VII a. C.), famoso pela dureza cruel das leis a ele atribuídas. **2.** *P. ext.* Excessivamente rigoroso; cruelmente severo.

dracônítico ***Adj.*** Relativo aos nodos da órbita de um astro. ~ V. *mês —, período — e revolução —a*.

dracunculíase [Do tax. *Dracunculus* + *-íase*.] ***S. f. Med.*** Infecção por nematódeo do gênero *Dracunculus*; dracunculose.

dracunculose [Do tax. *Dracunculus* + *-ose*[1].] ***S. f. Med.*** Dracunculíase.

draga [Do ingl. *drag* < ingl. *(to) drag*, 'arrastar'.] ***S. f.*** **1.** Aparelho com que se tira areia, lodo, entulho, etc., do fundo dos rios ou do mar. **2.** *Ocean.* Aparelho que os navios oceanográficos arrastam no fundo do mar para obter amostras de material geológico ou biológico. ◆ **Estar na draga.** *Bras. MS MT* Estar sem dinheiro. **Viver na draga.** *Bras. MS MT* Viver na miséria.

dragado [Part. de *dragar*.] ***Adj.*** Limpo ou desobstruído com draga.

dragador (ô) [De *dragar* + *-dor*.] ***S. m.*** Aquele que trabalha com draga (1).

dragagem [De *dragar* + *-agem*[2].] ***S. f.*** Ação ou operação de dragar.

draga-minas [De *dragar* + o pl. de *mina*[1] (5).] ***S. m. 2 n.*** *Lus.* V. *navio-varredor*.

dragão [Do gr. *drákon*, pelo lat. *dracone*.] ***S. m.*** **1.** Monstro fabuloso representado, em geral, com cauda de serpente, garras e asas. **2.** *Fig.* Pessoa de má índole. **3.** V. *diabo* (2). **4.** Soldado de cavalaria. **5.** *Astr.* Constelação boreal, de grande área, a O. do Cefeu e do Cisne, a E. da Ursa Maior, ao N. de Hércules e ao S. da Ursa Menor. [Com cap., nesta acepç.] **6.** *Bras. Zool.* Ave emberizídea icterínea (*Pseudoleistes virescens*) pardo-escura com o abdome amarelo, muito parecida com o chupim-do-brejo, encontrada em campos abertos e pântanos do S. do Brasil, Uruguai e N. E. da Argentina; dragão-do-banhado. **7.** *Bras. Gír.* Pessoa muito feia.

dragão-de-comodo ***S. m. Zool.*** V. *varano* (2). [Pl.: *dragões-de-comodo*.]

dragão-do-banhado ***S. m. Zool.*** Dragão (6). [Pl.: *dragões-do-banhado*.]

dragão-do-brejo ***S. m. Zool.*** V. *chupim-do-brejo*. [Pl.: *dragões-do-brejo*.]

dragão-fedorento ***S. m. Bras. N. a S. Bot.*** Trepadeira arácea (*Monstera pertusa*) lenhosa, ornamental, com inflorescência em espádice, protegida por espata ovoide, côncava, amarela, e cujo fruto é baga amarelada; folha-furada, imbé-furado, timbó--manso. [Pl.: *dragões-fedorentos*.]

dragar [De *draga* + *-ar*[2].] ***V. t. d.*** **1.** Limpar ou desobstruir com draga (1). **2.** *Marinh.* Rocegar. **3.** Arrastar; arrojar. [Conjug.: v. *largar*.]

drágea [Do fr. *dragée*.] ***S. f.*** **1.** *Farmac.* Comprimido ou pílula medicamentosa recoberta de substância endurecida, em geral doce. **2.** Certa guloseima: amêndoa recoberta de pasta de açúcar endurecida. [Cf. *grajeia*.]

drageia (éi) ***S. f. Bras. P. us.*** V. *drágea*. ❖

dragista [De *drág(ea)* + *-ista*.] ***S. 2 g.*** Pessoa que prepara drágea(s): 📖 "Indústria farmacêutica necessita de um <u>dragista</u>, com experiência de pelo menos um ano na função e com prática de manipulação e compressão de produtos farmacêuticos." (*Jornal do Brasil*, anúncio.)

dragoeiro [De *dragão* + *-eiro*, com desnasalação.] ***S. m. Bot.*** Árvore asparagácea (*Dracaena draco*) de tronco ramificado na parte superior, formando copa larga; tem folhas lineares, flores paniculadas e frutos amarelos, bacáceos; fornece resina vermelha, dita *sangue de dragão*. [Sin.: *árvore-do-dragão*.]

dragomano ***S. m.*** V. *drogomano*.

dragona[1] [Do fr. *dragonne*.] ***S. f.*** **1.** Galão, com franjas ou sem elas, ou peça de metal amarelo, que os militares usam no ombro, como distintivo. **2.** *Bras. Zool.* V. *encontro* (11).

dragona[2] [De or. incerta.] ***S. f. Bras. AM a SP MG Bot.*** Trepadeira marcgraviácea (*Marcgravia polyantha*) arbustiva e lenhosa, de flores pequeninas, purpúreo--esverdeadas, dispostas em grandes racimos umbeliformes, multifloros, e cujo fruto é cápsula globosa, carnosa, purpúrea.

dragonada [Do fr. *dragonnade*.] ***S. f.*** Perseguição religiosa aos protestantes movida por Luís XIV de França, e na qual se empregou a cavalaria de dragões [v. *dragão* (4)].

dragonete (ê) [De *dragão* + *-ete* (ê).] ***S. m. Heráld.*** Símbolo em que figura uma cabeça de dragão com a boca aberta.

dragonteia (éi) [Do lat. *dracontea*.] ***S. f. Bot.*** V. *serpentária*. ❖

dragontino [De *dragão* (< lat. *dracon, ontis*) + *-ino*[1], seg. o padrão erudito.] ***Adj.*** Relativo ou pertencente a dragão.

→**drag queen** [dɹæg kwijn] [Ingl.] ***S. f.*** Homem que se fantasia de mulher e usa, ger., maquilagem teatral, para comparecer a festas, *shows*, ou a outros eventos; transformista.

draino [Do ingl. *drain*.] ***S. m.*** V. *dreno*.

draiva [Do gen. *draja*.] ***S. m. Ant. Marinh.*** Vela maior que a mezena e que, com bom tempo, se envergava no lugar desta.

drama [Do lat. *drama* < gr. *drâma*.] ***S. m.*** **1.** *Teatr.* Designação genérica de composição dialogada ou teatral; texto ou peça teatral; comédia. **2.** *Teatr.* Peça teatral em que o cômico se mistura com o trágico. [Aum. deprec., nesta acepç.: *dramalhão*.] **3.** *P. ext. Teatr.* O gênero teatral; teatro. **4.** Série de episódios complicados ou patéticos. **5.** Acontecimento terrível, sinistro; catástrofe. ◆ **Drama lacrimoso.** *Teatr. Deprec.* V. *melodrama* (1 a 3). **Drama lírico.** *Teatr. Mús.* V. *ópera* (1). **Drama litúrgico.** *Teatr.* Uma das primeiras manifestações dramáticas do teatro medieval, constituída de cenas dialogadas inseridas na liturgia da missa, a princípio faladas em latim e posteriormente nas línguas vernáculas. **Drama musical.** *Teatr. Mús.* V. *ópera* (1). **Drama sacro.** *Teatr.* Drama de caráter religioso e moral, inspirado nos episódios bíblicos ou na vida dos santos. **Drama satírico.** *Teatr.* No antigo teatro grego, drama de caráter cômico e licencioso, representado em seguida às trilogias trágicas, e em que o coro era constituído de atores que interpretavam sátiros. **Drama semilitúrgico.** *Teatr.* Peça dramática dos primórdios do teatro medieval, cujo entrecho se constituía de elementos litúrgicos e seculares. **Drama sentimental.** *Teatr.* V. *melodrama* (1 a 3). **Fazer drama.** Dramatizar (3). **Fazer drama de.** Dramatizar (2).

dramalhão [Aum. deprec. de *drama* (v. *-alhão*).] ***S. m. Deprec.*** Peça ou filme de valor escasso, mas cheio de lances trágicos e artificiosos, ou que expõe atos de perversidade requintada: 📖 "Todos somos atores, figurantes exóticos de insulsíssimos <u>dramalhões</u>." (Geir Campos, *O Vestíbulo*, p. 17.)

dramática [F. subst. de *dramático*.] ***S. f. Teatr. P. us.*** O gênero dramático; drama, teatro.

dramaticidade [De *dramático* + *-(i)dade*.] ***S. f.*** Qualidade de dramático.

dramático [Do gr. *dramatikós*, pelo lat. *dramaticu*.] ***Adj.*** **1.** De, ou pertencente ou relativo a drama. **2.** Que representa dramas: 📄 *ator <u>dramático</u>*. **3.** Comovente, patético: 📄 *cena <u>dramática</u>*. ~ V. *ação —a, arranco —, arte —a, autor —, conflito —, convenção —a, crise —a, dança —a, economia —a, estrutura —a, figura —a, força —a, jogo —, lance —, leitura —a* e *poema —*.

→**dramatis personae** [dra'matęs per͵'sonaj] [Lat.] *Teatr.* Elenco (5).

dramatista [De *dramat(o)-* + *-ista*.] ***S. 2 g. Bras. P. us.*** V. *dramaturgo*.

dramatização [De *dramatizar* + *-ção*.] ***S. f.*** Ato ou efeito de dramatizar.

dramatizado [Part. de *dramatizar.*] ***Adj.*** Que se dramatizou; a que se deu a forma de drama.
dramatizar [De *dramat(o)-* + *-izar.*] ***V. t. d.*** **1.** Dar a forma de drama a: *dramatizar uma narrativa.* **2.** Tornar ou procurar tornar dramático, interessante ou comovente com um drama; fazer drama de: *Dramatizou as suas desventuras.* ***Int.*** **3.** Tornar ou procurar tornar dramáticos, interessantes ou comoventes como um drama, sofrimentos, fatos, situações; fazer drama: *Exagerado, tem a mania de dramatizar.* ***P.*** **4.** Dar-se ares dramáticos.
▲ dramat(o)- [Do gr. *drâma, atos.*] ***El. comp.*** = 'drama': *dramatista, dramatizar, dramatologia.*
dramatologia (drâ) [De *dramat(o)-* + *-logia.*] ***S. f.*** V. *dramaturgia.*
dramatológico (drâ) [De *dramatologia* + *-ico*^{2}.] ***Adj.*** Referente à dramatologia; dramatúrgico.
dramaturgia [Do gr. *dramatourgía*, poss. pelo fr. *dramaturgie.*] ***S. f.*** **1.** Arte dramática; teatro: "Costuma-se mesmo datar deste lançamento [da peça *Vestido de Noiva*, de Nélson Rodrigues] o começo da moderna dramaturgia nacional" (Sábato Magaldi, *Panorama do Teatro Brasileiro*, p. 194.) **2.** Arte e técnica de compor peças teatrais. [Sin. ger.: *dramatologia.*]
dramatúrgico [De *dramaturgia* + *-ico*^{2}.] ***Adj.*** Referente à dramaturgia; dramatológico.
dramaturgista [Adapt. do al. *Dramaturg* + *-ista.*] ***S. 2 g.*** *Teatr.* Assistente do encenador, incumbido de acompanhar criticamente seu trabalho, assegurando a fidelidade às intenções do autor. [É um conselheiro literário, encarregado tb. de redigir artigos para os programas; está em voga, sobretudo, nos teatros alemães.]
dramaturgo [Do gr. *dramatourgós.*] ***S. m.*** **1.** Autor de dramas [v. *drama* (2)]. **2.** Escritor que compõe peças teatrais; teatrólogo. [Sin. ger., bras., p. us.: *dramatista.*]
drapê [Do fr. *drapé.*] ***Adj. 2 g. S. m.*** V. *drapeado.*
drapeado [Part. de *drapear.*] ***Adj.*** **1.** Trabalhado ou disposto de modo que forme ondulações ou pregas graciosas e elegantes (falando-se de tecido ou vestimenta): *saia drapeada; cortina drapeada.* ● ***S. m.*** **2.** Disposição do tecido ou de vestimenta assim feita; drapeamento, drapejamento: *O drapeado da saia caía natural.* [Sin. ger.: *drapê.*]
drapeamento [De *drapear* + *-mento.*] ***S. m.*** **1.** Ato ou efeito de drapear; drapejamento. **2.** V. *drapeado* (2). **3.** Nas artes plásticas, representação do drapeado (2) nas vestes de figuras humanas; drapejamento: *o drapeamento das estátuas helenísticas.*
drapear [Adapt. do fr. *draper.*] ***V. t. d.*** **1.** Dispor de maneira harmoniosa (as dobras de pano, ou de vestimenta). ***Int.*** **2.** Agitar-se, ondear, ondular. [Sin. ger.: *drapejar.* Conjug.: v. *frear.*]
drapejamento [De *drapejar* + *-mento.*] ***S. m.*** **1.** Ato ou efeito de drapejar; drapeamento. **2.** V. *drapeado* (2). **3.** Drapeamento (3).
drapejar [Do rad. *drap-*, como em *drapear*, + *-ejar*, ou do it. *drappeggiare.*] ***V. t. d. Int.*** V. *drapear.* [Conjug.: v. *pelejar.*]
▲ drapeto- [Do gr. *drapeto-* < gr. *drapétēs, ou.*] ***El. comp.*** = 'fugitivo': *drapetomania, drapetômano.*
drapetomania [De *drapeto-* + *-mania.*] ***S. f.*** *Psiq.* Impulso mórbido de andar sem destino, a esmo. [Cf. *dromomania.*]
drapetomaníaco [De *drapetomania* + *-íaco.*] *Psiq.* ***Adj.*** **1.** Relativo a drapetomania. **2.** Que tem drapetomania; drapetômano. ● ***S. m.*** **3.** Aquele que tem drapetomania; drapetômano.
drapetómano ***Adj. S. m.*** *Psiq.* V. *drapetômano.* [Uso freq. em P.]
drapetômano [De *drapeto-* + *-mano*^{1}.] ***Adj. S. m.*** *Psiq.* Drapetomaníaco (2 e 3).
drástico [Do gr. *drastikós.*] ***Adj.*** **1.** *Terap.* Diz-se de purgante enérgico. **2.** *P. ext.* Enérgico, rigoroso, extremo: "Serpa, com medidas drásticas a que a própria índole boêmia de Patrocínio teve que se submeter, consertou as finanças da *Cidade do Rio.*" (Vivaldo Coaraci, *Todos Contam Sua Vida*, p. 214.) ● ***S. m.*** **3.** *Terap.* Purgante enérgico.
drávida [Do sânscr. *drāvida.*] ***S. 2 g.*** **1.** Indivíduo dos drávidas, povos que habitavam originalmente o N. da Índia e que foram sendo deslocados para o S. pelas invasões dos indo-europeus. ● ***Adj. 2 g.*** **2.** Pertencente ou relativo aos drávidas; dravídico. [Sin. ger.: *dravidiano.*]
dravidiano [De *drávida* + *-iano.*] ***Adj. S. m.*** V. *drávida.*
dravídico [De *drávida* + *-ico*^{2}.] ***Adj.*** **1.** V. *drávida* (2). **2.** *Gloss.* Diz-se de família linguística que se concentra principalmente na região S. S.E. da Índia, e que tem como línguas mais importantes o tâmil, o telugo, o canadá ou canarês^{2}, e o malaiala.
➔drawback ['dɹɔbæk] [Ingl.] ***S. m.*** *Econ.* Devolução de direitos alfandegários pagos na importação, caso a mercadoria seja reexportada ou us. na manufatura de produto exportado.
drenagem [Do ingl. *drainage*, pelo fr. *drainage.*] ***S. f.*** **1.** Ato ou efeito de drenar. **2.** Conjunto de operações e instalações destinadas a remover os excessos de água das superfícies e do subsolo. ◆ **Drenagem subterrânea.** Drenagem especial, destinada a evitar o excesso de umidade do solo, pelo rebaixamento e controle do nível dos lençóis de água subterrâneos.
drenar [Do ingl. *(to) drain*, pelo fr. *drainer.*] ***V. t. d.*** **1.** Fazer a drenagem de. **2.** *Cir.* Aplicar dreno (2) em.
dreno [Do ingl. *drain* < ingl. *(to) drain.*] ***S. m.*** **1.** Tubo ou vala para drenagem. **2.** *Cir.* Objeto, variável em natureza e em forma, com que se procura manter a saída de líquido de uma cavidade, normal ou não, ou para o exterior, ou para o interior de órgão oco, ou para outra cavidade. **3.** *Eletrôn.* Eletrodo de um transistor de efeito de campo. ◆ **Dreno francês.** Vala cheia de pedras de diversos tamanhos, as maiores colocadas no fundo e as menores mais próximo à superfície, de modo que permita o escoamento da água pelos vãos que ficam entre elas. **Dreno de geleira.** Fenda por onde escorre a eventual água em estado líquido da superfície de uma geleira, e que alcança o leito rochoso em que está assentada.
drepanídio [Do gr. *drepanis, ĭdos*, 'em forma de foice', + *-io*^{3}.] ***S. m.*** *Bot.* Drepânio.
drepânio [Do gr. *drepánion*, 'foicinha'.] ***S. m.*** *Bot.* Inflorescência cimosa unípara cujos ramos se situam, todos, do mesmo lado e no mesmo plano; drepanídio.
dresdense ***Adj. 2 g.*** **1.** De, ou pertencente ou relativo à cidade de Dresden (Alemanha). ● ***S. 2 g.*** **2.** O natural ou habitante dessa cidade.
dresina [Do fr. *draisine.*] ***S. f.*** *Bras. PR* Espécie de veículo de quatro rodas, com dois assentos, que corre sobre trilhos de estrada de ferro. [Cf. *trole* (1).]
dríada ***S. f.*** V. *dríade*: "Vejo-a, e cuido uma dríada estar vendo, / Por entre os claros de uma selva basta, / Aparecendo e desaparecendo..." (Raimundo Correia, *Poesias*, p. 131.)
dríade [Do gr. *dryás, ádos*, pelo lat. *dryade.*] ***S. f.*** **1.** Ninfa dos bosques. **2.** *Bras.* Uma das grandes divisões geográficas da flora brasileira, conforme o critério de Karl Friedrich Philipp von Martius (1794-1868), botânico alemão, estudioso da flora brasileira; drias. [Var.: *dríada.*]
drias ***S. f.*** *Bras.* Dríade (2).
driblar [Adapt. do ingl. *(to) dribble* (v. *-ar*^{2}).] ***V. t. d.*** **1.** *Fut.* De posse da bola, ultrapassar o adversário, ludibriando-o por meio de movimentos corporais. **2.** *Basq.* Quicar a bola. **3.** *Fig.* Esquivar-se (9). **4.** *Fig.* Superar (algo difícil ou ruim), ger. com agilidade, destreza ou esperteza.
drible [Do ingl. *dribble.*] ***S. m.*** **1.** *Fut.* Ato ou efeito de driblar (1); finta, pincel. **2.** *Basq.* Ato ou efeito de driblar (2).
driça [Do it. *drizza*, pela fr. *driça.*] ***S. f.*** *Marinh. Ant.* Adriça.
dril [Do ingl. *drill.*] ***S. m.*** *Zool.* Símio cercopitecídeo (*Mandrillus leucophaeus*), semelhante ao mandril, porém menor do que este, e com a face negra e pelame marrom oliváceo. Habita Camarões e Bioco, na África; macaco-lobo.
drinque [Do ingl. *drink.*] ***S. m.*** Bebida alcoólica, especialmente aperitivo, tomada fora das refeições.
▲drio- [Do lat. cient. *dryo-* < gr. *drŷs, drýos*, 'carvalho'.] ***El. comp.*** = 'carvalho'; 'árvore': *driopiteco, driossauro.*
driopitecíneo [Do tax. *Dryopithecus* (v. *driopiteco*) + *-in(o)-*^{3} + *-eo*; tax. *Dryopithecinae.*] *Paleont.* ***S. m.*** **1.** Espécime dos driopitecíneos, subfamília de símios pongídeos da Eurásia e África, que surgiram no mioceno. ● ***Adj.*** **2.** Pertencente ou relativo a eles.
driopiteco [De *drio-* + *-piteco*; tax. *Dryopithecus.*] ***S. m.*** *Paleont.* **1.** Gênero de primatas catarrinos, pongídeos, que viveram no mioceno e no plioceno inferior da Europa. Sua estrutura leva a crer que eles podem ter sido ancestrais do chimpanzé e, mesmo, do homem. **2.** Espécie ou espécime desse gênero.
driossauro [De *drio-* + *-sauro*; tax. *Dryosaurus.*] ***S. m.*** *Paleont.* **1.** Gênero de dinossauros ornitísquios, hipsilofodontídeos, do jurássico superior da América do Norte e da Tanzânia (África). Eram herbívoros de pequeno porte, e desenvolviam grande velocidade. **2.** Espécie ou espécime desse gênero.
➔drive [dɹajv] [Ingl.] ***S. m.*** *Inform.* Acionador (q. v.).
➔drive-in [dɹajv ɪn] [Ingl.] ***S. m.*** **1.** Estabelecimento comercial (lanchonete, etc.) em que a mercadoria é entregue ao cliente em seu próprio carro. **2.** Cinema, ger. ao ar livre, em que o usuário assiste ao filme dentro do próprio carro.
➔driver ['dɹajvɚ] [Ingl.] ***S. m.*** **1.** *Inform.* Programa associado ao sistema operacional, ou a um aplicativo em particular, que controla dispositivos como impressoras, unidades de disco, *scanners*, etc., permitindo sua utilização. **2.** *Esport.* No golfe, tacada em que se usa o *tee*, e que é a primeira em uma jogada. **3.** *Esport.* No golfe, taco que permite o maior alcance, us. para buracos distantes.
➔drive-thru [dɹajv'θɹuw] [Ingl., 'dirija por', voc. forjado pelo norte-americano Royce Hailey em 1931, a partir do v. ingl. *(to) drive + thru*, corruptela de *through.*] ***S. m.*** **1.** Estabelecimento (lanchonetes e restaurantes *fast-food*) no qual o cliente é atendido sem sair do automóvel. **2.** Posto (1) com máquina(s) de autoatendimento, em que o cliente tem acesso a serviços bancários, sem sair do veículo.
drofa ***S. f.*** *Gír.* Vitrina.
droga [Do fr. *drogue*, de or. controversa.] ***S. f.*** **1.** Qualquer substância ou ingrediente que se usa em farmácia, em tinturaria, etc. **2.** *Farm. Med.* Qualquer substância que possa ser empregada, no homem ou em outros animais, com fim de diagnóstico, de tratamento ou de profilaxia de doença. **3.** *Farm.* Produto oficinal (3), de origem animal ou vegetal, no estado em que se encontra no comércio. **4.** Substância entorpecente, alucinógena, excitante, etc., como, p. ex., a maconha, o haxixe, a cocaína, ministrada por via oral, ou outras, ger. com o fito de que o usuário passe, primariamente e em caráter transitório, a um estado psíquico que lhe pareça agradável: "— Você só tomou bebida ou foi alguma droga?" (Antônio Olinto, *Copacabana*, p. 25.) **5.** *Fig.* Coisa de pouco valor. **6.** Coisa enfadonha, desagradável. ● ***S. m.*** **7.** *Bras. N.E. Pop.* V. *diabo* (2). ◆ **Drogas do sertão.** Designação genérica de certos produtos vegetais, entre os quais o urucu, a canela e o cravo indígenas, o cacau, a cochonilha, a castanha, a pimenta, que eram objeto de atividade extrativa na região amazônica no Brasil colonial, nos fins do século XVII e na primeira metade do seguinte. **Dar em droga. 1.** Não dar bom resultado ou lucro; malograr-se, frustrar-se, fracassar: "Casamentos com muito amor e pouco raciocínio .... dão sempre em droga" (Lauro Palhano, *O Gororoba*, p. 166). **2.** Desacreditar(-se); prostituir-se.
drogado [Part. de *drogar.*] ***Adj. S. m.*** Diz-se de, ou aquele que ingeriu droga (2 a 4).
drogar [De *droga* + *-ar*^{2}.] ***V. t. d.*** **1.** Administrar droga (2) a; medicar: *O enfermeiro drogou o doente.* **2.** Fazer ingerir droga (4); dopar. ***P.*** **3.** Intoxicar-se com droga (4). [Conjug.: v. *largar.*]
drogaria [De *droga* + *-aria.*] ***S. f.*** **1.** *Farm.* Estabelecimento onde se vendem drogas [v. *droga* (1 a 3)]. **2.** Porção de drogas [v. *droga* (5)].
drogomano [Do ár. *turgumān*, 'tradutor', 'intérprete'; var. de *trugimão* ou *turgimão.*] ***S. m.*** Intérprete das legações e consulados no Oriente; trugimão ou turgimão.
droguete (ê) [Do fr. *droguet.*] ***S. m.*** Estofo ordinário, de lã, seda e algodão, ou só de lã.
droguista [De *droga* + *-ista.*] ***S. 2 g.*** **1.** Pessoa que vende drogas [v. *droga* (1 a 3)]. **2.** Proprietário de drogaria. ● ***S. m.*** **3.** *Bras.* Penetrador da Amazônia que, nos sertões, dela ia procurar as chamadas *drogas do sertão.* ● ***Adj. 2 g.*** **4.** *Bras.* Relativo a drogas: *comércio droguista.*
drolático [Do fr. *drolatique.*] ***Adj.*** Que provoca o riso; que diverte; recreativo: "Numa noite de chuva e de tédio, ..., atraído pelos aplausos que reboavam na sala de *Moulin Rouge*, achei-me perdido no meio desse público drolático de huris eróticas, *cocottes* histéricas .... e *noceurs* devassos" (Elísio de Carvalho, *Five o'Clock*, pp. 78-79).
dromaídeo [Adapt. do tax. *Dromaiidae.*] *Zool.* ***S. m.*** **1.** Espécime dos dromaiídeos, família de aves ratitas, casuariiformes, com uma só espécie, a emu. ● ***Adj.*** **2.** Pertencente ou relativo a eles.
dromedário [Do lat. *dromedariu.*] ***S. m.*** **1.** *Zool.* Mamífero artiodáctilo, camelídeo (*Camelus dromedarius*), com apenas uma corcova no dorso, e cujo pescoço é mais curto do que o do camelo. São atualmente animais domésticos, us. como montaria e besta de carga. **2.** *Bras. Gír. Jorn.* Redator de banca.
dromeógnato [Do gr. *dromeús, éos*, 'corredor', + *-gnato.*] ***Adj.*** Diz-se da maxila que apresenta os palatinos não articulados com os pterigoides separados pelo vômer.
dromiciomimo [Do tax. *Dromiceiomimus.*] ***S. m.*** *Paleont.* **1.** Gênero de lagartos fósseis do cretáceo da América do Norte, com sustentação bipedal, e que desenvolviam grande velocidade. **2.** Espécie ou espécime desse gênero.
▲drom(o)- [Do gr. *drómos, ou.*] ***El. comp.*** = 'ação de correr', 'corrida'; 'deslocamento rápido em veículo'; 'lugar para correr'; 'pista'; 'local de'; 'fluxo', 'corrente': *dromomania.* [Equiv.: *-drom(o)-, -dromo*: *adromia, loxodromia, antidrômico, hemodromômetro; autódromo; sambódromo; camelódromo.*]
▲-drom(o)- V. *drom(o)-*.
▲-dromo [Do gr. *-dromos* < gr. *drómos, ou.*] V. *drom(o)-*.

dromomania [De *drom(o)-* + *-mania.*] *S. f. Psiq.* Mania de vida errante, de vaguear, de andar. [Cf. *drapetomania.*]

dromomaníaco [De *dromomania* + *-íaco.*] *Psiq. Adj.* **1.** Relativo a dromomania. **2.** Que tem dromomania; dromômano. ● *S. m.* **3.** Aquele que tem dromomania; dromômano.

dromômano [De *drom(o)-* + *-mano*[1].] *Adj. S. m. Psiq.* Dromomaníaco (2 e 3).

dromórnis [Do tax. *Dromornis.*] *S. f. Paleont.* **1.** Gênero de aves gigantes (*Dromornis stirtoni*) da Austrália, muito semelhantes à atual emu, não voadoras, que viveram há cerca de 11 milhões de anos. Pesando até 500kg e com 3m de altura, são tidas como as maiores aves surgidas na Terra. **2.** Espécie ou espécime desse gênero.

dromórnito [De *drom(o)-* + *-órnito.*] *S. m. Zool.* Nome comum às aves que não voam, mas correm.

dromoterapia [De *drom(o)-* + *-terapia.*] *S. f. Med.* Emprego terapêutico da marcha.

dromoterápico [De *dromoterapia* + *-ico*[2].] *Adj.* Relativo a dromoterapia.

dromunda *S. f.* Galé de guerra, de grandes dimensões, us. no Mediterrâneo pelos sarracenos nos sécs. IX a XII, armada de esporão e com um alto castelo à proa, movida a remos e à vela.

dropar [Adapt. do ingl. *(to) drop*; v. *-ar*[2].] *V. t. d. Int. Esport.* **1.** Deslizar, o surfista com sua prancha, sobre (a onda, desde sua formação). **2.** Descer (rua, ladeira, rampa, corrimão, degraus, etc.) com esqueite.

drope [Do ingl. *drop.*] *S. m. Bras.* **1.** Espécie de bala[1] (3). **2.** *Jorn.* Notícia curta, com cerca de duas frases, ger. grupadas em bloco. [É mais us. a f. *dropes*, que a rigor é a do pl.] **3.** *Surf.* Ato ou efeito de descer verticalmente numa onda.

droperidol [Voc. farmac.] *S. m. Quím.* Substância aromática, heterocíclica, us. como neuroléptico [fórm.: $C_{22}H_{22}FN_3O_2$]. [Pl.: *droperidóis.*]

dropes *S. m. 2 n. Bras.* V. *drope.*

drósera [Do tax. *Drosera* (do *droserós, á, ón*, 'orvalhado').] *S. f. Bot.* **1.** Gênero-tipo das droseráceas, plantas insetívoras comuns nos brejos e terrenos alagadiços. Há cerca de 80 espécies com distribuição cosmopolita, bem representadas, esp. em regiões da Austrália e da Nova Zelândia. **2.** Qualquer espécie desse gênero, como, p. ex., a *Drosera rotundifolia*, que já teve uso medicinal. **3.** Qualquer espécime desse gênero. **4.** A flor da drósera (2).

droserácea [Do tax. *Drosera* (v. *drósera*) + *-ácea*; tax. *Droseraceae.*] *S. f. Bot.* Espécime das droseráceas, família da ordem das nepentales, composta de pequenas ervas insetívoras que habitam a maior parte do globo, com cerca de 90 espécies. Flores hermafroditas, pentâmeras ou tetrâmeras, com ovário unilocular; fruto capsular; as folhas, dispostas em roseta basal, apresentam pelos glandulíferos conspícuos que segregam um líquido viscoso, capaz de prender pequenos insetos e digeri-los. [A despeito dessa nutrição animal, as plantas utilizam, sobretudo, a nutrição mineral, normal das plantas vascularizadas terrestres.]

droseráceo [De *droserácea*, com var. suf. (v. *-áceo*).] *Adj. Bot.* Pertencente ou relativo às droseráceas.

▲**droso-** [Do gr. *droso-* < gr. *drósos, ou.*] *El. comp.* = 'orvalho': *drosometria, drosômetro.*

drosófila [Do tax. *Drosophila.*] *S. f. Zool.* **1.** Gênero de pequenas moscas drosofilídeas, tradicionalmente tidas como melhor animal para experimentos genéticos, devido à frequência das gerações. **2.** Espécie ou espécime desse gênero.

drosofilídeo [Do tax. *Drosophila* + *-ideo*[1]; tax. *Drosophilidae.*] *Zool. S. m.* **1.** Espécime dos drosofilídeos, família de moscas, pragas de frutas e de outros tecidos vegetais, que reúne espécimes do gênero *Drosophila.* ● *Adj.* **2.** Pertencente ou relativo a eles.

drosometria [De *droso-* + *-metria.*] *S. f.* Medição por meio do drosômetro.

drosométrico [De *drosometria* + *-ico*[2].] *Adj.* Relativo à drosometria.

drosómetro *S. m.* V. *drosômetro.* [Uso freq. em P.]

drosômetro [De *droso-* + *-metro.*] *S. m.* Instrumento para medir o orvalho que se forma cotidianamente.

druida [Do lat. *druida.*] *S. m.* Antigo sacerdote, entre os gauleses e bretões. [Fem.: *druidesa* e (p. us.) *druidisa.*]

druidesa (ê) [De *druida* + *-esa.*] *S. f.* Sacerdotisa céltica; druidisa. [Fem. de *druida.*]

druídico [De *druida* + *-ico*[2].] *Adj.* Respeitante aos druidas ou ao druidismo.

druidisa [De *druida* + *-isa.*] *S. f. P. us.* Druidesa: 📖 "Gemem os bardos. Triste, o olhar por céus em fora / Uma <u>druidisa</u> alonga, e os astros mira, e chora" (Olavo Bilac, *Poesias*, p. 235).

druidismo (u-i) [De *druida* + *-ismo.*] *S. m.* Sistema religioso e filosófico dos druidas.

drummondiano *Adj.* **1.** Relativo ou pertencente a Carlos Drummond de Andrade (1902-1987), escritor brasileiro, ou próprio dele ou de sua obra. **2.** Que é seu admirador, e/ou profundo conhecedor de sua obra. ● *S. m.* **3.** Admirador e/ou profundo conhecedor da obra de Carlos Drummond de Andrade.

drupa [Do gr. *drýppa* (f. red. de *drypepés*, 'que caiu da árvore', 'maduro') pelo lat. *druppa.*] *S. f. Bot.* Fruto carnoso provido de um núcleo muito duro, como o pêssego e a manga. A drupa pode ser muito pequena, como a que constitui o verdadeiro fruto do figo. [Dim. irreg.: *drupéola.*]

drupáceo [De *drupa* + *-áceo.*] *Adj. Bot.* Que tem os caracteres da drupa; drupeolado: 🗎 *fruto <u>drupáceo</u>.*

drupéola [Do fr. *drupéole.*] *S. f. Bot.* Pequena drupa.

drupeolado [De *drupéola* + *-ado*[1].] *Adj. Bot.* Drupáceo.

drusa [Do al. *Drüse*, 'bolota', pelo fr. *druse.*] *S. f.* **1.** *Min.* Grupamento irregular de cristais sobre uma matriz. **2.** *Bot.* Macla globosa formada por cristais, que se encontra no interior de muitas células vegetais.

drusiforme [De *drusa* + *-iforme.*] *Adj. 2 g.* Em forma de drusa.

druso [Do ár. *durūz*, pl. de *durzī*, do antr. ár. (*muḥammad ibn-ismāʿīl*) *ad-durzī*, nome daquele que difundiu a seita no Líbano e Síria, no séc. XI.] *Adj. S. m.* Diz-se de, ou membro de determinada seita religiosa secreta na Síria e no Líbano, cuja crença é basicamente maometana, e que afirma que o sexto califa muçulmano, al-Hakim (século XI), da dinastia fatímida, foi a última de uma série de encarnações terrenas de Deus.

druvá *S. m. Bras. Zool.* V. *mandorová.*

→**dry-farming** [draj 'faɪmɪŋ] [Ingl., 'lavoura-seca'.] *S. m.* Processo de agricultura típico de regiões de chuvas escassas.

■ **Ds** *Quím.* Símb. de *darmstádtio.*

■ **D.S.** [Do it. *dal segno*, 'do sinal'.] *Mús.* Abrev. indicativa de *repetição* (q. v.).

■ **D.Sc.** [Abrev. do ingl. *Doctor of Science.*] Abrev. do título universitário *Doutor em Ciências.*

Ds-mais *S. m. 2 n. Fís. Part.* Méson pesado de massa 1968,5 MeV/c^2, *isospin* e *spin* nulos, paridade negativa, carga elétrica igual à do próton, charme +1 e estranheza +1, composto de um *quark c* e de um *antiquark s* [símb.: D_s^+].

Ds-menos *S. m. 2 n. Fís. Part.* Antipartícula de Ds-mais [símb.: D_s^-].

■ **DST** *Med.* Sigla de *doença sexualmente transmissível.*

■ **DSV** Sigla de *Departamento de Operações do Sistema Viário.*

■ **DTP** [Sigla do ingl. *d(esk) t(op) p(ublishing).*] *Inform.* V. *editoração eletrônica.*

dual [Do lat. *duale.*] *Adj. 2 g.* **1.** Composto de duas partes. **2.** Relativo a dois. ~ V. *número* —. ● *S. m.* **3.** *E. Ling.* No sistema de número (11) de algumas línguas indo-europeias, como o grego e o sânscrito, e, também, em línguas atuais, como o esloveno e o árabe, a referência gramatical a duas unidades. [Caracteriza-se, em latim, pelas desinências *-o* e *-i*, como em *duo*, *ambo*, *viginti* (duas dezenas).] **4.** *Mat.* Número dual.

duala *S. 2 g.* **1.** *Etnôn.* Indivíduo dos dualas, um dos maiores dos cerca de 200 grupos étnicos da República de Camarões (N. O. da África). ● *S. m.* **2.** *Gloss.* Língua banta desse povo. ● *Adj. 2 g.* **3.** Pertencente ou relativo aos dualas, ou à sua língua.

dualidade [De *dual* + *-(i)dade.*] *S. f.* Caráter do que é dual ou duplo; dualismo.

dualismo [De *dual* + *-ismo.*] *S. m.* **1.** Dualidade. **2.** *P. ext. Filos.* Coexistência de dois princípios ou posições contrárias, opostas: 🗎 *Havia nele o <u>dualismo</u> do bem e do mal.* [Cf., nestas acepçs., *monismo.*] **3.** *Fís.* Existência de duas teorias e interpretações para os fenômenos luminosos ou, em geral, para os fenômenos radiativos: uma admite que tais fenômenos sejam produzidos por ondas periódicas, e a outra os interpreta como produzidos por partículas discretas; dualismo onda-partícula. ◆ **Dualismo onda-partícula.** *Fís.* Dualismo (3).

dualista [De *dual* + *-ista.*] *Adj. 2 g.* **1.** Dualístico. **2.** Que é sectário do dualismo. ~ V. *organização* —. ● *S. 2 g.* **3.** Sectário dele.

dualístico [De *dualista* + *-ico*[2].] *Adj.* Referente ao dualismo, ou que tem os seus caracteres; dualista.

dualizador (ô) [De *dualizar* + *-dor.*] *Adj.* Que dualiza.

dualizar [De *dual* + *-izar.*] *V. t. d.* **1.** Tornar dual. **2.** Referir a duas coisas ao mesmo tempo.

duartense *Adj. 2 g. Bras.* **1.** De, ou pertencente ou relativo a Manuel Duarte (RJ). ● *S. 2 g.* **2.** O natural ou habitante de Manuel Duarte.

duartinense *Adj. 2 g.* **1.** De, ou pertencente ou relativo a Duartina (SP). ● *S. 2 g.* **2.** O natural ou habitante de Duartina.

duas [Do lat. *duas.*] *Num.* Fem. de *dois.* ◆ **Às duas por três.** **1.** Com frequência. **2.** A cada passo. **3.** De repente, quando menos se espera: 📖 "Cumpria as obrigações, cantava, ... mas <u>às duas por três</u> lá vinha a mortificação." (Miguel Torga, *Bichos*, p. 52.)

duas-estradense *Adj. 2 g.* **1.** De, ou pertencente ou relativo a Duas Estradas (PB). ● *S. 2 g.* **2.** O natural ou habitante de Duas Estradas. [Pl.: *duas-estradenses.*]

duas-peças *S. m. 2 n.* Conjunto feminino composto de uma saia e uma blusa, e usado como vestido: 🗎 *um <u>duas-peças</u> de seda pura.*

dubá [F. eufêmica de *diabo.*] *S. m. Bras. ES Pop.* V. *diabo* (2).

dubiedade [Do lat. *dubietate.*] *S. f.* Qualidade de dúbio. [Sin. (p. us.): *dubiez.*]

dubiez (ê) [De *dúbio* + *-ez.*] *S. f. P. us.* Dubiedade.

dúbio [Do lat. *dubiu.*] *Adj.* **1.** Duvidoso, incerto; ambíguo: 🗎 *A análise ofereceu um resultado <u>dúbio</u>*; 📖 "Ministro é vocábulo de significado <u>dúbio</u>: é o que serve e o que governa." (Carlos de Laet, *Obras Seletas*, I, p. 34.) **2.** Vacilante, indeciso, vago, hesitante: 🗎 *caráter <u>dúbio</u>*; 📖 "Na sua alcova branca e silenciosa, à luz <u>dúbia</u> de uma lamparina de jaspe, vela uma criada" (Maria Amália Vaz de Carvalho, *Contos e Fantasias*, p. 233). **3.** Difícil de definir ou explicar: 🗎 *Lançou-lhe um olhar <u>dúbio</u>.*

dubitação [Do lat. *dubitatione.*] *S. f.* **1.** *Ant.* Dúvida, incerteza. **2.** *E. Ling.* Figura pela qual o orador finge duvidar daquilo que pretende afirmar.

dubitativo [Do lat. *dubitativu.*] *Adj.* **1.** Que exprime dúvida. **2.** Em que há dúvida.

dubitável [Do lat. *dubitabile.*] *Adj. 2 g.* De que se pode duvidar; que pode ser posto em dúvida.

dublado [Part. de *dublar.*] *Adj.* Em que se fez dublagem; que se dublou.

dublador (ô) [De *dublar* + *-dor.*] *Adj. S. m. Cin. Telev.* Que, ou aquele que dubla. [Sin. (lus.): *dobrador.*]

dublagem [Do fr. *doublage.*] *S. f. Cin. Telev.* **1.** Registro da parte falada ou cantada do áudio de um filme, ger. na língua original e pelo próprio ator, após a realização da filmagem. **2.** Substituição da parte falada ou cantada do áudio original de um filme por outro, em idioma diferente. [Sin. ger. (lus.): *dobragem.*]

dublar [Do fr. *doubler* < lat. *duplare.*] *V. t. d. Cin. Telev.* Fazer a dublagem de.

dublê [Do fr. *double*, com ultracorreção, poss.] *S. 2 g.* Pessoa que, pela semelhança com outra (ator, homem público, etc.), a substitui em determinadas circunstâncias: 🗎 *Nas cenas de perigo, o <u>dublê</u> desempenha o papel do grande astro.*

dublete (ê) *S. m.* V. *dubleto.*

dubleto (ê) [Do fr. *doublet.*] *S. m.* **1.** *Ópt.* Lente composta de duas lentes simples sem aberração cromática, e geralmente corrigida, também, para outra aberração. **2.** *Fís.* Raia espectral constituída por dois componentes de comprimento de onda muito próximos. **3.** *Fís.* Estado que origina tal raia, e que tem número quântico de *spin* igual a 1/2 e, portanto, multiplicidade igual a dois; estado dubleto. **4.** *Fís. Nucl.* Conjunto de duas partículas fundamentais com o mesmo número bariônico, massas quase iguais, mas cargas elétricas diferentes. [Var.: *dublete.*]

dublinense *Adj. 2 g.* **1.** De, ou pertencente ou relativo à cidade de Dublin, capital da Irlanda. ● *S. 2 g.* **2.** O natural ou habitante dessa cidade.

dúbnio [Do top. *Dubna* (Rússia) + *-io*[3].] *S. m. Quím.* **1.** Elemento transférmico (q. v.), de número atômico 105, descoberto em 1967 [símb.: *Db*]; unilpêntio. **2.** *Desus.* Rutherfórdio.

duboisina [Do tax. *Duboisia* (< antr. [*F. N.*] *Dubois* [-1824], botânico francês) + *-ina*[3].] *S. f.* Alcaloide extraído de uma planta escrofulariácea e que tem, ainda mais que a atropina, a propriedade de dilatar as pupilas.

dubu [De or. indígena, poss.] *S. m. Bras. Zool.* V. *dundu.*

duburu [Do ior.] *S. m. Bras. Rel.* Pipoca (1), comida votiva do orixá Omolu. [Var.: *doburu.*]

ducado[1] [Do lat. *ducatu.*] *S. m.* **1.** Território que constitui o domínio de um duque. **2.** Estado que tem por soberano um duque. **3.** Dignidade de duque.

ducado[2] [Do esp. *ducado* < it. *ducato.*] *S. m.* Designação comum a diversas moedas de ouro, de vários países: 📖 "pede [Leão X] que lhe deem 147 <u>ducados</u> de ouro para comprar o manuscrito do livro 33 de Tito Lívio" (Ramalho Ortigão, *Figuras e Questões Literárias*, I, p. 14).

ducal [Do lat. *ducale.*] *Adj. 2 g.* Pertencente ou relativo a, ou próprio de duque.

ducatão [Do it. *ducatone.*] *S. m.* Designação comum a várias moedas europeias antigas, como, por exemplo, a mandada cunhar, em Portugal, por D. Sebastião no séc. XV.

ducentésimo [Do lat. *ducentesimu.*] *Num.* **1.** Ordinal e fracionário correspondente a duzentos. ● *S. m.* **2.** Cada uma das duzentas partes iguais em que se divide um todo. **3.** Aquele ou aquilo que ocupa o ducentésimo lugar.

ducha [Do it. *doccia*, pelo fr. *douche.*] *S. f.* **1.** Jorro de água dirigido sobre o corpo de alguém, com fins terapêuticos ou higiênicos. [Sin., lus.: *duche*.] **2.** Chuveiro. **3.** *Fig.* Tudo quanto acalma uma excitação: *O resultado do exame foi uma ducha em seu entusiasmo.* **4.** *Fam.* V. *repreensão* (1).

duchal [De *ducha* + *-al*[1].] *Adj. 2 g.* De, ou relativo a ducha: *jato duchal.*

duchar [De *ducha* + *-ar*[2].] *V. t. d. Bras.* Arremessar um jorro de água, uma ducha, sobre (alguém); aplicar duchas a.

duche *S. m. Lus.* Ducha (1).

duchista [De *ducha* + *-ista*.] *S. 2 g. Bras.* Pessoa que administra duchas.

ducina [Do fr. *doucine*.] *S. f. Arquit.* Moldura côncava na metade superior e convexa na inferior, geralmente aplicada em cornijas.

dúctil [Do lat. *ductile*.] *Adj. 2 g.* **1.** Que se pode reduzir a fios, estirar, distender, sem se romper; flexível, elástico: "bolinha de massa dúctil como cera" (Ramalho Ortigão, *A Holanda*, p. 180); "na ânsia de agitar expressões marasmadas, de tornar rútilas as esmaecidas, e dúcteis as agrestes, desarticula [Camilo Castelo Branco] prefixos, muda desinências, divorcia partículas verbalmente casadas" (Antero de Figueiredo, *Jornadas em Portugal*, p. 179). **2.** Dócil, amoldável: *caráter dúctil.* [Pl.: *dúcteis*. Superl. abs. sint.: *ductílimo* e *ductilíssimo*.]

ductilidade [De *dúctil* + *-(i)dade*.] *S. f.* Qualidade ou propriedade de dúctil.

ductílimo *Adj.* Superl. abs. sint. de *dúctil*; ductilíssimo.

ductilíssimo *Adj.* Ductílimo.

ducto [Do lat. *ductu*.] *S. m.* **1.** *Anat.* Estrutura tubular, com paredes bem delimitadas, que dá passagem, de acordo com o aparelho ou sistema a que pertença, a uma ou mais matérias diversas (bile, sangue, suco pancreático, etc.); conduto, canal. **2.** *Lit.* Cada uma das oscilações com que se movimenta o turíbulo para incensar. **3.** *Constr.* Qualquer tubulação (oleoduto, gasoduto, etc.) destinada a conduzir a grandes distâncias fluidos ou materiais fluidificados. [Var.: *duto*.] ◆ **Ducto cístico.** *Anat.* O que permite a entrada e saída da bílis na e da vesícula biliar, e que, reunido ao ducto hepático comum, forma o ducto colédoco. **Ducto colédoco.** *Anat.* O que resulta da junção dos ductos hepático comum e cístico, e vai ter ao duodeno. **Ducto deferente.** *Anat.* Cada um dos dois ductos excretores testiculares. **Ducto ejaculador.** *Anat.* V. *ducto ejaculatório.* **Ducto ejaculatório.** *Anat.* Cada um dois ductos formados pela união de cada ducto deferente e do ducto excretor de cada glândula vesiculosa. **Ducto hepático.** *Anat.* Cada um de dois ductos, o *ducto hepático direito* e o *ducto hepático esquerdo* que, provenientes do fígado, se reúnem formando outro, dito *ducto hepático comum*, que, por sua vez, se reúne ao cístico, formando o *ducto colédoco.* **Ducto hepático comum.** *Anat.* V. *ducto hepático.* **Ducto hepático direito.** *Anat.* V. *ducto hepático.* **Ducto hepático esquerdo.** *Anat.* V. *ducto hepático.*

ductor (ô) [Do lat. *ductore*, 'condutor', 'guia'.] *S. m. Zool.* V. *piloto* (10).

duelar[1] [De *duelo* + *-ar*[1].] *Adj. 2 g.* Relativo a duelo; duelístico.

duelar[2] [Do lat. *duellare*.] *V. int. P.* Bater-se em duelo.

duelista [De *duelo* + *-ista*.] *S. 2 g.* Pessoa que se bate, ou tem o hábito de bater-se, em duelo.

duelístico [De *duelista* + *-ico*[2].] *Adj.* Duelar[1].

duelo [Do lat. *duellu*.] *S. m.* **1.** Combate entre duas pessoas. **2.** Luta com armas iguais. **3.** *Fig.* Qualquer forma de combate: luta, desafio, oposição: *duelo de ideias; duelo entre tendências opostas; o duelo entre as nações pela conquista dos mares.*

duende [Do esp. *duende*.] *S. m.* Entidade fantástica ou espírito sobrenatural que se acreditava aparecer de noite nas casas, fazendo travessuras.

duerense *Adj. 2 g.* **1.** De, ou pertencente ou relativo a Dueré (TO). ● *S. 2 g.* **2.** O natural ou habitante de Dueré.

duerno [Do lat. *du(o)-* + a term. de *caderno*.] *S. m.* Duas folhas de papel de impressão, uma dentro da outra.

duetista [De *dueto* + *-ista*.] *S. 2 g.* Pessoa que canta dueto com outra.

dueto (ê) [Do it. *duetto*, dim. de *duo*.] *S. m.* **1.** *Mús.* Composição musical para duas vozes ou dois instrumentos. **2.** *Mús.* Canto a duas vozes. **3.** *Fam.* Conversação entre duas pessoas. [Sin. ger.: *duo*.]

dufrenita [Do antr. *(Armand Petit) Dufrénoy* (1792-1857), mineralogista e geólogo francês, + *-ita*[2].] *S. f. Min.* Mineral monoclínico, hidrofosfato básico de ferro.

dugongídeo [Do tax. *Dugong*, gênero-tipo, + *ídeo*[1]; tax. *Dugongidae*.] *Zool. S. m.* Espécime dos dugongídeos, família de sirênios que reúne os dugongos. ● *Adj.* **2.** Pertencente ou relativo a eles.

dugongo [Adapt. do tax. *Dugong*.] *S. m. Zool.* **1.** Gênero monoespecífico de grandes sirênios de até 1,80m de comprimento, e que são dotados de cauda bifurcada, lábio superior ligeiramente fendido, dentes funcionais, todos superiores, de quatro a seis, sendo que os dois incisivos, nos machos, se prolongam em presas; a mandíbula tem, apenas, um revestimento córneo. Distribuem-se pelas águas costeiras desde o Mar Vermelho a Taiwan, e N. da Austrália. **2.** A espécie (*Dugong dugon*) desse gênero. **3.** Qualquer espécime desse gênero.

▲ **dui-** [Do lat. *duo, ae, o*.] ***El. comp.*** = 'dois': *duípara*. [Equiv.: *du(o)-*: *duerno, duodécuplo*.]

duidade (u-i) [Do lat. *duitate*.] *S. f.* **1.** União de dois. **2.** O número dois.

duípara [De *dui-* + *-para*.] *S. f. Obst.* Aquela que dá à luz pela segunda vez; secundípara.

duíparo [De *dui-* + *paro*.] *Adj.* Que dá à luz pela segunda vez (diz-se da fêmea). [Sin.: *secundíparo*.]

dulcadá [Do ár.] *S. m. Cronol.* O décimo primeiro mês do calendário muçulmano, de 30 dias.

dulcamara [Do lat. *dulcamara*.] *S. f. Bot.* V. *doce-amarga*.

▲ **dulci-** [Do lat. *dulcis, e*.] ***El. comp.*** = 'doce': *dulcificar; dulcífico; dulcífluo* (< lat.).

dúlcido [De *dulci-* + *-ido*[1].] *Adj.* Doce, brando, suave, meigo: "O teu olhar fez-se brando, / Tornou-se dúlcido e lento." (Augusto Gil, *O Craveiro da Janela*, p. 55.)

dulcificação [De *dulcificar* + *-ção*.] *S. f.* Ato ou efeito de dulcificar(-se); adoçamento.

dulcificado [Part. de *dulcificar*.] *Adj.* **1.** Que se dulcificou; adoçado. **2.** *Fig.* Abrandado, mitigado.

dulcificante [De *dulcificar* + *-nte*.] *Adj. 2 g.* Que dulcifica.

dulcificar [De *dulci-* + *-ficar*.] *V. t. d.* **1.** Tornar doce; adoçar. **2.** Tornar agradável, ditoso, feliz; adoçar: *A amizade dulcifica a vida.* **3.** Suavizar, abrandar, mitigar, adoçar. *P.* **4.** Suavizar-se, abrandar(-se). [Conjug.: v. *trancar*. Pres. ind.: *dulcifico*, etc. Cf. *dulcífico*.]

dulcífico [De *dulci-* + *-fico*.] *Adj.* **1.** Que dulcifica. **2.** Que é doce. [Cf. *dulcifico*, do v. *dulcificar*.]

dulcífluo [Do lat. *dulcifluu*.] *Adj.* Que flui ou corre suavemente. [Cf. *melífluo* (1).]

dulcíloquo [Do lat. *dulciloquu*.] *Adj.* Que fala docemente.

dulcineia (éi) [Do ficción. *Dulcineia (del Toboso)*, da obra *D. Quixote*, de Cervantes (v. *cervantesco*).] *S. f.* Namorada. ✜

dulcíssimo [Do lat. *dulcissimu*.] *Adj.* Superl. abs. sint. de *doce*; docíssimo: "Cantam as aves, em surdina, / Cantos dulcíssimos de amor." (Ricardo Gonçalves, *Ipês*, p. 60.)

dulcíssono [Do lat. *dulcisonu*.] *Adj.* Que soa docemente, melodiosamente.

dulçor (ô) [Do esp. *dulzor*.] *S. m.* Doçura

dulçoroso (ô) [De *dulçor* + *-oso*.] *Adj.* Cheio de dulçor.

dulia [Do lat. ecles. *dulia* < gr. *douleía*, 'submissão'.] *S. f. Teol.* Culto prestado aos santos e aos anjos. [Cf. *hiperdulia* e *latria* (1).]

dulijá [Do ár.] *S. m. Cronol.* O décimo segundo mês do calendário muçulmano, de 29 dias (30 dias, nos anos bissextos).

dulocracia [Do gr. *doulokratía*.] *S. f.* Dominação exercida por escravos.

dum Contr. da prep. *de* e do num., art. e pron. *um*: "Esboçou .... o plano dum poema dramático" (Eça de Queirós, *A Capital*, p. 31). [Flex.: *duma, duns, dumas*.]

duma[1] [Do rus. *duma*.] *S. f.* Assembleia dos representantes do povo, na Rússia czarista.

duma[2] Fem. de *dum* (q. v.).

dumba-nengue [Do ronga *dumbanenge*, 'confia na perna'; 'foge'.] *S. m. Moç.* Mercado informal onde se pratica candonga[2]: "até o sonho / é comprado na ilusão programada / dos dumba-nengues" (Heliodoro Baptista, *A Filha de Thandi*, p. 69). [Pl.: *dumba-nengues*].

dumonense *Adj. 2 g.* **1.** De, ou pertencente ou relativo a Dumont (SP). ● *S. 2 g.* **2.** O natural ou habitante de Dumont.

dumortierita [Do antr. *(M. Eugène) Dumortier* (1803-1873), paleontologista francês, + *-ita*[3].] *S. f. Min.* Mineral ortorrômbico, borato-silicato de alumínio.

➔ **dumping** ['dʌmpɪŋ] [Ingl.] *S. m.* **1.** *Econ.* Exportação por preço inferior ao vigente no mercado interno para conquistar mercados ou dar vazão a excesso de oferta. **2.** *P. ext.* Venda de produtos por preço abaixo do custo, com a finalidade de eliminar concorrentes e conquistar fatias maiores de mercado.

duna [Do neerl. ant. *dûnen* (atual *duin*), pelo fr. *dune*.] *S. f.* **1.** Monte de areia movediça formado pela ação do vento: "praias longas, ondulando em dunas alvas" (Coelho Neto, *Turbilhão*, p. 10); "As dunas brancas se amontoam de um lado e de outro, tapando o mar e sol." (Cecília Meireles, *Giroflê, Giroflá*, p. 41.) [Cf. *médão*.] **2.** *P. ext.* V. *cômoro*.

duncleósteo [Do tax. *Duncleosteus*.] *S. m. Paleont.* **1.** Gênero de peixes placodermos, carnívoros, gigantes, com até 10m de comprimento e grandes colmilhos na parte frontal da dentição e outros, afiados, na parte posterior. Viveram no devoniano. **2.** Espécie ou espécime desse gênero.

dundu [De or. indígena, poss.] *S. m. Bras. Zool.* Bagre pimelodídeo (*Pimelodella gracilis*), das bacias dos rios Amazonas, Orinoco e Prata, com uma lista negra ao longo da linha longitudinal, o primeiro raio da nadadeira dorsal acentuadamente mais longo que os demais, e comprimento de cerca de 15cm; dubu, mandi.

dundum [Do top. *Dum-Dum*, de um acantonamento militar próximo de Calcutá (Índia).] *S. f.* Bala de cápsula modificada, de maneira que produza ferimentos sempre muito graves.

dunga [De or. afr., poss.] *S. m. Bras. Pop.* **1.** Homem bravo, valente. V. *valentão* (3). **2.** V. *curinga* (1). **3.** *Bras. N.E.* O dois de paus, em certos jogos. **4.** *Bras. CE PB* Homem importante; chefe, cabeça, maioral.

dunguinha [De *dunga* + *-inha*.] *S. m. Bras.* **1.** Criançola. **2.** Pessoa insignificante, de quem não se faz caso.

dunito [Do top. *Dun* (Nova Zelândia) + *-ito*[2].] *S. m. Geol.* Peridotito constituído essencialmente de olivina, com pequena porção de espinélio cromífero.

dunquerque [Do top. *Dunquerque* (França).] *S. m.* Pequeno armário de encostar, da altura de uma cômoda, com portas de vidro ou não, para exposição ou guarda de objetos: "— Tenho uma cômoda, que foi da vovó, que é um colosso!... Tenho um dunquerque de jacarandá, com pés de garra, simplesmente primoroso!" (Marques Rebelo, *O Simples Coronel Madureira*, p. 119.)

duo [Do it. *duo*.] *S. m.* V. *dueto*.

▲ **du(o)-** Equiv. de *dui-*.

➔ **duocake** ['duwowkejk] [Ingl.] *S. m.* Cosmético similar ao *pancake* (q. v.), us. na cobertura da pele antes de maquiagem de média a longa duração.

duodecimal [De *duodécimo* + *-al*[1].] *Adj. 2 g.* **1.** Que se divide ou se conta por séries de doze. **2.** Que tem por base o número doze. ~ V. *número — e sistema —*.

duodécimo [Do lat. *duodecimu*.] *Num.* **1.** Décimo segundo. [Sin. (desus.): *dozeno*.] ● *S. m.* **2.** Cada uma das 12 partes em que se pode dividir um todo. **3.** Aquele ou aquilo que ocupa o duodécimo lugar.

duodécuplo [De *du(o)-* + *décuplo*.] *Num.* **1.** Que é 12 vezes maior. ● *S. m.* **2.** Quantidade 12 vezes maior que outra.

duodenal [De *duodeno* + *-al*[1].] *Adj. 2 g.* Relativo ou pertencente ao duodeno. ~ V. *tubagem —*.

duodenário [Do lat. *duodenariu*.] *Adj.* Disposto em séries de doze.

duodenite [De *duodeno* + *-ite*[1].] *S. f. Gastr.* Inflamação do duodeno.

duodeno [Do lat. med. *duodenu* < lat. *duodeni*, 'cada doze'.] *S. m. Anat.* A primeira porção do intestino delgado, situada entre o piloro e o jejuno.

duodenotomia [De *duodeno* + *-tom(o)-* + *-ia*[1].] *S. f. Cir.* Incisão no duodeno.

duodenotômico *Adj.* V. *duodenotômico*. [Uso freq. em P.]

duodenotômico [De *duodenotomia* + *-ico*[2].] *Adj.* Relativo a duodenotomia.

duodinamismo [De *du(o)-* + *dinamismo*.] *S. m. Filos.* Doutrina que admite, para a explicação do Universo, um princípio vital distinto do princípio racional. [Cf. *animismo* (1), *dinamismo* e *vitalismo*.]

duopólio [De *du(o)-* + *-pólio*.] *S. m. Econ.* Situação de mercado em que há somente dois vendedores de uma mercadoria ou serviço.

dupla [F. subst. de *duplo*.] *S. f.* **1.** *Bras. Fam.* Grupo de duas pessoas que atuam em comum, andam sempre ou quase sempre juntas, etc.; dobradinha. **2.** *Astr.* V. *estrela binária*. **3.** *Esport.* No tênis, vôlei de praia, etc., jogo disputado entre dois pares de jogadores. **4.** *Mat.* Conjunto, em geral ordenado, de dois elementos. **5.** *Turfe* Modalidade de aposta, em que se combinam o vencedor e o segundo colocado de acordo com os números das respectivas chaves [v. *chave* (25)] em que se acham inscritos. ◆ **Dupla de criação.** *Prop.* Dupla formada por um diretor de arte e um redator, que trabalham em colaboração para a criação de peças publicitárias.

dupla-distância [Do f. de *duplo* + *distância*.] *S. f. Astr.* Método utilizado pela primeira vez pelo astrônomo alemão F. G. W. von Struve (1793-1864) na determinação precisa da distância entre dois astros muito próximos; método de dupla-distância. [Pl.: *duplas-distâncias*.]

dupla-ligação [Do f. de *duplo* + *ligação*.] *S. f. Quím.* Ligação dupla (q. v.). [Pl.: *duplas-ligações*.]

dupleto (ê) *S. m. Fís.* Par de elétrons, comum a dois átomos que formam uma ligação covalente entre estes.

dúplex (cs) [Do lat. *duplex* (nom.).] *Num.* **1.** V. *dúplice* (1). ● *Adj. 2 g. e 2 n.* **2.** *Bras.* Diz-se de apartamento que se desenvolve em dois pavimentos. [Cf. *tríplex*.] ~ V. *autotipia —, cartão —, cartolina —, operação —, papel —, prensa — e tinta —*. ● *S. m. 2 n.* **3.** Apartamento dúplex. 4. *Inform.* Forma de transmissão de dados na qual ambos os interlocutores podem transmitir e receber dados simultaneamente. [Pronuncia-se correntemente como voc. oxítono.]

duplexor (csô) [Do fr. *duplexeur.*] *S. m. Eng. Eletrôn.* Num radar, dispositivo que estabelece a ligação da antena ao circuito emissor durante a emissão e conecta a antena ao circuito receptor logo depois da emissão.

duplicação [Do lat. *duplicatione.*] *S. f.* **1.** Ato ou efeito de duplicar; dobro, repetição. **2.** *Tip.* Repetição (5).

duplicado [Part. de *duplicar.*] *Adj.* **1.** Em dobro; dobrado. ~ V. *coluna —a.* ● *S. m.* **2.** Reprodução, traslado, cópia; duplicata.

duplicador (ô) [Do lat. *duplicatore.*] *Adj.* **1.** Que duplica; duplicante. ● *S. m.* **2.** Aquele que duplica. **3.** Qualquer dos aparelhos, como o mimeógrafo ou o hectógrafo, usados para multigrafar textos ou desenhos executados em matrizes especiais. ◆ **Duplicador a álcool.** Hectógrafo.

duplicante [Do lat. *duplicante.*] *Adj. 2 g.* Duplicador (1).

duplicar [Do lat. *duplicare.*] *V. t. d.* **1.** Aumentar com outro tanto; tornar duas vezes maior; dobrar. **2.** Fazer em duplicado; fazer repetidas vezes. **3.** *P. ext.* Fazer crescer; aumentar: *O milagre duplicou sua fé.* **4.** *Mat.* Multiplicar (uma quantidade) pelo fator dois. *Int.* **5.** Tornar-se outro tanto maior; dobrar: *A ocorrência feliz fez que suas esperanças duplicassem.* [Conjug.: v. *trancar.*]

duplicata [Do fr. *duplicata* < lat. med. *duplicata* (*littera*), 'carta dobrada'.] *S. f.* **1.** Cópia idêntica ou reprodução de um documento; duplicado, traslado. **2.** *Econ.* Título de crédito emitido pelo vendedor de mercadoria ou serviço, correspondente a uma fatura de venda a prazo (da qual é cópia), e que, aceito pelo comprador, é em geral descontado num banco, que efetua sua cobrança.

duplicativo [De *duplicar* + *-tivo.*] *Adj.* Que duplica.

duplicatura [De *duplicar* + *-tura.*] *S. f.* Estado de coisa que se dobra sobre si mesma.

duplicável [De *duplicar* + *-vel.*] *Adj. 2 g.* Que pode ser duplicado.

dúplice [Do lat. *duplice.*] *Num. 2 g.* **1.** Duplo, duplicado. [F. paral.: *dúplex.*] ● *Adj. 2 g.* **2.** *Fig.* Doble ou dobre; fingido.

duplicidade [Do lat. *duplicitate.*] *S. f.* **1.** Qualidade daquilo que é dúplice. **2.** *Fig.* Qualidade ou procedimento daquele que é dúplice; doblez ou dobrez; fingimento.

duplo [Do lat. *duplu.*] *Num.* **1.** Que equivale a duas vezes outro; dobrado. ~ V. *adaga —a, barra —a, circulação —a, cruz —a, — diodo, estrela —a, falta —a, fólio —, galáxia —a, hélice —a, imagem —a, ligação —a, mão —a, palimpsesto —, palheta —a, parede —a, — pedal, pneumonia —a, ponto —, raiz —a, —a refração, sal —* e *tríodo —.* ● *S. m.* **2.** Quantidade que equivale a duas vezes a outra; dobro. **3.** Pessoa ou coisa muito semelhante a outra, como se fosse uma réplica dessa outra: *O menino é o duplo do pai.*

duplo-cego *Adj. 2 n.* ~ V. *experimento —* e *método —.*

duplo-clique *S. m. Inform.* Ato ou efeito de clicar o *mouse* rapidamente, duas vezes consecutivas, e que ger. equivale a selecionar uma opção ou objeto e imediatamente confirmar a seleção feita, ou executar a rotina a ela vinculada. [É uma ação ger. us. para ativar um programa ou acionar um recurso.] [Pl.: *duplos-cliques.*]

duplo-fundo *S. m. Constr. Nav.* Estrutura do fundo de alguns navios de aço, destinada a aumentar a resistência do casco e dificultar a entrada de água em caso de encalhe, e constituída pelo forro exterior da carena e por segundo forro cujas chapas assentam sobre a parte superior das cavernas. [Pl.: *duplos-fundos.*]

duque[1] [Do lat. *dux, cis,* 'condutor', 'guia', pelo fr. ant. *duc.*] *S. m.* **1.** Primitivamente, título dado ao comandante militar das tropas romanas acampadas nas províncias. **2.** V. *barão* (1). [Fem.: *duquesa.*] ~ V. *duques.*

duque[2] [De or. obscura.] *S. m.* **1.** Carta de jogar que tem dois pontos. **2.** Dois pontos, na víspora. **3.** *Bras. Pop. Obsol.* Nota de 10 cruzeiros. **4.** *Bras. N.E.* Vestuário masculino constituído de paletó e calças de igual fazenda e cor. [Usa-se, em geral, impr., *terno.*] ~ V. *duques.*

duques [Pl. de *duque*[2].] *S. m. pl. Bras.* No jogo do gamão, repetição do número dois em ambos os dados. ~ V. *duque.*

duquesa (ê) *S. f.* **1.** Mulher de duque[1]. **2.** Senhora que tem título de nobreza correspondente ao de duque. **3.** Espécie de cetim de seda.

dura[1] [Dev. de *durar.*] *S. f.* Duração (1): *contentamento de pouca dura.*

dura[2] [F. subst. de *duro*[2].] *El. s. f.* Us. na loc. *dar uma dura.* ◆ **Dar uma dura.** *Bras.* Dar um apertão: *O policial deu uma dura na rapaziada para ver se descobria algum tóxico.*

▲ **-dura** [Do lat. *-tura* (v. *-ura*), por via pop.] *Suf. nom.* formador de substantivos a partir ger. de radicais verbais = 'ação, ou efeito, ou resultado dela'; 'instrumento ou objeto'; 'o que é próprio para': *abafadura, arremetedura, abotoadura, fechadura, vestidura.* [Equiv.: *-tura*: *abreviatura, assinatura, construtura.*]

durabilidade [Do lat. *durabilitate.*] *S. f.* Qualidade de durável.

duração [De *durar* + *-ção.*] *S. f.* **1.** O tempo que uma coisa dura; dura[1]. **2.** Qualidade daquilo que dura. **3.** *Cin.* V. *tempo de projeção.* **4.** *E. Ling.* V. *articulação* (5). **5.** *E. Ling.* Tempo us. na produção de um som ou sílaba; quantidade. [Cf., nesta acepç., *breve* (5), *longo* (4), *geminado* (5).] **6.** *E. Ling.* V. *articulação* (5). **7.** *Filos.* Segundo Henri Bergson (v. *bergsonismo*), a sucessão das mudanças qualitativas dos nossos estados de consciência, que se fundem sem contornos precisos e sem possibilidades de medição. ◆ **Duração de um pulso.** *Eletrôn.* Tempo decorrido entre o início e o término de um pulso (4).

duradoiro [De *durar* + *-doiro*[1].] *S. m.* Duradouro (q. v.).

duradouro [De *durar* + *-douro*[1]; var. de *duradoiro.*] *Adj.* **1.** Que dura muito, ou pode durar muito; durável. **2.** *P. ext.* V. *vivedouro* (2).

dural[1] *S. m. Quím.* V. *duralumínio.*

dural[2] *Adj. 2 g.* Respeitante à dura-máter.

duralumínio [Do al. *Duraluminium* < top. *Düren* + lat. cient. *aluminium* (v. *alumínio*).] *S. m. Quím.* Liga metálica de alumínio (95%), cobre, manganês e magnésio. [F. red.: *dural*[1].]

dura-máter [Do lat. *dura mater,* 'mãe dura': *mãe,* porque protege; *dura,* por ser consistente.] *S. f. Anat.* A mais externa e espessa das três membranas que envolvem o encéfalo e a medula espinhal; paquimeninge. [V. *meninge.*] [Pl.: *duras-máteres.*]

durame [Do lat. *duramen.*] *S. m. Bot.* V. *cerne* (1). [F. paral: *durâmen.*]

durâmen [Do lat. *duramen.*] *S. m. Bot.* V. *cerne* (1). [Pl.: *duramens* e (p. us. no Brasil) *durâmenes.*]

durandense *Adj. 2 g.* **1.** De, ou pertencente ou relativo a Durande (MG). ● *S. 2 g.* **2.** O natural ou habitante de Durande.

durante[1] [Do it. ant. *durante.*] *S. m. Tec. Têx.* Tecido de lã lustroso como cetim.

durante[2] [Do lat. *durante,* part. pres. de *durare,* 'durar'.] *Prep.* **1.** Exprime duração. **2.** No tempo de: *Durante o almoço choveu.* **3.** Pelo espaço de: *Calou-se durante uns minutos.*

durão [Aum. subst. de *duro*[2] (11).] *S. m. Bras. Pop.* Homem forte e bravo; valente.

duraque [Do top. *Durack* (Turquia).] *S. m. Tec. Têx.* Tecido muito forte e consistente, que se utilizava de modo especial no calçado de senhoras: "um pé pequeno, bonito, muito apertado em botinas de duraque com ponteiras de verniz." (Eça de Queirós, *O Primo Basílio,* p. 12).

durar [Do lat. *durare.*] *V. int.* **1.** Persistir, perdurar: *Sentiu-se feliz enquanto durou aquela ilusão.* **2.** Conservar-se em determinado estado, com as mesmas qualidades: *Decorrem séculos, e o ouro dura.* **3.** Ter resistência; não se gastar depressa; resistir: *Este tecido dura muito. T. c.* **4.** Ter duração; continuar a existir; prolongar-se: "A excursão durou seis semanas." (Machado de Assis, *Iaiá Garcia,* p. 125.) **5.** Persistir, perdurar: "O discurso dura mais de duas horas." (Lindolfo Collor, *Europa 1939,* p. 13.) **6.** Viver; existir: *Desejaram-lhe durasse ainda por longos anos.*

durasnal [Do esp. plat. *duraznal.*] *S. m. Bras. RS* Pomar de pessegueiros.

durativo [De *durar* + *-tivo.*] *Adj.* **1.** Que dura; duradouro. **2.** *E. Ling.* Relativo a durativo (3). ~ V. *aspecto —.* ● *S. m.* **3.** *E. Ling.* Aspecto durativo (q. v.).

durável [Do lat. *durabile.*] *Adj. 2 g.* V. *duradouro* (1).

durázio [Do lat. *duracinu.*] *Adj.* **1.** Diz-se de alguns frutos cuja casca é dura. **2.** *Fam.* Que já não é moço: "Meia dúzia de velhas e virgens, já durázias, seguiam o ritual." (Garibaldino de Andrade, *O Sol e a Nuvem,* p. 131.) ~ V. *trigo —.*

dureno [Do lat. *dur(us),* 'duro', + *-eno*[2]; ingl. *durene.*] *S. m. Quím.* Substância sólida, hidrocarboneto aromático, derivado do benzeno com quatro metilas [fórm.: $C_{10}H_{14}$].

durex [Marca registrada.] *S. m. e f. e 2 n. Bras.* **1.** Fita adesiva, ger. transparente. **2.** *Lus.* V. *preservativo* (5).

dureza (ê) [Do lat. *duritia.*] *S. f.* **1.** Qualidade ou estado de duro[2]; rijeza. **2.** Ação dura; crueldade: *A dureza do bandido era de arrepiar.* **3.** Severidade, rigor: *É notória a dureza de seu caráter.* **4.** *Fís.* Em linguagem corrente, a energia dos raios X ou dos raios gama. [A dureza é grande quando os raios são muito energéticos, e pequena quando os raios são pouco energéticos.] **5.** *Min.* Resistência que o mineral oferece ao esforço exercido à sua superfície com o fim de o riscar. **6.** *Quím.* Propriedade das águas que contêm sais de cálcio ou de magnésio, e que se evidencia pela dificuldade de formar espuma com os sabões. **7.** *Quím.* Propriedade do que é duro[2] (9). **8.** *Bras. Fam.* Aumento ou endurecimento de órgão interno, particularmente o baço. **9.** *Fam.* Coisa difícil, ou trabalhosa: *A revisão deste texto em grego foi uma dureza.* [Cf., nesta acepç., *moleza* (7).] **10.** *Bras. Gír.* V. *pindaíba* (4).

durião [Do malaio-javanês *durian.*] *S. m. Bot.* **1.** Grande árvore bombacácea (*Durio zibethinus*) de flores hermafroditas, alvas, com cálice campanulado, frutos oblongos, grandes, esverdeados e espinescentes, de odor nauseabundo, com sementes envoltas em polpa alva e macia, comestíveis. **2.** O fruto dessa árvore.

duriense [Do lat. *duriense.*] *Adj. 2 g.* **1.** De, ou pertencente ou relativo ao Douro (Portugal). ● *S. 2 g.* **2.** O natural ou habitante do Douro.

durim-durim [Da reduplic. de *durinho,* dim. de *duro*[2].] *S. m. Bras. N. N.E.* Brinquedo que se faz com os bebês, segurando-os de pé na palma da mão. [Pl.: *durim-durins.*]

durina [De *duro*[2], poss.] *S. f. Bras.* V. *mal de escancha.*

durindana [Alter. do fr. ant. *durendart,* ou *durendal*; esp. *durindaina.*] *S. f.* **1.** A espada do famoso paladino Roldão, um dos doze pares de Carlos Magno. **2.** *P. ext.* Espada grande; espada: "dir-se-ia um anjo vingador, armado de flamejante gládio, um herói manchego a brandir ferocíssima durindana" (Alphonsus de Guimaraens, *Obra Completa,* p. 459). **3.** *Bras. S.* Faca ou punhal.

durkheimiano [Do antr. (*Émile*) *Durkheim* + *-iano.*] *Adj.* **1.** Pertencente, relativo a, ou próprio do francês Émile Durkheim (1858-1917), um dos fundadores da sociologia. **2.** Que é adepto das teorias de Durkheim ou profundo conhecedor de sua obra. ● *S. m.* **3.** Seguidor de suas concepções ou profundo conhecedor de sua obra.

duro[1] [Do esp. *duro,* abrev. de *peso duro.*] *S. m.* Moeda espanhola, de prata.

duro[2] [Do lat. *duru.*] *Adj.* **1.** Que não é tenro ou mole; rijo: *carne dura.* **2.** Difícil de penetrar ou de riscar; consistente, sólido: *pedra dura.* **3.** Desagradável à audição; áspero: *som duro.* **4.** Árduo, trabalhoso, penoso: *vida dura.* **5.** Implacável, inexorável: *duras leis.* **6.** Forte, rigoroso: *inverno duro.* **7.** Firme, enérgico: *palavras duras; caráter duro.* **8.** Cruel, insensível, impassível, empedernido: "Inda conserva o pálido semblante / Um não sei quê de magoado e triste, / Que os corações mais duros enternece." (Basílio da Gama, *O Uraguai,* IV, p. 81.) **9.** *Quím.* Diz-se de ácido de Lewis, ou de base, caracterizados por átomo ou grupo pouco polarizável e muito eletronegativo. **10.** *Bras.* Resistente, vigoroso: *É um velhinho ainda bem duro.* **11.** *Bras.* Valente, corajoso, bravo: "Sê duro guerreiro, / Robusto, fragueiro" (Gonçalves Dias, *Obras Poéticas,* II, p. 43). **12.** V. *valentão* (1). **13.** *Bras. Pop.* V. *pronto* (10). **14.** *Bras.* Apinhado, cheio: *O teatro estava duro de gente.* ~ V. *aço —, água —a, cancro —, capa —a, linha —a, madeira —a, negativo —, palato —, raios X —s, reboco —, sabão —* e *verniz —.* ● *S. m.* **15.** *Bras. Pop.* V. *pronto* (12). **16.** *Bras. BA* Local arenoso e firme sob as águas do mar. ● *Adv.* **17.** De modo severo, recriminador: *olhar duro.* **18.** Com muito esforço e intensidade: *trabalhar duro.* ◆ **Dar (um) duro.** *Bras.* Fazer grande esforço; trabalhar duramente, com afinco: "– Que brincadeira é essa? Estou aqui dando duro no trabalho, de repente chega uma intimação para eu vir aqui no prazo de cinco dias mostrar os recibos, sob pena de me cobrarem judicialmente aquilo que eu paguei há dois anos!" (Carlos Drummond de Andrade, *O Poder Ultrajovem,* p. 41.) **No duro.** *Bras. Pop.* Com toda a certeza; sem sombra de dúvida: "Era circo de cavalinhos dos antigos, dos bons, circo no duro." (Pedro Nava, *Balão Cativo,* p. 70.)

duro a fogo *S. m. Bras. N.E.* **1.** Fumo de péssima qualidade, que arde a custo. **2.** *Fig.* Pessoa insensível às repreensões que lhe passam. **3.** Indivíduo velhaco, mau pagador, caloteiro. [Pl.: *duros a fogo.*] ☑

durómetro *S. m.* V. *durômetro.* [Uso freq. em P.]

durômetro [De *duro*[2] + *-metro.*] *S. m.* Instrumento com que se mede a dureza de materiais.

dussineca [Do ingl. *gooseneck,* 'pescoço de ganso'.] *S. f.* Tipo de bico curvo, em forma de pescoço de ganso, us. nos extintores de incêndio.

duto *S. m.* V. *ducto.*

▲ **-duto** [Do lat. *dŭctus,* do v. lat. *dūcĕre,* 'conduzir'.] *El. comp.* = 'duto'; 'semelhante a um duto': *gasoduto, oleoduto; nerviduto.*

dutrense *Adj. 2 g.* **1.** De, ou pertencente ou relativo a Presidente Dutra (BA). ● *S. 2 g.* **2.** O natural ou habitante de Presidente Dutra.

➔**duty-free shop** ['duwtij fiij ʃap] [Ingl.] Loja em aeroporto, etc., na qual a mercadoria vendida é isenta de imposto de importação.

D

duunvirado [Do lat. *duumviratu*, por via semierudita.] *S. m.* **1.** Cargo de duúnviro. **2.** Governo de dois homens. **3.** A duração daquele cargo. [F. paral.: *duunvirato*.]

duunviral [Do lat. *duumvirale*.] *Adj. 2 g.* Referente a duúnviro.

duunvirato [Do lat. *duunviratu*, por via erudita.] *S. m.* Duunvirado.

duúnviro [Do lat. *duumviru*.] *S. m.* Cada um dos dois magistrados romanos que exerciam poder conjuntamente.

dúvida [Dev. de *duvidar*.] *S. f.* **1.** Incerteza sobre a realidade de um fato ou verdade de uma asserção; hesitação, indecisão: *Estava em dúvida, indeciso quanto ao que lhe haviam dito.* **2.** Dificuldade em crer; descrença, cepticismo. **3.** Desconfiança, suspeita: *A dúvida corroía-lhe a alma.* **4.** Escrúpulo, receio: *Tinha dúvida em aceitar a oferta; era excessiva.* **5.** Obstáculo, objeção: *Gostava dela, sua dúvida era a família.* **6.** *Filos.* Suspensão temporária do assentimento, seja por insuficiência de motivos, seja por equilíbrio entre motivos contrários, seja por atitude deliberada. [Cf. *duvida*, do v. *duvidar*.] ◆ **Dúvida hiperbólica.** *Hist. Filos.* Para Descartes (v. *cartesianismo*), a dúvida universal como ponto de partida para bem se conduzir a razão na investigação da verdade. **Dúvida metódica.** *Filos.* Recusa deliberada e simulada do valor de um conhecimento para que, em seguida, sejam apresentadas de modo sistemático as razões que o legitimam. **Por sem dúvida.** V. *sem dúvida*: "Por sem dúvida a execução artística está muito longe da perfeição." (Bernardo Guimarães, *O Seminarista*, pp. 36-37.) **Sem dúvida.** Com certeza; indubitavelmente; por sem dúvida.

duvidador (ô) [Do lat. *dubitatore*.] *S. m.* Aquele que duvida; indivíduo desconfiado, céptico.

duvidança [De *duvidar* + *-ança*.] *S. f. Ant.* Dúvida, incerteza.

duvidar [Do lat. *dubitare*.] *V. t. d.* **1.** Ter dúvida ou estar em dúvida sobre; não saber: *Duvidava se tinha ante si um ente de carne e osso, ou uma visão.* **2.** Não acreditar, não admitir: *Duvidava que o amigo o houvesse traído.* *T. i.* **3.** Estar na dúvida: na incerteza; não confiar; não acreditar; desconfiar: *Segundo os Evangelhos, S. Tomé duvidou da ressurreição de Cristo.* **4.** Estar ou mostrar-se incerto; hesitar: *Duvidou em aceitar o convite.* *Int.* **5.** Não crer; ser céptico: "eu não duvido pelo mero prazer de duvidar, mas sim porque ambiciono uma certeza." (Rui Cinatti, *Anoitecendo, a Vida Recomeça*, p. 82). **6.** *Bras. SP* Questionar (5). [Pres. ind.: *duvido, duvidas, duvida*, etc. Cf. *dúvida*.]

duvidoso (ô) [De *dúvida* + *-oso*.] *Adj.* **1.** Que oferece dúvida(s); incerto: *um texto de interpretação duvidosa.* **2.** Que inspira desconfiança; suspeito. "O ônibus novo continuou parando nos mesmos pontos de café e almoço, todos, menos um, com banheiros nojentos e comida duvidosa." (Adélia Prado, *Filandras*, p. 93.) **3.** Indeciso, hesitante. **4.** Pouco nítido; indefinido, indistinto: "o torso moreno e roliço brilhou nas sombras duvidosas da tarde, porque a noite já se intrometia com chiados de insetos no mato rasteiro." (Moreira Campos, *Portas Fechadas*, p. 13).

duzentão [De *duzentos* + *-ão*[1].] *S. m. Bras. Pop. Ant.* Duzentos réis: "Dá aí duzentão de cachaça!" (Antônio de Alcântara Machado, *Novelas Paulistanas*, p. 100.)

duzentos [Do lat. *ducentos*.] *Num.* **1.** Quantidade que é uma unidade maior que 199; cem mais cem. **2.** Número (4) correspondente a essa quantidade. [Nessas acepçs., representa-se em algarismos arábicos por 200, e em algarismos romanos, por CC.] **3.** Que está marcado ou identificado com o número 200. **4.** Ducentésimo (1). ● *S. m.* **5.** Representação, em algarismos, do número duzentos. **6.** Aquilo ou aquele que numa série de duzentos ocupa o ducentésimo lugar.

dúzia [Do lat. *duocina.] *S. f.* Conjunto de doze objetos da mesma natureza. ~ V. *dúzias*. ◆ **Dúzia de frade.** Dúzia de treze. **Dúzia de treze.** Coleção ou grupo de treze objetos da mesma natureza que se vendem pelo preço de 12; dúzia de frade. **Das dúzias.** De pouco mérito; reles; medíocre: *poeta das dúzias; doutor das dúzias.* "Estavam a proceder para com o cidadão que salvara Roma como para qualquer pandilha das dúzias." (Aquilino Ribeiro, *Os Avós dos Nossos Avós*, p. 246.) **Meia dúzia. 1.** Metade de uma dúzia; seis. **2.** *Fig.* Pequena quantidade; poucos: *Na festa havia só meia dúzia de pessoas.*

dúzias [Pl. de *dúzia*.] *S. f. pl. Fam.* Grande quantidade; porção, quantidade: *Ela tem dúzias de livros.* ~ V. *dúzia*.

duzina [Afr.] *S. m. Bras. Rel.* **1.** Qualidade (11) de Omolu. ● *Adj. 2 g.* **2.** Diz-se dessa qualidade. [Com cap.]

duzu *S. m. Cronol.* O quarto mês do calendário caldeu.

■ **DVD** [Acrôn. do ingl. *d(igital) v(ideo) d(isk)*, 'disco digital de vídeo'.] Sigla que designa um tipo de CD com capacidade de armazenar imagens, sons e arquivos de computador em quantidade muito superior à do CD-ROM (de 4,7 a 17GB), e que utiliza padrão diferente de codificação.

■ **Dy** *Quím.* Símb. de *disprósio*.

■ **dyn** *Fís.* Simb. de *dina*.

D-zero *S. m. 2 n. Fís. Part.* Méson de massa 1864,6 MeV/c^2, *isospin* 1/2, *spin* zero, paridade negativa, carga elétrica nula e charme +1, composto de um *quark c* e um *antiquark u* [símb.: D^o].

dzeta [Do gr. *zêta*, pelo lat. tard. *zeta*.] *S. m.* A 6ª letra do alfabeto grego (Z, ζ). [F. paral.: *zeta*.]

dzonga *S. m. Gloss.* V. *butanês* (3).

dzubucuá *Bras. S. 2 g.* **1.** *Etnôn.* Indivíduo dos dzubucuás [ou (etnôn. bras.) *Dzubukuá], povo indígena extinto da família linguística cariri, que habitava o S.O. de PE, na divisa com a BA. ● *Adj. 2 g.* **2.** Pertencente ou relativo a esse povo.

Em Maceió, o dicionarista frequentava as rodas literárias da época, em que vários talentos se reuniam para discutir literatura, artes e assuntos afins. Entre seus amigos, estava um ex-aluno, José Peixoto.

e (é ou ê) *S. m.* **1.** A 5ª letra do nosso alfabeto. [Representa a vogal anterior média aberta, como em *dez, erro* (do v. *errar*), *este* ('ponto cardeal'), *quero, pé,* ou a vogal anterior média fechada, como em *erro* (subst.), *este* (pron.), *querer, lê,* podendo ainda soar como vogal reduzida [v. *timbre* (6)] nas sílabas finais postônicas (*forte, antes*). É nasalizada, com timbre fechado, quando seguida de consoante nasal *m, n* ou *nh* (*trem, contém, quente, lenha*).] **2.** A figura dessa letra, ou qualquer representação sua: *Assinou a carta com um simples E.* **3.** O som representado por essa letra. **4.** Conceito (6), ger. correspondente a reprovação com o grau mais baixo. **5.** *Mat.* V. *número e.* ● ***Num.*** **6.** Quinto (1), numa série ordenada ou hierárquica cujos elementos são designados ou representados pelas letras do alfabeto: *parágrafo e* (ou *parágrafo E*). [Tb. us. adjetivamente, denotando classificação e significando 'de quinta categoria', 'de baixíssimo valor, qualidade ou importância'.] [Pl., nas acepçs. 1 a 4: *es* (tb. indicado, graficamente, pela duplicação da letra: *ee*). Cf. *é, eh* e *êh.*]

e (i ou ê) [Do lat. *et.*] ***Conj.*** **1.** Aditiva: une orações ou palavras: *Antônio viaja e Manuel estuda;* "Fernão Dias Pais Leme os olhos cerra. E morre." (Olavo Bilac, *Poesias*, p. 271); *ordem e progresso; cultura e talento.* **2.** Adversativa: mas, porém: *Quis falar, e teve de calar-se.* **3.** Adversativa: e no entanto, e contudo; e apesar disso: "O pior é que era coxa. Uns olhos tão lúcidos, uma boca tão fresca, uma compostura tão senhoril; e coxa!" (Machado de Assis, *Memórias Póstumas de Brás Cubas*, p. 105.) **4.** E ainda por cima; e além do mais; e além de tudo: "Não era bonita, não era gaiata, nem tinha fatos garridos; e pobre!... Era o pior, palavra." (Fialho d'Almeida, *A Cidade do Vício*, p. 109.) **5.** E em consequência: *Procura, e acharás.* **6.** E mais; e ainda: *Esperou meses e meses.* **7.** E em contraste; e em oposição: *Há maridos e maridos.* [Cf. *é, eh, êh.*]

■ **e** **1.** Abrev. de *errado* ou *erro.* **2.** *Fís.* Símb. de *elétron.* [Tb. se usa o símb. *é.*] **3.** *Mat.* Símb. de *número e.*

■ **E** **1.** Símb. de *exa-* (q. v.). **2.** No sistema hexadecimal de numeração, o décimo quinto algarismo, equivalente ao número decimal 14. **3.** Abrev. de *editor* ou *editora.* **4.** *Fís.* Símb. de *intensidade do campo elétrico.* **5.** *Fís.* Símb. de *energia.* **6.** *Geogr.* Abrev. de *este.* [Tb. se usa a abrev. *L*, de *leste.*] **7.** *Lóg.* Símb. de *proposição universal negativa.* **8.** *Mús.* Sinal com que se representa a nota mi (v. *mi*^{1}), ou a escala de que essa nota é a tônica, ou o acorde em que ela é a nota fundamental. [Deriva da notação musical alfabética, ainda us. nos países germânicos e anglo-saxões.] **9.** *Quím.* Designação do estereoisômero de um alceno, em que substituintes de mesma prioridade (q. v.), um em cada carbono da ligação dupla, estão em 'lados opostos' (de um plano que contém o eixo, mas não os substituintes, da ligação dupla). [Pode substituir o termo *trans*, mas tem uso mais geral, pois se aplica a alcenos com quatro substituintes diferentes. Posposto a um substantivo, tem valor adjetivo: *isômero E.*] [É a inicial do al. *entgegen*, 'em oposição'.] [Opõe-se a *Z.*] **10.** *Quím. Obsol.* Símb. do *einstêinio*. [O símb. atualmente empregado é *Es.*]

▲**e-**^{1} *Pref.* = 'posição interior', 'dentro': [Equiv.: *em-*^{1}, *en-*^{1}: *embrião* (q. v.), *enantese.*]

▲**e-**^{2} [Do lat. *e* e *ex.*] *Pref.* = 'movimento para fora'; 'separação'; 'transformação'; 'intensidade'; 'ausência'; 'negação': *emarar-se; eglanduloso.* [Equiv.: *es-, -es-, ex-*^{1}: *esbagaçar, esfolhar; resguardar; resmuda; exalviçado, expropriar.* Unido por um hífen aos substantivos que designam estado, profissão ou emprego, *ex-* indica o que alguém foi, ou o lugar ou o posto que ocupou: *ex-tuberculoso, ex-deputado, ex-combatente.* V. *des-.*]

▲**e-**^{3} V. *em-*^{2}.

▲**E-** *Pref. Quím.* Us. na formação de nomes de compostos que são isômeros do tipo *E* [v. ■ *E* (9)]: *ácido E-butenodioico.* [Usa-se ger. seguido de hífen.]

▲**-e-** Vogal de ligação, à frente de suf., tais como *-ácea, -áceo, -ada*^{1}, *-ado*^{1}, *-al*^{1}, etc., ou ligando elementos, vocábulos.

é *S. m.* A letra *e.* [Pl.: *és.* Cf. *e, eh* e *êh.*]

■**é** *Fís.* Símb. de *elétron.* [Tb. se usa o símb. *e.*]

■**EA** *Teatr.* Abrev. de *esquerda alta.*

▲**-ea** [Do lat. *-ea.*] Equiv. de *-eo.*

▲**-eácea** [De *-e-* + *-ácea.*] V. *-ácea.*

▲**-eáceo** [De *-e-* + *-áceo.*] V. *-áceo.*

▲**-eada** V. *-ada*^{1}.

▲**-eado** V. *-ado*^{1}.

➔**eagle** ['ijg̩l] [Ingl., do ingl. médio *egle* (do provençal ant. *aigla*, este do lat. *aquila*, 'águia').] *S. f. e m.* No golfe, jogada em que se atinge o buraco com duas tacadas menos que o par.

eah Interj. de espanto ou admiração: "—Eah! gritou a mucama que entrava, sinhazinha está com ataque!" (Júlio Ribeiro, *A Carne*, p. 83.)

▲**-eal** V. *-al*^{1}.

▲**-eano** V. *-ão*^{2}.

▲**-ear**^{1} V. *-ar*^{1}.

▲**-ear**^{2} [Do lat. vulg. *-ĭdiare.*] ***Suf. verb.*** = 'ação durativa, frequentativa'; 'transformação', 'mudança de estado': *cabecear, balancear; verdear.* [Equiv.: *-ejar: gotejar, verdejar.* Alternam-se, às vezes, entre si: *gotejar, gotear; bordejar, bordear;* ou com *-ar*^{2}: *balancear, balançar.*]

■ **EB** **1.** *Mar. Ant. Lus.* Abrev. de *estibordo.* **2.** *Teatr.* Abrev. de *esquerda baixa.*

ebame *S. 2 g. Bras. Rel.* V. *ebômim.*

ebâneo [De *ébano* + *-eo.*] *Adj. Bras.* Da cor do ébano (2).

ebanista [De *ébano* + *-ista.*] *S. 2 g.* **1.** Pessoa que trabalha em ébano e outras madeiras de lei. **2.** Marceneiro que fabrica móveis, e/ou que é ensamblador.

ebanisteria [De *ebanista* + *-eria.*] *S. f.* Trabalho, profissão ou arte de ebanista.

ebanizar [De *ébano* + *-izar.*] *V. t. d.* Dar o aspecto e/ou a cor de ébano a.

ébano [Do gr. *ébenos*, pelo lat. *ebenu.*] *S. m.* **1.** *Bot.* Árvore ebenácea (*Diospyros tesselaria*) que fornece madeira escura, pesada e muito resistente. **2.** Essa madeira. **3.** *Fig.* Aquilo que é negro como ébano (2). [Sin. ger.: *abenuz.*]

ébano-da-austrália [De *ébano* + *da*^{1} + o top. *Austrália.*] *S. m. Bot.* Árvore fabácea (*Acacia melanoxylon*) originária da Austrália, de madeira de lei, escura, casca com propriedades adstringentes, que exsuda resina semelhante à da goma-arábica, folhas verde-escuras, flores amareladas, odoríferas, e frutos leguminiformes; acácia-da-austrália. [Pl.: *ébanos-da-austrália.*]

ébano-oriental *S. m. Bot.* V. *coração-de-negro* (1). [Pl.: *ébanos-orientais.*]

ebenácea [Do lat. *ebenus* (v. *ébano*) + *-ácea*; tax. *Ebenaceae.*] *S. f. Bot.* Espécime das ebenáceas, família de árvores e arbustos da ordem das ericales que engloba dois gêneros (*Diospyrus* e *Euclea*) e cerca de 460 espécies de árvores e arbustos de folhas alternas e flores axilares, solitárias ou em cimeiras paucifloras, flores comumente unissexuais, com verticilos de três a sete elementos florais, cálice persistente e não raro acrescente, estames numerosos, gineceu com dois até 16 carpelos, cada um levando um ou dois óvulos, e cujo fruto é baga. Há umas 330 espécies, que habitam de preferência os países quentes, entre as quais o caqui (q. v.).

ebenáceo [De *ebenácea*, com var. suf. (v. *-áceo*).] *Adj. Bot.* Pertencente ou relativo às ebenáceas.

ebenal [Do lat. cient. *Eben-* (v. *ebenale*) + *-al*^{1}.] *Adj. 2 g. Bot.* Pertencente ou relativo às ebenales; diospiral.

ebenale [Do lat. *ebenus* (v. *ébano*) + *-ale*; tax. *Ebenales.*] *S. f. Bot.* Espécime das ebenales, ordem de plantas dicotiledôneas metaclamídeas, com flores diplostêmones ou triplostêmones, e ovário plurilocular, de placentação axial. Compreende plantas lenhosas de folhas simples. [Sin.: *diospirale.*]

eberthemia [Do antr. (*Karl Joseph*) *Eberth* (1835-1926), bacteriologista alemão, + *-emia.*] *S. f. Patol.* Presença do bacilo de Eberth (q. v.) ou tífico, no sangue.

eberthiano [De *Eberth* (v. *eberthemia*) + *-iano.*] *Adj.* **1.** Pertencente ou relativo a Karl Joseph Eberth (1835-1926), bacteriologista alemão, ou próprio dele. **2.** Que é seguidor e/ou admirador de seus trabalhos.

● *S. m.* 3. Seguidor e/ou admirador de Karl Joseph Eberth, ou de seus trabalhos.

ébia *El. s. f.* Us. na loc. v. *cair na ébia*. ◆ **Cair na ébia.** *Bras.* Cair na asneira, na tolice, no erro.

ebionita [Do lat. med. *ebionita* < hebr. *ebyōn*, 'pobre'.] *Adj. 2 g.* 1. Diz-se do movimento judeu-cristão dos primeiros séculos de nossa era, que professava a continuação, no cristianismo, das prescrições e práticas da lei israelita. ● *S. 2 g.* 2. Partidário desse movimento.

ebira *S. 2 g.* 1. *Etnôn.* Indivíduo dos ebiras, povo que vive a oeste da confluência dos rios Níger e Benué, na Nigéria (C. O. da África). ● *S. m.* 2. *Gloss.* A língua falada por esse povo. ● *Adj. 2 g.* 3. Pertencente ou relativo aos ebiras ou à sua língua. [Var.: *igbira*.]

ebiratanha [Do tupi; var. de *embiratanha*.] *S. f. Bras. Bot.* V. *mamorana*.

ebiri [Afr.] *S. m. Bras. Rel.* V. *ibiri*.

ebó[1] [Do ior.] *S. m. Bras.* 1. *Rel.* Oferenda ou sacrifício de animal votivo a um orixá. 2. *Restr.* Oferenda a Exu, que se deposita em encruzilhadas; despacho. 3. Oferenda feiticeira de finalidades maléficas.

ebó[2] *S. m. Bras. Rel.* V. *ebô*.

ebô [Do ior.] *S. m. Bras. Rel.* Espécie de mingau de milho, comida votiva dos orixás Oxalufã e Oxaguiã (milho branco, sem sal), Iemanjá (milho branco com azeite de oliveira ou mel) e Oxumarê (milho branco e coco). [Var.: *ebó*.]

ebola [Do tax. *Ebola (virus)*.] *S. m. Med.* Vírus causador de febre aguda hemorrágica, de alta mortalidade. [Isolado pela primeira vez em 1976.]

ebomi *S. 2 g. Bras. Rel.* V. *ebômim*.

ebômi *S. 2 g. Bras. Rel.* V. *ebômim*.

ebomim *S. 2 g. Bras. Rel.* V. *ebômim*.

ebômim [Do ior.] *S. 2 g. Bras. Rel.* 1. Estatuto da filha de santo ou do filho de santo cuja iniciação ocorreu há sete anos. 2. Filha de santo ou filho de santo que atingiu esse estatuto. [Var.: *ebame, ebomi, ebômi, ebomim*.]

ebonite [Do ingl. *ebonite*.] *S. f. Quím.* Substância dura e negra obtida pela vulcanização de borracha com excesso de enxofre: 📖 "colocou o vidro de goma-arábica, o tinteiro de duplo recipiente com tampas de ebonite" (Pedro Nava, *Beira-Mar*, p. 33).

➔**e-book** ['ijbuk] [Ingl.] *S. m.* V. *livro eletrônico*.

eborário [Do lat. *eborariu*.] *S. m.* Aquele que trabalha em marfim.

eborense [Do lat. *eborense*.] *Adj. 2 g.* 1. De, ou pertencente ou relativo a Évora (Portugal). ● *S. 2 g.* 2. O natural ou habitante de Évora.

ebóreo [Do lat. *eboreu*.] *Adj.* V. *ebúrneo*[1]: 📖 "E abra-se em flores tua alvura ebórea, / Ensanguentada pelo sacrifício, / Para a maternidade e para a glória!" (Olavo Bilac, *Tarde*, p. 147.)

ebracteado [De *e-*[2] + *bracteado*.] *Adj. Bot.* Desprovido de brácteas: ▮ *espiga ebracteada*.

▲**-ebre** *Suf. nom.* = 'diminuição': *casebre*.

ebriático [Do lat. *ebriatus* (v. *ebriativo*) + *-ico*[2].] *Adj.* Que provoca ebriedade. [Sin., p. us.: *ebriativo*.]

ebriativo [Do lat. *ebriatus*, part. pass. de *ebriare*, 'embebedar', + *-ivo*.] *Adj. P. us.* Ebriático.

ebriedade [Do lat. *ebrietate*.] *S. f.* V. *embriaguez*.

ebrifestante [De *ébrio* + **festar* (< *festa* *-ar*[2]) + *-nte*.] *Adj. 2 g.* V. *ebrifestivo*: 📖 "Nas ondas do prazer ebrifestante" (Gonçalves Dias, *Obras Poéticas*, II, p. 101).

ebrifestivo [De *ébrio* + *festivo*.] *Adj.* 1. Alegre de embriaguez. 2. Que alegra, embriagando. [Sin. ger.: *ebrifestante*.]

ébrio [Do lat. *ebriu*.] *Adj.* 1. V. *embriagado* (1). 2. Que se embriaga habitualmente; que é dado ao vício de beber; bêbedo ou bêbado, bebedor, beberrão, beberraz, bebum, biriteiro, borracho, cachaceiro, cachacista, ebrioso, temulento, xilado. 3. *Fig.* Aturdido, embriagado, estonteado, tonto: ▮ *ébrio de sono*. 4. *Fig.* Arrebatado por algo que enleva ou encanta; embriagado, extasiado: ▮ *ébrio de poesia*; *ébrio de prazer*. 5. *Fig.* Que se acha em estado de anormalidade por efeito de paixão ou de qualquer intensa perturbação emocional; alucinado, embriagado: ▮ *ébrio de ciúme*; *ébrio de ódio*. 6. *Fig.* Sedento, sequioso; ávido: ▮ *ébrio de vingança*. ● *S. m.* 7. Indivíduo que se embriagou ou alcoolizou; bêbado ou bêbedo, embriagado. 8. Indivíduo ébrio (2). [Sin. (na maioria pop. ou de gír., e, em alguns casos, bras.): *bebaça* ou *bebaço*, *bêbedo* ou *bêbado*, *bebedor*, *beberrão*, *beberraz*, *beberrote*, *bebum*, *beribebum*, *bico-doce*, *biriteiro*, *borrachão*, *borracho*, *bruega*, *cachaça*, *cachaceiro*, *cachacista*, *caixa-d'água*, *chupa-rolha*, *chupista*, *chuva*, *esponja*, *gambá*, *gogoroba*, *gororoba*, *irmão da opa*, *jarreta*, *mamoeiro*, *mata-borrão*, *odre*, *pau-d'água*, *pé de cana*, *pipa*, *roedor*, *tonel*, *vinhote*.]

ebrioso (ô) [Do lat. *ebriosu*.] *Adj.* 1. V. *ébrio* (2). 2. Proveniente da embriaguez. ~ V. *marcha —a*.

▲**ebuli-** [Do lat. *ebullīre*.] *El. comp.* = 'ebulição': *ebuliômetro*, *ebulioscópio*.

ebulição [Do lat. *ebullitione*.] *S. f.* 1. Fervura (1). 2. Fermentação (2). 3. *Fig.* Efervescência, agitação, excitação, exaltação, fermentação. 4. *Fís.* Vaporização de um líquido sob pressão igual à sua pressão de vapor. ◆ **Ebulição normal.** *Fís.* A que se realiza sob pressão constante de uma atmosfera.

ebulidor (ô) [De *ebulir* + *-dor*.] *S. m.* Aparelho constituído de um resistor elétrico, que se usa para esquentar pequenas quantidades de água. [Sin. (bras.): *mergulhão*, *rabo-quente* e *tartaruga*.]

ebuliente [Do lat. *ebulliente*.] *Adj. 2 g.* Que ferve (v. *ebulir*); ebulitivo, fervente.

ebuliômetro *S. m.* V. *ebuliômetro*. [Uso freq. em P.]

ebuliômetro [De *ebuli-* + *-o-* + *-metro*.] *S. m.* Aparelho com que se determina a massa molecular de uma substância, por meio da ebulioscopia; ebulioscópio.

ebulioscopia (ù) [De *ebuli-* + *-o-* + *-scop-* + *-ia*[1].] *S. f. Fís.-Quím.* Análise quantitativa de soluções, baseada na medida da elevação do ponto de ebulição de um solvente quando a ele se adiciona um soluto.

ebulioscópico (ù) [De *ebulioscopia* + *-ico*[2].] *Adj.* Referente à ebulioscopia. ~ V. *constante —a*.

ebulioscópio (ù) [De *ebuli-* + *-o-* + *-scópio*.] *S. m.* Ebuliômetro.

ebulir [Do lat. *ebullire*.] *V. int.* Entrar em ebulição; ferver. [Defect.; não tem as f. em que ao *l* da raiz se seguiria *a* ou *o*. Conjug.: v. *acudir*.]

ebulitivo [De *ebulir* + *-tivo*.] *Adj.* 1. Ebuliente, fervente. 2. *Fig.* Exaltado, agitado.

eburnação [De **eburnar* (< *ebúrneo*[1]) + *-ção*.] *S. f. Patol.* Transformação sofrida por um osso, da qual resulta apresentar-se ele mais duro e compacto, de superfície brilhante como a do marfim.

ebúrneo[1] [Do lat. *eburneu*.] *Adj.* 1. De marfim. 2. Alvo e/ou liso como o marfim: 📖 "Os cabelos angélicos trazia / Pelos ebúrneos ombros espalhados" (Luís de Camões, *Os Lusíadas*, III, p. 102). [Sin. ger.: *ebóreo*.]

ebúrneo[2] *Adj.* 1. Da, ou pertencente ou relativo à Costa do Marfim (África ocidental). ● *S. m.* 2. O natural ou habitante da Costa do Marfim. [Sin. ger.: *marfiniano* e *marfinense*.]

▲**ec-** [Do gr. *ék*, *éx*.] *Pref.* = 'movimento para fora': *ectipografia*. [Equiv.: *ex-*[2]: *exarticular*. *Ec-* é us. antes de consoante, e *ex-* antes de vogal.]

eca *S. f. Bras. ES PB Pop.* Porcaria, sujeira.

■ **ECA** Abrev. de *Estatuto da Criança e do Adolescente*.

▲**-eca** V. *-eco*[1].

ecar [De *eco* + *-ar*[2].] *V. int. Bras. MG* Dar aviso de algo em voz alta: 📖 "Os tocadores, pelo campo afora, ecavam um para outro, avisando o encontro de algum macho fujão." (Afonso Arinos, *Pelo Sertão*, p. 31.) [Conjug.: v. *trancar*.]

ecárdine [De *e-*[2] + lat. *cardine*, 'encaixe', 'articulação'; tax. *Ecardines*.] *S. m. Adj. 2 g. Zool.* V. *inarticulado*[2].

➔**ecarté** [ekas'te] [Fr.] *S. m.* Jogo entre dois parceiros, com 32 cartas.

écbase [Do gr. *ékbasis*, 'saída', pelo lat. *ecbase*.] *S. f.* Digressão, no discurso.

ecbólico [Do V.C.I. *ecbol-* (< gr. *ekbolé*, 'expulsão') + *-ico*[2].] *Adj. Med.* 1. Evacuante, evacuativo, evacuatório. 2. Que provoca o aborto; abortivo. 3. Que acelera o parto.

➔**ecce homo** ['ekke 'homo] [Lat., 'eis o homem'.] 1. Palavras com que Pilatos apresentou aos judeus Jesus com uma vara na mão e uma coroa de espinhos na cabeça. 2. A representação de Jesus em tal situação. [Com cap., nesta acepç.]

ecceidade *S. f. Filos.* V. *hecceidade*.

ecciese [De *ec-* + *-ciese*.] *S. f. Obst.* Gravidez que se processa fora do útero.

ecdemia [Do gr. *ékdemos*, 'estrangeiro', + *-ia*[1].] *S. f. Med.* Qualquer doença de caráter ecdêmico.

ecdêmico *Adj.* V. *ecdêmico*. [Uso freq. em P.]

ecdêmico [Do gr. *ékdemos*, 'que está longe de seu país, de sua casa', + *-ico*[2].] *Adj.* Diz-se de mal cujo agente etiológico tem origem longe do local em que a doença é verificada.

écdico [Do gr. *ékdikos*, pelo lat. *ecdicu*.] *S. m.* Na Antiguidade, cidadão encarregado de defender os interesses de uma cidade.

ecdise [Do lat. cient. *ecdysis*, do gr. *ékdysis*, e este gr. *ekdýein*, 'despir'.] *S. f. Biol.* Mudança periódica da pele de certas larvas de insetos, do exoesqueleto em artrópodes e da pele em alguns vertebrados.

ecdisona *S. f. Citol.* Hormônio esteroide utilizado para indução de formação de *puffs* (v. *puff*) em cromossomos politênicos.

ecdótica [Do fr. *ecdotique*.] *S. f.* Disciplina que trata da edição (8) de um texto. [A ecdótica é mais abrangente que a crítica textual (q. v.), pois trata de todos os aspectos de uma edição, mesmo daqueles não linguísticos, tais como a disposição da mancha (6), dos títulos, o uso diferenciado de caracteres gráficos, o conjunto das ilustrações.]

■ **ecemar** Sigla de *Escola de Comando e Estado-Maior da Aeronáutica*.

■ **eceme** Sigla de *Escola de Comando e Estado-Maior do Exército*.

▲**-ecer** [Do lat. *-escĕre*.] *Suf. verb.* = 'ação incoativa'; 'transformação', 'mudança de estado': *anoitecer*. [Equiv.: *-escer*, *-oecer*: *florescer* (< lat.).]

ecfonema [De *ec-* + gr. *phónema*, 'som da voz', 'palavra'.] *S. m.* Elevação repentina da voz, com exclamação e frases incompletas em consequência de paixão ou de fato surpreendente.

écfora [Do gr. *ekphorá*, pelo lat. *ecphora*.] *S. f.* Ressalto de qualquer peça arquitetônica.

ecforia [De *ec-* + lat. cient. *-phoria* < gr. *-phoría*, 'ação de levar, de carregar'.] *S. f. Psiq.* Recuperação de engrama (1).

ecfrático [Do gr. *ekphraktikós*.] *Adj.* V. *aperitivo* (2).

■**ECG** Sigla de *eletrocardiograma*.

ecgonina [Do gr. *ékgonos*, 'nascido de', + *-ina*[3].] *S. f. Quím.* Substância natural, com ação anestésica local, que se forma na hidrólise da cocaína [fórm.: $C_9H_{15}NO_3$].

echalota [Do fr. *échalote*.] *S. f. Bot.* Planta hortícola liliácea, cultivar do Allium ascalonicum, cujas folhas, e sobretudo os bulbos, são us. como condimento. [Var.: *chalota*.]

echaporense *Adj. 2 g.* 1. De, ou pertencente ou relativo a Echaporã (SP). ● *S. 2 g.* 2. O natural ou habitante de Echaporã.

echarpe [Do fr. *écharpe*.] *S. f.* Faixa de tecido que se usa, em geral, ao redor do pescoço, como agasalho ou como adorno.

▲**-ecia** [Do gr. *oikía*, *as*.] *El. comp.* = 'casa', 'domicílio': *monecia*, *triecia*.

eciano [Do antr. *Eça (de Queirós)* + *-iano*.] *Adj.* 1. Pertencente ou relativo a Eça de Queirós (1845-1900), escritor português, ou próprio desse autor. 2. Que é grande admirador e/ou profundo conhecedor de sua obra. ● *S. m.* 3. Grande admirador e/ou profundo conhecedor da obra de Eça de Queirós. [Sin. ger.: *queirosiano*. Cf. *hessiano*.]

eciclema [Do gr. *ekkýklema*.] *S. m. Teatr.* No antigo teatro grego, plataforma móvel situada ao fundo ou acima da cena, e que avançava ou descia até ela a fim de mostrar o resultado final do que, segundo a narração, ocorrera no interior (na tragédia, os corpos dos mortos), ou promover a aparição de entidades: 📖 "Eurípides baixa ao palco num eciclema, engenho que, nos espetáculos, servia para as divindades apareceram milagrosamente nos desfechos, origem da expressão *deus ex machina*." (Sábato Magaldi, *Temas de História do Teatro*, pp. 32-33.)

ecídio [Do gr. *oikídion*.] *S. m. Bot.* Espécie de esporângio dos fungos uredíneos.

ecidiósporo [De *ecídio* + *-sporo*.] *S. m.* Esporo (3) que se forma no ecídio.

eclábio [De *ec-* + *lábio*.] *S. m. Med.* Eversão de um ou de ambos os lábios.

➔**eclair** [ek'lɛʁ] [Fr.] *S. m.* V. *ecler*[1].

eclampse [Do gr. *éklampsis*.] *S. f. Obst.* V. *eclampsia*.

eclampsia [Do fr. *éclampsie*, ou do lat. cient. *eclampsia*, ambos do gr. *éklampsis*, 'brilho vivo', 'explosão'.] *S. f. Obst.* Forma convulsiva de toxemia gravídica, podendo, ou não, terminar em coma ou, até, em morte, e cuja tríade sintomática se compõe de edema, hipertensão e proteinúria. [A pronúncia corrente é *eclâmpsia*.]

eclâmpsia *S. f. Obst.* V. *eclampsia*.

eclâmptico [Do lat. cient. *eclampt-* (< lat. cient. *eclampsia*) + *-ico*[2].] *Adj.* Referente à, ou próprio da eclampsia.

eclegma [Do gr. *ékleigma*, 'electuário', pelo lat. *eclegma*.] *S. m. Farm.* Loque (1).

ecler[1] [Do fr. *éclair*.] *S. m. Cul.* Espécie de bomba (18).

ecler[2] *S. m.* V. *fecho ecler*.

eclésia [Do gr. *enklesía*, pelo lat. tard. *ecclesia*.] *S. f.* Na Grécia antiga, e esp. em Atenas, a assembleia dos cidadãos.

eclesial [Do lat. *ecclesia*, 'igreja', + *-al*[1].] *Adj. 2 g.* Eclesiástico (1): 📖 "Uma Catedral no Rio de Janeiro que seja inteligentemente utilizada a serviço da comunidade eclesial." (D. Eugênio Sales, em *Jornal do Brasil*, 31.07.1971.)

eclesiasticamente (ás) [Do f. de *eclesiástico* + *-mente*.] *Adv.* À maneira eclesiástica; segundo a Igreja.

eclesiástico [Do gr. *enklesiastikós*, pelo lat. *ecclesiasticu*.] *Adj.* 1. Pertencente ou relativo à Igreja; eclesial: ▮ *ordens eclesiásticas*; *arquivos eclesiásticos*. 2. Pertencente ou relativo a eclesiástico (3): ▮ *vestes eclesiásticas*. ~ V. *calendário —*, *canto —*, *cômputo —*, *latim —* e *missão —a*. ● *S. m.* 3. Membro do clero (1); sacerdote, clérigo, padre.

eclético [Do gr. *eklektikós*.] *Adj.* 1. Relativo ao, ou que é partidário do ecletismo. 2. Formado de elementos colhidos em diferentes gêneros ou opiniões: ▮ *gosto eclético*. ● *S. m.* 3. Sectário ou praticante do ecletismo.

ecletismo [Do fr. *éclectisme*.] *S. m.* 1. *Filos.* Reunião de elementos doutrinários de origens diversas que não chegam a se articular em uma unidade sistemática consistente. [Cf. *sincretismo* (1).] **2.** *P. ext.* Posição intelectual ou moral caracterizada pela escolha, entre diversas formas de conduta ou opinião, das que parecem melhores, sem observância duma linha rígida de pensamento: *O ecletismo do novo partido político evidenciou-se no momento da crise.*

eclímetro [Do fr. *éclimètre.*] *S. m.* Clinômetro (q. v.) que fornece o ângulo de inclinação do terreno. [Cf. *clisímetro.*]

eclipsado [Part. de *eclipsar.*] *Adj.* **1.** *Astr.* Que fica oculto, em um eclipse. **2.** *Fig.* Que perdeu o brilho; apagado, empanado.

eclipsante [De *eclipsar* + *-nte.*] *Adj. 2 g. Astr.* Diz-se de astro que eclipsa outro, que provoca em outro um eclipse.

eclipsar [De *eclipse* + *-ar*[2].] *V. t. d.* **1.** Interceptar a luz vinda de (um astro). **2.** Esconder, encobrir; obscurecer, ofuscar: *Seu brilhante discurso eclipsou os demais.* **3.** Vencer; exceder; sobrepujar. *P.* **4.** Esconder-se (um astro). **5.** Ocultar-se; desaparecer.

eclipse [Do gr. *ékleipsis*, pelo lat. *eclipse.*] *S. m.* **1.** *Astr.* Fenômeno em que um astro deixa de ser visível, totalmente ou em parte, ou pela interposição de outro astro entre ele e o observador, ou porque, não tendo luz própria, deixa de ser iluminado ao colocar-se no cone de sombra de outro astro. **2.** *Náut.* Período de obscuridade entre dois lampejos consecutivos duma luz ou dum farol de navegação. **3.** *Fig.* Obscurecimento intelectual ou moral. **4.** *Fig.* Ausência, desaparecimento. ◆ **Eclipse anular.** *Astr.* Eclipse solar em que a Lua está com um diâmetro aparente menor que o do Sol, apresentando-se, assim, como um disco negro no interior do disco solar, que se mostra sob a forma de um anel luminoso. **Eclipse apogeu.** *Astr.* Eclipse solar, ou lunar, que ocorre com a Lua no apogeu de sua órbita. **Eclipse central.** *Astr.* Aquele em que o centro do astro eclipsado e o do astro eclipsante coincidem num dado momento. **Eclipse da Lua.** *Astr.* Aquele em que a Lua penetra no cone de sombra da Terra, deixando de ser visível para todos os observadores terrestres que a têm acima do horizonte naquele intervalo de tempo; eclipse lunar. **Eclipse do primeiro gênero.** *Astr.* Aquele em que o astro eclipsante fica entre o observador e o astro eclipsado. **Eclipse do segundo gênero.** *Astr.* Aquele em que o astro eclipsado penetra no cone de sombra do astro eclipsante. **Eclipse do Sol.** *Astr.* Aquele em que o Sol deixa de ser total ou parcialmente visível, por haver a Lua ficado entre o Sol e os observadores terrestres situados em uma região interceptada pelo cone de sombra da Lua; eclipse solar. **Eclipse excêntrico.** *Astr.* Aquele em que o centro do astro eclipsado e o do astro eclipsante jamais coincidem. **Eclipse lunar.** *Astr.* Eclipse da Lua (q. v.). **Eclipse parcial.** *Astr.* Eclipse em que o astro eclipsado não fica totalmente oculto. **Eclipse penumbral.** *Astr.* Eclipse da Lua no qual o satélite penetra unicamente no cone de penumbra da Terra, não chegando a atingir o cone de sombra, e a luz da Lua fica reduzida só de uma pequena fração, tornando-se levemente rósea. **Eclipse perigeu.** *Astr.* Eclipse do Sol ou da Lua em que o satélite está no perigeu de sua órbita. **Eclipse solar.** *Astr.* Eclipse do Sol (q. v.). **Eclipse total.** *Astr.* Aquele em que o astro eclipsado fica totalmente oculto.

eclíptica [Do fr. *écliptique* < lat. med. *ecliptica*, f. do lat. *eclipticus.*] *S. f. Astr.* **1.** Plano da órbita terrestre. **2.** Círculo máximo da esfera celeste, que é a interseção da eclíptica (1) com esta.

eclíptico [Do gr. *ekleiptikós*, pelo lat. *eclipticu.*] *Adj.* Que se relaciona com os eclipses ou com a eclíptica. ~ V. *latitude —a, latitude —a geocêntrica, latitude —a heliocêntrica, longitude —a, longitude —a geocêntrica* e *longitude —a heliocêntrica.*

eclítica *S. f. Astr.* V. *eclíptica.* [Uso próprio de P.] ⊙

eclítico *Adj. Astr.* V. *eclíptico.* [Uso próprio de P.] ⊙

eclodir [Voc. deduz. de *eclosão*, por anal. com *erosão* < lat. *erosione* < lat. *erodere.*] *V. int.* **1.** Vir à luz; surgir, aparecer. **2.** Desabrochar, desabrolhar: "as rosas eclodem nos jardins suburbanos" (José Carlos Oliveira, em *Jornal do Brasil*, 08.06.1981). [Defect., normalmente só se conjuga nas 3.as pess.]

écloga [Do gr. *eklogé*, pelo lat. *ecloga.*] *S. f.* Poesia pastoril, em geral dialogada; bucólica, pastoral: "numa paisagem em que houvesse pastores de Teócrito, flautas de écloga virgiliana e bíblicas Samaritanas" (Ronald de Carvalho, *Estudos Brasileiros*, 2.ª série, p. 95). [Var.: *égloga*. Cf. *pastorela.*]

eclogito [Do gr. *eklogé*, 'escolha', + *-ito*[2].] *S. m. Geol.* Rocha metamórfica constituída de um piroxênio esverdeado e de granada.

eclosão [Do fr. *éclosion* < fr. *éclore* < lat. vulg. **exclaudere* (v. *eclodir*).] *S. f.* **1.** Ato de vir à luz, de surgir; aparecimento: "Não resulta [a arte] de uma só causa, nem é fruto de um só momento. Caminhos longos conduzem à eclosão de suas obras." (Celso Kelly, *Portinari*, p. 15.) **2.** Ato de desabrochar, brotar, abrir. **3.** Crescimento, desenvolvimento.

eclusa [Do fr. *écluse* (fr. ant. *esclusa*) < b.-lat *esclusa* (*aqua*), 'água separada'.] *S. f.* Cada um dos diques que se sucedem em série de dois ou três, num trecho de rio ou canal onde há grande desnível do leito, para permitir a descida ou a subida de embarcações por esse trecho. [F. paral.: *esclusa.*]

ecmnesia [De *ec-* + *-mnesia.*] *S. f. Psiq.* Ecmnésia (q. v.).

ecmnésia [De *ec-* + *-mnésia*; var. pros. de *ecmnesia.*] *S. f. Psiq.* Distúrbio de memória no qual o indivíduo esquece de quanto se passou a partir de determinada época, mas se recorda de fatos anteriores a essa época.

ecmnésico [De *ecmnésia* + *-ico*[2].] *Adj.* **1.** Referente a, ou que sofre de ecmnésia. ● *S. m.* **2.** Indivíduo ecmnésico.

eco [Do gr. *echó*, pelo lat. *echo.*] *S. m.* **1.** Fenômeno físico devido à reflexão de uma onda acústica por um obstáculo, e observado como a repetição de um som emitido por uma fonte: "A lufada intermitente traz da praia um eco vibrante, que ressoa entre o marulho das vagas. | — Iracema!" (José de Alencar, *Iracema*, pp. 49-50.) **2.** *P. ext.* Ruído, rumor, som: *O menino acordou com os ecos da fanfarra.* **3.** Repetição de palavras ou de sons. **4.** Pessoa ou entidade que repete ou propaga o que é dito por outrem. **5.** Palavras com terminação igual empregadas no discurso muito próximas umas das outras. **6.** *Fig.* Bom acolhimento; boa aceitação; repercussão: *Suas palavras não tiveram eco.* **7.** *Fig.* Notícia, repercussão, reflexo; rumor: *Os ecos da coroação chegaram aos confins do império; os ecos do escândalo, do desfalque.* **8.** Lembrança, recordação, memória, vestígio: *Sua passagem não deixou eco.* **9.** *Fig.* Fama, notícia: *Chegou a muitos países o eco de seu talento.* **10.** *Eletromag.* Fenômeno análogo ao eco (1), mas que se processa com ondas eletromagnéticas, e que é detectado por equipamento apropriado, como, p. ex., o radar. **11.** *E. Ling.* Interrogação que repete um enunciado anterior, à exceção de uma parte, pouco crível ou não compreendida, e que é substituída por pronomes como *quem, o que*, etc. Ex.: — O homenzinho comprou uns biscoitinhos de araruta. — O homenzinho comprou o quê? **12.** *Fís.* Fenômeno que constitui a base do funcionamento de inúmeros dispositivos, entre os quais o radar, e que é provocado pela reflexão de uma onda eletromagnética e observado como a repetição de um pulso eletromagnético emitido por uma fonte. **13.** *Mús.* Repetição de um determinado desenho sonoro, à oitava superior ou inferior, ou em uníssono, por meio de diferenças de intensidade ou por meio de diferenças de timbre. **14.** *Mús.* Um dos teclados manuais do grande órgão. **15.** *Poét.* Pequeno verso que repete, no todo ou em parte, a(s) última(s) sílaba(s) do verso anterior, ou, caso esse verso acabe em monossílabo, a parte vocálica do monossílabo. Ex.: "Se sabes gemer assim, / Andas acaso penando? // Eco // Ando." (José Albano, *Rimas*, p. 30); "Pois quem por ordem do fado / Tem pesar igual ao meu? // Eco // Eu." (Id., *ib.*, p. 31). **16.** *Bras. N.E. Pop.* Grito, brado: *dar um eco; soltar um eco.* [Cf. *ecô.*] ◆ **Eco meteórico.** *Astr.* Sinal que, enviado de um instrumento terrestre, é refletido por um meteoro ao entrar na atmosfera terrestre. **Abrir o eco.** *Bras. N.E. Pop.* Gritar, bradar, berrar: "Outro dia abriu o eco aí feito louco porque outro carreiro furou o boi com ferrão." (Permínio Asfora, *Vento Nordeste*, p. 42.) **Não encontrar eco.** Não achar apoio (ideia, empresa, iniciativa).

▲**eco-**[1] [Do gr. *oîkos, ou.*] *El. comp.* = 'casa', 'domicílio', '*habitat*', 'meio ambiente': *ecologia.* [Equiv.: *-ec(o)-*[1], *-eco*[2], *-oico*[1]: *zoécio, meteco* (< gr.), *monoico.*]

▲**eco-**[2] [Do gr. *áchos, ou.*] *El. comp.* = 'som', 'eco': *ecolalia, ecômetro.* [Equiv.: *-ec(o)-*[2]: *anecoico.*]

▲**-ec(o)-**[1] V. *eco-*[1].

▲**-ec(o)-**[2] V. *eco-*[2].

▲**-eco**[1] *Suf. nom.* = 'diminuição', em geral com sentido pejorativo: *livreco, padreco.* [Equiv.: *-eca, -icas*: *padreca, barbicas.*]

▲**-eco**[2] V. *eco-*[1].

ecô *Interj. Bras.* Brado com que os caçadores açulam os cães e os vaqueiros tangem o gado. [Cf. *eco.*]

ecoante [De *ecoar* + *-nte.*] *Adj. 2 g.* Que ecoa.

ecoar [De *eco* + *-oar.*] *V. int.* **1.** Fazer eco (1); ressoar. **2.** Reproduzir-se ou repercutir ao longe, no espaço ou no tempo: "Quando este mar embravece, vagalhões como montanhas despedaçam-se .... nas falésias maciças, ecoam nas grutas e ribombam com um estrondo que apavora." (Raul Brandão, *As Ilhas Desconhecidas*, pp. 227-228); *O gênio de Dante ecoa através dos séculos.* **3.** Fazer eco; causar impressão; ter repercussão; repercutir, retinir; soar: *Palavras duras nem sempre ecoam.* *T. d.* **4.** Repetir, reproduzir, repercutir: *As montanhas ecoaram os disparos do canhão.* **5.** Tornar a dizer; repetir: *Todos ecoaram as palavras ditas em louvor do poeta.* [Conjug.: v. *coroar.*]

➔**ecobag** ['ijkow͵bæg] [Ingl.] *S. f.* Sacola feita de material biodegradável (ger. de tecido e linhas naturais e tinta à base de água).

ecobatimetria [De *eco-*[2] + *batimetria.*] *S. f.* Medição de profundidade feita mediante o uso do ecobatímetro; ecossondagem.

ecobatímetro [De *eco-*[2] + *-bat(i)-* + *-metro.*] *S. m. Bras. Náut.* Aparelho de sondagem cujo funcionamento se baseia na medição do tempo decorrido entre a emissão de um pulso sonoro (de frequência sônica ou ultrassônica) e a recepção do eco refletido pelo fundo do mar; ecossondador.

ecocardiografia [De *eco-*[2] + *-cardi(o)-* + *-grafia.*] *S. f. Card.* Método de diagnóstico de doenças do coração em que, mediante registro gráfico, se estuda a posição e movimentação das paredes ou de formações internas do coração e tecido vizinho, por meio de eco obtido por feixes de ondas ultrassônicas, dirigidos através da parede torácica.

ecocardiográfico [De *ecocardiografia* + *-ico*[2].] *Adj.* Relativo à ecocardiografia.

ecocardiógrafo [De *eco-*[2] + *-cardi(o)-* + *-grafo.*] *S. m. Card.* Instrumento com que se registra o ecocardiograma.

ecocardiograma [De *eco-*[2] + *-cardi(o)-* + *-grama.*] *S. m. Card.* Registro gráfico obtido na ecocardiografia.

ecochato [De *eco-*[1] + *chato.*] *Bras. Joc. Adj.* **1.** Que se tornou chato ou desagradável em virtude do discurso ecológico repetitivo. **2.** Próprio de ecochato (3). ● *S. m.* **3.** Indivíduo ecochato (1).

ecoconsumidor (ô) [De *eco-*[1] + *consumidor.*] *S. m.* Aquele que compra produtos ou contrata serviços que não comprometem o equilíbrio do meio ambiente ou que o fazem minimamente.

ecodidé [Do ior.] *S. m. Bras. Rel.* Pena vermelha de rabo de papagaio que as iniciandas ao candomblé usam na testa em certas cerimônias iniciáticas ligadas a Oxalá. [F. paral.: *icodidé.*]

ecoencefalografia (cè) [De *eco-*[2] + *-encefal(o)-* + *-grafia.*] *S. f. Neur.* Método de exame do encéfalo, e em que ondas ultrassônicas são emitidas através de ambos os lados da cabeça, registrando-se graficamente ecos provenientes de formações encefálicas situadas na linha média.

ecoencefalógrafo (cè) [De *eco-*[2] + *-encefal(o)-* + *-grafo.*] *S. m. Neur.* Instrumento com que se obtém ecoencefalograma.

ecoencefalograma (cè) [De *eco-*[2] + *-encefal(o)-* + *-grama.*] *S. m. Neur.* Registro gráfico obtido na ecoencefalografia.

ecofonia [De *eco-*[2] + *-fon(o)-* + *-ia*[1].] *S. f. Med.* Som, semelhante a um eco, percebido pela ausculta torácica, após a emissão de som vocal.

ecofónico *Adj.* V. *ecofônico.* [Uso freq. em P.]

ecofônico [De *ecofonia* + *-ico*[2].] *Adj.* Respeitante a ecofonia.

ecogénico *Adj.* V. *ecogênico.* [Uso freq. em P.]

ecogênico [De *eco-*[2] + *-gen(o)-* + *-ico*[2].] *Adj.* Relativo a reflexões de ondas ultrassônicas percebidas e registradas durante ultrassonografia.

ecografar [De *ecograf(ia)* + *-ar*[2].] *V. t. d. Med.* Examinar mediante ecografia (2).

ecografia [De *eco-*[2] + *-grafia.*] *S. f.* **1.** *Neur.* Condição em que um indivíduo afásico pode copiar um escrito, mas não consegue escrever para exprimir suas ideias. **2.** V. *ultrassonografia.*

ecográfico [De *ecografia* + *-ico*[2].] *Adj.* Relativo a ecografia.

ecograma [De *eco-*[2] + *-grama.*] *S. m. Radiol.* Registro gráfico obtido durante ecografia (2).

ecoico (ói) [Do lat. *echoicu.*] *Adj. Radiol.* Relativo a eco obtido durante ecografia (2). ~ V. *verso —.* ❖

ecojoia [De *ec(o)-*[1] + *joia.*] *S. f.* Joia elaborada a partir de sementes não germinadas (catadas no solo das florestas, esp. da amazônica) e de vários outros materiais (marfim vegetal, couro, coco frito, etc.) de baixo ou nenhum impacto ecológico.

ecolalia [De *eco-*[2] + *-lal(o)-* + *-ia*[1].] *S. f. Psiq.* **1.** Tendência a repetir automaticamente sons ou palavras ouvidas. **2.** Hábito ou mania de, falando e/ou escrevendo, acentuar palavras.

ecolálico [De *ecolalia* + *-ico*[2].] *Adj.* Referente a ecolalia.

ecolimite [De *eco-*[1] + *limite.*] *S. m.* Qualquer barreira, natural ou construída pelo homem, que impede o avanço de destruição ambiental: "Além de ideal como ecolimite [o sansão-do-campo] é uma eficaz cerca de proteção, pois forma uma barreira contra invasores." (Zuenir Ventura, em *O Globo*, 08.04.2009.)

ecolocalização [De *eco-*[2] + *localização.*] *S. f.* Ato ou efeito de ecolocalizar.

ecolocalizar [De *eco-*[2] + *localizar.*] *V. t. d.* Detectar (posição e/ou distância de objeto) pela análise do eco de ondas sonoras, ultrassônicas ou eletromagnéticas, refletido pelo objeto: *Baleias, delfins e morcegos*

E

são capazes de ecolocalizar obstáculos; A base militar ecolocalizou dois mísseis inimigos.

ecologia [De *eco-*[1] + *-logia.*] ***S. f.*** **1.** Parte da biologia que estuda as relações entre os seres vivos e o meio ou ambiente em que vivem, bem como as suas recíprocas influências; mesologia. **2.** Ramo das ciências humanas que estuda a estrutura e o desenvolvimento das comunidades humanas em suas relações com o meio ambiente e sua consequente adaptação a ele, assim como novos aspectos que os processos tecnológicos ou os sistemas de organização social possam acarretar para as condições de vida do homem. ◆ **Ecologia cultural.** *Antrop.* Escola antropológica cujos estudos procuram explicar a dinâmica dos sistemas sociais a partir da forma de adaptação ao meio ambiente, analisando de que maneira a exploração dos recursos naturais engendra modos de comportamento (divisão do trabalho, organização territorial, etc.) que afetam os demais aspectos da cultura.

ecológico [De *ecologia* + *-ico*[2].] ***Adj.*** Pertencente ou relativo à ecologia. ~ V. *amplitude —a, biogeografia —a, estação —a, genética —a, marketing —, nicho —* e *valência —a.*

ecologista [De *ecologia* + *-ista.*] ***S. 2 g.*** Ecólogo.

ecólogo [De *eco-*[1] + *-logo.*] ***S. m.*** Especialista em ecologia; ecologista.

ecomania [De *eco-*[1] + *-mania.*] ***S. f. Psiq.*** Atitude mental em que um indivíduo se julga dominador em relação à família, mas humilde perante autoridade.

ecomaníaco [De *ecomania* + *-íaco.*] *Psiq.* ***Adj.*** **1.** Relativo a ecomania. **2.** Que tem ecomania; ecômano. ● ***S. m.*** **3.** Aquele que tem ecomania; ecômano.

ecômano [De *eco*[1] + *-mano*[1].] ***Adj. S. m. Psiq.*** Ecomaníaco (2 e 3).

ecometria [De *eco-*[2] + *-metria.*] ***S. f.*** Cálculo de distâncias e de posições com base no estudo do eco (1). [Cf. *econometria.*]

ecométrico [De *ecometria* + *-ico*[2].] ***Adj.*** Relativo à ecometria.

ecómetro ***S. m.*** V. *ecômetro.* [Uso freq. em P.]

ecômetro [De *eco-*[2] + *-metro.*] ***S. m.*** **1.** Régua graduada que se usa em ecometria. **2.** Aparelho para medir o tempo que decorre entre a emissão de um som e a recepção de seu eco.

econdroma [De *e-*[2] + *-condr(o)-* + *-oma*[1].] ***S. m. Patol.*** Tumoração de natureza cartilaginosa, que se forma no exterior de cartilagem ou de osso.

economando [De **economar* (<*economia*) + *-ando.*] ***S. m.*** *Bras.* Aquele que vai formar-se em economia (1).

economato [De *ecônomo* + *-ato*[1].] ***S. m.*** Ofício ou profissão de ecônomo.

economês [De *ecônomo* + *-ês.*] ***S. m. Deprec.*** O linguajar tecnicista, rebarbativo e estrangeiro de certos economistas. [Pl.: *economeses* (ê).]

econometria [De *econo(mia)* + *-metria.*] ***S. f. Econ.*** **1.** Parte da economia (1) voltada à descrição de relações econômicas por meio de modelos matemáticos e à estimação dos parâmetros desses modelos, com uso de dados estatísticos. **2.** A técnica que emprega esse método. [Cf. *ecometria.*]

econométrico [De *econometria* + *-ico*[2].] ***Adj.*** Referente à econometria.

econometrista [De *econometria* + *-ista.*] ***S. 2 g.*** Especialista em econometria.

economia [Do gr. *oikonomía*, pelo lat. *oeconomia.*] ***S. f.*** **1.** Ciência que trata dos fenômenos relativos a produção, distribuição e consumo de bens; teoria econômica. **2.** Sistema produtivo de um país ou região: *A economia brasileira cresceu vigorosamente na década de 1970.* **3.** *Ant.* A arte de bem administrar uma casa (v. *economia doméstica*). **4.** Contenção ou moderação nos gastos; poupança: *Fiz economia e o dinheiro foi suficiente; A economia é a base da prosperidade.* **5.** Organização dos diversos elementos de um todo. **6.** Organismo animal ou vegetal, considerado como um conjunto inter-relacionado de órgãos. **7.** O conjunto dos conhecimentos relativos à economia (1), ou que têm implicações com ela, ministrados nas respectivas faculdades; ciências econômicas. **8.** *Fig.* Bom uso que se faz de qualquer coisa. **9.** *Fig.* Contenção, moderação ou ausência de desperdício em qualquer atividade: *economia de palavras, de gestos, de forças.* ~ V. *economias.* ◆ **Economia de escala.** *Econ.* Aumento de eficiência associado a uma expansão na produção, causando redução do custo de cada unidade produzida. **Economia de guerra.** *Econ.* Conjunto de medidas de controle e regulamentação da economia comumente adotadas em tempo de guerra. **Economia de mercado.** *Econ.* Sistema econômico em que as decisões relativas a produção, preços, salários, etc., são tomadas predominantemente pela interação de compradores e vendedores no mercado, com pouca interferência governamental. **Economia de palitos.** *Joc.* Economia (3) ridícula, de coisas insignificantes. **Economia de subsistência.** *Econ.* Forma primitiva de organização econômica em que a produção se destina apenas ao consumo dos produtores, com pouca ou nenhuma atividade de troca. **Economia dirigida.** *Econ.* Sistema econômico em que as decisões relativas a produção, preços, salários, etc., são tomadas centralizadamente, por um organismo planejador; economia planificada. **Economia doméstica.** A arte e a técnica de administrar ou executar as tarefas do lar, ou de manipular seu orçamento. **Economia dramática.** *Teatr.* Coordenação harmônica e econômica das convenções cênicas, de modo que com um mínimo de recursos de ambientação se obtenha o máximo efeito dramático. **Economia externa.** *Econ.* Diminuição do custo de produção em uma empresa ou indústria decorrente da operação de outra empresa ou indústria (p. ex., pelo aumento da disponibilidade de mão de obra qualificada). **Economia informal.** *Econ.* Conjunto de atividades econômicas sem registro de empregados ou recolhimento regular de impostos, abrangendo comércio, produção e prestação de serviços, ger. em pequena escala (ex.: comércio por camelôs; pequeno artesanato; serviços de vigia de estacionamentos) e atividades ilegais (como o contrabando); economia invisível; setor informal; economia subterrânea. **Economia invisível.** V. *economia informal.* **Economia mista.** Sistema econômico em que a administração de uma empresa é baseada no capital do governo e no capital privado. **Economia planificada.** *Econ.* Economia dirigida (q. v.). **Economia política.** *Econ.* **1.** *P. us.* Economia (1). **2.** Estudo dos fenômenos econômicos com ênfase em suas condicionantes históricas, políticas e sociais. **Economia popular.** Conjunto de interesses econômicos do povo, sob a proteção jurídica do Estado. **Economia subterrânea.** *Econ.* V. *economia informal.*

economiário [De *economia* + *-ário.*] *Bras.* ***Adj.*** **1.** Pertencente ou relativo à caixa econômica (1). ● ***S. m.*** **2.** Funcionário dela.

economias [Pl. de *economia.*] ***S. f. pl.*** Valores acumulados por efeito de contenção de gastos; poupança (2): *Aplicou suas economias na compra de um terreno.* ~ V. *economia.*

economicidade [De *econômico* + *-(i)dade.*] ***S. f.*** Qualidade do que é econômico (6 e 7).

económico ***Adj.*** V. *econômico.* [Uso freq. em P.]

econômico [Do gr. *oikonomikós*, pelo lat. *oeconomicu.*] ***Adj.*** **1.** Relativo à economia (1): *pensamento econômico.* **2.** Relativo à atividade produtiva ou ao sistema produtivo: *crescimento econômico; ciclo econômico; crise econômica.* **3.** Relativo à capacidade de gerar lucros: *A empresa X está em má situação econômica; Esta máquina está no fim de sua vida econômica.* **4.** Relativo a economias: *caixa econômica.* **5.** Que controla as despesas; parcimonioso nos gastos; poupado: *Fulano é muito econômico.* **6.** Que favorece a contenção de despesas (por custar pouco ou demandar poucos gastos): *Indicaram-me um restaurante econômico; Meu carro é muito econômico.* **7.** Lucrativo, vantajoso: *O cultivo do café em climas frios não é econômico.* **8.** De baixo custo (o que pode significar redução de qualidade ou de benefício): *classe econômica; voo econômico; passagem econômica.* ~ V. *bem—, bloco —, caixa —a, ciclo —, ciências —as, conjuntura —a, crescimento —, desenvolvimento —, geografia —a, guerra —a, indicador —, integração —a, liberalismo —, modelo —, política —a, renda —a, sociologia —a, teoria —a* e *velocidade —a.*

econômico-financeiro ***Adj.*** Relativo, ao mesmo tempo, à economia e às finanças. [Pl.: *econômico-financeiros.*]

econômico-social ***Adj.*** Socioeconômico. [Pl.: *econômico-sociais.*]

economista [De *economia* + *-ista.*] ***S. 2 g.*** **1.** Pessoa que trata especialmente de questões econômicas. **2.** *Bras.* Bacharel em ciências econômicas [v. *economia* (1)].

economizar [De *economia* + *-izar.*] ***V. t. d.*** **1.** Administrar com economia (3). **2.** Gastar com parcimônia; poupar: *Economiza a magra mesada para comprar livros.* **3.** Acumular ou guardar poupando: *Economizou alguns meses de ordenado para comprar a passagem.* ***Int.*** **4.** Fazer economia; gastar com moderação: "O padrasto não era rico mas vivia bem, mesa farta, tinha economizado durante os anos em que vivera só e sem encargo." (Carlos Heitor Cony, *A Verdade de Cada Dia*, p. 110.).

ecónomo ***S. m.*** V. *ecônomo.* [Uso freq. em P.]

ecônomo [Do gr. *oikonómos*, pelo lat. *oeconomu.*] ***S. m.*** **1.** Indivíduo encarregado da administração de uma casa grande, ou de uma instituição particular ou pública; mordomo. **2.** *Ecles.* Eclesiástico incumbido da administração dos bens de uma abadia, um benefício, etc. **3.** Despenseiro.

ecopatia [De *eco-*[2] + *-patia.*] ***S. f. Psiq.*** Distúrbio em que o paciente repete, sem qualquer motivo, atos e palavras de outrem.

ecopático [De *ecopatia* + *-ico*[2].] ***Adj.*** Relativo a ecopatia.

ecoporanguense ***Adj. 2 g.*** **1.** De, ou pertencente ou relativo a Ecoporanga (ES). ● ***S. 2 g.*** **2.** O natural ou habitante de Ecoporanga.

ecopraxia (cs) [De *eco-*[2] + *-prax(i)-* + *-ia*[1].] ***S. f. Psiq.*** Repetição involuntária e incontrolável dos movimentos de outra pessoa.

ecosfera [De *eco-*[1] + *-sfera.*] ***S. f. Ecol.*** V. *biosfera.*

ecossistema [De *eco-*[1] + *sistema.*] ***S. m. Ecol.*** Conjunto dos relacionamentos mútuos entre determinado meio ambiente e a flora, a fauna e os microrganismos que nele habitam, e que incluem os fatores de equilíbrio geológico, atmosférico, meteorológico e biológico; biogeocenose.

ecossistémico ***Adj.*** V. *ecossistêmico.* [Uso freq. em P.]

ecossistêmico [De *ecossistema* + *-ico*[2].] ***Adj.*** Relativo a ecossistema.

ecossocial [De *eco-*[1] + *social.*] ***Adj. 2 g.*** Relativo ao meio ambiente e às questões sociais conjuntamente.

ecossondador (ô) [De *eco-*[2] + *sondador.*] ***S. m.*** *Bras. Náut.* Ecobatímetro.

ecossondagem [De *eco-*[2] + *sondagem.*] ***S. f.*** Ecobatimetria.

ecotáxi (cs) [De *eco-*[1] + *táxi.*] ***S. m.*** Triciclo com carroceria aberta, manobrado por guidom e pedais, que faz serviço de transporte de passageiros.

ecótipo [De *eco-*[1] + *-tipo.*] *Ecol.* ***Adj.*** **1.** Relativo a um hábitat particular. ● ***S. m.*** **2.** Tipo ecológico, adaptado a condições específicas.

ecótono [De *eco-*[1] + *-tono*; ingl. *ecotone.*] ***S. m. Ecol.*** Zona de transição entre duas comunidades [v. *comunidade* (11)], e que contém espécies características de cada uma delas: "Floresta tropical baixa, xerófita, latifoliada e decídua [o Encrave Florestal do Nordeste], que ocorre em caatinga florestal, ou mata semiúmida decídua, higrófila e mesófila com camada arbórea fechada, constituída devido à maior umidade do ar e à maior quantidade de chuvas nas encostas das montanhas. Constitui uma transição para o agreste. No ecótono com a caatinga são encontradas com mais frequência palmeiras e algumas cactáceas arbóreas." (Da Resolução nº 10, de 1º de outubro de 1993, do Conselho Nacional do Meio Ambiente – Conama).

ecotoxicologia (cs) [De *eco-*[1] + *-toxic(o)-* + *-logia.*] ***S. f.*** Disciplina que estuda a ação dos agentes químicos tóxicos no meio ambiente.

ecotoxicológico (cs) [De *ecotoxicologia* + *-ico*[2].] ***Adj.*** Referente à ecotoxicologia.

ecoturismo [De *eco-*[1] + *turismo.*] ***S. m.*** Turismo em áreas preservadas (ou relativamente preservadas) da natureza, e que busca o contato com a beleza natural, a diversidade da fauna e da flora, etc., sem causar danos ao ecossistema.

ecoturístico [De *eco-*[1] + *turístico.*] ***Adj.*** De, ou relativo a ecoturismo.

ecoxupé ***Interj.*** *Bras.* Voz com que o caçador manda os cães seguirem a caça.

ecpiesma (ês) [Do gr. *ekpíesma.*] ***S. m. Neur.*** Fratura do crânio, quando ocorre compressão de meninge por esquírolas.

➔**ecran** [ekˈʁɑ̃] [Fr.] ***S. m.*** **1.** Quadro branco onde se projeta a imagem dum objeto. **2.** Tela de cinema. **3.** Chapa de vidro diversamente colorida, que se usa para selecionar os raios luminosos da fotografia colorida.

écrino [Do gr. *enkrínein*, 'segregar'; ingl. *eccrine.*] ***Adj.*** *Fisiol.* Merócrino.

ecrinologia [Do gr. *ekkrínein*, 'segregar', + *-o-* + *-logia.*] ***S. f.*** Ramo da biologia que estuda secreções e excreções.

ecrucu [Do ior.] ***S. m.*** *Bras. Rel.* Oferenda de alimentos no axexê (q. v.), por intenção da alma do morto.

➔**ecstasy** [ˈɛkstəsij] [Ingl., lit., 'êxtase'.] ***S. m.*** *Pop.* Droga (4) sintética, constituída principalmente de metilenodioximetanfetamina. (v. *MDMA*).

▲**ectas-** [Do gr. *éktasis, eōs.*] ***El. comp.*** = 'alongamento', 'dilatação': *angiectasia, gastrectasia.*

éctase [Do gr. *éktasis*, pelo lat. *ectasis.*] ***S. f. E. Ling.*** Alongamento de uma sílaba breve; diástole (q. v.).

ectasia [Do gr. *éktasis*, 'alongamento', + *-ia*[1].] ***S. f. Med.*** Dilatação de uma estrutura oca.

ectionídeo *Zool.* ***S. m.*** **1.** Espécime dos ectionídeos, família de poríferos formada por esponjas cornificadas, cujas fibras apresentam espícula. ● ***Adj.*** **2.** Pertencente ou relativo a eles.

ectipia [De *éctipo*[2] + *-ia*[1].] ***S. f. Med.*** Condição de éctipo[2].

ectípico [De *éctipo*[1] + *-ico*[2].] ***Adj.*** Relativo a éctipo[1] (1).

éctipo[1] [Do gr. *éktypos*, 'trabalhado em relevo', pelo lat. *ectypu.*] ***S. m.*** **1.** *Art. Plást.* Imitação ou representação de um original em oposição a protótipo (1), e que se distingue da réplica (4). **2.** *Art. Plást.* Figura, ou outra obra em relevo. **3.** Cópia estampada de medalha, sinete, etc.; cunho. **4.** Tipo us. em ectipografia.

éctipo[2] [De *ec-* + *-tipo*; ingl. *ectype.*] ***S. m. Med.*** Tipo de constituição física ou mental que se afasta da normal.

ectipografia (èc) [De *éctipo*[1] + *-grafia.*] ***S. f.*** Impressão tipográfica que deixa os caracteres em relevo, e destinada à leitura de cegos. [Cf. *anagliptografia.*]

ectipográfico (èc) [De *ectipografia* + *-ico*[2].] ***Adj.*** Relativo à ectipografia.

ectlipse [Do gr. *ékthlipsis*, pelo lat. *ecthlipse*.] *S. f. E. Ling.* Elisão do *m* final de uma palavra antes de vogal: *coa* (*co'a*), em vez de *com a*.

▲ **ecto-** [Do gr. *ektós*.] *Pref.* = 'fora', 'exterior': *ectoderma, ectozoário, ectoparasito*.

ectocarpácea [Do tax. *Ectocarpus* + *-ácea*; tax. *Ectocarpaceae*.] *S. f. Bot.* Espécime das ectocarpáceas, família de algas pardas, marinhas, ger. epífitas, da ordem das ectocarpales, que compreende algas com talo composto de filamentos ramificados, eretos, que se apoia numa base ou talo pseudoparenquimatoso.

ectocarpáceo [De *ectocarpácea*, com var. suf. (v. *-áceo*).] *Adj. Bot.* Pertencente ou relativo às ectocarpáceas.

ectocarpal [Do lat. cient. *Ectocarp-* (v. *ectocarpale*) + *-al*[1].] *Adj. 2 g. Bot.* Pertencente ou relativo às ectocarpales.

ectocarpale [Do tax. *Ectocarpus* + *-ale*; tax. *Ectocarpales*.] *S. f. Bot.* Espécime das ectocarpales, grande ordem de algas pardas, marinhas, cujo talo se compõe, ger., de duas partes, uma das quais é um disco prostrado que funciona como ponto de apoio em relação ao substrato, e a outra, ereta, pode ser filamentosa, foliácea ou bulbosa. São encontradas ou afixadas em rochedos, ou presas a outras algas, ger. em zonas litorâneas para além da baixa-mar.

ectocisto [De *ecto-* + *-cisto*.] *S. m. Zool.* Camada externa da parede do corpo dos briozoários.

ectoderma [De *ecto-* + *-derma*.] *S. m.* **1.** *Embr.* O folheto superior do disco embrionário, e que se origina nas células do epiblasto. [Do ectoderma derivam o sistema nervoso, os epitélios sensoriais olfativos, os oculares e os das orelhas internas, o esmalte dentário, a epiderme e seus derivados, as glândulas mamárias, a adenoipófise, os epitélios bucal e anal.] [Cf. *mesoderma*.] **2.** *Bot.* V. *exoderma*. [F. paral.: *ectoderme*. Cf. *endoderma*.]

ectoderme [De *ecto-* + *-derme*.] *S. f. Embr. Bot.* V. *ectoderma*.

ectodérmico [De *ectoderma* + *-ico*[2].] *Adj.* De, ou relativo a ectoderma.

ectofítico [De *ectófito* + *-ico*[2].] *Adj. Bot.* De, ou relativo a ectófito.

ectófito [De *ecto-* + *-fito*.] *S. m. Bot.* Vegetal ectoparasito.

ectógnato[1] [De *ecto-* + *-gnato*.] *Adj. Zool.* Diz-se de inseto que tem peças bucais bem desenvolvidas, separadas da cabeça.

ectógnato[2] [Adapt. do tax. *Ectognatha*.] *S. m. Adj. Zool.* V. *tisanuro*.

▲**-ectom-** [Do gr. *eektomḗ, ês*.] *El. comp.* = 'corte cirúrgico', 'excisão', 'extirpação': *gastrectomia, histerectomia*.

ectomorfo [De *ecto(derma)* + *-morfo*.] *Adj.* Diz-se de indivíduo em cuja constituição corporal predominam tecidos de origem ectodérmica.

▲**ectop-** [Do gr. *éktopos, os, on*, 'fora de lugar'; 'estrangeiro'.] *El. comp.* = 'posição anômala': *esplenectopia, iridectopia*.

ectoparasita *Adj. 2 g. S. m. Biol.* V. *ectoparasito*.

ectoparasitário [De *ecto-* + *parasitário*.] *Adj. Biol.* Ectoparasítico.

ectoparasítico [De *ectoparasita* + *-ico*[2].] *Adj. Biol.* De, ou relativo a ectoparasito; ectoparasitário.

ectoparasito [De *ecto-* + *-parasito*.] *Adj. S. m. Biol.* Diz-se de, ou parasito que vive na superfície do hospedeiro, como muitos fungos e as ervas-de-passarinho, que obtêm o alimento por meio de haustórios, os quais penetram no interior do organismo parasitado. [Opõe-se a *endoparasito*.]

ectopia [Do gr. *éktopos*, 'que está fora de lugar', + *-ia*[1].] *S. f. Med.* Anomalia de posição de órgão, congênita por via de regra.

ectópico [De *ectopia* + *-ico*[2].] *Adj.* **1.** Referente a ectopia. **2.** Que se realiza ou funciona fora da localização normal. ~ V. *gravidez —a*.

ectoplasma [De *ecto-* + *-plasma*.] *S. m.* **1.** *Citol.* Porção periférica do citoplasma, distinta do endoplasma. **2.** Na parapsicologia, substância supostamente visível que emana do corpo de certos médiuns.

ectoplasmático [De *ectoplasma* + *-ático*.] *Adj. Citol.* Do, ou relativo ao ectoplasma; ectoplásmico.

ectoplásmico [De *ectoplasma* + *-ico*[2].] *Adj. Citol.* Ectoplasmático.

ectoprocto [De *ecto-* + *-procto*; tax. *Ectoprocta*.] *Zool. S. m.* **1.** Espécime dos ectoproctos, subfilo de briozoários, na maioria marinhos, cujo ânus se situa atrás da coroa de tentáculos. ● *Adj.* **2.** Pertencente ou relativo a eles. [Cf. *entoprocto*.]

ectotermia [De *ect(o)-* + *-term(o)-* + *-ia*[1].] *S. f. Zool.* Processo de regulação da temperatura corporal por meio de fontes externas, como, por ex., a luz solar; pecilotermia. [Cf. *endotermia*.]

ectotérmico [De *ectotermo* + *-ico*[2].] *Adj. S. m. Zool.* Diz-se de, ou animal que apresenta ectotermia: 📄 *Os peixes, anfíbios e os reptis são ectotérmicos*. [Sin.: *ectotermo, pecilotérmico*. Cf. *endotérmico*.].

ectotermo [De *ecto-* + *-termo*.] *Adj. S. m. Zool.* V. *ectotérmico*. [Cf. *endotermo*.]

ectótrofo [De *ecto-* + *-trofo*.] *S. m. Adj. Zool.* V. *tisanuro*.

ectozoário [De *ecto-* + *-zo(o)-* + *-ário*.] *Adj. S. m. Zool.* Diz-se de, ou animal parasito que vive sobre a pele do homem e doutros animais.

ectrópio [Do lat. cient. *ectropium* < gr. *ektrópion*.] *S. m. Med.* Eversão de borda ou margem, geralmente de uma pálpebra. Pode também ocorrer em relação à úvea. [F. paral.: *ectrópion*. Sin., pop.: *olho de sapiranga*.]

ectrópion [Do gr. *ektrópion*.] *S. m. Med.* V. *ectrópio*.

ectrótico [Do gr. *ektrotikós*, 'abortivo'.] *Adj. Med.* **1.** Relativo a aborto. **2.** Abortivo (2). **3.** Diz-se de agente capaz de sustar a progressão de doença.

ecúleo [Do lat. *equuleu*.] *S. m.* **1.** Potro (2). **2.** *Fig.* Tormento, flagelo. [Cf. *acúleo*.]

ecuménico *Adj.* V. *ecumênico*. [Uso freq. em P.]

ecumênico [Do gr. *oikoumenikós*, pelo lat. *oecumenicu*.] *Adj.* **1.** Relativo a toda a Terra habitada; universal: 📖 "Porque ao lado do homem universal, ... ao lado do homem chamado ecumênico, pela Igreja, por habitar dispersamente todas as partes conhecidas do planeta, havia, ainda, no mundo, ... uma série de monstros horrendos e pavorosos" (Afonso Arinos de Melo Franco, *O Índio Brasileiro e a Revolução Francesa*, p. 9). **2.** Relativo ao ecumenismo. **3.** *Rel.* Que manifesta disposição à convivência e diálogo com outras confissões religiosas. ~ V. *concílio —*.

ecumenismo [De *ecumênico* + *-ismo*, seg. o padrão erudito.] *S. m.* **1.** Nos primórdios do cristianismo, todos os povos a quem se deveria dirigir a pregação do Evangelho. **2.** *Rel.* Movimento surgido nas igrejas protestantes e, posteriormente, na Igreja Católica, originado da crença de terem uma identidade substancial a doutrina e a mensagem de Cristo. [Cf. *irenismo*.]

ecúmeno [Do gr. *oikouménē*, com mudança de gênero.] *S. m.* **1.** A área habitável ou habitada da Terra. **2.** O universal, o geral.

ecuru [Do ioruba.] *S. m. Bras. Rel.* Farofa de feijão-fradinho, comida de Iansã.

eczema [Do gr. *ékzema* (nom.).] *S. m. Derm.* Afecção cutânea aguda ou crônica, ger. alérgica, que se caracteriza pela formação de placas eritematosas e pruriginosas, nas quais surgem pequenas vesículas que, ao se romperem, exsudam líquido que forma crostas e escamas, causando prurido.

eczematoso (ô) [De *eczema* (< gr. *ékzema, atos*) + *-oso*, seg. o padrão erudito.] *Adj.* **1.** Que tem caráter de eczema. **2.** Atacado de eczema. ● *S. m.* **3.** Indivíduo atacado dessa doença.

▲**-eda** V. *-edo*.

edacidade [Do lat. *edacitate*.] *S. f.* V. *glutonaria*.

edacíssimo [Do lat. *edacissimu*.] *Adj.* Superl. abs. sint. de *edaz*.

▲**-edade** [Do lat. *-etāte* (*-ētas, ātis*) < adj. lat. terminado em *-ĭus* (*a, um*) + suf. lat. *-(ĭ)tas, ātis*.] *Suf. nom.* formador de subst. a partir de adjetivos terminados em *-io*[3] (q. v.), equivalente de *-(i)dade* (q. v.): *ansiedade* (< lat. *anxietate* < lat. *anxius* + lat. *-(ĭ)tas, atis*), *arbitrariedade, contrariedade* (< lat.), *dubiedade* (< lat.), *ebriedade* (< lat.), *executoriedade, nimiedade* (< lat.), *peremptoriedade, primariedade*.

edáfico [De *edaf(o)-* + *-ico*[2].] *Adj.* Pertencente ou relativo ao solo: 📄 *fator edáfico*; *formação edáfica*.

▲**edaf(o)-** [Do gr. *édaphos, eos, ous* (à).] *El. comp.* = 'solo'; 'fundamental': *edáfico, edafologia*.

edafologia [De *edaf(o)-* + *-logia*.] *S. f.* Ciência que estuda a influência dos solos sobre os seres vivos, esp. sobre os organismos vegetais, assim como o uso da terra pelo homem, para estimular o crescimento das plantas; pedologia.

edafológico [De *edafologia* + *-ico*[2].] *Adj.* Relativo à edafologia; pedológico.

edafólogo [De *edaf(o)-* + *-logo*.] *S. m.* Especialista em edafologia; pedólogo.

edafossauro [De *edaf(o)-* + *-sauro*; tax. *Edaphosaurus*.] *S. m. Paleont.* **1.** Gênero de reptis herbívoros que viveram no carbonífero e no permiano da Europa e da América do Norte, que podiam suportar alterações climáticas devido à crista dorsal óssea que lhes controlava a temperatura, protegendo-os do calor do sol, virando obliquamente, ou servindo de abrigo para lhes refrescar o corpo. **2.** Espécie ou espécime desse gênero.

edaz [Do lat. *edace*.] *Adj. 2 g.* **1.** Voraz (1). **2.** V. *glutão* (1). [Superl. abs. sint.: *edacíssimo*.]

edeago [Do lat. cient. *aedeagus* < gr. *aidoîa*, 'genitália', + gr. *agós*, 'condutor'.] *S. m. Zool.* Órgão copulador da maior parte dos insetos machos.

edealinense *Adj. 2 g.* **1.** De, ou pertencente ou relativo a Edealina (GO). ● *S. 2 g.* **2.** O natural ou habitante de Edealina.

edeia (éi) [Do gr. *aidoîa*, '(partes) pudendas'.] *S. f. Med.* Órgãos ou partes sexuais. [Cf. *ideia*.] ❖

edeiense (èiên) *Adj. 2 g.* **1.** De, ou pertencente ou relativo a Edeia (GO). ● *S. 2 g.* **2.** O natural ou habitante de Edeia.

edelvais [Do al. *Edelweiss* < *edel*, 'nobre', + *weiss*, 'branco'.] *S. m. Bot.* Planta asterácea (*Leontopodium alpinum*) ornamental, própria das grandes altitudes, de flores alvas, em forma de estrela, reunidas em capítulos, dispostas em corimbos densos, com folíolos involucrais e escamas pretas, encontrando-se ambos no ápice.

edema [Do lat. cient. *edema* < gr. *oídema, atos*, 'tumor'.] *S. m. Med.* Acúmulo anormal de líquido em espaço intersticial extracelular, havendo, entretanto, exceções, no caso do sistema nervoso central, em que se produz, também, em situação intracelular.

edemaciado [Part. de *edemaciar*.] *Adj.* Em que se produziu edema.

edemaciar [Do fr. *oidématier*.] *V. t. d.* Produzir edema em.

edemático [De *edema* (< gr. *oídema, atos*) + *-ico*[2], seg. o padrão erudito.] *Adj.* **1.** Relativo a edema. **2.** Edematoso.

edematoso (ô) [De *edema* (< gr. *oídema, atos*) + *-oso*, seg. o padrão erudito.] *Adj.* Que tem edema; edemático.

éden [Do hebr. bíblico *Eden*.] *S. m.* Paraíso (1 e 3). [Com cap. Pl.: *edens*.]

edendro *S. m. Bot.* V. *aidendro*.

edénico *Adj.* V. *edênico*. [Uso freq. em P.]

edênico [De *Éden* + *-ico*[2].] *Adj.* Relativo ao, ou próprio do Éden; paradisíaco.

edenita *S. f. Min.* Mineral monoclínico, aluminossilicato básico de sódio, cálcio e magnésio, do grupo dos anfibólios.

edentado [Do lat. *edentatu*.] *Adj. S. m.* V. *desdentado*[1] (1 e 3).

edentia [De *e-*[2] + *-dent(i)-* + *-ia*[1].] *S. f. Odont.* Ausência dos dentes.

▲**edeo-** [Do gr. *aidoîon, ou*.] *El. comp.* = 'partes pudendas', 'órgãos genitais': *edeologia, edeomania, edeoscopia*.

edeologia (dè) [De *edeo-* + *-logia*.] *S. f.* Estudo dos órgãos genitais. [Cf. *ideologia*.]

edeológico (dè) [De *edeologia* + *-ico*[2].] *Adj.* Referente à edeologia. [Cf. *ideológico*.]

edeomania (dè) [De *edeo-* + *mania*.] *S. f. Psiq.* Desejo sexual patológico.

edeomaníaco (dè) [De *edeomania* + *-íaco*.] *Psiq. Adj.* **1.** Relativo a edeomania. **2.** Que tem edeomania; edeômano. ● *S. m.* **3.** Aquele que tem edeomania; edeômano.

edeómano *Adj. S. m. Psiq.* V. *edeômano*. [Uso freq. em P.]

edeômano [De *edeo-* + *-mano*[1].] *Adj. S. m. Psiq.* Edeomaníaco (2 e 3).

edeoscopia (dè) [De *edeo-* + *-scop-* + *-ia*[1].] *S. f. Med.* Inspeção ou exame das partes genitais.

edeoscópico (dè) [De *edeoscopia* + *-ico*[2].] *Adj.* Relativo a edeoscopia.

ederé [De or. afr.] *S. m. Bras. BA Rel.* Toque[1] (3) especial de Oxum e Iemanjá.

edesseno [Do lat. *edessenu*.] *Adj.* **1.** De, ou pertencente ou relativo a Edessa (Ásia). ● *S. m.* **2.** O natural ou habitante de Edessa.

■ **EDI** [Acrôn. do ingl. *eletronic data interchange*.] V. *intercâmbio eletrônico de dados*.

edição [Do lat. *editione*.] *S. f.* **1.** Ato ou efeito de editar. **2.** Atividade ou empreendimento editorial. **3.** Repetição de um evento (1): 📄 *a segunda edição do festival de inverno*. **4.** Publicação de livros, revistas, jornais, gravuras, partituras, discos, *softwares*, etc., incluindo ou não as fases da produção material e da distribuição. **5.** *Bibliol.* Primeira impressão de uma obra, ou sua reimpressão, após ter sido o seu conteúdo alterado, aumentado, atualizado, etc. **6.** *Edit.* Conjunto de exemplares de uma publicação reproduzidos, uma ou mais vezes, da mesma fôrma, matriz, *master*, fotolito, etc. [Cf. *reedição, reimpressão* (2) e *tiragem* (4 e 5).] **7.** *P. ext.* Obra editada; lançamento: 📄 Grande Sertão: Veredas *foi uma das grandes edições da José Olímpio*. **8.** *E. Ling.* Texto preparado segundo critérios filológicos. **9.** *Jorn.* Conjunto de exemplares de uma mesma tiragem de jornal ou revista. **10.** *Rád. Telev.* Cada transmissão de um programa jornalístico. **11.** *Cin. Rád. Telev.* Seleção e combinação de materiais gravados ou filmados, para feitura de um filme, programa, videoclipe, etc.; montagem. **12.** *Telev.* Seleção das imagens captadas simultaneamente por diferentes câmaras durante gravação ou transmissão ao vivo. ◆ **Edição abreviada.** *Edit.* Aquela cujo texto foi parcialmente suprimido, ou resumido em trechos ou passagens supostamente não essenciais à sua compreensão. **Edição ampliada.** *Edit.* Edição de obra à qual foram acrescidas novas matérias em relação à edição anterior; edição aumentada. [Cf. *edição atualizada*.] **Edição anotada.** *Edit.* Edição que inclui comentários destinados a esclarecer ou complementar o texto original do autor; edição comentada.

E

Edição atualizada. *E. Ling.* Aquela cujo texto sofreu acréscimos e/ou modificações em relação à anterior, no sentido de pôr em dia a matéria tratada. **Edição aumentada.** *Edit.* Edição ampliada. **Edição autorizada.** *Edit.* A que recebe aprovação expressa do autor, ou do detentor dos direitos editoriais, para distingui-la das fraudulentas. [Cf. *edição fraudulenta* e *edição definitiva*.] **Edição clássica.** *Edit.* Edição de texto antigo ou moderno feita de modo que se torne correntemente aceita como modelo. [Cf. *edição definitiva*.] **Edição comemorativa.** *Edit.* A que se produz para comemorar determinado fato ou data. [Cf. *edição especial* (2).] **Edição comentada.** *Edit.* Edição anotada. **Edição compacta.** *Edit.* Aquela em que, para reduzir o número de páginas, se adotam caracteres pequenos e composição cerrada. [Cf. *edição popular*.] **Edição completa.** *Edit.* Aquela que compreende todas as obras de um autor. **Edição corrente.** *Edit.* Edição comum, feita para o grande público, e que contém o texto puro e simples da obra. **Edição crítica.** *E. Ling.* A que é elaborada a partir da colação de diversos testemunhos [v. *testemunho* (5)], e que visa a estabelecer a última vontade do autor, no que respeita à forma originária da mensagem transmitida; edição exegética. **Edição de arte.** *Edit.* Edição de livro que se caracteriza pelo esmero da produção gráfica e pela valorização dos elementos visuais (ilustração, foto, etc.). [Cf. *edição de luxo*.] **Edição de bibliófilo.** *Edit.* A que se destina a colecionadores, impressa em papel de qualidade, geralmente ilustrada, de tiragem reduzida e exemplares numerados e, quando possível, assinados pelo autor, ilustrador, etc. [Cf. *edição de luxo*.] **Edição de bolso.** *Edit.* A edição de livro de bolso (q. v.). **Edição definitiva.** *Edit. E. Ling.* Aquela cujo texto foi, pelo autor, considerado definitivamente estabelecido; edição original, edição *ne varietur*. [Cf. *edição clássica* e *edição autorizada*.] **Edição de luxo.** *Edit.* Edição impressa em papel de alta qualidade, em formato quase sempre grande e com margens amplas, às vezes composta com tipos especiais, ornada de ilustrações e não raro suntuosamente encadernada. [Cf. *edição de arte* e *edição de bibliófilo*.] **Edição de VT.** *Telev.* Montagem final de um programa em videoteipe. **Edição diamante.** *Edit.* A de formato minúsculo, impressa com tipos de ínfimo corpo, aos quais outrora se dava, em geral, o nome de *diamante* [v. *diamante* (5)]; edição liliputiana, edição microscópica. **Edição digital.** *Cin. Telev. Rád.* Ato ou efeito de editar por meio de recursos computacionais. [Cf. *edição eletrônica*.] **Edição diplomática.** *E. Ling.* A que, lançando mão dos caracteres tipográficos convencionais, reproduz a lição de um texto com extrema fidelidade, sem corrigir eventuais erros, sem introduzir pontuação ou quaisquer outros traços inexistentes no documento a ser editado. **Edição documentária.** *E. Ling.* A que visa a tornar o texto editado o mais fidedigno possível, para permitir seu uso por especialistas, como no caso das edições diplomáticas e fac-similares. **Edição eletrônica.** *Cin. Telev. Rád.* Ato ou efeito de editar por meios eletrônicos, sem que se manuseie ou se corte fisicamente o material gravado. [Cf. *edição digital* e *editoração eletrônica*.] **Edição especial.** **1.** *Edit.* A que difere da edição corrente de uma publicação em virtude de melhorias introduzidas no projeto básico. [Cf. *edição de luxo*.] **2.** *Edit.* Número de uma publicação periódica com matérias dedicadas a determinado tema ou acontecimento. [Cf. *edição comemorativa*.] **3.** *Jorn.* V. *edição extra*. **Edição espúria.** *Edit.* V. *edição fraudulenta*. **Edição exegética.** *E. Ling.* Edição crítica. **Edição expurgada.** *Edit.* Aquela de que se eliminaram as passagens tidas como inconvenientes por motivos políticos, éticos ou religiosos. **Edição extra.** *Jorn.* Edição de um jornal, revista, informativo de rádio ou televisão, etc. dada a público em caráter extraordinário, em virtude de acontecimento inesperado, e excepcional; edição extraordinária, edição especial. **Edição extraordinária.** V. *edição extra*. **Edição fac-similada.** *Edit. E. Ling.* V. *edição fac-similar*. **Edição fac-similar.** *Edit. E. Ling.* A que reproduz um testemunho (4) por meios mecânicos, como, p. ex., a fotografia ou a fototipia; edição fac-similada, edição mecânica. **Edição fraudulenta.** *Edit.* A que é feita sem assentimento do autor ou do detentor dos direitos autorais; edição espúria, edição pirata. [Cf. *edição autorizada*.] **Edição integral.** *Edit.* Edição não abreviada ou não expurgada, ou que representa um texto só então integralmente estabelecido. **Edição interpretativa.** *E. Ling.* Edição de texto cuja tradição (6) está limitada a um único testemunho, o *codex unicus*. **Edição liliputiana.** *Edit.* V. *edição diamante*. **Edição limitada.** *Edit.* A constituída de reduzido número de exemplares, usualmente numerados. **Edição mecânica.** *Edit. E. Ling.* V. *edição fac-similar*. **Edição microscópica.** *Edit.* V. *edição diamante*. **Edição *ne varietur*.** *Edit. E. Ling.* V. *edição definitiva*. **Edição original.** *Edit. E. Ling.* V. *edição definitiva*. **Edição paleográfica.** *E. Ling.* A que transcreve fiel e exatamente um manuscrito, respeitando-lhe a grafia, pontuação, etc., e colocando entre colchetes os acréscimos julgados necessários. **Edição pirata.** *Edit.* V. *edição fraudulenta*. **Edição popular.** *Edit.* Edição compacta (q. v.), em papel barato, de certos textos publicados para grande divulgação. **Edição *princeps* (í).** *Edit.* A primeira edição de um livro; edição príncipe. **Edição príncipe.** *Edit.* Edição *princeps*. **Segunda edição.** *Fig.* Pessoa muito semelhante a outra, física e/ou psicologicamente: *Este menino é a segunda edição do pai;* "O companheiro, um jovem de vinte e um anos, segunda edição do primeiro, tendo de menos as suíças e as rugas e de mais a vivacidade própria da idade" (Cardoso de Oliveira, *Dois Metros e Cinco*, p. 80).

edícula [Do lat. *aedicula*.] *S. f.* **1.** Pequena casa. **2.** *Bras. SP. P. ext.* Casa de pequeno porte adjacente a uma edificação principal. **3.** Pequena capela, nicho ou oratório que serve para abrigar imagens, etc.

edificação [Do lat. *aedificatione*.] *S. f.* **1.** Ato ou efeito de edificar(-se). **2.** Construção de edifício(s). **3.** Qualquer construção (2), isolada ou em grupo, que se eleva numa determinada área ocupada pelo homem; casa, prédio: *As edificações ocupavam as encostas.* **4.** Aperfeiçoamento moral ou religioso. **5.** Esclarecimento, informação, instrução: *um programa de televisão para edificação do público sobre assuntos de trânsito.* **6.** Criação, instituição: *a edificação dum império.* ◆ **Edificação multifamiliar.** Conjunto de duas ou mais unidades residenciais em uma só edificação. **Edificação unifamiliar.** Aquela que abriga apenas uma unidade residencial.

edificador (ô) [Do lat. *aedificatore*.] *Adj.* **1.** Que edifica, que constrói ou funda. **2.** V. *edificante* (1). • *S. m.* **3.** Aquele que edifica, que constrói ou funda.

edificante [Do lat. *aedificante*.] *Adj. 2 g.* **1.** Que edifica moralmente; edificativo, edificador; moralizador. **2.** Instrutivo, esclarecedor. **3.** Escandaloso, vergonhoso [por antífrase].

edificar [Do lat. *aedificare*.] *V. t. d.* **1.** Construir; levantar: *edificar uma casa, um templo; edificar uma nova cidade.* **2.** Fundar, instituir, criar: *edificar uma doutrina.* **3.** Induzir à virtude; infundir sentimentos religiosos em: *Procurava, com prédicas diárias, edificar os fiéis;* "o misticismo truculento da raça espanhola a torturar a carne para edificar o espírito" (Antero de Figueiredo, *Jornadas em Portugal*, p. 267). *Int.* **4.** Infundir sentimentos morais e religiosos: *Aconselhava leituras que edificassem.* *P.* **5.** Receber impressões edificantes: *Edificou-se com jejuns e abstinências.* [Conjug.: v. *trancar*.]

edificativo [De *edificar* + *-tivo*.] *Adj.* V. *edificante* (1).

edifício [Do lat. *aedificiu*.] *S. m.* **1.** Construção de alvenaria, madeira, etc., de caráter mais ou menos permanente, que ocupa certo espaço de terreno, é geralmente limitada por paredes e teto, e serve de abrigo, morada, etc.; edificação, casa, prédio, imóvel: "as mais soberbas pontes e edifícios" (Carlos Drummond de Andrade, *Reunião*, p. 198). **2.** Edifício de certo vulto destinado à habitação, à recreação, ao exercício do culto, a serviços públicos ou particulares, etc.: *o edifício de um ministério; um edifício de apartamentos; As catedrais góticas são os edifícios mais importantes da arquitetura medieval.* **3.** Prédio de vários andares. **4.** *Fig.* Coisas executadas, dispostas ou combinadas com arte: *Os penteados das mulheres eram edifícios cuidadosamente elaborados.* **5.** *Fig.* Aquilo que resulta de um conjunto de planos ou ideias: *Ruiu o edifício de seus sonhos.*

edifício-garagem *S. m.* Edificação dotada de rampas e/ou elevadores e que se destina, exclusivamente, a estacionamento de veículos. [Pl.: *edifícios-garagens* e *edifícios-garagem*.]

edil [Do lat. *aedile*.] *S. m.* **1.** Antigo magistrado romano que se incumbia da inspeção e conservação dos edifícios públicos. **2.** Vereador. **3.** *Bras. N.E. Desus.* Prefeito (5).

edilício [Do lat. *aedilitiu*.] *Adj.* **1.** Edílico. **2.** Concernente à edificação de obras públicas: *normas edilícias.*

edílico [De *edil* + *-ico*^{2}.] *Adj.* Referente a edil; edilício. [Cf. *idílico*.]

edilidade [Do lat. *aedilitate*.] *S. f.* Cargo de edil (2); vereação.

edipiano [De *Édipo* (q. v.) + *-iano*.] *Adj.* **1.** Pertencente ou relativo a Édipo, ou às produções dramáticas por ele suscitadas. **2.** Pertencente ou relativo ao complexo de Édipo (q. v.). • *S. m.* **3.** Indivíduo que tem esse complexo.

edípico [De *Édipo* (q. v.) + *-ico*^{2}.] *Adj. S. m.* V. *edipiano*.

édipo [Do mit. gr. *Édipo* (< gr. *Oidípous*), herói tebano, filho de Laio e Jocasta, que decifrou o enigma da Esfinge e que, por infortúnio, matou o pai e se casou com a mãe.] *S. m.* Indivíduo edipiano (q. v.).

editação [De *editar* + *-ção*.] *S. f.* Ação de editar.

editado [Part. de *editar*.] *Adj. S. m.* Diz-se de, ou quem tem suas obras publicadas, em geral, por uma editora.

edital^1 [Do lat. *edictale*.] *S. m.* **1.** Ato escrito oficial em que há determinação, aviso, postura, citação, etc., e que se afixa em lugares públicos ou se anuncia na imprensa, para conhecimento geral, ou de alguns interessados, ou, ainda, de pessoa determinada cujo destino se ignora. • *Adj. 2 g.* **2.** Relativo a édito. **3.** Que se fez público por meio de editais.

edital^2 [De *edito* + *-al*^{1}.] *Adj. 2 g.* Relativo a edito.

editar [Do fr. *éditer*.] *V. t. d.* **1.** Fazer a edição (4) de; dar a lume; publicar. **2.** *Cin. Rád. Telev.* Fazer a edição (11 e 12) de. **3.** *Inform.* Escrever ou montar (texto) a partir de blocos já escritos, utilizando programa (9) de processamento de textos. [Cf., nesta acepç., *processador de textos*, *editor de textos*.] **4.** *Inform.* Fazer modificações em (arquivo já existente). [Pres. ind.: *edito*, etc. Cf. *édito* e *editorar*.]

editável [De *editar* + *-vel*.] *Adj. 2 g.* Que pode ser editado.

edítimo [Do lat. *aeditimu*.] *S. m.* Entre os antigos romanos, guarda de um templo.

edito [Do lat. *edictu* < v. lat. *edicere*, 'proclamar'.] *S. m.* Parte de lei em que se preceitua alguma coisa; mandato, decreto, ordem. [Cf. *édito*.]

édito [Do lat. *editu*, 'publicado', part. pass. de *edere*, 'pôr para fora'; 'publicar'.] *S. m.* **1.** Ordem judicial publicada por anúncios ou editais. **2.** Texto publicado sob a responsabilidade do autor. [Cf. *edito*, do v. *editar* e s. m.]

editor (ô) [Do lat. *editore*.] *Adj.* **1.** Que edita. ~ V. *casa —a*. • *S. m.* **2.** Aquele que edita. **3.** *Inform.* Programa (9) para criar ou modificar arquivos. **4.** O responsável pelo ato de publicar textos de qualquer natureza, estampas, partituras, discos, etc. **5.** *Neol.* O responsável pela supervisão e preparação de textos especializados numa publicação que abrange assuntos diversos (jornal, revista, obra de referência, etc.). **6.** O responsável pela editoração (1) de; editorador. **7.** *E. Ling.* Aquele que elabora uma edição (8). [Flex.: *editora* (ô), *editores* (ô), *editoras* (ô). Cf. *editora*, *editoras* e *editores*, do v. *editorar*.] ◆ **Editor crítico.** Pessoa que organiza a edição crítica de um texto. **Editor de arte.** *Edit.* O responsável pelo projeto gráfico-visual de uma publicação. **Editor de ligação.** *Inform.* Programa (9) que converte a saída fornecida pelo compilador em um programa de carga. **Editor de som.** O responsável pela edição de materiais sonoros na produção de filme, programa de televisão ou de rádio, apresentação teatral, etc. **Editor de texto.** **1.** Editorador. **2.** Editor literário (q. v.). **3.** *Inform.* Programa (9) com recursos básicos para redação e edição de textos (tais como a inserção e exclusão de caracteres por digitação, as quebras de linha, e as opções para gravar e carregar o texto como um arquivo em disco), mas pouco ou nenhum recurso de formatação. [Cf. *processador de texto*.] **Editor de VT.** *Telev.* O responsável pela edição dos programas gravados em videoteipe. **Editor literário.** Pessoa que reúne, organiza e, em geral, também prefacia textos de um ou de vários autores para publicação; editor de texto. **Editor responsável.** **1.** O coordenador de uma publicação periódica. **2.** Pessoa que responde, total ou parcialmente, para efeitos jurídicos, pelo conteúdo de uma publicação.

editora (ô) [Fem. de *editor*.] *S. f.* **1.** Organização que edita [v. *editar* (1)]. [Cf. *casa editora*, *gravadora* e (lus.) *editorial*.] **2.** *P. ext.* Estabelecimento em que funciona a editora (1). [Pl.: *editoras* (ô). Cf. *editora*, *editoras*, do v. *editorar*.]

editoração [De *editorar* + *-ção*.] *S. f.* **1.** Ato ou efeito de editorar. **2.** Preparação técnica de originais [v. *original* (10)] para publicação, envolvendo revisão de forma e, em certos casos, de conteúdo. **3.** Conjunto organizado de atividades para edição de impressos, excluídas, eventualmente, no todo ou em parte, aquelas relativas à produção gráfica. ◆ **Editoração eletrônica.** *Inform. Edit. Eletrôn.* Conjunto de atividades ou processos de editoração (esp. a montagem gráfica, e podendo incluir, eventualmente, a impressão final da publicação) realizados exclusivamente por meio de programas e equipamentos computacionais.

editorador (ô) [De *editorar* + *-dor*.] *S. m.* Aquele que faz editoração (2); editor, editor de texto.

editorar [De *editor* + *-ar*^{2}.] *V. t. d.* **1.** *P. us.* Editar. **2.** Reunir, organizar, anotar e, geralmente, também prefaciar ou posfaciar (textos de um ou vários autores), para publicação. **3.** Fazer a editoração (2) de. [Cf. *compilar* (1). Pres. ind.: *editoro*, *editores*, *editora*, etc.; pres. subj.: *editore*, *editores*, *editore*, etc. Cf. *editora* (ô), *editores* (ô) e *editoras* (ô), flex. de *editor*, e s. f.]

editor-chefe *S. m.* *Jorn.* Indivíduo responsável pela edição ou coordenação de um veículo jornalístico;

editor-responsável. [Pl.: *editores-chefes* e *editores-chefes*.]

editoria [De *editor* + *-ia*[1].] *S. f.* Cada uma das seções (de órgão de imprensa, de obra de referência, etc.) que está a cargo de um editor (5): *editoria de esportes; editoria de pesquisas*. ◆ **Editoria de arte.** *Edit. Jorn.* Editoria responsável pela diagramação, criação de ilustrações e tabelas e, tb., pela qualidade gráfica de obra de referência, jornal, revista, etc. [Tb. se diz apenas *arte*.]

editorial [Do ingl. *editorial*.] ***Adj. 2 g.*** **1.** Relativo a editor ou editora. ~ V. *conselho —, encadernação —, linha —, matéria —* e *produção —*. ● ***S. m.*** **2.** *Jorn.* Artigo que exprime a opinião do órgão, em geral escrito pelo redator-chefe, e publicado com destaque; artigo de fundo. ● ***S. f.*** **3.** *Lus.* Casa editora (q. v.).

editorialista [De *editorial* + *-ista*.] ***S. 2 g.*** Pessoa que escreve o editorial dum órgão de imprensa.

editorializar [De *editorial* + *-izar*.] ***V. t. d.*** *Jorn.* Pôr a opinião do jornalista ou do veículo de comunicação numa determinada matéria informativa.

editor-responsável ***S. m.*** *Jorn.* Editor-chefe. [Pl.: *editores-responsáveis*.]

edível [Do lat. *edibile*.] ***Adj. 2 g.*** V. *edule*.

edo ***S. 2 g.*** **1.** *Etnôn.* Indivíduo dos edos, povo do S. da Nigéria (C.O. da África), de que fazem parte os benins. ● ***S. m.*** **2.** *Gloss.* A língua falada pelos edos. ● ***Adj. 2 g.*** **3.** Pertencente ou relativo aos edos ou à sua língua.

▲**-edo** [Do lat. *-ētum, i*.] ***Suf. nom.*** = 'plantação', 'lugar onde crescem vegetais'; 'coletivo'; 'objeto de grande vulto', 'valor aumentativo': *vinhedo* (< lat.); *passaredo; penedo, rochedo*. [Equiv.: *-eda, -aredo* (q. v.): *alameda*.]

edredão ***S. m.*** V. *edredom*.

edredom [Do fr. *édredon*.] ***S. m.*** Cobertura acolchoada para cama, com recheio de penugem, ou paina, ou algodão, etc.: "eu estava deitado sobre *edredons* de Betânia, e ela se ergueu toda nua" (Gerardo Melo Mourão, *O Valete de Espadas*, p. 55). [Var.: *edredão*. Sin., no RS e SP: *acolchoado*.]

edrioftalmo [Do lat. cient. *edri-* (< gr. *hedraîos*, 'sedentário', 'fixo') + *-oftalmo*; tax. *Edriophthalma*.] *Zool.* ***S. m.*** **1.** Espécime dos edrioftalmos, superordem de crustáceos malacostráceos, de olhos sésseis, não pedunculados. Compreende os isópodes e os anfípodes. Ex.: tatuzinho. ● ***Adj.*** **2.** Pertencente ou relativo a eles. [Sin. ger.: *artrostráceo*.]

▲**-edr(o)-** Equiv. de *-edro*.

▲**-edro** [Do gr. *hédra, as*.] ***El. comp.*** = 'base', 'face': *decaedro, escalenoedro, pentaedro*. [A pronúncia correta dos voc. formados com este elemento é a proparoxítona, mas o uso consagrou a acentuação paroxítona: *decaedro*, por *decáedro*. Equiv.: *-edr(o)-: isoédrico*.]

■ **EDTA** *Quím.* Sigla do *ácido etilenodiaminotetracético*.

educabilidade [De *educável* (*educabil-*) + *-(i)dade*, seg. o padrão erudito.] ***S. f.*** *Educ.* Qualidade ou caráter de educável.

educação [Do lat. *educatione*.] ***S. f.*** **1.** Ato ou efeito de educar(-se). **2.** *Educ.* Processo de desenvolvimento da capacidade física, intelectual e moral da criança e do ser humano em geral, visando à sua melhor integração individual e social: *educação da juventude; educação de adultos; educação de excepcionais*. **3.** Os conhecimentos ou as aptidões resultantes de tal processo; preparo: *É um autodidata: sua educação resultou de sério esforço pessoal.* **4.** O cabedal científico e os métodos empregados na obtenção de tais resultados; instrução, ensino: *É uma autoridade em educação, sendo seus livros largamente adotados.* **5.** *Educ.* Nível de ensino: *educação básica* (q. v.); *educação superior* (q. v.). **6.** *Educ.* Tipo de ensino: *educação escolar; educação musical; educação sexual; educação religiosa; educação física*. **7.** Aperfeiçoamento integral de todas as faculdades humanas. **8.** Conhecimento e prática dos usos de sociedade; civilidade, delicadeza, polidez, cortesia: *Vê-se que é pessoa de muita educação.* **9.** Arte de ensinar e adestrar animais; adestramento: *a educação de um cão, de uma foca.* **10.** Arte de cultivar as plantas e de as fazer reproduzir nas melhores condições possíveis para se auferirem bons resultados. ◆ **Educação a distância.** V. *teleducação*. **Educação básica.** *Educ.* Educação (5) constituída pela Educação Infantil, pelo Ensino Fundamental e pelo Ensino Médio. **Educação carcerária.** *Educ.* A que se destina à formação daqueles que não concluíram a escolarização básica e encontram-se em privação de liberdade. **Educação de jovens e adultos** *Educ.* Modalidade educativa destinada àqueles que não tiveram acesso ou continuidade de estudos na infância ou juventude. **Educação especial.** Modalidade de educação escolar, oferecida preferencialmente na rede regular de ensino, para educandos portadores de necessidades especiais (v. *portador de necessidades especiais*). **Educação formal.** *Educ.* Aquela que ocorre em espaços específicos como escolas e colégios com intencionalidade educativa. **Educação inclusiva.** *Educ.* A que visa à inclusão de todas as pessoas no processo educativo indistintamente. [Na educação especial designa o ato de incluir pessoas portadoras de necessidades especiais na plena participação de todo o processo educacional.] **Educação infantil.** *Educ.* Primeira etapa da educação básica tem como finalidade o desenvolvimento integral da criança de zero até seis anos de idade. **Educação não formal.** *Educ.* Aquela que ocorre em espaço não escolar, sem intencionalidade educativa; modo de educação informal. **Educação profissional.** *Educ.* Modalidade educativa que visa a conduzir ao permanente desenvolvimento de aptidões para a vida produtiva. **Educação superior.** *Educ.* Educação (5) que se destina a formar diplomados nas diferentes áreas de conhecimento. [Abrange os cursos em diferentes campos de saber, os de graduação, os de pós-graduação e os de extensão.]

educacional [De *educação* + *-al*[1], seg. o padrão erudito.] ***Adj. 2 g.*** *Educ.* Da, ou referente à educação; educativo: *um plano educacional.* ~ V. *linguística —, orientação —, orientador —* e *tecnicismo —*.

educacionismo [De *educação* (sob o rad. *educacion-*) + *-ismo*, seg. o padrão erudito.] ***S. m.*** Progresso e transformação social com base numa revolução educacional.

educacionista [De *educacionismo* + *-ista*.] ***Adj. 2 g. S. 2 g.*** Que, ou aquele que tem por meta o educacionismo: "A esquerda já foi abolicionista, desenvolvimentista, socialista, ... e internacionalista, mas nunca se assumiu *educacionista*" (Cristóvão Buarque, em *O Globo*, 19.01.2008.)

educado [Part. de *educar*.] ***Adj.*** **1.** Que se educou; que recebeu educação. **2.** Polido, cortês; bem-educado.

educador (ô) [Do lat. *educatore*.] ***Adj. S. m.*** *Educ.* **1.** Que, ou aquele que educa. **2.** educador

educandário [De *educando* + *-ário*.] ***S. m.*** Estabelecimento onde se ministra educação.

educando [Do lat. *educandu*.] ***S. m.*** Aquele que recebe educação, que está sendo educado; aluno.

edução [Do lat. *eductione*.] ***S. f.*** Ato de deduzir ou eduzir.

educar [Do lat. *educare*.] ***V. t. d.*** **1.** *Educ.* Promover a educação (2, 7 e 8) de. **2.** Transmitir conhecimentos a; instruir: *Bons professores educam o rapaz.* **3.** Domesticar, domar: *educar um cão.* **4.** Aclimar (1): *educar plantas.* ***P.*** **5.** Cultivar o espírito; instruir-se, cultivar-se. [Conjug.: v. *trancar*.]

educativo [De *educar* + *-tivo*.] ***Adj.*** **1.** *Educ.* Educacional. **2.** Que concorre para a educação: *filme educativo.*

educável [De *educar* + *-vel*.] ***Adj. 2 g.*** Que pode ser educado.

educomunicação [De *edu-*, como em *educação* e *educativo*, + *comunicação*.] ***S. f.*** *Comun.* Linha de pesquisa e/ou ação educativa que consiste em aliar os meios de comunicação de massa aos processos educativos.

edulcoração [De *edulcorar* + *-ção*.] ***S. f.*** Ato ou efeito de edulcorar.

edulcorante [De *edulcorar* + *-nte*.] ***Adj. 2 g. S. m.*** *Quím.* Diz-se de, ou substância que edulcora ou adoça; adoçante.

edulcorar [Do b.-lat. *edulcorare*.] ***V. t. d.*** **1.** Tornar doce (1), adicionando açúcar, mel, xarope, ou outra substância adoçante; adoçar: *Gosta de edulcorar bem o café.* **2.** Tornar doce (1); adoçar: *Há muitos produtos modernos que edulcoram o café.* **3.** Tornar doce, suave; abrandar, suavizar, adoçar.

edule [Do lat. *edule*.] ***Adj. 2 g.*** Que é próprio para comer; comestível, comível, comedouro, edível. [Var.: *edulo*.]

edulo ***Adj.*** V. *edule*.

edutor (ô) [Do lat. *eductore* < v. lat. *educere*, 'pôr para fora'; 'extrair' (v. *eduzir*).] ***Adj.*** **1.** Que eduz. ● ***S. m.*** **2.** Aquilo que eduz. **3.** *Tec. Mec.* Bomba (4) do tipo jato, constituída essencialmente de um expansor, uma câmara de aspiração e um difusor: um fluido com pressão moderada é admitido no expansor, onde sua pressão diminui e sua velocidade aumenta muito; ao passar do expansor para a câmara de aspiração, em alta velocidade, arrasta, por atrito, o líquido a aspirar, e descarrega de mistura com este, para o difusor, onde a velocidade diminui e a pressão aumenta de novo. [Sin., nesta acepç.: *ejetor*.]

eduzir [Do lat. *educere*.] ***V. t. d. P.*** *us.* Extrair, deduzir. [Conjug.: v. *aduzir*.]

■ **EEG** Sigla de *eletrencefalograma*.

efã [Do ior.] ***S. m.*** *Etnôn.* Fom (1).

efabulação [De *efabular* + *-ção*.] ***S. f.*** Ato ou efeito de efabular: "A matéria própria da *efabulação* entrou no teatro de Aristófanes por meio da influência da farsa do Peloponeso e da comédia siciliana, onde já existiam entrechos rudimentares." (Sábato Magaldi, *Temas da História do Teatro*, p. 51.)

efabular [De *e-*[2] + *fabular*[2].] ***V. t. d. Int. T. i.*** V. *efabular*[2].

efe[1] (é) ***S. m.*** **1.** A letra *f*. [Sin., em AL, SE e BA: *fê*. pl.: *efes* e *fês*.] **2.** Cada uma das aberturas longitudinais, talhadas em forma de *f*, no tampo dos instrumentos musicais de arco.

efe[2] (é) ***S. m.*** *Gloss.* Eve.

efebo (fê) [Do gr. *éphebos*, pelo lat. *ephebu*.] ***S. m.*** **1.** Na Grécia antiga, rapaz que atingiu a puberdade. [Em Atenas, especialmente, os mancebos entre 18 e 20 anos, submetidos a educação especial.] **2.** Rapaz que chegou à puberdade. **3.** *P. ext.* Homem jovem; mancebo: "virgens de fronte luminosa e *efebos* de corpos ágeis atropelavam-se pressurosos aos pórticos de bronze" (Aquilino Ribeiro, *Estrada de Santiago*, p. 336).

éfedra [Do tax. *Ephedra*.] ***S. f.*** *Bot.* **1.** Gênero de arbustos efedráceos, dotados de folhas escamiformes, ramos delgados e articulados, e floração dioica. **2.** Qualquer espécie desse gênero, esp. a *Ephedra sinica*, que, como algumas outras, fornece a efedrina. **3.** Qualquer espécime desse gênero.

efedrácea [Do tax. *Ephedra* + *-ácea*; tax. *Ephedraceae*.] ***S. f.*** *Bot.* Espécime das efedráceas, família monoespecífica de plantas arbustivas da classe das gnetales, distribuídas pelas regiões áridas das zonas subtropicais.

efedráceo [De *efedrácea*, com var. suf. (v. *-áceo*).] ***Adj.*** *Bot.* Pertencente ou relativo às efedráceas.

efedrina [Do tax. *Ephedra* (< lat. *ephedra*, 'cavalinha') + *-ina*[2].] ***S. f.*** *Quím.* Substância cristalina, encontrada em certas plantas do gênero *Ephedra* [v. *éfedra* (2)] ou sintetizada, empregada como medicamento [fórm.: $C_{10}H_{15}ON$].

■ **EFEI** Sigla de *Escola Federal de Engenharia de Itajubá*.

efeito [Do lat. *effectu*.] ***S. m.*** **1.** Produto necessário ou fortuito de uma causa. **2.** Resultado de um ato qualquer. **3.** Efetivação, execução, realização: *Levou a efeito um bom negócio.* **4.** Resultado, consequência: *O exemplo do pai teve ótimo efeito no menino.* **5.** Destino, fim, finalidade: *Usava água oxigenada para o efeito de clarear os cabelos.* **6.** Eficácia, eficiência: *remédio de grande efeito.* **7.** Aplicação com resultado prático: *Farei valer os efeitos da lei.* **8.** Impressão, sensação: *A aula inaugural produziu excelente efeito nos alunos.* **9.** Direção que toma uma bola (nos jogos de bilhar, futebol, tênis, etc.) afastando-se da trajetória normal, em consequência do modo excêntrico por que foi posta em movimento. **10.** Dano, prejuízo: *os efeitos da guerra.* **11.** Valor negociável. **12.** Impressão que produz uma obra de arte graças ao emprego adequado de certos artifícios técnicos: *efeito de perspectiva; efeito pianístico.* **13.** *Filos.* Termo correlacionado a causa (6). **14.** *Filos.* Termo de ação. **15.** *Fís.* Resultado de um conjunto de ações de natureza física ou físico-química. [V., nesta acepç., *fenômeno* (1).] **16.** *Cin. Rád. Telev.* Impressão sonora ou visual produzida artificialmente. ◆ **Efeito abscopal** *Med.* Efeito observado em órgão que não sofreu irradiação (3), e consequente à irradiação de outro órgão. **Efeito almofada.** *Eletrôn.* Distorção na imagem de televisão e que faz um retângulo aparecer quase como uma elipse. **Efeito alostérico.** *Bioquím.* Interconversão das conformações ativa e inativa de uma enzima alostérica, ger. provocada pela ligação de uma molécula reguladora ao sítio alostérico da enzima. **Efeito a pagar.** *Com.* Título ou obrigação por pagar. **Efeito a receber.** *Com.* Título cujo valor constitui a dívida ativa dum comerciante. **Efeito azimutal.** *Geofís.* Efeito produzido pelo campo magnético terrestre sobre os raios cósmicos, de tal sorte que, em consequência da atração magnética da Terra, esses raios se desviam em azimute. **Efeito batocrômico.** *Quím.* Aumento do comprimento de onda em que uma molécula, ou um grupo, absorve ou emite radiação, causado, p. ex., por modificação em um substituinte da molécula ou do grupo, ou por mudança no solvente; deslocamento para o vermelho. **Efeito de campo.** *Quím.* Efeito análogo ao efeito indutivo (q. v.), porém transmitido através do espaço. **Efeito de demonstração.** *Econ.* Efeito que o padrão de consumo de um indivíduo ou grupo social exerce sobre outros consumidores, que procuram imitá-lo: *O uso de tênis por adolescentes é estimulado pelo efeito de demonstração.* **Efeito de ressonância.** *Quím.* Aumento, ou diminuição, da densidade eletrônica num átomo ou num grupamento de uma molécula, provocado por um outro átomo ou grupamento, alhures na molécula, porém ligado ao primeiro por uma ou mais insaturações conjugadas; efeito mesomérico. **Efeito dominó.** Sucessão incontrolável de eventos, provocada por um fato inicial, em que cada acontecimento leva à ocorrência de um outro, resultando, por vezes, em algo desastroso ou de grandes proporções: "Curto-circuito no interior de São Paulo teria causado '*efeito dominó*'." (*O Estado de S. Paulo*, 12.11.2009.) **Efeito Doppler-Fizeau.** *Fís.* Decalagem da frequência aparente de uma vibração em virtude do movimento relativo da fonte e do observador. [Com relação às radiações luminosas, o efeito Doppler-

-Fizeau consiste na variação do comprimento de onda, observada quando o corpo que emite a luz se desloca. As raias espectrais deslocam-se para o azul, quando o corpo emissor se aproxima (*desvio para o azul* [q. v.]), e para o vermelho, quando se afasta (*desvio para o vermelho* [q. v.]). A medida desse desvio permite-nos calcular a velocidade com que o corpo se aproxima ou se afasta de nós.] **Efeito estérico.** *Quím.* Qualquer efeito resultante do volume ocupado por um átomo, um grupamento ou uma molécula. **Efeito estufa.** *Met.* Efeito proveniente da absorção, pela atmosfera, da radiação solar que, aquecendo a superfície do planeta, produz irradiação que permanece nas camadas atmosféricas interiores, elevando, em consequência, o seu nível térmico. [Sin. (lus., pop.): *capacete*.] **Efeito fotelétrico.** *Fís.* A emissão de elétrons por uma superfície iluminada. **Efeito hipercrômico.** *Quím.* Aumento na intensidade com que uma molécula, ou um grupo, absorve radiação, causado, p. ex., por modificação em um substituinte da molécula ou do grupo, ou por mudança no solvente. **Efeito hipocrômico.** *Quím.* Diminuição na intensidade com que uma molécula, ou um grupo, absorve radiação, causada, p. ex., por modificação em um substituinte da molécula ou do grupo, ou por mudança no solvente. **Efeito hipsocrômico.** *Quím.* Diminuição do comprimento de onda em que uma molécula, ou um grupo, absorve ou emite radiação, causada, p. ex., por modificação em um substituinte da molécula ou do grupo, ou por mudança no solvente; deslocamento para o azul. **Efeito indutivo.** *Quím.* Deslocamento dos elétrons de uma molécula, transmitido através das ligações, provocado pela existência, nela, de um átomo ou de um grupamento que tem eletronegatividade muito alta, ou muito baixa. **Efeito Joule.** *Eletr.* Dissipação de energia elétrica sob forma de calor, num condutor percorrido por uma corrente elétrica. **Efeito Kirlian.** Formação de imagem em uma superfície fotossensível, pela ação de um campo elétrico de alta frequência aplicado sobre um corpo. [Consiste no registro fotográfico do fenômeno elétrico-luminoso da corona.] **Efeito mesomérico.** *Quím.* V. *efeito de ressonância*. **Efeito *nocebo*.** *Farmac.* Aquele desencadeado, num indivíduo, por substância inócua, ou por substância cuja ação, teoricamente, não o deveria produzir, e cuja manifestação tem forte contribuição de fatores psicológicos. **Efeito polar.** *Quím.* Designação genérica de efeito de campo e de efeito indutivo. **Efeito Sabatier.** *Fot.* Solarização. **Efeito sanfona.** *Pop.* Perda e ganho de peso sucessivamente, esp. como resultado de certas dietas. **Efeitos bancários.** *Com.* Títulos e valores negociáveis nos bancos. **Efeitos especiais.** *Cin.* Recursos técnicos utilizados para simular situações ou fenômenos impossíveis ou difíceis de filmar convencionalmente; para tanto, empregam-se lentes especiais, simuladores, maquetes, computadores, etc. **Efeitos sobre o estrangeiro.** *Com.* Valores negociáveis em praças estrangeiras. **Efeito Zeeman.** *Fís.* Divisão das raias espectrais em diversos componentes, e que é resultante do fato de os elétrons, num campo magnético, possuírem direções opostas de *spin*. **Armar ao efeito. 1.** Dispor as coisas para um resultado brilhante. **2.** Procurar atrair a atenção com aparências brilhantes. **Com efeito.** Efetivamente, realmente. **Fazer efeito.** Dar (um remédio) resultado positivo: *O supositório fez efeito: o doente sentiu-se muito aliviado.* **Levar a efeito.** Pôr em prática; levar a cabo; realizar, fazer. **Para todos os efeitos.** Para todos os fins, ainda que a causa não seja verdadeira.

efeito-túnel *S. m. Eletrôn.* Passagem de uma barreira de potencial por uma partícula que não tem energia cinética suficiente para sobrepujá-la. [Pl.: *efeitos-túneis* e *efeitos-túnel*.]

efeituar *V. t. d. P. P. us.* Efetuar.

efélide [Do lat. *ephelide* < gr. *ephelís, ídos*, ou *éphelis, idos*.] *S. f. Derm.* Mancha na pele causada pelo sol; sarda.

efemérida [Adapt. do tax. *Ephemerida*.] *S. f. Zool.* V. *efemeróptero*. [Cf. *efeméride*]

efemeridade [De *efêmero*^{1} + *-(i)dade*.] *S. f.* Qualidade de efêmero.

efeméride [Do gr. *ephemerís, ídos*, pelo lat. *ephemeride*.] *S. f.* **1.** *Astr.* Tabela que fornece, em intervalos de tempo regularmente espaçados, as coordenadas que definem a posição de um astro. [As efemérides constituem o elo entre as teorias sobre as quais são construídas e as observações posteriores, o que permite provar a validade daquelas.] **2.** V. *efemérides* (5). ~ V. *efemérides*. [Cf. *efemérida*.]

efemerídeo [De *efêmero*^{2} + *-ídeo*^{1}; tax. *Ephemeridae*.] *Zool. S. m.* **1.** Espécime dos efemerídeos, família de insetos efemerópteros, cujas ninfas habitam lagos, lagoas e rios, e têm hábitos de escavar em busca dos detritos com que se alimentam; a família abrange várias espécies de efêmeros, muitos dotados de asas transparentes e brilhantes, outros de asas pontilhadas, sendo sempre as anteriores maiores que as posteriores. • *Adj.* **2.** Pertencente ou relativo a eles.

efemérides *S. f. pl.* **1.** Diário, livro ou agenda em que se registram fatos de cada dia. **2.** Registro dos acontecimentos realizados no mesmo dia do ano em épocas diferentes. **3.** Anotação ou enumeração dos acontecimentos sujeitos a cálculos e a previsão durante o ano. **4.** Título dado na Antiguidade às obras que contam, dia por dia, a vida de uma figura ilustre. **5.** *Bras.* Notícia diária. [No último sentido, é muito corrente (no Brasil, pelo menos) o uso do termo no sing.] ~ V. *efeméride*. [Cf. *efeméridas*, pl. de *efemérida*.]

efemerina [De *efêmero*^{1} + *-ina*^{1}.] *S. f.* Espécie de junco da América e da Índia.

efémero^{1} *Adj.* V. *efêmero*^{1}. [Uso freq. em P.]

efémero^{2} *S. m.* V. *efêmero*^{2}. [Uso freq. em P.]

efêmero^{1} [Do gr. *ephémeros*.] *Adj.* **1.** Que dura um só dia. **2.** De pouca duração; passageiro, transitório: "todas as formas se mudam, decaem e perecem ou se transformam, são todas efêmeras e caducas, ao passo que a ideia ou substância é sempre viva, verde e eternal." (João Ribeiro, *Páginas de Estética*, p. 87). **3.** *Bot.* Diz-se da flor que fenece no próprio dia em que se abre.

efêmero^{2} [Adapt. do tax. *Ephemera*.] *S. m. Zool.* **1.** O gênero-tipo dos efemerídeos (q. v.), caracterizados pelo corpo delgado, asas posteriores muito curtas, abdome prolongado por três filamentos longos e sistema bucal atrofiado, já que é incapaz de alimentar-se no estado adulto, vivendo apenas três dias; as ninfas podem ter vida de até três anos, em lagoas, rios ou charcos, nutrindo-se de detritos vegetais e respirando por traqueobrônquias, e constituem alimento para peixes no mundo inteiro. **2.** Espécie ou espécime desse gênero

efemeróideo [Do gr. *ephémeros*, 'que dura um só dia', + *-óideo*; tax. *Ephemeroidea*.] *Zool. S. m.* **1.** Espécime dos efemeróideos, subordem de insetos efemerópteros (q. v.). • *Adj.* **2.** Pertencente ou relativo a eles.

efemeróptero [Do gr. *ephémeros*, 'que dura apenas um dia', + *-ptero*; tax. *Ephemeroptera*.] *Zool. S. m.* **1.** Espécime dos efemerópteros, ordem de artrópodes, insetos pterigotos com sistema bucal mastigador, vestigial nos adultos, asas anteriores muito maiores que as posteriores, reticuladas, membranosas, e abdome com dois a três cercos longos, pluriarticulados. São hemimetabólicos. As formas jovens, campodeiformes, vivem na água, onde passam dois a três anos; os adultos vivem perto da água, mas têm apenas algumas horas a uma semana de vida; efemérida. • *Adj.* **2.** Pertencente ou relativo a eles. [Sin. ger.: *plectóptero*.]

efeminação [Do lat. *effeminatione*.] *S. f.* **1.** Ato ou efeito de efeminar(-se). **2.** Aparência ou modos efeminados. [Var.: *afeminação*.]

efeminado [Part. de *efeminar*.] *Adj.* **1.** Diz-se do homem que adota a aparência feminina, ou que tem gestos, modos que lembram os das mulheres; adamado. **2.** Diz-se do homem que é homossexual. **3.** Excessivamente delicado; mole, brando, pusilânime. **4.** Sensual, voluptuoso: *languidez efeminada; indolência efeminada.* • *S. m.* **5.** Aquele que é efeminado (1). **6.** Homem efeminado (2). [Var.: *afeminado*.]

efeminar [Do lat. *effeminare*.] *V. t. d.* **1.** Fazer adquirir maneiras, gostos, tendências, caracteres femininos: *O convívio exclusivo com mulheres, na meninice, efeminou-o.* **2.** Tornar semelhante ao que é feminino: *A companhia de homossexuais está efeminando o seu comportamento.* **3.** Fazer perder a energia; enfraquecer; enervar; degenerar. *P.* **4.** Tornar-se efeminado. [Var.: *afeminar*. Sin. (chulo), nas acepçs. 1, 2 e 4: *afrescalhar*.]

efêndi [Do turco *efendí* < gr. mod. *afthendis* < gr. *authéntes*, 'dono absoluto'.] *S. m.* Título dos dignitários civis e religiosos e dos sábios na Turquia, o qual se põe depois do nome próprio.

eferente [Do lat. *efferente*.] *Adj. 2 g.* **1.** Que conduz, que transporta. **2.** Que tira e conduz de dentro para fora. **3.** *Anat.* Diz-se de vaso que conduz o sangue que sai de um órgão, de ducto excretor de um órgão, de nervo que conduz excitação vinda de centro nervoso, ou de vaso linfático que conduz a linfa saída de um linfonodo. [Cf. *aferente*.]

efervescência [De *efervescer* + *-ência*.] *S. f.* **1.** *Quím.* Evolução de um gás em bolhas dentro de um líquido, quer pela diminuição da pressão, quer pela ação de um agente químico. **2.** Ebulição, fervura. **3.** *Fig.* Agitação do espírito; excitação, exaltação; comoção, perturbação. **4.** *Fig.* Movimento; bulício; inquietação.

efervescente [De *efervescer* + *-nte*.] *Adj. 2 g.* **1.** Que apresenta efervescência (1): *bebida efervescente.* **2.** *Fig.* Buliçoso, inquieto. **3.** *Fig.* Irritável, irascível: *temperamento efervescente.* **4.** *Fig.* Agitado, exaltado: *A disposição efervescente dos ânimos dificultou os trabalhos da assembleia.*

efervescer [Do lat. *effervescere*.] *V. int.* **1.** Entrar em efervescência. **2.** Tornar-se efervescente, buliçoso, irrequieto; agitar-se, excitar-se: "Passei .... o dia inteiro a pelejar com aquelas ideias que efervesciam na minha cabeça." (Ciro dos Anjos, *Abdias*, p. 83). [Conjug.: v. *crescer*.]

efes e erres *El. s. m. pl.* Us. na loc. adv. *com todos os efes e erres*. ◆ **Com todos os efes e erres. 1.** Com absoluta exatidão. **2.** Caprichosamente, apuradamente. ☑

efésio [Do gr. *ephésios*, pelo lat. *ephesiu*.] *Adj.* **1.** De, ou pertencente ou relativo a Éfeso (Grécia). ~ V. *escola —a*. • *S. m.* **2.** O natural ou habitante de Éfeso.

efetivação [De *efetivar* + *-ção*.] *S. f.* Ato ou efeito de efetivar.

efetivamente [Do f. de *efetivo* + *-mente*.] *Adv.* De modo efetivo.

efetivar [De *efetivo* + *-ar*^{2}.] *V. t. d.* **1.** Tornar efetivo (1); levar a efeito; realizar, efetuar: *efetivar medidas indispensáveis à boa solução de um problema.* **2.** Tornar efetivo (2): *O governo efetivou numerosos professores horistas.* [Pres. subj.: *efetive, ... efetiveis, efetivem*. Cf. *efetíveis*, pl. de *efetível*.]

efetível [Do lat. *effectus*, part. pass. de *eficere*, + *-ível*, a ex. de *defectível* (q. v.).] *Adj. 2 g.* Que se pode efetuar ou efetivar. [Pl.: *efetíveis*. Cf. *efetiveis*, do v. *efetivar*.]

efetividade [De *efetivo* + *-(i)dade*.] *S. f.* **1.** Qualidade de efetivo. **2.** Atividade real; resultado verdadeiro: *a efetividade de um serviço, de um tratamento.* **3.** Realidade, existência.

efetivo [Do lat. *effectivu*.] *Adj.* **1.** Que gera um efeito real, concreto; positivo: *negócio efetivo; promessa efetiva.* **2.** Permanente, estável, fixo: *funcionário efetivo.* **3.** Que merece confiança; seguro, firme: *caráter efetivo; prova efetiva.* ~ V. *abertura —a* e *temperatura —a*. • *S. m.* **4.** O que existe realmente. **5.** *Mil.* O número de militares dos diversos graus que compõem uma formação terrestre, naval ou aérea. **6.** *Com.* O ativo líquido do comerciante.

efetor (ô) [Do ingl. *effector*.] *S. m.* **1.** *Citol.* Pequena molécula orgânica que intervém no processo de regulação do metabolismo, seja combinando-se com um repressor na transcrição de unidades genéticas, seja combinando-se com uma enzima e modificando sua afinidade pelo substrato. • *Adj.* **2.** *Fisiol.* Diz-se de órgão, ou de formação (5), que produz um efeito, como, p. ex., contração ou secreção, em resposta a um estímulo.

efetuação [De *efetuar* + *-ção*.] *S. f.* **1.** Ato de efetuar(-se). **2.** Execução, realização.

efetuar [Do lat. med. *effectuare*.] *V. t. d.* **1.** Levar a efeito; realizar, cumprir, executar: *Conseguiu efetuar antigos planos.* **2.** *Restr.* Fazer, executar (operação matemática): *A criança armou e efetuou a soma.* **3.** Perfazer, completar: *Economizou para efetuar determinada quantia.* *P.* **4.** Realizar-se, cumprir-se: "Este casamento efetua-se em condições muito singulares." (Artur Azevedo, *Contos Possíveis*, p. 10); *Todos os seus sonhos se efetuaram.* [F. paral., p. us.: *efeituar*.]

efetuoso (ô) [Do lat. *effectuosu*.] *Adj. P. us.* V. *eficaz*. [Cf. *afetuoso*.]

eficácia [Do lat. *efficacia*.] *S. f.* Qualidade ou propriedade de eficaz; eficiência.

eficacíssimo [Do lat. *efficacissimu*.] *Adj.* Superl. abs. sint. de *eficaz*.

eficaz [Do lat. *efficace*.] *Adj. 2 g.* **1.** Que produz o efeito desejado; que dá bom resultado: *medida eficaz; tratamento eficaz.* **2.** Que age com eficiência: *gerente eficaz.* ~ V. *corrente —*, *seção —* e *valor —*. [Sin. ger.: *eficiente* e (p. us.) *efetuoso*. Superl. abs. sint.: *eficacíssimo*.]

eficiência [Do lat. *efficientia*.] *S. f.* **1.** Ação, força, virtude de produzir um efeito; eficácia. **2.** *Estat.* Medida da significação da estimativa dum parâmetro, obtida com base em uma amostra, e que é igual ao cociente de variância da estimativa pela variância de um estimador de eficiência máxima. ◆ **Eficiência de irradiação.** *Eng. Elétr.* Relação entre a potência irradiada pela antena e a potência total na entrada da antena.

eficiente [Do lat. *efficiente*.] *Adj. 2 g.* V. *eficaz*. ~ V. *causa —*.

efigiar [Do lat. *effigiare*.] *V. t. d.* Representar a imagem de (alguém); pintar em efígie. [Pres. subj.: *efigie*, etc. Cf. *efígie*.]

efígie [Do lat. *effigie*.] *S. f.* **1.** Representação plástica da imagem de uma pessoa real ou simbólica (especialmente a que é executada em baixo-relevo ou graficamente): "A sua efígie [da rainha Vitória], no cunho das suas moedas, é, em toda a Terra, a mais preciosa representação da riqueza" (Eduardo Prado, *Coletâneas*, I, p. 254). **2.** Representação da figura convencional de uma personagem real ou fictícia, de uma divindade, etc.: *Os romeiros adoravam a efígie da santa; A efígie de Judas é queimada* *no sábado de aleluia.* **3.** Imagem, figura, retrato (de pessoa). [Cf. *efígie*, do v. *efigiar*.]

efipídeo [Do tax. *Ephippus* (< gr. *éphippos*, 'que anda a cavalo') + *-ídeo*[1]; tax. *Ephippidae*.] *Zool. S. m.* **1.** Espécime dos efipídeos, pequena família de peixes actinopterígios, corpo achatado lateralmente, opérculo com grande dente, cores vivas. Ex.: a enxada. ● *Adj.* **2.** Pertencente ou relativo a eles.

efique *S. m. Gloss.* Calabar.

éfira [Do lat. cient. *ephyra* < mit. gr. *Ephyra*.] *S. f. Zool.* Larva natante das medusas cifozoárias, originária do cifístoma (q. v.); efírula.

efírula [Do lat. cient. *ephyrula*.] *S. f. Zool.* Éfira.

eflorescência [De *eflorescer* + *-ência*.] *S. f.* **1.** Formação e aparecimento da flor. **2.** *Bot.* Pó brancacento que reveste folhas, frutos ou hastes de algumas plantas. **3.** *Geol.* Depósito esbranquiçado e pulverulento de sais minerais que, nos climas áridos, se forma à superfície do solo e das rochas, em consequência da evaporação das águas. [Cf., nesta acepç., *barreiro* (3).] **4.** *Patol.* Erupção cutânea. **5.** *Fig.* Aparecimento, nascimento. **6.** *Fís.-Quím.* Formação de cristalitos anidros na superfície de um cristal hidratado, numa atmosfera onde a pressão de vapor de água é menor que a pressão de vapor do cristal.

eflorescente [Do lat. *efflorescente*.] *Adj. 2 g.* Que apresenta ou está em eflorescência.

eflorescer [Do lat. *efflorescere*.] *V. int.* **1.** Começar a florescer. **2.** Apresentar eflorescência: "Todas as grandes árvores que em minhas / Terras, num sonho esplêndido, semeio, // .... Eflorescem nas chácaras vizinhas / E vão dar frutos no pomar alheio..." (Raul de Leoni, *Luz Mediterrânea*, p. 80). [Conjug.: v. *crescer*.]

efluência [Do lat. *effluentia*.] *S. f.* V. *eflúvio* (1).

efluente [Do lat. *effluente*.] *Adj. 2 g.* **1.** Que emana de certos corpos. **2.** *Tec.* Diz-se de fluido ejetado por um equipamento. [Cf., nesta acepç., *afluente*[1] (3).] **3.** Resíduo ou rejeito líquido, ger. com sólidos em suspensão, de atividade industrial, esgotos sanitários, etc., lançado no meio ambiente: "Outros [poluentes] chegam aos rios por efluentes industriais e pelo esgoto." (*Gazeta Mercantil*, 18.09.1996.)

efluir [Do lat. *effluere*.] *V. int. T. i.* Emanar, correr. [Conjug.: v. *atribuir*.]

eflúvio [Do lat. *effluviu*.] *S. m.* **1.** Emanação invisível que se desprende de um fluido; efluência, exalação. **2.** Emanação sutil que se exala dos corpos organizados: *o suave eflúvio de seus cabelos.* **3.** *P. ext.* Miasma (1). **4.** *Poét.* Aroma; perfume: "Todo eflúvio brando e ardente / No tenro peito resumes: / Sopre o vento levemente / E corram os teus perfumes." (José Albano, *Rimas*, p. 57.) **5.** *Ocult.* Emanação de energia ou de matéria. [M. us. no pl.]

efluvioso (ô) [De *eflúvio* + *-oso*.] *Adj.* Que lança eflúvios.

efluxão (cs) [Do lat. *effluxione*.] *S. f. Med.* Eliminação de embrião, ger. despercebida, nos primeiros dias da gravidez.

efluxo (cs) [Do lat. *effluxu*.] *S. m.* Escoamento de um líquido para fora de uma cavidade.

efó [De or. afr.] *S. m. Bras. Cul.* Prato típico da cozinha baiana, cuja consistência é dada por verduras como língua-de-vaca, taioba, mostarda, ou outras, preparadas com camarão seco, azeite de dendê, pimenta, etc., e às quais se pode acrescentar camarão fresco ou peixe: "Comer efó! / pimenta, jiló!" (Jorge de Lima, *Obra Completa*, I, p. 295.)

éforo [Do gr. *éphoros*.] *S. m.* Em Esparta (Grécia antiga), cada um dos cinco magistrados eletivos que representavam a classe aristocrática e contrabalançavam a autoridade dos reis.

efraimista (a-i) [De *efraim* + *-ista*.] *Rel. Adj. 2 g.* **1.** Pertencente ou relativo à tribo de Efraim (segundo filho de José), uma das doze tribos de Israel, que ocupava uma das regiões mais férteis da Palestina. **2.** Diz-se de membro dessa tribo. ● *S. 2 g.* **3.** Membro dessa tribo.

efúgio [Do lat. *effugiu*.] *S. m.* **1.** Escusa, escapatória, subterfúgio, fuga, tergiversação. **2.** Refúgio, abrigo.

efum [Do ior.] *S. m. Bras. Rel.* Ritual da pintura da cabeça raspada e do corpo da iaô com círculos e/ou pontos e traços feitos com giz dissolvido em água e goma-arábica, durante suas saídas na iniciação, e cuja disposição evoca as cicatrizes tribais praticadas na África em tais ocasiões.

efundir [Do lat. *effundere*.] *V. t. d.* **1.** Derramar, entornar, verter. **2.** Transmitir, propagar; exalar. *P.* **3.** Difundir-se, espalhar-se: "Efundem-se nos ares / os perfumes panqueus das aras incendidas." (Antônio Feliciano de Castilho, *As Geórgicas*, p. 271.)

efusão [Do lat. *effusione*.] *S. f.* **1.** Ato ou efeito de efundir(-se). **2.** Derramamento; escoamento, saída (de um líquido ou de um gás). **3.** *Fig.* Demonstração clara e sincera de sentimentos íntimos; expansão; fervor, ímpeto, veemência: "Que pede do poeta o amante coração? / Viver como nasceste, ó beleza, ó primor, / De uma fusão do ser, de uma efusão do amor." (Machado de Assis, *Poesias*, p. 31.) **4.** *Fís.* Passagem de um gás através de pequeno orifício em uma parede, quando não é muito grande a diferença de pressão entre os dois lados da parede e o diâmetro do orifício é muito reduzido.

efusiômetro *S. m.* V. *efusiômetro*. [Uso freq. em P.]

efusiômetro [Do lat. *effusio*, 'efusão', + *-metro*.] *S. m. Fís.* Instrumento usado para observar a efusão de um gás e efetuar medidas do tempo de efusão.

efusividade [De *efusivo* + *-(i)dade*.] *S. f.* Qualidade ou estado de efusivo.

efusivo [De *efuso* + *-ivo*.] *Adj.* **1.** Em que há efusão. **2.** Expansivo, comunicativo. **3.** Fervoroso, veemente. ~ V. *rocha —a*.

efuso [Do lat. *effusu*.] *Adj.* **1.** Entornado; derramado. **2.** Que corre para fora de seus canais próprios.

■ **e.g.** Abrev. de *exempli gratia*.

▲**-eg-** El. de ligação comum em palavras de cunho popular: *petegar*.

egagropilo [Do gr. *aígagros*, 'cabrito montês', + gr. *pîlos*, 'lã'.] *S. m. Zool.* Concreção calcária, ou de resíduos de pelos de animais e ossos ingeridos, ger. esférica, que se forma no estômago de ruminantes e de crocodilianos. [Cf. *bezoar*.]

egba *S. m. Etnôn.* V. *egbá*.

egbá [Do ior.] *S. m. Etnôn.* Indivíduo dos egbás, povo do S. da Nigéria (África), de cultura iorubana; egbá.

egéria [Do mit. *Egéria*, ninfa que, segundo uma lenda romana, aconselhava o rei Numa.] *S. f.* **1.** Mulher que inspira, que aconselha. **2.** *Fig.* Inspiração.

egesta [Do lat. *egesta*, pl. neutro de *egestus*, part. de *egerere*, 'lançar para fora'.] *S. f. Med.* Material não digerido e eliminado do corpo.

egestão [Do lat. *egestione*.] *S. f. Med.* Eliminação de egesta.

égide [Do gr. *aigís, ídos*, pelo lat. *aegide*.] *S. f.* **1.** *Fig.* Escudo; defesa, proteção. **2.** *Fig.* Abrigo, amparo, arrimo.

egipã [Do gr. *aigípan*, pelo lat. *aegipan*.] *S. m. Mit.* Sátiro.

egipcíaco [Do lat. *aegyptiacu*.] *Adj. S. m.* V. *egípcio* (1 e 3).

egipciano *Adj. S. m.* V. *egípcio* (1 e 3).

egipciense *Adj. 2 g.* **1.** De, ou pertencente ou relativo a São José do Egito (PE). ● *S. 2 g.* **2.** O natural ou habitante de São José do Egito.

egípcio [Do lat. *aegyptiu*.] *Adj.* **1.** Do, ou pertencente ou relativo ao Egito (África). **2.** *Art. Gráf.* Diz-se dos caracteres tipográficos semelhantes aos caracteres grotescos, mas com serifas quadradas. ~ V. *algodão — e calendário —*. ● *S. m.* **3.** O natural ou habitante do Egito. [Sin. de 1 e 3: *egipcíaco* e *egipciano*.] **4.** *Gloss.* Ramo da família camito-semítica, hoje extinto [v. *copta* (3)]. **5.** *Gloss.* Língua da família camito-semítica, hoje desaparecida, que ficou atestada em inscrições hieroglíficas. **6.** *Gloss.* Dialeto árabe falado no Egito. [V. *árabe* (3).]

egiptologia [Do gr. *Aígyptos*, 'Egito', + *-logia*.] *S. f.* Ciência que trata de tudo quanto se relaciona com o antigo Egito.

egiptológico [De *egiptologia* + *-ico*[2].] *Adj.* Relativo à egiptologia.

egiptólogo [Do gr. *Aígyptos*, 'Egito', + *-logo*.] *S. m.* Especialista em egiptologia.

egiptopiteco [Do gr. *Aígyptos*, 'Egito', + *-piteco*; tax. *Aegyptopithecus*.] *S. m. Paleont.* **1.** Gênero de primatas primitivos, do oligoceno, cujos vestígios foram encontrados no Egito e que, há 35 milhões de anos, deram início à linhagem dos macacos simiiformes. **2.** Espécie, ou espécime desse gênero. [Var.: *egitopiteco*.]

egirita [Do mit. escandinavo ant. *Aegir*, 'deus do mar', + *-ita*[3].] *S. f. Min.* Mineral monoclínico, silicato de sódio e ferro férrico.

egitopiteco *S. m. Paleont.* V. *egiptopiteco*.

eglanduloso (ô) [De *e-*[2] + *glândula* + *-oso*.] *Adj.* Destituído de glândulas.

écloga *S. f.* V. *écloga*: "Nem pastor de autos de amor, / De églogas frias e velhas, / Mas verdadeiro pastor / De verdadeiras ovelhas..." (Augusto Gil, *Luar de Janeiro*, p. 95).

ego [Do lat. *ego*.] *S. m.* **1.** O eu de qualquer indivíduo. **2.** V. *egotismo* (1): *Seu ego torna-o cada dia mais insuportável.* **3.** *Antrop.* Qualquer indivíduo, tomado como ponto de referência na descrição de uma rede de relações interpessoais ou de um sistema de categorias de relações, em particular uma terminologia de parentesco. [Cf. *álter*.] [Ger. com cap., nesta acepç.] **4.** *Psican.* A parte mais superficial do id, a qual, modificada, por influência direta do mundo exterior, por meio dos sentidos, e, em consequência, tornada consciente, tem por funções a comprovação da realidade e a aceitação, mediante seleção e controle, de parte dos desejos e exigências procedentes dos impulsos que emanam do id. ◆ **Massagear o ego de.** Fazer alguém sentir-se importante, especial, útil, etc.

▲**ego-**[1] [Do lat. *ego*.] *El. comp.* = 'eu': *egolatria*.

▲**ego-**[2] [Do gr. *aíx, aigós*.] *El. comp.* = 'cabra': *egofonia*.

▲**-ego** (ê) [Do lat. *-aecus, a, um*.] *Suf.* = 'origem', 'procedência'; 'relação'; 'diminuição (em geral depreciativa)': *galego* (< lat.), *ninhego, burrego*.

egobroncofonia [De *ego-*[2] + *-bronco-* + *-fon(o)-* + *-ia*[1].] *S. f. Pneum.* Ressonância especial da voz que indivíduos afetados de derramamentos pleuríticos pouco abundantes apresentam, quando auscultados, e que se assemelha ao balido trêmulo de uma cabra; egofonia.

egobroncofônico *Adj. Pneum.* V. *egobroncofônico*. [Uso freq. em P.]

egobroncofônico [De *egobroncofonia* + *-ico*[2].] *Adj.* Relativo a egobroncofonia, ou que a tem; egofônico.

egocentrado [De *ego-*[1] + *centrado*.] *Adj. Antrop.* Diz-se de qualquer sistema de classificação (como, p. ex., terminologias de parentesco) em que o universo social é diferentemente representado, conforme a posição nele ocupada pelo indivíduo tomado como referência. [Sin.: *egocêntrico*. Cf. *sociocêntrico*.]

egocêntrico [De *ego-*[1] + *-centr(o)-* + *-ico*[2].] *Adj.* **1.** Diz-se daquele que refere tudo ao próprio eu, tomado como centro de todo o interesse; personalista. **2.** *Antrop.* Egocentrado. ● *S. m.* **3.** Indivíduo egocêntrico (1); personalista.

egocentrismo [De *egocêntrico* + *-ismo*, seg. o padrão erudito.] *S. m.* Qualidade ou caráter de egocêntrico. [V. *egoísmo* (2).]

egocentrista [De *ego-*[1] + *-centr(o)-* + *-ista*.] *Adj. 2 g. S. 2 g.* Diz-se de, ou pessoa egocêntrica.

egodistonia [De *ego-*[1] + *-dis-* + *(sin)tonia* (q. v.).] *S. f. Psiq.* Fenômeno que indica algo que repugna, que não se coaduna com a concepção que um indivíduo tem de si mesmo. [Cf. *egossintonia*.]

egodistónico *Adj. S. m. Psiq.* V. *egodistônico*. [Uso freq. em P.]

egodistônico [De *egodistonia* + *-ico*[2].] *Adj. S. m. Psiq.* Diz-se de, ou aquele que sofre de egodistonia.

egofonia [De *ego-*[2] + *-fon(o)-* + *-ia*[1].] *S. f. Pneum.* Egobroncofonia.

egofónico *Adj.* V. *egofônico*. [Uso freq. em P.]

egofônico [De *ego-*[2] + *-fon(o)-* + *-ico*[2].] *Adj.* Egobroncofônico.

egoico (ói) [De *ego* + *-ico*[2].] *Adj.* Relativo ao ego. ❖

egoísmo [Do fr. *égoïsme*.] *S. m.* **1.** Amor excessivo ao bem próprio, sem consideração aos interesses alheios. **2.** Exclusivismo que faz o indivíduo referir tudo a si próprio (v. *egocentrismo*). [Antôn., nessas acepç.: *altruísmo* (1 e 2).] **3.** Filáucia, orgulho, presunção. **4.** *Ét.* Doutrina que considera como princípio explicativo dos preceitos morais, e como princípio diretor da conduta humana moral, o interesse individual. **5.** *Ét.* Amor exclusivo e excessivo de si, implicado na subordinação do interesse de outrem ao seu próprio. [Cf., na acepç. 5, *amor-próprio* e, nas acepç. 4 e 5, *abnegação* (2) e *altruísmo* (3).]

egoísta [Do fr. *égoïste*.] *Adj. 2 g.* **1.** Que demonstra egoísmo. **2.** Que trata só dos seus interesses. **3.** Que não prescinde de suas comodidades; comodista. ● *S. 2 g.* **4.** Indivíduo egoísta. [Antôn., nessas acepç.: *altruísta*. Cf. *egotista*.] ● *S. m.* **5.** *Bras. Pop.* Fio que tem numa das extremidades um pequeno dispositivo para ser adaptado à orelha e na outra um pino para ser ligado aos rádios transistorizados, e usado quando se deseja ouvir individualmente o som de um programa radiofônico.

egoístico [De *egoísta* + *-ico*[2].] *Adj.* Referente a, ou em que se manifesta egoísmo. [Antôn.: *altruístico*.]

ególatra [De *ego-*[1] + *-latra*.] *S. 2 g.* Pessoa que tem o culto de si mesma, que pratica a egolatria: "Eu, ególatra céptico, cismava / Em meu destino!..." (Augusto dos Anjos, *Eu*, p. 99.)

egolatria [De *ego-*[1] + *-latria*.] *S. f.* Adoração de si mesmo; culto do eu; egotismo: "o que mais magoou o seu desprezo, foi a secura e a egolatria dos artistas." (Antônio Patrício, *Serão Inquieto*, p. 137). [Cf. *narcisismo* (1).]

egolátrico [De *egolatria* + *-ico*[2].] *Adj.* Referente à egolatria.

egomania [De *ego-*[1] + *-mania*.] *S. f. Psiq.* Autoestima patológica.

egomaníaco [De *egomania* + *-íaco*.] *Psiq. Adj.* **1.** Relativo a egomania. **2.** Que tem egomania; egômano. ● *S. m.* **3.** Aquele que tem egomania; egômano.

egômano [De *ego-*[1] + *-mano*[1].] *Adj. S. m. Psiq.* Egomaníaco (2 e 3).

egossintonia [De *ego-*[1] + *sintonia*.] *S. f. Psiq.* Fenômeno que indica algo (ideia, impulso, etc.) acorde com a concepção que um indivíduo tem de si mesmo. [Cf. *egodistonia*.]

egossintónico *Adj. S. m. Psiq.* V. *egossintônico*. [Uso freq. em P.]

egossintônico [De *egossintonia* + *-ico*[2].] *Adj. S. m. Psiq.* Diz-se de, ou aquele que apresenta egossintonia.

E

→ego sum qui sum ['ego sum kwi su(m)] [Lat.] Eu sou quem sou. [Palavras de Deus a Moisés na tradução latina do Velho Testamento.]

egotismo [Do ingl. *egotism*.] *S. m.* **1.** Sentimento excessivo da própria personalidade; importância no trato consigo mesmo; ego. **2.** Egolatria. **3.** Tendência a monopolizar a atenção, mostrando desconsideração pelas opiniões alheias. **4.** Método literário em que se toma o próprio eu por centro de investigações e experimentos psicológicos.

egotista [Do ingl. *egotist*.] *Adj. 2 g. S. 2 g.* Que, ou quem tem exagerado sentimento do seu eu, da sua personalidade: 📖 "Todos nós, românticos na juventude, sensíveis, imaginosos, egotistas, acabamos, na idade madura, razoáveis, eruditos, reservados." (Afrânio Peixoto, *Ramo de Louro*, p. 245.) [Cf. *egoísta*.]

egrégio [Do lat. *egregiu*.] *Adj.* **1.** Muito distinto; insigne; nobre, ilustre: 📖 "Era liberal como um dos mais egrégios romanos que morreram no templo de Diana, à beira de Caio Graco." (Camilo Castelo Branco, *Noites de Insônia*, II, p. 57.) **2.** Admirável, notável. **3.** Na linguagem forense, diz-se dos tribunais superiores e dos juízes que o compõem.

egressão [Do lat. *egressione*.] *S. f.* Ato de sair, de afastar-se.

egressivo [Do lat. *egressus*, 'part. pass. do v. lat. *egredior*, 'sair', 'partir', + *-ivo*.] *Adj.* **1.** Que sai, que se afasta. **2.** *E. Ling.* Diz-se de som produzido com fluxo de ar expiratório.

egresso [Do lat. *egressu*.] *Adj.* **1.** Que saiu, que se afastou: 📖 "Espírito revoltado, ... egresso das enxovias" (Mário Sete, *Senhora de Engenho*, p. 49). **2.** Que deixou de pertencer a uma comunidade. • *S. m.* **3.** Indivíduo que deixou o convento; ex-frade. **4.** Detento ou recluso que, tendo cumprido sua pena, ou por outra causa legal, se retirou do estabelecimento penal. **5.** Saída, retirada.

egreta *S. f.* V. *egrete*.

egrete [Do fr. *aigrette*.] *S. f.* **1.** Feixe de plumas delgadas e retas que ornam a cabeça de certas aves, como as garças, e que caem periodicamente na época da muda. **2.** Enfeite confeccionado com egrete (1), usado em chapéus femininos, fantasias carnavalescas, etc. [Var.: *egreta*.]

égrio [De or. obsc.] *S. m. Bras. RJ a PR GO Bot.* Erva brassicácea (*Nasturtium pumilum*) glabra e ramosa, dotada de inflorescência em racimos terminais ou opostos às folhas, axilares, cujo fruto é síliqua, e valvas frágeis e membranosas, com sementes ovoides, pequeninas e escuras.

egro [Do lat. *aegru*.] *Adj. Desus.* Doente.

égua [Do lat. *equa*.] *S. f.* **1.** A fêmea do cavalo. [No N.E. do Brasil, entre os sertanejos e a gente inculta, em geral, é palavra considerada mais ou menos obscena. Cf. *égua* (2). Sin. (bras., na maioria): *banguina, beroba, besta* (ê), *biscaia, brivana, guincha, munã, pichorra, piguancha*.] **2.** *Bras. Chulo* Meretriz. • *Interj.* **3.** *Bras. MA Gír.* Exprime espanto. ◆ **Égua madrinha.** *Bras. S.* **1.** Égua junto da qual se habitua a pastar uma manada de cavalos, e que por vezes, especialmente em viagem, traz ao pescoço um cincerro, ao som do qual seguem reunidos os cavalos e bestas; madrinha. **2.** *Fig.* Pessoa que à volta de si reúne outras, a quem dá conselhos e orienta nas normas de proceder. **Lavar a égua.** *Bras.* **1.** *Fut.* Alcançar vitória por contagem elevada. **2.** *Turfe* Ganhar muito dinheiro. **3.** Desfrutar ao máximo uma situação vantajosa; fartar-se, saciar-se; lavar a burra.

eguada [Do esp. plat. *yeguada*.] *S. f. Bras. MG S.* Manada de éguas.

eguar [De *égua* + *-ar*[2].] *V. int. Bras. CE Pop.* Andar a esmo; bestar, lesar. [Conjug.: v. *averiguar*.]

eguariço[1] [Do lat. *equarius*, 'tratador de cavalos', + *-iço*.] *Adj.* **1.** Relativo a éguas. **2.** Diz-se de muar resultante do cruzamento de égua com burro. • *S. m.* **3.** Aquele que trata das éguas ou dos cavalos; equícola.

eguariço[2] [Do esp. plat. *yeguarizo*.] *Adj. Bras. RS* **1.** Diz-se de cavalo que, na manada, só acompanha éguas. **2.** Diz-se do homem femeeiro, mulherengo.

egum [Do ior.] *S. m. Bras. Rel.* **1.** Em alguns candomblés iorubas, espírito de antepassado que recebe oferendas e é invocado em certas cerimônias especiais [p. ex., no axexê (q. v.)]; egungum. **2.** Em cultos mesclados com o espiritismo, espírito ainda não desenvolvido de pessoa morta.

egungum [Do ior.] *S. m. Bras. Rel.* Egum (1).

eh *Interj.* **1.** Serve para animar, excitar: 📄 *Eh! é com você que estou falando!* **2.** Serve para fazer andar ou parar os animais, segundo a entoação: 📖 "Os bois atrelam ao arado / E ouve-se além no descampado / Num ímpeto, aos berros: —Eh! bois!" (Antônio Nobre, *Só*, p. 62). [Var. pros.: *êh*. Cf. *é*, do v. *ser* e s. m., e *e*.] ◆ **Eh puxa.** *Bras. RS* Exprime admiração, espanto, pasmo, dor; êh puxa.

êh *Interj.* V. *eh*: 📖 "— Êh, olha lá Neco chegando — gritou Ferreira." (José Godói Garcia, *O Caminho de Trombas*, p. 8.) [Cf. *é*, do v. *ser* e s. m., e *e*.] ◆ **Êh puxa.** *Bras. RS* Eh puxa.

eh-eh *Interj. Bras. S.* Exprime surpresa, espanto, receio, etc.; xi! [Var. pros.: *êh-êh*.]

êh-êh *Interj. Bras. S.* V. *eh-eh*.

■ **EHF** [Abrev. do ingl. *extremely high frequency*, 'frequência extremamente alta'.] *Fís.* V. *faixa de ondas milimétricas*.

ehu *Interj.* Exprime alegria, surpresa, animação: 📖 "Ehu! ó Joana, acenou-lhe a mulata, bota a chaleira no fogo." (Hugo de Carvalho Ramos, *Tropas e Boiadas*, p. 70.).

ei *Interj.* **1.** Usa-se para chamar a atenção. **2.** *Bras. MG* Usa-se para cumprimentar.

eia [Do lat. *eia*.] *Interj.* **1.** Serve para animar, excitar: 📖 "Eia, fora o temor" (Machado de Assis, *Poesias Completas*, p. 301). **2.** Designa espanto.

▲**-eia** [Do lat. *-ea*.] *Suf. nom.* fem. de *-eu*: *coroideia, europeia*. ❖

eiá [T. onom., poss.] *S. m. Bras. Zool.* V. *macaco-da-noite*.

eicosânico [De *eicosano* + *-ico*[2].] *Adj. Quím.* V. *icosânico*.

eicosano *S. m. Quím.* V. *icosano*.

▲**-eidade** [Do lat. *-eitate* (*-ĕitas, ătis*) < adj. terminado em *-ĕus (a, um)* + suf. lat. *(ĭ)tās, atis*.] *Suf.* formador de subst. a partir de adjetivos terminados em *-eo* (q. v.), equivalente de *-(i)dade* (q. v.): *idoneidade* (< lat. *idoneitate* < lat. *idonĕus* + *-(ĭ)tas, ătis*), *contemporaneidade, corporeidade, espontaneidade, estraneidade, extemporaneidade, heterogeneidade, homogeneidade, incorporeidade, instantaneidade, simultaneidade* (< lat. med.), *subitaneidade, temporaneidade*. [Cf.: *aseidade* e *hecceidade*.]

eidético [Do gr. *eidetikós*.] *Adj.* **1.** *Filos.* Segundo Edmund Husserl (v. *husserliano*), relativo à essência das coisas e não à sua existência ou função. **2.** *Med.* Relativo a fenômeno que se caracteriza pela exata visualização de fatos ou de objetos vistos anteriormente. [A melhor f. é *idético*.]

eido [Do lat. *aditu*.] *S. m.* **1.** Nas aldeias portuguesas, recinto para animais anexo à casa. **2.** Pequeno terreno junto de casa; quintal. **3.** Lugar que compete a uma pessoa ou coisa.

eigenfunção (aiguen) [Do al. *Eigenfunktion*.] *S. f.* **1.** *Mat.* V. *autofunção* (1). **2.** *Fís.* Autofunção (2).

eigenvalor (aiguen... ô) [Adapt. do al. *Eigenwert* < al. *eigen*, 'próprio', + *Wert*, 'valor'.] *S. m.* **1.** *Mat.* V. *autovalor* (1). **2.** *Álg.* V. *autovalor* (2). **3.** *Fís.* Autovalor (3).

eigenvetor (aiguen... ô) [Adapt. do al. *Eigenvektor* al. *eigen*, 'próprio', + al. *Vektor*, 'vetor'.] *S. m. Mat.* Autovetor.

ei-lo Comb. do adv. *eis* com o pron. *lo*: 📖 "E ei-la, a morte! e ei-lo, o fim!" (Olavo Bilac, *Poesias*, p. 268.) [Flex.: *ei-la, ei-los, ei-las*.]

▲**-eima** *Suf. nom.* = 'qualidade': *toleima, guloseima*.

eiméria [Do tax. *Eimeria* < antr. (*Theodor*) *Eimer* (1843-1898), zoólogo alemão, + lat. cient. *-ia* (v. *-ia*[2]).] *S. f. Zool.* **1.** Gênero de protozoários esporozoários, coccídios, parasitos do trato gastrointestinal de aves e de mamíferos herbívoros, e causadores da eimeriose (q. v.). **2.** Espécie, ou espécime desse gênero.

eimeríase [Do tax. *Eimeria* (v. *eiméria*) + *-íase*.] *S. f. Veter.* V. *eimeriose*.

eimeriose [Do tax. *Eimeria* + *-ose*[1].] *S. f. Veter.* Afecção dos animais domésticos causada por protozoários do gênero eiméria (q. v.); coccidiose, eimeríase.

▲**-eína** *Quím. Suf.* que designa substância corante: *fluoresceína, ftaleína, xanteína*.

einstein (ainstai) [V.C.I., do antr. *Einstein* (v. *einsteiniano*).] *S. m. Fís.-Quím.* Medida de radiação utilizada em fotoquímica, igual a $6{,}02 \times 10^{23}$ fótons.

einsteiniano (ainstai) *Adj.* Pertencente ou relativo a Albert Einstein (1879-1955), físico alemão naturalizado norte-americano, criador da teoria da relatividade, ou próprio dele. ~ V. *deslocamento* —.

einstêinio (ains) [Do lat. cient. *einsteinium* < antr. *Einstein* (v. *einsteiniano*) + lat. cient. *-ium* (= *-io*[3]).] *S. m. Quím.* Elemento de número atômico 99, artificial, radioativo, metálico [símb.: *Es* e (obsol.) *E*].

einstênio (ains) *S. m. Quím.* V. *einstêinio*.

eira [Do lat. *area*.] *S. f.* **1.** Área de terra batida, lajeada ou cimentada, onde se malham, trilham, secam e limpam cereais e legumes; almanxar. **2.** Terreno onde se junta o sal, ao lado das marinhas. **3.** Pátio, em algumas fábricas de tecido. **4.** *Bras.* Lugar anexo às fábricas de açúcar, onde se guardam as canas antes de serem utilizadas. ◆ **Sem eira nem beira.** Sem recursos; na miséria; sem pouco certo; sem eira nem beira ou ramo de figueira: 📖 "Logo um balseiro, um coitado sem eira nem beira, a filha foi escolher." (Guido Vilmar Sassi, *São Miguel*, p. 79); 📄 *Sem eira nem beira nem ramo de figueira.* **Sem eira nem beira nem ramo de figueira.** V. *sem eira nem beira*: 📖 "Do outro lado, eu, inerme, estudante pelintra, 'futurista' suspeito, sem eira nem beira ou ramo de figueira." (Pedro Nava, *Beira-Mar*, p. 380.) [Segundo A. Nascentes, a figueira seria a árvore onde Judas se enforcou.]

▲**-eira** [Do lat. *-aria*, por via pop.] V. *-eiro*.

eirá [De or. indígena.] *S. m. Bras. Zool.* V. *gato-mourisco*.

eirada [De *eira* + *-ada*[1].] *S. f.* Porção de cereais ou de legumes que se deitam de uma vez na eira (1).

eirado[1] [De *eira* (1) + *-ado*[1].] *S. m. P. us. no Brasil.* V. *terraço* (2 e 3).

eirado[2] [Alter. de *erado*.] *Adj. Bras. SP Pop.* Diz-se do porco na idade de engorda.

eiranta *S. f.* Fem. de *eirante*.

eirante *S. m.* Aquele que trabalha nas eiras [v. *eira* (1)]. [Fem.: *eiranta*.]

▲**-eirão** [De *-eir(o)-* (v. *-eiro*) + *-ão*[1].] V. *-ão*[1].

▲**-eir(o)-** V. *-eiro*.

▲**-eiro** [Do lat. *-ariu* (de *-arius, a, um* e *-arius, ii*), por via pop.] *Suf. nom.* = '(o) que exerce certo ofício, profissão ou atividade'; '(o) que apresenta certo tipo de comportamento, ou determinado traço de personalidade'; 'objeto ou instrumento de ação'; 'máquina ou aparelho'; 'recipiente, receptáculo, ou móvel próprio para guardar certo tipo de coisa'; 'equipamentos esportivos ou de proteção'; 'acúmulo ou coletividade'; 'local'; 'viveiro'; 'planta', 'árvore'; 'afecção, doença, ou defeito físico'; 'ato ou efeito'; 'gentílico': *balseiro, barbeiro, costureiro, hoteleiro, vaqueiro; agoureiro, alcoviteiro; açucareiro, agulheiro, paliteiro; formigueiro, cupinzeiro; abacateiro, abricoteiro, cacauzeiro, craveiro; cobreiro; brasileiro, mineiro*. [Equiv.: *-deiro, -deira, -eira, -eir(o)-, -oeira, -oeiro, -zeira, -zeiro*: *arranjadeiro, benzedeiro, abraçadeira, amoladeira, frigideira; cafeteira, enceradeira, geladeira; biscoiteira, cristaleira, manteigueira, sapateira, sopeira; cotoveleira, tornozeleira; aguaceira, apostemeira, cabeleira; carvoeira, clareira; cerejeira, jabuticabeira, roseira; cegueira, manqueira; bebedeira, brincadeira, choradeira; escaqueirar; cabroeira; cordoeiro; ingazeira; taxizeiro; imbuzeiro*. V. *-ário*.]

eirope [Do tax. *Eyrops*.] *S. m. Paleont.* **1.** Gênero de animais anfíbios dotados de dentes muito afiados, predadores de insetos e peixes, e que habitavam pântanos no carbonífero. **2.** Espécie ou espécime desse gênero.

eirós [De or. controv.] *S. m. Lus.* Enguia: 📖 "lembrou as boas comezainas portuguesas: 'As caldeiradas d'eiroses, a orelheira de porco com feijão branco, a açorda, o caldo gordo, o famoso bacalhau do Algarve!'" (Aluísio Azevedo, *O Mulato*, p. 43.)

eiru [De or. afr.] *S. m. Bras. Rel.* Iruquerê.

eirunepeense (êen) *Adj. 2 g.* **1.** De, ou pertencente ou relativo a Eirunepé (AM). • *S. 2 g.* **2.** O natural ou habitante de Eirunepé.

eis [De or. incerta.] *Adv.* Aqui está: 📖 "Depois abre uma porta: eis a cama do filho." (Ribeiro Couto, *Poesias Reunidas*, p. 32); "Eis a cidade enfim" (Raimundo Correia, *Poesias*, p. 18). [Cf. *heis*, do v. *haver*.] ◆ **Eis senão quando.** Quando menos se esperava; subitamente, repentinamente.

eisoptrofobia *S. f. Psiq.* V. *isoptrofobia*.

eisoptrofóbico *Adj. S. m. Psiq.* V. *isoptrofóbico*.

eisoptrófobo *Adj. S. m. Psiq.* V. *isoptrófobo*.

eita *Interj. Bras. N.E.* V. *eta* (ê).

eita-ferro *Interj. Bras. N.E.* V. *eta* (ê).

eita-pau *Interj. Bras. N.E.* V. *eta* (ê).

eito [Do lat. *ictu*.] *S. m.* **1.** Sequência ou série de coisas que estão na mesma direção ou linha. **2.** *Bras.* Limpeza de uma plantação por turmas que usam enxadas. **3.** *Bras.* Roça onde trabalhavam escravos: 📖 "Em alguns engenhos do Nordeste a cachaça era fornecida aos negros do eito logo com a primeira refeição do dia" (Mário Souto Maior, *Dicionário Folclórico da Cachaça*, p. 16). **4.** *P. ext. Bras. Pop.* Trabalho intenso. ◆ **A eito.** A fio; a seguir. **Tirar de eito.** *Bras. N.E.* Levar de vencida (q. v.).

eiva [De or. incerta.] *S. f.* **1.** Falha, fenda, rachadura, em vidro ou em louça. **2.** Nódoa num fruto que principia a apodrecer. **3.** Estado das terras lavradas que, achando-se molhadas, ficam recobertas por uma camada de terra seca, revolvida. **4.** Actinomicose do pescoço do boi e do carneiro; papeira. **5.** *Fig.* Defeito físico ou moral.

eivar [De *eiva* + *-ar*[2].] *V. t. d.* **1.** Produzir mancha em. **2.** Contaminar, infectar (física ou moralmente): 📄 *As más leituras eivaram o espírito do jovem*; 📖 "Desde os onze anos entrou a admitir-me às anedotas reais ou não, eivadas todas de obscenidades ou imundície." (Machado de Assis, *Memórias Póstumas de Brás Cubas*, p. 35). *Int.* **3.** Estar (a terra) com eiva (3). *P.* **4.** Principiar a apodrecer. **5.** Rachar-se (o vidro). **6.** Enfraquecer(-se), debilitar-se; decair.

eixo[1] [Do lat. *axe* < gr. *áxon*.] *S. m.* **1.** Reta que passa pelo centro de um corpo e em volta da qual esse corpo executa movimento de rotação. **2.** Linha principal que divide um corpo em partes aproximadamente simétricas ou equilibradas: 📄 *o eixo do corpo hu-*

mano; o eixo de uma planta; o eixo de um edifício; o eixo de um quadro. **3.** Linha que corre na mesma direção de duas paralelas: *o eixo de uma estrada, de um cano.* **4.** Linha ou área de terreno que se estende entre dois pontos geográficos extremos: *Surgem povoações no eixo Belém-Brasília.* **5.** Peça destinada a articular uma ou mais partes de um mecanismo que em torno dela descrevem movimento circular: *o eixo de um ventilador.* **6.** Peça alongada, geralmente metálica, em cujas extremidades se fixam as rodas dum carro ou doutra máquina. **7.** *Astr.* Reta em torno da qual um astro executa o seu movimento de rotação. **8.** *Mat.* Reta sobre a qual se fixa um sentido positivo; reta orientada. **9.** *Geom.* Reta comum aos planos de um feixe. **10.** *Fig.* Ideia principal; essência: *o eixo de um discurso; o eixo de um programa político.* **11.** *Fig.* O ponto principal; o centro: *o eixo dos acontecimentos.* **12.** *Fig.* Apoio, suporte, sustentáculo: *Com a morte do pai desfez-se o eixo da família.* **13.** *Fig.* Aliança entre nações de sistema político idêntico. **14.** *Fig. Restr.* O pacto entre a Alemanha nazista e a Itália fascista, celebrado em 1936. **15.** O conjunto formado por esses países mais o Japão, durante a Guerra Mundial de 1939 a 1945, o qual defendia princípios políticos idênticos aos daqueles países: *o eixo Berlim-Roma-Tóquio.* ◆ **Eixo cartesiano.** *Mat.* **1.** Qualquer das retas características das coordenadas cartesianas bidimensionais. **2.** Qualquer das retas formadas pela interseção dos planos característicos das coordenadas cartesianas tridimensionais. **Eixo coordenado.** *Mat.* Num sistema de coordenadas, qualquer reta na qual, ou em relação à qual, se determina uma das coordenadas; eixo de coordenadas. **Eixo cristalográfico.** *Min.* Linha imaginária que passa pelo centro de um cristal, e cujo fim é orientá-lo e defini-lo no espaço, podendo ou não coincidir com os eixos de simetria. **Eixo da esfera celeste.** *Astr.* Eixo do mundo (q. v.). **Eixo de coordenadas.** *Mat.* Eixo coordenado (q. v.). **Eixo de eclíptica.** *Astr.* Reta perpendicular ao plano da eclíptica, e que passa pela origem de um sistema de coordenadas eclípticas. **Eixo de geminação.** *Crist.* V. *macla.* **Eixo de simetria.** *Geom.* Reta em relação à qual uma figura geométrica apresenta simetria; reta de simetria. **Eixo de zona.** *Crist.* V. *zona* (6). **Eixo do equador.** *Astr.* Reta perpendicular ao plano do equador, e que passa pela origem de um sistema de coordenadas equatoriais. **Eixo do mundo.** *Astr.* Reta que passa por um observador na superfície da Terra, paralelamente ao eixo de rotação terrestre, e em torno da qual a esfera celeste executa o movimento diurno; eixo da esfera celeste. **Eixo geomagnético.** *Geofís.* Eixo que passa pelo centro da Terra e é perpendicular ao plano médio dos pontos do equador magnético (q. v.). [Como os polos magnéticos não são diametralmente opostos, o eixo geomagnético não os contém necessariamente.] **Eixo horário.** *Astr.* Em um instrumento equatorial, eixo paralelo ao eixo do mundo; eixo polar. **Eixo instantâneo.** *Fís.* Num movimento de um corpo, eixo ideal em torno do qual se realiza, em cada instante, uma rotação infinitesimal desse corpo. **Eixo óptico.** *Ópt.* **1.** Num instrumento óptico, reta sobre a qual estão os pontos focais, os pontos principais, os pontos nodais e os polos das lentes do sistema. **2.** *Crist.* Num cristal anisótropo, direção que é um eixo de simetria para a forma geométrica do cristal e para a disposição espacial das partículas constitutivas dele. **Eixo polar.** *Astr.* Eixo horário (q. v.). **Eixo radical.** *Geom.* Lugar geométrico dos pontos do plano de igual potência em relação a duas circunferências desse plano. **Eixo transverso.** *Astr.* Distância entre as apsides, igual ao semieixo maior nas órbitas elípticas. **Entrar nos eixos. 1.** Voltar a conduzir-se com juízo, bom senso, comedimento. **2.** Normalizar-se, regularizar-se: "as coisas entraram nos eixos. O almoxarife parecia não ter mais aborrecimentos" (Francisco de Assis Barbosa, *A Vida de Lima Barreto*, p. 49). **Fora dos eixos.** *Fig.* Fora do natural; perturbado, transtornado. **Pôr nos eixos.** *Fig.* Regular o andamento de (um assunto, um negócio); pôr em ordem; ordenar. **Sair dos eixos.** *Fig.* Perder o domínio de si mesmo; descomedir-se, exceder-se.

eixo² *S. m.* V. *eixo-badeixo.*

eixo-badeixo [De *eixo*¹ + *badeixo*, voc. expressivo calcado no primeiro.] *S. m. Bras. N.E.* Brinquedo de crianças, em que cada uma salta por cima das costas, encurvadas, das outras colocadas a distâncias iguais. [F. red.: *eixo.* Sin.: *carniça.* Pl.: *eixos-badeixos.*]

eixu *S. m. Bras. Zool.* V. *enxuí.*

■ **EJA** Abrev. para *Educação de jovens e adultos.*

ejá [Do ior.] *S. m. Bras. Rel.* Peixe, comida votiva de Iemanjá em alguns candomblés.

ejaculação [De *ejacular* + *-ção.*] *S. f.* **1.** Ato de ejacular. **2.** Derramamento com força; emissão, expulsão, jato (de um líquido). **3.** Ato ou efeito de emitir: *ejaculação de corpúsculos luminosos;* "Heródoto... Heródoto! que nome! só o escrevê-lo é uma ejaculação de sabedoria!" (Camilo Castelo Branco, *Noites de Lamego*, p. 13). **4.** *Fig.* Abundância de palavras. **5.** *Restr.* Emissão ou ejaculação (1) de esperma. [Cf., nesta acepç., *polução* (2).] ◆ **Ejaculação precoce.** *Urol. Psiq.* Ejaculação seminal logo após o início da relação sexual; *ejaculatio praecox.* **Ejaculação tardia.** *Urol. Psiq.* Ejaculação seminal em tempo além do normal em relação sexual; *ejaculatio retardata.*

ejaculador (ô) [De *ejacular* + *-dor.*] *Adj.* **1.** Que ejacula. ~ V. *canal — e ducto —.* ● *S. m.* **2.** Aquilo que serve para ejaculação. **3.** *Bot.* Excrescência funicular que, nas cápsulas de numerosas acantáceas, serve para lançar a distância as sementes, favorecendo-lhes a disseminação.

ejacular [Do lat. tard. *ejaculare.*] *V. t. d.* **1.** Lançar de si; emitir (sêmen ou pólen); jacular. **2.** Derramar com força ou com abundância (líquido). **3.** Proferir, emitir: *Irritado, ejaculava impropérios;* "o Sr. Senador Pena, que .... ejaculou alguns discursos *notáveis*" (Machado de Assis, *Crônicas*, I, p. 53). *T. d. e i.* **4.** Ejacular (3): *Ejaculou impropérios à plateia. Int.* **5.** *Restr.* Emitir ou ejacular esperma; jacular.

➔**ejaculatio praecox** [ɛjako'latɕo 'pɾajkɔks] [Lat.] V. *ejaculação precoce.*

➔**ejaculatio retardata** [ɛjako'latɕo ɾetaɾ'data] [Lat.] V. *ejaculação tardia.*

ejaculatório [De *ejacular* + *-tório.*] *Adj.* Que contribui para a ejaculação: *músculos ejaculatórios.* ~ V. *ducto —.*

▲**-ejar** [Do lat. vulg. *-idiare.*] Equiv. de *-ear*².

ejé [Do ior.] *S. m. Bras. Rel.* No candomblé, sangue de animal votivo sacrificado.

ejeção [Do lat. *ejectione.*] *S. f.* Ação de expulsar ou expelir.

ejecção *S. f.* V. *ejeção.*

ejector (ô) *Adj. S. m.* V. *ejetor.*

ejetado [Part. de *ejetar.*] *Adj.* Que sofreu ejeção.

ejetamento [Do lat. *ejectamentu.*] *S. m. Geol.* Ejeto.

ejetar [Do lat. *ejectare*, 'lançar fora', por via erudita.] *V. t. d.* **1.** Produzir a ejeção de; expulsar, expelir. *P.* **2.** *Aer.* Fazer uso de assento ejetável para abandonar aeronave, em caso de emergência: *O piloto ejetou-se quando o fogo invadiu a nacele.*

ejetiva [F. subst. de *ejetivo.*] *S. f. E. Ling.* Consoante ejetiva (q. v.).

ejetivo [Do alt. *ejetus*, part. pass. de *ejicere*, 'ejetar', + *-ivo.*] *Adj.* ~ V. *consoante —a.*

ejeto [Do lat. *ejectu.*] *S. m. Geol.* Designação comum aos produtos não gasosos lançados pelos vulcões; ejetamento.

ejetólito [De *ejeto* *-lito.*] *S. m. Geol.* Fragmento de rocha lançado pelos vulcões.

ejetor (ô) [Do lat. *ejectus*, part. pass. de *ejicere*, 'ejetar', + *-or.*] *Adj.* **1.** Que ejeta: *tubo ejetor.* ● *S. m.* **2.** *Tec. Mec.* Edutor (3). **3.** Bocal por onde se conduz um fluido sob pressão a fim de conseguir um escoamento a velocidade elevada. **4.** Peça com que se extraem das armas de fogo os cartuchos ou cápsulas detonadas. **5.** *Tip.* Expulsor (3).

ejibegodegu *Bras. S. 2 g.* **1.** *Etnôn.* Indivíduo dos ejibegodegus, povo indígena extinto, da família linguística guaicuru, que habitava as margens do rio Branco, no S.O. de MS. ● *Adj. 2 g.* **2.** Pertencente ou relativo a esse povo. [Tb. us. como *s. 2 g. e 2 n.* (com cap.) e *adj. 2 g. e 2 n.*]

▲**-ejo** [Do esp. *-ejo.*] *Suf. nom.* = 'diminuição'; 'pendor', 'tendência'; 'aparência', 'relação'; 'procedência', 'residência': *lugarejo; andejo; salmonejo; vilarejo; sertanejo.*

ejuo *Bras. S. 2 g.* **1.** *Etnôn.* Indivíduo dos ejuos, povo indígena extinto, da família linguística guaicuru, que habitava as margens do rio Paraguai (MS). ● *Adj. 2 g.* **2.** Pertencente ou relativo a esse povo. [Tb. us. como *s. 2 g. e 2 n.* (com cap.) e *adj. 2 g. e 2 n.*]

el *Ant.* F. arc. do artigo *o*, subsistente apenas na expressão *el-rei.*

▲**-el** [Do lat. *-ellu*, pelo provenç., poss.] *Suf. nom.* = 'diminuição'; 'semelhança': *cabecel, cintel, copel, cromel.*

ela [Do lat. *illa*, 'aquela'.] *Pron.* **1.** Pron. pess. fem. da 3ª pessoa. ● *S. f.* **2.** V. *cachaça* (1): "Tomava um trago, molhava as mãos com 'ela', antes de começar o serviço." (Francisco Julião, *Cachaça*, p. 64.) ◆ **Ela por ela.** A escolher, entre duas coisas iguais. **Elas por elas.** *Bras. Pop.* Na mesma moeda: *Se me desrespeitar, terá o troco: é elas por elas.* **Agora é que são elas.** V. *aí é que são elas.* **Aí é que são elas.** Aí é que está a dificuldade, o problema; aí é que bate o ponto; aí é que a coisa fia fino; agora é que são elas.

▲**-el(a)-** V. *-ela.*

▲**-ela** [Do lat. *-ella.*] *Suf. nom.* = 'diminuição'; 'ação rápida, superficial': *ruela, viela;* é us., tb., na formação de voc. eruditos: *rodela* (< lat.), *membranela.* [Equiv.: *-dela, -el(a)-: olhadela; monactinélida.*]

elã [Do fr. *élan* < fr. médio *eslan*, 'investida', 'arremetida'; 'ímpeto', < fr. médio *(s')eslancer*, 'arremessar(-se)', 'lançar(-se)'.] *S. m.* **1.** Arrebatamento súbito e efêmero; impulso. **2.** Entusiasmo, disposição: *Já não trabalha com o elã de antigamente.* **3.** Inspiração, estro. [Sin. ger.: *elance.* Usa-se tb. o fr. *élan.*]

elaboração [Do lat. *elaboratione.*] *S. f.* **1.** Ato ou efeito de elaborar; laboração. **2.** Preparo esmerado: *a elaboração de uma iguaria.* **3.** Trabalho do espírito que conduz a uma ideia, a um conceito, etc.: *a elaboração de uma teoria.* **4.** *Fisiol.* A produção, num organismo, de novas substâncias, sejam elas de secreções, ou de excreções. **5.** *Psiq.* Processo mental de reorganização e ajuste de aspectos psíquicos, esp. de símbolo ou de representação em sonho.

elaborado [Part. de *elaborar.*] *Adj.* Feito com esmero; aprimorado: *decoração elaborada; texto elaborado.* ~ V. *código —.*

elaborador (ô) [De *elaborar* + *-dor.*] *Adj. S. m.* Que, ou aquele que elabora.

elaborar [Do lat. *elaborare.*] *V. t. d.* **1.** Preparar gradualmente e com trabalho: *As aves elaboram pacientemente os seus ninhos; Elaborou, anos a fio, uma tese que revolucionou as teorias correntes.* **2.** Planeja (2): *elaborar projetos.* **3.** Dispor as partes de; pôr ordem; ordenar. **4.** Tornar assimilável (os alimentos). *P.* **5.** Operar-se; formar-se.

elaborável [De *elaborar* + *-vel.*] *Adj. 2 g.* Que pode ser elaborado.

elação [Do lat. *elatione.*] *S. f.* **1.** Altivez, arrogância. **2.** Elevação, sublimidade: "e no garbo com que regia o seu fogoso cavalo, assomavam os realces de uma alma elevada que tem consciência de sua superioridade, e sente ao passar pela Terra a elação das asas celestes." (José de Alencar, *O Sertanejo*, p. 30). [Cf. *ilação.*]

elafebólias [Adapt. do gr. *Elaphebólia.*] *S. f. pl.* Na antiga Atenas, festas da caça ao cervo, em honra da deusa Ártemis, celebradas no mês de elafebólion.

elafebólio [Do gr. *elaphebolión.*] *S. m. Cronol.* V. *elafebólion.*

elafebólion [Do gr. *Elaphebolión.*] *S. m. Cronol.* O nono mês do calendário grego, com 30 dias, que corresponde aproximadamente ao mês de março do calendário gregoriano. [Var.: *elafebólio.*]

elafiano [De *elaf(o)-* + *-iano.*] *Adj.* Referente ou semelhante ao, ou próprio do veado¹ (1).

▲ **elaf(o)-** [Do gr. *élaphos, ou* (ã).] *El. comp.* = 'veado': *elafiano, elafografia.*

elafografia [De *elaf(o)-* + *-grafia.*] *S. f.* Tratado a respeito dos veados.

elafográfico [De *elafografia* + *-ico*².] *Adj.* Relativo à elafografia.

▲**elai(o)-** V. *ele(o)-.*

➔**élan** [e'lã] [Fr.] *S. m.* V. *elã.*

elance *S. m.* V. *elã.*

elanguescente [De *elanguescer* + *-nte.*] *Adj. 2 g.* **1.** Que elanguesce. **2.** Lânguido, fraco.

elanguescer [Do lat. *elanguescere.*] *V. int. P.* V. *enlanguescer.* [Conjug.: v. *crescer.*]

elapídeo [Do lat. cient. *elap-* (< tax. *Elaps* < gr. med. *élaps*, 'certo peixe') + *-ídeo*¹; tax. *Elapidae.*] *Zool. S. m.* **1.** Espécime dos elapídeos, família de ofídios glifodontes, ágeis, noturnos, de veneno neurotóxico, na qual se encontram, entre outras, as cobras-corais, gênero *Micrurus* e *Elops*, e as mambas-africanas, gênero *Dendroaspis.* ● *Adj.* **2.** Pertencente ou relativo a eles.

elaquistíneo *S. m. Adj. Zool.* V. *elaquistóideo.*

elaquistóideo [Do gr. *eláchistos*, 'mínimo', + *-óideo.*] *Zool. S. m.* **1.** Espécime dos elaquistóideos, superfamília de lepidópteros que reúne borboletas com asas posteriores lanceoladas; o principal gênero é *Elachista.* ● *Adj.* **2.** Pertencente ou relativo a eles. [Sin. ger.: *elaquistíneo.*]

elar [De *elo* + *-ar*².] *V. t. d.* **1.** Prender com elo. **2.** *P. ext.* Prender, ligar, atar: "Ora em nastros não mais a parasita / Verde às colunas vegetais se enrola, / E o corpo elando, os píncaros enfita." (Alberto de Oliveira, *Poesias*, I, p. 223.)

elasipodido *Zool. S. m.* **1.** Espécime dos elasipodidos, ordem de animais pelágicos, equinodermos, holoturoides, de corpo provido de tentáculos peltados e boca ger. ventral. Ex.: o pepino-do-mar. ● *Adj.* **2.** Pertencente ou relativo a eles.

▲**elasm(o)-** [Do lat. cient. *elasmo-* < gr. *elasmós, oû*, ou de *élasma, atos*, 'lâmina metálica'.] *El. comp.* = 'lâmina, chapa de metal': *elasmobrânquio, elasmossauro, elasmotério.*

elasmobrânquio [De *elasm(o)-* + *-brânquio*; tax. *Elasmobranchii.*] *S. m. Adj. Zool.* V. *condricte.*

elasmodonte *Adj. 2 g. Zool.* Diz-se do dente molar dos proboscídeos cujo esmalte é disposto em fitas alongadas.

elasmossauro [De *elasm(o)-* + *-sauro*; tax. *Elasmosaurus*.] *S. m. Paleont.* **1.** Gênero de dinossauros marinhos que atingiam até 13m de comprimento e 5t de peso; carnívoros, de pescoço longo e fino, e cabeça pequena. Habitaram águas costeiras da América do Norte, no cretáceo, alimentando-se de peixes e moluscos. **2.** Qualquer espécie desse gênero, como, p. ex., a *Elasmosaurus platyuros*. **3.** Qualquer espécime desse gênero.

elasmotério [De *elasm(o)-* + *-tério*¹; tax. *Elasmotherium*.] *S. m. Paleont.* **1.** Gênero de mamíferos do plistoceno da Sibéria, de grande porte, semelhantes aos rinocerontes, e que tinham grande chifre na cabeça e molares semelhantes aos dos atuais camelos e rinocerontes. **2.** Qualquer espécie desse gênero, como, p. ex., o *Elasmotherium sibericum*. **3.** Qualquer espécime desse gênero.

elastano [De *elast(o)-* + *(poliure)tano*.] *S. m. Tec. Têx.* **1.** Fibra à base de poliuretano, de grande elasticidade, resistência ao sol e à água salgada, que é us. na confecção de roupa de baixo, vestuário esportivo, meias, etc. **2.** Nome genérico de vários tecidos produzidos com fios dessa fibra.

elastecer [De *elást(ico)* + *-ecer*.] *Bras. N.E. V. t. d.* **1.** Dilatar, alargar (qualquer objeto), como se fosse elástico. *Int.* **2.** Dilatar-se, alargar-se, quando puxado, ou em consequência do tempo e/ou do uso. [Conjug.: v. *aquecer*.]

elastério [Do gr. *elastós*, var. de *elatós*, 'dúctil', + *-ério*.] *S. m.* **1.** *P. us.* Elasticidade (1). **2.** *Fig.* Força moral; energia, vigor.

elasticidade [De *elástico* + *-(i)dade*.] *S. f.* **1.** Propriedade que apresentam certos corpos de retornar à sua forma primitiva ao cessar a ação que neles produziu uma deformação. [Sin., p. us.: *elastério*. Cf. *plasticidade*.] **2.** *P. ext.* Flexibilidade, maleabilidade: *a elasticidade de um bailarino, de um caniço; elasticidade de espírito.* **3.** *Fig.* Falta de escrúpulos; dobrez; doblez: *elasticidade de consciência.* **4.** *Econ.* Relação entre uma variação percentual na quantidade demandada, ou ofertada, de um bem, e a variação percentual de preço ou de renda que a determinou.

elasticidade-preço *S. f. Econ.* Relação entre uma variação percentual na quantidade demandada, ou ofertada, de um bem, e a variação percentual de preço que a determinou: *A elasticidade-preço da procura por um medicamento é sempre baixa.* [Pl.: *elasticidades-preços* e *elasticidades-preço*.]

elasticidade-renda *S. f. Econ.* Relação entre uma variação percentual na quantidade demandada, ou ofertada, de um bem, e a variação percentual de renda que a determinou. [Pl.: *elasticidades-rendas* e *elasticidades-renda*.]

elástico [Do gr. *elastós*, var. de *elatós*, 'dúctil', + *-ico*².] *Adj.* **1.** Que tem elasticidade (1). **2.** Que se pode esticar, comprimir ou curvar; flexível: *tecido elástico; colchão elástico.* **3.** *Fig.* Flexível, dócil, complacente: *consciência elástica.* **4.** *Fig.* Que se alarga, cresce, aumenta: *paciência elástica; fortuna elástica.* **5.** *Econ.* Diz-se da procura, ou oferta, que mostra alta elasticidade-preço ou alta elasticidade-renda. ~ V. *acoplamento —, cartilagem —, choque —, deformação —a, fibra —a, meia —a* e *pastilha —*. ● *S. m.* **6.** Tira de borracha, ordinariamente circular, usada para cintar objetos que se deseja manter unidos. **7.** Cordão de borracha envolvido em fio de linha, usado no vestuário. **8.** Tecido, galão ou fita, tramado com fio de borracha e algodão, seda ou fibra sintética, usado na fabricação de suspensórios, ligas, cintas, etc. **9.** *Bras. Fut.* Drible (1) em que o jogador descreve um *S* com a bola junto ao pé.

elastificar [De *elást(ico)* + *-ficar*.] *V. t. d.* **1.** Tornar elástico. *P.* **2.** Tornar-se elástico (3).

elastina [De *elast(o)-* + *-ina*³.] *S. f. Bioquím.* Proteína fibrosa, elástica, que é o constituinte principal do tecido conjuntivo elástico.

▲**elast(o)-** [Do lat. cient. *elast-*, *elasto-* < gr. *elastós*, var. de *elatós*, 'dúctil'.] *El. comp.* = 'elasticidade': *elastano*.

elastomérico [De *elastômero* + *-ico*².] *Adj.* Relativo a elastômero.

elastómero *S. m. Quím.* V. *elastômero*. [Uso freq. em P.]

elastômero [De *elast(o)-* + *-mero*.] *S. m. Quím.* Polímero com propriedades físicas parecidas com as da borracha.

élate [Do tax. *Elate* (do gr. *eláte, es*, 'pinheiro').] *S. m. Bot.* Fênix (5).

elaterídeo [Do tax. *Elater* (< gr. *elatér*, 'condutor') + *-ídeo*¹; tax. *Elateridae*.] *Zool. S. m.* **1.** Espécime dos elaterídeos, família de insetos coleópteros que reúne besouros saltadores que, ao caírem sobre o dorso, se projetam para o ar, produzindo um clique característico e, desse modo, reviram o corpo e caem sobre a superfície ventral. ● *Adj.* **2.** Pertencente ou relativo a eles.

elaterina [Do tax. *(Ecballium) elaterium* (v. *elatério*²) + *-ina*³.] *S. f. Quím.* Pó cristalino, branco, venenoso, purgativo, cucurbitacina extraída do elatério² [fórm.: $C_{32}H_{44}O_8$].

elatério¹ [Do gr. *elatérion*.] *S. m. Bot.* **1.** Fruto que lança as sementes com violência, como as cápsulas do beijo-de-frade. **2.** Célula alongada, morta, provida de uma hélice interna, que se acha misturada com os esporos das hepáticas e os arroja a distância. [Var.: *elátero*.]

elatério² [Do gr. *elatérion*, pelo lat. *elateriu*.] *S. m.* **1.** Pepino-do-diabo (*Ecballium elaterium*). **2.** Pó fino que se obtém do pepino-do-diabo, e que é us. como purgativo.

elaterite [Do gr. *elatér*, 'o que impele', + *-ite*².] *S. f.* Espécie de betume (1) que, exposto ao ar, se torna duro e quebradiço.

elátero *S. m. Bot.* V. *elatério*¹.

elaterómetro *S. m.* V. *elaterômetro*. [Uso freq. em P.]

elaterômetro [Do gr. *elatér, éros*, 'o que impele', + *-metro*.] *S. m.* Instrumento com que se mede a elasticidade atmosférica.

elatina [Do gr. *elatíne*, pelo lat. *elatine*.] *S. f.* Pimenteira aquática (*Antirrhinon elatina*).

elatinácea [Do tax. *Elatina* (do gr. *elatíne*) + *-ácea*; tax. *Elatinaceae*.] *S. f. Bot.* Espécime das elatináceas, família da ordem das malpighiales; composta de plantas herbáceas ou subarbustivas, ger. aquáticas, contendo dois gêneros (*Bergia* e *Elatine*) e cerca de 40 espécies, com área de ocorrência nas regiões tropicais e temperadas da Europa e Ásia.

elatináceo [De *elatinácea*, com var. suf. (v. *áceo*).] *Adj. Bot.* Pertencente ou relativo às elatináceas.

elativo [Do lat. *elatus*, part. pass. de *efferre*, 'levar para fora', + *-ivo*.] *E. Ling. Adj.* **1.** ~ V. *caso —*. ● *S. m.* **2.** Caso elativo (q. v.).

elator (ô) [Do lat. *elatus*, part. pass. de *eferre*, 'tirar'; 'elevar', + *-or*.] *Adj.* **1.** Que eleva; elevador. **2.** Que erige; eretor. ● *S. m.* **3.** Aquilo que eleva; eretor.

eldoradense¹ *Adj. 2 g.* **1.** De, ou pertencente ou relativo a Eldorado (SP e MS). ● *S. 2 g.* **2.** O natural ou habitante de Eldorado.

eldoradense² *Adj. 2 g.* **1.** De, ou pertencente ou relativo a Eldorado do Sul (RS). ● *S. 2 g.* **2.** O natural ou habitante de Eldorado do Sul.

eldorado *S. m.* **1.** País imaginário que, no séc. XVI, se dizia existir na América meridional. [Com cap.] **2.** Lugar pródigo em delícias e riquezas.

ele (é) *S. m.* A letra *l*. [Sin., em AL, SE e BA: *lê*.] [Pl.: *eles* (é). Cf. *ele* (ê), pl. *eles* (ê), e o antr. *Élis*.]

ele (ê) [Do lat. *ille*.] *Pron. pess.* **1.** Designa a 3ª pess. do masc. sing.: "Ele [Deus], ao mais pobre de alma, há tributado / Desvelo e amor" (Antero de Quental, *Sonetos*, p. 187); "Tudo em X... me dominava. A figura primeiro. Ele robusto, eu franzino" (Machado de Assis, *Relíquias de Casa Velha*, p. 62); "Besouro ou moscardo, o que é certo é que todos os militares estavam voltados para ele" (José Cardoso Pires, *Jogos de Azar*, p. 33); "Bebeste para esquecer / As mágoas do coração; / Mas ele é que não se esquece" (João de Deus, *Campo de Flores*, I, p. 201). Na fase arcaica da língua, empregou-se como objeto direto, uso que persiste no Brasil, entre pessoas incultas e na fala de pessoas cultas descuidadas: *Vi ele.* No português moderno, ainda pode ser usado com essa função, desde que antecedido da prep. *a*, constituindo, com ela, o objeto direto preposicionado (como sucede, aliás, com *nós* e *vós*): "Nem ele entende a nós, nem nós a ele" (Luís de Camões, *Os Lusíadas*, V, 28). Usa-se com preposições ("Mal com *ele*, pior sem *ele*" — prov.), e aglutina-se com *de* e *em*, assumindo as f. *dele* e *nele*. Aparece, às vezes, como sujeito fictício de verbos impessoais ou unipessoais, ao jeito do francês, do inglês e do alemão, uso ainda observável, sobretudo na linguagem do povo, em Portugal (o exemplo, que adiante se vê, de Machado de Assis — além de mais uns três que se poderiam citar —, constitui, parece-nos, mero traço lusitano entre vários outros da linguagem desse autor): "Que ele há neuroses dum preço!" (Fialho d'Almeida, *Lisboa Galante*, p. 37); "Ele havia coisas..." (Antunes da Silva, *O Aprendiz de Ladrão*, p. 211); "— Ele água há em toda a parte, Sr. compadre" (Brito Camacho, *Gente Rústica*, p. 35); "E ele há duas espécies de fome" (Domingos Monteiro, *Histórias Castelhanas*, p. 59); "Que ele também há eleições no Amazonas" (Machado de Assis, *Relíquias de Casa Velha*, p. 145). Tem, às vezes, caráter expletivo, servindo para realçar o sujeito dantes expresso: "o sangue de Xavier com ímpetos de mais acelerado, e ardente, e como .... mais adelgaçado no fogo do amor, ele por si se desfechou das veias." (Pe. Antônio Vieira, *Sermões*, VIII, p. 122); "E o meiro, no entretanto, / .... / Mal vinha no oriente / A madrugada clara, / Já ele andava jovial, inquieto, / Comendo alegremente, honradamente, / Todos os parasitas da seara" (Guerra Junqueiro, *A Velhice do Padre Eterno*, p. 156). Outras vezes, sem perder esse caráter, apresenta-se (no falar lusitano) contaminado de afetividade mais ou menos intensa e despido de qualquer conteúdo lógico: "Ele já lhe constara que iam ser extintos muitos postos da guarda republicana" (Manuel Ribeiro, *A Planície Heroica*, p. 95); "o povo ala-se nos matos, ele vá de queimar, arrotear, desmoitar..." (Id., *ib.*, p. 104); "— Pensar eu, sr. prior, que desde que me entendo .... ando aí a afocinhar na terra, e que abri léguas de charneca arrebentando com trabalhar, ele de dia e de noite, ele à chuva e à estorreira do sol" (Id., *ib.*, p. 106); "Eu criei amizade ao sr. prior, que ele tudo se agrada dele porque tem bonitas maneiras" (Id., *ib.*, p. 238). Cf. *ele*, o pl. *eles* e *si*². ● *S. m.* **2.** V. *diabo* (2). ◆ **Que só ele.** *Bras.* Como ele só; como ninguém mais: *Bobo que só ele, acredita em tudo quanto lhe dizem; É ruim que só ele* (é muito ruim).

eleagnácea [Do tax. *Elaeagnus* (do gr. *elaíagnos*, 'certo arbusto') + *-ácea*; tax. *Elaeagnaceae*.] *S. f. Bot.* Espécime das eleagnáceas, família da ordem das mirtifloras, que compreende 16 espécies temperadas de arbustos, os quais têm folhas alternas ou opostas e dotadas de pelos escamiformes ou estrelados. Flores haploclamídeas, tetrâmeras, hermafroditas, ordenadas em racemos. Fruto: noz encerrada no eixo floral carnoso.

eleagnáceo [De *eleagnácea*, com var. suf. (v. *-áceo*).] *Adj. Bot.* Pertencente ou relativo às eleagnáceas.

eleata [Do gr. *eleátes*, pelo lat. *eleates*; fr. *éléate*.] *Adj. 2 g.* **1.** De, ou pertencente ou relativo a Eleia, antiga cidade grega na Itália meridional (Magna Grécia). **2.** *Filos.* Relativo ou pertencente ao eleatismo. **3.** *Filos.* Diz-se de partidário do eleatismo. ● *S. 2 g.* **4.** O natural ou habitante de Eleia. **5.** Partidário do eleatismo. [Sin. ger.: *eleático*.]

eleático [Do gr. *eleatikós*, pelo lat. *eleaticu*.] *Adj.* **1.** Eleata (1 a 3). ~ V. *escola —a*. ● *S. m.* **2.** Eleata (4 e 5).

eleatismo [De *eleata* + *-ismo*.] *S. m. Hist. Filos.* Doutrina dos filósofos pré-socráticos da escola de Eleia fundada por Xenófanes de Cólofon (séc. VI a. C.), filósofo grego, e cujo representante principal, Parmênides (séc. V a. C.), defendeu a tese da unidade e imobilidade absolutas do ser, tese reafirmada por seu discípulo Zenão (séc. V a. C.) com argumentos que ficaram famosos, as *aporias de Zenão*.

elecampana [Do lat. med. *elena campana*, 'inula do campo'.] *S. f. Bot.* Grande erva asterácea (*Inula campana*) de folhas ásperas, cujas flores, amarelas, são radiadas; é nativa da Europa, mas atualmente habita, tb., os E.U.A.

electracústica *S. f. Fís.* V. *eletracústica*.

electracústico *Adj. Fís. Mús.* Eletracústico.

electrencefalografia (cè) *S. f. Med.* Eletrencefalografia.

electrencefalográfico (cè) *Adj.* Eletrencefalográfico.

electrencefalógrafo (cè) *S. m.* V. *eletrencefalógrafo*.

electrencefalograma (cè) *S. m. Med.* Eletrencefalograma.

▲**ele(c)tr(i)-** V. *ele(c)tr(o)-*.

electricidade *S. f. Fís.* V. *eletricidade*.

electricismo *S. m.* V. *eletricismo*.

electricista *Adj. 2 g. S. 2 g.* V. *eletricista*.

eléctrico *Adj. S. m.* V. *elétrico*.

electrificação *S. f.* V. *eletrificação*.

electrificar *V. t. d.* V. *eletrificar*.

electrificável *Adj. 2 g.* V. *eletrificável*.

electrímã *S. m. Fís.* V. *eletroímã*.

electríman *S. m. Fís.* V. *eletroímã*.

electrino *Adj.* V. *eletrino*.

eléctrio [De *ele(c)tr(o)-* + *-io*³.] *S. m. Fís.* V. *elétron*. [Var.: *elétrio*.]

electriz *S. f.* V. *eletriz*.

electrização *S. f.* V. *eletrização*.

electrizador (ô) *Adj. S. m.* V. *eletrizador*.

electrizante *Adj. 2 g.* V. *eletrizante*.

electrizar *V. t. d.* V. *eletrizar*.

electrizável *Adj. 2 g. Lus.* V. *eletrizável*.

electro¹ [Do lat. *electru*.] *S. m.* **1.** *Ant.* Âmbar amarelo. **2.** Liga de ouro e prata. [Var.: *eletro*.]

electro² [F. red. de *electrocardiograma*.] *S. m. Card.* V. *eletrocardiograma*.

electro³ [F. red. de *electroencefalograma*.] *S. m. Neur.* V. *eletrencefalograma*.

▲**ele(c)tr(o)-** [Do lat. cient. *electro-* < lat. *electrum*, 'âmbar', < gr. *élektron*] *El. comp.* = 'elétrico', 'eletricidade': *ele(c)trencefalografia, ele(c)trocardiograma.* [É seguido de hífen quando anteposto a palavra iniciada por *h* ou *o*: *ele(c)tro-hidráulico, ele(c)tro-ó(p)tica*; é grafado com *r* ou *s* duplicados quando anteposto a palavra iniciada por *r* ou *s*: *eletrorretinografia, eletrossiderurgia*.] [No Brasil, como há duplicidade de pronúncia, o *c* pode ou não ser grafado; em Portugal, porém, como esta consoante não é pronunciada, tb. não é escrita. Equiv.: *ele(c)tr(i)-*: *ele(c)trificar*.]

▲**-ele(c)tr(o)-** V. *ele(c)tr(o)-*.

electroacústica [De *ele(c)tr(o)-* + *acústica*.] *S. f. Fís.* V. *eletracústica*.

electroacústico [De *ele(c)tr(o)-* + *acústico*.] *Adj. Fís. Mús.* V. *eletracústico*.

electrobalança *S. f.* Eletrobalança.
electrobomba *S. f. Mec.* Eletrobomba.
electrocapilar *Adj. 2 g. Fís.-Quím.* Eletrocapilar.
electrocardiografia (càr) *S. f. Med.* Eletrocardiografia (q. v.).
electrocardiográfico *Adj.* Eletrocardiográfico.
electrocardiógrafo *S. m. Med.* Eletrocardiógrafo.
electrocardiograma (càr) *S. m. Med.* V. *eletrocardiograma*.
electrochoque *S. m. Med.* Eletrochoque.
electrocinético *Adj. Fís.-Quím.* Eletrocinético.
electrocoagulação *S. f. Med.* Eletrocoagulação.
electrocópia *S. f.* Eletrocópia.
electrocução *S. f.* V. *eletrocução*.
electrocutar *V. t. d.* V. *eletrocutar*.
electrocutor (ô) *S. m.* V. *eletrocutor*.
electrodeposição *S. f. Quím.* Eletrodeposição.
electrodinâmica *S. f. Fís.* Eletrodinâmica.
electrodinâmico *Adj. Fís.* Eletrodinâmico.
electrodinamómetro *S. m. Eletr.* V. *eletrodinamômetro*. [Uso freq. em P.]
electrodinamômetro *S. m. Eletr.* Eletrodinamômetro.
electródio [De *electrodo* + *-io*[3].] *S. m. Eletr. Eletrôn. Fís. Fís.-Quím.* V. *eletrodo*.
electrodo (ô) *S. m. Eletr. Eletrôn. Fís. Fís.-Quím.* V. *eletrodo*.
eléctrodo *S. m. Eletr. Eletrôn. Fís. Fís.-Quím.* V. *eletrodo*.
electrodoméstico *Adj. S. m.* Eletrodoméstico.
electrodótico *Adj. Fís.-Quím.* Eletrodótico.
electroduto [De *ele(c)tr(o)-* + *duto*.] *S. m. Constr.* Eletroduto (q. v.).
electroemissão *S. f. Fís.* Eletroemissão.
electroencefalógrafo (cè) [De *ele(c)tr(o)-* + *-encefal(o)-* + *-grafo*.] *S. m. Neur.* V. *eletrencefalógrafo*.
electroencefalograma (cè) *S. m. Med.* V. *eletroencefalograma*.
electroendosmose *S. f. Fís.-Quím.* V. *eletroendosmose*.
electroerosão *S. f. Tec. Quím.* Eletroerosão.
electrofílico *Adj. Fís.-Quím.* Eletrofílico.
electrofisiologia *S. f. Fisiol.* V. *eletrofisiologia*.
electrofisiológico *Adj. Fisiol.* V. *eletrofisiológico*.
electrofluorescência *S. f. Fís.* Eletrofluorescência.
electroforese [De *ele(c)tr(o)-* + *-forese*.] *S. f. Fís.-Quím.* Eletroforese.
electroforídeo [De *ele(c)tr(o)-* + *-for(o)-* + *-ídeo*[1]; tax. *Electrophoridae*.] *Zool. S. m.* **1.** Espécime dos electroforídeos, família monoespecífica de peixes gimnotiformes sem escamas, que têm, na cauda, órgão capaz de produzir poderosa descarga elétrica. São os poraquês, predadores vorazes e os maiores dos peixes elétricos da bacia amazônica. ● *Adj.* **2.** Pertencente ou relativo a eles.
electroformação *S. f. Tec. Quím.* Eletroformação.
electróforo *S. m. Eletr.* Eletróforo.
electrogalvânico *Adj. Fís.* Eletrogalvânico.
electrogalvanismo *S. m. Fís.* Eletrogalvanismo.
electrogêneo *Adj. Fís.* Eletrogêneo.
electrografia *S. f. Eletr.* Eletrografia.
electrográfico *Adj.* Eletrográfico.
electrogravura *S. f.* Eletrogravura.
electro-hidráulico *Adj.* V. *eletro-hidráulico*.
electroímã *S. m. Fís.* V. *eletroímã*.
electroíman *S. m. Fís.* V. *eletroímã*.
electrolisação *S. f. Quím.* V. *eletrolisação*.
electrolisar *V. t. d.* V. *eletrolisar*.
electrólise *S. f. Quím.* V. *eletrólise*.
electrolito *S. m. Fís.* V. *eletrolito*.
electrólito *S. m. Fís.* V. *eletrólito*.
electrologia *S. f. Fís.* Eletrologia.
electroluminescência *S. f. Fís.* Eletroluminescência.
electroluminescente *Adj. 2 g. Fís.* Eletroluminescente.
electromagnético *Adj.* Eletromagnético.
electromagnetismo *S. m. Fís.* Eletromagnetismo.
electromagneto *S. m. Fís.* Eletromagneto.
electromecânico *Adj.* Eletromecânico.
electrométrico *Adj.* Eletrométrico.
electrômetro *S. m. Eletr.* Eletrômetro.
electromiografia *S. f. Fisiol. Neur.* V. *eletromiografia*.
electromiográfico *Adj. Fisiol. Neur.* V. *eletromiográfico*.
electromiograma *S. m. Fisiol. Neur.* V. *eletromiograma*.
electromotância *S. f. Eletr.* Eletromotância.
eléctron *S. m. Fís.* V. *elétron*.
electronação *S. f. Quím.* Eletronação.
electronegatividade *S. f. Fís.-Quím.* Eletronegatividade.
electronegativo *Adj. Eletrôn. Fís.-Quím.* Eletronegativo.
electrônica *S. f. Fís.* Eletrônica.
electrônico *Adj.* Eletrônico.
eléctron-volt *S. m. Fís.* V. *elétron-volt*. [Pl.: *eléctrons-volts* e *eléctrons-volt*.]
electro-óptica *S. f. Fís.* Eletro-óptica. ❖
electroplessão *S. f.* Eletroplessão.
electroquímica *S. f. Fís.-Quím.* Eletroquímica.
electroquímico *Adj.* Eletroquímico.
electroscopia *S. f. Fís.* Eletroscopia.
electroscópico *Adj.* Eletroscópico.
electroscópio *S. m. Eletr. Fís.* Eletroscópio.
electrosmose *S. f. Fís.-Quím.* V. *eletrosmose*.
electrossiderurgia *S. f.* Eletrossiderurgia.
electrossiderúrgico *Adj.* Eletrossiderúrgico.
electrossono *S. m. Med.* Eletrossono.
electrostática *S. f. Fís.* Eletrostática.
electrostático *Adj.* Eletrostático.
electrostegia [De *ele(c)tr(o)-* + *-steg(o)-* + *-ia*[1].] *S. f. Eletr.* Galvanostegia.
electrostenólise *S. f. Fís.-Quím.* Eletrostenólise.
electrostrição *S. f. Fís.* Eletrostrição.
electrotaxia (cs) *S. f.* Eletrotaxia.
electroterapia *S. f. Terap.* Eletroterapia.
electroterápico *Adj.* Eletroterápico.
electrotermia *S. f.* Eletrotermia.
electrotérmico *Adj.* Eletrotérmico.
electrotipar [De *ele(c)tr(o)-* + *-tip(o)-* + *-ar*[2].] *V. t. d.* Galvanotipar.
electrotipia *S. f. Eletr.* Eletrotipia.
electrótipo [De *ele(c)tr(o)-* + *-tipo*.] *S. m. Tip.* Galvanótipo.
electrótono *S. m. Med.* V. *electrotônus*.
electrotônus *S. m. 2 n. Med.* V. *eletrotônus*.
electrovalência *S. f. Quím.* Eletrovalência.
electuário [Do lat. *electuariu*.] *S. m. Farm.* Sacaróleo pastoso feito com pós, com polpas ou com extratos medicamentosos. [Var.: *eletuário*.]
eledá [Do ior.] *S. m. Bras. Rel.* Divindade protetora e guia de uma pessoa. [Com cap. No Brasil, sincretizado com o anjo da guarda cristão e assimilado a *Elemi* e a *Olori* (q. v.).]
eledê [Do ior.] *S. m. Bras. Rel.* Porco que serve de animal votivo, dedicado a Oxóssi ou a Omolu, conforme o terreiro.
elefanta *S. f.* Fem. de *elefante* (q. v.).
elefante [Do gr. *eléphas, antos*, pelo lat. *elephante*.] *S. m.* **1.** *Zool.* Mamífero elefantídeo de grande porte. [V. *elefas* e *loxodonte*.] **2.** *Bras.* No jogo do bicho (q. v.), o 12.º grupo (14), que abrange as dezenas 45, 46, 47 e 48, e corresponde ao número 12. **3.** *Bras. Pej.* Pessoa muito gorda. [Fem.: *elefanta*. Não é correto o fem. *elefoa*.] ◆ **Elefante africano.** *Zool.* Elefante (*Loxodonta africana*) que atinge 3,50m até o nível da cernelha; orelhas de abano, defesas maciças e pesadas, com cerca de 70kg cada uma. É raramente domesticável. **Elefante asiático.** *Zool.* Elefante (*Elephas maximus*) que atinge 3m até a cernelha; orelhas pequenas e defesas um tanto leves. Facilmente domesticável, é us. em trabalhos florestais. **Elefante branco.** **1.** Presente que, não sendo mau, dá muito trabalho, muita importunação. **2.** Coisa de pouca ou nenhuma importância prática.
elefante-marinho *S. m. Zool.* Mamífero carnívoro pinípede, focídeo, perfeitamente adaptado à vida aquática, com duas espécies: a austral (*Mirounga leonina*), do oceano Antártico, S. do Pacífico e Atlântico, e a ártica (*Mirounga angustirostris*), do Pacífico, nas costas da Califórnia, México e Guadalupe. São grandes mamíferos: a fêmea atinge 3,50m e o macho até 6,5m, pesando até 3 toneladas. Cabeça grande, olhos grandes e salientes, arcadas superciliares com pelos rígidos; nos machos, o nariz alonga-se numa espécie de tromba; os membros anteriores, apesar de robustos, não proporcionam bom rendimento em terra; os posteriores, muito fortes, com cinco dedos e fendidos ao meio, formam uma espécie de remo cada um. [Pl.: *elefantes-marinhos*.]
elefantíase [Do gr. *elephantíasis*, pelo lat. *elephantiase*.] *S. f. Med.* **1.** Hipertrofia e espessamento da pele, por qualquer causa. **2.** Hipertrofia da pele e tecido subcutâneo provocada pela localização de nematódeos da espécie *Wuchereria bancrofti* no interior dos vasos linfáticos, ocasionando obstrução à passagem da linfa, que transuda para os tecidos circunvizinhos. [Esta hipertrofia determina o aparecimento progressivo de um edema de enormes proporções e que, ger., atinge membros inferiores, bolsa escrotal, mamas e, menos comumente, membros superiores.] [Sin. ger.: *paquidermia*.] ◆ **Elefantíase dos árabes.** *Med.* A produzida por filariose. **Elefantíase dos gregos.** *Patol.* V. *hanseníase*.
elefântico *Adj.* V. *elefantino*.
elefântida [Do lat. cient. *Elephant-* (v. *elefantídeo*) + *-ida*[1].] *S. m. Adj. 2 g. Zool.* V. *elefantídeo*.
elefantídeo [Do lat. cient. *Elephant-* (< tax. *Elephas* < gr. *eléphas, antos*) + *-ídeo*[1]; tax. *Elephantidae*.] *Zool. S. m.* **1.** Espécime dos elefantídeos, família de proboscídeos que reúne os elefantes extintos e os existantes. Estes últimos têm dois incisivos nos maxilares, que crescem de modo a formar uma defesa (8) de cada lado; são destituídos de outros incisivos, e de caninos. O crânio é pequeno, a probóscide é longa e musculosa, ficando as narinas na extremidade, e os membros terminam em pequenos cascos. São digitígrados. ● *Adj.* **2.** Pertencente ou relativo a eles. [V. *elefas* e *loxodonte*.]
elefantino [Do lat. *elephantinu*.] *Adj.* **1.** Relativo a, ou próprio de elefante (1): 📖 "Poucos lhe conheciam a flama interior e lhe adivinhavam sob a calma elefan<u>tina</u> dos movimentos a palpitação que ia lá dentro." (Gilberto Amado, *Depois da Política*, p. 96.) **2.** Relativo à elefantíase. [Sin. ger.: *elefântico*.]
elefantófago [Do gr. *elephantophágos*.] *Adj.* Que come carne de elefante (1).
elefantografia [Do gr. *eléphas, antos*, 'elefante', + *-grafia*.] *S. f.* Tratado ou história dos elefantes.
elefantográfico [De *elefantografia* + *-ico*[2].] *Adj.* Referente à elefantografia.
elefantoide (ói) [De *elefante* + *-oide*.] *Adj. 2 g.* Semelhante ao elefante. ❖
elefantópode [Do gr. *elephantópous, podos*.] *Adj. 2 g.* Cujos pés são comparáveis aos do elefante.
elefas [Do tax. Elephas < gr. *eléphas*.] *S. m. Zool.* **1.** O gênero-tipo dos elefantídeos. **2.** A espécie existante desse gênero, o elefante asiático (*Elephas maximus*), que pode atingir 3m até a cernelha; tem orelhas pequenas e defesas um tanto leves, e é facilmente domesticável. **3.** Qualquer espécime desse gênero.

E

elegância [Do lat. *elegantia*.] *S. f.* **1.** Distinção de porte, de maneiras; donaire: 📄 <u>*elegância*</u> *natural*. **2.** Graça, encanto, garbo: 📄 *Tem* <u>*elegância*</u> *no andar*. **3.** Gosto; bom gosto: 📄 <u>*elegância*</u> *no trajar*. **4.** Gentileza, finura, amabilidade: 📄 <u>*elegância*</u> *no trato, nos gestos*. **5.** Delicadeza de expressão; cortesia: 📄 *Disse umas duras verdades com* <u>*elegância*</u>. **6.** Apuro, correção, graça: 📄 <u>*elegância*</u> *no estilo e no falar*. **7.** Proporção adequada entre os elementos de uma composição artística; harmonia: 📄 <u>*elegância*</u> *de forma*. **8.** V. *simplicidade* (2). **9.** V. *simplicidade* (4).
elegante [Do lat. *elegante*.] *Adj. 2 g.* **1.** Que tem elegância, encanto; donairoso, gracioso: 📄 *porte* <u>*elegante*</u>; *andar* <u>*elegante*</u>. **2.** Diz-se de pessoa requintada, chique: 📄 *dama formosa e* <u>*elegante*</u>. **3.** Que denota boa educação e se caracteriza por boas maneiras; distinto, correto: 📄 *procedimento* <u>*elegante*</u>. **4.** Correto, apurado: 📄 *estilo* <u>*elegante*</u>; *falar* <u>*elegante*</u>. **5.** Harmonioso, proporcionado: 📄 *forma* <u>*elegante*</u>. ~ V. *capital* —. ● *S. 2 g.* **6.** Pessoa elegante: 📄 *A* <u>*elegante*</u> *geralmente é sensata no vestir*.
elegendo [De *eleger* + *-endo*.] *S. m.* Aquele que vai ser eleito.
eleger [Do lat. *elígere*.] *V. t. d.* **1.** Preferir entre dois ou mais; escolher: 📄 <u>*Elegeu*</u> *a carreira de médico para ser útil à humanidade*. **2.** Escolher por meio de votação: 📄 *O povo* <u>*elege*</u> *seus representantes à Câmara e ao Senado*. **3.** Mudar de: 📄 <u>*eleger*</u> *estado*; <u>*eleger*</u> *domicílio*. ***Transobj.*** **4.** Escolher ou nomear, em geral, por meio de votos: 📄 *O povo o* <u>*elegeu*</u> *presidente*. **5.** Dar preferência; escolher: 📖 "Eu .... ignoro por que os <u>elegi</u> companheiros de narrativa" (Nélida Piñon, *A Força do Destino*, p. 17). [Conjug.: v. *reger*, mas tem dois particípios: *elegido* e *eleito*.]
elegia [Do gr. *elegeía*, pelo lat. *elegia*.] *S. f. Arte Poét.* **1.** Entre os gregos e latinos, poema formado de versos hexâmetros e pentâmetros alternados. **2.** Poema lírico, cujo tom é quase sempre terno e triste. [Cf. *epicédio* e *nênia*.]
elegíaco [Do gr. *elegeiakós*, pelo lat. tard. *elegiacu*.] *Adj.* **1.** Relativo a, ou próprio de elegia. **2.** Em que há tristeza; lamentoso. **3.** Que chora muito; chorão.
elegíada *S. f.* Poema elegíaco.
elegibilidade [De *elegível* + *-(i)dade*, seg. o padrão erudito.] *S. f.* Qualidade de elegível; capacidade de ser eleito. [Cf. *ilegibilidade*.]
elegido [Part. de *eleger*.] *Adj.* Escolhido, eleito.
elegível [Do lat. tard. *elegibile*.] *Adj. 2 g.* Que pode ser eleito. [Cf. *ilegível*.]
eleição [Do lat. *electione*.] *S. f.* **1.** Ato de eleger; escolha, opção. **2.** Preferência, predileção. **3.** *Restr.* Escolha, por meio de sufrágios ou votos, de pessoa para ocupar um cargo ou desempenhar certas funções; pleito; pleito eleitoral. ◆ **Eleição direta.** Eleição (3) em que o eleitor vota diretamente no seu candidato. [Tb. se diz apenas *direta*.] **Eleição indireta.** Aquela em que o presidente e o vice-presidente da República são eleitos por um Colégio Eleitoral. [Tb. se diz apenas *indireta*.] **Eleição majoritária.** Votação em que é eleito o candidato que receber o maior número de votos. [Assim são escolhidos o presidente da República, os governadores, os prefeitos e os senadores.] **Eleição primária.** Em certos países, eleição na qual escolhe-se, entre os pré-candidatos de um partido, aquele que concorrerá, pela legenda, a um determinado cargo público: 📄 *O PSDB, segundo os jornais, estaria disposto a realizar* <u>*eleições primárias*</u> *para a composição da legenda de 2010*. [Mais us. no pl. Tb. se diz apenas *primária(s)*.] **Eleição proporcional.** Votação em que cada partido ou coligação partidária elege uma quantidade de candidatos proporcional à quantidade de votos recebidos. [Assim são escolhidos os vereadores e os deputados estaduais e federais.]
eleiçoeiro [De *eleição* + *-eiro*, com desnasalação.] *Adj.* Eleitoreiro.
eleídrico [De *ele(o)-* + *-idr(o)-* + *-ico*[2].] *Adj. Art. Plást.* Diz-se de processo de pintura no qual o pincel já car-

regado de tinta a óleo é imerso em água limpíssima e só então passado sobre a tela umedecida; elutórico.

eleito [Do lat. *electu.*] *Adj.* **1.** Escolhido, preferido: *O povo de Israel considerava-se o povo eleito.* **2.** Que foi escolhido ou designado por votação: *O presidente eleito foi entrevistado pelos jornalistas.* • *S. m.* **3.** Indivíduo eleito.

eleitor[1] (ô) [Do lat. *electore.*] *S. m.* **1.** Aquele que elege. **2.** Aquele que tem direito de eleger (2). ◆ **Eleitor de cabresto.** O que vota sem independência, por interesse e/ou medo.

eleitor[2] (ô) [Do lat. med. *electore*, poss. pelo fr. *électeur.*] *S. m.* Na Alemanha antiga, príncipe ou bispo que tomava parte na eleição do imperador.

eleitorado[1] [De *eleitor*[1] + *-ado*[2].] *S. m.* **1.** Direito de eleger. **2.** Conjunto de eleitores [v. *eleitor*[1] (2)]. **3.** Os eleitores. ◆ **Conhecer o seu eleitorado.** *Bras. Fam.* Conhecer as manhas ou astúcias de alguém; saber com quem trata.

eleitorado[2] [Do fr. *électorat* < lat. med. *electore.*] *S. m.* Dignidade de eleitor[2].

eleitoral [De *eleitor*[1] + *-al*[1].] *Adj. 2 g.* Respeitante a eleições [v. *eleição* (3)] ou ao direito de eleger. ~ V. *cabo —, chapa —, colégio —, justiça —, pleito —* e *urna —.*

eleitoralismo [De *eleitoral* + *-ismo.*] *S. m. Polít.* Caráter, ou atitude eleitoreira [v. *eleitoreiro*] (de político, partido político ou governo).

eleitoralista [De *eleitoral* + *-ista.*] *Adj. 2 g.* Do, ou relativo ao eleitoralismo.

eleitoreiro [De *eleitor*[1] + *-eiro.*] *Adj. Bras. Polít.* Diz-se dos atos e proposições emanados dos membros dos poderes públicos com vista à captação de votos em eleição próxima e não ao real interesse da comunidade; eleiçoeiro.

elemano [De *elemi*[1] + *-ano*[2].] *S. m. Quím.* Hidrocarboneto cíclico, sesquiterpenoide, saturado, que contém anel de seis átomos [fórm.: $C_{15}H_{30}$].

elementais [Do fr. *élémentals* ou *élémentaux.*] *S. m. pl. Ocult.* Espíritos que supostamente habitam os quatro elementos (q. v.), e que podem exercer influência (boa ou má) sobre os seres vivos. ~ V. *elemental.*

elemental [De *elemento* + *-al*[1].] *Adj. 2 g. P. us.* V. *elementar.* ~ V. *elementais.*

elementar [De *elemento* + *-ar*[1].] *Adj. 2 g.* **1.** Relativo ou pertencente a elemento(s). **2.** De composição ou funcionamento simples; primário, rudimentar: *mecanismo elementar; ideias elementares.* **3.** Referente às primeiras noções de uma arte ou ciência. **4.** *P. ext.* Simples, fácil, claro. **5.** Que está na base, essência, origem; essencial, fundamental, básico: *aspectos elementares do comportamento humano.* [Sin. ger. (p. us.): *elementário* e *elemental.*] ~ V. *arco —, carga —, corpúsculo —, família —, função —, geometria —, matemática —, operação —, partícula —* e *reação —.* • *S. f.* **6.** *Dir. Penal* Circunstância ou fato integrativo da definição legal dum crime.

elementário [Do lat. *elementariu.*] *Adj. P. us.* V. *elementar.*

elemento [Do lat. *elementu.*] *S. m.* **1.** Na ciência antiga, a terra, o ar, a água e o fogo. **2.** Essas mesmas substâncias consideradas como forças da natureza ou como a própria natureza: *Era a tempestade, os elementos em fúria.* **3.** Tudo que entra na composição dalguma coisa: *Os elementos da decoração eram de evidente bom gosto.* **4.** Cada parte de um todo: *os elementos de um aparelho.* **5.** Meio ou grupo social; meio, ambiente, círculo: *Via-se que o rapaz estava fora de seu elemento.* **6.** Pessoa, indivíduo, considerado como parte de um todo social ou de um grupo, de um conjunto qualquer: *Não se meta com ele: é mau elemento; É tido por bom elemento na sua repartição; Para o trabalho de lexicografia, Laura é um elemento de primeira ordem.* [Costuma, como nos exemplos dados, vir acompanhado de palavra ou expressão depreciativa ou apreciativa.] **7.** Meio, recurso ou informação: *Não sei que elementos tem ele para afirmar semelhante coisa; Com que elementos contou para alcançar os seus fins?* **8.** *Geom.* V. *elemento geométrico.* **9.** *Fís.-Quím.* Pilha eletroquímica que faz parte de uma bateria. **10.** *E. Ling.* Parte de um todo linguístico (palavra, frase, som, etc.) que se pode separar ou conceber separada dele, mediante análise. [Numa palavra, p. ex., o *morfema*, o *semantema*, o *fonema*, o *acento*, etc., são elementos que se podem separar.] **11.** *Mús. Concr.* Um ou cada um dos componentes de um objeto sonoro (ataque, extinção, retalho do corpo de uma nota complexa, p. ex.), que se consegue isolar quando se analisa o objeto. **12.** *Quím.* Substância que não pode ser decompostas, mediante os processos químicos ordinários, em outras substâncias mais simples; substância constituída por átomos com a mesma carga nuclear. ~ V. *elementos.* ◆ **Elemento arquitetônico.** *Arquit.* Cada uma das partes da edificação, como o piso, a parede, a coluna, o pilar, a escada, o forro, o teto, etc. **Elemento causativo.** *E. Ling.* V. *causativo* (4). **Elemento conjugado.** *Álg.* **1.** Num corpo, elemento obtido de outro pela conjugação deste por um terceiro. **2.** Num determinante ou numa matriz, elemento simétrico de outro em relação à diagonal principal. [Tb. se diz apenas *conjugado.*] **Elemento de arco.** *Mat.* Comprimento da corda que, numa curva, une dois pontos infinitamente próximos; arco elementar. **Elemento de circuito.** *Eletrôn.* Circuito elétrico que forma um caminho contínuo para a corrente. **Elemento de composição.** *E. Ling.* Forma linguística que só ocorre em voc. compostos ou derivados (*aerofagia, fagícola, aglutinina*), especialmente aqueles da terminologia científica, e é constituída ou por um radical isolado (*-i*), ou por um radical seguido de vogal de ligação (*flum(i)-, pneumat(o)-*), ou por um radical associado a um prefixo (*acefal(o)-*) ou a um sufixo (*-logia*). **Elemento de interface.** *Inform.* Qualquer elemento discreto apresentado por programa (9) na tela do computador, e que cumpre função de interação com o usuário. [Os elementos de interface podem mediar tanto operações de entrada (16), quanto operações de saída (11).] [Tb. us., como sin., *objeto de interface* ou, simplesmente, *objeto.*] **Elemento de transição.** *Quím.* Qualquer dos elementos dos grupos 3 a 12 (IB a VIIIB) da tabela periódica (q. v.); metal de transição. **Elemento essencial.** *Biol.* Cada um dos elementos [v. *elemento* (12)] necessários ao desenvolvimento e à manutenção de um organismo e que são obtidos do ambiente ou do alimento (v. *macronutriente* e *micronutriente*). **Elemento geométrico.** *Geom.* **1.** Um ponto, uma reta ou um plano. **2.** Qualquer das partes de uma configuração geométrica. [Tb. se diz apenas *elemento.*] **Elemento idempotente.** *Álg.* Elemento inalterável quando multiplicado por si mesmo. O zero e a unidade são idempotentes. [Tb. se diz apenas *idempotente.*] **Elemento identidade.** *Álg.* Numa operação binária definida sobre um conjunto, elemento que reproduz outro, qualquer que seja este outro; elemento neutro. [Tb. se diz apenas *identidade.*] **Elemento neutro.** *Álg.* V. *elemento identidade.* **Elemento nilpotente.** *Álg.* Elemento que tem uma potência enésima igual a zero. [Tb. se diz apenas *nilpotente.*] **Elemento principal.** *Mat.* Qualquer dos elementos da diagonal de um determinante ou de uma matriz. **Elementos de uma órbita.** *Astr.* Parâmetros que definem a órbita de um astro, determinando a sua posição no espaço. **Elemento transférmico.** *Quím.* Qualquer elemento de número atômico maior que 100. [Os nomes de vários destes elementos, por fatores técnicos e políticos, foram objeto de disputa; em 1997, chegou-se a um acordo com relação aos nomes dos elementos de número atômico de 104 a 109; há uma nomenclatura sistemática, usada para novos elementos, e que visa tb. a evitar controvérsias. V. *férmio* e *elemento transurânico.*] **Elemento transurânico.** *Quím.* Aquele que tem número atômico maior que o do urânio. [Todos são artificiais e radioativos, ger. muito instáveis e conhecidos apenas em quantidades ínfimas.] **Elemento vazado.** *Arquit. Constr.* Cobogó. **Estar no seu elemento. 1.** Estar no meio que lhe convém. **2.** Estar como quer, a seu gosto: "mudemos de assunto. | — Pois muda tu, que nisso de mudar, as mulheres estão no seu elemento." (José de Alencar, *Sonhos d'Ouro*, p. 121). **Quatro elementos.** *Hist. Filos. Alq.* Segundo Empédocles (v. *empedocliano*), as substâncias primárias ou raízes (*terra, água, fogo* e *ar*), que não tiveram começo e não terão fim, que são imutáveis e devem dar conta de todas as qualidades das coisas percebidas no mundo. [Cf. *quinta-essência* (4).] [Esta doutrina foi adotada pelos alquimistas e, na Idade Média, o mercúrio, o enxofre e o sal foram acrescentados por eles ao rol destes elementos, esp. para lidar com os metais.]

elementos *S. m. pl.* Noções rudimentares; rudimentos, princípios: *elementos de psiquiatria.* ~ V. *elemento.*

elemento-traço [De *elemento* + *traço*, para trad. o ingl. *trace element.*] *S. m. Biol.* Micronutriente. [Pl.: *elementos-traços* e *elementos-traço.*]

elemi[1] [Do fr. *élemi*, do ár. *el-lemi*, f. vulg. de *al-lami*, de or. incerta.] *S. m. Bot.* **1.** Elemieira (1). **2.** V. *almecegueira* (1). **3.** V. *icica* (1). **4.** V. *breu* (2).

elemi[2] [Do ior.] *S. m. Bras. Rel.* Orixá protetor pessoal de uma pessoa; Elemim. [No Brasil, assimilado a *Eledá* e a *Olori* (q. v.).] [Com cap.]

elemieira [De *elemi* + *-eira.*] *S. f. Bot.* **1.** Nome comum a diversas burseráceas dos gêneros Boswellia (v. *boswélia*) e Canarium (v. *canário*[3]), que exsudam breu; elemi. **2.** V. *almecegueira* (1). **3.** V. *icica* (1).

elemim *S. m. Bras. Rel.* Elemi[2]. [Com cap.]

elena [Do mit. e antr. gr. *Helléna*, esposa de Menelau, rei de Esparta; os navegantes chamavam ao santelmo Castor e Pólux, quando apareciam duas chamas, e Helena, irmã dos gêmeos mitológicos, quando aparecia apenas uma.] *S. f. Ant.* V. *santelmo.* [Cf. *helena*, fem. de *heleno*, e *Helena*, antr.]

elencar [De *elenco* + *-ar*[2].] *V. t. d.* Fazer o elenco, o rol, de; enumerar: "Instados a elencar a importância dos assuntos na hora de votar, 42% dos entrevistados [estadunidenses] escolheram a economia" (Sérgio Dávila, em *Folha de S.Paulo*, 18.03.2008). [Conjug.: v. *trancar.*]

elenco [Do gr. *élenchos*, 'índice de livro', pelo lat. *elenchu.*] *S. m.* **1.** Lista, rol: "Enquanto a família, para alguns temperamentos, aparece como um elenco de monstros de que é necessário fugir, ... no *atelier* da Avenida Mem de Sá o melhor impulso à obra de Visconti emanava de uma corrente de ternura a circular sempre entre o pintor, sua mulher e seus filhos" (Carlos Drummond de Andrade, *Fala, Amendoeira*, p. 223). **2.** Catálogo, índice. **3.** O conjunto de atores de uma telenovela, de um filme, etc. **4.** *Teatr.* O conjunto dos membros de uma companhia dramática. **5.** *Teatr.* O conjunto dos atores de uma peça, e suas respectivas personagens. [Sin., lat., nesta acepç.: *dramatis personae.*]

▲ **ele(o)-** [Do gr. *élaion, ou.*] *El. comp.* = 'azeite', 'óleo': *eleídrico, eleolita.* [Equiv. impr.: *elai(o)-*: *elaiuria.*]

eleocarpácea [Do tax. *Elaeocarpus* (v. *ele(o)-* e *-carpo*) + *-ácea*; tax. *Elaeocarpaceae.*] *S. f. Bot.* Espécime das eleocarpáceas, família de plantas floríferas, da ordem das malvales, que encerra árvores de folhas alternas e estipuladas. Os carpelos soldam-se e têm numerosos óvulos; fruto capsular ou drupáceo. Existem cerca de 120 espécies, mais comuns nas zonas temperadas austrais; o Brasil possui muitas nas florestas pluviais.

eleocarpáceo [De *eleocarpácea*, com var. suf. (v. *-áceo*).] *Adj. Bot.* Pertencente ou relativo às eleocarpáceas.

eleoceróleo [De *ele(o)-* + *-cer(o)-*[2] + *-óleo.*] *S. m.* Emplastro feito à base de cera e óleo.

eleóleo [De *ele(o)-* + *-óleo.*] *S. m.* Medicamento que tem por excipiente o óleo.

eleolita [De *ele(o)-* + *-lita.*] *S. f. Min.* Variedade de nefelita que tem brilho graxo.

eleosteárico [De *ele(o)-* + *esteárico.*] *Adj. Quím.* ~ V. *ácido —.*

eleótrago *S. m. Zool.* Designação comum a antílopes que habitam os pântanos da África do Sul, esp. os do gênero *Redunca arundinus.*

eleotrídeo [Do tax. *Eleotris* (< gr. *eléotris*, 'certo peixe do rio Nilo') + *-ídeo*[1]; tax. *Eleotridae.*] *Zool. S. m.* **1.** Espécime dos eleotrídeos, família de peixes actinopterígios, piriformes, de pequeno porte e distribuição universal nas águas doces e marinhas. Ex.: o peixe-macaco. • *Adj.* **2.** Pertencente ou relativo a eles.

elepê [Das iniciais de *long-play.*] *S. m. Mús.* V. *long-play.*

elesbonense *Adj. 2 g.* **1.** De, ou pertencente ou relativo a Elesbão Veloso (PI). • *S. 2 g.* **2.** O natural ou habitante de Elesbão Veloso.

eletividade [De *eletivo* + *-(i)dade.*] *S. f.* Qualidade de eletivo, do que é feito por eleição, por escolha.

eletivo [Do lat. tard. *electivu.*] *Adj.* **1.** Relativo a, ou que envolve eleição, escolha: *afinidades eletivas.* **2.** Relativo a, ou próprio de eleição (3): *processo eletivo.* **3.** Que se preenche por eleição: *cargo eletivo.* ~ V. *domicílio —.*

eletracústica [Var. de *electracústica* < *ele(c)tr(o)-* + *acústica.*] *S. f.* Parte da física que estuda a transformação de energia elétrica em energia sonora, e vice-versa.

eletracústico [Var. de *electracústico* < *ele(c)tr(o)-* + *acústico.*] *Adj.* **1.** *Fís.* Relativo à eletracústica. **2.** *Mús.* Diz-se de cada um dos diferentes tipos de música compostos para fita magnética, como, p. ex., a música eletrônica e a música concreta.

eletrão [Var. de *electrão.*] *S. m. Lus. Fís.* V. *elétron.* [Pl.: *eletrões.*]

eletrão-volt *S. m. Lus. Fís.* **1.** V. *elétron-volt.* [Pl.: *eletrões-volts* e *eletrões-volt.*]

eletrencefalografia (cè) [Var. de *electrencefalografia* < *ele(c)tr(o)-* + *-encefal(o)-* + *-grafia.*] *S. f. Neur.* Estudo do registro gráfico das correntes elétricas que se originam no encéfalo, mediante eletrodos colocados no couro cabeludo, na superfície encefálica, ou dentro da substância encefálica, constituindo valioso método auxiliar de diagnóstico de numerosas doenças nervosas.

eletrencefalográfico (cè) [Var. de *electrencefalográfico* < *eletrencefalografia* + *-ico*[2].] *Adj.* Relativo à eletrencefalografia.

eletrencefalógrafo (cè) [Var. de *electroencefalógrafo.*] *S. m. Neur.* Instrumento com que se registram graficamente as correntes elétricas do encéfalo (v. *eletrencefalografia*). [Outras var.: *eletroencefalógrafo, electrencefalógrafo.*]

eletrencefalograma (cè) [Var. de *electrencefalograma.*] *S. m. Neur.* Traçado ou registro obtido mediante o uso de eletrencefalógrafo [sigla: *EEG*]. [V. *eletrencefalografia.*]

eletreto (ê) [Do ingl. *electret.*] *S. m. Fís.* Dielétrico sólido que tem polarização elétrica permanente.

▲ **eletr(i)-** V. *ele(c)tr(o)-.*

eletricidade [Do fr. *électricité.*] *S. f.* **1.** *Fís.* Designação comum aos fenômenos em que estão envolvidas cargas elétricas em repouso ou em movimento. **2.** *Fís.* O ramo da física que estuda esses fenômenos. **3.** A energia elétrica, *i. e.*, forma de energia que pode ser transportada e transformada em outras formas de energia (luminosa, térmica, etc.); us., portanto, como corrente elétrica, para iluminar, fazer funcionar aparelhos, etc. **4.** *Fig.* Energia sexual entre duas pessoas.

eletricismo [De *elétrico* + *-ismo*.] ***S. m.*** O conjunto dos fenômenos elétricos.

eletricista [De *elétrico* + *-ista*.] ***S. 2 g.*** **1.** Pessoa que trabalha em aparelhos elétricos, que é especialista em eletricidade. **2.** *Teatr.* Técnico especializado em eletricidade e iluminação, e que se incumbe de realizar os efeitos luminosos concebidos pelo iluminador (4). ● ***Adj. 2 g.*** **3.** Diz-se de especialista em eletricidade: *engenheiro eletricista*.

eletricitário ***S. m.*** Funcionário de companhia de energia elétrica.

elétrico [De *ele(c)tr(i)-* + *-ico*[2].] ***Adj.*** **1.** Relativo ou pertencente à eletricidade. **2.** Que se move ou se põe em funcionamento pela eletricidade: *motor elétrico*; *trem elétrico*. **3.** *Fig.* Rapidíssimo: *Fez-me uma visita elétrica*. **4.** *Fig.* Fulgurante, cintilante: *olhar elétrico*. **5.** *Fig.* Diz-se do indivíduo preso de nervosismo, de agitação: *Hoje o homenzinho está elétrico*. ~ V. *acoplamento —, arco —, birrefringência —a, bisturi —, cabo —, cadeira —a, campo —, capacidade —a, carga —a, carga —a negativa, carga —a positiva, circuito —, condutor —, corrente —a, descarga —a, deslocamento —, dipolo —, filtro —, guitarra —a, intensidade —a, lâmpada —a, motor —, onda —a transversal, ônibus —, polarização —a, potencial —, rede —a, resistência —a, solda —a, tensão —a, trabalho —* e *trio —*. ● ***S. m.*** **6.** *Lus.* Bonde (1).

eletrificação [De *eletrificar* + *-ção*.] ***S. f.*** Ato ou efeito de eletrificar.

eletrificado [Part. de *eletrificar*.] ***Adj.*** Que se eletrificou; provido de instalação elétrica.

eletrificar [De *ele(c)tr(i)-* + *-ficar*.] ***V. t. d.*** **1.** Tornar elétrico (2). **2.** Prover de instalação elétrica. [Conjug.: v. *trancar*.]

eletrificável [De *eletrificar* + *-vel*.] ***Adj. 2 g.*** Que pode ser eletrificado.

eletrímã [Var. de *electrímã*.] ***S. m.*** *Fís.* V. *eletroímã*.

eletrino [Do lat. *electrinu*.] ***Adj.*** **1.** Respeitante a alambre ou a âmbar. **2.** Feito de alambre ou de âmbar.

elétrio [Var. de *eléctrio*.] ***S. m.*** *Fís.* V. *elétron*.

eletriz [Do lat. tard. *electrice*.] ***S. f.*** *Desus.* Mulher que elege; eleitora.

eletrização [De *eletrizar* + *-ção*.] ***S. f.*** Ato ou efeito de eletrizar(-se).

eletrizado [Part. de *eletrizar*.] ***Adj.*** **1.** Diz-se dos corpos cujas propriedades elétricas foram desenvolvidas ou excitadas. **2.** Carregado de eletricidade. **3.** *Fig.* Encantado, entusiasmado, arrebatado, inflamado, exaltado.

eletrizador (ô) [De *eletrizar* + *-dor*.] ***Adj.*** **1.** Que eletriza; eletrizante. ● ***S. m.*** **2.** Aquele ou aquilo que eletriza.

eletrizante [De *eletrizar* + *-nte*.] ***Adj. 2 g.*** Eletrizador (1).

eletrizar [De *ele(c)tr(i)-* + *-izar*.] ***V. t. d.*** **1.** Desenvolver ou excitar propriedades elétricas em (os corpos). **2.** Carregar de eletricidade. **3.** *Fig.* Encantar, entusiasmar, arrebatar, inflamar, exaltar: *O ator eletrizou a plateia; Rui Barbosa, ao discursar, eletrizava os ouvintes.* ***P.*** **4.** Saturar-se de eletricidade. **5.** *Fig.* Entusiasmar-se, excitar-se, inflamar-se.

eletrizável [De *eletrizar* + *-vel*.] ***Adj. 2 g.*** Sujeito a eletrizar-se.

eletro[1] ***S. m.*** V. *electro*[1].

eletro[2] [F. red. de *eletroencefalograma*.] ***S. m.*** *Neur.* *eletrencefalograma*.

eletro[3] ***S. m.*** *Card.* V. *eletrocardiograma*.

eletro[4] [F. red. de *elétrotipo*.] ***S. m.*** *Tip.* V. *galvanótipo*.

eletroacústica ***S. f.*** *Fís.* V. *eletracústica*.

eletroacústico ***Adj.*** *Fís. Mús.* V. *eletracústico*.

eletrobalança [Var. de *electrobalança* < *ele(c)tr(o)-* + *balança*.] ***S. f.*** Balança analítica em que o equilíbrio se faz mediante a ação das forças geradas por uma corrente elétrica que passa por um solenoide.

eletrobomba [Var. de *electrobomba* < *ele(c)tr(o)-* + *bomba*.] ***S. f.*** *Mec.* Bomba rotativa acoplada a um motor elétrico destinado a acioná-la.

■ **Eletrobras** Sigla de *Centrais Elétricas Brasileiras*.

eletrocalha [De *ele(c)tr(o)-* + *calha*.] ***S. f.*** *Eng. Elétr.* Calha (3).

eletrocapilar [Var. de *electrocapilar* < *ele(c)tr(o)-* + *capilar*.] ***Adj.*** *Fís.-Quím.* Diz-se de fenômeno que envolve interfaces líquidas num capilar e cargas elétricas adsorvidas nessas interfaces.

eletrocardiografia (càr) [Var. de *electrocardiografia* < *ele(c)tr(o)-* + *-cardi(o)-* + *-grafia*.] ***S. f.*** *Card.* Estudo do registro gráfico das correntes elétricas originadas do músculo cardíaco e que constitui valioso auxiliar de diagnóstico de numerosas doenças cardíacas.

eletrocardiográfico (càr) [Var. de *electrocardiográfico* < *electrocardiografia* + *-ico*[2].] ***Adj.*** Relativo à eletrocardiografia.

eletrocardiógrafo (càr) [Var. de *electrocardiógrafo* < *ele(c)tr(o)-* + *-cardi(o)-* + *-grafo*.] ***S. m.*** *Card.* Instrumento com que se efetua o registro eletrocardiográfico (v. *eletrocardiografia*).

eletrocardiograma (càr) [Var. de *electrocardiograma* < *ele(c)tr(o)-* + *-cardi(o)-* + *-grama*.] ***S. m.*** *Card.* Registro gráfico obtido mediante o uso de eletrocardiógrafo [sigla: *ECG*]. [V. *eletrocardiografia*. F. red.: *eletro*.]

eletrocautério [De *ele(c)tr(o)-* + *cautério*.] ***S. m.*** *Cir.* Instrumento us. para a cauterização de órgão, e que tem a extremidade livre esquentada por ação de corrente elétrica.

eletrochoque [Var. de *electrochoque* < *ele(c)tr(o)-* + *choque*.] ***S. m.*** *Psiq.* Método utilizado no tratamento de alguns transtornos mentais, que consiste na aplicação, por período curto, de corrente elétrica ao encéfalo, através da calota craniana, originando perda de consciência e, em seguida, convulsões; eletroconvulsoterapia. [Modernamente sua aplicação é acompanhada do emprego de medicamentos que evitam convulsões.]

eletrocíclico [De *ele(c)tr(o)-* + *-cicl(o)-* + *-ico*[2].] ***Adj.*** *Quím.* ~ V. *reação —a*.

eletrocinético [Var. de *electrocinético* < *ele(c)tr(o)-* + *cinético*.] ***Adj.*** *Fís.-Quím.* Diz-se de fenômenos que envolvem o deslocamento de uma fase e campos elétricos existentes na superfície da fase. Compreendem a eletroforese, a eletrosmose, o potencial de escoamento e o potencial de sedimentação. ~ V. *potencial —*.

eletrocoagulação [Var. de *electrocoagulação* < *ele(c)tr(o)-* + *coagulação*.] ***S. f.*** *Cir.* Procedimento que objetiva coagulação de vasos sanguíneos em um tecido, e efetuado mediante a ação de corrente elétrica de alta frequência.

eletroconvulsoterapia [De *ele(c)tr(o)-* + o lat. *convulsus* + *-terapia*.] ***S. f.*** *Psiq.* Eletrochoque.

eletrocópia [Var. de *electrocópia* < *ele(c)tr(o)-* + *cópia*.] ***S. f.*** Cópia de documento obtida por qualquer processo que empregue a atração de partículas de pigmento por meio da aplicação de carga eletrostática.

eletrocução [Do ingl. *electrocution* < ingl. *(to) electrocute*, por anal. com *(exe)cution* (v. *execução*); cf. *eletrocussão*.] ***S. f.*** *Med. Leg.* Ação de eletrocutar; eletrocussão.

eletrocussão [De eletro*(cutir)* + *-cussão* (do lat. *-cussio, onis*, de nomes de verbos em *-cutere*, ver em *eletrocutir*); cf. *eletrocução*.] ***S. f.*** *Med. Leg.* Ação de eletrocutir; eletrocução.

eletrocutar [Adapt. do ingl. *electrocute* < ingl. *electro-* (v. *ele(c)tr(o)-*) + *(to) (exe)cute*, 'executar' (ver).] ***V. t. d.*** **1.** Proceder à execução de (um condenado) em cadeira elétrica (q. v.). **2.** Matar por meio de choque elétrico. [Sin. ger. (p. us.): *eletrocutir*.]

eletrocutir [De *ele(c)tr(o)-* + lat. *-cutere* (de formas lat. pref.. tais como *discutere* [> *discutir*], *repercutere* [> *repercutir*]), do v.lat. *quatere*, 'sacudir', 'fazer tremer'; 'agitar (em várias direções)'; 'inquietar'; 'abalar'.] ***V. t. d. P.*** *us.* V. *eletrocutar*.

eletrocutor (ô) [De *eletrocut(ar)* + *-or*, por anal. com *executor*.] ***S. m.*** Indivíduo encarregado de eletrocução.

eletrodeposição [Var. de *electrodeposição* < *ele(c)tr(o)-* *deposição*.] ***S. f.*** *Quím.* Deposição de metal, liga ou composto químico, por eletrólise.

eletrodinâmica [Var. de *electrodinâmica* < *ele(c)tr(o)-* + *dinâmica*.] ***S. f.*** Parte da física que estuda as propriedades, o comportamento e os efeitos de cargas elétricas em movimento, e investiga os campos eletromagnéticos.

eletrodinâmico [Var. de *electrodinâmico* < *ele(c)tr(o)-* + *dinâmico*.] ***Adj.*** *Fís.* Que produz corrente elétrica, ou é por ela produzido. ~ V. *instrumento —* e *potencial —*.

eletrodinamômetro ***S. m.*** *Eletr.* V. *eletrodinamômetro*. [Uso freq. em P.]

eletrodinamômetro [Var. de *electrodinamômetro* < *ele(c)tr(o)-* + *dinamômetro*.] ***S. m.*** *Eletr.* Instrumento que se usa para medir corrente, tensão ou potência, em circuitos CC ou CA, e baseado na interação de dois campos magnéticos: um gerado numa bobina fixa e outro formado numa bobina móvel.

eletródio [Var. de *electródio*.] ***S. m.*** *Eletr. Eletrôn. Fís. Fís.-Quím.* V. *eletrodo*.

eletrodo (ô) [Var. de *electrodo* < *ele(c)tr(o)-* + *-odo*; fr. *électrode*.] ***S. m.*** **1.** *Fís.* Condutor metálico por onde uma corrente elétrica entra num sistema ou sai dele. **2.** *Eletr.* Qualquer das placas de um capacitor; armadura, placa. **3.** *Eletrôn.* Qualquer componente metálico situado no interior duma válvula eletrônica. **4.** *Fís.-Quím.* Condutor metálico imerso em uma solução que contém íons. [Var. pros.: *elétrodo*.] ◆ **Eletrodo normal de hidrogênio.** *Fís.-Quím.* Eletrodo de platina muito ativa, imerso em solução aquosa com pH (ou melhor, atividade) igual a um, e em cuja superfície há um fluxo constante de bolhas de hidrogênio gasoso à pressão de uma atmosfera. [Por definição, o potencial deste eletrodo é zero.] **Eletrodo de referência.** *Fís.-Quím.* Aquele que tem potencial eletroquímico estável e bem conhecido, em relação ao eletrodo normal de hidrogênio. **Eletrodo de sacrifício.** Placa de zinco ou magnésio que, presa a uma estrutura metálica, serve para protegê-la da corrosão, ao ser, em seu lugar, corroída; eletrodo sacrificial. **Eletrodo sacrificial.** Eletrodo de sacrifício.

elétrodo ***S. m.*** *Eletr. Eletrôn. Fís. Fís.-Quím.* V. *eletrodo*.

eletrodoméstico [Var. de *electrodoméstico* < *ele(c)tr(o)-* + *doméstico*.] ***Adj. S. m.*** Diz-se de, ou aparelho elétrico de uso caseiro, tal como aspirador de pó, televisor, ferro elétrico, etc.

eletrodo-porta ***S. m.*** *Eletrôn.* V. *porta* (12). [Pl.: *eletrodos-portas* e *eletrodos-porta*.]

eletrodótico [Var. de *electrodótico* < *ele(c)tr(o)-* + gr. *dotikós*, 'que tende a dar'.] ***Adj.*** *Fís.-Quím.* Relativo a reagente ou radical que apresenta tendência a doar elétrons; nucleofílico.

eletroduto [De *ele(c)tr(o)-* + *duto*.] ***S. m.*** *Constr.* Conduíte. [F. paral.: *electroduto*.]

eletroeletrônico [De *ele(c)tro-* + *eletrônico*.] ***Adj.*** Relativo à eletricidade e à eletrônica, ou próprio de ambas. ● ***S. m.*** **2.** Aparelho elétrico e eletrônico.

eletroemissão [Var. de *electroemissão* < *ele(c)tr(o)-* + *emissão*.] ***S. f.*** *Fís.* Emissão de elétrons.

eletroencefalógrafo (cè) ***S. m.*** *Neur.* V. *eletrencefalógrafo*.

eletroencefalograma (cè) [Var. de *electroencefalograma*.] ***S. m.*** *Neur.* V. *eletrencefalograma*.

eletroendosmose [Var. de *electroendosmose* < *ele(c)tr(o)-* + *endosmose*.] ***S. f.*** *Fís.-Quím.* Eletrosmose.

eletroerosão [Var. de *electroerosão* < *ele(c)tr(o)-* + *erosão*.] ***S. f.*** *Tec. Quím.* Técnica de modelagem de peças mediante o ataque controlado efetuado numa eletrólise.

eletrofilia [De *eletrófilo* + *-ia*[1].] ***S. f.*** *Quím.* Eletrofilicidade.

eletrofilicidade [De *eletrofílico* + *-(i)dade*.] ***S. f.*** *Quím.* Qualidade ou intensidade do caráter eletrofílico; eletrofilia.

eletrofílico [De *eletrófilo* + *-ico*[2].] ***Adj.*** *Quím.* **1.** Relativo a, ou que tem características de um eletrófilo. **2.** Diz-se de reação causada pela ação de um eletrófilo sobre um substrato.

eletrófilo [De *ele(c)tr(o)-* + *-filo*[2].] ***S. m.*** *Quím.* Substância que é atraída por elétrons: cátion, ou molécula, que contém átomo com deficiência de elétron, com tendência a unir-se por ligação covalente a um nucleófilo. [Apesar de menos comuns, tb. existem eletrófilos que são radicais livres. Cf.: *nucleófilo*.]

eletrofisiologia (fi) [De *ele(c)tr(o)-* + *fisiologia*.] ***S. f.*** *Fisiol.* Parte da fisiologia que estuda as correntes elétricas originadas e emitidas por ser vivo; dela derivam importantes aplicações práticas, como a eletrocardiografia, a eletrencefalografia, etc.

eletrofisiológico (fi) [De *eletrofisiologia* + *-ico*[2].] ***Adj.*** *Fisiol.* Relativo a eletrofisiologia.

eletrofluorescência [Var. de *electrofluorescência* < *ele(c)tr(o)-* + *fluorescência*.] ***S. f.*** *Fís.* Fluorescência provocada em um sólido pela conversão direta de energia elétrica em eletromagnética.

eletrofobia [De *ele(c)tr(o)-* + *-fobia*.] ***S. f.*** *Psiq.* Medo patológico de eletricidade.

eletrofóbico [De *eletrofobia* + *-ico*[2].] *Psiq.* ***Adj.*** **1.** Relativo a eletrofobia. **2.** Que sofre de eletrofobia; eletrófobo. ● ***S. m.*** **3.** Aquele que sofre de eletrofobia; eletrófobo.

eletrófobo [De *ele(c)tr(o)-* + *-fobo*.] ***Adj. S. m.*** *Psiq.* Eletrofóbico (2 e 3).

eletrofone [De *ele(c)tr(o)-* + *-fone*.] ***S. m.*** Instrumento eletrófono. Ex.: guitarra elétrica, teclado, teremim, etc.

eletrofônico ***Adj.*** V. *eletrofônico*. [Uso freq. em P.]

eletrofônico [De *eletrofone* + *-ico*[2].] ***Adj.*** Relativo a eletrofone.

eletrofono [De *ele(c)tr(o)-* + *-fono*.] ***Adj.*** Eletrófono (q. v.).

eletrófono [Var. pros. de *eletrofono*.] ***Adj.*** Na classificação organológica de Curt Sacks (1881-1959), diz-se de qualquer instrumento musical cujo som é produzido por uma vibração gerada por eletricidade, tanto por meio de dispositivos que substituam o sistema mecânico, quanto de recursos sonoros capazes de serem transmitidos ou criados eletricamente. [Cf. *aerófono, cordófono, idiófono* e *membranófono*. V. *organologia*.] [A melhor forma é *eletrofono*, mas o uso consagrou *eletrófono*.]

eletroforese [Var. de *electroforese* < *ele(c)tr(o)-* + *-forese*.] ***S. f.*** *Fís.-Quím.* Migração das partículas de uma solução coloidal sob a influência de um campo elétrico; anaforese.

eletroforético [De *eletrofor(ese)* + *-ético*.] ***Adj.*** *Fís.-Quím.* **1.** De, ou referente a eletroforese. **2.** Em que ocorre eletroforese.

eletroformação [Var. de *electroformação* < *ele(c)tr(o)-* + *formação*.] *S. f. Tec. Quím.* Obtenção de tubos ou folhas metálicas mediante processo eletrolítico.

eletróforo [Var. de *electróforo* < *ele(c)tr(o)-* + *-foro*.] *S. m. Eletr.* Antigo instrumento empregado para gerar eletricidade estática.

eletrofraco [De *eletro(magnético) fraco*.] *Adj. Fís. Part.* ~ V. *teoria —a*.

eletrogalvânico [Var. de *electrogalvânico* < *ele(c)tr(o)-* + *galvânico*.] *Adj. Fís.* Relativo à pilha eletroquímica ou aos seus efeitos.

eletrogalvanismo [Var. de *electrogalvanismo* < *ele(c)tr(o)-* + *galvanismo*.] *S. m. Fís.* O conjunto dos fenômenos eletrogalvânicos.

eletrogéneo *Adj. Fís.* V. *eletrogêneo*. [Uso freq. em P.]

eletrogêneo [Var. de *electrogêneo* < *ele(c)tr(o)-* + *-gen(o)-* + *-eo*.] *Adj. Fís.* Que produz eletricidade.

eletrografia [Var. de *electrografia* < *ele(c)tr(o)-* + *-grafia*.] *S. f.* V. *galvanografia*.

eletrográfico [Var. de *electrográfico* < *electrografia* + *-ico*[2].] *Adj.* Respeitante à eletrografia.

eletrogravura [Var. de *electrogravura* < *ele(c)tr(o)-* + *gravura*.] *S. f.* Galvanogravura.

eletro-hidráulico [De *ele(c)tr(o)-* + *hidráulico*.] *Adj.* Referente a uma associação de mecanismos elétricos e hidráulicos.

eletroímã [Var. de *electroímã* < *ele(c)tr(o)-* + *ímã*.] *S. m. Fís.* Instrumento empregado para produzir campos magnéticos por meio de uma corrente elétrica que magnetiza um material ferromagnético; eletromagneto.

eletrojato *S. m. Geofís.* Lençol móvel, ou corrente, que se desloca numa camada ionizada da atmosfera superior (q. v.).

eletrola [De *ele(c)tr(o)-* + *-ola*[1].] *S. f.* Vitrola (1).

eletrolisação [De *eletrolisar* + *-ção*.] *S. f. Quím. P. us.* Eletrólise.

eletrolisar [De *eletrólise* + *-ar*[2].] *V. t. d.* Efetuar eletrólise de. [Pres. subj.: *eletrolise*, etc. Cf. *eletrólise*.]

eletrólise [De *ele(c)tr(o)-* + *-lise*.] *S. f. Quím.* Conjunto de fenômenos químicos ocorrentes nos eletrodos imersos numa solução condutora, provocados pela passagem de corrente elétrica, e que podem ser decomposições, deposições, combinações, desprendimentos gasosos, oxidações ou reduções. [Sin., p. us.: *eletrolisação*. Cf. *eletrolise*, do v. *eletrolisar*.]

eletrolítico [De *eletról(ise)* + *-ítico*.] *Adj.* Referente à eletrólise. ~ V. *banho — e deposição —a*.

eletrolito [Var. de *electrolitro*.] *S. m. Fís.* V. *eletrólito*.

eletrólito [Var. de *electrólito* < *ele(c)tr(o)-* + *-lito*.] *S. m. Fís.* Condutor de eletricidade, sólido ou líquido, no qual o transporte de carga se realiza por meio de íons. [Var. pros.: *eletrolito*.] ◆ **Eletrólito forte.** *Quím.* Substância que, em solução, se dissocia totalmente em íons. **Eletrólito fraco.** *Quím.* Substância que, em solução, se dissocia parcialmente em íons.

eletrologia [Var. de *electrologia* < *ele(c)tr(o)-* + *-logia*.] *S. f. Fís.* Estudo dos fenômenos elétricos e magnéticos. ◆ **Eletrologia médica.** Parte da eletricidade relativa às suas aplicações médicas.

eletroluminescência [Var. de *electroluminescência* < *ele(c)tr(o)-* + *luminescência*.] *S. f. Fís.* Luminescência provocada por uma descarga elétrica.

eletroluminescente [Var. de *electroluminescente* < *ele(c)tr(o)-* + *luminescente*.] *Adj. 2 g.* Que tem a propriedade da eletroluminescência.

eletromagnético [Var. de *electromagnético* < *ele(c)tr(o)-* + *magnético*.] *Adj.* Relativo ao eletromagnetismo ou que dele decorre. ~ V. *bomba —a*, *campo —*, *espectro —*, *indução —a*, *interação —a*, *onda —a*, *onda —a transversal*, *radiação —a*, *sistema c. g. s. —* e *unidade —a*.

eletromagnetismo [Var. de *electromagnetismo* < *ele(c)tr(o)-* + *magnetismo*.] *S. m.* Parte da física que investiga as propriedades dos campos elétricos, fundamentalmente a partir das equações estabelecidas pelo físico escocês J. C. Maxwell (1831-1879).

eletromagneto [Var. de *electromagneto* < *ele(c)tr(o)-* + *magneto*.] *S. m. Fís.* V. *eletroímã*.

eletromecânico [Var. de *electromecânico* < *ele(c)tr(o)-* + *mecânico*.] *Adj.* Diz-se de dispositivo em que comandos elétricos provocam efeitos mecânicos, ou vice-versa.

eletrometalurgia [De *ele(c)tr(o)-* + *metalurgia*.] *S. f. Metal.* A metalurgia (1) que emprega correntes elétricas, como nos processos eletrolíticos, e no aquecimento por arco ou pela resistência do circuito.

eletrometeoro [De *ele(c)tr(o)-* + *meteoro*.] *S. m. Astr.* Fenômeno óptico, ou acústico, resultante das manifestações elétricas da atmosfera, como a trovoada, as auroras polares e o fogo de santelmo.

eletrométrico [Var. de *electrométrico* < *ele(c)tr(o)-* + *-metr(o)-*[2] + *-ico*[2].] *Adj.* ~ V. *válvula —a*.

eletrómetro *S. m. Eletr.* V. *eletrômetro*. [Uso freq. em P.]

eletrômetro [Var. de *electrômetro* < *ele(c)tr(o)-* + *-metro*.] *S. m. Eletr.* Instrumento destinado a medir cargas elétricas, tensões ou correntes muito fracas, e baseado na deformação que um sistema mecânico apropriado sofre quando sujeito a um campo elétrico.

eletromiografia [Var. de *electromiografia* < *ele(c)tr(o)-* + *-mio(s)-* + *-grafia*.] *S. f. Fisiol. Neur.* Estudo das correntes elétricas observadas durante atividade muscular.

eletromiográfico [Var. de *electromiográfico* < *electromiografia* + *-ico*[2].] *Adj. Fisiol. Neur.* Relativo a eletromiografia.

eletromiograma [Var. de *electromiograma* < *ele(c)tr(o)-* + *-mio(s)-* + *-grama*.] *S. m. Fisiol. Neur.* Registro gráfico das correntes elétricas observadas durante atividade muscular.

eletromotância [Var. de *electromotância electr(o)-* + *-mot(o)-* + *-ância*.] *S. f. Eletr.* Força eletromotriz (q. v.).

eletromotriz [De *ele(c)tr(o)-* + *motriz*.] *Adj.* (*f.*) ~ V. *força —*.

elétron [Var. de *eléctron* < ingl. *electron*, t. criado pelo físico irlandês George J. Stoney (1826-1911), a partir do gr. *élektron*, 'âmbar-amarelo'.] *S. m. Fís.* Partícula elementar estável descoberta em 1897 pelo físico inglês J. J. Thomson (1856-1940), fundamental na constituição dos átomos e moléculas, com massa 0,510999 MeV/c^2 (equivalente a 9,109389 x 10^{-31} kg), *spin* 1/2, e carga elétrica negativa e de magnitude igual a 1,602177 x 10^{-19} C. Por ser portadora da menor quantidade de carga elétrica livre que se conhece, é frequentemente us. como unidade de carga elétrica. O elétron não sofre interações fortes, pertence à família dos léptons, e tem como antipartícula o pósitron. [F. paral. (lus.): *electrão* e *eletrão*. Símb.: *e* ou *é*.] ◆ **Elétron de valência.** *Fís.-Quím.* Aquele que normalmente está na camada eletrônica mais externa dum átomo e participa na determinação das propriedades ópticas, químicas e condutoras desse átomo; elétron óptico. **Elétron não compartilhado.** *Quím.* Aquele que não está participando de ligação covalente; elétron solitário. **Elétron óptico.** *Fís.-Quím.* Elétron de valência. **Elétron positivo.** *Fís. Nucl.* Pósitron (q. v.). **Elétron solitário.** *Quím.* Elétron não compartilhado.

eletronação [Var. de *electronação* < **electronar* (< *eléctron* + *-ar*[2]) + *-ção*.] *S. f. Quím.* Incorporação de um elétron a um átomo, ou íon, ou molécula, provocando-lhe a redução.

eletronegatividade [Var. de *electronegatividade* < *electronegativo* + *-(i)dade*.] *S. f. Fís.-Quím.* Tendência dum átomo para receber elétrons e formar um íon negativo.

eletronegativo [Var. de *electronegativo* < *ele(c)tr(o)-* + *negativo*.] *Adj.* **1.** *Eletrôn.* Diz-se de um eletrodo que tem potencial negativo em relação a outro. **2.** *Fís.-Quím.* Diz-se de um elemento cujos átomos têm acentuada eletronegatividade.

eletrónica *S. f.* V. *eletrônica*. [Uso freq. em P.]

eletrônica [Var. de *electrônica* < *eléctron* + *-ica*.] *S. f.* Parte da física dedicada ao estudo do comportamento de circuitos elétricos que contenham válvulas, semicondutores, transdutores, etc., ou à fabricação de tais circuitos.

eletrónico *Adj.* V. *eletrônico*. [Uso freq. em P.]

eletrônico [Var. de *electrônico* < *eléctron* + *-ico*[2].] *Adj.* Relativo à eletrônica. ~ V. *acoplamento —*, *afinidade —a*, *agenda —a*, *balança —a*, *birô —*, *caixa —*, *camada —a*, *canhão —*, *catálogo —*, *cérebro —*, *chave —a*, *claquete —a*, *computador —*, *comércio —*, *conferência —a*, *configuração —a*, *contador —*, *correio —*, *densidade —a*, *dicionário —*, *edição —a*, *editoração —a*, *endereço —*, *escuta —a*, *espelho —*, *jogo —*, *jornalismo —*, *lente —a*, *lista —a*, *livro —*, *mensagem —a*, *microscópio —*, *mídia —a*, *mock-up —*, *música —a*, *navegação —a*, *neutrino —*, *número —*, *óptica —a*, *planilha —a*, *ponto —*, *porteiro —*, *pregão —*, *publicação —a*, *secretária —a*, *sintetizador —*, *tubo —* e *válvula —a*.

elétron-volt [Var. de *eléctron-volt* < *eléctron* + *volt*.] *S. m. Fís.* Unidade de medida de energia, igual à energia adquirida por um elétron quando é acelerado por uma diferença de potencial de um volt, que equivale a 1,602177 x 10^{-19} J, e é largamente us. na física atômica, nuclear e de partículas elementares [símb.: *eV*]. [Com base na relação de equivalência entre massa e energia ($E=mc^2$, onde E = energia, m = massa, c = velocidade da luz) estabelecida por Einstein (v. *einsteiniano*), massas podem ser expressas na unidade eV/c^2, onde 1 e V/c^2 = 1,782662 x 10^{-36} kg. Frequentemente a massa das partículas é expressa como a energia de repouso equivalente, em MeV (q. v.).] [Pl.: *elétrons-volts* e *elétrons-volt*.]

eletro-óptica [Var. de *electro-óptica* < *ele(c)tr(o)-* + *óptica*.] *S. f.* Parte da física que estuda a influência de campos elétricos sobre a emissão, absorção, refração e espalhamento da luz.

eletroplessão [Var. de *electroplessão* < *ele(c)tr(o)-* + *-pless(o)-* + *-ão*[3].] *S. f.* Morte ocorrida em consequência de descarga elétrica.

eletropositivo [De *ele(c)tr(o)-* + *positivo*.] *Adj.* **1.** *Eletrôn.* Diz-se dum eletrodo que tem potencial positivo em relação a outro. **2.** *Fís.-Quím.* Diz-se dum átomo que tende a ceder elétrons e formar íon positivo.

eletroquímica [Var. de *electroquímica* < *ele(c)tr(o)-* + *química*.] *S. f.* Parte da físico-química que estuda as propriedades elétricas das soluções, o comportamento dos íons em meios líquidos, a produção de energia elétrica nas reações em fase líquida que ocorrem nas pilhas, e as propriedades elétricas das soluções coloidais.

eletroquímico [Var. de *electroquímico*, de *electroquímica*, com var. suf. (v. *-ico*[2]).] *Adj.* Relativo à eletroquímica. ~ V. *célula —a*, *corrosão —a*, *equivalente —*, *pilha —a* e *potencial —*.

eletroscopia [Var. de *electroscopia* < *ele(c)tr(o)-* + *-scop-* + *-ia*[1].] *S. f. Fís.* Observação e estudo das manifestações elétricas por meio de eletroscópios.

eletroscópico [Var. de *electroscópico* < *electroscopia* + *-ico*[2].] *Adj.* Relativo à eletroscopia.

eletroscópio [Var. de *electroscópio* < *ele(c)tr(o)-* + *-scópio*.] *S. m.* **1.** *Fís.* Instrumento para observação de fenômenos eletrostáticos, baseado no movimento de peças metálicas sob a influência de forças elétricas atrativas ou repulsivas. **2.** *Eletr.* Aparelho destinado a revelar cargas eletrostáticas muito pequenas.

eletrosmose [Var. de *electrosmose* < *ele(c)tr(o)-* + *osmose*.] *S. f. Fís.-Quím.* Movimento de um líquido através duma membrana semipermeável, provocado por uma diferença de potencial elétrico entre as duas faces desta; eletroendosmose.

eletrossiderurgia [Var. de *electrossiderurgia* < *ele(c)tr(o)-* + *siderurgia*.] *S. f.* Preparação do ferro e do aço por meio de eletricidade.

eletrossiderúrgico [Var. de *electrossiderúrgico* < *electrossiderurgia* + *-ico*[2].] *Adj.* Relativo à eletrossiderurgia.

eletrossono [Var. de *electrossono* < *ele(c)tr(o)-* + *-sono*.] *S. m. Psiq.* Método terapêutico que utiliza o sono produzido por eletricidade.

eletrostática [Var. de *electrostática*, f. subst. de *electrostático*.] *S. f.* Parte da física que estuda as propriedades e o comportamento de cargas elétricas em repouso.

eletrostático [Var. de *electrostático* < *ele(c)tr(o)-* + *-stat(o)-* + *-ico*[2].] *Adj.* Referente à eletrostática. ~ V. *acelerador —*, *alto-falante —*, *campo —*, *indução —a*, *lente —a*, *potencial —* e *sistema c.g.s. —*.

eletrostegia [Var. de *electrostegia*.] *S. f. Eletr.* Galvanostegia (1).

eletrostenólise [Var. de *electrostenólise* < *ele(c)tr(o)-* + *-sten(o)-* + *-lise*.] *S. f. Fís.-Quím.* Separação de um metal de uma solução que contenha o cátion correspondente, quando esta flui através dum capilar em que existe uma diferença de potencial elétrico.

eletrostrição [Var. de *electrostrição* < ingl. *electrostriction*.] *S. f. Fís.* Tensão mecânica ou modificação de forma que ocorre num dielétrico sólido sujeito a um campo elétrico.

eletrotaxia (cs) [Var. de *electrotaxia* < *ele(c)tr(o)-* + *-taxia*.] *S. f.* Movimento de células, no organismo, sob a influência da eletricidade.

eletrotecnia [De *ele(c)tr(o)-* + *-tecn(o)-* + *-ia*[1].] *S. f.* O estudo das aplicações práticas da eletricidade.

eletrotécnica [De *ele(c)tr(o)-* + *técnica*.] *S. f.* Estabelecimento onde se consertam aparelhos eletrônicos e elétricos.

eletrotécnico[1] [De *eletrotecnia* + *-ico*[2].] *Adj.* Relativo à eletrotecnia.

eletrotécnico[2] [De *eletrotécnica*, com var. suf. (v. *-ico*[2]).] *Adj.* Relativo à eletrotécnica.

eletroterapia [Var. de *electroterapia* < *ele(c)tr(o)-* + *-terapia*.] *S. f. Terap.* Tratamento de doenças pela eletricidade.

eletroterápico [Var. de *electroterápico* < *electroterapia* + *-ico*[2].] *Adj.* Relativo a eletroterapia.

eletrotermia [Var. de *electrotermia* < *ele(c)tr(o)-* + *-term(o)-* + *-ia*[1].] *S. f.* **1.** Produção de calor pela eletricidade. **2.** *Terap.* Utilização da eletrotermia (1) para alívio de dores, mediante aplicação à pele de instrumento gerador de calor. **3.** *Quím.* Designação genérica da técnica de obtenção de certas substâncias (carbeto de silício, carbeto de boro, p. ex.) em forno elétrico, a alta temperatura.

eletrotérmico [Var. de *electrotérmico* < *electrotermia* + *-ico*[2].] *Adj.* Relativo à, ou em que se utiliza a eletrotermia: *indústria* __*eletrotérmica*__, *processo* __*eletrotérmico*__.

eletrotipar [Var. de *electrotipar*.] *V. t. d.* Galvanotipar.

eletrotipia [Var. de *electrotipia* < *ele(c)tr(o)-* + *-tip(o)-* + *-ia*[1].] *S. f.* **1.** *Eletr. Metal.* V. *galvanoplastia*. **2.** *Tip.* V. *galvanotipia*. **3.** *Tip.* V. *galvanótipo*.

eletrótipo [Var. de *electrótipo*.] *S. m. Tip.* V. *galvanótipo*.

eletrótono [Var. de *electrótono* < *ele(c)tr(o)-* + *-tono*.] *S. m. Med.* Modificação de estado elétrico nervoso ou muscular quando, através de nervo ou de músculo, passa uma corrente elétrica contínua.

eletrotónus *S. m. 2 n. Med.* V. *eletrotônus.* [Uso freq. em P.]

eletrotônus [Do lat. cient. *electrotonus.*] *S. m. 2 n. Med.* V. *eletrótono.*

eletrovalência [Var. de *electrovalência* < *ele(c)tr(o)-* + *valência.*] *S. f. Fís.-Quím.* Ligação heteropolar.

eletuário *S. m.* V. *electuário.*

eleuria [De *ele(o)-* + *-uria.*] *S. f. Med.* V. *eleúria.*

eleúria [De *ele(o)-* + *-úria.*] *S. f. Med.* Alteração mórbida da urina, caracterizada por aspecto oleaginoso. [F. paral. *eleuria.*]

eleúrico [De *eleúria* + *-ico*^{2}.] *Med. Adj.* **1.** Relativo a, ou que sofre de eleúria. • *S. m.* **2.** Aquele que sofre de eleúria. [F. menos pref.: *elaiúrico.*]

eleusínias [Adapt. do gr. *Eleusinia*, pelo lat. *Eleusinia.*] *S. f. pl.* Na antiga Ática, festas em honra da deusa Deméter.

eleusino [Do lat. *eleusinu.*] *Adj.* **1.** De, ou pertencente ou relativo a Elêusis (cidade próxima de Atenas), ou a seus mistérios. • *S. m.* **2.** O natural ou habitante de Elêusis.

eleuterado [De *eleuter(o)-* + *-ado*^{3}.] *S. m. Adj. Zool.* V. *coleóptero.*

eleuterantéreo [De *eleuter(o)-* + *-anter(o)-* + *-eo.*] *Adj. Bot.* Diz-se dos estames quando as anteras são livres.

eleutérias [Do gr. *Eleuthéria*, pelo lat. *Eleutheria.*] *S. f. pl.* Festas em honra de Zeus Libertador (Eleutério), que se celebravam em Plateias (Grécia antiga) para comemoração da vitória de Pausânias sobre os persas.

▲**eleuter(o)-** [Do gr. *eleutero-* < gr. *eleútheros, a, on,* 'livre'; 'independente'.] ***El. comp.*** = 'livre', 'liberdade': *eleuterantéreo, eleuterógino; eleuteromania.*

eleuterodáctilo (lêu) [De *eleuter(o)-* + *-dá(c)tilo.*] *Adj. S. m. Zool.* Diz-se de, ou animal que apresenta os dedos das patas posteriores livres. [Var.: *eleuterodátilo.*]

eleuterodátilo (lêu) *Adj. S. m. Zool.* V. *eleuterodáctilo.*

eleuterógino [De *eleuter(o)-* + *-gino.*] *Adj. Bot.* Diz-se da flor quando o ovário está livre, *i. e.*, não concresce com outro verticilo floral.

eleuteromania (lêu) [De *eleuter(o)-* + *-mania.*] *S. f. Psiq.* Entusiasmo patológico por liberdade.

eleuteromaníaco (lêu) [De *eleuteromania* + *-íaco.*] *Psiq. Adj.* **1.** Relativo a eleuteromania. **2.** Que tem eleuteromania; eleuterômano. • *S. m.* **3.** Aquele que tem eleuteromania; eleuterômano.

eleuterómano *Adj. S. m. Psiq.* V. *eleuterômano.* [Uso freq. em P.]

eleuterômano [De *eleuter(o)-* + *-mano*^{1}.] *Adj. S. m. Psiq.* Eleuteromaníaco (2 e 3).

eleuterozoário [De *eleuter(o)-* + *-zo(o)-* + *-ário*; tax. *Eleutherozoa.*] *Zool. S. m.* **1.** Espécime dos eleuterozoários, subfilo de animais equinodermos que abrange todas as classes em que se localizam espécies desprovidas de órgãos especiais para fixação, e no qual se incluem, p. ex., os equinoides e os holoturoides. • *Adj.* **2.** Pertencente ou relativo a eles.

elevação [Do lat. *elevatione.*] *S. f.* **1.** Ato ou efeito de elevar(-se); ascensão, subida, levantamento: *elevação duma parede; Foi lenta a elevação do corpo do atleta.* [Sin., p. us.: *elevamento.*] **2.** Ato ou efeito de elevar(-se), de ascender a nível ou posição mais graduada ou importante; ascensão: *Sua elevação ao cargo de ministro foi merecida; Lutou para conseguir a elevação na escala social.* **3.** *Fig.* Ato de elevar, de dirigir para o alto: *elevação da alma para Deus.* **4.** Distinção, nobreza, grandeza: *elevação de caráter.* **5.** Altura que uma coisa atinge ao se elevar: *A elevação da água ameaça as construções ribeirinhas.* **6.** Alta, aumento, subida: *elevação de preços; a elevação da temperatura.* **7.** Eminência de terreno; alto. **8.** *Arquit.* Representação gráfica das estruturas verticais de uma edificação; alçado. **9.** *Mat.* Ato de elevar (um número) a uma certa potência: *elevação ao quadrado, ao cubo,* etc. **10.** *Mil.* Ângulo que o eixo do cano de uma boca de fogo faz com o plano horizontal no instante de atirar. **11.** *Lit.* Momento da missa em que o sacerdote católico eleva a hóstia e o vinho depois da consagração. **12.** *Telev.* Ângulo vertical entre o satélite de teledifusão e o plano horizontal, que determina o ajuste vertical da antena de recepção.

elevado [Do lat. *elevatu*, part. pass. de *elevare*, 'elevar'.] *Adj.* **1.** Que tem elevação; que se eleva ou elevou: *teto elevado; voz elevada; terreno elevado.* **2.** Transcendente, alto, superior: *estilo elevado.* **3.** Grande, nobre: *espírito elevado.* ~ V. *abóbada —a* e *polo —.* • *S. m.* **4.** Via urbana, para tráfego rodoviário ou ferroviário, em nível superior ao do solo. **5.** *Tip.* Letra, número ou outro sinal de olho menor que o de sua fonte e fundido ao alto, usado em abreviaturas ou como expoente matemático; subido. [Cf. *descido* e *letra superior.*]

elevador (ô) [Do lat. tard. *elevatore.*] *Adj.* **1.** Que eleva; elator. • *S. m.* **2.** Máquina elevatória; ascensor. **3.** V. *eretor* (3). **4.** *Tip.* Cada uma das duas peças móveis da linotipo (primeiro-elevador e segundo-elevador ou *guindaste*) que servem para conduzir as linhas de matrizes do carro despachador ao molde de fundição e à caixa de transferência, e desta ao distribuidor (7). ~ V. *elevadores.*

elevadores *S. m. pl. Teatr.* Nos teatros de ópera, as seções do palco, acionadas do porão, que criam desníveis que participam do cenário. ~ V. *elevador.*

elevamento [De *elevar* + *-mento.*] *S. m. P. us.* V. *elevação* (1).

elevar [Do lat. *elevare.*] *V. t. d.* **1.** Pôr em plano superior; levantar, erguer, alçar: *Elevou o embrulho para as crianças não o alcançarem; O padre elevou a hóstia.* **2.** Dirigir para cima; levantar, erguer: *Elevou os olhos para ver o balão que subia.* **3.** Aumentar em número, preço, valor, etc.; fazer subir: *Os pecuaristas elevaram o preço da carne; O professor elevou a nota do aluno.* **4.** Aumentar o tom de (a voz). **5.** Exaltar, engrandecer: *O corajoso feito eleva-lhe as virtudes.* **6.** Construir; erguer: *elevar um monumento.* ***T. d. e i.*** **7.** Fazer subir (a posição elevada); promover: "A rainha da Inglaterra eleva-o [a Tennyson] a poeta laureado" (Constâncio Alves, *Figuras*, p. 161). **8.** Fazer sair (de lugar inferior). **9.** Erguer, alçar: *Elevou o pensamento às alturas.* ***P.*** **10.** Estar sobranceiro; alçar-se: "A donzela, em sua humildade, torna-se grande; / Eleva-se acima da condição humana" (Manuel Bandeira, *Estrela da Vida Inteira*, p. 224). **11.** Engrandecer-se, exaltar-se. **12.** Erguer-se, alçar-se: "Chega o homem ao grau definitivo de superioridade quando pode elevar-se acima da sua própria fé." (Pontes de Miranda, *Obras Literárias*, p. 45.)

elevatória [F. subst. de *elevatório.*] *S. f. Bras.* Estação de um sistema de esgotos ou de abastecimento de água, na qual o líquido é levado, por meio de bombas, para um reservatório situado em nível superior ao terreno circundante, ou à tubulação que traz o líquido; estação elevatória.

elevatório [De *elevar* + *-tório.*] *Adj.* **1.** Que serve para elevar. **2.** Relativo a elevação. ~ V. *estação —a.*

elfa [De or. obscura.] *S. f.* Cova para plantar bacelo.

elfo [Do ingl. *elf.*] *S. m.* Gênio aéreo da mitologia escandinava, que simboliza o ar, o fogo, a Terra, etc.: "Elfos de Lua, gnomos, rondas fluidas, andavam no ar com o pólen dos jardins" (Antônio Patrício, *Serão Inquieto*, p. 69).

▲**-elha** (ê) Equiv. de *-elho.*

▲**-elho** (ê) [Do lat. *-icŭlu*, por via pop.] ***Suf. nom.*** = 'diminuição': *rapazelho.* [Tem, por vezes, conotação pejorativa: *literatelho.* Equiv.: *-elha: figurelha.*]

eliangue *Bras. S. 2 g. Etnôn.* **1.** Indivíduo dos eliangues [ou (etnôn. bras.) *Eliang], povo indígena extinto da família linguística caraíba, que habitava a região do rio Uraricoera (RR). • *Adj. 2 g.* **2.** Pertencente ou relativo a esse povo.

eliano [Do antr. *Elias* (< hebr. *Eliyyahu*, 'Javé é Deus') + *-ano*^{1}.] *Adj. S. m.* Que, ou quem segue a doutrina do profeta hebreu Elias.

elias-faustense *Adj. 2 g.* **1.** De, ou pertencente ou relativo a Elias Fausto (SP). • *S. 2 g.* **2.** O natural ou habitante de Elias Fausto. [Pl.: *elias-faustenses.*]

eliciano [Do top. *Ellice* (atualmente Tuvalu), arquipélago do Pacífico, + *-iano.*] *S. m. Gloss.* Tuvaluano (3).

eliciar [Do lat. *elicere*, com mudança de conjug.] *V. t. d.* **1.** Fazer sair; expulsar. **2.** Desviar com conjuro; conjurar, esconjurar. **3.** Extrair uma resposta ou reação de. **4.** *E. Ling.* Extrair enunciados ou julgamentos linguísticos de (informante). [Sin. ger.: *elicitar.* Pres. ind.: *elicio*, etc. Cf. *Elício*, mit. e antr.]

elicitar [Do lat. *elicitus*, part. pass. de *elicere*, 'extrair', 'tirar de', + *-ar*^{2}; ingl. (*to*) *elicit.*] *V. t. d.* V. *eliciar.*

elícito [Do lat. *elicitu.*] *Adj.* Atraído; aliciado. [Cf. *ilícito.*]

elidente [De *elidir* + *-ente*, seg. o padrão erudito.] *Adj. 2 g.* Que tem força de elidir.

elidir [Do lat. *elidere.*] *V. t. d.* Fazer elisão de; eliminar, suprimir. [Cf. *ilidir.*]

elidível [De *elidir* + *-vel.*] *Adj. 2 g.* Que pode ser elidido. [Cf. *ilidível.*]

eliense *Adj. 2 g.* **1.** De, ou pertencente ou relativo a Doutor Elias (RJ). • *S. 2 g.* **2.** O natural ou habitante de Doutor Elias.

eligimento [De *eligir* + *-mento.*] *S. m. Constr.* Nivelamento dos alicerces ao longo da fachada e pouco abaixo do nível do solo.

eligir [Corrupt. de *erigir*, com alter. semântica.] *V. t. d. Constr.* Fazer o eligimento de.

eliminação [De *eliminar* + *-ção.*] *S. f.* **1.** Ato ou efeito de eliminar(-se). **2.** *Álg.* Supressão de uma ou mais incógnitas de um sistema de equações, mediante operações adequadas e com o fim de determinar a solução do sistema. **3.** *Quím.* Tipo de reação na qual dois átomos ou dois grupamentos se desprendem de uma molécula, ger. dando origem, nesta, a uma insaturação.

eliminador (ô) [De *eliminar* + *-dor.*] *Adj.* Que elimina; eliminante.

eliminante [De *eliminar* + *-nte.*] *Adj. 2 g.* **1.** Eliminador. • *S. m.* **2.** *Álg.* Relação entre os coeficientes das variáveis de um sistema de equações que deve ser identicamente satisfeita para que o sistema tenha solução; resultante.

eliminar [Do lat. *eliminare*, poss. pelo fr. *éliminer.*] *V. t. d.* **1.** Fazer sair; tirar, suprimir, excluir: *A reforma ortográfica elimina as consoantes geminadas.* **2.** Fazer sair do organismo (2); expulsar, natural ou artificialmente: *Os diuréticos eliminam o excesso de água; O doente eliminou o catarro que o sufocava.* **3.** Matar; suprimir. **4.** *Álg.* Efetuar a eliminação (2) de. ***T. d. e i.*** **5.** Fazer sair; pôr fora; expulsar, banir: *Eliminaram-no do clube.* ***P.*** **6.** Matar-se, suicidar-se.

eliminativo [De *eliminar* + *-tivo.*] *Adj.* Que elimina, ou em que há eliminação.

eliminatória [F. subst. de *eliminatório.*] *S. f.* Matéria, prova ou competição de caráter eliminatório.

eliminatório [De *eliminar* *-tório.*] *Adj.* **1.** Que se destina ou tem por efeito eliminar, suprimir, excluir: *processo eliminatório; método eliminatório.* **2.** Diz-se de matéria, prova, exame, etc., em que o candidato será eliminado se não alcançar determinada nota. **3.** Diz-se de concurso, competição esportiva, etc., cujo fito é eliminar candidatos, atletas, equipes, etc. que não atingirem índices preestabelecidos para disputar campeonato, olimpíada, festival, etc.

eliminável [De *eliminar* + *-vel.*] *Adj. 2 g.* Que pode ser eliminado.

elipse [Do gr. *élleipsis*, 'omissão', pelo lat. *ellipse.*] *S. f.* **1.** *E. Ling.* Omissão deliberada de palavra(s) que se subentende(m), com o intuito de assegurar a economia da expressão. Ex.: "Onde pode, põe a mão. Onde não, põe os seus olhos" (Audálio Alves, *Antologia Poética*, p. 85); "Cheguei. Chegaste." (Olavo Bilac, *Poesias*, p. 127). **2.** *E. Ling.* Omissão de parte de uma sentença, subentendida com base na estrutura gramatical. **3.** *Geom.* Lugar geométrico dos pontos de um plano cujas distâncias a dois pontos fixos desse plano têm soma constante; interseção de um cone circular reto com um plano que faz com o eixo do cone um ângulo maior que o do vértice. **4.** *Cin.* Omissão de parte de uma história, subentendida com base na estrutura narrativa. ◆ **Elipse paraláctica.** *Astr.* Trajetória elíptica que uma estrela parece descrever em consequência da paralaxe ânua.

▲**elips(o)-** [Do gr. *élleipsis, eōs*, 'falta'; 'omissão'.] ***El. comp.*** = 'elipse': *elipsoide, elipsóstomo.*

elipsógrafo [De *elips(o)-* + *-grafo.*] *S. m.* Instrumento com que se traçam elipses.

elipsoidal [De *elipsoide* + *-al*^{1}.] *Adj. 2 g.* Elipsoide (1). ~ V. *coordenadas elipsoidais.*

elipsoide (ói) [De *elips(o)-* + *-oide.*] *Adj. 2 g.* **1.** Que tem forma de elipse; elipsoidal. • *S. m.* **2.** *Geom.* Superfície de segundo grau em que todas as seções retas são elipses ou circunferências de círculo. ◆ **Elipsoide achatado.** *Geom.* Elipsoide oblato. **Elipsoide de revolução.** *Geom.* O que resulta da rotação de uma elipse em torno de um dos seus eixos; o que tem dois eixos iguais. [Sin.: *esferoide.*] **Elipsoide oblato.** Elipsoide de revolução obtido por meio da rotação de uma elipse em torno do seu eixo menor; elipsoide achatado. *Geom.* **Elipsoide oblongo.** *Geom.* Elipsoide prolato. **Elipsoide prolato.** *Geom.* Elipsoide de revolução resultante da rotação de uma elipse em torno do seu eixo maior; elipsoide oblongo. **Elipsoide terrestre.** *Astr.* Elipsoide de revolução convencional, ao qual se relacionam os pontos da superfície terrestre. ❖

elipsospermo [De *elips(o)-* + *-spermo.*] *Adj. Bot.* Que tem sementes elípticas.

elipsóstomo [De *elips(o)-* + *-stomo.*] *Adj. Zool.* Cuja boca ou abertura é elíptica.

elíptico [Do gr. *elleiptikós.*] *Adj.* **1.** Que contém, ou em que há elipse(s) (1): *estilo elíptico; Miguel Torga é muito dado às construções elípticas.* **2.** Pertencente ou relativo a elipse. **3.** Que tem forma de elipse (3): *figura elíptica.* [Var.: *elítico.*] ~ V. *charada —a, cometa —, coordenadas —as, filtro —, folha —a, função —a* e *polarização —a.*

elisa [Ingl., f. red. de *Enzime-Linked Immunosorbent Assay.*] *S. m.* Denominação de exame laboratorial que se destina à detecção de anticorpos anti-HIV.

elisabetano *Adj.* De, ou pertencente ou relativo à rainha Elisabete I (ou Isabel) da Inglaterra (1533-1603), ou à sua época; elisabetiano, isabelino: *Foi no período elisabetano que o teatro inglês — com Lyly, Marlowe, Shakespeare e muitos outros — alcançou o seu apogeu.* ~ V. *palco —.*

elisabetiano *Adj.* V. *elisabetano.*

elisão [Do lat. *elisione.*] *S. f.* **1.** Ato ou efeito de elidir; eliminação, supressão. **2.** *E. Ling. Restr.* Supressão da vogal átona final de um vocábulo quando o seguinte principia por vogal. Ex.: *dalgum* (= de algum). **3.** *Mús.* Em harmonia, a não resolução de qualquer nota por movimento obrigatório, ascendente ou descendente, ou a sua marcha melódica em salto. **4.** *Mús.* Em análise morfológica, a superposição do final de uma frase musical ao início de outra. ◆ **Eli-**

são fiscal. Utilização de expedientes legais, como a exploração de brechas na legislação tributária, para evitar o pagamento de impostos. [Cf. *evasão fiscal*.]

eliseu *S. m.* V. *elísio*[1].

eliseu-martinino *Adj.* **1.** De, ou pertencente ou relativo a Eliseu Martins (PI). ● *S. m.* **2.** O natural ou habitante de Eliseu Martins. [Sin. ger.: *eliseu-martinsino*. Pl.: *eliseu-martininos*.]

eliseu-martinsino *Adj. S. m.* V. *eliseu-martinino*. [Pl.: *eliseu-martinsinos*.]

elísio[1] [Do top. mit. gr. *Elýsion*, pelo lat. *Elysium*.] *S. m.* **1.** *Mit.* A morada dos heróis e dos justos após a morte; campos elísios. **2.** *P. ext.* Lugar de delícias; a bem-aventurança. [Sin. ger.: *eliseu*.]

elísio[2] [Do gr. *elýsios*, pelo lat. *elysius*.] *Adj.* Pertencente ou relativo ao elísio[1]: *paz elísia*.

elite [Do fr. *élite*.] *S. f.* **1.** O que há de melhor em uma sociedade ou num grupo; nata, flor, fina flor, escol. [Cf. *flor* (5).] **2.** *Sociol.* Camada social, relativamente pequena, que desfruta de mais privilégios.

elítico *Adj.* V. *elíptico*.

elitismo [De *elite* + *-ismo*.] *S. m.* **1.** Sistema que favorece as elites [v. *elite* (2)], com prejuízo da maioria. **2.** Ideal ou concepção de vida fundada em tal sistema.

elitista [De *elitismo* + *-ista*.] *Adj. 2 g.* **1.** Relativo ao elitismo, ou próprio dele. **2.** Que é adepto do elitismo. ● *S. 2 g.* **3.** Pessoa elitista.

elitização [De *elitizar* + *-ção*.] *S. f.* Ação ou efeito de elitizar.

elitizar [De *elite* + *-izar*.] *V. t. d.* Fazer passar à categoria de elite (2).

elitrite [De *elitr(o)-* + *-ite*[1].] *S. f. Gin.* Inflamação da vagina; vaginite, colpite.

▲**elitr(o)-** [Do gr. *élytron, ou*.] *El. comp.* = 'envoltório'; 'vagina': *elitrite, elitróptero, elitrorragia*.

élitro [Do gr. *élytron*, 'estojo'.] *S. m. Zool.* Asa anterior dos coleópteros, sem nervuras e de consistência córnea: "ouviam-se leves frêmitos d'élitros d'insetos que esvoaçavam tontos, de ramo em ramo." (Coelho Neto, *Sertão*, p. 137).

elitrocele [De *elitr(o)-* + *-cele*[1].] *S. f. Gin.* Hérnia na vagina; colpocele.

elitroide (ói) [De *elitr(o)-* + *-oide*.] *S. f. Anat.* Túnica vaginal ou serosa que envolve os testículos. ❖

elitroplastia [De *elitr(o)-* + *-plast(o)-* + *-ia*[1].] *S. f. Gin.* Operação plástica realizada na vagina.

elitróptero [De *elitr(o)-* + *-ptero*.] *S. m. Adj. Zool.* V. *coleóptero*.

elitrorragia [De *elitr(o)-* + *-ragia*.] *S. f. Gin.* Hemorragia vaginal.

elitrorrágico [De *elitrorragia* + *-ico*[2].] *Adj.* Relativo à elitrorragia.

elitrotomia [De *elitr(o)-* + *-tom(o)-* + *-ia*[1].] *S. f. Gin.* Colpotomia.

elitrotômico *Adj.* V. *elitrotômico*. [Uso freq. em P.]

elitrotômico [De *elitrotomia* + *-ico*[2].] *Adj.* Relativo à elitrotomia.

elixir [Do fr. *élixir* < ár. *al-aksir* ou *al-iksīr*, 'a pedra filosofal'; 'certo preparado medicamentoso', < gr. *xērós*, 'seco, sem umidade' (poss. por um gr. tard. *xḗrion*, 'remédio para secar ferimentos').] *S. m.* **1.** Confeição farmacêutica de xaropes com alcoolatos. **2.** Bebida deliciosa, balsâmica ou confortadora. **3.** *Fig.* Aquilo que tem efeito mágico ou miraculoso; filtro. **4.** *Bras. Pop.* V. *cachaça* (1). ◆ **Elixir da longa vida.** *Alq.* Na Idade Média, substância procurada pelos alquimistas e que, segundo a crença então corrente, tinha a propriedade de rejuvenescer o corpo humano e assegurar a longevidade. [V. *alquimia*.] **Elixir paregórico.** *Farm.* Tintura de ópio, cânfora, ácido benzoico e outros componentes, us. como sedativo intestinal.

elmo (é) [Do frâncico **helm*, 'capacete', 'elmo'.] *S. m.* **1.** Espécie de capacete que protegia a cabeça nas armaduras antigas; gálea: "A viseira do elmo de diamante / Alevantando um pouco, mui seguro, / Por dar seu parecer se pôs diante / De Júpiter, armado, forte e duro" (Luís de Camões, *Os Lusíadas*, I, p. 37). **2.** *Fig.* Crosta escura que se forma na cabeça das crianças por falta de limpeza. [Var. pop., nesta acepç.: *ermo*[2].]

elmolo [Dessa língua.] *S. 2 g.* **1.** *Etnôn.* Indivíduo dos elmolos, o menor dos grupos étnicos da África na atualidade, que habita as margens do lago Turcana (Quênia). ● *S. m.* **2.** *Gloss.* Língua cuxítica praticamente extinta, outrora falada por esse povo. [Em 1997 contava com apenas um falante com 83 anos de idade.] ● *Adj. 2 g.* **3.** Do, pertencente ou relativo ao elmolo (1 e 2).

➔**el niño** [el 'niɲo] [Esp., lit. 'o menino', *i. e.*, Jesus, em alusão ao fato de o fenômeno ocorrer na época do Natal.] Corrente de águas marinhas superficiais e quentes, que ocorre por vezes na costa ocidental da América do Sul e causa grandes alterações climáticas e ecológicas.

elo (é) [Do lat. *annellu*, pela f. **aelo*.] *S. m.* **1.** Argola de cadeia (1): "Eis-me livre, qual ave nos espaços! / Quebrei os elos da fatal cadeia!" (João Penha, *Rimas*, p. 35). **2.** *Bot.* V. *gavinha*. **3.** *Fig.* Ligação, união, continuação. **4.** *Inform.* Em hipertextos ou sistemas de hipermídia, remissão de um documento (ou ponto de um documento) a outro, que permite fácil acesso a eles e deslocamento entre eles (p. ex., por meio de cliques de *mouse* sobre termos grifados e ícones). [Corresponde aos voc. ingl. *hyperlink* e (f. red.) *link*.] [Cf. *elo* (ê) e o top. *Helo*.] ◆ **Elo perdido.** Elemento que falta para completar uma série, numa classificação científica. [Na teoria evolucionista de Darwin, é, particularmente, o espécime que seria o intermediário entre o macaco e o homem — o *Pithecanthropus erectus* (v. *pitecantropo*).]

elo (ê) [Do lat. *illu*.] *Pron. Arc.* Isto; isso; aquilo. [Cf. *elo* (é).]

▲**-elo** [Do lat. *-ellu*.] *Suf. nom.* = 'diminuição (às vezes com matiz pejorativo)': *branquelo, magrelo, manelo*; é us., tb., na formação de voc. eruditos: *carpelo* (< lat. cient.), *libelo* (< lat. cient.). [Equiv.: *-elo* (ê) (q. v.).]

▲**-elo** (ê) [Do lat. *-ellu*, por via pop. ou semierudita, ou do lat. vulg. *-elu*, por via pop.] *Suf. nom.* = 'diminuição'; 'semelhança': *capelo*[1] (< lat. vulg.), *cerebelo* (< lat.), *cobrelo, cubelo, corvelo, rabelo*, etc. [V. *-elo*.]

elocução [Do lat. *elocutione*.] *S. f.* **1.** Maneira de exprimir-se, oralmente ou por escrito. **2.** Escolha de palavras ou frases; estilo.

➔**elocutio** [elɔ'kuțĕ̯ɔ] [Lat.] *E. Ling.* V. *retórica* (2).

eloendro [De *loendro* (q. v.).] *S. m. Bot.* V. *espirradeira*.

elogiar [De *elogio* + *-ar*[2].] *V. t. d.* Fazer elogio(s) a; louvar, gabar; enaltecer: *elogiar um escritor, um romance, um filme*.

elogiável [De *elogiar* + *-vel*.] *Adj. 2 g.* Que pode ou deve ser elogiado.

elogio [Do lat. *elogiu*, 'epitáfio', com influência do gr. *eulogía*, 'elogio', por serem os epitáfios quase sempre elogiosos.] *S. m.* **1.** Expressão de admiração, aprovação, louvor, etc.: *Um elogio sincero não exclui a crítica*. **2.** Discurso em louvor de alguém; encômio. ◆ **Elogio de corpo presente.** Elogio feito em presença do elogiado. **Elogio fúnebre.** Aquele que se faz em honra de um morto.

elogioso (ô) [De *elogio* + *-oso*; fr. *élogieux*.] *Adj.* Que encerra ou envolve elogio; encomiástico.

eloiense (ói) *Adj. 2 g.* **1.** De, ou pertencente ou relativo a Elói Mendes (MG). ● *S. 2 g.* **2.** O natural ou habitante de Elói Mendes. [Sin. ger.: *elói-mendense*.]

elói-mendense *Adj. 2 g. S. 2 g.* V. *eloiense*. [Pl.: *elói-mendenses*.]

elói-sousense *Adj. 2 g.* **1.** De, ou pertencente ou relativo a Senador Elói de Sousa (RN). ● *S. 2 g.* **2.** O natural ou habitante de Senador Elói de Sousa. [Pl.: *elói-sousenses*.]

eloísta [Do hebr. *Ĕlōhīm*, pl. de *Ĕlōah*, Deus, + *-ista*.] *Adj. 2 g.* Diz-se de alguns fragmentos do Pentateuco em que a Deus é dado o nome de *El* ou *Eloim*, e que os críticos distinguem, quanto à época e quanto à origem, dos fragmentos jeovistas, deuteronômicos e sacerdotais.

elongação [Do lat. med. *elongatione*.] *S. f.* **1.** *Fís.* No movimento periódico de uma partícula, o seu afastamento instantâneo em relação à posição de equilíbrio. **2.** *Ort.* Processo mediante o qual se procura conseguir alongamento de algumas estruturas anatômicas. ◆ **Elongação geocêntrica.** *Astr.* Elongação dum planeta em relação ao centro da Terra. **Elongação topocêntrica.** *Astr.* Elongação de um planeta em relação ao observador situado na superfície da Terra.

elopídeo [Do lat. cient. *Elop-* (< tax. *Elops* < gr. *élops*, 'certo peixe') + *-ídeo*[1]; tax. *Elopidae*.] *Zool. S. m.* **1.** Espécime dos elopídeos, família de peixes actinopterígios, elopiformes, que habitam mares e estuários; de corpo esguio, nadadeira dorsal única, nadadeiras peitorais e pélvica pequenas e cauda grande, bifurcada. ● *Adj.* **2.** Pertencente ou relativo a eles.

elopiforme [Do lat. cient. *Elop-* (v. *elopídeo*) + *-iforme*; tax. *Elopiformes*.] *Zool. S. m.* **1.** Espécime dos elopiformes, ordem de peixes elopomorfos, marinhos, com as nadadeiras ventrais inseridas no abdome e guelras grandes. Inclui os megalopídeos e os elopídeos. ● *Adj. 2 g.* **2.** Pertencente ou relativo a eles.

elopomorfo [Adapt. do tax. *Elopomorpha*.] *Zool. S. m.* **1.** Espécime dos elopomorfos, superordem de peixes teleósteos que inclui os albuliformes, os anguiliformes, os elopiformes, os notacantiformes e os sacofaringiformes. ● *Adj.* **2.** Pertencente ou relativo a eles.

eloquência (qüên) [Do lat. *eloquentia*.] *S. f.* **1.** Capacidade de falar e exprimir-se com facilidade. **2.** A arte e o talento de persuadir, convencer, deleitar ou comover por meio da palavra. **3.** *P. ext.* Qualidade de persuasivo, expressivo, convincente, eloquente: *a eloquência do olhar; a eloquência dos fatos*. **4.** *E. Ling.* A arte de bem falar. ❖

eloquente (qüen) [Do lat. *eloquente*.] *Adj. 2 g.* **1.** Que tem eloquência; facundo, magníloquo. **2.** *Fig.* Expressivo, significativo, persuasivo, convincente. ❖

elóquio [Do lat. *eloquiu*.] *S. m. P. us.* Fala, discurso.

elosiídeo [Do tax. *Elosia* + *-ídeo*[1]; tax. *Elosiidae*.] *Zool. S. m.* **1.** Espécime dos elosiídeos, família de anfíbios anuros na qual se classificam várias rãs da América do Sul. Ex.: a rã-cachorro. ● *Adj.* **2.** Pertencente ou relativo a eles.

el-rei *S. m. Ant.* Rei, ou o rei: "Chamava-o el-rei a Toledo para o acompanhar com sua mesnada contra o rebelde Paulo." (Alexandre Herculano, *Lendas e Narrativas*, II, p. 21.)

eluato [Do lat. *elu(ere)*, 'eluir', + *-ato*[2]; ingl. *eluate*.] *S. m. Quím.* Fluido que emerge de uma coluna cromatográfica durante a sua eluição.

elucidação [De *elucidar* + *-ção*.] *S. f.* Ato de elucidar(-se).

elucidar [Do lat. tard. *elucidare*.] *V. t. d.* **1.** Tornar compreensível; esclarecer; explicar: *O filósofo elucidou pontos controversos da sua doutrina*. **2.** Fazer ver ou conhecer: *Jeitosamente elucidei a minha discordância de sua ideia*. *P.* **3.** Esclarecer-se; informar-se. [Sin. ger.: *dilucidar*.]

elucidário [Do lat. med. *elucidariu*.] *S. m.* Livro ou glossário que explica ou elucida palavras ou expressões ininteligíveis ou obscuras.

elucidativo [De *elucidar* + *-tivo*.] *Adj.* Que elucida.

elucubração [Do lat. tard. *elucubratione*.] *S. f.* Lucubração (q. v.).

elucubrar *V. int. T. i. T. d.* V. *lucubrar*.

eludir [Do lat. *eludere*.] *V. t. d.* Evitar ou esquivar com destreza; furtar-se com habilidade ou astúcia, ao poder ou influência de: "a Natureza sabe eludir todos os nossos estudos e conceitos; não é mais fácil no que mostra, do que no que esconde" (Matias Aires, *Reflexões sobre a Vaidade dos Homens*, p. 287). [Cf. *iludir*.]

eluição (u-i) [Do ingl. *elution* < lat. *elutione*.] *S. f. Quím.* Dessorção provocada por um fluxo de líquido ou de gás através de um adsorvente.

eluir [Do lat. *eluere*.] *V. t. d. Quím.* Provocar a eluição de. [Conjug.: v. *atribuir*.]

➔**elul** [e'lul] [Hebr.] *S. m. Cronol.* O décimo segundo mês do calendário judaico, que recai entre os meses de agosto e setembro dos calendários juliano e gregoriano.

eluô [Do ior.] *S. m. Bras. Rel.* Sacerdote, inferior ao babalaô (1), mas da hierarquia interna do candomblé, que funciona como ledor do futuro.

▲**elur(o)-** [Do gr. *aílouros, ou*.] *El. comp.* = 'gato': *elurofobia, eluromania, eluropsia*. [Equiv. impr.: *ailur(o)-*: *ailurofobia, ailuropsia*.]

elurofilia [De *elur(o)-* + *-filia*.] *S. f. Psiq.* Afeição patológica por gatos; eluromania. [F. impr.: *ailurofilia*.]

elurofílico [De *elurofilia* + *-ico*[2].] *Psiq. Adj.* **1.** Relativo a elurofilia. **2.** Que tem elurofilia; elurófilo, eluromano. ● *S. m.* **3.** Aquele que tem elurofilia; elurófilo, eluromano. [F. impr.: *ailurofílico*. Sin. ger.: *eluromaníaco*.]

elurófilo [De *elur(o)-* + *-filo*[2].] *Adj. S. m. Psiq.* Elurofílico (2 e 3). [F. impr.: *ailurófilo*.]

elurofobia [De *elur(o)-* + *-fobia*.] *S. f. Psiq.* Medo patológico de gato. [F. impr.: *ailurofobia*.]

elurofóbico [De *elurofobia* + *-ico*[2].] *Adj. Psiq.* **1.** Relativo a elurofobia. **2.** Que sofre de elurofobia; elurófobo. ● *S. m.* **3.** Aquele que sofre de elurofobia; elurófobo. [F. impr.: *ailurofóbico*.]

elurófobo [De *elur(o)-* + *-fobo*.] *Adj. S. m. Psiq.* Elurofóbico (2 e 3). [F. impr.: *ailurófobo*.]

eluromania [De *elur(o)-* + *-mania*.] *S. f. Psiq.* V. *elurofilia*.

eluromaníaco [De *eluromania* + *-íaco*.] *Adj. S. m. Psiq.* V. *elurofílico*.

eluromano *Adj. S. m. Psiq.* V. *elurômano*. [Uso freq. em P.]

elurômano [De *elur(o)-* + *-mano*[1].] *Adj. S. m. Psiq.* V. *elurofílico* (2 e 3).

eluropsia [De *elur(o)-* + *-opsia*.] *S. f. Anat.* Fissura palpebral oblíqua, semelhante à do gato. [F. impr.: *ailuropsia*.]

elusivo [Do ingl. *elusive*.] *Adj.* **1.** Que tende a escapulir, a furtar-se (em geral por meio de argúcia); que se mostra arisco, esquivo, evasivo. **2.** Indefinido, vago, de difícil compreensão. [Cf. *ilusivo*.]

elutórico [De **elutor* (< lat. *elutus*, part. de *eluere*, 'lavar') + *-ico*[2].] *Adj. Art. Plást.* Eleídrico.

elutriação [Do lat. **elutriatione* (do lat. *elutriare*, 'limpar, lavando'; 'enxaguar').] *S. f. Quím.* Processo por meio do qual se separa uma mistura de partículas de diferentes tamanhos em frações mais ou menos homogêneas mediante a sedimentação numa corrente de fluido.

eluviação [Do ingl. *eluviation*.] *S. f. Pedol.* Movimento descendente de soluções várias, ou suspensões coloidais, num solo. [Cf. *iluviação*.]

eluvial [De *eluvi(ão)* + *-al*[1].] *Adj. 2 g.* ~ V. *solo* —.

eluvião [Do lat. *eluvione*.] *S. f. Geol.* Material residual, não transportado, resultante do intemperismo. [Cf. *aluvião* (1).]

elvense *Adj. 2 g.* **1.** De, ou pertencente ou relativo a Elvas (Portugal). • *S. 2 g.* **2.** O natural ou habitante de Elvas.

elzevir [Do antr. hol. *Elzevir*, pelo fr. *elzévir*.] *S. m.* **1.** *Bibliogr.* Livro produzido pelos Elzevires, família de impressores, editores e livreiros holandeses dos sécs. XVI e XVII. **2.** *Tip.* Designação dada pelos franceses, no séc. XIX, a certos tipos da classe dos garaldinos.

elzeviriano *Adj.* Relativo aos Elzevires [v. *elzevir* (1)], ou às produções de suas oficinas.

em [Do lat. *in*.] *Prep.* **1.** Entra na composição de adjuntos adverbiais que exprimem ideia de: **a)** lugar onde se está, ou onde sucede alguma coisa: *Encontra-se em Paris; A greve eclodiu em Nova Iorque;* "'Stamos em pleno mar..." (Castro Alves, *Poesias Escolhidas*, p. 325); **b)** tempo em que algo sucede, ou em que se faz alguma coisa: *Tudo aconteceu em três dias; Dará conta da tarefa em seis meses; Em [= quando] moço, trabalhou muito*; **c)** modo de ser; estado: *Na primavera, os jardins ficam em flor; Vive em êxtase; São parecidos em tudo*; **d)** o modo por que se pratica uma ação: *Trabalham em perfeita harmonia*; **e)** o destino ou fim de uma ação: *Abanou o lenço em despedida; Trajou-se de negro, em luto*; **f)** divisão, distribuição: *As árvores dispõem-se em fileiras.* **2.** Entra na composição de adjuntos adnominais que especificam ou delimitam o significado do substantivo: *ferro em brasa; estrada em construção; objetos em uso.* **3.** Precede às vezes o gerúndio, em orações temporais e condicionais: *Em chegando a hora, saberei como agir;* "Vós, poderoso Rei, cujo alto Império / O Sol logo em nascendo vê primeiro" (Luís de Camões, *Os Lusíadas*, I, p. 8); "Carolina em os vendo exaltava-se" (Fialho d'Almeida, *Contos*, p. 21). **4.** À maneira de; como: "Traz um bigodão colado ao beiço, o qual se despenha em catarata, té lhe ocultar o queixo e o colarinho." (Fialho d'Almeida, *Pasquinadas*, p. 10.) [Cf. *hem*.]

▲**em-**^{1} V. *e-*^{1}.

▲**em-**^{2} [Do lat. *in*.] *Pref.* = 'movimento para dentro'; 'guarnecer'; 'prover', 'encher'; 'transformar', 'transformação', etc.: *embarcar, embelezar.* [Equiv.: *e-*^{3}, *en-*^{2}, *-en-*^{1}, *i-*^{1}, *im-*^{1}, *in-*^{1}, *ir-*^{1}: *emalhar, emalhetar, engarrafar, encruar, enfitar, desentolher, ilutar; implantar; impeticar; infiltrar, irromper* (< lat.). Às vezes, com função pleonástica: *embaralhar, empiorar; encalcar, enfitar*^{2}*; infingir.*]

▲**-em-** V. *em-*^{2}.

ema^{1} [De or. controversa.] *S. f.* **1.** *Zool.* Ave reiforme, reídea (*Rhea americana*), dos campos e cerrados brasileiros, de dorso bruno-cinzento, parte inferior mais clara, e com três dedos nos pés. Vive em bandos, alimenta-se de frutos e grãos, e de toda sorte de pequenos animais, e atinge 1,30m de altura. O macho é quem choca os ovos postos por várias fêmeas, em ninhadas de até 40 ovos. [Sin.: *nhandu, nandu, guaripé, xuri.* No RS recebe a designação impr. de *avestruz*.] **2.** *Bras. Folcl.* Personagem animal do bailado popular bumba meu boi (q. v.).

ema^{2} *S. f.* **1.** *Bras. N. N.E.* Masca de fumo. **2.** V. *bebedeira* (1). ◆ **Montado na ema.** *Bras. N. N.E.* V. *embriagado* (1).

▲**-ema** [Do fr. *-ème* (< gr. *-ema*, suf. nom.), como no fr. *phonème* (v. *fonema*).] *El. comp.* = 'elemento'; 'unidade de estrutura significativamente distinta, de qualidade específica, numa língua ou dialeto': *morfema, semantema.*

emaçar [De *e-*^{3} + *maço* + *-ar*^{2}.] *V. t. d.* **1.** Reunir em maço(s): *emaçar cartas.* **2.** Envolver em papel; embrulhar. [Conjug.: v. *laçar*. Cf. *emassar*.]

emaciação [De *emaciar* + *-ção*.] *S. f. Med.* Emagrecimento; extenuação.

emaciado [Part. de *emaciar*.] *Adj.* Emagrecido; macilento; extenuado.

emaciar [Do lat. *emaciare*.] *V. t. d.* **1.** Tornar magro ou macilento; emagrecer; extenuar: *As noites de farra emaciavam-no.* *Int. P.* **2.** Tornar-se magro ou macilento; emagrecer(-se), extenuar-se.

emadeirado [Part. de *emadeirar*.] *Adj.* Em que se pôs emadeiramento; amadeirado: "Semelham-se a gaiolas, com viveiros, / As edificações somente emadeiradas" (Cesário Verde, *Obra Completa*, p. 103).

emadeiramento [De *emadeirar* + *-mento*.] *S. m.* O conjunto de madeiras de um edifício, ou de parte dele; madeiramento.

emadeirar [De *e-*^{3} + *madeira* + *-ar*^{2}.] *V. t. d.* Pôr emadeiramento em; amadeirar.

emadeixar [De *e-*^{3} + *madeixa* + *-ar*^{2}.] *V. t. d.* Formar madeixas com; dispor em madeixas.

emagotar [De *e-*^{3} + *magote* + *-ar*^{2}.] *V. t. d. P.* Reunir(-se) em magotes.

emagrecer [Do lat. tard. *emacrescere*.] *V. t. d.* **1.** Tornar magro; definhar, emagrentar: *A secura dos campos emagrecia o gado.* *Int.* **2.** Tornar-se magro; definhar: *Com o regime, emagrecia a olhos vistos;* "Emagreci; as longas vigílias fizeram-me pálido." (Machado de Assis, *Helena*, p. 262). **3.** Diminuir de riqueza, importância ou valor: *Enquanto particulares engordam, o País emagrece.* *P.* **4.** Tornar-se magro. [Conjug.: v. *aquecer*.]

emagrecido [Part. de *emagrecer*.] *Adj.* Tornado magro; emagrentado, definhado: "O rosto emagrecido do asceta .... tem singular expressão de melancolia." (Afonso Arinos, *Histórias e Paisagens*, p. 151.)

emagrecimento [De *emagrecer* + *-imento*.] *S. m.* **1.** Ação ou efeito de emagrecer(-se). **2.** Definhamento, enfraquecimento.

emagrentado [Part. de *emagrentar*.] *Adj.* V. *emagrecido*.

emagrentar [De *e-*^{3} + *magro* + *-entar*.] *V. t. d.* V. *emagrecer* (1).

➔**e-mail** [ij mejl] [Ingl., abrev. de *e(lectronic) mail*.] *S. m.* V. *correio eletrônico*. [Tb. us. como equivalente de *endereço eletrônico* (q. v.).]

emalado [Part. de *emalar*.] *Adj.* Guardado ou arrumado em mala.

emalar [De *e-*^{3} + *mala* + *-ar*^{2}.] *V. t. d.* Guardar ou arrumar em mala.

emalhar [De *e-*^{3} + *malha*^{1} + *-ar*^{2}.] *V. t. d.* **1.** Prender ou colher em malhas [v. *malha*^{1} (1)]. **2.** Cobrir com armadura de malha [v. *malha*^{1} (4)]. **3.** Enredar, emaranhar.

emalhetamento [De *emalhetar* + *-mento*.] *S. m.* Ato ou operação de emalhetar; ensambladura.

emalhetar [De *e-*^{3} + *malhete* + *-ar*^{2}.] *V. t. d.* Unir ou reunir por malhetes, fazer travamento de (tábuas, madeiras); encaixar, ensamblar, malhetar.

emanação [Do lat. *emanatione*.] *S. f.* **1.** Ato ou efeito de emanar. **2.** Proveniência, origem. **3.** Eflúvio (1). **4.** *Filos.* Processo pelo qual os múltiplos seres que constituem o Universo dimanam de um ser único. [Cf., nesta acepç., *gnosticismo*.]

emanacionismo [De *emanação* + *-ismo*, seg. o padrão erudito.] *S. m. Filos.* Emanatismo.

emanante [De *emanar* + *-nte*.] *Adj. 2 g.* Que emana.

emanar [Do lat. *emanare*.] *V. t. i.* **1.** Provir, proceder, sair, originar-se; manar, dimanar: *Para Freud, os fantasmas emanam da vida inconsciente; Seus males emanam de maus parentes.* **2.** Desprender-se; exalar-se: *Um perfume inebriante emanava do jasmim.* [Pres. subj.: *emane*, etc. Cf. *imanar* e *imane*.]

emanatismo [Do lat. *emanat(io)*, 'emanação', + *-ismo*.] *S. m. Filos.* Doutrina ou sistema que admite a emanação (4); emanacionismo.

emancipação [Do lat. *emancipatione*.] *S. f.* **1.** Ação ou efeito de emancipar(-se). **2.** Alforria, libertação. **3.** *Dir. Civ.* Instituto jurídico pelo qual, no Brasil, o menor de 18 anos e maior de 16 adquire o gozo dos direitos civis.

emancipado [Part. de *emancipar*.] *Adj.* **1.** Civilmente capaz por efeito de emancipação. **2.** *P. ext.* Que é senhor de seus próprios atos, de sua pessoa; livre, independente.

emancipar [Do lat. *emancipare*.] *V. t. d.* **1.** Eximir do pátrio poder ou da tutela: *O pai emancipou a filha.* **2.** Tornar independente; dar liberdade a: *A Princesa Isabel emancipou os escravos em 13 de maio de 1888.* *T. d. e i.* **3.** Tornar livre; livrar, libertar (de jugo, tutela, etc.): *D. Pedro I emancipou o Brasil de Portugal.* *P.* **4.** Livrar-se do pátrio poder ou de tutela. **5.** Tornar-se livre; libertar-se.

emancipatório [De *emancipar* + *-tório*.] *Adj.* Que emancipa, ou envolve emancipação. ~V. *avaliação —a.*

emancipável *Adj. 2 g.* Que se pode emancipar.

emanocar [De *e-*^{3} + *manoca* + *-ar*^{2}.] *V. t. d. Bras.* Reunir em manocas. [Conjug.: v. *trancar*.]

emanquecer [De *e-*^{3} + *manco* + *-ecer*.] *V. t. d. Int.* Tornar(-se) coxo ou manco. [Conjug.: v. *aquecer*.]

emantar [De *e-*^{3} + *manta* + *-ar*^{2}.] *V. t. d.* Cobrir com manta. [Cf. *imantar*.]

emaranhado [Part. de *emaranhar*.] *Adj.* **1.** Embaraçado, enredado. • *S. m.* **2.** Trecho de vegetação emaranhada: "por entre touceiras de bromélias hirsutas e emaranhados de cipós espinecentes" (P^{e} Antônio Vieira, *Sertão Brabo*, p. 105). **3.** Aquilo que é emaranhado, inextricável, ínvio: "o emaranhado de caminhos e picadas e a falta de orientação podem dificultar a visita [à Floresta da Tijuca]." ("Revista de Domingo", em *Jornal do Brasil*, 05.09.1982).

emaranhamento [De *emaranhar* + *-mento*.] *S. m.* **1.** Ato ou efeito de emaranhar(-se). **2.** *Fís.* Estado quântico de dois ou mais objetos que se caracteriza pela ação não local (q. v.) entre eles.

emaranhar [De *e-*^{3} + *maranha* + *-ar*^{2}.] *V. t. d.* **1.** Misturar em confusão; embaraçar, enredar: *Ali a natureza emaranhou tanto a vegetação que é impossível abrir caminho.* **2.** Confundir, complicar: *O professor emaranhou as questões da prova.* *P.* **3.** Misturar-se, confundir-se. **4.** Envolver-se (em embaraços). [F. paral.: *maranhar*.]

emarar-se [De *e-*^{2} + *mar*^{1} + *-ar*^{2} + *se*^{1}.] *V. p.* Fazer-se ao mar; afastar-se da costa.

emarelecer [De *e-*^{3} + *amarelo* + *-ecer*, com síncope.] *V. t. d. Int. P.* Tornar(-se) amarelo; amarelecer(-se), amarelar(-se). [Conjug.: v. *aquecer*.]

emarginado [Do lat. *emarginatu*.] *Adj. Bot.* Provido de pequena chanfradura apical: *pétala emarginada.*

emartilhar [De *e-*^{3} + *martilhar*.] *V. t. d. Bras. S.* Engatilhar (a espingarda); martilhar.

emascarar [De *e-*^{3} + *máscara* + *-ar*^{2}.] *V. t. d. P.* V. *mascarar*.

emasculação [De *emascular* + *-ção*.] *S. f.* Ato de emascular(-se); castração.

emascular [Do lat. *emasculare*.] *V. t. d.* **1.** Tirar a virilidade, o caráter de másculo, a; desvirilizar, castrar: "Não se tente emascular a crítica em nome duma discrição farisaica, grotesca de todo, que tal magistratura só viril e livre pode tornar-se fecunda e suscitadora de beleza." (Aquilino Ribeiro, *Luís de Camões*, I, p. 19.) **2.** Tirar o vigor a; debilitar: *Os vícios emasculam a vontade.* *P.* **3.** Perder a virilidade, o vigor; mostrar-se fraco.

emassar [De *e-*^{3} + *massa* + *-ar*^{2}.] *V. t. d.* **1.** Converter em massa; empastar. **2.** *Bras.* Revestir ou cobrir (uma superfície) com massa (8): *O pintor emassou a parede.* **3.** *Bras.* Aplicar massa de vidraceiro em. [Sin. bras., nesta acepç.: *emassilhar*. Cf. *emaçar*.]

emassilhar [Do esp. plat. *enmasillar*.] *V. t. d. Bras. RS* Emassar (3).

emastrar [De *e-*^{3} + *mastro* + *-ar*^{2}.] *V. t. d.* V. *mastrear*.

emastrear [De *e-*^{3} + *mastro* + *-ear*^{2}.] *V. t. d.* V. *mastrear*. [Conjug.: v. *frear*.]

embaçadela [De *embaçar* + *-dela*.] *S. f.* **1.** Engano, logro, burla, intrujice. **2.** Amuo, enfado.

embaçado [Part. de *embaçar*.] *Adj.* V. *embaciado*.

embaçador (ô) [De *embaçar* + *-dor*.] *Adj. S. m.* Que, ou aquele que embaça.

embaçante [De *embaçar* + *-nte*.] *Adj. 2 g.* Que embaça.

embaçar [De *em-*^{2} + *baço* + *-ar*^{2}.] *V. t. d.* **1.** Tornar baço; empanar, embaciar: *O vapor embaça os espelhos;* "A neblina do anoitecer embaça os vidros coloridos das velhas janelas-guilhotina." (Antônio Celso, *A Porta de Jerusalém*, p. 11). **2.** Tirar ou reduzir o prestígio a; ofuscar, empanar: *Muitas vezes os falsos talentos embaçam os verdadeiros.* **3.** Fazer embatucar; privar da fala; encavacar, amuar: *A negativa embaçou a criança.* **4.** Lograr, enganar, burlar, intrujar: "não se joga sem baralhar as cartas; de outro modo é embaçar os parceiros." (Machado de Assis, *A Semana*, I, p. 152). *Int.* **5.** Perder a fala (de susto ou de surpresa). *P.* **6.** Enganar-se; iludir-se. **7.** Tornar-se baço: "Puseram-lhe espelho colado à boca, não se embaçou" (Haroldo Maranhão, *As Peles Frias*, p. 19). [Conjug.: v. *laçar*.]

embacelar [De *em-*^{2} + *bacelo* + *-ar*^{2}.] *V. t. d.* Plantar bacelos em.

embaciado [Part. de *embaciar*.] *Adj.* **1.** Sem brilho; baço, bacento. **2.** Diz-se da superfície de vidro, plástico, metal, etc., recoberta de gotículas de vapor de água. [Sin. ger.: *embaçado*.]

embaciar [De *em-*^{2} + *baço* + *-iar*^{2}.] *V. t. d.* **1.** Fazer perder o brilho ou a transparência; embaçar, empanar: *A velhice embaciava-lhe os olhos; A água gelada embaciou o copo.* **2.** Ofuscar, apagar: *Impossível embaciar as obras dos gregos.* **3.** Deslustrar; desonrar: "Crime é que não podia ser o achado; nem crime, nem desonra, nem nada que embaciasse o caráter de um homem." (Machado de Assis, *Memórias Póstumas de Brás Cubas*, p. 151.) *Int.* **4.** Tornar-se baço; perder o brilho; ofuscar-se.

embaíba [Var. de *ambaíba*.] *S. f. Bras. Bot.* V. *umbaúba* (1 e 2).

embaibal (a-i) [De *embaíba* + *-al*^{1}; var. de *ambaibal*.] *S. m. Bras.* V. *umbaubal*.

embaidor (a-i... ô) [De *embair* + *-dor*.] *Adj. S. m.* **1.** Impostor, enganador, embusteiro. **2.** Sedutor.

embaimento (a-i) [De *embair* + *-mento*.] *S. m.* **1.** Engano, logro, embuste, impostura. **2.** Sedução (1).

embainhado (a-i) [Part. de *embainhar*.] *Adj.* Que se embainhou.

embainhar (a-i) [De *em-*^{2} + *bainha* + *-ar*^{2}.] *V. t. d.* **1.** Meter na bainha (1): *embainhar a espada.* **2.** V. *abainhar* (2): *embainhar uma calça.* *T. d. e c.* **3.** Meter, introduzir, como em bainha (1): "e o criminoso herói, voltando a espada, / no coração zeloso a embainha." (Alvarenga Peixoto, *ap.* M. Rodrigues Lapa, *Vida e Obra de Alvarenga Peixoto*, p. 3). *Int.* **4.** Fazer bainhas [v. *bainha* (2)]: *A costureira sabe embainhar muito bem.* [Pres. ind.: *embainho* (a-í), *embainhas* (a-í), *embainha* (a-í), *embainhamos* (a-i), *embainhais* (a-i), *embainham* (a-í).]

embair [Do lat. *invadere*, 'invadir'.] *V. t. d.* Enganar, iludir; seduzir: *A demagogia visa a embair o povo;* "esses homens chãos e despidos, quando pilham termos gregos por onde os há, saem logo a campo para embair os incautos e ignorantes." (João Ribeiro, *Páginas de Estética*, pp. 12-13). [Defect., só conjugável nas f. em que a vogal da terminação é *i*.]

embaitinga [De or. tupi.] *S. f. Bras. Bot.* V. *embaúba-branca* (2).

embaixada[1] [Do fr. *ambassade* < it. *ambasciata*.] *S. f.* **1.** Missão ou função de embaixador. **2.** *Diplom.* Missão diplomática junto de um governo ou soberano. [Sin., p. us., nessas acepçs.: *embaixatura*.] **3.** *Diplom.* O séquito de um embaixador, ou o conjunto dos funcionários diplomáticos e outros que servem junto ao embaixador (1). **4.** *Diplom.* A residência ou o local de trabalho do embaixador. **5.** Comissão, encargo, incumbência. **6.** *Fig.* Mensagem particular.

embaixada[2] *S. f. Bras. Fut.* Malabarismo ou demonstração de habilidade em que o jogador mantém o controle da bola com o pé, sem deixar que ela toque o chão: "Em seguida não se vê mais a figura de Vadico, mas se ouve a sua voz, enquanto mostram ele chutando, driblando, fazendo embaixada." (Edilberto Coutinho, *Sangue na Praça*, p. 22.)

embaixador (ô) [Do fr. *ambassadeur* < it. *ambasciatore*.] *S. m.* **1.** A categoria mais alta de representante diplomático de um Estado junto de outro Estado ou de um organismo internacional. **2.** *Diplom.* Título de ministro de primeira classe. [V. *carreira diplomática*.] **3.** *Diplom.* Chefe de embaixada[1] (2). **4.** Qualquer pessoa incumbida de missão pública ou particular; emissário. [Fem., nas acepçs. 1 e 2: *embaixadora* (representante diplomática) e *embaixatriz* (mulher de embaixador).]

embaixadora (ô) [Fem. de *embaixador*.] *S. f. Diplom.* **1.** V. *embaixador* (1 e 2). **2.** *Pop.* Mulher encarregada de missão particular.

embaixatriz [Do it. *ambasciatrice*.] *S. f.* V. *embaixador* (1 e 2).

embaixatura *S. f. P. us.* Embaixada[1] (1 e 2).

embaixo [De *em baixo*.] *Adv.* **1.** Em ponto ou plano inferior (no espaço): *A portaria deste prédio fica embaixo.* **2.** *Fig.* Em posição inferior; por baixo: *Perdeu as eleições, e agora está embaixo.* [Antôn.: *em cima*.] ◆ **Embaixo de.** Em ponto ou plano inferior a (no espaço); debaixo de; sob: *Escondeu a carta embaixo do livro.* [Antôn.: *em cima de*.]

embala [De or. afr.] *S. f.* **1.** Senzala. **2.** Cubata onde vive um soba, entre algumas tribos africanas.

embaladeira[1] [De *embalar*[1] + *-deira*.] *S. f.* Cada uma das peças curvas na parte inferior do berço, destinadas a dar-lhe balanço.

embaladeira[2] [De *embalar*[2] + *-deira*.] *S. f.* Mulher que faz embalagem de mercadorias, objetos, etc.

embalado[1] [Part. de *embalar*[2].] *Adj.* Que foi acondicionado em embalagem[1] (2).

embalado[2] [Part. de *embalar*[3].] *Adj.* **1.** Diz-se dos projetis de arma de caça que, disparada de perto, faz com que os tiros atinjam o alvo juntos: *tiro embalado.* **2.** *Bras.* Carregado com bala: *fuzis embalados.*

embalado[3] [Part. de *embalar*[1].] *Bras. Adj.* **1.** Que adquiriu aceleração; acelerado: *carro embalado.* **2.** *Gír.* Que está sob ação de entorpecentes. ● *Adv.* **3.** *Pop.* As carreiras; desabaladamente: *O menino passou por aqui embalado.* **4.** *Fig.* Aceleradamente; em disparada, à disparada: *O carro ia embalado.*

embalador[1] (ô) [De *embalar*[1] + *-dor*.] *Adj.* **1.** Que embala; acalentador. **2.** *Fig.* Enganador, ilusivo, ilusório, embalante. ● *S. m.* **3.** Aquele que embala.

embalador[2] (ô) [De *embalar*[2] + *-dor*.] *Adj. S. m.* Que, ou aquele que faz embalagem de mercadorias, objetos, etc. [Fem.: *embaladeira*.]

embalagem[1] [Do fr. *emballage*.] *S. f.* **1.** Ato ou efeito de embalar[2]: *A empresa de mudança encarregou-se da embalagem de todos os móveis e pertences da família.* **2.** O invólucro ou recipiente usado para embalar[2]: *embalagem de luxo; a embalagem dos medicamentos.* **3.** Seção de lojas, fábricas, etc., onde se embalam mercadorias.

embalagem[2] [De *embalar*[1] + *-agem*[2].] *S. f. Bras.* **1.** Marcha, andamento ou movimento acelerado. **2.** Impulso ou ímpeto intenso. ◆ **Pegar embalagem.** Acelerar a corrida.

embalançar [De *em-*[2] + *balanço* + *-ar*[2].] *V. t. d. P.* Dar balanços em; balouçar, balançar: "Um instante o rapaz embalançou o corpanzil sobre o precipício" (José de Alencar, *O Sertanejo*, p. 83); "Em seus alegres verdores, / Se embalança o passarinho" (Gonçalves Dias, *Obras Poéticas*, II, p. 46); "verdes, na verde mata, embalançam-se as ramas" (Olavo Bilac, *Poesias*, p. 769). [Conjug.: v. *laçar*.]

embalante [De *embalar*[1] + *-nte*.] *Adj. 2 g.* V. *embalador*[1] (2).

embalar[1] [De *em-*[2] + o rad. *bal-*, como em *balança* e/ou *balanço*, + *-ar*[2].] *V. t. d.* **1.** Balançar no berço (a criança), para adormecê-la; ninar. **2.** Balançar (a criança), aconchegando-a ao peito; acalentar, acalantar; ninar. **3.** Imprimir movimento ritmado em; balançar: "Iracema cantava docemente, embalando a rede para acalentar o filho." (José de Alencar, *Iracema*, p. 148); "Morosa cantilena, em voz baixa e em tom brando, / De mãe que embala o berço onde repousa o filho." (Vicente de Carvalho, *Poemas e Canções*, p. 170); *As ondas embalam o barco.* **4.** Fazer vir a alguém, provocar (o sono), como se o acalentasse: "As aves meu sono, cantando, embalavam..." (Luís Delfino, *Poesias Líricas*, p. 30.) **5.** Acarinhar, afagar: *Embalava no coração grandiosos sonhos.* **6.** Entreter; iludir; encantar; embair: *As promessas utópicas embalavam os ouvintes.* **7.** Impulsionar, acelerar: *A descida de ladeira embalava o carro.* *Int.* **8.** Adquirir velocidade; acelerar-se. *P.* **9.** V. *balançar* (9): "Na rede, armada pela mãe, embalou-se, embalou-se" (Dalcídio Jurandir, *Ponte do Galo*, p. 49).

embalar[2] [Do fr. *emballer*.] *V. t. d.* Acondicionar (mercadorias ou objetos) em pacotes, fardos, caixas, etc., para protegê-los de riscos ou facilitar o seu transporte. V. *empacotar*.

embalar[3] [De *em-*[2] + *bala*[1] + *-ar*[2].] *V. t. d. Bras.* Carregar (uma arma) com bala.

embalçar [De *em-*[2] + *balça* + *-ar*[2].] *V. t. d.* Meter em balça. [Conjug.: v. *laçar*. Cf. *embalsar*.]

embalde [De *em-*[2] + *balde*[2].] *Adv.* V. *debalde*: "Há dois mil anos te mandei meu grito / Que embalde desde então corre o infinito..." (Castro Alves, *Obra Completa*, p. 290.).

embalete (ê) [De *embalar* + *-ete* (ê).] *S. m.* Alavanca de dar propulsão à bomba (7).

embalo [Dev. de *embalar*[1].] *S. m.* **1.** Balouço, balanço. **2.** *Bras.* Impulso, ímpeto, precipitação. **3.** *Bras. Gír.* Grande animação, movimentação ou agitação, sob o efeito de drogas: *festa de embalo.* **4.** *Lus.* Balanço (9).

embalonurídeo [Do tax. *Emballonura* (< gr. *émballon*, part. pres. do gr. *embállein*, 'lançar', 'arremessar', + lat. cient. *-ura* [v. *uro-*]) + *-ídeo*[1]; tax. *Emballonuridae*.] *Zool. S. m.* **1.** Espécime dos embalonurídeos, família de animais quirópteros, de pequeno porte. São os morcegos de cauda livre cujo uropatágio, embora bem desenvolvido, não abrange toda a extensão dela. A maioria das espécies apresenta um saco glandular no propatágio. ● *Adj.* **2.** Pertencente ou relativo a eles.

embalsamação [De *embalsamar* + *-ção*.] *S. f.* Embalsamamento.

embalsamado [Part. de *embalsamar*.] *Adj.* **1.** Impregnado de aromas; perfumado: "E as trompas a soar vão agitando / O remanso da noite embalsamada..." (Raimundo Correia, *Poesias*, p. 111.) **2.** Diz-se do cadáver em que se introduziram substâncias capazes de o isentar de decomposição (6).

embalsamador (ô) [De *embalsamar* + *-dor*.] *Adj. S. m.* Que, ou aquele que embalsama.

embalsamamento [De *embalsamar* + *-mento*.] *S. m.* Ato ou efeito de embalsamar; embalsamação.

embalsamar [De *em-*[2] + *bálsamo* + *-ar*[2].] *V. t. d.* **1.** Impregnar de aromas; perfumar: "Oh! eu quero viver, beber perfumes / Na flor silvestre, que embalsama os ares" (Castro Alves, *Poesias Escolhidas*, p. 37); "Cheiro acre, de manjerona, / Lá fora embalsama o ar" (Paulo Setúbal, *Alma Cabocla*, p. 38). **2.** Introduzir em (um cadáver) substâncias que o isentem da decomposição (6). *Int.* **3.** *Bras. Mar. G.* Tornar-se incapacitado de qualquer atividade em virtude do abatimento provocado por enjoo. *P.* **4.** Encher-se de aromas; perfumar-se.

embalsamento [De *embalsar* + *-mento*.] *S. m.* Ato de embalsar.

embalsar [De *em-*[2] + *balsa*[1] + *-ar*[2].] *V. t. d.* **1.** Meter (o vinho ou o mosto) em balsa[1] (2). **2.** *Bras. RS* Pôr (o peixe) na salga. [Cf. *embalçar*.]

embalsar-se [De *em-*[2] + *balsa*[2] + *-ar*[2] + *se*[1].] *V. p.* Meter-se em balsa[2] (1). [Cf. *embalçar*.]

embama [Do gr. *émbamma*, pelo lat. *embamma*.] *S. f. Desus.* Tempero de iguarias.

embamata [De *embama*.] *S. f. Desus.* Molho grosso.

embambecer [De *em-*[2] + *bambo* + *-ecer*.] *V. t. d. Bras.* Tornar bambo; bambear. [Conjug.: v. *aquecer*.]

embananado [Part. de *embananar*.] *Adj. Bras. Gír.* **1.** Confuso, embaraçado, complicado. **2.** Que se embananou; metido em sérias dificuldades ou complicações, em bananosa.

embananamento [De *embananar* + *-mento*.] *S. m. Bras. Gír.* Situação de quem está embananado; bananosa.

embananar [De *em-*[2] + *banana* + *-ar*[2].] *V. t. d. P. Bras. Gír.* **1.** Tornar(-se) confuso, embananado; complicar(-se), embaraçar(-se). **2.** Meter(-se) em complicações ou dificuldades sérias, em bananosa.

embanda [Do quimb.] *S. m. Bras. Rel.* Na cabula e na umbanda branca, título do sacerdote principal.

embandar[1] [De *em-*[2] + *banda*[2] + *-ar*[2].] *V. t. d.* Pôr bandas (v. *banda*[2]) em; bandar.

embandar[2] [De *em-*[2] + *bando*[1] + *-ar*[2].] *V. t. d. P.* Unir(-se) em bando: "julgou-se de todos .... abandonado como uma pobre andorinha que não pudesse embandar-se à revoada das companheiras." (Aluísio Azevedo, *O Coruja*, p. 17).

embandeirado [Part. de *embandeirar*.] *Adj.* **1.** Ornado de bandeiras; abandeirado. **2.** *Bras. Gír.* Alegre, animado, festivo: *Veio para mim todo embandeirado.* **3.** *Bras. RJ Gír.* Um tanto embriagado; alegre, alegrete.

embandeiramento [De *embandeirar* + *-mento*.] *S. m.* Ato ou efeito de embandeirar(-se). ◆ **Embandeiramento em arco.** *Mar. G.* Aquele em que as bandeiras do Código Internacional de Sinais estão presas a um cabo que vai do bico da proa ao tope do mastro de vante, daí ao mastro de ré, e daí à popa da embarcação. **Embandeiramento nos topes.** Aquele em que apenas se içam bandeiras nacionais nos topes de todos os mastros da embarcação.

embandeirar [De *em-*[2] + *bandeira* + *-ar*[2].] *V. t. d.* **1.** Ornar com bandeiras [v. *bandeira* (1)]; abandeirar: *A Prefeitura embandeirou a cidade.* **2.** *Bras. Fig.* Engrandecer, enaltecer, exaltar: *O bajulador costuma embandeirar os poderosos.* **3.** *Bras. BA* Juntar em bandeiras [v. *bandeira* (22)] (o cacau colhido). *P.* **4.** Cobrir-se de bandeiras. **5.** *Bras. Gír.* Entusiasmar-se, animar-se.

embaraçado [Part. de *embaraçar*.] *Adj.* **1.** Que se embaraçou. **2.** Em que há embaraço(s), dificuldade(s). **3.** Diz-se do cabelo cujos fios estão ligados entre si de modo confuso, difícil de deslindar; emaranhado. **4.** Que apresenta dificuldades no agir ou no falar: *É um sujeito embaraçado.* **5.** Constrangido; acanhado. **6.** V. *abarbado* (1).

embaraçador (ô) [De *embaraçar* + *-dor*.] *Adj. S. m.* Que, ou aquele que embaraça, dificulta, estorva.

embaraçar [De *em-*[2] + *baraço* + *-ar*[2].] *V. t. d.* **1.** Pôr embaraço(s) ou impedimento(s) a; impedir, estorvar, tolher: *A censura embaraça a criação artística.* **2.** Tornar intrincado; intrincar, complicar: *Aquele pormenor embaraçava a história.* **3.** Perturbar, confundir, enlear, enredar: *Regras em demasia embaraçam os alunos.* **4.** Impedir com obstáculos; obstruir: *Os desabamentos embaraçam a estrada.* **5.** Emaranhar (1), enlear (fio [s] de lã, cabelo, etc.). **6.** *Fig.* Causar embaraço, constrangimento; constranger. *P.* **7.** Sentir embaraços; estorvar-se. **8.** Embrulhar-se, complicar-se. [Conjug.: v. *laçar*.]

embaraço [Dev. de *embaraçar*.] *S. m.* **1.** Impedimento, obstáculo, estorvo, dificuldade. **2.** Perturbação, atrapalhação. **3.** V. *gravidez*. **4.** *Pop.* V. *menstruação* (1).

embaraçoso (ô) [De *embaraço* + *-oso*.] *Adj.* **1.** Que causa embaraço, que perturba: *problema embaraçoso.* **2.** Em que há embaraço, dificuldade: *situação embaraçosa.*

embarafustar [De *em-*[2] + *barafustar*.] *V. t. c. P. Bras.* Entrar de tropel, desordenadamente, ou com ímpeto; barafustar: "O carro embarafusta pelo tráfego, costura, buzina" (Chico Buarque, *Benjamim*, p. 130); *Embarafustaram-se pelo quarto sem pedir licença.*

embaralhar [De *em-*[2] + *baralhar*.] *V. t. d.* **1.** Misturar, confundir; baralhar: *Embaralhou as instruções recebidas.* **2.** Misturar (as cartas do baralho); baralhar. *Int.* **3.** Misturar as cartas do baralho: *Agora é a sua vez de embaralhar.* *P.* **4.** Misturar-se, confundir-se; baralhar-se: "trançam-se e alteiam-se fisgando vivamente o espaço, e inclinam-se, e embaralham-se milhares de chifres." (Euclides da Cunha, *Os Sertões*, p. 128). **5.** Confundir-se, atrapalhar-se.

embarbar [De *em-*[2] + *barba* + *-ar*[2].] *V. t. d.* Encasar; encaixar.

embarbascar [De *em-*[2] + *barbasco* + *-ar*[2].] *V. t. d.* **1.** Entontecer (o peixe) com barbasco. **2.** Provocar tontura em; entontecer. *Int.* **3.** Ficar tonto; entontecer. **4.** Embaraçar-se no lodo. [Conjug.: v. *trancar*.]

embarbecer [De *em-*[2] + *barba* + *-ecer*.] *V. int.* Criar barba; barbar. [Conjug.: v. *aquecer*.]

embarbelar [De *em-*[2] + *barbela* + *-ar*[2].] *V. int.* **1.** *Taur.* Encornar-se (o pegador do touro), agarrando-se à barbela. *P.* **2.** *Bras. PE* Ver-se em apuros, em dificuldades. **3.** *Bras. PE* Ser enganado, logrado, ludibriado.

embarbilhar [De *em-*[2] + *barbilho* + *-ar*[2].] *V. t. d.* Pôr barbilho (1) em (cabra, cabrito, etc.).

embarcação [De *embarcar* + *-ção*.] *S. f.* **1.** *P. us.* V. *embarque*. **2.** *Ant. Bras.* Designação comum a toda construção destinada a navegar sobre água. **3.** *Lus. Restr.* Em geral, qualquer embarcação de pequeno porte. ◆ **Embarcação miúda.** *Mar.* **1.** Qualquer das embarcações transportadas a bordo dos navios para seu serviço. **2.** Embarcação de pequena proa.

embarcadiço *S. m.* Aquele que costuma andar embarcado; marinheiro, marítimo.

embarcado [Part. de *embarcar*.] *Adj.* Que embarcou [v. *embarcar* (4)]. ~ V. *aviação —a*.

embarcadoiro [De *embarcar* + *-doiro*[2].] *S. m.* Embarcadouro (q. v.).

embarcador (ô) [De *embarcar* + *-dor*.] *S. m.* Aquele que embarca mercadorias ou valores, que os entrega para serem transportados por via marítima.

embarcadouro [De *embarcar* + *-douro*[2]; var. de *embarcadoiro*.] *S. m.* Lugar onde se embarca; lugar de embarque; cais; porto.

embarcamento [De *embarcar* + *-mento*.] *S. m. P. us.* V. *embarque.*

embarcar [De *em-*^{2} + *barca* + *-ar*^{2}.] *V. t. d.* **1.** Pôr ou meter dentro de uma embarcação: *embarcar pessoas; embarcar mercadorias. T. i.* **2.** Entrar (em embarcação, trem, avião, etc.) para viajar. **3.** *Bras. Gír.* Deixar-se levar (por embuste); cair (em esparrela): *Embarcaram na conversa do charlatão e acabaram roubados. Int.* **4.** Entrar numa embarcação para seguir viagem; embarcar-se. **5.** *Bras. Pop.* V. *morrer* (1). *P.* **6.** Embarcar (4). [Conjug.: v. *trancar*.]

embaré [De or. obscura.] *S. f. Bot.* V. *barriguda* (3).

embargado [Part. de *embargar*.] *Adj.* **1.** Que sofreu embargo(s). [Cf. *recorrido* (1 e 2).] • *S. m.* **2.** Aquele que sofreu embargo(s).

embargador (ô) [De *embargar* + *-dor*.] *Adj. S. m.* Que, ou aquele que embarga; embargante.

embargante [De *embargar* + *-nte*.] *Adj. 2 g. S. 2 g.* Embargador.

embargar [Do lat. vulg. **imbarricare* < lat. **barra* (v. *barra*).] *V. t. d.* **1.** Pôr embargo a: *O fiscal embargou a obra.* **2.** Pôr obstáculos a; estorvar; tolher: *A chuva embargou o avanço das tropas.* **3.** Reprimir, conter: *embargar a voz. T. d. e i.* **4.** Impedir, estorvar: *Embargou a entrada ao desconhecido.* [Conjug.: v. *largar*.]

embargável [De *embargar* + *-vel*.] *Adj. 2 g.* Que pode ser embargado, ser objeto de embargo.

embargo [Dev. de *embargar*.] *S. m.* **1.** Impedimento, estorvo, obstáculo, embaraço, empecilho. **2.** *Jur.* Arresto. **3.** *Jur.* Impedimento judicial à execução de obra capaz de causar prejuízo a prédio vizinho. ~ V. *embargos.* ◆ **Sem embargo.** Não obstante; nada obstante.

embargos *S. m. pl. Jur.* **1.** Recurso impetrado ao próprio juiz ou tribunal prolator da sentença ou do acórdão, para que os declare, reforme ou revogue. **2.** Defesa do executado, oposta aos efeitos da sentença e destinada a impedir ou desfazer a execução requerida pelo exequente. **3.** Defesa do executado por dívida fiscal, equivalente à contestação. ~ V. *embargo.* ◆ **Embargos à execução.** *Dir. Proc. Civ.* Defesa do executado, oposta aos efeitos da sentença e destinada a impedir, minimizar ou desfazer a execução requerida pelo exequente. **Embargos de declaração.** *Dir. Proc.* Recurso interposto ao próprio juiz ou tribunal prolator da sentença ou do acórdão, para que seja suprida omissão, obscuridade ou contradição. **Embargos de terceiro.** *Dir. Proc. Civ.* Ação judicial para defesa daquele que, não sendo parte em processo, sofreu, ou esteja na iminência de sofrer, turbação ou esbulho de posse de bens ou direitos em razão de decisão judicial. **Embargos infringentes.** *Dir. Proc. Civ.* Recurso interposto em caso de acórdão não unânime que houver reformado, em grau de apelação, a sentença de mérito, ou houver julgado procedente ação rescisória.

embarque [Dev. de *embarcar*.] *S. m.* Ato de embarcar(-se). [Sin. (p. us.): *embarcação, embarcamento*.]

embarrador (ô) [De *embarrar*^{1} + *-dor*.] *S. m.* Pedreiro especializado em aplicar reboco, em embarrar^{1}; emboçador, rebocador.

embarramento [De *embarrar*^{1} + *-mento*.] *S. m.* **1.** Ato ou efeito de embarrar^{1}. **2.** *Bras.* Terra argilosa posta nos interstícios das paredes de taipa.

embarrancar [De *em-*^{2} + *barranco* + *-ar*^{2}.] *V. t. d.* **1.** Fazer cair em barranco. **2.** Atravancar, embaraçar. *Int.* **3.** Ir de encontro a um barranco. *P.* **4.** Embaraçar-se; atolar-se. [Conjug.: v. *trancar*.]

embarrar^{1} [De *em-*^{2} + *barro* + *-ar*^{2}.] *V. t. d.* **1.** Cobrir com barro; rebocar, emboçar. **2.** Sujar com barro; enlamear. **3.** *Bras.* Encher com barro (os intervalos duma parede de taipa). [Sin. ger. (bras., N.E.): *embarrear*.]

embarrar^{2} [De *em-*^{2} + *barra* + *-ar*^{2}.] *V. t. d.* **1.** Ir de encontro a; topar, esbarrar. **2.** Bater contra algo. **3.** *Bras.* Pôr barra em. *P.* **4.** Embarrar^{2} (1): "Em muitos lugares, o ribeiro tomava conta de porção da mata, onde se embarrava" (Alberto Rangel, *Sombras n'Água*, p. 154).

embarrear [De *em-*^{2} + *barro* + *-ear*^{2}.] *V. t. d. Bras. N.E.* V. *embarrar*^{1}. [Conjug.: v. *frear*.]

embarreirar [De *em-*^{2} + *barreira*^{2} + *-ar*^{2}.] *V. t. d.* **1.** Meter em barreiras. **2.** *Bras.* Travar (um carro de bois) para que não resvale. *P.* **3.** Meter-se entre barreiras.

embarrelar [De *em-*^{2} + *barrela* + *-ar*^{2}.] *V. t. d.* **1.** Meter em barrela. **2.** Dar barrela a. [Cf. *embarrilar*.]

embarricar [De *em-*^{2} + *barrica* + *-ar*^{2}.] *V. t. d.* **1.** Meter em barrica(s): *embarricar bacalhau.* **2.** Defender com barricada(s). **3.** Meter em barricada(s). *P.* **4.** Defender-se com obstáculos contra um assalto. [Conjug.: v. *trancar*.]

embarrigar [De *em-*^{2} + *barriga* + *-ar*^{2}.] *V. int.* **1.** *Bras. S.* Criar barriga (animal), principiar a engordar, por efeito do bom trato. **2.** Ficar grávida; engravidar. **3.** Enriquecer-se à custa alheia. [Conjug.: v. *largar*.]

embarrilagem [De *embarrilar* + *-agem*^{2}.] *S. f.* Ato de embarrilar.

embarrilar [De *em-*^{2} + *barril* + *-ar*^{2}.] *V. t. d.* **1.** Meter em barril. **2.** *Pop.* Atrapalhar, embaraçar. **3.** *Pop.* Enganar, lograr, intrujar. [Cf. *embarrelar*.]

embasamento [De *embasar* + *-mento*.] *S. m.* **1.** *Arquit. Constr.* Alicerce contínuo de uma edificação. **2.** Base, ordinariamente simples, larga e sem ornatos, que sustenta pedestais de colunas ou de estátuas. **3.** *Fig.* Base, fundamento; razão, motivo: *embasamento teórico.*

embasar [De *em-*^{2} + *base* + *-ar*^{2}.] *V. t. d.* **1.** Fazer o embasamento de. *P.* **2.** Fundar-se, fundamentar-se, basear-se.

embasbacado [Part. de *embasbacar*.] *Adj.* Estupefato, pasmo, boquiaberto.

embasbacar [De *em-*^{2} + *basbaque* + *-ar*^{2}.] *V. int.* **1.** Ficar boquiaberto, estupefato; pasmar: *Ao vê-la assim bonita, embasbacou. T. d.* **2.** Causar admiração, pasmo, espanto, a: *Suas roupas embasbacavam os transeuntes. P.* **3.** Ficar boquiaberto; pasmar: "embasbacava-me, alucinava-me, diante das maravilhas novas" (Ciro dos Anjos, *Explorações no Tempo*, p. 45). [Sin. ger.: *abasbacar*. Conjug.: v. *trancar*.]

embastar [De *em-*^{2} + *basta*^{1} + *-ar*^{2}.] *V. t. d.* Segurar com bastas; acolchoar.

embastecer [De *em-*^{2} + *basto*^{2} + *-ecer*.] *V. t. d.* **1.** Tornar basto, espesso, compacto. [Sin., bras.: *embastir*.] *P.* **2.** Fazer-se basto, espesso, compacto. [Conjug.: v. *aquecer*.]

embastir [De *em-*^{2} + *basto*^{2} + *-ir*.] *V. t. d. Bras.* Embastecer (1).

embate [Dev. de *embater*.] *S. m.* **1.** Choque impetuoso; encontro violento; colisão: *o embate dos exércitos.* **2.** *Fig.* Oposição, resistência: *O embate da maioria enfraqueceu o governo.* **3.** *Fig.* Choque ou abalo violento, profundo: *Não resistindo ao embate da crise econômica, a firma pediu concordata.* ~ V. *embates.* **4.** *Fig.* Luta; peleja; desafio: "quem não nasceu puxa-saco está em desvantagem no mercado de trabalho e nos embates da vida." (Luís Fernando Veríssimo, em *Jornal do Brasil*, "Domingo", 19.06.2006).

embater [De *em-*^{2} + *bater*.] *V. t. c.* **1.** Produzir choque; encontrar-se; esbarrar: *As vagas embatiam na praia. P.* **2.** Encontrar-se; chocar-se.

embates *S. m. pl. Fig.* Lances adversos do destino: *os embates da vida.* ~ V. *embate.*

embatocar [De *em-*^{2} + *batoque* + *-ar*^{2}.] *V. t. d.* Pôr batoque em; batocar. [Conjug.: v. *trancar*. Cf. *embatucar*.]

embatucar [Var. de *embatocar* (q. v.).] *V. t. d.* **1.** Fazer calar; embuchar: *A pergunta do juiz embatucou o réu. Int.* **2.** Não poder falar; calar-se; embuchar, emperrar. **3.** Confundir-se, embaraçar-se; enrolar-se; embatucar-se. *P.* **4.** V. *embatucar* (3): *Embatucou-se para responder à pergunta embaraçosa do filho.* [Conjug.: v. *trancar*. Cf. *embatocar*.]

embatumar [De *em-*^{2} + *batume* + *-ar*^{2}.] *V. t. d. Bras.* Encher demais; acumular.

embaúba [Do tupi.] *S. f. Bras. Bot.* **1.** Nome comum a várias árvores cecropiáceas do gênero *Cecropia* (v. *cecrópia*). **2.** Árvore cecropiácea (*Cecropia peltata*) das regiões tropicais das Américas, com folhas ásperas, us. como lixas, tronco ger. habitado por formigas, e que fornece polpa útil; é cultivada como ornamental. [Sin. ger. e var., nessas acepç.: *ambaíba, ambaúba, árvore-da-preguiça, pau-da-preguiça, embaíba, embaubeira, imbaíba, imbaúba, umbaúba, torém*.]

embaúba-branca [De *embaúba* + o f. de *branco*.] *S. f. Bras. Bot.* **1.** Árvore cecropiácea (*Cecropia distachya*) mirmecófila, nativa da Amaz., de folhas coriáceas, orbiculares, palmatissectas; embaúba-da-mata. Árvore cecropiácea (*Cecropia palmata*) nativa do Brasil e das Guianas, de folhas orbiculares, cordiformes, com até nove lobos, e tomentosas; embaitinga, matataúba, sambacuim. [Pl.: *embaúbas-brancas*.]

embaúba-da-mata *S. f. Bras. Bot.* V. *embaúba-branca* (1). [Pl.: *embaúbas-da-mata*.]

embaubal (a-u) [De *embaúba* + *-al*^{1}; var. de *ambaibal*.] *S. m. Bras.* V. *umbaubal.*

embaucador (a-u...ô) [De *embaucar* + *-dor*.] *Adj. S. m.* Que, ou aquele que embaúca, ilude, embai.

embaucar (a-u) [Do esp. *embaucar* < esp. ant. *embabucar* < raiz *bab-*, 'bobeira', de or. express., poss.] *V. t. d. e i.* Enganar com artifício; iludir, embair, atrair. [Conjug.: v. *trancar*; e quanto à acentuação tônica, v. *saudar*.]

embaular (a-u) [De *em-*^{2} + *baul* + *-ar*^{2}.] *V. t. d.* **1.** Meter em baú(s). **2.** Esconder; guardar. [Conjug.: v. *saudar*.]

embé [Do quimb. ou do quicongo.] *S. m. Bras. Rel.* Em candomblés de rito angola-congo e afins, sacrifício de animal votivo. [Var.: *emebé*.]

embeaxió [Do tupi.] *S. m. Bras. N.* Flauta de taboca, de som plangente.

embebecer [De *embeb(er)* + *-ecer*.] *V. t. d. P. P. us.* V. *embevecer.* [Conjug.: v. *aquecer*.]

embebedar [De *em-*^{2} + *bêbedo* + *-ar*^{2}.] *V. t. d.* **1.** Tornar bêbedo; embriagar: *O excesso de vinho acabou embebedando os convivas.* **2.** Inebriar, alucinar; perturbar: *A glória embebedou-o. Int.* **3.** Inebriar, alucinar, perturbar alguém: "Tu és a flor da Jurema, / Flor que embebeda e alucina" (Luís Murat, *Ondas*, II, p. 65). *P.* **4.** Tornar-se bêbedo; embriagar-se. **5.** Inebriar-se, alucinar-se.

embeber [Do lat. *imbibere*.] *V. t. d.* **1.** Sorver pelos poros [v. *poro* (4)]; recolher em si; absorver: *O solo resseco embebia toda a água da chuva.* **2.** Consumir, absorver, devorar: *O luxo embebeu a sua fortuna. T. d. e i.* **3.** Ensopar, encharcar: *embeber um lenço em água.* **4.** Encravar, introduzir; fincar: *Embebeu o punhal no opositor.* **5.** Fazer penetrar por (um líquido): *Enquanto falava, ia embebendo no lenço as gotas de suor.* **6.** Insinuar, infiltrar: *Embebia nos filhos as ideias que sempre o guiaram. P.* **7.** Ensopar-se, encharcar-se. **8.** Penetrar, introduzir-se. **9.** Infiltrar-se, insinuar-se. **10.** Absorver-se, concentrar-se. **11.** Enlevar-se, arrebatar-se. **12.** Compenetrar-se; impregnar-se: "Sua expressão melancólica embebeu-se de um júbilo sereno como o alvor da manhã" (José de Alencar, *Til*, p. 240).

embeberar [De *abeberar*, com mudança de pref. (v. *em-*^{2}).] *V. t. d. T. d. e i. P.* V. *abeberar.*

embebição [Do fr. *imbibition*, der. erudito do lat. *imbibitum*, sup. de *imbibere*, 'embeber'.] *S. f.* **1.** Ação ou efeito de embeber(-se). **2.** *Fís.-Quím.* Penetração dum líquido em um sólido poroso.

embebimento [De *embeber* + *-imento*.] *S. m.* Ato de embeber.

embecado [De *em-*^{2} + *beca*^{1} + *-ado*^{1}.] *Adj.* Vestido com roupa nova, com apuro; enfatiotado, entonado.

embeiçado [Part. de *embeiçar*.] *Adj.* **1.** Preso por amor ou sujeição dos sentidos. **2.** Enlevado; encantado. **3.** Apaixonado, enamorado. **4.** *Bras. Pop.* Que tem os bordos ondulados por deformação: *manga embeiçada; panela embeiçada.*

embeiçamento [De *embeiçar* + *-mento*.] *S. m.* Situação de quem se embeiçou; sujeição amorosa; cabeça-inchada.

embeiçar [De *em-*^{2} + *beiço* + *-ar*^{2}.] *V. t. d.* **1.** Prender por amor ou sujeição dos sentidos; trazer pelo beiço, trazer preso pelo beiço: *A moça sestrosa o tinha embeiçado.* **2.** Enlevar; encantar: *Florença embeiçou-o. T. i.* **3.** Unir-se; tocar, entestar: *A casa embeiça com o rio. P.* **4.** Apaixonar-se, enamorar-se, namorar-se: "Até hoje ninguém sabe por que Tiotônia se embeiçou pelo cujo" (Nélson de Faria, *Tiziu e Outras Estórias*, p. 48). [Conjug.: v. *laçar*.]

embelecador (ô) [De *embelecar* + *-dor*.] *Adj. S. m.* Que, ou aquele que embeleca.

embelecar [De or. incerta; poss. do v. ár. *baǧǧala*, com infl. de *beleza*; (v. *em-*^{2} e *-ar*^{2}).] *V. t. d.* **1.** Enganar com boas aparências; engodar, embair, lograr, embaçar: *Com o seu palavrório embelecava os ouvintes. P.* **2.** Deixar-se enganar; iludir-se. [Conjug.: v. *trancar*. Pres. ind.: *embeleco*, etc. Cf. *embeleco* (ê).]

embelecer [De *em-*^{2} + *belo* + *-ecer*.] *V. t. d.* Tornar belo; aformosear, formosear, alindar; embelezar: "os cabelos grisalhos, se o não embeleceram, não o afearam de todo." (Artur Azevedo, *Contos Cariocas*, p. 101). [Conjug.: v. *aquecer*.]

embeleco (ê) [Dev. de *embelecar*.] *S. m.* **1.** Embuste, engodo, impostura. **2.** *Bras. N.E.* Estorvo, obstáculo, empecilho. **3.** *Bras. BA* Ligação amorosa irregular; caso. **4.** V. *namoro* (1). [Pl.: *embelecos* (ê). Cf. *embeleco*, do v. *embelecar*.]

embelezador (ô) [De *embelezar* + *-dor*.] *Adj.* **1.** Que embeleza. • *S. m.* **2.** Aquele ou aquilo que embeleza.

embelezamento [De *embelezar* + *-mento*.] *S. m.* Ato ou efeito de embelezar(-se). [Sin.: *aformoseamento, alindamento* e (desus.) *embelezo* (ê).]

embelezar [De *em-*^{2} + *beleza* + *-ar*^{2}.] *V. t. d.* **1.** Tornar belo; aformosear, embelecer: *O bronzeado do sol embeleza as pessoas.* **2.** Ornamentar; abrilhantar: *As obras de arte não devem servir apenas para embelezar ambientes.* **3.** Enlevar; arrebatar; encantar: *Até hoje Sófocles embeleza o espírito humano. P.* **4.** Tornar-se belo; aformosear-se. **5.** Enlevar-se, encantar-se, maravilhar-se. [Pres. ind.: *embelezo*, etc. Cf. *embelezo* (ê).]

embelezo (ê) [Dev. de *embelezar*.] *S. m. Desus.* V. *embelezamento.* [Pl.: *embelezos* (ê). Cf. *embelezo*, do v. *embelezar*.]

emberizídeo [Do tax. *Emberizidae*.] *Zool. S. m.* **1.** Espécime dos emberizídeos, família de aves passeriformes de distribuição cosmopolita • *Adj.* **2.** Pertencente ou relativo a eles.

embernar [De *em-*^{2} + *berne*^{1} + *-ar*^{2}.] *V. int. Bras.* Criar berne^{1}.

embespinhar [De *em-*^{2} + *bespa* + *-inhar*.] *V. t. d. P.* V. *abespinhar(-se).*

embestar [De *em-*^{2} + *besta* (ê) + *-ar*^{2}.] *V. t. d.* **1.** Tornar estúpido; bestificar. *Int.* **2.** Obstinar-se; teimar.

E

embetara [Do tupi.] *S. f. Bras. Zool.* **1.** V. *choca*[4]. **2.** V. *castanha* (12). **3.** V. *papa-terra* (3).

embetesgar [De *em-*[2] + *betesga* + *-ar*[2].] *V. t. d. e c.* **1.** Encurralar, meter (em betesga ou beco). *P.* **2.** Encantoar-se, encurralar-se. [Conjug.: v. *largar*.]

embevecer [Var. de *embebecer*.] *V. t. d.* **1.** Causar enlevo, êxtase, a: *A contemplação de* A Gioconda *embeveceu-o. P.* **2.** Ficar absorto, enlevado, extasiado, extático. [Conjug.: v. *aquecer*.]

embevecido [Part. de *embevecer*.] *Adj.* Extasiado, extático, enlevado: "quando os seus olhos se encontraram com os meus, havia já duas horas que eu o contemplava embevecida, extasiada" (Artur Azevedo, *Contos Possíveis*, p. 86).

embevecimento [De *embevecer* + *-imento*.] *S. m.* Ato ou efeito de embevecer(-se).

embezerrado [Part. de *embezerrar*.] *Adj. Pop.* **1.** Amuado, zangado, carrancudo. **2.** Que não se afasta de uma linha de conduta ou de opinião; obstinado.

embezerrar [De *em-*[2] + *bezerro* + *-ar*[2].] *V. int. P. Pop. Fam.* **1.** Zangar-se, amuar, emburrar. **2.** Teimar, obstinar-se.

embiara [Do tupi.] *S. f. Bras. AM* Aquilo que se apanhou na caça, na pesca ou na guerra; presa.

embiário [Do tax. *Embia* + *-ário*; tax. *Embiaria*.] *S. m. Adj. Zool.* V. *embióptero*.

embicado [Part. de *embicar*.] *Adj.* **1.** Que forma bico. **2.** Que termina em bico. **3.** *Mar. Ant.* V. *afocinhado*.

embicador (ô) [De *embicar* + *-dor*.] *Adj. S. m.* Diz-se de, ou cavalo que embica ou tropeça.

embicar [De *em-*[2] + *bico* + *-ar*[2].] *V. t. d.* **1.** Dar a forma de bico a; tornar bicudo: *Embicou o chapéu e saiu.* **2.** *Bras. N.E.* Deitar às goelas; beber: *embicar um cálice de conhaque. T. i.* **3.** Parar; estacar: *Embicava em problemas de geometria.* **4.** Ter rixa; contender; implicar: *Depois que embicou com o primo, nunca mais o quis ver.* **5.** Esbarrar; encontrar: *A certa altura a estrada embica numa pedreira.* **6.** Dar com empecilho ou obstáculo inesperado; tropeçar: *A mula embicou em um tronco caído.* **7.** Dirigir-se, encaminhar-se: "A proa embicou rápido pra ponte carcomida do modesto porto." (João Alphonsus, *Pesca da Baleia*, p. 12.) *Int.* **8.** Ficar confuso, enleado; encontrar embaraço. **9.** Tropeçar (o cavalo). **10.** Encaminhar negócio. *P.* **11.** Dirigir-se, encaminhar-se. [Conjug.: v. *trancar*. Cf. *imbicar*.]

embigada [De *embigo* + *-ada*[1].] *S. f. Pop.* Umbigada: "Fez o seu sapateado, ... atirou uma embigada na rapariga que lhe ficava mais perto" (Franklin Távora, *O Matuto*, p. 87); "tomando por sua parceira de batuque a própria fogueira, atirou-lhe tais embigadas, que a pilha de lenha derriou" (José de Alencar, *Til*, p. 252).

embigo *S. m. Ant. Pop.* V. *umbigo*: "E com seus subtis dedos num instante / O seu embigo brando lhe cortou" (Fr. Agostinho da Cruz, *Obras*, p. 267); "a contemplação do embigo" (João Ribeiro, *Notas de um Estudante*, p. 266); "Trazia .... as mãos enclavinhadas sobre o embigo" (Godofredo Rangel, *Vida Ociosa*, p. 170); "o corpo que tem dois seios / e tem um embigo também." (Carlos Drummond de Andrade, *Reunião*, p. 40).

embigo de freira *S. m. Bras. BA* Espécie de biscoitos doces. [Pl.: *embigos de freira*.] ☑

embigueira [De *embigo* + *-eira*.] *S. f. Bras. N.E.* V. *umbigueira*.

embiídeo [Do tax. *Embia* + *-ídeo*[1]; tax. *Embiidae*.] *Zool. S. m.* **1.** Espécime dos embiídeos, família de insetos embiópteros, cuja fêmea é áptera, sendo o macho alado, e tendo, ambos, os tarsos anteriores dilatados, providos de glândulas sericígenas. Constroem teias com a forma de galerias, onde vivem, no tronco das árvores e pedras, e alimentam-se de matéria orgânica de natureza vegetal. ● *Adj.* **2.** Pertencente ou relativo a eles.

embiídino [Do tax. *Embiidae* + *-ino*[3]; tax. *Embiidina*.] *S. m. Adj. Zool.* V. *embióptero*.

embilocar [De *em-*[2] + *biloca* + *-ar*[2].] *V. int.* Barafustar; meter-se. [Conjug.: v. *trancar*.]

embiocado [Part. de *embiocar*.] *Adj.* **1.** Escondido por bioco ou capuz: *penitentes embiocados.* **2.** *Fig.* Recôndito, escondido: *amores embiocados.* **3.** *Fig.* Tímido, retraído, desconfiado.

embiocar [De *em-*[2] + *bioco* + *-ar*[2].] *V. t. d.* **1.** Dar feição de bioco a (xale, manto, etc.). **2.** Envolver, ocultar (em bioco ou coisa parecida). *T. d. e i.* **3.** Esconder, ocultar: *Embiocou o rosto no manto. P.* **4.** Vestir a cabeça com bioco ou algo semelhante. **5.** Esconder-se; abrigar-se. [Conjug.: v. *trancar*.]

embiódeo [Do tax. *Embia* + *-ódeo*; tax. *Embiodea*.] *S. m. Adj. Zool.* V. *embióptero*.

embióideo [Do tax. *Embia* + *-óideo*.] *S. m. Adj. Zool.* V. *embióptero*.

embióptero [Do lat. cient. *Embio-* (< tax. *Embia* < gr. *émbios*, 'vivente') + *-ptero*; tax. *Embioptera*.] *Zool. S. m.* **1.** Espécime dos embiópteros, ordem de artrópodes que reúne insetos pterigotos com sistema bucal mastigador; tarsos anteriores fortemente dilatados, que alojam glândulas produtoras de seda; machos alados, fêmeas ápteras. Em troncos de árvores ou pedras constroem túneis de seda, onde vivem. ● *Adj.* **2.** Pertencente ou relativo a eles. [Sin. ger.: *embiário, embiídino, embiódeo, embióideo, oligoneuro*.]

embira [Do tupi.] *S. f. Bras.* **1.** *Bot.* Nome comum a árvores e arbustos timeleáceos, esp. do gênero *Daphnopsis* (v. *dafnopse*) e *Funifera* (v. *funífera*); embira-branca, embireira, envireira. [As folhas e as cascas encerram dafnina (q. v.), e são venenosas para o gado, e das cascas se extraem fibras us. na confecção de cordas e estopas.] **2.** *Bot.* Árvore timeleácea (*Daphnopsis gemmiflora*) de flores alvas e folhas membranosas, tóxicas para o gado. **3.** *Bot.* Arbusto timeleáceo (*Daphnopsis racemosa*) natural do Brasil, Uruguai e Argentina, com flores axilares e folhas obovadas, tb. venenosas para o gado. **4.** *Bot.* Árvore anonácea (*Anaxagorea phaeocarpa*) nativa da Amaz., de folhas oblongas, flores geminadas e frutos foliculares, explosivos, com pelos escamosos e sementes acastanhadas, vermelhas quando maduras. **5.** *Bot.* Árvore anonácea (*Xylopia benthamii*) de folhas papiráceas, flores fasciculadas e frutos cujo sabor lembra o do cravo-da-índia. **6.** *Bot.* Árvore esterculiácea (*Sterculia pruriens*) nativa da América do Sul, de folhas oblongas, flores paniculadas e grandes frutos leguminiformes, com sementes oleaginosas; ibira, tacacazeiro, xixá-bravo. **7.** *Bot.* Embiruçu (4). **8.** *Bot.* V. *guaxima-roxa*. **9.** *Bot.* V. *camacã*[2]. **10.** A casca da embira-branca. **11.** Qualquer casca ou cipó us. para amarrar. [Var.: *envira*.] ◆ **Lamber embira.** *Bras.* Passar miséria; não ter o que comer; roer embira. **Meter nas embiras.** *Bras. S.* Passar nas embiras. **Passar nas embiras.** *Bras. S.* Recolher preso, ou amarrar (um criminoso); meter nas embiras. **Roer embira.** *Bras.* Lamber embira: "Se não fossem as apólices de uma casa que me legou vovó Juvência .... estava eu então roendo embira." (Autran Dourado, *Confissões de Narciso*, p. 33.)

embira-branca [De *embira* + o f. de *branco*.] *S. f. Bot.* **1.** V. *embira* (1). **2.** Árvore timeleácea (*Daphnopsis brasiliensis*) nativa do Brasil, com folhas elípticas, obtusas ou muito agudas, venenosas, e pequenas flores em cálice infundibuliforme. **3.** Árvore arbustiva timeleácea (*Daphnopsis fasciculata*), nativa do Brasil, de folhas oblongas, lanceoladas, e flores em capítulos racemosos; é muito us. para extração de fibras; ibiratinga. [Pl.: *embiras-brancas*.]

embira-da-mata-branca [De *embira-da-mata* + o f. de *branco*.] *S. f. Bras. Bot.* V. *saca-rolhas* (4). [Pl.: *embiras-da-mata-branca*.]

embira-de-caçador *S. f. Bras. Bot.* V. *pindaíba* (4). [Pl.: *embiras-de-caçador*.]

embira-do-mangue *S. f. Bras. Bot.* Algodão-da-praia. [Pl.: *embiras-do-mangue*.]

embiraém [Do tupi.] *S. m. Bras. Bot.* V. *buranhém* (1).

embirar [De *embira* + *-ar*[2].] *Bras. N.E. V. t. d.* **1.** Atar com embira. **2.** *P. ext.* Atar, ligar, prender. **3.** Unir-se pelo casamento; casar-(se): "Os pais faziam o arranjo, vinha o padre e embirava o casal de trouxas." (Graciliano Ramos, *Caetés*, p. 231.) *P.* **4.** *P. ext.* Atar-se, ligar-se, prender-se.

embirataí [Do tupi.] *S. f. Bras. Bot.* Arbusto ou pequena árvore anonácea (*Duguetia riparia*) natural da Amaz., cuja casca tem propriedades medicinais. [Var.: *enviratai*.]

embiratanha [Do tupi.] *S. f. Bras. Bot.* **1.** V. *mamorana*. **2.** V. *pindaíba* (4).

embira-toicinheira *S. f. Bot.* V. *feijão-cru*. [Pl.: *embiras-toicinheiras* e *embiras-toicinheira*.]

embireira [De *embira* + *-eira*.] *S. f. Bras. Bot.* **1.** V. *embira* (1). **2.** V. *camacã*[2]. [Var.: *envireira*.]

embiri [Do tupi.] *S. m. Bras. Bot.* **1.** V. *araruta* (1). **2.** V. *biru-manso*.

embiricica [Do tupi.] *S. f. Bras. N.* Porção de coisas dispostas em fileira ou série; enfiada.

embirra [Dev. de *embirrar*.] *S. f.* V. *embirração*.

embirração [De *embirrar* + *-ção*.] *S. f.* **1.** Ato de embirrar; antipatia; aversão. **2.** Teima, insistência; obstinação. [Sin. ger.: *embirra* e (bras.) *embirrância*.]

embirrância [De *embirrar* + *-ância*.] *S. f. Bras.* V. *embirração*.

embirrante [De *embirrar* + *-nte*.] *Adj. 2 g. S. 2 g.* Que, ou quem embirra; birrento, teimoso.

embirrar [De *em-*[2] + *birra*[1] + *-ar*[2].] *V. t. i.* **1.** Teimar com ira e pertinácia, ou enfado; insistir muito: *Embirrou em derrubar as árvores.* **2.** Ter aversão; antipatizar: *A criança embirrou com o brinquedo novo*; "Eu embirro solenemente com o centro da minha cidade natal." (Antônio de Alcântara Machado, *Cavaquinho e Saxofone*, p. 6). *Int.* **3.** Ficar ou mostrar-se birrento.

embirrativo [De *embirrar* + *-tivo*.] *Adj.* **1.** Que embirra; birrento: *pessoa embirrativa.* **2.** Que causa birra, antipatia: *atitude embirrativa.* [Sin. ger.: *embirrento*.]

embirrento [De *embirrar* + *-ento*.] *Adj.* V. *embirrativo*.

embiruçu [Do tupi = 'embira grande'.] *S. m. Bras. Bot.* **1.** Pequena árvore bombacácea (*Bombax carolinum*) nativa do Brasil, de madeira branca e porosa, us. no fabrico de papel, e flores axilares, solitárias; munguba, mungubeira, paineira-embiruçu, sumaúma. **2.** Árvore bombacácea (*Pachira coriacea*) nativa da Amazônia, de folhas coriáceas, flores hermadroditas, e frutos capsulares com paina amarela; sumaúma. **3.** Árvore bombacácea (*Pseudobombax endecaphyllum*) nativa de MG ao RJ, de frutos capsulares pentagonais, com paina escura e sementes oleaginosas. **4.** Árvore bombacácea (*Pachira humile*) nativa da Amazônia, cujas flores têm pétalas lineares e cujos frutos são capsulares; embira. **5.** V. *mamorana*.

embirutar [De *em-*[2] + *biruta*[2] + *-ar*[2].] *V. int. Bras. Gír.* V. *amalucar* (2).

embiú [De or. tupi.] *S. m. Bras. Bot.* Arbusto ou árvore anonácea (*Guatteria australis*) que ocorre de SP ao PR, de folhas lanceoladas, flores amarelas, solitárias, e frutos pretos.

embiú-branco *S. m. Bras. Bot.* Árvore anonácea (*Guatteria alba*) de flores brancas, madeira tb. branca, com líber espesso, e que fornece fibras. [Pl.: *embiús-brancos*.]

emblema [Do gr. *émblema*, 'ornato em relevo', pelo lat. *emblema*.] *S. m.* **1.** Ser, objeto ou signo convencional que simboliza uma ideia abstrata, uma coletividade, uma autoridade, etc.; símbolo: *A balança é o emblema da justiça*; *Ostentava a coroa como emblema da realeza.* **2.** Figura simbólica acompanhada ou não de legenda, que se apresenta como sinal distintivo de uma instituição, de uma associação, de um partido, etc.: *O emblema da Cruz Vermelha, da maçonaria, de um clube.* **3.** *P. ext.* Distintivo ou insígnia com tal figura.

emblemar [De *emblema* + *-ar*[2].] *V. t. d.* **1.** Simbolizar (1): *Há personagens literários que emblemam um povo. T. d. e i.* **2.** Simbolizar, exprimir, por meio de um emblema (1): *Os povos antigos gregos emblemavam em Atenas a sabedoria.*

emblemático [Do lat. tard. *emblematicu*.] *Adj.* **1.** Que tem caráter de emblema ou símbolo: *O logotipo é uma marca emblemática.* **2.** Representado por um emblema. **3.** Altamente significativo; exemplar: *O valor emblemático de um episódio.*

emboaba [De or. controversa.] *S. 2 g. Bras.* Nos tempos coloniais, alcunha que os descendentes dos bandeirantes paulistas davam, esp. na região das minas, aos forasteiros portugueses, e brasileiros de outras origens, que entravam no sertão à busca de ouro e pedras preciosas, e, p. ext., aos portugueses em geral. V. *galego* (4). [Var.: *emboava*. Cf. *boava*.]

emboança *S. f.* **1.** *Bras. AL Pop.* Conversa fiada; lorota: "escutando as emboanças de mestre Antônio Justino, eu via, no outro lado da rua, uma casa que tinha sempre a porta escancarada mostrando a sala" (Graciliano Ramos, *Angústia*, p. 15). **2.** V. *fanfarrice* (2).

emboava *S. 2 g. Bras.* V. *emboaba*.

embobinar [De *em-*[2] + *bobinar*.] *V. t. d.* V. *bobinar*.

emboca [Dev. de *embocar*.] *S. 2 g. Bras. N.E.* Indivíduo intrometido, sem escrúpulos, que vai a festas, que nelas entra, sem o convidarem; penetra.

embocador (ô) [De *emboçar* + *-dor*.] *S. m.* Pedreiro que emboça ou reboca.

embocadura [De *embocar* + *-dura*.] *S. f.* **1.** Ato ou efeito de embocar. **2.** Parte do freio que entra na boca da besta. **3.** A foz de um rio, ou entrada de rua, estrada, etc. **4.** A parte superior dos instrumentos de sopro, que o executante emboca. [V. *boquilha* (4), *bocal* (6) e *palheta*[1] (8).] **5.** *Fig.* Tendência, inclinação, propensão, queda: *Tem embocadura para as artes.*

emboçamento [De *emboçar* + *-mento*.] *S. m. Constr.* Ato ou efeito de emboçar (2); emboço.

embocar [De *em-*[2] + *boca*[1] (ô) + *-ar*[2].] *V. t. d.* **1.** Aplicar a boca a (um instrumento), para dele tirar sons; chegar (um instrumento) à boca: "Emboca a tuba lúgubre, estridente, / Em que aprendeste a rebramir teus brados!" (Castro Alves, *Poesias Escolhidas*, p. 312.) **2.** Pôr o freio a (cavalgadura). **3.** Entrar na foz de (um rio). **4.** Esvaziar, bebendo: *embocar um copo de água. T. d. e c.* **5.** Fazer entrar por (abertura estreita): *Apesar da distância, conseguiu embocar a bola na cesta. T. c.* **6.** *Bras. Pop.* Entrar, abocar: "Embocou pela porta da rua, saindo pela dos fundos, a fim de alcançar o portão." (Adalberon Cavalcanti Lins, *Curral Novo*, p. 247.) *Int.* **7.** Introduzir-se; entrar. [Conjug.: v. *trancar*.]

emboçar [De or. obscura.] *V. t. d.* **1.** Pôr emboço (1) em. **2.** Assentar com argamassa (as telhas côncavas ou de cumeeira). [Conjug.: v. *laçar*. Pres. ind.: *emboço*, etc. Cf. *emboço* (ô) e *embuçar*.]

emboço (ô) [Dev. de *emboçar*.] *S. m.* **1.** *Constr.* A primeira camada de argamassa, ou de cal, na parede, e que serve de base ao reboco; reboco grosso. **2.** Emboçamento. [Pl.: *emboços* (ó). Cf. *emboço*, do v. *emboçar*.]

embodegar [De *em-*^{2} + *bodega* + *-ar*^{2}.] *V. t. d.* Tornar imundo; sujar, enlambuzar, emporcalhar. [Conjug.: v. *regar*.]

embodocar-se [De *em-*^{2} + *bodoque* + *-ar*^{2} + *se*^{1}.] *V. p. Bras. RS* **1.** Curvar-se tomando a forma do arco do bodoque. **2.** Ficar (o cavalo) de lombo duro, para corcovear. [Conjug.: v. *trancar*.]

embófia [De or. incerta.] *S. f.* **1.** Embuste, ardil, impostura. **2.** V. *empáfia*: "O amor dos jovens rejuvenesce os velhos quando correspondido sem embófias" (João Gaspar Simões, *Crítica, II*, I, p. 324). • *S. 2 g.* **3.** *Lus.* Pessoa cheia de embófia (2).

emboizar (o-i) [De *em-*^{2} + *boiz* + *-ar*^{2}.] *V. t. d. Ant.* Tornar curvo como o arco da boiz. [Conjug.: v. *ajuizar*. Cf. *embuizar*.]

embolação [De *embolar*^{1} + *-ção*.] *S. f.* Ato de embolar^1 (2 e 4).

embolada [F. subst. do part. de *embolar*^{1}.] *S. f. Bras. N.E.* Forma poético-musical, improvisada ou não, em compasso binário, cuja melodia é declamatória, em valores rápidos e intervalos curtos, e que é usada pelos solistas nas peças com refrão coral ou dialogadas (como cocos e desafios).

embolador (ô) [De *embolada* + *-dor*.] *S. m.* Autor e/ou cantador de embolada.

embolar^1 [De *em-*^{2} + *bola* + *-ar*^{2}.] *V. t. d.* **1.** Pôr bolas nos cornos de (touro ou vaca). *Int.* **2.** *Bras.* Cair, rolando como uma bola. **3.** *Bras. Fam.* V. *encaroçar* (2). **4.** Engalfinhar-se com o adversário, rolando por terra. *P.* **5.** Entrelaçar-se (os corpos); engalfinhar-se. **6.** *Bras. Fam.* V. *encaroçar* (2). [Pres. ind.: *embolo*, etc. Cf. *êmbolo*.]

embolar^2 [De *em-*^{2} + *bolo*^{1} (ô) + *-ar*^{2}.] *V. t. d.* **1.** Reduzir a bolo^1 (1). **2.** *P. ext.* Enrolar; emaranhar. [Pres. ind.: *embolo*, etc. Cf. *êmbolo*.]

embolar^3 [De *em-*^{2} + *bolo*^{2} (ô) + *-ar*^{2}.] *V. t. d.* Reduzir (o ouro em pó) a bolo, por meio de fusão. [Pres. ind.: *embolo*, etc. Cf. *êmbolo*.]

emboléu [De *em-*^{2} + *boléu*.] *El. s. m.* Us. na loc. *andar aos emboléus*. ◆ **Andar aos emboléus.** *Bras. N.E.* Andar à matroca, ao léu, à toa, sem destino certo.

embolia [Do fr. *embolie* < gr. *embolé*, 'ação de lançar'; 'ataque', + fr. *-ie* (= *-ia*^{1}).] *S. f. Patol.* Obliteração dum vaso sanguíneo por um êmbolo (2); embolismo.

embolísmico^1 [De *embolismo*^{1} + *-ico*^{2}.] *Adj.* Relativo a embolismo^1. ~ V. *ano* —.

embolísmico^2 [De *embolismo*^{2} + *-ico*^{2}.] *Adj.* Relativo a embolismo^2.

embolismo^1 [Do lat. med. *embolismu* < lat. tard. *embolismu* < gr. *embolismós*, var. de *embólimos*, 'intercalação'.] *S. m.* Acréscimo de tempo ao ano lunar para que ele coincida com o ano solar.

embolismo^2 [Do lat. cient. *embolismus* < gr. *embolé*, 'ataque', + lat. cient. *-ismus* (v. *-ismo*).] *S. m. Patol.* Embolia.

embolização [De *embolizar (< êmbolo + -ar^2) + -ção; ingl. embolization.] *S. f. Terap.* Medida em que, propositadamente, se introduz substância em vaso sanguíneo, com o objetivo de ocluí-lo, para tratamento de tumor ou de hemorragia.

êmbolo [Do gr. *émbolos*, 'alavanca', 'esporão', pelo lat. *embolu*.] *S. m.* **1.** Disco ou cilindro móvel das seringas, das bombas e doutros maquinismos; pistom. **2.** *Patol.* Qualquer massa anormal de matéria sólida, líquida ou gasosa veiculada pelo sangue, e com dimensões suficientes para ser detida, e causar oclusão, em um local do sistema vascular. [Cf. *embolo*, do v. *embolar*.]

embololalia (êm) [Do lat. cient. *embolo-* (< gr. *embállein*, 'inserir') + *lal(o)-* + *-ia*^{1}.] *S. f. Psiq.* Inserção, na fala, de palavras ou de frases sem sentido.

embolorar [De *em-*^{2} + *bolor* + *-ar*^{2}.] *V. t. d. Int.* V. *abolorecer*.

embolorecer [De *em-*^{2} + *bolor* + *-ecer*.] *V. t. d. Int.* V. *abolorecer*. [Conjug.: v. *aquecer*.]

embolotar [De *em-*^{2} + *bolota* + *-ar*^{2}.] *V. int. P. Bras. Fam.* V. *encaroçar* (2).

embolsar [De *em-*^{2} + *bolsa* + *-ar*^{2}.] *V. t. d.* **1.** Meter no bolso ou na bolsa: *O empregado embolsou o troco.* **2.** Entrar na posse de; receber: *embolsar uma herança.* **3.** Pagar o que se deve a. **4.** Pagar, indenizar: *O Governo embolsou os que foram desapropriados.* [Pres. ind.: *embolso*, etc. Cf. *embolso* (ô).]

embolso (ô) [Dev. de *embolsar*.] *S. m.* **1.** Ato de embolsar. **2.** Recebimento; pagamento. [Pl.: *embolsos* (ô). Cf. *embolso*, do v. *embolsar*.]

embonar [Do esp. *embonar*.] *V. t. d. Constr. Nav.* Colocar embono em (uma embarcação).

embondeiro [Do quimb. *mbondo* + *-eiro*.] *S. m. Bot.* V. *baobá*. "o meu marido ressonava, um arganaz em desespero piou nos embondeiros" (Lobo Antunes, *O Esplendor de Portugal*, p. 52).

embondo *S. m. Bras. MG RJ Pop.* Dificuldade, embaraço.

embonecado [Part. de *embonecar*.] *Adj.* Que se embonecou; enfeitado em excesso.

embonecamento [De *embonecar* + *-mento*.] *S. m.* Ato ou efeito de embonecar(-se).

embonecar [De *em-*^{2} + *boneca* + *-ar*^{2}.] *V. t. d.* **1.** Enfeitar muito como se faz a uma boneca: *Tinha gosto em embonecar as filhas.* **2.** Enfeitar pretensiosamente. *Int.* **3.** *Bras.* Criar bonecas ou espigas (o milho); bonecar: "Os milhos nessa época embonecavam" (Alberto Rangel, *Sombras n'Água*, p. 214). *P.* **4.** Enfeitar-se, adornar-se, ataviar-se. [Conjug.: v. *trancar*.]

embonecramento [De *embonecrar* + *-mento*.] *S. m. Bras. S.* Embonecamento.

embonecrar [Alter. de *embonecar*.] *V. t. d. Int. P. Bras. S.* V. *embonecar*.

embono [Do esp. *embono*.] *S. m.* **1.** *Ant. Constr. Nav.* Revestimento de madeira, aplicado sobre o casco de embarcação, desde o fundo até à linha-d'água, quando ela mostra grande tendência para se inclinar. **2.** *Ant. Constr. Nav.* Revestimento suplementar com estrutura celular que, em navios metálicos, corria a um e outro bordo, ao longo do costado, desde um pouco acima da linha-d'água até certa profundidade, e destinado a melhorar a proteção do navio contra as explosões de torpedos ou minas; contracarena. [Cf., nesta acepç., *cóferdã* (2).] **3.** *Bras. N. N.E.* Grande viga de pau de jangada ou de outra madeira leve, presa ao longo da borda de algumas embarcações de boca estreita com o fim de aumentar-lhes a estabilidade e amortecer-lhes o balanço lateral.

emboque [Dev. de *embocar*.] *S. m.* **1.** Ato de embocar. **2.** Passagem duma coisa por alguma parte estreita.

embora [De *em boa hora*, com aglutinação.] *Adv.* **1.** Em boa hora: "Paio Vaz se queres gado / dá ó demo essa pastora / paga-lho seu, vá-se embora / ou má hora / e põe o teu em recado." (Gil Vicente, *Obras Completas*, f. XXIII); "Tinha vontade de ir embora e de ficar." (Machado de Assis, *Várias Histórias*, p. 45). [Esta acepç. (comparem-se os dois exemplos, um do séc. XVI e outro do séc. XIX) aparece, hoje, não raro, com caráter afetivo, como partícula de realce, ou, em alguns casos, totalmente esvaziada de conteúdo semântico, como neste exemplo: *Foi embora, e no caminho o mataram.* Cf. *mandar embora*.] • *Conj.* **2.** Ainda que; bem que; se bem que; conquanto: *Prosseguiu a viagem, embora cansado*; "Embora confesse que não, ... o memorialista [Machado de Assis] procura em *Dom Casmurro* 'atar as duas pontas da vida e restaurar na velhice a adolescência'." (José Augusto Guerra, *Testemunhos de Crítica*, p. 87). • *Prep.* **3.** A despeito de; apesar de: "Bela, embora o ar triste, a aparência doentia, / Uma prece na boca, uma prece no olhar, / Era pálida e fria, / Como vela de altar." (Alberto de Oliveira, *Póstuma*, p. 46.) [É censurado (e nenhum outro dicionário o registra) esse uso de *embora* como preposição, apesar de existirem várias ocorrências dele.] • *Interj.* **4.** Seja assim; não me importa; que importa?; tanto faz; ora: "Arrependem-se? Embora! O amor não finda" (Raimundo Correia, *Poesias*, p. 22); "Sofra o coração, embora! / Sofra! Mas viva!" (Id., *ib.*, p. 7). ~ V. *emboras*.

emboras [Pl. subst. de *embora*.] *S. m. pl.* Parabéns, felicitações: "Recebei-me, e dai-me emboras, / pelo que o sino adivinha, / ó poderosa Rainha." (Antônio Feliciano de Castilho, *Camões*, I, p. 111.) ~ V. *embora*.

emborcação [De *emborcar* + *-ção*.] *S. f.* **1.** Ato ou efeito de emborcar; emborco, emborque. **2.** *Med.* Ato de colocar o paciente de borco ou de bruços. [Cf. *embrocação*.]

emborcar [De *em-*^{2} + *borcar*.] *V. t. d.* **1.** Pôr de boca para baixo, virar de borco (uma vasilha, uma canoa, etc.). [Sin.: *emborquilhar* (bras., S.) e *borcar* (lus.).] **2.** Entornar na boca, bebendo; beber com sofreguidão: "Os bebedores aglomeram-se à volta dos carros de vinho, emborcando as canecas, grulhando, sapateando." (José Vieira, *Sol de Portugal*, p. 155.) **3.** Despejar; vazar; derramar. *Int.* **4.** Cair de borco. **5.** Virar de borco: *O aeroplano caiu e emborcou.* **6.** *Bras. Gír.* Cair no chão; levar um tombo. *P.* **7.** Levar queda; cair. [Conjug.: v. *trancar*. Pres. ind.: *emborco*, etc. Cf. *emborco* (ô).]

emborco (ô) [Dev. de *emborcar*.] *S. m.* V. *emborcação* (1). [Pl.: *emborcos* (ô). Cf. *emborco*, do v. *emborcar*.]

embornal^1 [De *em-*^{2} + *bornal*.] *S. m.* **1.** Saco que se põe no focinho das bestas; cevadeira, bornal. **2.** *Bras.* Saco ou bolsa, ger. usada a tiracolo, para transportar alimentos, ferramentas, etc.; bornal.

embornal^2 [Do cat. ant. *embrunal*, poss. pelo esp. *embornal*.] *S. m. Constr. Nav.* Abertura que se faz no costado de embarcação, rente com o convés, para escoamento das águas da baldeação ou da chuva.

embornalar [De *embornal*^{1} + *-ar*^{2}.] *V. t. d.* **1.** Meter em bornal ou embornal. **2.** Colher para si; guardar. **3.** Economizar, poupar, aforrar, forrar. [Sin. ger.: *abornalar*.]

emborque [Dev. de *emborcar*.] *S. m.* V. *emborcação* (1).

emborquilhar [De *emborc(ar)* + *-ilhar*.] *V. t. d.* **1.** *Bras. S.* V. *emborcar* (1). **2.** Virar (a terra) com a pá ou com o arado, para o cultivo.

emborrachado^1 [Part. de *emborrachar*.] *Adj.* Que se emborrachou; bêbedo, embriagado.

emborrachado^2 [De *em-*^{2} + *borracha* + *-ado*^{1}.] *Adj. S. m.* Diz-se de, ou tecido, etc. submetido a tratamento especial capaz de conferir-lhe textura impermeável, como a da borracha.

emborrachar [De *em-*^{2} + *borracho*^{2} + *-ar*^{2}.] *V. t. d.* **1.** Embebedar, embriagar. *Int.* **2.** Ir engrossando para dar espiga (trigo ou centeio). *P.* **3.** Embebedar-se, embriagar-se.

emborralhar [De *em-*^{2} + *borralho* + *-ar*^{2}.] *V. t. d.* Cobrir ou sujar com borralho; enfarruscar.

emborrar [De *em-*^{2} + *borra* (ô) + *-ar*^{2}.] *V. t. d.* Dar a primeira carda a (a lã). [Cf. *emburrar*.]

emborrascar [De *em-*^{2} + *borrasca* + *-ar*^{2}.] *V. t. d.* **1.** Tornar borrascoso. **2.** Agitar tempestuosamente: *As recordações emborrascam seu espírito.* **3.** Irritar, irar, encolerizar: *O que mais o emborrasca é o desleixo.* *P.* **4.** Adquirir (o céu, o mar) aspecto borrascoso. [Conjug.: v. *trancar*.]

emboscada [Do it. *imboscata*.] *S. f.* **1.** Ato de esperar às escondidas o inimigo para assaltá-lo; espera, tocaia. **2.** Cilada (1).

emboscar [Do it. *imboscare*.] *V. t. d.* **1.** Pôr de emboscada: *O comandante emboscou as tropas.* **2.** Esconder, ocultar: *A folhagem emboscava a mansão.* *P.* **3.** Pôr-se em emboscada; esconder-se para assaltar. [Conjug.: v. *trancar*.]

embostar [De *em-*^{2} + *bostar*.] *V. t. d.* V. *bostar*.

embostear [De *em-*^{2} + *bosta* + *-ear*^{2}.] *V. t. d.* V. *bostar*. [Conjug.: v. *frear*. Cf. *embustear*.]

embostelar [De *em-*^{2} + *bostela* + *-ar*^{2}.] *V. t. d. P.* **1.** Encher(-se) de bostelas. **2.** Sujar(-se), enxovalhar(-se), emporcalhar(-se).

embotadeira [De *embotar* + *-deira*.] *S. f.* Espécie de meia que se usa por baixo do canhão da bota e vai até acima do joelho.

embotado [Part. de *embotar* (1).] *Adj.* Desafiado^2.

embotador (ô) [De *embotar* + *-dor*.] *Adj.* Que embota.

embotadura [De *embotar* + *-dura*.] *S. f.* Embotamento.

embotamento [De *embotar* + *-mento*.] *S. m.* Ato ou efeito de embotar(-se); embotadura.

embotar [De *em-*^{2} + *boto*^{3} (ô) + *-ar*^{2}.] *V. t. d.* **1.** Engrossar o fio de corte a; tirar o gume a; rebotar: *embotar uma lâmina.* **2.** *Fig.* Tirar a energia a; enfraquecer: *O álcool embota o raciocínio.* **3.** *Fig.* Fazer perder a sensibilidade; insensibilizar: *A longa experiência da guerra embotou-o.* *P.* **4.** Perder o fio, o gume. **5.** Perder a energia; enfraquecer(-se). **6.** Perder a sensibilidade; insensibilizar(-se). [Sin. ger. (desus.): *botar*.]

embotelhar [De *em-*^{2} + *botelha* + *-ar*^{2}.] *V. t. d.* Pôr em botelha ou em garrafa; engarrafar. [Conjug.: v. *aparelhar*.]

embotijamento [De *embotijar* + *-mento*.] *S. m.* Ato ou efeito de embotijar.

embotijar [De *em-*^{2} + *botija* + *-ar*^{2}.] *V. t. d.* **1.** Meter em botija. **2.** *Marinh.* Fazer uma botija ou embotijo em (um cabo, um balaústre, um pé de carneiro, uma garrafa, etc.). **3.** *Bras. N.E. Pop.* Fazer calar, deixar embatucado, com a boca na botija.

embotijo [Dev. de *embotijar*.] *S. m. Marinh.* Botija (2).

embrabar [De *em-*^{2} + *brabo* + *-ar*^{2}.] *V. int. P. Bras. S.* V. *embrabecer*.

embrabecer [De *em-*^{2} + *brabo* + *-ecer*.] *V. int. P. Bras.* Tornar-se bravo; embravecer, enfurecer-se. [Sin., no S.: *embrabar*. Conjug.: v. *aquecer*.]

embraçadeira [De *embraçar* + *-deira*.] *S. f.* V. *braçadeira* (12).

embraçadura [De *embraçar* + *-dura*.] *S. f.* **1.** Ato ou efeito de embraçar. **2.** V. *braçadeira* (1, 2, 5, 6 e 7).

embraçar [De *em-*^{2} + *braço* + *-ar*^{2}.] *V. t. d.* **1.** Suspender ou suster, metendo na braçadeira. **2.** Suster com o braço; sobraçar. [Conjug.: v. *laçar*.]

embrace [Dev. de *embraçar*.] *S. m.* Braçadeira (3).

■ **EMBRAER** Sigla de *Empresa Brasileira de Aeronáutica S/A.*

embragueira *S. f. Bras.* Reentrância no eixo dos carros de bois, à qual se adaptam o chumaço e a cheda.

embraiagem [Do fr. *embrayage*.] *S. f. Lus.* Embreagem.

embraiar [Do fr. *embrayer*.] *V. t. d. Int. Lus.* Embrear^2.

embramar [De *em-*^{2} + *bramar*.] *V. int. Bras. S.* Enraivecer-se, irar-se, embravecer.

embrancar [De *em-*^{3} + *branco* + *-ar*^{2}.] *V. t. d.* **1.** Tornar branco; branquear, embranquecer. *P.* **2.** Fazer-se branco; branquear(-se), embranquecer(-se). [Conjug.: v. *trancar*.]

embrandecer [De *em-*^{2} + *brando* + *-ecer*.] *V. t. d.* **1.** Tornar brando, flexível; amolecer; abrandecer. **2.** Enternecer, comover: *O sorriso do guri embrandeceu aquele duro coração.* *Int.* **3.** Fazer-se brando; abrandar. [Conjug.: v. *aquecer*.]

embrandecimento [De *embrandecer* + *-imento*.] *S. m.* Ato ou efeito de embrandecer.

embranquecer [De *em-*[2] + *branco* + *-ecer*.] *V. t. d.* **1.** Tornar branco; branquear, embrancar: *A neblina embranquecia o campo.* *Int.* **2.** Tornar-se branco; encanecer: *Seus cabelos embranqueceram aos vinte anos.* *P.* **3.** Tornar-se branco. [Conjug.: v. *aquecer*.]

embranquecimento [De *embranquecer* + *-imento*.] *S. m.* Ato ou efeito de embranquecer(-se).

■ **Embrapa** Sigla de *Empresa Brasileira de Pesquisa Agropecuária.*

■ **EMBRATEL** Sigla de *Empresa Brasileira de Telecomunicações.*

■ **Embratur** Sigla de *Empresa Brasileira de Turismo.*

embravear [De *em-*[2] + *bravo* + *-ear*[2].] *V. t. d. Int. P. P. us.* V. *embravecer*. [Conjug.: v. *frear*.]

embravecer [De *em-*[2] + *bravo* + *-ecer*.] *V. t. d.* **1.** Tornar bravo, cruel, feroz: *O alarido embraveceu o cão.* *Int.* **2.** Enfurecer-se; embrabecer-se. **3.** Encapelar-se, encrespar-se (o mar): "Quando este mar embravece, vagalhões como montanhas despedaçam-se com fúria nas falésias maciças" (Raul Brandão, *As Ilhas Desconhecidas*, pp. 227-228). *P.* **4.** Irritar-se, enfurecer-se. [Sin. ger., p. us.: *embravear*. Conjug.: v. *aquecer*.]

embravecimento [De *embravecer* + *-imento*.] *S. m.* Ato ou efeito de embravecer(-se).

embreadura [De *embrear*[1] + *-dura*.] *S. f.* Ato de embrear[1]; breadura.

embreagem [Do fr. *embrayage*.] *S. f. Autom.* Dispositivo instalado entre o motor e a caixa de mudanças, e que permite ligar e desligar o motor da transmissão por intermédio de discos de fricção. [F. paral. (lus.): *embraiagem*.]

embrear[1] [De *em-*[2] + *breu* + *-ar*[2].] *V. t. d.* Cobrir ou untar de breu (1); alcatroar; brear. [Conjug.: v. *frear*.]

embrear[2] [Do fr. *embrayer*.] *V. t. d.* **1.** Acionar a embreagem de; debrear. *Int.* **2.** Acionar a embreagem; debrear. [F. paral. (lus.): *embraiar*. Conjug.: v. *idear*.]

embrechado [Part. subst. de *embrechar*.] *S. m.* **1.** Ornato constituído de conchas, pedacinhos de louça, cristais, pedras, etc., incrustados nas paredes e cascatas de jardins. **2.** *Fam.* Pessoa importuna; empecilho.

embrechar [De *em-*[2] + *brecha* + *-ar*[2].] *V. t. d.* **1.** Ornamentar com embrechado (1). *T. d. e c.* **2.** Meter, introduzir: *Embrechou a estatueta no velho muro.* [Conjug.: v. *flechar*.]

embrenhar [De *em-*[2] + *brenha* + *-ar*[2].] *V. t. d. e c.* **1.** Meter, esconder (nas brenhas, no mato). *P.* **2.** Meter-se, internar-se (nos matos, nas brenhas): "Simplício e Olavo embrenharam-se na catinga." (Adalberon Cavalcanti Lins, *Curral Novo*, p. 95.) **3.** Fazer entrar ou penetrar no interior de. **4.** *Fig.* Aprofundar-se (em pensamentos, memórias, etc.).

embretada [De *embretar* + *-ada*[1].] *S. f. Bras.* **1.** Ação de embretar. **2.** Situação complicada, difícil; apuros, enrascada: *Em que embretada se meteu você!*

embretar [De *em-*[2] + *brete* (ê) + *-ar*[2].] *V. t. d.* **1.** *Bras. S.* Meter (animais) em brete ou curral; enrinconar. **2.** Sitiar ou assediar apertadamente (o inimigo), na guerra; encurralar. *P.* **3.** *Fig.* Meter-se em negócios difíceis; enrascar-se.

embriagado [Part. de *embriagar*.] *Adj.* **1.** Que se embriagou ou alcoolizou. [Sin. (na maioria pop. ou gír., e, em alguns casos, bras.): *alto, avinhado, azul, bêbedo* ou *bêbado, bebido, bicudo, biritado, caneado, chumbado, chumbeado, ébrio, envernizado, floreado, fumado, melado, milhado, molhado, montado na ema, mordido, pegado, pingado, pilecado, pinguço, porrado, pregado, quente, roído, tomado, tonto, torrado, triscado, trolado, troviscado, xambregado, xumbergado, zarro*, e (lus.) *zaré*.] **2.** Aturdido, ébrio, tonto. **3.** *Fig.* V. *ébrio* (4 e 5). • *S. m.* **4.** Indivíduo embriagado; bêbedo ou bêbado. V. *ébrio* (7).

embriagador (ô) [De *embriagar* + *-dor*.] *Adj.* Que embriaga ou inebria; embriagante.

embriagamento [De *embriagar* + *-mento*.] *S. m.* Ato ou efeito de embriagar(-se).

embriagante [De *embriagar* + *-nte*.] *Adj. 2 g.* Embriagador.

embriagar [Do port. ant. *enbriago* (< lat. vulg. **embriacu* < lat. *ebrius*, 'ébrio') + *-ar*[2].] *V. t. d.* **1.** Causar embriaguez a; tornar ébrio; embebedar; alcoolizar, inebriar: *O vinho embriagou o rapaz.* **2.** Inebriar, extasiar, maravilhar, enlevar: *Os elogios embriagam-no.* *Int.* **3.** Causar ou produzir embriaguez: "Nesse dia terás o maior prazer da vida, porque não há vinho que embriague como a verdade." (Machado de Assis, *Quincas Borba*, p. 11.) *P.* **4.** Ingerir bebidas alcoólicas; embebedar-se: "Os convidados embriagavam-se bebendo cerveja quente, vinho branco e de jurubeba." (Adalberon Cavalcanti Lins, *Curral Novo*, p. 322.) [Sin., pop. ou gír., nesta acepç.: *acender a lamparina, alertar as ideias, amarrar a cabra, amarrar o gato, encatrinar-se, encharcar-se, conversar com a garrafa, dar uma chamada, encher a cara, encher a caveira, encher a cuca, esquentar o peito, limpar a serpentina, molhar o bico, molhar o peito, pôr óleo, puxar uma rama, quebrar a munheca, suspender um pileque, tomar um porco, tomar uma jorna.*] **5.** Extasiar-se, transportar-se, enlevar-se. [Conjug.: v. *largar*.]

embriaguez (ê) [Do port. ant. *embriago* (v. *embriagar*) + *-ez*.] *S. f.* **1.** Estado de indivíduo embriagado; bebedeira, ebriedade. **2.** *Fig.* Inebriamento, êxtase, enlevação, ebriedade.

embrião [Do gr. *émbryon*, pelo fr. *embryon*.] *S. m.* **1.** *Biol. Embr.* Organismo em via de desenvolvimento, desde o ovo fecundado até a realização de uma forma capaz de vida autônoma e ativa. Na espécie humana, o termo é aplicado aos estágios iniciais do desenvolvimento. **2.** *Bot.* Organismo rudimentar que se forma no interior da semente; germe, gêmula, plântula. **3.** *Fig.* Princípio, começo, origem. [Cf., nas acepçs. 1 e 2, *feto*[1].]

embridar [De *em-*[2] + *brida* + *-ar*[2].] *V. t. d.* **1.** Pôr brida a; bridar: *Embridaram a montaria;* "Selaram, e embridaram um cavalo para mim." (Antônio Justa, *Praia do Desterro*, p. 9.) *Int.* **2.** Levantar a cabeça com elegância (o cavalo). *P.* **3.** Mostrar-se arrogante, insolente.

embrincar [De *em-*[2] + *brinco* + *-ar*[2].] *V. t. d.* Adornar, enfeitar, ataviar, engalanar, alindar. [Conjug.: v. *trancar*.]

▲**embri(o)-** [Do gr. *émbryon*, ou (ỹ).] *El. comp.* = 'feto', 'embrião': *embriocardia, embrioma.*

embrioblasto [De *embri(o)-* + *-blasto*.] *S. m. Embr.* Massa celular localizada centralmente no blastocisto, e que dá origem ao embrião.

embriocardia [De *embri(o)-* + *-cardia*.] *S. f. Card.* Ritmo cardíaco que lembra, pela ausculta, o ritmo do coração do feto.

embriocárdico [De *embriocardia* + *-ico*[2].] *Adj.* Relativo a embriocardia.

embriocídio [De *embri(o)-* + *-cídio*.] *S. m. Med. Leg.* Morte de embrião, decorrente de aborto provocado.

embriófito [De *embri(o)-* + *-fito*; tax. *Embryophyta*.] *Adj. S. m. Bot.* Diz-se de, ou espécime dos embriófitos, em algumas classificações, um dos dois sub-reinos do Reino *Plantae* (q. v.), e que abrange os briófitos e as plantas vasculares. [Cf. *talófito*.]

embriogénese *S. f. Embr.* V. *embriogênese*. [Uso freq. em P.]

embriogênese [De *embri(o)-* + *-gênese*.] *S. f. Embr.* Conjunto de eventos que possibilitam a formação do embrião; embriogenia, embrionia.

embriogenia [De *embri(o)-* + *-genia*.] *S. f. Embr.* V. *embriogênese*.

embriogénico *Adj.* V. *embriogênico*. [Uso freq. em P.]

embriogênico [De *embriogenia* + *-ico*[2].] *Adj.* Relativo à embriogenia.

embriologia [De *embri(o)-* + *-logia*.] *S. f.* **1.** Ramo da biologia que trata da formação e do desenvolvimento do embrião. **2.** *P. ext. Impr.* Ramo da ciência que se ocupa do estudo do organismo desde a etapa de formação do ovo à do feto.

embriológico [De *embriologia* + *-ico*[2].] *Adj.* Referente à embriologia.

embrioma [De *embri(o)-* + *-oma*[1].] *S. m. Patol.* Designação genérica de tumores que se supõem derivados de células embrionárias.

embrionado [De *embrião* + *-ado*[1], seg. o padrão erudito.] *Adj.* Que contém embrião.

embrionário [De *embrião* (*embrion-*) + *-ário*, seg. o padrão erudito.] *Adj.* **1.** Relativo a embrião. **2.** Que está em embrião. **3.** *Fig.* Que está em via de formação. – V. *disco —, indução —a, saco —* e *tubo neural —*.

embrionia [De *embrião* + *-ia*[1], seg. o padrão erudito.] *S. f. Embr.* V. *embriogênese*.

embriônico [De *embrião* (*embrion-*) + *-ico*[2], seg. o padrão erudito.] *Adj.* . De, ou relativo a embrião.

embrionífero [De *embrião* + *-ífero*, seg. o padrão erudito.] *Adj. Bot. Zool.* Que encerra embrião ou embriões.

embriopatia [De *embri(o)-* + *-patia*.] *S. f. Med.* Afecção resultante de lesão ocorrida durante o desenvolvimento do embrião (3).

embriopático [De *embriopatia* + *-ico*[2].] *Adj.* Relativo à embriopatia.

embrioscopia [De *embri(o)-* + *-scop-* + *-ia*[1].] *S. f. Obst.* Visualização de embrião no útero mediante o uso de histeroscópio.

embriotomia [Do gr. *embryotomía*.] *S. f. Obst.* Operação na qual se fragmenta o feto no útero, para tornar possível a sua extração.

embriotómico *Adj.* V. *embriotômico*. [Uso freq. em P.]

embriotômico [De *embriotomia* + *-ico*[2].] *Adj.* Referente à embriotomia.

embriótomo [De *embri(o)-* + *-tomo*.] *S. m. Obst.* Instrumento com que se faz a embriotomia.

embriotrofo [De *embri(o)-* + *-trofo*.] *S. m. Embr.* Material nutritivo acumulado na mucosa uterina e que será utilizado pelo ovo quando ocorrer a implantação.

embriulcia [Do gr. *embryoulkía*.] *S. f. Obst.* Retirada de feto do útero, com uso de embriulco.

embriulco (i-úl) [Do gr. *embryoulkós*.] *S. m. Cir.* Gancho com que se tira do útero o feto morto.

embrocação [Do lat. med. *embrocatione*.] *S. f. Med.* **1.** Aplicação de líquido medicamentoso em parte doente do corpo. **2.** Líquido para embrocação. [Cf. *emborcação*.]

embroma [Dev. de *embromar*.] *S. f. Bras. Gír.* V. *embromação*.

embromação [De *embromar* + *-ção*.] *S. f. Bras.* **1.** Ato ou efeito de embromar. **2.** Protelação ardilosa de uma ação esperada. **3.** Mentira capciosa; trapaça, embuste.

embromador (ô) [De *embromar* + *-dor*.] *Adj. S. m. Bras.* Que, ou aquele que embroma; embromeiro.

embromar [Do esp. plat. *embromar*.] *V. t. d. Bras.* **1.** Protelar a resolução de um negócio (de alguém) por meio de embuste(s); retardar a execução de um serviço (de alguém): *O construtor embromou-o durante um ano, antes de entregar a obra.* **2.** Calotear, abusando da credulidade de outrem por meio de lábias; enganar: *O vendedor embromou-a, vendeu-lhe gato por lebre.* **3.** Zombar, troçar, motejar. *Int.* **4.** *Bras.* Contar falsidades encomiásticas de si mesmo; blasonar. **5.** *Bras.* Muito prometer e nada cumprir, ou cumprir dificilmente; gastar muito tempo para decidir um negócio, afirmando sempre que o vai realizar. **6.** *Bras. S.* Andar devagar, com displicência. **7.** *Bras. S.* Brincar, caçoar, gracejar. [Cf. *embrumar*.]

embromeiro [De *embromar* + *-eiro*.] *Adj. S. m. Bras.* Embromador.

embruacado [Part. de *embruacar*.] *Adj. Bras.* Metido em bruaca.

embruacar [De *em-*[2] + *bruaca* + *-ar*[2].] *V. t. d. Bras.* Arrecadar (coisas) em bruaca. [Conjug.: v. *trancar*.]

embrulhada [De *embrulhar* + *-ada*[1].] *S. f.* **1.** Confusão, trapalhada, desordem, embrulho [v. *rolo*[1] (16)]: *Que embrulhada os dois arranjaram!* **2.** Embaraço, dificuldade, embrulho: *Surgiu uma embrulhada, e não podemos ir.*

embrulhado [Part. de *embrulhar*.] *Adj.* **1.** Metido em um invólucro. **2.** Confuso, intri(n)cado: *história embrulhada.* **3.** Complicado, difícil: *sujeito embrulhado.* **4.** *Pop.* Nauseado, enjoado: *estômago embrulhado.*

embrulhador (ô) [De *embrulhar* + *-dor*.] *Adj. S. m.* Que, ou aquele que embrulha ou faz embrulhadas.

embrulhamento [De *embrulhar* + *-mento*.] *S. m.* Ação de embrulhar(-se).

embrulhão [De *embrulhar* + *-ão*[1].] *Adj. S. m. Bras. Pop.* Tapeador.

embrulhar [Do fr. *embrouiller*, poss. pelo it. *imbrogliare*.] *V. t. d.* **1.** Envolver em papel, pano, etc., formando pacote, volume ou maço; empacotar; emaçar: *embrulhar as compras.* **2.** Enrolar, dobrar: *Os soldados embrulharam a bandeira.* **3.** Confundir, complicar; embaraçar: "Estava pálida, com os olhos quebrados, e falava precipitadamente, embrulhando tudo" (Graciliano Ramos, *Caetés*, p. 244). **4.** Engrolar (3): "olhava no alto o céu sempre azulíneo e ofuscante de luz, cerrava um canto d'olho, mão alçada a atenuar a crueza dos raios solares, e embrulhava uma escusa tola, dando tempo à própria incerteza" (Afonso Arinos, *Pelo Sertão*, pp. 15-16). **5.** Causar enjoo a; indispor, nausear. **6.** *Bras.* Abusar da confiança de (outrem) em negócios; enganar, lograr, intrujar. *P.* **7.** Complicar-se, embaraçar-se. **8.** Confundir-se, atrapalhar-se. **9.** Gaguejar, tartamudear.

embrulho [Dev. de *embrulhar*.] *S. m.* **1.** Coisa embrulhada; pacote, volume. **2.** V. *embrulhada*. **3.** *Bras.* V. *logro* (2). **4.** Confusão intencional em uma negociação, com o fim de abusar da inexperiência ou da confiança de outrem.

embrumar [De *em-*[2] + *bruma* + *-ar*[2].] *V. t. d. P.* Tornar(-se) brumoso; encher(-se) de bruma. [Cf. *embromar*.]

embruscado [Part. de *embruscar*.] *Adj.* Que se embruscou: "os doze vultos escuros, recortados contra um céu embruscado e soturno, adquirem proporções .... de gigantes." (Fernando Sabino, *O Grande Mentecapto*, p. 165).

embruscar [De *em-*[2] + *brusco* + *-ar*[2].] *V. t. d.* **1.** Tornar carregado, brusco: *Nuvens escuras embruscaram o céu.* **2.** Tornar triste, sombrio: *embruscar o ânimo.* *Int.* **3.** Toldar-se, anuviar-se. **4.** Agastar-se, irritar-se, enfadar-se. *P.* **5.** Anuviar-se, toldar-se, escurecer(-se): "Pelo beirar das onze o céu embruscou-se, soprou um vento quente, grossos pingos começaram a cair, prenunciando chuvarada." (Hugo de Carvalho Ramos, *Tropas e Boiadas*, p. 58.) **6.** Agastar-se, irritar-se. [Conjug.: v. *trancar*.]

embrutar [De *em-*[2] + *bruto* + *-ar*[2].] *V. t. d. Int. P.* V. *embrutecer*.

embrutecer [De *em-*[2] + *bruto* + *-ecer*.] *V. t. d.* **1.** Tornar bruto, estúpido: *A guerra embrutece o homem.* *Int.* **2.** Causar embrutecimento. **3.** Tornar-se bruto, estúpido; embrutecer(-se). *P.* **4.** Embrutecer (3). [Sin. ger.: *embrutar*. Conjug.: v. *aquecer*.]

embrutecimento [De *embrutecer* + *-imento*.] ***S. m.*** Ato ou efeito de embrutecer(-se).

embruxar [De *em-*^{2} + *bruxa* + *-ar*^{2}.] ***V. t. d.*** Fazer bruxarias a; enfeitiçar, encarochar.

embuá [Do tupi.] ***S. m.*** *Bras.* Designação comum a vários miriápodes julídeos; bicho-bola, bicho-de-ouvido, caramuji, gongolo ou gongolô, piolho-de-cobra, surrupeio. [Var.: *ambuá*.]

embuçadela [Por **embuçaladela* < *embuçalar* + *-dela*, com dissimilação.] ***S. f.*** *Bras. S.* Ato de embuçalar.

embuçado [Part. de *embuçar*.] ***Adj.*** Rebuçado (3).

embuçalador (ô) [De *embuçalar* + *-dor*.] ***S. m.*** *Bras. S.* **1.** Aquele que embuçala, que põe o buçal no cavalo de montaria. **2.** *Fig.* Velhaco; embaçador.

embuçalar [Do esp. plat. *embozalar*.] ***V. t. d.*** **1.** *Bras. S.* Buçalar. **2.** Enganar, iludir, lograr, burlar.

embuçar [De *em-*^{2} + *buço* + *-ar*^{2}.] ***V. t. d.*** **1.** Cobrir (o rosto) até aos olhos; rebuçar. **2.** Disfarçar; encobrir: *Tentava embuçar a feiura com mil artifícios.* ***P.*** **3.** Envolver-se em capa ou em capote. **4.** Disfarçar-se; encobrir-se: "Apesar da aversão que tenho ao crime, / Inteiro me embucei nos seus andrajos" (Gonçalves Dias, *Obras Poéticas*, I, p. 270). [Conjug.: v. *laçar*. Cf. *emboçar*.]

embuchado [Part. de *embuchar*^{1}.] ***Adj.*** **1.** Que tem o estômago cheio em demasia; empachado: *Comeu tanto que ficou embuchado.* **2.** *Bras.* Que permanece calado por não saber ou não poder dizer o que pensa ou sente.

embuchar^{1} [De *em-*^{2} + *bucho* + *-ar*^{2}.] ***V. t. d.*** **1.** Meter no bucho; encher o bucho com: *embuchar uma feijoada.* **2.** Fartar, saciar: *A mãe embuchou a criança.* **3.** Embutir (uma peça) no interior de outra, para diminuir-lhe o espaço interno. **4.** *Bras.* Embatucar (1). ***Int.*** **5.** V. *embatucar* (2): *As provas eram tão esmagadoras que o réu embuchou.* **6.** Andar amuado, descontente, desgostoso. **7.** Sufocar-se por não poder engolir a comida.

embuchar^{2} [De *em-*^{2} + *bucha* + *-ar*^{2}.] ***V. t. d.*** Colocar bucha em.

embuço [Dev. de *embuçar*.] ***S. m.*** **1.** A parte da capa com que se cobre o rosto. **2.** Disfarce, dissimulação.

embudar [De *embude*^{2} + *-ar*^{2}.] ***V. t. d.*** **1.** Lançar embude^{2} (2) a (peixes). ***Int.*** **2.** Fixar-se (o peixe) às pedras pela boca.

embude^{1} [Do lat. tard. *imbutum* < lat. *trajectorium imbutum*, 'o que é atravessado por um líquido'.] ***S. m.*** *Ant.* Funil (1).

embude^{2} [Alter. de *cegude*, poss.] ***S. m.*** **1.** *Bot. Pop.* V. *cicuta*. **2.** Substância que se lança na água para entontecer o peixe e apanhá-lo com a mão.

embuense ***Adj. 2 g.*** **1.** De, ou pertencente ou relativo a Embu (SP). • ***S. 2 g.*** **2.** O natural ou habitante de Embu.

embu-guaçuense ***Adj. 2 g.*** **1.** De, ou pertencente ou relativo a Embu-Guaçu (SP). • ***S. 2 g.*** **2.** O natural ou habitante de Embu-Guaçu. [Pl.: *embu-guaçuenses*.]

embuizar (u-i) [De *imbuir*, poss.] ***V. t. d.*** Embutir; imbuir. [Conjug.: v. *ajuizar*. Cf. *emboizar*.]

emburacar [De *em-*^{2} + *buraco* + *-ar*^{2}.] ***V. int.*** **1.** *Bras. N.* Meter-se em buraco. **2.** Desaparecer, sumir(-se). **3.** *Bras. S.* Sofrer sérios prejuízos. [Conjug.: v. *trancar*.]

emburrado [Part. de *emburrar*.] ***Adj.*** **1.** Amuado, zangado, aborrecido. **2.** Carrancudo, trombudo. • ***S. m.*** *Bras.* **3.** Nas regiões diamantíferas, lugar pedregoso, de grandes e numerosos pedrouços rolados e descobertos. **4.** Informação (11) de diamante.

emburramento [De *emburrar* + *-mento*.] ***S. m.*** Estado de quem se emburra; agastamento, casmurrice, burrão.

emburrar [De *em-*^{2} + *burro* + *-ar*^{2}.] ***V. t. d.*** **1.** Tornar estúpido; embrutecer. ***Int.*** **2.** Parar, empacar (como um burro). **3.** Amuar(-se), embezerrar(-se). [Cf. *emborrar*.]

emburricar [De *em-*^{2} + *burrico* + *-ar*^{2}.] ***V. t. d.*** **1.** Embruxar, enfeitiçar. **2.** Iludir, lograr, burlar. [Conjug.: v. *trancar*.]

embuste [De or. incerta.] ***S. m.*** **1.** Mentira artificiosa; impostura, ardil, engano, intrujice, embustice, embusteirice: "E ela, só pelo acento quase gutural das palavras, começou a perceber quando havia verdade e quando havia embuste" (José Geraldo Vieira, *A Mulher que Fugiu de Sodoma*, p. 11). **2.** V. *armadilha* (2).

embustear [De *embuste* + *-ear*^{2}.] ***V. t. d.*** Usar de embuste(s) com; enganar, lograr, burlar. [Conjug.: v. *frear*. Cf. *embostear*.]

embusteirice [De *embusteiro* + *-ice*.] ***S. f.*** *Bras.* V. *embuste* (1).

embusteiro [De *embuste* + *-eiro*.] ***Adj. S. m.*** Que, ou aquele que usa de embustes; mentiroso, intrujão, impostor.

embustice [De *embuste* + *-ice*.] ***S. f.*** V. *embuste* (1).

embutideira [De *embutir* + *-deira*.] ***S. f.*** Peça com que se fazem botões em relevo.

embutido [Part. de *embutir*.] ***Adj.*** **1.** Introduzido à força. **2.** Diz-se de trabalho de marcenaria em cuja superfície se empregam diferentes madeiras finas; incrustado, marchetado ou tauxiado. **3.** Diz-se de armário, forno, etc. construídos ou inseridos num vão de parede e que formam com esta uma superfície mais ou menos contínua. **4.** *Fig.* Introduzido discreta ou sub-repticiamente: *O serviço secreto detectou a mensagem embutida no telegrama.* • ***S. m.*** **5.** Peça cravada ou incrustada noutra como decoração: *os embutidos de um móvel.* **6.** A obra artesanal assim executada. **7.** *Bras.* V. *enchido* (3). ~ V. *armário* —.

embutidor (ô) [De *embutir* + *-dor*.] ***Adj.*** **1.** Que embute. • ***S. m.*** **2.** Aquele que embute. **3.** Aquele que faz embutidos.

embutidura [De *embutir* + *-dura*.] ***S. f.*** Ação ou efeito de embutir.

embutir [Do fr. *emboutir*, poss.] ***V. t. d.*** **1.** Meter à força. **2.** Meter (peça de madeira, pedra, metal, etc.) em: *embutir um brilhante; embutir mosaicos coloridos.* **3.** Inserir, fixando; encravar, engastar; pregar. **4.** *Fig.* Fazer acreditar; pregar, impingir. ***T. d. e i.*** **5.** Marchetar ou tauxiar. **6.** Impingir; pregar, ferrar. ***T. d. e c.*** **7.** Embutir (1) uma peça em outra de modo que a ela se ajuste, em geral sem deixar interstícios: *Embutiu um aquário na parede.*

embuziar [De *em-*^{2} + *búzio* + *-ar*^{2}, poss.] ***V. t. d.*** **1.** Lambuzar, emporcalhar, embuzinar. ***Int.*** **2.** Enfadar-se, aborrecer-se; embezerrar(-se). **3.** Irar-se, enfurecer-se, encolerizar-se. ***P.*** **4.** Ficar macambúzio; aborrecer-se, amuar(-se), embezerrar(-se). **5.** Irar-se, enfurecer-se, encolerizar-se.

embuzinado [Part. pass. de *embuzinar*^{1}.] ***Adj.*** Diz-se do som emitido como por buzina, *i. e.*, semelhante ao da buzina.

embuzinar^{1} [De *em-*^{2} + *buzina* + *-ar*^{2}.] ***V. t. d.*** Emitir (som) como por buzina.

embuzinar^{2} [De *em-*^{2} + *búzio* + *-inar*, poss.] ***V. t. d.*** V. *embuziar* (1).

eme (ê) ***S. m.*** **1.** A letra *m*. [Sin., em AL, SE e BA: *mê*. Pl.: *emes e mês*.] **2.** *Tip.* Quadratim, no sistema anglo-norte-americano.

emebé ***S. m.*** *Bras. Rel.* V. *embé*.

emedar [De *e-*^{3} + *meda* + *-ar*^{2}.] ***V. t. d.*** Dispor em medas [v. *meda* (1)]. [Sin. (bras., RS): *emparvar*.]

emedebismo ***S. m.*** *Bras.* **1.** O ideário do MDB (Movimento Democrático Brasileiro), agremiação política surgida em 1965, e extinta em 1979; o programa, o espírito desse partido. **2.** Filiação a esse partido, ou simpatia por ele.

emedebista *Bras.* ***Adj. 2 g.*** **1.** Relativo ao MDB, ou ao emedebismo (1). **2.** Que era partidário ou simpatizante do MDB. • ***S. 2 g.*** **3.** Partidário ou simpatizante dele.

emelar [De *e-*^{3} + *mel*^{1} + *-ar*^{2}.] ***V. t. d.*** **1.** Adoçar, melar: *emelar o café, o chá.* **2.** Tornar agradável; adoçar. ***P.*** **3.** Cobrir-se com mel.

emelia [Do gr. *emméleia*.] ***S. f.*** *Teatr.* Dança grave e solene executada pelos coros trágicos do antigo teatro grego.

emenagogo (ô) [De *emen(o)-* + *-agogo*.] ***Adj. S. m.*** *Farm.* Diz-se de, ou medicamento que faz vir o mênstruo.

emenda [Dev. de *emendar*.] ***S. f.*** **1.** Ato ou efeito de emendar, de corrigir falta ou defeito; correção: *emenda de um texto.* **2.** Ato ou efeito de emendar-se, de melhorar a própria conduta, de corrigir-se; regeneração: *Apesar das promessas de emenda, comete os mesmos erros.* **3.** Ato de ligar uma peça a outra: *Fez emenda da tábua com uma ensambladura.* **4.** Peça que se junta a outra para aumentar-lhe as dimensões, corrigir defeito, etc.: *O fio precisou de uma emenda para atingir a tomada.* **5.** Lugar onde se ligam ou juntam duas peças ou dois objetos, ou parte deles: *A emenda do tecido ficou malfeita.* **6.** Numa assembleia, alteração proposta para um texto submetido a discussão ou votação: *Os deputados apresentaram diversas emendas à lei de incentivos fiscais.* **7.** *Tip.* Correção na fôrma dos erros assinalados na revisão. **8.** *Tip.* Cada um dos erros indicados na prova pelo revisor; correção. ◆ **Sair a emenda pior que o soneto.** Tentar consertar ou melhorar as coisas e só piorá-las: "É homem de comportamento e atitudes imprevisíveis e tenho medo que sua emenda saia pior que o soneto." (Pedro Nava, *Beira-Mar*, p. 342.) **Sob emenda.** Salvo emenda; com dependência de emenda.

emendador (ô) [Do lat. *emendatore*.] ***Adj. S. m.*** Que, ou aquele que emenda.

emendar [Do lat. *emendare*.] ***V. t. d.*** **1.** Alterar, modificar: *Cumpria emendar tudo quanto escrevera.* **2.** Tirar defeito(s) a; melhorar; corrigir; rever: *Não cessava de emendar a própria obra.* **3.** Reparar, indenizar: *Urge emendar as injustiças.* **4.** Acrescentar, ajuntar, para formar um todo: *Emendou os retalhos e fez uma colcha.* ***P.*** **5.** Arrepender-se; corrigir-se: *Era um glutão, mas, com a idade, emendou-se.*

emendável [Do lat. *emendabile*.] ***Adj. 2 g.*** Que se pode emendar; suscetível de emenda.

▲**emen(o)-** [Do gr. *émmēnos, os, on*, 'que dura um mês'.] ***El. comp.*** = 'mênstruo': *emenagogo*.

emense ***Adj. 2 g.*** **1.** De, ou pertencente ou relativo a Emas (PB). • ***S. 2 g.*** **2.** O natural ou habitante de Emas.

ementa [De *ementar*.] ***S. f.*** **1.** Apontamento, rol, lembrança. **2.** Sumário, resumo. **3.** *Lus.* V. *cardápio*.

emental [Do fr. *emmenthal*.] ***S. m.*** *Cul.* Queijo de leite de vaca, semelhante ao *gruyère* mas de sabor suave; queijo suíço. [Tb. se us. o fr. *emmenthal*.]

ementar [De *e-*^{3} + *mente* + *-ar*^{2}.] ***V. t. d.*** **1.** Fazer ementa ou apontamento de. **2.** Fazer menção de; relembrar.

ementário [De *ementa* + *-ário*.] ***S. m.*** Livro ou caderno de ementas; rol.

emerenhom *Bras.* ***S. 2 g.*** **1.** *Etnôn.* Indivíduo dos emerenhons, povo tupi da bacia do rio Oiapoque, extremo N. do AP. • ***Adj. 2 g.*** **2.** Pertencente ou relativo a esse povo. [Sin. ger.: *teco*.] [Tb. us. como *s. 2 g. e 2 n.* (com cap.) e *adj. 2 g. e 2 n.*]

emergência [Do lat. med. *emergentia*.] ***S. f.*** **1.** Ação de emergir. **2.** Nascimento (do Sol). **3.** Situação crítica; acontecimento perigoso ou fortuito; incidente: *A emergência obrigou-os a agir rapidamente.* **4.** *Bot.* Produção da superfície de um órgão vegetal em cuja formação entram elementos celulares subepidérmicos. Os vulgares acúleos de muitas plantas são emergências. **5.** *Med.* Situação mórbida inesperada, e que requer tratamento imediato. **6.** *Med.* Nos hospitais, setor onde as emergências [v. *emergência* (5)] são atendidas. [Sin., lus. e angol., nas acepçs. 4 e 5: *urgência*.] **7.** *Bras. N.E. Pop.* Discussão acesa; altercação. [Cf. *imergência*.]

emergencial [De *emergência* + *-al*^{1}.] ***Adj. 2 g.*** Relativo a, ou que tem caráter de emergência.

emergente [Do lat. *emergente*.] ***Adj. 2 g.*** **1.** Que emerge. **2.** Que procede ou resulta. **3.** *Econ.* Diz-se de país que, mediante crescimento econômico continuado e melhora nas condições de vida de sua população, vem se aproximando do patamar dos países desenvolvidos. [Antôn.: *imergente*.] **4.** Que está em ascensão econômica ou social. ~ V. *ano* —, *dano* — e *doença* —. • ***S. m.*** **5.** *Econ.* País emergente (3). • ***S. 2 g.*** **6.** Indivíduo emergente (4).

emergir [Do lat. *emergere*.] ***V. int.*** **1.** Sair de onde estava mergulhado: *Com a baixa da maré, os rochedos emergiam.* **2.** Manifestar-se, mostrar-se, patentear-se: *A verdade acaba sempre emergindo.* **3.** Elevar-se como se saísse das ondas: *A lua emergia no horizonte.* ***T. d.*** **4.** Fazer sair de onde estava mergulhado: *Utilizam-se bolsas de ar para emergir navios afundados.* [Defect.: faltam-lhe as f. em que ao radical (com o *g* transformado, obviamente, em *j*) se seguiria *o* ou *a*. Part.: *emergido* e *emerso*. Antôn.: *imergir*.]

emerilhom ***S. 2 g. Adj. 2 g.*** *Bras.* V. *emerenhom*.

emérita [Do tax. *Emerita*.] ***S. m.*** *Zool.* **1.** Gênero de pequenos crustáceos decápodes, anomuros, vastamente distribuídos pelas praias arenosas das costas da América do Norte (a leste e a oeste), e pelas costas ocidentais da América do Sul. **2.** Qualquer espécie desse gênero, como, p. ex., a *Emerita brasiliense*, vulgarmente conhecida como *tatuí* (q. v.). **3.** Qualquer espécime desse gênero.

emeritense [Do lat. *emeritense*.] ***Adj. 2 g.*** **1.** De, ou pertencente ou relativo à cidade de Mérida (Espanha). • ***S. 2 g.*** **2.** O natural ou habitante de Mérida. [Sin. ger.: *meridense*.]

emérito [Do lat. *emeritu*.] ***Adj.*** **1.** Jubilado (1). **2.** Muito versado em uma ciência ou arte; sábio, insigne: *mestre emérito.* [Cf. *imérito*.]

émero ***S. m.*** *Bot.* V. *êmero*. [Uso freq. em P.]

êmero [Do lat. cient. *emerus*, poss. < gr. *hémerus*.] ***S. m.*** *Bot.* Planta fabácea (*Coronilla emerus*) originária do Velho Mundo, cujas flores, purpúreas, róseas ou amarelas, são dispostas em capítulos; é tida como medicinal, tendo propriedades purgativas.

▲**-êmero** Equiv. de *hemero-*.

emersão [Voc. deduz. de *emergir* e *emerso*, por anal. com *imersão* (q. v.).] ***S. f.*** **1.** Ato de emergir, de sair de um líquido. [Antôn.: *imersão*.] **2.** *Astr.* Fenômeno da saída de um astro eclipsado de detrás do disco aparente do astro eclipsante.

emerso [Do lat. *emersu*.] ***Adj.*** Que emergiu. [Antôn.: *imerso*.]

▲**-êmese** [Do gr. *émesis, eōs*.] ***El. comp.*** = 'vômito': *coprêmese, piêmese*. [Equiv.: *-emes(i)-*: *autemesia*.]

▲**-emes(i)-** Equiv. de *-êmese*.

emeticidade [De *emético* + *-(i)dade*.] ***S. f.*** *Terap.* Propriedade de provocar vômito, de ser emético.

emético [Do gr. *emetikós*.] ***Adj.*** **1.** Que provoca vômito; vomitório. ~ V. *tártaro* —. • ***S. m.*** **2.** *Med.* Substância emética.

emetina [De *emét(ico)* + *-ina*^{3}; fr. *émétine*.] ***S. f.*** *Quím.* Alcaloide extraído da ipecacuanha, us. como medicamento e poderoso emético [fórm.: $C_{29}H_{40}O_4N_2$].

emetizar [De *emético* + *-izar*, seg. o padrão erudito.] *V. t. d.* 1. Aplicar substância emética a. 2. Misturar com emético.

▲**emet(o)-** [Do gr. *emeto-* < gr. *émetos, ou.*] *El. comp.* = 'vômito': *emetizar, emetofobia.*

emetofobia (êm) [De *emet(o)-* + *-fobia.*] *S. f. Psiq.* Horror ao vômito.

emetofóbico (êm) [De *emetofobia* + *-ico*[2].] *Psiq. Adj.* 1. Relativo a emetofobia. 2. Que tem emetofobia; emetófobo. ● *S. m.* 3. Aquele que tem emetofobia; emetófobo.

emetófobo [De *emet(o)-* + *-fobo.*] *Adj. S. m. Psiq.* Emetofóbico (2 e 3).

emetologia (êm) [De *emet(o)-* + *-logia.*] *S. f. Psiq.* Estudo das substâncias eméticas e do vômito.

emetológico (êm) [De *emetologia* + *-ico*[2].] *Adj.* Referente à emetologia.

emetomania [De *emet(o)-* + *-mania.*] *S. f. Psiq.* Impulso mórbido para vomitar.

emetomaníaco [De *emetoman(ia)* + *-íaco.*] *Adj. Psiq.* 1. Relativo a emetomania. 2. Que tem emetomania; emetômano. ● *S. m.* 3. Aquele que tem emetomania; emetômano.

emetômano [De *emet(o)-* + *-mano*[1].] *Adj. S. m. Psiq.* Emetomaníaco (2 e 3).

▲**emetr(o)-** [Do gr. *émmetros, os, on.*] *El. comp.* = 'de justa medida': *emetrope.*

emetrope [De *emetr(o)-* + *-ope.*] *Adj. 2 g. S. 2 g.* Diz-se de, ou indivíduo que tem emetropia.

emetropia [De *emetr(o)-* + *-opia.*] *S. f. Oftalm.* Normalidade da visão no tocante às condições de refração do olho.

■ **Emfa** Sigla de *Estado Maior das Forças Armadas.*

▲**-emia** [Do gr. *-aimía* (como em *polyaimía*) < gr. *haîma, atos* (v. *hemat(o)-*).] *El. comp.* = 'sangue'; 'estado patológico do sangue', 'teor, presença no sangue de': *evemia, hipoemia; acetonemia, alcoolemia, caliemia, glicemia.* [V. *-ia*[1].]

émico *Adj.* V. *êmico.* [Uso freq. em P.]

êmico [De *(fon)êmico*; ingl. *emic*, f. red. de *phonemic.*] *Adj.* 1. *Antrop.* Diz-se de categorias e valores internos, próprios às sociedades e grupos em estudo, e tomados segundo a lógica e coerência com que aí se apresentam. [O termo passou a ser us. na antropologia por analogia com seu uso orig. na linguística.] 2. *E. Ling.* Diz-se da maneira de abordar uma língua, ou realizar seu estudo, considerando-a como um sistema (16) em que a transmissão de significados se faz por unidades distintivas mínimas próprias a esse sistema. [Cf. *ético*[2].]

emigração [Do lat. tard. *emigratione.*] *S. f.* 1. Ato de emigrar: *A emigração do povo judeu é um fato histórico.* 2. *P. ext.* Conjunto de pessoas que emigram. 3. Mudança voluntária de país; expatriação. 4. Mudança periódica de certos animais de uma região para outra. [Cf. *imigração* e *migração.*]

emigrado [Part. de *emigrar.*] *Adj. S. m.* Que, ou aquele que emigrou; emigrante. [Cf. *imigrado* e *migrado.*]

emigrante [De *emigrar* + *-nte.*] *Adj. 2 g. S. 2 g.* Que, ou quem emigra; emigrado. [Cf. *imigrante* e *migrante.*]

emigrar [Do lat. *emigrare.*] *V. int.* 1. Deixar um país para ir estabelecer-se em outro: *Os ciganos emigram constantemente.* 2. Mudar anualmente de terra (certos animais): *As andorinhas emigram.* *T. c.* 3. Sair (da pátria) para residir em outro país: *Bem cedo emigrou da França, fixando-se no Brasil.* [Cf. *imigrar* e *migrar.*]

emiliano-romanholo [Do it. *emiliano-romagnolo.*] *Adj.* 1. Relativo à Emília-Romanha (Itália). ● *S. m.* 2. O natural ou habitante dessa região. 3. *Gloss.* Língua românica falada em São Marinho e em algumas regiões no N.O. da Itália. [Pl.: *emiliano-romanholos.*]

eminência [Do lat. *eminentia.*] *S. f.* 1. Elevação, altura, proeminência. 2. Saliência, relevo. 3. *Fig.* Superioridade, excelência. 4. Tratamento que se dá aos cardeais [v. *cardeal* (2)]. 5. *Anat.* Designação genérica de saliência, esp. em superfície óssea. [Cf. *iminência.*] ◆ **Eminência parda.** Conselheiro íntimo que, nos bastidores, manobra autoridade, partido político, etc. [Ger. com cap.]

eminente [Do lat. *eminente.*] *Adj. 2 g.* 1. Alto, elevado: *morro eminente.* 2. Que excede os outros; excelente, sublime. [Cf. *iminente.*]

eminentemente [De *eminente* + *-mente.*] *Adv.* No mais alto grau.

eminentíssimo [Do lat. *eminentissimu.*] *Adj.* 1. Superl. abs. sint. de *eminente.* 2. Tratamento dado a cardeal (2).

emir [Do ár. *amîr*, 'príncipe', pelo fr. *émir.*] *S. m.* 1. Descendente de Maomé. 2. Título dos chefes de certas tribos ou províncias muçulmanas: "Não apenas os reis e os príncipes, os emires e os potentados orientais, mas também os homens de recursos enfrentam o problema da poligamia." (Davi Nasser, *O Velho Capitão*, p. 58.) [F. paral.: *amir.* Var.: *mir.*]

emirado [De *emir* + *-ado*[2].] *S. m.* 1. Estado ou região governada por um emir. 2. Dignidade de emir.

emiraém [Do tupi.] *S. m. Bras. Bot.* V. *buranhém* (1).

emiraúna [Do tupi.] *S. f. Bras. Bot.* V. *cabiúna-do-campo.*

emissão [Do lat. *emissione.*] *S. f.* 1. Ação de emitir ou expelir de si, de pôr em circulação, ou de fazer ouvir: *emissão de voz; emissão de humores; emissão de papel-moeda; emissão de um programa radiofônico.* [Antôn.: *imissão.*] 2. *Fís.* Desprendimento de energia dum sistema sob forma de energia radiante ou de partículas. 3. *Fís. Nucl.* Ejeção de partículas por um núcleo, um átomo, ou um sistema atômico. 4. *Fís.* As ondas ou partículas emitidas por um sistema qualquer. [Cf. *imissão.*] ◆ **Emissão atmosférica.** *Astr.* Airglow.

emissário [Do lat. *emissariu.*] *Adj.* 1. Que é enviado em missão. ● *S. m.* 2. Aquele que é enviado em missão; mensageiro. 3. *Bras.* Parte de uma rede de esgotos sanitários e/ou pluviais que se destina a conduzir, da galeria final ao local (único) de lançamento, os materiais recolhidos pela rede. ◆ **Emissário lacustre.** Curso de água que serve de escoadouro a um lago.

emissionismo [De *emissão* + *-ismo*, seg. o padrão erudito.] *S. m.* Tendência para o abuso de emissão de papel-moeda.

emissividade [De *emissivo* + *-(i)dade.*] *S. f. Fís.* Cociente da radiança de um corpo a uma temperatura pela radiança de um radiador perfeito à mesma temperatura.

emissivo [Do lat. *emissus*, part. pass. de *emittere*, 'emitir', + *-ivo.*] *Adj.* 1. Que tem a propriedade de emitir. 2. Que pode ser emitido. ~ V. *poder —.*

emissor (ô) [Do lat. tard. *emissore.*] *S. m.* 1. Aquele que emite ou envia alguém ou algo; emitente. 2. *Teor. Inf.* Um dos elementos básicos do processo de comunicação: aquele que codifica a mensagem original produzida pela fonte (18) e emite os sinais codificados ao receptor (7) (eventualmente, emissor e fonte constituem um só elemento, para efeito de análise do processo de comunicação). V. *sistema de comunicação.* 3. *Eletrôn.* Num transistor bipolar, região que forma uma junção PN com a base (12), e da qual fluem (para a base) portadores minoritários, através da junção polarizada diretamente; região de emissor. 4. *Econ.* Agente emissor (4). *Adj.* 5. Que emite moeda; emitente: *O Banco Central é o principal agente emissor.*

emissora (ô) [Fem. de *emissor.*] *S. f.* 1. Estação transmissora de programas de rádio ou televisão. 2. Empresa que produz e transmite tais programas. ◆ **Emissora afiliada.** *Rád. Telev.* Emissora local independente que, formando rede ou cadeia com outras, transmite programas em comum. **Emissora associada.** *Rád. Telev.* Emissora pertencente à mesma propriedade jurídica de outra, com a qual transmite em rede ou cadeia. **Emissora local.** *Rád. Telev.* Aquela que, em função de suas características técnicas, serve a uma única localidade (cidade, vila ou povoado). **Emissora nacional.** *Rád. Telev.* Aquela que, em função de suas características técnicas, serve a áreas em mais de uma região. **Emissora regional.** *Rád. Telev.* Aquela que, em função de suas características técnicas, serve a diversas localidades de uma mesma região.

emitância [Do ingl. *emittance.*] *El. s. f.* Us. nas loc. *emitância energética, emitância luminosa* e *emitância radiante.* [Cf. *imitância.*] ◆ **Emitância energética.** *Fís.* Quantidade de energia radiante emitida por uma fonte na unidade de tempo, por unidade de área; emitância radiante, densidade de fluxo radiante, farosagem radiante. **Emitância luminosa.** *Fotom.* Quantidade de energia luminosa emitida por uma fonte na unidade de tempo e por unidade de área; radiância luminosa. [Unid.: lúmen/m[2].] **Emitância radiante.** *Fís.* V. *emitância energética.*

emitente [Do lat. *emittente.*] *Adj. 2 g.* 1. *Econ.* Emissor (5). ● *S. 2 g.* 2. Emissor (1). 3. *Cont. Com.* Aquele que emite cheque, nota promissória, duplicata. 4. *Cont. Com.* Sacador (3).

emitir [Do lat. *emittere.*] *V. t. d.* 1. Lançar fora de si: *O violino emitia sons langorosos*; "Cada gota de orvalho, tremeluzindo nas folhinhas tenras dos vegetais, emitia cintilações de brilhantes, multicores, aos primeiros raios do sol." (Adalberon Cavalcanti Lins, *Curral Novo*, p. 168.) 2. Pôr em circulação: *emitir dinheiro.* 3. Exprimir, pronunciar, enunciar: "Uma boca enorme que se fecha sem emitir palavras" (Raul Brandão, *Húmus*, p. 113). 4. Soltar, lançar, desferir: "Todas as manhãs, antes de a aurora anunciar o dia, o galo de campina punha-se a cantar emitindo notas maviosas, ritmadas." (Adalberon Cavalcanti Lins, *Curral Novo*, p. 167.) 5. Exprimir, enunciar, verbalmente ou por escrito: *emitir uma opinião.* *T. d. e i. T. d. e c.* 6. Enviar, expedir: *O governo emitiu um comunicado para a população; Emitiu o vale pelo correio.* *Int.* 7. Pôr dinheiro em circulação: *Fala-se contra a inflação, e só se faz emitir.* [Cf. *imitir.*]

➔**emmenthal** [ˌẽmẽ'tal] [Fr.] *S. m. Cul.* V. *emental.*

emoção [Do fr. *émotion.*] *S. f.* 1. Ato de mover (moralmente). 2. Perturbação ou variação do espírito advinda de situações diversas, e que se manifesta como alegria, tristeza, raiva, etc.; abalo moral; comoção. 3. *Psicol.* Reação intensa e breve do organismo a um lance inesperado, a qual se acompanha dum estado afetivo de conotação penosa ou agradável. 4. Estado de ânimo despertado por sentimento estético, religioso, etc.

emocionado [De *emoção* + *-ado*[1], seg. o padrão erudito.] *Adj.* Em que há ou que denota emoção (2): *palavras emocionadas.*

emocional [De *emoção* + *-al*[1], seg. o padrão erudito.] *Adj. 2 g.* 1. Relativo a, ou próprio de emoção: *estado emocional, experiência emocional, o desenvolvimento emocional da criança.* 2. Emotivo (2). 3. V. *emocionante*: "Noites emocionais, saudosas, enluaradas..." (Hermes-Fontes, *Gênese*, p. 62.) [Pl.: *emocionais.* Cf. *emocionais*, do v. *emocionar.*] ~ V. *tensão —.*

emocionalismo [De *emocional* + *-ismo.*] *S. m.* Exploração de um fato ou matéria capaz de emocionar: *noticiou a morte do operário com emocionalismo.*

emocionalista [De *emocional* + *-ista.*] *Adj. 2 g.* Em que há, ou em que se usa de emocionalismo: *Criou um clima emocionalista e só então deu a notícia.*

emocionante [De *emocionar* + *-nte.*] *Adj. 2 g.* Que emociona; comovente, emocional.

emocionar [Do fr. *émotionner.*] *V. t. d.* 1. Causar emoção (2 a 4) em; impressionar, perturbar; comover: *O espetáculo emocionou-a.* *Int.* 2. Provocar emoção; impressionar: *O futebol emociona.* *P.* 3. Sentir emoção; impressionar-se; comover-se. [Pres. ind.: *emociono, ..., emocionais, emocionam.* Cf. *emocionais*, pl. de *emocional.*]

emocionável [De *emocionar* + *-vel.*] *Adj. 2 g.* Que se emociona facilmente.

emoldar [De *e-*[3] + *molde* + *-ar*[2].] *V. t. d.* 1. V. *emoldurar* (1 e 2). *T. d. e i.* 2. Moldar, amoldar.

emoldurado [Part. de *emoldurar.*] *Adj.* Que se emoldurou; moldurado.

emoldurar [De *e-*[3] + *moldura* + *-ar*[2].] *V. t. d.* 1. Meter em moldura; encaixilhar, engastar; emoldar: *emoldurar uma tela, uma estampa.* 2. Guarnecer, ornar em volta; emoldar: *Uma parreira emoldurava a entrada do jardim.* 3. Adornar, enfeitar, ataviar. [F. paral.: *moldurar.*]

emoliente [Do lat. *emolliente.*] *Adj. 2 g. S. m. Farm.* Que, ou substância ou medicamento que amolece ou abranda uma inflamação; demulcente.

emolir [Do lat. *emollire.*] *V. t. d. Med.* Desfazer a dureza de; abrandar; amolecer. [Defect., só conjugável nas f. em que a vogal da terminação é *i.*]

emolumento [Do lat. *emolumentu.*] *S. m.* 1. Lucro, proveito. 2. Retribuição, gratificação. 3. Rendimento dum cargo, além do ordenado fixo. ~ V. *emolumentos.*

emolumentos *S. m. pl.* Lucros eventuais: "Como caiu a receita com emolumentos, foram cortados funcionários da bolsa em diversas áreas." (Tatiana Bautzer, em *Jornal do Brasil*, 31.10.1998.) ~ V. *emolumento.*

emonar-se [De *e-*[3] + *mono* + *-ar*[2] + *se*[1].] *V. p. Pop.* Arrufar-se, amuar(-se), embezerrar(-se).

emordaçar [De *e-*[3] + *mordaça* + *-ar*[2].] *V. t. d.* Tapar a boca com mordaça a; amordaçar. [Conjug.: v. *laçar.*]

emortecer [De *e-*[3] + *morte* + *-ecer.*] *V. t. d. Int. P.* V. *amortecer.* [Conjug.: v. *aquecer.*]

emostar [De *e-*[3] + *mosto* + *-ar*[2].] *V. t. d.* 1. Tornar doce, fazer sazonar (a uva). 2. Meter no mosto. *Int.* 3. Tornar-se doce; sazonar, emostar-se. 4. Transformar-se em mosto; emostar-se. *P.* 5. V. *emostar* (3). 6. Emostar (4).

emotividade [De *emotivo* + *-(i)dade.*] *S. f.* Qualidade ou estado de emotivo: "Temas e formas era natural que convergissem a dar expressão — avivando-a — à emotividade profundamente perturbada daquele grande momento de crise social e espiritual." (Hernâni Cidade, em João Gaspar Simões, *Perspectiva da Literatura Portuguesa do Século XIX*, p. 106.)

emotivo [Do fr. *émotif.*] *Adj.* 1. Propenso a emoções: *homem sensível, emotivo.* 2. Próprio de quem é emotivo (1); emocional: *comportamento emotivo.* ~ V. *função —a.* ● *S. m.* 3. Indivíduo emotivo.

emouquecer [De *e-*[3] + *mouco* + *-ecer.*] *V. t. d. Int.* Tornar(-se) mouco; ensurdecer. [Conjug.: v. *aquecer.*]

empa [Dev. de *empar.*] *S. f.* 1. Ação ou efeito de empar. 2. Estaca a que se liga ou em que se ampara a videira.

empacaceiro [De *em-*[2] + quimb. *pakasa*, 'búfalo'; 'soldado indígena' + *-eiro.*] *S. m. Angol.* Antigo soldado e caçador indígena: "era tal o tumulto que o chefe do concelho se viu forçado a enviar para o local uma vintena de empacaceiros." (José Eduardo Agualusa, *A Feira dos Assombrados*, p. 26).

empacador (ô) [De *empacar*[2] + *-dor.*] *Adj.* 1. *Bras.* Diz-se do cavalo ou burro dado a empacar[2] (1). 2. *Bras. S. Fig.* Que costuma empacar[2] (3); gago, tartamudo.

empacar[1] [Do esp. *empacar*.] *V. t. d. P. us.* V. *empacotar*. [Conjug.: v. *trancar*.]

empacar[2] [Do hisp.-amer. *empacarse*.] *V. int.* **1.** *Bras.* Emperrar, parar (o cavalo ou o burro), firmando manhosamente as patas, sem que possa o cavaleiro obrigá-lo a prosseguir viagem: "Vai então, empacou o jumento em que eu vinha montado" (Machado de Assis, *Memórias Póstumas de Brás Cubas*, p. 72). **2.** *Bras. Fam.* Não continuar, não prosseguir; não ir adiante; parar ou manter-se parado: "Quis empurrá-lo docemente para o caixão, mas Deco fincou os pés no assoalho e empacou." (Macedo Miranda, *Pequeno Mundo outrora*, p. 42); *O orador ia muito bem, mas de repente empacou; Os negócios, tão promissores, agora empacaram.* **3.** *Bras. S.* Gaguejar, tartamudear. [Conjug.: v. *trancar*.]

empacavirado [Part. de *empacavirar*.] *Adj.* Envolvido (o fumo de rolo) em folhas de pacavira para conservar-se.

empacavirar [De *em-*[2] + *pacavira* + *-ar*[2].] *V. t. d. Bras. PE AL* Envolver (o fumo de rolo) em folhas de pacavira, para o conservar.

empachado [Part. de *empachar*.] *Adj.* **1.** Diz-se do estômago muito cheio, sobrecarregado, obstruído. **2.** *P. ext.* Que tem o estômago empachado. **3.** *Bras. S.* Diz-se de pessoa de ventre volumoso, rotundo. **4.** *Bras. RS* Diz-se do cavalo que, embora manso, costuma corcovear antes de começar a marcha.

empachamento [De *empachar* + *-mento*.] *S. m.* V. *empacho*.

empachar [Do occitânico ant. *empachar*, poss. do fr. ant. *empeechier* (atual *empêcher*).] *V. t. d.* **1.** Encher muito; obstruir, impedir. **2.** Sobrecarregar (o estômago); abarrotar, empanturrar, empanzinar. *P.* **3.** Sobrecarregar-se; obstruir-se. **4.** Abarrotar-se, empanturrar-se, empanzinar-se. [Pres. ind.: *empacho, empachas, empacha*, etc.; pres. subj.: *empache*, etc. Cf. *empacho*, s. m., e fem. *empacha*, e *empache*, s. m.]

empache [Dev. de *empachar*.] *S. m. Bras. PB Pop.* Impertinência, rabugice. [Cf. *empacho* e *empache*, do v. *empachar*, e *empacho*, s. m.]

empacho [Dev. de *empachar*.] *S. m.* **1.** Ação ou efeito de empachar(-se); embaraço, estorvo, empecilho, obstrução. **2.** Sensação desagradável produzida por obstrução ou abarrotamento do estômago. [Sin. ger.: *empachamento*. Cf. *empacho* e *empache*, do v. *empachar*, e *empache*, s. m.]

empaçocar [De *em-*[2] + *paçoca* + *-ar*[2].] *V. t. d. Bras.* **1.** Dar aspecto de paçoca a. **2.** Amarfanhar, amarfalhar, amarrotar. **3.** Enredar, emaranhar. [Conjug.: v. *trancar*.]

empacotadeira [De *empacotar* + *-deira*.] *S. f.* Empacotadora.

empacotado [Part. de *empacotar*.] *Adj.* Colocado em pacote.

empacotador (ô) [De *empacotar* + *-dor*.] *Adj.* *S. m.* Que, ou aquele que empacota.

empacotadora (ô) [De *empacotar* + *-dora*.] *S. f.* Máquina agrícola para empacotar palha, feno, etc.; empacotadeira.

empacotamento [De *empacotar* + *-mento*.] *S. m.* Ato de empacotar (1).

empacotar [De *em-*[2] + *pacote* + *-ar*[2].] *V. t. d.* **1.** Colocar em pacote(s): *empacotar livros.* [Sin.: *embalar, embrulhar, enfardar, enfardelar*, e (p. us.) *empacar*.] *Int.* **2.** *Gír.* V. *morrer* (1).

empada [De *empanada*, com desnasalação e crase.] *S. f. Cul.* **1.** Iguaria de massa com recheio de carne, camarão, palmito, etc., ger. com tampa da própria massa, e assada em fôrmas ao forno; empadão, empanada[1]. [Dim. irreg.: *empanadilha*.] **2.** Empada (1) assada em fôrmas pequenas para consumo individual; empadinha. **3.** *Fam.* Pessoa importuna.

empadão [De *empada* + *-ão*[1].] *S. m.* V. *empada* (1).

empadinha [De *empada* + *-inha*.] *S. f.* Empada (2).

empadroar [De *em-*[2] + *padrão*[1] + *-ar*[2], com desnasalação; esp. *empadronar*.] *V. t. d.* **1.** Alistar, registrar, como contribuinte. **2.** Inscrever em padrão[1] (5). *P.* **3.** Alistar-se; recensear-se; incluir-se. [Conjug.: v. *coroar*.]

empáfia [De or. incerta.] *S. f.* Orgulho vão; soberba, altivez, embófia; páfia: "o tal Sr. Augusto, com toda a empáfia de um semidoutor, decidiu magistralmente que a moça tinha todos os defeitos possíveis." (Joaquim Manuel de Macedo, *A Moreninha*, p. 64).

empaiolar [De *em-*[2] + *paiol* + *-ar*[2].] *V. t. d. Bras. S.* Arrecadar ou guardar em paiol.

empalação [De *empalar* + *-ção*.] *S. f.* **1.** Ato ou efeito de empalar. **2.** Suplício que consistia em espetar o condenado em uma estaca, pelo ânus, deixando-o assim até morrer.

empalamado [De or. obscura.] *Adj.* **1.** Coberto de emplastros. **2.** Doente, achacadiço, mazelado. **3.** *Bras.* Pálido, anêmico, como os opilados, os hidrópicos, ou de uma gordura frouxa e descorada. [Sin. (bras., N.), nesta acepç.: *empambado*.] [Var.: *empalemado*.]

empalamar-se [Voc. deduz. de *empalamado*.] *V. p. Bras. S.* Tornar-se empalamado (2).

empalar [Do esp. *empalar*.] *V. t. d.* Submeter ao suplício da empalação.

empalecer [Do lat. *impallescere*.] *V. t. d. Int. P. us.* Empalidecer (1 e 4): "nos espaços pestanejavam as estrelas .... , ao passo que fina e amarelada névoa empalecia o tênue segmento iluminado do argênteo astro" (Visconde de Taunay, *Inocência*, pp. 213-214). [Conjug.: v. *aquecer*.]

empalemado *Adj.* V. *empalamado*.

empaletar [De *em-*[2] + *paleta* (ê) + *-ar*[2].] *V. t. d. Mar. Merc.* Colocar (volumes ou objetos) sobre paleta.

empalhação [De *empalhar* + *-ção*.] *S. f.* Ação ou efeito de empalhar; empalhamento.

empalhador (ô) [De *empalhar* + *-dor*.] *S. m.* **1.** Aquele que empalha. **2.** Aquele que tece com palhinha (2); palheireiro. • *Adj.* **3.** *Bras. S.* Que demora muito a concluir um trabalho; preguiçoso.

empalhamento [De *empalhar* + *-mento*.] *S. m.* Empalhação.

empalhar [De *em-*[2] + *palha* + *-ar*[2].] *V. t. d.* **1.** Forrar ou cobrir com palhas ou vimes: *Empalhavam as garrafas de vinho antes de vendê-las.* **2.** Empalheirar (1). **3.** Acondicionar com palha a fim de que não se quebre ou pise (vidro, louça, fruta, etc.). **4.** Encher de palha (a pele de um animal morto), para conservar-lhe as formas. **5.** Tecer com palhinha (2); empalheirar. **6.** *Fig.* Entreter; demorar; paliar: *empalhar uma pessoa.* **7.** *Bras. Pop.* Embaraçar, atrapalhar. **8.** *Bras. S.* Retardar a conclusão de (trabalho ou negócio); embromar.

empalheirar [De *em-*[2] + *palheiro* + *-ar*[2].] *V. t. d.* **1.** Recolher em palheiro; empalhar. **2.** Empalhar (5).

empalidecer [De *em-*[2] + *pálido* + *-ecer*.] *V. t. d.* **1.** Fazer perder a cor; tornar pálido: *O susto empalideceu-a.* [Sin., p. us.: *empalecer*.] **2.** Fazer perder o viço; amarelecer. **3.** Desmerecer, deslustrar. *Int.* **4.** Perder a cor; fazer-se pálido: "Emagrecia e empalidecia a olhos vistos." (Machado de Assis, *Contos sem Data*, p. 94); "Empalideço, tremo e caio, como um morto" (Luís Delfino, *Algas e Musgos*, p. 209); "Empalidece sobre o caule um lírio / e morre" (Maranhão Sobrinho, *Papéis Velhos*, p. 21). [Sin., p. us., nesta acepç.: *empalecer*.] **5.** Perder o brilho: "No céu, as últimas estrelas já empalideciam." (Lígia Fagundes Teles, *Seminário dos Ratos*, p. 9.) **6.** *Fig.* Perder, de todo ou em parte, o brilhantismo, a expressão, a importância, o relevo, etc.: *Sua glória empalidece ante a de Castro Alves; Com a idade, o seu talento vai empalidecendo.* [Conjug.: v. *aquecer*.]

empalmação [De *empalmar* + *-ção*.] *S. f.* **1.** Roubo artificioso; escamoteação. **2.** *P. ext.* Furto; roubo.

empalmador (ô) [De *empalmar* + *-dor*.] *Adj.* *S. m.* Diz-se de, ou aquele que empalma.

empalmar [De *em-*[2] + *palma*[1] + *-ar*[2].] *V. t. d.* **1.** Esconder na palma da mão; escamotear: *O prestidigitador empalmava os objetos e repunha-os em locais diferentes.* **2.** Furtar com destreza; surripiar, surrupiar; abafar: *Empalmar uma carteira.* **3.** Assenhorear-se de; apossar-se de: *Empalmou o relógio do tio.* [Sin. ger.: *palmar*.]

empambado *Adj. Bras. N.* V. *empalamado* (3).

empampanar [De *em-*[2] + *pâmpano* + *-ar*[2].] *V. t. d. P.* Cobrir(-se) ou coroar(-se) de pâmpanos; emparrar(-se).

empanada[1] [Do esp. *empanada*.] *S. f. Cul.* V. *empada* (1).

empanada[2] [F. subst. de *empanado*.] *S. f.* **1.** Caixilho de janela tapado com pano ou com papel, em vez de vidro. **2.** V. *estore*. **3.** *Bras. N.E.* Toldo de casas comerciais.

empanadilha [De *empanada*[1] + *-ilha*.] *S. f. Cul.* Pequena empada (1).

empanado[1] [Part. de *empanar*[1].] *Adj.* **1.** Coberto com pano(s). **2.** Embaciado, embaçado, baço. **3.** Deslustrado; maculado. **4.** *Bras. N.E.* Diz-se de indivíduo vestido com roupa de brim, casimira, etc., ou seja, de pano, ao contrário do vaqueiro, cujas vestes, de couro, lhe valem o epíteto de *encourado*. • *S. m.* **5.** *Bras. N.E.* Indivíduo empanado (4).

empanado[2] [Part. de *empanar*[2].] *Adj.* Que se empanou: *bife empanado.*

empanado[3] [Part. de *empanar*[3].] *Adj. Lus.* Que entrou em pane.

empanamento [De *empanar*[1] + *-mento*.] *S. m.* Ato ou efeito de empanar(-se) (v. *empanar*[1]).

empanar[1] [De *em-*[2] + *pano*[1] + *-ar*[2].] *V. t. d.* **1.** Cobrir com pano(s). **2.** Encobrir, esconder, ocultar: *A densa folhagem empanava a mansão.* **3.** Tirar o brilho a; embaciar, embaçar, ofuscar: *O vapor de água empana o espelho.* **4.** Deslustrar; macular; conspurcar: *Os solecismos empanavam o discurso.* **5.** Escurecer, obscurecer, turvar: *As sombras iam empanando o salão.* **6.** Impedir, embaraçar, obstar. *P.* **7.** Perder o brilho; embaciar-se. **8.** Deslustrar-se; macular-se, conspurcar-se: *Meteu-se em negociatas, e sua reputação se empanou.*

empanar[2] [De *em-*[2] + lat. *pane*, 'pão', + *-ar*[2].] *V. t. d. Cul.* Passar (carne, peixe, etc.) na farinha de trigo e no ovo, fritando-os em seguida.

empanar[3] [De *em-*[2] + *pane* + *-ar*[2].] *Lus. V. int.* **1.** Sofrer pane: *Não pôde chegar cedo porque o seu carro empanou. T. d.* **2.** Fazer com que entre em pane: *A forte chuva empanou o veículo.*

empancar [De *em-*[2] + *panca* + *-ar*[2].] *V. t. d.* **1.** Segurar com panca. **2.** Suster; represar; vedar. **3.** Empachar, enfartar. [Conjug.: v. *trancar*.]

empandeiramento [De *empandeirar* + *-mento*.] *S. m.* Ato ou efeito de empandeirar.

empandeirar [De *em-*[2] + *pando* + *-ar*[2].] *V. t. d.* **1.** Tornar pando; enfunar. **2.** Inchar; enfartar. **3.** Lograr, enganar, burlar. **4.** Desfazer-se ou descartar-se de. **5.** Dar cabo de; matar. **6.** Esbanjar, desperdiçar, malgastar.

empandilhar [De *em-*[2] + *pandilha* + *-ar*[2].] *V. t. d.* **1.** Trapacear no jogo de conluio com um ou mais parceiros; fazer marreta. **2.** Furtar com destreza. *P.* **3.** Combinarem-se (os parceiros), ao jogo, para roubar outros. **4.** *Bras. RS* Reunir-se em pandilha.

empaneirar [De *em-*[2] + *paneiro*[1] + *-ar*[2].] *V. t. d. Bras.* Pôr (cereais) em paneiro[1] (6).

empanemar [De *em-*[2] + *panema* + *-ar*[2].] *V. t. d. Bras. N.* Tornar panema; azarar, encaiporar.

empangar *V. int. Bras. S.* Ficar inerte, friorento, sem ânimo. [Conjug.: v. *largar*.]

empanque [Dev. de *empancar*.] *S. m.* Qualquer substância com que se vedam as juntas das máquinas.

empantanar [De *em-*[2] + *pântano* + *-ar*[2].] *V. t. d.* **1.** Tornar pantanoso; alagar; apaular. **2.** Meter em pântano; atolar. *P.* **3.** Meter-se em pântano; atolar-se.

empantufar-se [De *em-*[2] + *pantufa* + *-ar*[2] + *se*[1].] *V. p.* **1.** Calçar pantufas. **2.** Empavonar-se, ensoberbecer-se; encher-se.

empanturrado [Part. de *empanturrar*.] *Adj.* Cheio em demasia; empachado.

empanturrar [De *em-*[2] + *panturra* + *-ar*[2].] *V. t. d.* **1.** Encher (alguém) de comida; empanzinar, empachar, abarrotar. *T. d. e i.* **2.** Encher em demasia; fartar: *Empanturrou as crianças de sorvete. P.* **3.** Encher-se de comida; abarrotar-se, empanzinar-se, encher-se. **4.** *Fig.* Encher-se de orgulho, de soberba; ensoberbecer-se, enfatuar-se.

empanzinador (ô) [De *empanzinar* + *-dor*.] *S. m.* **1.** Aquele que empanzina ou empanturra. **2.** Aquele que empanzina, ilude, burla, embaça.

empanzinamento [De *empanzinar* + *-mento*.] *S. m.* Enfartamento, enfartação.

empanzinar [De *em-*[2] + esp. *panza* [> *pança* (q. v.)] + *-inar*.] *V. t. d.* **1.** V. *empanturrar* (1): *Empanzinou os convivas.* **2.** Surpreender com alguma notícia má ou com alguma pancada. **3.** Iludir, enganar, lograr, burlar, embaçar. **4.** *Fig.* Encher, abarrotando: "pedi um milheiro, diversas caixas de fósforo, enchi a valise, acabei de empanzinar todos os bolsos." (Graciliano Ramos, *São Bernardo*, p. 56). *P.* **5.** V. *empanturrar* (3).

empapar [De *em-*[2] + *papa*[2] + *-ar*[2].] *V. t. d.* **1.** Cobrir de papas. **2.** Tornar mole; encharcar; ensopar: *A chuva empapava a terra*; "O suor empapava os cabelos da doente." (Moreira Campos, *Os Doze Parafusos*, p. 93). **3.** Diminuir a intensidade de embate ou pancada. **4.** Seduzir, engodar. **5.** Imbuir, incutir. *T. d. e c.* **6.** Embeber, ensopar, mergulhar: *Empapou a camisa na água. P.* **7.** Ensopar-se, embeber-se: "Seu vestido branco se empapava do meu suor amarelo-verde" (Lígia Fagundes Teles, *Antes do Baile Verde*, p. 11); *Suava, a camisa empapava-se.* **8.** *Bras. N.E. Pop.* V. *locupletar* (5).

empapelado [De *em-*[2] + *papel* + *-ado*[1].] *Adj.* **1.** Revestido com papel de parede: *quarto empapelado.* **2.** *Bras. Turfe* Diz-se do cavalo que passou por um período de tratamento e volta a correr sem condições satisfatórias, por força da apresentação de atestados que o dão inexatamente como curado.

empapelar [De *em-*[2] + *papel* + *-ar*[2].] *V. t. d.* **1.** Envolver em papel; embrulhar. **2.** Revestir (parede) com papel. **3.** Guardar com muito cuidado; agasalhar. [Pres. ind.: *empapelo*, etc. Cf. *empapelo* (ê).]

empapelo (ê) [Dev. de *empapelar*.] *S. m.* **1.** Ato de empapelar fumo, nas respectivas fábricas. **2.** Invólucro de papel. [Pl.: *empapelos* (ê). Cf. *empapelo*, do v. *empapelar*.]

empapuçado [Part. de *empapuçar*.] *Adj.* **1.** Cheio de papos ou pregas: *Sua blusa está empapuçada.* **2.** Inchado, opado; papudo: *olhos empapuçados.*

empapuçamento [De *empapuçar* + *-mento*.] *S. m.* Ato ou efeito de empapuçar(-se).

empapuçar [De *em-*[2] + **papuço* (< *papo*) + *-ar*[2].] *V. t. d.* **1.** Encher de papos ou pregas. *P.* **2.** Tornar-se opado; inchar-se. **3.** *Bras. Gír.* Tomar drogas em excesso. [Conjug.: v. *laçar*.]

empaquetamento [De *empaquetar(-se)* + *-mento*.] *S. m. Bras. RS* Ação de empaquetar-se.

E

empaquetar-se [Do esp. *empaquetarse*.] *V. p. Bras. RS* Vestir-se com luxo ou com a roupa melhor; endomingar-se.

empar [De **emparar*, var. de *amparar*, poss.] *V. t. d.* Suster (a videira) com estacas ou varas. [Cf. *impar*.]

emparceirar [De *em-^{2} + parceiro + -ar^2*.] *V. t. d.* 1. Juntar, ajuntar, ligar, unir. *T. d. e i.* 2. Juntar como parceiro; emparelhar; unir: *Não o emparceiraram com os demais rapazes. P.* 3. Unir-se em parceria; ligar-se.

empardar [Do esp. plat. *empardar*.] *V. t. d. Bras. RS* 1. Reunir em parelhas ou pares. 2. Igualar, irmanar.

empardecer [De *em-^{2} + pardo^2 + -ecer*.] *V. t. d. Int.* Tornar(-se) pardo^2, escuro. [Conjug.: v. *aquecer*.]

emparedado [Part. de *emparedar*.] *Adj.* 1. Encerrado em parede: *Viam-se os ossos de um homem emparedado.* 2. Encerrado entre quatro paredes; preso, enclausurado: *Vive entregue aos estudos, emparedado, sem pôr os pés na rua.* • *S. m.* 3. *Bras. BA* Garganta entre rochas a pique, muitas vezes atravessada de rios, e onde se estreitam grotas.

emparedar [De *em-^{2} + parede + -ar^2*.] *V. t. d.* 1. Encerrar entre paredes; enclausurar: *O rei mandou emparedar seus inimigos.* 2. Ladear de paredes. 3. Impedir a passagem de; bloquear. *P.* 4. Encerrar-se entre paredes. 5. Levantar-se ou ficar perpendicular, ao modo de parede ou muralha; aprumar-se.

emparelhado [Part. de *emparelhar*.] *Adj.* Que forma parelha com outra coisa, animal ou pessoa; jungido, igualado, irmanado. ~ V. *rimas —as*.

emparelhamento [De *emparelhar + -mento*.] *S. m.* Ato ou efeito de emparelhar(-se).

emparelhar [De *em-^{2} + parelha + -ar^2*.] *V. t. d.* 1. Pôr de par a par; jungir: *emparelhar cavalos; emparelhar bois.* 2. Unir, ligar. 3. Tornar igual; irmanar: *Os mesmos gostos emparelhavam-nos. T. d. e i.* 4. Comparar; nivelar, equiparar: *O mau estadista emparelha a ambição pessoal com interesses de Estado. T. i.* 5. Ser igual; condizer: *Sua atitude emparelha com o cargo que ocupava.* 6. Ser semelhante; igualar-se, equiparar-se. 7. Estar ao nível de; equiparar-se, ombrear, rivalizar: *Camões emparelha com os maiores poetas mundiais. Int.* 8. Ficar lado a lado; correr parelhas. *P.* 9. Tornar-se igual; equiparar-se, ombrear. [Conjug.: v. *aparelhar*.]

emparrar [De *em-^{2} + parra + -ar^2*.] *V. t. d. P.* Cobrir(-se) de parras ou pâmpanos; empampanar(-se).

emparreirar [De *em-^{2} + parreira + -ar^2*.] *V. t. d.* 1. Cobrir de parreiras ou videiras. 2. Suspender em estacas, em forma de parreira.

emparvamento [De *emparvar^2 + -mento*.] *S. m. Bras. RS* Ato de emparvar^2.

emparvar^1 [De *em-^{2} + parvo + -ar^2*.] *V. t. d. Int. P.* V. *emparvoecer*.

emparvar^2 [De *em-^{2} + parva^2 + -ar^2*.] *V. t. d. Bras. RS* Emedar.

emparvecer [De *em-^{2} + parvo + -ecer*.] *V. t. d. Int.* V. *emparvoecer*. [Conjug.: v. *aquecer*.]

emparvoecer [De *em-^{2} + parvo + -oecer*.] *V. t. d. Int. P.* Tornar(-se) parvo ou idiota; emparvecer(-se); emparvar(-se). [Conjug.: v. *aquecer*.]

empasma [Do gr. *émpasma*.] *S. m. Desus.* Pó que serve para enxugar o suor e/ou atenuar-lhe o cheiro.

empastado [Part. de *empastar*.] *Adj.* 1. Que forma pasta. 2. Diz-se do cabelo colado, unido.

empastamento [De *empastar + -mento*.] *S. m.* 1. Ato ou efeito de empastar(-se); empaste. 2. Disposição em pasta; empaste. 3. *Med.* Estado de parte edemaciada, o qual dá a quem a examina a sensação de tocar uma pasta. 4. *Encad.* Empaste (2).

empastar [De *em-^{2} + pasta + -ar^2*.] *V. t. d.* 1. Converter ou transformar em pasta. 2. Ligar, unir, como pasta. 3. Cobrir de pasta. 4. *Pint.* Aplicar (tintas) em grande quantidade 5. *Encad.* Prender as pastas a (livro), em geral por meio de cordas ou cadarços. *P.* 6. Formar pasta.

empaste [Dev. de *empastar*.] *S. m.* 1. V. *empastamento* (1 e 2). 2. *Encad.* Ato ou efeito de pôr as pastas num livro; empastamento.

empastelado [Part. de *empastelar*.] *Adj.* Que sofreu, ou em que houve empastelamento. ~ V. *letra —a*.

empastelamento [De *empastelar + -mento*.] *S. m. Tip.* Ação ou efeito de empastelar(-se).

empastelar [De *em-^{2} + pastel^2 + -ar^2*.] *V. t. d.* 1. *Tip.* Misturar (caracteres ou outro material tipográfico) com os de diferente caixa ou caixotim. 2. *Tip.* Inutilizar as oficinas de (um jornal). 3. Amassar, machucar, estragar. *P.* 4. *Tip.* Desfazer-se (fôrma, granel ou linha de tipos). 5. *Tip.* Cair (matriz de linotipo) em magazine ou canal errado.

empata [Dev. de *empatar*.] *S. 2 g. Gír.* Pessoa que empata ou embaraça um negócio, divertimento, namoro, etc.

empata-porta [De *empatar + porta*.] *Adj. 2 g. S. 2 g. Bras.* Diz-se de, ou aquele que, no trem ou no metrô, trava o fechamento de uma das portas, impedindo que a composição prossiga viagem. [Pl.: *empata-portas*.]

empatar [Do it. *impattare*.] *V. t. d.* 1. Tolher o seguimento de; embaraçar; sustar, atalhar: *A falta de material empatou o serviço.* 2. Ocupar, tomar: *A família empatava todo o seu tempo.* 3. Aplicar (dinheiro) em circunstâncias não lucrativas. 4. Igualar (votações opostas, ou tentos, no jogo). *T. d. e i.* 5. Empregar, aplicar: *Empatou uma fortuna em ações. T. i.* 6. Chegar ao fim de uma competição sem haver vencedor; igualar: *O Vasco empatou com o Flamengo.* 7. Encontrar obstáculo(s); esbarrar. *Int.* 8. Empatar (4).

empate [Dev. de *empatar*.] *S. m.* 1. Ato ou efeito de empatar. 2. Conclusão de jogo ou disputa sem que haja vencedor. 3. Indecisão, irresolução. 4. *Bras.* Obstrução do tubo gastrintestinal em consequência da não digestão de alimentos acumulados.

empatia [Do ingl. *empathy*, trad. do al. *Einfühlung*, a partir do ingl. *em-* (< lat. *in*) + ingl. *-pathy*, como em *sympathy*.] *S. f. Psicol.* Tendência para sentir o que sentiria caso estivesse na situação e circunstâncias experimentadas por outra pessoa.

empático [De *empatia + -ico^2*.] *Adj.* Relativo à, ou próprio da empatia.

empavesar [De *em-^{2} + pavês + -ar^2*.] *V. t. d.* 1. Resguardar com paveses; ornar de paveses; pavesar. *Int.* 2. Guarnecer-se de paveses; empavesar-se. *P.* 3. Empavesar (2). 4. Enfeitar-se, adornar-se, ataviar-se. 5. Pavonear-se, ensoberbecer-se. [Sin. ger.: *apavesar*.]

empavonar [De *em-^{2} + pavão + -ar^2*, seg. o padrão erudito.] *V. t. d.* 1. Tornar cheio de vaidade, inchado, como um pavão; ensoberbecer. *P.* 2. Pavonear-se, ensoberbecer-se. [Sin. ger.: *apavonar*.]

empeçar^1 [De *empecer*, com mudança de conjug.] *V. t. d.* 1. Enredar, emaranhar; empecer. 2. Pôr obstáculos a. 3. Tornar obscuro, confuso. *T. i.* 4. Encontrar obstáculo(s); embaraçar-se. *Int.* 5. Embaraçar-se, enredar-se. [Conjug.: v. *começar*. Pres. ind.: *empeço, empeças, empeça, empeçamos, empeçais, empeçam*. Cf. *empeço* (ê), do v. *empecer* e s. m.; *empeças* (ê), *empeça* (ê), *empeçam* (ê), do mesmo v.; e *impeço, impeças, impeça, impeçamos, impeçais, impeçam*, do v. *impedir*.]

empeçar^2 [Do esp. *empezar*.] *V. t. d. Int. Bras. RS Prov. port.* Começar, principiar. [Conjug.: v. *começar*. Pres. ind.: *empeço, empeças, empeça, empeçamos, empeçais, empeçam*. Cf. *empeço* (ê), do v. *empecer* e s. m.; *empeças* (ê), *empeça* (ê), *empeçam* (ê), do mesmo v.; e *impeço, impeças, impeça, impeçamos, impeçais, impeçam*, do v. *impedir*.]

empecer [Do lat. **impediscere*, incoativo de *impedire* (v. *impedir*).] *V. t. d.* 1. Causar dano a; prejudicar; transtornar. 2. Impedir, estorvar. *T. d. e i.* 3. Dificultar, estorvar: "O que Francisco muito queria em sua casa era amor e paz. Se a mãe lhe empecia o gozo desses bens, justo era que ele se apartasse." (Camilo Castelo Branco, *Mistérios de Fafe*, p. 34.) *T. i.* 4. Criar obstáculo(s); dificultar. 5. Encontrar obstáculo(s); embaraçar-se; empeçar. *Int.* 6. Causar dano. [Conjug.: v. *aquecer*. Pres. ind.: *empeço* (ê), *empeces*, etc.; pres. subj.: *empeça* (ê), *empeças* (ê), *empeça* (ê), *empeçamos, empeçais, empeçam* (ê). Cf. *empeço, empeças, empeça, empeçam*, do v. *empeçar*, e *impeço, impeças, impeça, impeçamos, impeçais, impeçam*, do v. *impedir*.]

empecilho [De *empeço^1 + -ilho*.] *S. m.* 1. Aquilo que empece ou estorva; impedimento, estorvo, obstáculo, empecimento, empeço. 2. Pessoa que empece ou estorva.

empecimento [De *empecer + -imento*.] *S. m.* 1. Ato de empecer. 2. V. *empecilho* (1).

empecível [De *empecer + -ível*.] *Adj. 2 g.* Empecivo.

empecivo [De *empeço^1 + -ivo*.] *Adj.* Que empece; empecível.

empeço^1 (ê) [Dev. de *empecer*.] *S. m.* V. *empecilho* (1). [Pl.: *empeços* (ê). Cf. *empeço*, do v. *empeçar*, e *impeço*, do v. *impedir*.]

empeço^2 (ê) [Do esp. *empiezo*.] *S. m. Bras. RS* Começo, princípio. [Pl.: *empeços* (ê). Cf. *empeço*, do v. *empeçar*, e *impeço*, do v. *impedir*.]

empeçonhar [De *em-^{2} + peçonha + -ar^2*.] *V. t. d.* 1. Dar peçonha a; envenenar. 2. Pôr peçonha em. 3. Corromper, perverter, estragar, envenenar: "Um veneno subtil, vago, disperso, / Empeçonhou a criação divina." (Antero de Quental, *Sonetos*, p. 271.) [Sin. ger.: *empeçonhentar*.]

empeçonhentar [De *em-^{2} + peçonhento + -ar^2*.] *V. t. d.* V. *empeçonhar*.

empedernecer [De *em-^{2}* + lat. *petrinus*, 'pétreo', + *-ecer*.] *V. t. d. P.* V. *empedernir*. [Conjug.: v. *aquecer*.]

empedernido [Part. de *empedernir*.] *Adj.* 1. Que se tornou duro como pedra; petrificado; endurecido. 2. Insensível, duro: *alma empedernida*; "convertendo relapsos e embrandecendo muito coração empedernido." (Vitorino Nemésio, *A Mocidade de Herculano*, I, p. 103).

empedernir [Do lat. **impetrinire* < lat. *petrinus*, ou de *em-^{2}* + lat. *petrinu*, 'pétreo', + *-ir*.] *V. t. d.* 1. Tornar em pedra; petrificar. 2. Tornar duro como pedra; endurecer, empedrar. 3. Tornar frio e insensível como pedra; tornar desumano, cruel; desumanar, desumanizar; empedrar: *A vida rude que levou empederniu-o. P.* 4. Tornar-se insensível, desumano, cruel; empedrar-se. [Sin. ger.: *empedernecer*. Defect., só conjugável nas f. em que ao *n* se segue a vogal *i* da terminação.]

empedocliano *Filos. Adj.* 1. Pertencente ou relativo ao filósofo, médico e taumaturgo grego Empédocles de Agrigento (c. 493-433 a. C.), ou próprio dele. • *S. m.* 2. Partidário de Empédocles.

empedrado [Part. de *empedrar*.] *Adj.* 1. Que levou pedra ou foi calcetado; pedrado. • *S. m.* 2. A parte das estradas que tem pedra britada; chão calcetado.

empedrador (ô) [De *empedrar + -dor*.] *S. m.* Aquele que empedra; calceteiro.

empedradura [De *empedrar + -dura*.] *S. f.* 1. Empedramento. 2. *Veter.* Doença nos cascos das cavalgaduras.

empedramento [De *empedrar + -mento*.] *S. m.* Ato ou efeito de empedrar(-se); empedradura.

empedrar [De *em-^{2} + pedra + -ar^2*.] *V. t. d.* 1. Calçar ou revestir (o solo) com pedras. 2. Tapar com pedras. 3. V. *empedernir* (2 e 3). *Int.* 4. Tornar-se imóvel como pedra; petrificar-se. *P.* 5. Empedernir (4).

empedrouçado [De *em-^{2} + pedrouço + -ado^1*.] *Adj. Bras.* V. *pedregoso*: "Fomos levando o cadáver pela rua empedrouçada, trôpegos, revezando-nos" (Lima Barreto, *Vida e Morte de M. J. Gonzaga de Sá*, p. 125).

empegar [De *em-^{2} + pego^1 + -ar^2*.] *V. t. d.* 1. Meter no pego; engolfar. *T. d. e c.* 2. Engolfar, abismar. *P.* 3. Meter-se no pego; engolfar-se. [Conjug.: v. *largar*.]

empeireirado [Part. de *empeireirar*.] *Adj. Bras. N.* Que se desenvolve devagar; enfezado, raquítico.

empeireirar *Bras. N. V. t. d.* 1. Suspender o crescimento de. *Int.* 2. Tornar-se raquítico; atrofiar-se, enfezar-se.

empeiticação [De *empeiticar + -ção*.] *S. f. Bras. N. N.E.* 1. Ato de empeiticar. 2. Birra, teimosia, obstinação.

empeiticar [De *em-^{2} + peitica + -ar^2*.] *V. t. i. Bras. N. N.E.* Embirrar, teimar: *Por qualquer tolice põe-se a empeiticar com a mulher.* [Conjug.: v. *trancar*. Cf. *impeticar*.]

empelamar [De *em-^{2} + pelame^2 + -ar^2*.] *V. t. d.* Lançar (as peles) no pelame^2 (3).

empelicado [De *em-^{2} + pelico + -ado^1*.] *Adj.* 1. Diz-se da criança que nasce com a cabeça envolta no pelico (2). 2. *Fig.* Que tem muita sorte; afortunado, ditoso. [É crendice popular que quem nasce envolto em pelico terá sorte na vida. Us. mais comumente na expr. *nascer empelicado*.]

empelicar [De *em-^{2} + pelica + -ar^2*.] *V. t. d.* 1. Preparar (as peles finas). 2. Cobrir de pelicas. [Conjug.: v. *trancar*.]

empelo (ê) [De *em-^{2} + pela*, poss.] *S. m.* 1. Porção de massa antes de se converter em pão. 2. Ervas cozidas com que se prepara o esparregado. [Pl.: *empelos* (ê).]

empelota [Por **ampulota* < lat. *ampulla*, com dissimilação e assimilação.] *S. f.* 1. Pequeno frasco ou garrafa; âmbula. 2. Redoma (3).

empena [Dev. de *empenar^2*.] *S. f.* 1. Deformação da madeira nova, pela ação da umidade ou do calor. 2. *Arquit.* Em construções com telhados de duas águas, a parte superior duma parede, com a forma de triângulo isóscele; oitão. 3. *Arquit.* Cada um dos elementos do telhado, que vão da cumeeira aos frechais. 4. *Arquit.* Parte superior duma parede, nos telhados de duas águas, com a forma de triângulo isósцele; oitão. 5. *Pop.* Qualquer parede lateral de uma casa, em especial a que se encontra na divisa do terreno.

empenachar [De *em-^{2} + penacho + -ar^2*.] *V. t. d.* 1. Pôr penacho em. 2. Enfeitar com penachos. 3. Tornar garrido; enfeitar, adornar.

empenado [Part. de *empenar^2*.] *Adj.* 1. Que empenou; deformado, torcido, torto: *madeira empenada.* 2. Que se desviou da linha de prumo: *muro empenado.*

empenagem [Do fr. *empennage*.] *S. f. Aer.* Conjunto constituído pelos lemes de profundidade e direção, e estabilizadores horizontais e verticais, situados no extremo de ré da fuselagem de uma aeronave.

empenamento [De *empenar^2 + -mento*.] *S. m.* Ação ou efeito de empenar^2; empeno.

empenar^1 [De *em-^{2} + pena^1 + -ar^2*.] *V. t. d.* 1. Enfeitar com penas. *Int.* 2. Criar penas; emplumar-se. *P.* 3. Cobrir-se de penas. [Pres. ind.: *empeno*, etc. Cf. *empino*, do v. *empinar* e s. m., e esse verbo.]

empenar^2 [De *em-^{2}* + lat. *pinus* + *-ar^2*, com assimilação.] *V. t. d.* 1. Fazer torcer ou entortar pela ação do calor ou da umidade. *Int.* 2. Torcer-se, deformar-se (a madeira). *P.* 3. Desviar-se da linha de prumo. [Pres. ind.: *empeno*, etc. Cf. *empino*, do v. *empinar* e s. m., e esse verbo.]

empencado [De *em-^{2} + penca + -ado^1*.] *Adj. Bras.* Junto, unido, que nem bananas em penca.

empendoar [De *em-*^{2} + *pendão* + *-ar*^{2}, com desnasalação.] ***V. int. Bras.*** Desabotoar ou desabrochar (o pendão do milho); pendoar, apendoar. [Conjug.: v. *coroar*. Defect., só us. nas 3.as pess.]

empenha [Do fr. *empeigne.*] ***S. f. Ant.*** **1.** Couro para um sapato. **2.** Remendo lateral dum sapato. **3.** A parte superior do sapato.

empenhamento [De *empenhar* + *-mento.*] ***S. m. P. us.*** Empenho (1).

empenhar [De *em-*^{2} + port. ant. *peño, penho* (< lat. *pignus*) + *-ar*^{2}.] ***V. t. d.*** **1.** Dar em penhor; hipotecar, empenhorar. **2.** Empregar, aplicar com diligência: *Empenhou todo o seu prestígio para conseguir um despacho favorável.* **3.** Comprometer, obrigar por promessa: *Não faltará ao prometido, pois empenhou sua palavra.* **4.** Atrair, dominar; tomar: *O assunto empenhava a atenção dos circunstantes.* ***T. d. e i.*** **5.** Forçar, compelir, impelir: *Sua violência empenhou o inimigo a uma reação.* **6.** Empregar, aplicar: *Empenhou todas as energias na absolvição do réu.* **7.** *Bras. Econ.* Efetuar empenho (7). ***P.*** **8.** Endividar-se, dando penhor. **9.** Pôr todo o empenho (4); fazer toda a diligência. **10.** Ficar obrigado por compromisso ou promessa.

empenho [De *em-*^{2} + port. ant. *peño, penho.*] ***S. m.*** **1.** Ato de empenhar (1): *empenho de um objeto.* [Sin., p. us.: *empenhamento.*] **2.** Ato de dar a palavra em penhor; compromisso, obrigação. **3.** Grande interesse: *Tenho muito empenho em que o Neves seja eleito.* **4.** Porfia, diligência, insistência. **5.** Influência de alguém para alcançar determinado fim: *Serviu-se do empenho do pai para obter emprego.* **6.** Pessoa influente ou poderosa; pistolão: *O senador Valadão é um bom empenho.* **7.** *Bras. Econ.* Em Finanças Públicas, ato de autoridade administrativa vinculando recurso orçamentário ao pagamento de determinada despesa.

empenhorar [De *em-*^{2} + *penhorar.*] ***V. t. d.*** V. *empenhar* (1).

empeno [Dev. de *empenar*^{2}.] ***S. m.*** **1.** Empenamento. **2.** *Pop.* Diferença, inexatidão, nas contas. **3.** *Fig.* Obstáculo, dificuldade, óbice. [Cf. *empino*, do v. *empinar*, e s. m.]

empepinar [De *em-*^{2} + *pepino* + *-ar*^{2}.] ***V. t. d.*** Tornar semelhante a pepino.

emperador (ô) ***S. m. Ant.*** Imperador.

emperiquitado [Part. de *emperiquitar-se.*] ***Adj. Bras.*** Que se enfeita em demasia; perequeté: "Tanto tinha minha tia de emperiquitada quanto minha avó .... de desmazelada consigo mesma." (Pedro Nava, *Balão Cativo*, p. 15.)

emperiquitar-se [De *em-*^{2} + *periquito* + *-ar*^{2} + *se*^{1}.] ***V. p. Bras.*** Enfeitar-se, ataviar-se, em demasia.

emperlar [De *em-*^{2} + *perla* + *-ar*^{2}.] ***V. t. d.*** **1.** Pôr pérolas em. **2.** Perlar (1). **3.** Cobrir ou adornar com pérolas. ***P.*** **4.** Ataviar-se com pérolas.

empernar [De *em-*^{2} + *perna* + *-ar*^{2}.] ***V. int.*** Cruzar as pernas.

emperramento [De *emperrar* + *-mento.*] ***S. m.*** **1.** Ação ou efeito de emperrar(-se). **2.** Teimosia, perrice, teima. [Sin. ger.: *emperro* (ê).]

emperrar [De *em-*^{2} + *perro* + *-ar*^{2}.] ***V. t. d.*** **1.** Tornar perro (3), difícil de mover; entravar: *A umidade emperrou as portas.* **2.** Tornar difícil, tolher, a articulação ou o movimento de: *O reumatismo emperrou-lhe as pernas.* **3.** Provocar a teima ou obstinação em. **4.** Tornar duro, insensível; endurecer, empedernir. **5.** Impedir o progresso, o desenvolvimento de: *A intransigência dos grevistas emperrou as negociações.* ***T. d. e i.*** **6.** Emperrar (5): "Partido de Bush emperra acordo sobre plano." (*Folha de S.Paulo*, 26.09.2008.) ***Int.*** **7.** Tornar-se perro (3); não querer ou não poder mover-se. **8.** V. *embatucar* (2): "Viúvo, o Luís da Cunha um dia emperrou e quis morar sozinho." (Pedro Nava, *Baú de Ossos*, pp. 165-166.) ***P.*** **9.** Enraivecer-se; obstinar-se. [Pres. ind.: *emperro*, etc. Cf. *emperro* (ê).]

emperro (ê) [Dev. de *emperrar.*] ***S. m.*** V. *emperramento*. [Pl.: *emperros* (ê). Cf. *emperro*, do v. *emperrar.*]

empertigado [Part. de *empertigar.*] ***Adj.*** **1.** Teso, direito, aprumado: *Tem um andar empertigado*; "A seu lado, conspícuo, empertigado, fato novo a pear-lhe os gestos, o marido tentava vãmente sofrear-lhe o choro com um gaguejar de palavras de consolação." (José Gomes Ferreira, *O Mundo dos Outros*, p. 128). **2.** Orgulhoso, vaidoso, altivo.

empertigar [De *em-*^{2} + *pértiga* + *-ar*^{2}.] ***V. t. d.*** **1.** Tornar teso, direito: *O colete de gesso empertigava-o.* ***P.*** **2.** Aprumar-se, endireitar-se: *O sargento empertigou-se diante do tenente.* **3.** Tomar ares altivos ou soberbos. [Conjug.: v. *largar.*]

empesgadura [De *empesgar* + *-dura.*] ***S. f.*** Ato ou efeito de empesgar.

empesgar [De *em-*^{2} + o rad. *pesg-* (como em *pesgar*), por *pez*, + *-ar*^{2}.] ***V. t. d.*** Untar com pez; empezar, empezinhar. [Conjug.: v. *largar.*]

empestado [Part. de *empestar.*] ***Adj.*** Que se empestou.

empestante [De *empestar* + *-nte.*] ***Adj. 2 g.*** Que empesta: *Estava um mau cheiro empestante no quarto.*

empestar [De *em-*^{2} + *peste* + *-ar*^{2}.] ***V. t. d.*** **1.** Infetar com peste; tornar pestilento; pestear. **2.** Infeccionar; contaminar; pestear. **3.** *Fig.* Corromper; depravar; desmoralizar: *Quantos vícios empestam as grandes cidades!* **4.** *Fig.* Tornar desagradável pela contaminação do ambiente com elementos nocivos: *Os fumantes empestaram o salão.* ***P.*** **5.** Infetar-se com peste; tornar-se pestilento. [Sin. ger.: *apestar* e *empestear.*]

empestear [De *em-*^{2} + *peste* + *-ear*^{2}.] ***V. t. d. P.*** V. *empestar*. [Conjug.: v. *frear.*]

empetecar [De *em-*^{2} + *petecar.*] ***V. t. d. P. Bras.*** Enfeitar(-se), ornar(-se) ou vestir(-se) de modo exagerado e inestético; petecar(-se): *Empetecou as filhas para o casamento; Empetecou-se para a cerimônia da posse.* [Conjug.: v. *trancar.*]

empetelecar [De *empetecar*, com infl. de *peteleco*, poss.] ***V. t. d. P. Bras.*** V. *empetecar*.

empetrácea [Do tax. *Empetrum* (do gr. *émpetron*, 'certa planta que medra entre rochas') + *-ácea*; tax. *Empetraceae.*] ***S. f. Bot.*** Espécime das empetráceas, família de plantas floríferas, da ordem das sapindales, que compreende arbustos com pequenas flores solitárias ou em capítulos, flores unissexuais e actinomorfas, com perianto e androceu dímeros ou trímeros, e gineceu com dois a nove carpelos; fruto drupáceo. Há somente umas seis espécies, nas zonas frias.

empetráceo [De *empetrácea*, com var. suf. (v. *-áceo*).] ***Adj. Bot.*** Pertencente ou relativo às empetráceas.

empezar [De *em-*^{2} + *pez* (ê) + *-ar*^{2}.] ***V. t. d.*** **1.** V. *empesgar*. **2.** Defumar com pez para preservar da corrução.

empezinhar [De *em-*^{2} + *pez* (ê) + *-inhar.*] ***V. t. d.*** **1.** V. *empesgar*. **2.** Sujar com pez.

empicotado [Part. de *empicotar*^{2}.] ***Adj.*** **1.** Que se empicotou. • ***S. m.*** **2.** Preso que foi posto na picota ou no pelourinho: "Numa nobre estadela, Pedro [o Cru] inquire / De cada empicotado a grave culpa" (Eugênio de Castro, *Obras Poéticas*, V, p. 41).

empicotar^{1} [De *em-*^{2} + *picoto* + *-ar*^{2}.] ***V. t. d.*** Colocar no pico, no picoto.

empicotar^{2} [De *em-*^{2} + *picota*^{1} + *-ar*^{2}.] ***V. t. d.*** Prender na picota ou no pelourinho.

empiema [Do gr. *empýema, atos.*] ***S. m. Patol.*** Coleção purulenta limitada dentro de cavidade natural (visceral ou serosa), como, p. ex., cavidade pleural, vesícula biliar, apêndice vermiforme, antro maxilar.

empiemático [Do gr. *empyematikós.*] ***Adj.*** Que tem empiema.

empilchar [Do esp. plat. *empilchar.*] ***Bras. RS V. t. d.*** **1.** Cobrir de pilchas ou adornos. ***P.*** **2.** Cobrir-se de pilchas ou adornos. **3.** Encher-se de dinheiro. **4.** Conseguir boa situação; arranjar-se; arrumar-se.

empilhadeira [De *empilhar* + *-deira.*] ***S. f.*** Máquina automóvel destinada a empilhar e arrumar carga em armazéns, parques ferroviários, portos, etc.

empilhamento [De *empilhar* + *-mento.*] ***S. m.*** Ato ou efeito de empilhar(-se).

empilhar [De *em-*^{2} + *pilha* + *-ar*^{2}.] ***V. t. d.*** **1.** Pôr em pilha; amontoar, acumular, apinhar. ***P.*** **2.** Amontoar-se, acumular-se, apinhar-se.

empinado [Part. de *empinar.*] ***Adj.*** Direito, erguido, levantado.

empinar [De *em-*^{2} + *pino* + *-ar*^{2}.] ***V. t. d.*** **1.** Pôr a pino; pôr direito; erguer. **2.** Fazer avultar, ressair ou sobressair; tornar proeminente; ressaltar: "O sujeito avançava para o meio da roda, os braços apartados em cruz, empinando e retraindo a barriga" (Herman Lima, *Garimpos*, p. 22). **3.** Fazer subir; elevar. **4.** *Bras.* Fazer subir aos ares (o brinquedo chamado *papagaio*): "foi-se tornando .... a figura apagada que corria pelos pastos, tomava banho no rio, empinava papagaios." (Fernando Sabino, *A Falta Que Ela Me Faz*, p. 27). **5.** Vazar, bebendo; emborcar (copo, garrafa, etc.). ***P.*** **6.** Pôr-se a pino; pôr-se em lugar elevado. **7.** Ensoberbecer-se, enfatuar-se, empavonar-se. **8.** Erguer-se sobre as patas traseiras (cavalgaduras); encabritar-se, cabrear-se. [Pres. ind.: *empino*, etc. Cf. *empeno*, do v. *empenar* e s. m., e esse verbo.]

empino [Dev. de *empinar.*] ***S. m.*** **1.** Ato ou efeito de empinar(-se). **2.** *Fig.* Soberba, altivez. [Cf. *empeno*, do v. *empenar* e s. m.]

▲**empi(o)-** [Do gr. *émpyos, os, on* (ȳ).] ***El. comp.*** = 'purulento': *empiose, empiônfalo*.

empiônfalo [De *empi(o)-* + *-ônfalo.*] ***S. m. Med.*** Abscesso no umbigo.

empiorar [De *em-*^{2} + *piorar.*] ***V. t. d.*** **1.** Tornar pior; agravar; piorar. ***Int. P.*** **2.** Tornar-se pior; piorar: "chegou e passou a coresma sem que o doente nem empiorasse, nem melhorasse." (Bernardo Élis, *Veranico de Janeiro*, p. 26).

empiose [De *empi(o)-* + *-ose*^{1}.] ***S. f. Patol.*** Formação de empiema.

empipocar [De *em-*^{2} + *pipoca* + *-ar*^{2}.] ***V. int. Bras.*** Criar pústulas ou borbulhas [cf. *pipoca* (2)]. [Conjug.: v. *trancar*. Normalmente é defect., us. só nas 3.as pess.]

empíreo [Do gr. *émpyros* ou *empýrios*, 'em fogo', 'de fogo', pelo lat. ecles. *empyriu, empyreu*, '(céu) empíreo', 'o empíreo'.] ***Adj.*** **1.** Pertencente ou relativo ao céu; celeste. **2.** Supremo, superior. • ***S. m.*** **3.** *Mit.* A mais elevada das quatro esferas celestes, onde havia os fogos celestes, *i. e.*, os astros, e onde moravam os deuses. **4.** A morada dos santos e bem-aventurados; o Céu.

empireuma [Do gr. *empýreuma.*] ***S. m.*** Cheiro e sabor acres contraídos por uma substância orgânica submetida à ação de fogo violento.

empírico [Do lat. *empiricu* < gr. *empeirikós.*] ***Adj.*** **1.** Relativo ao, ou próprio do empirismo. **2.** Baseado apenas na experiência e, pois, sem caráter científico: "as calamidades ou os simples dissabores nas relações do coração provinham de que o amor era praticado de um modo empírico; faltava-lhe a base científica." (Machado de Assis, *Histórias sem Data*, p. 193). **3.** Derivado de experimento ou de observação da realidade. **4.** *Filos.* Diz-se de conhecimento que provém, sob perspectivas diversas, da experiência. [Cf., nesta acepç., *racional* (4).] ~ V. *ciências —as, curva —a, fórmula —a* e *realismo —*. • ***S. m.*** **5.** Indivíduo que tem conhecimentos empíricos (p. ex., de técnicas curativas), mas sem formação ou aprendizado sistemático; charlatão.

empiriocriticismo (pì) [Do al. *Empiriokritizismus.*] ***S. m. Hist. Filos.*** Designação comum às doutrinas de Richard Avenarius (1843-1896), filósofo alemão, e Ernst Mach (1838-1916), físico e filósofo austríaco, caracterizadas sobretudo pela concepção da experiência como soma de impressões e sensações subjetivas, do que resulta a negação do valor da ciência; machismo.

empirismo [De *empírico* + *-ismo*, seg. o padrão erudito; ingl. *empiricism.*] ***S. m.*** **1.** *Filos.* Doutrina ou atitude que admite, quanto à origem do conhecimento, que este provenha unicamente da experiência, seja negando a existência de princípios puramente racionais, seja negando que tais princípios, existentes embora, possam, independentemente da experiência, levar ao conhecimento da verdade. [Opõe-se a *racionalismo* (4).] **2.** *P. ext.* Certo tipo de charlatanismo. ◆ **Empirismo científico.** *Filos.* V. *positivismo lógico*. **Empirismo lógico.** *Filos.* V. *positivismo lógico*.

empirista [De *empirismo* + *-ista.*] *Filos.* ***Adj. 2 g.*** **1.** Pertencente ou relativo ao empirismo. **2.** Diz-se de partidário do empirismo. • ***S. 2 g.*** **3.** Partidário dele.

empirrear ***V. t. d. Bras. GO*** V. *chocar*^{2} (1). [Conjug.: v. *frear*. Normalmente é defect.]

empirreio [Dev. de *empirrear.*] ***S. m. Bras. GO*** V. *choco*^{1} (1).

empistolado [Part. de *empistolar.*] ***Adj. S. m. Bras.*** Diz-se de, ou aquele que tem pistolão^{2} (1 e 2) ou pistolões: *candidato empistolado.*

empistolar [De *em-*^{2} + *pistolão*^{2} + *-ar*^{2}, com desnasalação.] ***V. t. d. Bras.*** Dar pistolão^{2} (1 e 2) a.

emplacador (ô) [De *emplacar* + *-dor.*] ***S. m. Bras.*** Aquele que emplaca [v. *emplacar* (1)].

emplacamento [De *emplacar* + *-mento.*] ***S. m. Bras.*** Ação de emplacar (1).

emplacar [De *em-*^{2} + *placa* + *-ar*^{2}.] *Bras.* ***V. t. d.*** **1.** Pôr placa ou chapa em. **2.** *Pop.* Conseguir, obter: "Com apenas dois meses de carreira, Aurora emplacara dois sucessos." (Rui Castro, *Cármen*, p. 90) ***T. c.*** **3.** *Pop.* Viver até; chegar a; atingir, alcançar (determinado ano ou idade): *F. cuida mal da saúde: não emplaca 2020; Como Emplacar 100 Anos* (título de um livro de Mário Filizzola). • ***Int.*** **4.** *Pop.* Obter êxito: *Felizmente, o plano dos malfeitores não emplacou.* [Conjug.: v. *trancar.*]

emplasmado [Part. de *emplasmar.*] ***Adj.*** **1.** Coberto de emplastros. **2.** Coberto ou cheio de feridas. **3.** Enfermiço, achacadiço.

emplasmar [De *em-*^{2} + *plasma* + *-ar*^{2}.] ***V. t. d.*** Cobrir com emplastro.

emplastação [De *emplastar* + *-ção.*] ***S. f.*** Ato de emplastar; emplastagem, emplastamento, emplastramento.

emplastagem [De *emplastar* + *-agem*^{2}.] ***S. f.*** V. *emplastação*.

emplastamento [De *emplastar* + *-mento.*] ***S. m.*** V. *emplastação*.

emplastar [De *emplasto* + *-ar*^{2}, ou var. de *emplastrar.*] ***V. t. d.*** V. *emplastrar*.

emplasto [Do gr. *emplastón*, 'emplastro', neutro do gr. *emplastós*, 'que se aplicou sobre'.] ***S. m.*** V. *emplastro*.

emplastramento [De *emplastrar* + *-mento.*] ***S. m.*** V. *emplastação*.

emplastrar [Do lat. tard. *emplastrare.*] ***V. t. d.*** **1.** Pôr emplastro em. **2.** Cobrir com emplastro(s). [F. paral. ou var.: *emplastar.*]

emplástrico [De *emplastro* + *-ico*^{2}.] ***Adj.*** **1.** Que serve para emplastro. **2.** Relativo a emplastro.

emplastro [Do gr. *émplastron*, pelo lat. *emplastru*.] *S. m.* **1.** *Farm.* Medicamento que amolece ao calor e adere ao corpo. **2.** Conserto malfeito; remendo. **3.** *Pop.* Pessoa enfermiça ou imprestável, inútil: *Não se pode contar com ele: é um emplastro.* **4.** *Pop.* Pessoa cacete, importuna, aborrecida: *Que emplastro você nos trouxe para jantar!* [F. paral.: *emplasto*.]

emplumação [De *emplumar* + *-ção*.] *S. f.* Ato de emplumar(-se).

emplumado [Part. de *emplumar*.] *Adj.* **1.** Que tem plumas; penado. **2.** Ornado com plumas: *chapéu emplumado.*

emplumar [De *em-*^{2} + *pluma* + *-ar*^{2}.] *V. t. d.* **1.** Ornar de plumas ou penas. **2.** Encher ou cobrir de penas; empenar. *P.* **3.** Cobrir-se de penas; empenar-se. **4.** Enfeitar-se; pavonear-se.

empoado [Part. de *empoar*.] *Adj.* Coberto de pó de arroz: "Quando voltou ao quarto já ela estava de quimono, o cabelo composto, a face empoada, exalando um perfume fresco." (Maria Archer, *Fauno Sovina*, p. 209.).

empoar [De *em-*^{2} + *pó*^{1} + *-ar*^{2}.] *V. t. d.* **1.** Cobrir de pó; polvilhar. **2.** Empoeirar (1). *P.* **3.** Aplicar pó de arroz no rosto. [Conjug.: v. *coroar*.]

empobrecer [De *em-*^{2} + *pobre* + *-ecer*.] *V. t. d.* **1.** Tornar pobre; fazer cair em pobreza: *Suas dívidas de jogo empobreceram a família.* **2.** Fazer perder a fertilidade: *Aquelas plantações empobrecem o solo.* **3.** Esgotar, exaurir, depauperar. *Int.* **4.** Tornar-se pobre; cair em pobreza; empobrecer-se. **5.** Perder a fertilidade (a terra). *P.* **6.** Empobrecer (4). [Conjug.: v. *aquecer*.]

empobrecido [Part. de *empobrecer*.] *Adj.* Tornado pobre.

empobrecimento [De *empobrecer* + *-imento*.] *S. m.* Ato ou efeito de empobrecer(-se).

empoçado [Part. de *empoçar*.] *Adj.* **1.** Metido em poço ou poça. **2.** Que formou poça. [Cf. *empossado*.]

empoçar [De *em-*^{2} + *poço* + *-ar*^{2}.] *V. t. d.* **1.** Meter em poço ou poça. *Int.* **2.** Formar poça; empoçar-se. *P.* **3.** Empoçar (2). **4.** Cair em poça; atolar-se. [Conjug.: v. *laçar*. Pres. subj.: *empoce*, etc. Cf. *empossar* e *emposse*.]

empocilgar [De *em-*^{2} + *pocilga* + *-ar*^{2}.] *V. t. d.* **1.** Meter em pocilga. *T. d. T. d. e c.* **2.** *Fig.* Encurralar, prender (em lugar acanhado ou infeto). [Conjug.: v. *largar*.]

empoderamento [De *empoderar* (q. v.) + *-mento*, seja como tradução do ingl. *empowerment*, seja como criação do educador brasileiro Paulo Freire (1921-1997).] *S. m. Neol.* **1.** Ação, processo ou efeito de empoderar(-se). **2.** *Sociol.* Conquista e distribuição do poder de realizar ações, ao adquirir-se consciência social e conhecimento, de forma a produzir mudanças a partir destas aquisições. **3.** *Educ.* Processo pelo qual indivíduos e grupos sociais passam a refletir sobre – e a tomar consciência de – sua condição e a de seus pares, e, assim, formulam e objetivam mudanças que levem à transformação da condição individual e coletiva. **4.** *P. ext.* Superação da falta de poder político e social, coletivo ou individual das populações pobres.

empoderar [De *em-*^{2} + *poder* + *-ar*^{2}, para traduzir o ingl. *(to) empower*.] *V. t. d. Neol.* **1.** Dar autoridade legal ou poder a. **2.** *Restr.* Dar poder a (alguém), esp. o de realizar tarefa(s), atividade(s), sem precisar da permissão de terceiros. **3.** Promover a conscientização e a tomada de poder (esp. o de influência) de (pessoa ou grupo social). *Int. P.* **4.** Adquirir consciência e/ou conquistar poder e influência para realizar mudanças de ordem social, política, econômica e cultural.

empoeirar [De *em-*^{2} + *poeira* + *-ar*^{2}.] *V. t. d.* **1.** Cobrir de poeira; empoar. **2.** Escurecer, obscurecer: *empoeirar a inteligência.* *P.* **3.** Cobrir-se de poeira.

empofe *S. m. Bras. CE Pop.* Embófia, prosápia.

empola (ô) [Var. de *ampola*.] *S. f.* **1.** *Derm.* Vesícula (3). **2.** Bolha de água fervendo. **3.** Elevação de terreno. [Pl.: *empolas* (ô). Cf. *empola* e *empolas*, do v. *empolar*.]

empoláceo [De *empola* + *-áceo*.] *Adj.* Que tem forma de empola (1) ou de vesícula; empolar.

empolado [Part. de *empolar*^{2}.] *Adj.* **1.** Cheio de empolas [v. *empola* (1)]. **2.** Muito pomposo; bombástico: *linguagem empolada.*

empolamento [De *empolar*^{2} + *-mento*.] *S. m.* **1.** Ação ou efeito de empolar^{2}(-se). **2.** *Pint.* Defeito em película de tinta, caracterizado pela formação de empolas na superfície pintada. **3.** Aumento de volume verificado, em trabalhos de terraplenagem, nos materiais resultantes de escavação.

empolar^{1} [De *empola* + *-ar*^{1}.] *Adj. 2 g.* Empoláceo.

empolar^{2} [De *empola* + *-ar*^{2}.] *V. t. d.* **1.** Fazer ou causar empolas em. **2.** Tornar pomposo, bombástico: *empolar as frases; empolar o estilo.* *Int.* **3.** Criar empolas; empolar-se. *P.* **4.** Empolar (3). **5.** Encapelar-se, avolumar-se: *As ondas empolaram-se na maré-cheia.* **6.** Tornar-se soberbo, ostentoso. [Pres. ind.: *empolo, empolas, empola*, etc. Cf. *empola* (ô) e pl. *empolas* (ô).]

empoleirar [De *em-*^{2} + *poleiro* + *-ar*^{2}.] *V. t. d.* **1.** Pôr em poleiro. **2.** Nomear (para bom emprego); pôr em boa posição. *T. d. e c.* **3.** Colocar como em poleiro: *empoleirou a criança num galho de árvore.* *P.* **4.** Colocar-se sobre o poleiro. **5.** Elevar-se, alcandorar-se.

empolgação [De *empolgar* + *-ção*.] *S. f.* **1.** Ato ou efeito de empolgar(-se). **2.** *Bras.* Grande animação; vivo entusiasmo: "Uma rápida chuvarada que caiu .... só fez aumentar a empolgação, e guarda-chuvas abertos ensaiaram um frevo." (*Jornal do Brasil*, 13.11.1986).

empolgadeira [De *empolgar* + *-deira*.] *S. f.* Buraco existente nas extremidades do arco da besta ou da flecha, e onde se enfia a corda; empolgadura.

empolgadura [De *empolgar* + *-dura*.] *S. f.* **1.** Ato de empolgar. **2.** Empolgadeira. [M. us., nesta acepç., no pl.]

empolgante [De *empolgar* + *-nte*.] *Adj. 2 g.* Que empolga, que prende irresistivelmente a atenção: *relato empolgante.*

empolgar [Do lat. vulg. **impollicare* < lat. *pollice*, 'polegar'.] *V. t. d.* **1.** Tomar com a mão; lançar mão de; segurar: *Empolgou a bengala para defender-se.* **2.** Prender com as garras; agarrar: *A fera empolgou a presa, dilacerando-a.* **3.** Tomar, arrebatar, por meios violentos ou ardilosos: *Empolgou os bens que não lhe pertenciam.* **4.** Prender a atenção, o interesse de; comover, impressionar: *O pianista empolgou a plateia*; "Parece claro que a ideia republicana nunca chegara mesmo a empolgar o povo." (Abelardo Duarte, *Três Ensaios*, p. 32). **5.** Atrair, absorver, ocupar: *A astronáutica empolga a atenção dos jovens.* *T. d. e i.* **6.** Tomar ou arrebatar por meios violentos ou ardilosos: *Empolgou o punhal ao adversário.* *P.* **7.** Impressionar-se; entusiasmar-se: *Empolgou-se com a novidade.* [Conjug.: v. *largar*.]

empolhar [Do esp. *empollar*.] *V. t. d.* **1.** V. *chocar*^{2} (1). **2.** Fazer germinar. *Int.* **3.** Criar pinto (o ovo). [Cf. *empulhar*.]

empolmar [De *em-*^{2} + *polme* + *-ar*^{2}.] *V. t. d.* Reduzir a polme.

empomadar [De *em-*^{2} + *pomada* + *-ar*^{2}.] *V. t. d. P.* Aplicar pomada (1) em; perfumar (o cabelo): *Depois de pintar-se, empomadou-se demoradamente.*

empombação^{1} [Corrupt. de **emplumbação*, poss.] *S. f. Tip.* Operação em que se abastece de chumbo o crisol da linotipo.

empombação^{2} [De *empombar* + *-ção*.] *S. f. Bras. Gír.* Ato ou efeito de empombar(-se).

empombar [De *em-*^{2} + *pomba* + *-ar*^{2}, poss.] *V. t. i. P. Bras. Gír.* Zangar-se, irritar-se, abespinhar-se: *Empombou comigo sem razão.*

empopar [De *em-*^{2} + *popa* (ô) + *-ar*^{2}.] *V. int. Bras. AM* Ficar (a embarcação) com mais calado a ré que a vante, por se achar na popa a maior parte da carga.

emporcalhado [Part. de *emporcalhar*.] *Adj.* Que se emporcalhou; sujo: *A criança chegou da escola toda emporcalhada.*

emporcalhamento [De *emporcalhar* + *-mento*.] *S. m.* Ato ou efeito de emporcalhar(-se).

emporcalhar [De *em-*^{2} + *porco* + *-alhar*.] *V. t. d.* **1.** Tornar porco, imundo; sujar; enxovalhar. *P.* **2.** Sujar-se; enodoar-se. **3.** Degradar-se; envilecer-se, aviltar-se: *Acedendo a tão vis condições, emporcalhou-se aos olhos dos amigos.*

empório [Do gr. *empórion*, pelo lat. *emporiu*.] *S. m.* **1.** Centro de comércio internacional. **2.** Mercado (2). **3.** *Bras.* Loja de secos e molhados; armazém.

empós [De *em* + *pós*.] *Prep. Adv.* Após, depois; atrás: *O pequeno correu empós a bola; O carro ia a toda, deixando uma nuvem de poeira empós.* ◆ **Empós de.** **1.** Depois de; após. **2.** No encalço de: "Tenho ido empós do ideal que me alumia" (Alberto de Oliveira, *Poesias*, 4.ª série, p. 7).

empossado [Part. de *empossar*.] *Adj.* Investido na posse. [Cf. *empoçado*.]

empossar [De *em-*^{2} + *posse* + *-ar*^{2}.] *V. t. d.* **1.** Dar posse a; investir na posse: *O Presidente da República empossou o sucessor.* ***Transobj.*** **2.** Dar posse; investir na posse: *O Ministro empossou-o no cargo de chefe de gabinete.* *P.* **3.** Tomar posse; apossar-se, apoderar-se, assenhorear-se. [Cf. *empoçar*.]

emposse [Dev. de *empossar*.] *S. m.* Ato ou efeito de empossar(-se); posse. [Cf. *empoce*, do v. *empoçar*.]

emposta^{1} [Do it. *imposta*.] *S. f. Arquit.* A última pedra sobre o pilar, ou a pilastra, e da qual nasce a volta do arco. [Cf. *imposta*, do v. *impostar*, s. f. e adj. (f.), flex. de *imposto*.]

emposta^{2} [Do f. do lat. *impositus*, 'imposto'.] *S. f.* Coisa posta de permeio; estorvo. [Cf. *imposta*, do v. *impostar*, s. f. e adj. (f.), flex. de *imposto*.]

empostação *S. f.* V. *impostação*.

empostado [Part. de *empostar*.] *Adj.* V. *impostado*.

empostar *V. t. d.* V. *impostar*.

empostemar [De *apostemar*, com mudança de pref. (v. *em-*^{2}).] *V. t. d. Int. P. Bras. MG* V. *apostemar*.

emprateleirar [De *em-*^{2} + *prateleira* + *-ar*^{2}.] *V. t. d. e c.* Dispor em prateleiras: *Emprateleirou os livros na estante*; "Na vidraça, por trás deles, emprateleirava-se uma exposição de garrafas de malvasia" (Eça de Queirós, *O Primo Basílio*, p. 184).

emprazado [Part. de *emprazar*.] *Adj.* V. *enfiteuticado*.

emprazador (ô) [De *emprazar* + *-dor*.] *Adj. S. m.* Que, ou aquele que empraza.

emprazamento [De *emprazar* + *-mento*.] *S. m.* **1.** Ato de emprazar(-se). **2.** V. *enfiteuse*.

emprazar [De *em-*^{2} + *prazo* + *-ar*^{2}.] *V. t. d.* **1.** Citar para comparecer em juízo ou perante qualquer autoridade em prazo certo. **2.** Desafiar; intimar: *Irritado com a provocação, emprazou o orador.* **3.** Ceder por contrato de enfiteuse; aforar. *T. d. e c.* **4.** Convidar ou convocar a comparecer em certo e determinado tempo: *Emprazou os convidados para a semana seguinte.* *T. d. e i.* **5.** Emprazar (2): *Emprazou-o a justificar-se.* *P.* **6.** Ajustar (duas ou mais pessoas) prazo e lugar para se encontrarem.

empreendedor (ô) [De *empreender* + *-dor*.] *Adj.* **1.** Que empreende; ativo, arrojado, cometedor. **2.** Próprio de empreendedor: *espírito empreendedor.* • *S. m.* **3.** Aquele que empreende; cometedor. **4.** O empreendedorista. ~ V. *cultura — a.*

empreendedorismo [De *empreendedor* + *-ismo*.] *S. m.* Caráter, faculdade ou realização de empreendedor ou empreendendorista: "Para o especialista em empreendedorismo, os brasileiros devem mudar de atitude para ter sucesso." (Revista *Época*, 17.03.2008.)

empreendedorista [De *empreendedor* + *-ista*.] *Adj. 2 g. S. 2 g.* Que, ou aquele que é capaz de desenvolver e levar a cabo novos empreendimentos, novas empresas.

empreender [Do lat. **imprehendere*, ou *em-*^{2} + lat. *prehendere*.] *V. t. d.* **1.** Deliberar-se a praticar, propor-se, tentar (empresa laboriosa e difícil). **2.** Pôr em execução: *Só empreende os seus projetos quando a família os aprova*; "Oswald Spengler tentou empreender um estudo comparativo da morfologia das culturas." (José Honório Rodrigues, *Teoria da História do Brasil*, p. 117). [Sin. ger., p. us.: *interprender* e *interpresar*.]

empreendimento [De *empreender* + *-imento*.] *S. m.* **1.** Ato de empreender; empresa. **2.** Efeito de empreender; aquilo que se empreendeu e levou a cabo; empresa; realização; cometimento.

empregabilidade [De *empregável* + *-(i)dade*, seg. o padrão erudito.] *S. f.* **1.** Qualidade de empregável. **2.** Possibilidade de conseguir um emprego.

empregado [Part. de *empregar*.] *Adj.* **1.** Que se empregou [v. *empregar* (2 e 9)]; colocado: *mulher empregada.* **2.** Usado, aplicado: *Tem todo o seu dinheiro empregado.* [Sin., lus., nessas acepçs.: *empregue*.] • *S. m.* **3.** Aquele que exerce emprego ou função; funcionário. **4.** *Dir. Trab.* Pessoa física que presta serviços de caráter não eventual a um empregador, sob a dependência dele e mediante salário. ◆ **Empregado de mesa.** *Lus.* Garçom. **Empregado doméstico.** Profissional que executa trabalhos domésticos; criado. [Tb. se diz apenas *doméstico*.]

empregador (ô) [De *empregar* + *-dor*.] *Adj.* **1.** Que emprega [v. *empregar* (2)]: *firma empregadora.* • *S. m.* **2.** Aquele que emprega. **3.** Patrão (1). **4.** *Dir. Trab.* Pessoa, natural ou jurídica, que, assumindo os riscos da atividade econômica, admite, assalaria e dirige a prestação pessoal de serviços de outrem.

empregar [Do lat. *implicare*.] *V. t. d.* **1.** Dar emprego, uso ou aplicação a: *empregar palavras raras; empregar dinheiro.* **2.** Dar colocação ou emprego a. **3.** Fazer uso de; servir-se de; aproveitar: *Resolveu empregar o pouco tempo que lhe resta.* **4.** Lançar mão de; usar de: *Empregando astúcia, alcançou o seu intento.* *T. d. e i.* **5.** Fazer uso de; utilizar: *Empregou na construção material de primeira qualidade.* **6.** Aplicar, ocupar: *Emprega o seu tempo em coisas úteis.* **7.** Gastar, despender; aplicar: *Empregou a herança em obras de caridade.* **8.** Aproveitar os serviços, a atividade (de alguém). *P.* **9.** Ser admitido a emprego, público ou particular. **10.** Aplicar o tempo; ocupar-se. [Conjug.: v. *regar*. Pres. ind.: *emprego*, etc.; part.: *empregado* e (lus.) *empregue*. Cf. *emprego* (ê), s. m.]

empregatício *Adj.* Relativo a emprego (2): *vínculo empregatício.*

empregável [De *empregar* + *-vel*.] *Adj. 2 g.* **1.** Que pode ser empregado. **2.** *Restr.* Diz-se de indivíduo que está apto a entrar, e manter-se, no mercado de trabalho, graças à adequada qualificação profissional.

emprego (ê) [Dev. de *empregar*.] *S. m.* **1.** Ato de empregar; aplicação, uso: *bom emprego do tempo; emprego de um objeto, de um vocábulo.* **2.** Maneira de prover a subsistência mediante ordenado, salário ou outra remuneração a que se faz jus pelo trabalho regular em determinado serviço, ofício, função ou cargo; colocação, lugar: *procurar emprego; um emprego rendoso.* **3.** Situação de empregado (4) na iniciativa privada ou no serviço público: *um contrato de emprego; obter um emprego por concurso.* **4.** Lugar onde se exerce emprego: *Faltou ontem ao emprego, por doença;* "Ritinha da Luz, dezesseis anos, solteira, ... ao sair do emprego, dirigiu-se à casa de sua irmã Julieta" (Dalton Trevisan, *O Vampiro de Curitiba*, p. 76). **5.** *Econ.* Utilização da força de trabalho em atividades produtivas: "Nível de emprego aumentou 0,7% em maio" (*Jornal do Brasil*, 17. 07. 93). [Pl.: *empregos* (ê). Cf. *emprego*, do v. *empregar*.] ◆ **Agradecer o emprego.** Demitir-se, exonerar-se; agradecer o trabalho. **Pleno emprego.** *Econ.* Situação em que os recursos produtivos de uma economia (força de trabalho, estoque de capital) estão inteiramente utilizados.

empregomania [De *emprego* + *-mania*.] *S. f.* Mania de recorrer a empregos públicos de preferência a outro qualquer meio de vida.

empregomaníaco [De *empregomania* + *-íaco*.] *Adj.* **1.** Relativo a empregomania. **2.** Que tem empregomania; empregômano. ● *S. m.* **3.** Aquele que tem empregomania; empregômano.

empregómano *Adj. S. m.* V. *empregômano*. [Uso freq. em P.]

empregômano [De *emprego* + *-mano*[1].] *Adj. S. m.* Empregomaníaco (2 e 3).

empregue [Part. irreg. de *empregar*.] *Adj. 2 g. Lus.* Empregado (1 e 2).

empreguiçar [De *em-*[2] + *preguiça* + *-ar*[2].] *V. t. d.* **1.** Tornar preguiçoso. **2.** Causar preguiça a. [Conjug.: v. *laçar*.]

empreguismo [De *emprego* + *-ismo*.] *S. m. Bras.* Tendência a dar empregos públicos à farta, por conveniências políticas.

empreguista [De *emprego* + *-ista*.] *Bras. Adj. 2 g.* **1.** Relativo ao, ou próprio do empreguismo: *política empreguista.* **2.** Que é partidário ou defensor do empreguismo. ● *S. 2 g.* **3.** Partidário ou defensor dele.

empreita[1] [De *em-*[2] + port. ant. **preita* (< lat. vulg. *plecta* < gr. *plekté*, 'corda entrelaçada').] *S. f.* Tira de esparto com que se fazem esteiras, alcofas, etc.

empreita[2] [Dev. de *empreitar*.] *S. f.* V. *empreitada*[2].

empreitada[1] [De *empreita*[1] + *-ada*[1].] *S. f.* Obra feita com empreita[1]; trabalho de esparteiro.

empreitada[2] [De *em-*[2] + *preito* (3) + *-ada*[1].] *S. f.* **1.** Obra por conta de outrem, mediante retribuição previamente ajustada; tarefa. **2.** Trabalho ajustado para pagamento global, e não a dias. [Sin. ger.: *empreita*[2].]

empreita de pau *S. f.* V. *cincho*[1] (1). [Pl.: *empreitas de pau*.] ☑

empreitar [Voc. deduz. de *empreitada*[2] (v. *-ar*[2]).] *V. t. d.* Fazer ou tomar por empreitada[2].

empreiteira [F. subst. de *empreiteiro* (2).] *S. f. Bras.* **1.** Empresa, firma, organização que ajusta obras de empreitada[2]. **2.** Empresa contratante de obras públicas.

empreiteiro [De *empreit(ada)* + *-eiro*.] *S. m.* **1.** Aquele que ajusta obra de empreitada[2]. ● *Adj.* **2.** Que ajusta obras de empreitada[2]: *firma empreiteira.*

empreito [Dev. de *empreitar*.] *S. m. Bras.* Ato de empreitar.

emprenhar [Do lat. *impraegnare*, ou de *em-*[2] + *prenhe* + *-ar*[2].] *V. t. d.* **1.** Tornar prenhe (mulher ou outra fêmea); fazer conceber: "Vem Vicente Celestino, com bigodinho e fala mansa, bota casa para Arminda, emprenha a pobre." (Fran Martins, *Dois de Ouros*, p. 19.) [Sin., pop.: *encher*.] *Int.* **2.** Tornar-se prenhe; conceber; engravidar.

empresa (ê) [Do it. *impresa*.] *S. f.* **1.** Aquilo que se empreende; empreendimento: *Apesar dos obstáculos, não desistiu da empresa.* **2.** *Econ.* Organização econômica destinada a produção ou venda de mercadorias ou serviços, tendo em geral como objetivo o lucro. **3.** *Econ.* Em teoria econômica, unidade de produção e vendas: *Na Contabilidade Nacional os agentes econômicos privados se dividem em indivíduos e empresas.* **4.** Empresa (2) como organização jurídica; firma, sociedade: *O empregado não chegou a acordo com a empresa.* [Pl.: *empresas* (ê). Cf. *empresa* e *empresas*, do v. *empresar*.] ◆ **Empresa aberta.** *Dir. Com.* Empresa de capital aberto. **Empresa de capital aberto.** *Dir. Com.* Empresa cujas ações são negociadas em bolsas de valores; empresa aberta. **Empresa de capital fechado.** *Dir. Com.* Empresa cujas ações não são negociadas em bolsas de valores; empresa fechada. **Empresa de economia mista.** *Dir. Com.* V. *sociedade de economia mista.* **Empresa estatal.** *Dir. Com.* Empresa cujo controle acionário é detido direta ou indiretamente pelo poder público. [Tb. se diz apenas *estatal*.] **Empresa fechada.** *Dir. Com.* Empresa de capital fechado. **Empresa pública.** *Dir. Com.* Empresa cujo capital pertence inteiramente ao poder público.

empresar[1] [De *em-*[2] + *preso* + *-ar*[2].] *V. t. d.* Represar; apresar. [Pres. ind.: *empreso*, *empresas*, *empresa*, etc.; fut. pret.: *empresaria*, etc. Cf. *empresa* (ê), pl. *empresas* (ê), e *empresária*, fem. de *empresário*.]

empresar[2] [De *empresa* (ê) + *-ar*[2].] *V. t. d.* **1.** Dirigir como empresário (1). **2.** Representar (artista, atleta, etc.) como empresário (3). [Sin. ger.: *empresariar*.] [Pres. ind.: *empreso*, *empresas*, *empresa*, etc.; fut. pret.: *empresaria*, etc. Cf. *empresa* (ê), pl. *empresas* (ê), e *empresária*, fem. de *empresário*.]

empresariado [De *empresário* + *-ado*[2].] *S. m.* A classe dos empresários [v. *empresário* (1)].

empresarial [De *empresário* + *-al*[1].] *Adj. 2 g.* Relativo a empresa (2) ou a empresário (1): *política empresarial; a classe empresarial.* ~ V. *insolvência* — e marketing —. [Pl.: *empresariais*. Cf. *empresariais*, do v. *empresariar*.]

empresariar [De *empresário* + *-iar*[2].] *V. t. d.* V. *empresar*[2]. [Pres. ind.: *empresario*, ... *empresariais*, *empresariam*. Cf. *empresário* e *empresariais*, pl. de *empresarial*.]

empresário [Do it. *impresario*.] *S. m.* **1.** Aquele que é responsável pelo bom funcionamento de uma empresa (2); homem de empresa: *um empresário teatral.* **2.** Agente econômico que, percebendo oportunidades de lucro, toma a iniciativa de reunir fatores de produção numa empresa (2). **3.** *P. ext.* Aquele que se ocupa da vida profissional e dos interesses de pessoas que se distinguem por seu desempenho perante o público: *o empresário de um pianista, de um boxeador.* ● *Adj.* **4.** Referente a empresa. ~ V. *sociedade* —. [Fem.: *empresária*. Cf. *empresaria*, do v. *empresar*.]

empressada *S. f. Bras. SP PR Cul.* Doce de polvilho e trigo.

emprestadar [Cruz. de *emprestar* e *dar*.] *V. t. d. Bras. Gír.* Emprestar com a certeza de não reaver (o que equivale a dar).

emprestador (ô) [De *emprestar* + *-dor*.] *S. m.* Aquele que dá uma coisa em empréstimo; mutuante.

emprestar [De *em-*[2] + *prestar*.] *V. t. d.* **1.** Confiar a alguém (certa soma de dinheiro, ou certa coisa), gratuitamente ou não, para que faça uso delas durante certo tempo, restituindo-as depois ao dono; ceder: *Empresta o que é seu com boa vontade.* **2.** Dar a juros (dinheiro). **3.** Dar, prestar: "Desfranze essas sobrancelhas / e empresta agora atenção" (Stella Leonardos, *Romanceiro do Bequimão*, p. 152). *T. d. e i.* **4.** Emprestar (1): "João Vasconcelos / emprestava aos pobres / o dinheiro dos ricos." (H. Dobal, *A Serra das Confusões*, "O Candidato".) **5.** Dar, conferir, prestar: *Aquele amor emprestou sentido à sua vida;* "Madrugada — a cerração empresta à Travessa das Acácias um mistério de cidade submersa." (Érico Veríssimo, *Caminhos Cruzados*, p. 5). *T. i. e c.* **6.** *Bras. S. C.O.* Tomar emprestado: *Emprestou do sogro dois milhões.* *P.* **7.** Auxiliar-se reciprocamente.

empréstimo [Do port. arc. *empréstido* (< *em-*[2] + port. arc. *prèstido* < lat. *praestitu*), com poss. infl. pré-romana; v. *-imo*.] *S. m.* **1.** Ato de emprestar. **2.** A coisa emprestada. **3.** *Mús.* Em harmonia, cessão de acordes a modos diferentes do modo principal, feita ger. pelo modo menor ao seu homônimo maior. **4.** *Constr.* Escavação feita no terreno para dele retirar material destinado a aterro. **5.** *E. Ling.* Efeito causado quer pelo contato prolongado entre línguas diferentes, quer por influência de uma cultura sobre outra, quer pelo aprendizado de uma língua por grupos sociais estrangeiros, e que se traduz em mudanças no sistema linguístico e/ou no léxico, que passa(m) a incluir elementos não vernáculos. ◆ **Empréstimo compulsório.** *Econ.* Empréstimo instituído pela União, mediante lei complementar, para custear despesas extraordinárias, como as decorrentes de calamidade pública, ou investimento público urgente. **Empréstimo consignado.** *Econ.* Empréstimo cujo pagamento é feito por desconto da amortização e juros no salário ou pensão do tomador, sendo a importância respectiva entregue diretamente à instituição financeira credora. **Empréstimo de consolidação.** *Econ.* Empréstimo (ger. externo) obtido para refinanciar débitos referentes a empréstimos anteriores. [Sin. (ingl.): *funding loan*.] **Empréstimo lexical.** *E. Ling.* Formação vocabular de origem estrangeira introduzida no léxico de uma língua, e que se pode apresentar: (a) como simples importação do termo (p. ex.: blush, ingl.); (b) como uma formação híbrida (p. ex.: sulipa, *chulipa*, do ingl. *sleeper*); (c) como um calque (2) (p. ex.: arranha-céu, trad. do ingl. *skyscraper*); (d) por adoção do significado de termo fonologicamente semelhante em outra língua (p. ex.: realizar, 'compreender', por infl. do ingl. (*to*) *realize*).

empréstimo-ponte *S. m. Econ.* Empréstimo, ger. externo, de curto prazo, obtido em situação de emergência, a ser pago com recursos de empréstimos posteriores de médio ou longo prazo. [Pl.: *empréstimos-pontes* e *empréstimos-ponte*.]

emprisionar [De *em-*[2] + *prisão* + *-ar*[2], seg. o padrão erudito.] *V. t. d.* V. *aprisionar*.

emproado [Part. de *emproar* (2).] *Adj.* Orgulhoso, pretensioso, vaidoso.

emproar [De *em-*[2] + *proa* + *-ar*[2].] *V. t. d. e c. T. c.* **1.** V. *aproar*. *P.* **2.** Tornar-se emproado; ensoberbecer-se. **3.** *Bras. AM* Estar a proa de (uma embarcação) metida em excesso na água, por se achar a carga em maior quantidade a vante: *O gaiola emproou-se.* [Conjug.: v. *coroar*.]

emprostótono [Do lat. cient. *emprosthotonos* < gr. *emprosthótonos*, 'cujo corpo se estende para trás durante espasmo'.] *S. m. Neur.* Epistótono.

empubescer [De *em-*[2] + *pubescer*.] *V. int. P.* **1.** Tornar-se púbere. **2.** Criar pelos. [Conjug.: v. *crescer*.]

empulhação [De *empulhar* + *-ção*.] *S. f.* **1.** Ato ou efeito de empulhar. **2.** *Bras.* Tapeação, embuste, logro.

empulhador (ô) [De *empulhar* + *-dor*.] *Adj. S. m. Bras.* Que, ou aquele que empulha, tapeia, ilude, logra; tapeador, embusteiro.

empulhar [De *em-*[2] + *pulha* + *-ar*[2].] *V. t. d.* **1.** Dizer pulhas a; troçar ou zombar de. **2.** Enganar; iludir; lograr: *O malandro diz-se capaz de empulhar qualquer pessoa.* [Cf. *empolhar*.]

empunhadura [De *empunhar* + *-dura*.] *S. f.* **1.** Punho (da espada). **2.** Lugar por onde se empunha (a arma, geralmente). **3.** Ato, ou modo de pegar algo, ou de empunhá-lo.

empunhar [De *em-*[2] + *punho* + *-ar*[2].] *V. t. d.* **1.** Segurar pelo punho ou pela empunhadura: *empunhar uma espada, um facão.* **2.** Pegar em; tomar: *empunhar a pena;* "Rápido, Chico Bento empunha o rifle e dispara duas vezes." (José Potiguara, *Terra Caída*, p. 63). [Sin. ger.: *apunhar*. Pres. ind.: *empunho*, *empunhas*, *empunha*, *empunhamos*, *empunhais*, *empunham*. Cf. o pret. imperf. ind. do v. *impor*.]

empurpurar [De *em-*[2] + *purpurar*.] *V. t. d. Int. P.* V. *purpurear*.

empurra [Dev. de *empurrar*.] *S. f.* V. *empurrão*.

empurra-empurra [Reduplic. da 3.ª pess. do sing. do pres. do ind. de *empurrar*.] *S. m. Bras.* Acotovelamento de multidão que quer sair de ou entrar em algum lugar: "os torcedores chegaram a dificultar o embarque nos carros por causa do empurra-empurra." (*Jornal do Brasil*, 21.01.1982). [Pl.: *empurras-empurras* e *empurra-empurras*.]

empurrão [De *empurrar* + *-ão*[3].] *S. m.* Ato de empurrar; empurra, empurro, empuxão, (lus.) alancão, alanco.

empurrãozinho [De *empurrão* + *-zinho*.] *S. m.* Força ou auxílio para que alguém consiga algo, ou para que alguma coisa aconteça ou seja feita.

empurrar [Da mesma or. incerta que os esp. *emburriar* e *empurrar*. Cf. o esp. *empujar*.] *V. t. d.* **1.** Impelir com violência; empuxar. **2.** Dar encontrões em; empuxar: *Empurrou os vizinhos com violência, para abrir caminho.* *T. d. e i.* **3.** Obrigar ou forçar a aceitar; impingir: *Empurrou ao freguês a mercadoria defeituosa; Gosta de empurrar comida nos filhos.* *T. d. e c.* **4.** Introduzir à força: *Empurrou a faca no peito do assaltante.* *P.* **5.** Dar empurrões reciprocamente: "A expectativa é grande demais, ... e os garotos pulam, se empurram, se beliscam, dão pontapés nas paredes, às gargalhadas." (Maria Julieta Drummond de Andrade, *O Valor da Vida*, p. 47.)

empurro [Dev. de *empurrar*.] *S. m. Bras.* V. *empurrão*.

emputecer [De *em-*[2] + *puto* + *-ecer*.] *Chulo V. t. d.* **1.** Tornar emputecido. *Int.* **2.** Tornar-se puto ou puta. **3.** Tornar-se emputecido; emputecer-se. *P.* **4.** Emputecer (3).

emputecido [Part. de *emputecer*.] *Adj. Chulo* Muito aborrecido; colérico, furioso, furibundo.

empuxador (ô) [De *empuxar* + *-dor*.] *S. m.* Aquele que empuxa.

empuxão [De *empuxar* + *-ão*[3].] *S. m.* **1.** Ato de empuxar; repelão, abanão, puxão, empuxo: *Chamou-a a si com um empuxão.* **2.** V. *empurrão*.

empuxar [De *em-*[2] + *puxar*.] *V. t. d.* **1.** Empurrar (1 e 2). **2.** Sacudir; abalar. **3.** Arrastar; induzir: *Não resistiu às forças que o empuxavam.*

empuxo [Dev. de *empuxar*.] *S. m.* **1.** Ato de empuxar. V. *empuxão* (1). **2.** *Arquit.* Pressão exercida por um arco ou uma abóbada sobre os encontros, ou por um maciço terroso sobre uma muralha de sustentação. **3.** *Astron.* Força exercida em um veículo à reação na direção de seu movimento, e resultante da ejeção de gases da combustão, ou de íons, ou de fótons. **4.** *Fís.* Num corpo imerso em um fluido, sujeito à ação da gravidade, força que age para cima com módulo igual ao peso do volume do fluido deslocado pelo corpo, e cujo ponto de aplicação é o centro de gravidade desse volume; empuxo arquimediano. ◆ **Empuxo arquimediano.** *Fís.* Empuxo (4). **Empuxo específico.** *Astron.* V. *impulso específico*.

emu [De or. incerta; poss. alter. de *ema*.] *S. m. Zool.* Ave casuariiforme dromaiídea (*Dromaius novaehollandiae*), ratita, com plumagem marrom-cinzenta, bico robusto, asas vestigiais, e penas caudais ausentes. Alimenta-se de frutos e plantas, e percorre campos secos; habita a Austrália.

emudecer [Do lat. *immutescere*.] *V. t. d.* **1.** Tornar mudo: *O pavor emudeceu-o.* **2.** Fazer calar; tornar

E

silencioso: *A mestria do ator emudeceu a plateia; Permanecendo imperturbável em face dos boatos, emudeceu as más-línguas.* ***Int.*** **3.** Tornar-se mudo: "Talvez um anjo emudece / Quando ela fala." (Machado de Assis, *Poesias Completas*, p. 57.) **4.** Tornar-se silencioso; calar-se: *Envergonhado, o rapaz emudeceu;* "De repente o padre silenciava e todos emudeciam" (Maria Julieta Drummond de Andrade, *O Valor da Vida*, p. 27). **5.** Deixar de fazer-se ouvir; calar-se: *De repente, o alto-falante emudeceu.* [Conjug.: v. *aquecer*.]

emudecido [Part. de *emudecer*.] ***Adj.*** Tornado mudo, silencioso: *A luta feroz era observada pelos dois jovens emudecidos.*

emulação [Do lat. *aemulatione*.] ***S. f.*** **1.** Sentimento que incita a igualar ou superar outrem. **2.** Competição, rivalidade, concorrência. **3.** Estímulo, incentivo. **4.** *Inform.* Ato, processo ou efeito de emular. **5.** *Jur.* Realização de negócios jurídicos ou adoção de medidas judiciais, com abuso de direito, para satisfazer sentimentos inferiores, com o fim exclusivo de trazer aborrecimentos e infligir vexames a outrem ou prejudicar seus interesses.

emulador (ô) [De *emular* + *-dor*.] ***S. m.*** *Inform.* Programa, ou dispositivo, que permite que um equipamento, um sistema operacional (q. v.) ou um programa (9) emule [v. *emular* (4)] outro.

emular [Do lat. *aemulare*.] ***V. t. d.*** **1.** Ter emulação com; rivalizar ou competir com; disputar preferência a: *Grande ambicioso, não se impõe limites: emula amigos e inimigos.* **2.** Pôr-se par a par de; igualar: *O jovem poeta procura emular Carlos Drummond de Andrade.* **3.** Seguir o exemplo de; imitar. **4.** *Inform.* Comportar-se (programa ou equipamento) como (outro), aceitando as mesmas entradas e produzindo as mesmas saídas, ainda que não com a mesma velocidade ou pelos mesmos processos. ***T. i.*** **5.** Ter emulação; competir, rivalizar: *Não emula aos estúpidos.* **6.** Empenhar-se na mesma pretensão: *Devemos todos emular em preservar os direitos do homem.* ***Bit. i.*** **7.** Competir, emparelhar: *Emula com o irmão em inteligência e simpatia.* ***P.*** **8.** Competir; porfiar. [Pres. ind.: *emulo, emulas, emula*, etc. Cf. *êmulo* e as flex. *êmula, êmulas*.]

emulgente [Do lat. *emulgente*.] *Med.* ***Adj. 2 g.*** **1.** Que efetua um processo esvaziador ou purificante. **2.** Diz-se das veias e das artérias dos rins. • ***S. m.*** **3.** Agente que aumenta a secreção urinária e a biliar; purificador.

êmulo [Do lat. *aemulu*.] ***Adj. S. m.*** Que, ou aquele que tem emulação; competidor, rival, adversário: "À roda do monarca [Afonso, o Sábio], organizador da atividade espiritual da Espanha, como D. Dinis, seu êmulo em poesia e letras, o foi em Portugal, modulava-se o idioma galego-português" (Ricardo Jorge, *Sermões dum Leigo*, p. 163). [Flex.: *êmula, êmulos, êmulas*. Cf. *emulo, emulas, emula*, do v. *emular*.]

emulsão [Do fr. *émulsion*.] ***S. f.*** **1.** Divisão dum corpo líquido ou mole em finos glóbulos, no seio dum veículo também líquido. **2.** *Farm.* Preparado (3) de uso interno que contém substâncias gordurosas em suspensão, e que se destina a facilitar a absorção de medicamentos oleosos. **3.** *Fís.-Quím.* Coloide (2) em que as fases dispersora e dispersa são líquidas. **4.** *Fís. Nucl.* Emulsão nuclear (q. v.). **5.** *Fot.* Emulsão fotográfica (q. v.). ◆ **Emulsão fotográfica.** *Fot.* Camada de gelatina que contém halogenetos de prata, sensível à ação de radiação luminosa e utilizada em chapas e filmes fotográficos; gelatina. [Tb. se diz apenas *emulsão*.] **Emulsão nuclear.** *Fís. Nucl.* Emulsão fotográfica esp. preparada para ser impressionada pela passagem de partículas. [Tb. se diz apenas *emulsão*.]

emulsificador (ô) [De *emulsificar* + *-dor*.] ***S. m.*** *Fís.-Quím.* Substância utilizada para estabilizar uma emulsão, e que provoca, em geral, a diminuição da tensão interfacial entre as duas fases líquidas.

emulsificar [De *emuls(ão)* + *-ificar*.] ***V. t. d.*** *Fís.-Quím.* Emulsionar. [Conjug.: v. *trancar*.]

emulsina [Do lat. *emulsus*, 'ordenhado', + *-ina*[3].] ***S. f.*** *Quím.* **1.** Diástase extraída do óleo de amêndoa, e que hidrolisa glicosídeos. **2.** Mistura à base de sabão, óleo vegetal, perfume e emulsificante que em água forma emulsão leitosa.

emulsionar [De *emulsão* + *-ar*[2], seg. o padrão erudito.] ***V. t. d.*** Fazer emulsão de; emulsificar.

emulsivo [Do lat. *emulsus*, 'ordenhado', + *-ivo*.] ***Adj.*** **1.** Que tem óleo que pode ser extraído por pressão. **2.** Diz-se de certas substâncias capazes de tomar o estado de emulsão.

emulsoide (ói) [De *emuls(ão)* + *-oide*.] ***S. m.*** *Fís.-Quím.* Coloide (2) cuja fase dispersa é líquida. ❖

emunctório [Do lat. *emunctus*, part. pass. de *emungere*, 'assoar', 'despojar'; 'limpar', + *-ório*.] ***S. m.*** *Anat.* Órgão, abertura ou ducto por onde se eliminam do organismo produtos de depuração.

emundação [Do lat. tard. *emundatione*.] ***S. f.*** *P. us.* Ato de emundar; limpeza, purificação.

emundar [Do lat. *emundare*.] ***V. t. d.*** *P. us.* Tornar mundo ou limpo; limpar, purificar.

emurchecer [De *e-*[3] + *murcho* + *-ecer*.] ***V. t. d.*** **1.** Tornar murcho; fazer perder o viço, o frescor. ***Int.*** **2.** Tornar-se murcho; murchar(-se). [Sin. ger.: *murchecer*. Conjug.: v. *aquecer*.]

▲en-[1] V. *e-*[1].

▲en-[2] V. *em-*[2].

▲-en-[1] V. *em-*[2].

▲-en-[2] ***El. comp.*** *Quím.* Designa, na nomenclatura sistemática dos elementos transférmicos (q. v.), a presença do algarismo 9 no número atômico do elemento: *unilênio*.

ena ***Interj.*** *Lus.* **1.** Exprime admiração ou espanto. **2.** Exprime aborrecimento ou desalento.

▲-ena [Do lat. *-ena*.] ***Suf.*** = 'conjunto de'; 'intervalo, ou período': *trintena; quinzena*.

enação [Do ingl. *enation*.] ***S. f.*** *Bot.* Excrescência na superfície de órgão. [Cf. *inação*.]

enágua ***S. f.*** V. *anágua*.

enaipar [De *e-*[3] + *naipe* + *-ar*[2].] ***V. t. d.*** **1.** Juntar por ordem de naipes. **2.** Separar por ordem dos naipes.

enálage [Do gr. *enallagé*, pelo lat. tard. *enallage*.] ***S. f.*** *E. Ling.* Troca de classe gramatical, gênero, número, caso, pessoa, tempo, modo ou voz de uma palavra por outra classe, gênero, número, etc.

enaltar [De *en-*[2] + *alto*[2] + *-ar*[2].] ***V. t. d.*** *P. us.* V. *enaltecer*.

enaltecer [De *en-*[2] + *alto*[2] + *-ecer*.] ***V. t. d.*** **1.** Tornar alto; elevar. **2.** Exaltar, engrandecer: *A luta pela liberdade enaltece um povo.* [Sin. ger., p. us.: *enaltar*. Conjug.: v. *aquecer*.]

enaltecimento [De *enaltecer* + *-imento*.] ***S. m.*** Ato de enaltecer.

enamorado [Part. de *enamorar*.] ***Adj. S. m.*** Que, ou aquele que se enamorou por alguém; apaixonado.

enamoramento [De *enamorar* + *-mento*.] ***S. m.*** Ato ou efeito de enamorar(-se): "varríamos as salas .... com a ajuda dos amigos que já haviam se refeito da bebedeira, dos corações partidos ou dos repentinos e inconsequentes enamoramentos." (Cecília Costa, *Damas de Copas*, p. 114).

enamorar [De *en-*[2] + *amor* + *-ar*[2].] ***V. t. d.*** **1.** Inspirar amor em; tornar apaixonado; encantar, enfeitiçar, apaixonar: *Rezam as lendas que as sereias do rio Reno enamoravam os marinheiros.* ***P.*** **2.** Deixar-se possuir de amor; apaixonar-se; enlevar-se.

enantal [Do lat. *oenanthe* (< gr. *oinánthe*, 'broto ou flor de videira') + *-al*[1].] ***S. m.*** *Quím.* Heptanal de cadeia linear, que possui odor característico e é us. como flavorizante [fórm.: $C_7H_{14}O$].

enantema [Do lat. cient. *enanthema* < gr. *en-* (v. *en-*[1]) + gr. *-anthema*, 'inflorescência'; 'erupção'.] ***S. m.*** *Patol.* Erupção na face interna das cavidades naturais.

enantese [Do lat. cient. *enanthesis* < gr. *en-* (v. *en-*[1]) + gr. *ánthesis*, 'floração'.] ***S. f.*** *Med.* Erupção da pele, resultante de doença interna.

enântico [Do rad. *enant-* (< lat. *oenanthe* < gr. *oinánthe*, 'broto ou flor de videira') + *-ico*[2].] ***Adj.*** *Quím.* ~ V. *ácido —*.

▲enanti(o)- [Do gr. *enantíos, a, on*.] ***El. comp.*** = 'oposto', 'contrário': *enantiomorfo, enantiotropia*.

enantioespecificidade (nân) [De *enanti(o)-* + *especificidade*.] ***S. f.*** *Quím.* Capacidade de interagir com, ou produzir, exclusivamente, um dos dois enantiômeros de um par.

enantiomérico (nân) [De *enantiômero* + *-ico*[2].] ***Adj.*** *Quím.* Relativo a, ou próprio de enantiômero. ~ V. *excesso —, forma —a*.

enantiômero ***S. m.*** *Quím.* V. *enantiômero*. [Uso freq. em P.]

enantiômero [De *enanti(o)-* + *-mero*.] ***S. m.*** *Quím.* Qualquer de dois estereoisômeros enantiomorfos; antípoda óptico, isômero óptico; forma enantiomérica.

enantiomorfo (nân) [De *enanti(o)-* + *-morfo*.] ***Adj.*** Diz-se de duas formas ou figuras que não se podem sobrepor, e que são simétricas em relação a um plano, como, p. ex., um objeto e sua imagem refletida no espelho.

enantiopatia (nân) [De *enanti(o)-* + *-patia*.] ***S. f.*** *Terap.* **1.** Qualquer doença que se oponha a outra, ou que a cure. **2.** Cura de uma doença pela indução de outra que a ela se oponha.

enantiopático (nân) [De *enantiopatia* + *-ico*[2].] ***Adj.*** *Terap.* **1.** Relativo à enantiopatia. **2.** Diz-se do agente que atua opostamente à doença.

enantiose[1] [Do gr. *enantíosis*, 'contradição'.] ***S. f.*** *E. Ling.* Antítese (1).

enantiose[2] [De *enanti(o)-* + *-ose*[1].] ***S. f.*** *Terap.* Enantioterapia.

enantiosseletividade (nân) [De *enanti(o)-* + *seletividade*.] ***S. f.*** *Quím.* Capacidade de interagir com, ou produzir, preferencialmente, um dos dois enantiômeros de um par.

enantioterapia (nân) [De *enanti(o)-* + *-terapia*.] ***S. f.*** *Terap.* Tratamento enantiopático das doenças; enantiose.

enantiotópico (nân) [De *enanti(o)-* + *-top(o)-* + *-ico*[2].] ***Adj.*** *Quím.* Diz-se de átomo, ou grupo, de uma molécula aquiral, ou de face de uma molécula insaturada, que, mediante reação de substituição ou de adição, pode levar ao surgimento de um par de enantiômeros, ou de um dos enantiômeros desse par. [Cf. *diastereotópico, heterotópico*.]

enantiotropia (nân) [De *enanti(o)-* + *-trop(o)-* + *-ia*[1].] ***S. f.*** *Fís.-Quím.* Polimorfismo de uma substância que tem mais de uma forma cristalina estável, em equilíbrio com o respectivo vapor, em diferentes domínios de temperatura e de pressão.

enanto [Do tax. *Oenanthe* (do lat. *oenanthe* < gr. *oinánthe*).] ***S. m.*** *Bot.* **1.** Gênero de plantas apiáceas, herbáceas, dotadas de umbelas compostas e de flores ger. alvas, sem carpóforos. **2.** Qualquer espécie desse gênero, como, p. ex., a *Oenanthe crocata*, venenosa, de raízes tuberosas e flores amarelas. **3.** Qualquer espécime desse gênero, ou a flor dele.

enapupê [Do tupi.] ***S. m.*** *Bras. Zool.* Espécie de perdiz grande, de bico longo.

enargia [Do gr. *enárgeia*, pelo lat. tard. *enargia*.] ***S. f.*** *E. Ling.* Representação ou descrição muito ao vivo, em um discurso.

enargita [Do gr. *enargés*, 'visível', 'evidente', + *-ita*[3].] ***S. f.*** *Min.* Mineral ortorrômbico, sulfoarsenieto de cobre, com 48% desse metal.

enarmonia [Voc. deduz. de *enarmônico*, por anal. com *harmonia*.] ***S. f.*** *Mús.* **1.** Entre os gregos antigos, sucessão melódica por intervalos de quartos de tom. **2.** No sistema temperado, relação entre duas notas de som igual e nomes diferentes. **3.** Nos sistemas não temperados, relação entre duas notas consecutivas (fá sustenido e sol bemol, p. ex.) que diferem entre si apenas por uma coma[3] (3). [Cf. *inarmonia*.]

enarmónico ***Adj.*** V. *enarmônico*. [Uso freq. em P.]

enarmônico [Do b.-lat. *enharmonicu* < gr. *enarmónios*, 'harmonioso', 'acorde'.] ***Adj.*** Relativo à enarmonia. [Cf. *inarmônico*.]

enarrar [Do lat. *enarrare*.] ***V. t. d. T. d. e i. T. i. P.*** *us.* Narrar.

enartrodial [Do ingl. *enarthrodial*.] ***Adj. 2 g.*** Relativo a enartrose.

enartrose [Do lat. cient. *enarthrosis* < gr. *enárthrosis*.] ***S. f.*** *Anat.* Articulação móvel formada por uma eminência óssea arredondada encaixada em uma cavidade profunda.

enase [Do gr. *oînos*, 'vinho', + *-ase*.] ***S. f.*** Fermentação de vinho, em forma de pastilhas.

enastrar [De *e-*[3] + *nastro* + *-ar*[2].] ***V. t. d.*** **1.** Ornar ou tecer com fitas de nastro. **2.** Entrelaçar, entrançar; encanastrar.

enatar [De *e-*[3] + *nata* + *-ar*[2].] ***V. t. d.*** Cobrir de nata ou de nateiros; enateirar.

enateirar [De *e-*[3] + *nateiro* + *-ar*[2].] ***V. t. d.*** Cobrir de nateiros; enatar.

enauenê-nauê *Bras.* ***S. 2 g.*** **1.** *Etnôn.* Indivíduo dos enauenês-nauês ou [(etnôn. bras.) *Enawenê-Nawê], povo indígena da família linguística aruaque que habita a região do rio Juruena, no O. de MT. • ***Adj. 2 g.*** **2.** Pertencente ou relativo a esse povo. [Sin. ger.: *salumã*.] [Pl.: *enauenês-nauês*.]

enausear [De *e-*[3] + *náusea* + *-ar*[2].] ***V. t. d. Int. P.*** V. *nausear*. [Conjug.: v. *frear*.]

▲-ença [Do lat. *-entĭa*, por via pop.] ***Suf.*** = 'ação ou resultado da ação'; 'qualidade': 'estado': *parecença, querença*. [Equiv.: *-ência*: *abrangência*.]

encabado [Part. de *encabar*.] ***Adj.*** Em que se meteu cabo; que se encabou.

encabadoiro [De *encabar* + *-doiro*[2].] ***S. m.*** Encabadouro (q. v.).

encabadouro [De *encabar* + *-douro*[2]; var. de *encabadoiro*.] ***S. m.*** Abertura em que entra o cabo de qualquer instrumento de metal.

encabar [De *en-*[2] + *cabo*[2] + *-ar*[2].] ***V. t. d.*** Meter o cabo de (instrumento) em abertura adequada; encabeirar: *Encabou a enxada nova e pôs-se a cavar.*

encabeçamento [De *encabeçar* + *-mento*.] ***S. m.*** **1.** Ato ou efeito de encabeçar. **2.** *Tip.* V. *cabecel* (2).

encabeçar [De *en-*[2] + *cabeça* + *-ar*[2].] ***V. t. d.*** **1.** Vir à testa ou à frente de: *Crianças encabeçavam o desfile.* **2.** Ser o cabeça, o chefe de; dirigir, chefiar: *Tiradentes encabeçou a Conjuração Mineira.* **3.** Unir (duas coisas) pelo topo. **4.** Principiar, começar, encetar, iniciar: "Vasconcelos sentou-se e procurou encabeçar a conversa especial que ali o levava." (Machado de Assis, *Contos Fluminenses*, p. 161.) **5.** Fazer o título de (um escrito). **6.** Designar (a cota que cada um deve pagar). **7.** Distribuir (os tributos) pelos contribuintes. **8.** Fazer (uma terra) cabeça de morgadio. **9.** Remendar nas extremidades. **10.** Ordenar (cédulas [v. *cédula* (3)]) de maneira que todas as efígies fiquem superpostas. **11.** V. *cabecear* (8). ***T. d. e i.*** **12.** Meter na cabeça; persuadir, convencer:

Conseguiu encabeçá-lo a continuar os estudos. **P. 13.** Meter na cabeça; convencer-se. [Conjug.: v. *laçar*. Pres. ind.: *encabeço*, etc. Cf. *encabeço* (ê).]

encabeço (ê) [Dev. de *encabeçar*.] **S. m.** *Marinh.* Pedaço de pano us. para encabeçar as velas. [Pl.: *encabeços* (ê). Cf. *encabeço*, do v. *encabeçar*.]

encabeira [De *en-*^{2} + *cabeira*.] **S. f.** *Carp.* Cabeira (2).

encabeirar^1 [De *en-*^{2} + *cabeira* + *-ar*^{2}.] **V. t. d.** *Carp.* **1.** Forrar ou assoalhar com cabeira. **2.** Pôr cabeira (2) ou encabeira em.

encabeirar^2 [De *en-*^{2} + **cabeiro* (< *cabo*^{2} + *-eiro*) + *-ar*^{2}.] **V. t. d.** V. *encabar*.

encabelado [Part. de *encabelar*.] **Adj. 1.** Que criou cabelo. **2.** Coberto de cabelo novo.

encabeladura [De *encabelar* + *-dura*.] **S. f. 1.** Ato ou efeito de encabelar. **2.** V. *cabeleira*^{1} (1).

encabelar [De *en-*^{2} + *cabelo* + *-ar*^{2}.] **V. int. 1.** Criar cabelo. **2.** Cobrir-se de cabelo novo.

encabelizar [De *en-*^{2} + *cabelo* + *-izar*.] **V. t. d. 1.** Cobrir de cabelos. **2.** Fazer nascer cabelos em.

encabrestadura [De *encabrestar* + *-dura*.] **S. f.** *Veter.* Chaga nas quartelas das bestas, produzida pelo atrito do cabresto.

encabrestamento [De *encabrestar* + *-mento*.] **S. m.** Ato de encabrestar(-se).

encabrestar [De *en-*^{2} + *cabresto* + *-ar*^{2}.] **V. t. d. 1.** Pôr cabresto a. **2.** Ter preso; subjugar. **P. 3.** Prender-se no cabresto (a besta).

encabritar-se [De *en-*^{2} + *cabrito* + *-ar*^{2} + *se*^{1}.] **V. p. 1.** Alçar-se, empinar-se (como o cabrito). **2.** V. *empinar* (8): *A égua, com medo, encabritou-se relinchando.* **3.** Subir, trepar, marinhar.

encabruado [De *en-*^{2} + *cabro* + *-uado*.] **Adj.** Teimoso como os bodes.

encabulação [De *encabular* + *-ção*.] **S. f. Bras. 1.** Efeito de encabular(-se); acanhamento, encalistramento. **2.** Sentimento constrangedor de vergonha, de confusão, de vexação; encabulamento.

encabulado [Part. de *encabular*.] **Bras. Adj. 1.** Acanhado, envergonhado, vexado. ● **S. m. 2.** Aquele que é encabulado.

encabulamento [De *encabular* + *-mento*.] **S. m. 1.** Ato ou efeito de encabular(-se). **2.** Falta de desembaraço; timidez. **3.** Encabulação (2).

encabular [De *en-*^{2} + *cábula* + *-ar*^{2}.] **V. t. d. Bras. 1.** Envergonhar, acanhar, encalistrar: "Ela sabe que Simplício está de amores recentes com a copeira da casa do Dr. Abílio, e entra em alusões brejeiras que encabulam o preto." (Valdemar Versiani dos Anjos, *Simplício*, p. 21.) **2.** Dar má sorte a; encaiporar. **3.** Intrigar; preocupar: *Aquele repentino excesso de zelo encabulava-o.* **4.** Aborrecer, amuar. **Int. 5.** Envergonhar-se, acanhar-se, encabular-se. **6.** Encafifar; encalistrar. **P. 7.** V. *encabular* (5). **8.** Agastar-se; irritar-se.

encaçapar [De *en-*^{2} + *caçapa* + *-ar*^{2}.] **V. t. d. 1.** Meter (bola de sinuca) na caçapa, acertando-a com a jogadeira; matar. **2.** *Gír.* Bater em; surrar.

encachaçado [Part. de *encachaçar-se*.] **Adj. Bras. 1.** Embriagado ou embebedado com cachaça; bêbado, ébrio. **2.** Enfeitiçado, enrabichado.

encachaçar-se [De *en-*^{2} + *cachaça* + *-ar*^{2} + *se*^{1}.] **V. p. Bras. 1.** Embriagar-se com cachaça; encher-se de cachaça ou aguardente. **2.** *Pop.* Ficar com cachaça (5) por alguém; enfeitiçar-se, engraçar-se, enrabichar-se. [Conjug.: v. *laçar*.]

encachar [De *en-*^{2} + *cachar*^{1}.] **V. t. d.** Cobrir (o corpo) com encacho. [Pres. ind.: *encacho*, etc.; pres. subj.: *encache*, etc. Cf. *encaixo*, do v. *encaixar* e s. m.; *encaixe*, do v. *encaixar*, s. m., e este verbo.]

encache [Dev. de *encachar*.] **S. m.** V. *tanga*^{1} (1): "De espaço em espaço, o Sol, desanuviando um raio, fulgurava aceso nas manchas brancas dos encaches e camisas de algodão dos tropeiros negros." (Xavier Marques, *As Voltas da Estrada*, p. 147.)

encacho [Dev. de *encachar*.] **S. m.** V. *tanga*^{1} (1). [F. paral.: *encache*. Cf. *encaixo*, do v. *encaixar* e s. m.]

encachoeirado [De *en-*^{2} + *cachoeira* + *-ado*^{1}.] **Adj. Bras. 1.** Que tem cachoeira: *rio encachoeirado.* **2.** Semelhante a cachoeira: *A água da bica jorrava encachoeirada e fria.*

encachoeiramento [De *encachoeirar* + *-mento*.] **S. m. Bras.** Formação de cachoeira.

encachoeirar [De *en-*^{2} + *cachoeira* + *-ar*^{2}.] **V. t. d. P.** Transformar(-se) em cachoeira; cachoeirar.

encacholar [De *en-*^{2} + *cachola* + *-ar*^{2}.] **V. t. d. Bras.** Meter na cachola.

encadeação [De *encadear* + *-ção*.] **S. f.** V. *encadeamento* (1).

encadeado [Part. de *encadear*.] **Adj. 1.** Ligado ou preso com cadeia. **2.** Ligado, preso, sujeito. **3.** Diz-se do que está disposto em série, em cadeia. ~ V. *lista —a* e *rimas —as*.

encadeamento [De *encadear* + *-mento*.] **S. m. 1.** Dependência de coisas homogêneas; conexão, união, encadeação, concatenação. **2.** Sucessão ou seriação de ideias, de fatos, que tenham correlação: *Naquele inverno houve um encadeamento de desgraças.* **3.** *Arte Poét.* Repetição, de verso a verso ou de estrofe a estrofe, de fonema(s), palavra(s) ou frase(s). **4.** *Arte Poét.* V. *enjambement*. ◆ **Encadeamento dos testemunhos.** *E. Ling.* Relação entre testemunhos de um texto, estabelecida a partir da observação de variantes [v. *variante* (5)].

encadear [De *en-*^{2} + *cadeia* + *-ar*^{2}.] **V. t. d. 1.** Ligar ou prender com cadeia; agrilhoar. **2.** Ligar, coordenar (ideias, argumentos, frases, etc.): "encadeava frases com suma elegância, elegância de ironia, de sátira" (Camilo Castelo Branco, *No Bom Jesus do Monte*, p. 27). **3.** Ligar por afeto; cativar, afeiçoar, prender. **4.** Tirar a ação a; sujeitar. **T. d. e i. 5.** Prender, cativar: *Encadeou-o a seu culto.* **P. 6.** Ligar-se ou prender-se a outros; seguir-se conforme a ordem natural: *As montanhas encadeavam-se a começar dali; Suas ideias já não se encadeiam.* [Conjug.: v. *frear*. Cf. *encandear*.]

encadeirada [De *en-*^{2} + *cadeira* + o f. de *-ado*^{1}.] **Adj. (f.)** *Bras. MG Pop.* Diz-se de mulher grávida.

encadeirar [De *en-*^{2} + *cadeira* + *-ar*^{2}.] **V. t. d. 1.** Pôr em cadeira; fazer sentar em cadeira. **2.** Guarnecer com cadeiras.

encadernação [De *encadernar* + *-ção*.] **S. f. 1.** Ato ou efeito de encadernar (2). **2.** A capa de um livro encadernado. **3.** Livro encadernado. **4.** *Fig.* O vestuário. ◆ **Encadernação aldina.** Encadernação no estilo próprio da oficina tipográfica de Aldo Manuzio (v. *aldino*), e em que se nota influência mourisca, com douração, a ferros plenos, de formas vegetais estilizadas, e cercaduras de filetes simples ou duplos. **Encadernação armoriada.** A que traz o escudo de armas ou brasão do possuidor estampado nas pastas, em geral a ouro; encadernação brasonada. **Encadernação brasonada.** Encadernação armoriada. **Encadernação editorial.** Encadernação produzida em série pelo próprio editor da obra, e que se caracteriza, de um lado, pela preparação, em máquinas distintas, da capa e do bloco de cadernos mecanicamente cosidos, para junção por meio de colagem de entretela ao dorso desse bloco e à margem interna das pastas, reforçada pela subsequente colagem das guardas, e de outro lado, pela cobertura de tecido especial, que pode ter efeito decorativo graças à sua própria textura e colorido, e é impressa ou dourada no dorso, ou também nas pastas. **Encadernação em meio-couro.** V. *meia-encadernação*. **Encadernação em meio-pano.** V. *meia-encadernação*. **Encadernação inteira.** Aquela em que toda a cobertura, lombada e pastas, é feita de uma só peça do mesmo material. [Tb. se diz apenas *inteira*. Cf. *meia-encadernação*.]

encadernado [Part. de *encadernar*.] **Adj.** Que se encadernou. ~ V. *livro —*.

encadernador (ô) [De *encadernar* + *-dor*.] **Adj. 1.** Que encaderna. ● **S. m. 2.** Operário que trabalha em oficina de encadernação. **3.** Artista que faz encadernações.

encadernar [De *en-*^{2} + *caderno* + *-ar*^{2}.] **V. t. d. 1.** Formar caderno(s) com. **2.** *Art. Gráf.* Juntar os cadernos ou folhas de (livros), formando, manual ou mecanicamente, um volume, ao qual se liga, mais ou menos solidamente, uma capa, em geral rígida, coberta de couro, pano, etc. [Cf., nesta acepç., *brochar*^{2}.] **P. 3.** Vestir-se com roupa nova.

encafifar [De *en-*^{2} + *cafife* + *-ar*^{2}.] **V. t. d. Bras. Fam. 1.** Envergonhar, encabular, vexar: *Encafifava-o ter de cobrar a dívida ao amigo.* **2.** Desgostar; desagradar; mortificar. **3.** Intrigar, enlear. **4.** V. *cafifar*. **Int. 5.** Envergonhar-se, vexar-se; encabular-se. **6.** Ficar intrigado. **7.** Não conseguir êxito. **T. i. 8.** Teimar, cismar. [Var., em AL: *encanfinfar*.]

encafuar [De *en-*^{2} + *cafua* + *-ar*^{2}.] **V. t. d. 1.** Meter em cafua. **T. d. e c. 2.** Esconder, ocultar: *Encafuou o dinheiro dentro do colchão.* **P. 3.** Esconder-se, ocultar-se. [Sin. ger.: *encafurnar*.]

encafurnar [De *en-*^{2} + *cafurna* + *-ar*^{2}.] **V. t. d. T. d. e c.** V. *encafuar*.

encagaçado [Part. de *encagaçar*.] **Adj. Bras.** Amedrontado; acovardado.

encagaçar [De *en-*^{2} + *cagaço* + *-ar*^{2}.] **Bras. V. t. d. 1.** Provocar medo em; amedrontar. **Int. 2.** Ficar com medo; acovardar(-se). [Conjug.: v. *laçar*.]

encaibramento [De *encaibrar* + *-mento*.] **S. m.** Ato ou efeito de encaibrar.

encaibrar [De *en-*^{2} + *caibro* + *-ar*^{2}.] **V. t. d.** Assentar os caibros de (telhado).

encaieirar [De *en-*^{2} + *caieira* + *-ar*^{2}.] **V. int. Bras.** Formar uma caieira, com os tijolos por cozer.

encaipirar-se [De *en-*^{2} + *caipira* + *-ar*^{2} + *se*^{1}.] **V. p. Bras.** V. *acaipirar-se*.

encaiporar [De *en-*^{2} + *caipora* + *-ar*^{2}.] **Bras. V. t. d. 1.** Tornar infeliz; influir nocivamente na sorte de (alguém); encalistar. **Int. P. 2.** Ficar com azar; tornar-se caipora, azarento.

encaixamento [De *encaixar* + *-mento*.] **S. m.** Ato ou efeito de encaixar(-se).

encaixante [De *encaixar* + *-nte*.] **Adj. 2 g.** Que (se) encaixa.

encaixar [De *en-*^{2} + *caixa* + *-ar*^{2}.] **V. t. d. 1.** Meter em caixa ou caixote; encaixotar. **2.** Recolher em caixa (4). **3.** Meter (uma peça) em outra preparada para recebê-la; meter em encaixe: *Conseguiu, finalmente, encaixar o degrau que se soltara.* **4.** *Fig.* Colocar entre outras coisas ou pessoas; intercalar, inserir, interserir: *Fez uma antologia, e não se acanhou de encaixar poemas seus.* **T. d. e i. 5.** Encaixar (3): *Encaixou novo diamante no anel.* **6.** Encaixar (4): *Conseguiu encaixar o filho na firma do amigo.* **Int. 7.** Entrar no encaixe; encaixar-se. **8.** Entrar sem custo; entrar facilmente; entrar. **9.** Vir a propósito; ser oportuno; calhar: *O seu aparte encaixou.* **P. 10.** Encaixar (7). **11.** Introduzir-se, intrometer-se: *Sem que o solicitassem encaixou-se na conversa.* [Pres. ind.: *encaixo*, etc; pres. subj.: *encaixe*, etc. Cf. *encacho*, do v. *encachar* e s. m., *encache*, do v. *encachar*, e este verbo.]

encaixe^1 [Dev. de *encaixar*.] **S. m. 1.** Ato ou efeito de encaixar(-se). **2.** Cavidade ou vão destinado a uma peça saliente. **3.** Juntura, união. [F. paral., nessas acepç.: *encaixo*.] **4.** *E. Ling.* Inserção de uma oração em outra: *O homem [que traz uma valise] está no bar.* **5.** *Encad.* Cada um dos sulcos formados pelas duas saliências laterais do lombo, depois de batido e arredondado, e onde se encaixam as pastas. **6.** *Bras. Cont.* Disponibilidade monetária imediata; dinheiro em caixa. [Cf. *encache*, do v. *encachar*.]

encaixe^2 [Do ingl. *(in) cash*, poss.] **S. m. Bras. Econ. 1.** Caixa (7). **2.** Disponibilidade dos bancos em dinheiro ou depósitos: "Os encaixes bancários são compostos de três partes: i) os encaixes em moeda corrente ....; ii) os encaixes voluntariamente depositados nas Autoridades Monetárias; iii) os encaixes em depósitos compulsórios nas Autoridades Monetárias." (Mário Henrique Simonsen e Rubens P. Cysne, *Macroeconomia*, p. 18). [Cf. *encache*, do v. *encachar*.] ◆ **Encaixe metálico.** *Fin.* Ouro ou outros metais conversíveis em moeda, destinados a garantir a circulação fiduciária dos bancos emissores.

encaixilhar [De *en-*^{2} + *caixilho* + *-ar*^{2}.] **V. t. d. 1.** Meter em caixilho. **2.** Guarnecer de caixilhos; emoldurar; enquadrar.

encaixo [Dev. de *encaixar*.] **S. m.** V. *encaixe*^{1} (1 a 3). [Cf. *encacho*, do v. *encachar* e s. m.]

encaixotado [Part. de *encaixotar*.] **Adj.** Metido em caixote ou caixa.

encaixotador (ô) [De *encaixotar* + *-dor*.] **S. m.** Operário encarregado de encaixotar mercadorias.

encaixotar [De *en-*^{2} + *caixote* + *-ar*^{2}.] **V. t. d. 1.** Meter em caixote(s) ou em caixa(s); encaixar. **2.** *Lus. Pop.* Enterrar, sepultar. **3.** *Fig.* Entrar; introduzir-se: "desse jeito entrajada se encaixotou na liteira" (Camilo Castelo Branco, *A Queda dum Anjo*, p. 266).

encalacração [De *encalacrar* + *-ção*.] **S. f.** Ação ou efeito de encalacrar(-se). [Sin., fam.: *encalacradela*.]

encalacradela [De *encalacrar* + *-dela*.] **S. f. Fam.** Encalacração.

encalacrar [De *en-*^{2} + *calacre* + *-ar*^{2}.] *Pop.* **V. t. d. 1.** Meter em empresa prejudicial, meter em embaraços, em dificuldades; entalar: *Fez o amigo entrar num péssimo negócio, e encalacrou-o.* **P. 2.** Meter-se em embaraços, em dificuldades. **3.** Endividar-se.

encalamechar **V. t. d. Bras. N.E.** Meter, introduzir. [Conjug.: v. *flechar*.]

encalamistrar [De *en-*^{2} + *calamistro* + *-ar*^{2}.] **V. t. d.** Calamistrar.

encalamoucar **V. t. d. 1.** Calotear, fintar. **2.** Meter em dificuldade; encalacrar, entalar. [Conjug.: v. *trancar*.]

encalcadeira [De *encalcar* + *-deira*.] **S. f.** Peça para encalcar (1).

encalcar [De *en-*^{2} + *calcar*^{2}.] **V. t. d. 1.** Vedar as juntas de (duas peças de ferro). **2.** *Bras.* Calcar, comprimir. [Conjug.: v. *trancar*.]

encalçar [Do lat. **incalciare*, 'perseguir'.] **V. t. d.** Ir no encalço de; seguir de perto: "uma escolta de cavalaria de polícia, armada de revólveres e espadas, encalçava criminosos." (Afonso Arinos, *Pelo Sertão*, p. 79). [Conjug.: v. *laçar*.]

encalço [Dev. de *encalçar*.] **S. m. 1.** Ato de encalçar. **2.** Rasto, pista, pegada. ◆ **Estar no encalço de.** Perseguir acompanhando pista ou outros indícios: *A polícia está no encalço dos criminosos.* **Ir ao encalço de.** Seguir de perto, ir atrás; perseguir: *Os cães iam ao encalço da caça.*

encaldeiração [De *encaldeirar* + *-ção*.] **S. f. Agr.** Ato ou efeito de encaldeirar.

encaldeirar [De *en-*^{2} + *caldeira* + *-ar*^{2}.] **V. t. d. Agr.** Cercar (árvore) com caldeira ou cova a fim de juntar água que a regue.

encalecer [De *en-*^{2} + *calo*^{1} + *-ecer*.] **V. int.** Criar calos; tornar-se caloso; calejar. [Conjug.: v. *aquecer*. Normalmente é defect., us. só nas 3as pess.]

encaleirar [De *en-*[2] + *caleira*[1] + *-ar*[2].] *V. t. d.* Meter em caleira; dirigir por caleira.

encalhação [De *encalhar* + *-ção*.] *S. f.* V. *encalhe* (1 e 2).

encalhado [Part. de *encalhar*.] ***Adj.*** Que encalhou.

encalhamento [De *encalhar* + *-mento*.] *S. m.* V. *encalhe* (1 e 2).

encalhar [Do esp. *encallar*.] *V. t. d.* **1.** Fazer dar em seco (a embarcação). *Int.* **2.** Ficar em seco (embarcação). **3.** *Bras.* Não ter saída, não obter venda (livros, jornais, revistas, quaisquer mercadorias). [Sin., nesta acepç. (bras., BA): *enfusar*.] **4.** *Bras. Pop.* Ficar solteiro, por não ter achado casamento; encravar. [Sin., nesta acepç. (quando se trata de mulher): *ficar para tia* (q. v.).] **5.** Não ter seguimento; ficar detido ou embaraçado; parar: *O processo encalhou na seção de pessoal.*

encalhe [Dev. de *encalhar*.] *S. m.* **1.** Ato ou efeito de encalhar. **2.** Falta de andamento; obstrução, obstáculo, estorvo. [Sin., nessas acepçs.: *encalhação*, *encalhamento*, *encalho*.] **3.** *Bras.* Exemplares de livros, jornais ou revistas não vendidos, e devolvidos ao editor. **4.** Mercadorias que não obtiveram venda, que ficaram encalhadas.

encalho [Dev. de *encalhar*.] *S. m.* **1.** Lugar onde o navio encalha. **2.** V. *encalhe* (1 e 2). ~ V. *encalhos*.

encalhos *S. m. pl.* Parte da ferradura onde descansa o casco. ~ V. *encalho*.

encaliçar [De *en-*[2] + *caliça* + *-ar*[2].] *V. t. d.* Cobrir com caliça. [Conjug.: v. *laçar*.]

encalidela [De *encalir* + *-dela*.] *S. f.* Ato de encalir.

encalir [De *en-*[2] + lat. *calere*, 'arder', 'inflamar-se', poss.] *V. t. d.* **1.** Assar ou cozer levemente (carne), para se conservar. **2.** *Bras. AL* Submeter (os intestinos do boi) a uma fervura preparatória, a fim de os limpar melhor.

encalistar [De *en-*[2] + *calisto*[1] + *-ar*[2].] *V. t. d. Fam.* **1.** Causar agouro a; encaiporar. **2.** Fazer perder no jogo. [Cf. *encalistrar*.]

encalistramento [De *encalistrar* + *-mento*.] *S. m. Bras.* Ato ou efeito de encalistrar.

encalistrar [De *encalistar*, com epêntese.] *Bras. V. t. d.* **1.** Envergonhar, vexar; encabular. *Int.* **2.** Envergonhar-se, vexar-se; encabular(-se). **3.** Embirrar; encavacar. [Cf. *encalistar*.]

encalmadiço *Adj.* Que encalma com facilidade; calorento: *tempo encalmadiço.*

encalmado [Part. de *encalmar*.] *Adj.* V. *encalorado*.

encalmamento [De *encalmar* + *-mento*.] *S. m.* Ato ou efeito de encalmar(-se).

encalmar [De *en-*[2] + *calma* + *-ar*[2].] *V. t. d.* **1.** Causar calor a; tornar calmoso; aquecer: *O sol do meio-dia encalmava os caminhantes.* **2.** Zangar, irritar, apoquentar; esquentar. *Int.* **3.** Sentir calma (4); tranquilizar-se, encalmar-se. **4.** Abrandar, acalmar. *P.* **5.** Encalmar (3). **6.** Zangar-se, afrontar-se.

encalombado [Part. de *encalombar*.] *Adj.* Que encalombou.

encalombar [De *en-*[2] + *calombo* + *-ar*[2].] *V. int. Bras.* Criar calombo, inchação, por pancada, etc.

encalorado [De *en-*[2] + *calor* + *-ado*[1].] *Adj.* Cheio de calor (1); acalorado, encalmado.

encalvecer [De *en-*[2] + *calvo* + *-ecer*.] *V. int.* Tornar-se calvo; calvejar. [Conjug.: v. *aquecer*.]

encalvecido [Part. de *encalvecer*.] *Adj.* **1.** Calvo (1). **2.** *Fig.* Sem vegetação; escalvado, calvo.

encamaçar [Cruz. de *encamar* e *maçar*.] *V. t. d. Bras. N.* Preparar (um baralho de cartas) para lograr os parceiros. [Conjug.: v. *laçar*.]

encamar [De *acamar*, com var. pref. (v. *en-*[2]).] *V. t. d.* **1.** Dispor em camadas; acamar. *Int.* **2.** Cair de cama (doente); acamar.

encamarotar [De *en-*[2] + *camarote* + *-ar*[2].] *V. t. d.* Meter em camarote.

encambar [De *en-*[2] + *cambo*[1] + *-ar*[2].] *V. t. d.* **1.** Enfiar num cambo[1]. **2.** Juntar (peixes, cebolas, etc.) por atilho; encambulhar. **3.** Entrançar, formando réstia.

encambitação [De *encambitar* + *-ção*.] *S. f. Bras.* Ato de encambitar (1).

encambitar [De *en-*[2] + *cambito* + *-ar*[2].] *V. int.* **1.** *Bras.* Levantar (o cavalo) a cauda durante a marcha. **2.** *Bras.* Virar sobre os pés, sobre os cambitos. **3.** *Bras.* Correr em perseguição de alguém. *T. d.* **4.** *Bras. MG* Levantar pelo rabo (uma rês).

encamboar [De *en-*[2] + *cambão* + *-ar*[2], com desnasalação.] *V. t. d. Bras.* **1.** Amarrar ao cambão. **2.** Amarrar (uma rês adulta) pelo pescoço a uma árvore ou estaca. **3.** Ajuntar (dois cavalos) amarrando-os juntos pelo pescoço, ou para impedir que vão longe, ou para obrigar um deles a acompanhar o lote. [F. paral.: *encambonar*. Conjug.: v. *coroar*.]

encambonar [De *en-*[2] + *cambão* + *-ar*[2], seg. o padrão erudito.] *V. t. d. Bras.* V. *encamboar*.

encambulhada [De *en-*[2] + *cambulhada*.] *S. f.* V. *cambada* (2).

encambulhar [De *en-*[2] + *cambulha* + *-ar*[2].] *V. t. d.* **1.** Juntar de cambulhada. [Sin. pop.: *encangalhar*.] **2.** Encambar (2). *T. d. e i.* **3.** Ligar; unir, prender. *P.* **4.** Enredar-se, enlear-se.

encame [De or. obscura.] *S. m.* **1.** Malhada[2] (4) de javalis. **2.** Covil de feras.

encaminhador (ô) [De *encaminhar* + *-dor*.] *Adj. S. m.* Que, ou aquele que encaminha.

encaminhamento [De *encaminhar* + *-mento*.] *S. m.* Ato de encaminhar(-se).

encaminhar [De *en-*[2] + *caminho* + *-ar*[2].] *V. t. d.* **1.** Mostrar o caminho a; guiar; dirigir; conduzir: *Contam os Evangelhos que a Estrela de Belém encaminhou os três reis magos.* **2.** Conduzir, dirigir, orientar: *Encaminhou a conversa com habilidade.* **3.** Conduzir pelos meios competentes: *Prometeram-lhe encaminhar a sua pretensão.* **4.** Pôr no bom caminho; aconselhar para o bem; conduzir: *Sensatíssimo, é muito solicitado para encaminhar os jovens.* **5.** Fazer seguir os trâmites legais: *encaminhar um processo.* *T. d. e i.* **6.** Conduzir, dirigir, orientar: "Reconhecendo sua inaptidão para alguma das carreiras literárias, Emília lembrara-se de encaminhá-lo à vida mercantil." (José de Alencar, *Senhora*, p. 190.) **7.** Fazer seguir os trâmites legais: *Encaminhei seus papéis ao funcionário competente.* *P.* **8.** Dirigir-se; guiar-se: "O mancebo namorado / Para ela [a mangueira] se encaminha." (Gonçalves Dias, *Obras Poéticas*, II, p. 47); *As crianças encaminhavam-se para a escola.* **9.** Tender para um fim: *Os assuntos encaminharam-se de modo satisfatório.* **10.** Dispor-se, resolver-se: *Encaminhou-se a ajudar a família.*

encamisada [De *encamisar* + *-ada*[1].] *S. f.* **1.** *Ant.* Assalto noturno em que os soldados vestiam camisolas para se disfarçarem. **2.** Confusão, trapalhada, embrulhada. **3.** *Bras.* Diversão popular em que os homens saíam com uma espécie de albornoz. **4.** *Bras. SP GO Folcl.* Grupo de mascarados que, a cavalo, envolvidos em amplos e longos camisolões brancos que lhes caíam até os pés, saíam durante o dia, ou à noite, com archotes, anunciando festas populares locais. Ainda existe nas cavalhadas dramáticas.

encamisado [Part. de *encamisar*.] *Adj.* **1.** Que veste camisa. ● *S. m.* **2.** Mascarado que se disfarça em grande camisa ou camisola. **3.** *Bras.* Indivíduo que toma parte numa encamisada (3 e 4).

encamisar [De *en-*[2] + *camisa* + *-ar*[2].] *V. t. d.* **1.** Vestir camisa a. **2.** Nas olarias, cobrir (caieiras, carvoeiras ou montes de tijolos crus) com palha e barro, a fim de evitar irradiação do calor no fabrico da cal, do carvão e dos tijolos, respectivamente. *P.* **3.** Vestir-se. **4.** *P. ext.* Vestir-se para a encamisada.

encampação [De *encampar* + *-ção*.] *S. f.* Ato ou efeito de encampar.

encampador (ô) [De *encampar* + *-dor*.] *Adj. S. m.* Que, ou aquele que encampa.

encampar [De *en-*[2] + *campo* + *-ar*[2].] *V. t. d.* **1.** *Dir. Civ.* Restituir ou retornar às mãos do senhorio (direito do domínio útil atribuído ao foreiro) em razão da rescisão do contrato de enfiteuse. **2.** *Dir. Adm.* Desapropriar (controle acionário de determinada empresa), passando o seu controle ao poder público. **3.** Restituir ou abandonar a outrem, por motivo de lesão de interesses. **4.** *Fig.* Adotar (ideia, teoria, etc.): "A nova equipe econômica encampou a estranha teoria segundo a qual a causa da inflação brasileira era o alto percentual de ativos financeiros líquidos em relação ao PIB" (Mário Henrique Simonsen, *30 Anos de Indexação*, p. 110). *T. d. e i.* **5.** Passar por venda ou por outro ajuste, com prejuízo do comprador: *Conseguiu encampar a propriedade ao velho capitalista.*

ençampar *V. t. d. Bras. MG SP Pop.* Enganar, lograr, embair, intrujar.

encamurçar [De *en-*[2] + *camurça* + *-ar*[2].] *V. t. d.* **1.** Revestir de camurça (os martelos do piano). *Int.* **2.** *Constr.* Empenar (a madeira). [Conjug.: v. *laçar*.]

encanação [De *encanar*[1] + *-ção*.] *S. f. Bras.* **1.** Ato de colocar canos. **2.** V. *encanamento*.

encanado[1] [Part de *encanar*[1].] *Adj.* **1.** Canalizado. ~ V. *água —a e ar —*. ● *S. m.* **2.** *Bras.* Trecho de um rio onde a largura normal deste se reduz de súbito à décima parte, ou menos; angustura, apertado, estreito.

encanado[2] [Part. de *encanar*[2].] *Adj. Bras. Gír.* Metido em cana[1] (4); preso.

encanador (ô) [De *encanar*[1] + *-dor*.] *S. m. Bras.* **1.** Consertador de encanamentos. **2.** Aquele que nas construções faz o assentamento dos canos de distribuição de água e de gás, e bem assim o de filtros, pias, lavatórios, aparelhos sanitários. [Sin. ger.: *bombeiro*, *bombeiro hidráulico* e (lus.) *canalizador*.]

encanamento [De *encanar*[1] + *-mento*.] *S. m.* **1.** Ação ou efeito de encanar[1]. **2.** Conjunto de canos; canalização. [Sin. ger.: *encanação*.]

encanar[1] [De *en-*[2] + *cano*[1] + *-ar*[2].] *V. t. d.* **1.** Conduzir por cano ou canal; canalizar: *encanar as águas pluviais.* **2.** Abrir raias longitudinais em (uma coluna). [Pres. ind.: *encano*, etc. Cf. *incano*.]

encanar[2] [De *en-*[2] + *cana*[1] + *-ar*[2].] *V. t. d.* **1.** *Cir.* Pôr (o osso fraturado) em talas, ou canas, em direção para se soldar. **2.** *Bras. Gír.* Meter em cana[1] (4); prender. *Int.* **3.** Criar canas [v. *cana*[1] (1)]: *O milharal já encanou.* [Pres. ind.: *encano*, etc. Cf. *incano*.]

encanastrado [Part. de *encanastrar*.] *Adj.* **1.** Que foi tecido como o entrançado da canastra. ● *S. m.* **2.** *Tec. Têx.* Tecido semelhante ao de uma canastra.

encanastrar [De *en-*[2] + *canastra* + *-ar*[2].] *V. t. d.* **1.** Meter em canastra. **2.** Tecer como o entrançado da canastra; entrançar. **3.** *Teatr. Gír.* Tornar canastrão: *O sucesso comercial encanastrou aquele ator.* *Int. P.* **4.** *Teatr. Gír.* Perder (o ator) o bom desempenho artístico; tornar-se canastrão.

encancerar [De *en-*[2] + *cancerar*.] *V. int.* **1.** Criar cancro ou câncer; cancerar. *T. d.* **2.** Gangrenar (2): "as matérias que se haviam de purgar [na confissão] se encruam, e ficam dentro solapando e encancerando a consciência." (P.[e] Manuel Bernardes, *Tratados*, II, p. 348). *P.* **3.** Tornar-se em cancro; apodrecer.

encandear [De *en-*[2] + *candeio* + *-ar*[2].] *V. t. d.* **1.** Ofuscar, atrair (o peixe ou a caça) com o candeio. **2.** Deslumbrar (a vista). **3.** *Fig.* Estontear, deslumbrar, alucinar; cegar: *As pregações de Antônio Conselheiro encandeavam os fanáticos que o seguiam.* *Int.* **4.** Turvar a vista; ofuscar: "O mormaço encandeia. Os olhos se fecham, o corpo se abandona." (Lúcia Miguel Pereira, *Cabra-Cega*, p. 193.) *P.* **5.** Ficar deslumbrado, com a vista confusa. [Conjug.: v. *frear*. Cf. *encadear*.]

encandilar [De *en-*[2] + *candilar*.] *V. t. d.* **1.** Cristalizar (o açúcar), transformando-o em açúcar-cande. *P.* **2.** Converter-se em açúcar-cande; cristalizar-se. **3.** Apurar-se, aperfeiçoar-se, aprimorar-se.

encanecer [Do lat. *incanescere*.] *V. t. d.* **1.** Tornar branco a pouco e pouco (o cabelo, a barba). **2.** Fazer criar cãs: *As preocupações o encaneceram antes do tempo.* *Int.* **3.** Fazer-se branco: *Há muito que seus cabelos encaneceram.* **4.** Criar cãs; envelhecer: *Encaneceu por volta dos cinquenta.* [Conjug.: v. *aquecer*.]

encanelar [De *en-*[2] + *canela* + *-ar*[2].] *V. t. d.* Dobar (fios) em canelas (v. *canela*[3]).

encanfinfar *V. t. d. Int. T. i. Bras. AL Fam.* V. *encafifar*.

encangalhar [De *en-*[2] + *cangalha* + *-ar*[2].] *V. t. d.* **1.** Pôr cangalha em (besta de carga); arrear com cangalha. **2.** *Pop.* Encambulhar (1). *P.* **3.** *Deprec.* Unir-se, ligar-se, amarrar-se (a alguém).

encangar [De *en-*[2] + *canga*[1] + *-ar*[2].] *V. int.* Pôr a canga em; jungir; cangar. [Conjug.: v. *largar*.]

encangotar [De *en-*[2] + *cangote* + *-ar*[2].] *V. int. Bras. N.E.* Encapotar (4).

encanhotado [De *en-*[2] + *canhoto* + *-ado*[1].] *Adj.* Que tem enguiço, mau-olhado; enfeitiçado.

encaniçar [De *en-*[2] + *caniço* + *-ar*[2].] *V. t. d.* Cercar ou rodear com caniço ou canas. [Conjug.: v. *laçar*.]

encanoamento [De *encanoar* + *-mento*.] *S. m. Bras.* Ato ou efeito de encanoar.

encanoar [De *en-*[2] + *canoa* + *-ar*[2].] *V. int. Bras.* Empenar-se (uma tábua) no sentido transversal, tomando a forma duma canoa. [Conjug.: v. *coroar*.]

encantação [De *encantar* + *-ção*.] *S. f.* V. *encantamento*.

encantadense *Adj. 2 g.* **1.** De, ou pertencente ou relativo a Encantado (RS). ● *S. 2 g.* **2.** O natural ou habitante de Encantado.

encantado [Part. de *encantar*.] *Adj.* **1.** Que tem um poder mágico ou sofreu encantamento, sortilégio: *a flauta encantada afugentava o perigo.* **2.** Seduzido, enlevado, arrebatado: *Está amando — é um homem encantado.* **3.** Muito contente; satisfeitíssimo. **4.** *Bras. Gír.* Entre ladrões, diz-se do cofre cujo segredo se desconhece. ● *S. m.* **5.** *Bras. Etnogr.* Qualquer dos seres supostamente animados de poderes sobrenaturais que, na crença de indígenas e caboclos [v. *caboclo*[1] (1)] brasileiros, habitam a Terra ou o céu. **6.** *Bras. Rel.* Designação genérica das entidades cultuadas nos candomblés de caboclo (q. v.).

encantador (ô) [Do lat. *incantatore*.] *Adj.* **1.** Que faz encantamentos; mágico. **2.** Que atrai, arrebata; sedutor: *mulher fascinante, encantadora.* **3.** Que causa satisfação; deleitoso: *espetáculo encantador.* ● *S. m.* **4.** Aquele que faz encantamentos; mágico: *um encantador de serpentes.*

encantamento [De *encantar* + *-mento*.] *S. m.* **1.** Ato ou efeito de encantar(-se). **2.** Feitiçaria, magia. **3.** Coisa maravilhosa; delícia: *Sua vida, outrora infeliz, é hoje um encantamento.* **4.** Sedução, encanto: *Não resistiu aos encantamentos da namorada.* [Sin. ger.: *encantação*.]

encantar [Do lat. *incantare*.] *V. t. d.* **1.** Lançar encantamento ou magia sobre; enfeitiçar: *Na história da Bela Adormecida, a feiticeira encanta a princesa.* **2.** Transformar (pessoa) em outro ser, por artes mágicas. **3.** Seduzir, cativar; maravilhar, arrebatar: *A atuação do ator encantava os espectadores.* **4.** Causar extremo prazer a; deliciar: *A boa notícia encantou a família.* **5.** Tornar invisível; fazer desaparecer. *P.* **6.** Tomar-se de encantos; maravilhar-se, arrebatar-se: "foi tirando a roupa, até ficar nua. As mulheres se horrorizaram, os homens se encantaram." (Elias

José, *Inquieta Viagem no Fundo do Poço*, p. 23); *Encantou-se da graça e beleza da moça.* **7.** Tornar-se invisível; desaparecer: *Que é feito dele? Encantou-se?* **8.** Transformar-se em outro ser, por efeito de encantamento ou sortilégio: "engrandeceu-se, mesmo, aos olhos dos dois fazendeiros, como se, de inopino, se encantasse num príncipe." (José Vieira, *Vida e Aventura de Pedro Malasarte*, p. 274).

encantatório [De *encantar* + *-tório*.] *Adj.* **1.** Que envolve encantamento, magia. **2.** Maravilhoso, delicioso, fascinante.

encanteirar [De *en-*[2] + *canteiro*[1] + *-ar*[2].] *V. t. d.* **1.** Pôr canteiros em. **2.** Plantar em canteiro. **3.** Dividir em canteiros.

encantense *Adj. 2 g.* **1.** De, ou pertencente ou relativo a Encanto (RN). ● *S. 2 g.* **2.** O natural ou habitante de Encanto.

encanteria *S. f. Bras. PI Rel.* Variedade de pajelança em que ocorrem possessões de entidades, denominadas *moços*, sobre seus aparelhos [v. *aparelho* (9)], sob a supervisão de um mestre (2).

encanto [Dev. de *encantar*.] *S. m.* **1.** Coisa que delicia, enleva, encanta: *os encantos da vida.* **2.** V. *encantamento* (4): *pessoa de grande encanto.* ◆ **Um encanto.** V. *um amor* (1).

encantoar [De *en-*[2] + *canto*[1] + *-oar*.] *V. t. d.* **1.** Pôr em um canto; meter num canto. **2.** Afastar do convívio; apartar do trato social. *P.* **3.** Pôr-se a um canto; fugir do mundo. [Conjug.: v. *coroar*.]

encanudado [De *en-*[2] + *canudo* + *-ado*[1].] *Adj.* **1.** Que tem forma de canudo. **2.** Engomado formando caneluras: *golas encanudadas; rendas encanudadas.* **3.** *Veter.* Encastelado (4) (cavalo). **4.** *Bras.* Diz-se do gado intoxicado por haver ingerido em excesso a planta chamada *canudo*.

encanudamento [De *encanudar* + *-mento*.] *S. m.* Ato ou efeito de encanudar.

encanudar [De *en-*[2] + *canudo* + *-ar*[2].] *V. t. d.* **1.** Dar a forma de canudo a. **2.** Meter em canudo. **3.** Enfiar, vestindo ou calçando: *encanudar as meias.*

encanzinamento [De *encanzinar* + *-mento*.] *S. m.* Ato de encanzinar(-se).

encanzinar [De *en-*[2] + o rad. *canz-*, como em *canzarrão*, + *-inar*.] *V. t. d.* **1.** Fazer zangar; enfobiar. *P.* **2.** Teimar, obstinar-se. **3.** Enraivecer-se, enfurecer-se. [Sin. ger.: *encanzoar*.]

encanzoar [De *en-*[2] + *canz-*, como em *canzarrão*, + *-oar*.] *V. t. d. P.* V. *encanzinar*. [Conjug.: v. *coroar*.]

encapachar [De *en-*[2] + *capacho* + *-ar*[2].] *V. t. d.* **1.** Cobrir com capacho. **2.** Meter em capacho. *P.* **3.** Humilhar-se com servilismo; abaixar-se, rebaixar-se.

encapado [Part. de *encapar*.] *Adj.* **1.** Que se encapou; coberto com, ou envolvido em capa: *livro encapado.* ● *S. m.* **2.** *Bras.* Mercadoria expedida dentro de aniagem.

encapar [De *en-*[2] + *capa*[1] + *-ar*[2].] *V. t. d.* **1.** Cobrir com capa. **2.** Meter ou envolver em capa. **3.** *Encad.* Proteger (livro, folheto, etc.) com capa[1] (6); capear.

encapelado[1] [Part. de *encapelar*[1].] *Adj.* Que tem o encargo de mestre de capela.

encapelado[2] [Part. de *encapelar*[2].] *Adj.* **1.** Agitado, levantado, encrespado (o mar, as ondas). **2.** *Ant.* Que traz capelo[1] (1 e 2). ~ V. *mar* —.

encapeladura [De *encapelar*[2] + *-dura*.] *S. f.* **1.** Ação de encapelar[2] (2, 3 e 6). **2.** *Marinh.* Lugar onde assentam e encapelam as enxárcias.

encapelar[1] [De *en-*[2] + *capela* + *-ar*[2].] *V. t. d.* Dar o encargo de mestre de capela a.

encapelar[2] [De *en-*[2] + *capelo*[1] + *-ar*[2].] *V. t. d.* **1.** Conceder o capelo de doutor a. **2.** Levantar, erguer, encrespar (o mar, as ondas, etc.). *Int.* **3.** Encrespar-se, agitar-se (o mar, as ondas); encapelar-se. **4.** *Marinh.* Introduzir no calcês ou lais a enxárcia, a alça, etc. *P.* **5.** Receber o capelo; doutorar-se, formar-se. **6.** Encapelar (3): "E as vagas do oceano que ameaçava tragá-los encapelavam-se aos pés deles" (Alexandre Herculano, *Lendas e Narrativas*, I, p. 147).

encapetado [De *en-*[2] + *capeta* + *-ado*[1].] *Adj. Bras.* Endiabrado, traquina(s), traquino, travesso.

encapetar-se [De *en-*[2] + *capeta* + *-ar*[2] + *se*[1].] *V. p. Bras.* Fazer travessuras, estripulias; tornar-se traquinas; endiabrar-se.

encapoeirar [De *en-*[2] + *capoeira*[1] + *-ar*[2].] *V. t. d.* Meter em capoeira[1] (1).

encapotado [Part. de *encapotar*.] *Adj.* **1.** Envolto em capote. **2.** Encoberto, disfarçado. **3.** Diz-se do cavalo que, ao esquipar, encosta a cabeça ao peito, ficando-lhe o pescoço elegantemente curvo. ● *S. m.* **4.** Indivíduo encapotado. **5.** *Bras. Cul.* Espécie de almôndega.

encapotar [De *en-*[2] + *capote*[1] + *-ar*[2].] *V. t. d.* **1.** Cobrir com capa ou capote. **2.** *Fig.* Disfarçar, esconder, encobrir: *Encapotava parte do dinheiro que recebia; Tentou encapotar o seu prazer.* *Int.* **3.** Encapotar (6). **4.** Curvar o pescoço (o cavalo), com garbo, ao esquipar. [Sin., no N.E.: *encangotar*.] **5.** *Bras. CE Pop.* Baixar a cabeça, enfiado; encalistrar-se. *P.* **6.** Anuviar-se, nublar-se; encapotar.

encaprichar-se [De *en-*[2] + *capricho* + *-ar*[2] + *se*[1].] *V. p.* Encher-se de brios ou capricho; meter-se em brios.

encapsulação [De *encapsular* + *-ção*.] *S. f.* Ação ou processo de encapsular.

encapsulado [Part. de *encapsular*.] *Adj.* Incluído ou encerrado em cápsula (1, 2 e 8).

encapsular [De *en-*[2] + *cápsula* + *-ar*[2].] *V. t. d.* Incluir ou encerrar em cápsula(s).

encapuchar [De *en-*[2] + *capucha*[1] + *-ar*[2].] *V. t. d.* Cobrir ou vestir com capucha: "Alguém lhe tirara o capote de cima dos ombros, e da cabeça o bioco de burel que a encapuchava." (Fialho d'Almeida, *Aves Migradoras*, pp. 84-85.).

encapuzado [Part. de *encapuzar*.] *Adj.* **1.** Coberto com capuz. **2.** *P. ext.* Coberto, envolto.

encapuzar [De *en-*[2] + *capuz* + *-ar*[2].] *V. t. d. P.* Cobrir(-se) com capuz.

encaração [De *encarar* + *-ção*.] *S. f.* **1.** *Bras.* Ato de encarar. **2.** *Bras. RJ Gír.* Entrada gratuita. **3.** *Bras. RJ Gír.* Provocação, desafio.

encaracolado [Part. de *encaracolar*.] *Adj.* Enrolado em espiral, em forma de caracol: "era dotado de basta cabeleira encaracolada e negra" (Pedro Nava, *Beira-Mar*, p. 46); "Caminham os búfalos mansos, de chifres encaracolados." (Cecília Meireles, *Obra Poética*, p. 702).

encaracolar [De *en-*[2] + *caracol* + *-ar*[2].] *V. t. d.* **1.** Dar forma de caracol a; enrolar em espiral. *Int. P.* **2.** Enrolar-se em forma de caracol, em espiral: *Após a febre tifoide, seus cabelos encaracolaram; A hera encaracola-se no muro;* "aqui a estrada / Se encaracola, ali desce, / Sobe acolá" (Raimundo Correia, *Poesias*, p. 86).

encaramelar [De *en-*[2] + *caramelo* + *-ar*[2].] *V. t. d.* **1.** Converter em gelo ou caramelo (1); fazer gelar; congelar, regelar, gelar. **2.** Tornar sólido; coagular, coalhar. **3.** Dar consistência de caramelo (2) a. *Int.* **4.** Tomar consistência de caramelo (2); encaramelar-se: *A calda encaramelou.* *P.* **5.** Tornar-se em caramelo (1); congelar-se, regelar-se, gelar-se. **6.** Encaramelar (4).

encaramonar [De *en-*[2] + *cara* + *mono* + *-ar*[2].] *Pop. V. t. d.* **1.** Tornar triste, amuado, embezerrado. *P.* **2.** Pôr-se triste; zangar(-se), amuar(-se), embezerrar-se.

encaramujado [Part. de *encaramujar-se*.] *Adj. Bras.* **1.** Encolhido, retraído: "Solitário, encaramujado, pessimista, andava [Machado de Assis] sempre metido em sociedades e cenáculos literários." (Astrogildo Pereira, *Machado de Assis*, p. 13.) **2.** Abatido, tristonho.

encaramujar-se [De *en-*[2] + *caramujo* + *-ar*[2] + *se*[1].] *V. p. Bras.* **1.** Encolher-se, retrair-se, tal como o caramujo. **2.** Entristecer-se, magoar-se.

encarangação [De *encarangar* + *-ção*.] *S. f. Bras.* Estado reumático em que os movimentos ficam tolhidos; estado de encarangado.

encarangado [Part. de *encarangar*.] *Adj.* **1.** Entrevado, anquilosado. **2.** *Bras.* Encolhido, entanguido, engelhado. **3.** *Bras.* Raquítico, franzino.

encarangar [De *en-*[2] + *carango*[2] + *-ar*[2].] *V. t. d.* **1.** Deixar sem movimento, paralisar (pela ação do frio ou em decorrência de reumatismo, etc.): *A umidade encarangou-lhe as pernas.* **2.** Tornar adoentado, achacadiço. **3.** *Bras.* Engelhar; encolher. *Int.* **4.** Perder o movimento, ficar tolhido ou encolhido pelo frio ou reumatismo; encaranguejar-se, encarangar-se, entrevar-se: "Agora, posso encarangar de frio, sem preocupação" (Adélia Prado, *Solte os Cachorros*, p. 34). *P.* **5.** V. *encarangar* (4). **6.** Tornar-se adoentado, achacadiço. [Conjug.: v. *largar*.]

encaranguejar [De *en-*[2] + *caranguejo* + *-ar*[2].] *V. int. P. Bras.* Ficar com os membros contraídos por efeito de reumatismo ou doutra doença; encarangar(-se), entrevar(-se). [Conjug.: v. *pelejar*.]

encarapelar [De *en-*[2] + *carapela* + *-ar*[2].] *V. t. d. Int. P.* V. *encarapinhar*.

encarapinhado [De *en-*[2] + *carapinha* + *-ado*[1].] *Adj.* Diz-se do cabelo lanoso e frisado como o dos negros e de alguns mestiços. [Sin.: *carapinho* e (bras.) *agastado, batumado, bosta de rola, bosta de rolinha, mal com cristo, mal com deus, mastigado, pixaim*.]

encarapinhar [De *en-*[2] + *carapinha* + *-ar*[2].] *V. t. d.* **1.** Fazer carapinha em; frisar, encrespar. *Int.* **2.** Tornar-se (o cabelo) crespo, lanudo; encarapinhar-se. **3.** Começar a congelar-se (o sorvete). *P.* **4.** Encarapinhar (2). [Sin. ger.: *acarapinhar, encarapelar*.]

encarapitar [Var. de *encarrapitar*.] *V. t. d. T. d. e c.* **1.** Pôr ou colocar no alto: *Suspendeu a criança até os ombros e encarapitou-a; Encarapitou o filho no muro para que visse o jogo.* *P.* **2.** Pôr-se no alto ou em cima, instalando-se comodamente.

encarapuçar [De *en-*[2] + *carapuça* + *-ar*[2].] *V. t. d.* **1.** Pôr carapuça em. *P.* **2.** Pôr a carapuça na cabeça; cobrir-se. [Conjug.: v. *laçar*.]

encarar [De *en-*[2] + *cara* + *-ar*[2].] *V. t. d.* **1.** Olhar de frente, de cara; fitar os olhos em; olhar com atenção; enfrentar, afrontar, arrostar, acarar: *Encarou firmemente o acusado, compelindo-o a confessar.* **2.** Considerar, analisar: *Não encarou o assunto com seriedade.* **3.** Enfrentar, defrontar: *Encara destemidamente as situações difíceis.* *T. i.* **4.** Fitar os olhos, olhando direto; arrostar: "Desanuviava o rosto, encarava em mim, interrogativo." (Antero de Figueiredo, *Miradouro*, p. 85); "longe de fugir, encarou com o sujeito, receando que se sumisse, antes de o pai chegar." (José de Alencar, *O Gaúcho*, p. 129). **5.** Achar-se frente a frente; topar: *Ao dobrar a esquina, encarou com o amigo.* *P.* **6.** Arrostar-se, defrontar-se.

encarceração [De *encarcerar* + *-ção*.] *S. f.* V. *encarceramento* (1).

encarcerado [Part. de *encarcerar*.] *Adj.* **1.** Encerrado ou preso em cárcere. **2.** Enclausurado, isolado. ~ V. *hérnia* —*a*.

encarceramento [De *encarcerar* + *-mento*.] *S. m.* **1.** Ato ou efeito de encarcerar(-se); enclausuramento, reclusão; encarceração. **2.** Tempo de duração do encarceramento (1).

encarcerar [Do lat. *incarcerare*.] *V. t. d.* **1.** Encerrar ou prender em cárcere. **2.** Separar do trato social; enclausurar: *Encarcerou o filho para fazê-lo estudar.* *P.* **3.** Encerrar-se, isolar-se: *Encarcerou-se na fazenda dum amigo para escrever seu livro.*

encardido [Part. de *encardir*.] *Adj.* **1.** Que se encardiu; que adquiriu cor acinzentada ou amarelada por haver sido mal lavado, ou pela velhice: *roupa encardida; papel encardido.* **2.** *P. ext.* Diz-se da pele que, por doença, velhice ou falta de asseio, perdeu o brilho, o aspecto saudável. **3.** Sujo, imundo: *casa encardida.* **4.** *Bras.* Carregado, ameaçador: *rosto encardido; céu encardido.* **5.** Pouco honesto (negócio, transação, etc.). **6.** *Bras.* Diz-se de coisa sobre a qual é difícil opinar. **7.** *Bras. RS* Feio (1).

encardimento [De *encardir* + *-mento*.] *S. m.* **1.** Estado de encardido. **2.** Incrustação de sujeira.

encardir [De *en-*[2] + *cardo* + *-ir*.] *V. t. d.* **1.** Cobrir, ou fazer com que se cubra, de cardina; sujar ou fazer que se suje: *A fuligem encardiu a roupa;* **2.** Não lavar bem, deixando resquícios de sujeira: *A lavadeira encardiu a roupa.* *Int.* **3.** Ficar mal-lavado; conservar parte da sujeira que tinha.

encardumar [De *en-*[2] + *cardume* + *-ar*[2].] *V. int. Bras.* Formar cardume(s).

encarecedor (ô) [De *encarecer* + *-dor*.] *Adj. S. m.* Que, ou aquele que encarece.

encarecer [De *en-*[2] + *caro* + *-ecer*.] *V. t. d.* **1.** Tornar caro; subir o preço de: *A longa estiagem encareceu os legumes e frutas.* **2.** Louvar, elogiar, exaltar: *Em sua crítica, encarece as qualidades do poeta.* **3.** Descrever ou referir com exageração: *encarecer as dificuldades dum trabalho.* **4.** Recomendar com interesse ou empenho: *Encareceu a realização urgente da obra.* *Int.* **5.** Tornar-se caro; subir de preço: *Os gêneros alimentícios encarecem dia a dia.* [Conjug.: v. *aquecer*.]

encarecimento [De *encarecer* + *-imento*.] *S. m.* **1.** Ato ou efeito de encarecer. **2.** Instância, empenho, interesse.

encaretado [Part. de *encaretar-se*.] *Adj.* **1.** Mascarado (1). **2.** *Bras. N.E.* Cheio de cascões, de manchas de sujeira, pelo corpo.

encaretar [De *en-*[2] + *careta* + *-ar*[2].] *V. int.* **1.** *Bras.* Tornar-se careta (5 e 6). *P.* **2.** Mascarar (6 e 7). **3.** *Bras. N.E.* Encher-se de manchas de sujo.

encargar [De *en-*[2] + *carga* ou *cargo* + *-ar*[2].] *V. t. d.* **1.** Acomodar a carga dentro de. **2.** *Bras.* Encher, carregar. *T. d. e i.* **3.** Encarregar: *Encarguei-o de missão difícil.* [Conjug.: v. *largar*.]

encargo [Do port. (ant.) *encarrego* (q. v.).] *S. m.* **1.** Responsabilidade, incumbência, obrigação: *A educação dos filhos é para ele duro encargo.* **2.** Ocupação, cargo: *encargo oficial.* **3.** Sentimento de culpa; remorso: *ter encargo na consciência.* **4.** Condição onerosa, ou restritiva de vantagem; peso, fardo: *Aquelas aulas eram-lhe um encargo.* **5.** *Econ.* Despesa (2): *encargos financeiros; encargos fiscais.* **6.** *Dir. Civ.* V. *modo* (11). ◆ **Encargos sociais.** *Econ.* Encargos [v. *encargo* (5)] das empresas, referentes a direitos sociais: contribuições ao sistema de seguridade social, depósitos no Fundo de Garantia do Tempo de Serviço, décimo terceiro salário, etc.

encarijar [De *en-*[2] + *carijo* + *-ar*[2].] *V. t. d. Bras.* Dispor (a erva-mate) em folhas sobre o jirau ou carijo, onde é chamuscada.

encarna [Dev. de *encarnar*.] *S. f.* **1.** Ato de encarnar, introduzir; engaste. **2.** Abertura em peça para encaixar outra; encaixe. **3.** *Bras.* Pequena depressão ou escavação: "os sinais [da bexiga], grandes e muitos, faziam saliências e encarnas, declives e aclives" (Machado de Assis, *Memórias Póstumas de Brás Cubas*, p. 117). [Cf. *encarne*.]

encarnação [Do lat. *incarnatione*.] *S. f.* **1.** Ato de encarnar, de tornar semelhante, na cor ou no aspecto, à carne. **2.** *Rel.* Mistério pelo qual Deus se fez homem.

E

[Com cap., nesta acepç.] **3.** Ato de encarnar (1), por meio de pintura, imagens esculpidas ou moldadas, estátuas, etc., tornando-as, pela cor, semelhantes a pessoas ou animais. [Sin. (lus.): *estofamento*.] **4.** *Espir.* Cada uma das existências do espírito materializado, segundo a crença espiritista. **5.** Ato pelo qual os seres a quem se atribui divindade se materializam. **6.** *Fig.* Personificação, concretização; imagem: *Aquela criatura é a encarnação do pecado.*

encarnado [Part. de *encarnar*.] ***Adj.*** **1.** Que encarnou. **2.** Que foi objeto de encarnação (3): *imagem encarnada.* **3.** Da cor da carne^{1} (2); vermelho escarlate: *rosa encarnada.* **4.** Diz-se dessa cor: *gravata de cor encarnada.* ● ***S. m.*** **5.** Essa cor; vermelho. **6.** Encarnação (de imagem): *O encarnado deste santo precisa de restauração.*

encarnador (ô) [De *encarnar* + *-dor*.] ***Adj. S. m.*** Que, ou aquele que encarna figuras ou imagens.

encarnar [Do lat. *incarnare*.] ***V. t. d.*** **1.** Dar cor de carne a (imagens, estátuas ou outros objetos). **2.** *P. ext.* Pintar (imagens de santo) de modo que pareçam reais. **3.** Dar rubor a; avermelhar. **4.** Encarniçar (1). **5.** Ser a personificação, o modelo, a imagem de: *Martin Luther King encarnava aqueles que lutam pela igualdade racial.* **6.** *Teatr. Cin.* Representar ou personificar (uma personagem, um papel): *Lawrence Olivier encarnou Hamlet excelentemente.* ***T. i.*** **7.** *Espir.* Supostamente, incorporar-se uma entidade (4), seu psiquismo, sua gestualidade, seu espírito, etc. em (indivíduo em transe mediúnico); encarnar-se. **8.** Tomar vulto ou forma: *A violência encarnava nos chefes nazistas.* **9.** Entranhar-se, enraizar-se. **10.** *P. ext. Bras. Pop.* Perseguir, ou desfrutar de (alguém); importuná-lo como que encarnando [v. *encarnar* (7)] nele. ***Int.*** **11.** Tomar ou criar carne; converter-se em carne; cicatrizar-se: *O ferimento encarnou.* **12.** Tornar-se em carne humana; fazer-se homem; humanizar-se, humanar-se. ***P.*** **13.** Introduzir-se profundamente. **14.** *Espir.* Encarnar (7).

encarne [Dev. de *encarnar*.] ***S. m.*** **1.** Ato de encarnar. **2.** A caça que se dá a comer aos cães para acostumá-los ao gosto e cheiro dela. [Cf. *encarna*.]

encarneirado [Part. de *encarneirar*.] ***Adj.*** Que (se) encarneirou. ~ V. *mar* —.

encarneirar [De *en-*^{2} + *carneiro*^{1} + *-ar*^{2}.] ***V. int. P.*** **1.** Encrespar-se (o mar) em pequenas ondas espumosas que lembram um rebanho de carneiros. **2.** Povoar-se (a atmosfera) de numerosas nuvens pequenas.

encarniçado [Part. de *encarniçar*.] ***Adj.*** **1.** Que se ceva com carniça. **2.** *Fig.* Feroz, assanhado, sanguinário: *tigres encarniçados.* **3.** Cruento, cruel: *luta encarniçada.* **4.** Intenso, aceso, inflamado: *discussão encarniçada.* **5.** Obstinado, pertinaz: *inimigo encarniçado.* **6.** Diz-se dos olhos avermelhados, injetados.

encarniçamento [De *encarniçar* + *-mento*.] ***S. m.*** **1.** Ato de encarniçar-se o animal sobre a presa; sanha, fúria. **2.** Aferro em perseguir; pertinácia, obstinação, teimosia, teima. **3.** *Fig.* Animosidade, rancor.

encarniçar [De *en-*^{2} + *carniça* + *-ar*^{2}.] ***V. t. d.*** **1.** Deitar o encarne a (os cães) para os tornar ferozes; encarnar. **2.** Açular, incitar (um animal), na briga contra a presa. **3.** Excitar, incitar, açular: *Os revolucionários encarniçaram o povo.* ***P.*** **4.** Cevar-se na carniça. **5.** Encher-se de sanha; enraivecer-se, irar-se. [Conjug.: v. *laçar*.]

encaro [Dev. de *encarar*.] ***S. m.*** Ato de encarar.

encaroçada [F. subst. de *encaroçado*.] ***S. f. Bras. S.*** Certa qualidade de terra roxa abundante em pequenos conglomerados.

encaroçado [Part. de *encaroçar*.] ***Adj. Bras.*** **1.** Cheio de caroços [v. *caroço* (6)]. **2.** *Pop.* Coberto de caroços [v. *encaroçar* (4)].

encaroçar [De *en-*^{2} + *caroço* + *-ar*^{2}.] ***V. int. P.*** **1.** *Bras. S.* Criar caroço (4). **2.** *Bras. Pop.* Encher-se de caroços [v. *caroço* (6)]; embolar, embolotar. **3.** *Bras.* Não ter fluência na pronunciação de um discurso. **4.** *Bras. Pop.* Cobrir-se (a pele) de tumores ou erupções cutâneas, genericamente denominados *caroços*: *Sua pele encaroçou; O braço do menino encaroçou todinho.* [Conjug.: v. *laçar*.]

encarochar [De *en-*^{2} + *carocha* + *-ar*^{2}.] ***V. t. d.*** **1.** V. *embruxar*. **2.** *Ant.* Pôr mitra de papel em (condenados da Inquisição).

encarpo [Do fr. *encarpe*.] ***S. m.*** *Arquit.* Ornato que apresenta folhas, flores e frutos entrelaçados.

encarquilhado [Part. de *encarquilhar*.] ***Adj.*** **1.** Cheio de rugas ou pregas; rugoso, enrugado: *rosto encarquilhado; uma velha encarquilhada.* **2.** *P. ext.* Ressequido: *fruta encarquilhada.*

encarquilhar [De *en-*^{2} + *carquilha* + *-ar*^{2}.] ***V. t. d. P.*** Encher(-se) de carquilhas ou rugas; tornar(-se) rugoso; enrugar(-se), arrugar(-se): *A idade já lhe encarquilhou o rosto;* "O sol destas terras semiáridas é paradoxal e caprichoso: acelerando a reprodução das sementes atrasa o surto dos ramos, encarquilha as folhas e obriga as raízes a lurarem o subsolo em busca de reservas de seiva." (Vitorino Nemésio, *Caatinga e Terra Caída*, p. 89); *Sua pele encarquilha-se a olhos vistos.*

encarrancar [De *en-*^{2} + *carranca* + *-ar*^{2}.] ***V. t. d.*** **1.** Tornar carrancudo, mal-humorado. **2.** Adornar grotescamente (com carrancas ou objetos análogos). ***Int.*** **3.** Tornar-se carrancudo. **4.** Toldar-se, anuviar-se (o tempo). [Conjug.: v. *trancar*.]

encarrapichar-se [De *en-*^{2} + *carrapicho* + *-ar*^{2} + *se*^{1}.] ***V. p.*** *Bras.* Encher-se de carrapichos.

encarrapitar [De *en-*^{2} + *carrapito* + *-ar*^{2}.] ***V. t. d. T. d. e c. P.*** V. *encarapitar*.

encarrar [De *en-*^{2} + *carro* + *-ar*^{2}.] ***V. t. d.*** Pôr em carro ou carreta; carregar o carro com.

encarrascar-se [De *en-*^{2} + *carrascão*^{1} + *-ar*^{2} + *se*^{1}, com desnasalação.] ***V. p.*** **1.** Embriagar-se com vinho carrascão. **2.** *P. ext.* Embriagar-se, embebedar-se, emborrachar-se. [Conjug. v. *trancar*.]

encarraspanar-se [De *en-*^{2} + *carraspana* + *-ar*^{2} + *se*^{1}.] ***V. p.*** Meter-se em carraspana; embebedar-se, embriagar-se.

encarregado [Part. de *encarregar*.] ***Adj.*** **1.** Que está incumbido de qualquer cargo [Sin., lus.: *encarregue*.] ● ***S. m.*** **2.** Aquele que está incumbido de qualquer serviço ou negócio. **3.** Indivíduo que tem o encargo de vigiar os operários numa obra em substituição ao mestre de obras. ◆ **Encarregado de negócios.** *Diplom.* Agente diplomático a quem compete, por falta de embaixador ou de ministro, representar seu governo junto a uma nação estrangeira.

encarregar [De *en-*^{2} + *carregar*.] ***V. t. d. e i.*** **1.** Dar como cargo, ocupação, comissão, missão, emprego, etc.: *Encarreguei-o da administração da fazenda.* **2.** Dar como incumbência; incumbir, cometer, confiar: *Encarregaram-no da redação da proposta.* **3.** Recomendar, encomendar. **4.** Carregar, sobrecarregar, onerar: *Encarregou a criança de obrigações.* ***P.*** **5.** Tomar obrigação ou encargo. [Conjug.: v. *regar*, mas tem dois part.: *encarregado* e (lus.) *encarregue*; pres. ind.: *encarrego*, etc. Cf. *encarrego* (ê).]

encarrego (ê) [Dev. de *encarregar*.] ***S. m.*** Ato de encarregar. [Pl.: *encarregos* (ê). Cf. *encarrego*, do v. *encarregar*.]

encarregue [Part. de *encarregar*.] ***Adj. 2 g.*** *Lus.* Encarregado (1).

encarreirar [De *en-*^{2} + *carreira* + *-ar*^{2}.] ***V. t. d.*** **1.** Abrir caminho a; encaminhar, dirigir: *Encarreirou os negócios do irmão.* **2.** Fazer seguir bom caminho. ***P.*** **3.** Encaminhar-se, dirigir-se.

encarretar [De *en-*^{2} + *carreta* + *-ar*^{2}.] ***V. t. d.*** Pôr em carreta; encarrar.

encarrilar [De *en-*^{2} + *carril* + *-ar*^{2}.] ***V. t. d. T. i. Int. P.*** V. *encarrilhar*.

encarrilhado [Part. de *encarrilhar*.] ***Adj. Bras. N. N.E.*** Seguido, ininterrupto: *Choveu três dias encarrilhados.*

encarrilhar [De *encarrilar*, com infl. de *carrilho*.] ***V. t. d.*** **1.** Pôr nos carris ou trilhos, nas calhas. **2.** Pôr em bom caminho; encaminhar, orientar. ***T. i.*** **3.** Atinar, acertar, dar: *Não encarrilhava com o sentido daquelas palavras.* ***Int. P.*** **4.** Ir pelo bom caminho.

encartação [De *encartar* + *-ção*.] ***S. f.*** Ato de encartar; encartamento.

encartadeira [De *encartar* + *-deira*.] ***S. f.*** Aparelho das oficinas de retorce, no qual entra a urdidura para juntar-se a dois fios e penetrar nos torcedores.

encartamento [De *encartar* + *-mento*.] ***S. m.*** Encartação.

encartar [De *en-*^{2} + *carta* + *-ar*^{2}.] ***V. t. d.*** **1.** Conceder carta, diploma, licença, a (alguém), para exercer certo ofício. **2.** *Art. Gráf.* Fazer o encarte de. ***Int.*** **3.** Jogar carta sobre outra do mesmo naipe, fazendo vaza. **4.** Tirar carta ou diploma do seu emprego, pagando os competentes direitos.

encarte [Dev. de *encartar*.] ***S. m.*** **1.** Ato de encartar (1 e 4). **2.** Os direitos que se pagam pelo respectivo diploma. **3.** O fazer vaza com carta do mesmo naipe. **4.** *Art. Gráf.* Operação de intercalar, entre os cadernos de uma publicação, uma ou mais folhas, em geral de cor diferente, e que constituem espécimes, avisos especiais, etc. **5.** *Art. Gráf.* Cada uma das folhas assim intercaladas.

encartolado [De *en-*^{2} + *cartola* + *-ado*^{1}.] ***Adj.*** Que usa cartola ou está de cartola: "Vai cortando o azul noturno do museu deserto a sua bela silhueta encartolada" (Augusto Meyer, *No Tempo da Flor*, p. 36).

encartuchar [De *en-*^{2} + *cartucho* + *-ar*^{2}.] ***V. t. d.*** **1.** Meter em cartucho. **2.** Dar forma de cartucho a.

encarvoar [De *en-*^{2} + *carvão* + *-ar*, com desnasalação.] ***V. t. d.*** **1.** Sujar de, ou com carvão; encarvoejar. ***P.*** **2.** Sujar-se de carvão. **3.** Converter-se em carvão. [Conjug.: v. *coroar*.]

encarvoejar [De *en-*^{2} + *carvão* + *-ejar*, com desnasalação.] ***V. t. d.*** **1.** Encarvoar (1). **2.** Tornar escuro; escurecer, denegrir. [Conjug.: v. *pelejar*.]

encasacado [Part. de *encasacar*.] ***Adj.*** **1.** Vestido de casaco ou casaca: "Já passavam dez minutos das cinco horas quando eu saí do teatro — perfeitamente enluvado e encasacado" (Artur Azevedo, *Contos Possíveis*, p. 13). **2.** Em traje cerimonioso. **3.** *Bras. Pop.* Bem agasalhado.

encasacar-se [De *en-*^{2} + *casaco* ou *casaca* + *-ar*^{2} + *se*^{1}.] ***V. p.*** **1.** Vestir-se com casaco ou casaca. **2.** Pôr traje cerimonioso. [Conjug.: v. *trancar*.]

encasado [Part. de *encasar*.] ***S. m.*** *Art. Gráf.* Caderno metido dentro de outro, para completar determinado conjunto de páginas. [Sin., ant.: *enforcado*.]

encasamento [De *encasar*^{1} + *-mento*.] ***S. m.*** **1.** Ato de encasar(-se). **2.** Entalhe, encaixe.

encasar^{1} [De *en-*^{2} + *casa* + *-ar*^{2}.] ***V. t. d.*** **1.** Pôr no seu lugar. **2.** Meter na respectiva casa: "Pombinha acabava de encasar o último botão do corpinho" (Aluísio Azevedo, *O Cortiço*, p. 197). **3.** Meter no encaixe; encaixar. **4.** Insinuar, sugerir, insuflar: *encasar uma ideia, um sentimento.* **5.** *Art. Gráf.* Meter (folhas impressas e dobradas) dentro de outras; intercalar.

encasar^{2} [De *en-*^{2} + *casar*.] ***V. t. d.*** Fazer harmonizar; acomodar; conciliar; combinar.

encascar^{1} [De *en-*^{2} + *casca* + *-ar*^{2}.] ***V. t. d.*** **1.** Forrar (a parede) de argamassa; rebocar. ***Int.*** **2.** Criar casca (a árvore). **3.** Endurecer à superfície. [Conjug.: v. *trancar*.]

encascar^{2} [De *en-*^{2} + *casco* + *-ar*^{2}.] ***V. t. d.*** **1.** Meter em casco; envasilhar: *encascar bebidas.* ***Int.*** **2.** Criar casco (o cavalo). [Conjug.: v. *trancar*.]

encasmurrar [De *en-*^{2} + *casmurro* + *-ar*^{2}.] ***V. t. d. P.*** Tornar(-se) casmurro.

encasque^{1} [Dev. de *encascar*^{1}.] ***S. m. Bras.*** Revestimento constituído de fragmentos de pedras, tijolos e telhas, com argamassa, com o fim de regularizar o paramento da parede.

encasque^{2} [Dev. de *encascar*^{2}.] ***S. m.*** Ato ou efeito de encascar^{2}.

encasquetado [Part. de *encasquetar*.] ***Adj.*** Obstinado, obcecado.

encasquetar [De *en-*^{2} + *casquete* + *-ar*^{2}.] ***V. t. d.*** **1.** Cobrir com casquete ou barrete. **2.** Meter na cabeça, no juízo, no casco: *Quando encasqueta determinada ideia, dela não abre mão.* ***T. d. e i.*** **3.** Persuadir, induzir: *Encasquetou o rapaz a deixar o emprego.* ***P.*** **4.** Cobrir a cabeça com casquete ou barrete. **5.** Persuadir-se; obstinar-se.

encasquilhar^{1} [De *en-*^{2} + *casquilha* + *-ar*^{2}.] ***V. t. d.*** Cobrir com casquilhas de metal.

encasquilhar^{2} [De *en-*^{2} + *casquilho* + *-ar*^{2}.] ***V. t. d. P.*** Tornar(-se) casquilho, janota; aperaltar-se, ajanotar-se.

encastelado [Part. de *encastelar*.] ***Adj.*** **1.** Acastelado (2). **2.** Sobreposto, acumulado, amontoado; acastelado. **3.** V. *acastelado* (3). **4.** *Veter.* Que sofreu encastelamento (2); encanudado.

encastelamento [De *encastelar* + *-mento*.] ***S. m.*** **1.** Ato ou efeito de encastelar(-se): "ao fundo do horizonte, para sul, o encastelamento fantástico das grandes nuvens plúmbeas" (Trindade Coelho, *Os Meus Amores*, p. 157). **2.** *Veter.* Alteração dos cascos dos equídeos, representada pela aproximação dos quartos e talões.

encastelar [De *en-*^{2} + *castelo* + *-ar*^{2}.] ***V. t. d.*** **1.** Construir à maneira de castelo; acastelar. **2.** Fortificar com castelo(s); acastelar. **3.** Pôr em lugar alto. **4.** Amontoar, acumular, empilhar; acastelar. ***Int.*** **5.** *Bras. C.O. S. Cineg.* Passar (a perdiz levantada) da direção vertical para a horizontal, voando sem grande esforço. [Sin. (bras. BA): *serenar*.] ***P.*** **6.** Recolher-se ou encerrar-se em castelo ou lugar forte para se defender; acastelar-se. **7.** Amontoar-se, acumular-se; acastelar-se: *Nuvens encastelavam-se no horizonte.* **8.** *Fig.* Fazer-se forte; fortalecer-se, fortificar-se. **9.** *Fig.* Apoiar-se, estribar-se, fundamentar-se.

encastoar [De *en-*^{2} + *castão* + *-ar*^{2}, com desnasalação.] ***V. t. d.*** **1.** Pôr castão em. **2.** Engastar; embutir. [Conjug.: v. *coroar*.]

encastramento [De *encastrar* + *-mento*.] ***S. m.*** Ato de encastrar.

encastrar [Do fr. *encastrer*.] ***V. t. d.*** Encaixar; engranzar, endentar.

encasular [De *en-*^{2} + *casulo* + *-ar*^{2}.] ***V. t. d.*** **1.** Meter dentro do casulo. **2.** *Fig.* Encerrar, enclausurar.

encataplasmar [De *en-*^{2} + *cataplasma* + *-ar*^{2}.] ***V. t. d.*** **1.** Cobrir de cataplasmas. **2.** Tornar doentio, achacadiço. [F. paral.: *cataplasmar*.]

encatarrado [Part. de *encatarrar-se*.] ***Adj.*** V. *acatarrado*.

encatarrar-se [De *en-*^{2} + *catarro* + *-ar*^{2} + *se*^{1}.] ***V. p.*** **1.** Adoecer com catarro. **2.** Endefluxar-se, constipar-se. **3.** Enrouquecer. [Sin. ger.: *encatarroar-se*.]

encatarroado [Part. de *encatarroar-se*.] ***Adj.*** V. *acatarrado*.

encatarroar-se [De *en-*^{2} + *catarro* + *-oar* + *-se*^{1}.] ***V. p.*** V. *encatarrar-se*. [Conjug.: v. *coroar*.]

encatrinar-se *V. p. Pop.* Embebedar-se, embriagar-se (q. v.).

encauchado [Part. de *encauchar*.] *S. m. Bras.* **1.** Saco de borracha. **2.** Saco impermeabilizado com caucho.

encauchar [De *en-*^{2} + *caucho* + *-ar*^{2}.] *V. t. d. Bras.* Tornar (um saco ou um pano) seco e impermeável por meio de caucho.

encauma [Do gr. *énkauma*.] *S. m.* **1.** *Oftalm.* Úlcera não superficial de córnea. **2.** Cicatriz de queimadura.

encausta [Do gr. *enkaustés*, pelo lat. *encaustes*.] *S. 2 g.* Pessoa que trabalha em encáustica.

encaustes *S. 2 g. e 2 n.* V. *encausta*.

encáustica [Do gr. *enkaustiké*, pelo lat. *encaustica*.] *S. f.* **1.** *Art. Plást.* Técnica de pintura baseada no uso de pigmentos e cera tratados a quente, ou a frio (em que a cera é diluída com terebintina – *encáustica a frio*), conhecida desde a Antiguidade, e caracterizada pelo efeito translúcido que produz. **2.** Preparado de cera e essência de terebintina, us. para dar brilho a móveis e soalhos. [Cf. *encaustica*, do v. *encausticar*.] ◆ **Encáustica a frio.** *Art. Plást.* V. *encáustica* (1).

encausticar [De *encáustica* + *-ar*^{2}.] *V. t. d.* Passar encáustica (2) em. [Conjug.: v. *trancar*. Pres. ind.: *encaustico, encausticas, encaustica*, etc. Cf. *encáustico* e *encáustica*.]

encáustico [Do gr. *enkaustikós*, pelo lat. *encausticu*.] *Adj.* Referente à encáustica. [Cf. *encaustico*, do v. *encausticar*.]

encava [De *encavo*.] *S. f. Arquit.* Espécie de cavilha com que se unem dois elementos.

encavacado [Part. de *encavacar*.] *Adj.* Que deu o cavaco (v. *dar o cavaco*); amuado, zangado.

encavacar [De *en-*^{2} + *cavaco*^{2} + *-ar*^{2}.] *V. int.* **1.** Dar o cavaco (q. v.); amuar-se, embezerrar-se. **2.** Envergonhar-se, vexar-se. [Conjug.: v. *trancar*.]

encavalar [De *en-*^{2} + *cavalo*^{1} + *-ar*^{2}.] *V. t. d.* **1.** V. *cavalgar* (1 e 2). **2.** Sobrepor, acavalar. *P.* **3.** Pôr-se sobre; montar-se, escanchar-se.

encavalgado [Part. de *encavalgar*.] *Adj.* V. *escanchado* (2).

encavalgamento [De *encavalgar* + *-mento*.] *S. m.* **1.** Ação ou efeito de encavalgar; cavalgamento. **2.** *Arte Poét.* V. *enjambement*.

encavalgar [De *en-*^{2} + *cavalgar*.] *V. t. d.* V. *cavalgar* (1 e 2). [Conjug.: v. *largar*.]

encavar [De *en-*^{2} + *cava* + *-ar*^{2}.] *V. t. d.* **1.** Meter na cava ou cavidade. **2.** Abrir cava em; escavar.

encavernar [De *en-*^{2} + *caverna* + *-ar*^{2}.] *V. t. d.* **1.** Meter em caverna; encovilar. *P.* **2.** Esconder-se; ocultar-se.

encavilhar [De *en-*^{2} + *cavilha* + *-ar*^{2}.] *V. t. d.* V. *cavilhar*.

encavo [Dev. de *encavar*.] *S. m.* Numa superfície, a parte cavada, o côncavo.

encedrar [De *en-*^{2} + **cedra*, por *cédula*, + *-ar*^{2}.] *V. t. d. Bras. PE Pop.* Aumentar (o dinheiro) no jogo, de maneira que tenha valor igual ao de uma cédula.

encefalalgia [De *encefal(o)-* + *-alg(o)-*^{2} + *-ia*^{1}.] *S. f. Patol.* V. *cefaleia*.

encefalálgico [De *encefalalgia* + *-ico*^{2}.] *Adj.* Relativo a encefalalgia.

encefálico [De *encéfalo* + *-ico*^{2}.] *Adj.* Relativo ou pertencente ao encéfalo. ~ V. *vesículas —as primitivas*.

encefalina [De *encefal(o)-* + *-ina*^{3}; ingl. *enkephalin*.] *S. f. Bioquím.* Cada um de dois pentapeptídeos opioides (met-encefalina e leu-encefalina) que têm função como neurotransmissor em diversos locais do encéfalo e da medula espinhal.

encefalite [De *encefal(o)-* + *-ite*^{1}.] *S. f. Neur.* Processo inflamatório do encéfalo, de origem infecciosa, esp. viral. ◆ **Encefalite letárgica.** *Neur.* Doença epidêmica, infecciosa, em que o indivíduo apresenta, de modo crescente, lassidão, apatia e sonolência, passando à letargia.

▲**encefal(o)-** [Do gr. *enképhalos, os, on*.] *El. comp.* = 'encéfalo': [Equiv.: *-encefal(o)-, -encéfalo*: *bariencefalia, encefalólito, metencéfalo*.]

▲**-encefal(o)-** V. *encefal(o)-*.

encéfalo [Do gr. *enképhalos*.] *S. m. Anat.* Parte do sistema nervoso central contida na caixa craniana, e que abrange o cérebro, o cerebelo e o tronco cerebral.

▲**-encéfalo** V. *encefal(o)-*.

encefalocele [De *encefal(o)-* + *-cele*^{1}.] *S. f. Neur.* Hérnia encefálica.

encefalografia [De *encefal(o)-* + *-grafia*.] *S. f.* **1.** Descrição do encéfalo. **2.** *Radiol. Impr.* V. *encefalograma*.

encefalograma [De *encefal(o)-* + *-grama*.] *S. m. Radiol.* Imagem radiográfica encefálica das cavidades que contêm líquido cefalorraquiano, e obtida após retirada desse líquido e introdução de ar ou outro meio de contraste. [Sin., impr.: *encefalografia*.]

encefaloide (ói) [De *encefal(o)-* + *-oide*.] *Adj. 2 g.* Que se assemelha ao encéfalo. ❖

encefalólito [De *encefal(o)-* + *-lito*.] *S. m. Patol.* Cálculo (4) encefálico.

encefalologia [De *encefal(o)-* + *-logia*.] *S. f.* O conjunto dos conhecimentos relativos ao encéfalo.

encefalológico [De *encefalologia* + *-ico*^{2}.] *Adj.* Relativo à encefalologia.

encefaloma [De *encefal(o)-* + *-oma*^{1}.] *S. m. Neur.* Qualquer tumefação ou tumor encefálico.

encefalopatia [De *encefal(o)-* + *-patia*.] *S. f. Neur.* Qualquer doença encefálica. ◆ **Encefalopatia espongiforme.** *Neur.* Doença mortal, presumivelmente causada por príon (q. v.) na qual se produzem buracos no encéfalo, que passa a ter o aspecto de uma esponja.

enceguecer [De *en-*^{2} + *cego* + *-ecer*.] *V. int.* Ficar cego; cegar. [Conjug.: v. *aquecer*.]

enceguecimento [De *enceguecer* + *-imento*.] *S. m.* Ação ou efeito de enceguecer.

encegueirado [De *en-*^{2} + *cegueira* + *-ado*^{1}.] *Adj. Bras. CE BA Prov. port.* Aferrado a um sentimento, uma ideia, um vício; obcecado.

encelado [Part. de *encelar*.] *Adj.* Metido em cela; enclaustrado. [Cf. *Encélado*, s. m., e *ensilado*, part. do v. *ensilar*.]

encélado [Do mit. gr. *Enkélados*.] *S. m.* **1.** Na mitologia grega, um dos cem gigantes armados que guerrearam contra os deuses; foi vencido por Palas ou Atena (v. *minerval*). **2.** *Astr.* Satélite de Saturno, com cerca de 500km de diâmetro e magnitude aparente de 11,8 na oposição. [Com cap.; cf. *encelado*, part. de *encelar* e adj.]

encelar [De *en-*^{2} + *cela* + *-ar*^{2}.] *V. t. d.* Meter em cela; enclaustrar. [Part.: *encelado*. Cf. *Encélado*, s. m., e *ensilado*, part. do v. *ensilar*.]

enceleirar [De *en-*^{2} + *celeiro* + *-ar*^{2}.] *V. t. d.* **1.** Recolher em celeiro. **2.** Fazer depósito ou provisão de; armazenar. **3.** Acumular, amontoar; entesourar.

encélia [Do tax. *Encelia*.] *S. f. Bot.* **1.** Gênero de arbustos asteráceos, do S.O. dos E.U.A. e do N. do México; têm folhas lineares, flores em capítulos radiados e aquênios achatados. **2.** Qualquer espécie desse gênero. **3.** Qualquer espécime desse gênero, ou a flor dele.

encelialgia [Do gr. *enkoília*, 'entranha', + *-alg(o)-*^{2} + *-ia*^{1}.] *S. f. Med.* Dor em víscera abdominal.

encelialgico [De *encelialgia* + *-ico*^{2}.] *Adj.* Referente a encelialgia.

encelite [Do gr. *enkoília*, 'entranhas', + *-ite*^{1}.] *S. f. Med.* Inflamação de víscera abdominal.

encenação [De *encenar* + *-ção*.] *S. f.* **1.** *Teatr.* Ato ou efeito de encenar; direção teatral. **2.** *Teatr.* Espetáculo teatral; montagem. **3.** *Fig.* Fita, fingimento. **4.** *Fig.* Conjunto de providências e/ou atitudes, etc., tendentes a impressionar ou iludir a outrem.

encenador (ô) [De *encenar* + *-dor*.] *S. m. Teatr.* V. *diretor* (5): "Modificando o panorama brasileiro, em que o intérprete principal assegurava o prestígio popular da apresentação, independentemente do texto, do resto do elenco e dos acessórios, *Os Comediantes* transferiram para o encenador o papel de vedeta." (Sábato Magaldi, *Panorama do Teatro Brasileiro*, p. 193.)

encenar [De *en-*^{2} + *cena* + *-ar*^{2}.] *V. t. d.* **1.** *Teatr.* Coordenar, ensaiar e levar à cena (um espetáculo); pôr em cena: *O diretor encenou* Hamlet *com ótimo elenco*. **2.** *Fig.* Ostentar; exibir: *Gosta de encenar autoridade*. *Int.* **3.** Coordenar, ensaiar e levar à cena um espetáculo. **4.** *Fig.* Agir com encenação (4); fingir, simular.

encendrar [De *acendrar*, com mudança de pref. (v. *en-*^{2}).] *V. t. d.* V. *acendrar* (2).

encentrar [De *en-*^{2} + *centrar*.] *V. t. d.* V. *concentrar* (1).

encepar [De *en-*^{2} + *cepo* + *-ar*^{2}.] *V. t. d.* **1.** Pôr em cepo. **2.** *Marinh.* Pôr o cepo de (uma âncora) perpendicularmente à haste, quando ela é desmontável. *Int.* **3.** *Marinh.* Enrolar-se no cepo da âncora.

enceradeira [De *encerar* + *-deira*.] *S. f. Bras.* Aparelho para encerar soalhos, pisos, etc. [Sin. (lus.): *enceradora*.]

encerado [Part. de *encerar*.] *Adj.* **1.** Coberto de cera. **2.** Que adquiriu a cor da cera. **3.** *Bras.* Diz-se do cavalo de pelo baio-escuro. ● *S. m.* **4.** Oleado (2). **5.** *Bras. Amaz.* Saco de algodão, estopa, etc., impermeabilizado manualmente com látex natural: "Não fossem os encerados, que cobrem nossos mosquiteiros à noite, já teríamos todos morrido." (Edilson Martins, *Makaloba*, p. 145.)

encerador (ô) [De *encerar* + *-dor*.] *S. m. Bras.* Aquele que encera soalhos. [Cf. *enseirador*.]

enceradora (ô) [De *encerar* + *-dora*.] *S. f. Lus.* Enceradeira.

enceradura [De *encerar* + *-dura*.] *S. f.* Enceramento.

enceramento [De *encerar* + *-mento*.] *S. m.* Ato ou efeito de encerar(-se); enceradura. [Cf. *enseiramento*.]

encerar [De *en-*^{2} + *cera* + *-ar*^{2}.] *V. t. d.* **1.** Untar ou cobrir de cera (tecido ou madeira). **2.** Dar a cor de cera a. **3.** Misturar com cera. *P.* **4.** Tornar-se da cor da cera. [Pres. subj.: *encere, encerес, ..., encerem*. Cf. *enseirar* e *insere, insere, inserem*, do v. *inserir*.]

encerebração [De *en-*^{2} + *cerebração*.] *S. f.* **1.** Desenvolvimento intelectual. **2.** Maneira de pensar; orientação.

encerebrar [De *en-*^{2} + *cérebro* + *-ar*^{2}.] *V. t. d.* Meter no cérebro; fixar na memória; fixar, decorar; aprender.

enceroilar *V. t. d.* V. *enceroular*.

enceroular [De *en-*^{2} + *ceroula* + *-ar*^{2}.] *V. t. d.* **1.** Dar forma de ceroulas a. **2.** Usar como ceroulas. [Var.: *enceroilar*.]

encerra [Dev. de *encerrar*.] *S. f. Bras. RS* **1.** Ato de recolher o gado ao curral. **2.** Espécie de curral de feitio muito semelhante ao dos currais de peixe, feito no meio do campo para apanhar baguais.

encerramento [De *encerrar* + *-mento*.] *S. m.* Ato ou efeito de encerrar(-se); encerro, cerramento.

encerrar [De *en-*^{2} + *cerrar*.] *V. t. d. e c.* **1.** Meter ou guardar (em lugar que se fecha): *Encerrou no cofre as joias e o dinheiro*; *Encerrou o prisioneiro na solitária*. *T. d.* **2.** Conter, incluir: *O telegrama encerrava os cumprimentos de toda a família*; *A obra derradeira do autor encerra todo o seu pensamento filosófico*. **3.** Pôr termo a; concluir, terminar, rematar: *Encerrou a discussão com um argumento irrefutável*. **4.** *Bras. S.* Prender (o gado) na encerra. *T. d. e i.* **5.** Guardar ou fechar dentro de (algo ou, fig., alguém): "Encerra em ti tua tristeza inteira." (Manuel Bandeira, *Estrela da Vida Inteira*, p. 46.) *P.* **6.** Pôr-se dentro de algum lugar: "Encerrou-se no seu quarto José Macário. Deitou-se." (Camilo Castelo Branco, *História e Sentimentalismo*, p. 187.) **7.** Ter término, fim: "Aluísio ainda participou de *Minha secretária brasileira*, mas ali se encerrou o seu primeiro ciclo com Cármen e com o Bando da Lua." (Rui Castro, *Cármen*, p. 349.) **8.** Limitar-se, resumir-se. [Pres. ind.: *encerro*, etc. Cf. *encerro* (ê).]

encerro (ê) [Dev. de *encerrar*.] *S. m.* **1.** V. *encerramento*. **2.** Lugar onde se encerra alguém ou algo. [Pl.: *encerros* (ê). Cf. *encerro*, do v. *encerrar*.]

encervejar [De *en-*^{2} + *cerveja* + *-ar*^{2}.] *V. t. d.* **1.** Dar cerveja a. *P.* **2.** Tomar cerveja. [Conjug.: v. *pelejar*.]

encestar [De *en-*^{2} + *cesto* (ê) + *-ar*^{2}.] *V. t. d.* **1.** *Bras.* Arrecadar (qualquer objeto) em cesto. **2.** *Basq.* Fazer que entre (a bola) na cesta. **3.** *Gír.* Bater em; espancar. *Int.* **4.** *Basq.* Converter (11). [Pres. ind.: *encesto*, etc. Cf. *incestar*, v., e *incesto*, deste verbo e s. m.]

encetadura [De *encetar* + *-dura*.] *S. f.* Encetamento.

encetamento [De *encetar* + *-mento*.] *S. m.* Ato de encetar; encetadura. [Cf. *incitamento*.]

encetar [Do lat. *inceptare*.] *V. t. d.* **1.** Começar, principiar, iniciar: *encetar uma conversa*; "Ia e vinha, trêmula, ... encetando serviços que deixava em meio" (Xavier Marques, *Jana e Joel*, p. 110). **2.** Começar a gastar ou a cortar. **3.** Tirar parte de (coisa que estava inteira). **4.** Experimentar pela primeira vez; estrear. *P.* **5.** Fazer algo em primeiro lugar ou pela primeira vez; estrear-se. [Pres. ind.: *enceto*, etc. Cf. *inseto*, s. m., e *incitar*.]

enchacotar [De *en-*^{2} + *(louça de) chacota* (q. v.) + *-ar*^{2}.] *V. t. d.* Dar a primeira cozedura a (a louça) antes de vidrá-la e pintá-la.

enchafurdar [De *en-*^{2} + *chafurdar*.] *V. t. c. T. i. T. d. T. d. e c. P.* V. *chafurdar*.

enchamboado [De *en-*^{2} + *chambão* + *-ado*^{1}, com desnasalação.] *Adj. Bras.* **1.** Gordo a ponto de ter a cintura tão larga quanto os ombros. **2.** Malfeito de corpo. **3.** Vestido com roupa de mau gosto e/ou malfeita; achamboado. **4.** Esfarrapado, maltrapilho.

enchapelado [Part. de *enchapelar-se*.] *Adj.* Coberto com chapéu: "E ali estava ela agora, enchapelada e contente, ... a caminho da igreja" (Josué Montelo, *Cais da Sagração*, p. 17).

enchapelar-se [De *en-*^{2} + *chapel-*, como em *chapelaria*, + *-ar*^{2} + *se*^{1}.] *V. p.* **1.** Cobrir-se com chapéu. **2.** *Restr.* Pôr (uma mulher) o chapéu, especialmente para ir a uma festa ou solenidade.

enchapinado *Adj.* Diz-se dos cascos das bestas muito endurecidos e defeituosos.

encharcadiço *Adj.* **1.** Que se encharca facilmente. **2.** Sujeito a encharcar(-se), a converter-se em charco; alagadiço: *terras encharcadiças*.

encharcamento [De *encharcar* + *-mento*.] *S. m.* Ação ou efeito de encharcar(-se).

encharcar [De *en-*^{2} + *charco* + *-ar*^{2}.] *V. t. d.* **1.** Converter em charco, pântano, paul; empantanar, apaular. **2.** Encher de água; alagar, inundar. **3.** Molhar muito; ensopar: *A chuvarada encharcou-o*. *P.* **4.** Converter-se em pântano, charco, paul; empantanar-se, apaular-se. **5.** Meter-se em charco ou atoleiro; atolar-se, atascar-se. **6.** Molhar-se inteiramente; ensopar-se. **7.** V. *embriagar* (4). **8.** V. *ensopar* (5). [Conjug.: v. *trancar*.]

encharolar [De *en-*^{2} + *charola* + *-ar*^{2}.] *V. t. d.* Pôr em charola.

enchavetar [De *en-*^{2} + *chaveta* + *-ar*^{2}.] *V. t. d.* Segurar com chaveta.

enche-cabresto [De *encher* + *cabresto*.] *S. m. Bras. SP Pop.* Ladrão de animais. [Pl.: *enche-cabrestos*.]

encheção [De *encher* + *-ção*.] *S. f. Bras. Gír.* Ato ou efeito de encher (10); amolação, aborrecimento, chateação, maçada.

enchedeira [De *encher* + *-deira*.] *S. f.* Pequeno funil com que se enchem os chouriços.

enche-mão [De *encher* + *mão*[1].] ***El. s. m.*** Us. na loc. adj. *de enche-mão*. ◆ **De enche-mão. 1.** De mão-cheia (q. v.): *uma empregada de enche-mão*. **2.** Perfeito, ótimo, primoroso: *um serviço de enche-mão*.

enchente [De *encher* + *-nte*.] ***S. f.* 1.** Grande quantidade de água que se acumulou em rio, lago, etc., esp. em decorrência de chuva forte, e que, ao transbordar, provoca inundação de terras adjacentes; cheia: *A enchente deste ano foi terrível*. **2.** Inundação causada por enchente (1) ou por chuva torrencial; alagação, alagamento: *A cidade está sujeita a enchentes no verão*. **3.** *Fig.* Excesso, superabundância, exabundância: *Grande safra, a deste ano: houve enchente de frutas*; *A enchente de veranistas matou o sossego de Petrópolis*. **4.** Afluência extraordinária de gente a um teatro, cinema ou qualquer casa de espetáculos, sala de conferências, etc. [Sin., nesta acepç., (bras., gír.): *chuá*.] ◆ **Enchente da Lua.** O tempo em que a Lua vai para cheia. **Enchente da maré.** *Geofís.* Fase da maré entre a baixa-mar e a preamar seguinte. [Antôn.: *vazante da maré*.]

encher [Do lat. *implere*.] ***V. t. d.* 1.** Ocupar o vão, a capacidade ou a superfície de; tornar cheio (1) ou repleto: *encher o cachimbo, o copo*; *encher a barriga*; "Sonho que um verso meu tem claridade / Para encher todo o mundo!" (Florbela Espanca, *Sonetos Completos*, p. 22). **2.** Ocupar, tomar, preencher: *As pesquisas enchem o seu tempo*. **3.** Satisfazer, cumprir, desempenhar: *encher as obrigações*. **4.** Saciar; fartar: "Queriam forçar-me a excessivo alimento, encher-me .... o estômago fraco." (Graciliano Ramos, *Viagem*, p. 33.) **5.** Espalhar-se, espargir-se, difundir-se por: *O aroma de rosas enchia todo o quarto*; *O som da trompa enche o vale*. **6.** Existir ou mostrar-se em grande quantidade em; abundar em: *Os turistas enchiam a cidade*. **7.** *Bras. Pop.* Emprenhar (1). ***T. d. e i.* 8.** Cobrir, cumular: *Enche os filhos de presentes*; *Encheram-no de insultos*; "Por entre os trigos as mondadeiras / Enchem as várzeas de cantorias." (Conde de Monsaraz, *Musa Alentejana*, p. 15). ***Int.* 9.** Tornar-se gradualmente cheio: *A maré encheu*. **10.** *Bras. Gír.* Encher o saco (q. v.). ***P.* 11.** Tornar-se cheio: "Todo o mosteiro encheu-se de tristeza" (Maranhão Sobrinho, *Papéis Velhos*, p. 24). **12.** Abarrotar-se, fartar-se, saciar-se. **13.** Acumular riquezas; enriquecer por meios ilícitos. **14.** Aborrecer-se, chatear-se; amolar-se. [Part.: *enchido* e *cheio*.] ◆ **Encher-se de si.** Envaidecer-se.

enchido [Part. de *encher*.] ***Adj.* 1.** Cheio, repleto. ● ***S. m.* 2.** Chumaço; almofada. **3.** Designação genérica de preparações alimentícias, domésticas ou industriais, constituídas de carne picada de diversas naturezas, metida em tripas, e assim consumida, como, p. ex., o paio, a linguiça, a salsicha, etc. [Sin. (bras.): *embutido*. Cf., nesta acepç., *salsicharia*.]

enchimento [De *encher* + *-imento*.] ***S. m.* 1.** Ato ou efeito de encher(-se). **2.** Coisa com que se enche; recheio. **3.** *Bras. AM* V. *enxameação*. **4.** *Bras. PE* Armazém que compra e vende álcool e aguardente em grosso.

enchiqueirador (ô) [De *enchiqueirar* + *-dor*.] ***S. m.* 1.** *Bras. RS* Relho de açoiteira longa usado pelo camponês para tocar o gado. [Cf. *chiqueirador*.] **2.** Indivíduo encarregado de recolher os animais ao chiqueiro.

enchiqueirar [De *en-*[2] + *chiqueiro* + *-ar*[2].] ***V. t. d.* 1.** *Bras.* Meter no chiqueiro. **2.** *Bras. RS Pop.* Meter (alguém), por força ou por manha, em beco sem saída; cercar. ***Int.* 3.** *Bras.* Entrar (o peixe) no chiqueiro (4).

enchocalhação [De *enchocalhar* + *-ção*.] ***S. f.*** Ato de enchocalhar.

enchocalhar [De *en-*[2] + *chocalho* + *-ar*[2].] ***V. t. d.*** Pôr chocalho em (animal).

enchoçar [De *en-*[2] + *choça* + *-ar*[2].] ***V. t. d.* 1.** Meter em choça. ***T. d. e c.* 2.** Encurralar, encerrar: *Enchoçou o foragido no sótão*. ***P.* 3.** Recolher-se em choça. [Conjug.: v. *laçar*.]

enchoiriçado [Part. de *enchoiriçar*.] ***Adj.*** V. *enchouriçado*.

enchoiriçar ***V. t. d. P.*** V. *enchouriçar*. [Conjug.: v. *laçar*.]

enchouriçado [Part. de *enchouriçar*.] ***Adj.*** Altivo, orgulhoso, arrogante. [Var.: *enchoiriçado*.]

enchouriçar [De *en-*[2] + *chouriço* + *-ar*[2].] ***V. t. d.* 1.** Dar a configuração de chouriço a. **2.** *Pop.* Aborrecer, amolar: *F., vá enchouriçar outra pessoa*. ***P.* 3.** Tornar-se espesso; espessar-se, engrossar(-se). **4.** Encrespar-se; ouriçar-se; enraivecer-se. [Var.: *enchoiriçar*. Conjug.: v. *laçar*.]

enchova (ô) [Var. de *anchova* (< gen. *anciua*).] ***S. f.*** *Zool.* **1.** Peixe pomatomídeo (*Pomatomus saltatrix*), de corpo alongado, comum nos mares quentes e temperados, com exceção do Pacífico oriental; tem o dorso verde-azulado, os flancos cinza-prateados e o abdome brancacento. Atinge até 1,20m e pode pesar até 14kg, nada em cardumes e alimenta-se, vorazmente, de outros peixes, moluscos e crustáceos. [Sin.: *enchovinha, enchova-baeta, marisqueira*.] **2.** V. *manjuba* (1). [Cf. *enxova*.]

enchova-baeta ***S. m.*** *Zool.* V. *enchova* (1). [Pl.: *enchovas-baetas*.]

enchova-preta [Var. de *anchova-preta*.] ***S. f.*** *Bras.* Peixe actinopterígio, perciforme, gempilídeo (*Ruvettus pretiosus*), do Atlântico e Mediterrâneo, de coloração vermelho-escura, com espinhos brancos semelhantes a pontos, de carne venenosa, e que atinge 2m de comprimento; cavala-africana, pescada-de-angola, peixe-purgativo, peixe-prego. [Pl.: *enchovas-pretas*.]

enchovinha [Dim. de *enchova*.] ***S. f.*** *Bras. Zool.* V. *enchova* (1).

enchumaçar [De *en-*[2] + *chumaço* + *-ar*[2].] ***V. t. d.* 1.** Pôr chumaço em; chumaçar. **2.** Estofar, acolchoar; chumaçar. [Conjug.: v. *laçar*.]

▲**-ência** [Do lat. *-entĭa*, por via semierudita.] Equiv. de *-ença*.

enciclia [Do gr. *énkyklos*, 'circular', + *-ia*[1].] ***S. f.*** Ondulação circular na água, produzida pela queda de um corpo, como, p. ex., uma pedra.

encíclica [Do lat. ecles. (*Litterae*) *Encyclicae* (< lat. tard. *encyclicus* < gr. *enkýklios*, 'circular').] ***S. f.*** *Rel.* Carta circular pontifícia.

encíclico [Do lat. tard. *encyclicu* < gr. *enkýklios*, 'circular'.] ***Adj.* 1.** Circular, orbicular. **2.** *Rel.* Pertencente ou relativo a encíclica.

enciclopédia [Do lat. mod. *encyclopaedia* < *enkýklios paideía*, 'instrução circular, geral'.] ***S. f.* 1.** Conhecimentos relativos a todas as ciências humanas. **2.** *P. ext.* Obra de referência que expõe metodicamente os fatos, as doutrinas, resultados do saber humano universal ou específico de um ramo do conhecimento, biografias de grandes vultos, etc., e na qual se adota em geral a ordem alfabética. **3.** *Fig.* Indivíduo de vastos conhecimentos, de muito saber; enciclopédia viva; enciclopédico; dicionário vivo; dicionário. ◆ **Enciclopédia viva.** V. *enciclopédia* (3).

enciclopédico [De *enciclopédia* + *-ico*[2].] ***Adj.* 1.** Pertencente ou relativo a enciclopédia: *dicionário enciclopédico*. **2.** Que abrange todo o saber: *conhecimento enciclopédico*. ● ***S. m.* 3.** V. *enciclopédia* (3).

enciclopedismo [De *enciclopédia* + *-ismo*.] ***S. m.* 1.** O sistema dos enciclopedistas (q. v.). **2.** Conjunto de conhecimentos enciclopédicos: *o enciclopedismo da Renascença*. **3.** Tendência a acumular conhecimentos nos diversos campos do saber: *O quase enciclopedismo de sua cultura por vezes o desorienta*.

enciclopedista[1] [De *enciclopédia* + *-ista*.] ***S. 2 g.*** Autor ou colaborador de enciclopédia. ~ V. *enciclopedistas*.

enciclopedista[2] [Do fr. *encyclopédiste*.] ***Adj. 2 g.*** Pertencente ou relativo à escola dos enciclopedistas. ~ V. *enciclopedistas*.

enciclopedistas [Pl. de *enciclopedista*[2].] ***S. m. pl.*** Os filósofos e escritores franceses — Montesquieu, D'Alembert, Diderot, Voltaire, etc. —, que elaboraram a Enciclopédia do séc. XVIII. ~ V. *enciclopedista*.

encilhada [De *encilhar* + *-ada*[1].] ***S. f.*** *Bras. RS* Ato de encilhar e montar o animal; encilhadela: *Aquele poldro tem quatro encilhadas*.

encilhadela [De *encilhar* + *-dela*.] ***S. f.*** *Bras. RS* **1.** Encilhada. **2.** Porção de erva-mate que se sobrepõe à que já foi usada, para o mate ficar mais forte.

encilhador (ô) [De *encilhar* + *-dor*.] ***S. m.*** *Bras. S.* Aquele que encilha um animal.

encilhamento [De *encilhar* + *-mento*.] ***S. m.* 1.** Ato de encilhar. **2.** *Bras.* Período após a proclamação da República (1889-1891) quando, em decorrência de expansão de crédito para empresas industriais, houve criação de numerosas sociedades anônimas e intensa especulação com ações: "O encilhamento estonteava. Fechavam-se diariamente na bolsa .... negócios fabulosos, subindo a milhares de contos de réis." (Leôncio Correia, *A Boêmia do Meu Tempo*, p. 139.) [Por alusão, nesta acepç., ao encilhamento dos cavalos antes da corrida, quando se intensifica o movimento das apostas.]

encilhar [De *en-*[2] + *cilha* + *-ar*[2].] ***V. t. d.* 1.** Apertar com cilha (a cavalgadura). **2.** Arrear (a cavalgadura). **3.** *Bras. RS* Pôr uma porção de (erva-mate) sobre outra na cuia, a fim de tornar o mate mais forte.

encimado [Part. de *encimar*.] ***Adj.* 1.** Elevado, alçado. **2.** Que traz na parte superior: "uma fileira de casas encimadas por chaminés" (Moacir Scliar, *Os Leopardos de Kafka*, p. 43). ● ***S. m.* 3.** *Heráld.* Remate sobre o escudo de armas.

encimar [De *en-*[2] + *cima* + *-ar*[2].] ***V. t. d.* 1.** Colocar em cima de: *Procurou uma bela frase para encimar a escultura*. **2.** Estar situado acima de: "Levantando-se da poltrona, foi até à prateleira de mármore, que encima a lareira, e dali trouxe revista e papéis." (Ciro dos Anjos, *Abdias*, p. 71.) **3.** Ser o remate de; rematar, coroar: *Uma coroa heráldica encimava a figura*. ***Bit. i.* 4.** Elevar, alçar: *O Príncipe D. Pedro foi encimado ao trono do Brasil com o título de imperador*.

encinchar [De *en-*[2] + *cincho*[1] + *-ar*[2].] ***V. t. d.*** Pôr (a coalhada) no cincho para fazer queijo.

encintar [De *en-*[2] + *cinta* + *-ar*[2].] ***V. t. d.* 1.** Guarnecer de cinta; cintar. **2.** Rodear, cingir, circundar.

encinzar [De *en-*[2] + *cinza* + *-ar*[2].] ***V. t. d.* 1.** Cobrir de cinza. **2.** Sujar com cinza.

encistado [Part. de *encistar*.] ***Adj.*** Enquistado (q. v.).

encistamento [De *encistar* + *-mento*.] ***S. m.*** V. *enquistamento*.

encistar [De *en-*[2] + *cisto* + *-ar*[2].] ***V. t. d. T. d. e c. Int. P.*** V. *enquistar*.

enciumar (i-u) [De *en-*[2] + *ciúme* + *-ar*[2].] ***V. t. d. P.*** Tornar(-se) ciumento; encher(-se) de ciúme(s): "olhos bonitos de enciumar princesas... / olhos bonitos de enciumar serralhos!" (Maranhão Sobrinho, *Papéis Velhos*, p. 39); *Enciumou-se ao ver o marido sorrir para outra mulher*. [Conjug.: v. *amiudar*.]

enclaustrado [Part. de *enclaustrar*.] ***Adj.*** Recolhido em claustro ou convento; enclausurado.

enclaustramento [De *enclaustrar* + *-mento*.] ***S. m.*** Ato ou efeito de enclaustrar(-se); clausura.

enclaustrar [De *en-*[2] + *claustro* + *-ar*[2].] ***V. t. d.* 1.** Meter no convento; enclausurar. ***T. d. e c.* 2.** Prender, enclausurar, encarcerar, encerrar. ***P.* 3.** Meter-se em convento; enclausurar-se.

enclausura [De *en-*[2] + *clausura*.] ***S. f.*** *P. us.* Clausura.

enclausurado [Part. de *enclausurar*.] ***Adj.*** Que se enclausurou; enclaustrado.

enclausuramento [De *enclausurar* + *-mento*.] ***S. m.*** Ato ou efeito de enclausurar(-se).

enclausurar [De *en-*[2] + *clausura* + *-ar*[2].] ***V. t. d.* 1.** Pôr em clausura; enclaustrar. ***T. d. e c.* 2.** Afastar do convívio social; encarcerar, encerrar; enclaustrar: *Temendo as ameaças de revolução, enclausurou a família numa chácara*. ***P.* 3.** Encerrar-se em clausura; enclaustrar-se. **4.** Afastar-se do convívio social. [F. paral.: *clausurar*.]

enclave [Do fr. *enclave*.] ***S. m.*** V. *encrave*[2].

enclavinhar [De *en-*[2] + lat. *clavu* (v. *cravo*[2]) + *-inhar*.] ***V. t. d.* 1.** Meter, enlaçar (os dedos das mãos) uns por entre os outros. **2.** Meter, entrelaçar os dedos de (as mãos).

enclenque [Do esp. *enclenque*.] ***Adj. 2 g.*** *Bras. S.* **1.** Adoentado, enfraquecido ou ferido. **2.** Impossibilitado de sair. **3.** *Fig.* Covarde, mole, fraco.

ênclise [Do gr. *énklisis*, 'inclinação'.] ***S. f.* 1.** *E. Ling.* Fenômeno pelo qual se incorpora, na pronúncia, um vocábulo átono ao que o precede. [Cf. *apossínclise, mesóclise, próclise* e *sínclise*.] **2.** *Obst.* Feto cuja cabeça apresenta os planos de referência inclinados em relação aos da bacia materna.

enclítica [F. subst. de *enclítico*.] ***S. f.*** *E. Ling.* Palavra que, juntando-se a outra que a antecede, perde o acento próprio, parecendo formar com essa outra uma só palavra.

enclítico [Do gr. *enklitikós*, pelo lat. *encliticu*.] ***Adj.*** *E. Ling.* Diz-se do vocábulo que está em ênclise. [Cf. *mesoclítico, proclítico* e *sinclítico*.]

encloacar [De *en-*[2] + *cloaca* + *-ar*[2].] ***V. t. d.*** Meter em cloaca. [Conjug.: v. *trancar*.]

encoadura [De *en-*[2] + *coar* + *-dura*.] ***S. f.*** Depósito provisório, de água, para peixes ainda vivos.

encobardar [De *en-*[2] + *cobarde* + *-ar*[2].] ***V. t. d. P.*** *P. us.* V. *acovardar*.

encoberta [F. subst. de *encoberto*.] ***S. f.* 1.** Abrigo, esconderijo, escaninho. **2.** Pretexto, desculpa, subterfúgio.

encobertar [De *en-*[2] + *coberto* + *-ar*[2].] ***V. t. d. P.*** V. *acobertar*.

encoberto [Part. de *encobrir*.] ***Adj.* 1.** Oculto, escondido. **2.** Incógnito, disfarçado, dissimulado, clandestino. **3.** Diz-se do tempo enevoado.

encobridor (ô) [De *encobrir* + *-dor*.] ***Adj.* 1.** Que encobre. ● ***S. m.* 2.** Aquele que encobre. **3.** *Restr.* Aquele que encobre [v. *encobrir* (5)]; receptador.

encobrimento [De *encobrir* + *-mento*.] ***S. m.*** Ação ou efeito de encobrir(-se).

encobrir [De *en-*[2] + *cobrir*.] ***V. t. d.* 1.** Fazer que não seja visto; esconder, ocultar: *As abas descidas do chapéu encobriam-lhe o rosto*. **2.** Disfarçar, dissimular: *Procura encobrir sua preocupação*. **3.** Guardar em si; não dizer; não revelar: *Encobriu por longos anos o segredo do suicida*. **4.** Não deixar ver ou ouvir: *As nuvens encobriam o cimo da montanha*; *O barulho da música encobriu os rumores da conversação*. **5.** Recolher, guardar (coisas de procedência criminosa); receptar. ***T. d. e c.* 6.** Acolher, agasalhar: *Encobriu os fugitivos em sua casa*. ***T. d. e i.* 7.** Não dizer; ocultar: *Encobriu seus pecados ao confessor*. ***Int.* 8.** Cobrir-se de nuvens; toldar-se. ***P.* 9.** Esconder-se, ocultar-se; disfarçar-se. [Irreg. Conjug.: v. *cobrir*.]

encocurutar [De *en-*[2] + *cocuruto* + *-ar*[2].] ***V. t. d.*** *Bras.* Pôr no cocuruto, no alto; encarapitar, encarrapitar.

encodeamento [De *encodear* + *-mento*.] ***S. m.* 1.** Ação de encodear. **2.** Crosta, côdea.

encodear [De *en-*[2] + *côdea* + *-ar*[2].] ***V. t. d.* 1.** Cobrir de côdea. ***Int.* 2.** Criar côdea; cobrir-se de côdea. [Conjug.: v. *frear*.]

encofar [De *en-*[2] + *cofo*[1] + *-ar*[2].] ***V. t. d.*** Guardar em cofo ou cesto.

encofrar [De *en-*[2] + *cofre* + *-ar*[2].] *V. t. d.* Guardar em cofre.
encoifar [De *en-*[2] + *coifa* + *-ar*[2].] *V. t. d.* Pôr coifa em.
encoimar [De *en-*[2] + *coima* + *-ar*[2].] *V. t. d. T. d. e i. Transobj. Int. P.* V. *acoimar*.
encoiraçado [Part. de *encoiraçar*.] *Adj. S. m.* Encouraçado.
encoiraçar [De *en-*[2] + *coiraça* + *-ar*[2].] *V. t. d. P.* V. *encouraçar*. [Conjug.: v. *laçar*.]
encoirado [Part. de *encoirar*.] *Adj. S. m. Bras. N.E.* Encourado.
encoirar *V. t. d. Int. P.* V. *encourar*.
encoivaração [De *encoivarar* + *-ção*.] *S. f. Bras.* Encoivaramento.
encoivaramento [De *encoivarar* + *-mento*.] *S. m. Bras.* Ato de encoivarar; encoivaração.
encoivarar [De *en-*[2] + *coivara* + *-ar*[2].] *V. t. d. Bras.* Juntar (o resto do mato não de todo queimado) em coivaras, nos preparativos dum roçado, para queimá-lo de novo; coivarar.
encolado [Part. de *encolar*[1].] *Adj.* Que se encolou (v. *encolar*[1]).
encolamento [De *en-*[2] + *colar*[1] + *-mento*.] *S. m. Bras. PE Al* Bandas de canoa, ou paus que têm essa forma, com as concavidades voltadas para dentro, e que servem de fôrma às canoas de embono ou barcacinhas.
encolar[1] [De *en-*[2] + *cola*[1] + *-ar*[2].] *V. t. d.* **1.** Pôr cola[1] (1) em. **2.** Preparar, cobrindo com cola.
encolar[2] [De *en-*[2] + *colo*[1] + *-ar*[2].] *V. t. d.* **1.** Trazer (uma criança) ao colo[1] (5). **2.** Amimar, acariciar.
encoleirar [De *en-*[2] + *coleira*[1] + *-ar*[2].] *V. t. d.* Pôr coleira em.
encolerizado [Part. de *encolerizar*.] *Adj.* Que se encolerizou; cheio de cólera.
encolerizar [De *en-*[2] + *cólera* + *-izar*.] *V. t. d.* **1.** Causar cólera a; irar; irritar, enfurecer. *P.* **2.** Zangar-se, irar-se, irritar-se, enfurecer-se.
encolha (ô) [Dev. de *encolher*.] *S. f.* Encolhimento. ◆ **Meter-se nas encolhas. 1.** Não dar sinal de si; retrair-se. **2.** Calar-se, emudecer; meter-se nas encóspias. **Na encolha.** *Bras. Gír.* Sem chamar atenção; sem parecer; discreta ou disfarçadamente: "... 'Vou ser franco com vocês, não quero mais me envolver nesse negócio. Não posso. Tenho que ficar na encolha, até ver o bicho que vai dar', disse Freitas." (Rubem Fonseca, *Agosto*, p. 97.)
encolher [De *en-*[2] + *colher* (ê).] *V. t. d.* **1.** Retrair; contrair: *As aves pernaltas encolhem uma das pernas quando em repouso.* **2.** Dar pouco espaço a; estreitar; acanhar, apoucar. **3.** Reprimir, acanhar: *Ao sentir as dificuldades, encolheu o entusiasmo.* ***Int.* 4.** Estreitar, apertar: *Perto da curva, o rio encolhe.* **5.** Diminuir de dimensão; contrair-se: *Esta fazenda encolhe ao lavar.* **6.** V. *encolher* (8). ***P.* 7.** Retrair-se, contrair-se: *Encolheu-se junto ao fogo, tiritando.* **8.** Mostrar-se tímido, acanhado; humilhar-se, rebaixar-se, encolher. **9.** Restringir-se, refrear-se, limitar-se: *encolher-se nos gastos.*
encolhido [Part. de *encolher*.] *Adj.* **1.** Que se encolheu; diminuído, contraído, encurtado. **2.** Que se encolhe; tímido, acanhado, retraído, humilde. ● ***S. m.* 3.** Indivíduo acanhado, tímido, retraído, ou sem energia.
encolhimento [De *encolher* + *-imento*.] *S. m.* Ato ou efeito de encolher(-se); encolha.
encolocar [De *en-*[2] + *colocar*.] *V. t. d. e c. T. d. e i. T. d. P. Bras. AL Pop.* V. *colocar*. [Conjug.: v. *trancar*.]
encólpio [Do gr. médio *enkolpion*.] *S. m.* Pequeno relicário.
encolpismo [De *en-*[2] + *-colp(o)-* + *-ismo*.] *S. m. Terap.* Medicação administrada pela vagina.
encomenda [De *en-*[2] + port. *comenda* (q. v.), na acepç. ant. e desus. de 'encomenda'.] *S. f.* **1.** Ato de encomendar; encomendação. **2.** Aquilo que se encomenda; incumbência, encargo, comissão. **3.** *Bras. Chulo* As partes pudendas do homem. [M. us. no pl., nesta acepç.] **4.** *Bras.* Feitiço, mandinga, serviço. ◆ **Encomenda das almas.** *Bras. Rel.* Encomendação das almas (q. v.). **Adeus, minhas encomendas!** Acabou-se; babau!; foi-se, adeus, viola: "– Não precisa falar – disse Guiomar –, já sei que me acha bonita. É o que me diz todos os dias, com risco de me perder, porque se eu acabo vaidosa, adeus, minhas encomendas, ninguém mais poderá comigo." (Machado de Assis, *A Mão e a Luva*, em *Obra Completa*, 1º vol., p. 332.) **De encomenda. 1.** A calhar: "Sérios, vestidos de preto, com uma tristeza de encomenda, chegavam e alinhavam-se na sala" (Inglês de Sousa, *O Coronel Sangrado*, p. 194.) **2.** Segundo instruções prévias; sob medida. **Sair melhor do que a encomenda.** *Irôn.* Sair pior do que se esperava.
encomendação [De *encomendar* + *-ção*.] *S. f.* **1.** Encomenda (1). **2.** Recomendação; advertência. **3.** Administração interina de uma paróquia. **4.** *Lit.* Oração por um defunto, feita antes da inumação do corpo; encomendação do corpo. ◆ **Encomendação das almas.** *Bras. Rel.* Procissão de penitentes que pela quaresma, a horas mortas, percorre as ruas até o cruzeiro ou adro de igreja, homens e mulheres totalmente cobertos de branco, orando em voz alta pelas almas do Purgatório, e à qual ninguém que não faça parte do grupo deve assistir, pois atrai malefícios; encomenda das almas. **Encomendação do corpo.** *Lit.* Encomendação (4).
encomendado [Part. de *encomendar*.] *Adj.* **1.** Feito de encomenda. **2.** Recomendado, confiado. ~ V. *sermão* –. ● ***S. m.* 3.** Pároco por encomendação (3), amovível.
encomendar [De *en-*[2] + port. ant. *comendar* < lat. *commendare*, 'entregar'; 'recomendar'; 'louvar'; 'marcar'.] *V. t. d.* **1.** Mandar fazer (obra, compra, etc.). **2.** Orar pela salvação de (corpo ou alma de um defunto). ***T. d. e i.* 3.** Encarregar, incumbir: *Encomendaram-lhe o relato do acontecimento;* "já encomendara ao seu arquiteto, em Paris, o plano perfeito duma escola" (Eça de Queirós, *A Cidade e as Serras*, p. 309). **4.** Recomendar, confiar: *Encomendaram o rapaz à proteção do Ministro.* **5.** Confiar, comissionar. ***P.* 6.** Entregar-se ou confiar-se à proteção de. **7.** Fazer os seus cumprimentos; recomendar-se.
encomendeiro [De *encomenda* + *-eiro*.] *S. m.* Pessoa a quem se fazem encomendas; comissário.
encomiar [De *encômio* + *-ar*[2].] *V. t. d.* Dirigir encômios a; gabar, louvar, elogiar. [Pres. ind.: *encomio*, etc. Cf. *encumear* e *encômio*.]
encomiasta [Do gr. *enkomiastés*.] *Adj. 2 g. S. 2 g.* Que, ou quem faz discursos laudatórios; panegirista.
encomiástico [Do gr. *enkomiastikós*.] *Adj.* **1.** Referente a encômio. **2.** Em que há, ou que envolve encômio; laudatório.
encómio *S. m.* V. *encômio*. [Uso freq. em P.]
encômio [Do gr. *enkómion*.] *S. m.* Louvor, elogio, gabo. [Cf. *encomio*, do v. *encomiar*.]
encomissar [De *en-*[2] + *comisso* + *-ar*[2].] *V. int.* Incorrer em comisso.
encomoroiçar [De *en-*[2] + *cômoro* + *-içar*.] *V. t. d.* **1.** Pôr em cômoro, em lugar alto. **2.** Pôr em cômoro, em monte; amontoar. [Var.: *encomoroçar*.]
encompridar [De *en-*[2] + *comprido* + *-ar*[2].] *V. t. d.* **1.** Tornar mais comprido; aumentar o comprimento a; acompridar. **2.** *Bras. PE* Fazer durar (alguma coisa).
enconcar [De *en-*[2] + *conca* + *-ar*[2].] *V. t. d.* **1.** Dar a forma de telha ou de conca a; tornar curvo. ***Int. P.* 2.** Tomar forma de telha ou de conca; encurvar-se. [Conjug.: v. *trancar*.]
enconchado [Part. de *enconchar*.] *Adj.* **1.** Metido em concha. **2.** Coberto de conchas. **3.** Recolhido, abrigado, escondido.
enconchar [De *en-*[2] + *concha* + *-ar*[2].] *V. t. d.* **1.** Meter em concha. **2.** Cobrir de conchas. ***P.* 3.** Recolher-se; abrigar-se, esconder-se.
encondar [De *en-*[2] + *conde* + *-ar*[2].] *V. t. d.* Dar o título de conde a; fazer conde.
encondroma [De *en-*[2] + *-condr(o)-* + *-oma*[1].] *S. m. Patol.* Tumor cartilaginoso que surge no interior de osso(s). [Originária-se, na maior parte dos casos, de tecido cartilaginoso que ficou mal-colocado por defeito de desenvolvimento.]
encontrada [De *encontrar* + *-ada*[1].] *S. f.* V. *encontrão*: "o tostado arrebentou as duas paletas na encontrada e caiu" (Simões Lopes Neto, *Contos Gauchescos e Lendas do Sul*, p. 233).
encontradiço *Adj.* Que se encontra com frequência; fácil de encontrar.
encontrado [Part. de *encontrar*.] *Adj.* **1.** Que se encontra com outro; aproximado, junto. **2.** Contrário, oposto; desencontrado: "A melhor lança dos hospitalários portugueses morria vítima da violência das rudes e encontradas paixões que durante as últimas vinte e quatro horas o tinham tempestuosamente atormentado." (Arnaldo Gama, *O Balio de Leça*, p. 190.)
encontrão [De *encontrar* + *-ão*[2].] *S. m.* Esbarrão forte; embate, choque, empurrão, repelão, encontrada, encontroada, encontro: "Quem fez ressoar a porta / Foi rijo encontrão do vento." (Antônio Feliciano de Castilho, *Os Amores*, I, p. 72.)
encontrar [Do lat. **incontrare* < lat. *in contra*.] *V. t. d.* **1.** Deparar com; achar: *Após longa busca, encontrou o objeto perdido.* **2.** Dar com; atinar com; descobrir: *Encontrou, enfim, a solução desejada.* **3.** Ir de encontro a; topar, chocar-se com; encontrar-se com: *Na carreira precipitada, encontrou um obstáculo e feriu-se.* **4.** Achegar, unir: *A natureza encontrou, ali, o rio e o mar.* **5.** Opor-se a; contrariar; chocar-se com: *Seu procedimento encontra as leis.* ***T. d. e c.* 6.** Defrontar-se, deparar com; dar de cara com: *Encontrei-o na Avenida, quando menos esperava.* ***T. i.* 7.** Dar de frente; ir de encontro; chocar: *O automóvel encontrou com o ônibus.* ***Transobj.* 8.** Achar (em determinado estado ou condição): *Encontrei-o doente.* ***T. d. e i.* 9.** Compensar (5): *encontrar o débito com o crédito.* ***P.* 10.** Chocar-se, entrechocar-se; embater-se: *Os dois carros encontraram-se na curva.* **11.** Encontrar (3): *Encontrou-se com a pedra e foi ao chão.* **12.** Ir ter com alguém. **13.** Estar em oposição; contrariar-se; contradizer-se, chocar-se.
encontrável [De *encontrar* + *-vel*.] *Adj. 2 g.* Que pode ser encontrado; achável.
encontro [Dev. de *encontrar*.] *S. m.* **1.** Ato de encontrar(-se): *o encontro dos dois amigos; o encontro das águas do rio com as do mar.* **2.** V. *encontrão*. **3.** Luta, briga, recontro. **4.** Conjuntura, lance. **5.** Reunião (3). **6.** *Arquit.* Cada um dos maciços que neutralizam os empuxos laterais de arcos, abóbadas, etc.; contraforte, encontro de abóbada, pé-direito de abóbada. **7.** *Com.* Compensação, desconto: *encontro de contas.* **8.** *Constr.* Extremidade de uma ponte onde esta se encontra com a estrada, e em que se apoiam as vigas principais da estrutura. Serve para suster o aterro de acesso. [Sin., lus., nesta acepç.: *pegão*.] **9.** *Zool.* Nas aves, ponto de articulação do úmero com rádio e a ulna. **10.** *Bras.* Confluência de rios. **11.** *Bras. Zool.* Ave emberizídea, icterínea (*Icterus cayanensis*) encontrada das Guianas à Argentina, de coloração geral preta, com o encontro das asas variando do castanho ao amarelo, segundo as subespécies. [Sin.: *dragona, inhapim, pega* (ê), *soldado, soldado-do-bico-preto, soldado-pago, xexeu-de-banana, xexéu-de--bananeira*.] **12.** *Bras. CE* Comparação das marcas de gado que os vaqueiros riscam para ter notícia dos animais sumidos ou fugidos. **13.** *Bras. BA* Cada uma das malhas intermediárias do calão[2] (5). **14.** *Bras. S.* O peito dos animais, entre as espáduas. ~ V. *encontros*. ◆ **Encontro às cegas.** Encontro de duas pessoas, ajustado ger. por outrem, de finalidade amorosa, sem que as partes se conheçam. **Encontro de abóbada.** *Arquit.* V. *encontro* (6). **Encontro de contas.** *Cont.* **1.** Confronto de registros contábeis mantidos por escritas distintas. **2.** V. *ajuste de contas* (1). **Encontro espacial.** *Astron.* Encontro organizado entre engenhos espaciais em órbita. **Ao encontro de. 1.** Em busca de. **2.** Em favor de: *A sua resolução veio ao encontro dos meus desejos.* **3.** Na direção de: *Caminhou ao encontro do amigo.* **De encontro a. 1.** No sentido oposto a. **2.** Em contradição com; contra.
encontroada [De *encontroar* + *-ada*[1].] *S. f. Bras.* V. *encontrão*.
encontroar [De *encontrão* + *-ar*[2], com desnasalação.] *V. t. d.* **1.** Dar encontrões em. ***P.* 2.** Andar aos encontrões. [Conjug.: v. *coroar*.]
encontro-d'água *S. m. Bras. PA* Ponto onde colidem, num determinado furo (4), as correntezas de maré do rio Amazonas e do estuário do Pará. São zonas mais ou menos extensas, em virtude do nível das águas. [Pl.: *encontros-d'água*.]
encontros *S. m. pl.* **1.** Os ombros. **2.** A parte dos cascos do cavalo entre os talões e as pinças. ~ V. *encontro*.
encontros-verdes *S. m. 2 n. Bras. Zool.* V. *papagaio-do--mangue*.
encopar [De *en-*[2] + *copa* + *-ar*[2].] *V. t. d.* **1.** Aparar (árvore) para que forme copa (4). **2.** Tornar pando; enfunar: "De improviso flutuaram todas [as canoas], com rangidos de adriças e palpitações do velame, que o vento encopava e propelia." (Xavier Marques, *Jana e Joel*, p. 53.) ***Int. P.* 3.** Formar copa (a árvore); copar: *O arvoredo está encopando; Encopou-se a mangueira, dando uma boa sombra.*
encoquinar [De *en-*[2] + lat. *coquina* + *-ar*[2].] *V. t. d.* V. *encoquinhar*.
encoquinhar [Var. de *encoquinar*, poss. com infl. de *cozinha*.] *V. t. d.* **1.** Meter na cozinha. **2.** Esconder, ocultar.
encorajamento [De *encorajar* + *-mento*.] *S. m.* Ato ou efeito de encorajar(-se).
encorajar [Do fr. *encourager*.] *V. t. d.* **1.** Dar coragem a; animar; estimular. ***P.* 2.** Tomar coragem; animar-se.
encorcundar [De *en-*[2] + *corcunda* + *-ar*[2].] *V. t. d. Int. P.* V. *acorcundar*.
encórdio [Do esp. *incordio*.] *S. m. Patol.* V. *íngua*.
encordoamento [De *encordoar* + *-mento*.] *S. m.* **1.** Ato de encordoar. **2.** *Bras.* O conjunto das cordas de um instrumento de música.
encordoar [De *en-*[2] + *cordão* + *-ar*[2], com desnasalação.] *V. t. d.* **1.** Prover de cordas; pôr cordas ou cordões em. ***Int.* 2.** *Fig.* Zangar-se, amuar(-se), encavacar. ***P.* 3.** *Bras. RS* Seguir um atrás de outro, na marcha, formando filas. [Nesta acepç., aplica-se a animais e, figuradamente, a pessoas. Conjug.: v. *coroar*.]
encornar [De *en-*[2] + *corno* + *-ar*[2].] *V. int. Gír.* Meter a cabeça no travesseiro; dormir. [Cf. *escornar*.]
encoronhado *Adj. Veter.* Doente dos cascos.
encoronhar [De *en-*[2] + *coronha* + *-ar*[2].] *V. t. d.* Pôr coronha em (arma de fogo).
encorpado [Part. de *encorpar*.] *Adj.* **1.** Que tem muito corpo; forte, corpulento: *homem encorpado.* **2.** Consistente, espesso: *tecido encorpado; papel encorpado.* ~ V. *vinho* –.
encorpadura [De *encorpar* + *-dura*.] *S. f.* Qualidade de encorpado; grossura, espessura, consistência.

encorpante [De *encorpar* + *-nte*.] *Adj. 2 g. S. 2 g.* Que, ou aquilo que encorpa, que serve para encorpar.

encorpar [De *en-*[2] + *corpo* + *-ar*[2].] *V. t. d.* **1.** Dar mais corpo a; tornar mais grosso: *encorpar um tecido.* **2.** Fazer maior; ampliar: *encorpar uma obra literária.* ***Int.*** **3.** Deitar corpo; crescer; engrossar.

encorreado [Part. de *encorrear*.] ***Adj.*** Que adquiriu aspecto e/ou consistência de couro: *pele encorreada.*

encorreadura [De *encorrear* + *-dura*.] ***S. f.*** Conjunto de correias para determinado fim.

encorreamento [De *encorrear* + *-mento*.] ***S. m.*** Ação ou efeito de encorrear(-se).

encorrear [De *en-*[2] + *correia* + *-ar*[2].] ***V. t. d.*** **1.** Prender com correia. ***Int.*** **2.** Adquirir o aspecto e/ou a consistência do couro. ***P.*** **3.** Tomar a rijeza própria do couro. **4.** Enrugar-se; engelhar-se, encorrilhar-se. [Conjug. v. *frear*. Cf. *encorriar*.]

encorrentado [Part. de *encorrentar*.] ***Adj.*** **1.** *P. us.* V. *acorrentado*. **2.** *Heráld.* Diz-se de figura ou peça em que a parte que entra noutra tem cor diversa.

encorrentar [De *en-*[2] + *corrente* + *-ar*[2].] ***V. t. d. T. d. e i. P.*** *P. us.* V. *acorrentar*.

encorriar ***V. t. d.*** *Bras.* **1.** Amansar mal, incompletamente (o gado). ***Int.*** **2.** Ficar (o gado) mal-amansado, com manhas. [Cf. *encorrear*.]

encorrilhar[1] [De *en-*[2] + *corrilho* + *-ar*[2].] ***V. t. d. P.*** Meter(-se) em corrilho.

encorrilhar[2] [Poss. de **encorriar* < *encorrear*, com ultracorreção.] ***V. t. d. P.*** **1.** Enrugar(-se), encarquilhar(-se), engelhar(-se), encorrear(-se). **2.** Tornar(-se) murcho; murchar.

encorrugir ***V. t. d. P.*** **1.** *Bras.* Enrugar, engelhar, encarquilhar. **2.** Enregelar, entanguir. [Conjug.: v. *dirigir*.]

encortelhar [De *en-*[2] + *cortelho* + *-ar*[2].] ***V. t. d.*** Meter em cortelho; encurralar. [Conjug.: v. *aparelhar*.]

encortiçar [De *en-*[2] + *cortiço* + *-ar*[2].] ***V. t. d.*** **1.** Meter em cortiço (1). **2.** Cobrir com cortiça. **3.** Dar a aparência de cortiça a. ***Int.*** **4.** Criar cortiça. **5.** Tomar a aparência de cortiça. ***P.*** **6.** Criar casca ou cortiça. [Conjug.: v. *laçar*.]

encortinar [De *en-*[2] + *cortina* + *-ar*[2].] ***V. t. d.*** Pôr cortinas em.

encorujar-se [De *en-*[2] + *coruja* + *-ar*[2] + *se*[1].] ***V. p.*** *Bras.* **1.** Emudecer e fugir à convivência e trato social; retrair-se, isolar-se, insular-se. **2.** Ficar triste, melancólico; entristecer. **3.** Ficar triste (a ave) por frio. [Cf. *engurujar-se*.]

encoscorado [Part. de *encoscorar*.] ***Adj.*** **1.** Que se tornou duro como o coscorão. **2.** Enrugado, encarquilhado: "Era uma coisa encoscorada, muxibenta, toda espichada." (Albertino Moreira, *Boca-Pio*, p. 126.)

encoscorar [De *en-*[2] + *coscoro* + *-ar*[2].] ***V. t. d.*** **1.** Tornar duro como o coscorão. **2.** Encarquilhar, enrugar; encrespar. ***Int. P.*** **3.** Criar coscoros; encrespar-se.

encóspias [Do lat. *cuspis*, 'ponta', poss.] ***S. f. pl.*** Fôrmas de madeira usadas pelos sapateiros para alargar o calçado. ◆ **Meter-se nas encóspias.** Meter-se nas encolhas (2).

encosta [Dev. de *encostar*.] ***S. f.*** V. *vertente* (3). ◆ **A meia encosta.** *Loc. adv.* A meia descida; na metade do declive.

encostadela [De *encostar* + *-dela*.] ***S. f.*** *Pop.* Ato de encostar (6).

encostado [Part. de *encostar*.] ***Adj.*** **1.** Posto de encontro a um suporte; arrimado, amparado, apoiado. **2.** Que não tem procura, uso ou aplicação: *A loja tem muita mercadoria encostada; Vários quartos do casarão estão cheios de móveis encostados.* **3.** Que não se casou; solteirão: *Tão bonita moça, e ficou encostada.* **4.** Importunado com pedidos, especialmente de dinheiro. **5.** Sem trabalho; desempregado: *A fábrica fechou, e há muitos operários encostados.* **6.** *Bras. Fam.* Que não gosta de trabalhar; que não se esforça; mandrião, preguiçoso. ● ***S. m.*** **7.** Aquele que vive à custa de outrem; agregado, apaniguado. **8.** *Bras.* Empregado que faz serviços inferiores e avulsos.

encostador (ô) [De *encostar* + *-dor*.] ***Adj. S. m.*** Que, ou aquele que faz encostadelas.

encostalar [De *en-*[2] + *costal* + *-ar*[2].] ***V. t. d.*** Pôr em costal (2) ou costais; enfardelar.

encostamento [De *encostar* + *-mento*.] ***S. m.*** Ato ou efeito de encostar(-se).

encostão ***Adj. S. m.*** *Bras. PB Pop.* Diz-se de, ou indivíduo encostado (6). [Fem.: *encostona*.]

encostar [De *en-*[2] + *costa* + *-ar*[2].] ***V. t. d.*** **1.** Pôr junto; aproximar: *Encostou as duas camas.* **2.** Reclinar, deitar; recostar: *Encostou a cabeça e logo adormeceu.* **3.** Fechar, cerrar (porta, janela, etc.). **4.** Triunfar de; vencer: *No concurso, o adversário encostou-o.* **5.** Pôr de lado, de parte; não fazer caso de; abandonar: "Embora anuncie [Monteiro Lobato] aos amigos, desde 1916, que anda a preparar um livro de contos .... o certo é que hesita, e indeciso encosta os originais" (Edgard Cavalheiro, *Monteiro Lobato*, I, p. 176). **6.** Importunar pedindo favores ou, principalmente, dinheiro: *Aproximou-se do milionário, e encostou-o.* **7.** *Bras.* Cotejar (cavalos) em corrida. ***T. d. e c.*** **8.** Apoiar, arrimar, firmar: *Encostou a escada na parede.* ***T. c.*** **9.** Parar, estacionar: *O automóvel encostou em frente ao prédio.* ***T. d. e i.*** **10.** Castigar, esbordoar com (relho, cacete, bengala, mão, etc.): *Saiu-se mal da briga: encostaram-lhe o cacete.* **11.** Fazer aproximar (a fêmea) com o reprodutor para ser coberta. ***P.*** **12.** Firmar-se, apoiar-se, arrimar-se. **13.** Recostar-se, reclinar-se. **14.** Deitar-se, por algum tempo. **15.** Acostar-se, estribar-se, ater-se: *Em coisas de linguagem, sempre se encosta aos clássicos.* **16.** Ficar sob a proteção, amparo, arrimo, de alguém: *Encostou-se no tio ricaço e não quer saber de trabalhar.* **17.** *Bras. Fam.* Não mostrar-se com disposição para o trabalho; fugir ou tentar fugir dele; esforçar-se o mínimo possível. [Pres. ind.: *encosto*, etc. Cf. *encosto* (ô).]

encoste [Dev. de *encostar*.] ***S. m.*** *Bras. S.* **1.** Ato de encostar a fêmea ao reprodutor para que este a cubra. **2.** Confronto entre dois parelheiros ou entre galos de briga. ~ V. *encostes*.

encostelar [De *en-*[2] + *costela* + *-ar*[2].] ***V. t. i.*** *Bras. RS* Ficar rente com outrem; emparelhar.

encostes [Pl. de *encoste*, dev. de *encostar*.] ***S. m. pl.*** **1.** Contrafortes, em construção. **2.** Sustentáculos de um arco. **3.** *Fig.* Proteção, encosto. ~ V. *encoste*.

encosto (ô) [Dev. de *encostar*.] ***S. m.*** **1.** Lugar ou objeto a que alguém ou alguma coisa se encosta; costas: *encosto de cadeira.* **2.** *Fig.* Amparo, proteção, arrimo, sustentáculo, apoio, acosto. **3.** *Rel.* Espírito (1) menos evoluído que obseda alguém. **4.** *Pop.* Amante[2] (6): *Mesmo casado, conservou o encosto.* **5.** *Bras.* Língua de campo cercada de matos e brejos, com uma única entrada. **6.** *Bras.* Local onde a água do rio se empoça nas margens. **7.** *Bras. MT* Parte do campo conveniente à pastagem dos animais durante certo tempo. [Sin. (nesta acepç.), em Marajó: *encosto de gado*. Pl.: *encostos* (ô). Cf. *encosto*, do v. *encostar*.]

encosto de gado ***S. m.*** *Bras.* Encosto (7). [Pl.: *encostos de gado*.] ☑ nota 1

encostona ***S. f.*** *Bras. PB Pop.* Fem. de *encostão*.

encouchar ***V. t. d.*** **1.** Curvar, inclinar. **2.** Abater, deprimir; humilhar. ***P.*** **3.** Agachar-se; abaixar-se.

encouraçado [Part. de *encouraçar*; var. de *encoiraçado*.] ***Adj.*** **1.** Couraçado (1 e 2). ~ V. *convés* —. ● ***S. m.*** **2.** *Bras. Mar. G.* Navio de combate, armado de canhões de grosso calibre, e fortemente protegido por couraças e por uma compartimentagem estanque particularmente eficaz. [Cf. *couraçado* (3).] ◆ **Encouraçado de bolso.** *Bras.* Designação que a imprensa deu a cada um dos três cruzadores de batalha — *Almirante Graf Spee*, *Almirante Scheer* e *Deutschland* (este rebatizado *Lutzow* em 1940) — construídos pela Alemanha antes da II Guerra Mundial.

encouraçar [De *en-*[2] + *couraça* + *-ar*[2]; var. de *encoiraçar*.] ***V. t. d. P.*** V. *couraçar*. [Conjug.: v. *laçar*.]

encourado [Part. de encourar; var. de *encoirado*.] ***Adj. S. m.*** *Bras. N.E.* Diz-se de, ou aquele que se veste com roupa de couro, conforme o uso dos vaqueiros no sertão. ~ V. *capas —as*.

encourar [De *en-*[2] + *couro* + *-ar*[2]; var. de *encoirar*.] ***V. t. d.*** **1.** Forrar, cobrir de couro ou pele. **2.** *Bras.* Meter o couro (9) em; surrar, espancar. ***Int. P.*** **3.** Cicatrizar-se.

encovado [Part. de *encovar*.] ***Adj.*** **1.** Metido em cova ou buraco. **2.** *Fig.* Escondido, oculto. **3.** Diz-se dos olhos que ficam muito dentro das órbitas, como que sumidos, ou do rosto que apresenta olhos assim.

encovar [De *en-*[2] + *cova* + *-ar*[2].] ***V. t. d.*** **1.** Meter em cova; enterrar: *Encovou todo o dinheiro roubado.* **2.** Tornar encovado (3). **3.** Armazenar; enceleirar. **4.** Obrigar a fugir, a recolher-se ao covil; encovilar. **5.** Esconder, ocultar: *Encovou tudo o que sabia.* ***T. d. e c.*** **6.** Encovar (1): *As tartarugas encovam os ovos na areia.* ***Int.*** **7.** Não saber o que replicar. ***P.*** **8.** Retirar-se; esconder-se, ocultar-se. **9.** Tornar-se encovado (3): "Ei-lo! seu rosto pálido se encova" (Gonçalves Dias, *Obras Poéticas*, p. 149).

encovardar [De *en-*[2] + *covarde* + *-ar*[2].] ***V. t. d. P.*** *P. us.* V. *acovardar*.

encovilar [De *en-*[2] + *covil* + *-ar*[2].] ***V. t. d. P.*** Meter(-se) em covil.

encoxilhado [De *en-*[2] + *coxilha* + *-ado*[1].] ***Adj.*** *Bras. RS* ~ V. *campo* —.

encrassar [Do lat. *incrassare*.] ***V. int.*** Tornar-se crasso, denso; adensar-se; engrossar.

encrava [Dev. de *encravar*.] ***S. f.*** V. *encravamento*.

encravação [De *encravar* + *-ção*.] ***S. f.*** **1.** V. *encravamento*. **2.** *Fig.* Engano, logro, mentira.

encravado [Part. de *encravar*.] ***Adj.*** **1.** Fixado com cravos [v. *cravo*[2] (1 e 2)]; cravado, cravejado. **2.** Encaixado, embutido, engastado, cravado, cravejado. **3.** Diz-se de prédio ou propriedade menor que fica dentro de outra maior e pertencente a outro dono. **4.** Diz-se da unha cujos cantos, ao crescerem, penetram na carne, machucando-a. **5.** Diz-se de pelo, cabelo que inflama e/ou não ultrapassa a pele ao crescer. **6.** *Bras. Pop.* Encalhado [v. *encalhar* (4)].

encravadoiro [De *encravar* + *-doiro*[2].] ***S. m.*** Encravadouro (q. v.).

encravadouro [De *encravar* + *-douro*[2]; var. de *encravadoiro*.] ***S. m.*** Lugar onde se encrava uma coisa.

encravadura [De *encravar* + *-dura*.] ***S. f.*** **1.** Cravos de ferradura. **2.** Ferimento produzido pelos cravos da ferradura.

encravamento [De *encravar* + *-mento*.] ***S. m.*** **1.** Ato ou efeito de encravar(-se). **2.** Aquilo que está encravado. [Sin. ger.: *encravação, encrava*.]

encravar [De *en-*[2] + *cravo*[2] + *-ar*[2].] ***V. t. d.*** **1.** Fixar, pregar (cravo, prego): *Fechou bem o caixote, encravando vários pregos.* **2.** Fazer parar; travar. **3.** Embair, enganar, lograr. **4.** Introduzir mal um cravo[2] (1) em. **5.** *Artilh.* Meter prego no ouvido (4) de (uma peça). ***T. d. e c.*** **6.** Encravar (1): *encravar pregos na parede.* **7.** Segurar com cravo ou prego: *Encravaram-no na cruz.* **8.** Embutir, engastar (pedras preciosas, etc.): *Encravou a pedra no anel.* ***Int.*** **9.** *Tip.* Entupir-se com tinta ou sujeira (o olho do tipo). **10.** *Bras. Pop.* V. *encalhar* (4). ***P.*** **11.** Fixar-se, penetrando. **12.** Embeber-se, embutir-se. **13.** Estar metido no interior de. **14.** Envolver-se em dificuldades, em dívidas; encalacrar-se, atolar-se.

encrave[1] [Dev. de *encravar*.] ***S. m.*** Encravo.

encrave[2] [Var. de *enclave*.] ***S. m.*** **1.** Terreno ou território encravado noutro. **2.** *Geol.* Xenólito.

encravelhação [De *encravelhar* + *-ção*.] ***S. f.*** Ato ou efeito de encravelhar(-se).

encravelhar [De *en-*[2] + *cravelha* + *-ar*[2].] ***V. t. d.*** **1.** Pôr cravelhas em. **2.** Colocar em situação difícil; embaraçar, entalar. ***P.*** **3.** Ficar em situação difícil; comprometer-se; endividar-se. [Conjug.: v. *aparelhar*.]

encravilhar ***V. t. d. P.*** V. *encravelhar*.

encravo [Dev. de *encravar* (4).] ***S. m.*** Machucadura que alguém produz no animal ao encravar-lhe o casco. [F. paral.: *encrave*.]

encrenca [De or. obscura.] ***S. f.*** *Bras. Pop.* **1.** Coisa ou situação difícil, complicada, perigosa. **2.** Briga, desordem, conflito. **3.** Intriga, enredo.

encrencar [De or. obscura.] *Bras. Gír.* ***V. t. d.*** **1.** Tornar difícil ou complicada (uma situação). **2.** Pôr em dificuldade; embaraçar, complicar: *Com tão mau conselho, terminou encrencando o amigo.* ***T. i.*** **3.** Armar encrenca, dificuldade, conflito: *Por uma tolice encrenca com os amigos.* ***Int.*** **4.** Armar encrenca, dificuldade, conflito: *Gosta de encrencar, seja pelo que for.* **5.** V. *enguiçar* (6): *Com o vazamento do carburador, o automóvel encrencou, mal deu saída.* ***P.*** **6.** Complicar-se, embaraçar-se: *A situação política do Oriente Médio encrencou-se nos últimos tempos.* [Conjug.: v. *trancar*.]

encrenqueiro [De *encrenca* + *-eiro*.] ***Adj. S. m.*** *Bras. Pop.* Que, ou aquele que arma encrencas.

encrespação [De *encrespar* + *-ção*.] ***S. f.*** V. *encrespamento*.

encrespado [Part. de *encrespar*.] ***Adj.*** **1.** Diz-se de cabelo crespo, frisado ou anelado, natural ou artificialmente. **2.** Diz-se de mar, lago, etc., cuja superfície se agita em pequenas ondas; encarneirado. **3.** *Fig.* Abespinhado, irritado.

encrespador (ô) [De *encrespar* + *-dor*.] ***Adj.*** **1.** Que encrespa. ● ***S. m.*** **2.** Ferro de encrespar o cabelo.

encrespadura [De *encrespar* + *-dura*.] ***S. f.*** V. *encrespamento*.

encrespamento [De *encrespar* + *-mento*.] ***S. m.*** Ato ou efeito de encrespar(-se); encrespadura, encrespação.

encrespar [De *en-*[2] + *crespo* (ê) + *-ar*[2].] ***V. t. d.*** **1.** Tornar crespo; enrugar. **2.** Tornar riço; eriçar, erriçar. **3.** Agitar, encarneirar (o mar, as ondas, etc.). ***P.*** **4.** Fazer-se crespo; enrugar-se. **5.** Arrepiar-se, ouriçar-se (animais). **6.** Agitar-se, encarneirar-se (o mar); franzir-se. **7.** *Fig.* Irritar-se, irar-se; alterar-se. **8.** *Fig.* Ensoberbecer-se, enfatuar-se, enfunar-se.

encriptar [Do ingl. *(to) encrypt*.] ***V. t. d.*** *Inform. Telev.* Codificar (os sinais de um programa ou transmissão) para evitar utilização indevida deles.

encrisar [De *en-*[2] + *cris*[2] + *-ar*[2].] ***V. int.*** *Bras. N. N.E. Pop.* Anuviar-se (o dia).

encristar-se [De *en-*[2] + *crista* + *-ar*[2] + *se*[1].] ***V. p.*** **1.** Levantar a crista. **2.** *Fig.* Ensoberbecer-se, enfatuar-se, enfunar-se, encrespar-se.

encrostar [De *en-*[2] + *crosta* + *-ar*[2].] ***V. int.*** Criar crosta.

encruamento [De *encruar* + *-mento*.] ***S. m.*** **1.** Ação ou efeito de encruar(-se). **2.** Má digestão.

encruar [De *en-*[2] + *cru* + *-ar*[2].] ***V. t. d.*** **1.** Tornar cru, fazer endurecer, enrijar (o que estava quase cozido). **2.** Dificultar ou retardar as funções de (o estômago). **3.** Tornar cruel; endurecer, empedernir: *O sofrimento encruou-lhe o coração.* [Sin., nessas acepçs.: *encruecer*.] **4.** Exasperar, irritar. ***Int.*** **5.** Tornar-se cru. **6.** Tornar-se insensível, cruel. **7.** Não ter crescimento. **8.** Não progredir; não ter seguimento. **9.**

Bras. Não queimar totalmente (o roçado). *P.* **10.** Exacerbar-se, encarniçar-se.

encrudelecer [De *en-*^{2} + lat. *crudele*, 'cruel', + *-ecer.*] *V. t. d.* **1.** Tornar cruel. *P.* **2.** Tornar-se cruel. **3.** Irritar-se, enfurecer-se. [F. paral.: *encruelecer.* Conjug.: v. *aquecer.*]

encruecer [Do lat. *incrudescere.*] *V. t. d.* **1.** V. *encruar* (1 a 3). *Int.* **2.** Tornar-se cruento, feroz, sanguinolento. [Sin. ger.: *encruentar.* Conjug.: v. *aquecer.*]

encruelecer [De *en-*^{2} + *cruel* + *-ecer.*] *V. t. d. P.* V. *encrudelecer.* [Conjug.: v. *aquecer.*]

encruentar [De *en-*^{2} + *cruento* + *-ar*^{2}.] *V. t. d. Int.* V. *encruecer.*

encruza [Dev. de *encruzar.*] *S. f. Bras. Rel.* Ato ou efeito de encruzar (3); encruzamento.

encruzada [F. subst. de *encruzado.*] *S. f.* V. *encruzilhada* (1).

encruzado [Part. de *encruzar.*] *Adj.* Disposto em cruz; cruzado, encruzilhado.

encruzamento [De *encruzar* + *-mento.*] *S. m.* **1.** Ato ou efeito de encruzar(-se). **2.** Lugar onde as coisas se cruzam. **3.** *Bras. Rel.* Encruza. [Sin. de 1 e 2: *cruzamento.*]

encruzar [De *en-*^{2} + *cruz* + *-ar*^{2}.] *V. t. d.* **1.** Dispor em forma de cruz; encruzilhar. **2.** Atravessar; cruzar; encruzilhar. **3.** *Bras. Rel.* Na umbanda, traçar (o chefe do terreiro ou a mãe-pequena) cruzes, com pemba, nas mãos, na testa e na nuca de (os médiuns e, por vezes, de fiéis), com fins apotropaicos e para facilitar o contato com as entidades [v. *entidade* (6)] que irão agir na sessão. *P.* **4.** Sentar-se sobre os calcanhares com as pernas encruzadas.

encruzilhada [F. subst. de *encruzilhado.*] *S. f.* **1.** Lugar onde se cruzam estradas ou caminhos; ambívio, cômpito, encruzada, cruzamento. **2.** *Bras. Cap. Desus.* Rasteira semelhante ao corta-capim, mas que se completa com um pé dando calço no adversário. **3.** *Fig.* Atrapalhação; situação embaraçosa: "o governo agora se vê em uma encruzilhada ao ter que explicar como conseguiu as fitas gravadas." (*Jornal do Brasil*, 13.11.1998).

encruzilhadense^1 *Adj. 2 g.* **1.** De, ou pertencente ou relativo a Encruzilhada (BA). • *S. 2 g.* **2.** O natural ou habitante de Encruzilhada.

encruzilhadense^2 *Adj. 2 g.* **1.** De, ou pertencente ou relativo a Encruzilhada do Sul (RS). • *S. 2 g.* **2.** O natural ou habitante de Encruzilhada do Sul.

encruzilhado [Part. de *encruzilhar.*] *Adj.* V. *encruzado.*

encruzilhar [De *en-*^{2} + *cruz* + *-ilhar.*] *V. t. d.* Encruzar (1 e 2).

encubação [De *encubar* + *-ção.*] *S. f.* Ato de encubar. [Cf. *incubação.*]

encubar [De *en-*^{2} + *cuba*^{1} + *-ar*^{2}.] *V. t. d.* Recolher em cuba; envasilhar. [Cf. *incubar.*]

encucação [De *encucar* + *-ção.*] *S. f. Bras. Gír.* Ato ou efeito de encucar.

encucado [Part. de *encucar.*] *Adj. Bras. Gír.* **1.** Diz-se daquele que fundiu a cuca (v. *fundir a cuca*); baratinado, desorientado. **2.** Cheio de cismas, de caraminholas; inquieto, desconfiado: *Ficou encucado com os modos da filha.*

encucar [De *en-*^{2} + *cuca*^{3} + *-ar*^{2}.] *V. int. Bras. Gír.* V. *fundir a cuca*: "O Conde começou .... a namorar a torto e a direito, viajando aos menores pretextos, bebendo, fazendo farras, num barato de encucar." (Cora Rónai Vieira e Paulo Rónai, *Aventuras de Fígaro*, p. 59). [Conjug.: v. *trancar.*]

encucharrar [De *en-*^{2} + *cucharra* + *-ar*^{2}.] *V. t. d.* Dar a forma de cucharra a.

enculturação [Do ingl. *enculturation.*] *S. f. Antrop.* Processo de condicionamento e/ou de aprendizagem, consciente ou inconsciente, formal ou informal, mediante o qual um indivíduo, no decorrer da vida, apreende os padrões gerais de sua cultura; socialização.

encumeada [De *en-*^{2} + *cume* + *-eada.*] *S. f.* V. *cumeada.*

encumear [De *en-*^{2} + *cume* + *-ear*^{2}.] *V. t. d.* **1.** Pôr no cume, no cimo de um monte. **2.** Elevar, exaltar; glorificar: *encumear personalidades ilustres.* [Conjug.: v. *frear.* Cf. *encomiar.*]

encunhar [De *en-*^{2} + *cunha* + *-ar*^{2}.] *V. t. d. Constr.* Inserir cunha para fixar peça construtiva em determinada posição.

encurralamento [De *encurralar* + *-mento.*] *S. m.* Ato ou efeito de encurralar.

encurralar [De *en-*^{2} + *curral* + *-ar*^{2}.] *V. t. d.* **1.** Meter no curral. **2.** Encerrar em lugar estreito e sem saída; encantoar. **3.** Pôr cerco a; cortar as possibilidades de retirada de. *P.* **4.** Refugiar-se em lugar sem saída.

encurtador (ô) [De *encurtar* + *-dor.*] *Adj. S. m.* Que, ou aquele que encurta.

encurtamento [De *encurtar* + *-mento.*] *S. m.* Ato ou efeito de encurtar; diminuição, limitação.

encurtar [De *en-*^{2} + *curto*^{1} + *-ar*^{2}.] *V. t. d.* **1.** Tornar curto ou mais curto: *encurtar as saias.* **2.** Fazer menor; diminuir, reduzir: *encurtar o passo; encurtar um prazo.* **3.** Restringir, limitar, reduzir: *Suas muitas ocupações encurtam-lhe o tempo disponível.* *Int. P.* **4.** Tornar-se curto ou mais curto. [Sin. ger.: *acurtar.*]

encurvação [Do lat. *incurvatione.*] *S. f.* V. *encurvamento.*

encurvadura [De *encurvar* + *-dura.*] *S. f.* V. *encurvamento.*

encurvamento [De *encurvar* + *-mento.*] *S. m.* Ato ou efeito de encurvar(-se); arqueamento, curvatura; encurvação, encurvadura.

encurvar [Do lat. *incurvare.*] *V. t. d.* **1.** Tornar curvo; curvar: *encurvar o arco.* **2.** Dar a forma de arco a; arquear: *encurvar o corpo.* **3.** *Fig.* Abater; humilhar. **4.** Virar de borco; emborcar. *Int.* **5.** Tornar-se curvo; dobrar-se; encurvar-se. *P.* **6.** Encurvar (5). **7.** Humilhar-se, rebaixar-se.

▲**-enda** [Do lat. *-enda*, pl. de *-endum*, desin. de gerundivo dos verbos latinos de 2ª, 3ª e 4ª conjug.] *Suf.* us. na formação de vocábulos derivados de verbos: *moenda* (< *lat.*), *oferenda* (< *lat.*).

endameba [Do tax. *Endamoeba.*] *S. f. Zool.* **1.** Gênero-tipo dos endamebídeos, que compreende amebas que parasitam o intestino de insetos e, em algumas classificações, vários parasitos de vertebrados, inclusive a ameba (q. v.). **2.** Espécie ou espécime desse gênero. [F. paral.: *entameba.*]

endamebídeo [Do tax. *Endamoeba* (v. *endameba*) + *-ídeo*^{1}; tax. *Endamoebidae.*] *Zool.* *S. m.* **1.** Espécime dos endamebídeos, grande família de amebas endoparasitas, que invadem o trato digestivo de vertebrados e invertebrados, e que passam sob a forma de cisto, de hospedeiro a hospedeiro, mediante alimento ou bebida contaminada. • *Adj.* **2.** Pertencente ou relativo a eles. [F. paral.: *entamebídeo.*]

endartéria [De *end(o)-* + *artéria.*] *S. f. Anat.* Túnica interna de artéria. [F. paral.: *endartério.*]

endartério [Do lat. cient. *endarterium.*] *S. m. Anat.* Endartéria.

endaspidiano [De *end(o)-* + *-aspid(i)-* + *-ano*^{1}.] *Adj. S. m. Zool.* Diz-se de, ou tarso de aves passeriformes em que os escudos da face anterior do tarso se estendem por toda a face interior deste, deixando descoberta só uma parte externa.

endecha (ê) [Do esp. *endecha* < lat. *indicta*, 'coisas proclamadas', neutro pl. do part. de *indicere*, 'proclamar'.] *S. f.* **1.** Composição formada de estâncias de quatro versos de cinco sílabas. **2.** Poesia fúnebre, muito triste. [Cf., nesta acepç.: *nênia.*] **3.** Canção melancólica.

endechador (ô) [De *endechar* + *-dor.*] *S. m.* **1.** *Ant.* Autor ou cantor de endechas. **2.** Compositor de fados.

endechar [De *endecha* + *-ar*^{2}.] *V. t. int. Ant.* Cantar endechas ou cânticos fúnebres. [Conjug.: v. *fechar.*]

endefluxar-se (cs ou ss) [De *en-*^{2} + *defluxo* + *-ar*^{2} + *se*^{1}.] *V. p.* Contrair defluxo; constipar-se: "apanhei um ar na cabeça, endefluxei-me." (Machado de Assis, *Contos sem Data*, p. 131).

endellita [Do antr. (*Kurd*) *Endell* (-1946), mineralogista, + *-ita*^{3}.] *S. f. Min.* Silicato básico hidratado de alumínio.

endemia [Do fr. *endémie* < gr. *éndemos*, 'originário de um país', + fr. *-ie* (v. *-ia*^{1}).] *S. f. Hig.* Doença que existe constantemente em determinado lugar e ataca número maior ou menor de indivíduos.

endemicidade [De *endêmico* + *-(i)dade.*] *S. f.* Qualidade de endêmico.

endémico *Adj.* V. *endêmico.* [Uso freq. em P.]

endêmico [Do fr. *endémique* < fr. *endémie* (v. *endemia*).] *Adj.* **1.** Peculiar a determinada população ou região. **2.** Relativo a endemia. ~ V. *doença —a.*

endemismo [De *endêmico* + *-ismo*, seg. o padrão erudito.] *S. m. Biol.* Ocorrência de uma dada espécie em área restrita, como, p. ex., numa ilha ou montanha.

endemoninhado [Part. de *endemoninhar.*] *Adj.* **1.** Que tem o Demônio no corpo; possesso: *Recitaram um exorcismo para acalmar a freira endemoninhada.* **2.** Diabólico, demoníaco, endiabrado: *um espírito endemoninhado.* **3.** *Fig.* Travesso, levado, endiabrado. • *S. m.* **4.** Aquele que está, ou é endemoninhado.

endemoninhar [Do b.-lat. *endemoniare.*] *V. t. d.* **1.** Meter o Demônio no corpo de (pessoa ou animal). **2.** Enfurecer, enraivecer. *P.* **3.** Enfurecer-se, enraivecer-se.

endentação [De *endentar* + *-ção.*] *S. f.* **1.** Ato de endentar. **2.** Entrosa (1).

endentálpico [De *end(o)-* + *entálpico.*] *Adj. Fís.-Quím.* Diz-se de processo ou de reação química que ocorre em um sistema (19), e em que há absorção de entalpia do meio externo. [Cf. *exentálpico.*]

endentar [De *en-*^{2} + *dente* + *-ar*^{2}.] *V. t. d.* **1.** Travar os dentes de (uma roda) com os de outra; engranzar. *T. i.* **2.** Travar-se; engranzar-se; encaixar-se.

endentecer [De *en-*^{2} + *dente* + *-ecer.*] *V. int.* Principiar a ter dentes. [Conjug.: v. *aquecer.*]

endentrópico [De *end(o)-* + *entrópico.*] *Adj. Fís.-Quím.* Diz-se de processo ou de reação química que ocorre em um sistema (19), e em que há absorção de entropia do meio externo. [Cf. *exentrópico.*]

endereçamento [De *endereçar* + *-mento.*] *S. m.* **1.** Ato de endereçar. **2.** *Inform.* Atribuição de um endereço (4) a uma informação (9).

endereçar [De *adereçar*, com mudança de pref. (v. *en-*^{2}), ou de *en-*^{2} + lat. **directiare*, 'dirigir'; 'pôr direito'.] *V. t. d.* **1.** Pôr sobrescrito em; sobrescritar: *endereçar um ofício, uma carta.* **2.** *Inform.* Indicar (endereço [4] de uma informação) na memória primária ou secundária de um computador. *T. d. e i.* **3.** Enviar, encaminhar; dirigir: *Endereçou um comunicado ao jornal.* *P.* **4.** Dirigir-se, encaminhar-se. [Conjug.: v. *começar.* Pres. ind.: *endereço*, etc. Cf. *endereço* (ê).]

endereço (ê) [Dev. de *endereçar.*] *S. m.* **1.** Inscrição do nome e residência em sobrecarta, bilhete, etc.; sobrescrito. **2.** Residência de alguém: *Carlos mudou de endereço.* [Sin., nessas acepçs.: *direção.*] **3.** *Fig.* Destinatário: *Claro que essa ofensa tem endereço certo.* **4.** *Inform.* Expressão, ger. numérica, que identifica e permite acesso a informação armazenada em memória principal, ou secundária, de um computador. [Pl.: *endereços* (ê). Cf. *endereço*, do v. *endereçar.*] ◆ **Endereço de memória.** *Inform.* Identificação que se dá a uma porção de memória do computador à qual o processador ou outro dispositivo faz uso, armazenando informações. **Endereço de rede.** *Inform.* Designação única e específica atribuída a cada um dos computadores de determinada rede, e que possibilita o direcionamento dos dados trocados por eles. **Endereço eletrônico.** *Inform.* Expressão pela qual um usuário é identificado numa rede de computadores, esp. na Internet, e que permite o envio e o recebimento de mensagens de correio eletrônico (q. v.). [Na Internet, o endereço eletrônico é composto de dois elementos, separados pelo símbolo da arroba: um nome ou *login*, que identifica o usuário no servidor em que possui conta de acesso, e o nome do servidor e domínio (12), que identifica o computador para o resto da rede.] [Tb. se diz, impr., *correio eletrônico.*]

endergónico *Adj. Fís.-Quím.* V. *endergônico.* [Uso freq. em P.]

endergônico [De *end(o)-* + gr. *érgon* + *-ico*^{2}.] *Adj. Fís.-Quím.* Diz-se de processo ou de reação química que ocorre em um sistema (19), e em que há absorção de energia (esp. energia livre) do meio externo; endoérgico. [Cf. *exergônico.*]

endérmico [De *en-*^{1} + *-derm(o)-* + *-ico*^{2}.] *Adj. Med.* Que atua na pele, ou por absorção através dela.

endeusação [De *endeusar* + *-ção.*] *S. f.* V. *endeusamento*: "esse culto, muitas vezes farisaico, dado a uns textos desenterrados do passado; essa quase endeusação de um homem elevado às proporções de símbolo" (Oliveira Martins, *A Vida de Nun'Álvares*, p. 350).

endeusado [Part. de *endeusar.*] *Adj.* **1.** Divinizado, deificado. **2.** Diz-se de alguém cujas qualidades, reais ou não, são valorizadas ao máximo: *uma atriz endeusada pela mídia.*

endeusador (ô) [De *endeusar* + *-dor.*] *Adj.* Que endeusa ou diviniza; deificador.

endeusamento [De *endeusar* + *-mento.*] *S. m.* **1.** Deificação, apoteose. **2.** *Fig.* Orgulho, altivez. **3.** *Fig.* Êxtase, enlevo, arroubo. [Sin. ger.: *endeusação.*]

endeusar [De *en-*^{2} + *deus* + *-ar*^{2}.] *V. t. d.* **1.** Incluir entre os deuses; deificar: *Os antigos endeusavam os fenômenos naturais.* **2.** Atribuir dotes divinos a; divinizar: *endeusar o ser amado.* **3.** *Fig.* Extasiar, enlevar, arroubar. *P.* **4.** Atribuir a si mesmo qualidades divinas. **5.** Extasiar-se, enlevar-se, maravilhar-se. [Sin. ger., p. us.: *adeusar.*]

endexina (z) [De *end(o)-* + *exina.*] *S. f. Bot.* Camada interna da exina do grão de pólen.

endez (ê) *S. m. Adj. 2 g.* V. *indez.*

endiabrado [Part. de *endiabrar.*] *Adj.* **1.** V. *endemoninhado* (2 e 3). **2.** Mau, terrível, furioso: *gênio endiabrado; Faz um tempo endiabrado.* • *S. m.* **3.** Aquele que é mau, travesso, traquina(s).

endiabrar [De *en-*^{2} + *diabro* + *-ar*^{2}.] *V. t. d. P.* Tornar(-se) endiabrado; encapetar-se.

endiche [De or. incerta.] *S. f.* Rede vertical que guarnece a boca duma armação de pesca; andiche.

endinheirado [Part. de *endinheirar.*] *Adj.* Que tem dinheiro; abastado, rico, opulento, dinheiroso, adinheirado.

endinheirar [De *en-*^{2} + *dinheiro* + *-ar*^{2}.] *V. t. d. P.* Encher(-se) de dinheiro; enriquecer.

endireita [Dev. de *endireitar.*] *S. m.* **1.** Aquele que, sem ser médico nem sequer técnico, compõe fraturas e deslocações de ossos. **2.** Charlatão, impostor.

endireitado [Part. de *endireitar.*] *Adj.* Direito, aprumado, empertigado.

endireitar [De *en-*^{2} + *direito* + *-ar*^{2}.] *V. t. d.* **1.** Pôr direito (o que estava torto, dobrado, ou desviado da linha reta): "Custódio endireitou o busto, que até então inclinara um pouco." (Machado de Assis, *Papéis Avulsos*, p. 195.) **2.** Corrigir, retificar, emendar: *A professora endireitou a letra do aluno.* *T. i.* **3.** Atinar, acertar: *Tanto perguntou, que acabou por endireitar com o caminho.* *T. c.* **4.** Encaminhar ou navegar direito ou direto (a algum lugar): "alugando uma cavalgadura endireitou para a aldeia em que nascera." (Maria Amália Vaz de Carvalho, *Contos e Fantasias*, p. 194); *Endireitou para casa.* ***Int.*** **5.** Corrigir-se, emendar-se. **6.** Tomar boa direção; ficar direito. ***P.*** **7.** Tornar-se direito (o que estava torto, curvado, dobrado). **8.** Retomar o bom caminho. **9.** Resistir; entesar-se.

endiva ***S. f.*** *Bot.* V. *endívia*.

endívia [Do lat. med. *endivia* (alter. do lat. cláss. *intubus, intibus*), poss.] ***S. f.*** *Bot.* Erva asterácea, variedade de chicória (*Cichorium endivia*) dotada de raiz grossa que, cortada ao nível do colo (8), plantada em areia e mantida em estufa, na obscuridade, dá brotos brancos que são us. na alimentação, crus ou cozidos; almirante, escarola. [Var.: *endiva*.]

endividado [Part. de *endividar*.] ***Adj.*** Que contraiu dívidas; cheio de dívidas.

endividamento [De *endividar* + *-mento*.] ***S. m.*** Ato ou efeito de endividar(-se).

endividar [De *en-*[2] + *dívida* + *-ar*[2].] ***V. t. d.*** **1.** Fazer contrair dívidas; tornar devedor: *Os gastos com a doença endividaram-no.* **2.** Penhorar, empenhar. ***P.*** **3.** Contrair dívidas. **4.** Contrair obrigação ou obrigações; tornar-se obrigado ou reconhecido; empenhar-se: *Cada dia recebe novos favores do amigo e, portanto, cada vez mais com ele se endivida.*

endo ***Adj.*** *Quím.* **1.** Diz-se de substituinte voltado para o interior da face convexa de certas moléculas rígidas, ger. bicíclicas e com ponte. **2.** *P. ext.* Diz-se de molécula que contém tal substituinte, e da estrutura dessa molécula. [Cf. *exo*.]

▲**end(o)-** [Do gr. *éndon*.] ***Pref.*** = 'movimento para dentro', 'posição interior': *endartério, endoérgico, endoparasito*.

▲**endo-** *Quím.* ***Pref.*** **1.** Indica substituinte ou molécula endo: *endo-diciclopentadieno*. [Cf. *exo-*.] **2.** Significa 'que se situa dentro da mesma molécula', 'interno': *endoperóxido*.

▲**-endo** [Do lat. *-endu*, desin. de gerundivo dos verbos latinos de 2ª, 3ª e 4ª conjug.] ***Suf.*** us. na formação de vocábulos derivados de verbos: *elegendo, horrendo* (< lat.), *reverendo* (< lat.). [Cf. *-ndo*.]

endoado [De *en-*[2] + *dó*[1] + *-ado*[1].] ***Adj.*** Enlutado; triste, dorido.

endobiose [De *end(o)-* + *-biose*.] ***S. f.*** *Biol.* Caráter de endobiótico.

endobiótico [De *endobi(ose)* + *-ótico*.] ***Adj.*** *Biol.* Diz-se de organismo que vive no interior de outro, parasitando-o ou não.

endocanibal [De *end(o)-* + *canibal*.] ***Adj. 2 g.*** *Antrop.* **1.** Relativo ao, ou próprio do endocanibalismo. **2.** Diz-se de grupo ou de indivíduo que pratica o endocanibalismo. ● ***S. 2 g.*** **3.** Indivíduo endocanibal.

endocanibalismo [De *end(o)-* + *canibalismo*.] ***S. m.*** *Antrop.* Antropofagia praticada com relação a membros do próprio grupo, ger. associada a práticas funerárias. [Opõe-se a *exocanibalismo*. Cf. *canibalismo funerário*.]

endocárdico [De *endocárdio* + *-ico*[2].] ***Adj.*** Relativo ao endocárdio.

endocárdio [De *end(o)-* + *-cárdio*.] ***S. m.*** *Anat.* Membrana que forra interiormente o coração.

endocardite [De *end(o)-* + *cardite*.] ***S. f.*** *Card.* Inflamação do endocárdio.

endocárpio [De *end(o)-* + *-carp(o)-* + *-io*[3].] ***S. m.*** *Bot.* Endocarpo.

endocarpo [De *end(o)-* + *-carpo*.] ***S. m.*** *Bot.* Camada interna do pericarpo dos frutos, que pode ser ou muito fina, ou grossa e pétrea, como nas drupas. [Sin.: *endocárpio*.]

endocitose [De *end(o)-* + *-cit(o)-* + *-ose*[1].] ***S. f.*** *Citol.* Incorporação de material para dentro de célula através de invaginações de membrana plasmática, gerando vesículas que contêm este material. V. *pinocitose* e *fagocitose*.

endocraniano [De *endocrânio* + *-ano*[1].] ***Adj.*** Situado dentro do crânio.

endocrânio [De *end(o)-* + *crânio*.] ***S. m.*** *Anat.* Camada mais externa da dura-máter encefálica.

endocrínico [De *endócrino* + *-ico*[2].] ***Adj.*** Referente às glândulas de secreção interna; endócrino.

endócrino [De *end(o)-* + *-crino*.] ***Adj.*** Endocrínico. ~ V. *glândula —a*.

endocrinologia [De *endócrino* + *-logia*.] ***S. f.*** Parte da medicina que trata das glândulas de secreção interna.

endocrinológico [De *endocrinologia* + *-ico*[2].] ***Adj.*** Respeitante a endocrinologia.

endocrinologista [De *endocrinologia* + *-ista*.] ***S. 2 g.*** *Med.* Especialista em endocrinologia; endocrinólogo.

endocrinólogo [De *endócrino* + *-logo*.] ***S. m.*** *Med.* Endocrinologista.

endocrinopatia [De *endócrino* + *-patia*.] ***S. f.*** *Med.* Qualquer infecção de glândula endócrina.

endocrinopático [De *endocrinopatia* + *-ico*[2].] ***Adj.*** Relativo a endocrinopatia.

endocruzamento [De *end(o)-* + *cruzamento*.] ***S. m.*** *Genét.* Cruzamento entre indivíduos geneticamente semelhantes, com alto grau de parentesco.

endoderma [De *end(o)-* + *-derma*.] ***S. m.*** **1.** *Embr.* O folheto inferior do disco embrionário trilaminar, e do qual se originam o epitélio de revestimento dos tratos respiratório e gastrintestinal, o parênquima da glândula tireóidea, os das glândulas paratireóideas, do timo, do fígado e o do pâncreas, o epitélio vesical, o uretral, os das orelhas médias e os das tubas auditivas. [Cf. *mesoderma* e *ectoderma* (1).] [Cf. *mesoderma* e *ectoderma* (1).] **2.** *Bot.* Camada celular localizada entre o córtex e o cilindro central, principalmente observada na raiz nova, e cujas células se caracterizam pela presença de espessamentos suberizados nas paredes radiais, ditos *espessamentos de Caspary*. [Cf. *ectoderma*. F. paral.: *endoderme*.] ◆ **Endoderma externo.** *Bot.* V. *exoderma*.

endoderme [De *end(o)-* + *-derme*.] ***S. f.*** *Embr. Bot.* V. *endoderma*.

endodérmico [De *endoderma* + *-ico*[2].] ***Adj.*** Do, ou relativo ao endoderma.

endo-diciclopentadieno [De *endo-* + *-di-* + *ciclopentadieno*.] ***S. m.*** *Quím.* Substância líquida, alceno tricíclico com estrutura em ponte, que é o produto principal da dimerização espontânea do ciclopentadieno através de reação de Diels-Alder [fórm.: $C_{10}H_{12}$]. [Pl.: *endo-diciclopentadienos*.]

endodontia [De *end(o)-* + *-(o)dont(o)-* + *-ia*[1].] ***S. f.*** *Odont.* A parte da odontologia que trata das causas, diagnóstico, terapêutica e profilaxia das lesões de polpa dentária e de raiz dentária, bem como de tecido periapical.

endodôntico [De *endodontia* + *-ico*[2].] ***Adj.*** Pertencente ou relativo à endodontia.

endodontista [De *endodontia* + *-ista*.] ***Adj. 2 g. S. 2 g.*** *Odont.* Diz-se de, ou especialista em endodontia, esp. no tratamento dos canais radiculares.

endoenças [Do lat. *indulgentias*.] ***S. f. pl.*** Solenidades religiosas da quinta-feira santa.

endoérgico [De *end(o)-* + *-erg(o)-*[1] + *-ico*[2].] ***Adj.*** *Fís.-Quím.* Endergônico. [Cf. *exoérgico*.]

endoesqueleto [De *end(o)-* + *esqueleto*.] ***S. m.*** O esqueleto interno dos animais.

endofauna [De *end(o)-* + *fauna*.] ***S. f.*** *Ecol.* Conjunto de organismos bentônicos que escavam ou se encontram no fundo, enterrados nos sedimentos ou rochas, mais comumente nos substratos não consolidados; infauna.

endófito [De *end(o)-* + *-fito*.] ***S. m.*** *Bot.* Vegetal que vive no interior de outro organismo, podendo ser parasito ou saprófito.

endofleódico [De *end(o)-* + gr. *phloiódes*, 'da casca', 'semelhante a casca', + *-ico*[2].] ***Adj.*** *Ecol.* Que vive no interior das cascas das árvores.

endoflora [De *end(o)-* + *flora*.] ***S. f.*** *Ecol. Ocean.* A flora bêntica embutida no corpo do substrato, ou em cavidades, fissuras e interstícios dele.

endófora [De *end(o)-* + gr. *-phorá*, por anal. com *anáfora* e *catáfora*.] ***S. f.*** *E. Ling.* No discurso (5), o conjunto dos elementos que apontam para algo anteriormente expresso ou que virá a ser expresso, dando, assim, coesão ao texto. [Em *O menino banhou-se*, o pronome *se* refere-se a *o menino*, anteriormente enunciado. Em *Ouça isto: o chefe viajou*, *isto* faz referência a toda a oração seguinte.] [Cf. *anáfora* (2), *catáfora* (2), *exófora* e *dêixis*.]

endoforia [De *end(o)-* + *-for(o)-* + *-ia*[1].] ***S. f.*** *Oftalm.* Forma de heteroforia em que há desvio convergente latente do eixo visual de um olho, em direção ao eixo visual do outro.

endofórico [De *endófora* + *-ico*[2].] ***Adj.*** *E. Ling.* Relativo a endófora.

endogamia [De *end(o)-* + *-gam(o)-* + *-ia*[1].] ***S. f.*** **1.** *Antrop.* Casamento entre indivíduos do mesmo grupo, seja este definido com base em parentesco, residência, território, classe, casta, etnia, língua, seja por qualquer outro critério. **2.** *Antrop.* O costume ou a prática socialmente regulada desse tipo de casamento. **3.** *Antrop.* Condição de indivíduo ou grupo endógamo. **4.** *Biol.* Sistema de reprodução de uma população (5), e que implica numa frequência de cruzamentos consanguíneos mais importante do que a que resultaria do encontro, ao acaso, dos gametas. **5.** *Biol.* Fecundação de animais parasitos dentro do organismo hospedeiro. **6.** *Bot.* Caso de fertilização em que o grão de pólen é transferido para outra flor na mesma planta. [Cf. *exogamia*.]

endogâmico [De *endogamia* + *-ico*[2].] ***Adj.*** Relativo à, próprio da, ou que se caracteriza pela endogamia; endógamo.

endógamo [De *end(o)-* + *-gamo*.] *Antrop.* ***Adj.*** **1.** Endogâmico. ● ***S. m.*** **2.** Indivíduo endógamo.

endógene [Do fr. *endogène*.] ***Adj. 2 g.*** Endógeno (1).

endogeneidade ***S. f.*** Qualidade do que é endógeno.

endógeno [De *end(o)-* + *-geno*.] ***Adj.*** **1.** Originado no interior do organismo, ou por fatores internos; endógene. **2.** *Mat. Econ.* Cujo valor é determinado internamente a um sistema de equações ou modelo considerado: *variável endógena*. ~ V. *morfina —a* e *opioide —*. [Antôn.: *exógeno*.]

endoidante [De *endoidar* + *-nte*.] ***Adj. 2 g.*** Que endoida: "Mas sinto planar sobre ele todo [o Ribatejo], monocórdico, contínuo, endoidante, um imenso gemido de dor — como que um grito de mulher torturada." (Maria Archer, *Fauno Sovina*, p. 134.)

endoidar [De *en-*[2] + *doido* + *-ar*[2].] ***V. t. d. Int.*** V. *endoidecer*: "E então perdeu a cabeça, endoidou mesmo." (Odilo Costa Filho, *História de Seu Tomé Meu Pai e Minha Mãe Maria*, p. 13.) [F. paral.: *endoudar*.]

endoidecedor (ô) [De *endoidecer* + *-dor*.] ***Adj.*** Que endoidece, que faz endoidecer; enlouquecedor.

endoidecer [De *en-*[2] + *doido* + *-ecer*.] ***V. t. d.*** **1.** Tornar doido; enlouquecer; endoidar, endoudar, adoidar: *O sofrimento endoideceu-a.* **2.** Desvairar, alucinar, endoidar, endoudar, adoidar. ***Int.*** **3.** Tornar-se doido; enlouquecer; endoidar, adoidar. [F. paral.: *endoudecer*. Conjug.: v. *aquecer*.]

endoidecimento [De *endoidecer* + *-imento*.] ***S. m.*** Ato ou efeito de endoidecer. [F. paral.: *endoudecimento*.]

endolação [De *endolar* + *-ção*.] ***S. f.*** **1.** Ato ou efeito de endolar. **2.** A embalagem (saquinho ou embrulho de papel) em que se coloca droga para ser vendida.

endolar [De *en-*[2] + *dól(ar)* + *-ar*[2], poss.] ***V. t. d.*** Embrulhar droga em saquinho plástico ou de papel, para ser vendida.

endolinfa [De *end(o)-* + *-linfa*.] ***S. f.*** *Anat.* Líquido que enche o labirinto membranoso (q. v.).

endolítico [De *end(o)-* + *-lit(o)-* + *-ico*[2].] ***Adj.*** *Biol.* Diz-se de organismo que habita rochas.

➔**endomarketing** [endow'maɪketɪŋ] [Ingl.] ***S. m.*** *Market.* Conjunto das atividades de *marketing* institucional, dirigidas para o público interno da empresa (funcionários, fornecedores, acionistas, revendedores, etc.). [Sin.: *marketing interno*.]

endométrico [De *endométrio* + *-ico*[2].] ***Adj.*** Relativo ao endométrio.

endométrio [De *end(o)-* + *-metr(o)-*[1] + *-io*[3].] ***S. m.*** *Histol.* Membrana mucosa que reveste o útero internamente e que, de acordo com a fase do ciclo menstrual, sofre modificações em sua espessura e em sua estrutura.

endometrioma [De *endométrio* + *-oma*[1].] ***S. m.*** *Patol.* Tumor que pode ocorrer antes da menopausa, e que contém tecido endométrico normal aberrante.

endometriose [De *endométrio* + *-ose*[1].] ***S. f.*** *Patol.* **1.** Localização anormal do endométrio, como, p. ex., nos ovários ou no peritônio. **2.** Afecção provocada pela presença de endométrio fora do útero.

endometrite [De *endométrio* + *-ite*[1].] ***S. f.*** *Gin.* Inflamação do endométrio.

endomingado [Part. de *endomingar*.] ***Adj.*** Vestido com a roupa melhor; garrido, casquilho, adomingado.

endomingar [De *en-*[2] + *domingo* + *-ar*[2].] ***V. t. d.*** **1.** Vestir (alguém) com roupa domingueira, com o melhor traje. **2.** Enfeitar, adornar. ***P.*** **3.** Vestir-se bem, com roupa domingueira. [Sin. ger.: *adomingar*. Conjug.: v. *largar*.]

endomiquídeo [Adapt. do tax. *Endomychidae*.] *Zool.* ***S. m.*** **1.** Espécime dos endomiquídeos, família de coleópteros pequenos, de 2 até 8mm, arredondados e de cores brilhantes; encontrados nas árvores, onde se nutrem de matéria vegetal em decomposição. ● ***Adj.*** **2.** Pertencente ou relativo a eles.

endomísio [De *end(o)-* + *-mis-* + *-io*[3].] ***S. m.*** *Histol.* Camada de tecido conjuntivo frouxo, rico em fibras reticulares, que envolve um miócito.

endomitose [De *end(o)-* + *mitose*.] ***S. f.*** *Citol. Genét.* Mitose que acontece sem a dissolução da membrana nuclear, resultando na duplicação do número de cromossomos dentro do núcleo. [É observada em alguns protozoários, como as amebas.]

endomorfismo [De *end(o)-* + *-morf(o)-* + *-ismo*.] ***S. m.*** **1.** *Álg.* Homomorfismo de um grupo em si mesmo. **2.** *Geol.* Modificação que sofre uma rocha eruptiva por efeito do contato com a rocha encaixante, a qual pode ser total ou parcialmente absorvida pelo magma.

endoneuro [De *end(o)-* + *-neuro*.] ***S. m.*** *Histol.* Camada de tecido conjuntivo frouxo, rico em fibras reticulares, e que envolve um axônio.

endonuclease [De *endo-* + *-nucl(e)(i)-* + *-ase*.] ***S. f.*** *Bioquím.* Enzima capaz de catalisar a hidrólise das ligações entre os nucleotídeos constituintes de um ácido nucleico, em pontos situados no interior da cadeia deste. ◆ **Endonuclease de restrição.** *Bioquím.* Qualquer endonuclease capaz de agir em pontos específicos, por ela reconhecidos, no interior da estrutura de um ácido desoxirribonucleico, rompendo simultaneamente ambas as fitas deste. [Tais endonucleases são instrumentos importantes em engenharia genética.] [Sin.: *enzima de restrição*.]

endoparasita ***Adj. 2 g. S. m.*** V. *endoparasito*.

endoparasito [De *end(o)-* + *-parasito*.] ***Adj. S. m.*** *Biol.* Diz-se de, ou parasito que vive no interior do organismo de um hospedeiro (q. v.). [Opõe-se a *ectoparasito*.]

endoperóxido (cs) [De *endo-* + *peróxido*.] *S. m. Quím.* Qualquer peróxido orgânico no qual os átomos de oxigênio constitutivos fazem parte de um ciclo.

endoplasma [De *end(o)-* + *-plasma*.] *S. m. Citol.* Porção do citoplasma, distinta do ectoplasma, que envolve o núcleo.

endoplasmático [De *endoplasma* + *-ático*.] *Adj. Citol.* Do, ou relativo ao endoplasma; endoplásmico. ~ V. *retículo —, retículo — agranular, retículo — granular, retículo — granuloso* e *retículo — liso*.

endoplásmico [De *endoplasma* + *-ico*[2].] *Adj. Citol.* Endoplasmático.

endopleura[1] [De *end(o)-* + *-pleura*.] *S. f. Bot.* Camada interna do episperma, que pode, ou não, corresponder ao tegme ou à secundina (1).

endopleura[2] [Do tax. *Endopleura*.] *S. f. Bot.* **1.** Gênero monoespecífico de plantas humiriáceas. **2.** A espécie desse gênero, *Endopleura uchi*, nativa da Amazônia. **3.** Qualquer espécime desse gênero.

endopódito [De *end(o)-* + *-pódito*.] *S. m. Zool.* Ramo interno das patas ou apêndices dos crustáceos, formado basicamente por seis ou sete segmentos unidos.

endoprocto [De *end(o)-* + *-procto*; tax. *Endoprocta*.] *S. m. Adj. Zool.* V. *entoprocto*.

endopterigoto (ô) [Adapt. do tax. *Endopterygota*.] *S. m. Adj. Zool.* V. *holometabólico*[2].

endorfina [Comb. do ingl. *endogenous morphine*.] *S. f. Bioquím.* Qualquer de certos peptídeos que ocorrem no cérebro, na hipófise e outros tecidos de vertebrados, capazes de produzir ação antálgica prolongada, e cujos efeitos se assemelham aos da morfina.

endorsamento [De *endorsar* + *-mento*.] *S. m. Encad.* Operação de endorsar livros.

endorsar [De *en-*[2] + *dorso* + *-ar*[2].] *V. t. d. Encad.* V. *alombar*[2].

endoscopia [De *end(o)-* + *-scop-* + *-ia*[1].] *S. f. Med.* Inspeção visual, através de equipamento próprio, de cavidade ou de órgão cavitário do organismo. [A endoscopia permite, tb., a realização de biópsia e de intervenção cirúrgica na cavidade ou no órgão sob exame.]

endoscópico [De *endoscopia* + *-ico*[2].] *Adj. Med.* Referente a endoscopia.

endoscópio [De *end(o)-* + *-scópio*[2].] *S. m. Med.* Instrumento com que se faz a endoscopia.

endosmômetro *S. m. Fís.* V. *endosmômetro*. [Uso freq. em P.]

endosmômetro [De *endosmo(se)* + *-metro*.] *S. m. Fís.* Aparelho com que se apreciam os fenômenos da endosmose.

endosmose [De *end(o)-* + *-osm(o)-*[2] + *-ose*[1].] *S. f. Fís.* Corrente de fora para dentro, entre dois líquidos de densidades diversas separados por uma membrana ou placa porosa. [Antôn.: *exosmose*.]

endosmótico [De *endosm(ose)* + *-ótico*.] *Adj.* Concernente à endosmose. [Antôn.: *exosmótico*.]

endosperma [De *end(o)-* + *-sperma*.] *S. m. Bot.* Albume (2). [F. paral.: *endospermo*.]

endospérmico [De *endosperma* + *-ico*[2].] *Adj.* Diz-se do embrião que tem endosperma.

endospermo [De *end(o)-* + *-spermo*.] *S. m. Bot.* V. *endosperma*.

endósporo [De *end(o)-* + *-sporo*.] *S. m. Bot.* Esporo que se forma no interior da célula, como nos ascomicetos. [Antôn.: *exósporo*.]

endossabilidade [De *endossável* + *-(i)dade*, seg. o padrão erudito.] *S. f.* Qualidade de endossável.

endossado [Part. de *endossar*.] *Adj.* **1.** Em que há endosso. ● *S. m.* **2.** Aquele a quem se endossou uma letra; endossatário.

endossador (ô) [De *endossar* + *-dor*.] *Adj. S. m.* Endossante.

endossamento [De *endossar* + *-mento*.] *S. m.* Ato de endossar.

endossante [De *endossar* + *-nte*.] *Adj. 2 g. S. 2 g.* Que, ou quem endossa; endossador.

endossar [Do fr. *endosser*.] *V. t. d.* **1.** Pôr endosso em (letra, ordem, etc.). **2.** Transferir a outrem a responsabilidade de (um encargo, um incômodo). **3.** Solidarizar-se com; apoiar; defender: *Endossou as ideias do filósofo*. *T. d. e i.* **4.** Passar a responsabilidade a outrem: *Endossei-lhe a incumbência*. [Pres. ind.: *endosso*, etc. Cf. *endosso* (ô), s. m.]

endossatário [Do fr. *endossataire*.] *S. m.* Endossado (2).

endossável [De *endossar* + *-vel*.] *Adj. 2 g.* Que pode ser transferido por endosso. ~ V. *ação —*.

endosse [Dev. de *endossar*.] *S. m.* Endosso.

endosso (ô) [Dev. de *endossar*.] *S. m.* **1.** Ato de endossar. **2.** *Jur.* Transferência da propriedade de um título mediante declaração escrita, ger. feita em seu próprio verso. [F. paral.: *endosse*. Pl.: *endossos* (ô). Cf. *endosso*, do v. *endossar*.] ◆ **Endosso completo.** *Jur.* V. *endosso em preto*. **Endosso em branco.** *Jur.* O que não contém o nome da pessoa em favor da qual é feito, e consiste na simples assinatura do endossante. **Endosso em caução.** *Jur.* V. *endosso pignoratício*. **Endosso em garantia.** *Jur.* V. *endosso pignoratício*. **Endosso em penhor.** *Jur.* V. *endosso pignoratício*. **Endosso em preto.** *Jur.* O que traz mencionado o nome daquele em favor de quem é feito; endosso pleno, endosso nominativo, endosso completo. **Endosso mandatício.** *Jur.* V. *endosso procuratório*. **Endosso nominativo.** *Jur.* V. *endosso em preto*. **Endosso pignoratício.** *Jur.* O que sujeita o endossante ao pagamento de outra obrigação, dando ao endossatário o direito de retenção até que se efetue aquele pagamento; endosso em garantia, endosso em penhor, endosso em caução, endosso-caução. **Endosso pleno.** *Jur.* V. *endosso em preto*. **Endosso por procuração.** *Jur.* O que alguém faz em nome do endossante, como seu procurador. **Endosso póstumo.** *Jur.* O que se faz depois de vencido o título, valendo apenas como cessão regulada pelo direito civil. **Endosso procuratório.** *Jur.* O que não transfere a propriedade do título, mas apenas confere ao endossatário poderes procuratórios, mediante declarações como: "pague-se", "por procuração a", ou "valor em cobrança"; endosso mandatício, endosso-mandato.

endosso-caução *S. m. Jur.* V. *endosso pignoratício*. [Pl.: *endossos-cauções* e *endossos-caução*.]

endossoma [De *end(o)-* + *-soma*.] *S. m. Citol.* V. *endossomo*.

endosso-mandato *S. m. Jur.* V. *endosso procuratório*. [Pl.: *endossos-mandatos* e *endossos-mandato*.]

endossomo [De *end(o)-* + *-somo*.] *S. m. Citol.* Vesícula intracelular que se forma quando ocorrem formas de endocitose em que a matéria a ser ingerida se liga, primeiramente, a receptores situados na superfície celular; endossoma.

endósteo [De *end(o)-* + *-ósteo*.] *S. m. Histol.* Tecido conjuntivo especializado que reveste a cavidade medular do osso.

endoteca [De *end(o)-* + *-teca*.] *S. f. Bot.* Camada interna das lojas da antera.

endotelial [De *endotélio* + *-al*[1].] *Adj. 2 g.* Relativo ou pertencente ao endotélio.

endotélio [De *end(o)-* + *-tel(e)-* + *-io*[3].] *S. m. Histol.* Epitélio pavimentoso simples que reveste internamente as estruturas do sistema cardiovascular, incluído o coração, e constitui tb. os capilares.

endotelioma [De *endotélio* + *-oma*[1].] *S. m. Patol.* Tumor formado de células endoteliais.

endotermia [De *end(o)-* + *-term(o)-* + *-ia*[1].] *S. f. Zool.* Processo de manutenção da temperatura corporal por mecanismos internos. [Sin.: *homeotermia, homotermia, homotermismo, homeotermismo*. Cf. *ectotermia*.]

endotérmico [De *endotermo* + *-ico*[2].] *Adj.* **1.** *Fís.-Quím.* Diz-se de processo ou de reação química que ocorre em um sistema (19), e em que há absorção de calor do meio externo. [Antôn.: *exotérmico*.] **2.** *Zool.* Que apresenta endotermia: *As aves e os mamíferos são endotérmicos*. ● *S. m.* **3.** *Zool.* Animal endotérmico (2). [Sin., nas acepç. 2 e 3: *endotermo, homeotermo, homotermo*. Cf. *ectotérmico*.]

endotermo [De *endo-* + *-termo*.] *Adj. S. m.* V. *endotérmico* (2 e 3). [Opõe-se a *ectotermo*.]

endotraqueal [De *end(o)-* + *traqueal*.] *Adj. 2 g. Anat.* Relativo ao, ou que se realiza no interior da traqueia.

endoudar [De *en-*[2] + *doudo* + *-ar*[2].] *V. t. d. Int.* V. *endoidecer*.

endoudecer [De *en-*[2] + *doudo* + *-ecer*.] *V. t. d. Int.* V. *endoidecer*: "O cais deserto, o Mondego de uma formosura incomparável, o luar de <u>endoudecer</u>." (Gonçalves Crespo, *Obras Completas*, p. 397.) [Conjug.: v. *aquecer*.]

endoudecimento [De *endoudecer* + *-imento*.] *S. m.* Endoidecimento (q. v.).

endovenoso (ô) [De *end(o)-* + *venoso*.] *Adj.* V. *intravenoso*.

endrão [De *endro* + *-ão*[2].] *S. m. Bot.* V. *aneto* (2).

endríaco *S. m.* Endríago (q. v.).

endríago [Do esp. *endriago* < *hidriago, cruz. de *hidria*, 'hidra, serpente', com *drago*, 'dragão'.] *S. m.* Monstro fabuloso que, segundo se dizia, devorava as virgens. [F. paral.: *endríaco*.]

endro [Do lat. *anethulu, dim. de *anethum*.] *S. m. Bot.* V. *aneto* (2).

endrômina *S. f.* V. *endrômina*. [Uso freq. em P.]

endrômina [De or. obscura.] *S. f.* Artimanha, intrujice, impostura; andrômina.

enduape [Do tupi.] *S. m. Bras. Etnogr.* Rodela de penas que os tupinambás usavam nas nádegas.

enduração [De *endurar* + *-ção*.] *S. f.* **1.** *P. us.* Ato de endurar ou endurecer; endurecimento. **2.** Teima ou persistência no mal. **3.** *Med.* Endurecimento de tecidos orgânicos.

endurado [Part. de *endurar*.] *Adj. P. us.* **1.** Endurecido. **2.** Contumaz, pertinaz.

endurar [De *en-*[2] + *duro* + *-ar*[2].] *V. t. d. Int. P. P. us.* V. *endurecer*.

endurecedor (ô) [De *endurecer* + *-dor*.] *Adj.* **1.** Que endurece. ● *S. m.* **2.** Substância que provoca o endurecimento.

endurecer [De *en-*[2] + *duro* + *-ecer*.] *V. t. d.* **1.** Tornar duro, rijo; enrijar, enrijecer: *O calor <u>endurece</u> o barro*. **2.** Fortificar, fortalecer: *A ginástica <u>endurece</u> os músculos*. **3.** Tornar cruel, insensível; empedernir: *O exercício da violência <u>endurece</u> o coração dos homens*. *T. i.* **4.** Tratar com rigor, com severidade: *O governo promete <u>endurecer</u> com os desmatadores*. *T. c.* **5.** Teimar com afinco; insistir: "Mostrei generosidade: trinta e cinco. Padilha <u>endureceu</u> nos cinquenta e cinco, e eu injuriei-o" (Graciliano Ramos, *S. Bernardo*, pp. 24-25). *Int.* **6.** Tornar-se duro; enrijar(-se), enrijecer(-se), endurecer-se. **7.** Tornar-se cruel, insensível; empedernir-se, endurecer-se *P.* **8.** V. *endurecer* (4 e 5). **9.** Tornar-se incorrigível; inveterar-se. **10.** Habituar-se a fadigas. [Sin. ger. (p. us.): *endurar* e *endurentar*. Conjug.: v. *aquecer*.]

endurecido [Part. de *endurecer*.] *Adj.* Que (se) endureceu; duro, rijo.

endurecimento [De *endurecer* + *-imento*.] *S. m.* **1.** Ato ou efeito de endurecer(-se). **2.** Tumor duro; calo.

endurentar [De *en-*[2] + *duro* + *-entar*.] *V. t. d. Int. P. P. us.* V. *endurecer*.

enduro [Do fr. *enduro*.] *S. m. Esport.* Prova de motociclismo, de automobilismo, ou equestre, de resistência, realizada em terreno acidentado.

ene (ê) *S. m.* **1.** A letra *n*; nê. **2.** *Tip.* Meio-quadratim, no sistema anglo-americano. [Pl.: *enes*. Cf. *n*.]

■ **E.N.E.** Abrev. de *és-nordeste*.

▲**ene(a)-** [Do gr. *ennea-* < gr. *ennéa*.] *El. comp.* = 'nove': *eneágono, eneandro*.

eneacampeã *S. f.* Fem. de *eneacampeão* (q. v.).

eneacampeão [De *ene(a)-* + *campeão*.] *Adj. S. m.* **1.** Diz-se de, ou indivíduo, equipe, grupo, etc., que foi campeão por nove vezes (consecutivas ou não) em competição ou modalidade esportiva, artística, ou cultural, ou em concurso **2.** *Restr.* Diz-se de, ou indivíduo que participou da conquista de um eneacampeonato. [Fem.: *eneacampeã*.]

eneacampeonato [De *ene(a)-* + *campeonato*.] *S. m.* **1.** Campeonato (2) obtido por um mesmo disputante pela nona vez. **2.** *Restr.* Aquele que é conquistado pela nona vez consecutiva.

eneacórdio [De *ene(a)-* + *-cord(o)-* + *-io*[3].] *S. m. Mús.* Cítara de nove cordas.

eneafilo [De *ene(a)-* + *-filo*[1].] *Adj. Bot.* Que tem nove folhas ou nove folíolos.

eneágino [De *ene(a)-* + *-gino*.] *Adj.* Provido de nove estiletes ou nove estigmas.

eneagonal [De *eneágono* + *-al*[1].] *Adj. 2 g. Geom.* Que tem nove ângulos.

eneágono [De *ene(a)-* + *-gono*.] *S. m. Geom.* Polígono de nove lados. [A pronúncia correta seria *eneagono*, v. *-gono*.]

eneandro [De *ene(a)-* + *-andro*.] *Adj. Bot.* Que tem nove estames.

eneário *Adj.* Que tem *n* elementos.

eneassépalo [De *ene(a)-* + *-sépalo*.] *Adj.* Que tem nove sépalas.

eneassilábico [De *eneassílabo* + *-ico*[2].] *Adj.* Eneassílabo (1).

eneassílabo [Do gr. *enneasýllabos*.] *Adj.* **1.** Diz-se de vocábulo ou verso que tem nove sílabas; eneassilábico. ● *S. m.* **2.** Verso de nove sílabas.

enegésimo [De *ene* + *-gésimo*, como em *vigésimo*, etc.] *Adj. Mat.* Enésimo (1) (q. v.).

enegrecer [De *e-*[2] + *negro* + *-ecer*.] *V. t. d.* **1.** Tornar negro; escurecer; denegrir: "A umidade <u>enegreceu</u> o papel pintado das paredes" (Cesário Verde, *Obra Completa*, p. 226); "Negra, imensa, disforme / <u>Enegrecendo</u> a noite, a desdobrar-se pelas / amplidões do horizonte, a cordilheira dorme." (Vicente de Carvalho, *Poemas e Canções*, p. 53). **2.** Difamar; deslustrar; caluniar; desacreditar: *O crime <u>enegreceu</u> sua reputação*. *Int.* **3.** Tornar-se negro; fazer-se escuro; escurecer(-se), enegrecer-se: "O dia <u>enegreceu</u>; era noite já." (José de Alencar, *Iracema*, p. 76.) **4.** *Bras. S.* Ajuntar-se uma multidão (de pessoas, animais, coisas); encher-se. *P.* **5.** V. *enegrecer* (3). [Conjug.: v. *aquecer*.]

enegrecido [Part. de *enegrecer*.] *Adj.* Que (se) enegreceu: "longas melenas empastadas de sal e de coalhos de sangue <u>enegrecido</u>." (Alberto Rangel, *Quando o Brasil Amanhecia*, p. 313).

enegrecimento [De *enegrecer* + *-imento*.] *S. m.* **1.** Ato ou efeito de enegrecer(-se); escurecimento. **2.** *Fig.* Difamação, calúnia.

eneias-marquense (éi) *Adj. 2 g.* **1.** De, ou pertencente ou relativo a Eneias Marques (PR). ● *S. 2 g.* **2.** O natural ou habitante de Eneias Marques. [Pl.: *eneias-marquenses*.] ❖

■ **Enem** Sigla de *Exame Nacional do Ensino Médio*.

enema [Var. pros. de *ênema*.] *S. m.* **1.** *Radiol. Terap.* V. *clister*. **2.** *Ant.* Medicamento de ação tópica e secante, us. outrora em feridas com hemorragia. [Embora o étimo postule *ênema*, o uso, no port. do Brasil, consagrou *enema*.]

énema *S. m.* V. *ênema*. [Uso freq. em P.]

ênema [Do lat. *enema* (nom.) < gr. *énema*.] *S. m.* Enema (q. v.).

enémico *Adj.* V. *enêmico*. [Uso freq. em P.]

enêmico [De *ênema* + *-ico*^{2}.] *Adj.* Relativo a ênema ou enema.

êneo [Do lat. *aeneu*.] *Adj.* **1.** De bronze; brônzeo: "nas hasteadas cruzes, nos êneos candelabros" (Carlos Magalhães de Azeredo, *Odes e Elegias*, p. 47). **2.** Referente ou semelhante ao bronze; brônzeo. [Cf. *Ênio*, antr.]

eneolítico [Do lat. *aeneus, a, um*, 'de bronze, brônzeo', + *-lit(o)-* + *-ico*^{2}.] *Adj. Geol.* ~ V. *período —*.

eneorema [Do lat. tard. *enaeorema* < gr. *enaiórema*.] *S. m. Med.* Substância brancacenta que aparece à superfície da urina guardada por certo tempo.

enequim *S. m. Bras.* V. *anequim*.

energética [F. subst. de *energético*.] *S. f.* **1.** Ciência da energia. **2.** *Filos.* V. *dinamismo* (3).

energético [Do gr. *energetikós*.] *Adj.* **1.** Relativo à energia. **2.** Que produz ou transmite energia: *composto energético*. **3.** Relativo à energética. ~ V. *emitância —a, intensidade —a* e *radiância —a*.

energetismo [De *energético* + *-ismo*, seg. o padrão erudito.] *S. m. Filos.* V. *dinamismo* (3).

energia [Do gr. *enérgeia*, pelo lat. *energia*.] *S. f.* **1.** Maneira como se exerce uma força. **2.** Força moral; firmeza: *Notável a energia de seu caráter*; *Tem agido com grande energia*. **3.** Vigor, força: *Com a idade, perdeu a energia*. **4.** *Filos.* Segundo Aristóteles (v. *aristotélico*), o exercício mesmo da atividade, em oposição à potência da atividade e, pois, à forma. [Cf., nesta acepç., *enteléquia* (1).] **5.** *Fís.* Propriedade de um sistema que lhe permite realizar trabalho. A energia pode ter várias formas (calorífica, cinética, elétrica, eletromagnética, mecânica, potencial, química, radiante), transformáveis umas nas outras, e cada uma capaz de provocar fenômenos bem determinados e característicos nos sistemas físicos. Em todas as transformações de energia há completa conservação dela, *i. e.*, a energia não pode ser criada, mas apenas transformada (primeiro princípio da termodinâmica). A massa de um corpo pode-se transformar em energia, e a energia sob forma radiante pode transformar-se em um corpúsculo com massa [símb.: *E*]. ◆ **Energia alternativa.** *Eng.* Aquela que é obtida por métodos que não danificam o meio ambiente, ou que o fazem menos que processos convencionais como a queima de combustíveis fósseis. **Energia atômica.** *Fís. Nucl.* Energia nuclear. **Energia calorífica.** *Fís.* Energia térmica. **Energia cinética.** *Fís.* A energia que um corpo possui por estar em movimento. **Energia de ativação.** *Quím.* Aquela que os reagentes devem receber para que seja atingido o estado de transição de uma reação. **Energia de ligação.** *Quím.* A energia necessária para que se dê, real ou hipoteticamente, a homólise de uma ligação, sem que outros efeitos sejam imediatamente produzidos. **Energia de permuta.** *Fís.* A que está associada às forças de permuta de um sistema. **Energia de repouso.** *Fís.* A que um corpo em repouso possui num determinado referencial, e que é igual ao produto da sua massa em repouso pelo quadrado da velocidade da luz. **Energia eólica.** *Eng.* A energia contida nos ventos, e que pode ser aproveitada por cata-ventos, turbogeradores, etc. **Energia escura.** *Astr. Fís.* Constituinte que permearia o universo e que seria responsável por sua expansão acelerada (descoberta em 1998). [De natureza ainda desconhecida, contribuiria com cerca de 70% para a densidade matéria/energia do universo.] **Energia geotérmica.** *Eng.* A energia que pode obtida aproveitando-se as altas temperaturas nas camadas profundas da Terra, ou em regiões vulcânicas. [O vapor de certos gêiseres, p. ex., pode ser utilizado por turbogeradores.] **Energia interna.** *Fís.* Função de estado de um sistema, que cresce quando este recebe calor do exterior e decresce quando o sistema fornece trabalho ao exterior. A sua variação é igual à diferença entre o calor recebido e o trabalho cedido, e só depende do estado final e do estado inicial do sistema. **Energia livre.** *Fís.-Quím.* V. *função de Helmholtz*. **Energia livre de Gibbs.** *Fís.-Quím.* V. *função de Gibbs*. **Energia livre de Helmholtz.** *Fís.-Quím.* V. *função de Helmholtz*. **Energia magnetizante.** *Eng. Elétr.* Energia armazenada num campo magnético, e que aparece como forma de energia intermediária em qualquer equipamento que transforma energia elétrica diretamente em outra forma de energia útil. **Energia maremotriz.** *Eng.* A energia contida no movimento das marés, e que pode ser captada por turbinas dispostas adequadamente. **Energia nuclear.** *Fís. Nucl.* A que é produzida nas reações nucleares, esp. nas de fissão nuclear, e se origina da transformação de parte da massa das partículas e núcleos reagentes em energia; energia atômica. **Energia potencial.** *Fís.* Energia de um corpo, ou de um sistema de corpos, a qual só depende da posição do corpo ou da configuração do sistema. **Energia radiante.** *Fís.* A que pode ser transmitida de um ponto a outro do espaço sem a presença de meios materiais, propagando-se como onda. **Energia solar.** *Eng.* A energia contida na radiação do Sol. [Pode ser aproveitada por meio de máquinas e aparelhos, como aquecedores, células fotovoltaicas, etc.] **Energia térmica.** *Fís.* A que se manifesta sob a forma de calor; energia calorífica. **Energia vital.** Força, ou poder, supostamente presente nos organismos vivos, esp. no ser humano.

enérgico [De *energia* + *-ico*^{2}.] *Adj.* **1.** Que manifesta energia; que opera com vigor: *temperamento enérgico*. **2.** Diz-se de quem age com segurança e eficácia. **3.** Que atua fortemente; rigoroso: *método enérgico*; *tratamento enérgico*.

enérgide [Do V.C.I. *energ-* (< gr. *energós*, 'ativo') + *-ide*^{3}.] *S. f. Biol.* O núcleo com certa porção de protoplasma.

energismo [De *energia* + *-ismo*.] *S. m. Ét.* Teoria segundo a qual o fim das ações humanas é a realização perfeita das disposições dadas.

energização [De *energizar* + *-ção*.] *S. f.* Ato ou efeito de energizar.

energizado [Part. de *energizar*.] *Adj.* Que contém energia; que foi objeto de energização.

energizar [De *energia* + *-izar*.] *V. t. d.* **1.** Dar energia a. **2.** Fazer (uma corrente elétrica) circular num circuito.

energúmeno [Do lat. *energumenu* < gr. *energoúmenos*.] *S. m.* Endemoninhado; fanático; possesso: "redemoinhar sempre em fantásticos corrupios, como um doido, como um energúmeno, sempre, sempre, sempre" (Ramalho Ortigão, *Crônicas Portuenses*, p. 29).

enervação [Do lat. *enervatione*.] *S. f.* **1.** Ação de enervar^1; enervamento. **2.** *Med.* Enfraquecimento ou esgotamento nervoso. **3.** *Med.* Secção de nervo(s), ou retirada de inervação de um órgão ou de uma área. [Cf. *inervação*.]

enervador (ô) [De *enervar* + *-dor*.] *Adj.* Enervante.

enervamento [De *enervar* + *-mento*.] *S. m.* Enervação (1).

enervante [De *enervar* + *-nte*.] *Adj. 2 g.* Que enerva [v. *enervar*^{1} (1 a 3)]; enervador: "Há no teu corpo em flor, que o outono simboliza, / A volúpia enervante e morna das surdinas." (Félix Pacheco, *Poesias*, p. 137); *É de uma teimosia enervante*. ~ V. *tiro —*.

enervar^1 [De *enervare*.] *V. t. d.* **1.** Tirar a força física ou moral de; enfraquecer, debilitar; afrouxar. **2.** Privar do vigor, da energia; enlanguescer, molificar, efeminar, afeminar: *A opressão enerva o homem*. **3.** Irritar, apoquentar, exacerbar: *A preguiça do filho enerva-o*. *Int.* **4.** Causar ou produzir enervação (2). *P.* **5.** Perder a força, a energia; debilitar-se. **6.** Irritar-se, apoquentar-se, exacerbar-se: "Este mormaço / Não me deixa escrever... Sazão daninha... / Enervo-me." (Judas Isgorogota, *Cantos da Visitação*, p. 18). [Sin. ger.: *desnervar*. Cf. *inervar*.]

enervar^2 [De *e-*^{3} + *nervo* + *-ar*^{2}.] *V. t. d.* **1.** Forrar com nervo (7). **2.** Cobrir com couro cru (algumas peças da sela). **3.** Fazer nervuras em. **4.** Comunicar atividade ou faculdade motriz a. [Cf. *inervar*.]

enerve [Do lat. *enerve*.] *Adj. 2 g.* **1.** Enfraquecido, debilitado. **2.** Efeminado, afeminado. [Cf. *inerve*, do v. *inervar*.]

enérveo [Do lat. *enervis*, 'sem nervo', + *-eo*.] *Adj. Bot.* Diz-se do órgão vegetal cujas nervuras são indistintas, ou por muito delicadas ou por se acharem mergulhadas em excesso de parênquima; aneuro.

enesgar [De *e-*^{3} + *nesga* + *-ar*^{2}.] *V. t. d.* **1.** Dar o feitio de nesga a. **2.** Dar a forma triangular a. *Int.* **3.** Adquirir o aspecto de nesga. [Conjug.: v. *largar*.]

enésimo [De *ene* + *-ésimo*, como em *centésimo*.] *Mat. Adj.* **1.** Diz-se do que ocupa a ordem *n*; enegésimo. ~ V. *derivada —a* e *raiz —a*. ● *Num.* **2.** Ordinal correspondente ao número inteiro *n*.

enevoado [Part. de *enevoar*.] *Adj.* Coberto de névoa; obscurecido, nublado; nevoado: *tempo enevoado*; *vista enevoada*.

enevoamento [De *enevoar* + *-mento*.] *S. m.* Ato ou efeito de enevoar(-se): "Posso sentir-te através do enevoamento de distâncias infinitas estreladas de lágrimas!" (Cruz e Sousa, *Obra Completa*, p. 612.)

enevoar [De *e-*^{3} + *névoa* + *-ar*^{2}.] *V. t. d.* **1.** Cobrir de névoa; anuviar, nublar: *A fumaça enevoou a cidade*. **2.** Obscurecer, sombrear: *Densas nuvens enevoam o céu*. **3.** Tornar baço, opaco; embaciar: *A idade enevoa-lhe os olhos*. **4.** Tornar sombrio; entristecer: *A ausência de liberdade enevoa uma nação*. *P.* **5.** Cobrir-se de nevoeiro; turvar-se. [F. paral.: *nevoar*. Conjug.: v. *coroar*.]

enfadadiço *Adj.* Que se enfada com facilidade; rabugento, impaciente, agastadiço, zangadiço, irascível.

enfadamento [De *enfadar* + *-mento*.] *S. m.* V. *enfado*.

enfadar [De or. incerta; poss. de *en-*^{2} + *fado*, 'destino (desfavorável)', + *-ar*^{2}.] *V. t. d.* **1.** Causar aborrecimento a; enfastiar; entediar: *Longas descrições costumam enfadar o leitor*. **2.** Cansar, incomodar, molestar; irritar: *A conversa do vendedor enfadava-o*. *P.* **3.** Desgostar-se, aborrecer-se, agastar-se.

enfado [Dev. de *enfadar*.] *S. m.* **1.** Impressão desagradável; mal-estar, incômodo. **2.** Zanga, aborrecimento, agastamento. [Sin. ger.: *enfadamento*.]

enfadonho [De *enfado* + *-onho*.] *Adj.* **1.** Que enfada, cansa, aborrece; cansativo, aborrecido, maçante, fastidioso: *indivíduo enfadonho*; *conversa enfadonha*. **2.** Que enfada, incomoda, molesta; incômodo, molesto: *situação enfadonha*. [Sin. ger.: *enfadoso*.]

enfadoso (ô) [De *enfado* + *-oso*.] *Adj.* V. *enfadonho*.

enfaixar [De *en-*^{2} + *faixa* + *-ar*^{2}.] *V. t. d.* Envolver ou atar com faixas: *enfaixar a perna*.

enfaixe [Dev. de *enfaixar*.] *S. m.* Ato ou efeito de enfaixar.

enfanicar-se [De *en-*^{2} + *fanico*^{1} + *-ar*^{2} + *se*^{1}.] *V. p. Fam.* Ter fanico^1; desmaiar. [Conjug.: v. *trancar*.]

➔**enfant gâté** [ɑ̃fɑ̃ ga'te] [Fr.] *S. m.* Aquele que é objeto de grande predileção e indulgência por parte de outrem.

➔**enfant terrible** [ɑ̃fɑ̃ tɛ'ʁiblə] [Fr.] *S. 2 g.* Criança ou adulto que, por indiscreto, causa embaraços contínuos, escandaliza os outros.

enfaramento [De *enfarar* + *-mento*.] *S. m.* V. *enfaro*.

enfarar [De *en-*^{2} + *faro*^{1} (2) + *-ar*^{2}.] *V. t. d.* **1.** Causar enfaro a; enfastiar, entediar: *As leituras o atraem, a música enfara-o*. **2.** Ter enjoo a; tomar aborrecimento a; enfadar. *P.* **3.** Aborrecer-se, entediar-se, enfadar-se: "Nunca me acostumei àqueles momentos de capela, depois do jantar. Houve mesmo um tempo em que me enfarei de todo" (Renard Pérez, *Os Sinos. O Tombadilho*, p. 21).

enfardadeira [De *enfardar* + *-deira*.] *S. f.* **1.** Máquina agrícola que serve para enfardar o trigo ceifado, outros cereais, ou palha. **2.** *Art. Gráf.* Prensa que faz o empacotamento e a amarração das aparas de papel.

enfardado [Part. de *enfardar*.] *Adj.* De que se fez fardo; empacotado, embrulhado.

enfardador (ô) [De *enfardar* + *-dor*.] *Adj. S. m.* Que, ou aquele que enfarda.

enfardamento [De *enfardar* + *-mento*.] *S. m.* Ato ou efeito de enfardar.

enfardar [De *en-*^{2} + *fardo* + *-ar*^{2}.] *V. t. d.* **1.** Fazer fardo de; empacotar, embrulhar, entrouxar. **2.** Enfardelar. **3.** Guardar, arrecadar: *Enfardou a sobrecasaca*.

enfardelar [De *en-*^{2} + *fardel* + *-ar*^{2}.] *V. t. d.* Meter em fardel; enfardar. V. *empacotar*.

enfarelado [Part. de *enfarelar*.] *Adj.* **1.** Misturado com farelo. **2.** Sobre o que se espalhou farelo.

enfarelar [De *en-*^{2} + *farelo* + *-ar*^{2}.] *V. t. d.* **1.** Misturar farelos a. **2.** Espalhar farelos sobre.

enfarinhadela [De *enfarinhar* + *-dela*.] *S. f. Fam.* Ato de enfarinhar.

enfarinhar [De *en-*^{2} + *farinha* + *-ar*^{2}.] *V. t. d.* **1.** Polvilhar com farinha; cobrir com farinha; empoar: *Enfarinhou o tabuleiro para fazer os biscoitos*. **2.** Transformar em farinha ou pó; esfarelar: *enfarinhar a mandioca*. **3.** *Pint.* Esbranquiçar. *T. d. e i.* **4.** Dar noções gerais a; iniciar: *Em poucos meses o enfarinhei na matemática*. *P.* **5.** Cobrir-se de farinha; empoar-se. **6.** Adquirir conhecimentos superficiais sobre alguma coisa.

enfaro [Dev. de *enfarar*.] *S. m.* **1.** Ato ou efeito de enfarar ou enjoar; fastio, asco, repugnância, enjoo. **2.** Aborrecimento, enfado, tédio: "a voz do próprio tédio, do irremediável enfaro de viver..." (Olavo Bilac, *Ironia e Piedade*, p. 123). [Sin. ger.: *enfaramento*.]

enfaroso (ô) [De *enfaro* + *-oso*.] *Adj. Bras. PE* Cheio de enfaro; enfastiado, enjoado, aborrecido.

enfarpelar [De *en-*^{2} + *farpela*^{2} + *-ar*^{2}.] *V. t. d. P.* Vestir(-se) com roupa nova ou domingueira.

enfarrapar [De *en-*^{2} + *farrapo* + *-ar*^{2}.] *V. t. d.* Envolver em, ou vestir de farrapos.

enfarruscar [De *en-*^{2} + *farrusca* + *-ar*^{2}.] *V. t. d.* **1.** Fazer farruscas em; sujar com carvão, fuligem, etc.; emborralhar, encarvoar; mascarrar. **2.** Dar aspecto amuado, zangado, a: *enfarruscar o semblante*. *Int.* **3.** *Bras.* Zangar-se, amuar-se, arrufar-se, enfarruscar-se. *P.* **4.** Sujar-se de fuligem; encarvoar-se. **5.** *Bras.* Enevoar-se, anuviar-se. **6.** *Bras.* V. *enfarruscar* (3). [Conjug.: v. *trancar*.]

enfartação [De *enfartar* + *-ção*.] *S. f.* V. *enfarte*^{1}.

enfartado [Part. de *enfartar*.] *Adj.* Farto, cheio, repleto.

enfartamento [De *enfartar* + *-mento*.] *S. m.* V. *enfarte*^{1}.

enfartar^1 [De *en-*^{2} + *farto*^{1} + *-ar*^{2}.] *V. t. d.* **1.** Causar enfarte a; encher de comida; fartar. **2.** Entupir, obstruir, obturar.

enfartar^2 [De *enfarte*^{2} + *-ar*^{2}.] *V. int.* Sofrer ou ter um infarto.

enfarte^1 [Dev. de *enfartar*^{1}.] *S. m.* Ato ou efeito de enfartar; ingurgitamento; inchação; enfartação, enfartamento, fartação.

enfarte^2 *S. m. Patol.* V. *infarto*.

enfarto *S. m. Patol.* V. *infarto*.

ênfase [Do gr. *émphasis*, pelo lat. *emphase.*] *S. f.* **1.** Modo empolado, afetado, de se exprimir. **2.** Energia excessiva na gesticulação ou na fala. **3.** Ostentação, soberba, arrogância: "Ninguém lhe achará [em Raimundo Correia] ênfase lacrimosa nem grandiloquência vaga." (Tristão da Cunha, *Cousas do Tempo*, p. 189.) **4.** Realce, destaque, relevo. **5.** Entonação especial para fazer ressaltar alguma palavra ou expressão. **6.** *Lóg.* Sofisma da ênfase (q. v.).

enfastiadiço *Adj.* Que enfastia, aborrece, enfada; maçante, enfadonho, tedioso.

enfastiamento [De *enfastiar* + *-mento.*] *S. m.* Ato ou efeito de enfastiar(-se).

enfastiante [De *enfastiar* + *-nte.*] *Adj. 2 g.* V. *enfastioso.*

enfastiar [De *en-*[2] + *fastio* + *-ar*[2].] *V. t. d.* **1.** Causar fastio (1 e 2) a: *A doença o enfastiou de tal forma, que perdeu 10 quilos.* **2.** Causar fastio ou aborrecimento a; entediar; enfadar; enfarar: *O orador prolixo enfastia os ouvintes.* **3.** Incomodar, molestar, irritar, enfadar: *O barulho enfastiava-o.* **4.** Tornar fastidioso, tedioso: "A tristeza / Da garoa a cair, fina como farinha, / Quando o inverno vinha enfastiar a natureza..." (Ribeiro Couto, *Poesias Reunidas*, p. 92.) *Int.* **5.** Causar ou produzir tédio, enfado, fastio. *P.* **6.** Aborrecer-se; enfadar-se, enfarar-se.

enfastioso (ô) [De *enfastiar* + *-oso.*] *Adj.* Que causa fastio ou tédio; enfastiante, fastidioso.

enfático [Do gr. *emphatikós.*] *Adj.* Que tem, ou em que há ênfase. ~ V. *acento —.*

enfatiotar-se [De *en-*[2] + *fatiota* + *-ar*[2] + *se*[1].] *V. p. Bras.* **1.** Vestir-se em fatiota. **2.** Vestir-se com apuro.

enfatismo [De *enfático* + *-ismo*, seg. o padrão erudito.] *S. m.* **1.** Qualidade ou caráter de enfático. **2.** Uso imoderado da ênfase.

enfatizar [De *enfático* + *-izar*, seg. o padrão erudito.] *V. t. d.* Dar ênfase, destaque, relevo especial, a; salientar; ressaltar; acentuar: *O orador enfatizou a questão dos direitos humanos;* "Se demoramos na análise das principais composições incluídas no *Áureo Trono*, não tivemos com isso a intenção de enfatizar qualidades que .... não chegam a definir, no caráter circunstancial das peças, uma personalidade literária ou considerável contribuição criativa." (Afonso Ávila, *Resíduos Seiscentistas em Minas*, I, p. 59).

enfatuação [De *enfatuar* + *-ção.*] *S. f.* Ato ou efeito de enfatuar(-se); enfatuamento.

enfatuado [Part. de *enfatuar.*] *Adj.* Cheio de si; presumido, vaidoso, arrogante, fátuo.

enfatuamento [De *enfatuar* + *-mento.*] *S. m.* Enfatuação.

enfatuar [Do lat. *infatuare.*] *V. t. d.* **1.** Tornar fátuo; encher de vaidade ou presunção: *A vitória enfatuou o general.* **2.** Tornar imprudente, ignorante. *P.* **3.** Envaidecer-se, orgulhar-se.

enfeado [Part. de *enfear.*] *Adj.* Que se tornou feio; afeado. [Cf. *enfiado*, do v. *enfiar*, e *enfiada*, do mesmo v. e s. f.]

enfear [De *en-*[2] + *feio* + *-ar*[2].] *V. t. d.* V. *afear.* [Conjug.: v. *frear*. Part.: *enfeado*, fem. *enfeada*. Cf. *enfiado*, fem. *enfiada*, do v. *enfiar*, este v., e *enfiada*, s. f.]

enfebrecer [De *en-*[2] + *febre*[1] + *-ecer.*] *V. int.* **1.** Passar a estado febril; criar febre. *T. d.* **2.** Criar febre em. [Conjug.: v. *aquecer*.]

enfeirar [De *en-*[2] + *feira* + *-ar*[2].] *V. int.* **1.** Fazer negócio na feira. *T. d.* **2.** Comprar, adquirir, na feira ou como em feira: "O dinheiro enfeirou corpos de mulheres, sem condicionar a existência d'almas bem-formadas nesses corpos" (Camilo Castelo Branco, *A Mulher Fatal*, p. 28).

enfeitado [Part. de *enfeitar.*] *Adj.* Ornado de enfeites; adornado, alindado, ataviado. ~ V. *bomba —a* e *calouro —.*

enfeitador (ô) [De *enfeitar* + *-dor.*] *Adj. S. m.* Que, ou aquele que enfeita.

enfeitar [Do port. (ant.) *afeitar* (q. v.).] *V. t. d.* **1.** Pôr enfeites em; encher de atavios; adornar, ornamentar, ataviar: *enfeitar a árvore de Natal.* **2.** Dar boa aparência a: *enfeitar o rosto.* **3.** *Fig.* Desculpar, colorir ou disfarçar (defeitos). **4.** Pôr farpas em (touros). *Int.* **5.** *Bras.* Ficar bonito (quem não o era); enfeitar-se. **6.** *Bras. S.* Entrar (moça) no período da puberdade, tornando-se garrida; enfeitar-se. **7.** Começar (a franga) a ficar adulta, cacarejando como sinal de que se aproxima a primeira postura; enfeitar-se. *P.* **8.** V. *enfeitar* (5 a 7). **9.** Adornar-se, ornamentar-se, ataviar-se, embelezar-se. **10.** *Bras.* Tomar confiança; atrever-se: "Andava-se enfeitando para uma roxinha, noiva dum vaqueiro." (Coelho Neto, *Treva*, p. 74.) [Sin., nas acepç. 1 a 3, 5 e 9: *afeitar*.]

enfeite [Dev. de *enfeitar.*] *S. m.* **1.** Adorno ligeiro, não muito vistoso que dá mais graça a alguém ou a algo. **2.** Ornamento, ornato, atavio.

enfeitiçado [Part. de *enfeitiçar.*] *Adj.* **1.** Que se enfeitiçou; que está sob a ação do feitiço. **2.** Seduzido, fascinado, maravilhado, arrebatado.

enfeitiçamento [De *enfeitiçar* + *-mento.*] *S. m.* Ato ou efeito de enfeitiçar(-se).

enfeitiçante [De *enfeitiçar* + *-nte.*] *Adj. 2 g.* Que prende, encanta, alicia, enfeitiça: "Bom garfo, consciente do valor das comidas, ... fruía as doçuras irrestritas e as graças numerosas de um tratamento enfeitiçante." (Gilberto Amado, *Depois da Política*, p. 18.)

enfeitiçar [De *en-*[2] + *feitiço* + *-ar*[2].] *V. t. d.* **1.** Sujeitar à ação de feitiço; encantar, embruxar: *Nas histórias infantis as bruxas enfeitiçam os príncipes.* **2.** Fazer mal a, por meio de magia; embruxar: *Há cultos em que as pessoas procuram enfeitiçar seus inimigos.* **3.** Seduzir, fascinar, maravilhar, arrebatar: *O amor enfeitiçava-o.* *P.* **4.** Deixar-se vencer pelo feitiço de; deixar-se cativar. [Conjug.: v. *laçar*.]

enfeixamento [De *enfeixar* + *-mento.*] *S. m.* Ato de enfeixar.

enfeixar [De *en-*[2] + *feixe* + *-ar*[2].] *V. t. d.* **1.** Atar em feixe; faxinar: *enfeixar gravetos.* **2.** Ajuntar, juntar, reunir: *Enfeixou os seus papéis; Enfeixou todas as energias para a resistência.* **3.** Entrouxar, embrulhar, enfardar.

enfeltrar [De *en-*[2] + *feltro* + *-ar*[2].] *V. t. d.* **1.** Transformar em feltro. **2.** Envolver em feltro.

enfelujar [De *en-*[2] + *felugem* + *-ar*[2].] *V. t. d.* Sujar com felugem; mascarrar.

enfenecer [De *en-*[2] + *fenecer.*] *V. int. T. c.* V. *fenecer.* [Conjug.: v. *aquecer*.]

enfermagem [De *enfermar* + *-agem*[2].] *S. f.* **1.** A arte ou função de cuidar de enfermos, acidentados, idosos, etc., dispensando cuidados especializados, ministrando medicamentos e tratamentos. **2.** A profissão de enfermeiro. **3.** Os enfermeiros de um estabelecimento hospitalar ou congênere.

enfermar [Do lat. *infirmare.*] *V. t. d.* **1.** Tornar doente; fazer adoecer: *O golpe de ar enfermou-a.* **2.** Tirar o vigor a: *A intolerância enferma a cultura de uma nação.* **3.** Afligir, mortificar: *A insegurança enfermava-o.* *Int.* **4.** Tornar-se enfermo; adoecer. [Pres. ind.: *enfermo, enfermas, enferma*, etc. Cf. *enfermo* (ê) e as flex. *enferma* (ê) e *enfermas* (ê).]

enfermaria [De *enfermo* + *-aria.*] *S. f.* **1.** Edificação, ou parte(s) dela, que se destina(m) ao tratamento de enfermos. **2.** Dependência hospitalar em que se internam doentes. **3.** Dependência de estabelecimento não hospitalar (colégio, fábrica, etc.) que se destina a atendimento médico de urgência, ou transitório. **4.** Casa onde se recolhem animais para serem tratados.

enfermeira [De *enfermo* + *-eira.*] *S. f.* **1.** Mulher que cuida de enfermos. **2.** Mulher que cuida de recém-nascidos. **3.** Fem. de enfermeiro (2) (q. v.).

enfermeiro [De *enfermo* + *-eiro.*] *S. m.* **1.** Homem que cuida de enfermos. **2.** Indivíduo diplomado em escola de enfermagem.

enfermiço [De *enfermo* + *-iço*[2].] *Adj.* Que anda sempre enfermo; achacadiço, achacoso, doentio, valetudinário.

enfermidade [Do lat. *infirmitate.*] *S. f.* **1.** *Med.* Debilidade, doença, ou outra causa que produza fraqueza. **2.** *Fig.* Qualquer vício ou mania. **3.** *Bras. AL Pop.* Ferida de mau caráter: "Ferida crônica, de mau caráter, diziam. Nada a fazia cicatrizar, ... Não faltou pomada, banha, azeite de botica, remédio brabo do mato, que o velho não botasse na enfermidade." (Araújo Costa, *O Menino e o Tempo*, p. 251.)

enfermo (ê) [Do lat. *infirmu.*] *Adj.* **1.** Doente (1). **2.** Anormal, doentio: *O enfermo ciúme levou-o ao crime.* ● *S. m.* **3.** Aquele que está enfermo; doente. [Flex.: *enferma* (ê), *enfermos* (ê), *enfermas* (ê). Cf. *enfermo, enfermas, enferma*, do v. *enfermar*.]

enferrujamento [De *enferrujar* + *-mento.*] *S. m.* **1.** Ato ou efeito de enferrujar. **2.** *Quím.* Processo de corrosão do ferro.

enferrujar [De *en-*[2] + *ferrugem* + *-ar*[2].] *V. t. d.* **1.** Fazer criar ferrugem; oxidar: *A umidade enferruja certos metais.* **2.** Sujar com ferrugem: *A menina enferrujou a roupa.* **3.** Fazer perder a destreza, o vigor: *A idade enferruja o homem.* *Int.* **4.** Criar ferrugem; encher-se ou cobrir-se de ferrugem: *As facas enferrujaram.* **5.** Cair em desuso: *Numa língua, certas palavras resistem ao tempo e outras enferrujam.* **6.** Perder a destreza, o vigor: *Diz que ficou velho, e enferrujou.* **7.** Deixar de ser bom, ou tão bom como dantes: *Como não tenho praticado, o meu inglês enferrujou.* *P.* **8.** Cobrir-se ou encher-se de ferrugem; oxidar-se.

enfesta *S. f.* **1.** Cume, pico; assomada. **2.** *Fig.* Fastígio, auge, cume. [Cf. *infesta*, do v. *infestar* e fem. de *infesto.*]

enfestação [De *enfestar*[1] + *-ção.*] *S. f. Bras.* Ato de enfestar[1] (4). [Cf. *infestação*.]

enfestado[1] [Part. de *enfestar*[1].] *Adj.* **1.** Diz-se do pano dobrado ao meio, no sentido da largura, e assim enrolado na peça. **2.** *Bras. Fig.* De compleição robusta; dobrado, reforçado. [Cf. *infestado*.]

enfestado[2] [De *enfesta* + *-ado*[1].] *Adj. Ant.* Voltado para cima; empinado. [Cf. *infestado*.]

enfestador (ô) [De *enfestar*[1] + *-dor.*] *S. m. Bras.* Indivíduo acostumado a enfestar, a furtar no jogo. [Cf. *infestador*.]

enfestar[1] [De *en-*[2] + *festo* (ê) + *-ar*[2].] *V. t. d.* **1.** Fazer festo em; dobrar pelo meio na sua largura. **2.** Aumentar (uma conta). **3.** Aumentar (qualquer coisa). *Int.* **4.** *Bras.* Furtar no jogo, marcando mais pontos do que o devido. **5.** *Bras.* Exagerar; mentir. [Pres. ind.: *enfesto, enfestas, enfesta*, etc. Cf. *enfesto* (ê), as flex. *enfesta* (ê), *enfestas* (ê), e o v. *infestar*.]

enfestar[2] [Do esp. *enfestar.*] *V. t. d. Bras. S.* Aborrecer, enfastiar, entediar. [Pres. ind.: *enfesto, enfestas, enfesta*, etc. Cf. *enfesto* (ê), as flex. *enfesta* (ê), *enfestas* (ê), e o v. *infestar*.]

enfesto (ê) [Da mesma or. incerta que o esp. *enhiesto*; poss. do lat. *infestu.*] *Adj.* Íngreme, empinado; ladeirento. [Flex.: *enfesta* (ê), *enfestos* (ê), *enfestas* (ê). Cf. *enfesto, enfestas, enfesta*, do v. *enfestar*; *infesto, infestas, infesta*, do v. *infestar*; *infesto*, adj., e as flex. *infesta, infestos, infestas*.]

enfestoar [De *en-*[2] + *festão*[1] + *-ar*[2], com desnasalação.] *V. t. d. P.* V. *afestoar*. [Conjug.: v. *coroar*.]

enfeudação [De *enfeudar* + *-ção.*] *S. f.* Ato de enfeudar(-se).

enfeudar [De *en-*[2] + *feudo* + *-ar*[2].] *V. t. d.* **1.** Dar ou constituir em feudo (terra, cidade, Estado). *P.* **2.** Entregar-se (uma pessoa a outra, a um partido, etc.).

enfezado [Part. de *enfezar.*] *Adj.* **1.** Raquítico, acanhado, pequeno. **2.** *Fig.* Irritadiço; impertinente. **3.** *Fig.* Aborrecido, amolado, irritado.

enfezamento [De *enfezar* + *-mento.*] *S. m.* **1.** Raquitismo, atrofiamento. **2.** Aborrecimento, enfado, irritação.

enfezar [De *en-*[2] + *fez* + *-ar*[2], poss.] *V. t. d.* **1.** Tolher o movimento de; fazer que não cresça normalmente; tornar raquítico. **2.** Enfadar, impacientar; irritar, amolar: *A admoestação enfezou-o.* *Int.* **3.** *Bras.* Enfadar-se, impacientar-se, irritar-se; enfezar-se. *P.* **4.** Entrar em decadência, definhar; decair. **5.** V. *enfezar* (3).

enfia [Dev. de *enfiar.*] *S. m. Bras. MA CE* V. *cadarço* (3).

enfiação [De *enfiar* + *-ção.*] *S. f.* V. *enfiamento* (1 e 4).

enfiada [De *enfiar* + *-ada*[1].] *S. f.* **1.** Conjunto de objetos enfiados em linha, fio ou coisa semelhante; sarta, fieira, fiada: *enfiada de peixes.* **2.** Porção de objetos dispostos em linha; fila, fileira. **3.** Série ou sequência de acontecimentos, ações, palavras, etc. **4.** *Bras. Gír. Fut.* Goleada. [Cf. *enfeada*, fem. do part. de *enfear* e do adj. *enfeado*.] ◆ **De enfiada. 1.** Sem solução de continuidade; consecutivamente. **2.** Com grande diferença de gols, pontos, etc.: *Ganhou de enfiada o último jogo do campeonato.*

enfiador (ô) [De *enfiar* + *-dor.*] *S. m. Bras. MA PE AL* V. *cadarço* (3).

enfiadura [De *enfiar* + *-dura.*] *S. f.* **1.** Porção de linha que duma vez se enfia na agulha. **2.** Orifício (da agulha, de contas, de pérolas) por onde se introduz um fio. **3.** V. *enfiamento* (1).

enfiamento [De *enfiar* + *-mento.*] *S. m.* **1.** Ato de enfiar(-se); enfiadura, enfiação. **2.** Direção retilínea. **3.** Desmaio, desfalecimento. **4.** Vexame, vergonha; enfiação.

enfiar [De *en-*[2] + *fio* + *-ar*[2].] *V. t. d.* **1.** Introduzir, meter (um fio) num orifício: *A vista não lhe permite enfiar uma linha.* **2.** Meter em fio (pérolas, contas, etc.); engranzar. **3.** Fazer entrar; introduzir; meter: *Não sabe enfiar um prego.* **4.** Vestir, ou calçar: *enfiar a camisa; enfiar os sapatos;* "Duarte enfiou um chambre e dirigiu-se para a sala" (Machado de Assis, *Papéis Avulsos*, p. 102). **5.** Atravessar (alguém) de lado a lado, com espada, lança, etc.; traspassar, transpassar, transfixar: *O inimigo, implacável, enfiou-o.* **6.** Entrar por: *Enfiou a porta sem fazer-se anunciar.* **7.** Retomar o fio de (discurso). **8.** Narrar, contar, sem interrupção, de enfiada: *Enfiou várias histórias.* **9.** Andar por; percorrer: *enfiar um caminho.* **10.** Continuar ininterruptamente: *enfiar um sono.* **11.** Beber sucessivamente: *Enfiou vários cálices de cachaça.* **12.** *Náut.* Projetar (pontos de referência, como p. ex., boias, balizas, acidentes geográficos, etc.) uns sobre outros, com o fim de obter um alinhamento que permite localizar a embarcação na carta ou orientar-lhe a navegação. *T. d. e i.* **13.** Bater com algo; meter: *A polícia enfiou o pau nos manifestantes.* *T. d. e c.* **14.** Introduzir fio num orifício: "enfiou a linha na agulha, e entrou a coser." (Machado de Assis, *Várias Histórias*, p. 231). **15.** Fazer entrar; introduzir, meter: *Enfiou várias tachas na tábua.* *T. c.* **16.** Entrar, meter-se, enfiar-se: "disse ao cocheiro que esperasse, e rápido enfiou pelo corredor, e subiu a escada." (Id, *ib.*, p. 14). **17.** Encaminhar-se, dirigir-se, enfiar-se: *Enfiou para casa.* **18.** Encanar-se, coar-se, enfiar-se: *O vento enfia pelas frinchas das janelas.* *Int.* **19.** Empalidecer; desmaiar: *Após a acusação, o réu enfiou;* "No rosto macerado, que enfiava, / O lagrimoso pranto reluzia" (Correia Garção, *Obras Poéticas e Orató-*

rias, p. 55). **20.** *Bras.* Encabular, encafifar, encavacar, envergonhar-se. **21.** Seguir-se um após outro; enfiar-se. ***P.* 22.** Enfiar (16): "Na maioria dos casos, o cientista sobe o Amazonas ou o Tocantins, enfia-se no aranhol hidrográfico, vai até às vertentes donde brotam os rios, mas não sai das margens" (Raimundo Morais, *País das Pedras Verdes*, p. 289). **23.** V. *enfiar* (17 e 18). **24.** Enfiar (21). [Part.: *enfiado*, fem. *enfiada*. Cf. *enfeado*, fem. *enfeada*, do v. *enfear* e adj., e este verbo.]

enfileirado [Part. de *enfileirar*.] ***Adj.*** Disposto ou ordenado em fileiras; alinhado.

enfileiramento [De *enfileirar* + *-mento*.] ***S. m.*** Ato de enfileirar(-se).

enfileirar [De *en-*^{2} + *fileira* + *-ar*^{2}.] ***V. t. d.* 1.** Dispor ou ordenar em fileiras; alinhar: *O menino enfileirou os soldadinhos de chumbo.* ***P.* 2.** Entrar na fileira; alinhar-se.

enfim [De *em fim*.] ***Adv.* 1.** Finalmente, afinal; por fim. • ***Interj.* 2.** Vá lá!; afinal de contas, admite-se: "Que quem já é pecador / Sofra tormentos, enfim! / Mas as crianças, Senhor, / Por que lhes dais tanta dor?!..." (Augusto Gil, *Luar de Janeiro*, p. 29.)

enfincar [De *en-*^{2} + *fincar*.] ***V. t. d.*** *Bras. Pop.* Fincar (1). [Conjug.: v. *trancar*.]

enfisema [Do gr. *emphýsema*.] ***S. m.*** *Patol.* Presença de ar nos interstícios do tecido conjuntivo de um órgão. ◆ **Enfisema pulmonar.** *Patol.* Condição mórbida que se caracteriza pelo aumento permanente do volume dos espaços aéreos localizados além dos bronquíolos terminais, seja por dilatação, seja por lise das paredes alveolares.

enfisemático [De *enfisema* + *-ático*.] ***Adj.*** Relativo a, ou próprio de enfisema; enfisematoso.

enfisematoso (ô) [De *enfisema* < gr. *emphýsema, atos* + *-oso*.] ***Adj.* 1.** Enfisemático. **2.** Que sofre de enfisema. • ***S. m.* 3.** Aquele que sofre de enfisema.

enfistular [De *en-*^{2} + *fístula* + *-ar*^{2}.] ***V. t. d.* 1.** Tornar fistuloso. ***Int. P.* 2.** Criar fístula; degenerar em fístula.

enfitado [Part. de *enfitar*^{1}.] ***Adj.*** Em que se puseram fitas; adornado com fitas: "Anália a cana enfitada, / Com a mão leve, a um leve aceno, / Porá da máquina rude / Entre os cilindros de ferro." (Alberto de Oliveira, *Poesias*, 3.ª série, p. 114.)

enfitar^1 [De *en-*^{2} + *fita*^{1} + *-ar*^{2}.] ***V. t. d.*** Pôr fitas em; adornar com fitas; afitar: "Ora em nastros não mais a parasita / Verde às colunas vegetais se enrola, / E o corpo elando, os píncaros enfita." (Alberto de Oliveira, *Poesias*, 1.ª série, p. 223.)

enfitar^2 [De *en-*^{2} + *fitar*.] ***V. t. d.* 1.** Olhar fixamente; fitar. ***P.* 2.** Fixar a vista. "perguntou João, enfitando-se nela." (Camilo Castelo Branco, *Novelas do Minho*, VII, p. 52.)

enfiteuse [Do gr. *emphýteusis*, pelo lat. *emphyteuse*.] ***S. f.*** *Dir. Civ.* Direito real alienável e transmissível por sucessão, e que confere ao seu titular, chamado enfiteuta ou foreiro, o domínio útil de imóvel em caráter perpétuo, mediante o pagamento de foro ou pensão anual ao proprietário, o qual é designado senhorio; aforamento, emprazamento, fateusim.

enfiteuta [Do gr. *emphyteútes*, pelo lat. *emphyteuta*.] ***S. 2 g.*** Pessoa que tem ou recebe por enfiteuse o domínio útil de um prédio.

enfiteuticação [De *enfiteuticar* + *-ção*.] ***S. f.*** Ato ou efeito de enfiteuticar.

enfiteuticado [Part. de *enfiteuticar*.] ***Adj.*** Transferido por enfiteuse; aforado, emprazado.

enfiteuticar [De *enfitêutico* + *-ar*^{2}.] ***V. t. d.*** Ceder por enfiteuse; aforar. [Conjug.: v. *trancar*. Pres. ind.: *enfiteutico*, etc. Fut. pret.: *enfiteuticaria*, etc. Cf. *enfitêutico*, adj., e *enfiteuticária*, fem. de *enfiteuticário*.]

enfiteuticário [Do lat. *emphyteuticariu*.] ***Adj.*** V. *enfitêutico*. [Fem.: *enfiteuticária*. Cf. *enfiteuticaria*, do v. *enfiteuticar*.]

enfitêutico [Do gr. *emphyteutikós*, pelo lat. *emphyteuticu*.] ***Adj.*** Concernente a enfiteuse; enfiteuticário, fateusim. [Cf. *enfiteutico*, do v. *enfiteuticar*.]

enfivelamento [De *enfivelar* + *-mento*.] ***S. m.*** Ato de enfivelar.

enfivelar [De *en-*^{2} + *fivela* + *-ar*^{2}.] ***V. t. d.* 1.** Pôr fivela(s) em. **2.** Guarnecer ou adornar com fivelas. [Cf. *afivelar*.]

enfixar (cs) [De *en-*^{2} + *fixa* + *-ar*^{2}.] ***V. t. d.*** *Bras.* **1.** Pôr fixas [v. *fixa* (2 e 3)] em (portas e janelas). **2.** Unir com fixas [v. *fixa* (4)] as extremidades de (trilhos consecutivos).

enflanelar [De *en-*^{2} + *flanela* + *-ar*^{2}.] ***V. t. d.*** Revestir ou cobrir de flanela.

enflorado [Part. de *enflorar*.] ***Adj.* 1.** Que se tornou florido. **2.** Ornado de flores. **3.** Embelezado, alindado. **4.** Cheio de alegria. [Sin. ger.: *enfloreado*.]

enfloragem [Do fr. *enfleurage*.] ***S. f.*** *Quím.* Extração dos óleos essenciais de flores mediante o contato entre as pétalas e uma substância graxa, com o que se obtém o concreto (11).

enflorar [De *en-*^{2} + *flor* + *-ar*^{2}.] ***V. t. d.* 1.** Fazer nascer flores em; tornar florido. **2.** Ornar de flores; engrinaldar. **3.** Embelezar, alindar, adornar. **4.** Tornar próspero; encher de alegria. ***Int.* 5.** Criar flores; enflorescer, enflorar-se. ***P.* 6.** V. *enflorar* (5). [Sin. ger.: *enflorear*.]

enfloreado [Part. de *enflorear*.] ***Adj.*** V. *enflorado*.

enflorear [De *en-*^{2} + *flor* + *-ear*^{2}.] ***V. t. d. Int. P.*** V. *enflorar*. [Conjug.: v. *frear*.]

enflorescer [De *en-*^{2} + *flor* + *-escer*.] ***V. int. T. c. T. d.*** V. *florescer*. [Conjug.: v. *crescer*.]

enflorestado [De *en-*^{2} + *floresta* + *-ado*^{1}.] ***Adj.*** Que tem floresta(s).

enfobiar [De *en-*^{2} + *fobia* + *-ar*^{2}.] ***V. t. d.*** Causar viva irritação a; encanzinar.

enfocação [De *enfocar* + *-ção*.] ***S. f.*** Ato de enfocar.

enfocar [De *en-*^{2} + *foco* + *-ar*^{2}.] ***V. t. d.*** V. *focalizar*. [Conjug.: v. *trancar*.]

enfogar [De *en-*^{2} + *fogo* + *-ar*^{2}.] ***V. t. d.*** Pôr em fogo; afoguear; abrasar. [Conjug.: v. *largar*.]

enfolhado [Part. de *enfolhar*.] ***Adj.*** Coberto ou revestido de folhas.

enfolhamento [De *enfolhar* + *-mento*.] ***S. m.*** Ato ou efeito de enfolhar(-se).

enfolhar [De *en-*^{2} + *folha*^{1} + *-ar*^{2}.] ***V. int. P.*** Criar folhas; cobrir-se ou revestir-se de folhas.

enfolipar [De *en-*^{2} + *folipo* + *-ar*^{2}.] ***V. t. d.*** Produzir folipo, formar seio ou fole, em (peça de vestuário malcosturada).

enfoque [Dev. de *enfocar*.] ***S. m.*** *Bras.* Perspectiva a partir da qual se analisa um fenômeno.

enforcadinho [De *enforcado* + *-inho*^{1}.] ***S. m.*** *Bot.* Planta orquidácea (*Epidendrum divaricatum* ou *E. difforme*) ger. epífita, cujas flores quase translúcidas, verde-amareladas ou brancas, têm propriedades miméticas, imitando não apenas fungos e insetos, mas tb. flores de outras plantas.

enforcado [Part. de *enforcar*.] ***Adj.* 1.** Supliciado na forca. **2.** Que se enforcou. **3.** Diz-se de parreira enleada a árvores. **4.** *Bras.* Que se acha em apuros financeiros; apertado. ~ V. *dia* — e *linha* —*a*. • ***S. m.* 5.** Indivíduo supliciado na forca. **6.** Aquele que se enforcou. **7.** *Ant. Art. Gráf.* Encasado.

enforcamento [De *enforcar* + *-mento*.] ***S. m.*** Ato de enforcar(-se).

enforcar [De *en-*^{2} + *forca* + *-ar*^{2}.] ***V. t. d.* 1.** Supliciar na forca; suspender pelo pescoço em lugar alto, asfixiando; colgar: *Enforcaram Tiradentes em 21 de abril de 1792.* **2.** Estrangular; asfixiar: *O assaltante enforcou o velho com um cachecol.* **3.** Vender muito barato. **4.** Esbanjar, dissipar, malbaratar, malgastar. **5.** *Bras.* Deixar de trabalhar ou de ir ao colégio em (dia imprensado). **6.** Renunciar a; desistir de. **7.** *Tip.* Iniciar (página) com linha quebrada. **8.** *Tip.* Colocar (linha) em posição destoante das normas tipográficas. ***P.* 9.** Suicidar-se por estrangulação, suspendendo-se pelo pescoço. **10.** Vender por preço muito baixo, prejudicando-se. **11.** *Gír.* Casar(-se), matrimoniar-se. [Conjug.: v. *trancar*.]

enforjar [De *en-*^{2} + *forja* + *-ar*^{2}.] ***V. t. d.*** Meter na forja.

enformação [De *enformar*^{1} + *-ção*.] ***S. f.*** Ato de enformar^1. [Cf. *informação*.]

enformador (ô) [De *enformar*^{1} + *-dor*.] ***S. m.*** Aquele que enforma. [Cf. *informador*.]

enformagem [De *enformar*^{1} + *-agem*^{2}.] ***S. f.*** Ato ou efeito de enformar.

enformar^1 [De *en-*^{2} + *fôrma* + *-ar*^{2}.] ***V. t. d.* 1.** Meter na fôrma. **2.** *Fam.* Comer em abundância. [Pres. subj.: *enforme*, etc. Cf. *informar* e *informe*.]

enformar^2 [De *en-*^{2} + *forma* + *-ar*^{2}.] ***V. t. d.* 1.** Dar forma a: *O soneto já enformou os mais belos sentimentos*; "Os homens amassavam lodo, enformavam adobes, tocavam fogo nos tijolos" (Afrânio Peixoto, *Maria Bonita*, p. 108). ***Int.* 2.** Crescer; encorpar; desenvolver-se. [Pres. subj.: *enforme*, etc. Cf. *informar* e *informe*.]

enfornar [De *en-*^{2} + *forno* + *-ar*^{2}.] ***V. t. d.* 1.** Introduzir no forno. **2.** Comer com avidez. [Cf. *enfurnar*.]

enforquilhado [Part. de *enforquilhar*.] ***Adj.*** V. *escanchado* (2).

enforquilhar [De *en-*^{2} + *forquilha* + *-ar*^{2}.] ***V. t. d.* 1.** *Bras. S.* Prender na forquilha. **2.** Dar forma de forquilha a. ***P.* 3.** Sentar-se mal, sem elegância, quando a cavalo.

enforro (ô) [De *en-*^{2} + *forro*^{1}.] ***S. m.*** *P. us.* Forro^1 (1 e 2). [Pl.: *enforros* (ô).]

enfortir [Do cat. *enfortir*, poss. pelo esp. *enfortir*.] ***V. t. d.*** Dar fortaleza, consistência, a (panos), no pisão (1). [Cf. *pisoar*.]

enfragar [De *en-*^{2} + *fraga* + *-ar*^{2}.] ***V. int.*** Ir dar ou parar em fraga (uma mina, um caminho, etc.). [Conjug.: v. *largar*.]

enfranque [Do cat. *enfranc* < cat. *enfranquir*, 'coser as peças de cordovão ou de tecido para pregá-las à sola'.] ***S. m.* 1.** Curva do calçado, correspondente aos selados laterais do pé. **2.** *Vest.* Curva na roupa, onde esta se adapta às ilhargas.

enfranquear [De *enfranque* + *-ear*^{2}.] ***V. t. d.*** Fazer o(s) enfranque(s) em. [Conjug.: v. *frear*.]

enfraquecedor (ô) [De *enfraquecer* + *-dor*.] ***Adj.*** Que enfraquece.

enfraquecer [De *en-*^{2} + *fraco* + *-ecer*.] ***V. t. d.* 1.** Fazer perder as forças; tornar fraco; debilitar: *A doença enfraqueceu-o.* **2.** Desanimar; desalentar: *Os insucessos enfraqueciam-na.* ***Int.* 3.** Tornar-se fraco; debilitar-se, enfraquecer-se. **4.** Perder, total ou parcialmente, a energia das virtudes tônicas, alcoólicas, etc.: *A aguardente enfraqueceu.* ***P.* 5.** Enfraquecer (3). [Sin. ger. (p. us.): *enfraquentar*. Conjug.: v. *aquecer*.]

enfraquecido [Part. de *enfraquecer*.] ***Adj.*** Fraco, debilitado.

enfraquecimento [De *enfraquecer* + *-imento*.] ***S. m.*** Fraqueza, debilidade.

enfraquentar [De *en-*^{2} + *fraco* + *-entar*.] ***V. t. d. Int. P.*** *P. us.* V. *enfraquecer*.

enfrascar [De *en-*^{2} + *frasco* + *-ar*^{2}.] ***V. t. d.* 1.** Meter no frasco: *enfrascar o vinho.* ***P.* 2.** Impregnar-se (de perfumes ou substâncias aromáticas). **3.** Embebedar-se, embriagar-se. **4.** Enredar-se, envolver-se. [Conjug.: v. *trancar*.]

enfreado [Part. de *enfrear*.] ***Adj.* 1.** Que tem freio. **2.** Reprimido, refreado. [Cf. *enfriado*, part. de *enfriar*.]

enfreador (ô) [De *enfrear* + *-dor*.] ***Adj. S. m.*** Que, ou aquele que enfreia.

enfreamento [De *enfrear* + *-mento*.] ***S. m.*** Ação de enfrear(-se).

enfrear [De *en-*^{2} + *freio* + *-ar*^{2}.] ***V. t. d.* 1.** Pôr freio a; sujeitar ao freio: *enfrear uma cavalgadura.* **2.** Apertar o freio de (veículo automóvel); frear. **3.** Reprimir, conter, refrear: "As ondas, que se estendem pela areia... / Os peixes, que no mar o sono enfreia..." (Luís de Camões, *Rimas*, p. 185.) **4.** Domar, dominar. [Sin. (bras.), nessas acepçs.: *enfrenar*.] ***Int.* 5.** Erguer a cabeça com garbo (o cavalo). ***P.* 6.** Reprimir-se, conter-se, refrear-se. [Conjug.: v. *frear*. Cf. *enfriar*.]

enfrechadura ***S. f.*** *Constr. Nav.* O conjunto de enfrechates duma enxárcia.

enfrechate ***S. m.*** *Constr. Nav.* Cada um dos degraus, feitos de cabo, madeira ou ferro, presos aos ovéns, formando escada, para que por ela possa subir ao mastro o pessoal empregado na manobra de um veleiro.

enfrenar [Do esp. *enfrenar*.] *Bras. S.* ***V. t. d.* 1.** V. *enfrear* (1 a 4). **2.** Substituir o bocal pelo freio em (animais que se amansam). ***Int.* 3.** Enfrear (5).

enfrenesiar [De *en-*^{2} + *frenesi* + *-iar*^{2}.] ***V. t. d. Int. P.*** V. *frenesiar*.

enfrentamento [De *enfrentar* + *-mento*.] ***S. m.* 1.** Ato ou efeito de enfrentar. **2.** Embate entre dois ou mais indivíduos; briga, luta.

enfrentar [De *en-*^{2} + *frente* + *-ar*^{2}, ou do esp. *enfrentar*.] ***V. t. d.* 1.** Pôr ou estar defronte de; defrontar, confrontar. **2.** Atacar de frente: *O exército enfrentou as tropas inimigas*; "D. Ana Lins enfrenta .... bravamente na sua propriedade rural em S. Miguel as forças legais." (Carlos Pontes, *Tavares Bastos*, p. 9). **3.** Encarar; arrostar; afrontar: *O advogado de defesa soube enfrentar o promotor com valentia.* **4.** Lutar com, em competição esportiva: *O Flamengo enfrentou o Fluminense.* ***T. i.* 5.** Defrontar-se; confrontar-se: *Enfrentou com o inimigo sem se alterar.*

enfrestar [De *en-*^{2} + *fresta* + *-ar*^{2}.] ***V. t. d.*** Fazer frestas em; separar por frestas.

enfriar [De *en-*^{2} + *frio* + *-ar*^{2}.] ***V. t. d.*** Tornar frio; deixar esfriar. [Part.: *enfriado*. Cf. *enfrear* e *enfreado*.]

enfroixecer ***V. t. d.*** V. *enfrouxecer*. [Conjug.: v. *aquecer*.]

enfrondar [De *en-*^{2} + *fronde* + *-ar*^{2}.] ***V. t. d.*** Vestir de frondes; tornar frondoso.

enfronhado [Part. de *enfronhar*.] ***Adj.* 1.** Metido em fronha. **2.** Instruído, informado, versado.

enfronhar [De *en-*^{2} + *fronha* + *-ar*^{2}.] ***V. t. d.* 1.** Meter em fronha (travesseiro, almofada, etc.). **2.** Revestir; encapar. **3.** Vestir; calçar. ***T. d. e i.* 4.** Tornar versado, instruído: *Enfronhou as filhas no negócio.* ***P.* 5.** Tomar conhecimento de um assunto; instruir-se.

enfrouxecer [De *en-*^{2} + *frouxo* + *-ecer*.] ***V. t. d.*** Tornar frouxo; debilitar. [Var.: *enfroixecer*. Conjug.: v. *aquecer*.]

enfrutar [De *en-*^{2} + *fruto* + *-ar*^{2}.] ***V. int.*** V. *enfrutecer*. [Unipessoal.]

enfrutecer [De *en-*^{2} + *fruto* + *-ecer*.] ***V. int.*** Dar fruto; enfrutar, frutificar. [Conjug.: v. *aquecer*. Unipessoal.]

enfueirada [F. subst. de *enfueirado*.] ***S. f.*** Carro cheio até acima dos fueiros; grande carrada.

enfueirado [Part. de *enfueirar*.] ***Adj.* 1.** Provido de fueiros. **2.** Elevado até à altura dos fueiros (carrada).

enfueirar [De *en-*^{2} + *fueiro*^{1} + *-ar*^{2}.] ***V. t. d.* 1.** Pôr fueiros em. **2.** Elevar (a carrada) até à altura dos fueiros.

enfulijar [De *en-*^{2} + *fuligem* + *-ar*^{2}.] ***V. t. d.*** Sujar com fuligem; mascarrar.

enfumaçado [Part. de *enfumaçar*.] ***Adj.*** Cheio ou toldado de fumaça.

enfumaçar [De *en-*^{2} + *fumaça* + *-ar*^{2}.] ***V. t. d.*** Encher ou toldar de fumaça. [Sin.: *enfumar*, *enfumarar* e (bras.) *fumaçar*. Conjug.: v. *laçar*.]

enfumagem [De *enfumar* + *-agem*[2].] *S. f.* **1.** Ato de enfumar. **2.** *Grav.* Operação pela qual se enegrece com fumo a superfície envernizada de uma placa, para que os traços feitos no metal pela ponta, etc. fiquem mais visíveis.

enfumar [De *en-*[2] + *fumo* + *-ar*[2].] *V. t. d.* V. *enfumaçar*.

enfumarar [De *en-*[2] + *fumar* + *-ar*[2].] *V. t. d.* V. *enfumaçar*.

enfunação [De *enfunar* + *-ção*.] *S. f. Bras.* Presunção, prosápia.

enfunado [Part. de *enfunar*.] *Adj.* **1.** Cheio, inflado, pando: "Vela enfunada, o saveiro corta o mar da Bahia." (Jorge Amado, *Teresa Batista Cansada de Guerra*, p. 461.) **2.** Envaidecido, vaidoso, inchado.

enfunar [Do lat. **infunare* < lat. *fune*, 'corda', poss.] *V. t. d.* **1.** Tornar pando; encher, inflar, inchar: *O vento enfunava-lhe a camisa*; "Uma leve aragem enfuna suavemente as cortinas do amplo dormitório." (Edgard Cavalheiro, *Monteiro Lobato*, I, p. 15); "Enfunando os papos, / Saem da penumbra, / Aos pulos, os sapos." (Manuel Bandeira, *Estrela da Vida Inteira*, p. 51). **2.** *Fig.* Tornar orgulhoso; envaidecer; ensoberbecer. *P.* **3.** Encher-se de vento, tornar-se bojuda (a vela). **4.** Encher-se de vaidade; ensoberbecer-se. **5.** Amuar-se, irritar-se, zangar-se.

enfunilado [Part. de *enfunilar*.] *Adj.* V. *afunilado* (1).

enfunilamento [De *enfunilar* + *-mento*.] *S. m.* Ato ou efeito de enfunilar; afunilamento.

enfunilar [De *en-*[2] + *funil* + *-ar*[2].] *V. t. d.* **1.** Dar a forma de funil a; afunilar. **2.** Encher ou vazar por funil.

enfurecer [De *en-*[2] + *fúria* + *-ecer*.] *V. t. d.* **1.** Causar fúria a; tornar furioso; irar; enraivecer: *Sua deslealdade enfureceu o velho amigo*. *Int.* **2.** Ficar furioso; irado. **3.** Delirar, tresvariar. *P.* **4.** Tornar-se furioso: "Senhor, as tropas começam a revoltar-se, o povo se enfurece, dizem que os espanhóis se aproximam da cidade!" (Gonçalves Dias, *Teatro*, p. 505.) **5.** *Fig.* Encapelar-se (o mar). [Sin. ger.: *enfuriar*. Conjug.: v. *aquecer*.]

enfurecido [Part. de *enfurecer*.] *Adj.* **1.** Raivoso, furioso: *Vi-o indignado, enfurecido*. **2.** Agitado, encapelado: *mar enfurecido*.

enfurecimento [De *enfurecer* + *-imento*.] *S. m.* Ato ou efeito de enfurecer(-se).

enfuriado [Part. de *enfuriar*.] *Adj.* Que tem fúria; muito irritado; irado.

enfuriar [De *en-*[2] + *fúria* + *-ar*[2].] *V. t. d.* **Int.** *P.* V. *enfurecer*: "Ei-la em pé, com a serpente da soberba a enfuriar-lhe os gestos." (Camilo Castelo Branco, *Amor de Salvação*, p. 198.)

enfurnar [De *en-*[2] + *furna* + *-ar*[2].] *V. t. d.* **1.** Meter em furna. **2.** Encafuar, encafurnar, esconder. **3.** *Constr. Nav.* Introduzir o pé de (um mastro) no lugar próprio. *P.* **4.** *Fam.* Ausentar-se do convívio social, ou humano; isolar-se, insular-se, retrair-se: "Enfurnava-se em casa, fechava a porta e a janela, apagava as luzes." (Cordeiro de Andrade, *Anjo Negro*, p. 117.) [Cf. *enfornar*.]

enfusar [Do esp. *enfusar*, 'atolar'; 'afundar', poss.] *V. int. Bras. BA* Encalhar (3). [Cf. *infusar*.]

enfusca [Dev. de *enfuscar*.] *S. f. Bras. N.E.* Esconderijo, cafundó.

enfuscar [De *en-*[2] + *fusco* + *-ar*[2].] *V. t. d.* **1.** Tornar fusco; escurecer, enegrecer. **2.** Obscurecer; ofuscar. [Conjug.: v. *trancar*.]

enfusta [De *en-*[2] + *fuste*, poss.] *S. f. Bras. PE* Espeque ou esbirro oblíquo, em forma de cavalete.

enfustar [De *enfusta* + *-ar*[2].] *V. t. d. Bras. PE* Especar ou escorar (traves) com enfustas.

enfuste *S. m.* Preparo que se dá às peles para intumescê-las.

engabelação [Var. de *engambelação*.] *S. f. Bras.* **1.** Ato de engabelar. **2.** Palavras ou promessas para engabelar. [Var.: *engrambelação*. Sin. ger.: *engabelo* (ê), *engambelo* (ê) ou *engrambelo* (ê).]

engabelador (ô) [Var. de *engambelador*.] *Adj. S. m. Bras.* Que, ou aquele que engabela. [Var.: *engrambelador*.]

engabelar [Var. de *engambelar*.] *V. t. d. Bras.* **1.** Enganar com falsas promessas, jeitosamente; enrolar: *O vendedor engabelou a compradora*. [Sin., bras., PE: *engarapar*.] **2.** Distrair; embalar: *O balanço engabelava a criança*. [Var.: *engrambelar*, *gambelar*. Pres. ind.: *engabelo*, etc. Cf. *engabelo* (ê).]

engabelo (ê) [Dev. de *engabelar*.] *S. m. Bras.* **1.** V. *engabelação*. **2.** Embeleco, engodo, embuste. [Var.: *engrambelo* (ê). Pl.: *engabelos* (ê). Cf. *engabelo*, do v. *engabelar*.]

engaçar [De *engaço* + *-ar*[2].] *V. t. d.* Quebrar (torrões) com engaço ou ancinho. [Conjug.: v. *laçar*.]

engaço[1] [De *en-*[2] + corrupt. de *bagaço*.] *S. m.* **1.** Ramificação dos cachos de uva. **2.** Haste ou pedúnculo do fruto. **3.** Bagaço (1).

engaço[2] [De or. obscura.] *S. m. Lus.* Ancinho.

engadanhar-se [De *en-*[2] + *gadanho* + *-ar*[2] + *se*[1].] *V. p.* **1.** Ter as mãos hirtas ou tolhidas pelo frio. **2.** Ficar perplexo; embaraçar-se.

engadelhar [De *en-*[2] + *gadelha* + *-ar*[2].] *V. t. d.* Transformar em gadelhas, desordenar (o cabelo). [Conjug.: v. *aparelhar*.]

engafecer [De *en-*[2] + *gafa*[1] + *-ecer*.] *V. t. d.* **1.** Causar gafeira a. *Int.* **2.** Encher-se de gafeira. [Conjug.: v. *aquecer*.]

engaiar *V. t. d. Marinh.* Enrolar linha, merlim ou arrebém em torno de (um cabo fixo), seguindo-lhe as cochas, a fim de tornar mais lisa a sua superfície, antes de o percintar.

engaifonar [De *en-*[2] + *gaifona* + *-ar*[2].] *V. int.* V. *gaifonar*.

engaio [Dev. de *engaiar*.] *S. m. Marinh.* **1.** Linha, merlim ou arrebém com que se engaia um cabo. **2.** Ato ou efeito de engaiar.

engaiolar [De *en-*[2] + *gaiola* + *-ar*[2].] *V. t. d.* **1.** Meter na gaiola (1): *engaiolar um pássaro*. **2.** *Pop.* Meter na gaiola ou cadeia; prender: *A polícia engaiolou o ladrão*. **3.** *Bras.* Construir em (as estradas de ferro), para diversos fins, gaiolas ou fogueiras. *P.* **4.** Viver solitário; acantoar-se.

engajado [Part. de *engajar*.] *Adj. S. m.* **1.** Diz-se de, ou aquele que é contratado para certos serviços. **2.** Diz-se de, ou aquele que se engajou no serviço militar. **3.** Diz-se de, ou aquele que se engajou, se filiou a uma linha política, filosófica, etc. [V. *engajar* (4).]

engajador (ô) [De *engajar* + *-dor*.] *Adj. S. m.* Diz-se de, ou quem engaja.

engajamento [De *engajar* + *-mento*.] *S. m.* **1.** Ato ou efeito de engajar(-se). **2.** Contrato para certos serviços. **3.** Aliciação, alistamento. **4.** Situação de quem sabe que é solidário com as circunstâncias sociais, históricas e nacionais em que vive, e procura, pois, ter consciência das consequências morais e sociais de seus princípios e atitudes. **5.** *Filos.* Situação de filósofo que admite ser impossível começar um sistema sem pressuposição, tendendo, pois, a levar em conta a situação concreta que o cerca.

engajar [Do fr. *engager*.] *V. t. d.* **1.** Aliciar para serviço pessoal, ou para emigração. *P.* **2.** Obrigar-se a serviço por engajamento. **3.** Alistar-se ou profissionalizar-se em força armada. **4.** Filiar-se a uma linha ideológica, filosófica, etc., e bater-se por ela; pôr-se a serviço de uma ideia, de uma causa, de uma coisa. **5.** Empenhar-se em dada atividade ou empreendimento: *O navio engajou-se no combate*.

engala [De *en-*[2] + *gala*[1], poss.] *S. f. Bras. BA* Costura das peças da rede de pesca.

engalanado [Part. de *engalanar*.] *Adj.* Ornado, enfeitado, garrido, agalanado.

engalanar [Do esp. *engalanar*.] *V. t. d.* **1.** Pôr galas em; enfeitar de galas: *Os moradores engalanaram o bairro para a festa*. **2.** Embelezar, alindar, adornar, ornar: *O orador engalanou o discurso*. *P.* **3.** Vestir-se de galas. **4.** Embelezar-se, alindar-se; adornar-se, ornar-se: "Os meus átomos se ufanam / De pertencer-te, oh! Dor, ancoradouro / Dos desgraçados, sol do cérebro, ouro / De que as próprias desgraças se engalanam!" (Augusto dos Anjos, *Eu*, 30ª ed., p. 199.) [Sin. ger.: *agalanar*.]

engalar [De *en-*[2] + *galo*[1] + *-ar*[2].] *V. int.* **1.** Levantar o pescoço, arqueando-o. [Us. com relação ao cavalo.] *P.* **2.** Ensoberbecer-se, envaidecer-se.

engalfinhar [De or. incerta.] *V. t. d.* **1.** Segurar, agarrar, empolgar. *P.* **2.** Agarrar-se (dois ou mais adversários) em luta corporal; atracar-se: *Depois de forte discussão engalfinharam-se*; "Vestidos rasgados, mulheres engalfinhavam-se." (Adalberon Cavalcanti Lins, *Curral Novo*, p. 272). **3.** Agarrar-se (ao adversário ou adversários) em luta corporal; atracar-se: *Engalfinhou-se com o inimigo, e só a muito custo alguém os apartou*. **4.** Travar discussão ou polêmica muito acesa: *Engalfinhou-se com o velho colega por questões gramaticais; Por causa de política os dois se engalfinharam*.

engalgar [De *en-*[2] + *galgo* + *-ar*[2].] *V. t. d.* Mostrar (a lebre) aos galgos. [Conjug.: v. *largar*.]

engalhar [De *en-*[2] + *galho* + *-ar*[2].] *V. int.* **1.** Criar ramos ou galhos; engalhar-se: *Na primavera as árvores engalham*. *P.* **2.** Engalhar (1): *Com as chuvas, as árvores engalharam-se*. **3.** Emaranhar-se; atrapalhar-se.

engalhardetar [De *en-*[2] + *galhardete* + *-ar*[2].] *V. t. d.* Ornar de galhardetes; embandeirar, abandeirar.

engalicado [De *en-*[2] + *gálico*[2] + *-ado*[1].] *Adj.* Que tem gálico[3]; sifilítico.

engalinhar [De *en-*[2] + *galinha* + *-ar*[2].] *V. t. d.* Ser mau agouro para; encalistrar, encaiporar, azarar.

engalispar-se [De *en-*[2] + *galispo* + *-ar*[2] + *se*[1].] *V. p.* Empavonar-se ou encrespar-se como o galispo.

engambelação [De *engambelar* + *-ção*.] *S. f. Bras.* V. *engabelação*.

engambelador (ô) [De *engambelar* + *-dor*.] *Adj. S. m. Bras.* V. *engabelador*.

engambelar [De or. obscura.] *V. t. d. Bras.* V. *engabelar*. [Pres. ind.: *engambelo*, etc. Cf. *engambelo* (ê).]

engambelo (ê) [Dev. de *engambelar*.] *S. m. Bras.* V. *engabelo* (ê). [Pl.: *engambelos* (ê). Cf. *engambelo*, do v. *engambelar*.]

engambitar [De *en-*[2] + *gambito*[2] + *-ar*[2].] *V. t. d. Bras.* Transpor a pé, galgar, atravessar (fosso, vala).

enganação [De *enganar* + *-ção*.] *S. f.* Ato ou efeito de enganar; logro, embuste: "Nada. Pura enganação. Não administrou coisa nenhuma." (Milton Hatoum, *Cinzas do Norte*, p. 58)

enganadiço *Adj.* Fácil de ser enganado.

enganado [Part. de *enganar*.] *Adj.* **1.** Que está em engano ou erro; iludido. **2.** Atraiçoado pelo cônjuge, namorado ou companheiro. **3.** Seduzido por falsas promessas: *consumidores enganados*.

enganador (ô) [De *enganar* + *-dor*.] *Adj. S. m.* Que, ou aquele que engana.

enganar [Do lat. vulg. **ingannare*.] *V. t. d.* **1.** Induzir em erro: *As aparências o enganaram*. **2.** Iludir, burlar, lograr, embaçar, embair: *Os malandros enganaram a polícia*. **3.** Disfarçar, esconder: *Tentava enganar seus sentimentos*. **4.** Seduzir, desonrar (mulher). **5.** Minorar (dor); aliviar, mitigar. **6.** Praticar adultério contra; trair. *Int.* **7.** Induzir em erro, em engano: "As aparências enganam" (prov.). *P.* **8.** Cometer um erro, um engano; cair em erro; não acertar. **9.** Crer no que não existe; iludir-se.

engana-tico [Var. de *engana-tico-tico*.] *S. m. Bras. Zool.* V. *chupim* (1). [Pl.: *engana-ticos*.]

engana-tico-tico [De *enganar* + *tico-tico*.] *S. m. Bras. Zool.* V. *chupim* (1). [Pl.: *engana-tico-ticos*.]

engana-tolo [De *enganar* + *tolo*.] *S. m. Bras. Zool.* Borboleta da família dos ninfalídeos (*Victorino steneles*). [Pl.: *engana-tolos*.]

engana-vista [De *enganar* + *vista*.] *S. m.* Coisa ou objeto que ilude a vista, que engana, apresentando-se melhor, mais belo, do que é na realidade. [Pl.: *engana-vistas*.]

enganchar [De *en-*[2] + *gancho* + *-ar*[2].] *V. t. d.* **1.** Segurar ou prender com gancho: *O açougueiro enganchou a carne*. **2.** Apanhar ou pegar com gancho; ganchar. **3.** Dar a forma de gancho a. *P.* **4.** Travar-se; enlaçar-se.

engangorrado [De *en-*[2] + *gangorra* + *-ado*[1].] *Adj. Bras. PI CE* Diz-se do animal preso em gangorra[1] (3).

enganjento [De *en-*[2] + *ganjento*.] *Adj. Bras. PE AL BA* Cheio de si; presumido, orgulhoso; ganjento.

engano [Dev. de *enganar*.] *S. m.* **1.** Erro causado por descuido, falta de conhecimento específico ou desatenção: *Perdeu-se no tráfego por engano*. **2.** Logro, armadilha, embuste. **3.** Falsa crença, ilusão: *viver em permanente engano*. **4.** *Bras. Restr.* Ligação telefônica errada. ◆ **Cair num engano. 1.** Deixar-se enganar. **2.** *Ant.* Verificar que se enganou. **Ledo engano.** Ilusão provocada por boa-fé ou ilusão: "Estavas linda Inês posta em sossego / .... / Naquele engano da alma, ledo e cego, / Que a fortuna não deixa durar muito" (Luís de Camões, *Os Lusíadas*, III, 120).

enganoso (ô) [De *enganar* + *-oso*.] *Adj.* **1.** Que engana; ilusório, falaz. **2.** Artificioso, simulado. ~ V. *propaganda —a* e *publicidade —a*.

engar [De or. incerta.] *V. t. d.* **1.** Habituar (a caça) a algum pasto. *T. i.* **2.** Discutir ardorosamente; altercar. **3.** Teimar, recalcitrar. *Int.* **4.** Habituar-se, acostumar-se. [Conjug.: v. *largar*.]

engarantar [De *en-*[2] + *garante*, do v. *garantir*, + *-ar*[2].] *V. int. Bras.* Criar (a cana-de-açúcar) novos gomos.

engarapar [De *en-*[2] + *garapa* + *-ar*[2].] *V. t. d. Bras. PE* **1.** Dar garapa a. **2.** *Fig.* V. *engabelar* (1).

engaravitado [Part. de *engaravitar-se*.] *Adj.* Tolhido de frio.

engaravitar-se [Por **engaravetar-se* < *en-*[2] + *garaveto* + *-ar*[2] + *se*[1].] *V. p.* Ficar tolhido de frio.

engarfar [De *en-*[2] + *garfo* + *-ar*[2].] *V. int.* Entroncar (2).

engargantar [De *en-*[2] + *garganta* + *-ar*[2].] *V. t. d.* **1.** Meter pela garganta. **2.** Meter (o pé) no estribo até o peito do pé. *P.* **3.** Emperrar-se (a bala) no cano da espingarda. **4.** Endentar; engranzar.

engarrafadeira [De *engarrafar* + *-deira*.] *S. f.* **1.** Máquina usada para engarrafar líquidos e certos sólidos. **2.** Mulher que engarrafa; engarrafadora.

engarrafado [Part. de *engarrafar*.] *Adj.* **1.** Acondicionado em garrafas. **2.** *Fig.* Bloqueado, obstruído: *trânsito engarrafado*. ~ V. *espírito —*.

engarrafador (ô) [De *engarrafar* + *-dor*.] *S. m.* Aquele que engarrafa.

engarrafadora (ô) [De *engarrafar* + *-dora*.] *S. f.* Engarrafadeira (2).

engarrafagem [De *engarrafar* + *-agem*[2].] *S. f.* Engarrafamento (1).

engarrafamento [De *engarrafar* + *-mento*.] *S. m.* **1.** Ato ou efeito de engarrafar; engarrafagem. **2.** Congestionamento (2).

engarrafar [De *en-*[2] + *garrafa* + *-ar*[2].] *V. t. d.* **1.** Meter em garrafa(s). **2.** Provocar engarrafamento (2) em. *Int.* **3.** Provocar engarrafamento (2).

engarupar-se [De *en-*[2] + *garupa* + *-ar*[2] + *se*[1].] *V. p.* Montar na garupa.

engasgado [Part. de *engasgar*.] *Adj.* Que se engasgou; entalado.

engasga-gato [De *engasgar* + *gato*.] *S. m.* **1.** *Bras. Gír.* V. *cachaça* (1). **2.** *Bras. AL Pop.* Designação comum a camarões muito miúdos. **3.** *Bras. S.* Farofa de carne ou charque guisados em pedaços graúdos. [Pl.: *engasga-gatos*.]

engasgalhado [Part. de *engasgalhar*.] *Adj.* **1.** Entalado, apertado, preso. **2.** Embaraçado.

engasgalhar-se [De *engasg-*, como em *engasgar*, + *-alhar* + *se*[1].] *V. p.* **1.** Engasgar-se, entalar-se. **2.** Ficar preso. **3.** Lutar corpo a corpo; engalfinhar-se.

engasgamento [De *engasgar* + *-mento*.] *S. m.* V. *engasgo* (1 e 2).

engasgar [De *en-*[2] + o rad. express. *gasg-*, 'garganta' (v. *gasganete*), + *-ar*[2].] *V. t. d.* **1.** Produzir engasgo a: *A farinha engasgou-o.* **2.** Impedir a fala de: *As vaias engasgaram-no; A ira engasgou-o.* *Int.* **3.** Ficar com a garganta obstruída; sufocar, engasgar(-se), entalar(-se). **4.** *Marinh.* Embaraçar-se (o tirador de um aparelho de laborar), de modo que não possa correr nos gornes. *P.* **5.** V. *engasgar* (3). **6.** Ficar entalado; embaraçar-se. **7.** Atrapalhar-se; estacar: *O orador engasgou-se com o aparte.* **8.** *Marinh.* Enrascar-se ou prender-se (o tirador de um aparelho de laborar). [Conjug.: v. *largar*.]

engasga-vaca [De *engasgar* + *vaca*.] *S. f. Bras. Bot.* Planta sapotácea (*Lucuma montana*) nativa do Brasil. [Pl.: *engasga-vacas*.]

engasgo [Dev. de *engasgar*.] *S. m.* **1.** Ato de engasgar; engasgamento; engasgue. **2.** Aquilo que impede a fala; atrapalhação, engasgamento; engasgue. [Sin., bras., nesta acepç.: *caroço*.] **3.** *Bras. Pop.* V. *mal de engasgo*.

engasgue [Dev. de *engasgar*.] *S. m.* **1.** V. *engasgo* (1 e 2). **2.** *Bras.* V. *mal de engasgo*.

engastador (ô) [De *engastar* + *-dor*.] *Adj. S. m.* Que, ou aquele que engasta.

engastalhar [De *en-*[2] + *gastalho* + *-ar*[2].] *V. t. d.* Apertar com gastalho; travar.

engastar [Do lat. vulg. **incastrare*, 'inserir'.] *V. t. d.* *T. d. e c.* **1.** Embutir ou encravar em ouro, prata, etc. **2.** Encaixar, encastoar: *Engastou a casa entre dois rochedos.* **3.** Intercalar, inserir: *Engasta palavras raras na conversa mais corriqueira.* **4.** *Arquit.* Dispor (um elemento da construção) em meio de outro, ou entre dois deles, ger. iguais.

engaste [Dev. de *engastar*.] *S. m.* **1.** Ato ou efeito de engastar. **2.** Aro ou guarnição de metal, etc., que segura a pedraria nas joias.

engatar [De *en-*[2] + *gato* + *-ar*[2].] *V. t. d.* **1.** Prender com gato(s) ou engaste(s); atrelar: *engatar os vagões do trem.* **2.** Segurar com gato(s) de ferro. **3.** Encetar, iniciar, entabular; engrenar. **4.** *Autom.* Engrenar (2). *T. d. e i.* **5.** Ligar ou prender com engate(s): *Engatou a carreta ao caminhão.*

engatatão [De *engatar* + *-t-* + *-ão*[2].] *S. m. Lus.* Sedutor de mulheres, conquistador, dom-juan, dom-joão: "Não quero ser, por exemplo, o simples gozador, o engatatão preocupado com a satisfação da sua vaidade, o sedutor de lábia fácil, disposto em qualquer momento a entoar a 'canção do bandido'." (Almeida Faria, *O Conquistador*, p. 126.)

engate [Dev. de *engatar*.] *S. m.* Aparelho com que se ligam entre si os carros ou as parelhas de tiro.

engatilhar [De *en-*[2] + *gatilho* + *-ar*[2].] *V. t. d.* **1.** Armar o gatilho de; preparar (arma de fogo) para atirar: *O soldado engatilhou o revólver.* **2.** *Fig.* Preparar, compor, com vista a determinado fim ou efeito: *Engatilhou um sorriso; Engatilhou uma resposta.*

engatinhar [De *en-*[2] + *gatinho* + *-ar*[2].] *V. int.* **1.** Andar de gatinhas; agatinhar, gatinhar, gatear: *A criança engatinha por volta dos oito meses.* *T. i.* **2.** Iniciar-se em (arte, ciência, etc.); ser principiante: *Ainda engatinhava em matemática, e já era bom poeta.*

engavelar [De *en-*[2] + *gavela* + *-ar*[2].] *V. t. d.* **1.** Formar gavela de. **2.** *P. ext.* Atar, enfeixar. [Sin. ger.: *agavelar*.]

engavetamento [De *engavetar* + *-mento*.] *S. m.* Ato ou efeito de engavetar(-se).

engavetar [De *en-*[2] + *gaveta* + *-ar*[2].] *V. t. d.* **1.** Meter em gaveta(s): *Engavetou os documentos.* *P.* **2.** *Bras.* Meter-se ou deixar-se meter, sobretudo um vagão por dentro de outro, em uma colisão de trens: "já nos engavetáramos definitivamente na retaguarda de um pelotão de viaturas." (Fernando Sabino, *O Homem Nu*, p. 21).

engazopador (ô) [De *engazopar* + *-dor*.] *Adj. S. m. Bras.* Embusteiro, mentiroso, embaçador. [Em Portugal, *engazupador*.]

engazopamento [De *engazopar* + *-mento*.] *S. m. Bras.* Ato ou efeito de engazopar. [Em Portugal, *engazupamento*.]

engazopar [De or. obscura.] *V. t. d.* **1.** *Bras.* Enganar, mentir a; lograr; embair. **2.** Meter em prisão. [Em Portugal, *engazupar*.]

engazupador (ô) [De *engazupar* + *-dor*.] *Adj. S. m. Lus.* V. *engazopador*.

engazupamento [De *engazupar* + *-mento*.] *S. m. Lus.* V. *engazopamento*.

engazupar [De or. obscura.] *V. t. d. Lus.* V. *engazopar*.

engelhado [Part. de *engelhar*.] *Adj.* **1.** Que tem gelhas; enrugado. **2.** *Fig.* Encolhido; enleado.

engelhamento [De *engelhar* + *-mento*.] *S. m.* Ato ou efeito de engelhar(-se).

engelhar [De *en-*[2] + *gelha* + *-ar*[2].] *V. t. d.* **1.** Produzir gelhas em; enrugar, encarquilhar: *O Sol engelha a pele dos pescadores.* **2.** Contrair, murchar: *O frio engelhava as plantas.* *Int.* **3.** Criar gelhas; enrugar-se, engelhar-se. **4.** Murchar(-se); secar, encolher, engelhar-se. *P.* **5.** V. *engelhar* (3 e 4). [Conjug.: v. *aparelhar*.]

engendrar [Do lat. *ingenerare*.] *V. t. d.* **1.** Dar origem a; gerar, produzir: "tratou de casar logo e engendrar filhos" (Valdemar Versiani dos Anjos, *Jornal de Serra Verde*, p. 72); *A violência engendra a violência.* **2.** Inventar, imaginar, engenhar: *Vive a engendrar utopias.*

engenhador (ô) [De *engenhar* + *-dor*.] *Adj. S. m.* Que, ou aquele que engenha ou inventa.

engenhar [De *engenho* + *-ar*[2].] *V. t. d.* **1.** Idear, inventar, engendrar: *Dostoievski engenhou personagens imortais;* "E consigo, para explicar a demora ao amigo, engenhou qualquer cousa" (Machado de Assis, *Várias Histórias*, p. 18). **2.** Traçar, maquinar, armar: *engenhar um levante.* **3.** Fabricar ou construir artificiosamente. *P.* **4.** Industriar-se.

engenharia [De *engenho* + *-aria*.] *S. f.* **1.** Arte de aplicar conhecimentos científicos e empíricos e certas habilitações específicas à criação de estruturas, dispositivos e processos que se utilizam para converter recursos naturais em formas adequadas ao atendimento das necessidades humanas. **2.** Arma (3) do exército, constituída pelas unidades de sapadores e pontoneiros. ◆ **Engenharia civil.** Ramo da engenharia relativo a construções, tais como estruturas, estradas, obras hidráulicas e urbanas. **Engenharia clínica.** Setor hospitalar que se ocupa da aquisição, manutenção e alienação de equipamentos nosocomiais, e do treinamento de pessoal desse setor. **Engenharia genética.** *Bioquím.* O conjunto de técnicas de alteração artificial de genes e da reprodução de organismos, e que permite, p. ex., a produção de seres transgênicos e de clones. **Engenharia reversa.** *Tec.* Método de determinar como fabricar uma máquina ou instrumento tendo somente um exemplar do produto acabado como orientação.

engenheira [Fem. de *engenheiro*.] *S. f.* Mulher formada em engenharia e/ou aquela que a exerce como profissão.

engenheirando [De *engenheiro* + *-ando*; formação modelada, anormalmente, por *bacharelando* e *doutorando*.] *S. m. Bras.* Estudante que está no último ano do curso de engenharia.

engenheiro [De *engenho* + *-eiro*.] *S. m.* **1.** Indivíduo diplomado em engenharia e/ou profissional dessa arte: *engenheiro civil; engenheiro eletrônico; engenheiro químico.* **2.** *Bras. SP PR MT* Proprietário de engenho (8 e 11). ◆ **Engenheiro de obras feitas.** Pessoa que se mete a opinar a respeito de tudo quando sua opinião não é ou já não é necessária.

engenheiro-beltrense *Adj. 2 g. S. 2 g.* V. *beltrandense*. [Pl.: *engenheiro-beltrenses*.]

engenheiro-caldense *Adj. 2 g.* **1.** De, ou pertencente ou relativo a Engenheiro Caldas (MG). ● *S. 2 g.* **2.** O natural ou habitante de Engenheiro Caldas. [Pl.: *engenheiro-caldenses*.]

engenheiro-residente *S. m.* Engenheiro responsável por um trecho de ferrovia ou por parte de uma rede rodoviária, em construção ou em tráfego. [Tb. se diz apenas *residente*. Pl.: *engenheiros-residentes*.]

engenho [Do lat. *ingeniu*.] *S. m.* **1.** Faculdade inventiva; talento. **2.** Habilidade, destreza. **3.** Sutileza, argúcia. **4.** *P. ext.* Pessoa engenhosa, que tem talento e saber. **5.** Qualquer máquina ou aparelho: *um engenho de café; engenho bélico.* **6.** *Encad.* V. *costurador* (2). **7.** *Bras.* Moenda (1) de cana-de-açúcar. **8.** *Bras.* Estabelecimento agrícola destinado à cultura da cana e à fabricação do açúcar. **9.** *Bras. PE* Aparelho que consiste numa manivela fixada a uma tábua, e destinado ao fabrico da corda de caroá. **10.** *Bras. PE* Área cultivada com cana-de-açúcar. **11.** *Bras. PR* Estabelecimento dotado de máquinas e aparelhos próprios para moer a congonha com que se fabrica o mate. ◆ **Engenho copeiro.** *Bras. N.E.* Engenho (7) cuja roda se move com a água nos cubos ou copos que estão no alto, na copa. **Engenho copeiro rasteiro.** *Bras. N.E.* Engenho (7) cuja roda é movida pela água, que, correndo, bate nas palhetas ou copos inferiores. **Engenho de banguê.** *Bras. N.E.* Engenho de açúcar primitivo, anterior à usina. **Engenho de serra.** *Bras. S.* Serraria mecânica. **Engenho espacial.** *Astron.* Objeto espacial de origem artificial. **Engenho meio-copeiro.** *Bras. N.E.* Engenho (7) de roda movido pela água que cai nos copos que estão a meia altura, ou seja, no nível do eixo. **Engenho rasteiro.** *Bras. N.E.* Engenho (7) movido por água procedente de um nível muito baixo. **Ir para o engenho do Pestana.** *Bras. N.E. Fam.* Pegar no sono; adormecer.

engenhoca [De *engenho* + *-oca*.] *S. f.* **1.** Aparelho de fácil invenção. **2.** Artimanha, ardil. **3.** *Bras. N.E.* Pequeno engenho que, destinado sobretudo à fabricação de aguardente, também serve para a de açúcar e rapadura.

engenhosidade [De *engenhoso* + *-(i)dade*.] *S. f. Bras.* Qualidade de engenhoso; engenho.

engenhoso (ô) [De *engenho* + *-oso*.] *Adj.* **1.** Que tem engenho. **2.** Feito com engenho.

engenho-velhense *Adj. 2 g.* **1.** De, ou pertencente ou relativo a Engenho Velho (RS). ● *S. 2 g.* **2.** O natural ou habitante de Engenho Velho. [Pl.: *engenho-velhenses*.]

engessado [Part. de *engessar*.] *Adj.* Que se engessou; gessado.

engessador (ô) [De *engessar* + *-dor*.] *Adj. S. m.* Que, ou aquele que engessa.

engessar [De *en-*[2] + *gesso* + *-ar*[2].] *V. t. d.* **1.** Cobrir de gesso; gessar. **2.** Branquear com gesso. **3.** Colocar gesso sobre, para atar fratura; gessar: *engessar uma perna, um braço.* **4.** *Fig.* Restringir os movimentos de; reduzir o raio de ação de: *O congelamento de preços engessa os mecanismos de mercado.* [Quanto ao timbre do *e*, v. *começar*.]

englobamento [De *englobar* + *-mento*.] *S. m.* Ato ou efeito de englobar.

englobar [De *en-*[2] + *globo* + *-ar*[2].] *V. t. d.* **1.** Reunir em um todo; juntar; conglomerar: *Sua atividade literária engloba numerosos gêneros.* **2.** Dar a forma de globo a.

englobular [De *en-*[2] + *glóbulo* + *-ar*[2].] *V. t. d.* Converter em glóbulo(s).

▲-eng(o)- Equiv. de *-engo*.

▲-engo [Do ant. al. *-ing*.] *Suf. nom.* = 'relação', 'pertinência', 'posse': *mulherengo, solarengo.* [Equiv.: *-eng(o)-*: *ajudengar*.]

engobo (ô) [Do fr. *engobe*.] *S. m.* Pasta cerâmica que se superpõe à superfície de uma peça a fim de modificar, depois da queima, a cor e o aspecto da superfície.

engodado [Part. de *engodar*.] *Adj.* **1.** Atraído com engodo. **2.** Seduzido com aparências vãs; iludido, enganado.

engodamento [De *engodar* + *-mento*.] *S. m.* Ato ou efeito de engodar.

engodar [De or. obscura.] *V. t. d.* **1.** Atrair com engodo: *engodar a caça.* **2.** Enganar com promessas vãs; engabelar: *O malandro engodou várias pessoas.* [Pres. ind.: *engodo*, etc. Cf. *engodo* (ô).]

engodativo [De *engodar* + *-tivo*.] *Adj.* **1.** Próprio para engodar. **2.** Em que há, ou que implica engodo.

engodilhar [De *en-*[2] + *godilhão* + *-ar*[2], com desnasalação e síncope.] *V. t. d.* **1.** Encher de godilhões. **2.** Emaranhar, enredar, atrapalhar. *Int.* **3.** Criar grumos.

engodo (ô) [Dev. de *engodar*, poss.] *S. m.* **1.** Isca ou ceva com que se apanham peixes, aves, etc. **2.** Coisa com que se engoda ou seduz alguém. **3.** Adulação astuciosa. [Pl.: *engodos* (ó). Cf. *engodo*, do v. *engodar*.]

engoiado [Part. de *engoiar-se*.] *Adj.* Magro, enfezado.

engoiar-se [De or. incerta.] *V. p.* **1.** Tornar-se triste. **2.** Tornar-se magro; enfezar-se, definhar.

engole-ele [Da 3ª pess. sing. do pres. ind. de *engolir* + o pron. pess. *ele*.] *Bras. Pop. S. m. 2 n.* **1.** Roupa folgada em excesso. ● *Adj. 2 g. e 2 n.* **2.** Diz-se dessa roupa.

engole-espada [Da 3ª pess. sing. do pres. ind. de *engolir espada*.] *S. m. Pej.* Homossexual masculino. [Pl.: *engole-espadas*.]

engole-vento [Da 3ª pess. sing. do pres. ind. de *engolir* + *vento*.] *S. m. Bras. Zool.* V. *curiango*. [Pl.: *engole-ventos*.]

engolfar [De *en-*[2] + *golfo* + *-ar*[2].] *V. t. d.* **1.** Meter (embarcação) em golfo. **2.** Encaminhar para o mar alto. *T. d. e c.* **3.** Meter (em voragem, abismo); abismar. **4.** Entranhar, enterrar, acravar. *P.* **5.** Penetrar, meter-se em, entranhar-se: *Engolfou-se na neblina;* "O vale de pedra, nu de árvores, engolfa-se na noite, ameaçador." (Cornélio Pena, *Fronteira*, p. 7). **6.** Mergulhar(-se), embeber-se: *engolfar-se na devassidão.* **7.** Absorver-se, enlevar-se: *engolfa-se nos estudos.*

engolição [De *engolir* + *-ção*.] *S. f.* Ato de engolir.

engolideiras [De *engolir* + o pl. de *-deira*.] *S. f. pl. Pop.* Gorgomilos, goela.

engolipar [F. express. de *engolir*.] *V. t. d. Pop.* V. *engolir*.

engolir [De or. controversa; do lat. vulg. **ingulare* (com mud. de conjug.), ou de *en-*[2] + *gola* (< lat. *gula*, 'garganta') + *-ir*, poss.] *V. t. d.* **1.** Passar da boca ao estômago; deglutir: "tomou a sopa, engoliu um comprimido." (José Carlos Cavalcanti Borges, *O Assassino*, p. 23); "Engoliu um copo de cerveja de uma só vez" (Pelópidas Soares, *Cordão dos Bichos*, p. 11). **2.** Sorver, tragar; subverter: *A enchente engoliu as casas.* **3.** Devorar, consumir: *O lobo engoliu o cordeiro.* **4.** Aceitar como verdadeiro; acreditar em: *engolir mentiras.* **5.** Sofrer em segredo, ou sem protesto; dissimular: *Discreto, engole as mágoas;* "João, homem de não engolir um desafio, viverá sem ganho certo" (Osmã Lins, *Nove, Noventa*, p. 88). **6.** Subverter; revolucionar. **7.** *Fig.* Transpor, ultrapassar, num percurso: *O automóvel ia engolindo os marcos da quilometragem.* [F. express.: *engolipar*. Irreg. Muda o *o* da raiz em *u* na 1ª pess. do sing. do pres. ind.: *engulo*, e, pois, em todas as pess. do pres. subj.: *engula, engulas, engula, engulamos, engulais, engulam*.]

engoma [Do quimb.] *S. m. Bras. BA Rel. Mús.* Nos candomblés angola-congo, atabaque.

engomadaria [Do part. pass. de *engomar* + *-aria*.] *S. f.* Casa ou estabelecimento onde se engoma roupa; lavanderia.

engomadeira [De *engomar* + *-deira*.] *S. f.* **1.** Fem. de engomador (2). **2.** *Bras.* Certa máquina usada na indústria da tecelagem.

engomadela [De *engomar* + *-dela*.] *S. f.* Ato de engomar uma vez, ou de leve.

engomador (ô) [De *engomar* + *-dor*.] *Adj.* **1.** Que engoma. ● *S. m.* **2.** Aquele que exerce a profissão de engomar roupa. **3.** *Bras.* Ferro de engomar; ferro de passar.

engomadura [De *engomar* + *-dura*.] *S. f.* Ato ou efeito de engomar; engomagem.

engomagem [De *engomar* + *-agem*[2].] *S. f.* **1.** Engomadura. **2.** Colagem[1] (dos vinhos).

engomar [De *en-*[2] + *goma* + *-ar*[2].] *V. t. d.* **1.** Meter em goma e alisar depois com o ferro de engomar: *engomar a roupa.* **2.** *P. ext.* Alisar (a roupa) com ferro de engomar; passar. **3.** Molhar em goma. **4.** Engrossar; avolumar: *engomar a voz.* *Int.* **5.** Exercer a profissão de engomadeira: "Como a mãe era engomadeira, ela engomava também" (Bernardo Pinheiro Pindela, *Azulejos*, p. 42). **6.** Alisar a roupa com ferro de engomar; passar: "A Margarida trabalhava para fora, cozia, engomava, fazia renda." (Conde de Ficalho, *Uma Eleição Perdida*, p. 39.) **7.** *Bras. N.E. Fam.* Andar a custo, arrastando os pés, em geral por idade avançada: *O velhinho já está engomando.* [Pres. subj.: *engome*, etc. Cf. *ingome*.]

engonatão [Do lat. tard. *engonaton*.] *S. m.* Espécie de antigo relógio solar.

engonçar [De *engonço* + *-ar*[2].] *V. t. d.* Segurar com engonços; pôr engonços em. [Conjug.: v. *laçar*.]

engonço [De *en-*[2] + fr. ant. *gonz*, pl. de *gont* (atual *gond*), 'gonzo', poss.] *S. m.* Espécie de dobradiça; gonzo.

engorda [Dev. de *engordar*.] *S. f.* **1.** Ato ou efeito de engordar animais; ceva, engorde. **2.** *Bras. P. ext.* Pasto para a engorda do gado.

engordar [De *en-*[2] + *gordo* + *-ar*[2].] *V. t. d.* **1.** Tornar gordo: *engordar suínos.* **2.** Dar gordura a. **3.** Cevar, nutrir. *Int.* **4.** Tornar gordo: "Açúcar engorda — era para mim mesmo que eu falava, em cima da mulher." (Lêdo Ivo, *A Morte do Brasil*, p. 14.) **5.** Nutrir-se, alimentar-se; desenvolver-se. **6.** Enriquecer, prosperar. [Pres. ind.: *engordo*, etc. Cf. *engordo* (ô).]

engordativo [De *engordar* + *-tivo*.] *Adj.* Que engorda (diz-se ger. de alimento rico em glicídios e/ou lipídios, porém de baixo valor nutritivo): "Nos bairros de classe média baixa e nas favelas, o aumento do poder aquisitivo facilitou o acesso à comida, ger. do tipo engordativo" (Revista *Veja*, 05.03.2008.)

engorde [Dev. de *engordar*.] *S. m. Bras.* V. *engorda* (1).

engordo (ô) [Dev. de *engordar*.] *S. m. Bras.* Planta forraginosa da família das gramíneas. [Pl.: *engordos* (ô). Cf. *engordo*, do v. *engordar*.]

engordurado [Part. de *engordurar*.] *Adj.* Que se engordurou; gorduroso.

engorduramento [De *engordurar* + *-mento*.] *S. m.* **1.** Ato de engordurar(-se). **2.** Certa doença dos vinhos.

engordurar [De *en-*[2] + *gordura* + *-ar*[2].] *V. t. d. P.* Untar(-se) ou sujar(-se) com gordura; besuntar(-se).

engorovinhado [De *en-*[2] + *gorovinhas* + *-ado*[1].] *Adj.* Que tem gorovinhas ou rugas; enrugado.

engorrar-se [De *en-*[2] + *gorra* + *-ar*[2] + *se*[1].] *V. p.* **1.** Meter-se de gorra. **2.** Unir-se a um bando; bandear-se.

engoteirado [De *en-*[2] + *goteira* + *-ado*[1].] *Adj. Bras.* Que tem goteiras [v. *goteira* (3)]; cheio de goteiras.

engra [Alter. pop. de *ângulo*, poss.] *S. f. Arquit. Constr.* **1.** Canto[1] (1) reentrante formado por duas paredes, parede e piso, ou parede e teto. **2.** Face interior, inclinada, de rasgo de porta ou janela; enxalço.

engraçado [De *en-*[2] + *graça* + *-ado*[1].] *Adj.* **1.** Que tem graça ou espírito; espirituoso, jovial: *Chico Anísio é muito engraçado.* **2.** Que denota ou revela graça, chiste; jocoso, divertido: *dito engraçado; situação engraçada.* **3.** *Lus.* Gracioso: *É uma menina engraçada e elegante, os fatos lhe caem bem.* ● *S. m.* **4.** Indivíduo engraçado.

engraçamento [De *engraçar* + *-mento*.] *S. m. Bras.* **1.** Ato de engraçar-se, simpatizar, gostar. **2.** Galantaria, galanteio. **3.** *Fam.* Confiança, atrevimento: *Deixe de engraçamento para o meu lado!*

engraçar [De *en-*[2] + *graça* + *-ar*[2].] *V. t. d.* **1.** Dar graça a; tornar gracioso: *As flores engraçavam o casebre.* **2.** Dar esplendor a; realçar: *A inteligência engraça as pessoas.* *T. i.* **3.** Simpatizar; agradar-se: *Engraçou com a moça e pediu-a em casamento;* "o lente engraçara com ele e chamava-o invariavelmente a toda sabatina" (Lúcio de Mendonça, *Horas do Bom Tempo*, p. 65). *P.* **4.** Meter-se nas boas graças de; congraçar-se. **5.** *Bras.* Simpatizar, agradar-se, gostar: *Engraçou-se do rapaz;* "um dia ele foi ao povo, / e se engraçou / numa china, que viu lá pra esse lado" (Vargas Neto, *Tropilha Crioula e Gado Xucro*, p. 68). **6.** *Gír.* Tomar confiança indevida; desrespeitar. [Conjug.: v. *laçar*.]

engradação [De *engradar* + *-ção*.] *S. f. Tip.* V. *engradamento* (4).

engradado [Part. de *engradar*.] *Adj.* **1.** A que se deu forma de grade. **2.** Cercado de grade: *terreno engradado.* ● *S. m.* **3.** *Bras.* Armação de sarrafos com que se protege um objeto qualquer durante o seu transporte de um ponto a outro. [Sin., no CE, nesta acepç.: *grade*.] **4.** *Bras.* Caixa de plástico, etc., com divisórias, própria para o transporte de garrafas de bebida. **5.** *Arquit.* Armação, ger. de madeira ou metal, que forma uma estrutura vazada, num elemento arquitetônico.

engradagem [De *engradar* + *-agem*[2].] *S. f. Tip.* V. *engradamento* (4).

engradamento [De *engradar* + *-mento*.] *S. m.* **1.** Ato ou efeito de engradar. **2.** Obra engradada. **3.** V. *grade* (1): "Em vez de verdadeiros balcões tinham os sobrados engradamentos de madeira" (Joaquim Manuel de Macedo, *Memórias da Rua do Ouvidor*, p. 103). **4.** *Tip.* Ato ou efeito de engradar (5); engradação, engradagem.

engradar [De *en-*[2] + *grade* + *-ar*[2].] *V. t. d.* **1.** Dar a forma de grade a. **2.** Cercar de grades. **3.** Pregar (uma tela) na grade. **4.** *Artilh.* Juntar (peças de reparo [7]) por meio de falcas. **5.** *Tip.* Pôr as guarnições e os cunhos em (chapa ou fôrma tipográfica colocada na rama); guarnecer a fôrma de; enramar.

engradecer [De *en-*[2] + *grado*[3] + *-ecer*.] *V. int.* Fazer-se grado[3]. [Conjug.: v. *aquecer*.]

engraecer [De *en-*[2] + *grão*[1] + *-ecer*, com desnasalação e síncope.] *V. int.* Formar grão ou semente. [Aplica-se em relação a cereais e legumes. Conjug.: v. *aquecer*. Defect., só conjugável nas 3ªs pess.]

engrama [De *en-*[2] + *-grama*.] *S. m.* **1.** *Psiq.* Impressão duradoura deixada na mente. **2.** *Fisiol.* Marca definitiva deixada em tecido nervoso por um estímulo.

engrambelação *S. f. Bras.* V. *engabelação*.

engrambelador (ô) *Adj. S. m. Bras.* V. *engabelador*.

engrambelar *V. t. d. Bras.* V. *engabelar*. [Pres. ind.: *engrambelo*, etc. Cf. *engrambelo* (ê).]

engrambelo (ê) [Dev. de *engrambelar*.] *S. m. Bras.* V. *engabelo* (ê). [Pl.: *engrambelos* (ê). Cf. *engrambelo*, do v. *engrambelar*.]

engrampador (ô) [De *engrampar* + *-dor*.] *S. m.* Aquele que engrampa.

engrampar [De *en-*[2] + *grampo* + *-ar*[2], poss.] *V. t. d.* **1.** Lograr, burlar, embaçar. **2.** Atrair com embustes.

engramponar-se [Alter. de *engrimponar-se*.] *V. p.* Envaidecer-se; ensoberbecer-se; engrimpar-se.

engrandecer [De *en-*[2] + *grande* + *-ecer*.] *V. t. d.* **1.** Tornar grande; elevar em dignidade, riqueza, etc.: *A prática da democracia engrandece uma nação.* **2.** Tornar maior; aumentar. *T. i.* **3.** Adquirir ou conquistar mais; crescer: *engrandecer em prestígio, em glória.* *Int. P.* **4.** Tornar-se maior; elevar-se; ilustrar-se. [Conjug.: v. *aquecer*.]

engrandecido [Part. de *engrandecer*.] *Adj.* **1.** Que se engrandeceu. **2.** Elevado em dignidade, em grandeza. **3.** Satisfeito, feliz, contente.

engrandecimento [De *engrandecer* + *-imento*.] *S. m.* Ato ou efeito de engrandecer(-se).

engranzador (ô) [De *engranzar* + *-dor*.] *Adj. S. m.* Que, ou aquele que engranza.

engranzagem [De *engranzar* + *-agem*[2].] *S. f.* Engranzamento.

engranzamento [De *engranzar* + *-mento*.] *S. m.* Ato ou operação de engranzar; engranzagem.

engranzar [De *en-*[2] + *grão*[1] + *-zar*, poss.] *V. t. d.* **1.** Enfiar (contas) em fio de metal ou de outra matéria. **2.** Enganchar, encadear. **3.** Endentar, engrenar. **4.** Enganar, lograr, embair, iludir. [Var.: *engrazar*.]

engraulídeo [Do tax. *Engraulis* (< gr. *éngraulis*, 'enchova') + *-ídeo*[1]; tax. *Engraulidae*.] *Zool.* *S. m.* **1.** Espécime dos engraulídeos, família de peixes actinopterígios, vulgarmente conhecidos por anchova, enchova, manjuba, pititinga, etc. ● *Adj.* **2.** Pertencente ou relativo a eles.

engravatar-se [De *en-*[2] + *gravata* + *-ar*[2] + *se*[1].] *V. p.* **1.** Pôr gravata; engravatizar-se. **2.** Apresentar-se bem vestido, apresentar-se bem; enfeitar-se.

engravatizar-se [De *en-*[2] + *gravata* + *-izar* + *se*[1].] *V. p.* Engravatar-se (1).

engravescer [De *en-*[2] + *grave* + *-escer*.] *V. t. d.* **1.** Tornar mais grave; piorar; agravar. *Int.* **2.** Tornar-se grave; agravar-se; piorar; engravescer-se. *P.* **3.** Engravescer (2). [Conjug.: v. *crescer*.]

engravidar [De *en-*[2] + *grávido* + *-ar*[2].] *V. t. d. Int.* V. *gravidar*: "A professora casou, engravidou, botou filho no mundo" (Lustosa da Costa, *Sobral do Meu Tempo*, p. 47).

engravitar-se [De *en-*[2] + *gravito* + *-ar*[2] + *se*[1].] *V. p.* **1.** Endireitar-se, aprumar-se, empertigar-se. **2.** Reagir, recalcitrar, respingar.

engraxadela [De *engraxar* + *-dela*.] *S. f.* **1.** Ato isolado de engraxar. **2.** Engraxamento ligeiro, superficial.

engraxador (ô) [De *engraxar* + *-dor*.] *S. m.* Aquele que engraxa sapatos. [Sin.: *limpa-botas* e (bras.) *engraxate*.]

engraxadoria [De *engraxador* + *-ia*[1].] *S. f. Lus.* V. *engraxateria*.

engraxamento [De *engraxar* + *-mento*.] *S. m.* Ato de engraxar.

engraxar [De *en-*[2] + *graxa* + *-ar*[2].] *V. t. d.* **1.** Passar graxa em e esfregar, para que fique lustroso; lustrar: "O homem engraxando os sapatos." (Lígia Fagundes Teles, *A Disciplina do Amor*, p. 92.) **2.** *Fig.* Bajular, adular, lisonjear.

engraxataria [De *engraxate* + *-aria*.] *S. f. Bras. PR SC RS* V. *engraxateria*.

engraxate [De *en-*[2] + *graxa*, poss. com infl. do it. *ingrassato*.] *S. m. Bras.* V. *engraxador*.

engraxateria [De *engraxate* + *-eria*.] *S. f. Bras. PR SC RS* Lugar onde se engraxam sapatos. [Sin.: *engraxataria* e (lus.) *engraxadoria*.]

engrazar *V. t. d.* V. *engranzar*.

engrelar [De *en-*[2] + *grelo* (ê) + *-ar*[2].] *V. int. P.* **1.** Deitar grelo; endireitar-se, aprumar-se. **2.** Pôr-se (a criança) em pé, ao começar a andar. [Cf. *engrilar*.]

engrenagem [Do fr. *engrenage*.] *S. f.* **1.** Jogo de rodas denteadas para transmissão de movimentos e força, nos maquinismos. **2.** Roda denteada que gira sobre carril denteado ou em cremalheira. **3.** Endentação. **4.** *Fig.* Organização; organismo: *Não conheço a engrenagem deste hospital; A engrenagem burocrática o absorve de todo.*

engrenar [Do fr. *engrener*.] *V. t. d.* **1.** Endentar, entrosar, engranzar. **2.** *Autom.* Fazer que as engrenagens da marcha de um veículo automóvel engatem com as do eixo do motor, na caixa de marcha, dando início a (uma marcha); engatar: *engrenar a terceira marcha.* **3.** *Fig.* Encetar, iniciar, entabular: *engrenar uma conversação, um namoro.* *Int.* **4.** Pôr-se em condições; preparar-se: *A seleção brasileira engrena para enfrentar os ingleses.*

engrenhamento [De *engrenhar* + *-mento*.] *S. m. Desus.* Ato de engrenhar.

engrenhar [De *en-*[2] + *grenha* + *-ar*[2].] *V. t. d. Desus.* **1.** Consertar ou atar (o cabelo). **2.** Atar (o linho) na roca.

engrifar [De *en-*[2] + *grifa*[2] + *-ar*[2].] *V. t. d.* **1.** Dar a forma de garra[1] ou grifa[2] a. **2.** Apoderar-se de; empolgar: *A alegria engrifou-a.* *P.* **3.** Dispor as garras para combater; assanhar-se. **4.** Agarrar-se, prender-se.

engriguilhado *Adj. Bras. SP Gír.* Complicado, encrencado.

engriguilho *S. m. Bras. SP Gír.* Complicação, encrenca.

engrilado [De *en-*[2] + *grilo* + *-ado*[1].] *Adj. Bras.* Grilento.

engrilar [De *engrelar*.] *V. t. d.* **1.** Pôr direito ou reto; endireitar: *O cão engrilou as orelhas.* *P.* **2.** Pôr-se reto; endireitar-se. **3.** Arrebitar-se, levantar-se. **4.** Agastar-se, aborrecer-se. [Cf. *engrelar*.]

engrimanço [De *en-*[2] + corrupt. do fr. *grimace* (< frâncico *grima, 'máscara'), poss.] *S. m.* **1.** Afetação ridícula nas ações ou palavras. **2.** Modo confuso de falar. **3.** Figuras sem justas proporções, na pintura ou no desenho. **4.** Astúcia, artimanha.

engrimpar-se [De *en-*[2] + *grimpa* + *-ar*[2] + *se*[1].] *V. p.* **1.** Subir às grimpas [v. *grimpa* (2)]; encarapitar-se, elevar-se. **2.** *Fig.* Ensoberbecer-se, envaidecer-se. [Var.: *engrimpinar-se* e *engrimponar-se*.]

engrimpinar-se *V. p.* V. *engrimpar-se*.

engrimponar-se *V. p.* V. *engrimpar-se*.

engrinaldado [Part. de *engrinaldar*.] *Adj.* **1.** Ornado de grinaldas; agaloado, afestoado. **2.** Adornado, enfeitado, ataviado.

engrinaldar [De *en-*[2] + *grinalda* + *-ar*[2].] *V. t. d.* **1.** Enfeitar com grinalda(s); coroar: *A mãe engrinaldou a noiva.* **2.** Adornar, enfeitar, alindar, ataviar: *As flores engrinaldavam a casa.* *P.* **3.** Enfeitar-se com grinalda; coroar-se. **4.** Adornar-se, enfeitar-se, alindar-se. [Sin. ger.: *agrinaldar, enguirlandar, grinaldar*.]

engripado *Adj. S. m. Lus.* Gripado.

engripar[1] [De *en-*[2] + *gripe* + *-ar*[2].] *V. t. d. e P.* Gripar(-se).

engripar[2] [De *en-*[2] + *gripar*[1].] *V. int.* V. *grimpar*[2].

engrolador (ô) [De *engrolar* + *-dor*.] *Adj. S. m.* Que, ou aquele que engrola.

engrolar [De or. incerta.] *V. t. d.* **1.** Cozer ou assar mal. **2.** Fazer mal (um serviço). **3.** Pronunciar mal, indistintamente: *engrolar ave-marias.* **4.** Não completar;

deixar inacabado. **5.** Iludir, enganar, embair: *Engrolou o pobre velho.* ***Int.*** **6.** Ficar malcozido ou mal-assado; engrolar-se: *A carne engrolou.* ***P.*** **7.** Engrolar (6).

engrossador (ô) [De *engrossar* + *-dor*.] ***Adj.*** **1.** Que engrossa. **2.** *Bras. Gír.* Que engrossa ou bajula [v. *engrossar* (7)]. • ***S. m.*** **3.** *Bras. Gír.* V. *bajulador* (2): "Sua polidez fria e um pouco distante desanimou os engrossadores." (Pedro Nava, *Beira-Mar*, p. 294).

engrossamento [De *engrossar* + *-mento*.] ***S. m.*** **1.** Ato ou efeito de engrossar(-se). **2.** *Arquit.* Aumento de diâmetro da coluna até o segundo terço. **3.** *Bras. Gír.* Adulação, bajulação.

engrossante [De *engrossar* + *-nte*.] ***S. m.*** *Bras. N.E.* Espécie de mingau que se dá às criancinhas.

engrossar [De *en-*^{2} + *grosso* + *-ar*^{2}.] ***V. t. d.*** **1.** Tornar grosso, espesso: *engrossar a sopa.* **2.** Aumentar em massa, volume ou quantidade: *As chuvas engrossaram o riacho.* **3.** Aumentar a grossura de. **4.** Fazer crescer; aumentar: *O bom êxito engrossava-lhe o orgulho.* **5.** Fazer aumentar o número de; tornar mais numeroso: *Novas adesões vinham engrossar aquele exército.* **6.** Fertilizar, adubar. **7.** *Bras. Gír.* Adular, bajular, lisonjear. **8.** Dar timbre mais grave a (a voz). ***T. i.*** **9.** Tratar com descortesia; mostrar-se grosseiro: *O patrão engrossou com o empregado.* ***Int. P.*** **10.** Tornar-se grosso ou mais grosso. **11.** Aumentar em riqueza e prosperidade. **12.** Tornar-se mais forte, mais numeroso. **13.** Assumir (a voz) timbre mais grave. **14.** *Bras. Gír.* Tratar alguém com descortesia; mostrar-se grosseiro com alguém: *É um estúpido: por qualquer motivo engrossa.* **15.** *Bras. Gír.* Mostrar-se grosso, sem finura, sem tato, praticando ou dizendo graves inconveniências, ou até indecências.

engrouvinhado ***Adj.*** V. *esgrouviado*.

engrujado ***Adj.*** *Bras. N.E.* V. *engurujado*.

engrujar-se ***V. p.*** *Bras. N.E.* V. *engurujar-se*.

engrumar [De *en-*^{2} + *grumo* + *-ar*^{2}.] ***V. t. d. Int. P.*** V. *grumar*.

engrunação [De **engrunar* (< *gruna* + *-ar*^{2}) + *-ção*.] ***S. f.*** *Bras. BA* Trecho subterrâneo de um rio.

engrunado [De *en-*^{2} + *gruna* + *-ado*^{2}.] ***S. m.*** *Bras. N.* V. *gruna*.

engrunhido [Part. de *engrunhir*.] ***Adj.*** **1.** Entorpecido, enfraquecido. **2.** Preguiçoso, indolente.

engrunhir [De or. express., poss.] ***V. t. d.*** Tornar hirto ou encolhido com frio, ou por doença; entorpecer.

engrupir [De *grupo*, poss.] ***V. t. d.*** *Bras. Gír.* Ludibriar, enganar, tapear.

engruvinhar [Alter. de *esgrouvinhar* (de *grou*^{1}), com troca de pref. (v. *en-*^{2}).] ***V. t. d.*** **1.** Franzir, contrair. **2.** Enrugar, encarquilhar. ***Int. P.*** **3.** Enrugar(-se), encarquilhar(-se): "Com o sol sua pele engruvinhou toda." (Lívia Garcia-Rosa, *A Palavra Que Veio do Sul*, p. 34.)

enguaxumado [De *en-*^{2} + *guaxuma* + *-ado*^{1}.] ***Adj.*** *Bras.* Coberto de guaxumas.

enguia [Do lat. **anguila*, por *anguilla*.] ***S. f.*** *Zool.* **1.** Designação comum às várias espécies de peixes anguiliformes, anguilídeos, serpentiformes, na maior parte marinhos. A verdadeira enguia é a espécie *Anguilla anguilla*, da América do Norte, cujos adultos vão desovar no mar e aí morrem; realizam migrações atualmente bem conhecidas. [Sin. (bras.): *moreia*.] **2.** Bras V. *caramuru* (1).

enguia-d'água-doce ***S. f.*** *Bras. Zool.* V. *muçum*. [Pl.: *enguias-d'água-doce*.]

enguia-elétrica ***S. f.*** *Bras. Zool.* V. *poraquê*. [Pl.: *enguias-elétricas*.]

enguia-pelicano ***S. f.*** *Zool.* Peixe eurifaringídeo (*Eurypharynx pelecanoides*) marinho, abissal, negro, à exceção de uma pequena mancha branca na cauda, boca enorme, dentes pequenos e numerosos, estômago distensível. É desprovido de escamas e o corpo afusado, que diminui gradualmente, termina em cauda muito fina; costelas e nadadeiras caudais e ventrais ausentes. [Pl.: *enguias-pelicanos* e *enguias-pelicano*.]

enguiçado [Part. de *enguiçar*.] ***Adj.*** **1.** Que enguiçou. **2.** Que não funciona, ou não funciona bem; com defeito: *carro enguiçado.*

enguiçador (ô) [De *enguiçar* + *-dor*.] ***Adj. S. m.*** Que, ou aquele que enguiça.

enguiçamento [De *enguiçar* + *-mento*.] ***S. m.*** Ato ou efeito de enguiçar.

enguiçar [De or. controversa; poss. de *en-*^{2} + rad. express. *gizk*, 'irritar', 'açular' (comum ao esp. *enguizcar*), + *-ar*^{2}.] ***V. t. d.*** **1.** Tornar peco, enfezado; impedir que medre. **2.** Pôr enguiço (1) em: "O primo Afonso de Gamboa esteve cá há dias, e a modo de caçoada foi-me dizendo que lá na capital as mulheres enguiçam os homens, e fazem deles gato-sapato." (Camilo Castelo Branco, *A Queda dum Anjo*, p. 182.) **3.** Fazer mal a; encalistar, encaiporar. **4.** *Bras. N. N.E. Prov. port.* Passar ou saltar por cima de. **5.** *Bras.* Causar desarranjo em (máquina, automóvel, relógio); encrencar. ***Int.*** **6.** *Bras. S.* Parar por desarranjo (a máquina, o automóvel, o relógio, etc.); encrencar: "De vez em quando o carro parava no meio da rua. Enguiçava." (Francisco de Assis Barbosa, *Santos Dumont Inventor*, p. 21.) [Conjug.: v. *laçar*.]

enguiço [Dev. de *enguiçar*, poss.] ***S. m.*** **1.** Mau-olhado, quebranto. **2.** Má sorte, caiporismo. **3.** Obstáculo, estorvo, empecilho: *Surgiu um enguiço, e adeus festa!* **4.** *Bras.* Desarranjo, desconcerto: *Deu um enguiço no meu carro.*

enguirlandar [De *en-*^{2} + *guirlanda* + *-ar*^{2}.] ***V. t. d. P.*** V. *engrinaldar*.

engulhado [Part. de *engulhar*.] ***Adj.*** Que tem engulho; nauseado.

engulhar [De *engulho* + *-ar*^{2}.] ***V. t. d.*** **1.** Causar engulho (1) a; nausear. ***Int.*** **2.** Ter engulhos, náuseas. **3.** Ter ânsias; desejar ardentemente.

engulhento [De *engulho* + *-ento*.] ***Adj.*** V. *engulhoso*.

engulho [De or. incerta.] ***S. m.*** **1.** Ânsia, náusea. **2.** *Fig.* Desejo, tentação.

engulhoso (ô) [De *engulho* + *-oso*.] ***Adj.*** Que causa engulho; asqueroso; engulhento.

engulosinar [De *en-*^{2} + *gulosina* + *-ar*^{2}.] ***V. t. d.*** **1.** Tornar guloso. **2.** Estimular o apetite de. ***P.*** **3.** Costumar-se a guloseimas.

engundada ***Adj.*** **(*f.*)** *Bras. BA* Engunlada: "outros vinham simplesmente vestidos, de calças arregaçadas e saias 'engundadas'" (Afrânio Peixoto, *Maria Bonita*, p. 54).

engunhar [De or. obscura.] ***V. int.*** Secar, engelhar. [Us. com relação a uvas e outras frutas quando começam a passar.]

engunlada ***Adj.*** **(*f.*)** *Bras. MG* Diz-se da saia arregaçada até meia perna e presa acima das ancas por um xale ou um pano; engundada: "as anáguas e saia engunladas, mostrando os joelhos ossudos" (Nélson de Faria, *Tiziu e Outras Estórias*, p. 102).

engurujado [Part. de *engurujar-se*.] ***Adj.*** *Bras. N.E. S.* **1.** Encolhido com frio, ou por doença. **2.** De penas ou pelo arrepiados. **3.** Retraído, reservado. [Var.: *engrujado*.]

engurujar-se [De *encorujar-se*, com sonorização.] ***V. p.*** **1.** *Bras. N.E. S.* Encolher-se com frio ou por doença; retrair-se, embiocar-se. **2.** Estar com as penas ou pelo arrepiados. [Var.: *engrujar-se*. Cf. *encorujar-se*.]

enho ***S. m.*** A cria do veado.

▲**-enho** [Do lat. *-ignu*, por via pop.] ***Suf. nom.*** = 'semelhança'; 'procedência', 'origem': *ferrenho*, *portenho*.

▲**eni-** Equiv. de *en(o)-*^{1}.

enícola [De *eni-* + *-cola*^{1}.] ***Adj. 2 g.*** Que trata de vinhos, comercia com vinhos.

enigma [Do gr. *aínigma*, pelo lat. *aenigma*.] ***S. m.*** **1.** Questão proposta em termos obscuros, ambíguos, para ser interpretada ou adivinhada por alguém: *Édipo decifrou o enigma da Esfinge.* **2.** V. *adivinha*^{1} (1). **3.** Enunciado ambíguo ou velado: *falar por enigmas.* **4.** Coisa inexplicável, aquilo que é difícil compreender; mistério: *Sua fortuna é um enigma.* **5.** Pessoa de comportamento arbitrário, caprichoso, imprevisível.

enigmar [De *enigma* + *-ar*^{2}.] ***V. t. d.*** Tornar obscuro, enigmático.

enigmático [Do gr. *ainigmatikós*, pelo lat. *aenigmaticu*.] ***Adj.*** **1.** Relativo a, ou que contém enigma: *carta enigmática.* **2.** Obscuro, misterioso: *atitude enigmática.* **3.** Difícil de compreender, ou interpretar: *o sorriso enigmático da Gioconda.*

enigmatista [Do gr. *ainigmatistés*, pelo lat. tard. *aenigmatista*.] ***S. 2 g.*** V. *enigmista*.

enigmista [De *enigma* + *-ista*.] ***S. 2 g.*** **1.** Pessoa que faz e/ou decifra enigmas. **2.** Pessoa que fala por enigmas. [Sin. ger.: *enigmatista*.]

➔**enjambement** [ɑ̃ʒɑ̃b'mɑ̃] [Fr.] ***S. m.*** *Arte Poét.* Processo poético de pôr no verso seguinte um ou mais palavras que completam o sentido do verso anterior. Ex.: "Já pelo espesso ar os *estridentes / Farpões*, setas e vários tiros voam; / Debaixo dos pés duros dos *ardentes / Cavalos* treme a terra, os vales soam" (Luís de Camões, *Os Lusíadas*, IV, 31). [Há várias palavras portuguesas — todas, entretanto, de emprego restrito — para substituir esse termo francês: *cavalgamento*, *debordamento*, *encadeamento*, *encavalgamento*, *ensamblamento*, *transbordamento*, *quebra de verso*, *terminação falsa*.]

enjambrar [De or. incerta.] ***V. int.*** **1.** Torcer-se ou empenar (uma tábua): *Duas das prateleiras da estante enjambraram.* ***P.*** **2.** *Bras. PE* Ficar confuso, envergonhado; confundir-se; acanhar-se.

enjangar [Por **enjangadar* (< *en-*^{2} + *jangada* + *-ar*^{2}), com síncope.] ***V. t. d.*** **1.** Transformar em jangada. **2.** Ligar como se ligam os paus de uma jangada. [Conjug.: v. *largar*.]

enjaular [De *en-*^{2} + *jaula* + *-ar*^{2}.] ***V. t. d.*** **1.** Meter em jaula. **2.** Prender, encarcerar. ***P.*** **3.** Enclausurar-se, encarcerar-se: *Muito triste, enjaulou-se em casa.*

enjeitado [Part. de *enjeitar*.] ***Adj.*** **1.** Rejeitado, abandonado. • ***S. m.*** **2.** Criança que foi abandonada pelos pais; exposto.

enjeitador (ô) [De *enjeitar* + *-dor*.] ***Adj. S. m.*** Que, ou aquele que enjeita.

enjeitamento [De *enjeitar* + *-mento*.] ***S. m.*** Ato ou efeito de enjeitar(-se).

enjeitar [Do lat. *ejectare*, 'lançar fora', por via pop.] ***V. t. d.*** **1.** Não aceitar; recusar; rejeitar: *A moça enjeitou o noivo.* **2.** Abandonar, rejeitar (filhos ou crianças). **3.** Desprezar; repelir, repudiar: *A honradez enjeita a calúnia.* **4.** Reprovar, condenar: *A dignidade enjeita a submissão ao tirano.* ***P.*** **5.** Recusar ou rejeitar a si mesmo: "Quem não se enfeita, por si se enjeita" (prov.).

enjerido [Part. de *enjerir-se*.] ***Adj.*** **1.** Engelhado, enrugado. **2.** Encolhido de frio. [Cf. *ingerido*, part. de *ingerir*.]

enjerir-se [De or. obscura.] ***V. p.*** Encolher-se com frio ou por doença. [Cf. *ingerir*.]

enjica [Dev. de *enjicar*.] ***S. f.*** *Bras. PE AL Pop.* **1.** Birra, implicância. **2.** Aborrecimento, amolação.

enjicar [Corrupt. de *enticar*, poss.] ***V. t. i.*** *Bras. N.E. Pop.* Ter implicância ou birra com alguém ou alguma coisa; embirrar, implicar: "— Quando enjico com uma coisa sou pior que jumento." (Permínio Asfora, *Vento Nordeste*, p. 42.) [Conjug.: v. *trancar*.]

enjira [Do quimb.] ***S. f.*** *Bras. Rel.* Em terreiros de umbanda, ou influenciados pelo rito angola-congo, cerimônia onde se canta e dança, ger. em círculo, em homenagem às entidades [v. *entidade* (6)] da casa; gira.

enjoadiço ***Adj.*** Sujeito a enjoos.

enjoado [Part. de *enjoar*.] ***Adj.*** **1.** Que é vítima de enjoo. **2.** Que provoca enjoo ou aborrecimento; intolerável. **3.** Diz-se do peixe que não está bem seco. **4.** *Bras.* Mal-humorado, desagradável, antipático.

enjoamento [De *enjoar* + *-mento*.] ***S. m. P. us.*** V. *enjoo*.

enjoar [De *enojar*.] ***V. t. d.*** **1.** Causar enjoo a: *A comida gordurosa o enjoa.* **2.** Repugnar a; enojar: *A injustiça enjoa a consciência.* **3.** Causar tédio, aborrecimento, a; entediar; aborrecer; enfastiar: *A repetição enjoa o leitor.* **4.** Sentir enjoo por. ***Int.*** **5.** Ter enjoos, náuseas. **6.** Causar enjoo. **7.** Ter cheiro enjoativo. ***P.*** **8.** Aborrecer-se, enfadar-se, enfastiar-se. [Conjug.: v. *coroar*.]

enjoativo [De *enjoar* + *-tivo*.] ***Adj.*** **1.** Que causa enjoo, nojo, repugnância; nauseabundo, nauseante, nauseoso, enjooso. **2.** Que causa enjoo ou tédio; aborrecido, tedioso.

enjoo [Dev. de *enjoar*.] ***S. m.*** **1.** V. *náusea* (2). **2.** Sofrimento do estômago e da cabeça, que experimentam algumas pessoas que viajam em navio, carro, etc. **3.** Náusea que acompanha às vezes o estado de gravidez. **4.** *Fig.* Aborrecimento, amolação. **5.** Nojo, repugnância. **6.** *Bras.* Abuso (7). [Sin. ger., p. us.: *enjoamento*.] ❖

enjooso (ô) [De *enjoo* + *-oso*.] ***Adj.*** V. *enjoativo* (1).

enjugamento [De *enjugar* + *-mento*.] ***S. m.*** Ato ou efeito de enjugar.

enjugar [De *en-*^{2} + *jugo* + *-ar*^{2}.] ***V. t. d.*** Pôr o jugo em (bois). [Conjug.: v. *largar*.]

enlabiar [De *en-*^{2} + *lábia*^{1} + *-ar*^{2}.] ***V. t. d.*** Persuadir com lábias.

enlabirintar [De *en-*^{2} + *labirinto* + *-ar*^{2}.] ***V. t. d.*** Converter em labirinto; confundir, desordenar.

enlaçado [Part. de *enlaçar*.] ***Adj.*** **1.** Unido, entrelaçado. **2.** Abraçado.

enlaçador (ô) [De *enlaçar* + *-dor*.] ***Adj.*** **1.** Que enlaça. • ***S. m.*** **2.** Aquele que enlaça. **3.** *Bras. Restr.* Indivíduo que enlaça ou laça animais.

enlaçadura [De *enlaçar* + *-dura*.] ***S. f.*** **1.** V. *enlace* (1 e 2). **2.** Peça com que se enlaça o elmo.

enlaçamento [De *enlaçar* + *-mento*.] ***S. m.*** V. *enlace* (1 e 2).

enlaçar [De *en-*^{2} + *laçar*.] ***V. t. d.*** **1.** Prender com laços; atar; enlear: *enlaçar os cabelos.* **2.** Prender com laço ou laçada; laçar: *enlaçar bois.* **3.** Prender nos braços; abraçar: "teu corpo se avizinha / Do meu, e o enlaça como uma serpente..." (Olavo Bilac, *Poesias*, p. 86). **4.** Meter (os dedos das mãos) uns por entre os outros. **5.** Prender, segurar, apertar: "Deu-lhe um beijo, enlaçou-a com os braços, e ambos choraram com as primeiras saudades." (Coelho Neto, *Treva*, p. 24.) **6.** Envolver, enredar, cingir: "trepadeiras enlaçavam as grades." (Graciliano Ramos, *Caetés*, p. 242). **7.** Prender, atrair, cativar: *Há leituras que enlaçam o espírito.* **8.** Combinar, conciliar, harmonizar: *Tentava enlaçar os contrários.* ***T. d. e i.*** **9.** Ligar, unir: *Os heróis enlaçam o seu destino ao do povo.* ***T. i.*** **10.** Ter conexão ou relação; prender-se: *Várias disciplinas enlaçam com a sociologia.* ***P.*** **11.** Unir-se, formando laços ou laçadas. **12.** Ligar-se, atar-se, enlear-se. [Conjug.: v. *laçar*.]

enlaçarotado [Part. de *enlaçarotar*.] ***Adj.*** Ornado com laçarote(s).

enlaçarotar [De *en-*^{2} + *laçarote* + *-ar*^{2}.] ***V. t. d.*** Ornar com laçarote(s).

enlace [Dev. de *enlaçar*.] *S. m.* **1.** Ato ou efeito de enlaçar(-se); união. **2.** Concatenação, relacionamento. [Sin. (nessas acepç.): *enlaçamento, enlaçadura*.] **3.** Enlace matrimonial. **4.** *Quím.* Ligação. ◆ **Enlace matrimonial.** V. *casamento* (1). [Tb. se diz apenas *enlace*.]

enladeirado [Part. de *enladeirar*.] *Adj.* Inclinado, declivoso, ladeirento.

enladeirar [De *en-*^{2} + *ladeira* + *-ar*^{2}.] *V. t. d.* Tornar inclinado ou declivoso.

enlaivar [De *en-*^{2} + *laivo* + *-ar*^{2}.] *V. t. d.* **1.** Cobrir de laivos; sujar, manchar. *P.* **2.** Manchar-se aos laivos. **3.** Macular-se.

enlambujar [De *en-*^{2} + *lambujem* + *-ar*^{2}.] *V. int.* Andar à lambujem (1); mostrar-se guloso.

enlambuzar [De *en-*^{2} + *lambuzar*.] *V. t. d. P.* V. *lambuzar*.

enlameado [Part. de *enlamear*.] *Adj.* **1.** Sujo de lama. **2.** Manchado, conspurcado, desacreditado, vilipendiado.

enlameadura [De *enlamear* + *-dura*.] *S. f.* Ação e efeito de enlamear(-se).

enlamear [De *en-*^{2} + *lama*^{1} + *-ear*^{2}.] *V. t. d.* **1.** Sujar com lama; enlodar: "uma chuvinha irritante, alagadora e fácil, enlameia o asfalto da Avenida" (Mateus de Albuquerque, *Da Arte e do Patriotismo*, pp. 189-190). **2.** *Fig.* Enodoar a reputação de; deslustrar; deprimir, conspurcar; manchar: *A injustiça enlameia a honra de uma nação. P.* **3.** Sujar-se; enlodar-se. **4.** *Fig.* Aviltar-se, envilecer-se, rebaixar-se. [Conjug.: v. *frear*.]

enlaminar [De *en-*^{2} + *lâmina* + *-ar*^{2}.] *V. t. d.* Forrar de lâminas ou chapas de metal.

enlanguescer [De *en-*^{2} + *languescer*.] *V. int. P.* Tornar-se lânguido; perder as forças; enfraquecer(-se), debilitar(-se); elanguescer(-se); alanguidar-se; languescer, languir. [Conjug.: v. *crescer*.]

enlanzar [De *en-*^{2} + *lã* + *-zar*.] *V. t. d. Bras. Fam.* Vestir, abafar com agasalhos de lã.

enlapado [Part. de *enlapar*.] *Adj.* **1.** Metido em lapa; alapado. **2.** Escondido, oculto.

enlapar [De *en-*^{2} + *lapa*^{1} + *-ar*^{2}.] *V. t. d.* **1.** Meter em lapa^1 (1); esconder; alapar. **2.** Fazer sumir; fazer desaparecer; sumir: *O assassino enlapou sua vítima. P.* **3.** Esconder-se, refugiar-se.

enlatado [Part. de *enlatar*^{1}.] *Adj.* **1.** Metido ou conservado em lata. ~ V. *filme* —. ● *S. m.* **2.** *Bras.* Comestível enlatado. **3.** *Bras.* Filme enlatado.

enlatamento [De *enlatar*^{1} + *-mento*.] *S. m.* Ato de enlatar^1.

enlatar^1 [De *en-*^{2} + *lata* + *-ar*^{2}.] *V. t. d.* Meter ou conservar em lata.

enlatar^2 [Por **enlatadar* < *en-*^{2} + *latada* + *-ar*^{2}, com síncope.] *V. t. d.* Dispor ou suster em latadas.

enleado [Part. de *enlear*.] *Adj.* **1.** Entrelaçado, enredado, emaranhado. **2.** *Fig.* Perturbado, indeciso, confuso.

enleamento [De *enlear* + *-mento*.] *S. m.* V. *enleio*.

enleante [De *enlear* + *-nte*.] *Adj. 2 g.* Que enleia.

enlear [Do lat. *illigare*.] *V. t. d.* **1.** Ligar, atar, prender com liames: *enlear os cabelos.* **2.** Embaraçar, confundir: *As dificuldades enleavam-no.* **3.** Prender a atenção de; enlevar: *enlear o espírito. T. d. e i.* **4.** Envolver, implicar: *Enleou-me na polêmica sem meu consentimento.* **5.** Envolver, enlaçar, enrolar: *Enleou ataduras na perna. P.* **6.** Envolver-se; prender-se: *Cipós enleavam-se nas árvores;* "Grandioso e lindo / Quadro em que a vista se enleia: / Nascera, do mar saindo, / O globo da lua cheia." (Alberto de Oliveira, *Poesias*, 3ª série, p. 46); "Enleava-se nas cismas de outros tempos" (José de Alencar, *Til*, p. 182). [Conjug.: v. *frear*.]

enleio [Dev. de *enlear*.] *S. m.* **1.** Ato ou efeito de enlear(-se). **2.** Laço, enlace, enredo. **3.** Confusão, perplexidade, dúvida: "os ultrarromânticos caem numa espécie de enleio religioso" (Jacinto do Prado Coelho, *Introdução ao Estudo da Novela Camiliana*, p. 63). **4.** Embaraço, acanhamento, acanho. **5.** Atrativo irresistível; encanto, deleite; êxtase: "E vamos por esses prados, / Por esses campos extensos, / Como dous enamorados / No mesmo enleio suspensos!" (João Penha, *Rimas*, p. 95.) [Sin. ger.: *enleamento*.]

enleitado [De *en-*^{2} + *leito* + *-ar*^{2}.] *Adj.* Bem assente. (Diz-se de pedra para construções.)

enleivamento [De *enleivar* + *-mento*.] *S. m.* Ato ou efeito de enleivar. [Cf. *enlevamento*.]

enleivar [De *en-*^{2} + *leiva* + *-ar*^{2}.] *V. t. d.* **1.** Revestir (um terreno) com leiva (4). **2.** Mover (terras para terraplanagem). [Cf. *enlevar*.]

enlerdar [De *en-*^{2} + *lerdo* + *-ar*^{2}.] *V. t. d. P.* Tornar(-se) lerdo.

enlevação [De *enlevar* + *-ção*.] *S. f.* Ato ou efeito de enlevar(-se); enlevamento.

enlevamento [De *enlevar* + *-mento*.] *S. m.* Enlevação. [Cf. *enleivamento*.]

enlevar [De *en-*^{2} + *levar*.] *V. t. d.* **1.** Causar arroubamento ou êxtase a; encantar; arrebatar, arroubar: *As obras dos antigos gregos ainda enlevam a humanidade.* **2.** Deliciar, deleitar: *A música de Bach enleva o espírito.* **3.** Cativar; absorver: *A pesquisa enleva-o. Int.* **4.** Causar êxtase; arrebatar: *A arte enleva;* "Mistério ideal que enleva e que aniquila / Num doce abraço enérgico de polvo." (Da Costa e Silva, *Sangue*, p. 60). *P.* **5.** Ficar suspenso, absorto; extasiar-se, maravilhar-se. [Pres. ind.: *enlevo*, etc. Cf. *enlevo* (ê) e *enleivar*.]

enlevo (ê) [Dev. de *enlevar*.] *S. m.* Encanto, deleite; êxtase, arroubamento, arroubo: *Ela era o enlevo de sua vida;* "A menina, interrompendo os enlevos do devoto moço que se deleitava em conjecturar a zanga do Conde de Merles, perguntou-lhe.... quando viria o dia suspirado de sua união." (Camilo Castelo Branco, *A Queda dum Anjo*, p. 170). [Pl.: *enlevos* (ê). Cf. *enlevo*, do v. *enlevar*.]

enliçador (ô) [De *enliçar* + *-dor*.] *Adj. S. m.* Que, ou aquele que enliça.

enliçar [De *en-*^{2} + *liço* + *-ar*^{2}.] *V. t. d.* **1.** Pôr os liços em; tramar com fio que se desenrola da lançadeira; tecer. **2.** *Fig.* Enredar, prender, enlear. **3.** *Fig.* Enganar, lograr, burlar, embair. *P.* **4.** Embaraçar-se, enredar-se. [Conjug.: v. *laçar*.]

enliço [Dev. de *enliçar*.] *S. m.* **1.** Má urdidura. **2.** *Fig.* Engano, fraude; enredo.

→**enlightenment** [ɛnˈlajtənmənt] [Ingl., 'iluminação', 'esclarecimento'.] *S. m. Filos.* V. *filosofia das luzes.*

enlocar [De *en-*^{2} + *loca* + *-ar*^{2}.] *V. t. d.* **1.** Meter na loca; enlurar. **2.** Esconder, ocultar, encafuar. [Conjug.: v. *trancar*.]

enlodaçar [De *en-*^{2} + *lodaç(al)* + *-ar*^{2}.] *V. t. d.* Transformar em lodaçal. [Conjug.: v. *laçar*.]

enlodado [De *en-*^{2} + *lodo* (ô) + *-ado*^{1}.] *Adj.* Coberto de lodo (ô); enlameado.

enlodar [De *en-*^{2} + *lodo* (ô) + *-ar*^{2}.] *V. t. d. P.* **1.** Sujar(-se) com lodo (ô); enlamear(-se). **2.** *Fig.* Conspurcar(-se), aviltar(-se).

enloirado *Adj.* V. *enlourado*.

enloirar^1 *V. t. d.* V. *enlourar*^{1}.

enloirar^2 *V. t. d. Int. P.* V. *enlourar*^{2}.

enloirecer *V. t. d. Int.* V. *enlourecer*. [Conjug.: v. *aquecer*.]

enloisamento *S. m.* V. *enlousamento*.

enloisar *V. t. d.* V. *enlousar*.

enlojamento [De *enlojar* + *-mento*.] *S. m.* Ato ou efeito de enlojar.

enlojar [De *en-*^{2} + *loja* + *-ar*^{2}.] *V. t. d.* **1.** Pôr em loja; armazenar. **2.** Enlouçar, envasilhar.

enlombar [De *en-*^{2} + *lombada* + *-ar*^{2}, com síncope.] *V. t. d. Encad.* V. *alombar*^{2}.

enlouquecedor (ô) [De *enlouquecer* + *-dor*.] *Adj.* Que enlouquece, que faz perder a razão; endoidante.

enlouquecer [De *en-*^{2} + *louco*^{2} + *-ecer*.] *V. t. d.* **1.** Tirar o uso da razão a; desvairar; endoidecer; aloucar: *O sofrimento enlouqueceu-a. Int.* **2.** Ficar louco; perder a razão; aloucar-se. [Conjug.: v. *aquecer*.]

enlouquecido [Part. de *enlouquecer*.] *Adj.* Que enlouqueceu, perdeu a razão.

enlouquecimento [De *enlouquecer* + *-imento*.] *S. m.* Ato ou efeito de enlouquecer.

enlourado [Part. de *enlourar*^{1}.] *Adj.* **1.** Ornado ou coroado de louros. **2.** *Fig.* Aclamado, vitoriado. [Var.: *enloirado*.]

enlourar^1 [De *en-*^{2} + *louro*^{1} + *-ar*^{2}.] *V. t. d.* Enfeitar ou coroar de louros. [Var.: *enloirar*.]

enlourar^2 [De *en-*^{2} + *louro*^{3} + *-ar*^{2}.] *V. t. d. Int. P.* V. *alourar*. [Var.: *enloirar*.]

enlourecer [De *en-*^{2} + *louro*^{3} + *-ecer*.] *V. t. d.* **1.** V. *alourar* (1). *Int.* **2.** Tornar-se louro; amarelecer: "Na messe, que enlourece, estremece a quermesse..." (Eugênio de Castro, *Obras Poéticas*, I, p. 58.) [Var.: *enloirecer*. Conjug.: v. *aquecer*.]

enlousamento [De *enlousar* + *-mento*.] *S. m.* Ato ou efeito de enlousar. [Var.: *enloisamento*.]

enlousar [De *en-*^{2} + *lousa* + *-ar*^{2}.] *V. t. d.* **1.** Cobrir ou fechar com lousa. **2.** Forrar de lousa. **3.** Enganar, embair. [Var.: *enloisar*.]

enluarado [De *en-*^{2} + *luar* + *-ado*^{1}.] *Adj.* Banhado de luar: *ruas enluaradas;* "Noites emocionais, saudosas, enluaradas..." (Hermes-Fontes, *Gênese*, p. 62); "Entre os salgueiros, andam névoas brancas, / Enluaradas..." (Eugênio de Castro, *Obras Poéticas*, III, p. 133).

enluarar-se [De *en-*^{2} + *luar* + *-ar*^{2} + *se*^{1}.] *V. p.* Cobrir-se ou banhar-se de luar: "Enluaram-se os jardins de crisântemos brancos" (Gilca da Costa Melo Machado, *Poesias*, p. 174).

enludrar [De *en-*^{2} + *ludro* + *-ar*^{2}.] *V. t. d.* Tornar ludro, sujo, torvo.

enlurar [De *en-*^{2} + *lura* + *-ar*^{2}.] *V. t. d. P.* Meter(-se) em lura; encovar(-se), entocar(-se).

enlutar [De *en-*^{2} + *luto*^{1} + *-ar*^{2}.] *V. t. d.* **1.** Cobrir de luto^1 (2). **2.** Causar grande mágoa a; consternar: *O desastre enlutou a família inteira;* "A sanhuda cobiça dos tiranos / Veio enlutar teus venturosos dias..." (Machado de Assis, *Poesias*, p. 17). **3.** Envolver em trevas; escurecer: *A aproximação do temporal enlutou a cidade. P.* **4.** Cobrir-se de luto. **5.** Sofrer grande mágoa; consternar-se. **6.** Toldar-se, escurecer-se.

enluvado [Part. de *enluvar*.] *Adj.* Calçado de luvas: "Já passavam dez minutos das cinco horas quando eu saí do teatro — perfeitamente enluvado e engravatado" (Artur Azevedo, *Contos Possíveis*, p. 13).

enluvar [De *en-*^{2} + *luva* + *-ar*^{2}.] *V. t. d.* **1.** Calçar luvas em. *P.* **2.** Calçar luvas.

▲**en(o)-**^{1} [Do gr. *oînos, ou*.] *El. comp.* = 'vinho': *enase, enologia*. [Equiv.: *eni-*: *enícola*.]

▲**en(o)-**^{2} V. *-eno*^{2}.

▲**-en(o)-** V. *-eno*^{2}.

▲**-eno**^{1} [Do lat. *-ēnus, a, um*.] *Suf. nom.* = 'referência', 'origem': *terreno* (< lat.), *chileno*.

▲**-eno**^{2} *Quím. Suf.* Designa substâncias insaturadas, em particular alcenos: *benzeno, propeno*. [Ocorre tb. como infixo e raramente como prefixo: *enol*.]

enobrecedor (ô) [De *enobrecer* + *-dor*.] *Adj.* **1.** Que enobrece. ● *S. m.* **2.** Aquele ou aquilo que enobrece.

enobrecer [De *e-*^{3} + *nobre* + *-ecer*.] *V. t. d.* **1.** Tornar nobre; fazer ilustre; dignificar, nobilitar, nobrecer: *Seus feitos o enobreceram.* **2.** Enriquecer, aformosear: *As obras enobreceram a cidade. Int.* **3.** Tornar alguém nobre; dignificar: "Só a dor enobrece e é grande e é pura." (Manuel Bandeira, *Estrela da Vida Inteira*, p. 46.) *P.* **4.** Fazer-se ilustre, nobre. **5.** Tornar-se famoso; engrandecer-se. [Conjug.: v. *aquecer*.]

enobrecimento [De *enobrecer* + *-imento*.] *S. m.* Ato ou efeito de enobrecer(-se).

enocarpo [Do tax. *Oenocarpus* (v. *en(o)-*^{1} e *-carpo*).] *S. m. Bot.* **1.** Gênero de palmeiras arecáceas sul-americanas dotadas de folhas penadas, espádice delgado, espata dupla, caduca, lenhosa, e fruto edule, oleoso, preto ou purpúreo. **2.** Qualquer espécie desse gênero, como, por ex., a *Oenocarpus bacaba* [v. *bacaba* (2)]. **3.** Qualquer espécime desse gênero.

enócoa [Do gr. *oinochóe*.] *S. f.* Na Grécia antiga, jarro para servir vinho, de boca trilobada, bojo oval e asa vertical.

enodar [Do lat. tard. *innodare*.] *V. t. d.* **1.** Atar com um ou mais nós. **2.** Encher de nós.

enodo [Do lat. *enode*.] *Adj.* Que não tem nós; que não é nodoso.

enodoado [Part. de *enodoar*.] *Adj.* **1.** Manchado; sujo. **2.** *Fig.* Difamado, maculado, desonrado.

enodoar [De *e-*^{3} + *nódoa* + *-ar*^{2}.] *V. t. d.* **1.** Pôr nódoa(s) em; manchar. **2.** *Fig.* Difamar, macular; desonrar: *Seu comportamento enodoou o nome da família. P.* **3.** Desonrar-se, macular-se. [F. paral.: *nodoar*. Conjug.: v. *coroar*.]

enofilia [De *en(o)-*^{1} + *-filia*.] *S. f.* **1.** Apreço ao vinho. **2.** Tendência a ingestão habitual de vinho. [Antôn.: *enofobia*.]

enofílico [De *enofilia* + *-ico*^{2}.] *Adj.* **1.** Relativo a enofilia. **2.** Que tem enofilia; enófilo. ● *S. m.* **3.** Aquele que tem enofilia; enófilo. [Antôn.: *enofóbico*.]

enófilo [De *en(o)-*^{1} + *-filo*^{2}.] *Adj. S. m.* **1.** Amigo do vinho. **2.** Enofílico (2 e 3). [Antôn.: *enófobo*.]

enofobia [De *en(o)-*^{1} + *-fobia*.] *S. f.* Horror ou aversão ao vinho. [Antôn.: *enofilia*.]

enofóbico [De *enofobia* + *-ico*^{2}.] *Adj.* **1.** Relativo a enofobia. **2.** Que tem enofobia; enófobo. ● *S. m.* **3.** Aquele que tem enofobia; enófobo. [Antôn.: *enofílico*.]

enófobo [De *en(o)-*^{1} + *-fobo*.] *Adj. S. m.* Enofóbico (2 e 3).

enófora [De *enóforo*, com infl. de *ânfora*.] *S. f.* V. *enóforo*.

enóforo^1 [Do gr. *oinophóros*, pelo lat. *oenophoru*.] *S. m.* Na Grécia e na Roma antigas, aquele que era encarregado de servir o vinho.

enóforo^2 [Do gr. *oinophóron*, pelo lat. *enophoru*.] *S. m.* Na Grécia e na Roma antigas, vaso para servir vinho.

enoftalmia [De *en-*^{1} + *-oftalm(o)-* + *-ia*^{1}.] *S. f. Med.* Retração anormal do olho para dentro da órbita. [Antôn.: *exoftalmia*.]

enoftálmico [De *enoftalmia* + *-ico*^{2}.] *Adj.* Relativo a enoftalmia.

enoiriçar *V. t. d.* V. *enouriçar*. [Conjug.: v. *laçar*.]

enoitar [De *e-*^{3} + *noite* + *-ar*^{2}.] *V. t. d.* V. *enoitecer* (1 e 2): "Vinha caindo a tarde. Era um poente de agosto. / A sombra já enoitava as moitas." (Manuel Bandeira, *Estrela da Vida Inteira*, p. 43); "O teu mal, teu sofrer me enoita a vida..." (Alberto de Oliveira, *Poesias*, 1ª série, p. 22). [F. paral.: *enoutar*.]

enoitecer [De *e-*^{3} + *noite* + *-ecer*.] *V. t. d.* **1.** Tornar escuro; cercar de trevas; escurecer; enoitar: *Nuvens espessas enoiteceram o vale.* **2.** Enlutar, entristecer; enoitar. *Int.* **3.** Anoitecer (1). [F. paral.: *enoutecer*. Conjug.: v. *aquecer*.]

enojadiço *Adj.* **1.** Fácil de enojar(-se). **2.** De gênio difícil; estranho, esquisito, quizilento.

enojado [Part. de *enojar*.] *Adj.* **1.** Que tem nojo ou náusea; nauseado. **2.** Aborrecido, enfadado, enfastiado, entediado.

enojamento [De *enojar* + *-mento*.] *S. m.* Ato ou efeito de enojar(-se).

enojar [Do occitânico ant. *enojar* < lat. vulg. **inodiare*, 'inspirar asco, horror'.] *V. t. d.* **1.** Causar nojo ou náusea a; enjoar: *A carne putrefata enojou-o.* **2.** Causar enfado, tédio, a; molestar, incomodar: *O calor enojava-o.* **3.** Ofender, injuriar. *P.* **4.** Enjoar-se, nausear-se. **5.** Enfadar-se, enfarar-se, aborrecer-se. [Pres. ind.: *enojo*, etc. Cf. *enojo* (ô).]

enojo (ô) [Dev. de *enojar*.] *S. m.* **1.** Náusea, enjoo, nojo. **2.** Aborrecimento, enfado, enjoo, tédio. [Pl.: *enojos* (ó). Cf. *enojo*, do v. *enojar*.]

enol[1] [De *en(o)-*[1] + *-ol*[1].] *S. m.* Vinho tido como excipiente medicinal. [Pl.: *enóis*.]

enol[2] [De *en(o)-*[2] + *-ol*[2].] *S. m. Quím.* **1.** Grupo funcional C=C-OH formado por hidroxila ligada a carbono insaturado que não pertence a anel aromático, e que se encontra, frequentemente, em equilíbrio tautomérico com cetona ou aldeído (que ger. são as formas predominantes). **2.** Substância que contém o grupo enol. [Pl.: *enóis*.]

enolato [De *enol*[2] + *-ato*[2].] *S. m. Quím.* Designação genérica de ânions bidentados, que resultam da desprotonação de um aldeído, de uma cetona ou de um enol.

enóleo [De *enol*[1] + *-eo*.] *S. m. Farm.* Preparado medicamentoso em que o veículo é o vinho.

enólico[1] [De *enol*[1] + *-ico*[2].] *Adj.* Relativo a enol[1], ou a enóleo.

enólico[2] [De *enol*[2] + *-ico*[2].] *Adj. Quím.* Próprio de, ou relativo a enol[2].

enolina [De *enol*[1] + *-ina*[3].] *S. f. Quím. Desus.* Substância corante do vinho tinto.

enologia [De *en(o)-*[1] + *-logia*.] *S. f.* Estudo das técnicas de produção e conservação dos vinhos.

enológico [De *enologia* + *-ico*[2].] *Adj.* Relativo a enologia.

enologista [De *enologia* + *-ista*.] *S. 2 g.* Enólogo.

enólogo [De *en(o)-*[1] + *-logo*.] *S. m.* Indivíduo versado em enologia; enologista.

enomancia (ci) [De *en(o)-*[1] + *-mancia*.] *S. f.* Adivinhação baseada na cor e substância do vinho.

enomania [De *en(o)-*[1] + *-mania*.] *S. f.* Paixão pelo vinho.

enomaníaco [De *enomania* + *-íaco*.] *Adj.* **1.** Relativo a enomania. **2.** Que tem enomania; enômano. ● *S. m.* **3.** Aquele que tem enomania; enômano.

enómano *Adj. S. m.* V. *enômano*. [Uso freq. em P.]

enômano [De *en(o)-*[1] + *-mano*[1].] *Adj. S. m.* Enomaníaco (2 e 3).

enomante [De *en(o)-*[1] + *-mante*.] *S. 2 g.* Pessoa dada ao estudo e prática da enomancia.

enomântico [De *enomante* + *-ico*[2].] *Adj.* Relativo a enomancia, ou a enomante.

enomel [Do gr. *oinómeli*, pelo lat. tard. *oenomel*.] *S. m.* Xarope cuja base é o vinho e no qual o açúcar é substituído por mel. [Pl.: *enoméis*.]

enometria [De *en(o)-* + *-metria*.] *S. f.* Aplicação do enômetro.

enométrico [De *enometria* + *-ico*[2].] *Adj.* Referente a enometria.

enómetro *S. m.* V. *enômetro*. [Uso freq. em P.]

enômetro [De *en(o)-* + *-metro*.] *S. m.* Instrumento com que se avalia o peso específico dos vinhos, e, em geral, a riqueza em álcool de outros líquidos.

enóplida [Do tax. *Enoplus* (v. *ênoplo*) + *-ida*[1]; tax. *Enoplida*.] *Zool. S. m.* **1.** Espécime dos enóplidas, ordem de animais asquelmintos, nemertinos, afasmídios, cujo esôfago se divide em duas partes: uma anterior, muscular, e outra posterior, glandular. A tromba divide-se em regiões distintas, podendo apresentar estiletes. A boca situa-se à frente, ou abaixo, do gânglio cerebral. ● *Adj. 2 g.* **2.** Pertencente ou relativo a eles. [Sin. ger.: *dioctofimatino, dorilaimino*.]

enoplo *S. m. Zool.* V. *ênoplo*.

ênoplo [Do tax. *Enoplus* < gr. *énoplos*, 'armado'.] *S. m. Zool.* **1.** Gênero de nematódeos enóplidas. **2.** Espécie ou espécime desse gênero. [Var. pros.: *enoplo*.]

enora [De *en-*[2] + lat. *ora*, 'extremidade'; 'cabo', 'amarra'.] *S. f. Constr. Nav.* Abertura feita num convés, e por onde enfurna um mastro ou eixo de um cabrestante.

enorme [Do lat. *enorme*.] *Adj. 2 g.* **1.** Que sai da norma; que ultrapassa as regras; muito grande; extraordinário, desmarcado, descompassado. **2.** Muito grave; monstruoso, atroz: *um delito enorme*.

enormidade [Do lat. *enormitate*.] *S. f.* **1.** Qualidade de enorme. **2.** Ação ou dito descabido, absurdo; barbaridade: *No seu governo praticou enormidades; Proferiu enormidades.*

▲**enosi-** [Do gr. *énosis*, *eōs*.] *El. comp.* = 'estremecimento', 'abalo', 'tremor': *enosimania, enosimaníaco*.

enosimania [De *enosi-* + *-mania*.] *S. f. Psiq.* Perturbação mental caracterizada por grande terror, devido à crença de que se cometeu pecado imperdoável.

enosimaníaco [De *enosimania* + *-íaco*.] *Psiq. Adj.* **1.** Relativo a enosimania. **2.** Que tem enosimania; enosímano. ● *S. m.* **3.** Aquele que tem enosimania; enosímano.

enosímano [De *enosi-* + *-mano*[1].] *Adj. S. m. Psiq.* Enosimaníaco (2 e 3).

enosteose [De *en-*[1] + *-ost(e)(o)-* + *-ose*[1].] *S. f. Patol.* Crescimento patológico de osso, o qual se desenvolve ou dentro da cavidade óssea ou na superfície interna do córtice ósseo; enostose.

enostose [De *en-*[1] + *-ost(e)(o)-* + *-ose*[1].] *S. f. Patol.* Enosteose.

enoterácea [Do tax. *Ocnotheracea* (< lat. *oenothera*, 'planta que se toma com vinho para combater a insônia') + *-ácea*; tax. *Oenotheraceae*.] *S. f. Bot. Desus.* Onagrácea.

enoteráceo [De *enoterácea*, com var. suf. (v. *-áceo*).] *Adj. Bot. Desus.* Onagráceo.

enouriçar [De *en-*[2] + *ouriçar*.] *V. t. d. P.* V. *ouriçar*. [Var.: *enoiriçar*. Conjug.: v. *laçar*.]

enoutar *V. t. d.* V. *enoitar*.

enoutecer *V. t. d. Int.* V. *enoitecer*.

enoveladeira [De *enovelar* + *-deira*.] *S. f.* Aparelho com que, nas fábricas de fiação, se formam os novelos.

enovelado [Part. de *enovelar*.] *Adj.* **1.** Feito em novelo (1). **2.** *Fig.* Enrolado, emaranhado, enredado. [Sin. ger.: *anovelado*.]

enovelamento [De *enovelar* + *-mento*.] *S. m.* Ato ou efeito de enovelar(-se).

enovelar [De *e-*[3] + *novelo* + *-ar*[2].] *V. t. d.* **1.** Converter em novelos; dobar. **2.** Dar o feitio de novelo a. **3.** Enrolar, enroscar. **4.** Tornar confuso; enredar, emaranhar; intricar, intrincar: *Dados recentes enovelaram a questão.* *P.* **5.** Fazer-se em novelo; enrolar-se. [Sin. ger.: *anovelar*.]

➔**en passant** [ã pa'sã] [Fr.] Incidentemente; de passagem.

enquadramento [De *enquadrar* + *-mento*.] *S. m.* Ato ou efeito de enquadrar(-se).

enquadrar [De *en-*[2] + *quadro* + *-ar*[2].] *V. t. d.* **1.** Meter em quadro; encaixilhar; emoldurar. **2.** Tornar quadrado. **3.** Guarnecer em volta: *A parreira enquadra o portão.* **4.** *Cin. Fot. Telev.* Posicionar (o assunto [3] que se quer registrar) no visor da câmara. **5.** *Bras. Gír.* Castigar, punir: *O tenente enquadrou o cabo.* **6.** *Bras.* Incluir, compreender: *O código penal enquadra o delito de sequestro, punindo-o severamente.* **7.** *Bras. Gír.* Render para averiguação. *T. i.* **8.** Harmonizar-se, combinar(-se), condizer, quadrar: *O estilo enquadra com o tema.* *T. d. e i.* **9.** *Bras.* Inserir, incluir: *O latrocínio se enquadra em lei que pune com pena severa quem o comete.* **10.** *Bras.* Indiciar (suspeito) pela prática de delito: *O delegado enquadrou o falso corretor no art. 171 do código penal.* *P.* **11.** Ajustar-se; quadrar-se.

enquadrilhamento [De *enquadrilhar* + *-mento*.] *S. m. Bras. RS* Ação ou efeito de enquadrilhar(-se).

enquadrilhar [De *en-*[2] + *quadrilha* + *-ar*[2].] *V. t. d. Bras. RS* **1.** Reunir, ajuntar (animais) em quadrilha ou tropa. *P.* **2.** Reunir-se (muita gente).

enquanto [De *em* + *quanto*.] *Conj.* **1.** No tempo em que: *Enquanto era jovem, viveu intensamente.* **2.** Ao passo que; durante o tempo em que: "Dorme enquanto eu velo..." (Fernando Pessoa, *Poesias de Fernando Pessoa*, p. 99); *Eu trabalhava enquanto ele dormia a sono solto.* **3.** Ao passo que; à medida que: *João enriquece, enquanto o irmão cai na miséria.* **4.** Sob o aspecto de; considerado como: "A gramática é o estudo da língua enquanto sistema, independentemente da mentalidade do grupo ou da do sujeito falante." (Sílvio Elia, *Orientações da Linguística Moderna*, p. 25); *É grande homem, não enquanto político, mas enquanto escritor.* [Cf. *em quanto*, na loc. prep. *em quanto a*.] ◆ **Por enquanto.** Por ora, por agora.

enquartado [De *en-*[2] + *quarto(s)* + *-ado*[1].] *Adj. Bras. RS* **1.** Diz-se do vacum ou do cavalo de quartos fortes, bem providos de carne ou de músculos. **2.** Diz-se de pessoa de quartos largos; quartudo, cadeirudo, ancudo, bundudo.

enquartar [De *en-*[2] + *quarto(s)* + *-ar*[2].] *V. int. Bras. RS* Criar gordura ou músculos nos quartos.

enque [Do it. *anco*, poss.] *S. m. Marinh. Ant.* Estai que se passa no mastro do traquete, ou como reforço, ou quando é preciso reparar o outro estai. [Nele enverga a polaca[2] (1).]

enqueijar [De *en-*[2] + *queijo* + *-ar*[2].] *V. t. d.* **1.** Pôr em forma de queijo. **2.** Coalhar (o leite) para fazer queijo.

enquete [Do fr. *enquête*.] *S. f.* Pesquisa ou investigação metódica, baseada em testemunhos, opiniões, etc., sobre determinado assunto, ger. organizada pelos meios de comunicação.

enquice [De uma língua banta.] *S. m. Bras. Rel.* V. *inquice*.

▲**-ênquima** [Do V.C.I. < gr. *parénchyma, atos*, 'parênquima', < gr. *énchyma, atos*, 'infusão' (ý).] *El. comp.* = 'parênquima', 'tecido celular (de determinado tipo)': *aerênquima, colênquima*. [Equiv.: *-enquimat(o)-*: *colenquimatoso*.]

▲**-enquimat(o)-** Equiv. de *-ênquima*.

enquimose [Do gr. *enchýmosis*.] *S. f. Med.* Súbito afluxo de sangue aos vasos cutâneos em resultado de emoções intensas. [Cf. *equimose*.]

enquistado [Part. de *enquistar*.] *Adj.* **1.** Transformado em quisto[1], ou envolvido por membrana parecida com a de um quisto. **2.** Circunscrito, restringido. **3.** Diz-se do que está incluso em outra coisa, à maneira de quisto. [A melhor f. é *encistado*.]

enquistamento [De *enquistar* + *-mento*.] *S. m.* Ação ou efeito de enquistar(-se). [A melhor f. é *encistamento*.]

enquistar [De *en-*[2] + *quisto*[1] + *-ar*[2].] *V. t. d.* **1.** Incluir em saco ou cápsula. *T. d. e c.* **2.** Inserir; embutir: *Enquistou a estatueta na parede.* *Int.* **3.** Formar quisto. *P.* **4.** Cercar-se de membranas como a do quisto. **5.** Encaixar-se, introduzir-se. **6.** Formar núcleo ou quisto. [A melhor f. é *encistar*.]

enquitar [De *en-*[2] + *quitar*.] *V. t. d. Bras. SP* Obstar, impedir.

enquizilado [De *en-*[2] + *quizila* + *-ado*[1].] *Adj.* Cheio de quizilas; quizilento.

enquizilar [De *en-*[2] + *quizila* + *-ar*[2].] *V. t. d. Int. P.* V. *quizilar*.

enrabação [De *enrabar* + *-ção*.] *S. f. Bras. Pop. Chulo* Ato ou efeito de enrabar.

enrabar [De *en-*[2] + *rabo* + *-ar*[2].] *V. t. d.* **1.** *Bras. S.* Perseguir de perto, na carreira: *O vaqueiro enrabou o animal, até que o laçou.* **2.** *Bras. S. P. ext.* Acompanhar (outrem) persistentemente; andar no encalço de. **3.** *Bras.* Prender o cabresto de (um animal) à cauda de outro, a fim de o conduzir. **4.** *Bras.* Amarrar com um atilho especial — um relho ou qualquer matéria têxtil vegetal, com que se arrasta qualquer objeto: canoa pelo campo alagado, madeira, etc. — à parte mais grossa da cauda do boi de sela. **5.** *Bras.* Amarrar (um veículo) à parte traseira do outro. **6.** *Bras. Chulo* Praticar ativamente o coito anal com. **7.** *Bras. Chulo* Prejudicar; enganar, ludibriar.

enrabichado [Part. de *enrabichar*.] *Adj.* **1.** Que tomou a forma de rabicho. **2.** Enamorado, namorado, apaixonado; gamado.

enrabichar [De *en-*[2] + *rabicho* + *-ar*[2].] *V. t. d.* **1.** Dar a forma de rabicho a; atar em forma de rabicho. **2.** Pôr em dificuldades; entalar; encalacrar. **3.** Suscitar amor em; enamorar: *Enrabichou a mocinha.* *P.* **4.** Apaixonar-se, enamorar-se, namorar-se.

enradicado [De *en-*[2] + *radicado*.] *Adj.* Arraigado, enraizado.

enraiar [De *en-*[2] + *raio* + *-ar*[2].] *V. t. d.* **1.** Pôr os raios em (uma roda). **2.** Fazer parar (a roda).

enraivado [Part. de *enraivar*.] *Adj.* V. *enraivecido*.

enraivar [De *en-*[2] + *raiva* + *-ar*[2].] *V. t. d. Int. P.* V. *enraivecer*.

enraivecer [De *en-*[2] + *raiva* + *-ecer*.] *V. t. d.* **1.** Causar raiva a; tornar raivoso; encolerizar, irar; enraivar: *A ofensa enraiveceu-o.* *Int. P.* **2.** Encolerizar-se, irar-se, enraivar-se. [Conjug.: v. *aquecer*.]

enraivecido [Part. de *enraivecer*.] *Adj.* Irado, encolerizado, colérico, enraivado.

enraizado (a-i) [Part. de *enraizar*.] *Adj.* **1.** Que se enraizou ou se arraigou; que deitou raízes. **2.** *Fig.* Que se fixou; radicado: *vícios enraizados*. **3.** *Fig.* Entranhado, inveterado: *bebedor enraizado*.

enraizar (a-i) [De *en-*[2] + *raiz* + *-ar*[2].] *V. t. d.* **1.** Prender ou fixar pela raiz; arraigar. *Int.* **2.** Criar ou deitar raízes. *P.* **3.** Prender-se ou fixar-se pela raiz; arraigar-se. **4.** Formar ligações ou relações; prender-se, fixar-se, estabelecer-se: *Depois de um ano na cidade, ali se enraizou.* [Conjug.: v. *ajuizar*.]

enramação [De *enramar*[2] + *-ção*.] *S. f. Tip.* Ato ou efeito de enramar[2]; enramamento, engradamento.

enramada [F. subst. de *enramado*.] *S. f.* Cobertura de ramos de árvores, para sombra e/ou para abrigo; ramada.

enramado [De *en-*[2] + *ramo* + *-ado*[1].] *Adj.* **1.** Que tem ramos. **2.** Formado de ramos.

enramalhar [De *en-*[2] + *ramalho* + *-ar*[2].] *V. t. d.* Ornar com ramos; enramar.

enramalhetar [De *en-*[2] + *ramalhete* + *-ar*[2].] *V. t. d.* **1.** Juntar em ramalhete. **2.** Ornar de ramalhetes. [Sin. ger.: *enramilhetar*.]

enramamento [De *enramar*[2] + *-mento*.] *S. m. Tip.* V. *enramação*.

enramar[1] [De *en-*[2] + *ramo* + *-ar*[2].] *V. t. d.* **1.** Cobrir ou ornar de ramos; enramalhar: *Enramou o caramanchão.* **2.** Juntar em ramos; enramalhetar. **3.** Atapetar de ramos. *T. i.* **4.** Ligar-se, unir-se: *O fugitivo enramou com outros marginais para roubar.*

enramar[2] [De *en-*[2] + *rama*[2] + *-ar*[2].] *V. t. d. Tip.* Dispor na rama (composição tipográfica); engradar.

enramilhetar [De *en-*[2] + *ramilhete* + *-ar*[2].] *V. t. d.* V. *enramalhetar*.

enrançar [De *en-*[2] + *ranço* + *-ar*[2].] *V. t. d.* **1.** Tornar rançoso. *Int. P.* **2.** Tornar-se rançoso; rançar, rancescer. [Conjug.: v. *laçar*.]

enranchar [De *en-*[2] + *rancho* + *-ar*[2].] *V. t. d.* **1.** Juntar ao rancho; meter em rancho; bandear; arranchar. *P.* **2.** Agrupar-se; reunir-se.

enrarecer [De *en-*^{2} + *raro* + *-ecer*.] *V. t. d.* **1.** Tornar raro; rarefazer, rarear. *Int. P.* **2.** Tornar-se raro; rarefazer-se, rarear. [Conjug.: v. *aquecer*.]

enrascada [De *enrascar* + *-ada*^{1}.] *S. f. Bras.* V. *enrascadela*.

enrascadela [De *enrascar* + *-dela*.] *S. f.* Efeito de enrascar(-se); entalação, aperto, embaraço, apuros. [Sin.: *enrascadura* e (bras.) *enrascada*.]

enrascadura [De *enrascar* + *-dura*.] *S. f.* **1.** Ato de enrascar(-se). **2.** V. *enrascadela*.

enrascar [De *en-*^{2} + *rasca* + *-ar*^{2}.] *V. t. d.* **1.** Apanhar em rasca ou rede: *O pescador enrascou sardinhas.* **2.** *Marinh.* Enredar, embaraçar (cabos, velas, bandeiras). **3.** Fazer cair em cilada; lograr, enganar. **4.** Emaranhar, enredar, embaraçar, complicar. *P.* **5.** Emaranhar-se, enredar-se, embaraçar-se, complicar-se. [Conjug.: v. *trancar*.]

enreda [Der. de *enredar*.] *Adj. 2 g. S. 2 g.* Enredador.

enredadeira [De *enredar* + *-deira*.] *S. f.* **1.** Mulher que enreda, que faz enredos; mexeriqueira, enredadora. **2.** *Bras. RS Bot.* Trepadeira convolvulácea (*Polygonum convolvulus*) anual, invasora de plantações, cujas flores, alvas, são dispostas em racimos corimbiformes simples, e cujo cálice, quando maduro, envolve o fruto, um aquênio finamente estriado, granuloso e triangular.

enredadela [De *enredar* + *-dela*.] *S. f.* Enredo, intriga.

enredado^1 [De *en-*^{2} + *rede* + *-ado*^{1}.] *Adj.* Que tem aparência de rede. [Cf. *reticulado*^{1} (1 e 2).]

enredado^2 [Part. de *enredar*.] *Adj.* **1.** Emaranhado, embaraçado, enleado, implexo: *vegetação enredada.* **2.** Confuso, complicado, enrolado; enredoso.

enredador (ô) [De *enredar* + *-dor*.] *Adj. S. m.* Que, ou aquele que enreda. [Sin.: *enreda*. Fem.: *enredadora*, *enredadeira*.]

enredadora (ô) [De *enredar* + *-dora*.] *S. f.* V. *enredadeira* (1).

enredamento [De *enredar* + *-mento*.] *S. m.* Ato ou efeito de enredar(-se).

enredar [De *en-*^{2} + *rede* + *-ar*^{2}.] *V. t. d.* **1.** Colher ou prender na rede. **2.** Entrelaçar (os ramos) uns pelos outros. **3.** V. *enredear*. **4.** Prender, cativar, apanhar. **5.** Armar intrigas, enredos, a; intrigar: *A inveja enredou-o.* **6.** Tecer, elaborar, travar o enredo de (obra literária). **7.** Emaranhar, enlear. **8.** Complicar, embaraçar: *Novos quesitos vinham enredar o problema. T. d. e i.* **9.** Prender, ligar, atar: *São problemas que o enredam a novos problemas. T. c.* **10.** Entrelaçar, embaraçar: *A linha da pipa enredou nos galhos da mangueira. Int.* **11.** Fazer enredo ou mexerico; intrigar, mexericar. *P.* **12.** Embaraçar-se, emaranhar-se, enlear-se. [Pres. ind.: *enredo*, etc. Cf. *enredo* (ê).]

enredear [De *en-*^{2} + *rede* + *-ear*^{2}.] *V. t. d.* Formar rede em; entretecer, enredar. [Conjug.: v. *frear*.]

enredeiro [De *enredo* + *-eiro*.] *Adj. S. m. Bras.* Que, ou aquele que é dado a enredos ou intrigas; intrigante, mexeriqueiro.

enrediça [F. subst. de *enrediço*.] *S. f. Bot.* Planta cujos ramos são muito emaranhados.

enrediço *Adj.* **1.** Que é dado a fazer enredos; intrigante. **2.** Emaranhado, enredado, intricado: *vegetação enrediça.*

enredo (ê) [Dev. de *enredar*.] *S. m.* **1.** Ato ou efeito de enredar(-se). **2.** Intriga, mexerico, confusão. **3.** Manha, ardil, maquinação. **4.** Mentira que ocasiona aborrecimentos, inimizades. **5.** Conjunto dos fatos encadeados que constituem a ação de uma obra de ficção (peça de teatro, romance, filme, novela, etc.); entrecho, fábula, intriga, trama, urdidura. [Pl.: *enredos* (ê). Cf. enredo, do v. *enredar*.]

enredoiçar *V. t. d.* V. *enredouçar*. [Conjug.: v. *laçar*.]

enredoso (ô) [De *enredo* + *-oso*.] *Adj.* **1.** Cheio de enredos [v. *enredo* (3)]. **2.** V. *enredado*^{2} (2).

enredouçar [De *en-*^{2} + *redouça* + *-ar*^{2}.] *V. t. d.* Balançar na redouça. [Var.: *enredoiçar*. Conjug.: v. *laçar*.]

enregelado [Part. de *enregelar*.] *Adj.* Excessivamente frio; congelado, regélido: "Que frio está! as mãos sinto-as enregeladas" (Alberto de Oliveira, *Poesias*, 4ª série, p. 162).

enregelamento [De *enregelar* + *-mento*.] *S. m.* Ato ou efeito de enregelar(-se).

enregelar [De *en-*^{2} + *regelar*.] *V. t. d.* **1.** Provocar sensação intensa de frio em; resfriar: *O vento enregelou-o*; "Já sinto da geada dos sepulcros / O pavoroso frio enregelar-me..." (Laurindo Rabelo, *Poesias Completas*, p. 72). **2.** Fazer perder o entusiasmo, o ânimo a: *As tristezas enregelaram-no.* **3.** Intimidar; causar medo a: *O estranho homem enregelou-a. Int.* **4.** Perder o calor; congelar: *A água enregelou rapidamente. P.* **5.** Resfriar-se, congelar-se: *Todo o corpo se enregelou na água fria do rio.* **6.** Perder o entusiasmo; bloquear-se: *Por nervosismo, o orador enregelou-se.* **7.** Ficar gelado, enregelado: *Com a nevasca, o solo enregelou-se.*

enrelhar [De *en-*^{2} + *relho* (ê) + *-ar*^{2}.] *V. t. d. Bras. PA* Amarrar (uma rês nova) com um relho ou corda, pelo pescoço, a uma estaca. [Conjug.: v. *aparelhar*. Cf. *enrilhar*.]

enremissar [De *en-*^{2} + *remissa* + *-ar*^{2}.] *V. t. d.* **1.** Deixar de remissa. **2.** Demorar com remissas (o jogo do voltarete ou outros).

enrenquear [De *en-*^{2} + *renque* + *-ear*^{2}.] *V. t. d.* Dispor em fileira ou renque; enfileirar, alinhar. [Conjug.: v. *frear*.]

enresinar [De *en-*^{2} + *resina* + *-ar*^{2}.] *V. t. d.* **1.** Esfregar ou untar com resina; aplicar resina a. **2.** Misturar com resina. **3.** Tornar consistente como a resina; endurecer. *Int. P.* **4.** Tomar a consistência ou o aspecto da resina. **5.** Cobrir-se de resina.

enresmar [De *en-*^{2} + *resma* + *-ar*^{2}.] *V. t. d.* Resmar. [Conjug.: v. *aparelhar*.]

enrestado [Part. de *enrestar-se*.] *Adj. Bras. RS* Saciado, farto.

enrestar-se [De *en-*^{2} + *resto*^{1} + *-ar*^{2} + *se*^{1}.] *V. p. Bras. RS* Fartar-se de comida; saciar-se, encher-se. [Cf. *enristar*.]

enricar [De *en-*^{2} + *rico* + *-ar*^{2}.] *V. t. d. Int. P.* V. *enriquecer*: "Eu não sei como ainda há quem vá para padre. Dantes sim, que eles enricavam." (Manuel Ribeiro, *A Planície Heroica*, p. 47.) [Conjug.: v. *trancar*.]

enriçar [De *en-*^{2} + *riço* + *-ar*^{2}.] *V. t. d.* Tornar riço ou crespo; encrespar, emaranhar, riçar. [Conjug.: v. *laçar*.]

enrijar [De *en-*^{2} + *rijo* + *-ar*^{2}.] *V. t. d.* **1.** Tornar rijo, forte; endurecer; robustecer. *Int. P.* **2.** Tornar-se rijo, duro; entesar-se. **3.** Fortalecer-se, enrobustecer-se. [Sin. ger.: *enrijecer*, *arrijar*.]

enrijecer [De *en-*^{2} + *rijo* + *-ecer*.] *V. t. d. Int. P.* V. *enrijar*: "o cadáver de um velho que enrijecera com os braços levantados." (Adélia Prado, *Cacos para um Vitral*, p. 71). [Conjug.: v. *aquecer*.]

enrijecimento [De *enrijecer* + *-imento*.] *S. m.* Ato ou efeito de enrijecer(-se).

enrilhar [De *en-*^{2} + o prov. **rilhar*, 'mirrar-se (a carne), aderindo ao osso'.] *V. t. d. Int. P.* Endurecer, enrijar. [Cf. *enrelhar*.]

enrinconar [De *en-*^{2} + *rincão* + *-ar*, seg. o padrão erudito.] *V. t. d. Bras. RS* Pôr (animais) a pastar em rincão (8).

enripamento [De *enripar* + *-mento*.] *S. m. Bras.* Ato ou efeito de enripar.

enripar [De *en-*^{2} + *ripa* + *-ar*^{2}.] *V. t. d. Bras.* Colocar as ripas de (um telhado).

enriquecer [De *en-*^{2} + *rico* + *-ecer*.] *V. t. d.* **1.** Tornar rico ou opulento, dar riqueza a: *As indústrias de base enriquecem as nações*; "O que não tenho e desejo / É que melhor me enriquece." (Manuel Bandeira, *Estrela da Vida Inteira*, p. 173). **2.** Aumentar; desenvolver, melhorar: *A pesquisa científica visa a enriquecer a cultura.* **3.** Aformosear, ornar, ornamentar, abrilhantar: *O uso adequado das palavras enriquece a cultura. Int. P.* **4.** Tornar-se rico ou opulento: "Nunca enriqueceu com os seus livros" (Joaquim Ribeiro, *9 Mil Dias com João Ribeiro*, p. 45); "Fábio é pobre; conta porém enriquecer pelo trabalho" (Joaquim Manuel de Macedo, *Os Romances da Semana*, p. 261); *Acertou na loteria, e enriqueceu-se.* [Sin. ger.: *enricar*. Conjug.: v. *aquecer*.]

enriquecido [Part. de *enriquecer*.] *Adj.* Que se enriqueceu. ~ V. *combustível* —.

enriquecimento [De *enriquecer* + *-imento*.] *S. m.* Ato ou efeito de enriquecer(-se).

enristar [De *en-*^{2} + *riste* + *-ar*^{2}.] *V. t. d.* **1.** Pôr em riste (a lança): "O guerreiro chefe enrista desdenhosamente a lança e caminha para Jaguarê." (José de Alencar, *Ubirajara*, p. 21.) *T. i.* **2.** Acometer com a lança; investir: *Rápido, enristou com o inimigo.* [Cf. *enrestar-se*.]

enrizar [De *en-*^{2} + *riz* *-ar*^{2}.] *V. t. d. Marinh.* Rizar.

enrocado [De *en-*^{2} + *roca*^{2} + *-ado*^{1}.] *Adj.* Coberto de rocas; rochoso.

enrocamento [De *enrocar*^{3} + *-mento*.] *S. m. Constr.* Maciço de pedras arrumadas ou jogadas, destinado a proteger aterros ou estruturas dos efeitos da erosão.

enrocar^1 [De *en-*^{2} + *roca*^{1} + *-ar*^{2}.] *V. t. d.* **1.** Dar forma de roca^1 (1) a. **2.** Pôr na roca^1 (1). **3.** Guarnecer de rocas [v. *roca*^{1} (2)] (os vestidos). **4.** *Ant. Marinh.* Fazer roca^1 (4) em. [Conjug.: v. *trancar*.]

enrocar^2 [De *en-*^{2} + *rocar*.] *V. int.* Rocar. [Conjug.: v. *trancar*.]

enrocar^3 [De *en-*^{2} + *roca*^{2} + *-ar*^{2}.] *V. t. d.* **1.** Encher ou cobrir de rocas (v. *roca*^{2}). **2.** Fazer enrocamento em. *P.* **3.** Encher-se ou cobrir-se de rocas (v. *roca*^{2}). [Conjug.: v. *trancar*.]

enrodelar [De *en-*^{2} + *rodela*^{1} + *-ar*^{2}.] *V. t. d.* Abroquelar ou armar com rodela^1 (2).

enrodilhar [De *en-*^{2} + *rodilha* + *-ar*^{2}.] *V. t. d.* **1.** Fazer em rodilha: *enrodilhar uma toalha.* **2.** Enrolar, torcer. **3.** Enredar, emaranhar, intricar, intrincar. **4.** Enganar, lograr, burlar, ludibriar. *P.* **5.** Enrolar-se, ligar-se. **6.** *Bras. S.* Embaraçar-se, encolher-se. [F. paral.: *rodilhar*.]

enrola [Dev. de *enrolar*.] *S. f. Bras. Pop.* **1.** Ato ou efeito de enrolar (9). **2.** Confusão, desordem, barulho, rolo. **3.** Tapeação, engabelação.

enrola-cabelo [De *enrolar* + *cabelo*.] *S. f. Bras. Zool.* **1.** V. *torce-cabelo* (1). **2.** V. *irapuá*. [Pl.: *enrola-cabelos*.]

enrolada [F. subst. de *enrolado*.] *S. f. Bras. Amaz.* Estrada do seringal que não obedece a nenhum rumo certo.

enroladeira [De *enrolar* + *-deira*.] *S. f. Ind. Pap.* Aparelho colocado no fim da máquina de papel para dispor a folha num rolo provisório ou bobinão. [V. *rebobinadeira*.]

enroladinho [Dim. subst. de *enrolado*.] *S. m. Cul.* Prato de carne, de peixe, de verdura, de massa, etc., em que esses são enrolados em torno de um recheio: *enroladinho de peixe, de carne, de couve, de batata.*

enrolado [Part. de *enrolar*.] *Adj.* **1.** Que forma rolo; arqueado. **2.** *Gír.* Complicado, embrulhado, enredado, confuso: *F. é mais enrolado que bobina; Mas que livro enrolado!* ~ V. *bife* —. ● *S. m.* **3.** Pessoa complicada, enrolada, enredada.

enroladoiro [De *enrolar* + *-doiro*^{2}.] *S. m.* Enroladouro (q. v.).

enrolador (ô) [De *enrolar* + *-dor*.] *Adj.* **1.** Que enrola [v. *enrolar* (2)]. **2.** *Bras. Pop.* Diz-se de indivíduo que gosta de complicar as coisas; confuso, complicado, enredado, enrolão. **3.** *Bras. Pop.* Tapeador, engabelador, enrolão. ● *S. m.* **4.** *Bras. Pop.* Indivíduo enrolador; enrolão.

enroladouro [De *enrolar* + *-douro*^{2}; var. de *enroladoiro*.] *S. m.* Caroço do novelo, ou aquilo em que se enrola o fio para formar o novelo.

enrolamento [De *enrolar* + *-mento*.] *S. m.* **1.** Ato de enrolar(-se). **2.** *Eng. Elétr.* Bobinado. ◆ **Enrolamento secundário.** *Eletr.* Secundário (9).

enrolão [De *enrolar* + *-ão*^{1}.] *Adj. S. m. Bras. Pop.* V. *enrolador* (2 a 4).

enrolar [De *en-*^{2} + *rolo*^{1} + *-ar*^{2}.] *V. t. d.* **1.** Dar a forma de rolo a; tornar roliço. **2.** Dobrar em rolo ou espiral; encaracolar: *enrolar o cabelo.* **3.** Envolver, cingir: *Tomou de um papel, enrolou a mercadoria.* **4.** Envolver em agasalho(s); agasalhar, abrigar: *Como o frio era duro, a mãe enrolou bem o pequeno.* **5.** Embrulhar, entrouxar, empacotar. **6.** Esconder, ocultar. **7.** *Bras. Pop.* Expor de maneira confusa: *Enrolou uma desculpa qualquer.* **8.** *Bras. Pop.* Tornar complicado, confuso; complicar, enredar. **9.** *Bras. Pop.* Lograr, enganar, tapear, engabelar. **10.** *Bras. CE* Derrubar (a rês) de modo que vire uma cambalhota. *T. d. e i.* **11.** Envolver, cingir, circundar: *Enrolou a criança na manta. P.* **12.** Fazer-se em rolos. **13.** Encapelar-se, revolutear. **14.** Envolver-se, cingir-se: *Vestiu-se, enrolou-se em lãs e saiu.* **15.** Envolver-se em agasalho(s); agasalhar-se: *Como ventava muito, enrolou-se bem ao sair de casa.* **16.** *Bras. Pop.* Confundir-se, atrapalhar-se, embaraçar-se.

enrolo (ô) [Dev. de *enrolar*.] *S. m. Bras. Pop.* Complicação, trapalhada.

enroscado^1 [De *en-*^{2} + *rosca* (ô) + *-ado*^{1}.] *Adj.* Que tem forma de rosca.

enroscado^2 [Part. de *enroscar*.] *Adj.* **1.** Contornado em espiral. **2.** Enrolado, enrodilhado.

enroscadura [De *enroscar* + *-dura*.] *S. f.* **1.** Curva, volta, ondulação, em forma de rosca. **2.** Enroscamento.

enroscamento [De *enroscar* + *-mento*.] *S. m.* Ato ou efeito de enroscar(-se); enroscadura.

enroscar [De *en-*^{2} + *rosca* (ô) + *-ar*^{2}.] *V. t. d.* **1.** Pôr em forma de rosca; torcer: *enroscar uma corda.* **2.** Envolver à maneira de rosca ou espiral: *A jiboia enroscou a vítima.* **3.** Fazer mover em forma de rosca: *Enroscou a lâmpada para fixá-la no bocal. T. d. e i.* **4.** Dar voltas com; enrolar: *enroscar um lenço no pescoço. P.* **5.** Mover em espiral. **6.** Dobrar-se, formando roscas. **7.** Dobrar-se; encolher-se. **8.** Ver-se em apuros; atrapalhar-se: "Acostumados a legislar por decreto, o Planalto se enrosca toda vez que remete, ou planeja remeter, uma ideia ao Congresso." (Melquíades Filho, em *Folha de S.Paulo*, 04.06.2008.) [Conjug.: v. *trancar*.]

enroupado [Part. de *enroupar*.] *Adj.* **1.** Vestido; agasalhado; arroupado. **2.** *Fam.* Que está bem servido de roupas.

enroupar [De *en-*^{2} + *roupa* + *-ar*^{2}.] *V. t. d.* **1.** Cobrir ou prover de roupas; vestir; agasalhar. *P.* **2.** Prover-se de roupas; agasalhar-se. [Sin. ger.: *arroupar*, *roupar*.]

enrouquecer [De *en-*^{2} + *rouco* + *-ecer*.] *V. t. d. Int. P.* Tornar(-se) rouco. [Conjug.: v. *aquecer*.]

enrouquecido [Part. de *enrouquecer*.] *Adj.* Rouco: "No mais Musa, no mais, que a Lira tenho / Destemperada, e a voz enrouquecida" (Luís de Camões, *Os Lusíadas*, X, 145).

enrouquecimento [De *enrouquecer* + *-imento*.] *S. m.* V. *rouquidão* (1).

enroxar-se [De *en-*^{2} + *roxo* + *-ar*^{2} + *se*^{1}.] *V. p.* Tornar-se roxo; arroxear-se, arroxar-se, roxear-se.

enrubescer [De *en-*^{2} + lat. *rubescere*.] *V. t. d.* **1.** Tornar vermelho ou corado: "Aquele sangue que enrubescia a terra era o mesmo sangue brioso que lhe ardia nas faces de vergonha." (José de Alencar, *Iracema*, p. 97.) *Int. P.* 2. Corar, ruborizar-se. 3. Perturbar-se, atrapalhar-se. [F. paral.: *erubescer, rubescer.* Conjug.: v. *crescer.*]

enrubescimento [De *enrubescer* + *-imento.*] *S. m.* V. *rubor* (3).

enruçar [De *en-*[2] + *ruço* + *-ar*[2].] *V. t. d. Int. P.* V. *ruçar.* [Conjug.: v. *laçar.*]

enrudecer [De *en-*[2] + *rude* + *-ecer.*] *V. t. d. Int.* Tornar(-se) rude; embrutecer(-se). [Conjug.: v. *aquecer.*]

enrufar-se [De *arrufar*, com mudança de pref. (v. *en-*[2]), + *se*[1].] *V. p.* Zangar-se, irritar-se, arrufar-se.

enrugado [Part. de *enrugar.*] *Adj.* Que se enrugou; arrugado, corrugado, rugado, rugoso: "Há no meu crânio enrugado / O fundo sulco traçado / Pela c'roa imperial." (Castro Alves, *Obra Completa*, p. 102.)

enrugamento [De *enrugar* + *-mento.*] *S. m.* 1. Ação ou efeito de enrugar(-se); arrugamento, corrugação. 2. *Geol.* Dobramento, quando intensivo e realizado em grande escala, e determinado por forças tectônicas.

enrugar [De *en-*[2] + *ruga* + *-ar*[2].] *V. t. d.* 1. Fazer rugas em: *enrugar a testa.* 2. Encrespar; encarneirar. 3. Tornar rugoso; encarquilhar. *P.* 4. Fazer-se rugoso. [Sin. ger.: *arrugar, corrugar* e *rugar.* Conjug.: v. *largar.*]

enrugável [De *enrugar* + *-vel.*] *Adj. 2 g.* Que se enruga.

enrustido [Part. de *enrustir.*] *Bras. Gír. Adj.* 1. Diz-se do indivíduo muito introvertido: "procurei iniciar uma conversa, trazê-la a Manfredo. Meu primo ouviu desatento, enrustido" (Ricardo Ramos, *Terno de Reis*, pp. 140-141). ● *S. m.* 2. Homossexual não assumido.

enrustir [De *en-*[2] + *rustir.*] *V. t. d. Bras. Gír.* 1. Praticar o rusto (2); enganar os companheiros na partilha do roubo. 2. V. *surripiar.*

ensaboadela [De *ensaboar* + *-dela.*] *S. f.* 1. Ação de ensaboar de leve, superficialmente. 2. Rudimentos ou noções sobre algum assunto, ciência ou arte. 3. *Fam.* V. *repreensão* (1).

ensaboado [Part. de *ensaboar.*] *Adj.* 1. Untado, esfregado ou lavado com sabão. ● *S. m.* 2. Ensaboadura.

ensaboadura [De *ensaboar* + *-dura.*] *S. f.* Ato de ensaboar; lavagem com sabão; ensaboado.

ensaboar [De *en-*[2] + *sabão*[1] + *-ar*[2], com desnasalação.] *V. t. d.* 1. Untar ou lavar com sabão desfeito em água. 2. *Fig.* Repreender; castigar. *P.* 3. Lavar-se com sabão. [Quanto ao timbre do *o*, v. *coroar.*]

ensaburrar [De *en-*[2] + *saburra* + *-ar*[2].] *V. t. d.* 1. Sujar com saburra; saburrar. 2. Encher (a língua) de saburra. *P.* 3. Encher-se de saburra.

ensaca [Dev. de *ensacar.*] *S. f. Desus.* Ensacamento.

ensacadinha [De **ensacado* (de *en-*[2] + *saco* + *-ado*[1]) + *-inha.*] *S. f. Bras. N.* a *S. Bot.* Trepadeira sapindácea (*Cardiospermum grandiflorum*) muito alta, ornamental, de caule sulcado e gavinhas vigorosas, flores pedunculadas, alvas, grandes, muito vistosas, dispostas em falsas umbelas terminais, sendo o fruto uma cápsula oblonga, vesiculosa, pubescente, verde-amarela, com sementes pretas, luzidias, envoltas em arilo branco, e as folhas recortadas, dando ao vegetal um belo aspecto; balãozinho, chumbinho.

ensacado [Part. de *ensacar.*] *Adj.* 1. Metido em saco. 2. Diz-se da carne metida em tripa. ● *S. m.* 3. Tipo de enchido (3) feito com carne não migada antes de ser introduzida na tripa. [Cf., nesta acepç., *salsicharia.*]

ensacador (ô) [De *ensacar* + *-dor.*] *S. m.* 1. Aquele que ensaca. 2. *Bras. RJ* Negociante em grosso de café. 3. *Bras. RJ* Exportador de café.

ensacamento [De *ensacar* + *-mento.*] *S. m.* Ação ou efeito de ensacar. [Sin. (desus.): *ensaca.*]

ensacar [De *en-*[2] + *saco* + *-ar*[2].] *V. t. d.* 1. Meter em saco(s). 2. Guardar, arrecadar. 3. Fazer chouriços ou paios de (a carne). 4. *Marinh.* Ficar (a embarcação à vela) numa reentrância da costa, tal que não receba ação eficaz do vento para daí safar-se. [Conjug.: v. *trancar.*]

ensaiador (ô) [De *ensaiar* + *-dor.*] *Adj.* 1. Que ensaia. ● *S. m.* 2. Aquele que ensaia. 3. *Restr. Teatr.* Aquele que dirige ensaios [v. *ensaio*[1] (6)].

ensaiamento [De *ensaiar* + *-mento.*] *S. m. P. us.* V. *ensaio*[1] (4).

ensaiar [De *ensaio*[1] + *-ar*[2].] *V. t. d.* 1. Provar, experimentar (alguma coisa): *Os técnicos ensaiaram um novo tipo de motor;* "As armas ensaia, / Penetra na vida: / Pesada ou querida, / Viver é lutar." (Gonçalves Dias, *Obras Poéticas*, II, p. 45). 2. Pôr em prática; tentar, experimentar: *Ensaiou todos os meios, e nada obteve.* 3. Repetir (uma ação) várias vezes a fim de exercitar-se ou tornar-se destro; estudar; treinar: *O golfista ensaiou a jogada várias vezes; O ator ensaiou seu papel.* 4. Habilitar para a função ou papel: *O professor ensaiou os alunos.* 5. Dirigir ensaio[1] (6) ou submeter-se a ensaio[1] (6) de (comédia, drama, etc.). *T. d. e i.* 6. Pôr à prova; experimentar: *Ensaiou a imaginação em diversas atividades. P.* 7. Dispor-se, preparar-se, exercitar-se.

ensaibramento [De *ensaibrar* + *-mento.*] *S. m.* Ato ou efeito de ensaibrar.

ensaibrar [De *en-*[2] + *saibro* + *-ar*[2].] *V. t. d.* Cobrir com saibro.

ensaio[1] [Do lat. tard. *exagiu.*] *S. m.* 1. Prova ou experiência com o fim de verificar o desempenho de alguma coisa: *O novo avião fez um voo de ensaio.* 2. Exame, análise, apreciação. 3. Tentativa, experiência: *Fez um ensaio de falar, mas não pôde.* 4. Preparo ou instrução disciplinada com um fim em vista; treino, treinamento: *Hoje há ensaio das escolas de samba.* [Sin., p. us., nesta acepç.: *ensaiamento.*] 5. *Quím.* Experiência química preliminar ou de procedimento abreviado, ger. realizada para determinar a presença ou a ausência de uma substância, ou a exequibilidade de uma reação (v. *tubo de ensaio*). 6. *Teatr.* Treinamento das falas e marcações dos atores para adestrá-los e aprimorá-los no desenvolvimento dos seus papéis, e/ou repetição dos movimentos cenográficos, de iluminação, de sonoplastia, etc., objetivando a unidade, o aprimoramento e a perfeita execução da montagem.

ensaio[2] [Do fr. *essai* < lat. tard. *exagiu.*] *S. m. Liter.* Obra literária em prosa, analítica ou interpretativa, sobre determinado assunto, porém menos aprofundada e/ou menor que um tratado formal e acabado.

ensaísmo [De *ensaio*[2] + *-ismo.*] *S. m. Liter.* A atividade literária que se manifesta pelo ensaio[2].

ensaísta [Do fr. *essayiste*, ou do ingl. *essayist.*] *S. 2 g.* Escritor autor de ensaios (v. *ensaio*[2]).

ensalada [Do esp. *ensalada.*] *S. f.* 1. Salada (1). 2. *Arte Poét. Ant.* Composição poética destinada ao canto, na qual figuravam versos com rimas variadas, métricas diferentes e, até, em diversas línguas e dialetos, e se misturavam por vezes o sacro e o profano, o cômico e o dramático.

ensalivar [De *en-*[2] + *salivar*[2].] *V. int.* 1. Encher-se (a boca) de saliva. 2. Salivar[2] (1). *T. d.* 3. V. *salivar*[2] (3).

ensalmador (ô) [De *ensalmar* + *-dor.*] *Adj. S. m.* Diz-se de, ou quem ensalma; benzilhão, curandeiro; ensalmeiro.

ensalmar [De *en-*[2] + *salmo* + *-ar*[2].] *V. t. d.* 1. Tratar com ensalmos. 2. Curar com paliativos.

ensalmeiro [De *ensalmar* + *-eiro.*] *Adj. S. m.* V. *ensalmador.*

ensalmo [Dev. de *ensalmar.*] *S. m.* 1. Maneira de curar com orações e benzeduras. 2. Bruxedo, feitiçaria.

ensalmoirar [De *en-*[2] + *salmoira* + *-ar*[2].] *V. t. d.* V. *ensalmourar.*

ensalmourar [De *en-*[2] + *salmoura* + *-ar*[2].] *V. t. d.* Meter ou conservar em salmoura.

ensamambaiado [De *en-*[2] + *samambaia* + *-ado*[1].] *Adj. Bras.* Cheio de samambaias.

ensamarrar [De *en-*[2] + *samarra* + *-ar*[2].] *V. t. d.* Vestir de samarra.

ensambenitar [De *en-*[2] + *sambenito* + *-ar*[2].] *V. t. d.* Pôr o sambenito a; sambenitar.

ensamblado [Part. de *ensamblar.*] *Adj.* Que se ensamblou; em que se fez ensambladura.

ensamblador (ô) [De *ensamblar* + *-dor.*] *Adj.* 1. Que ensambla. ● *S. m.* 2. Marceneiro que ensambla.

ensambladura [De *ensamblar* + *-dura.*] *S. f.* 1. Ato ou efeito de ensamblar; ensamblagem, ensamblamento, sambladura. 2. Encaixe, emalhetamento.

ensamblagem [De *ensamblar* + *-agem*[2].] *S. f.* V. *ensambladura* (1).

ensamblamento [De *ensamblar* + *-mento.*] *S. m.* 1. V. *ensambladura* (1). 2. *Arte Poét.* V. *enjambement*: "É certo que .... aparece na feitura do verso o abuso do ensamblamento (*enjambement*)" (João Ribeiro, *Crítica*, IX, p. 117).

ensamblar [Do fr. ant. *ensambler*, 'juntar', < fr. *ensemble*, 'juntamente'.] *V. t. d.* Reunir (peças de madeira); encaixar, embutir, entalhar, emalhetar, malhetar, samblar.

ensancha [Dev. de *ensanchar.*] *S. f.* 1. Porção de pano que se deixa a mais, na costura de peça do vestuário, para se poder alargar quando se quiser. 2. Sobejo; sobra. ~ V. *ensanchas.*

ensanchar [Do lat. vulg. *examplare* < lat. *amplus*, 'amplo'.] *V. t. d.* 1. Alargar, aproveitando as ensanchas. 2. Dilatar, ampliar, alargar.

ensanchas [Pl. de *ensancha.*] *S. f. pl.* Oportunidade, ensejo. ~ V. *ensancha.*

ensandalar [De *en-*[2] + *sândalo* + *-ar*[2].] *V. t. d.* 1. Aromatizar com sândalo. 2. Dar o cheiro de sândalo a.

ensandecer [De *en-*[2] + *sandeu* + *-ecer*, com síncope.] *V. t. d.* 1. Tornar sandeu; apatetar, emparvoecer, emparvecer. 2. Enlouquecer, endoidecer: *O sofrimento ensandeceu-o. Int.* 3. Tornar-se sandeu, pateta. 4. Perder a razão; enlouquecer, endoidecer. [Conjug.: v. *aquecer.*]

ensanefar [De *en-*[2] + *sanefa* + *-ar*[2].] *V. t. d.* Ornar com sanefas.

ensanguentado (güen) [Part. de *ensanguentar.*] *Adj.* 1. Coberto ou manchado de sangue. 2. Em que há cenas de sangue; sanguinolento: *drama ensanguentado.* ❖

ensanguentar (güen) [De *en-*[2] + *sanguento* + *-ar*[2].] *V. t. d.* 1. Encher ou manchar de sangue: "Mas atrás desse amor, trilhando agro caminho, / ensanguentou seus pés" (Eugênio de Castro, *Obras Poéticas*, III, p. 155). 2. Dar cor de sangue a: *A aurora ensanguentava o céu.* 3. Macular, manchar, enodoar: *A violência ensanguentava a honra da nação. P.* 4. Cobrir-se ou manchar-se de sangue. [Sin., p. us., nas acepç. 1 a 3: *ensanguinhar.* Sin. ger.: *cruentar.*] ❖

ensanguinhar [De *en-*[2] + *sangue* + *-inhar.*] *V. t. d. P. us.* V. *ensanguentar* (1 a 3).

ensapezado (pè) [De *en-*[2] + *sapé* + *-zado.*] *Adj. Bras.* 1. Invadido pelo sapé (1). 2. Coberto de sapé (1): *rancho ensapezado.*

ensaque [Dev. de *ensacar.*] *S. m.* Ato de ensacar.

ensarilhar [De *en-*[2] + *sarilho* + *-ar*[2].] *V. t. d.* 1. Dobar em sarilho. 2. Formar sarilho com. 3. Emaranhar, embaraçar, enredar. 4. Colocar (espingardas) de pé no chão, apoiando-as umas nas outras pelas baionetas. *Int.* 5. Andar sem descanso de um lado para outro.

ensarnecer [De *en-*[2] + *sarna* + *-ecer.*] *V. int.* Tornar-se sarnento (1); encher-se de sarna. [Conjug.: v. *aquecer.*]

ensarrafar [De *en-*[2] + *sarrafo* + *-ar*[2].] *V. t. d.* Pregar sarrafos em; reforçar com sarrafos: *ensarrafar um cenário.*

ensartar [De *en-*[2] + *sarta* + *-ar*[2].] *V. t. d.* Enfiar (contas, pérolas, etc.); engranzar, engrazar, sartar.

▲ **-ense** [Do lat. *-ense*, por via erudita ou semierudita.] *Suf.* = 'relação', 'procedência', 'origem': *amazonense, piauiense.* [Equiv.: *-ês*: *pedrês, dinamarquês.*]

enseada [De *en-*[2] + *se(io)* (1 e 2) + o f. de *-ado*[1].] *S. f.* 1. Pequeno porto ou baía; angra. 2. Recôncavo (2). 3. *Bras.* Entrada de campo alagadiço. 4. *Bras. PA* Área de campo entre dois igarapés ou numa volta de rio, quase naturalmente cercada, orlada de mato e fechada por todos os lados, menos um. 5. *Bras. GO* Margens sombrias dos córregos e dos rios.

ensebado [Part. de *ensebar.*] *Adj.* 1. Coberto ou untado de sebo: *mastro ensebado.* 2. Sujo, gorduroso: *gola ensebada.*

ensebar [De *en-*[2] + *sebo* + *-ar*[2].] *V. t. d.* 1. Untar ou sujar com sebo; engordurar. 2. Pôr nódoas em. 3. Sujar pelo uso. [Conjug.: v. *chegar.*]

ensecadeira [De *ensecar* + *-deira.*] *S. f. Constr.* Estrutura provisória destinada a manter a seco o local de uma obra.

ensecar [De *en-*[2] + *seco* + *-ar*[2].] *V. t. d.* 1. Pôr (a embarcação) em seco; varar; secar. 2. Esgotar, exaurir. [Conjug.: v. *trancar.*]

enseio [De *en-*[2] + *seio* (1).] *S. m.* 1. Pequena depressão entre dois montes; quebrada, entresseio. 2. Pequena enseada.

enseirador (ô) [De *enseirar* + *-dor.*] *S. m.* Aquele que enseira figos passados, nos armazéns onde se preparam estes para o comércio. [Cf. *encerador.*]

enseiramento [De *enseirar* + *-mento.*] *S. m.* 1. Ato de enseirar. 2. Porção de seiras. [Cf. *enceramento.*]

enseirar [De *en-*[2] + *seira* + *-ar*[2].] *V. t. d.* Meter em seira. [Cf. *encerar.*]

ensejar [Do lat. tard. *insidiare*, 'armar ciladas'.] *V. t. d.* 1. Dar ensejo a. 2. Esperar a oportunidade de: *Desde muito ensejava aquele momento feliz.* 3. Tentar, ensaiar. *T. d. e i.* 4. Deparar ou oferecer ocasião de: *Ensejaram-lhe honrarias, que ele, modesto, recusou. P.* 5. Oferecer-se ou deparar-se: *Ainda não se lhe ensejou ocasião de defesa.* [Conjug.: v. *pelejar.*]

ensejo (ê) [Dev. de *ensejar.*] *S. m.* Ocasião propícia; oportunidade, lance.

➔**ensemble** [ɑ̃'sɑ̃blə] [Fr.] *S. m.* 1. Vestuário de senhora, composto de peças que combinam e formam um conjunto. 2. *Fís.* Conjunto de numerosos subsistemas idênticos a um subsistema de um sistema dado, todos no mesmo estado macroscópico, porém cada um em diferente estado microscópico, e cujo comportamento estatístico permite analisar o comportamento do subsistema inicial.

ensementar [De *en-*[2] + *semente* + *-ar*[2].] *V. t. d. Bras.* Semear (1).

ensenhorear-se [De *en-*[2] + *senhor* + *-ear*[2] + *se*[1].] *V. p.* V. *assenhorear* (2). [Conjug.: v. *frear.*]

▲ **ensi-** [Do lat. *ensis, is.*] *El. comp.* = 'espada': *ensiforme, ensirrostro.*

ensífero[1] [Do lat. *ensiferu.*] *Adj.* Que traz espada.

ensífero[2] [Adapt. do tax. *Ensifera.*] *Zool. S. m.* 1. Espécime dos ensíferos, subordem de insetos ortópteros, com antenas ger. mais longas que o corpo, multissegmentadas, órgão auditivo, quando presente, localizado na tíbia anterior, e ovipositor mais ou menos conspícuo, reto ou encurvado, ensiforme. Produzem estridulação mediante fricção de veias modificadas, presentes na asa dianteira. São as esperanças e as paquinhas. ● *Adj.* 2. Pertencente ou relativo a eles. [Sin. ger.: *fasgonuroide, locustódeo, tetigonióideo.*]

ensiforme [De *ensi-* + *-forme*.] ***Adj. 2 g.*** Em forma de espada, ou de espata; espatiforme: "folhas ensiformes, lisas e lustrosas" (Euclides da Cunha, *Os Sertões*, p. 41). [Cf. *ansiforme*.]

ensilado [Part. de *ensilar*.] ***Adj. Bras.*** Diz-se do cereal guardado em silos. [Cf. *encelado*.]

ensilagem [De *ensilar* + *-agem*^{2}.] ***S. f. Bras.*** Ação ou efeito de ensilar; silagem.

ensilar [De *en-*^{2} + *silo* + *-ar*^{2}.] ***V. t. d. Bras.*** Armazenar (cereais) em silos. [Part.: *ensilado*. Cf. *encelado*.]

ensimesmado [Part. de *ensimesmar-se*.] ***Adj.*** Metido consigo mesmo; introvertido, concentrado, absorto.

ensimesmamento [De *ensimesmar-se* + *-mento*.] ***S. m.*** Ação ou efeito de ensimesmar-se: "E ali fiquei embriagado numa plenitude de ensimesmamento, de quietude ioguista" (P.[e] Antônio Vieira, *Sertão Brabo*, p. 35).

ensimesmar-se [Do esp. *ensimismarse*.] ***V. p.*** Meter-se consigo mesmo; concentrar-se, absorver-se: "Não foi para outra coisa que se inventaram pescarias de caniço ou linha, senão para devaneios e sonhos sem sono, para a gente ensimesmar-se, afundada nos próprios pensamentos." (Nélson de Faria, *Tiziu e Outras Estórias*, p. 28.)

ensinação [De *ensinar* + *-ção*.] ***S. f. P. us.*** V. *ensinamento*.

ensinadela [De *ensinar* + *-dela*.] ***S. f.*** **1.** Castigo, ensino: *Recebeu uma ensinadela do pai pela má-criação.* **2.** V. *repreensão* (1). **3.** Lição à própria custa: *A perda do cargo serviu-lhe de ensinadela.*

ensinamento [De *ensinar* + *-mento*.] ***S. m.*** **1.** Ato ou efeito de ensinar; ensino. **2.** Doutrina, preceito, mandamento. **3.** Exemplo, lição: *Que o caso lhe sirva de ensinamento.* [Sin. ger., p. us.: *ensinação* e *ensinança*.]

ensinança [De *ensinar* + *-ança*.] ***S. f. P. us.*** V. *ensinamento*.

ensinar [Do lat. vulg. *insignare*, por *insignire*.] ***V. t. d.*** **1.** Ministrar o ensino de; transmitir conhecimentos de; instruir; lecionar: "a Henriqueta ensinava primeiras letras." (Conde de Ficalho, *Uma Eleição Perdida*, p. 38); *ensinar boas maneiras.* **2.** Transmitir conhecimentos a; instruir, educar: *Prefere ensinar o filho em casa a pô-lo num colégio.* **3.** Dar ensino (6) a; adestrar, treinar. **4.** Dar a conhecer; indicar: *ensinar um caminho.* **5.** Dar ensino (7) a; castigar, punir: *Ensinou o filho, dando-lhe boas palmadas.* ***T. d. e i.*** **6.** Ministrar ensino; transmitir conhecimentos; lecionar: "o capelão de D. Angelina .... ensinou-lhe o latim, a doutrina, o horror à maçonaria" (Eça de Queirós, *A Correspondência de Fradique Mendes*, p. 15); "Ensino-lhes português e francês, falando com eles e brincando." (Aquilino Ribeiro, *Estrada de Santiago*, p. 101). **7.** Dar ou mostrar como ensinamento; fazer conhecer: "Agora tu, Calíope, me ensina / O que contou ao Rei o ilustre Gama" (Luís de Camões, *Os Lusíadas*, III, 1); "Só a mulher desgraçada sabe ensinar uma criança, que não é sua, a chamar-lhe mãe." (Camilo Castelo Branco, *Livro Negro de Padre Dinis*, p. 19). ***Bit. i.*** **8.** Ensinar (7): "Um custodista ensinara ao filho a gritar 'Viva Custódio José de Melo'" (R. Magalhães Júnior, *Artur Azevedo e Sua Época*, p. 239). ***Int.*** **9.** Ministrar ensino; dar aulas; lecionar: *Formou-se no ano passado, e já está ensinando.* **10.** Pregar, doutrinar. ***P.*** **11.** Aprender por si.

ensinável [De *ensinar* + *-vel*.] ***Adj. 2 g.*** Que pode ser ensinado.

ensino [Dev. de *ensinar*.] ***S. m.*** **1.** Transmissão de conhecimentos, informações ou esclarecimentos úteis ou indispensáveis à educação (2) ou a um fim determinado; instrução: *ensino público; ensino técnico; ensino religioso.* **2.** Os métodos empregados para se ministrar o ensino (1): *uma reforma do ensino.* **3.** V. *magistério* (2). **4.** Esforço orientado para a formação ou a modificação da conduta humana; educação: *Esqueceu o ensino que os pais lhe deram.* **5.** Polidez, urbanidade, educação; boas maneiras: "Homem mesmo escandaloso, / Pois não mata, / Pois não furta, / Pois não mente, / Não engana, nem intriga. / Tem preceito, tem ensino" (Manuel Bandeira, *Estrela da Vida Inteira*, p. 329). **6.** Adestramento, treinamento: *O ensino de animais.* **7.** Castigo, ensinadela: *Recebeu um bom ensino por não ter ido à aula.* ◆ **Ensino a distância.** V. *teleducação*. **Ensino básico.** *Bras.* Segundo a Lei de Diretrizes e Bases da Educação Nacional de 20.12.1996, é o que engloba a *educação infantil* oferecida em creches ou estabelecimentos similares (crianças de 1 a 3 anos) ou em pré-escolas, ou escolas de educação infantil (crianças de 4 a 6 anos), o *ensino fundamental* (com duração mínima de nove anos), e o *ensino médio* (com duração mínima de três anos). **Ensino de primeiro grau.** *Bras. Desus.* V. *ensino fundamental*. **Ensino de segundo grau.** *Bras. Desus.* V. *ensino médio*. **Ensino fundamental.** *Bras. Educ.* O que é ministrado em dois ciclos: o primeiro, do primeiro ao quinto ano (antigo *ensino primário*) e o segundo, do sexto ao nono ano (antigo *ensino ginasial*). **Ensino ginasial.** *Bras. Desus.* V. *ensino fundamental*. **Ensino médio.** *Bras.* O que se segue ao ensino fundamental e que consta de três séries. [Sin., desus.: *ensino de segundo grau*.] **Ensino primário.** *Bras. Desus.* V. *ensino fundamental*. **Ensino superior.** *Bras.* Segundo a Lei de 20.12.1996, é o que abrange os cursos sequenciais por campo de saber, os de graduação, os de pós-graduação e os de extensão, todos abertos a candidatos que atendam a requisitos ou de processo seletivo ou das instituições de ensino. **Ensino supletivo.** *Bras. Desus.* V. *educação de jovens e adultos*. [Tb. se dizia apenas *supletivo*.]

ensirrostro [De *ensi-* + *-rostro*.] ***Adj. Zool.*** Que tem o bico ensiforme.

ensoado [Part. de *ensoar*^{1}.] ***Adj.*** **1.** Enfraquecido pelo calor. **2.** Flácido, frouxo. **3.** Diz-se do fruto que ensoou [v. *ensoar*^{1} (1)].

ensoamento [De *ensoar*^{1} + *-mento*.] ***S. m.*** **1.** Ato ou efeito de ensoar. **2.** *Bot.* Estiolamento (1).

ensoar^{1} [Do lat. *insolare*.] ***V. int.*** **1.** Recozer-se por efeito do calor (a fruta, antes de madura). **2.** Murchar com o calor do sol. ***P.*** **3.** Ficar extenuado, abatido, lânguido. [Conjug.: v. *coroar*.]

ensoar^{2} [De *en-*^{2} + *som* + *-ar*^{2}, com desnasalação.] ***V. t. d. Ant.*** **1.** Pôr em música. **2.** Entoar (2). [Conjug.: v. *coroar*.]

ensoberbecer [De *en-*^{2} + *soberba* + *-ecer*.] ***V. t. d.*** **1.** Tornar soberbo, orgulhoso. **2.** Orgulhar (1). **3.** Elevar, engrandecer. ***P.*** **4.** Envaidecer-se, envaidar-se, enfatuar-se. [Conjug.: v. *aquecer*.]

ensobradar [De *en-*^{2} + *sobrado*^{1} + *-ar*^{2}.] ***V. t. d.*** Assobradar (1).

ensofregar [De *en-*^{2} + *sôfrego* + *-ar*^{2}.] ***V. t. d.*** **1.** Tornar sôfrego. **2.** Excitar, provocar, açular. **3.** Tornar-se sôfrego. [Conjug.: v. *regar*.]

ensolarado [De *en-*^{2} + *solar*^{3} + *-ado*^{1}.] ***Adj.*** **1.** Diz-se do dia claro, em que o Sol brilha num céu sem nuvens, ou com poucas nuvens. **2.** Batido pelo sol; assoalhado: *casa ensolarada.*

ensolteirar-se [De *en-*^{2} + *solteiro* + *-ar*^{2} + *se*^{1}.] ***V. p.*** Conservar-se solteiro; não se casar: "sentira necessidade de alguém ao seu lado; mas se perguntou: 'Para que ligar uma vida à minha?' E ia se ensolteirando, não deixando que o coração se afeiçoasse a nenhuma mulher." (Rui Santos, *Teixeira Moleque*, p. 68).

ensolvar [De or. obscura.] ***V. t. d. Ant. Artilh.*** Impedir (a peça) de disparar, umedecendo a pólvora.

ensombrado [Part. de *ensombrar*.] ***Adj.*** **1.** Coberto de sombra. **2.** Cheio de tristeza; entristecido.

ensombrar [De *en-*^{2} + *sombra* + *-ar*^{2}.] ***V. t. d.*** **1.** Cobrir de sombras; escurecer, assombrar: "A noite já ensombrava o velho sítio quando ali chegamos." (Antônio Justa, *Praia do Desterro*, p. 25.) **2.** Causar tristeza a; entristecer, atristar. ***P.*** **3.** Cobrir-se de sombras; escurecer. **4.** Ficar triste; entristecer(-se), atristar-se: "O vaqueiro ensombrava-se com a ideia de que se dirigia a terras onde talvez não houvesse gado para tratar." (Graciliano Ramos, *Vidas Secas*, p. 147.)

ensombreado [De *en-*^{2} + *sombra* + *-eado*.] ***Adj.*** Ensombrado, sombrio: "as idas à fazenda São Bento pelos estreitos caminhos ensombreados" (Freitas Cavalcanti, *A Profecia das Águas*, p. 39).

ensombrear [De *en-*^{2} + *sombra* + *-ear*^{2}.] ***V. t. d. P.*** Escurecer, sombrear(-se), ensombrar(-se), ensombrecer(-se): "um certo ar de vício a ensombrear-lhe os olhos pestanudos." (Jaime Adour da Câmara, *Oropa, França e Bahia*, p. 17). [Conjug.: v. *frear*.]

ensombrecer [De *en-*^{2} + *sombra* + *-ecer*.] ***V. t. d. P.*** V. *ensombrear*: "A casa se ensombrecia nos aniversários. A mãe apagava a metade das luzes." (Nélida Piñon, *O Calor das Coisas*, p. 188.) [Conjug.: v. *aquecer*.]

ensombrecido [Part. de *ensombrecer*.] ***Adj.*** Que ensombreceu; escurecido: "Os olhos perderam o brilho, fundos e ensombrecidos" (Autran Dourado, *As Imaginações Pecaminosas*, p. 79).

ensombro [Dev. de *ensombrar*.] ***S. m.*** **1.** Coisa que dá sombra; toldo. **2.** *Fig.* Abrigo, proteção, amparo.

ensopadinho [De *ensopado* (3) + *-inho*^{1}.] ***S. m.*** Ensopado (3).

ensopado [Part. de *ensopar*.] ***Adj.*** **1.** Muito molhado; encharcado. ● ***S. m.*** **2.** *Cul.* Prato de carne picada, galinha, peixe, camarão, etc., ensopados em molho abundante; guisado: "o ensopado de peixe, farto, em travessas e pratos estanhados" (Hugo de Carvalho Ramos, *Tropas e Boiadas*, p. 23). **3.** *Cul.* Prato de carne picada ensopada com legumes; ensopadinho: *ensopado de vagem; ensopado de abóbora.*

ensopar [De *en-*^{2} + *sopa* + *-ar*^{2}.] ***V. t. d.*** **1.** Converter em sopa. **2.** Embeber em líquido. **3.** Molhar muito; empapar, encharcar: *O sangue do ferimento ensopou-lhe a camisa.* **4.** *Cul.* Preparar (carne, peixe, verduras, etc.) refogando com diversos temperos e cozinhando a fogo lento em água, caldo de carne, vinho, etc.; guisar. ***P.*** **5.** Embeber-se, empapar-se, impregnar-se, encharcar-se. **6.** Ficar inteiramente molhado; encharcar-se: *Pegaram uma chuva forte, e ensoparam-se.* **7.** *Gír.* Vencer fácil, por grande contagem.

ensornar [De *en-*^{2} + *sorna* + *-ar*^{2}.] ***V. int. Bras. MG Pop.*** Tardar a cumprir uma ordem; remanchar.

ensovacar [De *en-*^{2} + *sovaco* + *-ar*^{2}.] ***V. t. d.*** Pôr ou trazer sob o sovaco: "Dito e muito bem feito. Lá se vai Max ensovacando a sua presa" (Augusto Meyer, *No Tempo da Flor*, p. 36). [Conjug.: v. *trancar*.]

enstatita [Do gr. *enstátes*, 'oponente', + *-ita*^{3}.] ***S. f. Min.*** Mineral ortorrômbico, silicato de magnésio.

ensumagrar [De *en-*^{2} + *sumagre* + *-ar*^{2}.] ***V. t. d.*** Preparar ou curtir com sumagre.

ensurdecedor (ô) [De *ensurdecer* + *-dor*.] ***Adj.*** Que ensurdece; atroador: "a gritaria recomeçou, ensurdecedora." (Fernando Sabino, *A Falta Que Ela Me Faz*, pp. 47-48).

ensurdecência [De *ensurdecer* + *-ência*.] ***S. f.*** V. *surdez*.

ensurdecer [De *en-*^{2} + *surdo* + *-ecer*.] ***V. t. d.*** **1.** Tornar surdo; fazer perder o sentido da audição; emouquecer. **2.** Atordoar, estontear, aturdir, atroar: *A balbúrdia das crianças ensurdecia os presentes.* **3.** Amortecer ou abafar o ruído de: *O espesso tapete ensurdecia os passos.* ***T. i.*** **4.** Não prestar ouvidos; não dar atenção: *Ensurdeceu aos apelos do candidato.* ***Int.*** **5.** Tornar-se surdo; perder o sentido da audição; emouquecer. **6.** Produzir surdez; emouquecer: "E o trem passava como um raio, num estrondo de ensurdecer" (Fernando Sabino, *O Grande Mentecapto*, p. 15). **7.** *E. Ling.* Tornar surdo (9). [Conjug.: v. *aquecer*.]

ensurdecimento [De *ensurdecer* + *-imento*.] ***S. m.*** **1.** Ato ou efeito de ensurdecer; surdez. **2.** *E. Ling.* Num som da fala, a perda do traço sonoro.

ensurroar-se [De *en-*^{2} + *surrão* + *-ar*^{2} + *se*^{1}, com desnasalação.] ***V. p. Bras. RS*** Comer até ficar cheio; fartar-se. [Conjug.: v. *coroar*.]

ensutado [De *en-*^{2} + *suta* + *-ado*^{1}.] ***Adj. Arquit.*** Diz-se de rasgo (5) que não se faz normal ao alinhamento das paredes e sim em diagonal.

entablamento [Do fr. *entablement*, ou do esp. *entablamento*.] ***S. m. Arquit.*** **1.** Nas ordens clássicas, o conjunto da arquitrave, friso e cornija. **2.** Coroamento, cimalha.

entabocar [De *en-*^{2} + *taboca*^{1} + *-ar*^{2}.] ***V. t. d. Bras.*** Apertar; entalar. [Conjug.: v. *trancar*.]

entabuamento [De *entabuar* + *-mento*.] ***S. m.*** **1.** Ato ou efeito de entabuar(-se). **2.** Sobrado, tabuado.

entabuar [De *en-*^{2} + *tábua* + *-ar*^{2}.] ***V. t. d.*** **1.** Guarnecer de tábuas; assobradar, entabular. ***P.*** **2.** Tornar-se rijo, duro; endurecer.

entabulamento [De *entabular* + *-mento*.] ***S. m. Arquit.*** Cercadura de tábuas, que se prega junto ao teto, em paredes de salas ou de outro compartimento, para cobrir a junta do forro com a parede; aba, cimalha, entalhamento.

entabular [De *en-*^{2} + *tábula* + *-ar*^{2}.] ***V. t. d.*** **1.** V. *entabuar* (1). **2.** Preparar, dispor, pôr em ordem. **3.** *Fig.* Encetar, iniciar (conversa, negociação, entendimento). **4.** Empreender (negócio). **5.** Estabelecer (relações). **6.** Pôr em bom caminho. **7.** *Bras. RS* Acostumar (um garanhão) a certo número de éguas, para formar uma manada.

entaipaba ***S. f. Bras. MT*** V. *itupava*.

entaipado [Part. de *entaipar*.] ***Adj. S. m.*** Diz-se de, ou obra feita com taipais.

entaipamento [De *entaipar* + *-mento*.] ***S. m.*** Ação ou efeito de construir taipais.

entaipar [De *en-*^{2} + *taipa* + *-ar*^{2}.] ***V. t. d.*** **1.** Cobrir de taipas ou de taipais. **2.** Emparedar; encerrar; enclausurar.

entalação [De *entalar* + *-ção*.] ***S. f.*** **1.** Ato ou efeito de entalar(-se). **2.** Embaraço, aperto, apuros, dificuldades, comprometimento; entaladela, entalada. **3.** *Bras. Pop.* V. *mal de engasgo*.

entalada [De *entalar* + *-ada*^{1}.] ***S. f. Bras.*** V. *entalação* (2).

entaladela [De *entalar* + *-dela*.] ***S. f.*** V. *entalação* (2).

entalado [Part. de *entalar*.] ***Adj.*** **1.** Que se acha entre talas: *Está com o braço entalado.* **2.** Preso em lugar estreito, apertado: *Ficou com a perna entalada entre a cama e a porta.* **3.** Envolvido, comprometido: *Meteu-se na política, está entalado.* **4.** Engasgado [v. *engasgar* (2, 3 e 5)]: "Em pouco, entalado de farinha, pedi água." (Fernando Sabino, *O Homem Nu*, p. 25.) ~V. *balcão —*. ● ***S. m.*** **5.** *Bras. Pop.* Indivíduo que sofre de entalação (3), ou mal de engasgo (q. v.).

entalar [De *en-*^{2} + *tala*^{2} + *-ar*^{2}.] ***V. t. d.*** **1.** Meter ou apertar entre talas. **2.** Meter em passagem estreita. **3.** *Fig.* Meter em embaraços, em dificuldades, em talas; enredar; encalacrar, encravelhar, enrascar. ***Int.*** **4.** V. *engasgar* (3). ***P.*** **5.** Meter-se em lugar apertado. **6.** Meter-se em dificuldades; enredar-se, encalacrar-se, encravelhar-se, enrascar-se. **7.** V. *engasgar* (3).

entalecer [De *en-*^{2} + *talo* + *-ecer*.] ***V. int.*** Criar talos. [Conjug.: v. *aquecer*.]

entaleigar [De *en-*[2] + *taleiga* + *-ar*[2].] *V. t. d.* **1.** *Desus.* Meter em taleiga. **2.** Fartar, enfartar, empachar, empanturrar. *P.* **3.** Fartar-se, enfartar-se, empachar-se, empanturrar-se. [Conjug.: v. *largar*.]

entalha [Dev. de *entalhar*.] *S. f.* Abertura ou corte feito na madeira pelo entalhador; entalhe.

entalhador (ô) [De *entalhar* + *-dor*.] *Adj.* **1.** Que entalha. ● *S. m.* **2.** Aquele que faz obra de talha. **3.** Aquele que entalha ou grava [v. *gravar*[1] (2)]; gravador. **4.** Instrumento de entalhar.

entalhadura [De *entalhar* + *-dura*.] *S. f.* Ato ou efeito de entalhar; entalhe, entalhamento, talha.

entalhamento [De *entalhar* + *-mento*.] *S. m.* V. *entalhadura*.

entalhar [De *en-*[2] + *talhar*.] *V. t. d.* **1.** Abrir cortes em (madeira ou objetos de madeira) a fim de criar uma escultura, ou a matriz de uma xilogravura; esculpir, insculpir, gravar: *O Aleijadinho entalhou os altares das igrejas de Minas com grande riqueza de detalhes decorativos. Int.* **2.** Abrir cortes em madeira ou objetos de madeira a fim de criar uma escultura, ou a matriz de uma xilogravura; esculpir, gravar: *Goeldi entalhava primorosamente.*

entalhe [Dev. de *entalhar*.] *S. m.* **1.** V. *entalhadura*. **2.** Entalha. **3.** V. *entalho*.

entalho [Dev. de *entalhar*.] *S. m.* **1.** Gravura ou escultura em madeira. **2.** Peça com figuras entalhadas. [F. paral.: *entalhe*.]

entaliscar [De *en-*[2] + *talisca* + *-ar*[2].] *V. t. d.* **1.** Meter em talisca. **2.** *Bras.* Ligar (tábuas) longitudinalmente por meio de taliscas. *P.* **3.** Meter-se em talisca. [Conjug.: v. *trancar*.]

entalo [Dev. de *entalar*.] *S. m. Bras. Pop.* V. *mal de engasgo*.

entaloado [De *en-*[2] + *talão*[1] + *-ado*[1], com desnasalação.] *Adj.* Diz-se da ferradura mais alta do lado de trás, do talão.

entalpia [Do gr. *enthálpein*, 'aquecer', + *-ia*[1].] *S. f. Fís.* Função termodinâmica de estado, igual à soma da energia interna com o produto da pressão pelo volume do sistema [símb.: *H*]. ◆ **Entalpia de fusão.** *Fís.* V. *calor de fusão*. **Entalpia de sublimação.** *Fís.* V. *calor de sublimação*. **Entalpia livre.** *Fís.-Quím.* V. *função de Gibbs*.

entálpico [De *entalpia* + *-ico*[2].] *Adj.* Relativo à entalpia.

entameba [Do tax. *Entamoeba*.] *S. f. Zool.* Endameba.

entamebídeo [Do tax. *Entamoeba* + *-ídeo*[1]; tax. *Entamoebidae*.] *S. m. Adj. Zool.* V. *endamebídeo*.

entancar [De *en-*[2] + *tanque*[1] + *-ar*[2].] *V. t. d. Bras.* Represar (água). [Conjug.: v. *trancar*.]

entanguecer [De *en-*[2] + galego e esp. *tango*, 'pau que se firma hirto, no chão, em certo jogo', + *-ecer*, poss.] *V. int. P.* Inteiriçar-se com frio; encolher-se; entanguir-se. [Conjug.: v. *aquecer*.]

entanguido [Part. de *entanguir*.] *Adj.* **1.** Tolhido de frio; inteiriçado, hirto. **2.** Encolhido, contraído. **3.** *Fig.* Acanhado, enfezado, raquítico, insignificante. [Sin. ger. (bras.): *entanguitado*.]

entanguir [De *en-*[2] + galego e esp. *tango* (v. *entanguecer*) + *-ir*, poss.] *V. t. d. P.* **1.** Tornar(-se) tolhido de frio, entanguido (1). **2.** Encolher(-se); contrair(-se). **3.** Tornar(-se) enfezado, raquítico, acanhado. [Defect. Conjug.: v. *languir*.]

entanguitado *Adj. Bras.* V. *entanguido*.

entaniçar [De *en-*[2] + *taniça* + *-ar*[2].] *V. t. d. Bras.* Enrolar (folhas de fumo), formando molhos. [Conjug.: v. *laçar*.]

entanto [De *em* + *tanto*.] *Adv.* **1.** Neste meio tempo, neste ínterim; entretanto, entrementes, no entanto: *Fiquei à espera; entanto conheci várias pessoas.* ● *Conj.* **2.** Todavia, contudo, entretanto, no entanto: "Gosto das coisas ásperas, e entanto / vivo deitado à sombra dos teus olhos." (Odilo Costa Filho, *Boca da Noite*, p. 83); "O céu que ofendes e de que maldizes, / basta-me entanto: amo-o com seus fulgores" (Alberto de Oliveira, *Poesias*, 4.ª série, p. 42). ◆ **No entanto.** *Loc. adv.* **3.** Neste meio tempo; no entretanto; entretanto, entanto: "Nas curvas lanchas dormem os barqueiros. / O poeta, no entanto, o eterno pária, / Escuta a voz de Inês entre os salgueiros." (Gonçalves Crespo, *Obras Completas*, p. 164.) ● *Loc. conj.* **4.** Todavia, contudo, entretanto; ainda assim: "Há quem diga que não estamos mais em época de acreditar em bruxas. No entanto, elas ainda existem." (Dias Gomes, *em* Samira Campadelli, *Dias Gomes*, p. 25); "Era já [Goethe] um homem importante. Casou no entanto com uma antiga operária florista" (Eduardo Frieiro, *O Alegre Arcipreste*, p. 44).

então [Do lat. *intunc*.] *Adv.* **1.** Nesse ou naquele tempo, momento ou ocasião: "O mundo era então luz – hoje é só trevas!" (Gonçalves Dias, *Obras Poéticas*, II, p. 101); *Você ontem me quis falar, e não pude atendê-lo então. Que deseja?* **2.** Nesse caso: *Se você me atender, então tudo se fará.* [Var. (ant. pop.), nessas acepç.: *antão*.] ● *Interj.* **3.** Serve para animar e denota espanto: *Então, menino, não vai estudar?*; *Então, foi isso mesmo o que se passou?* ● *S. m.* **4.** Tempo passado; época, antanho: *Nesse então viviam como príncipes.*

entapetar [De *en-*[2] + *tapete* + *-ar*[2].] *V. t. d. P.* V. *atapetar*.

entapizar [De *en-*[2] + *tapizar*.] *V. t. d. P.* V. *atapetar*.

▲**-entar** *Suf. verb.* = 'ação factitiva'; 'ação frequentativa': *adormentar, afugentar, aformosentar; apoquentar.*

entaramelado [Part. de *entaramelar*.] *Adj.* Diz-se daquele que se entaramela ao falar, que pronuncia as palavras a custo; tartamudo.

entaramelar [De *en-*[2] + *taramela* + *-ar*[2].] *V. t. d.* **1.** Embaraçar a fala, a língua de; fazer titubear. **2.** Enredar, emaranhar, enlear. *P.* **3.** Embaraçar-se (a língua ou a fala). **4.** Enredar-se, emaranhar-se, enlear-se.

entardecer [De *en-*[2] + *tarde* + *-ecer*.] *V. int.* **1.** Ir caindo a tarde; fazer-se tarde: "Entardecia, e o céu era transparente, entre nuvens azuladas." (Maria Julieta Drummond de Andrade, *O Valor da Vida*, p. 143); "Escutem bem... Quando entardece, / Na meia-luz crepuscular / Tem a toada de uma prece / A voz tristíssima do mar..." (Vicente de Carvalho, *Poemas e Canções*, p. 38). [Conjug.: v. *aquecer*, mas é impess., us. só na 3.ª pess. sing.] ● *S. m.* **2.** O cair da tarde; o ocaso: "Campos no entardecer, mares ao meio-dia" (Odilo Costa Filho, *Boca da Noite*, p. 86).

entarraxar [De *en-*[2] + *tarraxa* + *-ar*[2].] *V. t. d. T. d. e c.* Apertar ou segurar com tarraxa; aparafusar; atarraxar, tarraxar.

entas [Pl. subst. da term. *-enta*, como em *quarenta*, etc.] *S. f. pl.* V. *casa dos entas*.

êntase [Do lat. *entasis* < gr. *éntasis* 'distensão'.] *S. f. Arquit.* Ligeiro engrossamento na parte central do fuste de uma coluna a fim de corrigir a ilusão óptica que os lados retilíneos dão, de uma curva para dentro.

ente [Do lat. *ente* (acus. de *ens, entis*), part. pres. de *esse*, 'ser'.] *S. m.* **1.** Aquilo que existe; coisa, objeto, matéria, substância, ser. **2.** *Restr.* Pessoa: *ente amado.* **3.** Aquilo que supomos existir. **4.** *Filos.* Tudo que é de maneira concreta, fática ou atual independentemente de, em qualquer nível, tornar-se objeto de reflexão. [Cf., nesta acepç., *ser* (26).] ◆ **Ente de Deus.** *Bras. N.E. Pop.* Pessoa (1): *Este ente de Deus precisa de ajuda, não está vendo?* **Ente de razão.** Aquele que só existe na imaginação, no espírito. **Ente público.** Designação genérica de pessoa jurídica de direito público. **Ente real.** O que tem existência real. **Ente Supremo.** Deus.

▲**-ente** [Do lat. *-ente*.] Equiv. de *-nte*.

enteado [Do lat. *antenatu*, 'nascido antes'.] *S. m.* O filho de matrimônio anterior com relação ao cônjuge atual de seu pai ou de sua mãe.

entear [De *en-*[2] + *teia*[1] + *-ar*[2].] *V. t. d.* **1.** Converter em teia; tecer. **2.** *Fig.* Entrelaçar, enlear, enredar. *P.* **3.** Entrelaçar-se, enlear-se. [Conjug.: v. *frear*. Pres. ind.: *enteio, enteias, enteia*, etc. Cf. *enteia*, fem. de *enteu*.]

entebense *Adj. 2 g.* **1.** De, ou pertencente ou relativo a Entebe (Uganda, África). ● *S. 2 g.* **2.** O natural ou habitante de Entebe.

entecar [Do esp. *entecarse*.] *V. int. P. Bras. RS* **1.** Ficar imóvel, sem ação. **2.** Enfermar, debilitar. [Conjug.: v. *trancar*. Cf. *enticar*.]

entecer [De *en-*[2] + *tecer*.] *V. t. d.* V. *entretecer* (1 e 2). [Conjug.: v. *aquecer*.]

entediado [Part. de *entediar*.] *Adj.* Que está com tédio; enfadado, amolado, chateado.

entediante [De *entediar* + *-nte*.] *Adj. 2 g.* Que entedia ou causa tédio, ou cansaço; cansativo.

entediar [De *en-*[2] + *tédio* + *-ar*[2].] *V. t. d.* **1.** Causar tédio a; aborrecer, chatear, enjoar, enfastiar, enfarar: *A vida na roça o entedia.* **2.** Ter tédio de; entediar-se com; aborrecer: *Entedia até os antigos prazeres. P.* **3.** Sentir tédio; aborrecer-se, chatear-se, enfastiar-se, enfarar-se, enfadar-se. [Sin. ger., p. us.: *atediar*.]

entejar [Do lat. vulg. *intaediare.] *V. t. d. P. Desus.* V. *entediar*. [Conjug.: v. *pelejar*.]

entejo (ê) [Dev. de *entejar*.] *S. m.* Aversão, tédio, nojo, antojo.

entelar [De *en-*[2] + *tela* + *-ar*[2].] *V. t. d.* Telar (1).

entelequia *S. f. Filos.* Enteléquia (q. v.).

enteléquia [Do gr. *entelécheia*, pelo lat. tard. *entelechia* (com *i* longo).] *S. f. Filos.* **1.** Segundo Aristóteles (v. *aristotelismo*), o resultado ou a plenitude ou a perfeição de uma transformação ou de uma criação, em oposição ao processo de que resulta tal criação ou transformação. [Cf. *energia* (4).] **2.** A forma ou a razão que determinam a transformação ou a criação de um ser. **3.** Mônada (2). [A melhor forma é *entelequia*.]

entelo [Do tax. *Entellus*.] *S. m. Zool.* **1.** Gênero de primatas cercopitecídeos originários da Índia. **2.** Qualquer espécie desse gênero, como, p. ex., *Entellus langur* ou *Presbytes entellus*. **3.** Qualquer espécime desse gênero.

entelodonte [Do gr. *entelós*, 'completo', 'cheio', + *-odonte*; tax. *Entelodon*.] *S. m. Paleont.* **1.** Gênero de mamíferos artiodáctilos, semelhantes a um porco selvagem, que atingiam o tamanho de um boi; viveram do eoceno até o final do mioceno. **2.** Espécie ou espécime desse gênero.

entendedor (ô) [De *entender* + *-dor*.] *Adj.* **1.** Que entende; inteligente. **2.** Sabedor, entendido: *É homem entendedor de muitas matérias.* ● *S. m.* **3.** Aquele que entende ou compreende: "A bom entendedor meia palavra basta" (prov.).

entender [Do lat. *intendere*.] *V. t. d.* **1.** Ter ideia clara de; compreender, perceber: *Sua resposta exata mostra que entendeu minha explicação.* **2.** Ter experiência ou conhecimento de; ser perito ou prático em: *Conta-se que S. Francisco de Assis entendia a linguagem dos animais.* **3.** Inferir, deduzir, concluir, depreender: *Pelos gestos do amigo entendeu que devia calar-se.* **4.** Crer, achar, pensar: *Entendia que, resolvido aquele problema, tudo lhe correria bem.* **5.** Julgar; interpretar. **6.** Alcançar a significação, o sentido, a ideia de: *É hermético: não entendo sua poesia.* **7.** Ter intento, propósito, tenção de: *Entende fazer longa viagem.* **8.** Ouvir; perceber: *A balbúrdia não me permitiu entender o conferencista. T. i.* **9.** Meditar, cogitar: *Com o seu invento, entendia em revolucionar a humanidade.* **10.** Ocupar-se; cuidar: *Desde criança entende nestes estudos.* **11.** Ter conhecimento e/ou prática; ser hábil ou perito: "Você talvez não entenda disso, mas o talento está muito desvalorizado." (Joraci Camargo, *Anastácio*, p. 87); "Nunca entendi de móveis, nem então me preocupei com isto." (Gerardo Melo Mourão, *O Valete de Espadas*, p. 11). **12.** Dizer respeito; relacionar-se: *Resolveu tudo o que entendia com a sua especialidade.* **13.** Contender; altercar: "sentado à porta da rua, entendia com quem passava e com quem estava pelas janelas, de maneira que ninguém por ali gostava dele." (Manuel Antônio de Almeida, *Memórias de um Sargento de Milícias*, p. 120). *T. c. Int.* **14.** Exercer mando ou vigilância: *Ausente o capataz, é ele quem entende na fábrica; Não penses em opinar, há ordens para que apenas o chefe entenda. P.* **15.** Saber o que faz. **16.** Aplicar-se em; ocupar-se. **17.** Travar e/ou manter entendimento; comunicar-se; dialogar: *Quis entender-me com ele, e não o consegui; Não podem continuar juntos, pois há muito não se entendem.* ● *S. m.* **18.** Juízo, opinião, parecer: *No meu entender, Paulo não tem razão.* [Cf. *intender*.]

entendido [Part. de *entender*.] *Adj.* **1.** Compreendido, acertado, certo; combinado: *Voltarei amanhã, é coisa entendida.* **2.** Sabedor, douto: *homem entendido em matemática.* **3.** *Bras. Gír.* Que aceita, entende e/ou pratica variantes do comportamento sexual, em particular do homossexualismo. ● *S. m.* **4.** Aquele que é sabedor, douto: *Os entendidos aprovaram sua exposição.* **5.** *Bras. Gír.* Indivíduo entendido (3). ◆ **Bem entendido.** Sem dúvida; evidentemente: "Para fazer as pazes (restritas, bem entendido) com a mulher, depois do primeiro arrufo do almoço, teve que lançar mão de todos os recursos da humildade e da súplica." (Aluísio Azevedo, *Filomena Borges*, pp. 35-36.) **Estamos entendidos!** Us. para indicar que nada mais há a acrescentar ao que foi afirmado ou pactuado.

entendimento [De *entender* + *-imento*.] *S. m.* **1.** *Filos.* Faculdade de compreender, de pensar ou de conhecer. [Define-se esta faculdade ora como a fonte do conhecimento verdadeiro, e então é oposta ou à sensibilidade ou à imaginação, ora como a faculdade de conhecimento discursivo, e neste caso opõe-se à razão, que cumprirá uma etapa superior de conhecimento.] **2.** Juízo, opinião: *No meu entendimento, Cruz e Sousa é um grande poeta.* **3.** Combinação, acordo, ajuste: *Irei amanhã, conforme o nosso entendimento.*

entendível [De *entender* + *-ível*.] *Adj. 2 g.* Que se pode entender ou compreender; inteligível: "Stein monologava agora, naquele solilóquio sem palavras entendíveis, aquela pergunta angustiosa que joga a alma ao chão" (Vicente Licínio Cardoso, *Pensamentos Brasileiros*, p. 174).

entenebrecer [De *en-*[2] + lat. *tenebrescere*.] *V. t. d.* **1.** Cobrir de trevas; escurecer; obscurecer. **2.** *Fig.* Entristecer, afligir. *Int. P.* **3.** Encher-se de sombras; tornar-se escuro. [Conjug.: v. *aquecer*, mas em geral só se usa na 3.ª pess.]

entenrecer [De *en-*[2] + *tenro* + *-ecer*.] *V. t. d.* **1.** Tornar tenro; amolecer, abrandar; atenrar. *Int.* **2.** Fazer-se tenro; amolecer, abrandar(-se). [Conjug.: v. *aquecer*.]

➔**entente cordiale** [ɑ̃'tɑ̃t kɔrdj'al] [Fr.] **1.** Entendimento amigável entre duas ou mais nações sobre questões de política internacional. **2.** *Hist.* A aliança militar concluída antes da I Guerra Mundial entre a Inglaterra, a França e a Rússia.

▲**enteo-** [Do gr. *éntheos, os, on*.] *El. comp.* = 'inspirado pelos deuses'; 'inspiração divina': *enteomania, enteômano.*

ênteo *Adj.* Enteu (q. v.).

enteomania [De *enteo-* + *-mania.*] *S. f. Psiq.* Ideia mórbida em que o indivíduo se crê inspirado por Deus.

enteomaníaco [De *enteomania* + *-íaco.*] *Psiq. Adj.* **1.** Relativo a enteomania. **2.** Que tem enteomania; enteômano. ● *S. m.* **3.** Aquele que tem enteomania; enteômano.

enteômano [De *enteo-* + *-mano*[1].] *Adj. S. m. Psiq.* Enteomaníaco (2 e 3).

➔**enter** ['ɛntə] [Ingl: 'entrar', 'registrar, inscrever'.] *S. m. Inform.* Comando (e tecla correspondente) us. para fazer o computador registrar ou processar informações externas a ele fornecidas.

enteralgia [De *enter(o)-* + *-alg(o)-*[2] + *-ia*[1].] *S. f. Med.* Dor intestinal.

enterálgico [De *enteralgia* + *-ico*[2].] *Adj.* Relativo a enteralgia.

enterectasia [De *enter(o)-* + *-ectas-* + *-ia*[1].] *S. f. Patol.* Dilatação ou distensão do intestino.

entérico [Do gr. *enterikós.*] *Adj.* Relativo ao intestino; intestinal.

enterite [De *enter(o)-* + *-ite*[1].] *S. f. Patol.* Inflamação no intestino. [Usado, em especial, em relação ao intestino delgado.]

enternecedor (ô) [De *enternecer* + *-dor.*] *Adj.* Que enternece.

enternecer [De *en-*[2] + *terno*[2] + *-ecer.*] *V. t. d.* **1.** Tornar terno, brando, amoroso; abrandar. **2.** Tornar compassivo; mover à compaixão; sensibilizar. *P.* **3.** Tornar-se terno, brando, amoroso; abrandar-se. **4.** Sensibilizar-se; condoer-se, compadecer-se. [Conjug.: v. *aquecer.*]

enternecidamente [Do f. de *enternecido* + *-mente.*] *Adv.* De maneira enternecida; com enternecimento: "Nabuco se refere enternecidamente ao rio Lima." (Antônio Carlos Vilaça, *O Desafio da Liberdade*, p. 15.)

enternecido [Part. de *enternecer.*] *Adj.* **1.** Tornado terno, brando, amoroso: *coração enternecido.* **2.** Repassado ou impregnado de ternura: *palavras enternecidas.* **3.** Condoído, compadecido.

enternecimento [De *enternecer* + *-imento.*] *S. m.* **1.** Ternura, meiguice. **2.** Compaixão, dó, comiseração.

▲**enter(o)-** [Do gr. *entero-* < gr. *énteron, ou*, 'o interior'; 'intestino'.] *El. comp.* = 'intestino'; 'interior': *enteralgia*; *enteropneusto.* [Equiv.: *-enter(o)-*, *-êntero*: *gastrenterite*; *celêntero.*]

▲**-enter(o)-** V. *enter(o)-*.

▲**-êntero** V. *enter(o)-*.

enterocele [Do gr. *enterokéle*, pelo lat. *enterocele.*] *S. f. Patol.* Hérnia intestinal.

enterocinase [De *enter(o)-* + V.C.I. *kinase* < gr. *kinetós* (v. *cinet(o)-*) + *-ase.*] *S. f. Bioquím.* Diástase do suco entérico ou intestinal, a qual, atuando sobre o tripsinogênio, o converte em tripsina ativa.

enterocistocele [De *enter(o)-* + *-cist(o)-* + *-cele*[1].] *S. f. Patol.* Hérnia da bexiga, complicada com enterocele.

enteróclise [De *enter(o)-* + *-clise*[3].] *S. f.* Enteroclisma (1).

enteroclisma [De *enter(o)-* + *-clisma.*] *S. m.* **1.** Lavagem intestinal; enteróclise. **2.** *Med.* Injeção no intestino, de substância nutritiva ou medicinal.

enterocolite [De *enter(o)-* + *colite.*] *S. f. Med.* Processo inflamatório da mucosa dos intestinos delgado e grosso.

enterodelo [De *enter(o)-* + *-delo.*] *Adj. Zool.* Que tem tubo intestinal visível ou distinto.

enterodinia [De *enter(o)-* + *-odin(o)-* + *-ia*[1].] *S. f. Med.* Dor intestinal.

enterogastrite [De *enter(o)-* + *-gastr(o)-* + *-ite*[1].] *S. f. Patol. P. us.* Gastrenterite.

enterógono [De *enter(o)-* + *-gono*; tax. *Enterogona.*] *Zool. S. m.* **1.** Espécime dos enterógonos, ordem de tunicados ascidiáceos, com o corpo, por vezes, dividido em tórax e abdome; glândula neural ger. ventral em relação ao gânglio; gônada única, situada na curva do intestino ou abaixo dela; larva com dois órgãos sensoriais na cabeça. ● *Adj.* **2.** Pertencente ou relativo a eles. [A pronúncia correta seria *enterogono* (v. *-gono*).]

enterografia [De *enter(o)-* + *-grafia*[1].] *S. f.* **1.** Estudo dos movimentos intestinais, mediante enterograma. **2.** Descrição dos intestinos.

enterográfico [De *enterografia* + *-ico*[2].] *Adj.* Relativo à enterografia.

enterógrafo [De *enter(o)-* + *-grafo.*] *S. m.* Instrumento com que se efetua o enterograma.

enterograma [De *enter(o)-* + *-grama.*] *S. m.* Registro gráfico que se obtém mediante o uso de enterógrafo. [V. *enterografia.*]

enterólito [De *enter(o)-* + *-lito.*] *S. m. Med.* Concreção intestinal.

enterolóbio [Do tax. *Enterolobium.*] *S. m. Bot.* **1.** Gênero de árvores mimosáceas que habitam regiões tropicais das Américas, dotadas de folhas compostas, capítulos globosos de pequenas flores, e frutos leguminosos, espiralados. **2.** Qualquer espécie desse gênero, como, p. ex., a *Enterolobium contortisiliquum* (v. *tamburi*). **3.** Qualquer espécime desse gênero.

enterologia [De *enter(o)-* + *-logia.*] *S. f.* Tratado do intestino e das suas funções.

enterológico [De *enterologia* + *-ico*[2].] *Adj.* Relativo à enterologia.

ênteron [Do lat. cient. *enteron* < gr. *énteron*, 'o interior'; 'intestino'.] *S. m. Zool.* Designação usual para cavidade gástrica de animais rudimentares, como os poríferos e cnidários, bem como para estruturas embrionárias; intestino.

enteropatia [De *enter(o)-* + *-patia.*] *S. f. Med.* Qualquer doença intestinal; enterose.

enteropneusto[1] [De *enter(o)-* + gr. *pneústes*, 'que respira'.] *Adj. Zool.* Diz-se de verme cuja respiração é interior.

enteropneusto[2] [Adapt. do tax. *Enteropneusta.*] *Zool. S. m.* **1.** Espécime dos enteropneustos, classe de hemicordados solitários, com cerca de 70 espécies; vão de poucos milímetros até cerca de 2,5m de comprimento e apresentam numerosas fendas branquiais. ● *Adj.* **2.** Pertencente ou relativo a eles.

enterorragia [De *enter(o)-* + *-ragia.*] *S. f. Med.* Hemorragia de origem intestinal.

enterose [De *enter(o)-* + *-ose*[1].] *S. f. Med.* Enteropatia.

enterotomia [De *enter(o)-* + *-tom(o)-* + *-ia*[1].] *S. f. Cir.* Incisão, de extensão e direção variáveis, realizada no intestino. [T. us., de preferência, em relação ao intestino delgado.]

enterotómico *Adj. Cir.* V. *enterotômico*. [Uso freq. em P.]

enterotômico [De *enterotomia* + *-ico*[2].] *Adj. Cir.* Relativo à enterotomia.

enterótomo [De *enter(o)-* + *-tomo.*] *S. m. Cir. Obsol.* Instrumento com que se faz a enterotomia.

enterovírus [De *enter(o)-* + *vírus.*] *S. m. Microbiol.* **1.** Gênero de vírus picornavirídeos, agentes infecciosos que atuam no tubo digestivo e que são eliminados pela defecação. **2.** Espécie ou espécime desse gênero.

enterozoário [De *enter(o)-* + *-zo(o)-* + *-ário.*] *S. m. Zool.* Designação comum aos animais que apresentam sistema digestório (ou cavidade intestinal) completo ou incompleto.

enterrada [De *enterrar* + *-ada*[1].] *S. f. Bras. Basq.* Ato ou efeito de enterrar (16).

enterrador (ô) [De *enterrar* + *-dor.*] *S. m.* **1.** Aquele que enterra. **2.** Sepultureiro, coveiro.

enterramento [De *enterrar* + *-mento.*] *S. m.* **1.** Ato ou efeito de enterrar(-se); enterro. **2.** V. *funeral* (2).

enterrar [De *en-*[2] + *terra* + *-ar*[2].] *V. t. d.* **1.** Pôr debaixo da terra; soterrar: *enterrar uma semente.* **2.** Pôr debaixo da terra, encerrar em túmulo; sepultar, inumar: *enterrar um cadáver.* **3.** Esconder ou ocultar debaixo da terra: *Enterrou o dinheiro, temendo os ladrões.* **4.** *P. ext.* Esconder, ocultar. **5.** Causar a morte de: *A recaída da tuberculose enterrou-o.* **6.** Comparecer ao enterro de: *Fomos ontem enterrar o nosso amigo X, vítima dum enfarte*; "Um por um, na verdade, ela ia enterrando os parentes, sem mostra especial de lástima. Ao tempo da peste bubônica, em menos de dois meses levara oito ao cemitério" (Josué Montelo, *O Labirinto de Espelhos*, p. 73). **7.** Sobreviver a: *Já enterrou duas mulheres, e vai casar de novo.* **8.** Celebrar o fim de: *Enterramos a quaresma com um lauto almoço.* **9.** Fazer cair em descrédito; abalar a reputação de: *Suas patranhas o enterraram.* **10.** Pôr termo a (assunto ou questão desagradável, constrangedora); liquidar. **11.** Levar à ruína, à derrota, ao insucesso: *O arrojo excessivo dos seus empreendimentos industriais acabou enterrando-o*; *A péssima atuação do meia-direita enterrou o time*; *A peça é ótima, porém a má representação enterrou-a.* **12.** *Teatr. Gír.* Celebrar o fim da temporada de (uma peça), em geral modificando-lhe com irreverência o texto e as marcações: *Hoje os atores vão enterrar* O Avarento, *de Molière. T. d. e i.* **13.** Cravar ou espetar profundamente: *Enterrou a faca no adversário.* **14.** Aplicar (dinheiro, bens, etc.) numa transação de que resulta prejuízo ou lucro inferior ao que se esperava: *Enterrou um dinheirão naquela propriedade. T. d. e c.* **15.** Retirar do convívio social; isolar: *Enterrou a filha num convento. Int.* **16.** *Bras. Basq.* Fazer passar a bola com a(s) mão(s), com força, pelo aro da cesta, de cima para baixo. *P.* **17.** Penetrar, introduzir-se, internar-se. **18.** Retirar-se do convívio social; isolar-se, insular-se. **19.** Cair em descrédito; perder a reputação; desacreditar-se. **20.** Encher-se de dívidas; arruinar-se financeiramente. **21.** Aplicar-se com paixão; entregar-se; absorver-se: *enterrar-se em uma tarefa.* **22.** Encher-se, empanturrar-se: *Enterrou-se na feijoada.* [Pres. ind.: *enterro*, etc. Cf. *enterro* (ê).]

enterreirar [De *en-*[2] + *terreiro* + *-ar*[2].] *V. t. d.* **1.** Aplanar ou limpar (o terreno) para a eira; converter em terreiro (3). *P.* **2.** Reunir-se em terreiro (4). **3.** *P. ext.* Desafiar-se, digladiar-se.

enterro (ê) [Dev. de *enterrar.*] *S. m.* **1.** Enterramento (1). **2.** O ato de enterrar (2) um cadáver. **3.** V. *funeral* (2). **4.** *Teatr. Gír.* O último espetáculo de uma peça, em que os atores, com improvisações de falas e atitudes, modificam de propósito e com irreverência o texto e as marcações. **5.** *Bras. RS* Dinheiro ou objetos de valor enterrados. [Pl.: *enterros* (ê). Cf. *enterro*, do v. *enterrar.*]

enterroar [De *en-*[2] + *terrão* + *-ar*[2], com desnasalação.] *V. t. d. P. P. us.* Entorroar. [Conjug.: v. *coroar.*]

enterro dos ossos *S. m.* **1.** *Bras.* Sobras de refeição que se comem no dia seguinte ao de uma festa lauta. **2.** *Bras. MS Pop.* Antiga brincadeira de Corumbá, no primeiro domingo após o carnaval: grupos de foliões, com roupas de luto, saíam à rua executando marchas fúnebres e conduzindo caixões mortuários, que na realidade estavam repletos de comidas e bebidas, consumidas, entre risos e galhofa, em determinados pontos da cidade. [Pl.: *enterros dos ossos.*] ☑

entesado [Part. de *entesar.*] *Adj.* Teso, retesado.

entesamento [De *entesar* + *-mento.*] *S. m.* Ato ou efeito de entesar(-se).

entesar [De *en-*[2] + *teso*[2] + *-ar*[2].] *V. t. d.* **1.** Fazer teso ou tenso; retesar. **2.** Tornar direito, reto; esticar, endireitar. **3.** Endurecer, enrijar, enrijecer. [Sin., nessas acepçs.: *tesar.*] *Int.* **4.** Fazer-se teso ou tenso: "No arco que [o homem que é forte] entesa / tem certo uma presa" (Gonçalves Dias, *Obras Poéticas*, 2.º tomo, p. 42). *P.* **5.** Tornar-se teso ou tenso; estirar-se. **6.** Não ceder; resistir; teimar. [Sin. ger.: *atesar.*]

entese [Do gr. *énthesis*, 'inserção'.] *S. f. Anat.* Inserção, em osso, de fibras tendinosas, ligamentares e/ou capsulares.

entesoirador (ô) *Adj. S. m.* V. *entesourador*.

entesoiramento *S. m.* V. *entesouramento*.

entesoirar *V. t. d.* V. *entesourar*.

entesourador (ô) [De *entesourar* + *-dor.*] *Adj. S. m.* Que, ou aquele que entesoura. [Var.: *entesoirador.*]

entesouramento [De *entesourar* + *-mento.*] *S. m.* Ato de entesourar. [Var.: *entesoiramento.*]

entesourar [De *en-*[2] + *tesouro* + *-ar*[2].] *V. t. d.* **1.** Juntar, ajuntar, acumular, amontoar (dinheiro, riqueza, etc.). **2.** Arrecadar ou guardar em tesouro ou como em tesouro (dinheiro, bens, etc.): "vendo, pela primeira vez na vida, dinheiro grosso, achou de bom aviso entesourá-lo para se resguardar de futuros apertos" (Antônio Versiani, *Viola de Queluz*, p. 11). [Var.: *entesoirar.*]

entestar[1] [De *en-*[2] + *testa* + *-ar*[2].] *V. t. c.* **1.** Fazer frente; confrontar, defrontar: "Chegou ao muro de pedra solta que entestava com o caminho." (José Rodrigues Miguéis, *Onde a Noite se Acaba*, p. 42); *A casa entesta com a praia.* **2.** Ser limítrofe; ser contíguo; confinar, limitar-se: *O Rio Grande do Sul entesta com a Argentina.* **3.** Encostar, tocar, roçar: *A alta torre parecia entestar nas nuvens.*

entestar[2] [De *en-*[2] + *testo* (ê) + *-ar*[2].] *V. t. d.* Pôr testo (1) a; cobrir com testo.

entetobiose [Do gr. *enthet(ikós)*, 'adequado para implantação', + *-o-* + *-bi(o)-* + *-ose*[1]; ingl. *enthetobiosis.*] *S. f. Med.* Dependência da implantação de um instrumento, como, p. ex., marca-passo.

enteu [Do gr. *éntheos*, pelo lat. *entheu.*] *Adj.* **1.** Inspirado por Deus. **2.** Cheio de amor divino. [Fem.: *enteia.* Cf. *enteia*, do v. *entear*. A melhor f. é *ênteo.*]

entibecer [De *en-*[2] + *tíbio* + *-ecer.*] *V. t. d. Int. P.* V. *entibiar*. [Conjug.: v. *aquecer.*]

entibiamento [De *entibiar* + *-mento.*] *S. m.* V. *tibieza*.

entibiar [De *en-*[2] + *tíbio* + *-ar*[2].] *V. t. d.* **1.** Tornar tíbio, frouxo, morno: *A doença entibiou-lhe a vontade. Int. P.* **2.** Tornar-se tíbio, frouxo, morno; enfraquecer-se. **3.** Perder a energia, o entusiasmo. [Sin. ger.: *entibecer.*]

entica [Dev. de *enticar.*] *S. f. Bras.* Provocação, implicância.

enticador (ô) [De *enticar* + *-dor.*] *Adj. Bras.* V. *enticante*.

enticante [De *enticar* + *-nte.*] *Adj. 2 g. Bras.* Que entica; implicante, provocante; enticador.

enticar [De or. incerta; poss. de *entisicar*, com síncope.] *V. t. i. Bras. Prov. port. Açor.* Mexer com alguém por prevenção; implicar; provocar, aborrecer, importunar: *Gosta de enticar com todo o mundo.* [Conjug.: v. *trancar.* Cf. *entecar.*]

entidade [Do lat. med. *entitate.*] *S. f.* **1.** Aquele ou aquilo que tem existência distinta e independente, quer real, quer concebida pelo espírito; ente, ser: *entidades históricas*; *entidades mitológicas.* **2.** Sociedade ou associação juridicamente constituída para um determinado fim: *entidade de classe*; *entidade autárquica.* **3.** *Cont.* Princípio da contabilidade a partir do qual não se misturam o patrimônio, os direitos e obrigações de um indivíduo ou empresa com os de outro, respeitando-se a sua individualidade. **4.** *Inform.* Em projeto conceitual de bancos de dados (q. v.), classe de objetos do mundo real pertencente ao escopo do sistema que está sendo projetado. **5.** *Inform.* Elemento de projeto auxiliado por computador, como, p. ex., reta, curva, área, etc. **6.** *Bras.* Sociedade ou grupo que dirige as atividades de uma classe. **7.** *Bras. Rel.* Ser espiritual passível de devoção, como, p. ex., orixá, vodum, inquice, caboclo, preto-velho, etc. ◆ **Entidade legal.** Entidade capaz de dispor de direitos e deveres legais, como uma pessoa física ou pessoa jurídica.

entijolamento [De *entijolar* + *-mento*.] ***S. m.*** Ação de entijolar.

entijolar [De *en-*[2] + *tijolo* + *-ar*[2].] ***V. t. d.*** Cobrir de tijolos.

entijucado [Part. de *entijucar*.] ***Adj.*** *Bras.* Sujo de barro, ou enlameado com tijuco. [Var.: *entujucado*.]

entijucar [De *en-*[2] + *tijuco* + *-ar*[2].] ***V. t. d. P.*** *Bras.* Sujar(-se) de lama ou de barro; enlamear(-se), embarrar(-se): "Secam os igapós, delineiam-se os 'sacados', a terra firme encharca-se, a várzea entijuca-se, as ilhas dilatam-se" (Alberto Rangel, *Sombras n'Água*, p. 26). [Var.: *entujucar*. Conjug.: v. *trancar*.]

entimema [Do gr. *enthýmema*, pelo lat. *enthymema*.] ***S. m.*** *Lóg.* Silogismo em que se subentende uma premissa; silogismo truncado, incompleto.

entintador (ô) [De *entintar* + *-dor*.] ***Adj.*** *Art. Gráf.* ~ V. *rolo* —.

entintamento [De *entintar* + *-mento*.] ***S. m.*** *Art. Gráf.* Ato ou efeito de entintar; atintamento, tintagem.

entintar [De *en-*[2] + *tinta* + *-ar*[2].] ***V. t. d.*** **1.** Cobrir com tinta; aplicar tinta em, ou sobre; cobrir ou encher com tinta, ou embeber em tinta. **2.** *Tip.* Recobrir (fôrma de qualquer natureza) com tinta, manual ou mecanicamente, por meio de bala, rolo, etc., para tirar provas ou imprimir; atintar, tintar.

entisicar [De *en-*[2] + *tísico* + *-ar*[2].] ***V. t. d.*** **1.** Tornar tísico. **2.** Importunar, apoquentar, aborrecer, incomodar. ***Int.*** **3.** Ficar tísico: "Só lhes digo que com outra noite como a de hoje entisico. Estou com os pulmões em estado lastimável." (Coelho Neto, *A Conquista*, p. 437); "Entisicara depois de uma chuvada que levou ao sair de uma casa de farinha." (José Lins do Rego, *Meus Verdes Anos*, p. 131). **4.** Emagrecer; definhar; entibiar-se. ***P.*** **5.** Tornar-se tísico. **6.** Exaurir-se, esgotar-se, minguar. [Conjug.: v. *trancar*.]

entitativo [Do lat. cient. *entitativus* < lat. med. *entitas*, *atis*, 'entidade', + lat. cient. *-ivus* (v. *-ivo*).] ***S. m.*** Que se refere ao ente (4).

entivação [De *entivar* + *-ção*.] ***S. f.*** Ato de entivar.

entivar [Do esp. *entibar*.] ***V. t. d.*** **1.** Revestir de tábuas; entabuar. **2.** Nas minas [v. *mina*[1] (1)], escorar, fortalecer com madeiras e tábuas (as escavações que apresentam risco de desmoronamento).

▲**ent(o)-** [Do gr. *entós*.] ***Pref.*** = 'posição interior', 'dentro': *entoptoscopia*.

▲**-ent(o)-** V. *-lento*.

▲**-ento** V. *-lento*.

entoação [De *entoar* + *-ção*.] ***S. f.*** **1.** Ato ou efeito de entoar. **2.** Modulação na voz de quem fala ou recita; inflexão, entonação. [Sin., nessas acepçs.: *entoamento*.] **3.** *E. Ling.* Entonação (3).

entoado [Part. de *entoar*.] ***Adj.*** Que tem entoação (2): "andava sempre lendo a Bíblia .... e cantando hinos protestantes, em voz alta e entoada, que perturbava o trabalho alheio." (Maria Julieta Drummond de Andrade, *Um Buquê de Alcachofras*, p. 27).

entoador (ô) [De *entoar* + *-dor*.] ***Adj. S. m.*** Que, ou aquele que entoa.

entoamento [De *entoar* + *-mento*.] ***S. m.*** V. *entoação*.

entoar [De *en-*[2] + *tom* + *-ar*[2], com desnasalação.] ***V. t. d.*** **1.** Fazer soar; fazer ouvir, cantando. **2.** Começar, principiar, iniciar (um canto); ensoar. **3.** Dar o tom (13) para se cantar ou tocar instrumento. **4.** Pôr no tom (13). **5.** Proferir, enunciar: *Entoou os motivos que ali o traziam.* **6.** Dar direção a; dirigir, encaminhar: *entoar um negócio.* ***T. d. e i.*** **7.** Dirigir, cantando: *Entoaram hinos ao Senhor.* ***T. i.*** **8.** Descobrir pelo tino ou por conjetura; atinar: *Não entoo com a razão daquele rompimento.* **9.** *Bras. Pop.* Agradar, aprazer: *Aquela resposta não lhe entoou, e resolveu reagir.* [F. paral.: *entonar*[1]. Conjug.: v. *coroar*.]

entocaiar [De *en-*[2] + *tocaia* + *-ar*[2].] ***V. t. d. Int.*** *Bras.* V. *tocaiar*.

entocar [De *en-*[2] + *toca* + *-ar*[2].] ***V. t. d.*** *Bras.* **1.** Meter em toca. ***P.*** **2.** Sumir-se num buraco ou cova; encafuar-se. [Conjug.: v. *trancar*. Cf. *entoucar*.]

entocéfalo [De *ent(o)-* + *-céfalo*.] ***S. m.*** *Zool.* Uma das peças da cabeça dos insetos.

entófito [De *ent(o)-* + *-fito*.] ***Adj.*** *Bot.* Que se desenvolve no próprio tecido de uma planta.

entogástrio [De *ent(o)-* + *-gastr(o)-* + *-io*[3].] ***S. m.*** *Zool.* Uma das peças do abdome dos insetos.

entógnato[1] [De *ent(o)-* + *-gnato*.] ***Adj.*** *Zool.* Diz-se de inseto que tem as peças bucais inclusas na cabeça.

entógnato[2] [Adapt. do tax. *Entognatha*.] ***S. m. Adj.*** *Zool.* V. *dipluro*.

entoiçar ***V. int.*** V. *entouçar*. [Conjug.: v. *laçar*.]

entojado [Part. de *entojar*.] ***Adj.*** **1.** Que experimenta entojo; repugnado, anojado, enjoado. **2.** *Bras. MG SP Pop.* Cheio de si; vaidoso.

entojar [De *entojo* (ô) + *-ar*[2].] ***V. t. d.*** **1.** Causar nojo a; repugnar. **2.** Aborrecer, entediar, amolar. ***Int.*** **3.** *Bras.* Sentir entojo. [Pres. ind.: *entojo*, etc. Cf. *entojo* (ô).]

entojo (ô) ***S. m.*** **1.** V. *antojo*[2]. **2.** Nojo que certas mulheres experimentam no período de gravidez. **3.** Desejos extravagantes que lhes advêm nesse período. [Pl.: *entojos* (ô). Cf. *entojo*, do v. *entojar*.]

entómico ***Adj.*** V. *entômico*. [Uso freq. em P.]

entômico [De *entom(o)-* + *-ico*[2].] ***Adj.*** Relativo ou pertencente a inseto.

▲**entom(o)-** [Do gr. *éntomos, os, on*, 'cortado', 'dividido'; pl. *éntoma (zõia)*, 'insetos'.] ***El. comp.*** = 'dividido'; 'segmento articulado'; 'inseto': *entomostráceo*; *entomofilia*. [Equiv.: *-entom(o)-*: *mirientomado*.]

▲**-entom(o)-** Equiv. de *entom(o)-*.

entomobriomorfo [De *entom(o)-* + *-bri(o)-* + *-morfo*.] *Zool.* ***S. m.*** **1.** Espécime dos entomobriomorfos, divisão de insetos sinfipléonos, nos quais o tergo do protórax é sempre membranoso e sem pelos. ● ***Adj.*** **2.** Pertencente ou relativo a eles.

entomófago [De *entom(o)-* + *-fago*.] ***Adj.*** *Bot. Zool.* Diz-se de animal ou de planta que se alimenta de insetos.

entomofilia [De *entom(o)-* + *-filia*.] ***S. f.*** *Bot.* Modalidade de polinização em que os grãos de pólen são transportados pelos insetos, que, ao visitarem as flores de néctar, se empoam com o pólen e vão depositá-lo noutra flor.

entomofílico [De *entomofilia* + *-ico*[2].] ***Adj.*** Relativo a entomofilia, ou a entomófilo.

entomófilo [De *entom(o)-* + *-filo*[2].] ***Adj. S. m.*** *Bot.* Diz-se de, ou vegetal polinizado por entomofilia.

entomofobia [De *entom(o)-* + *-fobia*.] ***S. f.*** *Psiq.* Medo patológico de inseto.

entomofóbico [De *entomofobia* + *-ico*[2].] *Psiq.* ***Adj.*** **1.** Relativo a entomofobia. **2.** Que sofre de entomofobia; entomófobo. ● ***S. m.*** **3.** Aquele que sofre de entomofobia; entomófobo.

entomófobo [De *entom(o)-* + *-fobo*.] ***Adj. S. m.*** *Psiq.* Entomofóbico (2 e 3).

entomógeno [De *entom(o)-* + *-geno*.] ***Adj.*** *Micol.* Que se gera sobre um inseto (diz-se de fungo).

entomologia [De *entom(o)-* + *-logia*.] ***S. f.*** Parte da zoologia que trata dos insetos; insetologia.

entomológico [De *entomologia* + *-ico*[2].] ***Adj.*** Relativo à entomologia; insetológico.

entomologista [De *entomologia* + *-ista*.] ***S. 2 g.*** Especialista em entomologia; entomólogo, insetologista.

entomólogo [De *entom(o)-* + *-logo*.] ***S. m.*** V. *entomologista*.

entomostráceo [De *entom(o)-* + *-ostrac(o)-* + *-eo*; tax. *Entomostraca*.] *Zool.* ***S. m.*** **1.** Espécime dos entomostráceos, subordem de crustáceos, caracterizados pelo pequeno tamanho, número variável de somitos, situação da glândula excretora no segundo segmento maxilar, ausência de mó gástrica, e presença de coração singelo. ● ***Adj.*** **2.** Pertencente ou relativo a eles.

entomozoário [De *entom(o)-* + *-zo(o)-* + *-ário*.] ***S. m.*** **1.** Espécime dos entomozoários, designação usada por Blainville, naturalista francês (1777-1850), para abranger um grande grupo de animais, no qual seriam incluídos os anelídeos e os artrópodes das atuais classificações. ● ***Adj.*** **2.** Pertencente ou relativo a eles.

entonação [De *entonar*[1] + *-ção*.] ***S. f.*** **1.** V. *entoação* (2). **2.** Canto em tom (13) dado. **3.** *E. Ling.* Variação de tom (10) que tem como domínio a sentença; entoação.

entonado ***Adj.*** V. *embecado*.

entonar[1] [De *en-*[2] + *tom* + *-ar*[2].] ***V. t. d. T. d. e i. T. i.*** V. *entoar*.

entonar[2] [De *entono* + *-ar*[2].] ***V. t. d.*** **1.** Erguer altivamente, ostentar majestosamente (a fronte). ***P.*** **2.** Mostrar-se altivo, arrogante, soberbo; ensoberbecer-se.

entonce [Do lat. vulg. **intunce*.] ***Adv.*** *Bras. Pop. Arc.* Então. [Var.: *entonces*.]

entonces ***Adv.*** *Bras. Pop. Arc.* V. *entonce*.

entono [Do esp. *entono*.] ***S. m.*** **1.** Altivez, majestade. **2.** Soberba, arrogância; orgulho; vaidade.

entontecedor (ô) [De *entontecer* + *-dor*.] ***Adj.*** Que entontece; estonteante, estonteador.

entontecer [De *en-*[2] + *tonto* + *-ecer*.] ***V. t. d.*** **1.** Causar tonturas ou vertigens a; tornar tonto. **2.** Tornar tonto, tolo, idiota. **3.** Enlouquecer, endoidecer, desvairar, estontear. ***Int.*** **4.** Ficar tonto, ter vertigens. **5.** Ficar tonto, tolo, imbecil. **6.** Perder a razão, enlouquecer, ensandecer, desvairar, estontear. **7.** Causar tonturas ou vertigens; tornar tonto: "O perfume e os vinhos entontecem." (Manuel Bandeira, *Estrela da Vida Inteira*, p. 68.) [Sin. ger.: *atontar*. Conjug.: v. *aquecer*.]

entontecimento [De *entontecer* + *-imento*.] ***S. m.*** Ato ou efeito de entontecer.

entoprocto [De *ent(o)-* + *-procto*; tax. *Entoprocta*.] *Zool.* ***S. m.*** **1.** Espécime dos entoproctos, subfilo de animais pseudocelomados, solitários ou coloniais, de porte minúsculo. Cada indivíduo é formado por um pedúnculo que contém um cálice provido de uma coroa de tentáculos ciliados com tubo digestivo em forma de U e boca e ânus dentro do círculo de tentáculos. Vivem fixos em animais ou objetos, e são marinhos ou de água doce. ● ***Adj.*** **2.** Pertencente ou relativo a eles. [F. paral.: *endoprocto*. Cf. *ectoprocto*.]

entóptico [De *ent(o)-* + *-óptico*.] ***Adj.*** Referente a fenômenos visuais cuja sede é intraocular. [Var.: *entótico*[2].]

entoptoscopia [De *ent(o)-* + *-opt(o)-* + *-scop-* + *-ia*[1].] ***S. f.*** *Oftalm.* Observação do interior do olho para examinar seus meios e avaliar sua transparência. [Var.: *entotoscopia*.]

entoptoscópico [De *entoptoscopia* + *-ico*[2].] ***Adj.*** Relativo à entoptoscopia. [Var.: *entotoscópico*.]

entoptoscópio [De *ent(o)-* + *-opt(o)-* + *-scópio*.] ***S. m.*** *Oftalm.* Instrumento com que se realiza a entoptoscopia. [Var.: *entotoscópio*.]

entornado [Part. de *entornar*.] ***Adj.*** Espalhado; derramado.

entornadura [De *entornar* + *-dura*.] ***S. f.*** Ato ou efeito de entornar(-se); derramamento.

entornar [De *en-*[2] + *tornar*.] ***V. t. d.*** **1.** Voltar, inclinar, emborcar (um vaso), para despejá-lo; emborcar, despejando: *Entornou a vasilha de leite.* **2.** Derramar, despejar (líquido, grânulos, objetos pequenos, etc.): "o candeeiro de petróleo caiu, entornando o conteúdo." (Domingos Monteiro, *Histórias das Horas Vagas*, p. 110); *Entornou o chá, sujando a toalha.* **3.** Fazer extravasar; deitar fora: *Encheu a xícara até entornar o café.* **4.** Difundir, espalhar (som, luz, etc.). **5.** Dar profusamente; prodigalizar, prodigar; esbanjar. **6.** Tomar (bebida alcoólica): *Entornou três copos de cerveja.* ***T. d. e c.*** **7.** Pôr, colocar; deitar: *Entornei o açúcar na lata.* ***Int.*** **8.** Ingerir bebidas alcoólicas em quantidade; embriagar-se. ***P.*** **9.** Derramar-se, extravasar, transbordar. **10.** Transtornar-se, perturbar-se; turvar-se: *Entornou-se a longa amizade.* **11.** Espalhar-se, propagar-se. [Pres. ind.: *entorno*, etc. Cf. *entorno* (ô), s. m.]

entorno (ô) [De *em torno*.] ***S. m.*** **1.** *Mat.* Região que se situa em torno de um determinado ponto. **2.** Circunvizinhança. **3.** *Arquit.* Área, de extensão variável, vizinha de um bem tombado [v. *tombar*[2] (2)]: "O Secretário da Cultura, do Ministério da Educação e Cultura, ... resolve: I — Considerar como de entorno dos conjuntos, paisagens e edificações situados na Cidade Imperial de Petrópolis e inscritos nos Livros do Tombo ...., as áreas compreendidas (abrangidas) pelos seguintes logradouros e sítios" (da Portaria nº 05, de 24.06.1981). **4.** *P. ext.* Área vizinha a outra legalmente protegida: "Considerando a necessidade de estabelecer-se, com urgência, normas referentes ao entorno das Unidades de Conservação visando a proteção dos ecossistemas" (da Resolução nº 013 do Conselho Nacional do Meio Ambiente, de 06.12.1990). **5.** *P. ext.* Toda a área circundante de uma construção, ou de outra área demarcada. **6.** *P. ext.* O conjunto de todos os elementos (área verde, construções vizinhas, anexas, etc.), que interferem na paisagem do entorno (3 a 5). [Cf. *entorno*, do v. *entornar*.]

entorpecente [De *entorpecer* + *-nte*.] ***Adj. 2 g.*** **1.** Que entorpece. ● ***S. m.*** **2.** Substância tóxica com ação analgésica e efeito psíquico tido como agradável pelo usuário, e a que o organismo se habitua, vindo a tolerar doses grandes, mas que provocam a necessidade de seu uso, o qual acarreta progressivas perturbações físicas e morais; estupefaciente.

entorpecer [De *en-*[2] + lat. *torpescere*.] ***V. t. d.*** **1.** Causar torpor a. **2.** Tirar a energia a; enfraquecer; debilitar, entibiar, enervar. **3.** Retardar ou suspender o movimento ou a ação de: *O calor excessivo entorpece as faculdades mentais.* ***Int. P.*** **4.** Estar ou ficar em torpor. **5.** Desalentar-se; desfalecer, esmorecer. [Sin. ger.: *torpecer*. Conjug.: v. *aquecer*.]

entorpecido [Part. de *entorpecer*.] ***Adj.*** **1.** Que está em torpor; mole, enfraquecido. **2.** Desanimado, desalentado, torpente, tórpido.

entorpecimento [De *entorpecer* + *-imento*.] ***S. m.*** **1.** Falta de ação; paralisia. **2.** Desânimo, desalento; preguiça. [Sin. ger.: *torpor*.]

entorroar [De *en-*[2] + *torrão* + *-ar*[2], com desnasalação.] ***V. t. d. P.*** Converter(-se) em torrões. [Sin., p. us.: *enterroar*. Conjug.: *coroar*.]

entorse [Do fr. *entorse*.] ***S. f.*** *Traum.* Lesão articular de natureza traumática, que compromete ligamento(s) [v. *ligamento* (3)], sem que ocorra luxação. [Cf. *luxação*.]

entortadura [De *entortar* + *-dura*.] ***S. f.*** Ato ou efeito de entortar(-se); torção, torcedura.

entortar [De *en-*[2] + *torto* + *-ar*[2].] ***V. t. d.*** **1.** Tornar torto (1); empenar. **2.** Desviar da linha reta, do eixo; curvar; arquear. **3.** Desviar ou afastar do bom caminho. ***Int. P.*** **4.** Tornar-se torto; empenar-se. **5.** *Fam.* Embriagar-se, embebedar-se. **6.** Arruinar-se; perder-se.

entótico[1] [De *ent(o)-* + *-ot(o)-* + *-ico*[2].] ***Adj.*** Que se origina da orelha, ou está situado dentro dela.

entótico^{2} *Adj.* V. *entóptico.*
entotoscopia *S. f. Med.* V. *entoptoscopia.*
entotoscópico *Adj. Med.* V. *entoptoscópico.*
entotoscópio *S. m.* V. *entoptoscópio.*
entótrofo [De *ent(o)-* + *-trofo*; tax. *Entotrophi.*] ***S. m. Adj.*** *Zool.* V. *dipluro.*
entoucar [De *en-*^{2} + *touca* (1) + *-ar*^{2}.] ***V. int. T. c.*** *Mar.* Enrolar-se a amarra em torno do(s) braço(s) ou da(s) pata(s) de uma âncora fundeada: *A amarra entoucou no ferro.* [Cf. *entocar.*]
entouçar [De *en-*^{2} + *touça* + *-ar*^{2}.] ***V. int.*** **1.** Criar touça. **2.** Espessar-se; engrossar. **3.** *Fig.* Tornar-se forte, robusto; robustecer(-se). [Var.: *entoiçar.* Conjug.: v. *laçar.*]
→**entourage** [ɑ̃tuˈʁaʒ] [Fr.] ***S. m.*** As pessoas que nos rodeiam, com quem convivemos; esfera ou meio em que se vive; roda.
entourar [De *en-*^{2} + *touro* + *-ar*^{2}.] ***V. t. d.*** *Bras. SC* Pôr o touro em (o rebanho) na época da reprodução ou monta.
entozoário [De *ent(o)-* + *-zo(o)-* + *-ário*; lat. cient. *Entozoa.*] ***S. m.*** *Zool.* Designação comum a organismos que parasitam o interior do corpo de seu hospedeiro.
entrabrir ***V. t. d. Int. P.*** *P. us.* V. *entreabrir.*
entrada [De *entrar* + *-ada*^{1}.] ***S. f.*** **1.** Ato de entrar. **2.** Ingresso, admissão, introdução. **3.** Abertura, boca: *a entrada do poço.* **4.** Porta, portão: *entrada da casa.* **5.** Começo, princípio, início: *Na entrada do inverno ele passa mal.* **6.** Ocasião, oportunidade, ensejo, azo: *Falastrão como é, não me deu entrada para opinar.* **7.** Investida, arremetida. **8.** Boas relações, fácil acesso; trânsito: *Como tem entrada nos meios políticos, conseguiu o emprego.* **9.** Parte da cabeça, acima das fontes, destituída de cabelo: "sua larga fonte de utopista se prolongava em fundas entradas, sob tufos de fios ruivos." (Ciro dos Anjos, *A Menina do Sobrado,* p. 133). **10.** Primeiro pagamento numa venda parcelada, num negócio, etc. **11.** Bilhete que dá direito ao ingresso em espetáculo, ou em certos eventos; ingresso: *Você tem as entradas para o chá de caridade?* **12.** *Bibliogr.* V. *folhas preliminares.* **13.** *Cul.* O primeiro prato, em almoço, ceia ou jantar: *O jantar constou de uma entrada de peixe e uma carne assada.* **14.** *Eletrôn.* Parte de um circuito eletrônico que recebe um sinal externo para transformá-lo. **15.** *Eletrôn.* V. *excitação* (4). **16.** *Inform.* Transferência de uma informação externa para o processador central ou para um dispositivo intermediário de armazenamento. **17.** *P. ext. Inform.* Qualquer informação externa fornecida a dispositivo para processamento. **18.** *Inform.* Dispositivo, processo ou canal que intervém numa operação de transferência de dados. [Sin., nas acepçs. 16, 17 e 18: *input.* Cf., quanto às mesmas acepçs., *saída* (11 a 13).] **19.** *Mec.* V. *admissão* (4). **20.** *Tip.* Espaço em branco que se deixa ao alto da página, em começo de capítulo. **21.** *Tip.* V. *recolhido* (4). **22.** *Bibliogr.* Expressão ou palavra que, encabeçando uma descrição bibliográfica, iconográfica, etc., ou uma ficha catalográfica, indica o aspecto (autoria, título, assunto, etc.) sob o qual esse registro entra em índice, catálogo, bibliografia, iconografia, etc. [Quando se trata de ficha, diz-se tb. *cabeçalho.*] **23.** *Bras.* Expedição organizada, no período colonial, pelas autoridades ou por particulares, e que ger. partia dum ponto do litoral para explorar o interior, apresar indígenas destinados à escravidão, ou procurar minas. [Cf., nesta acepç., *bandeira* (13).] ◆ **Entrada de autor. 1.** *Bibliogr.* Entrada (22) que consiste em um nome de autor. **2.** *Bibliol. Bibliot.* Cabeçalho de autor. **Entrada de máquina.** *Art. Gráf.* Cada uma das vezes em que se põe(m) a(s) matriz(es) na máquina de impressão para efetuar determinada tiragem. **Entrada franca.** Ingresso gratuito. **Boas entradas.** Saudação que se dirige a alguém na entrada do ano-novo. **De entrada.** V. *de saída.*
entrada de barra *S. f. Bras. MA Pop.* Gole de bebida espirituosa; pinga. [Pl.: *entradas de barra.*] ☑
entradista [De *entrada* + *-ista.*] ***S. m.*** *Bras.* Aquele que participava de entradas [v. *entrada* (23)].
entrado [Part. de *entrar.*] ***Adj.*** **1.** Que entrou. **2.** V. *entrado em anos.* **3.** *Bras. S.* Diz-se do indivíduo que gosta de tomar liberdade com outrem; ousado, confiado. ~ V. *composição —a.*
entra e sai [De *entrar* + *e* + *sair.*] ***S. m. 2 n.*** *Bras.* Movimento ininterrupto de entrada e saída de pessoas: "naquele pórtico aparatoso, diante da aglomeração festeira, no esfervilhamento do entra e sai do povo" (Gilberto Amado, *Depois da Política,* p. 54). ☑
entrajar [De *en-*^{2} + *traje* + *-ar*^{2}.] ***V. t. d.*** **1.** Pôr traje a; enroupar. ***P.*** **2.** Prover-se de traje; enroupar-se.
entraje [Dev. de *entrajar.*] ***S. m.*** **1.** Ato de entrajar. **2.** V. *traje.*
entralhar [De *en-*^{2} + *tralha* + *-ar*^{2}.] ***V. t. d.*** **1.** Tecer as tralhas [v. *tralha* (2)] de. **2.** Prender na tralha (1); enredar. **3.** *Marinh.* Coser tralha (3 e 4) em (vela, bandeira, toldo). ***Int.*** **4.** Ficar preso; prender-se; enredar-se, embaraçar-se.
entralho [Dev. de *entralhar.*] ***S. m.*** *Pesc.* Fio ou cabo delgado com que se cose a rede à tralha (3).
entrançado [Part. de *entrançar.*] ***Adj.*** **1.** Que forma trança. **2.** Entrelaçado, enleado. ● ***S. m.*** **3.** V. *entrançamento.*
entrançadura [De *entrançar* + *-dura.*] ***S. f.*** V. *entrançamento.*
entrançamento [De *entrançar* + *-mento.*] ***S. m.*** Ato ou efeito de entrançar(-se); entrançado, entrançadura.
entrançar [De *en-*^{2} + *trança* + *-ar*^{2}.] ***V. t. d.*** **1.** Pôr em trança; trançar. **2.** Dar a forma de trança a. **3.** Entretecer; entrelaçar; trançar: *entrançar a palha.* ***P.*** **4.** Entretecer-se, entrelaçar-se. [Conjug.: v. *laçar.*]
entrância [De *entrar* + *-ância.*] ***S. f.*** Lugar de ordem das circunscrições judiciárias, na classificação que delas se faz para vários efeitos legais.
entranha [Do lat. *interanea,* 'intestinos', < lat. *interaneus,* 'intestinal'.] ***S. f.*** Qualquer víscera do abdome ou do tórax. ~ V. *entranhas.*
entranhado [Part. de *entranhar.*] ***Adj.*** **1.** Que se entranhou ou introduziu; cravado. **2.** Arraigado, inveterado: *hábito entranhado.* **3.** V. *entranhável* (2): *entranhada paixão.* **4.** Dedicado, devotado; denodado: *entranhado defensor da liberdade.*
entranhar [De *entranha* + *-ar*^{2}.] ***V. t. d.*** **1.** Introduzir nas entranhas. ***T. d. e i.*** **2.** Cravar profundamente; fazer penetrar; enfiar: *Entranhou a faca no peito do adversário; Entranhou o punhal no agressor.* ***P.*** **3.** Penetrar; embrenhar-se; avançar: *Os bandeirantes entranharam-se sertões adentro.* **4.** Introduzir-se, arraigar-se: *As raízes destas plantas entranharam-se a grande profundidade.* **5.** Dedicar-se profundamente; concentrar-se, embrenhar-se, mergulhar(-se), absorver-se: *entranhar-se no estudo; entranhar-se no trabalho.*
entranhas [Pl. de *entranha.*] ***S. f. pl.*** **1.** O ventre materno. **2.** *Fig.* Caráter, índole. **3.** *Fig.* Sentimento, coração: *homem mau, sem entranhas.* **4.** Profundidade, profundeza: *as entranhas da terra.* ~ V. *entranha.*
entranhável [De *entranhar* + *-vel.*] ***Adj. 2 g.*** **1.** Que penetra nas entranhas. **2.** Íntimo, profundo; entranhado: *amor entranhável.*
entranqueirar [De *en-*^{2} + *tranqueira* + *-ar*^{2}.] ***V. t. d.*** **1.** Guarnecer de tranqueira; entrincheirar. **2.** Guardar com cuidado. ***P.*** **3.** Fortificar-se; entrincheirar-se; defender-se.
entrante [De *entrar* + *-nte.*] ***Adj. 2 g.*** **1.** Que entra. **2.** Que está para entrar ou começar: *mês entrante.*
entrapar [De *en-*^{2} + *trapo* + *-ar*^{2}.] ***V. t. d.*** **1.** Cobrir com trapos; embrulhar em trapos. **2.** Cobrir com emplastro (2); remendar. ***P.*** **3.** Cobrir-se de trapos.
entrar [Do lat. *intrare.*] ***V. int.*** **1.** Passar de fora para dentro; ir ou vir para dentro: *Tarde da noite, entrou, pé ante pé; Pode entrar: a casa é sua.* **2.** Penetrar, introduzir-se: *A parede era de cimento: o prego não entrava.* **3.** Profundar; arraigar-se. **4.** Iniciar-se; principiar: *O verão entrou tarde.* ***T. c.*** **5.** Entrar (2): *A faca entrou até o cabo; O punhal entrou no peito da vítima.* **6.** Desembocar; desaguar: *O rio Negro banha Manaus e, logo abaixo, entra no Amazonas.* **7.** Comparecer em lugar onde se cumpre um dever, se desempenha um cargo, etc.: *Os funcionários deste ministério entram às 12 horas.* **8.** Encaixar (8). **9.** Entrar (1): "O egresso entrou à alcova de Balbina." (Camilo Castelo Branco, *Vulcões de Lama,* p. 270); *Entraram na palhoça, fugindo da chuva;* "Calisto entrou à sala" (Camilo Castelo Branco, *A Queda dum Anjo,* p. 71); "O vaqueiro entra o sertão vestido de couro" (Jorge de Lima, *Obra Completa,* I, p. 1058). ***T. i.*** **10.** Fazer parte; ser do número; estar incluído: *Seu nome não entrou na lista dos convidados.* **11.** Dar entrada; ingressar: *entrar para um colégio.* **12.** Ser admitido em corporação, grupo, etc.: *entrar para um partido.* **13.** Alistar-se: *entrar para o exército.* **14.** Entrar à força em; invadir. **15.** Ser parte componente: *Tal elemento não entra nesta fórmula.* **16.** Inscrever-se como contribuinte; contribuir, subscrever: *Entrou com a maior parte do dinheiro.* **17.** Começar, principiar, pegar: *Desapontada, a menina entrou a chorar;* "Até que .... o rio safou-o de repente para um lado onde as águas se contorciam em remoinho, e entrou de girar com ele, violentamente." (Trindade Coelho, *Os Meus Amores,* p. 196). **18.** Envolver-se; meter-se: *entrar numa briga.* **19.** Meter-se, intrometer-se: *Prudente, não quis entrar na questão.* **20.** Levar em conta; deter-se a examinar; considerar; ponderar, apreciar: *Estudou o assunto por alto, não entrando em pormenores.* **21.** Resolver; decifrar: *Não conseguiu entrar no problema.* **22.** Simpatizar; ir: *Não entra com a cara do novo colega.* **23.** Atinar; deparar: *Afinal, entrou com a solução ideal.* **24.** Dar boa impressão; agradar: *Esta história não me entra.* **25.** Apoderar-se, apossar-se: *Entrou em nós um grande desânimo.* **26.** Ter cópula: "Deu-lhe [Raquel].... a Bala por mulher, a qual, depois que Jacó entrou a ela, concebeu, e pariu um filho." (Antônio Pereira de Figueiredo, *A Bíblia Sagrada* [trad.].) **27.** Comer ou beber em demasia: *Interrompeu o regime, e entrou na feijoada e na cerveja.* **28.** Começar a fruir, a gozar: *entrar de férias, de licença.* **29.** *Inform.* Abrir (34) (programa ou arquivo): *Entrou no processador de texto e escreveu a carta; Entrar no programa de cadastro para modificar algumas fichas.* **30.** *Tip.* Fazer o recolhido: *entrar com um quadratim.* [Cf. (nesta acepç.): *recolher* (14).] ***T. d.*** **31.** Passar para dentro de; introduzir-se ou internar-se em: *entrar a casa, o quarto.* **32.** Entrar (2): "E a pele nua; o espinho entrando a carne" (Vicente de Carvalho, *Poemas e Canções,* p. 57). **33.** Transpor: *Entraram solenemente as portas da cidade.* ***P.*** **34.** Deixar-se dominar; possuir-se: *Entrou-se de pânico;* "Entrou-se Rosa então dum pensamento honesto e brioso" (Camilo Castelo Branco, *Mistérios de Fafe,* p. 55). ◆ **Entrar bem.** *Bras. Joc.* Sair-se mal; malograr-se.
entravar [De *en-*^{2} + *trave* + *-ar*^{2}.] ***V. t. d.*** **1.** Pôr entraves a; embaraçar, obstruir, atravancar, travar. **2.** Tornar impraticável; impedir.
entrave [Dev. de *entravar.*] ***S. m.*** **1.** Travão, peia. **2.** Obstáculo, empecilho, estorvo.
entre [Do lat. *inter.*] ***Prep.*** Indica, além de outras coisas: **a)** relação de lugar ou de estado no espaço que separa duas pessoas ou coisas: *Sentou-se entre nós dois; A biblioteca fica entre o salão e o quarto principal.* **b)** espaço que vai de um lugar a outro: *Viaja muito entre o Paraná e Santa Catarina.* **c)** intervalo que separa as coisas umas das outras: *A casa-grande fica entre o rio e a colina;* "tirou quatro charutos da algibeira, comparou-os, apertou-os entre os dedos" (Machado de Assis, *Várias Histórias,* p. 44). **d)** espaço limitado em que uma pessoa ou coisa se encontra: *Vive encerrado entre quatro paredes;* "Entre os troncos da brenha hirsuta, — o Bandeirante / Jaz por terra, à feição de um tronco derribado..." (Olavo Bilac, *Poesias,* p. 267). **e)** meio-termo; intermédio: "à espádua lhe caía / Lustrosa trança entre castanha e flava" (Alberto de Oliveira, *Poesias,* 3ª série, p. 256); "Então o camponês, vendo o lar exaurido, / Estende a mão à esmola, entre altivo e abatido." (Bulhão Pato, *Livro do Monte,* p. 21). **f)** intervalo de tempo que separa dois fatos ou duas épocas: *entre a Independência e a República; Entre 1831 e 1840 o Brasil esteve sob a Regência.* **g)** escolha de, ou preferência por um que forma conjunto com outros: "Perdi-te... E eras a graça, alta entre as altas santas, / A sombra, a força, o aroma, a luz..." (Olavo Bilac, *Tarde,* p. 192); *Entre os nossos escritores, prefiro Machado de Assis.* **h)** diferenciação de caracteres ou qualidades: *Há pouca diferença entre Paulo e João.* **i)** situação em que se apresentam duas coisas ou realidades contrárias para que se escolha uma delas: *Viu-se ante o problema de escolher entre o bem e o mal; Ficou perplexo entre abdicar e resistir.* **j)** circunstância, fato, pormenor, que mal se observa em meio a manifestação ruidosa: *Quase não se ouviam, entre os brados entusiásticos, alguns queixumes.* **l)** relação de duas ou mais pessoas ou coisas, afirmada por laços de união ou por outras características: "Paz entre os homens!" (Raimundo Correia, *Poesias,* p. 260.) **m)** parte de uma totalidade, ou inclusão de pessoa(s) ou coisa(s) num total: *Entre assistentes, secretários, digitadores e contínuos, tem mais de 50 auxiliares; Ele figura entre os meus melhores amigos.* **n)** o número aproximado de que se compõe uma quantidade: *Há em sua biblioteca entre 1.000 e 1.100 volumes.* **o)** deliberação tomada por diversas pessoas conjuntamente, ou por uma com o seu íntimo, consigo mesma: *Resolvemos entre nós dar um passeio; Jurou entre si uma vingança exemplar contra aquela traição.* [Cf. *dentre.*]
▲**entr(e)-** Equiv. de *inter-*. [É seguido de hífen quando anteposto a palavra iniciada por *e* ou *h*: *entre-eixo, entre-hostil, entre-escolher, entre-escutar* (também são admissíveis as formas aglutinadas *entrescolher* e *entrescutar*), *entre-estadual* (em tais casos, apenas o 2º el. dos subst. e dos adj. é flexionado na formação do plural); é grafado com *r* ou *s* duplicados quando anteposto a palavra iniciada por *r* ou *s*: *entrerregar, entressafra, entressola.*]
entreaberta [F. subst. de *entreaberto.*] ***S. f.*** Ato de entreabrir.
entreaberto [Part. de *entreabrir,* seg. o padrão *abrir/aberto* (q. v.).] ***Adj.*** Aberto incompletamente; semiaberto: "Entreaberto botão, entrefechada rosa, / Um pouco de menina e um pouco de mulher." (Machado de Assis, *Poesias* [ed. Jackson], p. 220.)
entreabrir [De *entr(e)-* + *abrir.*] ***V. t. d.*** **1.** Abrir um pouco; abrir em parte: "Entreabrindo uma janela, / Às vezes, com modos esquivos, / Olhas..." (Ribeiro Couto, *Poesias Reunidas,* p. 95.) **2.** Abrir de manso, de leve; soabrir: "Entreabri penosamente as pál-

pebras, pesadas do narcótico." (Andrade Murici, *A Festa Inquieta*, p. 11.) *Int. P.* 3. Começar a desabrochar: *As rosas entreabriram com o sol; Sua boca entreabriu-se num sorriso.* 4. Desanuviar-se, aclarar-se (o tempo); descerrar-se. [Var., p. us.: *entrabrir*. Irreg. Conjug.: v. *abrir*.]

entreajuda [De *entr(e)-* + *ajuda*.] *S. f. Angol. Cabo-verd. Guin. Lus. Moç. Santom.* Auxílio mútuo.

entreato [De *entr(e)-* + *ato*.] *S. m. Teatr.* 1. Intervalo entre os atos de uma peça, ópera ou balé; intervalo. 2. Pequena cena dramática ou musical que se representa nesse intervalo. [Sin., (nesta acepç.): *entrecena, interlúdio, intermédio, intervalo* e (it.) *intermezzo*.]

entrebater-se [De *entr(e)-* + *bater* + *se*[1].] *V. p.* 1. Bater um no outro, ou uns em outros; entrechocar-se, embater-se: "Entrebatem-se, enredam-se, trançam-se .... e embaralham-se milhares de chifres." (Euclides da Cunha, *Os Sertões*, p. 128.) 2. Combater; digladiar-se.

entrebranco [De *entr(e)-* + *branco*.] *Adj.* Quase branco; esbranquiçado.

entrecambado [De *entr(e)-* + *cambado*.] *Adj. Heráld.* Diz-se de figura ou peça em que a parte que entra noutra tem cor diversa.

entrecana [De *entr(e)-* + *(meia-)cana*[1].] *S. f.* Espaço que separa as estrias duma coluna.

entrecasa [De *entr(e)-* + *casa*.] *S. f. Lus. Arquit.* Pátio de uma casa; átrio.

entrecasca [De *entr(e)-* + *casca*.] *S. f.* A parte interna da casca das árvores; entrecasco, samo: "José Inácio se dizia curado do diabete com o chá da entrecasca do cajueiro e os poderes de Nossa Senhora de Fátima." (Moreira Campos, *Os Doze Parafusos*, p. 37.)

entrecasco [De *entr(e)-* + *casco*.] *S. m.* 1. A parte superior do casco dos animais. 2. V. *entrecasca*.

entrecena [De *entr(e)-* + *cena*.] *S. f. Teatr.* 1. Intervalo entre duas cenas; intervalo. 2. V. *entreato* (2).

entrecerrar [De *entr(e)-* + *cerrar*.] *V. t. d.* Cerrar em parte, não inteiramente.

entrechar [De *entrecho* + *-ar*[2].] *V. t. d.* Fazer o entrecho de; urdir. [Conjug.: v. *fechar*.]

→**entrechat** [ɑ̃tʁəˈʃa] [Fr.] *S. m.* Na dança, salto durante o qual os pés se chocam diversas vezes antes de tocar novamente o solo.

entrecho (ê) [Do it. *intreccio*.] *S. m.* V. *enredo* (5).

entrechocar-se [De *entr(e)-* + *chocar*[1] + *se*[1].] *V. p.* 1. Embater um no outro, ou uns em outros; chocar-se ou bater-se mutuamente: "subitamente, com o estalido de lanças entrechocando-se, caiu o granizo." (Eça de Queirós, *Últimas Páginas*, p. 87.) 2. *Fig.* Estar em contradição; contrariar-se: *opiniões que se entrechocam.* [Conjug.: v. *trancar*.]

entrechoque [Dev. de *entrechocar-se*.] *S. m.* 1. Ação de entrechocar-se. 2. Embate entre duas ou mais pessoas ou animais, ou entre dois ou mais grupos.

entrecilhas [De *entr(e)-* + o pl. de *cilha*.] *S. f. pl.* Parte do corpo do cavalo entre o lugar da cilha e as axilas.

entrecobertas [De *entr(e)-* + o pl. de *coberta*.] *S. f. pl. Lus. Constr. Nav.* Espaço entre as cobertas do navio.

entrecolúnio [De *entr(e)-* + *colúnio*.] *S. m. Arquit.* V. *intercolúnio*.

entreconhecer [De *entr(e)-* + *conhecer*.] *V. t. d.* 1. Conhecer um pouco, imperfeitamente; lembrar-se vagamente de. *P.* 2. Conhecer-se mutuamente; ter relações. [Conjug.: v. *aquecer*.]

entrecoro (ô) [De *entre)-* + *coro* (ô).] *S. m.* Espaço entre o coro e o altar-mor. [Pl.: *entrecoros* (ó).]

entrecorrer [Do lat. *intercurrere*.] *V. t. d.* 1. Correr entre. *Int.* 2. Suceder (um fato) no intervalo de outro(s).

entrecortado [Part. de *entrecortar*.] *Adj.* Cortado ou interrompido a intervalos: *soluços entrecortados*: "Aquela estranha voz pela floresta ecoava / Num confuso rumor entrecortado, insano..." (Olavo Bilac, *Poesias*, p. 11).

entrecortar [De *entr(e)-* + *cortar*.] *V. t. d.* 1. Cruzar com cortes. 2. Interromper a espaços: *A comoção entrecortava-lhe as palavras.* *P.* 3. Cruzar-se reciprocamente; cortar-se mutuamente.

entrecorte [De *entr(e)-* + *corte*[1].] *S. m. Arquit.* Espaço entre abóbadas sobrepostas.

entrecosto (ô) [De *entr(e)-* + *costo*.] *S. m.* 1. Espinhaço com a carne e parte das costelas da rês. 2. Carne entre as costelas da rês, junto do espinhaço. [Pl.: *entrecostos* (ô).]

entrecozer [De *entr(e)-* + *cozer*.] *V. t. d.* Cozer levemente; aferventar.

entrecruzado [Part. de *entrecruzar*.] *Adj.* Que se entrecruzam; em que há entrecruzamento.

entrecruzamento [De *entrecruzar* + *-mento*.] *S. m.* 1. Ato ou efeito de entrecruzar-se. 2. *Citol. Genét.* V. *permuta* (3).

entrecruzar [De *entr(e)-* + *cruzar*.] *V. t. d. e i.* 1. Entrelaçar. 2. Mesclar. *P.* 3. Cruzar-se mutuamente.

entrededo (ê) [De *entr(e)-* + *dedo*.] *S. m. Anat.* A região interdigital.

entredevorar-se [De *entr(e)-* + *devorar* + *se*[1].] *V. p.* Devorar-se ou matar-se mutuamente.

entredilacerar-se [De *entr(e)-* + *dilacerar* + *se*[1].] *V. p.* Dilacerar-se reciprocamente.

entredisputar [De *entr(e)-* + *disputa* + *-ar*[2].] *V. t. d. P.* Disputar entre si.

entredizer [De *entr(e)-* + *dizer*.] *V. t. d.* 1. Dizer entre si, ou para consigo mesmo; monologar em voz baixa. *P.* 2. Dizer-se reciprocamente. [Irreg. Conjug.: v. *dizer*.]

entredormido [De *entr(e)-* + *dormido*.] *Adj.* Que não adormeceu de todo; que está meio a dormir e meio acordado: "Posso sentir-te em fogo, escandescida, / De faces cor-de-rosa e vermelhão, / Junto a mim com langor, entredormida, / Nas noites de verão." (Cesário Verde, *Obra Completa*, p. 156.)

entredúvida [De *entr(e)-* + *dúvida*.] *S. f.* Indecisão, hesitação: "Mesmo que tivesse um nome, este não seria aceito, ... , ou aceito condicionalmente, numa sucessão de entredúvidas, até que as investigações e sindicâncias o confirmassem." (Lêdo Ivo, *Ninho de Cobras*, p. 118.)

entre-escutar [De *entr(e)-* + *escutar*.] *V. t. d.* Entreouvir.

entre-estadual [De *entr(e)-* + *estadual*.] *Adj. 2 g.* Interestadual. [Pl.: *entre-estaduais*.]

entrefala [De *entr(e)-* + *fala*.] *S. f. P. us.* V. *entrevista* (1 e 2).

entrefalar [De *entr(e)-* + *falar*.] *V. t. d. Bras.* Entredizer (1): "as bocas entrefalavam *saudades*." (Mário de Alencar, *Contos e Impressões*, p. 152).

entrefechado [Part. de *entrefechar*.] *Adj.* Fechado incompletamente; meio fechado: "Entreaberto botão, entrefechada rosa, / Um pouco de menina e um pouco de mulher." (Machado de Assis, *Poesias Completas* [ed. Jackson], p. 220); "Janela entrefechada, esquiva ao sol fogoso, / Repouso ali mantém" (Antônio Feliciano de Castilho, *Os Amores*, I, p. 63).

entrefechar [De *entr(e)-* + *fechar*.] *V. t. d.* Fechar pouco; fechar incompletamente; entrecerrar. [Conjug.: v. *fechar*.]

entreferro [De *entr(e)-* + *ferro*.] *S. m. Eng. Elétr.* Pequena interrupção da parte ferromagnética de um circuito magnético.

entrefilete (ê) [De *entr(e)-* + *filete*.] *S. m. Encad.* Espaço entre dois filetes, na lombada de um livro. [Cf. *entrenervo*.]

entrefino [De *entr(e)-* + *fino*[1].] *Adj.* Que não é fino nem grosso; de espessura regular.

entrefolha (ô) [De *entr(e)-* + *folha*[1].] *S. f. Art. Gráf.* 1. Folha em branco que se intercala entre as páginas impressas de certos livros para anotações. 2. Intercalação (4). [Pl.: *entrefolhas* (ô). Cf. *entrefolha* e *entrefolhas*, do v. *entrefolhar*.]

entrefolhado [Part. de *entrefolhar*.] *Adj.* Interfoliado.

entrefolhar [De *entr(e)-* + *folhar*.] *V. t. d.* Interfoliar[2]. [Pres. ind.: *entrefolho, entrefolhas, entrefolha*, etc. Cf. *entrefolho* (ô), s. m., e *entrefolha* (ô), s. f., pl. *entrefolhas* (ô).]

entrefolho (ô) [De *entr(e)-* + *folho*.] *S. m.* 1. Escaninho, esconderijo. 2. *Veter.* Indigestão crônica no folhoso dos ruminantes. [Pl.: *entrefolhos* (ó). Cf. *entrefolho*, do v. *entrefolhar*.]

entreforro (ô) [De *entr(e)-* + *forro*[1].] *S. m.* 1. *Tec. Têx.* Entretela (1). 2. Guarda-pó (1), feito de madeira, por baixo do telhado. [Pl.: *entreforros* (ô).]

entrega [Dev. de *entregar*.] *S. f.* 1. Ato ou efeito de entregar(-se). 2. Rendição, capitulação. 3. Transmissão, cessão. 4. Traição, perfídia. 5. Comprometimento, enrascadela, encalacração. 6. *Bras. PI a PE* Porção de gado vacum que um vaqueiro tem sob sua guarda: "Se lhe tivesse ido logo no rasto, ... a novilha não havia de sumir-se. Mas ele nem conhece o gado de sua entrega!" (José de Alencar, *O Sertanejo*, p. 185.)

entregadeira [De *entregar* + *-deira*.] *S. f. Bras.* Certa máquina utilizada na indústria da fiação.

entregador (ô) [De *entregar* + *-dor*.] *Adj.* 1. Que entrega. 2. Traiçoeiro, pérfido, desleal. ● *S. m.* 3. Aquele que entrega. 4. Indivíduo pérfido, traiçoeiro, desleal. 5. Aquele que entrega mercadorias a domicílio: *entregador de pão, de jornais.* 6. Caixeiro (2).

entregar [Do lat. *integrare*.] *V. t. d.* 1. Passar às mãos ou à posse de alguém: *O vendedor entregou a encomenda no dia aprazado.* 2. Atraiçoar, trair; denunciar, delatar: *Joaquim Silvério dos Reis foi quem entregou Tiradentes.* *T. d. e i.* 3. Passar às mãos, ou à posse: *Não entregaram as mercadorias ao comprador;* "Santa Maria Egipcíaca despiu / O manto, e entregou ao barqueiro / A santidade da sua nudez." (Manuel Bandeira, *Estrela da Vida Inteira*, p. 81); "Deus, entregando ao Diabo a metade do mundo, / Deu-lhe a parte pior, como era de razão." (Vicente de Carvalho, *Poemas e Canções*, p. 25). 4. Restituir; devolver: *Entregaram os objetos roubados ao legítimo dono.* 5. Confiar (5): *Viajou depois de entregar a casa a um amigo.* 6. V. *dar de bandeja* (2): "O Internacional ameaça ir à Justiça se o Grêmio 'entregar' o jogo contra o Flamengo" (*O Estado de S. Paulo*, 01.12.2009). *P.* 7. Dedicar-se, consagrar-se, dar-se: "Alfredo entregou-se novamente às ocupações diárias." (Rodrigo Otávio, *Contos de Ontem e de Hoje*, p. 65.) 8. Dar-se por vencido; render-se: *Depois de luta cruenta os inimigos entregaram-se.* 9. Submeter-se, render-se: *entregar-se ao sofrimento, à dor.* 10. Deixar-se dominar por vício, paixão, etc.: *entregar-se ao álcool; entregar-se a uma vida dissoluta.* 11. Deixar-se possuir sexualmente. 12. *Bras. RS* Perder (o animal) todo o sestro, em consequência da doma. [Conjug.: v. *regar*; mas tem dois part.: *entregado* e *entregue*.]

entregue [Part. irreg. de *entregar*.] *Adj. 2 g.* 1. Dado por entrega. 2. Aplicado, dedicado. 3. Satisfeito, contente.

entreguismo [De *entrega* + *-ismo*.] *S. m. Bras.* Ideologia, ou interesse político, que preconiza entregar à exploração de capital estrangeiro os recursos naturais do país.

entreguista [De *entreguismo* + *-ista*.] *Bras. Adj. 2 g.* 1. Relativo ao entreguismo, ou que o denota: *grupos entreguistas; ideias entreguistas.* ● *S. 2 g.* 2. Adepto do entreguismo.

entre-hostil [De *entr(e)-* + *hostil*.] *Adj. 2 g.* Em que há hostilidade mútua. [Pl.: *entre-hostis*.]

entre-ijuiense (u-i) *Adj. 2 g.* 1. De, ou pertencente ou relativo a Entre-Ijuís (RS). ● *S. 2 g.* 2. O natural ou habitante de Entre-Ijuís. [Pl.: *entre-ijuienses*.]

entrelaçado [Part. de *entrelaçar*.] *Adj.* 1. Enlaçado um no outro; enleado. 2. *Heráld.* Diz-se de peças que passam umas pelas outras formando anéis triangulares. ● *S. m.* 3. Conjunto de coisas entrelaçadas; entrelaçamento.

entrelaçamento [De *entrelaçar* + *-mento*.] *S. m.* 1. Ato ou efeito de entrelaçar(-se); entrelace, entrelaço. 2. Entrelaçado (3). 3. *Arquit.* Ornato de motivos entrelaçados em curvas e contracurvas.

entrelaçar [De *entr(e)-* + *laçar*.] *V. t. d.* 1. Prender, ligar, enlaçando um no outro: *entrelaçar coroas de flores.* 2. Entretecer, entrançar, enastrar: *entrelaçar madeixas.* 3. Meter os dedos de (as mãos) uns por entre os outros: *Sorridentes, entrelaçaram as mãos.* 4. *Fig.* Confundir, misturar. *T. d. e i.* 5. Entrelaçar (1): *entrelaçar fios de ouro com fios de prata.* 6. Entrelaçar (2): *entrelaçar fitas verdes com amarelas.* 7. Entrelaçar (4). *P.* 8. Entrançar-se, enastrar-se, entretecer-se, tecer-se: "As flores entrelaçando-se formam coroas suspensas ao bico de dois pássaros." (Ana Elisa Gregori, *Os Barões da Candeia*, p. 7.) 9. *Fig.* Ligar-se, enlear-se; confundir-se, misturar-se. [Sin. ger., p. us.: *interlaçar*. Conjug.: v. *laçar*.]

entrelace [Dev. de *entrelaçar*.] *S. m.* V. *entrelaçamento* (1).

entrelaço [Dev. de *entrelaçar*.] *S. m.* V. *entrelaçamento* (1).

entrelembrar-se [De *entr(e)-* + *lembrar* + *se*[1].] *V. p.* Lembrar-se vagamente.

entrelinha [De *entr(e)-* + *linha*.] *S. f.* 1. Espaço entre duas linhas. 2. O que se escreve nesse espaço. 3. *Fig.* Comentário, comento. 4. Distância entre os trilhos mais próximos de duas vias férreas adjacentes. 5. *Tip.* Lâmina, geralmente de metal, mais baixa que os tipos, e de corpo inferior a seis pontos, usada na separação de linhas da composição; faia. [Cf., nesta acepç., *lingote* (4).] ~ V. *entrelinhas*.

entrelinhado [Part. de *entrelinhar*.] *Adj. Tip.* Escrito em entrelinhas. ~ V. *composição —a*.

entrelinhamento [De *entrelinha* + *-mento*.] *S. m. Tip.* Ato ou efeito de entrelinhar.

entrelinhar [De *entrelinha* + *-ar*[2].] *V. t. d.* 1. Escrever em entrelinhas [v. *entrelinha* (1)]; pôr entrelinha (2) em. 2. *Art. Gráf.* Aumentar os claros entre as linhas de (uma composição) com entrelinhas; abrir, faiar. [Cf., nesta acepç.: *espacejar* (2).]

entrelinhas [Pl. de *entrelinha*.] *S. f. pl. Fig.* 1. Sentido implícito. 2. Ilação, dedução mental. ~ V. *entrelinha*.

entrelopo (ô) [Do ingl. *interloper*.] *S. m.* 1. Contrabandista, aventureiro. 2. *Bras.* Comerciante marítimo que, no período colonial, infringia os monopólios de Portugal e Espanha. [Sin. ger.: *interlope*. Pl.: *entrelopos* (ô).]

entreluzir [De *entr(e)-* + *luzir*.] *V. int.* 1. Começar a luzir. 2. Luzir fracamente: "Água não vejo, nem sumido fio / Entreluz sob as pedras fugidio, / Nem gota brilha ao Sol!" (Alberto de Oliveira, *Poesias*, 2.ª série, p. 313.) 3. Entremostrar (2). *T. d.* 4. Perceber; divisar: *entreluzir esperanças.* *P.* 5. Entremostrar (2). [Conjug.: v. *luzir*.]

entremaduro [De *entr(e)-* + *maduro*[2].] *Adj.* Que está quase maduro; de vez: "a polpa dos frutos do cuitê entremaduros ou verdoengos" (Leôncio C. de Oliveira, *Vida Roceira*, p. 29).

entremanhã [De *entr(e)-* + *manhã*.] *S. f.* O crepúsculo matinal.

entremastro [De *entr(e)-* + *mastro.*] *S. m.* Numa embarcação à vela, espaço compreendido entre dois mastros consecutivos.

entrematar-se [De *entr(e)-* + *matar* + *se*[1].] *V. p.* Matar-se reciprocamente: "as populações escravas, os irmãos entrematando-se" (Martins Fontes, *Terras da Fantasia*, p. 225).

entremear [De *entr(e)-* + *meio*[1] + *-ar*[2].] *V. t. d.* **1.** Pôr de permeio. *T. d. e i.* **2.** Meter de permeio; misturar, entressachar; intermeter, intermediar: *entremear trigo com cevada;* "uma certa maneira de exprimir as ideias, entremeando calemburgos com palavrões sonoros" (Inglês de Sousa, *O Missionário*, p. 80). **3.** Intercalar, interpor. *Int. P.* **4.** Estar ou meter-se de permeio; intermediar. [Conjug.: v. *frear.*]

entremeio [De *entr(e)-* + *meio*[1].] *S. m.* **1.** Aquilo que está de permeio; intermédio. **2.** Espaço, ou espaço de tempo, entre dois extremos; intervalo. **3.** Renda, ou tira bordada, que se costura de ambos os lados, a um tecido: *um entremeio de valenciana.*

entrementes [Cruz. de *entre* com o port. ant. *dementes* ou *demente* (< lat. *dum interim*, combinação, no lat. falado, de *dum*, 'enquanto', e *interim*, 'entretanto').] *Adv.* Naquela ocasião; neste ou naquele intervalo de tempo; entretanto, no entanto. ◆ **Entrementes que.** V. *entretanto que:* "Entrementes que a multidão rezava a ladainha, os tristes e pusilânimes .... afluíam ao largo." (Aquilino Ribeiro, *Estrada de Santiago*, p. 253.)

entremês [De *en-*[2] + *tremês.*] *S. m. Prov. port.* Trigo tremês. [Pl.: *entremeses* (ê). Cf. *entremez.*]

entremesa (ê) [De *entr(e)-* + *mesa.*] *S. f.* Tempo que se fica à mesa; o tempo de uma refeição.

entremesclar [De *entr(e)-* + *mesclar.*] *V. t. d. P.* Confundir(-se), misturar(-se), entremisturar(-se), mesclar(-se): "um sopro de volúpia / Morno e acariciador, aquelas vozes, / A voz dele e a voz dela, entremesclava / Num só desejo" (Alberto de Oliveira, *Poesias*, 3ª série, p. 136).

entremeter [Do lat. *intermittere.*] *V. t. d. T. d. e i.* **1.** Meter de permeio; intrometer: *Na primeira oportunidade, entremeteu a sua opinião; Entremeteu algumas palavras no discurso. P.* **2.** Tomar parte; influir, intervir, interferir. **3.** Meter-se de permeio; introduzir-se. **4.** Meter-se (onde não o chamam); intrometer-se.

entremetimento [De *entremeter* + *-imento.*] *S. m.* Ato ou efeito de entremeter(-se); intrometimento.

entremez (ê) [Do cat. *entremès* < fr. ant. *entremes* < lat. *intermissus*, part. de *intermittere*, 'intermeter'.] *S. m.* **1.** *Teatr.* Pequena farsa de um só ato, burlesca e jocosa, de caráter popular ou palaciano, a qual termina, ger., por um número musical cantado, e cujas origens remontam ao séc. XII: "Em Portugal é provável começassem as representações cênicas pelo mesmo tempo em que principiaram na Espanha ..... O que é certo é que já nos fins do século XIV havia em Portugal entremezes." (Alexandre Herculano, *Opúsculos*, IX, p. 79.) **2.** *Fig.* V. *entremezada.* **3.** *Teatr.* Ator cômico que representava, cantava ou dirigia entremezes. [Cf. *entremês.*]

entremezada [De *entremez* + *-ada*[1].] *S. f.* Coisa ou ação ridícula; farsada, entremez.

entremezista [De *entremez* + *-ista.*] *S. 2 g.* **1.** *Teatr.* Autor de entremezes: *Cervantes foi um grande entremezista.* **2.** *Teatr.* Ator que representa entremezes; farsante. **3.** *P. ext.* Chocarreiro, truão.

entremisturar [De *entr(e)-* + *misturar.*] *V. t. d. P.* Confundir(-se), mesclar(-se), misturar(-se).

entremodilhão [De *entr(e)-* + *modilhão.*] *S. m. Arquit.* Espaço entre dois modilhões.

entremontano [De *entr(e)-* + *montano.*] *Adj.* Situado entre montes.

entremostrar [De *entr(e)-* + *mostrar.*] *V. t. d. T. d. e i.* **1.** Mostrar incompletamente; deixar entrever: *O véu entremostrava um belo rosto; O estudo vai entremostrando-lhe novos caminhos. P.* **2.** Deixar-se entrever; entreluzir(-se).

entremurmurar [De *entr(e)-* *murmurar.*] *V. int.* Murmurar confusamente, mal distintamente: "— És minha! és minha! entremurmuram, falam" (Alberto de Oliveira, *Poesias*, 3ª série, p. 209).

entrenervo (ê) [De *entr(e)-* + *nervo.*] *S. m. Encad.* Espaço entre dois nervos; casa, casela. [Cf. *entrefilete.*]

entrenó [De *entr(e)-* + *nó.*] *S. m. Bot.* Porção do caule situada entre dois nós; meritalo, internódio.

entrenoite [De *entr(e)-* + *noite.*] *Adv.* No decurso da noite. [F. paral.: *entrenoute.*]

entrenoute *Adv.* V. *entrenoite.*

entrenublado [Part. de *entrenublar.*] *Adj.* **1.** Que se cobriu parcialmente de nuvens; meio nublado; um tanto nublado. **2.** Que está entre nuvens.

entrenublar-se [De *entr(e)-* + *nublar* + *se*[1].] *V. p.* **1.** Mostrar-se entre nuvens. **2.** Cobrir-se de nuvens leves ou transparentes.

entreolhar-se [De *entr(e)-* + *olhar* + *se*[1].] *V. p.* Olhar-se mutuamente: "a outra tardava, e as raparigas entreolhavam-se incessantemente, aflitas" (Virgílio Várzea, *Mares e Campos*, p. 27).

entreouvir [De *entr(e)-* + *ouvir.*] *V. t. d.* Ouvir de modo vago, indistinto, confuso; entre-escutar. [Irreg. Conjug.: v. *ouvir.*]

entrepano [De *entr(e)-* + *pano*[1].] *S. m.* Divisória vertical de armário ou de estante.

entreparar [De *entr(e)-* + *parar.*] *V. int.* Parar por um momento; deter-se um pouco.

entrepausa [De *entr(e)-* + *pausa.*] *S. f.* Pausa intermediária; interrupção.

entrepelado [Do esp. plat. *entrepelado.*] *Adj. Bras. RS* **1.** Diz-se do equino cujos pelos são de tal modo misturados que é impossível saber qual a cor dominante. **2.** *Fig.* Diz-se daquele que muda facilmente de opinião política ou abraça ao mesmo tempo ideias contraditórias.

entrepensado [Part. de *entrepensar.*] *Adj.* Pensado vagamente, imprecisamente, indeterminadamente: "Como será, quando vier, / a palavra entrepensada, / necessária e suficiente / para minha construção / de lápis, papel e vento?" (Abgar Renault, *A Outra Face da Lua*, p. 31.)

entrepensar [De *entr(e)-* *pensar.*] *V. int. T. i. T. d.* Pensar vagamente, imprecisamente, indeterminadamente.

entreperna [Do esp. *entrepierna.*] *S. f.* **1.** A parte das calças onde as pernas [v. *perna* (7)] se juntam. [Nesta acepç., tb. us. no pl.] **2.** *Bras.* A carne da parte interior dos músculos das pernas da rês, que serve para assado ou churrasco. ~ V. *entrepernas.*

entrepernas *S. f. pl.* **1.** Entreperna (1). ● *Adv.* **2.** Entre uma perna e outra. ~ V. *entreperna.*

entrepilastras [De *entr(e)-* + o pl. de *pilastra.*] *S. f. 2 n. Arquit.* Espaço entre pilastras.

entrepiso [De *entr(e)-* + *piso.*] *S. m.* Piso (3) intercalado entre dois outros.

entrepor [Do lat. *interponere*, por via pop.] *V. t. d. T. d. e i. T. d. e c. P.* V. *interpor:* "Amava-a sempre que o passado se entrepunha entre nós" (João Gaspar Simões, *A Unha Quebrada*, p. 61). [Irreg. Conjug.: v. *pôr.*]

entrepósito [Do lat. *interpositu*, por via semierudita.] *S. m. P. us.* V. *entreposto:* "É em Nápoles, na helênica Partênope, na cidade de Ulisses, e dos argonautas; entrepósito dos piratas fenícios" (Martins Fontes, *A Dança*, p. 40).

entreposto (ô) [Do lat. *interpositu*, por via pop.] *S. m.* **1.** Empório. **2.** Vasto depósito de mercadorias. [F. paral., nessas acepç.: *interposto.*] **3.** Armazém onde se guardam ou vendem unicamente as mercadorias dum estado ou duma companhia. [F. paral. (p. us.): *entrepósito.*]

entrepresa (ê) [De *entr(e)-* + *presa.*] *S. f.* V. *interpresa* (1).

entrequadra [De *entr(e)-* + *quadra.*] *S. f. Bras. DF* Área localizada entre duas superquadras, destinada a estabelecimentos comerciais, escolas e templos.

entrequerer-se [De *entr(e)-* + *querer* + *se*[1].] *V. p.* Querer-se ou estimar-se mutuamente. [Conjug.: v. *querer.* Defect., conjugável só nas pess. do pl.]

entre-rio-sulense *Adj. 2 g.* **1.** De, ou pertencente ou relativo a Entre Rios do Sul. ● *S. 2 g.* **2.** O natural ou habitante de Entre Rios do Sul. [Pl.: *entre-rio-sulenses.*]

entrerregar [De *entr(e)-* + *regar.*] *V. t. d.* Regar mal, ou superficialmente.

entrerriano[1] *Adj.* **1.** De, ou pertencente ou relativo a Entre Rios (Argentina). ● *S. m.* **2.** O natural ou habitante de Entre Rios.

entrerriano[2] *Adj.* **1.** De, ou pertencente ou relativo a Entre Rios de Minas (MG). ● *S. m.* **2.** O natural ou habitante de Entre Rios de Minas.

entrerriense *Adj. 2 g.* **1.** De, ou pertencente ou relativo a Entre Rios (BA). ● *S. 2 g.* **2.** O natural ou habitante de Entre Rios.

entrescolher [De *entr(e)-* + *escolher.*] *V. t. d.* Escolher ao acaso, vagamente, sem grande apuro.

entresilhado [De *entr(e)-* + o esp. *trasijado*, 'que tem os flancos retraídos por falta de alimentação', 'muito fraco'.] *Adj.* Magro, esgrouviado, escanifrado: "E toda a negrada, malcomida, ... vivia faminta, entresilhada" (Coelho Neto, *Treva*, p. 252).

entresilhar [Voc. deduz. de *estresilhado* (v. *-ar*[2]).] *V. t. d.* Tornar magro, descarnado; escanifrar.

entressachar [De *entr(e)-* + *sachar.*] *V. t. d. e i.* **1.** Meter (entre outras coisas); misturar, mesclar, intercalar, intervalar: "O anadel começou a protestar, entressachando as suas manifestações oficiais com um chuveiro de pragas e ameaças" (Alexandre Herculano, *O Monge de Cister*, II, p. 299). *P.* **2.** Entremeter-se, entremear-se: "Desse prefácio, como a generalidade se entressacha na teia espiritual das relações entre ele [Eça de Queirós] e Camilo, recortamos as passagens essenciais." (Aquilino Ribeiro, *Camões, Camilo, Eça e Alguns mais*, p. 195.)

entressafra [De *entr(e)* + *safra*[2].] *S. f.* Período intermediário entre uma safra e outra de determinado produto.

entresseio [De *entr(e)-* + *seio.*] *S. m.* **1.** Vão, cavidade, depressão. **2.** Espaço ou intervalo entre duas elevações; enseio.

entressemear [De *entr(e)-* + *semear.*] *V. t. d. e i.* **1.** Semear de permeio. **2.** Entremear, intercalar. **3.** Salpicar; sarapintar. [Conjug.: v. *frear.*]

entressola [De *entr(e)-* + *sola.*] *S. f.* Peça entre a palmilha e a sola do calçado.

entressolhar [De *entressolho* + *-ar*[2].] *V. t. d.* Fazer entressolho em; prover de entressolho. [Pres. ind.: *entressolho*, etc. Cf. *entressolho* (ô).]

entressolho (ô) [De *entr(e)-* + *solho.*] *S. m.* **1.** Sobreloja (1). **2.** Espaço entre o chão e o solho ou entre dois pavimentos. [Pl.: *entressolhos* (ô). Cf. *entressolho*, do v. *entressolhar.*]

entressonhar [De *entr(e)-* + *sonhar.*] *V. t. d. Int.* Sonhar vagamente; imaginar, fantasiar, devanear.

entressonho [De *entr(e)-* + *sonho.*] *S. m.* Ato ou efeito de entressonhar; devaneio, fantasia.

entretalhadura [De *entretalhar* + *-dura.*] *S. f.* **1.** *P. us.* Baixo-relevo. **2.** Lavor em pele, papel, pano recortado. [Sin. ger.: *entretalho.*]

entretalhar [De *entr(e)-* + *talhar.*] *V. t. d.* **1.** Abrir ou fazer entretalhos em; cortar lavores e figuras em. *Int.* **2.** Abrir entretalhos; cortar lavores e figuras.

entretalho [De *entr(e)-* + *talho.*] *S. m.* V. *entretalhadura.*

entretanto [De *entre* + *tanto.*] *Adv.* **1.** Neste ou naquele intervalo de tempo; entrementes, no entanto: "Ajoelhou no primeiro degrau da escada, e confessou-se por espaço de 50 minutos. Entretanto martelava-se no cadafalso." (Camilo Castelo Branco, *Perfil do Marquês de Pombal*, p. 16.) ● *Conj.* **2.** Todavia, contudo; no entanto: "Porque o amor, tal como eu o estou amando, / É espírito, é éter, é substância fluida, / É assim como o ar que a gente pega e cuida, / Cuida, entretanto, não estar pegando!" (Augusto dos Anjos, *Eu*, p. 87.) ● *S. m.* **3.** Intervalo de tempo. ◆ **Entretanto que.** Durante o tempo em que; entrementes que; enquanto: "Entretanto que pregava, irmãos leigos faziam correr a bandeja pela assistência" (Aquilino Ribeiro, *Caminhos Errados*, p. 147). **Neste entretanto.** Neste ínterim; neste entremeio; entretanto: "sentei-me no lajedo, / Quis voltar a chorar e já não pude. / Neste entretanto a Lua alvorecia a medo" (José Régio, *As Encruzilhadas de Deus*, p. 100). **No entretanto.** V. *no entanto* (1): "No entretanto, o professor, concluída a reforma do Calepino, andava por portas dos sócios da Academia Real das Ciências" (Camilo Castelo Branco, *Noites de Lamego*, p. 30).

entretecedor (ô) [De *entretecer* + *-dor.*] *Adj. S. m.* Que, ou aquele que entretece.

entretecedura [De *entretecer* + *-dura.*] *S. f.* Entretecimento.

entretecer [De *entr(e)-* + *tecer.*] *V. t. d.* **1.** Tecer, entremeando; entrelaçar, entecer. **2.** Armar, urdir, tramar, entretecer: *entretecer uma intriga. T. d. e i.* **3.** Meter, intercalar, inserir, interserir: *Entreteceu inúmeras citações em sua tese.* **4.** Sobretecer. *P.* **5.** Entrelaçar-se, entrançar-se, tecer-se. [Sin. ger.: *intertecer.* Conjug.: v. *aquecer.*]

entretecimento [De *entretecer* + *-imento.*] *S. m.* Ato ou efeito de entretecer(-se); entretecedura.

entretela [De *entr(e)-* + *tela.*] *S. f.* **1.** *Tec. Têx.* Tela (1) que se mete entre o forro e o tecido da peça que está sendo confeccionada para armá-la [v. *armar* (12)]; entreforro. **2.** *P. ext.* Contraforte de muro.

entretelado [Part. de *entretelar.*] *Adj.* Que tem entretela.

entretelar [De *entretela* + *-ar*[2].] *V. t. d.* Pôr entretela em.

entretém *S. m. Pop.* V. *entretenimento* (2).

entretempo [De *entr(e)-* + *tempo.*] *S. m.* Tempo intermédio. ◆ **Nesse entretempo.** Nesse meio tempo; nesse ínterim.

entretenimento [Do esp. *entretenimiento.*] *S. m.* **1.** Ato de entreter; entretimento. **2.** Aquilo que entretém; divertimento, distração, entretimento, entretém: "Amar era um entretenimento do espírito, como passear a cavalo, frequentar o teatro, jogar uma partida de bilhar." (José de Alencar, *A Pata da Gazela*, p. 177.)

entreter [De *entr(e)-* + *ter.*] *V. t. d.* **1.** Deter, fazer demorar ou esperar com promessas ou conversas vãs, etc., para desviar a atenção; para distrair: *A mulher entreteve o policial enquanto os assaltantes praticavam o roubo.* **2.** *P. ext.* Iludir, enganar. **3.** Proporcionar entretenimento a; divertir com distração ou recreação: *A dona da casa entreteve os convidados com excelente música.* **4.** Ocupar; encher: *Não tem tarefa que entretenha suas horas vagas.* **5.** Manter, conservar: *entreter uma necessidade, um hábito. Transobj.* **6.** Manter, conservar: *Entreteve o cliente iludido por longo tempo. Int.* **7.** Servir de distração: *É obra medíocre, mas a sua leitura* *entretém*. *P.* **8.** Divertir-se, recrear-se. **9.** Preencher o próprio tempo; ocupar-se. **10.** Demorar-se, retardar--se, delongar-se. [Irreg. Conjug.: v. *ter*.]

entretido [Part. de *entreter*.] ***Adj.*** **1.** Que se entreteve ou entretém. **2.** Que entretém, recreia, diverte; divertido: "São [as memórias de Pío Baroja] vivas, incitantes, entretidas." (Eduardo Frieiro, *O Alegre Arcipreste*, p. 226.) ~ V. *som* –.

entretimento [De *entreter* + *-imento*.] ***S. m.*** V. *entretenimento*: "E o bom Religioso andava tão embebido no santo entretimento, que não tinha outra vida" (Fr. Luís de Sousa, *História de S. Domingos*, II, pp. 57-58); "Chama infantil ao meu entretimento" (João de Araújo Correia, *Sem Método*, p. 79).

entretinho [Do fr. (*ration d'*)*entretien*, 'aquela que é calculada de acordo com o peso do animal', poss.] ***S. m.*** Comida de ave.

entretítulo [De *entr(e)-* + *título*.] ***S. m.*** *Jorn.* Cada um dos títulos curtos utilizados para dividir em blocos o texto de uma matéria, de modo a facilitar a leitura e a organização das informações; intertítulo.

entretom [De *entr(e)-* + *tom*.] ***S. m.*** Nuança, matiz.

entretrópico [De *entr(e)-* + *trópico*.] ***Adj.*** Situado entre os trópicos; intertropical.

entreturbado [Part. de *entreturbar*.] ***Adj.*** Levemente perturbado.

entreturbar [De *entr(e)-* + *turbar*.] ***V. t. d.*** Turbar ou perturbar de leve, um tanto.

entrevação [De *entrevar*^{1} + *-ção*.] ***S. f.*** Ato ou efeito de entrevar^{1}; entrevecimento.

entrevado [Part. de *entrevar*^{1}.] ***Adj. S. m.*** Diz-se de, ou aquele que não se pode mover; tolhido, paralítico.

entrevar^{1} [De *entravar*.] ***V. t. d.*** **1.** Tolher os movimentos das articulações de; tornar paralítico: *A velhice entrevou aquele homem.* ***Int. P.*** **2.** Ficar paralítico; ter tolhidos os movimentos das articulações: "– Passei mais de um ano entrevado no fundo da cama..." (Cordeiro de Andrade, *Anjo Negro*, p. 96); *Entrevou-se, mal fizera sessenta anos.* [Sin. ger.: *entrevecer*.]

entrevar^{2} [De *en-*^{2} + *treva* + *-ar*^{2}.] ***V. t. d.*** **1.** Cobrir de trevas; escurecer; entenebrecer; obumbrar. ***P.*** **2.** Cobrir-se de trevas; obscurecer; obumbrar-se. [Sin. ger.: *entrevecer*.]

entrevecer^{1} [De *entrev(ar)*^{1} + *-ecer*.] ***V. t. d. Int. P.*** V. *entrevar*^{1}. [Conjug.: v. *aquecer*.]

entrevecer^{2} [De *en-*^{2} + *treva* + *-ecer*.] ***V. t. d. P.*** V. *entrevar*^{2}. [Conjug.: v. *aquecer*.]

entrevecimento [De *entrevecer*^{1} + *-imento*.] ***S. m.*** Entrevação.

entreveiro ***S. m.*** *Bras. RS* V. *entrevero*.

entrever [Do fr. *entrevoir*.] ***V. t. d.*** **1.** Ver confusamente ou de maneira imperfeita; distinguir mal: *Entreviu, do outro lado do rio, índios que se ocultavam entre as árvores.* **2.** Perceber antecipadamente; pressentir; prever: *Não entrevira as dificuldades que veio a enfrentar.* ***P.*** **3.** Ver-se reciprocamente. **4.** Ver-se de passagem; avistar-se: *Entreviram-se quando o avião fez escala naquela cidade.* **5.** Ter entrevista. [Sin. ger., p. us.: *interver*. Irreg. Conjug.: v. *ver*. Inf. pess.: *entrever* (ê), *entreveres* (ê), etc. Cf. *entreveres*, do v. *entreverar*.]

entreverar [Do esp. *entreverar*.] *Bras. RS* ***V. t. d.*** **1.** Misturar, confundir. ***P.*** **2.** Confundir-se, em consequência de mistura: "numa descida de canhada, ... os lotes de eguariços iam se encontrando, entreverando-se" (Simões Lopes Neto, *Contos Gauchescos e Lendas do Sul*, p. 166). **3.** Encontrar-se com alguém num entrevero. [Pres. ind.: *entrevero*, etc.; pres. subj.: *entrevere*, *entreveres*, etc. Cf. *entrevero* (ê), s. m., e *entreveres* (ê), do v. *entrever*.]

entrevero (ê) [Do esp. plat. *entrevero*.] ***S. m.*** *Bras.* **1.** Mistura, desordem, confusão, entre pessoas, animais ou objetos. **2.** Recontro em que, no aceso da peleja, as tropas beligerantes se misturam em desordem, lutando individualmente. [Pl.: *entreveros* (ê). Cf. *entrevero*, do v. *entreverar*.]

entrevia [De *entr(e)-* + *via*.] ***S. f.*** *Bras.* A menor distância medida de centro a centro, entre duas vias férreas adjacentes.

entrevinda [De *entr(e)-* + *vinda*.] ***S. f.*** Vinda súbita, inesperada.

entrevisão [De *entr(e)-* + *visão*.] ***S. f.*** **1.** Ato de entrever. **2.** Aspecto ou visão confusa, indistinta.

entrevista [De *entr(e)-* + *vista*, por anal. com *ver/visto/vista*, para adapt. do fr. *entrevue*, fonte tb. do ingl. *interview*.] ***S. f.*** **1.** Colóquio previamente marcado entre duas ou mais pessoas para se obterem certos esclarecimentos: *entrevista com um médico, com um empregador.* **2.** Encontro combinado entre duas ou mais pessoas a fim de divulgar ou elucidar atos, ideias, planos, etc. de um dos participantes: *uma entrevista com um ministro, com um artista.* [Sin. (p. us.), nessas acepçs.: *entrefala*.] **3.** Comentário ou opinião fornecida a entrevistadores para ser divulgado pelos meios de comunicação. ◆ **Entrevista coletiva.** *Jorn.* Entrevista organizada e concedida para um grupo de jornalistas de diferentes empresas de comunicação. [Tb. se diz apenas *coletiva*.] **Entrevista exclusiva.** *Jorn.* Aquela concedida apenas a uma empresa jornalística. [Tb. se diz apenas *exclusiva*.]

entrevistador (ô) [De *entrevistar* + *-dor*.] ***S. m.*** Aquele que entrevista.

entrevistar [De *entrevista* + *-ar*^{2}.] ***V. t. d.*** **1.** Ter entrevista com: *O repórter entrevistou o novo acadêmico.* ***P.*** **2.** Ter entrevista: *Entrevistou-se com o médico.*

entrezar [Do it. *intrecciare*.] ***V. t. d. T. d. e i. P.*** Entretecer, entrelaçar.

entrincheirado [Part. de *entrincheirar*.] ***Adj.*** Defendido com trincheiras ou com outras obras de defesa; fortificado, defendido.

entrincheiramento [De *entrincheirar* + *-mento*.] ***S. m.*** **1.** Ato de entrincheirar(-se). **2.** Trincheira ou conjunto de trincheiras.

entrincheirar [De *en-*^{2} + *trincheira* + *-ar*^{2}.] ***V. t. d.*** **1.** Fortificar com trincheiras ou barricadas; defender. ***P.*** **2.** Fortificar-se com trincheiras: *Os insurretos entrincheiraram-se nos subúrbios.* **3.** Firmar-se; fortificar-se: *O orador entrincheirou-se em sofismas.*

entristecedor (ô) [De *entristecer* + *-dor*.] ***Adj.*** Que entristece.

entristecer [De *en-*^{2} + *triste* + *-ecer*.] ***V. t. d.*** **1.** Tornar triste; afligir; penalizar: *A doença entristece-o.* **2.** Estiolar, emurchecer, murchecer, murchar: *O excesso de sol entristece as flores.* ***Int. P.*** **3.** Tornar-se triste; sentir pesar, mágoa: *Falei do passado, e ele entristeceu;* "O negro entristeceu-se. Vida dura, a do garoto." (João Clímaco Bezerra, *A Vinha dos Esquecidos*, p. 41). **4.** Estiolar(-se), murchar(-se), emurchecer. [Sin. ger., p. us.: *atristar*. Conjug.: v. *aquecer*.]

entristecimento [De *entristecer* + *-imento*.] ***S. m.*** Ato ou efeito de entristecer(-se); tristeza.

entrita [Do lat. *intrita*, 'triturada'.] ***S. f.*** Papa feita com migalhas de pão.

entroixar ***V. t. d. P.*** V. *entrouxar*.

entroixo ***S. m.*** V. *entrouxo*.

entrombar [De *en-*^{2} + *tromba*^{1} + *-ar*^{2}.] ***V. int.*** Mostrar má cara; mostrar-se embesourado; amuar(-se), embezerrar(-se); ficar de tromba.

entronar [De *en-*^{2} + *trono*^{1} + *-ar*^{2}.] ***V. t. d. T. d. e c. T. d. e. i. P.*** V. *entronizar*.

entroncado [Part. de *entroncar*.] ***Adj.*** **1.** Que se entroncou, engrossou; engrossado; grosso: *mata virgem, de árvores entroncadas.* **2.** Diz-se de indivíduo corpulento, espadaúdo e, em geral, de estatura mediana.

entroncamento [De *entroncar* + *-mento*.] ***S. m.*** Ponto de junção de dois ou mais caminhos, de duas ou mais coisas.

entroncar [De *en-*^{2} + *tronco*^{1} + *-ar*^{2}.] ***V. int.*** **1.** Criar ou adquirir tronco; engrossar; robustecer; entronquecer. **2.** Reunir-se a um tronco principal (árvore genealógica); engarfar. ***T. d. e i.*** **3.** Fazer entroncar ou reunir. **4.** Inserir, interserir, introduzir. ***T. c.*** **5.** Reunir-se (um caminho a outro); convergir. ***P.*** **6.** Ligar-se por parentesco. **7.** Criar tronco; engrossar o tronco. [Conjug.: v. *trancar*.]

entronchado [Part. de *entronchar*.] ***Adj.*** Que entronchou; tronchudo.

entronchar [De *en-*^{2} *troncho* + *-ar*^{2}.] ***V. int.*** **1.** Ficar tronchudo ou troncho. ***T. d.*** **2.** *Bras. N.E.* Tornar troncho ou torto.

entronização [De *entronizar* + *-ção*.] ***S. f.*** Ato ou efeito de entronizar(-se).

entronizado [Part. de *entronizar*.] ***Adj.*** **1.** Que se entronizou; posto no trono; entronado. **2.** Posto como que em trono. **3.** Enlevado, exaltado, sublimado.

entronizar [Do lat. ecles. *inthronizare*.] ***V. t. d.*** **1.** Elevar ao trono, à suprema dignidade. **2.** Elevar muito; exaltar, sublimar. ***T. d. e c.*** **3.** Pôr em altar (imagem de santo), ou pendurar na parede (quadro com estampa de santo). ***T. d. e i.*** **4.** Introduzir, colocar: *Entronizaram a injustiça nos corações.* ***P.*** **5.** Sentar-se no trono, ou ocupá-lo. **6.** Tomar o mando; dominar. [Sin. ger., p. us.: *entronar*.]

entronquecer [De *en-*^{2} + *tronco*^{1} + *-ecer*.] ***V. int.*** Criar tronco; entroncar. [Conjug.: v. *aquecer*.]

entronquecido [Part. de *entronquecer*.] ***Adj.*** *Bot.* Provido de tronco (diz-se de vegetal).

entropia [Do gr. *entropé*, 'volta', + *-ia*^{1}.] ***S. f.*** *Fís.* **1.** Função termodinâmica de estado, associada à organização espacial e energética das partículas de um sistema, e cuja variação, numa transformação desse sistema, é medida pela integral do quociente da quantidade infinitesimal do calor trocado reversivelmente entre o sistema e o exterior pela temperatura absoluta do sistema. **2.** Medida da quantidade de desordem dum sistema [símb.: *S*].

entropicar [De *en-*^{2} + *tropicar*.] ***V. int.*** *Bras. N.E. Pop.* Tropeçar, tropicar. [Conjug.: v. *trancar*.]

entrópico [De *entropia* + *-ico*^{2}.] ***Adj.*** Relativo à entropia.

entropigaitar ***V. t. d. P.*** *Bras. Pop.* V. *entupigaitar*.

entropilhar [Do esp. plat. *entropillar*.] *Bras. S.* ***V. t. d.*** **1.** Formar tropilha de (animais que têm, de ordinário, o mesmo pelame). ***P.*** **2.** Reunir-se, juntar-se, ajustar-se.

entrópio [Do gr. *entropé*, 'volta', + *-io*^{3}.] ***S. f.*** *Anat.* Designação genérica de inversão de borda ou de margem de uma formação anatômica. ◆ **Entrópio palpebral.** *Oftalm.* Inversão de margem palpebral, que se dobra para dentro em direção ao globo ocular.

entrópion [Do lat. cient. *entropion*.] ***S. m.*** *Med.* V. *entrópio*.

entrós [Do lat. *introrsu*.] ***S. m.*** V. *entrosa*. [Pl.: *entroses*.]

entrosa [De *entrós*.] ***S. f.*** **1.** Roda dentada que engrena em outra; endentação. **2.** Cada um dos espaços entre os dentes da roda. [Sin. ger.: *entrós*.]

entrosado [Part. de *entrosar*.] ***Adj.*** **1.** Que se entrosou. **2.** Organizado, ordenado. **3.** Que adquiriu o necessário à boa execução de uma tarefa, ao bom exercício de um cargo, desempenho de um papel, etc.

entrosagem [De *entrosar* + *-agem*^{2}.] ***S. f.*** Entrosamento (1).

entrosamento [De *entrosar* + *-mento*.] ***S. m.*** **1.** Ato ou efeito de entrosar(-se); entrosagem. **2.** *Fig.* Coincidência de pontos de vista, de opiniões etc.; entendimento, acordo: *Com o bom entrosamento entre eles tudo chegará a bom termo.* **3.** *Fig.* Adaptação, ajuste: *Foi fácil o seu entrosamento no grupo.*

entrosar [De *entrós* + *-ar*^{2}.] ***V. t. d.*** **1.** Meter os dentes de (uma roda) pelos vãos de outra; endentar, engranzar, engrazar. **2.** *Bras.* Pôr em ordem; organizar. **3.** Adaptar a um meio ou uma situação; ambientar: *O chefe procurou entrosar os novos funcionários.* ***T. d. e i.*** **4.** Fazer adquirir amizades; relacionar: *O professor tentava entrosar o novo aluno com a turma.* ***T. d. e c.*** **5.** Encaixar, introduzir: *Entrosar uma peça em outra.* ***Int. P.*** **6.** Encaixar-se, adaptar-se. **7.** *Bras.* Harmonizar-se, afinar-se; sintonizar.

entrouxar [De *en-*^{2} + *trouxa* + *-ar*^{2}.] ***V. t. d.*** **1.** Fazer trouxa de; meter em trouxa. **2.** *Bras.* Embrulhar, empacotar, enfardelar. **3.** Pôr em ordem; arrumar. **4.** Arrecadar; acumular. ***P.*** **5.** Vestir-se às pressas. **6.** Jogar-se como trouxa; deixar-se cair como trouxa: *Exaustos, entrouxaram-se pelos cantos da sala.* [Var.: *entroixar*.]

entrouxo [Dev. de *entrouxar*.] ***S. m.*** Enchimento exato; chumaço. [Var.: *entroixo*.]

entroviscada [De *entroviscar*^{1} + *-ada*^{1}.] ***S. f.*** **1.** Pesca de peixes na qual estes são envenenados com trovisco^{1}. **2.** Troviscada.

entroviscar [De *en-*^{2} + *trovisco*^{1} + *-ar*^{2}.] ***V. t. d.*** Espalhar trovisco em (a água) para matar peixe. [Conjug.: v. *trancar*.]

entroviscar-se [De *enturviscar-se*, com metátese.] ***V. p.*** **1.** Nublar-se (o céu), ameaçando chuva. **2.** *Fig.* Perturbar-se, complicar-se. [Conjug.: v. *trancar*.]

entrudada [De *entrudo* + *-ada*^{1}.] ***S. f.*** *P. us.* Brincadeira de entrudo; folguedos carnavalescos.

entrudar [De *entrudo* + *-ar*^{2}.] ***V. int.*** **1.** Celebrar entrudo ou carnaval, divertindo-se ou banqueteando-se. **2.** Jogar o entrudo, pregando peças. **3.** Brincar sem intenção de ofender. ***T. d.*** **4.** Dirigir graças carnavalescas a; caçoar com.

entrudesco (ê) [De *entrudo* + *-esco*.] ***Adj.*** Relativo ao, ou próprio do entrudo.

entrudo [Do lat. *introitu*.] ***S. m.*** *P. us.* **1.** Carnaval (1 e 2). **2.** *Bras.* Folguedo carnavalesco antigo, que consistia em lançar uns aos outros água, farinha, tinta, etc.

entubação [De *entubar* + *-ção*.] ***S. f.*** Ato de entubar. [Cf. *intubação*.]

entubar [De *en-*^{2} *tubo* + *-ar*^{2}.] ***V. t. d.*** Dar feição de tubo a. [Cf. *intubar*.]

entuberácea [De *en-*^{2} + tax. *Tuber* (do lat. *tuber*, 'excrescência') + *-ácea*.] ***S. f.*** *Micol.* Espécime das entuberáceas, família de fungos de vida subterrânea, que engloba as afamadas trufas. Provenientes das florestas europeias, hoje são cultivadas por toda a parte.

entuberáceo [De *entuberácea*, com var. suf. (v. *-áceo*).] ***Adj.*** *Micol.* Pertencente ou relativo às entuberáceas.

entuchamento [De *entuchar* + *-mento*.] ***S. m.*** *Bras.* Ato ou efeito de entuchar.

entuchar [Alter. de *atochar*, poss.] *Bras.* ***V. t. d.*** **1.** Suportar calado uma afronta; engolir. ***Int.*** **2.** Calar-se, emudecer.

entufado [Part. de *entufar*.] ***Adj.*** **1.** Empolado; vaidoso, arrogante. **2.** *Bras.* Amuado, zangado.

entufar [De *en-*^{2} + *tufar*^{2}.] ***V. t. d.*** **1.** Tornar inchado; intumescer, tufar, bolsar. **2.** Tornar arrogante, vaidoso. ***P.*** **3.** *Bras.* Zangar-se, amuar-se.

entujucado [Part. de *entujucar*.] ***Adj.*** *Bras.* V. *entijucado*.

entujucar [De *en-*^{3} + *tujuco* (q. v.) + *-ar*^{2}.] ***V. t. d. P.*** *Bras.* V. *entijucar*. [Conjug.: v. *trancar*.]

entulhar [De *en-*^{2} + *tulha* + *-ar*^{2}.] ***V. t. d.*** **1.** Meter em tulha (trigo, azeitonas, etc.); atulhar. **2.** Encher até não caber mais; abarrotar, entupir, atulhar: *A multidão* *entulhava a praça.* **3.** Acumular, amontoar, atulhar. ***P.* 4.** Encher-se, abarrotar-se, entupir-se, atulhar-se.

entulho [Dev. de *entulhar*.] ***S. m.* 1.** Caliça, pedregulhos, areia, terra, tudo quanto sirva para entupir, aterrar, nivelar depressão de terreno, escavação, fossa, vala, etc. **2.** Conjunto de fragmentos ou restos de tijolo, argamassa, madeira, etc., provenientes da construção de um prédio. **3.** Materiais inúteis resultantes de demolição; escombros, ruínas. **4.** Lixo (1). **5.** Coisa(s) sem valor ou sem préstimo; bagulho: *Eram móveis quebrados, feios, não passavam de entulho.* **6.** *Bras. Fam.* Comida que dá a impressão de encher demasiado o estômago, pelo volume e/ou por ser pesada: *Vai comer feijoada? Isso é um entulho!* **7.** *Bras. Fam. Cul. P. ext.* Os ingredientes que dão volume ao prato, como os legumes da sopa, a farofa do recheio das aves, as peças da feijoada, etc.

entuna [De *en-*^{2} + *tuna*^{2}.] ***S. f.*** *Bras. RS* **1.** O andar pelos montes caçando ou vadiando. **2.** *P. ext.* A caça.

entunicado [De *en-*^{2} + *túnica* + *-ado*^{1}.] ***Adj.*** *Bot.* Que tem túnicas concêntricas, à feição da cebola; tunicado. [Diz-se dos *bulbos*.]

entupido [Part. de *entupir*.] ***Adj.* 1.** Obstruído, tapado. **2.** *Fig.* Sem saber ou sem ter o que responder; embatucado, atrapalhado.

entupidor (ô) [De *entupir* + *-dor*.] ***Adj. S. m.*** Que, ou aquilo que entope.

entupigaitação [De *entupigaitar* + *-ção*.] ***S. f.*** *Bras. Pop.* Mudez momentânea, causada por falta de argumentos; atrapalhação, embaraço, confusão.

entupigaitado [Part. de *entupigaitar*.] ***Adj.*** *Bras.* Confundido, desnorteado, desorientado: "Não reagiu o covarde, entupigaitado, sem saber onde meter as mãos e esconder a cara" (Jorge Amado, *Teresa Batista Cansada de Guerra*, p. 61).

entupigaitar [De *entupir* + *gaita* + *-ar*^{2}, poss.] *Bras. Pop.* ***V. t. d.* 1.** Atrapalhar, embaraçar, confundir, desnortear, desorientar. ***P.* 2.** Atrapalhar-se, confundir-se; calar-se. [Var.: *entropigaitar*.]

entupimento [De *entupir* + *-mento*.] ***S. m.*** Ato ou efeito de entupir(-se).

entupir [De *en-*^{2} + onom. *tup* + *-ir*, poss.] ***V. t. d.* 1.** Obstruir, atulhar, entulhar: *Os detritos entupiram o cano.* **2.** Fazer calar; embatucar. ***Int.* 3.** Ficar embatucado; embatucar, calar(-se), emudecer(-se). ***P.* 4.** Obstruir-se: *O tubo entupiu-se.* **5.** Encher-se, fartar-se; empanturrar-se. [Irreg. Pres. ind.: *entupo, entopes* ou *entupes, entope* ou *entupe, entupimos, entupis, entopem* ou *entupem*.]

entupitivo [De *entupir* + *-tivo*.] ***Adj.*** Que entope ou farta, ou serve para entupir. [Diz-se especialmente de alimentos pesados ou ingeridos em demasia.]

enturbar [De *en-*^{2} + *turbar*.] ***V. t. d.*** Turbar; enturvar: "Aqui, nem tênue lágrima a esmeralda / Do olhar lhe enturbe mais" (Raimundo Correia, *Poesias*, p. 184).

enturmado [De *en-*^{2} + *turma* + *-ado*^{1}.] ***Adj.*** *Bras.* **1.** Que faz parte de uma turma, de um grupo. **2.** Que tem facilidade para o convívio social.

enturmar [De *en-*^{2} + *turma*^{1} + *-ar*^{2}.] ***V. t. i. P.*** *Bras.* Reunir-se, formando turma^1 (7).

enturvação [De *enturvar* + *-ção*.] ***S. f.*** Ato ou efeito de enturvar(-se).

enturvado [Part. de *enturvar*.] ***Adj.*** Que se tornou turvo.

enturvar [De *en-*^{2} + *turvar*.] ***V. t. d.* 1.** Tornar turvo; turvar; ensombrar. **2.** Embaraçar, perturbar, confundir: *A complexidade do questionário enturvou-o.* **3.** Tornar triste; entristecer. ***P.* 4.** Tornar-se turvo, escuro; enturvar-se. **5.** Tornar-se obscuro, ininteligível; enturvar-se. **6.** Zangar-se, amuar-se.

enturviscar-se [De *en-*^{2} + *turvo* + *-iscar* + *se*^{1}.] ***V. p.*** Tornar-se turvo (o tempo); nublar-se, enublar-se, anuviar-se. [Conjug.: v. *trancar*.]

entusiasmado [Part. de *entusiasmar*.] ***Adj.* 1.** Que se entusiasmou; cheio de entusiasmo; arrebatado. **2.** Animado por bom êxito conseguido: *Anda entusiasmada com os estudos.* **3.** *Bras. Fam.* Orgulhoso, vaidoso: *Não dá confiança a ninguém, é muito entusiasmado.*

entusiasmar [De *entusiasmo* + *-ar*^{2}.] ***V. t. d.* 1.** Causar entusiasmo a; encher de entusiasmo; animar, arrebatar. ***P.* 2.** Encher-se de entusiasmo.

entusiasmo [Do gr. *enthousiasmós*, 'êxtase', poss. pelo fr. *enthousiasme*.] ***S. m.* 1.** Na Antiguidade, exaltação ou arrebatamento extraordinário daqueles que estavam sob inspiração divina, como as sibilas, etc.; transe, transporte. **2.** Veemência, vigor, no falar ou no escrever; flama. **3.** Exaltação criadora; inspiração, estro. **4.** Admiração, arrebatamento: *O desempenho do artista provocou o entusiasmo do público.* **5.** Dedicação ardente; ardor, paixão: *Grande era o entusiasmo do advogado pela causa que abraçara.* **6.** Viva alegria; júbilo: *Recebeu com entusiasmo a notícia do prêmio.*

entusiasta [Do gr. *enthousiastés*, pelo fr. *enthousiaste*.] ***Adj. 2 g. S. 2 g.*** Que, ou quem se dedica vivamente a alguma coisa, ou por ela se exalta, se toma de arrebatamento, se entusiasma.

entusiástico [Do ingl. *enthusiastic* < gr. *enthousiastikós*.] ***Adj.* 1.** Que tem ou denota entusiasmo: *jovens entusiásticos; expressões entusiásticas.* **2.** Acompanhado de manifestações de entusiasmo: *homenagem entusiástica.*

entuviada [Do esp. *antuviada*.] ***S. f.*** Us. na loc. adv. *de entuviada.* ◆ **De entuviada.** Depressa; desordenadamente.

enublar [De *e-*^{3} + *nublar*.] ***V. t. d.*** Nublar, anuviar, enuviar.

enucleação [De *enuclear* + *-ção*.] ***S. f.*** Ação ou efeito de enuclear.

enuclear [Do lat. *enucleare*.] ***V. t. d.* 1.** Extirpar (um tumor). **2.** Tirar o núcleo ou caroço de (fruta). **3.** Explicar, elucidar, esclarecer, aclarar. [Conjug.: v. *frear*.]

ênula ***S. f.*** *Bot.* V. *ínula* (2 e 3).

enumerabilidade [De *enumerável* + *-(i)dade*, seg. o padrão erudito.] ***S. f.*** *Mat.* Propriedade de numerável.

enumeração [Do lat. *enumeratione*.] ***S. f.* 1.** Indicação de coisas uma por uma. **2.** Exposição ou relação metódica. **3.** Conta, cômputo. [Sin. ger.: *adnumeração*.]

enumerador (ô) [De *enumerar* + *-dor*.] ***Adj. S. m.*** Que, ou aquele que enumera.

enumerar [Do lat. *enumerare*.] ***V. t. d.* 1.** Fazer enumeração de (coisas, uma por uma). **2.** Indicar por números; numerar. **3.** Relacionar metodicamente. **4.** Contar; especificar. [Sin. ger.: *adnumerar*.]

enumerativo [De *enumerar* + *-tivo*.] ***Adj.*** Que enumera. ~ V. *definição —a*.

enumerável [De *enumerar* + *-vel*.] ***Adj. 2 g.* 1.** Que se pode numerar. ~ V. *conjunto —*. ● ***S. m.* 2.** *Mat.* V. *conjunto numerável*.

enunciação [Do lat. *enuntiatione*.] ***S. f.* 1.** Ato ou efeito de enunciar(-se). **2.** Expressão, declaração, proposição. **3.** *E. Ling.* Ato individual de utilização de uma língua.

enunciado [Do lat. *enuntiatu* (adj. e s. m.).] ***Adj.* 1.** Expresso, declarado. ● ***S. m.* 2.** Proposição; exposição. **3.** Elocução. **4.** *E. Ling.* Discurso (5). **5.** *E. Ling.* Resultado da produção discursiva, levando-se em conta o contexto em que ocorreu. **6.** *E. Ling.* Frase, sentença.

enunciador (ô) [Do lat. tard. *enuntiatore*.] ***Adj. S. m.*** Que, ou aquele que enuncia.

enunciar [Do lat. *enuntiare*.] ***V. t. d.* 1.** Exprimir, declarar, expor, manifestar: *Enunciou uma opinião abalizada.* ***P.* 2.** Exprimir-se, manifestar-se.

enunciativo [Do lat. *enuntiativu*.] ***Adj.*** Que enuncia.

enunciável [De *enunciar* + *-vel*.] ***Adj. 2 g.*** Que pode ser enunciado; exprimível.

ênupla [De **ene* (= n^2) + o f. da term. de *quádruplo* e *quíntuplo*.] ***S. f.*** *Mat.* Conjunto de *n* quantidades, onde *n* é um inteiro.

enurese [De *en-*^{2} + *-ur(o)-*^{1} + *-ese*.] ***S. f.*** *Urol.* Incontinência urinária; enuresia. [T. us., muitas vezes, para designar incontinência urinária que ocorre quando o indivíduo está dormindo.]

enuresia ***S. f.*** *Urol.* Enurese.

enuviar [De *anuviar*, com mudança de pref. (v. *e-*^{3}).] ***V. t. d.*** Nublar, enublar, anuviar: "Brumoso véu o infinito enuvia." (Gilca da Costa Melo Machado, *Poesias*, p. 136.)

envaidar [De **envaidadar* (< *en-*^{2} + *vaidade* + *-ar*^{2}), com haplologia.] ***V. t. d. P. P. us.*** V. *envaidecer*.

envaidecedor (ô) [De *envaidecer* + *-dor*.] ***Adj.*** Que envaidece.

envaidecer [De *en-*^{2} + *vaidade* + *-ecer*, com haplologia.] ***V. t. d.* 1.** Tornar vaidoso; encher de vanglória; enfatuar: *Os elogios envaideciam-no.* ***P.* 2.** Tornar-se vaidoso; ensoberbecer-se. [Sin. ger., p. us.: *envaidar*. Conjug: v. *aquecer*.]

envaidecimento [De *envaidecer* + *-imento*.] ***S. m.*** Ação ou efeito de envaidecer(-se); desvanecimento.

envalar [De *en-*^{2} + *vala* + *-ar*^{2}.] ***V. t. d.*** Cercar de valas ou fosso; entrincheirar.

envanecer [De *en-*^{2} + lat. *vanu*, 'vão', + *-ecer*.] ***V. t. d.* 1.** Causar vaidade a; envaidecer, envaidar. ***P.* 2.** Encher-se de vaidade.

envarar [De *en-*^{2} + *vara*^{1} + *-ar*^{2}.] ***V. t. d.*** Colocar varas, ou ripas, horizontalmente, prendendo-as, quer por meio de pregos, quer por atilhos, aos enxaimés das casas de taipa, ou às estacas das cercas.

envaretado [Part. de *envaretar*.] ***Adj.* 1.** *Bras. S.* Encabulado, encalistrado, desapontado. **2.** Diz-se do galo que enxerga pouco.

envaretar [De *en-*^{2} + *vareta* + *-ar*^{2}.] ***V. int.* 1.** *Bras. S.* Ficar zangado ou atrapalhado com uma caçoada ou gracejo de outrem; encalistrar, enfiar; desapontar-se. **2.** Levar (o galo de briga) pancada ou golpe nos olhos, cegando, ou reduzindo-se-lhe a visão.

envasadura [De *envasar*^{1} + *-dura*.] ***S. f.* 1.** V. *envasamento* (1 e 2). **2.** *Arquit.* V. *vão* (10).

envasamento [De *envasar*^{1} + *-mento*.] ***S. m.* 1.** Ação ou efeito de envasar^1; envasadura, evasamento, envase. **2.** Plantação em vasos; envasadura. **3.** *Arquit.* Base de uma coluna ou pilastra.

envasar^1 [De *en-*^{2} + *vaso*^{1} + *-ar*^{2}.] ***V. t. d.* 1.** Meter em vaso; envasilhar. **2.** Dar forma de vaso a. **3.** Plantar em vasos. **4.** *Arquit.* Fazer o envasamento (3) de.

envasar^2 [De *en-*^{2} + *vasa* + *-ar*^{2}.] ***V. t. d.*** Meter em vasa, lodo, lama; atolar.

envase [Dev. de *envasar*^{1}.] ***S. m.*** V. *envasamento* (1).

envasilhamento [De *envasilhar* + *-mento*.] ***S. m.*** Ato ou efeito de envasilhar.

envasilhar [De *en-*^{2} + *vasilha* + *-ar*^{2}.] ***V. t. d.* 1.** Meter em vasilha. **2.** Meter em pipas, tonéis ou garrafas.

envaziado [De *en-*^{1} + *vazio* + *-ado*^{1}.] ***Adj.*** *Arquit.* Diz-se do rebaixe ou ranhura onde se encaixam as almofadas das portas e janelas.

envelhacar [De *en-*^{2} + *velhaco* + *-ar*^{2}.] ***V. t. d. P.*** Tornar(-se) velhaco. [Conjug.: v. *trancar*.]

envelhecedor (ô) [De *envelhecer* + *-dor*.] ***Adj.*** Que envelhece ou torna velho, ou que dá aspecto de velho.

envelhecer [De *en-*^{2} + *velho* + *-ecer*.] ***V. t. d.* 1.** Tornar velho; avelhentar, avelhantar. ***Int.* 2.** Tornar-se velho; avelhentar-se, avelhantar-se: "Envelhecera. O espelho mostrava-lhe os cabelos brancos, as rugas." (Herberto Sales, *Histórias Ordinárias*, p. 107); "Foram-se passando os anos. Fui envelhecendo." (José Leventhal, *A Terceira Base*, p. 18). **3.** Parecer velho. **4.** Perder a frescura, o viço. **5.** Durar muito tempo; permanecer: *Há livros que envelhecem nas livrarias.* **6.** Tornar-se desusado ou inútil. [Conjug.: v. *aquecer*.]

envelhecido [Part. de *envelhecer*.] ***Adj.* 1.** Que envelheceu. **2.** Decadente, declinante: *cultura envelhecida.* **3.** Que aparenta ser mais velho do que é na realidade: *Está muito envelhecido para a idade que tem.*

envelhecimento [De *envelhecer* + *-imento*.] ***S. m.*** Ato ou efeito de envelhecer.

envelhentar [De *en-*^{2} + *velho* + *-entar*.] ***V. t. d.*** Avelhentar, envelhecer.

envelopamento [De *envelopar* + *-mento*.] ***S. m.*** *Bras.* Ato ou efeito de envelopar.

envelopar [De *envelope* + *-ar*^{2}.] ***V. t. d.*** *Bras.* Meter ou guardar em envelope.

envelope [Do fr. *enveloppe*.] ***S. m.* 1.** Invólucro para remessa ou guarda de correspondência, documento ou impresso de qualquer natureza; sobrecarta, sobrescrito. **2.** *Bras.* Placa fina, de ferro, que forma o invólucro externo das caldeiras das locomotivas e recobre uma camada de asbesto ou de outra substância atérmana. ◆ **Envelope de janela.** *Art. Gráf.* V. *janela* (4). **Envelope de madeira.** *Bras. Gír.* V. *paletó de madeira*.

envencilhado [Part. de *envencilhar*.] ***Adj.*** Emaranhado, enleado, enredado, complicado.

envencilhar [De *en-*^{2} + *vencilho* + *-ar*^{2}.] ***V. t. d.* 1.** Atar com vencilho; enredar, enlear, emaranhar. ***P.* 2.** Enredar-se, enlear-se, emaranhar-se. [Var.: *envincilhar*.]

envenenado [Part. de *envenenar*.] ***Adj.* 1.** Que se envenenou. **2.** A que se adicionou veneno. **3.** Que ingeriu veneno. **4.** *Fig.* Que envolve intenções más; malicioso, malévolo: *comentário envenenado.* **5.** *Bras. Gír.* Cheio de bossa (9); pra-frente: *vestido envenenado; festa envenenada.* **6.** *Bras. Gír.* Diz-se do carro que foi preparado para desenvolver velocidade maior que a dos outros de sua série.

envenenador (ô) [De *envenenar* + *-dor*.] ***Adj.* 1.** Que envenena. ● ***S. m.* 2.** Aquele que envenena. **3.** *Fís.-Quím.* Numa catálise, substância que impede a ação do catalisador.

envenenamento [De *envenenar* + *-mento*.] ***S. m.* 1.** Ato ou efeito de envenenar(-se); intoxicação. **2.** *Fís. Nucl.* Diminuição do rendimento de um combustível nuclear pelo acúmulo de venenos nucleares.

envenenar [De *en-*^{2} + *veneno* + *-ar*^{2}.] ***V. t. d.* 1.** Misturar veneno em; pôr, colocar veneno em: *envenenar um alimento.* **2.** Ministrar veneno a; intoxicar: *O assassino envenenou a vítima.* **3.** Estragar, corromper; perverter: *A mentira envenena os sentimentos.* **4.** Dar mau sentido a; deturpar; desvirtuar; distorcer, torcer: *Intrigante, quis envenenar a declaração do companheiro.* **5.** *Autom.* Efetuar modificações mecânicas em (um veículo automóvel), com o fim de obter melhor desempenho do motor. ***Int.* 6.** Causar envenenamento (1): *O gás de cozinha envenena.* ***P.* 7.** Tomar veneno para suicidar-se. **8.** Intoxicar-se. **9.** Estragar-se, corromper-se.

enventanar [De *en-*^{2} + *ventana*^{1} + *-ar*^{2}.] ***V. t. d.* 1.** Meter (a bola de bilhar) na ventanilha. ***P.* 2.** Engasgar-se (a bola de bilhar) na ventanilha.

enverdecer [De *en-*^{2} + *verde* + *-ecer*.] ***V. t. d.* 1.** Dar a cor verde a; tornar verde: *A clorofila enverdece o vegetal;* "A chuva enverdecia os bananais." (Alberto da Costa e Silva, *As Linhas da Mão*, p. 122). **2.** Cobrir de verdura: *Após a estiagem, a chuva enverdeceu os campos.* **3.** Rejuvenescer, juvenescer, remoçar. ***Int.* 4.** Fazer-se verde: "já as macieiras tinham flor, ...

E

e os prados <u>enverdeciam</u>." (Eça de Queirós, *Últimas Páginas*, p. 87). **5.** Cobrir-se de verdura. **6.** Adquirir vigor; rejuvenescer, juvenescer. *P.* **7.** Tornar-se verde. [Sin. ger.: *enverdejar*. Conjug.: v. *aquecer*.]

enverdejar [De *en-*² + *verde* + *-ejar*.] *V. t. d. Int. P.* V. *enverdecer*. [Conjug.: v. *pelejar*.]

enveredar [De *en-*² + *vereda* + *-ar*².] *V. int.* **1.** Tomar caminho; dirigir-se, encaminhar-se, seguir: *<u>Enveredou</u> ladeira abaixo.* **2.** *Bras.* Seguir com destino exclusivo a certo e determinado lugar. *T. d.* **3.** Guiar, conduzir, encaminhar (alguém). *T. c.* **4.** Enveredar (1): "Os mais fortes <u>enveredam</u> logo para a cacimba pouco distante" (Euclides da Cunha, *Os Sertões*, p. 481).

envergadura [De *envergar* + *-dura*.] *S. f.* **1.** V. *envergamento*. **2.** Capacidade, aptidão, competência: *O poeta não tinha <u>envergadura</u> para a epopeia.* **3.** A distância de uma à outra ponta das asas abertas de uma ave. **4.** *Aer.* Dimensão máxima transversal de uma ponta à outra das asas dum avião. **5.** *P. ext.* Importância, peso: *obra de larga <u>envergadura</u>.*

envergamento [De *envergar* + *-mento*.] *S. m.* Ação ou efeito de envergar(-se); curvatura; envergadura.

envergar [De *en-*² + *verga* + *-ar*².] *V. t. d.* **1.** *Marinh.* Atar (vela) a uma verga ou a um estai. **2.** Curvar, arquear: *<u>Envergou</u> o bambu.* **3.** Vestir, trajar: *<u>envergar</u> um fraque. Int. P.* **4.** Vergar-se, curvar-se. [Conjug.: v. *largar*.]

envergonhado [Part. de *envergonhar*.] *Adj.* **1.** Que se envergonhou. **2.** Tímido, encabulado, acanhado.

envergonhar [De *en-*² + *vergonha* + *-ar*².] *V. t. d.* **1.** Encher de vergonha, de pejo, de timidez; fazer corar; confundir: *O procedimento do amigo <u>envergonhava</u>-o.* **2.** Fazer vergonha ou desonra a; humilhar, aviltar: *Costuma <u>envergonhar</u> os subalternos.* **3.** Deslustrar, comprometer: *A violência e a injustiça <u>envergonham</u> uma nação. P.* **4.** Ficar envergonhado; ter acanhamento, pejo; acanhar-se, pejar-se: "<u>envergonhou-se</u> de confessar o que lhe parecia uma fraqueza" (Artur Azevedo, *Contos Cariocas*, p. 59). [Sin. ger. (p. us.): *avergonhar*.]

envergues [Dev. de *envergar*.] *S. m. pl. Marinh.* Cabos ou cordas que prendem a vela à verga.

envermelhar [De *en-*² + *vermelho*¹ + *-ar*².] *V. t. d. P.* V. *envermelhecer*. [Conjug.: v. *aparelhar*.]

envermelhecer [De *en-*² + *vermelho*¹ + *-ecer*.] *V. t. d. P.* Tornar(-se) vermelho; enrubescer(-se); avermelhar(-se), envermelhar(-se). [Conjug.: v. *aquecer*.]

envernizado [Part. de *envernizar*.] *Adj.* **1.** Que se envernizou. **2.** Polido, lustrado. **3.** *Pop.* V. *embriagado* (1). • *S. m.* **4.** *Bras. MG Cul.* V. *canela-de-veado*.

envernizador (ô) [De *envernizar* + *-dor*.] *S. m.* Aquele que tem por profissão envernizar.

envernizadura [De *envernizar* + *-dura*.] *S. f.* Envernizamento.

envernizamento [De *envernizar* + *-mento*.] *S. m.* Ato ou efeito de envernizar; envernizadura.

envernizar [De *en-*² + *verniz* + *-ar*².] *V. t. d.* **1.** Cobrir ou lustrar com verniz. **2.** Polir, lustrar. *P.* **3.** *Pop.* Embebedar-se, embriagar-se.

enverrugado [Part. de *enverrugar*.] *Adj.* **1.** Que criou verrugas. **2.** Enrugado, engelhado, encarquilhado.

enverrugar [De *en-*² + *verruga* + *-ar*².] *V. t. d.* **1.** Fazer criar verrugas. **2.** Encher de rugas; enrugar, encarquilhar, engelhar. **3.** Amarrotar, amarfanhar, amarfalhar. *Int.* **4.** Criar verrugas. **5.** Encarquilhar-se, engelhar(-se). [Conjug.: v. *largar*.]

envesar *V. t. d.* V. *envessar*.

envesgar [De *en-*² + *vesgo* + *-ar*².] *V. t. d.* **1.** Tornar vesgo, oblíquo, enviesado (os olhos, a vista); enviesar, torcer, entortar. *T. d. e c.* **2.** Dirigir (os olhos), torcendo-os: "retardava o passo diante de uma casa baixa, <u>envesgava</u> o olhar para as janelas." (Graciliano Ramos, *Infância*, p. 243). *Int.* **3.** Ficar vesgo; tornar-se vesgo: *<u>Envesgou</u> quando criança, mas recuperou-se com uma operação.* [Conjug.: v. *regar*.]

envessado [Part. de *envessar*.] *Adj.* Virado do avesso.

envessar [De *envesso* + *-ar*².] *V. t. d.* **1.** Pôr para fora o avesso de (pano, tecido). **2.** Inverter a ordem de. [Var.: *envesar*. Pres. ind.: *envesso*, etc. Cf. *envesso* (ê). Conjug.: v. *começar*.]

envesso (ê) [Do lat. *inversu*.] *S. m.* V. *avesso* (3). [Pl.: *envessos* (ê). Cf. *envesso*, do v. *envessar*.]

enviada [F. subst. de *enviado*.] *S. f.* Barco que recebe de outros o produto de pesca e o leva ao porto; andaina.

enviado [Part. de *enviar*.] *Adj.* **1.** Que se enviou; mandado. • *S. m.* **2.** Emissário, mensageiro. **3.** Pessoa credenciada (embaixador, delegado, etc.), mandada em missão diplomática ou não: *O cardeal veio como <u>enviado</u> do Papa.* ◆ **Enviado especial.** *Jorn.* Jornalista vinculado a uma empresa de comunicação que viaja a outro lugar com a missão de cobrir (15) determinado acontecimento. [Cf. *correspondente* (7).]

enviamento [De *enviar* + *-mento*.] *S. m.* V. *envio* (1 e 2).

enviar [Do lat. tard. *inviare*.] *V. t. d.* **1.** Expedir, remeter, endereçar. **2.** Encaminhar, conduzir. **3.** Mandar (alguém) em missão. • *V. t. d. e i.* **4.** Dirigir, remeter, expedir, endereçar: *<u>Enviou</u> uma carta aos amigos*; "Pálido, o Sol do céu se despedia, / <u>Enviando</u> à Terra o derradeiro beijo." (Olavo Bilac, *Poesias*, p. 83). **5.** Encaminhar, conduzir, guiar. *T. d. e c.* **6.** Mandar (alguém ou algo): *O governo <u>enviou</u> novo embaixador a Londres.*

enviatura [De *enviar* + *-tura*.] *S. f.* **1.** Ato de enviar alguém em missão diplomática. **2.** O cargo de enviado (3). **3.** Missão diplomática.

enviçar [De *en-*² + *viço* + *-ar*.] *V. t. d. Int.* Dar viço a, ou criar viço.

envidar [Do lat. *invitare*.] *V. t. d.* **1.** Parar mais, *i. e.*, apostar quantia maior e provocar (o parceiro) para que aceite a parada, quando se supõe ter maior jogo que ele. **2.** Desafiar, provocar. **3.** Empregar com muito empenho: *<u>Envidou</u> todos os esforços para obter uma vaga. P.* **4.** Esforçar-se, empenhar-se.

envide¹ [De *en-*² + *vide*.] *S. m. Pop.* V. *vide* (4).

envide² [Dev. de *envidar*.] *S. m.* Ato de envidar.

envidilha *S. f. Pop.* V. *vide* (4).

envidilhar [De *en-*² + *vide* + *-ilhar*.] *V. t. d.* Enroscar [a vide (1)].

envidraçado [Part. de *envidraçar*.] *Adj.* **1.** Que tem vidraças: "A imensa varanda <u>envidraçada</u> levou uma lavagem de panos molhados" (Belmiro Braga, *Cantos e Contos*, p. 43). **2.** Guarnecido de vidro ou vidraça: *janela <u>envidraçada</u>.* **3.** Embaciado, embaçado, vidrado.

envidraçamento [De *envidraçar* + *-mento*.] *S. m.* Ato, operação ou efeito de envidraçar(-se).

envidraçar [De *en-*² + *vidraça* + *-ar*².] *V. t. d.* **1.** Cobrir ou guarnecer de vidros. **2.** Meter em compartimento envidraçado. **3.** Dar aparência de vidro a; tornar vítreo. *P.* **4.** Empanar-se, embaciar-se: *Ao ouvir a triste notícia, seus olhos <u>se envidraçaram</u> de lágrimas.* [Conjug.: v. *laçar*.]

enviés [De *en-*² + *viés*.] *S. m.* Viés. [Pl.: *envieses*.]

enviesado [Part. de *enviesar*.] *Adj.* **1.** Posto ao viés; cortado obliquamente; esconso. • *S. m.* **2.** *Tip.* Cunho formado por peça dentada onde engrenam carretos, para dar o aperto. [V. *cunho* (8).]

enviesar [De *en-*² + *viés* + *-ar*².] *V. t. d.* **1.** Pôr ao viés, ou de esguelha; cortar obliquamente. **2.** Torcer (os olhos); envesgar. **3.** Dirigir mal; dar má direção a. **4.** Entortar (o corpo). *P.* **5.** Ser ou tornar-se torto, enviesado.

envigorar [De *en-*² + *vigor* + *-ar*².] *V. t. d.* **1.** Dar vigor a; avigorar, vigorar, vigorizar. *P.* **2.** Encher-se de vigor.

envilecer [Do lat. *invilescere*.] *V. t. d.* **1.** Tornar vil; deslustrar, desonrar, aviltar: *A submissão à injustiça <u>envilece</u> o homem.* **2.** Vender por preço vil; baratear. *Int. P.* **3.** Tornar-se vil, desprezível; aviltar-se, rebaixar-se. **4.** Perder o valor, a valia. [Conjug.: v. *aquecer*.]

envilecido [Part. de *envilecer*.] *Adj.* **1.** Tornado vil; aviltado, desonrado. **2.** Vendido por preço vil.

envilecimento [De *envilecer* + *-imento*.] *S. m.* Ato ou efeito de envilecer(-se); aviltamento.

envinagrado [Part. de *envinagrar*.] *Adj.* **1.** Que tem vinagre, ou sabor de vinagre. **2.** Irritado, azedo. [Sin. ger.: *avinagrado*.]

envinagrar [De *en-*² + *vinagre* + *-ar*².] *V. t. d.* **1.** Temperar ou misturar com vinagre. **2.** Pôr vinagre em: *<u>envinagrar</u> a carne.* **3.** Dar sabor de vinagre a. **4.** Transformar em vinagre; acetificar. **5.** *Fig.* Agravar, acirrar (uma questão). **6.** *Fig.* Impacientar, irritar, exasperar; azedar. *P.* **7.** Azedar-se, acetificar-se. **8.** Irritar-se, exasperar-se; azedar-se. [Sin. ger.: *avinagrar*, *vinagrar*.]

envincilhar *V. t. d. P.* V. *envencilhar*.

envio [Dev. de *enviar*.] *S. m.* **1.** Ato de enviar; enviamento. **2.** Remessa, expedição, enviamento. **3.** *Arte Poét.* V. *tornada*¹ (2).

enviperado [Part. de *enviperar*.] *Adj.* **1.** Assanhado como víbora. **2.** Irritado, encolerizado.

enviperar [De *en-*² + lat. *vipera*, 'víbora', + *-ar*².] *V. t. d.* **1.** Tornar assanhado como a víbora. **2.** Irritar, enfurecer, encolerizar. *P.* **3.** Assanhar-se, irritar-se.

envira *S. f. Bras.* V. *embira*.

enviraí *S. f. Bras. Bot.* V. de *embiratai*.

envireira *S. f. Bras. Bot.* V. de *embireira*.

envirense *Adj. 2 g.* **1.** De, ou pertencente ou relativo a Envira (AM e RJ). • *S. 2 g.* **2.** O natural ou habitante de Envira.

enviscar [Do lat. *inviscare*.] *V. t. d.* **1.** Untar com visco. **2.** Prender com visco. **3.** Enganar com astúcia; engodar. *P.* **4.** Ficar preso no visco. **5.** Deixar-se prender, seduzir. [Conjug.: v. *trancar*.]

enviuvar (i-u) [De *en-*² + *viúvo* + *-ar*².] *V. t. d.* **1.** Tornar viúvo; lançar na viuvez. *Int.* **2.** Ficar viúvo; viuvar: "Tertuliano acabava de <u>enviuvar</u>. Havia meia hora que Dona Xandoca .... fechara os olhos para nunca mais abri-los." (Artur Azevedo, *Contos fora da Moda*, p. 11.) *T. d. e i.* **3.** Privar, despojar: *Bem cedo a morte o <u>enviuvou</u> do carinho dos pais.* [Conjug.: v. *amiudar*.]

enviveirar [De *en-*² + *viveiro* + *-ar*².] *V. t. d.* **1.** Recolher ou criar em viveiro. **2.** Plantar (mudas) em viveiros.

envolta [De *en-*² + *volta*.] *S. f.* Confusão, desordem, tumulto. [Pl.: *envoltas*. Cf. *envolta* (ô), fem. de *envolto* (ô), e pl. *envoltas* (ô).] ◆ **De envolta. 1.** De mistura; de tropel; de companhia. **2.** Ao mesmo tempo; conjuntamente. **3.** Confusamente.

envolto (ô) [Do lat. **involvitu*.] *Adj.* Envolvido, embrulhado. [Flex.: *envolta* (ô), *envoltos* (ô), *envoltas* (ô). Cf. *envolta* e pl. *envoltas*.]

envoltória [F. subst. de *envoltório*.] *S. f. Mat.* **1.** Curva tangente a cada curva de uma família monoparamétrica de curvas. **2.** Superfície tangente a cada superfície de uma família monoparamétrica de superfícies.

envoltório [De *envolto* + *-ório*.] *Adj.* **1.** Que envolve; que serve para envolver. ~ V. *célula —a.* • *S. m.* **2.** V. *invólucro* (1). ◆ **Envoltório nuclear.** *Citol.* Membrana dupla que envolve o núcleo das células eucarióticas; membrana nuclear e (desus.) cariomembrana, carioteca.

envoltura [De *envolto* + *-ura*.] *S. f.* **1.** Envolvimento (1). **2.** Manta em que se envolvem as crianças.

envolvedor (ô) [De *envolver* + *-dor*.] *Adj.* **1.** Envolvente (1). • *S. m.* **2.** Aquilo que envolve. **3.** *Fig.* Indivíduo intrigante.

envolvência [De *envolver* + *-ência*.] *S. f.* Qualidade de envolvente.

envolvente [De *envolver* + *-nte*.] *Adj. 2 g.* **1.** Que envolve ou abarca; envolvedor. **2.** Que envolve, prende, atrai, alicia, encanta; atraente, aliciante, sedutor, encantador. ~ V. *placa —.*

envolver [Do lat. *involvere*.] *V. t. d.* **1.** Abranger, abarcar: *O silêncio <u>envolvia</u> a cidade.* **2.** Trazer em si; encerrar, conter: *Tais palavras <u>envolvem</u> toda uma concepção de vida.* **3.** Implicar, importar: *Aquela resposta <u>envolvia</u> uma acusação.* **4.** Seduzir, cativar, prender, enlear, aliciar, atrair, encantar: "Sua beleza <u>envolvia</u> os homens e dava espanto e mágoa nas mulheres." (Elias José, *Inquieta Viagem no Fundo do Poço*, p. 23.) **5.** Cercar, rodear: *A mãe <u>envolveu</u> a criança carinhosamente.* **6.** Enredar; comprometer: *As intrigas <u>envolveram</u> toda a família.* **7.** Trazer como consequência; originar: *A supressão da liberdade <u>envolve</u> a violência.* **8.** Cobrir, toldar: *As sombras <u>envolvem</u> a cidade.* **9.** Confundir; misturar. *T. d. e i.* **10.** Cercar, rodear: *<u>Envolveu</u> o filho num longo abraço.* **11.** Cobrir, enrolando; embrulhar: *<u>Envolveu</u> a criança no lençol. P.* **12.** Tomar parte; intrometer-se: *Não mais <u>me envolverei</u> com teus problemas.* **13.** Embrulhar-se; ocultar-se. **14.** Toldar-se, anuviar-se, turvar-se; cobrir-se. **15.** Misturar-se, mesclar-se, confundir-se. **16.** Relacionar-se afetiva e/ou sexualmente com outrem. [Part.: *envolvido* e *envolto*.]

envolvido [Part. de *envolver*.] *Adj.* Que se envolveu; implicado.

envolvimento [De *envolver* + *-imento*.] *S. m.* **1.** Ação ou efeito de envolver(-se); envoltura. **2.** Caso, aventura (particularmente amorosa): *É notório seu <u>envolvimento</u> com a prima.*

enxabeque *S. m.* V. *xaveco*.

enxabidez (ê) [De *enxabido* + *-ez*.] *S. f.* V. *desenxabidez*.

enxabido [Por **enxábido* < lat. **insapidu*, com hiperbibasmo.] *Adj.* V. *desenxabido*.

enxaca [Do ár. *aš-šaqq*, 'rachadura', 'fissura'.] *S. f.* Rasgão, fenda.

enxacoco (ô) [De or. obscura.] *Adj.* **1.** Que fala mal uma língua estrangeira, entremeando nela palavras da sua. **2.** Estranho, exótico: *linguagem <u>enxacoca</u>.* • *S. m.* **3.** Indivíduo enxacoco (1).

enxada [Do lat. **asciata* < lat. *ascia*, 'enxó', 'sacho'; 'alvião'.] *S. f.* **1.** Instrumento de capinar ou revolver a terra. [Sin., em SP e MG: *guatambu*.] **2.** *Fig.* Ofício, profissão, ganha-pão. **3.** *Bras. Zool.* Peixe teleósteo, perciforme, efipídeo (*Chaetodipterus faber*), do Atlântico, de coloração plúmbea tirante ao cinza ou prateado, com cinco faixas negras transversais sobre o corpo, mais visíveis nos jovens. ◆ **Dar de mamar à enxada.** *Bras. PB Pop.* Apoiar-se, descansando, no cabo da enxada.

enxadada [De *enxada* + *-ada*¹.] *S. f.* **1.** Golpe com enxada. **2.** Ato ou efeito de cavar a terra com a enxada; cavadela.

enxadão [De *enxada* + *-ão*¹.] *S. m.* **1.** Enxada grande. **2.** Instrumento encabado, de ferro, com uma extremidade larga terminada em gume e a outra estreita como o bico da picareta, usado na agricultura ou no desaterro; alvião, marraco.

enxada-verde *S. f. Bras. Bot.* V. *falso-oró*. [Pl.: *enxadas-verdes*.]

enxadear [De *enxada* + *-ear*².] *V. t. d.* **1.** Cavar com enxada: *<u>Enxadeou</u> todo o campo. Int.* **2.** Trabalhar com enxada: "E lá deixavam o filho pequeno, às vezes dois, e iam <u>enxadear</u> na roça, longe, sem os atropelos de uma criança às costas." (Ilza Espírito Santo Porto, em *Contos Alagoanos de Hoje*, p. 67.)

enxadeiro [De *enxada* + *-eiro.*] *S. m. Bras.* Trabalhador, ou bom trabalhador, de enxada.

enxadrez (ê) [Do port. ant. *exedrez* (v. *xadrez*), com nasalação.] *S. m. Ant.* Xadrez (1).

enxadrezado [Part. de *enxadrezar.*] *Adj.* **1.** V. *axadrezado*^{2}. **2.** *Heráld.* Diz-se de escudo ou peça dividida em quadros [v. quadro (18)]; enxaquetado, enxequetado. [Cf. *xadrez.*]

enxadrezar [De *enxadrez* + *-ar*^{2}.] *V. t. d.* Dividir em quadrados, à feição do tabuleiro de xadrez. [Sin.: *axadrezar, xadrezar* e (em heráld.) *enxaquetar* ou *enxequetar.*]

enxadrismo [Por **enxadrezismo,* de *enxadrez* + *-ismo,* com síncope.] *S. m.* A arte ou gosto do jogo do xadrez (1).

enxadrista [Por **enxadrezista,* de *enxadrez* + *-ista,* com síncope.] *Adj. 2 g.* **1.** Relativo ao xadrez (1). ● *S. 2 g.* **2.** Jogador de xadrez; xadrezista, problemista: "então daria para poeta ou, quem sabe, charadista. Ou enxadrista." (Rubem Braga, *Ai de Ti, Copacabana!,* p. 167).

enxadrístico [De *enxadrista* + *-ico*^{2}.] *Adj.* Relativo ao enxadrismo.

enxaguada [De *enxaguar* + *-ada*^{1}.] *S. f.* V. *enxaguadura.*

enxaguadela [De *enxaguar* + *-dela.*] *S. f.* V. *enxaguadura.*

enxaguadura [De *enxaguar* + *-dura.*] *S. f.* Ato ou efeito de enxaguar; enxaguada, enxaguadela; enxágue.

enxaguar [Do lat. vulg. **exaquare* (< lat. *aqua,* 'água'), com nasalação.] *V. t. d.* **1.** Lavar ligeiramente. **2.** Passar em segunda água, ou segunda água em, para tirar o sabão: "Comecei a enxaguar a face ensaboada." (Solange Lajes, *Passagem,* p. 63.) [Apresenta dois paradigmas: a) com acento fônico e gráfico no *a* das formas rizotônicas — pres. ind.: *enxáguo, enxáguas, enxágua, enxaguamos, enxaguais, enxáguam*; pret. perf.: *enxaguei* (ü), *enxaguaste, enxaguou, enxaguamos, enxaguastes, enxaguaram*; pres. subj.: *enxágue* (ü), *enxágues* (ü), *enxágue* (ü), *enxaguemos* (ü), *enxagueis* (ü), *enxáguem* (ü); imperat.: *enxágua,* .... *enxaguai, enxáguem* (ü); b) com acento fônico, mas sem marcação gráfica, no *u* das formas rizotônicas: pres. ind.: *enxaguo* (ú), *enxaguas* (ú), *enxagua* (ú), *enxaguamos,* etc.; 1.ª pess. sing. pret. perf. ind.: *enxaguei* (ü); pret. imperf. ind.: *enxaguava,* .... *enxaguáveis, enxaguavam*; pres. subj.: *enxague* (ú), *enxagues* (ú), *enxague* (ú), *enxaguemos* (ü), *enxagueis* (ü), *enxaguem* (ú).]

enxágue (güe) [Dev. de *enxaguar.*] *S. m.* V. *enxaguadura.* ❖

enxaimear [Por **enxaimelar* < *enxaimel* + *-ar*^{2}, com síncope.] *V. t. d. Bras.* V. *enxamear*^{2}. [Conjug.: v. *frear.*]

enxaimel [De or. obscura.] *S. m. Arquit.* Cada uma das estacas ou grossos caibros que, juntamente com as varas, constituem o engradado das paredes de taipa, destinado a receber e a manter o barro amassado. [Pl.: *enxaiméis.*]

enxalço [De or. obscura.] *S. m. Arquit. Constr.* **1.** Pequeno arco, sob a verga de porta ou de janela. **2.** Engra (2).

enxalmar [De *enxalmo* + *-ar*^{2}.] *V. t. d.* Aparelhar ou cobrir com enxalmo.

enxalmo [Do esp. *enjalma* < esp. ant. *salma* < lat. vulg. *salma* < lat. *sagma,* 'albarda'.] *S. m.* **1.** Manta que se coloca por cima da albarda para lhe aplanar o assento. **2.** *Pop.* Pessoa inútil, sem préstimo.

enxama [De or. obscura.] *S. f.* Cavilha de madeira, na borda da canoa, onde joga o remo; tolete.

enxambrado [Var. de *enxumbrado.*] *Adj.* Que não está totalmente seco; meio úmido. [Outra var.: *enxombrado.*]

enxambrar [Var. de *enxumbrar.*] *V. t. d.* **1.** Enxugar ligeiramente. **2.** Enxugar (a roupa) o bastante para engomar. *Int. P.* **3.** Enxugar(-se) incompletamente. [Outra var.: *enxombrar.*]

enxame [Do lat. *examen,* por via pop.] *S. m.* **1.** Conjunto das abelhas duma colmeia. **2.** *P. ext.* Multidão de gente ou de animais. **3.** Grande quantidade; quantidade, multidão, abundância: "E um enxame de sonhos se levanta / Do seu olhar constantemente" (Luís Murat, *Ondas,* II, p. 97). ◆ **Enxame de cometas.** *Astr.* Grupo numeroso de cometas que têm aproximadamente a mesma órbita. **Enxame de meteoros.** *Astr.* V. *chuva de meteoros.*

enxameação [De *enxamear*^{2} + *-ção.*] *S. f. Bras.* Ato ou efeito de enxamear^2. [Sin.: *enxameamento,* e, no AM, *enchimento.* A boa f. seria *enxaimeação.*]

enxameamento [De *enxamear*^{2} + *-mento.*] *S. m. Bras.* V. *enxameação.* [A boa f. seria *enxaimeamento.*]

enxamear^1 [De *enxame* + *-ear*^{2}.] *V. t. d.* **1.** Reunir (as abelhas) em cortiço. **2.** Encher (o cortiço) com abelhas de outra colônia. **3.** Encher como um enxame; inundar com grande número. *Int.* **4.** Formar enxame. **5.** Andar em grande número; pulular, formigar: "O povo enxameando em baixo, na azáfama do transporte dos materiais, estremecia muita vez ao vê-lo passar" (Euclides da Cunha, *Os Sertões,* p. 197). *P.* **6.** Apinhar-se, aglomerar-se. [Conjug.: v. *frear.*]

enxamear^2 [Var. sincopada de *enxaimear.*] *V. t. d. Bras.* Colocar os enxaiméis em. [A boa f. seria *enxaimear.* Conjug.: v. *frear.*]

enxaqueca (ê) [Sin., bras., pop., *mururu* e (fr.) *migraine.*] *S. f. Med.* Síndrome constituída por cefaleias periódicas, muitas vezes unilaterais, e que se acompanham de náusea, vômito e perturbações sensoriais variáveis. [Sin., bras., pop.: *mururu.*]

enxaquetado [Part. de *enxaquetar.*] *Adj. Heráld.* V. *enxadrezado* (2).

enxaquetar [De *en-*^{2} + port. ant. *xaque* (v. *xeque*^{1}) + *-t-* + *-ar*^{2}.] *V. t. d. Heráld.* V. *enxadrezar.*

enxara [Do ár. vulg. *aš-šaᶜrāʾ,* 'mata', 'matagal'.] *S. f. Ant.* **1.** Matagal. **2.** Charneca. [Var.: *xara.*]

enxaravia^1 *S. f. Ant.* Espécie de tamanco.

enxaravia^2 [Do ár. *aš-šarbya(t),* 'banda', 'fita'; 'atilho para a cabeça'.] *S. f. Ant.* Toucado de mulheres.

enxárcia [Do gr. bizantino *exártia,* pelo it. ou pelo cat.] *S. f. Constr. Nav.* O conjunto de ovéns e enfrechates, nos navios à vela. [As enxárcias eram usadas em todos os veleiros de maior porte, mas foram abolidas nos navios modernos de propulsão a hélice. Cf. *enxarcia,* do v. *enxarciar.*]

enxarciar [De *enxárcia* + *-ar*^{2}.] *V. t. d. Ant. Desus.* **1.** Guarnecer de enxárcias. **2.** Aparelhar (o navio). [Pres. ind.: *enxarcio, enxarcias, enxarcia,* etc. Cf. *enxárcia.*]

enxaropar [De *en-*^{2} + *xarope* + *-ar*^{2}.] *V. t. d.* **1.** Transformar em xarope. **2.** Mezinhar com xarope. *P.* **3.** *Pop.* Embebedar-se, embriagar-se.

enxarrafa [Do ár. *aš-šarrába(t).*] *S. f.* Cordão ou borla de seda.

enxávega [Do ár. *aš-šabbaka(t).*] *S. f.* Rede de pesca. [Var.: *xávega.*]

enxeco (ê) [Do ár. *aš-šiqq,* 'pena', 'penalidade'; 'dificuldade'; 'moléstia'.] *S. m.* **1.** Adversidade, infortúnio, desgraça. **2.** Dano, perda. **3.** Queixa, sofrimento, doença.

enxequetado [Part. de *enxequetar.*] *Adj. Heráld.* V. *enxadrezado* (2).

enxequetar [De *en-*^{2} + *xeque*^{1} + *-t-* + *-ar*^{2}.] *V. t. d. Heráld.* V. *enxadrezar.*

enxerca [Do ár. *aš-šarqa(t),* 'o Sol nascente', pelo arc. *eixerca.*] *S. f. Ant.* Operação que consistia em retalhar a carne das reses e pô-la a secar ao sol ou ao fumeiro.

enxercar [De *enxerca* + *-ar*^{2}.] *V. t. d.* **1.** Secar (a carne cortada das reses); charquear. *Int.* **2.** Charquear. [Conjug.: v. *trancar.* Pres. ind.: *enxerco,* etc. Cf. *enxerco* (ê).]

enxerco (ê) [Corrupt. de *enxerto(-de-passarinho).*] *S. m. Bras. Bot.* V. *erva-de-passarinho.* [Pl.: *enxercos* (ê). Cf. *enxerco,* do v. *enxercar.*]

enxerga (ê) [De or. incerta; poss. de *en-*^{2} + lat. *serica,* pl. de *sericum,* 'pano de seda'.] *S. f.* **1.** Colchão rústico. **2.** Cama pobre; catre: "Josefa perscrutando o leito do mago viu cintilar, entre a tábua da cabeceira e a enxerga, o ouro de um bracelete." (Xavier Marques, *O Feiticeiro,* p. 155.) [Pl.: *enxergas* (ê). Cf. *enxerga* e *enxergas,* do v. *enxergar.*]

enxergão [De *enxerga* + *-ão*^{1}.] *S. m.* **1.** Espécie de colchão de palha muito apertada, que se coloca por baixo do colchão da cama. **2.** Estrado de arame (nas camas). **3.** *Bras. RS* Suadouro que se põe sobre o lombo do cavalo, por baixo dos arreios.

enxergar [De or. obscura.] *V. t. d.* **1.** Ver a custo; entrever, divisar. **2.** Descortinar, avistar. **3.** Notar, perceber, observar: *Finalmente enxergou o seu erro.* **4.** Pressentir, adivinhar. **5.** *Fam.* Entender de (um assunto). *T. d. e i.* **6.** Enxergar (3): *Enxergou-lhe nos olhos os sentimentos ocultos.* **7.** Pressentir; adivinhar: *Enxergou naquela arma a possibilidade da vitória.* *Transobj.* **8.** *Fam.* Julgar ou considerar: *Sem razão muitos enxergam a pena de morte como um excelente meio para repressão da criminalidade.* [Conjug.: v. *regar.* Pres. ind.: *enxergo, enxergas, enxerga,* etc. Cf. *enxerga* (ê) e pl. *enxergas* (ê).] ◆ **Enxergar longe.** *Fam.* Ser muito esperto. **Não se enxergar.** *Fam.* Não conhecer o seu lugar.

enxerido [Part. de *enxerir.*] *Adj. Bras.* **1.** Que se intromete naquilo que não lhe diz respeito; intrometido. **2.** Metido a conquistador, a namorador. ● *S. m.* **3.** Indivíduo enxerido: "Safado, enxerido. Veio meter-se onde não fora chamado." (Adalberon Cavalcanti Lins, *Curral Novo,* p. 250.)

enxerimento [De *enxerir* + *-mento.*] *S. m. Bras.* Ação ou comportamento próprio de um enxerido.

enxerir [Do lat. *inserire,* por via pop.] *V. t. d. e i.* **1.** *Ant.* Inserir, intercalar. **2.** *Ant.* Interceder. *P.* **3.** *Bras. N. N.E.* Tomar parte no que não lhe diz respeito; intrometer-se. **4.** Procurar namorar; arrastar a asa a alguém. [Conjug.: v. *aderir.*]

enxertadeira [De *enxertar* + *-deira.*] *S. f.* Faca para fazer enxertos.

enxertador (ô) [De *enxertar* + *-dor.*] *Adj. S. m.* Que, ou aquele que enxerta.

enxertadura [De *enxertar* + *-dura.*] *S. f.* Ato ou efeito de enxertar; enxertia, enxerto.

enxertar [Do lat. *insertare.*] *V. t. d.* **1.** Fazer enxerto em. *T. d. e i.* **2.** Fazer enxerto: *enxertar limeira em laranjeira; enxertar num discurso numerosas citações.* **3.** Introduzir, inserir. *P.* **4.** Introduzir-se. [Pres. ind.: *enxerto,* etc. Cf. *enxerto* (ê).]

enxertário [De *enxert(ar)* + *-ário.*] *S. m. Marinh. Ant.* Conjunto de cabos do navio que seguram as vergas aos mastros e permitem arriá-las e içá-las.

enxertia [De *enxert(ar)* + *-ia*^{1}.] *S. f.* V. *enxertadura.*

enxerto (ê) [Dev. de *enxertar.*] *S. m.* **1.** Ato de enxertar ou inserir. **2.** *Bot.* Operação que consiste em introduzir uma parte viva dum vegetal em outro vegetal, para que neste se desenvolva como se desenvolveria na planta de onde saiu. **3.** *Bot.* A planta enxertada. **4.** Aquilo que se enxerta ou insere. **5.** *Med.* Qualquer tecido (5), ou órgão natural, que é implantado num organismo. [Cf., nesta acepç., *prótese* (1). Pl.: *enxertos* (ê). Cf. *enxerto,* do v. *enxertar.*]

enxerto-de-passarinho *S. m. Bras. Bot.* V. *erva-de-passarinho.* [Pl.: *enxertos-de-passarinho.*]

enxó [Do lat. *asciola,* dim. de *ascia,* 'enxó'.] *S. m. e f.* **1.** Instrumento de cabo curto e com chapa de aço cortante, usado por carpinteiros e tanoeiros para desbastar madeira. **2.** *Bras. BA* Escavação retangular em uma trilha, com alçapão dissimulado na superfície, para apanhar preás e outros pequenos roedores.

enxoada [Da mesma or. incerta do esp. ant. *axuague, axuaga* (atual *ajuagas*).] *S. f. Veter.* Tumor que se forma nos cascos das bestas.

enxodozado [Part. de *enxodozar-se.*] *Adj.* Apaixonado, enrabichado: "Carol, confidente universal, sabia do interesse do Vasco, e sabia também estar Dorothy .... enxodozada." (Jorge Amado, *Os Velhos Marinheiros,* p. 159.)

enxodozar-se [De *en-*^{2} + *xodó* + *-z-* + *-ar*^{2} + *se*^{1}.] *V. p.* Apaixonar-se, enrabichar-se.

enxofradeira [De *enxofrar* + *-deira.*] *S. f.* Máquina com que se pulveriza flor-de-enxofre nas plantas atacadas por moléstias parasitárias.

enxofrado^1 [De *enxofre* + *-ado*^{1}.] *Adj.* Que tem cheiro de enxofre.

enxofrado^2 [Part. de *enxofrar.*] *Adj.* **1.** Polvilhado, misturado, preparado ou desinfetado com enxofre. **2.** Impregnado de enxofre. **3.** *Fig. Pop.* Zangado, irritado, agastado. **4.** *Bras. N.E.* Pálido, amarelado; empalamado; empalemado: "Pálido, enxofrado, parecia um homem que vivia sempre doente." (Araújo Costa, *O Menino e o Tempo,* p. 123); "Está doente. Repare na sua cara enxofrada, empalemada." (Id., *ib.,* p. 19).

enxoframento [De *enxofrar* + *-mento.*] *S. m.* Ação de enxofrar(-se); enxofria.

enxofrar [De *enxofre* + *-ar*^{2}.] *V. t. d.* **1.** Polvilhar, misturar, preparar ou desinfetar com enxofre. **2.** Impregnar de enxofre. *P.* **3.** *Fig.* Irritar-se, zangar-se. [Pres. subj.: *enxofre, enxofres,* etc. Cf. *enxofre* (ô) e pl. *enxofres* (ô).]

enxofre (ô) [Do lat. *sulfure, sulphure,* poss. com infl. moçárabe.] *S. m.* **1.** *Quím.* Elemento de número atômico 16, não metálico, cristalino, amarelo, com odor característico, utilizado em diversas indústrias [símb.: *S*]. [Sin. (ant.): *acrebite, alcrevite.*] **2.** *Alq.* Um dos elementos ou princípios formadores dos metais, junto com o mercúrio, para alguns e, além deste, do sal, para outros autores. [Seria o responsável pela inflamabilidade e, segundo os alquimistas, não deve ser confundido com o enxofre comum.] [Pl.: *enxofres* (ô). Cf. *enxofre* e *enxofres,* do v. *enxofrar.*]

enxofreira [De *enxofre* + *-eira.*] *S. f.* **1.** V. *solfatara.* **2.** *Bras.* Aparelho produtor de açúcar.

enxofrento [De *enxofre* + *-ento.*] *Adj.* Que tem enxofre.

enxofria [De *enxofre* + *-ia*^{1}.] *S. f.* **1.** Enxoframento. **2.** *Mar.* Pulverização da água do mar, resultante da arrebentação das vagas, e que às vezes se mostra fosforescente.

enxombrado [Var. de *enxumbrado.*] *Adj. Bras.* V. *enxambrado.*

enxombrar [Var. de *enxumbrar.*] *V. t. d. Int. P. Bras.* V. *enxambrar.*

enxota-cães [De *enxotar* + o pl. de *cão*^{1}.] *S. m. 2 n. Fam.* Aquele que nas igrejas enxota os cães para a rua; perreiro.

enxota-diabos [De *enxotar* + o pl. de *diabo.*] *S. m. 2 n. Pop.* **1.** Exorcista (1). **2.** Benzedeiro.

enxotadura [De *enxotar* + *-dura.*] *S. f.* Enxotamento.

enxotamento [De *enxotar* + *-mento.*] *S. m.* Ato ou efeito de enxotar; enxotadura.

enxota-moscas [De *enxotar* + o pl. de *mosca* (ô).] *S. m. 2 n.* Utensílio para afugentar moscas; abana-moscas.

enxotar [De *en-*^{2} + lus. *xote,* interj. us. para afugentar aves, + *-ar*^{2}.] *V. t. d.* **1.** Afugentar, empurrando, batendo ou gritando; afastar. **2.** Pôr fora; fazer retirar; expulsar: *Cristo enxotou os vendilhões do templo.*

enxova [De or. incerta; poss. do ár.] *S. f. Ant.* V. *enxovia.* [Cf. *enchova* (ô).]

enxoval [Do ár. *aš-šiwār,* 'utensílios'; 'mobiliário'.] *S. m.* Conjunto de roupas e de certos complementos, em geral úteis, de quem se casa, de recém-nascido, de jovem que se interna em colégio, etc.

enxovalhado [Part. de *enxovalhar*.] ***Adj.*** **1.** Que se enxovalhou; manchado, sujo, emporcalhado. **2.** Desacreditado; injuriado. **3.** *Mar.* Diz-se de embarcação que se deixa facilmente invadir pelas vagas.

enxovalhamento [De *enxovalhar* + *-mento*.] ***S. m.*** Ato ou efeito de enxovalhar(-se); enxovalho.

enxovalhar [De or. controvertida; poss. de *enxova* *-alhar*.] ***V. t. d.*** **1.** Sujar, manchar, emporcalhar, enodoar: *enxovalhar a roupa.* **2.** Amarrotar, amarfanhar, amarfalhar. **3.** Desconsertar, desarranjar. **4.** Macular, deslustrar, desconsertar, desarranjar. **5.** Injuriar, insultar, afrontar. **6.** *Mar.* Molhar (a embarcação, ou uma parte dela, como, p. ex., o convés), em consequência do choque das vagas. **7.** *Mar.* Fazer entrar a água do mar em (a embarcação). ***P.*** **8.** Cometer ação baixa, indecorosa; desacreditar-se. **9.** Tornar-se pouco asseado nos trajes. **10.** *Mar.* Molhar-se (a embarcação, ou uma parte dela, como, p. ex., convés), em consequência do choque das vagas: *Com o temporal, o barco enxovalhou-se.*

enxovalho [Dev. de *enxovalhar*.] ***S. m.*** **1.** Enxovalhamento. **2.** *Mar.* A água que as vagas atiram dentro da embarcação.

enxovedo (ê) ***S. m.*** *Fam.* Pateta, pacóvio, tolo (q. v.).

enxovia [Do ár. *al-ǧubb*, 'poço', 'cisterna' (v. *aljube*), + *-ia*[1]; com infl. de um top. ant. *Enxovia* (Marrocos), poss.] ***S. f.*** Cárcere térreo ou subterrâneo, escuro, úmido e sujo: "Enquanto isto dura, o paciente anda de enxovia em enxovia, nos calabouços das fortalezas" (Eduardo Prado, *Fastos da Ditadura Militar no Brasil*, p. 324).

enxu [Do tupi.] *Bras.* ***S. f.*** **1.** *Zool.* V. *enxuí.* ● ***S. m.*** **2.** A casa ou colmeia dessa vespa.

enxu-da-beira-do-telhado ***S. m.*** *Bras. Zool.* Inseto himenóptero, vespídeo (*Polybia scutellaris*), de coloração preta, com dois traços amarelos, transversais, quase unidos, no meio do dorso. Constrói o ninho, esférico, com quase dois palmos de diâmetro, nos beirais das casas ou nas janelas. [Sin.: *camoati, camoatim, canguaxi, cabamoatim.* Pl.: *enxus-da-beira-do-telhado.*]

enxuga [Dev. de *enxugar*, poss.] ***S. f.*** *Bras. N. a S. Bot.* Arbusto asteráceo (*Vernonia scorpioides*) dotado de flores de corola purpúrea, reunidas em capítulos sésseis, dispostos em panículas alongadas, escorpioides, e cujo fruto é aquênio, piloso, com papo branco e cerdas.

enxugadoiro [De *enxugar* + *-doiro*[2].] ***S. m.*** Enxugadouro (q. v.).

enxugador (ô) [De *enxugar* + *-dor*.] ***S. m.*** **1.** Aparelho ou estufa para enxugar roupa. **2.** *Fam.* Toalha de banho.

enxugadouro [De *enxugar* + *-douro*[2]; var. de *enxugadoiro*.] ***S. m.*** Lugar onde se põe algo a enxugar; enxugo.

enxuga-gelo [De *enxugar* + *gelo* (ê).] ***S. 2 g.*** *Bras. PE Gír.* V. *bajulador* (2). [Pl.: *enxuga-gelos*.]

enxugamento [De *enxugar* + *-mento*.] ***S. m.*** Ato ou efeito de enxugar.

enxugar [Do lat. *exsucare*, 'deixar sem suco'; 'enxugar'.] ***V. t. d.*** **1.** Tirar a umidade a; secar, desensopar: "Tudo a narração dele ia lembrando, / E eu a ver tudo! ao lenço ocultamente / A enxugar minhas lágrimas." (Alberto de Oliveira, *Poesias*, 3.ª série, p. 256.) **2.** Beber até à última gota; esgotar: "encanta-se com os lombos de porco, os churrascos, enxuga largos copos de vinho" (Marcos Vinícios Vilaça, *Em Torno da Sociologia do Caminhão*, p. 25). **3.** Fazer cessar (as lágrimas, o pranto) a. **4.** *Econ.* Diminuir a quantidade de moeda em circulação: "Ao vender dólares, o Banco Central compra cruzeiros e assim enxuga um pouco a liquidez" (*Gazeta Mercantil*, 22.07.1993, p. 22). **5.** *Bras. Fig.* Eliminar de um texto aquilo que é supérfluo, para dotá-lo de maior clareza, elegância, simplicidade: "o exuberante linguajar nativista de Mário de Andrade resultaria fatalmente hermético se transposto, tal qual, para o diálogo da realização cênica. Então, os adaptadores enxugaram consideravelmente — sem descaracterizá-lo — o vocabulário do diálogo" (Yan Michalski, em *Jornal do Brasil*, 17.10.1978). **6.** *Bras. RS* Cometer homicídio; assassinar. ***Int. P.*** **7.** Perder a umidade; secar(-se). [Part.: *enxugado* e *enxuto*. Conjug.: v. *largar*.]

enxugo [Dev. de *enxugar*.] ***S. m.*** **1.** Ato de enxugar. **2.** Enxugadouro.

enxuí [De *enxu* + *-í*.] ***S. m.*** *Bras. Zool.* Inseto himenóptero, vespídeo (*Nectarina lecheguana*), de índole bravia, coloração preta com a extremidade do abdome amarela e as asas castanhas. Constrói ninhos quase esféricos, e fornece mel de boa qualidade. [Var.: *eixu, enxu, exu.* Sin.: *lechiguana, lichiguana, lecheguana, cabamirim.*]

enxumbrado [Part. de *enxumbrar*.] ***Adj.*** Enxambrado

enxumbrar [Do lat. **exhumorare*, 'tirar a umidade'.] ***V. t. d. Int. P.*** Enxambrar.

enxúndia [Do lat. *axungia*.] ***S. f.*** **1.** Gordura do porco e das aves. **2.** *P. ext.* Gordura, banha, unto. [Cf. *enxundia*, do v. *enxundiar*.]

enxundiar [De *enxúndia* + *-ar*[2].] ***V. t. d.*** Engordar; cevar; alimentar. [Pres. ind.: *enxundio, enxundias, enxundia*, etc. Cf. *enxúndia*.]

enxundioso (ô) [De *enxúndia* + *-oso*.] ***Adj.*** **1.** Cheio de enxúndia; gorduroso, untuoso. **2.** Muito gordo; obeso.

enxurdar-se [Por **enchurdar-se* < *en-*[2] + *churdo* + *-ar*[2] + *se*[1].] ***V. p.*** Revolver-se na lama; atolar-se no lodo; chafurdar.

enxurdeiro [Por **enchurdeiro* < *en-*[2] + *churdo* + *-eiro*.] ***S. m.*** **1.** V. *lamaçal* (1). **2.** V. *pântano*. **3.** Chiqueiro (1).

enxurrada [De *enxurro* (q. v.) + *-ada*[1].] ***S. f.*** **1.** Volume de água que corre com grande força, e resultante de grandes chuvas; águas selvagens, aguaça, enxurro. **2.** Jorro de imundícies. **3.** *Fig.* Grande quantidade; série; chorrilho: *Soltou uma enxurrada de bobagens.*

enxurrar [Por *enchurrar*, de *en-*[2] + *chorro* + *-ar*[2], poss.] ***V. t. d.*** **1.** Alagar com enxurro. ***Int.*** **2.** Produzir enxurro; correr de enxurrada. **3.** Cair à maneira de enxurro. **4.** Alastrar-se, propagar-se, grassar.

enxurreira [De *enxurro* + *-eira*.] ***S. f.*** V. *enxurreiro.*

enxurreiro [De *enxurro* + *-eiro*.] ***S. m.*** Enxurdeiro, lamaçal, enxurreira.

enxurro [De *en-*[2] + o rad. onom. *xurr-, churr-*, 'queda-d'água', como no galego *xurro* ou *churro*.] ***S. m.*** **1.** V. *enxurrada* (1). **2.** *Fig.* V. *ralé* (1).

enxuto [Do lat. *exsuctu*, 'sem suco'.] ***Adj.*** **1.** Que não está molhado ou não tem umidade; seco: *Apesar da chuva, ali estava enxuto.* **2.** Sem lágrimas: "E vou de olhos enxutos e alma leve / à galharda conquista do teu beijo." (Vicente de Carvalho, *Poemas e Canções*, p. 4.) **3.** Sem chuva: *tempo enxuto.* **4.** Diz-se do indivíduo que não é gordo nem magro, que é bem conformado de corpo, ou bonito. **5.** Diz-se do estilo literário elegante, sem excessos, sem derramamentos, sem redundâncias: *O estilo de Graciliano Ramos é enxuto.* **6.** Diz-se do vegetal ou da iguaria que ficou, pela ação do fogo, com pouco ou sem nenhum líquido: *arroz enxuto.*

enzampa [De *enzampar*.] ***S. 2 g.*** V. *maçante* (2).

enzampar [De *en-*[2] + *zampar*.] ***V. t. d.*** **1.** V. *zampar*. **2.** Burlar, lograr, ludibriar.

enzima [Do al. *Enzym* < gr. med. *énzymos*, 'levedado', 'fermentado'.] ***S. f.*** **1.** Diástase, fermento solúvel. **2.** *Quím.* Proteína com propriedades catalíticas específicas. ◆ **Enzima alostérica.** *Bioquím.* Qualquer enzima que tenha duas conformações estruturais distintas, uma ativa e outra inativa. **Enzima de restrição.** *Bioquím.* Endonuclease de restrição.

enzimático [De *enzima* + *-ático*.] ***Adj.*** De, relativo a, ou produzido por enzima; enzímico. ~ V. *desbridamento —*.

enzímico [De *enzima* + *-ico*[2].] ***Adj.*** Enzimático.

enzinha [De *azinha*, com mudança de pref. (v. *en-*[2]).] ***S. f.*** *Pop.* V. *azinha.*

enzinheira [De *enzinha* + *-eira*.] ***S. f.*** *Pop. Bot.* V. *azinheira.*

enzonzar [De *en-*[2] + *zonzo* + *-ar*[2].] ***V. t. d. Int.*** Tornar-(se) zonzo; estontear(-se).

▲**eo-** [Do gr. *ēōs*.] ***El. comp.*** = 'aurora', 'início': *eoceno, eolítico.*

▲**-eo** [Do lat. *ĕus, a, um*.] ***Suf. nom.*** átono, comum à terminologia científica, ou a vocábulos de formação erudita: 'relativo a', 'semelhante a', 'da natureza de', 'próprio de': *agáteo, albugíneo, alcióneo, arbóreo* (< lat.), *corpóreo* (< lat.), *proterânteo*. [Equiv.: *-ea*: *orquídea*.]

eocantocéfalo [Adapt. do tax. *Eocanthocephala*.] *Zool.* ***S. m.*** **1.** Espécime dos eocantocéfalos, ordem de animais asquelmintos, acantocéfalos, com os espinhos da probóscida distribuídos radialmente; protonefrídios ausentes. ● ***Adj.*** **2.** Pertencente ou relativo a eles.

eocénico ***S. m.*** V. *eocênico*. [Uso freq. em P.]

eocênico [De *eoceno* + *-ico*[2].] ***S. m.*** *Desus.* Época eocena.

eoceno [De *eo-* + *-ceno*[1].] *Geol.* ***S. m.*** **1.** Época eocena. ● ***Adj.*** **2.** ~ V. *época —a.*

eoípo [Do tax. *Eohippus* (v. *eo-* e *hip(o)-*[2]).] ***S. m.*** *Paleont. Desus.* V. *hiracotério*.

eólico[1] [Do gr. *aiolikós*, pelo lat. *aeolicu*.] ***Adj.*** **1.** Pertencente ou relativo à Eólia (Grécia antiga) ou aos eólios. **2.** Diz-se do eólico[1] (3). [Sin., nessas acepçs.: *eólio*.] ● ***S. m.*** **3.** *Gloss.* Grupo de dialetos falados na costa setentrional da Grécia antiga, na ilha de Lesbos, na Tessália e na Beócia. [É a língua de Alceu (v. *alcaico*) e Safo (v. *sáfico*).]

eólico[2] [Do mit. gr. *Aíolos* (v. *éolo*) + *-ico*[2].] ***Adj.*** Diz-se daquilo que se relaciona com o vento; eólio. ~ V. *corrosão —a, depósito —, energia —a, erosão —a, estratificação —a* e *rocha —a.*

eolidídeo [Do lat. cient. *Aeolid-* (< tax. *Aeolis*, f. irreg. a partir do gr. *aiólos*, 'ágil', 'rápido') + *-ídeo*[1]; tax. *Aeolididae*.] *Zool.* ***S. m.*** **1.** Espécime dos eolidídeos, importante família de moluscos gastrópodes, cujo gênero-tipo é o eólis (q. v.). Marinhos e desprovidos de concha, são semelhantes às lesmas, têm cores brilhantes e tentáculos cilíndricos. ● ***Adj.*** **2.** Pertencente ou relativo a eles.

eolina [Do mit. *Aíolos*, Éolo, 'deus dos ventos', + *-ina*[1], poss.] ***S. f.*** Antigo e pequeno instrumento de palhetas livres, considerado um dos precursores do harmônio.

eólio[1] [Do gr. *aiólios*, pelo lat. *aeoliu*.] ***S. m.*** **1.** Indivíduo dos eólios, povo helênico que ocupou durante muito tempo a Tessália e que, expulso pela invasão dórica, se dispersou, indo uma parte ocupar o N.O. do Peloponeso e outra o N.E. da Ásia Menor. ● ***Adj.*** **2.** V. *eólico*[1] (1 e 2).

eólio[2] [Do mit. gr. *Aíolos* (v. *éolo*) + *-io*[3].] ***Adj.*** **1.** Eólico[2]. **2.** Diz-se de motor acionado pela força do vento. ~ V. *acumulação —a* e *harpa —a.*

eolípila [Do lat. *aeolipila*.] ***S. f.*** **1.** Instrumento constituído por uma bola oca e metálica que se faz girar por meio do vapor de água que se aquece dentro dela. **2.** Antigo aparelho empregado para se conhecer a direção do vento.

eólis [Do tax. *Aeolis*.] ***S. m.*** *Zool.* **1.** Gênero-tipo dos eolídeos, que compreende moluscos nudibrânquios de corpo alongado, que lembra o da lesma, com guelras digitiformes, muitas vezes de cores brilhantes, ao longo de cada lado do dorso. **2.** Espécie ou espécime desse gênero.

eolítico [De *eo-* + *-lit(o)-* + *-iço*[2].] ***Adj.*** *Geol.* ~ V. *período —.*

éolo [Do mit. gr. *Aíolos*, 'Éolo, deus dos ventos', pelo lat. *Aeolu*.] ***S. m.*** *Poét.* Vento forte.

éon [Do lat. tard. *aeon* < gr. *aión*, 'tempo', 'duração da vida', 'eternidade'.] ***S. m.*** **1.** *Hist. Filos.* Entre os gnósticos, energia eterna emanada de um ser supremo, mediante a sua ação sobre o mundo. **2.** Período de tempo muito longo, ou indefinido. **3.** *Cronol.* Período de tempo correspondente a 1 bilhão de anos.

eonismo [Do antr. (*Charles de Beaumont, Cavaleiro de*) *Éon* (1728-1810), do nobre e oficial francês que fez uso de trajes femininos como disfarce, quando em desempenho de missão secreta na Rússia, + *-ismo*.] ***S. m.*** *Psiq.* Travestismo em homem.

eosina (è-o) [Do V.C.I. *eos-* (< gr. *éos*, 'aurora') + *-ina*[3].] ***S. f.*** *Quím.* Designação genérica de corantes derivados, halogenados de ftaleínas, fluoresceínas, etc. Uma eosina, a tetrabromoftaleína de potássio, é usada como corante de seda, corante alimentar e antisséptico.

eosinofilia (è-o) [De *eosinófilo* + *-ia*[1].] ***S. f.*** *Med.* Formação e aparecimento no sangue, verificável pelo hemograma, de quantidade anormal de leucócitos eosinófilos. [Cf. *eosinopenia*.]

eosinofílico (è-o) [De *eosinofilia* + *-ico*[2].] ***Adj.*** Relativo a eosinofilia, ou a eosinófilo.

eosinófilo (è-o) [De *eosina* + *-o-* + *-filo*[2].] ***Adj.*** **1.** *Med.* Que se cora pela eosina. ● ***S. m.*** **2.** *Histol.* Leucócito que se caracteriza pela presença de grânulos citoplasmáticos acidófilos; acidófilo.

eosinopenia (è-o) [De *eosina* + *-o-* + *-penia*.] ***S. f.*** *Med.* Baixa anormal, verificável pelo hemograma, de leucócitos eosinófilos. [Cf. *eosinofilia*.]

epa (ê) [De or. express.] ***Interj.*** Expressa espanto, estranheza, advertência, etc.

epacmástico [Do lat. cient. *epacmasticus* < gr. *epakmastikós*, 'que passou por período crítico'.] ***Adj.*** *Med.* ~ V. *febre —a.*

epacridácea [Do lat. cient. *Epacrid-* (do tax. *Epacris* < gr. *épakros*, 'pontudo') + *-ácea*; tax. *Epacridaceae*.] ***S. f.*** *Bot.* Espécime das epacridáceas, família da ordem das ericales, composta de arbustos e subarbustos providos de folhas alternas e flores racemosas. Corola gamopétala, com cinco estames concrescentes a ela; ovário súpero; fruto capsular ou drupáceo. Existem cerca de 340 espécies no hemisfério austral, particularmente na Austrália. Não ocorrem no Brasil.

epacridáceo [De *epacridácea*, com var. suf. (*-áceo*).] ***Adj.*** *Bot.* Pertencente ou relativo às epacridáceas.

epacta [Do fr. *épacte* < lat. tard. *epactae* (pl.) < gr. *epaktaì hemérai*, 'dias intercalares'.] ***S. f.*** *Cronol.* Número de dias que deve ser adicionado ao ano lunar (q. v.) para fazê-lo igual ao ano solar (q. v.), e correspondente à idade da Lua em 31 de dezembro do ano anterior ao considerado. [O cálculo de seu valor é feito para um dado ano subtraindo-se 1 ao número áureo (q. v.), multiplicando-se a diferença por 11 e dividindo-se o resultado por 30; o resto da divisão é a epacta do ano em apreço.]

epactal [Do gr. *epaktós*, 'introduzido', + *-al*[1].] ***Adj. 2 g.*** *Anat.* ~ V. *osso —.*

epagoge [Do gr. *epagogé*, pelo lat. tard. *epagoge*.] ***S. f.*** *Filos.* Indução completa (q. v.).

epagógico [Do gr. *epagogikós*.] ***Adj.*** Relativo a epagoge.

epagogo (ô) [Do gr. *epagogós* < gr. *epágein*, 'trazer', 'atrair'.] ***S. m.*** Magistrado grego que decidia sumariamente as questões de direito comercial marítimo.

epagómeno ***Adj.*** V. *epagômeno*. [Uso freq. em P.]

epagômeno [Do b.-lat. *epagomenus* < gr. *epagómenos*, part. pres. pass. do v. gr. *epágein*.] *Adj.* ~ V. *dia* —.

▲**-epana** *Quím. El. comp.* Indica um composto heterocíclico saturado com sete átomos no anel: *tiepana*.

epanadiplose [Do gr. *epanadíplosis*, pelo lat. *epanadiplose*.] *S. f. E. Ling.* Emprego repetido de uma palavra no começo e no fim de um verso ou de uma frase. Ex.: 📖 "Rosa a desabrochar, botão de rosa" (Alberto de Oliveira, *Poesias*, 2.ª série, p. 155). [Cf. *anadiplose*.]

epanáfora [Do gr. *epanaphorá*, pelo lat. tard. *epanaphora*.] *S. f. E. Ling.* Anáfora (1). Ex.: 📖 "Sonharei em Mariana, / sonharei no trem de ferro, / sonharei no Acaba-Mundo" (Alphonsus de Guimaraens Filho, *Poemas Reunidos*, p. 60).

epanafórico [De *epanáfora* + *-ico*².] *Adj.* Anafórico.

epanalepse [Do gr. *epanálepsis*, pelo lat. tard. *epanalepse*.] *S. f. E. Ling.* Repetição de palavra(s) no meio de frases seguidas. Ex.: 📖 "Divertem-nos a atenção os pensamentos, suspendem-nos a atenção os cuidados, prendem-nos a atenção os desejos, roubam-nos a atenção os afetos" (P.ᵉ Antônio Vieira, *Sermões*, I, p. 645).

epanástrofe [Do gr. *epanastrophé*.] *S. f. E. Ling.* Repetição, no começo dum período, de um membro de frase, ou de um verso, da(s) última(s) palavra(s) do período, do membro da frase ou do verso antecedente. Ex.: 📖 "Nuvens e aves, adeus! adeus, feras e flores!" (Olavo Bilac, *Poesias*, p. 267.)

epânodo [Do gr. *epánodos*, pelo lat. tard. *epanodu*.] *S. m. E. Ling.* Repetição em separado de palavras que primeiro se proferiram ou escreveram juntas. Ex.: 📖 "A prudência é filha do tempo e da razão: da razão pelo discurso, do tempo pela experiência." (P.ᵉ Antônio Vieira, *Sermões*, XIII, p. 27.)

epanortose [Do gr. *epanórthosis*, pelo lat. tard. *epanorthose*.] *S. f. E. Ling.* Correção que o orador finge dar a uma palavra ou frase pronunciada.

eparquia [Do gr. *eparchía*, 'província'.] *S. f.* No antigo Império Bizantino, circunscrição (3) civil e eclesiástica.

epeira [Do tax. *Epeira*.] *S. f. Zool.* **1.** Gênero-tipo dos epeirídeos, em que se classificam aranhas de cor verde e amarela, muito comum nos gramados da Europa. **2.** Espécie ou espécime desse gênero.

epeirídeo [Do tax. *Epeira* (v. *epeira*) + *-ídeo*¹; tax. *Epeiridae*.] *Zool. S. m.* **1.** Espécime dos epeirídeos, família de araneídeos, de hábitos terrestres, que reúne várias espécies europeias, caracterizadas pela teia geometricamente perfeita, com fios concêntricos. ● *Adj.* **2.** Pertencente ou relativo a eles.

epêndima [De *ep(i)-* + gr. *éndyma*, 'vestimenta'.] *S. m. Anat.* Membrana que reveste os ventrículos cerebrais e o canal central da medula espinhal.

ependimário [De *epêndima* + *-ário*.] *Adj.* Pertencente ou relativo ao, ou da natureza do epêndima. ~ V. *célula* —*a*.

epêntese [Do gr. *epénthesis*, pelo lat. *epenthese*.] *S. f. E. Ling.* Desenvolvimento de fonema(s) no meio de uma palavra: *barata* (animal) por **brata*; *coronha* por *cronha*; *garalhada* por *gralhada*. [V. *suarabácti*.]

epentético [Do gr. *epenthetikós*.] *Adj.* **1.** Relativo à epêntese. **2.** Resultante de epêntese: ▣ *Em garalhada o primeiro a é epentético.* ~ V. *charada* —*a*.

eperua [Do tax. *Eperua*.] *S. f. Bot.* **1.** Pequeno gênero de árvores cesalpiniáceas, dotadas de folhas paripenadas com folíolos coriáceos, grandes flores alvas, ou vermelhas, ou purpúreas, em racemos paniculados, e fruto leguminoso lígneo, bivalve, com duas sementes. **2.** Qualquer espécie desse gênero, como, p. ex., a *Eperua falcata* (v. *espadeira*). **3.** Qualquer espécime desse gênero.

▲**ep(i)-** [Do gr. *epí*.] *Pref.* = 'posição superior'; 'sobre'; 'movimento para'; 'posterioridade': *epicarpo, epífito, epigenia*.

epibentos [Do ingl. *epibenthos*.] *S. m. 2 n. Ecol.* Epifauna.

epibiose [De *ep(i)-* + *-biose*.] *S. f. Ecol.* Associação facultativa, não simbiótica, entre dois organismos, ger. aquáticos, em que um vive sobre o outro.

epibiótico [De *epibi(ose)* + *-ótico*.] *Adj. Ecol.* Diz-se de organismo em epibiose.

epiblasto [De *ep(i)-* + *-blasto*.] *S. m. Embr.* Camada externa do disco embrionário didérmico, voltada para a cavidade amniótica, e que originará o ectoderma.

epiblema [Do gr. *epíblema*, 'tampa'.] *S. m. Bot.* Epiderme da raiz e doutros órgãos subterrâneos dos vegetais.

épica [F. subst. de *épico*.] *S. f.* A poesia épica: 📖 "Na segunda metade do século XVIII, a épica [brasileira] encontrará cultores como José Basílio da Gama (1741-1795), autor de *O Uraguai*, de 1769." (Gilberto Mendonça Teles, *Camões e a Poesia Brasileira*, p. 114.)

epicanto [Do lat. cient. *epicanthus* < gr. *epikanthís*.] *S. m. Anat.* Prega cutânea, em sentido vertical, de cada lado do nariz, e que chega, por vezes, a cobrir o canto¹ (7) interno. Pode aparecer ou como característica normal, em certos povos, ou, algumas vezes, como anomalia congênita, em outros.

epicárdio [De *ep(i)-* + *-cárdio*.] *S. m. Histol.* Membrana serosa do coração que forma o revestimento visceral aderente ao miocárdio.

epicárpico [De *epicarpo* + *-ico*².] *Adj. Bot.* Relativo ou pertencente ao epicarpo.

epicarpo [De *ep(i)-* + *-carpo*.] *S. m. Bot.* Camada externa do pericarpo dos frutos.

epicaule [De *ep(i)-* + *-caule*.] *Adj. 2 g. Bot.* Diz-se do vegetal, parasito ou não, que cresce sobre o caule doutros vegetais.

epicédio [Do lat. *epicedion* < gr. *epikédeion*, 'fúnebre'.] *S. m.* Composição poética, ou sinfônica, ou discurso, em memória de alguém. [Cf. *elegia* e *nênia*.]

epiceno [Do gr. *epikoinós*, pelo lat. *epicoenu*.] *Adj. E. Ling.* Diz-se do substantivo de um só gênero, masculino ou feminino, o qual designa a espécie de um animal e, portanto, se aplica a indivíduos de ambos os sexos. Ex.: *a cobra, a borboleta, o quati*. [Sendo necessário particularizar o sexo, recorre-se aos substantivos *macho* e *fêmea*, como, p. ex., *o macho da cobra, a fêmea do quati*, ou aos adjetivos *macho* e *fêmeo* (que se flexionam em conformidade com o gênero e com o número do substantivo a que se referem): *quati macho, quati fêmeo, cobras machas, cobras fêmeas*, etc.]

epicentral [De *epicentro* + *-al*¹.] *Adj. 2 g.* Relativo a epicentro.

epicentro [Do gr. *epíkentron*, 'central'.] *S. m. Geofís.* Ponto da superfície terrestre atingido em primeiro lugar e com mais intensidade pelas ondas sísmicas.

epiciclo [Do gr. *epíkyklos*, pelo lat. *epicyclu*.] *S. m.* **1.** *Geom.* Pequeno círculo cujo centro se desloca ao longo de uma circunferência de diâmetro maior. **2.** *Astr.* No sistema cosmológico geocêntrico de Ptolomeu (v. *ptolemaico*), pequena órbita circular que cada planeta descreveria, o centro da qual se deslocaria ao longo de uma outra órbita circular, com movimento uniforme em torno da Terra.

epicicloidal [De *epicicloide* + *-al*¹.] *Adj. 2 g.* Referente a epicicloide.

epicicloide (ói) [De *epiciclo* + *-oide*.] *S. f. Geom.* Curva plana descrita por um ponto fixo de uma circunferência que rola, sem deslizar, sobre a circunferência fixa no mesmo plano e externamente a ela. ❖

epiclese [Do gr. *epíklesis*.] *S. f. Rel.* Invocação a Deus para que envie o Espírito Santo.

epiclino [De *ep(i)-* + *-clino*².] *Adj. Bot.* Diz-se de qualquer órgão posto sobre o receptáculo da flor.

epicloridrina [De *ep(i)-* + *-clor(o)-* + *-idr-*, de *hidrogênio*, + *-ina*³.] *S. f. Quím.* Líquido incolor, tóxico, us. na fabricação de resinas [fórm.: C_3H_5OCl].

épico [Do gr. *epikós*, pelo lat. *epicu*.] *Adj.* **1.** Respeitante à epopeia e aos heróis. **2.** Digno de epopeia: ▣ *feitos épicos.* **3.** *Fam.* Fora do comum; incomum, extraordinário, homérico: ▣ *Levou uma surra épica.* ~ V. *teatro* —. ● *S. m.* **4.** Autor de epopeia: ▣ *Camões é um dos maiores épicos universais.*

epicondiliano [De *epicôndilo* + *-iano*.] *Adj.* Pertencente ou relativo ao epicôndilo.

epicôndilo [De *ep(i)-* + *côndilo*.] *S. m. Anat.* Eminência existente acima de cada côndilo umeral ou femoral.

epicótilo [De *ep(i)-* + *cotilé(done)*.] *Bot. Adj.* **1.** Situado acima do nó cotiledonar. ● *S. m.* **2.** O primeiro entrenó formado acima do nó cotiledonar.

epicraniano [De *epicrânio* + *-ano*¹.] *Adj.* Pertencente ou relativo ao epicrânio; epicrânico.

epicrânico [De *epicrânio* + *-ico*².] *Adj.* Epicraniano.

epicrânio [De *ep(i)-* + *crânio*.] *S. m. Anat.* **1.** Conjunto das formações que recobrem externamente o crânio, e que compreende periósteo, tecido conjuntivo frouxo, músculo occipitofrontal e aponeurose epicraniana. **2.** A parte superior da cabeça dos vertebrados.

epícrise [Do lat. cient. *epicrisis* < gr. *epíkrisis*.] *S. f. Med. Ant.* **1.** Apreciação crítica das causas, andamento e consequências de uma doença após seu término. **2.** Qualquer fenômeno mórbido importante que isoladamente sobrevém a uma crise e de certo modo a corrobora. **3.** Crise suplementar.

epicrítico [De *epicr(ise)* + *-ítico*.] *Adj.* Referente a epícrise.

epicureu [Do gr. *epikoúreios*, pelo lat. *epicureu*.] *Adj.* **1.** Epicurista (1). **2.** Sensual, voluptuoso. ● *S. m.* **3.** Epicurista (3). **4.** Homem sensual. [Fem.: *epicureia*.]

epicurismo [Do antr. gr. *Epíkouros*, Epicuro, + *-ismo*.] *S. m.* **1.** *Filos.* Doutrina de Epicuro, filósofo materialista grego (341-270 a. C.), e de seus seguidores, entre os quais se distingue Lucrécio, poeta latino (98-55 a. C.), caracterizada, na física, pelo atomismo, e na moral, pela identificação do bem soberano com o prazer, o qual, concretamente, há de ser encontrado na prática da virtude e na cultura do espírito. [É errôneo identificar o *epicurismo* com o *hedonismo*.] **2.** Sensualidade, luxúria. **3.** Saúde do corpo e sossego do espírito.

epicurista [De *epicurismo* + *-ista*.] *Adj. 2 g.* **1.** Relativo ao, ou que é partidário do epicurismo; epicureu. **2.** Diz-se de pessoa dada aos deleites da mesa e do amor. ● *S. 2 g.* **3.** Partidário do epicurismo; epicureu. **4.** Pessoa dada aos deleites da mesa e do amor.

epidemia [Do gr. *epidemía* < gr. *epídemos*, 'que se propaga por um país', + gr. *-ia* (v. *-ia*¹).] *S. f.* **1.** *Med.* Doença ger. infecciosa que ataca simultaneamente um grande número de pessoas de determinada localidade, e que tem caráter transitório. **2.** *Med.* Surto de agravação duma endemia. **3.** *Fig.* Uso generalizado de alguma coisa que está em moda: ▣ *Há uma epidemia de pantalonas e coletes.*

epidemiar [De *epidemia* + *-ar*².] *V. t. d. P. us.* Comunicar epidemia a; contagiar.

epidemicidade [De *epidêmico* + *-(i)dade*.] *S. f.* Qualidade de epidêmico.

epidémico *Adj.* V. *epidêmico*. [Uso freq. em P.]

epidêmico [De *epidemia* + *-ico*².] *Adj.* Relativo a, ou que tem caráter de epidemia. ~ V. *doença* —*a*, *parotidite* —*a* e *pleurodinia* —*a*.

epidemiologia [De *epidemia* + *-o-* + *-logia*.] *S. f. Hig.* Estudo das inter-relações dos vários determinantes da frequência e distribuição de doenças num conjunto populacional.

epidemiológico [De *epidemiologia* + *-ico*².] *Adj.* Relativo à epidemiologia.

epidemiologista [De *epidemiologia* + *-ista*.] *S. 2 g.* Especialista em epidemiologia; epidemiólogo.

epidemiólogo [De *epidemia* + *-o-* + *-logo*.] *S. m.* Epidemiologista.

epidendro¹ [Do tax. *Epidendrum*.] *S. m. Bot.* **1.** Gênero de plantas orquidáceas, epífitas ou terrestres, de flores carnosas, aromáticas, muito vistosas, fruto capsular, e que apresentam inúmeras espécies, muitas delas brasileiras. **2.** Qualquer espécie desse gênero, como, p. ex., a *Epidendrum dichromum* de flores aromáticas, dispostas em grandes panículas, nativa dos estados de PE, BA e MG, e a *E. divaricatum* (v. *enforcadinho*). **3.** Qualquer espécime desse gênero, ou a flor dele.

epidendro² [De *ep(i)-* + *-dendro*.] *Adj.* Que cresce sobre árvores.

epiderme [Do gr. *epidermís*, pelo lat. *epidermis*.] *S. f.* **1.** *Histol.* Porção superficial da pele, e constituída por epitélio estratificado pavimentoso queratinizado. **2.** *Bot.* Camada de células que reveste os órgãos vegetais novos ou macios.

epidérmico [De *epiderme* + *-ico*².] *Adj.* **1.** Referente a epiderme. **2.** *Fig.* Sem profundidade; superficial (tratando-se, em geral, de sentimentos): ▣ *amor epidérmico.*

epidiascópio [De *ep(i)-* + *-di(a)-* + *-scópio*.] *S. m. Ópt.* Aparelho de projeção de imagens, que pode funcionar por transparência (*diascópio*) e por reflexão (*episcópio*).

epidíctico [Do gr. *epideiktikós*, pelo lat. *epidicticu*.] *Adj. E. Ling.* **1.** Aparatoso, ostentoso. **2.** Demonstrativo. [Var.: *epidítico*.]

epididimite [De *epidídimo* + *-ite*¹.] *S. f. Urol.* Inflamação do epidídimo.

epidídimo [Do lat. cient. *epididymus* < gr. *epididymís*.] *S. m. Anat.* Pequena formação oblonga situada na borda superior e posterior de cada testículo, e provida de um ducto alongado, sinuoso, e contínuo com o ducto deferente.

epidítico *Adj. E. Ling.* V. *epidíctico*.

epídoto [Do fr. *epidote* < gr. *epididónai*, 'estender-se', 'aumentar'.] *S. m. Min.* Designação comum aos minerais do grupo dos epídotos, minerais ortorrômbicos ou monoclínicos, silicatos básicos de cálcio e alumínio ou ferro, ou ambos, e que podem conter, ainda, manganês. [Sin.: *pistacita* e (bras.) *bagageiro*.]

epidural [De *ep(i)-* + *dural*².] *Adj. 2 g. Anat.* Situado entre a dura-máter e a vértebra. ~ V. *anestesia* — e *espaço* —.

epifania [Do lat. *epiphania* < gr. *epipháneia*.] *S. f. Rel.* **1.** Aparição ou manifestação divina. **2.** Festividade religiosa com que se celebra essa aparição. **3.** V. *dia de Reis*. [V. *ano litúrgico*. Cf. *Epifânia*, antr. f.]

epifauna [De *ep(i)-* + *fauna*.] *S. f. Ecol.* A fauna bêntica que vive à superfície do substrato; epibentos. [Cf. *infauna*.]

epifenomenalismo [De *epifenômeno* + *-al-* + *-ismo*.] *S. m. Psic.* Doutrina segundo a qual os fenômenos psíquicos são meros acessórios dos movimentos nervosos.

epifenómeno *S. m. Filos. Med.* V. *epifenômeno*. [Uso freq. em P.]

epifenômeno [De *ep(i)-* + *fenômeno*.] *S. m.* **1.** *Filos.* Fenômeno que é um subproduto ocasional de outro, sobre o qual não exerce qualquer influência, e do qual é dependente. **2.** *Med.* Acontecimento excepcional, acidental ou secundário, que se verifica durante surto mórbido.

epifilo[1] [De *ep(i)-* + *-filo*[1].] ***Adj. Bot.*** Diz-se dos fungos e doutros vegetais que nascem e vivem no limbo das folhas.

epifilo[2] [Do tax. *Epiphyllum*.] ***S. m. Bot.*** **1.** Pequeno gênero de cactáceas da América tropical, dotadas de ramos achatados que se unem de forma irregular, e de flores exuberantes, que vão do magenta ao rosado. **2.** Qualquer espécie desse gênero, como, p. ex., a *Epiphyllum X hybridus* [v. *flor-de-maio* (1)]. **3.** Qualquer espécime desse gênero, ou a flor dele.

epifisário [De *epífise* + *-ário*.] ***Adj. Anat. Patol.*** Relativo à epífise óssea ou à glândula epífise. ~ V. *cartilagem —a e disco —*.

epífise [Do lat. cient. *epiphysis* < gr. *epíphysis*, 'crescimento'.] ***S. f. Anat.*** **1.** Extremidade dilatada de um osso longo, desenvolvida a partir de um foco secundário de ossificação, e que, durante a fase de crescimento, ou é inteiramente cartilaginosa, ou está separada da diáfise por um disco cartilaginoso. **2.** Corpúsculo oval situado no sulco existente entre os corpos quadrigêmeos superiores, e ao qual se atribuem funções endócrinas; glândula pineal.

epifítico [De *epífito* + *-ico*[2].] ***Adj. Bot.*** Epífito (2).

epifitismo [De *epífito* + *-ismo*.] ***S. m. Ecol.*** **1.** Interação ecológica onde plantas crescem sobre outras, sem retirar-lhes nenhuma substância. **2.** Modo de vida das plantas epífitas.

epífito [De *ep(i)-* + *-fito*.] ***Bot. S. m.*** **1.** O vegetal que vive sobre um outro sem retirar nutrimento, apenas apoiando-se nele. [As orquídeas, p. ex., são plantas epífitas e, não, parasitas, como usualmente se diz.] ● ***Adj.*** **2.** Diz-se de tais vegetais; epifítico.

epifleódico ***Adj. Bot.*** Diz-se do líquen que vive sobre a casca das árvores, tal a maioria dos liquens foliáceos.

epiflora [De *ep(i)-* + *flora*.] ***S. f. Ecol. Ocean.*** A flora bêntica fixada à superfície do substrato.

epifonema [Do gr. *epiphónema*, pelo lat. *epiphonema*.] ***S. m. E. Ling.*** Exclamação sentenciosa com que se fecha um discurso ou uma narrativa.

epífora [Do gr. *epiphorá*, pelo lat. *epiphora*.] ***S. f. Oftalm.*** Lacrimejamento excessivo, devido a obstrução dos canais lacrimais, irritação nos olhos, etc.

epífrase [De *ep(i)-* + *-frase*.] ***S. f. E. Ling.*** Acrescentamento feito a uma frase que parecia concluída, a fim de se desenvolverem ideias acessórias.

epigastralgia [De *epigástrio* + *-alg(o)-*[2] + *-ia*[1].] ***S. f. Med.*** Dor no epigástrio.

epigastrálgico [De *epigastralgia* + *-ico*[2].] ***Adj.*** Relativo a epigastralgia.

epigástrico [De *epigástrio* + *-ico*[2].] ***Adj.*** Relativo ao epigástrio. ~ V. *região —a*.

epigástrio [Do lat. cient. *epigastrium* < gr. *epigástrion*.] ***S. m. Anat.*** A parte superior do abdome, entre os dois hipocôndrios; região epigástrica.

epigênese ***S. f. Fisiol.*** V. *epigênese*. [Uso freq. em P.]

epigênese [De *ep(i)-* + *-gênese*.] ***S. f. Fisiol.*** Epigenesia.

epigenesia [De *ep(i)-* + *-genes(i)-* + *-ia*[1].] ***S. f. Fisiol.*** Teoria segundo a qual a constituição dos seres se inicia a partir de célula sem estrutura e se faz mediante sucessiva formação e adição de novas partes que, previamente, não existem no ovo fecundado; epigênese.

epigenesista [De *epigenesia* + *-ista*.] ***Adj. 2 g. S. 2 g.*** Partidário da epigenesia.

epigenético [De *epigên(ese)* + *-ético*.] ***Adj.*** Referente à epigenesia.

epigenia[1] [De *ep(i)-* + *-genia*.] ***S. f. Genét.*** Situação genética em que ocorrem mudanças durante o processo de desenvolvimento, influenciando o fenótipo sem alterar o genótipo. [Cf. *epiginia*.]

epigenia[2] [Do gr. *epigenés*, 'que sobrevém', + *-ia*[1].] ***S. f. Min.*** Alteração da composição química dum mineral sem que se lhe altere a forma anterior. [Cf. *epiginia*.]

epigênico ***Adj. Genét.*** V. *epigênico*. [Uso freq. em P.]

epigênico [De *epigenia*[1] + *-ico*[2].] ***Adj. Genét.*** Relativo à epigenia[1], ou que a apresenta.

epigenizado [Part. de *epigenizar*.] ***Adj.*** Em que houve epigenia[1].

epigenizar [De *epigenia*[1] + *-izar*.] ***V. t. d.*** Provocar a epigenia[1] em.

epígeno [De *ep(i)-* + *-geno*.] ***Adj.*** Que apresenta epigenia[1]. [Cf. *epígino*.]

epigeu [Do gr. *epígaios*.] ***Adj. Bot.*** **1.** Que está sobre a terra, acima do solo: 📖 *raízes epigeias*. **2.** Diz-se dos cotilédones quando, na fase da germinação, são arrastados pelo caulículo para fora da terra, como sucede aos feijões. [Fem.: *epigeia*.]

epiginia [De *epígino* + *-ia*[1].] ***S. f. Bot.*** Condição de flor ou peça floral epígina. [Cf. *epigenia*.]

epígino [De *ep(i)-* + *-gino*.] ***Adj. Bot.*** Diz-se da flor ou da peça floral que se acha por cima do ovário. [Opõe-se a *hipógino*. Cf. *epígeno*.]

epiglote [Do gr. *epiglottís*, pelo lat. *epiglotte*.] ***S. f. Anat.*** Válvula de forma triangular, móvel, situada na porção superior da laringe, e que fecha a glote no momento da deglutição.

epiglótico [De *epiglote* + *-ico*[2].] ***Adj. Anat.*** Relativo ou pertencente à epiglote.

epiglotite [De *epiglote* + *-ite*[1].] ***S. f. Patol.*** Inflamação da epiglote.

epignatia [De *ep(i)-* + *-gnat(o)-* + *-ia*[1].] ***S. f. Ter.*** Tumor fetal que ocupa a cavidade oral e pode, mesmo, excedê-la. [Tal tumor apresenta, por vezes, um estado de organização que o leva a ser considerado um feto parasita.]

epignático [De *epígnato* + *-ico*[2].] ***Adj. Ter.*** Relativo a epignatia, ou a epígnato.

epígnato [De *ep(i)-* + *-gnato*.] ***Adj.*** **1.** Que apresenta epignatia. **2.** ***Zool.*** Diz-se do bico das aves quando a parte superior se projeta em relação à inferior, ou a recobre.

epígono [Do gr. *epígonos*, pelo lat. *epigonu*.] ***S. m.*** **1.** Aquele que pertence à geração seguinte. **2.** Discípulo de um grande mestre nas letras, artes, ciências, etc. [Opõe-se a *prógono*.]

epigrafar [De *epígrafe* + *-ar*[2].] ***V. t. d.*** **1.** Pôr epígrafe em. ***Transobj.*** **2.** Intitular, titular, denominar. [Pres. ind.: *epigrafo*, etc.; pres. subj.: *epigrafe*, etc. Cf. *epígrafo* e *epígrafe*.]

epígrafe [Do gr. *epigraphé*.] ***S. f.*** **1.** V. *inscrição* (2). **2.** Título ou frase que serve de tema a um assunto; mote. **3.** Curta citação posta no frontispício de livro, na entrada de um capítulo, de uma composição poética, etc.: 📖 *Cada capítulo do romance* Inocência, *do Visconde de Taunay, vem antecedido de pelo menos uma epígrafe*. [Cf. *epigrafe*, do v. *epigrafar*.]

epigrafia [De *epígrafe* + *-ia*[1].] ***S. f.*** Parte da paleografia que estuda as inscrições, *i. e.*, a escrita antiga em material resistente (pedra, metal, argila, cera, etc.), incluindo sua decifração, datação e interpretação. [Sin., p. us.: *lapidária*.]

epigráfico [De *epigrafia* + *-ico*[2].] ***Adj.*** Referente à epigrafia.

epigrafista [De *epigrafia* + *-ista*.] ***S. 2 g.*** Pessoa que se dedica à epigrafia.

epígrafo [De *ep(i)-* + *-grafo*; gr. *epigrapheús*.] ***S. m.*** Na antiga Atenas, funcionário encarregado da contabilidade das contribuições. [Cf. *epigrafo*, do v. *epigrafar*.]

epigrama [Do gr. *epígramma*, pelo lat. *epigramma*.] ***S. m.*** **1.** Poesia breve, satírica; sátira. **2.** Dito mordaz e picante.

epigramático [Do lat. *epigrammaticu*.] ***Adj.*** Referente a, ou que tem caráter de epigrama; satírico.

epigramatista [Do lat. *epigrammatista*.] ***S. 2 g.*** Pessoa que faz epigramas.

epigramatizar [Do gr. *epigrammatízein*.] ***V. t. d.*** **1.** Criticar com epigrama; satirizar. ***Int.*** **2.** Fazer epigrama.

epilação [Do fr. *épilation*.] ***S. f.*** Ato de arrancar os pelos; depilação.

epilatório [Do fr. *epilatoire*.] ***Adj. S. m.*** V. *depilatório*.

epilepsia [Do gr. *epilepsía*, pelo lat. *epilepsia*.] ***S. f. Patol.*** Afecção de que há alguns tipos, que incide no homem e em vários animais (alguns quadrúpedes e certas aves), e consiste em acessos recidivantes de distúrbios de consciência ou de outras funções psíquicas, movimentos musculares involuntários e perturbações do sistema nervoso autônomo. Estes sintomas de repetição são concomitantes a descargas disrítmicas de neurônios encefálicos registráveis por eletrencefalograma. [Em termos de distúrbio funcional, a epilepsia é uma disritmia cerebral paroxística sintomática.] [Sin.: *mal de terra, gota-coral* e (pop.) *gota, mal-comicial, opilência, hieranose, mal-caduco, mal de gota*. Entre os antigos gregos era conhecida como *doença sagrada*.]

epiléptico [Do gr. *epileptikós*, pelo lat. *epilepticu*.] ***Adj.*** **1.** Relativo a, ou que sofre de epilepsia. ~ V. *crise —a, descarga —a, descarga —a crítica* e *manifestação —a crítica*. ● ***S. m.*** **2.** Aquele que sofre de epilepsia. [Var.: *epilético*.]

epileptiforme [Do lat. cient. *epilept-*, 'epiléptico' (< gr. *epíleptos*), + *-iforme*.] ***Adj. 2 g.*** Que se assemelha a epilepsia, às suas manifestações.

epilético ***Adj. S. m.*** V. *epiléptico*.

epilímnion [De *ep(i)-* + gr. *limníon*, 'pequeno lago', 'pequeno brejo'.] ***S. m. Ecol.*** A parte superior, mais quente, de um lago.

epilogação [De *epilogar* + *-ção*.] ***S. f.*** Ato de epilogar.

epilogador (ô) [De *epilogar* + *-dor*.] ***S. m.*** Aquele que epiloga.

epilogar [De *epílogo* + *-ar*[2].] ***V. t. d.*** **1.** Recapitular; resumir, compendiar. **2.** Resumir, condensar, sintetizar. **3.** Concluir, encerrar, rematar. ***P.*** **4.** Resumir-se, condensar-se: 📖 *Nela se epilogam, a meus olhos, todos os encantos*. [Pres. ind.: *epilogo*, etc. Cf. *epílogo*. Conjug.: v. *largar*.]

epílogo [Do gr. *epílogos*, pelo lat. *epilogu*.] ***S. m.*** **1.** Conclusão de uma obra literária em que se recapitula e resume a ação; fecho, final. **2.** Numa narrativa, numa peça teatral, etc., capítulo ou cena final que expõe os fatos posteriores à ação com o fim de completar-lhe o sentido. [Opõe-se, nesta acepç., a *prólogo*.] **3.** ***P. ext.*** A parte final de um acontecimento; desfecho, conclusão, remate, fecho: 📖 "Dói-me muito a morte de Belinha .... Mas, pensando bem chego a invejar o trágico epílogo da sua existência." (Eduardo Frieiro, *O Cabo das Tormentas*, p. 276.) **4.** ***Teatr.*** Fala final frequentemente destinada a explanar as intenções do autor e/ou o resultado final da ação dramática. [Cf. *epilogo*, do v. *epilogar*.]

epimácio ***S. m. Bot.*** Excrescência mais ou menos carnosa que se forma em torno do óvulo como se fosse pequena cúpula, e que se observa em algumas gimnospermas.

epimênides [Do antr. *Epimênides*, filósofo e poeta cretense (séc. VII a. C.).] ***S. m. pl. Filos.*** Variante incorreta da antinomia 'o mentiroso' (q. v.).

epimerase [De *epímero* + *-ase*.] ***S. f. Bioquím.*** Enzima capaz de catalisar a interconversão de dois epímeros.

epimérase ***S. f. Bioquím.*** V. *epimerase*.

epimérico [De *epímero* + *-ico*[2].] ***Adj.*** Próprio de, ou relativo a epímero.

epímero [De *ep(i)-* + *-mero*.] ***S. m.*** **1.** ***Embr.*** Subdivisão dorsal de miótomo, a qual originará primórdios de músculos extensores da coluna vertebral. **2.** ***Quím.*** Diastereoisômero de uma molécula que difere desta somente pela configuração de um átomo de carbono. [No caso de açúcares, convenciona-se que este átomo de carbono será aquele que, na cadeia principal, se encontra adjacente à carbonila.]

epimísio [De *ep(i)-* + *-mis-* + *-io*[3].] ***S. m. Histol.*** Camada de tecido conjuntivo denso que efetua revestimento muscular.

epimítio [Do gr. *epimýthion*.] ***S. m.*** Moralidade duma fábula.

epimorfo [De *ep(i)-* + *-morfo*; tax. *Epimorpha*.] ***Zool. S. m.*** **1.** Espécime dos epimorfos, divisão de animais miriápodes [V. *quilópodes*.] ● ***Adj.*** **2.** Pertencente ou relativo a eles.

epimorfose [De *ep(i)-* + *-morf(o)-* + *-ose*[1].] ***S. f. Biol.*** Desenvolvimento sem mudança de forma fundamental, como o de certos miriápodes, em que a larva nasce com o número definitivo de segmentos e de patas. [Cf. *anamorfose* (1).]

▲**-epina** ***Quím. El. comp.*** Indica um composto heterocíclico insaturado com sete átomos no anel: *tiepina*.

epinastia [De *ep(i)-* + *-nastia*.] ***S. f. Bot.*** Curvatura resultante do maior crescimento da face superior do pecíolo da folha.

epinástico [De *epinastia* + *-ico*[2].] ***Adj. Bot.*** Relativo a, ou que apresenta epinastia.

epinefrina [De *ep(i)-* + *-nefr(o)-* + *-ina*[3].] ***S. f. Quím.*** Adrenalina (1).

epinema [De *ep(i)-* + *-nema*.] ***S. m. Bot.*** A parte superior do filete dos estames das plantas que dão flores sinantéreas.

epinêurio [De *ep(i)-* + *-neur(o)-* + *-io*[3].] ***S. m. Histol.*** Epineuro

epineuro [De *ep(i)-* + *-neuro*.] ***S. m. Histol.*** Camada de tecido conjuntivo denso que reveste nervo externamente; epinêurio.

epinício [Do gr. *epiníkion*, pelo lat. *epinicion*.] ***S. m.*** **1.** Hino triunfal: 📖 "Forceja o vento, explui o raio, o embate é rudo, / Mas vencem afinal as árvores. Olhai! / Um epinício aos céus de seus píncaros sai" (Alberto de Oliveira, *Poesias*, 4.ª série, pp. 192-193). **2.** Cântico ou poema em que é celebrada uma vitória.

epinociclo ***S. m. Ecol.*** Biociclo (3) terrestre.

epioolítico [De *ep(i)-* + *oolítico*.] ***Adj. Geol.*** Diz-se do terreno cuja formação é posterior à do oolítico.

epiorganismo [De *ep(i)-* + *organismo*.] ***S. m. Ecol.*** Conjunto de organismos individuais, mas que só sobrevivem coletivamente como uma entidade organizada; é o que ocorre, por ex., com as abelhas. [Sin.: *superorganismo*.]

epiórnis [Do tax. *Aepyornis* < gr. *aipýs*, 'elevado', + lat. cient. *-ornis* (v. *-órnis*).] ***S. m. 2 n. Paleont.*** **1.** Gênero de aves ratitas, muito grandes, epiornitídeas, que viveram no plistoceno, e cujos registros fósseis, encontrados em Madagascar, são ovos com capacidade de cerca de oito litros. **2.** Espécie ou espécime desse gênero.

epiornitídeo [Do lat. cient. *Aepyornith-* (< tax. *Aepyornis*, v. *epiórnis*) + *-ídeo*[1]; tax. *Aepyornithidae*.] ***Paleont. S. m.*** **1.** Espécime dos epiornitídeos, família de aves ratitas africanas, da ordem das epiornitiformes, cujo gênero-tipo era o epiórnis (q. v.). ● ***Adj.*** **2.** Pertencente ou relativo a eles.

epiornitiforme [Do lat. cient. *Aepyornith-* (v. *epiórnis*) + *-iforme*; tax. *Aepyornithiformes*.] ***Paleont. S. m.*** **1.** Espécime dos epiornitiformes, ordem de aves ratitas que encerra unicamente a família dos epiornitídeos (q. v.). ● ***Adj. 2 g.*** **2.** Pertencente ou relativo a eles.

epipelágico [De *ep(i)-* + *pelágico*.] ***Adj.*** ~ V. *zona —a*.

epipétalo [De *ep(i)-* + *-pétalo*.] ***Adj. Bot.*** Diz-se dos estames que nascem unidos à corola.

epipigma [De *ep(i)-* + gr. *pygmé*, 'punho'.] ***S. m.*** Instrumento cirúrgico antigo, usado para reduzir as luxações do braço.

epiplocele [De *epiplo(o)-* + *-cele*[1].] *S. f. Cir.* Hérnia do epíploo.

epiploíte [De *epiplo(o)-* + *-ite*[1].] *S. f. Cir.* Inflamação de epíploo.

▲**epiplo(o)-** [Do gr. *epíploon, óou.*] ***El. comp.*** = 'epíploo': *epiplocele, epiploíte.*

epíploo [Do lat. cient. *epiploon* < gr. *epíploon*, 'membrana que cobre os intestinos'.] *S. f. Anat.* Prega peritonial que se estende entre dois órgãos viscerais abdominais, como, p. ex., o epíploo gastrocólico, que se insere no estômago e no cólon. [Sin.: *omento, redenho.*]

epíploon *S. m. Anat.* V. *epíploo.*

epipterado [De *ep(i)-* + *-pter(o)-* + *-ado*[1].] *Adj. Bot.* Diz-se do fruto ou do grão provido de uma espécie de asa no ápice.

epipúbico *S. m. Zool.* Cada um dos ossos circulares, próprio dos marsupiais, que faz parte do esqueleto dos machos e das fêmeas e ajuda a suportar o marsúpio e as glândulas mamárias.

epiqueia (éi) [Do gr. *epieíkeia*, 'equidade'.] *S. f.* **1.** Interpretação razoável de lei ou preceito. **2.** *Fig.* Meio-termo; moderação.❖

epiquilo [De *ep(i)-* + *-quilo.*] *S. m. Bot.* Porção superior do labelo de determinadas orquídeas, separada do resto por meio de uma constricção. [O epiquilo é a parte mais vistosa do labelo, com coloração viva e distinta.]

epiquirema [Do lat. *epichirema* < gr. *epicheírema, atos.*] *S. m. Lóg.* **1.** Silogismo dialético. **2.** Silogismo em que pelo menos uma das premissas é provada.

▲**epir(o)-** [Do gr. *êpeiros, ou*, 'terra firme'; 'continente'.] ***El. comp.*** = 'continente': *epirogênese, epirogenia.*

epirogénese *S. f. Geol.* V. *epirogênese.* [Uso freq. em P.]

epirogênese [De *epir(o)-* + *-gênese.*] *S. f. Geol.* Processo diastrófico de grande amplitude, graças ao qual se formam os continentes.

epirogenético [De *epirogên(ese)* + *-ético.*] *Adj.* Relativo à epirogênese.

epirogenia [De *epir(o)-* + *-genia.*] *S. f. Geol.* Movimentação vertical, lenta, que sofrem as massas continentais, as quais sobem e descem com relação ao nível do mar.

epirogénico *Adj.* V. *epirogênico.* [Uso freq. em P.]

epirogênico [De *epirogenia* + *-ico*[2].] *Adj.* Relativo à epirogenia.

epirota [Do lat. *Epirotes* < gr. *Epeirótes.*] *Adj. 2 g.* **1.** Do, ou pertencente ou relativo ao Epiro (Grécia antiga); epirótico.● *S. 2 g.* **2.** O natural ou habitante do Epiro.

epirótico [Do gr. *epeirotikós*, pelo lat. *epiroticu.*] *Adj.* Epirota (1).

episcénio *S. m. Teatr.* V. *episcênio.* [Uso freq. em P.]

episcênio [Do lat. *episkénion*, pelo lat. *episcenium.*] *S. m. Teatr.* Nos antigos teatros gregos, o pavimento superior da cena (1).

epíscia [Do tax. *Episcia.*] *S. f. Bot.* **1.** Gênero de plantas gesneriáceas, herbáceas nativas da América tropical, de folhas macias e pilosas, e flores dotadas de quatro estames e um estaminódio. **2.** Qualquer espécie desse gênero, como, p. ex., a *Episcia cupreata* (v. *laço-de-amor*). **3.** Qualquer espécime desse gênero, ou a flor dele.

episclerite [Do lat. cient. *episcleritis* < lat. cient. *epi-* (= *ep(i)-*) + lat. cient. *sclera*, 'esclera', + lat. cient. *-itis* (= *-ite*[1]).] *S. f. Oftalm.* Inflamação dos tecidos suprajacentes à esclera.

episcopado [Do lat. *episcopatu.*] *S. m.* **1.** V. *bispado*[1]. **2.** Conjunto de bispos.

episcopal [Do lat. *episcopale.*] *Adj. 2 g.* **1.** Relativo ou pertencente a bispo. [Sin., p. us.: *bispal.*] **2.** *Rel.* Diz-se de um ramo dos anglicanos, sobretudo nos E.U.A.; episcopaliano. ~ V. *cadeira* —.

episcopaliano [De *episcopal* + *-iano.*] *Adj. Rel.* Episcopal (2).

episcópio [De *ep(i)-* + *-scópio.*] *S. m. Ópt.* Aparelho para projetar imagens de objetos opacos (gravuras, fotografias, etc.), que utiliza a luz refletida no objeto e um sistema óptico de projeção constituído por uma colimadora e uma objetiva.

episcopisa [Do gr. *epískopos*, 'bispo', + *-isa.*] *S. f.* Mulher que nos primeiros tempos do cristianismo exercia certas funções sacerdotais, sem jurisdição episcopal.

episodiar [De *episódio* + *-ar*[2].] *V. t. d.* **1.** Alongar (uma narrativa), introduzindo-lhe episódios; adornar com episódios. **2.** Inserir em forma de episódio. [Pres. ind.: *episodio*, etc. Cf. *episódio.*]

episódico [De *episódio* + *-ico*[2].] *Adj.* **1.** Introduzido como episódio. **2.** Que tem a natureza de episódio.

episódio [Do gr. *epeisódion.*] *S. m.* **1.** Ação incidente, ligada à ação principal (em obra literária ou artística); incidente, acessório. **2.** Fato notável relacionado com outros. **3.** Fato, caso, sucesso: *A ligação dos dois foi para ele um episódio insignificante.* **4.** Cena (8). **5.** *Mús.* Nas formas musicais clássicas, desenvolvimento rigoroso que se segue à exposição dos temas. **6.** *Mús.* Parte da fuga[2] (q. v.) que apresenta material musical não relacionado ao tema. V. *divertimento*[2] (2). **7.** *Teatr.* Na tragédia e comédia clássicas, cada uma das ações parciais do argumento dramático, mais ou menos equivalente aos atos do teatro moderno, entre as quais se intercalavam os cânticos e intervenções do coro. [Cf. *episodio*, do v. *episodiar.*]

epispádias [Do lat. cient. *epispadias* < lat. cient. *epi-* (= *ep(i)-*) + lat. cient. *-spadias*, como em *hipospadias.*] *S. f. Urol.* Vício de conformação de que resulta a uretra abrir-se no dorso do pênis.

epíspase [Do gr. *epíspasis.*] *S. f. Med.* Erupção cutânea localizada, resultante da aplicação de medicamento sobre a pele.

epispástico [Do gr. *epispastikós.*] *Adj.* Diz-se de medicamento que produz epíspase.

episperma [De *ep(i)-* + *-sperma.*] *S. m. Bot.* O revestimento da semente, de constituição variável, ger. formado pela testa (6) e pela endopleura.

epispermático [De *episperma* + *-ático.*] *Adj. Bot.* Da, ou relativo à episperma.

epísporo [De *ep(i)-* + *-sporo.*] *S. m. Bot.* A membrana externa do esporo.

epissépalo [De *ep(i)-* + *-sépalo.*] *Adj. Bot.* Que nasce ou cresce sobre as sépalas do cálice.

epissilogismo [De *ep(i)-* + *silogismo.*] *S. m. Lóg.* Silogismo em que uma ou ambas as premissas são conclusão de um silogismo anterior. [Cf. *prossilogismo.*]

epissilogístico [De *epissilogismo* + *-ist(a)-* + *-ico*[2], seg. o padrão erudito.] *Adj.* Relativo a epissilogismo.

epissoma [De *ep(i)-* + *-soma.*] *S. m. Genét.* V. *epissomo.*

epissomo [De *ep(i)-* + *-somo.*] *S. m. Genét.* Molécula de ácido desoxirribonucleico com características semelhantes às de um plasmídeo, mas que dele difere em sua capacidade de se apresentar integrada ao cromossomo ou, sob a forma livre, no citoplasma de células bacterianas; epissoma.

epistação [De *epistar* + *-ção.*] *S. f.* Ato de epistar.

epistaminal [De *ep(i)-* + *-stamin(i)-* + *-al*[1].] *Adj. 2 g. Bot.* Que cresce sobre os estames.

epistaminia [De *ep(i)-* + *-stamin(i)-* + *-ia*[1].] *S. f. Bot.* Propriedade dos vegetais cujos estames são inseridos no pistilo.

epistar [De *e-*[3] + lat. *pistare*, 'pilar', 'pisar'.] *V. t. d.* Reduzir (uma substância) a massa, depois de pisá-la em almofariz.

epístase [Do gr. *epístasis.*] *S. f. Med.* **1.** Detenção de eliminação de qualquer matéria, como sangue, lóquios, menstruação. **2.** Escória ou película, como a que se observa na superfície de uma amostra de urina.

epistasia [De *epístase* + *-ia*[1].] *S. f. Genét.* Interação entre genes não alelos, esp. aquela em que um gene de determinado lócus inibe a expressão de um ou mais genes situados em outro(s) lócus.

epistaxe (cs) [Do gr. *epístaxis.*] *S. f. Med.* Hemorragia nasal; hemorrinia, coanorragia.

epistémico *Adj.* V. *epistêmico.* [Uso freq. em P.]

epistêmico [Do gr. *epistéme*, 'ciência'; 'conhecimento'; + *-ico*[2].] *Adj.* Relativo à epistemologia; epistemológico.

epistemologia [Do gr. *epistéme*, 'ciência'; 'conhecimento', + *-o-* + *-logia.*] *S. f.* Conjunto de conhecimentos que têm por objeto o conhecimento científico, visando a explicar os seus condicionamentos (sejam eles técnicos, históricos, ou sociais, sejam lógicos, matemáticos, ou linguísticos), sistematizar as suas relações, esclarecer os seus vínculos, e avaliar os seus resultados e aplicações. [Cf. *teoria do conhecimento e metodologia* (2).]

epistemológico [De *epistemologia* + *-ico*[2].] *Adj.* Relativo à epistemologia.

epistílio [Do gr. *epistýlion*, pelo lat. *epistyliu.*] *S. m. Arquit.* Arquitrave (2).

epístola [Do lat. *epistula, epistola* < gr. *epistolé.*] *S. f.* **1.** *Rel.* Cada uma das cartas ou lições dos apóstolos a comunidades cristãs primitivas: *as epístolas de S. Paulo.* **2.** V. *carta* (1). **3.** Composição poética em forma de carta. **4.** *Rel.* Parte da missa em que se lê trecho das epístolas dos apóstolos, antes do Evangelho. **5.** O lado direito do altar, em relação aos assistentes, e que se opõe ao lado do Evangelho; lado da Epístola: "Padre futuro, estavas assim diante dela como de um altar, sendo uma das faces a Epístola e a outra o Evangelho." (Machado de Assis, *Dom Casmurro*, p. 42.) [Cf. *epistola*, do v. *epistolar.*]

epistolar[1] [Do lat. *epistolare.*] *Adj. 2 g.* Relativo a, ou próprio de epístola. ~ V. *romance* —.

epistolar[2] [De *epístola* + *-ar*[2].] *V. t. d.* Narrar (um acontecimento) em epístola(s). [Pres. ind.: *epistolo, epistolas, epistola*, etc. Cf. *epístola.*]

epistolário [Do lat. *epistolariu.*] *S. m.* **1.** Coleção de epístolas; epistoleiro. **2.** *Lit.* Livro que contém as epístolas que se leem na missa.

epistoleiro [De *epístola* + *-eiro.*] *S. m.* **1.** Epistolário (1). **2.** Epistológrafo.

epistolografia [De *epístola* + *-o-* + *-grafia.*] *S. f.* **1.** O gênero literário respeitante a cartas. **2.** Arte de escrever cartas.

epistolográfico [De *epistolografia* + *-ico*[2].] *Adj.* Relativo à epistolografia.

epistológrafo [De *epístola* + *-o-* + *-grafo.*] *S. m.* Aquele que cultiva a epistolografia; epistoleiro.

epistoma [De *ep(i)-* + *-stoma.*] *S. m. Zool.* Placa que protege a boca dos briozoários.

epistótono [Do ingl. *episthotonos*, alter. do ingl. *opisthotonos* < lat. med. < gr. *opisthótonos* (v. *opistótono*).] *S. m. Neur.* Contração espasmódica que ocorre em tétano, e em que a cabeça e os pés se encurvam para frente e o corpo se torna tenso; emprostótono.

epístrofe [Do gr. *epistrophé*, pelo lat. *epistrophe.*] *S. f. E. Ling.* Repetição de palavra no fim de frases seguidas. Ex.: "Nunca morrer assim! Nunca morrer num dia / — Assim! de um sol assim!" (Olavo Bilac, *Poesias*, p. 170).

epitaciano *Adj.* **1.** De, ou pertencente ou relativo a Presidente Epitácio (SP).● *S. m.* **2.** O natural ou habitante de Presidente Epitácio.

epitáfio [Do gr. *epitáphion*, pelo lat. *epitaphiu.*] *S. m.* **1.** Inscrição tumular. **2.** *P. ext.* Lápide ou tabuleta com epitáfio (1). **3.** Elogio fúnebre. **4.** *Arte Poét.* Espécie de poesia satírica (em geral uma quadra) feita sobre um vivo como se se tratasse de um morto.

epitafista [Do lat. *epitaphista.*] *S. 2 g.* Pessoa que compõe epitáfios.

epitalâmico[1] [De *epitalâmio* + *-ico*[2].] *Adj.* Relativo a epitalâmio.

epitalâmico[2] [De *epitálamo* + *-ico*[2].] *Adj. Anat.* **1.** Relativo ao epitálamo. **2.** Suprajacente ao tálamo (4).

epitalámio *S. m.* V *epitalâmio.* [Uso freq. em P.]

epitalâmio [Do lat. *epithalamiu* < gr. *epithalámion.*] *S. m.* Canto ou poema nupcial: "era preciso entulhar .... de rimadores d'epitalâmios e de elegias, d'oradores academicamente impenitentes, o insondável sorvedouro das inutilidades públicas." (Alexandre Herculano, *Opúsculos*, VIII, p. 71).

epitálamo [De *ep(i)-* + *tálamo.*] *S. m. Anat.* Porção do talamencéfalo que está em posição superior e posterior ao tálamo (4).

epitalo [De *ep(i)-* + *talo.*] *S. m. Bot.* Porção exterior da camada cortical dos liquens.

epítase [Do gr. *epítasis*, 'intensidade'.] *S. f. Teatr.* A parte do poema dramático que se segue à prótase e antecede a catástase, e na qual se desenvolvem os incidentes principais da intriga. [Cf. *epítese.*]

epitécio [De *ep(i)-* + *-técio.*] *S. m. Bot.* O conjunto das pontas das paráfises que, sendo maiores do que os ascos, cobrem o himênio. É peculiar aos liquens.

epitelial [De *epitélio* + *-al*[1].] *Adj. 2 g.* **1.** Relativo ou pertencente ao epitélio. **2.** Que aparece no epitélio. ~ V. *tecido* —.

epitélio [De *ep(i)-* + *-tel(e)-* + *-io*[3].] *S. m.* **1.** *Histol.* Tecido originado dos três folhetos germinativos, constituído por células justapostas e com pouca substância intercelular, e que reveste as superfícies externa e interna do corpo e toma parte nos processos de absorção, de secreção e sensoriais. Seus vários tipos são classificados segundo o número de camadas e segundo a forma das células da camada mais superficial. [Sin.: *tecido epitelial.*] **2.** *Bot.* Espécie de epiderme ou revestimento, formado de células minutíssimas e delicadas, que se encontra em alguns órgãos vegetais especiais, como, p. ex., os canais de mucilagem.

epiteliócito [De *epitélio* + *-cito.*] *S. m. Histol.* Qualquer célula do tecido epitelial. ◆ **Epiteliócito sustentador.** *Histol.* Célula epitelial de túbulo seminífero, e que tem papel importante na sustentação e na nutrição de espermatozoides durante as fases de formação deles; célula de Sertoli (denom. ant.).

epitelioma [De *epitélio* + *-oma*[1].] *S. m. Patol.* Qualquer tumor de natureza epitelial.

epitérmico [De *ep(i)-* + *-term(o)-* + *-ico*[2].] *Adj. Fís. Nucl.* ~ V. *nêutron* —.

epítese [Do gr. *epíthesis*, pelo lat. *epithese.*] *S. f. E. Ling.* Paragoge. [Cf. *epítase.*]

epitetar [De *epíteto* + *-ar*[2].] *V. t. d. Transobj.* Pôr epíteto a; cognominar, alcunhar, apelidar: *Brincalhão, costuma epitetar os amigos; Por sua grande paciência epitetaram-no Jó.* [Pres. ind.: *epiteto*, etc. Cf. *epíteto*, s. m., e *Epicteto*, antr.]

epitético [De *epíteto* + *-ico*[2].] *Adj.* Que tem caráter de epíteto.

epitetismo [De *epíteto* + *-ismo.*] *S. m. E. Ling.* Figura consistente na modificação da expressão duma ideia principal pela expressão duma ideia acessória.

epíteto [Do lat. *epitheton* < gr. *epítheton.*] *S. m.* **1.** Palavra ou frase que qualifica pessoa ou coisa. **2.** V. *cognome*: "Os calvinistas atraídos ao seio da sua tirania [de Villegagnon] na América, puseram-lhe o infame epíteto de Caim, para significar que assassinou os seus irmãos." (João Ribeiro, *História do Brasil*, p. 114.) [Cf. *epiteto*, do v. *epitetar*, e *Epicteto*, antr.]

E

epitetomania [De *epíteto* + *-mania*.] *S. f.* Abuso ou mania dos epítetos.

epitetomaníaco [De *epitetomania* + *-íaco*.] *Adj.* **1.** Relativo a epitetomania. **2.** Que faz uso exagerado de epítetos; epitetômano. • *S. m.* **3.** Aquele que faz uso exagerado de epítetos; epitetômano.

epitetómano *Adj. S. m.* V. *epitetômano*. [Uso freq. em P.]

epitetômano [De *epíteto* + *-mano*[1].] *Adj. S. m.* Epitetomaníaco (2 e 3).

epitimia [Do gr. *epitimía*.] *S. f.* Na Grécia antiga, gozo dos direitos civis.

epítoga [Do fr. *épitoge* < lat. *epitogiu*.] *S. f.* Capa que os romanos usavam sobre a toga.

epitomar [Do lat. *epitomare*.] *V. t. d.* **1.** Reduzir a epítome. *T. d. e i.* **2.** Compendiar, resumir; condensar: *Epitoma sua grande produção poética em um volume de 400 páginas.* [Pres. subj.: *epitome*, etc. Cf. *epítome*.]

epítome [Do gr. *epitomé*, pelo lat. *epitome*.] *S. m.* **1.** Resumo de obra sobre certo ramo do conhecimento (história, geografia, filosofia, etc.), destinada especialmente ao uso escolar, e que se limita aos pontos mais importantes; compêndio. **2.** Resumo, abreviação, compêndio, sinopse, síntese: "Era [D. Pedro II], para a civilização tão distraída por infinitos assuntos mais urgentes e mais sérios, um índice abreviado onde ela aprendia de um lance os aspectos capitais de nossa vida: o epítome vivo do Brasil." (Euclides da Cunha, *Contrastes e Confrontos*, p. 166.) [Cf. *epitome*, do v. *epitomar*.]

epítopo [De *ep(i)-* + *-topo*, como em *parátopo*.] *S. m. Imun.* Componente da estrutura molecular de um antígeno que se combina com o parátopo deste, e que constitui o determinante antigênico.

epitróclea [De *ep(i)-* + *tróclea*.] *S. f. Anat.* Eminência arredondada situada em cada úmero, em sua parte interna, acima da tróclea.

epitrocoide (ói) [De *ep(i)-* + *-troc(o)-* + *-oide*.] *S. f. Geom.* Curva plana descrita por um ponto rigidamente ligado a um círculo que rola, sem deslizar, sobre outro círculo fixo no mesmo plano e externamente a este círculo. ❖

epítrope [Do gr. *epitropé*.] *S. f. E. Ling.* Figura pela qual se aceita algo que poderia ser contestado, a fim de dar mais força àquilo que se quer provar.

epíxilo (cs) [De *ep(i)-* + *-xilo*.] *Adj. Bot.* Que cresce sobre o lenho. [Diz-se de plantas parasitas.]

epizeuxe (cs) [Do gr. *epízeuxis*, pelo lat. *epizeuxe*.] *S. f. E. Ling.* Figura pela qual se repete seguidamente a mesma palavra, para amplificar, para exprimir compaixão, ou para exortar. Ex.: "Já, já me vai, Marília, branquejando / loiro cabelo, que circula a testa" (Tomás Antônio Gonzaga, *Marília de Dirceu*, p. 85); "e eu vos darei tudo, tudo, tudo, tudo, tudo, tudo..." (Machado de Assis, *Histórias sem Data*, p. 6); "Nize? Nize? onde estás? aonde? aonde?" (Cláudio Manuel da Costa, *Obras Poéticas*, I, p. 109).

epizêuxis (cs) *S. f. 2 n. E. Ling.* V. *epizeuxe*.

epizoário [De *ep(i)-* + *-zo(o)-* + *-ário*.] *Adj. S. m. Zool.* Diz-se de, ou parasito que vive sobre a pele do homem e doutros animais.

epizona [De *ep(i)-* + *zona*.] *S. f. Petr.* A zona mais superficial do metamorfismo dinâmico. [Cf. *mesozona* e *catazona*.]

epizootia [Do fr. *épizootie* < lat. cient. *epi-* (= *ep(i)-*) + gr. *zoótes*, 'natureza animal', + fr. *-ie* (= *-ia*[3]).] *S. f. Veter.* Doença, contagiosa ou não, que ataca numerosos animais ao mesmo tempo e no mesmo lugar.

época [Do gr. *epoché*.] *S. f.* **1.** Faixa cronológica para a qual se toma como base um acontecimento notável, ger. de caráter social, histórico, cultural, etc.; tempo: *a época do nascimento de Cristo; a época da Independência; a época do impressionismo.* **2.** Qualquer período (1), numa sequência cronológica de mudanças (naturais, sociais, etc.); fase: *as épocas da vida; as épocas da história.* **3.** Período (2), de maior ou menor duração, com características definidas ligadas a um indivíduo, a um grupo, a um projeto, etc.; tempo; data: *Por essa época o edifício já estará construído; Naquela época morávamos no Rio.* **4.** Período (2) que sobressai pela predominância de um fato, de uma personalidade, de certas conjunturas, etc.; era, idade, período: *a época das grandes navegações, a época vitoriana; a época das glaciações.* **5.** Período, século (relativamente a um personagem ou a um fato notável): *a época de Péricles; a época da máquina a vapor.* **6.** Período, fase, quadra: *Está na época dos namoros.* **7.** Estação, quadra, tempo, período: *época de trovoadas; a época dos banhos de mar.* **8.** Tempo[1] (6): *a época de nossos avós; a época da minha infância.* **9.** V. *tempo*[1] (7): *É homem muito avançado para sua época.* **10.** *Fís.* Na equação de um movimento harmônico simples, valor do argumento quando o tempo é igual a zero. **11.** *Geol.* Subdivisão de períodos [v. *período* (10)], de características mais restritas e duração acentuada decrescente. Sob o aspecto cronológico, assim se classificam as épocas: § no período terciário: a) *época paleocena*: a que se caracteriza pelo desenvolvimento dos mamíferos primitivos; b) *época eocena*: aquela em que prossegue a expansão dos mamíferos e surge o hiracotério, tido como ancestral do cavalo, com o porte de um *fox terrier*; c) *época oligocena*: núcleo do terciário com o aparecimento dos primeiros símios antropomorfos; d) *época miocena*: a que se caracteriza pelo grande desenvolvimento dos antropoides; e) *época pliocena*: aquela em que surgem os primeiros hominídas; § no período quaternário; f) *época plistocena*: aquela em que as glaciações (v. *glaciação*) ocorridas na Terra determinaram a formação de grandes camadas de gelo que atingiram a região tropical, e ao final da qual aparece o homem com suas características físicas atuais. [São quatro os estágios glaciais da época plistocena, separados por períodos interglaciais, em que a temperatura aumentou.] g) *época holocena*: aquela em que as geleiras se restringem às regiões polares e ocorre o desenvolvimento e a expansão da civilização humana (data de cerca de 12000 anos). ◆ **Época atual.** *Geol.* V. *época holocena*. **Época de um planeta.** *Astr.* Longitude média heliocêntrica de um planeta numa determinada data. **Época diluvial.** *Geol.* V. *época plistocena*. **Época eocena.** *Geol.* V. *época* (11). [Tb. se diz apenas *eoceno*.] **Época glacial.** *Geol.* V. *época plistocena*. **Época holocena.** *Geol.* V. *época* (12). [Tb. se diz apenas *holoceno*. Sin.: *época atual* e *época recente*.] **Época miocena.** *Geol.* V. *época* (11). [Tb. se diz apenas *mioceno*.] **Época oligocena.** *Geol.* V. *época* (11). [Tb. se diz apenas *oligoceno*.] **Época paleocena.** *Geol.* V. *época* (11). [Tb. se diz apenas *paleoceno*.] **Época pliocena.** *Geol.* V. *época* (11). [Tb se diz apenas *plioceno*.] **Época plistocena.** *Geol.* V. *época* (11). [Tb. se diz apenas *plistoceno*. Sin.: *época diluvial* e *época glacial*.] **Época recente.** *Geol.* V. *época holocena*. **Fazer época.** Ter sido notável por conduta inovadora ou extravagante: *Os Beatles fizeram época na música da década de 1960.*

epocal [De *época* + *-al*[1].] *Adj. 2 g.* Relativo a, ou próprio de uma época.

epódico [Do gr. *epodikós*, pelo lat. *epodicu*.] *Adj.* Relativo a epodo.

epodo [Do gr. *epodós*, pelo lat. *epodu*.] *S. m. Arte Poét.* **1.** A terceira estância da ode grega. [Cf. *estrofe* (2) e *antístrofe* (1).] **2.** Poema lírico latino constituído de versos jâmbicos, alternadamente trímetros e dímetros. **3.** Qualquer poema lírico em que haja, alternadamente, um verso grande seguido de um pequeno. **4.** Pequeno poema satírico de Horácio (v. *horaciano*).

epónimo *Adj. S. m.* V. *epônimo*. [Uso freq. em P.]

epônimo [Do gr. *epónymos*.] *Adj.* **1.** Que dá ou empresta seu nome a alguma coisa: *Tiradentes, herói epônimo de uma cidade mineira.* ~ V. *arconte* —. • *S. m.* **2.** Aquele que dá ou empresta seu nome a alguma coisa: "Velha palmeira solitária, testemunha sobrevivente do drama da conquista, que de majestade e de tristeza não exprimes, venerável epônimo dos campos!" (Afonso Arinos, *Pelo Sertão*, p. 61.)

epopeia (éi) [Do gr. *epopoiía*.] *S. f.* **1.** *Arte Poét.* Poema de longo fôlego acerca de assunto grandioso e heroico. **2.** *Fig.* Ação ou série de ações heroicas. ❖

epopeico (éi) [Do gr. *epopoiikós*.] *Adj.* **1.** Referente a, ou próprio de epopeia. **2.** Heroico, grandioso. ❖

epopta [Do gr. *epóptes*.] *S. m.* Iniciado de mais alto grau nos mistérios de Elêusis (v. *eleusino*).

▲**epoxi-** *Quím. El. comp.* Designa um grupo epóxido: *epoxipropano*.

epóxi (cs) [Do ingl. *epoxy*.] *S. m. Quím.* Nome genérico de certas resinas que se fazem usando epóxidos como reagente, e que são us. em adesivos e esmaltes.

epóxido (cs) [De *ep(i)-* + *óxido*.] *S. m. Quím.* **1.** Grupamento saturado constituído por um anel de três átomos, dois de carbono e um de oxigênio. **2.** Qualquer substância que contém esse grupamento; oxirana.

epoxietano (cs) *S. m. Quím.* Oxirana (1).

epoxipropano (cs) [De *epoxi-* + *propano*.] *S. m. Quím.* Epóxido derivado do propeno, gasoso, us. em indústria química; óxido de propileno [fórm.: C_3H_6O].

■ **EPROM** [Acrôn. do ingl. *erasable programmable read-only-memory*, 'memória apagável e programável exclusivamente para leitura'.] *Inform.* Sigla que designa um tipo de dispositivo de memória (ger. um *chip*) capaz de receber programação por meio de procedimentos especiais (ger. com emprego de raios infravermelhos), cujo conteúdo, em situações normais de uso, pode apenas ser lido. [É us., ger., para armazenar programas de aparelhos digitais, de inicialização de computador, etc.]

epsilão *S. m.* V. *epsílon*.

epsilo *S. m.* V. *epsílon*.

epsílon [Do gr. *è psilón* (com iota longo), 'e puro ou simples, por oposição ao *eta* (q. v.), cujo som era originalmente misto (/ei/)'.] *S. m.* A 5ª letra do alfabeto grego (Ε, ε), correspondente ao *e* breve. [F. paral.: *epsilão*, *epsilo*.]

epsomita [Do top. *Epsom* (Inglaterra) + *-ita*[3].] *S. f. Min.* Mineral ortorrômbico, sulfato de magnésio hidratado.

epular [Do lat. *epulare*.] *Adj. 2 g.* Respeitante a épulas.

epulário [Do lat. s. m. pl. *epulares*, *ium*, 'convivas'.] *S. m. Arquit.* Aquele que tomava parte em épulas [v. *épulas* (1)]; conviva, comensal.

épulas [Do lat. *epulae*.] *S. f. pl.* **1.** Festas ou banquetes sagrados públicos por ocasião de funeral ou cerimônia triunfal, na Roma antiga. **2.** *Desus.* Iguarias, comidas, manjares, etc.

epúlida *S. f. Odont.* V. *epúlide*.

epúlide [Do gr. *epoulís*, *ídos*.] *S. f. Odont.* Designação genérica de qualquer tumor gengival. [F. paral.: *epúlida*.]

epulótico [Do gr. *epoulotikós*.] *Adj.* Que facilita a cicatrização.

épura [Do fr. *épure*.] *S. f. Geom.* Representação no plano, mediante projeções, de uma figura do espaço.

epuxa *Interj.* **1.** *Bras. MG SP* Exclamação de gabolice. **2.** *Bras. RS* Exprime admiração.

equabilidade [Do lat. *aequabilitate*.] *S. f.* Qualidade de equável.

equação [Do lat. *aequatione*.] *S. f. Mat.* Qualquer igualdade entre seres matemáticos que só é satisfeita para alguns valores dos respectivos domínios. [Cf. *identidade* (7).] ◆ **Equação algébrica.** *Mat.* A que só contém operações algébricas. **Equação algébrica irracional.** *Álg.* Equação algébrica que não é racional. [Tb. se diz apenas *equação irracional*.] **Equação algébrica racional.** *Álg.* Equação algébrica que só contém funções racionais. [Tb. se diz apenas *equação racional*.] **Equação algébrica racional inteira.** *Álg.* A que pode ser escrita como um polinômio igualado a zero. **Equação ânua.** *Astr.* Equação anual. **Equação anual.** *Astr.* Irregularidade do movimento da Lua, produzida pelo fato de a distância da Terra ao Sol variar no decorrer do ano; equação ânua. **Equação bilinear.** *Álg.* A que resulta quando se iguala a zero uma forma bilinear. **Equação binômia.** *Álg.* Equação algébrica em que o primeiro membro é um binômio constituído pela potência enésima da incógnita e por um termo constante. **Equação biquadrada.** *Álg.* Equação algébrica racional inteira do quarto grau e que só contém as potências pares da variável. [Tb. se diz apenas *biquadrada*.] **Equação cúbica.** *Álg.* Equação algébrica racional inteira do terceiro grau. [Tb. se diz apenas *cúbica*.] **Equação da continuidade.** *Fís. Mat.* Expressão analítica que traduz a conservação de massa ao longo de um circuito no qual ocorre o escoamento de um fluido. **Equação da difusão.** *Fís. Mat.* Equação diferencial parcial linear e homogênea que rege os fenômenos da difusão num meio isotrópico e da condução de calor num sólido. **Equação da luz.** *Astr.* Tempo que é necessário acrescentar à hora de um dado fenômeno para levar em conta o tempo que a luz gasta para percorrer a distância Sol-Terra. **Equação de congruência.** *Álg.* Relação de congruência que se estabelece entre incógnitas, ou entre uma incógnita e uma constante. **Equação de derivadas.** *Mat.* Equação diferencial. **Equação de diferenças.** *Mat.* Equação de diferenças finitas. **Equação de diferenças finitas.** *Mat.* Relação entre uma ou mais variáveis independentes e as diferenças finitas duma função dessas variáveis. [Tb. se diz apenas *equação de diferenças*.] **Equação de estado.** *Fís.* Relação analítica entre as variáveis de estado de um sistema, que é satisfeita para qualquer condição física de existência dele. **Equação derivada.** **1.** *Álg.* Equação obtida de outra por meio de operações algébricas. **2.** *Mat.* Equação resultante da derivação de ambos os membros de uma equação. **Equação diferencial.** *Mat.* A que envolve duas ou mais variáveis e as derivadas de umas em relação às outras; equação de derivadas. **Equação diferencial exata.** *Mat.* Equação diferencial total que resulta de se igualar a zero uma forma diferencial exata. **Equação diferencial homogênea.** *Mat.* **1.** Equação diferencial total em que os coeficientes das diferenciais são funções homogêneas de mesmo grau. **2.** Equação diferencial linear homogênea. **Equação diferencial integrável.** *Mat.* **1.** Equação diferencial cuja solução pode ser obtida sob forma fechada. **2.** Equação diferencial que possui um fator integrante. **Equação diferencial linear.** *Mat.* **1.** Equação diferencial ordinária linear. **2.** Equação diferencial linear. **Equação diferencial linear homogênea.** *Mat.* Equação diferencial linear em que são nulos os termos que não contêm as variáveis dependentes. [Tb. se diz apenas *equação diferencial homogênea*.] **Equação diferencial ordinária.** *Mat.* Equação diferencial que só contém duas variáveis e as derivadas ordinárias da dependente em relação à independente. **Equação diferencial ordinária linear.** *Mat.* Equação diferencial ordinária em que a variável dependente e todas as suas derivadas aparecem na primeira potência. [Tb. se diz apenas *equação diferencial linear*.] **Equação diferencial parcial.** *Mat.* Equação diferencial que contém mais de uma variável independente e as derivadas parciais em relação a elas. **Equação diferencial parcial linear.** *Mat.* Equação diferencial parcial em que todas as derivadas aparecem elevadas à primeira potência, enquanto a potência da variável dependente pode ser qualquer. [Tb. se diz apenas *equação diferencial linear*.] **Equação diofantina.** *Álg.* A que é objeto da análise diofantina. [Usualmente é uma equação algébrica racional em mais de uma variável, e da qual se procuram as soluções inteiras.] **Equação do centro.** *Astr.* Ângulo que representa a diferença entre a longitude verdadeira e a longitude média do sol aparente. **Equação do tempo.** *Astr.* Diferença entre o tempo solar médio e o tempo solar aparente. **Equação homogênea.** *Mat.* A que se obtém igualando a zero uma função homogênea. **Equação integral.** *Mat.* A que contém incógnitas sob o sinal de integração. **Equação irracional.** *Álg.* Equação algébrica irracional (q. v.). **Equação linear.** *Álg.* A que resulta de se igualar a zero uma forma linear. **Equação lunar.** *Astr.* Fator de correção que serve para referir as observações ao baricentro do sistema Terra-Lua. **Equação paramétrica.** *Mat.* Qualquer das equações associadas a uma figura geométrica, expressa em termos de um ou mais parâmetros. Se a figura é uma curva, um parâmetro é suficiente; se é uma superfície, são necessários dois parâmetros. **Equação pessoal.** *Astr.* Erro sistemático de medida, de origem humana e particular a cada observador. **Equação racional.** *Álg.* Equação algébrica racional. **Equação polinomial** *Mat.* Aquela que se obtém igualando um polinômio a zero. **Equação quadrática** *Mat.* Equação polinomial de segundo grau. [A forma geral é $ax^2 + bx + c = 0$, onde *a, b* e *c* são coeficientes reais.] **Equação recíproca.** *Mat.* 1. A que se obtém de outra equação quando nesta se substituem as variáveis independentes por suas recíprocas. 2. A que não se altera quando se substituem as variáveis por suas recíprocas. **Equação reduzida.** *Mat.* A equação de uma reta na forma y = ax +b. **Equação transcendente.** *Mat.* A que não é algébrica. **Equação trinômia.** *Álg.* A que se obtém igualando um trinômio a zero. **Equações compatíveis.** *Mat.* As que são satisfeitas por um ou mais conjuntos de valores das variáveis; equações consistentes. **Equações consistentes.** *Mat.* Equações compatíveis.

equacionamento [De *equacionar* + *-mento*.] *S. m.* Ato ou efeito de equacionar.

equacionar [De *equação* + *-ar*[2], seg. o padrão erudito.] *V. t. d.* Dispor, na prática ou mentalmente, os dados de (um problema, uma questão qualquer), a fim de encaminhar-lhe a solução; pôr em equação: 📖 "em 1924, algumas figuras das mais representativas do Recife, no plano cultural, movimentaram-se no sentido de equacionar e debater os seus problemas regionais" (Carlos Moliterno, *Notas sobre Poesia Moderna em Alagoas*, p. 31).

equador (ô) [Do lat. med. *aequatore*.] *S. m.* 1. O círculo máximo da esfera terrestre, perpendicular à linha que une os polos. 2. *Mat.* Circunferência descrita pelo vértice de uma elipse que gera um elipsoide de revolução. ◆ **Equador celeste.** *Astr.* Interseção da esfera com o plano que passa através do equador da Terra. **Equador galáctico.** *Astr.* Interseção do plano galáctico com a esfera celeste. **Equador magnético.** *Geofís.* Lugar geométrico dos pontos da superfície da Terra em que a inclinação magnética é nula.

equalização [Do ingl. *equalization*.] *S. f. Eletrôn.* Diminuição da distorção de um sinal por meio de circuitos que compensem as deformações, reforçando a intensidade de algumas frequências e diminuindo a de outras.

equalizador (ô) [De *equalizar* + *-dor*.] *S. m.* Dispositivo que permite a equalização.

equalizar [Adapt. do ingl. *(to) equalize* (v. *-ar*[2]).] *V. t. d.* 1. Uniformizar, igualar. 2. *Eletrôn.* Produzir a equalização de.

equânime [Do lat. tard. *aequanime*.] *Adj. 2 g.* Que tem ou denota equanimidade: ▣ *varão equânime; procedimento equânime;* 📖 "D. Pedro era um espírito liberal e equânime; puro homem de bem, sem gosto nenhum pela política e as suas agitações." (Oliveira Viana, *O Ocaso do Império*, p. 39).

equanimidade [Do lat. *aequanimitate*.] *S. f.* 1. Igualdade de ânimo tanto na desgraça quanto na prosperidade. 2. Serenidade de espírito; moderação. 3. Equidade em julgar; imparcialidade, retidão, equidade.

equatorial [De *equador* (< lat. *aequatore*) + *-ial*, seg. o padrão erudito.] *Adj. 2 g.* 1. Do, ou pertencente ou relativo ao equador: ▣ *clima equatorial; fauna equatorial.* 2. Situado no equador: ▣ *zona equatorial.* ~ V. *faixa —, mesa —, placa —, satélite —, telescópio —* e *zona —*.

equatoriano[1] [Do esp. *ecuatoriano*.] *Adj.* 1. Do, ou pertencente ou relativo ao Equador (América do Sul). ● *S. m.* 2. O natural ou habitante do Equador.

equatoriano[2] *Adj.* 1. De ou pertencente ou relativo a Equador (RN). ● *S. m.* 2. O natural ou habitante de Equador.

equável [Do lat. *aequabile*.] *Adj. 2 g. P. us.* 1. Igual, uniforme. 2. V. *equitativo*.

equê [Do ior.] *S. m. Bras. Rel.* Pai de santo ou mãe de santo sem iniciação, que não fez a cabeça, e que dirige um candomblé.

equede [Do ior.] *S. f. Bras. Rel.* Acólita dos orixás, quando estes descem [v. *descer* (15)] nas filhas de santo. [Cf. *iabá*.]

equeneídeo [Do tax. *Echeneis* (< gr. *echeneOs*) + *-ídeo*[1]; tax. *Echeneidae*.] *Zool. S. m.* 1. Espécime dos equeneídeos, família de peixes actinopterígios, discocéfalos, fusiformes, e deprimidos na parte anterior; escamas pequenas e simples; disco elipsoidal sobre a cabeça. Ex.: a rêmora, o piolho-de-cação, o peixe-pegador. ● *Adj.* 2. Pertencente ou relativo a eles.

equestre (qües) [Do lat. *equestre*.] *Adj. 2 g.* Referente a cavalaria ou cavaleiros. ~ V. *estátua —*. ❖

equevo (qüé) [Do lat. *aequaevu*.] *Adj.* Da mesma idade que outro; coevo, coetâneo, contemporâneo. ❖

▲**equi-** (qui ou qüi) [Do lat. *aequus, a, um*.] *El. comp.* = 'igual': *equivalência*. [Equiv.: *-equi-*: *inequivalve*.]

▲**-equi-** (qüi) V. *equi-*. ❖

equiângulo (qüi) [De *equi-* + *ângulo*.] *Adj. Geom.* Que tem os ângulos iguais. ~ V. *polígono —* e *triângulo —*. ❖

equice [De uma língua banta.] *S. m. Bras. Rel.* V. *inquice*.

equícola (qüí) [Do lat. *equus*, 'cavalo[1]', + *-cola*[1].] *S. m.* Eguariço[1] (3). ❖

équida (qüi) *Adj. 2 g. S. m. Zool.* V. *equídeo*[2]. ❖

equidade (qüi) [Do lat. *aequitate*.] *S. f.* 1. Disposição de reconhecer igualmente o direito de cada um. 2. Conjunto de princípios imutáveis de justiça que induzem o juiz a um critério de moderação e de igualdade, ainda que em detrimento do direito objetivo. 3. Sentimento de justiça avesso a um critério de julgamento ou tratamento rigoroso e estritamente legal. 4. Igualdade, retidão, equanimidade. ❖

equídeo[1] (qüí) [Do lat. *equus*, 'cavalo[1]', + *-ídeo*[3].] *Adj.* Relativo ou semelhante ao cavalo[1]. ❖

equídeo[2] (qüí) [Do tax. *Equus* (v. *équus*) + *-ídeo*[1]; tax. *Equidae*.] *Zool. S. m.* 1. Espécime dos equídeos, família de mamíferos herbívoros perissodáctilos, hipomorfos, monoungulados, que inclui os cavalos, os asnos e as zebras, todos do gênero *équus* (q. v.). Focinho alongado, dentes fortes, caninos reduzidos e presentes, apenas, nos machos. Excelentes corredores, apresentam fêmur e úmero curtos, rádio e tíbia muito longos. São, à exceção das zebras, domesticáveis, sendo o cavalo[1] (1) us. como animal de tração e de montaria. ● *Adj.* 2. Relativo ou pertencente a eles. ❖

equidiferença (qüi) [De *equi-* + *diferença*.] *S. f. Mat.* Igualdade entre duas diferenças. ❖

equidiferente (qüi) [De *equi-* + *diferente*.] *Adj. 2 g. Mat.* Que oferece diferenças iguais entre si. ❖

equidilatado (qüi) [De *equi-* + *dilatado*.] *Adj. Bot.* Diz-se de certos órgãos vegetais que em todo o seu comprimento apresentam a mesma largura. ❖

equidistância (qüi) [De *equidistante* + *-ia*[2], seg. o padrão erudito.] *S. f.* Qualidade ou situação de equidistante. ❖

equidistante (qüi) [Do lat. *aequidistante*.] *Adj. 2 g.* Que dista igualmente. ❖

equidistar (qüi) [De *equi-* + *distar*.] *V. t. i. T. i. e c.* Distar igualmente (de dois ou mais pontos): ▣ *A casa do Roberto equidista da minha e da tua; A sua rua equidista 2km da minha e da de Maria.* ❖

equidna (í) [Do lat. cient. *echidna* < lat. *echidna* < gr. *échidna*, 'víbora'.] *S. f. Zool.* Mamífero taquiglossídeo (*Tachyglossos aculeatus*), noturno, ovíparo, monotremado, da Austrália, Tasmânia e Nova Guiné; ligeiramente maior do que o ouriço (3), com cerdas mescladas com espinhos na parte superior do corpo; focinho longo e pontudo, boca sem dentes, e língua comprida, com a qual caça formigas para alimentar-se.

equídnico [Do lat. *echidna*, 'víbora', + *-ico*[2].] *Adj.* Relativo à, ou próprio da víbora; viperino (q. v.).

equidnina [Do lat. *echidna*, 'víbora' + *-ina*[3].] *S. f.* Substância orgânica que é o princípio do veneno da víbora.

equidoso (qüi...ô) [Por **equidadoso*, de *equidade*, + *-oso*, com haplologia.] *Adj.* Que tem equidade; equitativo. ❖

equífero (qüí) [Do lat. *equiferu*.] *S. m.* Cavalo selvagem. ❖

equilateral (qüi) [Do lat. tard. *aequilaterale*.] *Adj. 2 g. Geom.* Equilátero (q. v.). ❖

equilátero (qüi ou qui) [Do lat. tard. *aequilateru*.] *Adj. Geom.* Que tem os lados iguais entre si; equilateral. ~ V. *cone —, hipérbole —a, polígono —* e *triângulo —*. ❖

equilibração [Do lat. tard. *aequilibratione*, ou de *equilibrar* + *-ção*.] *S. f.* 1. Ato de equilibrar. 2. *P. us.* Equilíbrio.

equilibrado [Do lat. tard. *aequilibratu*.] *Adj.* 1. Posto ou mantido em equilíbrio. 2. Compensado; contrabalançado. 3. Que tem ou denota equilíbrio (5 e 6); prudente, moderado, comedido: ▣ *É pessoa muito equilibrada, incapaz de excessos; Seus julgamentos são honestos e equilibrados.*

equilibrador (ô) [De *equilibrar* + *-dor*.] *Adj.* Que equilibra; equilibrante.

equilibrante [De *equilibrar* + *-nte*.] *Adj. 2 g.* Equilibrador.

equilibrar [Do fr. *équilibrer* < lat. tard. *aequilibrare*.] *V. t. d.* 1. Pôr em equilíbrio (1). 2. Manter em equilíbrio (2): ▣ *Os garçons, ágeis, equilibravam bandejas.* 3. Conservar o equilíbrio (2) de, ou restituir o equilíbrio a. 4. Contrabalançar, compensar: ▣ *equilibrar as forças combatentes.* 5. Pôr em equilíbrio (4); harmonizar: ▣ *equilibrar sentimentos.* *T. d. e i.* 6. Compensar; contrabalançar: ▣ *equilibrar tristezas com prazeres.* *P.* 7. Manter-se em equilíbrio (2). 8. Sustentar-se, aguentar-se: 📖 "a madrugada ia encontrá-lo na baderna, de onde saía bêbedo para casa, mal equilibrando-se no cavalinho manso" (Pelópidas Soares, *Cordão dos Bichos*, p. 11); ▣ *equilibrar-se em um pé só.*

equilibrável [De *equilibrar* + *-vel*.] *Adj. 2 g.* Que pode ser equilibrado.

equilíbrio [Do lat. *aequilibriu*; fr. *équilibre*.] *S. m.* 1. *Fís.* Estado de um sistema (19) que é invariável com o tempo. 2. Manutenção de um corpo na sua posição ou postura normal, sem oscilações ou desvios: ▣ *o equilíbrio dos pratos de uma balança; o equilíbrio do corpo humano; O ciclista perdeu o equilíbrio ao desviar-se de um pedestre.* 3. Igualdade, absoluta ou aproximada, entre forças opostas: ▣ *Os boxeadores lutam em equilíbrio; Há equilíbrio comercial; Nota-se equilíbrio político.* 4. *Fig.* Boa proporção; harmonia: ▣ *o equilíbrio entre os elementos de um todo; equilíbrio arquitetônico; equilíbrio de talento.* 5. *Fig.* Estabilidade mental e emocional: ▣ *É pessoa de raro equilíbrio.* 6. *Fig.* Moderação, prudência, comedimento; autocontrole, autodomínio, controle: ▣ *Soube agir com equilíbrio.* 7. *Fig.* Estado inalterável: ▣ *o equilíbrio do dólar, dos preços.* 8. *Econ.* Situação na qual as forças que agem sobre determinada variável não exercem pressão para que esta se altere. 9. *Fís.-Quím.* Estado de um sistema (19) em que não existem diferenças de potencial químico dos diversos componentes e em que, portanto, a composição do sistema não se altera ao longo do tempo. [Para o equilíbrio entre as substâncias X e Y, e Z e W, representado como $X + Y \rightleftarrows Z + W$, as reações em cada sentido, $X + Y \rightarrow Z + W$, e $Z + W \rightarrow X + Y$, estarão ocorrendo com velocidades iguais.] 10. *Fisiol.* Função que assegura a projeção do centro de gravidade do corpo humano no interior do polígono de sustentação, tanto em condições estáticas quanto dinâmicas. 11. *Lus. Autom.* Balanceamento (2). ◆ **Equilíbrio ácido-base.** *Quím.* Equilíbrio (9) entre um ácido (A1) e uma base (B2), e os respectivos base conjugada (B1) e ácido conjugado (A2): $A1 + B2 \rightleftarrows B1 + A2$. **Equilíbrio de mercado.** *Econ.* Situação em que, ao preço vigente no mercado, a oferta e a demanda se igualam. **Equilíbrio de rodas.** *Lus. Autom.* Balanceamento (2). **Equilíbrio hídrico.** *Bot.* Balanço-d'água. **Equilíbrio hidrostático.** *Fís.* O equilíbrio de um corpo imerso num líquido. **Equilíbrio mecânico.** *Fís.* Estado de um sistema (19) no qual a resultante de todas as forças que atuam sobre ele é nula e o par resultante de todos os binários é, também, igual a zero. **Equilíbrio químico.** *Fís.-Quím.* Estado de um sistema (19) em que não existem diferenças de potencial químico dos diversos componentes e em que, portanto, a composição do sistema não se altera ao longo do tempo. **Equilíbrio térmico.** *Fís.* Estado de um sistema (19) em que, por não existirem fluxos de calor, há igualdade de temperatura em todos os pontos de qualquer de suas fases cujas fronteiras são permeáveis ao calor. **Equilíbrio termodinâmico.** *Fís.* Estado de um sistema (19) em que existe equilíbrio mecânico, químico e térmico, e em que não há transporte de cargas elétricas nem variações de grandezas magnéticas.

equilibrismo [De *equilíbrio* + *-ismo*.] *S. m.* Arte ou habilidade de equilibrista.

equilibrista [De *equilíbrio* + *-ista*; fr. *équilibriste*.] *S. 2 g.* 1. Pessoa que se conserva em equilíbrio, em posição difícil. 2. *Fig.* Malabarista (2). 3. *Teatr.* V. *malabarista* (1).

equimíida [Do tax. *Echimys* (v. *equimiídeo*) + *-ida*[1].] *S. m. Adj. 2 g. Zool.* V. *equimiídeo*.

E

equimiídeo [Do tax. *Echimys* (< gr. *echînos*, ou *echínos*, 'ouriço-cacheiro', + gr. *myæs*, 'rato', v. *mio(s)-*) + *-ídeo*[1]; tax. *Echimyidae*.] *Zool. S. m.* **1.** Espécime dos equimiídeos, família de roedores histricomorfos, com espécimes que variam de cerca de 8 a 50cm de comprimento, encontrados em regiões tropicais da América Central e do Sul, e que se caracterizam pelos pelos eriçados no dorso e na porção posterior do corpo. São os ratos-de-espinho. ● *Adj.* **2.** Pertencente ou relativo a eles.

equimolecular (qüi) [De *equi-* + *molecular*.] *Adj. 2 g. Quím.* Que é constituído por números iguais de moléculas de duas ou mais de duas substâncias. ❖

equimosar-se [De *equimose* + *-ar*[2] + *se*[1].] *V. p.* Encher-se ou cobrir-se de equimoses.

equimose [Do gr. *ekchýmosis*.] *S. f. Med.* Pequena mancha, de natureza hemorrágica, que se pode observar na pele ou em membrana mucosa como placa não saliente, arredondada ou irregular, de matiz azul ou púrpura. [Sin. (*lus., pop.*) *aboucadela*.]

equimótico [De *equim(ose)* + *-ótico*.] *Adj.* Que tem caráter de equimose; da natureza da equimose.

equimultíplice (qüi) [De *equi-* + *multíplice*.] *Adj. 2 g. Mat.* Equimúltiplo. ❖

equimúltiplo (qüi) [De *equi-* + *múltiplo*.] *Adj. Mat.* Diz-se dos números resultantes do produto de outros números pelo mesmo fator; equimultíplice. ❖

equinado [Do lat. *echinatu*.] *Adj. Bot.* Diz-se do órgão ou parte vegetal que se apresenta revestido de espinhos ou acúleos, recordando um ouriço-do-mar.

▲**equini-** [Do lat. *echĭnus*, *i* < gr. *echînos*, ou *echínos*, *ou*.] Equiv. de *equin(o)-*.

equinípede [De *equini-* + *-pede*.] *Adj. 2 g. Zool.* Cujas patas são revestidas de pelos ásperos.

equino [Do lat. *echinu*.] *S. m. Arquit.* Elemento decorativo em forma de moldura curva ou arredondada, na parte inferior dos capitéis das colunas dóricas, jônicas e toscanas, sob o ábaco. [Cf. *equino* (qüi).]

equino (qüi) [Do lat. *equinu* < lat. *equus*, 'cavalo'.] *Adj.* **1.** Pertencente ou relativo ao cavalo; cavalar. ● *S. m.* **2.** Animal equino. [Cf. *equino*.] ❖

▲**equin(o)-** [Do gr. *echînos*, ou *echínos*, *ou*.] *El. comp.* = 'ouriço', 'espinho': *equinóforo*. [Equiv.: *equini-*: *equinípede*.]

equinocarpo [De *equin(o)-* + *-carpo*.] *Adj. Bot.* Que produz frutos eriçados, de pontas ásperas.

equinocial [Do lat. *aequinoctiale*.] *Adj. 2 g.* Relativo a equinócio. ~ V. *armila — e coluro —*.

equinócio [Do lat. *aequinoctiu*.] *S. m.* **1.** Ponto da órbita da Terra em que se registra uma igual duração do dia e da noite, o que sucede nos dias 21 de março e 23 de setembro. **2.** *Astr.* Qualquer das duas interseções do círculo da eclíptica com o círculo do equador celeste: *equinócio da primavera, ou ponto vernal, e equinócio do outono, ou ponto de Libra.* **3.** *Astr.* Instante em que o Sol, no seu movimento anual aparente, corta o equador celeste. ◆ **Equinócio da primavera.** *Astr.* Ponto vernal. **Equinócio do outono.** *Astr.* Ponto de Libra. **Equinócio médio da data.** *Astr.* Equinócio fictício cuja posição é a do ponto vernal em certa data, sem se levar em conta o efeito da nutação.

equinococo [De *equin(o)-* + *-coco*; tax. *Echinococcus*.] *S. m. Zool.* **1.** Gênero de platelmintos tenioídeos que, em seu ciclo vital, alternam uma forma adulta muito pequena (com até 3 proglótides), que vive como parasito inofensivo no intestino dos cães e de outros carnívoros, e uma forma larvar hidática que invade tecidos, esp. os do fígado, de gado vacum, ovelhum, de suíno e do homem, causando doença séria que pode ser letal. **2.** Espécie ou espécime desse gênero.

equinococose [De *equinococo* + *-ose*[1].] *S. f. Patol.* Hidatidose.

equinocultor (qüi...ô) [De *equino* + *-cultor*.] *S. m.* Aquele que pratica a equinocultura. ❖

equinocultura (qüi) [De *equino* + *-cultura*.] *S. f.* Criação de cavalos, em especial os de raça. ❖

equinodermo [De *equin(o)-* + *-dermo*; tax. *Echinoderma*.] *Zool. S. m.* **1.** Espécime dos equinodermos, filo de animais metazoários, com simetria radial superposta à bilateral, formada por um eixo longitudinal da boca à extremidade distal. Corpo revestido de placas calcárias, formando um esqueleto de espinhos externos; sistema vascular aquífero, e tubos externos em forma de pés para locomoção. Ex.: estrelas-do-mar, corrupios, pepinos-do-mar, serpentes-do-mar, ferraduras, etc. ● *Adj.* **2.** Pertencente ou relativo a eles.

equinodero [Do tax. *Echinodera*.] *S. m. Adj. Zool.* V. *quinorrinco*.

equinóforo [De *equin(o)-* + *-foro*.] *Adj. Bot.* Que tem espinhos.

equinoftalmia [De *equin(o)-* + *-(o)ftalm(o)-* + *-ia*[1].] *S. f. Oftalm.* Inflamação das pálpebras, na qual os cílios se eriçam.

equinoftálmico [De *equinoftalmia* + *-ico*[2].] *Adj.* Relativo a equinoftalmia.

equinoide (ói) [De *equin(o)-* + *-oide*; tax. *Echinoidea*.] *Zool. S. m.* **1.** Espécime dos equinoides, classe de animais equinodermos de corpo globular, hemisférico, discoide ou ovoide, carapaça formada por placas grandes, fundidas, revestidas por pedicelárias e espinhos móveis, e boca com a lanterna de aristóteles. São os ouriços-do-mar. ● *Adj. 2 g.* **2.** Pertencente ou relativo a eles. ❖

equinorrinco [De *equin(o)-* + *-rinco*.] *S. m. Zool.* Entozoário acantocéfalo, que na fase adulta é encontrado no intestino de diversos animais, e também, acidentalmente, no homem.

equinospermo [De *equin(o)-* + *-spermo*.] *Adj. Bot.* Que tem sementes cobertas de pelos ásperos.

equinossórex (cs) [Do tax. *Echinosorex*.] *S. m. 2 n. Zool.* **1.** Gênero monotípico de insetívoros (q. v.) semelhantes ao rato e ao porco-espinho, que habitam o S.O. da Ásia. **2.** A única espécie desse gênero, a *Echinosorex gymnurus*, tb. conhecida como *gimnuro*, *rato-lunar* e *rato-malaio-lunar*, de cor esbranquiçada, focinho longo e cauda comprida e glabra. **3.** Qualquer espécime desse gênero; gimnuro, rato-lunar, rato-malaio-lunar.

equioide (ói) [Do gr. *échis*, 'víbora', + *-oide*.] *Adj. 2 g.* Semelhante à víbora ou à cabeça da víbora. ❖

equiondulante (qüi) [De *equi-* + *ondulante*.] *Adj. 2 g. Eletrôn.* Que tem igual ondulação. ❖

equipa *S. f. Lus.* V. *equipe*: "A editora é como uma equipa de futebol, muito floreado lá na frente, muito passe, muito drible" (José Saramago, *História do Cerco de Lisboa*, p. 38).

equipagem [Do fr. *équipage*.] *S. f.* **1.** *Mar. Merc.* Conjunto de pessoas empregadas, em caráter permanente e exclusivo, nos serviços que se realizam a bordo de uma embarcação mercante; tripulação. [Sin., ant.: *chusma* e *companha*. Cf. *guarnição* (3).] **2.** Os tripulantes de um avião. **3.** Comitiva, séquito. **4.** *Desus.* Equipamento (2). **5.** Bagagem (1).

equipamento [Do fr. *équipement*.] *S. m.* **1.** Ato de equipar(-se). **2.** Tudo aquilo de que o militar necessita para entrar em serviço, além do fardamento e das armas; equipagem. **3.** *P. ext.* O conjunto de tudo aquilo que serve para equipar, prover, abastecer: *equipamento de caça; equipamento de mergulho.*

equipar [Do fr. *équiper*.] *V. t. d.* **1.** *Mar.* Guarnecer ou prover (uma embarcação) do necessário para a manobra, defesa, sustentação do pessoal, etc.; aprestar. **2.** Prover do necessário (o soldado, o caçador, etc.). *P.* **3.** Prover-se dos apetrechos necessários; aprestar-se, apetrechar-se. **4.** Abastecer-se, prover-se.

equiparação [Do lat. *aequiparatione*.] *S. f.* Ato ou efeito de equiparar(-se). ◆ **Equiparação salarial.** *Dir. Trab.* Direito do trabalhador, sem qualquer distinção de sexo, nacionalidade ou idade, ao recebimento de salário idêntico ao de outro empregado que realiza a mesma função, com igual produtividade e com a mesma perfeição técnica, se a diferença de tempo de serviço entre eles, naquele empregador, não for superior a dois anos.

equiparar [Do lat. *aequiparare*.] *V. t. d.* **1.** Comparar (pessoas ou coisas), considerando-as iguais; pôr em paralelo; igualar: *O professor equiparou os dois alunos.* **2.** Conceder paridade (1) a: *equiparar funcionários. T. d. e i.* **3.** Comparar (pessoas ou coisas) considerando-as iguais; igualar: *Na saudação que lhe fiz, equiparei-os aos maiores mestres.* **4.** Conceder à pessoa ou entidade determinadas regalias já usufruídas por outra pessoa ou entidade: *equiparar funcionários autárquicos a funcionários civis.* **5.** *Bras. P. ext.* Dar (a estabelecimentos particulares de ensino) as regalias dos institutos oficiais de instrução. *P.* **6.** Comparar-se, igualando-se.

equiparável [Do lat. *aequiparabile*.] *Adj. 2 g.* Que pode ser equiparado.

equipe [Do fr. *équipe*.] *S. f.* **1.** Grupo de pessoas que juntas participam numa competição esportiva. **2.** Conjunto ou grupo de pessoas que se aplicam a uma tarefa ou trabalho. [F. paral. (lus.): *equipa*.]

equípede (qüi) [Do lat. *aequipede*.] *Adj. 2 g. Zool.* Cujas patas têm comprimento igual. ❖

equipendência (qüi) [De *equi-* + *pendência*.] *S. f.* Igualdade de peso; equiponderância. ❖

equipendente (qüi) [De *equi-* + *pendente*.] *Adj. 2 g.* **1.** Equilibrado, equiponderante; igual. **2.** Equivalente, equipolente: "Povo forte e povo rico são expressões equipendentes." (Alberto Torres, *O Problema Nacional Brasileiro*, p. 188.) ❖

equipo [Dev. de *equipar*.] *S. m.* **1.** *Radiotéc.* Conjunto de circuitos. **2.** O conjunto constituído pela cadeira e acessórios dos dentistas.

equipolência (qüi) [Do lat. tard. *aequipollentia*.] *S. f.* Qualidade de equipolente. ❖

equipolente (qüi) [Do lat. tard. *aequipollente*.] *Adj. 2 g.* **1.** Que tem poder igual. **2.** Que tem a mesma acepção; equivalente. **3.** *Mat.* Diz-se de um vetor em relação a outro quando pode com este coincidir por um movimento de translação. ❖

equiponderância (qüi) [De *equiponderante* + *-ia*[2], seg. o padrão erudito.] *S. f.* Qualidade de equiponderante; equipendência. ❖

equiponderante (qüi) [Do lat. med. *aequiponderante*.] *Adj. 2 g.* Que tem peso igual; equipendente. ❖

equiponderar (qüi) [De *equi-* + *ponderar*.] *V. t. d.* **1.** Pesar por igual; equilibrar; contrabalançar. *Int. P.* **2.** Ter o mesmo peso; equilibrar-se. **3.** Tornar-se equivalente; igualar-se. ❖

equipotencial (qüi) [De *equi-* + *potencial*.] *Adj. 2 g. Fís.* Diz-se de qualquer região em cujos pontos o potencial assume o mesmo valor. ~ V. *superfície —*. ❖

equiprobabilismo (qüi) [Do ingl. *equiprobabilism*.] *S. m. Rel.* Doutrina moral concernente aos casos dúbios, que só aceita uma maneira de agir como lícita caso esteja esta fundamentada em probabilidades de igual valor aos fundamentos da atitude oposta. ❖

equiprovável (qüi) [De *equi-* + *provável*.] *Adj. 2 g.* ~ V. *números equiprováveis*. ❖

equírios (qüí) [Do lat. *equiria*, s. neutro pl., 'corridas de cavalo'.] *Adj.* (*pl.*) **1.** ~ V. *jogos —*. ● *S. m. pl.* **2.** Jogos equírios. ❖

equissetácea (qüis) [Do tax. *Equisetum* (v. *equisseto*) + *-ácea*; tax. *Equisetaceae*.] *S. f. Bot.* Espécime das equissetáceas, família de pteridófitos, da ordem das equissetales, providos de rizoma e de caule sulcado e rígido. Folhas reduzidas a escaminhas, as quais são concrescentes em bainha, esporângios dispostos em pequenas espigas, esporos com uma faixa enrolada ou separada deles. Compreende apenas o gênero *Equisetum*, com umas 25 espécies amplamente disseminadas, das quais o Brasil possui algumas. ❖

equissetáceo (qüis) [De *equissetácea*, com var. suf. (v. *-áceo*).] *Adj. Bot.* Pertencente ou relativo às equissetáceas. ❖

equissetal (qüis) [Do lat. cient. *Equiset-* (v. *equissetale*) + *-al*[1].] *Adj. 2 g. Bot.* Pertencente ou relativo às equissetales. ❖

equissetale (qüis) [Do tax. *Equisetum* (v. *equisseto*) + *-ale*; tax. *Equisetales*.] *S. f. Bot.* Espécime das equissetales, subclasse de vegetais criptogâmicos que engloba uma única família, a das equissetáceas; as demais são fósseis. [V. *equisseto*.] ❖

equisseto (qüis) [Do tax. *Equisetum* < lat. *equisetum*, 'cavalinha'.] *S. m. Bot.* **1.** Gênero de vegetais equissetáceos criptogâmicos, o único sobrevivente de sua família e subclasse, e cujas espécies são típicas dos lugares úmidos; têm caule oco, folhas escamiformes, rizoma e caules fistulosos e cones apicais que liberam esporos. **2.** Qualquer espécie desse gênero como, p. ex., as popularmente ditas *cavalinhas* [v. *cavalinha* (1)]. **3.** Qualquer espécime desse gênero. ❖

equíssimo (qüis) [Do lat. *aequissimu*.] *Adj. Desus.* Muito equitativo ou équo; justíssimo. ❖

equissonância (qüis) [Do lat. tard. *aequisonantia*.] *S. f. Mús.* Consonância de sons semelhantes. ❖

equissonante (qüis) [De *equi-* + *sonante*.] *Adj. 2 g.* Em que há equissonância. ❖

equitação [Do lat. *equitatione*.] *S. f.* Arte ou exercício de andar a cavalo.

equitador (ô) [Do lat. *equitare*, 'cavalgar', + *-dor*.] *S. m.* **1.** Aquele que sabe equitação. **2.** Bom cavaleiro.

equitativo (qüi) [Do lat. *aequitate*, 'igualdade', 'equidade', + *-ivo*.] *Adj.* Que tem, ou em que há equidade; reto, justo. [Sin.: *equável* e (desus.) *équo*.] ❖

équite (qüi) [Do lat. *equite*.] *S. m. P. us.* Cavaleiro (3). ❖

equiuróideo (i-u) [Do tax. *Echiurus* + *-óideo*; tax. *Echiuroidea*.] *Zool. S. m.* **1.** Espécime dos equiuróideos, filo de animais celomados, marinhos, próximos dos anelídeos, de simetria bilateral; corpo dividido em uma porção anterior, não retrátil, e outra posterior, mais desenvolvida, globulosa; têm um par de cerdas ventrais abaixo da boca, e ânus posterior. Os adultos não são segmentados, o macho é muito menor do que a fêmea. Vivem enterrados na lama ou na areia e são detritívoros. ● *Adj.* **2.** Pertencente ou relativo a eles.

equivalência (qui ou qüi) [Do lat. tard. *aequivalentia*.] *S. f.* **1.** Qualidade de equivalente. **2.** *Cont.* Método contábil utilizado para avaliar investimentos de uma empresa em outra. **3.** *Lóg.* Relação entre duas ou mais proposições que têm o mesmo valor de verdade. **4.** *Lóg.* Sistema de duas ou mais proposições relacionadas pelo termo lógico "se e somente se", que só é verdadeiro no caso de serem todas as proposições verdadeiras, ou de todas as proposições serem falsas. **5.** *Mat.* Relação de equivalência.

equivalente (qui ou qüi) [Do lat. tard. *aequivalente*.] *Adj. 2 g.* **1.** De igual valor. ~ V. *condutância —*. ● *S. m.* **2.** Aquilo que equivale. **3.** *Quím.* Equivalente-grama. ◆ **Equivalente eletroquímico.** *Quím.* A massa, em gramas, de um íon que, numa eletrólise, é transformada pela passagem de um coulomb de carga elétrica. É dado pelo quociente do equivalente-grama do íon pelo valor do faraday [símb.: *E*]. **Equivalente espacial.** *Astron.* Conjunto de condições obtidas na superfície da Terra, capaz de representar as condições no espaço exterior.

equivalente-grama [De *equivalente* + *grama*[2].] *S. m. Quím.* O quociente da massa atômica ou da massa molecular de um íon pela sua valência. [Tb. se diz apenas *equivalente*. Pl.: *equivalentes-gramas*.]

equivaler (qui ou qüi) [Do lat. tard. *aequivalere*.] *V. t. i. T. c. P.* Ser igual no valor, no peso ou na força; ser equivalente: *Por vezes o casamento religioso equivale ao civil; A milha equivale a cerca de 1.600m; Os dois autores equivalem-se; Eram dois atletas que se equivaliam.* [Conjug.: v. *valer*.]

equivalve (qüi) [De *equi-* + *valva*.] *Adj. 2 g. Zool.* Que tem as duas valvas iguais. ❖

equivocação [Do lat. tard. *aequivocatione*.] *S. f.* **1.** Erro em tomar ou ter uma coisa por outra; engano, confusão. **2.** *Lóg.* Equívoco (7).

equivocado [Part. de *equivocar*.] *Adj.* Que se equivocou; que tomou uma coisa por outra; enganado, errado. ~ V. *derivação —a*.

equivocar [Do lat. tard. *aequivocare*.] *V. t. d.* **1.** Induzir em equívoco ou engano. *T. d. e i.* **2.** Tomar (uma coisa ou pessoa por outra): *equivocar um livro por outro; Equivocou o desconhecido pelo amigo.* *Int.* **3.** Equivocar (4). *P.* **4.** Confundir-se, enganar-se; equivocar. **5.** *Bras. AM PA* Aborrecer-se, irritar-se. [Pres. ind.: *equivoco*, etc. Cf. *equívoco*. Conjug.: v. *trancar*.]

equivocidade [De *equívoco* + *-(i)dade*.] *S. f.* Qualidade de equívoco (1 a 3).

equívoco [Do lat. tard. *aequivocu*.] *Adj.* **1.** Que tem mais de um sentido ou se presta a mais de uma interpretação; ambíguo: *palavras equívocas.* **2.** Difícil de classificar, de perceber pelos sentidos: *cor equívoca.* **3.** Que dá margem à suspeita: *procedimento equívoco.* ● *S. m.* **4.** Efeito de equivocar-se; engano. **5.** Interpretação ambígua. **6.** *Lóg.* Palavra, locução ou proposição que tem mais de um significado. **7.** *Lóg.* Sofisma verbal que consiste em dar sentidos diferentes a uma palavra dentro de um mesmo raciocínio; equivocação. [V. *sofisma verbal*.] **8.** V. *trocadilho* (1). [Cf. *equivoco*, do v. *equivocar*.]

equivoquista [De *equívoco* + *-ista*.] *S. 2 g.* Pessoa que faz equívocos, ou que é dada a equívocos na linguagem.

équo[1] [Do lat. *aequu*.] *Adj. Desus.* V. *equitativo*.

équo[2] [De *équus* (q. v.).] *S. m. Zool.* **1.** O único gênero da família dos equídeos, que inclui os cavalos, os jumentos e as zebras; compõe-se de seis ou sete espécies existentes, segundo a classificação utilizada, e de muitas outras extintas. **2.** Qualquer espécie desse gênero como, p. ex., o *Equus caballus* [v. *cavalo*[1] (1)], o *E. asinus* (v. *jumento*) e o *E. ferus*, a única espécie selvagem ainda existente. **3.** Qualquer espécime desse gênero.

equóreo [Do lat. *aequoreu*.] *Adj. Poét.* Relativo ou pertencente ao mar alto, ou ao mar.

equoterapia *S. f. Med.* Modalidade de fisioterapia em que se utiliza a equitação, com o intuito de melhorar a coordenação motora de certos deficientes físicos.

équus [Do tax. *Equus*.] *S. m. 2 n. Zool.* V. *équo*[2].

■ **Er** *Quím.* Símb. de *érbio*.

▲**-er** Desin do infinitivo dos v. de tema em *-e*, originária do lat. *-ere*, ou, por analogia, de formação vernácula: *haver* (< lat.), *ler* (< lat.). [No v. *pôr* (< lat. *ponere*) e em seus compostos houve perda do *e*.]

era [Do lat. tard. *aera*.] *S. f.* **1.** Ponto determinado no tempo, que se toma por base para a contagem dos anos: *a era cristã; a era da Hégira.* **2.** Período (2) geralmente longo, que principia com um fato marcante ou que dá origem a uma nova ordem de coisas: *a era da imprensa; a era espacial.* **3.** Época (4) histórica; idade: *a era dos Césares; a era de Napoleão.* **4.** O número que indica um determinado ano: *Na era de 89* [1889] *foi proclamada a República no Brasil.* **5.** Época, século, tempo: *Você pertence a outra era.* **6.** *Cronol.* Período contado segundo as regras da astronomia. **7.** *Geol.* Divisão básica do tempo geológico, a qual abrange vários períodos. [V. *período* (10).] [Cronologicamente as eras classificam-se em: a) *era proterozoica*: a que vai desde a solidificação da crosta terrestre até o aparecimento dos primeiros sinais de vida (duração: cerca de 4 bilhões de anos); b) *era paleozoica*: na fauna, a que se caracteriza pelo surgimento dos animais de organização celular rudimentar (foraminíferos, cnidários, equinodermos), pelo desenvolvimento dos invertebrados, e pelo aparecimento dos vermes, insetos, cefalópodes, peixes, batráquios e reptis, e na flora pelo surgimento dos criptógamos vasculares, dos fanerógamos e das gimnospermas (duração: cerca de 380 milhões de anos); c) *era mesozoica*: aquela em que, na fauna, certos reptis, os dinossauros, atingem grandes dimensões, começa a transição para anfíbios e pássaros, e, já no fim, aparecem os primeiros mamíferos, os marsupiais, e, na flora, se nota grande desenvolvimento das gimnospermas, principiam a surgir as angiospermas mono e dicotiledôneas, e se encontram nas rochas consideráveis reservas de carvão de pedra (duração: cerca de 150 milhões de anos); d) *era cenozoica*: a que se caracteriza pela extinção dos reptis gigantes, por notável desenvolvimento dos vertebrados, pelo aparecimento dos símios antropomorfos e, no último período, do homem (no começo desta era, que tem a duração de 71 milhões de anos, o clima é muito quente, modificando-se a partir do quaternário).] **8.** *Bras. Pop.* Idade (1): *Pedro e Paulo são da mesma era.* [Cf. *hera*, s. f., *Hera*, mit., e *Heras*, antr.] ◆ **Era agnostozoica.** *Geol. Obsol.* Era proterozoica. [Tb. se diz apenas *agnostozoico*.] **Era antropozoica.** *Geol.* Período quaternário [v. *período* (10)] em que surgiu o homem na Terra. [Tb. se diz apenas *antropozoico*.] **Era arqueozoica.** *Geol. Obsol.* Era proterozoica. [Tb. se diz apenas *arqueozoico*.] **Era cenozoica.** *Geol.* V. *era* (7). [Tb. se diz apenas *cenozoico*.] **Era cristã.** A que principia com o nascimento de Jesus Cristo. **Era da nucleossíntese.** *Cosm.* A que se seguiu à era leptônica, entre um segundo e mil segundos após o bigue-bangue, quando se produziram os nêutrons, e o hélio e o deutério foram sintetizados. **Era da radiação.** *Cosm.* A que vai de 1 segundo a 3×10^5 anos após o bigue-bangue, quando a radiação foi o principal constituinte do Universo. **Era de desdobramento.** *Cosm.* Era de cerca de 3×10^5 anos após o bigue-bangue, quando a radiação cósmica do corpo negro atinge a derradeira dispersão de matéria. **Era hadrônica.** *Cosm.* O mais duradouro intervalo de tempo da ordem de 10^{-4} de segundo após o bigue-bangue, quando o Universo era dominado pela matéria que continha muitos hádrons em equilíbrio com o campo de radiação. **Era leptônica.** *Cosm.* Era seguinte à era hadrônica, quando o Universo era constituído sobretudo de léptons e prótons. **Era mesozoica.** *Geol.* V. *era* (7). [Tb. se diz apenas *mesozoico*.] **Era neozoica.** *Geol. Obsol.* Era cenozoica. [Tb. se diz apenas *neozoico*.] **Era paleozoica.** *Geol.* V. *era* (7). [Tb. se diz apenas *paleozoico*.] **Era primária.** *Geol. Obsol.* Era paleozoica. [Tb. se diz apenas *primário*.] **Era proterozoica.** *Geol.* V. *era* (7). [Tb. se diz apenas *proterozoico*.] **Era secundária.** *Geol. Obsol.* Era mesozoica. [Tb. se diz apenas *secundário*.] **Era terciária.** *Geol. Obsol.* Era cenozoica. [Tb. se diz apenas *terciário*.]

erado [Part. de *erar*.] *Adj. Bras.* **1.** Diz-se do animal adulto próprio para reprodução ou para corte. **2.** Diz-se de animal bovino gordo, bom para o corte.

eragróstis [Do tax. *Eragrostis*.] *S. m. 2 n. Bot.* **1.** Gênero de poáceas que reúne cerca de 300 espécies nativas de regiões temperadas e tropicais, umas cultivadas como forrageiras, outras como ornamentais. **2.** Qualquer espécie desse gênero, como, p. ex., a *Eragrostis reptans* [v. *barba-de-bode* (4)]. **3.** Qualquer espécime desse gênero.

eramá [De *em hora má*, com aglutinação e síncope.] *Adv. Ant.* Em hora má; em má hora. [F. paral.: *aramá, ieramá*.]

erar [De *era* + *-ar*[2].] *V. t. d.* **1.** *Bras. MG* Manter (garrotes de um ano) no pasto, em recria, até à idade da engorda. **2.** *Bras. MT* Comprar garrotes de ano, ou pouco mais, aos fazendeiros necessitados de numerário, ou que não têm campos para os conservar, e vendê-los daí a dois anos, como novilhos, para exportação. [Pres. ind.: *ero, eras, era, eramos*, etc.; pres. subj.: *ere, ... ereis*, etc. Cf. *hera*, s. f., pl. *heras*; *Hera*, mit.; *Heras*, antr.; *éramos* e *éreis*, do v. *ser*.]

erário [Do lat. *aerariu*.] *S. m.* V. *fazenda* (5).

erasmiano [Do antr. *Erasmo (de Roterdã)* + *-iano*.] *Adj.* **1.** Pertencente ou relativo a Erasmo de Roterdã (1467-1536), humanista holandês, ou próprio dele. **2.** *E. Ling.* Diz-se da pronúncia do grego antigo conforme a teoria desse humanista, que se recusava a pronunciar o grego antigo como o fazem os gregos modernos. [Nesta acepç., opõe-se a *reuchliniano*. Sin. ger.: *erásmico*.]

erásmico *Adj.* V. *erasmiano*.

erasta [Do gr. *erastés*.] *S. m.* Na Grécia antiga, homem adulto, livre, que tem com o erômeno uma relação erótica e pedagógica.

eratataca [De or. tupi, poss.] *S. f. Bras. Bot.* V. *manacá* (2).

erbina [De *érb(io)* + *-ina*[1].] *S. f. Min.* Hidróxido de érbio.

érbio [Do lat. cient. *erbium* < top. *(Ytt)erby* (Suécia) + lat. cient. *-ium* (= *-io*[3]).] *S. m. Quím.* Elemento de número atômico 68, pertencente à família dos lantanídeos [símb.: *Er*].

erê[1] [Do ior.] *S. m. Bras. Rel.* Entidade (6) infantil, espírito menor, particular de cada iaô, que nasce durante a feitura de seu santo (q. v.), a auxilia no processo de iniciação ritual e costuma nela encarnar após o transe do orixá dono de sua cabeça. [V. *fazer a cabeça* (1).]

erê[2] *Interj. Bras. Amaz.* Usual entre os índios e caboclos, exprime espanto, surpresa, alegria ou troça.

erebanguense *Adj. 2 g.* **1.** De, ou pertencente ou relativo a Erebango (RS). ● *S. 2 g.* **2.** O natural ou habitante de Erebango.

érebo [Do gr. *Érebos*, pelo lat. *Erebu*.] *S. m.* **1.** *Mit.* Região tenebrosa que ficava por baixo da Terra e por cima do Inferno. **2.** *P. ext.* O Inferno.

ereção [Do lat. tard. *erectione*.] *S. f.* **1.** Ato e efeito de erguer(-se) ou de erigir. **2.** Inauguração, criação, instituição. **3.** *Restr.* Levantamento do pênis em consequência de acúmulo de sangue em seu tecido erétil.

erechinense *Adj. 2 g.* **1.** De, ou pertencente ou relativo a Erechim (RS). ● *S. 2 g.* **2.** O natural ou habitante de Erechim.

eréctil [De *erecto* + *-il*[1].] *Adj. 2 g.* V. *erétil*. [Pl.: *erécteis*.]

erectilidade [De *eréctil* + *-(i)dade*.] *S. f.* V. *eretilidade*.

erecto [Do lat. *erectu*.] *Adj.* V. *ereto*.

erector (ô) [Do lat. tard. *erectore*.] *Adj. S. m.* V. *eretor*. [Fem.: *erectriz*.]

erectriz *Adj. S. f.* V. *eretriz*.

erefuê [Do ior.] *S. m. Bras. Rel.* Fluido negativo, oriundo de espíritos sem luz.

eremita [Do gr. *eremítes*, pelo lat. tard. *eremita*.] *S. 2 g.* **1.** Indivíduo que, abandonando a sociedade, se retira para lugar deserto para a prática do ascetismo e da meditação: "a natureza cedia passiva às preces dos santos eremitas, ao clamor piedoso das vítimas inocentes, rebentando em milagres." (Coelho Neto, *Treva*, p. 103). **2.** V. *solitário* (9). [Var. sincopada: *ermita*. Sin. ger.: *ermitão*.]

eremita-bernardo *S. m. Zool.* V. *paguro* (2). [Pl.: *eremitas-bernardos*.]

eremitério [Por **eremitatério* < *eremita* + *-tério*[2], com haplologia.] *S. m.* **1.** Lugar onde vivem eremitas; retiro de eremita. **2.** V. *convento* (1). **3.** *P. ext.* Lugar retirado, ermo, solitário, calmo, silencioso: *Aquela casa era um eremitério; Seu sítio é um eremitério.* [Var.: *ermitério*.]

eremítico [Do lat. tard. *eremiticu*.] *Adj.* **1.** De, ou respeitante a eremita, ou a ermo: *vida eremítica.* **2.** *P. ext.* Solitário, ermo: *montes eremíticos.*

eremitismo [De *eremita* + *-ismo*.] *S. m.* Modo de vida dos eremitas [v. *eremita* (1)]. [O eremitismo foi muito praticado durante os primeiros séculos do cristianismo, espalhando-se por locais ermos do Oriente e do Ocidente, buscando a espiritualidade no isolamento e no silêncio.]

▲**eremo-** [Do gr. *érēmos, os, on*.] *El. comp.* = 'deserto'; 'solitário'; *p. ext.* 'solidão': *eremofobia, eremófobo*.

eremófila [De *eremo-* + *-fila*[2]; tax. *Eremophila*.] *S. f. Bot.* **1.** Gênero de árvores e arbustos mioporáceos, de grandes flores solitárias ou em pares, ger. pontilhadas. **2.** Qualquer espécie desse gênero, como, p. ex., a *Eremophila latrobei*, venenosa, nativa da Austrália. **3.** Qualquer espécime desse gênero, ou a flor dele.

eremofilia [De *eremo-* + *-filia*.] *S. f. Psiq.* Desejo patológico de ficar só.

eremofílico [De *eremofilia* + *-ico*[2].] *Adj. S. m.* Eremófilo.

eremófilo [De *eremo-* + *-filo*[2].] *Adj. S. m.* Que, ou aquele que sofre de eremofilia; eremofílico.

eremofiloide (ói) [De *eremofil(ona)* + *-oide*.] *Adj. 2 g. S. m. Quím.* Diz-se de, ou substância que se pode considerar derivada da eremofilona. ❖

eremofilona [Do tax. *Eremophila* (v. *eremófila*) + *-ona*[2].] *S. f. Quím.* Cetona sesquiterpênica cujo esqueleto lembra o do eudesmano mas, ao contrário deste, não segue a regra do isopreno [fórm.: $C_{15}H_{22}O$].

eremofobia [De *eremo-* + *-fobia*.] *S. f. Psiq.* Medo patológico à solidão.

eremofóbico [De *eremofobia* + *-ico*[2].] *Psiq. Adj.* **1.** Relativo a eremofobia. **2.** Que sofre de eremofobia; eremófobo. ● *S. m.* **3.** Aquele que sofre de eremofobia; eremófobo.

eremófobo [De *eremo-* + *-fobo*.] *Adj. S. m. Psiq.* Eremofóbico (2 e 3).

eremolepidácea [Do tax. *Eremolepidaceae* (v. *eremo-*, *-lepid(o)-* e *-ácea*).] *S. f. Bot.* Espécime das eremolepidáceas, família da ordem das santales que abrange três gêneros e 11 espécies de arbustos nativos das regiões tropicais das Américas, epífitos e semiparasíticos, monoicos ou dioicos, com folhas simples, ger. dispostas em espiral, flores pequeninas, espiciformes, em brácteas ou em amentos, e frutos bacáceos, monospérmicos.

eremolepidáceo [De *eremolepidácea*, com var. suf. (v. *-áceo*).] *Adj. Bot.* De, ou relativo às eremolepidáceas.

éreo [Do lat. *aereu*.] *Adj.* Feito de cobre, de bronze ou de arame; eril.

erepsina [Do V.C.I. *erepsin* < gr. *er(éptesthai)*, 'alimentar(-se) de', + *(pe)psin*, 'pepsina'.] *S. f. Obsol.* Diástase do suco intestinal que, em meio neutro ou alcalino, converte as peptonas em ácidos aminados, completando, assim, a ação da tripsina.

ereptase [Do rad. *erept-*, do gr. *eréptesthai*, 'alimentar(-se) de', + *-ase*.] *S. f. Bioquím.* Uma das enzimas presentes no lêvedo, na cevada ou no malte.

erereense (êên) *Adj. 2 g.* **1.** De, ou pertencente ou relativo a Ererê (CE). ● *S. 2 g.* **2.** O natural ou habitante de Ererê.

erétil [Var. de *eréctil*.] *Adj. 2 g.* **1.** Suscetível de ereção. **2.** Capaz de ereção (3), de manter-se em estado de ereção. [Pl.: *eréteis*.] ~ V. *disfunção —*.

eretilidade [Var. de *erectilidade*.] *S. f.* Qualidade de erétil.

eretismal [De *eretismo* + *-al*¹.] *Adj. 2 g.* Referente ao, ou próprio do eretismo.

eretismo [Do gr. *erethismós*.] *S. m.* **1.** *Med.* Irritabilidade ou sensibilidade exageradas a estimulação, em qualquer parte do corpo. **2.** *Psiq.* Distúrbio mental caracterizado por irritabilidade, excitabilidade ou hiperatividade patológicas, e que pode ser encontrado em diversos transtornos psíquicos.

eretizontídeo [Do tax. *Erethizon* (< gr. *erethízein*, 'provocar') + *-ídeo*¹; tax. *Erethizontidae*.] *Zool. S. m.* **1.** Espécime dos eretizontídeos, família de roedores, histricomorfos, arborícolas, com pés desprovidos de halo (4), que é substituído por uma grande calosidade preensora; pelos setiformes e aristiformes, estes rígidos e vulnerantes; cauda fortemente preensora; pelos setiformes enrolando-se pela superfície dorsal. São os ouriços-cacheiros ou cuandus.. • *Adj.* **2.** Pertencente ou relativo a eles.

ereto [Var. de *erecto*.] *Adj.* **1.** Erguido, levantado: *caminhar de cabeça ereta.* **2.** Aprumado, direito. **3.** Endurecido, túrgido: *falo ereto.*

eretor (ô) [Var. de *erector*.] *Adj.* **1.** Que erige; elator. **2.** *Anat.* Destinado a levantar ou tornar ereto: *músculo eretor.* • *S. m.* **3.** Aquilo que erige; elator, elevador. [Fem.: *eretriz*, var. de *erectriz*.]

erétria [Do lat. *eretria*.] *S. f.* Espécie de alvaiade.

eretriz [Var. de *erectriz*.] *Adj. S. f.* Fem. de *eretor* (q. v.).

▲**ereuto-** [Do gr. *éreuthos, eos-ous*.] *El. comp.* = 'rubor': *ereutofobia, ereutófobo*.

ereutofobia [De *ereuto-* + *-fobia*.] *S. f. Psiq.* Medo de enrubescer na presença de outrem.

ereutofóbico [De *ereutofobia* + *-ico*².] *Psiq. Adj.* **1.** Relativo a ereutofobia. **2.** Que tem ereutofobia; ereutófobo. • *S. m.* **3.** Aquele que tem ereutofobia; ereutófobo.

ereutófobo [De *ereuto-* + *-fobo*.] *Adj. S. m. Psiq.* Ereutofóbico (2 e 3).

erg [Do ingl. *erg* < gr. *érgon*, 'trabalho'.] *S. m. Fís. Obsol.* Unidade de medida de energia do sistema c.g.s.: energia igual ao trabalho de uma força, de intensidade constante igual a um dina, que desloca de um centímetro, na sua própria direção, o seu ponto de aplicação. Um erg é igual a 10^{-7} joules. [Abrev.: e.]

➔**erga omnes** [ɛrg'omnes] [Lat., 'perante todos'.] *Jur.* Diz-se de direito, lei ou decisão que a todos obriga, ou é oponível contra todos, ou sobre todos tem efeito.

▲**ergasio-** [Do gr. *ergasía, as* + *-o-*.] *El. comp.* = 'força ativa'; 'trabalho': *ergasiofobia, ergasiomania*.

ergasiofobia (gà) [De *ergasio-* + *-fobia*.] *S. f. Psiq.* **1.** Aversão patológica a trabalho. **2.** Medo indevido de sofrer intervenção cirúrgica.

ergasiofóbico (gà) [De *ergasiofobia* + *-ico*².] *Psiq. Adj.* **1.** Relativo a ergasiofobia. **2.** Que sofre de ergasiofobia; ergasiófobo. • *S. m.* **3.** Aquele que sofre de ergasiofobia; ergasiófobo.

ergasiófobo [De *ergasio-* + *-fobo*.] *Adj. S. m. Psiq.* Ergasiofóbico (2 e 3).

ergasiomania (gà) [De *ergasio-* + *-mania*.] *S. f. Psiq.* **1.** Desejo patológico de trabalhar permanentemente. **2.** Impaciência indevida de sofrer intervenção cirúrgica. [Sin. ger.: *ergomania*.]

ergasiomaníaco (gà) [De *ergasiomania* + *-íaco*.] *Psiq. Adj.* **1.** Relativo a ergasiomania. **2.** Que tem ergasiomania; ergasiômano, ergômano. • *S. m.* **3.** Aquele que tem ergasiomania; ergasiômano, ergômano. [Sin. ger.: *ergomaníaco*.]

ergasiómano *Adj. S. m. Psiq.* V. *ergasiômano*. [Uso freq. em P.]

ergasiômano [De *ergasio-* + *-mano*¹.] *Adj. S. m. Psiq.* V. *ergasiomaníaco* (2 e 3).

ergasiotiquerologia (gà) [De *ergasio-* + gr. *tycherós*, 'acidental', + *-logia*.] *S. f.* Infortunística.

ergasiotiquerológico (gà) [De *ergasiotiquerologia* + *-ico*².] *Adj.* Relativo à ergasiotiquerologia.

ergastenia [De *erg(o)-*¹ + *-asten(o)-* + *-ia*¹.] *S. f. Med.* V. *estafa* (3).

ergasténico *Adj.* V. *ergastênico*. [Uso freq. em P.]

ergastênico [De *ergastenia* + *-ico*².] *Adj.* Relativo à ergastenia.

ergastoplasma [Do V.C.I. *ergasto-* (< gr. *ergastós*) + *-plasma*.] *S. m. Citol.* V. *retículo endoplasmático granular*.

ergástulo [Do lat. *ergastulu*.] *S. m.* Cárcere, calabouço, enxovia, masmorra: "Partiu grilhões, abriu o ergástulo fatal / E voltou livre, livre! ao seu torrão natal!..." (Guerra Junqueiro, *Pátria*, p. 62).

ergatividade [De *ergativo* + *-(i)dade*.] *S. f. E. Ling.* **1.** Fenômeno que caracteriza algumas línguas, como, p. ex., o basco, e que consiste no fato de o sujeito dos verbos intransitivos e o objeto dos verbos transitivos terem a mesma marca morfológica, a de caso absolutivo, ao passo que o sujeito dos verbos transitivos apresenta marca casual diferente, a de ergativo. **2.** *P. ext.* Fenômeno que caracteriza qualquer língua que trate sujeitos intransitivos do mesmo modo que objetos de verbos transitivos, mas de forma diferente dos sujeitos de verbos transitivos.

ergativo [Do gr. *ergat-* < gr. *ergátes*, 'que trabalha', 'ativo', + *-ivo*.] *E. Ling. Adj.* **1.** Que tem ergatividade. ~ V. *caso —, língua —a* e *verbo —*. • *S. m.* **2.** Caso ergativo (q. v.). **3.** V. *verbo ergativo*.

▲**erg(o)-**¹ [Do gr. *érgon, ou*.] *El. comp.* = 'ação', 'realização'; 'trabalho'; 'efeito', 'resultado': *ergonomia, ergoterapia*. [Equiv.: *-erg(o)-*¹: *deutergia*.]

▲**erg(o)-**² [Do fr. *ergot*.] *El. comp.* = 'esporão-do-centeio': *ergosterol*. [Equiv.: *-erg(o)-*²: *lisérgico*.]

▲**-erg(o)-**¹ Equiv. de *erg(o)-*¹.

▲**-erg(o)-**² Equiv. de *erg(o)-*².

ergobasina [Do V.C.I. *ergobasine*.] *S. f. Quím.* Alcaloide presente no esporão do centeio; ergometrina [fórm.: $C_{19}H_{23}O_2N_3$].

ergocalciferol [De *erg(o)-*² + *calciferol*.] *S. m. Quím.* Álcool esteroidal que se forma pela ação da luz ultravioleta sobre o ergosterol, e que é uma vitamina D; calciferol, vitamina D2 [fórm.: $C_{28}H_{44}O$]. [Pl.: *ergocalciferóis*.]

ergódico [De *erg(o)-*¹ + *-od(o)-*¹ + *-ico*².] *Adj. Fís.* ~ V. *hipótese —a*.

ergofobia [De *erg(o)-*¹ + *-fobia*.] *S. f.* Horror ao trabalho.

ergofóbico [De *ergofobia* + *-ico*².] *Adj.* **1.** Relativo a ergofobia. **2.** Que tem ergofobia; ergófobo. • *S. m.* **3.** Aquele que tem ergofobia; ergófobo.

ergófobo [De *erg(o)-*¹ + *-fobo*.] *Adj. S. m.* Ergofóbico (2 e 3).

ergografia [De *erg(o)-*¹ + *-grafia*.] *S. f. Med.* Estudo do ergograma.

ergógrafo [De *erg(o)-*¹ + *-grafo*.] *S. m. Med.* Instrumento com que se realiza o ergograma.

ergograma [De *erg(o)-*¹ + *-grama*.] *S. m. Med.* Registro gráfico do trabalho muscular, obtido mediante o uso do ergógrafo.

ergologia [De *erg(o)-*¹ + *-logia*.] *S. f.* Parte da etnologia que trata da cultura material.

ergológico [De *ergologia* + *-ico*².] *Adj.* Relativo à ergologia.

ergomania [De *erg(o)-*¹ + *-mania*.] *S. f. Psiq.* V. *ergasiomania*.

ergomaníaco [De *ergomania* + *-íaco*.] *Adj. S. m.* V. *ergasiomaníaco*.

ergómano *Adj. S. m. Psiq.* V. *ergômano*. [Uso freq. em P.]

ergômano [De *erg(o)-*¹ + *-mano*¹.] *Adj. S. m. Psiq.* V. *ergasiomaníaco*.

ergometria [De *erg(o)-*¹ + *-metria*.] *S. f.* Medição mediante ergômetro.

ergométrico [De *erg(o)-*¹ + *-metr(o)-*² + *-ico*².] *Adj.* **1.** Relativo à ergometria, ou ao ergômetro. **2.** Que avalia atividade física muscular, metabólica e respiratória. ~ V. *bicicleta —a* e *esteira —a*.

ergometrina [De *erg(o)-*² + *-metr(o)-*² + *-ina*³.] *S. f. Quím.* Alcaloide extraído do esporão de centeio, us. para induzir contrações uterinas [fórm.: $C_{19}H_{23}N_3O_2$].

ergómetro *S. m.* V. *ergômetro*. [Uso freq. em P.]

ergômetro [De *erg(o)-*¹ + *-metro*.] *S. m. Fisiol. Med.* Instrumento que mede o trabalho de um músculo ou de um grupo de músculos; dinamômetro.

ergonomia [De *erg(o)-*¹ + *-nom(o)-* + *-ia*¹.] *S. f.* Conjunto de estudos que visam à organização metódica do trabalho em função do fim proposto e das relações entre o homem e a máquina.

ergonómico *Adj.* V. *ergonômico*. [Uso freq. em P.]

ergonômico [De *ergonomia* + *-ico*².] *Adj.* Relativo à ergonomia.

ergonovina [De *erg(o)-*² + *-nov(i)-* + *-ina*³.] *S. f. Quím.* V. *ergometrina*.

ergostano [De *erg(o)-*² + *-stano*.] *S. m. Quím.* Hidrocarboneto tetracíclico, esteroidal, saturado [fórm.: $C_{28}H_{50}$].

ergostenol [De *ergost(ano)* + *enol*².] *S. m. Quím.* Qualquer de certos esteróis (α-ergostenol, β-ergostenol e γ-ergostenol) com esqueleto como o do ergostano [fórm.: $C_{28}H_{48}O$]. [Pl.: *ergostenóis*.]

ergosterol [De *erg(o)-*² + *-sterol*.] *S. m. Quím.* Esterol que ocorre no fermento e que é uma das provitaminas D [fórm.: $C_{28}H_{44}O$]. [Pl.: *ergosteróis*.]

➔**ergot** [ɛʀ'go] [Fr.] V. *cravagem*.

ergotamina [De *ergot amina*.] *S. f. Quím.* **1.** Alcaloide, cristalino, que é uma micotoxina (q. v.) produzida pelo esporão do centeio, e que é us. em medicina [fórm.: $C_{33}H_{35}N_5O_5$]. **2.** Qualquer substância derivada da ergotamina (1) ou semelhante a esta.

ergoterapia [De *erg(o)-*¹ + *-terapia*.] *S. f. Terap.* Praxiterapia.

ergoterápico [De *ergoterapia* + *-ico*².] *Adj.* Relativo à ergoterapia.

ergotina [Do fr. *ergotine*.] *S. f. Quím.* Mistura não muito definida de alcaloides, extraída do esporão-do-centeio, pardo-avermelhada, com ação anti-hemorrágica e oxitócica.

ergotismo¹ [Do ingl. *ergotism* < fr. *ergotisme* < fr. *ergoter*, 'cavilar'; 'disputar'; 'argumentar', + fr. *-isme*.] *S. m.* Mania de argumentar por silogismo.

ergotismo² [De *ergot* + *-ismo*.] *S. m. Med.* Processo de envenenamento pela ingestão de produtos contaminados pela ergotina.

ergotoxina (cs) [De *erg(o)-*² + *toxina*.] *S. f. Quím.* Mistura formada por três alcaloides, extraída do esporão do centeio, com propriedades oxitócicas.

erguer [Do lat. vulg. **ergere*, por *erigere* (v. *erigir*).] *V. t. d.* **1.** Levantar, elevar, alçar: *Quando o sacerdote ergue a hóstia, os fiéis ajoelham.* **2.** Levantar, erigir, edificar: *Ergueram a catedral em poucos meses.* **3.** Tornar ereto; endireitar, levantar: *erguer a cabeça.* **4.** Dirigir para o alto (os olhos, a vista). **5.** Fazer soar alto, elevar, aumentar o timbre de (a voz). **6.** Tornar sobranceiro; fazer dominar. **7.** Animar, alentar: *erguer o ânimo. T. d. e i.* **8.** Erigir, edificar: *Ergueram um monumento à memória do estadista. T. d. e c.* **9.** Levantar, elevar, alçar: *Ergueu os olhos para o céu. P.* **10.** Pôr-se em pé; levantar-se: "Pela manhã, quando me ergui, dormiam ainda." (Artur Azevedo, *Contos Possíveis*, p. 40.) **11.** Estar sobranceiro; elevar-se. **12.** Aparecer, surgir: "Por trás da serra, ia se erguendo a Lua..." (Raimundo Correia, *Poesias*, p. 110.) **13.** Mostrar-se ou apresentar-se erguido, ereto, levantado: "A estátua do filósofo Giambattista Vico ergue-se na Villa Nazionale, o parque municipal de Nápoles." (Otto Maria Carpeaux, *A Cinza do Purgatório*, p. 49.) **14.** Fazer-se ouvir; soar alto: "Seria injusto, e mesmo imperdoável, deixar de lado Carolina Michaëlis de Vasconcelos, a primeira voz a erguer-se contra a enxurrada de sonetos incluídos por Juromenha e Teófilo Braga, quando se faz um levantamento dos principais estudos para a fixação de um cânone camoniano." (Cleonice Seroa da Mota Berardinelli, *Sonetos de Camões*, p. 33.) **15.** *Bras. RJ* Ir-se embora (o hóspede). [Perde o *u* antes de *o* e *a*. Pres. ind.: *ergo* (ê), *ergues, ergue*, etc.; pres. subj.: *erga* (ê), *ergas* (ê), *erga* (ê), etc.]

erguido [Part. de *erguer*.] *Adj.* **1.** Levantado, elevado, alçado: *andar de fronte erguida.* **2.** Alto, elevado, eminente: *as erguidas montanhas.*

▲**-eria** Equiv. de *-aria*.

érica [Do tax. *Erica* (do lat. *erice*, 'urze').] *S. f. Bot.* **1.** O gênero-tipo da família das ericáceas, composto de pequenos arbustos muito ramificados, sempre-verdes, com folhas aciculares ou escamiformes, e flores pequeninas, campanuláceas, de sépalas menores que as pétalas. **2.** Qualquer espécie desse gênero, como, p. ex., a *Erica arborea*, arbusto maior que os outros do gênero, que, na primavera, se cobre de pequeninas flores alvas em racemos. **3.** Qualquer espécime desse gênero, ou a flor dele.

ericácea [Do tax. *Erica* (v. *érica*) + *-ácea*; tax. *Ericaceae*.] *S. f. Bot.* Espécime das ericáceas, família da ordem das ericales, compostas por 126 gêneros e cerca de 4.000 espécies, distribuídas por todos os continentes.

ericáceo [De *ericácea*, com var. suf. (v. *-áceo*).] *Adj. Bot.* Pertencente ou relativo às ericáceas.

eriçado [Part. de *eriçar*.] *Adj.* Encrespado, arrepiado, ouriçado: *cabelos eriçados.* [Var.: *erriçado*.]

erical [Do lat. cient. *Eric-* (v. *ericale*) + *-al*¹.] *Adj. 2 g. Bot.* Pertencente ou relativo às ericales.

ericale [Do tax. *Erica* (v. *érica*) + *-ale*; tax. *Ericales*.] *S. f. Bot.* Espécime das ericales, ordem de plantas dicotiledôneas metaclamídeas, tetrâmeras ou pentâmeras, com androceu diplostêmone, corola actinomorfa bem desenvolvida, pólen em tétrade (3), e gineceu de quatro ou cinco carpelos.

eriçamento [De *eriçar* + *-mento*.] *S. m.* Ato ou efeito de eriçar(-se). [Var.: *erriçamento*.]

eriçar [Do lat. vulg. **ericiare* < lat. *ericiu*, 'ouriço'.] *V. t. d.* **1.** Fazer erguer; tornar hirto; arrepiar, ouriçar (o cabelo). **2.** Dispor desfavoravelmente, inspirando a cólera, a desconfiança: *As acusações injustas eriçavam-lhe o ânimo.* **3.** Ativar, despertar: *Suas palavras eriçaram a minha curiosidade. P.* **4.** Tornar-se hirto; arrepiar-se, ouriçar-se. **5.** Irritar-se, encolerizar-se: *O cão se eriçou ao farejar a presa.* **6.** Tornar-se ativo ou desperto: *A curiosidade de todos se eriçou com aquela notícia.* [Var.: *erriçar* e *arriçar*. Conjug.: v. *laçar*.]

erice [Do lat. *erice*.] *S. f. Bot.* V. *urze* (1).

érico-cardosense *Adj. 2 g.* **1.** De, ou pertencente ou relativo a Érico Cardoso (BA). • *S. 2 g.* **2.** O natural ou habitante de Érico Cardoso. [Pl.: *érico-cardosenses*.]

ericoide (ói) [Do tax. *Erica* (v. *erica*) + *-oide*.] *Adj. 2 g. Bot.* Diz-se do vegetal, ou de parte dele, que apresenta folhas pequeninas, estreitas e muito aproximadas. ❖

erídano [Do lat. *Eridanu*.] *S. m. Astr.* Constelação austral, de vasta área, ao S. do Touro e de Árion, a O. do Lobo, do Buril e do Relógio, a E. da Baleia, do Forno e de Fênix, e ao N. da Hidra. [Com cap.]

erigir [Do lat. *erigere*.] *V. t. d.* **1.** Erguer, levantar a prumo: *erigir um mastro.* **2.** Erguer, levantar: "Trezentos e sessenta e seis mil braços / erigem as pirâmides do Egito" (Jorge de Lima, *Obra Completa*, I, p. 197). **3.** Fundar, constituir, instituir, criar. ***T. d. e i.*** **4.** Erguer, levantar: *Devem* *erigir uma estátua a Machado de Assis.* ***Transobj.*** **5.** Transformar, elevando; arvorar: *erigir um distrito em município.* ***P.*** **6.** Atribuir a si mesmo direito ou qualidade; constituir-se; fazer-se: *Erigiu-se em amigo dos pobres.* [Conjug.: v. *dirigir*, mas tem dois part.: *erigido* e *ereto* ou *erecto*.]

eril [Do lat. *aere* + *-il*[1].] ***Adj. 2 g.*** Éreo. [Cf. *heril.*]

érina [Do fr. *érigne* ou *érine.*] ***S. f. Cir.*** Instrumento cirúrgico e anatômico para prender, levantar e afastar formações orgânicas.

erináceo [Do lat. *erinaceu.*] ***Adj. Zool.*** Semelhante ao ouriço (3).

erinácida [Do tax. *Erinaceus* + *-ida*[1].] ***S. m. Adj. 2 g. Zool.*** V. *erinacídeo.*

erinacídeo [Do tax. *Erinaceus* (< lat. *erinaceus*) + *-ídeo*[1]; tax. *Erinaceidae.*] ***Zool. S. m.*** **1.** Espécime dos erinacídeos, família de mamíferos insetívoros, cujo tipo é o ouriço. ● ***Adj.*** **2.** Pertencente ou relativo a eles. [Sin. ger.: *erinácida.*]

erínias [Do gr. *Erinýes.*] ***S. f. pl. Mit.*** Divindades infernais — Tisífone, Aleto e Megera —, filhas de Gaia (Terra), cuja missão era vingar os crimes dos homens. [Com cap.]

▲**erio-** [Do gr. *erio-* < gr. *érion*, 'lã'; 'algodão'; 'fio', 'teia de aranha'.] ***El. comp.*** = 'lanoso'; 'peludo'; 'fio': *eriofilo, eriômetro.*

▲**-ério** V. *-ário.*

eriocaulácea [Do tax. *Eriocaulon* + *-ácea*; tax. *Eriocaulaceae.*] ***S. f. Bot.*** Espécime das eriocauláceas, família de plantas monocotiledôneas que compreende pequeninas ervas cujo aspecto é característico graças às inflorescências esféricas e alvas. Perianto duplo; androceu com seis a dois estames; ovário com três a dois lóculos, cada um com um óvulo. Fruto: cápsula loculicida; folhas graminiformes. Há umas 600 espécies, em geral habitantes de lugares úmidos nos países cálidos; o Brasil é rico em representantes.

eriocauláceo [De *eriocaulácea*, com var. suf. (v. *-áceo*).] ***Adj. Bot.*** Pertencente ou relativo às eriocauláceas.

eriofilo [De *erio-* + *-filo*[1].] ***Adj. Bot.*** Provido de folhas com pelos longos e copiosos.

eriómetro ***S. m. Tec.*** V. *eriômetro.* [Uso freq. em P.]

eriômetro [De *erio-* + *-metro.*] ***S. m. Tec.*** Aparelho para medição do diâmetro de fibras têxteis.

erisifácea [Do tax. *Erysiphe* (do gr. *erysi-*, 'vermelho', + gr. *síphon*, 'tubo') + *-ácea*; tax. *Erysiphaceae.*] ***S. f. Micol.*** Espécime das erisifáceas, família de fungos ascomicetos, dotados de micélio aéreo e branco. Aparelho esporífero esférico e sem ostíolo. Ascos formados mediante fecundação. Parasitam plantas, cobrindo-as de uma camada pulverulenta ou farinácea.

erisifáceo [De *erisifácea*, com var. suf. (v. *-áceo*).] ***Adj. Micol.*** Pertencente ou relativo às erisifáceas.

erisipela [Do gr. *erysípelas*, 'enrubescimento da pele', pelo lat. *erysipelas* (com e breve).] ***S. f. Med.*** Doença infecciosa contagiosa, estreptocócica, que atinge pele e plano subcutâneo, e se caracteriza, clinicamente, pelo rubor e tumefação das áreas lesadas, além de acarretar sintomas constitucionais. [Sin. (pop.): *mal do monte* ou *mal de monte* e (bras.) *mal da praia, maldita* e *espira.*] [A melhor f. seria *erisípela*, mas o uso consagrou a f. paroxítona.]

erisipelar [De *erisipela* + *-ar*[2].] ***V. int.*** Adoecer de erisipela.

erisipeloso (ô) [De *erisipela* + *-oso.*] ***Adj.*** **1.** Que tem caráter de erisipela. **2.** Que sofre de erisipela. ● ***S. m.*** **3.** Aquele que sofre desse mal.

erística [Do gr. *eristiké* (< gr. *eristikós*), *i. e.*, *téchne eristiké*, 'a arte da controvérsia'.] ***S. f. Filos.*** A arte da discussão e, principalmente, da argumentação sofística.

erístico [Do gr. *eristikós*, 'que ama a controvérsia, a discussão, a disputa'.] ***Filos. Adj.*** **1.** Pertencente ou relativo à escola de Mégara. **2.** Diz-se de partidário dessa escola. ~ V. *escola —a* e *silogismo —.* ● ***S. m.*** **3.** Partidário da escola de Mégara.

eritema [Do gr. *erýthema.*] ***S. m. Derm.*** Rubor congestivo da pele, por via de regra temporário, que desaparece momentaneamente à pressão do dedo. ◆ **Eritema infeccioso.** *Med.* Doença infecciosa que surge, por vezes, em forma epidêmica, e que incide principalmente em crianças de quatro a 12 anos, caracterizando-se por erupção macular rósea; quinta-doença. **Eritema nodoso.** *Derm.* Dermatopatia de natureza inflamatória, caracterizada por nódulos macios, provenientes da exsudação de sangue e soro, e acompanhados de intenso prurido e sensação de queimação.

▲**-eritema** Equiv. de *eritemat(o)-.*

eritemático [De *eritema* + *-ático.*] ***Adj.*** Relativo a eritema.

▲**eritemat(o)-** [Do gr. *erýthēma, atos.*] ***El. comp.*** = 'rubor'; 'eritema': *eritematoso.* [Equiv.: *-eritema: uleritema.*]

eritematoso (ô) [De *eritemat(o)-* + *-oso.*] ***Adj.*** **1.** Que sofre de eritema. **2.** Que tem o caráter de eritema. ~ V. *lúpus —.*

eritremia [De *eritr(o)-* + *-emia.*] ***S. f. Med.*** Grande aumento do número de glóbulos vermelhos do sangue.

eritrémico ***Adj.*** V. *eritrêmico.* [Uso freq. em P.]

eritrêmico [De *eritremia* + *-ico*[2].] ***Adj.*** Relativo à eritremia.

eritreu [Do lat. *erythraeu.*] ***Adj.*** **1.** Da, ou pertencente ou relativo à República da Eritreia (África). ● ***S. m.*** **2.** O natural ou habitante da República da Eritreia. [Flex.: *eritreia, eritreus, eritreias.*]

eritrina [Do tax. *Erytrina* (v. *eritr(o)-* e *-ina*[1]).] ***S. f. Bot.*** **1.** Gênero de árvores e arbustos fabáceos, cultivados como ornamentais, de folhas trifoliadas e flores ger. vermelhas, em racemos terminais. **2.** Qualquer espécie desse gênero, como, p. ex., a *Erythrina crista-galli*, e a *E. corallodendron* [v. *flor-de-coral* (2)]. **3.** Qualquer espécime desse gênero, ou a flor dele.

eritrinídeo [Adapt. do tax. *Erythrinidae.*] ***Zool. S. m.*** **1.** Espécime dos eritrinídeos, família de peixes caraciformes da América do Sul, com 3 gêneros e 10 espécies, de corpo cilíndrico, nadadeira caudal arredondada e desprovidos de nadadeira adiposa. São as traíras e os assemelhados a elas. ● ***Adj.*** **2.** Pertencente ou relativo a eles.

▲**eritr(o)-** [Do gr. *erythrós, á, ón.*] ***El. comp.*** = 'vermelho'; 'que denota relação com a cor vermelha': *eritremia, eritrodermo, eritrose.* [Equiv.: *eritros-: eritrosina.*]

eritroblasto [De *eritr(o)-* + *-blasto.*] ***S. m. Histol.*** Célula nucleada que dá origem a eritrócito.

eritroblastose [De *eritroblasto* + *-ose*[1].] ***S. f. Med.*** **1.** Fenômeno que consiste na existência, no sangue periférico, de quantidade muito acima do normal de eritroblastos. ◆ **Eritroblastose fetal.** Forma de anemia hemolítica, observável no feto e no recém-nascido, produzida pela passagem, pela placenta, de anticorpos de origem materna. [Tb. conhecida como *doença hemolítica do recém-nascido.*]

eritrocarpo [De *eritr(o)-* + *-carpo.*] ***Adj. Bot.*** Que tem frutos vermelhos.

eritrócero [De *eritr(o)-* + *-cero.*] ***Adj. Zool.*** Que tem antenas vermelhas.

eritrócito [De *eritr(o)-* + *-cito.*] ***S. m. Histol.*** Célula sanguínea dos vertebrados, anucleada no homem e nos demais mamíferos, rica em hemoglobina, e que tem como função o transporte dos gases envolvidos no processo respiratório. [Sin.: *glóbulo vermelho, hemácia.*]

eritrodáctilo [De *eritr(o)-* + *-dá(c)tilo.*] ***Adj. Zool.*** Que tem dedos vermelhos. [Var.: *eritrodátilo.*]

eritrodátilo ***Adj. Zool.*** V. *eritrodáctilo.*

eritrodermia [De *eritr(o)-* + *-derm(o)-* + *-ia*[1].] ***S. f. Derm.*** Coloração vermelha anormal da pele. [O t. designa, por vezes, vermelhidão cutânea extensa, como em certa etapa da dermatite exfoliativa.]

eritrodermo [De *eritr(o)-* + *-dermo.*] ***Adj. Zool.*** Que tem a pele vermelha.

eritrofila [De *eritr(o)-* + *-fila*[1].] ***S. f. Bot.*** Substância corante, vermelha, de certos órgãos vegetais.

eritrofilo [De *eritr(o)-* + *-filo*[1].] ***Adj. Bot.*** Que tem folhas vermelhas. [Cf. *eritrófilo.*]

eritrófilo [De *eritr(o)-* + *-filo*[2].] ***Adj.*** Que tem predileção pela cor vermelha. [Cf. *eritrofilo.*]

eritrofobia [De *eritr(o)-* + *-fobia.*] ***S. f. Psiq.*** **1.** Enrubescimento ao menor estímulo. **2.** Medo patológico de enrubescer. **3.** Aversão patológica à cor vermelha.

eritrofóbico [De *eritrofobia* + *-ico*[2].] ***Psiq. Adj.*** **1.** Relativo a eritrofobia. **2.** Que tem eritrofobia; eritrófobo. ● ***S. m.*** **3.** Aquele que tem eritrofobia; eritrófobo.

eritrófobo [De *eritr(o)-* + *-fobo.*] ***Adj. S. m. Psiq.*** Eritrofóbico (2 e 3).

eritrogástreo [De *eritr(o)-* + *-gastr(o)-* + *-eo.*] ***Adj. Zool.*** V. *rufigástreo.*

eritroide (ói) [Do gr. *erythroeidés.*] ***Adj. 2 g.*** Que tem cor vermelha. ❖

eritrol [De *eritr(ose)* + *-ol*[2].] ***S. m. Quím.*** Qualquer dos alcoóis derivados de uma eritrose [fórm.: $C_4H_{10}O_4$]. [Pl.: *eritróis.*]

eritrólofo [De *eritr(o)-* + *-lofo.*] ***Adj. Zool.*** Que tem penacho avermelhado.

eritromania [De *eritr(o)-* + *-mania.*] ***S. f. Psiq.*** Enrubescimento intenso e incontrolável.

eritromaníaco [De *eritromania* + *-íaco.*] ***Psiq. Adj.*** **1.** Relativo a eritromania. **2.** Que apresenta eritromania; eritrômano. ● ***S. m.*** **3.** Aquele que apresenta eritromania; eritrômano.

eritrómano ***Adj. S. m. Psiq.*** V. *eritrômano.* [Uso freq. em P.]

eritrômano [De *eritr(o)-* + *-mano*[1].] ***Adj. S. m. Psiq.*** Eritromaníaco (2 e 3).

eritromicina [De *eritr(o)-* + *-micina.*] ***S. f. Quím.*** Antibiótico de origem natural, que é um glicosídeo [fórm.: $C_{37}H_{67}NO_{13}$].

eritroplastídio [De *eritr(o)-* + *-plastídio.*] ***S. m. Citol.*** Plastídio rico em licopeno; eritroplasto.

eritroplasto [De *eritr(o)-* + *-plasto.*] ***S. m. Citol.*** Eritroplastídio.

eritrópode [De *eritr(o)-* + *-pode.*] ***Adj. 2 g. Zool.*** Cujos pés são vermelhos.

eritropoese [De *eritr(o)-* + *-poese.*] ***S. f. Histol.*** Formação de hemácias.

eritropsia [De *eritr(o)-* + *-opsia.*] ***S. f. Oftalm.*** Perturbação visual em que, para o indivíduo que a apresenta, tudo parece ter cor vermelha.

eritróptero [De *eritr(o)-* + *-ptero.*] ***Adj. Zool.*** Cujas asas são vermelhas.

eritróptico [De *eritr(opsia)* + *-óptico.*] ***Adj.*** **1.** Respeitante à, ou que tem eritropsia. ● ***S. m.*** **2.** Aquele que tem eritropsia.

▲**eritros-** Equiv. de *eritr(o)-.*

eritrose [De *eritr(o)-* + *-ose*[2].] ***S. f. Quím.*** Substância de consistência xaroposa, de sabor doce, solúvel em água, aldotetrose da qual existem dois enantiômeros [fórm.: $C_4H_8O_4$].

eritrosina [De *eritros-* + *-ina*[3].] ***S. f. Quím.*** **1.** Corante sintético derivado da fluorona (é a fluoresceína tetraiodada), us. em tintas de impressão e em alimentos, apesar de suspeitas de ser mutagênico e provocar fotossensibilidade [fórm.: $C_{20}H_6I_4Na_2O_5$].

eritrospermo [De *eritr(o)-* + *-spermo.*] ***Adj. Bot.*** Que tem grãos vermelhos.

eritróstomo [De *eritr(o)-* + *-stomo.*] ***Adj. Zool.*** Cuja boca é vermelha.

eritrotórace [De *eritr(o)-* + *-tórace.*] ***Adj. 2 g. Zool.*** Eritrotórax.

eritrotórax (cs) [De *eritr(o)-* + *-tórax.*] ***Adj. 2 g. e 2 n. Zool.*** Que tem peito vermelho. [F. paral.: *eritrotórace.*]

eritroxilácea (cs) [Do tax. *Erythroxylon* (v. *eritróxilo*) + *-ácea*; tax. *Erythroxylaceae.*] ***S. f. Bot.*** Espécime das eritroxiláceas, família da ordem das geraniales, caracterizada por dois verticilos estaminais e frutos drupáceos. São plantas lenhosas, ger. arbustos ou pequenas árvores, e englobam cerca de 200 espécies tropicais, muitas brasileiras.

eritroxiláceo (cs) [De *eritroxilácea*, com var. suf. (v. *-áceo*).] ***Adj. Bot.*** Pertencente ou relativo às eritroxiláceas.

eritróxilo (cs) [De *eritr(o)-* + *-xilo*; tax. *Erythroxylum* ou *Erythroxylon.*] ***S. m. Bot.*** **1.** Grande gênero de pequenas árvores e arbustos eritroxiláceos, muitos deles naturais da América do Sul, de folhas simples e plicadas. **2.** Qualquer espécie desse gênero, como, p. ex., a *Erythroxylum coca* [v. *coca*[2] (1)]. **3.** Qualquer espécime desse gênero.

➔**erlenmeyer** [ɛʁlɐn'majɛʁ] [V.C.I., do antr. (*R. A. C. Emil*) *Erlenmeyer* (1825-1909), químico alemão.] ***S. m. Quím.*** V. *frasco de Erlenmeyer.*

ermamento [De *ermar* + *-mento.*] ***S. m.*** Ato de ermar(-se).

ermar [De *ermo* + *-ar*[2].] ***V. t. d.*** **1.** Tornar ermo ou deserto; despovoar: *A epidemia ermou a região.* ***Int.*** **2.** Andar ou viver no ermo, na solidão, no campo. ***P.*** **3.** Tornar-se ermo, deserto; despovoar-se. [Pres. ind.: *ermo, ermas, erma, etc.*; pres. subj.: *erme, ermes*, etc. Cf. *ermo* (ê), as flex. *erma* (ê) e *ermas* (ê), o top. *Ermo* (ê), o s. f. *herma*, pl. *hermas* e o s. m. *hermes*, e o mit. e antr. *Hermes.*]

ermida [Do lat. tard. *eremita* < gr. *eremítes.*] ***S. f.*** **1.** Capela fora do povoado. **2.** Pequena igreja: "Do alto da ermida caíram as sete horas que um momento ficaram reboando pelo campo." (Adelaide Félix, *Cada Qual com Seu Milagre...*, p. 142.)

ermita ***S. m.*** V. *eremita.*

ermitã [Do fem. de *ermitão.*] ***S. f.*** Ermitoa.

ermitágio [Do lat. med. *(h)ermitagium.*] ***S. m. Ant.*** Ermitério, eremitério.

ermitania [De *ermitão* + *-ia*[1], seg. o padrão erudito.] ***S. f.*** Cargo de ermitão.

ermitão [Do b.-lat. *ermitane.*] ***S. m.*** **1.** V. *eremita.* **2.** Aquele que cuida de uma ermida. **3.** *Zool.* V. *paguro* (2). [Pl.: *ermitãos, ermitães, ermitões.* Fem.: *ermitã, ermitoa.*]

ermitério ***S. m.*** V. *eremitério.*

ermitoa (ô) [Do fem. de *ermitão.*] ***S. f.*** Mulher que se ocupa da limpeza e arranjo de uma ermida; ermitã.

ermo[1] (ê) [Do gr. *éremos*, pelo lat. tard. *eremu.*] ***S. m.*** **1.** Lugar sem habitantes; deserto, descampado: "Mergulha-se em angústias lacrimosas / Nos ermos dum castelo abandonado" (Cesário Verde, *Obra Completa*, p. 49). ● ***Adj.*** **2.** Solitário; desabitado, deserto. [Pl. do s. m.: *ermos* (ê). Flex. do adj.: *erma* (ê), *ermos* (ê), *ermas* (ê). Cf. *ermo, ermas, erma*, do v. *ermar*, e *herma*, pl. *hermas.*]

ermo[2] (ê) ***S. m. Pop.*** V. *elmo* (2). [Pl.: *ermos* (ê). Cf. *ermo*, do v. *ermar.*]

ernestinense ***Adj. 2 g.*** **1.** De, ou pertencente ou relativo a Ernestina (RS). ● ***S. 2 g.*** **2.** O natural ou habitante de Ernestina.

▲**er(o)-** V. *erot(o)-.*

▲**-er(o)-** V. *erot(o)-.*

erodente [Do lat. *erodente.*] ***Adj. 2 g.*** V. *erosivo.*

eroder [Do lat. *erodere*, poss. pelo fr. *éroder.*] ***V. t. d.*** Erodir (q. v.).

erodido [Part. de *erodir* ou *eroder*.] ***Adj.*** Que sofreu erosão.

erodir [Do lat. *erodere*.] ***V. t. d.* 1.** Causar erosão em. **2.** *Fig.* Corroer (2): "a peça ['*The Real Thing*', de Tom Stoppard] denuncia o esquerdismo disfarçado de grande arte e prevê que o politicamente correto vai erodir a cultura." (Lúcia Guimarães, em *O Globo*, 09.04.2000). [F. paral.: *eroder*.]

erógeno [De *er(o)- + -geno*.] ***Adj.*** *Med.* Erotógeno.

erômeno [Do gr. *erómenos*.] ***S. m.*** Na Grécia antiga, rapaz imberbe, livre, objeto da atenção pedagógica e do amor do erasta.

eros [Do mit. gr. *Éros*.] ***S. m.* 1.** V. *cupido* (1). [Com cap.] **2.** *Psican.* Princípio de ação, símbolo do desejo, cuja energia é a libido. [Cf., nesta acepç., *tânatos* (2).]

erosão [Do lat. *erosione*.] ***S. f.* 1.** Ato de um agente que erode, que corrói a pouco e pouco; o resultado desse ato. **2.** *Geol.* Trabalho mecânico de desgaste realizado pelas águas correntes, e que também pode ser feito pelo vento (*erosão eólica*), pelo movimento das geleiras e, ainda, pelos mares. **3.** *Fig.* Desgaste progressivo e lento. ◆ **Erosão eólica.** *Geol.* V. *erosão* (2). **Erosão dental.** *Odont.* Perimólise.

erosivo [Do lat. *erosus*, 'corroído', + *-ivo*.] ***Adj.*** Corrosivo; erodente.

eroso (ô) [Do lat. *erosu*, 'corroído', part. pass. de *erodere*.] ***Adj.*** *Bot.* Diz-se do órgão ou parte vegetal cujos bordos são irregularmente recortados, como se tivessem sido roídos: *pétala erosa*.

erótico [Do gr. *erotikós*, pelo lat. tard. *eroticu*.] ***Adj.* 1.** Relativo ao amor. **2.** Inspirado pelo amor; que tem o caráter de lirismo amoroso: *O livro* Glaura, *de Silva Alvarenga, tem por subtítulo* "poemas *eróticos*". **3.** Inspirado ou provocado pelo erotismo: *delírio erótico*. **4.** Sensual, lascivo. ~ V. *zoofilia —a.*

erotilídeo [Do tax. *Erotylus* (< gr. *erotýlos*, 'querido'; 'amante') + *-ídeo*¹; tax. *Erotylidae*.] *Zool.* ***S. m.* 1.** Espécime dos erotilídeos, família de insetos coleópteros, ovalados, de 2 até 23mm de comprimento, cores vivas e matizadas, e antenas com 3 segmentos. Vivem em árvores e alimentam-se de cogumelos. ● ***Adj.* 2.** Pertencente ou relativo a eles.

erotismo [De *erot(o)- + -ismo*.] ***S. m.* 1.** *P. us.* Paixão amorosa. **2.** Amor lúbrico; lubricidade.

erotização [De *erotizar* + *-ção*.] ***S. f.*** Ato ou efeito de erotizar(-se).

erotizado [Part. de *erotizar*.] ***Adj.*** Que se erotizou.

erotizar [De *erotismo* + *-izar*, seg. o padrão erudito.] ***V. t. d.* 1.** Dar caráter erótico a. ***P.* 2.** Provocar erotismo em si mesmo.

▲**erot(o)-** [Do gr. *érōs, ōtos*.] ***El. comp.*** = 'amor'; 'ato sexual': *erotismo, erotofobia*. [Equiv.: *er(o)-, -er(o)-*: *erógeno, cripterônia*.]

erotofobia [De *erot(o)- + -fobia*.] ***S. f.*** *Psiq.* Horror ao ato sexual.

erotofóbico [De *erotofobia* + *-ico*².] *Psiq.* ***Adj.* 1.** Relativo a erotofobia. **2.** Que sofre de erotofobia; erotófobo. ● ***S. m.* 3.** Aquele que sofre de erotofobia; erotófobo.

erotófobo [De *erot(o)- + -fobo*.] ***Adj. S. m.*** *Psiq.* Erotofóbico (2 e 3).

erotógeno [De *erot(o)- + -geno*.] ***Adj.*** *Med.* Que causa excitação sexual. [F. paral.: *erógeno*.]

erotografomania [De *erot(o)- + -graf(o)- + -mania*.] ***S. f.*** *Psiq.* Desejo patológico de escrever cartas de amor.

erotografomaníaco [De *erotografomania* + *-íaco*.] *Psiq.* ***Adj.* 1.** Relativo a erotografomania. **2.** Que tem erotografomania; erotografômano. ● ***S. m.* 3.** Aquele que tem erotografomania; erotografômano.

erotografômano ***Adj. S. m.*** *Psiq.* V. *erotografômano*. [Uso freq. em P.]

erotografômano [De *erot(o)- + -graf(o)- + -mano*¹.] ***Adj. S. m.*** *Psiq.* Erotografomaníaco (2 e 3).

erotomania [Do gr. *erotomanía* (v. *erot(o)-* e *-mania*).] ***S. f.*** *Psiq.* **1.** Mania amorosa. **2.** Delírio produzido pelo amor sensual.

erotomaníaco [De *erotomania* + *-íaco*.] *Psiq.* ***Adj.* 1.** Relativo a erotomania. **2.** Que tem erotomania; erotômano. ● ***S. m.* 3.** Aquele que tem erotomania; erotômano.

erotómano ***Adj. S. m.*** *Psiq.* V. *erotômano*. [Uso freq. em P.]

erotômano [Do gr. *erotomanés* (v. *erot(o)-* e *-mano*¹).] ***S. m. Adj.*** *Psiq.* Erotomaníaco (2 e 3).

erotopatia [De *erot(o)- + -patia*.] ***S. f.*** *Psiq.* Qualquer anormalidade do impulso sexual.

erotopático [De *erotopatia* + *-ico*².] ***Adj.*** Concernente à erotopatia.

erpe ***Adj. 2 g.*** *Bras. SP Pop.* Gabola, gabolas. [Pl.: *erpes*. Cf. *herpes*.]

errabundo [Do lat. *errabundu*.] ***Adj.*** V. *errante*¹: "E, em fundos / Céus longínquos, sem órbitas, fugindo, / Passa o bando dos astros errabundos..." (Humberto de Campos, *Poesias Completas*, p. 22.)

errada [De *errar* + *-ada*¹.] ***S. f.*** *Bras.* **1.** *Ant.* Desvio de caminho ou encruzilhada que faz errar o caminho; perdida. **2.** Erro, engano. **3.** *RS* Caminho que pode levar o viajante a perder-se ou transviar-se.

erradicação [Do lat. tard. *eradicatione*.] ***S. f.*** Ato de erradicar; desarraigamento.

erradicante [De *erradicar* + *-nte*.] ***Adj. 2 g.*** Que erradica; erradicativo.

erradicar [Do lat. *eradicare*.] ***V. t. d. T. d. e i.*** V. *desarraigar*: *É meta prioritária do governo erradicar o analfabetismo*; "Quanto vos odeio, ó homens que demolis sem poder construir; e quanto vos amo, ó vós que ides plantar e erradicais do nosso espírito e dos nossos sentimentos quanto nos prenda ao que deve morrer!" (Pontes de Miranda, *Obras Literárias*, p. 210). [Conjug.: v. *trancar*.]

erradicativo [De *erradicar* + *-tivo*.] ***Adj.* 1.** Erradicante. **2.** *Med.* Que cura radicalmente.

erradicável [De *erradicar* + *-vel*.] ***Adj. 2 g.*** Que pode ou deve ser erradicado.

erradio [Do lat. **errativu*.] ***Adj.* 1.** V. *errante*¹: "Durante algum tempo vaguei, erradio, entre os pares, acompanhando, sem parecer, a caçula das três irmãs" (Afonso Arinos de Melo Franco, *Planalto*, p. 8). **2.** Perdido no caminho; desnorteado, transviado. ● ***S. m.* 3.** Indivíduo errante, erradio, vagabundo: "Eu sou um erradio. No dia em que parar de vez, jurem que estou morto." (Machado de Assis, *Páginas Recolhidas*, p. 32.)

errado [Do lat. *erratu*.] ***Adj.* 1.** Que tem erro(s): *conta errada*; *linguagem errada*. **2.** Que não segue a boa direção: *caminho errado*. **3.** Malcomportado. **4.** Que não é o certo, o adequado, o conveniente, o próprio; que se segue, toma, usa, etc., por engano ou erro: *caminho errado*; *bonde errado*; *Saiu pela porta errada*; *Estava com uma chave errada, e não pôde entrar*. **5.** *Bras. Gír.* Diz-se de quem comete erros, deslizes, gafes, de quem é desajeitado, desastrado, sem tato. ● ***S. m.* 6.** *Bras. Gír.* Indivíduo errado (5).

errai ***S. f.*** *Astr.* Nome tradicional da estrela gama do Cefeu. [Cf. *errai*, do v. *errar*.] [Com cap.]

errância [De *errar* + *-ância*.] ***S. f.*** Qualidade, hábito ou condição de errante¹: "Como seus índios, Gonçalves Dias parece ter tido ao mesmo tempo a necessidade do vínculo, da raiz, e o fado da errância." (Cláudia Neiva de Matos, *Gentis Guerreiros*, p. 1.)

errante¹ [Do lat. *errante*.] ***Adj. 2 g.*** Que erra, que vagueia; vagabundo; erradio; errabundo, nômade, vagante: "Da tribo pujante, / Que agora anda errante / Por fado inconstante, / Guerreiro, nasci" (Gonçalves Dias, *Obras Poéticas*, II, p. 22). ~ V. *judeu —*.

errante² [Adapt. do tax. *Errantia*, neutro pl. de *errans, antis*, part. pres. do v. lat. *errare* (v. *errar*).] *Zool.* ***S. m.* 1.** Espécime dos errantes, subclasse de poliquetas que têm somitos semelhantes, exceto na cabeça e região anal, e parápodes idênticos em toda a extensão do corpo. Levam vida livre, ou em tubos livres ou fixos, e são frequentemente predadores, sendo algumas espécies pelágicas. ● ***Adj. 2 g.* 2.** Pertencente ou relativo aos errantes. [Sin. ger.: *fanerocéfalo*.]

errar [Do lat. *errare*, 'vagar sem destino'; 'desviar-se do caminho'.] ***V. t. d.* 1.** Cometer erro, enganar-se, em: *errar a conta*. **2.** Não acertar em: *errar o alvo*. ***T. i.* 3.** Cometer erro; enganar-se: *Nunca erra em ortografia*. **4.** Confundir; não acertar a escolha: *Triste, pensa que errou de mulher*. **5.** *Ant.* Ofender, injuriar: *Errou ao pai*. ***T. c.* 6.** Vagabundear por; percorrer: *Errou todo o Norte do País*. **7.** Espalhar-se em várias direções; dissipar-se; flutuar: "Nos campos cheios de água e de umidade / Erra um cheiro de lírios." (Ronald de Carvalho, *Poemas e Sonetos*, p. 58.) **8.** Movimentar-se sem destino fixo: *Partiram-se os mastros, e o barco errou por mares e oceanos*. ***Int.* 9.** Cometer erro(s); enganar-se; falhar: "Lutero, como vários grandes homens, acertou errando." (Vicente Licínio Cardoso, *Pensamentos Brasileiros*, p. 52.) **10.** Cair ou incorrer em culpa: *Há perdão para aqueles que erram*. **11.** Vaguear, vagabundear, vagabundar. [Pres. ind.: *erro*, etc.; imperat.: *erra, errai*, etc. Cf. *erro* (ê) e *Errai*.]

errata [Do lat. *errata*, 'coisas erradas', neutro pl. de *erratus*.] ***S. f.*** *Tip.* **1.** Lista dos erros tipográficos de uma obra, ou, às vezes, de parte deles, com indicação das correções, impressa em página final ou em retalho separado de papel; corrigenda. [Cf. *ressalva* (2).] **2.** Cada um dos erros assim assinalados.

errático [Do lat. *erraticu*.] ***Adj.* 1.** V. *errante*¹: "Mas no meu coração, ardente lava, / Uma nuvem errática poisava" (Camilo Pessanha, *Clepsidra e Outros Poemas*, p. 280). **2.** Que não é estável; oscilante. ~ V. *bloco — e febre —a.*

erre (é) ***S. m.*** A letra *r*; rê. [Pl.: *erres* (é).]

erriçado [Part. de *erriçar*.] ***Adj.*** V. *eriçado*: "os ginetes sem donos, nitrindo de terror e de cólera, com as crinas erriçadas" (Alexandre Herculano, *Eurico, o Presbítero*, p. 96).

erriçamento ***S. m.*** V. *eriçamento*.

erriçar ***V. t. d. P.*** V. *eriçar*: "soltou uma destas risadas que fazem erriçar os cabelos, tão tristes, soturnas e dolorosas são elas" (Alexandre Herculano, *Eurico, o Presbítero*, p. 293); "Parece .... que o ligeiro buço que lhe cobre a pele acetinada se erriça." (José de Alencar, *Lucíola*, p. 86). [Conjug.: v. *laçar*.]

errino [Do gr. *érrhinon*.] ***Adj.* 1.** Diz-se do medicamento que se introduz nas narinas. **2.** V. *esternutatório* (1). ● ***S. m.* 3.** Medicamento que se introduz nas narinas.

erro (ê) [Dev. de *errar*.] ***S. m.* 1.** Ato ou efeito de errar. **2.** Juízo falso; desacerto, engano. **3.** Incorreção, inexatidão. **4.** Desvio de bom caminho; desregramento, falta. **5.** *E. Ling.* Desvio em relação a variedade padrão de uma língua. **6.** *E. Ling.* No aprendizado de língua estrangeira (q. v.) ou de segunda língua (q. v.), o uso sistemático de uma forma de modo diverso daquele que seria o de um falante nativo. **7.** *Fís.* Qualquer medida da flutuação ou da incerteza associada a uma medição. [Pl.: *erros* (ê). Cf. *erro*, do v. *errar*.] ◆ **Erro acidental.** *Estat.* Medida da flutuação dos resultados das medidas iteradas de uma grandeza realizada por um processo isento de vício. **Erro conjuntivo.** *E. Ling.* Erro que se presta a indicar a conexão entre diversas cópias, porque está presente em mais de uma e é de natureza tal que seria improvável que diferentes copistas pudessem nele incorrer independentemente. **Erro constante.** *Estat.* Erro sistemático. **Erro da excentricidade.** *Astr.* Erro sistemático existente nas graduações dos círculos astronômicos, por não serem coincidentes os centros do círculo e da sua graduação. **Erro de aproximação.** *Mat.* Módulo de diferença entre o limite de uma sucessão e o valor que se aceita para representá-lo. **Erro de arredondamento.** *Mat.* Erro que se comete num cálculo aproximado quando se efetua um arredondamento. **Erro de imprensa.** *Tip.* V. *erro tipográfico*. **Erro de primeira espécie.** *Estat.* Erro de tipo I. **Erro de revisão.** *Tip.* V. *erro tipográfico*. **Erro de segunda espécie.** *Estat.* Erro de tipo II. **Erro de tipo I.** *Estat.* No julgamento de uma hipótese estatística, erro que se comete ao rejeitar a hipótese sendo ela verdadeira; erro de primeira espécie. **Erro de tipo II.** *Estat.* No julgamento de uma hipótese estatística, erro que se comete ao aceitar a hipótese sendo ela falsa; erro de segunda espécie. **Erro médio.** *Estat.* Média dos valores absolutos de um conjunto de erros acidentais ou de um conjunto de estimativas de erros acidentais. **Erro padrão.** *Estat.* Desvio padrão de um conjunto de erros acidentais ou de um conjunto de estimativas de erros acidentais. **Erro relativo.** *Estat.* Cociente de uma estimativa do erro de uma medida pelo valor dessa medida ou por uma estimativa desse valor. **Erro separativo.** *E. Ling.* Erro que, presente numa cópia mas não em outra, permite reconhecê-las como independentes. **Erro sistemático.** *Estat.* O que decorre de um vício no processo de medida, não tendo, por isso, caráter aleatório; erro constante. **Erro tipográfico.** *Tip.* Engano cometido pelo tipógrafo, linotipista, etc., na composição do original; erro de imprensa, erro de revisão, gato. [Cf. *piolho* (3).] **Cair num erro. 1.** Ser vítima de erro. **2.** *Ant.* Verificar que errou.

errónea ***S. f.*** V. *errônea*. [Uso freq. em P.]

errônea [F. subst. de *errôneo*.] ***S. f.*** *P. us.* V. *erronia*.

erroneamente (ô) [Do f. de *errôneo* + *-mente*.] ***Adv.*** De modo errôneo.

erróneo ***Adj.*** V. *errôneo*. [Uso freq. em P.]

errôneo [Do lat. *erroneu*.] ***Adj.* 1.** Que contém erro; falso. **2.** Contrário à verdade.

erronia [Do lat. *erronea*, f. do lat. *erroneus* (v. *errôneo*), com mudança de suf. (v. *-ia*¹).] ***S. f.* 1.** Erro enraizado. **2.** Aquilo que é errôneo; erro, desacerto. [Sin. ger. (p. us.): *errônea*.]

error (ô) [Do lat. *errore*.] ***S. m.* 1.** Viagem sem rumo, ou de rumo e duração indeterminados. **2.** *Desus.* Erro; culpa: "Será Fortuna, mesmo, que me oprime / A alma cheia de errores, ou serão / Essas ondas geladas, caprichosas, / Que andam boiando em vosso coração?" (Ronald de Carvalho, *Poemas e Sonetos*, p. 135.)

→**ersatz** [ɛʀˈzats] [Al.] ***S. m.*** Sucedâneo. [Com cap.]

erse [Do ingl. *erse* < ingl. médio *Erisch, Ersch*, alter. de *Irish*, 'irlandês'.] ***Adj. 2 g.* 1.** De, ou pertencente ou relativo aos habitantes da Alta Escócia. **2.** Diz-se da língua dos primitivos irlandeses e escoceses, pertencente ao grupo gaélico, e falada ainda hoje na Alta Escócia. ● ***S. m.* 3.** *Gloss.* Gaélico escocês. **4.** *Gloss.* Gaélico irlandês. [V. *gaélico* (2).] **5.** *Graf.* Antiga escrita do gaélico, derivada do alfabeto latino.

erubescer [Do lat. *erubescere*.] ***V. t. d. Int. P.*** V. *enrubescer*.

eruca [Do tax. *Eruca* (do lat. *eruca*, 'lagarta'; 'certa planta').] ***S. f.*** *Bot.* **1.** Pequeno gênero de plantas brassicáceas, herbáceas, que se distinguem pela síliqua pequena, quadrangular. **2.** Qualquer espécie desse gênero, como, p. ex., a *Eruca sativa* (v. *rúcula*). **3.** Qualquer espécime desse gênero.

erúcico [Do tax. *Eruca* (v. *eruca*) + *-ico*².] ***Adj.*** *Quím.* ~ V. *ácido —*.

eruciforme [Do lat. *eruca*, 'lagarta', + *-iforme*.] ***Adj. 2 g.*** **1.** Que tem forma de lagarta. **2.** *Zool.* Diz-se de larva de corpo cilíndrico, antenas curtas, propatas na região posterior e patas verdadeiras no tórax, como, p. ex., as lagartas dos lepidópteros, dos mecópteros e de alguns himenópteros.

eructação [Do lat. *eructatione*.] ***S. f.*** Arroto (1).

eructar [Do lat. *eructare*.] ***V. int.*** Arrotar (1).

erudição [Do lat. *eruditione*.] ***S. f.*** **1.** Instrução vasta e variada, adquirida sobretudo pela leitura. **2.** Qualidade de erudito.

eruditismo [De *erudito* + *-ismo*.] ***S. m.*** **1.** Ostentação de erudição. **2.** Mania da erudição. **3.** *E. Ling.* V. *palavra erudita*.

erudito (í) [Do lat. *eruditu*.] ***Adj.*** **1.** Que tem erudição (1). **2.** Que revela erudição (1): *obra erudita*. ~ V. *palavra —a*. ● ***S. m.*** **3.** Aquele que sabe muito, que tem erudição (1).

eruexim ***S. m. Bras. Rel.*** V. *iruexim*.

eruginoso (ô) [Do lat. *aeruginosu*.] ***Adj.*** **1.** Que tem azebre; oxidado. **2.** Da cor do azebre; esverdeado.

erupção [Do lat. *eruptione*, der. do v. *erumpere*, 'pôr-(se) violentamente para fora'; 'precipitar(-se)'.] ***S. f.*** **1.** Saída com ímpeto. **2.** *Derm.* Alteração cutânea eflorescente visível, de caráter patológico, e que se caracteriza por vermelhidão, saliência ou por ambos. **3.** *Odont.* Aparecimento gradativo da coroa dentária, no processo da odontogênese. **4.** *Restr.* Erupção vulcânica. [Cf. *irupção*.] ◆ **Erupção ígnea.** Designação indistinta das rochas efusivas e das rochas consolidadas em profundidade. **Erupção vulcânica.** Emissão impetuosa de fumaças, cinzas, matérias inflamáveis e lavas pela cratera de um vulcão. [Tb. se diz apenas *erupção*.]

eruptar [Do lat. *eruptus, a, um*, part. pass. de *erumpere* (v. *erupção*) + *-ar*².] ***V. int.*** *Odont.* Irromper (dente).

eruptivo [Do lat. *eruptus*, part. pass. do v. lat. *erumpere* (v. *erupção*), + *-ivo*.] ***Adj.*** **1.** Que provoca erupção. **2.** Respeitante a erupção. ~ V. *arco —, cone —, estrela —a, protuberância —a* e *rocha —a*. [Cf. *irruptivo*.]

eruquerê ***S. m. Bras. Rel.*** V. *iruquerê*.

eruquerê [Do ior.] ***S. m. Bras. Rel.*** V. *iruquerê*.

erva [Do lat. *herba*.] ***S. f.*** **1.** *Bot.* Planta não lenhosa, cujas partes aéreas vivem menos de um ano, o que limita o seu tamanho, podendo as partes subterrâneas ser vivazes. **2.** Quantidade mais ou menos considerável de plantas herbáceas dispostas proximamente entre si. **3.** *Bras. Bot.* Qualquer planta venenosa que nasce em pastagens e que, comida pelos animais, pode causar-lhes a morte. **4.** *Bras. Bot.* V. *hortaliça*. **5.** *Bras. Gír.* V. *dinheiro* (5). **6.** *Bras. Gír.* V. *maconha* (2). ~ V. *ervas*. ◆ **Erva daninha.** *Bot.* Erva (1) que nasce no meio de certas culturas, prejudicando-as. **Ervas finas.** V. *fines herbes*.

erva-abelha ***S. f.*** *Bot.* V. *abelheira* (3). [Pl.: *ervas-abelhas* e *ervas-abelha*.]

erva-agrimônia ***S. f.*** *Bot.* Erva rosácea (*Agrimonia eupatoria*) dotada de folhas penatissectas, pequenas flores amarelas e aquênios providos de dois espinhos; erva-eupatória, erva-hepática, agrimônia. [Pl.: *ervas-agrimônias* e *ervas-agrimônia*.]

erva-andorinha ***S. f.*** *Bras. Bot.* V. *erva-de-santa-luzia* (2 e 4). [Pl.: *ervas-andorinhas* e *ervas-andorinha*.]

erva-aranha ***S. f.*** *Bot.* V. *abelheira* (3). [Pl.: *ervas-aranhas* e *ervas-aranha*.]

erva-armoles ***S. f.*** *Bot.* Erva quenopodiácea (*Atriplex hortensis*) nativa da Ásia, de folhas comestíveis, flores vermelhas ou esverdeadas, em cachos terminais ou axilares, e frutos que encerram sementes eméticas e purgativas; é cultivada como ornamental. [Sin.: *armolão, armoles*. Pl.: *ervas-armoles*.]

ervaçal [De *erva* + *-açal*.] ***S. m.*** **1.** Terra onde há erva em abundância. **2.** Pastagem, pasto, ervagem.

erva-cancerosa [De *erva* + o f. de *canceroso*.] ***S. f.*** *Bras. Bot.* V. *sombra-de-touro* (1). [Pl.: *ervas-cancerosas*.]

erva-caparrosa ***S. f.*** *Bot.* Caparrosa-do-campo. [Pl.: *ervas-caparrosas* e *ervas-caparrosa*.]

erva-capitão ***S. f.*** *Bras. Bot.* Açariçoba. [Pl.: *ervas-capitães* e *ervas-capitão*.]

erva-castelhana ***S. f.*** *Bot.* V. *azevém*. [Pl.: *ervas-castelhanas*.]

erva-cidreira ***S. f.*** *Bot.* **1.** Planta lamiácea (*Melissa officinalis*) originária da região do mediterrâneo, de folhas ovais, flores brancas ou róseas e frutos que são aquênios oblongos, pardos e lisos; tem uso medicinal, como antiespamódica, antinevrálgica e calmante. [Sin.: *apiastro, melissa*.] **2.** *Bras. PE* Planta verbenácea (*Lippia geminata* ou *L. citriodora*) nativa da América do Sul, de folhas e flores muito aromáticas, que têm uso medicinal como digestivas e antiespasmódicas, e fornecem essência us. em perfumaria. [Pl.: *ervas-cidreiras*.]

erva-crina ***S. f.*** *Bot.* V. *iva-moscada*. [Pl.: *ervas-crinas* e *ervas-crina*.]

erva-da-guiné ***S. f.*** *Bot.* V. *capim-guiné*. [Pl.: *ervas-da-guiné*.]

erva-das-bermudas ***S. f.*** *Bot.* V. *capim-de-burro*. [Pl.: *ervas-das-bermudas*.]

erva-das-cobras [De *erva* + o pl. de *da*¹ + o pl. de *cobra*.] ***S. f.*** *Bras. Bot.* V. *erva-de-santa-luzia* (4). [Pl.: *ervas-das-cobras*.]

erva-das-sezões [De *erva* + o pl. de *da*¹ + o pl. de *sezão*.] ***S. f.*** *Bot.* V. *absinto* (1). [Pl.: *ervas-das-sezões*.]

erva-da-trindade ***S. f.*** *Lus. Bot.* V. *amor-perfeito*. [Pl.: *ervas-da-trindade*.]

erva-de-andorinha ***S. f.*** *Bras. Bot.* V. *erva-de-santa-luzia* (1 e 2). [Pl.: *ervas-de-andorinhas*.]

erva-de-bicho ***S. f.*** *Bras. Bot.* **1.** Erva poligonácea (*Polygonum acuminatum* ou *P. punctatum*) originária da América do Sul, de folhas lanceoladas, espigas geminadas ou racemosas, e pequenas nozes que têm uso medicinal, como anti-helmíntico e anti-hemorroidal; capiçoba, cataia, persicária-mordaz. **2.** V. *erva-moura* (1). **3.** V. *erva-de-santa-maria*. **4.** V. *capitiçoba*. **5.** Salsa-do-brejo (1). [Pl.: *ervas-de-bicho*.]

erva-de-botão ***S. f.*** *Bot.* Agrião-do-brejo. [Pl.: *ervas-de-botão*.]

erva-de-cabrita ***S. f.*** *Bras. Bot.* V. *amarelinha*¹ (1). [Pl.: *ervas-de-cabrita*.]

erva-de-cardo-amarelo ***S. f.*** *Bot.* V. *cardo-santo*. [Pl.: *ervas-de-cardo-amarelo*.]

erva-de-charrua ***S. f.*** *Bot.* Charrua². [Pl.: *ervas-de-charrua*.]

erva-de-cobra ***S. f.*** *Bras. Bot.* **1.** Caacambuí (1). **2.** Subarbusto asteráceo (*Ayapana triplinervis*) nativo das Américas, com até cerca de 30cm de altura, de folhas opostas e lanceoladas, e flores róseas, com largo emprego medicinal. [Pl.: *ervas-de-cobra*.]

erva-dedal ***S. f.*** *Lus. Bot.* V. *dedaleira* (1). [Pl.: *ervas-dedais* e *ervas-dedal*.]

erva-de-gelo ***S. f.*** *Bras. Bot.* V. *folha-de-gelo*. [Pl.: *ervas-de-gelo*.]

erva-de-jabuti ***S. f.*** *Bras. Bot.* V. *aperta-ruão* (2). [Pl.: *ervas-de-jabuti*.]

erva-de-louco ***S. f.*** *Bras. Bot.* V. *caapomonga*. [Pl.: *ervas-de-louco*.]

erva-de-moura ***S. f.*** *Bras. Bot.* V. *capitiçoba*. [Pl.: *ervas-de-moura*.]

erva-de-nossa-senhora [De *erva* + *de* + o hag. *Nossa Senhora*.] ***S. f.*** *Bras. Bot.* V. *cipó-de-cobra* (3). [Pl.: *ervas-de-nossa-senhora*.]

erva-de-passarinho ***S. f.*** *Bras. Bot.* Nome comum a diversas plantas eremolepidáceas, viscáceas e lorantáceas, que parasitam as árvores por disseminação feita pelos pássaros, ávidos dos pequenos frutos dessas espécies; enxerto-de-passarinho, enxerco, guirarepoti, tetipoteira. [Pl.: *ervas-de-passarinho*.]

erva-de-piolho ***S. f.*** *Bras.* V. *paparraz*. [Pl.: *ervas-de-piolho*.]

erva-de-rato ***S. f.*** *Bras. Bot.* Designação comum a diversas espécies de plantas rubiáceas, gêneros *Psychotria* e *Homelia*. [Pl.: *ervas-de-rato*.]

erva-de-santa-lúcia [De *erva* + *de* + o hag. *Santa Lúcia*.] ***S. f.*** *Bras. Bot.* Planta comelinácea (*Commelina sulcata*) nativa do Brasil e Uruguai, de folhas lanceoladas e frutos capsulares rugosos; é tida como tóxica, mas seu suco tem uso medicinal. [Pl.: *ervas-de-santa-lúcia*.]

erva-de-santa-luzia [De *erva* + *de* + o hag. *Santa Luzia*.] ***S. f.*** *Bras. Bot.* **1.** Planta euforbiácea (*Chamaesyce brasiliensis*) nativa do Brasil e das Guianas, de cujos caules flexuosos se fazem utensílios domésticos; erva-de-andorinha, maria-leite. **2.** Planta euforbiácea (*Chamaesyce caecorum*) perene, nativa da Bolívia e do Brasil, cujo sumo é utilizado, popularmente, contra infecções dos olhos; erva-andorinha, erva-de-andorinha. **3.** Planta euforbiácea (*Chamaesyce prostrata*) de caules filiformes, prostrados, nativa de regiões tropicais das Américas à África até o oceano Índico; caacambuí, quebra-pedra. **4.** Planta euforbiácea (*Chamaesyce hirta*) de distribuição pantropical e que fornece resina utilizada como drástica; caacambuí, caacica, erva-andorinha, erva-das-cobras. **5.** V. *flor-d'água*. [Pl.: *ervas-de-santa-luzia*.]

erva-de-santa-maria [De *erva* + *de* + o hag. *Santa Maria*.] ***S. f.*** *Bras. Bot.* Planta quenopodiácea (*Chenopodium ambrosioides*) de caule herbáceo e decumbente, cujas folhas são ovais, sinuosas e serradas, de cheiro muito ativo, sabor acre, consideradas vermífugas, sendo as flores esverdeadas, reunidas em glomérulos; caacica, caperiçoba, erva-santa-maria, erva-de-bicho. [Pl.: *ervas-de-santa-maria*.]

erva-de-santana ***S. f.*** *Bras. Bot.* **1.** Folha-de-santana. **2.** V. *fura-paredes* (2). [Pl.: *ervas-de-santana*.]

erva-de-santo-antônio [De *erva* + *de* + o hag. *Santo Antônio*.] ***S. f.*** *Bras. Bot.* V. *carqueja* (3). [Pl.: *ervas-de-santo-antônio*.]

erva-de-santo-estêvão [De *erva* + *de* + o hag. *Santo Estevão*.] ***S. f.*** *Bot.* Circeia (2). [Pl.: *ervas-de-santo-estêvão*.]

erva-de-são-cristóvão [De *erva* + *de* + o hag. *São Cristóvão*.] ***S. f.*** *Bras. Bot.* Cimicífuga. [Pl.: *ervas-de-são-cristóvão*.]

erva-de-são-joão [De *erva* + *de* + o hag. *São João*.] ***S. f.*** *Bras. Bot.* **1.** Erva quenopodiácea (*Chenopodium album*) de folhas ovadas, verde-claras ou esbranquiçadas, e inflorescência em racemos paniculados; fedegosa. **2.** Erva asterácea (*Melampodium camphoratum*) que tem forte odor de cânfora, folhas membranáceas e flores em capítulos axilares. **3.** V. *catinga-de-bode*. **4.** Planta clusiácea (*Hypericum perforatum*) de folhas ovadas ou lineares, flores amarelas, em panículas, e cápsulas ovoides; tem uso medicinal. [Pl.: *ervas-de-são-joão*.]

erva-de-são-lourenço [De *erva* + *de* + o hag. *São Lourenço*.] ***S. f.*** *Bras. Bot.* V. *língua-de-boi*. [Pl.: *ervas-de-são-lourenço*.]

erva-de-sapo-vermelha ***S. f.*** *Bras. Bot.* Begônia-sangue. [Pl.: *ervas-de-sapo-vermelhas*.]

erva-de-veado ***S. f.*** *Bras. Bot.* V. *faxina-vermelha*. [Pl.: *ervas-de-veado*.]

ervado [De *erva* + *-ado*¹.] ***Adj.*** **1.** Cheio de erva. **2.** Impregnado de suco de erva venenosa: "Onde um arco, que atirasse / Mais célere, a zunir, a fina flecha ervada?" (Olavo Bilac, *Poesias*, p. 10); *Estácio de Sá foi ferido por uma flecha ervada*. **3.** *Bras.* Diz-se de animal que comeu erva (3). **4.** *Bras.* Que está sob os efeitos da erva (6).

erva-do-brejo ***S. f.*** *Bras. Bot.* V. *chapéu-de-couro* (1). [Pl.: *ervas-do-brejo*.]

erva-doce ***S. f.*** *Bot.* **1.** V. *anis* (1). **2.** V. *funcho* (2). [Pl.: *ervas-doces*.]

erva-do-pântano ***S. f.*** *Bot.* V. *chapéu-de-couro* (1). [Pl.: *ervas-do-pântano*.]

erva-do-pará ***S. f.*** *Bras. Bot.* V. *capim-do-pará*. [Pl.: *ervas-do-pará*.]

erva-dos-gatos [De *erva* + o pl. de *do*¹ + o pl. de *gato*.] ***S. f.*** *Bot.* V. *gatária*. [Pl.: *ervas-dos-gatos*.]

erva-do-sumidouro ***S. f.*** *Bras. Bot.* V. *gervão* (2). [Pl.: *ervas-do-sumidouro*.]

ervadura [De *erva* + *-dura*.] ***S. f.*** *Bras.* V. *curare* (1).

erva-dutra ***S. f.*** *Bras. Bot.* Cipó-cabeludo. [Pl.: *ervas-dutras* e *ervas-dutra*.]

erva-eupatória [De *erva* + *do* + f. do s. m. *eupatório*.] ***S. f.*** *Bot.* V. *erva-agrimônia*. [Pl.: *ervas-eupatórias* e *ervas-eupatória*.]

erva-fedegosa [De *erva* + o f. de *fedegoso*.] ***S. f.*** *Bras. Bot.* Erva quenopodiácea (*Chenopodium mucronatum*) de folhas íntegras, frutos em espigas axilares e frutos com sementes horizontais; fedegosa, vulvária. [Pl.: *ervas-fedegosas*.]

erva-férrea [De *erva* + o f. de *férreo*.] ***S. f.*** *Bras. Bot.* V. *língua-de-boi*. [Pl.: *ervas-férreas*.]

erva-gateira [De *erva* + o f. de *gateiro*.] ***S. f.*** *Bot.* V. *gatária*. [Pl.: *ervas-gateiras*.]

erva-gato ***S. f.*** *Bot.* V. *gatária*. [Pl.: *ervas-gatos* e *ervas-gato*.]

ervagem[1] [De *erva* + *-agem*².] ***S. f.*** **1.** Conjunto de ervas. **2.** V. *ervaçal* (2). **3.** *Bras.* V. *curare* (1).

ervagem[2] [De *ervar* + *-agem*².] ***S. f.*** Ato ou efeito de ervar.

erva-gervão ***S. f.*** *Bot.* V. *gervão* (2). [Pl.: *ervas-gervões* e *ervas-gervão*.]

erva-gigante ***S. f.*** *Bot.* V. *acanto*¹ (3). [Pl.: *ervas-gigantes*.]

erva-gorda [De *erva* + o f. de *gordo*.] ***S. f.*** *Bras. Bot.* V. *folha-gorda*. [Pl.: *ervas-gordas*.]

erva-hepática [De *erva* + o f. de *hepático*.] ***S. f.*** *Bot.* V. *erva-agrimônia*. [Pl.: *ervas-hepáticas*.]

erval [Do esp. plat. *yerbal*.] ***S. m.*** *Bras. PR RS* Mata em que domina a erva-mate ou congonha.

erva-lanceta [De *erva* + *lanceta*¹.] ***S. f.*** *Bras. Bot.* **1.** V. *tasneirinha*. **2.** V. *buí*. [Pl.: *ervas-lancetas* e *ervas-lanceta*.]

ervalense[1] ***Adj. 2 g.*** **1.** De, ou pertencente ou relativo a Ervália (MG). ● ***S. 2 g.*** **2.** O natural ou habitante de Ervália.

ervalense[2] ***Adj. 2 g.*** **1.** De, ou pertencente ou relativo a Erval Velho (SC). ● ***S. 2 g.*** **2.** O natural ou habitante de Erval Velho.

erval-grandense ***Adj. 2 g.*** **1.** De, ou pertencente ou relativo a Erval Grande (RS). ● ***S. 2 g.*** **2.** O natural ou habitante de Erval Grande. [Pl.: *erval-grandenses*.]

erva-lombrigueira ***S. f.*** *Bot.* **1.** V. *arapabaca* (2). **2.** V. *abrótano*. [Pl.: *ervas-lombrigueiras* e *ervas-lombrigueira*.]

erval-sequense ***Adj. 2 g.*** **1.** De, ou pertencente ou relativo a Erval Seco (RS). ● ***S. 2 g.*** **2.** O natural ou habitante de Erval Seco. [Pl.: *erval-sequenses*.]

erva-mãe-boa ***S. f.*** *Bot.* V. *batata-brava* (2). [Pl.: *ervas-mães-boas* e *ervas-mãe-boa*.]

erva-mate [De *erva* + *mate*².] ***S. f.*** *Bras. Bot.* V. *mate*² (1). [Pl.: *ervas-mates* e *ervas-mate*.]

erva-mate-amarga-de-mato-grosso ***S. f.*** *Bras. Bot.* V. *caami* (2). [Pl.: *ervas-mates-amargas-de-mato-grosso*.]

erva-missioneira [De *erva* + o f. de *missioneiro*.] ***S. f.*** *Bras.* O mate que cresce nos terrenos das antigas missões jesuíticas do PR e do Uruguai. [Pl.: *ervas--missioneiras*.]

erva-moira *S. f. Bras. Bot.* V. *erva-moura*. [Pl.: *ervas--moiras*.]

erva-molarinha *S. f. Bot.* V. *fel-da-terra* (1). [Pl.: *ervas--molarinhas*.]

erva-moura *S. f. Bot.* **1.** Erva solanácea (*Solanum americanum*) de larga distribuição, com variedades por vezes subarbustivas, de folhas ovadas, denteadas ou inteiras, pequenas flores alvas em corimbos e diminutos frutos roxos ou negros; podem ser venenosas ou inócuas, tendo, algumas, uso medicinal, como analgésico ou sedativo. [Sin.: *aguaraquiá, aguaraquiá-açu, araxixu, caaxixá, caraxixu, cataia, erva-de-bicho, maria-preta, maria-pretinha, pimenta-de-galinha*.] **2.** V. *capiiçoba*. [Pl.: *ervas--mouras*. Var.: *erva-moira*.]

ervanaria [De *erva*.] *S. f. Bras. SP* V. *herbanário* (1).

ervanário *S. m.* **1.** V. *herbanário*. **2.** Herbolário (2). • *Adj.* **3.** Herbolário (2).

ervançal [De *ervanço* + *-al*[1].] *S. m.* Plantação de ervanços.

ervanço [De *gravanço*, com infl. de *erva*, poss.] *S. m. Bot.* V. *grão-de-bico*.

erva-pinheira-de-rosa *S. f. Bot.* V. *brilhantina* (3). [Pl.: *ervas-pinheiras-de-rosa*.]

erva-piolheira *S. f. Bot.* V. *paparraz*. [Pl.: *ervas--piolheiras*.]

erva-pipi [De *erva* + *pipi*[1].] *S. f. Bras. Bot.* V. *tipi*. [Pl.: *ervas-pipis* e *ervas-pipi*.]

erva-pombinha *S. f. Bras. Bot.* V. *arrebenta-pedra*. [Pl.: *ervas-pombinhas* e *ervas-pombinha*.]

ervar [De *ervar* + *-ar*[2].] *V. t. d.* **1.** Impregnar com suco de planta venenosa. *Int.* **2.** *Bras.* Apanhar erva. **3.** *Bras.* Comer a erva-de-rato, que é venenosa.

erva-ruiva [De *erva* + o f. de *ruivo*.] *S. f. Bot.* V. *açafrão* (1). [Pl.: *ervas-ruivas*.]

ervas [Pl. de *erva*.] *S. f. pl. Pop.* Legumes. ~ V. *erva*.

erva-santa [De *erva* + o f. de *santo*.] *S. f. Bras. Bot.* **1.** V. *cipó-capador*. **2.** V. *carqueja* (3). **3.** V. *absinto* (1). [Pl.: *ervas-santas*.]

erva-santa-maria *S. f. Bras. Bot.* V. *erva-de-santa--maria*. [Pl.: *ervas-santa-maria*.]

ervatário [F. irreg. de *erva* + *-tário*, ou de *ervar* + *-tário*.] *S. m. Bras.* Indivíduo que nos campos e matas colhe ervas medicinais para vender nos herbanários ou a retalho.

ervateiro [De *ervat-*, como em *ervatário*, + *-eiro*.] *S. m.* **1.** *Bras. S.* Aquele que negocia com erva-mate ou se entrega à colheita e preparação desse vegetal. • *Adj.* **2.** Pertencente ou relativo ao cultivo, colheita, preparo e exportação da erva-mate: *indústria ervateira*.

erva-tostão *S. f. Bras. Bot.* **1.** V. *agarra-pinto*. **2.** V. *solidônia* (2). [Pl.: *ervas-tostões* e *ervas-tostão*.]

ervecer [Do lat. *herbescere*.] *V. int.* Criar erva. [Conjug.: v. *aquecer*.]

erveira [De *erva* + *-eira*.] *S. f. Bot.* **1.** Designação genérica de qualquer planta herbácea. **2.** *Bras.* V. *mate*[2] (1).

ervicida [De *erva* + *-i-* + *-cida*.] *Adj. 2 g. S. m.* V. *herbicida*.

ervilha [Do lat. *ervilia*.] *S. f. Bot.* **1.** Trepadeira fabácea (*Pisum sativum*) anual, dotada de flores grandes, solitárias, róseas, de corola alva, azulada ou roxa, e cujos frutos são vagens oblongas, lisas ou rugosas, com numerosas sementes comestíveis. **2.** O fruto da ervilha.

ervilhaca [De *ervilha* + *-aca*.] *S. f. Bot.* Trepadeira fabácea (*Vicia sativa*) forraginosa, de flores vermelhas, violáceas, azuladas ou alvas, solitárias e grandes, e cujo fruto é vagem com sementes de cor azeitonada.

ervilhaca-de-narbona [De *erva* + o top. *Narbona*.] *S. f. Bot.* Planta fabácea (*Vicia narbonensis*) anual, de flores grandes, purpúreas, dispostas em racimos pedicelados, mais curtos que as folhas, e cujo fruto é vagem escura, glabra, que contém sementes castanhas. Fornece boa forragem. [Pl.: *ervilhacas-de-narbona*.]

ervilhaca-peluda [De *ervilhaca* + o f. de *peludo*[1].] *S. f. Bot.* Planta fabácea (*Vicia villosa*) prostrada ou trepadora, originária da Alemanha, de flores grandes, violáceas com máculas alvas, dispostas em racimos pêndulos, e cujo fruto é vagem pêndula, linear, glabra, que contém sementes globosas, opacas, manchadas de escuro. [Pl.: *ervilhacas-peludas*.]

ervilha-de-cheiro *S. f. Bras. Bot.* Trepadeira fabácea (*Lathyrus odoratus*) herbácea, ornamental, de flores grandes, aromáticas, azuladas ou alvacentas, e cujos frutos são vagens mais largas que compridas. [Pl.: *ervilhas-de-cheiro*.]

ervilha-de-pombo *S. f. Bot.* V. *cola*[2] (2 e 3). [Pl.: *ervilhas--de-pombo*.]

ervilha-de-vaca *S. f. Bot.* V. *feijão-fradinho*. [Pl.: *ervilhas-de-vaca*.]

ervilhal [De *ervilha* + *-al*[1].] *S. m.* **1.** Quantidade mais ou menos considerável de ervilhas dispostas proximamente entre si. **2.** Área ocupada por ervilhal (1).

ervinha [De *erva* + *-inha*.] *S. f. Bras. Bot.* Urzela.

ervoeira [De *erva* + *-oeira*.] *S. f.* Meretriz. [Tb. us. deprec.]

ervoso (ô) [Do lat. *herbosu*.] *Adj.* Cheio de ervas; herboso.

es [Do lat. *esse*, 'ser'.] *S. m. Psiq.* Termo proposto por Nietzsche (v. *nietzschiano*) para designar uma entidade metafísica situada mais profundamente na natureza humana do que o inconsciente freudiano.

■ **Es** *Quím.* Símb. de *einstêinio*.

■ **ES** Sigla do Estado do Espírito Santo.

▲**es-** V. *e-*[2].

▲**-es-** V. *e-*[2].

▲**-ês** [Do lat. *-ense*, por via pop.] Equiv. de *-ense*.

esbaforido [Part. de *esbaforir*.] *Adj.* **1.** Com a respiração entrecortada pelo cansaço ou pela pressa; ofegante, esbofado. **2.** Apressado, apressurado: "O cozinheiro, esbaforido, organizava a remessa de fornalhas, geleiras, bocais de trufas, latas de conservas, bojudas garrafas de águas minerais." (Eça de Queirós, *A Cidade e as Serras*, pp. 176-177.)

esbaforir [De *es-* + *bafor-*, como no esp. *báforis*, 'quentura' (< onom. *baf* [v. *bafo*]), ou de **esbofarir-se* (< *esbofar* [q. v.] + *-ir*), com metátese, poss.] *V. t. d.* **1.** Fazer ficar esbofado; fazer arfar: *O calor esbaforiu a criança*. *P.* **2.** Ficar esbofado, ofegante, anelante, arfante, sem alento; esbofar-se: *Com o galope o cavalo esbaforiu-se*.

esbagaçar [De *es-* + *bagaço* + *-ar*[2].] *V. t. d. Bras. Açor.* **1.** Fazer em cacos ou em bagaços; despedaçar, espedaçar, escacar, espatifar, arrebentar. **2.** Malbaratar, dissipar (bens): *Esbagaçou toda a fortuna da família*. *P.* **3.** Reduzir-se a bagaços, ou a cacos; despedaçar-se, espatifar-se: *Toda a louça esbagaçou-se no chão*. **4.** Dissipar-se, malbaratar-se (bens): *O dinheiro do ricaço se esbagaçou*. **5.** Sair-se mal; dar-se mal: *Infelizmente o homem se esbagaçou naquele emprego*. [Conjug.: v. *laçar*.]

esbagachado [Part. de *esbagachar*.] *Adj.* Posto à mostra: "Punha uma grande confiança no maciço dos seios, na largueza roliça, nédia, dos ombros esbagachados" (Camilo Castelo Branco, *Sentimentalismo e História*, p. 252).

esbagachar [De *es-* + it. *bagascia*, 'prostituta', + *-ar*[2], poss.] *V. t. d.* **1.** Descobrir até aos peitos. **2.** Deixar à mostra; pôr à vista (os peitos); esgargalar.

esbaganhar [De *es-* + *baganha* + *-ar*[2].] *V. t. d.* Limpar da baganha (o linho).

esbagoar [De *es-* + *bago* + *-oar*.] *V. t. d.* **1.** Tirar os bagos a; desbagoar. *Int. P.* **2.** Deixar cair os bagos ou grãos. [Conjug.: v. *coroar*.]

esbagulhar [De *es-* + *bagulho* + *-ar*[2].] *V. t. d.* Tirar o bagulho (1) a.

esbaldar-se [De *es-* + *balde*[1] + *-ar*[2] + *se*[1], poss.] *V. p.* **1.** Atirar-se com fervor, por vezes até o cansaço, a um divertimento, a uma brincadeira. **2.** Fazer alguma coisa em excesso. **3.** Esforçar-se ao máximo: "O homem se esbaldou para dar uma impressão da coisa, e deu." (Rubem Braga, *O Recado da Primavera*, p. 97.)

esbambeado [Part. de *esbambear*.] *Adj.* V. *bambeado*: "Que oceanos de luz e de harmonia / Dormem--te ainda n'harpa esbambeada, / Como no seio do profundo espaço / Os orbes invisíveis!" (Bernardo Guimarães, *Poesias Completas*, p. 305).

esbambear [De *es-* + *bambo* + *-ear*[2].] *V. t. d. Int.* V. *bambear*. [Conjug.: v. *frear*.]

esbamboar [De *es-* + *bambo* + *-oar*.] *V. t. d. Int. P.* V. *bambolear*. [Conjug.: v. *coroar*.]

esbandalhado[1] [Part. de *esbandalhar*.] *Adj.* **1.** Roto, esfarrapado. **2.** Descomposto, desfeito, despedaçado, destruído.

esbandalhado[2] [Part. de *esbandalhar-se*.] *Adj.* Separado do bando; tresmalhado.

esbandalhar [De *es-* + *bandalho* + *-ar*[2].] *V. t. d.* **1.** Fazer em bandalhos ou em trapos; esfarrapar, farrapar. **2.** Fazer em pedaços; despedaçar, espedaçar, destruir, desbaratar. *P.* **3.** Perverter-se, corromper-se. **4.** Ficar em farrapos; esfarrapar-se: *Suas roupas esbandalharam-se na briga*. **5.** Despedaçar-se, espedaçar-se: *O livro esbandalhou-se ao cair da estante*.

esbandalhar-se [De *es-* + *bando*[1] + *-alhar* + *se*[1].] *V. p.* Separar-se de bando[1], dispersando-se; pôr-se em debandada.

esbandeirar [De *es-* + *bandeira* + *-ar*[2].] *V. t. d.* Cortar a bandeira a (o milho).

esbandeirar-se *V. p. Bras. AL Pop.* Atirar-se, lançar-se, precipitar-se: *Esbandeirou-se rua abaixo*.

esbandulhar [De *es-* + *bandulho* + *-ar*[2].] *V. t. d.* Rasgar o bandulho de; esbarrigar.

esbanjador (ô) [De *esbanjar* + *-dor*.] *Adj. S. m.* Que, ou aquele que esbanja; gastador, dissipador, perdulário.

esbanjamento [De *esbanjar* + *-mento*.] *S. m.* Ato ou efeito de esbanjar; dissipação.

esbanjar [De or. obscura.] *V. t. d.* Gastar em excesso; dissipar, desbaratar, malbaratar, malgastar.

esbaralhar [De *es-* + *baralhar*[1].] *V. t. d. Desus.* Baralhar[1] (1 e 3).

esbarbar [De *es-* + *barba* + *-ar*[2].] *V. t. d.* Tirar as barbas ou rebarbas a.

esbarbotar [De *es-* + *barbote* + *-ar*[2].] *V. t. d.* Tirar os barbotes a (pano de lã).

esbarrada [F. subst. do part. de *esbarrar*.] *S. f. Bras.* **1.** V. *esbarro* (1). **2.** Parada repentina da cavalgadura montada por alguém, que a faz escorregar sobre as patas traseiras; assentada.

esbarrancada [F. subst. de *esbarrancado*.] *S. f. Bras. MG RS GO* V. *quebrada* (3).

esbarrancado [Part. de *esbarrancar*.] *Bras. MG RS GO Adj.* **1.** Em que se fizeram barrancos. **2.** De que se desfizeram barrancos. • *S. m.* **3.** V. *quebrada* (3).

esbarrancar [De *es-* + *barranco* + *-ar*[2].] *V. t. d. Bras.* **1.** Fazer barrancos em; desbarrancar. **2.** Desfazer barrancos de; desbarrancar. [Conjug.: v. *trancar*.]

esbarrão [De *esbarrar* + *-ão*[2].] *S. m. Bras.* Encontrão, tropeção, esbarro, esbarrada.

esbarrar [De *es-* + *barra* + *-ar*[2].] *V. t. i.* **1.** Ir de encontro; topar, embarrar: *Entrando às pressas, esbarrou nos que saíam*. **2.** Dar com o pé; tropeçar. **3.** Encontrar por acaso: *Passeando no Leme, esbarrou com a amiga que não via desde anos*. **4.** Deter-se (ante dificuldade): *Sabia que tarde ou cedo esbarraria com o problema*. *T. d.* **5.** *Bras.* Fazer parar (o cavalo), colhendo as rédeas de modo que ele carregue sobre as patas sem produzir choque violento; assentar. *T. d. e c.* **6.** Atirar, lançar, arremessar: *Esbarrou o agressor ao muro*. *T. c.* **7.** Dirigir-se para; encaminhar-se: *Sendo o Rio de Janeiro famoso por suas praias, muita gente esbarra (por) aqui*. **8.** Ir ter; dar; chegar: *Ele andou, andou, acabou esbarrando em Vassouras*. *P.* **9.** Acotovelar (8).

esbarrigar [De *es-* + *barriga* + *ar*[2].] *V. t. d.* **1.** Rasgar a barriga de. **2.** *Lus.* Parir. [Conjug.: v. *largar*.]

esbarro [Dev. de *esbarrar*.] *S. m.* **1.** Ação de esbarrar; choque, encontrão, esbarrada, esbarrão. **2.** *Arquit.* Plano inclinado, formado por uma parede que vai diminuindo de espessura. **3.** Degrau inclinado. **4.** Ressalto ou outro dispositivo que limita a amplitude de movimento de uma porta, uma peça de máquina, etc. **5.** *Bras.* V. *repreensão* (1). ◆ **Caçar de esbarro.** Modo de caçar que consiste em progredir (o caçador) por uma trilha, sem ruído, a fim de surpreender a caça.

esbarroada [De *esbarroar* + *-ada*[1].] *S. f. Bras. PA* Chifrada que, embora seja dada com a ponta do chifre, apenas contunde e escalavra, ou produz um lanho na pele.

esbarroar [De *esbarro* + *-oar*.] *V. int. Bras. PA* Dar esbarroada. [Conjug.: v. *coroar*.]

esbarrocamento [De *esbarrocar* + *-mento*.] *S. m.* **1.** Ato ou efeito de esbarrocar. **2.** Derrocada, ruína.

esbarrocar [De *es-* + *barroca* + *-ar*[2].] *V. int. P.* Cair, formando barroca; desmoronar-se; despenhar-se; esbarrondar-se. [Conjug.: v. *trancar*.]

esbarrondadeiro [De *esbarrondar* + *-deiro*.] *S. m.* Barranco, precipício, despenhadeiro.

esbarrondar [De *es-* + o rad. de *barro*, como em *esbarrancar*, + elemento expressivo, + *-ar*[2], poss.] *V. t. d.* **1.** Romper, desmoronar, esboroar. *T. i.* **2.** Dar com ímpeto; investir. *P.* **3.** Desmoronar-se; esboroar--se: "na hora da missa, um bloco de barro esbarrondava-se em plena nave, espavorindo o povo" (Coelho Neto, *Treva*, p. 57). **4.** Precipitar-se; cair. **5.** Malograr-se; falhar.

esbater [Do it. *sbattere*.] *V. t. d.* **1.** Atenuar os contrastes de cor ou tom de, passando gradualmente do mais forte ao mais fraco, ou vice-versa: *Esbatendo o céu, Portinari criou, em muitas de suas telas, efeitos de grande profundidade*. *P.* **2.** Apresentar-se com as cores ou tons esbatidos: *O colorido esbate--se, docemente, em certos quadros de Turner*; "E, enviando à terra o derradeiro beijo, / Esbatia-se a luz pelo arvoredo." (Olavo Bilac, *Poesias*, p. 83). **3.** Atenuar-se, enfraquecer-se: *As luzes esbatem-se, ao cair da tarde*.

esbatido [Part. de *esbater*.] *Adj.* **1.** Desmaiado, atenuado, suavizado: "ali, àquela luz tênue e esbatida, ele exalava a sua paixão crescente" (Eça de Queirós, *Contos*, p. 28); "Pela abertura do vale, a vista alongava-se aos tons dos planos distantes, esfumados, esbatidos" (Conde de Ficalho, *Uma Eleição Perdida*, pp. 30-31). • *S. m.* **2.** Efeito de esbater. **3.** Impressão de relevo obtida com o emprego do claro--escuro.

esbatimento [Do it. *sbattimento*.] *S. m.* Ato ou efeito de esbater(-se).

esbeatado [Part. de *esbeatar*.] *Adj. Bras. N.* Diz-se dos tecidos que têm alguns fios desmanchados; desfiado.

esbeatar [De *es-* + *beato*[1] + *-ar*[2].] *V. t. d. Bras. N.* Desmanchar os fios de (um tecido); desfiar.

esbeiçar [De *es-* + *beiço* + *-ar*[2].] *V. t. d.* **1.** Arrancar os beiços, os bordos, a; desbeiçar. **2.** Estender ou descair (os beiços). *P.* **3.** Desmoronar(-se), descair (os beiços ou bordos). [Conjug.: v. *laçar*.]

esbeltar [De *esbelto* + *-ar*[2].] *V. t. d.* **1.** Tornar esbelto: *Era gorda, mas o regime esbeltou-a.* **2.** *Art. Plást.* Dar formas esbeltas e boa atitude a (uma figura). *P.* **3.** Apresentar-se com garbo.

esbeltez (ê) *S. f.* Esbelteza.

esbelteza (ê) [Do it. *sveltezza.*] *S. f.* **1.** Qualidade de esbelto; graça; elegância; donaire. **2.** *Constr.* Característica de colunas e pilares cujas seções transversais são pequenas em relação à altura. [F. paral.: *esbeltez,* m. us. na acepç. 2.]

esbelto [Var. de *esvelto.*] *Adj.* **1.** Garboso, airoso, elegante, gentil. **2.** Fino de corpo, magro e elegante; esgalgado; esguio: "e é teu vulto triunfal, longo, heráldico, esgalgo, / coleante como um cisne e esbelto como um galgo!" (Menotti del Picchia, *As Máscaras,* p. 11); *A menina gordinha transformou-se numa moça esbelta.* **3.** Elegante; distinto: "Para os romancistas é como se perdêssemos [com a morte de Eça de Queirós] o melhor da família, o mais esbelto e o mais válido." (Machado de Assis, *Outras Relíquias,* p. 91.)

esbilhotar [De *es-* + *bisbilhotar,* com haplologia.] *V. t. d. Int. Bras. Pop.* V. *bisbilhotar.*

esbirrar [De *esbirro* + *-ar*[2].] *V. t. d. Bras.* Colocar esbirro (3) em.

esbirro [Do it. *sbirro.*] *S. m.* **1.** Empregado menor dos tribunais. **2.** V. *beleguim.* **3.** *Constr.* Escora de madeira aplicada para auxiliar a sustentação de um travejamento.

esboçado [Part. de *esboçar.*] *Adj.* **1.** Delineado, bosquejado, tracejado. **2.** Planejado, projetado. ~ V. *fronteira —a.*

esboçar [Do it. *sbozzare.*] *V. t. d.* **1.** Traçar os contornos de; delinear, bosquejar, tracejar: *esboçar um desenho.* **2.** Planejar, projetar; traçar: *esboçar um plano.* **3.** Deixar entrever; entremostrar: *Constrangido, esboçou um sorriso de aprovação.* *P.* **4.** Adquirir a primeira forma; iniciar-se; surgir: *Desde cedo as composições se esboçaram na mente de Mozart.* [Conjug.: v. *laçar.* Pres. ind.: *esboço,* etc. Cf. *esboço* (ô) e *esbouçar.*]

esboceto (ê) [Do it. *sbozetto.*] *S. m.* Pequeno esboço.

esboço (ô) [Do it. *sbozzo.*] *S. m.* **1.** Delineação inicial de uma obra de pintura, desenho, gravura, escultura, etc.; bosquejo, delineamento. **2.** Obra em estado de esboço (1): "Lembra-me também uma gravura do *Juízo Final* e dois esboços holandeses." (Eça de Queirós, *Prosas Bárbaras,* p. 147.) **3.** Primeira noção de alguma coisa; rudimento. **4.** Ação apenas iniciada e logo interrompida: *Ante a violência, teve apenas um esboço de protesto.* **5.** Figura indistinta; vulto, sombra. **6.** *Fig.* Resumo, síntese, sumário. [Pl.: *esboços* (ô). Dim.: *esboceto.* Cf. *esboço,* do v. *esboçar.*]

esbodegação [De *esbodegar* + *-ção.*] *S. f. Bras. Pop.* Ato ou efeito de esbodegar.

esbodegado [Part. de *esbodegar.*] *Adj.* **1.** Que se esbodegou ou estragou; estragado, escangalhado: "o umbigo indecente à mostra, os dedos abertos nas alpercatas esbodegadas." (Moreira Campos, *Os Doze Parafusos,* p. 30). **2.** *Bras. S.* Cansado, exausto, esbaforido.

esbodegar [De *es-* + *bodega* + *-ar*[2].] *Pop. V. t. d.* **1.** *Bras.* Arruinar, estragar, escangalhar. **2.** *Bras.* Gastar perdulariamente. *P.* **3.** *Bras.* Desmazelar-se, desleixar-se. **4.** *Bras. PB* Agastar-se, enfadar-se; irritar-se. **5.** *Bras. S.* Cansar-se; esbaforir-se. [Conjug.: v. *regar.*]

esbofado [Part. de *esbofar.*] *Adj.* Cansado; esbaforido.

esbofamento [De *esbofar* + *-mento.*] *S. m.* Ato ou efeito de esbofar(-se); esfalfamento, exaustão.

esbofar [De *es-* + *bofe* + *-ar*[2].] *V. t. d.* **1.** Causar grande fadiga a; esfalfar. *Int. P.* **2.** Cansar-se, esbaforir-se, esbodegar-se, esfalfar-se: "O velho que dirigia o caminhão se esbofou escada acima, sob o peso dos colchões" (Fernando Sabino, *A Inglesa Deslumbrada,* p. 47). **3.** Arquejar, ofegar.

esbofetear [De *es-* + *bofete* + *-ear*[2].] *V. t. d.* Dar bofetadas em; bofetear, estapear: "esbofeteia-o, cospe-lhe insultos sobre insultos." (José Cardoso Pires, *O Delfim,* p. 290). [Conjug.: v. *frear.*]

esboiçar *V. t. d.* V. *esbouçar.* [Conjug.: v. *laçar.*]

esbombardear [De *es-* + *bombardear.*] *V. t. d.* Bombardear: "Não se contenta a gente portuguesa, / Mas seguindo a vitória estrui, e mata; / A povoação sem muro, e sem defesa, / Esbombardeia, acende, e desbarata." (Luís de Camões, *Os Lusíadas,* I, 90.) [Conjug.: v. *frear.*]

esborcelar [De *es-* + o port. ant. *borcelo* (ê), 'pedaço', 'fragmento', + *-ar*[2].] *V. t. d.* V. *esborcinar.*

esborcinar [De or. obscura.] *V. t. d.* **1.** Partir as bordas de; cortar pela borda. **2.** Golpear (1). [Sin. ger.: *desborcinar* e *esborcelar.*]

esbordar [De *es-* + *borda* + *-ar*[2], com desnasalação.] *V. int. T. i. T. d. P.* V. *desbordar.*

esbordoar [De *es-* + *bordão*[1] + *-ar*[2], com desnasalação.] *V. t. d.* Dar bordoadas em; desancar com bordão. [Conjug.: v. *coroar.*]

esbórnia [Do it. *sbornia.*] *S. f. Bras.* V. *orgia* (3). [Cf. *esbornia,* do v. *esborniar.*]

esborniador (ô) [De *esborniar* + *-dor.*] *S. m. Bras.* Aquele que esbornia, que é dado a esbórnias; farrista.

esborniar [De *esbórnia* + *-ar*[2].] *V. int. Bras.* Viver em orgias, esbórnias, ou nelas tomar parte. [Pres. ind.: *esbornio, esbornias, esbornia,* etc. Cf. *esbórnia.*]

esboroamento [De *esboroar* + *-mento.*] *S. m.* Ato ou efeito de esboroar(-se); esboroo.

esboroar [De *es-* + *boroa* + *-ar*[2].] *V. t. d.* **1.** Reduzir a pó; desfazer; esterroar. **2.** Derribar, desmoronar, esbarrondar. *Int. P.* **3.** Reduzir-se a pó: "alongavam-se sinuosamente pelas colinas as courelas ceifadas, cujos torrões secos dos calores tropicais esboroavam ao menor atrito." (Fialho d'Almeida, *Contos,* p. 264). **4.** Esbarrondar-se, desmoronar-se: "Pelos salões vazios, ... cujo estuque, lagarteado de fendas, esboroa à força de goteiras, paira o bafio da morte." (Monteiro Lobato, *Urupês, Outros Contos e Coisas,* p. 137); "Olhei: o Calpe esboroava-se ao redor de mim, e os rochedos sobre que eu estava assentado vacilavam nos seus fundamentos." (Alexandre Herculano, *Eurico, o Presbítero,* p. 53); "A Pátria entrou no período da decomposição de que só pode salvá-la a República. — O Império esboroa-se." (Antônio da Silva Jardim, *Propaganda Republicana,* p. 252). [Conjug.: v. *coroar.* Var.: *esbroar, desboroar.*]

esboroo [Dev. de *esboroar.*] *S. m.* Esboroamento. ❖

esborrachado [Part. de *esborrachar.*] *Adj.* **1.** Espalmado, achatado, calcado. **2.** Pisado, esmagado, rebentado.

esborrachar [De *es-* + *borracha* + *-ar*[2].] *V. t. d.* **1.** Fazer rebentar, apertando ou achatando. **2.** Pisar; espezinhar; esmagar; comprimir: *Esborrachou o inseto com o sapato.* **3.** Esbofetear; esmurrar: *Insultado, esborrachou o rosto do ofensor.* *P.* **4.** Estatelar-se no chão; cair.

esborralhada [De *esborralhar* + *-ada*[1].] *S. f.* **1.** Ato ou efeito de esborralhar. **2.** *P. ext.* Desmoronamento, esboroamento.

esborralhadoiro [De *esborralhar* + *-doiro*[2].] *S. m.* Esborralhadouro (q. v.).

esborralhadouro [De *esborralhar* + *-douro*[2]; var. de *esborralhadoiro.*] *S. m.* Vassoura com que se esborralha, se varre o borralho.

esborralhar [De *es-* + *borralho* + *-ar*[2].] *V. t. d.* **1.** Desmanchar ou desfazer (borralho). **2.** Destroçar; dispersar: *O disparo esborralhou os assaltantes.* **3.** Desmoronar, derribar, derrubar. *P.* **4.** Desmoronar-se; abater(-se), aluir(-se), ruir.

esborrar[1] [De *es-* + *borra* (ô) + *-ar*[2].] *V. t. d. Bras. N.E.* Tirar as borras de. [Pres. ind.: *esborro,* etc. Cf. *esborro* (ô).]

esborrar[2] [Alter. de *esbordar* ou *desbordar,* poss.] *V. int.* Esbordar, desbordar, transbordar, extravasar. [No sentido próprio, é unipess.; figurado, pode-se usar em todas as pess. Pres. ind.: *esborro,* etc. Cf. *esborro* (ô).]

esborratadela [De *esborratar* + *-dela.*] *S. f.* **1.** Ato de esborratar. **2.** Borrão de tinta em papel.

esborratar [De *es-* + *borratão* + *-ar*[2], com desnasalação e síncope.] *V. t. d.* Deixar cair borrão em; borrar. [Var.: *esborretar.*]

esborregar [De *es-* + *borrego* + *-ar*[2].] *V. t. d.* Sacudir ou bater (peles), depois de enxambrar. [Conjug.: v. *regar.*]

esborretar *V. t. d.* V. *esborratar.*

esborrifar [De *es-* + *borrifo* + *-ar*[2].] *V. t. d.* V. *borrifar* (1).

esborrifo [Dev. de *esborrifar.*] *S. m.* Ato de esborrifar; borrifo.

esborro (ô) [Dev. de *esborrar*[2].] *S. m.* **1.** Ato ou efeito de esborrar[2]. **2.** *Bras. N.E.* Desbordo, transbordamento (especialmente dos produtos da fermentação e/ou das impurezas expelidas pela ebulição). [Pl.: *esborros* (ô). Cf. *esborro,* do v. *esborrar.*]

esbouçar [De *es-* + *bouça* + *-ar*[2].] *V. t. d.* Surribar, para o plantio de bacelos. [Var.: *esboiçar.* Conjug.: v. *laçar.* Cf. *esboçar.*]

esbrabejado [Part. de *esbrabejar.*] *Adj. Bras. CE* Que perdeu a brabeza; amansado, domado.

esbrabejar [De *es-* + *brabo* + *-ejar.*] *V. t. d. Bras. CE* Esbravejar (5). [Conjug.: v. *pelejar.*]

esbracejar [De *es-* + *braço* + *-ejar.*] *V. t. d. T. c. Int.* V. *bracejar.* [Conjug.: v. *pelejar.*]

esbraguilhado [De *es-* + *braguilha* + *-ado*[1].] *Adj.* Que tem a braguilha desabotoada.

esbranquecer [De *es-* + *branco* + *-ecer.*] *V. t. d.* Tornar quase branco; esbranquiçar.

esbranquecimento [De *esbranquecer* + *-imento.*] *S. m.* Ato ou efeito de esbranquecer; esbranquiçamento.

esbranquiçado [Part. de *esbranquiçar.*] *Adj.* **1.** Tirante a branco; alvacento, alvadio. **2.** Desbotado, descorado, deslavado: "D. Leonor, ... cujos lábios esbranquiçados revelavam mais ódio que terror, lançou-lhe um olhar de desprezo" (Alexandre Herculano, *Lendas e Narrativas,* I, pp. 82-83).

esbranquiçamento [De *esbranquiçar* + *-mento.*] *S. m.* Esbranquecimento.

esbranquiçar [De *es-* + **branquiço* (< *branco* + *-iço*) + *-ar*[2].] *V. t. d.* Esbranquecer.

esbraseado [Part. de *esbrasear.*] *Adj.* **1.** Posto em brasa. **2.** Quente ao extremo. **3.** *Fig.* Corado, avermelhado. **4.** Afogueado, esfogueado, incendido. [F. paral.: *abraseado.*]

esbraseamento [De *esbrasear* + *-mento.*] *S. m.* Ato ou efeito de esbrasear(-se).

esbrasear [De *es-* + *brasa* + *-ear*[2].] *V. t. d.* **1.** Pôr em brasa. **2.** Esquentar muito. **3.** Afoguear, ruborizar: *A discussão esbraseou-lhe as faces;* "Esbraseia o ocidente na agonia / O Sol..." (Raimundo Correia, *Poesias,* p. 107). **4.** Inflamar, excitar, acalorar: *esbrasear os ânimos.* *Int.* **5.** Fazer-se da cor de brasa. **6.** Ficar como em brasa. *P.* **7.** Fazer-se em brasa; inflamar-se, acender-se. **8.** Ficar da cor de brasa: *Ao crepúsculo, as nuvens esbraseavam-se no horizonte.* [Sin. ger.: *abrasear.* Conjug.: v. *frear.*]

E

esbravear [De *es-* + *bravo* + *-ear*[2].] *V. int.* **1.** V. *esbravecer.* **2.** Gritar, bradar, vociferar com ira; esbravejar. *T. i.* **3.** Esbravejar (3): "Não é a própria severidade que me faz esbravear contra aqueles vadios, é o amor que te voto" (Aluísio Azevedo, *A Condessa Vésper,* p. 170.) [Conjug.: v. *frear.*]

esbravecer [De *es-* + *bravo* + *-ecer.*] *V. int.* Tornar-se bravo; enfurecer-se; esbravear, esbravejar, bravejar. [Conjug.: v. *aquecer.*]

esbravejar [De *es-* + *bravo* + *-ejar.*] *V. int.* **1.** V. *esbravear* (2). **2.** V. *esbravecer.* *T. i.* **3.** Bradar, vociferar, gritar com ira: *Esbravejou contra a desordem em que encontrou a sala de aula.* *T. d.* **4.** Proferir irritadamente: *esbravejar ameaças.* **5.** *Bras. N. N.E.* Fazer perder a braveza, domesticando. [Sin. (CE), nesta acepç.: *esbrabejar.*] [Conjug.: v. *pelejar.*]

esbregue *S. m.* **1.** *Bras. Pop.* V. *descompostura* (2). **2.** *Bras. Pop.* V. *repreensão* (1). **3.** *Gír. Bras. RJ* V. *rolo*[1] (16).

esbroar [De *esboroar,* com síncope.] *V. t. d. Int. P.* V. *esboroar:* "Sentado o Brás num torrão de argila, que esbroara da barranca, entregou-se a uma singular ocupação." (José de Alencar, *Til,* p. 154); "as paredes esbroavam-se; o teto de fasquias de taquara caía aos pedaços" (Id., *ib.,* p. 96). [Conjug.: v. *coroar.*]

esbrugar *V. t. d.* V. *esburgar.* [Conjug.: v. *largar.*]

esbugalhado [Part. de *esbugalhar.*] *Adj.* Diz-se dos olhos muito salientes ou arregalados.

esbugalhar [De *es-* + *bugalho* + *-ar*[2].] *V. t. d.* **1.** Tirar os bugalhos a. **2.** Abrir muito (os olhos).

esbulhado [Part. de *esbulhar.*] *Adj.* **1.** Privado da posse, por fraude ou violência; espoliado, despojado. • *S. m.* **2.** Indivíduo esbulhado.

esbulhador (ô) [De *esbulhar* + *-dor.*] *Adj. S. m.* Que, ou aquele que esbulha; usurpador.

esbulhar [Do lat. *spoliare,* por via pop.] *V. t. d.* **1.** V. *espoliar* (1). *T. d. e i.* **2.** V. *espoliar* (2).

esbulho [Dev. de *esbulhar.*] *S. m.* Ato de esbulhar; despojo, espoliação.

esburacado [Part. de *esburacar.*] *Adj.* **1.** Que tem buracos. **2.** Roto, esfarrapado, esfrangalhado. [Sin. (bras.), nesta acepç.: *esburaquento.*]

esburacar [De *es-* + *buraco* + *-ar*[2].] *V. t. d.* **1.** Encher de buracos: *O tiroteio esburacou o muro.* **2.** Fazer buraco em; furar: *O menino esburacou o bolo com o dedo.* *P.* **3.** Encher-se de buracos. [Conjug.: v. *trancar.*]

esburaquento [De *es-* + *buraco* + *-ento.*] *Adj. Bras.* V. *esburacado* (2).

esburgado [Part. de *esburgar.*] *Adj.* **1.** A que se tirou a casca. **2.** A que se tirou a carne dos ossos. **3.** Muito magro; descarnado: "Tragicamente silencioso, olhando / O corpito esburgado e miserando / Da filha morta, resolveu tranquilo / Pentear-lhe os cabelos e vesti-lo" (Conde de Monsaraz, *Musa Alentejana,* pp. 244-245).

esburgar [Do lat. *expurgare,* por via pop.] *V. t. d.* **1.** Tirar a casca a. **2.** Tirar a carne de (os ossos). [Var.: *esbrugar.* Conjug.: v. *largar.*]

esburnir *V. t. d. Bras.* Dar contra vontade, ou de má vontade.

esbuxar *V. t. d. Desus.* Deslocar, desarticular (um membro).

escabecear [De *es-* + *cabecear.*] *V. int. T. c.* V. *cabecear* (2 e 6). [Conjug.: v. *frear.*]

escabeche (é) [Do ár. *sikbāğ* < persa *iskabaj.*] *S. m.* **1.** Molho ou conserva de temperos refogados (especialmente cebola), aos quais se adiciona vinagre, para carne ou peixe. **2.** *Fig.* Ornato para encobrir defeito; disfarce. **3.** *Pop.* Algazarra, confusão, banzé.

escabela [Dev. de *escabelar.*] *S. f.* Ação de arrancar o pelo aos couros, antes do curtimento.

escabelado[1] [De *es-* + *cabelo* + *-ado*[1].] *Adj.* Descabelado[1].

escabelado[2] [Part. de *escabelar.*] *Adj.* V. *descabelado*[2] (1 e 2).

escabelar [De *es-* + *cabelo* + *-ar*[2].] *V. t. d. P.* V. *descabelar.* [Pres. ind.: *escabelo*, etc. Cf. *escabelo* (ê).]

escabelo (ê) [Do lat. *scabellu.*] *S. m.* **1.** Banco com espaldar, comprido e largo, e cujo assento serve de tampa a uma caixa formada pelo mesmo móvel; escano. **2.** Pequeno banco: 📖 "uma vasta banca de pinho e muitos assentos rasos ou escabelos" (Alexandre Herculano, *Lendas e Narrativas*, I, p. 54). **3.** Banquinho baixo para descanso dos pés: 📖 "E aqueles dois homens bem refestelados em estofos do antigo estilo, o anfitrião com o pé amparado, familiarmente, sobre um escabelo, ambos velhos e sem darem-se conta da escassez da vida que tinham pela frente" (Braga Montenegro, *As Viagens*, p. 35). **4.** *Etnol.* Assento ao rés do chão, us. entre vários povos indígenas brasileiros, principalmente pelas mulheres, e que pode ser feito de talos de pecíolo de buriti, couro, líber, ou de carapaça de tartaruga ou de tatu. [Pl.: *escabelos* (ê). Cf. *escabelo*, do v. *escabelar.*]

escabichador (ô) [De *escabichar* + *-dor.*] *Adj. S. m.* Que, ou aquele que escabicha.

escabichar [De or. controv.] *V. t. d.* **1.** Investigar ou examinar com paciência (coisas miúdas); escarafunchar: 📖 "Na idade em que os rapazes correm atrás das raparigas, Aldrovando escabichava belchiores na pista dos mais esquecidos mestres da boa arte de maçar." (Monteiro Lobato, *Negrinha*, pp. 123-124.) **2.** Sondar, examinar; investigar. **3.** Esgaravatar, esgravatar; escarafunchar: 📖 "Escabichando um dente, a baronesa / Limpa o suor que escorre do pescoço" (Raimundo Correia, *Poesia Completa e Prosa*, p. 392). [Cf. *escambichar.*]

escabicida [Do lat. *scabie*, 'sarna', + *-cida.*] *Adj. 2 g.* **1.** Diz-se de medicamento que destrói o parasita *Sarcoptes scabiei*, que provoca a escabiose (q. v.). ● *S. m.* **2.** Medicamento escabicida.

escabino [Do germ. *skapins.*] *S. m.* **1.** Nos Países Baixos, magistrado adjunto ao burgomestre. **2.** Na França, magistrado municipal, antes de 1789. **3.** *Bras.* Durante a dominação dos holandeses, membro de câmaras municipais por eles criadas.

escabiosa [Do tax. *Scabiosa.*] *S. f. Bot.* **1.** Grande gênero de plantas dipsacáceas, herbáceas, nativas do Velho Mundo, com flores em capítulos terminais protegidos por invólucro foliáceo, corola ger. bilabiada e quatro estames. **2.** Qualquer espécie desse gênero, como, p. ex., a *Scabiosa caucasica* [v. *saudade* (3)]. **3.** Qualquer espécime desse gênero, ou a flor dele. [Cf. *escabiose.*]

escabiose [Do lat. *scabie*, 'sarna', + *-ose*[1].] *S. f. Derm.* Afecção cutânea contagiosa, parasitária, provocada no homem pelo *Sarcoptes scabiei* e nos animais, por ácaros que variam com a espécie. [Sin.: *sarna* e (bras., pop.) *coruba* ou *curuba*, *já-começa*, *jareré*, *jereba*, *jereré*, *pereba*, *pira.* Cf. *escabiosa.*]

escabioso (ô) [Do lat. *scabiosu.*] *Adj. Med.* Que tem erupções semelhantes às da sarna.

escabreação [De *escabrear* + *-ção.*] *S. f.* **1.** Ato ou efeito de escabrear(-se); zanga, irritação, enfurecimento. **2.** *Bras. BA* Acanhamento, encabulamento.

escabreado [Part. de *escabrear.*] *Adj.* **1.** Zangado, irritado, agastado. **2.** Agitado, movimentado, encabritado. **3.** *Bras.* Desconfiado, ressabiado: 📖 "Peguei três táxis diferentes, olhando escabreado para trás e para os lados, e finalmente cheguei ao hotel onde Kirsten estava hospedada." (Rubem Fonseca, *O Seminarista*, p. 141.) **4.** *Bras. BA* Acanhado, encabulado; retraído, esquivo. **5.** *Bras. S.* Escarmentado, arrependido.

escabrear [De *es-* + *cabra* + *-ear*[2].] *V. t. d.* **1.** Irritar; enfurecer. **2.** *Bras. BA* Encabular, acanhar. *Int. P.* **3.** Enfurecer-se; zangar-se, encabritar-se. **4.** *Bras.* Desconfiar, duvidar. **5.** *Bras. BA* Encabular-se, envergonhar-se. **6.** *Bras. S.* Arrepender-se; ressabiar-se. [Conjug.: v. *frear.*]

escabro [Do lat. *scabru.*] *Adj.* Áspero ao tato. ~ V. *folha —a.*

escabrosidade [De *escabroso* + *-(i)dade.*] *S. f.* **1.** Qualidade de escabroso; ingremidade, aspereza: 📘 *As escabrosidades do caminho retardaram-lhe a marcha.* **2.** *Fig.* Dificuldade, aspereza. **3.** *Fig.* Falta de decoro; inconveniência.

escabroso (ô) [Do lat. *scabrosu.*] *Adj.* **1.** Pedregoso, escarpado, áspero. **2.** Difícil, árduo. **3.** Oposto às conveniências, ou ao decoro.

escabujar [Do esp. *escabuchar*, poss.] *V. int.* Debater-se com os pés e com as mãos; espernear, esbracejar, estrebuchar: 📖 "mulheres alucinadas tombavam escabujando nas contorções violentas da histeria" (Euclides da Cunha, *Os Sertões*, p. 203); "Um garoto naquelas circunstâncias devia escabujar, chamar pela mãezinha, avermelhar-se de gritos de aflição" (José Gomes Ferreira, *O Mundo dos Outros*, p. 166).

escabulhar [De *escabulho* + *-ar*[2].] *V. t. d.* **1.** Tirar o escabulho a; descascar, expurgar. **2.** Escarafunchar, escabichar.

escabulho [De *es-* + **cabulho*, por *capulho.*] *S. m.* Invólucro de algumas sementes; cascabulho.

escacar [De *es-* + *caco* + *-ar*[2].] *V. t. d.* Fazer em cacos; pôr em pedaços; despedaçar, espedaçar. [Conjug.: v. *trancar.*]

escacha *El. s. f.* Us. na loc. *de escacha.* ◆ **De escacha.** Extraordinário; de arromba: 📖 "Ele, o pai, tenho eu ouvisto / que é materialão d'escacha" (Antônio Feliciano de Castilho, *O Médico à Força*, pp. 25-26).

escachar [Do lat. **exquassiare*, poss.] *V. t. d.* **1.** Abrir à força; fender, partir, rachar. **2.** Separar meio a meio; rachar ao meio. **3.** Fazer embatucar; confundir.

escachoante [De *escachoar* + *-nte.*] *Adj. 2 g.* Que escachoa.

escachoar [De *es-* + *cachão*[1] + *-ar*[2], com desnasalação.] *V. int. T. c.* Rebentar ou ferver em cachão; borbotar, borbulhar, acachoar: 📘 *As águas da cachoeira escachoavam*; 📖 "As águas do ribeirão, sob a ponte, / Escachoam nas pedras solitárias." (Ribeiro Couto, *Poesias Reunidas*, p. 201). [Conjug.: v. *coroar.*]

escacholar [De *es-* + *cachola* + *-ar*[2].] *V. t. d.* Partir a cachola de; quebrar a cabeça a.

escachoo [Dev. de *escachoar.*] *S. m.* Ação de escachoar. ❖

escada [Do b.-lat. *scalata.*] *S. f.* **1.** Estrutura fixa ou móvel constituída de uma série de degraus [v. *degrau* (1 e 2)] por onde se sobe ou desce para atingir pontos ou planos em alturas diferentes: 📘 *escada de pedra, de madeira, de corda.* [Sin.: *escaleira* (p. us.) e *escala* (ant.).] **2.** *Fig.* Meio de alguém vencer ou se elevar: 📘 *Seu curso no estrangeiro serviu-lhe de escada para o cargo que hoje ocupa.* **3.** *Bras. BA* Entre os baleeiros, o ventre da baleia. **4.** *Bras. Turfe* Processo, usado por alguns apostadores, de ir subindo de uma unidade as apostas após cada perda e, por outro lado, diminuir de uma unidade as apostas depois de cada uma acertada. ◆ **Escada de caracol.** Aquela em que a superfície tangente aos degraus se desenvolve em espiral, em torno dum eixo; escada de parafuso, escada torcida, escada em espiral. **Escada de parafuso.** V. *escada de caracol.* **Escada em espiral.** V. *escada de caracol.* **Escada rolante.** Aquela cujos degraus se movem, subindo ou descendo, acionados mecanicamente, e que funciona como ascensor. **Escada torcida.** V. *escada de caracol.*

escada-de-jabuti *S. f. Bot.* **1.** *Bras. N.E. C.O.* Designação comum a dois cipós arbustivos cesalpiniáceos (*Bauhinia alata* e *B. rutilans*) de flores alvas, dispostas em racimos corimbosos e alongados, e cujos frutos são vagens coriáceas; unha-de-boi. **2.** V. *cipó-escada.* [Pl.: *escadas-de-jabuti.*]

escadaria [De *escada* + *-aria.*] *S. f.* **1.** Série de escadas em lanços seguidos, separados por patins ou patamares. **2.** Escada ampla e/ou longa. [Sin. ger.: *escadório*, *escadós.*]

escádea *S. f.* Ramificação dum cacho de uvas; esgalha, esgalho.

escadear [De *escada* + *-ear*[2].] *V. t. d.* Dar feição de escada a. [Conjug.: v. *frear.*]

escadeirar [De *es-* + *cadeira* + *-ar*[2].] *V. t. d.* **1.** V. *descadeirar* (1 e 2). **2.** Abrir a bacia abdominal e torácica a (a rês). *P.* **3.** V. *descadeirar* (3).

escadelecer [De *es-* + lat. **cadescere* (< lat. *cadere*, 'cair'), poss.] *V. int. Pop.* Dormitar, cochilar, toscanejar, tosquenejar. [Conjug.: v. *aquecer.*]

escadense *Adj. 2 g.* **1.** De, ou pertencente ou relativo a Escada (PE). ● *S. 2 g.* **2.** O natural ou habitante de Escada.

escadinha [De *escada* + *-inha.*] *S. f.* Porção de filhos pequenos cujas idades são próximas entre si, o que faz que as alturas difiram pouco: 📘 *Casou-se há oito anos, e já tem uma escadinha.*

escadório [De *escada* + *-ório.*] *S. m.* V. *escadaria.*

escadós [De *escada.*] *S. m.* V. *escadaria.* [Pl.: *escadoses.*]

escadote [De *escada* + *-ote*[1].] *S. m.* Pequena escada portátil, formada por duas peças, ligadas por articulações [v. *articulação* (9)], e que se abrem em ângulo.

escafandrista [De *escafandro* + *-ista.*] *S. 2 g.* Mergulhador que utiliza o escafandro.

escafandro [Do fr. *scaphandre.*] *S. m.* Vestimenta impermeável e hermeticamente fechada, provida de um aparelho respiratório, e própria para o mergulhador permanecer muito tempo no fundo da água.

escafeder-se [De or. express.] *V. p. Pop.* Fugir às pressas; safar-se, esgueirar-se.

▲ **escaf(o)-** [Do gr. *skáphos, eos-ous.*] *El. comp.* = 'quilha (1)'; 'barco': *escafocéfalo.* [Equiv.: *-scafo*: *batiscafo.*]

escafocefalia [De *escaf(o)-* + *-cefal(o)-* + *-ia*[1].] *S. f.* Qualidade de escafocéfalo.

escafocéfalo [De *escaf(o)-* + *-céfalo.*] *Adj.* Que tem cabeça escafoide.

escafoide (ói) [Do gr. *skaphoeidés.*] *Adj. 2 g.* **1.** Que tem forma de quilha. ● *S. m.* **2.** *Anat.* Osso de carpo. **3.** *Anat.* Osso de tarso. ❖

escafópode [De *escaf(o)-* + *-pode*; tax. *Scaphopoda.*] *Zool. S. m.* **1.** Espécime dos escafópodes, classe de moluscos desprovidos de olhos, com os dois rins, o fígado, o estômago simples, o coração e uma gônada protegidos na cavidade do manto. Sistema nervoso ganglionar, tentáculos retráteis e pé cônico, presentes na extremidade anterior. Vivem enterrados no fundo do mar até a profundidade de 5.000m. ● *Adj. 2 g.* **2.** Pertencente ou relativo a eles.

escaiola [Do it. *scagliola.*] *S. f.* Preparação de gesso e cola que imita pedra ou mármore, própria para revestir paredes, estátuas, colunas, etc.

escaiolador (ô) [De *escaiolar* + *-dor.*] *S. m.* Operário que escaiola.

escaiolar [De *escaiola* + *-ar*[2].] *V. t. d.* Cobrir ou revestir de escaiola.

escala [Do lat. *scala.*] *S. f.* **1.** *Ant.* V. *escada* (1). **2.** Linha graduada, dividida em partes iguais, que indica a relação das dimensões ou distâncias marcadas sobre um plano com as dimensões ou distâncias reais: 📘 *escala de um mapa*; *escala de um gráfico estatístico.* **3.** Instrumento us. em desenho técnico, ger. com três faces, cada uma delas com duas escalas [v. *escala* (2)] diferentes, uma em cada borda, perfazendo, assim, seis opções de dimensionamento. **4.** Porto aonde acorrem navios em grande número, para efeitos de comércio ou de embarque e desembarque de passageiros. **5.** Tempo que os navios permanecem no porto. **6.** *P. ext.* Lugar de parada de qualquer meio de transporte de viajantes. **7.** *P. ext.* Tempo que dura em parada: 📘 *Durante a escala no Recife os passageiros não saíram do avião.* **8.** Tabela de serviço. **9.** *Fig.* Hierarquia (3): 📘 *escala social*; *escala de valores.* **10.** *Fís.* Sequência ordenada de marcas (traços, pontos, etc.) mediante a qual se estabelece, num instrumento de medida, a correspondência entre a sua resposta e a grandeza que ele mede. **11.** *Fís.* Correspondência funcional, expressa por uma relação analítica, por uma tabela, ou por um gráfico, entre uma grandeza e uma variável arbitrária que, em geral, se pode determinar experimentalmente. **12.** *Mús.* Grupo predeterminado de sons que se sucedem por graus conjuntos ou intervalos maiores, e que podem ser ascendentes ou descendentes. ◆ **Escala absoluta de temperatura.** *Fís.* V. *escala internacional de temperatura.* **Escala Celsius.** *Fís.* Escala de medida de temperatura com dois pontos fixos: o *0*, na temperatura de fusão do gelo sob pressão de uma atmosfera, e o *100*, na temperatura de ebulição da água sob pressão de uma atmosfera. [A sua unidade é o grau Celsius (°C). Sin.: *escala centesimal* e (impr.) *escala centígrada.*] **Escala centesimal.** *Fís.* V. *escala Celsius.* **Escala centígrada.** *Impr.* V. *escala Celsius.* **Escala cromática.** *Mús.* Escala formada por uma sucessão de semitons. **Escala de cor.** *Art. Gráf.* Conjunto de prova de cores (q. v.) de uma matriz para impressão. **Escala de Richter.** *Geofís.* Escala logarítmica, variável de 1 até 10, us. para medir a magnitude de um abalo sísmico. **Escala de tons inteiros.** *Mús.* Escala formada por uma sucessão de tons. **Escala diatônica.** *Mús.* Escala formada por uma sucessão de tons e semitons diatônicos. **Escala do acomodador.** *Tip.* Regreta graduada em cíceros e meios cíceros, que serve para estabelecer a medida da linha no acomodador da linotipo. **Escala do componedor.** *Tip.* Peça da linotipo, análoga à escala do acomodador, mas numerada em sentido inverso, e que indica a medida da linha composta. **Escala do expulsor.** *Tip.* Régua numerada que indica a medida para a qual se acha regulado o expulsor da linotipo. **Escala Fahrenheit.** *Fís.* Escala de medida de temperatura, ainda usada em países de língua inglesa, em que o 32 corresponde à temperatura de fusão da água e o 212 à temperatura de ebulição normal da água. [A sua unidade é o grau *Fahrenheit* (°F). Tb. se diz apenas *Fahrenheit.*] **Escala hexatônica.** *Mús.* Escala formada por seis notas. **Escala internacional de temperatura.** *Fís.* Escala de temperatura baseada nos dois princípios da termodinâmica, com um ponto fixo: o ponto triplo da água, que é fixado em 273,16K. Com essa escolha, o tamanho do grau coincide com o tamanho do grau na escala Celsius. [Sin.: *escala absoluta de temperatura* e *escala Kelvin.*] [Cf. *Kelvin.*] **Escala Kelvin.** *Fís.* V. *escala internacional de temperatura.* **Escala octatônica.** *Mús.* Escala composta por oito notas, e em que há alternância de tons e semitons. **Escala pentatônica.** *Mús.* Escala formada por cinco notas. **Escala Réaumur.** *Fís.* Escala de medida de temperatura, proposta pelo físico francês R.-A. F. de Réaumur (1683-1757), na qual 0° corresponde à temperatura de congelamento da água, e 80° corresponde à temperatura de ebulição da água. [A sua unidade é o *grau Réaumur* (°R).] **Escala técnica.** *Aer.* A que se faz necessária por motivos outros que não o embarque e desembarque, p. ex., para reabastecimento. **Em grande escala.** Em grande quantidade. **Fazer escala em.** Entrar em (porto, aeroporto, etc., situado entre o de partida e o de destino); escalar.

escalabitano [Do lat. *scalabitanu.*] *Adj. S. m.* V. *santareno.*

escalação [De *escalar*[2] + *-ção.*] *S. f. Bras.* Ato ou efeito de escalar[2].

escalada [Do fr. *escalade*, poss.] *S. f.* **1.** Ação de escalar[2]; escalamento. **2.** *Esport.* Esporte que consiste em escalar montanhas ou paredões artificiais, especialmente preparados. **3.** Aumento progressivo de uma atividade guerreira. **4.** Introdução progressiva de armas cada vez mais potentes numa guerra. **5.** Remessa progressiva de maior número de contingentes a uma guerra.

escalador[1] (ô) [De *escalar*[3] + *-dor.*] *S. m.* Indivíduo que escala peixe, em fábricas de conservas.

escalador[2] (ô) [De *escalar*[2] + *-dor.*] *Adj. S. m.* **1.** Que, ou aquele que escala montanhas. **2.** *P. us.* Que, ou aquele que escala [v. *escalar*[2] (4)]; assaltante.

escalafobético [De or. express. (v. *-ético*).] *Adj. Bras. Gír.* **1.** Esquisito, extravagante, estrambótico, excêntrico. **2.** Desajeitado, desengonçado. **3.** Escangalhado, afolozado.

escalafrio [Do esp. *escalofrío.*] *S. m.* V. *calafrio.* [M. us. no pl.]

escalamento [De *escalar*[2] + *-mento.*] *S. m.* Escalada (1).

escalão [De *escala* + *-ão*[1].] *S. m.* **1.** Cada um dos pontos sucessivos de uma série; nível, grau, degrau: "para não descer um a um todos os escalões desta degradação higiênica, apontemos o último dos últimos" (Ricardo Jorge, *Sermões dum Leigo*, pp. 293-294). **2.** *Fig.* Conjunto de elementos distribuídos em escalão: *O primeiro escalão do Governo é formado pelos seus auxiliares mais importantes, como os ministros, e em grau de importância se seguem os auxiliares que compõem gradativamente o 2º, o 3º escalão, etc.* ◆ **Em escalão.** Diz-se da maneira de dispor tropas umas por detrás de outras a fim de que possam sustentar-se mutuamente: o primeiro escalão é o que está mais próximo do inimigo; o segundo escalão é o encarregado de reforçar o ataque do primeiro; etc.

escalar[1] [Do lat. *scalaris.*] *Adj. 2 g.* **1.** Que tem uma série ininterrupta de degraus, ou de escalões. **2.** Que é representado em escala (2). **3.** Diz-se de qualquer grandeza que pode ser caracterizada exclusivamente por um número, dimensional ou não. ~ V. *campo —, matriz —, potencial —, produto —* e *velocidade —.* ● *S. m.* **4.** *Fís.* Grandeza escalar.

escalar[2] [De *escala* + *-ar*[2].] *V. t. d.* **1.** Assaltar, subindo por escadas. **2.** Subir a (algum lugar) usando escadas; trepar a. **3.** *Esport.* Subir a (montanha íngreme, em geral de formação rochosa): "Aos sábados, escalavam as montanhas da Gávea." (Nélida Piñon, *O Calor das Coisas*, p. 39.) **4.** Saquear, roubar. **5.** Assolar, destruir. **6.** Galgar, atingir: *Escalou todos os postos.* **7.** Graduar por escala. **8.** Acutilar, golpear. **9.** *Bras.* Designar (pessoas) para serviços ou tarefas em horas ou lugares diferentes. **10.** *Bras.* Escolher ou designar (pessoa, grupo de pessoas, comissão, equipe, etc.) levando em conta o grau de eficiência, aptidão ou adequação ao desempenho de determinada função ou tarefa. *T. c.* **11.** Fazer escala em: *O navio escala em numerosos portos.*

escalar[3] [De *es-* + *calar*[2].] *V. t. d.* Estripar e salgar (peixe).

escalariforme [De *escalar*[1] + *-iforme.*] *Adj. 2 g.* Em forma de escada, ou de escala.

escalavradura [De *escalavrar* + *-dura.*] *S. f.* Ferimento leve; escoriação, esfoladela.

escalavramento [De *escalavrar* + *-mento.*] *S. m.* Ato ou efeito de escalavrar.

escalavrar [Do esp. *descalabrar*, com mudança de pref. (v. *es-*).] *V. t. d.* **1.** Golpear, esfolar, arranhar: *O banhista escalavrou as costas no rochedo.* **2.** Danificar, esburacar, o revestimento de (paredes). **3.** Arruinar, deteriorar: *O álcool escalavra as vísceras.*

escalda [Dev. de *escaldar.*] *S. f.* Ato ou efeito de escaldar(-se); escaldadura.

escaldadela [De *escaldar* + *-dela.*] *S. f.* **1.** V. *escaldadura.* **2.** Escaldadura ligeira. **3.** *Fig.* Dura lição da experiência.

escaldadiço *Adj.* **1.** Que se escalda com facilidade. **2.** Muito sensível ao calor; queimadiço. **3.** *Fig.* Muito impressionável.

escaldado [Part. de *escaldar.*] *Adj.* **1.** Que foi posto em água fervente: *ovos escaldados.* **2.** Em que se jogou água fervente: *bule escaldado.* **3.** *Fig.* Que sofreu escaldadela (3); escarmentado. ● *S. m.* **4.** *Bras.* Espécie de pirão feito com o caldo a ferver e farinha, sem ser mexido.

escaldador (ô) [De *escaldar* + *-dor.*] *Adj.* **1.** Escaldante. ● *S. m.* **2.** Aquele ou aquilo que escalda.

escaldadura [De *escaldar* + *-dura.*] *S. f.* **1.** Ato ou efeito de escaldar(-se); escalda. **2.** Queimadura (2) por líquido quente ou vapor. **3.** *P. ext.* Ferimento, machucado. **4.** *Fig.* Correção, castigo; escarmento. **5.** *Fig.* V. *repreensão* (1). [Sin. ger.: *escaldão* e *escaldadela.*]

escalda-mar [De *escalda* + *mar*[1].] *S. f. Bras. Pop. Zool.* **1.** Designação comum aos exemplares jovens, de pequeno porte, da sororoca, assim chamados por causa da agitação que fazem na água, semelhante à efervescência. **2.** V. *sororoca* (2). [Pl.: *escalda-mares.*]

escaldante [De *escaldar* + *-nte.*] *Adj. 2 g.* Que escalda; escaldador.

escaldão [De *escaldar* + *-ão*[3].] *S. m.* **1.** V. *escaldadura.* **2.** Escaldadura forte. **3.** *Lus. Pop.* Queimadura de sol.

escalda-pés [De *escaldar* + o pl. de *pé.*] *S. m. 2 n.* Pedilúvio com água muito quente: "atirei com a casaca para um lado, arregacei as mangas da camisa e fui dar o escalda-pés à criança." (Joaquim Manuel de Macedo, *Os Romances da Semana*, p. 26).

escaldar [Do lat. *excaldare.*] *V. t. d.* **1.** Queimar com líquido quente ou vapor. **2.** Queimar com metal quente. **3.** Meter em água fervendo; lavar com água muito quente. **4.** Causar excessivo calor a; aquecer muito: *A febre escalda-lhe o corpo.* **5.** Ressecar, esterilizar: *O excesso de sol escalda a terra.* **6.** Refogar, guisar. **7.** Escarmentar, castigar. **8.** Inflamar, excitar: *O amor escaldava sua mente.* *Int.* **9.** Ser muito quente; produzir muito calor: "Depois, a pino, o sol escalda" (Ricardo Gonçalves, *Ipês*, p. 60). **10.** Tornar-se quente, febril. *P.* **11.** Sofrer queimadura; queimar-se. **12.** Escarmentar-se, punir-se.

escalda-rabo [De *escaldar* + *rabo.*] *S. m. Pop.* **1.** V. *descompostura* (2). **2.** V. *repreensão* (1). [Pl.: *escalda-rabos.*]

escaldo[1] [Dev. de *escaldar.*] *S. m. Bras.* Amadurecimento prematuro do trigo, sob a ação escaldante do sol.

escaldo[2] [Do escandinavo ant. *skāld*, pelo ingl. *skald, scald.*] *S. m.* Designação genérica dos antigos bardos escandinavos.

escaleira [Do lat. *scalaria.*] *S. f.* **1.** *P. us.* V. *escada* (1). **2.** Escada de alvenaria ou cantaria. **3.** Degrau de escada.

escaleno [Do gr. *skalenós*, pelo lat. *scalenu.*] *Adj.* ~ V. *músculo —* e *triângulo —.*

escalenoedro [De *escaleno* + *-edro.*] *S. m.* **1.** *Geom.* Poliedro cujas faces são triângulos escalenos. ● *Adj.* **2.** Que tem faces desiguais.

escaler (é) [De or. obscura.] *S. m. Mar. G.* Embarcação miúda, de proa fina e popa chata, boca aberta, impelida a remo ou a vela, e destinada a executar serviços de um navio ou repartição marítima.

escaleta (ê) [De *escala* + *-eta* (ê).] *S. f. Ant. Artilh.* Cada um dos cortes, em forma de degraus, nas falcas das carretas de bordo.

escalete (ê) [De *escaleto*, alter. de *esqueleto.*] *S. m. Pop.* Indivíduo extremamente magro; escaleto.

escaleto (ê) *S. m. Pop.* V. *escalete.*

escalfador (ô) [De *escalfar* + *-dor.*] *S. m.* Vaso em que se conserva água quente para o chá, café, mate, ponche, etc.

escalfar [Do lat. *excalefacere.*] *V. t. d.* **1.** Aquecer no escalfador. **2.** Passar por água quente.

escalfeta (ê) [De *escalfar* + *-eta* (ê).] *S. f.* **1.** Braseiro em forma de caixa, com tampa de metal, gradeada, para aquecer os pés. **2.** Abafo, geralmente feito de peles, para aquecer os pés.

escaliçar [De *es-* + *caliça* + *-ar*[2].] *V. t. d.* Descaliçar. [Conjug.: v. *laçar.*]

escalinata [Do it. *scalinata.*] *S. f.* Lanços de escada.

escallônia *S. f. Bot.* V. *escallônia.* [Uso freq. em P.]

escallônia *S. f. Bot.* Escalônia (q. v.).

escalo [Do lat. *squalu.*] *S. m. Zool.* V. *robalinho.*

escalonado [Part. de *escalonar.*] *Adj.* **1.** A que se deu forma de escada. **2.** Disposto em escalão. **3.** Que é objeto de escalonamento. ~ V. *sapata —a.*

escalonamento [De *escalonar* + *-mento.*] *S. m.* Ato ou efeito de escalonar(-se).

escalonar [Do esp. *escalonar.*] *V. t. d.* **1.** Dar a forma de escada (1) a. **2.** Dispor (as tropas) em escalão. **3.** Subir por degraus ou etapas; escalar. *P.* **4.** Dispor-se ou agrupar-se em escalão. **5.** *P. ext.* Dispor-se, agrupar-se: "Os destemperos da nossa vida escalonam-se dentro de limites muito próximos" (Fernanda Botelho, *Lourenço É Nome de Jogral*, p. 127).

escalônia *S. f. Bot.* V. *escalônia.* [Uso freq. em P.]

escalônia [Do tax. *Escallonia* (do antr. *Escallon*, de um viajante espanhol, + lat. cient. *-ia* [v. *-ia*[2]]).] *S. f. Bot.* **1.** Gênero de árvores e arbustos saxifragáceos, nativos da América do Sul, de folhas simples e brilhantes, denteadas, flores ger. em racemos terminais, e frutos capsulares; são cultivados como ornamentais. **2.** Espécie ou espécime desse gênero.

escalope [Do fr. *escalope.*] *S. m. Cul.* Pequena fatia de filé (1), geralmente de vitela, cortada no sentido transversal à fibra da carne, batida com faca ou martelo apropriado, e preparada como bife (1) ou à milanesa. [Cf. *bife* (1).]

escalpação [De *escalpar* + *-ção.*] *S. f.* Escalpamento.

escalpamento [De *escalpar* + *-mento.*] *S. m.* Ato de escalpar; escalpação.

escalpar [De *escalpo* + *-ar*[2].] *V. t. d.* Arrancar a pele do crânio a; escalpelar. [Cf. *escalpelar*[1].]

escalpelar[1] [De *escalpelo* + *-ar*[2].] *V. t. d.* **1.** Rasgar ou dissecar com escalpelo; dissecar. **2.** Analisar profundamente; criticar; escalpelizar. [Pres. ind.: *escalpelo*, etc. Cf. *escalpelo* (ê) e *escalpar.*]

escalpelar[2] [Cruz. de *escalpar* com *pelar*, poss.] *V. t. d.* V. *escalpar.*

escalpelizar [De *escalpelo* + *-izar.*] *V. t. d.* V. *escalpelar*[1] (2).

escalpelo (ê) [Do lat. *scalpellu.*] *S. m. Cir.* Bisturi de um ou dois gumes, utilizado em dissecações. [Pl.: *escalpelos* (ê). Cf. *escalpelo*, do v. *escalpelar.*]

escalpo [Do ingl. *skalp.*] *S. m.* Cabeleira arrancada do crânio com a pele, troféu de guerra para alguns povos indígenas americanos.

escalrachar [De *escalracho* + *-ar*[2].] *V. int.* Tirar o escalracho (1) da terra.

escalracho [De or. obsc.] *S. m.* **1.** *Bot.* Planta poácea nociva às searas. **2.** Agitação que o navio produz na água ao movimentar-se.

escalrichado *Adj.* Sem sabor; insípido, insosso.

escalvação [De *escalvar* + *-ção.*] *S. f.* Ato ou efeito de escalvar.

escalvado [Part. de *escalvar.*] *Adj.* **1.** Sem cabelos; calvo, careca, descalvado. **2.** *Fig.* Falto de vegetação; árido, estéril, calvo, descalvado: "Uma encosta escalvada / Seca, deserta e nua, à beira duma estrada." (Guerra Junqueiro, em *Agostinho de Campos, Junqueiro*, p. 123.) ● *S. m.* **3.** *Bras. PA* Pastagem de bom capim, entre dois aningais ou pirizais.

escalvar [De *es-* + *calvo* + *-ar*[2].] *V. t. d.* **1.** Tornar calvo, careca. **2.** Tirar a vegetação a; tornar estéril, calvo. [Sin.: *descalvar.*]

escama [Do lat. *squama.*] *S. f.* **1.** *Zool.* Cada uma das pequenas lâminas que revestem o corpo de alguns peixes e reptis. **2.** *Derm.* Cada uma das crostas ou películas que se separam da epiderme em consequência de certas moléstias. **3.** Qualquer objeto escamiforme: *manto recamado de escamas de prata; armadura coberta de escamas.* **4.** *Bot.* Órgão laminar, pequenino e seco, não verde, que frequentemente se encontra em diferentes partes das plantas. **5.** *Zool.* Designação vulgar da secreção, em geral escamiforme, dos insetos homópteros coccídeos, sob a qual permanecem durante toda a existência ou parte dela. **6.** *P. ext. Zool.* V. *cochonilha.* **7.** *Zool.* Cada uma das placas localizadas no tarso de determinadas aves. [Dim. irreg.: *escâmula.*]

escamação [De *escamar* + *-ção.*] *S. f.* **1.** Ato ou efeito de escamar; escamadura. **2.** Doença de certas plantas. **3.** *Fig.* Zanga, ira, irritação.

escama-chinesa [De *escama* + o f. de *chinês.*] *S. f. Bras. Zool.* V. *piolho-de-são-josé.* [Pl.: *escamas-chinesas.*]

escamadeira [De *escamar* + *-deira.*] *S. f.* Mulher que escama peixe.

escama-de-são-josé [De *escama* + *de* + o hag. de *São José.*] *S. f. Bras. Zool.* V. *piolho-de-são-josé.* [Pl.: *escamas-de-são-josé.*]

escamadiço *Adj.* Irritadiço, genioso.

escamado[1] [Part. de *escamar.*] *Adj.* **1.** Privado de escamas. **2.** *Fig.* Zangado, irritado, amuado, aborrecido, enfadado.

escamado[2] [Adapt. do tax. *Squamata.*] *Zool. S. m.* **1.** Espécime dos escamados, ordem de reptis cuja pele é revestida por escamas ou placas córneas, sem costelas abdominais, e abertura anal transversa. São os sáurios e os ofídios. ● *Adj.* **2.** Pertencente ou relativo a eles. [Sin. ger.: *saurofídio.*]

escamador (ô) [De *escamar* + *-dor.*] *Adj. S. m.* Que ou o que escama.

escamadura [De *escama* + *-dura.*] *S. f.* Escamação (1).

escamalhoar [De *es-* + *camalhão* + *-ar*[2], com desnasalação.] *V. t. d.* **1.** Fazer camalhões em (um terreno). *Int.* **2.** Fazer camalhões. [Conjug.: v. *coroar.*]

escamanço [De *escamar* (4) + *-anço.*] *S. m. Lus.* Zanga; aborrecimento; amuo.

escamante [De *escama* + *-nte.*] *Adj. 2 g.* Descamante (1).

escamar [De *escama* + *-ar*[2].] *V. t. d.* **1.** Tirar as escamas a; descamar. *Int.* **2.** Desfazer-se em escamas; descamar-se: *Ressecada, a pele escamou.* *P.* **3.** Perder ou largar as escamas, ou casca, pele, etc.; descamar-se. **4.** *Fig.* Zangar-se, irritar-se. [Pres. subj.: *escame*, ... *escameis*, *escamem*. Cf. *escaméis*, pl. de *escamel.*]

escamar-se [Da mesma or. obscura que o esp. *escamar.*] *V. p.* V. *fugir* (1 e 2). [Pres. subj.: *escame*, ... *escameis*, *escamem*. Cf. *escaméis*, pl. de *escamel.*]

escama-verde *S. f. Bras. Zool.* V. *cochonilha-verde.* [Pl.: *escamas-verdes.*]

escambador (ô) [De *escambar* + *-dor.*] *S. m.* Aquele que escamba.

escambar [De *escambo* + *-ar*[2].] *V. t. d.* Trocar, permutar; cambiar.

escambau [De or. obsc.] *El. s. m.* Us. nas loc. *e o escambau*, *o escambau.* ◆ **E o escambau.** *Bras. Gír.* E outras coisas, e mais coisas, etc.: "Depois você me chama de omisso, de traidor e o escambau" (Silviano Santiago,

Stella Manhatan, p. 185). **O escambau.** *Bras. Gír.* Uma ova, nada disso, coisa nenhuma: "há muita gente que faz isso: chama os outros de 'meu amor' quando gostaria de chamar de coisa bem diferente. .... Meu amor o escambau." (Marta Medeiros, em *Revista O Globo*, 27.08.2006).

escambichar *V. t. d. Bras.* Descadeirar, escadeirar, desancar, derrengar. [Cf. *escabichar*.]

escambinhado *Adj. Bras. N.E. Pop.* Esbandalhado, esbodegado, arrebentado.

escambo [Por *escambio < *es-* + *câmbio*.] *S. m.* **1.** Troca direta de mercadorias, sem interveniência da moeda: "ele mesmo se incumbiu de fazer o escambo. Café, sabão, sal .... foram trocados por frutas, peixes e tartarugas." (Milton Hatoum, *Cinzas do Norte*, p. 63). **2.** *P. ext.* Troca, permuta; câmbio.

escambroeiro [Do esp. *escambrón* + *-eiro*, com desnasalação.] *S. m. Bot.* **1.** Arbusto ramnáceos (*Rhamnus catharticus*) de um a dois metros de altura, de pequenas folhas glaucas, flores solitárias, esverdeadas, e frutos drupáceos que têm propriedades purgativas. **2.** V. *catapereiro*.

escameado [De *escama* + *-eado*.] *Adj.* Revestido de escamas.

escamel [Do lat. *scamellu*.] *S. m.* **1.** Banco sobre o qual os espadeiros pulem as espadas. **2.** Aquele que brune (sobretudo espadas). **3.** *Fig.* Brunimento, acabamento, aperfeiçoamento. [Pl.: *escaméis*. Cf. *escaméis*, do v. *escamar*.]

escamelar *V. t. d.* Puxar (o prepúcio) para trás.

escamento [De *escama* + *-ento*.] *Adj.* V. *escamoso* (1 e 2).

escamífero [Do lat. *squamiferu*, 'escamoso'.] *Adj.* V. *escamoso* (1 e 2).

escamiforme [De *escama* + *-iforme*.] *Adj. 2 g.* Que tem forma de escama. ~ V. *folha* —.

escamígero [Do lat. *squamigeru*.] *Adj.* V. *escamoso* (1 e 2).

escamisada [De *escamisar* + *-ada*[1].] *S. f.* V. *descamisada*.

escamisadela [De *escamisar* + *-dela*.] *S. f.* V. *descamisada*.

escamisar [De *es-* + *camisa* + *-ar*[2].] *V. t. d.* V. *descamisar*.

escamodermo [De *escama* + *-o-* + *-dermo*.] *Adj. Zool.* Diz-se de peixe que apresenta o corpo completamente coberto de escamas, ou cujo tegumento é todo escamado.

escamônia *S. f.* V. *escamônea*. [Uso freq. em P.]

escamônia [Do gr. *skammonía*, pelo lat. *scammonia*.] *S. f.* **1.** *Bot.* Planta convolvulácea (*Convolvulus scammonia*) trepadeira, dotada de raiz espessa, folhas sagitadas e flores brancas. **2.** Resina purgativa extraída dessa planta.

escamoso (ô) [Do lat. *squamosu*.] *Adj.* **1.** Coberto de escamas. **2.** *Bot.* Provido de escamas [v. *escama* (4)]; lepidoto. [Sin., nessas acepçs.: *escamento*, *escamífero*, *escamígero*.] **3.** *Bras. SP Fam.* Diz-se de indivíduo enjoado, seco, intratável, insociável. **4.** *Zool.* Diz-se de osso membranoso que forma cada parte posterolateral do crânio e que, nos mamíferos, articula-se com a mandíbula. ● *S. m.* **5.** *Zool.* Osso escamoso (4).

escamotar [Do fr. *escamoter*.] *V. t. d. Int. P.* V. *escamotear*.

escamoteação [De *escamotear* + *-ção*.] *S. f.* **1.** Ato de escamotear. **2.** Furto hábil; empalmação.

escamoteador (ô) [De *escamotear* + *-dor*.] *S. m.* **1.** Aquele que escamoteia. **2.** Gatuno hábil.

escamotear [Do fr. *escamoter*, com mudança de suf. (v. *-ear*[2]).] *V. t. d.* **1.** Fazer desaparecer sem que se perceba; empalmar. **2.** Furtar com habilidade; surripiar, surrupiar. **3.** Encobrir com subterfúgios: *Os jornais escamotearam a catástrofe.* *Int.* **4.** Fazer escamoteação. *P.* **5.** Fugir sorrateiramente. [F. paral: *escamotar*. Conjug.: v. *frear*.]

escampado [Part. de *escampar*[1].] *Adj.* **1.** V. *descampado* (1). **2.** Largo, vasto: *testa escampada.* **3.** Diz-se de tempo sereno, estiado, desanuviado; escampo. ● *S. m.* **4.** V. *descampado* (2).

escampar[1] [De *es-* + *campo* + *-ar*[2].] *V. int.* **1.** Serenar (o tempo) [como se no céu se abrisse um campo, separando as nuvens]; deixar de chover. **2.** Aclarar-se (o céu).

escampar[2] [De *escapar*, com nasalação, poss.] *V. t. c. Int. P.* Fugir, escapar.

escampo [Dev. de *escampar*[1].] *Adj.* Escampado (3).

escâmula [Do lat. *squamula*.] *S. f.* Pequena escama.

escamurrengar [De *casmurro*.] *V. int. Bras. RS* Tornar-se casmurro, sorumbático. [Conjug.: v. *largar*.]

escanado [De *es-* + *cano*[1] + *-ado*[1].] *Adj.* **1.** *Zool.* Diz-se das aves que, por serem adultas, já não têm matéria sanguínea nas penas. **2.** *Fig.* Adulto, experiente; velho.

escanção [Do frâncico *skankjo, pelo fr. ant. *eschanson* (atual *échanson*).] *S. m.* **1.** *Ant.* Aquele que punha o vinho na copa e a apresentava ao rei. **2.** Aquele que dá a beber aos convidados. **3.** *Lus.* Sommelier (q. v.). [Cf. *escansão*.]

escançar [De *escanção* + *-ar*[2], com desnasalação e síncope.] *V. t. d.* **1.** Servir ou repartir (o vinho); escancear. **2.** *Restr.* Repartir, partilhar, aquinhoar. [Conjug.: v. *laçar*.]

escâncara [Dev. de *escancarar*.] *S. f.* Estado daquilo que está à vista, a descoberto, patente. [Cf. *escancara* e *escancaras*, do v. *escancarar*.] ◆ **Às escâncaras.** A descoberto; à vista de todos: "Em sua estagnação arde uma porta. / Tragicamente, à espera de quem passa / Para abrir-lhe, às escâncaras, a porta..." (Ferreira Gullar, *Toda a Poesia de Augusto dos Anjos*, p. 159.)

escancarado [Part. de *escancarar*.] *Adj.* **1.** Patente, claro, descoberto, evidente. **2.** Aberto de par em par: *portas escancaradas*.

escancarar [De *es-* + *cancro* + *-ar*[2], com suarabácti.] *V. t. d.* **1.** Abrir de par em par: "Outono. Em frente ao mar. Escancaro as janelas / Sobre o jardim calado" (Olavo Bilac, *Poesias*, p. 203). **2.** Abrir inteiramente: *escancarar a boca.* **3.** Expor à vista; mostrar; exibir: *Os jornais escancararam a negociata.* *T. d. e i.* **4.** Abrir, franquear: *Escancarou seus negócios à devassa pública.* *P.* **5.** Abrir-se de par em par: "Nisso nos gonzos range a velha porta, / Ri-se, escancara-se." (Alberto de Oliveira, *Poesias*, 1ª série, p. 278.) **6.** Mostrar-se; exibir-se: *Sua alegria escancarava-se sem quaisquer reservas.* [Sin. ger.: *espamparar*. Pres. ind.: *escancaro*, *escancaras*, *escancara*, etc. Cf. *escancaro*, s. m., *escâncara* e o pl. *escâncaras*.]

escancaro [Dev. de *escancarar*.] *S. m.* **1.** Ato ou efeito de escancarar. **2.** Aquilo que se escancarou, que se mostrou ostensiva e/ou levianamente. [Cf. *escancaro*, do v. *escancarar*.]

escancear [Do rad. de *escançar* + *-ear*[2].] *V. t. d.* Escançar (1). [Conjug.: v. *frear*.]

escancelar [De *es-* + *cancelo* + *-ar*[2].] *V. t. d. Bras.* Abrir muito, escancarar (a boca, os olhos, etc.): "O negro, escancelando a boca, mirava o patrão." (Coelho Neto, *Banzo*, p. 94.)

escancha[1] [Dev. de *escanchar*.] *S. f.* Ato de escanchar.

escancha[2] *S. f. Bras.* V. *mal de escancha*.

escanchado [Part. de *escanchar*.] *Adj.* **1.** Que se escanchou; aberto, separado. **2.** Sentado ou montado com uma perna de cada lado de alguma coisa; escarranchado, encavalgado, enforquilhado.

escanchar [De *escachar*, com nasalação.] *V. t. d.* **1.** Separar de meio a meio; escachar. **2.** Abrir, alargar (as pernas), quando monta a cavalo, ou à maneira de quem o faz. *P.* **3.** Escarranchar (3).

escandalização [De *escandalizar* + *-ção*.] *S. f.* Ato ou efeito de escandalizar(-se); escandalizamento.

escandalizador (ô) [De *escandalizar* + *-dor*.] *Adj.* **1.** Escandalizante. ● *S. m.* **2.** Aquele que escandaliza.

escandalizamento [De *escandalizar* + *-mento*.] *S. m.* Escandalização.

escandalizante [De *escandalizar* + *-nte*.] *Adj. 2 g.* Que escandaliza; escandalizador.

escandalizar [Do lat. *scandalizare* < gr. *skandalízein*.] *V. t. d.* **1.** Causar escândalo (3) a: *O crime escandalizou a opinião pública.* **2.** Ofender, melindrar: *Os palavrões escandalizaram a velha dama.* **3.** Agravar (um ferimento). *Int.* **4.** Fazer escândalo (1); proceder mal. *P.* **5.** Levar a mal; ofender-se, melindrar-se.

escandalizável [De *escandalizar* + *-vel*.] *Adj. 2 g.* Propenso a escandalizar-se; que se escandaliza facilmente.

escândalo [Do lat. *scandalu* < gr. *skándalon*.] *S. m.* **1.** Aquilo que é causa, ou resulta de erro ou pecado. **2.** Aquilo que perturba a sensibilidade pelo desprezo às convenções ou a moral vigente: *A corrupção tornou-se um escândalo.* **3.** Indignação provocada por um mau exemplo, ou ação vergonhosa, leviana, indecente. **4.** Desordem, tumulto, cena, alvoroço, escarcéu: *Fez um escândalo à porta do cinema porque não o deixaram entrar.* **5.** Grave acontecimento que abala a opinião pública: *o escândalo do petróleo.* **6.** Fato imoral, revoltante: *A fome de muitos é um dos maiores escândalos do nosso século.*

escandaloso (ô) [Do lat. *scandalosu*.] *Adj.* **1.** Que produz escândalo. **2.** Que incita a pecar. **3.** Que dá mau exemplo. **4.** Indecoroso, vergonhoso, indecente.

escândea [Do lat. *scandula*.] *S. f.* Certo tipo de trigo muito branco e duro; trigo durázio.

escandente [Do lat. *scandente*, part. pres. de *scandere*, 'escalar'.] *Adj. 2 g. Bot.* Trepador (2): *caule escandente*.

escandescência [Do lat. *excandescentia*.] *S. f.* **1.** Ato de escandescer. **2.** Estado de escandescente. **3.** *Fig.* Entusiasmo, animação. **4.** *Bras. S.* V. *prisão de ventre*.

escandescente [Do lat. *excandescente*.] *Adj. 2 g.* Que escandesce.

escandescer [Do lat. *excandescere*.] *V. t. d.* **1.** Fazer em brasa; inflamar; incandescer. **2.** Tornar vermelho; fazer corar; afoguear, ruborizar. **3.** Excitar, estimular, inflamar. **4.** Exaltar, irritar, encolerizar. *Int.* **5.** Tornar-se candente; inflamar-se; incandescer, escandescer-se. **6.** Ruborizar-se; corar. **7.** *Bras. MG S.* Produzir prisão de ventre, peso de cabeça, etc. *P.* **8.** V. *escandescer* (5). **9.** Excitar-se, inflamar-se, entusiasmar-se. [Conjug.: v. *crescer*.]

escandescido [Part. de *escandescer*.] *Adj.* Que escandesceu: "Posso sentir-te em fogo, escandescida, / De faces cor-de-rosa e vermelhão" (Cesário Verde, *Obra Completa*, p. 156).

escandido [Part. de *escandir*.] *Adj.* **1.** Que se escandiu. **2.** *P. ext.* Excessivamente minucioso e destacado: *gestos escandidos*.

escandinavo [Do fr. *Scandinave* < fr. *Scandinavie* < lat. *Scandinavia*.] *Adj.* **1.** Da, ou pertencente ou relativo à Escandinávia (Suécia, Noruega, Islândia e Dinamarca). [Cf. *nórdico*.] ● *S. m.* **2.** O natural ou habitante da Escandinávia.

escândio [Do lat. cient. *scandium* < top. lat. *Scandia*, 'região ao N. da Europa, correspondente a parte da Escandinávia'.] *S. m. Quím.* Elemento de número atômico 21, metálico, leve, muito raro [símb.: *Sc*].

escandir [Do lat. *scandere*.] *V. t. d.* **1.** Decompor (um verso) em seus elementos métricos. **2.** Destacar bem na pronúncia as sílabas de (um verso) ou de (uma palavra).

escaneador [De *escanear* + *-dor*, ingl. *scanner*.] *S. m.* Equipamento us. para escanear (q. v.).

escaneamento [De *escanear* + *-mento*.] *S. m.* Ato ou efeito de escanear. ◆ **Escaneamento cintilográfico.** *Med. Nucl.* V. *cintilograma*.

escanear [Aport. do v. ingl. *to scan*, 'examinar, correndo os olhos'; 'percorrer a superfície de'; v. *-ear*[2].] *V. t. d. Inform.* Digitalizar[1] (documento impresso, desenho, fotografia, código de barras, etc.) através de aparelho de leitura óptica (v. *scanner*). [O termo *escanear* pode, eventualmente, abranger tb. o processamento da imagem digitalizada por um programa de interpretação ou decodificação, como no caso do reconhecimento de caracteres (q. v.) ou da leitura de código de barras (q. v.).]

escanelado [De *es-* + *canela*[2] + *-ado*[1].] *Adj.* **1.** Que tem pernas ou canelas esguias. **2.** Magro, escanzelado.

escâner [Aport. do ingl. *scanner*.] *S. m. Inform.* **1.** Qualquer aparelho capaz de captar imagens e convertê-las em um conjunto correspondente de sinais elétricos. **2.** *Restr.* Periférico que realiza a transformação de imagens em dados digitais, ger. na forma de uma matriz de pontos.

escangalhado [Part. de *escangalhar*.] *Adj.* **1.** Que não pode funcionar; desarranjado: *motor escangalhado.* **2.** Muito estragado, arruinado, destruído. **3.** Feito em pedaços; quebrado: *brinquedo escangalhado.* **4.** *Fig.* Muito afetado física ou moralmente; arrebentado: *Ficar escangalhado com uma viagem, uma derrota.*

escangalhar [De *es-* + *cangalho*[1] + *-ar*[2].] *V. t. d.* **1.** Desarranjar, desconjuntar, arrebentar: *O pequeno escangalhou a televisão.* **2.** Estragar, arruinar, destruir: *escangalhar um brinquedo*; *escangalhar a saúde.* *P.* **3.** Desarranjar-se, desconjuntar-se; romper-se. **4.** Rir muito, descompostamente.

escangalho[1] [Dev. de *escangalhar*.] *S. m. Bras. N.* Desordem, confusão, desmantelo.

escangalho[2] *S. m. Bras. RJ* Parede escarpada, que serve para escorar as terras de um monte.

escanganhadeira [De *escanganhar* + *-deira*.] *S. f.* Tabuleiro para escanganhar, cujo fundo é de rede.

escanganhar [De *es-* + *canganho* + *-ar*[2].] *V. t. d.* Separar (os bagos das uvas) do engaço[1] (2).

escanganho [Dev. de *escanganhar*.] *S. m.* Ato ou operação de escanganhar.

escangotar [De *es-* + *cangote* + *-ar*[2].] *V. t. d. Bras. Pop.* Segurar ou sacudir pelo cangote.

escanhoamento [De *escanhoar* + *-mento*.] *S. m.* Ato ou efeito de escanhoar(-se).

escanhoar [De *es-* + *canhão* + *-ar*[2], com desnasalação.] *V. t. d. P.* Barbear(-se) com apuro, passando a navalha uma segunda vez a contrapelo: "Começou então a rapar toda a barba, que ele próprio escanhoava todas as manhãs" (Virgílio Várzea, *Nas Ondas*, p. 14); "Entre os novos arrebanhados, apareceu o Sr. Comendador José Furtado da Rocha, velhote bem-disposto, orçando pelos cinquenta, mas dando tinta ao cabelo e escanhoando-se com muita perfeição." (Aluísio Azevedo, *O Homem*, p. 58). [Conjug.: v. *coroar*.]

escanifrado [De *es-* + *canifraz* + *-ado*[1].] *Adj.* **1.** Muito magro; descarnado; escanzelado: "Estava escanifrado, de olhos fundos, ... desenhando-se-lhe a ossatura acidentada sob a colcha de retalhos." (Godofredo Rangel, *Vida Ociosa*, p. 217). **2.** Desengonçado, desajeitado, desconjuntado.

escanifrar [Voc. deduz. de *escanifrado* (v. *-ar*[2]).] *V. t. d.* Tornar muito magro, descarnado, escanifrado.

escaninho [De *escano* + *-inho*[1].] *S. m.* **1.** Pequeno compartimento num móvel; nicho: "Há ocasiões em que a carta deve ficar mesmo à nossa espera, nos escaninhos do escritório do hotel" (João Alphonsus, *Pesca da Baleia*, p. 65). **2.** *Restr.* Pequeno compartimento, ger. secreto, em caixa, gaveta, cofre, secretária, etc. **3.** Divisão de armário, não raro, com porta e fecho. **4.** Esconderijo; recanto, esconso: "Que este mau coração meu / Nos secretos escaninhos / Tem venenos tão daninhos / Que o seu poder só sei eu." (Almeida Garrett, *Folhas Caídas*, p. 71.) [Sin., nas acepçs. 1 a 3: *cacifo*.]

escano [Do lat. *scamnu*.] ***S. m.*** **1.** Escabelo (1). **2.** *Ant.* Estrado alto.

escansão [Do lat. *scansione*.] ***S. f.*** **1.** Ato ou modo de escandir. **2.** *Mús.* Subida de tom. **3.** Elevação de ritmo em verso. [Cf. *escanção*.]

escansorial ***Adj. 2 g.*** *Zool.* Capaz de, ou adaptado a subir: *pata escansorial*.

escanteio [Dev. de **escantear* (< *es-* + *canto*[1] + *-ear*[2]).] ***S. m.*** *Bras. Fut.* Infração que consiste na saída da bola pela linha de fundo, tocada por um jogador da equipe que está sendo atacada; córner, esquinado, tiro de canto e (lus.) canto. **2.** Cobrança dessa infração; córner, esquinado, tiro de canto e (lus.) canto. ◆ **Chutar para escanteio.** Pôr (alguém) de lado; dar o fora em; largar; chutar para córner.

escantilhado [Part. de *escantilhar*.] ***Adj.*** *Bras.* Diz-se da peça de carpintaria cujos cantos não foram cortados em ângulo reto.

escantilhão [Do fr. *échantillon*.] ***S. m.*** **1.** Medida para regular distância em vários serviços. **2.** Medida que serve de padrão para aferimento de outras. **3.** *Lus. Constr. Nav.* Xeura. **4.** *Bras. Mar. Merc.* Espessura da seção transversal das peças estruturais do casco de navio mercante (tais como balizas, longarinas, vaus, chapas, etc.), que devem obedecer a regras estabelecidas pelas sociedades de classificação marítimas. ◆ **De escantilhão.** De roldão; em tropel; aos tombos. **De escantilhão completo.** *Bras. Mar. Merc.* Diz-se do navio cujas peças estruturais do casco até o convés mais alto obedecem às máximas espessuras preconizadas pelas companhias de classificação marítimas.

escantilhar [De *es-* + *canto*[1] + *-ilhar*.] ***V. t. d.*** *Bras. Carp.* Cortar (uma peça) de jeito que os ângulos não sejam retos.

escanzelado [De *es-* + rad. *canz-*, como em *canzil* e *canzarrão*, + *-ado*[1].] ***Adj.*** Magro como um cão faminto; escanifrado.

escanzelo (ê) [Voc. deduz. de *escanzelado*.] ***S. m.*** Estado de escanzelado; magreza extrema.

escanzinado [Do rad. *escanz*, como em *escanzelado*, + *-in(o)-*[2] + *-ado*[1].] ***Adj.*** *Bras.* Escanzurrado.

escanzurrado [Do rad. *escanz-*, como em *escanzelado*.] ***Adj.*** *Bras. S.* Cansado, estafado, sovado; escanzinado.

escanzurrar [Voc. deduz. de *escanzurrado*, poss.] ***V. t. d. P.*** *Bras. S.* Tornar(-se) escanzurrado, por efeito de trabalho excessivo.

■ **Escap** Sigla de *Comissão Econômica e Social para a Ásia e o Pacífico*.

escapada [De *escapar* + *-ada*[1].] ***S. f.*** V. *escapadela*.

escapadela [De *escapar* + *-dela*.] ***S. f.*** **1.** Fuga precipitada e às ocultas; escapulida. **2.** Fuga temporária; escapulida. **3.** Ato de fugir a um dever. V. *escapatória*. **4.** Ato leviano, imprudente, irrefletido. **5.** Escorregadela, falta, deslize. [Sin. ger.: *escapada*.]

escapadiço ***Adj.*** **1.** Que escapou de alguma coisa. **2.** Que anda fugido.

escapamento [De *escapar* + *-mento*.] ***S. m.*** **1.** V. *escape*[1] (1 e 3). **2.** V. *escapo*[1] (1). **3.** *Tip.* Mecanismo que regula a saída das matrizes do magazine da linotipo.

escapar [Do lat. vulg. **excappare*.] ***V. t. i.*** **1.** Livrar-se ou salvar-se de perigo ou acidente funesto, desagradável, incômodo, etc.: "respirou desafogadamente como se houvesse escapado a um perigo" (Coelho Neto, *Turbilhão*, p. 272); *Escapou de grave acidente automobilístico.* **2.** Esquivar-se, furtar-se, subtrair-se; livrar-se: "Desanimado de ver-me atendido, escapei à vigilância do guarda e voltei depressa ao meu lugar" (Geir Campos, *O Vestíbulo*, p. 24); *Escapou habilmente a uma incumbência desagradável; Conseguimos escapar do importuno.* **3.** Livrar-se ou fugir de situação ou condição perigosa, humilhante, etc.; fugir; refugir: *A muito custo escaparam de morrer; Os prisioneiros andaram léguas pelo mato para escapar à escravidão.* **4.** Fugir; escapulir-se, safar-se, livrar-se: *Não conseguiu escapar às garras do inimigo; Não escapou dos policiais.* **5.** Passar despercebido: *A conversa sigilosa não escapou aos seus ouvidos atentos.* **6.** Sair, ser proferido, exalado, etc., por descuido, irreflexão, incapacidade de autodomínio, etc.: *Palavras comprometedoras escaparam ao réu; Escapou-lhe um gemido, apesar do esforço para contê-lo.* **7.** Não ser compreendido, percebido, avaliado ou sentido: *A observação sutil escapou à sua perspicácia.* **8.** Ser omitido; esquecer: *Escaparam-lhe algumas questões da prova.* **9.** Soltar-se, cair: *O objeto escapou-lhe das mãos.* ***Int.*** **10.** Não morrer; sobreviver. **11.** Fugir, escapulir-se, safar-se. **12.** Não merecer censura; ser sofrível. ***T. d.*** **13.** Salvar, livrar. ***T. d. e i.*** **14.** *P. us.* Salvar, livrar: *Escapou-o do perigo.* ***P.*** **15.** Fugir, escapulir-se, safar-se. **16.** Livrar-se, libertar-se. **17.** Subtrair-se a um compromisso. [Part.: *escapado, escapo, escape*.]

escaparate[1] [Do neerl. ant. *schaprade*.] ***S. m.*** **1.** Redoma de vidro. **2.** Armário envidraçado. **3.** *Lus.* Vitrina.

escaparate[2] [De *escapatória*, com infl. de *disparate*, poss.] ***S. m.*** V. *escapatória*.

escapatória [F. subst. de **escapatório*, ou do esp. *escapatoria*.] ***S. f.*** Ato ou efeito de escapar (2 e 17); escusa, desculpa, subterfúgio, escapadela, escapula, escaparate.

escapável [De *escapar* + *-vel*.] ***Adj. 2 g.*** Que pode escapar.

escape[1] [Dev. de *escapar*.] ***S. m.*** **1.** Ação ou efeito de escapar(-se); escapamento, salvação. **2.** Saída, fuga, escapadela, escapula, escapulida. **3.** Orifício ou tubo por onde os gases, provenientes de motor de explosão, ou sob pressão em recipientes, etc., são expelidos para o ar; escapamento: *escape de um carro, de uma panela de pressão.* **4.** *Astron.* Ponto de velocidade, suficiente para fazer com que um projétil lançado se subtraia à atração gravitacional de um corpo, como a Terra, de modo que nem caia de volta ao corpo nem entre em órbita.

escape[2] [Var. de *escapo*[1].] ***S. m.*** **1.** V. *escapo*[1] (1). **2.** *Tip.* Cada um dos trincos oscilantes que, correspondendo aos canais do magazine, determinam a queda da matriz quando comprimidos pelas teclas respectivas. ◆ **Escape dos espaços.** *Tip.* Cada uma das lâminas que regulam a queda dos espaçadores da linotipo.

escape[3] [Part. irreg. de *escapar*.] ***Adj. 2 g.*** V. *escapo*[2].

escapino [Do ficcion. it. *Scarpino*, pelo fr. *Scapin*.] ***S. m.*** *Teatr.* Uma das mais importantes personagens da *commedia dell'arte* (q. v.), levada ao teatro francês do séc. XVII por Molière (v. *molièresco*), em sua comédia *As Artimanhas de Escapino*, e que representa o jovem astuto, matreiro e intrigante, as mais das vezes desempenhando o papel de criado. [Com cap.]

escapismo [De *escap(ar)* + *-ismo*; ingl. *escapism*.] ***S. m.*** **1.** Tendência para fugir ou escapar a qualquer coisa ou situação que seja ou pareça difícil, desagradável, molesta. **2.** Ato ou procedimento resultante dessa tendência: "É uma espécie de escapismo, muito comum no ensino da redação, fixarem-se o professor e os alunos nos problemas secundários." (J. Matoso Câmara Jr., *Manual de Expressão Oral e Escrita*, p. 74.)

escapo[1] [Do lat. *scapu*.] ***S. m.*** **1.** Maquinismo que regula o movimento dos relógios; escapamento. [Var.: *escape*.] **2.** O eixo da pena, em sua totalidade. **3.** Peça importante do mecanismo do piano, a qual obriga o martelo a recuar assim que percute a nota. **4.** *Arquit.* Moldura côncava us. em colunas como elemento de ligação entre o fuste e a base, ou entre o fuste e o capitel. **5.** *Bot.* Ramo portador de flores, que se origina de um rizoma ou bolbo, *i. e.*, de caules subterrâneos. É próprio das monocotiledôneas.

escapo[2] [Part. irreg. de *escapar*.] ***Adj.*** Fora de perigo; livre, salvo, safo, escápole. [F. paral.: *escape*[3].]

escápole [Do cat. *escàpol*.] ***Adj. 2 g.*** **1.** Livre de obrigações. **2.** V. *escapo*[2]. [Cf. *escapole*, do v. *escapulir*.]

escapolita [Do lat. *Scapus*, 'haste', + *-lita*.] ***S. f.*** *Min.* Mineral tetragonal, silicato complexo de alumínio, cálcio e sódio, contendo também cloro.

escapula [Dev. de *escapulir*.] ***S. f.*** **1.** V. *escape*[1] (2). **2.** V. *escapatória*. [Cf. *escápula* e o antr. *Escápula*.]

escápula [Do lat. *scapula*.] ***S. f.*** **1.** Prego de cabeça dobrada em ângulo reto para suspensão dum objeto: "Na sala, presa das escápulas, roçagante, pendia a larga rede cuiabana" (Hugo de Carvalho Ramos, *Tropas e Boiadas*, p. 70). **2.** *Fig.* Arrimo; apoio, esteio. **3.** *Anat.* Osso par; chato, delgado e triangular que constitui a parte óssea posterior de cada ombro; omoplata (denom. ant.) **4.** *Anat.* A parte mais superior do membro superior, formada pela escápula, cabeça do úmero e clavícula, conectados entre si por ligamentos. [Cf. *escapula*, do v. *escapulir* e s. f., e o antr. *Escápula*.]

escapulal [De *escápula* + *-al*[1].] ***Adj. 2 g.*** *Anat.* Escapular.

escapular [Do lat. *scapulare*.] ***Adj. 2 g.*** *Anat.* Referente a escápula (3 e 4). [Sin.: *escapulal*.] ~ V. *cintura* —.

escapulário [Do lat. tard. *scapulariu*.] ***S. m.*** **1.** Tira de pano que os frades e freiras de certas ordens usam pendentes sobre o peito: "Mas quantas freiras, antes dela, escreveram deliciosas cartas, — desde Soror Inês de Jesus, uma das 'décimas musas', até .... Soror Maria das Saudades, ... que trazia bordado no seu escapulário de estamenha um banco de pinchar de oiro de três pendentes!" (Júlio Dantas, *O Amor em Portugal no Século XVIII*, p. 181.) **2.** V. *bentinhos*. **3.** Atadura larga, para comprimir emplastros ou parches.

escapulida [De *escapulir* + *-ida*[3].] ***S. f.*** *Bras.* V. *escapadela* (1 e 2).

escapulir [Da mesma or. obscura que o esp. *escabullirse*, cat. *escapolir-se*, it. *scapolarsi*; poss. do lat. vulg. *excapulare*, com infl. de *escapar*.] ***V. int.*** **1.** Fugir, escapar (de prisão, do poder, de alguém, etc.) [v. *fugir* (1 e 2)]. ***T. i.*** **2.** Fugir, escapar: *Conseguiu escapulir das mãos que o agarraram.* ***T. d.*** **3.** Deixar fugir; deixar escapar: *O menino escapuliu a presa.* ***P.*** **4.** V. *fugir* (1 e 2). [Irreg. Conjug.: v. *acudir*. Pres. ind.: *escapulo, escapoles, escapole*, etc.; pres. subj.: *escapula*, etc. Cf. *escápole, escápula*, e o antr. *Escápula*.]

escaque [Do esp. *escaque* ou do it. *scacco*, ambos do persa *âh*, 'rei dos persas'.] ***S. m.*** **1.** Cada uma das divisões quadradas do tabuleiro do xadrez. **2.** *Heráld.* Cada uma das divisões quadradas do escudo, dispostas em cores alternadas.

escaquear [De *escaque* + *-ear*[2].] ***V. t. d.*** Dividir em escaques. [Conjug.: v. *frear*.]

escaqueirar [De *es-* + *caco* + *-eir(o)-* + *-ar*[2].] ***V. t. d.*** Fazer em cacos; escacar; despedaçar.

escara ***S. f.*** *Med.* Crosta resultante da mortificação de tecido, devida a causas diversas (compressão ou traumatismos repetidos, cáusticos, queimaduras, etc.).

escarabeídeo [Do tax. *Scarabaeus* (< lat. *scarabaeus*, 'escaravelho') + *-ídeo*[1]; tax. *Scarabaeidae*.] *Zool.* ***S. m.*** **1.** Espécime dos escarabeídeos, família de insetos coleópteros, de cor metálica ou escura, cujas larvas, brancas e moles, são frequentemente daninhas à agricultura. ● ***Adj.*** **2.** Pertencente ou relativo a eles. [F. paral.: *escarabídeo*. Sin. ger.: *escarábida*.]

escarabeiforme [De *escarabe(u)* + *-iforme*.] ***Adj. 2 g.*** **1.** Semelhante ao escaravelho ou escarabeu. ● ***S. 2 g.*** **2.** *Zool.* Animal que tem forma de besouro ou escaravelho. **3.** *Zool.* Designação comum das larvas dos coleópteros moles e arqueadas; melolontoide.

escarabeu [Do lat. *scarabaeu*.] ***S. m.*** *Zool.* V. *escaravelho*.

escarábida [Do tax. *Scarabaeus* + *-ida*[1].] ***S. m. Adj. 2 g.*** *Zool.* V. *escarabeídeo*.

escarabídeo [Do tax. *Scarabeidae*.] ***S. m. Adj.*** *Zool.* V. *escarabeídeo*.

escarabocho (ô) [Do it. *scarabocchio*.] ***S. m.*** Desenho muito imperfeito; rabisco, garatuja, gatafunhos. [Pl.: *escarabochos* (ô).]

escarafunchador (ô) [De *escarafunchar* + *-dor*.] ***Adj. S. m.*** Que, ou aquele que escarafuncha.

escarafunchar [Do lat. **scariphunculare*.] ***V. t. d.*** **1.** Esgaravatar, escabichar. **2.** Procurar ou investigar com paciência. **3.** Remexer ou bulir em; revolver em: "Escarafunchando os escombros do forno, achou mais moedas e com estas encheu o chapéu." (Afonso Arinos, *Pelo Sertão*, p. 40.)

escarambada [De *escarambar* + *-ada*[1].] ***S. f.*** Ato de escarambar-se.

escarambar-se [De or. express., poss.] ***V. p.*** Secar-se muito e gretar-se (a terra) por efeito de calor intenso.

escaramuça [Do it. *scaramuccia*.] ***S. f.*** **1.** Combate pouco importante. **2.** Briga, conflito, contenda, desordem. **3.** *Bras.* Trecho de rio onde se nota súbito desvio das águas, causado por obstáculos rochosos. **4.** *Bras. RS* Movimento súbito de rédea, que obriga o cavalo a mudar de marcha. **5.** *Bras. RS* Combate simulado, em jogos. **6.** *Bras. RS* Menção (2): *Fez uma escaramuça para ir-se embora, mas terminou ficando.* [Sin. (nas acepçs. 4 a 6): *escaramuçada, escaramuceada, escaramuceio*.]

escaramuçada [De *escaramuçar* + *-ada*[1].] ***S. f.*** *Bras. RS* V. *escaramuça* (4 a 6).

escaramuçador (ô) [De *escaramuçar* + *-dor*.] ***Adj.*** **1.** Que faz escaramuças, ou é dado a elas. **2.** *Bras. RS* Diz-se do cavalo fogoso que se presta a escaramuças. ● ***S. m.*** **3.** Indivíduo escaramuçador.

escaramuçar [De *escaramuça* *-ar*[2].] ***V. int.*** **1.** Travar escaramuça(s). ***T. d.*** **2.** *Bras. RS* Obrigar (o cavalo) a dar muitas voltas. ***T. i.*** **3.** Lutar, combater em escaramuças. [Sin. ger.: *escaramucear*. Conjug.: v. *laçar*. Cf. *escramuçar*.]

escaramuceada [De *escaramucear* + *-ada*[1].] ***S. f.*** *Bras. RS* V. *escaramuça* (4 a 6).

escaramucear [De *escaramuça* + *-ear*[2].] ***V. int. T. d. T. i.*** Escaramuçar. [Conjug.: v. *frear*.]

escaramuceio [Dev. de *escaramucear*.] ***S. m.*** *Bras. RS* V. *escaramuça* (4 a 6).

escarangação ***S. f.*** *Bras. Pop.* Estado reumático em que os movimentos ficam tolhidos.

escarangado ***Adj.*** *Bras. Pop.* Que sofre de escarangação.

escarapela [Dev. de *escarapelar*.] ***S. f.*** Briga em que os adversários se escarapelam ou arranham.

escarapelar [De *es-* + *carapela* + *-ar*[2], poss.] ***V. t. d.*** **1.** Rasgar com as unhas; arranhar, agatanhar. **2.** Desgrenhar, arrepelar. ***Int.*** **3.** Brigar, escarapelando. ***P.*** **4.** Desgrenhar-se, arrepelar-se.

escaravelhar [De *escaravelho* + *-ar*[2].] ***V. int.*** Mexer-se como escaravelho. [Conjug.: v. *aparelhar*.]

escaravelho (ê) [Do lat. vulg. **scarafaiu*, var. de *scarabaeus*, pelo port. ant. *escaraveo*.] ***S. m.*** **1.** *Zool.* Designação comum a insetos coleópteros escarabeídeos, coprófagos, esp. os que vivem de excrementos de mamíferos herbívoros. [As fêmeas de certas espécies preparam uma bolinha de excremento, na qual põem o ovo, e que enterram depois de empurrá-la a certa distância.][F. paral.: *escarabeu*. Sin.: *caro-*

cha, capitão, coró, bicho-bolo, bicho-carpinteiro, rola-bosta, vira-bosta.] 2. Marfim (1) antes de manufaturado. 3. Representação do escaravelho (1) em geral esculpida em pedra preciosa ou semipreciosa.

escarbroíta *S. f. Min.* V. *scarbroíta.*

escarça *S. f. Veter.* Doença na palma do casco das cavalgaduras.

escarção *S. m. Arquit.* Arco por trás e por cima da padieira, para que esta fique aliviada do peso da construção superior; arco de escarção.

escarçar[1] [De *es-* + moçarábe **caçrar* < lat. *castrare*, poss.] *V. t. d.* Tirar a cera de (colmeias). [Conjug.: v. *laçar.*]

escarçar[2] [De or. incerta; poss. do lat. vulg. **exquartiare*, pelo lat. *squarciare.*] *V. int.* Sofrer de escarça. [Conjug.: v. *laçar.*]

escarcavelar [De or. express.] *V. t. d. Pop.* Abrir; desmanchar; desconjuntar.

escarceada [Do esp. plat. *escarceada.*] *S. f. Bras. S.* Ato de escarcear[2].

escarceador (ô) [Do esp. plat. *escarceador.*] *Adj. Bras. S.* 1. Diz-se do cavalo que escarceia (v. *escarcear*[2]). 2. *Fig.* Diz-se daquele que escarceia, que tem o costume de dar com a cabeça.

escarcear[1] [De *escarcéu* + *-ear*[2].] *V. int.* 1. Levantar escarcéu (1). 2. Bramir e abalar com escarcéu (1). [Conjug.: v. *frear.*]

escarcear[2] [Do esp. plat. *escarcear.*] *V. int. Bras. S.* 1. Levantar e abaixar briosamente a cabeça (o cavalo). 2. *Fig.* Menear a cabeça; cabecear. [Conjug.: v. *frear.*]

escarcela [Do fr. *escarcelle*, poss. do it. *scarcella.*] *S. f.* 1. Bolsa de couro que se prendia à cintura: "as caras terrosas e os cabelos embranquecidos, na cinta a escarcela vazia de dinheiro e de punhal" (Antero de Figueiredo, *D. Pedro e D. Inês*, p. 169). 2. Parte da armadura, da cinta ao joelho: "Chamava-se couraça às [armaduras] que revestiam o tronco, assentes sobre um corpete de couro, até à cintura, donde pendia a escarcela, fraldão, ou tonelete, feito de malhas pendentes como saio, ou de chapas que se articulavam nas peças inferiores do arnês ou armadura completa." (Oliveira Martins, *A Vida de Nun'Álvares*, p. 154.)

escarcéu [De or. obscura.] *S. m.* 1. Vaga que se forma quando o mar está revolto; vagalhão. 2. *Fig.* Gritaria, alarido, alvoroço; banzé. 3. Exaltação; escândalo.

escarcha [Do esp. *escarcha.*] *S. f.* 1. V. *geada branca.* 2. Fio áspero de ouro ou de prata tecido em seda. 3. Coisa áspera.

escarchado [Part. de *escarchar.*] *Adj.* 1. Coberto de escarchas, de flocos de neve. 2. Crespo, áspero. 3. Diz-se da aguardente de anis adoçada com excessiva quantidade de açúcar, o qual, por não se dissolver de todo, cristaliza no fundo da garrafa.

escarchar [Do esp. *escarchar.*] *V. t. d.* 1. Cobrir de escarcha (1). 2. Adoçar muito com açúcar, que, por excessivo, se cristaliza. 3. Tornar áspero; encrespar.

escarço [Dev. de *escarçar*[1].] *S. m.* Ato de escarçar[1].

escardado [De *es-* + *cardado*, part. de *cardar.*] *S. m.* Chifre que se desfia quando embate sobre objeto duro ou resistente.

escardear[1] [De *es-* + *cardo* + *-ear*[2].] *V. t. d.* 1. Limpar de cardos. 2. Varrer ou cortar ervas daninhas em (sementeiras). 3. *P. ext.* Limpar (1). 4. Roçar (a pele), ferindo-a. [Conjug.: v. *frear.*]

escardear[2] *V. int.* Explodir com muita força (o tiro), espalhando o chumbo em vez de o concentrar no alvo. [Conjug.: v. *frear.*]

escardilhar [De *escardilho* + *-ar*[2].] *V. t. d.* Limpar (o terreno) com o escardilho.

escardilho [Do esp. *escardillo.*] *S. m.* Sacho para escardear[1] (2).

escarduçado [Part. de *escarduçar.*] *Adj.* Cardado com a carduça (a lã).

escarduçador (ô) [De *escarduçar* + *-dor.*] *Adj. S. m.* Que, ou aquele que escarduça.

escarduçar [De *es-* + *carduça* + *-ar*[2].] *V. t. d.* Cardar (a lã) com a carduça. [Conjug.: v. *laçar.*]

escareador (ô) [De *escarear* + *-dor.*] *S. m.* Ferramenta própria para escarear.

escareamento [De *escarear* + *-mento.*] *S. m. Metal.* Tipo de furação destinado à abertura de um rebaixo cilíndrico ou uma superfície cônica na extremidade de uma peça já furada.

escarear [De or. obscura.] *V. t. d.* Alargar, em geral chanfrando (buraco ou abertura onde se vai introduzir prego ou parafuso), de maneira que fiquem com as cabeças niveladas com a peça onde se cravam. [Conjug.: v. *frear.*]

escargô [Do fr. *escargot* (< fr. médio *escargol* < provenç. *escaragol* < provenç. *caragol* < esp. *caracol*).] *S. m. Zool.* Designação de moluscos do gênero *Helix* (v. *hélice*[2]), gastrópodes, terrestres, hermafroditas, que causam estragos nas hortas e jardins. São us. como alimento desde a antiga Roma.

escarídeo [Do tax. *Scarus* (v. *escaro*) + *-ídeo*[1]; tax. *Scaridae.*] *Zool. S. m.* 1. Espécime dos escarídeos, família de peixes perciformes, herbívoros, relacionada à família labrídea, e que se caracterizam pelos dentes fundidos, formando placa, e que dão a sua boca aspecto de bico, que lembra o de um papagaio. Algumas espécies podem atingir 60cm de comprimento e a coloração é variável. ● *Adj.* 2. Pertencente ou relativo a eles.

escarificação [Do lat. *scarificatione.*] *S. f.* 1. Ato ou efeito de escarificar. 2. *Med.* Produção de pequenas incisões simultâneas e superficiais na pele. V. *sarja*[1].

escarificador (ô) [De *escarificar* + *-dor.*] *Adj.* 1. Que escarifica ou serve para escarificar. ● *S. m.* 2. *Cir.* Instrumento cirúrgico para fazer escarificações. 3. Dispositivo constituído de um conjunto de dentes ou de discos, que se adapta a um trator para escarificar (2). 4. Ferramenta us. para rebaixar as bordas de um orifício.

escarificar [Do lat. *scarificare* < gr. *skaripháomai*, 'raspar com objeto pontudo'.] *V. t. d.* 1. Sarjar, golpear, para produzir escoamento de humores. 2. Desagregar e revolver (a terra) a fim de arejar as raízes das plantas ou intensificar a ascensão da umidade pelos capilares do solo, ou, ainda, facilitar a escavação. [Conjug.: v. *trancar.*]

escarioso (ô) [De *escara* + *-i-* + *-oso.*] *Adj.* 1. Que tem escaras. 2. *Bot.* De consistência membranácea, mais ou menos seco, e ger. translúcido: *escamas escariosas.*

escarlata [Do lat. med. *scarlata*, poss. do persa *saqilát*, 'escarlate (4)'.] *S. f.* V. *escarlate* (3 a 5): "Escarlata purpúrea, cor ardente" (Luís de Camões, *Os Lusíadas*, II, 77).

escarlate [Do fr. ant. *escarlate* (atual *écarlate*) < lat. med. *scarlata* (v. *escarlata*).] *Adj. 2 g. Adj. 2 g. e 2 n.* 1. De cor vermelha muito viva, e rutilante: "o buço lourejando como seda fina sobre os lábios escarlates e cheios de seiva" (Eça de Queirós, *Cartas Inéditas de Fradique Mendes e Mais Páginas Esquecidas*, p. 148); "Que é desses cabelos de oiro / Do mais subido quilate, / Desses lábios escarlate, / Meu tesoiro!" (João de Deus, *Campo de Flores*, I, p. 206). 2. Diz-se dessa cor: *brocados de cor escarlate.* ● *S. m.* 3. Essa cor [v. *de cor* (3)]. 4. *Tec. Têx.* Certo tecido de seda ou lã, dessa cor. 5. Substância vermelha, us. no preparo de pigmentos para pintura e tinturaria. [F. paral. (nas acepçs. 3 a 5): *escarlata.*]

escarlatim [Do it. *scarlattino.*] *S. m. Tec. Têx.* Tecido vermelho, menos fino do que o escarlate (4).

escarlatina [Do fr. *scarlatine*, latinização do fr. ant. *escarlate* (v. *escarlate*).] *S. f. Med.* Doença infecciosa aguda, de origem estreptocócica, que incide preferentemente em criança, e que se caracteriza por febre, fenômenos inflamatórios no nariz, boca e faringe, sob a forma de exantema de pequenos pontos vermelhos, e por manifestações toxêmicas, etc.

escarmentado [Part. de *escarmentar.*] *Adj.* 1. Repreendido; castigado. 2. Sabedor por experiência custosa; experimentado, experiente, escaldado. 3. Desesperançado, desiludido.

escarmentar [De *escarmento* + *-ar*[2].] *V. t. d.* 1. Corrigir, castigar, punir. 2. Repreender com rigor. 3. Tornar experiente, avisado, mediante escarmento. *P.* 4. Ficar advertido pelo dano ou castigo recebido, para não se expor novamente a ele.

escarmento [Por **escarnimento* (de *escarnir* + *-mento*), com síncope.] *S. m.* 1. Correção, castigo, punição; escaldadura. 2. V. *repreensão* (1). 3. Lição aprendida na prática; exemplo: "Outro soldado indignado com o seu tenente, esperando-o em uma encruzilhada, o derrubou de um cravinaço. Mandou o Conde que não enterrassem senão ambos juntos. Esteve o cadáver esperando até colherem o homicida, e pagando com a vida, foram ambos a enterrar, deixando fora tão vivo o escarmento, que ninguém ousou mais perder o respeito aos seus cabos." (P.[e] Manuel Bernardes, *Nova Floresta*, V, p. 466.) 4. Desilusão, desengano.

escarna [Deriv. de *escarnar.*] *S. f.* Escarnação.

escarnação [De *escarnar* + *-ção.*] *S. f.* Ato ou efeito de escarnar (1); escarna.

escarnador (ô) [De *escarnar* + *-dor.*] *S. m.* Instrumento próprio para escarnar (1).

escarnar [De *es-* + *carne*[1] + *-ar*[2].] *V. t. d.* 1. Descobrir (um osso) tirando a carne; descarnar, esburgar, esbrugar. 2. Rapar (a pele). 3. *Fig.* Investigar, esquadrinhar, perquirir. 4. *Bras. N. N.E.* Preparar para usar, engatilhando (arma de fogo) ou desembainhando (arma branca). *Int.* 5. Deixar (a maré) meio a descoberto parcéis e margens. *P.* 6. Perder a carne, ou o revestimento.

escarnecedor (ô) [De *escarnecer* + *-dor.*] *Adj. S. m.* Que, ou aquele que escarnece.

escarnecer [De *escarn(ir)* + *-ecer.*] *V. t. d.* 1. Fazer escárnio de; troçar de; zombar de; ludibriar. *T. i.* 2. Zombar, mofar: *Escarneceu do pobre moço.* [Sin. ger.: *escarnir.* Conjug.: v. *aquecer.*]

escarnecido [Part. de *escarnecer.*] *Adj.* 1. Que sofreu escárnio ou zombaria. 2. Iludido; ludibriado. [Sin. ger.: *escarnido.*]

escarnecimento [De *escarnecer* + *-imento.*] *S. m.* V. *escárnio.*

escarnecível [De *escarnecer* + *-ível.*] *Adj. 2 g.* Digno de ser escarnecido, de escárnio.

escarnicação [De *escarnicar* + *-ção.*] *S. f.* Ação de escarnicar.

escarnicador (ô) [De *escarnicar* + *-dor.*] *Adj. S. m.* Que, ou aquele que escarnica.

escarnicar [De *escarn(ir)* + *-icar.*] *V. int.* Escarnecer muito. [Conjug.: v. *trancar.*]

escarnido [Part. de *escarnir.*] *Adj.* V. *escarnecido.*

escarnificação [De *escarnificar* + *-ção.*] *S. f.* Ação de escarnificar.

escarnificar [Do lat. *excarnificare.*] *V. t. d.* Lacerar as carnes de; martirizar. [Conjug.: v. *trancar.*]

escarninho [De *escárnio* + *-inho*[2].] *Adj.* 1. Em que há escárnio. 2. Escarnecedor, trocista, sarcástico: "o moço orgulhoso, de olhos azul de aço, motejadores e escarninhos" (Raquel de Queirós, *As Três Marias*, p. 11).

escárnio [De *escarnir.*] *S. m.* 1. V. *zombaria.* 2. Menosprezo, desprezo, desdém. [Sin. ger.: *escarnecimento.*]

escarnir [Do germ. *skernjan* < got. **skaírnjan.*] *V. t. d. T. i.* V. *escarnecer.*

escaro [Do lat. *Scarus* < lat. *scarus* < gr. *skarós.*] *S. m. Zool.* 1. Espécime dos escarídeos, que encerra peixes cujos dentes são fundidos, fazendo com que as mandíbulas tenham forma semelhante à de um bico de passáro. Alimentam-se de algas, moluscos e de detritos vegetais depositados em pedras e em barreiras de corais. 2. Qualquer espécie desse gênero como, p. ex., a *Scarus coeruleus* que mede cerca de 1,20m na fase adulta, encontrada nas costas americanas do oceano Atlântico, ou a *S. gron* (v. *bodião*). 3. Qualquer espécime desse gênero.

escarola [Do esp. *escarola.*] *S. f. Bot.* V. *endívia.*

escarolado [Part. de *escarolar.*] *Adj.* 1. Diz-se do milho esbagoado, tirado do carolo. 2. *Fig.* Asseado, limpo. 3. *Pop.* Desavergonhado, descarado, atrevido, impudente. 4. *Pop.* Malicioso, brejeiro.

escarolador (ô) [De *escarolar* + *-dor.*] *S. m.* Instrumento agrícola para escarolar o milho; debulhadora.

escarolar [De *es-* + *carolo* + *-ar*[2].] *V. t. d.* 1. Separar do grão (do milho) o carolo; esbagoar. 2. Tornar calvo; encalvecer. 3. Escasquear (1). 4. Tornar apurado, catita. *P.* 5. Tirar o chapéu da cabeça; desbarretar-se.

escarótico [Do lat. *escharoticu* < gr. *escharotikós.*] *Adj. S. m.* 1. Que, ou aquilo que produz escaras. 2. Diz-se de, ou medicamento que produz escaras.

escarpa [Do it. *scarpa.*] *S. f.* 1. Ladeira íngreme, alcantilada: "O cavaleiro .... apeara de um salto e, galgando com a rapidez de um relâmpago as escarpas do rochedo, rasgara com o punho da espada um largo rombo no muro maciço da torre, onde o seu amor jazia trancado." (Raimundo Correia, *Poesia Completa e Prosa*, p. 600.) 2. *Constr.* Talude de um fosso, junto a muralha ou a parapeito.

escarpado [Part. de *escarpar.*] *Adj.* Talhado a pique; íngreme, alcantilado.

escarpadura [De *escarpar* + *-dura.*] *S. f.* V. *talude* (2).

escarpamento [De *escarpar* + *-mento.*] *S. m.* V. *talude* (2).

escarpar [De *escarpa* + *-ar*[2].] *V. t. d.* Cortar (o terreno) em escarpa, ou quase a prumo; tornar íngreme; dar declividade a.

escarpelado *S. m. Arquit.* Reentrância ou concavidade nos espelhos dos degraus de algumas escadarias.

escarpelar [De or. incerta.] *V. t. d.* 1. Desfolhar, descamisar (o milho). 2. Raspar com as unhas. 3. Arrepelar (1).

escarpes [Do it. *scarpa.*] *S. m. pl.* Sapatos de ferro com que outrora se torturavam os réus nos tribunais.

escarpeteador (ô) [De *escarpetear* + *-dor.*] *Adj. Bras. RS* Escrapeteador (q. v.).

escarpetear [De or. incerta.] *V. int. Bras. RS* Escrapetear (q. v.). [Conjug.: v. *frear.*]

escarpim [Do it. *scarpino.*] *S. m.* Sapato de sola muito fina, com salto ou sem ele, e que deixa descoberto o peito do pé. [Sin.: *peal* e (fr.) *escarpin.*]

→**escarpin** [eskaʀ'pɛ̃] [Fr.] *S. m.* V. *escarpim.*

escarpina [Do fr. *escarpine.*] *S. f.* Antiga peça de artilharia, semelhante ao arcabuz.

escarradeira [De *escarrar* + *-deira.*] *S. f.* Vaso onde se escarra; cuspidor, escarrador, cuspideira: "Cair doente e passar a vida inteira / Com a boca junto de uma escarradeira, / Pintando o chão de coágulos sanguíneos." (Augusto dos Anjos, *Eu*, p. 53.)

escarrado [Part. de *escarrar.*] *Adj.* 1. Cuspido, expectorado. 2. V. *cuspido e escarrado.* ◆ **Escarrado e cuspido.** V. *cuspido e escarrado.*

escarrador (ô) [De *escarrar* + *-dor.*] *S. m.* 1. Aquele que escarra muito. 2. V. *escarradeira.*

escarradura [De *escarrar* + *-dura.*] *S. f.* 1. Ação de escarrar. 2. V. *escarro* (1).

escarranchado [Part. de *escarranchar*.] *Adj.* Montado ou sentado com as pernas muito abertas; escarrapachado.

escarranchar [De or. obscura.] *V. t. d.* 1. Abrir muito (as pernas), como quem monta a cavalo; escanchar. *T. d. e c.* 2. Montar ou fazer assentar de pernas muito abertas: *Escarranchou o menino em cima do muro. P.* 3. Montar ou sentar-se abrindo muito as pernas; escanchar.

escarrapachado [Part. de *escarrapachar*.] *Adj.* 1. Escarranchado. 2. Estatelado (2).

escarrapachar [De or. obscura.] *V. t. d.* 1. Abrir muito (as pernas); escarranchar. *T. c.* 2. Cair de bruços; estatelar-se: *A criança tropeçou e escarrapachou no chão. P.* 3. Abrir demasiado as pernas. 4. Escarrapachar (2). 5. Sentar-se muito à vontade, geralmente com descompostura; esparramar-se: "Com a alegria simples de quem ama / a vida assim vivida ao natural, / nos escarrapachamos pela grama / que nem bois amassando o capinzal." (Geir Campos, *Cantar de Amigo ao Outro Homem da Mulher Amada*, p. 29.) [Cf. *escarrapichar*.]

escarrapiçar *V. t. d.* V. *escarrapichar*. [Conjug.: v. *laçar*.]

escarrapichar [De *es-* + *carrapicho* + *-ar*[2], poss.] *V. t. d.* Desenredar, desembaraçar, penteando. [Var.: *escarrapiçar*. Cf. *escarrapachar*.]

escarrar [Do lat. *screare*.] *V. int.* 1. Expelir o escarro; expectorar. *T. d.* 2. Expelir da boca (escarro, sangue).

escarro [Dev. de *escarrar*.] *S. m.* 1. Matéria que se expele da boca após a expectoração; escarradura, esputo. 2. *Pop.* Coisa ou pessoa vil, desprezível.

escarva [Dev. de *escarvar*.] *S. f.* 1. Encaixe na madeira, por onde se unem duas peças de carpintaria. 2. Abertura feita nos montantes da veneziana para o encaixe das palhetas. 3. *Bras. Veter.* Lesão produzida por enxoadas nos cascos dos equídeos. 4. *Bras. Mar.* Cada uma das costuras do navio, de alto a baixo.

escarvador (ô) [De *escarvar* + *-dor*.] *Adj.* 1. Que escarva. ● *S. m.* 2. Instrumento para escavar.

escarvalho [De *escarvar*.] *S. m.* Falha ou cavidade formada na parede interior de um canhão pela expansão dos gases provenientes da inflamação da pólvora e pela fusão de pequenos fragmentos de metal.

escarvar [Do lat. *scarifare* < gr. *skaripháomai*, 'raspar com objeto pontudo'.] *V. t. d.* 1. Abrir escarva em. 2. Cavar superficialmente. 3. Solapar; minar, aluir, abalar: *As chuvas escarvaram o solo.*

escarvoar [De *es-* + *carvão* + *-ar*[2], com desnasalação.] *V. t. d.* Esboçar ou desenhar a carvão. [Conjug.: v. *coroar*.]

escascar [De *es-* + *casca* + *-ar*[2].] *V. t. d.* V. *descascar*[1] (1). [Conjug.: v. *trancar*.]

escasquear [De *es-* + *casco* + *-ear*[2].] *V. t. d.* 1. Lavar ou limpar o casco ou cabeça de; escarolar. 2. Limpar; desencardir. 3. Aperaltar, aperalvilhar. *P.* 4. Lavar-se; assear-se. [Conjug.: v. *frear*.]

escassear [De *escasso* + *-ear*[2].] *V. t. d. T. d. e i.* 1. Dar com escassez, com parcimônia; não prodigalizar: *Não escasseia presentes; S. M. não escasseia mercês aos que o servem. Int.* 2. Fazer-se escasso; tornar-se diminuto; minguar, rarear: *Com a seca os gêneros alimentícios escassearam.* [Conjug.: v. *frear*.]

escassez (ê) [De *escasso* + *-ez*.] *S. f.* 1. Qualidade de escasso; pouca abundância. 2. Falta, míngua, carência, privação.

escassilhador (ô) *S. m.* Tipo de escopro de ponta em gume utilizado na regularização das pedras de cantaria.

escassilho [De *escasso* + *-ilho*.] *S. m.* Pequeno fragmento de coisa partida.

escasso [Do lat. vulg. *excarsu < lat. vulg. *excarpsu* < lat. *excerpere*, 'separar'.] *Adj.* 1. De que há pouco; parco, raro: *dinheiro escasso.* 2. Falto, carente, carecente, desprovido, privado: *Homem escasso de carnes.* 3. V. *avaro* (1). ~ V. *vento* —.

escatel [De or. obscura.] *S. m. Constr. Nav.* Fenda ou furo na extremidade de uma cavilha, para receber chaveta que não a deixe sair do lugar. [Pl.: *escatéis*.]

escatelar [De *escatel* + *-ar*[2].] *V. t. d. Constr. Nav.* 1. Abrir escatel em (uma cavilha). 2. Introduzir a chaveta no escatel de (uma cavilha).

▲**escat(o)-** [Do gr. *skato-* < gr. *éschatos, skatós*.] *El. comp.* = 'excremento': *escatófilo, escatol, escatologia*[1].

▲**escato-** [Do gr. *éschatos, ē, on*, 'último', 'extremo', 'final'.] *El. comp.* = 'último'; 'fim': *escatologia*[2].

escatocolo *S. m. E. Ling.* Remate, conclusão de um texto.

escatofagia [De *escatófago* + *-ia*[1].] *S. f.* V. *coprofagia*.

escatofágico [De *escatofagia* + *-ico*[2].] *Adj.* Relativo à escatofagia.

escatófago [Do gr. *skatophágos*.] *Adj. S. m.* Que ou o que se alimenta de excrementos; coprófago.

escatofilia [De *escat(o)-* + *-filia*.] *S. f. Psiq.* Perversão que se caracteriza por gosto por imundície.

escatofílico [De *escatófilo* + *-ico*[2].] *Adj.* Escatófilo (1 e 2).

escatófilo [De *escat(o)-* + *-filo*[2].] *Adj.* 1. Que cresce ou vive em excrementos; escatofílico. 2. *Psiq.* Que sofre de escatofilia; escatofílico. ● *S. m.* 3. *Psiq.* Indivíduo escatófilo (2).

escatofobia [De *escat(o)-* + *-fobia*.] *S. f. Psiq.* Pavor mórbido de contato com excremento.

escatofóbico [De *escatofobia* + *-ico*[2].] *Psiq. Adj.* 1. Relativo a escatofobia. 2. Que sofre de escatofobia; escatófobo. ● *S. m.* 3. Aquele que sofre de escatofobia; escatófobo.

escatófobo [De *escat(o)-* + *-fobo*.] *Adj. S. m. Psiq.* Escatofóbico (2 e 3).

escatol [Do V.C.I. *skatol, scatol*.] *S. m. Quím.* Substância cristalina, volátil, com odor característico de fezes humanas, onde é encontrada [fórm.: C_9H_9N]. [Pl.: *escatóis*.]

escatologia[1] [De *escat(o)-* + *-logia*.] *S. f.* Tratado acerca dos excrementos.

escatologia[2] [De *escato-* + *-logia*.] *S. f. Teol.* 1. Doutrina sobre a consumação do tempo e da história. 2. Tratado sobre os fins últimos do homem.

escatológico[1] [De *escatologia*[1] + *-ico*[2].] *Adj.* Relativo à escatologia[1].

escatológico[2] [De *escatologia*[2] + *-ico*[2].] *Adj.* Referente à escatologia[2].

escavacação [De *escavacar*[3] + *-ção*.] *S. f.* 1. *Bras. N.E.* Ato ou efeito de escavacar[3]. 2. Escavação (2).

escavacado[1] [Part. de *escavacar*[1].] *Adj.* 1. Feito em cavacos; espedaçado, quebrado. 2. *Fig.* V. *escaveirado* (3).

escavacado[2] [Part. de *escavacar*[3].] *Adj. Bras. N.E.* Cavado, escavado.

escavação [Do lat. *excavatione*.] *S. f.* 1. Ato ou efeito de escavar. 2. Trabalho de desaterro ou desentulho para nivelar, terraplenar ou abrir cortes em um terreno; escavacação. 3. Buraco (2). 4. *Arqueol.* Pesquisa, ger. mediante cortes no terreno, para retirada dos vestígios arqueológicos (v. *vestígio arqueológico*). 5. *Fig.* Investigação, pesquisa.

escavacar[1] [De *es-* + *cavaco*[1] + *-ar*[2].] *V. t. d.* 1. Fazer em cavacos; despedaçar; quebrar. 2. Arruinar; destruir; esbandalhar. 3. Tornar magro, abatido, alquebrado. *P.* 4. Despedaçar-se; quebrar-se: *Na briga, escavacou-se o violão.* [Conjug.: v. *trancar*.]

escavacar[2] [De *es-* + *cavaco*[2] + *-ar*[2].] *V. int. Bras. N.* Dar o cavaco; encavacar, amuar(-se), zangar-se. [Conjug.: v. *trancar*.]

escavacar[3] [De *es-* + *cavacar*.] *V. t. d. Bras. N.E.* 1. Cavar, escavar, cavoucar. 2. *Fig.* Escavar (5). [Conjug.: v. *trancar*.]

escavaçar [De *es-* + *cava* + *-açar*.] *V. t. d.* 1. Dar segunda cava a (a vinha). 2. V. *esterroar*. [Conjug.: v. *laçar*.]

escavadeira [De *escavar* + *-deira*.] *S. f.* Designação comum aos vários tipos de máquinas de escavar, de revolver terra ou de retirar aterro; escavador, escavadora.

escavado [Part. de *escavar*.] *Adj.* V. *côncavo* (1).

escavador (ô) [De *escavar* + *-dor*.] *Adj.* 1. Que escava. ● *S. m.* 2. Aquele ou aquilo que escava. 3. V. *escavadeira*. 4. *Fig.* Investigador, pesquisador.

escavadora (ô) [De *escavar* + *-dora*.] *S. f.* V. *escavadeira*.

escavalinho [De *os cavalinhos*.] *S. m. Bras. SP Pop.* V. *circo* (3).

escavar [Do lat. *excavare*.] *V. t. d.* 1. Formar cavidades ou escavações em. 2. Cavar em roda. 3. Tirar terra de; fazer escavação (2); escavacar. 4. Tornar cavo, côncavo, oco. 5. *Fig.* Investigar, pesquisar; escarafunchar: *Escavou o assunto até descobrir o que desejava. P.* 6. Tornar-se oco. 7. Formar (um terreno) cova ou cavidade.

escaveirado [Part. de *escaveirar*.] *Adj.* 1. Semelhante a uma caveira. 2. De rosto muito magro, descarnado, descaveirado: "Velhos abaçanados, escaveirados, cabelos hirsutos, chapéu de coco à cabeça, ... não se moviam" (Coelho Neto, *A Conquista*, pp. 361-362). 3. Muito magro e alquebrado; macilento, escavacado, descaveirado.

escaveirar [De *es-* + *caveira* + *-ar*[2].] *V. t. d.* Tornar semelhante a caveira; tornar magro; descarnar; escavacar.

escaxelado [Var. de *desqueixelado*, com alter. semântica.] *Adj. Bras. Pop.* Alquebrado, abatido, avelhentado, avelhantado.

▲**-escer** Equiv. de *-ecer*.

escindir [Do lat. *exscindere*.] *V. t. d.* 1. Cortar, separar. 2. Desavir, indispor. 3. Romper, anular; rescindir.

▲**escio-** [Do gr. *skio-* < gr. *skiá, âs*, 'sombra'.] V. *ci(a)-*.

esciofilia [De *escio-* + *-filia*.] *S. f. Ecol.* Necessidade que uma planta ou comunidade vegetal tem de sombra para se desenvolver. [Opõe-se a *heliofilia*.]

esciofílico [De *esciofilia* + *-ico*[2].] *Adj. Ecol.* Relativo a esciofilia, ou a esciófilo.

esciófilo [De *escio-* + *-filo*[2].] *Adj. S. m. Ecol.* Que, ou aquele que apresenta esciofilia.

esciófito [De *escio-* + *-fito*.] *S. m. Bot.* Vegetal esciófilo.

escirpo [Do tax. *Scirpus* (do lat. *scirpus*).] *S. m. Bot.* 1. Grande gênero de plantas ciperáceas, anuais ou perenes, dotadas de espiquetas, solitárias ou racemosas, com flores perfeitas, com um perianto e seis setas. 2. Qualquer espécie desse gênero, como, p. ex., a *Scirpus lacustris* ou a *S. acutus* [v. *junco*[1] (1)]. 3. Qualquer espécie desse gênero, ou a flor desse.

escitamínea [Do lat. *scitam(enta)*, 'ornatos delicados', + *-ínea*; tax. *Scitamineae*.] *S. f. Bot.* Espécime das escitamíneas, ordem de monocotiledôneas caracterizadas pelo androceu reduzido, não raro petaloide, ovário ínfero e flores zigomorfas ou assimétricas, estas quase sempre amplas e vivamente coloridas. Engloba, entre outras, as musáceas, zingiberáceas, canáceas e marantáceas. [F. paral.: *citamínea*. Sin.: *zingiberale*.]

escitamíneo [De *escitamínea* (q. v.).] *Adj. Bot.* Pertencente ou relativo às escitamíneas. [F. paral.: *citamíneo*. Sin.: *zingiberal*.]

escitopetalácea [Do tax. *Scytopetalum* (do gr. *skýtos*, 'pele', + lat. cient. *petalum* [v. *petal(o)-*]) + *-ácea*; tax. *Scytopetalaceae*.] *S. f. Bot.* Espécime das escitopetaláceas, família da ordem das malvales, composta de plantas lenhosas de folhas alternas e sem estípulas, estames em número indefinido, corola valvar, e fruto monospermo, seco ou drupáceo. Há só umas 10 espécies, da África ocidental.

escitopetaláceo [De *escitopetalácea*, com var. suf. (v. *-áceo*).] *Adj. Bot.* Pertencente ou relativo às escitopetaláceas.

esclarecedor (ô) [De *esclarecer* + *-dor*.] *Adj.* Que esclarece; que torna compreensível; que alarga o conhecimento.

esclarecer [De *es-* + *claro* + *-ecer*.] *V. t. d.* 1. Tornar claro; iluminar, aluminar; aclarar; clarear: *A luz forte do lampião esclarecia todo o ambiente.* 2. Tornar claro, compreensível; elucidar, aclarar: *Sua explicação esclareceu o mistério.* 3. Dar ou prestar explicação, esclarecimento, a: *Partiu de repente, sem esclarecer a família.* 4. Ilustrar, iluminar, abrilhantar: *esclarecer o espírito.* 5. Fazer nobre, ilustre. *T. d. e i.* 6. Dar ou prestar explicação, esclarecimento: *Esclareci-lhe o sentido da frase. Int.* 7. Tornar-se claro; iluminar-se; alvorecer: *O dia esclareceu. P.* 8. Obter esclarecimentos; informar-se. 9. Ilustrar-se, enobrecer-se. 10. Acender-se, iluminar-se: "o oriente foi-se esclarecendo de gradação em gradação, até que deixou ver o disco luminoso do sol." (José de Alencar, *Cinco Minutos*, p. 67). [Conjug.: v. *aquecer*.]

esclarecido [Part. de *esclarecer*.] *Adj.* 1. Claro, alumiado, iluminado. 2. Elucidado, explicado, desvendado. 3. Dotado de ilustração, saber, cultura. 4. *Fig.* Nobre, ilustre, preclaro.

esclarecimento [De *esclarecer* + *-imento*.] *S. m.* 1. Ação ou efeito de esclarecer(-se). 2. Explicação, aclaração, elucidação. 3. Anotação ou comentário a (um texto); escólio: *A lírica medieval, para ser bem compreendida, exige muitos esclarecimentos.* 4. Informação, dado: *A circular contém esclarecimentos a respeito dos novos cursos.* 5. *Fig.* Ilustração, enobrecimento.

esclareia (éi) [Do lat. cient. *sclarea*.] *S. f. Bot.* Planta lamiácea (*Salvia sclarea*), nativa das regiões mediterrâneas; tem uso medicinal. ❖

esclavão [Do fr. ant. *esclavon*.] *Adj. S. m.* V. *eslavônio* (1 e 3).

esclavina [Do gr. *sklabenós*, poss. pelo fr. *esclavine* ou pelo cat. *esclavina*.] *S. f.* Murça ou romeira que os peregrinos usavam sobre a túnica.

esclavônio *Adj. S. m.* V. *esclavônio*. [Uso freq. em P.]

esclavônio *Adj. S. m.* V. *eslavônio* (1 e 3).

esclera [Do lat. *sclera*.] *S. f. Anat.* Cada uma das duas membranas brancas e fibrosas que revestem cada globo ocular homolateral. [Sin.: *albugínea ocular*, (pop.) *clara, alva, alvo, branco do olho* e (ant. denom.) *esclerótica*.]

escleractínio [Adapt. do tax. *Scleractinia*.] *Zool. S. m.* 1. Espécime dos escleractínios, ordem de corais antozoários, ger. coloniais, de exoesqueleto calcário, considerados os principais construtores de recifes de corais. ● *Adj.* 2. Pertencente ou relativo a eles.

escleral [De *escler(o)-* + *-al*[1].] *Adj. 2 g.* 1. Endurecido, rijo. 2. Diz-se do tecido orgânico fibroso.

esclerectasia [De *escler(o)-* + *ectasia*.] *S. f. Oftalm.* Dilatação da esclera.

esclerectomia [De *escler(o)-* + *-ectom-* + *-ia*[1].] *S. f.* 1. *Oftalm.* Ressecção, por meio de técnicas variáveis, de esclera. 2. *Otor.* Ressecção das porções esclerosadas da orelha média, após otite média.

esclerectómico *Adj.* V. *esclerectômico*. [Uso freq. em P.]

esclerectômico [De *esclerectomia* + *-ico*[2].] *Adj.* Relativo à esclerectomia.

escleredema *S. m. Derm.* Esclerema do adulto (q. v.).

esclereide [Do V.C.I. *sclereid*.] *S. f. Bot.* Célula endurecida por deposição de lignina, e mais ou menos isodiamétrica; braquiesclereide, escleróclto.

esclerema [Do V.C.I. *sclerema*, f. red. do lat. cient. *sclerema adultorum*.] *S. m. Med.* Esclerema adiposo. ◆ **Esclerema adiposo.** *Med.* Endurecimento, localizado ou generalizado, de gordura subcutânea, com prejuízo da mobilidade da pele sobre os planos profundos. [Tb. se diz apenas *esclerema*.] **Esclerema do adulto.** *Derm.* Doença crônica, de causa desconhecida, que pode incidir em criança e em adulto, e em que se observa espessamento progressivo da derme; escleredema.

esclerênquima [De *escler(o)-* + *-ênquima*.] ***S. m. Bot.*** Tecido constituído por células do tipo esclereide, que têm paredes grossas e duras, sendo o esclerênquima, pois, um tecido de sustentação, que confere rigidez ao caule e à raiz. [Forma-se no curso da estrutura primária. Cf. *fibras esclerenquimáticas*.]

esclerenquimático [De *esclerênquima* + *-ático*.] ***Adj.*** *Bot.* Esclerenquimatoso. ~ V. *fibras —as*.

esclerenquimatoso (ô) [De *escler(o)-* + *-enquimat(o)-* + *-oso*.] ***Adj.*** *Bot.* Referente ao, ou próprio do esclerênquima; esclerenquimático.

esclerito [Do V.C.I. *sclerite*.] ***S. m.*** *Zool.* Cada uma das placas endurecidas (quitinosas, ou, às vezes, calcárias) separadas por suturas ou áreas membranosas, e que constituem a superfície do corpo dos invertebrados.

▲**escler(o)-** [Do gr. *sklēro-* < gr. *sklērós, á, ón*.] ***El. comp.*** = 'duro'; 'esclera'; 'esclerose': *esclerênquima, esclerócito, esclerectasia*. [Equiv.: *-(e)scler(o)-, -sclero*: *angiosclerose; megasclero, microsclero*.]

▲**-(e)scler(o)-** V. *escler(o)-*.

esclerócio [Do lat. cient. *sclerotium* < gr. *sclerótes*, 'dureza', 'solidez', + lat. cient. *-ium* (v. *-io*[3]).] ***S. m.*** *Micol.* Corpo duro, formado pelo micélio de determinados fungos e composto de hifas densamente entrelaçadas e revestidas por uma camada cortical. Armazena substâncias nutritivas e pode perdurar longamente em estado de latência. [Sin.: *escleróideo* e *escleródio*.]

esclerócito [De *escler(o)-* + *-cito*.] ***S. m.*** **1.** *Bot.* V. *esclereide*. **2.** *Zool.* Nos poríferos, cada uma das células ameboides que se fusionam e secretam as espículas que formam o esqueleto das esponjas.

esclerodermia [De *escler(o)-* + *-derm(o)-* + *-ia*[1].] ***S. f.*** *Med.* Doença que ocorre de modo difuso ou localizado, e em que os tecidos conjuntivos de qualquer órgão podem tornar-se cronicamente endurecidos e retraídos.

esclerodérmico [De *esclerodermia* + *-ico*[2].] ***Adj.*** Referente à esclerodermia.

escleródio [Do gr. *skleróides*, 'que parece duro', + *-io*[3].] ***S. m.*** *Micol.* V. *esclerócio*.

esclerofilia [De *escler(o)-* + *-fil(o)-*[1] + *-ia*[1].] ***S. f.*** *Ecol.* Ocorrência de folhas duras, coriáceas, em virtude do grande desenvolvimento do esclerênquima. [Observa-se caracteristicamente nos climas secos e quentes.]

esclerofílico [De *esclerofilia* + *-ico*[2].] ***Adj.*** *Ecol.* Relativo a esclerofilia, ou a esclerofilo.

esclerofilo [De *escler(o)-* + *-filo*[1].] ***Adj. S. m.*** *Ecol.* Que, ou aquele que apresenta esclerofilia.

escleróideo [Subst. de (*corpo*) *escleróideo*, '(corpo) de textura rígida', (*escler(o)-* + *-óideo*).] ***S. m.*** *Micol.* V. *esclerócio*. [F. impr., com infl. de *esclerócio*: *escleródio*.]

escleroma [Do gr. *skléroma*.] ***S. m.*** *Patol.* Área de endurecimento vista, sobretudo, em tecidos nasais e laríngeos.

esclerómetro ***S. m.*** *Min.* V. *esclerômetro*. [Uso freq. em P.]

esclerômetro [De *escler(o)-* + *-metro*.] ***S. m.*** *Min.* Aparelho para medir a natureza de um mineral quanto à sua resistência ao risco.

escleronomia [De *esclerônomo* + *-ia*[1].] ***S. m.*** *Fís.* Propriedade dum sistema em que existem vínculos esclerônomos.

esclerónomo ***Adj.*** V. *esclerônomo*. [Uso freq. em P.]

esclerônomo [De *escler(o)-* + *-nomo*.] ***Adj.*** *Fís.* ~ V. *vínculo —*.

escleropáreo [De *escler(o)-* + gr. *pareiá*, 'face(s)', + *-eo*; tax. *Scleroparei*.] ***S. m. Adj.*** *Zool.* V. *escorpeniforme*.

escleroproteína [De *escler(o)-* + *proteína*.] ***S. f.*** *Bioquím.* Cada uma de um grupo de proteínas caracterizadas pela insolubilidade e pela estrutura fibrosa, e que integram-se de estruturas, que desempenham, no corpo, função de sustentação e de proteção.

esclerosado [Part. de *esclerosar*.] ***Adj.*** **1.** Que se esclerosou. **2.** *Pop.* Diz-se de pessoa atingida por esclerose no sistema nervoso central. **3.** *Pop.* V. *de miolo mole*.

esclerosamento [De *esclerosar* + *-mento*.] ***S. m.*** Ação ou efeito de esclerosar(-se).

esclerosante [De *esclerosar* + *-nte*.] ***Adj. 2 g.*** Que provoca esclerose.

esclerosar [De *esclerose* + *-ar*[2].] ***V. t. d.*** **1.** Fazer adquirir esclerose. **2.** *Fig.* Tornar estagnado; paralisar. ***P.*** **3.** Adquirir esclerose. **4.** *Fig.* Tornar-se estagnado; parar de evoluir: *O ensino esclerosou-se por falta de incentivos.*

esclerose [Do gr. *sklérosis*.] ***S. f.*** *Patol.* Endurecimento, sobretudo o ocorrente em formação anatômica que sofreu processo inflamatório, ou outro que tenha acometido tecido conjuntival intersticial. ◆ **Esclerose arterial.** *Patol.* Arteriosclerose. **Esclerose múltipla.** Doença inflamatória que acomete múltiplos locais do sistema nervoso central, predominantemente na substância branca, e de etiologia desconhecida.

escleroterapia [De *escler(o)-* + *-terapia*.] ***S. f.*** *Terap.* Tratamento em que se injeta substância esclerosante no interior de veia, com o objetivo de ocluí-la.

esclerótica [Do lat. med. *sclerotica*, f. do lat. med. *scleroticus*, 'duro'.] ***S. f.*** *Anat. Denom. ant.* V. *esclera*.

esclerótomo [De *escler(o)-* + *-tomo*.] ***S. m.*** **1.** *Embr.* Porção ventrimedial do somito, cujas células dão origem a vértebras e costelas. **2.** *Cir.* Instrumento empregado para incisar a esclera.

esclusa [Do esp. *esclusa* < fr. *écluse*.] ***S. f.*** V. *eclusa*.

▲**-esco** (ê) ***Suf. nom.*** = 'relação', 'referência', 'qualidade': *quixotesco*. [Equiv.: *-isco*[2]: *areísco, mourisco*.]

escoa (ô) [Do cat. *escoa*.] ***S. f.*** *Constr. Nav.* **1.** Cada uma das carreiras de tabuado do forro interior do navio, de maior espessura, destinadas a consolidar a ligação dos braços às cavernas. [Em geral são três ou quatro carreiras, colocadas até junto à sobrequilha.] **2.** Cada uma das cantoneiras longitudinais dispostas paralelamente à sobrequilha, e assentes nos pontos onde as cavernas começam a subir, para consolidação interna da ossada do navio.

escoação [De *escoar* + *-ção*.] ***S. f.*** **1.** V. *escoamento* (1). **2.** *Bras. PA* Apartação do gado, na malhada, segundo a qualidade; coação. **3.** *Bras. PA* Apartação preliminar quando há muito gado alheio numa fazenda; coação.

escoadoiro [De *escoar* + *-doiro*[2].] ***S. m.*** Escoadouro (q. v.).

escoadouro [De *escoar* + *-douro*[2]; var. de *escoadoiro*.] ***S. m.*** Lugar ou cano destinado a por ele se escoarem águas, outros líquidos, ou dejetos.

escoadura [De *escoar* + *-dura*.] ***S. f.*** **1.** V. *escoamento*. **2.** V. *escorralho* (1).

escoalha [De *escó(ria)* + *-alha*, como em *gentalha*.] ***S. f.*** *Pop.* V. *ralé* (1).

escoamento [De *escoar* + *-mento*.] ***S. m.*** **1.** Ato de escoar. [Sin.: *escoadura, escoação* e (p. us.) *escoo*.] **2.** Declive, plano inclinado, por onde escoam as águas. **3.** Maneira como flui uma corrente. **4.** Deformação rápida e irreversível de um corpo, sem aumento apreciável da tensão que a causa. ◆ **Escoamento forçado.** Aquele em que o fluido se acha totalmente em contato com as paredes internas do conduto, nelas exercendo certa pressão. [Cf. *escoamento livre* e *escoamento superficial*.] **Escoamento laminar.** *Fís.* Escoamento de um fluido em que as linhas de corrente são perfeitamente definidas e onde não existem turbulências, *i. e.*, variações bruscas e irregulares da velocidade. **Escoamento livre.** Aquele em que o fluido se acha total ou parcialmente em contato com a atmosfera, como canal, curso de água, e até tubulação em que o escoamento não se faça forçado, etc. [Cf. *escoamento forçado* e *escoamento superficial*.] **Escoamento plástico.** *Fís.* O de uma substância em que só se estabelece um gradiente de velocidade entre duas camadas vizinhas se a tensão de cisalhamento exceder um determinado valor. **Escoamento potencial.** *Fís.* O escoamento irrotacional dum fluido ideal para o qual existe, univocamente definido, um potencial velocidade. **Escoamento superficial.** A parcela das águas pluviais que se escoa sobre o terreno sem nele se infiltrar. [Cf. *escoamento forçado* e *escoamento livre*.] **Escoamento turbilhonar.** *Fís.* Escoamento dum fluido no seio do qual existe um turbilhonamento e as linhas de corrente não são paralelas. **Escoamento viscoso.** *Fís.* Qualquer escoamento de um fluido em que a viscosidade é diferente de zero.

escoar [Do lat. *excolare*.] ***V. t. d.*** **1.** Fazer correr lentamente (um líquido). **2.** Deixar escorrer. **3.** Fazer sair por orifício, abertura. **4.** *Bras. PA* Retirar da malhada (o gado alheio à fazenda). ***Int.*** **5.** Esvair-se, dissipar-se: *Com a vida irregular que levava, a sua robustez não tardou a escoar.* **6.** Fugir furtivamente; desaparecer, sumir(-se), escoar-se. ***P.*** **7.** Correr, escorrer (em geral, esvaziando o recipiente); esvair-se: *A água da represa escoou-se.* **8.** Esvair-se, exaurir-se: *O sangue escoava-se pelo ferimento.* **9.** Decorrer; passar(-se): *Os anos se escoavam monotonamente.* **10.** V. *escoar* (6): "O vulto marinhou lesto escada acima, cavalgou o peitoril sem lhe tocar com os pés, ... e escoou-se para o interior da casa." (Camilo Castelo Branco, *A Mulher Fatal*, p. 49.) [Conjug.: v. *coroar*.]

escocês ***Adj.*** **1.** Da, ou pertencente ou relativo à Escócia (Europa). **2.** *Tec. Têx.* Diz-se de tecido xadrez com riscas cruzadas de diferentes cores, resultante da mistura de listras e barras, com ligamento tafetá ou sarja. [Originou-se na Escócia, onde cada clã era identificado pela estampa desse tecido, ger. de lã.] ~ V. *escola —a*. ● ***S. m.*** **3.** O natural ou habitante da Escócia. **4.** *Gloss.* Gaélico escocês [v. *gaélico* (2)]. **5.** Vocábulo dessa língua. [Flex.: *escocesa* (ê), *escoceses* (ê), *escocesas* (ê).]

escocesa (ê) [F. subst. de *escocês*.] ***S. f.*** V. *xote*.

escócia [Do lat. *scotia* < gr. *skotía* < gr. *skótos*, 'escuridão'.] ***S. f.*** *Arquit.* Nacela[1] (1).

escoda [Do esp. *escoda*.] ***S. f.*** Martelo dentado que os canteiros utilizam para lavrar e alisar pedra.

escodar [Do esp. *escodar*.] ***V. t. d.*** **1.** Lavrar ou alisar com escoda. **2.** Alisar (peles) para tingi-las. [Cf. *escudar*.]

escodear [De *es-* + *côdea* + *-ar*[2].] ***V. t. d.*** Tirar ou arrancar a côdea a; descascar. [Conjug.: v. *frear*.]

escoiceador (ô) [De *escoicear* + *-dor*.] ***Adj. S. m.*** Que, ou aquele que escoiceia; escoicinhador.

escoicear [De *es-* + *coice* + *-ear*[2].] ***V. t. d.*** **1.** Dar coice em. **2.** *Fig.* Tratar brutalmente; insultar. ***Int.*** **3.** Dar coice. [Sin. ger.: *escoicinhar, coicinhar, coicear*. Conjug.: v. *frear*.]

escoicinhador (ô) [De *escoicinhar* + *-dor*.] ***Adj. S. m.*** V. *escoiceador*.

escoicinhar [Var. de *escoucinhar*.] ***V. t. d. Int.*** V. *escoicear*: "galopa [o burro], escoicinha, orneia estridentemente" (Ramalho Ortigão, *Banhos de Caldas e Águas Minerais*, p. 193).

escoimar [De *es-* + *coima* + *-ar*[2].] ***V. t. d.*** **1.** Livrar de coima. ***T. d. e i.*** **2.** Livrar (de impurezas ou, fig., de falhas); limpar: *escoimar o vinho das fezes*; *escoimar o estilo das repetições e ambiguidades.* ***P.*** **3.** Furtar-se; livrar-se; escapar: *Grande estudioso, não se escoima, no entanto, de algumas inexatidões.*

escol [De *escolher*.] ***S. m.*** **1.** V. *elite* (1). **2.** Conjunto das pessoas mais cultas. [Pl.: *escóis*.] ◆ **De escol.** De alta qualidade.

escola [Do gr. *scholé*, pelo lat. *schola*.] ***S. f.*** **1.** Estabelecimento público ou privado onde se ministra, sistematicamente, ensino coletivo: *escola primária*; *escola de medicina*; *escola de corte e costura*. **2.** Estabelecimento onde se recebe ensino primário: *Tenho saudades da escola onde aprendi a ler.* **3.** *Educ.* Espaço destinado a educação sistematizada em todos os níveis e modalidades, composta por professores, alunos e comunidade escolar. **4.** *Educ.* Sistema de ensino baseado em teorias educacionais **5.** Alunos, professores e pessoal de uma escola. **6.** Edifício onde funciona a escola. **7.** Sistema ou doutrina de pessoa notável em qualquer dos ramos do saber: *A escola de Freud é o fundamento de todas as correntes de psicoterapia analítica.* **8.** Conjunto de adeptos e/ou seguidores de um mestre ou de uma doutrina ou sistema: *escola hegeliana*; *escola estoica.* **9.** Determinada concepção técnica e estética de arte, seguida por muitos artistas: *a escola de pintura flamenga.* **10.** Ensinamento; exemplo, lição: *As comunidades* hippies *procuram seguir a escola dos pensadores hindus.* **11.** Estudo, conhecimento, saber: *Não tem beleza, nem escola, nem dinheiro, mas tem bom coração.* **12.** O que é próprio para instruir, para dar experiência: *A disciplina doméstica é boa escola para fazer homens responsáveis.* **13.** Experiência, vivência: *Sua compreensão e generosidade demonstram que teve boa escola.* **14.** Seguidores, imitadores: *Sua boêmia criou escola entre os companheiros.* **15.** *Bras. RJ Gír.* Casa de jogo. ◆ **Escola ativa.** *Pedag.* Sistema pedagógico que se baseia na íntima correspondência entre o físico e o psíquico e na participação ativa da criança, opondo-se aos métodos tradicionais de valores intelectuais e disciplinares. **Escola cínica.** *Hist. Filos.* V. *cinismo* (1). **Escola cirenaica.** *Hist. Filos.* V. *cirenaísmo*. **Escola condoreira.** *Liter.* Escola literária da fase final da poesia romântica brasileira, cujos principais representantes são Castro Alves e Tobias Barreto, e cujas características principais são a grandiloquência, o gosto das antíteses e hipérboles, etc., à maneira de Vítor Hugo, seu modelo, e o aspecto social e político. **Escola de Alexandria.** *Hist. Filos.* **1.** Conjunto de escolas filosóficas e eruditas que floresceram na cidade de Alexandria, do séc. III a. C. ao séc. III de nossa era. **2.** Alexandrinismo (2). **Escola de Atenas.** *Hist. Filos.* O último período da Academia (1), no séc. V, ao fim do qual, em 529, foi fechada por Justiniano. **Escola de Baden.** *Hist. Filos.* Escola neokantiana cujos principais representantes foram os filósofos alemães Wilhelm Windelband (1841-1915) e Heinrich Rickert (1863-1936), cuja reflexão desenvolveu a oposição entre as ciências naturais e as ciências culturais. [V. *neokantismo* e *historicismo* (2).] **Escola de Cirene.** *Hist. Filos.* V. *cirenaísmo*. **Escola de Éfeso.** *Hist. Filos.* V. *heraclitismo*. **Escola de Eleia.** *Hist. Filos.* V. *eleatismo*. **Escola de Frankfurt.** *Hist. Filos.* Corrente de pensamento que integra os nomes de Walter Benjamin (1892-1940), Theodor Wiesengrund Adorno (1885-1969), Max Horkheimer (1885-1973) e Jürgen Habermas (1929), filósofos alemães cuja reflexão, chamada genericamente de teoria crítica, é oriunda do marxismo e voltada para os temas das ciências sociais. **Escola de Marburgo.** *Hist. Filos.* Escola neokantiana cujos principais representantes foram os filósofos alemães Paul Natorp (1854-1924), Hermann Cohen (1842-1918) e Ernest Cassirer (1874-

1945), voltada para a reflexão sobre as ciências naturais e, particularmente, sobre a física matemática. [V. *neokantismo.*] **Escola de Mégara.** *Hist. Filos.* Escola fundada por Euclides, o Socrático, filósofo grego (c. 450-380 a. C.), e influenciada por Sócrates e pelo eleatismo. (Discípulos de Euclides — entre outros, Eubúlides [séc. IV a. C.]— desenvolveram, com os estoicos, uma lógica formalística das proposições.) [Sin.: *escola erística* e *escola megárica.*] **Escola de Mileto.** *Hist. Filos.* V. *milésio* (4). **Escola de samba.** *Bras.* **1.** Sociedade musical e recreativa, composta de sambistas, passistas, compositores, músicos, figurinistas, etc., e que promove festejos, espetáculos e desfiles (especialmente durante o carnaval). **2.** A sede duma dessas sociedades, onde em geral se praticam as músicas e danças carnavalescas, ensaiando para os desfiles do carnaval. **Escola dominical.** Instituição essencialmente protestante, que ministra às crianças, aos domingos, educação religiosa e cívica. **Escola efésia.** *Hist. Filos.* V. *heraclitismo.* **Escola eleática.** *Hist. Filos.* V. *eleatismo.* **Escola erística.** *Hist. Filos.* V. *escola de Mégara.* **Escola escocesa.** *Hist. Filos.* Corrente de pensamento representada pelos filósofos escoceses Thomas Reid (1710-1796), Dugald Stewart (1753-1828) e Thomas Brown (1778-1820), entre outros, que se opunha ao fenomenismo de Locke e Hume, apelando para o senso comum. **Escola especial.** *Educ. Esp.* Instituição especializada, destinada a prestar atendimento psicopedagógico a educandos portadores de deficiências e de condutas típicas (v. *conduta típica*), na qual são desenvolvidos e utilizados currículos adaptados, programas e procedimentos metodológicos diferenciados, apoiados em equipamentos e materiais didáticos específicos. **Escola hedonística.** *Hist. Filos.* V. *cirenaísmo.* **Escola itálica.** *Hist. Filos.* V. *pitagorismo.* **Escola maternal.** Escola para crianças abaixo de 4 anos. [Cf. *jardim de infância* e *pré-escola.* Sin. (lus.): *infantário.*] **Escola megárica.** *Hist. Filos.* V. *escola de Mégara.* **Escola milésia.** *Hist. Filos.* V. *milésio* (4). **Escola mineira.** *Liter.* Grupo mineiro (q. v.). **Escola normal.** *Pedag.* Aquela que se destina à preparação de professores do ensino básico. **Escola peripatética.** *Hist. Filos.* V. *peripatetismo.* **Escola pitagórica.** *Hist. Filos.* V. *pitagorismo.* **Escola propedêutica.** *Pedag.* Sistema de ensino secundário que visava a preparação do estudante para ingresso aos cursos superiores. **Escolas socráticas.** *Hist. Filos.* V. *socratismo* (2). **Escola técnica.** *Pedag.* **1.** Sistema de ensino onde se ministra cursos técnicos. **2.** Formação de técnicos. **3.** Local onde se ministra cursos técnicos. **Fazer escola.** Criar adeptos: *Com as suas ideias, rapidamente fez escola.*

escolado [De *escola* + *-ado*[1].] ***Adj. Bras.*** **1.** Esperto, vivo, sabido, ladino. **2.** Experimentado, ensinado.

escolágio [De *escola* + *ágio*, poss.] ***S. m.*** Quantia que paga o aluno para frequentar a escola.

escola-modelo ***S. f.*** Estabelecimento de ensino cuja organização e métodos servem ou podem servir de modelo. [Pl.: *escolas-modelos* e *escolas-modelo.*]

escolar [Do lat. *scholare.*] ***Adj. 2 g.*** **1.** Relativo à escola: *problemas escolares.* **2.** De escolares: *travessia escolar.* **3.** Próprio para ser usado em escola, no ensino: *material escolar.* **4.** Próprio para se frequentar a escola: *idade escolar.* **5.** Destinado especialmente às escolas: *uma edição escolar de* Os Lusíadas. ~ V. *conteúdo —, grupo —, inspetor —, ofício —, orientação —* e *orientador —.* • ***S. 2 g.*** **6.** Aluno ou aluna de escola; escolástico: *travessia de escolares.*

escolarca [Do gr. *scholárches.*] ***S. m.*** *Filos.* Fundador ou chefe de escola de filosofia da Antiguidade grega; diádoco.

escolarcado [De *escolarca* + *-ado*[2].] ***S. m.*** *Filos.* Período de duração da chefia de um escolarca.

escolaridade [De *escolar* + *-(i)dade.*] ***S. f.*** **1.** Aprendizagem escolar: *Exige-se do candidato um determinado grau de escolaridade.* **2.** Rendimento escolar: *É um aluno de fraca escolaridade.* **3.** *Educ.* Grau de instrução; o nível de ensino cursado: *Qual é a sua escolaridade?*

escolarização [De *escolarizar* + *-ção.*] ***S. f.*** *Educ.* Ação ou efeito de escolarizar: "a escolarização de menores ainda apresenta problemas nesses municípios, em especial nos do Paraná e Santa Catarina" (Clóvis Caldeira, *Menores no Meio Rural*, p. 138).

escolarizado [Part. de *escolarizar.*] *Educ.* ***Adj.*** **1.** Submetido ao ensino escolar. • ***S. m.*** **2.** Aquele que se submeteu ao ensino escolar, ou que frequentou a escola.

escolarizar [De *escolar* + *-izar.*] ***V. t. d. P.*** Submeter (-se) ao ensino escolar.

escolarizável [De *escolarizar* + *-vel.*] ***Adj. 2 g.*** *Educ.* Em idade ou condições de ser escolarizado.

escolástica [Do lat. *scholastica.*] ***S. f.*** *Hist. Filos.* Doutrinas teológico-filosóficas dominantes na Idade Média, dos sécs. IX ao XVII, caracterizadas sobretudo pelo problema da relação entre a fé e a razão, problema que se resolve pela dependência do pensamento filosófico, representado pela filosofia greco-romana, da teologia cristã. Desenvolveram-se na escolástica inúmeros sistemas que se definem, do ponto de vista estritamente filosófico, pela posição adotada quanto ao problema dos universais (q. v.), e dos quais se destacam os sistemas de Santo Anselmo (v. *anselmiano*), de São Tomás (v. *tomismo*) e de Guilherme de Ockham (v. *ockhamismo*). [Sin. ger.: *escolasticismo.*]

escolasticismo [De *escolástico* + *-ismo.*] ***S. m.*** *Hist. Filos.* V. *escolástica.*

escolástico [Do gr. *scholastikós*, pelo lat. *scholasticu.*] ***Adj.*** **1.** Relativo a escola(s). **2.** Próprio de estudantes. **3.** Relativo ou pertencente à escolástica. **4.** Que é partidário da escolástica. ~ V. *letra —a.* • ***S. m.*** **5.** Escolar (5). **6.** Partidário da escolástica.

escólece ***S. m.*** *Zool.* V. *escólex.*

escolecita [Do gr. *skólex, ekos* + *-ita*[3]; al. *Skolezit.*] ***S. f.*** *Min.* Mineral monoclínico, silicato hidratado de cálcio e alumínio.

escólex (cs) [Do lat. cient. *scolex* < gr. *skólex, ekos*, 'verme'.] ***S. m. 2 n.*** *Zool.* Porção de fixação da tênia, em geral provida de ventosas. [F. paral.: *escólece.*]

escolha (ô) [Dev. de *escolher.*] ***S. f.*** **1.** Ato, operação ou efeito de escolher. **2.** Preferência, dileção, predileção: *Gostava de todos os irmãos, mas a sua escolha recaía sobre o mais velho.* **3.** Preferência, opção: *Foi difícil a escolha entre as duas soluções que lhe apresentaram.* **4.** Eleição (1): *A escolha do presidente tumultuou a reunião do partido.* **5.** Senso de escolha; capacidade de escolher bem; discernimento: *Não tem escolha nas suas amizades, e por isso algumas são péssimas.* [Sin. (p. us.), nessas acepçs.: *escolhimento.*] **6.** *Bras.* Café de qualidade inferior. **7.** *Bras.* Refugo ou resto, de qualidade inferior, de cereais e outros produtos agrícolas. ◆ **Múltipla escolha.** Sistema de aferição de conhecimentos em concursos, provas ou testes, no qual se apresentam, para cada questão formulada, várias respostas (entre as quais apenas uma é considerada válida), devendo o candidato, ou o aluno, assinalar a que lhe parecer correta.

escolhedor (ô) [De *escolher* + *-dor.*] ***Adj. S. m.*** Que, ou aquele que escolhe.

escolher [De *es-* + *colher* (ê).] ***V. t. d.*** **1.** Dar preferência a; eleger, preferir: *Cristo escolheu Pedro para o primeiro chefe de sua igreja; Escolheu aquele sítio para construir sua morada.* **2.** Fazer seleção de; joeirar: *Escolheu os melhores grãos.* ***T. d. e i. T. i.*** **3.** Optar (entre duas ou mais pessoas ou coisas): *Entre as duas soluções, escolheu a que mais lhe convinha;* "Escolhe entre nós dois..." (Menotti del Picchia, *As Máscaras*, p. LV).

escolhido [Part. de *escolher.*] ***Adj.*** **1.** Que se escolheu; selecionado, seleto. **2.** Preferido, dileto, predileto. **3.** *P. ext.* Apurado; seleto: *arroz escolhido; páginas escolhidas.* • ***S. m.*** **4.** O que se escolheu. **5.** Namorado ou noivo; eleito.

escolhimento [De *escolher* + *-imento.*] ***S. m.*** *P. us.* Escolha (1 a 5).

escolho (ô) [Do it. *scoglio.*] ***S. m.*** **1.** Abrolho (5). **2.** *Fig.* Dificuldade, obstáculo. **3.** *Fig.* Perigo, risco. [Pl.: *escolhos* (ó).]

escólia [Do tax. *Scolia.*] ***S. f.*** *Zool.* **1.** O gênero-tipo dos escoliídeos, insetos himenópteros, cujas larvas parasitam as doutros insetos; ocorrem nas regiões quentes e temperadas, com ampla distribuição. **2.** Espécie ou espécime desse gênero. [Cf. *escolia*, do v. *escoliar.*]

escoliador (ô) [De *escoliar* + *-dor.*] ***S. m.*** V. *escoliasta.*

escoliar [De *escólio* + *-iar.*] ***V. t. i.*** Apor escólio (1) a. [Pres. ind.: *escolio, escolias, escolia*, etc. Cf. *escólio* e *escólia.*]

escoliasta [Do gr. *scholiastés.*] ***S. 2 g.*** Autor de escólios; comentador, explicador, escoliador.

escoliídeo [Do tax. *Scolia* (v. *escólia*) + *-ídeo*[1]; tax. *Scoliidae.*] *Zool.* ***S. m.*** **1.** Espécime dos escoliídeos, família de insetos himenópteros cujo corpo é coberto de pelos dourados ou, em algumas espécies, pretos. Têm distribuição tropical e subtropical, são parasitas de outros insetos e frequentemente apresentam dimorfismo sexual. • ***Adj.*** **2.** Pertencente ou relativo a eles.

escólio [Do gr. *schólion.*] ***S. m.*** **1.** Comentário destinado a tornar inteligível um autor clássico; esclarecimento. **2.** Explicação ou interpretação de um texto. [Cf. *escolio*, do v. *escoliar.*]

escoliose [Do gr. *skolíosis.*] ***S. f.*** *Ort.* Curvatura lateral anormal da coluna vertebral, e que pode ocorrer em suas diferentes partes (cervical, torácica e lombar); raquioscoliose. [Cf. *cifose* e *lordose* (3).]

escolitídeo [Do tax. *Scolytus* + *-ídeo*[1]; tax. *Scolytidae.*] *Zool.* ***S. m.*** **1.** Espécime dos escolitídeos, família de insetos coleópteros onde se reúnem besouros pequenos, alguns com menos de 0,5mm de comprimento, e os maiores, com cerca de 1cm; corpo cilíndrico, cor preta ou marrom escura. Habitam o interior da casca das árvores, e chegam a atingir a estrutura interna. • ***Adj.*** **2.** Pertencente ou relativo a eles.

escolmar [De *es-* + *colmo* + *-ar*[2].] ***V. t. d.*** **1.** Privar do colmo; descolmar. **2.** Apartar o colmo de.

escolopacídeo [Do lat. cient. *Scolopac-* (< tax. *Scolopax* < lat. *scolopax, acis*, 'certa ave') + *-ídeo*; tax. *Scolopacidae.*] *Zool.* ***S. m.*** **1.** Espécime dos escolopacídeos, família de aves caradriiformes, cosmopolitas, caracterizadas por terem o tarso de comprimento inferior ao dobro do dedo médio, e revestido anteriormente (e quase sempre também posteriormente) de placas transversais dispostas em série única. Hálux ger. presente, plumagem cinza, marrom, preta ou branca, de acordo com a espécie, e bicos diversos quanto a forma e o tamanho. • ***Adj.*** **2.** Pertencente ou relativo a eles.

escolopendra [Do gr. *skolópendra*, pelo lat. *scolopendra.*] ***S. f.*** V. *lacraia.*

escolopêndrio [Do gr. *skolopéndrion.*] ***S. m.*** Feto[2] medicinal, próprio das regiões temperadas.

escolopendromorfo [Do tax. *Scolopendra* (< lat. *scolopendra*; v. *escolopendra*) + *-morfo*; tax. *Scolopendromorpha.*] *Zool.* ***S. m.*** **1.** Espécime dos escolopendromorfos, ordem de artrópodes miriápodes, quilópodes, de pernas em número de 21 ou 23 pares. Algumas espécies atingem até 26cm. • ***Adj.*** **2.** Pertencente ou relativo a eles.

escolta [Do esp. *escolta* < it. *scorta.*] ***S. f.*** **1.** Policiais, corpo de tropas, embarcações, aviões, etc., destacados para acompanhar, guardar ou defender pessoas ou coisas: *O avião que trouxe os campeões da Copa do Mundo chegou ao Rio acompanhado de uma escolta de caças da FAB.* **2.** *P. ext.* Ação de escoltar.

escoltar [De *escolta* + *-ar*[2].] ***V. t. d.*** **1.** Acompanhar para defender ou guardar: *Os policiais escoltaram os presos até a cadeia.* **2.** Ir ou seguir junto de; acompanhar: *Escoltou gentilmente a namorada, deixando-a em casa.*

escômbrida [Do lat. cient. *Scombr-* (v. *escombrídeo*) + *-ida*[1].] ***S. m. Adj. 2 g.*** *Zool.* V. *escombrídeo.*

escombrídeo [Do lat. cient. *Scombr-* (< tax. *Scomber, Scombrus* < gr. *skómbros*, 'cavala', 'sarda') + *-ídeo*[1]; tax. *Scombridae.*] *Zool.* ***S. m.*** **1.** Espécime dos escombrídeos, Família de peixes actinopterígios, perciformes, pelágicos, tropicais, cosmopolitas, com duas nadadeiras dorsais separadas. Ex.: o atum e as cavalas. • ***Adj.*** **2.** Pertencente ou relativo a eles. [Sin. ger.: *escômbrida.*]

escombro [Do tax. *Scomber* (< gr. *scombrós*).] ***S. m.*** *Zool.* **1.** O gênero-tipo dos escombrídeos (q. v.). **2.** Qualquer espécie desse gênero, como, p. ex., a *Scomber scombrus*, de dorso verde com listras azuis-escuras, ventre prateado, cerca de 50cm de comprimento e que, tanto na Europa como na América, é muito us. na alimentação. **3.** Qualquer espécime desse gênero. ~ V. *escombros.*

escombros [Do esp. *escombros.*] ***S. m. pl.*** Entulhos, destroços, ruína(s): "Gorani chegou alguns anos depois do terremoto, mas ainda viu os escombros da grande eversão." (João Ribeiro, *Cartas Devolvidas*, p. 240.) ~ V. *escombro.*

escomunal [De *es-* + *comunal.*] ***Adj. 2 g.*** V. *descomunal.*

escondedoiro [De *esconder* + *-doiro*[2].] ***S. m.*** V. *esconderijo.*

escondedor (ô) [De *esconder* + *-dor.*] ***Adj. S. m.*** **1.** Que, ou aquele que esconde. **2.** V. *receptador.*

escondedouro [De *esconder* + *-douro*[2]; var. de *escondedoiro.*] ***S. m.*** V. *esconderijo.*

escondedura [De *esconder* + *-dura.*] ***S. f.*** Escondimento.

esconde-esconde [Reduplic. da 3.ª pess. do sing. do pres. ind. do v. *esconder.*] ***S. m. 2 n.*** Jogo infantil em que uma criança deve sair à procura das demais, que se esconderam; jogo das escondidas, escondidas, escondido, manja, pegador, pique-esconde, tempo-será, bacondê.

esconder [Do lat. *abscondere.*] ***V. t. d.*** **1.** Pôr em lugar oculto; encobrir, ocultar: *Escondeu cuidadoso o dinheiro.* **2.** Guardar consigo; não revelar; não enunciar; reservar: *Escondeu o que sentia a respeito do amigo.* **3.** Não manifestar; disfarçar, encobrir, dissimular: *Riu, procurando esconder o ódio.* ***T. d. e i.*** **4.** Furtar às vistas; ocultar: *Escondeu da polícia a arma do crime.* **5.** Não revelar; não enunciar; reservar, guardar: *Escondeu da família o desfalque cometido.* ***P.*** **6.** Subtrair-se às vistas alheias; ocultar-se: "Em que mundo, em qu'estrela tu t'escondes / Embuçado nos céus?" (Castro Alves, *Poesias Escolhidas*, p. 339.) **7.** Disfarçar-se, mascarar-se: *Sua tristeza se escondia sob uma máscara de indiferença.* **8.** Proteger-se, resguardar-se: *Procurou esconder-se contra os raios solares.*

esconderijo [Do esp. *escondrijo.*] ***S. m.*** Lugar onde alguém ou algo se esconde; escondedouro, escondedoiro.

escondidas[1] [F. red. de *jogo das escondidas*.] *S. f. pl. Lus.* V. *esconde-esconde*: "– Não é nada. São os rapazes do feitor jogando as escondidas." (Rebelo da Silva, *Contos e Lendas*, p. 54.)

escondidas[2] [F. pl. subst. de *escondido*.] *El. s. f. pl.* Us. na loc. adv. *às escondidas*. ◆ **Às escondidas.** Ocultamente; às ocultas; às esconsas.

escondido [Part. de *esconder*.] *Adj.* **1.** Oculto, encoberto, recôndito, abscôndito. ● *S. m.* **2.** V. *esconde-esconde*. **3.** *Bras. BA* V. *grunado*.

escondimento [De *esconder* + *-imento*.] *S. m.* Ato de esconder(-se); escondedura.

esconjuração [De *esconjurar* + *-ção*.] *S. f.* V. *esconjuro*.

esconjurar [De *es-* + *conjurar*.] *V. t. d.* **1.** Tomar juramento a; fazer prometer ou jurar. **2.** Exorcismar, conjurar: *esconjurar o Demônio.* **3.** Fazer imprecações contra; apostrofar, amaldiçoar. **4.** Fazer desaparecer; afastar. *T. d. e i.* **5.** Determinar, ordenar: *Esconjurou-lhe que se retirasse.* *P.* **6.** Lamentar-se, queixar-se: *Vive a esconjurar-se de sua triste sorte.* [Sin.: *desconjurar*.]

esconjurativo [De *esconjurar* + *-tivo*.] *Adj.* Esconjuratório (1).

esconjuratório [De *esconjurar* + *-tório*.] *Adj.* **1.** Que encerra esconjuro; esconjurativo. **2.** Próprio para esconjurar.

esconjuro [Dev. de *esconjurar*.] *S. m.* **1.** Juramento com imprecações. **2.** Praga, maldição. **3.** Exorcismo. [Sin. ger.: *esconjuração*.]

esconsas [F. pl. subst. de *esconso*[2].] *El. s. f. pl.* Us. na loc. adv. *às esconsas*. ◆ **Às esconsas.** V. *às escondidas*.

esconsidade [De *esconso*[1] + *-(i)dade*.] *S. f.* Complemento do ângulo formado pelas direções de uma ponte, ou de um viaduto, e do obstáculo transposto.

esconso[1] [Do fr. ant. **escoinz* < fr. ant. *escoinçon* (atual *écoinçon*).] *Adj.* **1.** Inclinado, oblíquo, enviesado, absconso. ~ V. *ponte —a*. ● *S. m.* **2.** Qualidade de esconso. **3.** Ângulo; canto; desvão. ◆ **De esconso.** De esguelha; de través; de soslaio: "Havia ainda um tigre, magro, que fitava a todos, de esconso, com os seus olhos ... que prometiam vingança" (Lêdo Ivo, *Ninho de Cobras*, p. 26).

esconso[2] [Do lat. *absconsu*.] *Adj.* **1.** Oculto, escondido: *lugar esconso*; "desde o contrabandista que, da sua malhada, espreitava os caminhos esconsos e nela se acoitava como um malfeitor, ao ganhão que .... vencia léguas com o pequeno negócio do seu jerico." (Fernando Namora, *Retalhos da Vida de um Médico*, p. 107). ● *S. m.* **2.** V. *recesso* (1): "os tristes e pusilânimes que se tinham acaçapado nos esconsos do mosteiro, nas covas .... escuras, afluíam ao largo." (Aquilino Ribeiro, *Estrada de Santiago*, p. 253).

escoo [Dev. de *escoar*.] *S. m. P. us.* V. *escoamento* (1). ❖

escopa (ô) [Do it. *scopa*.] *S. f. Bras. MG SP* Certo jogo de cartas.

escopear [Por **escoprear* < *escopro* + *-ear*[2].] *V. t. d. Bras.* Acertar preliminarmente, com o escopro, os cortes em (grandes peças de ferro, como chapas, varões, etc.). [Conjug.: v. *frear*.]

escopeiro [Do lat. *scopariu*.] *S. m.* **1.** Pequena vassoura com que se molha o carvão na forja quando aceso em demasia. **2.** *Bras. BA* Instrumento empregado na calafetagem de barcos.

escopeta (ê) [Do esp. *escopeta* < it. ant. *scoppietta* ou *scoppietto* (atual *schioppetto*).] *S. f.* Espingarda de repetição, leve, de cano curto: "viu, impassivelmente e sem uma palavra, a busca, as gavetas arrombadas pela coronha das escopetas" (Eça de Queirós, *Os Maias*, I, p. 24).

escopetear [De *escopeta* + *-ear*[2].] *V. t. d.* **1.** Disparar escopeta contra. *Int.* **2.** Dar tiros de escopeta. [Conjug.: v. *frear*.]

escopeteiro [De *escopeta* + *-eiro*.] *S. m.* **1.** *Ant.* Soldado armado de escopeta. ● *Adj.* **2.** *Bras. N.E.* Diz-se do atirador que não erra o alvo. **3.** *Bras.* Hábil, jeitoso, vivo, esperto.

escopídeo [Do tax. *Scopus* + *-ídeo*[1]; tax. *Scopidae*.] *Zool. S. m.* **1.** Espécime dos escopídeos, família de aves ciconiiformes, com uma só espécie africana. ● *Adj.* **2.** Pertencente ou relativo a eles.

escopo (ô) [Do lat. *scopu* < gr. *skopós*.] *S. m.* **1.** Alvo, mira, intuito; intenção: "A expressão do sentimento religioso .... só atinge o verdadeiro escopo quando não se afasta da simplicidade do eterno ideal." (Carlos de Laet, *O Frade Estrangeiro e Outros Escritos*, p. 64.) **2.** *Inform.* Em um programa, o módulo onde uma variável, constante, rotina, etc., pode ser lida, alterada ou executada, e fora do qual ela não é acessível. [Cf. *escopro* (ô).]

▲**escopo-** [Do gr. *skopós, oû*, '(o) que observa', '(o) que observa do alto ou de longe', < v. gr. *sképtesthai*, 'observar', 'examinar'.] *El. comp.* = 'ver'; 'visão': *escopofobia, escopófobo*.

escopofilia [De *escopo-* + *-filia*.] *S. f. Psiq.* **1.** Prazer sexual em olhar órgãos genitais (escopofilia ativa). **2.** Desejo patológico de ser visto (escopofilia passiva).

escopofílico [De *escopofilia* + *-ico*[2].] *Psiq. Adj.* **1.** Relativo a escopofilia. **2.** Que tem escopofilia; escopófilo. ● *S. m.* **3.** Aquele que tem escopofilia; escopófilo.

escopófilo [De *escopo-* + *-filo*[2].] *Adj. S. m. Psiq.* Escopofílico (2 e 3).

escopofobia [De *escopo-* + *-fobia*.] *S. f. Psiq.* Receio mórbido de ser visto.

escopofóbico [De *escopofobia* + *-ico*[2].] *Psiq. Adj.* **1.** Relativo a escopofobia. **2.** Que sofre de escopofobia; escopófobo. ● *S. m.* **3.** Aquele que sofre de escopofobia; escopófobo.

escopófobo [De *escopo-* + *-fobo*.] *Adj. S. m. Psiq.* Escopofóbico (2 e 3).

escopolamina [Do tax. *Scopolia* (gênero de plantas) + *amina*; al. *Scopolamin*, ingl. *scopolamine*.] *S. f. Quím.* Alcaloide existente em diversas solanáceas, líquido, viscoso, tóxico, usado como sedativo cerebral e hipnótico; hioscina [fórm.: $C_{17}H_{21}O_4N$].

escopro (ô) [Do lat. *scalpru*.] *S. m.* **1.** Instrumento de ferro e aço com que se lavram madeiras, pedras, etc.; cinzel. **2.** *Cir.* Instrumento cirúrgico de aço, com extremidade cortante, empregado em operações ósseas. [Cf. *escopo* (ô).]

escora [Do fr. ant. *escore* (atual *accore*) < neerl. *schor*.] *S. f.* **1.** Peça para amparar e suster; espeque, esteio, estronca. **2.** *Arquit.* V. *botaréu*. **3.** *Fig.* Amparo, arrimo. **4.** *Bras.* Espera com o fim de atacar; cilada, tocaia.

escorado [Part. de *escorar*.] *Adj.* **1.** Que se escorou; amparado com escoras. **2.** *Fig.* Amparado, firme, seguro.

escorador (ô) [De *escorar* + *-dor*.] *S. m. Bras. S.* Indivíduo valente, disposto, que não recua na luta, que escora o inimigo.

escoramento [De *escorar* + *-mento*.] *S. m.* **1.** Ato ou efeito de escorar(-se). **2.** Conjunto de escoras para arrimar parede que ameaça ruir. **3.** *Arquit.* Medida de caráter provisório, de emergência, que visa a evitar o avanço do processo de desabamento ou desarticulação de uma edificação. [Cf., nesta acepç., *consolidação* (8).]

escorão [De *escorar* + *-ão*[3].] *S. m. Bras. Cap.* Variante do golpe *chapa de pé*, quando o capoeirista ataca com a planta do pé o ventre do adversário.

escorar [De *escora* + *-ar*[2].] *V. t. d.* **1.** Pôr escora(s) a; segurar com escora(s); especar, amparar. **2.** *Bras.* Fazer frente a; arrostar, enfrentar, detendo: *O policial escorou os assaltantes.* **3.** *Bras.* Esperar (alguém) de espreita, protegido por escora ou, amparo; armar cilada, emboscada ou tocaia a; tocaiar. **4.** *Bras.* Resistir a; suportar. *T. d. e c.* **5.** Apoiar; encostar: *Escorou o corpo no muro para não cair.* *T. i.* **6.** Amparar-se, estribar-se; encostar-se: *Escorou no pai, não quer saber de trabalho.* *P.* **7.** Firmar-se, apoiar-se. **8.** Amparar-se, estribar-se, estear-se, ater-se, fundamentar-se: *Para pensar como pensa escora-se nas maiores autoridades.*

escorbútico [De *escorbuto* + *-ico*[2].] *Adj.* **1.** Relativo a, ou da natureza do escorbuto. **2.** Que sofre dessa doença. ● *S. m.* **3.** Aquele que sofre de escorbuto.

escorbuto [Do fr. *scorbut*, de or. germânica, poss. do ant. neerl. **schorbut*, atual *schurft*.] *S. m. Med.* Doença devida à carência de vitamina C, e que se caracteriza por tendência às hemorragias; mal de luanda.

escorçar [De *escorço* + *-ar*[2].] *V. t. d.* Fazer o escorço de. [Conjug.: v. *laçar*. Pres. ind.: *escorço*, etc. Cf. *escorço* (ô).]

escorchado [Part. de *escorchar*.] *Adj.* **1.** Sem corcha; descascado. **2.** Arranhado, esfolado. **3.** *Fig.* Despojado, espoliado; explorado.

escorchador (ô) [De *escorchar* + *-dor*.] *Adj. S. m.* Que, ou aquele que escorcha.

escorchamento [De *escorchar* + *-mento*.] *S. m.* **1.** Ação de escorchar. **2.** Esfoladela, arranhadura, escoriação.

escorchante [De *escorchar* + *-nte*.] *Adj. 2 g. Fig.* Muito elevado, muito acima do normal; exorbitante: *preços escorchantes; aluguel escorchante.*

escorchar [Do lat. vulg. *excorticare*.] *V. t. d.* **1.** Tirar a casca ou cortiça de; descascar, descortiçar. **2.** Tirar a pele ou o revestimento externo de (animal, planta ou qualquer objeto). **3.** Crestar (colmeias). **4.** Escangalhar, desconjuntar; destruir: *Escorchou, com um pontapé, o belo arranjo de flores.* **5.** Ferir, maltratar. **6.** Cometer erro em; estropiar: *escorchar versos; escorchar o idioma.* **7.** Roubar, despojar: *Os piratas escorcharam o navio.* **8.** Cobrar preço(s) exorbitante(s) a; esfolar: *O comerciante escorcha a freguesia.* **9.** Onerar muito pesadamente; esfolar: *O prefeito escorchou os contribuintes.* *T. d. e i.* **10.** Roubar, despojar: *Escorcharam a casa de seus móveis.*

escorcioneira [Do tax. *Scorzonera* (esp. *escorzonera* < cat. *escurçonera*).] *S. f. Bot.* **1.** Grande gênero de ervas asteráceas, dotadas de folhas estreitas e capítulos solitários, de flores amarelas em longos pedúnculos, e raiz tb. longa, cônica e carnosa. **2.** Qualquer espécie desse gênero, como, p. ex., a *Scorzonera hispanica* (v. *salsifi-negro*). **3.** Qualquer espécime desse gênero.

escorço (ô) [Do it. *scorcio*.] *S. m.* **1.** *Art. Plást.* Desenho ou pintura que representa objeto de três dimensões em forma reduzida ou encurtada, segundo as regras da perspectiva. **2.** As figuras assim representadas. **3.** Qualquer figura menor que o natural. **4.** *Fig.* Resumo, síntese. [Cf. *escorço*, do v. *escorçar*.]

escordar[1] *V. t. d. Desus.* Tirar do sono, acordar, despertar.

escordar[2] *V. t. d.* *T. d. e i.* *P. Pop.* Recordar (1, 5 e 7): "– Isso já me não escordo. Quando eu vim casar para aqui já meu cunhado tinha morrido." (Camilo Castelo Branco, *A Brasileira de Prazins*, p. 12.)

escórdio [Do lat. *scordiu* < gr. *skórdion*.] *S. m. Bot.* Planta lamiácea (*Teucrium scordium*) bulbosa, que recende a alho.

escore [Do ingl. *score*.] *S. m.* Resultado de uma partida esportiva, expresso em números; contagem, placar: *A partida terminou por um escore de 5 x 2.*

escória [Do gr. *skoría*, pelo lat. *scoria*.] *S. f.* **1.** Resíduo silicoso que se forma juntamente com a fusão dos metais; fezes: "Esse metal nobre, ... na incandescência da sua ebulição, não deixa escória." (Rui Barbosa, *Oração aos Moços*, p. 22.) **2.** Coisa desprezível. **3.** V. *ralé* (1): "A escória, a gentalha é que exerce o império." (Ramalho Ortigão, *Correio de Hoje*, II, p. 115.) [Cf. *escoria*, do v. *escoriar*.] ◆ **Escória ácida.** *Metal.* Escória com teor elevado de sílica. **Escória básica.** *Metal.* Escória de forno com teor elevado de óxidos básicos, como, p. ex., a magnésia. **Escória social.** V. *ralé* (1).

escoriação [De *escoriar*[1] + *-ção*.] *S. f.* Ato ou efeito de escoriar[1](-se).

escoriar[1] [Do lat. *excoriare*.] *V. t. d. P.* Ferir(-se) superficialmente; esfolar(-se). [Pres. ind.: *escorio, escorias, escoria*, etc. Cf. *escória*.]

escoriar[2] [De *escória* (1) + *-ar*[2].] *V. t. d.* Limpar (metais) de escórias; purificar; limpar, escorificar. [Pres. ind.: *escorio, escorias, escoria*, etc. Cf. *escória*.]

escorificar [De *escória* (1) + *-ficar*.] *V. t. d.* Purificar, limpar, escoriar. [Conjug.: v. *trancar*.]

escorificatório [De *escorificar* + *-tório*.] *Adj.* **1.** Que escorifica. ● *S. m.* **2.** Vaso para escorificar metais.

escorinhote [De *escora* + *-inho*[1] + *-ote*[1].] *S. m. Bras.* Escora que reforça, nos engenhos de açúcar, a comporta dos açudes.

escorjar [Do it. *scorciare*.] *V. t. d.* **1.** Dar posição forçada a; torcer; constranger. *Int. P.* **2.** Estorcer-se de dor ou de aflição; confranger-se.

escornado [Part. de *escornar*.] *Adj.* **1.** Ferido com os cornos. **2.** *Fig.* Tratado com desprezo; escorraçado. **3.** *Bras. Gír.* Esfalfado, extenuado, exausto (por excesso de trabalho, falta de sono, noitadas, etc.): "o pai bêbado, escornado por cima de caixas no celeiro" (Moreira Campos, *Os Doze Parafusos*, p. 59).

escornador (ô) [De *escornar* + *-dor*.] *Adj. S. m.* Que, ou aquele que escorna.

escornar [De *es-* + *corno* + *-ar*[2].] *V. t. d.* **1.** Ferir ou agredir com os cornos; marrar, chifrar. **2.** *Fig.* Tratar com desprezo; escorraçar, repudiar. *Int.* **3.** *Bras. Gír.* Ficar sem ação, inerte, por esfalfamento, extenuação, exaustão. *P.* **4.** Ferir-se ou agredir-se reciprocamente; com os chifres; marrar-se mutuamente. [Cf. *encornar* e *descornar*.]

escorneador (ô) [De *escornear* + *-dor*.] *Adj. S. m.* Que, ou aquele que escorneia.

escornear [De *es-* + *corno* + *-ear*[2].] *V. t. d.* Ter o hábito de escornar; escornar amiúde; escornichar. [Conjug.: v. *frear*.]

escornichar [De *es-* + *cornicho* + *-ar*[2].] *V. t. d.* Escornear.

escoroar [De *es-* + *coroa* + *-ar*[2].] *V. t. d.* Descoroar. [Conjug.: v. *coroar*.]

escorpenídeo [Do tax. *Scorpaena* + *-ídeo*[1]; tax. *Scorpaenidae*.] *Zool. S. m.* **1.** Espécime dos escorpenídeos, grande família de peixes actinopterígios, escorpeniformes, dos mares tropicais e temperados. Têm corpo subclaviforme, cabeça e opérculos armados de espinhos e glândulas venenosas na base dos espinhos das nadadeiras. Ex.: o mangangá e o peixe-escorpião. ● *Adj.* **2.** Pertencente ou relativo a eles.

escorpeniforme [Do tax. *Scorpaena* (v. *escorpenídeo*) + *-iforme*; tax. *Scorpaeniformes*.] *Zool. S. m.* **1.** Espécime dos escorpeniformes, ordem de peixes teleósteos, ger. de fundo, que têm nadadeiras peitorais arredondadas, cabeça com carapaça óssea, projeções espinhosas nos opérculos, e intrincados padrões de cores. ● *Adj. 2 g.* **2.** Pertencente ou relativo a eles. [Sin. ger.: *escleropáreo*.]

escorpiano *Astrol. S. m.* **1.** Indivíduo nascido sob o signo de Escorpião (3). ● *Adj.* **2.** Diz-se de, ou pertencente ou relativo a esse indivíduo.

escorpião [Do lat. *scorpione*.] *S. m.* **1.** *Zool.* Designação comum aos animais artrópodes, escorpioníideos, providos de 12 segmentos abdominais, dos quais os cinco posteriores formam com o telso uma cauda terminada em aguilhão, através do qual é inoculada a peçonha. [Sin.: *carangonço, lacrau, rabo-torto*.] **2.**

Astr. A oitava constelação do Zodíaco, situada no hemisfério sul, a 16h30min de ascensão reta e 30° de declinação sul. **3.** *Astrol.* O oitavo signo do Zodíaco, relativo aos que nascem entre 23 de outubro e 21 de novembro.

escorpião-d'água ***S. m.*** *Zool.* **1.** Designação comum às baratas-d'água, hemípteros aquáticos da família dos belostomatídeos. **2.** Inseto hemíptero, nepídeo, de distribuição cosmopolita, são percevejos que vivem em águas estagnadas e respiram por uma cauda tubular e pilosa que atinge a superfície. [Pl.: *escorpiões-d'água.*]

escorpião-grande ***S. m.*** *Bras. Zool.* Designação dada à espécie de escorpião *Tytius cambridgei*, de colorido uniforme, com cerca de 120mm de comprimento. Ocorre na Amazônia. [Sin.: *saraiú*. Pl.: *escorpiões-grandes.*]

escorpioide (ói) [Do gr. *skorpioeidés.*] ***Adj. 2 g.*** Semelhante à cauda do escorpião. ❖

escorpiônico [De *escorpião* (*escorpion-*) + *-ico*[2], seg. o padrão erudito.] ***Adj.*** De, ou relativo a escorpião.

escorpionídeo [Do lat. cient. *Scorpion-* (< tax. *Scorpio* < lat. *scorpio, onis*) + *-ídeo*[1]; tax. *Scorpionida.*] *Zool.* ***S. m.*** **1.** Espécime dos escorpionídeos, ordem de artrópodes, aracnídeos, tropicais e subtropicais, de corpo alongado, abdome segmentado, quelíceras trissegmentadas, palpos com robustas quelas terminais, e quatro pares de pulmões. Vivíparos, noturnos, são os aracnídeos mais primitivos, ainda apresentando a segmentação do abdome observada desde o siluriano. • ***Adj.*** **2.** Pertencente ou relativo a eles.

escorpionismo [De *escorpião* + *-ismo*, seg. o padrão erudito.] ***S. m.*** *Med.* Envenenamento produzido pela ferroada de escorpião.

escorraçado [Part. de *escorraçar.*] ***Adj.*** **1.** Afugentado, expulso, rejeitado com desprezo ou com maus-tratos. **2.** *Bras. MT Prov. port.* Arisco, arredio.

escorraçar [De or. incerta.] ***V. t. d.*** **1.** Pôr para fora, expulsar, com desprezo; correr: *Escorraçou o empregado desonesto*; "escorraçada de quantos lhe deviam respeito e amparo, abandonada no isolamento de uma insignificante propriedade já roída de hipotecas, via-se esbulhada do grande patrimônio, que legitimamente lhe pertencia." (M. Teixeira-Gomes, *Gente Singular*, p. 22). **2.** Afugentar, batendo. **3.** Afugentar, fazer desaparecer: "Esta impressão era tão estranha, tão inquietante, ... que Leonel se esforçava por a escorraçar" (José Régio, *O Príncipe com Orelhas de Burro*, p. 145). **4.** Não fazer caso de; rejeitar: *Escorraçou a oportunidade de ser feliz.* [Conjug.: v. *laçar.*]

escorralhas ***S. f. pl.*** V. *escorralho.*

escorralho [De *escorrer.*] ***S. m.*** **1.** Resíduo de líquido que ficou no fundo das vasilhas; fundagem, lia, escoadura. **2.** *Pop.* V. *ralé* (1). [Var.: *escorralhas.*]

escorredoiro [De *escorrer* + *-doiro*[2].] ***S. m.*** Escorredouro (q. v.).

escorredor [De *escorrer* + *-dor.*] ***S. m.*** *Bras.* **1.** Utensílio, ger. de plástico ou de metal, em que se colocam louça(s) e talheres para secar depois de lavados. **2.** Utensílio, ger. de plástico ou de metal, em que frutas, legumes e verduras são postos para secar após lavados, ou em que se põe alimento (massas, legumes, etc.) depois de cozido, para escorrer. **3.** *RS* Pequeno curral anexo ao banheiro carrapaticida, e onde, após o banho neste, se deixa o gado até que a água lhe escorra do corpo.

escorredouro [De *escorrer* + *-douro*[2]; var. de *escorredoiro.*] ***S. m.*** Lugar por onde escorre água; escorredura.

escorredura [De *escorrer* + *-dura.*] ***S. f.*** V. *escorredouro.*

escorrega [Dev. de *escorregar.*] ***S. m.*** V. *escorregador* (3).

escorregadela [De *escorregar* + *-dela.*] ***S. f.*** **1.** Ato de escorregar ou resvalar. **2.** Erro, falta, lapso, deslize. [Sin. ger.: *escorregadura, escorregamento, escorregão, escorrego.*]

escorregadiço [De *escorregar* + *-(d)iço*[2].] ***Adj.*** **1.** V. *escorregadio* (1). **2.** Que escorrega facilmente; escorregável.

escorregadio [De *escorregar* + *-dio.*] ***Adj.*** **1.** Em que se escorrega facilmente; resvaladio; escorregadiço, escorregável; lúbrico: "Levou a mão à maçaneta fria, leitosa, escorregadia, e girou." (Autran Dourado, *As Imaginações Pecaminosas*, p. 27.) **2.** Diz-se de pessoa dada a evasivas, subterfúgios: *Não chegamos a conhecer suas verdadeiras intenções: é muito escorregadio.*

escorregador (ô) [De *escorregar* + *-dor.*] ***Adj.*** **1.** Que escorrega. **2.** *Bras.* Exagerado, mentiroso. • ***S. m.*** **3.** Plano inclinado, ger. de madeira ou de metal, destinado ao divertimento de crianças; escorrega, escorregão, escorrego.

escorregadura [De *escorregar* + *-dura.*] ***S. f.*** V. *escorregadela.*

escorrega-macaco [De *escorregar* + *macaco.*] ***S. m.*** *Bras. Bot.* Árvore voquisiácea (*Vochysia haenkeana*) alta, comum em áreas silvestres de GO, de tronco liso, coberto de copioso pó de cor ocre que se desprende com extrema facilidade e que, vista de longe, exibe aspecto único graças à cor lútea do tronco brilhante ao sol. [Pl.: *escorrega-macacos.*]

escorregamento [De *escorregar* + *-mento.*] ***S. m.*** V. *escorregadela.*

escorregão [De *escorregar* + *-ão*[3].] ***S. m.*** **1.** V. *escorregadela.* **2.** Escorrego violento. **3.** V. *escorregador* (3).

escorregar [Do lat. vulg. **excurricare*, freq. de *excurrere.*] ***V. int.*** **1.** Deslizar com o próprio peso; resvalar: *Embriagado, pisou em falso e escorregou.* **2.** Ser escorregadio: *Este piso escorrega quando molhado.* **3.** Passar; decorrer com velocidade. **4.** *Fig.* Cometer erro, falta: *Escorregou ao desviar dinheiro da firma, mas é provável que se regenere.* **5.** *Bras.* Exagerar um fato, levado pelo entusiasmo da narração dele. ***T. i.*** **6.** Incorrer, cair: *Escorregou em solecismos.* **7.** Errar, claudicar: *Costuma escorregar na crase e em ortografia.* ***T. d. e i.*** **8.** Resvalar, deslizar, cair: *Quando menos se esperava escorregou por caminhos escusos.* **9.** Dar às escondidas; passar furtivamente: *Sem que o policial visse, escorregou o furto para o comparsa.* ***T. d. e c.*** **10.** Deslizar; resvalar. ***Pred.*** **11.** Escorregar (3): *As horas escorregavam, felizes.* [Conjug.: v. *regar*. Pres. ind.: *escorrego*, etc. Cf. *escorrego* (ê), s. m.]

escorregável [De *escorregar* + *-vel.*] ***Adj. 2 g.*** **1.** V. *escorregadio* (1). **2.** Escorregadiço (2).

escorrego (ê) [Dev. de *escorregar.*] ***S. m.*** **1.** V. *escorregadela.* **2.** *Bras. N.E.* V. *escorregador* (3). [Pl.: *escorregos* (ê). Cf. *escorrego*, do v. *escorregar.*]

escorreito [Do lat. **excorrectu*, part. de **excorrigere* < lat. *corrigere*, 'corrigir'.] ***Adj.*** **1.** Que não tem defeito ou lesão: "Logo ali prometeu à Senhora da Rocha levantar-lhe um nicho no portão da quinta, se seu futuro genro tornasse sãozinho e escorreito para a sua companhia." (Camilo Castelo Branco, *Cenas da Foz*, p. 76.) **2.** Que tem bom aspecto; bem-apessoado: "O vaqueiro velho não saiu então como de costume, ferrão em punho, perneiras e guarda-peito, escorreito e desempenado, no rosilho campeador, a dar a mão de ajuda àqueles forasteiros" (Hugo de Carvalho Ramos, *Tropas e Boiadas*, p. 12). **3.** Apurado; correto: *Fala e escreve um português escorreito*; "desenvolvendo as questões mais transcendentes com uma lógica inamolgável e através de uma linguagem escorreita e fluente" (João Neves da Fontoura, *Memórias*, I, p. 129).

escorrência [De *escorrer* + *-ência.*] ***S. f.*** **1.** Qualidade do que escorre. **2.** Facilidade, rapidez, no escorrer. **3.** Aquilo que escorre. **4.** V. *menstruação* (1).

escorrer [Do lat. *excurrere.*] ***V. t. d.*** **1.** Fazer correr ou esgotar (o líquido). **2.** Tirar a (alguma coisa) o líquido com que se achava misturada, fazendo-o correr gota a gota. **3.** Deixar sair; deitar, verter: *O ferimento escorria um líquido sanguinolento.* ***Int.*** **4.** Correr em fio; gotejar, pingar: *Transpirava muito, o suor escorria*; "Sem escândalo .... a prostituta na frente do bar chorava devagar, de verdade. A tinta da cara escorria com as lágrimas." (Caio Fernando Abreu, *Pequenas Epifanias*, p. 67). **5.** Suar em bica: *Com aquele calor de 40 graus, chegava a casa escorrendo.* ***T. c.*** **6.** Escorrer (4): *A água escorria-lhe da roupa encharcada.* **7.** Descair, pender: *O manto escorre-lhe dos ombros.*

escorrido [Part. de *escorrer.*] ***Adj.*** **1.** Que se escorreu [v. *escorrer* (1)]. **2.** A que se tirou o líquido; que se enxugou: *roupa escorrida*; "o mucunzá com coco da praia, a coalhada escorrida e os fofos manuês assados em folha de bananeira!..." (Domingos Olímpio, *Luzia-Homem*, p. 66). **3.** Liso, corredio: *cabelo escorrido.* **4.** Desbotado, deslavado: *Trazia um vestido com desenhos já escorridos de tantas lavagens.* **5.** Vazio, esvaziado: *Viajou tanto que voltou com o bolso escorrido.* **6.** Exausto, esgotado.

escorrimento [De *escorrer* + *-imento.*] ***S. m.*** **1.** Ato ou efeito de escorrer. **2.** *Bras.* Operação destinada a separar o leite da manteiga.

escorropichadela [De *escorropichar* + *-dela.*] ***S. f.*** Ato de escorropichar.

escorropicha-galhetas [De *escorropichar* o pl. de *galheta*[1].] ***S. m. 2 n.*** *Pop. Deprec.* V. *sacristão.*

escorropichar [De *escorrer*, poss.] ***V. t. d.*** **1.** Beber até à última gota; esgotar: *Escorropichou a aguardente num instante.* **2.** Beber as últimas gotas de líquido contido em (um vaso): *Escorropichou as garrafas de champanha.*

→**escort** ['ɛskɔɹt] [Ingl.] ***S. 2 g.*** V. *escorte.*

escorte [Do ingl. *escort.*] ***S. 2 g.*** Aquele ou aquela que presta serviços como acompanhante, esp. em eventos, recepções, etc., com objetivos sexuais ou não.

escortinar [De *es-* + *cortina* + *-ar*[2].] ***V. t. d.*** *Ant.* Guarnecer (fortaleza) de cortinas.

escorva [Do it. ant. *scroba.*] ***S. f.*** **1.** *Expl.* Dispositivo com que se dá início à explosão de uma carga principal, ger. constituído por um cordel detonante, uma espoleta elétrica ou um detonador, ou pelo conjunto de um estopim e uma espoleta comum. **2.** *Expl.* Porção de pólvora para comunicar fogo à carga de um foguete ou de um tiro de uma mina. **3.** *Bras. GO Pop.* V. *batata-inglesa.*

escorvador (ô) [De *escorvar* + *-dor.*] ***S. m.*** Instrumento para escorvar.

escorvamento [De *escorvar* + *-mento.*] ***S. m.*** *Expl.* Ação de conjugar uma escorva a uma carga explosiva.

escorvar [De *escorva* + *-ar*[2].] ***V. t. d.*** **1.** Pôr escorva em. **2.** Preparar a escorva de. **3.** Preparar para algum fim. **4.** Encher de água (uma bomba hidráulica) de modo que, ao ligá-la, funcione com eficiência.

escorzalita [Do antr. (*Evaristo P.*) *Scorza*, mineralogista brasileiro, + *-lita.*] ***S. f.*** *Min.* Mineral monoclínico, fosfato básico de ferro e alumínio com magnésio.

escota (ô) [Do fr. ant. *escoute* (atual *écoute*), poss. do gót. **skaut.*] ***S. f.*** *Marinh.* Cabo de laborar fixo no punho da escota (q. v.), e que permite caçar o pano, *i. e.*, estender a vela pelo punho respectivo, de modo que apresente ao vento toda a sua superfície. [A escota irá mais ou menos folgada ou entrada, de acordo com a mareação. Nas velas redondas há duas escotas, uma por barlavento e outra por sota-vento; nas latinas, apenas uma.]

escote[1] [Do fr. ant. *escot* (atual *écot*) < frâncico *skot*, 'imposto'.] ***S. m.*** **1.** Cota-parte (1). **2.** A quantia que cada um subscreve; contribuição. **3.** Parte que deve ser paga por cada um daqueles que fizeram uma despesa. **4.** *P. ext.* Qualquer despesa.

escote[2] [Do antr. *Scott*, inventor ou fabricante do primeiro dispositivo de sinais luminosos usado na Marinha Brasileira.] ***S. m.*** *Bras. Mar. G.* Dispositivo para fazer sinais à noite, constituído de lâmpadas, dispostas ger. nos dois laises de uma verga, cujo acendimento é comandado à distância por um manipulador do tipo telegráfico; pisca-pisca.

escoteira [De *escota* + *-eira.*] ***S. f.*** *Ant. Constr. Nav.* Armação constituída de duas colunas fixas no convés por ante a vante dos mastros, ligadas por um travessão no qual se enfiavam malaguetas onde davam volta as escotas das gáveas; escotel. ◆ **À escoteira.** Sem bagagem.

escoteirismo [De *escoteiro*[2] + *-ismo.*] ***S. m.*** Escotismo.

escoteiro[1] [Trad. do ingl. *boy scout*, a partir do ingl. *scout*, 'o que vai na frente para fazer o reconhecimento do local', + *-eiro.*] ***S. m.*** **1.** Membro componente de qualquer unidade de escotismo (q. v.). • ***Adj.*** **2.** Pertencente ou relativo ao escotismo. [F. paral. (lus.): *escuteiro.*]

escoteiro[2] [De *escote*[1] + *-eiro.*] ***Adj.*** **1.** Que viaja sem bagagem. **2.** Só, desacompanhado. **3.** *Bras. N. N.E.* Sem mistura; puro: *comer arroz escoteiro.* • ***S. m.*** **4.** Aquele que viaja sem bagagem. **5.** *Bras. BA* Tripulante encarregado da manobra da baleeira. ◆ **De escoteiro.** *Bras.* Sem bagagem.

escotel ***S. m.*** Escoteira. [Pl.: *escotéis.*]

escotilha [Do esp. *escotilla*, fonte tb. do fr. ant. *escoutille* (atual *écoutille*).] ***S. f.*** *Constr. Nav.* Abertura de grande ou médio tamanho, feita em qualquer pavimento de uma embarcação, para trânsito de pessoal, aeração ou iluminação das cobertas, ou passagem de carga. [Dim. irreg.: *escotilhão.*]

escotilhão [De *escotilha* + *-ão*[1].] ***S. m.*** *Constr. Nav.* Pequena escotilha.

escotismo [Trad. do ingl. *scouting*, a partir do ingl. *scout* (v. *escoteiro*[1]) + *-ismo.*] ***S. m.*** Organização mundial masculina de educação extraescolar, voluntária, fundada pelo general inglês Baden-Powell (1857-1941), que visa a desenvolver, entre meninos e rapazes, um comportamento baseado em valores éticos, por meio da vida em equipe, do espírito comunitário, da liberdade responsável e do estímulo ao aprimoramento da personalidade, quer no campo individual, quer no campo coletivo. [Sin.: *escoteirismo*. F. paral. (lus.): *escutismo*. Cf. *bandeirantismo.*]

escotofobia [Do gr. *skótos*, 'escuridão', + *-fobia.*] ***S. f.*** *Psiq.* Pavor da escuridão.

escotofóbico [De *escotofobia* + *-ico*[2].] *Psiq.* ***Adj.*** **1.** Relativo a escotofobia. **2.** Que sofre de escotofobia; escotófobo. • ***S. m.*** **3.** Aquele que sofre de escotofobia; escotófobo.

escotófobo [Do gr. *skótos*, 'escuridão', + *-fobo.*] ***Adj. S. m.*** *Psiq.* Escotofóbico (2 e 3).

escotoma [Do lat. tard. *scotoma* < gr. *skótoma.*] ***S. m.*** *Med.* Área, dentro de campo visual, em que a visão está prejudicada, circundada por zona em que a visão é normal ou menos perturbada. ◆ **Escotoma cintilante.** *Med.* Mancha brilhante que se move dentro do campo visual e que ocorre em algumas neuropatias, particularmente na enxaqueca; teicopsia, moscas volantes.

escouceador (ô) [De *escoucear* + *-dor.*] ***Adj. S. m.*** V. *escoiceador.*

escoucear [De *es-* + *couce* + *-ear*[2].] ***V. t. d. Int.*** V. *escoicear.* [Conjug.: v. *frear.*]

escoucinhador (ô) [De *escoucinhar* + *-dor*.] ***Adj. S. m.*** V. *escoicinhador*.

escoucinhar [De *escouc(ear)* + *-inhar*.] ***V. t. d. Int.*** V. *escoicinhar*.

escova [Dev. de *escovar*.] ***S. f.*** V. *escovadela*. [Pl.: *escovas*. Cf. *escova* (ô) e pl. *escovas* (ô).]

escova (ô) [Do lat. *scopa*.] ***S. f.*** **1.** Utensílio para limpar, lustrar, alisar, etc., que consta de uma placa onde são inseridos, muito próximos, filamentos flexíveis de cerda, fio sintético, metal, etc.: *escova de roupa, de dentes, de chão, de cavalo.* **2.** *Bras. Gír.* V. *maçante* (2). **3.** *Eng. Elétr.* Parte de um motor ou gerador elétrico que efetua o contato elétrico entre o rotor e condutores de corrente, e destinada a conduzir corrente para o motor ou coletar a corrente produzida no gerador. [Pl.: *escovas* (ô). Cf. *escova*, *escovas*, do v. *escovar*, e *escova*, s. f., pl. *escovas*.] ◆ **Fazer escova.** Alisar, modelar, ou encrespar o cabelo com o auxílio de escova e secador.

escova-botas [De *escovar* + o pl. de *bota*[1].] ***S. 2 g. e 2 n.*** *Bras.* V. *bajulador* (2).

escovação [De *escovar* + *-ção*.] ***S. f.*** V. *escovadela*.

escovadeira [De *escovar* + *-deira*.] ***S. f.*** Espécie de brossa, nas fábricas de lanifícios.

escovadela [De *escovar* + *-dela*.] ***S. f.*** **1.** Ato de escovar. **2.** *Fig.* Castigo, punição. **3.** *Fig.* V. *repreensão* (1). [Sin. ger.: *escovação* e *escova*.]

escovado [Part. de *escovar*.] ***Adj.*** **1.** Limpo com escova. **2.** *P. ext. Pop.* Diz-se do indivíduo bem vestido, bem-posto, arrumado, limpo. **3.** *Bras. Fam.* Diz-se do indivíduo esperto, ladino, manhoso. ~ V. *aço — e metal —*.

escovador (ô) [De *escovar* + *-dor*.] ***Adj.*** **1.** Que escova. • ***S. m.*** **2.** Aquele que escova. **3.** Máquina de limpar trigo.

escovalho [De *escova* (ô) + *-alho*.] ***S. m.*** Vassoura com que se varre a cinza do lar, do forno, etc.

escovão [De *escova* + *-ão*[1].] ***S. m.*** **1.** Escova grande. **2.** Escova grande e provida de longo cabo, para encerar assoalho. **3.** *Artilh.* Escovilhão (1).

escovar [De *escova* + *-ar*[2].] ***V. t. d.*** **1.** Limpar com escova (ô) (1) ou escovador (3): "penteei os cabelos e .... fui escovar os dentes." (Solange Berard Lajes, *Passagem*, p. 63). **2.** *Fig.* Repreender fortemente; censurar. **3.** Bater em; surrar. [Pres. ind.: *escovo, escovas, escova*, etc.; pres. subj.: *escove, escoves, ... escovem*. Cf. *escova* (ô), pl. *escovas* (ô), e *escovém*.]

escoveira [De *escova* + *-eira*.] ***S. f.*** Lugar ou objeto apropriado para se guardarem escovas; escoveiro.

escoveiro [De *escova* + *-eiro*.] ***S. m.*** **1.** Fabricante ou vendedor de escovas. **2.** Escoveira. **3.** *Pop.* Intrujão; mentiroso.

escovém [De or. incerta; poss. do cat. *escobenc* < cat. *escova*.] ***S. m.*** *Constr. Nav.* Tubo ou manga de ferro por onde passa a amarra da âncora, para ir do convés ao costado, de onde desce ao mar. [Cf. *escovem*, do v. *escovar*.]

escovilha [Do provenç. *escovilh* ou do esp. *escobilla*.] ***S. f.*** **1.** Ato de escovilhar. **2.** Resíduos de ouro ou de prata.

escovilhão [Do fr. *écouvillon*.] ***S. m.*** **1.** *Artilh.* Escova grande, cilíndrica, usada para limpar as bocas dos canhões ou obuseiros; escovão. **2.** *Tip.* Haste de ferro com esfregador de amianto, destinada a limpar a boca do crisol da linotipo.

escovilhar [Do esp. *escobillar*.] ***V. t. d.*** Limpar de impurezas (ouro ou prata).

escovilheiro [De *escovilha* + *-eiro*.] ***S. m.*** Aquele que aproveita a escovilha (2).

escovinha [De *escova* (ô) + *-inha*.] ***S. f.*** *Bot.* Planta asterácea (*Centaurea cyanus*) de corolas azuis, violáceas ou brancas, muito cultivada como ornamental. [Sin.: *aciano* e (lus.) *fidalguinho, fidalguinho-dos-jardins*.] ◆ **À escovinha.** Diz-se do cabelo cortado muito rente: "O Rafael tinha apenas um ligeiro bigode e usava o cabelo à escovinha." (Artur Azevedo, *Contos Possíveis*, p. 68.)

escrachado [Part. de *escrachar*.] ***Adj.*** *Bras. Gír.* **1.** Que tem ficha na polícia. **2.** Claro, patente, evidente, declarado, manifesto; desmascarado. **3.** Diz-se de pessoa depravada, pervertida. **4.** Desleixado, descuidado no vestir.

escrachar [De *es-* + *cracha* + *-ar*[2], poss.] ***V. t. d.*** *Bras. Gír.* **1.** Fotografar e fichar (na polícia). **2.** Desmoralizar (alguém), revelando-lhe as intenções ocultas; desmascarar. **3.** Descompor injuriosamente; esculachar, esculhambar.

escrachetar [De or. express., poss.] ***V. t. d.*** *Bras. RS* Rebentar; destruir; acabar.

escracho [Dev. de *escrachar*.] ***S. m.*** *Bras. Gír.* Ato ou efeito de escrachar (2 e 3).

escramuçar ***V. int.*** *Bras. N.E.* Dar corcovos; corcovear, corcovar. [Conjug.: v. *laçar*. Cf. *escaramuçar*.]

escrapeteador (ô) [De *escrapetear* + *-dor*.] ***Adj.*** *Bras. RS* Que escrapeteia.

escrapetear [Var. metatética de *escarpetear*.] ***V. int.*** *Bras. RS* **1.** Correr à roda, ou de um ponto a outro, pateando, quando perseguido ou acossado; escarpetear. **2.** Dar pinotes, corcovear (animal de rédea); escarpetear. **3.** Relutar em fazer alguma coisa, zangando-se, vociferando; escarpetear. [Conjug.: v. *frear*.]

escrava ***S. f.*** **1.** Fem. de *escravo*. **2.** Bracelete largo e roliço, ger. feito de metal.

escravagista [Do fr. *esclavagiste*.] ***Adj. 2 g. S. 2 g.*** V. *escravocrata* (2 e 3).

escravaria [De *escrava* + *-aria*.] ***S. f.*** **1.** Grande porção de escravos. **2.** V. *escravidão* (1).

escravatura [F. irreg. a partir de *escravo* + *-tura*.] ***S. f.*** **1.** Tráfico de escravos. **2.** V. *escravidão*. **3.** Os escravos. ◆ **Escravatura branca.** Tráfico de mulheres para a prostituição.

escravidão [De *escravo* + *-idão*.] ***S. f.*** **1.** Estado ou condição de escravo; escravatura, escravaria, cativeiro, servidão. **2.** Falta de liberdade; sujeição, dependência, submissão, servidão, escravatura: *Os empregados daquela usina queixavam-se de viver na escravidão.* **3.** Regime social de sujeição do homem e utilização de sua força, explorada para fins econômicos, como propriedade privada; escravatura.

escravismo [De *escravo* + *-ismo*.] ***S. m.*** **1.** Sistema dos escravistas. **2.** Influência do sistema da escravatura.

escravista [De *escravo* + *-ista*.] ***Adj. 2 g.*** **1.** Respeitante a escravos. **2.** V. *escravocrata* (2). • ***S. 2 g.*** **3.** V. *escravocrata* (3).

escravização [De *escravizar* + *-ção*.] ***S. f.*** Ato de escravizar(-se).

escravizador (ô) [De *escravizar* + *-dor*.] ***Adj. S. m.*** Que, ou aquele que escraviza, subjuga, sujeita.

escravizante [De *escravizar* + *-nte*.] ***Adj. 2 g.*** Que escraviza.

escravizar [De *escravo* + *-izar*.] ***V. t. d.*** **1.** Reduzir à condição de escravo; tornar escravo. **2.** Dominar moralmente; oprimir, subjugar: *Tirânico, escraviza os que dele se aproximam.* **3.** Encantar, enlevar, prender, cativar: *Seus modos gentis escravizam quantos a cercam*; "A mulatinha selvagem, ... com os seus dengues lascivos, havia-o escravizado." (Coelho Neto, *Treva*, p. 51). ***T. d. e i.*** **4.** Tornar dependente; submeter: *A sociedade escraviza o homem a preconceitos.* ***P.*** **5.** Fazer-se escravo.

escravizável [De *escravizar* + *-vel*.] ***Adj. 2 g.*** Que pode ser escravizado.

escravo [Do lat. med. *sclavu*.] ***Adj.*** **1.** Que está sujeito a um senhor, como propriedade dele: *homens escravos.* **2.** Que está inteiramente sujeito a outrem, ou a alguma coisa: *É um espírito fraco, escravo dos vícios.* **3.** Próprio de, ou produzido por escravo (4): *vida escrava*; "Em 1884, ... o trabalho livre mostrava-se bastante mais lucrativo do que o trabalho escravo." (Alberto Passos Guimarães, *Quatro Séculos de Latifúndio*, p. 145). • ***S. m.*** **4.** Aquele que está sujeito a um senhor, como propriedade dele: "O bom escravo é o pior senhor" (prov.). **5.** *Fig.* Criado, servo. **6.** Aquele que está inteiramente sujeito a outrem, ou a alguma coisa cativo: *É um escravo da noiva; É um escravo do dever.* **7.** Aquele que trabalha em demasia: *Os afazeres não o deixam livre um momento: é um escravo.* **8.** Amigo ou amante muito dedicado, muito fiel.

escravocracia [De *escravo* + *-cracia*.] ***S. f.*** O predomínio dos escravocratas.

escravocrata [De *escravo* + *-crata*.] ***Adj. 2 g.*** **1.** Em que há escravidão: *países escravocratas.* **2.** Que é partidário da escravatura; escravista; escravagista. • ***S. 2 g.*** **3.** Partidário da escravatura; escravista; escravagista. **4.** Senhor, dono de escravos. [Sobre a prosódia deste voc., v. *-crata*.]

escravocrático [De *escravocrata* + *-ico*[2].] ***Adj.*** Relativo a escravocrata ou a escravatura.

escrete [Do ingl. *scratch*.] ***S. m.*** V. *seleção* (4).

escrevedor (ô) [De *escrever* + *-dor*.] ***S. m.*** **1.** Aquele que escreve. **2.** *Fam.* V. *escrevinhador*.

escrevedura [De *escrever* + *-dura*.] ***S. f.*** **1.** *Fam.* Escrita (6). **2.** Composição de pouco ou nenhum mérito.

escrevente [De *escrever* + *-nte*.] ***S. 2 g.*** Pessoa que copia o que outrem escreve ou dita; escriturário, copista. ◆ **Escrevente juramentado.** Auxiliar do serventuário de justiça, que legalmente o substitui em seus eventuais impedimentos.

escrever [Do lat. *scribere*.] ***V. t. d.*** **1.** Representar por meio de escrita (3): *Tomou de um papel e escreveu algumas palavras.* **2.** Redigir ou compor (obra literária, científica, etc.): *Coelho Neto escreveu mais de 100 obras*; "Goethe escreveu as *Afinidades Eletivas* em 1809, com 60 anos de idade." (Oto Maria Carpeaux, *Presenças*, p. 113). **3.** Exprimir-se por escrito em: *Escreve excelentemente a sua língua.* **4.** Descrever ou narrar por escrito: *Escreve, em seu belo poema, a história duma paixão.* **5.** Lançar multa (2) a (infrator de trânsito), escrevendo num papel o número da placa de seu veículo e a natureza da infração. **6.** *Inform.* Comunicar ou introduzir (informações) em alguma parte da memória (15), seja em fitas magnéticas, seja em discos magnéticos. ***T. d. e c.*** **7.** Gravar, insculpir, inscrever: "Propunha-me dormir no teu regaço / as quentes horas da comprida sesta, / escrever teus louvores nos olmeiros" (Tomás Antônio Gonzaga, *Marília de Dirceu*, p. 107); "andava .... a escrever com um pau carbonizado o seu nome nas lajes polidas" (Camilo Castelo Branco, *O Bem e o Mal*, p. 85). ***T. d. e i.*** **8.** Dirigir carta(s), ou bilhete(s), etc.: "Raro dia deixavam de escrever algumas linhas a Ladislau e Peregrina" (Id., *ib.*, p. 218). **9.** Dizer ou contar em carta ou bilhete, etc.: "E escrevia a reclusa à sua amiga que Ernesto fazia versos sensibilizadores" (Camilo Castelo Branco, *A Enjeitada*, p. 218). ***T. i.*** **10.** Dirigir carta, ou bilhete, etc.: "Carlota deu sinal de alegrar-se com a sua vingança. Escreveu logo a Flávia, contando-lha" (Id., *ib.*, p. 215); *Escreve diariamente a várias pessoas.* **11.** Colaborar com matéria escrita: *Escreve em diversos jornais.* **12.** Exprimir-se por escrito: "Ameníssimo dia para escrever dum primeiro amor!" (Camilo Castelo Branco, *A Mulher Fatal*, p. 19.) ***Int.*** **13.** Representar por meio de escrita (3): "abriu a sua carteira de viagem, dela tirou papel, penas e um tinteiro, e pôs-se a escrever." (Joaquim Manuel de Macedo, *Os Romances da Semana*, p. 202). **14.** Redigir ou compor obra(s) literária(s), científica(s), etc.: "Podia haver prêmios literários conferidos a escritores para que não escrevessem." (Afonso Lopes Vieira, *Nova Demanda do Graal*, p. 319); *Vicente de Carvalho passou anos e anos sem escrever.* **15.** Exercer a profissão de escritor; ser escritor: *— De que vive aquele homem? — Escreve.* **16.** Fazer riscos, rabiscos, garatujas; rabiscar, garatujar: *O pequeno pegou lápis e um caderno, e pôs-se a escrever.* **17.** *Bras.* No jogo do bicho (q. v.), anotar a aposta. **18.** *Bras. Pop.* Andar aos zigue-zagues; zigue-zaguear, cambalear: *Depois de tomar umas e outras, lá se foi rua fora escrevendo.* **19.** *Bras. Pop.* Dirigir veículo dando guinadas, por imperícia, nervosismo, ou embriaguez. ***P.*** **20.** Inscrever-se, alistar-se. **21.** Cartear-se, corresponder-se: "As duas meninas escreviam-se diariamente." (Camilo Castelo Branco, *A Enjeitada*, p. 212.) [Part.: *escrito*.]

escrevinhação [De *escrevinhar* + *-ção*.] ***S. f.*** Ato ou efeito de escrevinhar.

escrevinhadeiro [De *escrevinhar* + *-deiro*.] ***S. m.*** *Fam.* V. *escrevinhador*.

escrevinhador (ô) [De *escrevinhar* + *-dor*.] ***S. m.*** *Fam.* Escritor de muito pouco merecimento, ou nenhum; escrevinhadeiro, escrevedor, escriba, rabiscador, borrador.

escrevinhadura [De *escrevinhar* + *-dura*.] ***S. f.*** Ato de escrevinhar.

escrevinhar [De *escrev(er)* + *-inhar*.] ***V. t. d.*** **1.** Escrever (coisas fúteis, de pouco valor), sem proveito, para encher o tempo. ***Int.*** **2.** Escrever mal; rabiscar. **3.** Escrever futilidades.

escriba [Do lat. *scriba*.] ***S. m.*** **1.** Doutor da lei, entre os judeus. **2.** Oficial das antigas chancelarias ou secretarias. **3.** Aquele que tinha por profissão copiar manuscritos, muitas vezes mediante ditado; copista. • ***S. 2 g.*** **4.** *Pop.* V. *escrevinhador*.

escrictiídeo [Adapt. do tax. *Eschrichtiidae*.] *Zool.* ***S. m.*** **1.** Espécime dos escrictiídeos, família monoespecífica de cetáceos misticetos restritos, hoje, ao Pacífico norte, por ter sido a população habitante do Atlântico dizimada. V. *baleia-cinzenta*. • ***Adj.*** **2.** Pertencente ou relativo a eles.

escrínio [Do lat. *scriniu*.] ***S. m.*** **1.** Escrivaninha (3). **2.** Pequeno cofre estofado, para guardar joias; guarda-joias; estojo: "Especialmente, os pequenos lavradores e os pequenos comerciantes estão nitidamente fixados nas páginas de Deledda [Grazia Deledda], sempre orgulhosos dos seus trigais, ... da brancura dos linhos domésticos e do escrínio de joias hereditárias." (Agripino Grieco, *Estrangeiros*, p. 79.)

escriptologia [Do lat. *scriptum*, 'escrito', 'escritura', + *-logia*.] ***S. f.*** *E. Ling.* Estudo do material grafemático dos textos medievais, com o intuito de depreender informações linguísticas.

escriptológico [De *escriptologia* + *-ico*[2].] ***Adj.*** *E. Ling.* Relativo à escriptologia.

escrita [F. subst. de *escrito*, ou do it. *scritta*.] ***S. f.*** **1.** Representação de palavras ou ideias por meio de sinais; escritura: *escrita em caracteres alfabéticos; escrita ideográfica; escrita musical.* **2.** Tipo de caracteres adotado em um determinado sistema de escrita; alfabeto: *escrita árabe; escrita cirílica.* **3.** V. *grafia* (2). **4.** *P. ext.* Qualquer sistema mnemônico us. para registrar mensagens ou fixar a memória de acontecimentos. **5.** *E. Ling.* Fixação gráfica da linguagem, de forma permanente ou semipermanente, num suporte. **6.** Aquilo que se escreve; escrevedura. **7.** Exercício escolar de caligrafia: *O pequeno tem boa nota em escrita.* **8.** Maneira pessoal de escrever;

escritura, letra, caligrafia: *Sua escrita é bonita.* **9.** *Cont.* Escrituração mercantil (q. v.). **10.** *Gír.* Negócio escuso. **11.** Maneira de exprimir-se por escrito; estilo: *É prosador de excelente escrita.* **12.** *Pop.* Caso amoroso. **13.** *Bras.* Aquilo que constitui uma rotina, ou como que uma rotina: "O América conseguiu sua primeira vitória na Taça de Ouro ao derrotar o Bahia por 2 a 0, ontem à noite, na Fonte Nova, confirmando a escrita de que dificilmente perde seus jogos na Bahia." (*Jornal do Brasil*, 14.02.1985.) ◆ **Escrita alfabética.** *Graf.* V. *alfabeto* (1). **Escrita alfabetizante.** *Graf.* Escrita em processo de evolução para o sistema alfabético. **Escrita analítica.** *Graf.* Escrita cujas unidades básicas são as palavras. **Escrita consonântica.** *Graf.* A que, como a hebraica e a árabe, possui apenas consoantes, sendo as palavras representadas pelos seus radicais. **Escrita cuneiforme.** *Graf.* Sistema de escrita provavelmente inventado pelos sumérios e depois adotado por babilônios e assírios, constituído de sinais em forma de cunha, produzidos pela impressão sobre argila. **Escrita demótica.** *Graf.* Escrita egípcia de uso comum, constituída por simplificação da escrita hierática, e com ligaturas, que nesta não havia. **Escrita figurativa.** *Graf.* Aquela em que os grafemas ilustram, de modo claro e direto, as entidades do mundo real que representam. [Cf. *escrita ideográfica*.] **Escrita fonética.** *Graf.* Escrita em que cada símbolo representa um som ou sons de uma língua; escrita fônica. [Cf. *escrita alfabética, escrita silábica*.] **Escrita fônica.** *Graf.* V. *escrita fonética*. **Escrita hierática.** *Graf.* Diz-se da escrita cursiva que os antigos egípcios desenvolveram a partir da escrita hieroglífica, e que pouco a pouco perdeu o caráter pictórico de sua origem. [Cf. *escrita demótica*.] **Escrita hieroglífica.** *Graf.* Escrita analítica, de ordinário monumental, constituída de sinais figurativos, e cujo protótipo é a egípcia primitiva. [Cf. *hieróglifo*.] **Escrita ideográfica.** *Graf.* Escrita em que a ligação pictórica dos grafemas com a realidade é abstrata ou estabelecida por convenção. [Cf. *escrita figurativa*.] **Escrita linear.** *Mús.* A que caracteriza o estilo contrapontado, e cujo interesse se concentra na horizontalidade das linhas melódicas. **Escrita logográfica.** *Graf.* Aquela em logogramas. **Escrita silábica.** *Graf.* Aquela em que cada sinal corresponde a uma sílaba. [V. *silabário*.] **Acertar a escrita.** Resolver diferenças; tomar satisfação por desavenças; ajustar contas.

escritinho [Dim. adverbializado do adj. *escrito*.] *Adv. Fam.* V. *cuspido e escarrado*.

escrito [Do lat. *scriptu*.] *Adj.* **1.** Representado ou expresso por letras ou pela escrita: *linguagem escrita.* **2.** Redigido, composto: *livro bem escrito.* ~ V. *direito — e imprensa —a.* ● *S. m.* **3.** Papel com escrita. **4.** Pequena comunicação por escrito; bilhete. **5.** Documento; título; escritura: *escrito de venda.* **6.** Tudo o que está expresso por sinais gráficos, em papel ou noutro veículo apropriado. **7.** Composição literária ou científica. **8.** Pedaço de papel em branco para indicar que uma casa se vende ou aluga. [Cf. *exscrito*.] ◆ **Escrito e escarrado.** V. *cuspido e escarrado*.

escritor (ô) [Do lat. *scriptore*.] *S. m.* Autor de composições literárias ou científicas. [Deprec.: *escrevedor, escrevinhadeiro, escrevinhador, escriba, plumitivo*.]

escritório [Do lat. *scriptoriu*.] *S. m.* **1.** Compartimento de uma casa destinado à leitura e à escrita, ao trabalho intelectual; gabinete. **2.** V. *escrivaninha* (2). **3.** Lugar onde se faz o expediente relativo a qualquer administração, obra, etc., se tratam negócios, se recebem clientes, etc.

escritura [Do lat. *scriptura*.] *S. f.* **1.** Documento autêntico de um contrato, feito por oficial público. **2.** V. *escrita* (1 e 8). **3.** Modo ou arte de se expressar num texto literário: *A rica adjetivação da escritura camoniana.* **4.** *Rel.* A Bíblia. ~ V. *escrituras.* ◆ **Sagrada Escritura.** A Bíblia.

escrituração [De *escriturar* + *-ção*.] *Cont. S. f.* **1.** Ato de escriturar nos livros competentes os fatos administrativos duma azienda. **2.** O conjunto dos livros e registros de contabilidade duma azienda. **3.** Arte de os escriturar. **4.** V. *escrituração mercantil.* ◆ **Escrituração mercantil.** *Cont.* A contabilidade praticada, segundo métodos usuais, nas empresas mercantis. [Tb. se diz apenas *escrituração*. Sin.: *escrita*.]

escritural [De *escritura* + *-al*[1].] *Adj. 2 g.* **1.** *Com.* Relativo a escrituração. **2.** *Tip.* Diz-se do tipo de ostensão [v. esta loc.] que imita formas caligráficas clássicas ou grafismos pessoais livres, com ligaturas ou sem elas; manuscrito. [Cf. *manuário*. V. *letra inglesa* e *rondo*.] ~ V. *moeda —.* ● *S. m.* **3.** Tipo escritural (2).

escriturar [De *escritura* + *-ar*[2].] *V. t. d.* **1.** Registrar sistematicamente (contas comerciais). **2.** Lavrar (documento autêntico). **3.** Contratar por meio de escritura pública. *P.* **4.** Contratar-se ou obrigar-se por meio de escritura. [Fut. do pret.: *escrituraria*, etc. Cf. *escriturária*, fem. de *escriturário*.]

escriturário [De *escritura* + *-ário*.] *S. m.* **1.** Aquele que faz escrituração. **2.** V. *escrevente*. [Fem.: *escriturária*. Cf. *escrituraria*, do v. *escriturar*.]

escrituras [Pl. de *escritura*.] *S. f. pl.* A Bíblia. ~ V. *escritura*.

escrivã *S. f.* **1.** Fem. de *escrivão* (1). **2.** Freira incumbida da escrituração do convento.

escrivania [De *escrivão* + *-ia*[1].] *S. f.* Cargo de escrivão; escrivaninha.

escrivaninha [De *escrivania*.] *S. f.* **1.** Mesa que contém apetrechos para escrever: "a escrivaninha de jacarandá-preto de tampo corrediço e uma série de escaninhos de uso especial" (Freitas Cavalcanti, *A Profecia das Águas*, p. 110). **2.** Mesa própria para escritório; escritório; secretária. **3.** Armário ou cofre onde se guardam papéis e objetos de escrita; escrínio. **4.** Peça de metal, de vidro ou de madeira que contém tinteiro e outros apetrechos para escrever. **5.** Escrivania.

escrivão [Do b.-lat. *scribane*.] *S. m.* **1.** Oficial público que escreve autos, termos de processo, atas e outros documentos de fé pública. **2.** *Bras. Zool.* V. *carapicuaçu*. ◆ **Escrivão da pena larga.** *Bras.* Varredor de rua; gari.

escrobiculado [Do lat. *scrobiculus*, 'cova pequena', + *-ado*[1].] *Adj. Bot.* Provido de pequeninas fossas ou cavidades: *testa escrobiculada.*

escrófula [Do lat. med. *scrofula*.] *S. f. Med.* **1.** Localização primária de infecção tuberculosa em linfonodos do pescoço, e que se acompanha, com frequência, de abscessos que se desenvolvem lentamente, e de fístulas. **2.** *Desus.* Designação imprecisa de estado constitucional, que se observa nos jovens, caracterizado por falta de resistência, predisposição à tuberculose, eczema, catarros respiratórios, etc.; estruma. **3.** Tuberculose ganglionar linfática e, eventualmente, óssea e articular, com supuração e fistulização, estando as estruturas lesadas sujeitas à caseificação. Ocorre sobretudo em crianças e jovens. [Sin. (pop.), nesta acepç.: *alporca*.]

escrofulária [Do tax. *Scrophularia* (do lat. med. *scrofula*, *scrophula*, 'escrófula', + lat. cient. *-aria*).] *S. f. Bot.* **1.** Gênero de plantas escrofulariáceas. **2.** Qualquer espécie desse gênero, como, p. ex., a *Scrophularia aquatica*, planta vivaz, outrora usada em farmácia para a manipulação de medicamento contra a escrófula (2). **3.** Qualquer espécime desse gênero, ou a flor dele.

escrofulariácea [Do tax. *Scrophularia* (v. *escrofulária*) + *-ácea*; tax. *Scrophulariaceae*.] *S. f. Bot.* Espécime das escrofulariáceas, família da ordem das escrofulariales, caracterizada pelas flores marcadamente zigomorfas, quatro estames didínamos, e ovário bilocular com numerosos óvulos. Fruto: cápsula ou baga. Plantas herbáceas, com folhas alternas e grandes flores vistosas, ornamentais. Há umas 2.000 espécies, em sua imensa maioria das regiões mais frias, possuindo o Brasil modesto número.

escrofulariáceo [De *escrofulariácea*, com var. suf. (v. *-áceo*).] *Adj. Bot.* Pertencente ou relativo às escrofulariáceas.

escrofularial [De *escrofulária* + *-al*[1].] *Adj. 2 g. Bot.* Pertencente ou relativo às escrofulariales.

escrofulariale [Do tax. *Scrophularia* + *-ale*; tax. *Scrophulariales*.] *S. f. Bot.* Espécime das escrofulariales, ordem de dicotiledôneas que reúne as famílias das oleáceas, buddleiáceas, escrofulariáceas, orobancáceas, globulariáceas, mioporáceas, gesneriáceas, acantáceas, mendonciáceas, pedaliáceas, bignoniáceas e lentibulariáceas.

escrofulose [De *escrófula* + *-ose*[1].] *S. f. Med. Desus.* Diátese escrofulosa.

escrofuloso (ô) [De *escrófula* + *-oso*.] *Adj.* **1.** Relativo a, ou da natureza da escrófula. **2.** Que sofre de escrófulas. ● *S. m.* **3.** Aquele que sofre de escrófulas.

escrópulo [Do lat. *scrupulu*, 'pedrinha'.] *S. m.* Unidade de medida de peso para pedras preciosas, que tem seis quilates e vale 1 grama e 125 miligramas.

escroque [Do fr. *escroc*.] *S. m.* Indivíduo que se apodera de bens alheios por manobras fraudulentas: "Menos convincentes as histórias [do escritor Lima Barreto] onde aparecem especuladores, novos-ricos, escroques estrangeiros" (Paulo Rónai, *Encontros com o Brasil*, p. 45).

escrotal [De *escroto* + *-al*[1].] *Adj. 2 g.* Relativo ou pertencente ao escroto (1). ~ V. *bolsa — e septo —.*

escrotear [De *escroto* (ô) + *-ear*[2].] *V. int. Chulo* Agir com desonestidade. [Conjug.: v. *frear*.]

escrotidão [De *escroto* + *-idão*.] *S. f. Bras. Chulo* Qualidade ou caráter de escroto (3).

escroto (ô) [Do lat. *scrotu*.] *S. m.* **1.** *Anat.* Bolsa que contém testículo e seus órgãos acessórios; bolsa escrotal. **2.** *Bras. Chulo* Aquele que não tem caráter; sacana. ● *Adj.* **3.** *Bras. Chulo* De, ou relativo a escroto (2). **4.** *Bras. Chulo* Reles, ordinário, baixo. **5.** *Bras. Chulo* Ruim, malfeito, grosseiro.

escrotocele [De *escroto* + *-cele*[1].] *S. f. Cir.* Hérnia escrotal.

escrunchante [De *escrunchar* + *-nte*.] *S. 2 g. Bras. Gír.* Ladrão que escruncha.

escrunchar *V. int. Bras. Gír.* Ser escrunchante; praticar o escruncho.

escruncho [Dev. de *escrunchar*.] *S. m. Bras. Gír.* Roubo com arrombamento, escalamento ou chave falsa.

escrupularia [De *escrúpulo* + *-aria*.] *S. f.* Escrúpulos exagerados.

escrupulear [De *escrúpulo* + *-ear*[2].] *V. t. d. T. i. Int.* Escrupulizar. [Conjug.: v. *frear*.]

escrupulizar [De *escrúpulo* + *-izar*.] *V. t. d.* **1.** Causar escrúpulos a; encher de escrúpulos. **2.** Sentir escrúpulos em, ou de. *T. i.* **3.** Ter escrúpulos: "escrupulizara em a submeter aos sacramentos, pela irresponsabilidade do pecado" (Camilo Castelo Branco, *Vulcões de Lama*, p. 144). **4.** Fazer escrúpulos. *Int.* **5.** Sentir escrúpulos. [Sin. ger.: *escrupulear*.]

escrúpulo [Do lat. *scrupulu*, 'pedrinha'; 'embaraço', 'dificuldade', 'inquietação'; 'receio'.] *S. m.* **1.** Hesitação ou dúvida de consciência; inquietação de consciência; remorso: *Sabia o que estava fazendo: não me ficaram escrúpulos.* **2.** Cuidado, zelo; meticulosidade: *Releu com todo o escrúpulo a carta do amigo.* **3.** Delicadeza de caráter; senso moral: *homem sem escrúpulo.*

escrupulosidade [Do lat. *scrupulositate*.] *S. f.* Qualidade ou procedimento de escrupuloso.

escrupuloso (ô) [Do lat. *scrupulosu*.] *Adj.* **1.** Que tem escrúpulos. **2.** Cuidadoso, zeloso, rigoroso, meticuloso. **3.** Reto, íntegro: *juiz escrupuloso.* **4.** Que exige escrúpulo: "Vede quão arriscado ofício é o de ũa pena na mão. Ofício que com mudar um ponto ou ũa vírgula, da heregia pode fazer Fé, e da Fé pode fazer heregia. Oh que escrupuloso ofício!" (Pe. Antônio Vieira, *Sermões*, I, col. 519.)

escrutador (ô) [Do lat. *scrutatore*.] *Adj. S. m.* Que, ou aquele que escruta.

escrutar [Do lat. *scrutare*.] *V. t. d.* Investigar; pesquisar; sondar: "o primeiro avanço é pô-la [a sociedade] nua, escrutar-lhe as lepras, lavrar grandes atas das chagas encontradas" (Camilo Castelo Branco, *Sentimentalismo e História*, p. 158).

escrutável [Do lat. *scrutabile*.] *Adj. 2 g.* Que pode ser escrutado.

escrutinação [De *escrutinar* + *-ção*.] *S. f.* Ato de escrutinar.

escrutinador (ô) [De *escrutinar* + *-dor*.] *S. m.* Aquele que escrutina.

escrutinar [Do lat. *scrutinare*.] *V. int.* Verificar os votos, apurar o número deles e recolher esse número, após devidamente conferido.

escrutínio [Do lat. *scrutiniu*.] *S. m.* **1.** Votação em urna. **2.** Apuramento dos votos: "Apenas se concluíra o escrutínio e o camerlengo anunciara o resultado da votação, viu-se uma cena inaudita, que, no entanto, nada tinha de miraculosa." (Alphonsus de Guimaraens, *Obra Completa*, p. 433.) **3.** Urna onde se recolhem os votos: "outros julgavam que sem rendas efetivas não podia conservar-se uma companhia de homens sábios, porque sem um escrutínio de prata se não deviam eleger árcades" (Correia Garção, *Obras Poéticas e Oratórias*, p. 537). **4.** Exame atento, minucioso.

escudar [De *escudo* + *-ar*[2].] *V. t. d.* **1.** Cobrir ou defender com escudo: *Temendo o ataque, escudou o corpo.* **2.** Defender, proteger: *Pouco lhe interessava escudar aquela ideologia, que não era a sua.* *T. d. e i.* **3.** Defender, proteger: *Escudou os amigos contra os agressores.* *P.* **4.** Cobrir-se (com o escudo ou coisa que proteja como ele). **5.** Estribar-se, apoiar-se: *Escuda-se na influência do pai.* [Cf. *escodar*.]

escudeirar [De *escudeiro* + *-ar*[2].] *V. t. d.* **1.** Acompanhar na qualidade de escudeiro. *Int.* **2.** Servir de escudeiro; exercer o ofício de escudeiro.

escudeirice [De *escudeiro* + *-ice*.] *S. f.* **1.** Ação própria de escudeiro. **2.** Maneiras de escudeiro.

escudeiro [Do lat. *scutariu*.] *S. m.* **1.** Na Idade Média, pajem que servia como doméstico a um cavaleiro, carregava-lhe o escudo, e o acompanhava à guerra. **2.** O primeiro título de nobreza. **3.** Criado-grave de graduação superior, que acompanha os patrões; criado particular.

escudela [Do lat. *scutella*.] *S. f.* Tigela de madeira, pouco funda.

escudelar [De *escudela* + *-ar*[2].] *V. t. d.* **1.** Servir (comida) em escudelas. **2.** Deitar em escudelas.

escuderia [Do it. *scuderia*, poss.] *S. f. Autom.* Organização proprietária de carros de corrida fabricados para disputar grandes prêmios e provas automobilísticas, que trabalha com pilotos de alta qualificação e com equipe técnica habilitada a dar assistência aos seus carros.

escudete (ê) [De *escudo* + *-ete* (ê).] *S. m.* **1.** Escudo (2) pequeno. **2.** Espelho de fechadura. **3.** *Zool.* Escutelo (4).

E

escudilho [De *escudo* + *-ilho*.] *S. m. Bot.* Receptáculo nas frondes e troncos dos liquens.

escudo [Do lat. *scutu.*] *S. m.* **1.** Arma defensiva que consiste numa placa de material muito resistente, com formas diversas, e que serve para proteger o corpo das armas ofensivas do inimigo: *Os cavaleiros medievais usavam escudos com os respectivos emblemas.* **2.** Peça em que se representam as armas nacionais, municipais, ou os brasões de nobreza. [Dim. irreg.: *escudete.*] **3.** *Fig.* Amparo, proteção, defesa. **4.** *Bras.* Disposição característica do úbere das vacas. **5.** Unidade monetária, e moeda, de Cabo Verde, dividida em 100 centavos. [Era tb. a de Portugal, até ser substituída pelo euro.] **6.** Prato da balança (1). **7.** *Bot.* Borbulha de plantas para enxerto. **8.** *Bot.* Designação comum a certas células dos anterídios de algumas algas. **9.** *Bot.* Tipo de pelo que recobre a epiderme das folhas de certas plantas. **10.** *Zool.* Placa rígida, resistente, recoberta de quitina, ou cornificada, que recobre, total ou parcialmente, o tegumento de inúmeros animais, tais como insetos, crustáceos fossórios, aves, anfíbios, reptis, etc. **11.** *Constr. Nav.* Placa de aço, de espessura variável, destinada a proteger o pessoal que guarnece uma boca de fogo isolada. **12.** *Astr.* Constelação austral, de pequena área, a O. e S. da Águia, a E. e S. da Cauda da Serpente, e ao N. de Sagitário. ◆ **Escudo frontal.** *Zool.* Prolongamento, em forma de placa, da base da mandíbula superior e acima da fronte. **Escudo papilionáceo.** *Zool.* Formação lateral encontrada em peixe de água doce, como o abotoado (q. v.). Tem a forma de duas asas largas, como as das borboletas, alinhadas e imbricadas como uma sucessão de botões.

esculachado [Part. de *esculachar.*] *Bras. Gír. Adj.* **1.** Desmoralizado, anarquizado, avacalhado, esculhambado. **2.** Descuidado, desleixado, negligente, esculhambado. ● *S. m.* **3.** Indivíduo esculachado.

esculachar [De *colhão*, com formação express.] *V. t. d. Bras. Gír.* **1.** Espancar, esbordoar. **2.** V. *esculhambar* (1 a 3).

esculacho [Dev. de *esculachar.*] *S. m. Bras. Gír.* **1.** Ato ou efeito de esculachar. **2.** V. *repreensão* (1).

esculápio [Do mit. lat. *Aesculapius*, 'Esculápio, deus da medicina, na mitol. romana' (gr. *Asclépio*).] *S. m. P. us.* Médico.

esculca [Do lat. tard. *sculca* < lat. *sculcare*, 'explorar', < germ. **skulkan.*] *S. m.* **1.** *Ant.* Sentinela (1). **2.** Vigia ou guarda avançada.

esculência [Do lat. *esculentia.*] *S. f.* **1.** Qualidade de esculento. **2.** Comida, alimentação.

esculento [Do lat. *esculentu.*] *Adj.* **1.** Que alimenta; alimentício, nutritivo. **2.** Que serve de alimento.

esculhambação [De *esculhambar* + *-ção.*] *S. f. Bras. Pop.* **1.** Ato ou feito de esculhambar. **2.** Desmoralização, avacalhação; anarquia, desordem, confusão. [Sin. ger.: *esculhambo.*]

esculhambado [Part. de *esculhambar.*] *Bras. Pop. Adj.* **1.** Esculachado ao extremo. **2.** Estragado, arrebentado, escangalhado. ● *S. m.* **3.** Indivíduo esculhambado.

esculhambador (ô) [De *esculhambar* + *-dor.*] *Adj. S. m.* Que, ou aquele que esculhamba.

esculhambar [De *colhão*, com formação express., poss.] *V. t. d. Bras. Pop.* **1.** Desmoralizar, avacalhar, esculachar. **2.** Criticar ou repreender com violência; descompor, esculachar. "Pedia o diagnóstico. Se estava certo, não elogiava. Se errado, o que sucedia frequentemente, esculhambava muito o pascácio." (Pedro Nava, *Beira-Mar*, p. 382.) **3.** Criticar com mordacidade; zombar, escarnecer, ridicularizar, esculachar. **4.** Estragar, danificar, deteriorar: *Em poucos minutos o pequeno esculhambou o carrinho.*

esculhambo [Dev. de *esculhambar.*] *S. m. Bras. Pop.* V. *esculhambação.*

esculpido [Part. de *esculpir.*] *Adj.* **1.** Que se esculpiu. **2.** *Bras. MG SP* Semelhante ao extremo.

esculpidor (ô) [De *esculpir* + *-dor.*] *S. m. Desus.* Escultor.

esculpir [Do lat. *sculpere.*] *V. t. d.* **1.** Trabalhar (pedra, madeira, barro, etc.), imprimindo-lhe uma forma particular: *Esculpe edifícios de areia com grande habilidade.* **2.** Formar, modelar: *O professor esculpe a inteligência dos alunos. T. d. e i.* **3.** *Art. Plást.* Ferir (a pedra, ou material semelhante) com instrumentos apropriados para desbastá-la, segundo a técnica da escultura: *Miguelângelo esculpiu no mármore a figura de Moisés.* **4.** *Fig.* Imprimir, gravar: *As fundas angústias esculpiram no seu semblante aquele ar de alucinação. T. i. Int.* **5.** Trabalhar como escultor: "Durante os anos seguintes Bernini esculpiu, principalmente, para a família papal." (Afonso Arinos de Melo Franco, *Amor a Roma*, p. 255.)

escultado [Part. de *escultar.*] *Adj. Desus.* Que se esculpiu; esculpido, esculturado: "entre vinhedo e sebe / Corre uma linfa, e ele no seu de faia / De ao pé do Alfeu tarro escultado bebe" (Alberto de Oliveira, *Poesias*, 2ª série, p. 111).

escultar [Do lat. *sculptus*, 'gravado', + *-ar*², poss.] *V. t. d. Int. Desus.* Esculturar.

escultor (ô) [Do lat. *sculptore.*] *S. m.* **1.** Artista que esculpe. **2.** Artista que faz escultura (1). **3.** *Astr.* Constelação austral, ao S. da Baleia, ao N. de Fênix, a O. do Forno e a E. do Peixe Austral. [Com cap., nesta acepç.]

escultórico [De *escultor* + *-ico*².] *Adj.* V. *escultural.*

escultura [Do lat. *sculptura.*] *S. f. Art. Plást.* **1.** A arte e a técnica de plasmar a matéria entalhando a madeira, modelando o barro, cinzelando a pedra ou o mármore, fundindo o metal, etc., a fim de representar em relevo, ou em três dimensões, estátuas, figuras, formas abstratas, etc. **2.** A obra de arte assim realizada, especialmente a de três dimensões que constitui uma estrutura, em geral estática, integrada no espaço. [Cf., nesta acepç., *móbile.*] **3.** O conjunto de tais obras de arte: *uma exposição de escultura.* **4.** *Restr.* Estatuária. ◆ **Escultura de ornamentos.** *Arquit.* Aquela que produz ornatos para obras de arquitetura.

esculturado [Part. de *esculturar.*] *Adj.* Que se esculturou; esculpido. [Sin., desus.: *escultado.*]

escultural [De *escultura* + *-al*¹.] *Adj. 2 g.* **1.** Concernente à escultura. **2.** Que tem formas perfeitas, podendo servir de modelo a um escultor: *corpo escultural.* **3.** Digno de ser representado pela escultura: *formas esculturais.* [Sin. ger.: *escultórico.*]

esculturar [De *escultura* + *-ar*².] *V. t. d.* **1.** Fazer a escultura de. *Int.* **2.** Trabalhar em escultura. [Sin. (desus.): *escultar.*]

escuma [Do germ. *skûms.*] *S. f.* **1.** V. *espuma*: "Da branca escuma os mares se mostravam / cobertos" (Luís de Camões, *Os Lusíadas*, I, 19). **2.** *Fig.* V. *ralé* (1).

escumadeira [De *escumar* + *-deira.*] *S. f.* Colher crivada de orifícios, para tirar a escuma dos líquidos; espumadeira.

escumado [Part. de *escumar.*] *Adj.* **1.** A que se tirou a escuma: *leite escumado e desnatado.* ● *S. m.* **2.** A escuma que se tira com a escumadeira.

escumador (ô) [De *escumar* + *-dor.*] *Adj.* **1.** V. *espumante* (2). **2.** Que tira a escuma. ● *S. m.* **3.** Aquilo que serve para tirar escuma.

escumalha [De *escuma* + *-alha.*] *S. f.* **1.** V. *ralé* (1): "A Guarda Republicana, encerrada nos quartéis, velava pela segurança dos governos, bem mais relevante que a tranquilidade dos povos. E a rua pertencia por inteiro à escumalha, a cujo mérito, na apreciável e voluntária limitação das suas depredações, os historiadores terão de render, por inteiro, homenagem." (Joaquim Paço d'Arcos, *Carnaval e Outros Contos*, p. 274.) **2.** Escória de metal em fusão; escumalho: "em meio século, será difícil empresa desagregar o bronze, estreme do chumbo e da escumalha de ferro." (Camilo Castelo Branco, *Perfil do Marquês de Pombal*, p. VIII).

escumalho [De *escuma* + *-alho.*] *S. m.* Escumalha (2).

escumana *S. f. Bras.* V. *bitu*¹.

escumante [De *escumar* + *-nte.*] *Adj. 2 g.* V. *espumante.*

escumar [De *escuma* + *-ar*².] *V. t. d. Int.* V. *espumar*: "Mastigam os cavalos escumando / Os áureos freios, com feroz semblante" (Luís de Camões, *Os Lusíadas*, VI, 61); "os cavalos nitriam e escumavam de impaciência." (Álvares de Azevedo, *Obras Completas*, II, p. 138).

escumilha [De *escuma* + *-ilha*, poss.] *S. f.* **1.** Chumbo miúdo para caçar pássaros. **2.** *Tec. Têx.* V. *gaze* (1). **3.** *Bot.* Extremosa.

escumilhar [De *escumilha* + *-ar*².] *V. int. Bras. Bord.* Bordar sobre escumilha (2).

escumoso (ô) [De *escuma* + *-oso.*] *Adj.* V. *espumoso*: "O vento silva, as ondas escumosas / Me combatem de um lado, e de outro lado." (Domingos dos Reis Quita, *Obras*, II, p. 88.)

escuna [Do ingl. *schooner.*] *S. f. Mar.* Antigo navio à vela, de mastreação constituída de gurupés e dois mastros: o de vante, mastro de escuna, o qual enverga também vela latina quadrangular, e o de ré, mastro de lúgar.

escurão [De *escuro* + *-ão*¹.] *S. m. Bras.* O fim do crepúsculo; o anoitecer.

escuras [F. pl. subst. de *escuro.*] *El. s. f. pl.* Us. na loc. adv. *às escuras.* ◆ **Às escuras. 1.** Sem luz: *A casa, às escuras, fazia-lhe medo*; "Houve um sopro forte e súbito, a sala ficou às escuras." (Povina Cavalcanti, *Volta à Infância*, p. 18). **2.** Ocultamente; às escondidas, às ocultas: *Pérfido, gosta de agir às escuras.* **3.** Com absoluta ignorância do assunto ou do negócio; no escuro; às cegas.

escurecedor (ô) [De *escurecer* + *-dor.*] *Adj.* **1.** Que escurece. ● *S. m.* **2.** Aquele ou aquilo que escurece.

escurecer [De *escuro* + *-ecer.*] *V. t. d.* **1.** Fazer escuro; privar de luz: *O corte de energia escureceu todo o bairro.* **2.** Fazer diminuir a luz de; apagar o brilho ou esplendor de; obumbrar, toldar, escurentar: *O Sol escondeu-se escurecendo o dia.* **3.** Toldar, anuviar, escurentar: *A nuvem de chuva escureceu o Sol.* **4.** Fazer diminuir a brancura de: "Sua pele escurece os puros alabastros / Da Lacônia" (Eugênio de Castro, *Obras Poéticas*, VI, p. 42). **5.** Apagar o brilho, a fama, a glória de. **6.** Tornar obscuro, ininteligível: *O abuso da ordem inversa escureceu o período.* **7.** Turvar, turbar, perturbar, transtornar: *O sofrimento escureceu-lhe a razão. Int.* **8.** Tornar-se escuro, sem luz: *O dia escureceu*; "A tarde cai. O vento abranda. O ar escurece." (Olavo Bilac, *Poesias*, p. 213). **9.** Perder, a pouco e pouco, a claridade ou o brilho. **10.** Anoitecer (1). *P.* **11.** Tornar-se escuro, privado de luz. **12.** Toldar-se, anuviar-se, ofuscar-se, empanar-se. [Conjug.: v. *aquecer.*]

escurecimento [De *escurecer* + *-imento.*] *S. m.* **1.** Ação ou efeito de escurecer(-se). **2.** *Cin. Telev.* Desaparecimento gradual de uma imagem por meio de escurecimento; *fade-out.* [Cf. *fade* (1).] ◆ **Escurecimento de limbo.** *Astr.* Efeito observado próximo ao bordo do disco solar, que aparece mais escuro que o centro, por absorção mais intensa das radiações.

escurecível [De *escurecer* + *-ível.*] *Adj. 2 g.* Que pode ser escurecido.

escurejar [De *escuro* + *-ejar.*] *V. int.* **1.** Tornar-se ou mostrar-se escuro; escurecer: *A noite foi avançando e escurejando cada vez mais.* **2.** Aparecer, mostrar-se, em sua cor escura: *Ao longe escurejava um bando de urubus.* [Conjug.: v. *pelejar.*]

escurentar [De *escuro* + *-entar.*] *V. t. d.* Escurecer (2 e 3).

escureza (ê) [De *escuro* + *-eza.*] *S. f.* V. *escuridão*: "Como será a escureza / Desse mato virgem do Acre?" (Mário de Andrade, *Poesias Completas*, p. 151.)

escuriço [De *escuro* + *-iço.*] *Adj. Bras.* De cor um tanto escura, ou escura.

escuridade [Do lat. *obscuritate.*] *S. f.* **1.** Qualidade do que é escuro: *A escuridade do mármore tornava mais bela a estátua.* **2.** V. *escuridão* (1). **3.** *Fig.* Qualidade do que é obscuro, difícil de compreender.

escuridão [Do lat. **obscuritudine*, com mudança de pref.] *S. f.* **1.** Estado do que é escuro; falta de luz; trevas, escuridade, escuro: *A escuridão da noite impediu-nos de passear.* **2.** Negrume, negridão, trevas, escuro. **3.** *Fig.* Ausência de conhecimento; ignorância, cegueira. **4.** *Fig.* Mágoa profunda; tristeza, solidão. [Sin. ger.: *escureza.*]

escurinho [De *escuro* + *-inho*¹.] *S. m. Bras. Fam.* Homem escuro (7).

escuro [Do lat. *obscuru*, com mudança de pref.] *Adj.* **1.** Falto de luz; pouco claro; sombrio, tenebroso: *quarto escuro.* **2.** Diz-se da cor ou do objeto de baixa luminosidade; tirante a negro, a cinza, a castanho: *cor escura; roupa escura; pele escura.* **3.** A que falta a plenitude solar; sombrio: *dia escuro; floresta escura.* **4.** *Fig.* Misterioso, escuso, suspeito: *negócios escuros.* **5.** *Fig.* Que não é claro; pouco inteligível; difícil, intrincado: *É escuro no expressar-se.* **6.** *Fig.* Que se ouve ou distingue mal: *voz de timbre escuro.* **7.** *Bras.* Diz-se de pessoa negra ou mulata. ~ V. *bordo* —, *buraco* —, *câmara* —*a*, *campo* —, *energia* —*a* e *matéria* —*a*. ● *S. m.* **8.** V. *escuridão* (1 e 2): *medo do escuro.* **9.** *Fig.* Lugar oculto, recôndito; sombra: *Ficou no escuro por uns tempos até ser esquecido.* **10.** *Bras.* Pessoa negra ou mulata. ◆ **No escuro.** *Bras.* V. *às escuras* (3): "Nós mesmos temos que achar a resposta." | "Confesso que estou no escuro." (Rubem Fonseca, *O Seminarista*, pp. 144-145.)

escurra [Do lat. *scurra.*] *S. 2 g. Ant.* **1.** Bobo, truão. **2.** Pessoa chocarreira, reles, desprezível.

escurril [Do lat. *scurrile.*] *Adj. 2 g. P. us.* Próprio de escurra; reles, torpe.

escurrilidade [Do lat. *scurrilitate.*] *S. f. P. us.* Qualidade de escurra.

escusa [Dev. de *escusar.*] *S. f.* **1.** Ato ou efeito de escusar(-se). **2.** Desculpa, justificativa; escusação.

escusação [Do lat. *excusatione.*] *S. f.* **1.** Ato ou efeito de escusar(-se). **2.** Escusa (2).

escusado [Part. de *escusar.*] *Adj.* Inútil, desnecessário, supérfluo: *É escusado falar do seu talento, pois todos o conhecem.*

escusador (ô) [Do lat. *excusatore.*] *Adj. S. m.* Que, ou aquele que escusa.

escusar [Do lat. *excusare.*] *V. t. d.* **1.** Admitir escusas ou desculpas de; desculpar, perdoar: *Reconhecendo o seu arrependimento, escusou-o com magnanimidade.* **2.** Desculpar, perdoar; tolerar: *escusar um erro.* **3.** Servir de escusa ou justificativa a; justificar: *Sua ausência forçada escusa o não cumprimento do contrato.* **4.** Não precisar de; dispensar: *Um bom prosador escusa o uso excessivo de adjetivos.* **5.** Poupar; evitar. *T. d. e i.* **6.** Isentar, dispensar: *Escusaram-no do trabalho.* **7.** Poupar, evitar. *T. i.* **8.** Não precisar, não necessitar: *Escusas de explicar: o que dizes é por demais inverossímil. P.* **9.** Justificar-se, desculpar-se. **10.** Deixar, por desnecessário; dispensar-se: *Julgando-se inocente, escusou-se de prestar esclarecimentos.* **11.** Negar-se, recusar-se: *Escusou-se a aceitar explicações.*

escusatório [Do lat. *excusatoriu.*] **Adj.** Que serve para escusar ou desculpar.
escusável [Do lat. *excusabile.*] **Adj. 2 g.** Que se pode escusar, dispensar ou desculpar.
escuso[1] [Do lat. *absconsu.*] **Adj. 1.** Esconso; escondido, recôndito. **2.** Suspeito, misterioso; ilícito: *transações escusas.*
escuso[2] [De *escusar.*] **Adj.** Que foi objeto de escusa.
escuta [Dev. de *escutar.*] **S. f. 1.** Ato de escutar. **2.** Lugar onde se escuta. • **S. 2 g. 3.** Pessoa que escuta; escutador. **4.** Pessoa encarregada de escutar as conversas dos outros. ◆ **Escuta eletrônica.** *Telec.* Sistema de escuta com o fim de registrar emissões eletromagnéticas provenientes de radares, de redes de telecomunicações, de navios, de aviões, etc. **À escuta.** Em estado, postura ou atitude de atenção, de vigilância: *Ficou horas à escuta, mas não percebeu nenhum rumor estranho.*
escutador (ô) [De *escuta* + *-dor.*] **Adj. S. m.** Que, ou aquele que escuta.
escutar [Do lat. *auscultare.*] **V. t. d. 1.** Tornar-se ou estar atento para ouvir; dar ouvidos a: *Escutou durante horas as lamúrias do enfermo.* **2.** Aplicar à audição com atenção para perceber ou ouvir: *Em meio à balbúrdia, tentava escutar o que lhe diziam.* **3.** Ouvir (2): *Dormitava, e pôs-se a escutar o ressonar do filho.* **4.** Atender aos conselhos de: *Já não escuta os pais: leva a vida que bem entende.* **5.** Espiar, espionar. **6.** *Pop.* Auscultar (1). **Int. 7.** Prestar atenção para ouvir alguma coisa: *Houve um rumor estranho: escute.* **8.** Não seguir senão as suas próprias opiniões; ser indiferente a conselhos: *Tudo faz por sua cabeça: jamais escuta.* **9.** Exercer ou aplicar o sentido da audição: "Prova. Olha. Toca. Cheira. Escuta, / Cada sentido é um dom divino." (Manuel Bandeira, *Estrela da Vida Inteira,* p. 20); "Escuta e lhe ouvirás [à concha] um burburinho estranho / de águas batendo ao longe em criptas de granito." (Alberto Ramos, *Poemas,* p. 77).
escuteiro **S. m. Adj.** *Lus.* V. *escoteiro*[1].
escutelarídeo **S. m. Adj.** *Impr. Zool.* V. *escutelerídeo.*
escutelerídeo [Do tax. *Scutellera* (< lat. cient. *scutella*) + *-ídeo*[1]; tax. *Scutelleridae.*] *Zool.* **S. m. 1.** Espécime dos escutelerídeos, família de insetos hemípteros, que apresentam escutelo desenvolvido, o qual se estende até o abdome, e cujas asas só são visíveis nas bordas do escutelo; fitófagos. • **Adj. 2.** Pertencente ou relativo a eles. [Sin. ger.: *fitófago.*]
escuteleróideo [Do tax. *Scutellera* + *-óideo.*] *Zool.* **S. m. 1.** Espécime dos escuteleróideos, superfamília de percevejos fitófagos, com escutelo desenvolvido. • **Adj. 2.** Pertencente ou relativo a eles.
escuteliforme [De *escutelo* + *-iforme.*] **Adj. 2 g.** *Zool.* Que tem a forma ou aparência de escutelo.
escutelo [Do lat. cient. *scutellum* (DO lat. *scutum,* 'escudo', + lat. cient. *-ellum*).] **S. m. 1.** *Bot.* Rudimento de cotilédone da semente das poáceas. **2.** *Zool.* Placa ou escama dérmica, em forma de escudo, no tórax de certos insetos. **3.** *Zool.* O mais posterior dos três escleritos dorsais que se encontram no mesotórax e metatórax de muitos insetos alados. **4.** *Zool.* Cada uma das escamas transversais dos tarsos e dedos de determinadas aves; escudete.
escutiforme [Do lat. *scutum,* 'escudo', + *-iforme.*] **Adj. 2 g.** Que tem forma ou aparência de escudo.
escutigeromorfo [Do tax. *Scutigera* + *-o-* + *-morfo*; tax. *Scutigeromorpha.*] *Zool.* **S. m. 1.** Espécime dos escutigeromorfos, ordem de artrópodes miriápodes, quilópodes, de corpo com espiráculos mesodorsais, pernas longas, em número de 15 pares. Predadores, movem-se com rapidez; costumam frequentar habitações humanas. • **Adj. 2.** Pertencente ou relativo a eles.
escutismo **S. m.** *Lus.* V. *escotismo.*
esdruxular [De *esdrúxulo* + *-ar*[2].] **V. int.** Versejar com esdrúxulos; esdruxulizar. [Pres. ind.: *esdruxulo,* etc. Cf. *esdrúxulo.*]
esdruxularia [De *esdrúxulo* + *-aria.*] **S. f.** Coisa extravagante, esquisita, esdrúxula; singularidade, extravagância.
esdruxulizar [De *esdrúxulo* + *-izar.*] **V. t. d. 1.** Tornar esdrúxulo. **2.** Tornar exótico, extravagante, esquisito, esdrúxulo. **Int. 3.** Esdruxular.
esdrúxulo [Do it. *sdrucciolo.*] **Adj. 1.** *E. Ling. Desus.* Proparoxítono. **2.** *Pop.* Esquisito, extravagante, excêntrico. ~ V. *verso —.* • **S. m. 3.** *E. Ling.* Vocábulo esdrúxulo (1). **4.** *Pop.* Indivíduo esdrúxulo (2). [Cf. *esdruxulo,* do v. *esdruxular.*]
■ **E.S.E.** Abrev. de *és-sueste.*
▲**-ese** [Do gr. *-esis.*] **Suf. nom.** = 'estado', 'condição': *autarcese.*
eserê **S. f.** *Bras. Bot.* Fava-de-calabar.
eserina [Do fr. *ésérine* < fr. *èsère,* 'fava-de-calabar', + fr. *-ine.*] **S. f.** *Quím.* Alcaloide extraído da fava-de-calabar, usado como hipotônico; fisostigmina [fórm.: $C_{15}H_{21}N_3O_2$].
esfacelado [Part. de *esfacelar.*] **Adj. 1.** *Med.* Atacado de esfácelo; gangrenado. **2.** Despedaçado, esmigalhado, arrebentado, destruído. **3.** *Fig.* Desmantelado, arruinado, destruído, decadente.
esfacelamento [De *esfacelar* + *-mento.*] **S. m.** Ato ou efeito de esfacelar(-se); esfacelo.
esfacelar [De *esfacelo* + *-ar*[2].] **V. t. d. 1.** Causar esfácelo a; gangrenar. **2.** Arruinar, destruir; estragar: *A tempestade esfacelou a embarcação.* **P. 3.** Arruinar-se; gangrenar(-se). **4.** Desfazer-se, corromper-se (instituições, privilégios, etc.). [Pres. ind.: *esfacelo,* etc. Cf. *esfacelo* (ê) e *esfácelo.*]
esfacelo (ê) [Dev. de *esfacelar.*] **S. m.** Ato ou efeito de esfacelar(-se); destruição, estrago, ruína; esfacelamento. [Pl.: *esfacelos* (ê). Cf. *esfacelo,* do v. *esfacelar,* e *esfácelo.*]
esfácelo [Do gr. *sphákelos.*] **S. m.** *Cir. Patol.* Gangrena que se estende por toda a espessura de um membro ou todos os tecidos de um órgão. [Cf. *esfacelo,* do v. *esfacelar,* e *esfacelo* (ê).]
esfachear [Alter. de *esfacelar.*] **V. t. d.** *Bras.* Esfacelar, lascar. [Conjug.: v. *frear.*]
esfagno [Do tax. *Sphagnum.*] **S. m.** *Bot.* **1.** Grande gênero de musgos atípicos, dotados de protonema não filamentoso mas que lembra o prótalo, de pseudopódio derivado de gametófito, e de folhas que contêm abundante tecido aquoso, incolor, entremeado de células clorofiladas; habitam, apenas, áreas muito úmidas e de teor ácido. **2.** Espécie ou espécime desse gênero.
esfaimado [Part. de *esfaimar.*] **Adj.** V. *faminto* (1).
esfaimar [Do ant. *esfamear* (< *es-* + port. arc. *fame,* 'fome', + *-ear*[2]), com metátese.] **V. t. d. 1.** Obrigar a ter fome. **2.** Matar à fome. **3.** Privar de alimento, causando fome a; esfomear.
esfalecente [De *esfalecer* + *-nte.*] **Adj. 2 g.** Que esfalece ou desfalece: "há cores que são ecos de outras cores, / cores sem vibração, cores esfalecentes" (Gilca da Costa Melo Machado, *Poesias,* p. 161).
esfalecer [De *es-* + *falecer.*] **V. t. d. Int. T. i.** V. *desfalecer*: "Feliz de mim que, a esfalecer, diviso / um gozo doce, delicioso, manso" (Gilca da Costa Melo Machado, *Poesias,* p. 231). [Conjug.: v. *crescer.*]
esfalerita [Do gr. *sphalerós,* 'enganoso', 'incerto', + *-ita*[3]; al. *Sphalerit.*] **S. f.** *Min.* Blenda. [Var. metatética: *esfarelita.*]
esfalfado [Part. de *esfalfar.*] **Adj. 1.** Cansado, estafado, extenuado. • **S. m. 2.** *Bras.* Certo peixe baiano.
esfalfamento [De *esfalfar* + *-mento.*] **S. m. 1.** Ato ou efeito de esfalfar(-se). **2.** *Pop.* Anemia, consunção, definhamento.
esfalfar [De or. onom., poss.] **V. t. d. P.** Enfraquecer(-se) em consequência de trabalho ou qualquer esforço excessivo, ou de doença; fatigar(-se), esgotar(-se), estafar(-se), extenuar(-se).
esfanicado [Part. de *esfanicar.*] **Adj. 1.** Partido em fanicos; despedaçado. **2.** Delgado; magro.
esfanicar [De *es-* + *fanico*[2] + *-ar*[2].] **V. t. d.** Reduzir a fanicos; despedaçar. [Conjug.: v. *trancar.*]
esfaqueado [Part. de *esfaquear.*] **Adj.** Ferido ou morto a facadas.
esfaquear [De *es-* + *faca*[1] + *-ear*[2].] **V. t. d. 1.** Ferir ou matar com faca. **2.** *Fam.* Cobrar preço exorbitante a: *Este comerciante esfaqueia a freguesia.* **P. 3.** Ferir-se reciprocamente às facadas. [Conjug.: v. *frear.*]
esfarelado [Part. de *esfarelar.*] **Adj. 1.** Reduzido a farelo; esfarinhado. **2.** Reduzido a pó, a migalhas. **3.** *Fig.* Esmigalhado, esfanicado, esfacelado.
esfarelamento [De *esfarelar* + *-mento.*] **S. m.** Ato ou efeito de esfarelar(-se).
esfarelar [De *es-* + *farelo* + *-ar*[2].] **V. t. d. 1.** Converter em farelo; reduzir a migalhas; desfarelar. **2.** Esfacelar, esboroar, esmiolar, esfarinhar: *É homem violento, capaz de esfarelar os ossos de um inimigo.* **3.** *Fig.* Converter como que em farelo; fragmentar; multipartir: "[Fernando] Pessoa foi um dos poetas que melhor compreendeu seu tempo e seu país, aprofundou as tensões da modernidade, esfarelando sua própria identidade" (Heitor Ferraz, em *Cult,* p. 44). **P. 4.** Esboroar-se, esbarrondar-se, desmoronar-se.
esfarelita **S. f.** *Min.* V. *esfalerita.*
esfarinhado [Part. de *esfarinhar.*] **Adj. 1.** Esfarelado (1). **2.** *Bras. N.E. Pop.* Muito conhecedor; versado.
esfarinhar [De *es-* + *farinha* + *-ar*[2].] **V. t. d.** Reduzir a farinha; esfarelar.
esfarpado [Part. de *esfarpar.*] **Adj. 1.** Rasgado em farpas. **2.** Lascado, rachado; estilhado, estilhaçado.
esfarpar [De *es-* + *farpa* + *-ar*[2].] **V. t. d.** Rasgar em farpões ou em farpas; lascar.
esfarrapadeira [De *esfarrapar* + *-deira.*] **S. f.** Máquina dentada, para desfazer os fios ou farrapos de lã, nos lanifícios.
esfarrapado [Part. de *esfarrapar.*] **Adj. 1.** Cujas vestes estão em farrapos; roto. [V. *maltrapilho* (1).] **2.** *Bras.* Sem consistência ou coerência: *explicação esfarrapada; desculpas esfarrapadas.* • **S. m. 3.** Aquele que tem a roupa em farrapos. V. *maltrapilho* (2).
esfarrapamento [De *esfarrapar* + *-mento.*] **S. m.** Ato de esfarrapar.
esfarrapar [De *es-* + *farrapo* + *-ar*[2].] **V. t. d. 1.** Reduzir a farrapos; esfrangalhar. **2.** Rasgar, dilacerar. **3.** Consumir, arruinar. **P. 4.** Ficar em frangalhos; rasgar-se: *Com o correr dos anos, a roupa esfarrapou-se.* [Sin. ger.: *farrapar.*]
esfarripado [Part. de *esfarripar.*] **Adj.** Disposto em farripas.
esfarripar [De *es-* + *farripas* + *-ar*[2].] **V. t. d.** Fazer ou dividir em farripas.
esfatiar [De *es-* + *fatia* + *-ar*[2].] **V. t. d.** Partir, cortar em fatias.
esfazer [De *es-* + *fazer.*] **V. t. d. T. d. e i. P.** V. *desfazer*: "Como cansado arbusto os ares olha, / Sem mais ver primavera, e folha a folha / Se esfaz em folhas, eu me esfaço em versos." (Alberto de Oliveira, *Poesias,* 3ª série, p. 167.) [Irreg. Conjug.: v. *fazer.*]
esfecídeo [Do lat. cient. *Sphec-* (< tax. *Sphex* < gr. *sphéx,* 'vespa') + *-ídeo*[1]; tax. *Sphecidae.*] *Zool.* **S. m. 1.** Espécime dos esfecídeos, grande família de insetos hemípteros, solitários, predadores, cujos adultos são normalmente encontrados em torno das flores. São as vespas-caçadoras. • **Adj. 2.** Pertencente ou relativo a eles.
esfeneoide (ói) [Do gr. *sphenoeidés.*] **S. m.** *Anat.* Osso ímpar encravado no meio dos ossos da base do crânio. ❖
esfénio **S. m.** *Min.* V. *esfênio.* [Uso freq. em P.]
esfênio [Do fr. *sphène* + *-io*[3].] **S. m.** *Min.* Titanita.
esfeniscídeo [Do tax. *Spheniscus* (< gr. *spheniskós*) + *-ídeo*[1]; tax. *Spheniscidae.*] *Zool.* **S. m. 1.** Espécime dos esfeniscídeos, família de aves esfenisciformes, marinhas, nadadoras, cujas asas, pretas na parte superior e brancas na inferior, têm as rêmiges transformadas em paletas natatórias; penas curtas e densas, cauda pequena, bico robusto e dedos unidos por membrana. De porte médio a grande, alimentam-se de peixes, moluscos e crustáceos, e procuram a terra para o acasalamento. São os pinguins dos mares frios do hemisfério sul. • **Adj. 2.** Pertencente ou relativo a eles.
esfenisciforme [Do tax. *Spheniscus* (v. *esfeniscídeo*) + *-iforme*; tax. *Sphenisciformes.*] *Zool.* **S. m. 1.** Espécime dos esfenisciformes, ordem de aves neórnites, neógnatas, que compreende uma só família, os esfeniscídeos (q. v.). • **Adj. 2 g. 2.** Pertencente ou relativo a eles.
▲**esfen(o)-** [Do gr. *sphēn, sphēnos,* 'cunha'.] **El. comp.** = 'cunha'; 'objeto agudo, pontiagudo': *esfênio, esfenocéfalo.*
esfenocéfalo [De *esfen(o)-* + *-céfalo.*] **Adj.** Cuja cabeça é pontiaguda.
esfenodontídeo [De *esfen(o)-* + *-odont(o)-* + *-ídeo*[1]; tax. *Sphenodontidae.*] *Zool.* **S. m. 1.** Espécime dos esfenodontídeos, família de reptis lepidossauros, rincocéfalos, cujo único representante é a tuatara (q. v.). • **Adj. 2.** Pertencente ou relativo a eles.
esfenoedro [De *esfen(o)-* + *-edro.*] **S. m.** *Geom.* Poliedro com algum ou alguns ângulos agudos.
esfenoidal [De *esfenoide* + *-al*[1].] **Adj. 2 g.** Relativo ou pertencente ao esfenoide.
esfenoide (ói) [Do gr. *sphenoeidés*] **S. m.** *Anat.* Osso ímpar encravado no meio dos ossos da base do crânio. ❖
esfera [Do gr. *sphaîra,* pelo lat. *sphaera.*] **S. f. 1.** *Geom.* Região do espaço limitada por uma superfície esférica (q. v.). **2.** *Geom.* Superfície esférica. **3.** Qualquer corpo redondo; bola, globo. **4.** Esfera terrestre; globo. **5.** Moeda portuguesa de ouro, do tempo de D. Manuel (1469-1521), na qual havia gravada uma esfera armilar (q. v.). **6.** *Fig.* Meio, ambiente; círculo: *É restrita a sua esfera de relações.* **7.** *Fig.* Campo, setor, ou ramo dentro do qual se exerce uma atividade; meio: *Said Ali foi mestre notável na esfera da filologia.* **8.** Extensão de poder, ou autoridade, ou gênio, ou talento, ou saber, etc.: *É enorme a esfera de sua influência, e maior a de seu saber.* [Dim.: *esférula.*] ◆ **Esfera armilar.** *Astr.* Instrumento astronômico antigo, constituído de numerosos anéis metálicos, que representam os principais círculos da esfera celeste. **Esfera celeste.** *Astr.* Esfera de raio unitário sobre a qual se consideram os pontos representativos das diferentes direções, e que pode ser topocêntrica, geocêntrica ou heliocêntrica conforme se considere para seu centro, respectivamente, o lugar de observação, o centro da Terra, ou o centro do Sol. **Esfera oblíqua.** *Astr.* Aspecto da esfera celeste quando observada de um ponto da superfície terrestre situado entre o equador e os polos. **Esfera paralela.** *Astr.* Aspecto da esfera celeste quando observada de um dos polos terrestres. Nesta situação os círculos diurnos aparentes dos astros são almocântaras. **Esfera pública.** *Comun.* Espaço físico ou virtual em que ocorrem as discussões sobre os interesses públicos de uma determinada comunidade.

Esfera reta. *Astr.* Aspecto da esfera celeste quando observada de um ponto do equador terrestre. Nesta situação os círculos diurnos aparentes dos astros estão em planos verticais, perpendiculares ao plano do meridiano. **Esfera terrestre.** A Terra.

esfericidade [De *esférico* + *-(i)dade*.] ***S. f.*** Qualidade de esférico: *a esfericidade da Terra.*

esférico [Do gr. *sphairikós*, pelo lat. *sphaericu*.] ***Adj.* 1.** Que tem forma de esfera (1). **2.** Redondo, globoso. ~ V. *aberração —a, abóbada —a, ângulo —, calota —a, cone —, coordenadas —as, cunha —a, curva —a, espaço —, excesso —, fuso —, galáxia —a, loxodromia —a, onda —a, pêndulo —, polígono —, segmento —, setor —, simetria —a, superfície —a, triângulo —, trigonometria —a* e *zona —a*. • ***S. m.* 3.** *Lus. Fut.* Bola.

esferista [Do gr. *sphairistés*, pelo lat. *sphaerista*.] ***S. 2 g.* 1.** Entre os gregos, pessoa que ensinava os diversos jogos em que se utilizavam bolas. **2.** Jogador de pela.

esferistério [Do gr. *sphairistérion*, pelo lat. *sphaeristeriu*.] ***S. m.*** Lugar destinado ao jogo da pela ou bola, nos antigos ginásios.

esferística [Do gr. *sphairistiké*.] ***S. f.*** Arte de jogar a pela.

esferístico [Do gr. *sphairistikós*, pelo lat. *sphaeristicu*.] ***Adj.*** Relativo ao jogo da pela, ou à esferística.

▲**esfer(o)-** [Do lat. *sphaera, ae* < gr. *sphaîra, as*.] ***El. comp.*** = 'esfera', 'globo terrestre'; 'corpo celeste': *esferográfica*. [Equiv.: *-(e)sfer(o)-, -sfera*: *trocosferídeo; pirosfera*.]

▲**-(e)sfer(o)-** V. *esfer(o)-*.

esferográfica ***S. f.*** *Bras.* V. *caneta esferográfica*.

esferográfico [De *esfer(o)-* + *-graf(o)-* + *-ico*[2].] ***Adj.*** *Bras.* ~ V. *caneta —a*.

esferoidal [De *esferoide* + *-al*[1].] ***Adj. 2 g.*** Que tem forma de esferoide; esferoídeo. ~ V. *coordenadas esferoidais*.

esferoide (ói) [Do gr. *sphairoeidés*.] ***S. m.*** *Geom.* Elipsoide de revolução. ❖

esferóideo [De *esferoide* + *-eo*.] ***Adj.*** Esferoidal.

esferoidização [De *esferoidizar* + *-ção*.] ***S. f.*** *Metal.* Coalescimento (2).

esferoidizar [De *esferoide* + *-izar*.] ***V. t. d.*** *Metal.* Realizar o coalescimento (2) de.

esferométrico [De *esferômetro* + *-ico*[2].] ***Adj.*** Concernente ao esferômetro.

esferômetro ***S. m.*** V. *esferômetro*. [Uso freq. em P.]

esferômetro [De *esfer(o)-* + *-metro*.] ***S. m.*** Instrumento com que se mede a curvatura das superfícies esféricas.

esferorradiano [De *esfer(o)-* + *-radi(o)-* + *-ano*[1].] ***S. m.*** *Geom.* Unidade de medida de ângulo sólido, igual ao ângulo sólido, com vértice no centro de uma esfera, que subtende na superfície desta esfera uma área medida pelo quadrado do raio da esfera. [A esfera toda corresponde a um ângulo sólido de 4 π esferorradianos.]

esferovite [Nome comercial.] ***S. m.*** *Lus.* Isopor (1).

esférula [Do lat. *sphaerula*.] ***S. f.*** Pequena esfera.

esfervilhação [De *esfervilhar* + *-ção*.] ***S. f.*** Ato de esfervilhar.

esfervilhamento [De *esfervilhar* + *-mento*.] ***S. m.*** V. *fervilhamento* (2): "naquele pórtico aparatoso, diante da aglomeração festeira, no esfervilhamento do entra e sai do povo" (Gilberto Amado, *Depois da Política*, p. 54).

esfervilhar [De *es-* + *fervilhar*.] ***V. int.*** Remexer-se muito; revolver-se com rapidez; fervilhar.

esfia [Aport. de *esfiha* < ár. *isfiha(t)*.] ***S. f.*** V. *esfirra*.

esfiapar ***V. t. d. Int. P.*** V. *esfiapar*.

esfiapar [De *es-* *fiapo* *-ar*[2].] ***V. t. d.* 1.** Desfazer em fiapos; desfiar. ***Int. P.* 2.** Desfazer(-se) em fiapos; desfiar(-se). [Var. (p. us. ou desus. no Brasil): *esfiampar*.]

esfiar [De *es-* + *fiar*[1].] ***V. t. d. T. d. e i. Int. P.*** V. *desfiar*.

esfigmismo [De *esfigm(o)-* + *-ismo*.] ***S. m.*** *Med. Desus.* Estado que se caracteriza pelas contínuas modificações da forma e intensidade de pulsação.

▲**esfigm(o)-** [Do gr. *sphygmós, oû*.] ***El. comp.*** = 'palpitação'; 'pulsação': *esfigmômetro*. [Equiv.: *-(e)sfigm(o)-*: *microsfigmia, taquisfigmia*.]

▲**-(e)sfigm(o)-** Equiv. de *esfigm(o)-*.

esfigmográfico [De *esfigmógrafo* + *-ico*[2].] ***Adj.*** Referente a esfigmógrafo.

esfigmógrafo [De *esfigm(o)-* + *-grafo*.] ***S. m.*** Instrumento que registra graficamente força, forma e movimentos de pulso arterial; pulsógrafo.

esfigmomanómetro ***S. m.*** *Med.* V. *esfigmomanômetro*. [Uso freq. em P.]

esfigmomanômetro [De *esfigm(o)-* + *manômetro*.] ***S. m.*** *Med.* Instrumento, de que há vários tipos, utilizado na medição da pressão arterial.

esfigmómetro ***S. m.*** V. *esfigmômetro*. [Uso freq. em P.]

esfigmômetro [De *esfigm(o)-* + *-metro*.] ***S. m.*** Pulsímetro.

➔**esfiha** [isfih] [Ár.] ***S. f.*** V. *esfirra*.

esfíncter (tér) ***S. m.*** *Anat.* V. *esfincter*.

esfíncter [Do gr. *sphinktér*.] ***S. m.*** *Anat.* Designação comum a diversas estruturas musculares, anulares, existentes em diversos órgãos ocos (bexiga, estômago, etc.), e que, ao relaxarem-se ou contraírem-se, regulam o trânsito de matérias no interior desses órgãos. [Var. pros.: *esfincter*. Pl.: *esfíncteres*.]

esfincteriano [De *esfíncter* + *-iano*.] ***Adj.*** Relativo ou pertencente a esfíncter; esfinctérico.

esfinctérico [De *esfíncter* + *-ico*[2].] ***Adj.*** Esfincteriano.

esfinge[1] [Do mit. gr. *Sphínx, ingós*, pelo lat. *Sphinge*.] ***S. f.* 1.** *Mit.* Monstro fabuloso, com corpo de leão, alado ou não, e cabeça humana, frequentemente representado na Antiguidade e que, no Egito faraônico, se erigia como guarda de santuários e túmulos: *a Esfinge de Gisé*. **2.** *Mit.* Na Grécia antiga, monstro com rosto e busto de mulher, corpo leonino, asas e cauda de dragão, que propunha um enigma aos viajantes: *A esfinge de Tebas associa-se à lenda de Édipo*. **3.** *Fig.* Pessoa calada, misteriosa, enigmática.

esfinge[2] [Adapt. do tax. *Sphinx* < mit. gr. *Sphínx, ingós* (v. *esfinge*[1]).] ***S. f.*** *Zool.* **1.** O gênero-tipo dos esfingídeos (q. v.). **2.** Qualquer espécie desse gênero, todas elas grandes mariposas dotadas de probóscide longa que, em repouso, se mantém dobrada em arco, fortes asas anteriores e pequenas asas posteriores, antenas vigorosas, de pontas recurvas; as asas não têm coloração exuberante, mas têm belo desenho. **3.** Qualquer espécime desse gênero.

esfingético [De *esfinge*[1] + *-ético*.] ***Adj.*** V. *esfíngico*.

esfíngico [De *esfinge*[1] + *-ico*[2].] ***Adj.*** De, ou próprio de esfinge; enigmático, misterioso, esfingético.

esfingídeo [Do lat. cient. *Sphing-* (< tax. *Sphinx* [v. *esfinge*[2]]) + *-ídeo*[1]; tax. *Sphingidae*.] *Zool.* ***S. m.* 1.** Espécime dos esfingídeos, família de mariposas grandes e robustas, de grande capacidade de voo, e cujas larvas têm postura que lembra a da esfinge[1] (1). • ***Adj.* 2.** Pertencente ou relativo a eles.

▲**esfingo-** [Do gr. *sphíngein*.] ***El. comp.*** = 'fechar estreitamente'; 'apertar': *esfingolipídio*.

esfingolipídio [De *esfingo-* + *lipídio*.] ***S. m.*** *Bioquím.* Qualquer de certos lipídios presentes em membranas biológicas que fornecem, por hidrólise, esfingosina (ou di-hidroesfingosina), um ácido graxo e um outro componente; a identidade deste componente variável caracteriza os vários tipos de esfingolipídios (v. *ceramida, esfingomielina, cerebrosídeo, gangliosídeo*).

esfingomielina [De *esfingo-* + *mielina*.] ***S. f.*** *Bioquím.* Esfingolipídio que ocorre, com abundância, na mielina.

esfingosina [De *esfingo(mielina)* + *-s-* + *-ina*[3].] ***S. f.*** *Quím.* Substância cristalina, cerosa, que é um diol insaturado, aminado, de cadeia longa, e um componente importante de constituintes de membranas biológicas [fórm.: $C_{18}H_{37}NO_2$].

esfirenídeo [Do tax. *Sphyraena* + *-ídeo*[1]; tax. *Sphyraenidae*.] *Zool.* ***S. m.* 1.** Espécime dos esfirenídeos, família de peixes actinopterígios, perciformes, marinhos, com um gênero e dezoito espécies, de corpo esguio, boca grande e dentes fortes, e duas nadadeiras dorsais bem separadas. [V. *barracuda*.] • ***Adj.* 2.** Pertencente ou relativo a eles.

esfirra [Do ár. *isfiha(t)*, de que a f. *esfiha* é transliteração aproximada.] ***S. f.*** *Bras. Cul.* Iguaria árabe de origem sírio-libanesa, feita com massa de farinha de trigo e recheio de carne, queijo ou verduras, com temperos variados, levada ao forno. [Outras f.: *esfia* (p. us.) e *esfiha* (impr.).]

esflorar [De *es-* + *flor* + *-ar*[2].] ***V. t. d.* 1.** Tirar a flor a; desflorar. **2.** Passar à superfície ou à flor de, agitando; encrespar; esfrolar: "A asa do vento esflora as camélias e as rosas." (Manuel Bandeira, *Estrela da Vida Inteira*, p. 22.)

esfogueado [Part. de *esfoguear*.] ***Adj.*** *Bras.* **1.** V. *afogueado* (1 a 4). **2.** Apressado, sôfrego, azougado.

esfoguear [De *es-* + *fogo* + *-ear*[2].] ***V. t. d. P.* 1.** V. *afoguear*. **2.** *Bras.* Apressar-se; atarantar-se; perder a calma. [Conjug.: v. *frear*.]

esfogueteado [Part. de *esfoguetear*.] *Bras.* ***Adj.* 1.** Doidivanas, estouvado, estabanado, travesso, turbulento, irrequieto. **2.** Diz-se da caça que se tornou arisca. • ***S. m.* 3.** Indivíduo esfogueteado.

esfogueteamento [De *esfoguetear* + *-mento*.] ***S. m.*** *Bras.* Qualidade, modos ou ação de esfogueteado; foguetice.

esfoguetear [De *es-* + *foguete* + *-ear*[2].] ***V. t. d.* 1.** Festejar com foguetes. **2.** Repreender com acrimônia. **3.** *Bras.* Fazer fogo com (espingarda), para experimentá-la ou tirar-lhe a umidade interior. **4.** Fazer fogo contra, para afugentar: *A polícia esfogueteou os assaltantes*. ***Int.* 5.** Soltar foguetes. [Conjug.: v. *frear*.]

esfola [Dev. de *esfolar*.] ***S. f.*** V. *esfoladura*.

esfoladela [De *esfolar* + *-dela*.] ***S. f.* 1.** V. *esfoladura*. **2.** *Fig.* Logro; extorsão; comedela, comedeira.

esfolado [Part. de *esfolar*.] ***Adj.* 1.** A que se tirou a pele. • ***S. m.* 2.** *Bras.* Manequim (1) que representa uma pessoa despojada completamente da pele.

esfoladoiro [De *esfolar* + *-doiro*[2].] ***S. m.*** *Bras.* Esfoladouro (q. v.).

esfolador (ô) [De *esfolar* + *-dor*.] ***Adj. S. m.*** Que, ou aquele que esfola.

esfoladouro [De *esfolar* + *-douro*[2]; var. de *esfoladoiro*.] ***S. m.*** *Bras.* Lugar, nos matadouros, onde se esfolam as reses.

esfoladura [De *esfolar* + *-dura*.] ***S. f.*** Ato ou efeito de esfolar(-se); esfoladela, esfolamento, esfola.

esfolamento [De *esfolar* + *-mento*.] ***S. m.*** V. *esfoladura*.

esfolar [Do lat.-hisp. vulg. **exfollare*, 'arrancar a pele'.] ***V. t. d.* 1.** Tirar a pele de. **2.** Ferir superficialmente; arranhar, escoriar. **3.** *Fig.* V. *escorchar* (8 e 9). ***P.* 4.** Ficar escoriado; arranhar-se.

esfolegar [De *es-* + *fôlego* + *-ar*[2].] ***V. int.* 1.** Tomar fôlego. **2.** Resfolegar (1). [Conjug.: v. *resfolegar*.]

esfolhada [De *esfolhar* + *-ada*[1].] ***S. f.* 1.** Ato de esfolhar. **2.** V. *descamisada*. [Sin. ger.: *esfolhadela*.]

esfolhadela [De *esfolhar* + *-dela*.] ***S. f.*** V. *esfolhada*.

esfolhar [De *es-* + *folha*[1] + *-ar*[2].] ***V. t. d.* 1.** Tirar as folhas a. **2.** Descamisar (o milho). **3.** Fazer desprender-se (folhas): "um pé de milho isolado esfolhava as suas espadanas verdes" (Coelho Neto, *Treva*, p. 75). [Cf. *esfoliar* e *esfolhear*.]

esfolhear [De *es-* + *folha*[1] + *-ear*[2].] ***V. t. d.* 1.** Folhear[2] (1) de maneira despreocupada, inconsciente. **2.** Folhear[2] (1) os livros de: *Bibliófilo, leva o tempo a esfolhear livrarias*. [Conjug.: v. *frear*. Cf. *esfoliar* e *esfolhar*.]

esfolhoso (ô) [De *es-* + *folha*[1] + *-oso*.] ***Adj.*** *Bot.* Que não tem folhas ou estípulas.

esfoliação [Do lat. *exfoliatione* < lat. *exfoliare*, 'tirar as folhas'.] ***S. f.* 1.** Ato ou efeito de esfoliar. **2.** *Geol.* Descamação (2). [Cf. *exfoliação*.]

esfoliado [Do lat. *exfoliatu*, part. pass. de *exfoliare*.] ***Adj.* 1.** Que se esfoliou. **2.** *Bot.* Subdividido em lâminas, como a casca de muitas árvores.

esfoliar [Do lat. *exfoliare*.] ***V. t. d.*** Separar em folhas ou lâminas. [Cf. *esfolhar* e *esfolhear*.]

esfoliativo [De *esfoliar* + *-tivo*.] ***Adj.*** Que esfolia ou provoca esfoliação. [Cf. *exfoliativo*.]

esfomeação [De *esfomear* + *-ção*.] ***S. f.* 1.** Ato de esfomear. **2.** Estado de esfomeado.

esfomeado [Part. de *esfomear*.] ***Adj. S. m.*** Que, ou aquele que tem fome; esfaimado, faminto, famélico.

esfomear [De *es-* + *fome* + *-ear*[2].] ***V. t. d.* 1.** Causar fome a; afaimar. **2.** Encher subitamente de fome; provocar vivo apetite em. **3.** Privar de alimentação, causando fome a; afaimar, esfaimar. [Conjug.: v. *frear*. Cf. *esfumear*.]

esforçado [Part. de *esforçar*.] ***Adj.* 1.** Vigoroso, forte, enérgico. **2.** Denodado, valoroso, corajoso. **3.** Que se esforça para conseguir algo; trabalhador, diligente. **4.** Diz-se de pessoa (em geral de inteligência curta) que se empenha vivamente para bem realizar as suas tarefas. • ***S. m.* 5.** Indivíduo esforçado.

esforçar [De *es-* + *força* + *-ar*[2].] ***V. t. d.* 1.** Dar forças a; avigorar, robustecer, reforçar. **2.** Dar valor ou ânimo a; animar, estimular, encorajar: *Encontrando-o desalentado, procurou esforçá-lo com palavras de encorajamento*. **3.** Dar maior volume, tamanho, densidade, etc., a; aumentar: *As chuvas esforçaram as águas do rio*. **4.** Corroborar, confirmar, acrescentando argumentos ou provas; reforçar: *Esforçou as suas palavras de maneira convincente*. ***Int.* 5.** Ter ânimo, coragem; animar-se, esforçar-se. **6.** Cobrar força, vigor, coragem, ânimo. ***P.* 7.** Esforçar (5). **8.** Empregar todas as forças, toda a energia e diligência, para conseguir alguma coisa: "Esforço-me por desviar o pensamento dessas coisas. Não sou um rato, não quero ser um rato." (Graciliano Ramos, *Angústia*, p. 8); "Esforçavam-se .... em imitar aquele tipo de milionário improvisado." (José de Alencar, *Sonhos d'Ouro*, p. 125); *Esforçou-se em vão para conseguir o emprego*. [Conjug.: v. *laçar*. Pres. ind.: *esforço*, etc. Cf. *esforço* (ô).]

esforço (ô) [Dev. de *esforçar*.] ***S. m.* 1.** Mobilização de forças, físicas, intelectuais ou morais, para vencer uma resistência ou dificuldade, para atingir algum fim: *Com o esforço que fez foi capaz de erguer o pesado fardo; Fez esforço, mas não conseguiu passar nos exames*. **2.** Contração muscular. **3.** Vigor, energia, força. **4.** Valor, ânimo, coragem: *Enfrentaram o inimigo com grande esforço*. **5.** Dificuldade (1): *Inteligentíssimo, aprendeu a ler sem esforço*. [Pl.: *esforços* (ó). Cf. *esforço*, do v. *esforçar*.]

esfragista [Voc. deduz. de *esfragística*.] ***S. 2 g.*** Pessoa versada em esfragística.

esfragística [Do gr. *sphragistiké*.] ***S. f.*** Ciência que trata dos selos, sinetes e carimbos.

esfragístico [Do gr. *sphragistikós*.] ***Adj.*** Relativo à esfragística.

esfraldar [De *es-* + *fralda* + *-ar*[2].] ***V. t. d.*** *Bras.* **1.** Desfraldar (1 e 2). **2.** Estender, alargar.

esfrançar [De *es-* + *franças* + *-ar*[2].] ***V. t. d.* 1.** Cortar as franças ou ramos de; desgalhar, esgalhar. **2.** Limpar (árvore), cortando-lhe os ramos secos ou os mais antigos. [Conjug.: v. *laçar*.]

esfrangalhar [De *es-* + *frangalho* + *-ar*[2].] ***V. t. d.* 1.** Reduzir a frangalhos, a farrapos; esfarrapar; dilacerar, rasgar, frangalhar. ***P.* 2.** Dilacerar-se, rasgar-se; destruir-se, arrasar-se, frangalhar-se.

esfrega [Dev. de *esfregar.*] *S. f.* 1. Ato de esfregar; esfregação, esfregadura. 2. *Fig.* Trabalho grande e cansativo. 3. V. *repreensão* (1). 4. V. *surra* (1 e 2).
esfregação [De *esfregar* + -*ção.*] *S. f.* 1. V. *esfrega* (1). 2. *Pop.* V. *bolinagem.*
esfregaço [De *esfregar* + -*aço.*] *S. m.* 1. *Med.* Camada delgada de tecido ou de líquido orgânico disposta sobre lâmina (3), para exame microscópico. 2. *Med.* Essa técnica de exame, e sua análise. 3. *Pint.* Camada leve, de tinta ou verniz transparente, aplicada sobre uma pintura.
esfregadela [De *esfregar* + -*dela.*] *S. f.* Ato de esfregar de leve.
esfregador (ô) [De *esfregar* + -*dor.*] *Adj.* 1. Que esfrega. • *S. m.* 2. Aquele que esfrega. 3. V. *esfregão* (1 e 2).
esfregadura [De *esfregar* + -*dura.*] *S. f.* V. *esfrega* (1).
esfregalho [De *esfregar* + -*alho.*] *S. m.* V. *esfregão* (2).
esfregão [De *esfregar* + -*ão*[2].] *S. m.* 1. Pano de esfregar; esfregador, rodilhão. 2. Qualquer outro objeto próprio para esfregar; esfregador, esfregalho. 3. *Bras. Bot.* V. *bucha* (11).
esfregar [Do lat. *exfricare.*] *V. t. d.* 1. Roçar (uma coisa com outra): *Esfregou as mãos de contente.* 2. Limpar; lavar: *esfregar o assoalho.* 3. Coçar; friccionar. *T. d. e i.* 4. Passar repetidas vezes a mão, ou objeto mais ou menos apropriado, pela superfície de (um corpo), para produzir ou aumentar o calor, para limpar, etc.; friccionar: *Esfregou o pano no chão. P.* 5. Roçar-se. 6. Coçar-se, friccionar-se. 7. *Bras. Chulo* Roçar-se com intuito libidinoso. [Conjug.: v. *regar.*]
esfregona [Fem. de *esfregão.*] *S. f. Lus.* V. *esfregão* (1): "Orquídea .... vem ao meu encontro .... com o balde e a esfregona na mão." (Teolinda Gersão, *A Árvore das Palavras,* p. 164.)
esfria[1] [Dev. de *esfriar.*] *S. 2 g. Bras. Gír. Jorn.* Pessoa que, sabendo de uma notícia, não a quer dar ao repórter.
esfria[2] *S. m. Bras. PE* V. *esfria-verruma.*
esfriadoiro [De *esfriar* + -*doiro*[2].] *S. m.* Esfriadouro (q. v.).
esfriadouro [De *esfriar* + -*douro*[2]; var. de *esfriadoiro.*] *S. m.* Vaso onde se põe algo a esfriar.
esfriamento [De *esfriar* -*mento.*] *S. m.* Ato ou efeito de esfriar(-se).
esfriar [De *es-* + *frio* + -*ar*[2].] *V. t. d.* 1. Tornar frio; fazer perder o calor; arrefecer. 2. Tornar frio, insensível, indiferente; esmorecer: *Nada lhe esfria o ânimo.* 3. Afrouxar; enfraquecer, entibiar. *Int. P.* 4. Tornar-se frio; perder o calor; arrefecer: "O jantar esfriava na mesa posta." (Afonso Celso, *Notas e Ficções,* p. 17.) 5. Tornar-se frio, insensível, indiferente; perder o entusiasmo; esmorecer.
esfria-verruma [De *esfriar* + *verruma.*] *S. 2 g. Bras. PE* 1. Pessoa que sempre acompanha outra para prestar-lhe serviços; acólito, ajudante. 2. Adulador, adulão, bajulador. [F. red.: *esfria.* Pl.: *esfria-verrumas.*]
esfrolar[1] [Alter. de *esfolar* (q. v.).] *V. t. d.* Escoriar, esfolar.
esfrolar[2] [De *es-* + ant. *frol,* por *flor,* + -*ar*[2].] *V. t. d.* V. *esflorar* (2): "Afla a brisa, cheia de ternura ousada, / Esfrolando as ondas, provocando nelas / Bruscos arrepios de mulher beijada..." (Vicente de Carvalho, *Poemas e Canções,* p. 252.)
esfulinhar [De *fuligem.*] *V. t. d.* 1. Limpar a fuligem de (chaminé). 2. Limpar do pó e das teias de aranha.
esfumaçado [Part. de *esfumaçar.*] *Adj.* 1. Cheio de fumaça; esfumarado. 2. *Bras.* Diz-se de alimento defumado.
esfumação [De *esfumar* + -*ção.*] *S. f.* Ato ou efeito de esfumar(-se).
esfumaçar [De *es-* + *fumaça* + -*ar*[2].] *V. t. d.* 1. Encher de fumaça. 2. Enegrecer de fumaça. 3. *Bras.* Defumar (alimentos). *P.* 4. Encher-se de fumaça: *Toda a sala esfumaçou-se.* 5. Desaparecer, sumir; esfumar-se: *Com o tempo, seus sonhos esfumaçaram-se.* [Conjug.: v. *laçar.*]
esfumado [Do it. *sfumato.*] *Adj.* 1. Diz-se do desenho que tem as sombras esbatidas. ~ V. *autotipia —a.* • *S. m.* 2. Esse desenho.
esfumador (ô) [De *esfumar* + -*dor.*] *S. m.* Pincel usado para unir as tintas dum quadro, esbatendo-as.
esfumar [Do it. *sfumare.*] *V. t. d.* 1. Desenhar a carvão. 2. Esbater com esfuminho. 3. Sombrear com esfuminho. 4. Desfazer em fumo. 5. Enegrecer com fumo; esfumaçar. *P.* 6. Desfazer-se em fumo. 7. Desaparecer a pouco e pouco.
esfumarado [Part. de *esfumarar.*] *Adj.* Esfumaçado (1).
esfumarar [De *es-* + *fumar* + -*ar*[2], poss.] *V. t. d.* 1. Cobrir de fumaça. 2. Tornar semelhante a fumaça.
esfumatura [Do it. *sfumatura.*] *S. f.* Conjugação das sombras, em um desenho.
esfumear [De *es-* + *fumo* + -*ear*[2].] *V. int. T. c. T. d.* V. *fumegar.* [Conjug.: v. *frear.* Cf. *esfomear.*]
esfuminho [Do it. *sfumino.*] *S. m.* Rolo de pelica, feltro, papel, etc., aparado em ponta, para esbater desenho a lápis, a carvão, etc.
esfuracar [De *es-* + port. ant. *furacar* (< *furo*).] *V. t. d.* Furar, esburacar, furacar. [Conjug.: v. *trancar.*]
esfuziada [De *esfuziar* + -*ada*[1].] *S. f.* Descarga de fuzilaria; tiroteio.
esfuziante [De *esfuziar* + -*nte.*] *Adj. 2 g.* 1. Que esfuzia; sibilante: *rajada esfuziante.* 2. Muito alegre; muito vivo e comunicativo; muito vivaz; radiante, irradiante: *moça graciosa, saudável, esfuziante.* 3. Próprio de pessoa esfuziante (2); irradiante: *alegria esfuziante; maneiras esfuziantes.*
esfuziar [De *esfuzilar,* com síncope.] *V. int.* 1. Zunir como os projetis da fuzilaria: *A serra esfuzia, cortando a madeira.* 2. Soprar rijo e forte; sibilar: "O próprio vento tinha ali uma voz diferente, a esfuziar no velame, a correr por cima das ondas." (Josué Montelo, *Cais da Sagração,* p. 160.) 3. Fuzilar, cintilar; esfuzilar: "no caso, a ironia de Chesterton esfuzia, brincalhona, irreverente, mas inócua" (Eugênio Gomes, *D. H. Lawrence e Outros,* p. 223). *T. d.* 4. Lançar, dardejar; atirar: *Esfuziou comentários mordazes ao ver o adversário.*
esfuzilar [De *es-* + *fuzil* + -*ar*[2].] *V. int.* Lançar faíscas; cintilar, fuzilar, esfuziar.
esfuziote [De *esfuziar.*] *S. m.* 1. *Pop.* Saraivada de invectivas, de insultos. 2. V. *repreensão* (1). ◆ **De esfuziote.** Com extrema rapidez; às pressas, à pressa; apressuradamente: *Entrou de esfuziote, pegou o chapéu e saiu.*
■ **ESG** Sigla de *Escola Superior de Guerra.*
esgaçar *V. t. d. Int. P.* V. *esgarçar:* "Duas tábuas cederam, ele furou através, esgaçando a quinzena num prego." (Eça de Queirós, *A Ilustre Casa de Ramires,* p. 192); "aquele cismar começou a quebrar-se a cada momento como uma tela que se esgaça em rasgões largos" (Id., *O Primo Basílio,* p. 170). [Conjug.: v. *laçar.*]
esgadanhar [De *es-* + *gadanho* + -*ar*[2].] *V. t. d. P.* Ferir(-se) com as unhas; arranhar(-se).
esgadelhado [Part. de *esgadelhar.*] *Adj.* V. *desguedelhado.*
esgadelhar [De *es-* + *gadelha* + -*ar*[2].] *V. t. d. P.* V. *desguedelhar.* [Conjug.: v. *aparelhar.*]
esgaivar [De *es-* + *gaiva* + -*ar*[2].] *V. t. d.* Abrir barrancos em; cavar, escavar.
esgaivotado [De *es-* + *gaivota* + -*ado*[1].] *Adj.* 1. Semelhante à gaivota. 2. Esgrouviado, esgalgado.
esgalamido *Adj. Bras. N.E. Pop.* Glutão, comilão; esgalopado.
esgaldripado *Adj.* Diz-se do cacho de uvas longo, mas com poucos bagos.
esgaldripar *V. t. d.* Tornar esgaldripado.
esgalgado [De *es-* + *galgo* + -*ado*[1].] *Adj.* 1. Magro como um galgo; escanzelado. 2. V. *esgalgo:* "cristais cantantes na joalheria dos reflexos, ânforas esgalgadas e a gorgolejar capitosos odores." (João Ribeiro, *Floresta de Exemplos,* p. 224). 3. Que anda caindo de lazeira. 4. *Fig.* Estreito e comprido: *São pitorescas as ruas e vielas esgalgadas da Alfama e da Mouraria.*
esgalgar [De *es-* + *galgo* + -*ar*[2].] *V. t. d.* Tornar magro; esbeltar. [Conjug.: v. *largar.*]
esgalgo [De *es-* + *galgo.*] *Adj.* Alto e delgado; esgalgado; esbelto: "Está é lívida, esgalga e fina" (Olegário Mariano, *Toda uma Vida de Poesia,* I, p. 256).
esgalha [Dev. de *esgalhar.*] *S. f.* 1. Ato ou efeito de esgalhar(-se). 2. Ramo cortado de árvore. 3. V. *esgalho* (2). 4. V. *escádea.*
esgalhado [Part. de *esgalhar.*] *Adj.* 1. Que tem galhos ou ramos cortados. 2. Que tem ramos muito separados.
esgalhar [De *es-* + *galho* + -*ar*[2].] *V. t. d.* 1. Dividir em galhos ou em ramos; desgalhar. 2. Cortar os ramos a; desgalhar. *Int. P.* 3. Dividir-se em ramos ou lançamentos novos; abrir a copa (4).
esgalho [Dev. de *esgalhar.*] *S. m.* 1. Renovo vegetal que pouco se desenvolve. 2. Resto do ramo que fica no tronco; esgalha, galho. 3. A ramificação dos galhos do veado. 4. V. *escádea.* 5. Ramificação, divisão.
esgalopado *Adj. Bras. N.E. Pop.* V. *esgalamido.*
esgana [Dev. de *esganar.*] *S. f. Pop.* 1. Ato de esganar. 2. Tosse convulsa. 3. *Veter.* Doença das vias respiratórias do cão; funga. 4. Gana, fome.
esganação [De *esganar* + -*ção.*] *S. f.* 1. Ato de esganar; esganadura. 2. Gana, avidez, sofreguidão. 3. *Fig.* Avareza (1).
esganado [Part. de *esganar.*] *Adj.* 1. Estrangulado, sufocado. 2. Faminto, famélico, esfomeado, esfaimado. 3. Ávido, sôfrego, voraz. 4. V. *avaro* (1). • *S. m.* 5. Indivíduo esganado. 6. V. *avaro* (3). ~ V. *volta —a.*
esganadura [De *esganar* + -*dura.*] *S. f.* Esganação (1).
esganar [De *es-* + *gana* + -*ar*[2].] *V. t. d.* 1. Matar por sufocação; estrangular, sufocar, esgoelar. 2. *Marinh.* Dar voltas em cruz, comprimindo outras já dadas, em (botão, cosedura ou outra qualquer obra de marinheiro). *P.* 3. Suicidar-se por estrangulação; estrangular-se. 4. *Fig.* Mostrar-se sôfrego, avarento. 5. Morder-se de inveja.
esganiçar [De *ganir.*] *V. t. d.* 1. Tornar (a voz) aguda, à imitação do ganido do cão. *P.* 2. Soltar vozes como o ganir do cão. 3. Cantar com som agudo, estridente. [Conjug.: v. *laçar.*]
esgar [De or. incerta.] *S. m.* 1. Gesto de escárnio. 2. V. *careta* (1). 3. V. *carantonha.*
esgarabulhão [De or. controversa.] *S. m.* 1. Pião que roda aos saltos. 2. *Fig.* Indivíduo irrequieto.
esgarabulhar [De or. controversa.] *V. int.* 1. Andar (o pião) aos pulos. 2. *Fig.* Andar aos pulos, sem sossego; mexer-se muito.
esgarapatana *S. f. Bras.* V. *sarabatana* (2).
esgaratujar [De *es-* + *garatujar.*] *V. t. d. Int.* V. *garatujar:* "O escrivão esgaratujou rapidamente duas ou três siglas no caderno que tinha na mão." (Alexandre Herculano, *O Monge de Cister,* II, p. 15.)
esgaravatador (ô) [De *esgaravatar* + -*dor.*] *Adj.* 1. Que esgaravata. • *S. m.* 2. Palito de limpar os dentes. 3. Instrumento com que se limpa o ouvido (4) das armas. 4. Instrumento para remexer as brasas da forja. [Var.: *esgravatador.*]
esgaravatana *S. f.* 1. *Ant.* Porta-voz (1). 2. *Bras.* V. *sarabatana* (2).
esgaravatar [De *es-* + *garavato* + -*ar*[2].] *V. t. d.* 1. Tirar ou limpar com o esgaravatador. 2. Remexer ou escarafunchar com as unhas. 3. Coçar ou limpar (o nariz, as orelhas, etc.). 4. *Fig.* Inquirir; esmiuçar; pesquisar: *Tanto esgaravatou o caso que terminou descobrindo o mistério.* [Var.: *esgravatar;* sin. ger.: *esgaravatear.*]
esgaravatear [De *es-* + *garavato* + -*ear*[2].] *V. t. d.* V. *esgaravatar.* [Var.: *esgravatear.* Conjug.: v. *frear.*]
esgaravatil [De *es-* + *garavato* + -*il*[1].] *S. m.* Instrumento para fazer encaixes na madeira.
esgarçadura [De *esgarçar* + -*dura.*] *S. f.* Ato ou efeito de esgarçar(-se).
esgarçante [De *esgarçar* + -*nte.*] *Adj. 2 g.* Que esgarça.
esgarçar [Do lat. *exquartiare,* 'esquartejar', poss.] *V. t. d.* 1. Dividir (o pano), apartando os fios; desfiar, esgarçar. 2. Ferir, lanhar. 3. Romper a casca de (fruto). *Int. P.* 4. Abrir-se (o tecido); desfiar-se; romper-se. 5. Desfazer-se, fragmentar-se. [Var.: *esgaçar.* Tb. se diz *escarçar.* Conjug.: v. *laçar.*]
esgardunhar [De *es-* + *gardunho* + -*ar*[2].] *V. t. d.* Arranhar, como o gardunho.
esgargalar [De *es-* + *gargalo* (2) + -*ar*[2].] *V. t. d.* Descobrir (todo o pescoço); esgorjar; esbagachar.
esgargalhar-se [De *es-* + *gargalhar* + *se*[1].] *V. p.* Rir às gargalhadas.
esgarrão [De *esgarrar* + -*ão*[2].] *Adj. S. m.* V. *desgarrão.*
esgarrar [De *es-* + *garrar.*] *V. t. d.* 1. Fazer (o navio) mudar de rumo. 2. Desviar do caminho; transviar. *T. d. e i.* 3. V. *desgarrar* (5). *T. i.* 4. Apartar-se, separar-se. *Int. P.* 5. Desviar-se da rota; transviar-se. 6. Seguir mau caminho; proceder mal.
esgatanhar [De *esgadanhar,* com infl. de *gato.*] *V. t. d. P.* 1. V. *agatanhar.* 2. Puxar, arrancar (pelos, penas, etc.); arrepelar.
esgazeado [Part. de *esgazear.*] *Adj.* 1. Diz-se das cores alvadias, deslavadas. 2. Diz-se dos olhos inquietos nas órbitas, com expressão de espanto, desnorteamento, desvairamento ou ira, como os olhos dos loucos. 3. Afogueado; esbaforido.
esgazear [De *es-* + *gázeo* + -*ar*[2], poss.] *V. t. d.* 1. Pôr (os olhos) em branco. 2. Volver (os olhos) com expressão desvairada. 3. *Pint.* Tornar clara ou desmaiada (a cor de um quadro). [Conjug.: v. *frear.*]
esgoelamento [De *esgoelar* + -*mento.*] *S. m.* Ato ou efeito de esgoelar(-se): "Despertado por um esgoelamento maior de donzelinha, chego à janela do meu quarto" (Gilberto Amado, *Depois da Política,* p. 156).
esgoelar [De *es-* + *goela* + -*ar*[2].] *V. t. d.* 1. Proferir gritando; bradar: "um rapazola esgoelou: | — Aí vem ele!" (Coelho Neto, *A Conquista,* p. 431); "Setenta vezes esgoelar o nome dela com gargarejo de cravo e de canela." (Gilberto Mendonça Teles, *Plural de Nuvens,* p. 27). 2. Estrangular; esganar. *Int.* 3. Gritar muito; goelar. *P.* 4. Abrir muito as goelas e gritar; goelar-se: "Os seus gritos me entravam na cabeça, nunca ninguém se esgoelou de semelhante maneira." (Graciliano Ramos, *Infância,* p. 32.)
esgorjado [Part. de *esgorjar.*] *Adj.* Desgorjado.
esgorjar [De *es-* + *gorja* + -*ar*[2].] *V. t. d.* 1. V. *esgargalar. T. i.* 2. Ter desejo intenso, avidez; desejar muito.
esgotado [Part. de *esgotar.*] *Adj.* 1. Que se esgotou. 2. Que se vendeu totalmente (lotação, estoque, etc.): *Já estão esgotados os ingressos para a decisão do campeonato.* 3. *Fig.* Depauperado, exausto, exangue.
esgotadoiro [De *esgotar* + -*doiro*[2].] *S. m.* Esgotadouro (q. v.).
esgotadouro [De *esgotar* + -*douro*[2]; var. de *esgotadoiro.*] *S. m.* Cano para esgoto.
esgotadura [De *esgotar* + -*dura.*] *S. f.* Ato ou efeito de esgotar(-se); esgotamento, esgote, esgoto.
esgotamento [De *esgotar* + -*mento.*] *S. m.* 1. V. *esgotadura.* 2. *Restr.* Depauperamento, exaustão, extenuação.

esgotante [De *esgotar* + *-nte*.] *Adj. 2 g.* **1.** Que esgota. **2.** Cansativo, extenuante.

esgotar [De *es-* + *gota* (ô) + *-ar*[2].] *V. t. d.* **1.** Tirar até a última gota de; vazar completamente: *esgotar um barril.* **2.** Beber ou engolir até a última gota. **3.** Enxugar, secar, exaurir: *esgotar um lodaçal.* **4.** Privar de todo o conteúdo. **5.** Consumir, gastar: *Em pouco tempo esgotou a herança.* **6.** Aplicar com empenho; empregar totalmente: *Esgotou os meios possíveis.* **7.** Tornar exausto; cansar, extenuar: *O excesso de trabalho esgotou-a.* **8.** Tratar por inteiro (um assunto). **9.** Colocar esgoto (4) em. *Int.* **10.** Secar-se, exaurir-se, esgotar-se. **11.** Gastar-se por inteiro; consumir-se, esgotar-se. *P.* **12.** V. *esgotar* (10). **13.** Esgotar (11). **14.** Ser vendido, vender-se (um livro, ou edição dele), até o último exemplar: *O romance esgotou-se em dois meses* **15.** Perder as forças; enfraquecer(-se), debilitar-se, extenuar-se. [Pres. ind.: *esgoto*, etc. Cf. *esgoto* (ô), s. m.]

esgotável [De *esgotar* + *-vel*.] *Adj. 2 g.* Que se pode esgotar.

esgote [Dev. de *esgotar*.] *S. m.* **1.** V. *esgotadura.* **2.** *Bras. AM* Abertura, nos barcos e canoas, reservada para esgotar a água que neles entra.

esgoto (ô) [Dev. de *esgotar*.] *S. m.* **1.** V. *esgotadura.* **2.** Cano ou orifício destinado a dar vazão a qualquer líquido. **3.** Escoadouro aonde vão ter as águas servidas e dejetos das casas. **4.** Sistema subterrâneo de canalizações destinado a receber as águas pluviais e os detritos de um aglomerado populacional, e levá-los para lugar afastado. [Pl.: *esgotos* (ô). Cf. *esgoto*, do v. *esgotar*.]

esgrafiar [Do it. *sgraffiare*.] *V. t. d.* Pintar ou desenhar a esgrafito.

esgrafito [Do it. *sgraffito*.] *S. m.* Pintura ou desenho que se obtém riscando com um estilete a camada superior da tinta, de sorte que fique descoberta a camada inferior.

esgraminhar [De *es-* + lat. *gramine*, 'grama'[1], + *-ar*[2], com palatalização.] *V. t. d.* Tirar a grama a.

esgravatador (ô) *Adj. S. m.* V. *esgaravatador.*

esgravatar *V. t. d.* V. *esgaravatar.*

esgravatear *V. t. d.* V. *esgaravatear.* [Conjug.: v. *frear*.]

esgrima [Do occitano *escrima*.] *S. f.* **1.** Arte de jogar as armas brancas: espada, sabre e florete. **2.** Ato de esgrimir; esgrimidura. **3.** Jogo de armas brancas.

esgrimidor (ô) [De *esgrimir* + *-dor*.] *Adj.* **1.** Que esgrime. • *S. m.* **2.** Esgrimista (1).

esgrimidura [De *esgrimir* + *-dura*.] *S. f.* Esgrima (2).

esgrimir [Do frâncico **skermjan*, 'proteger', 'servir de defesa', poss. pelo occitano ant. *escremir*.] *V. t. d.* **1.** Jogar ou manejar (armas brancas). **2.** Vibrar, agitar, brandir: *Caminhava esgrimindo a bengala.* **3.** Agitar com intenção hostil: *esgrimir o punhal. T. i.* **4.** Brigar, contender, lutar: *Já esgrimiu contra poderosos opositores. Int.* **5.** Jogar armas. **6.** Brigar, lutar. **7.** Discutir, contender, argumentar.

esgrimista [De *esgrima* + *-ista*.] *S. 2 g.* **1.** Pessoa que esgrime; esgrimidor. **2.** Pessoa que esgrime com destreza.

esgrouviado [De *grou*.] *Adj.* **1.** Magro e alto como um grou. **2.** Que tem o cabelo revolto, desgrenhado. [Var.: *esgrouvinhado*, *engrouvinhado*.]

esgrouvinhado *Adj.* V. *esgrouviado.*

esguardar [De *es-* + *guardar*.] *V. t. d.* **1.** Ter em consideração; respeitar. **2.** Olhar ou considerar com atenção. *Int.* **3.** Olhar atentamente. *P.* **4.** Acautelar-se, resguardar-se.

esguedelhado [Part. de *esguedelhar*.] *Adj.* V. *desguedelhado*: "um criado de jaquetão, estremunhado e esguedelhado, cabeceava de sono." (Eça de Queirós, *O Primo Basílio*, p. 185).

esguedelhar [De *es-* + *guedelha* + *-ar*[2].] *V. t. d. P.* V. *desguedelhar.* [Conjug.: v. *aparelhar*.]

esgueirar [De or. incerta.] *V. t. d. e i.* **1.** *P. us.* Subtrair com habilidade; desviar. **2.** Dirigir ou volver cautelosamente. *P.* **3.** Retirar-se sorrateiramente, à socapa; escapulir-se, safar-se: "Os caminhos estavam intransitáveis, mas o menino esgueirava-se pelos atalhos" (Santos Morais, *Menino João*, p. 14); *O ladrão esgueirou-se pela janela.*

esguelha (ê) [De or. obscura.] *S. f.* **1.** Soslaio, través, viés; obliquidade. **2.** Pedaço de pano cortado em viés. ◆ **De esguelha.** De soslaio; de través; de revés; obliquamente: "Meu primo tocou-me no pé. Aguardei olhando de esguelha os dedos grossos que seguravam o livro" (Ricardo Ramos, *Terno de Reis*, pp. 140-141).

esguelhar [De *esguelha* + *-ar*[2].] *V. t. d.* **1.** Pôr de esguelha; atravessar; enviesar. **2.** Cortar de esguelha. [Conjug.: v. *aparelhar*.]

esguião [De or. obsc.] *S. m. Tec. Têx.* Tecido fino de linho ou de algodão.

esguichadela [De *esguichar* + *-dela*.] *S. f.* Ato ou efeito de esguichar rapidamente.

esguichar [De *esguicho* + *-ar*[2].] *V. t. d.* **1.** Expelir com força (um líquido) por um tubo, ou por um orifício. *Int.* **2.** Sair por abertura estreita, com ímpeto: *O champanha esguichou.* **3.** Sair em repuxo: "os homens rindo e sangrando, o sangue esguichando e molhando as mãos, os braços deles" (José J. Veiga, *A Máquina Extraviada*, p. 124). **4.** Sair ou entrar em jato.

esguicho [De or. onom., poss.] *S. m.* **1.** Ato ou efeito de esguichar. **2.** Jato ou repuxo de um líquido. **3.** *Desus.* Seringa de entrudo; bisnaga. **4.** *Bras.* Certa combinação em jogos de azar, principalmente na roleta. **5.** *Bras.* Dispositivo colocado na extremidade de um tubo ou mangueira para esguichar água ou outro líquido.

esguiez (ê) [De *esguio* + *-ez*.] *S. f.* Qualidade de esguio: "Sobem, na longa esguiez dos galhos ressequidos, / estes sons para os quais meu pensamento externo..." (Gilca da Costa Melo Machado, *Poesias*, p. 150).

esguio [Do lat. *exiguu*.] *Adj.* **1.** Alto e delgado: *um jovem esguio*; "a torre esguia da igreja" (Bernardo Pinheiro Pindela, *Azulejos*, p. 100). **2.** Comprido e delgado: "fitei-os [os olhos].... nos ponteiros esguios do grande relógio sonolento" (Alphonsus de Guimaraens, *Obra Completa*, p. 403).

esguitar [De or. express., poss.] *V. int.* Dar muxoxo(s).

esguncho [De or. incerta.] *S. m. Ant.* Pá, cavada e curta, utilizada para aguar exteriormente os barcos.

esgurido [De or. express., poss.] *Adj. Bras. Pop.* Esfomeado, esfaimado, faminto, esganado.

espólio [Do lat. *oesypum*, 'humor gorduroso da lã', + *-ol-*[2] + *-io*[3].] *Adj. Farm.* **1.** Diz-se de qualquer forma farmacêutica (q. v.) em que o veículo é a lanolina. • *S. m.* **2.** Qualquer dessas formas farmacêuticas.

esipra *S. f. Bras. N. Pop.* V. *erisipela.*

eslabão [Do esp. *eslabón*.] *S. m.* Tumor nos joelhos da cavalgadura.

esladroar [De *es-* + *ladrão* + *-ar*[2], com desnasalação.] *V. t. d.* Tirar os rebentos novos, ou os ladrões, a (plantas). [Conjug.: v. *coroar*.]

eslagartar [De *es-* + *lagarta* + *-ar*[2].] *V. t. d.* Limpar (as plantas) de lagartas.

eslaide [Do ingl. *slide*.] *S. m. Fot.* Cromo[2] (3), de 35mm, emoldurado para projeção.

eslávico [De *eslavo* + *-ico*[2].] *Adj.* Eslavo (4).

eslavo [Do lat. med. *sclavu* (pl. *sclavi*) < gr. bizantino *sklábos* (pl. *skláboi*) (v. *escravo*).] *S. m.* **1.** *Gloss.* Grupo linguístico da família indo-europeia (Europa central e oriental), que se divide em três grandes subgrupos: *eslavo ocidental* (poloneses e checos e eslovacos), *eslavo meridional* (búlgaros, servo-croatas e eslovenos) e *eslavo oriental* (russos e ucranianos). **2.** *Etnôn.* Indivíduo dos eslavos, cada um dos diversos povos da Europa central e oriental de língua eslava. **3.** Vocábulo do eslavo (1). • *Adj.* **4.** Pertencente ou relativo aos eslavos; eslávico. **5.** Diz-se do eslavo (1).

eslavónio *S. m. Adj.* V. *eslavônio*. [Uso freq. em P.]

eslavônio *Adj.* **1.** Da, ou pertencente ou relativo à Eslavônia ou Esclavônia (Croácia); esclavônio, esclavão. • *S. m.* **2.** O natural ou habitante da Eslavônia ou Esclavônia; esclavônio, esclavão. **3.** *Gloss.* Na Idade Média, língua litúrgica dos eslavos ortodoxos.

eslinga [Do ingl. *sling*.] *S. f. Marinh. Ant.* Linga[1].

eslingar [De *eslinga* + *-ar*[2].] *V. t. d. Ant.* Lingar. [Conjug.: v. *largar*.]

esloânea *S. f. Bot.* V. *sloânea*.

eslovaco [Do fr. *slovaque*, poss.] *Adj.* **1.** Da, ou pertencente ou relativo à Eslováquia (Europa). • *S. m.* **2.** O natural ou habitante da Eslováquia. **3.** *Gloss.* Língua eslava falada na República da Eslováquia, estreitamente relacionada com o checo (6). **4.** Vocábulo dessa língua.

esloveno [Do fr. *slovène*, poss.] *Adj.* **1.** Da, ou pertencente ou relativo à Eslovênia. • *S. m.* **2.** O natural ou habitante da Eslovênia. V. *eslavo* (2). **3.** *Gloss.* A língua dos eslovenos. V. *eslavo* (1). **4.** Vocábulo dessa língua.

esmadrigado [Part. de *esmadrigar*.] *Adj.* Tresmalhado, separado, dispersado.

esmadrigar [Do lat. **exmatricare* < lat. *matrice*, 'matriz', poss.] *V. t. d.* **1.** Tirar do rebanho. *Int.* **2.** Tresmalhar-se, dispersar-se. [Conjug.: v. *largar*.]

esmaecer [De *esmaiar*, com mudança de suf. (v. *-ecer*).] *V. int.* **1.** Perder a cor; desmaiar; desbotar: "Imaginou um retrato, em tamanho grande, à vista de todos no mostruário. Que amarelando não esmaecesse." (Ricardo Ramos, *Memórias de Setembro*, p. 73); "A montanha é alta. O verde vai esmaecendo e para cima há cambiantes azulados" (Lima Barreto, *Diário Íntimo*, p. 79). **2.** Desvanecer-se, esvanecer-se, apagar-se: *O horizonte esmaecia*; "A natureza apática esmaece..." (Raimundo Correia, *Poesias*, p. 108). **3.** Enfraquecer, esmorecer. *P.* **4.** Perder a cor, o vigor; desmaiar(-se). [Conjug.: v. *aquecer*.]

esmaecido [Part. de *esmaecer*.] *Adj.* Que esmaeceu; pouco nítido: "É como se eu estivesse folheando agora, neste momento, um álbum de retratos: nenhum amarelado, nenhum esmaecido — todos nítidos, tirados há pouco." (Maria Julieta Drummond de Andrade, *O Valor da Vida*, p. 30.)

esmaecimento [De *esmaecer* + *-imento*.] *S. m.* Ato ou efeito de esmaecer(-se).

esmagação [De *esmagar* + *-ção*.] *S. f.* V. *esmagamento* (1).

esmagado [Part. de *esmagar*.] *Adj.* **1.** Que se esmagou; triturado, esmigalhado. **2.** Que foi vítima de esmagamento.

esmagador (ô) [De *esmagar* + *-dor*.] *Adj.* **1.** Que esmaga. **2.** Opressivo, tirânico. **3.** Indiscutível, irretorquível, irrefutável: *São esmagadoras as provas contra o réu.* • *S. m.* **4.** Qualquer máquina para esmagar (uvas no lagar, cana-de-açúcar no engenho, etc.). **5.** *Bras.* O primeiro terno de moendas, onde se faz o quebramento das canas-de-açúcar.

esmagadura [De *esmagar* + *-dura*.] *S. f.* V. *esmagamento* (1).

esmagamento [De *esmagar* + *-mento*.] *S. m.* **1.** Ação ou efeito de esmagar(-se); esmagação, esmagadura. **2.** *Fig.* Destruição, aniquilação, ruína.

esmagar [Do lat. vulg. **exmagare* < germ. *magan*, 'ter forças'.] *V. t. d.* **1.** Comprimir até rebentar ou achatar; calcar, pisar; esmigalhar: *Enraivecido, esmagou a barata.* **2.** Triturar, macerar, quebrar: *A máquina esmagava o milho.* **3.** Machucar, amarfanhar, amarfalhar. **4.** Prostrar, abater, exterminar: *Esmagou os inimigos.* **5.** Levar vantagem a; vencer, suplantar: *Esmagou seu oponente.* **6.** Oprimir, tiranizar, escravizar: *Aqueles que suprimem a liberdade esmagam o povo.* **7.** Afligir, angustiar, torturar. *Int.* **8.** Discutir com argumentação irrespondível. *P.* **9.** Ficar muito comprimido, calcado, pisado. [Conjug.: v. *largar*.]

esmagrecer [De *es-* + *magro* + *-ecer*.] *V. t. d. Int. Bras. N.E. Pop.* Emagrecer (1 e 2). [Conjug.: v. *aquecer*.]

esmaiar [Do fr. ant. *esmaiier* < lat. vulg. **exmagare* (v. *esmagar*).] *V. t. d. Int. P.* V. *desmaiar*: "às faces te acendi aquelas duas rosas, / Que ora ao frio da morte acabam de esmaiar." (Alberto de Oliveira, *Poesias*, 2ª série, p. 46); "Em jarras de Corinto esmaiam belas flores" (Gonçalves Crespo, *Obras Completas*, p. 148).

esmaleitado [De *es-* + *maleita* + *-ado*[1].] *Adj.* Que sofre de maleitas.

esmalhar [De *es-* + *malha*[1] + *-ar*[2].] *V. t. d. Ant.* Cortar as malhas de (armadura).

esmaltação [De *esmaltar* + *-ção*.] *S. f.* **1.** Esmaltagem. **2.** *Fot.* Tratamento de uma cópia fotográfica para lhe tornar brilhante a superfície, o qual ger. se realiza prensando-se a cópia, durante a secagem, contra uma superfície polida.

esmaltado [Part. de *esmaltar*.] *Adj.* **1.** Coberto ou ornado de esmalte. **2.** Matizado, ornado, enfeitado.

esmaltador (ô) [De *esmaltar* + *-dor*.] *Adj.* **1.** Que esmalta. • *S. m.* **2.** Aquele que se ocupa no trabalho de esmaltagem. **3.** *Fotograv.* Estufa para esmaltagem de clichês.

esmaltadora (ô) [De *esmaltar* + *-dora*.] *S. f. Fot.* Equipamento us. para esmaltação (2).

esmaltagem [De *esmaltar* + *-agem*[2].] *S. f.* Ato ou efeito de esmaltar; esmaltação.

esmaltar [De *esmalte* + *-ar*[2].] *V. t. d.* **1.** Cobrir ou ornar de esmalte. **2.** Enfeitar, adornar; ataviar; matizar: *Lindas cores esmaltavam a natureza*; "Esmalta ao fundo a costa a verdura de um parque." (Manuel Bandeira, *Estrela da Vida Inteira*, p. 57). **3.** Dar cores diversas a; tornar variegado, versicolor; variegar, matizar. **4.** Abrilhantar, ilustrar. **5.** *Fot.* Fazer a esmaltação (2) de. **6.** *Fotograv.* Aquecer (placa de metal) para transformar em uma espécie de esmalte acidorresistente a camada de cola de peixe ou de goma-laca que reveste as partes correspondentes à imagem, no processo de fotogravura em relevo. *P.* **7.** Ornar-se, adornar-se, ataviar-se. **8.** Tornar-se variegado.

esmalte [Do frâncico **smalt*, poss. pelo occitano ant. *esmalt*, ou pelo cat. *esmalt*.] *S. m.* **1.** Substância transparente, colorida com óxidos metálicos, aplicável em estado líquido, e que, após a secagem, produz película brilhante, dura e aderente, de aspecto vítreo. **2.** Obra revestida de esmalte (1). **3.** *Anat.* Substância que reveste a dentina de coroa dentária. **4.** Tinta azul, em cuja composição entra o cobalto, us. pelos pintores. **5.** Cada uma das diversas cores us. nos brasões de armas. **6.** *Fig.* Esplendor, brilho, realce. **7.** *Fotograv.* Camada de cola de peixe sensibilizada com bicromato de amônio, ou de goma-laca sensibilizada com bicromato, que, no processo de fotogravura em relevo, se faz aquecer, em maior ou menor grau, para que se torne acidorresistente e proteja, durante a mordaçagem, as partes da placa correspondentes à imagem. [Se a camada é de cola de peixe (caso em que o aquecimento se faz em maior grau), chama-se *esmalte quente*; se é de goma-laca (fazendo-se o aquecimento em menor grau), diz-se *esmalte frio*.]

◆ **Esmalte frio.** *Fotograv.* V. *esmalte* (7). **Esmalte quente.** *Fotograv.* V. *esmalte* (7).

esmamaçado [De *es-* + *mama* + *-aç(a)-* + *-ado*[1].] ***Adj.*** Esmamalhado.

esmamalhado [De *es-* + *mama* + *-alh(a)-* + *-ado*[1].] ***Adj.*** De mamas grandes, moles e pendentes; esmamaçado. [Diz-se de mulher.]

esmaniado [Part. de *esmaniar.*] ***Adj.*** Que esmania; adoidado.

esmaniar [Do it. *smaniare.*] ***V. int.*** **1.** Ter manias. **2.** Proceder como doido.

esmar [Do lat. *aestimare*, por via pop.] ***V. t. d.*** **1.** Calcular, computar, estimar. **2.** Conjeturar, prognosticar: "Ele vacila um momento no seu pedestal flutuante, fustigado a tiros, indeciso, como a esmar um rumo, durante alguns minutos, até se reaviar ao sentido geral da correnteza." (Euclides da Cunha, *À margem da História*, p. 91.) ***T. d. e c.*** **3.** Orçar, avaliar, estimar, computar: *Esmaram a biblioteca em 200 mil reais*; "Na Grécia, o arconte epônimo .... esmava o dispêndio de cada uma [das representações teatrais] em dois talentos" (Camilo Castelo Branco, *A Queda dum Anjo*, p. 44). [Pres. ind.: *esmo*, etc. Cf. *esmo* (ê).]

esmarelido [De *es-* + *(a)marelo* + *-ido*[1].] ***Adj.*** Tirante a amarelo; amarelado, amarelento.

esmarrido [Do it. *smarrito.*] ***Adj.*** **1.** Seco, ressequido, resseco. **2.** *Desus.* Desanimado, desalentado.

esmechada [De *esmechar*[1] + *-ada*[1].] ***S. f.*** Golpe na cabeça.

esmechar[1] [De or. controversa.] ***V. t. d.*** **1.** Ferir na cabeça. **2.** Ferir, machucar. [Conjug.: v. *flechar.*]

esmechar[2] [De *es-* + *mecha* + *-ar*[2], poss.] ***V. int.*** Estar (o sol) muito quente; abrasar. [Conjug.: v. *flechar.* Defect., só conjugável nas 3.as pess.]

esméctico ***Adj. Fís.-Quím.*** V. *esmético.*

esmegma [Do gr. *smêgma.*] ***S. m. Fisiol.*** Secreção espessa, caseosa, malcheirosa, formada por células epiteliais descamadas, que se encontra, sobretudo, em torno da genitália externa. [Sin., bras., GO: *sebo de vênus.*]

esmerado [Part. de *esmerar.*] ***Adj.*** Em que há esmero; aprimorado, apurado, elegante; bem-acabado, acabado.

esmeralda [Do lat. vulg. **smaragda*, f. do lat. *smaragdus* < gr. *smáragdos.*] ***S. f.*** **1.** *Min.* Pedra preciosa, ger. verde, variedade de berilo transparente. **2.** A cor dessa pedra; o verde-esmeralda [v. *de cor* (3)]. ● ***Adj. 2 g. e 2 n.*** **3.** Que tem a cor da esmeralda; esmeraldino: *olhos esmeralda.* **4.** Diz-se dessa cor: *olhos de cor esmeralda.*

esmeralda do brasil ***S. f. Bras. Min.*** Turmalina verde. [Pl.: *esmeraldas do brasil.*]

esmeraldear [De *esmeralda* + *-ear*[2].] ***V. t. d.*** **1.** Dar cor de esmeralda a. **2.** Tornar esverdeado. [Conjug.: v. *frear.*]

esmeraldense[1] ***Adj. 2 g.*** **1.** De, ou pertencente ou relativo a Esmeralda (RS). ● ***S. 2 g.*** **2.** O natural ou habitante de Esmeralda.

esmeraldense[2] ***Adj. 2 g.*** **1.** De, ou pertencente ou relativo a Esmeraldas (MG). ● ***S. 2 g.*** **2.** O natural ou habitante de Esmeraldas.

esmeraldino [De *esmeralda* + *-ino*[1].] ***Adj.*** Que tem a cor da esmeralda; esmeralda.

esmeraldite [De *esmeralda* (1), por alusão à pedra do anel de grau do médico, + *-ite*[1].] ***S. f. Med. Pop.*** Dificuldade, muitas vezes inesperada, que sobrevém no curso de tratamento de paciente médico ou parente de médico, frequentemente em caso tido como de resolução tranquila.

esmerar [Do lat. vulg. **exmerare*, ou de *es-* + lat. *merus* (v. *mero*[2]) + *-ar*[2].] ***V. t. d.*** **1.** Adquirir ou mostrar esmero em; aperfeiçoar; polir, apurar: *esmerar a inteligência.* ***P.*** **2.** Esforçar-se por fazer as coisas com perfeição; trabalhar com esmero; ser o mais correto possível. **3.** Aplicar-se, aperfeiçoar-se. [Pres. ind.: *esmero*, etc. Cf. *esmero* (ê).]

esmeril [Do gr. *smerí*, poss. pelo cat. *esmeril.*] ***S. m.*** **1.** Variedade compacta de coríndon que contém óxido de ferro e, pulverizada, serve para polir metais, vidros, pedras preciosas, etc. **2.** Pedra de amolar; amoladeira. **3.** *Bras. MA* Lama ou vasa que cobre a margem dos igarapés e dos mangais da costa, e os bancos dos estuários. **4.** *Bras. BA* Resíduo encontrado no fundo das bateias, e que se compõe de minerais mais pesados que o quartzo. **5.** *Bras. S.* Óxido de ferro originário da decomposição das terras roxas, e semelhante a uma areia negra. **6.** *Bras. RS* Motorista que estraga todo automóvel que lhe cai nas mãos; mau chofer.

esmerilação [De *esmerilar* + *-ção.*] ***S. f.*** **1.** Ato de esmerilar(-se). **2.** *Fig.* Pesquisa minuciosa. [F. paral.: *esmerilhação.*]

esmerilado [Part. de *esmerilar.*] ***Adj.*** **1.** Polido com esmeril. **2.** Despolido com esmeril; tornado fosco. **3.** Aperfeiçoado, apurado. [F. paral.: *esmerilhado.*]

esmerilador (ô) [De *esmerilar* + *-dor.*] ***Adj.*** **1.** Que esmerila. **2.** *Fig.* Que investiga minuciosamente. ● ***S. m.*** **3.** Indivíduo esmerilador. **4.** Polidor com esmeril. [F. paral.: *esmerilhador.*]

esmerilamento [De *esmerilar* + *-mento.*] ***S. m.*** Ação ou efeito de esmerilar(-se). [F. paral.: *esmerilhamento.*]

esmerilar [De *esmeril* + *-ar*[2].] ***V. t. d.*** **1.** Polir com esmeril. **2.** Despolir com esmeril; tornar fosco. **3.** Pesquisar, investigar; esquadrinhar. **4.** Aperfeiçoar, apurar. ***P.*** **5.** Aperfeiçoar-se, apurar-se. [F. paral.: *esmerilhar.*]

esmerilhação [De *esmerilhar* + *-ção.*] ***S. f.*** V. *esmerilação.*

esmerilhado [Part. de *esmerilhar.*] ***Adj.*** V. *esmerilado.*

esmerilhador (ô) [De *esmerilhar* + *-dor.*] ***Adj. S. m.*** V. *esmerilador.*

esmerilhamento [De *esmerilhar* + *-mento.*] ***S. m.*** V. *esmerilamento.*

esmerilhão [Do fr. *émerillon.*] ***S. m.*** **1.** Espingarda comprida, de grande alcance. **2.** *Zool.* Pequena ave de rapina (*Falco oesalon*) falconídea.

esmerilhar [Do it. *smerigliare.*] ***V. t. d. P.*** V. *esmerilar.*

esmero (ê) [Dev. de *esmerar.*] ***S. m.*** **1.** Cuidado excepcional em qualquer serviço ou atividade: *Trabalha com todo o esmero.* **2.** Grande apuro no acabamento; perfeição, requinte: *escritor com esmero de estilo.* **3.** Correção e elegância na aparência; apuro: *Veste-se com esmero.* [No Brasil é comuníssima a pronúncia *esmero* (é). Pl.: *esmeros* (ê). Cf. *esmero*, do v. *esmerar.*]

esmético [Do fr. *smectique* < gr. *smektikós*, 'que tem a propriedade de limpar'.] ***Adj. Fís.-Quím.*** Diz-se de cristal líquido em que as moléculas estão ordenadas em camadas paralelas.

esmigalhador (ô) [De *esmigalhar* + *-dor.*] ***Adj.*** **1.** Que esmigalha. ● ***S. m.*** **2.** Aquele ou aquilo que esmigalha. **3.** *Bras.* Certa máquina agrícola.

esmigalhadura [De *esmigalhar* + *-dura.*] ***S. f.*** Esmigalhamento.

esmigalhamento [De *esmigalhar* + *-mento.*] ***S. m.*** Ato ou efeito de esmigalhar(-se); esmigalhadura.

esmigalhar [De *es-* + *migalha* + *-ar*[2].] ***V. t. d.*** **1.** Reduzir a migalhas: *esmigalhar o pão.* **2.** Despedaçar, espedaçar, fragmentar: *O golpe esmigalhou os ossos da mão.* **3.** Esmagar, calcar. ***P.*** **4.** Fazer-se em migalhas. **5.** Despedaçar-se, espedaçar-se, fragmentar-se. [Sin. ger.: *migar* e *migalhar.*]

esmilodonte [Adapt. do tax. *Smilodon.*] ***S. m. Paleont.*** **1.** Gênero de tigres do plistoceno da América do Norte e do Sul, com cerca de 1,5m de comprimento, rabo e pernas curtas, e caracterizado pela presença de dois enormes dentes caninos superiores. **2.** Qualquer espécie desse gênero, como, p. ex., a popularmente conhecida como *tigre-de-dente-de-sabre.* **3.** Qualquer espécime desse gênero.

esmiolado [Part. de *esmiolar.*] ***Adj.*** V. *desmiolado*[2].

esmiolar [De *es-* + *miolo* + *-ar*[2].] ***V. t. d.*** Desmiolar.

esmirrar-se [De *es-* + *mirrar* + *se*[1].] ***V. p.*** **1.** Secar, emurchecer-se, mirrar-se. **2.** Esgueirar-se, escapulir-se.

esmiuçado (i-u) [Part. de *esmiuçar.*] ***Adj.*** **1.** Dividido em partes miúdas; muito dividido. **2.** *Fig.* Analisado, pesquisado, investigado minuciosamente.

esmiuçador (ô) [De *esmiuçar* + *-dor.*] ***Adj. S. m.*** Que, ou aquele que esmiúça, que pesquisa com minúcia exagerada.

esmiuçar (i-u) [De *es-* + lat. *minutia* (v. *minúcia* e *miúça*) + *-ar*[2], pelo port. arc. *esmeuçar.*] ***V. t. d.*** **1.** Dividir em partes miúdas; esmigalhar. **2.** Reduzir a pó; pulverizar. **3.** Examinar, investigar, esquadrinhar, analisar: *O crítico esmiuçou vários aspectos da obra.* **4.** Explicar minuciosamente, com todas as particularidades: *esmiuçar um poema.* [Sin. ger.: *esmiudar, desmiudar.* Conjug.: v. *laçar*; e, quanto à acentuação, v. *amiudar.*]

esmiudar (i-u) [De *es-* + *miúdo* + *-ar*[2].] ***V. t. d.*** V. *esmiuçar.* [Conjug.: v. *amiudar.*]

esmo (ê) [Dev. de *esmar.*] ***S. m.*** Cálculo aproximado; estimativa, conjetura. [Pl.: *esmos* (ê). Cf. *esmo*, do v. *esmar.*] ◆ **A esmo. 1.** Ao acaso; à toa; sem rumo: *Andou a esmo horas a fio*; "E eu penso em tudo e em nada / Todas as vezes que passeio a esmo, / Por dar alívio à mente atribulada" (Artur Azevedo, *Contos em Verso*, p. 3). **2.** Sem certeza; sem fundamento; superficialmente: *Falar a esmo é muito de seu feitio.*

esmocar [De *es-* + *moca*[2] + *-ar*[2].] ***V. t. d.*** **1.** Bater com moca; bater; esmurrar; espancar. **2.** Quebrar com pancada uma parte de. [Conjug.: v. *trancar.* Cf. *esmoucar.*]

esmochar [De *es-* + *mocho*[2] + *-ar*[2].] ***V. t. d.*** Tirar os cornos a, tornando mocho; descornar.

esmoedor (ô) [De *esmoer* + *-dor.*] ***Adj. S. m.*** Que, ou aquele que esmói.

esmoer [De *es-* + *moer.*] ***V. t. d.*** **1.** Triturar com os dentes; mastigar; remoer. **2.** Fazer a digestão de; digerir: "Depois da missa, ... passou à casa do mestre. Foi encontrá-lo a esmoer uma bacalhoada, à sombra das macieiras." (Coelho Neto, *Treva*, p. 18.) ***Int.*** **3.** Remastigar os alimentos; ruminar. [Conjug.: v. *roer.*]

esmola [Do lat. *eleemosyna* < gr. *eleemosýne*, 'compaixão', 'piedade'.] ***S. f.*** **1.** O que se dá aos necessitados, por caridade ou filantropia; óbolo, espórtula. **2.** Auxílio, amparo, socorro; benefício. **3.** Donativo em dinheiro, que se faz na igreja durante a celebração da missa. **4.** *Fig.* Graça, favor. **5.** *Fig. Pop.* V. *surra* (1). ◆ **Comer de esmola.** *Bras. Pop.* Acontecer em grande quantidade: "Um ou outro quis se rir. Beliscão comeu de esmola." (Chico Anísio, *Teje Preso*, p. 21.)

esmolador (ô) [De *esmolar* + *-dor.*] ***Adj.*** **1.** V. *esmoler* (1). **2.** Que pede esmolas; pedinte. ● ***S. m.*** **3.** Indivíduo esmolador.

esmolambado [Part. de *esmolambar.*] ***Adj. S. m. Bras.*** Que, ou aquele cuja roupa está em molambos. V. *maltrapilho.*

esmolambador (ô) [De *esmolambar* + *-dor.*] ***Adj. S. m. Bras.*** Que, ou aquele que esmolamba, acanalha, achincalha.

esmolambar [De *es-* + *molambo* + *-ar*[2].] *Bras.* ***V. int.*** **1.** Arrastar molambos. **2.** Andar esfarrapado, maltrapilho. ***T. d.*** **3.** *Fig.* Achincalhar, acanalhar.

esmolar [De *esmola* + *-ar*[2].] ***V. t. d.*** **1.** Dar esmola a; socorrer com esmola: *Compassivo, não deixava de esmolar os pedintes.* **2.** Dar como esmola: *Era capaz de esmolar a própria camisa.* **3.** Pedir como esmola: "Aquele moço pobre partia .... pronto a esmolar o seu pão pelos mosteiros" (Eça de Queirós, *Últimas Páginas*, p. 411). ***T. d. e i.*** **4.** Dar de esmola: *Esmolou alimentos aos órfãos.* **5.** Pedir por esmola: *Esmolou ao soberano a liberdade do filho.* ***Int.*** **6.** Dar esmolas; ser caritativo. **7.** Pedir esmola; mendigar: "Em moço ganhava a vida [Lutero] esmolando, pelo canto, na via pública, como era de hábito fazer-se em seu tempo." (Vicente Licínio Cardoso, *Pensamentos Brasileiros*, p. 26.)

esmolaria [De *esmola* + *-aria.*] ***S. f.*** **1.** Cargo ou ofício de esmoler (3). **2.** Casa onde se distribuem esmolas. **3.** Qualidade ou condição de esmoler.

esmoleira [De *esmola* + *-eira.*] ***S. f.*** **1.** Fem. de *esmoleiro* (3). **2.** Bolsa ou alforje de mendigo.

esmoleiro [De *esmola* + *-eiro.*] ***Adj.*** **1.** Dizia-se de frade que pedia esmolas para o convento. ● ***S. m.*** **2.** Frade esmoleiro. **3.** Mendigo, pedinte. [Sin., nesta acepç. (bras. pop.): *esmoler.*]

esmolento [De *esmola* + *-ento.*] ***Adj.*** V. *esmoler* (1).

esmoler (lér) [De *esmola.*] ***Adj. 2 g.*** **1.** Que dá muitas esmolas; caridoso, caritativo, esmolador, esmolento. ● ***S. 2 g.*** **2.** Indivíduo esmoler; esmolador. **3.** Pessoa encarregada de distribuir esmolas. **4.** *Bras. Pop.* Esmoleiro (3).

esmoncar [De *es-* + *monco* + *-ar*[2].] ***V. t. d.*** **1.** Tirar o monco de (o nariz); assoar. ***P.*** **2.** Assoar-se; moncar. [Conjug.: v. *trancar.*]

esmondar [De *es-* + *mondar.*] ***V. t. d.*** **1.** Limpar da casca; mondar. **2.** Emendar, corrigir.

esmordaçar [De *es-* + *mordaçar.*] ***V. t. d.*** Cortar com os dentes; abocanhar; morder; remorder; esmordicar. [Conjug.: v. *laçar.*]

esmordicar [De *es-* + *mordicar.*] ***V. t. i.*** **1.** Morder; abocanhar. ***T. d.*** **2.** V. *esmordaçar.* [Conjug.: v. *trancar.*]

esmorecer [De *esmorir*, 'desmaiar', 'desfalecer', do lat. *mori*, 'morrer', ou do lat. *morere*, + *-ecer.*] ***V. t. d.*** **1.** Tirar o ânimo a; desalentar; afrouxar, entibiar. **2.** Deslustrar, empanar. ***T. i.*** **3.** Desejar vivamente; anelar, ansiar: *esmorecer pelo bem dos seus semelhantes.* ***Int.*** **4.** Perder o ânimo, as forças, o entusiasmo, a coragem; desanimar(-se). **5.** Perder os sentidos; desfalecer, desmaiar. **6.** Afrouxar-se; diminuir; definhar; extinguir-se. **7.** Diminuir de intensidade; apagar-se. **8.** Aproximar-se do fim; ir morrendo; declinar, cair: "A tarde esmorecia serenamente, na vastidão do céu límpido, azulado." (Virgílio Várzea, *Histórias Rústicas*, p. 165.) [Conjug.: v. *aquecer.*]

esmorecido [Part. de *esmorecer.*] ***Adj.*** **1.** Desanimado, desalentado, abatido, triste. **2.** Atenuado, esbatido, esvaído, abatido: *Mal chegavam ali os acordes esmorecidos das violas.*

esmorecimento [De *esmorecer* + *-imento.*] ***S. m.*** **1.** Diminuição de força, de coragem, de entusiasmo; desânimo, desalento, abatimento. **2.** Perda gradativa de forças físicas; enfraquecimento, entibiamento. **3.** Falta de luz, de brilho.

esmorraçar [De *esmorrar*, com mudança de suf.] ***V. t. d.*** Tirar o morrão a; espevitar, esmorrar. [Conjug.: v. *laçar.* Cf. *esmurraçar.*]

esmorrar [De *es-* + *morr(ão)* + *-ar*[2], poss.] ***V. t. d.*** V. *esmorraçar.* [Cf. *esmurrar.*]

esmoucar [De *esmocar.*] ***V. t. d.*** Danificar (louças, móveis, etc.) com pancadas nas bordas; esborcinar, esborcelar. [Conjug.: v. *trancar.* Cf. *esmocar.*]

esmurraçar [De *esmurrar*, com mudança de suf.] ***V. t. d.*** V. *esmurrar.* [Conjug.: v. *laçar.* Cf. *esmorraçar.*]

esmurrador (ô) [De *esmurrar* + *-dor.*] ***Adj. S. m.*** Que, ou aquele que esmurra.

E

esmurrar [De *es-* + *murro* + *-ar*².] *V. t. d.* **1.** Dar murros em: *Indignado com a proposta, esmurrou a mesa;* "Conheço muito patife que não sai de junto do altar, a esmurrar os peitos e a engolir hóstias." (Coelho Neto, *Treva*, p. 38). **2.** *Fig.* Golpear; maltratar. **3.** Dobrar o fio a; tornar embotado. [Sin. ger.: *esmurraçar*. Cf. *esmorrar*.]

esmurregar [De *esmurrar*.] *V. t. d.* **1.** *Bras. S.* Esmurrar muito; esmurrar. **2.** Machucar, amachucar, amarfanhar. [Conjug.: v. *regar*. Var.: *esmurrengar*.]

esmurrengar *V. t. d. Bras. S.* V. *esmurregar*. [Conjug.: v. *largar*.]

és não és [Da 2ª pess. do sing. do pres. do ind. do v. *ser*, repetida, + *não*.] *S. m. 2 n.* Um quase nada; um tudo-nada; insignificância. ◆ **Por um és não és.** V. *por um triz* (1): "Teve tamanho nó na garganta, ao virar do espigão, deixando para trás a vila, que por um és não és não se pôs a soluçar." (Valdomiro Silveira, *Os Caboclos*, p. 146.)

esnobação [De *esnobar* + *-ção*.] *S. f. Bras.* Ação ou efeito de esnobar; esnobada.

esnobada [De *esnobar* + *-ada*¹.] *S. f. Bras.* Esnobação. ◆ **Dar uma esnobada.** *Bras.* Esnobar.

esnobar [De *esnobe* + *-ar*².] *V. int. Bras.* **1.** Proceder como esnobe. *T. d.* **2.** Mostrar-se esnobe com: *esnobou o velho amigo.*

esnobe [Do ingl. *snob*.] *Adj. 2 g.* **1.** Diz-se de quem demonstra esnobismo. **2.** Próprio de esnobe: *atitude esnobe;* "Nesta discreta estaçãozinha sinto / não os tédios esnobes de Jacinto, / mas a alegria sã de Zé Fernandes." (Valdemar Lopes, *Sonetos de Portugal*, p. 61). ● *S. 2 g.* **3.** Pessoa que demonstra esnobismo.

esnoberia [De *esnobe* + *-eria*.] *S. f.* Grupo de esnobes; os esnobes: "Sentávamo-nos num dos bancos do campo de golfe enquanto a esnoberia universal, macha e fêmea, mandava bola para o ar à procura de um buraco longínquo." (Gilberto Amado, *Depois da Política*, p. 130.)

esnobismo [De *esnobe* + *-ismo*; ingl. *snobbism*.] *S. m.* **1.** Tendência a desprezar relações humildes, a aferir os méritos pelas exterioridades, e, pois, a admirar e/ou respeitar exageradamente os que têm grande prestígio ou alta posição social. **2.** Exacerbado sentimento de superioridade. **3.** Afetação de gosto e/ou admiração excessiva ao que está em voga.

esnocar [De **desnocar* < *deslocar*, com mudança de pref. e com infl. de *nó*, poss.] *V. t. d.* Quebrar ou cortar (ramos ou galhos); amputar. [Conjug.: v. *trancar*.]

esnoga *S. f.* Sinagoga (1 a 3).

és-nordeste *S. m.* **1.** *Astr.* Ponto do horizonte a meia distância angular do E. e do N.E. [Abrev.: *E.N.E.*] **2.** Vento que sopra desse ponto. **3.** Região ou regiões situadas ao és-nordeste (1). [Com cap., nesta acepç.] ● *Adj. 2 g.* **4.** Relativo ao és-nordeste (1), ou dele procedente: *vento és-nordeste.* **5.** Situado ao és-nordeste (1): *região és-nordeste.* [Var.: *lés-nordeste*. Pl.: *és-nordestes*.]

▲**eso-** [Do gr. *ésō* (*eísō*).] *Pref.* = 'para dentro', 'interior': *esoforia, esoderma.*

esocídeo [Do lat. cient. *Esoc-* (< tax. *Esox* < lat. *exox*, *ocis*, 'certo peixe') + *-ídeo*¹; tax. *Esocidae*.] *Zool. S. m.* **1.** Espécime dos esocídeos, pequena família de peixes salmoniformes, de água doce, de corpo fino, focinho alongado, boca larga; nadadeiras dorsal e anal próximas da cauda. São os lúcios, encontrados apenas no hemisfério norte. ● *Adj.* **2.** Pertencente ou relativo a eles.

esoderma [De *eso-* + *-derma*.] *S. m. Zool.* Membrana inferior dos insetos.

esofagectomia [De *esôfago* + *-ectom-* + *-ia*¹.] *S. f. Cir.* Ressecção, de extensão variável, do esôfago.

esofagectómico *Adj. Cir.* V. *esofagectômico*. [Uso freq. em P.]

esofagectômico [De *esofagectomia* + *-ico*².] *Adj. Cir.* Relativo à esofagectomia.

esofagiano [De *esôfago* + *-iano*.] *Adj.* Relativo ou pertencente ao esôfago; esofágico.

esofágico [De *esôfago* + *-ico*².] *Adj.* Esofagiano.

esofagismo [De *esôfago* + *-ismo*.] *S. m. Med. Desus.* Espasmo do esôfago.

esofagite [De *esôfago* + *-ite*¹.] *S. f. Patol.* Inflamação do esôfago.

esófago *S. m. Anat.* V. *esôfago*. [Uso freq. em P.]

esôfago [Do gr. *oisophágos*.] *S. m. Anat.* Canal musculomembranoso que comunica a faringe com o estômago. [Sin., fam.: *golelha*.]

esofagoscopia [De *esôfago* + *-scop-* + *-ia*¹.] *S. f. Med.* Exame por meio de esofagoscópio.

esofagoscópico [De *esofagoscopia* + *-ico*².] *Adj.* Da esofagoscopia, ou relativo a ela.

esofagoscópio [De *esôfago* + *-scópio*.] *S. m. Med.* Endoscópio que permite o exame do interior do esôfago, bem como biópsia e alguns outros pequenos procedimentos cirúrgicos no interior desse órgão.

esofagotomia [De *esôfago* + *-tom(o)-* + *-ia*¹.] *S. f. Cir.* Incisão do esôfago com o fim, entre outros, de extrair qualquer corpo estranho.

esofagotómico *Adj.* V. *esofagotômico*. [Uso freq. em P.]

esofagotômico [De *esofagotomia* + *-ico*².] *Adj.* Referente à esofagotomia.

esoforia [De *eso-* + *-for(o)-* + *-ia*¹.] *S. f. Oftalm.* Modalidade de heteroforia na qual se observa desvio do eixo visual de um olho em direção ao do outro, após cessarem os estímulos visuais de fusão.

esofórico [De *esoforia* + *-ico*².] *Adj.* Relativo à esoforia.

esópico [Do lat. *aesopicu* < gr. *aisopikós*.] *Adj.* Pertencente ou relativo a Esopo, fabulista grego (séc. V. a. C.), ou próprio dele.

esotérico [Do lat. *esotericu* < gr. *esoterikós*.] *Adj.* **1.** *Filos.* Diz-se do ensinamento que, em escolas filosóficas da antiguidade grega, era reservado aos discípulos completamente instruídos. **2.** *P. ext.* Todo ensinamento ministrado a círculo restrito e fechado de ouvintes; acroamático. **3.** Diz-se de ensinamento ligado ao ocultismo. **4.** *Fig.* Compreensível apenas por poucos; obscuro, hermético. [Cf. *exotérico*.]

esoterismo [Do fr. *ésotérisme*.] *S. m.* **1.** *Filos.* Doutrina ou atitude de espírito que preconiza que o ensinamento da verdade (científica, filosófica ou religiosa) deve reservar-se a número restrito de iniciados, escolhidos por sua inteligência ou valor moral. **2.** Designação que abrange um complexo conjunto de doutrinas práticas e ensinamentos de teor religioso e espiritualista, em que se confundem influências de religiões orientais e ciências ocultas, associadas a técnicas terapêuticas, e que, supostamente, mobilizam energias não integrantes da ciência e que visam a iniciar o indivíduo nos caminhos do autoconhecimento, da paz espiritual, da sabedoria, da saúde, da imortalidade, etc. [Cf. *exoterismo* e *ocultismo*.]

esotropia [De *eso-* + *-tropia*.] *S. f. Oftalm.* Forma de estrabismo em que existe nítido desvio do eixo visual de um olho em direção ao do outro, ocorrendo diplopia; estrabismo convergente.

espaçadamente [Do f. de *espaçado* + *-mente*.] *Adv.* De modo espaçado; com espaços ou interrupções.

espaçado [Part. de *espaçar*.] *Adj.* **1.** Intervalado quanto ao tempo ou ao espaço: *Toma o remédio em doses muito espaçadas; Havia na estrada umas casas espaçadas;* "os objetos imersos em penumbra e maldefinidos pela luz difusa do posteamento espaçado lhe despertavam o interesse, como tudo o que era vago." (Samuel Rawet, *Os Sete Sonhos*, pp. 115-116). **2.** Vagaroso, lento, demorado: *Seu andar é espaçado.* **3.** Adiado, prorrogado.

espaçador (ô) [De *espaçar* + *-dor*.] *S. m. Tip.* Espaço automático, constituído de duas peças ajustáveis que formam uma espécie de cunha e determinam os espaços variáveis na composição linotípica. [V. *cursor* (6).]

espaçamento [De *espaçar* + *-mento*.] *S. m.* Ato ou efeito de espaçar.

espaçar [De *espaço* + *-ar*².] *V. t. d.* **1.** Abrir intervalos entre; deixar espaço entre: *Espaçou os móveis da sala.* **2.** Prolongar, dilatar; adiar, demorar: *Aquelas manobras visavam a espaçar a resolução do problema.* **3.** Alargar, ampliar: *O fazendeiro queria espaçar os limites de suas terras.* **4.** Interromper por algum tempo. **5.** Aumentar o espaço ou intervalo de tempo entre: *espaçar as viagens; espaçar as saídas de casa;* "Depois que papai morreu, compadre Freires ainda apareceu algumas vezes, mas aos poucos espaçou as visitas, e acabou sumindo" (Malu de Ouro Preto, *Siri na Noite sem Lua*, p. 24). *P.* **6.** Tardar a acontecer; dar-se com menor frequência, ou com um intervalo de maior tempo: *Com o correr dos anos, os seus encontros se espaçaram.* **7.** Alargar-se, ampliar-se: *Neste ponto, a estrada espaça-se.* [Sin. ger.: *espacear, espacejar*. Conjug.: v. *laçar*.]

espaçaria [De *espaço* + *-aria*.] *S. f. Tip.* Conjunto de brancos.

espacear [De *espaço* + *-ear*².] *V. t. d. P.* V. *espaçar*. [Conjug.: v. *frear*.]

espacejamento [De *espacejar* + *-mento*.] *S. m.* Ato ou efeito de espacejar (q. v.).

espacejar [De *espaço* + *-ejar*.] *V. t. d. P.* **1.** V. *espaçar*. **2.** *Tip.* Colocar espaços entre (palavras ou letras); abrir. [Conjug.: v. *pelejar*. Cf. *entrelinhar* (2) e *interespacejar*.]

espacial [Do fr. *spatial*, ou do ingl. *spatial*.] *Adj. 2 g.* Relativo ou pertencente ao espaço. ~ V. *base —, canal —, complexo —, curva —, encontro —, engenho —, equivalente —, estação —, isomeria —, lixo —, música —, nave —, objeto —, ônibus —, plataforma —, simulador —, sonda —, traje —* e *treliça —*.

espacialização [De **espacializar* (< *espacial* + *-izar*) + *-ção*.] *S. f.* Disposição no espaço de elementos sonoros, visuais, táteis, etc., com o fim de obter certos efeitos estéticos ou de percepção: *espacialização musical; A poesia concreta vale-se da espacialização visual.*

espácio *Adj. S. m. Bras.* Diz-se de, ou rês cujos chifres são muito abertos; espaço. [Cf. *boi-espaço*.]

espaço [Do lat. *spatiu*.] *S. m.* **1.** Distância entre dois pontos, ou a área ou o volume entre limites determinados: *O acidente com o pedestre resultou do estreito espaço da calçada; A casa foi construída num espaço pequeno.* **2.** Lugar mais ou menos bem delimitado, cuja área pode conter alguma coisa; lugar: *Na casa há espaço para cinco pessoas; O artigo não desenvolve bem o tema por falta de espaço.* **3.** Extensão indefinida: *Falava do passado com os olhos perdidos no espaço, como que revivendo-o.* **4.** A extensão onde existe o sistema solar, as estrelas, as galáxias; o Universo: *As viagens pelo espaço são uma conquista do séc. XX.* **5.** Período ou intervalo de tempo: *Falou durante o espaço de 20 minutos; Entre os dois fatos há um espaço de 10 anos.* **6.** Vagar, demora, delonga: *A preparação da aula demanda maior espaço.* **7.** *Fig.* Meio, âmbito que lembra o espaço material: *espaço cultural; espaço psicológico.* **8.** *Mec.* Trajetória descrita por um ponto em movimento. **9.** *Mús.* Intervalo de uma linha a outra, na pauta musical. **10.** *Prop.* Tempo em emissora de rádio e televisão, ou área em revista e jornal [cf. *centimetragem*], us. por anunciante para veicular matéria ou anúncio publicitário. **11.** *Tip.* Material branco us. na separação das palavras de uma linha ou das letras de uma palavra. [V. *quadratim* (1).] **12.** *Tip.* O claro que constitui a separação entre as palavras e, às vezes, também entre as letras de uma palavra. **13.** *Bras.* Espácio (q. v.). ● *Adj.* **14.** *Bras.* Espácio (q. v.). ◆ **Espaço aberto.** *Cosm.* Espaço de volume infinito sem nenhum limite, no contexto cosmológico. **Espaço aéreo.** O que está sobreposto ao território de um Estado, que nele exerce direitos de soberania. **Espaço alternativo.** Local aproveitado para manifestações culturais diversificadas, renovadoras e independentes. **Espaço amostral.** *Estat.* Conjunto de todos os resultados possíveis de um experimento aleatório. **Espaço arquitetônico.** *Arquit.* Aquele que é gerado e limitado pelos elementos arquitetônicos, e no qual se manifestam, para quem o ocupa, as diferentes dimensões da forma arquitetônica (visual, táctil, auditiva, odorífica). **Espaço circumplanetário.** *Astr.* Espaço relativamente próximo a um planeta, esp. o espaço próximo à Terra, incluindo as camadas superiores da atmosfera. **Espaço circunlunar.** *Astr.* Espaço em volta da Terra além das camadas extremas da atmosfera terrestre e dentro dos limites de órbitas da Lua. **Espaço cislunar.** *Astr.* Espaço entre a Terra e a órbita da Lua. [Sin. (p. us.): *região cislunar*.] **Espaço cósmico.** *Astr.* V. *espaço exterior*. **Espaço cultural.** Espaço arquitetônico polivalente us. para apresentações artísticas, exposições, debates, etc. **Espaço de ar.** *Constr. Nav.* V. *cóferdã* (1). **Espaço de fase.** *Fís.* Domínio das coordenadas de posição e momento das partículas de um sistema. **Espaço de segurança.** *Constr. Nav.* V. *cóferdã* (1). **Espaço epidural.** *Anat.* O compreendido entre a dura-máter e as paredes do canal vertebral. **Espaço esférico.** *Cosm.* Espaço tridimensional cuja geometria se assemelha à da superfície de uma esfera, e se diz que tem curvatura positiva. **Espaço euclidiano.** *Mat.* Espaço riemanniano em que a curvatura riemanniana é constante e igual a zero. **Espaço exterior.** *Astr.* Região do espaço que exclui a Terra e sua atmosfera; espaço cósmico, espaço extra-atmosférico, espaço superior. **Espaço extra-atmosférico.** *Astr.* V. *espaço exterior*. **Espaço intergaláctico.** *Astr.* Região do espaço entre as galáxias. **Espaço interno.** *Arquit.* Aquele que é limitado por elementos edificados e cobertos, como as salas, quartos, varandas, alpendres, etc. **Espaço interplanetário.** *Astr.* Região do espaço definida em relação à Terra e que vai do espaço translunar até alguns bilhões de quilômetros além do sistema solar. **Espaço interstelar.** *Astr.* Região do espaço contida em nossa galáxia, e compreendida entre o espaço interplanetário e o espaço intergaláctico. **Espaço intersticial.** *Fisiol.* O que se encontra entre membrana celular e parede capilar sanguínea. **Espaço intracelular.** *Fisiol.* Qualquer espaço delimitado externamente por membrana celular. **Espaço intravascular.** *Fisiol.* O que se encontra limitado, externamente, por paredes vasculares do sistema cardiovascular. **Espaço não euclidiano.** *Mat.* Qualquer espaço riemanniano em que a curvatura não seja nula. **Espaço n-dimensional.** *Mat.* Espaço em que cada ponto é univocamente caracterizado por um conjunto de *n* números. **Espaço no ar.** *Tip.* **1.** O que, por defeito da composição, quando esta é manual, fica à altura dos tipos e deixa mancha na impressão. **2.** A mancha assim produzida. **Espaço paramétrico.** *Estat.* Conjunto de todos os valores possíveis de dado parâmetro. **Espaço perivitelino.** *Biol.* Região entre a membrana do ovócito e a zona pelúcida. **Espaço retroperitonial.** *Anat.* Espaço compreendido entre a parede abdominal posterior e seu revestimento peritonial, e em que se situam órgãos como, p. ex., os rins e as glândulas suprarrenais; retroperitônio. **Espaço riemanniano.** *Mat.* Espaço n-dimensional em que um elemento infinitesimal de distância entre dois pontos se exprime por uma forma quadrática diferencial das coordenadas desses pontos. **Espaço superior.** *Astron.* V. *espaço exterior.* **Espaço tridimensional.** *Mat.* Aquele em que os pontos são caracterizados por três coordenadas. **Espaço vital.** Território a cuja possessão e controle um país se considera com direito, para satisfação de suas necessidades econômicas. [Equiv., em al.: *Lebensraum.*] **A espaços.** De tempos em tempos; de espaço a espaço: *Ouviam-se, a espaços, notas longínquas de uma serenata;* "a espaços o olhar empanado por tênue lágrima cai sobre o jirau" (José de Alencar, *Iracema*, p. 50). **De espaço.** Sem pressa; devagar, lentamente, pausadamente: *Conversemos de espaço: é tão mais agradável!* **De espaço a espaço.** V. *a espaços*: "As vacas, separadas das crias, remoíam deitadas, com os grandes olhos mansos fitos na treva; outras mugiam de espaço a espaço" (Afonso Arinos, *Histórias e Paisagens*, p. 64). **De espaço em espaço.** V. *a espaços*: "Grandes placas tenebrosas aplicadas, de espaço em espaço, às abas dos morros denunciavam cavernas." (Xavier Marques, *A Cidade Encantada*, p. 31.)

espaço-imagem *S. m. Ópt.* Num sistema óptico, região do espaço que contém todos os raios luminosos, reais ou virtuais, que emergem do sistema. [Pl.: *espaços-imagens* e *espaços-imagem.*]

espaçonauta [De *espaço* + *-nauta.*] *S. 2 g. Astron.* Tripulante de uma espaçonave.

espaçonáutica [De *espaço* + *-náutica.*] *S. f. Astron.* Ciência da navegação no espaço.

espaçonave [De *espaço* + *-nave.*] *S. f. Astron.* Veículo espacial, em geral tripulado; astronave, cosmonave, nave espacial.

espaço-objeto *S. m. Ópt.* Num sistema óptico, região do espaço que contém todos os raios luminosos, reais ou virtuais, que incidem no sistema. [Pl.: *espaços-objetos* e *espaços-objeto.*]

espaçoporto (ô) [De *espaço* + *porto.*] *S. m. Astron.* Sítio de lançamento de veículos espaciais, na superfície de planeta, ou estação espacial. [Pl.: *espaçoportos* (ó).]

espaçosamente [Do f. de *espaçoso* + *-mente.*] *Adv.* De maneira espaçosa; com grande espaço.

espaçoso (ô) [Do lat. *spatiosu.*] *Adj.* **1.** Que tem espaço; extenso, amplo, largo. **2.** Lento, pausado, vagaroso. **3.** *Bras. Gír.* Diz-se de indivíduo que invade o espaço, a área de ação ou de interesse de outrem.

espaço-tempo *S. m. Fís.* Espaço quadridimensional, usado na teoria da relatividade, formado pelas três dimensões espaciais mais uma quarta dimensão de tempo; contínuo espaço-tempo. [Um ponto nesse espaço é representado por quatro coordenadas: três espaciais e uma temporal dada pelo produto *c. t*, em que *c* é a velocidade da luz e *t*, o instante de ocorrência dum acontecimento no referencial do espaço. Nesta teoria, a distância entre dois acontecimentos simultâneos para um observador gera, para um observador em movimento em relação ao primeiro, uma diferença de tempo dos dois acontecimentos. Assim, uma distância espacial pode transformar-se em intervalo de tempo, mostrando que ambos, espaço e tempo, têm a mesma natureza geométrica.] [Pl.: *espaços-tempos* e *espaços-tempo.*]

espada[1] [Do gr. *spáthe*, pelo lat. *spatha.*] *S. f.* **1.** Arma branca, formada de uma lâmina comprida e pontiaguda, de um ou dois gumes. [Aum.: *espadão*, *espadagão*. Dim.: *espadim.*] **2.** *Fig.* Poder militar. • *S. m.* **3.** Em touradas, o toureiro que deve matar o touro com a espada; matador. **4.** *Bras. Pop.* Homem viril, esp. o heterossexual. **5.** *Lus. Gír.* V. *carrão* (2). ◆ **Espada de Dâmocles.** Perigo sempre iminente. **Boa espada.** Pessoa exímia na esgrima de espada. **Entre a espada e a parede.** V. *entre a cruz e a caldeirinha*: "Posto entre a espada e a parede, Estácio não soube logo que respondesse" (Machado de Assis, *Helena*, p. 190). **Passar à espada.** Matar com espada.

espada[2] *S. f. Bras. Zool.* V. *peixe-espada* (3 a 5).

espadachim [Do it. *spadaccino.*] *S. m.* **1.** Aquele que briga com espada. **2.** *P. ext.* Duelista. **3.** Brigão, brigalhão, valentão.

espadachinar [De *espadachim* + *-ar*[2].] *V. int.* **1.** Ser espadachim. **2.** Atuar ou proceder como espadachim.

espadada [De *espada*[1] + *-ada*[1].] *S. f.* Golpe de espada; espadeirada.

espada-de-são-jorge [De *espada*[1] + *de* + o hag. *São Jorge.*] *S. f. Bot.* Planta asparagácea (*Sansevieria zeylanica*) herbácea, que se multiplica por fragmentos do rizoma ou das próprias folhas, e muito us. para fins ornamentais. [Pl.: *espadas-de-são-jorge.*]

espadagão [De *espada*[1] + *-g-* + *-ão*[1].] *S. m.* **1.** V. *espadão*[1] (1). **2.** Chanfalho (1).

espadana [De *espada*[1], a exemplo do esp. *espadaña.*] *S. f.* **1.** Coisa em forma de espada: "um pé de milho isolado esfolhava as suas espadanas verdes" (Coelho Neto, *Treva*, p. 75). **2.** Jato de líquido em forma de lâmina de espada: "O riso que revoluteia as tormentas dos impérios, e abisma tronos, e espuma espadana de lama" (Camilo Castelo Branco, *A Mulher Fatal*, p. 108). **3.** Cauda de cometa. **4.** Língua de fogo; labareda. **5.** Barbatana de peixe. **6.** *Bras. PA Bot.* Planta alismatácea (*Sagittaria acutifolia*) herbácea, ornamental, aquática ou palustre, de flores pediceladas, actinomorfas, dispostas em espigas, e cujo fruto, carpelo, é inteiramente comprimido.

espadanado [De *espadana* + *-ado*[1].] *Adj.* Diz-se de líquido que cai espadanando.

espadanal [De *espadana* + *-al*[1].] *S. m.* **1.** Quantidade mais ou menos considerável de espadanas [v. *espadana* (6)] dispostas proximamente entre si. **2.** Área ocupada por espadanal (1).

espadanar [De *espadana* + *-ar*[2].] *V. t. d.* **1.** Mover (algo) de um lado para o outro; agitar. **2.** Deixar cair em borbotões; soltar, lançar. **3.** Cobrir de espadanas [v. *espadana* (6)]. *Int.* **4.** Jorrar ou rebentar em espadanas; sair em borbotões; repuxar. **5.** Espadanar (1): "O arrais .... avistou Domingas, sua mulher, que corria para a borda de água, braços a espadanar" (Aquilino Ribeiro, *A Batalha sem Fim*, p. 1).

espadâneo [De *espadana* + *-eo.*] *Adj. Bot.* Que se assemelha à folha da espadana (6); ensiforme.

espadão [De *espada*[1] + *-ão*[1].] *S. m.* **1.** V. *espada*[1] (1). **2.** Espada larga e pesada que se manejava com ambas as mãos.

espadar [De *espada*[1] + *-ar*[2].] *V. t. d.* V. *estomentar.*

espadarte [Adapt. do fr. *espaart*, 'que tem algo semelhante a espada'.] *S. m. Zool.* Peixe actinopterígio, perciforme, xifiídeo (*Xiphias gladius*), cuja maxila se prolonga em forma de lâmina de espada; dorso cinzento tirante ao verde-azulado, e abdome branco. Pode medir até 4,80m e pesar cerca de 300kg. Habita os mares quentes do mundo inteiro e alimenta-se de outros peixes, inclusive de cações. [Sin.: *peixe-espada*, *araguaguá*, *aguilhão.*]

espadas *S. f. pl.* Um dos quatro naipes [v. *naipe* (1)], preto, que se figura com o desenho do ferro duma lança. ~ V. *espada.*

espadaúdo [De *espádua.*] *Adj.* Que tem espáduas largas; largo de ombros: "cruzara com um caboclo espadaúdo e rijo" (Herman Lima, *Garimpos*, p. 142).

espadeira [De *espada*[1] + *-eira.*] *S. f. Bras. PA Bot.* Grande árvore cesalpiniácea (*Eperua falcata*), de flores vermelhas, dispostas em racimos axilares e terminais, e cujo fruto é vagem falciforme, de tamanho grande. Fornece madeira avermelhada, muito durável. [Sin.: *apá*, *apazeiro*, *eperu*, *eperua.*]

espadeirada [De *espadeirar* + *-ada*[1].] *S. f.* Ação de espadeirar; espadada. [Var., ant. e bras.: *espaldeirada.*]

espadeirão [De *espada*[1] + *-eirão.*] *S. m.* Espada longa e estreita, destinada a ferir como estoque.

espadeirar [De *espada*[1] + *-eir(o)-* + *-ar*[2].] *V. t. d.* Dar espadeiradas em.

espadeiro [De *espada*[1] + *-eiro.*] *S. m.* **1.** V. *alfageme* (2). **2.** Aquele que maneja bem a espada.

espadela [Do lat. **spathella*, por *spathula.*] *S. f.* **1.** Instrumento de madeira, em forma de cutelo, para separar os tomentos do linho; tasquinha. **2.** *Marinh.* V. *esparrela* (3 e 4). **3.** *Bras.* Bolina (4).

espadeladeira [De *espadelar* + *-deira.*] *S. f.* Mulher que tasca ou espadela o linho; tascadeira.

espadelador (ô) [De *espadelar* + *-dor.*] *S. m.* **1.** Aquele que espadela. **2.** Peça de madeira sobre a qual se forma o linho que se está espadelando.

espadelagem [De *espadelar* + *-agem*[2].] *S. f.* **1.** Operação de espadelar ou estomentar. **2.** *Bras. P. ext.* Operação de separar a celulose de outras plantas têxteis.

espadelar [De *espadela* (1) + *-ar*[2].] *V. t. d.* V. *estomentar.*

espádice [Do lat. *spadice* < gr. *spádix*, *ikos.*] *S. m. e f. Bot.* Tipo de inflorescência, mais comum nas aráceas, formada por uma espiga de flores unissexuais e eixo carnoso, e envolvida por uma bráctea ampla, não raro colorida.

espadilha [Do esp. *espadilla.*] *S. f.* **1.** O ás de espadas, em certos jogos. **2.** Certa ferramenta própria de tecelão. • *S. m.* **3.** *Fig.* Chefe (1).

espadim [De *espada*[1] + *-im.*] *S. m.* **1.** Pequena espada; faim. [V. *espada*[1] (1).] **2.** Antiga moeda portuguesa.

espadista [De *espada*[1] + *-ista.*] *S. 2 g. Bras.* Jogador de espada.

espadongado *Adj. Bras.* V. *espandongado.*

espádua [Do lat. *spathula.*] *S. f. Anat.* A escápula e as partes moles que a revestem; espalda. [Cf. *espadua*, do v. *espaduar.*]

espaduar [De *espádua* + *-ar*[2].] *V. t. d.* **1.** Deslocar a espádua de; distender os músculos da espádua de. *Int. P.* **2.** Ficar com a espádua deslocada. [Pres. ind.: *espaduo*, *espaduas*, *espadua*, etc. Cf. *espádua.*]

espagiria [Do fr. *spagirie*, do gr. *spân*, 'extrair', + gr. *ageírein*, 'reunir'.] *S. f.* **1.** Medicina alquímica paracelsista que, além de minerais, usava extratos e tinturas vegetais em seus tratamentos. **2.** *P. ext.* Alquimia. [Var. pros.: *espagíria.*]

espagíria [Do fr. *spagirie* < gr. *spân*, 'extrair', + gr. *ageírein*, 'reunir'.] *S. f.* V. *espagiria.*

espagírico [De *espagíria* + *-ico*[2].] *Adj.* Relativo à espagiria.

espaguete [Do it. *spaghetti.*] *S. m.* **1.** Pasta alimentar, à base de sêmola de trigo, desidratada e dura, apresentada sob a forma de fino bastão maciço; macarronete. **2.** *Eletrôn.* Fio cilíndrico, de matéria plástica flexível, que serve para isolar fios condutores descobertos, encapando-os.

espairecer [De *es-* + *pair(ar)* + *-ecer.*] *V. t. d.* **1.** Distrair, recrear, entreter: *A música espairece o espírito;* "Espairecendo os olhos satisfeitos / Por céus, por mares, por montanhas, prados" (Almeida Garrett, *Camões*, V, p. 11). **2.** Desanuviar, desassombrar: *Aquelas palavras espaireceram-lhe as feições.* *T. d. e i.* **3.** Distrair, divertir: *A leitura espairece-o das preocupações.* *Int.* **4.** Desoprimir-se, desafogar(-se). **5.** Recrear-se, distrair-se: "Já, de roupas diáfanas vestida, / Pousa em mole relvado, ou folhas brandas; / Já na várzea espairece, e colhe flores." (Antônio Feliciano de Castilho, *As Metamorfoses*, p. 190). *P.* **6.** Recrear-se, distrair-se, entreter-se: "Pode a vista espairecer-se ainda na verde paisagem dos morros de Alcobaça" (Afonso Arinos, *Histórias e Paisagens*, p. 211). [Conjug.: v. *aquecer.*]

espairecimento [De *espairecer* + *-imento.*] *S. m.* Ato ou efeito de espairecer(-se); recreio, divertimento, distração.

espalação [Do ingl. *spallation.*] *S. f. Fís. Nucl.* Reação nuclear em que uma partícula de alta energia provoca a emissão de várias outras, ger. prótons e nêutrons de um núcleo por ela atingido.

espalacídeo [Do lat. cient. *Spalac-* (do tax. *Spalax*) + *-ídeo*[1]; tax. *Spalacidae.*] *Zool. S. m.* **1.** Espécime dos espalacídeos, família de roedores miomorfos, com um único gênero e três espécies. São os ratos-toupeiras. • *Adj.* **2.** Pertencente ou relativo a eles.

espalda [Do lat. *spathula*, com metátese.] *S. f.* **1.** Espádua: "a espalda, o busto / E as torres de marfim das pomas nuas, / De fresca e rija carnadura, ostenta" (Raimundo Correia, *Poesias*, p. 75). **2.** V. *espaldar* (1).

espaldão [De *espalda* + *-ão*[2].] *S. m.* Anteparo de fortificação.

espaldar [De *espalda* + *-ar*[1].] *S. m.* **1.** As costas da cadeira; respaldo, espalda: "Sentado em uma cadeira de grande espaldar, ... o Barão me receberia de cara fechada." (Humberto de Campos, *Memórias Inacabadas*, p. 32). **2.** A parte superior do dossel.

espaldear [De *espalda* + *-ear*[2].] *V. t. d.* **1.** Atacar pela popa (uma embarcação). **2.** Fazer recuar. [Conjug.: v. *frear.*]

espaldeira [De *espalda* + *-eira.*] *S. f.* **1.** Pano para cobrir a espalda ou espaldar da cadeira ou do dossel. **2.** Fila ou renque de árvores junto de uma parede.

espaldeirada [De *espalda* + *-eir(o)-* + *-ada*[1].] *S. f. Ant. Bras.* V. *espadeirada.*

espaldeirar [De *espalda* + *-eir(o)-* + *-ar*[2].] *V. t. d.* Espancar pelas espaldas: "A Brigada Policial veio em seguida, espaldeirando o povo" (Francisco de Assis Barbosa, *A Vida de Lima Barreto*, p. 194).

espalha [Dev. de *espalhar.*] *S. m.* **1.** Homem muito falador. **2.** Indivíduo estouvado e alegre.

espalha-brasas [De *espalhar* + o pl. de *brasa.*] *Adj. 2 g. e 2 n. S. 2 g. e 2 n.* Diz-se de, ou pessoa espalhafatosa, estouvada, desordeira: "A Amanda Honorata, a boa, doida, espalha-brasas da Honora, insiste" (Aquilino Ribeiro, *Maria Benigna*, p. 47).

espalhada [De *espalhar* + *-ada*[1].] *S. f.* **1.** Ato de espalhar. **2.** Espalhafato, estardalhaço.

espalhadeira [De *espalhar* + *-deira.*] *S. f.* Tipo de forcado (q. v.) próprio para abrir e separar a palha; espalhadoura.

espalhado [Part. de *espalhar.*] *Adj.* **1.** Que se espalhou. **2.** Separado, intervalado; disperso. **3.** Derramado, espargido, esparso. **4.** Difundido, divulgado, propalado. • *S. m.* **5.** V. *espalhafato* (1).

espalhadoira [De *espalhar* + o f. de *-doiro*[2].] *S. f.* V. *espalhadoura.*

espalhador (ô) [De *espalhar* + *-dor.*] *Adj. S. m.* Que, ou aquele que espalha.

espalhadoura [De *espalhar* + o f. de *-douro*[2]; var. de *espalhadoira.*] *S. f.* V. *espalhadeira.*

espalhafatar [De *espalhafato* + *-ar*[2].] *V. int.* Fazer espalhafato.

espalhafato [De or. incerta; poss. de *espalhar fato*[2].] *S. m.* **1.** Barulho, balbúrdia, estardalhaço, confusão; espalhado. **2.** Ostentação ruidosa e exagerada; luxo.

espalhafatoso (ô) [De *espalhafato* + *-oso*.] ***Adj.* 1.** Que faz espalhafato. **2.** Que dá muito na vista; extravagante, espampanante.

espalhagar [De *palha*.] ***V. t. d.*** Limpar da palha (o trigo). [Conjug.: v. *largar*.]

espalhamento [De *espalhar* + *-mento*.] ***S. m.* 1.** Ato de espalhar(-se). **2.** *Ópt.* Modificação da trajetória de um raio luminoso que atravessa um meio que contém pequenas partículas capazes de difratar a luz, e que resulta da interferência das ondas difratadas por essas partículas. [É fenômeno esp. conspícuo com partículas cujas dimensões se aproximem das do comprimento de onda da radiação luminosa.] **3.** *Fís. Nucl.* Modificação da trajetória duma partícula quando esta interage com outra partícula, e que pode ou não ser acompanhada de variação da energia da partícula espalhada; difusão.

espalhar [De *es-* + *palha* + *-ar*[2].] ***V. t. d.* 1.** Separar a palha de (os cereais); despalhar. **2.** Lançar para diferentes lados; dispersar; espargir: *O vento espalha as sementes.* **3.** Tornar público; divulgar, apregoar, vulgarizar, propalar: *Os jornais espalharam a novidade.* **4.** Difundir, irradiar, emitir: "Os teus olhos espalham luz divina" (Tomás Antônio Gonzaga, *Marília de Dirceu*, p. 2). **5.** Dissipar, rarefazer; dispersar: *O vento espalhou as nuvens.* **6.** Apartar, desunir. **7.** Distrair, recrear. **8.** Desafogar, desoprimir. ***T. d. e c.* 9.** Espalhar (4): *O lampião espalhou a luz pela sala.* ***T. d. e i.* 10.** Infundir, incutir, inspirar: *Tais ameaças espalham o medo entre a população.* ***Int.* 11.** Distrair-se, espairecer. **12.** Dissipar-se, desvanecer-se. **13.** Dispersar-se, rarear. ***P.* 14.** Dispersar-se, debandar. **15.** Brotar; difundir-se. **16.** Comunicar-se, estender-se; propagar-se: "Um silêncio tristíssimo por tudo / Se espalha." (Olavo Bilac, *Poesias*, p. 94); "Espalha-se a luz da lua / Pela poética devesa..." (Gonçalves Crespo, *Obras Completas*, p. 315). **17.** Propalar-se, divulgar-se. **18.** *Bras. Gír.* Dispor-se a briga: *O cabra espalhou-se, e foi um rolo dos diabos.* **19.** *Bras. Gír.* Pôr-se muito à vontade.

espalho [Dev. de *espalhar*.] ***S. m. Artilh.*** Espaço entre as falcas do reparo da peça.

espalmado [Part. de *espalmar*.] ***Adj.* 1.** Plano ou aberto como a palma de mão: *folhas espalmadas.* **2.** Diz-se da mão aberta e estendida: *Com a mão espalmada, esmolava à porta da igreja.* **3.** Diz-se do metal reduzido a lâmina.

espalmar [De *es-* + *palma*[1] + *-ar*[2].] ***V. t. d.* 1.** Tornar plano como a palma da mão; aplanar, achatar, alisar. **2.** Dilatar, calcando. **3.** Abrir, distender: *espalmar a mão.* **4.** Reduzir (o metal) a lâminas ou chapas. ***T. d. e c.* 5.** Espalmar (3): "Larvas e vampiros, íncubos e súcubos, espalmam pelo ar as suas asas negras" (Alphonsus de Guimaraens, *Obras Completas*, p. 476). ***Int.* 6.** *Fut.* Aparar a bola com as palmas das mãos. ***P.* 7.** Alisar-se, aplanar-se.

espalto [Do al. *Spalt*.] ***S. m.* 1.** Tinta ou verniz escuro e transparente, hoje em desuso, aplicada sobre escarlate (5). **2.** Pedra us. na fundição dos metais. [Cf. *esparto*.]

espampanante [De **espampanar* (de *Spampani*, companhia acrobática, + *-ar*[2]) + *-nte*, poss.] ***Adj. 2 g.*** V. *espalhafatoso* (2). "Grande, larga, lânguida, de nariz arrebitado e ar gingão, a espampanante Madame deixava-nos sem respiração." (Almeida Faria, *O Conquistador*, p. 83.)

espamparar ***V. t. d. T. d. e i. P.*** V. *escancarar*.

espanador (ô) [De *espanar* + *-dor*.] ***S. m.*** Tipo de vassoura feita de penas, tiras de pano, etc., com que se limpa ou sacode o pó; espanejador.

espanar [De *es-* + *pano*[1] + *-ar*[2].] ***V. t. d.* 1.** Sacudir o pó de; espanejar: "Podia andar para lá e para cá sem encontrar ninguém varrendo o chão ou espanando os móveis" (Fernando Sabino, *A Falta Que Ela Me Faz*, p. 42). **2.** Agitar, sacudir.

espanascar [De *es-* + *panasco* + *-ar*[2].] ***V. t. d.*** Limpar o terreno do panasco (1). [Conjug.: v. *trancar*.]

espancador (ô) [De *espancar* + *-dor*.] ***Adj. S. m.* 1.** Que, ou aquele que espanca. **2.** Valentão, brigão.

espancamento [De *espancar* + *-mento*.] ***S. m.*** Ato ou efeito de espancar.

espancar [De *es-* + *panca* + *-ar*[2].] ***V. t. d.* 1.** Agredir com pancadas; bater, desancar, malhar, surrar (e, *bras., pop.*): ripar, baixar a lenha, baixar o pau, baixar o porrete, baixar a ripa, baixar o sarrafo. **2.** Afastar, afugentar: "às vezes passava as mãos arrebatadamente pela fronte como para espancar uma obsessão do espírito." (José de Alencar, *O Gaúcho*, p. 247). **3.** Dissipar, dissolver: "É noite. O fogo flameja / No rancho, espancando a treva" (Ricardo Gonçalves, *Ipês*, p. 28). **4.** Fugir de; renegar. [Conjug.: v. *trancar*.]

espandongado [Part. de *espandongar*.] ***Adj.* 1.** *Bras.* Desalinhado, relaxado, desleixado no vestir. **2.** Amarfanhado, amarrotado, machucado. **3.** Roto, esfrangalhado, esfarrapado. **4.** Estragado, rebentado, arrebentado. **5.** Diz-se de indivíduo de ombros caídos, bamboleantes, e de andar desengonçado. **6.** Metido a valente. [Var.: *espadongado*.]

espandongamento [De *espandongar* + *-mento*.] ***S. m.* 1.** *Bras.* Desordem, relaxação, desleixo. **2.** Desalinho no vestir.

espandongar [Por **espandorgar* < *es-* + *pandorgar* + *-ar*[2], poss.] ***V. t. d. Bras.*** Pôr em desordem; estragar; machucar; esfrangalhar. [Conjug.: v. *largar*.]

espanéfico [De or. obsc.] ***Adj. Pop.* 1.** Afetado nos gestos, nas palavras ou no vestir; presumido. "O mais espanéfico e falador era o Olimpinho Moreira" (Pedro Nava, *Balão Cativo*, p. 154). **2.** Muito enfeitado; garrido, janota.

espanejado [Part. de *espanejar*.] ***Adj.*** Limpo de pó com o espanador.

espanejador (ô) [De *espanejar* + *-dor*.] ***S. m.*** Espanador.

espanejar [De *es-* + *pano*[1] + *-ejar*.] ***V. t. d.* 1.** Espanar (1). **2.** *Irôn.* Espalhar, difundir: *espanejar suas bazófias.* ***P.* 3.** Sacudir (a galinha) o pó das asas, batendo-as. **4.** Agitar (a mulher) as roupas ao andar. **5.** Desenvolver-se; desabrochar-se: "Começa [Castro Alves] a espanejar-se ao sopro livre daquele ambiente estimulante." (Xavier Marques, *Vida de Castro Alves*, p. 71.) [Conjug.: v. *pelejar*.]

espanhol [Do lat. pop. **hispaniolu*, clláss. *hispanus*.] ***Adj.* 1.** Da, ou pertencente ou relativo à Espanha (Europa). ~ V. *guitarra —a, parágrafo — e triângulo —*. • ***S. m.* 2.** O natural ou habitante da Espanha. **3.** *Gloss.* Língua oficial, românica, da Espanha, do México, de todos os países centro ou sul-americanos, e do Caribe, que constituíram o antigo império espanhol. É a continuação histórica do dialeto de Castela, pelo que também é chamada castelhano. **4.** Vocábulo dessa língua. [Flex.: *espanhola, espanhóis, espanholas*.]

espanhola [Fem. de *espanhol*.] ***S. f.* 1.** Designação dada à gripe (q. v.) na pandemia de 1918: "Além da espanhola, outro sucesso dramático assinalou o ano de 1918 — o tiroteio com que o Largo de Baixo recebeu a gente de Cima, que, em passeata política, celebrava uma vitória eleitoral." (Ciro dos Anjos, *A Menina do Sobrado*, p. 131.) • ***Adj.* (*f.*) 2.** *Bras. N.E.* Diz-se da vaca de chifres grandes e de feitio esquisito.

espanholada [De *espanhol* + *-ada*[1].] ***S. f.* 1.** Porção de espanhóis. **2.** Expressão ou manifestação exagerada, hiperbólica, em geral jactanciosa. **3.** V. *fanfarrice* (2).

espanholado [De *espanhol* + *-ado*[1].] ***Adj.* 1.** Diz-se do estrangeiro que pelo aspecto, trajes e/ou costumes parece espanhol. **2.** Diz-se da obra literária, artística, etc., em que se nota influência de autores espanhóis.

espanholice [De *espanhol* + *-ice*.] ***S. f.* 1.** Ato, dito ou atitude ao modo da Espanha. **2.** Espanholismo (5).

espanholismo [De *espanhol* + *-ismo*.] ***S. m.* 1.** *E. Ling.* Palavra, locução ou construção própria da língua espanhola; hispanismo, castelhanismo. **2.** *E. Ling.* Palavra ou locução própria do espanhol que foi transportada para outra língua; hispanismo, castelhanismo. **3.** *E. Ling.* Emprego de palavras, locuções ou construções espanholas em idioma estrangeiro; hispanismo, castelhanismo. **4.** Caráter distintivo do povo espanhol e/ou da Espanha. **5.** Sentimento de amor ou apreço à Espanha ou às coisas espanholas; espanholice.

espanta-boiada [De *espantar* + *boiada*.] ***S. m. Bras. BA Zool.*** V. *quero-quero*. [Pl.: *espanta-boiadas*.]

espanta-coió [De *espantar* + *coió*.] ***S. m. Bras.*** Brinquedo pirotécnico infantil, que produz estalos e faíscas, usado esp. nos folguedos juninos. [Pl.: *espanta-coiós*.]

espantadão [De *espantado* + *-ão*[1].] ***Adj. S. m. Bras.*** Que, ou aquele que facilmente se espanta e acredita em tudo quanto lhe dizem; simplório. [Fem.: *espantadona*.]

espantadiço ***Adj.*** Que se espanta facilmente; arisco.

espantado [Part. de *espantar*.] ***Adj.* 1.** Que se espantou; assustado. **2.** Surpreendido, admirado, maravilhado. **3.** Pasmado, atônito. **4.** *Bras. Fam.* V. *berrante* (2 e 3): "Chapéu inexistente em cima, só tem aba, que é de três cores bem espantadas." (Carlos Drummond de Andrade, em *Jornal do Brasil*, 16.11.1972.)

espantadona ***S. f. Bras.*** Fem. de *espantadão*.

espantador (ô) [De *espantar* + *-dor*.] ***Adj.* 1.** Que espanta; espantoso, espantável. • ***S. m.* 2.** Aquele que espanta.

espantalho [De *espant(ar)* + *-alho*.] ***S. m.* 1.** Boneco ou qualquer objeto que se põe no campo para espantar e afugentar aves ou roedores. **2.** Pessoa feia e/ou malvestida. [Sin. bras. (nessas acepç.): *marmota* (N.E. e C.O.) e *estandarte* (S.)] **3.** Indivíduo inútil, sem préstimo; paspalho.

espanta-lobos [De *espantar* + o pl. de *lobo* (ô).] ***S. 2 g. e 2 n. Pop.*** Pessoa muito faladora; tagarela.

espanta-patrulha [De *espantar* + *patrulha*.] ***S. 2 g.*** V. *valentão* (3). [Pl.: *espanta-patrulhas*.]

espanta-porco [De *espantar* + *porco*.] ***S. m. Bras. Zool.*** V. *tovaca*. [Pl.: *espanta-porcos*.]

espantar [Do lat. vulg. **expaventare* < lat. *expavere*, 'temer'.] ***V. t. d.* 1.** Causar espanto, susto ou medo a; assombrar. **2.** Afugentar, repelir, enxotar, afastar, desviar: *A fumaça espanta os insetos.* **3.** Surpreender, admirar, maravilhar: *As conquistas científicas espantam a humanidade.* **4.** Fazer perder (o sono). ***Int.* 5.** Ser espantoso; causar espanto, admiração: *A resistência daquele octogenário espanta.* ***P.* 6.** Admirar-se, maravilhar-se: "viu Laura, falou-lhe, ouviu-a, e espantou-se de ter ousado falar-lhe." (Camilo Castelo Branco, *A Mulher Fatal*, p. 32). **7.** Tomar medo ou susto; assustar-se.

espanta-ratos [De *espantar* + o pl. de *rato*[1].] ***S. 2 g. e 2 n.* 1.** Pessoa estouvada, estabanada. **2.** Pessoa que faz espalhafato por qualquer coisa.

espanta-tesão [De *espantar* + *tesão*.] ***S. 2 g. Bras. Pop.*** Pessoa muito feia, sem nenhum atrativo. [Pl.: *espanta-tesões*.]

espantável [De *espantar* + *-vel*.] ***Adj. 2 g.*** V. *espantoso* (1).

espanto [Dev. de *espantar*.] ***S. m.* 1.** Assombro, pasmo, admiração. **2.** Sobressalto, susto, medo. **3.** Terror, pavor, assombro. **4.** Admiração, enleio, maravilha. **5.** Sucesso imprevisto; surpresa.

espantoso (ô) [De *espanto* + *-oso*.] ***Adj.* 1.** Que causa espanto; espantável, assombroso. **2.** Admirável, surpreendente, extraordinário, maravilhoso.

espapaçado [Part. de *espapaçar*.] ***Adj.* 1.** Que se tornou mole. **2.** V. *desenxabido* (1 e 2). **3.** Que demonstra abatimento físico ou moral: "Pelas calçadas .... meretrizes de galho de arruda atrás da orelha e chinelinho na ponta do pé, carregadores espapaçados, ... marinheiros, bombeiros .... — uma confusão, uma mistura de cores, de tipos, de vozes, onde a luxúria crescia." (João do Rio, *A Alma Encantadora das Ruas*, p.44)

espapaçar [De *es-* + *papa*[2] + *-açar*.] ***V. t. d.* 1.** Dar a forma de papa a; amolecer. **2.** Tornar insípido, insosso, desenxabido. ***P.* 3.** Tornar-se mole, desengonçado. **4.** Tornar-se insípido, insosso, desenxabido. [Conjug.: v. *laçar*.]

espapar [De *es-* + *papo* + *-ar*[2].] ***V. int. P.*** Despapar.

esparadrapo [Do it. *sparadrappo*.] ***S. m.*** Tira de material aderente, de largura variável, que se usa para manter curativos no lugar, ajudar a conter pacientes em certas posições, em mesas de operação, e para efetuar determinadas imobilizações em casos traumatológicos. [Sin. (lus.): *adesivo*.]

esparavão [De or. obscura.] ***S. m. Veter.*** Tumor ossificado que nasce na curva da perna do cavalo; sobrecana, solandre.

esparavel [Do frâncico **sparwâri*, 'gavião', pelo cat. *esparaver*.] ***S. m.* 1.** Rede de pescar. **2.** Franja de chapéu de sol ou cortinado. **3.** Sobrecéu de leito. **4.** *Constr.* V. *desempenadeira* (1).

esparavonado [De *esparavão* + *-ado*[1].] ***Adj.*** Que tem esparavão.

espardeque [Do ingl. *spar deck*.] ***S. m. Bras. Constr. Nav.*** Superestrutura central de navio.

esparganiácea [Do tax. *Sparganium* (do lat. *sparganion*, 'espadana') + *-ácea*; tax. *Sparganiaceae*.] ***S. f. Bot.*** Espécime das esparganiáceas, família de plantas monocotiledôneas caracterizadas pelas flores com perianto de três a seis peças, tendo as masculinas três a seis estames. O ovário é unilocular ou trilocular, e o fruto é noz ou drupa. São plantas herbáceas de folhas dísticas e flores reunidas em glomérulos, das quais há umas 15 espécies. Habitam lugares úmidos nos países frios e temperados.

esparganiáceo [De *esparganiácea*, com var. suf. (v. *-áceo*).] ***Adj. Bot.*** Pertencente ou relativo às esparganiáceas.

espargido [Part. de *espargir*.] ***Adj.* 1.** Que se espargiu; esparso. • ***S. m.* 2.** *Grav.* Técnica litográfica que consiste em borrifar a pedra com tinta, por meio de tela metálica e escova. **3.** *Encad.* Decoração do corte do livro executada com tinta colorida borrifada com tela e escova.

espargimento [De *espargir* + *-mento*.] ***S. m.* 1.** Ato ou efeito de espargir(-se). **2.** Aspersão, borrifo, respingo.

espargir [Do lat. *spargere*.] ***V. t. d.* 1.** Espalhar ou derramar (um líquido). **2.** Irradiar, difundir: "Se rides, anjos mil espargem flores" (Maciel Monteiro, *Poesias*, p. 67). **3.** Disseminar, espalhar. ***T. d. e c.* 4.** Espargir (2): "Bailavam as chamas como dançarinas sombrias, espargindo sombras para os flancos" (Fernando Ramos, *Os Enforcados*, p. 14). **5.** Disseminar, espalhar: *Espargiu flores pela sala.* ***T. d. e i.* 6.** Espalhar em borrifos ou pequenas porções: *O sacerdote espargiu água benta sobre a multidão.* ***P.* 7.** Derramar-se, difundir-se. [Var.: *esparzir*. Sin. ger.: *despargir, desparzir*. Conjug.: v. *dirigir*. Para alguns autores, só se deve conjugar nas f. em que ao *g* se seguir *e* ou *i*; para outros (e é a tendência entre nós), deve-se conjugar em todas as f. Contudo, é raramente us. na 1ª pess. sing. do pres. ind. e, pois, no pres. subj. Part.: *espargido* e *esparso*.]

espargo ***S. m. Bot.*** V. *aspargo* (1).

espargo-de-jardim ***S. m. Bot.*** V. *aspargo-de-jardim*. [Pl.: *espargos-de-jardim*.]

esparguete ***S. m. Lus.*** V. *espaguete*.

esparguta [Do fr. *spargoute, espargoute*.] *S. f. Bras. Bot.* Planta cariofilácea (*Spergula arvensis*) calcífuga, com um ou muitos caules, ramosos, pubescentes e viscosos, flores alvas, dispostas em panículas frouxas e terminais, sendo o fruto uma cápsula arredondada, deiscente, que contém sementes aladas, pretas ou amarelas; fornece, além de feno macio e aromático, bastante forragem.

esparídeo [Do tax. *Sparus* (< lat. *sparus*, 'certo peixe do mar') + *-ídeo*[1]; tax. *Sparidae*.] *Zool. S. m.* **1.** Espécime dos esparídeos, família de peixes actinopterígios, perciformes, marinhos, muito semelhantes às percas, de corpo escamado, nadadeira dorsal contínua e cauda dividida. Todos os indivíduos jovens têm gônadas masculinas que se modificam em femininas nas fêmeas adultas. Ex.: o pargo, o peixe-pena, a canhanha.● *Adj.* **2.** Pertencente ou relativo a eles.

esparolação [De **esparolar* (< *es-* + *parola* + *-ar*[2]) +*-ção*.] *S. f. Bras.* **1.** Falta de critério; leviandade, arrebatamento. **2.** Loquacidade, tagarelice. **3.** Gabolice, jactância; mentira.

esparolado [De *es-* + *parola* + *-ado*[1].] *Adj. Bras.* **1.** Diz-se de indivíduo leviano, sem critério. **2.** Loquaz, tagarela, falador. **3.** Gabola, jactancioso, mentiroso.● *S. m.* **4.** Indivíduo esparolado.

esparralhar [Da mesma or. incerta que o esp. *desparpajar* e o cat. *esparpalhar*, com infl. de *esparramar*, poss.] *V. t. d. T. d. e c. Int. P.* Espalhar ao acaso; derramar; esparramar.

esparramação [De *esparramar* + *-ção*.] *S. f.* **1.** Ato e efeito de esparramar(-se). **2.** *Bras. SP* Operação que consiste em espalhar o cisco do café ou outro adubo colocado nas plantações de cafeeiros, após a colheita.

esparramado [Part. de *esparramar*.] *Adj.* **1.** Que se esparramou; espalhado, disperso: *Folhas <u>esparramadas</u> cobriam o chão.* **2.** Estouvado, estabanado, doidivanas. **3.** Desordenado, desregrado. **4.** Mal-amanhado, mal-arranjado, desalinhado. **5.** Achatado, chato: *nariz <u>esparramado</u>.*

esparramar [Do esp. *esparramar, desparramar*.] *V. t. d.* **1.** Separar (coisas que estavam unidas); espalhar, dispersar, esparralhar, desparramar. **2.** Entornar, derramar, desparramar. **3.** *Bras. N.* Tornar chato (1); achatar. **4.** *Bras. SP* Praticar a esparramação (2) de: *<u>esparramar</u> o cisco do café. T. d. e c.* **5.** Esparramar (1): *<u>Esparramou</u> os papéis no chão.* **6.** Esparramar (2): *A árvore <u>esparramava</u> sua sombra pelo quintal. Int. P.* **7.** Espalhar-se, dispersar-se, desparramar-se. **8.** Estatelar-se, esparrar-se, escarrapachar-se, desparramar-se. **9.** *Bras.* Dispersar-se (tropa de animais pouco adestrados) pelo campo, em vez de seguirem os animais reunidos em determinada direção. **10.** *Bras. Fam.* Sentar-se muito à vontade, em geral de maneira descomposta; escarrapachar-se. **11.** *Bras. SP* Cair do cavalo.

esparrame [Dev. de *esparramar*.] *S. m. Bras.* **1.** Ato e efeito de esparramar(-se); espalhamento, dispersão, debandada. **2.** Ostentação, espalhafato, aparato. **3.** Barulho, briga. V. *rolo*[1] (16). [F. paral.: *esparramo*.] ◆ **Fazer um esparrame.** *Bras. S. Gír.* **1.** Ficar admirado. **2.** Dar importância exagerada a coisa insignificante.

esparramo [Dev. de *esparramar*.] *S. m. Bras.* V. *esparrame.*

esparrar-se *V. p. Bras.* **1.** Cair redondamente; estatelar-se, esparramar-se. **2.** Enganar-se, iludir-se. **3.** Dizer sandices; asnear.

esparregado [Part. subst. de *esparregar*.] *S. m.* **1.** Guisado de ervas, depois de cozidas, picadas e espremidas. **2.** *Lus.* Creme (2) de espinafre.

esparregar [Do esp. *espárragar*, poss.] *V. t. d.* Guisar (espargos, couves, etc.), depois de cozidos, cortados miudamente e espremidos. [Conjug.: v. *regar*.]

esparrela [De or. obscura.] *S. f.* **1.** Armadilha de caça. **2.** *Fig.* Logro, cilada, engano, arriosca. **3.** *Marinh.* Remo comprido que se usa à popa da embarcação, com função de leme; espadela. **4.** *Marinh.* Dispositivo provisório que se arma na popa de embarcação para substituir o leme, quando este se perde ou se avaria; leme de fortuna, espadela.◆ **Cair na esparrela.** Deixar-se lograr; deixar-se pegar; cair no logro; cair no anzol; cair na ratoeira; ir na onda.

esparrinhar [Do rad. *esparr-*, como em *esparralhar* e *esparramar*, + *-inhar*.] *V. t. d. T. d. e c.* **1.** Entornar (líquido), fazendo-o saltar; espargir. *Int. T. c.* **2.** Sair em borrifos.

esparro[1] [Dev. de *esparrar-se*.] *S. m.* **1.** Ato de esparrar(-se); queda. **2.** Gabolice, tolice.

esparro[2] [Do *lunfardo*.] *S. m. Bras. Gír.* Gatuno que ajuda o punguista, dando esbarro na vítima, ou entretendo-a, ou escondendo o objeto furtado.

esparro[3] *S. m. Bras.* V. *esporro* (1).

esparsa [Do cat. *esparsa*.] *S. f. Arte Poét.* **1.** Composição poética antiga, em versos de seis sílabas. **2.** Pequena composição lírica.

esparso [Do lat. *sparsu*.] *Adj.* **1.** Derramado, entornado, espalhado, espargido. **2.** Solto, disperso: "Cai-lhe, espáduas abaixo, a cabeleira <u>esparsa</u>..." (Olavo Bilac, *Poesias*, p. 78.) **3.** Vulgarizado, difundido.

espartal [De *esparto* + *-al*[1].] *S. m.* **1.** Quantidade mais ou menos considerável de espartos dispostos proximamente entre si. **2.** Área ocupada por espartal (1).

espartanidade [De *espartano* + *-(i)dade*.] *S. f.* Qualidade, ação ou procedimento de espartano (2): "Único menino, cercado de meninas, o pai temia que ficasse maricas. E o tratava com uma certa <u>espartanidade</u>." (Antônio Carlos Vilaça, *O Desafio da Liberdade*, p. 19.)

espartano [Do lat. *spartanu*.] *Adj.* **1.** De, ou pertencente ou relativo a Esparta (Grécia antiga); lacedemônio. **2.** *Fig.* Que tem ou lembra a severidade da educação e costumes espartanos; sóbrio, rigoroso, austero, severo, virtuoso: *varão <u>espartano</u>; austeridade <u>espartana</u>.*● *S. m.* **3.** O natural ou habitante de Esparta; lacedemônio. **4.** Indivíduo espartano (2).

espartaria [De *esparto* + *-aria*.] *S. f.* **1.** Estabelecimento onde se fabricam e/ou vendem obras de esparto. **2.** Obras de esparto, como, p. ex., cordas, esteiras, cestas, etc.

esparteína [Do fr. *spartéine*.] *S. f. Quím.* Alcaloide extraído da plantas fabáceas, como a giesta e o grão do tremoceiro, e que é um líquido oleoso, pouco solúvel na água, com ações ocitócica e antiarrítmica [fórm.: $C_{15}H_{26}N_2$].

esparteiro [De *esparto* + *-eiro*.] *S. m.* Aquele que faz e/ou vende obras de esparto.

espartenhas [Do pl. do esp. *esparteña*.] *S. f. pl.* Alpercatas de esparto.

espartilhado [Part. de *espartilhar*.] *Adj.* **1.** Apertado ou cingido com espartilho: "um quarentão muito <u>espartilhado</u> e tingido" (Valentim Magalhães, *Vinte Contos*, p. 42). **2.** *Fig.* Elegante, airoso.

espartilhar [De *espartilho* + *-ar*[2].] *V. t. d. P.* Apertar(-se) ou cingir(-se) com espartilho.

espartilheiro [De *espartilho* + *-eiro*.] *S. m.* Fabricante e/ou vendedor de espartilhos.

espartilho [De *esparto* + *-ilho*; os primeiros espartilhos eram de esparto.] *S. m.* Colete com barbatanas de baleia ou lâminas de aço, que era us. justo ao corpo, em geral por mulheres, para comprimir a cintura e dar elegância ao tronco.

esparto [Do gr. *spártos*, pelo lat. *spartu*.] *S. m. Bot.* Planta poácea (*Stipa tenacissima*) medicinal, cujas folhas se empregam no fabrico de cestas, cordas, esteiras, etc. [Cf. *espalto*.]

esparzeta (ê) [Do fr. *esparcette* < provenç. *esparceto*.] *S. f. Bot.* Planta fabácea (*Onobrychis sativa*) ereta, de caule vigoroso, flores róseas com estrias vermelhas, dispostas em racimos multifloros, densos e com pedúnculos mais compridos que as folhas, e cujo fruto é vagem pequena, armada de espinhos curtos ou de tubérculos. Fornece forragem de alto valor nutritivo. [Sin.: *fenossão, sanfeno*.]

esparzir *V. t. d. T. d. e c. T. d. e i. P.* V. *espargir*: "Desfolho rosas, <u>esparzo</u> aromas" (Mário de Sá-Carneiro, *Céu em Fogo*, p. 263). [Us. sobretudo nas f. em que ao *z* da raiz se segue *e* ou *i*.]

espasmar [De *espasmo* + *-ar*[2].] *V. t. d.* **1.** Causar espasmo a. *Int. P.* **2.** Cair em espasmo.

espasmo [Do gr. *spasmós*, pelo lat. *spasmu*.] *S. m.* **1.** *Med.* Contração súbita, de duração variável, de musculatura lisa ou estriada, acompanhada de dor e prejuízo funcional, podendo haver distorção e movimentação involuntária. [Cf. *convulsão* (4).] **2.** *Fig.* Êxtase, enlevo, arroubo, arroubamento. **3.** *Bras. CE Pop.* Meningite.

▲**espasm(o)-** [Do gr. *spasmós, oû*.] *El. comp.* = 'espasmo': *espasmar, espasmofilia*. [Equiv.: *-spasmo*: *fonospasmo*.]

espasmódico [Do lat. med. *spasmodicu* < gr. *spasmódes* < gr. *spasmós*.] *Adj.* **1.** Da natureza do espasmo. **2.** Que se manifesta por espasmos seguidos.

espasmofilia [De *espasm(o)-* + *-filia*.] *S. f. Med.* Estado mórbido em que a excitabilidade dos nervos periféricos aumenta, apresentando o paciente tendência a espasmos, convulsões, tetania, acidentes respiratórios, etc.

espasmofílico [De *espasmofilia* + *-ico*[2].] *Adj.* Relativo a espasmofilia.

espasticidade [De *espástico* + *-(i)dade*.] *S. f. Neur. Ort.* Estado em que ocorre aumento de tono muscular e exaltação de reflexos tendinosos profundos.

espástico [Do lat. *spasticu*.] *Adj. Med.* **1.** Da natureza do espasmo, ou que se caracteriza por ele. **2.** Diz-se de estado em que a musculatura comprometida está contraída e a movimentação é difícil; hipertônico.

espata [Do lat. *spatha* < gr. *spáthe* (v. *espada*[1]).] *S. f.* **1.** *Bot.* Bráctea ampla que envolve as espigas de muitas plantas, como as aráceas e palmeiras: "Pelos bambus, em bamboleios lentos, / E na <u>espata</u> e nas palmas dos coqueiros / Remexiam-se os ventos..." (Raimundo Correia, *Poesias*, p. 49.) **2.** *Ant.* Espada larga, de dois gumes e sem ponta.

espatáceo [De *espata* + *-áceo*.] *Adj. Bot.* **1.** Contido numa espata (1). **2.** Semelhante a espata (1): *bráctea <u>espatácea</u>.*

espatangoide (ói) [Do tax. *Spatangus* (< gr. *spatánges*, 'espécie de ouriço') + *-oide*[1]; tax. *Spatangoida* ou *Spatangoidea*.] *Zool. S. m.* **1.** Espécime dos espatangoides, ordem de animais equinodermos, equinoides, irregulares, desprovidos de lanterna de aristóteles, e cuja carapaça é ger. ovoide.● *Adj. 2 g.* **2.** Pertencente ou relativo a eles.❖

espatela [Do lat. **spatella*, por *spathula*.] *S. f.* **1.** Espécie de espátula com que se abaixa a língua a fim de poder ver melhor a garganta. **2.** *Bot.* Pequena bráctea que, à feição de uma espata, envolve as flores em perianto das podostemonáceas. **3.** *Bot.* As glumas e glumelas das poáceas.

espático [De *espato* + *-ico*[2].] *Adj. P. us.* Relativo ao espato.

espatifado [Part. de *espatifar*.] *Adj.* **1.** Feito em pedaços. **2.** *Fig.* Dissipado, consumido.

espatifar [De or. obscura.] *V. t. d.* **1.** Fazer em cacos, em pedaços; despedaçar, espedaçar: *Na queda, <u>espatifou</u> os pratos.* **2.** Fazer em retalhos, em pedaços; romper, rasgar. **3.** Dissipar, esbanjar, malbaratar (os bens). *P.* **4.** Fazer-se em cacos, em pedaços; despedaçar-se, espedaçar-se. **5.** Fazer-se em retalhos; romper-se, rasgar-se.

espatiflora [Adapt. do tax. *Spathiflorae*.] *S. f. Bot.* Espécime das espatifloras, em antiga classificação, ordem de monocotiledôneas cujas flores, em espiga e unissexuais, às vezes bissexuais, são protegidas por uma grande bráctea, denominada espata.

espatifloro [De *espatiflora*.] *Adj. Bot.* Pertencente ou relativo às espatifloras.

espatiforme [De *espata* + *-iforme*.] *Adj. 2 g.* Ensiforme.

espato [Do al. *Spath*.] *S. m. Desus.* Qualquer mineral de clivagem muito fácil.

espatódea [Do tax. *Spathodea*.] *S. f. Bot.* **1.** Gênero monotípico de árvores bignoniáceas, nativas da África, dotadas de folhas penadas e grandes flores vermelhas dispostas em racemos. **2.** A espécie desse gênero, a *Spathodea campanulata* (v. *tulipa-da-áfrica*). **3.** Qualquer espécime desse gênero, ou a flor dele.

espato de islândia *S. m. Min.* V. *calcita*. [Pl.: *espatos de islândia*.]☑ nota 1

espato-pesado *S. m. Min.* V. *baritina*. [Pl.: *espatos-pesados*.]

espátula [Do lat. *spathula*.] *S. f.* **1.** Utensílio dotado de cabo e lâmina sem gume, que serve para misturar, espalhar ou levantar substâncias pastosas (preparações farmacêuticas ou culinárias, tinturas, cosméticos, etc.). **2.** Parte extrema das chaves dos instrumentos de sopro, sobre a qual se apoia o dedo do executante. **3.** V. *corta-papel*: "abrindo com a <u>espátula</u> páginas e páginas de livros que vinha de comprar" (Maria Helena Cardoso, *Vida – Vida*, p. 5). [Dim.: *espatuleta*.]

espatulado [De *espátula* + *-ado*[1].] *Adj.* Que tem forma de espátula: *folha <u>espatulada</u>.*

espatuleta (ê) [De *espátula* + *-eta* (ê).] *S. f.* Pequena espátula.

espaventar [Do it. *spaventare*.] *V. t. d.* **1.** Espantar, assustar, sobressaltar. **2.** Ensoberbecer, envaidecer, inchar, inflar. *P.* **3.** Espantar-se, assustar-se. **4.** Engalanar-se; ostentar-se.

espavento [Do it. *spavento*.] *S. m.* **1.** Espanto, susto. **2.** Aparato, luxo, ostentação, pompa: "O Santo Amaro fora festejado com <u>espavento</u> na freguesia da sua invocação. Vésperas, missa cantada, duplo sermão, e procissão à volta da igreja, nada faltara para solenizar a festa." (Júlio Dinis, *A Morgadinha dos Canaviais*, p. 252.) ◆ **De espavento.** V. *espaventoso* (2): "Passa um rei com o seu cortejo <u>de espavento</u>: / Elmos, lanças, clarins, trinta pendões ao vento." (Guerra Junqueiro, ap. *Agostinho de Campos, Junqueiro*, p. 123.)

espaventoso (ô) [De *espavento* + *-oso*.] *Adj.* **1.** Que espaventa, assusta; espantoso: *escândalo <u>espaventoso</u>.* **2.** Aparatoso, luxuoso, pomposo, de espavento. **3.** Soberbo, magnífico: *O comício <u>espaventoso</u> reuniu uma multidão.*

espavorecer [De *es-* + *pavor* + *-ecer*.] *V. t. d. P.* V. *espavorir*. [Conjug.: v. *aquecer*.]

espavorido [Part. de *espavorir*.] *Adj.* Cheio de pavor; aterrado, apavorado.

espavorir [De *es-* + *pavor* + *-ir*.] *V. t. d. P.* Amedrontar(-se), assustar(-se), aterrar(-se), apavorar(-se), espavorecer(-se), espavorizar(-se). [Defect., conjugável somente nas f. em que o *r* da raiz vem seguido de *i*.]

espavorizar [De *es-* + *pavor* + *-izar*.] *V. t. d. P.* V. *espavorir*.

especar [De *espeque* + *-ar*[2].] *V. t. d.* **1.** Suster com espeque; amparar, escorar. *Int.* **2.** Ficar parado; estacar. *P.* **3.** Escorar-se, encostar-se. [Conjug.: v. *trancar*.]

espeçar [De or. incerta; poss. de *peça*.] *V. t. d. Marc.* Tornar mais comprido (uma peça à qual se junta outra longitudinalmente). [Conjug.: v. *começar*. Pres. ind.: *espeço, espeças, espeça, ..., espeçam*; pres. subj. *espece, especes, espece, especemos, especeis, especem.* Cf. o pres. ind. e o pres. subj. do v. *espessar*; este v.; *expeço, expeça, expeças, ..., expeçam*, do v. *expedir* e *espesso* (ê), adj., flex. *espessa* (ê), *espessas* (ê).]

espécia [Var. de *espécie*.] *S. f.* V. *especiaria*.

especiação [Do ingl. *speciation*.] *S. f.* **1.** Formação de espécies. **2.** *Biol.* Processo pelo qual as espécies vivas se diferenciam a partir de outras. **3.** *Quím.* Processo que leva uma substância, esp. um elemento, a apresentar-se sob determinada forma em uma amostra. **4.** *Quím.* Determinação da forma sob a qual uma substância, esp. um elemento, ocorre em uma amostra. ◆ **Especiação alopátrica.** *Biol. Ecol.* Especiação que ocorre em populações isoladas geograficamente, ger. em áreas adjacentes; especiação geográfica. **Especiação geográfica.** *Biol. Ecol.* Especiação alopátrica. **Especiação parapátrica.** *Biol. Ecol.* Especiação em que a nova espécie se forma a partir de uma população contígua ao âmbito geográfico da espécie ancestral. **Especiação simpátrica.** *Biol. Ecol.* Especiação de populações cujos âmbitos geográficos têm sobreposições.

especial [Do lat. *speciale*.] *Adj. 2 g.* **1.** Relativo a uma espécie; próprio, peculiar, específico, particular. **2.** Fora do comum; distinto, excelente. **3.** Exclusivo, reservado. **4.** Diz-se de adulto ou criança com necessidades especiais (q. v.). ~ V. *botânica —, carga —, cheque —, conta —, domicílio —, edição —, educação —, efeitos especiais, enviado —, escola —, juizados especiais, licença —, lixo —, metabolismo —, necessidades especiais, obra de arte — e recurso —.* ● *S. m.* **5.** Mensageiro, próprio. **6.** *Rád. Telev.* Programa de grande interesse, que não faz parte de programação regular da emissora: *especial de Natal; especial de fim de ano.* **7.** *Bras. N.E. Fam.* V. *repreensão* (1).

especialidade [Do lat. *specialitate*.] *S. f.* **1.** Qualidade ou caráter de especial; particularidade. **2.** Coisa superior, fora do comum, muito fina ou rara: *Estas frutas-do-conde são uma especialidade.* **3.** Trabalho, profissão (ou ramo dentro de uma profissão), de cada um: *A especialidade daquele médico é a cirurgia plástica.* **4.** *P. ext.* Habilidade ou interesse particular de cada um: *A especialidade de Pedro é colecionar quadros.*

especialista [De *especial* + *-ista*.] *S. 2 g.* **1.** Pessoa que se consagra com particular interesse e cuidado a certo estudo. **2.** Pessoa que se dedica a um ramo de sua profissão. **3.** Pessoa que tem habilidade ou prática especial em determinada coisa. **4.** Conhecedor, perito: *especialista em vinhos.* **5.** *Ecol.* Organismo adaptado à vida em um tipo restrito de meio ambiente, e que se alimenta de uma ou poucas espécies. [Cf., nesta acepç., *generalista*.] ● *Adj. 2 g.* **6.** Que é especialista. ~ V. *sistema —.*

especialização [De *especializar* + *-ção*.] *S. f.* **1.** Ato ou efeito de especializar(-se). **2.** *Educ.* Curso de pós-graduação que possibilita o estudo aprofundado em uma área específica do conhecimento, e que consta, ger., de aulas, treinamento prático ou um breve trabalho de investigação, podendo incluir uma monografia como tarefa de conclusão. **3.** *Ecol.* Grau de adaptação de um indivíduo, ou de parte dele (órgão, estrutura anatômica, etc.) a seu meio ambiente e às suas condições de desenvolvimento, reprodução, alimentação, etc. [Um alto grau de especialização determina um hábitat restrito e significante competição interespecífica (q. v.).] **4.** *Jur.* Procedimento que tem por finalidade fazer inconfundível determinado ato jurídico, a fim de que se distinga de qualquer outro. [Em relação às coisas, refere-se à exata indicação destas pela descrição de seus caracteres, de modo que não possa uma coisa ser tida por outra.] **5.** *Sociol.* Diferenciação resultante da divisão do trabalho. **6.** *Sociol.* Processo de divisão do trabalho encarado do ângulo individual. ◆ **Especialização de hipoteca.** *Jur.* Ato preliminar da inscrição da hipoteca legal ou judicial, o qual consiste em fixar o valor da responsabilidade do devedor e em precisar o imóvel dado em garantia, perante o ofício público competente.

especializado [Part. de *especializar*.] *Adj.* **1.** Que se especializou: *profissional especializado.* **2.** *Anat.* Diz-se de órgão, formação (5), tecido, etc., que desempenha uma função que lhe é privativa, como, p. ex., o músculo cardíaco.

especializar [De *especial* + *-izar*.] *V. t. d.* **1.** Mencionar ou tratar à parte, de modo especial; particularizar, singularizar, especificar. **2.** *Jur.* Promover a especialização (4) de. *P.* **3.** Distinguir-se, assinalar-se, singularizar-se. **4.** Adotar uma especialidade, dedicando-se a ela: *Especializou-se em eletrônica.*

especialmente [De *especial* + *-mente*.] *Adv.* **1.** Principalmente, sobretudo: *Gostava de viajar, especialmente para a França.* **2.** Em grau superior, elevado; muito, muitíssimo: *A moqueca ficou especialmente boa.* **3.** Somente com certo objetivo ou propósito: *Maçãs especialmente colhidas para a torta.* **4.** Sobretudo para certo(s) destinatário(s): *Falava especialmente aos mais humildes.*

especiar [De *espécie* + *-ar*[2].] *V. t. d. Biol.* Sofrer especiação (2).

especiaria [De *espécie* + *-aria*.] *S. f.* Qualquer produto de origem vegetal, aromático (cravo, canela, pimenta, noz-moscada, etc.) usado para condimentar iguarias; espécia, espécie: "Além dos carregamentos de pimenta e de arroz, vinham as especiarias: o cravo das Molucas, a noz e massa de Banda, o gengibre de Kollam, a canela de Simhala." (Oliveira Martins, *História de Portugal*, II, p. 24.)

espécie [Do lat. *specie*.] *S. f.* **1.** Gênero, natureza, qualidade, sorte: *indivíduos, objetos da mesma espécie.* **2.** Condição, caráter, casta: *Na festa havia gente de toda espécie.* **3.** Aparência, simulacro: *Usou de astúcia sob a espécie de amizade.* **4.** Aquilo que, não podendo definir precisamente, comparamos com outra coisa, por aproximação: *uma espécie de seda.* **5.** V. *especiaria*. **6.** *Bibliol.* Designação comum às entidades bibliológicas. **7.** *Biol.* Categoria taxonômica fundamental, abaixo do gênero (8), que se compõe de indivíduos muito semelhantes entre si e aos ancestrais, e que se entrecruzam gerando descendentes. V. *grupos taxonômicos*. **8.** *Econ. Ant.* Moeda, dinheiro. **9.** *Jur.* Ponto especial em litígio. **10.** *Lóg.* V. *gênero* (1). **11.** *Mat.* Quantidade da mesma natureza. **12.** *Quím.* Espécie química (q. v.). ◆ **Espécie jordaniana.** *Biol.* V. *jordanion*. **Espécie química.** *Quím.* Qualquer átomo, íon, molécula ou arranjo de átomos. [Tb. se diz apenas *espécie*.] **Causar espécie.** Causar estranheza; surpreender; fazer espécie. **Em espécie.** *Econ.* **1.** Em dinheiro: "Não só as quantias em dinheiro (salário em espécie) compreendem-se no salário, mas também as utilidades (salário *in natura*) fornecidas por força do contrato ou de costume, como a alimentação, habitação, transporte e vestuário." (Maximilianus C. A. Führer e Édis Milaré, *Manual de Direito Público e Privado*, p. 172.) **2.** Em mercadorias ou serviços, em vez de dinheiro: "Tendo .... conceituado como *tributo* 'toda prestação pecuniária compulsória, em moeda ou cujo valor nela se possa exprimir...', o Código Tributário Nacional afastou da natureza jurídico-formal tributária a prestação em espécie ..... As prestações em espécie eram nos primórdios e ainda são hoje, entre silvícolas, tributos *in natura* e tributos *in labore*." (Rui Barbosa Nogueira, *Curso de Direito Tributário*, p. 316.) **Fazer espécie.** Causar espécie. **Santas espécies.** *Teol.* Aparência do pão e do vinho após a transubstanciação.

especieiro [De *espécie* + *-eiro*.] *S. m.* Aquele que vende especiarias.

especificação [De *especificar* + *-ção*.] *S. f.* **1.** Ato ou efeito de especificar. **2.** Descrição rigorosa e minuciosa das características que um material, uma obra ou um serviço deverão apresentar. **3.** Cada item de tal descrição. [Tb. se usa no pl.] **4.** *Dir. Civ.* Modalidade de aquisição de propriedade, de coisa móvel alheia, que, por força de trabalho ou indústria de alguém, se transforma em espécie nova, irreversível à forma anterior. ~ V. *especificações*.

especificações *S. f. pl.* Especificação (3).

especificado [Part. de *especificar*.] *Adj.* Que se especificou; pormenorizado, individualizado.

especificador (ô) [De *especificar* + *-dor*.] *Adj.* **1.** Especificativo. ● *S. m.* **2.** Aquele que especifica.

especificar [Do lat. *specificare*.] *V. t. d.* **1.** Indicar a espécie de; ser a característica especial de. **2.** Explicar miudamente; esmiuçar: *O relatório especifica todas as particularidades.* **3.** Apontar individualmente; especializar: *O réu especificou todos os seus crimes.* [Conjug.: v. *trancar*. Pres. ind.: *especifico*, etc. Cf. *específico*.]

especificativo [De *especificar* + *-tivo*.] *Adj.* Que especifica ou envolve especificação; especificador.

especificidade [De *específico* + *-(i)dade*.] *S. f.* **1.** Qualidade do que é específico. **2.** Qualidade típica de uma espécie. **3.** *Med.* Propriedade duma doença cujos caracteres são nítidos e constantes, e cuja causa é sempre semelhante.

específico [Do lat. *specificu*.] *Adj.* **1.** Relativo a, ou próprio de espécie. **2.** Exclusivo, especial. **3.** Diz-se de medicamento que tem ação especial contra determinada doença. **4.** *Lóg.* Diz-se do que pertence à espécie. [Opõe-se a genérico (5).] ~ V. *calor —, calor — médio, condutância —a, diferença —a, empuxo —, gravidade —a, impulsão —a, impulso —, massa —a, peso —, resistência —a, rotação —a, velocidade —a, viscosidade —a e volume —.* ● *S. m.* **5.** *Bras.* Medicamento homeopático em comprimidos. [Cf. *especifico*, do v. *especificar*.]

especilho [Do lat. *specillu*.] *S. m. Ant.* Tenta (1).

espécime [Do lat. *specimen*.] *S. m.* **1.** Modelo, amostra, exemplo, tipo. **2.** *Bot. Zool.* Indivíduo representativo de uma classe, de um gênero, de uma espécie, etc. [F. paral.: *espécimen*.]

espécimen [Do lat. *specimen*.] *S. m.* V. *espécime*. [Pl.: *espécimens* e (p. us. no Brasil) *especímenes*.]

especiosidade [Do lat. *speciositate*.] *S. f.* Qualidade de especioso.

especioso (ô) [Do lat. *speciosu*.] *Adj.* **1.** De aparências enganadoras; ilusório, enganoso: "Onde não havia sentido, a frase era mais especiosa ou retumbante." (Machado de Assis, *Várias Histórias*, p. 182.) **2.** Que, com aparência de verdade, induz em erro: *argumentos especiosos.* **3.** Formoso, belo, atraente, sedutor: "E estamos a ver a especiosa Bárbara [uma das amadas de Camões] com as ancas bailadeiras, cinta bem torneada, ... tez levemente dourada dos trópicos, avançar com a travessa do arroz de caril na palma da mão" (Aquilino Ribeiro, *Luís de Camões*, II, p. 109).

espectador (ô) [Do lat. *spectatore*.] *S. m.* **1.** Aquele que vê qualquer ato; testemunha. **2.** Aquele que assiste a qualquer espetáculo. [Cf. *expectador*.]

espectável [Do lat. *spectabile*.] *Adj. 2 g.* **1.** Digno de ser visto. **2.** Notável. [Cf. *expectável*.]

espectral [De *espectro* + *-al*[1].] *Adj. 2 g.* **1.** Relativo ou semelhante a espectro ou fantasma. **2.** *Fís.* Relativo a um espectro (6 e 7). **3.** *Fís.* Diz-se de uma propriedade ou característica associada a um nível de energia, ou a uma grandeza ligada a um nível de energia num espectro. [Var.: *espetral*.] ~ V. *análise —, cor —, lâmpada —, linha —, raia —, série — e termo —.*

espectro [Do lat. *spectru*.] *S. m.* **1.** V. *fantasma* (3): *As revelações do espectro do Hamlet desencadeiam a ação da tragédia.* **2.** Figura imaterial, real ou imaginária que povoa o pensamento; sombra, fantasma: *Sentia-se vigiado pelos espectros dos antepassados.* **3.** Aparência vã de uma coisa: *Corre, desde moço, atrás do espectro da glória.* **4.** Aquilo que constitui ameaça: *o espectro da fome.* **5.** Pessoa esquelética, esquálida; fantasma: *Quem é este espectro que entrou na sala?* **6.** *Fís.* Função que caracteriza a distribuição de energia numa onda, ou num feixe de partículas, e que exprime essa distribuição em termos de variáveis apropriadas (comprimentos de onda, frequências, etc.). **7.** *Fís.* Resultante de um processo, ou de um fenômeno, em que se observa ou registra um efeito proveniente da distribuição de energia numa onda ou num feixe de partículas. [Var.: *espetro*.] ◆ **Espectro antibiótico.** *Terap.* Variedade de germes sobre a qual atua um antibiótico, dizendo-se deste, conforme seja a amplitude dessa variedade, que é de curto espectro ou de largo espectro. **Espectro de banda.** *Fís.* Aquele em que a energia é distribuída em intervalos mais ou menos estreitos de comprimentos de onda. É o espectro emitido, p. ex., pelos gases moleculares quando excitados eletricamente. **Espectro de linhas.** *Fís.* Espectro de raias. **Espectro de raias.** *Fís.* Aquele em que só existe energia para comprimentos de onda muito bem determinados; espectro de linhas. **Espectro eletromagnético.** *Fís.* A distribuição das radiações eletromagnéticas em função do comprimento de onda [v. *espectro* (7)], desde os raios gama, de menor comprimento, até as ondas longas de rádio. **Espectro solar.** O espectro visível (q. v.), observado inicialmente por Isaac Newton (1642-1727), e que se pode obter pela decomposição da luz solar ao incidir sobre uma das faces de um prisma triangular transparente (ou outro meio de refração ou de difração), atravessando-o e projetando-se sobre um meio ou um anteparo branco. **Espectro visível.** Campo do espectro eletromagnético que abrange uma pequena faixa capaz de ser captada pela vista humana, faixa essa situada entre os raios infravermelho e ultravioleta, e que compreende as seguintes cores, em gradação contínua: vermelho, alaranjado, amarelo, verde, azul e roxo. **De curto espectro.** *Med.* V. *espectro antibiótico*. **De largo espectro.** *Med.* V. *espectro antibiótico*.

▲**espectr(o)-** [Do lat. cient. *spectrum* < lat. *spectrum, i*, 'imagem', 'aparência'; 'fantasma'.] *El. comp.* = 'espectro (6 e 7)'; 'espectral (2 e 3)'; 'falto de substância sólida': *espectrometria, espectrômetro, espectroscopia*.

espectrofotografia [De *espectr(o)-* + *fotografia*.] *S. f. Quím.* Espectrografia. [Var.: *espetrofotografia*.]

espectrofotográfico [De *espectrofotografia* + *-ico*[2].] *Adj.* Referente à espectrofotografia. [Var.: *espetrofotográfico*.]

espectrofotometria [De *espectr(o)-* + *fotometria*.] *S. f. Fís.* Conjunto de métodos e técnicas de medida da intensidade de radiação luminosa, em função do comprimento de onda, num espectro de emissão ou de absorção. [Var.: *espetrofotometria*.]

espectrofotométrico [De *espectrofotometria* + *-ico*[2].] *Adj.* Relativo à espectrofotometria ou ao espectrofotômetro. [Var.: *espetrofotométrico*.]

espectrofotômetro [De *espectr(o)-* + *fotômetro*.] *S. m. Ópt.* Instrumento com que se obtém o espectro de uma radiação e se pode medir a intensidade de cada componente monocromático que o constitui. [Var.: *espetrofotômetro*.]

espectrografia [De *espectr(o)-* + *-grafia*.] *S. f. Quím.* Conjunto de técnicas de análises baseadas na obtenção e estudo de fotografias dos espectros de emissão de substâncias. [Var.: *espetrografia*.]

espectrográfico [De *espectrografia* + *-ico*[2].] *Adj.* Referente à espectrografia, ou ao espectrógrafo. [Var.: *espetrográfico*.]

espectrógrafo [De *espectr(o)-* + *-grafo*.] *S. m. Ópt.* Instrumento destinado a separar os componentes de uma radiação policromática e registrá-los em uma chapa fotográfica. [Var.: *espetrógrafo*.]

espectrologia [De *espectr(o)-* + *-logia*.] *S. f. Fís.* Tratado dos fenômenos espectrais. [Var.: *espetrologia*.]

espectrológico [De *espectrologia* + *-ico*[2].] *Adj.* Relativo à espectrologia. [Var.: *espetrológico*.]

espectrometria [De *espectr(o)-* + *-metria*.] *S. f. Quím.* Técnica de análise qualitativa e quantitativa baseada na obtenção e estudo do espectro de emissão de substâncias. [Var.: *espetrometria*.] ◆ **Espectrometria de chama.** *Quím.* Fotometria de chama. **Espectrometria de massas.** *Quím.* Técnica que emprega a fragmentação de molécula, induzida, p. ex., pelo impacto de elétrons, e detecção da massa e da abundância dos fragmentos resultantes, para deduzir a estrutura dessa molécula.

espectrométrico [De *espectrometria* + *-ico*[2].] *Adj.* Relativo à espectrometria. [Var.: *espetrométrico*.]

espectrômetro [De *espectr(o)-* + *-metro*.] *S. m.* 1. *Ópt.* Instrumento que separa uma radiação policromática nos seus componentes monocromáticos e permite medir os comprimentos de onda destes sem registrá-los numa chapa fotográfica. 2. *Fís. Nucl.* Instrumento que permite separar, de um feixe de partículas com várias energias, aquelas que têm uma determinada energia, e analisar, assim, a constituição energética do feixe. 3. *Fís. Part.* Conjunto de instrumentos destinados a identificar, medir o momento[1] (6) e a energia de partículas produzidas numa colisão. [Var.: *espetrômetro*.]

espectroscopia [De *espectr(o)-* + *-scop-* + *-ia*[1].] *S. f. Quím.* Conjunto de técnicas de análise qualitativa baseada na observação de espectros de emissão ou absorção de substâncias. [Var.: *espetroscopia*.] ◆ **Espectroscopia de ressonância magnética nuclear.** *Quím.* Técnica que emprega a absorção de radiação eletromagnética (com frequências na faixa das ondas de rádio) por certos núcleos atômicos, para determinar a estrutura de moléculas e que tb. é us. em medicina com fins diagnósticos. [Tb. se diz, apenas, *ressonância magnética* e *ressonância magnética nuclear*.] **Espectroscopia no infravermelho.** *Quím.* Técnica que emprega a absorção de radiação infravermelha por certos grupamentos atômicos, para determinar a estrutura de moléculas. **Espectroscopia no ultravioleta.** *Quím.* Técnica que emprega a absorção de radiação ultravioleta (e visível) por certos grupamentos atômicos, para determinar a estrutura de moléculas.

espectroscópico [De *espectroscopia* + *-ico*[2].] *Adj.* Relativo ao espectroscópio, ou à espectroscopia. ~ V. *paralaxe —a*. [Var.: *espetroscópico*.]

espectroscópio [De *espectr(o)-* + *-scópio*.] *S. m. Ópt.* Instrumento destinado a formar espectros de radiação eletromagnética, baseado na dispersão desta por um prisma ou por uma rede de difração. [Var.: *espetroscópio*.]

especula [Dev. de *especular*[2].] *S. 2 g. Bras. MG SP Fam.* Pessoa abelhuda: "Um pau de arara forte .... satisfazia a curiosidade dos perguntadores e especulas que sempre afluem nessas ocasiões." (Alaor Barbosa, *Picumãs*, p. 36.)

especulação [Do lat. *speculatione*.] *S. f.* 1. Ato ou efeito de especular[2]. 2. Investigação teórica, esp. de natureza exploratória, sem apoio de evidência sólida: *Minha ideia é apenas uma especulação.* 3. Compra e venda de mercadorias ou títulos, esp. de forma arriscada e visando lucros altos e rápidos. 4. Negócio em que uma das partes abusa da boa-fé da outra.

especulador (ô) [Do lat. *speculatore*.] *Adj.* 1. Que especula. ● *S. m.* 2. Aquele que especula. 3. Indivíduo que age de má-fé, procurando tirar proveito de uma situação, de determinada coisa. ◆ **Especulador financeiro.** Aquele que procura aproveitar oportunidades do mercado de ações ou outros ativos negociáveis para auferir lucros. **Especulador imobiliário.** Aquele que procura se aproveitar de oportunidades do mercado imobiliário não percebidas por outros agentes ou decorrentes de mudanças no zoneamento ou plano diretor das cidades por eles induzidas para auferir lucros.

especular[1] [Do adj. lat. *speculare*.] *Adj. 2 g.* 1. Referente a, ou próprio de espelho. 2. Transparente, diáfano. 3. Diz-se de uma superfície refletora. 4. *Med.* Diz-se de exame realizado com o espéculo. [Cf. *espicular*.] ~ V. *brilho —, nuclídeos —es* e *simetria —*.

especular[2] [Do v. lat. *speculare*.] *V. t. d.* 1. Examinar com atenção; averiguar minuciosamente; observar; indagar; pesquisar: *Especula a causa dos males atuais.* *T. i.* 2. Informar-se minuciosamente de algo: *Especulou sobre a situação financeira do novo cliente.* 3. *Econ.* Transacionar, esp. de forma arriscada: *Fulano especula com ações.* 4. Valer-se de certa posição, de circunstância, de qualquer coisa, para auferir vantagens; explorar: *Há autoridades que especulam com seus cargos.* 5. Cogitar, refletir: *especular sobre uma hipótese.* *Int.* 6. Meditar, raciocinar, refletir, considerar. 7. *Econ.* Comprar e vender (mercadorias, títulos, etc.) buscando ganhos a partir da oscilação dos preços, e correndo o risco de perdas. 8. *Fam.* Perguntar excessivamente ou de forma indiscreta; ser abelhudo: "Você é que nem padre, para especular!" (João Guimarães Rosa, "Minha Gente", *Sagarana*, p. 207.) [Pres. ind.: *especulo*, etc.; part.: *especulado*. Cf. *espéculo*, *espiculado* e *espicular*.]

especularita [De *especular*[1] + *-ita*[2].] *S. f. Min.* Forma de hematita (q. v.) que tem aspecto folheado e brilhante.

especulativo [Do lat. *speculativu*.] *Adj.* 1. Em que há especulação, busca arriscada de lucro: *transação especulativa.* 2. Relativo a, ou que envolve especulação, lucro, interesse: *atividade especulativa.*

espéculo [Do lat. *speculu*.] *S. m. Med.* Instrumento tubuliforme, ou com porção tubuliforme, us. na inspeção visual de certas cavidades do corpo. [Cf. *especulo*, do v. *especular*.]

espedaçar [De *es-* + *pedaço* + *-ar*[2].] *V. t. d. P.* Fazer(-se) em pedaços; despedaçar(-se): "Mar que regouga e estronda, espedaçando diques" (Olavo Bilac, *Poesias*, p. 234); "o coração, que não tem para dar senão suspiros, no fundo do peito se confrange todo, e se espedaça." (Antônio Feliciano de Castilho, *O Presbitério da Montanha*, I, p. 109). [Conjug.: v. *laçar*.]

espedregar [De *es-* + rad. *pedreg-*, como em *pedregulho* (q. v.), + *-ar*[2].] *V. t. d.* Expedrar. [Conjug.: v. *largar*.]

▲**espeleo-** [Do gr. *spélaion, ou*.] *El. comp.* = 'caverna', 'gruta': *espeleologia, espeleólogo.*

espeleologia [De *espeleo-* + *-logia*.] *S. f. Geol.* Estudo e exploração das cavidades naturais do solo: grutas, cavernas, fontes, etc.

espeleológico [De *espeleologia* + *-ico*[2].] *Adj.* Relativo à espeleologia.

espeleologista [De *espeleologia* + *-ista*.] *S. 2 g.* Especialista em espeleologia; espeleólogo.

espeleólogo [De *espeleo-* + *-logo*.] *S. m.* Espeleologista.

espeleotema [De *espeleo-* + gr. *théma*, 'aquilo que se deposita sobre'.] *S. m. Geol.* Nome genérico de diferentes formações minerais, ger. calcárias, que ocorrem nas cavidades naturais, como, p. ex., as estalactites, estalagmites, etc.

espeleu [Do lat. *spel-*, como no lat. *spelaeum* e *speleum*, 'gruta', + *-eu*.] *Adj.* Que vive em caverna ou gruta. [Fem.: *espeleia*.]

espelhação [De *espelhar* + *-ção*.] *S. f.* Espelhamento.

espelhado [De *espelho* + *-ado*[1].] *Adj.* 1. Polido ou liso como espelho. 2. *Prop.* Diz-se do anúncio publicado em página dupla (q. v.) de jornal ou revista.

espelhamento [De *espelhar* + *-mento*.] *S. m.* Ato ou efeito de espelhar(-se); espelhação.

espelhante [De *espelhar* + *-nte*.] *Adj. 2 g.* V. *espelhento*.

espelhar [De *espelho* + *-ar*[2].] *V. t. d.* 1. Converter em espelho; tornar liso, polido. 2. Refletir como um espelho; deixar ver; refletir, retratar: *As águas do lago espelham o castelo*; "És belo, és forte, impávido colosso, / E o teu futuro espelha essa grandeza." (Osório Duque-Estrada, em *Hino Nacional Brasileiro*.) 3. Consertar as margens de (estampa, página de livro, etc.), pondo-as em moldura de papel, de sorte que fique visível a parte impressa. [V. *solfar*[2] (I).] 4. *Jorn.* Fazer a previsão das páginas jornalísticas e publicitárias que serão publicadas num jornal ou revista. *Int.* 5. Refletir a luz como um espelho; brilhar: "O mar azul, muito claro, espelhando ao sol das três." (Herman Lima, *Garimpos*, p. 12); *Gotas de orvalho espelham nas árvores.* *P.* 6. Ver-se em espelho. 7. Refletir-se, brilhar: "A lua espelha-se nas águas." (Anrique Paço d'Arcos, *Estrada sem Fim*, p. 63.) 8. Tornar-se evidente; patentear-se. 9. Comprazer-se em ver alguém ou algo; rever-se, mirar-se. [Conjug.: v. *aparelhar*.]

espelharia [De *espelho* + *-aria*.] *S. f.* Fábrica ou loja de espelhos.

espelheiro [De *espelho* + *-eiro*.] *S. m.* Fabricante, vendedor ou consertador de espelhos.

espelhento [De *espelho* + *-ento*.] *Adj.* Que reflete como um espelho; polido, claro, cristalino, espelhante.

espelhim [De *espelho* + *-im*.] *S. m.* Gesso branco lustroso: "Meus anjos suaves! / Um de asas brancas como espelhim / e um de asas roxas de goivo, graves, / tristes enfim." (Murilo Araújo, *Poemas Completos*, I, p. 36.)

espelho (ê) [Do lat. *speculu*.] *S. m.* 1. *Ópt.* Superfície refletora constituída por uma película metálica depositada sobre um dielétrico (ger. vidro) polido, ou pela superfície de um corpo metálico polido. 2. Objeto montado com tal superfície, ger. dotado de moldura ou suporte: *espelho de parede*; *espelho de mão.* 3. *Fig.* Modelo, exemplo: *espelho de virtudes.* 4. *Fig.* Imagem, representação, reflexo: *Os olhos são o espelho da alma.* 5. A parte vertical do degrau da escada. 6. *Art. Gráf.* Desenho ou esquema que orienta a paginação de um impresso em conformidade com a diagramação estabelecida. 7. *Encad.* Charneira (4). 8. *Tec.* Num trocador de calor, peça onde se soldam os tubos. 9. *Tip.* Planilha (1). 10. *Turfe* Linha de chegada das corridas de cavalos, assim chamada porque nela realmente existe um espelho, através do qual se pode observar na fotografia a chegada pelos dois lados e dirimir possíveis dúvidas quanto ao vencedor ou às colocações posteriores; disco final. 11. *Zool.* Mancha ou área transparente nas asas de alguns lepidópteros. 12. *Zool.* Mancha nas asas de certas aves, formada por penas de colorido brilhante. 13. *Zool.* Nas cigarras, membrana situada nos órgãos produtores de som. 14. *Bras.* Nas máquinas a vapor, a parte do cilindro sobre a qual desliza o sulaque. 15. *Bras.* Designação comum às placas anterior e posterior das caldeiras, às quais são presos os cabos. ◆ **Espelho da falha.** *Geol.* A face polida da falha, resultante da fricção das faces opostas da rocha que sofreu o falhamento. **Espelho de fechadura.** Chapa exterior da fechadura, que contém os buracos para a chave e para a maçaneta; escudete. **Espelho eletrônico.** *Eletrôn.* Campo eletromagnético estabelecido entre eletrodos de forma apropriada, e capaz de refletir elétrons que o atinjam. **Espelho magnético.** *Fís.* Campo magnético no espaço, capaz de refletir íons de um plasma gasoso que nele incidam. **Espelho parabólico.** Aquele cuja superfície refletora é um paraboloide de revolução. [Tem a propriedade de refletir num feixe luminoso direcional a luz que se acende no seu foco.] **Espelho retrovisor.** *Autom.* V. *retrovisor*.

espelho-d'água *S. m.* A superfície das águas de lagos, artificiais ou não. [Pl.: *espelhos-d'água*.]

espelho-de-vênus [De *espelho* + *de* + o mit. lat. *Venus*, a deusa do amor (correspondente, no gr., à Afrodite).] *S. m. Bras. Bot.* Designação comum a várias plantas escrofulariáceas, herbáceas e ornamentais, pertencentes ao gênero *Mimulus*, dotadas de folhas onduladas, verde-acinzentadas, flores de cor azul ou violeta, grandes e dispostas em racimos terminais, e frutos que são cápsulas. [Pl.: *espelhos-de-vênus*.]

espelho sem aço *S. 2 g. Fam.* Pessoa que se põe na frente de outra obstruindo-lhe a visão. [Pl.: *espelhos sem aço*.]

espelina [Do lat. cient. *espelina* (de or. obsc.).] *S. f. Bras. CE MG SP GO MT Bot.* Planta cucurbitácea (*Cayaponia espelina*) de caule trepador ou rasteiro, flores solitárias, alvacentas, cujo cálice e corola femininos são menores que os masculinos e cujo fruto é um pepônio pequeno, cilíndrico, carnoso e avermelhado, com sementes brancas e glabras; tem propriedades medicinais. [Sin.: *espelina-verdadeira, carijó, purga-de-carijó, tomba, taiuiá*.]

espelina-falsa [De *espelina* + o f. de *falso*.] *S. f. Bras. Bot.* Falsa-espelina. Pl.: *espelinas-falsas*.]

espelina-verdadeira [De *espelina* + o f. de *verdadeiro*.] *S. f. Bras. Bot.* V. *espelina*. [Pl.: *espelinas-verdadeiras*.]

espeloteado [De *es-* + *pelota*[1] + *-eado*.] *Adj. S. m. Bras. S.* Diz-se de, ou indivíduo sem critério, tonto, estouvado, adoidado, desmiolado.

espeloteamento [De *espelotear* + *-mento*.] *S. m. Bras. S.* Procedimento ou modos de espeloteado; falta de critério; estouvamento. [Sin. (no S.): *espeloteio*.]

espelotear [De *es-* + *pelota*[1] + *-ear*[2].] *V. int. Bras. S.* Proceder estouvadamente, como espeloteado; dar por paus e por pedras. [Conjug.: v. *frear*.]

espeloteio [Dev. de *espelotear*.] *S. m. Bras. S.* V. *espeloteamento*.

espelta [Do cat. *espelta*.] *S. f.* Espécie de trigo de qualidade inferior (*Triticum spelta*).

espelunca [Do lat. *spelunca*.] *S. f.* 1. Caverna, antro. 2. Lugar escuro e imundo. 3. Local sujo e/ou esconso onde se joga [v. *jogar* (17)].

espenda [De or. incerta.] *S. f.* Parte da sela em que assenta a coxa do cavaleiro: "se sofreia o animal para trocar duas palavras com um conhecido, cai logo [o sertanejo] sobre um dos estribos, descansando sobre a espenda da sela." (Euclides da Cunha, *Os Sertões*, p. 114).

espenejar [Var. de *espanejar*.] *V. t. d.* 1. Espanejar, espanar. *P.* 2. Sacudir a roupa que se traz vestida. 3. Adornar-se, alindar-se, enfeitar-se, ataviar-se. [Conjug.: v. *pelejar*.]

E

espenicar [De *es-* + *pena*[1] + *-icar*.] *V. t. d.* **1.** Arrancar ou cortar as penas a (uma ave); depenar, desplumar, deplumar. **2.** *Fig.* Vestir com apuro; enfeitar. *P.* **3.** Catar-se (a ave), compondo as penas com o bico. **4.** Ataviar-se com apuro; ataviar-se, enfeitar-se, ornar-se. [Conjug.: v. *trancar*. Cf. *espinicar-se*.]

espenifrar [De *espenifre* + *-ar*[2].] *V. int.* Ganhar no espenifre.

espenifre [De or. obscura.] *S. m.* Antigo jogo de cartas em que o dois de paus era a carta de maior valor.

espeque [Do fr. *anspect* < neerl. ant. *handspaecke* (atual *handspaak*).] *S. m.* **1.** V. *escora* (1). **2.** *Fig.* Apoio, arrimo, amparo. **3.** *Bras. N.E.* Torno de madeira das jangadas, no qual se amarram, na proa, a corda do tauaçu, que serve de âncora, e na popa, a escota da vela.

espera[1] [Dev. de *esperar*.] *S. f.* **1.** Ato ou efeito de esperar. **2.** Expectativa, esperança. **3.** Demora, dilação. **4.** Ponto ou lugar marcado para se esperar ou aguardar alguém ou alguma coisa. **5.** Emboscada, cilada, tocaia. **6.** Prazo marcado ou concedido para a execução de algo. **7.** Peça na qual se apoia ou se fixa por meio de parafuso de pressão a ferramenta do torno (1). **8.** Armadilha em cepo ou espingarda para caça grossa. **9.** *Arquit.* V. *dentilhão* (2). **10.** *Bras.* Correia da sela onde se abotoam as cilhas. **11.** *Bras. AM MT* Lugar remansoso, em rio ou baía, onde se abrigam as embarcações que estão à espera de monção para prosseguir viagem. **12.** *Bras. PA* Lugar abrigado do vento ou, graças à sua profundidade, garantido da pororoca, e onde se espera a maré seguinte para continuar a viagem.

espera[2] *S. f. Ant.* Esfera.

esperado [Part. de *esperar*.] *Adj.* **1.** Que se espera. **2.** Provável; previsto: *Verificou-se a esperada catástrofe.* • *S. m.* **3.** O que é esperado ou desejado.

esperadoiro [De *esperar* + *-doiro*[2].] *S. m.* Esperadouro (q. v.).

esperadouro [De *esperar* + *-douro*[2]; var. de *esperadoiro*.] *S. m.* Lugar onde se espera.

espera-felizense *Adj. 2 g. S. 2 g.* V. *espera-felizense*.

espera-felizense *Adj. 2 g.* **1.** De, ou pertencente ou relativo a Espera Feliz (MG). • *S. 2 g.* **2.** O natural ou habitante de Espera Feliz. [Pl.: *espera-felizenses*.]

esperagana [De or. obsc.] *S. f. Tec. Têx.* Certo tecido antigo.

espera-marido [De *esperar* + *marido*.] *S. m. Bras. Cul.* Doce de ovos e açúcar queimado. [Pl.: *espera-maridos*.]

esperança [De *esperar* + *-ança*.] *S. f.* **1.** Ato de esperar o que se deseja. **2.** Expectativa, espera. **3.** Fé, confiança em conseguir o que se deseja. **4.** Aquilo que se espera ou deseja: *Minha esperança é que ele chegue logo.* **5.** *Rel.* A segunda das três virtudes teologais, simbolizada por uma âncora. **6.** *Bras. Zool.* Inseto ortóptero, tetigonióideo, de antena setácea, geralmente mais longa que o corpo, pernas espinhosas, e ovipositor ensiforme. Tem, de ordinário, cor verde. ◆ **Esperança de vida.** *Demogr.* V. *esperança de vida ao nascer*. **Esperança de vida ao nascer.** *Demogr.* Número médio esperado de anos de vida de um indivíduo, calculado a partir dos padrões de mortalidade da população respectiva; esperança de vida; expectativa de vida. **Esperança matemática.** *Estat.* A média de uma função de uma variável aleatória sobre uma distribuição desta variável. [Correntemente a função é a própria variável.] **Estar de esperanças.** Achar-se grávida (a mulher). **Que esperança!** *Bras.* Qual o quê!; qual nada!; nunca!: *— Será que ele vem agora? — Que esperança!*

esperançado [Part. de *esperançar*.] *Adj.* Que tem esperança.

esperançar [De *esperança* + *-ar*[2].] *V. t. d.* **1.** Dar esperança(s) a; animar, estimular. *P.* **2.** Ter ou adquirir esperança. [Conjug.: v. *laçar*.]

esperancense[1] *Adj. 2 g.* **1.** De, ou pertencente ou relativo a Esperança (PB). • *S. 2 g.* **2.** O natural ou habitante de Esperança.

esperancense[2] *Adj. 2 g.* **1.** De, ou pertencente ou relativo a Boa Esperança (ES e MG). • *S. 2 g.* **2.** O natural ou habitante de Boa Esperança.

esperançoso (ô) [De *esperança* + *-oso*.] *Adj.* **1.** Que tem esperança. **2.** Que dá esperança; prometedor.

esperantinense *Adj. 2 g.* **1.** De, ou pertencente ou relativo a Esperantina (PI). • *S. 2 g.* **2.** O natural ou habitante de Esperantina.

esperantinopense *Adj. 2 g.* **1.** De, ou pertencente ou relativo a Esperantinópolis (MA). • *S. 2 g.* **2.** O natural ou habitante de Esperantinópolis. [Sin. ger.: *esperantinopolense*.]

esperantinopolense *Adj. 2 g. S. 2 g.* V. *esperantinopense*.

esperantista [De *esperanto* + *-ista*.] *Adj. 2 g.* **1.** Relativo ao esperanto. **2.** Que pratica ou é adepto dessa língua: *um professor esperantista; liga esperantista.* • *S. 2 g.* **3.** Pessoa que fala esperanto ou é seu adepto.

esperanto [Do pseudônimo *Esperanto*, do Dr. L. L. Zamenhof (1859-1917).] *S. m. Gloss.* Língua auxiliar de comunicação internacional, elaborada pelo médico judeu-polonês Ludwik Lejzer Zamenhof e por ele divulgada em 1887.

esperar [Do lat. *sperare*.] *V. t. d.* **1.** Ter esperança em; contar com: *Os fiéis esperavam um milagre.* **2.** Estar ou ficar à espera de; aguardar: *Esperou o amigo horas a fio;* "O Rio moderno espera, afinal, o seu romancista." (Brito Broca, *Horas de Leitura*, p. 163). **3.** Supor, conjeturar, presumir, imaginar: *Jamais poderiam esperar aquele procedimento.* **4.** Ter esperança em; contar com a realização de (coisa desejada ou prometida): *Esperava encontrá-lo dentro de poucos dias.* **5.** Estar reservado ou destinado a: *Sabia que ali o esperava a fama.* **6.** Aguardar em emboscada. *T. d. e i.* **7.** Contar obter: *Costuma esperar tudo de seus amigos.* *T. i.* **8.** Ter fé; confiar: *esperar em Deus.* **9.** Ter esperança; contar com a realização (de coisa desejada): "Nuvens que vêm, / nuvens que vão... / Esperar por um bem, / ai, esperar em vão!" (Onestaldo de Pennafort, *Poesias*, p. 216.) *Int.* **10.** Estar na expectativa: "ante os seus olhos, cravados na penumbra, fatigados de esperar, surgiam, então, imagens estranhas." (Eça de Queirós, *Últimas Páginas*, pp. 264-265). **11.** Ter fé; confiar: "Quem espera sempre alcança" (prov.). [Pres. ind.: *espero*, etc. Cf. *Héspero*, mit. e antr.]

esperável [Do lat. *sperabile*.] *Adj. 2 g.* Que se pode esperar; provável, presumível: *resultado esperável.*

esperdiçado [Part. de *esperdiçar*.] *Adj.* **1.** Que se esperdiçou; desaproveitado; desperdiçado. **2.** *Fig. Fam.* Predileto, querido; mimoso. **3.** *Desus.* Arroubado, extasiado.

esperdiçador (ô) [De *esperdiçar* + *-dor*.] *Adj. S. m.* V. *desperdiçador*.

esperdiçar [De *desperdiçar*, com mudança de pref.] *V. t. d.* **1.** V. *desperdiçar*. **2.** *Bras. N.E.* Perder (a rês, o gado) no mato. [Conjug.: v. *laçar*.]

esperdício [Dev. de *esperdiçar*.] *S. m.* V. *desperdício*.

esperlina [De or. obsc.] *S. f. Bras. L. S. Bot.* Planta fabácea (*Phaseolus prostratus*) de caule prostrado, dotada de flores amarelo-limão, dispostas em racimos mais compridos que as folhas, e cujos frutos são vagens com algumas sementes; feijão-do-mato.

esperma [Do gr. *spérma*, 'semente', pelo lat. *sperma*.] *S. m. Biol.* Líquido fecundante, constituído por espermatozoides e por plasma seminal, e produzido pelos órgãos genitais dos animais machos. [Sin.: *fluido seminal, sêmen, semente*, e (chulo) *esporro, langonha, porra*.]

espermacete [Do lat. med. *sperma ceti*, 'sêmen de baleia'.] *S. m. Zool.* Substância gordurosa presente esp. nas cavidades da cabeça dos cachalotes, cuja função ainda não está definida, e com que se fabricam velas; cetina.

espermácia [Do lat. cient. *spermatia*.] *S. f. Bot.* **1.** Nas rodofíceas, gameta masculino nu, imóvel e incolor. **2.** Nos liquens, pequena célula acicular oriunda do espermagônio. [F. paral.: *espermácio*.]

espermácio [Do lat. cient. *spermatium*.] *S. m. Bot.* Espermácia.

espermáfita [De *esperma* + *-fita*; tax. *Spermatophyta*.] *S. f. Bot.* V. *espermatófito*.

espermáfito [De *esperma* + *-fito*.] *S. m. Bot.* V. *espermatófito*.

espermagónio *S. m. Biol. Bot.* V. *espermagônio*. [Uso freq. em P.]

espermagônio [De *esperma* + lat. cient. *gonium*.] *S. m.* **1.** *Biol.* Espermatogônio. **2.** *Bot.* Cavidade em que se formam as espermácias.

espermateca [De *esperma* + *-teca*.] *S. f. Zool.* Nas fêmeas de muitos invertebrados, bolsa na qual ficam guardados os espermatozoides que mais tarde irão servir para a fecundação.

espermático [Do gr. *spermatikós*, pelo lat. *spermaticu*.] *Adj.* Relativo ao esperma, ao espermatozoide ou à semente: *núcleo espermático.* ~ V. *cordão* —.

espermátide [De *espermat(o)-* + *-ide*[1].] *S. f. Biol.* Célula haploide resultante de divisão de um espermatócito secundário, e que, ao sofrer diferenciação (4), dará origem a espermatozoide; espermatídeo.

espermatídio [De *espermat(o)-* + *-idio*[1].] *S. m. Biol.* Espermátide.

espermatizar [Do gr. *spermatízein*.] *V. t. d.* Fecundar com o esperma.

▲**espermat(o)-** [Do gr. *spérma, atos*.] *El. comp.* = 'semente'; 'esperma': *espermatologia*. [Equiv.: *espermi-, espermio-* (q. v.), *-sperma, -spermat(o)-, -sperm(o)-, -spermo*: *espermicida; espermiogênese; aspidosperma; aspermatismo; gimnospermia; liospermo*.]

espermatocele [De *espermat(o)-* + *-cele*[1].] *S. f. Urol.* Distensão cística de epidídimo, ou da rede formada pelos túbulos seminíferos que contêm espermatozoides; gonocele.

espermatócito [De *espermat(o)-* + *-cito*.] *S. m. Biol.* Célula precursora da espermátide e de que há dois tipos, o primário e o secundário. ◆ **Espermatócito primário.** *Biol.* Célula diploide, originária de espermatogônio, e que sofre divisão por meiose. **Espermatócito secundário.** *Biol.* Célula haploide originada de espermatócito primário, e que dará origem, por meiose, a duas espermátides.

espermatoderme [De *espermat(o)-* + *-derme*.] *S. f. Bot.* Testa (6).

espermatófita [De *espermat(o)-* + *-fita*; tax. *Spermatophyta*.] *S. f. Bot.* **1.** V. *espermatófito*.

espermatófito [De *espermat(o)-* + *-fito*.] *S. m. Bot.* Espécime dos espermatófitos, divisão que reúne as plantas vasculares que têm sementes, as quais se subdividem em angiospermas e gimnospermas; espermatófita, espermáfita, espermáfito.

espermatóforo [De *espermat(o)-* + *-foro*.] *S. m. Zool.* Cavidade onde se alojam, nos machos, os espermatozoides. [Frequente em insetos e moluscos.]

espermatogénese *S. f. Biol.* V. *espermatogênese*. [Uso freq. em P.]

espermatogênese [De *espermat(o)-* + *-gênese*.] *S. f. Biol.* Sequência de processos de divisão e diferenciação celular mediante os quais os espermatozoides são formados.

espermatogenético [De *espermatogên(ese)* + *-ético*.] *Adj.* Respeitante à espermatogênese.

espermatogónio *S. m. Biol.* V. *espermatogônio*. [Uso freq. em P.]

espermatogônio [De *espermat(o)-* + *-gon(o)-*[2] + *-io*[3].] *S. m. Biol.* Célula diploide, situada nas paredes dos túbulos seminíferos dos testículos que, por ocasião da maturidade sexual do metazoário, sofre mitoses sucessivas, originando novos espermatogônios, ou para de se dividir e cresce, tornando-se espermatócito primário (q. v.); espermagônio.

espermatografia [De *espermat(o)-* + *-grafia*.] *S. f.* Descrição das sementes.

espermatográfico [De *espermatografia* + *-ico*[2].] *Adj.* Referente à espermatografia.

espermatologia [De *espermat(o)-* + *-logia*.] *S. f.* Tratado acerca do esperma.

espermatológico [De *espermatologia* + *-ico*[2].] *Adj.* Referente à espermatologia.

espermatorreia (éi) [De *espermat(o)-* + *-reia*.] *S. f. Urol.* Derramamento involuntário, frequente e excessivo de esperma, sem que tenha ocorrido cópula. ❖

espermatorreico (éi) [De *espermator(reia)* + *-reico*.] *Adj.* Referente à espermatorreia. ❖

espermatozoide (ói) [De *espermat(o)-* + *-zo(o)-* + *-oide*.] *S. m. Biol.* Célula reprodutora masculina, haploide, ger. capaz de locomoção; microgameta, gameta masculino. ❖

▲**espermi-** V. *espermat(o)-*.

espermicida [De *espermi-* + *-cida*.] *Adj. 2 g. S. m. Farmac.* Diz-se de, ou substância que destrói espermatozoide.

▲**espermio-** [Do lat. cient. *spermium*.] V. *espermat(o)-*.

espermiogénese *S. f. Biol.* V. *espermiogênese*.

espermiogênese [De *espermio-* + *-gênese*.] *S. f. Biol.* Processo de maturação que transforma espermátide em espermatozoide maduro.

espernear [De *es-* + *perna* + *-ear*[2].] *V. int.* **1.** Agitar convulsivamente as pernas; pernear, espernegar. **2.** Não obedecer a imposição; revoltar-se; insubordinar-se. [Conjug.: v. *frear*.]

espernegar [Do lat. vulg. **expernicare*.] *V. int.* **1.** V. *espernear* (1). *P.* **2.** Estender-se ao comprido; estatelar-se. [Conjug.: v. *regar*.]

esperneio [Dev. de *espernear*.] *S. m.* Ato ou efeito de espernear(-se).

esperrilita [Do antr. (*Francis L.*) *Sperry*, químico canadense do séc. XIX, + *-lita*.] *S. f. Min.* Mineral isométrico, arsenieto de platina, importante minério desse metal.

espertador (ô) [De *espertar* + *-dor*.] *Adj.* **1.** Que esperta. • *S. m.* **2.** Aquele ou aquilo que esperta.

espertalhão [De *esperto* + *-alhão*.] *Adj.* **1.** Diz-se de homem esperto, finório, velhaco, astuto, malicioso; esperto. • *S. m.* **2.** Indivíduo espertalhão; esperto. [Fem.: *espertalhona*.]

espertalhona *S. f.* Fem. de *espertalhão*.

espertamento [De *espertar* + *-mento*.] *S. m.* Ato de espertar(-se).

espertar [Do lat. **expertare* < lat. vulg. *expertu* < lat. *expergitu* (clás. *experrectus*), part. pass. de *expergisci*, 'despertar'.] *V. t. d.* **1.** Tornar esperto (1); acordar, despertar. **2.** Estimular, animar; reanimar: *Estava abatido, mas aquelas palavras espertaram-no;* "sorvemos longos goles de cerveja, até espertar o corpo." (Lima Barreto, *Vida e Morte de M. J. Gonzaga de Sá*, p. 159). **3.** Excitar, provocar: *Os acontecimentos espertaram antigos desejos seus.* **4.** Avivar, ativar: *espertar o fogo.* **5.** *Mar.* Tesar (um cabo). **6.** *Mar.* Apertar (uma cunha de mastro ou mastaréu). *T. d. e i.* **7.** Dirigir, chamar: *Os amigos espertaram sua atenção para o problema familiar.* *Int. P.* **8.** Sair do sono ou do torpor; despertar. **9.**

Cobrar ânimo; animar-se, alentar-se. [Pres. ind.: *esperto*, etc. Cf. *experto*.]

esperteza (ê) [De *esperto* + *-eza* (ê).] ***S. f.*** **1.** Ação, modos ou dito de pessoa esperta. **2.** Habilidade maliciosa; malícia, manha, astúcia.

espertina [De *esperto* + *-ina*[1].] ***S. f.*** V. *insônia*: "o sono tarda, os relógios da vizinhança continuam a comentar ironicamente a minha espertina" (José Gomes Ferreira, *O Mundo dos Outros*, p. 51).

espertinar [De *espertina* + *-ar*[2].] ***V. t. d.*** **1.** Causar espertina ou insônia a; não deixar dormir. ***Int.*** **2.** Ter insônia.

esperto [Do lat. vulg. *expertu* (v. *espertar*).] ***Adj.*** **1.** Acordado, desperto. **2.** Inteligente, fino, arguto: *Nada lhe escapa: é muito esperto.* **3.** Enérgico, vigoroso: *movimentos espertos.* **4.** Espertalhão (1). **5.** Forte, vivo: *fogo esperto.* **6.** Quase quente: *Estranhou a água do banho, que estava esperta.* **7.** *Bras. Gír.* V. *bacana* (1). • ***S. m.*** **8.** Espertalhão (2): *O mundo é dos espertos.* [Cf. *experto*.]

espescoçar [De *es-* + *pescoço* + *-ar*[2].] ***V. t. d.*** **1.** Cavar (a terra) em torno da vide, e a certa distância. ***P.*** **2.** Alongar o pescoço. [Conjug.: v. *laçar*.]

espessado [Part. de *espessar*.] ***Adj.*** Tornado espesso ou grosso.

espessamento [De *espessar* + *-mento*.] ***S. m.*** Ação ou efeito de espessar(-se). ◆ **Espessamento de Caspary.** *Bot.* V. *endoderma* (2).

espessante [De *espessar* + *-nte*.] ***S. m.*** *Quím.* Substância us., p. ex., em indústria de alimentos, para aumentar a viscosidade e/ou dar consistência gelatinosa a um líquido ou emulsão.

espessar [Do lat. *spissare*.] ***V. t. d.*** **1.** Tornar espesso, grosso ou denso; engrossar; condensar. ***P.*** **2.** Tornar-se espesso, denso. [Pres. ind.: *espesso, espessas, espessa, ... espessam*; pres. subj.: *espesse, espesses, espesse, espessemos, espesseis, espessem*. Cf. o pres. ind. e o pres. subj. do v. *espeçar*; este v.; *expeço, expeça, expeças, ... expeçam*, do v. *expedir*; e *espesso* (ê), adj., flex. *espessa* (ê), *espessas* (ê).]

espessartita [Do fr. *spessartite* (< top. *Spessart*, cadeia de montanhas da Alemanha).] ***S. f.*** *Min.* Mineral monométrico, do grupo das granadas, silicato de manganês e alumínio, pedra semipreciosa, avermelhada.

espessidão [Do lat. *spissitudine*.] ***S. f.*** Espessura, grossura.

espesso (ê) [Do lat. *spissu*.] ***Adj.*** **1.** Grosso, denso: *calda espessa; tecido espesso.* **2.** Basto, cerrado: *arvoredo espesso.* **3.** Compacto, sólido: *uma espessa camada de tinta.* **4.** Opaco, turvo: *ar espesso.* ~ V. *lente —a*. [Flex.: *espessa* (ê), *espessos* (ê), *espessas* (ê). Cf. *espesso, espessa, espessas*, do v. *espessar*; *espeço, espeças, espeça*, do v. *espeçar*; e *expeço, expeça, expeças*, do v. *expedir*.]

espessura [De *espesso* + *-ura*.] ***S. f.*** **1.** Qualidade de espesso; grossura: *a espessura da madeira, do tecido.* **2.** Densidade: *a espessura do melado; a espessura do ar.* **3.** Bastidão (1): *a espessura do matagal.* **4.** Mata cerrada; bosque. **5.** *Ind. Pap.* Grossura da folha de papel, cartolina, etc.; corpo.

espeta-caju [De *espetar* + *caju*.] *Bras.* ***S. 2 g.*** **1.** Tapuio ou mestiço de cabelos duros e eriçados. • ***S. m.*** **2.** *P. ext.* Cabelo duro e eriçado. [Pl.: *espeta-cajus*.]

espetacular [De *espetáculo* + *-ar*[2].] ***Adj. 2 g.*** *Bras.* **1.** Que constitui espetáculo (1); espetaculoso. **2.** Muito bom; excelente: *um filme espetacular.*

espetacularização [De *espetacularizar* + *-ção*.] ***S. f.*** Ato ou efeito de espetacularizar.

espetacularizar [De *espetacular* + *-izar*.] ***V. t. d.*** Dar caráter de espetáculo a.

espetáculo [Do lat. *spectaculu*.] ***S. m.*** **1.** Tudo o que chama a atenção, atrai e prende o olhar: *A parada foi um belo espetáculo.* **2.** Contemplação, vista: *Alegrou-me o espetáculo daquela felicidade.* **3.** Representação teatral, exibição de cinema, televisão, etc., ou qualquer demonstração pública de canto, dança, interpretação musical, etc.; função. **4.** Cena ridícula e/ou escandalosa. ◆ **Dar espetáculo. 1.** Ser objeto de zombaria, mofa ou escândalo; servir de espetáculo. **2.** Provocar escândalo: "A menina rica pediu-me que não desse espetáculo, pois havia gente passando" (Augusto Frederico Schmidt, *As Florestas*, p. 48). **Servir de espetáculo.** Dar espetáculo (1). **Um espetáculo.** Pessoa ou coisa excepcionalmente bonita e/ou vistosa, que impressiona vivamente: "Apanhou um broto de fechar farmácia de plantão, um mulheraço de um metro e oitenta, um espetáculo" (Rubem Fonseca, *A Coleira do Cão*, p. 169).

espetaculosidade [De *espetaculoso* + *-(i)dade*.] ***S. f.*** Qualidade ou procedimento de espetaculoso.

espetaculoso (ô) [De *espetáculo* + *-oso*.] ***Adj.*** **1.** Que dá muito na vista; espetacular. **2.** Ostentoso, aparatoso, pomposo. **3.** Que é dado a espetáculos, a cenas ridículas e/ou escandalosas; espalhafatoso.

espetada [De *espetar* + *-ada*[1].] ***S. f.*** **1.** Ato de espetar. **2.** Golpe de espeto. **3.** Enfiada de coisas para assar no espeto. **4.** *Fig.* V. *alfinetada* (3).

espetadela [De *espetar* + *-dela*.] ***S. f.*** **1.** Ato de espetar, ou de espetar levemente. **2.** Entalação, entaladela, aperto. [Sin. nessas acepçs.: *espetanço*.] **3.** Logro, fraude, engano. **4.** *Fig.* V. *alfinetada* (3).

espetado [Part. de *espetar*.] ***Adj.*** **1.** Enfiado em espeto; atravessado por espeto. **2.** *Fig.* Atravessado, traspassado (por arma). **3.** *Fig.* Ereto, teso; empertigado.

espetador (ô) ***Adj. S. m.*** V. *espectador*. [Uso próprio de P.] ⊙

espetalar [De *es-* + *pétala* + *-ar*[2].] ***V. t. d. Int. P.*** V. *despetalar*: "Entrevistas, a medo, pelo outono, / à noite, entre rosais a espetalar..." (Austro-Costa, *Mulheres e Rosas*, p. 55); "uma longa e sombria alameda / de laranjais em flor se espetalando ao luar." (Gilca da Costa Melo Machado, *Poesias*, p. 147).

espetanço [De *espetar* + *-anço*.] ***S. m.*** *Gír.* V. *espetadela* (2 e 3).

espetão [De *espeto* + *-ão*[1].] ***S. m.*** **1.** Instrumento de ferro com a extremidade anzolada, usado para se tirar da forja o cadinho. **2.** Ferro aguçado com que os artilheiros desmancham revestimentos de argila. **3.** Designação de outros objetos semelhantes ao espeto e maiores que ele.

espetar [De *espeto* + *-ar*[2].] ***V. t. d.*** **1.** Furar ou atravessar com espeto: *espetar a carne para assar.* **2.** Fixar, atentar (a vista). **3.** *Fam.* Comprometer; encalacrar. **4.** *Bras. Gír.* Prejudicar (o adversário) no jogo. **5.** *Bras. MA Gír.* Deixar de comparecer a (trabalho, aula, etc.). **6.** Causar incômodo, desconforto ou irritação na pele de: *Cortei a etiqueta da minha camisa nova porque ela me espetava.* **7.** V. *alfinetar* (5). ***T. d. e c.*** **8.** Traspassar, perfurar, transfixar; cravar; fixar: *O artista lançou a faca, que foi espetar o animal na parede.* ***T. d. e i.*** **9.** Impingir, pespegar: *Por qualquer motivo espeta sonetos a amigos e conhecidos.* ***Int.*** **10.** Espetar (6): *Esta camisa espeta mais que a outra.* ***P.*** **11.** Cravar-se, atravessar-se; enfiar. **12.** Ferir-se, machucar-se. **13.** Arrepiar-se, eriçar-se, encrespar-se. **14.** Encontrar dificuldades. **15.** Ficar em má situação: *Procurou defender o amigo, e espetou-se.* [Pres. ind.: *espeto*, etc. Cf. *espeto* (ê) e *espetar*.]

espetável ***Adj. 2 g. e 2 n.*** V. *espectável*. [Uso próprio de P.] ⊙

espetinho [De *espeto* + *-inho*[1].] ***S. m.*** *Bras. RJ* V. *churrasquinho*.

espeto (ê) [Do got. **spitus*, 'assador'.] ***S. m.*** **1.** Utensílio de ferro ou de pau com que se espetam carne, peixe, etc. para assá-los. **2.** Pau aguçado em uma das extremidades. **3.** Pequeno cascudo[2] (2). **4.** *Fig.* Pessoa muito alta e magra. **5.** *Bras. S.* Coisa complicada, difícil de fazer, ou inconveniente, ou maçadora. **6.** Complicação; contratempo; espiga. [Pl.: *espetos* (ê). Cf. *espeto*, do v. *espetar*, e *expeto*, do v. *expetar*.]

espetral ***Adj. 2 g.*** V. *espectral*.

espetro ***S. m.*** V. *espectro*.

espetrofotografia ***S. f.*** V. *espectrofotografia*.

espetrofotográfico ***Adj.*** V. *espectrofotográfico*.

espetrofotometria ***S. f.*** *Fís.* V. *espectrofotometria*.

espetrofotométrico ***Adj.*** V. *espectrofotométrico*.

espetrofotómetro ***S. m.*** *Ópt.* V. *espectrofotômetro*. [Uso freq. em P.] ⊙

espetrofotômetro ***S. m.*** *Ópt.* V. *espectrofotômetro*.

espetrografia ***S. f.*** *Quím.* V. *espectrografia*.

espetrográfico ***Adj.*** V. *espectrográfico*.

espetrógrafo ***S. m.*** *Ópt.* V. *espectrógrafo*.

espetrologia ***S. f.*** *Fís.* V. *espectrologia*.

espetrológico ***Adj.*** V. *espectrológico*.

espetrometria ***S. f.*** *Quím.* V. *espectrometria*.

espetrométrico ***Adj.*** V. *espectrométrico*.

espetrómetro ***S. m.*** *Ópt.* V. *espectrômetro*. [Uso freq. em P.] ⊙

espetrômetro ***S. m.*** *Ópt.* V. *espectrômetro*.

espetroscopia ***S. f.*** *Quím.* V. *espectroscopia*.

espetroscópico ***Adj.*** V. *espectroscópico*.

espetroscópio ***S. m.*** *Ópt.* V. *espectroscópio*.

espevitadeira [De *espevitar* + *-deira*.] ***S. f.*** Tesoura para espevitar (1); espevitador.

espevitado [Part. de *espevitar*.] ***Adj.*** **1.** Diz-se do morrão cortado com a espevitadeira. **2.** *Fig.* Vivo; loquaz; petulante. **3.** *Fig.* Afetado, pretensioso.

espevitador (ô) [De *espevitar* + *-dor*.] ***S. m.*** **1.** Aquele ou aquilo que espevita. **2.** Espevitadeira. **3.** Atiçador (3).

espevitamento [De *espevitar* + *-mento*.] ***S. m.*** **1.** Ação ou efeito de espevitar(-se). **2.** Qualidade ou modos de pessoa espevitada.

espevitar [De or. incerta.] ***V. t. d.*** **1.** Aparar o morrão de (candeeiro, vela, etc.); esmorraçar, esmorrar: "espevitou a candeia do velador, a cuja luz contava e tornava a contar as malhas da meia que ia fazendo" (Trindade Coelho, *Os Meus Amores*, p. 264). **2.** Tornar afetado, pretensioso, espevitado. **3.** Estimular, avivar, espertar. **4.** Observar, espiar. ***P.*** **5.** Mostrar-se afetado nos modos e/ou no falar. **6.** Irritar-se, agastar-se, zangar-se, enfadar-se.

espezinhado [Part. de *espezinhar*.] ***Adj.*** **1.** Calcado aos pés. **2.** Oprimido, tiranizado. **3.** Tratado com desprezo ou desdém; humilhado, rebaixado.

espezinhador (ô) [De *espezinhar* + *-dor*.] ***Adj. S. m.*** Que, ou aquele que espezinha.

espezinhar [De *es-* + *pé* + *-z-* + *-inhar*.] ***V. t. d.*** **1.** Calcar aos pés; pisar. **2.** Oprimir, tiranizar, vexar. **3.** Tratar com desprezo, ou desdém; humilhar, rebaixar. [Sin. ger.: *apezinhar*.]

espia[1] [Do gót. **spaíha*.] ***S. 2 g.*** **1.** Pessoa que às escondidas observa ou espreita as ações de alguém; espião. **2.** Sentinela, vigia. **3.** *Bras.* Lugar, na costa, onde os pescadores sabem que hão de passar os cardumes de peixes, em suas migrações. [Cf. *curral de peixe*.] **4.** Certa parte do curral de peixe (q. v.). • ***S. m.*** **5.** *Bras.* Pescador que espia ou espreita o cardume para cercá-lo com as redes. [Cf. *expia*, do v. *expiar*.]

espia[2] [Dev. de *espiar*[2].] ***S. f.*** **1.** *Marinh.* Cabo que se passa de um navio para um cais, uma boia ou outro navio, a fim de segurá-lo. **2.** Designação comum a cabos que, amarrados no alto dos mastros e postes, e fixados ao solo, servem para mantê-los em equilíbrio. [Cf. *expia*, do v. *expiar*.]

espiã ***S. f.*** Fem. de *espião*.

espiada [De *espiar*[1] + *-ada*[1].] ***S. f.*** *Bras.* **1.** Ato de espiar[1] (3); olhada, espiadela. **2.** Ato de espiar ou olhar ligeiramente; olhadela, olhadura, espiadela.

espiadela [De *espiar*[1] + *-dela*.] ***S. f.*** *Bras.* V. *espiada*.

espia-maré [De *espiar*[1] + *maré*.] ***S. m.*** **1.** V. *maregrafista*. **2.** V. *marégrafo*. **3.** *Zool. Bras.* Espécie de crustáceo decápode, braquiúro, ocipodídeo (*Ocypode albicans*), distribuído no oceano Atlântico, desde Nova Jérsei (E.U.A.) até o RJ. Tem carapaça quadrada, coloração branco-amarelada, e vive em praias arenosas, na zona da maré enchente, onde cava buracos, nos quais se oculta. [Sin.: (nesta acepç.): *aguaraucá, guaruçá, guriçá, maria-farinha, vaza-maré*. Pl.: *espia-marés*.]

espiantador (ô) [De *espiantar* + *-dor*.] ***S. m.*** *Bras. Gír.* Ladrão que furta o que está exposto, à mostra, e corre.

espiantar [Do it. *spiantare*, poss.] ***V. int. P.*** *Bras. Gír.* Fugir (o ladrão de amostras).

espião [Do it. *spione*, poss. pelo fr. *espion*.] ***S. m.*** **1.** Agente secreto encarregado de recolher informações acerca de uma potência estrangeira e fornecê-las ao governo por cujo interesse trabalha. **2.** Indivíduo que, ger. a serviço de terceiros, busca obter ardilosa e secretamente informações a respeito das atividades, projetos, planos, manobras, etc. de um concorrente, de um inimigo, etc. **3.** Indivíduo que denuncia, com intuito de prejudicar alguém, aquilo que observou e/ou escutou; denunciador, dedo-duro: *Havia em nosso grupo um espião, e os nossos planos foram frustrados.* [Fem.: *espiã*.]

espiar[1] [Do gót. *spaíhôn*.] ***V. t. d.*** **1.** Observar secretamente; procurar descobrir, com o fim de fazer danos, as ações de; espionar. **2.** Olhar, observar furtivamente, disfarçadamente. **3.** Esperar, aguardar (ensejo, ocasião); espreitar. **4.** *Bras. Cabo-verd.* Observar, olhar: "entrou no café da esquina, espiou as horas e teve desejo de tomar uma bebida." (Graciliano Ramos, *Insônia*, p. 20). ***T. i.*** **5.** Espiar[1] (2). ***T. d. e c.*** **6.** Olhar, verificar: "voragem. Espio no dicionário seu significado oficial. .... O que leio, inquieta ainda mais: 'Aquilo que sorve ou devora'." (Caio Fernando Abreu, *Pequenas Epifanias*, p. 42). ***Int.*** **7.** Observar secretamente; espionar. **8.** Observar, olhar. [Cf. *expiar*.]

espiar[2] [De or. incerta; poss. do lat. **spinare*, cruz. do gót. *spinnan*, 'fiar', com o romance **depanare*, 'dobar'.] ***V. t. d.*** Segurar (o navio, um ferro, etc.) com espia. [Cf. *expiar*.]

espicaçado [Part. de *espicaçar*.] ***Adj.*** **1.** Picado pelos pássaros. **2.** Ferido ou picado com instrumento agudo. **3.** *Fig.* Incitado, desafiado. **4.** *Fig.* Torturado, magoado.

espicaçar [De *es-* + *pico*[1] + *-açar*.] ***V. t. d.*** **1.** Ferir com bico (falando-se de aves). **2.** Picar com instrumento agudo. **3.** Esburacar, furar. **4.** Instigar, animar, estimular, incitar: *espicaçar a curiosidade.* **5.** Afligir, magoar, torturar: *Aquela triste lembrança espicaçava-o.* [Sin. ger. (p. us.): *apicaçar*. Conjug.: v. *laçar*.]

espicha ***S. f.*** **1.** Enfiada de peixes miúdos. **2.** *Marinh.* Haste de madeira ou de metal, cônica, com a ponta em bico, destinada a abrir as cochas dos cabos para neles fazer os trabalhos marinheiros. **3.** *Marinh.* Vara de madeira que se dispõe transversalmente em uma vela de espicha, entre o punho da amura e o punho da pena, para mantê-la aberta ao vento. **4.** *Bras. Fam.* V. *espicho* (3).

espichado [Part. de *espichar*.] ***Adj.*** **1.** Diz-se do peixe enfiado pelas guelras. **2.** Diz-se do couro esticado para secar. **3.** Alongado, estendido, esticado: "Era uma coisa encoscorada, muxibenta, toda espichada." (Albertino Moreira, *Boca-Pio*, p. 126.)

espichar [De *espicho* + *-ar*[2].] *V. t. d.* **1.** Enfiar (peixe) pelas guelras. **2.** Furar (pipa ou barril) para extrair o líquido. **3.** Esticar (couro) para secar. **4.** Esticar, estender, alongar: *espichar o pescoço*. **5.** Espetar, furar. **6.** *Bras.* Ficar embatucado, ou calar-se (o estudante) nas lições ou exames. **7.** *Bras.* Vencer, em uma discussão. *T. d. e c.* **8.** Pôr ao comprido; deitar; esticar. *Int.* **9.** *Pop.* V. *morrer* (1). *P.* **10.** Deitar-se, estirando-se; refestelar-se, repoltrear-se: *Espichou-se na espreguiçadeira e adormeceu.* **11.** *Bras.* Enganar-se, errar. **12.** Não responder às perguntas do examinador. **13.** Ser malsucedido; fazer fiasco.

espicharétur *S. m. Bras. Gír.* V. *espicho* (3). [Pl.: *espicharétures*.]

espiche[1] [Var. de *espicho*.] *S. m. Pop.* **1.** Espicho (1 e 2). **2.** *Bras. Fam.* V. *espicho* (3).

espiche[2] [Do ingl. *speech*.] *S. m. Fam.* Alocução, discurso, brinde.

espicho [Do lat. *spiculu*.] *S. m.* **1.** Pau aguçado para tapar o suspiro (7) de barril ou tonel; espiche. **2.** *Fig.* Pessoa muito alta e magra; espiche. **3.** *Bras. Fam.* Má figura de estudante em exames, por ignorância ou por atrapalhação; fiasco, espicha, espiche, espicharétur.

espiciforme [Do lat. *spica*, 'espiga', + *-iforme*.] *Adj. 2 g. Bot.* Que tem forma de espiga; espiculado, espicular, espigoso: *inflorescência espiciforme*.

espicilégio [Do lat. *spicilegiu*.] *S. m.* **1.** Coleção metódica de documentos, diplomas, etc. **2.** V. *antologia* (2).

espícula [Do lat. *spica*, 'espiga', + *-ula*.] *S. f.* **1.** Pequena espiga (q. v.). **2.** *Bot.* Espigueta (2). **3.** *Astr.* Ponto brilhante na superfície solar. **4.** Qualquer ponta fina, carnosa, ereta, semelhante à espiga (1). **5.** *Zool.* Parte do esqueleto dos espongiários cuja forma lembra agulhas singelas ou entrecruzadas, de natureza calcária ou silicosa. **6.** *Zool.* Cada uma das saliências espinhosas encontradas em nadadeiras de várias famílias de peixes, principalmente nos escorpenídeos; espinha. [Cf. *espicula*, do v. *espicular*.]

espiculado [De *espícula* + *-ado*[1].] *Adj. Bot.* V. *espiciforme*. [Cf. *especulado*, do v. *especular*.]

espicular[1] [De *espícula* + *-ar*[1].] *Adj. 2 g. Bot.* V. *espiciforme*. [Cf. *especular*.]

espicular[2] [De *espícula* + *-ar*[2].] *V. t. d.* **1.** Dar a forma de espiga a. **2.** Tornar agudo; aguçar. [Pres. ind.: *espiculo*, *espiculas*, *espicula*, etc. Cf. *especular*, *espículo* e *espícula*.]

espículo [Do lat. *spiculu*.] *S. m.* **1.** Ponta, pua, aguilhão, ferrão. **2.** *Zool.* Órgão copulador de certos invertebrados. [Cf. *espiculo*, do v. *espicular*.]

espiga [Do lat. *spica*.] *S. f.* **1.** *Bot.* Tipo de inflorescência caracterizado pela presença de flores sésseis dispostas ao longo do eixo ou raque. É dos mais difundidos no reino vegetal. [Dim.: *espícula*.] **2.** *Carp.* Numa ensambladura, a ponta da peça que se encaixa no orifício da outra; respiga. **3.** *Pop.* Película levantada, junto à raiz das unhas. **4.** *Fig.* Contratempo; maçada. **5.** *Gír.* Prejuízo; logro. **6.** *Astr.* Nome tradicional da estrela alfa da Virgem. [Com cap., nesta acepç.] **7.** *Tec.* A porção direita e comprida de pregos, parafusos, rebites, etc., excluída a cabeça e a ponta. **8.** *Bras. MA* Alcunha jocosa que os maranhenses dão aos piauienses; capa-garrote.

espiga-de-ferrugem *S. f. Bras. S. Bot.* Planta esquizeácea (*Aneimia tomentosa*) de espique variável no tamanho, cujo rizoma é revestido de pelos compridos e cor de ferrugem, e cujas pinas são inciseadas, oblongas e obtusas. [Pl.: *espigas-de-ferrugem*.]

espiga-de-sangue *S. f. Bras. Amaz. MT RJ SP Bot.* Planta balanoforácea (*Helosis guianensis*) parasita, subterrânea, cujo rizoma é tuberoso, revestido de casca pardacenta, sem folhas e sem caule, e que tem haste ereta que emite pedúnculos avermelhados terminados em capítulos de flores vermelhas. [Pl.: *espigas-de-sangue*.]

espigado [De *espiga* + *-ado*[1].] *Adj.* **1.** Que criou espiga. **2.** Desenvolvido; alto, crescido: "Minha tia era alta, magra, espigada" (Pedro Nava, *Baú de Ossos*, p. 336). **3.** *Bras.* Eriçado, arrepiado: "Pelos cabelos lisos e espigados de Nonato (que provocaram agitação na plateia, ainda em plena fase de cachinhos e permanentes)." (Iesa Rodrigues, em *Jornal do Brasil*, 29.06.1982.)

espigaitado *Adj. Bras.* **1.** Levemente embriagado (1). **2.** Excitado, animado.

espigame [De *espiga* + *-ame*.] *S. m.* Grande porção de espigas.

espigão [De *espiga* + *-ão*[1].] *S. m.* **1.** Espiga grande. **2.** Peça pontiaguda; pua, ferrão, espículo. **3.** Pico de serra, de monte ou de rochedo. **4.** Construção oblíqua destinada a desviar uma corrente. **5.** Divisor de águas. **6.** *Constr.* Aresta de telhado, saliente e inclinada, que, quando horizontal, se denomina *cumeeira*. **7.** *Bras.* Edifício com muitos andares: "O 25 da Avenida da Princesa Leopoldina, na Barra Avenida, era um bonito casarão do começo do século, que fazia boa figura na rua enladeirada, antes de essa ser invadida pelos espigões." (Dias Gomes, *Apenas um Subversivo*, p. 26.) ◆ **Espigão mestre.** *Bras.* O maior espigão (3) dos que formam uma cordilheira.

espigãoense *Adj. 2 g.* **1.** De, ou pertencente ou relativo a Espigão d'Oeste (RO). ● *S. 2 g.* **2.** O natural ou habitante de Espigão d'Oeste.

espigar [Do lat. *spicare*.] *V. int.* **1.** Criar espiga (o milho, o trigo, etc.). **2.** Desenvolver-se, crescer, medrar: "Para quem espigou no corpo mas não teve tempo de trocar de alma, as cousas parecem desajustadas." (Augusto Meyer, *No Tempo da Flor*, p. 40.) **3.** Germinar, grelar. *T. d.* **4.** Causar prejuízo a (alguém), metendo-o em mau negócio; lograr, burlar, intrujar. *P.* **5.** Comprometer-se; prejudicar-se. [Conjug.: v. *largar*.]

espigélia [Adapt. do tax. *Spigelia* (de *Spigel* [*ius*], f. latinizada do antr. [*Adriaan van den*] *Spiegel* [1578-1625], botânico e anatomista flamengo, + lat. cient. *-ia*, v. *-ia*[2]).] *S. f. Bot.* **1.** Grande gênero de plantas loganiáceas, herbáceas, dotadas de exuberantes flores espiciformes. **2.** Qualquer espécie desse gênero, como, p. ex. a *Spigelia antihelmintica* e a *S. glabrata*, ambas anti-helmínticas [v. *arapabaca* (1 e 2)]. **3.** Qualquer espécime desse gênero, ou a sua flor.

espigelina [De *espigél(ia)* + *-ina*[3].] *S. f.* Princípio anti-helmíntico que se tira de certas variedades de espigélia.

espigo [Do lat. *spiculu*.] *S. m.* Ponta de ferro ou de madeira.

espigoso (ô) [De *espiga* + *-oso*.] *Adj.* **1.** Que tem espigas. **2.** *Bot.* V. *espiciforme*.

espigueiro [De *espiga* + *-eiro*.] *S. m.* Casa ou lugar onde se guardam espigas de milho.

espigueta (ê) [De *espiga* + *-eta* (ê).] *S. f.* **1.** Espiga pequena, parcial de outra; locusta. **2.** *Bot.* Inflorescência característica das poáceas, em forma de espiga muito curta, e em cuja constituição entram umas poucas flores e várias brácteas e bractéolas, de aspecto seco; espícula.

espigueto (ê) *S. m.* Som muito agudo do órgão (5).

espiguilha [De *espiga* + *-ilha*.] *S. f.* Renda estreita de bico; pontilha: "saiote de cetim ou cetineta... adornado de barras ou gregas de espiguilha dourada ou prateada" (Téu Brandão, *Folguedos Natalinos de Alagoas*, p. 69). [Cf. *rendilha*.]

espiguilhado [Part. de *espiguilhar*.] *Adj.* Guarnecido ou ornado com espiguilha.

espiguilhar [De *espiguilha* + *-ar*[2].] *V. t. d.* Guarnecer ou ornar com espiguilha.

espim [Do lat. *spinu*.] *Adj. 2 g. Desus.* V. *espinhoso*.

espinafração [De *espinafrar* + *-ção*.] *S. f. Bras.* V. *descompostura* (2).

espinafrar [De *espinafre* + *-ar*[2].] *V. t. d. Bras. Gír.* **1.** Repreender com dureza; descompor. **2.** Dizer muito mal de; criticar asperamente; tesourar, pichar. **3.** Ridicularizar, ridiculizar, desmoralizar.

espinafre [Do ár. (ibérico) *isbānāḫ-*, ou *isfānāh*, ou *isfānāg* < persa *isfanah* ou *aspanākh*, 'certa erva oriental, de uso medicinal', poss.] *S. m. Bot.* Planta quenopodiácea (*Spinacia oleracea*) glabra, de folhas verdes, pecioladas, terminadas em pontas, sinuado-dentadas, comestíveis, flores pequenas e verdes, e bractéolas frutíferas. [V. *armolão*.]

espinafre-da-guiana [De *espinafre* + *da*[1] + o top. *Guiana*.] *S. m. Bras. Amaz. Bot.* Arbusto fitolacáceo (*Phytolacca icosandra*) ereto e glabro, cujas folhas não são muito us. como alimento, e cujas flores são alvas, esverdeadas ou amareladas, sendo o fruto uma baga vermelho-escura. [Pl.: *espinafres-da-guiana*.]

espinafre-de-cuba *S. m. Bot.* Beldroega-de-cuba. [Pl.: *espinafres-de-cuba*.]

espinafre-do-peru [De *espinafre* + *do*[1] + o top. *Peru*.] *S. m. Bot.* Quinoa. [Pl.: *espinafres-do-peru*.]

espinal [Do lat. tard. *spinale*.] *Adj. 2 g.* Espinhal[2].

espinça [Dev. de *espinçar*.] *S. f.* **1.** Ato de espinçar. **2.** Instrumento para espinçar.

espinçar [De *es-* + *pinça* + *-ar*[2].] *V. t. d.* **1.** Limpar (o pano), cortando-lhe fios, nós, argueiros, etc. **2.** Arrancar com pinça. [Conjug.: v. *laçar*.]

espinel [Do fr. ant. *espinel*, poss.] *S. m.* Espinhel. [Pl.: *espinéis*.]

espinélio [Do it. *spinella* (fonte tb. do ingl. e do fr. *spinelle*) + *-io*[3].] *S. m. Min.* Designação comum aos minerais do grupo dos espinélios, monométricos, constituídos essencialmente de aluminatos de magnésio, podendo o magnésio ser substituído, em proporções variáveis, por ferro, manganês ou zinco, e o alumínio, parcialmente, por ferro ou cromo.

espíneo [Do lat. *spineu*.] *Adj.* **1.** Que tem espinhos. **2.** Feito de espinhos.

espinescente [Do lat. tard. *spinescente*.] *Adj. 2 g. Bot.* **1.** Provido de espinhos: "Por entre touceiras de bromélias hirsutas e emaranhados de cipós espinescentes" (P.[e] Antônio Vieira, *Sertão Brabo*, p. 105). **2.** Que toma a forma de espinho.

espinescido [Part. de **espinescer* < lat. tard. *spinescere*, 'cobrir-se de espinhos'.] *Adj. Bot.* Que termina em espinhos.

espineta (ê) [Do it. *spinetta*.] *S. f. Mús.* Antigo instrumento de cordas percutíveis e teclado, cuja mecânica e técnica são iguais às do cravo: "vivia .... a contar novelas e a dedilhar uma espineta, cantando a 'Dona Lizarda' ou o 'Cristão Cativo'." (Alberto Rangel, *Quando o Brasil Amanhecia*, p. 259.)

espingarda [Do fr. ant. *espingarde*, *espringarde*, *espringale*, 'canhão pequeno'.] *S. f.* **1.** Arma de fogo, portátil, de cano longo. **2.** *Bras. N.E.* Concubina.

espingardada [De *espingarda* + *-ada*[1].] *S. f.* Tiro de espingarda.

espingardão [De *espingarda* + *-ão*[1].] *S. m.* **1.** Arcabuz. **2.** Pequena peça antiga de artilharia, us. nas muralhas.

espingardaria [De *espingarda* + *-aria*.] *S. f.* **1.** Tropa armada de espingardas. **2.** Grande porção de espingardas.

espingardeamento [De *espingardear* + *-mento*.] *S. m.* Ato ou efeito de espingardear.

espingardear [De *espingarda* + *-ear*[2].] *V. t. d.* Ferir ou matar com espingarda; arcabuzar; fuzilar. [Conjug.: v. *frear*.]

espingardeira [De *espingarda* + *-eira*.] *S. f.* Buraco ou seteira em muralha, de onde se dispara a espingarda.

espingardeiro [De *espingarda* + *-eiro*.] *S. m.* **1.** Fabricante, vendedor ou consertador de espingardas. **2.** *Ant.* Soldado armado de espingarda. **3.** Autor e/ou mandante de crime(s); pistoleiro.

espingolado *Adj. Bras. N.E. Pop.* Diz-se de pessoa alta, magricela e desajeitada.

espinha [Do lat. *spina*.] *S. f.* **1.** *Pop.* Série de apófises da coluna vertebral. **2.** *Pop.* A coluna vertebral. **3.** Osso de peixe. **4.** Designação comum a certas borbulhas da pele, principalmente as do rosto. **5.** Instrumento us. nas fundições para passagem do metal fundido. **6.** Determinado acessório das peças de artilharia. **7.** *Fig.* Dificuldade, espinho. **8.** *Zool.* V. *acúleo* (6). **9.** *Zool.* Espícula (6). ◆ **Espinha bífida.** *Neur.* Condição em que se verifica presença de brecha no estojo ósseo vertebral que contém a medula espinhal, podendo, por esta brecha, ocorrer herniamento do conteúdo do canal vertebral. **Espinha de peixe.** *Tec. Têx.* Tecido de lã, linha, algodão ou seda, com ligamento sarja em que o efeito diagonal resulta num zigue-zague semelhante ao das espinhas de peixe. [Sin., fr.: chevron.] **Espinha dorsal. 1.** V. *Coluna vertebral*. **2.** *Fig.* Aquilo que dá sustentação ou organização, que constitui a estrutura central ou principal. **Espinha na garganta.** Coisa, pessoa ou fato incômodo, molesto. **Dar à espinha.** V. *morrer* (1). **Estar na espinha. 1.** Estar muito magro. **2.** Estar muito pobre: "já não tenho com que proteger ninguém, nem a mim mesmo! Estou na espinha!" (Aluísio Azevedo, *O Coruja*, p. 127).

espinhaço [De *espinha* + *-aço*.] *S. m.* **1.** *Pop.* V. *Coluna vertebral*. **2.** *Pop.* Costas, dorso. **3.** Aresta de monte; serro. **4.** Cordilheira (1).

espinhado [Part. de *espinhar*.] *Adj.* **1.** Picado com espinho. **2.** *Pop.* Irritado, exacerbado.

espinhal[1] [De *espinho*[1] + *-al*[1].] *S. m.* V. *espinheiral*.

espinhal[2] [De *espinha* + *-al*[1].] *Adj. 2 g.* **1.** Relativo ou pertencente a espinha (1 a 3). **2.** Semelhante a espinha. [Sin.: *espinal*.] ~ V. *medula* — e *nervo* —. ● *S. m.* **3.** *Anat.* Nervo espinhal.

espinhar [De *espinho*[1] + *-ar*[2].] *V. t. d.* **1.** Picar ou ferir com espinho. **2.** Irritar, incomodar; ofender, melindrar. *P.* **3.** Ferir-se com espinho: *Seus pés espinharam-se na caminhada pelo mato.* **4.** Irritar-se, incomodar-se: *Espinhou-se com a insistência da irmã.* [Pres. subj.: *espinhe*, ... *espinheis*, *espinhem*. Cf. *espinhéis*, pl. de *espinhel*.]

espinharense *Adj. 2 g.* **1.** De, ou pertencente ou relativo a São José de Espinharas (PB). ● *S. 2 g.* **2.** O natural ou habitante de São José de Espinharas.

espinheira [De *espinho*[1] + *-eira*.] *S. f. Bras. Bot.* V. *espinheira-de-maricá*.

espinheiral [De *espinheiro* + *-al*[1].] *S. m.* **1.** Quantidade mais ou menos considerável de espinheiros dispostos proximamente entre si. **2.** Área ocupada por espinheiral (1). [Sin. ger.: *espinhal*.]

espinheira-santa [De *espinheira* + o f. de *santo*.] *S. f. Bot.* V. *mata-olho* (2). **2.** V. *sombra-de-touro* (1). [Pl.: *espinheiras-santas*.]

espinheiro [De *espinho*[1] + *-eiro*.] *S. m. Bras. Amaz. Bot.* Arbusto rutáceo (*Fagara pterota*) de casca fina, com saliências corticentas, flores verde-amareladas, pequenas, dispostas em espigas axilares, e de fruto e folhas considerados condimentícios.

espinheiro-bravo *S. m. Bras. L. Bot.* Designação de vários arbustos fabáceos, pertencentes aos gêneros *Acacia* e *Piptadenia*, armados de acúleos esparsos, e cujos frutos são vagens. [Pl.: *espinheiros-bravos*.]

espinheiro-da-virgínia [De *espinheira* + *da*[1] + o top. *Virgínia.*] *S. m. Bot.* Árvore cesalpiniácea (*Gleditschia triacanthos*) grande e ornamental, cujo caule e ramos são armados de espinhos rígidos, cujas flores são pequenas, verde-amareladas, hermafroditas, dispostas em racemos paniculados, axilares ou terminais, sendo o fruto vagem plana, coriácea, indeiscente, contendo muitas sementes pardacentas, verrucosas, envoltas em polpa adocicada e comestível. Fornece madeira rósea, compacta, pesada e forte. [Sin.: *espinho-de-cristo, acácia-meleira.* Pl.: *espinheiros-da-virgínia.*]

espinheiro-de-ameixa *S. m. Bot.* V. *ameixeira-do-brasil.* [Pl.: *espinheiros-de-ameixa.*]

espinheiro-de-cristo [De *espinheiro* + *de* + o hag. (*Jesus*) *Cristo.*] *S. m. Bras. Bot.* Arbusto ramnáceo (*Paliurus australis*) espinhoso, originário da China e cultivado como ornamental, de folhas ovadas, assimétricas na base, serruladas e verde-escuras, flores pequenas e ordenadas em cimeiras curtas, e fruto pardo-amarelado, lenhoso e trilocular. [Pl.: *espinheiros-de-cristo.*]

espinhel [De *espinel*, com infl. de *espinha.*] *S. m.* Aparelho de pesca formado por uma extensa corda na qual se prendem, de espaço em espaço, linhas armadas de anzóis. [Var. de *espinel.* Pl.: *espinhéis.* Cf. *espinheis*, do v. *espinhar.*]

espinhela [De *espinha* + *-ela.*] *S. f.* Designação vulgar do apêndice cartilagíneo do esterno. ◆ **Espinhela caída.** *Bras. Pop.* Designação comum a numerosas doenças atribuídas pelo povo à queda da espinhela.

espinhento [De *espinho*[1] + *-ento.*] *Adj.* Que tem ou cria espinhos; espinhoso.

espinho[1] [Do lat. *spinu.*] *S. m.* **1.** *Bot.* Órgão duro e pungente que em geral existe nas plantas e se caracteriza por estar profundamente inserido. Provém de ramos ou de folhas reduzidas, e distingue-se do acúleo por ser este superficialmente ligado à planta, da qual se desprende com facilidade. **2.** Pua, ferrão, espigão. **3.** Pico, ponta. **4.** *Zool.* Cerda do ouriço ou do porco-espinho. **5.** *Zool.* V. *acúleo* (6). **6.** *Fig.* Dificuldade, embaraço, espinha. **7.** *Fig.* Cuidado, preocupação, aflição. **8.** *Bras. S.* Faca de ponta. V. *lambedeira* (3). **9.** *Bras. SC MT Bot.* Árvore ramnácea (*Carmonema spinosum*) regular, cuja casca, pardo-escura, é fina e tem espinhos grossos, sendo as flores alvas e axilares, e os frutos cápsulas esféricas. Fornece madeira parda, elástica e leve.

espinho[2] *Bras. S. 2 g.* **1.** *Etnôn.* Indivíduo dos espinhos, povo indígena que habitava as margens do rio Curumaá, afluente esquerdo do Purus (AC). ● *Adj. 2 g.* **2.** Pertencente ou relativo a esse povo. [Tb. us. como *s. 2 g. e 2 n.* (com cap.) e como *adj. 2 g. e 2 n.*]

espinho-amarelo [De *espinho*[1] + *amarelo.*] *S. m. Bras. PI GO Bot.* Arbusto cesalpiniáceo (*Cassia aculeata*) regular e ornamental armado de espinhos esparsos nos ramos, no pecíolo e nos pedúnculos, cujas flores são amarelas, com pétalas distintamente nervadas, dispostas em racimos terminais ou axilares, e cujo fruto é vagem plana. Vegeta de preferência em lugares úmidos. [Pl.: *espinhos-amarelos.*]

espinho-de-agulha [De *espinho*[1] + *de* + *agulha*[1].] *S. m. Bras. L. S. C.O. Bot.* Designação comum a vários arbustos asteráceos, armados de espinhos, pertencentes aos gêneros *Barnadesia*, *Chuquiraga* e *Acanthospermum*, com algumas espécies ornamentais, e outras que fornecem madeira. Os frutos são aquênios. [Pl.: *espinhos-de-agulha.*]

espinho-de-bananeira *S. m. Bras. SP Pop. Zool.* V. *bicho-do-pé.* [Pl.: *espinhos-de-bananeira.*]

espinho-de-carneiro [De *espinho*[1] + *de* + *carneiro*[1].] *S. m. Bras. Bot.* Designação comum a várias plantas asteráceas e poáceas, pertencentes aos gêneros *Xanthium* e *Cenchrus*, respectivamente; amor-de-negro, arzola, carrapicho-grande, capim-roseta, roseta. [Pl.: *espinhos-de-carneiro.*]

espinho-de-cerca [De *espinho*[1] + *de* + *cerca.*] *S. m. Bot.* **1.** *Bras. RJ SP* Trepadeira cesalpiniácea (*Caesalpinia sepiaria*) arbustiva e ornamental, excelente para cercas vivas, de espinhos fortes e em forma de anzol, flores amarelas, dispostas em racemos terminais e axilares, e cujos frutos são vagens sésseis, com sementes matizadas de castanho e preto; espinho-lastrador. **2.** V. *espinho-de-maricá.* [Pl.: *espinhos-de-cerca.*]

espinho-de-cristo [De *espinho*[1] + *de* + o hag. (*Jesus*) *Cristo.*] *S. m. Bot.* **1.** *Bras. RS* Árvore cesalpiniácea (*Gleditschia amorphoides*) regular, armada de espinhos ramificados, grandes e de cor preto-avermelhada, cujas flores são verde-alvacentas, pequenas, reunidas em racimos dispostos nas axilas das folhas ou sobre os nós velhos, cujo fruto é vagem grossa, rígida, contendo poucas sementes, ovoides e duras, envoltas em polpa seca, e que fornece madeira de alburno amarelo-esverdeado e cerne róseo; coronilha, espinilho, jaruva. **2.** V. *espinheiro-da-virgínia.* [Pl.: *espinhos-de-cristo.*]

espinho-de-cruz [De *espinho*[1] + *de* + *cruz.*] *S. m. Bras. RS Bot.* Planta asterácea (*Centaurea tweediei*) de caule ereto, de folhas caulinares e ásperas, flores róseo-avermelhadas, e frutos pretos, que são aquênios. [Pl.: *espinhos-de-cruz.*]

espinho-de-deus [De *espinho*[1] + *de* + o hag. *Deus.*] *S. m. Bras. Bot.* V. *sombra-de-touro* (1). [Pl.: *espinhos-de-deus.*]

espinho-de-judeu [De *espinho*[1] + *de* + *judeu.*] *S. m. Bras. L. S. Bot.* Pequena árvore flacourtiácea (*Xylosma salzmanni*) armada de numerosos espinhos fortes, grandes e agrupados na casca, que é fina e aromática, de cor verde-amarelada. Flores pálidas, pequenas e dispostas em umbelas; os frutos são bagas pequenas, preto-avermelhadas, com algumas sementes. [Sin.: *guaiapá, quaiapá, quarenta-feridas, sessenta-feridas.* Pl.: *espinhos-de-judeu.*]

espinho-de-maricá [De *espinho*[1] + *de* + o top. *Maricá.*] *S. m. Bras. N.O. L. S. Bot.* Arbusto mimosáceo (*Mimosa sepiaria*) de caule tortuoso, dotado de propriedades melíferas, cujas flores são alvas, numerosas, dispostas em capítulos, e cujos frutos são vagens; espinheira, espinho-de-cerca, espinho-roxo, maricá. [Pl.: *espinhos-de-maricá.*]

espinho-de-roseta *S. m. Bras. Bot.* V. *carrapicho-da-praia.* [Pl.: *espinhos-de-roseta.*]

espinho de santo antônio *S. m. Bras. CE* V. *lambedeira* (3). [Pl.: *espinhos de santo antônio.*] ☑ notas 1 e 2

espinho-de-santo-antônio [De *espinho*[1] + *de* + o hag. *Santo Antônio.*] *S. m. Bras. L. S. Bot.* Arbusto asteráceo (*Chuquiraga spinescens*) ramoso, armado de finos e agudíssimos espinhos, que tem poucos capítulos, pedunculados, dispostos em corimbos, e cujos frutos são aquênios; não-me-toques, sucará. [Pl.: *espinhos-de-santo-antônio.*]

espinho-de-são-joão [De *espinho*[1] + *de* + o hag. *São João.*] *S. m. Bras. L. S. Bot.* Pequeno arbusto berberidáceo (*Berberis laurina*) revestido de epiderme acinzentada, com espinhos foliculares, cujas flores são amarelo-pálidas, dispostas em racemos, sendo os frutos bagas pequenas, roxo-escuras, com sementes pardacentas; quina-cruzeiro, uva-de-espinho. [Pl.: *espinhos-de-são-joão.*]

espinho-de-vintém [De *espinho*[1] + *de* + *vintém.*] *S. m. Bras. Bot.* V. *tamanqueira* (1). [Pl.: *espinhos-de-vintém.*]

espinho-lastrador *S. m. Bras. RJ SP Bot.* Espinho-de-cerca (1). [Pl.: *espinhos-lastradores.*]

espinho-mariana [De *espinho*[1] + o f. de *mariano.*] *S. m. Bras. RJ Bot.* Arbusto esterculiáceo (*Buettneria hirsuta*) sarmentoso, armado de acúleos pequenos e agudíssimos, que dá uma inflorescência composta de flores castanhas, dispostas em umbelas, e cujo fruto é cápsula espinescente. [Pl.: *espinhos-marianas* ou *espinhos-mariana.*]

espinho-roxo [De *espinho*[1] + *roxo.*] *S. m. Bot.* **1.** *Bras. RJ* Árvore fabácea (*Piptadenia polyptera*) armada de acúleos pequenos, cujas flores são glabras, dispostas em espigas axilares, e que fornece madeira própria para carpintaria. **2.** V. *espinho-de-maricá.* [Pl.: *espinhos-roxos.*]

espinhoso (ô) [De *espinho*[1] + *-oso.*] *Adj.* **1.** Que tem ou cria espinhos ou espinhas: *caule espinhoso; rosto espinhoso.* **2.** *Fig.* Difícil, dificultoso, embaraçoso: *missão espinhosa.* ~ V. *apófise —a, camada — e estrato —.* [Sin. ger., desus.: *espim.*]

espinicar-se *V. p.* Apurar-se muito no trajar; ajanotar-se, janotar. [Conjug.: v. *trancar.* Cf. *espenicar.*]

espiniforme [Do lat. *spina*, 'espinha', 'espinho' + *-iforme.*] *Adj. 2 g.* Que tem forma de espinho ou de espinha.

espinilho [Do esp. plat. *espinillo.*] *S. m. Bras. Bot.* **1.** V. *espinho-de-cristo* (1): "o meu [coração].... estava como um espinilho ao sol, num descampado, no pino do meio-dia: era luz de Deus por todos os lados!..." (Simões Lopes Neto, *Contos Gauchescos e Lendas do Sul*, p. 129). **2.** V. *esponjeira* (2).

espinosense *Adj. 2 g.* **1.** De, ou pertencente ou relativo a Espinosa (MG). ● *S. 2 g.* **2.** O natural ou habitante de Espinosa.

espinosiano [Do antr. (aport.) *Espinosa* + *-iano.*] *Adj. S. m.* V. *espinosista.*

espinosismo [Do antr. *Espinosa* (v. *espinosista*) + *-ismo.*] *S. m. Filos.* **1.** O conjunto das doutrinas de Espinosa (v. *espinosista*), que constituem uma metafísica e uma ética que procuram conciliar a concepção materialista e determinista da natureza com a possibilidade de uma existência perpassada pelo bem. **2.** Influência de Espinosa na filosofia.

espinosista [Do antr. *Espinosa* + *-ista.*] *Adj. 2 g.* **1.** Pertencente ou relativo a Baruch Espinosa (1632-1677), filósofo judeu holandês, ou próprio dele. **2.** Que é partidário do espinosismo. ● *S. 2 g.* **3.** Partidário do espinosismo.

espinossauro [Do lat. cient. *Spino-* (< lat. *spina*, 'espinha', 'espinho') + *-sauro*; tax. *Spinosaurus.*] *S. m. Paleont.* **1.** Gênero de dinossauros pelicossauros, carnívoros, que habitaram o N. da África e a América do Sul no período cretáceo; tinham cerca de 12m de comprimento e apresentavam, ao longo do dorso, apófise vertebral sustentada por formações ósseas de até 3m de altura, na parte mediana, e gradativamente menores, em direção à cabeça e à cauda, revestidas por couraça. **2.** Espécie ou espécime desse gênero.

espinoteado [Part. de *espinotear.*] *Adj. Bras.* Estouvado, espeloteado; leviano, inconsiderado.

espinotear [De *es-* + *pinote* + *-ear*[2].] *V. int.* **1.** Dar pinotes; pinotear. **2.** Mover-se ou agitar-se em desordem; bracejar, espernear, debater-se, barafustar. **3.** Esbravejar; esbravecer, encolerizar-se. [Conjug.: v. *frear.*]

espintariscópio [Do gr. *spintharís* (nom.), 'centelha', + *-scópio.*] *S. m. Fís. Nucl.* Instrumento provido de uma lupa e de uma película de sulfeto de zinco, com o qual se podem observar as cintilações provocadas pelo impacto de partículas alfas sobre o sulfeto.

espíntria [Do lat. *spintria*, 'pederasta'.] *S. 2 g.* Pessoa que inventa atos de luxúria, requintes de volúpia.

espinuloso (ô) [Adapt. do tax. *Spinulosa*, do neutro pl. do lat. *spinulosus* < lat. *spinula*, 'espinhazinha'.] *Zool. S. m.* **1.** Espécime dos espinulosos, ordem de animais equinodermos, asteroides, com placas marginais pequenas, pedicelárias raras, esqueleto aboral formado por placas contíguas ou superpostas ou por uma rede de bastonetes, e providos de espinhos isolados ou grupados. ● *Adj.* **2.** Pertencente ou relativo a eles.

espiolhar [De *es-* + *piolho* + *-ar*[2].] *V. t. d.* **1.** Limpar de piolhos. **2.** Examinar minuciosamente, esmiuçar, investigar; pesquisar, perquirir.

espionagem [Do fr. *espionnage.*] *S. f.* **1.** Ato de espionar. **2.** Encargo ou ofício de espião. **3.** Conjunto de espiões.

espionar [Do fr. *espionner.*] *V. t. d.* **1.** Espreitar ou investigar como espião. **2.** Espiar[1] (1). *Int.* **3.** Exercer atividade própria de espião. **4.** Espiar[1] (7).

espipar [De *es-* + *pipa* + *-ar*[2].] *V. int.* **1.** Sair de jato; jorrar; repuxar. **2.** Estalar-se, romper-se. *T. d.* **3.** Romper, furar.

espipocar [De *es-* + *pipocar.*] *V. int. Bras.* V. *pipocar* (1). [Conjug.: v. *trancar.* Normalmente só é conjugável nas 3.as pess.]

espique [De *espeque*, poss.] *S. m. Bot.* **1.** O caule das palmeiras. [Cf. *estipe.*] **2.** *P. ext.* Palmeira.

espiqueado [De *espique* + *-eado.*] *Adj. Bot.* Que tem espique, ou caule semelhante a espique.

espira [Do gr. *speíra*, pelo lat. *spira.*] *S. f.* **1.** Configuração da volta completa de uma hélice, de uma espiral. **2.** Cada volta de uma espiral ou de qualquer objeto com essa forma. **3.** *Restr.* Cada rosca de um parafuso. **4.** *Eng. Elétr.* Parte elementar de um enrolamento, cujas extremidades são, em geral, muito próximas uma da outra. [Cf. *expira*, do v. *expirar.*]

espiração [Do lat. *spiratione.*] *S. f.* Ato de espirar; alento, respiração. [Cf. *expiração.*]

espiráculo [Do lat. *spiraculum.*] *S. m.* **1.** Abertura por onde circula o ar; respiradouro. **2.** *P. ext.* Orifício ou abertura estreita. **3.** *Fig.* Alento, ânimo. **4.** *Zool.* Cada um dos orifícios externos do aparelho respiratório de muitos vertebrados e invertebrados. **5.** *Zool.* Abertura externa traqueal de insetos e aracnídeos; estigma.

espiral [Do lat. med. *spirale.*] *Adj. 2 g.* **1.** Que tem forma perfeita ou aproximada de espiral (2): *linha espiral.* ~ V. *braço — e galáxia —.* ● *S. f.* **2.** *Geom.* Qualquer curva plana gerada por um ponto móvel que gira em torno de um ponto fixo, ao mesmo tempo que dele se afasta ou se aproxima segundo uma lei determinada. **3.** Curva ou sinuosidade que lembra a espiral (2): "Que bom ficar assim, horas inteiras, / Fumando .... e olhando as lentas espirais ...." (Mário Quintana, *A Rua dos Cata-Ventos*, p. 142). **4.** Mola de aço no centro do volante de um relógio. **5.** *Bot.* Denominação empregada clássica, mas impropriamente, em lugar do helicoide. **6.** *Expl.* Dispositivo pirotécnico em espiral que, ao ser inflamado, sobe, rodando e soltando lágrimas coloridas. ◆ **Espiral barrada.** *Astr.* Tipo de galáxia espiral que apresenta, a partir do núcleo, duas regiões em forma de barras. **Espiral de Arquimedes.** *Geom.* Lugar geométrico plano de um ponto que se move com velocidade constante ao longo de uma reta que, por sua vez, gira com movimento uniforme em volta de um ponto fixo, sempre em um mesmo plano. **Espiral de Cornu.** *Mat.* Curva plana transcendente que tem importância na teoria da difração de ondas eletromagnéticas por uma fenda; clotoide. **Espiral de Fermat.** *Geom.* Lugar geométrico plano de um ponto que se move com velocidade constante ao longo de uma reta que, por sua vez, gira com movimento uniformemente acelerado em torno de um ponto fixo, sempre em um mesmo plano; espiral parabólica. **Espiral inflacionária.** *Econ.* Processo cumulativo em que um aumento de preços, p. ex., de produtos agrícolas, acarreta subida nos preços de outros bens ou de serviços, p. ex., alimentos, numa cadeia sucessiva. **Espiral parabólica.** *Geom.* Espiral de Fermat. **Espiral preços/salários.** *Econ.* Processo cumulativo em que aumentos nos preços de bens de consumo provocam demandas por reajustes salariais, os quais, por sua vez, fazem aumentar os custos de produção, induzindo a nova alta de preços, e assim por diante: "A indexação institucionaliza a espiral preços/salários." (Mário Henrique Simonsen, *30 Anos de Indexação*, p. 5.) **Em espiral.** Em forma de espiral ou de caracol: *escada em espiral.*

espiralado [De *espiral* + *-ado*[1].] ***Adj.*** Que tem forma de espiral; espiroide.

espiralar [De *espiral* + *-ar*[2].] ***V. t. d.*** **1.** Dar forma de espiral (2) a. ***Int. P.*** **2.** Subir como em espiral (2). **3.** Tomar a forma de espiral (2): "Da paisagem subia, espiralando, o incenso / que me fazia ter o coração suspenso." (Marcelo Gama, *Via-Sacra e Outros Poemas*, p. 31.)

espirano [De *espir(o)-*[2] + *-ano*[2].] ***S. m. Quím.*** Qualquer hidrocarboneto que contenha dois anéis ligados entre si por somente um átomo em comum.

espirante [Do lat. *spirante.*] ***Adj. 2 g.*** Que espira; que está vivo. [Cf. *expirante.*]

espirar [Do lat. *spirare.*] ***V. t. d.*** **1.** Exalar, desprender, emanar: *As flores espiram perfumes.* ***Int.*** **2.** Emitir sopro; bafejar, soprar; respirar. **3.** Estar ou parecer vivo. [Cf. *expirar.*]

espirema [Do al. *Spiren* < gr. *speírema, speírama.*] ***S. m.*** Disposição do filamento de cromatina, em forma de novelo.

espirilácea [Do tax. *Spirillum* (v. *espirilo*) + *-ácea*; tax. *Spirillaceae.*] ***S. f. Microbiol.*** Espécime das espiriláceas, família de bactérias cujas células são torcidas em hélice ou recurvadas, e providas de flagelos, com os quais se movem.

espiriláceo [De *espirilácea*, com var. suf. (v. *-áceo*).] ***Adj. Microbiol.*** Pertencente ou relativo às espiriláceas.

espirilo [Do tax. *Spirillum*, do dim. do lat. *spira*, 'espira'.] ***S. m. Microbiol.*** **1.** Gênero de bactérias de forma helicoidal ou de segmento de espiral. **2.** Espécie ou espécime desse gênero.

espirilose [De *espirilo* + *-ose*[1].] ***S. f. Med.*** Doença causada por espirilo.

espiritaAdj. ***2 g. S. 2 g.*** V. *espírita.*

espírita [Do fr. *spirite.*] ***Adj. 2 g.*** **1.** Relativo ou pertencente ao espiritismo. **2.** Que é partidário ou cultor do espiritismo. ● ***S. 2 g.*** **3.** Partidário ou cultor do espiritismo. [Var. pros.: *espirita.* Sin. ger.: *espiritista.* Cf. *espirita*, do v. *espiritar.*]

espiritar [De *espírito* + *-ar*[2].] ***V. t. d.*** **1.** Meter o Demônio no corpo de; endemoninhar. **2.** Tornar inquieto, travesso, endiabrado. **3.** Inspirar, insuflar. **4.** *P. us.* Espiritualizar (1). ***T. d. e i.*** **5.** *P. us.* Incutir, insuflar: *O amigo espiritou-lhe ânimo para a luta.* **6.** *P. us.* Incitar, estimular, animar: *Espiritei-o ao estudo.* [Pres. ind.: *espirito, espiritas, espirita*, etc. Cf. *espírito* e *espírita.*]

espiriteira [De *espírito* + *-eira.*] ***S. f. Bras.*** Vaso onde se deita espírito de vinho ou álcool para arder.

espiritismo [Do fr. *spiritisme.*] ***S. m. Rel.*** Doutrina baseada na crença da sobrevivência da alma e da existência de comunicação, por meio da mediunidade, entre vivos e mortos, entre os espíritos encarnados e os desencarnados.

espiritista [Do fr. *spiritiste.*] ***Adj. 2 g. S. 2 g.*** V. *espírita.*

espírito [Do lat. *spiritu.*] ***S. m.*** **1.** A parte imaterial do ser humano; alma (por oposição ao corpo); alma. **2.** Suposta entidade superior que transcende a matéria: *o espírito criador do Universo.* **3.** Suposta entidade imaterial que pertence a uma ordem sobrenatural: *espíritos angélicos; espíritos malignos; os espíritos da floresta.* **4.** A parte incorpórea, inteligente ou sensível do ser humano; o pensamento; a mente: *as atividades do espírito; ter paz de espírito.* **5.** Inteligência fina, brilhante: *É um homem de espírito.* **6.** Pessoa considerada segundo as qualidades intelectuais, morais, culturais, etc.: *É um grande espírito.* **7.** Ideia predominante; significação, sentido: *O espírito da obra está claro; o espírito da lei.* **8.** Ânimo, índole: *espírito empreendedor; espírito enérgico.* **9.** Capacidade de captar o cômico, o divertido, o ridículo; graça, humor; ironia: *uma anedota sem espírito.* **10.** Líquido obtido pela destilação; álcool. **11.** *Filos.* Domínio da subjetividade, da consciência e do pensamento, que se opõe ao das coisas corpóreas ou materiais. [Cf., nesta acepç., *alma* (2) e *corpo* (28).] **12.** *Bras. Pop.* V. *cachaça* (1). [Cf. *espirito*, do v. *espiritar.*] ◆ **Espírito apolíneo.** *Filos.* Princípio gerador de criações artísticas caracterizadas pela perfeição, harmonia e equilíbrio da forma. [Loc. popularizada por F. Nietzsche (v. *nietzschiano*) que atribuía ao espírito apolíneo a criação das artes plásticas gregas. Cf. *espírito dionisíaco.*] **Espírito das trevas.** V. *diabo* (2). **Espírito de aventura.** Amor ao perigo, ao desconhecido, às situações imprevistas, arriscadas. **Espírito de contradição.** O de quem se compraz em contradizer tudo quanto se diz. **Espírito de porco.** *Bras.* Pessoa que interfere em qualquer negócio ou assunto, criando embaraços ou agravando os já existentes. **Espírito de sistema.** Tendência para reduzir tudo a sistema, para atuar com juízo preconcebido. **Espírito dionisíaco.** *Filos.* Princípio gerador da exaltação e embriaguez resultantes da afirmação dos valores ligados à vida e aos instintos. [Loc. popularizada por F. Nietzsche (v. *nietzschiano*), que atribui ao espírito dionisíaco a origem da tragédia, da comédia e, sobretudo, da inspiração musical.] [Cf. *espírito apolíneo.*] **Espírito engarrafado.** *Irôn.* Falta de graça, de espírito. **Espírito forte.** **1.** Pessoa que se põe acima das opiniões e dos preconceitos. **2.** Livre-pensador. **3.** *E. Ling.* No grego, sinal diacrítico que indica aspiração (3). **Espírito fraco.** **1.** Pessoa que se deixa levar pelos outros, dominar pelos vícios, pelos maus exemplos. **2.** *E. Ling.* No grego, sinal diacrítico que indica ausência de aspiração (3). **Espírito gaulês.** O que se caracteriza por uma alegria um pouco libertina. **Espírito maligno.** V. *diabo* (2). **Espíritos animais.** Segundo a fisiologia antiga, espíritos muito sutis que levavam a vida do coração e do cérebro ao resto do corpo; espíritos vitais. **Espírito Santo.** *Teol.* A terceira pessoa da Santíssima Trindade [v. *trindade* (1)]. **Espírito santo de orelha.** *Fam.* Pessoa que sopra [v. *soprar* (6 e 7)]. **Espíritos vitais.** Espíritos animais. **Em espírito.** Mentalmente; em ideia; em pensamento; sem participação do corpo: *Não podendo ir à festa, lá estarei, contudo, em espírito.* **Render o espírito.** V. *morrer* (1).

espírito-santense[1] ***Adj. 2 g.*** **1.** De, ou pertencente ou relativo a Cruz do Espírito Santo (PB). ● ***S. 2 g.*** **2.** O natural ou habitante de Cruz do Espírito Santo. [Pl.: *espírito-santenses.*]

espírito-santense[2] ***Adj. 2 g.*** **1.** De, ou pertencente ou relativo ao Estado do Espírito Santo. ● ***S. 2 g.*** **2.** O natural ou habitante desse estado. [Sin. ger.: *capixaba.* Pl.: *espírito-santenses.*]

espírito-santense[3] ***Adj. 2 g.*** **1.** De, ou pertencente ou relativo a Espírito Santo (RN). ● ***S. 2 g.*** **2.** O natural ou habitante de Espírito Santo. [Pl.: *espírito-santenses.*]

espírito-santense-do-dourado ***Adj. 2 g.*** **1.** De, ou pertencente ou relativo a Espírito Santo do Dourado (MG). ● ***S. 2 g.*** **2.** O natural ou habitante de Espírito Santo do Dourado. [Sin. ger.: *douradense.* Pl.: *espírito-santenses-do-dourado.*]

espiritual [Do lat. *spirituale.*] ***Adj. 2 g.*** **1.** Relativo ou pertencente ao espírito (por oposição a matéria): *vida espiritual.* [Opõe-se a *temporal*[1] (2).] **2.** Incorpóreo, imaterial: *Macérrima, adquiriu um ar espiritual.* **3.** Da, ou relativo à religião, ou próprio dela; devoto: *exercícios espirituais.* **4.** Místico, sobrenatural. ~ V. *diretor —, médico —, pai —, poder —* e *retiro —.*

espiritualidade [De *espiritual* + *-(i)dade.*] ***S. f.*** **1.** Qualidade ou caráter de espiritual. **2.** *Rel.* Doutrina acerca do progresso metódico na vida espiritual.

espiritualismo [De *espiritual* + *-ismo.*] ***S. m. Filos.*** Doutrina que admite, quer quanto aos fenômenos naturais, quer quanto aos valores morais, a independência e o primado do espírito com relação às condições materiais, afirmando que os primeiros constituem manifestações de forças anímicas ou vitais, e os segundos criações de um ser superior ou de um poder natural e eterno, inerente ao homem.

espiritualista [De *espiritual* + *-ista.*] ***Adj. 2 g.*** **1.** Relativo ao espírito, ou ao espiritualismo. **2.** Que é seguidor do espiritualismo. ● ***S. 2 g.*** **3.** Seguidor dessa doutrina.

espiritualização [De *espiritualizar* + *-ção.*] ***S. f.*** Ato ou efeito de espiritualizar(-se).

espiritualizar [De *espiritual* + *-izar.*] ***V. t. d.*** **1.** Converter em espírito; espiritar. **2.** Assimilar ao espírito: *A poesia espiritualiza a natureza.* **3.** Interpretar em sentido alegórico: *Certos críticos espiritualizam as passagens mais cruas de um livro.* **4.** Destilar, alambicar. **5.** Animar, excitar, estimular. ***P.*** **6.** Despir-se de afeições terrenas. **7.** Readquirir energia; reanimar-se.

espirituosamente [Do f. de *espirituoso* + *-mente.*] ***Adv.*** De modo espirituoso; com espírito (4).

espirituoso (ô) [De *espírito* + *-uoso.*] ***Adj.*** **1.** Que tem ou denota espírito, graça, vivacidade: *indivíduo espirituoso; dito espirituoso.* **2.** Que contém álcool; alcoólico: *bebida espirituosa.*

▲**espir(o)-** [Do V.C.I. spir-, spiro- (do lat. *spirāre*, 'soprar'; 'respirar').] ***El. comp.*** = 'respiração', 'capacidade respiratória': *espirógrafo, espirômetro, espirometria.*

▲**espiro-**[1] [Do gr. *speiro-* < gr. *speíra* ou *speîra, as*, 'enrolamento'; 'espiral' (> lat. *spira, ae*).] ***El. comp.*** = 'linha espiral', 'espira': *espiroqueta, espirotríquio.*

▲**espiro-**[2] *Quím.* ***El. comp.*** Indica a existência de espiro-átomo.

espiro-átomo [De *espiro-*[2] + *átomo.*] ***S. m. Quím.*** Átomo comum a dois anéis, quando não existem, nesses anéis, outros que o sejam. [Pl.: *espiros-átomos.*]

espiro-composto [De *espiro-*[2] + *composto.*] ***S. m. Quím.*** Qualquer substância que contenha espiro-átomo. [Pl.: *espiros-compostos.*]

espirógrafo [De *espir(o)-* + *-grafo.*] ***S. m. Fisiol.*** Aparelho que registra os movimentos respiratórios.

espiroide (ói) [Do gr. *speiroeidés.*] ***Adj. 2 g.*** Espiralado. ✤

espirometria [De *espir(o)-* + *-metria.*] ***S. f. Fisiol.*** Medição da capacidade respiratória dos pulmões; emprego do espirômetro.

espirómetro ***S. m. Fisiol.*** V. *espirômetro.* [Uso freq. em P.]

espirômetro [De *espir(o)-* + *-metro.*] ***S. m. Fisiol.*** Instrumento que mede o ar inalado e exalado dos pulmões.

espiroqueta (ê) [De *espiro-*[1] + *-queta*; tax. *Spirochaeta.*] ***S. f. Microbiol.*** **1.** Gênero de microrganismos espiroquetáceos, que se caracterizam pelo corpo em espiral; têm vida livre e são encontrados em lama, águas de esgoto e outras águas poluídas. **2.** Qualquer espécie desse gênero, como, p. ex., a *Spirochaeta plicatilis.* **3.** Qualquer espécime desse gênero. [F. paral., nas acepç. 2 e 3: *espiroqueto.*]

espiroquetácea [Do tax. *Spirochaeta* (v. *espiroqueta*) + *-ácea*; tax. *Spirochaetaceae.*] ***S. f. Microbiol.*** Espécime das espiroquetáceas, família de microrganismos delgados, móveis, ondulantes, em forma de espiral com uma ou mais voltas em hélices, e que compreende os gêneros espiroqueta, borrélia e treponema.

espiroquetáceo [De *espiroquetácea*, com var. suf. (v. *-áceo*).] ***Adj. Microbiol.*** Pertencente ou relativo às espiroquetáceas.

espiroquetal [De *espiroquet-* (v. *espiroquetale*) + *-al*[1].] ***Adj. 2 g. Microbiol.*** Pertencente ou relativo às espiroquetales.

espiroquetale [Do tax. *Spirochaeta* + *-ale*; tax. *Spirochaetales.*] ***S. f. Bacter.*** Espécime das espiroquetales, ordem de esquizomicetos formada por microrganismos em forma de espiral, e que inclui somente a família espiroquetácea.

espiroqueto (ê) [De *espiro-*[1] + *-queto.*] ***S. m. Bacter.*** V. *espiroqueta.*

espirotríquio [De *espiro-*[1] + *-triqu(i)-* + *-io*[3]; tax. *Spirotricha.*] *Zool.* ***S. m.*** **1.** Espécime dos espirotríquios, subclasse de animais protozoários, eucilíados, providos de uma fileira de membranelas adorais, de cílios corporais escassos e uniformes; ger. marinhos, vivem tb. no intestino de animais como parasitos ou comensais. São os hipotríquios e os heterotríquios. ● ***Adj.*** **2.** Pertencente ou relativo a eles.

espirotromba [De *espiro-*[1] + *tromba.*] ***S. f. Zool.*** Espirotrompa.

espirotrompa [De *espiro-*[1] + *trompa.*] ***S. f. Zool.*** Tromba espiralada, formada pelas maxilas, no sistema sugador de insetos lepidópteros; espirotromba.

espirra-canivetes [De *espirrar canivete.*] ***S. 2 g. e 2 n.*** *Pop.* Pessoa de mau gênio, facilmente irritável.

espirradeira [De *espirrar* + *-deira.*] ***S. f. Bras. Bot.*** Arbusto apocináceo (*Nerium oleander*) ornamental, considerado tóxico, cujas flores são hermafroditas, róseas, dispostas em cimeiras corimbiformes, e cujos frutos são folículos duplos, com numerosas sementes aveludadas; adelfa, adelfeira, aloendro, eloendro, loendro, oleandro.

espirradeira-do-campo ***S. f. Bras. MG RS GO MT Bot.*** Planta apocinácea (*Dipladenia spigeliae-flora*) herbácea e ornamental, dotada de racimos com várias flores vermelho-vivas, glabras, com pétalas torcidas para a esquerda, e cujo fruto é folículo. Vegeta nos campos. [Sin.: *jalapinha.* Pl.: *espirradeiras-do-campo.*]

espirrar [Do lat. *exspirare.*] ***V. t. d.*** **1.** Lançar fora de si; expelir: *O poço espirrou petróleo.* **2.** Dar, soltar, emitir. ***Int.*** **3.** Crepitar, estalar: *A lenha, quando verde, espirra ao arder.* **4.** Dar espirro. **5.** Esguichar, jorrar: *O sangue espirrou fortemente.* **6.** Irromper, romper. **7.** Irritar-se, agastar-se, encolerizar-se. **8.** Nos jogos de sinuca e bilhar, etc., resvalar (o taco), invalidando a jogada. **9.** *Bras.* Sair súbita e inesperadamente de um esconderijo ou de um aperto de multidão. ***T. c.*** **10.** Espirrar (5 e 6).

espirro [Dev. de *espirrar.*] ***S. m.*** Expiração violenta e estrepitosa, resultante de comichão ou excitação da membrana pituitária; esternutação.

espirurídeo [Do tax. *Spirura* + *-ídeo*[1]; tax. *Spirurida.*] *Zool.* ***S. m.*** **1.** Espécime dos espirurídeos, ordem de animais asquelmintos, nematódeos, fasmídeos, cujo esôfago é dividido em duas regiões: uma anterior, muscular, e outra posterior, glandular. Os adultos vivem no intestino ou tecidos de vertebrados. ● ***Adj.*** **2.** Pertencente ou relativo a eles.

esplanada [Do it. *spianata*, poss. pelo fr. *esplanade*.] ***S. f.* 1.** Terreno plano e descoberto em frente de um edifício. **2.** Lugar elevado e descoberto donde se tem boa perspectiva. **3.** *Lus.* Terraço (4): "encontrava-me agora sentado numa esplanada. .... Na mesma esplanada, Cármen, um pouco mais adiante, conversava com alguém que eu não conhecia." (Antônio Silva Graça, *Viagem ao Fim da História*, p. 202).

esplanadense ***Adj. 2 g.* 1.** De, ou pertencente ou relativo a Esplanada (BA). • ***S. 2 g.* 2.** O natural ou habitante de Esplanada.

esplâncnico [Do gr. *splanchnikós*.] ***Adj.*** *Anat.* Pertencente ou relativo às vísceras; visceral, visceroso.

▲**esplancn(o)-** [Do gr. *splánchnon, ou*.] ***El. comp.*** = 'entranhas', 'vísceras': *esplancnografia, esplancnotomia.*

esplancnografia [De *esplancn(o)-* + *-grafia*.] ***S. f.*** *Anat.* Descrição das vísceras.

esplancnográfico [De *esplancnografia* + *-ico*[2].] ***Adj.*** Relativo a esplancnografia.

esplancnologia [De *esplancn(o)-* + *-logia*.] ***S. f.*** *Anat.* Parte da anatomia que trata das vísceras.

esplancnológico [De *esplancnologia* + *-ico*[2].] ***Adj.*** Referente a esplancnologia.

esplancnopleura [De *esplancn(o)-* + *-pleura*.] ***S. f.*** *Embr.* Porção do mesoderma lateral que, em conjunto com o endoderma, forma a parede do intestino.

esplancnotomia [De *esplancn(o)-* + *-tom(o)-* + *-ia*[1].] ***S. f.*** *Cir.* Dissecção visceral.

esplancnotómico ***Adj.*** V. *esplancnotômico*. [Uso freq. em P.]

esplancnotômico [De *esplancnotomia* + *-ico*[2].] ***Adj.*** *Cir.* Referente a esplancnotomia.

esplandecer [Var. de *esplendecer*.] ***V. int.*** V. *resplandecer* (1 a 3). [Conjug.: v. *aquecer*.]

esplenalgia [De *esplen(o)-* + *-alg(o)-*[2] + *-ia*[1].] ***S. f.*** *Med.* Dor esplênica.

esplenálgico [De *esplenalgia* + *-ico*[2].] ***Adj.*** Referente a esplenalgia.

esplendecência [Do lat. *splendescentia*, do v. *splendescere*, 'esplendecer'.] ***S. f.*** Ato ou efeito de esplendecer; resplandecência.

esplendecer [Do lat. *splendescere*.] ***V. int.*** V. *resplandecer* (1 a 3): "De greda formada, / a carne perece, / mas a alma no céu / eterna esplendece." (Maciel Monteiro, *Poesias*, p. 80.) [Conjug.: v. *aquecer*.]

esplendência [De *esplender* + *-ência*.] ***S. f.*** Brilho, esplendor, esplendecência: "Subi, de conjectura em conjectura, / Às esplendências do que fui e fiz." (José Oiticica, *Fonte Perene*, p. 36.)

esplendente [Do lat. *splendente*.] ***Adj. 2 g.*** V. *resplandecente*.

esplender [Do lat. *splendere*.] ***V. int.*** V. *resplandecer* (1 a 3): "Cai do teto, inflamando os espelhos estáticos, / Um fino orvalho de ouro... O chão esplende e cega." (Eugênio de Castro, *Obras Poéticas*, III, p. 141.)

esplendidez (ê) [De *esplêndido* + *-ez*.] ***S. f.*** Qualidade de esplêndido; esplendor.

esplêndido [Do lat. *splendidu*.] ***Adj.* 1.** Que tem esplendor (1); brilhante, luzente. **2.** Admirável, grandioso: *inteligência esplêndida*. **3.** Pomposo, suntuoso. **4.** Maravilhoso, deslumbrante: *É uma esplêndida mulher*. **5.** *Fam.* Excelente, delicioso: *um vatapá esplêndido*. [Superl. abs. sint.: *esplendidíssimo* e *esplendíssimo*.]

esplendíssimo [Por *esplendidíssimo*, com haplologia.] ***Adj.*** Superl. abs. sint. de *esplêndido*; esplendidíssimo: "Quem sabe que esplendíssimos altares / Terás do ouro e da luz, que lá se apinha?!" (Luís Delfino, *Íntimas e Aspásias*, p. 181.)

esplendor (ô) [Do lat. *splendore*.] ***S. m.* 1.** Brilho intenso; fulgor, resplendor: *O esplendor das luzes ofuscava*. **2.** Suntuosidade, pompa: *o esplendor da festa*. **3.** Grandeza, intensidade: *Brilhava-lhe a inteligência em todo o seu esplendor*. [Sin. ger.: *resplendor*. Pl.: *esplendores* (ô). Cf. *esplendores*, do v. *esplendorar*.]

esplendorar [De *esplendor* + *-ar*[2].] ***V. int.*** V. *resplandecer* (1 a 3): "O dia é claro, esplendorando, / áureo de rendas, / áureo de antífonas e de hinos / e oferendas." (Murilo Araújo, *Poemas Completos*, I, p. 159.) [Pres. subj.: *esplendore, esplendores*, etc. Cf. *esplendores* (ô), pl. de *esplendor*.]

esplendoroso (ô) [De *esplendor* + *-oso*.] ***Adj.* 1.** Cheio de esplendor; resplandecente, refulgente. **2.** Magnífico, admirável, excelente, esplêndido.

esplenectomia [De *esplen(o)-* + *-ectom-* + *-ia*[1].] ***S. f.*** *Cir.* Extirpação ou ablação, em extensão variável, do baço.

esplenectómico ***Adj.*** V. *esplenectômico*. [Uso freq. em P.]

esplenectômico [De *esplenectomia* + *-ico*[2].] ***Adj.*** Concernente a esplenectomia.

esplenectopia [De *esplen(o)-* + *-ectop-* + *-ia*[1].] ***S. f.*** *Patol.* Ectopia do baço (3).

esplenectópico [De *esplenectopia* + *-ico*[2].] ***Adj.*** Relativo a esplenectopia.

esplenético [Do lat. *spleneticu*.] ***Adj. S. m.*** Que, ou aquele que tem esplenopatia.

▲**espleni-** V. *esplen(o)-*.

esplénico ***Adj.*** V. *esplênico*. [Uso freq. em P.]

esplênico [Do gr. *splenikós*, pelo lat. *splenicu*.] ***Adj.*** Relativo ou pertencente ao baço (3); lienal. ~ V. *trabéculas —as.*

esplenificação [De *espleni-* + *-fic(a)(r)-* + *-ção*.] ***S. f.*** *Med.* Transformação de tecido hepático ou pulmonar, por efeito de endurecimento, em substância parecida com a do baço (3).

esplénio ***S. m.*** *Anat.* V. *esplênio*. [Uso freq. em P.]

esplênio [Do lat. cient. *splenius* < lat. *splenium* < gr. *splénion*.] ***S. m.*** *Anat.* Designação de formação anatômica com aspecto de faixa. ◆ **Esplênio da cabeça.** *Anat.* Cada um de dois músculos que se estendem das três vértebras torácicas superiores e sétima cervical ao osso occipital. **Esplênio do pescoço.** *Anat.* Cada um de dois músculos que se estendem da sexta à terceira vértebra torácica, às duas ou três vértebras cervicais superiores.

esplenite [De *esplen(o)-* + *-ite*[1].] ***S. f.*** *Med.* Inflamação do baço (3).

▲**esplen(o)-** [Do gr. *splḗn, splēnós*.] ***El. comp.*** = 'baço' (3): *esplenalgia, esplenopatia*. [Equiv.: *espleni-, -(e)splen(o)-*: *esplenificação; anesplenia, megalosplenia, hepatesplenomegalia*.]

▲**-(e)splen(o)-** V. *esplen(o)-*.

esplenocele [De *esplen(o)-* + *-cele*[1].] ***S. f.*** *Patol.* Saliência herniária produzida pelo baço (3).

esplenografia [De *esplen(o)-* + *-grafia*.] ***S. f.* 1.** Descrição do baço (3). **2.** *Radiol.* Radiografia do baço (3).

esplenográfico [De *esplenografia* + *-ico*[2].] ***Adj.*** Relativo a esplenografia.

esplenoide (ói) [De *esplen(o)-* + *-oide*.] ***Adj. 2 g.*** Semelhante ao baço (3). ❖

esplenologia [De *esplen(o)-* + *-logia*.] ***S. f.*** *Anat.* Estudo acerca do baço (3).

esplenológico [De *esplenologia* + *-ico*[2].] ***Adj.*** Concernente a esplenologia.

esplenomegalia [De *esplen(o)-* + *-megal(o)-* + *-ia*[1].] ***S. f.*** *Patol.* Hipertrofia do baço (3); megalosplenia.

esplenomegálico [De *esplenomegalia* + *-ico*[2].] ***Adj.*** Referente a esplenomegalia; megalosplênico.

esplenopatia [De *esplen(o)-* + *-patia*.] ***S. f.*** *Patol.* Doença do baço (3).

esplenopático [De *esplenopatia* + *-ico*[2].] ***Adj.*** Relativo a esplenopatia.

esplenotomia [De *esplen(o)-* + *-tom(o)-* + *-ia*[1].] ***S. f.*** *Cir.* Incisão no baço (3).

esplenotómico ***Adj.*** V. *esplenotômico*. [Uso freq. em P.]

esplenotômico [De *esplenotomia* + *-ico*[2].] ***Adj.*** *Cir.* Relativo a esplenotomia.

esplim [Do ingl. *spleen* (< gr. *splén*, 'baço', pelo lat. *splen*).] ***S. m.*** Tédio de tudo; melancolia.

espoar [De *es-* + *pó*[1] + *-oar*.] ***V. t. d.* 1.** Peneirar (farinha) pela segunda vez. **2.** Tirar o pó a; espanar, espanejar. [Conjug.: v. *coroar*.]

espocar [De *es-* + tupi *poka*, ger. de *pog*, 'arrebentar' (t. onom.), + *-ar*[2].] ***V. int.*** *Bras.* **1.** V. *pipocar* (1): "Na festa do Javali, quando os foguetes espocaram, houve um ar de interrogação." (José Sarney, *Norte das Águas*, p. 208.) **2.** *Fig.* Desabrochar, desabotoar impetuosamente, como que estourando: "Avançando quentes, cachaça subindo, desejos nascendo, ciúmes crescendo, amores aflorando, moças espocando para a vida, e o dançar firme no rodopiado lento ....: é baile na roça." (Id., *ib.*, p. 194.) [Conjug.: v. *trancar*. Comumente é defect., us. só nas 3.as pess. Encontram-se numerosos empregos da f. *espoucar*, menos correta. Curioso é que o mesmo não se dá com os cognatos *pocar, empipocar, espipocar, papocar, pipocar*.]

espoduménio ***S. m.*** *Min.* V. *espodumênio*. [Uso freq. em P.]

espodumênio [Do gr. *spodoúmenos*, part. pres. de *spodoûsthai*, 'reduzir a cinzas' + *-io*[3].] ***S. m.*** *Min.* Mineral monoclínico, silicato de alumínio e lítio.

espojadoiro [De *espojar* + *-doiro*[2].] ***S. m.*** Espojadouro (q. v.).

espojadouro [De *espojar* + *-douro*[2]; var. de *espojadoiro*.] ***S. m.*** Lugar onde se espojam animais; espojeiro.

espojar [Por **espoejar* < *es-* + *pó*[1] + *-ejar*.] ***V. t. d.* 1.** Reduzir a pó; pulverizar. **2.** Fazer cair na terra. ***P.* 3.** Estender-se e rebolar-se no chão; espolinhar-se, rojar-se.

espojeiro [De *espoj(ar)* + *-eiro*.] ***S. m.* 1.** V. *espojadouro*. **2.** *Bras.* Pequeno cercado ao redor da casa. **3.** *Bras. N.E.* Pequeno roçado.

espoldra [Dev. de *espoldrar*.] ***S. f.*** A segunda poda das vinhas; poda ligeira.

espoldrar [De *es-* + *poldro* + *-ar*[2].] ***V. t. d.*** Podar (a videira) pela segunda vez; desramar (a videira) depois da vindima.

espoleta (ê) [Do it. *spoletta*.] ***S. f.* 1.** Artefato pirotécnico destinado a produzir a inflamação da carga de arrebentamento dos projéteis, no momento conveniente. [Cf. *estopilha*.] • ***S. 2 g.* 2.** *Bras.* V. *leva e traz*. **3.** *Bras.* Intrigante assalariado de um poderoso. • ***S. m.* 4.** *Bras. Pop.* V. *capanga* (4). **5.** *Bras. Pop.* Indivíduo servil, bajulador: "Entregou-se como um banana e passou a ser um espoleta da quadrilha a ponto de ouvir gritos de um sujeito como Paulo Nunes." (Adonias Filho, *Luanda Beira Bahia*, p. 70.) [Cf. *espoletas, espoleta*, do v. *espoletar*.]

espoletar [De *espoleta* + *-ar*[2].] ***V. t. d.*** Pôr espoleta em. [Pres. ind.: *espoleto, espoletas, espoleta*, etc. Cf. *espoleta* (ê), pl. *espoletas* (ê), e *Espoleto* (ê), top.]

espoletear [De *espoleta* + *-ear*[2].] ***V. int.*** *Bras.* Ficar tonto; entontecer. [Conjug.: v. *frear*.]

espoliação [Do lat. *spoliatione*.] ***S. f.*** Ato ou efeito de espoliar; esbulho.

espoliado [Part. de *espoliar*.] ***Adj.*** Despojado, esbulhado.

espoliador (ô) [Do lat. *spoliatore*.] ***Adj.* 1.** Que espolia; espoliante, espoliativo. • ***S. m.* 2.** Aquele que espolia. [Sin. ger.: *despojador*.]

espoliante [De *espoliar* + *-nte*.] ***Adj. 2 g.*** V. *espoliador* (1).

espoliar [Do lat. *spoliare*, por via erudita.] ***V. t. d.* 1.** Privar de alguma coisa ilegitimamente, por fraude ou violência; roubar, despojar, esbulhar. ***T. d. e i.* 2.** Privar de algo ilegitimamente, por fraude ou violência; esbulhar, despojar: *O desonesto funcionário espolia o povo de seus bens*. [F. paral.: *esbulhar*. Sin.: *desbulhar*. Pres. ind.: *espolio*, etc. Cf. *espólio*.]

espoliativo [De *espoliar* + *-tivo*.] ***Adj.*** V. *espoliador* (1).

espolim [Do occitano *espoulin*, dim. do occitano ant. *espol* (< gót. **spôla*), poss. pelo fr. *e(s)poulin*.] ***S. m.*** Lançadeira pequena, para florear estofos.

espolinar [De *espolim* + *-ar*[2].] ***V. t. d.*** Tecer e lavrar com o espolim.

espolinhar-se [De *pó*.] ***V. p.*** V. *espojar* (3).

espólio [Do lat. *spoliu*.] ***S. m.* 1.** Bens que alguém, morrendo, deixou: "À volta daquele cadáver travou-se uma briga de peito a peito, um cortar de ferros e ressaltar de sangue que espirrava à face do morto: eram os três assassinos a defenderem o espólio das presas duns que subiam, e doutros que desciam acossados pelas chamas." (Camilo Castelo Branco, *O Judeu*, II, p. 257.) **2.** Aquilo de que alguém foi espoliado. **3.** Despojos, restos: "São essas parcelas redivivas, espólio dum exemplo e dum nome, as que promovem a mais sólida e benéfica imortalidade àquele que se finou, cortejado pela saudade e pela admiração de tantos." (Ricardo Jorge, *Sermões dum Leigo*, p. 6.) [Cf. *espolio*, do v. *espoliar*.]

espondaico [Do gr. *spondaikós*, pelo lat. tard. *spondaicu*.] ***Adj.*** Que tem espondeus.

espondeu [Do gr. *spondeîos*, pelo lat. *spondeu*.] ***Adj. S. m.*** Diz-se de, ou pé de verso, grego ou latino, constituído por duas sílabas longas.

espondílico [De *espondil(o)-* + *-ico*[2].] ***Adj.*** Referente a espôndilo.

espondilite [De *espondil(o)-* + *-ite*[1].] ***S. m.*** *Reum.* Inflamação do espôndilo.

▲**espondil(o)-** [Do gr. *spóndylos, ou* (ў).] ***El. comp.*** = 'vértebra': *espondilose, espondilozoário*. [Equiv.: *-(e)spôndilo*: *protospôndilo*.]

espôndilo [Do gr. *spóndylos*, pelo lat. tard. *spondylu*.] ***S. m.*** *Anat.* Vértebra.

▲**-(e)spôndilo** Equiv. de *espondil(o)-*.

espondilodiscite [De *espondil(o)-* + *-disc(i)-* + *-ite*[1].] ***S. f.*** *Ort.* Osteíte vertebral, infecciosa, que compromete o disco intervertebral e corpos vertebrais adjacentes.

espondilose [De *espondil(o)-* + *-ose*[1].] ***S. f.*** *Patol.* Ancilose vertebral.

espondilozoário [De *espondil(o)-* + *-zo(o)-* + *-ário*.] ***S. m.*** *Zool.* Animal provido de coluna vertebral.

▲**espong(i)-** [Do lat. *spongĭa* < gr. *spongiá, âs* < gr. *spóngos, ou*.] ***El. comp.*** = 'esponja': *espongiforme, espongina, espongiário*. [Equiv.: *-spong(i)-, -spôngia*: *otospongiose; demospôngia, mixospôngia*.]

espongiário [De *espong(i)-* + *-ário*; tax. *Spongiaria*.] ***S. m. Adj.*** V. *porífero*.

espongiforme [De *espong(i)-* + *-forme*.] ***Adj. 2 g.*** Esponjoso (1). ~ V. *encefalopatia —*.

espongilídeo [Do tax. *Spongilla* (< lat. *spongia*, 'esponja') + *-ídeo*[1]; tax. *Spongillidae*.] *Zool.* ***S. m.* 1.** Espécime dos espongilídeos, família de esponjas [v. *esponja* (1)] fibrosas, de água doce, encontradas em rios, canais e lagos, e que se reproduzem por ovos ou por gêmulas. • ***Adj.* 2.** Pertencente ou relativo a eles.

espongina [De *espong(i)-* + *-ina*[3].] ***S. f.*** *Zool.* Substância constituída de fibras orgânicas, que forma, no todo ou em parte, o esqueleto das esponjas [v. *esponja* (1)], dispondo-se em rede de malhas irregulares. [A esponja natural, usada para banho, é de espongina.]

espongíolo [Do lat. *spongiolu*.] ***S. m.*** *Bot.* **1.** *Obsol.* Órgão que se supunha existir na extremidade das raízes, e cuja função seria absorver água e sais, função que, sabe-se hoje, é realizada por pelos absorventes. **2.** Nas rodofíceas, excrescência que protege o cistocarpo, envolvendo-o.

E

espongólito [Do gr. *spóngos*, 'esponja', + *-lito*.] ***S. m.*** *Geol.* Rocha sedimentar formada essencialmente por espículas de esponjas.

esponja [Do gr. *spongiá*, pelo lat. *spongia*.] ***S. f.*** **1.** *Zool.* Designação comum aos animais metazoários poríferos, marinhos ou de água doce, cujo corpo é provido de numerosos poros, canais e câmaras pelos quais penetra e sai a água; esponja-do-mar. **2.** Substância porosa e leve, proveniente desse animal. **3.** Objeto de aspecto análogo à esponja (2): *esponja de borracha.* **4.** *Fig.* V. *ébrio* (8). **5.** V. *parasito* (2). **6.** *Bras. Bot.* V. *esponjeira* (2). **7.** *Veter.* Epizootia que ataca os equídeos. ◆ **Passar uma esponja em. 1.** Tirar da memória; esquecer: "Mas ela não estava ressentida. .... Está bem. Vamos esquecer tudo, vamos passar uma esponja no passado." (Moacir Scliar, *O Centauro no Jardim*, p. 241.) **2.** Perdoar, desculpar. [Sin. ger.: *passar uma esponja sobre*.] **Passar uma esponja sobre.** V. *passar uma esponja em.*

esponja-d'água-doce ***S. f.*** *Bras. Zool.* V. *cauxi*. [Pl.: *esponjas-d'água-doce*.]

esponja-de-raiz ***S. f.*** *Bras. RJ MG SP Bot.* Planta balanoforácea (*Scybalium fungiforme*) parasita, acaule, desprovido de folhas, com rizoma tuberoso, grande, avermelhado, flores grandes, numerosas e vermelhas, e frutos drupáceos; cogumelo-de-caboclo, cogumelo-de-sangue, fel-da-terra. [Pl.: *esponjas-de-raiz*.]

esponja-do-mar ***S. f.*** *Zool.* Esponja (1). [Pl.: *esponjas-do-mar*.]

esponja-do-mato ***S. f.*** *Bras. L. S. Bot.* Designação comum a vários arbustos pequenos saxifragáceos, pertencentes ao gênero *Escallonia*, cujas flores, alvas, estão dispostas em panículas ou racimos paniculados, cujas folhas florais têm glândulas nas margens, e cujos frutos são cápsulas, coroadas por um ou dois estilos compridos. [Pl.: *esponjas-do-mato*.]

esponjar [Do lat. *spongiare*.] ***V. t. d.*** **1.** Apagar com esponja: *esponjar o quadro-negro.* **2.** Absorver ou embeber, como esponja: *A terra seca esponjou toda a água.* **3.** Verter, ressudar, ressumar, transudar. **4.** Eliminar, extinguir, apagar, expungir. **5.** Dar aspecto esponjoso a. **6.** Surripiar, surrupiar, subtrair: *O gatuno esponjou todo o dinheiro.*

esponjeira [De *esponja* + *-eira*.] ***S. f.*** **1.** Vaso ou lugar onde se guardam esponjas. **2.** *Bras. AM MT Bot.* Arbusto fabáceo (*Acacia farnesiana*) grande, dotado de propriedades medicinais, cujas flores são hermafroditas, aromáticas, de cor amarelo-viva e dispostas em capítulos axilares, e cujos frutos, vagens indeiscentes, com polpa carnosa e sementes pardas, duras, são considerados venenosos; coroa-crísti, coronácris, coronha, esponja, espinilho.

esponjinha [De *esponja* + *-inha*.] ***S. f.*** *Bras. Bot.* **1.** Arbusto mimosáceo (*Calliandra tweediei*) lenhoso, ereto, muito ramificado, ornamental, nativo do Brasil, dotado de folhas bipenadas, ramagem delgada e pequenas flores vermelhas, com estames longos e numerosos, dispostas em capítulos densos. [Sin.: *mandaravê, quebra-foice*.] **2.** Acácia-mimosa.

esponjosidade [De *esponjoso* + *-(i)dade*.] ***S. f.*** Qualidade de esponjoso.

esponjoso (ô) [Do lat. *spongiosu*.] ***Adj.*** **1.** Que tem a natureza ou a aparência da esponja; espongiforme. **2.** Diz-se, em geral, do que é leve, poroso e/ou absorvente. ~ V. *corpo — peniano* e *osso —*.

esponsais [Do lat. *sponsales*, acus. pl. de *sponsalis* < lat. *sponsus*, 'esposo'.] ***S. m. pl.*** **1.** Contrato ou promessa recíproca de casamento; noivado. **2.** Cerimônia ou convenções antenupciais. [Sin. ger.: *esponsálias, esposório*.] ~ V. *esponsal.*

esponsal [Do lat. *sponsale*.] ***Adj. 2 g.*** Relativo ou pertencente a esposos. ~ V. *esponsais.*

esponsálias [Do lat. *sponsalia*.] ***S. f. pl.*** V. *esponsais.*

esponsalício [Do lat. tard. *sponsaliciu*.] ***Adj.*** Relativo a esponsais.

espontaneamente [Do f. de *espontâneo* + *-mente*.] ***Adv.*** **1.** De modo espontâneo, voluntário. **2.** De maneira espontânea, natural, sincera.

espontaneidade [De *espontân(eo)* + *-eidade*.] ***S. f.*** Qualidade de espontâneo: *Tem um sorriso forçado, sem espontaneidade.*

espontâneo [Do lat. tard. *spontaneu*.] ***Adj.*** **1.** Que se origina em sentimento ou tendência natural, em determinação livre, sem constrangimentos: *aceitar uma coisa por espontânea vontade.* **2.** Que se manifesta como que por instinto, sem premeditação ou desvios; sincero: *criança espontânea; gesto espontâneo.* **3.** *Fitogeogr.* Que vegeta sem intervenção humana: *espécie espontânea.* [Cf. *cultivar*[1].] ~ V. *combustão —a, desintegração —a* e *geração —a.*

espontar [De *es-* + *ponta* + *-ar*[2].] ***V. t. d.*** **1.** Aparar, cortar as pontas a: "Ainda pegou no sacho, ainda mexeu na terra, chegou a espontar alguns arbustos" (João de Araújo Correia, *Cinza do Lar*, p. 85). **2.** Cortar rebentos ou medranças a (plantas); capar. ***Int.*** **3.** Começar a surgir; despontar.

esponto [De or. incerta.] ***S. m.*** *Bras.* Estreitamento de calibre das armas de fogo.

espora [Do gót. **spaúra*.] ***S. f.*** **1.** Instrumento de metal que se põe no tacão do calçado para incitar o animal que se monta. [Sin., bras.: *butuca, mutuca* (SP). Dim.: *esporim*.] **2.** Incitamento, estímulo. **3.** *Bras. Bot.* Nome comum a várias ranunculáceas ornamentais pertencentes ao gênero *Delphinium* ou *Consolida* (v. *consólida*), com vistosas inflorescências terminais com flores azuis, roxas, róseas ou brancas, em forma de esporas, donde o nome vulgar, dispostas em espigas compridas e frouxas, ou em racimos densos; esporinha, esporeira, consolda, consolda-do-cáucaso. **4.** *Bot.* Prolongamento corniforme de uma sépala ou pétala, a qual é, por isso, bem maior que as demais. ● ***Adj. 2 g.*** **5.** *Bras. Pop.* Ordinário, reles, ruim, sem valor. **6.** *Bras. Pop.* Maltrajado, mal-amanhado. **7.** *Bras. RS* Intrometido, metido. ◆ **Chamar nas esporas.** *Bras.* **1.** Picar (o cavalo) com as esporas. **2.** *Bras. S. Fig.* Censurar ou repreender (alguém). [Sin. ger.: *procurar nas esporas*.] **Lamber as esporas de.** *Bras. BA* Ser subserviente a. **Procurar nas esporas.** *Bras.* Chamar nas esporas.

esporada [De *espora* + *-ada*[1].] ***S. f.*** **1.** Picada com espora; batucada. **2.** *Fig.* Incitamento, estímulo, espora. **3.** *Fam.* V. *descompostura* (2).

esporadicidade [De *esporádico* + *-(i)dade*.] ***S. f.*** Qualidade de esporádico.

esporádico [Do lat. med. *sporadicu* < gr. *sporadikós*.] ***Adj.*** **1.** Disperso, espalhado. **2.** Acidental, casual, raro: "O nosso governo constituíra-se muito mais decentemente, ainda que de assalto, pela intervenção esporádica de uma elite de intelectuais" (Ramalho Ortigão, *Últimas Farpas*, p. 29). **3.** *Med.* Diz-se das doenças não endêmicas nem epidêmicas, que atacam acidentalmente um ou outro indivíduo. ~ V. *meteoro —*.

esporangiado [De *esporângio* + *-ado*[1].] ***Adj.*** Provido de esporângio.

esporângio [De *espor(o)-* + *-ângio*.] ***S. m.*** *Biol.* Estrutura onde os esporos são formados e armazenados até a sua liberação.

esporangióforo [De *esporângio* + *-foro*.] ***S. m.*** *Biol. Microbiol.* Estrutura filamentosa especializada formada por um pedúnculo que suporta o esporângio.

esporão [Do provenç. ant. *esporon*.] ***S. m.*** **1.** *Zool.* Saliência córnea do tarso de alguns machos galináceos. **2.** *Bot.* V. *cravagem.* **3.** *Arquit.* Contraforte de uma parede. **4.** *Constr. Nav.* Protuberância muito resistente que certos navios de guerra antigos tinham na parte exterior da roda de proa, para romper a carena de navios adversários, quando contra eles investissem; aríete. **5.** *Med.* Formação (5) saliente, como pode ocorrer a partir de osso. ◆ **Esporão calcâneo.** *Med.* Saliência óssea localizada na superfície inferior de calcâneo e que, muitas vezes, provoca dor, ao andar.

esporão-de-galo [De *esporão* + *de* + *galo*[1].] ***S. m.*** *Bras. RJ MG SP Bot.* Arbusto ou trepadeira grande nictaginácea (*Pisonia aculeata*), armada de numerosos espinhos fortes e recurvados, cujas flores, tanto as femininas quanto as masculinas, são verde-amareladas ou pardacentas e estão reunidas em cimeiras, dispostas em pequenas panículas axilares, e cujos frutos são arredondados no ápice e têm glândulas viscosas, que os tornam pegajosos; cipó-mole, tapaciriba. [Pl.: *esporões-de-galo*.]

esporão-do-centeio ***S. m.*** *Bot.* V. *cravagem.* [Pl.: *esporões-do-centeio*.]

esporar [De *espora* + *-ar*[2].] ***V. t. d. T. d. e i. Int.*** V. *esporear*: "Como hesitas ainda, Sebastião? Talvez tenha sobrestimado a tua piedade por mim. Esporo-te: | — O problema da tua vida não era o tédio?" (Inês Pedrosa, *A Eternidade e o Desejo*, p. 17.)

esporear [De *espora* + *-ear*[2].] ***V. t. d.*** **1.** Ferir, picar, excitar com espora: "O regedor esporeou a égua e partiu a galope" (Bernardo Pinheiro Pindela, *Azulejos*, p. 82). [Sin. bras., nesta acepç.: *butucar*.] **2.** Estimular, excitar, incitar, animar: *A ambição de glória esporeia-o.* **3.** Sacudir ou agitar violentamente. ***T. d. e i.*** **4.** Estimular, incitar, compelir, levar: *A ânsia de riqueza o esporeia a trabalhar cada vez mais.* ***Int.*** **5.** Picar a cavalgadura com espora. [F. paral.: *esporar*. Conjug.: v. *frear*.]

esporeira [De *espora* + *-eira*.] ***S. f.*** *Bot.* V. *espora* (3).

▲**-(e)sporídio** [Do lat. cient. *sporidium*, ou adapt. do seu neutro pl. *sporidia*.] ***El. comp.*** = 'que tem pequenos esporos'; 'espécime de protozoário'; 'espécime de esporozoário': *haplosporídio, helicosporídio, microsporídio, sarcosporídio, telesporídio, telosporídio.*

esporífero [De *esporo* + *-ífero*.] ***Adj.*** Que tem esporos; esporígeno: *talo esporífero.* ~ V. *aparelho —*.

esporígeno [De *esporo* + *-i-* + *-geno*.] ***Adj.*** Esporífero. ~ V. *aparelho —*.

esporim [De *espora* + *-im*.] ***S. m.*** Espora pequena, sem roseta e geralmente sem arco.

esporinha [De *espora* + *-inha*.] ***S. f.*** *Bras. Bot.* V. *espora* (3).

espório [De *espor(o)-* + *-io*[3].] ***S. m.*** V. *esporo.*

esporo [Do lat. cient. *spora* (do gr. *sporá*); ingl. *spore*.] ***S. m.*** **1.** *Biol.* Célula reprodutora capaz de germinar, dando novo organismo. **2.** *Zool.* Célula resultante da divisão múltipla dos protozoários. **3.** *Microbiol.* Célula reprodutiva, muito resistente, capaz de desenvolver-se em organismo adulto, sem que ocorra fusão com outra célula, e que é característica de certas bactérias, fungos, algas e pteridófitos. [Dim.: *espórulo*.]

▲**espor(o)-** [Do V.C.I. *spor, sporo-* < lat. cient. *spora* < gr. *sporá, âs*, 'semente'.] ***El. comp.*** = 'esporo'; 'semente': *esporângio, esporozoário.* [Equiv.: *-spor(o)-, -sporo*: *gimnosporado, heterósporo*.]

esporoblasto [De *espor(o)-* + *-blasto*.] ***S. m.*** *Zool.* Estrutura esporular em formação, encontrada em protozoários e alguns metazoários incipientes.

esporocarpo [De *espor(o)-* + *-carpo*.] ***S. m.*** *Bot.* Corpo globoso ou reniforme dentro do qual se acham os esporângios, em certos pteridófitos. Pode-se subdividir em compartimentos, e abre-se quando atinge a maturidade.

esporocisto [De *espor(o)-* + *-cisto*.] ***S. m.*** *Biol.* **1.** Forma resultante do desenvolvimento do zigoto e em cujo interior se produzem numerosos esporozoítos. **2.** Estrutura unicelular que produz esporos assexuados.

esporofilo [De *espor(o)-* + *-filo*[1].] ***S. m.*** *Bot.* Órgão foliáceo que conduz esporos.

esporófito [De *espor(o)-* + *-fito*.] ***S. m.*** *Bot.* Indivíduo ou planta que apresenta esporos. [Nos casos em que há alternância de gerações, o esporófito representa a geração assexuada. A planta verde comum das samambaias e avencas é o esporófito.]

esporóforo [De *espor(o)-* + *-foro*.] ***Adj.*** **1.** *Bot.* Que possui esporos. ● ***S. m.*** **2.** *Bot.* Órgão portador de esporos. **3.** *Micol.* Nos fungos, estrutura portadora de esporos.

esporogónio ***S. m.*** *Bot.* V. *esporogônio.* [Uso freq. em P.]

esporogônio [De *espor(o)-* + *-gon(o)-*[2] + *-io*[3].] ***S. m.*** *Bot.* Esporófito dos musgos, cuja parte essencial é a cápsula, à qual se unem a coifa e a seta. No seu interior formam-se os esporos.

esporopolenina [De *espor(o)-* + *pólen* + *-ina*[3].] ***S. f.*** *Bot.* Substância química muito complexa, e resistente à putrefação, típica do revestimento externo de polens e esporos vegetais.

esporozoário [De *espor(o)-* + *-zo(o)-* + *-ário*; tax. *Sporozoa*.] *Zool.* ***S. m.*** **1.** Espécime dos esporozoários, subfilo de animais plasmódromos, desprovidos de organelas locomotoras e vacúolos contráteis. São as eimérias, os plasmódios e outras formas, todos parasitos. ● ***Adj.*** **2.** Pertencente ou relativo a eles.

esporozoíto [Do ingl. *sporozoite*.] ***S. m.*** *Zool.* Forma ativa de animal protozoário, que se reproduz por esporulação. Ex.: o plasmódio, causador da malária.

esporrar [De *es-* + *porra* (3) + *-ar*[2].] ***V. p. Int.*** *Bras. Chulo* Emitir esperma. [Pres. ind.: *esporro*, etc. Cf. *esporro* (ô).]

esporro (ô) [Dev. de *esporrar*.] ***S. m.*** *Bras. Chulo* **1.** Barulho, desordem, assuada, esparro. **2.** V. *rolo*[1] (16). **3.** Censura acre, violenta; estrilo. V. *descompostura* (2). **4.** V. *esperma.* [Pl.: *esporros* (ô). Cf. *esporro*, do v. *esporrar*.]

esporta [Do lat. *sporta*.] ***S. f.*** *Ant.* Alcofa, seira. [Dim.: *esportela*.]

esporte [Do ingl. *sport*.] ***S. m.*** **1.** O conjunto dos exercícios físicos praticados com método, individualmente ou em equipes; desporte, desporto: *Tem a paixão do esporte.* **2.** Qualquer desses exercícios; desporte, desporto: *O seu único esporte é o remo; Não cultiva nenhum esporte.* **3.** *Fig.* Entretenimento, entretimento; prazer: *Riquíssimo, trabalha apenas como esporte.* ● ***Adj. 2 g. e 2 n.*** **4.** Diz-se de roupa ou artigo de vestuário simples e confortável, não convencional ou formal: "O mais novo deve ter uns trinta anos, é gordo, cabelo cortado baixo, camisa esporte." (Luís Vilela, *Tremor de Terra*, p. 71.) **5.** *P. ext.* Diz-se de reuniões sociais em que se usa essa roupa. ~ V. *camisa —* e *carro —*. ◆ **Por esporte.** *Fig.* De maneira amadorística.

esportela [Do lat. *sportella*.] ***S. f.*** Pequena esporta.

esportismo [De *esporte* + *-ismo*.] ***S. m.*** Desportismo.

esportista [De *esporte* + *-ista*.] ***Adj. 2 g. S. 2 g.*** Desportista.

esportiva [F. subst. de *esportivo*.] ***S. f.*** *Bras.* Espírito esportivo [v. *esportivo* (3)]: "Fiz força pra não perder a esportiva, já que isso só podia complicar mais as coisas." (Luís Vilela, *Tremor de Terra*, p. 85); "Até que o pobre Onassis aguentou a parada com uma certa esportiva." (Marisa Raja Gabaglia, *Milho pra Galinha, Mariquinha*, pp. 17-18).

esportividade [De *esportivo* + *-(i)dade*.] ***S. f.*** Qualidade ou procedimento de esportivo.

esportivo [De *esporte* + *-ivo*.] ***Adj.*** **1.** Relativo ou pertencente ao esporte. **2.** Que é dado à prática do esporte ou por ele se interessa. **3.** Que aceita as regras do jogo, ou de outra atividade normal ou ocasional, e age com lisura em qualquer circunstância. **4.** Próprio de quem é esportivo (3): *espírito esportivo; atitudes esportivas.* ~ V. *loteria —a* e *marketing —.*

espórtula [Do lat. *sportula.*] ***S. f.*** **1.** V. *gorjeta*[1] (2): "Mostrou o forasteiro desejo de demorar-se alguns dias por ali a caçar, e, mediante uma insignificante espórtula, obteve hospedagem em casa do lavrador." (Camilo Castelo Branco, *Doze Casamentos Felizes*, p. 231.) **2.** V. *esmola* (1). [Cf. *esportula*, do v. *esportular.*]

esportular [Do lat. tard. *sportulare.*] ***V. t. d.*** **1.** Dar espórtula a; gratificar. **2.** Dar como espórtula. ***P.*** **3.** Despender em espórtulas ou presentes. **4.** Ser generoso, liberal. [Pres. ind.: *esportulo, esportulas, esportula*, etc. Cf. *espórtula.*]

esporulação [De *esporular*[2] + *-ção.*] ***S. f. Biol.*** Ato ou efeito de esporular[1].

esporular[1] [De *espórulo* + *-ar*[2].] ***V. int. Biol.*** Produzir ou emitir espórulos ou esporos.

esporular[2] [De *espórulo* + *-ar*[1].] ***Adj. 2 g.*** Pertencente ou relativo a espórulo ou esporo.

espórulo [De *espor(o)-* + *-ulo.*] ***S. m.*** Pequeno esporo.

esposa (ô) [Do lat. *sponsa.*] ***S. f.*** **1.** Mulher que está prometida para o casamento; noiva. **2.** Mulher (em relação ao marido). V. *esposo*. [Pl.: *esposas* (ô). Cf. *esposa* e *esposas*, do v. *esposar.*]

esposado [Part. de *esposar.*] ***Adj.*** **1.** *P. us.* Desposado (1). **2.** Casado (1).

esposar [Do lat. *sponsare.*] ***V. t. d.*** **1.** Unir em casamento; casar, matrimoniar: *O juiz esposou-os.* **2.** Receber por esposa ou esposo; desposar: *O rapaz queria esposá-la.* **3.** Tomar a seu cuidado: *esposar um encargo.* **4.** Suster, amparar. **5.** Defender com interesse; adotar, abraçar: *esposar uma causa.* ***T. d. e i.*** **6.** Unir em matrimônio; matrimoniar: *O juiz acaba de esposar este rapaz com aquela moça.* ***P.*** **7.** Unir-se em matrimônio; casar-se, matrimoniar-se, desposar-se. [Pres. ind.: *esposo, esposas, esposa*, etc. Cf. *esposo* (ô) e as flex. *esposa* (ô), *esposas* (ô).]

esposo (ô) [Do lat. *sponsu.*] ***S. m.*** **1.** O que prometeu casar ou está para casar; noivo. **2.** Marido. [Modernamente quase só é us. nesta última acepç. Pl.: *esposos* (ô). Cf. *esposo*, do v. *esposar.*]

esposório [De *espos(ar)* + *-ório.*] ***S. m.*** **1.** V. *esponsais*. **2.** *Ant.* Presente de núpcias.

espostejado [Part. de *espostejar.*] ***Adj.*** Partido em postas; retalhado, esquartejado.

espostejamento [De *espostejar* + *-mento.*] ***S. m.*** Ato ou efeito de espostejar.

espostejar [De *es-* + *posta*[1] + *-ejar.*] ***V. t. d.*** **1.** Cortar em postas; esquartejar, retalhar: *O açougueiro espostejou a carne.* **2.** Espatifar, esbandalhar. [Conjug.: v. *pelejar.*]

espote [Do ingl. *spot.*] ***S. m. Prop.*** **1.** Anúncio comercial de rádio cujo texto é falado integralmente, usando-se música apenas como introdução e/ou efeito de fundo. **2.** Fração de tempo destinada à transmissão de um comercial, dentro da programação de emissora de rádio ou televisão: *Ainda há vários espotes vagos no horário da tarde.*

espotrejar [De *es-* + *potro* + *-ejar.*] ***V. t. d.*** Ensinar ou domar (potros, cavalos): "Tinham os marqueses um filho .... que cantava bem à viola tonadilhos espanhóis e espotrejava cavalos como um mestre de picaria." (Júlio Dantas, *Abelhas Doiradas*, p. 89.) [Conjug.: v. *pelejar.*]

espoucar ***V. int. Bras.*** V. *espocar*. [Conjug.: v. *trancar.*]

espragatar-se [De *es-* + *pragata* + *-ar*[2] + *se*[1].] ***V. p. Bras. PB Pop.*** Ficar estendido no chão, como uma alpercata.

espraiado [Part. de *espraiar.*] ***Adj.*** **1.** Que se espraiou. **2.** Que se alastrou ou se estendeu. **3.** Espalhado, expandido, dilatado. ● ***S. m.*** **4.** Espaço que a maré deixa ao vazar. [Nesta acepç., cf. *estirâncio.*] **5.** *Bras. Amaz.* Alargamento ou expansão do leito de um rio que, em geral, é pouco profundo e de margens arenosas. **6.** *Bras. SP* Ribeirão que corre em leito raso, de areia.

espraiamento [De *espraiar* + *-mento.*] ***S. m.*** **1.** Ação ou efeito de espraiar(-se). **2.** Prolixidade no falar ou no escrever.

espraiar [De *es-* + *praia* + *-ar*[2].] ***V. t. d.*** **1.** Lançar à praia: *O mar espraiava os destroços do barco.* **2.** Derramar, estender, alastrar: *Com a represa, o rio espraiou suas águas pelo vale.* **3.** Irradiar, emitir. **4.** Desenvolver, dilatar. **5.** Alongar ou estender (os olhos, a vista): "Primeiramente espraiou os olhos, como a ver se estava só." (Machado de Assis, *Memorial de Aires*, p. 7.) **6.** Espairecer, distrair, divertir: *Foi ao cinema espraiar suas mágoas.* ***Int.*** **7.** Deixar (o mar, o rio) a praia a descoberto: *A vazante da maré espraiava extensamente.* **8.** Estender-se pela praia, pelas margens; espraiar-se. ***P.*** **9.** Espraiar (8). **10.** Lançar-se para diferentes lados; espalhar-se. **11.** Expandir-se, dilatar-se. **12.** Estender-se, espalhar-se: "a narrativa [no romance de costumes do século XVIII] é sujeita a contínuas interrupções, espraiando-se em pequenos capítulos quase independentes, comprazendo-se num acúmulo de episódios" (Paulo Rónai, *Encontros com o Brasil*, p. 19). **13.** Propagar-se, alastrar-se, grassar. **14.** Mostrar-se; desenhar-se. **15.** Alargar-se (em favores, promessas). **16.** Divagar sobre um assunto.

espreguiçadeira [De *espreguiçar* + *-deira.*] ***S. f.*** **1.** Camilha onde se dorme a sesta; espreguiçador, preguiceiro. **2.** Cadeira de encosto reclinado ou reclinável, e com lugar para se estenderem as pernas. [Sin. (nesta acepç.): *espreguiçador, preguiceira* e (bras.) *cadeira preguiçosa, preguiçosa.*] **3.** *Bras.* Cadeira com armação de madeira à qual se adapta um pedaço retangular de pano, ou de couro, que serve de assento e encosto; preguiçosa: "Damião espichado na espreguiçadeira de pano, na calçada." (José Carlos Cavalcanti Borges, *O Assassino*, p. 21.)

espreguiçador (ô) [De *espreguiçar* + *-dor.*] ***S. m.*** V. *espreguiçadeira* (1 e 2).

espreguiçamento [De *espreguiçar* + *-mento.*] ***S. m.*** Ato de espreguiçar(-se); estiramento.

espreguiçar [De *es-* + *preguiça* + *-ar*[2].] ***V. t. d.*** **1.** Tirar a preguiça a; despertar, espertar. **2.** Estirar (os membros) de modo preguiçoso. **3.** Alongar, desenvolver, como que preguiçosamente: *espreguiçar as palavras.* **4.** Mostrar ou exibir preguiçosamente, languidamente: "Cem mulheres em flor, cem nairas superfinas, / Aos pés dele, no liso chão, / Espreguiçam sorrindo as suas graças finas, / E todo o amor que têm lhe dão." (Machado de Assis, *Poesias Completas*, p. 315.) ***P.*** **5.** Estirar os membros em consequência de sono ou de moleza, bocejando; despreguiçar(-se). **6.** Espraiar-se, alastrar-se, expandir-se. [Sin. ger. (menos us.): *despreguiçar*. Conjug.: v. *laçar.*]

espreita [Dev. de *espreitar.*] ***S. f.*** **1.** Ato de espreitar. **2.** Observação, vigia, atalaia, espionagem. ◆ **À espreita.** De atalaia; em observação ou espreitando, a fim de avistar: *O detetive ficou dias à espreita, até que fez o flagrante.*

espreitadeira [De *espreitar* + *-deira.*] ***Adj. (f.)*** **1.** Diz-se de mulher que espreita, que é curiosa. ● ***S. f.*** **2.** Abertura por onde se espreita.

espreitadela [De *espreitar* + *-dela.*] ***S. f.*** Ato de espreitar rapidamente.

espreitador (ô) [De *espreitar* + *-dor.*] ***Adj. S. m.*** Que, ou aquele que espreita; espreitante.

espreitante [De *espreitar* + *-nte.*] ***Adj. 2 g. S. 2 g.*** Espreitador.

espreitar [De or. incerta; cruz. do lat. *explicitare*, freq. de *explicare*, com o lat. *spectare*, 'observar', poss.] ***V. t. d.*** **1.** Andar à espreita de; observar ocultamente; espiar: *Os agentes espreitavam o criminoso.* **2.** Olhar atentamente; contemplar; observar: *Antes da invenção da bússola, os navegantes guiavam-se espreitando o céu.* **3.** Investigar minuciosamente; indagar, perquirir, perscrutar: *Desconfiado, espreitou alguma emoção no rosto do amigo.* **4.** Analisar, estudar. **5.** Prever intuitivamente; adivinhar. **6.** Procurar (ocasião para algo). ***Int.*** **7.** Observar o que alguém faz. ***P.*** **8.** Ter cuidado em si; observar-se.

espremedor (ô) [De *espremer* + *-dor.*] ***Adj.*** **1.** Que espreme. ● ***S. m.*** **2.** Aquele que espreme. **3.** Aquilo que espreme, ou serve para espremer.

espremedura [De *espremer* + *-dura.*] ***S. f.*** Ato ou efeito de espremer(-se).

espreme-gato [De *espremer* + *gato.*] ***S. m. Bras. SP*** V. *gata-parida* (1). [Pl.: *espreme-gatos.*]

espremer [Do lat. *exprimere*, por via pop.] ***V. t. d.*** **1.** Comprimir ou apertar para extrair o suco, o líquido: *espremer frutas.* **2.** Comprimir, apertar: *Ao cair, a caixa espremeu-lhe as pernas.* **3.** Lançar de si; expelir. **4.** Não omitir coisa alguma de; apurar bem: *espremer uma questão.* **5.** Oprimir, vexar, afligir: *É iníquo o poder que espreme o povo dizendo salvá-lo.* **6.** *Pop.* Interrogar insistentemente; mungir. **7.** Reprimir, conter, suster: *espremer o choro.* **8.** Fazer sair ou brotar: *espremer lágrimas.* ***P.*** **9.** Apertar-se, comprimir-se. **10.** Fazer força para expulsar de si alguma coisa. [Part.: *espremido* (q. v.). Cf. *exprimido*, do v. *exprimir.*]

espremido [Part. de *espremer.*] ***Adj.*** **1.** Extraído mediante pressão. **2.** Apertado, premido: *cidadezinha entre montes, pequenina, espremida.* **3.** *Fig.* Apurado, averiguado; liquidado. **4.** *Fig.* Pretensioso, presumido, afetado. [Cf. *exprimido*, do v. *exprimir.*]

espringue [Do ingl. *spring*, 'mola'.] ***S. m. Bras. Marinh.*** Espia[2] (1) dirigida para ré na proa e para vante na popa, e que constitui parte da amarração de uma embarcação ao cais ou a outra embarcação. [Cf. *lançante* (2) e *través* (5).]

espritado [De *esprito* + *-ado*[1].] ***Adj. Bras. N.E. Pop.*** **1.** Digno de admiração. **2.** V. *valentão* (1). **3.** Extremamente enfurecido. ~ V. *cachorro —.*

espritar-se [De *esprito* + *-ar*[2] + *se*[1].] ***V. p. Bras. N.E. Pop.*** Enfurecer-se, irritar-se, exceder-se.

esprito [Var. sincopada de *espírito.*] ***S. m.*** **1.** *Ant. Pop.* Espírito. **2.** *Bras. N.E. Pop.* Qualquer bebida espirituosa.

espru [Do ingl. *sprue.*] ***S. m. Med.*** Síndrome de má absorção, crônica, e que comporta uma forma tropical e uma não tropical. [No seu quadro clínico figuram diarreia, perda de peso, fraqueza, anemia, osteomalacia, distúrbios neurológicos, glossite, quilose, etc.]

espulgação [De *espulgar* + *-ção.*] ***S. f.*** Ação de espulgar(-se); espulgamento.

espulgamento [De *espulgar* *-mento.*] ***S. m.*** Espulgação.

espulgar [De *es-* + *pulga* + *-ar*[2].] ***V. t. d.*** **1.** Tirar pulgas de; catar: *espulgar a cama.* **2.** Roubar, surripiar, surrupiar. **3.** Esquadrinhar, explorar bem: *espulgar o tema.* ***P.*** **4.** Limpar-se das pulgas. [Conjug.: v. *largar.*]

espuma [Do lat. *spuma.*] ***S. f.*** **1.** Conjunto de bolhas que se formam à superfície dum líquido que se agita, que fermenta ou que ferve. **2.** Baba[1] (1) espumante. **3.** Bolhas esbranquiçadas formadas pelo suor na pele dos cavalos. **4.** Suspensão de um gás num líquido, por vezes com caráter coloidal. [Sin. ger.: *escuma*. No Brasil, *espuma* é a f. de maior uso entre pessoas cultas.]

espumadeira [De *espumar* + *-deira.*] ***S. f.*** Escumadeira.

espuma do mar ***S. f. Min.*** Designação vulgar da sepiolita, cuja composição química é silicato de magnésio, hidratado, e que pode conter cobre e níquel. [Pl.: *espumas do mar.*] ☑ nota 1

espumante [Do lat. *spumante.*] ***Adj. 2 g.*** **1.** Que forma espuma: *baba espumante.* **2.** Que lança espuma; espumoso ou escumoso, espumígero, escumador: *boca espumante.* **3.** *Fig.* Raivoso, furioso, enfurecido, excitado. [Sin. ger.: *escumante.*] ~ V. *vinho —.* ● ***S. m.*** **4.** Vinho espumante.

espumar [Do lat. *spumare.*] ***V. t. d.*** **1.** Tirar a espuma (1) de. **2.** Cobrir de espuma. **3.** *Fig.* Destilar, desprender: *Espumava ódio e ressentimento.* ***Int.*** **4.** Fazer espuma; deitar espuma: *Abriu a garrafa, e o champanha espumou.* **5.** *P. ext.* V. *ferver* (4 e 6). [Sin. ger.: *escumar.*]

espumarada [De *espuma* + *-arada.*] ***S. f.*** Espuma abundante: "aves pesadas sulcavam o céu, baixando às vezes até molhar as penas na espumarada do oceano." (Xavier Marques, *A Cidade Encantada*, p. 64).

espumejar [De *espuma* + *-ejar.*] ***V. t. d.*** **1.** Lançar como em espuma: *espumejar imprecações.* ***Int.*** **2.** Lançar espuma. **3.** Enraivecer-se, irar-se. [Conjug.: v. *pelejar.*]

espumento [De *espuma* + *-ento.*] ***Adj. Bras.*** V. *espumoso* (1).

espúmeo [Do lat. *spumeu.*] ***Adj.*** Espumífero: "O espúmeo chipre as faces dos convivas / Acendia." (Olavo Bilac, *Poesias*, p. 135.)

espumífero [Do lat. *spumiferu.*] ***Adj.*** **1.** Que traz espuma; espúmeo. **2.** *Tec. Quím.* Diz-se de, ou substância que modifica a tensão superficial de um líquido, facilitando a formação de espuma.

espumígero [Do lat. *spumigeru.*] ***Adj.*** **1.** V. *espumoso* (1). **2.** V. *espumante* (2).

espumosense ***Adj. 2 g.*** **1.** De, ou pertencente ou relativo a Espumoso (RS). ● ***S. 2 g.*** **2.** O natural ou habitante de Espumoso.

espumoso (ô) [Do lat. *spumosu.*] ***Adj.*** **1.** Que tem espuma; espumento, espumígero. **2.** V. *espumante* (2). [Sin. ger.: *escumoso.*]

espurcícia [Do lat. *spurcitia.*] ***S. f.*** **1.** Imundície; sujidade, porcaria. **2.** Indecência, ignomínia, torpeza: "Sem dúvida alguma, a espurcícia e a obscenidade têm tido os seus analistas e escritores." (João Ribeiro, *Crítica*, IX, p. 300.)

espurco [Do lat. *spurcu.*] ***Adj.*** **1.** Imundo, sujo, porco. **2.** Sórdido, torpe.

espuriedade [De *espúri(o)* + *-edade.*] ***S. f.*** Qualidade de espúrio.

espúrio [Do lat. tard. *spuriu.*] ***Adj.*** **1.** Não genuíno; suposto, hipotético. **2.** Que não é do autor ao qual se atribui: *romance espúrio.* **3.** Que não é castiço; não vernáculo: *expressão espúria.* **4.** Adulterado, modificado, falsificado: *contrato espúrio.* **5.** Ilegítimo, ilegal: "assim aquele comércio espúrio trata de se desfazer da mercadoria que açambarcara, de afogadilho e por qualquer preço." (João da Silva Correia, *Os Outros*, p. 247). **6.** *Med.* Diz-se de enfermidade falsa, não genuína, a que faltam os sintomas característicos: *pleuropneumonia espúria; febre espúria.* ~ V. *edição —a* e *filho —.*

esputação [De *esputar* + *-ção.*] ***S. f.*** Ato ou efeito de esputar.

esputar [Do lat. *sputare.*] ***V. int.*** Salivar com frequência; cuspir muito.

esputinique [Do rus. *Sputnik*, 'satélite'.] ***S. m. Astron.*** V. *satélite artificial.*

esputo [Do lat. *sputu.*] ***S. m.*** **1.** Ação de esputar. **2.** Saliva, cuspo. **3.** V. *escarro* (1).

esquadra [Do it. *squadra.*] ***S. f.*** **1.** A totalidade dos navios de guerra de um país. **2.** *Mar. G.* O maior gru-

E

pamento orgânico de navios de guerra, destinado a efetuar as operações principais da guerra naval, que culminam na batalha. 3. Seção de uma companhia de infantaria. 4. Posto policial. 5. Instrumento usado pelos artilheiros para graduar as peças.

esquadrado [Part. de *esquadrar*.] *Adj.* 1. Posto ou cortado em ângulo reto; esquadriado. 2. Riscado em quadrinhos. ~ V. *papel —*.

esquadrão [Do it. *squadrone*.] *S. m.* 1. Seção de um regimento de cavalaria. 2. Grupamento administrativo de navios de guerra, ou de aeronaves, do mesmo tipo. 3. *Aer.* Unidade administrativa e operacional constituída de duas ou mais esquadrilhas.

esquadrar [De *esquadro* + *-ar*².] *V. t. d.* 1. Dispor ou cortar em ângulo reto; esquadriar. 2. *Mil.* Formar (as tropas) em esquadrão.

esquadrejamento [De *esquadrejar* + *-mento*.] *S. m.* Ato ou efeito de esquadrejar.

esquadrejar [De *esquadro* + *-ejar*.] *V. t. d.* Serrar ou cortar em esquadria. [Conjug.: v. *pelejar*.]

esquadria [De *esquadro* + *-ia*¹.] *S. f.* 1. Ângulo reto. 2. Corte em ângulo reto. 3. V. *acuta*. 4. Pedra de cantaria. 5. *Constr.* Designação genérica de portas, caixilhos, venezianas, etc.

esquadriado [Part. de *esquadriar*.] *Adj.* Esquadrado (1).

esquadriar [De *esquadria* + *-ar*².] *V. t. d.* Esquadrar (1).

esquadrilha [Do esp. *escuadrilla*.] *S. f.* 1. *Ant.* Flotilha. 2. *Aer.* Grupamento de duas a quatro aeronaves, para fins operativos.

esquadrilhado [Part. de *esquadrilhar*².] *Adj.* 1. Derreado, desancado. 2. Que tem os quadris baixos.

esquadrilhar¹ [De *es-* + *quadrilha* + *-ar*².] *V. t. d.* Pôr fora da quadrilha.

esquadrilhar² [De *es-* + *quadril* + *-ar*², com palatalização.] *V. t. d.* Partir os quadris a; desancar, derrear; desquadrilhar.

esquadrinhador (ô) [De *esquadrinhar* + *-dor*.] *Adj. S. m.* Que, ou aquele que esquadrinha, investiga, pesquisa.

esquadrinhadura [De *esquadrinhar* + *-dura*.] *S. f.* V. *esquadrinhamento*.

esquadrinhamento [De *esquadrinhar* + *-mento*.] *S. m.* Ato de esquadrinhar; pesquisa, investigação; esquadrinhadura.

esquadrinhar [Do lat. vulg. **scrutiniare* < lat. *scrutiniu*, 'ação de sondar'.] *V. t. d.* 1. Examinar minuciosamente; vigiar com cuidado; investigar, pesquisar, perscrutar: "Ansioso esquadrinhava os recantos do céu / De onde devíeis vir" (Alberto de Oliveira, *Poesias*, 4ª série, p. 83). 2. Estudar, analisar.

esquadro [Do it. *squadro*.] *S. m.* 1. Instrumento usado para formar ou medir ângulos e tirar linhas perpendiculares; corta-mão. [Cf. *acuta*.] 2. *Art. Gráf.* Barra móvel que regula a posição do papel em máquinas de cortar, de picotar, etc. 3. *Maç.* Na simbologia maçônica, a junção das linhas horizontal e vertical do esquadro (1) que evocam retidão de princípios e ação transformadora humana. 4. *Tip.* V. *baliza* (9). ◆ **Em esquadro.** Em ângulo reto. **Fora do esquadro.** Sem harmonia, descompassado: "Puseram um disco de carimbó e três meninas sapateando na frente, uma coisa meio fora do esquadro." (Adélia Prado, *Solte os Cachorros*, p. 35.) **No esquadro.** 1. Em ângulo reto. 2. Dentro das normas; como manda o figurino.

esqualeno [Do tax. *Squalus* (v. *esqualo*) + *-eno*².] *S. m. Quím.* Substância líquida oleosa, com odor suave e agradável, que é um triterpeno acíclico encontrado no óleo de fígado de tubarão, no azeite de oliva e vários outros óleos vegetais, e é o ponto de partida na biossíntese do lanosterol [fórm.: $C_{30}H_{50}$].

esqualídeo [Do tax. *Squalus* (v. *esqualo*) + *-ídeo*¹; tax. *Squalidae*.] *Zool. S. m.* 1. Espécime dos esqualídeos, família de peixes elasmobrânquios, pleurotremados, com cinco aberturas branquiais e duas nadadeiras dorsais, precedidas por forte espinha. Deslocam-se em grandes cardumes e têm distribuição cosmopolita. ●*Adj.* 2. Pertencente ou relativo a eles.

esqualidez (ê) [De *esquálido* + *-ez*.] *S. f.* Qualidade ou estado de esquálido.

esquálido [Do lat. *squalidu*.] *Adj.* 1. Sórdido, sujo, desalinhado: "Não acabava, quando ua figura / Se nos mostra no ar, robusta e válida, / De disforme e grandíssima estatura, / O rosto carregado, a barba esquálida" (Luís de Camões, *Os Lusíadas*, V, 39). 2. Descorado e fraco; macilento.

esqualo [Do tax. *Squalus* < lat. *squalus*, 'certo peixe do mar'.] *S. m. Zool.* 1. Gênero-tipo da família dos esqualídeos (q. v.). 2. Qualquer espécie desse gênero, como, p. ex., o *Squalus fernandinus* ou cação-bagre (q. v.). 3. Qualquer espécime desse gênero.

esqualóideo [Do tax. *Squalus* (v. *esqualo*) + *-óideo*; tax. *Squaloidea*.] *S. m. Adj. Zool.* V. *pleurotremado*.

esquamodermo *Adj. Zool.* V. *escamodermo*.

esquarroso (ô) [Do lat. tard. *squarrosu*.] *Adj.* 1. Coberto de escamas e/ou asperezas; áspero. 2. *Bot.* Coberto de brácteas rígidas e divergentes.

esquartejado [Part. de *esquartejar*.] *Adj.* Partido em quartos; retalhado, espostejado.

esquartejamento [De *esquartejar* + *-mento*.] *S. m.* 1. Ato ou efeito de esquartejar (1 a 3). 2. Antigo suplício que consistia em prender um cavalo a cada um dos membros do condenado, obrigando em seguida os quatro animais a puxar em direções opostas até separarem-se do tronco os membros do supliciado.

esquartejar [De *es-* + *quarto* + *-ejar*.] *V. t. d.* 1. Partir em quartos. 2. Retalhar, espostejar: *esquartejar o boi.* 3. Fazer padecer o suplício do esquartejamento (2). 4. *Fig.* Desacreditar, difamar, desonrar. [Sin. ger., p. us.: *quartejar*. Conjug.: v. *pelejar*.]

esquartelar [De *es-* + *quartel*¹ + *-ar*².] *V. t. d. Heráld.* Dividir (o escudo) em quartéis [v. *quartel*¹ (2)].

esquatinídeo [Do tax. *squatina* (< lat. *squatina*, 'certo peixe do mar') + *-ídeo*¹; tax. *Squatinidae*.] *Zool. S. m.* 1. Espécime dos esquatinídeos, pequena família de peixes elasmobrânquios, pleurotremados, de corpo quase achatado e grandes nadadeiras peitorais. Ex.: o cação-anjo. ●*Adj.* 2. Pertencente ou relativo a eles.

esquebra [De *es-* + *quebra*.] *S. f. Angol.* Objeto que, numa transação, se dá a mais, para agradar ao comprador [v. *quebra* (10)]: "bradou para o marido se não via de quem era aquela roupa e o marido a dizer que não e a pedir ao Fundanga que se retirasse com esquebra de mais um maço de cigarros." (Manuel Rui, *Rioseco*, p. 143).

esquecer [Do lat. vulg. **excadescere* < lat. *excadere*, 'cair', pelas f. arc. *escaecer* e *esqueecer*.] *V. t. d.* 1. Deixar sair da memória; perder da lembrança: *A humanidade jamais esquecerá os crimes do nazismo;* "tentei aprender coisas e acabei por esquecer umas poucas que sabia." (Geir Campos, *O Vestíbulo*, p. 26). 2. Pôr de lado; desprezar; olvidar: *É homem de bem, incapaz de esquecer os amigos.* 3. Perder o amor, a estima, a: "a sua máxima era não esquecer o amante presente, não recordar o amante passado, nem se preocupar com o amante futuro." (Machado de Assis, *Ressurreição*, p. 49). 4. Deixar por inadvertência: *Esqueceu o guarda-chuva.* 5. Procurar não lembrar-se; tirar da memória: *Tudo fazia para esquecer o passado.* 6. Pôr de lado temporariamente; distrair-se de; largar: *O juiz esqueceu a sua posição e abraçou o réu.* 7. Descuidar, descurar: *Nem doente ele esquecia as obrigações.* *T. i.* 8. Sair da lembrança: *Esqueceram-lhe os dias felizes;* "Esquece-me o seu nome; apenas me recordo de que era ainda novo." (Mário de Sá-Carneiro, *A Confissão de Lúcio*, p. 154); "Era... Também o mês esquece agora / À infiel memória minha!" (Alberto de Oliveira, *Poesias*, 2ª série, p. 271); "Nunca me há de esquecer .... a santa velha da tia Jerônima." (Alexandre Herculano, *Lendas e Narrativas*, II, p. 127). 9. Passar despercebido; escapar: "Tinham esquecido de fechar os olhos ao cadáver" (Machado de Assis, *Várias Histórias*, p. 204). *Int.* 10. Escapar da memória; ficar no esquecimento; ser esquecido: "A auréola momentânea do libelista de partido passou e esqueceu." (Latino Coelho, *Cervantes*, p. 186); "Tudo esquece neste mundo." (Camilo Castelo Branco, *Serões de S. Miguel de Ceide*, I, p. 33). 11. Não ser mencionado; ser omitido. 12. Perder a sensibilidade; ficar tolhido. 13. Distrair-se de coisas desagradáveis. *P.* 14. Perder a lembrança; deixar sair da memória; olvidar-se: "Se eu de ti me esquecer, nem uma lágrima / Caia sobre o sepulcro, em que eu jazer" (Bernardo Guimarães, *Poesias Completas*, p. 295). 15. Não se lembrar; descuidar-se, descurar-se, distrair-se: "D. Bibas .... seguia de perto o cavaleiro, rindo e fazendo visagens e momos, sem se esquecer de distribuir golpes de palheta à direita e à esquerda" (Alexandre Herculano, *O Bobo*, p. 282). 16. Perder a habilidade adquirida. 17. Estar absorto; enlevar-se. [Conjug.: v. *aquecer*.]

esquecidiço [De *esquecer* + *-i-* + *-(d)iço*¹.] *Adj.* Que se esquece facilmente; muito sujeito a esquecer-se; esquecido.

esquecido [Part. de *esquecer*.] *Adj.* 1. Que se esqueceu, que saiu da memória; olvidado: *velhos amores, já esquecidos; clássicos esquecidos.* 2. Esquecidiço: *Já não se lembrava do compromisso: que sujeito esquecido!* 3. *Pop.* Lesado, leso, paralítico: *A doença deixou-o com a perna esquecida; É esquecido de um braço.* 4. Diz-se do galo adulto sem esporões, ou que os tem atrofiados. 5. *Bras. RS* Diz-se do cavalo a que, por anomalia da dentição, faltam os colmilhos. ~ V. *horas —as*. ●*S. m.* 6. Indivíduo esquecidiço, ou que sempre se esquece: *Não adianta recomendar-lhe nada: é um esquecido.*

esquecimento [De *esquecer* + *-imento*.] *S. m.* 1. O fato de esquecer(-se), de tirar da memória, de perder a lembrança de alguém ou de algo; olvido: *O tempo traz o esquecimento.* 2. Falta de atenção ou de interesse que induz ao esquecimento (1): *Não fui vê-lo por puro esquecimento.* 3. Omissão, descuido. ◆ **Cair no esquecimento.** Sair completamente da memória; desaparecer da lembrança; cair no rol do esquecimento, cair no rol dos esquecidos.

esquecível [De *esquecer* + *-ível*.] *Adj. 2 g.* Que pode ser esquecido.

esqueite [F. red. do ingl. *skateboard*.] *S. m.* Pequena prancha com, geralmente, quatro rodinhas, sobre a qual uma pessoa se equilibra e se desloca, sendo que, no plano, pondo, de vez em quando, um dos pés no solo, para a impulsionar.

esqueitismo [De *esqueite* + *-ismo*.] *S. m.* Esporte em que se fazem evoluções com o esqueite.

esqueitista [De *esqueite* + *-ista*.] *Adj. 2 g.* 1. Relativo ao esqueitismo. ●*S. 2 g.* 2. Pessoa que anda em esqueite, ou pratica o esqueitismo.

esquelético [De *esqueleto* + *-ico*².] *Adj.* 1. Referente ou imitante a esqueleto. 2. *Fig.* Extremamente magro; macérrimo. ~ V. *sistema —*.

esqueleto (ê) [Do gr. *skeletós*, 'esqueleto', 'múmia', < gr. *skéllein*, 'secar'.] *S. m.* 1. Conjunto de ossos, cartilagens e ligamentos que se interconectam para formar o arcabouço do corpo dos animais vertebrados; ossatura, ossamenta. 2. O conjunto dos ossos de um vertebrado morto, descarnado e na sua posição natural. [Sin., nesta acepç.: *ossada, cavername* e (bras., S.) *corpo-seco*.] 3. *Constr.* V. *estrutura* (4). 4. Armação de uma máquina; arcabouço, carcaça. 5. V. *cavername* (1). 6. *Fig.* Esboço, delineamento, arcabouço. 7. *Fig.* Pessoa extremamente magra, descarnada, esquelética. 8. *Quím.* Cadeia de átomos de carbono de um composto orgânico. ◆ **Esqueleto axial.** *Anat. Zool.* O conjunto do crânio e da coluna vertebral, peça mestra do esqueleto dos vertebrados. **Esqueleto no armário.** Algo vergonhoso ou condenável no passado de alguém ou de sua família. [Calque (2) do ingl. *skeleton in the closet*.]

esquélico *Adj.* ~ V. *índice —*.

esquema [Do gr. *schêma*, pelo lat. *schema*.] *S. m.* 1. Figura que representa, não a forma dos objetos, mas as suas relações e funções. 2. Sinopse, resumo, esboço: *o esquema de um livro.* 3. Plano, programa: *O esquema da viagem fora feito minuciosamente.* 4. *Afric.* Meio de obter algo mediante trapaça: "também tenho um esquema para a carne, o peixe, as verduras, a roupa... Porque essas lojas oficiais não têm nada." (Pepetela, *O Cão e os Caluandas*, p. 20). 5. *Lóg.* Conjunto de relações que, para fins operatórios, é suficiente para caracterizar um sistema, sem, contudo, esgotar-lhe a complexidade.

esquemático [De *esquema* + *-ático*.] *Adj.* 1. Referente a esquema. 2. Feito por esquema. 3. Que registra o plano do objeto, mas não a forma dele.

esquematização [De *esquematizar* + *-ção*.] *S. f.* Ação ou efeito de esquematizar.

esquematizar [Do gr. *schematízein*.] *V. t. d.* 1. Fazer ou desenhar o esquema de; representar por meio de esquema. 2. Tornar esquemático (3).

esquentação [De *esquentar* + *-ção*.] *S. f.* 1. Ato ou efeito de esquentar(-se); esquentamento. 2. Calor intenso. 3. *Fig.* Discussão acalorada; contenda.

esquentada [F. subst. de *esquentado*.] *S. f.* A hora de maior calor.

esquentado [Part. de *esquentar*.] *Adj.* 1. Aquecido, aquentado, quentado; requentado: *café esquentado.* 2. Que se esquentou, se encalmou. 3. *Fig.* Excitado, exaltado, irritado: *É sempre calmo, mas hoje está meio esquentado.* 4. *Fig.* Irritadiço, irascível: *É um sujeito esquentado, não o provoquem.*

esquentador (ô) [De *esquentar* + *-dor*.] *S. m.* Instrumento ou aparelho destinado a produzir calor. V. *aquecedor*.

esquentamento [De *esquentar* + *-mento*.] *S. m.* 1. Esquentação (1). 2. *Pop.* V. *gonorreia*.

esquenta-mulher [De *esquentar* + *mulher*.] *S. m. Bras. AL Pop. Mús.* V. *terno de zabumba*. [Pl.: *esquenta-mulheres*.]

esquenta por dentro [De *esquentar* + *por* + *dentro*.] *S. m. 2 n. Bras. Pop.* V. *cachaça* (1). ☑ nota 1

esquentar [Do lat. vulg. **excalentare* < lat. *calens, entis*, 'quente'.] *V. t. d.* 1. Causar calor a, ou aumentar o calor de; acalorar, aquentar, encalmar, aquecer: *No inverno, um bom conhaque esquenta o corpo.* 2. Tornar quente ou mais quente; aquecer, aquentar: *esquentar água.* 3. Irritar, encolerizar, enfurecer: *A acirrada disputa esquentou-o.* 4. Animar; acalorar: *A música alta esquentou a festa.* *P.* 5. Tornar-se quente; aquecer-se, encalmar-se. 6. Irritar-se, encolerizar-se, enfurecer-se. 7. Acirrar-se, agravar-se. *Int.* 8. Tornar-se quente ou mais quente: *Passada a borrasca, o dia esquentou.* 9. Tornar quente; aquecer: *Este casaco esquenta bem.* 10. Tornar-se acalorado; animar-se: *A discussão esquentou.* 11. *Fam.* Esquentar a cabeça.

esquerda (ê) [F. subst. de *esquerdo*.] *S. f.* 1. O lado oposto ao direito. 2. Mão ou lado esquerdo: *Usa o anel* *na esquerda*; "E, travando de seu filho com a esquerda, fez no ar com a direita, uma e outra vez, o sinal da cruz." (Alexandre Herculano, *Lendas e Narrativas*, II, p. 14); *Chegando ao fim da rua, dobre à esquerda.* **3.** *Ciênc. Pol.* Parte de uma assembleia que fica à esquerda do presidente. **4.** *Ciênc. Pol.* Conjunto de indivíduos ou grupos políticos comprometidos com mudanças sociais inspirados por ideais progressistas. **5.** *Ciênc. Pol.* Conjunto de setores sociais que defendem a manutenção do ativismo estatal em oposição ao avanço das relações de mercado. **6.** *Ciênc. Pol.* Esquerdas. [Opõe-se à *direita*, aos conservadores.] **7.** *Surf.* Onda que quebra da direita para a esquerda de quem a desce. ~ V. *esquerdas*. ◆ **Esquerda alta.** *Teatr.* O lado esquerdo e posterior do palco. **Esquerda baixa.** *Teatr.* O lado esquerdo e anterior do palco. **Esquerda festiva.** Grupo da esquerda (5) que procede mais por exibição do que por convicção. [Tb. se diz apenas *festiva*.] **Esquerda hegeliana.** *Filos.* O conjunto dos filósofos seguidores imediatos de Hegel que desenvolveram as tendências críticas do hegelianismo, sobretudo no domínio religioso, procurando opor essa doutrina a qualquer forma de religião. Citam-se, entre outros, David Friedrich Strauss (1808-1874) e Ludwig Feuerbach (1804-1872). [Cf. *direita hegeliana*.] **De esquerda.** Esquerdista (1 e 2).

esquerdas (ê) *S. f. pl. Ciênc. Pol.* As diversas facções ou correntes políticas que se opõem ao conservadorismo. [Tb. us. no sing.] ~ V. *esquerda*.

esquerdismo [De *esquerda* + *-ismo*.] *S. m.* **1.** Partido, posição política ou tendência da esquerda (5). **2.** Os esquerdistas.

esquerdista [De *esquerda* + *-ista*.] *Adj. 2 g.* **1.** Relativo à esquerda (5), ou ao esquerdismo; de esquerda. **2.** Que é partidário ou simpatizante do esquerdismo; de esquerda. • *S. 2 g.* **3.** Partidário ou simpatizante do esquerdismo.

esquerdizante [De **esquerdizar* (< *esquerda* + *-izar*) + *-nte*.] *Adj. 2 g.* Comunizante.

esquerdo (ê) [Da mesma or. que o esp. *izquierdo*, o cat. *esquerre*; poss. de uma língua pré-romana hispano-pirenaica, pelo basco *esker(r)*.] *Adj.* **1.** Que está do lado oposto ao direito (1), ou seja, à esquerda (q. v.). **2.** Oblíquo, atravessado, torto, torcido: *Lançou-lhe um olhar meio esquerdo.* **3.** Diz-se de indivíduo canhoto. **4.** Desajeitado, desastrado. **5.** Desagradável, incômodo, constrangedor: *Viu-se numa situação esquerda.* ~ V. *coração —, ducto hepático —, margem —a* e *valva atrioventricular —a*.

esquésito [Alter. de *esquisito*.] *Adj. Bras. Joc.* Esquisito, estranho, excêntrico.

esquete [Do ingl. *sketch*.] *S. m. Teatr.* Pequena cena de revista teatral, ou de programa de rádio ou televisão, quase sempre de caráter cômico. [Equiv. ao fr. *pochade* (q. v.). Sin. (lus.): *rábula*.]

esqui [Do fr. *ski* < nor. *ski*.] *S. m.* **1.** Longo patim de madeira, metal ou material sintético, para andar ou deslizar sobre a neve. **2.** O esporte praticado com os esquis: *campeonato de esqui.* **3.** Esqui aquático. **4.** *Aer.* Par de componentes, sobre os quais o helicóptero fica apoiado quando no solo. ◆ **Esqui aquático.** Esporte em que o executante, firmado em um ou dois esquis, é rebocado sobre as águas por uma lancha em alta velocidade. [Tb. se diz apenas *esqui*.]

esquiação [De *esquiar* + *-ção*.] *S. f.* Ato de esquiar; prática do esqui.

esquiador (ô) [De *esquiar* + *-dor*.] *Adj. S. m.* Que, ou aquele que esquia.

esquiar [De *esqui* + *-iar*[2].] *V. int.* Praticar o esqui (2 e 3): *Gosto de esquiar*; "Fui esquiar para as montanhas, sozinha." (Urbano Tavares Rodrigues, *Estrada de Morrer*, p. 74).

esquiça *S. f.* Batoque para tapar o suspiro (7) que se faz nos barris ou tonéis.

esquifar[1] [De *esquife* + *-ar*[2].] *V. int.* Fazer esquifes, caixões.

esquifar[2] *V. t. d. Int. P.* V. *equipar*.

esquife [Do lombardo *skif*, 'barco', pelo it. *schifo* e pelo cat. *esquif*.] *S. m.* **1.** V. *caixão* (2). **2.** *Ant.* Embarcação miúda, semelhante à baleeira, usada nos serviços das naus, galeões, etc. **3.** Pequena embarcação, a remo ou à vela: "E os pequeninos esquifes agora se aproximam e avançam para o vapor." (Jaime Adour da Câmara, *Oropa, França e Bahia*, p. 49.)

esquila [Do esp. plat. *esquila*.] *S. f. Bras. RS* Tosquia (1).

esquilar [Do esp. plat. *esquilar*.] *V. t. d. Bras. RS* V. *tosquiar* (1 e 2). [Pres. ind.: *esquilo*, etc. Cf. *Ésquilo* (v. *esquiliano*).]

esquiliano [Do antr. *Ésquilo* + *-iano*.] *Adj.* **1.** Relativo ou pertencente ao poeta dramático grego Ésquilo (525-456 a.C.), ou próprio dele, ou de seu estilo. **2.** Que é seu admirador e/ou profundo conhecedor de sua obra. • *S. m.* **3.** Admirador e/ou profundo conhecedor da obra de Ésquilo.

esquilo [Do gr. *skíouros* (< gr. *skiá*, 'sombra', + *-ourá*, 'cauda'), pelo f. **squirus*, poss.] *S. m. Zool.* Nome comum a roedores ciurídeos, ger. arborícolas e de hábito diurno, de porte pequeno a médio, e cauda, tão grande ou maior do que o corpo, felpuda. Encontram-se em quase todo o mundo e são vegetarianos, alimentando-se, de preferência, de nozes e sementes. Ex.: o esquilo vermelho (*Tamiasciurus hudsonicus*) e o esquilo cinzento (*Sciurus carolinensis*). [Cf. *Esquilo* (v. *esquiliano*).]

esquimau *S. 2 g. S. m. Adj. 2 g.* V. *esquimó*.

esquimó [Do fr. *esquimau*.] *S. 2 g.* **1.** Indivíduo dos esquimós, povo nativo da Groenlândia, da costa setentrional da América e das ilhas árticas vizinhas. • *S. m.* **2.** *Gloss.* Principal língua do grupo esquimó-aleúte, e que conta com dois grandes dialetos, por vezes classificados como línguas distintas: o groenlandês e o iúpique. • *Adj. 2 g.* **3.** Pertencente ou relativo aos esquimós ou às suas línguas.

esquimó-aleúte *S. m. Gloss.* Grupo de línguas indígenas espalhadas pelo Alasca, Canadá, Groenlândia e ainda nas ilhas Aleútas e na Sibéria. [Pl.: *esquimós-aleútes*.]

esquina [Do germ. **skina*.] *S. f.* **1.** V. *cunhal*. **2.** V. *aresta* (1). **3.** Lugar situado em qualquer dos cantos formados por duas ou mais ruas que se cruzam: "Uma das quatro esquinas que formam as ruas do Ouvidor e da Quitanda, cortando-se mutuamente, chamava-se nesse tempo – *O canto dos meirinhos*" (Manuel Antônio de Almeida, *Memórias de um Sargento de Milícias*, p. 107). **4.** *P. ext.* Lugar de cruzamento de duas ruas, na pista de rolamento: *Houve um acidente na esquina da Rua da Assembleia com a Avenida Rio Branco.* [Cf. *esquina*, do v. *esquinar*.]

esquinado [De *esquina* + *-ado*[1].] *Adj.* **1.** Que tem ou faz esquina; anguloso, facetado. • *S. m.* **2.** *Bras. Fut.* V. *escanteio* (1 e 2).

esquinância [V. *esquinência*.] *S. f. Patol.* V. *tonsilite*.

esquinar [De *esquina* + *-ar*[2].] *V. t. d.* **1.** Dar forma de esquina a; cortar em ângulo. **2.** Pôr obliquamente. **3.** Facetar, lapidar. [Pres. ind.: *esquino, esquinas, esquina*, etc. Cf. *esquina*, s. f.]

esquindilese [Do lat. cient. *schindylesis* < gr. *schindýlesis*, 'ação de cortar em pequenos pedaços'.] *S. f. Anat.* Tipo de articulação em que se verifica o encaixe de um osso em fenda de um outro, como, p. ex., ocorre com a lâmina do etmoide em relação ao vômer.

esquinência [Do gr. *kynánche*, 'coleira[1] (1)', poss. pelo occitano ant. *esquinansia, esquinéncia*.] *S. f. Patol.* V. *esquinância*.

esquino [Adapt. do tax. *Schinus*.] *S. m. Bot.* **1.** Gênero de anacardiáceas com cerca de 27 espécies nativas das regiões tropicais das Américas, algumas delas cultivadas como ornamentais. **2.** Qualquer espécie desse gênero, como, por ex., a *Schinus molle* [v. *aroeira* (1)]. **3.** Qualquer espécime desse gênero.

esquipação [De *esquipar* + *-ção*.] *S. f.* **1.** *Ant.* Ato ou efeito de esquipar(-se); equipamento. **2.** O vestuário completo.

esquipado [Part. de *esquipar*.] *Adj.* **1.** *Ant.* Aparelhado, provido. **2.** *Fig.* Adornado, enfeitado. **3.** *Bras.* Diz-se de certa andadura do cavalo na qual este levanta simultaneamente o pé e a mão do mesmo lado. • *S. m.* **4.** *Bras.* Essa andadura.

esquipador (ô) [De *esquipar* + *-dor*.] *Adj. S. m. Bras.* Diz-se de, ou cavalo que esquipa.

esquipamento [De *esquipar* + *-mento*.] *S. m. Ant.* Esquipação (1).

esquipar [Do fr. ant. *eschiper, esquiper* (atual *équiper*).] *V. t. d.* **1.** *Ant.* Aparelhar, aprestar, aprontar, equipar. **2.** Prover de roupas. **3.** Enfeitar, adornar, ornar, ataviar. *Int.* **4.** *Bras.* Executar (o cavalo) o passo que se chama *esquipado*. **5.** *Bras.* Andar a cavalo no passo a que chamam *esquipado*. **6.** Ir-se embora às pressas. V. *fugir* (1 e 2). *P.* **7.** Enfeitar-se, adornar-se, ornar-se, ataviar-se. [Var.: *esquifar*.]

esquipático [De or. controvertida; poss. cruz. de *esquisito* com *antipático*.] *Adj.* Extravagante, esquisito, excêntrico, singular: "Figura não só extraordinária como esquipática, estranhíssima." (Gilberto Amado, *Depois da Política*, p. 30); "Com surpresa vemos que, à volta de janeiro de 1913, Fernando Pessoa compõe uma poesia com o título esquipático de 'sinfonia em X'." (João Gaspar Simões, *Vida e Obra de Fernando Pessoa*, p. 150).

esquírola [Do fr. ant. **esquilie* (atual *esquille*) < lat. tard. *schidia*, 'apara', poss. com infl. de cultimos em *-ula* e *-ola*[1].] *S. f.* **1.** *Traum.* Fragmento ósseo. **2.** Lâmina pequena de objeto duro; fragmento de qualquer coisa dura: "Um homem levanta as mãos ambas um machado; brande-o alto acima da cabeça; entranha-se o gume na casca dum roble; .... pelos lanhos da cortiça sai em esquírolas a macerada febra do madeiro." (Ramalho Ortigão, *Figuras e Questões Literárias*, I, pp. 96-97.).

esquisandra [Adapt. do tax. *Schisandra*.] *S. f. Bot.* **1.** Gênero de esquisandráceas que compreende cerca de 25 espécies de lianas monoicas ou dioicas, cultivadas ou como ornamentais, ou pelas propriedades medicinais; originam-se do L. da Ásia e do L. da América do Norte. As folhas são ger. sempre-verdes, as flores, unissexuais, pendem em cachos axilares, e os frutos são espiciformes. **2.** Qualquer espécie, ou espécime desse gênero.

esquisandrácea [Do tax. *Schisandra* (v. *esquisandra*) + *-ácea*; tax. *Schisandraceae*.] *S. f. Bot.* Espécime das esquisandráceas, família da ordem das iliciales que compreende dois gêneros (*Schisandra* e *Kadsura*) e cerca de 47 espécies de lianas aromáticas, originárias do L. da Ásia e do L. da América do Norte; são monoicas ou dioicas, com folhas simples, ger. denteadas e espiraladas, pequenas flores solitárias ou em inflorescências, sendo os frutos, bacáceos, em capítulos ou num longo eixo. São cultivadas como ornamentais.

esquisandráceo [De *esquisandráceo*, com var. suf. (v. *-áceo*).] *Adj. Bot.* Pertencente ou relativo às esquisandráceas.

esquisitão [De *esquisito* + *-ão*[2].] *Adj. S. m.* Diz-se de, ou indivíduo arredio, pouco expansivo, excêntrico, muito esquisito. [Fem.: *esquisitona*.]

esquisitice [De *esquisito* + *-ice*.] *S. f.* Qualidade, maneira, atitude, modo de pensar de quem é esquisito; extravagância, excentricidade, singularidade.

esquisito [Do lat. *exquisitu*.] *Adj.* **1.** Não usual; fora do comum; raro: "um dos homens [Rodolfo Dantas] mais completos que eu jamais vi pela peregrina bondade do coração, pela esquisita retidão de caráter" (José Veríssimo, *Que É Literatura? e Outros Escritos*, p. 198). **2.** Raro, precioso, fino, invulgar: "Ela andou por aqui; andou. Primeiro, / Porque há traços de suas mãos; segundo, / Porque ninguém, como ela, tem no mundo / Este esquisito, este suave cheiro." (Luís Delfino, *Íntimas e Aspásias*, p. 11.) **3.** Excelente, delicioso, requintado: *vinhos esquisitos*; "e foi logo empurrado para uma grande sala que a vastidão de uma mesa opípara enchia com esquisitos manjares, faisões, cristais cantantes" (João Ribeiro, *Floresta de Exemplos*, p. 224). **4.** Delicado, apurado, requintado: *Sua sala está decorada com esquisito gosto.* **5.** Excêntrico, estranho, extravagante: *indivíduo esquisito; pessoa de gênio esquisito.* **6.** *Bras. Fam.* De mau aspecto; feio e/ou malvisto. • *S. m.* **7.** *Bras.* Lugar deserto, ermo: "Deixara a prima no esquisito das moitas de cabreira e corri .... para que não me vissem no gesto impudico." (José Lins do Rego, *Meus Verdes Anos*, p. 110.) **8.** *Bras. PR* Caminho difícil e escabroso.

esquisitona *S. f.* Fem. de *esquisitão*.

esquissar [Do fr. *esquisser*.] *V. t. d.* Esboçar, bosquejar. "Ela reparava, cismando, nas carantonhas que a cinza esquissava, de capricho, por sobre o vermelho fulvo do brasido." (Fialho d'Almeida, *O País das Uvas*, p. 178.)

esquisto [Do gr. *schistós*, 'fendido'.] *S. m.* V. *xisto*[1].

▲**esquisto-** [Do gr. *schistós, ḗ, ón*.] *El. comp.* = 'fendido', 'separado': *esquistossomo*. [Equiv., menos pref.: *xist(o)-*[2]: *xistossomíase*.]

esquistoquilácea [Do tax. *Schistochila* (v. *esquisto-* e *quil(o)-*[2]) + *-ácea*; tax. *Schistochilaceae*.] *S. f. Bot.* Espécime das esquistoquiláceas, família da ordem das jungermanniales, acróginas, cujas folhas apresentam o lobo anterior sempre menor e unido ao posterior, formando uma quilha. Têm rizoides pluricelulares, e perianto com invólucro e caliptra soldada, ou ausente.

esquistoquiláceo [De *esquistoquilácea*, com var. suf. (v. *-áceo*).] *Adj. Bot.* Pertencente ou relativo às esquistoquiláceas.

esquistosoma *S. m. Zool.* V. *esquistossoma*.

esquistosomíase *S. f. Patol.* V. *esquistossomíase*.

esquistosomídeo *S. m. Adj. Zool.* V. *esquistossomídeo*.

esquistosomo *S. m. Zool.* V. *esquistossomo*.

esquistosomóideo *S. m. Adj. Zool.* V. *esquistossomóideo*.

esquistosomose *S. f. Patol.* V. *esquistossomose*.

esquistossoma [Do tax. *Schistosoma*.] *S. m. Zool.* **1.** Gênero de vermes platelmintos, trematódeos, esquistossomídeos, que reúne espécies causadoras da esquistossomose. **2.** Qualquer espécie desse gênero, como, p. ex., a *Schistosoma japonicum*, a *S. haematobium* e a *S. mansoni*, e esta última ocorre no Brasil, parasitando intestino e veia porta, e causa infestação endêmica no N.E., MG e em outras regiões; durante o seu ciclo evolutivo, o embrião se hospeda em moluscos gastrópodes do gênero *Australorbis*. **3.** Qualquer espécime desse gênero.

esquistossomatoso (ô) [De *esquistossoma* (*esquistossomat-*) + *-oso*, seg. o padrão erudito.] *Adj.* Relativo a esquistossoma ou a esquistossomose.

esquistossomíase [Do lat. cient. *schistossomiasis* < tax. *Schistosoma* (v. *esquistossoma*) + lat. cient. *-iasis* (v. *-íase*).] *S. f. Patol.* V. *esquistossomose.*

esquistossomídeo [De *esquistossoma* + *-ídeo*[1]; tax. *Schistosomidae.*] *Zool. S. m.* **1.** Espécime dos esquistossomídeos, família de vermes platelmintos, trematódeos, de sexos separados, testículos múltiplos, intestino fundido e anastomosado; fêmea delgada e cilíndrica, macho enrolado no sentido longitudinal ● *Adj.* **2.** Pertencente ou relativo a eles.

esquistossomo [De *esquisto-* + *-somo.*] *S. m. Zool.* V. *esquistossoma.*

esquistossomóideo [De *esquistossoma* + *-óideo.*] *Zool. S. m.* **1.** Espécime dos esquistossomóideos, subordem de vermes platelmintos, trematódeos, de sexos separados, testículos múltiplos, intestino fundido e anastomosado; fêmea delgada e cilíndrica, macho enrolado no sentido longitudinal. ● *Adj.* **2.** Pertencente ou relativo a eles.

esquistossomose [De *esquistossoma* + *-ose*[1].] *S. f. Patol.* Infecção produzida por cada uma de três espécies de esquistossoma (q. v.), e que tem, conforme o esquistossoma causador, características próprias e dependentes da localização deste; esquistossomíase, bilharziose.

esquistostegácea [Do tax. *Schistostega* (v. *esquisto-* e *-steg(o)-*) + *-ácea*; tax. *Schistostegaceae.*] *S. f. Bot.* Espécime das esquistostegáceas, família de musgos da ordem das esquistostegales, que contam uma única espécie: *Schistostega osmundacea*, pequenino musgo habitante de rochas sombreadas, e cujo talo leva folhas inseridas em um único plano e confluentes na base. O protonema é persistente e flutuante, assemelhando-se a uma alga.

esquistostegáceo [De *esquistostegácea*, com var. suf. (v. *-áceo*).] *Adj. Bot.* Pertencente ou relativo às esquistostegáceas.

esquistostegal [Do lat. cient. *Schistosteg-* (v. *esquistostegale*) + *-al*[1].] *Adj. 2 g. Bot.* Pertencente ou relativo às esquistostegales.

esquistostegale [Do tax. *Schistostega* + *-ale*; tax. *Schistostegales.*] *S. f. Bot.* Espécime das esquistostegales, ordem de musgos que engloba a família única das esquistostegáceas.

esquiva [Dev. de *esquivar.*] *S. f.* **1.** Ato de esquivar ou evitar um golpe, desviando o corpo ou a parte do corpo ameaçada. **2.** *Bras. Cap.* Movimento defensivo em que o jogador se abaixa, ou se afasta, evitando o confronto com o golpe e, ao mesmo tempo, tomando posição para o contra-ataque. [Cf. *esquivo* e *esquiva*, do v. *esquivar*, e, nesta acepç., *negativa* (4).]

esquivança [De *esquivar* + *-ança.*] *S. f.* **1.** Desapego acompanhado de um tudo-nada de aborrecimento ou desprezo em relação à pessoa que procura agradar-nos. **2.** Desdém, desamor, desprezo, recusa; estranheza, esquisitice. **3.** Recusa, negativa: "Em tom irônico *Pois sim* significa naturalmente a esquivança em realizar o desejo de outrem." (M. Said Ali, *Meios de Expressão e Alterações Semânticas*, p. 61.) [Sin. ger.: *esquivez, esquiveza.*]

esquivar [De *esquivo* + *-ar*[2].] *V. t. d.* **1.** Evitar (pessoa ou coisa que nos ameaça ou desagrada): *esquivar problemas.* **2.** Tratar com desdém: *Todos o esquivam.* **3.** Evitar o trato, a conversação de: *O homem digno esquiva os opressores.* **4.** Tolher, atalhar, afastar, desviar: *esquivar a má sorte. T. d. e i.* **5.** Afastar, desviar, arredar: *Sua boa estrela esquiva-o de acidentes. Int.* **6.** Ser escusado. *P.* **7.** Retirar-se ou afastar-se dissimuladamente. **8.** Furtar-se, eximir-se: *Não se esquiva dos seus deveres.* **9.** Evitar (coisa ou pessoa desagradável); fugir. **10.** Deixar de fazer alguma coisa. **11.** Escapar, livrar-se, safar-se. [Pres. ind.: *esquivo, esquivas, esquiva*, etc. Cf. *esquivo*, adj., e *esquiva*, s. f. e fem. de *esquivo.*]

esquivez (ê) [De *esquivo* + *-ez.*] *S. f.* V. *esquivança.*

esquiveza (ê) [De *esquivo* + *-eza.*] *S. f.* V. *esquivança.*

esquivo [Do gót. **skiuhs*, poss.] *Adj.* **1.** Que mostra esquivança; áspero, rude, desdenhoso: *natureza esquiva; gênio esquivo;* "Não lhe sejas esquivo em paga de te ser afeiçoado" (Francisco Rodrigues Lobo, *Corte na Aldeia*, p. 303). **2.** Arisco, intratável. **3.** Que rejeita ou evita afetos, carinhos, ou mesmo o trato, a conversação. [Sin. ger.: *esquivoso.* Cf. *esquivo*, do v. *esquivar.*]

esquivoso (ô) [De *esquivo* + *-oso.*] *Adj.* V. *esquivo.*

esquizeácea [Do tax. *Schizaea* (do gr. *schízein*, 'fender', 'dividir') + *-ácea*; tax. *Schizaeaceae.*] *S. f. Bot.* Espécime das esquizeáceas, família de pteridófitos, da ordem das eufilicales, que se caracteriza pelos esporângios não agregados em soros e com anel apical completo. Há quase 120 espécies, em sua grande maioria intertropicais e americanas.

esquizeáceo [De *esquizeácea*, com var. suf. (v. *-áceo*).] *Adj. Bot.* Pertencente ou relativo às esquizeáceas.

▲**esquiz(o)-** [Do gr. *schízein.*] *El. comp.* = 'fender', 'separar'; em *Med.*, 'esquizofrenia': *esquizocéfalo, esquizogênese, esquizotimia.*

esquizocárpico [De *esquizocarpo* + *-ico*[2].] *Adj. Bot.* Relativo a, ou da natureza do esquizocarpo.

esquizocarpo [De *esquiz(o)-* + *-carpo.*] *S. m. Bot.* Fruto resultante de um ovário multicarpelar que, ao alcançar a maturidade, se decompõe em partes independentes.

esquizocéfalo [De *esquiz(o)-* + *-céfalo.*] *Adj. S. m. Ter.* Diz-se de, ou feto que apresenta anomalia na divisão longitudinal da cabeça.

esquizofasia [De *esquiz(o)-* + *-fas(i)-* + *-ia*[1].] *S. f. Psiq.* Fala incoerente, incompreensível, entrecortada, característica de indivíduos esquizofrênicos.

esquizofícea [De *esquiz(o)-* + *-fic(o)-*[2] + *-ea*; tax. *Schizophyceae.*] *S. f. Bot.* Espécime das esquizofíceas, antiga denominação da classe das cianofíceas.

esquizofíceo [De *esquizofícea*, com var. suf. (v. *-eo*).] *Adj. Bot.* Pertencente ou relativo às esquizofíceas.

esquizófito [De *esquiz(o)-* + *-fito*; tax. *Schizophyta.*] *Microbiol. S. m.* **1.** Espécime dos esquizófitos, divisão que, em antiga classificação, reúne as bactérias e as cianofíceas. ● *Adj.* **2.** Pertencente ou relativo a eles.

esquizóforo [De *esquiz(o)-* + *-foro.*] *Zool. S. m.* **1.** Espécime dos esquizóforos, grande divisão de insetos dípteros, que reúne moscas comuns, com sutura frontal. ● *Adj.* **2.** Pertencente ou relativo a eles.

esquizofrenia [De *esquiz(o)-* + *-fren(o)-* + *-ia*[1].] *S. f. Psiq.* Termo que engloba várias formas clínicas de manifestações psicóticas e distúrbios mentais próximos a elas (v. distúrbio esquizotípico); sua característica fundamental é a presença de sintomas psicóticos graves (delírios, alucinações, comportamento e discurso francamente perturbados) e a assintonia das funções psíquicas. [Sin. (desus.): *demência precoce.*] ◆ **Esquizofrenia desorganizada.** *Psiq.* V. *esquizofrenia hebefrênica.* **Esquizofrenia hebefrênica.** *Psiq.* Forma de esquizofrenia observada, ger., em adolescentes, e que se caracteriza por distúrbios graves do comportamento e da afetividade, com aparente regressão das funções mentais; esquizofrenia desorganizada, hebefrenia.

esquizofrénico *Adj. S. m.* V. *esquizofrênico.* [Uso freq. em P.]

esquizofrênico [De *esquizofrenia* + *-ico*[2].] *Adj.* **1.** Referente à, ou próprio da esquizofrenia. **2.** Que sofre de esquizofrenia. ● *S. m.* **3.** Aquele que dela sofre.

esquizogénese *S. f. Biol.* V. *esquizogênese.* [Uso freq. em P.]

esquizogênese [De *esquiz(o)-* + *-gênese.*] *S. f. Biol. Genét.* Processo de reprodução assexuada que consiste na divisão de um organismo unicelular em dois organismos semelhantes, cada um com o mesmo genoma da célula-mãe; cissiparidade, divisão binária, fissiparidade.

esquizogenético [De *esquizogên(ese)* + *-ético.*] *Adj.* Próprio de, relativo a, ou que se reproduz por esquizogênese.

esquizógnato [De *esquiz(o)-* + *-gnato.*] *Adj.* Diz-se da maxila superior das aves quando o vômer é pequeno e pontudo na parte posterior e as apófises não se unem entre si nem com o vômer.

esquizogonia [De *esquiz(o)-* + *-gon(o)-*[2] + *-ia*[1].] *S. f. Biol.* Modalidade de reprodução assexuada, característica de certos protozoários, em que vários organismos se formam diretamente a partir de um; agamogonia.

esquizogónico *Adj. Biol.* V. *esquizogônico.* [Uso freq. em P.]

esquizogônico [De *esquiz(o)-* + *-gon(o)-*[2] + *-ico*[2].] *Adj. Biol.* Próprio de, relativo a, ou que se reproduz por esquizogonia.

esquizoide (ói) [De *esquiz(o)-* + *-oide.*] *Adj. 2 g. S. 2 g. Psiq.* Que, ou aquele que sofre de esquizoidia. ❖

esquizoidia [De *esquizoide* + *-ia*[1].] *S. f. Psiq.* Transtorno de personalidade em que se observa tendência à solidão, insociabilidade, introspecção, indiferença, e expressão muito restrita das emoções.

esquizomiceto [De *esquiz(o)-* + *-miceto*; tax. *Schizomycetes.*] *S. m. Microbiol.* Espécime dos esquizomicetos, classe de microrganismos que engloba as eubactérias e as tiobactérias.

esquizonte [De *esquiz(o)-* + *-onte.*] *S. m. Zool.* Trofozoito dos esporozoários que se multiplica assexuadamente no corpo do hospedeiro.

esquizópode [De *esquiz(o)-* + *-pode*; tax. *Schizopoda.*] *Obsol. Zool. S. m.* **1.** Espécime dos esquizópodes. ● *Adj. 2 g.* **2.** Pertencente ou relativo a eles.

esquizópodes *S. m. pl. Obsol. Zool.* Em antigas classificações, divisão de animais metazoários, artrópodes, crustáceos, malacostráceos, providos de patas torácicas com exopódito e endopódito bem desenvolvidos.

esquizotimia [De *esquiz(o)-* + *-tim(o)-* + *-ia*[1].] *S. f. Psiq.* Temperamento caracterizado por introversão, timidez, reações inapropriadas às situações e tendência ao idealismo, e a partir do qual pode desenvolver-se, de preferência, a esquizofrenia.

esquizotímico [De *esquizotimia* + *-ico*[2].] *Psiq. Adj.* **1.** Referente a, ou que apresenta esquizotimia. ● *S. m.* **2.** Aquele que a apresenta.

esquizotípico [De *esquizo-* + *-tip(o)-* + *-ico*[2].] *Adj. Psiq.* ~ V. *distúrbio —.*

essa[1] [De or. obscura.] *S. f.* **1.** Estrado que se ergue numa igreja para nele se colocar um cadáver enquanto se efetuam as cerimônias fúnebres; catafalco: "o crucifixo de marfim .... somente saía do oratório da alcova para ficar à cabeceira das essas nos velórios de família." (Josué Montelo, *A Noite sobre Alcântara*, p. 202). **2.** Espécie de túmulo vazio erguido em um templo enquanto se sufraga a alma do defunto. [Cf. *Eça*, antr., e na acepç. 2, *cenotáfio.*]

essa[2] [Do lat. *ipsa.*] *Pron. dem.* Fem. sing. de esse (ê) (q. v.). Us. (com a elipse da palavra coisa) em exclamações de descontentamento ou surpresa: *Ora essa; Essa é boa; Corta essa.* [Cf. *Eça*, antr.] ◆ **Sem essa.** *Gír.* Não concordo; não vem, que não tem.

esse (é) *S. m.* **1.** A letra *s.* **2.** *Bras. SP a RS* A parte do facão entre o cabo e a lâmina, com a forma de *s*: "levantou a velha, estorcendo-se, atravessada no facão, até o esse..." (Simões Lopes Neto, *Contos Gauchescos e Lendas do Sul*, p. 136). [Pl.: *esses* (é). Cf. *esse* (ê) e pl. *esses* (ê).] ◆ **Andar aos esses.** *Bras. Pop.* Andar ziguezagueando, em consequência de embriaguez.

esse (ê) [Do lat. *ipse.*] *Pron. dem.* **1.** Aplica-se a pessoa ou coisa próxima daquela com quem falamos ou a quem escrevemos, ou que ela traz consigo, ou traja, etc., ou que com essa pessoa ou coisa tem relação: *Onde encontraste esse menino?; Quanto custou essa gravata?* **2.** Diz-se do lugar onde a pessoa está ou mora: *Que tal essa cidade — é boa?* **3.** Usa-se com relação a sentimento ou sensação que a pessoa experimenta: *Como podes suportar, a 1.500 metros de altitude, esse frio terrível?* **4.** Aplica-se a pessoa ou coisa distante, ou desaparecida, à qual se fez referência clara ou implícita, ou que não tem relação nem com a pessoa que fala nem com aquela com quem se fala: *Revia, na imaginação, esse filho tão querido; Quanto sofrem essas pessoas pobres!* **5.** Diz-se de coisa pertencente ou relativa à pessoa com quem falamos (podendo, não raro, como se verá nas duas últimas abonações, ter valor de possessivo): "Marinheiro triste / Que voltas para bordo / Que pensamentos são / Esses que te ocupam!" (Manuel Bandeira, *Estrela da Vida Inteira*, p. 137); "— Que susto me pregou, entrando aqui com essa cara de alma do outro mundo!" (Ciro dos Anjos, *O Amanuense Belmiro*, p. 27); "Afonso de Teive... o senhor?! Essas barbas... essa nutrição... | — E estes óculos... — atalhou ele. | — É verdade... Esses óculos..." (Camilo Castelo Branco, *Amor de Salvação*, p. 13); "Donzelinha, donzelinha, / fecha esses olhos sombrios." (Cecília Meireles, *Obra Poética*, p. 678); *Que tens nesse coração?* **6.** Designa coisas afastadas da primeira pessoa, ou que se vão estendendo para longe: "O bando de máscaras femininas, mais ou menos imperfeitas, que enxameiam por esse mundo" (Antônio Feliciano de Castilho, *Amor e Melancolia*, p. 400); "Fazem ver jardins nos matos, / Andar as caças aos pulos, / E dançar por esses ares / Os bosques e os Caramulos" (Id., *Escavações Poéticas*, p. 102); "No penhasco mais a pico me assentei, olhando por essas pradarias fora" (Camilo Castelo Branco, *No Bom Jesus do Monte*, p. V); "Arroja a locomotiva / Por essas campinas fora" (Guerra Junqueiro, *A Musa em Férias*, p. 40); "— Pois eu me admiro muito, porque é a Bicha mais horrorosa e conhecida por todo esse mundo velho, por aí fora!" (Ariano Suassuna, *A Pedra do Reino*, p. 236); "E por onde eu me vou, por todo esse infinito, / Sempre diante de mim, há uma surpresa, um grito." (Emiliano Perneta, *Poesias Completas*, II, p. 6). **7.** Usa-se determinando um aposto: "Vi o teu rosto lindo, / Esse rosto sem-par" (João de Deus, *Campo de Flores*, I, p. 83). **8.** Emprega-se com referência a palavra, oração, trecho citado (podendo ser substituído por *este*): "Veio um médico do Porto, o Fortunato Martins da Cruz. Esse, sem a interrogar, ... disse ao egresso que a mandassem para Rilhafoles" (Camilo Castelo Branco, *Vulcões de Lama*, p. 181); "Cândido Neves .... cedeu à pobreza, quando adquiriu o ofício de pegar escravos fugidos. Tinha um defeito grave esse homem, não aguentava emprego nem ofício, carecia de estabilidade" (Machado de Assis, *Relíquias de Casa Velha*, p. 5); "— Veneno! interrompeu Duarte. | — Vulgarmente é esse o nome" (Id., *Papéis Avulsos*, p. 114). **9.** É de rigor, ou, pelo menos, recomendável, o seu emprego (em lugar de *este*), quando serve para pôr em destaque um termo da oração já referido: "Fr. Joanne, esse olhou fito para o cego" (Alexandre Herculano, *Lendas e Narrativas*, I, p. 240); "A podenga negra, essa corria pelo aposento viva e inquieta" (Id., *ib.*, II, p. 12). **10.** Usa-se com referência a tempo mais ou menos longínquo, passado ou futuro, podendo, no caso de tempo passado, substituir-se por *aquele* e, com menor frequência, por *este*: "Foi isto, creio eu, em 1862 ou 1863. .... Nesse tempo ele [Antero de Quental] era em Coimbra, e nos domínios da inteligência, o Príncipe da Mocidade." (Eça de Queirós, *Notas Contemporâneas*, p. 371); "— Dize-lhe que me viste, uma tarde, chorando... / Nessa tarde parti." (Vicente de Carvalho, *Poemas e Canções*, p. 280); "Um dia um cisne morrerá por certo: / Quando chegar esse momento incerto, / No lago, onde talvez a água se tisne, // Que o cisne vivo, cheio de saudade, / Nunca mais cante, nem sozinho nade, / Nem nade nunca ao lado de outro cisne." (Júlio Salusse, *ap.* Manuel Bandeira, *Antologia dos Poetas Brasileiros da Fase Parnasiana*, p. 275). [Cf. *este* (ê) e *aquele* (ê) (onde se encontram, sobretudo no primeiro, várias acepções que são as mesmas, *mutatis mutandis*, do *esse*); *esse*, pl. *esses* e *s* (1).]

essedário [Do lat. *essedariu*.] *S. m.* Gladiador romano que combatia sentado em carro.

éssedo [Do lat. *essedu*, de or. gaulesa.] *S. m.* Carro de duas rodas, empregado em campanhas por bretões e gauleses.

esse-dobrado *S. m. Bras. Cap.* Floreio (6) no qual o capoeirista executa um movimento semelhante a uma rasteira (4) para um lado, seguida de um aú (q. v.) para o outro lado. [Pl.: *esses-dobrados*.]

essência [Do lat. *essentia*.] *S. f.* **1.** Aquilo que constitui a natureza das coisas; substância. **2.** A existência. **3.** Ideia principal: *a essência de um artigo, de um ensaio.* **4.** Significação especial; espírito: *a essência duma lei.* **5.** *Filos.* O que constitui o cerne de um ser; natureza. [Cf., nesta acepç., *acidente* (8) e *substância* (10)]. **6.** *Filos.* O que constitui a natureza de um ser, independentemente de este existir de fato ou atualmente. [Cf., nesta acepç., *ideia* (12)]. **7.** *Lóg.* Na lógica clássica, o objeto de uma definição genérica: o que uma coisa é. **8.** Espécie (falando-se das árvores de uma floresta). **9.** *Quím.* Extrato concentrado de certas substâncias aromáticas ou alimentícias: *essência de rosas; essência de amêndoas.* [Cf., nesta acepç., *óleo essencial*.] ◆ **Essência de amêndoas amargas.** *Quím.* Óleo essencial extraído, a vapor, da amêndoa, e que contém benzaldeído e ácido cianídrico. **Essência de bergamota.** *Quím.* A que se extrai principalmente da casca dos frutos maduros do *Citrus bergamia*. **Essência de citronela.** *Quím.* Essência extraída das folhas de *Andropogon*, usada em perfumaria, e que contém o citronelal e o geraniol. **Essência de eucalipto.** *Quím.* Óleo essencial que se extrai, pelo vapor de água, das folhas do eucalipto, e contém o eucaliptol, álcool isoamílico e vários aldeídos. **Essência de flor de laranjeira.** *Quím.* A que se extrai, por destilação a vapor, das flores de espécie do gênero *Citrus*, usada em perfumaria. **Essência de gerânio.** *Quím.* Substância oleosa que se extrai, pelo vapor de água, das folhas do gerânio, contendo ésteres do geraniol e do citronelol. **Essência de jasmim.** *Quím.* Essência extraída por enfloragem das flores do jasmim, contendo linalol e acetato de benzila. **Essência de mirbana.** *Quím.* Nitrobenzeno. **Essência de rosa.** *Quím.* Substância oleosa obtida pela enfloragem das pétalas de rosa, e que contém geraniol e citronelol. **Essência de terebintina.** *Quím.* Líquido incolor, com cheiro característico, obtido pela destilação a baixa temperatura da resina de certas coníferas, usado na fabricação de tintas, de linóleos, em produtos farmacêuticos, e em inseticidas, constituído por mistura complexa de pinenos, canfenos e outros compostos. **Essência de vetiver.** *Quím.* Substância oleosa extraída das raízes de um capim (*Vetiveria zizanioides*), que contém vetivenol e vetiveno. **Por essência.** Por natureza, por definição.

essencial [Do lat. tard. *essentiale*.] *Adj. 2 g.* **1.** Relativo a essência. **2.** Que constitui a essência, a natureza de um ser: *atributos essenciais.* **3.** Absolutamente necessário; indispensável: *A respiração é essencial ao homem.* **4.** Que procede de essência (9). **5.** *Bioquím.* Diz-se de aminoácido que não é sintetizado pelo organismo de um animal e que deve, portanto, ser obtido do alimento. **6.** *Med.* Cuja origem é desconhecida; idiopático. ~ V. *aminoácido —, constituinte —, descontinuidade —, elemento —, mineral —, óleo —, preposição —, singularidade —* e *termos essenciais*. ● *S. m.* **7.** O ponto mais importante; o fundamental: *O essencial é que ele seja bom.*

essencialidade [Do lat. tard. *essentialitate*.] *S. f.* Qualidade ou estado de essencial.

essênio *S. m.* V. *essênio*. [Uso freq. em P.]

essênio [Do lat. *Esseni, orum* < gr. *Essenoí*, do aramaico.] *Adj.* **1.** Diz-se de, ou que pertence a uma das seitas judaicas, do II séc. a.C. ao primeiro séc. d. C., e que constituía um grupo fechado, coeso, de vida ascética. ● *S. m.* **2.** Membro dessa seita. **3.** *Fig.* Aquele que vive afastado, livre de contaminação, que é puro.

essexito (cs) [Do top. *Essex* (E.U.A.) + *-ito*[2].] *S. m. Geol.* Rocha magmática intrusiva, formada de plagioclásio cálcico, ortoclásio, e de um ou mais minerais fêmicos.

essivo [Do lat. *esse*, na acepç. de 'estar', 'achar-se em', + *-ivo*.] *E. Ling. Adj.* **1.** ~ V. *caso —*. ● *S. m.* **2.** Caso essivo (q. v.).

essoutro Contr. do pron. dem. *esse* com o pron. indef. *outro*. [Flex.: *essoutra, essoutros, essoutras*. É lícito usar, em vez da contração, a loc. correspondente *esse outro*.]

és-sudeste *S. m.* **1.** Ponto do horizonte a meia distância angular do E. e do S.E. [Abrev.: E.S.E.] **2.** Vento que sopra desse ponto. **3.** Região ou regiões situadas a és-sudeste (1). [Com cap., nesta acepç.] ● *Adj. 2 g.* **4.** Relativo ao és-sudeste (1), ou dele procedente: *vento és-sudeste.* **5.** Situado a és-sudeste (1). [Sin. ger.: *és-sueste, lés-sueste, lés-sudeste*. Pl.: *és-sudestes*.]

és-sueste [Var. de *és-sudeste* < de *es(te) sudeste*.] *S. m. Adj. 2 g.* V. *és-sudeste*. [Pl.: *és-suestes*.]

esta [Do lat. *ista*.] *Pron. dem.* Fem. de *este* (ê) (q. v.). ◆ **Sem mais esta nem aquela.** V. *sem mais nem menos*: "Um belo dia, sem mais esta nem aquela, pegaram a aparecer pelo rosto do Zeca Estevo umas grossuras, uma vermelhidão, uma pressama que ninguém sabia como explicar." (Valdomiro Silveira, *Os Caboclos*, p. 67.)

estabacar-se *V. p.* Cair no chão com todo o peso do corpo; escarrapachar-se, estatelar-se.

estabalhoado *Adj.* Estouvado; imprudente; estavanado.

estabanado [Var. de *estavanado* < *es-* + *tavão* + *-ado*[1].] *Adj.* **1.** Que tem maneiras precipitadas; desassossegado, imprudente, adoidado, doidivanas. **2.** Desajeitado, desastrado: *Menina estabanada, quebra tudo em que toca.*

estabelecedor (ô) [De *estabelecer* + *-dor*.] *Adj. S. m.* Que, ou aquele que estabelece.

estabelecer [Do lat. **stabiliscere* < lat. *stabilire*, 'fazer firme'.] *V. t. d.* **1.** Fazer estável, firme; fixar; estabilizar: *Esforçava-se por estabelecer uma sólida reputação.* **2.** Criar, instituir, fundar: *A Semana de Arte Moderna, em 1922, procurou estabelecer uma visão nacional da literatura.* **3.** Instalar, alojar: *estabelecer residência.* **4.** Determinar, assentar; fixar: *A Constituição estabelece que todos são iguais perante a lei.* **5.** Dar forma regular e estável a; organizar, dispor: *É função da O.N.U. estabelecer a paz entre os povos.* **6.** Dar estabilidade a; dar meios de vida a: *Muitos se valem dos cargos públicos para estabelecer os parentes.* **7.** Demonstrar, provar; assentar. **8.** Ordenar, mandar, determinar. **9.** Pôr em vigor; vulgarizar. *T. d. e i.* **10.** Firmar, celebrar: *Estabeleceu um acordo com o inimigo.* *P.* **11.** Fixar residência; alojar-se, instalar-se, colocar-se, fixar-se. **12.** Tomar forma estável e permanente; organizar-se. **13.** Abrir estabelecimento comercial ou industrial. **14.** Pôr casa; tomar estado; casar(-se). [Conjug.: v. *aquecer*.]

estabelecido [Part. de *estabelecer*.] *Adj.* **1.** Que se estabeleceu, fundou, instituiu; instituído: *normas estabelecidas.* **2.** Que tem estabelecimento industrial ou comercial seu: *negociante estabelecido.*

estabelecimento[1] [De *estabelecer* + *-imento*.] *S. m.* **1.** Ato ou efeito de estabelecer(-se). **2.** Fundação; instituição. **3.** Colocação, emprego. **4.** Local onde funcionam e se alojam determinadas instituições, organizações, etc.: *Todos os estabelecimentos comerciais estão fechados hoje; Os melhores estabelecimentos de ensino localizam-se neste bairro.* **5.** Instituto (8). **6.** *Ant.* Lei; ordem; estatuto. ◆ **Estabelecimento do porto.** Intervalo médio entre o trânsito meridiano da Lua e a próxima preamar, referente a um dado ponto de uma costa. **Estabelecimento pio.** Aquele que abriga obras de caridade, como, p. ex., os asilos, hospícios e casas da misericórdia. **Estabelecimento público.** O que tem por fim a utilidade ou o recreio do público em geral (hospitais, museus, galerias de pintura, etc.).

estabelecimento[2] [Do ingl. *establishment*.] *S. m.* **1.** Conjunto dos grupos dominantes, dentro de uma sociedade. **2.** Corpo de ideias filosóficas, sociais, econômicas, políticas e religiosas, preconizadas e impostas, mediante lei ou, como costume, pelos grupos dominantes duma sociedade.

estabilidade [Do lat. *stabilitate*.] *S. f.* **1.** Qualidade de estável; firmeza, solidez, segurança. **2.** *Fís.* Propriedade geral dos sistemas mecânicos, elétricos e aerodinâmicos, pela qual o sistema retorna ao estado de equilíbrio após sofrer uma perturbação. **3.** *Dir. Adm.* Garantia que tem o funcionário público efetivo, depois de certo tempo de exercício, de não ser demitido senão por sentença judicial ou mediante processo administrativo. **4.** *Dir. Trab.* Garantia que o empregado adquiria após 10 anos de serviço na mesma empresa, de não ser despedido, exceto por falta grave apurada mediante inquérito, no juízo trabalhista. **5.** *Dir. Trab.* Regime válido, no Brasil, até o estabelecimento da lei que instituiu o Fundo de Garantia do Tempo de Serviço, e vigente para os que não optaram por essa lei. [Cf., nesta acepç., *vitaliciedade*.] **6.** *Dir. Trab.* Direito que tem o empregado de não ser despedido, quando verificadas circunstâncias peculiares como acidente de trabalho, gestação, participação em diretoria de organização sindical ou em comissão interna de prevenção de acidentes.

estabilização [De *estabilizar* + *-ção*.] *S. f. Bras.* **1.** Ato ou efeito de estabilizar(-se). **2.** Tratamento a que se submete um solo ou uma construção para melhorar-lhes as características de resistência. **3.** Conjunto de medidas de caráter permanente que visam, quer pela consolidação (8), quer pela reestruturação (2), a recuperar a situação estática de uma edificação. **4.** *Econ.* Busca de redução nas oscilações da atividade econômica (por exemplo, por medidas de estímulo à demanda, em situações de recessão); busca de redução na inflação: *política de estabilização; estabilização de preços.* ◆ **Estabilização mecânica.** Processo de estabilização pela mistura, em proporções adequadas e sob condições especificadas, de solos de diferentes tipos, sem adição doutros materiais.

estabilizado [Part. de *estabilizar*.] *Adj.* Que se estabilizou. ~ V. *solo —*.

estabilizador (ô) [De *estabilizar* + *-dor*.] *S. m.* **1.** Aquele ou aquilo que estabiliza. **2.** Substância que torna estável uma solução. **3.** *Fís.* Dispositivo que serve para assegurar a constância do valor eficaz da corrente em um circuito ou da diferença de potencial entre dois pontos. ● *Adj.* **4.** Que estabiliza.

estabilizante [De *estabilizar* + *-nte*.] *Adj. 2 g. S. m. Tec. Quím.* Diz-se de, ou substância que favorece a formação de emulsões e suspensões, mantendo-lhes as características físicas, esp. em alimentos.

estabilizar [De *estável* + *-izar*, seg. o padrão erudito.] *V. t. d. P.* Tornar(-se) estável, fixo; estabelecer(-se): *estabilizar a moeda; A situação, que era incerta, por fim se estabilizou.*

estabilizável [De *estabilizar* + *-vel*.] *Adj. 2 g.* Que se pode estabilizar.

estabulação [Do lat. *stabulatione*.] *S. f.* Criação de animais em estábulo, para engorda.

estabular[1] [De *estábulo* + *-ar*[1].] *Adj. 2 g.* Relativo ou pertencente a estábulo.

estabular[2] [Do lat. *stabulare*.] *V. t. d.* **1.** Criar ou engordar em estábulo. **2.** Meter em estábulo. [Pres. ind.: *estabulo*, etc. Cf. *estábulo*.]

estábulo [Do lat. *stabulu*.] *S. m.* Lugar coberto onde se recolhe o gado vacum; estala. [Cf. *estabulo*, do v. *estabular*.]

estaca [Do gót. **stakka*.] *S. f.* **1.** *Constr.* Peça estrutural alongada, de madeira, aço ou concreto, que se crava no solo para transmitir-lhe a carga de uma construção, como parte da fundação; palanca. **2.** *Topogr.* Pau que se finca no terreno para marcar, suster, etc. **3.** *Bot.* Porção de um ramo que se planta para reproduzir a árvore ou o arbusto de origem. **4.** *Topogr.* Marco, geralmente de madeira, que, em trabalhos topográficos, se crava no terreno para assinalar temporariamente um ponto da superfície. **5.** *Bras. Topogr.* Distância horizontal de 20m, que é o intervalo entre duas estacas topográficas designadas por números inteiros consecutivos. [Cf. *estaca* e *estacas*, do v. *estacar*.] ◆ **Estaca de compressão.** *Constr.* A que é us. apenas para comprimir o solo, em fundações; estaca de consolidação. **Estaca de consolidação.** *Constr.* Estaca de compressão. **Estaca flutuante.** Estaca de fundação que transmite as cargas de estrutura pelo atrito lateral do solo, sem precisar atingir uma camada resistente. **Estaca inteira.** *Topogr.* A que marca um ponto do terreno cuja distância de percurso à origem de um caminhamento topográfico é um múltiplo exato de 20m, e designada pelo número inteiro representativo desse múltiplo. **Estaca intermediária.** *Topogr.* A que marca um ponto situado entre duas estacas inteiras consecutivas de um caminhamento topográfico. **Estaca zero.** *Topogr.* Estaca inicial de um caminhamento topográfico. **Voltar à estaca zero.** *Bras.* **1.** Voltar ao ponto de partida. **2.** Recomeçar tudo.

estacada [De *estaca* + *-ada*[1].] *S. f.* **1.** Lugar defendido por estacas dispostas uma ao lado da outra. **2.** Campo onde se travavam justas e torneios; baila, liça, valo. **3.** Fileira de estacas; estacaria. **4.** Curral, estábulo.

estacado[1] [Part. de *estacar*.] *Adj.* Parado; imóvel.

estacado[2] [Do it. *staccato*.] *S. m. Mús.* Destacado[2].

estação [Do lat. *statione*.] *S. f.* **1.** Paragem ou pausa em um lugar; estada, estância, parada. **2.** Lugar em que se processa embarque e desembarque de passageiros e/ou carga de trem, navio, ônibus, avião, etc. **3.** Posto policial. **4.** Centro transmissor de rádio ou televisão. **5.** Local escolhido para determinada pesquisa ou observação, para se colocar um marco, uma baliza, etc. **6.** Cada um dos quatro períodos do ano que constam de três meses, dos quais dois começam nos solstícios e dois nos equinócios, e que se distinguem entre si pelas características climáticas: primavera, verão, outono e inverno. [Sin., nesta acepç., *quadra do ano, estação do ano, sazão*.] **7.** Ocasião, oportunidade. **8.** Época, temporada, quadra: *a estação das chuvas*. **9.** *Restr.* Época em que se apresentam as grandes companhias de teatro, de balé, os conjuntos orquestrais, etc.: *A peça foi levada fora da estação*. **10.** Época em que se faz determinada cultura ou colheita: *a estação das cerejas*. **11.** Período que se passa em estação de águas (q. v.), em praia, em montanha, etc.: *Vou fazer uma estação em Caxambu*. **12.** *Ecol.* Local onde um organismo vive ou foi colhido ou coletado. **13.** *Rel.* Cada uma das 14 pausas na via-sacra (1). **14.** *Rel.* Sequência de sermões pregados sobre determinado acontecimento litúrgico. **15.** *Teatr.* Cada um dos palcos destinados às cenas contínuas dos milagres [v. *milagre* (7)] e mistérios [v. *mistério* (11)] do teatro medieval, particularmente nas representações da morte e ressurreição de Cristo. **16.** *Bras.* Centro telefônico. **17.** *Lus.* Repartição pública. ◆ **Estação de águas. 1.** Temporada que se passa, em geral para cura, numa estância hidromineral (q. v.): *Normalmente se aconselha uma estação de águas de 21 dias*. **2.** *P. ext.* V. *estância hidromineral*: *as estações de águas do Sul de Minas*. **Estação de monta.** *Zootec.* Posto de monta. **Estação de serviço.** *Lus.* Posto de gasolina. **Estação do ano.** V. *estação* (6). **Estação ecológica.** *Ecol.* Unidade de conservação (q. v.) onde ocorrem pesquisas científicas e educação ambiental. **Estação elevatória.** Elevatória. **Estação espacial.** *Astron.* Engenho espacial, tripulado, que se destina a assegurar uma missão determinada por um longo período, ao redor da Terra; estação orbital, plataforma espacial. **Estação meteorológica.** Posto meteorológico. **Estação orbital.** *Astron.* V. *estação espacial*. **Estação retransmissora.** *Rád. Telev.* Estação que faz retransmissão, simultânea ou não, de programas gerados por outra estação, de modo que possam ser recebidos pelo público em geral. [Tb. se diz apenas *retransmissora*.] **Estação rodoviária.** Rodoviária (1).

estaca-prancha *S. f.* Peça alongada, plana ou ondulada, de madeira, aço, ou concreto armado, a qual, articulada com outras do mesmo tipo e com elas engastada verticalmente no solo, compõe cortinas resistentes e estanques, utilizadas em ensecadeiras, muralhas de cais e muros de arrimo. [Pl.: *estacas-pranchas* e *estacas-prancha*.]

estacar [De *estaca* + *-ar*^{2}.] ***V. t. d.* 1.** Segurar com estacas; amparar, escorar. **2.** Interromper, sustar, suspender: *estacar o passo*. ***Int.* 3.** Parar de repente; ficar parado, imóvel: "Queria estacar e não podia: as pernas o impulsionavam para a frente" (Fran Martins, *Dois de Ouros*, p. 10). **4.** Ficar perplexo, confuso, embasbacado; hesitar, vacilar. [Conjug.: v. *trancar*. Pres. ind.: *estaco, estacas, estaca*, etc.; fut. pret.: *estacaria, estacarias*, etc. Cf. *estaca*, s. f., pl. *estacas*, e *estacaria*, s. f., pl. *estacarias*.]

estacaria [De *estaca* + *-aria*.] ***S. f.* 1.** Grande porção de estacas. **2.** Conjunto de estacas que formam os alicerces de um prédio ou de um dique. **3.** Estacada (3). [Cf. *estacaria* e *estacarias*, do v. *estacar*.]

estaca-testemunha *S. f. Topogr.* Pequena estaca numerada que identifica ponto importante de um levantamento topográfico. [Pl.: *estacas-testemunhas* e *estacas-testemunha*.]

estacional [Do lat. *stationale*.] ***Adj. 2 g.* 1.** V. *sazonal*. **2.** Estacionário (1 e 2). **3.** *Ecol.* Que está sujeito a uma estação (8) seca: *floresta estacional*.

estacionalidade [De *estacional* + *-(i)dade*.] ***S. f.*** Capacidade de produção agrícola conforme a estação ou época do ano em que se fez o plantio e a colheita.

estacionamento [De *estacionar* + *-mento*.] ***S. m.* 1.** Ato de estacionar. **2.** Lugar delimitado onde se estacionam veículos; parqueamento.

estacionar [De *estação* + *-ar*^{2}, seg. o padrão erudito.] ***V. int.* 1.** Fazer estação (1); parar, deter-se: "Numerosíssimo concurso oficial e popular precedia e acompanhava ao príncipe regente e à família real transmigrantes de Lisboa; multidão imensa estacionava, movia-se, ou precipitava-se curiosa e entusiasmada" (Joaquim Manuel de Macedo, *Memórias da Rua do Ouvidor*, p. 102). **2.** Permanecer estacionário; não progredir: *A doença estacionou*. ***T. c.* 3.** Estacionar (1): *Os táxis estacionam nesta rua*. **4.** Fazer ponto em (q. v.): *Há anos que estaciona no bar da esquina*. ***T. d. e c.* 5.** Deter, fazer parar (um veículo), por tempo mais ou menos longo; parquear: "era esta a conclusão a que acabava de chegar o Encarregado dos Negócios do Brasil, quando .... Manrique, depois de muito haver estacionado o carro junto a bares e cafés-cantantes, estacionou-o diante de um soturno casarão assobradado" (Viana Moog, *Toia*, p. 47). [Fut. pret.: *estacionaria*, etc. Cf. *estacionária*, fem. de *estacionário*, adj. e s. m.]

estacionário [Do lat. tard. *stationariu*.] ***Adj.* 1.** Que estaciona; imóvel, parado; estacional. **2.** Que não progride nem retrocede; estacional. **3.** *Fís.* Diz-se de um processo em que, apesar da existência de fenômenos de transporte (de massa, de energia, etc.), não existem modificações nas variáveis macroscópicas do sistema onde ele ocorre. ~ V. *campo —, estado —, onda —a, ponto —, satélite —* e *série —a*. • ***S. m.* 4.** *Bras.* Encarregado de estação meteorológica. [Fem.: *estacionária*. Cf. *estacionaria*, do v. *estacionar*.]

estacionável [De *estacionar* + *-vel*.] ***Adj. 2 g.* 1.** Em que se pode estacionar. **2.** Suscetível ao estacionamento; estacionário.

estacionense ***Adj. 2 g.* 1.** De, ou pertencente ou relativo a Estação (RS). • ***S. 2 g.* 2.** O natural ou habitante de Estação.

estackhousiácea *S. f. Bot.* V. *stackhousiácea*.

estackhousiáceo *Adj. Bot.* V. *stackhousiáceo*.

estada [De *estar* + *-ada*^{1}.] ***S. f.*** Ato de estar; demora, permanência, estância: "Depois de sua estada na prisão, Oscar Wilde dizia – oh! – que a sua rota era a de São Francisco de Assis..." (Álvaro Lins, *Literatura e Vida Literária*, p. 39.).

estadão [De *estado* + *-ão*^{1}.] ***S. m.* 1.** Pompa, ostentação: "toda a corte celestial, enfim, em trajes domingueiros, a fazer estadão de riquezas e ouropéis." (João da Silva Correia, *Farândola*, p. 27). **2.** Luxo, fausto.

estadear [De *estado* + *-ear*^{2}.] ***V. t. d.* 1.** Mostrar com enfatuamento; ostentar, alardear, pompear: "O homem transfigura-se. Empertiga-se, estadeando novos relevos, novas linhas na estatura e no gesto" (Euclides da Cunha, *Os Sertões*, p. 115). ***P.* 2.** Mostrar-se com ostentação; alardear pompa; pompear. **3.** Enfatuar-se, ensoberbecer-se, envaidecer-se. **4.** Mostrar-se de maneira grandiosa; ostentar-se: "O Sol desaparecera cá debaixo: estadeava-se, agora, na parte superior dos prédios" (Ferreira de Castro, *A Tempestade*, p. 242). [Conjug.: v. *frear*.]

estadela [De *estado* + *-ela*.] ***S. f.*** *Ant.* Cadeira alta onde se sentavam os reis e os magistrados: "De cenho carregado, as mãos convulsas, / Numa nobre estadela, Pedro inquire / De cada empicotado a grave culpa" (Eugênio de Castro, *Obras Poéticas*, V, p. 41).

estadia [De *estada* + *-ia*^{1}.] ***S. f.* 1.** *Mar. Merc.* Prazo concedido para carga e descarga do navio surto em um porto; estalia. **2.** Estada, permanência. [Muitos condenam o uso, frequentíssimo, da palavra nesta última acepção.] [Cf. *estádia*.]

estádia [De *estádio* (2).] ***S. f.*** *Geom.* Instrumento destinado a avaliar distâncias. [Cf. *estadia*.]

estádio [Do gr. *stádion*, pelo lat. *stadiu*.] ***S. m.* 1.** Campo de jogos esportivos. **2.** Antiga unidade de medida itinerária, equivalente a 125 passos [v. *passo*^{2} (4)], ou seja, 206,25m. **3.** Fase, período, época, estação.

estadismo [De *estado* + *-ismo*.] ***S. m.*** Doutrina que aceita a onipotência do Estado. [Cf. *estatismo*^{1}.]

estadista [De *estado* + *-ista*.] ***S. 2 g.*** Pessoa de atuação notável nos negócios políticos e na administração de um país; homem ou mulher de Estado.

estadística [De *estadista* + *-ica*.] ***S. f.*** Ciência dos negócios políticos; ciência de governar. [Cf. *estatística*.]

estadístico [De *estadista* + *-ico*^{2}.] ***Adj.*** Referente à estadística. [Cf. *estatístico*.]

estado [Do lat. *statu*.] ***S. m.* 1.** Modo de ser ou estar. **2.** Situação ou disposição em que se acham as pessoas ou as coisas em um momento dado: *estado de saúde; estado de espírito; estado de abandono*; "A tudo se habitua o homem, a todo o estado se afaz" (Almeida Garrett, *Viagens na Minha Terra*, p. 178). **3.** Modo de existir na sociedade; situação social ou profissional; condição: *estado militar; estado eclesiástico; estado de escravidão*; "Eu sou Lereno, / De baixo estado, / Choça nem gado / Dar poderei." (Domingos Caldas Barbosa, *ap.* Sérgio Buarque de Holanda, *Antologia dos Poetas Brasileiros da Fase Colonial*, I, p. 296). **4.** Conjunto das condições físicas e morais de uma pessoa: *No seu estado, a jovem só pensava no filho que ia nascer*. **5.** Luxo, pompa, fausto, ostentação, magnificência: *O magnata vivia em grande estado*. **6.** Lista enumerativa; inventário; registro: *o estado das despesas, dos bens*. **7.** Cada uma das classes ou categorias do corpo social, especialmente as que se reportam à divisão tradicional adotada no antigo regime monárquico francês (clero, nobreza e povo). [V. *estados-gerais*.] **8.** O conjunto dos poderes políticos de uma nação; governo: *estado republicano; estado democrático; estado totalitário*. **9.** Divisão territorial de certos países: *O Brasil tem 26 estados e um distrito federal*. **10.** *Dir.* Nação politicamente organizada. [Nesta acepç., com cap.] **11.** Organismo político administrativo que, como nação soberana ou divisão territorial, ocupa um território determinado, é dirigido por governo próprio e se constitui pessoa jurídica de direito público, internacionalmente reconhecida. **12.** Sociedade politicamente organizada. **13.** *Cronol.* Estado absoluto de um relógio (q. v.). **14.** *Fís.* Estado de agregação (q. v.). **15.** *Fís.* Conjunto de valores das grandezas físicas de um sistema, necessário e suficiente para caracterizar univocamente a situação física deste sistema. **16.** *Grav.* Cada uma das fases da execução de uma gravura, de que se tira prova para verificação do trabalho: *primeiro estado, segundo estado*, etc. **17.** *Ant.* Situação estacionária; parada. **18.** *Ant.* Altura ordinária de um homem. **19.** *Ant.* Ofício de defuntos. ◆ **Estado absoluto de um relógio.** *Cronol.* Intervalo de tempo que se deve adicionar algebricamente à hora marcada por um relógio para se ter a hora correta. [Tb. se diz apenas *estado*.] **Estado assistencial.** V. *welfare State*. **Estado civil.** Situação jurídica de uma pessoa em relação à família ou à sociedade, considerando-se o nascimento, filiação, sexo, etc. (solteiro, casado, desquitado, viúvo, etc.). **Estado coloidal.** *Fís.-Quím.* Estado de subdivisão das partículas da fase dispersa de um coloide. **Estado de agregação.** *Fís.* Uma das formas de agregação (sólida, líquida ou gasosa) que pode apresentar uma substância. [Tb. se diz apenas *estado*.] **Estado de choque.** *Psiq.* Estado em que, de modo súbito e em consequência de emoção violenta, ou de acontecimento psiquicamente muito traumatizante, se instala algum sintoma psíquico ou perda de autodomínio. **Estado de coisas.** Circunstâncias, conjunturas. **Estado de coma.** Coma^{2}. **Estado de direito.** *Polít.* Forma de Estado (8) na qual o exercício das funções de governo está submetido a leis gerais, promulgadas antecipadamente e protegidas por instituições independentes. **Estado de graça.** *Rel.* O de inocência, oposto ao de pecado. **Estado de inocência.** Desconhecimento do bem e do mal. **Estado de necessidade.** *Jur.* Condição daquele que se vê premido a sacrificar direito alheio para salvar direito próprio ou de outrem de um determinado perigo atual, ao qual não deu causa, e que não podia por outro modo evitar. **Estado de perigo.** *Jur.* Condição daquele que, premido pela necessidade de salvar-se, ou a pessoa de sua família, de grave dano não causado pela outra parte, mas dela conhecido, assume em face dessa obrigação excessivamente onerosa. **Estado de sítio.** Suspensão temporária de certos direitos e garantias individuais. **Estado de transição.** *Quím.* Arranjo atômico que se forma no curso de uma reação, quando a energia chega a um valor máximo. [Tanto as ligações que se rompem quanto as que se formam na reação estão distendidas.] **Estado dubleto.** *Fís.* Dubleto (3). **Estado estacionário.** *Quím.* Situação em que a concentração de uma substância não varia com o tempo, apesar de estar ela sendo formada e consumida simultaneamente. **Estado excitado.** *Fís.* Estado de um sistema em que a energia é superior à do estado fundamental. **Estado fundamental.** *Fís.* Em um átomo ou num grupamento de átomos, a configuração correspondente à energia potencial mínima. **Estado gasoso.** *Fís.* Estado de agregação de uma substância no qual as moléculas ou os átomos estão relativamente distantes uns dos outros e as forças atrativas ou repulsivas são, em média, pequenas. **Estado interessante.** *Pop.* A gravidez. **Estado ligado.** *Fís. Part.* Sistema coeso formado por duas ou mais partículas e que é mantido pela energia de ligação (q. v.). **Estado líquido.** *Fís.* Estado de agregação de uma substância no qual as moléculas ou os átomos estão, em média, muito mais próximos uns dos outros que no estado gasoso, havendo uma ordenação espacial local e transitória, e uma interação relativamente intensa das partículas vizinhas. **Estado metaestável. 1.** *Fís.* Estado em que uma substância ou um sistema pode permanecer, apesar de não ser estável nas condições físicas em que se encontra. **2.** *Fís. Nucl.* Estado excitado do núcleo ou do átomo que tem uma vida média apreciável. **Estado político.** Situação jurídica da pessoa em relação ao Estado (cidadania e nacionalidade). **Estado religioso.** Na religião católica, a ligação, mediante os três votos, de pobreza, castidade e obediência, com uma congregação, instituto ou ordem religiosa. **Estado singleto.** *Fís.* Singleto (2). **Estado sólido.** *Fís.* Estado de agregação de uma substância cujas partículas constitutivas (moléculas, íons, átomos) se acham arrumadas ordenadamente no espaço, formando uma rede cristalina, e em que há uma forte interação das partículas vizinhas. **Estado tripleto.** *Fís.* Tripleto (2). **Em estado de graça.** Estado em que se encontra quem goza ou como que goza da graça divina, ou por ela foi tocado. **Mudar de estado.** V. *tomar estado* (1). **No estado.** No estado (2) em que se encontra um objeto, sem alteração, melhoria ou restauração. **Terceiro estado.** *Hist.* Designação dada outrora ao povo, em relação aos outros dois estados, que eram o clero e a nobreza. [V. *estado* (7).] **Tomar estado. 1.** Casar-se, matrimoniar-se; mudar de estado: "Casou-se, não por amor, mas para tomar estado, para casar-se, como todas." (Mário Donato, *A Parábola das 4 Cruzes*, p. 71.) **2.** Pôr casa. **3.** Tomar um modo de vida. **4.** *Bras. S.* Ficar em boas condições. [Us. nesta acepç. especialmente com relação ao cavalo de corrida ou ao galo de rinha que se tornaram aptos para os respectivos esportes.]

estado da arte [De *estado* + *da*[1] + *arte*[1]; ingl. *state of the art.*] *S. m.* Nível de desenvolvimento atingido (por uma ciência, uma técnica) na atualidade. [Pl.: *estados da arte.*]

estado-maior *S. m.* **1.** *Mil.* Grupo de oficiais que assessoram um comandante no planejamento e no controle de execução de operações militares. **2.** *Fig.* O conjunto das pessoas mais eminentes de um grupo, de uma classe, de uma profissão: *Antônio Austregésilo e Francisco de Castro foram vultos do estado-maior da medicina brasileira.* **3.** *Fig.* Grupo de pessoas que acompanham uma personalidade de destaque. [Pl.: *estados-maiores.*]

estados-gerais *S. m. pl. Hist.* Assembleia dos representantes dos três estados [v. *estado* (7)], no antigo regime da França.

estado-tampão *S. m.* Estado ou país localizado entre dois países antagônicos ou rivais na sua política expansionista. [Pl.: *estados-tampões* e *estados-tampão.*]

estadual [De *estado* + *-ual.*] *Adj. 2 g. Bras.* De, ou pertencente ou relativo a estado ou estados de federação: *constituição estadual; terreno estadual.* [Cf. *estatal.*]

estadualização [De *estadualizar* + *-ção.*] *S. f.* Ato ou efeito de estadualizar: "O Governo ficou sabendo ... que, se a tendência da estadualização e da municipalização do voto for mantida, o seu partido terá condições de fazer um mínimo de 220 dos 469 novos deputados federais" (Rogério Coelho Neto, em *Jornal do Brasil*, 28.08.1982).

estadualizar [De *estadual* + *-izar.*] *V. t. d. P.* Dar o caráter de estadual a; tornar estadual.

estadulho [De *estar.*] *S. m.* Fueiro[1] (2).

estadunidense [Do top. *Estados Unidos.*] *Adj. 2 g. S. 2 g. Bras.* V. *norte-americano.*

estafa [Dev. de *estafar.*] *S. f.* **1.** Cansaço, canseira, fadiga: *Após a corrida, foi grande a sua estafa.* **2.** Trabalho fatigante; esforço: *O pianista impunha-se a estafa de estudar 10 horas por dia.* **3.** *Med.* A fadiga resultante de um trabalho muscular ou intelectual intenso e prolongado; esgotamento nervoso. [Sin. (nesta acepç.): *ergastenia* e (fr.) *surmenage.*] **4.** Trabalho enfadonho; maçada: *O professor cumpria com paciência a estafa de corrigir as provas de 600 alunos.* [Sin., nessas acepçs.: *estafamento.*] **5.** *Fig. Pop.* Roubo audacioso; logro.

estafado [Part. de *estafar.*] *Adj.* Cansado, fatigado.

estafamento [De *estafar* + *-mento.*] *S. m.* V. *estafa* (1 a 4).

estafante [De *estafar* + *-nte.*] *Adj. 2 g.* Que estafa ou fatiga; fatigante, fadigoso, cansativo.

estafar [Do it. *staffare*, poss.] *V. t. d.* **1.** Cansar, fatigar, afadigar: *Nada era capaz de estafá-lo.* **2.** Cansar, importunar, maçar, enfadar, enfastiar. **3.** Espancar, surrar, bater, moer. **4.** Reproduzir, imitando; repetir; contrafazer. **5.** *Gír.* Esbanjar, desperdiçar. *Int. P.* **6.** Cansar-se, fatigar-se, afadigar-se.

estafe[1] *S. m. Arquit.* Massa composta de gesso-cré, gesso-estuque e estopa, consolidada por armação de madeira, e empregada na confecção de elementos decorativos ou na construção de edifícios temporários para exposição, festas, etc.

estafe[2] [Do ingl. *staff.*] *S. m.* V. *staff.*

estafermo (ê) [Do it. *stà fermo*, 'está firme'.] *S. m.* **1.** Boneco móvel em torno de um eixo vertical, usado outrora nos exercícios de cavalaria: "Vão arrancar do combatente o sentimento que o alenta e a razão que o excita e domina. Ele cairá nas linhas feito um estafermo, aumentando apenas as filas do bando apassivado pelos vexames da classe, onde impera o medo dos chefes e a opinião relaxante da desvalia dos brios de cada um." (Alberto Rangel, *Quinzenas de Campo e Guerra*, pp. 211-212.) **2.** *Fam.* Pessoa parada e embasbacada; basbaque. **3.** *Fam.* Pessoa sem préstimo, inútil; espantalho. **4.** *Fam.* Jagodes (2). **5.** *Fam.* Estorvo, empecilho.

estafeta (ê) [Do it. *staffetta*, dim. de *staffa*, 'estribo'.] *S. m.* **1.** Correio a cavalo: "Um dia, o estafeta sertanejo trouxe-me uma carta anunciando a próxima chegada da família de um amigo." (Coelho Neto, *Sertão*, p. 110.) **2.** *Bras.* Entregador de telegramas, cartas, etc. **3.** *Lus.* Atleta que participa da prova de revezamento. **4.** *Lus.* A corrida de revezamento. [Pl.: *estafetas* (ê). Cf. *estafeta, estafetas*, do v. *estafetar.*]

estafetamento [De *estafetar* + *-mento.*] *S. m. Bras.* Ato ou efeito de estafetar. [Us. pilhericamente por Monteiro Lobato, nos *Urupês.*]

estafetar [De *estafeta* + *-ar*[2].] *V. t. d.* **1.** *Bras.* Fazer de (alguém) estafeta; tornar estafeta. *P.* **2.** Ter vida de estafeta. [Us. pilhericamente por Monteiro Lobato, nos *Urupês.* Pres. ind.: *estafeto, estafetas, estafeta*, etc. Cf. *estafeta* (ê) e pl. *estafetas* (ê).]

estafileácea [Do tax. *Staphylea* (do gr. *staphylé*, 'cacho de uvas') + *-ácea*; tax. *Staphyleaceae.*] *S. f. Bot.* Espécime das estafileáceas, família da ordem das sapindales, constituída de árvores e arbustos com folhas compostas penadas e flores racemosas. Caracteriza-se pelo gineceu com dois a três carpelos, cada um dos quais contém vários óvulos. Fruto bilocular ou trilocular, monospermo ou dispermo. Há umas 20 espécies, que vegetam nos países temperados e subtropicais do hemisfério boreal.

estafileáceo [De *estafileácea*, com var. suf. (v. *-áceo*).] *Adj. Bot.* Pertencente ou relativo às estafileáceas.

estafilectomia [De *estafil(o)-* + *-ectom-* + *-ia*[1].] *S. f. Cir.* Excisão da úvula; uvulectomia.

estafilectómico *Adj.* V. *estafilectômico.* [Uso freq. em P.]

estafilectômico [De *estafilectomia* + *-ico*[2].] *Adj.* Relativo à estafilectomia; uvulectômico.

estafilinídeo [Do tax. *Staphylinus* (< gr. *staphylinos*, 'certo inseto') + *-ídeo*[1]; tax. *Staphylinidae.*] *Zool. S. m.* **1.** Espécime dos estafilinídeos, família de insetos coleópteros, que reúne besouros de corpo alongado, élitros curtos, encontrados no esterco e na carniça. ● *Adj.* **2.** Pertencente ou relativo a eles.

estafilino [De *estafil(o)-* + *-ino*[1].] *Adj. Med.* Relativo ou pertencente à úvula.

▲**estafil(o)-** [Do gr. *staphylḗ, ês.*] *El. comp.* = 'cacho (de uva)'; 'úvula': *estafilococo; estafilectomia, estafilodiálise.*

estafilococácea [Do tax. *Staphylococcus* (v. *estafilococo*) + *-ácea*; tax. *Staphylococcaceae.*] *S. f. Microbiol.* Espécime das estafilococáceas, família de bactérias gram-positivas que se dividem, primariamente, em dois ou três planos, que por vezes permanecem em contato após a divisão para formar aglomerados, sendo que muitas delas produzem doenças infecciosas no homem e noutros animais, assim como toxinas responsáveis por intoxicações alimentares ou de outros tipos.

estafilococáceo [De *estafilococácea*, com var. suf. (v. *-áceo*).] *Adj. Microbiol.* Pertencente ou relativo às estafilococáceas.

estafilocócico [De *estafilococo* + *-ico*[2].] *Adj.* Relativo ao estafilococo.

estafilococo [De *estafil(o)-* + *-coco*; tax. *Staphylococcus.*] *S. m. Microbiol.* **1.** Gênero de bactérias gram-positivas, estafilococáceas, tb. classificadas como micrococáceas, que compreende bactérias de forma arredondada, podendo aparecer isoladamente, em pares, ou em aglomerados irregulares, estes sugerindo a forma de cacho de uvas; são potencialmente patogênicas, produzindo lesões locais e graves infecções oportunísticas. **2.** Espécie ou espécime desse gênero.

estafilodiálise [De *estafil(o)-* + *-diálise.*] *S. f. Cir.* Liberação da úvula.

estafiloma [Do gr. *staphýlōma*, pelo lat. tard. *staphyloma.*] *S. m. Oftalm.* Saliência da córnea ou da esclera revestida de tecido uveal, originária de inflamação.

estafilotomia [De *estafil(o)-* + *-tom(o)-* + *-ia*[1].] *S. f. Cir.* **1.** Excisão de um estafiloma. **2.** Incisão na úvula.

estafilotoxina (cs) [De *estafil(o)-* + *toxina.*] *S. f.* Toxina produzida pelo desenvolvimento dos estafilococos.

estagflação [Do ingl. *stag(nation)*, 'estag(nação)' + ingl. *(in)flation*, '(in)flação'.] *S. f. Econ.* Situação em que há simultaneamente estagnação (3) e inflação.

estagiar [De *estágio* + *-ar*[2].] *V. int. T. c.* Fazer estágio (1 e 3). [Pres. ind.: *estagio*, etc.; fut. pret.: *estagiaria*, etc. Cf. *estágio*, s. m., e *estagiária*, fem. de *estagiário.*]

estagiário [De *estágio* + *-ário.*] *Adj.* **1.** Relativo a estágio: *período estagiário; tarefa estagiária.* ● *S. m.* **2.** Aquele que faz estágio (1 e 3). [Fem.: *estagiária.* Cf. *estagiaria*, do v. *estagiar.*]

estágio [Do fr. *stage* < lat. med. *stagium.*] *S. m.* **1.** Aprendizado, exercício, prática, tirocínio (de advogado, médico, dentista, etc.). **2.** Situação transitória, de preparação. **3.** *Dir. Trab.* Processo educativo escolar supervisionado, desenvolvido no ambiente de trabalho, que visa à preparação para o trabalho produtivo de educandos que estejam frequentando o ensino regular, em instituições de educação superior, de educação profissional, de ensino médio, de educação especial e dos anos finais do ensino fundamental, na modalidade profissional da educação de jovens e adultos. **4.** Cada uma das sucessivas etapas nas quais se realiza determinado trabalho. **5.** *Astron.* Unidade autônoma e separável de um veículo espacial, dotada ou não de meio de propulsão. **6.** *Eletrôn.* Parte de um circuito eletrônico que efetua uma função determinada, como, p. ex., uma amplificação, uma retificação, uma filtragem, etc.; etapa. **7.** *Lus. Esport.* Concentração (3). [Cf. *estagio*, do v. *estagiar.*]

estagirita [Do gr. *stageirítes*, pelo lat. *stagirita.*] *Adj. 2 g.* **1.** De, ou pertencente ou relativo a Estagira (Macedônia antiga), pátria de Aristóteles, filósofo grego (384-322 a. C.). ● *S. 2 g.* **2.** O natural ou habitante de Estagira. ● *S. m.* **3.** Antonomásia de Aristóteles (v. *aristotélico*).

estagnação [De *estagnar* + *-ção.*] *S. f.* **1.** Estado de estagnado. **2.** *Fig.* Falta de movimento, de atividade; inércia, paralisação. [Sin., nessas acepçs.: *restagnação.*] **3.** *Econ.* Situação em que não há crescimento do produto nacional e do emprego.

estagnado [Part. de *estagnar.*] *Adj.* **1.** Que se estagnou, que não corre; parado: *água estagnada.* **2.** *Fig.* Inativo, inerte, parado, paralisado.

estagnante [De *estagnar* + *-nte.*] *Adj. 2 g.* Que causa estagnação.

estagnar [Do lat. *stagnare.*] *V. t. d.* **1.** Impedir o corrimento de, fazer estancar (um líquido). **2.** Tornar inerte; paralisar: *É impossível estagnar o curso da História. Int.* **3.** Ficar (a água) presa, empoçada. *P.* **4.** Perder a fluidez; não circular; não correr. **5.** Ficar em estado estacionário; não progredir; paralisar(-se).

estagnícola [Do lat. *stagnum*, 'água estagnada', + *-i-* + *-cola*[1].] *Adj. 2 g.* Que vive em água estagnada.

estagonolépis [Do tax. *Stagonolepis.*] *S. m. 2 n. Paleont.* **1.** Gênero de tecodontianos herbívoros (embora os tecodontianos fossem, em sua maioria, carnívoros), da era mesozoica. Podem ser considerados ancestrais dos atuais crocodilianos: eram revestidos de couraça formada por placas ósseas retangulares, poss. para protegê-los dos ataques dos dinossauros carnívoros, tinham o corpo longo com pernas curtas, e cauda longa e forte. **2.** Espécie ou espécime desse gênero.

estai [Do fr. ant. *estai, estay* (atual *étai*).] *S. m.* **1.** *Marinh.* Qualquer dos cabos que aguentam a mastreação para vante. **2.** *Marinh.* Qualquer cabo destinado a suportar em posição vertical um turco, chaminé, balaústre ou qualquer outra peça do equipamento da embarcação. **3.** *Bras. Constr. Nav.* Haste metálica geralmente cilíndrica, que serve para manter em posição qualquer parte ou peça de embarcação. [Cf. *brandal.*]

estaiar [De *estai* + *-ar*[2].] *V. t. d. Marinh.* Aguentar com estai(s). [Cf. *estear.*]

estala [Do gót. **stalla*, 'estábulo'.] *S. f.* **1.** Estábulo. **2.** *Ant.* Cadeira de monge ou de cônego, na igreja.

estalactífero [De *estalacti(te)* + *-fero.*] *Adj.* Que tem estalactites.

estalactite [Do gr. *stalaktós*, 'que cai gota a gota', + *-ite*[2].] *S. f. Min.* Precipitado mineral, alongado, que se forma nos tetos das cavernas ou dos subterrâneos. [Cf. *estalagmite.*]

estalactítico [De *estalactite* + *-ico*[2].] *Adj.* Semelhante a estalactite.

estalada [De *estalar* + *-ada*[1].] *S. f.* **1.** Som de coisas que estalam. **2.** *P. ext.* Grande ruído; rumor, barulho, estralada. **3.** *Fig.* Desordem, motim; pancadaria. [V. *rolo*[1] (16).] **4.** *Fam.* Bofetada, estalo. **5.** *Bras. MA* Espécie de mutirão (q. v.) organizado para a cobertura de uma casa com folhas de babaçu, as quais devem ser de antemão estaladas. [Cf., nesta acepç., *suta* (3) e *traição* (5).]

estaladeira [De *estalar* + *-deira.*] *S. f. Zool.* Ave passeriforme, furnariídea (*Phleocryptes melanops*), paludícola; parte superior parda estriada de negro e asas com faixas avermelhadas. No Brasil, ocorre do RJ ao RS e em países do S. do continente. [Sin.: *bate-bico.*]

estalador (ô) [De *estalar* + *-dor.*] *Adj.* Que estala; estalante.

estalagem [Do provenç. ant. *ostalatge*, 'pousada', pelo port. arc. *(h)ostalage.*] *S. f.* **1.** V. *hospedaria.* **2.** *Bras.* Conjunto de casinhas pobres com saída comum para a rua.

estalagmite [De *estalagm(o)-* + *-ite*[2].] *S. f. Min.* Precipitado alongado mineral, formado no solo duma caverna ou subterrâneo, e resultante dos respingos caídos do teto. [Cf. *estalactite.*]

▲**estalagm(o)-** [Do gr. *stalagmós, oû.*] *El. comp.* = 'destilação'; 'filtragem': *estalagmite, estalagmometria, estalagmômetro.*

estalagmometria [De *estalagm(o)-* + *-metria.*] *S. f.* Emprego do estalagmômetro.

estalagmométrico [De *estalagmômetro* + *-ico*[2].] *Adj.* Referente à estalagmometria, ou ao estalagmômetro.

estalagmómetro *S. m. Fís.* V. *estalagmômetro.* [Uso freq. em P.]

estalagmômetro [De *estalagm(o)-* + *-metro.*] *S. m. Fís.* Instrumento para medir a tensão superficial de líquidos, baseado na medida do peso de uma gota que se descola, sob a ação do próprio peso, da ponta de um capilar de diâmetro conhecido como um conta-gotas.

estalajadeiro [De *estalag(em)* + *-deiro*, com assimilação.] *S. m.* Dono ou administrador de estalagem.

estalante [De *estalar* + *-nte.*] *Adj. 2 g.* Estalador (1).

estalão [Do fr. ant. *estalon* (atual *étalon*) < fr. ant. *estal, estel*, 'estaca', 'viga', < frâncico **stalo.*] *S. m.* **1.** Medida, padrão, craveira: "O Minga comia por si e

E

por dois iguais a ele, cotados pelo estalão normal" (Aquilino Ribeiro, *Volfrâmio*, p. 435). **2.** Padrão adotado como base de valor ou de medida. ◆ **Estalão radioativo.** *Fís. Nucl.* Fonte radioativa em que se conhece a natureza e o número dos átomos radioativos presentes num instante determinado, e que é utilizada para a calibração de detectores de radiação.

estalar [De or. incerta; poss. do port. arc. **astellar.*] *V. t. d.* **1.** Partir, quebrar, espedaçar. **2.** Produzir estalido em; fazer que estale; estalejar: *estalar os dedos.* *Int.* **3.** Fender-se, rachar, fraturar-se. **4.** Produzir-se de súbito, como estalo: *Em meio ao silêncio, estalou uma risada.* **5.** Rebentar com fragor; estourar: *Um relâmpago estalou no céu.* **6.** Produzir estalido; crepitar, estalejar: "o lume de lenha úmida estalava jovialmente." (Eça de Queirós, *O Conde d'Abranhos*, p. 2); "Os fogos de artifício estalavam por todo o ar." (Id., *Notas Contemporâneas*, p. 17). **7.** *Bras.* Cantar (o canário-da-terra) emitindo um som característico, a modo de estalo; cantar de estalo: "As cajazeiras acordavam com os canários estalando." (José Lins do Rego, *Banguê*, p. 41.) **8.** Provocar explosão; explodir. *T. i.* **9.** Latejar (1): *Sentiam a cabeça estalar de dor.* **10.** Estar ou apresentar-se novo, perfeito. **11.** Estar cheio (de sede, fome).

estaleca *S. f. Lus. Pop.* **1.** Vigor; energia; garra. **2.** V. *dinheiro* (5).

estalecido *Adj. Bras. BA* **1.** V. *asmático* (2). **2.** Tuberculoso (1). [Cf. *estilicídio.*]

estaleirar [De *estaleiro* + *-ar*².] *V. t. d. Bras. S.* Reunir em um determinado lugar (as toras de madeira retiradas da mata), antes de transportá-las para a serraria.

estaleiro [F. metatética de *asteleiro* < *astela*, lat. **astella*, por **astula*, por *assula*, 'lasca'.] *S. m.* **1.** Lugar onde se constroem e/ou consertam embarcações. **2.** *Bras. N.E.* Leito de paus sobre altas forquilhas, que é uma espécie de jirau onde se põe a secar milho, carne, etc.

estalejar [De *estal(ar)* + *-ejar.*] *V. t. d.* **1.** Estalar (2). **2.** Fazer estalar: *Tiritava, estalejando os dentes.* *Int.* **3.** Dar estalos ou estalidos repetidos. **4.** Estalar (2). [Conjug.: v. *pelejar.*]

estalia [Do it. *stallia.*] *S. f.* Estadia (2).

estalicar¹ [De *estalo* + *-icar.*] *V. int. Pop.* Dar estalos com os dedos. [Conjug.: v. *trancar.*]

estalicar² *V. int. Pop.* Emagrecer, enfraquecer, definhar. [Conjug.: v. *trancar.*]

estalicídio [Var. de *estilicídio*, com dissimilação.] *S. m. Bras. Ant. Pop.* V. *estilicídio* (3).

estalidante [De *estalidar* + *-nte.*] *Adj. 2 g.* Que dá estalido(s), que estalida: "pendurou-a [a chaleira] dum gancho sobre a fogueira estalidante." (Vieira Pires, *Querência*, p. 39).

estalidar [De *estalido* + *-ar*².] *V. int.* **1.** Dar estalido(s): "Em breve um ruflo, um galho que estalida, / Um tiro." (Ricardo Gonçalves, *Ipês*, p. 72.) *T. d.* **2.** Dar estalido(s) com: "Os índios bebiam com avidez, estalidando a língua" (Gastão Cruls, *4 Romances*, p. 36). **3.** Fazer soar ou soar como que estalidando: "As três, de chinelinhas de couro, estalidavam na calçada os passinhos miúdos." (Godofredo Rangel, *Os Humildes*, p. 39.).

estalido [De *estalo* + *-ido*¹.] *S. m.* **1.** Estalo (1), em geral de pouca intensidade: *o estalido do chicote; Provou o vinho, e com um estalido da língua manifestou sua aprovação.* **2.** Estalo (2) estridente; estampido: *o estalido do trovão.* **3.** V. *crepitação* (1): *Ouvia-se o estalido dos ramos secos que ardiam;* "de repente estrepitou um estalido seco." (Coelho Neto, *Treva*, p. 382). **4.** Série de estalos [v. *estalo* (1 a 3)]: *o estalido dos foguetes.*

estalo [Dev. de *estalar.*] *S. m.* **1.** Som breve e seco produzido por uma coisa que se racha, quebra ou rebenta de súbito, ou pelo choque ou atrito momentâneo e impetuoso de uma coisa com outra: *Dando um estalo, a arquibancada desabou; Deu um estalo com os dedos.* **2.** Rumor súbito e forte; estouro: *o estalo das bombas de S. João.* **3.** V. *crepitação* (1). **4.** *Bras. RJ SP* Artefato pirotécnico, assim chamado porque dá um estalo quando arremessado contra um corpo duro. [Sin.: no N., *traque*; em AL, *traque de chumbo*; na BA, *traque de massa*; no RJ, *chumbinho.*] **5.** *Bras. Fig.* Luz súbita no espírito; iluminação: *o estalo do P.^e^ Antônio Vieira.* **6.** *Pop.* Bofetada(s). ◆ **Cantar de estalo.** *Bras.* Estalar (7): "Um dia o canarinho amanhecera corruchiando, cantando de estalo." (Gilvã Lemos, *Jutaí Menino*, p. 95.) **De estalo. 1.** De repente; de súbito; inesperadamente: *Chegou de estalo;* "Quando chegou mais ou menos na altura de Piedade, ... faltou energia e o trem parou de estalo." (Stanislaw Ponte Preta, *Febeapá 2*, p. 111). **2.** Ótimo, excelente, de arromba; de três estalos: *um jantar de estalo.* **De três estalos.** V. *de estalo* (2): "— Vais ver um bando de raparigas, ... umas saltarinas russas que só te digo que são de três estalos." (Aquilino Ribeiro, *Lápides Partidas*, p. 42).

estambrado [Part. de *estambrar.*] *Adj.* Convertido em estambre.

estambrar [De *estambre* + *-ar*².] *V. t. d.* Converter (a lã) em estambre.

estambre [Do esp. *estambre.*] *S. m.* Estame (1 e 2).

estame [Do lat. *stamine*, 'fio'.] *S. m.* **1.** Fio de tecelagem; estambre. **2.** *Fig.* Fio da existência; estambre: *os estames da vida.* **3.** *Bot.* Órgão masculino da flor, formado pelo filete que sustenta a antera, na qual, por sua vez, se formam os grãos de pólen. [Dim. irreg.: *estaminulo.*] ◆ **Estame alternipétalo.** *Bot.* Estame que leva as peças florais em alternância com as pétalas. [Opõe-se a *antepétalo.*] **Estame anantero.** *Bot.* Estame reduzido ao filete. **Estame antepétalo.** *Bot.* Estame localizado em frente às pétalas. [Opõe-se a *alternipétalo.*] **Estame antessépalo.** *Bot.* Estame localizado em frente às sépalas; estame oposissépalo. **Estame oposissépalo.** *Bot.* Estame antessépalo.

estamenha [Do lat. *staminea*, *i. e.*, *texta staminea*, 'tecidos filamentosos'.] *S. f.* **1.** *Tec. Têx.* Tecido comum de lã: "Corporação útil, execra todos os ornamentos; veste pura estamenha, sem grande roda, nem cauda, nem folhos." (Machado de Assis, *A Semana*, I, pp. 345-346.) **2.** Hábito, burel de frade: "Ao romper da manhã caía aos pés do monge como a Madalena arrependida, ... banhando de lágrimas a fímbria da estamenha do monge." (João Ribeiro, *Crepúsculo dos Deuses*, pp. 35-36.)

estamento [Do esp. *estamento.*] *S. m.* **1.** Estado em que pode cada um subsistir ou permanecer. **2.** Assembleia, congresso, parlamento. **3.** Cada um dos grupos da sociedade com *status* jurídico próprio. Ex.: os burocratas, os militares.

estamináceo [De *estamin(i)-* + *-áceo.*] *Adj. Bot.* Relativo ou pertencente a estame; estaminal.

estaminado¹ [Part. de *estaminar.*] *Adj.* Reduzido a estame (1).

estaminado² [De *estamin(i)-* + *-ado*¹.] *Adj. Bot.* Que tem estame; estaminífero, estaminoso.

estaminal [De *estamin(i)-* + *-al*¹.] *Adj. 2 g. Bot.* Estamináceo.

estaminar [Do lat. *estamin(i)-* + *-ar*².] *V. t. d.* Torcer até fazer estame (1). [Fut. pret.: *estaminaria*, etc. Cf. *estamínaria*, fem. de *estaminário.*]

estaminário [De *estamin(i)-* + *-ário.*] *Adj. Bot.* Formado pela transformação dos estames. [Fem.: *estaminária*. Cf. *estaminaria*, do v. *estaminar.*]

estaminé [Do fr. *estaminet*, 'botequim', p. us.] *S. m. Lus.* **1.** Pequena loja de comércio, ou bar. **2.** Local onde se vive, ou trabalha.

▲**estamin(i)-** [Do lat. *stāmen*, *inis.*] *El. comp.* = 'estame': *estaminal, estaminífero.* [Equiv.: *-stamin(i)-*: *epistaminal, parastaminia.*]

estaminífero [De *estamin(i)-* + *-fero.*] *Adj. Bot.* V. *estaminado*².

estaminódio *S. m. Bot.* Estame estéril, quase sempre reduzido ao filete.

estaminoide (ói) [De *estamin(i)-* + *-oide.*] *Adj. 2 g. Bot.* Semelhante a estame. ❖

estaminoso (ô) [De *estamin(i)-* + *-oso.*] *Adj. Bot.* V. *estaminado*².

estamínulo [De *estamin(i)-* + *-ulo.*] *S. m. Bot.* Estame rudimentar.

estampa [Do it. *stampa.*] *S. f.* **1.** Figura impressa ou gravada, ger. em papel. [Dim. irreg.: *estampilha.*] **2.** *P. ext.* Figura, ilustração, imagem: *Um livro de estampas.* **3.** Impressão, marca: *estampa do pé; estampa do sinete.* **4.** *Fig.* Coisa perfeita, formosa. **5.** *Bras. Fig.* Aparência, figura: *Esta moça tem uma bela estampa.* **6.** Martelo próprio para ferreiro. **7.** *Grav.* Cada um dos exemplares tirados de uma placa ou prancha gravada [v. *gravura* (4)]: *uma estampa japonesa.* **8.** *Bibliogr.* Ilustração fora do texto, em folha de papel especial, geralmente impressa de um lado só, não incluída na paginação, e não raro com numeração própria. **9.** *Bibliogr.* A arte de imprimir: *dar um livro à estampa.* ◆ **Dar à estampa.** V. *publicar* (5).

estampado [Part. de *estampar.*] *Adj.* **1.** Que se estampou [v. *estampar* (1)]. **2.** Que se publicou [v. *publicar* (5)]. ~ V. *selo —*. ● *S. m.* **3.** *Bras. Tec. Têx.* Tecido estampado com padrões decorativos [v. *padrão*¹ (4)]. **4.** *Bras.* Os motivos ou padrões estampados em tecido, plástico, etc.; estamparia.

estampador (ô) [De *estampar* + *-dor.*] *Adj. S. m.* Que, ou aquele que estampa.

estampagem [De *estampa* + *-agem*².] *S. f.* **1.** Ato ou efeito de estampar. **2.** Arte ou técnica de imprimir-padrão¹ (4) em (tecido, plástico, etc.); estamparia. **3.** Processo que consiste em marcar por pressão figuras, ornatos ou letras sobre material resistente ou plástico, a entalhe ou em relevo, por meio de molde, ou de molde e contramolde combinados. [A cunhagem de moedas e a impressão de sinete em lacre são processos de estampagem. Cf., nesta acepç., *impressão a seco, timbragem* (2) e *gofragem.*]

estampar [De *estampa* + *-ar*².] *V. t. d.* **1.** Imprimir letras, dísticos, figuras, etc., servindo-se de molde ou matriz, sobre (tecido, metal, papel, plástico, etc.), e obtendo cópias isoladas ou repetições sucessivas: *O italiano Emilio Pucci estampa seus tecidos com padrões de grande originalidade.* **2.** Fazer estampas; gravar: *Os mestres japoneses estamparam as primeiras obras em cor a partir do séc. XVIII.* **3.** Publicar com grande destaque: *Os jornais estamparam a notícia do fim da guerra.* **4.** Mostrar, retratar; espelhar: "Os comícios dos dois candidatos estampam .... essa mudança de guarda entre gerações." (Fernando Rodrigues, em *Folha de S.Paulo*, 03.11.2008.) *T. d. e c.* **5.** Estampar (1): *O embalador estampou nos caixotes o dístico "frágil".* **6.** Deixar vestígio ou marca de; marcar, assinalar: *estampar os pés na areia da praia.* **7.** Estampar (4): *Estampava no rosto a alegria de viver; Estampa no semblante a dor do coração.* **8.** Abrir com o buril; insculpir, gravar, inscrever. **9.** Desenhar, pintar. **10.** *Pop.* Pespegar (uma bofetada). *P.* **11.** Deixar sinal; gravar-se, imprimir-se; fixar-se. **12.** Mostrar-se, patentear-se: "— Então vamos logo — decide Dimitri, sorrindo ao ver a alegria infantil que se estampa no rosto da viúva." (Jô Soares, *O Homem Que Matou Getúlio Vargas*, p. 274.) ◆ **Estampar a frio.** *Encad.* V. *gofrar* (3). **Estampar a seco.** *Encad.* V. *gofrar* (3).

estamparia [De *estampa* + *-aria.*] *S. f.* **1.** Oficina impressora de estampas. **2.** Depósito ou loja de estampas. **3.** Fábrica ou seção de fábrica onde se estampam tecidos, plásticos, folhas de flandres, etc. **4.** Estampado (4). **5.** Estampagem (2).

estampeiro [De *estampa* + *-eiro.*] *S. m.* Impressor e/ou vendedor de estampas.

estampido [Do occitano ant. *estampida* (conexo com o gót. *stampjan*), poss.] *S. m.* **1.** Som forte e súbito como o da detonação de uma arma de fogo; estouro, explosão: "O estampido estupendo das queimadas / Se enrola de quebradas em quebradas, / Galopando no ar." (Castro Alves, *Poesias Escolhidas*, p. 258.) **2.** Grande ruído; estrondo. **3.** Tiro, disparo, detonação.

estampilha [Do esp. *estampilla.*] *S. f.* **1.** V. *estampa* (1). **2.** Lâmina ou chapa de metal destinada a estampar; chapa. **3.** A marca feita pela estampilha (2). **4.** *Bras.* Selo do Tesouro (3).

estampilhado [Part. de *estampilhar.*] *Adj.* Franqueado ou selado com estampilhas.

estampilhar [De *estampilha* + *-ar*².] *V. t. d.* Pôr estampilha(s) em; selar ou franquear com estampilha(s).

estanato [Do lat. *stannu*, 'estanho', + *-ato*².] *S. m. Quím.* Designação comum aos compostos que contêm ânions $(SnO_3)^{-2}$ ou $[Sn(OH)_6]^{-2}$, como, p. ex., o estanato de sódio [fórm.: Na_2SnO_3].

estança [Do it. *stanza.*] *S. f.* V. *estância*¹ (9).

estancamento [De *estancar* + *-mento.*] *S. m.* **1.** Ato ou efeito de estancar. **2.** V. *estanque* (4).

estancar [De or. controversa.] *V. t. d.* **1.** Impedir o corrimento de (um líquido); vedar, deter; estagnar: *estancar o sangue.* **2.** Pôr fim a; fazer cessar: *A boa notícia estancou as lágrimas do rapaz; O remédio estancou a dor.* **3.** Saciar, satisfazer, matar: *estancar a sede.* **4.** Instituir (o Estado) o estanco (1) de. **5.** Fazer perder: *Os empecilhos estancaram sua vontade de lutar.* **6.** Tornar (embarcação) estanque (1). *T. d. e i.* **7.** Exaurir, esgotar, depauperar: *Com tantos impostos, estancaram os contribuintes.* *Int.* **8.** Deixar de correr; deter-se, vedar-se. **9.** Esgotar-se, secar. **10.** Paralisar-se, estacionar. *P.* **11.** Deixar de correr; vedar-se. **12.** Exaurir-se, esgotar-se; findar. **13.** Ficar estagnado. **14.** Paralisar-se, estacionar. [Conjug.: v. *trancar.*]

estanca-rios [De *estancar* + *rios.*] *S. m. 2 n.* Engenho composto de rodas dentadas, engrenadas umas nas outras, e que serve para extrair, com abundância, água de poços ou de rios.

estancável [De *estancar* + *-vel.*] *Adj. 2 g.* Que pode ser estancado.

estanceiro *S. m.* V. *estancieiro.*

estância¹ [Do it. *stanza.*] *S. f.* **1.** Lugar onde se está ou se permanece por algum tempo: *estância do acampamento; estância de turistas.* **2.** Aposento; morada, residência, mansão. **3.** Recinto; paragem. **4.** Parada, paragem, estação. **5.** Armazém onde se depositam e/ou vendem madeiras de construção, carvão, lenha, etc. **6.** *Bras. MG* V. *estância hidromineral.* **7.** *Bras. N.* V. *cortiço* (2). **8.** Tábua em que os pedreiros colocam a argamassa de que se vão servir. **9.** *Arte Poét.* Grupo de versos que apresentam, comumente, sentido completo; estança, estrofe: *Têm Os Lusíadas 1.102 estâncias.* **10.** *Mil.* Baluarte ou reduto de gente e artilharia pouco numerosa. **11.** *Lus.* Ancoradouro, porto. **12.** *Lus.* Depósito de combustíveis. [Cf. *estancia*, do v. *estanciar.*] ◆ **Estância hidrológica.** *Lus.* V. *estância hidromineral.* **Estância hidromineral.** *Bras.* Cidade dotada de fontes de águas ricas em partículas radioativas ou compostas de substâncias minerais diversas, utilizadas com fim medicinal. [Sin.: *águas, estação de águas, estância* (bras., MG), e (lus.) *estância hidrológica, estância termal.*] **Estância termal.** *Lus.* V. *estância hidromineral.*

estância[2] [Do esp. plat. *estancia.*] ***S. f. Bras. RS*** Fazenda (2). [Dim. irreg.: *estanciola.* Cf. *estancia,* do v. *estanciar.*]

estanciano ***Adj.*** **1.** De, ou pertencente ou relativo a Estância (SE). • ***S. m.*** **2.** O natural ou habitante de Estância.

estanciar [De *estância* + *-ar*[2].] ***V. t. c. Int.*** **1.** Fazer estância[1] (1); parar para descanso: *A tropa estanciou na colina; Chegando aos arredores da vila, o andarilho estanciou.* **2.** Residir, habitar. **3.** Demorar-se, deter-se: *Estanciou ali durante um mês.* **4.** Frequentar habitualmente; estacionar. ***P.*** **5.** *P. us.* Alojar-se, instalar-se. [Pres. ind.: *estancio, estancias, estancia,* etc. Cf. *estância,* s. f., e o top. *Estância.*]

estancieiro [Do esp. plat. *estanciero.*] ***S. m. Bras.*** Proprietário de estância[2]. [Var.: *estanceiro.*]

estanciense ***Adj. 2 g.*** **1.** De, ou pertencente ou relativo a Estância Velha (RS). • ***S. 2 g.*** **2.** O natural ou habitante de Estância Velha.

estanciola [De *estância*[2] + *-ola*[1].] ***S. f. Bras. RS*** Pequena estância[2]; estanciazinha.

estanco [Dev. de *estancar.*] ***S. m.*** **1.** Monopólio comercial instituído pelo Estado: "foi concedido à Companhia Geral de Comércio do Brasil o estanco de todo o vinho, azeite, farinha e bacalhau necessários para o consumo do Brasil" (Manuel Diegues Júnior, *Ocupação Humana e Definição Territorial do Brasil,* p. 110). **2.** *Lus.* Tabacaria. [F. paral.: *estanque.*]

estandardização [De *estandardizar* + *-ção.*] ***S. f.*** Ato ou efeito de estandardizar; padronização (q. v.).

estandardizado [Part. de *estandardizar.*] ***Adj.*** Padronizado.

estandardizar [Do ingl. (*to*) *standardize,* pelo fr. *standardiser.*] ***V. t. d.*** Padronizar (1).

estandarte[1] [Do fr. ant. *standart,* 'insígnia cravada no solo como símbolo de um exército', poss. de or. germ.] ***S. m.*** **1.** Bandeira de guerra. **2.** *P. ext.* V. *bandeira* (1). **3.** Insígnia de corporação militar, religiosa ou civil. **4.** Grupo de soldados que formam guarda à bandeira. **5.** *Bot.* Vexilo[1] (2). **6.** *Mús.* Peça de madeira, em forma de leque, situada abaixo do cavalete, e na qual se prendem as cordas dos instrumentos de arco. **7.** *Bras. S.* V. *espantalho* (1 e 2). ◆ **Levantar o estandarte.** Declarar-se chefe de um partido, de uma facção. **Levantar o estandarte da revolta.** Incitar à revolta, à rebelião.

estandarte[2] [Alter. de *estendal,* com infl. de *estandarte*[1].] ***S. m. Bras. Pop.*** V. *quantidade* (3).

estande [Do ingl. *stand.*] ***S. m.*** **1.** Local fechado para o tiro ao alvo. [Sin. (lus.): *carreira de tiro.*] **2.** Espaço reservado a cada participante de uma exposição. **3.** *Ecol.* Comunidade de plantas homogêneas, esp. de árvores, que crescem numa área definida.

estanga ***S. f. Ind. Pap.*** **1.** V. *sabugo* (8). **2.** Tubo de ferro, de madeira ou de papelão, usado para enrolar o papel na enroladeira e nas máquinas de acabamento; bucha.

estanhado [Part. de *estanhar.*] ***Adj.*** **1.** Coberto ou revestido de estanho. **2.** *Fig.* Liso, sereno e de brilho acinzentado: *lago estanhado.* **3.** *Fam.* Sem-vergonha; descarado. **4.** *Bras. PE AL* Zangado, arreliado. ~ V. *papel —.*

estanhadura [De *estanhar* + *-dura.*] ***S. f.*** Estanhagem.

estanhagem [De *estanhar* + *-agem*[2].] ***S. f.*** Ato ou efeito de estanhar; estanhadura.

estanhamento [De *estanhar* + *-mento.*] ***S. m.*** Ato ou efeito de estanhar(-se).

estanhar [De *estanho*[1] + *-ar*[2].] ***V. t. d.*** **1.** *Metal.* Revestir (peça ou chapa metálica), por imersão (4) ou eletroliticamente, com uma camada de estanho. **2.** *Bras. S.* Atirar contra (alguém); balear. ***P.*** **3.** Arrojar-se, atirar-se, lançar-se: "Bem como serpentes que o frio / Em nós emaranha, — salgadas / As ondas s'estanham, pesadas / Batendo no frouxo areal." (Gonçalves Dias, *Obras Poéticas,* II, p. 231.) **4.** *Bras. PE AL Fam.* Zangar-se, irritar-se, arreliar-se.

estanho[1] [Do lat. *stanneu.*] ***S. m.*** **1.** *Quím.* Elemento de número atômico 50, metálico, branco-prateado, mole, dúctil, maleável, pouco tenaz, com inúmeras aplicações práticas [símb.: *Sn*]. **2.** Qualquer liga em que esse metal entra como elemento principal. **3.** Objeto feito dessa liga: *Comprou no leilão um lote de estanhos antigos.*

estanho[2] [Do lat. *stagnu.*] ***S. m. Poét.*** O mar, quando calmo.

▲**estan(i)-** [Do lat. *stannum, i.*] ***El. comp. Quím.*** = 'estanho[1]': *estanato, estânico, estanífero.* [Equiv.: *-stano*: *ergostano.*]

estânico [De *estan(i)-* + *-ico*[2].] ***Adj. Quím.*** Referente a, ou próprio de compostos de estanho tetravalente.

estanífero [De *estan(i)-* + *-fero.*] ***Adj.*** Que contém estanho.

estanita [De *estan(i)-* + *-ita*[3].] ***S. f. Min.*** Mineral tetragonal, sulfoestanato de cobre ou ferro.

estanito [De *estan(i)-* + *-ito*[3].] ***S. m. Quím.*** Designação dos sais que encerram ânions $(SnO_2)^{-2}$ ou $[Sn(OH)_3]^-$, como, p. ex., o estanito de sódio [fórm.: Na_2SnO_2].

estanoso (ô) [De *estan(i)-* + *-oso.*] ***Adj. Quím.*** Próprio dos sais de estanho divalente.

estanozolol [Voc. farmac.] ***S. m. Quím.*** Substância cristalina sintética, que é um esteroide anabólico [fórm.: $C_{21}H_{32}N_2O$]. [Pl.: *estanozolóis.*]

estanque [Dev. de *estancar.*] ***Adj. 2 g.*** **1.** Sem fenda ou abertura por onde entre ou saia líquido; tapado, vedado: *compartimento estanque.* **2.** Que não corre; parado, estagnado. **3.** Esvaziado, esgotado; enxuto, seco. • ***S. m.*** **4.** O trabalho de estancar; estancamento. **5.** Estanco (1). **6.** Local onde se recolhem os gêneros obtidos por estanco (1). **7.** *Lus.* Estanco (2). **8.** *Ant.* Parada, ponto, fim.

estanqueidade ***S. f.*** V. *estanquidade.*

estanqueiro [De *estanque* + *-eiro.*] ***S. m.*** **1.** Aquele que usufrui de estanco (1). **2.** *Lus.* Proprietário de estanco (2).

estanquidade [De *estanque* + *-(i)dade.*] ***S. f.*** Qualidade de estanque (3). [Var.: *estanqueidade.*]

estante [Do lat. *stante.*] ***Adj. 2 g.*** **1.** *Desus.* Que está, vive, reside; residente. • ***S. f.*** **2.** Móvel com prateleiras onde se colocam livros, papéis, etc. **3.** Armário com portas, ger. de vidro, e prateleiras, onde se guardam livros. **4.** Suporte de madeira inclinado, que pode ser dotado de pé ou usado sobre a mesa, e onde se põem livros ou documentos para facilitar a leitura; atril, leitoril. **5.** Móvel portátil, em geral dobrável, onde se coloca a música que o regente, o executante de um instrumento ou o cantor deve ler.

estanteado [De *estante* + *-eado.*] ***Adj.*** Provido de estantes [v. *estante* (2)]: *gabinete estanteado.*

estapafúrdio [De or. obscura.] ***Adj.*** Diz-se de pessoa ou coisa extravagante, esquisita, esdrúxula, excêntrica, singular: "Achava-me em situação realmente singular, ... e isto não me vexava, talvez por julgar aquilo estapafúrdio, talvez por estimar a franqueza nua." (Graciliano Ramos, *Memórias do Cárcere,* I, p. 83.)

estape [De or. obsc.] ***S. m. Bras. AM Bot.*** Árvore pequena bignoniácea (*Jacaranda intermedia*) de flores vermelho-escuras, pediceladas e grandes, e cujos frutos são cápsulas arredondadas na base.

estapear [De *es-* + *tapa*[2] + *-ear*[2].] ***V. t. d.*** **1.** *Bras.* Aplicar tapa[2] (1): "... se levantou, nos comprimentando, ... , estapeou as costas de José Júlio. Assim cumprimentam-se os homens, na porrada. (Lívia Garcia-Rosa, *Solo feminino,* p.65). **2.** Esbofetear. [Conjug.: v. *frear.*]

estapedectomia [De *estaped(i)-* + *-ectom-* + *-ia*[1].] ***S. f. Otor.*** Intervenção no estribo (3) para tratamento da surdez resultante de otosclerose.

estapedectómico ***Adj.*** V. *estapedectômico.* [Uso freq. em P.]

estapedectômico [De *estapedectomia* + *-ico*[2].] ***Adj.*** Relativo à estapedectomia.

▲**estaped(i)-** [Do lat. cient. *stapedius* < lat. tard. *stapes,* 'estribo'.] ***El. comp.*** = 'estribo (3)': *estapedectomia.*

estapédio [De *estaped(i)-* + *-io*[3].] ***Adj. Anat.*** ~ V. *músculo —.*

estaque [Adapt. do tax. *Stachys.*] ***S. f.*** **1.** *Bot.* Gênero de lamiáceas que reúne cerca de 300 espécies herbáceas ou arbustivas, originárias da Ásia e que ocorrem em áreas tropicais e subtropicais. **2.** Qualquer espécie desse gênero, como, por ex., a *Stachys affinis* (v. *estáquida-do-japão*). **3.** Qualquer espécime desse gênero. [Var., nas acepçs. 2 e 3: *estáquida.*]

estaqueação [De *estaquear*[1] + *-ção.*] ***S. f.*** V. *estaqueamento* (1).

estaqueadoiro [De *estaquear*[1] + *-doiro*[2].] ***S. m. Bras. RS*** Estaqueadouro (q. v.).

estaqueador (ô) [De *estaquear*[1] + *-dor.*] ***S. m. Bras. RS*** **1.** Aquele que estaqueia [v. *estaquear*[1] (3)]. **2.** V. *estaqueadouro.*

estaqueadouro [De *estaquear*[1] + *-douro*[2]; var. de *estaqueadoiro.*] ***S. m. Bras. S.*** Lugar onde se estaqueiam couros. [Sin.: *estaqueador.*]

estaqueamento [De *estaquear*[1] + *-mento.*] ***S. m.*** **1.** Ato ou efeito de estaquear[1] (1, 2 e 4); estaqueação. **2.** *Topogr.* O conjunto das estacas de um caminhamento topográfico. **3.** *Bras. RS* Ato ou efeito de estaquear[1] (3); estaqueio. **4.** *Bras. RS* Operação de estaquear[1] (5).

estaquear[1] [De *estaca* + *-ear*[2].] ***V. t. d.*** **1.** Segurar ou firmar com estacas; estacar; firmar. **2.** *Bras.* Colocar estacas a pique para construção de (cercas). **3.** *Bras. RS* Estender (um couro) e entesá-lo por meio de estacas fincadas no chão, para fazê-lo secar. **4.** Marcar pontos de (o terreno) com estacas. **5.** *Bras. RS* Atar (alguém) a estacas pelos quatro membros, deixando-o suspenso do solo e de rosto voltado para cima, castigo infligido outrora a bandidos e soldados. [Conjug.: v. *frear.*]

estaquear[2] [De *es-* + *taco*[1] + *-ear*[2].] ***V. t. d. Bras.*** Reduzir a tacos ou pedaços; tirar pedacinhos de; estracinhar, estraçalhar. [Conjug.: v. *frear.*]

estaqueio [Do esp. plat. *estaqueo.*] ***S. m. Bras. RS*** Estaqueamento (3).

estaqueira [De *estaca* + *-eira.*] ***S. f. Bras.*** V. *cabide* (1).

estaquia [De *estaca* + *-ia*[1].] ***S. f.*** Processo de multiplicação de vegetais no qual se utilizam segmentos (*estacas*) de caules, raízes, e, mais raramente, folhas, nas plantas que pegam de galho.

estáquida [Do gr. *stachys,* 'espiga', + *-ida*[1].] ***S. f. Bot.*** V. *estaque* (2 e 3).

estáquida-do-japão [De *estáquida* + *do*[1] + o top. *Japão.*] ***S. f. Bot.*** Planta lamiácea (*Stachys affinis*) comestível, cujo rizoma, tuberculado, moniliforme, é branco, saboroso e muito nutritivo, e cujas flores estão dispostas em verticilos no ápice dos caules. [Pl.: *estáquidas-do-japão.*]

estaquitarfeta [Adapt. do tax. *Stachytarpheta.*] ***S. f. Bot.*** **1.** Gênero de verbenáceas nativas, ger. de regiões tropicais, dotadas de flores solitárias, axilares; algumas espécies têm uso medicinal. **2.** Qualquer espécie desse gênero, como, p. ex., a *Stachytarpheta cayennensis* [v. *gervão* (2)]. **3.** Qualquer espécime desse gênero.

E

estaquiurácea (i-u) [Do tax. *Stachyurus* (do gr. *stáchys,* 'espiga', + gr. *ourá* [v. *uro-*]) + *-ácea*; tax. *Stachyuraceae.*] ***S. f. Bot.*** Espécime das estaquiuráceas, família da ordem das violales, formada por arbustos de folhas alternas e pequenas flores racemosas. Estas são hermafroditas ou unissexuais, e tetrâmeras. Androceu diplostêmone. Ovário quadrilocular e multiovulado. Fruto baciforme. Possui apenas um gênero (*Stachyurus*), com cinco espécies do Extremo Oriente.

estaquiuráceo (i-u) [De *estaquiurácea,* com var. suf. (v. *-áceo*).] ***Adj. Bot.*** Pertencente ou relativo às estaquiuráceas.

estar [Do lat. *stare.*] ***V. pred.*** **1.** Ser em um dado momento; achar-se (em certa condição): *O tempo está chuvoso.* **2.** Achar-se, encontrar-se (em certo estado ou condição): *Está doente.* **3.** Manter-se (em certa posição): *As crianças estavam sentadas.* **4.** Ficar, permanecer, conservar-se: *A polícia esteve de prontidão toda a noite; estar de plantão.* **5.** Vestir, trajar: *Estava de camisa azul.* **6.** Achar-se em circunstância transitória: *Está em perigo.* **7.** Ter atingido determinado momento ou estado: *Está numa fase feliz de sua vida; Está em idade de casar.* **8.** Dedicar-se, consagrar-se, envolver-se durante certo tempo: *Esteve meses a fio em profundos estudos; Entre 1939 e 1945 esteve a Europa em guerra.* ***T. c.*** **9.** Achar-se, encontrar-se (em dado lugar, em dado momento); ser presente: *Há dois meses esteve em São Paulo; Bocage esteve no Brasil; Eu moro aqui, porém meus pais há muitos anos estão na fazenda.* **10.** Seguir (uma profissão): *F. está no exército.* **11.** Comparecer; presenciar: *F. esteve na solenidade.* **12.** Ficar, esperar: *Esteja aí um momento, que eu já volto.* **13.** Haver, existir: *Ninguém estava na casa.* **14.** Atingir certo preço ou custo (em determinado momento): *O prédio está em cinquenta milhões.* **15.** Ter disposição: *Não estou para conversas.* ***T. i.*** **16.** Intentar ação judicial; comparecer: *estar em juízo.* **17.** Consistir, residir, basear-se, cifrar-se: *O problema está na seleção do material.* **18.** Concordar, anuir: *Estou pela sua proposta.* "Mas declarou logo que, apesar disso, estaria por tudo que deliberassem." (Aluísio Azevedo, *O Coruja,* p. 195.) **19.** Ser favorável a: *O juiz está pelo reclamante.* **20.** Assentar, ajustar-se, ficar, condizer: *O vestido está-lhe muito bem; Essa atitude está-lhe mal.* **21.** Ter relações sexuais; copular: *Em um só dia esteve com duas mulheres.* • ***Impess.*** **22.** Fazer (36): "Está muito calor." (Machado de Assis, *Memórias Póstumas de Brás Cubas,* p. 144.) ***P.*** **23.** Achar-se, permanecer: *Eles se foram, e eu cá me estou.* **24.** Seguido da prep. *para* (ou, menos frequentemente, *em*) e de um verbo no infinitivo, exprime a proximidade imediata de um acontecimento, a intenção, possibilidade ou probabilidade de ocorrer, naturalmente ou por ação de alguém, o que esse infinitivo indica: *Está para chover; Estavam para sair;* "Nem vale mesmo um real de fumo em rama / essa tropilha feia e mal domada. / Estou em dizer que toda a matungama / não vale a poeira que bulir na estrada." (Vargas Neto, *Tropilha Crioula e Gado Xucro,* p. 79). **25.** Seguido da prep. *por* e de um verbo no infinitivo, indica não ter ainda sido executada a ação expressa por esse verbo: *O trabalho está por fazer.* **26.** Seguido de gerúndio, ou de infinitivo regido da prep. *a,* funciona como auxiliar e expressa uma ação que se prolonga por algum tempo: *Está fazendo um livro; Esteve a ler toda a noite.* **27.** Seguido da prep. *a* e de um verbo no infinitivo, exprime futuro próximo: *O ano está a expirar.* **28.** Seguido da prep. *por* e de um substantivo ou advérbio, exprime a proximidade dum acontecimento:

A nomeação está por dias; Sua morte está por pouco. [Irreg. Pres. ind.: *estou, estás, está, estamos, estais, estão*; imperf. ind.: *estava, estavas*, etc.; perf.: *estive, estiveste, esteve* (ê), *estivemos, estivestes, estiveram*; m.-q.-perf.: *estivera, estiveras*, etc.; fut. pres.: *estarei, estarás*, etc.; fut. do pret.: *estaria, estarias*, etc.; imperat.: *está, esteja, estejamos, estai, estejam*; pres. subj.: *esteja* (ê), *estejas* (ê), etc.; imperf. subj.: *estivesse, estivesses*, etc.; fut. subj.: *estiver, estiveres*, etc.; inf. pess.: *estar, estares, estar*, etc.; ger.: *estando*; part.: *estado*. Cf. *esteve*, do v. *estevar*.] ◆ **Estar amarelo de.** *Bras. Fam.* Estar careca de. **Estar bem. 1.** Gozar saúde. **2.** Ter boa situação financeira. **Estar bem com.** Ter boas relações com (alguém). **Estar cagando para.** *Bras. Chulo* Não dar a menor importância a. **Estar careca de.** *Bras. Fam.* Estar cansado, ou como que cansado, de (ter ido a um lugar, visto alguém ou algo, sabido de alguma coisa, etc.), pela frequência com que tais fatos se repetiram; estar amarelo de: *Estou careca de ir a Petrópolis; Estamos carecas de conhecê-lo*; "Da vida particular dos padres, tá careca de saber." (Adélia Prado, *Solte os Cachorros*, p. 67.) **Estar com alguém e não abrir.** *Bras. Gír.* Estar irreversivelmente solidário com alguém e/ou ser admirador desta pessoa. **Estar condenado.** Estar com doença de muita gravidade ou incurável. **Estar cru em.** Não ter conhecimentos suficientes de (alguma matéria ou assunto). **Estar de cima.** Estar em situação excelente e/ou muito bem de vida. **Estar de mal.** Encontrar-se zangado com (alguém). **Estar de todo.** *Lus. Fam.* Estar insuportável: "Apre que vossemecê está de todo. Alguém a ofendeu, diga?" (José Cardoso Pires, *Jogos de Azar*, p. 232.) **Estar de virar e romper.** *Bras. RS Gír.* Estar apto para um fim, em excelentes condições. **Estar em.** Depender de: *Todo o problema está em você aceitar a proposta.* **Estar em si.** Estar em seu juízo. **Estar em todas.** *Irôn.* Estar em grande evidência, frequentando vários meios sociais, muitas vezes por iniciativa própria. **Estar estribado.** *Bras.* Estar com muito dinheiro; estar em boa situação financeira. **Estar frio.** *Fam.* Estar longe a verdade ou o objeto que se procura. **Estar frito.** Achar-se em má situação. **Estar mais para lá do que para cá.** V. *estar mais pra lá do que pra cá*: "O vigário, um monsenhor que começava a sofrer de esclerose cerebral, estava mais para lá do que para cá." (Carlos Heitor Cony, *Pilatos*, p. 113.) **Estar mais pra lá do que pra cá.** Estar mais perto da morte do que da vida. **Estar para nascer.** Não existir. **Estar por. 1.** Concordar com (alguma coisa); acertar (algo). **2.** Ser a favor de. **Estar por cima.** *Bras.* Estar por cima da carne-seca. **Estar por tudo.** Dispor-se a fazer o que outros querem: "— Eu estou por tudo, seu Miranda." (Aluísio Azevedo, *O Coruja*, p. 146.) **Estar pouco somando com.** *Bras. Gír.* Ligar pouco ou dar nenhuma importância a; pouco ou nada importar-se com: *Teimoso, está pouco somando com a opinião alheia, faz sempre o que deseja.* **Estar pronto.** Encontrar-se sem dinheiro; estar quebrado. **Estar (pronto) para o que der e vier. 1.** Estar disposto a enfrentar qualquer situação: "Já testei aqui mesmo em Portugal, estou pronto para o que der e vier." (João Ubaldo Ribeiro, *Sempre aos Domingos*, p. 210.) **2.** Aceitar seja o que for. **Estar quebrado.** Estar pronto. **Estar sozinho.** Ser o maior, o melhor ou o único em alguma coisa: *Em matéria de briga ele está sozinho; Em inglês ela está sozinha.* **Estar sujo com.** Não gozar da confiança de (alguém). **Estar sobre si.** Estar alerta, seguro, senhor de si. **Não estar em.** Não ser da natureza ou da índole de alguém: "— Não posso, não está em mim, perco a cabeça." (Coelho Neto, *Obra Seleta*, 1.º vol., p. 767.) **Não estar nem aí.** *Bras.* Não dar importância; não ligar a mínima: "Conversando com a prefeita sobre a nomeação dos ex-maridos, coloquei minhas preocupações. Maria Luísa não estava nem aí. Disse que em Fortaleza os dois são conhecidos pelo seu trabalho." (Marta Suplici, em *Folha de S.Paulo*, 02.01.1986); "a última moicana não está nem aí, não vai ao circo, espera um filho e estuda os mais velhos, como se estivesse entrando na maioridade." (Ana Cristina César, *Inéditos e Dispersos*, p. 129). **Não estar com nada.** Não ter sentido; nada significar: "Esquece essa história do corpo. / Não foi você mesmo quem disse que pintar os cabelos não está com nada?" (Ana Cristina César, *Inéditos e Dispersos*, p. 107.) **Só estar.** *Bras. N.E. Fam.* Espantar-se ou admirar-se de; estranhar: *Só estou o Carlos, tão orgulhoso, sujeitar-se a essa humilhação.*

estardalhaçante [De *estardalhaçar* + *-nte*.] ***Adj. 2 g.*** *Bras.* Que estardalhaça; estardalhante.

estardalhaçar [De *estardalhaço* + *-ar*[2].] ***V. int.*** *Bras.* Fazer estardalhaço (1); estardalhar: "E só, trevoso e largo, o mar estardalhaça / No indizível horror de uma noite vazia..." (Olavo Bilac, *Poesias*, p. 242.) [Conjug.: v. *laçar*.]

estardalhaço [De or. controv.] ***S. m.* 1.** Grande bulha; ruído, estrondo. **2.** Jactância, ostentação. [Sin. ger.: *espalhafato*.] ◆ **Com estardalhaço 1.** Ruidosamente. **2.** Com grande divulgação: "*Serenata tropical* já estava estreando com estardalhaço no Chinese Theatre, em Los Angeles, e no Roxy, em Nova York" (Rui Castro, *Cármen*, p. 265).

estardalhante [De *estardalhar* + *-nte*.] ***Adj. 2 g.*** *Bras.* Estardalhaçante.

estardalhar ***V. int.*** *Bras.* Estardalhaçar.

estardiota ***S. m.*** V. *estradiota*.

estarim [De or. incerta.] ***S. m.*** *Lus. Pop.* Prisão, calabouço.

estaroste [Do pol. *starosta*, pelo fr. *staroste*.] ***S. m.* 1.** Representante eleito de comunidade rural ou urbana, na Rússia czarista. **2.** Fidalgo polonês feudatário da coroa.

estarostia [Do fr. *starostie*.] ***S. f.*** Feudo ou dignidade de estaroste.

estarrecer [Var. de *esterrecer* < lat. **exterrescere*, incoativo de *exterrere*, 'aterrorizar'.] ***V. t. d.* 1.** Assustar, apavorar, aterrar, aterrorizar: *A guerra estarrece os povos.* ***Int. P.* 2.** Ficar desfalecido; desmaiar. **3.** Aterrar-se, apavorar-se: "— Aquele mata-a! zumbia-me nos miolos! Estarreci!..." (Camilo Castelo Branco, *Boêmia do Espírito*, p. 143); "Salustiano redobrou os uivos, mas estarreceu-se logo, pois dois tiros de calibre grosso zuniram nos seus ouvidos" (Bariani Ortêncio, *Vão dos Angicos*, p. 41). [Conjug.: v. *aquecer*.]

estase [Do gr. *stásis*, 'parada'.] ***S. f.* 1.** *Patol.* Estagnação, no organismo, de matérias de consistência e de origem diversa, como sangue, urina, fezes, etc. **2.** *Fig.* Entorpecimento, paralisia. [Cf. *êxtase*.]

▲**-(e)stas(i)-** V. *-stase*.

estásimo [Do gr. *stásimon*, pelo lat. tard. *stasimu*.] ***S. m.*** *Teatr.* Cada um dos cantos e evoluções do coro executados nos intervalos dos episódios, na antiga tragédia grega.

▲**estasi(o)-** V. *-stase*.

estasiofobia [De *estasi(o)-* + *-fobia*.] ***S. f.*** *Psiq.* Medo mórbido de se pôr de pé.

estasiofóbico [De *estasiofobia* + *-ico*[2].] *Psiq.* ***Adj.* 1.** Relativo a estasiofobia. **2.** Que sofre de estasiofobia; estasiófobo. • ***S. m.* 3.** Aquele que sofre de estasiofobia; estasiófobo.

estasiófobo [De *estasi(o)-* + *-fobo*.] ***Adj. S. m.*** *Psiq.* Estasiofóbico (2 e 3).

estatal [Do lat. *status*, 'estado', + *-al*[1].] ***Adj. 2 g.* 1.** Pertencente ou relativo ao Estado [v. *estado* (10)]. [Cf. *estadual*.] ~ V. *empresa* —. • ***S. f.* 2.** Empresa estatal.

estatelado [Part. de *estatelar*.] ***Adj.* 1.** Que se estatelou. **2.** Estirado ou estendido ao comprido; escarrapachado: *Caiu estatelado no chão.* **3.** Espantado, admirado, atônito. **4.** Parado, hirto, imóvel; estático: *Aquela notícia deixou-o estatelado.*

estatelamento [De *estatelar* + *-mento*.] ***S. m.*** Ato ou efeito de estatelar(-se).

estatelar [De or. controversa; poss. ligado a *estátua*.] ***V. t. d.* 1.** Atirar ao chão; deitar por terra; estender no solo. **2.** Bater com; estender-se com. **3.** Causar grande admiração ou espanto a; tornar atônito: *A notícia estatelou-o.* ***T. c.* 4.** Estatelar (1): *Estatelou o vaso no chão.* ***P.* 5.** Estender-se ao comprido no chão, por efeito de queda; cair de chapa: "verga-se-lhe uma perna, verga-se-lhe a outra, e estatela-se no lajedo." (José Cardoso Pires, *O Delfim*, p. 291).

estática [Do gr. *statiké*.] ***S. f.* 1.** Parte da mecânica que estuda o equilíbrio dos corpos sob a ação de forças. [Cf., nesta acepç., *cinemática* e *dinâmica* (1).] **2.** *Radiotéc.* Ruído produzido nos radiorreceptores por impulsos elétricos espúrios, proveniente de atividade elétrica na atmosfera terrestre. [Cf. *extática*, fem. de *extático*.]

estático [Do gr. *statikós*.] ***Adj.* 1.** Imóvel como estátua; sem movimento; parado, hirto: *Olhava, estática, os destroços espalhados pelo chão*; "D. Frei Bertolameu mantinha-se estático diante dele, lábios vincados, aqueles lábios finos pregados um no outro a exprimir a sua vontade incoercível" (Aquilino Ribeiro, *Dom Frei Bertolameu*, p. 73); "Usa cachos compridos e o rosto exibe essa expressão estática das antigas bonecas de luxo." (Maria Julieta Drummond de Andrade, *O Valor da Vida*, p. 147). **2.** Que se acha em estado de repouso (em oposição a dinâmico); parado. **3.** *Fís.* Relativo ao equilíbrio dos corpos sob a ação de forças. [Cf. *extático*.] ~ V. *acoplamento* —, *densidade* —*a*, *pressão* —*a* e *universo* —.

estatismo[1] [Do ingl. *statism*.] ***S. m.* 1.** Prática ou doutrina que defende a intervenção do Estado na economia, ou a participação dele em atividades econômicas. **2.** *P. ext.* A centralização do controle econômico e político, esp. em determinada atividade ou indústria, exercida pelo Estado.

estatismo[2] [De *estático* + *-ismo*, seg. o padrão erudito.] ***S. m.*** Imobilismo, inércia; falta de atividade, de iniciativa. [Opõe-se a *dinamismo* (1 e 2).]

estatista[1] [Voc. deduz. de *estatística*.] ***S. 2 g.*** Estatístico (2).

estatista[2] [Do ingl. *statist*.] ***Adj. 2 g.* 1.** Que é defensor ou simpatizante do estatismo. **2.** Próprio do estatismo ou do estatista (4): *delírio estatista; modelo estatista para o pré-sal.* **3.** *P. ext.* Controlado pelo governo. • ***S. 2 g.* 4.** Indivíduo estatista[2] (1).

estatística [Do fr. *statistique*.] ***S. f.* 1.** Parte da matemática em que se investigam os processos de obtenção, organização e análise de dados sobre uma população ou sobre uma coleção de seres quaisquer, e os métodos de tirar conclusões e fazer ilações ou predições com base nesses dados. **2.** Qualquer parâmetro de uma amostra, como, p. ex., a sua média, o seu desvio-padrão, a sua variância. **3.** Conjunto de elementos numéricos respeitantes a um fato social. **4.** Representação e explicação sistemática, por observações quantitativas de massa, dos acontecimentos e das leis da vida social que deles se podem deduzir. **5.** Método que objetiva o estudo dos fenômenos de massa, *i. e.*, os que dependem de uma multiplicidade de causas, e tem por fim representar, sob forma analítica ou gráfica, as tendências características limites desses fenômenos. [Cf. *estadística*.] ◆ **Estatística de Bose-Einstein.** *Fís. Part.* Estatística obedecida por partículas de *spin* inteiro e na qual duas partículas idênticas podem ocupar o mesmo estado quântico. Partículas que obedecem à estatística de Bose-Einstein são chamadas *bósons*. **Estatística de Fermi-Dirac.** *Fís. Part.* Estatística obedecida por partículas de *spin* semi-inteiro e na qual duas partículas idênticas não podem ocupar o mesmo estado quântico, sendo esta propriedade conhecida como *princípio de exclusão de Pauli*. Partículas que obedecem à estatística de Fermi-Dirac são chamadas *férmions*.

estatístico [Voc. deduz. de *estatística*; fr. *statistique*.] ***Adj.* 1.** Relativo à estatística. ~ V. *análise* —*a multivariada*, *biometria* —*a*, *dado* —, *dependência* —*a*, *física* —*a*, *independência* —*a*, *mecânica* —*a* e *paralaxe* —*a*. • ***S. m.* 2.** Especialista em estatística; estatista. [Cf. *estadístico*.]

estatístico-administrativo ***Adj.*** Relativo ou pertencente à estatística e à administração. [Flex.: *estatístico-administrativa, estatístico-administrativos, estatístico-administrativas*.]

estativo [Do lat. *status*, 'fixo', 'imóvel', + *-ivo*.] ***Adj.*** *E. Ling.* Que indica duração ou estado permanente. ~ V. *verbo* —.

estatização [De *estatizar* + *-ção*.] ***S. f.*** Ato ou efeito de estatizar.

estatizado [Part. de *estatizar*.] ***Adj.*** Que se estatizou; que sofreu estatização.

estatizante [De *estatizar* + *-nte*.] ***Adj. 2 g.*** Que estatiza ou denota estatização.

estatizar [Do lat. *status*, 'estado', + *-izar*.] ***V. t. d.* 1.** Transformar (empresa particular) em organização de propriedade do Estado. [Cf. *privatizar*.] **2.** Reservar (recurso natural, ramo da atividade econômica, etc.) à exploração exclusiva do Estado.

estatocisto [Do V.C.I. *stato-* (< gr. *statós*, 'estacionário', < gr. *histánai*, 'pôr de pé', 'erguer', 'levantar') + *-cisto*.] ***S. m.*** *Zool.* Vesícula que constitui o órgão de equilíbrio dos cnidários [v. *estatólito*].

estatólito [Do V.C.I. *stato-* (v. *estatocisto*) + *-lito*.] ***S. m.*** *Zool.* Grão de sílica, ou de carbonato de cálcio, encontrado no interior do estatocisto (q. v.) de cnidários, e que estimulam células sensoriais, permitindo o equilíbrio do animal durante o nado.

estator (ô) [Do ingl. *stator*.] ***S. m.*** *Eng. Elétr.* Parte de um motor ou gerador elétrico que não gira durante o funcionamento da máquina e é responsável pela criação de um campo magnético que influencia o rotor.

estatorreator (ô) [Do lat. *status*, 'imóvel', 'fixo', + *reator*; fr. *statoréacteur*.] ***S. m.*** *Astron.* Motor à reação, sem compressor nem turbina, no qual a compressão do ar é obtida pelo deslocamento do conjunto para a frente, em alta velocidade. [V. *pulsorreator*.]

estátua [Do lat. *statua*.] ***S. f.* 1.** Peça de escultura, em três dimensões, que representa figura inteira de homem, mulher, divindade ou animal. **2.** Pessoa de formas admiráveis. **3.** *Fig.* Pessoa imóvel, parada, impassível: *O medo fez dela uma estátua.* **4.** *Fig.* Pessoa incapaz de decisão ou arbítrio. **5.** *Fig.* Imagem, figura, representação, símbolo: "Na praia essa mulher ficou chorando, / No doloroso aspecto figurando / A lacrimosa estátua da amargura." (Gonçalves Crespo, *Obras Completas*, p. 331). **6.** *Fig. Fam.* Pessoa sem ação ou movimento, sem expressão. **7.** *Fig. Fam.* Pessoa que por qualquer motivo embasbaca; imbecil. [Dim. irreg.: *estatueta*. Cf. *estatua*, dos v. *estatuar* e *estatuir*.] ◆ **Estátua alegórica.** Aquela que, pela expressão, pelo traje, ou por atributos vários, simboliza ou evoca uma ideia, um ser moral ou coletivo, ou um acontecimento: *estátua da Justiça*; *estátua da Liberdade*. **Estátua curul.** A que representa uma pessoa num carro. **Estátua equestre.** A que representa uma personagem a cavalo: "Sobre uma das portas da cerca velha da cidade conserva-se a antiga estátua equestre de um homem armado" (Ramalho Ortigão, *Banhos de Caldas e Águas Minerais*, p. 254). **Estátua icônica.** Qualquer daquelas que se erigiam aos indivíduos três vezes vencedores nos jogos sagrados. **Estátua jacente.** A que representa uma pessoa deitada. **Estátua pedestre.** A que representa uma pessoa de pé. **Estátua pérsica.** Qualquer figura que serve de coluna ou de entablamento. **Estátua sagrada.** Imagem, em vulto, de Cristo, da Virgem ou de um santo. **Estátua sedestre.** A que representa uma pessoa sentada.

estatuar [De *estátua* + *-ar*[2].] *V. t. d.* **1.** Fazer a estátua de. *P.* **2.** Erigir estátua a si mesmo. [Pres. ind.: *estatuo, estatuas, estatua*, etc. Fut. pret.: *estatuaria*, etc. Cf. *estátua*, s. f., *estatuária*, fem. do adj. e s. m. *estatuário*, e s. f., e *estatuaria*, s. f.]

estatuaria [De *estátua* + *-aria*.] *S. f.* Coleção de estátuas. [Cf. *estatuária*, s. f. e fem. do adj. e s. m. *estatuário*, e *estatuaria*, do v. *estatuar*.]

estatuária [Do lat. *statuaria*.] *S. f.* Arte de fazer estátuas; escultura. [Cf. *estatuaria*, do v. *estatuar* e s. f.]

estatuário [Do lat. *statuariu*.] *S. m.* **1.** Aquele que faz estátuas; escultor. ● *Adj.* **2.** Relativo a estátuas. [Fem.: *estatuária*. Cf. *estatuaria*, do v. *estatuar*, e s. f.]

estatucional *Adj. 2 g. Desus.* Estatutário (1).

estatueta (ê) [De *estátua* + *-eta* (ê).] *S. f.* Estátua (1) de pequeno porte, de bronze, porcelana, terracota, etc., em geral us. como objeto decorativo.

estatuir [Do lat. *statuere*.] *V. t. d.* **1.** Determinar em estatuto; resolver; estabelecer, decretar, deliberar. **2.** Estabelecer como preceito; expor como regra: *estatuir normas gramaticais*. [Conjug.: v. *atribuir*. Pres. subj.: *estatua*, etc. Cf. *estátua*.]

estatura [Do lat. *statura*.] *S. f.* **1.** Medida, da cabeça aos pés, duma pessoa em posição rigorosamente vertical; altura. **2.** Tamanho, dimensão de um ser vivo: *a estatura de um homem, de um cão, de uma palmeira*. **3.** *Fig.* Altura, grandeza, altitude: *homem de grande estatura moral e intelectual*. ◆ **Estatura alta.** A que é superior a 1,69m. **Estatura baixa.** A que é inferior a 1,60m. **Estatura mediana.** A que está compreendida entre 1,60 e 1,69m.

estatutário [De *estatuto* + *-ário*.] *Adj.* **1.** Relativo a, ou contido em estatuto(s): *disposição estatutária*. [Sin. (desus.): *estatucional*.] **2.** Diz-se de funcionário cujo vínculo empregatício é regido por estatuto próprio do poder público a que serve. ● *S. m.* **3.** Funcionário estatutário (2).

estatuto [Do lat. *statutu*.] *S. m.* **1.** Lei orgânica que expressa formalmente os princípios que regem a organização de um Estado, sociedade ou associação: *A constituição é o estatuto fundamental de uma nação; o estatuto das Nações Unidas; o estatuto de um clube*. [Usa-se tb. no plural.] **2.** *P. ext.* Código ou regulamento que tem valor de lei ou de norma: *O estatuto da terra; o estatuto da criança*. **3.** Posição, condição; *status*: "Desta geração de jovens invulgarmente bem preparados .... provavelmente alguns se destacarão .... e ser-lhes-á reconhecido algum estatuto." (Antônio Pinto Ribeiro, *Abrigos! Condições das Cidades e Energia da Cultura*, p. 87). **4.** *Bras. CE Pop.* Uso, costume, hábito.

estau [Do occitano ant. *ostal*, 'estalagem'; 'casa', poss.] *S. m.* **1.** *Ant.* Casa onde se hospedavam a corte e os embaixadores. **2.** Estalagem, pousada, hospedaria.

estauricossauro [Do tax. *Staurikosaurus*.] *S. m. Paleont.* **1.** Gênero de dinossauros provavelmente carnívoros do triásico médio da América do Sul, que mediam 2m de comprimento e tinham corpo ágil, deslocando-se sobre as duas patas traseiras, que eram longas, sendo as duas patas dianteiras curtas, todas elas dotadas de cinco dedos. **2.** Qualquer espécie desse gênero, como, p. ex., a *Staurikosaurus pricei*. **3.** Qualquer espécime desse gênero.

▲**estauro-** [Do gr. *stauro-* < gr. *staurós, oû*.] *El. comp.* = 'cruz': *estaurolita, estauromedusa*.

estaurolita [De *estauro-* + *-lita*.] *S. f. Min.* Mineral ortorrômbico, silicato básico de alumínio e ferro.

estauromedúsida [Do tax. *Stauromedusida*.] *Zool. S. f.* **1.** Espécime das estauromedúsidas, ordem de cnidários cifozoários de corpo piramidal, sedentários, e que vivem presos a um substrato ou diretamente, ou mediante pedúnculo oral, de tal forma que parecem ser polipoides; habitam, principalmente, mares frios ou águas costeiras. ● *Adj. 2 g.* **2.** Pertencente ou relativo a elas. [Sin. ger.: *lucernárida*.]

estavanado [De *es-* + *tavão* + *-ado*[1], seg. o padrão erudito.] *Adj.* V. *estabanado*.

estável [Do lat. *stabile*.] *Adj. 2 g.* **1.** Que está bem assente; firme: *arquibancada estável*. **2.** *Fig.* Que está bem consolidado; seguro, sólido: *fortuna estável*. **3.** Que não varia; inalterável. **4.** Que adquiriu estabilidade (3 e 4): *funcionário estável*. **5.** *Fís.* Diz-se do estado de equilíbrio de um sistema em que toda perturbação tende a aumentar sua energia potencial, de sorte que, passada a perturbação, o sistema tende a volver às condições primitivas. ~ V. *nuclídeo* — e *pídgin* —. [Antôn.: *instável*.]

estazado [Part. de *estazar*.] *Adj.* Cansado, estafado, esfalfado: *cavalo estazado*.

estazador (ô) [De *estazar* + *-dor*.] *Adj. S. m.* Que, ou aquele que estaza.

estazamento [De *estazar* + *-mento*.] *S. m.* Ato ou efeito de estazar.

estazar [De or. incerta.] *V. t. d.* Cansar, fatigar, esfalfar (o cavalo ou outro animal).

este [Do ingl. *east*, pelo fr. *est*.] *S. m.* **1.** *Astr.* Ponto da esfera celeste (q. v.) situado do lado do nascer dos astros, e que é a interseção do primeiro vertical com o horizonte real. **2.** *Geogr.* Ponto cardeal situado à direita do observador voltado para o norte (2). [Sin., nessas acepç.: *oriente, levante, nascente*.] **3.** Região ou regiões situadas a este. **4.** O vento que sopra do este. ● *Adj. 2 g.* **5.** Relativo ao este (1 e 2), ou dele procedente: *vento este*. **6.** Situado a este (1 e 2): *região este*. [Var.: *leste*. Abrev.: *E*. Pl.: *estes*. Cf. *este* (ê), pl. *estes* (ê).]

este (ê) [Do lat. *iste*.] *Pron. dem.* **1.** Designa pessoa ou coisa presente e próxima de quem fala: "— Meu caro doutor, esta é a noiva." (Machado de Assis, *Papéis Avulsos*, p. 114); "Este é o rio, a montanha é esta, / Estes os troncos, estes os rochedos." (Cláudio Manuel da Costa, *Obras Poéticas*, I, p. 106); "As águas não eram estas, / há um ano, há um mês, há um dia..." (Cecília Meireles, *Obra Poética*, p. 404); "Meia-noite. Ao meu quarto me recolho. / Meu Deus! E este morcego!" (Augusto dos Anjos, *Eu*, p. 13); "Este livro o vai naturalmente encontrar em seu pitoresco sítio da várzea." (José de Alencar, prólogo de *Iracema*, p. 45); "Este foi o meu primeiro romance." (Machado de Assis, *Ressurreição*, p. I). **2.** Designa o lugar onde se está, onde se mora, onde se nasceu: *Esta sala é ampla*; "Este Engenho Pau-d'Arco é muito triste..." (Augusto dos Anjos, *Eu*, p. 123); "Vão demolir esta casa. / Mas meu quarto há de ficar." (Manuel Bandeira, *Estrela da Vida Inteira*, p. 170); "Criança! não verás nenhum país como este!" (Olavo Bilac, *Poesias Infantis*, p. 123). **3.** Designa a estação do ano, o estado ou fenômeno atmosférico, etc., decorrente ou ocorrente quando a pessoa fala ou escreve: "Há dias, por uma das raras tardes deste fusco inverno, ... um amigo meu .... desejou que eu o acompanhasse ao Centro Espírita, em Paris." (Eça de Queirós, *Notas Contemporâneas*, p. 297); "Queria dizer-te o que penso / E o que faço e premedito, / Mas posso lá ser extenso / Com este frio maldito!" (Augusto Gil, *Luar de Janeiro*, p. 146); *Quem pode trabalhar com este calor?* **4.** Indica espaço de tempo no qual se inclui o momento em que se fala: *Chegou este mês; Voltará esta semana; Estes dias que vivemos são turbulentos*; "Prove deste queijo que está tão fresquinho! É o primeiro deste ano." (José de Alencar, *O Sertanejo*, p. 101); *Esta noite* [*na noite passada*] *eu não dormi; Iremos ao baile esta noite* [na noite de hoje]. **5.** Também com relação a tempo, o *este*, embora a rigor deva referir-se ao presente, pode, por afetividade, indicar o tempo pretérito: "Já a este tempo cristãos e mouros se haviam descido dos cavalos e pelejavam a pé." (Alexandre Herculano, *Lendas e Narrativas*, II, p. 100.) **6.** Designa a pessoa ou coisa à qual nos referimos por último; o último: "Uma das razões que desviavam da gentil menina os olhos de Meneses era que este os trazia namorados da viúva." (Machado de Assis, *Ressurreição*, p. 138); "Redelvim convidou-me com um olhar malicioso, a prestar atenção ao filósofo. | — Hem? indaguei, voltando-me para este." (Ciro dos Anjos, *O Amanuense Belmiro*, p. 5); "Estela olhou para o papel e para o marido.... | — Lê; é curioso, disse este" (Machado de Assis, *Iaiá Garcia*, p. 162). [Em casos assim pode aparecer ao lado de *aquele* (ou, muito raramente, de *esse*), referindo-se, então, o *aquele* (ou *esse*) à primeira das pessoas ou coisas referidas: "Como o céu se enche de estrelas, / Enche-se a terra de flores / Talvez ainda mais belas... / São duma só cor aquelas / E estas de todas as cores." (Conde de Monsaraz, *Musa Alentejana*, p. 49).] **7.** Serve de chamar a atenção para o que se vai citar ou enumerar em seguida (caso em que o seu emprego é de regra) ou para o que foi citado ou enumerado antes (caso em que também se usa *esse*), equivalendo a o *seguinte*: "E, em vão lutando contra o metro adverso, / Só lhe saiu este pequeno verso: / 'Mudaria o Natal ou mudei eu?'" (Machado de Assis, *Poesias Completas*, p. 330); "Na campa, rodeada de ciprestes, / lerão estas palavras os pastores: / Quem quiser ser feliz nos seus amores, / siga os exemplos, que nos deram estes." (Tomás Antônio Gonzaga, *Marília de Dirceu*, p. 4). **8.** Combina-se, às vezes, com *es-se(s)* e/ou *aquele(s), essoutro(s), estoutro(s), aqueloutro(s)*, e/ou com indefinidos (*um, uns, algum, alguns, outro(s)*, etc.), dos quais, em tais casos, adquire o caráter: "Este o indigita, este outro o apupa..." (Manuel Bandeira, *Estrela da Vida Inteira*, p. 76); "Fui de um... Fui de outro... Este era médico... / Um, poeta... Outro, nem sei mais!" (Id., *ib.*, p. 55); "Uns compõem .... sobre os ombros as dobras da capa, outros .... retesam a meia a estalar na perna, e alguns apertam com enfado a fivela do sapato ..... Este ajeita apressado as pregas da túnica, e aquele endireita o escapulário." (Rebelo da Silva, *De noite Todos os Gatos São Pardos*, p. 270). **9.** Embora com referência à pessoa com quem se fala deva preferir-se, normalmente, o demonstrativo *esse*, não raro se encontra o emprego de *este* para denotar a proximidade grande entre as duas pessoas e/ou o interesse do falante pelo ouvinte: "agora vejo / Que tu me vens buscar. Beijo estas mãos / Reais tão piedosas" (Antônio Ferreira, *Obras Completas*, II, pp. 260-261); "Estela riu, e bateu-lhe na testa com a ponta do dedo. | — Esta cabecinha!" (Machado de Assis, *Iaiá Garcia*, p. 174). **10.** Sugerindo em princípio a noção de proximidade em relação à pessoa que fala, também se usa, na linguagem animada (como observa Said Ali), para dar a impressão de que alguma pessoa, coisa, lugar, embora afastados, nos interessam de perto: "Mainéis rendados, peças dos fustes, capitéis góticos, laçarias de bandeiras, ... aí estavam tombados sobre grossas zorras ou ainda no chão, endurecidos pelo contínuo perpassar de trabalhadores, oficiais e mais obreiros desta maravilhosa fábrica." (Alexandre Herculano, *Lendas e Narrativas*, I, p. 232.) [O normal seria *essa* ou *aquela*, pois a 'fábrica' (= 'construção de edifício' — no caso uma abóbada) é coisa afastada de quem fala, como se vê do advérbio *aí*, anteriormente empregado, e como se vê, também pelo demonstrativo *aquele*, usado imediatamente após o trecho transcrito: "Quem de longe olhasse para aquele extenso campo .... julgara ver o assento de uma cidade antiquíssima."] **11.** Pode também, tratando-se de tempo, empregar-se em lugar de *esse* ou *aquele*: "E partiram todos juntos para a corte no começo do ano de 1653. | Por este mesmo tempo os jesuítas conseguiram fazer-se receber nesta última capitania." (João Francisco Lisboa, *Obras*, II, p. 414); "Devíamos ter feito uma solene e festiva paragem no ano de 1735. Neste ano, aos 5 d'outubro, Leonor foi mãe." (Camilo Castelo Branco, *O Judeu*, II, p. 125). [A presença da ideia do ano no espírito de quem escreve, e a proximidade, no contexto, entre o ano decorrido e o demonstrativo, levaram os autores à preferência por *este*.] **12.** Assume, em certos casos, o valor de possessivo: "Pintei-lhe [a Amor] outra vez o estado, / em que estava esta alma posta." (Tomás Antônio Gonzaga, *Marília de Dirceu*, p. 6); "Estes braços, Amor, com quanta glória / Foram trono feliz da formosura!" (Cláudio Manuel da Costa, *Obras Poéticas*, I, p. 120); "A luz dos olhos meus e o aroma desta pele." (Eugênio de Castro, *Obras Poéticas*, VI, p. 155); "este orgulho, esta cabeça baixa..." (Carlos Drummond de Andrade, *Reunião*, p. 45). [Pl.: *estes* (ê). Cf. *este*, pl. *estes*; *esse* (ê) e *aquele* (ê).]

▲**-este** [Do lat. *-este*.] *Suf. nom.* = 'relação': *agreste* (< lat.), *celeste* (< lat.).

estear [De *esteio* + *-ar*[2].] *V. t. d.* **1.** Suster com esteios ou escoras; escorar. **2.** Amparar, sustentar; proteger: *As autoridades na matéria esteiam-no*. **3.** Apoiar, basear, estribar. *T. d. e i.* **4.** Firmar, apoiar, basear, estribar: *Esteia sua acusação em argumentos sólidos*. *P.* **5.** Basear-se, apoiar-se. [Conjug.: v. *frear*. Part.: *esteado*, fem. *esteada*. Cf. *estiado, estiada*, fem. de *estiado*, e s. f., e os v. *estiar* e *estaiar*.]

▲**estear-** V. *esteat(o)-*.

estearato [De *estear-* + *-ato*[2].] *S. m. Quím.* Designação comum aos sais e ésteres do ácido esteárico.

estearia [De *esteio* + *-aria*.] *S. f. Bras. MA* Vestígios das palafitas de habitações lacustres, de indígenas, no lago Cajari. [Cf. *estiaria*, do v. *estiar*.]

esteárico [De *estear-* + *-ico*[2].] *Adj. Quím.* Referente a, ou próprio da estearina (q. v.). ~ V. *ácido* —.

estearina [De *estear-* + *-ina*[1].] *S. f.* **1.** *Quím.* Mistura de ácidos esteárico e palmítico, branca, usada na fabricação de velas [v. *vela*[3] (3)]. **2.** Vela de estearina (1): "Luís viu-lhe então, à luz das estearinas, alguma vermelhidão nos olhos" (Machado de Assis, *A Mão e a Luva*, em *Obra Completa*, 1º vol., p. 318).

estearinaria [De *estearina* *-aria*.] *S. f.* Fábrica de velas de estearina.

esteatadenoma [De *esteat(o)-* + *adenoma*.] *S. m. Patol.* Adenoma das glândulas sebáceas.

esteatita [Do lat. *steatitis* (nom.), pelo ingl. *steatite*.] *S. f. Min.* Variedade compacta do talco. [Cf. *esteatite*.]

esteatite [De *esteat(o)-* + *-ite*[1].] *S. f. Patol.* Inflamação do tecido adiposo. [Cf. *esteatita*.]

▲esteat(o)- [Do gr. *stéar* (ă), *stéatos* (ă).] *El. comp.* = 'gordura': *esteatite, esteatopigia.* [Equiv.: *estear-, -(e)steat(o)-: esteárico, colesteatoma.*]

▲-(e)steat(o)- V. *esteat(o)-*.

esteatoma [Do gr. *steátoma*, pelo lat. *steatoma.*] *S. m. Patol.* **1.** Lipoma. **2.** O conteúdo gorduroso de cisto sebáceo.

esteatomático [De *esteatoma* + *-ático.*] *Adj.* Relativo ou pertencente a esteatoma.

esteatomatoso (ô) [Do gr. *stéatoma, atos* + *-oso.*] *Adj.* Da natureza do esteatoma.

esteatonecrose [De *esteat(o)-* + *necrose.*] *S. f. Patol.* Necrose do tecido adiposo.

esteatopigia [De *esteat(o)-* + *-pig(o)-* + *-ia*[1].] *S. f. Med.* Acúmulo excessivo de gordura nas nádegas, que ocorre especialmente nas mulheres e é frequente nos hotentotes, boximanes e pigmeus.

esteatopígico [De *esteatopigia* + *-ico*[2].] *Adj.* **1.** Relativo a esteatopigia, ou que a tem. ● *S. m.* **2.** Aquele que tem esteatopigia.

esteatorreia (éi) [De *esteat(o)-* + *-reia.*] *S. f.* **1.** V. *seborreia.* **2.** Eliminação de fezes com gordura. *Med.* ❖

esteatose [De *esteat(o)-* + *-ose*[1].] *S. f. Patol.* Degeneração gordurosa.

estefânia [Do tax. *Stephania* (do gr. *stéphanos*, ou, 'coroa de flores').] *S. f. Bot.* Trepadeira polemoniácea (*Cabola scandens*) originária do México, que constitui a única espécie com as folhas terminadas em gavinhas, de flores pêndulas, purpúreas, com o tubo da corola interiormente piloso, e fruto capsular, coriáceo; cabacinha.

estefanita [Do antr. *Stephan* (-1867), arquiduque da Áustria, + *-ita*[3].] *S. f. Min.* Mineral ortorrômbico, sulfeto de antimônio e prata.

estefanote *S. m. Bot.* V. *estefanótis* (2 e 3): 📖 "Acabaram-se os longos passeios ao cemitério, no macio da tarde, quando os estefanotes da sepultura da moça espalhavam o seu cheiro no meio dos outros túmulos" (Raquel de Queirós, *As Três Marias*, p. 10).

estefanótis [Do tax. *Stephanotis* (do gr. *stephanotis*, 'próprio para fazer coroas').] *S. f. Bot.* **1.** Gênero de trepadeiras asclepiadáceas, nativas das áreas tropicais do Velho Mundo, de flores alvas, fragrantes umbeliformes, e folhas ger. opostas. **2.** Qualquer espécie desse gênero, como, p. ex., a *Stephanotis floribunda*, belíssima, originária de Madagascar, dotada de flores alvas, numerosas, dispostas em grandes cimeiras, axilares, umbeliformes e aromáticas, e muito usada para revestir caramanchões ou enrolar colunas. **3.** Qualquer espécime desse gênero, ou a flor dele. [Sin., nas acepç. 2 e 3: *estefanote.*]

▲estegano- [Do gr. *stegano-* < gr. *steganós, é, ón.*] *El. comp.* = 'oculto', 'coberto', 'impenetrável': *esteganografia.*

estégano [Do gr. *steganós*, 'que cobre'.] *Adj.* Diz-se do pé da ave cujos quatro dedos são unidos por membrana.

esteganografia [De *estegano-* + *-grafia.*] *S. f.* Escrita em cifra em caracteres convencionais ou especiais.

esteganográfico [De *esteganografia* + *-ico*[2].] *Adj.* Referente à esteganografia.

esteganógrafo [De *estegano-* + *-grafo.*] *S. m.* Aquele que sabe esteganografia.

▲esteg(o)- [Do gr. *stégos, eos-ous.*] *El. comp.* = 'teto', 'telhado', 'cobertura': *estegossauro, estegocero.*

estegocárpico [De *estegocarpo* + *-ico*[2].] *Adj. Bot.* Estegocarpo. [Opõe-se a *clistocárpico.*]

estegocarpo [De *esteg(o)-* + *-carpo.*] *Adj. Bot.* Diz-se de briófito ou líquen que apresenta esporogônio provido de opérculo; estegocárpico. [Opõe-se a *clistocarpo.*]

estegocéfalo [De *esteg(o)-* + *-céfalo*; tax. *Stegocephalia.*] *Paleont. S. m.* **1.** Espécime dos estegocéfalos, em antigas classificações, ordem ou outra divisão que compreendia todos os anfíbios pré-jurássicos, e muitos outros, que tb. se extinguiram, e que eram tipicamente dotados de cauda e salamandriformes, ger. com membros bem desenvolvidos, tendo, por vezes, grande porte. [V. *labirintodonte.*] ● *Adj.* **2.** Pertencente ou relativo a eles.

estegocera [De *esteg(o)-* + *-cera*; tax. *Stegoceras.*] *S. m. Paleont.* **1.** Gênero de dinossauros herbívoros do final do cretáceo da Ásia, de cerca de 2m de comprimento, e com a cabeça protegida por espessa placa óssea em cujo topo se formava crista alta, que aumentava na fase adulta. **2.** Espécie, ou espécime desse gênero.

estegofilíneo [De *esteg(o)-* + *-fil(o)-*[2] + *-in(o)-*[2] + *-eo*; tax. *Stegophilinae.*] *Zool. S. m.* **1.** Espécime dos estegofilíneos, subfamília de peixes teleósteos, siluriformes, de água doce. Pequenos, de 3 a 5cm, sugam o sangue de outros animais. [V. *candiru.*] ● *Adj.* **2.** Pertencente ou relativo a eles.

estegomiia [Do tax. *Stegomyia.*] *S. m. Zool.* **1.** Subgênero de insetos culicídeos. **2.** Qualquer espécie desse subgênero, como, p. ex., a *Stegomyia argenteus*, a *S. calopus* e a *S. fasciatus*, atualmente classificadas como *Aedes aegypti* (q. v.). **3.** Qualquer espécime desse subgênero.

estegossauro [De *esteg(o)-* + *-sauro*; tax. *Stegosaurus.*] *S. m. Paleont.* **1.** Gênero de dinossauros ornitísquios, herbívoros, do jurássico superior da América do Norte, que podiam atingir 4m e pesar até 3t; habitavam as margens de rios, lagos e charcos. Foram dotados de uma couraça de placas ou de espículos ósseos, ou de ambos, dispostos verticalmente ao longo da coluna vertebral, e, na cauda, tinham 2 pares de espículos corniformes. **2.** Espécie, ou espécime desse gênero.

esteiense *Adj. 2 g.* **1.** De, ou pertencente ou relativo a Esteio (RS). ● *S. 2 g.* **2.** O natural ou habitante de Esteio.

esteio [De or. obscura.] *S. m.* **1.** V. *escora* (1). **2.** *Fig.* Amparo, apoio, arrimo, auxílio, proteção. ~ V. *esteios.*

esteios [Do pl. de *esteio*, por analogia.] *S. m. pl. Bot.* Partes acessórias das plantas. ~ V. *esteio.*

esteira[1] [Do lat. *aestuaria*, pl. de *aestuarium*, 'agitação do mar'; esp. *estela.*] *S. f.* **1.** *Mar.* Porção revolvida de água que a embarcação deixa atrás de si, em consequência da sua translação; águas. **2.** *Bras.* Ravina de praia. **3.** *Fig.* Rumo, caminho, direção: 📄 *Em 1888, o povo seguiu com entusiasmo a esteira do abolicionismo.* **4.** *Fig.* Modelo, exemplo: 📄 *Aquele jovem segue a esteira do pai.* **5.** *Fig.* Vestígio, sinal, marca; rasto, trilha: 📄 *Foram-se formando em Minas várias povoações na esteira que deixavam os bandeirantes.* ● *S. m.* **6.** *Bras. N.E.* Vaqueiro que, tangendo a boiada, segue atrás dos cabeceiras. ◆ **Na esteira de.** Acompanhando ou seguindo de perto, imitando o exemplo de: 📖 "E, na esteira da decisão do Dr. Anselmo, a opinião pública da cidade dividiu-se, uma vez mais, sobre o que haveria de pensar do governador." (Miguel Sousa Tavares, *Equador*, p. 376.)

esteira[2] [Do esp. *estera* < esp. **estuera* < lat. *storea.*] *S. f.* **1.** *Tec. Têx.* Tecido de junco, esparto, taquara, etc., feito de hastes entrelaçadas, usado para tapete, revestimento de paredes, etc. [Sin. (bras., N.E.): *sofá de arrasto, sofá-rasteiro.*] **2.** *Marinh.* A parte inferior de uma vela. [Cf., nesta acepç., *gurutil, testa* (4) e *valuma.*] **3.** *Bras.* Tapete rolante movido por engrenagem, destinado a conduzir pessoas, objetos, etc.; esteira rolante: 📄 *O novo aeroporto é dotado de esteiras para conduzir passageiros de um prédio para outro; No porto de Santos se instalaram esteiras para o embarque das sacas de café; Nos engenhos do Nordeste as esteiras transportam a cana para as moendas.* **4.** *Bras. PA* Espécie de albardão feito de molhos de junco amarrados e justapostos, sobre o qual se prende a cangalha depois de quebrada, *i. e.*, vergada, a fim de que tome a forma do dorso do animal. ◆ **Esteira ergométrica.** Pequena esteira rolante sobre a qual o usuário caminha (em sentido contrário ao do movimento dela) na rapidez desejada, e que tem a mesma finalidade da bicicleta ergométrica (q. v.). **Esteira rolante.** Esteira[2] (3). **Fazer esteira.** *Bras. N.E.* Seguir a rês, emparelhando com ela o cavalo para que outro perseguidor a derrube por outro lado; fazer parede.

esteira de ifá *S. f. Bras. BA* Pequena esteira usada pelos babalaôs para adivinhar o futuro de alguém. [Pl.: *esteiras de ifá.*] ☑

esteirado [Part. de *esteirar.*] *Adj.* Coberto de esteira[2] (1): 📄 *parede esteirada.*

esteirame [De *esteira*[2] + *-ame.*] *S. m.* Conjunto ou porção de esteiras [v. *esteira*[2] (1)].

esteirão [De *esteira*[2] + *-ão*[1].] *S. m.* Esteira[2] (1) grande.

esteirar [De *esteira*[2] + *-ar*[2].] *V. t. d.* **1.** Cobrir ou adornar com esteira[2] (1). **2.** Tapetar, atapetar, tapizar, alfombrar. [Pres. ind.: *esteiro*, etc. Cf. *estero* (ê).]

esteiraria [De *esteira*[2] + *-aria.*] *S. f.* Lugar onde se fazem e/ou vendem esteiras [v. *esteira*[2] (1)].

esteireiro [De *esteira*[2] + *-eiro.*] *S. m.* Fabricante e/ou vendedor de esteiras [v. *esteira*[2] (1)].

esteiro[1] [Do lat. **aestariu*, por *aestuariu.*] *S. m.* Parte estreita de rio ou de mar, que penetra terra adentro; braço, estuário. [Cf. *estero.*]

esteiro[2] *S. m. Bras. S.* V. *estero.*

estela [Do gr. *stéle*, pelo lat. *stela.*] *S. f.* **1.** Monólito (2). **2.** Espécie de coluna destinada a ter uma inscrição: 📄 *estela funerária*; 📖 "é [o túmulo] obra de arte mortuária, ... com o bronze das letras na lisa estela" (Marques Rebelo, *O Trapicheiro*, p. 286). **3.** Marco, baliza.

estelante [Do lat. *stellante.*] *Adj. 2 g.* Que tem estrelas; ornado de estrelas; estrelado, estrelante.

estelar [Do lat. *stellare.*] *Adj. 2 g.* Referente às estrelas. ~ V. *aglomerado —, astronomia —, buraco negro —, cicatriz —, corrente —, cosmogonia —, cúmulo —, fotosfera —, grupo —, mancha —, nuvem —* e *população —.*

▲estel(i)- [Do lat. *stelli-* < lat. *stēlla, ae.*] *El. comp.* = 'estrela': *esteliforme.* [Equiv.: *-stel(i)-: albistelado.*]

estelífero [Do lat. *stelliferu.*] *Adj.* **1.** Em que há estrelas. **2.** Estrelado (1).

esteliforme [De *estel(i)-* + *-forme.*] *Adj. 2 g.* Em forma de estrela.

estelionatário [De *estelionato* + *-ário.*] *S. m.* Autor de estelionato.

estelionato [Do lat. *stellionatu.*] *S. m.* Ato de obter, para si ou para outrem, vantagem patrimonial ilícita, em prejuízo alheio, induzindo ou mantendo em erro alguém mediante artifício, ardil ou qualquer outro meio fraudulento.

estelo [Do lat. cient. *stele* (do gr. *stéle*, 'estela').] *S. m. Bot.* Estrutura central do eixo da planta (caule e raiz), no qual se acham localizados os vasos condutores das seivas que circulam no organismo vegetal.

esteloide (ói) [Do lat. *stella*, 'estrela', + *-oide.*] *Adj. 2 g. Astr.* Que tem o aspecto, o brilho, etc., análogos aos de uma estrela: 📄 *objeto esteloide.* ❖

estema [Do gr. *stémma*, pelo lat. *stemma.*] *S. m.* **1.** Coroa, grinalda, diadema: 📖 "os heráldicos estemas das antigas gerações." (Latino Coelho, *Elogio Histórico de José Bonifácio*, p. 474). **2.** Árvore genealógica; linhagem, estirpe. **3.** *E. Ling.* Representação em diagrama das relações entre cópias de um mesmo texto, a qual apresenta, de modo esquemático, a linha essencial da transmissão do texto. **4.** *Zool.* Olho simples dos artrópodes adultos, esp. o dos insetos; olho simples, ocelo.

estemática [De *estema* + *-ática.*] *S. f. E. Ling.* Interpretação e classificação das variantes de um texto para a determinação das relações existentes entre vários testemunhos.

este-meridional *Adj. 2 g.* **1.** Relativo ao este e ao sul. **2.** Diz-se da, ou relativo à região que abrange as partes este e meridional de um continente, país, território, etc. [Pl.: *este-meridionais.*]

estêmona [Do tax. *Stemona* (do gr. *stémon*, 'trama', 'urdidura').] *S. f.* **1.** *Bot.* Gênero de estemonáceas que compreende cerca de 25 espécies nativas da Índia à Nova Guiné, L. da Ásia e regiões tropicais da Austrália; contêm alcaloides, sendo algumas utilizadas no fabrico de inseticidas e uma delas (*Stemona tuberosa*) é us., tradicionalmente, na medicina popular chinesa. **2.** Qualquer espécie, ou espécime desse gênero.

estemonácea [Do tax. *Stemona* (v. *estêmona*) + *-ácea*; tax. *Stemonaceae.*] *S. f. Bot.* Espécime das estemonáceas, família de monocotiledôneas liliifloras, constituída de ervas perenes providas de folhas lanceoladas ou cordiformes e pecioladas, flores dímeras e hermafroditas, cujo perianto é bracteiforme, ovário unilocular, e fruto capsular, bivalve. São próprias do hemisfério boreal.

estemonáceo [De *estemonácea*, com var. suf. (v. *-áceo*).] *Adj. Bot.* Pertencente ou relativo às estemonáceas.

estêncil [Do ingl. *stencil.*] *S. m.* **1.** *Bras.* Folha de papel recoberta por substância gelatinosa e gravada ou perfurada por estilete ou por máquina dactilográfica, de jeito que, ao passar entre um rolo de tinta e uma folha de papel em branco, nesta reproduz fielmente as letras ou desenhos traçados; matriz. [Cf. *mimeógrafo.*] **2.** *Arquit.* Acabamento para paredes, no qual se faz uso de moldes recortados, que resultam em desenhos. [Pl.: *estênceis.*]

estendal [De *estend-*, rad. de *estender* (q. v.), + *-al*[1].] *S. m.* **1.** V. *tendal*[2] (3). **2.** Porção de coisas estendidas ou espalhadas em algum lugar: 📄 *um estendal de roupa.* **3.** *Fig.* Superfície ampla, extensa. **4.** *Fig.* Larga explanação de assuntos geralmente enfadonha.

estendedoiro [De *estender* + *-doiro*[2].] *S. m.* V. *estendedouro.*

estendedouro [De *estender* + *-douro*[2]; var. de *estendedoiro.*] *S. m.* V. *tendal*[2] (3).

estender [Do lat. *extendere.*] *V. t. d.* **1.** Dar maior superfície a; alargar, espalhar, alastrar: 📄 *Os bandeirantes estenderam os limites do Brasil.* **2.** Desdobrar, desenrolar; estirar, esticar: 📄 *estender os lençóis.* **3.** Alongar, abrir, distender: 📄 *estender os braços.* **4.** Prolongar, prorrogar, dilatar: 📄 *A questão política estendeu a discussão por toda a noite.* **5.** Lançar ao chão; derribar, derrubar, prostrar: 📄 *O bofetão estendeu-o.* **6.** Derrotar ou suplantar, em discussão. **7.** Tornar mais amplo: 📄 *Não se deve estender o sentido de frases isoladas.* **8.** Lançar para diferentes lados; espalhar: 📄 *A cozinheira estendeu a massa de pastel.* **9.** Divulgar, vulgarizar, apregoar, propalar: 📄 *estender boatos.* **10.** Tornar prolixo; prolongar: 📄 *O padre estendeu o sermão em demasia.* **11.** *Bras. S.* Preparar (o cavalo) para correr tiro longo. **12.** Arremessar (o laço) para enlaçar a rês. *T. d. e i.* **13.** Oferecer, apresentando: 📄 *O mordomo estendeu-lhe uma cadeira;* 📖 "Caminhei para ela, estendi-lhe as mãos, ela deu-me as suas" (Machado de Assis, *Relíquias de Casa Velha*, p. 101); "— Obrigado, Senhor Arnaldo — disse D. Isolina, estendendo-lhe uma nota de mil escudos." (Domingos Monteiro, *Histórias das Horas Vagas*, p.

92); "E primo Emerenciano estendeu para os quatro .... um prato cheio de sequilhos." (Ribeiro Couto, *Caboclas*, p. 39). **14.** Fazer chegar; levar: *Estendeu a crítica a todos os presentes.* ***Int.*** **15.** Tornar-se comprido; dilatar-se em comprimento. ***P.*** **16.** Alargar-se, dilatar-se. **17.** Ir até; adiantar-se; prolongar-se. **18.** Alastrar-se, espalhar-se: "A nossos pés se estende todo o vale." (Odilo Costa Filho, *Boca da Noite*, p. 85.) **19.** Grassar, lavrar. **20.** Divulgar-se, propalar-se. **21.** Pôr-se deitado; estirar-se. **22.** Prolongar-se, durar: "A vida de Cairu, José da Silva Lisboa, Visconde de Cairu, se estendeu por 79 anos, de 1756 a 1835" (José Soares Dutra, *Cairu*, p. 15). **23.** Ser aplicável. **24.** Abranger, abarcar. **25.** Escrever ou discorrer longamente (acerca de um assunto). **26.** Fazer má figura; dar-se mal.

estenderete (ê) [De *estender* + *-ete* (ê).] ***S. m.*** **1.** Resposta errada, extensa ou malformulada, em aula, exame ou ato público. **2.** Pergunta capciosa que visa a confundir alguém: *O examinador armou um estenderete para os alunos.* **3.** Jogo de cartas no qual se estendem as cartas quando não se têm semelhantes às que se acham na mesa. **4.** *Bras. S.* Pequeno tendal[2] (3) onde se põe a secar a roupa lavada.

estendido [Part. de *estender*.] ***Adj.*** **1.** Que se estendeu ou abriu. **2.** V. *extenso*. ● ***S. m.*** **3.** *Art. Gráf.* Estampa, mapa, tabela, etc., de tamanho maior que o da página, e que se imprime em folha solta, para ser inserida, dobrada, no volume.

estendível [De *estender* + *-ível*.] ***Adj. 2 g.*** Que pode ser estendido.

estenia [De *esten(o)-*[2] + *-ia*[1].] ***S. f. Med.*** Estado de atividade, de força física. [Antôn.: *astenia*.]

esteníídeo [Do tax. *Stenidae*.] *Zool.* ***S. m.*** **1.** Espécime dos esteníídeos, família de mamíferos cetáceos, odontocetos, de focinho comprido, cauda bifurcada, e que podem atingir até 2m de comprimento. Há 4 espécies que se localizam em 3 gêneros, distribuídos nos oceanos tropicais e temperados, na costa sul-americana e bacias do Amazonas e do Orinoco, e nas águas costeiras da África e do S. da Ásia. [Muitos zoólogos preferem classificá-los entre os delfinídeos.] ● ***Adj.*** **2.** Pertencente ou relativo a eles.

estênio ***S. m. Fís.*** Unidade de medida de força, igual a 10^3 N.

▲**esten(o)-**[1] [Do gr. *steno-* < gr. *stenós, ḗ, ón*.] ***El. comp.*** = 'estreito'; 'breve', 'abreviado'; 'estenografia': *estenocéfalo, estenógrafo; estenodatilografia.* [Equiv.: *-(e)sten(o)-: pasistenografia.*]

▲**esten(o)-**[2] [Do gr. *sthénos, eos-ous*.] ***El. comp.*** = 'força', 'força física', 'vigor'; 'poder': *estenia.* [Equiv.: *-sten(o)-: amiostenia, hiperstênio.*]

▲**-(e)sten(o)-** Equiv. de *esten(o)-*[1].

estenoalino [De *esten(o)-*[1] + *-(h)al(o)-* + *-ino*[1].] ***Adj. S. m.*** Diz-se de, ou animal aquático, que não suporta água com grandes variações de salinidade.

estenobionte [De *esten(o)-*[1] + *-bionte*.] ***S. m. Ecol.*** Espécie que só poderá suportar variações limitadas de fatores ecológicos; estenoico. [Cf. *eurobionte*.]

estenocardia [De *esten(o)-*[1] + *-cardia*.] ***S. f. Card.*** V. *angina do peito*.

estenocardíaco [De *estenocardia* + *-íaco*.] ***Adj. Card.*** Referente a estenocardia.

estenocefalia [De *esten(o)-*[1] + *-cefal(o)-* + *-ia*[1].] ***S. f.*** Qualidade ou caráter de estenocéfalo.

estenocefálico [De *estenocefalia* + *-ico*[2].] ***Adj.*** Relativo a estenocefalia.

estenocéfalo [De *esten(o)-*[1] + *-céfalo*.] ***Adj. S. m.*** Que, ou aquele que tem a cabeça estreita.

estenodactilografia (dàc) [De *esten(o)-*[1] + *dactilografia*.] ***S. f.*** Uso combinado de estenografia e dactilografia. [Var.: *estenodatilografia*.]

estenodactilográfico (dàc) [De *estenodactilografia* + *-ico*[2].] ***Adj.*** Relativo à estenodactilografia. [Var.: *estenodatilográfico*.]

estenodactilógrafo (dàc) [De *esten(o)-*[1] + *dactilógrafo*.] ***S. m.*** **1.** Aquele que é, a um tempo, estenógrafo e dactilógrafo. **2.** Aquele que dactilografa originais estenografados. [Var.: *estenodatilógrafo*.]

estenodatilografia (dàc) ***S. f.*** V. *estenodactilografia*.

estenodatilográfico (dàc) ***Adj.*** V. *estenodactilográfico*.

estenodatilógrafo (dàc) ***S. m.*** V. *estenodactilógrafo*.

estenofágico [De *esten(o)-*[1] + *-fag(o)-* + *-ico*[2].] ***Adj. Zool.*** Diz-se de animal que tem dieta altamente especializada.

estenografado [Part. de *estenografar*.] ***Adj.*** Que se estenografou; taquigrafado.

estenografar [De *estenograf(ia)* + *-ar*[2].] ***V. t. d. Int. Taquigr.*** Escrever estenograficamente; taquigrafar. [Pres. ind.: *estenografo*, etc. Cf. *estenógrafo*.]

estenografia [De *esten(o)-*[1] + *-grafia*.] ***S. f. Taquigr.*** Escrita abreviada e simplificada, na qual se empregam sinais que permitem escrever com a mesma rapidez com que se fala; estenotaquigrafia, taquigrafia, logografia.

estenográfico [De *estenografia* + *-ico*[2].] ***Adj. Taquigr.*** Relativo à estenografia; taquigráfico, logográfico.

estenógrafo [De *esten(o)-*[1] + *-grafo*.] ***S. m. Taquigr.*** Indivíduo versado em estenografia; taquígrafo, logógrafo. [Cf. *estenografo*, do v. *estenografar*.]

estenograma [De *esten(o)-*[1] + *-grama*.] ***S. m. Taquigr.*** V. *taquigrama*.

estenoico (ói) [De *esten(o)-*[1] + *-oico*[1].] ***S. m. Ecol.*** Estenobionte. ❖

estenolemado [De *esten(o)-*[1] + gr. *laimós*, 'garganta', + *-ado*[3]; tax. *Stenolaemata*.] *Zool.* ***S. m.*** **1.** Espécime dos estenolemados, subclasse de animais metazoários, briozoários, de lofóforo circular, e desprovidos de lábio, com zooides dentro de um saco membranoso e zoécios cilíndricos, calcários. ● ***Adj.*** **2.** Pertencente ou relativo a eles.

estenomídeo *Zool.* ***S. m.*** **1.** Espécime dos estenomídeos, família de insetos lepidópteros, que reúne mariposas um pouco maiores do que os microlepidópteros; as larvas alimentam-se das folhas e frutos da pinheira, constituindo-se em praga dessa planta. ● ***Adj.*** **2.** Pertencente ou relativo a eles.

estenosado [De *estenose* + *-ado*[1].] ***Adj. Med.*** Que sofreu estenose.

estenosar [De *estenose* + *-ar*[2].] ***V. t. d. Med.*** Provocar estenose em.

estenose [Do gr. *sténosis*.] ***S. f. Patol.*** Estreitamento de qualquer ducto ou orifício.

estenotaquigrafia [De *esten(o)-*[1] + *taquigrafia*.] ***S. f. Taquigr.*** V. *estenografia*.

estenotérmico [De *esten(o)-*[1] + *-term(o)-* + *-ico*[2].] ***Adj. Ecol.*** Intolerante às variações de temperatura: *espécie estenotérmica.*

estenotermo [De *esten(o)-* + *-termo*.] ***Adj. S. m. Zool.*** Diz-se de, ou animal muito sensível às variações de temperatura. [O t. aplica-se esp. aos peixes.]

estenotipar [De *estenótipo* + *-ar*[2].] ***V. t. d.*** Estenografar com o auxílio do estenótipo.

estenotipia [De *esten(o)-*[1] + *-tip(o)-* + *-ia*[1].] ***S. f.*** Estenografia mecânica, por meio de estenótipo.

estenotípico [De *estenotipia* + *-ico*[2].] ***Adj.*** Relativo à estenotipia.

estenotipista [De *estenótipo* + *-ista*.] ***S. 2 g.*** Pessoa que trabalha com estenótipo.

estenótipo [De *esten(o)-*[1] + *-tipo*.] ***S. m.*** Máquina dotada de teclas, destinada à estenotipia.

estentor[1] (ô) [Do ficcion. gr. *Sténtor*, 'Estentor, arauto grego cuja voz valia por cinquenta', pelo lat. *Stentor*.] ***S. m.*** **1.** Pessoa que tem voz muito forte. **2.** Voz muito forte.

estentor[2] (ô) [Do tax. *Stentor* < lat. *Stentor* < gr. *Sténtor* (v. *estentor*[1]).] ***S. m. Zool.*** **1.** Gênero de grande protozoário ciliado, de água doce, e que pode atingir 2mm de comprimento; tem forma de corneta e uma camada de cílios em torno da abertura por onde aspira partículas alimentares. **2.** Espécie, ou espécime desse gênero.

estentóreo [Do lat. tard. *stentoreu*.] ***Adj.*** **1.** Relativo a estentor[1]. **2.** Que tem a voz muito forte. **3.** Diz-se de voz ou ruído muito forte. [Sin. ger.: *estentórico, estentoroso*.]

estentórico [De *estentor*[1] + *-ico*[2].] ***Adj.*** V. *estentóreo*.

estentoroso (ô) [De *estentor*[1] + *-oso*.] ***Adj.*** V. *estentóreo*.

estepe[1] [Do rus. *step*, pelo fr. *steppe*.] ***S. f. Fitogeogr.*** Tipo de vegetação ou de paisagem dominado por plantas pequenas, sobretudo gramíneas, que se encontra em zonas frias e secas. A estepe é característica do N. da Europa, sendo comum também na Ásia, e aparece nos pampas sul-americanos. As plantas anuais são frequentes nas estepes, crescendo e florescendo na época das chuvas. A xerofilia é peculiar às plantas estépicas.

estepe[2] [Adapt. (reduzido) do ingl. *stepney*, f. red. do ingl. *stepney wheel*, atualmente *spare wheel/tyre*, 'roda ou pneu sobressalente'.] ***S. m. Bras.*** Pneu sobressalente.

estépico [De *estepe*[1] + *-ico*[2].] ***Adj.*** De, ou pertencente ou relativo a estepe[1]: *clima estépico; vegetação estépica.*

estequiometria (tè) [Do gr. *stoicheîon*, 'elemento', + *-metria*.] ***S. f. Quím.*** **1.** Parte da química em que se investigam as proporções dos elementos que se combinam ou dos compostos que reagem. **2.** A proporção dos elementos num composto, ou dos compostos numa reação.

estequiométrico (tè) [De *estequiometria* + *-ico*[2].] ***Adj. Quím.*** Próprio da estequiometria.

éster [Do al. *Ester* < al. *Essigäther*, 'éter acético'.] ***S. m. Quím.*** Classe de substâncias resultantes da condensação de um ácido orgânico com um álcool, caracterizadas pelo grupamento funcional RCO_2R', onde R e R' são alquilas ou arilas. [Pl.: *ésteres*. Cf. *Ester*, antr., pl. *Esteres*, e *hester*, pl. *hesteres*.]

esterase [De *éster* + *-ase*.] ***S. f. Bioquím.*** Designação genérica das enzimas (p. ex., as fosfatases e lipases) que catalisam a interconversão de éster em álcool e ácido.

estercado [Part. de *estercar*.] ***Adj.*** Que levou esterco; adubado, estrumado.

estercar [De *esterco* + *-ar*[2].] ***V. t. d.*** **1.** V. *estrumar* (1). ***Int.*** **2.** V. *defecar* (5). [Conjug.: v. *trancar*. Pres. ind.: *esterco*, etc. Cf. *esterco* (ê).]

esterçar [Do it. *sterzare*.] ***V. t. d.*** Mover o volante de um automóvel para a direita e para a esquerda. [Conjug.: v. *laçar*.]

esterco (ê) [Do lat. *stercus* (*stercoris*), neutro, > *estercos* > *esterco*.] ***S. m.*** **1.** Excremento animal: "já nos tempos coloniais se usava pôr esterco de jumento nos cortes que sangravam muito" (Mário de Andrade, *Namoros com a Medicina*, p. 75). **2.** V. *estrume*. **3.** Sujidade, imundice, lixo. **4.** *Chulo* Pessoa ou coisa vil. [Pl.: *estercos* (ê). Cf. *esterco*, do v. *estercar*.]

esterco de trovão ***S. m. Bras. AL*** Entre os matutos, a mica ou malacacheta, que, após as trovoadas acompanhadas de aguaceiros, lavada pelas águas do enxurro e rebrilhando ao sol, dá a impressão de haver sido recém-depositada no solo. [Pl.: *estercos de trovão*.] ☑

estercoral [Do lat. med. *stercorale*.] ***Adj. 2 g.*** Relativo a esterco.

estercorariídeo [Do tax. *Stercorarius* (< lat. *stercorarius*, 'fecal') + *-ídeo*[1]; tax. *Stercorariidae*.] *Zool.* ***S. m.*** **1.** Espécime dos estercorariídeos, família de aves caradriiformes, de unhas longas, recurvadas e pontiagudas, bico agudo, ganchoso e com ceroma. Marinhas, ocorrem junto à costa, acasalando-se em ilhas e rochedos; alimentam-se caçando em ninhos de outras aves. São as gaivotas-rapineiras. ● ***Adj.*** **2.** Pertencente ou relativo a eles.

estercorário [Do lat. *stercorariu*.] ***Adj.*** Que cresce ou vive no esterco; esterqueiro: *insetos estercorários.*

estercoremia [Do ingl. *stercoremia*.] ***S. f. Med.*** Presença no sangue, com efeito tóxico, de substância(s) de origem fecal.

estercoroso (ô) [Do lat. tard. *stercorosu*.] ***Adj.*** Imundo, nojento, abjeto, repulsivo, à maneira do esterco.

estercúlia [Do tax. *Sterculia* (do lat. *Sterculius*, 'cognome de Saturno ou de Picumno, que teria criado a arte de adubar a terra'.] ***S. f. Bot.*** **1.** Gênero de árvores e arbustos esterculiáceos de folhas palmadas, pequenas flores paniculadas, unissexuais, e frutos secos, deiscentes. **2.** Qualquer espécie desse gênero, como, por ex., a *Sterculia elata* [v. *tacazeiro* (1)]. **3.** Qualquer espécime desse gênero.

esterculiácea [De *estercúlia* (q. v.) + *-ácea*; tax. *Sterculiaceae*.] ***S. f. Bot.*** Espécime das esterculiáceas, família de plantas floríferas da ordem das malvales, constituída de árvores, arbustos ou ervas de folhas alternas e comumente recortadas, flores caracterizadas pelo androginóforo, e que podem ser unissexuais, numerosos estames, soldados pelos filetes em coluna, e fruto capsular ou bacáceo. Há umas 700 espécies tropicais; entre as muitas brasileiras, distingue-se o cacaueiro.

esterculiáceo [De *esterculiácea*, com var. suf. (v. *-áceo*).] ***Adj. Bot.*** Pertencente ou relativo às esterculiáceas.

esterculico [Do tax. *Sterculia* (v. *estercúlia*) + *-ico*[2].] ***Adj. Quím.*** V. *ácido —*.

estere [Do fr. *stère* < gr. *stereós, á, ón*.] ***S. m.*** V. *estéreo*[1].

▲**ester(e)-** V. *estereo-*.

▲**estereo-** [Do gr. *stere-, stereo-* < gr. *stereós, á, ón*.] ***El. comp.*** = 'sólido', 'duro'; 'firme'; 'cúbico': *estereofônico, estereotipia.* [Em *Quím.*: 'que se ocupa das três dimensões do espaço' (*estereoquímica*); 'da, relativo à, ou conforme à estereoquímica' (*estérico*).] [Equiv.: *ester(e)-* e *-(e)stere(o)-* (este último sem ocorrência na terminologia química): *astereognosia*.]

▲**-(e)stere(o)-** V. *estereo-*.

estéreo[1] [Do gr. *stereós*, 'sólido'; 'cúbico'.] ***Adj.*** **1.** *Quím.* Estérico. ● ***S. m.*** **2.** Medida de volume para lenha, equivalente a um metro cúbico.

estéreo[2] ***S. m. Tip.*** V. *estereótipo* (1). ◆ **Estéreo plástico.** *Tip.* V. *plastotipia* (2).

estéreo[3] [F. red. de *estereofônico*.] *Acúst.* ***Adj.*** **1.** V. *estereofônico*. ● ***S. m.*** **2.** Aparelho ou equipamento estereofônico; som.

estéreo[4] [De *ester(e)-* + *-eo*.] ***Adj. Quím.*** Estérico.

estereobata ***S. m.*** V. *estereóbata*.

estereóbata [Do gr. *stereobátes*, pelo lat. *stereobata* (v. *-bata*[1]).] ***S. m.*** Soco contínuo, sem base nem cornija, para sustentação de edifício. [Var. pros.: *estereobata*.]

estereocentro ***S. m. Quím.*** Átomo ao qual se ligam substituintes tais que a permuta de quaisquer dois deles resulta em estereoisômero diferente do que antes havia.

estereocromia [De *estereo-* + *-crom(o)-* + *-ia*[1].] ***S. f.*** Método de fixar cores em corpos sólidos.

estereocrômico ***Adj.*** V. *estereocrômico*. [Uso freq. em P.]

estereocrômico [De *estereocromia* + *-ico*[2].] ***Adj.*** Relativo à estereocromia.

estereodinâmica [De *estereo-* + *dinâmica*.] *S. f. Fís. P. us.* Parte da dinâmica que estuda os movimentos dos corpos sólidos.

estereodinâmico *Adj.* Relativo à estereodinâmica.

estereodonte [De *ester(e)-* + *-odonte*.] *S. m.* Aparelho ortodôntico para consolidar a posição dos dentes, depois de trazidos à posição normal.

estereofonia [De *estereo-* + *-fon(o)-* + *-ia*[1].] *S. f. Acúst.* Técnica de reproduzir sons registrados ou produzidos pelo rádio, a qual se caracteriza por reconstituir a distribuição espacial das fontes sonoras.

estereofónico *Adj. Acúst. Lus.* V. *estereofônico*. [Uso freq. em P.]

estereofônico [De *estereofonia* + *-ico*[2].] *Adj. Acúst.* **1.** Diz-se do sistema acústico que funciona pelo princípio da estereofonia. **2.** Diz-se do som obtido por essa técnica, o qual transmite a sensação de distribuição espacial. [F. red.: *estéreo*[3].]

estereogénico *Adj. Quím.* V. *estereogênico*. [Uso freq. em P.]

estereogênico [De *estereo-* + *-gen(o)-* + *-ico*[2].] *Adj. Quím.* Que provoca estereoisomeria.

estereografia [De *estereo-* + *-grafia*.] *S. f.* **1.** Arte de representar os sólidos em um plano. **2.** Qualquer dos processos gráficos em que a impressão se dá pelo relevo, como, p. ex., a tipografia, a estereotipia, a xilogravura.

estereográfico [De *estereografia* + *-ico*[2].] *Adj.* Relativo à estereografia.

estereoisomeria (o-i) [De *estereo-* + *isomeria*.] *S. f. Quím.* A isomeria caracterizada exclusivamente pela diferença de orientação espacial dos átomos na molécula; estereoisomerismo, isomeria espacial.

estereoisómero (o-i) *S. m. Adj. Quím.* V. *estereoisômero*. [Uso freq. em P.]

estereoisômero (o-i) [De *estereo-* + *isômero*.] *Quím. S. m.* **1.** Qualquer dos compostos de um conjunto de substâncias que têm estereoisomeria. ● *Adj.* **2.** Referente à estereoisomeria.

estereologia [De *estereo-* + *-logia*.] *S. f.* Estudo das partes sólidas dos seres vivos.

estereológico [De *estereologia* + *-ico*[2].] *Adj.* Relativo à estereologia.

estereoma [Do gr. *steréoma*.] *S. m. Bot.* Conjunto de tecidos e células de função mecânica que constituem o sistema de suporte da planta: esclerênquima, colênquima; o próprio conjunto dos vasos lenhosos, etc.

estereometria [De *estereo-* + *-metria*.] *S. f.* Cálculo do volume dos sólidos.

estereométrico [De *estereometria* + *-ico*[2].] *Adj.* Relativo à estereometria.

estereómetro *S. m.* V. *estereômetro*. [Uso freq. em P.]

estereômetro [De *estereo-* + *-metro*.] *S. m.* Instrumento usado em geometria para a medição de sólidos.

estereoquímica [De *estereo-* + *química*.] *S. f.* Parte da química que investiga a disposição espacial dos átomos nas moléculas.

estereoquímico [De *estereoquímica*, com var. suf. (v. *-ico*[2]).] *Adj. Quím.* Relativo à estereoquímica.

estereoscopia [De *estereo-* + *-scop-* + *-ia*[1].] *S. f.* Processo fotográfico que produz efeito tridimensional graças à utilização de dois registros simultâneos, em duas perspectivas diferentes, do mesmo assunto.

estereoscópico [De *estereoscópio* + *-ico*[2].] *Adj.* Referente ao estereoscópio.

estereoscópio [De *estereo-* + *-scópio*.] *S. m.* **1.** *Ópt.* Instrumento binocular, com aumento não muito grande e profundidade de foco relativamente elevada, e que permite observações microscópicas de objetos em relevo. **2.** *Fot.* Visor binocular utilizado para observação de imagem registrada por meio de estereoscopia.

estereospôndilo [De *estereo-* + *-(e)spôndilo*; tax. *Stereospondyli*.] *Paleont. S. m.* **1.** Espécime dos estereospôndilos, ordem de anfíbios do permiano e triássico, com crânio achatado, e caracterizados pelas vértebras com a parte central oca, em forma de anel. ● *Adj.* **2.** Pertencente ou relativo a eles.

estereostática [De *estere(o)-* + *estática*.] *S. f. P. us.* Parte da física que estuda o equilíbrio dos corpos sólidos.

estereostático [De *estereostática*, com var. suf. (v. *-ico*[2]).] *Adj. P. us.* Relativo à estereostática.

estereotipado [Part. de *estereotipar*.] *Adj.* **1.** Que se estereotipou. **2.** *Fig.* Que é sempre o mesmo, que não varia; invariável, fixo, inalterável: *frase estereotipada; sorriso estereotipado.* ~ V. *locução —a*.

estereotipagem [De *estereotipar* + *-agem*[2].] *S. f.* **1.** Ato de estereotipar. **2.** Obra impressa estereotipada. [Sin. ger., p. us.: *clichagem*.]

estereotipar [De *estereótipo* + *-ar*[2].] *V. t. d.* **1.** Imprimir por estereotipia. **2.** *Tip.* Converter em estereótipo. **3.** *Tip.* Imprimir com estereótipos. **4.** Reproduzir fielmente. **5.** Tornar fixo, inalterável: *Para se popularizar, conseguiu estereotipar o sorriso. P.* **6.** Tornar-se fixo, inalterável: *De tão repetida, a frase estereotipou-se.* [Pres. ind.: *estereotipo*, etc. Cf. *estereótipo*.]

estereotipia [De *estereo-* + *-tip(o)-* + *-ia*[1]; fr. *stéréotypie*.] *S. f.* **1.** *Tip.* Processo pelo qual se duplica uma composição tipográfica, transformando-a em fôrma compacta, por meio de moldagem de uma matriz, usualmente o flã, sobre a qual se vaza metal-tipo. [Cf. *plastotipia*.] **2.** *Tip.* V. *estereótipo* (1). **3.** *Psiq.* Repetição de gestos amaneirados, permanência em posições estranhas, etc., que constituem um dos sintomas não essenciais da esquizofrenia. ◆ **Estereotipia curva.** *Tip.* **1.** Processo de estereotipagem para prensas rotativas, pelo qual se produzem clichês adaptáveis aos cilindros; estereotipia rotativa, rotoestereotipia. **2.** O clichê semicilíndrico assim obtido; estereótipo curvo, telha. **Estereotipia rotativa.** *Tip.* V. *estereotipia curva* (1).

estereotípico [De *estereotipia* + *-ico*[2].] *Adj.* Relativo à estereotipia.

estereotipista [De *estereo-* + *-tip(o)-* + *-ista*.] *S. 2 g.* Gráfico que trabalha em estereotipia.

estereótipo [Do fr. *stéréotype* (v. *estereo-* e *-tipo*).] *S. m.* **1.** *Tip.* Fôrma compacta obtida pelo processo estereotípico; estereotipia, clichê. [F. red.: *estéreo*[2].] **2.** *Fig.* Lugar-comum (2); clichê, chavão. [Cf. *estereotipo*, do v. *estereotipar*.] ◆ **Estereótipo curvo.** *Tip.* V. *estereotipia curva* (2).

estereotomia [De *estereo-* + *-tom(o)-* + *-ia*[1].] *S. f.* Arte de dividir e cortar com rigor os materiais de construção.

estereotómico *Adj.* V. *estereotômico*. [Uso freq. em P.]

estereotômico [De *estereotomia* + *-ico*[2].] *Adj.* Relativo à estereotomia.

▲**ester(i)-** *Quím. El. comp.* = 'éster': *esterase, esterificar*.

estérico [De *ester(e)-* + *-ico*[2].] *Adj. Quím.* Próprio do, ou relativo ao volume ocupado pelos átomos; estéreo. ~ V. *efeito — e impedimento —*.

esterificação [De *esterificar* + *-ção*; ingl. *esterification*.] *S. f. Quím.* Reação de formação de um éster.

esterificar [De *ester(e)-* + *-ificar*.] *V. t. d. Quím.* Submeter à esterificação.

esterigma [Do gr. *stérigma*.] *S. m. Micol.* Dilatação terminal do basídio de certos fungos, a qual suporta os esporos.

estéril [Do lat. *sterile*.] *Adj. 2 g.* **1.** Que não produz; árido, improdutivo, improlífico, improlífero, infecundo, infrutífero, infrutuoso, maninho, sáfaro: *árvore, terra estéril.* **2.** *Restr.* Diz-se de pessoa portadora de esterilidade. [Sin. (angol.), nesta acepç.: *baco*[3].] **3.** Em que nada se produziu ou realizou: *Ano estéril foi aquele para o grande escritor; Para os cafeicultores este ano foi estéril, por causa da geada.* **4.** Que não traz vantagem ou resultado; inútil: *discussão estéril.* **5.** *Fig.* Desprovido de imaginação, de criatividade: *mente estéril.* **6.** *Med.* Livre de micróbios vivos ou dos seus esporos vivedouros. ● *S. m.* **7.** Indivíduo estéril (2). [Sin. (angol.), nesta acepç.: *baco*[3].] **8.** Material estéril (1). [Pl.: *estéreis*. Antôn.: *fértil, fecundo, produtivo, úbere*.]

esterilecer [Do lat. *sterilescere*.] *V. t. d. P. P. us.* V. *esterilizar*. [Conjug.: v. *aquecer*.]

esterilidade [Do lat. *sterilitate*.] *S. f.* **1.** Qualidade de estéril; improdutividade, infecundidade. **2.** Escassez, falta, penúria: *esterilidade de recursos; esterilidade de talento.* **3.** *Obst.* Incapacidade de conceber, por parte da mulher, ou de induzir a concepção, por parte do homem. [Opõe-se a *fecundidade* (1 a 3).]

esterilização [De *esterilizar* + *-ção*.] *S. f.* **1.** Ato ou efeito de esterilizar(-se). **2.** Estrago, destruição, assolação. **3.** Embrutecimento: *esterilização da inteligência*.

esterilizado [Part. de *esterilizar*.] *Adj.* **1.** Que se tornou estéril. **2.** Que foi submetido a esterilização.

esterilizador (ô) [De *esterilizar* + *-dor*.] *Adj.* **1.** Que esteriliza; esterilizante. ● *S. m.* **2.** Aquele que esteriliza. **3.** Aparelho para esterilizar. **4.** Autoclave (1).

esterilizante [De *esterilizar* + *-nte*.] *Adj. 2 g.* Esterilizador (1).

esterilizar [De *estéril* + *-izar*; fr. *stériliser*.] *V. t. d.* **1.** Tornar estéril, infecundo, improdutivo (o animal, a planta, a terra); amaninhar. **2.** *Fig.* Tornar inútil, improfícuo; inutilizar, baldar: "Concluiu que o casamento esterilizara uma vocação que só tinha ambiente na liberdade do celibato." (Machado de Assis, *Páginas Recolhidas*, p. 53.) **3.** Destruir os germes deletérios de (substância alimentícia). **4.** *Cir.* Impedir a fecundação a, mediante seção ou ligadura das vias de excreção das células sexuais, com conservação da função endócrina das glândulas respectivas. *P.* **5.** Tornar-se estéril, improdutivo. [Sin. ger. (p. us.): *esterilecer*.]

esterlino [Do ingl. *sterling*.] *S. m.* **1.** O padrão da liga de ouro ou de prata das moedas inglesas. **2.** A libra, moeda inglesa. ● *Adj.* **3.** Relativo ao dinheiro inglês: *valor esterlino.* ~ V. *libra —a*.

esternal [De *estern(o)-* + *-al*[1].] *Adj. 2 g. Anat.* Relativo ou pertencente ao esterno. ~ V. *fúrcula — e mucro —*.

esternalgia [De *estern(o)-* + *-alg(o)-*[2] + *-ia*[1].] *S. f. Med.* Algia na região do esterno. [É uma dor provocada por pressão digital sobre o esterno, outrora considerada sintomática da sífilis.]

esternálgico [De *esternalgia* + *-ico*[2].] *Adj.* Relativo à esternalgia.

esternebra [De *estern(o)-* + *-ebra*, como em *vértebra*.] *S. f. Anat.* Em fases iniciais da vida, cada um dos elementos formadores do esterno.

esternebral [De *esternebra* + *-al*[1].] *Adj. 2 g.* Relativo ou pertencente à esternebra.

esternegue *S. m. Bras. PB Gír.* Barulho, discussão, bate-boca.

esternito [Do V.C.I.; ingl. *sternite*.] *S. m. Zool.* Esclerito (q. v.) que ocupa o meio da face ventral de cada um dos segmentos do corpo dos animais artrópodes.

esterno [Do lat. cient. *sternum* < gr. *stérnon*.] *S. m.* **1.** *Anat.* Osso ímpar, situado na parte anterior do tórax, e com o qual se articulam as clavículas e as cartilagens costais das sete primeiras costelas. **2.** *Zool.* Porção ventral do tórax dos insetos. **3.** *Zool.* Lâmina ventral do tórax dos aracnídeos. [Cf. *hesterno* e *externo*.]

▲**estern(o)-** [Do gr. *sterno-* < gr. *stérnon, ou*.] *El. comp.* = 'peito'; 'esterno': *esternal, esternalgia, esternoclidomastóideo*. [Equiv.: *-sterno*: *prosterno*.]

esternoclavicular [De *estern(o)-* + *clavícula* + *-ar*[1].] *Adj. 2 g. Anat.* Relativo ao esterno e à clavícula.

esternoclidomastóideo [De *estern(o)-* + *-clid(o)-* + *mastóideo*.] *Adj.* ~ V. *músculo —*.

esternopigídeo [Adapt. do tax. *Sternopygidae*.] *Zool. S. m.* **1.** Espécime dos esternopigídeos, família de peixes gimnotiformes, de tamanho médio a grande, com múltiplas fileiras de pequenos dentes na maxila e na mandíbula, distribuídos por quase toda a América do Sul. ● *Adj.* **2.** Pertencente ou relativo a eles.

esternoptiquídeo [De *estern(o)-* + gr. *ptyché* (< gr. *ptýssein*, 'dobrar') + *-ídeo*[1]; tax. *Sternoptychidae*.] *Zool. S. m.* **1.** Espécime dos esternoptiquídeos, pequena família de peixes salmoniformes, marinhos, cosmopolitas, de corpo achatado e pequeno, caracterizados pela presença de uma lâmina em forma de machadinha no ventre. Boca grande e voltada para cima. Vivem em grandes profundidades, de 100m até 4.000m, e são luminosos, apresentando fotóforos nos flancos. ● *Adj.* **2.** Pertencente ou relativo a eles.

esternorrinco [De *estern(o)-* + *-rinco*; tax. *Sternorhyncha*.] *Zool. S. m.* **1.** Espécime dos esternorrincos, subordem de insetos homópteros, coccídeos, cujo rostro surge aparentemente no tórax, a partir do esterno, entre as coxas anteriores. São os pulgões. ● *Adj.* **2.** Pertencente ou relativo a eles. [Sin. ger.: *gularrostro*.]

esternutação [Do lat. *sternutatione*.] *S. f.* Espirro.

esternutatório [Do lat. *sternutatum*, sup. do lat. *sternutare*, 'espirrar muitas vezes', + *-ório*.] *Med. Adj.* **1.** Que provoca espirro ou esternutação; errino, ptármico. ~ V. *gás —*. ● *S. m.* **2.** Aquile que provoca espirros.

estero (ê) [Do esp. *estero* < lat. *aestuariu* (v. *esteiro*[1]).] *S. m. Bras. S.* Terreno baixo e pantanoso, junto aos rios, lagos e lagoas, ou nas imediações deles, total ou parcialmente coberto de plantas aquáticas; esteiro. [O nome é us. nas fronteiras com a Argentina e o Paraguai. Cf. *esteiro*, do v. *esteirar* e s. m.]

esteroidal [De *esteroide* + *-al*[1].] *Adj. 2 g. Quím.* Relativo a, ou próprio de esteroide.

esteroide (ói) [De *ester(ol)* + *-oide*.] *S. m. Quím.* Designação de compostos naturais ou artificiais derivados dos esteróis ou análogos a eles (como, p. ex., a cortisona, os hormônios sexuais humanos e seus análogos, usados em pílulas anticoncepcionais), e que exercem importantes funções bioquímicas nos organismos. ◆ **Esteroide anabólico.** *Bioquím.* Esteroide anabolizante. **Esteroide anabolizante.** *Bioquím.* Cada um de um grupo de derivados sintéticos da testosterona, e que demonstra intenso poder anabolizante e fraca capacidade androgênica; é us., principalmente, para estimular o crescimento e a restauração de tecidos em idosos, debilitados e convalescentes; esteroide anabólico.

esterol [De *(cole)sterol*.] *S. m. Quím.* Qualquer dos alcoóis com esqueleto tetracíclico, como o do 1,2-ciclopentenofenantreno, que se encontram em vários organismos, vegetais e animais. [Pl.: *esteróis*.]

esterqueira [De *esterco* + *-eira*.] *S. f.* V. *estrumeira*.

esterqueiro [De *esterco* + *-eiro*.] *S. m.* **1.** V. *estrumeira*. ● *Adj.* **2.** Que vive no esterco; estercorário.

esterquilínio [Do lat. *sterquiliniu*.] *S. m.* V. *estrumeira*.

esterrecer [Do lat. **exterrescere*.] *V. t. d. Int. P.* V. *estarrecer*. [Conjug.: v. *aquecer*.]

esterroada [De *esterroar* + *-ada*[1].] *S. f.* **1.** Ato de esterroar. **2.** *Fig.* Barulho, ruído, bulha.

esterroador (ô) [De *esterroar* + *-dor*.] *S. m.* Instrumento usado para esterroar.

esterroar [De *es-* + *terrão* + *-ar*[2], com desnasalação.] *V. t. d.* Desfazer os torrões a; desterroar, estorroar; escavacar: *esterroar a terra.* [Conjug.: v. *coroar*.]

estertor (ô) [Do lat. cient. *stertore*, der. culto do lat. *stertere*, 'roncar', 'ressonar'.] *S. m.* **1.** *Pneum.* Ruído do respiratório anormal, ger. patológico, de que há mais de um tipo, percebido pela ausculta pulmonar normal, e que está relacionado, quando patológico, à mobilização de secreções brônquicas ou broncoalveolares; pieira, piado, piada, piadeira, rala, ralo. **2.** Respiração rouca e crepitante dos moribundos e daqueles que sofrem de certas doenças respiratórias ou têm a respiração opressa; vasca: 📖 "A respiração da mulher estava rouca e ruidosa como um estertor de moribundo" (Lia Correia Dutra, *Navio sem Porto*, p. 104). [Pl.: *estertores* (ô). Cf. *estertores*, do v. *estertorar*.]

estertorante [De *estertorar* + *-nte*.] *Adj. 2 g.* **1.** Que estertora; estertoroso: 🗣 *convulsão estertorante.* **2.** Que está em estertor; agonizante.

estertorar [De *estertor* + *-ar*[2].] *V. int.* **1.** Respirar com estertor (2): 📖 "a moribunda .... continuava a estertorar abrindo muito a boca para a respiração." (Coelho Neto, *Turbilhão*, p. 318). **2.** Bruxulear, extinguir-se (a luz): 📖 "a chama [da vela] crepitava estertorando." (Id., *Sertão*, p. 45). *Pred.* **3.** Ter estertor: 📖 "emaciada, lívida, ... comprimia o peito, estertorava sufocada." (Júlio Ribeiro, *A Carne*, p. 13). [Pres. subj.: *estertore, estertores*, etc. Cf. *estertores* (ô), pl. de *estertor*.]

estertoroso (ô) [De *estertor* + *-oso*.] *Adj.* Diz-se da respiração de quem está em estertor; estertorante: 📖 "Agora a respiração era angustiada, estertorosa." (Olavo Bilac, *Crítica e Fantasia*, p. 296.)

estese [Do gr. *aísthesis*.] *S. f.* V. *estesia*.

este-setentrional *Adj. 2 g.* **1.** Relativo ao este e ao norte. **2.** Diz-se da, ou relativo à região que abrange as partes este e setentrional de um continente, país, território, etc. [Pl.: *este-setentrionais*.]

▲-estes(i)- Equiv. de *estesio-*.

estesia [Do gr. *aisthesía*.] *S. f.* **1.** Sentimento do belo. **2.** Sensibilidade, sentimento: 📖 "Ver árvores é um grande lenitivo / Para a estesia de um contemplativo." (Olegário Mariano, *Toda uma Vida de Poesia*, I, p. 51); "Suas telas de uma estesia diferente, evocavam assuntos espirituais" (Luís Edmundo, *De um Livro de Memórias*, III, p. 723). [Sin. ger.: *estese*.]

▲estesio- [Do gr. *aísthesis, eōs*.] *El. comp.* = 'sensação'; 'sensibilidade'; 'percepção': *estesiogenia*. [Equiv.: *-estes(i)-*: *hipestesia, sinestesia*.]

estesiogenia [De *estesio-* + *-gen(o)-* + *-ia*[1].] *S. f. Fisiol. Neur.* Provocação de sensibilidade (3), ou recuperação desta faculdade.

estesiogénico *Adj.* V. *estesiogênico*. [Uso freq. em P.]

estesiogênico [De *estesio-* + *-gen(o)-* + *-ico*[2].] *Adj.* Que provoca sensação.

estesiologia [De *estesio-* + *-logia*.] *S. f.* Ramo da neurologia que se ocupa das sensações e dos sentidos.

estesiomania [De *estesio-* + *-mania*.] *S. f. Psiq.* Perturbação mental em que ocorre perversão dos sentidos.

estesiomaníaco [De *estesiomania* + *-íaco*.] *Adj. Psiq.* **1.** Relativo a estesiomania. **2.** Que tem estesiomania; estesiômano. ● *S. m.* **3.** Aquele que tem estesiomania; estesiômano.

estesiómano *Adj. S. m.* V. *estesiômano*. [Uso freq. em P.]

estesiômano [De *estesio-* + *-mano*[1].] *Adj. S. m.* Estesiomaníaco (2 e 3).

esteta [Do gr. *aisthetés*, 'que percebe pelos sentidos'.] *S. 2 g.* **1.** Pessoa que adota uma atitude exclusiva e requintada com relação à arte e à vida, colocando os valores estéticos acima de todos os outros. **2.** Pessoa versada em estética.

estética [Do lat. cient. *aesthetica* < gr. *aisthetiké*, f. do gr. *aisthetikós* (v. *estético*).] *S. f.* **1.** *Filos.* Estudo das condições e dos efeitos da criação artística. **2.** *Filos.* Tradicionalmente, estudo racional do belo, quer quanto à possibilidade da sua conceituação, quer quanto à diversidade de emoções e sentimentos que ele suscita no homem. **3.** Caráter estético; beleza: 🗣 *a estética de um monumento, de um gesto.* **4.** *Fam.* Beleza física; plástica: 🗣 *Ia à praia para apreciar a estética das garotas.*

esteticismo [De *estético* + *-ismo*.] *S. m.* Maneira de ser esteta (1). [Cf. *estetismo*.]

esteticista [De *estético* + *-ista*.] *Adj. 2 g.* **1.** Relativo ao esteticismo. ● *S. 2 g.* **2.** Pessoa com tendências esteticistas. **3.** *Bras.* Especialista em assuntos de beleza (maquiagem, penteado, vestuário, emagrecimento, etc.).

estético [Do gr. *aisthetikós*, 'que sente, que compreende', 'sensível'.] *Adj.* **1.** Relativo à estética, ao sentimento do belo: 🗣 *senso estético; emoção estética.* **2.** Que tem características de beleza; belo, harmonioso: 🗣 *decoração estética.* **3.** Concernente à beleza do corpo: 🗣 *cuidados estéticos.* ~ V. *cirurgia —a*.

estetismo [Do fr. *esthétisme* < fr. *esthét(ique)*, 'estética' (q. v.), + fr. *-isme* (v. *-ismo*).] *S. m.* Doutrina ou escola baseada na estética (2), especialmente aquela que, no fim do séc. XIX, reuniu grande número de estetas (pré-rafaelitas, simbolistas, decadentes, etc.). [Cf. *esteticismo*.]

estetizar [De *estética* + *-izar*, seg. o padrão erudito.] *V. t. d.* Estudar ou considerar do ponto de vista estético.

▲esteto- [Do gr. *stêthos, eos-ous*.] *El. comp.* = 'peito': *estetoscópio*.

estetoscopia [De *esteto-* + *-scop-* + *-ia*[1].] *S. f.* Emprego do estetoscópio.

estetoscópico [De *estetoscopia* + *-ico*[2].] *Adj.* Relativo à estetoscopia.

estetoscópio [De *esteto-* + *-scópio*.] *S. m.* Instrumento, de que há alguns tipos, com que se realiza a ausculta em diferentes setores do corpo, e que se utiliza em diversas especialidades médicas (cardiologia, pneumologia, gastrenterologia, angiologia, obstetrícia, etc.).

esteva[1] (ê) [Do lat. hisp. *stipa*, var. de *stippa*, de or. incerta.] *S. f. Bot.* Arbusto cistáceo (*Cistus ladaniferus*) de folhas grandes, flores também grandes, brancas, terminais, geralmente solitárias, e fruto capsular tomentoso. Segrega resina aromática utilizada em farmácia por suas propriedades sedativas. [Sin.: *xara*. Pl.: *estevas* (ê). Cf. *esteva* e *estevas*, do v. *estevar*.]

esteva[2] (ê) [Do lat. vulg. *steva* < lat. láss. *stiva*.] *S. f.* Rabiça do arado. [Pl.: *estevas* (ê). Cf. *esteva* e *estevas*, do v. *estevar*.]

esteval [De *esteva*[1] + *-al*[1].] *S. m.* **1.** Grande quantidade de estevas [v. *esteva*[1] (ê)] dispostas proximamente entre si. **2.** Área ocupada por esteval (1).

estevão[1] [De *esteva*[1] + *-ão*[1].] *S. m. Bot.* Arbusto cistáceo (*Cistus populifolius*) de folhas grandes, cordiformes, ovaladas, grandes flores reunidas em corimbos, e fruto capsular glabro ou levemente tomentoso; lada. [Cf. *Estêvão*, antr. m., e *estevam*, do v. *estevar*.]

estevão[2] *S. m. Bras. BA Zool.* V. *trinca-ferro*. [Cf. *Estêvão*, antr. m., e *estevam*, do v. *estevar*.]

estevar [De *esteva*[2] + *-ar*[2].] *V. int.* Governar a esteva[2] (ê). [Pres. ind.: *estevo, estevas, esteva, ... estevam*; pres. subj.: *esteve, esteves*, etc. Cf. *esteva* (ê), s. f., e pl. *estevas* (ê); *esteve* (ê), do v. *estar*; *estevão*, s. m.; *Estêvão* e *Esteves* (ê), antr.; e o v. *estivar*.]

estévia [Do tax. *Stevia*.] *S. f. Bot.* **1.** Gênero de ervas e arbustos asteráceos que habitam, esp., as regiões quentes do Novo Mundo, e que têm folhagens glutinosas e flores purpúreas. **2.** Qualquer espécie desse gênero como, p. ex., a *Stevia rebaudiana*, que fornece adoçante dietético. **3.** Qualquer espécime desse gênero.

esteviosídeo [Do tax. *Stevia (rebaudiana)* (v. *estévia*) + *-os(e)-*[2] + *-ídeo*[2].] *S. m. Quím.* Substância cristalina que é um glicosídeo retirado da estévia (2), e trezentas vezes mais doce que o açúcar de cana, sendo us. como adoçante não nutritivo [fórm.: $C_{38}H_{60}O_{18}$].

estia *S. f. Bras. Gír.* Belisária.

estiada [De *estiar* + *-ada*[1].] *S. f.* **1.** V. *estiagem*. **2.** Aberta (3). [Cf. *esteada*, do v. *estear*.]

estiado [Part. de *estiar*.] *Adj.* Diz-se do tempo sereno e seco. [Cf. *esteado*, do v. *estear*.]

estiagem [De *estiar* + *-agem*[2].] *S. f.* **1.** Tempo sereno ou seco em seguida a tempo chuvoso ou tempestuoso. **2.** Falta ou cessação de chuva. **3.** Abaixamento máximo da água em rios, fontes, etc. [Sin. ger.: *estiada*.]

estiar [De *estio* + *-ar*[2].] *V. int.* **1.** Cessar de chover; serenar (o tempo): 📖 "Das nuvens que marcham, quando estia, vão surgindo .... monstruosos avejões e carniceiros" (Xavier Marques, *A Cidade Encantada*, p. 177). *P.* **2.** Relaxar(-se); afrouxar(-se). [Fut. pret.: *estiaria*, etc. Cf. *estear*, v., e *estearia*, do v. *estear* e s. f.]

estibiado [De *estíbio* + *-ado*[1].] *Adj.* Que tem estíbio.

estibina [De *estib(o)-* + *-ina*[3].] *S. f.* **1.** *Min.* Antimonita. **2.** *Quím.* Hidreto de antimônio, gasoso, incolor, de cheiro desagradável [fórm.: SbH_3].

estíbio [Do lat. *stibium* (do gr. *stíbi*, de or. egípcia).] *S. m. Quím. Desus.* Antimônio.

▲estib(o)- [De *estíbio* (q. v.).] *Quím. El. comp.* Indica a presença, na molécula de uma substância, de um átomo de antimônio: *estibina*.

estibordo [Do port. arc. *estribordo* (< fr. ant. *estribord* [atual *tribord*] < neerl. *stierboord*, poss.), com dissimilação.] *S. m. Mar.* O lado direito da embarcação, considerando-se a proa como a sua frente. [Cf. *bombordo* e *boreste*.]

estica[1] [Dev. de *esticar*.] *S. f.* **1.** Saúde precária; magreza. **2.** Pessoa magra. **3.** Miséria extrema; penúria. **4.** Pedaço de pau que serve para tapar um buraco; espicho, estucha. ◆ **Estar na estica.** **1.** *Bras. N.E. Pop.* Estar na miséria. **2.** *Bras. S.* Estar bem vestido.

estica[2] [Do lat. *sticha*.] *S. f.* Variedade de videira.

esticada [De *esticar* + *-ada*[1].] *S. f. Bras.* Ato ou efeito de esticar (4).

esticadela [De *esticar* + *-dela*.] *S. f.* Ato de esticar(-se).

esticado [Part. de *esticar*.] *Adj.* **1.** Que sofreu esticamento ou esticão. **2.** *Fig.* Bem trajado.

esticador (ô) [De *esticar* + *-dor*.] *Adj.* **1.** Que estica. ● *S. m.* **2.** *Bras. MG SP* Mourão principal, que serve para manter esticados os fios de arame duma cerca.

esticamento [De *esticar* + *-mento*.] *S. m.* Ato ou efeito de esticar(-se).

esticão [De *esticar* + *-ão*[1].] *S. m.* Esticadela forte.

esticar [De or. obscura.] *V. t. d.* **1.** Puxar, segurando com força; distender: 🗣 *esticar uma corda, um cordão.* **2.** Estender, alongar, espichar: 🗣 *esticar as pernas, o pescoço.* *Int.* **3.** *Pop.* V. *morrer* (1). *T. c.* **4.** *Bras.* Prolongar um encontro ou reunião festiva, indo a outro lugar com o mesmo fim: 🗣 *Ontem à noite esticamos na casa da Margarida. — Foi ótimo.* *P.* **5.** Estender-se, espichar-se. [Conjug.: v. *trancar*.]

esticometria [Do gr. *stíchos*, 'linha', 'verso', + *-metria*.] *S. f.* **1.** Divisão de uma obra em partes muito pequenas, em linhas ou em versículos: 🗣 *a esticometria da Bíblia.* **2.** Numeração das linhas de um texto, para facilitar colações e citações.

esticométrico [De *esticometria* + *-ico*[2].] *Adj.* Relativo à esticometria.

estifnato [De *estifn(ico)* + *-ato*[2].] *S. m. Quím.* Qualquer sal do ácido estífnico. [Tais sais são explosivos poderosos.]

estífnico [Do rad. *styphn-* (= *estifn-*), f. irreg. a partir do gr. *stryphnós*, 'de sabor acre', + *-ico*[2]; al. *Styphn(insäure)*.] *Adj. Quím.* V. *ácido —*.

estígio [Do gr. *stýgios*, pelo lat. *stygiu*.] *Adj. Mit.* Relativo ao Estige, rio do Inferno, da mitologia grega.

estigiofobia [Do ingl. *stygiophobia*.] *S. f. Psiq.* Medo mórbido de ir para o inferno; hadeofobia.

estigiofóbico [De *estigiofobia* + *-ico*[2].] *Psiq. Adj.* **1.** Relativo a estigiofobia. **2.** Que sofre de estigiofobia; estigiófobo, hadeófobo. ● *S. m.* **3.** Aquele que sofre de estigiofobia; estigiófobo, hadeófobo. [Sin. ger.: *hadeofóbico*.]

estigiófobo [De *estigio-*, como em *estigiofobia*, + *-fobo*.] *Adj. S. m. Psiq.* V. *estigiofóbico* (2 e 3).

estigma [Do gr. *stígma*, pelo lat. *stigma*.] *S. m.* **1.** Cicatriz, marca, sinal: 🗣 *os estigmas da varíola.* **2.** Sinal infamante; ferrete. **3.** Sinal natural no corpo. **4.** As marcas das cinco chagas de Cristo: 🗣 *os estigmas de S. Francisco.* **5.** *Fig.* Aquilo que marca, que assinala: 🗣 *os estigmas da arte.* **6.** *Fig.* Marca infamante, vergonhosa; labéu. **7.** *Antrop.* Traço persistente de um indivíduo ou grupo que evoca uma séria desaprovação social por ser considerado contrário às normas culturais vigentes, e que leva frequentemente à marginalização. **8.** *Bot.* Porção terminal do gineceu, destinada a recolher o pólen, e sobre a qual ele germina. Pode ser punctiforme, capitado ou ramoso. **9.** *Zool.* Espiráculo (5).

estigmar [Do lat. tard. *stigmare*.] *V. t. d. T. d. e i. Transobj.* V. *estigmatizar*: 📖 "A pele .... aparecia-me agora amarela, estigmada pelo mesmo flagelo, que devastara o rosto da espanhola." (Machado de Assis, *Memórias Póstumas de Brás Cubas*, p. 124.)

estigmasterol [Do tax. *(Physo)stigma* (v. *fava-de-calabar*) + *-sterol*.] *S. m. Quím.* Esterol que contém duas ligações duplas e que ocorre no óleo de soja [fórm.: $C_{29}H_{48}O$]. [Pl.: *estigmasteróis*.]

estigmático [De *estigmat(o)-* + *-ico*[2].] *Adj. Ópt.* Diz-se do sistema óptico que faz corresponder a um objeto uma imagem pontual.

estigmatífero [De *estigmat(o)-* + *-ífero*.] *Adj. Bot.* Diz-se do órgão que traz o(s) estigma(s).

estigmatismo [De *estigmat(o)-* + *-ismo*.] *S. m. Ópt.* Propriedade que tem um sistema óptico de ser estigmático.

estigmatizado [Part. de *estigmatizar*.] *Adj.* **1.** Marcado com estigma. **2.** Censurado, verberado. ● *S. m.* **3.** Aquele que apresenta no corpo a marca das chagas de Jesus Cristo.

estigmatizante [De *estigmatizar* + *-nte*.] *Adj. 2 g.* Que marca, estigmatiza.

estigmatizar [Do lat. med. *stigmatizare*.] *V. t. d.* **1.** Marcar com ferrete, por pena infamante. **2.** Acusar como autor de ação infame; censurar, verberar: 🗣 *Estigmatizaram injustamente o governador.* **3.** Censurar, acoimar, condenar: 📖 "para estigmatizar não só a hipertrofia militarista, mas a própria instituição da guerra." (Ricardo Jorge, *Sermões dum Leigo*, p. 132). *T. d. e i.* **4.** Estigmatizar (2): 🗣 *Estigmatizou o governo pelos erros cometidos.* *Transobj.* **5.** Qualificar pejorativamente; apodar, tachar: 🗣 *Estigmatizou-o de infame.* [Sin. ger., bras.: *estigmar*.]

▲estigmat(o)- [Do gr. *stígma, atos*.] *El. comp.* = 'marca', 'ponto'; 'estigma (7)': *estigmatífero, estigmatóforo*. [Equiv.: *-(e)stigm(o)-, estigm(o)-, -(e)stigmat(o)-*: *mesostigmado; estigmologia, estigmônimo; astigmatismo*.]

▲-(e)stigmat(o)- V. *estigmat(o)-*.

estigmatóforo [De *estigmat(o)-* + *-foro*.] *Adj. Bot.* Que tem estigma (8).

estigmatografia [De *estigmat(o)-* + *-grafia*.] *S. f.* Arte de escrever ou desenhar com auxílio de pontos.

estigmatográfico [De *estigmatografia* + *-ico*[2].] *Adj.* Relativo à estigmatografia.

estigmatose [De *estigmat(o)-* + *-ose*[1].] *S. f. Derm.* Dermatose que se caracteriza por partes ulceradas.

▲estigm(o)- V. *estigmat(o)-*.

▲-(e)stigm(o)- V. *estigmat(o)-*.

estigmologia [De *estigm(o)-* + *-logia*.] *S. f. E. Ling.* Tratado ou complexo dos vários sinais, como o til, a cedilha, a vírgula, etc., que, com as letras, se usam na escrita.

estigmológico [De *estigmologia* + *-ico*².] *Adj.* Relativo à estigmologia.

estigmonímico [De *estigmônimo* + *-ico*².] *Adj.* Relativo a estigmônimo.

estigmónimo *S. m.* V. *estigmônimo.* [Uso freq. em P.]

estigmônimo [De *estigm(o)-* + *-ônimo*.] *S. m.* Vocábulo ou nome que é substituído por pontos.

estila *S. f.* V. *estilha.*

estilar¹ [De *estil(i)-* + *-ar*¹.] *Adj. 2 g. Bot.* Relativo ao estilete: *ramos estilares.*

estilar² [De *estil(i)-* + *-ar*².] *V. t. d.* **1.** Picar ou ferir com estilete. **2.** *Fig.* Ferir; torturar; espicaçar. **3.** V. *estilizar* (1).

estilar³ [Do lat. *stillare*.] *V. t. d.* **1.** V. *destilar* (1 e 2). **2.** Derramar, verter, chorar: *estilar lágrimas.* *Int.* **3.** V. *destilar* (6). **4.** Consumir-se a pouco e pouco de dor, febre, etc.

estilbácea [Do tax. *Stilbe* + *-ácea*; tax. *Stilbaceae*.] *S. f. Bot.* Espécime das estilbáceas, família da ordem das lamiales, por vezes incluída entre as verbenáceas, que abrange sete gêneros e 14 espécies nativas do S.O. e S. da África.

estilbáceo [De *estilbácea*, com var. suf. (v. *-áceo*).] *Adj. Bot.* Pertencente ou relativo às estilbáceas.

estilbeno [Do gr. *stilb-* (< gr. *stilbós*, 'brilhante') + *-eno*².] *S. m. Quím.* Hidrocarboneto sólido, incolor, cujas moléculas contêm dois anéis benzênicos e uma insaturação [fórm.: $C_{14}H_{12}$].

estilbestrol [De *estilb(eno)* + *-(e)str(o)-* + *-ol*².] *S. m. Quím.* Dietilestilbestrol. [Pl.: *estilbestróis*.]

estilbita [Do gr. *stílbe*, 'candeeiro', + *-ita*³.] *S. f. Min.* Mineral monoclínico do grupo das zeólitas, silicato hidratado de alumínio, sódio e cálcio.

estilete (ê) [Do fr. *stylet* < it. ant. *stiletto*.] *S. m.* **1.** Punhal de lâmina fina. **2.** *Cir.* Tenta (1) comprida e delgada. **3.** *P. ext.* Objeto cuja forma lembra a do estilete (1). **4.** *Autom.* Pino metálico localizado na tampa do carburador e que funciona como uma válvula, abrindo e vedando a entrada de gasolina na cuba de nível constante; agulha. **5.** *Biol.* Formação calcária ou silicosa, diminuta, com o aspecto de espículas, encontrada em diversos animais marinhos e mesmo em alguns terrestres. **6.** *Bot.* Porção filamentosa que prolonga o ovário para cima, e na ponta da qual se acha o estigma. Através do estilete desce o tubo polínico para penetrar no ovário e operar a fecundação. **7.** *Zool.* Nos nemertinos, barbilhão assente na parede da probóscide, e que pode ser substituído por outro.

estiletear [De *estilete* + *-ear*².] *V. t. d. Bras.* Ferir com estilete. [Conjug.: v. *frear*.]

estilha [Do esp. *astilla*.] *S. f.* **1.** Lasca de madeira; cavaco. **2.** Fragmento, pedaço, estilhaço: "Era um terror e uma agitação por toda a cidade, ao ouvirem o ribombar da artilheria, e ao verem no ar a trajetória de fogo das bombardas, que vinham sem piedade rebentar em estilhas no meio da gente" (Oliveira Martins, *História de Portugal*, I, p. 277). [Var. *estila*.]

estilhaçado [Part. de *estilhaçar*.] *Adj.* **1.** Que se estilhaçou. **2.** Partido como que em estilhaços. **3.** Estilhado (2).

estilhaçar [De *estilhaço* + *-ar*².] *V. t. d.* **1.** Partir em estilhaços; despedaçar. **2.** Manifestar ou demonstrar com ruído. *P.* **3.** Fazer-se em estilhaços; despedaçar-se: "O carro freia bruscamente numa esquina e a fruteira, grande como era, perde o equilíbrio e, solta, se estilhaça." (Maria Julieta Drummond de Andrade, *O Valor da Vida*, p. 168.) [Conjug.: v. *laçar*.]

estilhaçável [De *estilhaçar* + *-vel*.] *Adj. 2 g.* Que pode ser estilhaçado: "enquanto, pelas esquadrias dos janelões vetustos, existiu um pedaço de vidro estilhaçável." (Luís Edmundo, *De um Livro de Memórias*, III, p. 725).

estilhaço [De *estilha* + *-aço*.] *S. m.* **1.** Fragmento de qualquer objeto despedaçado e projetado com violência: *estilhaço de granada*; *estilhaço de pedra.* **2.** Pedaço, fragmento, lasca.

estilhado [Part. de *estilhar*.] *Adj.* **1.** Partido como que em estilhas. **2.** Fragmentado, despedaçado; estilhaçado.

estilhar [De *estilha* + *-ar*².] *V. t. d. P.* Partir(-se) em estilhas; romper(-se), despedaçar(-se).

▲**estil(i)-** [Do lat. *stĭlos*, *i* (indevidamente associado ao gr. *styælus*, 'coluna').] *El. comp.* = 'estilo (ponteiro)'; 'estilo (expressão)'; 'estilete': *estiliforme.* [Equiv.: *estil(o)-*¹, *-stil(o)-*¹, *-stilo*¹: *estilista, estilógrafo; anisostilia; gamostilo.* Cf. *estil(o)-*².]

estilicídio [Do lat. *stillicidiu*.] *S. m.* **1.** O gotejar de um líquido. **2.** A queda da chuva dos beirais do telhado. **3.** *Fig.* Fluxo aquoso do nariz. [Sin., nesta acepç.: *coriza, defluxo* e (bras., ant. e pop.) *estalicídio.* Cf. *estalecido*.]

estilidiácea [Do tax. *Stylidium* + *-ácea*; tax. *Stylidiaceae*.] *S. f. Bot.* Espécime das estilidiáceas, família da ordem das asterales, composta de subarbustos e ervas de flores zigomorfas, hermafroditas ou unissexuais, com androceu formado por dois ou três estames, ger. concrescidos com o estilete. Ovário unilocular ou bilocular. Fruto seco, deiscente ou indeiscente. Compreende cerca de 120 espécies, em sua maioria australianas; não ocorre no Brasil.

estilidiáceo [De *estilidiácea*, com var. suf. (v. *-áceo*).] *Adj. Bot.* Pertencente ou relativo às estilidiáceas.

estiliforme [De *estil(i)-* + *-forme*.] *Adj. 2 g.* Que tem forma de estilete.

estilingue [Do ingl. *sling*, com epêntese, poss.] *S. m. Bras. MG C.O. S.* V. *atiradeira*: "Quando tinha seus dez anos e ainda não servia para serviço nenhum, pegava um estilingue e ficava matando passarinho aí pelo mato." (Rute Guimarães, *Água Funda*, pp. 152-153.)

estilismo [De *estilo* + *-ismo*.] *S. m.* **1.** *E. Ling.* Apuro exagerado no estilo ou na linguagem. **2.** *Vest.* Atividade de criação e planejamento em que o profissional, ou a equipe de profissionais de moda, confecciona as novas coleções [v. *coleção* (4)].

estilista [De *estilo* + *-ista*.] *S. 2 g.* **1.** Pessoa que escreve com estilo apurado, elegante: "Fora até amigo de Théophile Gautier, ... o estilista impecável" (Visconde de Taunay, *Ao Entardecer*, p. 138). **2.** Escritor que tem estilo próprio. **3.** *Bras.* Profissional que se ocupa em estudar e desenhar as novas coleções [v. *coleção* (4)]: "A maquilagem [da princesa Caroline de Mônaco] foi confiada ao estilista Olivier d'Echaude-Maison" (*Jornal do Brasil*, 28.06.1978). ● *Adj. 2 g.* **4.** Que escreve com estilo apurado.

estilística [Do al. *Stylistik*, pelo fr. *stylistique*.] *S. f. E. Ling.* **1.** Disciplina que estuda a expressividade duma língua, *i. e.*, a sua capacidade de sugestionar e emocionar mediante determinados processos e efeitos de estilo. **2.** Tratado ou compêndio dessa disciplina. **3.** Exemplar de um desses tratados ou compêndios.

estilístico [Do fr. *stylistique*.] *Adj.* Relativo ou pertencente à estilística, ou ao estilo.

estilita [Do gr. tard. *stylítes*.] *S. m.* Anacoreta que fazia a sua cela no cimo de pórticos ou de colunas em ruína.

estilização [De *estilizar* + *-ção*.] *S. f.* Ato ou efeito de estilizar (2).

estilizado [Part. de *estilizar*.] *Adj.* Que sofreu estilização.

estilizador (ô) [De *estilizar* + *-dor*.] *Adj. S. m.* Que, ou aquele que estiliza.

estilizar [De *estilo* + *-izar*.] *V. t. d.* **1.** Dar estilo (3) a; aprimorar, aperfeiçoar; estilar: *Frei Luís de Sousa estilizou os manuscritos de Frei Luís de Cácegas.* **2.** Modificar, suprimindo, substituindo e/ou acrescentando elementos para obter determinado(s) efeito(s) estético(s): *Simões Lopes Neto estilizou muitas lendas gaúchas*; *A escola de samba estilizou os trajes dos bandeirantes.*

estilizável [De *estilizar* + *-vel*.] *Adj. 2 g.* Que pode ser estilizado.

estilo [Do lat. *stilu*.] *S. m.* **1.** Pequena haste de osso, metal, etc., com uma extremidade pontiaguda e a outra espatulada, que era us. pelos antigos para escrever sobre a camada de cera das tábulas [v. *tábula* (2)]; grafio. **2.** *Fig.* Maneira de exprimir os pensamentos, falando ou escrevendo: *estilo natural*; *estilo afetado*; *estilo prolixo.* **3.** *Fig.* Maneira de escrever correta e elegante; linguagem aprimorada: *Lamentável que os conceitos do autor não estejam à altura de seu estilo.* **4.** *Fig.* Maneira de escrever caracterizada pelo emprego de expressões e fórmulas próprias de uma classe, profissão, ou grupo: *estilo publicitário*; *estilo forense*; *estilo didático*; *estilo militar.* **5.** *Fig.* Feitio, tom, orientação de um texto ou de uma alocução: *Dirigiu-se aos consócios em estilo protocolar, distante.* **6.** *Fig.* Afetação no falar ou no escrever: *Não é preciso fazer estilo, vamos ao que interessa.* **7.** *E. Ling.* Registro (12). **8.** *Liter.* O aspecto formal duma obra literária, levando-se em conta o tratamento dispensado à língua como meio de expressão: *estilo subjetivo*; *estilo tenso*; *estilo colorido*; *estilo conceituoso.* **9.** *Liter.* O modo de expressar-se de um escritor, ou de um grupo ou período literário, levando-se em conta características formais, estéticas e de conteúdo: *o estilo de Machado de Assis*; *o estilo dos poetas do Grupo Mineiro*; *o estilo da fase modernista.* **10.** *Art. Plást. Mús.* O conjunto de elementos capazes de imprimir diferentes graus de valor às criações artísticas, pelo emprego dos meios apropriados de expressão, tendo em vista determinados padrões estéticos: *Embora a mais nova das artes, o cinema já apresenta grande variedade de estilos.* **11.** *Art. Plást. Mús.* A feição especial típica de um artista, de um gênero, de uma escola, de uma época, de um tipo de cultura: *um quadro no estilo de Rembrandt*; *o estilo rigoroso de uma sonata clássica*; *a tendência espiritual do estilo gótico*; *o estilo inimitável da Pavlova*; *o estilo dos desenhos das grutas de Altamira.* **12.** Conjunto de características da forma e dos motivos ornamentais que distinguem determinados grupos de objetos de acordo com a época e o modo de fabricação: *móveis em estilo D. João V*; *artigos de couro em estilo rústico.* **13.** Uso, costume, prática, praxe: "Quincas Borba registrou o testamento, com as formalidades do estilo" (Machado de Assis, *Quincas Borba*, p. 15). **14.** Gênero, feição, espécie, qualidade; jaez: *Respondeu às injúrias com expressões do mesmo estilo.* **15.** Maneira de tratar, de viver; procedimento, conduta, modos: *Saudou a todos com seu estilo comedido.* **16.** Moda (3) quando encarada do ponto de vista do bom gosto, da estética. **17.** O ponteiro ou agulha do relógio de sol. **18.** *Bot.* A porção do pistilo, ger. situada acima do ovário, e que sustenta o estigma. **19.** *Bras. N.E. Pop.* Boas maneiras, bom comportamento: *É um rapaz sem estilo.* **20.** *Zool.* Ovopositor dos dípteros. **21.** *Zool.* Arista espessa, segmentada, perto da ponta do terceiro segmento antenal. **22.** Maneira ou traço pessoal no agir, na prática dum esporte, na dança, etc.: *Pelé jamais chutou uma bola fora de seu estilo*; *O estilo de Fred Astaire marcou época.* ◆ **Estilo asiático.** Estilo empolado e prolixo; asiatismo. **Estilo barroco. 1.** *Arquit. Art. Plást.* Estilo surgido na Itália, no séc. XVI, caracterizado pelo dinamismo das curvas e ornatos, pela forma de expressão suntuosa e dramática. **2.** *Liter.* Estilo que floresceu paralelamente ao movimento plástico e arquitetônico acima descrito, e no qual predomina a ordem imaginativa sobre a lógica, e a pompa verbal, o uso abundante de imagens literárias, comparações, paradoxos, jogos mentais, etc. **3.** *Mús.* Estilo caracterizado pela riqueza de ornatos e pelo emprego do baixo contínuo, quer em obras camerísticas, quer em obras dramáticas e grandiosas, de caráter sacro ou profano. [Tb. se diz, nessas três acepçs., apenas *barroco*.] **Estilo direto.** *Liter.* V. *discurso direto.* **Estilo fraldoso.** *Liter.* Estilo prolixo, redundante. **Estilo gótico. 1.** *Arquit.* O que se desenvolveu na Europa ocidental aproximadamente do séc. XIII ao séc. XV, caracterizado em especial pelo emprego das ogivas, as quais permitiam a construção de estruturas elevadas, e pela presença de elementos decorativos nas fachadas e portais; estilo ogival. **2.** *Art. Plást.* Estilo que floresceu no mesmo período, e que se manifesta em obras de caráter essencialmente religioso e de tendência em geral realista, entre as quais se destacam os vitrais e as tapeçarias, além das pinturas de retábulos, das miniaturas, das grandes esculturas de fachadas e portais. [Tb. se diz apenas *gótico*.] **Estilo indireto.** *Liter.* V. *discurso indireto.* **Estilo indireto livre.** *Liter.* V. *discurso indireto livre.* **Estilo manuelino.** *Arquit. Art. Plást.* Estilo decorativo que surgiu em Portugal no fim do séc. XV e floresceu durante o reinado de D. Manuel I (1469-1521), e que constitui uma adaptação do gótico flamejante (q. v.), com elementos decorativos platerescos e mouriscos e, sobretudo, motivos de origem náutica (marítima ou exótica), inspirados nas viagens marítimas portuguesas. [Tb. se diz apenas *manuelino*.] **Estilo ogival.** *Arquit.* Estilo gótico (1). **Estilo oral.** *Liter.* Estilo muito próximo da linguagem falada. **Estilo românico. 1.** *Arquit.* O que, depois da fase primitiva do cristianismo, se desenvolveu na Europa ocidental, do séc. IX ao XII, e em que as formas romanas e bizantinas aparecem, adaptadas e absorvidas pelos povos bárbaros, sobretudo em construções religiosas, nas quais se usavam elementos decorativos para divulgar temas do Antigo e do Novo Testamento. **2.** *Art. Plást.* Estilo que floresceu no mesmo período, de inspiração religiosa e forte carga expressiva, de técnica rudimentar, frequentemente ingênua e de inspiração popular, e que se manifestou especialmente em afrescos, mosaicos, e esculturas e ornatos de portais e capitéis. [Tb. se diz apenas *românico*.] **De estilo.** Diz-se de um objeto que tem as características de um estilo (12) definido e consagrado pelo tempo: *móveis de estilo*; *roupas de estilo.* **Em grande estilo.** Com solenidade, pompa, aparato, ou solene, pomposo, aparatoso: *O Ministro foi recebido em grande estilo*; *festa em grande estilo.*

▲**estil(o)-**¹ [De *estil(i)-* + *-o-*.] Equiv. de *estil(i)-*.

▲**estil(o)-**² [Do gr. *styælos*, ou (ʃ).] *El. comp.* = 'coluna': *estilometria, estilômetro.* [Equiv.: *-stil(o)-*², *-stilo*²: *pigostílio; diostilo.* Cf. *estil(i)-*.]

▲**estilo-** [De *estiloide*.] *El. comp.* = 'apófise estiloide': *estilofaríngeo, estiloglosso.*

estilóbata [De *estil(o)-*² + *-bata*.] *S. f. Arquit.* Na arquitetura clássica, soco escalonado ou contínuo sobre o qual se assentam colunas e paredes. [Var.: *estilóbato*.]

estilóbato *S. m. Arquit.* V. *estilóbata.*

estilofaríngeo [De *estilo-* + *-faring(o)-* + *-eo*.] *Adj.* ~ V. *músculo —.*

estiloglosso [De *estilo-* + *-glosso*.] *Adj.* ~ V. *músculo —*.

estilográfico [De *estilógrafo* + *-ico*².] *Adj.* Próprio de estilógrafo: *tinta estilográfica*.

estilógrafo [De *estil(o)-*¹ + *-grafo*.] *S. m.* V. *caneta-tinteiro*.

estiloide (ói) [De *estil(o)-*¹ + *-oide*.] *Adj. 2 g.* Semelhante a estilete (1). ~ V. *apófise —*. ❖

estiloióideo (o-i) *Adj. Anat.* ~ V. *músculo —*.

estilomatóforo [De *estil(o)-*² + *-omat(o)-* + *-foro*; tax. *Stylommatophora*.] *Zool. S. m.* **1.** Espécime dos estilomatóforos, ordem de animais metazoários, moluscos, pulmonados, providos de dois pares de tentáculos, dos quais o maior sustenta os olhos. São os caracóis e as lesmas terrestres. ● *Adj.* **2.** Pertencente ou relativo a eles.

estilometria [De *estil(o)-*² + *-metria*.] *S. f.* Arte de medir colunas.

estilométrico [De *estilometria* + *-ico*².] *Adj.* Relativo à estilometria, ou ao estilômetro.

estilómetro *S. m.* V. *estilômetro*. [Uso freq. em P.]

estilômetro [De *estil(o)-*² + *-metro*.] *S. m.* Instrumento usado para medir colunas.

estilpnomelano [Do gr. *stilpnós*, 'brilhante', + *-melano*.] *S. m. Min.* Mineral monoclínico, silicato básico hidratado de potássio, ferro, magnésio e alumínio.

estima [Dev. de *estimar*.] *S. f.* **1.** Sentimento da importância ou do valor de alguém ou de alguma coisa; apreço, consideração, respeito: *O gerente gozava da estima de todos os empregados.* **2.** Afeição, afeto; amizade: *A professora tinha grande estima àquelas crianças.* **3.** Apego que se dedica a um animal, a um objeto, etc. **4.** V. *estimativa* (1): *As medidas foram tomadas de acordo com a estima dos peritos.* [Sin. ger.: *estimação*.]

estimação [Do lat. *aestimatione*.] *S. f.* **1.** V. *estima*. **2.** *Estat.* Ato ou efeito de estimar (7). ◆ **De estimação.** Diz-se de um bem (animal ou coisa) a que se vota especial predileção ou estima: *cãozinho de estimação; caneta de estimação.* [Us. às vezes ironicamente: *Pisou o meu calo de estimação.*]

estimado [Part. de *estimar*.] *Adj.* Que se estima ou se estimou. ~ V. *navegação —a* e *posição —a*.

estimador (ô) [Do lat. *aestimatore*.] *Adj.* **1.** Que estima; avaliador. ● *S. m.* **2.** Aquele que estima. **3.** *Estat.* Valor de parâmetro de uma população determinado por uma função dos valores observados em uma amostra. [Sin., nesta acepç.: *estimativa*.] ◆ **Estimador coerente.** *Estat.* O que tende estocasticamente para o parâmetro estimado quando o número de membros da amostra tende para o número de membros da população; estimador consistente. **Estimador consistente.** *Estat.* Estimador coerente. **Estimador imparcial.** *Estat.* V. *estimador não viciado*. **Estimador não tendencioso.** *Estat.* V. *estimador não viciado*. **Estimador não viciado.** *Estat.* Aquele que tem a esperança matemática igual ao parâmetro que estima, independentemente do tamanho da amostra; estimador imparcial, estimador não tendencioso, estimador não viesado. Ex.: a média de uma amostra é um estimador não viciado da média da população. **Estimador não viesado.** *Estat.* V. *estimador não viciado*. **Estimador tendencioso.** *Estat.* V. *estimador viciado*. **Estimador viciado.** *Estat.* O que tem a esperança matemática diferente do parâmetro que estima; estimador viesado, estimador tendencioso. Ex.: o desvio padrão de uma amostra. **Estimador viesado.** *Estat.* V. *estimador viciado*.

estimar [Do lat. *aestimare*.] *V. t. d.* **1.** Ter em estima (1); apreciar, prezar: *Estima as artes: tem em casa valiosíssima pinacoteca.* **2.** Ter estima (2) a: *Estima-o, porém nunca o amou.* **3.** Determinar por cálculo ou avaliação o preço ou o valor de; fazer a estima (4) de: *O ourives estimou a velha joia de família.* **4.** Regozijar-se por; ter prazer em: "— Está bom... Queira perdoar... Estimarei que passe muito bem." (Camilo Castelo Branco, *A Mulher Fatal*, p. 59); *Estimo que estejas com saúde.* **5.** Dar por perceber. **6.** *Estat.* Calcular um estimador (3). **7.** *Estat.* Determinar (os parâmetros de uma equação) a partir de dados empíricos. *T. d. e c.* **8.** Avaliar, calcular o preço ou o valor: *Estimaram o quadro em três milhões de reais.* *P.* **9.** Ter-se em grande estima (1). **10.** Ter estima (1) recíproca: "passou logo a falar dos colégios europeus, do modo pelo qual aí se tratavam entre si os estudantes, ... do modo .... pelo qual se protegiam e se estimavam." (Aluísio Azevedo, *O Coruja*, pp. 26-27). **11.** Ter-se em conta de; agir como: *Estima-se um grande ator.* **12.** Ter consciência da própria dignidade; prezar-se: *Não agiu como um homem que se estima.*

estimativa [F. subst. de *estimativo*.] *S. f.* **1.** Avaliação, cálculo; cômputo; estima: *Ainda não temos uma estimativa exata de nossos prejuízos.* **2.** *Estat.* Estimador (3). **3.** *Estat.* Valor numérico do estimador (3) obtido a partir de uma determinada amostra. ◆ **Estimativa de custo.** Orçamento preliminar, geralmente baseado em anteprojeto.

estimativo [De *estimar* + *-tivo*.] *Adj.* **1.** Que sabe estimar, apreciar, avaliar: *olhar estimativo.* **2.** Fundado no apreço que se dá: *preço estimativo.* **3.** Fundado em probabilidades: *juízo estimativo.* ~ V. *valor —*.

estimatório [Do lat. tard. *aestimatoriu*.] *Adj.* Relativo a estimação; avaliatório.

estimável [Do lat. *aestimabile*.] *Adj. 2 g.* **1.** Digno de estima (1). **2.** Que se pode estimar (3): *prejuízo estimável em um milhão de reais.*

estimulação [Do lat. *stimulatione*.] *S. f.* Ato ou efeito de estimular(-se).

estimulante [De *estimular* + *-nte*.] *Adj. 2 g.* **1.** Que estimula ou incita: *comportamento estimulante.* **2.** Que ativa ou excita; excitante: *exercício estimulante.* **3.** Ofensivo, agressivo; irritante: *Aos comentários estimulantes dos colegas reagiu com fúria.* **4.** *Pop.* Diz-se de substância ou de medicamento que estimula o exercício de uma função orgânica ou psíquica. ● *S. m.* **5.** Aquilo que estimula ou incita. **6.** *Pop.* Medicamento estimulante (3): *estimulante do apetite; estimulante sexual.*

estimular [Do lat. *stimulare*.] *V. t. d.* **1.** Excitar, incitar, instigar; picar, espicaçar, ativar: *Os temperos estimulam o apetite; As novas estradas estimularam o desenvolvimento da cidade.* **2.** Animar, encorajar: "Nunca deixa [Almeida Garrett] de assistir à primeira representação de qualquer peça dum novo autor, estimulando-o com os seus aplausos" (José Osório de Oliveira, *O Romance de Garrett*, p. 167). **3.** Excitar o brio, a emulação de: *O belo comportamento do irmão estimulou-o.* **4.** Aguilhoar, picar, pungir: *estimular a montaria.* *T. d. e i.* **5.** Levar, compelir; incitar: *Os bons resultados estimularam-no a perseverar;* "Estimulou... o seu ardido filho... a guerrear Henrique II" (Antero de Figueiredo, *Leonor Teles*, p. 144). *P.* **6.** Ofender-se; ressentir-se. [Pres. ind.: *estimulo*, etc. Cf. *estímulo*, s. m.]

estimulável *Adj. 2 g.* Que pode ser estimulado.

estímulo [Do lat. *stimulu*.] *S. m.* **1.** Aguilhão, pua. **2.** *Fisiol.* Qualquer mudança no meio externo, ou interno, de um organismo, que provoca, neste organismo, uma resposta fisiológica, ou de comportamento. **3.** *Fig.* Incitamento ou incentivo para se alcançar determinado fim: *A boa safra foi um estímulo para o lavrador; A impunidade é um estímulo para o crime.* **4.** *Fig. Fam.* Brio, pundonor. [Cf. *estimulo*, do v. *estimular*.] ◆ **Estímulo condicionado.** *Psicol.* O que tem a capacidade de provocar uma resposta particular, ligando-a, respectivamente, a outro estímulo que, naturalmente, é capaz de provocar a mencionada resposta.

estingar *V. t. d. Marinh. Ant.* Colher (as velas) com os estingues. [Conjug.: v. *largar*. Pres. ind.: *estingo*, *estingas*, *estinga*, etc.; pres. subj.: *estingue*, *estingues*, etc. Cf. *extingo*, *extingas*, *extinga*, *extingue*, *extingues*, do v. *extinguir*.]

estingue [Do ingl. *sting*.] *S. m. Marinh.* Cada um dos cabos com que se carregam os punhos das velas redondas e dos toldos, e que podem ser singelos ou dobrados. Nas velas executam operação contrária à das escotas, colhendo o pano para os terços como preliminar para ferrá-lo. [Cf. *extingue*, do v. *extinguir*.]

estinha [Dev. de *estinhar*.] *S. f.* A segunda cresta das colmeias.

estinhar [De *es-* + *tinha* + *-ar*².] *V. t. d.* Tirar de (a colmeia) o segundo mel das abelhas.

estio [Do lat. *aestivu*.] *S. m.* **1.** Verão. ● *Adj.* **2.** V. *estival*.

estiolamento [De *estiolar* + *-mento*.] *S. m.* **1.** *Bot.* Alteração mórbida das plantas que vegetam em lugar escuro ou são privadas da luz, e que se caracteriza pelo descoramento e amolecimento dos tecidos ao atingirem certo grau de crescimento; ensoamento. **2.** *Fisiol.* Descoramento e enfraquecimento dos indivíduos que vivem privados da influência da luz e do ar puro. **3.** *P. ext.* Definhamento, enfraquecimento, fraqueza.

estiolante [De *estiolar* + *-nte*.] *Adj. 2 g.* Que causa estiolamento.

estiolar [Do fr. *étioler*.] *V. t. d.* **1.** Causar estiolamento (1 e 2) a. *Int. P.* **2.** Sofrer estiolamento (1 e 2): "A viúva envelhece de lágrimas e estiola como uma trepadeira queimada" (Fialho d'Almeida, *Contos*, p. 230). **3.** *P. ext.* Sofrer estiolamento (3); debilitar-se, enfraquecer-se; definhar, finar-se: "Para que não crescesse [o anarquismo], como planta bem regada, e ao contrário se estiolasse, seria necessário que ele próprio se persuadisse, se não já da falsidade da sua ideia, ao menos da inutilidade das suas práticas" (Eça de Queirós, *Ecos de Paris*, p. 189).

estiómeno *S. m. Patol.* V. *estiômeno*. [Uso freq. em P.]

estiômeno [Do lat. cient. *esthiomenus* < gr. *esthiómenos*.] *S. m. Patol.* Úlcera vulvar com elefantíase da região.

estipe [Do lat. *stipes* (nom.).] *S. m. Bot.* **1.** O caule das palmáceas e dos fetos arborescentes, que é indiviso e termina por uma coroa de folhas; estípite. [Cf. *espique*.] **2.** Haste que sustenta certos frutos, como os legumes das leguminosas e o píleo dos fungos agaricales.

estipela [Do lat. **stipella*.] *S. f. Bot.* Pequena estípula que se localiza na base das pinas de certas folhas penadas.

estipendiar [Do lat. **stipendiare*, por *stipendiari*.] *V. t. d.* Dar ou marcar estipêndio a; assalariar, assoldadar: "aventei uma ideia que me pareceu fecunda: estipendiar os jurados. Todo o serviço merece recompensa, ... e se o juiz de direito é pago, por que o não será o juiz de fato?" (Machado de Assis, *A Semana*, II, pp. 197-198). [Pres. ind.: *estipendio*, etc.; fut. pret.: *estipendiaria*, etc. Cf. *estipêndio*, s. m., e *estipendiária*, fem. de *estipendiário*.]

estipendiário [Do lat. *stipendiariu*.] *Adj. S. m.* Diz-se de, ou aquele que recebe estipêndio. [Fem.: *estipendiária*. Cf. *estipendiaria*, do v. *estipendiar*.]

estipêndio [Do lat. *stipendiu*.] *S. m.* **1.** Salário, soldada, paga; remuneração: "O oiro destinado ao estipêndio dos exércitos e das trirremes em defensão da pátria ameaçada é desviado para pagar as suntuosas festas do teatro." (Latino Coelho, *A Oração da Coroa*, p. CDVI.) **2.** *Ant.* Tributo, contribuição. [Cf. *estipendio*, do v. *estipendiar*.]

estípida [Do lat. *stipes*, *itis*, 'tronco', 'estaca', 'cepo', com var. suf.] *S. f. Arquit.* Coluna em forma de um tronco de cone alongado com a base menor voltada para baixo.

estipitado [De *estípite* + *-ado*¹.] *Adj.* Que tem estípite.

estípite [Do lat. *stipite*.] *S. m.* **1.** *Bot.* Estipe (1). **2.** *Fig.* Tronco de uma geração; raça.

estíptico [Do gr. *styptikós*.] *Adj.* **1.** *Med.* Adstringente (2). **2.** *Fig.* Apertado, escasso. [Var.: *estítico*.]

estípula [Do lat. *stipula*.] *S. f. Bot.* Apêndice, quase sempre pequenino e em número de dois, que se encontra junto à base da folha. [Cf. *estipula*, do v. *estipular*.]

estipulação [Do lat. *stipulatione*.] *S. f.* **1.** Ato ou efeito de estipular². **2.** Ajuste, convenção, contrato. **3.** Condição de um ajuste ou contrato; cláusula.

estipulado¹ [De *estípula* + *-ado*¹.] *Adj. Bot.* Que tem estípulas; estipuloso. [Cf. *exstipulado*.]

estipulado² [Part. de *estipular*².] *Adj.* **1.** Ajustado, combinado, assentado, convencionado. ● *S. m.* **2.** Aquilo que se estipulou, se combinou. [Cf. *exstipulado*.]

estipulador (ô) [Do lat. *stipulatore*.] *Adj. S. m.* Estipulante.

estipulante [De *estipular* + *-nte*.] *Adj. 2 g. S. 2 g.* Que, ou quem estipula; estipulador.

estipular¹ [De *estípula* + *-ar*¹.] *Adj. 2 g.* Relativo ou pertencente à estípula.

estipular² [Do lat. tard. *stipulare*.] *V. t. d.* **1.** *Jur.* Ajustar ou convencionar por meio de contrato ou de promessa jurídica, estabelecendo condições ou cláusulas propostas e aceitas de parte a parte. **2.** Determinar, estabelecer, fixar: *Estipulou as condições que lhe convinham.* [Pres. ind.: *estipulo*, *estipulas*, *estipula*, etc.; part.: *estipulado*. Cf. *estípula* e *exstipulado*.]

estipuliforme [De *estípula* + *-iforme*.] *Adj. 2 g.* Que tem forma de estípula.

estipuloso (ô) [De *estípulo* + *-oso*.] *Adj. Bot.* Estipulado¹.

estique-pôquer *S. m. Bras.* Pôquer aberto. [Pl.: *estique-pôqueres*.]

estiracácea [Do lat. cient. *Styrax*- (do tax. *Styrax*, v. *estírace*) + *-ácea*; tax. *Styracaceae*.] *S. f. Bot.* Espécime das estiracáceas, família de vegetais floríferos da ordem das teales, composta de árvores e arbustos de folhas alternas e flores minutas, hermafroditas, pentâmeras e diplostêmones, ovário súpero ou semi-ínfero, com vários óvulos, fruto capsular, drupáceo, ou seco e indeiscente. Existem umas 110 espécies, dos países temperados e tropicais, várias das quais produzem resinas aromáticas; no Brasil ocorrem algumas dezenas.

estiracáceo [De *estiracácea*, com var. suf. (v. *-áceo*).] *Adj. Bot.* Pertencente ou relativo às estiracáceas.

estiraçar [Do rad. de *estirar* + *-açar*.] *V. t. d.* **1.** Estirar muito; estender ao comprido, esticando. **2.** Estirar (4). *T. d. e c.* **3.** Estirar (9). *P.* **4.** Espreguiçar-se. [Conjug.: v. *laçar*. Pres. subj.: *estirace*, etc. Cf. *estirasse*, do v. *estirar*.]

estírace [Adapt. do tax. *Styrax* (do lat. *styrax*, *acis*, 'estoraque').] *S. m. Bot.* **1.** Grande gênero de árvores e arbustos estiracáceos, de folhas ger. pubescentes, e flores em racemos. **2.** Qualquer espécie desse gênero, como, p. ex., a *Styrax officinalis*, que fornece resina de importante uso industrial. **3.** Qualquer espécime desse gênero.

estiracossauro [Do gr. *stýrax*, *akos*, 'ponta de lança', + *-sauro*; tax. *Styracosaurus*.] *S. m. Paleont.* **1.** Gênero de dinossauros ornitísquios, ceratopsídeos, semelhantes ao rinoceronte, e que tinham até 5,5m de comprimento; viveram no cretáceo da América do Norte. **2.** Qualquer espécie desse gênero, como,

p. ex., a *Styracosaurus albertensis*, dotada de chifre pesado e forte, com cerca de 0,60m de comprimento, situado rente ao nariz, e mais 6 outros, em semicírculo, na parte posterior da cabeça. **3.** Qualquer espécime desse gênero.

estirada [De *estirar* + *-ada*[1].] *S. f.* **1.** *Bras. Prov. port.* Caminhada longa; estirão. **2.** *Bras. S.* Distância longa. ◆ **De uma estirada.** *Bras.* De um só fôlego; sem interrupção.

estirado [Part. de *estirar*.] *Adj.* **1.** Estendido ao comprido: *Encontrou-o no chão, estirado, sem sentidos.* **2.** Puxado com força para que não fique frouxo; esticado, tenso, retesado: *corda estirada.* **3.** Extenso, longo, dilatado: "Quem se coloca em posição horizontal, depois de vencidas umas estiradas léguas, adormece com certeza." (Visconde de Taunay, *Inocência*, p. 44); "Na manhã seguinte, abrindo o jornal, encontrou uma estirada correspondência da Mata Funda" (Coelho Neto, *Treva*, pp. 126-127); *Merecia um estirado período de descanso.* **4.** Muito demorado; prolixo; tedioso, enfadonho: *explicação estirada.* **5.** *Fig.* Sem naturalidade; forçado: *comparação estirada.*

estirador (ô) [De *estirar* + *-dor*.] *S. m.* Tábua ou mesa sobre a qual se estira ou assenta o papel em que se desenha ou pinta.

estiramento [De *estirar* + *-mento*.] *S. m.* **1.** Ato ou efeito de estirar(-se); estirão. **2.** Tensão demasiada; distensão. **3.** Espreguiçamento. **4.** *Med.* Distensão (2).

estirâncio *S. m.* Faixa do litoral coberta e descoberta pela maré, e que é delimitada pelos batentes de preamar e de baixa-mar; estirão. [Cf. *espraiado* (4).]

estirão [De *estir(ar)* + *-ão*[2].] *S. m.* **1.** Estiramento (1). **2.** Estirada (1). **3.** *Bras. Amaz.* Trecho de rio que corre em linha reta.

estirar [De *es-* + *tirar*.] *V. t. d.* **1.** Estender, puxando; esticar: *Estirou o fio para medir a distância.* **2.** Estender, alongar; esticar: *estirar as pernas.* **3.** Colocar em sentido retilíneo; alinhar, enfileirar. **4.** Estender ao comprido; deitar por terra; estiraçar: *Reagiu de pronto ao ataque, estirando os atacantes.* **5.** Tornar longo, dilatar prolixamente (um discurso, uma narrativa). **6.** Exceder os limites de. **7.** Violentar, forçar (a aplicação de uma lei, a interpretação de um texto, etc.). **8.** *Med.* Distender (5). *T. d. e c.* **9.** Estirar (4): *A queda estirou-o no chão. P.* **10.** Estender-se ao comprido: "Glória chegou da rua e se estirou na cama" (Adélia Prado, *Cacos para um Vitral*, p. 73). **11.** Abater-se, humilhar-se, prostrar-se. **12.** Prolongar-se, alongar-se. [Imperf. subj.: *estirasse*, etc. Cf. *estirace*, do v. *estiraçar*.]

estireno [De *estir(ace)* (q. v.) + *-eno*[2].] *S. m. Quím.* Substância líquida, de odor penetrante, tóxica, hidrocarboneto aromático que se pode considerar derivado do benzeno, por substituição de um dos hidrogênios deste por uma vinila, e cujo polímero tem extenso uso industrial (v. *poliestireno*) [fórm.: C_8H_8].

estirodonte [Adapt. do tax. *Strirodonta*.] *Zool. S. m.* **1.** Espécime dos estirodontes, ordem de animais equinodermos, equinoides, regulares, de carapaça rígida, brânquias externas, dentes carenados, e epífises da lanterna de aristóteles separadas.● *Adj. 2 g.* **2.** Pertencente ou relativo a eles.

estirpe [Do lat. *stirpe*.] *S. f.* **1.** *Bot.* Raiz (1). **2.** *P. ext.* Origem, tronco, linhagem, raça, ascendência, cepa: "Quero falar da parteira Matilde Durocher, cujas mãos peritas trouxeram à luz .... a preclara descendência de uma estirpe régia." (Silva Ramos, *Pela Vida fora...*, p. 31.).

estítico *Adj.* V. *estíptico*: "o seu peito é estreito e côncavo, as suas pernas estíticas e frágeis" (Ramalho Ortigão, *As Farpas*, VI, p. 7).

estiva [Do it. *stiva*.] *S. f.* **1.** A primeira porção de carga do navio. **2.** Armação do tabuleiro duma ponte de madeira. **3.** Pavimento gradeado dalgumas cavalariças. **4.** Taxa municipal do preço de certos gêneros. **5.** *Bras. Mar. Merc.* Serviço de movimentação de carga a bordo dos navios nos portos, o qual compreende a retirada e a arrumação desta nos porões e nos conveses. [Cf., nesta acepç., *resistência* (16).] **6.** *Bras. P. ext.* O conjunto dos estivadores [v. *estivador* (2)]. **7.** *Bras.* Os gêneros que formam a base do comércio de secos e molhados, especialmente os gêneros em grosso. **8.** Pesagem dos gêneros ou mercadorias estivadas. **9.** *Bras. N.* Ponte feita de um só pau, sobre forquilhas, em terrenos alagadiços ou pantanosos. [Cf., nesta acepç., *estivado* (2).] **10.** *Bras. MG RS* Ponte tosca, feita de varas ou paus atravessados sobre um córrego.

estivação[1] [De *estivar* + *-ção*.] *S. f.* Ato ou efeito de estivar.

estivação[2] [Do ingl. *aestivation, estivation*.] *S. f.* **1.** *Bot.* O botão da flor. **2.** *Ecol.* Estado de dormência ou letargia de certos animais que se dá quando a temperatura está demasiadamente elevada ou, sobretudo, quando a umidade é muito baixa.

estivado [Part. de *estivar*.] *Adj.* **1.** *Bras.* Cheio, repleto. ● *S. m.* **2.** *Bras. AM* Ponte rústica, espécie de estiva (9). **3.** *Bras. AM* Revestimento de um terreno acidentado, feito com paus roliços ou com varas.

estivador (ô) [De *estivar* + *-dor*.] *Adj.* **1.** *Mar. Merc.* Diz-se daquele que se emprega profissionalmente em estiva e desestiva de embarcação mercante.● *S. m.* **2.** *Mar. Merc.* Aquele que se emprega profissionalmente neste trabalho. **3.** *Bras.* Comerciante de estiva (7).

estivagem [De *estivar* + *-agem*[2].] *S. f. Mar. Merc.* Conjunto de operações destinadas à movimentação de mercadorias de terra para bordo, ou de uma embarcação para outra, ou de bordo para terra.

estival [Do lat. *aestivale*.] *Adj. 2 g.* Referente ao, ou próprio do estio; calmoso, estivo, estio.

estivar [Do lat. *stipare*, poss. pelo it. *stivare*.] *V. t. d.* **1.** Arrumar a estiva em (embarcação). **2.** Fazer a estiva (8) de; pesar. **3.** Despachar na alfândega. **4.** *Bras. N.* Construir estiva (9) sobre (terreno alagadiço). [Cf. *estevar*.]

estivense *Adj. 2 g.* **1.** De, ou pertencente ou relativo a Estiva (MG).● *S. 2 g.* **2.** O natural ou habitante de Estiva.

estivo [Do lat. *aestivu*.] *Adj.* V. *estival*: "Como o prazer, é o chorar preciso: / Mas breve passa — qual a chuva estiva" (Casimiro de Abreu, *Obras*, p. 168).

esto [Do lat. *aestu*.] *S. m.* **1.** Grande calor. **2.** Ardor, paixão. **3.** Enchente preamar. **4.** Ondulação ruidosa, agitação, ruído. [Cf. *esto* (ê).]

esto (ê) *Pron. Ant.* V. *isto*. [Cf. *esto*.]

estocada [De *estoque* + *-ada*[1].] *S. f.* **1.** Golpe com estoque[1]. **2.** Golpe com a ponta de espada ou florete. **3.** *Fig.* Surpresa desagradável. **4.** *Fig.* Astúcia para causar dano. [Cf. *estucada*, fem. do part. de *estucar*.]

estocado [Part. de *estocar*[2].] *Adj.* De que se fez estoque[2]: *mercadoria estocada.* [Cf. *estucado*.]

estocagem [De *estocar*[2] + *-agem*[2].] *S. f. Bras.* V. *estoque*[2].

estocar[1] [De *estoque*[1] + *-ar*[2].] *V. t. d.* Golpear (alguém) com estoque[1]. [Conjug.: v. *trancar*. Cf. *estucar*, v.]

estocar[2] [De *estoque*[2] + *-ar*[2].] *V. t. d. Bras. Com.* Formar estoque[2] de. [Conjug.: v. *trancar*. Cf. *estucar*, v.]

estocástico [Do gr. *stochastikós*, 'hábil para mirar, visar'; 'conjectural'.] *Adj.* **1.** *Estat.* Determinado pelas leis da probabilidade; aleatório: *variável estocástica.* **2.** *Mús.* Diz-se de um estilo e de uma técnica de composição musical lançados pelo grego Iannis Xenakis (1922-2001) a fim de opor-se ao formalismo da música serial, e nos quais o compositor introduz a teoria matemática das probabilidades. ~ V. *dependência —a, independência —a, processo — e variável —a.*

estocável [De *estocar*[2] + *-vel*.] *Adj. 2 g. Bras.* Que se pode ou deve estocar[2].

estofa[1] (ô) [Do fr. ant. *estophe, estofe* (atual *étoffe*), 'toda sorte de material que serve para ornar, adornar'.] *S. f.* **1.** Estofo[1] (1). **2.** *Fig.* V. *laia*[1]. [Pl.: *estofas* (ô). Cf. *estofa* e *estofas*, do v. *estofar*.]

estofa[2] (ô) [F. subst. de *estofo*[2].] *S. f.* Período em que o nível do mar fica estacionário, sem oscilação de maré, e que ocorre na preamar (*estofa de enchente*) e na baixa-mar (*estofa de vazante*). [Pl.: *estofas* (ô). Cf. *estofa* e *estofas*, do v. *estofar*.] ◆ **Estofa de enchente.** V. *estofa* (ô). **Estofa de vazante.** V. *estofa* (ô).

estofado [Part. de *estofar*.] *Adj.* **1.** Guarnecido ou coberto de estofo[1] (1 e 2). **2.** V. *acolchoado*[2] (1). ~ V. *capa —a.*● *S. m.* **3.** O conjunto de sofá (1) e cadeira(s) estofados: *O estofado da sala era em vermelho e preto.* [M. us., nesta acepç., no pl. Cf. *estufado*, do v. *estufar*, adj. e s. m.]

estofador (ô) [De *estofar* + *-dor*.] *S. m.* **1.** Aquele que tem por ofício estofar móveis. **2.** Aquele que vende móveis estofados, cortinas e outros adornos para interior de casas.

estofamento [De *estofar* + *-mento*.] *S. m.* **1.** Ato de estofar. **2.** Estrutura interior (estofo, molas, etc.) de um móvel estofado. **3.** Estofo[1] (2). **4.** *Lus.* Encarnação (3).

estofar [De *estofo*[1] + *-ar*[2].] *V. t. d.* **1.** Guarnecer ou cobrir de estofo; acolchoar. **2.** Acolchoar[1] (2). **3.** Tornar encorpado. [Pres. ind.: *estofo, estofas, estofa*, etc. Cf. *estofa* (ô), s. f., pl. *estofas* (ô); *estofo* (ô), s. m. e adj., flex. *estofa* (ô), *estofos* (ô), *estofas* (ô), e o v. *estufar*.]

estofo[1] (ô) [De *estofa*[1] (ô).] *S. m.* **1.** *Tec. Têx.* Tecido, em geral lavrado, de lã, seda, algodão, etc., usado especialmente para decoração; estofa. **2.** Algodão, lã, crina, espuma, etc., com que se revestem interiormente sofás, cadeiras, etc.; estofamento. **3.** *Fig. Bras.* Fibra, energia, firmeza. [Pl.: *estofos* (ô). Cf. *estofo*, do v. *estofar*.]

estofo[2] (ô) [De or. incerta.] *Adj.* **1.** Estagnado, parado. **2.** Que não sobe nem desce: *maré estofa.* [Flex.: *estofa* (ô), *estofos* (ô), *estofas* (ô). Cf. *estofo, estofas, estofa*, do v. *estofar*.]

estoicidade [De *estoico* + *-(i)dade*.] *S. f.* Qualidade de estoico (4 e 5); estoicismo.

estoicismo [De *estoico* + *-ismo*.] *S. m.* **1.** *Filos.* Designação comum às doutrinas dos filósofos gregos Zenão de Cício (340-264) e seus seguidores Cleanto (séc. III a. C.), Crisipo (280-208) e os romanos Epicteto (c. 55-c. 135) e Marco Aurélio (121-180), caracterizadas sobretudo pela consideração do problema moral, constituindo a ataraxia o ideal do sábio. **2.** Austeridade de caráter; rigidez moral. **3.** Impassibilidade em face da dor ou do infortúnio.

estoico (ói) [Do gr. *stoikós*, pelo lat. *stoicu*.] *S. m.* **1.** Partidário do estoicismo (1). **2.** Indivíduo estoico. ● *Adj.* **3.** Relativo ao estoicismo. **4.** Austero, rígido. **5.** Impassível ante a dor e a adversidade.❖

estoirada *S. f.* V. *estourada*.

estoirado *Adj.* V. *estourado*.

estoirar *V. int. T. i. T. d. T. c.* V. *estourar*.

estoira-vergas *S. m. 2 n.* Estoura-vergas.

estoiraz *Adj. 2 g.* V. *estouraz*.

estoiro *S. m.* V. *estouro*.

estojar [Do lat. vulg. **studiare*, 'guardar com cuidado', < lat. *studium*, 'zelo'.] *V. t. d.* Guardar em estojo. [Pres. ind.: *estojo*, etc. Cf. *estojo* (ô).]

estojo (ô) [Dev. de *estojar*.] *S. m.* **1.** Caixa cuja forma e disposição interna se adaptam ao que nela se guarda: *estojo de desenho; estojo cirúrgico; estojo de violino.* **2.** Escrínio (2). **3.** Capa, invólucro ou bainha destinada a guardar e proteger objetos delicados ou finamente trabalhados: *estojo de óculos, de faca.* [Pl.: *estojos* (ó). Cf. *estojo*, do v. *estojar*.] ◆ **Estojo peniano.** *Etnogr.* Entre alguns povos indígenas brasileiros, protetor do órgão sexual masculino, que pressiona o prepúcio e encobre a glande, feito de dobradura afunilada de folíolo de broto de palmeira, com orifício na ponta.

estol [Do ingl. *stall*.] *S. m. Aer. Av.* Redução da velocidade relativa ao ar, de um avião ou de um aeromodelo, a ponto de o fazer cair, por ser o seu peso maior que a força de sustentação das asas; perda. [Pl.: *estóis*.]

estola [Do gr. *stolé* pelo lat. *stola*.] *S. f.* **1.** Fita larga que os sacerdotes põem por cima da alva. **2.** Espécie de xale comprido, geralmente retangular, que as mulheres usam como agasalho ou como adorno.

estolão [De *estola* + *-ão*[1].] *S. m.* Estola grande.

estolar [De *estola* + *-ar*[2].] *V. t. d. Aer. Av.* Levar a aeronave à situação de estol (q. v.).

estolho (ô) [Do lat. *stolo, onis*, 'pimpolho'.] *S. m. Bot.* Caule rastejante que emite regularmente de espaço a espaço raízes para baixo e ramos para cima. Pode ser superficial ou subterrâneo, assegura rápida propagação das plantas que o possuem, e é comum nas monocotiledôneas.

estolhoso (ô) [De *estolho* + *-oso*.] *Adj. Bot.* Que tem estolho; estolonífero: *rizoma estolhoso.*

estolidez (ê) [De *estólido* + *-ez*.] *S. f.* Qualidade ou ação de estólido.

estólido [Do lat. *stolidu*.] *Adj.* **1.** Tolo, parvo, estúpido, estulto: "aplaudiu a minha franca lealdade, modificando para melhor a sua opinião impressa a respeito das minhas parvoiçadas líricas, muito acentuadas na estólida pretensão de fazer-me mestre de estética portuguesa." (Camilo Castelo Branco, *Serões de São Miguel de Ceide*, II, p. 13). **2.** Disparatado, estabanado, estouvado.

estolidobranquiado [Adap. do tax. *Stolidobranchiata*.] *Zool. S. m.* **1.** Espécime dos estolidobranquiados, subordem de tunicados pleurógonos, que têm espécies de forma variada, e que se caracterizam por terem o corpo indiviso.● *Adj.* **2.** Pertencente ou relativo a eles.

estólon [Do lat. cient. *stolon* (do lat. *stolo, onis*, 'gomo').] *S. m. Zool.* Estrutura semelhante a uma haste, observada em colônias de celenterados, na qual, por brotamento, ficam presos os zooides.

estolonífero[1] [Do lat. *stolon* (v. *estolho*) + *-ífero*.] *Adj. Bot.* Estolhoso.

estolonífero[2] [Adapt. do tax. *Stolonifera*.] *Zool. S. m.* **1.** Espécime dos estoloníferos, ordem de animais celenterados, alcionários, cujos pólipos surgem separadamente de uma matriz comum. Esqueleto de espículas separadas, às vezes fundidas em tubos. ● *Adj.* **2.** Pertencente ou relativo a eles.

estoma [Do lat. cient. *stoma* < gr. *stóma*, 'boca'.] *S. m. Bot.* Estômato.

estomacal [Do lat. *stomachus*, 'estômago', + *-al*[1].] *Adj. 2 g.* **1.** Do, ou relativo ou pertencente ao estômago. **2.** *Pop.* Bom para o estômago. [Sin. ger.: *estomáquico*.]

estomagado [Part. de *estomagar*.] *Adj.* Que se estomagou; irritado, escandalizado.

estomagar [Do lat. **stomachare*, por *stomachari*.] *V. t. d.* **1.** Zangar; irritar; indignar, agastar: *As censuras o estomagaram.* **2.** Ofender; escandalizar. *P.* **3.** Irritar-se, zangar-se, indignar-se. **4.** Ofender-se; escandalizar-se. [Conjug.: v. *largar*. Pres. ind.: *estomago*, etc. Cf. *estômago*.]

estômago [Do gr. *stómachos*, pelo lat. *stomachu*.] *S. m.* **1.** *Anat.* Víscera na qual se faz parte da digestão dos alimentos, situada entre o esôfago e o duodeno. **2.** *P. ext.* A parte externa do corpo que corresponde à região estomacal. **3.** *Fig.* Disposição, ânimo; apetite:

Embora jovem, mostrou que tinha estômago para lutar. 4. *Fig.* Capacidade de aguentar situações desagradáveis; paciência. 5. *Fig.* Interesse pecuniário; ambição sórdida. [Cf. *estomago*, do v. *estomagar.*] ◆ **Estômago de avestruz.** O de pessoa capaz de comer qualquer coisa. [Cf. *estômago de avestruz*, s. m.] **Estar com o estômago a dar (as) horas.** V. *estar com a barriga no espinhaço* (2): "E, umas vezes [estando] com o estômago a dar horas, outras com o taleigo abonado" (Aquilino Ribeiro, *S. Bonaboião, Anacoreta e Mártir*, p. 53). **Estar com o estômago dando (as) horas.** V. *estar com a barriga no espinhaço* (2). **Forrar o estômago.** Ingerir certa porção de alimento muito menor que a da refeição habitual. **Ter estômago (para).** Ter coragem ou estrutura para suportar, ver, sentir ou fazer algo. **Ter o estômago no espinhaço.** V. *estar com a barriga no espinhaço* (2): "Jorge declarou que tinha o estômago no espinhaço e chamou os hóspedes para a mesa, mas Ambrosina pediu que a deixassem descansar" (Aluísio Azevedo, *A Condessa Vésper*, p. 193).

estômago de avestruz *S. m. Irôn. Pej.* Aquele que é capaz de comer qualquer coisa, não se importando com a qualidade do alimento. [Pl.: *estômagos de avestruz*. Cf. *estômago de avestruz*, loc.]

estomalgia [Do gr. *stóma* (nom.) + *-algia*.] *S. f.* Dor na boca.

estomáquico [Do gr. *stomachikós*, pelo lat. *stomachicu*.] *Adj.* V. *estomacal*. ~ V. *coronária —a*.

estomático [Do gr. *stomatikós*.] *Adj.* 1. Diz-se dos medicamentos que combatem afecções da boca. 2. Relativo ao estômato. ~ V. *cripta —a*.

estomatite [De *estomat(o)-* + *-ite*[1].] *S. f. Patol.* Inflamação da membrana mucosa da boca.

▲**estomat(o)-** [Do gr. *stóma, atos*.] *El. comp.* = 'boca', 'orifício': *estomatite*. [Equiv.: *-(e)stomat(o)-, -stoma-, -stom(o)-, -stoma, -stomo*: *distomatose; colostomia; histerostomatomia, histerostomátomo; actinóstoma; laringóstomo*.]

▲**-(e)stomat(o)-** V. *estomat(o)-*.

estômato [Do fr. *stomate*.] *S. m. Bot.* Pequenina abertura na epiderme foliar e caulinar, que se abre, internamente, num sistema de canais aeríferos, que permitem as trocas gasosas necessárias à vida das plantas. É formado por duas células reniformes, que se afastam ou se aproximam, abrindo ou fechando, assim, o ostíolo (q. v.). [Sin.: *estoma*.]

estomatocordado [De *estomat(o)-* + *-cord(o)-* + *-ado*[3].] *Zool. S. m.* 1. Espécime dos estomatocordados, grupo de animais aquáticos, cuja posição filogenética não é bem definida, e que se situam entre os anelídeos e os equinodermos. [V. *hemicordado*.] ● *Adj.* 2. Pertencente ou relativo a eles.

estomatogástrico [De *estomat(o)-* + *-gastr(o)-* + *-ico*[2].] *Adj.* Relativo à boca e ao estômago.

estomatognático [De *estomat(o)-* + *-gnat(o)-* + *-ico*[2].] *Adj. Anat.* V. *sistema —*.

estomatologia [De *estomat(o)-* + *-logia*.] *S. f. Med.* Estudo da boca e das suas moléstias.

estomatológico [De *estomatologia* + *-ico*[2].] *Adj.* Pertencente ou relativo a estomatologia.

estomatologista [De *estomat(o)-* + *-log(o)-* + *-ista*.] *S. 2 g.* Especialista em estomatologia.

estomatomicose [De *estomat(o)-* + *micose*.] *S. f. Med.* Sapinhos.

estomatonoma [De *estomat(o)-* + *noma*.] *S. f. Patol.* Forma de noma em que ocorre grave infecção bucal, com áreas gangrenadas; noma.

estomatoplastia [De *estomat(o)-* + *plastia*.] *S. f. Med.* Cirurgia plástica ou restauradora da boca.

estomatoplástica [De *estomat(o)-* + *plástica*.] *S. f. Cir.* Cirurgia plástica da boca.

estomatópode [De *estomat(o)-* + *-pode*; tax. *Stomatopoda*.] *Zool. S. m.* 1. Espécime dos estomatópodes, ordem de artrópodes, crustáceos, hoplocarídeos, com três pares de pernas ambulatórias, cinco pares de maxilípedes, olhos pedunculados, abdome grande e muito comprido, telso em forma de placa denteada e brânquias abdominais. Vivem no fundo do mar, na areia ou em cavidades. São as tamburutacas. ● *Adj. 2 g.* 2. Pertencente ou relativo a eles.

estomatoscópio [De *estomat(o)-* + *-scópio*.] *S. m. Med.* Instrumento us. para exame da boca por inspeção.

estomentar [De *es-* + *tomento* + *-ar*[2].] *V. t. d.* Tirar os tomentos a (o linho), batendo-o com a espadela; espadelar, espadar, tascar, tasquinhar.

estomodeu [Do lat. cient. *stomodaeum, stomodeum*.] *S. m. Zool.* Tubo esofagiano dos actiniários, que funciona como canal alimentar e pode ou não apresentar sulcos denominados sifonóglifos.

estonado [Part. de *estonar*.] *Adj.* Que se estonou; descascado.

estonar [De *es-* + *tona*[1] + *-ar*[2].] *V. t. d.* Tirar a tona ou casca a; descascar.

estoniano *Adj.* 1. Da, ou pertencente ou relativo à Estônia (Europa). ● *S. m.* 2. O natural ou habitante da Estônia. 3. *Gloss.* Língua uraliana falada na Estônia.

estonteado [Part. de *estontear*.] *Adj.* 1. Aturdido, atordoado; desorientado, desnorteado. 2. Cansado, estremunhado. 3. Que tem a razão perturbada; alucado, adoidado. [Sin. ger.: *tonto*.]

estonteador (ô) [De *estontear* + *-dor*.] *Adj.* V. *estonteante*.

estonteamento [De *estontear* + *-mento*.] *S. m.* 1. Ato ou efeito de estontear(-se). 2. Estado de quem se acha estonteado; atordoamento, aturdimento, desorientação, perturbação.

estonteante [De *estontear* + *-nte*.] *Adj. 2 g.* Que estonteia; estonteador, entontecedor.

estontear [De *es-* + *tonto* + *-ear*[2].] *V. t. d. Int.* 1. Fazer perder o tino, o acordo; tornar tonto; aturdir, atordoar, perturbar, entontecer, atontar: "Principiou a sentir um zunido áspero nos ouvidos, que o estonteava." (Alberto Braga, *Novos Contos*, p. 125); "O encilhamento estonteava. Fechavam-se diariamente na bolsa .... negócios fabulosos, subindo a milhares de réis." (Leôncio Correia, *A Boêmia do Meu Tempo*, p. 139). 2. Tornar tonto ou atônito; perturbar, deslumbrar, maravilhar: *A grandiosidade do espetáculo estonteou-o*. *P.* 3. Ficar tonto; aturdir-se, perturbar-se, entontecer, atontar-se. [Conjug.: v. *frear*.]

estopa (ô) [Do gr. *stýppe*, pelo lat. *stuppa*.] *S. f. Tec. Têx.* 1. O resíduo da fibra depois de penteada, com o qual se elabora o fio cardado. 2. Sobras de fio não aproveitado na tecelagem. 3. Aproveitamento comercial de tais sobras (especialmente as de algodão) para uso em operações de limpeza de motores, automóveis, etc. 4. Tecido fabricado com os filamentos de estopa. 5. *Lus.* Estopa (4) de linho. [Pl.: *estopas* (ô). Cf. *estopa* e *estopas*, do v. *estopar*.]

estopada [De *estopa* + *-ada*[1].] *S. f.* 1. Porção de estopa. 2. Pasta de estopa. 3. *Fam.* Coisa enfadonha; maçada, cacetada, caceteação, chateação. 4. *Fam.* Erro, cincada, asneira.

estopador (ô) [De *estopar*[2] + *-dor*.] *Adj.* V. *maçante* (1).

estopante [De *estopar*[2] + *-nte*.] *Adj. 2 g.* V. *maçante* (1).

estopar[1] [De *estopa* + *-ar*[1].] *Adj. 2 g.* ~ V. *prego —*.

estopar[2] [De *estopa* + *-ar*[2].] *V. t. d.* 1. Calafetar com estopa; enchumaçar. 2. *Fam.* Enfadar, maçar, cacetear, amolar, chatear. [Pres. ind.: *estopo, estopas, estopa*, etc. Cf. *estopa* (ô) e pl. *estopas* (ô).]

estopento [De *estopa* + *-ento*.] *Adj.* 1. Filamentoso como a estopa. 2. V. *maçante* (1).

estopetar [De *es-* + *topete* + *-ar*[2].] *V. t. d.* Desmanchar o topete a; desgrenhar, despentear.

estopilha [De *estopa* + *-ilha*.] *S. f. Bras. Mil.* Artefato pirotécnico destinado a produzir a inflamação da carga de projeção dos projetis. [Cf. *espoleta*.]

estopim [De *estopa* + *-im*.] *S. m.* 1. Acessório de explosivo destinado a transmitir a chama para ignição de uma espoleta ou de outro dispositivo congênere, e constituído por um núcleo de pólvora negra, com um envoltório para contê-lo. 2. *Fig.* Elemento deflagrador de uma série de acontecimentos: *A queda do Ministério foi o estopim da revolução*. ◆ **Estopim comum.** *Expl.* Estopim constituído por um núcleo de pólvora negra revestido de uma capa de fios tecidos. **Estopim de segurança.** *Expl.* Estopim à prova de água, usado em destruições militares e constituído por um núcleo de pólvora negra, à base de nitrato de potássio, revestido de uma capa de material plástico. **Estopim hidráulico.** *Expl.* Estopim comum, cujo capeamento, formado por três ou mais camadas de fios sobrepostos, é revestido de uma capa de guta-percha que o impermeabiliza e permite seu emprego debaixo de água. [Cf. *cordel detonante*.]

estopinha [De *estopa* + *-inha*.] *S. f.* A parte mais fina do linho antes de fiado. ◆ **Suar as estopinhas.** *Lus. Pop.* 1. Dar o máximo de si; esforçar-se muito. 2. Estafar-se, cansar-se.

estoque[1] [Do fr. ant. *estoc*, 'ponta da espada', < fr. ant. *estochier, estoquier*, 'dar estocadas', 'cravar', < neerl. médio *stôken*, 'cravar'.] *S. m.* 1. Espécie de espada, comprida e reta, com lâmina triangular ou quadrangular, que só fere de ponta. 2. *Bras.* Faca rústica.

estoque[2] [Do ingl. *stock*.] *S. m.* 1. Quantidade de mercadorias disponível para uso ou venda: *O estoque de matérias-primas do almoxarifado; As fábricas de automóveis estão com grandes estoques em seus pátios*. 2. Quantidade ou importância acumulada: *O investimento faz aumentar o estoque de capital; O estoque da dívida externa foi reduzido à metade*. [Sin. ger. (bras.): *estocagem*.]

estoquear [De *estoque*[1] + *-ear*[2].] *V. t. d.* Ferir com estoque[1]; dar estocada em. [Conjug.: v. *frear*.]

estoquésia [Adapt. do tax. *Stokesia*.] *S. f. Bot.* 1. Gênero monotípico de plantas asteráceas, herbáceas, perenes, dotadas de flores em capítulos, ger. amarelas, ou purpúreas. 2. Qualquer espécie desse gênero, como, p. ex., a *Stokesia cyanea*, de flores azuis ou azul-purpúreas, tubulosas, dispostas em capítulos terminais, e de fruto aquênio; é cultivada como ornamental.

estoquista [De *estoque*[2] + *-ista*.] *S. 2 g. Bras.* 1. Pessoa que tem estoque[2] de qualquer mercadoria. 2. Depositário de mercadoria para venda ou exportação. 3. Empregado de casa comercial incumbido da escrituração do livro de estoque.

estoraque [Do lat. *storax, acis* (do gr. *stýrax, akos*), poss. pelo nom., este com passagem da consoante final para oclusiva velar surda incomum.] *S. m.* 1. *Bot.* Arbusto estiracáceo (*Styrax benjoin*) ornamental, de origem asiática, e que produz o benjoim (1). 2. V. *benjoim* (1). 3. *Bras. Bot.* V. *benjoeiro*.

estoraque-do-campo *S. m. Bras. Bot.* Cuia-do-brejo. [Pl.: *estoraques-do-campo*.]

estorcegão [De *estorcegar* + *-ão*[3].] *S. m.* 1. Torcedela rápida e violenta. 2. Beliscão enérgico.

estorcegar [De *estorcer*.] *V. t. d.* 1. Torcer com força; estorcer. 2. Contorcer, contrair: "a atmosfera carregada de aromas estontecia-o, e a fome estorcegava-lhe o estômago, fazendo-lhe escorrer pelas costas e os membros um suor de vertigem." (Júlia Lopes de Almeida, *Ânsia Eterna*, p. 233). 3. Beliscar (1). 4. Magoar; pisar. *P.* 5. Estorcer (6): "em casa, rompera em uivos, estorcegando-se num dos seus ataques de nervos." (José Régio, *Histórias de Mulheres*, p. 311). [Var.: *estortegar*. Conjug.: v. *regar*.]

estorcer [Do lat. **extorcere*, por *extorquere*.] *V. t. d.* 1. Torcer com força ou com violência; estorcegar. 2. Torcer muito; contorcer. 3. Agitar tumultuosamente ou em torvelinho. *T. d. e c.* 4. Dirigir, torcendo; torcer: *Estorceu a vista na direção dos recém-chegados*. *Int.* 5. Mudar de direção: *Com o choque a embarcação estorceu*. *P.* 6. Torcer-se, retorcer-se, contorcer-se, estorcegar-se: *O ferido estorcia-se de dor*; "O amor, Senhora, vede: / Prendeu-me. Em vão me estorço, e me debato, e grito" (Olavo Bilac, *Poesias*, p. 125); "Estorcem-se os leques dos verdes palmares, / Volteiam, rebramam" (Gonçalves Dias, *Obras Poéticas*, II, p. 232). [Conjug.: v. *torcer*. Pres. ind.: *estorço* (ô), etc. Cf. *extorso*.]

estorço (ô) [Dev. de *estorcer*.] *S. m.* Postura pouco natural, contrafeita. [Cf. *extorso*.]

estore [Do fr. *store* < it. setentrional *stora*.] *S. m.* 1. Cortina para janelas, que se enrola e desenrola por meio de mecanismo apropriado; empanada, corrediça. 2. *Lus.* Veneziana.

estorga [De *torga*.] *S. f.* V. *urze* (1).

estória *S. f.* V. *história*. [Recomenda-se apenas a grafia *história*, tanto no sentido de ciência histórica, quanto no de narrativa de ficção, conto popular, e demais acepções.]

estornar [De *estorno* + *-ar*[2].] *V. t. c.* 1. *Cont.* Retificar um lançamento, creditando o que havia sido indevidamente debitado, ou vice-versa. *T. d.* 2. Dissolver (contrato, particularmente de seguro marítimo). [Pres. ind.: *estorno*, etc. Cf. *estorno* (ô).]

estornicado [De *es-* + **tornico*, der. regress. de *torniquete*, + *-ado*[1].] *Adj. Bras. RS* Diz-se do traje apertado a ponto de tolher os movimentos.

estornídeo [Do tax. *Sturnus* (< lat. *sturnus*, 'estorninho') + *-ídeo*[1]; tax. *Sturnidae*.] *Zool. S. m.* 1. Espécime dos estornídeos, família de aves passeriformes, pequenas ou médias, de coloração preta ou escura, muitas com um tom de azul, verde ou púrpura, brilhantes e iridescentes; bico fino, asas pontudas e cauda curta. Habitam florestas, campos e áreas urbanas. São os estorninhos, encontrados na Europa, África, Ásia e ilhas do Pacífico. ● *Adj.* 2. Pertencente ou relativo a eles.

estorninho [Do lat. *sturnus*, 'certa ave', + *-inho*[1].] *S. m. Zool.* 1. Pequeno pássaro conirrostro (*Sturnus vulgaris*), de plumagem negra, lustrosa, malhada de branco com reflexos verdes e purpúreos. 2. Animal zaino com pequenas manchas brancas.

estorno (ô) [Do it. *storno*.] *S. m.* 1. *Cont.* Ato ou efeito de estornar (1). 2. *Cont.* A importância que se estorna. 3. *Com.* Rescisão de contrato, em especial o de seguro marítimo. [Pl.: *estornos* (ô). Cf. *estorno*, do v. *estornar*.]

estorrador (ô) [Por **estorroador* < *estorroar* + *-dor*.] *S. m. Bras.* Máquina agrícola para quebrar os torrões de terra escavada.

estorricado [Part. de *estorricar*.] *Adj.* 1. Muito seco. 2. Muito assado; quase torrado. [Var.: *esturricado*.]

estorricar [De *es-* + **torricar* < rad. de *torrar* + *-icar*.] *V. t. d.* 1. Secar demasiadamente, torrando ou quase queimando: *A longa estiagem estorricou a plantação*. *Int.* 2. Secar em excesso; queimar-se quase. [Var.: *esturricar*. Conjug.: v. *trancar*.]

estorroar [De *es-* + *torrão* + *-ar*[2], com desnasalação.] *V. t. d.* V. *esterroar*. [Conjug.: v. *coroar*.]

estortegar *V. t. d. P.* V. *estorcegar*: "— Fica quieta, demoninho! — rugiu a criatura, estortegando-lhe a nádega." (Godofredo Rangel, *Vida Ociosa*, p. 170.) [Conjug.: v. *regar*.]

estorva [Dev. de *estorvar*.] *S. f.* Ato de estorvar.

estorvador (ô) [De *estorvar* + *-dor*.] *Adj. S. m.* Que, ou aquele que estorva.

E

estorvamento [De *estorvar* + *-mento*.] *S. m.* V. *estorvo* (1).

estorvar [Do lat. *exturbare*.] *V. t. d.* **1.** Fazer estorvo a; importunar, incomodar: *Afixou um aviso na porta pedindo que não o estorvassem.* **2.** Embaraçar, tolher, ou dificultar; impedir: *Aquele banco à entrada estorvava a passagem.* **3.** Impedir ou tolher a liberdade de movimentos a; embaraçar: *Aquelas vestes estorvavam-lhe os passos.* *T. d. e i.* **4.** Não permitir; impedir: *A doença estorvou-a de aproveitar melhor as férias.* [Pres. ind.: *estorvo*, etc. Cf. *estorvo* (ô).]

estorvilho [De *estorvo* + *-ilho*.] *S. m.* **1.** Pequeno estorvo. **2.** V. *estorvo*. (1).

estorvo (ô) [Dev. de *estorvar*.] *S. m.* **1.** Embaraço, dificuldade, obstáculo, empecilho, estorvilho, estorvamento. **2.** Coisa ou pessoa que estorva. [Pl.: *estorvos* (ô). Cf. *estorvo*, do v. *estorvar*.]

estou-fraca [Voc. onom.] *S. f. 2 n. Zool.* V. *galinha-d'angola* (1).

estourada [De *estouro* + *-ada*[1].] *S. f.* **1.** Ruído de muitos estouros simultâneos. **2.** *Fam.* Pancadaria, sova, surra (q. v.). [F. paral.: *estoirada*.]

estourado [Part. de *estourar*.] *Adj.* **1.** Que estourou; rebentado. **2.** Que diz o que quer, sem medir conveniências; adoidado. **3.** Turbulento, buliçoso, estouvado. **4.** V. *valentão* (1). **5.** *Bras. Pop.* Exausto, esgotado, rebentado. **6.** *Bras. Pop.* V. *pronto* (10). [F. paral.: *estoirado*.]

estourar [De *estouro* + *-ar*[2].] *V. int.* **1.** Dar estouro; rebentar com estrondo; explodir, ribombar: *Os foguetes estouraram, espantando a multidão.* **2.** Soar com estrépito; estrugir, atroar, estrondear: *Trovões estouravam, anunciando tempestade.* **3.** Fazer-se em pedaços; rebentar: *A caldeira estourou por excesso de pressão.* **4.** Latejar de dor; estalar: *Sentia a cabeça a estourar: tinha febre alta.* **5.** Verberar em altos brados, com fúria; vociferar: *Provocado, estourou, sem atentar para os circunstantes.* **6.** Expandir-se; desabafar: *Naquela situação cômica, não se conteve: estourou.* **7.** Debandar ou dispersar-se intempestivamente: "Vibra uma trepidação no solo; e a boiada estoura..." (Euclides da Cunha, *Os Sertões*, p. 128.) **8.** Vir à tona; tornar público; explodir: *O escândalo, apesar de tão abafado, estourou.* **9.** Aparecer, chegar, surgir, ocorrer de repente: "Estamos aqui para montar guarda. Imagina se logo esta noite estoura uma revolução!" (Fernando Sabino, *O Homem Nu*, p. 150.) **10.** *Edit.* Exceder o espaço disponível em página para colocação de título, ilustração ou texto. **11.** *Bras.* Estar prestes a vir ou chegar: "as coisas encomendadas no Rio ainda não chegaram. Mas estão estourando por aí." (Jorge Amado, *Gabriela, Cravo e Canela*, p. 406). **12.** *Bras.* Ficar além ou aquém do previsto ou do imaginável: *O carro só espera até 10 horas, estourando, 10 e meia.* [Nesta acepç., us. apenas no gerúndio.] *T. i.* **13.** Estourar (6): *Estourou de riso.* **14.** *Bras.* Ter ou conter em grande abundância, em excesso: *A sala estava estourando de gente.* *T. d.* **15.** Fazer rebentar com estrondo; explodir: *estourar uma bomba.* **16.** Acabar com; extinguir, destruir: *A polícia estourou um ponto de jogo do bicho.* **17.** *Fot.* Ampliar muitíssimo (determinado detalhe de uma imagem). *T. c.* **18.** Rebentar (3): *A I Guerra Mundial estourou em 1914, e a II, em 1939.* **19.** *Bras.* Estourar (9): *Estávamos conversando, quando o Carlos estourou lá em casa.* [F. paral.: *estoirar*.]

estoura-vergas [De *estourar* + o pl. de *verga* (ê).] *S. m. 2 n.* Indivíduo estourado, estouvado, turbulento, rixoso. [F. paral.: *estoira-vergas*.]

estouraz *Adj. 2 g.* **1.** Que estoura. **2.** *Fig.* Ruidoso, estrondoso. [F. paral.: *estoiraz*.]

estouro [De or. onom.] *S. m.* **1.** Ruído de coisa que estoura, semelhante à detonação de granada, bomba, etc.; estampido; explosão. **2.** *Fig.* Acontecimento imprevisto. **3.** *Fig.* Discussão violenta; espalhafato. **4.** *Fig.* Pancada; bofetada. **5.** *Bras.* Repreensão súbita e violenta. **6.** *Bras. Gír.* Arrombamento de cofre. **7.** *Bras. Gír.* Aquilo ou aquele que é excelente, espetacular: *A moça é um estouro; É um estouro de filme.* [F. paral.: *estoiro*.] ◆ **Estouro da boiada.** *Bras.* Debandada de boiada ou rebanho em marcha. **Dar um estouro na praça.** *Bras.* Falir causando à praça grande prejuízo. **De estouro.** De arromba; excelente, notável.

estoutro Contr. do pron. dem. *este* com o pron. indef. *outro*. [Flex.: *estoutra, estoutros, estoutras*. É lícito usar, em vez da contração, a loc. correspondente. Há numerosos exemplos de *este outro*, como o seguinte, de Manuel Bandeira: "Este o indigita, este outro o apupa..." (Manuel Bandeira, *Estrela da Vida Inteira*, p. 76.)]

estouvado [De *estavanado*.] *Adj.* **1.** Que pensa pouco; sem juízo, leviano, doidivanas; imprudente. **2.** Que faz as coisas sem cuidado; estabanado. **3.** Travesso, brincalhão. ● *S. m.* **4.** Indivíduo estouvado.

estouvamento [De **estouvar*, voc. deduz. de *estouvado* (q. v.), + *-mento*.] *S. m.* **1.** Qualidade de estouvado. **2.** Ação própria de pessoa estouvada. [Sin. ger.: *estouvanice* e (pop.) *estouvice*.]

estouvanice [De *estouv(ado)* + *-ice*, com infl. de *tavão*.] *S. f.* V. *estouvamento*.

estouvice [De *estouv-*, como em *estouvado*, + *-ice*.] *S. f.* *Pop.* V. *estouvamento*.

▲**estra-** V. *estr(o)-*.

estrabada [De *estrabar* + *-ada*[1].] *S. f.* V. *estrabo*.

estrabão [Do lat. *strabone*.] *Adj. S. m.* *Desus.* V. *estrábico* (2 e 4).

estrabar [Do lat. **stabulare*, por *stabulari*, 'habitar num estábulo'.] *V. int.* Defecar (bestas de carga e outros animais). [Var.: *estravar*.]

estrábico [De *estrab(o)-* + *-ico*[2].] *Adj.* **1.** Relativo ao, ou próprio do estrabismo (1). **2.** Diz-se de indivíduo atacado de estrabismo (1). [Sin.: *caolho, caraolho, estrabão* (este, desus.), *mirolho, olhizaino, peto, tortelos, torto, vasqueiro, vesgo, vesgueiro, zãibo* ou *zâimbo, zambaio, zanaga, zanago, zanolho, zarolho, zerê*.] **3.** Que tem, ou em que há estrabismo (2); vesgo: *Houve críticos estrábicos que não souberam ver a grandeza de Baudelaire; Só a um julgamento estrábico poderia escapar a importância de um Fernando Pessoa.* ● *S. m.* **4.** Indivíduo atacado de estrabismo. [Sin.: *caolho, caraolho, estrabão* (este, desus.), *mirolho, olhizaino, tortelos, torto, vesgo, zambaio, zanaga, zanago, zanolho, zarolho, zerê*.]

estrabismo [Do gr. *strabismós*, pelo fr. *strabisme*.] *S. m.* **1.** *Oftalm.* Cada um de vários tipos de desvio ocular que o paciente não consegue controlar, e em que os eixos visuais se comportam em relação um ao outro de modo diferente do que deveria ocorrer em condições normais. **2.** *Fig.* Maneira errada, defeituosa, de ver, de julgar, de raciocinar. [Sin. ger.: *vesguice*.] ◆ **Estrabismo convergente.** *Oftalm.* Esotropia.

estrabo [Dev. de *estrabar*.] *S. m.* **1.** Ato de estrabar. **2.** Excremento das bestas de carga e de outros animais. [Sin. ger.: *estrabada*.]

▲**estrab(o)-** [Do gr. *strabós, ḗ, ón* (ă).] *El. comp.* = 'vesgo': *estrabômetro, estrábico*.

estrabometria [De *estrab(o)-* + *-metria*.] *S. f.* Aplicação do estrabômetro.

estrabométrico [De *estrabometria* + *-ico*[2].] *Adj.* Relativo à estrabometria, ou ao estrabômetro.

estrabómetro *S. m.* V. *estrabômetro*. [Uso freq. em P.]

estrabômetro [De *estrab(o)-* + *-metro*.] *S. m.* Instrumento com que se mede o grau de estrabismo.

estrabotomia [De *estrab(o)-* + *-tom(o)-* + *-ia*[1].] *S. f.* *Oftalm.* Seção de tendão de músculo do olho para tratar estrabismo.

estrabotómico *Adj.* V. *estrabotômico*. [Uso freq. em P.]

estrabotômico [De *estrabotomia* + *-ico*[2].] *Adj.* *Oftalm.* Relativo à estrabotomia.

estrabulega [De or. express., poss.] *S. m.* *Bras. S.* **1.** Doido, insensato. **2.** Pródigo, esbanjador, dissipador. **3.** Desordeiro, traquinas, turbulento. [F. paral.: *estrabulegas*.]

estrabulegas *S. m. 2 n.* *Bras. S.* V. *estrabulega*.

estrabuleguice [De *estrabulegar* + *-ice*.] *S. f.* *Bras. S.* Ação de ou própria de estrabulega; doidice; desordem; pândega; extravagância.

estraçalhamento [De *estraçalhar* + *mento*.] *S. m.* Ato ou efeito de estraçalhar.

estraçalhar [De *es-* + *traçar*[2] + *-alhar*.] *V. t. d. P.* *Bras.* Fazer(-se) em pedaços; espedaçar(-se), despedaçar(-se), estraçoar(-se), estracinhar(-se), estrafegar(-se): *Tomado de fúria, estraçalhou o assassino; Nervoso, estraçalhou o cigarro que tinha entre os dedos.*

estracinhar [De *es-* + *traçar*[2] + *-inhar*.] *V. t. d. P.* V. *estraçalhar*.

estraçoar [De *es-* + *traçar*[2] + *-oar*.] *V. t. d. P.* V. *estraçalhar*. "Durante minutos esteve escutando a conversa, fariscando o estraçoar de vidas e reputações" (Lêdo Ivo, *Ninho de Cobras*, p. 37.) [Conjug.: v. *coroar*.]

estrada [Do lat. *strata*.] *S. f.* **1.** Caminho, relativamente largo, destinado ao trânsito de pessoas, animais e veículos. **2.** Qualquer via de transporte terrestre; caminho, vereda, via. **3.** Direção, rumo; rota. **4.** *Fig.* Modo de proceder; caminho moral; meio ou expediente para alcançar algum fim: *estrada do bem, da glória, do crime.* **5.** *Bras. Amaz.* Grupo de 100 a 150 seringueiras que um homem entalha por dia. **6.** *Bras. CE* Marcha curta e cômoda dos cavalos de viagem. ◆ **Estrada carroçável.** Caminho apropriado ao tráfego de carroças e veículos semelhantes. **Estrada de arrasto.** *Bras. RS* A que é especialmente destinada ao gênero de transporte chamado arrasto. **Estrada de ferro.** *Bras.* V. *ferrovia*. **Estrada de rodagem.** *Bras.* V. *rodovia*. **Estrada de Santiago.** *Astr. Pop.* V. *Via Láctea* (1). **Estrada de São Tiago.** *Astr. Pop.* V. *Via Láctea* (1). **Estrada mestra.** *Bras.* Estrada real (q. v.). **Estrada real.** *Bras.* A estrada principal de uma região; estrada mestra. **Comer estrada.** Andar ou caminhar com rapidez: "Saía aos sábados para as suas famosas excursões, comendo estrada a passo largo, entre Porto Alegre e a costa do Mar." (Augusto Meyer, *No Tempo da Flor*, p. 53.) **Mandar-se dizer na estrada.** *Bras. RS Pop.* **1.** Ir embora; partir. **2.** V. *fugir* (1 e 2). **Riscar estrada.** *Bras. RS* Tocar a galope em viagem.

estradão [De *estrada* + *-ão*[1].] *S. m.* *Bras.* Estradona.

estradar[1] [De *estrada* + *-ar*[2].] *V. t. d.* **1.** Abrir estradas em. *T. c.* **2.** Dirigir-se; encaminhar-se: *O fugitivo estradou mata adentro.*

estradar[2] [De *estrado* + *-ar*[2].] *V. t. d.* **1.** Cobrir ou guarnecer com estrado. **2.** V. *assoalhar*[1] (1). **3.** *P. ext.* Alcatifar (1).

estradeirice [De *estradeiro* + *-ice*.] *S. f.* *Bras.* Ação própria de indivíduo estradeiro (3); esperteza, trapaça.

estradeiro [De *estrada* + *-eiro*.] *Adj.* *Bras.* **1.** Que está sempre ou quase sempre fora de casa, circulando pelas estradas. **2.** Diz-se de equídeo que tem boa marcha: "alcançou o alpendre à banda, desamarrou a mula estradeira e voltou montado ao oitão da casa" (Hugo de Carvalho Ramos, *Tropas e Boiadas*, p. 8). **3.** Diz-se do indivíduo trapaceiro. ● *S. m.* **4.** V. *canganceiro*.

estradiol [De *estra-* + *-di-* + *-ol*[2].] *S. m.* *Bioquím.* Estrogênio esteroidal potente, produzido pelo ovário [fórm.: $C_{18}H_{24}O_2$]. [Pl.: *estradióis*.]

estradiota [Do gr. *stratiótes*, 'soldado', pelo it. *stradiotto*.] *S. f.* **1.** Maneira de montar em que o cavalgante estira as pernas e se firma nos estribos. ● *S. m.* **2.** Soldado de cavalaria ligeira originário da Grécia e da Albânia (sécs. XV e XVI). [Var.: *estardiota*.]

estradioto [Do it. *stradiotto*.] *S. m.* Ladrão de estradas.

estradivário [Do antr. latinizado (*Antonius*) *Stradivarius*, do cremonense *Antonio Stradivari* (1644-1737), famoso fabricante de violinos.] *S. m.* Violino que se caracteriza pela excepcional qualidade do som.

estrado [Do lat. *stratu*.] *S. m.* **1.** Estrutura plana construída acima do nível do chão, formando um piso mais elevado, com o fim de colocar em destaque alguém ou alguma coisa. **2.** Supedâneo (2). **3.** Armação larga e rasa, em geral de madeira, onde se pisa, ou se assenta alguma coisa; tablado. **4.** A parte da cama sobre a qual assenta o colchão. **5.** *Ant.* Tribunal.

estradona [Aum. de estrada.] *S. f.* *Bras. N.E.* Estrada de largura incomum; estradão.

estrafegar *V. t. d.* **1.** V. *estraçalhar*. **2.** *Pop.* Estorcegar, estortegar. *P.* **3.** V. *estraçalhar*. [Conjug.: v. *regar*. Pres. ind.: *estrafego*, etc. Cf. *estrafego* (ê).]

estrafego (ê) [Dev. de *estrafegar*.] *S. m.* *Bras.* **1.** Ato ou efeito de estrafegar(-se). **2.** Dilaceramento, despedaçamento. [Pl.: *estrafegos* (ê). Cf. *estrafego*, do v. *estrafegar*.] ◆ **Estar no estrafego.** *Bras. RS Pop.* Estar em uso (uma peça de vestuário, um objeto).

estraga-albardas [De *estragar* + o pl. de *albarda*.] *S. m. 2 n.* Homem estouvado, extravagante, dissipador; doidivanas.

estragação [De *estragar* + *-ção*.] *S. f.* Ato ou efeito de estragar(-se): "E declamando contra a estragação dos costumes, excetuava sempre as suas filhas, dando-as como exemplo." (Camilo Castelo Branco, *Novelas do Minho*, VII, p. 36.)

estragado [Part. de *estragar*.] *Adj.* **1.** Em mau estado; danificado, arruinado. **2.** Deteriorado, podre: *fruta estragada.* **3.** Pródigo, esbanjador, dissipador, perdulário. **4.** Corrupto, viciado, devasso: *Os amigos estragados foram a causa de sua ruína.* **5.** Que já não vale nada; vencido; derrotado: *É homem física e moralmente estragado.* **6.** Prejudicado pela excessiva tolerância com que é tratado; muito mimado; cheio de vontades: *criança estragada.* ~ V. *gosto* – *e zona* – *a*.

estragador (ô) [De *estragar* + *-dor*.] *Adj.* **1.** Que estraga; estragoso. ● *S. m.* **2.** Aquele que estraga.

estragante [De *estragar* + *-nte*.] *Adj. 2 g.* Que estraga: "a velhinha linda .... passa a investigar amorosamente .... a figura do filho querido, que retorna, para ver se nele há novos sinais estragantes da vida" (Francisco Ribeiro Sampaio, *Remembranças*, p. 8).

estragão [Do fr. *estragon* < fr. *estargon* < fr. *targon* < lat. med. *tarcon, altarcon* < ár. *aṭ-ṭarḫūn*.] *S. m.* *Bot.* Planta asterácea (*Artemisia dracunculus*) de caule herbáceo, de folhas de sabor forte e picante, muito aromáticas, us. como condimento, flores pequenas, alvas, estéreis, dispostas em panícula alongada, compostas de pequenas espigas axilares, com flórões amarelados, e cujos frutos são aquênios desprovidos de cerdas.

estragar [Do lat. vulg. **stragare* < lat. *strages*, 'ruína', 'destruição'.] *V. t. d.* **1.** Fazer estrago em; arruinar, avariar, danificar, deteriorar. **2.** Fazer mau uso de; desperdiçar, esbanjar: *Não calculou bem, e estragou metade do material adquirido.* **3.** Viciar, corromper, depravar, perverter: *Os entorpecentes estragam a juventude de hoje.* **4.** Destruir, assolar: *A guerra estragou todo o país.* **5.** Tirar o prazer de: *O mau tempo estragou o piquenique.* *P.* **6.** Arruinar-se, avariar-se, danificar-se. [Conjug.: v. *largar*.]

estrago [Dev. de *estragar*.] *S. m.* **1.** Dano material ou moral; prejuízo: *O incêndio causou um estrago de grandes proporções; A permissividade excessiva causa sérios estragos na formação do jovem.* **2.** Destruição, prejuízo, perda; malefício: *São notáveis as gravuras de Goya sobre os estragos da guerra.* **3.** Mau uso; desperdício, esbanjamento: *o estrago de um patrimônio, da saúde, do talento.* **4.** Depravação, dissipação; corrupção: *A vida de estragos da nobreza foi a causa da queda do regime.* **5.** Vestígio de sofrimentos físicos ou morais: *os estragos da doença.* **6.** *Fam.* Ação de efeito exagerado: *As crianças fizeram um estrago no bolo.* **7.** *Bras. Gír.* Despesa, gasto. **8.** *Bras. Gír.* V. *rolo*[1] (16).

estragol [De *estrag(ão)* + *-ol*[3].] *S. m. Quím.* Substância líquida, oleosa, isômero *para* de benzeno, dissubstituído com grupamentos metoxila e alila, encontrado no estragão e us. em indústria alimentícia e em perfumaria, e que é isômero do anetol (q. v.) [fórm.: $C_{10}H_{12}O$]. [Pl.: *estragóis*.]

estragoso (ô) [De *estrago* + *-oso*.] *Adj.* Estragador (1): "O estragoso calor que tudo assola" (Alberto de Oliveira, *Poesias*, I, p. 224).

estralaçada [De *estralar* + *-aç(a)-* + *-ada*[1].] *S. f. Bras. RS* **1.** V. *estralada* (2). **2.** Rumor produzido pelo animal ao correr por dentro do mato quebrando os galhos das árvores. **3.** *Fam.* Descompostura em voz alta.

estralada [De *estralar* + *-ada*[1].] *S. f.* **1.** Ato de estralar. **2.** Grande ruído ou gritaria; estralaçada, estalada. **3.** *Bras.* V. *rolo*[1] (16).

estralante [De *estralar* + *-nte*.] *Adj. 2 g.* Que estrala; estalante, estalador: "Na adarga tresdobrada / .... / Bate e rebate, em vão, / a carga da estralante saraivada" (Bulhão Pato, *Livro do Monte*, p. 110).

estralar [Var. de *estalar*.] *V. int.* **1.** Dar muitos estalos; estralejar. *T. c.* **2.** V. *estalar*: "estralam gargalhadas no ar" (Raimundo Correia, *Poesias*, p. 42).

estralejar [De *estral(ar)* + *-ejar*.] *V. int.* Estralar (1): "Estralejavam foguetes e morteiros." (Antônio Nobre, *Só*, p. 33.) [Conjug.: v. *pelejar*.]

estralheira [Do port. **estralho* (< it. *straglio*) + *-eira*.] *S. f. Marinh.* Aparelho de laborar, constituído de um cadernal de dois gornes e outro de três, ou de dois cadernais de três gornes, ligados por uma beta (ê) (6).

estrambólico *Adj. Fam.* V. *estrambótico*.

estrambote [Var. de *estramboto*.] *S. m.* Acréscimo de um ou mais versos, mais comumente de três, aos 14 do soneto. [V. *soneto estrambótico*.]

estrambótico [De *estramboto* + *-ico*[2].] *Adj.* **1.** Que não é comum; esquisito; extravagante, original, excêntrico: *comportamento estrambótico; roupas estrambóticas.* **2.** De mau gosto; ridículo. [Var., fam.: *estrambólico*.] ~ V. *soneto* —.

estrambotismo [De *estrambótico* + *-ismo*, seg. o padrão erudito.] *S. m.* Qualidade de estrambótico: "Mas a Caveira vem se aproximando, / Vem exótica e nua, vem dançando, / No estrambotismo lúdico vem vindo." (Cruz e Sousa, *Últimos Sonetos*, p. 56.)

estramboto (ô) [Do it. *strambotto*.] *S. m.* V. *estrambote*. [Pl.: *estrambotos* (ô).]

estramonina [De *estramônio* + *-ina*[3].] *S. f.* Princípio ativo que se extrai do estramônio.

estramónio *S. m. Bot.* V. *estramônio*. [Uso freq. em P.]

estramônio [Do lat. cient. *stramonium*.] *S. m. Bot.* Planta solanácea (*Datura stramonium*) herbácea, de propriedades tóxicas e medicinais, folhas grandes com dentes compridos e agudos, flores alvas ou azuladas, solitárias, que brotam do ângulo de bifurcação dos ramos, e cujos frutos são cápsulas ovoides, eriçadas de grossos espinhos, que contêm sementes amareladas, e, quando maduras, de cor preta; figueira-brava, figueira-do-inferno, mamoninho-bravo, zabumba ou zambumba.

estramontado [Por **estramontanado* < *es-* + *tramontana* + *-ado*[1], com síncope.] *Adj.* **1.** Que perdeu a tramontana; desorientado. **2.** Muito zangado; encolerizado: "— Que é o que eu ouço? (exclama estramontado / O velho habitador daquela brenha)" (Filinto Elísio, *Obras Completas*, II, p. 14).

estraneidade [Do lat. *extran(eus)* + *-eidade*.] *S. f.* Situação jurídica do estrangeiro no país onde se acha domiciliado.

estrangeirada [De *estrangeiro* + *-ada*[1].] *S. f. Deprec.* Chusma de estrangeiros.

estrangeirado [De *estrangeiro* + *-ado*[1].] *Adj.* **1.** Que tem modos ou fala de estrangeiro. **2.** Que imita ou lembra o estrangeiro. **3.** Que prefere as coisas do estrangeiro.

estrangeirar [De *estrangeiro* + *-ar*[2].] *V. t. d.* Tornar ou fazer parecer estrangeiro (1 e 4): "Um pau de arara forte, calçado de alpercatas, que o estrangeiravam na cidade, satisfazia a curiosidade dos perguntadores e especulas que sempre afluem nessas ocasiões." (Alaor Barbosa, *Picumãs*, p. 36.)

estrangeirice [De *estrangeiro* + *-ice*.] *S. f.* **1.** Coisa feita ou dita ao gosto e costume dos estrangeiros [v. *estrangeiro* (7)]. **2.** Afeição excessiva às coisas estrangeiras [v. *estrangeiro* (1)]; estrangeirismo.

estrangeirismo [De *estrangeiro* + *-ismo*.] *S. m.* **1.** *E. Ling.* Emprego de palavra, frase ou construção sintática estrangeira; peregrinismo. **2.** *E. Ling.* A palavra, frase ou construção assim empregada. **3.** Estrangeirice (2).

estrangeiro [Do fr. ant. *estrangier* (atual *étranger*) < fr. ant. *estrange* (atual *étrange*) < lat. *extraneus*, 'estranho' (q. v.).] *Adj.* **1.** De nação diferente daquela a que se pertence: *romancista estrangeiro; língua estrangeira.* **2.** Relativo ou pertencente a, ou próprio de estrangeiro (7): *Tem na pronúncia um acento estrangeiro; Seus hábitos são nitidamente estrangeiros.* **3.** Diz-se de país que não é o nosso: *O Brasil tem comércio com quase todas as nações estrangeiras;* "O país estrangeiro mais belezas / Do que a pátria, não tem." (Casimiro de Abreu, *Obras*, p. 72). **4.** *P. us.* Que é de outra região, de outra parte, ainda que pertencente ao mesmo país; ádvena, forasteiro, estranho. ~ V. *arma* —*a*, *fibra muscular* —*a*, *língua* —*a* e *músculo* —. ● *S. m.* **5.** A(s) terra(s) estrangeira(s) [v. *estrangeiro* (3)]; a estranja: *Passou dois anos no estrangeiro, e finge haver esquecido o português.* **6.** Qualquer nação estrangeira [v. *estrangeiro* (3)]: *Em 1808 D. João VI abriu os portos do Brasil ao estrangeiro.* **7.** Indivíduo que não é natural do país onde mora ou se encontra. [Sin. (bras., pop.), nesta acepç.: *estranja, gringo* e *lordaça*.] **8.** Indivíduo estrangeiro (1): *Existem leis especiais que regulam o direito dos estrangeiros no Brasil.* **9.** Indivíduo estrangeiro (4); ádvena, forasteiro, estranho.

estrangulação [Do lat. *strangulatione*.] *S. f.* **1.** Ato ou efeito de estrangular (1). **2.** Constrição, aperto. **3.** Sufocação, asfixia. [Sin. ger.: *estrangulamento*.]

estrangulado [Part. de *estrangular*.] *Adj.* Que sofreu estrangulamento. ~ V. *hérnia* —*a*.

estrangulador (ô) [Do lat. tard. *strangulatore*.] *Adj. S. m.* Que, ou aquele que estrangula.

estrangulamento [De *estrangular* + *-mento*.] *S. m.* V. *estrangulação*.

estrangular [Do lat. *strangulare*.] *V. t. d.* **1.** Apertar o pescoço de, dificultando-lhe ou impedindo-lhe a respiração; matar por sufocação; sufocar, enforcar, esganar, afogar. **2.** Apertar muito; comprimir: *As roupas apertadas estrangulavam-lhe as veias.* **3.** Conter, reprimir: *estrangular um soluço.* **4.** Asfixiar, sufocar. **5.** Congestionar em alto grau: *O excesso de automóveis nas ruas estrangula o trânsito.* *P.* **6.** Suicidar-se por estrangulação; abafar-se, esganar-se, asfixiar-se, afogar-se. **7.** Tornar-se estreito; apertar-se. **8.** Congestionar-se por constrição.

estranguria [Do gr. *strangouría*.] *S. f. Med.* V. *estrangúria*.

estrangúria [Do lat. *stranguria* < gr. *strangouría*.] *S. f. Med.* Eliminação urinária vagarosa e acompanhada de dor, e devida a espasmo da uretra ou da bexiga. [F. paral.: *estranguria*.]

estranhado [Part. de *estranhar*.] *Adj.* **1.** Que se estranhou. **2.** *Pop.* Tímido ou acanhado em presença de pessoas desconhecidas ou pouco conhecidas.

estranhamento [De *estranhar* + *-mento*.] *S. m.* **1.** Ato de estranhar(-se). **2.** *Teatr.* Distanciamento (2).

estranhão [De *estranhar* + *-ão*[2].] *Fam. Adj.* **1.** Diz-se de criança que estranha [v. *estranhar* (8)]. **2.** Esquivo, acanhado, bisonho. ● *S. m.* **3.** Criança que estranha. [Fem.: *estranhona*.]

estranhar [De *estranho* + *-ar*[2].] *V. t. d.* **1.** Achar extraordinário, oposto aos costumes, ao hábito; achar estranho: *Os navegantes europeus estranhavam a vida dos indígenas.* **2.** Achar diferente do que seria natural esperar-se: *Estranhou as maneiras do amigo.* **3.** Causar espanto, admiração, a; surpreender. **4.** Achar censurável; censurar, repreender: *O magistrado estranhou as palavras do advogado.* **5.** Reparar em; notar. **6.** Não se conformar com; não se familiarizar com: *Os detentos estranharam a nova alimentação.* **7.** Tratar com esquivança, com descortesia. **8.** *Fam.* Esquivar-se de (pessoa desconhecida); chorar, ou manifestar timidez em presença de, ou repulsão a: *A criança estranhou os visitantes.* *P.* **9.** Esquivar-se; afastar-se. **10.** *Bras. S.* Desavir-se, entrando em luta (duas ou mais pessoas).

estranhável [De *estranhar* + *-vel*.] *Adj. 2 g.* **1.** Que causa estranheza. **2.** Censurável, repreensível.

estranheza (ê) [De *estranho* + *-eza*.] *S. f.* **1.** Qualidade de estranho (1 a 4). **2.** Pasmo, surpresa, espanto. **3.** Esquivança. **4.** *Fís. Part.* Na teoria das partículas elementares, número quântico introduzido para caracterizar o comportamento peculiar de certas partículas que contêm, pelo menos, um *quark* estranho (q. v.). Por convenção, o *quark* estranho tem estranheza -1. [Nesta acepç., trad. do ingl. *strangeness*.]

estranho [Do lat. *extraneu*, 'externo'; 'que é de fora'; 'estrangeiro'.] *Adj.* **1.** Fora do comum; desusado, novo; anormal: *acontecimento estranho; atitude estranha.* **2.** Que é de fora; externo, exterior; estrangeiro, alheio: *A música popular tem sofrido influências estranhas.* **3.** Singular, esquisito; extraordinário; extravagante; excêntrico. **4.** Misterioso, enigmático, desconhecido: *Não entendi a razão daqueles estranhos sinais.* **5.** *Fís. Part.* Diz-se de *quark* com carga elétrica -1/3, *spin* 1/2, número bariônico 1/3 e estranheza -1 [símb.: *s*]. [Nesta acepç., trad. do ingl. *strange*.] ~ V. *corpo* —, *partícula* — *a*. ● *S. m.* **6.** Indivíduo que não conhecemos. **7.** Indivíduo que não pertence a uma corporação ou a uma família. **8.** *P. us.* Indivíduo estrangeiro (1 e 4).

estranhona *S. f.* Fem. de *estranhão* (q. v.).

estranja [Der. regress. de *estrangeira*, i. e., *terra* —.] *S. f.* **1.** Estrangeiro (5). ● *S. 2 g.* **2.** *Bras.* V. *estrangeiro* (7).

estransilhar-se (zi) [De *transir*, poss.] *V. p. Bras. RS* Estafar-se, fatigar-se (o cavalo).

estrão *S. m.* Estirâncio.

estrapada [Do it. *strappata*.] *S. f.* **1.** Suplício que consiste em içar a vítima do alto de uma verga e deixá-la cair diversas vezes ao mar. **2.** Suplício parecido a esse, em terra, que consistia em amarrar as mãos e os pés do paciente nas costas, içando-o a um poste, de onde era precipitado até perto do chão várias vezes seguidas. **3.** O poste que servia para tal suplício.

estrapilhar [De *es-* + *trapo* + *-ilhar*.] *V. t. d. Bras. RS* Tornar (a roupa) em trapos.

estrapilho [De *es-* + *trapo* + *-ilho*.] *Adj. S. m. Bras. RS* V. *maltrapilho*.

estrasburguês *Adj.* **1.** De, ou pertencente ou relativo a Estrasburgo (França). ● *S. m.* **2.** O natural ou habitante de Estrasburgo. [Flex.: *estrasburguesa* (ê), *estrasburgueses* (ê), *estrasburguesas* (ê).]

estratagema [Do gr. *stratégema*, pelo lat. *strategema*.] *S. m.* **1.** Ardil empregado na guerra para burlar o inimigo. **2.** *Fig.* Artifício hábil e astucioso; manha, ardil, estratégia: *O comerciante usou de ótimo estratagema para atrair a freguesia;* "Com dois estratagemas, destruía os receios mais fundados" (Vitorino Nemésio, *Mau Tempo no Canal*, p. 316). **3.** V. *armadilha* (2).

estratégia [Do gr. *strategía*, pelo lat. *strategia*.] *S. f.* **1.** Arte militar de planejar e executar movimentos e operações de tropas, navios e/ou aviões, visando a alcançar ou manter posições relativas e potenciais bélicos favoráveis a futuras ações táticas sobre determinados objetivos. **2.** Arte militar de escolher onde, quando e com que travar um combate ou uma batalha. [Cf., nesta acepç., *tática* (2).] **3.** *P. ext.* Arte de aplicar os meios disponíveis com vista à consecução de objetivos específicos. **4.** *P. ext.* Arte de explorar condições favoráveis com o fim de alcançar objetivos específicos. **5.** *Educ.* V. *estratégia*. **6.** *Fig. Fam.* V. *estratagema* (2). ◆ **Estratégia didático-pedagógica.** *Educ.* Modo de ensinar objetivando atingir determinados resultados. [Tb. se diz apenas *estratégia*.]

estratégico [Do gr. *strategikós*.] *Adj.* **1.** Relativo a estratégia (1 a 4): *retirada estratégica; ponto estratégico.* **2.** Em que há ardil; ardiloso, astucioso, manhoso: *atitude estratégica.* ~ V. *administração* —*a*, *retirada* —*a* e *satélite* —. ● *S. m.* **3.** Estrategista.

estrategista [De *estratégia* + *-ista*.] *S. 2 g.* Pessoa que sabe estratégia; estratégico.

estratego (é) [Do gr. *strategós*, pelo lat. *strategu*.] *S. m.* General superior, ou generalíssimo, na Grécia antiga.

▲**estrati-** [Do lat. *strātum*, *i*.] *El. comp.* = 'coberta', 'camada'; 'estrato': *estratificar*. [Equiv.: *estrato-*[1], *-strato*: *estratosfera*; *superstrato*.]

estratificação [De *estratificar* -*ção*.] *S. f.* **1.** *Geol.* Acamamento (4). **2.** *Fig.* Disposição por camadas, ou como que por camadas: *a estratificação de lembranças da infância.* **3.** *Fig.* Sedimentação; fixação, estabilização: *estratificação de opiniões, de ideias.* **4.** *Sociol.* Processo social que leva à formação de "camadas" hierárquicas, isto é, de grupos diferentemente situados quanto ao grau ou natureza do poder político, prestígio social ou papel econômico que detêm ou que lhes são atribuídos. **5.** *Sociol.* A divisão ou organização interna decorrente desse processo. [Nas acepç. 4 e 5, tb. se diz *estratificação social*.] ◆ **Estratificação cruzada.** *Geol.* A que mostra ângulos entre os estratos rochosos em consequência de diferentes inclinações tomadas por estes. **Estratificação eólica.** *Geol.* A verificada nas dunas, sendo característicos os ângulos e a disposição dos estratos. **Estratificação social.** *Sociol.* Estratificação (4 e 5).

estratificado [Part. de *estratificar*.] *Adj.* Que sofreu estratificação. ~ V. *amostragem* —*a* e *rocha* —*a*.

estratificar [De *estrati-* -*ficar*.] *V. t. d.* **1.** Dispor em camadas ou estratos; acamar. **2.** *Fig.* Fazer permanecer no mesmo estado; cristalizar: *A idade estratificou seus conceitos.* *P.* **3.** Formar-se em camadas sobrepostas. **4.** *Fig.* Permanecer em um mesmo estado; não experimentar mudança; cristalizar-se:

E

É infenso a inovações: suas ideias se estratificaram. [Conjug.: v. *trancar.*]

estratiforme (trà) [De *estrati-* + *-forme.*] *Adj. 2 g.* **1.** Semelhante a estrato. **2.** Composto de camadas.

estratigrafia (trà) [De *estrati-* + *-grafia.*] *S. f.* **1.** *Geol.* Estudo da sequência, no tempo e no espaço, das rochas da litosfera, e bem assim de suas relações genéticas, suas condições pretéritas de formação e sua paleogeografia. **2.** *Med.* V. *tomografia.*

estratigráfico (trà) [De *estratigrafia* + *-ico*².] *Adj.* Relativo à estratigrafia.

estratígrafo [De *estrati-* + *-grafo.*] *S. m.* Indivíduo versado em estratigrafia.

estrato [Do lat. *stratu.*] *S. m.* **1.** *Geol.* Cada uma das camadas das rochas estratificadas. **2.** *Met.* Nuvem que se apresenta como uma camada horizontal, de base bem definida, em altitudes menores que as do alto-estrato (geralmente abaixo de 2.500m): "Já os horizontes .... começavam a se encher de sangue e os duros cúmulos de alabastro iam se desfazendo em cirros, se alongando em estratos." (Pedro Nava, *Baú de Ossos*, p. 313.) **3.** *Bot.* Camada de células, em referência à estrutura vegetal. **4.** *Bot.* Porção de uma comunidade vegetal em dado limite de altura. **5.** *Sociol.* Faixa ou camada de uma população quanto ao nível de renda, posição social, educação, etc. [Cf. *extrato*, do v. *extratar*, e s. m.] ◆ **Estrato basal.** *Histol.* V. *camada basal.* **Estrato córneo.** *Histol.* V. *camada córnea.* **Estrato de Malpighi.** *Histol.* V. *camada basal.* **Estrato espinhoso.** *Histol.* V. *camada espinhosa.* **Estrato germinativo.** *Histol.* V. *camada basal.* **Estrato granuloso.** *Histol.* V. *camada granulosa.* **Estrato lúcido.** *Histol.* V. *camada lúcida.* **Estrato mielínico.** *Histol.* Camada de mielina, proveniente da justaposição de membranas das células de Schwann (no sistema nervoso periférico) ou de membranas de oligodendrócitos (no sistema nervoso central), a qual recobre os axônios dos neurônios, isolando o nervo, e permitindo a transmissão mais rápida do impulso elétrico.

▲estrato-¹ V. *estrati-.*

▲estrato-² [Do gr. *strato-* < gr. *stratós, oû.*] *El. comp.* = 'exército', 'armada': *estratocracia, estratografia.*

estrato-cirro [De *estrato-* + *cirro*¹.] *S. m. Met.* Cirro-estrato. [Pl.: *estratos-cirros* e *estratos-cirro.*]

estratocracia [De *estrato-*² + *-cracia.*] *S. f.* **1.** Governo militar. **2.** Supremacia do elemento militar.

estrato-cúmulo *S. m. Met.* Nuvem constituída de massas escuras, arredondadas, geralmente dispostas em grupos, linhas ou ondulações, maiores do que as do alto-cúmulo, e situadas a uma altitude mais baixa (geralmente abaixo de 2.500m). [Sin.: *cúmulo-estrato.* Pl.: *estratos-cúmulos* e *estratos-cúmulo.*]

estratografia [De *estrato-*² + *-grafia.*] *S. f.* Descrição do exército e do que lhe pertence ou do que lhe é afeto.

estratográfico [De *estratografia* + *-ico*².] *Adj.* Relativo à estratografia.

estrato-nimbo *S. m. Met.* Nimbo-estrato. [Pl.: *estratos-nimbos* e *estratos-nimbo.*]

estratopausa [De *estrato-*¹ + *-pausa.*] *S. f. Geofís.* Zona de transição entre a estratosfera e a mesosfera, situada a cerca de 50km de altitude, numa região onde a variação de temperatura, em função da altitude, é fraca.

estratosfera [De *estrato-*¹ + *-sfera.*] *S. f. Geofís.* Camada atmosférica situada acima de 12.000m de altitude, e onde há principalmente nitrogênio. ◆ **Na estratosfera.** V. *no mundo da Lua*: *viver, andar, estar na estratosfera.* ◆ **Ir para a estratosfera.** Subir muito: "Essas observações vêm a propósito da crise mundial de alimentos cujos preços estão indo para a estratosfera" (Rui Castro, em *Folha de S.Paulo*, 28.04.2008).

estratosférico [De *estratosfera* + *-ico*².] *Adj.* **1.** Relativo à estratosfera. **2.** Muito elevado: *Recebeu da companhia telefônica uma conta estratosférica.*

estravar *V. int.* V. *estrabar.*

▲-estre [Do lat. *-estre.*] *Suf. nom.* = 'relação': *pedestre* (< lat.), *sedestre.*

estreante [De *estrear* + *-nte.*] *Adj. 2 g. S. 2 g.* Que, ou quem estreia.

estrear [De *estreia* + *-ar*².] *V. t. d.* **1.** Usar pela primeira vez; inaugurar: "Estreei vestido e chapéu novo" (Raquel de Queirós, *As Três Marias*, p. 67). *T. d. e c.* **2.** Começar, iniciar, principiar, inaugurar: *Monteiro Lobato estreou sua carreira literária em 1918.* **3.** Pôr em exercício ou em função pela primeira vez; inaugurar: *Estrearam o novo teatro há poucos meses. P.* **4.** Fazer alguma coisa pela primeira vez: *Estreou-se como atriz com enorme sucesso.* [Conjug.: v. *idear.* Cf. *estriar.*]

estrebaria [Var. dissimilada do port. ant. *estrabaria* < ant. *estrabo* (< lat. *stabulu*, 'estábulo' [q. v.]) + *-aria.*] *S. f.* Lugar onde se recolhem bestas e arreios. V. *cavalariça.* [Cf. *estribaria*, do v. *estribar.*]

estrebuchamento [De *estrebuchar* + *-mento.*] *S. m.* Movimento de pessoa ou de animal que estrebucha.

estrebuchar [De or. obscura.] *V. int. P.* **1.** Agitar muito os pés e as mãos; mexer muito; não estar quieto; debater-se: *O animal ferido estrebuchou até perder as forças; Estrebuchou-se antes de morrer. T. d.* **2.** Agitar com violência.

estrecer-se [Do lat. **strigescere* < v. lat. *stringere.*] *V. p. Ant.* Diminuir; minguar; desvanecer-se, desvanecer. [Conjug.: v. *aquecer.*]

estreia (éi) [Do lat. *strena.*] *S. f.* **1.** Ato ou efeito de estrear(-se). **2.** O primeiro uso que se faz de uma coisa: *a estreia de um automóvel, de um vestido.* **3.** Fato que marca o início de uma série de acontecimentos de certa importância: *Sempre recordava o dia de sua estreia na escola.* **4.** A primeira vez que o artista (ator, músico, bailarino, etc.) ou um conjunto se apresenta ao público: *A estreia de Toscanini como regente deu-se no Rio de Janeiro em 1875.* **5.** A primeira apresentação de um espetáculo teatral ou de um filme. [Sin., fr., nesta acepç.: *première.*] **6.** A primeira obra de um escritor, de um artista ou de um cientista: *Sagarana foi a estreia de Guimarães Rosa.* **7.** A abertura de um estabelecimento de recreio ou de utilidade; inauguração, fundação. **8.** A primeira venda que um negociante faz ao público. **9.** *Bras. Pop.* Disfarce, simulação, embuste. ❖

estreitado [Part. de *estreitar.*] *Adj.* Que se tornou estreito.

estreitamento [De *estreitar* + *-mento.*] *S. m.* **1.** Ato ou efeito de estreitar(-se). **2.** Diminuição da grossura de um corpo em determinado ponto; aperto: *estreitamento de uma veia, de um cano.* **3.** *Fig.* Redução, diminuição: *estreitamento de gastos, de privilégios.* **4.** *Fig.* Consolidação, fortalecimento: *estreitamento de relações.*

estreitar [De *estreito* + *-ar*².] *V. t. d.* **1.** Tornar estreito ou apertado; diminuir a largura, a área ou o espaço de: *A prefeitura estreitou a calçada para alargar a rua; Mandei estreitar a roupa.* **2.** Encurtar, diminuir: *As linhas aéreas estreitaram as distâncias.* **3.** Reduzir, diminuir, restringir: *Estreitou os gastos, a fim de poder manter-se.* **4.** Unir, ligar: *O convívio diário estreitou-os.* **5.** Apertar contra si; abraçar: *Emocionado, estreitou o amigo.* **6.** Tornar mais íntimo, mais ligado: *estreitar uma amizade.* **7.** Tornar mais estrito, mais rigoroso, mais apertado: *estreitar um cerco; estreitar o cumprimento de uma lei. Int. P.* **8.** Tornar-se estreito; diminuir de largura: *Depois da curva, a estrada estreitava; No fim do curso o rio estreita-se.* **9.** Diminuir, encurtar. **10.** Tornar-se mais íntimo: *Suas relações estreitam dia a dia; Com o tempo, aquela amizade estreitou-se.* **11.** Tornar-se mais estrito, rigoroso, severo. **12.** Limitar-se, restringir-se.

estreitense *Adj. 2 g.* **1.** De, ou pertencente ou relativo a Estreito (MA). ● *S. 2 g.* **2.** O natural ou habitante de Estreito.

estreiteza (ê) [De *estreito* + *-eza.*] *S. f.* **1.** Qualidade de estreito, de apertado; falta de largura, de espaço; aperto, estreitura: *a estreiteza de uma rua, de uma saia.* **2.** *Fig.* Cautela excessiva; reserva, acanhamento; mesquinhez: *estreiteza de pontos de vista.* **3.** *Fig.* Escassez, carência, falta: *estreiteza de inteligência.* **4.** Rigor, severidade, rigidez: *a estreiteza do regulamento.* **5.** Recursos limitados; parcimônia, aperto: *Mantinha aparência decente, embora vivesse com estreiteza.* **6.** Situação penosa; aflição, penúria; miséria: *a estreiteza dos mendigos.* **7.** Intimidade, familiaridade; confiança; firmeza: *a estreiteza da afeição.*

estreito [Do lat. *strictu*, part. pass. de *stringere*, 'apertar'; 'comprimir'; 'reduzir', 'diminuir'.] *Adj.* **1.** Que tem pouca largura; apertado: *A travessa é uma rua estreita.* **2.** Delgado, fino: *fita estreita.* **3.** Pouco folgado; justo: *calças estreitas.* **4.** Restrito, limitado: *espírito estreito.* **5.** Mesquinho, acanhado; miserável: *sentimentos estreitos.* **6.** Rigoroso; apertado; estrito: *significado estreito.* **7.** Parco, poupado: *vida estreita.* **8.** Exato, miúdo, minucioso, escrupuloso: *averiguação estreita; apontamentos estreitos.* **9.** Difícil, penoso, árduo: *tempos estreitos.* **10.** Íntimo, profundo: *relações estreitas.* **11.** Diz-se de abraço que estreita muito ao peito o abraçado. **12.** Diz-se do estilo conciso, tenso. **13.** *Tip.* Diz-se do caráter tipográfico que apresenta a largura bem menor que a altura. [Antôn. (nas acepç. 1 a 5 e 7): *largo.*] ~ V. *bitola —a.* ● *S. m.* **14.** Braço de mar que liga dois mares ou duas partes do mesmo mar; canal: "Breve breve muito breve / pelos estreitos de Breves / mi-nha igara vogará." (Stella Leonardos, *Geolírica*, p. 23.) **15.** V. *desfiladeiro* (1). **16.** *Bras.* V. *encanado*¹ (2).

estreitura [Do lat. *strictura.*] *S. f.* V. *estreiteza* (1).

estrela (ê) *S. f.* **1.** *Astr.* Denominação comum aos astros luminosos que mantêm praticamente as mesmas posições relativas na esfera celeste, e que, observados à vista desarmada, apresentam cintilação, o que os distingue dos planetas. Dispõem-se segundo grupos localizados em regiões convencionalmente delimitadas do céu, as constelações [v. *constelação* (1)]. Constituem o elemento fundamental da formação do Universo, grupando-se em aglomerados, associações, correntes, grupos, galáxias. A olho desarmado, o seu brilho aparente é definido pela magnitude (q. v.). **2.** *P. ext.* Qualquer astro. **3.** Figura convencional que tem, geralmente, cinco ou seis pontas, as quais se irradiam de um centro. **4.** Qualquer objeto que apresenta essa forma. **5.** *Fig.* Destino, sorte, fado, fadário: *Tem boa estrela.* **6.** *Fig.* Guia, direção, fim, alvo: *Desalentado, buscava sua estrela.* **7.** *Fig.* Pessoa eminente, insigne: *Era uma das estrelas do seu país.* **8.** *Fig.* Pessoa jovem muito bonita. **9.** *Fig.* Pessoa a quem se quer muito. **10.** Mancha branca na testa dos cavalares ou dos bovinos. **11.** *Tip.* Roseta¹ (7). **12.** *Cin. Teatr. Telev.* Atriz notável, de alta categoria: "ela [Cacilda Becker] era não só uma verdadeira estrela, uma protagonista nata, uma das poucas atrizes contemporâneas capazes de se transformarem num mito; ela era também uma magnífica personalidade humana" (Yan Michalski, em *Jornal do Brasil*, 15.06.1969). **13.** *Cin. Teatr. Telev.* Atriz de grande notoriedade, celebridade. **14.** *Ginást.* Movimento básico do exercício de solo da ginástica artística, em que o ginasta alterna entre pés e mãos o apoio no chão, formando uma figura semelhante a uma estrela (3). **15.** *Zool.* Escudo dorsal que, na fêmea do carrapato-estrela, recobre o terço anterior da face dorsal. **16.** *Bras. Prov. port.* Variedade de papagaio (5). **17.** *P. us.* Asterisco. [Pl.: *estrelas* (ê). Cf. *estrela* e *estrelas*, do v. *estrelar.*] [Do lat. *stella.*] ◆ **Estrela anã.** *Astr.* Estrela de pequeno volume, e que pode ter grande ou pequena massa. No primeiro caso estão as anãs brancas; no segundo, as anãs vermelhas. [Tb. se diz apenas *anã.*] **Estrela binária.** *Astr.* Duas estrelas muito próximas, ligadas gravitacionalmente entre si, e que, à vista desarmada ou com pequeno aumento, não são distintas. [Tb. se diz apenas *binária.* Sin.: *estrela dupla, dupla.*] **Estrela cadente.** *Astr.* V. *meteoro* (2). **Estrela cataclísmica.** *Astr.* Estrela que sofre erupções e/ou explosões violentas durante sua evolução. **Estrela circumpolar.** *Astr.* Estrela cujo círculo diurno fica sempre ou acima ou abaixo do horizonte. **Estrela companheira.** *Astr.* Companheira (5). **Estrela da manhã.** *Astr.* V. *Vênus*¹ (2). **Estrela da tarde.** *Astr.* V. *Vênus*¹ (2). **Estrela de nêutrons.** *Astr.* Estrela cujo núcleo se compõe sobretudo de nêutrons, como se espera que ocorra numa densidade de 10^{14} g/cm^{-3}. Tal estado é atingido por uma estrela no ponto final de sua evolução, quando o seu suprimento nuclear já foi todo utilizado e ela é tão maciça que pode transformar-se numa estrela de nêutrons. **Estrela de planos.** *Mat.* O conjunto de todos os planos que passam por um ponto, próprio ou impróprio. [Cf. *feixe de planos.*] **Estrela do pastor.** *Astr.* V. *Vênus*¹ (2). **Estrela dupla.** *Astr.* V. *estrela binária.* **Estrela eruptiva.** *Astr.* V. *estrela nova.* **Estrela explosiva.** *Astr.* V. *estrela nova.* **Estrela filante.** *Astr. Gal.* V. *meteoro* (2). **Estrela fixa.** *Astr.* Designação comum às estrelas propriamente ditas. **Estrela fugaz.** *Astr.* V. *meteoro* (2). **Estrela fundamental.** *Astr.* Aquela cuja posição e movimento próprio são bem determinados. **Estrela matutina.** *Astr.* V. *Vênus*¹ (2). **Estrela morta.** *Astr.* Estrela que consumiu todo o seu combustível e que não emite mais radiação. **Estrela múltipla.** *Astr.* Grupo de estrelas muito próximas, ligadas gravitacionalmente entre si, e que, a olho desarmado e com pequeno aumento, não são distintas. Exemplo comum é o trapézio de Órion. **Estrela nova.** *Astr.* Estrela que de súbito se torna muito luminosa e cintila com intensidade durante alguns dias, enfraquecendo lenta e gradualmente até atingir o seu brilho primitivo. [Tb. se diz apenas *nova.* Sin.: *estrela eruptiva, estrela explosiva, estrela variável nova* e (desus.) *estrela temporária.*] **Estrela nuclear.** *Fís. Nucl.* Conjunto de partículas emitidas por um núcleo quando interage com uma partícula de grande energia ou captura um méson negativo lento. **Estrela Polar.** *Astr.* Designação tradicional da estrela alfa da Ursa Menor, que é, das estrelas visíveis à vista desarmada, a mais próxima do polo norte; Alrucabá; Norte. [Tb. se diz apenas *Polar.*] **Estrela temporária.** *Astr. Desus.* V. *estrela nova.* [Expressão muito us. no séc. XIX.] **Estrela variável.** *Astr.* Aquela cujo brilho varia com o tempo, tendo essa variação, em geral, caráter periódico, embora em algumas estrelas variáveis, como as novas e as supernovas, o brilho varie de repente, diminuindo após curto período. [Tb. se diz apenas *variável.*] **Estrela variável nova.** *Astr.* V. *estrela nova.* **Estrela Vésper.** *Astr.* V. *Vênus*¹ (2): "Lírio-do-vale oriental, brilhante! / Estrela Vésper do pastor errante!" (Castro Alves, *Poesias Escolhidas*, p. 19). **Estrela vespertina.** *Astr.* V. *Vênus*¹ (2). **Ler nas estrelas.** Tirar horóscopo.

Levantar-se com as estrelas. Levantar-se da cama muito cedo. **Pôr entre as estrelas.** Fazer a apoteose de; divinizar; pôr nos cornos da Lua. **Ter boa estrela.** Ter boa sorte; ser sortudo. **Ter má estrela.** Ter má sorte; ser azarado. **Ver estrelas ao meio-dia.** Sentir uma dor muito viva, um atordoamento, sobretudo em consequência de pancada na cabeça.

estrela-azul *S. f. Bras. RJ Bot.* Erva iliácea (*Scilla amoena*) originária da Europa, de bulbo arredondado, com túnicas roxo-escuras, brácteas coloridas, curtas, geminadas ou solitárias, e flores azuis, dispostas em racimos frouxos, com pedicelos também azuis. [Pl.: *estrelas-azuis*.]

estrela-d'alva [De *estrela* + *de* + *alva*[1] (1).] *S. f. Astr.* V. *Vênus*[1] (2): "No céu .... / A estrela-d'alva, triste e magoada, / Brilhava" (Francisco Mangabeira, *Poesias*, p. 7). [Pl.: *estrelas-d'alva*.]

estrela-dalvense *Adj. 2 g.* **1.** De, ou pertencente ou relativo a Estrela Dalva (MG). ● *S. 2 g.* **2.** O natural ou habitante de Estrela Dalva. [Pl.: *estrela-dalvenses*.]

estrela-d'alvense *Adj. 2 g. S. 2 g.* V. *estrela-dalvense*. [Pl.: *estrela-d'alvenses*.]

estrela-da-república *S. f. Bot.* V. *flor-de-couro* (1). [Pl.: *estrelas-da-república*.]

estrela de davi [De *estrela* + *de* + o antr. *Davi*, rei da Judeia e de Israel.] *S. f.* Estrela de seis pontas, ou hexagrama, formada pela união de dois triângulos equiláteros entrelaçados ou superpostos, considerada atualmente símbolo judaico; signo de salomão (q. v.). [Pl.: *estrelas de davi*.] ☑ nota 1

estreladeira [De *estrelar* + *-deira*.] *S. f.* Frigideira para estrelar ovos.

estrela-de-jerusalém [De *estrela* + *de* + o top. *Jerusalém*.] *S. f. Bras. RJ Bot.* Planta cariofilácea (*Cerastium tomentosum*) ornamental, de flores alvo-puras, dispostas em racimos paniculados, com sépalas alvas, agudas, e pétalas três vezes mais compridas que o cálice. [Pl.: *estrelas-de-jerusalém*.]

estrela-demónio *S. f. Astr.* V. *estrela-demônio*. [Uso freq. em P.]

estrela-demônio *S. f. Astr.* Algol[1].

estrela-de-ouro *S. f. Bras. Bot.* Planta asterácea (*Chrysanthemum segetum*) glabra, ereta e ornamental, originária da Europa, dotada de capítulos solitários, compostos de discos e lígulas amarelo-ouro, e cujos aquênios marginais são bialados, sendo os dos discos, cilíndricos. [Pl.: *estrelas-de-ouro*.]

estrela de rabo *S. f. Bras. Pop.* Cometa (1). [Pl.: *estrelas de rabo*.] ☑

estrelado [Part. de *estrelar*.] *Adj.* **1.** Coberto, cheio, semeado, juncado de estrelas; estelífero: *céu estrelado*. **2.** Recamado, enfeitado, ornado: *manto estrelado*. **3.** *Cul.* Diz-se de ovos fritos sem serem mexidos. ~ V. *folha —a* e *polígono —*.

estrela-do-mar *S. f. Zool.* Animal equinodermo, asteróideo, de corpo achatado, em forma de estrela ou pentagonal, com cinco a 50 braços, duas a quatro fileiras de pés ambulacrários, madreporita aboral, e boca situada na face inferior. São conhecidas atualmente cerca de 2.000 espécies vivas e 300 fósseis. [Sin.: *astéria*. Pl.: *estrelas-do-mar*.]

estrela-do-norte *S. f. Bras. N. L. S. Bot.* Planta rubiácea (*Randia formosa*) ornamental, de flores alvas e aromáticas, e cujos frutos são bagas, com muitas sementes. [Pl.: *estrelas-do-norte*.]

estrela-nortense *Adj. 2 g.* **1.** De, ou pertencente ou relativo a Estrela do Norte (GO). ● *S. 2 g.* **2.** O natural ou habitante de Estrela do Norte. [Pl.: *estrela-nortenses*.]

estrelante [De *estrelar* + *-nte*.] *Adj. 2 g.* **1.** Ornado de estrelas; estelante. **2.** Brilhante; refulgente.

estrelar [De *estrela* + *-ar*[2].] *V. t. d.* **1.** Encher ou ornar de estrelas. **2.** Dar forma de estrela a. **3.** Matizar, ornar, enfeitar: "Vejo o crespo crisântemo e a açucena / Estrelando a verdura dos canteiros." (Humberto de Campos, *Poesias*, p. 14.) **4.** Frigir (ovos) sem os mexer. **5.** *Bras.* Trabalhar em (filme, peça teatral) como estrela ou astro. *T. d. e i.* **6.** Ornar com lavores estrelários: *Estrelou com pedrarias o manto real.* *Int.* **7.** Cobrir-se de estrelas; estrelar-se: *Passada a tempestade, o céu estrelou.* **8.** Brilhar, cintilar. *P.* **9.** Cobrir-se de estrelas; estrelar. **10.** Matizar-se; enfeitar-se: *Na primavera os campos estrelam-se de flores*; "horas mortas, a lua o véu desata, / E em cheio brilha; a solidão se estrela / Toda de um vago cintilar de prata." (Alberto de Oliveira, *Poesias*, 2.ª série, p. 123). [Pres. ind.: *estrelo*, *estrelas*, *estrela*, etc.; fut. pret.: *estrelaria*, etc. Cf. *estrela* (ê), s. f., pl. *estrelas* (ê), *Estrela* (ê), antr. e top., pl. *Estrelas* (ê), *estrelo* (ê), adj.; e *estrelária*, fem. de *estrelário*.]

estrelário [De *estrela* + *-ário*.] *Adj.* Que tem forma de estrela; asteroide. [Fem.: *estrelária*. Cf. *estrelaria*, do v. *estrelar*.]

estrela-sulense *Adj. 2 g.* **1.** De, ou pertencente ou relativo a Estrela do Sul (MG). ● *S. 2 g.* **2.** O natural ou habitante de Estrela do Sul. [Pl.: *estrela-sulenses*.]

estrelato [De *estrela* + *-ato*[1].] *S. m. Bras. Neol.* Situação brilhante desfrutada por pessoa que sobressai pelo valor, prestígio, popularidade, em especial as estrelas e astros de teatro, de cinema e de televisão.

estreleiro [De *estrela* + *-eiro*.] *Adj.* Diz-se do cavalo que à menor pressão do freio, ao andar, levanta muito a cabeça.

estrelejar [De *estrela* + *-ejar*.] *V. int.* **1.** Cobrir-se ou começar a cobrir-se (o céu, a esfera celeste) de estrelas: *O céu ia estrelejando.* **2.** Começar o céu a cobrir-se de estrelas: "Os pirilampos bailam... Corre / A alígera farândola. Estreleja..." (Olegário Mariano, *Toda uma Vida de Poesia*, I, p. 316.) *T. d.* **3.** Cobrir de estrelas. **4.** Espalhar como estrelas: "A lenha crepitava estrelejando faíscas." (Coelho Neto, *Banzo*, p. 90.) **5.** Espalhar-se à maneira de estrelas por: "algum vaga-lume estrelejava os pastos" (Fialho d'Almeida, *O País das Uvas*, p. 192). *T. d. e i.* **6.** Cobrir ou adornar de coisas de determinada cor, como se fossem estrelas: "As açucenas gostam dos velhinhos, / Estrelejam de branco os seus martírios..." (Alphonsus de Guimaraens, *Obra Completa*, p. 333.) [Conjug.: v. *pelejar*. Normalmente é defect., conjugável só nas 3.ªs pess.]

estrelense[1] *Adj. 2 g.* **1.** De, ou pertencente ou relativo a Estrela (RS). ● *S. 2 g.* **2.** O natural ou habitante de Estrela.

estrelense[2] *Adj. 2 g.* **1.** De, ou pertencente ou relativo a Estrela do Indaiá (MG). ● *S. 2 g.* **2.** O natural ou habitante de Estrela do Indaiá.

estrelense[3] *Adj. 2 g.* **1.** De, ou pertencente ou relativo a Estrela d'Oeste (SP). ● *S. 2 g.* **2.** O natural ou habitante de Estrela d'Oeste.

estrelense[4] *Adj. 2 g.* **1.** De, ou pertencente ou relativo a Estrela do Norte (SP). ● *S. 2 g.* **2.** O natural ou habitante de Estrela do Norte.

estrelinha [De *estrela* + *-inha*.] *S. f.* **1.** V. *asterisco*. **2.** Massa para sopa, em forma de estrelas. **3.** Certo fogo de artifício de salão. **4.** *Bras. Zool.* V. *periquito-estrela*.

estrelismo [De *estrela* + *-ismo*.] *S. m. Bras.* Maneira de ser e agir daqueles que aspiram ao estrelato, ou desejam conservá-lo, em qualquer atividade artística ou social; vedetismo.

estrelo (ê) [De *estrela*.] *Adj.* **1.** *Bras. N. N.E.* Diz-se do boi que tem uma mancha branca na testa. **2.** *P. ext. N. N.E.* Diz-se de quem tem na região frontal um molho de cabelos brancos. ● *S. m.* **3.** *Bras. Deprec.* Ator principal; astro. [Pl.: *estrelos* (ê). Cf. *estrelo*, do v. *estrelar*.]

estrema [Do lat. *extrema*, f. do lat. *extremus*.] *S. f.* **1.** V. *limite* (2). **2.** Marco divisório de propriedades rústicas. **3.** Sulco ou rego que demarca terras. [Pl.: *estremas*. Cf. *extrema*, *extremas*, do v. *extremar* e fem. de *extremo*.]

estremadela [De *estremar* + *-dela*.] *S. f. Pop.* Ato de estremar.

estremado [Part. de *estremar*.] *Adj.* Demarcado; dividido. [Cf. *extremado*.]

estremadura [De *estremar* + *-dura*.] *S. f.* V. *fronteira* (1).

estremar [Do port. arc. *stremo* (atual *extremo* [q. v.]) + *-ar*[2], por via pop.] *V. t. d.* **1.** Demarcar por meio de estrema (2); delimitar, demarcar. **2.** Separar, apartar, discernir, distinguir: *Era-lhe difícil estremar os seus sentimentos.* **3.** Escolher entre várias pessoas ou coisas. *T. d. e i.* **4.** Separar, apartar; distinguir: *estremar o bom do mau.* **5.** Tornar distinto; distinguir, discernir, diferençar: *Seus méritos o estremam dos demais.* *P.* **6.** Separar-se, apartar-se: *Estremavam-se ali os caminhos.* **7.** Diferençar-se, diferenciar-se, distinguir-se. [Pres. ind.: *estremo*, *estremas*, *estrema*, etc. Cf. *extremar*, v., e *extrema*, do v. *extremar* e adj.]

estreme [Der. regress. de *estremar*.] *Adj. 2 g.* Sem mistura; puro; genuíno: "Sua inspiração, pura como a água que brota do seio da rocha viva, pura e estreme se conserva." (Aloísio de Castro, *Excertos*, p. 123.) [Cf. *extreme*, do v. *extremar*, e o adj. *extremo*.]

estremeção [De *estremecer* + *-ão*[3].] *S. m.* **1.** Tremor rápido; estremecimento: "é agora que o telefone toca: Raimundo Silva deu um estremeção, a mão esquerda .... ainda se aproximou, mas parou a meio caminho e recolheu-se" (José Saramago, *História do Cerco de Lisboa*, p. 58). **2.** Sacudidura, abalo. **3.** *P. ext. Pop.* Convulsão (4).

estremecer [De *es-* + lat. *tremiscere*, incoativo de *tremere*, 'tremer'.] *V. t. d.* **1.** Causar tremor a; fazer tremer; sacudir, abalar: "Febril delírio lhe estremece o corpo" (José Bonifácio, o Moço, *Poesias*, p. 35); "Eram .... gritos penetrantes que pareciam rasgar o silêncio da rua e estremecer as casas" (Leonardo Arroio, *Absalão e o Rei*, p. 53). **2.** Fazer tremer de medo, espanto ou surpresa; fazer tremelicar: *O pavor estremeceu-a da cabeça aos pés.* **3.** Meter medo a; assustar: *Sua ira estremecia os que dele se acercavam.* **4.** Estimar com grande afeto; amar enternecidamente: *Estremecia aquele menino como se lhe fora filho.* *Int.* **5.** Tremer subitamente de medo, espanto ou surpresa. **6.** Sofrer abalo rápido: *À passagem do pesado veículo, toda a casa estremeceu.* **7.** Vibrar, soar. *P.* **8.** Sofrer tremor, abalo; sacudir-se, abalar-se. **9.** Assustar-se, horrorizar-se. [Conjug.: v. *aquecer*.]

estremecido [Part. de *estremecer*.] *Adj.* **1.** Tremido, assustado, sobressaltado. **2.** Muito amado: *filho estremecido; terra estremecida.* **3.** Pouco firme; abalado: *amizade estremecida.*

estremecimento [De *estremecer* + *-imento*.] *S. m.* **1.** Ação de estremecer(-se). **2.** Tremor; estremeção. **3.** *Fig.* Afeição íntima e profunda; amor.

estremenho [Do esp. *extremeño*, *estremeño*.] *Adj.* **1.** Confinante, limítrofe. **2.** Da, ou pertencente ou relativo à Estremadura (Portugal). ● *S. m.* **3.** O natural ou habitante da Estremadura.

estremunhado [Part. de *estremunhar*.] *Adj.* Que se estremunhou; estrovinhado, mal-acordado.

estremunhar [De or. obscura.] *V. t. d.* **1.** Despertar de repente (quem dorme). *Int.* **2.** Despertar de repente, ainda estonteado de sono; estremunhar-se. *P.* **3.** Estremunhar (2). **4.** Estontear-se, aturdir-se, atarantar-se; desnortear-se, desorientar-se. [Sin. ger.: *estrovinhar*.]

estrénuo *Adj.* V. *estrênuo*. [Uso freq. em P.]

estrênuo [Do lat. *strenuu*.] *Adj.* **1.** Valente, corajoso, denodado: "Ela perdeu um excelente marido e o partido legitimista um estrênuo defensor." (Camilo Castelo Branco, *A Queda dum Anjo*, p. 269.) **2.** Ativo, diligente, zeloso. **3.** Esforçado, forte, firme; tenaz, porfiado: "No fundo do desassossego que não permitiu ao trabalhador estrênuo umas férias tranquilas, verificando, Dario deparou Ana Emília a agir por sobrevivência." (José Vieira, *Espelho de Casados*, p. 211.)

estrepada [De *estrepar* + *-ada*[1].] *S. f.* **1.** Ferida causada por estrepe. **2.** Situação clamorosa, desfavorável: *O negócio resultou numa estrepada.*

estrepar [De *estrepe* + *-ar*[2].] *V. t. d.* **1.** Guarnecer com estrepes. **2.** Ferir com estrepes. *P.* **3.** Ferir-se com estrepes. **4.** *Bras.* Sair-se mal: *Pensou que fazia bom negócio, e estrepou-se.*

estrepe [Do lat. *stirpe*, pelo port. ant. **esterpe*, com metátese.] *S. m.* **1.** Espinho; abrolho. **2.** Pua de madeira ou ferro. **3.** *P. ext.* Ponta aguda. **4.** *Mil.* Antiga peça militar, de ferro, com pontas, que se cravava no chão para dificultar o avanço da infantaria e da cavalaria; abrolho. **5.** Cana de milho cortada obliquamente. **6.** *Fig.* Dificuldade, embaraço, espinho. **7.** *Fig. Deprec.* Pessoa incômoda, importuna, má. **8.** *Etnol.* Espécie de armadilha defensiva, us. entre certos povos indígenas para dificultar o acesso às aldeias, constituída por lascas de madeira cravadas no chão, aguçadas nas extremidades livres, envenenadas ou não, e disfarçadas entre a folhagem. **9.** *Bras. Gír.* Indivíduo muito feio: *Onde ela arranjou esse estrepe?* ~ V. *estrepes*.

estrepeiro [De *estrepe* + *-eiro*.] *S. m. Bot.* Pilriteiro.

estrepes [Pl. de *estrepe*.] *S. m. pl.* Pedaços de vidro partido, puas de ferro, etc., que encimam os muros para impedir que sejam escalados. ~ V. *estrepe*.

estrepitante [De *estrepitar* + *-nte*.] *Adj. 2 g.* Que faz estrépito: "Um rancho de negritos / Luzidios e nus, / Enchendo o ar de estrepitantes gritos, / O pátio cruzam rápido" (Gonçalves Crespo, *Obras Completas*, p. 192).

estrepitar [Do lat. *strepitare*.] *V. int.* Soar, vibrar, com estrépito; estrondar: "estrepitam, britando e esfarelando as pedras, torrentes de cascos pelos tombadores" (Euclides da Cunha, *Os Sertões*, p. 128); "de repente estrepitou um estalido seco." (Coelho Neto, *Treva*, p. 282). [Pres. ind.: *estrepito*, etc. Cf. *estrépito*.]

estrépito [Do lat. *strepitu*.] *S. m.* **1.** Ruído forte; fragor, estrondo: "Dos cavalos o estrépito parece / Que faz que o chão debaixo todo treme" (Luís de Camões, *Os Lusíadas*, VI, 64). **2.** Barulho, agitação, tumulto. **3.** Pompa, ostentação. [Cf. *estrepito*, do v. *estrepitar*.]

estrepitoso (ô) [De *estrépito* + *-oso*.] *Adj.* **1.** Que produz estrépito: *ovação estrepitosa.* **2.** Que dá brado; muito notório; sensacional: *Os estrepitosos sucessos daquele ano.*

estrepsíptero [Do gr. *strépsis*, 'ação de voltar', + *-ptero*; tax. *Strepsiptera*.] *Zool.* *S. m.* **1.** Espécime dos estrepsípteros, ordem de pequenos insetos, com cerca de 500 espécies, endoparasitos de outros insetos, como, por ex., abelhas, vespas, gafanhotos, etc.. Os machos têm vida livre, cabeça pequena, asas anteriores diminutas e as posteriores grandes e em forma de leque; as fêmeas são ápteras e ápodes, permanecendo, em definitivo, parcialmente dentro do corpo do hospedeiro. ● *Adj.* **2.** Pertencente ou relativo a eles. [Sin. ger.: *ripíptero*.]

▲estrept(o)- [Do gr. *strepto-* < gr. *streptós*, *é*, *ón*, 'torcido'.] *El. comp.* = 'torcido em cadeia': *estreptobacilo*.

estreptobacilo [De *estrept(o)-* + *bacilo*.] *S. m.* Bacilo composto de cadeias de segmentos em forma de bastonetes.

estreptococácea [Do tax. *Streptococcus* (v. *estreptococo*) + *-ácea*; tax. *Streptococcaceae*.] *S. f. Microbiol.* Espécime das estreptococáceas, família de bactérias gram-positivas, imóveis, em forma de cocos, ou ovoides. São aeróbias e parasitam vertebrados, esp. na boca e nas vias respiratórias superiores, sendo causadoras de várias enfermidades tais como faringite, pneumonia, erisipela, endocardite e meningite.

estreptococáceo [De *estreptococácea*, com var. suf. (*-áceo*).] *Adj. Microbiol.* Pertencente ou relativo às estreptococáceas.

estreptococcia [Do tax. *Streptococcus* (v. *estreptococo*) + *-ia*[1].] *S. f. Med.* Qualquer infecção produzida por estreptococo.

estreptocócico [De *estreptococo* + *-ico*[2].] *Adj.* **1.** Relativo ou pertencente a estreptococo. **2.** Provocado por ele.

estreptococo [De *estrept(o)-* + *-coco*; tax. *Streptococcus*.] *S. m. Microbiol.* **1.** Gênero de bactérias estreptococáceas, que se apresentam como cadeia de esférulas. **2.** Qualquer espécie desse gênero, como, p. ex., a *Streptococcus pyogenes*, agente etiológico da escarlatina; algumas espécies não patogênicas, como a *S. lactis* e a *S. cremoris*, têm uso comercial no fabrico da manteiga, e de outros laticínios. **3.** Qualquer espécime desse gênero.

estreptomicina [De *estrept(o)-* + *-micina*.] *S. f. Terap.* Antibiótico com poder bactericida, obtido a partir do *Streptomyces griseus*, de amplo espectro de ação e de uso particularmente importante no tratamento de tuberculose.

estreptoneuro [De *estrept(o)-* + *-neuro*; tax. *Streptoneura*.] *Zool. S. m.* **1.** Espécime dos estreptoneuros, subclasse de animais metazoários, moluscos, gastrópodes. Sexos separados; a massa visceral e a comissura nervosa mostram o máximo de torção; dois tentáculos; ctenídeos anteriores ao coração; a cavidade do manto abre-se anteriormente. ● *Adj.* **2.** Pertencente ou relativo a eles. [Sin. ger.: *prosobrânquio*.]

estresir [De or. controversa.] *V. t. d.* **1.** *Grav.* Copiar (imagens, letras, etc.) em papel, placa para gravar, etc., picando as linhas do desenho com furador ou com roldana dentada e passando sobre ele um pó colorido, ou seguindo-lhe o contorno com um ponteiro, para decalcá-lo sobre a outra superfície; contratirar. **2.** *Fig.* Copiar fielmente; reproduzir. **3.** Imitar, copiar, reproduzir.

estressado [Part. de *estressar*.] *Adj.* **1.** Que está com estresse. **2.** *Fig.* Extremamente tenso ou nervoso. **3.** Que revela estresse: *Tem um jeito estressado de falar.* ● *S. m.* **4.** Indivíduo estressado.

estressante [De *estressar* + *-nte*.] *Adj. 2 g. Med.* Que provoca estresse; que estressa.

estressar [De *estresse* + *-ar*[2]; ingl. (*to*) *stress*.] *V. t. d. Med.* Produzir estresse em.

estresse [Do ingl. *stress*.] *S. m. Med.* Conjunto de reações do organismo a agressões de ordem física, psíquica, infecciosa, e outras, capazes de perturbar-lhe a homeostase; estricção.

estressor (ô) [De *estresse* + *-or*.] *S. m. Med.* Agente produtor de estresse.

estreto (ê) [Do it. *stretto*.] *S. m. Mús.* **1.** Parte da fuga[2] (q. v.) e de formas derivadas, na qual sujeito (18) e resposta (10) são apresentados de forma menos espaçada. **2.** Numa forma imitativa, o apressamento, ou estreitamento das imitações.

estria[1] [Do lat. *stria*.] *S. f.* **1.** Linha fina que forma um sulco, uma aresta ou um traço colorido na superfície de um corpo. **2.** *P. ext.* Qualquer linha ou filete existente na pele. **3.** *Arquit.* Sulco em forma de meia-cana que se faz ao longo das colunas, pilares, pilastras, etc.; canelura. [Cf., nesta acepç., *craca*[1].] **4.** *Artilh.* Cada sulco ou raia na alma da peça, ou na superfície interior do cano de qualquer arma de fogo.

estria[2] [Do lat. tard. *stria* (láss. *striga*, conexo com *strix, igis*).] *S. f.* Vampiro ou bruxa que, segundo a crendice popular, suga o sangue às crianças.

estriado [Do lat. *striatu*.] *Adj.* **1.** Que tem estrias. **2.** *Bot.* Diz-se do órgão ou parte vegetal provida de estrias, muitas vezes apenas indicadas por uma coloração diferente do fundo. ~ V. *arma —a*, *coluna —a*, *fibra —*, *miócito —* e *músculo —*.

estriamento [De *estriar* + *-mento*.] *S. m.* **1.** Ato ou efeito de estriar. **2.** Disposição das estrias nas peças de artilharia.

estriar [Do lat. *striare*.] *V. t. d.* **1.** Ornar ou guarnecer com estria[1] (3). **2.** Riscar; canelar. **3.** *Expl.* Amolgar (5). [Cf. *estrear*.]

estribado [Part. de *estribar*.] *Adj.* **1.** Seguro ou apoiado em estribo. **2.** Firmado ou apoiado em qualquer objeto. **3.** *Fig.* Fundamentado, apoiado, baseado. **4.** *Bras. Gír.* Que tem muito dinheiro ou muitos bens; rico.

estribar [De *estribo* + *-ar*[2].] *V. t. d.* **1.** Firmar (os pés) nos estribos. *T. d. e i. T. d. e c.* **2.** Firmar, assentar, apoiar: *Estribou a casa sobre alicerces sólidos; Estribou sua tese em abalizadas opiniões. T. i.* **3.** Suster-se, firmar-se, fundamentar-se. *Int.* **4.** Firmar as pernas, metendo os pés nos estribos. *P.* **5.** Firmar-se ou apoiar-se nos estribos. **6.** Apoiar-se, basear-se, fundar-se, fundamentar-se. **7.** *Bras. Gír.* Obter ou arranjar dinheiro. [Fut. pret.: *estribaria*, etc. Cf. *estrebaria*.]

estribeira [De *estribo* + *-eira*, ou do fr. ant. *estrivière*.] *S. f.* **1.** Estribo de montar à gineta. **2.** *Ant.* Estribo de carruagem. ◆ **Perder as estribeiras.** *Fam.* Praticar despropósitos; despropositar, desnortear-se, desorientar-se, descomedir-se; perder os estribos.

estribeiro [De *estribo* + *-eiro*.] *S. m.* Aquele que tem a seu cargo cavalariças, coches, arreios, etc.; arricaveiro.

estribilhar [De *estribilho* + *-ar*[2].] *Bras. V. t. d.* **1.** Repetir como estribilho. *Int.* **2.** Cantar ou pipilar (ave) repetidamente, como em estribilho.

estribilhas [De *estribar*.] *S. f. pl. Encad.* V. *costurador* (2).

estribilho [Do esp. *estribillo*.] *S. m.* **1.** *Arte Poét.* Verso(s) repetido(s) no fim de cada estrofe de uma composição; refrão, refrém, ritornelo. **2.** *Fig.* Palavra ou expressão que alguém repete muito na conversa ou na escrita; bordão.

estribo [Da mesma or. incerta que o esp. *estribo*, o cat. *estrep*, o fr. ant. *estrieu* (atual *étrier*); poss. de or. germ.] *S. m.* **1.** Peça de metal, de madeira ou de sola, em forma de aro, caixa ou sapato, presa ao loro, de cada lado da sela, e na qual o cavaleiro firma o pé. **2.** Degrau ou plataforma das viaturas. **3.** *Anat.* O menor e mais interno dos ossículos da orelha média. **4.** *Bras.* Parada (5) para eventual embarque e desembarque de passageiros. [Cf., nesta acepç., *estação* (2).] **5.** *Constr.* Peça de aço colocada transversalmente a uma armadura longitudinal num concreto, para mantê-la em posição ou para resistir a certos esforços. **6.** *Marinh.* Cabo cujos chicotes são presos aos laises de uma verga e cujo seio é, a espaços, aguentado à verga por meio de pedaços de cabos denominados *andorinhos*. Serve de apoio aos pés dos marinheiros que trabalham na verga. [Tb. o pau da bujarrona e, por vezes, a retranca têm estribo.] **7.** *Fig.* Arrimo, apoio, esteio. ◆ **Dar estribo.** *Bras.* Dar confiança. **Negar o estribo.** *Bras. RS* **1.** Negar-se (o cavalo) a ser montado, afastando-se quando o cavaleiro procura alcançar o estribo. **2.** *Fig.* Faltar a compromisso. **3.** *Fig.* Negar o concurso para alguma coisa. **4.** *Fig.* Mostrar-se esquivo. **Perder os estribos.** V. *perder as estribeiras*: "Fabiano perdeu os estribos..... Estava direito aquilo? Trabalhar como negro, e nunca arranjar carta de alforria!" (Graciliano Ramos, *Vidas Secas*, p. 114.)

estrição *S. f.* V. *estricção*.

estriçar [Do lat. **strictiare*.] *V. t. d. P. us.* V. *destrinçar*. [Conjug.: v. *laçar*.]

estricção [Do ingl. *striction* < ingl. *strict* < lat. *strictus*, 'cerrado'; 'restrito'; 'rigoroso'.] *S. f.* **1.** *Eng.* Propriedade que têm certos materiais de apresentar grandes deformações plásticas antes de se romperem. [Esse fenômeno é observável quando se realizam ensaios de tração, e é expresso pela redução percentual do diâmetro do corpo de prova após romper-se, em relação ao diâmetro original.] **2.** *Med.* Estresse. [Var.: *estrição*.]

estricnácea [Adapt. do tax. *Strychnaceae*.] *S. f. Bot.* Espécime das estricnáceas, antiga denominação de espécies do gênero *Strychnos*, atualmente classificadas nas loganiáceas.

estricnáceo [De *estricnácea*, com var. suf. (v. *-áceo*).] *Adj. Bot.* Pertencente ou relativo às estricnáceas.

estricnina [De *estricno* + *-ina*[3]; fr. *strychnine*.] *S. f. Quím.* Alcaloide da noz-vômica, cristalino, incolor, estimulante nervoso, venenoso [fórm.: $C_{21}H_{22}O_2N_2$].

estricnismo [De *estricn(ina)* + *-ismo*, com haplologia.] *S. m. Med.* Intoxicação por uso inadequado de estricnina.

estricno [Do tax. *Strychnos* (do lat. *strychnus* < gr. *strýchnos*, 'noz-vômica').] *S. m. Bot.* **1.** Gênero de loganiáceas que reúne cerca de 190 espécies de árvores, arbustos e lianas nativas de regiões tropicais e subtropicais, cujas sementes encerram vários alcaloides. **2.** Qualquer espécie desse gênero, como, por ex., a *Strychnos nux-vomica* e a *S. ignatii* [v. *noz-vômica* (1 e 2)]. **3.** Qualquer espécime desse gênero.

estricto [Do lat. *strictu*.] *Adj. Bras.* V. *estrito*.

estridência [De *estridente* + *-ia*[2], seg. o padrão erudito.] *S. f.* Qualidade de estridente.

estridente [Do lat. *stridente*, part. pres. de *stridere*, 'produzir som agudo estridente', 'chiar', 'ranger'.] *Adj. 2 g.* Que faz estridor; agudo, sibilante, penetrante; estridulante, estrídulo, estriduloso.

estrídeo [Do tax. *Oestrus* (v. *estro*[2]) + *ídeo*[1]; tax. *Oestridae*.] *Zool. S. m.* **1.** Espécime dos estrídeos, família de insetos dípteros, de porte médio a grande, ger. pilosos, apiformes, cosmopolitas, e cujas larvas são endoparasitos de animais domésticos, vivendo sob a pele, em cavidades nasais (nos carneiros), ou no intestino; raramente infestam o homem. As espécies mais comuns são *Hypoderma bovis* e *H. lineatum*, pragas do gado. ● *Adj.* **2.** Pertencente ou relativo a eles.

estridor (ô) [Do lat. *stridore*.] *S. m.* **1.** Ruído forte, penetrante e desagradável; estrondo: "Ésquilo estrugirá aos ouvidos num caos de sons, mesclando o estridor das armas ao ruir das montanhas" (Mendes Leal, em Antônio Feliciano de Castilho, *O Médico à Força, de Molière*, p. 220). **2.** *P. ext.* Ruído semelhante ao silvo.

estridulação [De *estridular* + *-ção*.] *S. f.* Som áspero e agudo semelhante ao provocado pelo atrito das partes quitinosas do corpo dos insetos, como, p. ex., a cigarra e o grilo.

estridulante [De *estridular* + *-nte*.] *Adj. 2 g.* **1.** Que estridula. V. *estridente*. **2.** *Zool.* Diz-se de insetos que estridulam, como a cigarra. ● *S. m.* **3.** *Zool.* Inseto estridulante.

estridular [De *estrídulo* + *-ar*[2].] *V. int.* **1.** Fazer estridor; produzir som agudo e penetrante. **2.** Cantar com som estrídulo: "em Lauraguais, ainda hoje, quando a cigarra começa a estridular, dizem que ela proclama o momento da ceifa" (Alberto Faria, *Acendalhas*, pp. 59-60); "No olho do coqueiro um chupim estridulava." (Vieira Pires, *Querência*, p. 133). *T. d.* **3.** Dizer ou cantar com som estrídulo. [Pres. ind.: *estridulo*, etc. Cf. *estrídulo*.]

estrídulo [Do lat. *stridulu*.] *Adj.* **1.** V. *estridente*: "o grito estrídulo e doloroso da Úrsula estrugiu." (Pedro Rabelo, *A Alma Alheia*, p. 29). ● *S. m.* **2.** Som estrídulo; estridor: "retiniam os clamores das maracanãs, os estrídulos das arapongas" (José de Alencar, *O Sertanejo*, p. 206). [Cf. *estridulo*, do v. *estridular*.]

estriduloso (ô) [De *estrídulo* + *-oso*.] *Adj.* V. *estridente*: "Rompe em meio da estranha languidez / O silvo estriduloso da serpente." (Gonçalves Crespo, *Obras Completas*, p. 293.)

estriga [Do lat. *striga*, 'fiada'; 'cerda', < lat. *stringere*.] *S. f.* **1.** Porção de linho que se põe duma vez na roca para fiar. **2.** *P. ext.* Filamentos de outras plantas com que também se pode fiar. **3.** *Fig.* Madeixa de cabelos.

estrigado [Part. de *estrigar*.] *Adj.* **1.** Feito em estriga. **2.** Acetinado como estriga; macio, sedoso.

estrigar [De *estriga* + *-ar*[2]] *V. t. d.* **1.** Separar e atar em estrigas. **2.** Enastrar. **3.** Tornar macio, sedoso, como a estriga. [Conjug.: v. *largar*.]

estrige [Do lat. *strige*, 'certa ave noturna'; 'vampiro'; 'feiticeira' < gr. *strínx, ingós*, 'coruja-das-torres'.] *S. f.* **1.** Vampiro (1). **2.** V. *feiticeira* (1). **3.** *Zool.* Coruja[1] (1).

estrigídeo [Do lat. cient. *Strig-* (< tax. *Strix* < lat. *strix, igis*, 'certa ave noturna') + *-ídeo*[1]; tax. *Strigidae*.] *Zool. S. m.* **1.** Espécime dos estrigídeos, família de aves estrigiformes, noturnas, com o dedo médio mais comprido que o dedo interior. Em sua maioria, têm penachos na cabeça que lembram pequenas orelhas, plumagem mole, e alimentam-se de pequenos vertebrados e artrópodes. São os mochos, corujas e caburés. ● *Adj.* **2.** Pertencente ou relativo a eles. [Sin. ger.: *bubônida*, *bubonídeo*.]

estrigiforme (trì) [Do lat. cient. *Strig-* (v. *estrigídeo*) + *-iforme*; tax. *Strigiformes*.] *Zool. S. m.* **1.** Espécime dos estrigiformes, ordem de aves neórnites, neógnatas, noturnas, de bico forte em forma de gancho e provido de ceroma; olhos contornados por um círculo de penas diferenciadas; abertura auricular grande e geralmente com tufos de penas; pés zigodáctilos, preensores, e com unhas aduncas. Divide-se em duas famílias: estrigídeos e titonídeos. ● *Adj. 2 g.* **2.** Pertencente ou relativo a eles.

estrigir *V. int.* Estrugir, estrondar, estrondear. [Conjug.: v. *dirigir*.]

estrigoso (ô) [Do lat. cient. *strigosus* < lat. *striga*, 'cerda'.] *Adj. Bot.* ~ V. *folha —a*.

estrilador (ô) [De *estrilar* + *-dor*.] *Adj. Bras. Gír.* Que é dado a estrilar; mal-humorado e/ou violento.

estrilar [De *estrilo* + *-ar*[2].] *V. int. Bras. Gír.* **1.** Vociferar, deblaterar, bradar, por zanga, exasperação, enfurecimento. **2.** Protestar, reclamar. **3.** *Fig.* Cricrilar: "Os grilos estrilavam em rumorejo" (Coelho Neto, *Banzo*, p. 90).

estrilo [Do it. *strillo*.] *S. m. Bras. Pop.* **1.** Grito irritado, ou de protesto; censura agressiva: *Ninguém aguenta um estrilo destes.* **2.** Zanga, indignação, fúria; protesto. ◆ **Dar (um/o) estrilo.** Irritar-se com alvoroço: *O chefe deu um estrilo de meter medo; Chegou e foi logo dando o estrilo.*

estrincar [De or. controversa.] *V. t. d.* **1.** Torcer (os dedos), fazendo-os estalar. **2.** *Bras.* Apertar estreitamente; estringir: "Seus dedos encarangados estrincavam ainda o cabo da faca" (Afonso Arinos, *Pelo Sertão*, p. 37). [Var.: *destrincar*. Conjug.: v. *trancar*.]

estrinchar [De or. obscura.] *V. int. Pop.* Saltar, correr, brincar.

estringe [Do lat. tard. *stringes* (de or. gót.), tomado no sing.] *S. f.* **1.** Túnica us. pelos godos na Espanha: "divisavam-se muitos godos, pelas armaduras pesadas, ... e pelas estringes mais curtas que as amplas vestiduras dos filhos do Oriente." (Alexandre Herculano, *Eurico, o Presbítero*, pp. 60-61.) **2.** *P. ext.* Qualquer túnica.

estringir [Do lat. *stringere*.] *V. t. d. Bras.* Apertar, circundar, cingir estreitamente. [Conjug.: v. *dirigir*.]

estriol [De *estr(o)-* + *-tri-* + *-ol*[2].] *S. m. Bioquím.* Estrogênio esteroidal derivado metabólico de estradiol, encontrado, p. ex., na urina das grávidas [fórm.: $C_{18}H_{24}O_3$]. [Pl.: *estrióis*.]

estripação [De *estripar* + *-ção*.] *S. f.* Ato ou efeito de estripar. [Cf. *extirpação*.]

estripado [Part. de *estripar*.] *Adj.* **1.** A que se tiraram as tripas. **2.** Que tem o ventre roto, deixando sair as tripas.

estripar [De *es-* + *tripa* + *-ar*[2].] *V. t. d.* **1.** Tirar as tripas a. **2.** Fazer carnificina em. **3.** Desventrar. [Sin. ger.: *destripar*. Cf. *extirpar*.]

estripulento [De *estripul(ia)* + *-ento*.] *Adj. Bras. Fam.* Que faz estripulia.

estripulia [De *tropelia*, poss.] *S. f. Bras. Fam.* **1.** Bulha, travessura, tropelia. **2.** Embrulhada, desordem, conflito. V. *rolo*[1] (16).

estritamente [Do f. de *estrito* + *-mente*.] *Adv.* De maneira estrita; precisamente; com exatidão; à risca: "A menina cumpria estritamente a obrigação que se tinha imposto; mostrava-se para ser cobiçada e atrair um noivo." (José de Alencar, *Senhora*, p. 194.)

estrito [Var. de *estricto*.] *Adj.* **1.** Rigoroso, exato. **2.** Que não comporta extensão ou analogia; preciso, restrito. ~ V. *implicação —a*.

estritura [Do lat. *strictura*.] *S. f. Patol.* Estreitamento anormal de ducto; aperto, compressão.

estro[1] [Do gr. *oîstros*, pelo lat. *oestru*.] *S. m.* **1.** Engenho poético; imaginação criadora, inspiração, talento: "E Virgílio para viver necessitou que Augusto o violentasse pela sua generosidade criminosa a profanar o seu estro e a deslustrar o seu nome, comprando pela adulação o pão de cada dia." (Latino Coelho, *Cervantes*, p. 154.) **2.** Desejo sexual [v. *cio* (2)]: "A puberdade, a menstruação, a gravidez, a amamentação, os estros, o erotismo, ... demonstram como se tornam delicadas as questões de origem psicológica e ética que se relacionam ao instinto reprodutor." (A. Austregésilo, *Obras Completas*, I, pp. 152-153.) **3.** *Biol.* Período em que o macho é recebido pela fêmea e em que esta tolera o acasalamento ou coito; cio (3).

estro[2] [Do tax. *Oestrus* (< lat. *oestrus*, 'moscardo').] *S. m. Zool.* **1.** O gênero-tipo dos estrídeos, que inclui moscas que parasitam carneiros, na Europa. **2.** Espécie, ou espécime desse gênero.

▲estr(o)- [Do lat. cient. *estro-*, *oestro-*, do tax. *Oestrus*, ou do gr. *oîstros, ou*, 'tavão', 'moscardo'; 'desejo furioso'.] *El. comp.* = 'estro'; 'estrogênio': *estrogênio*; *estriol*. [Ocorre, tb., como *estra-*, *-(e)str(o)-* e *-estro*: *estradiol*; *estilbestrol*; *monoestro*.]

▲-(e)str(o)- V. *estr(o)-*.

▲-estro V. *estr(o)-*.

estrobilação [De **estrobilar* (< *estróbilo* + *-ar*[2]) + *-ção*; ingl. *strobilation*.] *S. f. Biol.* V. *estrobilização*.

estrobilização [De **estrobilizar* (< lat. cient. *strobilus* + *-izar*) + *-ção*; ingl. *strobilization*.] *S. f. Biol.* Forma de reprodução assexuada observada em anelídeos, cestódeos e celenterados, nos quais o corpo se divide em segmentos que irão formar novos indivíduos; estrobilação.

estróbilo [Do lat. cient. *strobilus* (< lat. tard. *strobilus* < gr. *stróbilos, ou*, 'o que se volta, se torce'; 'turbilhão'; 'pinha').] *S. m.* **1.** *Biol.* Segmento, ou conjunto de segmentos, que forma o corpo de certos animais (anelídeos, cestódeos e celenterados). **2.** *Bot.* Estrutura florífera, e depois frutífera, das coníferas, como, p. ex., a pinha do pinheiro-do-paraná. Segundo alguns autores, corresponde à única flor feminina; segundo outros, a uma inflorescência. O estróbilo é grande, duro, e composto de brácteas ou escamas e óvulos, estes e aquelas inseridos em torno de um eixo grosso. [Sin., nesta acepç.: *cone*.]

estroboscópico [De *estroboscópio* + *-ico*[2].] *Adj.* Do, relativo ao, ou realizado por meio do estroboscópio.

estroboscópio [Do gr. *stróbos*, 'turbilhão', + *-scópio*.] *S. m.* Dispositivo que utiliza recurso de luz estroboscópica para controle de velocidade (p. ex., em toca-discos).

estroçar [De *es-* + *troço* (ô) + *-ar*[2].] *V. t. d.* Destroçar. [Conjug.: v. *laçar*.] [Pres. ind.: *estroço*, etc. Cf. *estroço* (ô).]

estroço (ô) [Dev. de *estroçar*.] *S. m.* **1.** Destroço (ô): "Montão de estroços, desabado mundo, // Roto arcabouço, rota escadaria" (Alberto de Oliveira, *Poesias*, 3.ª série, p. 267). **2.** *Bras.* Enxame (1) que se mudou para outro cortiço. [Pl.: *estroços* (ó). Cf. *estroço*, do v. *estroçar*.]

estrofação [De **estrofar* (de *estrofe*) + *-ção*.] *S. f.* Divisão em estrofes: *Muitos poemas de Drummond primam pela estrofação irregular.*

estrofantina [De *estrofanto* + *-ina*[3].] *S. f. Bioquím.* Heterosídeo extraído das sementes de vegetais do gênero *Strophantus* (v. *estrofanto*), semelhante à uabaína.

estrofanto [Do tax. *Strophantus* (do gr. *stróphos*, 'correia ou trançada', + lat. cient. *-anthus*, v. *-anto*).] *S. m. Bot.* **1.** Gênero de árvores e arbustos, ou de trepadeiras lenhosas, apocináceos, nativos das regiões tropicais da Ásia e da África, de flores exuberantes; as sementes de algumas espécies são venenosas. **2.** Qualquer espécie desse gênero, como, p. ex., a *Strophantus gratus*, que fornece a estrofantina. **3.** Qualquer espécime desse gênero.

estrofe [Do gr. *strophé*, pelo lat. tard. *strophe*.] *S. f.* **1.** V. *estância*[1] (9). **2.** *Arte Poét.* A primeira parte da antiga ode grega. [Cf. *antístrofe* (1) e *epodo* (1).]

estrófico [De *estrofe* + *-ico*[2].] *Adj.* Relativo ou pertencente a estrofe.

estrofoquilídeo [Do tax. *Strophocheilus* + *-ídeo*[1].] *Zool. S. m.* **1.** Espécime dos estrofoquilídeos, família de moluscos gastrópodes, pulmonados, de concha grande, sendo as espécies mais comuns o *Strophocheilus oblongus* e o *S. ovatus*, os maiores caramujos terrestres. Ex.: os bulimos. ● *Adj.* **2.** Pertencente ou relativo a eles.

estrófulo [Do lat. cient. *strophulus* < gr. *stróphos*, 'corda'.] *S. m. Patol.* Dermatose papulosa e pruriginosa, frequente nas crianças.

estrogénico *Adj. Farm.* V. *estrogênico*. [Uso freq. em P.]

estrogênico [De *estr(o)-* + *-gen(o)-* + *-ico*[2].] *Adj. Farm.* Diz-se de substância que tem ação semelhante ou igual à de um estrogênio.

estrogénio *S. m. Fisiol. Bioquím.* V. *estrogênio*. [Uso freq. em P.]

estrogênio [De *estr(o)-* + *-gen(o)-* + *-io*[3].] *S. m. Fisiol. Bioquím.* Designação genérica dos hormônios responsáveis pelo desenvolvimento dos caracteres sexuais secundários na mulher e pelo aparecimento, durante o ciclo menstrual, das condições adequadas, na genitália feminina, à fertilização, implantação e nutrição do embrião.

estrógeno [De *estr(o)-* (3) + *-geno*.] *S. m. Fisiol. Bioquím.* Estrogênio.

estrogonofe [Do antr. (*Paul*) *Stroganoff* (séc. XIX), conde e diplomata russo.] *S. m. Cul.* Guisado, geralmente de carne ou de galinha picadas, feito em molho de creme de leite, *ketchup* e vinho.

estroina [De or. incerta.] *Adj. 2 g. S. 2 g.* **1.** Extravagante, doidivanas, boêmio. **2.** Gastador, dissipador, perdulário. ❖

estroinar [De *estroina* + *-ar*[2].] *V. int.* **1.** Fazer estroinices; viver como estroina. **2.** Divertir-se; folgar.

estroinice [De *estroina* + *-ice*.] *S. f.* Ação ou procedimento de estroina; extravagância, dissipação.

estroma [Do gr. *strôma*, 'o que cobre'; 'tapete', pelo lat. tard. *stroma*.] *S. m.* **1.** *Micol.* Corpo constituído de hifas estreitamente entrelaçadas, razão por que é muito compacto. **2.** *Bot.* Trama que constitui o cloroplasto, e sobre cujas malhas se acham os grãos de clorofila. **3.** *Anat.* Tecido conjuntivo que constitui o arcabouço de um órgão. [Sin. ger.: *estrômato*.] ◆ **Estroma ovariano.** *Histol.* Tecido conjuntivo existente entre os folículos.

estromateida [Do tax. *Stromateus* + *-ida*[1].] *S. m. Adj. 2 g. Zool.* V. *estromateídeo*.

estromateídeo [Do tax. *Stromateus* (< gr. *stromateús*, 'certo peixe de cores mescladas') + *-ídeo*[1]; tax. *Stromateidae*.] *Zool. S. m.* **1.** Espécime dos estromateídeos, pequena família de peixes actinopterígios, dos mares quentes e temperados da região Indo-Pacífica, e cujo gênero-tipo é o estromáteo. ● *Adj.* **2.** Pertencente ou relativo a eles.

estromáteo [Do tax. *Stromateus*.] *S. m. Zool.* **1.** O gênero-tipo dos estromateídeos (q. v.). **2.** Espécie, ou espécime desse gênero.

estromático [De *estroma* + *-ático*.] *Adj.* Relativo a estroma.

estrómato *S. m. Micol. Bot. Anat.* V. *estrômato*. [Uso freq. em P.]

estrômato [Do gr. *strôma, atos*, 'tapete'.] *S. m. Micol. Bot. Anat.* Estroma.

estrombídeo [Do tax. *Strombus* (v. *estrombo*) + *-ídeo*[1]; tax. *Strombidae*.] *S. m. Zool.* **1.** Espécime dos estrombídeos, família de moluscos gasterópodes, marinhos, sendo o estrombo o gênero mais comum. ● *Adj.* **2.** Pertencente ou relativo a eles.

estrombo [Do tax. *Strombus* (< lat. *strombus*, 'búzio').] *S. m. Zool.* **1.** Gênero de moluscos gastrópodes, marinhos, de concha grande e forte. **2.** Qualquer espécie desse gênero, como, p. ex., a *Strombus gigas*, do oceano Índico. **3.** Qualquer espécime desse gênero.

estrompa [Der. de *estrompar*.] *Adj. 2 g. Bras. N.E. Pop.* **1.** Grosseiro, rude, violento. **2.** Sem habilidade; desajeitado, desazado.

estrompado [Part. de *estrompar*.] *Adj.* **1.** Gasto, estragado, deteriorado. **2.** Muito cansado; esfalfado. **3.** *Bras. S.* Bronco, estúpido, obtuso.

estrompar [De *es-* + *trompa*[1] + *-ar*[2], poss.] *V. t. d.* **1.** Gastar; deteriorar; estragar; romper. **2.** Obrigar a trabalho longo e penoso; esfalfar, fatigar: "Com tal sistema o Barão [Barão do Rio Branco].... estrompava o pessoal de seu gabinete, que andava tresnoitado e lasso." (Rodrigo Otávio, *Minhas Memórias dos Outros*, Nova Série, p. 141.) **3.** *Bras. CE Pop.* Perturbar (jogo ou negócio), cometendo erro intencional.

estrompido [Cruz. de *estrondo* com *estampido*, poss.] *S. m.* Estrépito, estampido, estrupido.

estrona [De *estr(o)-* + *-ona*[2].] *S. f. Bioquím.* Estrogênio esteroidal derivado metabólico de estradiol, encontrado, p. ex., na urina das grávidas [fórm.: $C_{18}H_{22}O_2$].

estronca [Dev. de *estroncar*.] *S. f.* **1.** Espécie de forquilha com que se levantam grandes pesos. **2.** V. *escora* (1). **3.** Pau que sustenta o cabeçalho do carro e impede que este, quando se retira a carga, encoste no chão.

estroncamento [De *estroncar* + *-mento*.] *S. m.* Ato ou efeito de estroncar.

estroncar [De *es-* + *tronco*[1] + *-ar*[2].] *V. t. d.* Destroncar. [Conjug.: v. *trancar*.]

estroncianita [Do ingl. *strontianite* < top. *Strontian* (Escócia) + ingl. *-ite* (v. *-ita*[3]).] *S. f. Min.* Mineral ortorrômbico, carbonato de estrôncio, empregado na preparação dos sais de estrôncio.

estrôncio [Do lat. cient. *strontium*.] *S. m. Quím.* Elemento de número atômico 38, metálico, branco-prateado, leve [símb.: *Sr*].

estrondar [De *estrondo* + *-ar*[2].] *V. int.* **1.** Fazer estrondo, ruído; soar com força; estrepitar. **2.** Clamar, vociferar, deblaterar. *T. c.* **3.** Causar sensação; ser notório: *A falência da firma estrondou na praça.* [Sin. ger.: *estrondear*.]

estrondeante [De *estrondear* + *-nte*.] *Adj. 2 g.* Que estrondeia.

estrondear [De *estrondo* + *-ear*[2].] *V. int. T. c.* V. *estrondar*: "Bate, arrebenta, assobia, / Retumba, estrondeia o mar." (Raimundo Correia, *Poesias*, p. 273.) [Conjug.: v. *frear*.]

estrondo [Da mesma or. que o esp. *estruendo* (< esp. *atruendo*, com mudança de pref. [V. *es-*], e com infl. de voc. esp. como *estrépito* e *estallido*, etc.).] *S. m.* **1.** Grande ruído; estampido, estrugido, fragor, barulho: *o estrondo do trovão; o estrondo das armas na batalha.* **2.** Ostentação ruidosa; alarde, aparato, pompa: *festa de estrondo.*

estrondoso (ô) [De *estrondo* + *-oso*.] *Adj.* **1.** Que faz estrondo (1); estrepitoso: *trovão muito estrondoso; Recebeu estrondosa ovação.* **2.** *Fig.* Que causa sensação; que é muito falado: *sucesso estrondoso.* **3.** Pomposo, suntuoso, faustoso, faustuoso.

estrongiloidíase [Do tax. *Strongyloides* (v. *estrongiloide*) + *-íase*.] *S. f. Med.* Infecção provocada pelo *Strongyloides stercoralis*, e que pode comprometer o intestino delgado, causando diarreia e ulceração, ou os pulmões, onde pode ocasionar hemorragias.

estropalho [Do port. ant. *estropajo* < esp. *estropajo*, *estopajo* < esp. *estopa*, 'estopa' (q. v.).] *S. m.* Pano para limpar a louça; esfregão, rodilha.

estropeada [De *estropear* + *-ada*[1].] *S. f.* V. *estrupido*. [Cf. *estropiada*, fem. de *estropiado*.]

estropear [Do it. *stroppiare*, pelo esp. *estropear*.] *V. int.* Fazer tropel: "Os animais estropearam na cerca, assustados." (Coelho Neto, *Banzo*, p. 91.) [Conjug.: v. *frear*. Cf. *estropiar*.]

estropiado [Part. de *estropiar*.] *Adj.* **1.** Que se estropiou; aleijado, mutilado. **2.** Diz-se do cavalo muito cansado por haver sido submetido a trabalhos pesadíssimos ou a longa viagem. [Fem.: *estropiada*. Cf. *estropeada*.]

estropiar [Var. de *estropear*.] *V. t. d.* **1.** Cortar algum membro a; aleijar, mutilar. **2.** Fatigar muito; cansar em demasia: *O longo passeio a pé estropiou-o.* **3.** Interpretar mal o sentido de; alterar, adulterar: *Não deu atenção ao recado, e, ao transmiti-lo, estropiou-o.* **4.** Tirar o essencial a; mutilar: *estropiar uma aula, um discurso.* **5.** Não copiar bem (um texto). **6.** Ler ou pronunciar mal. **7.** Executar mal, cantando ou tocando. **8.** Alterar o metro ou medida de (um verso): *Ao ler os decassílabos, estropiou um deles, transformando-o em octossílabo.* *P.* **9.** Mutilar-se, aleijar-se. **10.** Invalidar-se; inabilitar-se. [Pres. ind.: *estropio*, *estropias*, etc. Cf. *estropear*.]

estropício [Do it. *stropiccio*.] *S. m.* Dano, prejuízo, malefício. [Cf. *estrupício*.]

estropo (ô) [Do lat. *stroppu* ou *struppu*.] *S. m.* **1.** *Marinh.* Dispositivo de cabo, corrente ou lona com que se envolve um peso para içá-lo. **2.** *Bras.* Braçadeira de

E

ferro fixada por parafusos às extremidades do braço conector e motor da locomotiva. [Pl.: *estropos* (ô).]

estrosca [De or. obscura.] *S. f. Bras. MG Pop.* Aperto, embaraço, enrascadela, enrascada.

estrotejar [De *es-* + *trote* + *-ejar*.] *V. int. Pop.* Andar a trote. [Conjug.: v. *pelejar*.]

estrouxar *V. t. d. Bras. RS* Colher todos os favos de (uma colmeia).

estrouxo [Dev. de *estrouxar*.] *S. m. Bras. RS* Ato de estrouxar.

estrovenga *S. f.* **1.** *Bras. N.E.* Estrupício (4). **2.** *Bras. PE AL* Coisa complicada, misteriosa, fora do comum, que não se pode definir com precisão. **3.** *Bras. PE BA MG GO* Implemento agrícola: pequena foice de dois gumes: "foices que roçam, capinam, / ferros de cova, <u>estrovengas</u>" (João Cabral de Melo Neto, *Duas Águas*, p. 264). **4.** *Bras. BA MG GO Chulo* O pênis.

estrovinhado [Part. de *estrovinhar*.] *Adj.* V. *estremunhado*: "o homem acordou <u>estrovinhado</u> a desgrudar os olhos" (Camilo Castelo Branco, *A Queda dum Anjo*, p. 154).

estrovinhar *V. t. d. Int. P.* V. *estremunhar*.

estrovo (ô) [De uma var. do lat. *stroppu* ou *struppu*.] *S. m.* **1.** Fio que prende o anzol à linha de pesca. **2.** Peça de ferro que, nos carros puxados por mais de uma junta de bois, prende a segunda junta à canga da primeira. **3.** *Bras. N.* Chicote de couro. **4.** *Bras. CE* As partes que constituem a cabeçada do cabresto. [Pl.: *estrovos* (ô).]

estrugido [Part. subst. de *estrugir*.] *S. m.* **1.** Estrondo (1). **2.** *Fig. Cul.* Refogado.

estrugidor (ô) [De *estrugir* + *-dor*.] *Adj.* Que estruge.

estrugimento [De *estrugir* + *-mento*.] *S. m.* Ato ou efeito de estrugir.

estrugir [De or. incerta; poss. do lat. **exturgere*.] *V. t. d.* **1.** Fazer estremecer com estrondo; atroar; estrondear: "Eram eles uma escala cromática de sons os mais diversos e estranhos <u>estrugindo</u> os ares" (Nélson de Faria, *Tiziu e Outras Estórias*, p. 95). **2.** *Cul.* Refogar. *Int.* **3.** Vibrar fortemente; estrondear: "Introduzido o Ministro no recinto, <u>estrugiram</u> palmas." (R. Magalhães Júnior, *Artur Azevedo e Sua Época*, p. 130); "<u>estrugiam</u> palmadas enérgicas nas nádegas de algum menino que levava um tombo ou entrava em casa sujo de lama." (Ribeiro Couto, *Uma Noite de Chuva e Outros Contos*, p. 249). [Conjug.: v. *dirigir*, mas em geral só se usa nas 3.as pess.]

estruir [De *destruir*, com mudança de pref. (v. *es-*).] *V. t. d.* **1.** *P. us.* V. *destruir* (1 a 5). **2.** *Bras. N.E. Pop.* Gastar à toa; desperdiçar, malgastar, malbaratar. **3.** *Bras. N.E. Pop.* Consumir apenas um pouco de algo que se tem à mão ou na mão (em particular, alimento), deixando o restante impróprio para ser utilizado por outrem: *Não encha demais o prato, para não <u>estruir</u> a comida. Int.* **4.** *P. us.* Destruir (6): "Não se contenta a gente portuguesa: / Mas seguindo a vitória <u>estrui</u>, e mata / A povoação sem muro, e sem defesa, / Esbombardeia, acende, e desbarata." (Luís de Camões, *Os Lusíadas*, I, 90.) [Conjug.: v. *atribuir*.]

estruma [Do lat. *struma*.] *S. f.* **1.** *Med.* Escrófula (2). **2.** *Endocr.* V. *tireomegalia*.

estrumação [De *estrumar* + *-ção*.] *S. f.* **1.** Ato de estrumar. **2.** Porção de estrume com que se aduba a terra.

estrumada [De *estrume* + *-ada*[1].] *S. f.* Meda de estrume.

estrumar [De *estrume* + *-ar*[2].] *V. t. d.* **1.** Deitar estrume em (terra ou cultura); adubar, estercar. *Int.* **2.** Fazer estrumeira.

estrume [Do lat. **strumen*, por *stramen*.] *S. m.* Adubo (2) constituído em geral de esterco, ramos ou folhas apodrecidas. [Sin. (como adubo animal): *esterco*.]

estrumeira [De *estrume* + *-eira*.] *S. f.* **1.** Lugar onde se deposita estrume e/ou onde ele fermenta. **2.** V. *monturo* (2). **3.** Sujidade, imundície, esterco. [Sin. ger.: *esterqueira, esterqueiro, esterquilínio*.]

estrumoso (ô) [Do lat. *strumosu*.] *Adj.* Que tem estruma; escrofuloso.

estrupada *S. f.* **1.** *Ant.* Rajada de vento. **2.** *Ant.* Trapeada. **3.** *P. us.* Escaramuça (1).

estrupício [Var. de *estropício*.] *S. m. Bras. Pop.* **1.** Conflito, motim, algazarra. V. *rolo*[1] (16). **2.** Grande quantidade; despropósito, despotismo. **3.** Coisa de grandes dimensões. **4.** Coisa esquisita, complicada, fora do comum; estrovenga. **5.** Asneira, asnice, asnidade, tolice. [Cf. *estropício*.]

estrupidante [De *estrupidar* + *-nte*.] *Adj. 2 g.* Que estrupida.

estrupidar [De *estrupido* + *-ar*[2].] *V. int.* Fazer estrupido: "Para os fundos da casa, <u>estrupidando</u> no chão duro das cozinhas, algazarreavam pretos em contínuo vaivém" (Afonso Arinos, *Pelo Sertão*, p. 138).

estrupido [De *estrompido*, com desnasalação.] *S. m.* Grande estrondo; estrépito, estampido, estrompido, estropeada, tropel: "ouvia-se, ao esmorecer das vozes do trovão, um tilintar de correntes, cadenciado, rítmico, acompanhando o <u>estrupido</u> de passos fortes." (Afonso Arinos, *Pelo Sertão*, p. 125).

estrutiocultor (ô) [Do lat. tard. *struthio, onis*, 'avestruz', + *-cultor*.] *S. m.* Aquele que se dedica à estrutiocultura.

estrutiocultura [Do lat. tard. *struthio, onis*, 'avestruz', + *-cultura*.] *S. f.* Arte e técnica de criar avestruz.

estrutiomimo [Do tax. *Struthio* (v. *estrutionídeo*) + *-mimo*; tax. *Struthiomimus*.] *S. m. Paleont.* **1.** Gênero de dinossauros herbívoros que mediam de 3 a 4m de comprimento, de patas traseiras fortes, com 3 dedos, e que lhes possibilitavam desenvolver grande velocidade; assemelhavam-se ao avestruz, na forma: a cabeça, pequena, era dotada de forte bico córneo, que deveria prestar-se a quebrar a casca das nozes e de outros frutos com que se alimentavam, e a longa cauda servia-lhes para manter o equilíbrio. **2.** Espécie, ou espécime desse gênero.

estrutionídeo [Do lat. cient. *Struthion-* (< tax. *Struthio* < lat. tard. *struthio, onis*, 'avestruz') + *-ídeo*[1]; tax. *Struthionidae*.] *Zool. S. m.* **1.** Espécime dos estrutionídeos, família monoespecífica que reúne aves estrutioniformes de grande porte, terrestres, com apenas dois dedos nos pés, e que apresentam sínfise pubiana e são desprovidas de pigostílio; têm cabeça, pescoço e pernas esparsamente cobertos de penas. São avestruzes da África e da Arábia, as maiores aves vivas conhecidas. ● *Adj.* **2.** Pertencente ou relativo a eles.

estrutioniforme [Do lat. cient. *Struthion-* (v. *estrutionídeo*) + *-iforme*; tax. *Struthioniformes*.] *S. m. Zool.* **1.** Espécime dos estrutioniformes, ordem de aves neórnites, paleógnatas, que compreende apenas uma família, a dos estrutionídeos. ● *Adj. 2 g.* **2.** Pertencente ou relativo a eles.

estrutiossauro [Do tax. *Struthio* + *-sauro*; tax. *Struthiosaurus*.] *S. m. Paleont.* **1.** Gênero que abrangia os menores dinossauros providos de couraça; tinham até 1,80m de comprimento, cabeça pequena, e cinco diferentes tipos de placas ósseas que o recobriam por inteiro. Surgiram no cretáceo da Europa. **2.** Espécie, ou espécime desse gênero.

estrutura [Do lat. *structura*.] *S. f.* **1.** Aquilo que é, ou foi construído; obra de construção: *As pirâmides do Egito são gigantescas <u>estruturas</u> construídas em pedra, no deserto.* **2.** Conjunto formado, natural ou artificialmente, pela reunião de partes ou elementos, em determinada ordem ou organização: *Cristais são <u>estruturas</u> moleculares.* **3.** A parte, ou conjunto das partes mais resistentes de um corpo, etc., que determina sua disposição espacial, e lhes dá sustentação: *Os ossos formam a <u>estrutura</u> do corpo humano.* **4.** *Constr.* A parte, ou o conjunto das partes de uma construção que se destinam a resistir a cargas; armação, esqueleto, arcabouço: "Depois veio Brasília, e exaltei as <u>estruturas</u>, nelas inserindo a arquitetura. E, ao terminar as primeiras, a arquitetura e <u>estrutura</u> estavam presentes como duas coisas que devem nascer juntas, e juntas se enriquecer." (Oscar Niemeyer, *As Curvas do Tempo*, p. 248.) **5.** *Fig.* O que é mais fundamental, ou essencial, estável e relevante (por oposição ao que é acessório, ocasional, ou variável): *Um trauma de infância abalou a <u>estrutura</u> de sua personalidade; Mudanças superficiais não alteram a <u>estrutura</u> da situação.* **6.** A disposição dos elementos ou partes de um todo; a forma como esses elementos ou partes se relacionam entre si, e que determina a natureza, as características ou a função ou funcionamento do todo: *a <u>estrutura</u> de uma empresa.* **7.** O modo como uma sociedade, ou uma esfera específica da vida social, está organizada, em função das instituições básicas e das atividades e relações que vigoram entre estas: *<u>estrutura</u> política; <u>estrutura</u> jurídica; <u>estrutura</u> agrária; <u>estrutura</u> econômica.* [Cf., nesta acepç., *estrutura social*.] **8.** Conceito teórico das ciências humanas e sociais do século XX (como a linguística, a psicologia, a antropologia e os estudos literários), formulado diversamente segundo os distintos autores e correntes, mas cujo núcleo é a formalização da ideia de estrutura (6 e 7) como um sistema de relações abstratas que forma um todo coerente, que subjaz à variedade e variabilidade dos fenômenos empíricos, e é tomado como atributo interno da realidade, constituindo, por isso, objeto privilegiado da análise. [Cf., nesta acepç., *estruturalismo* (1 a 3).] **9.** *E. Ling.* Sistema (16) que compreende elementos ordenados e relacionados entre si de forma dinâmica; forma. **10.** *Lóg.* Forma (19). **11.** *Med.* Um todo, considerada a forma por que se dispõem as partes que o constituem. **12.** *Moç.* Pessoa que dirige ou coordena qualquer entidade governamental: "falou das <u>estruturas</u> que foram, repetidamente, avisadas do risco que se corria." (Machado da Graça, *A Talhe de Foice*, p. 21). **13.** *Mús. Concr.* O conjunto dos materiais sonoros (células, notas complexas, notas comuns) que o compositor coleciona para a execução da obra planejada. **14.** *Quím.* Disposição espacial dos átomos em uma substância, ou em uma molécula; aquilo que é representado por uma fórmula estrutural. **15.** *P. ext. Quím.* Fórmula estrutural das moléculas de uma substância. ◆ **Estrutura anômala.** *Bot.* Tipo de lenho secundário em que o câmbio produz tecidos secundários de maneira diferente da comum nas plantas lenhosas, o que resulta num arranjo diferente do observado na grande maioria das plantas. **Estrutura aparente.** *Arquit.* Estrutura (4) que fica à mostra, na fachada duma edificação. **Estrutura canônica.** *Quím.* V. *estrutura de ressonância*. **Estrutura colunar.** *Geol.* Formação de colunas prismáticas na rocha, comumente perpendiculares à superfície de resfriamento. **Estrutura cristalina.** **1.** *Min.* Conjunto de átomos ou de agrupamentos de átomos em disposição espacial regular, que constituem a substância cristalizada. **2.** *Fís.* Sistema de pontos considerados os centros de gravidade das partículas materiais (átomos ou moléculas), dispostos de maneira que constituem um retículo de três dimensões. **Estrutura da rocha.** *Geol.* Designação comum aos caracteres megascópicos, tais como juntas, porosidades, etc., e que implica, em geral, as condições extrínsecas à rocha. **Estrutura de ressonância.** *Quím.* Qualquer das fórmulas estruturais de uma molécula, que respeitam as regras para a valência de cada átomo e que, segundo a teoria da ressonância, representam melhor a estrutura dessa molécula quando tomadas em conjunto; estrutura canônica, forma canônica. **Estrutura dramática.** *Teatr.* Em dramaturgia, a ordenação do enredo dentro do processo que principia pela exposição, seguindo-se-lhe a intriga, o clímax e o desenlace. **Estrutura estaticamente indeterminada.** Estrutura hiperestática. **Estrutura hiperestática.** Estrutura (1) para o cálculo de cujas solicitações são insuficientes as leis da estática; estrutura estaticamente indeterminada. **Estrutura isostática.** Estrutura (1) cujas solicitações podem ser calculadas com o auxílio exclusivo das leis da estática. **Estrutura PN.** *Eletrôn.* Junção PN (q. v.). **Estrutura parietal.** *Arquit.* Estrutura de sustentação formada pelas paredes duma edificação. **Estrutura pré-moldada.** *Arquit.* Aquela cujos elementos estruturais são fabricados industrialmente. **Estrutura organizacional.** *Adm.* Esquema hierárquico de subordinação de departamentos, áreas e funções para facilitar a colaboração e coordenação do trabalho entre os diversos envolvidos e melhorar a eficiência nas unidades organizacionais. **Estrutura primária.** *Bioquím.* A sequência de resíduos de um biopolímero (esp. proteínas), e que inclui as ligações covalentes entre grupos na mesma cadeia, ou em cadeias diferentes. **Estrutura quaternária.** *Bioquím.* O arranjo tridimensional completo de uma proteína no seu estado natural, e que inclui a disposição de suas subunidades. **Estrutura secundária.** *Bioquím.* Conformação adotada por uma parte de um biopolímero (esp. proteínas), resultante dos ângulos formados entre as ligações sucessivas e da formação de pontes de hidrogênio. [Cf. *hélice alfa* e *folha pregueada*.] **Estrutura social.** **1.** *Antrop.* Na teoria estrutural-funcionalista, rede de relações sociais que constitui uma estrutura (6 e 7) empiricamente observável. **2.** *Sociol.* Tipo de sistema ou forma social, econômica ou política, variável segundo as condições de tempo e de lugar. **3.** Qualquer das formas sociais, estratificadas ou não, que uma sociedade, em sua evolução, pode assumir. **Estrutura terciária.** *Bioquím.* O arranjo tridimensional de uma proteína simples no seu estado natural. **Estrutura xistosa.** *Min.* Estrutura que os xistos apresentam, caracterizada pela disposição paralela dos minerais lamelares ou aciculares. **Estrutura zonada.** *Min.* Estrutura dos minerais que em lâmina delgada apresentam camadas concêntricas, de composição e caracteres diversos; estrutura zonar. **Estrutura zonar.** *Min.* Estrutura zonada. ◆ **Estrutura organizacional.** *Adm.* Esquema hierárquico de subordinação de departamentos, áreas e funções para facilitar a colaboração e coordenação do trabalho entre os diversos envolvidos e melhorar a eficiência nas unidades organizacionais.

estruturação [De *estrutura* + *-ção*.] *S. f.* Ato ou efeito de estruturar.

estruturado [Part. de *estruturar*.] *Adj.* De que se formou ou fez a estrutura (1). ~ V. *linguagem —a* e *parede —a*.

estrutural [De *estrutura* + *-al*[1].] *Adj. 2 g.* **1.** Relativo a estrutura. **2.** Que forma ou constitui a estrutura; que é fundamental, intrínseco. **3.** Relativo a, ou que envolve noção ou conceito de estrutura, conforme empregados no estruturalismo: *método <u>estrutural</u>.* **4.** *Econ.* Decorrente de características, essenciais ou duradouras, de uma economia (2): *desemprego <u>estrutural</u>; superávit <u>estrutural</u>.* [Opõe-se, nesta acepç., a *conjuntural* (2).] ~ V. *bacia —*, *desemprego* —, *fórmula* —, *gene* —, *linguística* —, *palavra* —, e *psicologia* —.

estrutural-funcionalismo *S. m. Antrop.* Escola antropológica do século XX, de origem britânica, responsável pela generalização do conceito de função e pela introdução do método e da teoria funcionalistas. [Cf. *estrutura social* (1).]

estrutural-funcionalista *Adj. 2 g.* **1.** Relativo ao estrutural-funcionalismo ou que é próprio dele. **2.** Que é adepto ou seguidor do estrutural-funcionalismo. • *S. 2 g.* **3.** Adepto ou seguidor dele. [Pl.: *estruturais-funcionalistas*.]

estruturalismo [De *estrutural* + *-ismo*.] *S. m.* **1.** Nas ciências humanas, designação genérica das diversas correntes que se baseiam no conceito teórico de estrutura [v. *estrutura* (8)], e no pressuposto metodológico de que a análise das estruturas é mais importante do que a descrição ou interpretação dos fenômenos, em termos funcionais. **2.** *Restr. E. Ling.* Posição inovadora dos estudos linguísticos da primeira metade do século XX, que consideravam a língua como um sistema estruturado por relações formais e não evidentes para a consciência do falante, e que, metodologicamente, preconizavam a observação do maior número de fatos, de modo a fundamentar proposições que, pela generalização rigorosa, viabilizassem a descoberta da estrutura (9). **3.** *Restr. Antrop.* Método de análise e interpretação dos fenômenos sociais que, partindo do pressuposto de que estes têm uma natureza simbólica e comunicacional, procura entendê-los como estruturados em sistemas de relações lógicas, formais, que vigoram num nível inconsciente nos diversos aspectos da vida coletiva (do parentesco aos mitos, e mesmo à psicologia individual), de tal modo que, pela elaboração de modelos conceituais abstratos, e operando permutações entre seus elementos, se possa alcançar um grau crescente de generalização do conhecimento sobre as sociedades humanas. **4.** *Econ.* No pensamento econômico latino-americano, doutrina, associada a autores como Raúl Prebisch e Celso Furtado, que enfatiza a importância de características estruturais de uma economia (como o regime de propriedade de terras, nível de industrialização, etc., por oposição a características consideradas conjunturais) na explicação de fenômenos como, p. ex., a tendência à inflação nos países dessa região.

estruturalista [De *estrutural* + *-ista*.] *Adj. 2 g.* **1.** Relativo ao estruturalismo. **2.** Que é adepto ou seguidor do estruturalismo, em determinado campo de conhecimento ou como princípio geral. • *S. 2 g.* **3.** Adepto ou seguidor dele.

estruturante [De *estruturar* + *-nte*.] *Adj. 2 g.* Que estrutura.

estruturar [De *estrutura* + *-ar*².] *V. t. d.* **1.** Fazer ou formar a estrutura (1) de: "Montaigne, graças ao livre espírito do ensaísmo, aguça o juízo, ... mas não estrutura um método" (Sílvio Lima, *Ensaio sobre a Essência do Ensaio*, p. 101). *P.* **2.** Adquirir estrutura (1); organizar-se: *O país estruturou-se para progredir.*

estuação [Do lat. tard. *aestuatione*.] *S. f.* **1.** Grande calor; agitação. **2.** V. *náusea* (2).

estuante [Do lat. *aestuante*.] *Adj. 2 g.* Que estua; que ferve; ardente, febril; estuoso: *estuante de entusiasmo, de vida.*

estuar [Do lat. *aestuare*.] *V. int.* **1.** Estar muito quente; estar fervente. **2.** Aquecer muito. **3.** Agitar-se em ondas (o mar). *T. c.* **4.** Agitar-se, vibrar, pulsar: *No seu entusiasmo, sentia o sangue a estuar-lhe nas veias.*

estuário [Do lat. *aestuariu*.] *S. m.* **1.** Tipo de foz em que o curso de água se abre mais ou menos largamente. **2.** Esteiro¹.

estube [Do ingl. *stub*.] *S. m. Eng. Elétr.* Pequena peça metálica, com o aspecto de um toco, que se acopla a um guia de onda com o fim de alterar as características de ressonância.

estucado [Part. de *estucar*.] *Adj.* Revestido de estuque. [Cf. *estocado*.]

estucador (ô) [De *estucar* + *-dor*.] *S. m.* Operário que estuca, que trabalha em estuque.

estucar [De *estuque* + *-ar*².] *V. t. d.* **1.** Revestir de estuque. *Int.* **2.** Trabalhar em estuque. [Conjug.: v. *trancar*. Pres. do subj.: *estuque*, etc. Fem. do part.: *estucada*. Cf. *estocada* e *estocar*.]

estucha [Der. de *estuchar*.] *S. f.* **1.** Peça de ferro ou de madeira que serve de cunha. **2.** *Bras.* Coisa estranha, extravagante, excepcional. ◆ **Esta é de estucha.** Esta é forte, é extravagante, é excepcional.

estuchado [Part. de *estuchar*.] *Adj.* Que tem estucha; tapado.

estuchar [De or. incerta.] *V. t. d.* Meter com força estucha em (um orifício).

estudado [Part. de *estudar*.] *Adj.* **1.** Que se estudou; observado. **2.** *Fig.* Afetado, artificioso; gestos estudados.

estudantaço [De *estudante* + *-aço*.] *S. m. Fam.* Bom estudante; estudantão.

estudantada [De *estudante* + *-ada*¹.] *S. f.* **1.** Grande porção de estudantes: "atirou a sua guarda montada, num atropelo certeiro, contra a incauta estudantada" (Augusto Meyer, *No Tempo da Flor*, p. 17). **2.** Brincadeira de estudantes.

estudantado [De *estudante* + *-ado*².] *S. m.* **1.** Conjunto de estudantes. **2.** Os estudantes.

estudantão [De *estudante* + *-ão*¹.] *S. m. Fam.* Estudantaço.

estudante [De *estudar* + *-nte*.] *S. 2 g.* Pessoa que estuda; discípulo; aluno, escolar.

estudantil [De *estudante* + *-il*¹.] *Adj. 2 g.* De, ou próprio de estudante.

estudantina [De *estudante* + *-ina*¹.] *S. f.* **1.** Grupo de estudantes, ou de indivíduos trajados como os estudantes, que cantam e/ou tocam juntos. **2.** Cantiga de estudantes, ou feita ao gosto deles: *Gonçalves Crespo é autor de uma famosa estudantina.*

estudar [De *estudo* + *-ar*².] *V. t. d.* **1.** Aplicar a inteligência a, para aprender: *estudar um idioma, uma ciência.* **2.** Dedicar-se à apreciação, análise ou compreensão de; examinar, analisar: *Estudou com atenção o regulamento para melhor enquadrar o seu caso.* **3.** Observar atentamente: *Estudou a fisionomia do interlocutor.* **4.** Procurar fixar na memória; esforçar-se para saber de cor: *estudar a lição; O ator estudou bem o papel.* **5.** Frequentar o curso de; cursar: *Estudou letras, sem chegar a diplomar-se.* **6.** Examinar ou observar atentamente: *Estudou o local onde deveria construir a casa, e achou-o impróprio.* **7.** Exercitar-se ou adestrar-se em: *estudar um passo de balé.* **8.** Ensaiar previamente (uma atitude, um gesto, um acessório, a posição dum objeto, etc.), para ter ideia do efeito: *estudar um sorriso; estudar a colocação da floreira.* *Int.* **9.** Aplicar o espírito, a memória, a inteligência, para saber, ou adquirir instrução ou conhecimentos. **10.** Exercitar-se, adestrar-se. **11.** Ser estudante: *Tem 15 anos e estuda.* **12.** Ser estudioso: *Faz excelentes provas porque, além de ser inteligente, estuda.* **13.** Meditar, pensar; assuntar: *Falei-lhe, e não me ouviu: tinha o olhar vago de quem está estudando...* **14.** *Bras. N.E.* Ficar em pé, diante da manjedoura, sem comer (o animal cavalar ou bovino). *P.* **15.** Aprender a conhecer-se; observar-se; analisar-se.

estúdio [Do ingl. *studio*.] *S. m.* **1.** Ateliê (2). **2.** Local próprio para a realização de filmagens cinematográficas, gravações para rádio e televisão, gravações sonoras em geral, etc. **3.** Local destinado a certas atividades artísticas tais como aulas de dança e de teatro, exibição de espetáculos ou filmes selecionados, etc.

estudiosamente [Do f. de *estudioso* + *-mente*.] *Adv.* À maneira de estudioso; com interesse ou paixão própria de estudioso: "Chegou [Alceu Amoroso Lima] a organizar e ler estudiosamente uma pequena bibliografia sobre a loucura, em plena década de 20." (Antônio Carlos Vilaça, *O Desafio da Liberdade*, p. 20.)

estudiosidade [De *estudioso* + *-(i)dade*.] *S. f.* Qualidade de quem é estudioso.

estudioso (ô) [Do lat. *studiosu*.] *Adj. S. m.* **1.** Diz-se de, ou aquele que é aplicado ao estudo, que gosta de estudar: *aluno estudioso.* **2.** Cultor, apreciador: *É um estudioso de antiguidades gregas.*

estudo [Do lat. *studiu*, 'aplicação zelosa', 'ardor'.] *S. m.* **1.** Ato de estudar. **2.** Aplicação do espírito para aprender. **3.** Conhecimentos adquiridos à custa dessa aplicação: *É pessoa de muito estudo.* **4.** Trabalhos que precedem a execução de um projeto: *Só os estudos para a construção da obra levarão muitos meses.* **5.** Trabalho literário ou científico acerca de um dado assunto: *estudo sobre arte poética.* **6.** Exame, análise: *O estudo posterior da matéria deu-lhe razão.* **7.** *Fig.* Atenção ou cuidado especial: *O caso requer estudo, para dar algum resultado.* **8.** Dissimulação, artifício: *Era de notar o estudo com que agia.* **9.** Apuro num trabalho. **10.** *Mús.* Peça musical, de forma qualquer, que visa a um determinado desenvolvimento técnico ou estético do executante. ◆ **Estudos da linguagem.** O conjunto das disciplinas que se reportam às línguas e à linguagem, tais como a gramática, a linguística, a filologia, a retórica, e ainda muito do que a Antiguidade denominou filosofia e lógica, que constituem os primeiros estudos gramaticais. **De estudo.** De caso pensado; de indústria; de propósito.

estufa [Do it. *stufa*.] *S. f.* **1.** Fogão para aquecer as casas. **2.** Parte do fogão, em geral acima ou abaixo do forno, que recebe o calor indiretamente. **3.** Galeria envidraçada na qual se aquece artificialmente a atmosfera para cultura de plantas de climas quentes. **4.** Aparelho de laboratório para esterilizar instrumentos científicos, para cultura de bactérias, etc. **5.** *Fig.* Casa ou quarto muito quente. ◆ **Estufa fria.** Galeria envidraçada na qual se produz temperatura baixa para cultivo de plantas de climas frios. **Estufa seca.** *Arquit.* Câmara ou caixa cuja temperatura elevada e atmosfera seca fazem enxugar as substâncias que nela se introduzem. **Estufa úmida.** *Arquit.* Quarto cuja atmosfera é umedecida e aquecida por meio de vapor de água, para banhos de vapor; sauna.

estufadeira [De *estufar*¹ + *-deira*.] *S. f.* Panela para estufar¹ (2).

estufado [Part. de *estufar*¹.] *Adj.* **1.** Metido ou seco em estufa. • *S. m.* **2.** *Cul.* Refogado (2) cuja panela se conserva tapada enquanto está no fogo; afogado. [Cf. *estofado*, do v. *estofar* e adj. e s. m.]

estufagem [De *estufar*¹ + *-agem*².] *S. f.* Ato de estufar¹.

estufar¹ [De *estufa* + *-ar*².] *V. t. d.* **1.** Meter ou aquecer em estufa. **2.** *Cul.* Preparar (a carne) com refogado, cozinhando a fogo lento em panela tampada. [Cf. *estofar*.]

estufar² [De *es-* + *tufar*².] *V. t. d.* **1.** Aumentar o volume de: *A carteira muito cheia estufava-lhe o bolso da calça.* **2.** Fazer aumentar de volume, enchendo de ar: *estufar a barriga.* *Int.* **3.** Ter o volume aumentado, tornando-se mais cheio, proeminente: *Com a musculação, seu peito estufou.* *P.* **4.** *Fig.* Sentir-se orgulhoso, envaidecido; tufar-se: *Estufou-se todo com a grandiosa homenagem.* [Cf. *estofar*.]

estufeiro [De *estufa* + *-eiro*.] *S. m.* Aquele que faz estufas.

estufilha [De *estufa* + *-ilha*.] *S. f.* Cárcere estreito, abafado.

estufim [De *estufa* + *-im*.] *S. m.* **1.** Estufa pequena. **2.** Redoma ou caixilho envidraçado para cobrir plantas.

estugado [Part. de *estugar*.] *Adj.* **1.** Apressado, aligeirado (o passo): "Seu passo estugado e militar devorou as ladeiras porto-alegrenses durante sessenta e tantos anos" (Augusto Meyer, *No Tempo da Flor*, p. 53). **2.** Instigado, excitado.

estugar [De or. controversa.] *V. t. d.* **1.** Apressar, aligeirar (o passo): "Nós o passo estugamos; mas, decerto, / Foi em vão que estugamos. Ema, o passo; / Em vão, pois, por desgraça tua e minha, / Era tarde!" (Raimundo Correia, *Poesias*, p. 53.) **2.** Instigar, incitar: "O amor de corrigir provas estugava-o [a Silva Túlio] no desejo de corrigir tudo" (Ramalho Ortigão, *As Farpas*, II, p. 49). [Conjug.: v. *largar*.]

estultice [De *estulto* + *-ice*.] *S. f.* Estultícia: "Seria estultice desconhecer-lhe o mérito e a excelência." (Vivaldo Coaraci, *Todos Contam Sua Vida*, p. 61.)

estultícia [Do lat. *stultitia*.] *S. f.* Qualidade ou procedimento de estulto; estultice: "S. Alexandre convertendo ao Prefeito de Roma foi Hermes do mesmo Hermes, e este o foi também do tribuno Quirino; que a princípio se escandalizava da sua conversão, como de estultícia clara; mas depois o seguiu como sabedoria verdadeira." (Pe. Manuel Bernardes, *Nova Floresta*, II, p. 92.)

estultificação [De *estultificar* + *-ção*.] *S. f.* Ato de estultificar(-se).

estultificador (ô) [De *estultificar* + *-dor*.] *Adj.* Que estultifica, torna néscio, tolo; estultificante.

estultificante [De *estultificar* + *-nte*.] *Adj. 2 g.* Estultificador.

estultificar [De *estulto* + *-ificar*.] *V. t. d. P.* Tornar(-se) estulto; estupidificar(-se). [Conjug.: v. *trancar*.]

estultilóquio [Do lat. *stultiloquiu*.] *S. m.* Palavras estultas.

estulto [Do lat. *stultu*.] *Adj.* Tolo, néscio, imbecil, insensato, inepto; estúpido.

estumar [Alter. de *estimular*, poss.] *V. t. d. T. d. e i. Bras.* Assanhar, excitar, incitar, acirrar, açular (cães).

estuoso (ô) [Do lat. *aestuosu*.] *Adj.* **1.** V. *estuante*. **2.** Que está em cachão¹ (1): "Uma infinita e poética legião de divindades são como as sentinelas, que Zeus tem de vigia .... a cada lugar da terra, onde borbulham e correm remansadas ou estuosas as águas do firmamento." (Latino Coelho, *A Oração da Coroa*, p. xcv.)

estupa [Do sânscr.] *S. m. e f.* Monumento em forma de torre no qual se guardam relíquias de um buda ou bodisatva e que em geral constituem a parte principal de um templo.

estupefação [Do fr. *stupéfaction*.] *S. f.* **1.** Adormecimento de uma parte do corpo. **2.** *Fig.* Pasmo, assombro, espanto.

estupefacção *S. f.* V. *estupefação*.

estupefaciente [Do lat. *stupefaciente*.] *Adj. 2 g.* **1.** Que causa estupefação. **2.** Diz-se de droga estupefaciente; estupefativo. • *S. m.* **3.** Entorpecente (2).

estupefactivo *Adj.* V. *estupefativo*.

estupefacto [Do lat. *stupefactu*, part. de *stupefacere*, 'tornar sensível a'.] *Adj.* Estupefato.

estupefactor (ô) *Adj.* V. *estupefator*.

estupefativo [De *estupefato* + *-ivo*.] *Adj. Med.* Estupefaciente (2).

estupefato [Var. de *estupefacto*.] *Adj.* **1.** Entorpecido (1). **2.** *Fig.* Pasmado, assombrado, atônito.

estupefator (ô) [De *estupefato* + *-or*.] *Adj.* V. *estupeficador*.

E

estupefazer [Do lat. *stupefacere*.] *V. t. d.* **1.** Pôr em estado de inércia física ou moral; entorpecer. **2.** Causar grande pasmo, grande espanto, a; maravilhar. [Sin. ger.: *estupeficar*. Conjug.: v. *fazer*.]

estupeficador (ô) [De *estupeficar* + *-dor*.] *Adj.* Que estupefica; estupeficante, estupefator.

estupeficante [De *estupeficar* + *-nte*.] *Adj. 2 g.* V. *estupeficador*.

estupeficar [Do lat. *stupefacere*, com apofonia, seg. o modelo de *estupidificar*.] *V. t. d.* V. *estupefazer*. [Conjug.: v. *trancar*.]

estupendo [Do lat. *stupendu*.] *Adj.* **1.** Admirável, maravilhoso. **2.** Espantoso, monstruoso. **3.** Fora do comum; extraordinário: "O estampido estupendo das queimadas" (Castro Alves, *Poesias Escolhidas*, p. 258).

estupidamente (ù) [Do f. de *estúpido* + *-mente*.] *Adv.* **1.** De modo estúpido. **2.** *Bras. Gír.* Extremamente, muitíssimo: *cerveja estupidamente gelada*.

estupidarrão (ù) [De *estúpido* + *-arrão*.] *Adj. S. m.* Que, ou aquele que é muito estúpido. [Fem.: *estupidarrona*.]

estupidarrona (ù) *S. f.* Fem. de *estupidarrão*.

estupidez (ê) [De *estúpido* + *-ez*.] *S. f.* **1.** Qualidade de estúpido; falta de inteligência, de discernimento. **2.** Palavra, ação, procedimento, que denota estupidez; asneira. **3.** *Bras.* Grosseria, descortesia, incivilidade, indelicadeza. [Pl.: *estupidezes* (ê).]

estupidificador (ô) [De *estupidificar* + *-dor*.] *Adj.* Estupidificante.

estupidificante [De *estupidificar* + *-nte*.] *Adj. 2 g.* Que estupidifica.

estupidificar [De *estúpido* + *-ificar*.] *V. t. d. P.* Tornar(-se) estúpido; estultificar(-se), bestializar(-se), embrutecer(-se), bestificar(-se). [Conjug.: v. *trancar*.]

estúpido [Do lat. *stupidu*.] *Adj.* **1.** Diz-se de indivíduo falto de inteligência; bruto, alarve, estulto. **2.** *Bras.* Grosseiro, incivil, brutal. **3.** Que denota estupidez: *modos estúpidos; expressões estúpidas; Sua fisionomia mostrou-se estúpida*. **4.** Muito tedioso; árido; pesado: *um trabalho estúpido*. **5.** Exagerado, excessivo; insuportável: *Fazia um calor estúpido*. • *S. m.* **6.** Indivíduo estúpido (1 e 2). [Aum.: *estupidarrão*.]

estupor (ô) [Do lat. *stupore*.] *S. m.* **1.** *Psiq.* Estado em que, estando a consciência desperta, o doente não reage nem a perguntas, nem a estímulos externos, permanecendo imóvel, numa só posição. **2.** *Pop.* Qualquer paralisia repentina. **3.** *Fig.* Pessoa de más qualidades, ou muito feia. [Pl.: *estupores* (ô). Cf. *estupores*, do v. *estuporar*.] ◆ **Estupor dos dentes.** *Odont.* Sensação de estarem eles embotados.

estuporado [Part. de *estuporar*.] *Adj.* **1.** Atacado de estupor. **2.** Que tem más qualidades e/ou é muito feio. **3.** Estragado, arruinado.

estuporar [De *estupor* + *-ar*[2].] *V. t. d.* **1.** Fazer cair em estupor. **2.** Assombrar, assustar: *Aquela súbita aparição estuporou a pobre mulher*. **3.** Causar estrago a; arruinar: *A pedra estuporou a vitrine da loja*. *Int.* **4.** *Pop.* V. *morrer* (1). *P.* **5.** Tornar-se desprezível, abjeto. **6.** Estragar-se, deteriorar-se; apodrecer. **7.** *Pop.* V. *morrer* (1). [Pres. subj.: *estupore*, *estupores*, etc. Cf. *estupores* (ô), pl. de *estupor*.]

estuprado [Do lat. *stupratu*, part. pass. do lat. *stuprare*, 'estuprar', (q. v.).] *Adj. S. m.* Que, ou aquele que foi alvo de estupro.

estuprador (ô) [Do lat. *stupratore*.] *Adj. S. m.* Que, ou aquele que estupra.

estuprar [Do lat. *stuprare*.] *V. t. d.* Cometer estupro contra; violar, ofender, deflorar, desflorar: "Gênios caprípedes e broncos / Estupram virgens hamadríades." (Manuel Bandeira, *Estrela da Vida Inteira*, p. 64.)

estupro [Do lat. *stupru*.] *S. m.* Crime que consiste em constranger indivíduo, de qualquer idade ou condição, a conjunção carnal, por meio de violência ou grave ameaça; coito forçado; violação.

estuque [Do it. *stucco*, pelo fr. *stuc*.] *Constr. S. m.* **1.** Massa preparada com gesso, água e cola. **2.** Revestimento ou ornatos feitos com essa massa. **3.** *Bras.* V. *taipa* (1).

estúrdia [De *estúrdio*.] *S. f.* Estroinice, travessura, extravagância. [Cf. *esturdia*, do v. *esturdiar*.]

esturdiar [De *estúrdia* + *-ar*[2].] *V. int.* Fazer estúrdia. [Pres. ind.: *esturdio*, *esturdias*, *esturdia*, etc. Cf. *estúrdio* e *estúrdia*.]

estúrdio [De or. incerta.] *Adj.* **1.** Extravagante, estroina, leviano, doidivanas. **2.** *Bras.* Esquisito, excêntrico, extravagante. **3.** *Bras. MG SP* Diz-se de coisa fora do comum. **4.** *Bras. RS* Trajado de maneira extravagante, ou fora da moda. [Cf. *esturdio*, do v. *esturdiar*.]

esturjão [Do b.-lat. *sturione* (< ant. alto-al. *sturio*), ou do fr. antigo *estourjon*, *esturgon*, de or. germânica.] *S. m. Zool.* Designação comum a diversos peixes acipenserídeos, como, p. ex., o *Acipenser sturio*, o esturjão comum, cuja fêmea produz até 6.000.000 de ovas por ano, das quais é produzido o caviar.

esturrado [Part. de *esturrar*.] *Adj.* **1.** Muito torrado; quase queimado. **2.** Ardente, exaltado. **3.** Intransigente, radical.

esturrar [Por *estorrar*, de *torrar*.] *V. t. d.* **1.** Torrar; estorricar; queimar. **2.** Exaltar, inflamar. *Int.* **3.** Secar-se a ponto de parecer queimado; tostar-se; torrar, esturrar-se. **4.** *Bras.* Dar esturro (5); rosnar. **5.** *Bras.* Resmungar, resmonear. *P.* **6.** V. *esturrar* (3).

esturricado [Part. de *esturricar*.] *Adj.* V. *estorricado*.

esturricar *V. t. d. Int.* V. *estorricar*. [Conjug.: v. *trancar*.]

esturrinho [De *esturro* + *-inho*.] *S. m.* Tabaco muito torrado; esturro.

esturro [Dev. de *esturrar*.] *S. m.* **1.** Estado de coisa esturrada, quase queimada. **2.** A coisa esturrada: *Que esturro é este aqui, na panela?* **3.** Torrefação. **4.** Esturrinho. **5.** *Bras.* Urro de onça. **6.** Estouro, estrondo, estampido.

esturvinhado [De *turvar*.] *Adj. Pop.* Atordoado, aturdido, estonteado.

ésula [Do lat. med. *esula*.] *S. f. Bot.* Planta euforbiácea (*Euphorbia esula*) nativa da Europa.

esurino [Do lat. cient. *esurinus* < lat. *esurire*, 'ter fome'.] *Adj. Med.* Que excita a fome.

esvaecer [De *es-* + lat. *vanu* (v. *vão*) + *-ecer*, com desnasalação, por via pop.] *V. t. d.* **1.** Apagar, delir, desvanecer: *esvaecer uma mancha*. **2.** Desfazer; dissipar: *esvaecer um projeto*. **3.** Fazer perder as forças; enfraquecer, debilitar. **4.** Causar vaidade ou desvanecimento a; enfatuar; desvanecer: *Elogios costumam esvaecê-lo*. *Int.* **5.** Perder o ânimo ou as forças; esmorecer, desmaiar; desvanecer-se, esvaecer-se. *P.* **6.** Desvanecer-se, evaporar-se; esvair-se: *A bolha de sabão esvaeceu-se no ar; Suas esperanças esvaeceram-se*. **7.** Diminuir de intensidade; enfraquecer-se. **8.** V. *esvaecer* (5). [Sin. ger.: *esvanecer*. Conjug.: v. *aquecer*.]

esvaecido [Part. de *esvaecer*.] *Adj.* **1.** Que se esvaeceu; desfeito; dissipado. **2.** Esmorecido, desanimado, enfraquecido.

esvaecimento [De *esvaecer* + *-imento*.] *S. m.* **1.** Desvanecimento, enfatuamento. **2.** Enfraquecimento, desânimo, desalento. **3.** Desmaio, desfalecimento, delíquio.

esvair [Do lat. vulg. **exvaire* (< lat. *vanu*), ou de *es-* + lat. *vanu* (v. *vão*) + *-ir*.] *V. t. d.* **1.** Fazer evaporar; dissipar, desvanecer: *A forte fragrância do jasmim esvaía o perfume das violetas*. *P.* **2.** Evaporar-se, dissipar-se, desvanecer-se, desvair-se: "A vida é sonho tão leve / Que se desfaz como a neve / E como o fumo se esvai" (João de Deus, *Campo de Flores*, I, p. 209). **3.** Desfazer-se, desaparecer, desvair-se: *Sua lembrança esvaiu-se com o tempo*. **4.** Desmaiar, desfalecer, esmorecer, desvair-se. **5.** Esgotar-se; exaurir-se, desvair-se: "Com um tiro certeiro fez Justiniano rolar por terra, esvaindo-se em sangue" (Fran Martins, *Dois de Ouros*, p. 11). **6.** Passar com rapidez; decorrer; escoar-se; desvair-se: *Esvaíram-se as horas sem que ninguém o notasse*. [Conjug.: v. *sair*. Modernamente, quase só é us. como pronominal.]

esvairado [Part. pass. do port. ant. *esvairar* (< esp. *desvairar* (v. *desvairar*), com metátese e mudança de pref.)] *Adj.* Desvairado (q. v.): "Ao ler estas palavras Seixas tornou-se lívido; e lançou um olhar esvairado para o reposteiro da câmara" (José de Alencar, *Senhora*, p. 266).

esvanecer [De *es-* + lat. *vanu* (v. *vão*) + *-ecer*, por via semierudita.] *V. t. d. Int. P.* V. *esvaecer*. [Conjug.: v. *aquecer*.]

esvão [De *desvão*, com mudança de pref. (v. *es-*).] *S. m.* Desvão. [Pl.: *esvãos*.]

esvarar [De *es-* + *varar*.] *V. int. Bras.* Entrar sem pedir licença.

esvazar [De *es-* + *vazar*.] *V. t. d. P. Bras.* V. *esvaziar*.

esvaziado [Part. de *esvaziar*.] *Adj.* Que se esvaziou; vazio.

esvaziamento [De *esvaziar* + *-mento*.] *S. m.* Ato ou efeito de esvaziar(-se); vaziamento.

esvaziar [De *es-* + *vazio* + *-ar*[2].] *V. t. d.* **1.** Tornar vazio; evacuar, desocupar: *Mandaram que os alunos esvaziassem o pátio*. **2.** Despejar, esgotar; vaziar: *O operário esvaziou o caminhão de areia junto à construção*. **3.** Esgotar, bebendo o conteúdo de: *De um só trago esvaziou o copo*. **4.** Tirar a importância, a significação, o conteúdo, a razão de ser de (algo): *Tentaram esvaziar a candidatura de X ao governo do Acre*. *P.* **5.** Tornar-se vazio. **6.** Perder a importância, a significação, o conteúdo, a razão de ser: *Tendo em vista os últimos acontecimentos, sua candidatura esvaziou-se*. [Sin. ger. (bras.): *esvazar*.]

esveltez (ê) [De *esvelto* + *-ez*.] *S. f.* V. *esbelteza*.

esvelto [Do it. *svelto*.] *Adj.* V. *esbelto*: "Era, na realidade, bonita: alta, esvelta, morena, olhos lânguidos" (Artur Azevedo, *Contos Possíveis*, p. 95).

esventar [De *es-* + *vento* + *-ar*[2].] *V. t. d. Artilh. Ant.* Enxugar (uma boca de fogo) queimando dentro dela alguma pólvora.

esventrar [De *es-* + *ventre* + *-ar*[2].] *V. t. d.* V. *desventrar*: "Apenas retive a imagem dum gladiador que .... esventrou três javalis ferozes" (Mário de Carvalho, *Um Deus Passeando pela Brisa da Tarde*, p. 161).

esverdeado [Part. de *esverdear*.] *Adj.* **1.** Tirante a verde; verdacho, verdeal, verdoengo, verdolengo, verdoso, esverdido, esverdinhado. • *S. m.* **2.** Tonalidade tirante a verde.

esverdear [De *es-* + *verde* + *-ear*[2].] *V. t. d.* **1.** Dar cor verde ou tirante a verde a; tornar verde ou tirante a verde: "As tílias, os carvalhos e os amieiros agigantados são de um verde carregado, intensíssimo, que se refrange e dilui no ar, esverdeando tudo" (Ramalho Ortigão, *A Holanda*, p. 161). *Int.* **2.** Tomar cor verde ou esverdeada. **3.** Mostrar-se na sua cor verde: "Em grandes manchas de umidade, rente ao chão, / Esverdeiam musgos e avencas." (Ribeiro Couto, *Poesias Reunidas*, p. 191.) [Conjug.: v. *frear*.]

esverdido [De *es-* + *verde* + *-ido*[1].] *Adj.* V. *esverdeado*: "E neste ondulante mar esverdido de montes vagueiros e baldios, ... sobe aos céus, contra os homens, a queixa amargurada das terras que querem ser mãe de florestas úteis e belas" (Antero de Figueiredo, *Jornadas em Portugal*, p. 206).

esverdinhado [De *es-* + *verdinho*, dim. de *verde*, + *-ado*[1].] *Adj.* **1.** Verde-claro. **2.** Um tanto verde: "Um pouco de sangue subira à sua face esverdinhada." (Eça de Queirós, *A Relíquia*, p. 78.)

esverdinhar [De *es-* + *verdinho*, dim. de *verde*, + *-ar*[2].] *V. t. d.* **1.** Dar cor esverdinhada a. *Int. P.* **2.** Adquirir cor esverdinhada.

esvidar [De *es-* + *vide* + *-ar*[2].] *V. t. d.* Esvidigar.

esvidigar [De *vide*.] *V. t. d.* Limpar (as vinhas) das vides e sarmentos que se podaram; esvidar. [Conjug.: v. *largar*.]

esviscerado [Part. de *esviscerar*.] *Adj.* **1.** A que se arrancaram as vísceras; que está sem elas; estripado. **2.** *Fig.* Impiedoso, cruel, insensível, desalmado.

esviscerar [De *es-* + *víscera* + *-ar*[2].] *V. t. d.* **1.** V. *eviscerar*. **2.** Tornar cruel; encruar, encruecer, encrudelecer.

esvoaçante [De *esvoaçar* + *-nte*.] *Adj. 2 g.* Que esvoaça: "sempre tinham tido o gosto das rendas, dos veludos, dos falbalás esvoaçantes, dos mantos de rainha" (Pedro Nava, *Balão Cativo*, p. 12).

esvoaçar [De *es-* + *vo-*, rad. de *voar* (q. v.), + *-açar*.] *V. int. P.* **1.** Bater as asas com força; adejar, voejar, esvoejar, volatear, volitar, voltear, volutear: "E, enquanto há vida ainda, esvoaça [a borboleta], esvoaça, / Como um leve papel solto à mercê do vento" (Raimundo Correia, *Poesias*, p. 9); "Rompia a aurora quando a passarada do arvoredo se esvoaçou piando" (Camilo Castelo Branco, *A Brasileira de Prazins*, p. 155). **2.** *Fig.* Flutuar ao vento: "esvoaçando, esparsas, as cambraias / De subtis, tênues, rendilhados lenços" (Alberto de Oliveira, *Poesias*, 3.ª série, p. 76). **3.** Agitar-se, revolver-se: *Uma ideia sinistra esvoaçou-lhe no espírito*. [Sin. ger.: *avoaçar* e *avoejar*. Conjug.: v. *laçar*.]

esvoejar [De *es-* + *vo-*, rad. de *voar* (q. v.), + *-ejar*.] *V. int. P.* V. *esvoaçar* (1): "A mariposa vermelha esvoejando sobre a lenha, mal poisando, depois mordendo a madeira seca, e já abrindo as asas quentes para o bailado exótico." (Caci Cordovil, *Ronda de Fogo*, p. 23.) [Conjug.: v. *pelejar*.]

esvurmar [De *es-* + *vurmo* + *-ar*[2].] *V. t. d.* **1.** Limpar (a ferida) do vurmo ou pus, espremendo-a: "o primeiro avanço é pô-la [a sociedade] nua, escrutar-lhe as lepras, lavrar grandes atas das chagas encontradas, esvurmar as bostelas que cicatrizaram em falso" (Camilo Castelo Branco, *Sentimentalismo e História*, p. 158). **2.** Fazer supurar: *Preparados emolientes esvurmam a chaga*. **3.** *Fig.* Pôr a descoberto e criticar (defeito ou paixão de alguém).

▲**et-** [Do lat. *aether* < gr. *aithḗr*.] *Pref. Quím.* Indica cadeia de 2 átomos de carbono, em grupamento ou substância: *etil*, *etano*. [Ocorre, tb., como infixo: *-et-*: *azetidina*.]

▲**-et-** *Quím.* V. *et-*.

eta [Do gr. *êta*, pelo lat. tard. *eta*.] *S. m.* **1.** A 7.ª letra do alfabeto grego (H, η), correspondente ao *e* longo. **2.** *Fís. Part.* Méson pseudoescalar de massa 547,45MeV/c^2, *isospin*, *spin* e carga elétrica nulos, paridade negativa, composto de uma mistura *quark*-antiquark de sabores *u*, *d* e *s* [símb.: η]. [Cf. *eta* (ê).]

eta (ê) *Interj. Bras.* Exprime alegria, incitamento, surpresa, espanto: *Eta! o homem chegou!*; "O banqueiro Celestino dissera cada uma de arrepiar, eta português de boca suja" (Jorge Amado, *Dona Flor e Seus Dois Maridos*, p. 327). [Tb. se usam as f. reforçadas *eta-pau* e *eta-ferro*. F. paral.: *eita*. Cf. *eta* (é).]

▲**-eta** (ê) [Fem. de *-eto*[1].] V. *-ito*[1].

eta-c *S. m. Fís. Part.* Méson pseudoescalar de massa 2978,8 MeV/c^2, *isospin*, *spin* e carga elétrica nulos, paridade negativa, composto de um *quark* e de um antiquark charme [símb.: *Hc*]. [Pl.: *etas-c*.]

eta-ferro *Interj. Bras.* V. *eta* (ê). [F. paral.: *eita-ferro*.]

➔étagère [eta'ʒɛʀ] [Fr., do fr. ant. *estagière* < fr. ant. *estage* (atual *étage*).] *S. f.* Móvel com prateleiras; aparador.

etal [De *ét(er)* + *-al*².] *S. m. Quím.* Designação do álcool cetílico (q. v.) impuro, extraído do espermacete.

➔et al [et 'ali] [Lat.] V. *et alii*.

➔et alii [et 'alie] [Lat., 'e outros'.] *Loc. lat.* Na descrição bibliográfica, expressão que segue o nome do primeiro autor ou colaborador de uma obra, para indicar que há pelo menos outros três.

etambutol *S. m. Quím.* Substância cristalina, diamina acíclica, saturada, di-hidroxilada, us. no tratamento da tuberculose [fórm.: $C_{10}H_{24}N_2O_2$]. [Pl.: *etambutóis*.]

➔étamine [eta'min] [Fr., do fr. ant. *estamine* < lat. vulg. *staminea* < lat. *stamen*, 'fio'.] *S. f. Tec. Têx.* Tecido de algodão transparente, usado principalmente para cortinas.

▲-etana *Quím. El. comp.* Indica um composto heterocíclico saturado com quatro átomos no anel, não sendo o heteroátomo nitrogênio: *oxetana*.

etanal [De *etano* + *-al*².] *S. m. Quím.* V. *aldeído acético*.

etanamida [De *etano* + *amida*.] *S. f. Quím.* Acetamida.

etano [De *et-* + *-ano*².] *S. m. Quím.* Hidrocarboneto saturado, gasoso, incolor e inodoro [fórm.: C_2H_6].

etanoduto [De *etano* + *-duto*.] *S. m.* Ducto (3) que se destina ao transporte de etano: "O projeto .... prevê a implantação de um etanoduto .... até a refinaria Duque de Caxias, no Rio." (*O Globo*, 26.08.1998.)

etanoico (ói) [De *etano* + *-oico*².] *Adj. Quím.* ~ V. *ácido* —. ❖

etanol [De *etano* + *-ol*².] *S. m. Quím.* V. *álcool* (2). [Pl.: *etanóis*.]

etanolamina [De *etanol* + *-amina*.] *S. f. Quím.* Líquido incolor, viscoso, de odor amoniacal, presente em organismos e us. industrialmente [fórm.: C_2H_7NO].

etapa [Do fr. *étape* < fr. ant. *estappe* < fr. ant. *estaple* < neerl. médio *stapel*, 'entreposto'.] *S. f.* **1.** Ração diária dos soldados e bestas de um exército em marcha. **2.** *Gal.* Lugar onde para a tropa em marcha. **3.** *Gal.* Distância de um a outro de tais lugares. **4.** Cada uma das partes em que pode ser dividido o desenvolvimento de um negócio, obra, campanha, carreira, etc. **5.** *P. ext.* Fase, estágio: *as etapas da doença, de uma campanha.* **6.** *Eletrôn.* Estágio (6). ◆ **Etapa de reação.** *Quím.* Transformação direta de substância(s) em outra(s), sem a formação de intermediário, mesmo que instável.

eta-pau [De *eta* (ê) + *pau*.] *Interj. Bras. Fam.* V. *eta* (ê). [F. paral.: *eita-pau*.]

etário [Do port. **etatário* < lat. *aetate*, 'idade', + *-ário*, com haplologia.] *Adj.* Relativo à idade; etático: *estatística etária; faixa etária;* "O grupo etário de zero a 14 anos completos quase não concorre para a produção econômica." (Castro Barreto, *Povoamento e População*, II, p. 500).

➔état de langue [e'ta də lɑ̃g] [Fr., 'estado de língua'.] *E. Ling.* Período da história de uma língua que serve de base para um estudo sincrônico.

etático [Do lat. *aetate*, 'idade', + *-ico*².] *Adj.* Etário.

■ etc [Do lat. *et coetera*.] Abrev. de *et cetera*, 'e as demais coisas', us. no latim medieval como fórmula em certos atos jurídicos, e modernamente para evitar uma longa enumeração: *Comprou na feira legumes, verduras, frutas, etc.* [Embora normalmente se devesse usar apenas com referência a coisas, como se vê do seu sentido etimológico, aparece frequentes vezes, inclusive nos melhores autores, aplicado a pessoas.]

▲-ete [Do fr. *-ette*, f. do suf. *-et* < lat. (vulg.) *-ittum*, *-itta* (v. *-ito*¹).] *Suf. nom.* = 'relação'; 'pertinência'; 'dependência': *chacrete*.

▲-ete (ê) [Do lat. *-ittum*, com provável infl. do fr. *-et*.] V. *-ito*¹.

▲-etê [Do tupi *e'tê*.] *El. comp.* = 'verdadeiro': *caaetê*.

eteno [De *et(o)-* + *-eno*².] *S. f. Quím.* Hidrocarboneto não saturado, gasoso, incolor; etileno [fórm.: C_2H_4].

éter [Do lat. *aether*, 'ar sutil'; 'céu', < gr. *aithér*, 'região superior dos ares'.] *S. m.* **1.** *Fís.* Meio elástico hipotético em que se propagariam as ondas eletromagnéticas, e cuja existência contradiz os resultados de inúmeras experiências, já não sendo, por isso, admitida pelas teorias físicas. **2.** *P. ext.* O espaço celeste: "Boia [a borboleta] do sol na morna e rutilante vaga; / Em grandes doses bebe o azul; tonta espairece / No éter" (Raimundo Correia, *Poesias*, p. 8). **3.** *Quím.* Classe de composto orgânico cuja molécula é constituída por dois grupamentos hidrocarbônicos ligados a um mesmo átomo de oxigênio [fórm.: ROR']. **4.** *Quím.* V. *éter etílico*. [Pl.: *éteres*.] ◆ **Éter coroa.** *Quím.* V. *éter de coroa*. **Éter de coroa.** *Quím.* Qualquer de certos oligômeros cíclicos do etilenoglicol (com estruturas que lembram a de uma coroa) e derivados destes, capazes de complexar especificamente cátions metálicos; éter coroa, éter em coroa. **Éter de petróleo.** *Quím.* Mistura de hidrocarbonetos saturados que se obtém na destilação do petróleo. [Existem vários tipos, com diferentes faixas de ebulição; o mais comum ferve de 35 a 60°C.] [Sin. restr.: *benzina, ligroína, nafta*.] **Éter em coroa.** *Quím.* V. *éter de coroa*. **Éter etílico.** *Quím.* Líquido incolor, volátil, com cheiro característico, inflamável, e us. como anestésico; éter sulfúrico, etoxietano [fórm.: $C_4H_{10}O$]. [Tb. se diz apenas *éter*.] **Éter sulfúrico.** *Quím. Impr.* V. *éter etílico*.

etereal [De *etéreo* + *-al*¹.] *Adj. 2 g. P. us.* Etéreo (q. v.): "Seu corpo virginal, etereal, minúsculo, / Repousa imóvel, como os mármores das campas." (Eugênio de Castro, *Obras Poéticas*, I, p. 48.)

etéreo [Do gr. *aithérios*, pelo lat. *aethereu*.] *Adj.* **1.** Relativo ao, ou da natureza do éter. **2.** *Fig.* Sublime; puro, elevado. **3.** *Fig.* Celeste, celestial: "Se lá no assento etéreo, onde subiste, / memória desta vida se consente, / não te esqueças daquele amor ardente / que já nos olhos meus tão puro viste." (Luís de Camões, *Rimas*, p. 172.) ~ V. *assento* —.

eterificação [De *eterificar* + *-ção*.] *S. f.* Ação de eterificar.

eterificar [De *éter* + *-ificar*.] *V. t. d. Quím.* Transformar (um álcool ou fenol) em éter. [Conjug.: v. *trancar*.]

eterismo [De *éter* + *-ismo*.] *S. m.* **1.** Insensibilidade resultante da aplicação do éter, ou devida a outra causa. **2.** *Psiq.* Eteromania (q. v.).

eterização [De *eterizar* + *-ção*.] *S. f.* Ato ou efeito de eterizar(-se).

eterizado [Part. de *eterizar*.] *Adj.* **1.** Que se eterizou; misturado com éter. **2.** *Fig.* Tornado fluido; desfeito, disperso: "Pairam no ambiente claríssimo, bailando no ar, ... eterizadas, névoas translúcidas, das quais saem mínimas piscas cintilantes, irisações sutis, gotículas fúlgidas." (Martins Fontes, *Arlequinadas*, p. 24.)

eterizar [De *éter* + *-izar*.] *V. t. d.* **1.** Misturar com éter. **2.** Insensibilizar por meio do éter. **3.** *P. ext.* Tornar insensível: *O sofrimento eterizou-o.* *P.* **4.** Desfazer-se; evaporar-se.

eternal [Do lat. *aeternale*.] *Adj. 2 g. Poét.* V. *eterno* (1): "Minha garupa sangra, a dor poreja, / Quando o chicote do simum dardeja / O teu braço eternal." (Castro Alves, *Poesias Escolhidas*, p. 340.)

eternamente [Do f. de *eterno* + *-mente*.] *Adv.* Sempre, para sempre; por toda a eternidade: "Dorme o teu sono, coração liberto, / Dorme na mão de Deus eternamente!" (Antero de Quental, *Sonetos*, p. 183.)

eternidade [Do lat. *aeternitate*.] *S. f.* **1.** Qualidade ou caráter de eterno. **2.** A vida que, para crentes, principia após a morte; a vida eterna. **3.** Imortalidade (2). **4.** Demora indefinida.

eternizar [De *eterno* + *-izar*.] *V. t. d.* **1.** Tornar eterno; prolongar indefinidamente: *Com a fórmula mágica pretende eternizar a vida humana;* "Gravei de mim perpetuadores traços. / Hão de com povos repetir meu grito, / e o mundo inteiro eternizar meus passos." (Jorge de Lima, *Obra Completa*, I, p. 197.) **2.** Dar glória ou fama imorredoura a; tornar para sempre célebre; imortalizar: "E, eternizando o povo americano, / Vives eterna em teu poema ingente." (Olavo Bilac, *Poesias*, p. 15); *A Divina Comédia eternizou o nome de Dante.* **3.** Prolongar, delongar: *O tema polêmico veio eternizar o debate.* *P.* **4.** Adquirir glória ou fama imorredoura; imortalizar-se. **5.** Prolongar-se indefinidamente; durar muito.

eterno [Do lat. *aeternu*.] *Adj.* **1.** Que não tem princípio nem fim; que sempre existiu e existirá. [Sin. (poét.): *eternal*.] **2.** V. *imortal* (1). **3.** Que não tem fim; constante, incessante: *brigas eternas.* **4.** Imutável, inalterável: *verdade eterna.* **5.** De duração indefinida: *guerra eterna.* **6.** Desmedido, excessivo. ~ V. *chamas* —*as*, — *feminino* e — *retorno*. ● *S. m.* **7.** Deus: "Filha do céu, foi formada por um sorriso do Eterno, brincou, com as asas dos querubins." (Casimiro de Abreu, *Obras*, p. 409.) ● *Adv.* **8.** Para sempre, eternamente: "De ninfa ebúrnea estátua purpureja, / E à pálida velhice a cor sidônia / Opõe, porque adorada eterno seja." (Antônio Feliciano de Castilho, *Os Amores*, II, p. 29).

eteromania [De *éter* + *-o-* + *-mania*.] *S. f. Psiq.* O uso do éter (4) como estimulante; eterismo.

eteromaníaco [De *eteromania* + *-íaco*.] *Psiq. Adj.* **1.** Relativo a eteromania. **2.** Que faz uso de éter como estimulante; eterômano. ● *S. m.* **3.** Indivíduo eteromaníaco (2); eterômano.

eterómano *Adj. S. m. Psiq.* V. *eterômano*. [Uso freq. em P.]

eterômano [De *éter* + *-o-* + *-mano*¹.] *Adj. S. m. Psiq.* Eteromaníaco (2 e 3).

etésio [Do gr. *etésios*, *i. e.*, *ánemos etésios*, 'vento que sopra no Arquipélago pela canícula', pelo lat. *etesiu*.] *Adj.* ~ V. *ventos* —*s*.

➔ethernet ['ijθɔ̃ˌnet] [Ingl.] *S. f. Inform.* Padrão de conexão utilizado em redes locais, que define o padrão de cabos, conectores e formato de envio e recepção das informações.

➔ethos ['eθos] [Gr.] *S. m.* V. *etos*.

ética [Do lat. *ethica* < gr. *ethiké*.] *S. f. Filos.* Estudo dos juízos de apreciação referentes à conduta humana suscetível de qualificação do ponto de vista do bem e do mal, seja relativamente a determinada sociedade, seja de modo absoluto. [Cf. *bem* (1) e *moral* (1).]

ético¹ [Do gr. *ethikós*, pelo lat. *ethicu*.] *Adj.* Pertencente ou relativo à ética. ~ V. *dativo* —. [Fem.: *ética*. Cf. *hética* e *hético*.]

ético² [De *(fon)ético*; ingl. *etic*, f. red. de *phonetic*.] *Adj.* **1.** *Antrop.* Diz-se de categorias e valores utilizados na descrição e análise realizadas pelo observador, e que não correspondem, necessariamente, àqueles que vigoram na sociedade ou cultura em estudo. [O termo passou a ser empregado, na antropologia, por analogia com seu uso original na linguística.] **2.** *E. Ling.* Diz-se da maneira de estudar ou abordar elementos linguísticos que leva em conta sua substância, *i. e.*, seus aspectos acústicos e articulatórios, e não seu funcionamento dentro de um sistema específico de unidades distintivas dotadas de significado. [Fem.: *ética*. Cf. *hético*, *ético* e *êmico*.]

▲-ético [Do gr. *-etikós* (ger. como adj. de nomes terminados em *-esis*, como no caso do gr. *génesis* > *genetikós*), ou do lat. *-eticu*.] *Suf. nom.* formador de voc. eruditos e semieruditos (ger. a partir de subst. em *-ese* ou em *-esia*, com as noções de 'pertencente, ou relativo a', 'próprio de', 'que apresenta, ou sofre de', etc.): *adiaforético, abiogenético, cataforético, cariocinético*. [Ocorre, tb., com certa jocosidade, em alguns voc. de or. express.: *abafanético, escalafobético*. V. *-ico*² e *-ítico*.]

ético-político *Adj. 2 g.* Pertencente ou relativo à ética e à política. [Flex.: *ético-políticos, ético-política, ético-políticas*.]

ético-social *Adj. 2 g.* Pertencente ou relativo à ética e à sociedade. [Pl.: *ético-sociais*.]

▲etil- [De *et-* + *-il*².] *Quím. El. comp.* Indica um grupo etila: *etileno, etilamina*. [Ocorre, tb., como infixo.]

▲-etil- V. *etil-*.

etila [Do fr. *éthyle*, do fr. *éther* (v. *éter*) + *-yle* (v. *-ila*²).] *S. f. Quím.* O grupo monovalente $-CH_2CH_3$, derivado do etano.

etilamina *S. f. Quím.* Amina primária saturada com dois átomos de carbono [fórm.: C_2H_7N].

etilato [De *etil-* + *-ato*².] *S. m. Quím.* V. *etóxido*.

etileno [De *etil* + *-eno*².] *S. m. Quím.* Eteno.

etilenodiamina [Do ingl. *ethylene diamine*.] *S. f. Quím.* Substância líquida, irritante, us. em síntese [fórm.: $C_2H_8N_2$].

etilenodiaminotetracético *Adj. Quím.* ~ V. *ácido* —.

etilenoglicol [De *etileno* + *glicol*.] *S. m. Quím.* Líquido incolor, viscoso, inodoro, diol obtido a partir do eteno, com largo emprego industrial [fórm.: $C_2H_6O_2$]. [Tb. se diz apenas *glicol*. Pl.: *etilenoglicóis*.]

etilestrenol [Voc. farmac.] *S. m. Quím.* Substância cristalina sintética, que é um esteroide anabólico [fórm.: $C_{20}H_{32}O$]. [Pl.: *etilestrenóis*.]

etílico [De *etil-* + *-ico*².] *Adj. Quím.* Diz-se de composto cuja molécula contém etila. ~ V. *álcool* — e *éter* —.

etilideno [De *et(ano)* + *-ilideno*.] *S. m. Quím.* O grupo $CH_3CH=$, derivado do etano por retirada de dois hidrogênios do mesmo átomo de carbono.

etilismo [Do fr. *éthylisme* < fr. *éthyle*, 'etil' (q. v.), + fr. *-isme* (v. *-ismo*).] *S. m. Psiq. Med.* Alcoolismo.

etilista [De *etilismo* + *-ista*.] *Adj. 2 g. S. 2 g. Psiq. Med.* V. *alcoólatra*.

etilo *S. m. Quím.* V. *etila*.

etilômetro [De *etil-* + *-o-*¹ + *-metro*.] *S. m.* Aparelho que mede o teor de álcool etílico no sangue de uma pessoa a partir do teor alcoólico da sua expiração.

étimo [Do gr. *étymon*, pelo lat. *etymon*.] *S. m.* Vocábulo que constitui a origem de outro: *O lat. macula é o étimo do port. malha.*

etimologia [Do gr. *etymología*, pelo lat. *etymologia*.] *S. f. E. Ling.* **1.** O estudo das palavras, de sua história, e das possíveis mudanças de seu significado. **2.** Origem e evolução histórica de um vocábulo: *A etimologia do vocábulo português malha pode ser reconstruída até chegar-se ao lat.* macula. ◆ **Etimologia popular.** *E. Ling.* Atribuição de falso étimo a um vocábulo, em razão de alguma semelhança formal com um outro; falsa etimologia. [P. ex.: *forró*, segundo etimologia popular, viria do inglês *for all*, 'para todos'.] **Falsa etimologia.** *E. Ling.* Etimologia popular.

etimológico [Do gr. *etymologikós*, pelo lat. *etymologicu*.] *Adj.* **1.** Relativo à etimologia: *questões etimológicas.* **2.** Que trata das etimologias, dos étimos; que os registra: *dicionário etimológico.* **3.** Que tem apoio ou fundamento na etimologia; resultante dela: *Outrora se escrevia hontem com agá não etimológico.* ~ V. *falácia* —*a*, *família* —*a* e *ortografia* —*a*.

etimologismo [De *etimologia* + *-ismo*.] *S. m.* Processo ou maneira de explicar a etimologia.

etimologista [De *etimologia* + *-ista*.] *S. 2 g.* **1.** Pessoa que se ocupa da etimologia; etimólogo. **2.** Partidário da ortografia etimológica.

etimologizar [Do lat. med. *etymologizare.*] *V. t. d.* **1.** Determinar a etimologia de (uma palavra). *Int.* **2.** Dar-se ao estudo da etimologia, à pesquisa etimológica.

etimólogo [Do gr. *etymológos*, pelo lat. *etymologos.*] *S. m.* Etimologista (1).

etinila [De *etino* + *-ila*^{2}.] *S. f. Quím.* O grupo HC ≡ C-, obtido por abstração de um hidrogênio do etino.

etinilestradiol [De *etinila* + *estradiol.*] *S. m. Quím.* Estrogênio sintético us. em preparações anticoncepcionais [fórm.: $C_{20}H_{24}O_2$]. [Pl.: *etinilestradióis.*]

etino [De *et-* + *-ino*^{4}.] *S. m. Quím.* Acetileno.

▲etio- [Do gr. *aitía*, as.] *El. comp.* = 'causa', 'motivo': *etiopatogenia, etiopatógeno, etiotrópico.*

etiologia [Do gr. *aitiología*, pelo lat. *aetiologia.*] *S. f.* **1.** Estudo sobre a origem das coisas: "a verdade é que, no tocante à etiologia do absenteísmo [absenteísmo eleitoral], a fraude é apenas um epifenômeno; as causas reais, íntimas, fundamentais, são outras muito diversas." (Oliveira Viana, *Pequenos Estudos de Psicologia Social*, p. 73). **2.** *Med.* Estudo da origem ou da causa de doença.

etiológico [De *etiologia* + *-ico*^{2}.] *Adj.* Relativo à etiologia.

etionamida *S. f. Terap.* Antibiótico us., por via oral, no tratamento da tuberculose, associado a uma ou mais drogas que visam o mesmo fim.

etiopatogenia [De *etio-* + *-pat(o)-* + *-genia.*] *S. f. Med.* Origem, causa de uma doença.

etiopatogênico [De *etiopatogenia* + *-ico*^{2}.] *Adj. Med.* Da, ou relativo à etiopatogenia.

etiopatógeno [De *etio-* + *-pat(o)-* + *-geno.*] *S. m. Med.* Agente causador de doença.

etíope [Do gr. *aithíops*, pelo lat. *aethiope.*] *Adj. 2 g.* **1.** De, ou pertencente ou relativo à Etiópia (África); etiópico. ● *S. 2 g.* **2.** O natural ou habitante da Etiópia.

etiópico [Do gr. *aithiopikós*, pelo lat. *aethiopicu.*] *Adj.* **1.** Etíope (1). ● *S. m.* **2.** *Gloss.* Grupo de línguas semíticas pouco estudadas, e das quais a mais importante é o amárico, falado na parte central do planalto abissínio. **3.** *Gloss.* Amárico.

etiotrópico [De *etio-* + *-trop(o)-* + *-ico*^{2}.] *Adj. S. m. Med.* Diz-se de, ou medicamento que age diretamente sobre o agente etiológico (bactéria, fungo, etc.).

etiqueta (ê) [Do fr. *étiquette* (ant. *estiquette*) < fr. ant. *estechier, estiquier, estiquer*, 'atar', 'trespassar', 'enterrar'.] *S. f.* **1.** Conjunto de cerimonial, ordem de precedência e usos que devem ser observados na corte ou em solenidades e festas oficiais, públicas ou não, de que participam chefes de Estado ou altas autoridades. **2.** *P. ext.* Formas cerimoniosas de trato entre particulares; cerimonial: *Faz questão fechada de que se observe a etiqueta.* **3.** Regra, normas, estilo. **4.** *Gal.* Letreiro ou rótulo que se põe sobre alguma coisa para designar o que é, o que contém, o seu preço, etc. **5.** *Gal.* Pedacinho de fazenda, cosido no interior de uma roupa, de um chapéu, etc., e que contém o nome do fabricante. [Pl.: *etiquetas* (ê). Cf. *etiqueta* e *etiquetas*, do v. *etiquetar.*]

etiquetador (ô) [De *etiquetar* + *-dor.*] *Adj. S. m.* Que ou o que etiqueta.

etiquetadora (ô) [De *etiquetar* + *-dora.*] *S. f.* Máquina de etiquetar.

etiquetagem [Do fr. *étiquetage.*] *S. f.* Ato de etiquetar.

etiquetar [Do fr. *étiqueter.*] *V. t. d. Gal.* Pôr etiqueta (4) em. [Pres. ind.: *etiqueto, etiquetas, etiqueta*, etc. Cf. *etiqueta* (ê) e pl. *etiquetas* (ê).]

etmoidal [De *etmoide* + *-al*^{1}.] *Adj. 2 g. Anat.* Relativo ou pertencente ao etmoide; etmoídeo.

etmoide (ói) [Do fr. *ethmoïde* < gr. *ethmoeidés*, 'semelhante a um coador, a uma peneira'.] *S. m. Anat.* Osso craniano situado entre o frontal e o esfenoide, e que concorre para a formação da base do crânio, das órbitas e das cavidades nasais. Através de numerosos orifícios de sua placa horizontal passam filetes dos nervos olfativos. ❖

etmóideo [De *etmoide* + *-eo.*] *Adj. Anat.* Etmoidal.

etnarca [Do gr. *ethnárches.*] *S. m.* Governador de província, no Baixo-Império (q. v.).

etnia [De *etn(o)-* + *-ia*^{1}.] *S. f. Antrop.* **1.** População ou grupo social que compartilha crença em homogeneidade cultural e/ou linguística, ou em história e origem comuns. [Neste sentido, tb us., a partir do início do séc. XX, em substituição a termos como *nação, povo* e *raça*, para designar as sociedades e grupos até então ditos *primitivos.*] **2.** Grupo com relativa homogeneidade cultural, considerado como unidade de dentro de um contexto de relações entre grupos similares ou do mesmo tipo, e cuja identidade é definida por contraste em relação a estes. [Sin., nesta acepç.: *grupo étnico.*]

etnicidade [De *étnico* + *-(i)dade.*] *S. f. Antrop.* **1.** Condição ou caráter do que é étnico. **2.** Caráter ou qualidade atribuída a grupo étnico, no que se refere a sua distintividade e sua identidade sociocultural, e que implica, ger., mobilização política ou social em defesa dos valores ou interesses do grupo.

etnicismo [De *étnico* + *-ismo.*] *S. m.* V. *gentilidade* (1).

étnico [Do gr. *ethnikós*, pelo lat. *ethnicu.*] *Adj.* **1.** Relativo ou pertencente a etnia. **2.** Característico de determinada etnia, povo, ou cultura. ~ V. *grupo* —. ● *S. m.* **3.** Idólatra, pagão (nos autores eclesiásticos).

▲etn(o)- [Do gr. *ethno-* < gr. *éthnos, eos-ous.*] *El. comp.* = 'raça', 'nação', 'povo': *etnia, etnogenia, etnologia.*

etnoastronomia [De *etn(o)-* + *astronomia.*] *S. f.* **1.** O conjunto dos conhecimentos astronômicos de um povo. **2.** O estudo dos conhecimentos astronômicos segundo a formulação que recebem nas culturas dos diversos povos e grupos sociais. [Sin. ger.: *astroetnologia.*]

etnoastronómico *Adj.* V. *etnoastronômico.* [Uso freq. em P.]

etnoastronômico [De *etn(o)-* + *astronômico.*] *Adj.* Relativo à etnoastronomia.

etnobiologia [De *etn(o)-* + *biologia.*] *S. f.* O estudo da relação que os povos ou grupos sociais mantêm com os animais e plantas de seu meio ambiente.

etnobiológico [De *etnobiologia* + *-ico*^{2}.] *Adj.* Relativo à etnobiologia.

etnobotânica [De *etn(o)-* + *botânica.*] *S. f.* **1.** O conjunto dos conhecimentos botânicos de determinado povo. **2.** Ramo da botânica que envolve pesquisas em diversas áreas, como medicina, antropologia, farmacologia, engenharia, etc., e que visam o estudo das inter-relações e interações entre as comunidades e as plantas, suas aplicações, utilização e usos tradicionais.

etnobotânico [De *etnobotânica* + *-ico*^{2}.] *Adj.* **1.** Da, ou relativo à etnobotânica. ● *S. m.* **2.** Especialista em etnobotânica.

etnocêntrico [De *etnocentrismo* + *-ico*^{2}, seg. o padrão erudito.] *Adj.* Relativo ao, ou próprio do etnocentrismo.

etnocentrismo [De *etn(o)-* + *-centr(o)-* + *-ismo.*] *S. m.* Tendência do pensamento a considerar as categorias, normas e valores da própria sociedade ou cultura como parâmetro aplicável a todas as demais.

etnociência [De *etn(o)-* + *ciência*; ingl. *ethnoscience.*] *S. f.* **1.** O estudo dos sistemas de conhecimento dos diversos povos e culturas. **2.** *Antrop.* Conjunto de taxonomias, terminologias, léxicos e quaisquer outros conjuntos estruturados de conceitos, regras, etc., considerados como manifestações dos sistemas de pensamento e conhecimento de determinado povo. **3.** *Restr. Antrop.* Corrente norte-americana de estudos antropológicos e linguísticos, produtiva principalmente nas décadas de 1950-1970, cujo objeto é a descrição e análise formal de diferentes etnociências [v. *etnociência* (2)].

etnodesenvolvimento [De *etn(o)-* + *desenvolvimento.*] *Antrop. S. m.* **1.** Conjunto de princípios cunhado sobre os valores da autodeterminação e da autonomia dos povos indígenas ou outras coletividades etnicamente diferenciadas, segundo o qual as transformações introduzidas para fins de melhoria das condições de vida dessas coletividades devem estar alicerçadas em metas endógenas e sob o estrito controle social das mesmas, enfatizando-se as dimensões de sustentabilidade dessas transformações, a gestão transparente dos processos no plano da governança e a valorização e pleno exercício dos seus conhecimentos tradicionais. **2.** Política que busca assegurar às populações indígenas o controle de seu território e recursos ambientais, envolvendo a capacitação de lideranças locais com o objetivo de que este controle seja operacionalizado nos termos próprios de cada comunidade, levando em consideração seu universo de desejos, valores e tradições culturais.

etnodiceia (éi) [De *etn(o)-* + gr. *dikaía*, f. poética do gr. *díke*, 'uso'; 'costume'; 'justiça'.] *S. f.* Direito das gentes. ❖

etnogenealogia [De *etn(o)-* + *genealogia.*] *S. f.* **1.** Genealogia dos povos. **2.** *Antrop.* O conjunto de representações que um grupo ou cultura particular formula a respeito das relações de parentesco, consideradas como conexões interindividuais derivadas da procriação.

etnogenealógico [De *etnogenealogia* + *-ico*^{2}.] *Adj.* Relativo à etnogenealogia.

etnogénese *S. f. Antrop.* V. *etnogênese.* [Uso freq. em P.]

etnogênese [De *etn(o)-* + *-gênese.*] *S. f. Antrop.* Surgimento de uma nova identidade étnica, e de grupo definido por esta.

etnogenético [De *etnogên(ese)* + *-ético.*] *Adj.* Relativo a etnogênese.

etnogenia [De *etn(o)-* + *-genia.*] *S. f.* Ramo da etnologia que estuda a evolução dos povos.

etnogénico *Adj.* V. *etnogênico.* [Uso freq. em P.]

etnogênico [De *etnogenia* + *-ico*^{2}.] *Adj.* Relativo à etnogenia.

etnogeografia [De *etn(o)-* + *geografia.*] *S. f.* O estudo da distribuição geográfica de povos e etnias e de sua relação com o meio ambiente em que vivem.

etnogeográfico [De *etnogeografia* + *-ico*^{2}.] *Adj.* Relativo à etnogeografia.

etnografia [De *etn(o)-* + *-grafia.*] *S. f. Antrop.* **1.** A parte dos estudos antropológicos que corresponde à fase de elaboração dos dados obtidos em pesquisa de campo. **2.** O estudo descritivo de um ou de vários aspectos sociais ou culturais de um povo ou grupo social. [Cf. *etnologia* e *antropologia.*]

etnográfico [De *etnografia* + *-ico*^{2}.] *Adj.* Relativo à etnografia.

etnógrafo [De *etn(o)-* + *-grafo.*] *S. m.* Especialista em etnografia.

etno-história [De *etn(o)-* + *história.*] *S. f.* **1.** Disciplina que se dedica à reconstituição da história dos povos não letrados, recorrendo, para isto, a tradições orais, evidências arqueológicas e dados linguísticos, além de documentação histórica. **2.** O conjunto das narrativas, representações, etc. que um grupo mantém a respeito de seu passado. ❖

etno-histórico [De *etno-história* + *-ico*^{2}.] *Adj.* **1.** Relativo a etno-história (1) ou ao seu campo de estudos. **2.** Relativo ao passado de um grupo étnico, povo, etc., tal como representado ou formulado por ele. ❖

etnolinguista (güis) [Voc. deduz. de *etnolinguística* (v. *etn(o)-* e *linguística*).] *Adj. 2 g. S. 2 g.* Diz-se de, ou especialista em etnolinguística. ❖

etnolinguística (güis) [De *etn(o)-* + *linguística.*] *S. f.* **1.** *Antrop.* O estudo da linguagem de sociedades sem escrita. **2.** *Antrop. E. Ling.* O estudo da linguagem em seu contexto social, e das relações entre a linguagem e os demais aspectos da sociedade e da cultura. ❖

etnolinguístico (güis) [De *etnolinguística*, com var. suf. (v. *-ico*^{2}).] *Adj.* Relativo à, ou próprio da etnolinguística. ❖

etnologia [De *etn(o)-* + *-logia.*] *S. f. Antrop.* **1.** *Obsol.* O estudo histórico dos povos e suas culturas. **2.** Conjunto dos estudos antropológicos que procuram generalizar e sistematizar, por meio de comparação, análise e interpretação, os conhecimentos a respeito dos diferentes povos e suas culturas, obtidos através da etnografia (1). **3.** V. *antropologia social.* **4.** *Bras.* O estudo antropológico das sociedades indígenas.

etnológico [De *etnologia* + *-ico*^{2}.] *Adj.* Relativo à etnologia.

etnologista [De *etnologia* + *-ista.*] *S. 2 g.* Etnólogo.

etnólogo [De *etn(o)-* + *-logo.*] *S. m.* Especialista em etnologia; etnologista.

etnomedicina [De *etn(o)-* + *medicina.*] *S. f.* O conjunto de conhecimentos e práticas médicas de determinado povo ou grupo.

etnometodologia [De *etn(o)-* (por anal. com *etnologia*, etc.) + *metodologia*; ingl. *ethnomethodology.*] *S. f.* Estudo ou análise, de base sociológica ou psicossociológica, pelo qual se inferem modelos racionais, relativos aos métodos e categorias de conhecimento de que os indivíduos se utilizam para tornar inteligíveis as atividades práticas corriqueiras que realizam, guiados pelo senso comum.

etnometodológico [De *etnometodologia* + *-ico*^{2}.] *Adj.* Relativo ou pertencente à etnometodologia.

etnometodologista [De *etnometodologia* + *-ista.*] *Adj. 2 g. S. 2 g.* Diz-se de, ou especialista em etnometodologia.

etnomusicologia [De *etn(o)-* + *musicologia.*] *S. f.* Estudo dos sistemas musicais dos diversos povos, em seus aspectos formais (os sons e as maneiras de combiná-los) ou socioculturais (usos e comportamentos relativos à música, o papel desta, etc.).

etnomusicológico [De *etnomusicologia* + *-ico*^{2}.] *Adj.* Relativo à etnomusicologia.

etnónimo *S. m.* V. *etnônimo.* [Uso freq. em P.]

etnônimo [De *etn(o)-* + *-ônimo.*] *S. m.* Nome de povos, de tribos, de castas, e, p. ext., de comunidades políticas ou religiosas, quando a designação destas últimas possa ser tomada em sentido étnico. ◆ **Etnônimo brasílico.** Designação de grupo, etnia, povo, etc., que habitava o território brasileiro em tempos pré-cabralianos e, p. ext., de seus descendentes. [Entre os antropólogos que estudam esses grupos indígenas, a grafia dos etnônimos brasílicos adota inicial capitular, não varia em gênero e número, e obedece à convenção para a grafia de nomes tribais recomendada pela maioria dos participantes da *Primeira Reunião Brasileira de Antropologia*, que ocorreu no Rio de Janeiro em 1953.]

etnozoologia [De *etn(o)-* + *zoologia.*] *S. f.* **1.** O conjunto de conhecimentos de determinado povo ou grupo acerca dos animais. **2.** Estudo dos conhecimentos zoológicos dos diversos povos e culturas.

etnozoológico [De *etnozoologia* + *-ico*^{2}.] *Adj.* Relativo à etnozoologia.

▲eto- [Do gr. *éthos, eos-ous.*] *El. comp.* = 'costume', 'uso': *etocracia, etognosia.*

▲-eto^1 [Do lat. *-ittum*, com provável infl. do it. *-etto.*] V. *-ito*^{1}.

▲-eto^2 *Quím. Suf.* **1.** Indica ânion (ou sal deste ânion) derivado de ácido não oxigenado de elemento que está no seu estado de oxidação mais baixo. [Em geral de um ácido com a terminação *-ídrico*, como o *clorídrico* ou o *bromídrico*, vem o ânion com suf. *-eto*^{2}, como o *cloreto* e o *brometo*.] **2.** Indica ânion derivado de hidrocarboneto: *acetileto* (proveniente de *acetileno*).

▲-eto^{3} [Do it. *-etto*.] ***Suf. nom.*** = 'formado de': *quinteto* (< it.), *sexteto* (< it.).

etocracia [De *eto-* + *-cracia*.] ***S. f.*** Forma de governo fundada na moral.

etocrático [De *etocracia* + *-ico*^{2}, seg. o padrão erudito (v. *-cracia*).] ***Adj.*** Relativo à etocracia.

etogenia [De *eto-* + *-genia*.] ***S. f.*** Ciência que estuda a origem dos costumes, paixões e caracteres dos homens. [Cf. *etografia*.]

etogénico ***Adj.*** V. *etogênico*. [Uso freq. em P.]

etogênico [De *etogenia* + *-ico*^{2}.] ***Adj.*** Relativo à etogenia.

etognosia [De *eto-* + *-gnosia*.] ***S. f.*** Conhecimento profundo dos costumes, paixões e caracteres do homem. [Cf. *etografia*.]

etognóstico [De *eto-* + *-gnóstico*.] ***Adj.*** Relativo à etognosia.

etografia [De *eto-* + *-grafia*.] ***S. f.*** Descrição dos costumes, paixões e caracteres humanos. [Cf. *etogenia* e *etognosia*.]

etográfico [De *etografia* + *-ico*^{2}.] ***Adj.*** Relativo ou pertencente à etografia.

etólio [Do gr. *aitólios*, pelo lat. *aetoliu*.] ***Adj.*** **1.** Da, ou pertencente ou relativo à Etólia (Grécia antiga). ● ***S. m.*** **2.** O natural ou habitante da Etólia.

etologia [De *eto-* + *-logia*.] ***S. f.*** Estudo dos hábitos dos animais e da sua acomodação às condições do ambiente: "Os cientistas Karl von Frisch e Konrad Lorenz, austríacos, e Nikolas Tinbergen, holandês, ganharam o Prêmio Nobel de Medicina e Fisiologia de 1973 por terem criado uma nova ciência, a etologia, que faz o estudo comparado do comportamento dos animais." (*Jornal do Brasil*, 12.10.1973.)

etológico [De *etologia* + *-ico*^{2}.] ***Adj.*** Pertencente ou relativo à etologia.

etologista [De *etologia* + *-ista*.] ***S. 2 g.*** Etólogo.

etólogo [De *eto-* + *-logo*.] ***S. m.*** Especialista em etologia; etologista.

etopeia (éi) [Do lat. *ethopoeia* < gr. *ethopoiía*.] ***S. f.*** Descrição dos costumes e paixões dos homens: "Era a dança a ciência das paixões, etopeia prodigiosa capaz de exprimir os sentimentos mais recônditos" (Martins Fontes, *A Dança*, p. 14). ❖

etopeu [Do lat. *ethopoeu* < gr. *ethopoiós*.] ***S. m.*** Aquele que descreve paixões e costumes humanos.

etos [Do gr. *éthos*, 'costume', 'uso', 'característica'.] ***S. m. 2 n.*** **1.** Modo de ser, temperamento ou disposição interior, de natureza emocional ou moral. **2.** O espírito que anima uma coletividade, instituição, etc. **3.** *Sociol. Antrop.* Aquilo que é característico e predominante nas atitudes e sentimentos dos indivíduos de um povo, grupo ou comunidade, e que marca suas realizações ou manifestações culturais.

etossáurio [Do tax. *Aetosaurus* (< lat. cient. *aeto-* [< gr. *aetós*, 'águia'] + *-saurus* [v. *-sauro*]) + *-io*^{3}.] *Paleont.* ***S. m.*** **1.** Espécime dos etossáurios, grupo de reptis primitivos, que viveram no triássico; herbívoros, fortemente encouraçados, eram semelhantes aos crocodilos atuais e atingiam cerca de 3m de comprimento. ● ***Adj.*** **2.** Pertencente ou relativo a eles.

etosuximida (cs) [Voc. farmac.] ***S. f.*** *Quím.* Substância cristalina, solúvel em água, heterocíclica, us. como medicamento anticonvulsivante [fórm.: $C_7H_{11}NO_2$].

▲etox(i)- (cs) *Quím. El. comp.* Designa o grupo etoxila: *etoxietano*.

etóxido (cs) [De *etox(i)-* + *-ido*^{2}.] ***S. m.*** *Quím.* **1.** Qualquer alcóxido obtido do etanol. **2.** O ânion C_2H_5O-. [Sin. ger.: *etilato*.]

etoxietano (cs) [De *etox(i)-* + *etano*.] ***S. m.*** *Quím.* Éter etílico.

etoxila (cs) [De *et-* + *ox(igênio)* + *-ila*^{2}.] ***S. f.*** *Quím.* O grupamento C_2H_5O-.

➔et pour cause [e puʀ koz] [Fr.] E não sem motivo.

➔et reliqua [et ˈrɛlikwa] [Lat., 'e o restante'.] Usa-se para encerrar uma enumeração.

etrioscópio [Do gr. *aíthrios*, 'puro', 'claro', 'que está livre', + *-scópio*.] ***S. m.*** Instrumento com que se mede o calor irradiado da Terra.

etrusco [Do lat. *etruscu*.] ***Adj.*** **1.** Da, ou pertencente ou relativo à Etrúria ou Tirrênia (Itália antiga); tirreno, tirrênio. ~ V. *alfabeto* —. ● ***S. m.*** **2.** O natural ou habitante da Etrúria; tirreno, tirrênio. **3.** *Gloss.* A língua dos etruscos.

etruscologia [De *etrusco* + *-logia*.] ***S. f.*** Estudo da língua e da arqueologia dos etruscos.

etruscológico [De *etruscologia* + *-ico*^{2}.] ***Adj.*** Relativo à etruscologia.

etruscólogo [De *etrusco* + *-logo*.] ***S. m.*** Especialista em etruscologia.

etuete *Bras.* ***S. 2 g.*** **1.** *Etnôn.* Indivíduo dos etuetes [ou (etnôn. bras.) *Etwét], povo indígena extinto que habitava a margem esquerda do rio Doce, na confluência com o rio Suaçuí Grande (MG). ● ***Adj. 2 g.*** **2.** Pertencente ou relativo a esse povo.

➔e tutti quanti [e ˈtutti ˈkwanti] [It., 'e todos quantos' (forem); 'e os demais'.] Palavras empregadas para encerrar uma enumeração; *tutti quanti*.

eu [Do lat. vulg. *eo* < lat. *ego*.] ***Pron.*** **1.** Pron. pess. da 1.ª pessoa singular. ● ***S. m. 2.*** A personalidade de quem fala. **3.** A individualidade metafísica da pessoa: "No momento em que ela [a inspiração do poeta romântico] se lhe revela ....., inspiração e expressão vão de par, indivíduo e universo consubstanciam-se, eu e não eu integram-se." (João Gaspar Simões, *Liberdade do Espírito*, p. 34). [Cf. *heu*.]

■ Eu *Quím.* Símb. de *európio*.

▲eu- [Do gr. *eu-* < adv. gr. *eû*.] ***Pref.*** = 'bem'; 'de boa constituição': *eucinesia*. [Em *Quím.*, 'derivado aprimorado de uma substância específica (ger. em vocábulos de farmacologia)': *euquinina*.] [Equiv. (exceto em quím.): *ev-*: *evemia*.]

▲-eu [Do lat. *-aeus, a, um*.] ***Suf. nom.*** = 'relação', 'origem', 'procedência': *judeu* (< lat.); *europeu* (< lat.); *giganteu* (< lat.).

euá [Do ior.] ***S. f.*** *Bras. Rel.* Orixá ioruba de sexo feminino, cuja epifania é um rio na Nigéria e que, no Brasil, por vezes, se confunde com Iemanjá. [Com cap.]

euartrópode [De *eu-* + *artrópode* (q. v.).] *Zool.* ***S. m.*** **1.** Espécime dos euartrópodes, divisão de artrópodes cujo sistema bucal é provido de quelíceras ou mandíbulas, sendo o corpo dividido em três lobos por dois sulcos longitudinais, e o abdome desprovido de apêndices locomotores birremes. São todos os artrópodes atuais. ● ***Adj. 2 g.*** **2.** Pertencente ou relativo a eles.

eubá [Do ior.] ***S. m.*** *Bras.* Egbá.

eubactéria [De *eu-* + *bactéria*.] ***S. f.*** *Microbiol.* Bactéria que é a representante típica do grupo das eubacteriales.

eubacterial [Do lat. cient. *Eubacter-* (v. *eubacteriale*) + *-ial*^{1}.] ***Adj. 2 g.*** *Microbiol.* Pertencente ou relativo às eubacteriales.

eubacteriale [Adapt. do tax. *Eubacteriales*.] ***S. f.*** *Bacter.* Espécime das eubacteriales, grupo que reúne a maioria das bactérias, e que podem apresentar forma esférica, espiralada, ou forma de bastonete.

eubage [Do gaulês, pelo lat. *eubage*.] ***S. m.*** Antigo sacerdote gaulês que se dedicava à adivinhação e à astrologia.

eubeia (éi) ***S. f.*** Fem. de *eubeu*. ❖

eubeu [Do lat. *euboeu*.] ***Adj.*** **1.** Da, ou pertencente ou relativo à Eubeia (Grécia). ● ***S. m.*** **2.** O natural ou habitante da Eubeia. [Sin. ger.: *euboico*. Fem.: *eubeia*.]

eubiótica [Do gr. *eubíotos*, 'que vive bem', + *-ica*.] ***S. f.*** Arte de bem viver.

eubiótico [De *eubiótica*, com var. suf (v. *-ico*^{2}).] ***Adj.*** Relativo à eubiótica.

euboico (ói) [Do gr. *euboikós*, pelo lat. *euboicu*.] ***Adj. S. m.*** V. *eubeu*. ❖

eucaliptal [De *eucalipto* + *-al*^{1}.] ***S. m.*** **1.** Quantidade mais ou menos considerável de eucaliptos dispostos proximamente entre si. **2.** Área ocupada por eucaliptal (1).

eucalipto [Do tax. *Eucalyptus* (do gr. *eu-* [v. *eu-*] + gr. *kalyptós*, 'coberto').] ***S. m.*** *Bot.* **1.** Gênero de árvores ou arbustos mirtáceos, de grande porte, de folhas coriáceas, lanceoladas, resinosas, flores pequenas e ger. grupadas em umbelas, e fruto que é uma cápsula com muitas sementes de testa escura, lisa e fina. Fornecem madeira de alburno delgado, claro, de cerne cuja cor vai do amarelo ao pardo, pardo-avermelhado, sendo mais ou menos pesada, e com depósitos de goma, e as folhas têm propriedades medicinais. Encerra cerca de 450 espécies. **2.** Qualquer espécie desse gênero, como, p. ex., a *Eucalyptus regnans*, a árvore mais alta do mundo. **3.** Qualquer espécime desse gênero. [Sin. ger.: *eudésmia*.]

eucaliptol [De *eucalipto* (q. v.) + *-ol*^{3}.] ***S. m.*** *Quím.* Cineol (q. v.) que é um dos componentes principais do óleo de eucalipto e que é us. como expectorante [fórm.: $C_{10}H_{18}O$]. [Pl.: *eucaliptóis*.]

eucarídio [Adapt. do tax. *Eucarida*.] *Zool.* ***S. m.*** **1.** Espécime dos eucarídios, grande grupo de crustáceos caracterizados por possuírem carapaça soldada ao tórax, cobrindo-o completamente, olhos pedunculados e brânquias torácicas. ● ***Adj.*** **2.** Pertencente ou relativo a eles.

eucarionte [De *eu-* + *-cari(o)-* + *-onte*.] ***Adj. S. m.*** *Biol.* V. *eucarioto*.

eucariote [Do ingl. *eucaryote*.] ***Adj. 2 g. S. m.*** *Biol.* V. *eucarioto*.

eucariótico [De *eucarioto* + *-ico*^{2}.] ***Adj.*** *Citol.* Do, ou relativo ao eucarioto. ~ V. *célula* —*a*.

eucarioto [De *eu-* + *-cari(o)-* + a term. *-oto*, como em *zigoto*; ingl. *eucaryote*.] ***Adj. S. m.*** *Biol.* Diz-se de, ou organismo composto por uma ou mais células que têm núcleo distinto, envolvido por membrana nuclear, e que contém os cromossomos, e citoplasma rico em organelas; eucariote, eucarionte. [Cf. *procarioto*.]

eucáris [Do tax. *Eucharis* (do gr. *eúcharis*, 'gracioso').] ***S. m. 2 n.*** *Bot.* **1.** Pequeno gênero de ervas amarilidáceas dotadas de escapo (4), e que têm flores brancas, umbeladas, odoríferas. **2.** Qualquer espécie desse gênero, como, p. ex., a *Eucharis amazonica* (v. *lírio-do-amazonas*). **3.** Qualquer espécime desse gênero, ou a sua flor.

eucaristia [Do gr. *eucharistía*, pelo lat. *eucharistia*.] ***S. f.*** *Rel.* **1.** Um dos sete sacramentos da Igreja Católica, no qual, segundo a crença, Jesus Cristo se acha presente, sob as aparências do pão e do vinho, com seu corpo, sangue, alma e divindade. **2.** Ato central do culto cristão, em que se dá a celebração desse sacramento; missa, banquete sagrado, comunhão, ceia do Senhor, memorial do Senhor, pão dos anjos, pão da alma, pão eucarístico: *celebrar a eucaristia*. **3.** As espécies consagradas; comunhão: *Em estado de graça, recebeu a Eucaristia*. **4.** *P. us.* O ato de dar graças.

eucarístico [Do lat. med. *eucharisticu* < gr. *eucharistikós*.] ***Adj.*** *Rel.* Relativo ou pertencente à eucaristia. ~ V. *oração* —*a e pão* —.

eucaritídeo [Do gr. *euchárítos*, 'gracioso', 'agradável', + *-ídeo*^{1}; tax. *Eucharitidae*.] *Zool.* ***S. m.*** **1.** Espécime dos eucaritídeos, família de insetos himenópteros grandes, de cor preta ou azul, ou ainda verde-metálica, de abdome pedunculado e escutelo espinhoso. Suas larvas parasitam as pupas de formigas. ● ***Adj.*** **2.** Pertencente ou relativo a eles.

eucelomado [De *eu-* + *celomado*; tax. *Eucoelomata*.] ***Adj. S. m.*** *Zool.* Diz-se de, ou animal provido de celoma.

eucestódeo [Do tax. *Eucestoda* + *-eo*.] *Zool.* ***S. m.*** **1.** Espécime dos eucestódeos, subclasse de animais metazoários, platelmintos, cestódeos. Têm o corpo dividido em escólex e proglótide, cujo número varia de quatro até 4.000, e embrião com seis ganchos. ● ***Adj.*** **2.** Pertencente ou relativo a eles. [Sin. ger.: *merozoário*, *polizoário*.]

euciliado [De *eu-* + *ciliado*^{2}; tax. *Euciliata*.] *Zool.* ***S. m.*** **1.** Espécime dos euciliados, subclasse de protozoários ciliados que possuem dois núcleos (macronúcleo e micronúcleo), e reproduzem-se por conjugação. ● ***Adj.*** **2.** Pertencente ou relativo a eles.

eucinesia [De *eu-* + *-cines(i)-* + *-ia*^{1}.] ***S. f.*** *Med.* Estado em que se verifica a existência de uma função motora normal.

euclásio [De *eu-* + *-clas(i)-* + *-io*^{3}.] ***S. m.*** *Min.* Mineral monoclínico, silicato de glucínio e alumínio.

eucleídeo [Do tax. *Euclea* (< gr. *eúkleia*, 'glória') + *-ídeo*^{1}; tax. *Eucleidae*.] *Zool.* ***S. m.*** **1.** Espécime dos eucleídeos, família de insetos lepidópteros que reúne mariposas que podem atingir até 0,4m de envergadura e cujas larvas, parasitas da laranjeira, são conhecidas como lagartas-lesmas por serem curtas e brilhantes, muito semelhantes às lesmas. ● ***Adj.*** **2.** Pertencente ou relativo a eles.

euclidense^{1} ***Adj. 2 g.*** **1.** De, ou pertencente ou relativo a Euclides da Cunha (BA). ● ***S. 2 g.*** **2.** O natural ou habitante de Euclides da Cunha.

euclidense^{2} ***Adj. 2 g.*** **1.** De, ou pertencente ou relativo a Euclides da Cunha Paulista (SP). ● ***S. 2 g.*** **2.** O natural ou habitante de Euclides da Cunha Paulista.

euclidiano^{1} ***Adj.*** Pertencente ou relativo a Euclides, geômetra da Grécia antiga (séc. III a. C.), ou próprio dele. ~ V. *espaço* — e *geometria* —*a*.

euclidiano^{2} ***Adj.*** **1.** De, ou pertencente ou relativo a Euclides da Cunha (1866-1909), escritor brasileiro, ou próprio dele. **2.** Que é seu admirador e/ou profundo conhecedor de sua obra. ● ***S. m.*** **3.** Admirador de Euclides da Cunha e/ou profundo conhecedor de sua obra.

eucológio [Do gr. *euchologion*.] ***S. m.*** Livro que encerra orações, entre elas o ofício dos domingos e das festas principais. [Cf. *eucólogo*.]

eucólogo [Do gr. *euché*, 'oração', + *-logo*, como em *decálogo*.] ***S. m.*** Oração do ofício dos domingos e dias santos. [Cf. *eucológio*.]

eucoloide (ói) [De *eu-* + *coloide*.] ***S. m.*** *Fís.-Quím.* Coloide em que as partículas coloidais são macromoléculas. Formam-no polímeros de elevado peso molecular, p. ex., proteínas. [Sin.: *coloide molecular*.] ❖

eucómia ***S. f.*** *Bot.* V. *eucômia*. [Uso freq. em P.]

eucômia [Do tax. *Eucommia* (do gr. *eu-* [v. *eu-*] + gr. *kómmi*, 'goma', + lat. cient. *-ia* [v. *-ia*^{2}]).] ***S. f.*** *Bot.* **1.** Gênero monotípico de eucomiáceas. **2.** A única espécie desse gênero, a *Eucommia ulmoides*, de flores aclamídeas, unissexuais e actinomorfas, tendo as masculinas quatro a dez estames, e cujo fruto é uma sâmara. **3.** Qualquer espécime desse gênero, ou a flor dele.

eucomiácea [Do tax. *Eucommia* (v. *eucômia*) + *-ácea*; tax. *Eucommiaceae*.] ***S. f.*** *Bot.* Espécime das eucomiáceas, família de plantas floríferas, da ordem das rosales, à qual pertence o gênero eucômia.

eucomiáceo [De *eucomiácea*, com var. suf. (v. *-áceo*).] *Adj. Bot.* Pertencente ou relativo às eucomiáceas.

eucopépode [De *eu-* + *copépode*; tax. *Eucopepoda*.] *Zool. S. m.* **1.** Espécime dos eucopépodes, ordem de animais artrópodes, crustáceos, copépodes, de olhos simples, corpo com patas torácicas, sem flagelo e com abertura genital no sétimo somito torácico. ● *Adj. 2 g.* **2.** Pertencente ou relativo a eles.

eucrasia [Do gr. *eukrasía*.] *S. f. Med.* Bom temperamento. [Cf. *discrasia*.]

eucrásico [De *eucrasia* + *-ico*².] *Adj.* Referente a eucrasia.

eucrífia [Do tax. *Eucryphia*.] *S. f. Bot.* **1.** Gênero de grandes árvores eucrifiáceas sempre-verdes, nativas da Austrália e do Chile, dotadas de folhas opostas escuras e brilhantes, grandes flores e fruto capsular lenhoso ou coriáceo. **2.** Espécie ou espécime desse gênero, ou a flor dele.

eucrifiácea [Do tax. *Eucryphia* + *-ácea*; tax. *Eucryphiaceae*.] *S. f. Bot.* Espécime das eucrifiáceas, família da ordem das rosales, composta de árvores e arbustos com folhas opostas e flores solitárias, axilares, alvas. Perianto tetrâmero, androceu com muitos estames, fruto esquizocárpico, com sementes aladas. Engloba o gênero eucrífia (q. v.).

eucrifiáceo [De *eucrifiácea*, com var. suf. (v. *-áceo*).] *Adj. Bot.* Pertencente ou relativo às eucrifiáceas.

eucromatina [De *eu-* + *cromatina*.] *S. f. Citol. Genét.* Porção da cromatina que, durante a interfase, se apresenta menos condensada do que a heterocromatina.

eudemonismo [Do gr. *eudaimonismós* (< gr. *eudaímon*, 'que tem boa sorte'; 'feliz'), poss. pelo fr. *eudémonisme*.] *S. m. Ét.* Doutrina que admite ser a felicidade individual ou coletiva o fundamento da conduta humana moral, *i. e.*, que são moralmente boas as condutas que levam à felicidade.

eudemonista [De *eudemonismo* + *-ista*.] *S. 2 g.* Partidário do eudemonismo.

eudemonístico [De *eudemonista* + *-ico*².] *Adj.* Relativo ao eudemonismo.

eudesmano [De *eudésm(ia)* (q. v.) + *-ano*².] *S. m. Quím.* Hidrocarboneto bicíclico saturado que contém dois anéis hexagonais fundidos e é isômero do cadinano [fórm.: $C_{15}H_{28}$].

eudésmia [De *eu-* + *-desm(o)-* + *-ia*²; tax. *Eudesmia*.] *S. f. Bot.* Eucalipto (1 a 3).

eudesmol [De *eudésm(ia)* (q. v.) + *-ol*².] *S. m. Quím.* Qualquer de certos alcoóis terciários terpênicos (α-eudesmol, β-eudesmol e γ-eudesmol) com esqueletos como o do eudesmano [fórm.: $C_{15}H_{26}O$]. [Pl.: *eudesmóis*.]

eudiapneustia [Do gr. *eudiápneustos*, 'que facilita a transpiração', + *-ia*¹.] *S. f. Med.* Facilidade de transpiração.

eudiapnêustico [De *eudiapneustia* + *-ico*².] *Adj.* Referente à eudiapneustia.

eudiometria [De *eudiômetro* + *-ia*¹.] *S. f.* Aplicação do eudiômetro.

eudiométrico [De *eudiômetro* + *-ico*².] *Adj.* Concernente à eudiometria, ou ao eudiômetro.

eudiômetro *S. m. Quím.* V. *eudiômetro*. [Uso freq. em P.]

eudiômetro [Do gr. *eudía*, 'bom tempo', + *-o-* + *-metro*.] *S. m. Quím.* Tubo de vidro fechado numa extremidade, provido de dois eletrodos de platina, e que serve para observar modificações de volume de gases em processos de combustão ou de solubilização em líquidos.

eudista [Do fr. *eudiste* < antr. (*Jean*) *Eudes* (-1680) + fr. *-iste* (v. *-ista*).] *Rel. Adj. 2 g.* **1.** Pertencente ou relativo à congregação religiosa fundada por S. João Eudes, em 1643. ● *S. 2 g.* **2.** Membro dessa congregação.

euemia [De *eu-* + *-emia*.] *S. f. Histol.* Normalidade do sangue; evemia.

eu-eu *S. m. 2 n. Bras. BA Rel.* Saudação feita a Oçanhe.

eufausiáceo [Do tax. *Euphausia* + *-áceo*; tax. *Euphausiacea*.] *Zool. S. m.* **1.** Espécime dos eufausiáceos, ordem de artrópodes, crustáceos, malacostráceos, eucarídios, marinhos, com apêndices torácicos birremes e desprovidos de maxilípedes. São abundantes nos mares frios, onde constituem o alimento principal das baleias. [V. *krill*.] ● *Adj.* **2.** Pertencente ou relativo a eles.

eufemia [Do gr. *euphemía*, 'palavra de bom agouro'; 'ação de evitar palavras de mau agouro'; 'silêncio religioso'.] *S. f.* Reza, oração, prece. [Cf. *Eufêmia*, antr. f.]

eufémico *Adj.* V. *eufêmico*. [Uso freq. em P.]

eufêmico [De *eufemismo* + *-ico*², seg. o padrão erudito.] *Adj.* Relativo a, ou em que há eufemismo; eufemístico. [Antôn.: *disfêmico*.]

eufemismo [Do gr. *euphemismós* (< gr. *euphemos*, 'auspicioso', + gr. *-ismós* [= *-ismo*]), pelo fr. *euphémisme*.] *S. m.* **1.** Ato de suavizar a expressão duma ideia substituindo a palavra ou expressão própria por outra mais agradável, mais polida. **2.** Palavra ou expressão usada por eufemismo (1): *Dianho é um eufemismo de diabo; Empregou o eufemismo 'descuidado' para não chamá-lo 'grosseiro'*. [Antôn.: *disfemismo*.]

eufemístico [De *eufemismo* + *-ist(a)-* + *-ico*², seg. o padrão erudito.] *Adj.* Eufêmico. [Antôn.: *disfêmico*.]

eufemizar [De *eufemismo* + *-izar*, seg. o padrão erudito.] *V. t. d.* Fazer uso de eufemismo(s): *É muito discreto no falar: sempre eufemiza até mesmo os xingamentos.*

eufical [Do lat. cient. *Eufic-* (v. *eufilicale*) + *-al*¹.] *Adj. 2 g. Bot.* Pertencente ou relativo às euficales.

eufilicale [De *eu-* + *-filic(i)-* + *-ale*; tax. *Eufilicales*.] *S. f. Bot.* Espécime das eufilicales, ordem de filicíneas leptosporangiadas, com esporângios isosporados, circundados por um anel nítido, e prótalo bem desenvolvido.

euflagelado [De *eu-* + *flagelado*²; tax. *Euflagellata*.] *Zool. S. m.* **1.** Espécime dos euflagelados, subclasse de animais protozoários, flagelados típicos que em seu estado normal nunca têm pseudópodes, locomovendo-se exclusivamente por flagelos. ● *Adj.* **2.** Pertencente ou relativo a eles.

eufol [De *euf(órbia)* (q. v.) + *-ol*².] *S. m. Quím.* Álcool triterpênico tetracíclico esteroidal, isômero do lanosterol [fórm.: $C_{30}H_{50}O$]. [Pl.: *eufóis*.]

eufonia [Do gr. *euphonía*, pelo lat. *euphonia*.] *S. f.* **1.** Som agradável à audição. **2.** Escolha feliz de sons; sucessão harmoniosa de vogais e consoantes: "Nada tem que soe mal a sucessão do *u* ao *ó*, nem a articulação do *só* ao *pu* ocasiona atentado à eufonia, ridículo, ou torpeza, que a leve ao rol dos cacófatons." (Rui Barbosa, *Réplica*, pp. 73-74.) **3.** Elegância e suavidade na pronúncia.

eufónico *Adj. S. m.* V. *eufônico*. [Uso freq. em P.]

eufônico [De *eufonia* + *-ico*².] *Adj.* **1.** Em que há eufonia; agradável à audição; suave, melodioso: *frase eufônica; período eufônico.* ● *S. m.* **2.** *Mús.* Instrumento que reunia as sonoridades da harpa e os recursos técnicos do piano. **3.** *Mús.* Espécie de órgão de lâminas vibrantes.

eufónio *S. m. Mús.* V. *eufônio*. [Uso freq. em P.]

eufônio [De *eu-* + *-fon(o)-* + *-io*³.] *S. m. Mús.* **1.** Instrumento muito semelhante ao bombardino. **2.** Copofone inventado por B. Franklin (1706-1790), e que substituiu os copos por cilindros. **3.** Registro de órgão de palheta batente.

eufonização [De *eufonizar* + *-ção*.] *S. f.* Ato ou efeito de eufonizar.

eufonizar [De *eu-* + *-fon(o)-* + *-izar*.] *V. t. d.* Tornar eufônico.

eufono [Do gr. *eúphonos* (ŏn).] *Adj.* Êufono (q. v.).

êufono [Var. pros. de *eufono*.] *Adj.* **1.** Que tem voz bela, melodiosa. **2.** Diz-se de som bem timbrado, forte e vibrante. [A melhor f. é *eufono*, mas o uso consagrou *êufono*.]

eufórbia [Do tax. *Euphorbia* (do lat. *euphorbia*, 'planta leitosa').] *S. f. Bot.* **1.** Gênero de plantas euforbiáceas, dotadas de inflorescências compostas, altamente diversificadas, com pequeninas flores sem perianto e grupadas em cimeiras umbeliformes; o fruto é capsular. As espécies tropicais constituem arbustos ou árvores de caule suculento e que lembra o cáctus, mas dele diferem pelo látex; todas produzem seiva leitosa. **2.** Qualquer espécie desse gênero, como, p. ex., a *Euphorbia pulcherrima* (v. *folha-de-sangue*). **3.** Qualquer espécime desse gênero.

euforbiácea [Do tax. *Euphorbia* (v. *eufórbia*) + *-ácea*; tax. *Euphorbiaceae*.] *S. f. Bot.* Espécime das euforbiáceas, grande, complexa e multiforme família de plantas floríferas da ordem das euforbiales, composta de árvores, arbustos e ervas, frequentemente lacticíferas, com folhas alternas e estipuladas, flores pequeninas, unissexuais ou hermafroditas, monoclamídeas ou diclamídeas, e cujo fruto é tricoco. Há perto de 7.200 espécies espalhadas pelo globo; o Brasil é rico em representantes, entre eles a seringueira.

euforbiáceo [De *euforbiácea*, com var. suf. (v. *-áceo*).] *Adj. Bot.* Pertencente ou relativo às euforbiáceas.

euforbial [Do lat. *Euphorb-* (v. *euforbiale*) + *-al*¹.] *Adj. 2 g. Bot.* Pertencente ou relativo às euforbiales.

euforbiale [Do tax. *Euphorbia* + *-ale*; tax. *Euphorbiales*.] *S. f. Bot.* Espécime das euforbiales, ordem de plantas das quais as euforbiáceas constituem o tipo, e que se caracteriza pelos frutos chamados *tricocas*.

euforia [Do gr. *euphoría*.] *S. f.* **1.** Sensação de perfeito bem-estar. **2.** Alegria intensa e, por via de regra, expansiva: *Ganhou muito dinheiro na loteria, e está numa euforia louca.* **3.** Boa disposição de ânimo: "o espanto, o susto, a dor .... se confundem e misturam num sentimento vasto e bom, numa euforia demorada, envolvente, cândida" (Carlos Drummond de Andrade, *Confissões de Minas*, p. 149). **4.** *Psiq.* Sentimento exagerado de bem-estar físico e mental, em especial quando não justificado pela realidade; pode ser induzido por drogas, como, por ex., opioides, anfetaminas, e pelo álcool, e constitui um dos aspectos da mania (1). [Opõe-se a *disforia*.]

eufórico [De *euforia* + *-ico*².] *Adj.* **1.** Que traz euforia, ou que por ela se caracteriza: *estado eufórico.* **2.** Que sente euforia: *Encontrei-o risonho, eufórico.*

euforizante [De **euforizar* (< *euforia* + *-izar*) + *-nte*.] *Adj. 2 g.* Que provoca euforia; que torna eufórico.

eufótico [De *eu-* + *-fot(o)-* + *-ico*².] *Adj.* ~ V. *zona —a.*

eufrático *Adj.* Do, ou pertencente ou relativo ao rio Eufrates (Ásia).

eufuísmo [Do ficcion. *Euphues*, da obra *The Anatomy of Wit*, romance do inglês John Lyly (c. 1554-1606), + *-ismo*.] *S. m.* Estilo literário afetado, amaneirado, semelhante ao gongorismo, que se usou na Inglaterra ao tempo da rainha Isabel I (v. *elisabetano*).

eufuísta [De *eufuísmo* + *-ista*.] *S. 2 g.* Pessoa que pratica o eufuísmo.

eufuístico [De *eufuísta* + *-ico*².] *Adj.* Relativo ao, ou próprio do eufuísmo.

euge [Do gr. *eûge*, pelo lat. *euge*.] *P. us. Interj.* **1.** Indica aprovação, incitamento, estímulo. ● *S. m.* **2.** Exclamação de admiração, aplauso, encômio.

eugenesia [De *eu-* + *-genes(i)-* + *-ia*¹.] *S. f.* Qualidade de eugenético.

eugenésico [De *eugenesia* + *-ico*².] *Adj.* Eugenético.

eugenético [De *eugen(esia)* + *-ético*.] *Adj.* Diz-se dos mestiços que apresentam eugenesia, que são direta e indefinidamente fecundos; eugenésico.

eugenia [Do fr. *eugénie* (v. *eu-* e *-genia*).] *S. f. Med.* Ciência que estuda as condições mais propícias à reprodução e melhoramento genético da espécie humana. [Cf. *eugênia*, s. f., e *Eugênia*, antr.]

eugénia *S. f. Bot.* V. *eugênia*. [Uso freq. em P.]

eugênia [Do tax. *Eugenia*.] *S. f. Bot.* **1.** Gênero de árvores mirtáceas, de folhas opostas, e cujo cálice tem 4 ou 5 sépalas e 4 ou 5 pétalas, e muitos estames; o fruto, comestível em algumas espécies, é uma baga, e a madeira é dura. **2.** Qualquer espécie desse gênero, como, p. ex., a *Eugenia uniflora*, conhecida popularmente como pitangueira (q. v.). **3.** Qualquer espécime desse gênero. [Cf. *eugenia*.]

eugénico *Adj.* V. *eugênico*. [Uso freq. em P.]

eugênico [De *eugenia* + *-ico*².] *Adj.* **1.** Relativo à, ou próprio da eugenia. **2.** Que favorece o aperfeiçoamento da reprodução humana. **3.** Que, pelo seu bom desenvolvimento, atende às exigências da eugenia: *um tipo eugênico.*

eugênio-barrense *Adj. 2 g.* **1.** De, ou pertencente ou relativo a Governador Eugênio Barros (MA). ● *S. 2 g.* **2.** O natural ou habitante de Governador Eugênio Barros. [Sin. ger.: *creolinense*. Pl.: *eugênio-barrenses*.]

eugênio-castrense *Adj. 2 g.* **1.** De, ou pertencente ou relativo a Eugênio de Castro (RS). ● *S. 2 g.* **2.** O natural ou habitante de Eugênio de Castro. [Pl.: *eugênio-castrenses*.]

eugenol [Do V.C.I. *euge-* (< lat. *Eugenia caryophyllata*) + *-ol*³.] *S. m. Quím.* Substância fenólica encontrada no óleo de cravo, líquido, incolor, aromático, usado como antisséptico [fórm.: $C_{10}H_{12}O_2$]. [Pl.: *eugenóis*.]

eugenopolense *Adj. 2 g.* **1.** De, ou pertencente ou relativo a Eugenópolis (MG). ● *S. 2 g.* **2.** O natural ou habitante de Eugenópolis.

euglena [Do tax. *Euglena* (< lat. cient. *eu-* [v. *eu-*] + gr. *gléne*, 'globo ocular'.] *S. f. Zool.* **1.** Gênero de protozoários mastigóforos, euglenoidinos, que vivem em água doce, esp. estagnada ou de curso lento. **2.** Espécie ou espécime desse gênero.

euglenófito [Adapt. do tax. *Euglenophyta*.] *Adj. S. m. Bot.* Diz-se de, ou espécime dos euglenófitos, divisão do reino vegetal que abrange algas que ocorrem em águas continentais ricas em matéria orgânica; existem cerca de 1.000 espécies, das quais apenas um gênero é colonial, sendo as restantes unicelulares.

euglenoide (ói) [Do tax. *Euglena* + *-oide*.] *Adj. 2 g. Zool.* Euglenoidino (2). ❖

euglenoidino [Do tax. *Euglena* (v. *euglena*) + *-oid(e)-* + *-ino*³; tax. *Euglenoidina*.] *Zool. S. m.* **1.** Espécime dos euglenoidinos, ordem de animais protozoários, fitomastiginos, que têm forma ger. definida, corpo com membrana rígida ou mole, um ou dois flagelos situados próximo do vacúolo contrátil e dentro do citóstoma. A maioria vive em água doce. ● *Adj.* **2.** Pertencente ou relativo a eles; euglenoide.

euglossíneo [Do tax. *Euglossinae*.] *Zool. S. m.* **1.** Espécime dos euglossíneos, subfamília de abelhas apídeas, corbiculadas, distribuídas em cinco gêneros, sendo a maioria das espécies solitárias. ● *Adj.* **2.** Pertencente ou relativo a eles.

eugregarinido [Adapt. do tax. *Eugregarinida*.] *Zool. S. m.* **1.** Espécime dos eugregarinidos, ordem de protozoários, parasitas de anelídeos e de artrópodes, que não se reproduzem por esquizogênese; cada célula, por esporulação, origina oito esporozoítos. ● *Adj.* **2.** Pertencente ou relativo a eles.

euipnia (eu-i) [De *eu-* + *-(h)ipn(o)-* + *-ia*¹.] *S. f. Med.* Sono normal.

euípnico [De *euipnia* + *-ico*².] *Adj. S. m.* Diz-se de, ou substância que provoca a euipnia, que faz dormir bem.

eulalia [De *eu-* + *-lal(o)-* + *-ia*[1].] *S. f. Fonoaud.* Boa maneira de falar; boa dicção, dicção fácil. [Antôn.: *dislalia*. Cf. *eulália*, s. f., *Eulália*, antr.]

eulália [Do lat. cient. *eulalia* (do antr. lat. *Eulalia*, 'Eulália').] *S. f. Bot.* Planta poácea (*Miscanthus sinensis*) ornamental, dotada de inflorescência em panículas grandes, terminais, e flores avermelhadas. [Cf. *eulalia*.]

eulamelibrânquio [De *eu-* + *lamelibrânquio*; tax. *Eulamellibranchia*.] *Zool. S. m.* **1.** Espécime dos eulamelibrânquios, ordem de moluscos pelecípodes que têm as brânquias em forma de W, com as lamelas de cada metade reunidas por ligações firmes. ● *Adj.* **2.** Pertencente ou relativo a eles.

euleriano [Do antr. (*Leonhard*) *Euler* (1707-1783) + *-iano*.] *Adj. 2 g. Geom.* Unicursal.

eumatia [De *eu-* + rad. do gr. *matheîn*, 'aprender', + *-ia*[1].] *S. f.* Facilidade de aprender.

eumático [De *eumatia* + *-ico*[2].] *Adj.* Referente à eumatia.

eumecóptero [De *eu-* + *mecóptero*; tax. *Eumecoptera*.] *Zool. S. m.* **1.** Espécime dos eumecópteros, subordem de insetos mecópteros, de terminália complexa, com gonocócitos alargados e quatro asas membranosas, longas e estreitas; medem de 1,5cm a 3cm. ● *Adj.* **2.** Pertencente ou relativo a eles.

eumenídeo [Do tax. *Eumenes* (< gr. *eumenés*, 'benevolente'; 'bem arrumado'; 'bem acomodado') + *-ídeo*[1]; tax. *Eumenidae*.] *Zool. S. m.* **1.** Espécime dos eumenídeos, família de insetos himenópteros; vespas de tamanho médio que constroem ninhos de barro aderentes aos ramos, semelhantes a jarras. ● *Adj.* **2.** Pertencente ou relativo a eles.

euménides *S. f. pl. Mit.* V. *eumênides*. [Com cap. Uso freq. em P.]

eumênides [Do gr. *Eumenídes*, 'benfazejas'.] *S. f. pl. Mit.* Forma eufêmica de Erínias (q. v.). [Com cap.]

eumolpídeo [Do tax. *Eumolpus* (< gr. *eúmolpos*, 'que canta bem') + *-ídeo*[1].] *Zool. S. m.* **1.** Espécime dos eumolpídeos, subfamília de insetos coleópteros, crisomelídeos, de coloração metálica; são besouros oblongos e convexos, nocivos às culturas de cacau, goiaba, algodão e batata-doce. ● *Adj.* **2.** Pertencente ou relativo a eles.

eunapolitano *Adj.* **1.** De, ou pertencente ou relativo a Eunápolis (BA). ● *S. m.* **2.** O natural ou habitante de Eunápolis.

eunuco [Do gr. *eunoûchos*, pelo lat. *eunuchu*.] *S. m.* **1.** Homem castrado que, no Oriente, era guarda dos haréns. **2.** *Fig.* Homem impotente, ou fraco.

eunucoide (ói) [Do gr. *eunouchoeidés*.] *Adj. 2 g.* Semelhante a, ou próprio de eunuco. ❖

euortosia [De *eu-* + *-ort(o)(s)-* + *-ia*[1].] *S. f. Med.* Regulação fisiológica perfeita, que permite bom funcionamento do organismo.

euparquéria [Do tax. *Euparkeria*.] *S. m. Paleont.* **1.** Gênero de pequenos reptis arcossáurios, tecodontes, do triásico inferior, ancestrais dos dinossauros tetrápodes, e que corriam com grande velocidade, elevando-se nas patas posteriores, enquanto a cauda servia de contrapeso para o equilíbrio. **2.** Espécie ou espécime desse gênero.

eupatia [Do gr. *eupátheia*.] *S. f.* Resignação, conformação; paciência.

eupático [De *eupatia* + *-ico*[2].] *Adj.* Referente à eupatia.

eupatório [Do tax. *Eupatorium*.] *S. m. Bot.* **1.** Gênero de plantas asteráceas, herbáceas ou subarbustivas, com cerca de 45 espécies, nativas de regiões tropicais, principalmente da América, de caule ereto e tomentoso, e cujo fruto é aquênio, com cerdas brancas, flexuosas e persistentes. **2.** Qualquer espécie desse gênero, como, p. ex., a *Eupatorium bartsiaefolium* (v. *charrua*[2]) e a *Eupatorium ascendens*, cujas flores roxas ou alvas são reunidas em capítulos sésseis, aglomerados ou fasciculados, dispostos em corimbos. **3.** Qualquer espécime desse gênero.

eupátrida [Do gr. *eupatrídes*.] *S. 2 g.* Na antiga Atenas, membro da aristocracia hereditária.

eupepsia [Do gr. *eupepsía*.] *S. f. Med.* Digestão normal. [Cf. *dispepsia*.]

eupéptico [De *eu-* + *-pept(o)-* + *-ico*[2].] *Adj.* **1.** Relativo à eupepsia. **2.** Que facilita a digestão. ● *S. m.* **3.** Medicamento que facilita a digestão.

euplástico [De *eu-* + *-plast(o)-* + *-ico*[2].] *Adj.* Relativo às boas formas plásticas.

euplexóptero (cs) [De *eu-* + lat. *plexus*, 'enlaçado', + *-ptero*; tax. *Euplexoptera*.] *S. m. Adj. Zool.* V. *dermáptero*.

euplócamo [Do gr. *euplókamos*.] *Adj. S. m.* Que, ou aquele que tem cabelo fino e encaracolado. [Cf. *lissótrico*, *eutícomo* e *ulótrico*.]

euploide (ói) [De *eu-* + *-ploide*.] *Citol. Genét. Adj. 2 g.* **1.** Diz-se de célula com número de cromossomos que é um múltiplo exato do número haploide da espécie, ou de indivíduo que tem tais células. ● *S. 2 g.* **2.** Célula ou indivíduo euploide. ❖

euploidia [De *euploide* + *-ia*[1].] *S. f. Citol. Genét.* Condição de euploide (2).

eupneia (éi) [Do lat. cient. *eupnea*, *eupnoea* < gr. *eúpnoia*.] *S. f. Med.* Respiração normal. [Opõe-se a *dispneia*.] ❖

eupneico (éi) [De *eu-* + *-pneico*.] *Adj. Med.* Que tem eupneia. [Opõe-se a *dispneico*.] ❖

eupomácia [Do tax. *Eupomatia*.] *S. f. Bot.* **1.** O gênero-tipo das eupomaciáceas, que compreende árvores e arbustos dotados de grandes estaminódios, que lembram pétalas, entre os estames que suportam a antera e o estigma, de tal forma que a polinização se possa fazer por insetos. **2.** Espécie ou espécime desse gênero.

eupomaciácea [Do tax. *Eupomatia* (do gr. *eu-* [v. *eu-*] + gr. *pôma*, *atos*, 'tampa', + lat. cient. *-ia* [v. *-ia*[1]]) + *-ácea*; tax. *Eupomatiaceae*.] *S. f. Bot.* Espécime das eupomaciáceas, família de plantas da ordem das Magnoliales, formada pelo gênero eupomácia, de flores aclamídeas, polistêmones, multicarpelares, cujos carpelos são embutidos no receptáculo e providos de numerosos óvulos. É própria do hemisfério norte.

eupomaciáceo [De *eupomaciácea*, com var. suf. (v. *-áceo*).] *Adj. Bot.* Pertencente ou relativo às eupomaciáceas.

eupterotídeo [Do tax. *Eupterote* + *-ídeo*[1]; tax. *Eupterotidae*.] *Zool. S. m.* **1.** Espécime dos eupterotídeos, família de insetos lepidópteros, mariposas com asas transparentes perto do ápice das nervuras anteriores, e cujas larvas alimentam-se de arbustos. ● *Adj.* **2.** Pertencente ou relativo a eles.

euquimo [Do gr. *eúchymos*, 'suculento'.] *S. m. Bot.* Suco nutriente dos vegetais.

euquinina [De *eu-* + *quinina*.] *S. f. Quím.* Carbonato de etila e de quinina.

eurafricano [De *eur(o)-* + *africano*.] *Adj.* **1.** De, ou pertencente ou relativo à Europa e à África. ● *S. m.* **2.** Mestiço de pai europeu e mãe africana, ou vice-versa.

eurasiano [De *eur(o)-* + *asiano*.] *Adj.* **1.** V. *eurásico*. **2.** Eurasiático (2). ● *S. m.* **3.** Eurasiático (3).

eurasiático [De *eur(o)-* + *asiático*.] *Adj.* **1.** V. *eurásico*. **2.** Mestiço de pai europeu e mãe asiática, ou vice-versa; eurasiano. ● *S. m.* **3.** Mestiço de pai europeu e mãe asiática, ou vice-versa; eurasiano.

eurásico [De *Eurásia* (*Europa* [v. *europeu*] + *Ásia* [v. *asiático*]) + *-ico*[2].] *Adj.* De, ou pertencente ou relativo à Eurásia, designação dada ao conjunto de terras da Europa e da Ásia; eurasiano, eurasiático, eurásio.

eurásio [De *Eurásia* + *-io*[3].] *Adj.* **1.** V. *eurásico*. ● *S. m.* **2.** O natural ou habitante da Eurásia.

eureca *Interj.* V. *heureca*.

▲**euri-** [Do gr. *eurýs*, *eureîa*, *eurý*.] *El. comp.* = 'largo'; 'amplo': *eurícero*, *eurígnato*.

euriáleo [Adapt. do tax. *Euryalae* (f. irreg. a partir do tax. *Euryale*).] *Zool. S. m.* **1.** Espécime dos euriáleos, ordem de animais equinodermos, ofiuroides, de braços contráteis, em geral ramificados, capazes de levar objetos até a boca. Disco e braços revestidos de pele grossa, semelhante ao couro. Atualmente compreende apenas um gênero. ● *Adj.* **2.** Pertencente ou relativo a eles.

eurialino [De *euri-* + *-(h)al(o)-* + *-ino*[1].] *Adj. Zool.* Diz-se de animal aquático, que pode viver em águas com salinidades diferentes, como, p. ex., o salmão, que pode viver em rios, estuários e mares.

euriapsida [Adapt. do tax. *Euryapsida*.] *Paleont. S. m.* **1.** Espécime dos euriapsidas, subclasse de reptis fósseis, terrestres, que adquiriram hábitos anfíbios e aquáticos, como os plesiossauros e notossauros. Apresentavam uma só abertura, grande, na têmpora, atrás do globo ocular. Desapareceram no final do cretáceo. ● *Adj.* **2.** Pertencente ou relativo a eles.

euribático [De *euri-* + *-bat(o)-* + *-ico*[2].] *S. m. Adj. Zool.* Diz-se de, ou animal marinho que pode suportar pressões diferentes e, por isso, vive em diferentes profundidades.

euribionte [De *euri-* + *-bionte*.] *S. m. Ecol.* Espécie capaz de povoar meios muito variáveis; eurioico. [Cf. *estenobionte*.]

euricéfalo [De *euri-* + *-céfalo*.] *Adj.* Que tem cabeça larga.

eurícero [De *euri-* + *-cero*.] *Adj. Zool.* Que tem cornos ou antenas largas.

eurifaringídeo [Adapt. do tax. *Eurypharyngidae*.] *Zool. S. m.* **1.** Espécime dos eurifaringídeos, família de peixes sacofaringiformes, com um só gênero e uma só espécie, a *Eurypharynx pelecanoides* (v. *enguia-pelicano*). ● *Adj.* **2.** Pertencente ou relativo a eles.

eurignático [De *eurígnato* + *-ico*[2].] *Adj.* Relativo a eurígnato.

eurígnato [De *euri-* + *-gnato*.] *Adj. S. m. Antropom.* Diz-se de, ou indivíduo ou tipo humano em que sobressai a parte média da cabeça ou a região superior do rosto.

eurioico (ói) [De *euri-* + *-oico*[1].] *S. m. Ecol.* Euribionte. ❖

euripidiano [De *Eurípides* + *-iano*.] *Adj.* **1.** De, ou pertencente ou relativo ao poeta dramático grego Eurípides (480-406 a. C.), ou à sua obra. ● *S. m.* **2.** Grande admirador e/ou profundo conhecedor de sua obra.

euripigídeo [Do tax. *Eurypiga* + *-ídeo*[1]; tax. *Eurypygidae*.] *Zool. S. m.* **1.** Espécime dos euripigídeos, família de aves gruiformes, constituída de uma única espécie, *Eurypyga helias*, habitante da América do Sul e Central nas regiões pantanosas. Voam pouco, têm movimentos lentos e a postura é sempre de dois ovos. ● *Adj.* **2.** Pertencente ou relativo a eles.

euripo [Do gr. *eúripos*, pelo lat. *euripu*.] *S. m.* **1.** Fosso que, nos circos romanos, separava as feras dos espectadores. **2.** Movimento irregular. **3.** Parte de um estreito na qual abundam os escolhos e o mar é agitado.

euripterídeo [De *euri-* + *-pter(o)-* + *-ídeo*[1]; tax. *Eurypteridae*.] *Paleont. S. m.* **1.** Espécime dos euripterídeos, grupo de artrópodes que incluía os maiores invertebrados móveis do cambriano. Situados entre os trilobitas e escorpiões, atingiam até 3m de comprimento e nadavam velozmente; no primeiro par de patas apresentavam pinças gigantes e a cauda era transformada em nadadeira. Desapareceram no final do siluriano. ● *Adj.* **2.** Pertencente ou relativo a eles.

eurístomo [Do gr. *eurýstomos*.] *Adj.* Que tem boca larga.

euritérmico [De *euri-* + *-term(o)-* + *-ico*[2].] *S. m. Adj. Zool.* Diz-se de, ou animal, ger. aquático, que suporta variações bruscas de temperatura.

euritmia *S. f.* V. *eurritmia*.

eurítmico *Adj.* V. *eurrítmico*.

euro[1] [Do gr. *eûros*, pelo lat. *euru*.] *S. m.* Entre os antigos, vento de leste: 📖 "Onde vão estes flocos de neblina / Que o euro arrasta nas geladas asas?" (Fagundes Varela, *Poesias Completas*, I, p. 268.) [Cf. *zéfiro*.]

euro[2] [F. red. de *europeu*.] *S. m. Econ.* Moeda comum a vários países europeus, introduzida como unidade escritural desde 01.01.1999, e como notas e moedas a partir de 01.01.2002.: 📖 "Euro nasce em janeiro para unir a Europa." (*O Globo*, 27.12.1998); "Turistas já podem comprar cheques de viagem em euros a partir de janeiro." (*Id.*, 27.12.1998). [Era adotada, em março de 2009, por 16 dos 27 países da União Europeia (Alemanha, Áustria, Bélgica, Chipre, Eslovênia, Eslováquia, Espanha, Finlândia, França, Grécia, Irlanda, Itália, Luxemburgo, Malta, Países Baixos e Portugal) e por países pequenos ou de criação recente que optaram por não ter moeda própria (Andorra, Kosovo, Mônaco, Montenegro, São Marino e Vaticano), prevendo-se novas adesões nos anos subsequentes.]

▲**eur(o)-** [F. red. de *europeu*.] *El. comp.* = 'europeu': *eurasiático*, *eurodólar*.

euro-africano [De *eur(o)-* + *africano*.] *Adj. S. m.* V. *eurafricano*. [Pl.: *euro-africanos*.] ❖

eurobónus *S. m. 2 n. Econ.* V. *eurobônus*. [Uso freq. em P.]

eurobônus [De *eur(o)-* + *bônus*.] *S. m. 2 n. Econ.* Bônus (3) emitido para captar recursos, ger. em dólares, no mercado financeiro europeu.

euro-brasileiro [De *eur(o)-* + *brasileiro*.] *Adj.* **1.** De, pertencente ou relativo à Europa e ao Brasil. ● *S. m.* **2.** Indivíduo de origem europeia e brasileira. [Pl.: *euro-brasileiros*.] ❖

eurocomunismo [De *eur(o)-* + *comunismo*.] *S. m.* O comunismo adaptado à situação política dos países da Europa ocidental.

eurocomunista [De *eurocomunismo* + *-ista*.] *Adj. 2 g.* **1.** Referente ao eurocomunismo. **2.** Que é partidário ou seguidor do eurocomunismo. ● *S. 2 g.* **3.** Partidário ou seguidor dele.

eurodólar [De *eur(o)-* + *dólar*.] *S. m. Econ.* Moeda dos E.U.A. depositada em bancos não americanos, esp. europeus, e por estes emprestada no mercado financeiro internacional. [Pl.: *eurodólares*.]

euromercado [De *eur(o)-* + *mercado*.] *S. m. Econ.* Mercado (esp. financeiro) europeu.

euromoeda [De *eur(o)-* + *moeda*.] *S. f. Econ.* Moeda de um país, frequentemente o dólar dos E.U.A., depositada em bancos estrangeiros, esp. europeus, e por estes emprestada no mercado financeiro internacional. [V. *eurodólar*.]

europa [Do top. *Europa* < gr. *Európe*.] *S. f. Astr.* O primeiro satélite de Júpiter descoberto por Galileu (v. *galileano*) em 1610. [Com cap.]

europeiamente (èi) [Do f. de *europeu* + *-mente*.] *Adv.* À maneira europeia; como os europeus; ao modo e gosto europeus.

europeização (e-i) [De *europeizar* + *-ção*.] *S. f.* Ato ou efeito de europeizar(-se).

europeizado (e-i) [Part. de *europeizar*.] *Adj.* Que se europeizou.

europeizar (e-i) [De *europeu* + *-izar*.] *V. t. d. P.* Tornar(-se) europeu; adaptar(-se) ao temperamento, maneira ou estilo europeu.

E

europeizável (e-i) [De *europeizar* + *-vel.*] ***Adj. 2 g.*** Que se pode europeizar.

europeu [Do gr. *europaîos,* pelo lat. *europaeu.*] ***Adj.* 1.** Da, ou pertencente ou relativo à Europa. • ***S. m.* 2.** O natural ou habitante da Europa. [Fem.: *europeia.*]

európio [Do top. *Europa* (v. *europeu*) + *-io*^{3}.] ***S. m. Quím.*** Elemento de número atômico 63 pertencente aos lantanídeos, metálico [símb.: *Eu*].

eurritmia [Do gr. *eurythmía.*] ***S. f.* 1.** Justa proporção, regularidade entre as partes de um todo. **2.** *Med.* Regularidade de pulso (1). **3.** *Med.* Normalidade de ritmo. [Antôn.: *arritmia* e *disritmia.*]

eurrítmico [De *eurritmia* + *-ico*^{2}.] ***Adj. S. m.*** Diz-se de, ou substância que produz eurritmia.

euscara [Do basco *euskara.*] ***S. f. Gloss.*** Basco (3): "Aníbal se dirigiu aos seus velhos soldados na própria língua, euscara ou idioma afim." (Aquilino Ribeiro, *Os Avós dos Nossos Avós,* p. 230).

euscaro [Do basco *euskara.*] ***Adj. S. m.*** V. *basco.*

eusebense (zè... ên) ***Adj. 2 g.* 1.** De, ou pertencente ou relativo a Dona Eusébia (MG). • ***S. 2 g.* 2.** O natural ou habitante de Dona Eusébia. [Sin. ger.: *eusebiense.*]

eusebiano (zè) ***Adj.* 1.** De, ou pertencente ou relativo a Eusébio (CE). • ***S. m.* 2.** O natural ou habitante de Eusébio.

eusebiense (zè... ên) ***Adj. 2 g. S. 2 g.*** V. *eusebense.*

eusporangiado [De *eu-* + *esporângio* + *-ado*^{1}.] ***Adj. Bot.*** Provido de esporângios bem desenvolvidos, completos.

eusseláquio [Adapt. do tax. *Euselachii* < gr. *eu-* (v. *eu-*) + tax. *Selachii* (< gr. *sélachos,* 'certo peixe cartilaginoso').] *Zool.* ***S. m.* 1.** Espécime dos eusseláquios, superordem de peixes condrictes que reúne nove ordens, entre elas a *Carcharhiniformes* (v. *carcarriniforme*) e a *Lamniformes* (v. *lamniforme*). • ***Adj.* 2.** Pertencente ou relativo a eles.

eussemia [Do gr. *eusemía.*] ***S. f. Med.*** O conjunto das ocorrências favoráveis, em uma doença; manifestações de bom augúrio.

eusséмico ***Adj.*** V. *eussêmico.* [Uso freq. em P.]

eussêmico [De *eussemia* + *-ico*^{2}.] ***Adj.*** Relativo à eussemia.

eussocial ***Adj. 2 g. Zool.*** Que apresenta eussocialidade.

eussocialidade ***S. f. Zool.*** Fenômeno de especialização reprodutiva que ocorre em algumas espécies, na qual indivíduos estéreis auxiliam indivíduos reprodutores e, posteriormente, ajudam a cuidar da prole. [A eussocialidade ocorre, sem exceção, entre formigas e cupins; já entre vespas e abelhas, varia conforme a espécie.]

eustasia [De *eu-* + *-(e)stas(i)-* + *-ia*^{1}.] ***S. f.*** Variação do nível dos mares, causada pelo aumento da quantidade de água (degelo nos polos), ou por motivos tectônicos do fundo do mar, ou pelo acúmulo progressivo dos sedimentos.

eustático [De *eust(asia)* + *-ático.*] ***Adj.*** Referente à eustasia.

eustilo [Do adj. lat. *eustylos,* on, 'que tem colunas bem dispostas'.] ***S. m. Arquit.*** Na arquitetura clássica, fileira de colunas com espaçamento entre elas de dois diâmetros e um quarto de coluna.

eustomia [Do gr. *eustomía.*] ***S. f.*** Facilidade de pronúncia.

eustómico ***Adj.*** V. *eustômico.* [Uso freq. em P.]

eustômico [De *eustomia* + *-ico*^{2}.] ***Adj.*** Relativo à eustomia.

eutáctico [De *eu(taxia)* + *-tá(c)tico,* seg. o padrão erudito.] ***Adj.*** Relativo à eutaxia. [Var.: *eutático.*]

eutanasia [Do gr. *euthanasía* (v. *eu-* e *-tanasia*).] ***S. f. Med.*** Eutanásia (q. v.).

eutanásia [Var. pros. de *eutanasia.*] ***S. f.* 1.** Morte serena, sem sofrimento. **2.** Prática, sem amparo legal, pela qual se busca abreviar, sem dor ou sofrimento, a vida de um doente reconhecidamente incurável. [Antôn.: *distanásia, distanasia.*] [Embora o étimo gr. postule *eutanasia,* o uso consagrou *eutanásia* no português do Brasil.]

eutático [De *eu(taxia)* + *-tá(c)tico,* seg. o padrão erudito.] ***Adj.*** Relativo à eutaxia. [Var.: *eutáctico.*]

eutaxia (cs) [Do gr. *eutaxía.*] ***S. f.*** Justa proporção, disposição harmoniosa, entre as diferentes partes do corpo de um animal.

eutério [Do tax. *Eutheria* < gr. *eu-* (v. *eu-*) + tax. *Theria* < gr. *theria,* pl. de *theríon* (v. *-tério*^{1}).] *Zool.* ***S. m.* 1.** Espécime dos eutérios, divisão de mamíferos térios que reúne animais com todos os caracteres gerais de sua classe, esp. a placenta, o que exclui os marsupiais e os monotremados. • ***Adj.* 2.** Pertencente ou relativo a eles.

euterpe^{1} [Do mit. gr. *Eutérpe,* 'uma das musas', pelo lat. *Euterpe.*] ***S. f. Mit.*** Deusa da música e da poesia lírica. [Com cap.]

euterpe^{2} [Do tax. *Euterpe.*] ***S. f. Bot.* 1.** Gênero de plantas arecáceas, monécicas, com distribuição tropical, sendo encontradas nas Índias Ocidentais e na América Latina. **2.** Qualquer espécie desse gênero, como, p. ex., a *Euterpe oleracea* [v. *açaí* (1)]. **3.** Qualquer espécime desse gênero.

eutético [Do V.C.I. *eutect-* (< gr. *eútektos,* 'que se dissolve facilmente') + *-ico*^{2}.] ***S. m. Fís.-Quím.*** Mistura de componentes sólidos que, ao fundir-se, fica em equilíbrio com um líquido da mesma composição que a sua, e cuja temperatura de fusão é um mínimo na curva, ou na superfície de fusão do sistema.

eutícomo [Do gr. *euthýs,* 'direito'; 'em linha reta', + *-como.*] ***Adj. S. m.*** Que, ou aquele que tem o cabelo grosso, comprido e pendente. [Cf. *lissótrico, euplócamo* e *ulótrico.*]

eutimia [Do gr. *euthymía,* pelo lat. *euthymia.*] ***S. f.* 1.** Perfeito equilíbrio de espírito; tranquilidade, bem-estar e serenidade. [Cf. *apatia* (3), *aponia, atambia* e *ataraxia* (1).] **2.** *Psiq.* Estado de respostas afetivas normais.

eutímico [De *eutimia* + *-ico*^{2}.] ***Adj. S. m.*** Diz-se de, ou substância que produz eutimia.

eutiquianismo [De *eutiquiano* + *-ismo.*] ***S. m. Rel.*** Doutrina herética de Eutíquio (c. 512-582), monge de Constantinopla que negava uma verdadeira natureza humana em Cristo.

eutiquianista [De *eutiquianismo* + *-ista.*] ***Adj. 2 g.* 1.** Pertencente ou relativo ao eutiquianismo. **2.** Que é partidário dele. • ***S. 2 g.* 3.** Partidário do eutiquianismo.

eutiquiano [Do antr. *Eutíquio* (c. 512-582), monge de Constantinopla, + *-ano*^{1}.] ***Adj.* 1.** Relativo ou pertencente ao eutiquianismo. **2.** Que é partidário ou cultor do eutiquianismo. • ***S. 2 g.* 3.** Partidário ou cultor do eutiquianismo.

eutireóideo [De *eu-* + *tireóideo.*] ***Adj. Med.* 1.** Relativo a eutireoidismo. • ***S. m.* 2.** Aquele que apresenta eutireoidismo.

eutireoidismo [De *eu-* + *tireoide* + *-ismo.*] ***S. m. Med.*** Estado em que se verifica funcionamento tireoidiano normal.

eutoca [De or. incerta.] ***S. f. Bras. RJ SP Bot.*** Planta hidrofilácea (*Phacelia viscida*) ornamental, originária da Califórnia (E.U.A.), dotada de glândulas, e cujas flores são azuis com o centro alvo e roxo, dispostas em racimos escorpioides simples.

eutocia [Do gr. *eutokía.*] ***S. f. Obst.*** Parto normal. [Antôn.: *distocia.*]

eutócico [De *eutocia* + *-ico*^{2}.] ***Adj.*** Relativo a eutocia. [Antôn.: *distocíaco.*]

eutrapelia [Do gr. *eutrapelía.*] ***S. f.*** Jocosidade inofensiva, delicada; maneira chistosa de zombar: "Digo às vezes que os leio [aos filósofos brasileiros] por 'eutrapelia', ou por mentira piedosa" (João Ribeiro, *Crítica,* IV, p. 218).

eutrapélico [De *eutrapelia* + *-ico*^{2}.] ***Adj.*** Referente à eutrapelia.

eutrofia [Do gr. *eutrophía.*] ***S. f. Med.*** Estado em que o indivíduo apresenta estado nutritivo normal. [Opõe-se a *distrofia* (1).]

eutroficação [Do ingl. *euthrophication.*] ***S. f. Ecol.*** Aumento excessivo de nutrientes na água, especialmente fosfato e nitrato, o que provoca crescimento exagerado de certos organismos — comumente algas — e, ger., efeitos secundários daninhos sobre outros; eutrofização. [A decomposição microbiana das algas mortas causa esgotamento do oxigênio dissolvido na água e asfixia dos peixes. A eutroficação pode ser natural ou provocada por efluentes urbanos, industriais ou agrícolas.]

eutrófico^{1} [De *eutrofia* + *-ico*^{2}.] ***Adj.*** Relativo à eutrofia. [Antôn.: *distrófico.*]

eutrófico^{2} [De *eu* + *-trof(o)-* + *-ico*^{2}.] ***Adj. Ecol.*** Rico em nutrientes, por ação da eutroficação. ~ V. *lago —.* [Cf. *mesotrófico* e *oligotrófico.*]

eutrofização [De **eutrofizar* (de *eutróf[ico]* + *-izar*) + *-ção.*] ***S. f. Ecol.*** Eutroficação.

euxenita (cs) [Do gr. *eúxenos,* 'hospitaleiro', + *-ita*^{3}.] ***S. f. Min.*** Mineral ortorrômbico, titanoniobato de ítrio, cálcio, cério, urânio e tório.

■ **eV** *Fís.* Símb. de *elétron-volt.*

▲ **ev-** Equiv. de *eu-*; a pronúncia consonântica decorre do gr. bizantino ou moderno, e principalmente de empréstimos latinos, como *evangelho.*

evacuação [Do lat. *evacuatione.*] ***S. f.* 1.** Ação ou efeito de evacuar(-se). **2.** *Med.* Ação de esvaziar órgão, cavidade; dejeção.

evacuante [De *evacuar* + *-nte.*] ***Adj. 2 g. S. m.*** V. *evacuatório.*

evacuar [Do lat. *evacuare.*] ***V. t. d.* 1.** Sair de, deixando livre, vazio; esvaziar; desocupar: *Com o alarme, toda a plateia evacuou o cinema.* **2.** Sair de (uma praça de guerra) por haver capitulado. **3.** Fazer sair do corpo; expelir: *evacuar sangue.* **4.** Fazer o vácuo (3) em. ***Int.* 5.** V. *defecar* (5). ***P.* 6.** Sair espontaneamente.

evacuativo [De *evacuar* + *-tivo.*] ***Adj.*** V. *evacuatório* (1).

evacuatório [De *evacuar* + *-tório.*] ***Adj.* 1.** Que faz evacuar; evacuativo, evacuante. • ***S. m.* 2.** Aquilo que faz evacuar; evacuante.

evadir [Do lat. *evadere.*] ***V. t. d.* 1.** Escapar de; fugir a; evitar, desviar: *evadir uma responsabilidade, um perigo.* **2.** Eludir; sofismar: *Procurou evadir a questão, por falta de argumentos convincentes.* ***P.* 3.** Fugir às ocultas; escapar-se furtivamente. **4.** Desaparecer, sumir-se, desvanecer-se, esvaecer-se. **5.** *Restr.* Fugir da prisão.

evagação [Do lat. *evagatione.*] ***S. f.*** Distração; divagação.

evaginação [De *evaginar* + *-ção.*] ***S. f. Anat.*** Bolsa que se projeta a partir de uma formação (5) preexistente.

evaginar [Do lat. *evaginare.*] ***V. int. P.*** Projetar-se para fora (asas): *Em alguns insetos, as asas se evaginam do mesotórax.*

evalve [De *e-*^{2} + *-valve.*] ***Adj. 2 g. Bot.*** Diz-se do fruto que não se abre; indeiscente.

evanescente [Do lat. *evanescente.*] ***Adj. 2 g.*** Que se esvaece, se esvai; que desaparece: "oscilavam, recuavam, sumiam-se, fantasmas evanescentes." (Alberto Ramos, *Prosas de Ariel,* p. 16).

evangelho [Do gr. *euangélion,* 'boa nova', pelo lat. *evangeliu.*] ***S. m.* 1.** *Rel.* Doutrina de Cristo. **2.** *Rel.* Cada um dos quatro livros principais do Novo Testamento. **3.** *Rel.* Trechos desses livros que se leem na celebração da missa. [Com cap., nessas acepçs.] **4.** *Fig.* Coisa que se tem por verdadeira, ou que é digna de crédito: *Para mim, a palavra dele é um evangelho.* **5.** Conjunto de preceitos por que se regula uma seita, um partido político; doutrina. **6.** *P. ext.* Norma de proceder; preceito: *Seus conselhos serão meu evangelho.* ◆ **Evangelho pequenino.** *Fam.* Máxima, sentença, provérbio (q. v.).

evangeliário [Do lat. *evangelium,* 'evangelho', + *-ário.*] ***S. m. Rel.*** Livro que encerra fragmentos dos Evangelhos para a missa de cada dia.

evangélico [Do gr. *euangelikós,* pelo lat. *evangelicu.*] *Rel.* ***Adj.* 1.** Relativo ao Evangelho (1 e 2), ou conforme aos seus ditames. **2.** Relativo ou pertencente a certos grupos religiosos, não ligados ao protestantismo histórico, que afirmam seguir os Evangelhos com especial rigor e fidelidade: *Novas seitas evangélicas difundiram-se nas últimas décadas.* ~ V. *bem-aventuranças —as.* • ***S. m.* 3.** Membro de grupo evangélico (2).

evangelismo [Do lat. *evangelium,* 'evangelho', + *-ismo.*] ***S. m.*** Sistema ou política, moral e religiosa, fundada no Evangelho.

evangelista [Do gr. *euangelistés,* pelo lat. *evangelista.*] ***S. m.* 1.** Autor de qualquer dos quatro livros do Evangelho. **2.** Sacerdote que na missa canta o Evangelho (3). • ***S. 2 g.* 3.** Pessoa que evangeliza, que preconiza uma doutrina; evangelizador. **4.** *Bras.* V. *protestante* (6).

evangelistano ***Adj.* 1.** De, ou pertencente ou relativo a São João Evangelista (MG). • ***S. m.* 2.** O natural ou habitante de São João Evangelista.

evangelização [De *evangelizar* + *-ção.*] ***S. f.*** Ação de evangelizar.

evangelizador (ô) [Do lat. *evangelizatore.*] ***Adj.* 1.** Que evangeliza; evangelizante. • ***S. m.* 2.** Evangelista (3).

evangelizante [De *evangelizar* + *-nte.*] ***Adj. 2 g.*** Evangelizador (1).

evangelizar [Do lat. *evangelizare* < gr. *euangelízesthai, euangelízein.*] ***V. t. d.* 1.** Pregar o Evangelho a; apostolar: *Anchieta evangelizou vários povos indígenas.* **2.** Difundir o Evangelho em: *Os jesuítas evangelizaram o Brasil até 1759, quando o Marquês de Pombal os expulsou.* **3.** Preconizar (uma ideia ou doutrina). ***P.* 4.** Fazer-se cristão; cristianizar-se: *Estes índios evangelizaram-se desde os primeiros contatos com os sacerdotes.*

evaporação [Do lat. *evaporatione.*] ***S. f.* 1.** Ato de evaporar(-se). **2.** Transformação de um líquido em vapor, efetuada a qualquer temperatura, e na qual a tensão dos vapores do líquido é inferior à pressão exercida sobre este. **3.** *Quím.* Eliminação, por vaporização, do solvente de uma solução líquida.

evaporadeira [De *evaporar* + *-deira.*] ***S. f. Bras.*** Certa máquina de indústria açucareira, e onde se concentra o caldo.

evaporado [Part. de *evaporar.*] ***Adj.* 1.** Reduzido a vapor. **2.** *Fig.* Leviano, imprudente, doidivanas.

evaporador (ô) [De *evaporar* + *-dor.*] ***Adj.* 1.** Que evapora. • ***S. m.* 2.** Aparelho que, mediante evaporação, se destina a extrair umidade. ◆ **Evaporador rotatório.** *Quím.* Aparelho que efetua, com grande eficiência, a evaporação do solvente de uma solução contida em um balão, sendo este submetido simultaneamente a vácuo, aquecimento e um movimento de rotação em torno de um eixo.

evaporar [Do lat. *evaporare.*] ***V. t. d.* 1.** Realizar a evaporação de. **2.** Tornar mais concentrada (uma solução líquida), por meio de evaporação (3). **3.** Emitir, exalar (vapores): *Os cursos de água evaporam umidade.* **4.** Dissipar, consumir, gastar. ***Int.* 5.** Converter-se em vapor (1). ***P.* 6.** Passar ao estado de vapor (1); vaporar-se, vaporizar-se. **7.** Desaparecer; desvanecer-se, evolar-se: "Agora me achava mais ou menos tranquilo: as apoquentações da chegada evaporaram-se." (Graciliano Ramos, *Viagem*, p. 14.) **8.** Dissipar-se, consumir-se: *Sua herança evaporou-se em poucos meses; Seus esforços se evaporaram sem qualquer resultado.* **9.** Perder a parte espirituosa. [Sin. ger.: *evaporizar*.]

evaporativo [Do lat. *evaporativu*.] ***Adj.*** Que facilita ou produz evaporação; evaporatório.

evaporatório [De *evaporar* + *-tório*.] ***Adj.*** **1.** Evaporativo. ● ***S. m.*** **2.** Aparelho destinado a facilitar a evaporação. **3.** Orifício que serve para dar saída ao vapor.

evaporável [De *evaporar* + *-vel*.] ***Adj. 2 g.*** Que se pode evaporar.

▲evapori- [Do lat. *evapor(are)*, 'evaporar', + *-i-*.] ***El. comp.*** = 'evaporação': *evaporígrafo, evaporímetro.* [Equiv.: *evaporo-*: *evaporômetro*.]

evaporígrafo [De *evapori-* + *-grafo*.] ***S. m. Met.*** Instrumento empregado para registrar a evaporação de superfícies líquidas relativamente pequenas.

evaporimétrico [De *evaporímetro* + *-ico²*.] ***Adj.*** Relativo a evaporímetro.

evaporímetro [De *evapori-* + *-metro*.] ***S. m. Met.*** Aparelho que mede a evaporação de água da atmosfera. [F. paral.: *evaporômetro*.]

evaporítico [De *evaporito* + *-ico²*.] ***Adj.*** De, relativo a, ou próprio de evaporito: *sedimento evaporítico; rocha evaporítica.*

evaporito [De *evapor(ar)* + *-ito²*.] ***S. m.*** Depósito de sais minerais que resulta da evaporação de grandes volumes de água com enorme incidência de substâncias químicas dissolvidas.

evaporizar [Do rad. *evapor-*, de *evaporar*, + *-izar*.] ***V. t. d. Int. P.*** V. *evaporar*: "E, de ti perto, toda esta ânsia se resume / em ter a persuasão de que te evaporizas, / em ficar a absorver-te, a gozar-te em perfume." (Gilca da Costa Melo Machado, *Poesias*, p. 185.).

▲evaporo- Equiv. de *evapori-*.

evaporómetro ***S. m.*** V. *evaporômetro*. [Uso freq. em P.]

evaporômetro [De *evaporo-* + *-metro*.] ***S. m.*** V. *evaporímetro*.

evapotranspiração [De *evapo(ração)* + *transpiração*; fr. *évapotranspiration*.] ***S. f. Ecol.*** O fenômeno combinado de evaporação da água do solo e das superfícies líquidas, e de transpiração dos vegetais.

evasamento ***S. m.*** V. *envasamento*.

evasão [Do lat. *evasione*.] ***S. f.*** **1.** Ato de evadir-se; fuga. **2.** *Fig.* Evasiva. ◆ **Evasão escolar.** Abandono por parte do aluno do ensino sistematizado, ou seja, de uma instituição escolar: *Várias são as causas do alto índice de evasão escolar no Brasil.* **Evasão fiscal.** Utilização de meios ilícitos, como a sonegação, para evitar o pagamento de impostos. [Cf. *elisão fiscal*.]

evasê [Do fr. *évasé*.] ***Adj. 2 g.*** Diz-se de saia (ou outra peça de vestuário) de forma aproximadamente cônica e que se alarga para baixo.

evasiva [F. subst. de *evasivo*.] ***S. f.*** Desculpa ardilosa; subterfúgio, escapatória: "O ministro escutava-os torcendo a boca espirituosa em sorrisos ácidos, respondendo a estes com o ombro derrubado, àqueles com uma promessa dos olhos maliciosos, e a todos com evasivas e monossílabos consoladores" (Rebelo da Silva, *De Noite Todos os Gatos São Pardos*, p. 94).

evasivo [Do lat. *evasus*, part. pass. do lat. *evadere*, 'evadir', + *-ivo*.] ***Adj.*** **1.** Que facilita a evasão. **2.** Argucioso, sutil. **3.** Que serve de subterfúgio: *resposta evasiva.*

eve ***S. 2 g.*** **1.** *Etnôn.* Indivíduo dos eves, um dos povos que habita o S. da República de Togo e algumas regiões vizinhas em Gana (África Setentrional). ● ***S. m.*** **2.** *Gloss.* Língua nigero-congolesa do grupo cuá falada em Gana e em Togo; eve-gbe, efe², gbe; vê². ● ***Adj. 2 g.*** **3.** Pertencente ou relativo aos eves, ou à sua língua.

evecção [Do lat. *evectione*.] ***S. f. Astr.*** A maior irregularidade do movimento da Lua, e a primeira que foi descoberta. Origina-se da variação de excentricidade da órbita lunar, e provoca mudança na direção da força de atração solar. [Cf. *evicção*.]

eve-gbe ***S. m. Gloss.*** V. *eve* (2).

evemerismo [Do antr. gr. *Euhémeros* (> lat. *Euhemerus* ou *Evemerus* [c. 300 a. C.]), filósofo e historiador grego, + *-ismo*.] ***S. m.*** Doutrina segundo a qual as personagens ou heróis mitológicos são seres humanos divinizados após a morte.

evemerista [De *evemerismo* + *-ista*, seg. o padrão erudito.] ***Adj. 2 g. S. 2 g.*** Relativo ao, ou partidário do evemerismo.

evemia [De *ev-* + *-emia*.] ***S. f. Med.*** Euemia.

evencer [Do lat. *evincere*.] ***V. t. d. Jur.*** **1.** Despojar; desapossar. **2.** Promover a evicção (2) de. [Conjug.: v. *vencer*.]

evenque [Do top. *Evenque* (Rússia).] ***S. m. Gloss.*** Tungue² (2).

evento [Do lat. *eventu*.] ***S. m.*** **1.** Sucesso, acontecimento: "A sexualidade é, e sempre foi .... a causa .... de grandes e pequenos eventos da vida corrente." (Eduardo Frieiro, *O Brasileiro Não É Triste*, p. 40.) **2.** V. *eventualidade* (2). **3.** Qualquer acontecimento de especial interesse (espetáculo, exposição, competição, etc.), capaz de atrair público e de mobilizar meios de comunicação: *A cronologia de eventos de um festival.* **4.** *Estat.* Ocorrência, num fenômeno aleatório, de um membro de um determinado conjunto que se define *a priori*; acontecimento. **5.** *Astrofís.* Um ponto no espaço-tempo de quatro dimensões. **6.** *Fís. Part.* Conjunto de dados que representa uma interação entre partículas.

eventração [De *eventrar* + *-ção*; fr. *éventration*.] ***S. f. Cir.*** Hérnia que ocorre na parede abdominal, em seus aspectos anteriores e/ou laterais, e no diafragma, em decorrência do que a(s) parede(s) abdominal (ou abdominais) não pode(m) conter elemento(s) do interior dessa cavidade.

eventrar [De *e-²* + *ventre* + *-ar²*.] ***V. t. d.*** Promover a saída de estruturas abdominais de.

eventuais [Subst. do pl. de *eventual*.] ***S. m. pl.*** Despesas previstas mas não classificadas. ~ V. *eventual*.

eventual [De *evento* + *-ual*.] ***Adj. 2 g.*** Que depende de acontecimento incerto; casual, fortuito, acidental. ~ V. *eventuais*.

eventualidade [De *eventual* + *-(i)dade*.] ***S. f.*** **1.** Qualidade de eventual. **2.** Acontecimento incerto; acaso, contingência, evento.

evermanelídeo [Adapt. do tax. *Evermanellidae*.] ***Zool. S. m.*** **1.** Espécime dos evermanelídeos, pequena família de peixes actinopterígios, mictofiformes, marinhos, que se caracterizam por terem cabeça relativamente grande, dentes bem desenvolvidos, olhos situados acima das mandíbulas, nadadeira dorsal única, e nadadeira adiposa. São peixes pequenos e frágeis, que têm distribuição universal. ● ***Adj.*** **2.** Pertencente ou relativo a eles.

everminação [De *everminar* + *-ção*.] ***S. f. Zootec.*** Desverminação.

everminar [De *e-²* + *verminar*.] ***V. t. d. Zootec.*** Desverminar.

eversão [Do lat. *eversione*.] ***S. f.*** **1.** Destruição, ruína: "Na horrorosa eversão, dos templos arrancado, / Vibra o mármore, salta" (Olavo Bilac, *Poesias*, p. 36). **2.** Reviramento para fora.

eversivo [Do lat. *eversus*, 'virado', part. pass. do lat. *evertere*, + *-ivo*.] ***Adj.*** Que everte; subversivo.

eversor (ô) [Do lat. *eversore*.] ***Adj. S. m.*** Destruidor, subversor.

everter [Do lat. *evertere*.] ***V. t. d.*** Virar de pernas para o ar; subverter.

evicção [Do lat. *evictione*.] ***S. f. Jur.*** **1.** Ato ou efeito de evencer. **2.** Perda, parcial ou total, que sofre o adquirente duma coisa em consequência da reivindicação judicial promovida pelo verdadeiro dono ou possuidor. [Cf. *evecção*.]

evicto [Do lat. *evictu*.] *Jur.* ***Adj.*** **1.** Que está sujeito à evicção (coisa ou pessoa). ● ***S. m.*** **2.** Aquele que está obrigado à evicção.

evictor (ô) [Do lat. *evictus*, 'evicto', + *-or*.] ***S. m. Jur.*** O proprietário ou possuidor reivindicante da coisa evicta.

evidência¹ [Do lat. *evidentia*.] ***S. f.*** **1.** Qualidade do que é evidente; certeza manifesta. **2.** *Filos.* Caráter de objeto de conhecimento que não comporta nenhuma dúvida quanto à sua verdade ou falsidade. [A evidência acompanha os diversos tipos de assentimento, ligando-se, contudo, de maneira mais completa, à certeza.] [Cf. *evidencia*, do v. *evidenciar*.]

evidência² [Do ingl. *evidence* (do lat. *evidentia*).] ***S. f.*** Aquilo que fornece ou contribui para fornecer prova da existência ou da ocorrência de algo. [Anglicismo dispensável, porém muito usual; prefira-se, porém, *indício, vestígio, mostra, sinal, testemunho, indicação*, etc.] [Cf. *evidencia*, do v. *evidenciar*.]

evidenciação [De *evidenciar* + *-ção*.] ***S. f.*** **1.** Ato ou efeito de tornar evidente. **2.** *Cont.* Conjunto de medidas destinadas a divulgar com clareza e amplitude as informações contábeis de uma organização.

evidenciar [De *evidência* + *-ar²*] ***V. t. d.*** **1.** Tornar evidente; mostrar com clareza; comprovar: *Conseguiu com poucas palavras evidenciar o seu ponto de vista.* ***P.*** **2.** Aparecer com evidência; mostrar-se, patentear-se. [Pres. ind.: *evidencio, evidencias, evidencia*, etc. Cf. *evidência*.]

evidente [Do lat. *evidente*.] ***Adj. 2 g.*** Que não oferece dúvida; que se compreende prontamente, dispensando demonstração; claro, manifesto, patente.

evidentemente [De *evidente* + *-mente*.] ***Adv.*** De modo evidente; claramente, manifestamente.

evisceração [Do lat. *evisceratione*.] ***S. f.*** **1.** *Cir.* Expulsão de órgão para o meio exterior, tendo se rompido as formações que o mantinham na cavidade que normalmente o continha. **2.** *Anat. Med. Leg.* Retirada de vísceras.

eviscerado [Part. de *eviscerar*.] ***Adj.*** A que se tiraram as vísceras; estripado, desvisceraddo, esviscerado: "Só ele [o poeta] poderá entender .... a glória dos tomates, o espanto de pedra no olho dos peixes eviscerados" (Rubem Braga, *A Cidade e a Roça*, p. 110).

eviscerar [Do lat. *eviscerare*.] ***V. t. d.*** Tirar as vísceras de; estripar, desvisceraar, esviscerar.

evitação [Do lat. *evitatione*.] ***S. f.*** **1.** Ato de evitar. **2.** Desculpa, escusa.

evitar [Do lat. *evitare*.] ***V. t. d.*** **1.** Fugir a; desviar-se de, evadir (coisa nociva ou desagradável): *Evitou aquele encontro por saber que o acusariam.* **2.** Esquivar-se ao encontro, ao trato ou convivência de: *Evita pessoas que conheçam o seu triste passado.* **3.** Impedir, atalhar: *evitar uma desgraça.* **4.** Poupar: *evitar gastos.* ***T. d. e i.*** **5.** Impedir, atalhar: *Evitei-lhe sérios prejuízos.*

evitável [Do lat. *evitabile*.] ***Adj. 2 g.*** Que deve ou pode ser evitado.

eviternidade [De *eviterno* + *-(i)dade*.] ***S. f.*** Qualidade de eviterno.

eviterno [Do lat. *aeviternu*.] ***Adj.*** Que não há de ter fim; eterno: "A Morte não me espanta, eu sei que a Vida / transforma-se e renasce de mil modos; / pássaro ou flor .... nesta eviterna lida / vivem, morrendo, os organismos todos." (Venceslau Queirós, *Poesias Escolhidas*, p. 53.).

evo (é) [Do lat. *aevu*.] ***S. m. Poét.*** Duração sem fim; eternidade. [M. us. no pl.]

▲-evo [Do lat. *-aevus, a, um* < lat. *aevum, i*, 'tempo de vida'.] ***El. comp.*** = 'idade': *longevo* (< lat.), *medievo*.

evocação [Do lat. *evocatione*.] ***S. f.*** Ação de evocar.

evocar [Do lat. *evocare*.] ***V. t. d.*** **1.** Chamar de algum lugar. **2.** Fazer aparecer, chamando por meio de esconjuros, invocações ou exorcismos (as almas do outro mundo, os demônios). **3.** *Jur.* Transferir (uma causa) dum tribunal para outro. **4.** Trazer à lembrança, à imaginação: *evocar o passado.* [Conjug.: v. *trancar*.]

evocativo [De *evocar* + *-tivo*.] ***Adj.*** Que serve para evocar; evocatório.

evocatório [Do lat. *evocatoriu*.] ***Adj.*** Evocativo.

evocável [De *evocar* + *-vel*.] ***Adj. 2 g.*** Que pode ou deve ser evocado.

evoé¹ [Do gr. *euoí*, pelo lat. *evoe*.] ***Interj.*** Grito festivo com que, na Antiguidade, se evocava Baco durante as orgias: "Se perguntarem: Que mais queres, / Além de versos e mulheres?... / — Vinhos!... o vinho que é o meu fraco!... / Evoé Baco!" (Manuel Bandeira, *Estrela da Vida Inteira*, p. 50.).

evoé² ***S. m. Gloss. Desus.*** V. *gbe* (2).

evolar-se [Do lat. *evolare* + *se*¹.] ***V. p.*** **1.** Elevar-se voando, ou como que voando: "Da mesma igreja alvadia / Evolam-se as badaladas / E a reza da Ave-Maria." (Vicente de Carvalho, *Poemas e Canções*, 213.) **2.** Desaparecer no espaço; desaparecer; desvanecer-se, dissipar-se; desfazer-se: *Sua paixão evolou-se como um aroma.* **3.** Exalar-se; emanar: "Da ebúrnea palidez doentia do teclado [do cravo] / Manso e manso evolou-se o aroma do passado" (Gonçalves Crespo, *Obras Completas*, p. 267); "Que aroma de sua trança / Voluptuoso se evola!" (Olavo Bilac, *Poesias*, p. 110).

evolução [Do lat. *evolutione*.] ***S. f.*** **1.** Passagem sucessiva de coisas, pessoas, acontecimentos, etc. **2.** Movimento ou deslocamento gradual e progressivo em determinada direção. **3.** Série de movimentos concatenados e harmônicos. **4.** Movimento ou deslocamento regular de tropas em manobras, ou de esquadras de navios, etc. **5.** O desenrolar de acontecimentos ou atos a partir de um momento ou situação inicial, numa sucessão em que cada novo elemento é em parte determinado ou condicionado pelo(s) anterior(es): *Com a evolução das investigações, o suspeito veio a ser inocentado.* **6.** Conjunto de mudanças ou modificações sucessivas que fazem surgir algo que de início era apenas potencial: *A evolução do raciocínio levou a um paradoxo.* **7.** Processo lento e contínuo de transformação, esp. aquele em que certas características ou elementos, a princípio simples, parciais ou indistintos, tornam-se mais complexos, mais completos ou mais pronunciados; desenvolvimento: *evolução de uma doença; a evolução da personalidade do indivíduo; a evolução das ideias políticas.* **8.** Formação ou surgimento de algo como resultado da evolução (6). **9.** *Antrop.* Processo que, segundo certas teorias, determina o surgimento de novos elementos socioculturais (técnicas, formas de organização social, crenças, costumes, conhecimentos, etc.), mais complexos e diferenciados, como resultado de adaptações e modificações contínuas e progressivas de elementos anteriores, mais simples. **10.** *Biol.* Processo de transformação progressiva de uma população, com mudança na sua composição genética, durante sucessivas gerações, como resultado da seleção natural, e que leva à constituição de uma nova espécie. **11.** *E. Ling.* Mudança linguística. **12.** *Filos.* Teoria que admite a transformação dum agregado de partes homogêneas em outro mais complexo, ou dum conjunto de elementos homogêneos em um agregado de elementos mais diferenciados. ◆**Evolução convergente.** *Biol.* V. *convergência adaptativa.* **Evolução social.** *Sociol.* Para teóricos do séc. XIX, como Lewis Henry Morgan (1818-1881) e Herbert Spencer (1820-1903), atribuição de um sentido positivo que marcaria a passagem e o desenvolvimento de culturas e sociedades menos complexas para outras mais complexas. [Cf. *evolucionismo.*]

evolucional [De *evolução* + *-al*¹, seg. o padrão erudito.] *Adj. 2 g.* Evolutivo. [Pl.: *evolucionais.* Cf. *evolucionais*, do v. *evolucionar.*]

evolucionar [De *evolução* + *-ar*², seg. o padrão erudito.] *V. int.* **1.** V. *evolver* (1). **2.** Fazer evoluções [v. *evolução* (3)]. *T. i.* **3.** V. *evolver* (2). *T. d.* **4.** Fazer passar por transformações; alterar, modificar. [Pres. ind.: *evoluciono, ... evolucionais, evolucionam*; fut. pret.: *evolucionaria*, etc. Cf. *evolucionaria*, fem. de *evolucionário* e *evolucionais*, pl. de *evolucional.*]

evolucionário [De evolução (*evolucion-*) + *-ário*, seg. o padrão erudito.] *Adj.* Relativo a evolução ou a evoluções. [Fem.: *evolucionária.* Cf. *evolucionaria*, do v. *evolucionar.*]

evolucionismo [Do fr. *évolutionnisme.*] *S. m.* **1.** Doutrina filosófica ou científica baseada na ideia da evolução (11). **2.** *Antrop.* Perspectiva teórica segundo a qual os fenômenos sociais e culturais da vida humana estão sujeitos a leis gerais de transformação, análogas e complementares às da evolução biológica, e que determinam o surgimento de formas mais complexas a partir de formas mais simples e a crescente diferenciação entre as várias sociedades e culturas (ger. concebidas como provenientes de uma única origem). **3.** *Antrop.* Corrente ou escola antropológica do século XIX que pressupunha a existência de uma ordem imanente na história da humanidade, concebendo-a como uma série de estágios sucessivos de desenvolvimento social, na qual os povos ditos primitivos [v. *primitivo* (7)] figuram como os remanescentes de etapas mais atrasadas, e as sociedades europeias como o ápice da evolução humana. [Tb. se diz *evolucionismo social.*] **4.** *Biol.* Designação comum às doutrinas (darwinismo, lamarckismo) que preconizam a mutabilidade das espécies. ◆**Evolucionismo social.** *Antrop.* Evolucionismo (3).

evolucionista [Do fr. *évolutionniste.*] *Adj. 2 g.* **1.** Referente ao, ou que é partidário do evolucionismo. ●*S. 2 g.* **2.** Partidário dele.

evoluído [Part. de *evoluir.*] *Adj.* **1.** Que alcançou um certo grau de evolução (7). **2.** *Fig.* Livre de preconceitos; moderno, atual.

evoluir [Do fr. *évoluer.*] *V. int. T. i.* V. *evolver* (1 e 2). [Embora condenado pelos puristas como galicismo, este verbo é muito m. us. que *evolver* e *evolucionar*. Conjug.: v. *atribuir.*]

evoluta [Do lat. *evoluta*, f. de *evolutus*, part. de *evolvere*, 'desenvolver', 'desenrolar'.] *S. f. Mat.* **1.** Lugar geométrico dos centros de curvatura de uma curva plana ou reversa; curva cujas tangentes são normais a outra curva. [Cf. *evolutoide.*] **2.** O conjunto das duas superfícies focais de uma superfície.

evolutivo [Do fr. *évolutif.*] *Adj.* Relativo a evolução; evolucional. ~ V. *cadeia —a, convergência —a* e *psicologia —a.*

evolutoide (ói) [De *evoluta* + *-oide.*] *S. f. Mat.* Curva cujas tangentes cortam outra curva sob um ângulo constante não reto. [Cf. *evoluta* (1).] ❖

evolvente [Do lat. *evolvente.*] *S. f. Mat.* **1.** Lugar geométrico de um ponto fixo sobre uma tangente que rola, sem deslizar, em torno de uma curva fixa, plana ou reversa; curva cujas normais são tangentes a outra curva. **2.** Superfície de cuja evoluta outra superfície é um dos dois ramos; involuta.

evolver [Do lat. *evolvere.*] *V. int.* **1.** Passar por evoluções ou transformações sucessivas; evolucionar, evoluir, evolver-se: *O homem muito evolveu desde a Idade da Pedra;* "O português nessa larga época .... evolve segundo os próprios caracteres da história interna." (João Ribeiro, *História do Brasil*, p. 172). *T. i.* **2.** Sofrer evoluções; modificar-se; evolucionar, evoluir, evolver-se: *O latim vulgar falado entre os rios Minho e Douro evolveu para o português. P.* **3.** Evolver (1 e 2).

evonimina [De *evônimo* + *-ina*³.] *S. f.* Substância que se extrai do evônimo.

evónimo *S. m. Bot.* V. *evônimo.* [Uso freq. em P.]

evônimo [Do lat. *euonymos, evonymos* < gr. *euónymos*, 'certo arbusto'; tax. *Evonymus.*] *S. m. Bot.* **1.** Gênero de arbustos celastráceos, com propriedades medicinais e, ainda, cultivados como ornamentais. **2.** Qualquer espécie desse gênero, como, p. ex., o *Evonymus atropurpureus*, medicinal. **3.** Qualquer espécime desse gênero.

evónimo-da-américa *S. m. Bot.* V. *evônimo-da-américa.* [Uso freq. em P.]

evônimo-da-américa [De *evônimo* + *da*¹ + o top. *América.*] *S. m. Bot.* Pequeno arbusto celastráceo (*Evonymus americanus*) ornamental, originário dos E.U.A., de flores pequenas, alvas e amareladas e fruto capsular, verrucoso, vermelho-vivo, com sementes brancas. [Pl.: *evônimos-da-américa.*]

evónimo-da-europa *S. m. Bot.* V. *evônimo-da-europa.* [Uso freq. em P. Pl.: *evónimos-da-europa.*]

evônimo-da-europa [De *evônimo* + *da*¹ + o top. *Europa.*] *S. m. Bot.* Pequena árvore celastrácea (*Evonymus europaeus*) ornamental, originária da Europa, de flores pequenas, hermafroditas, verde-amareladas, dispostas em racemos sobre pedúnculos opostos que partem da axila, e fruto capsular, vermelho, contendo sementes ósseas envoltas em arilo espesso, cor de laranja, com albume oleaginoso. Fornece madeira amarelo-clara, de grão fino, compacta, própria para marcenaria. [Pl.: *evônimos-da-europa.*]

evónimo-do-japão *S. m. Bot.* V. *evônimo-do-japão.* [Uso freq. em P. Pl.: *evónimos-do-japão.*]

evônimo-do-japão [De *evônimo* + *do*¹ + o top. *Japão.*] *S. m. Bot.* Arbusto celastráceo (*Evonymus japonicus*) ornamental, originário do Japão, de flores alvas ou esverdeadas, hermafroditas, fruto capsular amarelo-laranja, com sementes brancas envoltas em arilo vermelho. É a mais bela espécie do gênero. [Pl.: *evônimos-do-japão.*]

evulsão [Do lat. *evulsione.*] *S. f.* Ato de arrancar, de extrair violentamente; avulsão, ablação: "A tudo investe, abala, desimplanta, / Destrói, derruba, na evulsão crescente" (Alberto de Oliveira, *Poesias*, I, p. 131).

evulsivo [Do lat. *evulsus*, 'arrancado', + *-ivo.*] *Adj.* Que facilita a evulsão, ou serve para fazê-la.

ewbanquense *Adj. 2 g.* **1.** De, ou pertencente ou relativo a Ewbank da Câmara (MG). ●*S. 2 g.* **2.** O natural ou habitante de Ewbank da Câmara.

▲**ex-**¹ [Do lat. *ex.*] V. *e-*².

▲**ex-**² [Do gr. *ex-*, var. de *ek-* à frente de vogais.] Equiv. de *ec-*.

▲**-ex** (cs) *Suf. nom.* De valor expressivo: *prafrentex, marmitex.*

■ **Ex.ª** Abrev. de *excelência* (2).

▲**exa-** *Pref.* **1.** Anteposto ao nome de uma unidade de medida, forma o nome de unidade derivada 10^{18} vezes maior que a primeira [símb.: *E*]. Ex.: 1 *exâmetro* = 1 *Em.* **2.** *Inform.* Anteposto ao nome de uma unidade empregada em sistemas binários, indica multiplicação dessa unidade por 2^{60} [símb.: *E*]. Ex.: 1 *exabyte* = 1 EB = 2^{60} *bytes.*

➔**ex abrupto** [eks a'pruptɔ] [Lat.] De súbito; sem preparação; intempestivamente.

exabundância (z) [Do lat. *exabundantia.*] *S. f.* V. *superabundância.*

exabundante (z) [Do lat. *exabundante.*] *Adj. 2 g.* V. *superabundante.*

➔**ex abundantia** [eks abon'dantsa] [Lat.] Em excesso; desnecessariamente.

➔**exabyte** [ɛksəbajt] [Ingl.] *S. m. Inform.* Unidade de medida de informação, equivalente a 2^{60} *bytes* [símb.: *EB*].

exação (z) [Do lat. *exactione.*] *S. f.* **1.** Cobrança rigorosa de dívida ou de impostos. **2.** Exatidão, pontualidade, correção: *Agiu com exação.* **3.** Exatidão, precisão; justeza: "Aqui tem V. Ex.ª, na substância, e com a possível exação ...., o sucesso que desejou lhe relatasse" (Antônio Feliciano de Castilho, *Ou Eu ou Eles*, pp. 25-26).

exacerbação (z) [Do lat. *exacerbatione.*] *S. f.* **1.** Ato ou efeito de exacerbar(-se). **2.** Irritação; aflição. **3.** *Med.* Agravamento de doença.

exacerbador (z... ô) [De *exacerbar* + *-dor.*] *Adj.* Que exacerba; exacerbante.

exacerbante (z) [De *exacerbar* + *-nte.*] *Adj. 2 g.* Exacerbador.

exacerbar (z) [Do lat. *exacerbare.*] *V. t. d.* **1.** Tornar mais acerbo, mais áspero. **2.** Tornar mais intenso, mais veemente, mais violento, etc.; agravar, avivar: *exacerbar um sentimento, um procedimento;* "Será preciso lembrar que o sentimento católico, ... mais o exacerbariam, neste momento histórico, as circunstâncias que o ameaçavam, ... ou seja a alarmante recrudescência islamítica, trazida pelos turcos à Europa?" (Hernâni Cidade, *Luís de Camões. O Lírico*, p. 18). **3.** Irritar, exasperar: *As críticas exacerbaram-no. P.* **4.** Tornar-se mais acerbo, mais áspero. **5.** Tornar-se mais intenso; agravar-se.

exactor (z... ô) *S. m. Bras.* V. *exator.*

➔**ex adverso** [eks ad'vɛrsɔ] [Lat., 'do adversário'.] *Jur.* Diz-se da parte contrária ou de seu advogado.

➔**ex æquo** [eks 'ajkwɔ] [Lat., 'com igualdade'.] *Jur.* Segundo os princípios da equidade.

exageração (z) [Do lat. *exaggeratione.*] *S. f.* **1.** Ato de exagerar(-se). **2.** Abuso, excesso. [Sin., nessas acepçs.: *exagero.*] **3.** *E. Ling.* V. *hipérbole* (1).

exagerado (z) [Do lat. *exaggeratu*, part. de *exaggerare*, 'exagerar'.] *Adj.* **1.** Em que há exageração: *A euforia é um estado de alegria exagerada.* **2.** Que exagera, que é dado a exagerar: *Sujeito exagerado: faz de um argueiro um cavaleiro.* **3.** Cujas dimensões ou formas ultrapassam o natural ou o ordinário; extraordinário; excessivo: "estava enorme, gingando por efeito das ancas exageradas." (Ribeiro Couto, *Cabocla*, p. 39). ●*S. m.* **4.** Aquele que exagera: *Suas afirmações são de um exagerado.*

exagerador (z... ô) [Do lat. *exaggeratore.*] *Adj. S. m.* Que, ou aquele que exagera; exagerado.

exagerar (z) [Do lat. *exaggerare.*] *V. t. d.* **1.** Dar ou atribuir a (coisa ou fato) proporções maiores que as reais: *Exagerou sua pobreza para auferir vantagens.* **2.** Encarecer em demasia: *Costuma exagerar a beleza de suas conterrâneas.* **3.** Aparentar mais do que sente: *Exagerou os seus sentimentos, procurando impressionar os circunstantes.* **4.** Ampliar, aumentar. *Int.* **5.** Fazer ou dizer algo com excesso, com exagero. *P.* **6.** Ser exagerado nos gestos e/ou na maneira de falar. [Pres. ind.: *exagero*, etc. Cf. *exagero* (ê).]

exagero (z... ê) [Dev. de *exagerar.*] *S. m.* **1.** V. *exageração* (1 e 2). **2.** Aquilo que encerra exageração. [Pl.: *exageros* (ê). Cf. *exagero*, do v. *exagerar.*]

exagitado (z) [Do lat. *exagitatu*, part. de *exagitare*, 'exagitar'.] *Adj.* **1.** Muito agitado. **2.** Irritado, exasperado.

exagitar (z) [Do lat. *exagitare.*] *V. t. d.* **1.** Agitar em demasia. **2.** Irritar, exasperar. *P.* **3.** Irritar-se, exasperar-se, enfurecer-se.

exalação (z) [Do lat. *exhalatione.*] *S. f.* **1.** Ato de exalar(-se). **2.** Emanação aeriforme de um corpo sólido ou líquido, nociva, por via de regra, à economia animal. **3.** Luz meteórica, rápida, produzida por substâncias gasosas que emanam do solo e se inflamam ao contato com o ar: "os instantes que diminuem a vida à proporção que passam, também diminuem a formosura, até que a gastam, e desfazem; semelhante a uma exalação, que em breve espaço se dissipa." (Matias Aires, *Reflexões sobre a Vaidade dos Homens*, p. 209). **4.** *Astr. Bras. N.E. Pop.* V. *meteoro* (2).

exalante (z) [De *exalar* + *-nte.*] *Adj. 2 g.* Que exala.

exalar (z) [Do lat. *exhalare.*] *V. t. d.* **1.** Emitir, espirar, lançar de si (vapores, odores, etc.): "A carta, escrita com letra de mulher, em papel finíssimo, não tinha assinatura, e exalava um delicioso perfume aristocrata." (Artur Azevedo, *Contos fora da Moda*, p. 26.) **2.** Dar livre expansão a; soltar; expandir: *exalar suspiros, gemidos, inquietações.* **3.** Dar livre curso a; manifestar: *Não ousou exalar a sua cólera.* **4.** Proferir, soltar: *Não exalou a menor queixa. T. c.* **5.** Manifestar-se, exprimir-se: *Uma grande tristeza exalava de seus olhos. P.* **6.** Emanar, evolar-se. **7.** Dissipar-se, desvanecer-se, extinguir-se.

exalbuminado (z) [De *ex-*¹ + *albuminado.*] *Adj.* Inalbuminado.

exalbuminoso (z... ô) [De *ex-*¹ + *albuminoso.*] *Adj. Bot.* Desprovido de albume ou endosperma: *Semente exalbuminosa.* [Cf. *albuminoso.*]

exalçamento (z) [De *exalçar* + *-mento.*] *S. m.* Ato de exalçar(-se); exaltação.

exalçar (z) [Do lat. vulg. **exaltiare* < lat. *exaltare.*] *V. t. d. P.* V. *exaltar*: "Fora disso, exalçava ao Senhor noite e dia" (Aquilino Ribeiro, *S. Bonaboião, Anacoreta e Mártir*, p. 33). [Conjug.: v. *laçar.*]

exaltação (z) [Do lat. *exaltatione.*] *S. f.* **1.** Ato ou efeito de exaltar(-se). **2.** Excitação nas funções orgânicas ou nos sentidos; sobre-excitação do espírito. **3.** Estado de pessoa irritada, encolerizada: *Grande foi a exaltação com que repreendeu o subalterno.* **4.** Glorificação (1).

exaltado (z) [Do lat. *exaltatu*, part. do lat. *exaltare*, 'exaltar'.] *Adj.* **1.** Exagerado, excessivo: *imaginação exaltada.* **2.** Vivo, ardente: *um amor exaltado.* **3.** Fanático, apaixonado: *torcedor exaltado.* **4.** Facilmente irritável: *gênio exaltado.* ●*S. m.* **5.** Indivíduo que se exalta facilmente. **6.** *Bras. Hist.* Membro de um partido político também chamado *farroupilha* ou *jurujuba*, que existiu no tempo das Regências (1831-1840).

exaltar (z) [Do lat. *exaltare.*] *V. t. d.* **1.** Tornar alto; erguer, levantar, elevar. **2.** Tornar alto, sublime, grandioso; erguer, elevar, sublimar, engrandecer: *exaltar uma virtude.* **3.** Louvar, elogiar; celebrar, afamar, decantar: *Exaltou com justiça o nome do grande sábio.* **4.** Levar ao mais alto grau de energia, atividade, intensidade, etc.: *A guerra exalta os instintos sanguinários.* **5.** Estimular, excitar. **6.** Agastar, exasperar, irritar, enfurecer: *A desobediência às suas instruções exaltou-o. P.* **7.** Atingir o grau mais alto de energia, atividade ou intensidade; elevar-se. **8.**

Irritar-se, exasperar-se, enfurecer-se. **9.** Vangloriar-se, gloriar-se, gabar-se, envaidecer-se, jactar-se. [F. paral.: *exalçar.*]

exalviçado (z) [De *ex-*[1] + **alviço (alvo + -iço) + -ado*[1].] ***Adj.*** Alvacento, esbranquiçado.

exame (z) [Do lat. *examen.*] ***S. m.* 1.** Ato de examinar; interrogatório. **2.** Prova a que alguém é submetido e pela qual demonstra sua capacidade em determinado assunto ou matéria: *exame de francês; exame oral; exame escrito.* **3.** Inspeção, revista, vistoria: *Levei o carro para exame, pois está com defeito.* **4.** Investigação, pesquisa, observação ou análise dalguma coisa, dum fato: *Fizeram o exame do local, e nada encontraram.* **5.** *Med.* Observação minuciosa feita pelo médico, para avaliar o estado de saúde física e mental de um indivíduo. ◆ **Exame de consciência.** Exame atento de sua própria conduta, do ponto de vista moral e religioso: "Mas o velho raposão .... respondeu muito a sério, como se fizesse um exame de consciência." (Miguel Torga, *Bichos*, p. 67.) **Exame de madureza.** Exame final de todas as disciplinas dum curso secundário, exigido como preparatório para cursos superiores. [Sin., bras.: *exame de maturidade.*] **Exame de maturidade.** *Bras.* Exame de madureza. **Exame vestibular.** Exame de admissão a qualquer escola de nível superior.

exâmetro (z) [De *exa-* + *metro.*] ***S. m.*** Medida de comprimento, equivalente a 10^{18} metros [símb.: *Em*].

examinação (z) [Do lat. *examinatione.*] ***S. f.*** Ato ou efeito de examinar.

examinado (z) [Part. de *examinar.*] ***Adj.*** Que se examinou.

examinador (z... ô) [Do lat. *examinatore.*] ***Adj.* 1.** Que examina. ~ V. *banca —a.* ● ***S. m.* 2.** Aquele que examina [v. *examinar* (2)].

examinando (z) [Do lat. *examinandu*, gerundivo do v. lat. *examinare* (v. *examinar*).] ***S. m.*** Aquele que está sendo ou vai ser examinado.

examinar (z) [Do lat. *examinare.*] ***V. t. d.* 1.** Analisar com atenção e minúcia; fazer o exame (4) de; pesquisar: *Examinando as contas, nelas encontrou irregularidades;* "O meu binóculo examinava todos os camarotes com uma tenção meticulosa" (José de Alencar, *Cinco Minutos*, p. 25). **2.** Sujeitar a exame (2): *Examinaram os candidatos que se apresentaram a concurso.* **3.** Ponderar ou meditar sobre; estudar: *examinar uma lei.* **4.** Submeter a exame (5). **5.** Observar, ver, sondar. ***P.* 6.** Observar ou analisar a própria consciência.

examinável (z) [De *examinar* + *-vel.*] ***Adj. 2 g.*** Que pode ser examinado.

exangue (z) [Do lat. *exsangue.*] ***Adj. 2 g.* 1.** Sem sangue: "Raia-lhe a farda o sangue. / De braços estendidos, / Alvo, louro, exangue, / Fita com olhar langue / E cego os céus perdidos." (Fernando Pessoa, *Poesias de Fernando Pessoa*, p. 219.) **2.** Sem forças; débil, exausto.

exania (z) [De *ex-*[1] + *ânus* + *-ia*[1].] ***S. f. Patol.*** Prolapso do reto.

exanimação (z) [Do lat. *exanimatione.*] ***S. f. Med.*** Estado de inconsciência.

exanimado (z) [De *ex-*[1] + *animado.*] ***Adj.*** Exânime.

exânime (z) [Do lat. *exanime.*] ***Adj. 2 g.* 1.** Desmaiado, desfalecido. **2.** Aparentemente morto.

➔**ex ante** [eks ˈante] [Lat.] *Econ.* Relativo aos planos ou desejos dos agentes econômicos: "Em economia, o termo *ex ante* indica o que os agentes econômicos desejam ou esperam fazer, e o termo *ex post*, aquilo que efetivamente fazem." (Mário Henrique Simonsen e Rubens P. Cysne, *Macroeconomia*, p. 167.) [Cf. *ex post.*]

exantema (z) [Do gr. *exánthema.*] ***S. m. Med.*** Eflorescência (4) peculiar às febres eruptivas. ◆ **Exantema súbito.** *Patol.* Virose aguda, de evolução branda, que ocorre em crianças; sexta-doença.

exantemático (z) [De. *exanthema* + *-ático.*] ***Adj.*** Da natureza do exantema; exantematoso. ~ V. *tifo —.*

exantematoso (z... ô) [De *exantemat-*, como em *exantemático*, + *-oso.*] ***Adj.*** Exantemático.

exarar (z) [Do lat. *exarare.*] ***V. t. d.* 1.** Consignar ou registrar por escrito; lavrar: *exarar um despacho.* ***T. d. e i.* 2.** Abrir, lavrar, talhar, lapidar, gravar: *Exararam na pedra uma inscrição comemorativa.* **3.** Exarar (1): "Estas circunstâncias certo é que não atenuavam o crime, nem convinha exará-las na sentença" (Camilo Castelo Branco, *A Filha do Regicida*, p. 10).

exarca (z) ***S. m.*** V. *exarco.*

exarcado (z) [De *exarco* + *-ado*[2].] ***S. m.* 1.** Dignidade de exarco. **2.** Território governado por um exarco.

exarco (z) [Do gr. *éxarchos*, pelo lat. *exarchu.*] ***S. m.* 1.** Delegado dos imperadores de Bizâncio na Itália ou na África. **2.** Legado do patriarca grego.

exarticulação (z) [De *exarticular* + *-ção.*] ***S. f.*** Ato ou efeito de exarticular; desarticulação.

exarticular (z) [De *ex-*[1] + *articular*[2].] ***V. t. d. P.*** V. *desarticular.*

exartrema (z) [Do gr. *exárthrema.*] ***S. m. Med.*** Exartrose.

exartrose (z) [Do gr. *exárthrosis.*] ***S. f. Med.*** Luxação de dois ossos reunidos por diartrose; exartrema.

exasperação (z) [Do lat. *exasperatione.*] ***S. f.* 1.** Ato de exasperar(-se). **2.** Irritação, exacerbação. [Sin. ger.: *exaspero* (ê).]

exasperado (z) [Do lat. *exasperatu*, part. de *exasperare*, 'exasperar'.] ***Adj.*** Muito irritado; enfurecido, encolerizado.

exasperador (z... ô) [De *exasperar* + *-dor.*] ***Adj.* 1.** Que exaspera; exasperante. ● ***S. m.* 2.** Aquele ou aquilo que exaspera.

exasperante (z) [De *exasperar* + *-nte.*] ***Adj. 2 g.*** Exasperador (1).

exasperar (z) [Do lat. *exasperare.*] ***V. t. d.* 1.** Tornar áspero, enfurecido; irritar muito; encolerizar, enfurecer. **2.** Tornar mais vivo ou mais intenso; agravar, exacerbar: *O remédio, em vez de aliviar, exasperou as dores.* ***P.* 3.** Irritar-se, encolerizar-se, enfurecer-se. **4.** Agravar-se, exacerbar-se. [Pres. ind.: *exaspero*, etc. Cf. *exaspero* (ê).]

exaspero (z... ê) [Dev. de *exasperar.*] ***S. m.*** V. *exasperação.* [Pl.: *exasperos* (ê). Cf. *exaspero*, do v. *exasperar.*]

exaspidiano (z) [De *ex-*[1] + *-aspid(i)-* + *-ano*[1].] ***Adj. Zool.*** Diz-se do tarso de aves passeriformes quando os escudos da face anterior do tarso se estendem por toda a face exterior do mesmo, deixando descoberta só uma parte da face interna.

exatamente [Do fem. *exato* + *-mente.*] ***Adv.* 1.** De modo exato. **2.** Rigorosamente, pontualmente: *Chegaram exatamente ao meio-dia.*

exatidão (z) [De *exato* + *-idão.*] ***S. f.* 1.** Qualidade de exato. **2.** Observância ou cumprimento rigoroso. **3.** Precisão, rigor. **4.** Perfeição, esmero.

exatificar (z) [De *exato* + *-ificar.*] ***V. t. d.* 1.** Tornar exato. **2.** Verificar; deslindar. [Conjug.: v. *trancar.*]

exato (z) [Do lat. *exactu.*] ***Adj.* 1.** Perfeitamente fiel às regras ou à verdade; certo, correto: *conta exata; resposta exata.* **2.** Preciso, rigoroso: *medida exata.* **3.** Perfeito, esmerado: *É exato em tudo o que faz.* ~ V. *algarismo —, ciências —as, diferencial —a, divisão —a* e *equação diferencial —a.*

exator (z... ô) [Do lat. *exactore.*] ***S. m.*** Cobrador ou arrecadador de impostos e contribuições; coletor: "vítimas da ganância dos exatores régios, sofrendo já a rivalidade com reinóis — os filhos da capitania [Minas Gerais] pensaram em independência" (Afonso Arinos, *Notas do Dia*, p. 27).

exatoria (z) [De exator + -ia1.] ***S. f.* 1.** Cargo ou funções de exator. **2.** Repartição fiscal para cobrança de impostos; coletoria.

exaurido [Part. de *exaurir.*] ***Adj.* 1.** Que se exauriu; vazio, esgotado completamente. **2.** *Fig.* Esgotado. **3.** Depauperado, enfraquecido. **4.** Dissipado, desperdiçado. **5.** Exausto.

exaurir (z) [Do lat. *exhaurire.*] ***V. t. d.* 1.** Esgotar completamente; despejar até a última gota. **2.** Fazer secar; ensecar; ressecar: *O calor exauria-lhe a umidade dos lábios.* **3.** Gastar ou dissipar inteiramente: *Em pouco tempo exauriu as finanças paternas.* **4.** Empobrecer; depauperar; esgotar: *As guerras exauriram o erário público.* ***P.* 5.** Esgotar-se completamente; esgotar-se: "Arde o sol. Nem gota de água escassa / Chora impiedoso o céu. Exaurem-se as correntes." (Alberto de Oliveira, *Poesias*, 2.ª série, p. 210.) **6.** Cansar-se, extenuar-se, esgotar-se. [F. paral.: *exaustar.* Defect.; faltam-lhe as f. em que o *r* da raiz viria seguido de *o* ou de *a*, *i. e.*, a 1.ª pess. do sing. do pres. ind., e, derivado desta, todo o pres. subj. Part.: *exaurido* e *exausto.*]

exaurível (z) [De *exaurir* + *-vel.*] ***Adj. 2 g.*** Que se pode exaurir.

exaustão (z) [Do lat. *exhaustione.*] ***S. f.* 1.** Ato ou efeito de exaustar(-se) ou exaurir(-se); esgotamento. **2.** *Cont.* Perda de valor contábil de um ativo em razão da sua exploração por meio de extração ou aproveitamento.

exaustar (z) [Do lat. *exhaustare.*] ***V. t. d. P.*** V. *exaurir.*

exaustivo (z) [De *exausto* + *-ivo.*] ***Adj.* 1.** Que se destina a esgotar (8); que esgota: *Escreveu exaustivo tratado sobre direito civil.* **2.** Que esgota [v. *esgotar* (7)] completamente; esgotante: *trabalho exaustivo.*

exausto (z) [Do lat. *exhaustu.*] ***Adj.*** V. *esgotado* (3).

exaustor (z... ô) [Do fr. *exhausteur.*] ***S. m.*** Aparelho que aspira o ar viciado e/ou renova o ar de um ambiente.

exautoração (z) [De *exautorar* + *-ção.*] ***S. f.*** Ação de exautorar.

exautorado [Do lat. *exauctoratu*, part. pass. do v. lat. *exauctorare*, 'exautorar'.] ***Adj.*** Que foi destituído de cargo, autoridade, insígnias, honras; desprestigiado.

exautorar (z) [Do lat. *exauctorare.*] ***V. t. d.* 1.** Privar (alguém) da autoridade que tinha. **2.** Tirar cargo, insígnias e honras a; desautorar. ***T. d. e i.* 3.** Privar (de honras, dignidade, posto); desautorar.

➔**ex autoritate legis** [eks awtoɾeˈtate ˈleges] [Lat.] *Jur.* Por força da lei.

ex-bonificação [De *ex-*[1] + *bonificação.*] ***S. f.*** Ação negociada em bolsa de valores sem que o comprador tenha direito a receber a última bonificação (2). [Pl.: *ex-bonificações.*]

excarcerar [De *ex-*[1] + *cárcere* + *-ar*[2].] ***V. t. d.*** Tirar ou livrar do cárcere; libertar, desencarcerar.

➔**ex cathedra** [eks ˈkatʰedra] [Lat.] **1.** Em virtude de autoridade decorrente do título. **2.** *Irôn.* Em tom doutoral.

➔**ex causa** [eks ˈkawsa] [Lat., 'pela causa'.] *Jur.* Diz-se das custas que são pagas para propor a demanda.

exceção [Do lat. *exceptione.*] ***S. f.* 1.** Ato ou efeito de excetuar. **2.** Desvio da regra geral: *Seu caso constitui exceção.* **3.** Aquilo, ou aquele, que se exclui da regra. **4.** Exclusão (1): *Com exceção dele, foram todos à festa.* **5.** Privilégio, prerrogativa: *Procura sempre valer-se das exceções.* **6.** Indivíduo cujo modo de agir ou de pensar difere do agir ou pensar comum. **7.** *Dir. Proc. Civ.* Defesa indireta (relativamente à contestação, que é direta), em que o réu, sem negar o fato afirmado pelo autor, alega direito seu com o intento de elidir ou paralisar a ação (suspeição, incompetência, litispendência, coisa julgada, etc.).

excecional ***Adj. 2 g. S. 2 g.*** V. *excepcional.*

excecionalidade ***S. f.*** V. *excepcionalidade.*

excecionar ***V. t. d. Dir. Proc. Civ.*** V. *excepcionar.*

excecionável ***Adj. 2 g. Dir. Proc. Civ.*** V. *excepcionável.*

excedente [De *exceder* + *-nte.*] ***Adj. 2 g.* 1.** Que excede, que sobeja. **2.** *Bras.* Diz-se do estudante que, embora aprovado em exame seletivo, deixou de ingressar em escola por serem as vagas em número inferior ao dos alunos qualificados. ● ***S. m.* 3.** Excesso, sobejo, sobra. ● ***S. 2 g.* 4.** Aluno excedente.

exceder [Do lat. *excedere.*] ***V. t. d.* 1.** Ser superior a, ir além de (em peso, valor, extensão, etc.): *Aquela empresa excede as suas forças.* **2.** Levar vantagem a; ser superior a; superar, ultrapassar. ***T. i.* 3.** Ultrapassar em valor, peso, extensão, tamanho, etc.: *As despesas excediam às suas posses; Os convidados não excediam de cinquenta.* ***P.* 4.** Ir além do que é natural, justo, conveniente. **5.** Enfurecer-se, irritar-se, exasperar-se, externando-se sem comedimento. **6.** Fatigar-se, afadigar-se, cansar-se. **7.** Esmerar-se, apurar-se.

excedível [De *exceder* + *-ível.*] ***Adj. 2 g.*** Que pode ser excedido.

excelência [Do lat. *excellentia.*] ***S. f.* 1.** Qualidade de excelente; primazia. **2.** Tratamento das pessoas de alta hierarquia social, dado também a senhoras. [Abrev., nesta acepç.: *Ex.ª*] **3.** *Bras.* Cantiga de velório em uníssono, sem acompanhamento instrumental: "Até o dia amanhecer ainda cantavam benditos e excelências, que falavam no Padre Cícero." (Adalberon Cavalcanti Lins, *Curral Novo*, p. 38.) [Var. (bras., N.E., pop.), nesta acepç.: *incelência.*] ◆ **Por excelência.** No grau mais alto; com primazia; acima de tudo: *É escritor por excelência.*

excelente [Do lat. *excellente.*] ***Adj. 2 g.*** Que é muito bom; que excele: *indivíduo excelente; excelente caráter; vinho excelente.*

excelentíssimo [Do lat. *excellentissimu.*] ***Adj.*** Superl. abs. sint. de *excelente.* [Tratamento dado a certos indivíduos de alta hierarquia social. Abrev.: *Ex.mo*]

exceler [Do lat. *excellere.*] ***V. int. T. i.*** Estremar-se de outros, ou entre outros, ou acima de outros; ser excelente, avantajar-se; excelir: *Estes fatos excelem; Este homem excele na força.* [Defect. Faltam-lhe as f. em que ao *l* do radical se seguiria *o* ou *a*: a 1.ª pess. do sing. do pres. ind. e todo o pres. subj.; nas demais, conjuga-se como regular: pres. ind.: *exceles, excele, excelemos, exceleis, excelem*, e assim por diante.]

excelir [Do lat. *excellere.*] ***V. int. T. i.*** V. *exceler.* [Defect., como *exceler.* Faltam-lhe as mesmas f. que a este, e nas demais é, também, conjugado como regular: pres. ind.: *exceles, excele, excelimos, excelis, excelem*, e assim por diante.]

excelsitude [De *excelso* + *-itude.*] ***S. f.*** Qualidade de excelso.

excelso [Do lat. *excelsu.*] ***Adj.* 1.** Alto, elevado; sublime: "E de onda em onda cada vez mais larga, / De brisa em brisa cada vez mais pura, / O nome dessa excelsa criatura [a Virgem Maria] / Por todo aquele imenso mar se alarga" (João de Deus, *Campo de Flores*, I, p. 171); "todas as horas ferventemente consagradas às cousas sumas da sabedoria e às cogitações excelsas" (Aloísio de Castro, *Excertos*, p. 19). **2.** Excelente, admirável.

excentricidade[1] [Do lat. med. *excentricitate.*] ***S. f.* 1.** Desvio ou afastamento do centro. **2.** *Astr.* Excentricidade da órbita. **3.** *Geom.* Cociente da distância de um ponto de uma cônica ao seu foco pela distância desse ponto à sua diretriz. Se a cônica é central, é o quociente da distância do centro ao foco pela distância do centro ao vértice. ◆ **Excentricidade da órbita.** *Astr.* Relação entre a distância dos focos e o eixo maior da órbita de um astro. [Tb. se diz apenas *excentricidade.*]

E

excentricidade[2] [De *excêntrico*[2] + *-(i)dade*; ingl. *eccentricity*.] *S. f.* Qualidade, modos ou procedimento de excêntrico[2]; originalidade, extravagância, esquisitice.

excêntrico[1] [Do lat. med. *excentricu*.] *Adj.* **1.** Que desvia ou afasta do centro. **2.** Que não tem o mesmo centro. ~ V. *ângulo* —, *círculo* —, *eclipse* — e *fundação* —*a*. ● *S. m.* **3.** Peça de máquina que gira em torno de um ponto situado fora do seu centro geométrico e que, por isso, transforma um movimento de rotação em outro de diversa natureza.

excêntrico[2] [Do ingl. *eccentric*.] *Adj. S. m.* Diz-se de, ou indivíduo original, extravagante, esquisito.

excepcional [Do fr. *exceptionnel*.] *Adj. 2 g.* **1.** Em que há, ou que constitui ou envolve exceção: *lei excepcional*. **2.** Que goza de exceção; privilegiado: *Na firma, dirigida pelo tio, ocupa um cargo excepcional*. **3.** Excêntrico, extravagante. **4.** Excelente; incomum; extraordinário: "A abertura das *Memórias de Lázaro* é de uma perfeição estilística excepcional" (Fausto Cunha, *Situação da Ficção Brasileira*, p. 38); *Apesar do mau tempo, fez uma viagem excepcional*. **5.** *Med.* Diz-se do indivíduo que tem deficiência mental (índice de inteligência significativamente abaixo do normal), deficiência física (mutilação, deformação, paralisia, etc.), ou deficiência sensorial (cegueira, surdez, etc.), e, por isso, incapacitado de participar em termos de igualdade do exercício de atividades normais. [V. *portador de necessidades especiais*.] ● *S. 2 g.* **6.** *Med.* Indivíduo excepcional (5); anormal. [Var.: *excecional*.]

excepcionalidade [De *excepcional* + *-(i)dade*.] *S. f.* Qualidade de excepcional. [Var.: *excecionalidade*.]

excepcionar [Do lat. *exceptione*, 'exceção', + *-ar*[2].] *V. t. d.* *Dir. Proc. Civ.* Opor exceção a, em juízo. [Var.: *excecionar*.]

excepcionável [De *excepcionar* + *-vel*.] *Adj. 2 g. Dir. Proc. Civ.* Que pode ser excepcionado. [Var.: *excecionável*. Sin.: *excetuável*.]

→**exceptis excipiendis** [eks'septes ekssepe'endes] [Lat.] Exceto o que deve ser excetuado.

exceptiva [F. subst. de *exceptivo*.] *S. f.* Cláusula ou condição exceptiva. [Var.: *excetiva*.]

exceptivo [Do lat. *exceptus*, part. de *excipere*, 'recolher'; 'exceptuar' + *-ivo*.] *Adj.* Que encerra exceção. [Var.: *excetivo*.]

excepto *Prep. S. m.* V. *exceto*.

excerto [Do lat. *excerptu*.] *S. m.* Trecho, fragmento; extrato: *De pensadores clássicos apenas conhece alguns excertos*.

excessividade [De *excessivo* + *-(i)dade*.] *S. f.* Qualidade ou estado do que é excessivo.

excessivismo [De *excessivo* + *-ismo*.] *S. m.* Qualidade daquilo que é excessivo.

excessivo [De *excesso* + *-ivo*.] *Adj.* Que é em excesso; exagerado, demasiado, desmedido.

excesso [Do lat. *excessu*.] *S. m.* **1.** Diferença para mais entre duas quantidades. **2.** Aquilo que excede ou ultrapassa o permitido, o legal, o normal: *excesso de barulho*; *excesso de gordura*. **3.** Sobra, sobejo. **4.** Redundância (1). **5.** Violência, desmando: *Vive, impunemente, cometendo excessos*. **6.** Extremo, cúmulo: *excesso de bondade, de pobreza*. ◆ **Excesso de cor.** *Astr.* Modificação do índice de cor (q. v.) de uma estrela, provocada pela absorção interstelar. **Excesso de massa.** *Fís. Nucl.* Diferença entre a massa atômica de um nuclídeo e o número de massa do nuclídeo. **Excesso enantiomérico.** *Quím.* Medida das concentrações relativas de dois enantiômeros numa mistura; é o quociente da diferença das concentrações pela soma destas. **Excesso esférico.** *Geom.* Diferença entre a soma dos ângulos de um triângulo esférico e 180°.

excetiva *S. f.* V. *exceptiva*.

excetivo *Adj.* V. *exceptivo*.

exceto [Do lat. *exceptu*.] *Prep.* **1.** Com exclusão ou à exceção de; afora, salvo, menos: *Trabalha rudemente, exceto aos domingos*; "Eu, constantemente de relógio, exceto no chuveiro para não molhá-lo." (Solange Berard Lajes, *Passagem*, p. 60). ● *S. m.* **2.** *Dir. Proc. Civ.* Indivíduo contra o qual se opõe exceção em juízo.

excetuar [De *exceto* + *-uar*.] *V. t. d.* **1.** Fazer exceção de; isentar, excluir: *Atacou os inimigos, sem excetuar nenhum*. *T. d. e i.* **2.** Livrar, isentar, excluir: *Excetuou da pena os seus protegidos*. *Int.* **3.** *Dir. Proc. Civ.* Opor exceção em juízo. *P.* **4.** Excluir-se, isentar-se.

excetuável [De *excetuar* + *-vel*.] *Adj. 2 g. Dir. Proc. Civ.* V. *excepcionável*.

excídio [Do lat. *excidiu*.] *S. m. Poét.* Destruição, ruína, subversão.

excímero [De *(estado) exci(tado) (dí)mero*.] *S. m. Quím.* Associação entre dois átomos ou moléculas iguais, que só subsiste em estado excitado e, portanto, tem ger. tempo de vida curto.

excipiente [Do lat. *excipiente*.] *S. m.* **1.** *Farm.* Numa forma farmacêutica, substância que une a base (15) e veículo (7). ● *S. 2 g.* **2.** *Dir. Proc. Civ.* Pessoa que, em juízo, opõe exceção.

exciplexo (plécs) [De *(estado) exci(tado) (com)plexo*.] *S. m. Quím.* Associação entre dois átomos ou duas moléculas diferentes, que só subsiste em estado excitado e, portanto, tem ger. tempo de vida curto; são us. em certos tipos de *laser*, muito potentes.

excípulo [Do lat. cient. *excipulum* < lat. *excipulum*, 'certo vaso'.] *S. m. Bot.* Porção basal diferenciada do apotécio sobre a qual está o himênio.

excisão [Do lat. *excisione*.] *S. f. Cir.* Retirada, resseção, amputação, separação.

excitabilidade [De *excitável* + *-(i)dade*, seg. o padrão erudito.] *S. f.* **1.** Qualidade de excitável. **2.** Irritabilidade.

excitação [Do lat. *excitatione*.] *S. f.* **1.** Ação ou efeito de excitar(-se). **2.** Irritação, exacerbação: *Perdera a calma: era todo excitação*. **3.** Estímulo, incitamento. **4.** *Eletrôn.* Tensão, ou corrente, aplicada externamente aos terminais de entrada de um circuito, dispositivo, ou equipamento; entrada, sinal de excitação. **5.** Grande agitação; exaltação: *O discurso, incendiário, provocou excitação*. **6.** *Psiq.* Estado de hipercinesia ou impulsividade, devido a aumento de tensão emocional. [Sin. (menos us.) nas acepç. 1 a 3 e 5: *excitamento*.] ◆ **Excitação luminosa.** *Fotom.* Quantidade de luz.

excitado [Do lat. *excitatu*, part. do lat. *excitare*, 'excitar'.] *Adj.* **1.** Que se excitou. **2.** *Restr.* Agitado, nervoso: *criança excitada*. ~ V. *estado* — e *nível* —.

excitador (ô) [Do lat. *excitatore*.] *Adj. S. m.* V. *excitante* (1 e 3).

excitamento [De *excitar* + *-mento*.] *S. m.* V. *excitação* (1 a 3 e 5).

excitante [De *excitar* + *-nte*.] *Adj. 2 g.* **1.** Que excita; excitador, excitativo. **2.** *Fig.* Que desperta interesse, emoção ou desejo. ● *S. m.* **3.** Aquele ou aquilo que excita; excitador. **4.** Estimulante (8).

excitar [Do lat. *excitare*.] *V. t. d.* **1.** Ativar a ação de: *excitar os nervos*. **2.** Estimular, instigar, incitar: *A ambição intelectual excitava-o*. **3.** Animar, estimular, exortar: *A presença do comandante excitava os soldados*. **4.** Dar origem a; despertar, avivar, mover, causar: *O conhecimento excita a curiosidade*; "O aleijão excita geralmente uma invencível repugnância, repassada de terror." (José de Alencar, *A Pata da Gazela*, p. 208). **5.** Irritar, provocar, enraivecer, encolerizar. **6.** Promover, provocar, suscitar. **7.** Promover o desenvolvimento de; fomentar. **8.** Produzir erotismo em. *T. d. e i.* **9.** Mover, exortar; incitar, concitar: *O professor excita os alunos ao estudo*. *Int.* **10.** Produzir erotismo, lascívia; excitar-se. *P.* **11.** Estimular-se, animar-se. **12.** Irritar-se, encolerizar-se, enraivecer-se, enfurecer-se. **13.** Exaltar-se, inflamar-se. **14.** Excitar (10).

excitativo [De *excitar* + *-tivo*.] *Adj.* V. *excitante* (1).

excitatriz [Do fr. *excitatrice*.] *S. f.* Pequena máquina elétrica destinada a produzir a corrente necessária à alimentação dos enrolamentos indutores de uma máquina principal.

excitável [Do lat. *excitabile*.] *Adj. 2 g.* Que se pode excitar, ou que facilmente se excita.

éxciton [Do ingl. *exciton*.] *S. m. Fís.* Num semicondutor, par formado por um elétron e por um buraco, e por meio do qual é possível haver transporte de carga elétrica.

exclamação [Do lat. *exclamatione*.] *S. f.* **1.** Ato de exclamar; voz, grito ou brado de prazer, alegria, raiva, tristeza, dor. **2.** *E. Ling.* Uma das quatro classes em que se dividem as sentenças simples, caracterizada, ger., pela presença dos pronomes *que* e *quem*, empregados exclamativamente, e por funcionar para a expressão de sentimentos: *Que inocência!* [Cf., nesta acepç., *afirmação* (8), *comando* (4), *interrogação* (3).] **3.** *E. Ling.* V. *sinal de exclamação*.

exclamador (ô) [De *exclamar* + *-dor*.] *Adj. S. m.* Que, ou aquele que exclama.

exclamar [Do lat. *exclamare*.] *V. t. d.* **1.** Pronunciar em voz muito alta; bradar. *T. i.* **2.** Bradar, gritar, vociferar, clamar: *Os detentos exclamaram contra os maus-tratos*. *Int.* **3.** Vociferar, bradar, gritar: "entre a turba Hipérides assoma, / Defende-lhe a inocência, exclama, exora, pede, / Suplica, ordena, exige..." (Olavo Bilac, *Poesias*, p. 78).

exclamativamente [Do f. de *exclamativo* + *-mente*.] *Adv.* De modo ou em tom exclamativo; com exclamação.

exclamativo [De *exclamar* + *-tivo*.] *Adj.* **1.** Que exprime ou denota exclamação; admirativo: *oração exclamativa*; *ponto exclamativo*. **2.** Próprio de quem exclama: *Falou em tom exclamativo*. [Sin. ger.: *exclamatório*.] ~ V. *interrogação* —*a*.

exclamatório [De *exclamar* + *-tório*.] *Adj.* V. *exclamativo*.

excludente [Der. culto de *excluir* (< lat. *excludere*) + *-ente*.] *Adj. 2 g.* Que exclui. ~ V. *circunstância* —.

excluído [Part. de *excluir*.] *Adj.* Que é objeto de exclusão.

excluir [Do lat. *excludere*, com síncope.] *V. t. d.* **1.** Ser incompatível com: *A justiça exclui a comiseração*; "O amor, querida, não exclui o pejo..." (Olavo Bilac, *Poesias*, p. 169). **2.** Afastar, desviar, eliminar: *Aquela hipótese excluía todas as demais*. **3.** Pôr de lado; abandonar, recusar. *T. d. e i.* **4.** Não admitir; omitir: *Excluíram-no da lista dos laureados*. **5.** Pôr fora; expulsar. **6.** Privar, despojar: *Excluíram-no do pagamento*. *P.* **7.** Pôr-se ou lançar-se fora; isentar-se, privar-se. [Conjug.: v. *atribuir*.]

exclusão [Do lat. *exclusione*.] *S. f.* **1.** Ato de excluir(-se); exceção: *Não se fez exclusão de ninguém*. [Antôn.: *inclusão*.] **2.** *Jur.* Ato pelo qual alguém é privado ou excluído de determinados direitos ou de determinadas funções; exclusiva.

exclusiva [F. subst. de *exclusivo*.] *S. f. Jorn.* **1.** Entrevista exclusiva (q. v.). **2.** *Jur.* Exclusão (2).

exclusivamente [Do fem. de *exclusivo* + *-mente*.] *Adv.* De modo exclusivo; apenas, somente: *É uma questão exclusivamente minha, respondeu aborrecida*.

exclusive [Do lat. med. *exclusivus*, 'que exclui' (< *exclusum*, supino do lat. *excludere*, 'excluir'), pelo modelo dos advérbios latinos em *-e*.] *Adv.* Excluindo. [Antôn.: *inclusive*.]

exclusividade [De *exclusivo* + *-(i)dade*.] *S. f.* Qualidade ou caráter de exclusivo.

exclusivismo [De *exclusivo* + *-ismo*.] *S. m.* **1.** Sistema ou espírito de exclusão. **2.** Sentimento próprio de exclusivista (5).

exclusivista [De *exclusivo* + *-ista*.] *Adj. 2 g.* **1.** Relativo ao exclusivismo. **2.** Que repele tudo quanto é contrário à sua opinião. **3.** Que quer tudo só para si, para seu uso ou gozo pessoal; individualista. ● *S. 2 g.* **4.** Partidário do exclusivismo. **5.** Pessoa exclusivista (2).

exclusivo [Do lat. med. *exclusivu*.] *Adj.* **1.** Que exclui, põe à margem ou elimina. **2.** Privativo, restrito: *carro para uso exclusivo do dono*. **3.** *E. Ling.* Diz-se da 1ª pessoa do plural que inclui o falante, outra(s) pessoa(s), mas não o ouvinte. [Em português não há formas pronominais distintas para a 1ª pessoa do plural, o que, a princípio, pode tornar ambígua uma frase como *Nós não podemos fazer isto*: o ouvinte estaria ou não incluído?] [Cf., nesta acepç., *inclusivo* (2).] ~ V. *disjunção* —*a* e *entrevista* —*a*.

excluso [Do lat. *exclusu*.] *Adj.* Fora da conta ou do lugar.

excogitação [Do lat. *excogitatione*.] *S. f.* Ato de excogitar.

excogitador (ô) [Do lat. *excogitatore*.] *Adj. S. m.* Que, ou aquele que excogita.

excogitar [Do lat. *excogitare*.] *V. t. d.* **1.** Inventar, idear, imaginar, cogitar: "O Cristóvão de Holanda excogitava já um meio de sair com honra da situação em que se via" (Franklin Távora, *O Cabeleira*, p. 274). **2.** Esquadrinhar, pesquisar, perscrutar. *Int.* **3.** Refletir, meditar, imaginar.

excogitável [De *excogitar* + *-vel*.] *Adj. 2 g.* Que pode ser excogitado.

excomungação [De *excomungar* + *-ção*.] *S. f.* V. *excomunhão*. ◆ **Que excomungação!** Que praga!

excomungado [Part. de *excomungar*.] *Adj.* **1.** Que sofreu excomunhão. **2.** Péssimo; detestável; amaldiçoado: *indivíduo excomungado*; *Que máquina excomungada, que não funciona!* ● *S. m.* **3.** Indivíduo que sofreu excomunhão (2). **4.** Indivíduo excomungado (2). **5.** V. *diabo* (2).

excomungadoiro [De *excomungar* + *-doiro*[1].] *S. m.* Excomungadouro (q. v.).

excomungadouro [De *excomungar* + *-douro*[1]; var. de *excomungadoiro*.] *Adj. Desus.* Merecedor de excomunhão; excomungável.

excomungar [Do lat. *excommunicare*.] *V. t. d.* **1.** Separar da Igreja Católica (qualquer dos seus membros), expulsando-o; anatematizar. **2.** Tornar maldito; esconjurar, exorcizar, exorcismar. **3.** Condenar, reprovar. [Conjug.: v. *largar*.]

excomungável [De *excomungar* + *-vel*.] *Adj. 2 g.* Que deve ser excomungado; digno de excomunhão; excomungadouro.

excomunhão [Do lat. **ex-communione*, ou de *ex-*[1] + *comunhão*.] *S. f.* **1.** Ato de excomungar. **2.** *Ecles.* Pena eclesiástica que exclui do gozo de todos os bens espirituais comuns aos fiéis, ou de alguns desses bens. [Sin. ger.: *excomungação*.]

excomunhar [De *excomunhão* + *-ar*[2], com desnasalação e síncope.] *V. t. d.* Excomungar.

excomunhável [De *excomunhar* + *-vel*.] *Adj. 2 g. Ant.* Excomungável.

→**ex corde** [eks 'kɔrde] [Lat., 'do coração'.] Us. especialmente no fecho de cartas dirigidas a pessoas íntimas.

excreção [Do lat. tard. *excretione*.] *S. f.* **1.** Ação pela qual, normalmente, se expelem do corpo os resíduos inúteis à economia animal. **2.** Matéria excretada; excreto, excreta.

excrementar [De *excremento* + *-ar*[2].] *V. int.* Expulsar os excrementos; defecar. [Pres. ind.: *excremento*, etc. Cf. *excremento*, s. m.]

excrementicial [De *escrementício* + *-al*[1].] *Adj. 2 g. P. us.* V. *excrementício*.

excrementício [De *excremento* + *-ício*.] *Adj.* **1.** Relativo ao, ou da natureza do excremento. **2.** Referente a excreção. [Sin. ger.: *excrementoso* e (p. us.) *excrementicial*.]

excremento [Do lat. *excrementu*.] *S. m.* **1.** Tudo quanto os animais expelem do corpo pelas vias naturais. **2.** Matérias fecais; fezes. [Cf. *excremento*, do v. *excrementar*.]

excrementoso (ô) [De *excremento* + *-oso*.] *Adj.* V. *excrementício*.

excrescência [Do lat. *excrescentia*.] **1.** Saliência, proeminência: *as excrescências de um terreno.* **2.** Demasia, excesso, superfluidade. **3.** *Patol.* Tumor, mais ou menos volumoso, sobre a superfície de qualquer órgão.

excrescente [Do lat. *excrescente*.] *Adj. 2 g.* Que excresce; supérfluo.

excrescer [Do lat. *excrescere*.] *V. int.* **1.** Crescer muito, em demasia. **2.** Formar excrescência. **3.** Intumescer, tumescer, inchar. [Conjug.: v. *crescer*.]

excreta [De *excreto*.] *S. f.* V. *excreção* (2).

excretar [Do lat. **excretare*.] *V. t. d.* Segregar, expelir, evacuar.

excreto [Do lat. *excretu*.] *Adj.* **1.** Excretado, expelido, evacuado. ● *S. m.* **2.** V. *excreção* (2).

excretor (ô) [De *excreto* + *-or*.] *Adj.* Excretório. ~ V. *sistema —.*

excretório [De *excreto* + *-ório*.] *Adj.* Que excreta; excretor.

excruciante [De *excruciar* + *-nte*.] *Adj. 2 g.* Que excrucia; pungente, doloroso, aflitivo, cruciante.

excruciar [Do lat. *excruciare*.] *V. t. d.* **1.** Afligir muito; torturar, martirizar, cruciar: "Para nós, meu amor, nessa hora de agonia / Não houve o padecer que as almas excrucia" (Gonçalves Crespo, *Obras Completas*, p. 255). *P.* **2.** Atormentar-se, afligir-se.

exculpação [De *exculpar* + *-ção*.] *S. f.* Ação de esculpar; desculpa.

exculpar [De *ex-*[1] + *culpar*.] *V. t. d. T. d. e i. P.* V. *desculpar*.

exculpatório [Do lat. med. *exculpatu*, part. pass. de *exculpare*, + *-ório*.] *Adj.* Que exculpa ou absolve de culpa; desculpador: "era algo que tornava impossível qualquer benevolente inclinação .... para uma decisão exculpatória" (José Saramago, *Todos os Nomes*, p. 78).

excurrente [Do ingl. *excurrent* < lat. *excurrens, entis*, part. pres. do lat. *excurrere*, 'correr para fora'; 'estender'; 'exceder'.] *Adj. 2 g.* **1.** *Bot.* Diz-se de caules e troncos contínuos até o cimo. Ex.: o pinheiro. **2.** *Zool.* Diz-se dos apêndices que se fazem contínuos para fora.

excursão [Do lat. *excursione*.] *S. f.* **1.** Passeio de instrução ou de recreio, pelos arredores. **2.** *P. ext.* Viagem de recreio, às vezes em grupo e com guia. [Cf., nesta acepç., *turnê*.] **3.** Correria em território inimigo; incursão, invasão. **4.** *Fig.* Divagação, digressão. **5.** *Met.* Limites máximos e mínimos que a temperatura do ar pode atingir, em determinada região e num período de tempo qualquer (dia, década, mês, ano, etc.). [Cf. *excussão*.]

excursionar [De *excursão* + *-ar*[2], seg. o padrão erudito.] *V. int.* Fazer excursão, ou excursões: "fabricava [Paroissien] manteiga para o Príncipe Regente, praticava a botânica, ... excursionava, recebia visitas de D. João e de D. Pedro" (José Honório Rodrigues, *Vida e História*, p. 194).

excursionismo [De *excursão* + *-ismo*, seg. o padrão erudito.] *S. m.* Gosto e prática das excursões [v. *excursão* (1 e 2)].

excursionista [Do fr. *excursionniste*.] *S. 2 g.* Pessoa que faz excursões para se recrear e/ou instruir.

excurso [Do lat. *excursu*.] *S. m.* Excursão, divagação, digressão.

➔excusez du peu [ɛksky'ze dy pø] [Fr.] Pouquinha coisa! [Diz-se ironicamente para exprimir que se acha exagerada, excessiva, alguma coisa.]

excussão [Do lat. *excussione*.] *S. f.* Ato de excutir. [Cf. *excursão*.]

excutir [Do lat. *excutere*.] *V. t. d. Jur.* Promover o depósito judicial da coisa que é objeto de garantia real, e. g., penhor, hipoteca, para expropriação por meio de venda em hasta pública.

ex-dividendo [Do ingl. *ex dividend*.] *S. m. Econ.* Ação negociada em bolsa de valores sem que o comprador tenha direito a receber o último dividendo declarado. [Pl.: *ex-dividendos*.]

exe (êche) *Interj. Bras. AM* Exprime tédio ou repugnância ante algum fato ou dito desagradável; ixe.

execrabilidade (z) [De *execrável* + *-(i)dade*, seg. o padrão erudito.] *S. f.* Qualidade ou caráter de execrável.

execração (z) [Do lat. *exsecratione*.] *S. f.* **1.** Ato de execrar; aversão, horror ou ódio ilimitados: *Sua conduta vil provoca execração unânime.* **2.** Maldição, imprecação. **3.** Aquele ou aquilo que se execra. **4.** *Teol.* Perda da qualidade ou condição de ungido.

execrador (z... ô) [Do lat. *exsecratore*.] *Adj. S. m.* Que, ou aquele que execra.

execrando (z) [Do lat. *exsecrandu*.] *Adj.* V. *execrável*.

execrar (z) [Do lat. *exsecrare*.] *V. t. d.* **1.** Detestar, abominar, amaldiçoar: "todos os povos, orientais ou ocidentais, ... têm direito a comer e a beber, ... a execrar a guerra e as formas várias do mal" (Fidelino de Figueiredo, *O Medo da História*, p. 174). **2.** Desejar mal a (alguém). *P.* **3.** Ter aversão a si mesmo; detestar-se.

execratório (z) [De *execrar* + *-tório*.] *Adj.* Que encerra execração.

execrável (z) [Do lat. *exsecrabile*.] *Adj. 2 g.* Que merece execração; abominável, abominando, execrando.

execução (z) [Do lat. *exsecutione*, do lat. *exsequor, secutus sum, sequi, donde* (pelo part. *exsecutus*) o lat. **exsecutare* (ver *executar*).] *S. f.* **1.** Ato ou efeito de executar: *A execução da obra levara dois anos; Foi notável a execução do pianista.* **2.** Cumprimento de pena de morte. **3.** Dom particular de tocar um instrumento musical. **4.** *Jur.* A fase do processo judicial na qual se promove a efetivação das sanções, civis ou criminais, constantes de sentenças condenatórias; cumprimento de sentença. **5.** *Jur.* Procedimento judicial para o efetivo recebimento de dívida líquida, certa e vencida, representada por documentos públicos ou particulares a que a lei atribui força executória. ◆ **Execução de ordem.** *Econ.* Efetiva realização de uma ordem de compra ou venda de valores mobiliários.

executado (z) [Part. de *executar*.] *Adj.* **1.** Que foi objeto de execução (2) [v. *executar* (9)]. ● *S. m.* **2.** *Jur.* Réu num processo de execução.

executante (z) [De *executar* + *-nte*.] *Adj. 2 g.* **1.** Que executa. ● *S. 2 g.* **2.** Músico que executa a sua parte. **3.** *Jur.* Autor num processo de execução.

executar (z) [Do lat. **exsecutare*, de *exsecutus*, part. de *exsequi*, 'seguir até o fim'; 'proceder judicialmente'; 'punir'; 'levar a cabo'; 'efetuar'.] *V. t. d.* **1.** Levar a efeito; efetuar, efetivar, realizar: *Os engenheiros executaram o projeto governamental.* **2.** Tornar efetivas as prescrições de; cumprir: *executar uma tarefa.* **3.** Fazer construir. **4.** Tocar[2] (6): *O organista executou peças de Bach.* **5.** Cantar (3): *A soprano executou a ária com muita vibração.* **6.** Representar, interpretar, encenar: *O ator executou bem seu papel.* **7.** *Jur.* Promover a execução de (uma sentença judicial ou de documento de dívida que legitime a ação executiva). **8.** Supliciar em nome da lei; justiçar. **9.** Supliciar (2): *Pombal fez executar os Távoras.* **10.** *Inform.* Processar (instrução, rotina ou sub-rotina) de um programa (9); rodar.

executável (z) [De *executar* + *-vel*.] *Adj. 2 g.* **1.** V. *exequível*. **2.** *Inform.* Diz-se de programa (9) que pode ser executado diretamente por computador, por encontrar-se codificado em linguagem de máquina.

executiva (z) [F. subst. de *executivo*.] *S. f.* Comissão (3) com função executiva.

executivo[1] (z) [Do ingl. *executive*.] *Adj.* **1.** *Vest.* Diz-se de estilo de moda composto de *tailleurs*, saias e calças feitas com corte de alfaiataria, e camisas, blusas e suéteres de cores discretas. ● *S. m.* **2.** Diretor ou alto funcionário que atua na área financeira, comercial, administrativa ou técnica de uma empresa.

executivo[2] (z) [Do lat. *exsecutus* (v. *executar*) + *-ivo*.] *Adj.* **1.** Que executa; executor. **2.** Ativo, resoluto, decidido: *Será bom diretor, tem espírito executivo.* **3.** Que está encarregado de executar as leis. **4.** Que procede à execução judicial. **5.** Que faz cumprir a lei. ~ V. *ação —a, classe —a, força —a, poder —* e *sistema —.* ● *S. m.* **6.** O poder executivo. ◆ **Executivo fiscal.** Ação executiva de dívida ativa da Fazenda Pública.

executor (z... ô) [Do lat. *exsecutore*.] *Adj.* **1.** Executivo[2] (1). ● *S. m.* **2.** Aquele que executa [v. *executar* (9)];carrasco, verdugo, algoz.

executória (z) [F. subst. de *executório*.] *S. f.* Repartição que se encarrega da cobrança dos créditos de certa comunidade.

executoriedade (z) [De *executóri(o)* + *-edade*.] *S. f.* Qualidade de executório.

executório (z) [Do lat. *exsecutus* (v. *executar*) + *-ório*.] *Adj.* Que se pode ou há de executar. ~ V. *força —a.*

êxedra (z) [Do gr. *exédra*, pelo lat. *exedra*.] *S. f.* Pórtico circular com assentos, onde os antigos filósofos se reuniam para discutir: "ao sair do ginásio, ... Platão parou no intercolúnio da êxedra batida das sombras deliciosas das romãzeiras floridas." (Alberto Rangel, *Livro de Figuras*, p. 7).

exegese (z...gé) [Do gr. *exégesis*.] *S. f.* **1.** Comentário ou dissertação para esclarecimento ou minuciosa interpretação de um texto ou de uma palavra. [Aplica-se de modo especial em relação à Bíblia, à gramática, às leis.] **2.** *P. ext.* Explicação ou interpretação de obra literária ou artística, de um sonho, etc.: "Não juntou à sua música uma só palavra de explicação ou exegese, não se interrompeu sequer na transição dos movimentos ou dos cantos do poema" (Fidelino de Figueiredo, *Um Colecionador de Angústias*, p. 294); "Nem todos os sonhos .... são contraditórios. Os intérpretes são latitudinários e liberais na sua exegese, que não é menos complicada que a dos sábios" (João Ribeiro, *O Folclore*, p. 144).

exegeta (z...gé) [Do gr. *exegetés*.] *S. 2 g.* Pessoa que faz exegese(s): "Os seus biógrafos e exegetas [de Machado de Assis] são acordes em incluí-lo na classificação dos indivíduos de tipo sensual" (Astrogildo Pereira, *Machado de Assis*, p. 13).

exegética (z) [F. subst. de *exegético*.] *S. f.* Parte da teologia que se ocupa da exegese bíblica.

exegético (z) [Do gr. *exegetikós*.] *Adj.* Relativo a exegese. ~ V. *edição —a.*

exempção (z) [Do lat. *exemptione*.] *S. f.* V. *isenção* (1 a 4).

exemplar[1] (z) [Do adj. lat. *exemplare*.] *Adj. 2 g.* **1.** Que serve ou pode servir de exemplo, de modelo: *comportamento exemplar*; "Em Luís Feijó, identifica-se uma figura exemplar de médico e de professor de medicina" (Clementino Fraga Filho, *Ideias e Ideais*, p. 122). ● *S. m.* **2.** Modelo, exemplo: *o catálogo apresenta os diferentes exemplares tipográficos.* **3.** Peça (3): *exemplar marajoara raro; Esta moeda é um exemplar único.* **4.** Cada indivíduo de certa espécie ou variedade: *Este peixe é um exemplar dos lagos africanos.* **5.** *Bibliol. Bibliot.* Cada um dos impressos (folha volante, prospecto, estampa, folheto, fascículo, livro, etc.) pertencentes à mesma tiragem. **6.** *E. Ling.* Testemunho que serve de modelo para uma transcrição.

exemplar[2] (z) [De *exemplo*[1] + *-ar*[2].] *V. t. d.* **1.** *Bras.* Castigar exemplarmente, sobretudo espancando. **2.** *Ant.* Dar exemplo de. **3.** *Ant.* Mostrar com ostentação.

exemplaridade (z) [De *exemplar*[1] + *-(i)dade*.] *S. f.* Qualidade ou caráter de exemplar[1] (1).

exemplário (z) [Do lat. *exemplariu*.] *S. m.* Livro ou coleção de exemplos.

exemplificação (z) [De *exemplificar* + *-ção*.] *S. f.* **1.** Ato de exemplificar. **2.** Porção de exemplos [v. *exemplo*[1] (3)]: *Expõe o fato gramatical e ministra larga exemplificação.*

exemplificador (z... ô) [De *exemplificar* + *-dor*.] *Adj.* Que exemplifica; exemplificante, exemplificativo.

exemplificante (z) [De *exemplificar* + *-nte*.] *Adj. 2 g.* V. *exemplificador*.

exemplificar (z) [De *exemplo* + *-ificar*.] *V. t. d.* **1.** Mostrar com exemplos (v. *exemplo*[1]); explicar, elucidar: *O professor exemplificou a lição.* **2.** Aplicar como exemplo; citar ou mencionar como exemplo. [Conjug.: v. *trancar*.]

exemplificativo (z) [De *exemplificar* + *-tivo*.] *Adj.* Que exemplifica.

➔exempli gratia [ɛks'emplɛ 'gratɛa] [Lat.] Por exemplo. [Abrev.: *e. g.*]

exemplo[1] (z) [Do lat. *exemplu*.] *S. m.* **1.** Tudo quando pode ou deve ser imitado; modelo: *os bons exemplos dos antepassados.* **2.** Fato de que se pode tirar proveito ou ensino; lição: *Que isto lhe sirva de exemplo.* **3.** Frase ou passagem de um autor, que se menciona para estabelecer uma opinião, confirmar uma regra, ou demonstrar uma verdade. **4.** Exemplar[1] (2): *Ela é um exemplo de bondade.* **5.** Repreensão, castigo. **6.** V. *provérbio* (1). **7.** Caso individual que faz parte de um grupo ou categoria e os representa ou ilustra; fato, objeto, etc. que mostra, de modo concreto ou preciso, uma ideia geral, ou que confirma uma regra, etc. ◆ **A exemplo de.** Segundo o exemplo dado por. **Fazer exemplo em.** Castigar (alguém) para exemplo a outros. **Por exemplo.** Expressão que antecede a menção de um ou mais casos individuais e ilustrativos de uma ideia ou conceito geral. [Abrev.: *p. ex.*] **Sem exemplo.** Nunca visto antes; sem igual; único.

exemplo[2] (z) *S. m. Zool.* Espécie de crustáceo (*Inachus scorpio*).

exentálpico (z) [De *ex(o)-* + *entálpico*.] *Adj. Fís.-Quím.* Diz-se de processo ou de reação química que ocorre em um sistema (19), e em que há liberação de entalpia para o meio externo. [Cf. *endentálpico*.]

exenteração (z) [Do lat. *exenterare*, 'tirar os intestinos', + *-ção*.] *S. f. Cir.* Excisão radical do conteúdo de uma cavidade, como, p. ex., a pelve ou a órbita.

exentrópico (z) [De *ex(o)-* + *entrópico*.] *Adj. Fís.-Quím.* Diz-se de processo ou de reação química que ocorre em um sistema (19), e em que há liberação de entropia para o meio externo. [Cf. *endentrópico*.]

➔exequatur [ɛks'ekwatoɾ] [Lat., 'execute-se'.] *S. m.* **1.** *Dir. Intern.* Autorização concedida a um cônsul estrangeiro para este exercer suas funções no país. **2.** *Dir. Intern.* Fórmula que manda executar uma sentença de justiça estrangeira ou certa diligência em carta rogatória. 3. *Jur.* Fórmula pela qual se autoriza a execução duma sentença pronunciada por árbitros.

exequendo (z...qüen) [Do lat. *exsequendu*, gerundivo de *exsequi*, 'seguir até o fim'.] *Adj. Jur.* Diz-se do documento ou sentença que está em execução. ❖

exequente (z...qüen) [Do lat. *exsequente*.] *Adj. 2 g. S. 2 g. Jur.* Que, ou quem intenta ou promove execução judicial. ❖

exequial (z) [Do lat. *exsequiale*.] *Adj. 2 g.* Relativo a exéquias, ou que, por fúnebre, as lembra.

exéquias (z) [Adapt. do lat. *exsequiae, arum*.] *S. f. pl.* Cerimônias ou honras fúnebres. [Cf. *Ezequias*, antr.]

exequibilidade (z...qüi) [De *exequível* + *-(i)dade*, seg. o padrão erudito.] *S. f.* Qualidade de exequível. ❖

exequível (z...qüí) [Do lat. **exsequibile*, moldado em *exsequi*, 'seguir até o fim'.] *Adj. 2 g.* Que se pode executar (1); executável, factível; possível: "não me seria exequível arranjar aquela soma sem recorrer a expedientes vergonhosos" (M. Teixeira-Gomes, *Gente Singular*, p. 89). ❖

exercer (z) [Do lat. *exercere*.] *V. t. d.* 1. Preencher os deveres, as funções ou obrigações inerentes a (um cargo). 2. Desempenhar, cumprir: *exercer uma função.* 3. Pôr em ação; praticar: *exercer influência.* 4. Adestrar, exercitar. 5. Levar a efeito; fazer sentir: *As águas exerceram forte pressão sobre o dique.* [Conjug.: v. *aquecer*.]

exercício (z) [Do lat. *exercitiu*.] *S. m.* 1. Ato de exercer; prática, uso, exercitação: *o pleno exercício dos direitos.* 2. Desempenho de função ou profissão; atividade: *o exercício da medicina.* 3. Atividade física: *O exercício dá agilidade ao corpo.* 4. Atividade planejada, praticada regularmente, com o fim de desenvolver ou melhorar o desempenho físico, mental, etc.: *exercício de ginástica; exercício ocular.* 5. Trabalho escolar cujo fim é adestrar ou treinar o aluno em determinada matéria. 6. Período a que se refere um orçamento público, e que no Brasil coincide com o ano civil; período entre dois balanços de uma empresa. 7. *Fin. Públ.* Período de vigência dos orçamentos públicos, em geral coincidente com o ano civil. 8. *Mil.* Manobra; evolução; treinamento.

exercitação (z) [Do lat. *exercitatione*.] *S. f.* Ato de exercitar; prática, uso, exercício.

exercitador (z... ô) [Do lat. *exercitatore*.] *Adj. S. m.* Que, ou aquele que exercita.

exercitante (z) [De *exercitar* + *-nte*.] *Adj. 2 g.* 1. Que se exercita. ● *S. 2 g.* 2. *Restr.* Pessoa que faz exercícios espirituais.

exercitar (z) [Do lat. *exercitare*.] *V. t. d.* 1. Praticar, professar, exercer: *exercitar a profissão de médico.* 2. Pôr em ação; fazer valer: *Todo cidadão deve exercitar os seus direitos.* 3. Adestrar, habilitar: *exercitar os músculos.* 4. Fazer, praticar. 5. Dedicar-se a; cultivar. *T. d. e i.* 6. Adestrar, habilitar: *O amigo exercitou-o no manejo do florete. P.* 7. Adestrar-se mediante estudo ou exercício. [Pres. ind.: *exercito*, etc. Cf. *exército*.]

exército (z) [Do lat. *exercitu*.] *S. m.* 1. As tropas de uma nação. 2. As tropas que entram num combate. 3. *Fig.* Grande porção de pessoas; multidão: *Rico, tem um exército de criados a servi-lo.* 4. *Bras.* A força armada que, como instituição nacional, permanente e regular, organizada com base na hierarquia e na disciplina, e sob a autoridade do presidente da República, tem a seu cargo a defesa da pátria e a garantia dos poderes constituídos, da lei e da ordem. [Cf. *exercito*, do v. *exercitar*.] ◆ **Exército ativo.** *Mil.* V. *exército regular.* **Exército de ocupação.** *Mil.* Exército cuja missão é conservar e defender o território de país conquistado ou invadido no decorrer de uma guerra. **Exército permanente.** *Mil.* V. *exército regular.* **Exército regular.** *Mil.* 1. Exército permanente mantido tanto na paz como na guerra, e que representa uma das forças armadas nacionais. 2. O exército nacional, nas condições de dotação, em pessoa e material, em que se encontra. [Sin. ger.: *exército permanente, exército ativo*.]

exercitor (z...ô) [Do lat. *exercitore*.] *S. m.* Aquele que administra por tempo determinado um navio ou a carga de um navio.

exerdação (z) [Do lat. *exheredatione*.] *S. f.* Ação ou efeito de exerdar; deserdação.

exerdar (z) [Do lat. *exheredare*.] *V. t. d. P.* V. *deserdar*.

exérese (z) [Do gr. *exaíresis*.] *S. f. Cir.* Extirpação cirúrgica de órgão, ou parte dele, de tumor, etc.

exergo (zér) [Do lat. cient. *exergum* < gr. *ex-* (v. *ex-*[2]) + gr. *érgon*, 'ação'; 'trabalho'.] *S. m.* 1. Espaço, em moeda ou medalha, onde se grava a data e/ou qualquer legenda. 2. Essa data e/ou legenda: "O mesmo sucede com as moedas, onde a par dum exergo sibilino ou quase monossilábico, o buril descreveu uma cabeça vigorosa de Astarte ou de sufeta" (Aquilino Ribeiro, *Os Avós de Nossos Avós*, p. 57).

exergônico *Adj. Fís.-Quím.* V. *exergônico*. [Uso freq. em P.]

exergônico (z) [De *ex(o)-* + gr. *érgon* + *-ico*[2].] *Adj. Fís.-Quím.* Diz-se de processo ou de reação química que ocorre em um sistema (19), e em que há liberação de energia (esp. energia livre) para o meio externo; exoérgico. [Cf. *endergônico*.]

ex-estatal (z) [De *ex-*[1] + *estatal*.] *S. f.* Empresa, outrora pública, que foi privatizada: "a Receita Federal concentrou a atenção nas grandes empresas. Entre elas, as ex-estatais." (*Gazeta Mercantil*, 11.04.2000). [Pl.: *ex-estatais*.]

➔**exeunt** ['eksjunt] [Lat., 3.ª pess. pl. pres. ind. do lat. *exire*, 'sair'.] V. *exit*.

exfetação [De *ex-*[1] + *fetação*.] *S. f. Patol.* Gravidez extrauterina.

exfoliação [Do lat. *exfoliatione*.] *S. f. Med.* Desprendimento da pele sob a forma de escamas [v. *escama* (2)]. [Cf. *esfoliação*.]

exfoliado [Do lat. *exfoliatu*, part. pass. do v. lat. *exfoliare*.] *Adj. Med.* Em que se deu exfoliação.

exfoliativo [Do lat. *exfoliatus* + *-ivo*.] *Adj. Med.* Em que há exfoliação. [Cf. *esfoliativo*.] ~ V. *citologia —a* e *dermatite —a*.

ex-histórico [De *ex-*[1] + *histórico*.] *Adj.* 1. Pré-histórico. 2. Estranho à história, que está fora da história; lendário; tradicional. [Pl.: *ex-históricos*.]

exibição (z) [Do lat. *exhibitione*.] *S. f.* Ato de exibir(-se).

exibicionismo (z) [De *exibição* + *-ismo*, seg. o padrão erudito.] *S. m.* 1. Tendência ou gosto de ostentação ou exibição. 2. *Psiq.* Parafilia que consiste no impulso mórbido de exibir os órgãos sexuais.

exibicionista (z) [De *exibição* + *-ista*, seg. o padrão erudito.] *Adj. 2 g.* 1. Que é amante do exibicionismo (1). [Sin., fam.: *exibido*.] ● *S. 2 g.* 2. Amante do exibicionismo (1). [Sin., fam.: *exibido*.] 3. *Psiq.* Pessoa dada à prática do exibicionismo (2).

exibido (z) [Part. de *exibir*.] *Adj.* 1. De que se faz ou fez exibição. 2. *Fam.* Exibicionista (1). ● *S. m.* 3. *Fam.* Exibicionista (2): *Não sabe ser discreto: é um exibido.*

exibidor (z... ô) [Do lat. *exhibitore*.] *Adj.* 1. Que exibe algo ou alguém. ● *S. m.* 2. Aquele que exibe algo ou alguém. 3. *Bras. Restr.* Proprietário de cinema.

exibir (z) [Do lat. *exhibere*.] *V. t. d.* 1. Mostrar, apresentar, expor: *Gosta de exibir seus títulos.* 2. Expor, patentear: *Não se devem temer os livros que exibem as nossas mazelas.* 3. Alardear, ostentar: *exibir conhecimento. T. d. e i.* 4. Exibir (1): *Exibiu-me as fotos da festa;* "Conduzo tua lisa mão / Por uma escada espiral / E no alto da torre exibo-te o varal / Onde balança ao léu minh'alma" (Chico Buarque de Holanda, na canção *Sonhos Sonhos São*). *P.* 5. Mostrar-se, apresentar-se. 6. Mostrar-se com ostentação; alardear-se, ostentar-se.

exibitório (z) [Do lat. *exhibitoriu*.] *Adj.* 1. Relativo a exibição. 2. *Jur.* Que apresenta ou representa em juízo.

exibível (z) [De *exibir* + *-vel*.] *Adj. 2 g.* Que pode ser exibido.

exicial (z) [De *exício* + *-al*[1].] *Adj. 2 g.* 1. Relativo a exício. 2. Que produz ruína e/ou morte. 3. Funesto; pernicioso.

exício (z) [Do lat. *exitiu*.] *S. m.* 1. Perdição, ruína. 2. A morte humana; a morte: "Em vós os olhos tem o mouro frio, / Em quem vê seu exício afigurado" (Luís de Camões, *Os Lusíadas*, I, 16).

exido (ch) *S. m. Prov. port.* 1. Terreno baldio. 2. Quintal, horta.

exigência (z) [Do lat. *exigentia*.] *S. f.* 1. Ato de exigir. 2. Pedido impertinente. 3. Pedido urgente; instância.

exigente (z) [Do lat. *exigente*.] *Adj. 2 g.* 1. Que exige. 2. Que faz exigências; que pede com instância ou impertinência; difícil de contentar, de satisfazer; impertinente.

exigibilidade (z) [De *exigível* + *-(i)dade*, seg. o padrão erudito.] *S. f.* 1. Qualidade de exigível. 2. *Com.* O conjunto de valores do passivo, representados por obrigações exigíveis em certos prazos, ou conforme determina a sua natureza.

exigir (z) [Do lat. *exigere*.] *V. t. d.* 1. Reclamar em função de direito legítimo ou suposto: *exigir prestação de contas;* "Exige todos os cuidados, que lhe tragam água, sabão, café, a qualquer hora do dia." (Nélida Piñon, *A Força do Destino*, p. 21). 2. Ordenar, intimar: *Exigiu que o difamador se retratasse.* 3. Reclamar, demandar, requerer: *A arte exige sensibilidade.* 4. Prescrever, determinar: *Isto é o que exige a ética. T. d. e i.* 5. Pedir com modo autoritário, como coisa devida; reclamar: "Teria a satisfação de ir direito a ele e exigir-lhe a posse inteira de um coração que ambicionava" (Machado de Assis, *Contos Recolhidos*, p. 22); "Impor silêncio ao coração é exigir dele um sacrifício hediondo." (Artur Azevedo, *Contos Possíveis*, p. 6). 6. Impor a obrigação, dever, a: *Exigiram-lhe silêncio. Int.* 7. Reclamar alguma coisa em função de direito legítimo ou suposto: "entre a turba Hipérides assoma, / Defende-lhe a inocência, exclama, exora, pede, / Suplica, ordena, exige..." (Olavo Bilac, *Poesias*, p. 78). [Conjug.: v. *dirigir*.]

exigível (z) [De *exigir* + *-vel*.] *Adj. 2 g.* 1. Que pode ou deve ser exigido. 2. *Jur.* Diz-se da obrigação que, vencida e não prescrita, pode ser reclamada imediatamente em juízo. ~ V. *passivo —*.

exiguidade (z...güi) [Do lat. *exiguitate*.] *S. f.* Qualidade de exíguo. ❖

exíguo (z) [Do lat. *exiguu*.] *Adj.* 1. De pequenas proporções; diminuto: *quarto exíguo.* 2. Escasso, minguado: "O soldo era exíguo, mas certo" (Alberto Rangel, *Sombras n'Água*, p. 101); *homem de inteligência exígua.*

▲**-exil(a)-** (cs) V. *hexil-*.

exilado (z) [Part. de *exilar*.] *Adj. S. m.* Expatriado, desterrado, banido, degredado.

exilar (z) [De *exíl(io)* + *ar*[2].] *V. t. d.* 1. Mandar para o exílio; expulsar da pátria; expatriar, desterrar, banir: *O governo exilou diversos adversários.* 2. Expulsar de casa. *T. d. e i.* 3. Afastar, apartar, arredar: *O desgosto exilou-o da sociedade. P.* 4. Condenar-se a exílio voluntário; expatriar-se. 5. Afastar-se do convívio social.

exílio (z) [Do lat. *exiliu*.] *S. m.* 1. Expatriação, forçada ou voluntária; degredo, desterro. 2. O lugar onde reside o exilado. 3. *Fig.* Lugar afastado, solitário, ou desagradável de habitar.

eximiamente (z) [Do f. de *exímio* + *-mente*.] *Adv.* De modo exímio; excelentemente.

exímio (z) [Do lat. *eximiu*.] *Adj.* Distinto, eminente, excelente, insigne: "Estes povos nórdicos sempre foram exímios comedores, robustos bebedores, mestres cantores." (Augusto Meyer, *A Chave e a Máscara*, p. 215.) [Fem.: *exímia*. Cf. *eximia*, do v. *eximir*.]

eximir (z) [Do lat. *eximere*.] *V. t. d.* 1. Isentar, dispensar, desobrigar: *Aquela lei exime os estrangeiros. T. d. e i.* 2. Isentar, dispensar, desobrigar: *O juiz eximiu-os de culpa.* 3. Livrar, libertar; preservar: "A política d'El-Rei tem razões demasiadas de apertar a vigilância nos territórios do Estado a fim de eximi-los das solapas de intrujões e avassaladores." (Alberto Rangel, *Quando o Brasil Amanhecia*, p. 134.) *P.* 4. Escusar-se, esquivar-se. 5. Escapar, livrar-se: *Eximiu-se da responsabilidade;* "ninguém é tão abastado, que possa eximir-se de trabalhar contínuo" (Antônio Feliciano de Castilho, *O Presbitério da Montanha*, I, p. 49). [Pret. imperf. ind.: *eximia*, etc. Cf. *exímia*, fem. de *exímio*.]

exina (z) [Do ingl. *exine*, poss. do al. *Exine*.] *S. f. Bot.* Tegumento externo do grão de pólen, constituído de esporopolenina. [Opõe-se a *intina*.]

exinanição (z) [Do lat. *exinanitione*.] *S. f.* Esgotamento, prostração, exaustão; inanição.

exinanir (z) [Do lat. *exinanire*.] *V. t. d.* 1. Enfraquecer por falta de alimento ou por dejeções excessivas; deixar inane. 2. Reduzir a nada; aniquilar. 3. Tornar vazio; evacuar, despejar. *P.* 4. Debilitar-se por falta de alimentos ou por sucessivas evacuações. 5. Abater-se muito. [Defect., só conjugável nas f. em que ao *n* da raiz se seguir a vogal *i*.]

existência (z) [Do b.-lat. *existentia*.] *S. f.* 1. O fato de existir, de viver; vivência. 2. Vida (1, 2, 4 e 5): *Tem existência longa.* 3. Realidade: *A existência do crime é inegável.* 4. Ente, ser. 5. *Filos.* Modo de ser dos objetos lógicos que se definem pela não contradição. 6. *Filos.* Modo de ser atual, concreto. 7. *Filos.* Modo de ser próprio do homem. [Cf., nas acepç. 5 a 7, *filosofias existenciais*.]

existencial (z) [De *existência* + *-al*[1].] *Adj. 2 g.* Da existência, ou referente a ela. ~ V. *filosofias existenciais* e *quantificador —*.

existencialismo (z) [Do fr. *existentialisme*.] *S. m. Filos.* V. *filosofias existenciais*.

existencialista (z) [Do fr. *existentialiste*.] *Filos. Adj. 2 g.* 1. Relativo a, ou que é partidário de filosofia existencial. ● *S. 2 g.* 2. Partidário de filosofia existencial. 3. *Restr.* Partidário da filosofia existencial de Jean-Paul Sartre (v. *sartriano*).

existente (z) [Do lat. *existente*.] *Adj. 2 g.* 1. Que existe, que há. 2. Que é vivente: *seres existentes.* ● *S. 2 g.* 3. Pessoa que existe; vivente.

existir (z) [Do lat. *existere, exsistere*.] *V. int.* 1. Ter existência real; ser; haver: *Para tal palavra não existe definição; Entre os dois existem fortes laços de amizade.* 2. Viver; estar: *O artista continua a existir em sua obra.* 3. Subsistir, durar: *A república do Brasil existe desde 1889. Pred.* 4. Permanecer (1): *A tragédia grega ainda existe como uma das grandes criações humanas.* ◆ **Não existir.** *Bras.* Possuir qualidades morais incomuns; ser excelente, boníssimo; não ser deste mundo.

➔**exit** ['eksɪt] [Lat., 3.ª pess. do sing. do pres. ind. do lat. *exire*, 'sair'.] Indicação cênica para a saída de um ator. [O pl. é *exeunt*.]

exitância (z) *S. f. Fotom.* Densidade do fluxo luminoso emitido por uma superfície (luminosa ou iluminada); radiância.

êxito (z) [Do lat. *exitu.*] *S. m.* **1.** Resultado, consequência, efeito: *Seus esforços não tiveram bom êxito;* "Todas as intervenções ginecológicas tiveram feliz êxito" (Afonso Arinos, *Histórias e Paisagens*, p. 176). **2.** Resultado feliz; bom sucesso; bom êxito: *Alcança êxito em todos os negócios.*

exitoso (z...ô) [De *êxito* + *-oso.*] *Adj.* Que tem ou obteve bom êxito.

➔**ex jure** [eks ˈjurɛ] [Lat.] *Jur.* Segundo o direito.

➔**ex lege** [eks ˈlegɛ] [Lat.] *Jur.* Segundo a lei.

ex-líbris *S. m. 2 n.* **1.** Fórmula que se inscreve nos livros, acompanhada do nome, das iniciais ou de outro sinal pessoal, para marcar possessão. **2.** *Restr.* Pequena estampa, ger. alegórica, que contém ou não divisa, e vem sempre acompanhada do próprio termo *ex libris* e do nome do possuidor, a qual se cola na contracapa ou em folha preliminar do livro. [Do lat. *ex libris*, 'dos livros de'.] [A lexicalização da loc. lat. constitui aportuguesamento; daí o hífen e acento.]

ex-librismo (écs) [De *ex-líbris* + *-ismo.*] *S. m.* Atividade relativa ao estudo, emprego e colecionamento de ex-líbris. [Pl.: *ex-librismos.*]

ex-librista (écs) [De *ex-librismo* + *-ista.*] *S. 2 g.* Pessoa que se dedica ao ex-librismo. [Pl.: *ex-libristas.*]

■ **Ex.mo** Abrev. de *excelentíssimo.*

➔**ex nunc** [eks nuŋk] [Lat.] *Jur.* De agora em diante; sem efeito retroativo.

exo (z) *Adj. Quím.* **1.** Diz-se de substituinte voltado para o lado oposto à face convexa de certas moléculas rígidas, ger. bicíclicas, e com ponte. **2.** *P. ext.* Diz-se de molécula que contém tal substituinte, e da estrutura dessa molécula. [Cf. *endo.*]

▲**ex(o)-** [Do gr. *éxō-* < gr. *exō-*, adv. e prep.] *Pref.* = 'para fora': *exógamo.*

▲**exo-** (z) *Quím. Pref.* Indica substituinte ou molécula exo. [Cf. *endo-.*]

exobase (z) [De *ex(o)-* + *base.*] *S. f. Astr.* Nível da atmosfera no qual a probabilidade de que as partículas escapem à atração da Terra se torna relativamente importante.

exobasídio (z) [De *ex(o)-* + *-basídio.*] *S. m. Micol.* Basídio claramente diferenciado do fulcro e sem esterigma. Acha-se em alguns líquens.

exobiologia (z) [De *ex(o)-* + *biologia.*] *S. f.* Ciência que estuda a possibilidade de vida extraterrestre; astrobiologia. [Tal estudo é realizado, p. ex., em amostras provenientes de outros planetas e em meteoritos.]

exobiológico (z) [De *exobiologia* + *-ico*[2].] *Adj.* Relativo à exobiologia.

exobiólogo (z) [De *ex(o)-* + *biólogo.*] *S. m.* Especialista em exobiologia.

exocanibal (z) [De *ex(o)-* + *canibal.*] *Adj. 2 g.* **1.** Relativo ao, ou próprio do exocanibalismo. **2.** Diz-se de grupo ou de indivíduo que pratica o exocanibalismo. • *S. 2 g.* **3.** Indivíduo exocanibal.

exocanibalismo (z) [De *ex(o)-* + *canibalismo.*] *S. m. Antrop.* Antropofagia praticada em relação a membros de outros grupos, ger. associada a práticas guerreiras. [Cf. *endocanibalismo.*]

exocardite (z) [De *ex(o)-* + *cardite.*] *S. f. Patol.* Inflamação da membrana exterior do coração.

exocetídeo (z) [Do tax. *Exocoetus* (< lat. *exocoetus*, 'certo peixe do mar') + *-ídeo*[1]; tax. *Exocoetidae.*] *Zool. S. m.* **1.** Espécime dos exocetídeos, família de peixes beloniformes, marinhos, que têm a mandíbula e a maxila relativamente curtas, as nadadeiras dorsal e anal, únicas, situadas próximo à cauda bifurcada, e as peitorais expandidas. Ex.: peixe-voador. • *Adj.* **2.** Pertencente ou relativo a eles.

exociclo (z) [De *ex(o)-* + *-ciclo*; tax. *Exocycla.*] *S. m. Adj.* V. *irregular*[2].

exociclóideo (z) [De *ex(o)-* + *-cicl(o)-* + *-óideo*; tax. *Exocycloida.*] *S. m. Adj. Zool.* V. *irregular*[2].

exocistia (z) [De *ex(o)-* + *-cist(o)-* + *-ia*[1].] *S. f. Urol.* Eversão da bexiga urinária.

exocitose (z) [De *ex(o)-* + *-cit(o)-* + *-ose*[1].] *S. f. Citol.* Processo de excreção celular no qual as substâncias contidas em vesículas são eliminadas após a fusão da membrana vesicular com a membrana celular.

exocraniano (z) [De *ex(o)-* + *craniano.*] *Adj. Anat.* Situado fora do crânio.

exocrínico (z) [De *ex(o)-* + *-crin(o)-* + *-ico*[2].] *Adj.* Exócrino.

exócrino (z) [De *ex(o)-* + *-crino.*] *Adj.* Referente às glândulas de secreção externa; exocrínico. ~ V. *glândula —a.*

exocruzamento (z) [De *ex(o)-* + *cruzamento.*] *S. m. Genét.* Cruzamento entre indivíduos geneticamente diferentes.

exoderma (z) [De *ex(o)-* + *-derma.*] *S. m. Bot.* Camada suberizada que substitui a epiderme, na região pilífera das raízes primárias, e que é formada pelas próprias células do parênquima cortical externo, que para isto se impregnam de suberina. Pode também representar uma modificação de uma tela subcutânea preexistente. [Sin.: *ectoderma, endoderma externo.*]

exodiário (z) [Do lat. *exodiariu.*] *S. m. Teatr.* Entre os antigos romanos, ator cômico que representava um êxodo (4).

exo-diciclopentadieno (z) [De *exo-* + *-di-* + *ciclopentadieno.*] *S. m. Quím.* Isômero do endo-diciclopentadieno, e que se forma em pequena quantidade por dimerização do ciclopentadieno [fórm.: $C_{10}H_{12}$]. [Pl.: *exo-diciclopentadienos.*]

êxodo (z) [Do lat. *exodu.*] *S. m.* **1.** Emigração, saída: "A esses males vêm juntar-se as calamidades naturais: inundações, estiagens e secas que, periodicamente, engendram o grande desemprego e provocam o êxodo da população." (Lourival Fontes, *Discurso aos Surdos*, p. 54.) **2.** *Rel.* O segundo livro do Pentateuco (q. v.), onde se narra a saída dos hebreus do Egito. [Com cap. nesta acepç.] **3.** *Teatr.* Na Grécia antiga, o último episódio da tragédia, após o canto de despedida do coro, bem como, na comédia, a saída festiva do coro. **4.** *Teatr.* No antigo teatro romano, a parte final de uma comédia, e também episódio cômico subsequente à representação de uma tragédia. [Cf. *hexodo.*]

exodontia (z) [De *ex(o)-* + *-(o)dont(o)-* + *-ia*[1].] *S. f. Odont.* **1.** Ramo da odontologia que se ocupa de extração dentária. **2.** Extração de dente(s).

exoérgico (z) [De *ex(o)-* + *-erg(o)-*[1] + *-ico*[2].] *Adj. Fís.-Quím.* Exergônico. [Cf. *endoérgico.*]

exoesqueleto (z... lê) [De *ex(o)-* + *esqueleto.*] *S. m. Zool.* V. *exosqueleto.*

➔**ex officio** [eks ɔfikjo] [Lat.] **1.** Por obrigação e regimento; por dever do cargo. **2.** Diz-se do ato oficial que se realiza sem provocação das partes.

exofítico (z) [De *ex(o)-* + *-fit(o)-* + *-ico*[2].] *Adj. Zool.* ~ V. *postura —a.*

exófora (z) [De *ex(o)-* + gr. *phorá*, por anal. com *anáfora* e *catáfora.*] *S. f. E. Ling.* Fenômeno ou processo linguístico que ocorre por intermédio de elementos que fazem referência a pessoa, lugar e tempo, tais como pronomes pessoais, advérbios de lugar e de tempo. [Formas como *eu, esse, ali, agora* são decodificadas à medida que se sabe quem é o falante, onde se situa espacialmente e quando proferiu o enunciado. Cf. *anáfora* (2), *catáfora* (2), *dêixis* e *endófora.*]

exoforia (z) [De *ex(o)-* + *-for(o)-* + *-ia*[1].] *S. f. Oftalm.* Forma de estrabismo em que há desvio do eixo visual de um olho, para fora, em relação ao eixo visual do outro, excluídos os estímulos visuais de fusão.

exofórico (z) [De *exófora* + *-ico*[2].] *Adj. E. Ling.* Diz-se de unidade linguística que se refere diretamente ao mundo extralinguístico.

exoftalmia (z) [Do gr. *exóphtalmos*, 'de olhos salientes', + *-ia*[1].] *S. f. Med.* Saliência exagerada do globo ocular. [Sin.: *exoftalmo* e (bras., pop.) *olho de boi, olho de sapo.* Antôn.: *enoftalmia.*]

exoftálmico (z) [De *exoftalmia* + *-ico*[2].] *Adj. Med.* Relativo a, ou próprio da exoftalmia.

exoftalmo (z) [Do gr. *exóphthalmos*, 'de olhos salientes'.] *S. m. Med.* V. *exoftalmia.*

exogamia (z) [De *ex(o)-* + *-gam(o)-* + *-ia*[1].] *S. f.* **1.** *Antrop.* Casamento entre indivíduos pertencentes a grupos distintos, sejam estes definidos com base em parentesco, residência, território, classe, casta, etnia, língua, ou em qualquer outro critério. **2.** *Antrop.* O costume, ou a prática, socialmente regulamentada, desse tipo de casamento. **3.** *Biol.* Sistema de reprodução de uma população (5) no qual a frequência de cruzamentos consanguíneos é menor do que a resultante do encontro ao acaso de gametas. [Cf.: *endogamia.*]

exogâmico (z) [De *exogamia* + *-ico*[2].] *Adj.* Relativo à, próprio da, ou que se caracteriza pela exogamia; exógamo.

exógamo (z) [De *ex(o)-* + *-gamo.*] *Antrop. Adj.* **1.** Exogâmico. • *S. m.* **2.** *Antrop.* Indivíduo exógamo.

exogeneidade (z) [De *exogên(eo)* + *-eidade.*] *S. f.* Qualidade do que é exógeno.

exogéneo (z) *Adj.* V. *exogêneo.* [Uso freq. em P.]

exogêneo (z) [De *ex(o)-* + *-gen(o)-* + *-eo.*] *Adj.* V. *exógeno.*

exógeno (z) [De *ex(o)-* + *-geno.*] *Adj.* **1.** Que cresce exteriormente ou para fora. **2.** Que está à superfície. **3.** *Bot.* Produzido ou desenvolvido na periferia de outro órgão vegetal: *esporos exógenos.* **4.** *Mat. Econ.* Cujo valor é determinado fora do sistema de equações ou do modelo considerado: *variável exógena.* [Sin. ger., menos pref.: *exogêneo.* Antôn.: *endógeno.* Cf. *exógino.*]

exógino (z) [De *ex(o)-* + *-gino.*] *Adj. Bot.* Que tem o estilete fora da flor. [Cf. *exógeno* (3).]

exoglóssico (z) [De *ex(o)-* + *-gloss(o)-* + *-ico*[2].] *Adj. E. Ling.* Diz-se da língua falada numa comunidade, embora não seja a língua nativa (q. v.) de parte da população. [O inglês é exoglóssico em Singapura (Sudeste Asiático).]

exometria (z) [De *ex(o)-* + *-metria.*] *S. f. Gin.* Deslocamento do útero, para fora.

exométrico (z) [De *exometria* + *-ico*[2].] *Adj.* Relativo a exometria.

exometrite (z) [De *ex(o)-* + *-metr(o)-*[1] + *-ite*[1].] *S. f. Gin.* Inflamação da superfície externa do útero.

exomologese (z) [Do gr. *exomológesis.*] *S. f.* Confissão pública; exercício público de penitência.

éxon (cs) [De *ex-*[2] + *-on.*] *S. m. Genét.* Região do ácido desoxirribonucleico de eucariotos que, após a transcrição (4), permanece no ácido ribonucleico.

exonerabilidade (z) [De *exonerável* + *-(i)dade*, seg. o padrão erudito.] *S. f.* Qualidade de exonerável.

exoneração (z) [Do lat. *exoneratione.*] *S. f.* **1.** Ato de exonerar(-se). **2.** Dispensa de emprego; demissão. **3.** Cumprimento de uma obrigação.

exonerar (z) [Do lat. *exonerare.*] *V. t. d.* **1.** Destituir de emprego; demitir: *O governador exonerou o secretário.* **2.** Tirar ônus a; desobrigar, dispensar, desonerar. *T. d. e i.* **3.** Desobrigar, isentar, dispensar, desonerar: *Exonerei-o da incumbência. P.* **4.** Desobrigar-se, isentar-se, demitir-se, desonerar-se.

exoneratório (z) [De *exonerar* + *-tório.*] *Adj.* Que envolve ou determina exoneração.

exonerável (z) [De *exonerar* + *-vel.*] *Adj. 2 g.* Que pode ser exonerado.

exonirose (z) [De *ex(o)-* + *-onir(o)-* + *-ose*[1].] *S. f. Med.* Polução noturna.

exopaleontologia (z) [De *ex(o)-* + *paleontologia.*] *S. f. Astr.* Pesquisa de fósseis em outros planetas.

exopaleontologista (z) [De *ex(o)-* + *paleontologista.*] *S. 2 g. Astr.* Especialista em exopaleontologia; exopaleontólogo.

exopaleontólogo (z) [De *ex(o)-* + *paleontólogo.*] *S. m. Astr.* Exopaleontologista.

exoplaneta (z) [De *ex(o)-* + *planeta.*] *S. m. Astr.* Planeta não pertencente ao sistema solar e que orbita uma estrela.

exopódito (z) [De *ex(o)-* + *-pódito.*] *S. m. Zool.* Ramo externo das patas ou apêndices dos crustáceos, formado basicamente por dois segmentos unidos e achatados.

exopterigoto (z... gô) [De *ex(o)-* + *pterigoto.*] *Zool. S. m. Adj.* V. *heterometabólico.*

exorar (z) [Do lat. *exorare.*] *V. t. d.* **1.** Pedir com instância; implorar ansiosamente; invocar: "Diante dessa estátua da Virgem lançou-se prostrado o monge, expondo as trevas de suas dúvidas e exorando um sinal que o esclarecesse." (João Ribeiro, *Crepúsculo dos Deuses*, p. 54.) *T. d. e i.* **2.** Suplicar ansiosamente; invocar: *Ofendi-a, e exoro-lhe perdão. Int.* **3.** Pedir algo com instância; implorar ansiosamente: "entre a turba Hipérides assoma, / Defende-lhe a inocência, exclama, exora, pede, / Suplica, ordena, exige..." (Olavo Bilac, *Poesias*, p. 78). [Pret. imperf. ind.: *exorava, ..., exoráveis, exoravam.* Cf. *exoráveis*, pl. de *exorável.*]

exorável (z) [Do lat. *exorabile.*] *Adj. 2 g.* Que cede às súplicas; que se apieda, se compadece; compassivo.

exorbitância (z) [De *exorbitar* + *-ância.*] *S. f.* **1.** Saída para fora da órbita. **2.** *Fig.* Excesso, demasia. **3.** *Fam.* Preço excessivo.

exorbitante (z) [Do b.-lat. *exorbitante.*] *Adj. 2 g.* **1.** Que exorbita ou sai da órbita. **2.** Que excede os limites razoáveis ou verdadeiros; excessivo.

exorbitar (z) [Do lat. *exorbitare.*] *V. t. d.* **1.** Tirar da órbita. *T. i.* **2.** Desviar-se (de norma, regra, razão): *Exorbitou de suas atribuições. Int.* **3.** Sair fora da órbita. **4.** Exceder os justos limites, o razoável.

exorcismar (z) [De *exorcismo* + *-ar*[2].] *V. t. d.* **1.** Valer-se de exorcismo para expulsar do corpo de (alguém) maus espíritos ou demônios. **2.** Afugentar por meio de conjuras ou exorcismos; conjurar, esconjurar. **3.** Bradar, exclamar (como quem esconjura). [Sin. ger.: *exorcizar.*]

exorcismo (z) [Do gr. *exorkismós*, pelo lat. *exorcismu.*] *S. m.* Oração e cerimônia religiosa com que se esconjura o Demônio, os espíritos maus, etc.: "e este [o Demônio] realmente mora naquela alma; que por isso o sacerdote lhe faz os exorcismos à porta da igreja, primeiro que a batize, mandando imperiosamente ao espírito maligno que despeje aquela casa." (P.e Manuel Bernardes, *Os Últimos Fins do Homem*, p. 391).

exorcista (z) [Do gr. *exorkistés*, pelo lat. *exorcista.*] *S. 2 g.* **1.** Pessoa que exorciza. • *S. m.* **2.** *Ecles.* Clérigo que recebeu a terceira ordem menor (v. *ordens menores*).

exorcistado (z) [De *exorcista* + *-ado*[2].] *S. m. Rel.* A terceira das quatro ordens menores da Igreja Católica, que tem por base o livro dos exorcismos.

exorcizar (z) [Do gr. *exorkízein*, pelo lat. *exorcizare.*] *V. t. d.* V. *exorcismar.*

exordial (z) [De *exórdio* + *-al*[1].] *Adj. 2 g.* Respeitante ao, ou próprio do exórdio (1). [Pl.: *exordiais.* Cf. *exordiais*, do v. *exordiar.*]

exordiar (z) [De *exórdio* + *-ar*[2].] *V. t. d.* **1.** Fazer o exórdio de; principiar. *Int.* **2.** Começar a falar. [Pres. ind.:

E

exordio, ... *exordiais*, *exordiam*. Cf. *exórdio* e *exordiais*, pl. de *exordial*.]

exórdio (z) [Do lat. *exordiu*.] *S. m.* **1.** *E. Ling.* O começo de um discurso; preâmbulo. [V. *prefácio* (1).] **2.** *Fig.* Princípio, prefácio, origem. [Cf. *exordio*, do v. *exordiar*.]

exormia (z) [De *ex-*[2] + gr. *hormé*, 'ataque impetuoso', + *-ia*[1].] *S. f. Derm. Desus.* Designação de qualquer afecção papular cutânea.

exórmico (z) [De *exormia* + *-ico*[2].] *Adj.* Relativo a exormia.

exornação (z) [Do lat. *exornatione*.] *S. f.* Ornato, ornamento, adorno.

exornar (z) [Do lat. *exornare*.] *V. t. d.* Ornamentar, ornar, adornar, enfeitar, engalanar: "O respeito das tradições da língua, o gosto da vernaculidade no dizer e no escrever, constituem um dos títulos que exornam os bons espíritos do nosso século XVIII." (Álvaro J. da Costa Pimpão, *Gente Grada*, p. 33.)

exornativo (z) [De *exornar* + *-tivo*.] *Adj.* Que serve para exornar.

exornável (z) [De *exornar* + *-vel*.] *Adj. 2 g.* Que pode ser exornado.

exorrinoplastia (z) [De *ex(o)-* + *-rin(o)-* + *-plast(o)-* + *-ia*[1].] *S. f. Cir. Plást.* Técnica de rinoplastia em que se expõem os elementos anatômicos internos do nariz.

exorrizo (z) [De *ex(o)-* + *-rizo*.] *Adj. Bot.* Diz-se da radícula não protegida por uma coleorriza.

exortação (z) [Do lat. *exhortatione*.] *S. f.* **1.** Ato de exortar, animar, estimular. **2.** Conselho, advertência, admoestação.

exortador (z... ô) [Do lat. *exhortatore*.] *S. m.* Aquele que exorta.

exortar (z) [Do lat. **exhortare*, por *exhortari*.] *V. t. d.* **1.** Animar, incitar, encorajar, estimular: *exortar os guerreiros*. *T. d. e i.* **2.** Aconselhar, induzir, persuadir: *Exortava-os ao trabalho*; "Todos os autores ingleses que têm tratado do Brasil .... começam por exortar os patrícios a estudarem o novo país." (Américo Jacobina Lacombe, *Um Passeio pela História do Brasil*, p. 7).

exortativo (z) [Do lat. *exhortativu*.] *Adj.* Que serve ou é próprio para exortar; exortatório: *Falou em tom exortativo*.

exortatória (z) [F. subst. de *exortatório*.] *S. f.* Discurso exortativo.

exortatório (z) [Do lat. *exhortatoriu*.] *Adj.* Exortativo.

exosfera (z) [De *ex(o)-* + *-sfera*.] *S. f. Geofís.* Camada atmosférica exterior à ionosfera.

exosmose (z) [De *ex(o)-* + *-osm(o)-*[2] + *-ose*[1].] *S. f. Fís.* Corrente de dentro para fora que se produz quando dois líquidos de densidades diferentes estão separados por uma membrana. [Antôn.: *endosmose*.]

exosmótico (z) [De *exosm(ose)* + *-ótico*.] *Adj.* Referente à exosmose. [Antôn.: *endosmótico*.]

exósporo (z) [De *ex(o)-* + *-sporo*.] *S. m. Bot.* Membrana espessa e resistente que envolve o esporo das pteridófitas e muitas vezes apresenta, em relevo, desenhos diversos. [Antôn.: *endósporo*.]

exosqueleto (z) [De *ex(o)-* + *esqueleto*.] *S. m. Zool.* **1.** Esqueleto externo, como a casca dos crustáceos, formado por uma estrutura dura que se desenvolve externamente em certos animais. **2.** Designação comum aos órgãos duros (dentes, unhas, cascos, etc.) que se desenvolvem sobre a epiderme dos vertebrados.

exóstoma (z) [De *ex(o)-* + *-stoma*.] *S. m. Bot.* Micrópila.

exostose (z) [Do gr. *exóstosis*.] *S. f.* **1.** *Med.* Proliferação óssea, de caráter benigno, na superfície de um osso. **2.** *Bot.* Excrescência no tronco de algumas árvores.

exotérico (z) [Do gr. *exoterikós*, pelo lat. *exotericu*.] *Adj. Filos.* Diz-se de ensinamento que, em escolas da Antiguidade grega, era transmitido ao público sem restrição, dado o interesse generalizado que suscitava e a forma acessível em que podia ser exposto, por se tratar de ensinamento dialético, provável, verossímil. [Cf. *esotérico*.]

exoterismo (z) [Do fr. *exotérisme*.] *S. m.* Qualidade do que é exotérico. [Cf. *esoterismo*.]

exotérmico (z) [De *ex(o)-* + *-term(o)-* + *-ico*[2].] *Adj. Fís.-Quím.* Diz-se de processo ou de reação química que ocorre em um sistema (19), e em que há liberação de calor para o meio externo. [Opõe-se a *endotérmico*.]

exoticidade (z) [De *exótico* + *-(i)dade*.] *S. f.* Qualidade ou caráter de exótico; exotismo.

exótico (z) [Do gr. *exotikós*, pelo lat. *exoticu*.] *Adj.* **1.** Que não é indígena; estrangeiro. [Cf. *autóctone* (1 e 2).] **2.** Esquisito, excêntrico, esdrúxulo, extravagante: *indivíduo exótico*. **3.** *Fig. Fam.* Malfeito; desajeitado.

exotismo (z) [Do fr. *exotisme*.] *S. m.* Qualidade ou caráter de exótico.

exotoxina (z... cs) [De *ex(o)-* + *toxina*.] *S. f. Microbiol.* Toxina, de origem bacteriana, encontrada externamente à bactéria, ou livre em meio de cultura.

expandido [Part. de *expandir*.] *Adj.* Que se expandiu, se estendeu. ~ V. *pídgin* —.

expandir [Do lat. *expandere*.] *V. t. d.* **1.** Tornar pando; inflar, dilatar: *O vento expandiu a vela*. **2.** Expor com franqueza; desabafar. **3.** Difundir, espalhar, espargir. **4.** Fazer crescer, desenvolver. **5.** *Mat.* Desenvolver (8). *Int.* **6.** Expandir (8). **7.** Crescer, desenvolver-se. *P.* **8.** Dilatar-se, desenvolver-se, ampliar-se. **9.** Abrir-se com alguém; desabafar. **10.** Mostrar-se expansivo, comunicativo.

expansão [Do lat. *expansione*.] *S. f.* **1.** Ato de expandir(-se). **2.** Difusão espontânea e comunicativa de entusiasmo, alegria, amizade, etc.; desabafo. ◆ **Expansão do Universo.** *Astr.* Fenômeno fundamental na teoria cosmogônica do P.^e^ Georges Lemaître (1894-1967), astrônomo belga, e segundo a qual toda a matéria do Universo estaria concentrada inicialmente num bloco gigantesco, o ovo cósmico (q. v.), e após a explosão se teria dissipado, até o estado atual.

expansibilidade [De *expansível* + *-(i)dade*, seg. o padrão erudito.] *S. f.* Qualidade de expansível.

expansionismo [De *expansão* + *-ismo*, seg. o padrão erudito.] *S. m.* **1.** Tendência para expandir-se. **2.** Política de expansão territorial de um país sobre outros países, nações, etc.

expansionista [De *expansionismo* + *-ista*.] *Adj. 2 g.* **1.** Relativo ao, ou que é adepto do expansionismo. **2.** Que se caracteriza pelo expansionismo: *política expansionista*. ● *S. 2 g.* **3.** Adepto do expansionismo.

expansível [Do lat. *expansus*, part. de *expandire*, 'expandir', + *-ível*.] *Adj. 2 g.* Suscetível de expandir(-se); expansivo.

expansividade [De *expansivo* + *-(i)dade*.] *S. f.* Qualidade ou feitio de expansivo.

expansivo [De *expanso* + *-ivo*.] *Adj.* **1.** Expansível. **2.** *Fig.* Entusiasta; franco, comunicativo.

expanso [Do lat. *expansu*, part. de *expandire*, 'expandir'.] *Adj.* Que se expandiu; expandido.

expatriação [De *expatriar* + *-ção*.] *S. f.* **1.** Ato ou efeito de expatriar(-se); exílio, desterro. **2.** Emigração (3).

expatriado [Part. de *expatriar*.] *Adj. S. m.* Que, ou aquele que sofreu a pena de expatriação, ou que se expatriou; exilado.

expatriar [De *ex-*[1] + *pátria* + *-ar*[2].] *V. t. d.* **1.** Expulsar da pátria; exilar, desterrar, banir. *P.* **2.** Ir para o exílio. **3.** Ir residir em país estrangeiro.

expectação [Do lat. *exspectatione*.] *S. f.* V. *expectativa*. [Var.: *expetação*.]

expectador (ô) [Do lat. *exspectatore*.] *S. m.* Aquele que tem expectativa, que está na expectativa. [Var.: *expetador*. Cf. *espectador*.]

expectante [De *expectar* + *-nte*.] *Adj. 2 g.* Que espera, observando; que expecta. [Var.: *expetante*.]

expectar [Do lat. *exspectare*.] *V. int.* Estar na expectativa. [Pres. ind.: *expeto*, etc. Cf. *espetar*, v., e *espeto* (ê), s.m.] [Var.: *expetar* (q. v.).]

expectativa [Do lat. *exspectatus*, part. de *exspectare*, 'expectar' (q. v.), + o f. de *-ivo*, com substantivação.] *S. f.* Esperança fundada em supostos direitos, probabilidades ou promessas: *Vive na expectativa da herança; Perdeu a eleição, contra todas as expectativas*. [Var.: *expetativa*. Sin.: *expectação*.] ◆ **Expectativa de vida.** *Demogr.* V. *esperança de vida ao nascer*.

expectável [Do lat. *exspectabile*.] *Adj. 2 g.* Que se pode esperar; provável. [Var.: *expetável*. Cf. *espectável*.]

expectoração [De *expectorar* + *-ção*.] *S. f.* **1.** Ato e efeito de expectorar. **2.** *Med.* Ação de expelir, tossindo, matéria proveniente dos pulmões, dos brônquios ou da traqueia. [Var.: *expetoração*.]

expectorante [De *expectorar* + *-nte*.] *Adj. 2 g. S. m.* Diz-se de, ou medicamento que provoca ou facilita a expectoração. [Var.: *expetorante*.]

expectorar [Do lat. *expectorare*.] *V. t. d.* **1.** Expelir do peito; escarrar. **2.** Proferir, dizer, com ira ou violência. *Int.* **3.** Expelir o escarro; escarrar. [Var.: *expetorar*.]

expedição [Do lat. *expeditione*.] *S. f.* **1.** Ato ou efeito de expedir; despacho, remessa; expediência: *expedição de uma encomenda, de uma carta*. **2.** Prontidão, diligência, desembaraço; expediente, expediência. **3.** *Mil.* Remessa de tropas para determinado fim; campanha. **4.** *Mil.* O corpo de tropa. **5.** *P. ext.* Grupo que se destina a explorar, pesquisar, estudar uma região, ger. em caráter científico: *a expedição Rondon*. **6.** *Bras.* Seção encarregada de expedir as mercadorias, nos estabelecimentos comerciais.

expedicionário [De *expedição* + *-ário*, seg. o padrão erudito.] *Adj.* **1.** Relativo a expedição. **2.** Que faz parte de uma expedição. ● *S. m.* **3.** Aquele que faz parte de expedição. **4.** *Bras. Mil.* Integrante da Força Expedicionária Brasileira (FEB), na II Guerra Mundial; pracinha.

expedicioneiro [De *expedição* + *-eiro*, seg. o padrão erudito.] *S. m.* Oficial do Vaticano que solicita a expedição de bulas, breves, etc.

expedida [F. subst. do part. de *expedir*.] *S. f.* Licença para sair ou expedir.

expedidor (ô) [De *expedir* + *-dor*.] *Adj. S. m.* Que, ou aquele que expede.

expediência [De *expedir* + *-ência*.] *S. f.* **1.** V. *expedição* (1 e 2). **2.** Atividade, diligência, desembaraço.

expediente [Do lat. *expediente*.] *Adj. 2 g.* **1.** Que expede, resolve, promove a execução de algo. ● *S. m.* **2.** Horário de funcionamento das repartições públicas e, p. ext., de estabelecimentos comerciais, escritórios, fábricas, etc.: *O expediente do escritório é das 9 às 17 horas; Amanhã só haverá meio expediente nas repartições públicas*. **3.** Serviço de rotina diária: *Faz parte do seu expediente dactilografar a correspondência da diretoria*. **4.** A correspondência, requerimentos, ofícios, etc., duma repartição: *O expediente da seção está com o diretor, para despacho*. **5.** V. *expedição* (2). **6.** Meios que se usam para eliminar dificuldades, embaraços, etc., ou para alcançar determinados fins: *Lançou mão de todos os expedientes, e nada alcançou*; "Ocorrera-lhe de súbito um expediente sagaz para sair daquela situação difícil." (Alexandre Herculano, *O Monge de Cister*, II, p. 276). **7.** *Edit.* Seção de uma publicação periódica onde se registram os nomes do diretor, editor e de outros profissionais responsáveis pela edição de uma publicação, e que inclui, ger., o endereço completo da empresa editora, indicação de tiragem, preço da publicação, etc. ◆ **Ter expediente.** Ser desembaraçado, ativo, diligente. **Viver de expedientes.** Recorrer a toda sorte de meios, as mais das vezes ilícitos, para viver, por não ter meio certo de vida.

expedir [Do lat. *expedire*.] *V. t. d.* **1.** Remeter ao seu destino; despachar, enviar, despedir: "ao cabo de três meses expedia um telegrama anunciando que havia morrido." (Machado de Assis, *A Semana*, II, p. 102). **2.** Fazer partir com determinado fim: *expedir um emissário*. **3.** Promover a solução de; resolver, despachar: *O juiz expediu várias questões*. **4.** Publicar oficialmente (decreto, portaria, etc.); promulgar. **5.** Expelir, expulsar. **6.** Dar ou soltar com violência ou intensidade; expelir: "expediu um grito de júbilo dilacerante, arrancado das profundezas do coração" (Ramalho Ortigão, *Em Paris*, p. 47). **7.** Despedir, afastar. *T. d. e i.* **8.** Livrar, desembaraçar: *Conseguiu expedi-lo das suas dificuldades*. **9.** Fazer seguir; enviar, remeter, mandar: *Expedi-lhe, ontem, o meu último livro*. *P.* **10.** Desembaraçar-se, livrar-se. **11.** Despedir-se, separar-se. [Irreg. Conjug.: v. *pedir*. Pres. ind.: *expeço*, etc.; pres. subj.: *expeça*, *expeças*, ... *expeçam*. Cf. *espeço*, *espeças*, *espeça*, ... *espeçam*, do v. *espeçar*; *espesso*, *espessas*, *espessa*, ... *espessam*, do v. *espessar*; e *espesso* (ê), adj., flex. *espessa* (ê), *espessas* (ê).]

expeditense[1] *Adj. 2 g.* **1.** De, ou pertencente ou relativo a Santo Expedito (SP). ● *S. 2 g.* **2.** O natural ou habitante de Santo Expedito.

expeditense[2] *Adj. 2 g.* **1.** De, ou pertencente ou relativo a Santo Expedito do Sul (RS). ● *S. 2 g.* **2.** O natural ou habitante de Santo Expedito do Sul.

expeditivo [De *expedir* + *-tivo*.] *Adj.* V. *expedito*.

expedito [Do lat. *expeditu*.] *Adj.* Desembaraçado, ativo, diligente, lesto; expeditivo: "Lá a vi, ... expedita, leve, asseada como um passarinho" (Ramalho Ortigão, *Em Paris*, p. 211). ~ V. *levantamento* —.

expedrar [De *ex-*[1] + *pedra* + *-ar*[2].] *V. t. d.* Limpar de pedras (terreno pedregoso); espedregar.

expelir [Do lat. *expellere*.] *V. t. d.* **1.** Lançar fora com violência; expulsar: *As tropas lutavam para expelir o invasor*. **2.** Lançar de si; expulsar: *O animal expelia veneno*. **3.** Arremessar a distância. **4.** Proferir com violência: *expelir insultos*. *T. d. e c.* **5.** Lançar fora com violência; fazer sair por força; expulsar: "Depois que em 1615 os portugueses expeliram os franceses da ilha do Maranhão, considerou-se indispensável criar uma forte posição no rio das Amazonas" (João Ribeiro, *História do Brasil*, p. 197). **6.** Fazer sair por força. [Irreg. Conjug.: v. *aderir*, mas tem dois particípios, *expelido* e *expulso*.]

expender [Do lat. *expendere*.] *V. t. d.* **1.** Expor minuciosamente. **2.** Expor, explicar, ponderando ou analisando: "Estas puxadas reflexões era o boticário que as expendia, coadjuvado pelo mestre de primeiras letras" (Camilo Castelo Branco, *A Queda dum Anjo*, p. 16). **3.** Gastar, despender. *T. d. e i.* **4.** Expor minuciosamente; esmiuçar: *Expendeu suas ideias ao auditório*.

expensão [Do lat. *expensione*.] *S. f.* Ato de expender.

expensas [Do lat. *expensas*, acusativo pl. de *expensus*, *a*, *um*, 'gasto'.] *El. s. f. pl.* Us. na loc. *a expensas de*. ◆ **A expensas de.** À custa de (q. v.): "sem ter nenhum vício, comendo a expensas do colégio, passava semanas inteiras sem gastar um vintém com a sua pessoa." (Aluísio Azevedo, *O Coruja*, p. 144).

experiência [Do lat. *experientia*, do v. *experiri*, 'experimentar'.] *S. f.* **1.** Ato ou efeito de experimentar(-se); experimento, experimentação. **2.** Prática da vida: *É homem vivido, cheio de experiência*. **3.** Habilidade, perícia, prática, adquiridas com o exercício constante duma profissão, duma arte ou ofício: *É* *um professor com experiência, tem 20 anos de magistério.* **4.** Prova, demonstração, tentativa, ensaio: *experiência química.* **5.** *Filos.* Experimentação (2). **6.** *Filos.* Conhecimento que nos é transmitido pelos sentidos. **7.** *Filos.* Conjunto de conhecimentos individuais ou específicos que constituem aquisições vantajosas acumuladas historicamente pela humanidade. [Cf., nas acepçs. 5 a 7, *conhecimento* (11).]

experiencial [De *experiência* + *-al*[1].] ***Adj. 2 g.*** Experimental (1).

experienciar [De *experiência* + *-ar*[2].] ***V. t. d.*** Experimentar: *O paciente experienciou uma ansiedade que só sentira em sua infância.*

experiente [Do lat. *experiente.*] ***Adj. 2 g.* 1.** Que tem ou revela experiência; perito, hábil, experimentado: "Anfilóquio, banqueiro, prático, experiente, sabia destruir barreiras e lidar com a sociedade." (Geraldo França de Lima, *Branca Bela*, p. 222.) • ***S. 2 g.* 2.** Pessoa experiente.

experimenta [Dev. de *experimentar.*] ***S. f.*** *Desus.* Experimento, experimentação.

experimentação [De *experimentar* + *-ção.*] ***S. f.* 1.** Ato de experimentar; experimento. **2.** *Filos.* Método científico que consiste em observar um fenômeno natural sob condições determinadas que permitem aumentar o conhecimento que se tenha das manifestações ou leis que regem esse fenômeno; experiência, método experimental.

experimentado [Part. de *experimentar.*] ***Adj.* 1.** Que já foi tentado. **2.** Que foi submetido a prova. **3.** V. *experiente* (1).

experimental [De *experimento* + *-al*[1].] ***Adj. 2 g.* 1.** Relativo a experiência; experiencial. **2.** Fundado na experiência, ou em experiências. ~ V. *botânica —, ciências experimentais, física —, fonética —, grupo —, método —, psicologia —, teatro —* e *unidade —.*

experimentalismo [De *experimental* + *-ismo.*] ***S. m.*** Sistema que objetiva estender o método experimental a todos os ramos de atividade.

experimentalista [De *experimentalismo* + *-ista.*] ***Adj. 2 g.* 1.** Relativo ao experimentalismo, ou que é partidário dele. • ***S. 2 g.* 2.** Partidário do experimentalismo.

experimentar [De *experimento* + *-ar*[2].] ***V. t. d.* 1.** Submeter a experiência (4); pôr à prova; ensaiar: *experimentar um novo remédio.* **2.** Pôr em prática; executar. **3.** Tentar, empreender, praticar: *Resolveu experimentar um novo método de ensino.* **4.** Submeter a provas morais: *O sacerdote gostava de experimentar os seus ouvintes.* **5.** Conhecer ou avaliar pela experiência (2): *Novo, experimentara o amor.* **6.** Verificar a boa qualidade ou o bom estado de conservação de (algo), usando-o, submetendo-o a prova ou experiência: *Experimentou o automóvel antes de comprá-lo.* **7.** Vestir (roupa que se compra feita ou que se mandou fazer) ou calçar (sapato, luva, etc., nos mesmos casos) para ver se ficam bem. **8.** Sentir, sofrer, suportar: *Experimentou muitos dissabores;* "Eu experimentava desgosto, repugnância, um vago remorso." (Graciliano Ramos, *Infância*, p. 223). ***P.* 9.** Adquirir experiência; adestrar-se.

experimentável [De *experimentar* + *-vel.*] ***Adj. 2 g.*** Que pode ser experimentado.

experimento [Do lat. *experimentu.*] ***S. m.* 1.** V. *experiência* (1): "é [Cândido Portinari] um artista que admite os mais arrojados experimentos da nova pintura" (José Lins do Rego, *Gordos e Magros*, p. 75). **2.** Ensaio científico destinado à verificação de um fenômeno físico. ◆ **Experimento cego.** *Estat. Sociol.* Aquele em que o pesquisador não sabe, ao examinar um participante de uma pesquisa, se ele pertence ao grupo de controle ou ao grupo experimental. **Experimento duplo-cego.** *Estat. Med.* Aquele em que nem os participantes nem o pesquisador sabem quais elementos estão recebendo placebo ou tratamento padrão; método duplo-cego.

→**expertise** [ɛkspɛʁˈtiz] [Fr.] ***S. f.*** Perícia, avaliação ou comprovação realizada por experto (5).

experto [Do lat. *expertu.*] ***Adj.* 1.** Que tem experiência; experimentado, experiente: *É homem inteligente e experto;* "Perdoa, meu rico prelado, perdoa-me esses descuidos da pena, tão pouco experta em matérias eclesiásticas" (Machado de Assis, *A Semana*, II, p. 193). **2.** Que fez experiência. **3.** Que sabe ou tem conhecimento; sabedor, ciente: *É homem culto, experto.* • ***S. m.* 4.** Indivíduo que adquiriu grande conhecimento ou habilidade graças à experiência, à prática: "Que posto que em cientes muito cabe, / Mais em particular o experto sabe." (Luís de Camões, *Os Lusíadas*, X, 152). **5.** Perito (4). **6.** *Maç.* Cada um dos oficiais de uma loja simbólica. [Cf. *esperto*, do v. *espertar* e adj.]

expetação ***S. f.*** V. *expectação.*

expetador (ô) ***S. m.*** V. *expectador.*

expetante ***Adj. 2 g.*** V. *expectante.*

expetar ***V. int.*** V. *expectar.* [Pres. ind.: *expeto*, etc. Cf. *espetar*, v., e espeto (ê), s.m.]

expetativa ***S. f.*** V. *expectativa.*

expetável ***Adj. 2 g.*** V. *expectável.*

expetoração ***S. f.*** V. *expectoração.*

expetorante ***Adj. 2 g. S. m.*** V. *expectorante.*

expetorar ***V. t. d. Int.*** V. *expectorar.*

expiação [Do lat. *expiatione.*] ***S. f.*** Ato ou efeito de expiar (1); castigo, penitência, cumprimento de pena. ~ V. *expiações.* ◆ **Expiação suprema.** A pena capital.

expiações ***S. f. pl.*** Cerimônias religiosas com que se procurava aplacar a cólera divina ou purificar lugar profanado. ~ V. *expiação.*

expiar [Do lat. *expiare.*] ***V. t. d.* 1.** Remir (a culpa), cumprindo pena; pagar. **2.** Sofrer as consequências de: "Cometi um erro, e devo expiá-lo." (Machado de Assis, *Helena*, p. 279.) **3.** Sofrer, padecer: "Condenados à desordem ou à conservação, os revolucionários de hoje expiam as consequências da falta de um critério científico na organização das suas ideias." (Oliveira Martins, *Portugal Contemporâneo*, I, p. XXVII.) **4.** Purificar (um local sagrado) de profanação ou sacrilégio. ***P.* 5.** Purificar-se (de crimes ou pecados). [Pres. ind.: *expio, expias, expia*, etc. Cf. *espia*, do v. *espiar* e s. f., e *esse* v.]

expiatório [Do lat. *expiatoriu.*] ***Adj.*** Que serve para, ou em que há expiação. ~ V. *bode —.*

expiável [De *expiar* + *-vel.*] ***Adj. 2 g.*** Que se pode expiar.

expilação [Do lat. *expilatione.*] ***S. f.*** *Jur.* Subtração parcial ou total de herança jacente antes de ser reclamada pelos verdadeiros herdeiros.

expilar [Do lat. *expilare.*] ***V. t. d.* 1.** *Jur.* Subtrair bens de herança a. **2.** Espoliar, esbulhar. **3.** Roubar, pilhar.

expiração [Do lat. *exspiratione.*] ***S. f.* 1.** *Med.* Expulsão do ar dos pulmões. **2.** Fim ou termo de certo prazo. [Cf. *espiração.*]

expirante [De *expirar* + *-nte.*] ***Adj. 2 g.* 1.** Que expira [v. *expirar* (5)]; moribundo. **2.** Que está próximo do fim, do termo. [Cf. *espirante.*]

expirar [Do lat. *exspirare.*] ***V. t. d.* 1.** Expelir (o ar) dos pulmões. **2.** Exalar, bafejar, respirar: *O jasmim expira perfume.* **3.** Revelar, demonstrar: *A mulher deve expirar ternura.* **4.** Proferir, dizer. ***Int.* 5.** V. *morrer* (1). **6.** Chegar ao fim; acabar, terminar, finalizar(-se): "Entram-te na alma as doces tristezas do dia que expira; / em melodias flébeis rezam na altura os sinos..." (Carlos Magalhães de Azeredo, *Odes e Elegias*, p. 52). *O prazo para inscrição expira hoje.* **7.** Perder a força, a ação. **8.** Extinguir-se a pouco e pouco; sumir-se, definhar. [Pres. ind.: *expiro, expiras, expira*, etc. Cf. *espira*, s. f., e o v. *espirar.*]

expiratório [De *expirar* + *-tório.*] ***Adj.*** Relativo à expiração (1), ou que serve para produzi-la.

explanação [Do lat. *explanatione.*] ***S. f.*** Ato de explanar; explicação minuciosa: *explanação de um projeto.*

explanador (ô) [Do lat. *explanatore.*] ***Adj. S. m.*** Que, ou aquele que explana; explicador.

explanar [Do lat. *explanare.*] ***V. t. d.* 1.** Tornar plano, fácil, claro; explicar desenvolvidamente: *O professor explanou o texto de Camões.* **2.** Esclarecer, explicar. **3.** Narrar minuciosamente: *explanar um caso.*

explanativo [De *explanar* + *-tivo.*] ***Adj.*** Explanatório.

explanatório [Do lat. *explanatoriu.*] ***Adj.*** Próprio para explanar; explanativo: *exemplos explanatórios.*

explantação [De *explantar* + *-ção.*] ***S. f.*** *Biol.* Ato ou efeito de explantar.

explantar [De *ex-* + *plantar*[2].] ***V. t. d.*** *Biol.* **1.** Remover (célula, tecido, órgão, etc.) de animal ou planta a fim de observar seu crescimento e desenvolvimento *in vitro.* **2.** Retirar explante de.

explante [Dev. de *explantar.*] ***S. m.*** *Biol.* Fragmento de órgão, de tecido, etc., removido de um organismo para posterior cultura.

explementar [De *explemento* + *-ar*[1].] ***Adj. 2 g.*** V. *ângulo —.*

explemento [Do lat. *explementu.*] ***S. m.*** *Geom.* V. *ângulo conjugado.*

expletiva [F. subst. de *expletivo.*] ***S. f.*** Expletivo (3).

expletivo [Do lat. *expletivu.*] ***Adj.* 1.** Que serve para preencher ou completar. **2.** Diz-se das palavras ou expressões que, desnecessárias ao sentido da frase, lhe dão, todavia, mais força ou graça: *Quantos não sonham com a felicidade!* • ***S. m.* 3.** *E. Ling.* Palavra expletiva; expletiva. **4.** *E. Ling.* Sintagma nominal que, embora na posição de sujeito ou de objeto, não é argumento. [Ex.: No ingl., o pronome *it* é um expletivo em construções que equivalem a construções portuguesas sem sujeito, como em *it rains*, 'chove'.]

explicação [Do lat. *explicatione.*] ***S. f.* 1.** Ato de explicar(-se). **2.** Lição (5) particular: *O aluno recebeu uma explicação de matemática.* **3.** Razão (de uma coisa, de uma atitude, etc.): *Aquilo, embora estranho, tinha explicação.* **4.** Justificação, esclarecimento: *Com as explicações que deu, cessou o mal-entendido.* **5.** Desagravo, desafronta: *O ofendido exigia uma explicação.*

explicador (ô) [Do lat. *explicatore.*] ***Adj.* 1.** Que explica. • ***S. m.* 2.** Aquele que dá explicações [v. *explicação* (2)].

explicar [Do lat. *explicare.*] ***V. t. d.* 1.** Tornar inteligível ou claro (o que é ambíguo ou obscuro): *Explicou o sentido daquelas estranhas palavras.* **2.** Ajuizar da intenção, do sentido de; interpretar: *explicar os textos bíblicos.* **3.** Justificar, desculpar: *Nenhuma razão explica a deslealdade.* **4.** Dar explicação (2) a; lecionar, ensinar: *explicar português.* **5.** Expressar, manifestar, significar: *Impossível explicar o que sentia.* **6.** Entender, compreender. ***T. d. e i.* 7.** Expor, explanar, desenvolver: "E Rubião explicou aos novatos a alusão ao filósofo, e a razão do nome do cão" (Machado de Assis, *Quincas Borba*, p. 225). **8.** Dar a conhecer a origem ou o motivo de. ***Int.* 9.** Dar explicação ou justificação; justificar(-se): "Nunca explicar. Silenciar." (Iolanda Jordão, *Poesias*, p. 135.) ***P.* 10.** Exprimir-se, expressar-se. **11.** Dar razão das suas ações ou palavras; dar satisfação ou explicações. **12.** *Bras. Gír.* Pagar uma dívida; remunerar um serviço. [Conjug.: v. *trancar.*]

explicativa [F. subst. de *explicativo.*] ***S. f.*** *E. Ling.* Conjunção explicativa.

explicativo [De *explicar* + *-tivo.*] ***Adj.*** Que serve para explicar, que explica; elucidativo. ~ V. *conjunção —a* e *nota —a.*

explicável [Do lat. *explicabile.*] ***Adj. 2 g.*** Que se pode explicar; que se presta a ser explicado.

→**explicit** [ˈɛksplɪkɪt] [Lat.] ***S. m.*** No livro manuscrito, fórmula que indica o final de um texto. [Cf. *incipit* e *colofão.*]

explicitação [De *explicitar* + *-ção.*] ***S. f.*** Ação de explicitar.

explicitar [De *explícito* + *-ar*[2].] ***V. t. d.*** Tornar explícito: "A folhear .... um velho caderno de notas, verifiquei esta desgraça: quando não explicitei a ressonância que tiveram no meu espírito certos acontecimentos, só a muito custo e brumosamente consegui relembrá-los." (Miguel Torga, *Diário*, IX, p. 16.) [Pres. ind.: *explicito*, etc. Cf. *explícito.*]

explícito [Do lat. *explicitu.*] ***Adj.*** Expresso formalmente; claro, desenvolvido, explicado: *resposta explícita.* [Antôn.: *implícito.* Cf. *explicito*, do v. *explicitar.*] ~ V. *função —a.*

explicudo [Formação jocosa de *explic(ar)* + *-udo.*] ***Adj.*** *Bras. N.E. Gír.* Que se exprime com muita ênfase, empolamento ou pose; pernóstico, enfático: *A moça é trabalhadeira, porém muito explicuda.*

explodir [Do lat. *explodere.*] ***V. int.* 1.** Fazer explosão; estourar, expluir: *A dinamite explodiu.* **2.** Manifestar-se ruidosamente; estalar: *Após longos momentos de silêncio, explodiu uma gargalhada.* **3.** Expandir-se ruidosamente, entusiasticamente: *O público explodiu em ovações.* ***T. d.* 4.** Vociferar, bradar: "Uma ova! explodia o farmacêutico, fazendo com a destra fechada um gesto indecoroso." (Ribeiro Couto, *Prima Belinha*, p. 3.) **5.** Provocar a explosão de; fazer explodir: *Após breve trégua, os guerrilheiros explodiram cartuchos de dinamite.* ***T. i.* 6.** Manifestar-se de súbito e/ou com violência; irromper: "Se alguma vez em ti, exulcerante, a dor / Mal contida explodir, estalar como o raio / E ameaçar abater-te, homem, sê caçador." (Alberto de Oliveira, *Poesias*, 2.ª série, p. 256.) [Defect., não conjugável na 1.ª pess. sing. do pres. ind. nem, portanto, no pres. subj.]

explorabilidade [De *explorável* + *-(i)dade*, seg. o padrão erudito.] ***S. f.*** Qualidade ou caráter de explorável.

exploração [Do lat. *exploratione.*] ***S. f.* 1.** Ato ou efeito de explorar: *exploração de uma região.* **2.** Pesquisa, sondagem: *exploração de minérios.* **3.** Desenvolvimento de uma indústria, de um negócio, com fins especulativos: *A exploração da fábrica toma-lhe o tempo.* **4.** Ato ou efeito de explorar (5 a 7): *Este preço é uma exploração; A notícia não passava de exploração do jornal.* **5.** Levantamento topográfico, detalhado e preciso, de faixa de terreno necessária ao projeto de uma estrada. [Cf. *explotação.*]

explorado [Do lat. *exploratu*, part. de *explorare*, 'explorar' (q. v.).] ***Adj.* 1.** Que se explorou, que sofreu exploração. **2.** Vítima de exploração como resultado de sua boa-fé, ingenuidade, etc. **3.** *Fig.* Debatido, discutido, estudado, investigado.

explorador (ô) [Do lat. *exploratore.*] ***Adj.* 1.** Que explora. **2.** Que sabe enganar alguém manhosa e maldosamente. • ***S. m.* 3.** Aquele que sabe enganar manhosa e maldosamente. **4.** Aquele que viaja para fazer descobrimentos em uma região; descobridor.

explorar [Do lat. *explorare.*] ***V. t. d.* 1.** Procurar, descobrir. **2.** Percorrer estudando, procurando: *explorar uma região, uma floresta.* **3.** Pesquisar, observar, estudar, especular: *Os arqueólogos exploram as ruínas antigas.* **4.** Tirar partido ou proveito de; fazer produzir; desenvolver (um negócio ou indústria); empreender, cultivar: *explorar uma fazenda, uma* *mina.* **5.** Tirar partido ou proveito de parentesco, amizade, relações com; sugar: *Não trabalha, vive a explorar o pai e os amigos.* **6.** Tirar partido ou proveito de (um fato, uma situação, etc.): *Os jornais exploraram o divórcio da atriz; A oposição explorou as irregularidades do governo anterior.* **7.** Abusar da boa-fé, da ingenuidade ou da ignorância de; enganar, ludibriar: *explorar os incautos.* **8.** Sondar, perscrutar. **9.** *Med.* Examinar ou acompanhar o andamento de (doença). [Cf. *explotar*, v.]

exploratório [Do lat. *exploratoriu.*] ***Adj.*** Que serve para explorar.

explorável [De *explorar* + *-vel.*] ***Adj. 2 g.*** Que se pode explorar; que se presta a ser explorado.

explosão [Do lat. *explosione.*] ***S. f.*** **1.** Comoção seguida de detonação e produzida pelo desenvolvimento repentino de uma força ou pela expansão súbita de um gás. **2.** Detonação, estouro. **3.** *Fig.* Manifestação viva e súbita: *explosão de alegria; explosão de riso;* "Durou muito tempo essa explosão de raiva interior" (Machado de Assis, *Quincas Borba*, p. 72). **4.** *E. Ling.* V. *articulação* (5). ◆ **Explosão demográfica.** Crescimento rápido e excessivo de população. **Explosão primordial.** *Astr.* O começo da expansão do universo, a partir da singularidade do passado, quando a velocidade de expansão era infinita. **Grande explosão.** *Cosm.* **1.** Termo us., em geral de modo abusivo, para descrever uma criação explosiva do universo. **2.** Modelo atualmente aceito para explicar a evolução cósmica, segundo a qual o universo se teria iniciado em condições de temperatura e de densidade muito elevadas, atenuadas ao longo de sua expansão. [Sin. ger.: *bigue-bangue* e (ingl.) *big-bang.*]

explosível [De *explos-* (como em *explosão* e *explosivo*), do lat. *explosus*, part. de *explodere*, 'explodir' (q. v.), + *-ível.*] ***Adj. 2 g.*** Que pode explodir.

explosivo [Do lat. *explosus*, 'impelido para fora', + *-ivo.*] ***Adj.*** **1.** Que é capaz de explodir (1); explosível. **2.** Arrebatado, impetuoso, impulsivo: *temperamento explosivo; indivíduo explosivo.* **3.** Que envolve perigo; perigoso: *Política naquele tempo era assunto explosivo.* ~ V. *estrela —a* e *gelatina —a.* ● ***S. m.*** **4.** Substância inflamável, capaz de produzir explosão. ◆ **Explosivo brisante.** *Expl.* V. *alto explosivo.* **Explosivo de ruptura.** *Expl.* V. *alto explosivo.* **Explosivo lento.** *Expl.* V. *baixo explosivo.* **Alto explosivo.** *Expl.* Qualquer explosivo em que a velocidade de propagação da combustão varia de 1.000m/s a 8.500m/s; explosivo brisante, explosivo de ruptura. **Baixo explosivo.** *Expl.* Qualquer explosivo que realiza uma deflagração com velocidade de propagação de alguns centímetros por segundo a 400m/s; explosivo lento; pólvora.

explosor (ô) [De *explos-* (v. *explosível*) + *-or.*] ***S. m. Expl.*** Máquina destinada a fornecer a energia necessária à iniciação de explosões em cadeia por meio de corrente elétrica; máquina detonadora.

explotação [De *explotar* + *-ção*, ou do ingl. *exploitation.*] ***S. f. Econ.*** **1.** Ação de explotar. **2.** Conjunto de terras explotadas. [Cf. *exploração.*]

explotar [Do fr. *exploiter.*] ***V. t. d. Econ.*** Tirar proveito econômico de (determinada área), sobretudo quanto aos recursos naturais. [Cf. *explorar.*]

expluir ***V. int.*** V. *explodir* (1): "Só então a dor expluiu, numa crise de lágrimas e recriminações." (Hugo de Carvalho Ramos, *Tropas e Boiadas*, p. 10); "Ou explui num grito de quem não pode mais: — Não posso com este peso, com esta desgraça, com esta desgraça sobre esta desgraça, e com isto!..." (Raul Brandão, *Húmus*, p. 125). [Conjug.: v. *atribuir.*]

→**expo** [ɛks'po] [Fr., f. red. de *exposition.*] ***S. f.*** V. *exposição* (2).

expoente [De *exponente.*] ***S. 2 g.*** **1.** Pessoa que expõe ou alega; exponente. **2.** Representante ilustre de uma classe, profissão, ramo do saber, etc. ● ***S. m.*** **3.** *Mat.* Número que, posto, alceado, à direita de um outro, indica a potência a que se deve elevar este outro.

expolição [Do lat. *expolitione.*] ***S. f. E. Ling.*** Ato de polir, ornar ou ampliar um discurso.

exponencial [De *exponente* + *-ial*, seg. o padrão analógico.] ***Adj. 2 g. Bras.*** **1.** Que constitui expoente (2); que vale como expoente (2): *Charles Chaplin é um vulto exponencial do cinema.* **2.** Relativo a expoente (3). ~ V. *função —* e *série —.* ● ***S. f.*** **3.** *Mat.* V. *função exponencial.*

exponente [Do lat. *exponente.*] ***S. 2 g.*** Expoente (1).

expor [Do lat. *exponere.*] ***V. t. d.*** **1.** Colocar em perigo; arriscar: *expor a vida.* **2.** Contar, narrar, referir: *expor um fato.* **3.** Explicar, desenvolver, explanar, interpretar: *O filósofo expôs o seu método.* **4.** Fazer conhecer; revelar; descobrir: *Na entrevista o ministro expôs as novas medidas governamentais.* **5.** Deixar ver; revelar, mostrar, patentear: "Os lábios tremiam, o rosto expunha sinais de combate" (Carlos Drummond de Andrade, *Fala, Amendoeira*, p. 279). **6.** Pôr à vista; apresentar em exposição; mostrar: *O comerciante deve expor as suas mercadorias.* **7.** Deixar a descoberto; tornar evidente: *Não se preocupava em expor o que lhe ia na alma.* **8.** Abandonar (uma criança). ***T. d. e i.*** **9.** Pôr à vista; apresentar em exposição; mostrar, apresentar, exibir: *O industrial expôs um novo produto ao público.* **10.** Sujeitar à ação de: *expor a pele ao sol;* "— Dizem que a avareza é um vício; mas desse não peço perdão a Deus, que me deu o meu tesouro, mesmo para que o escondesse do mundo, e não o expusesse a maus-olhados." (José de Alencar, *Lucíola*, p. 89). **11.** Tornar conhecido ou evidente: *Expunha suas mazelas aos vizinhos.* **12.** Colocar em perigo; arriscar. **13.** Narrar, contar, referir. **14.** Revelar, descobrir. ***Int.*** **15.** Fazer exposição (2): "Em sua fase atual, Gordilho, que expõe desde 1971, exalta a mulher" (*Jornal do Brasil*, "Revista de Domingo", 05.09.1982). ***P.*** **16.** Exibir-se, mostrar-se. **17.** Arriscar-se, sujeitar-se, aventurar-se: *Expôs-se às balas do inimigo.* **18.** Oferecer-se, desguarnecer-se, desproteger-se. **19.** Colocar-se em circunstância de sofrer algum dano: *expor-se ao sereno.* [Irreg. Conjug.: v. *pôr.*]

exportação [Do lat. *exportatione.*] ***S. f.*** **1.** Ato de exportar. **2.** Os artigos exportados. **3.** *Inform.* Ato ou efeito de exportar (2).

exportador (ô) [Do lat. *exportatore.*] ***Adj.*** **1.** Que exporta. ● ***S. m.*** **2.** Negociante ou firma que exporta.

exportadora (ô) [F. de *exportador* (2).] ***S. f.*** Firma ou empresa que exporta.

exportar [Do lat. *exportare.*] ***V. t. d.*** **1.** Mandar transportar para fora de um país, estado ou município (artigos nele produzidos). **2.** *Inform.* Gravar (dados) em formato diferente do original, para permitir sua leitura por outros aplicativos.

exportável [De *exportar* + *-vel.*] ***Adj. 2 g.*** Que se pode exportar.

exposição [Do lat. *expositione.*] ***S. f.*** **1.** Ato ou efeito de expor(-se). **2.** Exibição pública de obras de arte, produtos, serviços, etc. [V. *salão*[1] (2).] **3.** *P. ext. Market.* Exposição (2) constituída de estandes, onde diferentes expositores promovem e vendem seus produtos e serviços; feira; salão. **4.** Modo pelo qual um edifício, aposento, objeto, obra de arte, etc., recebem a luz. **5.** Dedução de razões; considerações: *exposição clara e convincente.* **6.** Manifestação, declaração: *Fez à namorada a exposição de seus sentimentos.* **7.** Narrativa, narração. **8.** *Fot.* Tempo durante o qual uma superfície ou película fotossensível fica exposta à luz no processo de gravação de uma imagem. **9.** *Fot.* Intervalo de tempo em que uma emulsão fotográfica é submetida à ação de uma radiação luminosa. **10.** *Fot.* Pose (5). **11.** *Fís. Nucl.* Soma das cargas elétricas de igual sinal que uma radiação gama ou um raio X liberta num volume de ar de massa unitária, quando todos os elétrons e íons formados são inteiramente freados no próprio ar. **12.** *Fís. Nucl.* Quantidade de radiação ionizante fornecida ou absorvida por um sistema; dose. **13.** *Mús.* Parte inicial de uma composição (fuga, sonata, concerto, etc.), em que se faz a apresentação dos diferentes elementos temáticos que serão desenvolvidos no decorrer da obra. ◆ **Exposição de motivos.** Na linguagem burocrática, ofício dirigido por Ministro de Estado ao Presidente da República. **Exposição universal.** Aquela em que se exibem os produtos de todos os países. **Exposições múltiplas.** *Astr.* Técnica desenvolvida pelo astrônomo dinamarquês E. Hertzsprung (1873-1967), destinada à determinação precisa das coordenadas relativas das estrelas duplas visuais, por intermédio de chapas fotográficas tomadas no foco dos refratores de longo foco; técnica das exposições múltiplas.

expositivo [Do lat. *expositus*, 'exposto', + *-ivo.*] ***Adj.*** **1.** Respeitante a exposição. **2.** Que expõe, descreve, apresenta, dá a conhecer.

expositor (ô) [Do lat. *expositore.*] ***S. m.*** **1.** Aquele que expõe. **2.** Livro que expõe ou esclarece uma doutrina. **3.** *Market.* Pessoa física, ou jurídica, que apresenta seus trabalhos, produtos, serviços, etc. em exposição (2 e 3). **4.** *Market.* Estrutura material (p. ex., estandes, etc.) utilizada para exibição de produtos, fotografias, livros, etc.; mostruário, *display.*

→**ex post** [eks post] [Lat.] *Econ.* Relativo ao que foi de fato praticado pelos agentes econômicos (em distinção a seus desejos ou planos prévios): *poupança ex post.* [Cf. *ex ante.*]

exposto (ô) [Do lat. *expositu.*] ***Adj.*** **1.** Que está à mostra, à vista; patente. ● ***S. m.*** **2.** Aquilo que está exposto. **3.** Enjeitado(2).

expostulação [Do lat. *expostulatione.*] ***S. f.*** **1.** Súplica, rogo. **2.** Reclamação ou queixa apresentada àquele que praticou a ofensa.

expressão [Do lat. *expressione.*] ***S. f.*** **1.** Ato de espremer suco de fruta, planta, etc.; espremedura. **2.** Ato de exprimir(-se). **3.** Enunciação do pensamento por meio de gestos ou palavras escritas ou faladas; verbo: *liberdade de expressão; Não tem expressão fácil; A literatura de cordel é típica expressão popular.* **4.** Dito, frase: *Trata-se de uma expressão estrangeira.* **5.** Semblante, gesto: *Com expressão triste, baixou a cabeça.* **6.** O modo como o gesto, a voz ou a fisionomia revelam ou denotam a intensidade dum sentimento ou dum estado moral: "a expressão do rosto não era propriamente de tristeza ou de resignação, mas de constrangimento" (Machado de Assis, *Casa Velha*, p. 101). **7.** Vivacidade, animação: *uma fisionomia sem expressão.* **8.** Personificação (2): *F. é a expressão do talento.* **9.** Representação; manifestação: *Foi a escultura a expressão artística principal da Grécia.* **10.** *Bioquím.* O efeito biológico, detectável, da presença de um gene. **11.** *E. Ling.* Exteriorização fônica de uma língua. ◆ **Expressão corporal.** *Teatr.* **1.** Valorização do gesto e do movimento, contraposta ao domínio da palavra. **2.** Tendência que, baseada na autonomia do teatro como arte, procura desvinculá-lo da literatura. **3.** Nos cursos de formação de atores, disciplina que trata da linguagem do corpo. **Expressão idiomática.** *E. Ling.* Sequência de palavras que funcionam como uma unidade; idiomatismo, idiotismo, frase feita, locução estereotipada, grupo fraseológico. [Ex.: *ficar a ver navios; cair das nuvens; pôr água na fervura.*] **Expressão gênica.** *Genét.* Informação contida em um gene, obtida através de sua transcrição para um ARN-m e tradução em uma proteína, o que faz aparecer o fenótipo por ele determinado. **Reduzir à expressão mais simples.** **1.** Reduzir (algo) ao menor volume, ou ao estado mais miserável. **2.** Tirar toda a importância a, rebaixar ao máximo, humilhar, aviltar (alguém).

expressar [Do lat. *expressus*, part. de *exprimere*, 'exprimir' (q. v.), + *-ar*[2].] ***V. t. d. T. d. e i. P.*** V. *exprimir*: *expressar ideias;* "seu hálito expressava amor ao vinho." (Malu de Ouro Preto, *Siri na Noite sem Lua*, p. 11); "Terra [Coimbra] onde os alfaiates se expressam como doutores de capelo" (João de Araújo Correia, *Sem Método*, p. 19). [Part.: *expressado* e *expresso.*]

expressionismo [Do fr. *expressionnisme.*] ***S. m.*** **1.** *Art. Plást.* Arte e técnica de pintura, desenho, escultura, etc., que tende a deformar ou a exagerar a realidade por meios que expressam os sentimentos e a percepção de maneira intensa e direta. **2.** *Pint.* Escola surgida no primeiro quartel do séc. XX, por influência de Van Gogh (1853-1890) e E. Munch (1863-1944), e que apresenta as características do expressionismo (1). [Cf., nesta acepç., *fovismo.*] **3.** *P. ext.* Qualquer manifestação artística em que o conteúdo emocional e as reações subjetivas exercem forte domínio sobre o convencionalismo e a razão.

expressionista [Do fr. *expressionniste.*] ***Adj. 2 g.*** **1.** Relativo ao, ou próprio do expressionismo: *O teatro expressionista surgiu na Alemanha; A gravura e o desenho de Osvaldo Goeldi são expressionistas.* **2.** Que é adepto ou seguidor do expressionismo: *compositor expressionista.* ● ***S. 2 g.*** **3.** Adepto ou seguidor dele.

expressividade [De *expressivo* + *-(i)dade.*] ***S. f.*** **1.** Qualidade de expressivo. **2.** *Genét.* Grau de expressão gênica de um fenótipo.

expressivo [De *expresso* + *-ivo.*] ***Adj.*** **1.** Que exprime; significativo: *Calou-se, magoado, num silêncio expressivo.* **2.** Que tem expressão (7): *fisionomia expressiva.* ~ V. *função —a.*

expresso [Do lat. *expressu.*] ***Adj.*** **1.** Que fica exarado, consignado; manifesto: *Ali estava a vontade expressa do morto.* **2.** Que não admite réplicas; terminante, categórico, decisivo: *ordem expressa.* **3.** Que se expõe em termos explícitos e é concludente: *lei expressa.* **4.** Que é enviado rapidamente, sem delongas: *encomenda expressa; carta expressa.* **5.** Diz-se do trem, ônibus e, p. ext., qualquer outro meio de transporte coletivo que vai ao seu destino sem parar ou quase sem parar em nenhuma estação ou cidade. ● ***S. m.*** **6.** Trem expresso: *O expresso do meio-dia acaba de chegar.*

exprimir [Do lat. *exprimere.*] ***V. t. d.*** **1.** Dar a entender, a conhecer; revelar, manifestar: *Seu rosto exprimia ódio;* "Ao passo que na Espanha ou em Portugal, em Ouro Preto ou na Sicília, as procissões constituem a forma mais popular de exprimir o sentimento religioso, nos Estados Unidos nunca vi uma procissão." (Alceu Amoroso Lima, *A Realidade Americana*, pp. 210-211). **2.** Enunciar por palavras ou gestos: *Com um muxoxo exprimia o seu desagrado.* **3.** Representar por meio da arte: *A música de Bach exprime a dimensão espiritual do homem;* "O futuro ('dirá') não exprime apenas certeza, mas também dúvida: 'poderá dizer', 'talvez diga', 'poderá pensar', 'talvez pense'." (Nélson Vaz, *Por Amor ao Idioma*, p. 49). **4.** Significar, denotar, representar: *Aquelas palavras exprimiam amor.* ***T. d. e i.*** **5.** Dar a entender; manifestar, demonstrar: *Ainda não lhe exprimi o meu ponto de vista.* ***P.*** **6.** Fazer conhecer suas ideias. **7.** Manifestar-se, mostrar-se. [Sin. ger.: *expressar*. Part.: *exprimido* e *expresso*. Cf. *espremido*, do v. *espremer*, e adj.]

exprimível [De *exprimir* + *-vel*.] ***Adj. 2 g.*** Que se pode exprimir.

exprobação [Var. dissimilada de *exprobração*.] ***S. f.*** V. *exprobração*: "Não te molestará nenhum queixume, / Nenhuma exprobação há de pungir-te" (Gonçalves Dias, *Obras Poéticas*, II, p. 626); "Como ardentes carvões chameja a larva / Em muda exprobação olhar satânico!" (Araújo Porto-Alegre, *Colombo*, p. 10).

exprobar [Var. dissimilada de *exprobrar*.] ***V. t. d. T. d. e i.*** V. *exprobrar*: *Todos exprobam sua covardia*; "Uma vaga esperança de ainda ver Dulce, de lhe exprobar a sua leviandade" (Alexandre Herculano, *O Bobo*, p. 125); "exprobava aos gregos a arrogância e a vaidade" (Latino Coelho, *A Oração da Coroa*, p. CDI); "A onda de rancor que os envolvia exprobava-lhes a avareza e cupidez" (João Ribeiro, *Notas de um Estudante*, p. 192).

exprobração [Do lat. *exprobratione*.] ***S. f.*** **1.** Ato de exprobrar; acusação. **2.** V. *repreensão* (1).

exprobrador (ô) [Do lat. *exprobratore*.] ***Adj.*** **1.** Que exprobra; exprobrante. ● ***S. m.*** **2.** Aquele que exprobra.

exprobrante [De *exprobrar* + *-nte*.] ***Adj. 2 g.*** Exprobrador (1).

exprobrar [Do lat. *exprobrare*.] ***V. t. d.*** **1.** Fazer censuras a; censurar, repreender, vituperar: *Exprobramos sua indecisão*. ***T. d. e i.*** **2.** Censurar, criticar: "E os que lhe exprobram a selvageria das represálias aconselhadas, esquecem a reação gloriosa, oposta mais tarde, por muito menos, contra o comércio inglês pelas colônias da Nova Inglaterra" (Rui Barbosa, *Ensaios Literários*, p. 147). **3.** Lançar em rosto; reprochar, criminar, acusar: *Os próprios amigos exprobram-lhe a perfídia*.

exprobratório [De *exprobrar* + *-tório*.] ***Adj.*** Que envolve exprobração; próprio de quem exprobra: *Falou zangado, em tom exprobratório*.

→**ex professo** [ɛks prɔˈfɛsɔ] [Lat.] Como quem conhece a fundo a matéria ou assunto; magistralmente.

expromissão [De *ex-*[1] + *promissão*.] ***S. f. Jur.*** Forma de novação (2) pela qual, com a anuência do credor, o devedor primitivo é substituído por outro sem necessidade de seu conhecimento ou anuência, passando o substituto a figurar como principal e único devedor. [V. delegação (4).]

expromissor (ô) [Do lat. *expromissore*.] ***S. m. Jur.*** Aquele que assume obrigação de outrem como principal e único devedor.

expropriação [De *expropriar* + *-ção*.] ***S. f. Jur.*** **1.** Ato de expropriar. **2.** Coisa expropriada.

expropriador (ô) [De *expropriar* + *-dor*.] ***Adj. S. m. Jur.*** Que, ou aquele que expropria.

expropriar [De *ex-*[1] + *próprio* + *-ar*[2].] ***V. t. d. T. d. e i.*** **1.** *Dir. Adm.* Desapossar (alguém) de sua propriedade segundo as formas legais e mediante justa indenização. **2.** *Dir. Proc. Civ.* Subtrair do devedor, por meio de ato processual, (a propriedade de determinados bens), que, vendidos em hasta pública ou adjudicados, se prestarão a satisfazer o direito do credor.

expugnação [Do lat. *expugnatione*.] ***S. f.*** Ato de expugnar.

expugnador (ô) [Do lat. *expugnatore*.] ***Adj. S. m.*** Que, ou aquele que expugna.

expugnar [Do lat. *expugnare*.] ***V. t. d.*** **1.** Conquistar à força de armas; tomar de assalto; vencer, pelejando: "Levantou El-Rei D. Fernando o Católico uma fortaleza junto de Argel, para freio desta cidade inimiga .... . Expugnou-a todavia Barbarroxa" (P.e Manuel Bernardes, *Nova Floresta*, V, p. 123); "Ia-o buscando o bárbaro, que ouvira / Daquela parte o bélico tumulto, / Com tenção de expugnar a taba ingente, / Matar Gupeva, e cativar-lhe a gente." (Santa Rita Durão, *Caramuru*, IV, p. 67). **2.** Debelar, abater, superar.

expugnável [Do lat. *expugnabile*.] ***Adj. 2 g.*** Que pode ser expugnado.

expulsando [De *expulsar* + *-ando*.] ***Adj. S. m. Jur.*** Diz-se de, ou indivíduo contra quem se move processo de expulsão.

expulsão [Do lat. *expulsione*.] ***S. f.*** **1.** Ato de expulsar: *A expulsão dos franceses do Rio de Janeiro fez-se com o concurso dos aborígines*. **2.** Saída forçada; extrusão: *Conseguiu-se a expulsão dos malfeitores com o cerco do seu local de refúgio*. **3.** Evacuação: *expulsão de fezes*. **4.** *Jur.* Saída compulsória e definitiva do território nacional, imposta a estrangeiro que foi, em processo regular, julgado perigoso por comprometer a segurança nacional, a estrutura das instituições ou a tranquilidade pública.

expulsar [Do lat. *expulsare*.] ***V. t. d.*** **1.** Fazer sair, por castigo ou violência, do lugar onde estava. **2.** Excluir ignominiosamente, por pena ou castigo: *O colégio expulsou os indisciplinados*. **3.** *Med.* Fazer evacuar ou expelir. ***T. d. e c.*** **4.** Fazer sair; expelir: *Expulsaram-no de casa*. [Part. *expulsado* e *expulso*.]

expulsivo [Do lat. *expulsivu*.] ***Adj.*** Que facilita a expulsão; próprio para expulsar.

expulso [Do lat. *expulsu*.] ***Adj.*** Que se expulsou [v. *expulsar* (1 e 2)].

expulsor (ô) [Do lat. *expulsore*.] ***Adj.*** **1.** Que expulsa. [Fem. irreg.: *expultriz*.] ● ***S. m.*** **2.** Aquele que expulsa. [Fem. irreg.: *expultriz*.] **3.** *Tip.* Bloco de lâminas que, na linotipo, expele do molde a linha-bloco, fazendo-a passar à galé, através do bloco de navalhas; ejetor.

expulsório [De *expulso* + *-ório*.] ***Adj. Jur.*** Que envolve mandado de expulsão.

expultriz [Do lat. *expultrice*.] ***Adj. (f.) S. f.*** Fem. irreg. de *expulsor* (1 e 2).

expunção [Do lat. *expunctione*.] ***S. f.*** Ato de expungir.

expungir [Do lat. *expungere*.] ***V. t. d.*** **1.** Fazer desaparecer (uma escrita) para substituí-la por outra; apagar, delir, eliminar. ***T. d. e i.*** **2.** Limpar, isentar, livrar: *Expungiu de remorsos a consciência*; "Enquanto os estranhos não houverem conseguido apagar do mapa estes dois nomes gloriosos, não poderão a seu salvo expungir dos fatos modernos a memória dos nossos descobrimentos" (Latino Coelho, *Fernão de Magalhães*, p. 198). **3.** Eliminar, derriscar. [Defect. Falta-lhe a 1.ª pess. do sing. do pres. ind., e, pois, todo o pres. subj.]

expungível [De *expungir* + *-vel*.] ***Adj. 2 g.*** Que se pode expungir; apagável.

expurgação [Do lat. *expurgatione*.] ***S. f.*** Ato de expurgar(-se); expurgo.

expurgado [Part. de *expurgar*.] ***Adj.*** **1.** Que sofreu expurgo. **2.** Limpo de impurezas. ~ V. *edição —a*.

expurgador (ô) [De *expurgar* + *-dor*.] ***Adj.*** Que, ou aquele que expurga.

expurgar [Do lat. *expurgare*.] ***V. t. d.*** **1.** Purgar completamente; purificar. **2.** Tirar as sujidades a; limpar: *A água expurga o corpo*. **3.** Corrigir, emendar: *expurgar um texto*. **4.** Descascar, esburgar, esbrugar. **5.** Apurar, polir. **6.** Livrar do que é nocivo ou imoral: *expurgar a cidade corrompida*. **7.** *Agr.* Imunizar (sementes, tubérculos e frutos). ***T. d. e i.*** **8.** Apagar, expungir: *Expurgou a novela de certas falhas de estilo*. **9.** Livrar do que é supérfluo ou prejudicial. ***P.*** **10.** Limpar-se, corrigir-se, apurar-se. [Conjug.: v. *largar*.]

expurgatório [De *expurgar* + *-tório*; lat. ecles. *expurgstoriu*.] ***Adj.*** **1.** Que expurga, que tem a propriedade de expurgar. ● ***S. m.*** **2.** Relação de livros condenados como heréticos pela Igreja Católica.

expurgo [Dev. de *expurgar*.] ***S. m. Bras.*** Expurgação.

exscrito [De *ex-*[1] + *escrito*.] ***Adj.*** ~ V. *círculo —*. [Cf. *escrito*.]

exsicação [De *exsicar* + *-ção*.] ***S. f.*** **1.** Ato de exsicar (1). **2.** Estado do que foi exsicado ou se exsica.

exsicado [Do lat. *exsiccatu*, part. de *exsiccare*, 'exsicar' (q. v.).] ***Adj.*** Em que há ou se fez exsicação: "ramos viúvos das flores recém-abertas, cujas pétalas exsicadas se despegam e caem, mortas" (Euclides da Cunha, *Os Sertões*, p. 76).

exsicante [De *exsicar* + *-nte*.] ***Adj. 2 g.*** Que exsica.

exsicar [Do lat. *exsiccare*.] ***V. t. d.*** **1.** Secar bem; ressequir: "Algares e álveos nus soltam, na ânsia de um hausto, / O bafo bochornal, que exsica o solo infausto." (Luís Carlos, *Colunas*, p. 55.) ***P.*** **2.** Ressequir-se. [Conjug.: v. *trancar*.]

exsicata [Do lat. *exsiccata*, f. de *exsiccatus* (v. *exsicado*).] ***S. f. Bot.*** Exemplar dessecado de uma planta qualquer, conservado nos herbários.

exsicativo [De *exsicar* + *-tivo*.] ***Adj.*** Que tem a propriedade de exsicar (1).

exsolução [Do lat. *exsolutione*.] ***S. f.*** Ação ou processo de exsolver (2).

exsolver [Do lat. *exsolvere*.] ***V. t. d.*** **1.** V. *dissolver* (1). ***Int.*** **2.** Desagregar-se, precipitar-se, a partir de uma fase cristalina sólida. ***P.*** **3.** Desligar, desprender. **4.** Pagar, solver. **5.** Apagar-se, dissolver-se.

exspuição (u-i) [Do lat. *exspuitione*.] ***S. f.*** Ato de expelir pela boca.

exstante [Do lat. *exstante*, part. pres. do v. lat. *exstare*, 'mostrar-se'; 'durar', 'subsistir'.] ***Adj. 2 g.*** Que não foi exterminado, ou destruído, ou perdido, etc.; que subsiste.

exstipulado [De *ex-*[1] + *estípula* + *-ado*[1].] ***Adj. Bot.*** Privado de estípulas. [Cf. *estipulado*, do v. *estipular*, adj. e s. m.]

exsuar [Do lat. *exsudare*, por via pop.] ***V. t. d. Int.*** Exsudar.

exsução ***S. f.*** V. *exsucção*.

exsucção [De *ex-*[1] + *sucção*.] ***S. f.*** Ato de extrair, sugando, de fazer uma sucção. [Var.: *exsução*.]

exsudação [Do lat. *exsudatione*.] ***S. f.*** **1.** Ato de exsudar; transpiração. **2.** Líquido animal ou vegetal que atravessa os poros e se deposita nas superfícies.

exsudar [Do lat. *exsudare*, por via erudita.] ***V. t. d.*** **1.** Segregar em forma de gotas ou de suor. ***Int.*** **2.** Sair em forma de suor ou gotejando. [F. paral.: *exsuar*.]

exsudato [Do lat. *exsudatu*.] ***S. m.*** **1.** *Biol.* Exsudação produzida por plantas. **2.** *Patol.* Matéria resultante de processo inflamatório e que, saindo de vasos sanguíneos, se deposita em tecidos ou superfícies teciduais, sendo constituída de líquido, células, fragmentos celulares, e caracterizada, além do que já se mencionou, por alto conteúdo proteico. [Cf., nesta acepç., *transudato*.]

exsurgir [Do lat. *exsurgere*.] ***V. int.*** Erguer-se, levantar-se: "E é uma ressurreição! O corpo se levanta: / Nos olhos, já sem luz, a vida exsurge e canta!" (Olavo Bilac, *Poesias*, p. 269.) [Conjug.: v. *dirigir*.]

êxtase [Do gr. *ékstasis*, pelo lat. tard. *ecstase*, *exstase*, *extase*.] ***S. m.*** **1.** Arrebatamento íntimo; enlevo, arroubo, encanto. **2.** Admiração de coisas sobrenaturais; pasmo, assombro. **3.** *Psiq.* Estado, observado em quadros dissociativos e nos delírios místicos, em que um indivíduo, de todo imobilizado, em transe, se encontra tomado por um sentimento profundo e indizível que aparenta corresponder a enorme alegria, mas mesclado de angústia, parecendo mesmo haver perdido qualquer contato com o mundo exterior. [Cf. *estase*.]

extasiado [Part. de *extasiar*.] ***Adj.*** **1.** Arrebatado, absorto, elevado: "quando os seus olhos se encontraram com os meus, havia já duas horas que eu o contemplava embevecida, extasiada" (Artur Azevedo, *Contos Possíveis*, p. 86). **2.** Pasmado, assombrado.

extasiar [De *êxtase* + *-iar*[2].] ***V. t. d.*** **1.** Causar êxtase a; enlevar, encantar, arrebatar: *A música extasiava-o*. **2.** Alongar a vista em êxtase. ***P.*** **3.** Encher-se de entusiasmo; cair em êxtase.

extático [Do gr. *ekstatikós*.] ***Adj.*** Posto em êxtase; absorto, enlevado. [Fem.: *extática*. Cf. *estático* e *estática*.]

extemporaneidade [De *extemporân(eo)* + *-eidade*.] ***S. f.*** Qualidade de extemporâneo.

extemporâneo [Do lat. *extemporaneu*.] ***Adj.*** **1.** Que está ou vem fora do tempo próprio; inoportuno. **2.** Que não é próprio do tempo em que se faz ou sucede.

extensão [Do lat. *extensione*.] ***S. f.*** **1.** Ato ou efeito de estender(-se); ampliação, aumento: *Teve grande extensão a empresa*. **2.** Dimensão, tamanho: *a extensão de um terreno*. **3.** Duração: *Qual será a extensão da aula?* **4.** Importância, alcance: *Sua cultura é de grande extensão*. **5.** Desenvolvimento, alargamento: *Poderoso, não cessava de lutar pela extensão do seu poder*. **6.** Ramal telefônico de um mesmo número, utilizado em local diverso daquele onde se acha o telefone principal. **7.** *Álg.* Operação que se obtém quando se estende uma operação definida entre os elementos de um conjunto aos elementos de outro que contém propriamente o primeiro. **8.** *E. Ling.* Aplicação extensiva do sentido de uma palavra, locução ou frase. **9.** *Inform.* Curta sequência de caracteres, opcionalmente adicionada ao final do nome de um arquivo, ger. separada deste por um ponto, e que indica o tipo do arquivo, segundo sua função ou formato. [P. ex.: ".doc", para documentos; ".exe", para executáveis; ".html", para documentos da *Web*.] **10.** *Jur.* Ampliação ou aplicação extensiva da letra ou sentido de uma lei, de uma cláusula. **11.** *Lóg.* Conjunto dos objetos designados por um termo, e dos quais o conceito é atributo comum; denotação. [Cf., nesta acepç., *compreensão* (3), *generalização* (5) e *classe* (22).] ◆ **Extensão rural.** *Rel. Públ.* Sistema de assistência aos produtores rurais e suas famílias. **Em toda a extensão da palavra.** Em toda a força ou intensidade do seu significado; na extensão da palavra: *É generoso em toda a extensão da palavra*. **Na extensão da palavra.** Em toda a extensão da palavra.

extensibilidade [De *extensível* + *-(i)dade*, seg. o padrão erudito.] ***S. f.*** Qualidade de extensível.

extensionista [De *extensão*, por *extensão rural*, + *-ista*, seg. o padrão erudito.] ***S. 2 g. Rel. Públ.*** Profissional que atua em extensão rural.

extensível [Do lat. *extensus*, part. de *extendere*, 'estender' (q. v.), + *-ível*.] ***Adj. 2 g.*** Que pode ser estendido; extensivo.

extensivo [Do lat. *extensivu*.] ***Adj.*** **1.** Que se pode estender; extensível. **2.** Que se aplica a mais de um caso. **3.** Extenso, amplo. **4.** *Econ.* Diz-se de produção agrícola em área de grande extensão, com técnicas pouco desenvolvidas e baixa produtividade. [Opõe-se, nesta acepç., a *intensivo* (4).] **5.** *Econ.* Que se caracteriza por um aumento de área: "O crescimento era puramente extensivo, mediante a incorporação de terra e mão de obra, não implicando modificações estruturais que repercutissem nos custos de produção e portanto na produtividade." (Celso Furtado, *Formação Econômica do Brasil*, p. 61.) ~ V. *grandeza —a* e *propriedade —a*.

extenso [Do lat. *extensu*.] ***Adj.*** **1.** Que tem extensão; vasto, amplo: *Em todo o extenso mar, nem um navio*. **2.** Comprido, longo: *Tropeçou no extenso fio*. **3.** Largo, prolongado: *um verão extenso*. **4.** Não resumido; desenvolvido: *A história é extensa, embora interessante*. ~ V. *família —a*. ◆ **Por extenso.** **1.** Sem

E

abreviatura(s); por inteiro. 2. Extensamente, largamente, desenvolvidamente.
extensor (ô) [De *extenso* + *-or*.] *Adj.* 1. Que estende, faz estender, serve para estender. ~ V. *músculo* —. • *S. m.* 2. Aquilo que estende. 3. *Anat.* Músculo extensor. 4. *Pint.* Substância com escasso poder de cobertura, que se aplica em uma tinta para diminuir-lhe o custo; carga.
extenuação [Do lat. *extenuatione*.] *S. f.* Debilidade, enfraquecimento, prostração, exaustão.
extenuado [Do lat. *extenuatu*, part. de *extenuare*, 'extenuar' (q. v.).] *Adj.* Enfraquecido, cansado, prostrado, exausto.
extenuador (ô) [De *extenuar* + *-dor*.] *Adj.* V. *extenuante*.
extenuante [De *extenuar* + *-nte*.] *Adj. 2 g.* Que extenua; extenuador, extenuativo.
extenuar [Do lat. *extenuare*.] *V. t. d.* 1. Esgotar as forças a; enfraquecer ao extremo; debilitar: *As viagens extenuaram-no*; "Um labor ingrato, titânico, que extenua a alma, que nos deixa acabrunhados ao anoitecer de hoje, para recomeçar com o dia de amanhã..." (Raul Pompeia, *O Ateneu*, p. 31). 2. Exaurir, exinanir, gastar. *P.* 3. Enfraquecer-se, debilitar-se.
extenuativo [De *extenuar* + *-tivo*.] *Adj.* V. *extenuante*.
extergente [Do lat. *extergente*.] *Adj. 2 g.* Que expurga; expurgador.
exterior (ô) [Do lat. *exteriore*.] *Adj.* 1. Que está por fora ou da parte de fora: *o exterior de um edifício*. 2. Que está fora de nós: *Seu mundo exterior desmoronara*. 3. Concernente aos países estrangeiros; externo: *política exterior; comércio exterior*. 4. Superficial (3): *o aspecto exterior da questão*. ~ V. *espaço* —, *meio* —, *mundo* —, *palco* —, *ponto* — e *planeta* —. • *S. m.* 5. A parte externa: *o exterior da caixa*. 6. A parte de fora de uma casa, de uma construção: *O filme tem tomadas feitas no exterior*. 7. *Fig.* Aspecto, aparência: *Seu exterior era de grande austeridade*. 8. As nações estrangeiras; o estrangeiro: *Vim do exterior*. 9. Negócios estrangeiros, na loc. *ministro do exterior*. 10. *Fís.* Parte do Universo não incluída num sistema. 11. *Mat.* Conjunto dos pontos exteriores a um conjunto. [Antôn., nas acepç. 1 a 6: *interior*.]
exterioridade [De *exterior* + *-(i)dade*.] *S. f.* Qualidade daquilo que é exterior. ~ V. *exterioridades*.
exterioridades *S. f. pl.* Aparências. ~ V. *exterioridade*.
exteriorização [De *exteriorizar* + *-ção*.] *S. f.* Ato de exteriorizar(-se).
exteriorizar [De *exterior* + *-izar*.] *V. t. d.* 1. Tornar exterior (2); dar a conhecer; manifestar; externar: *Embora tímido, exteriorizou seu ponto de vista*. *P.* 2. Manifestar-se, externar-se.
exterminação [Do lat. *exterminatione*.] *S. f.* V. *extermínio*.
exterminador (ô) [Do lat. *exterminatore*.] *Adj. S. m.* Que, ou aquele que extermina.
exterminante [De *exterminar* + *-nte*.] *Adj. 2 g.* Que extermina, aniquila; exterminador.
exterminar [Do lat. *exterminare*.] *V. t. d.* 1. Pôr fora dalguma terra, ou região; expulsar, banir, desterrar. 2. Destruir com mortandade; fazer desaparecer; eliminar, matando; aniquilar: *As forças republicanas praticamente exterminaram os revoltosos de Canudos*. 3. Acabar com; extirpar. *T. d. e c.* 4. Expulsar, banir, desterrar: *Exterminaram-no do torrão natal*.
exterminável [De *exterminar* + *-vel*.] *Adj. 2 g.* Que pode ser exterminado.
extermínio [Do lat. *exterminiu*.] *S. m.* 1. Ato ou efeito de exterminar. 2. Ruína total; chacina, assolação, aniquilamento. 3. *Restr.* Ato ou efeito de exterminar (4): "A rainha D. Maria I, por ato de clemência, comutou as penas de quase todos em extermínio para a África, e só um, o *Tiradentes*, subiu ao patíbulo" (João Ribeiro, *História do Brasil*, p. 311). [Sin. ger.: *exterminação*.]
externa *S. f.* 1. *Anat.* V. *túnica externa*. 2. *Telev.* Emissão ou gravação realizada fora do estúdio (2). [Cf. *externa*, do v. *externar*.]
externalidade *S. f.* *Econ.* Fenômeno externo a uma empresa ou indústria que cause aumento ou diminuição no seu custo de produção, sem que haja transação monetária envolvida. [Cf. *economia externa* e *deseconomia externa*.]
externar [De *externo* + *-ar*[2].] *V. t. d. P.* V. *exteriorizar*. [Pres. ind.: *externo, externas, externa*, etc. Cf. *externo*, adj. e s. m., *esterno, hesterno*, e *externa*, s. f.]
externato [Do fr. *externat*.] *S. m.* 1. Estabelecimento de ensino onde há somente alunos externos. 2. O conjunto dos alunos externos. [Cf. *internato* e *semi-internato*.]
externo [Do lat. *externu*.] *Adj.* 1. Que está por fora, ou que vem de fora. 2. Diz-se do aluno que não mora no colégio. 3. Diz-se do medicamento que se aplica sobre o corpo (por oposição ao *interno*, que é ingerido ou injetado). 4. Exterior (3). ~ V. *ângulo* —, *ângulos alternos* —*s*, *artéria carótida* —*a*, *banzo* —, *capital* —, *conduto auditivo* —, *deseconomia* —*a*, *dívida* —*a*, *economia* —*a*, *endoderma* —, *finalidade* —*a*, *meato acústico* —, *nervo motor-ocular* —, *orelha* —*a*, *ouvido* —, *produto* —, *protuberância occipital* —*a*, *público* —, *razão* —*a*, *sândi* —, *veia safena* —*a* e *túnica* —*a*. • *S. m.* 5. Aluno externo. 6. *Bras. Mar. G.* Marinheiro que tem por incumbência entregar e receber correspondência e realizar outros serviços de mensageiro fora do navio. [Antôn.: *interno*. Cf. *esterno, hesterno* e *externo*, do v. *externar*.]
▲**extero-** [Do lat. *exterus, a, um*.] *El. comp.* = 'exterior': *exteroanterior*.
exteroanterior *Adj. 2 g.* Situado exteriormente e na parte anterior. ✻ nota 1
exteroinferior *Adj. 2 g.* Situado externamente e na parte inferior. ✻ nota 1
exterolateral *Adj. 2 g.* Situado externamente e na parte lateral. ✻ nota 1
exteroposterior *Adj. 2 g.* Situado externamente e na parte posterior. ✻ nota 1
exterossuperior *Adj. 2 g.* Situado exteriormente e na parte superior. ✻ nota 1
exterritorialidade [Do fr. *exterritorialité*.] *S. f.* A faculdade de reger-se em país estrangeiro pelas leis da sua nação. [Cf. *extraterritorialidade*.]
extinção [Do lat. *exstinctione*.] *S. f.* 1. Ato ou efeito de extinguir(-se); cessação: *a extinção da vida no corpo; a extinção de um cargo*. 2. Abolição, supressão: *a extinção da escravatura*. 3. Destruição, extermínio. 4. *Quím.* Processo de transformação do óxido de cálcio de uma cal em hidrato de cálcio, pela mistura da cal com a água. 5. *Astr.* Absorção, pela atmosfera terrestre, das radiações luminosas provenientes de um astro, e que não apresenta caráter seletivo segundo os comprimentos de onda; absorção não seletiva. 6. *Fís.-Quím.* V. *absorbância*.
extinguir [Do lat. *extinguere*.] *V. t. d.* 1. Apagar (fogo). 2. Amortecer, abrandar: *A idade não lhe extingue o entusiasmo*. 3. Aniquilar, destruir: *A dedetização visa extinguir os insetos domésticos*. 4. Gastar, dissipar, malbaratar: *Extinguiu a herança em poucos meses*. 5. Pagar, saldar (uma dívida). 6. Exterminar inteiramente: *extinguir um povo*. 7. Pôr fora de uso; abolir, revogar. 8. Extirpar, exterminar. 9. Fazer desaparecer: *Um banho extingue o cansaço*. 10. Dissolver, desfazer: *extinguir uma associação*. 11. Saciar, satisfazer: *O refrigerante extingue a sede*. *P.* 12. Cessar; apagar-se: *O incêndio extinguiu-se*. 13. Perder-se de todo. 14. Consumir-se, esgotar-se. 15. Dissolver-se, desfazer-se. 16. Morrer, acabar. [Perde o *u* antes de *o* e de *a*. Pres. ind.: *extingo, extingues, extingue*, etc.; pres. subj.: *extinga, extingas, extinga*, etc.; part.: *extinguido* e *extinto*. Cf. *estingo, estingues, estingue, estinga, estingas*, do v. *estingar*.]
extinguível [Do lat. *exstinguibile*.] *Adj. 2 g.* Que se pode extinguir.
extintivo [De *extinto* + *-ivo*.] *Adj.* Que extingue; que determina extinção.
extinto [Do lat. *exstinctu*.] *Adj.* 1. Que deixou de existir; acabado: *loja extinta; associação extinta*. 2. Suprimido, abolido: *um hábito extinto*. 3. Apagado (1): *fogo extinto; o brilho extinto dos seus olhos*. 4. Morto, finado: *O extinto mestre deixou vários discípulos*. 5. Diz-se de vulcão que não entra mais em erupção. [Nesta acepç., opõe-se a *ativo* (6).] ~ V. *cal* —*a* e *língua* —*a*. • *S. m.* 6. Morto (16).
extintor (ô) [Do lat. *exstinctore*.] *Adj.* 1. Que extingue. • *S. m.* 2. Aparelho para extinguir incêndios, e que é colocado, geralmente, em pontos estratégicos de edifícios e casas.
extirpação [Do lat. *exstirpatione*.] *S. f.* Ato ou efeito de extirpar. [Cf. *estirpação*.]
extirpador (ô) [De *extirpar* + *-dor*.] *Adj.* 1. Que extirpa. • *S. m.* 2. Aquele ou aquilo que extirpa. 3. Instrumento agrícola para arrancar do solo ervas ou raízes.
extirpar [Do lat *exstirpare*.] *V. t. d.* 1. Arrancar pela raiz; desarraigar, desenraizar. 2. Extrair (ferida, cancro, etc.). 3. Extinguir, destruir: *extirpar a corrupção*. 4. Extrair, arrancar: *extirpar um dente*. [Cf. *estirpar*, v.]
extirpável [De *extirpar* + *-vel*.] *Adj. 2 g.* Que pode ser extirpado.
extorquir [Do lat. *extorquere*.] *V. t. d. T. d. e i.* 1. Obter por violência, ameaças ou ardil: *Os inquisidores tentaram, durante meses, extorquir o segredo; Extorquiram a fórmula ao cientista*; "Preposto de usurário, / extorquia dos pobres / os juros para os ricos." (H. Dobal, *A Serra das Confusões*, "O Candidato"). 2. Adquirir com violência; obter por extorsão (2). [Defect. Falta-lhe a 1.ª pess. do sing. do pres. ind. e o pres. subj.]
extorsão [Do lat. med. *extorsione*.] *S. f.* 1. Ato ou efeito de extorquir. 2. O crime de constranger alguém, mediante violência ou grave ameaça, e com o intento de obter para si ou para outrem indevida vantagem econômica, a fazer, tolerar que se faça ou deixar de fazer algo. 3. Exação violenta; imposto excessivo. 4. Concussão; usurpação. [Sin. ger., p. us.: *extorso*.]
extorsionário [De *extorsão* + *-ário*, seg. o padrão erudito.] *Adj.* 1. Que faz extorsão (2); extorsivo. • *S. m.* 2. Aquele que pratica extorsão.
extorsivo [De *extorso* + *-ivo*.] *Adj.* 1. Extorsionário (1). 2. *Bras.* Diz-se do preço, ou da taxa de juros, que estão acima do justo valor das possibilidades dos compradores ou da média dos preços ou dos juros do mercado.
extorso (ô) [Do lat. *extorsu*.] *S. m.* Extorsão. [Pl.: *extorsos* (ô). Cf. *estorço* (ô), do v. *estorcer* e s. m.]
➔**ex toto corde** [eks 'tɔto 'kɔrde] [Lat.] De todo o coração.
extoxicácea (csi) [Do tax. *Aextoxicum* + *-ácea*; tax. *Aextoxicaceae*.] *S. f.* *Bot.* Espécime das extoxicáceas, família de plantas floríferas da ordem das Celastrales, que compreende unicamente a espécie chilena *Aextoxicum punctatum*, árvore de folhas escamiformes e pequenas flores actinomorfas, haplostêmones, e com verticilos de quatro a seis membros. Fruto: drupa menosperma.
extoxicáceo (csi) [De *extoxicácea*, com var. suf. (v. *-áceo*).] *Adj.* *Bot.* Pertencente ou relativo às extoxicáceas.
extra[1] [Do lat. *extra*.] *Adj. 2 g.* 1. V. *extraordinário* (1, 5 e 6): *edição extra; Trabalhou quatro horas extras*. ~ V. *dimensão* —, *edição* — e *horas extras*. *Pop.* • *S. m.* 2. V. *extraordinário* (8 e 9). 3. Serviço ou trabalho extraordinário. 4. *Bras. BA* Carbonato de alta densidade. • *S. 2 g.* 5. Pessoa que faz serviço acidental ou suplementar. 6. *Cin. Teatr. Telev.* Ator que vem à cena como elemento de um grupo, aglomerado ou multidão; figurante, ponta.
extra[2] *Adj. 2 g. S. 2 g.* V. *extrafino*.
▲**extra-** [Do lat. *extra*.] *Pref.* = 'posição exterior', 'fora de': *extramural, extraescolar, extraoficial*. [É seguido de hífen quando anteposto a palavra iniciada por *a* ou *h*: *extra-abdominal, extra-humano* (em tais casos, apenas o 2.º elemento é flexionado na formação do plural); é grafado com *r* ou *s* duplicados quando anteposto a palavra iniciada por *r* ou *s*: *extrarregulamentar, extrassensível*.]
extra-abdominal [De *extra-* + *abdominal*.] *Adj. 2 g.* Que está fora do abdome.
extra-alcance [De *extra-* + *alcance*.] *Adv. P. us.* Fora do alcance.
extra-atmosférico [De *extra-* + *atmosférico*.] *Adj.* Fora da atmosfera. ~ V. *espaço* —.
extracalação [De *extra-* + *-calação*, por anal. com *intercalação* (q. v.).] *S. f.* *Cronol.* Subtração de um ou mais dias adicionais num calendário com o objetivo de tornar compatível o ano lunar, de 13 lunações, com o ano solar.
extração [Do lat. *extractione*.] *S. f.* 1. Ato ou efeito de extrair ou arrancar. 2. Aquilo que se extraiu. 3. Consumo, venda: *Tal mercadoria não tem extração*. 4. Ato do sorteio de tômbolas e loterias: *A extração da loteria esportiva é semanal*. 5. *Fig.* Nascimento, origem: *indivíduo de baixa extração*. 6. *Quím.* Processo que consiste em misturar intimamente vários componentes (p. ex., uma substância impura) e um solvente fluido, ger. um líquido, que solubilize pelo menos um, mas não todos, desses componentes e, em seguida, separar as fases [v. *fase* (5)] resultantes.
extracaríssimo [De *extra-* + o superl. abs. sint. de *caro*.] *Adj.* Estupendamente caro; mais do que caríssimo: "Além.... de que o viver se tornou extracaríssimo" (Eça de Queirós, *Notas Contemporâneas*, pp. 264-265).
extracelular [De *extra-* + *celular*.] *Adj. 2 g.* Que está, ou ocorre fora da célula (2 e 3). ~ V. *líquido* — e *matriz* —.
extraclasse *Adj. 2 g.* *Educ.* Que ocorre, ou é feito, fora da sala de aula: *atividade extraclasse*.
extraconjugal [De *extra-* + *conjugal*.] *Adj. 2 g.* Que está fora dos direitos e deveres conjugais; estranho ao matrimônio; extramatrimonial.
extracontinental [De *extra-* + *continental*.] *Adj. 2 g.* Que está ou se efetua fora do continente.
extracorpóreo [De *extra-* + *corpóreo*.] *Adj.* Que acontece, se situa ou se realiza fora do corpo.
extractivo *Adj.* V. *extrativo*.
extracto *S. m. Adj.* V. *extrato*.
extractor *S. m. Adj.* V. *extrator*.
extracurricular [De *extra-* + *curricular*.] *Adj. 2 g.* Não pertencente ao currículo.
extradição [Do fr. *extradition*.] *S. f.* 1. Ato de extraditar. 2. Entrega dum indivíduo, feita pelo governo do país onde ele se acha refugiado ao do país que o reclama, para ser julgado perante os tribunais deste ou cumprir a pena que lhe foi imposta.
extraditado [Part. subst. de *extraditar*.] *S. m.* Aquele cuja extradição foi concedida.
extraditando [De *extraditar* + *-ando*.] *S. m.* Aquele cuja extradição foi solicitada.
extraditar [Adapt. do ingl. *(to) extradite*, deduz. do ingl. *extradition* < fr. *extradition*, 'extradição' (q. v.).] *V. t. d.* Entregar (um criminoso) por extradição.

extradorso (ô) [De *extra-* + *dorso*.] *S. m. Arquit.* Superfície externa de uma abóbada ou de uma arcada: "Fendiam-na [à capela-mor] esbeltas ogivas, que se reconhecem ainda hoje no extradorso da capela-mor" (Manuel Ribeiro, *A Catedral*, p. 57). [Pl.: *extradorsos* (ô). Cf. *intradorso* (ô).]

extradural [De *extra-* + *dural*[2].] *Adj. 2 g. Anat.* Situado externamente em relação à dura-máter.

extraduro [De *extra-* + *duro*[2].] *Adj.* ~ V. *aço* —.

extraembrionário [De *extra-* + *embrionário*.] *Adj. Embr.* Diz-se de formação anatômica situada externamente a embrião. ~ V. *celoma* — e *mesoderma* —. ❖

extraescolar [De *extra-* + *escolar*.] *Adj. 2 g.* Não pertencente à escola. ❖

extrafino [De *extra-* + *fino*[1].] *Adj.* Diz-se do artigo comercial de qualidade superior à superfina, ou apresentado como tal. [F. red.: *extra*[2].]

extrafloral [De *extra-* + *floral*.] *Adj. 2 g.* ~ V. *nectário* —.

extrafoliáceo [De *extra-* + *foliáceo*.] *Adj. Bot.* Diz-se dos órgãos vegetais que crescem fora ou ao lado das folhas; extrafólio.

extrafólio [De *extra-* + *-fólio*.] *Adj. Bot.* Extrafoliáceo.

extragaláctico [De *extra-* + *galáctico*.] *Adj. Astr.* Que é exterior a uma galáxia. ~ V. *nebulosa* —*a* e *sistema* —.

extragenital [De *extra-* + *genital*.] *Adj. 2 g. Anat.* Que está fora dos órgãos genitais.

extra-humano [De *extra-* + *humano*.] *Adj.* V. *sobre-humano*.

extraintestinal [De *extra-* + *intestinal*.] *Adj. 2 g.* Situado fora do intestino. ❖

extrair [Do lat. *extrahere*.] *V. t. d.* **1.** Tirar de dentro de onde estava; pôr para fora, tirar: *extrair mel*. **2.** Praticar a extração de; arrancar: *Mandou extrair dois dentes*. **3.** Resumir, extratar. **4.** Reproduzir, copiar. **5.** Colher, tirar; derivar: *extrair uma conclusão*. **6.** *Mat.* Encontrar por cálculo (a raiz de um número). **7.** Executar em instrumento musical. *T. d. e c.* **8.** Sugar, chupar: *As plantas extraem a água da terra*. **9.** Pôr para fora; sacar: *extrair pedras preciosas do seio da terra*. *T. d. e i.* **10.** Separar (uma substância, do corpo de que fazia parte). [Irreg. Conjug.: v. *sair*.]

extraível [De *extrair* + *-vel*.] *Adj. 2 g.* Que pode ser extraído. [Pl.: *extraíveis*.]

extrajudicial [De *extra-* + *judicial*.] *Adj. 2 g.* Extrajudiciário.

extrajudiciário [De *extra-* + *judiciário*.] *Adj.* Que não se realiza perante a autoridade judiciária; extrajudicial.

extrajurídico [De *extra-* + *jurídico*.] *Adj.* V. *ilegal*.

extralegal [De *extra-* + *legal*.] *Adj. 2 g.* V. *ilegal*.

extralinguístico (güís) [De *extra-* + *linguístico*.] *Adj.* Diz-se de tudo o que não é da natureza gramatical. ❖

extramatrimonial [De *extra-* + *matrimonial*.] *Adj. 2 g.* Extraconjugal.

extramérico [De *extrâmero* + *-ico*[2].] *Adj.* Relativo ou pertencente ao extrâmero.

extrâmero [De *extra-* + *-mero*.] *S. m. Anat.* Cada uma das partes do corpo humano, considerando-se estas separadas por planos paralelos ao plano sagital.

extramural [De *extra-* + *mural*.] *Adj. 2 g.* Situado fora dos muros ou muralhas.

extramuros [Do lat. *extra muros*, 'fora dos muros'.] *Adv.* Fora do recinto de uma cidade; afastado do centro urbano. [Antôn.: *intramuros*.]

extranatural [Do lat. *extranaturale*.] *Adj. 2 g.* Fora do natural.

extranumeral [De *extra-* + *numeral*.] *Adj. 2 g.* Extranumerário (1).

extranumerário [De *extra-* + *numerário*.] *Adj.* **1.** Que está além ou fora do número certo; extranumeral. **2.** Que não pertence ao quadro efetivo dos funcionários ou empregados. ● *S. m.* **3.** Aquele que é extranumerário (2).

extraoficial [De *extra-* + *oficial*.] *Adj. 2 g.* **1.** Que não tem origem oficial. **2.** Estranho a negócios públicos. ❖

extraoficialmente [De *extraoficial* + *-mente*.] *Adv.* De modo extraoficial. ❖

extraordinariamente (nà) [Do f. de *extraordinário* *-mente*.] *Adv.* **1.** De modo extraordinário. **2.** Em altíssimo grau; grandemente.

extraordinário [Do lat. *extraordinariu*.] *Adj.* **1.** Não ordinário; fora do comum; excepcional, anormal: *acontecimento extraordinário*. **2.** Raro, singular, notável: *indivíduo extraordinário; inteligência extraordinária*. **3.** Esquisito, extravagante; esdrúxulo: *Os* hippies *usavam roupas extraordinárias*. **4.** Admirável, espantoso. **5.** Muito grande ou elevado; excessivo: *número extraordinário de visitantes*. **6.** Que só ocorre em dadas circunstâncias; não rotineiro; imprevisto: *A despesa extraordinária atrapalhou meu orçamento*. **7.** Encarregado de tarefa ou missão especial: *embaixador extraordinário*. [Sin. ger. (p. us.): *transordinário*.] ~ V. *edição* —*a*, *onda* —*a*, *raio* — e *recurso* —. ● *S. m.* **8.** Qualquer despesa fora do comum, ou do orçado. **9.** Aquilo que não se faz habitualmente. **10.** Acontecimento fora do comum, imprevisto ou inesperado.

extrapassar [De *extra-* + *passar*.] *V. t. d. Int. P. us.* V. *ultrapassar*.

➔ **extra petita** ['ekstra pe'tita] [Lat., 'além do pedido'.] *Jur.* Diz-se da sentença proferida em desacordo com o pedido, em conflito com a natureza da causa.

extrapolação [De *extra-* + *(inter)polação*.] *S. f.* **1.** *Mat.* Qualquer processo com que se infere o comportamento de uma função fora de um intervalo, mediante o seu comportamento dentro desse intervalo. [Cf. *interpolação* (3).] **2.** Ato ou efeito de extrapolar (2): "Assistimos no plano demográfico e até doméstico a uma importância crescente do elemento feminino, na economia, nas letras, na política, na família. E até ao problema sério do choque de gerações pela autonomia crescente dos filhos e sua extrapolação." (Alceu Amoroso Lima, *Pelo Humanismo Ameaçado*, p. 91.).

extrapolar [De *extra-* + *(inter)polar*[2].] *V. t. d.* **1.** *Mat.* Fazer extrapolação de. [Cf. *interpolar*[2] (6).] **2.** Ir além de; ultrapassar, exceder: *Suas concepções extrapolam os limites do bom senso*. *Int.* **3.** Exceder, ultrapassar determinados limites; exorbitar: *Ao impor o novo regulamento, extrapolou e foi demitido do cargo*.

extrapor [De *extra-* + *pôr*.] *V. t. d.* Pôr fora; pôr além. [Irreg. Conjug.: v. *pôr*.]

extraprograma [De *extra-* + *programa*.] *Adj. 2 g. e 2 n.* Que está fora do programa.

extrário [Do lat. *extrariu*.] *Adj. Bot.* Diz-se do embrião que está fora do perisperma.

extrarregulamentar [De *extra-* + *regulamentar*[1].] *Adj. 2 g.* Estranho ao regulamento; que está fora dele. ❖

extrassagital [De *extra-* + *sagital*.] *Adj. 2 g.* Diz-se dos planos paralelos ao plano sagital. ❖

extrassensível [De *extra-* + *sensível*.] *Adj. 2 g.* **1.** Ultrassensível. **2.** Que não é percebido pelos sentidos [v. *sentido* (5)]. ❖

extrassensorial [De *extra-* + *sensorial*.] *Adj. 2 g.* Que não se efetua pelos sentidos, pelo sensório: *percepção extrassensorial*. ❖

extrassensório [De *extra-* + *sensório*.] *Adj.* V. extrassensorial. ❖

extrassístole [De *extra-* + *sístole*.] *S. f. Card.* Contração cardíaca prematura, não relacionada com o ritmo normal do coração, de origem ectópica e seguida, ger., de uma pausa mais longa do que a normal, embora possa inserir-se entre contrações normais, sem alterar-lhes a sucessão regular. ❖

extrassolar [De *extra-* + *solar*[3].] *Adj. Astr.* **1.** Relativo aos objetos ou aos seres vivos situados fora do sistema solar. **2.** Relativo aos objetos que, embora situados no sistema solar, têm origem exterior ao nosso sistema planetário. ❖

extratar [De *extrato* + *-ar*[2].] *V. t. d.* **1.** Fazer extrato (3) de; resumir (livro, documento, etc.). **2.** Tirar extrato (2) de uma obra ou documento. [Pres. ind.: *extrato*, etc. Cf. *estrato*.]

extratemporal [De *extra-* + *temporal*.] *Adj. 2 g.* Transtemporal.

extraterreno [De *extra-* + *terreno*.] *Adj.* De fora da Terra.

extraterrestre [De *extra-* + *terrestre*.] *Adj. 2 g. S. 2 g.* Diz-se de, ou aquele ou aquilo que é de fora da Terra; alienígena.

extraterritorial [De *extra-* + *territorial*.] *Adj. 2 g.* Situado fora do território.

extraterritorialidade [De *extraterritorial* + *-(i)dade*.] *S. f.* Qualidade de extraterritorial. [Cf. *exterritorialidade*.]

extrateto [De *extra-* + *teto*[1].] *S. m. Fig.* Valor que ultrapassa o teto (5).

extratextual [De *extra-* + *textual*.] *Adj. 2 g.* Diz-se das partes não pertencentes ao texto principal de um livro, como o prefácio ou o índice. [Cf. *fora do texto*.]

extratimpânico [De *extra-* + *timpânico*.] *Adj. Anat.* Situado fora do tímpano (3).

extrativismo [De *extrativo* + *-ismo*.] *S. m.* **1.** Qualidade de extrativo. **2.** Atividade produtiva baseada na extração ou coleta de produtos naturais não cultivados (como, p. ex., madeiras da floresta amazônica). **3.** Método de extração de recursos naturais sem a preocupação com a conservação das espécies ou do meio ambiente: *O extrativismo está acabando com as nossas palmeiras que fornecem o palmito*.

extrativista [De *extrativismo* + *-ista*.] *Adj. 2 g.* Relativo ao extrativismo: *indústria extrativista; economia extrativista*.

extrativo [De *extrato* + *-ivo*.] *Adj.* **1.** Que opera por extração. **2.** Que indica extração. **3.** Relativo a extração. ~ V. *destilação* —*a* e *indústria* —*a*.

extrato [Do lat. *extractu*.] *S. m.* **1.** Coisa que se extraiu de outra. **2.** Trecho, fragmento: *extrato de um livro, de um documento*. **3.** Resumo, síntese. **4.** Reprodução, cópia: *extrato de uma conta*. **5.** Produto industrial constituído de essência aromática; perfume. **6.** *Econ.* Extrato financeiro (q. v.). **7.** *Farm. Quím.* Produto obtido pelo tratamento de substâncias animais ou vegetais por um dissolvente apropriado, evaporando-se depois até à consistência desejada o excipiente que se empregou: *extrato de fígado; extrato de carne; extrato de tomate*. [Cf. *estrato*.] ◆ **Extrato financeiro.** *Econ.* Relatório de movimentação de dinheiro em conta corrente ou em fundo de investimento. [Tb. se diz apenas *extrato*.] **Extrato seco.** Partes sólidas do vinho, com exceção do açúcar; um vinho com muito extrato seco é espesso na boca. **Extrato tebaico.** Extrato aquoso de ópio.

extrator (ô) [De *extrato* + *-or*.] *S. m.* **1.** Aquele que extrai. **2.** Peça que lança fora os cartuchos detonados. ● *Adj.* **3.** Que faz extratos ou extrações.

extratorácico [De *extra-* + *torácico*[1].] *Adj. Anat.* Que está fora do tórax.

extratropical [De *extra-* + *tropical*.] *Adj. 2 g. Fitogeogr.* Que não ocorre nos trópicos: *gênero extratropical*.

extrauterino [De *extra-* + *uterino*.] *Adj.* Que está ou se realizou fora do útero. ❖

extravagância [Do fr. *extravagance*, poss.] *S. f.* **1.** Qualidade de extravagante. **2.** Excentricidade, originalidade: *A extravagância de seu gosto é chocante*. **3.** Estroinice, doidice, dissipação: *As extravagâncias o arruinaram*. **4.** *Bras. RJ* Dança popular entre os negros, a qual, coreograficamente, se assemelha a uma quadrilha. [Cf. *extravagancia*, do v. *extravagânciar*.]

extravaganciar [De *extravagância* + *-ar*[2].] *V. int.* **1.** Praticar ou dizer extravagâncias. **2.** Viver desregrada ou aventurosamente; estroinar. *T. d.* **3.** Dissipar, esbanjar, em pândegas, em extravagâncias. [Pres. ind.: *extravagancio*, *extravagancias*, *extravagancia*, etc. Cf. *extravagância*.]

extravagante [Do lat. med. *extravagante*, poss. pelo fr. *extravagant*.] *Adj. 2 g.* **1.** Que anda fora do seu lugar. **2.** Que se afasta do habitual, do comum; singular, original, estranho, excêntrico: *homem extravagante; conduta extravagante*. **3.** Que comete extravagâncias, estroinices; estroina, esbanjador: *indivíduo extravagante*. ~ V. *lei* —. ● *S. 2 g.* **4.** Pessoa extravagante (3).

extravagar [De *extra-* + *vagar*[1].] *V. int.* **1.** Andar fora do número, da espécie, da ordem, da coleção. **2.** Estar disperso, ou solto. **3.** Divagar; desvairar, variar: *Com a febre, o doente extravagava*. *T. i.* **4.** Perder-se, extraviar-se, atrapalhar-se: *Extravagava em citações incompreensíveis*. [Conjug.: v. *largar*.]

extravasamento [De *extravasar* + *-mento*.] *S. m.* Ato ou efeito de extravasar(-se).

extravasar [De *extra-* + *vaso*[1] + *-ar*[2].] *V. t. d.* **1.** Derramar, fazer transbordar (um líquido). **2.** Fazer que verta ou se derrame em abundância: *As provocações extravasaram-lhe a bile*. **3.** Manifestar de modo impetuoso; expandir, transbordar: *Extravasou todo o ódio que sentia*. *T. i.* **4.** Sair dos canais naturais; extravasar(-se): *O sangue extravasa-lhe das veias*. **5.** Sair fora dos limites, do espaço de; transbordar; extravasar(-se): *Escrevia sem cessar, e as palavras extravasavam das linhas, em desordem*. *Int.* **6.** Sair do álveo (o rio); extravasar-se. **7.** Extravasar (4 e 5). *P.* **8.** Extravasar (4 a 6).

extravasor (ô) [De *extravas(ar)* + *-or*.] *S. m. Eng. Civ.* Dispositivo de segurança, us. em barragens, para não permitir que o nível de água do reservatório atinja valor perigoso.

extraveicular (e-i) [De *extra-* + *veículo (espacial)* + *-ar*[1].] *Adj. 2 g. Astron.* Relativo às atividades que ocorrem fora de um veículo espacial.

extraviado [Part. de *extraviar*.] *Adj.* **1.** Perdido no caminho; perdido. **2.** Desencaminhado, seduzido, pervertido. **3.** *Bras. Fam.* Desconfiado, encabulado; sem jeito. **4.** *Bras. RS* Com a roupa amarrotada ou enxovalhada; desalinhado.

extraviador (ô) [De *extraviar* + *-dor*.] *Adj.* **1.** Que extravia. ● *S. m.* **2.** Aquele que extravia ou subtrai. **3.** Aquele que desencaminha, perverte; sedutor.

extraviar [De *extra-* + *via* + *-ar*[2].] *V. t. d.* **1.** Tirar do caminho ou via; desencaminhar: *A borrasca extraviou a embarcação*. **2.** Fazer desaparecer; fazer que não chegue ao seu destino: *O mensageiro extraviou a correspondência*. **3.** Induzir em erro; desviar do bom caminho; desencaminhar; perverter; seduzir: *As más companhias extraviaram o rapaz*. **4.** Subtrair fraudulentamente: *O tesoureiro extraviou alta soma*. *P.* **5.** Perder-se no caminho; sair fora do caminho: *O mensageiro extraviou-se*. **6.** Levar descaminho; perder-se, sumir-se: *O processo extraviou-se por descuido do funcionário*.

extravio [Dev. de *extraviar*.] *S. m.* **1.** Ato ou efeito de extraviar(-se); perda, sumiço. **2.** Roubo, furto. **3.** *Bras.* Desperdício (3). **4.** *Bras. RS* Estado de desalinho em que alguém se encontra.

extrema-direita [Do f. de *extremo* + *direita*.] *S. 2 g. Fut.* V. *ponta-direita*. [Pl.: *extremas-direitas*.]

extremado [Part. de *extremar*.] *Adj.* **1.** Extraordinário, excepcional: *É homem de extremada coragem*. **2.**

E

Insigne, distinto, extremo: *Nosso professor era um extremado cultor da língua.* **3.** Que não é moderado; radical: *É um homem extremado; nunca tem atitudes conciliadoras.* [Cf. *estremado.*] ~ V. *extremados.*

extremados [Do pl. de *extremado.*] ***S. m. pl.*** *Ant.* Lavores. [Cf. *estremados*, pl. de *estremado.*] ~ V. *extremado.*

extrema-esquerda [Do f. de *extremo esquerda.*] ***S. 2 g.*** *Fut.* V. *ponta-esquerda.* [Pl.: *extremas-esquerdas.*]

extremamente [Do f. de *extremo* + *-mente.*] ***Adv.*** **1.** De modo extremo; em extremo. **2.** Extraordinariamente; imensamente; espantosamente.

extremante [De *extremar* + *-nte.*] ***S. m.*** *Mat.* O maximante ou o minimante.

extremar [De *extremo* + *-ar*[2].] ***V. t. d.*** **1.** Tornar extremo, sumo, máximo; assinalar, exaltar, enaltecer, sublimar. ***P.*** **2.** Distinguir-se, assinalar-se, enaltecer-se, sublimar-se. [Pres. ind.: *extremo, extremas, extrema,* etc.; pres. subj.: *extreme, extremes,* etc. Cf. *estrema,* s. f., pl. *estremas,* o v. *estremar,* e o adj. *estreme.*]

extrema-unção [Do f. de *extremo* + *unção.*] ***S. f.*** *Rel.* Unção dos doentes com um óleo próprio, o óleo dos enfermos, e que constitui um dos sete sacramentos da Igreja católica; unção dos enfermos, sacramento dos enfermos. [Pl.: *extremas-unções* e *extrema-unções.*]

extremável [De *extremar* + *-vel.*] ***Adj. 2 g.*** Que se pode extremar.

extremense ***Adj. 2 g.*** **1.** De, ou pertencente ou relativo a Extrema (MG). • ***S. 2 g.*** **2.** O natural ou habitante de Extrema.

extremidade [Do lat. *extremitate.*] ***S. f.*** **1.** Qualidade do que é extremo. **2.** Fim, limite: *a extremidade da praia.* **3.** Beira, orla, fímbria: *extremidade da saia.* **4.** Ponta (1): *a extremidade dos dedos.* **5.** *Anat.* Designação genérica de qualquer um dos quatro membros [v. *membro* (1)]. **6.** *Fig.* Miséria, aflição, apertura extrema.

extremismo [De *extremo* + *-ismo.*] ***S. m.*** Doutrina, corrente ou tendência que preconiza soluções extremas para os problemas sociais.

extremista [De *extremismo* + *-ista.*] ***Adj. 2 g.*** **1.** Relativo ao, ou em que há extremismo. **2.** Que é partidário ou simpatizante dele. • ***S. 2 g.*** **3.** Partidário ou simpatizante do extremismo.

extremo [Do lat. *extremu.*] ***Adj.*** **1.** Que está no ponto mais afastado; remoto, distante, longínquo: *o extremo sul.* **2.** Que atingiu o grau máximo; extraordinário: *dor, alegria, tristeza extrema.* **3.** Final, derradeiro: *o extremo alento; Usou de um extremo artifício.* **4.** V. *extremado* (2). **5.** Diz-se de facção extremada, radical: *extrema direita; extrema esquerda.* ~ V. *— Oriente* e *lance —.* • ***S. m.*** **6.** O ponto mais distante: *Os extremos se tocam.* **7.** Extremidade, termo: *o extremo das forças.* **8.** *Mat.* Um máximo ou um mínimo de uma função real. **9.** *Mat.* O supremo ou o ínfimo de um conjunto. [Fem.: *extrema.* Cf. *estremo* e *estrema,* do v. *estremar; estrema,* s. f.; e o adj. *estreme.*] ~ V. *extremos.* ◆ **Extremo inferior.** *Mat.* Ínfimo (3). **Extremo superior.** *Mat.* Supremo (5). **Em extremo.** Em sumo grau; excessivamente, extraordinariamente: *Ama os pais em extremo.*

extremo-direito ***S. m.*** *Lus. Fut.* V. *ponta-direita.* [Pl.: *extremos-direitos.*]

extremo-esquerdo ***S. m.*** *Lus. Fut.* V. *ponta-esquerda.* [Pl.: *extremos-esquerdos.*]

extremófilo [De *extremo* + *-filo*[2]; ingl. *extremophile.*] ***Adj. S. m.*** *Microbiol.* Diz-se de, ou microrganismo que vive em condições extremas de temperatura, pressão, etc.

extremos [Do pl. de *extremo.*] ***S. m. pl.*** **1.** Carinho excessivo. **2.** *Fig.* Último recurso. **3.** Exagero, descomedimento; atitudes extremadas: *É homem dos extremos, descomedido, apaixonado.* ~ V. *extremo.*

extremosa [F. subst. de *extremoso.*] ***S. f.*** *Bot.* Pequena árvore litrácea (*Lagerstroemia indica*) ornamental, originária da China, de flores belíssimas, cálice campanulado, pétalas crispadas ou frisadas, róseas ou alvas, dispostas em panículas terminais, multifloras, sendo o fruto uma cápsula coriácea; escumilha.

extremoso (ô) [De *extremo* + *-oso.*] ***Adj.*** **1.** Que tem extremos, que chega a extremos (1): *mãe extremosa;* "bom e extremoso pai de família" (Bernardo Guimarães, *O Seminarista,* p. 15). **2.** Que se vale de extremos (3).

extremozense ***Adj. 2 g.*** **1.** De, ou pertencente ou relativo a Extremoz (RN). • ***S. 2 g.*** **2.** O natural ou habitante de Extremoz.

extrínseco (s=c) [Do lat. *extrinsecu.*] ***Adj.*** Que é exterior; não pertencente à essência de uma coisa. [Antôn.: *intrínseco.*] ~ V. *condução —a, semicondutor — e valor —.*

extrofia [Do gr. *ekstrophé,* 'reviramento para fora', + *-ia*[1].] ***S. f.*** *Patol.* Eversão congênita de um órgão.

extrófico [De *extrofia* + *-ico*[2].] ***Adj.*** Relativo à extrofia.

extrorso [Do lat. *extrorsu.*] ***Adj.*** *Bot.* Voltado para fora. [Antôn.: *introrso.*]

extroversão [Do fr. *extroversion, extraversion* < lat. *extra-* + fr. *version,* 'versão' (q. v.).] ***S. f.*** Qualidade ou estado de extrovertido.

extroverso [Voc. deduz. de *extroversão.*] ***Adj.*** Extrovertido.

extroverter-se [Voc. deduz. de *extrovertido* (q. v.).] ***V. p.*** Proceder como extrovertido; mostrar-se comunicativo: "Eu voltava da Suíça depois de vários anos de contacto com gente que se extroverte pouco e que se exprime ainda menos." (Gilberto Amado, *Depois da Política,* p. 103.) [Antôn.: *introverter-se.*]

extrovertido [Adapt. do fr. *extroverti, extraverti,* trad. do al. *extravertiert* < lat. *extra-* + lat. *vertere,* 'virar', 'voltar' (v. *verter*).] ***Adj.*** *Psican.* **1.** Que se expande, que desabafa; expansivo, comunicativo, sociável: "Jackson [de Figueiredo] era um homem extrovertido, barulhento, gostava de cantar, de conversar pelos cafés, de passear à noite pelas ruas desertas" (Antônio Carlos Vilaça, *O Desafio da Liberdade,* p. 80). [Sin.: *extroverso.*] • ***S. m.*** **2.** Indivíduo extrovertido: "O Sr. Álvaro Lins nos garante [em *História Literária de Eça de Queirós*], com muita razão, que ele [Eça] era um extrovertido, que o seu socialismo era sentimentaloide." (Mário de Andrade, *O Empalhador de Passarinho,* p. 173.) [Antôn.: *introvertido.*]

extrusão [Do fr. *extrusion.*] ***S. f.*** **1.** Expulsão (2). [Antôn.: *intrusão.*] **2.** *Tec.* Passagem forçada de metal, plástico, etc., através dum orifício, visando a conseguir uma forma alongada ou filamentosa. ◆ **Extrusão vulcânica.** Derrame de lava de um vulcão.

extrusivo [De *extrus-,* como em *extrusão,* + *-ivo.*] ***Adj.*** Relativo a, ou que provoca extrusão. ~ V. *rocha —a.*

extrusor (ô) [De *extrus-,* como em *extrusão,* + *-or.*] ***S. m.*** *Tec.* Na indústria de plásticos, máquina que impele a massa plástica contra um molde vazado, a fim de conformá-la na configuração desejada.

extrusora (ô) [Fem. de *extrusor.*] ***S. f.*** *Tec. Mec.* Máquina onde se efetua a extrusão (2).

extubação [De *extubar* + *-ção.*] ***S. f.*** *Anest.* Ato ou ação de extubar.

extubar [De *ex-*[1] + *tubo* + *-ar*[2].] ***V. t. d.*** *Med.* Remover de (o doente) o tubo ou a cânula com que foi entubado.

→**ex tunc** [eks tuŋk] [Lat.] *Jur.* Desde então; com efeito retroativo.

exu[1] (ch) [Do ior.] ***S. m.*** *Bras. Rel.* Entidade (6) iorubana alternativamente considerada, no Brasil, como orixá e como mensageiro dos orixás, ou entre estes e os homens, assimilada ao diabo cristão por missionários ainda em África, e descrita como de gênio irascível, vaidoso, fálico e suscetível, embora possa trabalhar para o bem. [Por vezes, com cap. V. *compadre* (6) e *padê.*] ◆ **Virar exu.** *Bras. Rel.* **1.** Incorporar (6) um exu. **2.** *Fig.* Ser tomado de cólera; enfurecer-se.

exu[2] (ch) ***S. m.*** *Bras. Zool.* V. *enxuí.*

exuberância (z) [Do lat. *exuberantia.*] ***S. f.*** V. *superabundância.*

exuberante (z) [Do lat. *exuberante.*] ***Adj. 2 g.*** **1.** V. *superabundante.* **2.** *Fig.* Cheio, repleto: *exuberante de alegria.* **3.** Animado, vivo: *temperamento exuberante.* **4.** Viçoso, vigoroso.

exuberantemente (z) [De *exuberante* + *-mente.*] ***Adv.*** De modo exuberante; com exuberância: "Lúdico, o verso barroco é, com frequência, exuberantemente ornado." (José Guilherme Merquior, *De Anchieta a Euclides,* p. 13.)

exuberar (z) [Do lat. *exuberare.*] ***V. int. T. c.*** **1.** V. *superabundar* (1): "Martim sentiu perpassar nos olhos o sono da morte; porém logo a luz inundou-lhe os seios d'alma; a força exuberou em seu coração." (José de Alencar, *Iracema,* p. 60); *Os pomares exuberam no verão.* ***T. i.*** **2.** Ter em excesso, em abundância: *A noiva exuberava em graça e beleza; O rapaz exubera de talento.* ***T. d.*** **3.** Manifestar superabundância de: *Os dois jovens exuberavam felicidade.* [Pres. subj.: *exubere,* etc. Cf. *exúbere.*]

exúbere (z) [De *ex-*[1] + lat. *ubere,* 'úbere[1]'.] ***Adj. 2 g.*** *Med.* Desmamado. [Cf. *exubere,* do v. *exuberar.*]

exu-caveira (x=ch) ***S. m.*** *Bras. Rel.* Orixá protetor dos cemitérios. [Pl.: *exus-caveiras.*]

exuense (x=ch) ***Adj. 2 g.*** **1.** De, ou pertencente ou relativo a Exu (PE). • ***S. 2 g.*** **2.** O natural ou habitante de Exu.

êxul (z) ***Adj. 2 g.*** V. *êxule:* "Assim ao gênio caberá, além da dor da morte da beleza alheia, e da mágoa de conhecer a universal ignorância, o sofrimento próprio, de se sentir par dos Deuses sendo homem, par dos homens sendo deus, êxul ao mesmo tempo em duas terras." (Fernando Pessoa, *Páginas de Doutrina Estética,* p. 119.) [Pl.: *êxules.* Cf. *exules,* do v. *exular.*]

exular (z) [Do lat. *exsulare.*] ***V. int.*** Ir viver no exílio, fora da pátria; expatriar-se. [Pres. subj.: *exule, exules,* etc. Cf. *êxule* e *êxules,* pl. de *êxul* e de *êxule.*]

exulceração (z) [Do lat. *exulceratione.*] ***S. f.*** **1.** *Patol.* Úlcera superficial ou incipiente. **2.** *Fig.* Sofrimento ou dor moral.

exulcerante (z) [De *exulcerar* + *-nte.*] ***Adj. 2 g.*** Que exulcera.

exulcerar (z) [Do lat. *exulcerare.*] ***V. t. d.*** **1.** Ulcerar superficialmente. **2.** Desgostar, afligir, magoar. ***P.*** **3.** Começar a ulcerar-se.

exulcerativo (z) [Do lat. *exulceratus,* 'exulcerado', part. pass. do v. lat. *exulcerare,* + *-ivo.*] ***Adj.*** Capaz de produzir úlceras.

êxule (z) [Do lat. *exsule* ou *exule.*] ***Adj. 2 g.*** Exilado, desterrado, degredado. [Var.: *êxul* (q. v.). Cf. *exule,* do v. *exular.*]

exultação (z) [Do lat. *exsultatione.*] ***S. f.*** Estado de quem exulta; grande alegria; júbilo.

exultante (z) [Do lat. *exsultante.*] ***Adj. 2 g.*** Que exulta; muito alegre; jubiloso.

exultar (z) [Do lat. *exsultare.*] ***V. int.*** Sentir e manifestar grande júbilo, ou alvoroço; jubilar-se; alegrar-se ou regozijar-se ao extremo: "E ao ver-te assim sorrir, minha alma exulta e canta" (Mateus de Albuquerque, *Visionário,* p. 29); "Calisto exultava de delícias incomparáveis." (Camilo Castelo Branco, *A Queda dum Anjo,* p. 256).

exumação (z) [De *exumar* + *-ção.*] ***S. f.*** Ato ou efeito de exumar.

exumar (z) [Do lat. med. *exhumare.*] ***V. t. d.*** **1.** Tirar da sepultura; desenterrar. [Antôn., nesta acepç.: *inumar.*] **2.** Tirar do esquecimento: *Exumou velhos fatos da crônica da família;* "Aquelas vozes entravam-lhe pela alma, revolviam-lhe a memória exumando saudades, recordações dos dias meninieiros" (Coelho Neto, *Miragem,* p. 323). ***T. d. e i.*** **3.** Tirar do esquecimento: "Digam o que disserem, aqui ou em Paris: uma peça violentamente romântica terá sempre que ser apresentada dentro do estilo romântico. Ou, então, não a exumem do pó dos séculos." (Manuel Bandeira, *Poesia e Prosa,* II, p. 427.)

exutório (z) [Do lat. *exutus,* part. pass. de *exuere,* 'despido', + *-ório.*] ***S. m.*** *Med.* **1.** Supuração produzida e mantida artificialmente. **2.** Agente que promove eliminação.

exúvia (z) [Do sing. do lat. *exuviae,* 'vestidos largados', 'despojos'.] ***S. f.*** *Biol.* Tegumento deixado pelos artrópodes por ocasião das mudas.

exuviabilidade (z) [De *exuviável* + *-(i)dade,* seg. o padrão erudito.] ***S. f.*** Faculdade que têm certos animais de mudar de pele.

exuviável (z) [De **exuviar* (*exúvia* + *-ar*[2]) + *-vel.*] ***Adj. 2 g.*** Que pode mudar de pele sem perder a forma.

exúvio (z) [De *exúvia.*] ***S. m.*** *Bot.* Restos da parte superior dos frutos, deixados pelo cálice ou pela corola. [O exúvio é comum nos frutos das plantas mirtáceas.]

→**ex vi** [eks vi] [Lat.] Por força; por efeito; por determinação expressa.

→**ex vi legis** [eks vi 'leges] [Lat.] *Jur.* Por força da lei.

→**ex vi verborum** [eks vi ver'borõ] [Lat.] Por força de expressão.

→**ex vivo** [eks 'vivɔ] [Lat.] *Cir.* Locução latina que designa procedimento em que um órgão é retirado do corpo a que pertence, é tratado cirurgicamente e retorna, imediatamente, a sua posição anatômica, no organismo de que proveio.

ex-voto (ês) [Do lat. *ex voto.*] ***S. m.*** Quadro, imagem, inscrição, ou órgão de cera, madeira, etc., que se oferece e expõe numa igreja ou numa capela em comemoração de voto ou promessa cumpridos; milagre: "No conto ['Entre Santos', de Machado de Assis], ... o usurário Sales, ... doente a mulher, pede a São Francisco que a salve... Se conseguisse o milagre, daria... — a ideia era a de oferecer-lhe uma perna de cera, mas no ar, diante dos olhos, o que lhe aparecia .... era a moeda que o ex-voto havia de custar." (R. Magalhães Júnior, *Machado de Assis,* p. 231.) [Pl.: *ex-votos.*]

▲**-ez** [Do lat. *-ĭtĭa, -ĭtĭe,* por via pop.] ***Suf. nom.*** formador de subst. abstratos de cunho popular e/ou semierudito, ger. a partir de adjetivos: 'qualidade', 'propriedade', 'estado', 'condição', 'modo de ser': *escassez, sensatez, surdez.* [Embora menos profícuo do que o seu equiv. *-eza* (*beleza, crueza, magreza, tristeza,* etc.), pode alternar-se com este, como, por ex., em: *altivez, altiveza, robustez, robusteza, rudez, rudeza.* V. *-ícia.*]

▲**-eza** [Do lat. *-ĭtĭa,* por via pop.] V. *-ez.*

ezequielense ***Adj. 2 g. S. 2 g.*** V. *coronel-ezequielense.*

Minúscula Moderna | Maiúscula Moderna | Minúscula Carolíngia | Romano | Romano | Etrusco | Grego | Fenício

Entre os amigos do professor e já autor de artigos e contos para jornais e revistas, estava o escritor

José Lins do Rego, paraibano, aqui, no Passeio Público do Rio de Janeiro, em 1937.

f (efe ou fê) ***S. m.* 1.** A 6ª letra do nosso alfabeto. [Representa a consoante fricativa labial surda.] **2.** A figura dessa letra, ou qualquer representação sua: *O anel tem um F gravado na parte interna.* **3.** Som representado por essa letra. ● ***Num.* 4.** Sexto (1), numa série ordenada ou hierárquica cujos elementos são designados ou representados pelas letras do alfabeto: *cadeira f (ou cadeira F).* [Pl. (nas acepçs. 1 a 3) indicado graficamente pela duplicação da letra: *ff.*]

■ **f 1.** Abrev. de *feminino*. **2.** Abrev. de *folha*. **3.** Símb. de *femto-* (q. v.). **4.** *Fís. Nucl.* Símb. de *fermi*. **5.** *Mat.* Símb. de *função* (11). **6.** *Mús.* Abrev. de *forte* (28). [Usa-se duplicado (ff) ou triplicado (fff), como sinal de *fortíssimo*.] **7.** *Ópt.* Abrev. de *número f*. [Tb. us. como o numerador da fração correspondente.]

■ **F 1.** Abrev. de *fulano*. **2.** *Biol.* Abrev. de *geração filial, i. e.,* da prole de determinado indivíduo. [Ger., é acompanhado de um índice numérico que indica a contagem de gerações descendentes a partir do(s) indivíduo(s) tomado(s) como referência.] **3.** *Eletr.* Símb. de *farad*. **4.** *Fís.* Símb. de *Fahrenheit*, indicando a escala termométrica de uma medida de temperatura (v. *escala fahrenheit*). **5.** *Fís.* Símb. de *fluxo luminoso*. **6.** *Fís.* Símb. de *força* (18). **7.** *Fís.-Quím.* Símb. de *faraday*. **8.** *Mús.* Sinal com que se representa a nota fá, ou a escala em que essa nota é a tônica, ou o acorde em que ela é a nota fundamental. [Deriva da notação musical alfabética, ainda us. nos países germânicos e anglo-saxões.] **9.** *Ópt.* Símb. de *distância focal* (1 e 2). **10.** *Quím.* Símb. de *flúor*.

■ **°F** *Fís.* Símb. de *grau Fahrenheit*.

fá[1] [F. red. de *famuli*; v. *ut*.] ***S. m. Mús.* 1.** Nota correspondente ao quarto grau da escala natural do modo maior (q. v.). [Correspondente a *F*, na notação alfabética; cf. *ut*.] **2.** O sinal que representa essa nota, na pauta.

fá[2] [Do jeje, poss.] ***S. m. Bras. Rel.*** Divindade jeje da adivinhação, correspondente ao orixá ioruba Ifá. [Com cap.]

fã [Do ingl.-amer. *fan*, f. red. de *fanatic*, 'fanático'.] ***S. 2 g.* 1.** *Gír.* Admirador exaltado de certo artista de rádio, cinema, televisão, etc.: "Tem o herói [Frank Sinatra] um ar faminto de criança abandonada. Dever ter sido isso — acho — que atraiu o instinto maternal das mulheres americanas. Sua legião de fãs cresce" (Érico Veríssimo, *A Volta do Gato Preto*, p. 37). **2.** *P. ext.* Admirador exaltado: *É fã de Machado de Assis e de Pelé.*

■ **FAB** Sigla de *Força Aérea Brasileira*.

fabácea [Do tax. *Fabaceae*.] ***S. f. Bot.*** Espécime das fabáceas, família da ordem das fabales que reúne cerca de 425 gêneros e 12.150 espécies, em sua maioria plantas herbáceas, mas também arbustos e árvores. Folhas em geral trifoliadas, flores pentâmeras, diclamídeas, hermafroditas, e frutos que são legumes raramente indeiscentes, ou sâmaras, ou tomentos.

fabáceo [De *fabácea*, com var. suf. (v. *-áceo*).] ***Adj. Bot.*** Pertencente ou relativo às fabáceas.

fabagela [Do lat. cient. *fabagela*, dim. do lat. *fabago*.] ***S. f. Bot.*** Pequena arvoreta ou arbusto zigofiláceo (*Zygophyllum fabago*) da região mediterrânea oriental e do S.O. asiático, dotado de flores amarelas, de cinco pétalas, vermelhas na base, e cujos brotos são us. como alcaparras; falso-alcaparreiro.

fabal [Do lat. cient. *Fab-* (v. *fabácea*) + *-al*[1].] ***Adj. 2 g. Bot.*** Pertencente ou relativo às fabales.

fabale [Do tax. *Fabales*.] ***S. f. Bot.*** Espécime das fabales, ordem que reúne três famílias intimamente ligadas (mimosáceas, cesalpiniáceas e fabáceas) que são, coletivamente, denominadas leguminosas; têm folhas estipuladas, compostas, de dez a mais estames ger. unidos por filamentos, e frutos que, secos, se abrem ao longo de duas suturas, liberando as sementes. A maioria dos membros dessa ordem abriga nas raízes bactérias simbióticas fixadoras de nitrogênio.

fabela [Do lat. *fabella*.] ***S. f.*** Pequena fábula (1 e 2); fabulazinha.

fabiana[1] [Do tax. *Fabiana* (do antr. [*Francisco*] *Fabián* [*y Fuero*] [1719-1801], bispo e naturalista espanhol).] ***S. f. Bot.* 1.** Gênero de pequenos arbustos solanáceos, sempre-verdes, que encerra espécies com propriedades medicinais e outras que são ornamentais; têm numerosas florezinhas tubuliformes, brancas ou azuis. **2.** Qualquer espécie desse gênero, como, p. ex., a *Fabiana imbricata*, de caule até 2m de altura, ericoide, flores alvas, fruto capsular ovoide; o lenho é us. medicinalmente, em decocção. **3.** Qualquer espécime desse gênero, ou a sua flor.

fabiana[2] ***S. f. Bras. AL Pop.*** Ferida, chaga.

fabiano[1] [Do antr. *Fabiano*, poss.] ***S. m. Lus.* 1.** Indivíduo inofensivo; pobre-diabo. **2.** Indivíduo qualquer, desconhecido, sem importância. [V. *joão-ninguém*.]

fabiano[2] [De *FAB* (q. v.) + *-iano*.] ***Adj.* 1.** Relativo à, ou que é membro da FAB. ● ***S. m.* 2.** Membro da FAB.

fabiforme [Do lat. *faba*, 'fava', + *-iforme*.] ***Adj. 2 g.*** Que tem forma de fava, ou de vagem.

fabordão [Do fr. *faux-bourdon*.] ***S. m.* 1.** *Mús.* Uma das mais antigas formas de polifonia vocal, a três vozes, em contraponto simples de primeira espécie (nota contra nota), e na qual a nota fundamental, ou bordão, passou da parte mais grave para a parte superior, formando séries de terças e sextas paralelas. **2.** *Mús.* Música desentoada, sem pausas. **3.** Dissonância; desentoação. **4.** *Fig.* Sensaboria, insipidez; monotonia.

fábrica [Do lat. *fabrica*.] ***S. f.* 1.** Estabelecimento industrial, equipado com máquinas capazes de transformar e/ou produzir bens de consumo e tb. bens de produção. **2.** *P. ext.* O pessoal que trabalha em fábrica (1). **3.** Construção de edifício ou parte de edifício; edificação: "a praça estendia-se até a Rua da Misericórdia onde se erguera a nova igreja de S. José, cuja capela-mor, de recente fábrica, entrava pelo mar adentro." (José de Alencar, *Alfarrábios*, p. 30). **4.** Fabrico, execução, lavor, confecção. **5.** Maquinismo engenhoso: ".... nenhum desenho dá uma ideia .... do que fosse aquela mortífera fábrica que tanto amedrontava os mouros." (José Saramago, *História do Cerco de Lisboa*, p. 36). **6.** *Fig.* Causa, origem. **7.** Rendimento aplicado ao culto de uma igreja. **8.** Conselho constituído de clérigos e leigos, sujeito à aprovação do bispo, e cujas funções se restringem à administração dos bens de uma paróquia. ● ***S. m.* 9.** *Bras. PI* Auxiliar do campeiro. **10.** *Bras. N.E.* Usina de caroá. [Cf. *fabrica*, do v. *fabricar*.]

fabricação [Do lat. *fabricatione*.] ***S. f.* 1.** Ato ou efeito de fabricar; fabrico. **2.** Arte, maneira ou técnica de fabricar; fabrico: *fabricação manual; fabricação mecânica.* **3.** Fabrico (2).

fabricador (ô) [Do lat. *fabricatore*.] ***S. m.* 1.** Aquele que fabrica, constrói, edifica: *Os anônimos fabricadores de catedrais góticas.* **2.** V. *fazedor* (2).

fabricante [Do lat. *fabricante*.] ***S. 2 g.* 1.** Pessoa que fabrica ou dirige a fabricação; dono de fábrica. **2.** Pessoa que arranja, organiza ou inventa; feitor. **3.** Fábrica ou indústria de dado produto: "O porcelanato .... ganhou mesmo o centro das atenções entre as maiores fabricantes do País." (*Gazeta Mercantil*, 24.04.2000).

fabricar [Do lat. *fabricare*.] ***V. t. d.* 1.** Produzir na fábrica; manufaturar, preparar: "Foram .... holandeses os primeiros que fabricaram na Europa, no começo do século XVII, a louça de faiança" (Ramalho Ortigão, *A Holanda*, p. 223). **2.** Construir, edificar: *A ave fabrica seu ninho;* "A aranha fabrica a sua teia para viver, a lagarta a sua mortalha para morrer." (Marquês de Maricá, *Máximas, Pensamentos e Reflexões*, p. 208). **3.** Cunhar, amoedar: *fabricar moedas.* **4.** *Desus.* Cultivar, amanhar: *fabricar uma terra.* **5.** *Ant. Mar.* Efetuar reparos em (embarcação). **6.** Inventar; engendrar, idear, maquinar: *fabricar álibis; fabricar infâmias.* **7.** Causar, provocar: *fabricou a própria desonra.* ***T. d. e i.* 8.** Maquinar, preparar: *Fabricaram-lhe habilmente uma cilada.* ***Int.* 9.** Manter uma fábrica. **10.** Produzir em fábrica. [Conjug.: v. *trancar*. Pres. ind.: *fabrico, fabricas, fabrica*, etc.; fut. do pret.: *fabricaria*, etc. Cf. *fábrico*, s. m., *fábrica*, s. f., e *fabricária*, fem. de *fabricário*, s. m.]

fabricário [De *fábrica* + *-ário*.] *S. m.* Fabriqueiro. [Fem.: *fabricária*. Cf. *fabricaria*, do v. *fabricar*.]

fabricável [Do lat. *fabricabile* (v. *fabricar* e *-vel*).] *Adj. 2 g.* Que pode ser fabricado.

fabricianense *Adj. 2 g.* **1.** De, ou pertencente ou relativo a Coronel Fabriciano (MG). • *S. 2 g.* **2.** O natural ou habitante de Coronel Fabriciano.

fabrico [Dev. de *fabricar*.] *S. m.* **1.** Fabricação (1 e 2): "Entretinha-se com a lavoura, o fabrico do vinho branco e amoras silvestres." (João de Araújo Correia, *Terra Ingrata*, p. 140.) **2.** Produto de uma fábrica; fabricação: *Vendeu todo o fabrico que sobrara do ano anterior em um mês.* [Cf. *fábrico*.]

fábrico [De *fabrico*, com hiperbibasmo de fundo semântico.] *S. m. Bras. Amaz.* Época seca durante a qual se corta e se prepara a borracha. [Cf. *fabrico*, do v. *fabricar* e s. m.]

fabril [Do lat. *fabrile*.] *Adj. 2 g.* **1.** Respeitante ao trabalho manufator, à manufatura; manufatureiro: *O desenvolvimento fabril da Inglaterra no séc. XIX.* **2.** Pertencente a, ou próprio de fábrica (1): *equipamento fabril; indústria fabril; A empresa se localiza no setor fabril.* **3.** Que se executa ou ocorre em fábrica (1): *produto fabril; trabalho fabril.*

fabriqueiro [De *fábrica* + *-eiro*.] *S. m.* O encarregado da fábrica (7); fabricário.

fabriqueta (ê) [De *fábrica* + *-eta* (ê).] *S. f.* Pequena fábrica.

fabro [Do lat. *fabru*.] *S. m. Poét.* Mecânico, operário, artífice.

fabrossauro [Do tax. *Fabrosaurus*.] *S. m. Paleont.* **1.** Gênero de dinossauros ornitísquios, ornitópodes, herbívoros, com até 1m de comprimento, e que se locomoviam em posição bipedal, sendo dotados de patas traseiras robustas, e que habitaram os alagadiços e charcos da África do Sul no jurássico. **2.** Espécie ou espécime desse gênero.

fábula [Do lat. *fabula*.] *S. f.* **1.** Historieta de ficção, de cunho popular ou artístico. **2.** Narração breve, de caráter alegórico, em verso ou em prosa, destinada a ilustrar um preceito: *as fábulas de La Fontaine.* [Cf., nessas acepç., *apólogo*.] **3.** Mitologia, lenda: *os deuses da fábula.* **4.** Narração de coisas imaginárias; ficção: "Martius demonstrou que a história do Brasil seria fábula ou romance se lhe faltassem as bases da etnografia regional, e da etnografia geral" (E. Roquete-Pinto, *Seixos Rolados*, p. 257). **5.** V. *fabulação* (2). **6.** *Fig.* Assunto de crítica ou mofa. **7.** V. *enredo* (5). **8.** *Bras.* Quantia ou importância muito elevada; grande soma de dinheiro: *Gastou uma fábula com o carro.* [Tb. se diz, nesta acepç., *fábulas*, mas sem artigo.] [Dim. irreg.: *fabela*. Cf. *fabula*, do v. *fabular*.] ~ V. *fábulas*. ◆ **Fábula atelana.** *Teatr.* V. *comédia atelana*. **Fábula tabernária.** *Teatr.* Comédia tabernária.

fabulação [Do lat. *fabulatione*.] *S. f.* **1.** Narrativa fabulosa. **2.** Entrecho de poema, romance ou drama; fábula, afabulação. **3.** Lição moral contida na fábula; afabulação. **4.** *Psiq.* Relato de acontecimentos imaginários, como se fossem verdadeiros; confabulação.

fabulador (ô) [Do lat. *fabulatore*.] *Adj. S. m.* Que, ou aquele que fabula.

fabular[1] [Do adj. lat. *fabulare*.] *Adj. 2 g.* **1.** Concernente a fábula. **2.** Fabuloso, imaginário, lendário.

fabular[2] [Do v. lat. *fabulare*.] *V. t. d.* **1.** Narrar em forma de fábula: *fabular uma lenda popular.* **2.** Historiar ou narrar sem critério; inventar: *fabular aventuras fantásticas.* *Int.* **3.** Compor ou contar fábulas. **4.** Fazer histórias sem critério; inventar, mentir. *T. i.* **5.** Fazer ou formar história fabulosa: *fabular com os amigos.* [Sin. ger.: *fabulizar*. Pres. ind.: *fabulo*, *fabulas*, *fabula*, etc. Cf. *fábula*.]

fabulário [De *fábula* + *-ário*.] *S. m.* Coleção de fábulas [v. *fábula* (1 e 2)].

fábulas *S. f. pl. Bras.* V. *fábula* (8): *Aquela casa custou fábulas; Ganhou fábulas na transação.* ~ V. *fábula*.

fabulista [De *fábula* + *-ista*.] *S. 2 g.* Autor ou narrador de fábulas.

fabulístico [De *fabulista* + *-ico*[2].] *Adj.* De, ou relativo a fábula, ou a fabulista.

fabulizar [De *fábula* + *-izar*.] *V. t. d. Int. T. i.* V. *fabular*[2].

fabuloso (ô) [Do lat. *fabulosu*.] *Adj.* **1.** Que não tem existência real; imaginário; inventado: "É exatamente neste período de transição .... que a natureza .... desvenda essa rechã, e, em vez do Eldorado fabuloso, mirífico, obra da imaginação, oferece ao homem um Eldorado bucólico, real, delicioso." (Raimundo Morais, *País das Pedras Verdes*, pp. 187-188.) **2.** Relativo à mitologia, à lenda; mitológico, lendário: *O centauro é um animal fabuloso; a história sucede aos tempos fabulosos.* **3.** Fabular[1] (1). **4.** Prodigioso, maravilhoso; estupendo; incrível: "O encilhamento estonteava. Fechavam-se diariamente na bolsa .... negócios fabulosos, subindo a milhares de contos de réis." (Leôncio Correia, *A Boêmia do Meu Tempo*, p. 139.) **5.** Admirável, grandioso: *plano fabuloso.* **6.** Pouco sabido; obscuro. **7.** *Bras.* Excelente, ótimo, perfeito: *Foi uma festa fabulosa!* ~ V. *tempos —s*.

faca[1] [De *faca*[2], com alter. semântica, por metáfora giriesca, poss.] *S. f.* **1.** Instrumento cortante, constituído de lâmina e cabo. [Sin., bras.: *biguana*. Aum.: *facão*, *facalhão* e *facalhaz*.] **2.** Utensílio semelhante à faca[1] (1), us. à mesa como talher (1). **3.** *Art. Gráf.* Chapa de corte. **4.** *Art. Gráf.* Lâmina cortante do tesourão. **5.** *Art. Gráf.* Lâmina cortante da guilhotina; navalha. **6.** *Tip.* Navalha (6). **7.** *Tip.* Telha (6). ◆ **Faca de arrasto.** *Bras. N.E.* V. *faca de rasto*: "Dias depois voltou José, ... trazendo uma espingarda nova na mão, uma faca de arrasto pendente na cintura" (Franklin Távora, *O Cabeleira*, p. 43). **Faca de rasto.** *Bras. RS* Grande faca ou facão, usada para abrir caminho no mato, cortar cipó, etc.; faca de arrasto, facão de rasto. **Faca oscilante.** *Art. Gráf.* Dispositivo para dobrar, nas dobradoras ou nas rotativas, por meio de lâmina sem gume que introduz o papel entre dois cilindros; braço oscilante. **Chiar na faca cega.** *Bras. N.E.* Sofrer muito por imprudência, por desprezo às conveniências, sem meios de defesa. **Entrar na faca.** *Fam.* Submeter-se a operação cirúrgica. **Estar com a faca e o queijo na mão.** **1.** Ter poder amplo. **2.** Dispor inteiramente de algo. [Sin. ger.: *ter a faca e o queijo na mão*.] **Pôr a faca no peito de.** *Bras. Fam.* Tentar forçar (alguém) a uma decisão, um pronunciamento, uma atitude ou ato qualquer; encostar na parede; imprensar, imprensar contra a parede; pôr alguém contra a parede; dar um arrocho em. **Ser uma faca.** **1.** Ser devorador de livros; ler muitíssimo. **2.** *Bras. MA* Ser hábil, destro. **Ter a faca e o queijo na mão.** V. *estar com a faca e o queijo na mão*.

faca[2] [Do fr. ant. *haque* < ingl. med. *hakeney* (atual *hackney*), pelo esp. ant. *haca* (atual *jaca*).] *S. f.* Hacaneia.

facada [De *faca*[1] + *-ada*[1].] *S. f.* **1.** Golpe de faca[1] (1): "tombou ali mesmo, com uma facada no ventre" (Francisco de Assis Barbosa, *Lima Barreto*, p. 194). **2.** *Fig.* Surpresa dolorosa. **3.** *Gír.* Ato de pedir dinheiro dado ou emprestado; ferrada, pechada e (lus.) tiro.

facadista [De *facada* (3) + *-ista*.] *S. 2 g. Bras. Gír.* Pessoa que vive do expediente de dar facadas [v. *facada* (3)]. [Sin. (no RS): *faquista*.]

faca-elétrica [De *faca*[1] + o f. de *elétrico*.] *S. f.* Eletrodoméstico, de pequeno porte, constituído de serra própria para fatiar alimentos. [Pl.: *facas-eletrônicas*.]

facalhão [De *faca*[1] + *-alhão*.] *S. m.* V. *faca*[1] (1): "Todos se juntaram, tirando facalhões do cinto, no terror daquela força" (Eça de Queirós, *Últimas Páginas*, p. 209).

facalhaz [De *faca*[1] + *-alhaz*.] *S. m.* V. *faca*[1] (1): "Com a navalha, a bem dizer um facalhaz, começou a cortar o enchido" (Urbano Tavares Rodrigues, *A Noite Roxa*, p. 185).

façalvo [De *face* + *alvo*.] *Adj.* Diz-se de cavalar que tem no focinho um grande sinal branco.

façanha [Do esp. ant. *fazaña* (atual *hazaña*).] *S. f.* **1.** Ato heroico; proeza. **2.** Coisa admirável, notável ou difícil de executar. **3.** *Irôn.* Ação má, perversa ou indecorosa: "viu cair-lhe aos pés fragmentos de estátuas sagradas. O autor da façanha, trepado numa imagem, martelava com fúria os relevos do tímpano, mutilando anjos e santos." (Melo Nóbrega, *O Soneto de Arvers*, p. 11).

façanheiro [De *façanha* + *-eiro*.] *Adj. S. m.* Que, ou aquele que alardeia façanhas; gabola, bazófio, valentão.

façanhoso (ô) [De *façanha* + *-oso*.] *Adj.* **1.** Que pratica façanha; façanhudo: *guerreiro façanhoso.* **2.** Admirável, maravilhoso, extraordinário: *ação façanhosa.*

façanhudo [De *façanha* + *-udo*.] *Adj.* **1.** Façanhoso (1): "Para o ilustre Malherbe, Joana [Joana d'Arc] é um Hércules feminino, um grosso Hércules façanhudo" (Eça de Queirós, *Cartas Familiares e Bilhetes de Paris*, p. 5-6). • *S. m.* **2.** Indivíduo façanhudo: "O próprio ato daqueles façanhudos [deputados e senadores], há duas semanas, de rasgar o papel, quebrar o microfone e dançar .... ao som das galerias foi uma prova de que nossos representantes julgam-se invisíveis." (Rui Castro, em *Jornal do Brasil*, 08.10.1993.)

facão [De *faca*[1] + *-ão*[1].] *S. m.* **1.** V. *faca*[1] (1). **2.** Faca grande: *um facão de cozinha; O bandido levava um facão à cinta.* **3.** *Encad.* V. *tesourão* (1). **4.** *Bras. BA* Pescador que retalha a baleia depois de morta. [Cf., nesta acepç., *faquinha*.] **5.** *Bras. N.* Biscoito grande e malfeito. **6.** *Bras. BA MG MT* Elevação central e longitudinal nas estradas, que dificulta a passagem aos veículos. ◆ **Amarrar o facão.** *Bras. Pop. BA* Chegar ao climatério. **Facão de rasto.** *Bras. N.E.* V. *faca de rasto*: "Com a fresca da madrugada, andaram bastante, ... Fabiano atrás, de facão de rasto e faca de ponta" (Graciliano Ramos, *Vidas Secas*, pp. 143-144).

fação *S. f.* V. *facção*.

facção [Do lat. *factione*.] *S. f.* **1.** Feito de armas. **2.** Bando sedicioso: "formou-se em Ferrabrás .... a facção que semeou a cizânia, a discórdia e o luto entre as colônias pacíficas" (Viana Moog, *Um Rio Imita o Reno*, p. 36). **3.** Partido político. **4.** *P. ext.* Parte divergente ou dissidente de um grupo ou partido; fração. [Var.: *fação*.]

faccional [De *facção* + *-al*[1], seg. o padrão erudito.] *Adj. 2 g.* Relativo a facção, ou às facções em que se divide um grupo. [Pl.: *faccionais*. Cf. *faccionais*, do v. *faccionar*.]

faccionar [De *facção* + *-ar*[2], seg. o padrão erudito.] *V. t. d.* **1.** Dividir em facções ou bandos. **2.** Sublevar, amotinar, alvorotar. [Var.: *facionar*. Pres. ind.: *facciono*, ... *faccionais*, *faccionam*; fut. pret.: *faccionaria*, etc. Cf. *faccionária*, fem. de *faccionário*, e *faccionais*, pl. de *faccional*.]

faccionário [Do lat. *factionariu*.] *Adj.* **1.** Relativo a facção. • *S. m.* **2.** Membro de facção, de partido. [Var.: *facionário*. Fem.: *faccionária*. Cf. *faccionaria*, do v. *faccionar*.]

facciosidade [De *faccioso* + *-(i)dade*.] *S. f.* V. *facciosismo*. [Var.: *faciosidade*.]

facciosismo [De *faccioso* + *-ismo*.] *S. m.* **1.** Qualidade de faccioso; parcialidade. **2.** Paixão partidária; sectarismo. [Var.: *faciosismo*. Sin.: *facciosidade*.]

faccioso (ô) [Do lat. *factiosu*.] *Adj.* **1.** Sedicioso, revoltoso. **2.** Sectário apaixonado de uma facção; parcial. [Var.: *facioso*.]

face [Do lat. *facie*.] *S. f.* **1.** *Anat.* A parte anterior da cabeça, que se estende dos olhos ao queixo, e cujo esqueleto ósseo se compõe de 14 ossos, dois deles ímpares; fácies. **2.** Rosto, cara, semblante: *Sua face revela cansaço.* **3.** Cada uma das duas partes laterais do rosto situadas sob os olhos e ladeando o nariz: *faces rosadas; faces bochechudas.* **4.** Presença, frente: *O pai expulsou-os de sua face.* **5.** Cada uma das partes, ou o todo de uma superfície exposta: *A face norte do edifício; a face polida do espelho; a face da Terra.* **6.** Aparência, aspecto, ar. **7.** Aspecto, particularidade, peculiaridade: "Uma das faces mais originais de Roger de Beauvoir é a energia petulante com que ele aceitou .... o seu papel de marido atraiçoado" (Ramalho Ortigão, *Em Paris*, p. 100). **8.** Situação ou estado de um negócio, questão, etc. **9.** Lado da medalha ou da moeda onde está a efígie. **10.** Lado do tecido oposto ao avesso. **11.** *Arquit.* Superfície plana, ger. aparelhada, de determinados materiais ou peças da construção. **12.** *Art. Plást.* Medida de altura, equivalente à face normal. **13.** *Bot.* Lado superior ou inferior de uma folha. **14.** *Geom.* Qualquer das superfícies planas que definem um poliedro ou um ângulo poliédrico. **15.** *Quím.* Em uma molécula, qualquer dos dois lados do plano definido por anel ou pelos átomos que formam e os que estão diretamente ligados a uma insaturação. **16.** *Zool.* A parte anterior da cabeça dos animais mamíferos. **17.** *Bras. SP* Cada um dos lados de uma casa em relação aos pontos cardeais. ◆ **Face a face.** **1.** Em frente, sem nada ou ninguém de permeio; em presença: "Estava agora face a face e os olhos da mulher examinavam-no com febril interesse." (Lúcio Cardoso, *O Desconhecido*, p. 184.) **2.** Um diante do outro, em situações opostas, defrontando-se. [Sin. ger.: *barba a barba*, *frente a frente*, *fronte por fronte*, *cara a cara*, *rosto a rosto*, *de rosto*.] **Face a face com.** V. *em face de* (1): "Pedia [Colombo], mas exigia. Não implorava; não se humilhava aos potentados. Face a face com os reis, diz o que quer." (Vicente Licínio Cardoso, *Figuras e Conceitos*, p. 58.) **Face de aproximação.** *Tip.* Cada uma das faces laterais do tipo (11). **Face hipocrática.** *Med.* Aspecto peculiar da face que se nota nos doentes com estado geral muito grave, altamente desidratados, ou em fase terminal de infecção ou de doença maligna. **Face leonina.** *Derm.* Aspecto peculiar da face, que se assemelha à de leão, e que é vista em casos avançados de lepra. **À face da letra.** Com sentido manifesto; inteligivelmente. **À face de.** V. *em face de* (2). **À face do mundo.** Diante de quem quiser ver; abertamente; às claras; em público. **Dar de face.** Dar de encontro a; encontrar, deparar. **De face.** Em posição que permita ver toda a face; de frente: "De face, de flanco. / O preto no branco." (Manuel Bandeira, *Estrela da Vida Inteira*, p. 163.) **Em face de.** **1.** Perante, defronte; em frente de, diante de; face a face com: "O auto .... galgou um serro adiante, ... estacando em face do hospital da empresa." (Herman Lima, *Garimpos*, p. 16.) **2.** Na presença ou vista de; diante de; perante; à face de: *O que o salvou, em face do perigo, foi sua habitual calma.* **3.** Em virtude de. **Fazer face a.** **1.** Não fugir a (o inimigo ou uma dificuldade); fazer rosto a; resistir a. **2.** Opor-se a. **3.** Remediar um inconveniente. **4.** Prover a; custear: *Fez face a todas as despesas do* casamento. 5. Ter a fachada voltada para (determinado ponto). **Lançar em face a.** Lançar em rosto a.

faceamento [De *facear* + *-mento*.] *S. m.* 1. Ato ou efeito de facear. 2. *Metal.* Processo de usinagem que deixa no material uma superfície plana perpendicular ao plano cortante.

facear [De *face* + *-ear*[2].] *V. t. d.* 1. Fazer face(s) ou lado(s) em. 2. Esquadrar, esquadriar. 3. Estar ou mostrar-se à frente ou à face de: *Desenhos faceiam o templo.* 4. *Bras. SP* Orientar (uma casa) em relação aos pontos cardeais. *T. c.* 5. Ficar em frente; defrontar; confrontar: "Ficaram arranchados numa casinha de porta e janela, faceando, de um lado, com a venda do Inácio Peroba" (Nélson de Faria, *Tiziu e Outras Estórias*, p. 192). [Conjug.: v. *frear*.]

facécia [Do lat. *facetia*.] *S. f.* 1. Qualidade ou modos de faceto. 2. Dito chistoso, meio-termo entre a graça e a zombaria: "as óperas de Antônio José trazem .... a facécia grossa e petulante, tal como lha pedia o paladar das plateias" (Machado de Assis, *Relíquias de Casa Velha*, p. 164).

faceciosidade [De *facecioso* + *-(i)dade*.] *S. f.* Qualidade de facecioso: "Precisamente por essa época foi que ele começou a enfeitiçar-nos com a faceciosidade de seus versos alegres" (Luís Edmundo, *De um Livro de Memórias*, III, p. 665).

facecioso (ô) [De *facécia* + *-oso*.] *Adj.* V. *faceto*.

faceira [De *face* + *-eira*.] *S. f.* 1. A carne dos lados do focinho do boi. 2. *Fam.* Façoila. 3. *Bras.* Mulher vaidosa e/ou afetada. ● *S. m.* 4. Peralta, petimetre.

faceiraço [De *faceiro* + *-aço*.] *Adj. Bras. S.* Muito faceiro.

faceirar [De *faceiro* + *-ar*[2].] *V. int. Bras.* 1. Ostentar elegância, no vestuário como nas maneiras: "cruzavam-se cocotes faceirando, respondendo aos galanteios com .... muitos requebros de quadris." (Coelho Neto, *A Conquista*, pp. 45-46). 2. Enfeitar-se, adornar-se, ataviar-se.

faceirice [De *faceiro* + *-ice*.] *S. f.* Qualidade ou modos de faceiro (1); ostentação de elegância; denguice, garridice, janotice.

faceiro [De *face* + *-eiro*.] *Adj.* 1. Que é dado a enfeitar-se, a ostentar elegância; casquilho, janota, taful: "Uma velhota metida a faceira, que pintava os lábios com carmim" (Viriato Correia, *Novelas Doidas*, p. 24). 2. *Bras.* Alegre, contente, satisfeito. 3. *Bras. S.* Diz-se de cavalo garboso, que levanta o pescoço quando marcha ou bralha. ● *S. m.* 4. Indivíduo faceiro (1); peralta, janota.

➔**face-lift** ['fejslɪft] [Ingl.] *S. m. Cir. Plást.* V. *lifting*.

➔**face-lifting** ['fejslɪftɪŋ] [Ingl.] *S. m. Cir. Plást.* V. *lifting*.

faceta (ê) [Do fr. *facette*.] *S. f.* 1. Pequena face ou superfície. 2. Superfície limitante de cristal ou de pedra preciosa. 3. Cada um dos aspectos particulares pelos quais se considera alguém ou algo. 4. *Anat.* Pequena superfície plana, situada em formação anatômica dura, como, p. ex., osso. 5. *Odont.* Revestimento da face vestibular de um dente para restabelecer ou corrigir sua anatomia. 6. *Tip.* Bisel (5). [Pl.: *facetas* (ê). Cf. *faceta* e *facetas*, do v. *facetar*.]

facetado [Part. de *facetar*.] *Adj.* 1. Que se facetou. 2. *Arquit.* Diz-se de elemento arquitetônico formado por diversas superfícies planas que se encontram obliquamente, evitando arestas vivas.

facetar [De *faceta* + *-ar*[2].] *V. t. d.* 1. Fazer facetas em. 2. Lapidar, polir. 3. Aprimorar, aperfeiçoar, polir. 4. Apresentar como facetas. [F. paral.: *facetear*. Pres. ind.: *faceto*, *facetas*, *faceta*, etc. Cf. *faceto* (ê), adj., as flex. *faceta* (ê), *facetas* (ê), e *faceta* (ê), s. f., pl. *facetas* (ê).]

facetear[1] [De *faceto* + *-ear*[2].] *V. t. d. Int.* 1. Dizer ou fazer facécias. 2. Zombar; galhofar. [Conjug. v.: *frear*.]

facetear[2] [De *faceta* + *-ear*[2].] *V. t. d.* V. *facetar*. [Conjug.: v. *frear*.]

faceto (ê) [Do lat. *facetu*.] *Adj.* 1. Que tem o caráter de facécia; chistoso, engraçado: *dito faceto*. 2. Alegre, brincalhão, engraçado: *um velhinho faceto*. [Flex.: *faceta* (ê), *facetos* (ê), *facetas* (ê). Cf. *faceto*, *faceta* e *facetas*, do v. *facetar*. Sin. ger.: *facecioso*.]

facha[1] [Do lat. *facula*, pelo lat. **fascula*.] *S. f. Ant.* Facho (1). [Cf. *faixa*, do v. *faixar* e s. f.]

facha[2] [Do frâncico **hapja*, pelo fr. *hache*.] *S. f. Ant.* V. *acha*[2] (1). [Cf. *faixa*, do v. *faixar* e s. f.]

facha[3] [Do it. *faccia*.] *S. f. Ant.* Face, cara. [Cf. *faixa*, do v. *faixar* e s. f.] ◆ **Que facha!** *Bras. RS* Expressão irônica, equivalente a *que figura!*

fachada [Do it. *facciata*.] *S. f.* 1. *Arquit.* Qualquer das faces dum edifício, de modo geral a da frente; frente: "Ao fundo de um adro, de lajes descoladas, erguia-se a fachada duma igreja" (Eça de Queirós, *A Relíquia*, p. 132). 2. *Arquit.* V. *fachada principal*. 3. *Fig.* Aparência, aspecto: *Que homem de boa fachada!*. 4. *Fam.* Semblante de pessoa; rosto, face: "Foi a maior lenha conseguir atravessar essa fauna e chegar ao toalete para consertar a fachada antes de entrar no ar." (Marisa Raja Gabaglia, *Milho pra Galinha, Mariquinha*, p. 50). [Cf. *faixada*, part. fem. de *faixar*.] ◆ **Fachada cortina.** *Arquit.* Pele de vidro (q. v.). **Fachada lateral.** *Arquit.* A que se volta para casa, edifício ou lote ao lado. **Fachada posterior.** *Arquit.* A que está voltada para o quintal dos fundos. **Fachada principal.** *Arquit.* A que está voltada para o logradouro público. [Tb. se diz apenas *fachada*. Sin.: *frontaria*, *frontispício*, *portada*.] **De fachada.** Que só existe na aparência; falso: *democracia de fachada*.

facheada [De *fachear*[1] + *-ada*[1].] *S. f. Bras. N.E.* Lufada (2).

fachear[1] [De *facho* + *-ear*[2].] *V. int. Bras. N.E.* Fazer um trabalho (comumente pescar) à luz de facho. [Conjug.: v. *frear*. Cf. *faixear*.]

fachear[2] [De *esfachear*, com aférese.] *V. int. P. Bras. N.E.* Lascar-se, quebrar-se, esfachear-se. [Conjug. v. *frear*. Cf. *faixear*.]

facheiro[1] [De *facho* + *-eiro*.] *S. m.* 1. Condutor de facho. 2. Lugar ou coisa em que se apoia o facho.

facheiro[2] [Poss. do tax. *Facheroa*, por via pop.] *S. m.* 1. *Bras. Bot.* Designação comum a diversas cactáceas. 2. Facheiro-preto.

facheiro[3] [De *facha*[2] + *-eiro*.] *S. m. Ant.* Homem armado de facha[2].

facheiro-preto [De *facheiro*[2] + *preto* (ê).] *S. m. Bras. BA Bot.* Cactácea (*Facheroa pubiflora*) encontrada no sertão da BA; tem caule curto, ereto, é muito ramosa e dotada de flores brancas e frutos bacáceos esverdeados; facheiro. [Pl.: *facheiros-pretos*.]

facho [Do lat. **fasculo*, dim. de *fax*, 'archote'.] *S. m.* 1. Archote; candeio. 2. Tudo o que emite luz, clarão; luzeiro, farol, lanterna, etc. 3. *Fig.* Tudo quanto esclarece, guia, norteia a inteligência: *Sempre os guiou o facho da esperança.* 4. *Fig.* Tudo o que serve de elemento para suscitar ou alimentar uma paixão: *o facho da discórdia, do ódio.* 5. *Bras. N.E. Pop. Obsol.* Mil-réis (q. v.): *A cesta custa cinco fachos.* 6. *Bras. MG SP* Designação comum a vegetais ressequidos, facilmente inflamáveis nas queimadas. [Cf. *faixo*, do v. *faixar*.] ◆ **Abaixar o facho.** *Bras. Fam.* Acalmar-se, aquietar-se (quem está muito agitado); apagar o facho, assentar o facho, baixar o facho, sossegar o facho, sossegar o pito. **Apagar o facho.** *Bras. Fam.* V. *abaixar o facho*. **Assentar o facho.** *Bras. Fam.* V. *abaixar o facho*. **Baixar o facho.** *Bras. Fam.* V. *abaixar o facho*: "o Grande Arquimandrita agora é que baixava o facho, não parecia o mesmo." (Carlos Heitor Cony, *Pilatos*, p. 187). **Sair do facho.** *Bras. RS* Sair a passeio; espairecer. **Sossegar o facho.** *Bras. Fam.* V. *abaixar o facho*.

fachudaço [De *fachudo* + *-aço*.] *Adj. Bras. RS* Muito fachudo; lindíssimo.

fachudo [De *facha*[3] + *-udo*.] *Adj. Bras. RS* 1. Lindo, airoso; garboso. 2. Diz-se do cavalo de bela estampa. 3. Diz-se do cavaleiro que monta com elegância ou garbo.

facial [Do lat. *faciale*.] *Adj. 2 g.* 1. Relativo ou pertencente à face. ~ V. *ângulo* —, *índice* — e *nervo* —. ● *S. m.* 2. *Anat.* Nervo facial.

▲**-faciente** [Do lat. *faciens*, *entis*, part. pres. de *facĕre*.] *El. comp.* = 'que faz': *estupefaciente* (< lat.).

fácies [Do lat. *facies*.] *S. f.* 1. O aspecto de um corpo, tal como se apresenta à primeira vista. 2. Os caracteres de forma e configuração que distinguem um grupo; aspecto em geral. 3. *Anat.* Face (1). 4. *Anat.* Superfície específica de uma estrutura ou de um órgão do corpo humano. 5. *Geol.* Conjunto dos caracteres de uma rocha, considerados sob o aspecto de sua formação. 6. *Med.* Modificação de aspecto imprimida à face por certos estados mórbidos.

fácil [Do lat. *facile*.] *Adj. 2 g.* 1. Que se faz ou se consegue sem custo ou esforço: *trabalho fácil*. 2. Que se apreende ou compreende sem custo: *autor fácil*. 3. Claro, simples, vulgar, natural: *linguagem fácil*; *Tem o estilo fácil.* 4. Espontâneo, pronto: *sorriso fácil*; *lágrimas fáceis*. 5. Dócil, brando, suave: *gênio fácil*. 6. Acessível, lhano, comunicativo: *Entendo-me bem com ele: é pessoa fácil.* 7. Inclinado, tendente, propenso: "leva-lhes oblações, e implora-lhes clemência; / das Napeias o gênio é fácil à indulgência" (Antônio Feliciano de Castilho, *As Geórgicas*, p. 291). 8. Crédulo, ingênuo, confiante. 9. Precipitado, irrefletido, imponderado: *julgamento fácil*. 10. *Bras.* Diz-se de indivíduo de honestidade duvidosa. ~ V. *vida* —. ● *Adv.* 11. Com facilidade; facilmente, sem demora ou sem esforço: "A doença era traiçoeira, conforme ouvira dizer, e pegava fácil." (Macedo Miranda, *Pequeno Mundo Outrora*, pp. 46-47); *Fala fácil, não titubeia.* 12. Sem oferecer dificuldade à compreensão de quem lê ou escuta: *Fala fácil, não usa termos complicados; Medeiros e Albuquerque e José Lins do Rego escrevem fácil.* [Antôn.: *difícil*. Pl. (do adj.): *fáceis*; superl. abs. sint.: *facílimo*, *facilíssimo*.]

facilidade [Do lat. *facilitate*.] *S. f.* 1. Qualidade ou característica de fácil. 2. Ausência de obstáculos ou dificuldades: *Aprende línguas com facilidade.* 3. Aptidão, dom: *Tem facilidade para matemática.* 4. Tendência ou disposição natural, orgânica: *facilidade para dormir.* 5. Destreza, prontidão: *Com que facilidade atendeu ao pedido!* [Antôn.: *dificuldade*.] ~ V. *facilidades*.

facilidades *S. f. pl.* 1. Meios prontos de se conseguir algo, de se chegar a um fim: *Obteve todas as facilidades para a sua pesquisa.* 2. Procedimento leviano: *É mulher honesta, incapaz de facilidades.* 3. Complacência, condescendência, indulgência: *As excessivas facilidades perdem as crianças.* ~ V. *facilidade*.

facílimo [Do lat. *facillimu*.] *Adj.* Superl. abs. sint. de *fácil*; facilíssimo, muito fácil.

facilíssimo *Adj.* Facílimo.

facilitação [De *facilitar* + *-ção*.] *S. f.* 1. Ato ou efeito de facilitar, remover dificuldades ou obstáculos. [Antôn.: *dificultação*.] 2. *Fisiol.* Fenômeno mediante o qual se criam condições para que um ato fisiológico se processe de modo mais ágil.

facilitador (ô) [De *facilitar* + *-dor*.] *Adj. S. m.* Que, ou aquele ou aquilo que facilita.

facilitar [Do it. *facilitare*, ou do fr. *faciliter*.] *V. t. d.* 1. Tornar ou fazer fácil, ou mais fácil: *A abolição facilitou a proclamação da República, no Brasil.* 2. Apresentar uma coisa como mais fácil do que é na realidade. *T. d. e i.* 3. Tornar ou fazer fácil, ou mais fácil: *Em vez de facilitarem-lhe os estudos, criam-lhe dificuldades.* 4. Pôr à disposição; facultar: "Tratava-se de satisfazer o senhor vigário, facilitando-lhe os meios de sair da vila" (Inglês de Sousa, *O Missionário*, p. 208). *Int.* 5. Agir com imprevidência; expor-se, descuidar-se: "falo-te assim, porque é preciso termos cautela .... . Temos facilitado muito, Sofia; como nascemos um para o outro, parece-nos que estamos casados, e facilitamos." (Machado de Assis, *Quincas Borba*, pp. 283-284). *P.* 6. Prontificar-se, prestar-se. 7. Adquirir facilidade. [Antôn.: *dificultar*.]

facilitário [De *facilitar* + *-ário*.] *S. m. Bras. Pop. Desus.* V. *crediário*.

facilmente [De *fácil* + *-mente*.] *Adv.* 1. De maneira fácil; com facilidade; fácil. 2. Irrefletidamente, precipitadamente.

facínora [Do lat. *facinora*, neutro pl. de *facinus*, *oris*, 'ato criminoso', 'ação pérfida'.] *S. 2 g.* 1. Pessoa perversa e criminosa: "um dos Tibúrcios .... se tornou conhecido como facínora perigoso e temível salteador." (Veiga Miranda, *Pássaros Que Fogem...*, p. 56). ● *Adj. 2 g.* 2. Que cometeu grande(s) crime(s); perverso, cruel, desalmado. 3. Que é próprio de facínora (1): "Quando sentiram a cavalgada estacar .... Algodres e Marrazes, de ar tão facínora e pobretão como os mais pobretões, saltaram da cisterna." (Aquilino Ribeiro, *A Batalha sem Fim*, p. 296.) [Sin. ger.: *facinoroso*.]

facinoroso (ô) [Do lat. *facinorosu*.] *Adj. S. m.* V. *facínora*. "Que ações alegariam para disputá-lo, ainda a um homem abjeto, a um bandido, um facinoroso?" (Correia Garção, *Obras Poéticas e Oratórias*, pp. 588-589.)

facionar *V. t. d.* V. *faccionar*. [Fut. do pret.: *facionaria*, etc. Cf. *facionária*, fem. de *facionário*.]

facionário *Adj.* V. *faccionário*. [Fem.: *facionária*. Cf. *facionaria*, do v. *facionar*.]

faciosidade *S. f.* V. *facciosidade*.

faciosismo *S. m.* V. *facciosismo*.

facioso (ô) *Adj.* V. *faccioso*.

facistol [Do esp. *facistol*.] *S. m.* 1. Grande estante, no coro das igrejas, na qual se põem livros de canto ou litúrgicos. [Cf. *atril*.] 2. Faldistório. [Pl.: *facistóis*.]

facite [De *fac(o)-* + *-ite*[1].] *S. f. Oftalm.* Inflamação do cristalino (6).

fã-clube [De *fã* + *clube*.] *S. m. Bras.* 1. Conjunto dos fãs de certo artista. 2. *P. ext.* Conjunto de admiradores de uma pessoa qualquer. [Pl.: *fãs-clubes* e *fãs-clube*.]

▲**fac(o)-** [Do gr. *phakós*, *oû* (ă).] *El. comp.* = 'lentilha'; 'cristalino (5)': *facite*, *facoide* (< gr.). [Equiv.: *-fac(o)-*: *afacia*.]

▲**-fac(o)-** Equiv. de *fac(o)-*.

facocele [De *fac(o)-* + *-cele*[1].] *S. f. Oftalm.* Hérnia do cristalino (6).

facoemulsificação [De *fac(o)-* + *emulsificar* + *-ção*.] *S. f. Oftalm.* Método de tratamento de catarata em que o cristalino é fragmentado pela ação de vibrações ultrassônicas, procedendo-se, simultaneamente, à irrigação e à aspiração da área.

facoide (ói) [Do gr. *phakoeidés*.] *Adj. 2 g.* Que tem forma de lentilha; lenticular. ❖

façoila [De *face*.] *S. f.* Cara larga, gorda; faceira.

F

faconina [De *fac(o)-* + *-n-* + *-ina*[3].] *S. f. Bioquím.* Substância albuminoide do cristalino (6).

facopiose [De *fac(o)-* + *-piose*.] *S. f. Oftalm.* Catarata branca, suposta supuração do cristalino (6).

facoquero (ê) [Do tax. *Phacochoerus*.] *S. m. Zool.* **1.** Gênero de mamíferos artiodáctilos, suídeos, espécie de porco selvagem que apresenta no focinho protuberâncias laterais, e tem dois pares de caninos salientes e curvos. **2.** Qualquer espécie desse gênero, como, p. ex., a *Phacochoerus aethiopicus*, conhecida popularmente como *porco-africano*. **3.** Qualquer espécime desse gênero.

facosclerose [De *fac(o)-* + *-(e)scler(o)-* + *-ose*[1].] *S. f. Oftalm.* Endurecimento do cristalino (6).

facoscopia [De *fac(o)-* + *-scop-* + *-ia*[1].] *S. f. Oftalm.* Exame que se faz com o facoscópio.

facoscópico [De *fac(o)-* + *-scop-* + *-ico*[2].] *Adj.* Relativo à facoscopia, ou ao facoscópio.

facoscópio [De *fac(o)-* + *-scópio*.] *S. m. Oftalm.* Instrumento que se emprega para verificar a capacidade de acomodação do cristalino (6).

facote [De *faca*[1] + *-ote*[1].] *S. m. Cir.* Instrumento com que se raspam ossos ou alargam certas fraturas.

fac-similado [Part. de *fac-similar*[2].] *Adj.* Impresso em fac-símile. [Sin., bras.: *fac-similar*. Pl.: *fac-similados*.] ~ V. *edição* —*a*.

fac-similar[1] [De *fac-símile* + *-ar*[1].] *Adj. 2 g. Bras.* V. *fac-similado*. ~ V. *edição* —. [Pl.: *fac-similares*.]

fac-similar[2] [De *fac-símile* + *-ar*[2].] *V. t. d.* Imprimir em fac-símile. [Pres. subj.: *fac-simile*, etc. Cf. *fac-símile*.]

fac-símile [Do lat. *fac simile*, 'fazer semelhante'.] *S. m.* Cópia exata de documento impresso, livro, manuscrito, ilustração, etc., obtida por meio fotomecânico, eletrônico, eletrostático, etc. [Pl.: *fac-símiles*. Cf. *fax* (2), *reprodução* (2) e *fac-simile*, do v. *fac-similar*.]

factibilidade [De *factível* (*factibil-*) + *-(i)dade*, seg. o padrão erudito.] *S. f.* Qualidade de factível.

facticidade [De *factício* + *-(i)dade*.] *S. f. Filos.* Caráter próprio da condição humana pelo qual cada homem se encontra sempre já comprometido com uma situação não escolhida.

factício [Do lat. *facticiu*.] *Adj.* **1.** Produzido ou imitado pela arte; artificial. **2.** Artificial, convencional; não natural: "A *coquette* começa, ainda no leito, a vida artificial e factícia, que a deve distinguir durante o dia." (Latino Coelho, *Tipos Nacionais*, p. 68.) [Var.: *fatício*. Cf. *fictício*.] ~ V. *ideia* —*a*.

factitivo [Do lat. *factitare*, 'fazer muitas vezes', 'fazer'.] *E. Ling. S. m.* **1.** V. *causativo* (3). ● *Adj.* **2.** ~ V. *verbo* —.

factível [Do lat. *factus*, part. pass. do v. lat. *facere*, 'fazer', + *-ível*.] *Adj. 2 g.* Que pode ser feito; fazível, exequível. [Var.: *fatível*.]

facto [Do lat. *factu*.] *S. m. Lus.* V. *fato*[1].

factoide (ói) [De *facto* + *-oide*.] *S. m.* Fato, verdadeiro ou não, divulgado com sensacionalismo, no propósito deliberado de gerar impacto diante da opinião pública e influenciá-la: "Segundo [o Ministro X], a acusação é tão absurda que só poderia ter sido feita mesmo [pelo Prefeito Y], 'muito dado a lançar factoides' — ou fazer declarações apenas para atrair as atenções." (*O Globo*, 11.09.1996.) ❖

factor (ô) *S. m.* V. *fator*.

factoração *S. f.* V. *fatoração*.

factorar *V. t. d.* V. *fatorar*.

factorial *Adj. S. m.* V. *fatorial*.

➔**factoring** ['fæktəɹıŋ] [Ingl.] *S. m. Econ.* Sistema pelo qual uma empresa produtora de bens ou serviços transfere seus créditos a receber, resultantes de vendas a terceiros, a uma empresa especializada (*factor*, ou empresa de fomento mercantil) que assume as despesas de cobrança e os riscos de não pagamento; fomento comercial; fomento mercantil: "A vantagem do *factoring* reside no suporte gerencial que fornece à pequena e à média indústria, aliviando-a de uma série de serviços e preocupações" (*Gazeta Mercantil*, 24.07.1993).

factótum [Do lat. *fac totum*, 'faze tudo'.] *S. m.* **1.** Indivíduo incumbido de todos os negócios de outrem: "Possuem um factótum, pau para toda obra, secretário particular e muitas coisas mais" (Graciliano Ramos, *Linhas Tortas*, p. 10). **2.** Pessoa indispensável. **3.** *Irôn.* Aquele que se julga ou se mostra capaz de tudo fazer, de tudo resolver.

factual [Do lat. *factum*, 'fato[1]', + *-ual*.] *Adj. 2 g.* Relativo a, ou que se baseia em fato(s): *dados factuais*; "Tudo começou quando .... como ele tinha raiva desse seu jeito de querer dar um começo factual e preciso para as histórias que você queria contar." (Silviano Santiago, *Keith Jarrett no Blue Note*, p. 139). [Var.: *fatual*.]

factura *S. f.* V. *fatura*.

façudo [De *face* + *-udo*.] *Adj.* De faces gordas, cheias: "Era uma mulher gorda, façuda, e frescalhona" (Camilo Castelo Branco, *No Bom Jesus do Monte*, p. 16).

fácula [Do lat. *facula*, 'pequena tocha'.] *S. f. Astr.* Filamento brilhante que aparece na fotosfera solar, e que precede, em geral, o aparecimento de uma mancha solar.

facular [De *fácula* + *-ar*[1].] *Adj. 2 g. Astr.* Relativo a fácula (q. v.).

faculdade [Do lat. *facultate*.] *S. f.* **1.** Capacidade, natural ou adquirida, de fazer alguma coisa: *faculdade de enxergar, de cantar*. **2.** Aptidão inata; disposição, tendência, talento, dom: *Tem especial faculdade para falar línguas.* **3.** Direito, privilégio: *O Presidente goza da faculdade de escolher seus auxiliares diretos.* **4.** Liberdade de agir; permissão, consentimento, licença: *Deu-lhe o pai, desde cedo, a faculdade de resolver certos problemas na medida de sua capacidade.* **5.** Propriedade, virtude: *Os antibióticos têm a faculdade de combater as doenças inflamatórias.* **6.** Qualquer setor do conhecimento humano: *Nas universidades medievais o ensino compreendia quatro faculdades: teologia, artes, medicina e leis.* **7.** O conjunto das disciplinas professadas em cada área do ensino de nível superior. **8.** *P. ext.* O corpo docente que as professa: *Toda a faculdade se pronuncia contra as medidas tomadas pelo reitor.* **9.** Escola superior (estabelecimento isolado ou unidade dum conjunto universitário): *A fundação da Faculdade de Direito de São Paulo marca o início do ensino superior no Brasil.* **10.** Os alunos de uma dessas escolas. ~ V. *faculdades*. ◆ **Faculdade da linguagem.** *E. Ling.* Faculdade mental inata que torna possíveis a aquisição (4) e o uso de uma ou mais línguas. **Faculdade mental.** *Psicol. Psiq.* Cada uma das funções da mente (a vontade, a memória, etc.).

faculdades *S. f. pl. Rel.* Permissão dada pelo bispo a um sacerdote para exercer o seu ministério nos limites da diocese. ~ V. *faculdade*.

facultar [Do lat. *facultas*, *facultatis*, 'faculdade', + *-ar*[2]; formação arbitrária.] *V. t. d. T. d. e i.* **1.** Facilitar, permitir: *O porteiro facultou a entrada aos visitantes.* **2.** Pôr à disposição (de); conceder, proporcionar: *A todos a lei faculta o direito de defesa.*

facultativo [De *facultar* + *-tivo*.] *Adj.* **1.** Que dá a faculdade ou o poder de alguma coisa. **2.** Que permite se faça ou não se faça algo. **3.** Que não é obrigatório. ~ V. *ponto* —. ● *S. m.* **4.** Aquele que exerce a medicina; médico.

facultoso (ô) [De **facultatoso*, do lat. *facultate*, 'faculdade', + *-oso*, com haplologia.] *Adj.* **1.** Que dispõe de numerosos recursos. **2.** Opulento, copioso.

facúndia [Do lat. *facundia*.] *S. f.* Facilidade para discursar; eloquência, loquela, facundidade: "Portentoso orador! Ó facúndia inaudita!" (Alberto Ramos, *Poemas*, p. 124.) [Cf. *facundia*, do v. *facundiar*, e *fecúndia*.]

facundiar [De *facúndia* + *-ar*[2].] *V. int.* Falar muito e fluentemente; ter facúndia. [Pres. ind.: *facundio*, *facundias*, *facundia*, etc. Cf. *facúndia*.]

facundidade [Do lat. *facunditate*.] *S. f.* V. *facúndia*. [Cf. *fecundidade*.]

facundo [Do lat. *facundu*.] *Adj.* Que tem facúndia; eloquente; falador: "Da boca do facundo capitão / Pendendo estavam todos embebidos, / Quando deu fim à longa narração / Dos altos feitos, grandes e subidos" (Luís de Camões, *Os Lusíadas*, V, 90). [Cf. *fecundo*.]

fada [Do lat. *fata*.] *S. f.* **1.** Entidade fantástica, representada por mulher, ger. bela, dotada de poderes sobrenaturais. **2.** *Desus.* Auspício, augúrio, agouro. **3.** *Fig.* Mulher de extraordinário encanto e beleza.

fadado [Part. de *fadar*.] *Adj.* Predestinado (1).

fadar [De *fado* + *-ar*[2].] *V. t. d.* **1.** Regular ou determinar o destino, a sorte de. **2.** Dotar, favorecer, conceder. *T. d. e i.* **3.** Prognosticar, vaticinar, profetizar: *A cartomante fadou-lhe uma vida longa.* **4.** Predestinar, destinar, votar: *A morte do marido fadou-a à solidão.* **5.** Dotar, favorecer: *A natureza fadou-o com a vocação literária.* **6.** Conceder, dar: *Deus lhe fadou a ventura de ter filhos perfeitos.*

fadário [De *fado* + *-ário*.] *S. m.* **1.** Destino talhado por poder sobrenatural [v. *estrela* (5)]: "Também ando a expiar os pecados de meu pai... ?! Estúpido fadário!" (Aquilino Ribeiro, *Aventura Maravilhosa*, pp. 202-203); "Na terra teu fadário / É ser o irmão do escravo que trabalha." (Castro Alves, *Poesias Escolhidas*, p. 311). **2.** Vida difícil ou trabalhosa.

➔**fade** [fejd] [Ingl.] *S. m.* **1.** *Cin. Telev.* Aparecimento (*fade-in*) ou desaparecimento (*fade-out*) gradual da imagem. [Cf. *clareamento* (2) e *escurecimento* (2).] **2.** *Cin. Telev. Rád. Son.* Aumento (*fade-in*) ou diminuição (*fade-out*) gradual do volume do áudio.

➔**fade-in** ['fejd'ın] [Ingl.] *S. m.* V. *fade*.

fadejar [De *fado* + *-ejar*.] *V. int.* Cumprir o seu fadário. [Conjug.: v. *pelejar*.]

➔**fade-out** ['fejd'æwt] [Ingl.] *S. m.* V. *fade*.

fadiga [Dev. de *fadigar*.] *S. f.* **1.** Cansaço, canseira, fatigamento. **2.** Trabalho, faina, lida. **3.** Diminuição gradual da resistência de um material por efeito de solicitações repetidas. **4.** *Med.* Condição em que um indivíduo acusa crescente desconforto e decrescente capacidade física e/ou mental, decorrendo ambos de atividade prolongada ou excessiva para a sua capacidade de tolerância. ◆ **Fadiga de contato.** Fadiga (3) provocada por pressão repetida de uma peça sobre outra que não lhe é conforme.

fadiga-corrosão *S. f. Eng. Ind.* Corrosão em material submetido a esforços cíclicos, que lhe diminui a resistência à fadiga. [Pl.: *fadigas-corrosões* e *fadigas-corrosão*.]

fadigar *V. t. d. Int. P.* V. *fatigar*. [Conjug.: v. *largar*.]

fadigoso (ô) [De *fadiga* + *-oso*.] *Adj.* **1.** Em que há, ou que denota fadiga: "ouviu-se uma voz fadigosa e trêmula que cantava" (Alexandre Herculano, *Lendas e Narrativas*, II, p. 49). **2.** Feito com fadiga; penoso. **3.** V. *fatigante*.

fadista [De *fado* + *-ista*.] *S. m.* **1.** *Mús.* Tocador e/ou cantador de fados. **2.** Desordeiro, rufião; bailão, faia. ● *S. f.* **3.** *Mús.* Cantora de fados. ● *S. 2 g.* **4.** *Lus. Pop.* Fera (4). ● *Adj. 2 g.* **5.** Relativo a, ou próprio de fadista: "Falou-se logo do crime da Mouraria, drama fadista que impressionava Lisboa" (Eça de Queirós, *Os Maias*, I, p. 244).

fadistagem [De *fadista* + *-agem*[2].] *S. f.* **1.** Os fadistas. **2.** Vida de fadista.

fado [Do lat. *fatu*.] *S. m.* **1.** Sorte; destino: "Ainda hoje são, por fado adverso, / Meus filhos — alimária do Universo... / Eu — pasto universal." (Castro Alves, *Poesias Escolhidas*, p. 343.) **2.** *Mús.* Canção popular portuguesa, de caráter triste e fatalista, linha melódica simples, ao som da guitarra ou do acordeão, e que provavelmente se origina do lundu do Brasil colônia, introduzido em Lisboa após o regresso de D. João VI (1821). **3.** *Bras.* No séc. XVIII, dança popular, ao som da viola, com coreografia de roda movimentada, sapateados e meneios sensuais.

■ **FAE** Sigla de *Fundação de Assistência ao Estudante*.

■ **Faep** Sigla de *Fundação de Apoio à Escola Pública*.

faéton [Do gr. *Phaéthon* (v. *faetonte*), pelo ingl. *phaeton*.] *S. m.* V. *faetonte*: "Já o admirara no seu faéton, muitas vezes, e aos seus belos cavalos ingleses." (Eça de Queirós, *Os Maias*, I, p. 241.)

faetonte [Adapt. do fr. *phaéton* < gr. *Phaéthon*, 'filho do Sol que quis conduzir o carro do pai'.] *S. m.* Pequena carruagem de quatro rodas, ligeira e descoberta: "*Mademoiselle* saltou do faetonte, entrou na loja e pediu para examinar a seda" (Joaquim Manuel de Macedo, *Memórias da Rua do Ouvidor*, p. 243).

faetontídeo [Do tax. *Phaethon* (mit. gr. *Phaéthon*, 'filho do Sol') + *-ídeo*[1]; tax. *Phaethontidae*.] *Zool. S. m.* **1.** Espécime dos faetontídeos, família de aves marinhas pelecaniformes. São os rabos-de-palha. ● *Adj.* **2.** Pertencente ou relativo a eles.

fagácea [Do tax. *Fagus* + *-ácea*; tax. *Fagaceae*.] *S. f. Bot.* Espécime das fagáceas, família de plantas da ordem das fagales, constituída de árvores cujas flores unissexuais se dispõem em glomérulos ou em amentos. Flores masculinas com três a sete sépalas e outros tantos estames; flores femininas com três carpelos concrescentes; fruto seco e indeiscente, envolvido por uma cúpula receptacular. Há cerca de 400 espécies peculiares aos climas temperados, quase todas do hemisfério norte.

fagáceo [De *fagácea*, com var. suf. (v. *-áceo*).] *Adj. Bot.* Pertencente ou relativo às fagáceas.

fagal [Do lat. cient. *Fag-* (v. *fagale*) + *-al*[1].] *Adj. 2 g. Bot.* Pertencente ou relativo às fagales.

fagale [Do tax. *Fagus* + *-ale*; tax. *Fagales*.] *S. f. Bot.* Espécime das fagales, ordem de dicotiledôneas que reúne as fagáceas, as betuláceas, as balanopáceas e as ticodendráceas.

fagedênico *Adj. Med.* V. *fagedênico*. [Uso freq. em P.]

fagedênico [Do gr. *phagedainikós*, pelo lat. *phagedaenicu*.] *Adj. Med.* Que corrói ou destrói rapidamente. ~ V. *úlcera* —*a*.

fagedenismo [Do gr. *phagédaina*, 'úlcera', + *-ismo*.] *S. m.* Caráter ou estado de fagedênico; crescimento rápido de lesão ulcerativa.

▲ **fag(i)-** [Do lat. *fagus*, *i*.] *El. comp.* = 'faia': *fagícola*.

fagícola [De *fag(i)-* + *-cola*[1].] *Adj. 2 g.* Que cresce ou vive sobre as faias.

fago[1] *S. m. Microbiol.* V. *bacteriófago*.

fago[2] [Do tax. *Fagus*.] *S. m. Bot.* **1.** Gênero de grandes árvores fagáceas, nativas da Europa, de folhas ovais ou elípticas sedosas no dorso inferior e lustrosas no superior, capítulos penduliflores e frutos capsulares, espinhosos. **2.** Qualquer espécie desse gênero como, p. ex., a *Fagus sylvatica* [v. *faia*[1] (1)]. **3.** Qualquer espécime desse gênero.

▲ **fag(o)-** [Do gr. *phageîn* (ā), 'comer'.] *El. comp.* = '(o) que come'; 'ato de comer'; *p. ext.*, 'englobar mediante ingestão ou captura': *fagócito, fagoterapia.* [Equiv.: *-fag(o)-, -fago: aerofagia; antropófago, bacteriófago.*]

▲-fag(o)- V. *fag(o)-.*

▲-fago [Do gr. *-phagos* < gr. *phageîn*, infinitivo aoristo de *esthíein*, 'comer'.] V. *fag(o)-.*

fagocitário [De *fagócito* + *-ário.*] *Adj. Citol.* Pertencente ou relativo a fagócito. ~ V. *sistema mononuclear —.*

fagócito [De *fag(o)-* + *-cito.*] *S. m. Histol.* Célula capaz de fagocitose.

fagocitose [De *fagócito* + *-ose*[1].] *S. f. Citol.* Mecanismo de endocitose no qual a célula emite expansões citoplasmáticas (*pseudópodos*), gerando vesículas, com o material incorporado, no citoplasma. [Esse processo serve à nutrição e de defesa contra elementos estranhos ao organismo, como, p. ex., microrganismos.]

fagofobia [De *fag(o)-* + *-fobia.*] *S. f. Psiq.* Medo patológico de alimentar-se.

fagofóbico [De *fagofobia* + *-ico*[2].] *Psiq. Adj.* **1.** Relativo a fagofobia. **2.** Que sofre de fagofobia; fagófobo. ● *S. m.* **3.** Aquele que sofre de fagofobia; fagófobo.

fagófobo [De *fag(o)-* + *-fobo.*] *Adj. S. m. Psiq.* Fagofóbico (2 e 3).

fagoinibidor (ô) [De *fag(o)-* + *inibidor.*] *Ecol. Quím. Adj.* **1.** Diz-se de substância (ou de sua ação) que desestimula, por sua presença, o uso de alimento por predador, sem, contudo, causar diretamente dano a este. ● *S. m.* **2.** Substância fagoinibidora. [Sin. ger.: *fagorrepelente.*]

fagomania [De *fag(o)-* + *-mania.*] *S. f. Psiq.* Vontade insaciável de ingerir alimento; obsessão por comida.

fagomaníaco [De *fagomania* + *-íaco.*] *Psiq. Adj.* **1.** Relativo a fagomania. **2.** Que tem fagomania; fagômano. ● *S. m.* **3.** Aquele que tem fagomania; fagômano.

fagómano *Adj. S. m. Psiq.* V. *fagômano.* [Uso freq. em P.]

fagômano [De *fag(o)-* + *-mano*[1].] *Adj. S. m. Psiq.* Fagomaníaco (2 e 3).

fagopiro [Do lat. cient. *fagopyrum*, do lat. *fagus*, 'faia', + gr. *pyrós* (ῡ), 'trigo'.] *S. m. Bot.* **1.** Nome comum a plantas poligonáceas nativas da Ásia e L. da África, ger. cultivadas pelas sementes comestíveis e que fornecem farinha. **2.** Planta poligonácea (*Polygonum fagopyrum*) de folhas cordiformes, flores esbranquiçadas, em panículas corimbosas, e frutos aquênios, ricos em amido e glúten. [Sin., nesta acepç.: *trigo-mouro, trigo-sarraceno.* Var. pros. (mais us.): *fagópiro.*]

fagópiro *S. m. Bot.* V. *fagopiro.*

fagorrepelente [De *fag(o)-* + *repelente.*] *Adj. 2 g. S. m.* V. *fagoinibidor.*

fagossomo [De *fag(o)-* + *-somo.*] *S. m. Citol.* Vesícula citoplasmática que contém material incorporado por fagocitose.

fagote [Do it. *fagotto.*] *S. m. Mús.* **1.** Instrumento de sopro, de madeira, com tubo cônico, longo e dobrado, e palheta dupla, usado em orquestras e bandas. **2.** Tocador desse instrumento; fagotista. **3.** Registro de órgão de palheta batente.

fagoterapia [De *fag(o)-* + *-terapia.*] *S. f. Terap. Obsol.* Tratamento de doenças pela alimentação ou pela superalimentação.

fagoterápico [De *fagoterapia* + *-ico*[2].] *Adj.* Referente a fagoterapia.

fagotista [De *fagote* + *-ista.*] *S. 2 g. Mús.* Fagote (2).

fagueiro [F. aferética do ant. *afagueiro*, de *afagar.*] *Adj.* **1.** Que afaga; meigo, carinhoso. **2.** Agradável, aprazível, ameno: 📖 "Que amor, que sonhos, que flores, / Naquelas tardes fagueiras / À sombra das bananeiras, / Debaixo dos laranjais!" (Casimiro de Abreu, *Obras*, p. 93.) **3.** *Fig.* Satisfeito, contente: 🗎 *Lá vinha com a namorada, todo fagueiro.*

fagulha [Do lat. **facucula*, dim. de *facula*, que por sua vez é dim. de *fax*, 'archote'.] *S. f.* Chispa, centelha, faúlha, faúla: 📖 "Levanta o ferro à altura do rosto .... e .... sopra as brasas, avivando o fogo, fagulhas saem, pipocando, diluem-se na luz do dia." (Juarez Barroso, *Mundinha Panchico e o Resto do Pessoal*, p. 155.)

fagulhar [De *fagulha* + *-ar*[2].] *V. int.* **1.** Despedir fagulhas; faiscar: 📖 "num turbilhão coruscante de labaredas que se enroscam, ... de galhos que se estorcem debatendo-se, que fagulham, gemem, estalam e bradam!" (Gustavo Barroso, *Terra de Sol*, pp. 16-17). **2.** Cintilar, brilhar.

fagulhento [De *fagulhar* + *-ento.*] *Adj.* **1.** Que expele fagulhas. **2.** *Fig.* Irrequieto, inquieto, buliçoso.

fagundense[1] *Adj. 2 g.* **1.** De, ou pertencente ou relativo a Fagundes (PB). ● *S. 2 g.* **2.** O natural ou habitante de Fagundes.

fagundense[2] *Adj. 2 g.* **1.** De, ou pertencente ou relativo a Fagundes Varela (RS). ● *S. 2 g.* **2.** O natural ou habitante de Fagundes Varela.

➔fahrenheit ['farənhajt] [V.C.I., do antr. al. (*Gabriel Daniel*) *Fahrenheit* (1686-1736), físico alemão.] *Adj. 2 g. e 2 n.* ~ V. *escala — e grau -* [Com cap.]

faia[1] [Do lat. *fagea, i. e., materia fagea*, 'madeira de faia'.] *S. f. Bot.* **1.** Árvore fagácea (*Fagus silvatica*) do S. e C. da Europa, muito cultivada por ser ornamental. Folhas ovadas, denticuladas na margem e prateadas na face inferior; flores unissexuais, pequenas e ordenadas em glomérulos; fruto: noz com semente oleaginosa comestível. **2.** *Bras.* Pequena árvore icacinácea (*Emmotum nitens*) de flores amarelas por fora e purpúreo-escuras por dentro, com pilosidade roxa, dispostas em panículas axilares, e cujo fruto é drupáceo, suberoso-lenhoso, tendo a madeira utilidade para uso interno, em construção civil, compensados e caixotaria. [Sin., nesta acepç.: *aderno, pau-de-sobre, sobre.*] **3.** *Bras. BA a SC* V. *carne-de-vaca.*

faia[2] *S. f. Tip. P. us.* Entrelinha (5).

faia[3] [De *faialita.*] *S. f. Bras.* Nas lavras diamantinas, mineral semelhante à faialita.

faia[4] [De or. obscura.] *S. m. Lus. Pop.* Fadista (2): 📖 "Esse mundo de fadistas, de faias, parecia a Carlos merecer um estudo, um romance..." (Eça de Queirós, *Os Maias*, I, p. 245.)

faia-branca [De *faia*[1] + o f. de *branco.*] *S. f. Bot.* V. *choupo-branco.* [Pl.: *faias-brancas.*]

faial [De *faia*[1] + *-al*[1].] *S. m.* **1.** Quantidade mais ou menos considerável de faias (v. *faia*[1]) dispostas proximamente entre si. **2.** Área ocupada por faial (1).

faialita [Do top. *Faial* (Açores) + *-ita*[3].] *S. f. Min.* Mineral ortorrômbico, silicato de ferro do grupo das olivinas.

faiança [Do fr. ant. *faiance* (atual *faïence*).] *S. f.* **1.** Louça de barro esmaltado ou vidrado: 📖 "Duas figuras tafuis, feitas de esmaltada faiança cerúlea" (Martins Fontes, *A Dança*, p. 51). **2.** Louça de pó de pedra.

faiar[1] [De *faia*[2] + *-ar*[2].] *V. t. d. Tip. P. us.* Entrelinhar (2).

faiar[2] *V. t. d. Gír.* Furtar, empalmar, surripiar, surrupiar.

➔faille [faj] [Fr.] *S. f. Tec. Têx.* Tecido grosso, de seda ou filamentos sintéticos, levemente brilhante, de ligamento tafetá, e com textura de finos cordões justapostos no sentido da trama.

➔faillete [faj'et] [Fr.] *S. f. Tec. Têx.* Variedade mais fina de *faille*, de ligamento tafetá em fios sintéticos, us. para forros.

faim (a-ím) *S. m.* **1.** Espadim (1): 📖 "quatrocentos [homens], todos equipados de armas dobradas e fains, com fardagem à altura." (Aquilino Ribeiro, *Portugueses das Sete Partidas*, p. 86). **2.** Ferro agudo de lança e doutras armas.

faina [Do cat. ant. *faena*, com hiperbibasmo.] *S. f.* **1.** *Mar.* Atividade ou trabalho a que concorre ponderável parcela da tripulação de um navio: 📖 "deixou-se ficar sentada .... à gaiuta, familiarizada .... com aqueles momentos de faina impetuosa, de lufa-lufa a bordo" (Virgílio Várzea, *Nas Ondas*, p. 247). **2.** *P. ext.* Qualquer trabalho aturado; lida, azáfama.

fainense *Adj. 2 g.* **1.** De, ou pertencente ou relativo a Faina (GO). ● *S. 2 g.* **2.** O natural ou habitante de Faina.

➔fair-play [fejr'plej] [Ingl.] *S. m.* **1.** Atuação leal, que respeita as regras estabelecidas; jogo limpo. **2.** Comportamento sereno e elegante em situação difícil ou adversa: 🗎 *Apesar da divergência política, o que não lhes falta é fair-play.*

➔fairway ['fɛəwej] [Ingl.] *S. m. Esport.* Centro do campo de golfe, meio caminho entre a saída e a chegada de um buraco.

faisã *S. f.* Faisoa.

➔faisandé [fɘzɑ̃'de] [Fr.] *Adj.* Diz-se de carne de caça que se deixa chegar ao começo da decomposição.

faisão [Do lat. *phasianu*, pelo occitano ant. *faisan* e pelo esp. *faisán.*] *S. m.* **1.** *Zool.* Ave galinácea notável pela excelência da carne e beleza da plumagem, e da qual existem diversas espécies. **2.** *Cul.* Iguaria feita com faisão. [Fem.: *faisoa* e *faisã.* Pl.: *faisães* e *faisões.*]

faísca [Do lat. vulg. *favisca*, de or. germ., poss.] *S. f.* **1.** Partícula que salta de uma substância candente ou em atrito com outro corpo; chispa, fagulha, centelha. **2.** Fenômeno luminoso que acompanha uma descarga elétrica. **3.** V. *raio* (4). **4.** *Fig.* Brilho do espírito; graça, vivacidade: 📖 "Perdi de todo o espírito, a faísca. / Tornei-me bronco, inútil" (Augusto Gil, *Versos*, p. 114). **5.** Palheta de ouro que se perde na terra ou areia das minas. ● *Adj. 2 g.* **6.** *Bras.* Ardente; brioso; árdego: 🗎 *cavalo faísca.* **7.** *Bras.* Valente, intrépido, guapo. ◆ **Sair faísca.** Haver briga, conflito, confusão: 📖 "Se o Coronel Saturnino empregasse os meios costumeiros para tomar a terra do arrematante, ia sair faísca!" (Ciro dos Anjos, *A Menina do Sobrado*, p. 178.)

faiscação (a-is) [De *faiscar* + *-ção.*] *S. f.* Ato de faiscar (1 e 2).

faiscador (a-is... ô) [De *faiscar* + *-dor.*] *S. m.* **1.** Aquele que procura faíscas [v. *faísca* (5)] das minas; faisqueiro, garimpeiro. **2.** *Bras. MG* Indivíduo que se ocupa na lavagem das substâncias auríferas nas margens e no álveo dos regatos e das torrentes.

faiscância (a-is) [De *faiscar* + *-ância.*] *S. f.* Ato ou efeito de faiscar (1 e 2); faiscação: 📖 "no ar, jovializante, juvenilizante, cheio de sons, de cores e faiscâncias ...., revoejavam pássaros, de asas pandas" (Martins Fontes, *A Alegria*, p. 45).

faiscante (a-is) [De *faiscar* + *-nte.*] *Adj. 2 g.* Que faísca: 🗎 *fogo faiscante; olhos faiscantes; espírito faiscante.*

faiscar (a-is) [De *faísca* + *-ar*[2].] *V. int.* **1.** Lançar faíscas. **2.** Cintilar, brilhar. **3.** *Bras.* Procurar faíscas de ouro, ou procurar diamante, em terras já anteriormente lavradas. *T. d.* **4.** Lançar de si (centelhas, clarões); emitir. **5.** Expelir como faíscas; dardejar: 🗎 *Seus olhos faiscavam ódio.* [Conjug.: v. *trancar.*]

faisoa (ô) *S. f.* Fem. de *faisão*; faisã.

faisqueira (a-is) [De *faísca* + *-eira.*] *S. f.* **1.** Lugar onde se acham faíscas [v. *faísca* (5)]: 📖 "Cata-se muito ouro nas faisqueiras" (Eduardo Frieiro, *Feijão, Angu e Couve*, p. 52). **2.** *Bras.* Resto do cascalho que fica abandonado ao pé do barranco, nas catas trabalhadas.

faisqueiro (a-is) [De *faísca* + *-eiro.*] *S. m.* V. *faiscador* (1).

➔fait divers [fe di'vɛʁ] [Fr.] Pequenas notícias diárias no noticiário (2).

faixa [Do lat. *fascia*, pelo cat. *faxa.*] *S. f.* **1.** Tira de tecido, couro, etc., com que se aperta ou enfeita a cintura; cinta: 🗎 *O vestido tem uma faixa azul.* **2.** Banda, fita, tira: 🗎 *Cortou no tecido uma faixa estreita para debruar a toalha; Cingiu o embrulho com uma faixa de papel branco.* **3.** Cinteiro (2). **4.** Tudo o que se apresenta à vista em forma de tira ou listra: 🗎 *Pela porta entreaberta saía uma faixa de luz.* **5.** Parte, porção: 🗎 *A enciclopédia abrangia larga faixa do conhecimento humano.* **6.** Cada uma das músicas gravadas independentemente num disco. **7.** Intervalo entre dois extremos ou limites dados: 🗎 *Está na faixa dos 40 aos 50 anos; Já passou da faixa do enfarte* (*i. e.*, já excedeu o limite de idade em que se está normalmente sujeito a ele); *faixa etária; faixa salarial.* **8.** Porção de terra estreita e longa; orla. **9.** *Arquit.* Friso chato entre a arquitrave e a cornija. **10.** *Arquit.* Moldura chata, disposta em sentido horizontal, us. frequentemente em fachadas. **11.** *Astr.* Zona na superfície de um planeta, que se distingue do resto de sua superfície pela coloração ou aspecto diferente. **12.** *Cir.* Atadura (3). **13.** *Heráld.* Listão horizontal que atravessa o escudo entre duas linhas paralelas. **14.** *Bras.* Faixa de pedestres: 🗎 *Só atravesse na faixa.* ● *S. m.* **15.** *Turfe* O segundo e, às vezes, o segundo e o terceiro e até mesmo o quarto cavalo(s) inscrito(s) sob o mesmo número em um páreo. ● *S. 2 g.* **16.** Amigo, camarada. [Cf. *facha.*] ◆ **Faixa de asteroides.** *Astr.* V. *anel de asteroides.* **Faixa de Caspary.** *Bot.* Faixa suberizada existente nas paredes radiais e transversais das células endodérmicas; fita de Caspary. **Faixa de domínio.** Área de terreno necessária à construção e operação de uma estrada, e que se incorpora ao domínio público, no caso de uma rodovia, ou ao patrimônio da empresa, no caso de uma ferrovia. **Faixa de ebulição.** *Quím.* Intervalo de temperatura em que se inicia e chega ao fim a ebulição (de um líquido impuro, ou de uma mistura). **Faixa de fusão.** *Quím.* Intervalo de temperatura em que se inicia e chega ao fim a fusão (de um líquido impuro, ou de uma mistura). **Faixa de ondas centimétricas.** *Fís.* Faixa de radiofrequências de 3 GHz a 30 GHz. [Mais us. a sigla (ingl.) *SHF.*] **Faixa de ondas decamétricas.** *Fís.* Faixa de radiofrequências de 3 MHz a 30 MHz; alta frequência. [Mais us. a sigla (ingl.) *HF.*] **Faixa de ondas decimétricas.** *Fís.* Faixa de radiofrequências de 300 MHz a 3 GHz. [Mais us. a sigla (ingl.) *UHF.*] **Faixa de ondas hectométricas.** *Fís.* Faixa de radiofrequências de 300 kHz a 3 MHz. [Mais us. a sigla (ingl.) *MF.*] **Faixa de ondas métricas.** *Fís.* Faixa de radiofrequências de 30 MHz a 300 MHz. [Mais us. a sigla (ingl.) *VHF.*] **Faixa de ondas milimétricas.** *Fís.* Faixa de radiofrequências de 30 GHz a 300 GHz. [Mais us. a sigla (ingl.) *EHF.*] **Faixa de ondas quilométricas.** *Fís.* Faixa de radiofrequências de 30 kHz a 300 kHz; baixa frequência. [Mais us. a sigla (ingl.) *LF.*] **Faixa de passagem.** *Eletrôn.* **1.** Num amplificador, ou num filtro, faixa de frequências compreendida entre os pontos de meia potência (v. *ponto de meia potência*); banda passante; largura de banda. **2.** Faixa de frequência na qual um receptor de rádio opera com uma determinada sensibilidade. [Sin. ger.: *faixa passante.*] **Faixa de pedestres.** Nas ruas e avenidas, faixa de listras ger. brancas pintadas no pavimento (2) para assinalar o local de travessia de pedestres. [Sin.: *faixa zebrada* e (lus.) *passadeira.* Tb. se diz apenas *faixa.*] **Faixa de transição.** *Eletrôn.* Num filtro elétrico, a região entre a faixa passante,

F

determinada pela frequência de corte, e o início da faixa de rejeição. **Faixa do cidadão.** *Telec.* **1.** Faixa do espectro eletromagnético destinada a comunicação particular, comercial ou comunitária. **2.** Sistema de radiocomunicação que utiliza a faixa do cidadão (1). **Faixa equatorial.** *Astr.* Formação de nuvens na superfície de um planeta, em forma de faixa, e que se observa comumente em Júpiter, Saturno e Urano, paralelamente ao equador do planeta. **Faixa lateral.** *Telec.* Numa onda de rádio modulada, intervalo de frequências compreendidas entre a frequência da onda portadora menos a frequência da modulação, e a frequência da onda portadora mais a frequência da modulação. **Faixa passante.** *Eletrôn.* V. *faixa de passagem*. **Faixa zebrada.** V. *faixa de pedestres*. **Correr de faixa.** *Turfe* Usar [o jóquei de um faixa (14)], em geral para forçar a corrida, de uma tática em que sacrifica suas próprias possibilidades em benefício de um companheiro com possibilidades maiores; ir para o sacrifício.

faixar [De *faixa* + *-ar*[2].] ***V. t. d.*** Ligar com faixa; enfaixar. [Pres. ind.: *faixo*, *faixas*, *faixa*, etc. Part.: *faixado*, fem. *faixada*. Cf. *facho*, *facha* e *fachada*.]

faixear [De *faixa* + *-ear*[2].] ***V. t. d.*** *Carp.* Rodear com faixa de madeira. [Conjuga-se como *frear*. Cf. *fachear*.]

fajardice [De *fajardo* + *-ice*.] ***S. f.*** Qualidade, ato ou procedimento de fajardo.

fajardo [Do antr. *(João da Costa) Fajardo*, portuense de conduta reprovável, nascido em 1822.] ***S. m.*** *Lus.* **1.** Gatuno (1). **2.** Vigarista, trapaceiro.

fajuto ***Adj.*** *Bras. Gír.* **1.** De má qualidade; ruim: *tecido fajuto*; "7 da noite estava em casa, depois de ter comprado aquele pão fajuto, mais milho do que trigo." (Stanislaw Ponte Preta, *Febeapá 2*, p. 113). **2.** V. *cafona* (1). [F. paral.: *farjuto*.]

fala [Dev. de *falar*.] ***S. f.*** **1.** Ação ou faculdade de falar (1): *A fala é uma característica humana.* **2.** Aquilo que se exprime por palavras: *Procurei-o, deu-me bons conselhos, e depois de sua fala pude enfrentar a situação.* **3.** *P. ext.* Emissão de sons por animais: *Divertia-se com a fala do papagaio.* **4.** Palavra, dicção, vocábulo. **5.** Alocução, discurso: *A fala do presidente será às 10 horas.* **6.** Parte do diálogo dita por um dos interlocutores: *É excelente a fala do segundo personagem da peça.* **7.** Timbre ou tom da voz: *fala esganiçada; fala rouca.* **8.** *E. Ling.* V. *variedade* (6). **9.** *E. Ling.* V. *discurso* (4). **10.** *E. Ling.* V. *discurso* (5). **11.** *E. Ling.* Substância fônica de uma língua. ◆ **Fala do trono.** *Hist.* Em Portugal e no Brasil, discurso do monarca, geralmente na abertura de uma sessão parlamentar. **Fala holofrástica.** **1.** *E. Ling.* Nos estudos sobre aquisição da linguagem, um dos primeiros estágios observados na fala infantil, e que consiste na utilização de vocábulos isolados que funcionam como uma oração completa. **2.** Nos estudos crioulísticos, uma das estratégias individuais que caracterizam o jargão (4), e em que os enunciados são basicamente compostos de uma só palavra. **Chamar à fala.** Pedir ou ordenar a alguém que se aproxime a distância adequada para falar, a fim de interpelar, obter informações, etc. **Ir à fala.** Falar, conversar, entender-se: "Foram à fala com o primeiro pastor que avistaram, e descobriram que havia em Castro Laboreiro uma rapariga ao serviço de um lavrador, ... chamada Francisca." (Camilo Castelo Branco, *Noites de Lamego*, p. 89.) **Perder a fala.** Ficar mudo; deixar de falar (temporária ou permanentemente).

falaca [Do ár. *falaqa(t)*.] ***S. f.*** Instrumento de suplício: poste com duas cavidades em que se introduziam os pés do indivíduo condenado a bastonadas nas plantas dos pés.

falação [De *falar* + *-ção*.] ***S. f.*** *Bras. Angol. Pop.* Discurso, palração. ◆ **Deitar falação.** *Bras.* Fazer discurso; discursar.

falácea [Adapt. do tax. *Phallaceae*.] ***S. f.*** *Micol.* Espécime das faláceas, família de fungos basidiomicetos, que apresentam, inicialmente, aspecto de ovo, e depois, estipe colunar e chapéu cônico, e que se caracterizam pelo cheiro fétido da massa de esporos, que atrai moscas e outros insetos que ajudam a dispersar os esporos.

faláceo [De *falácea*, com var. suf. (v. *-áceo*).] ***Adj.*** *Micol.* Pertencente ou relativo às faláceas.

falacha ***S. 2 g.*** *Etnôn.* **1.** Indivíduo dos falachas, povo etíope que professa o judaísmo: "As crenças dos falachas derivariam de um judaísmo que parou no Pentateuco." (Alberto da Costa e Silva, *A Enxada e a Lança*, p. 174.) ● ***Adj. 2 g.*** **2.** Pertencente ou relativo aos falachas.

falácia[1] [Do lat. *fallacia*, 'trapaça'; 'ardil'; 'engano'; 'astúcia', < lat. *fallax*, *acis*, 'enganador', 'impostor'; 'que induz a erro'; 'capcioso'.] ***S. f.*** **1.** Qualidade de falaz. **2.** Afirmação falsa ou errônea. **3.** *Lóg.* V. *sofisma* (1 e 2). ◆ **Falácia etimológica.** Crença em que o significado de uma palavra fornecido pela etimologia é o significado correto com o qual a palavra deve sempre ser empregada.

falácia[2] [De *falar*.] ***S. f.*** V. *falatório* (1).

falacioso (ô) [Do lat. imp. *fallaciosu*.] ***Adj.*** Que tem ou denota falácia[1].

falacíssimo [Do lat. *fallacissimu*.] ***Adj.*** Superl. abs. sint. de *falaz*.

falaço [De *falar* + *-aço*, poss.] ***S. m.*** *Bras. N.E. Pop.* Boato, rumores: "O povo maldou logo. Aquilo não passava de amigação de Antônio Patrício com a mulher dele. O falaço continuou até que a mulher apareceu de barriga." (José Lins do Rego, *Meus Verdes Anos*, p. 180.)

falacrocoracídeo [Do lat. *phalacrocorace*, 'corvo-marinho', + *-ídeo*[1]; tax. *Phalacrocoracidae*.] *Zool.* ***S. m.*** **1.** Espécime dos falacrocoracídeos, família de aves pelicaniformes, de bico subcilíndrico, com ponta curva em forma de gancho, aquáticas, boas mergulhadoras, e que se alimentam de peixes. No Brasil estão representadas pelos biguás e, nas costas da Europa, Islândia, Groenlândia, Austrália, Nova Zelândia e regiões da Ásia, pelo cormorão. ● ***Adj.*** **2.** Pertencente ou relativo a eles.

falacrose [Do lat. cient. *phalacrosis* < gr. *phalákrosis*.] ***S. f.*** *Med.* V. *alopecia*.

falada [De *falar* + *-ada*[1].] ***S. f.*** **1.** V. *falatório* (1). **2.** Falatório ou murmuração que produz escândalo.

faladeira [De *falar* + *-deira*.] ***Adj. (f.) S. f.*** **1.** Diz-se de, ou mulher que fala muito: "A pequena era graciosa e gorducha, faladeira e curiosa." (Machado de Assis, *Dom Casmurro*, p. 304.) **2.** Diz-se de, ou mulher maledicente, indiscreta.

falado [Part. de *falar*.] ***Adj.*** **1.** Sobre que se falou, se teceram comentários: *um caso falado.* **2.** Afamado, famoso, notável: *o tão falado romancista Jorge Amado*; "a Torre, ... robusta sobrevivência do Paço acastelado, da falada Honra de Santa Irineia, solar dos Mendes Ramires desde os meados do século X." (Eça de Queirós, *A Ilustre Casa de Ramires*, p. 6). **3.** Cujo meio de comunicação é a fala, a palavra falada: *jornal falado.* **4.** *Bras.* Diz-se de pessoa de quem se fala mal, de má fama, de moral duvidosa: "A verdade era que as filhas do usineiro ficaram faladas. Rapazes tinham-nas na conta de sapecas" (José Lins do Rego, *Usina*, p. 198). ~ V. *cinema* —, *coro* (ô)—, *imprensa* —, *linguagem* —*a* e *retrato*[1] —.

falador (ô) [De *falar* + *-dor*.] ***Adj.*** **1.** Que fala muito. **2.** *Bras.* Indiscreto, maledicente, maldizente, irreverente. ● ***S. m.*** **3.** Aquele que fala muito. [Fem. ger.: *faladora*.]

falagógia [Do gr. *phallagógia*.] ***S. f.*** Na Grécia antiga, festa em honra do deus Priapo, na qual se conduzia o falo em procissão.

falange[1] [Do gr. *phálanx*, pelo lat. *phalange*.] ***S. f.*** **1.** Unidade de infantaria grega formada por 64 sintagmas ou 16.384 homens. **2.** Corpo de tropas. **3.** *Fig.* Multidão, legião: "nas alturas divinas, a harmonia das esferas reergue a alma humana, que se perde entre falanges de anjos." (Alphonsus de Guimaraens, *Obra Completa*, p. 420). **4.** *Anat.* Qualquer osso de quirodáctilo ou de pododáctilo. **5.** *Gloss.* Língua secreta, de vocabulário muito restrito e basicamente de origem banta, us. na região do Cafundó (Sorocaba, SP); cupópia. **6.** *Hist.* Grupo político e paramilitar, ger. de caráter fascista. **7.** *Bras. Rel.* Na umbanda, conjunto de entidades [v. *entidade* (6)] que formam uma linha (45). ◆ **Falange distal.** *Anat.* Aquela que é parcialmente recoberta por unha. [Sin.: *metafalange* e (desus.) *falangeta*.] **Falange medial.** *Anat.* A que fica entre a falange distal e a proximal. [Sin.: *mesofalange* e (desus.) *falanginha*.] **Falange proximal.** *Anat.* A falange que nos quirodáctilos se articula com o metacarpo e nos pododáctilos com o metatarso; primeira falange. **Primeira falange.** *Anat.* Falange proximal.

falange[2] [Do fr. *phalange* (v. *falanstério*).] ***S. m.*** Conjunto dos membros de um falanstério (1).

falangeal [De *falange* + *-eal*.] ***Adj. 2 g.*** Referente ou pertencente às falanges dos dedos.

falangerídeo [Do tax. *Phalanger* (< gr. *phálanx*, *angos*) + *-ídeo*[1]; tax. *Phalangeridae*.] *Zool.* ***S. m.*** **1.** Espécime dos falangerídeos, família de mamíferos marsupiais, arborícolas, herbívoros, com o hálux bem desenvolvido e frequentemente em oposição aos demais dedos; cauda longa e preênsil, marsúpio bem desenvolvido, aberto anteriormente, com exceção do coala (q. v.), em que esse se abre posteriormente. Distribuem-se pela Austrália, Nova Guiné e ilhas Celebes. ● ***Adj.*** **2.** Pertencente ou relativo a eles.

falangeta (ê) [De *falange*[1] + *-eta* (ê).] ***S. f.*** *Anat. Desus.* V. *falange distal*.

falangiano [De *falange*[1] + *-iano*.] ***Adj.*** Relativo à(s) falange(s) [v. *falange*[1] (4)].

falangídeo [Do tax. *Phalangidae*.] ***S. m. Adj.*** *Zool.* V. *opiliônido*.

falângido [Do tax. *Phalangida* < gr. *phalángion*, 'aranha venenosa'.] ***S. m. Adj.*** *Zool.* V. *opiliônido*.

falanginha [De *falange*[1] + *-inha*.] ***S. f.*** *Anat. Desus.* V. *falange medial*.

falangista [De *falange*[1] + *-ista*.] ***S. 2 g.*** Membro de falange[1] (6).

falansteriano [Do fr. *phalansthérien*.] ***Adj.*** **1.** Referente ao falanstério ou aos seus habitantes. ● ***S. m.*** **2.** Habitante de um falanstério. **3.** Partidário do fourierismo (q. v.).

falanstério [Do fr. *phalanstère*, do fr. *phalan(ge)*, 'falange', + *(mona)stère*, 'monastério'.] ***S. m.*** **1.** No fourierismo, comunidade de produção composta por 1.800 trabalhadores. **2.** Lugar onde se deveria estabelecer essa comunidade.

falante [De *falar* + *-nte*.] ***Adj. 2 g.*** **1.** Que fala. **2.** Diz-se de quem fala muito e/ou indiscretamente; chocalheiro, trombeta. **3.** *Bras. Fam.* Diz-se de pessoa que gosta de falar, de opinar sobre qualquer assunto, que é desembaraçada, desinibida. ● ***S. 2 g.*** **4.** *E. Ling.* O emissor de um enunciado linguístico. **5.** *E. Ling.* O usuário de uma língua. ◆ **Falante nativo.** *E. Ling.* Falante (4) considerado pela perspectiva de sua língua materna (q. v.): *falante nativo de português.*

falar [Do lat. *fabulare*.] ***V. int.*** **1.** Dizer palavras; expressar-se ou exprimir-se por meio de palavras; dizer: "Nos últimos tempos de sua vida, Chateaubriand [François René de Chateaubriand] já não podia falar, nem ouvir, nem sequer ver." (Múcio Leão, *Emoção e Harmonia*, p. 105.) **2.** Orar, discursar: *Tem o dom da palavra: fala muito bem.* **3.** Ter validez; exercer influência: *Ia-se deixando subornar, mas a dignidade falou mais alto* (q. v.). **4.** Ser muito expressivo: *Seus olhos falam*; "os cabelos caíam despenteados, e as lágrimas faziam-lhe encarquilhar os olhos. Não obstante, o total falava e cativava o coração." (Machado de Assis, *Dom Casmurro*, p. 89). **5.** *Bras. Gír.* Dar a palavra definitiva: *O homem falou, está falado.* **6.** Revelar ou descobrir o que não era permitido: *O prisioneiro falou.* ***T. d.*** **7.** Exprimir por meio de palavras; proferir, dizer: *Falou a verdade, e ninguém o acreditou.* **8.** Dizer, contar, referir: "Falava muita gente, mas sem provas, que ele penava ali por amor de um crime encoberto" (Raquel de Queirós, *100 Crônicas Escolhidas*, p. 5); "— É uma terra de amores / Alcatifada de flores / Onde a brisa fala amores / Nas belas tardes de abril." (Casimiro de Abreu, *Obras*, p. 62). **9.** Conversar acerca de; discorrer sobre. **10.** Combinar, ajustar. **11.** Fazer compreender; explicar, demonstrar. **12.** Pregar, anunciar, ensinar: *falar a palavra de Deus.* **13.** Saber exprimir-se em algum idioma, especialmente estrangeiro: "Falava francês desde pequeno" (Urbano Tavares Rodrigues, *Vida Perigosa*, p. 40). **14.** *Bras. Angol. Cabo-verd. Guin. Moç. Santom.* Dizer, declarar: *Falou que vinha à festa.* **15.** *Bras.* Proferir, dizer; costumar dizer: "Não falava 'senhora', dizia 'madame'" (Valdemar Versiani dos Anjos, *Jornal de Serra Verde*, p. 96). ***T. d. e i.*** **16.** Combinar, ajustar: *Foi isso mesmo o que ele falou com o negociante.* **17.** Corresponder: *A carreira militar não falava aos meus pendores.* **18.** Expor ou exprimir por palavras; dizer: *Castigou o filho porque não lhe falou a verdade.* **19.** Inspirar, infundir: "um rosto virgem, / Alma de arcanjo que me fale amores." (Casimiro de Abreu, *Obras*, p. 110). ***T. i.*** **20.** Conversar ou discursar; discorrer: "Falareis de nós como de um sonho" (Jorge de Sena, *Versos e Alguma Prosa*, p. 35); "Não me escrevas falando nessas cousas!..." (Humberto de Campos, *Poesias Completas*, p. 14); "Sempre se poderá falar de Poesia se a imagem do Quixote continuar presente no coração dos homens." (Valdemar Lopes, *Austro-Costa Poeta da Província*, p. 14); "Estamos no mês de maio — e convém falar de rosas." (Eça de Queirós, *Notas Contemporâneas*, p. 311); "D. Pedro II falou anteontem mais uma vez ao povo brasileiro." (Antônio da Silva Jardim, *Propaganda Republicana*, p. 232). **21.** Dirigir a palavra: "Falei-te uma vez..." (Guimarães Passos, *Horas Mortas*, p. 54); "Neste tempo, viu Laura, falou-lhe, ouviu-a" (Camilo Castelo Branco, *A Mulher Fatal*, p. 32). **22.** Falar ou dizer mal; maldizer: *Língua viperina, a daquele homem: é capaz de falar da própria mãe*; "Essa história de falar de alguém / Já é mania que as pessoas têm." (Joubert de Carvalho, na marcha carnavalesca *Taí*). **23.** *Pop.* Ser namorado; namorar: *Fala com a Maria há cerca de três meses, e em breve vão casar.* ***Bit. i.*** **24.** Discorrer, conversar: "Os pais do teimoso rapaz [Ferdinand Denis] falavam muitas vezes ao poeta português [Filinto Elísio] dessa pertinácia do brutinho." (Ramalho Ortigão, *Em Paris*, p. 73); "tu procuras em teu pai astuciosamente uma pessoa com quem fales do *pobre rapaz*." (Camilo Castelo Branco, *A Mulher Fatal*, p. 36). ***P.*** **25.** Falar mutuamente; dialogar: "Nunca mais nos falamos... vai distante... / Mas, quando a vejo, há sempre um vago instante, / Em que seu mudo olhar no meu repousa" (Raul de Leoni, *Luz Mediterrânea*, p. 76). **26.** Estar em boas ou sofríveis relações de amizade: *Não são íntimos, porém se falam.* [Fut. do pres.: *falarei*, *falarás*, etc. Cf. *falaraz*.] • *S. m.* **27.** O ato ou efeito de falar (1): *Falou, falou – um falar interminável.* **28.** V. *variedade* (6). **29.** *E. Ling.* Conjunto de traços linguísticos característicos de uma área geográfica específica, tomado para estudo no âmbito de um dialeto (4). **30.** *E. Ling.* Nos estudos dialetológicos sobre o português, cada uma das variedades faladas nas áreas linguísticas de Portugal (*falares* beirão, do Baixo Vouga e Mondego, de Castelo Branco e Portalegre, meridional, minhoto e trasmontano) e do Brasil (*falar* do Norte e *falar* do Sul). [No caso brasileiro, cada *falar* está subdividido em subfalares: *amazônico* e *nordestino*, para o *falar* do Norte, e, para o *falar* do Sul, o *baiano*, o *fluminense*, o *mineiro* e o *sulista*.] [Cf. *codialeto*.] ◆ **Falar do Norte.** *Gloss.* V. *falar* (29). **Falar do Sul.** *Gloss.* V. *falar* (29). **Falar grosso.** **1.** Mostrar-se duro, destemido, com outrem; não se atemorizar. **2.** Bancar o valente. **Falar mais alto.** Ter grande ou a maior influência no ânimo de alguém: *Quis ferir o adversário, mas o sentimento de humanidade falou mais alto.* **Falar para dentro.** **1.** Falar em tom de voz quase inaudível, sussurrando. **2.** Falar sozinho. **Falar por falar.** Falar da boca pra fora (q. v.). **Falar sozinho.** Falar consigo mesmo; dizer em voz alta aquilo que pensa, mas sem dirigir a nenhuma outra pessoa. **Falou!** *Bras. Gír.* É isso mesmo!; está certo! **Já cá não está quem falou!** Retiro o que eu disse!: "– Não é isso! não é isso! Já cá não está quem falou! Oh! Tu também te espinhas por qualquer coisa..." (Aluísio Azevedo, *Filomena Borges*, p. 73.) **Nem se fala.** Dispensa menção. **Por falar em.** A propósito de.

falaraz [De *falar* + *-az*.] *S. m. Bras. RS* V. *falatório* (1). [Cf. *falarás*, do v. *falar*.]

falárica [Do lat. *falarica*.] *S. f.* Certa lança antiga, que tinha na ponta estopa inflamável.

falario [De *falar* + *-io*[2].] *S. m.* V. *falatório* (1).

falaropo [Do tax. *Phalaropus*.] *S. m. Zool.* **1.** Gênero-tipo da família dos falaropodídeos (q. v.), na qual se incluem três espécies. **2.** Qualquer dessas três espécies, todas setentrionais: a *Phalaropus fulicarius*, conhecida vulgarmente como *falaropo-de-pescoço-vermelho* ou *falaropo-de-bico-grosso*, que tem hábitos pelágicos e procede da região ártica, a *P. lobatus* ou *falaropo-cinzento*, que tb. migra daquela região, e a conhecida como *falaropo-de-wilson*, nativa das grandes planícies do N. do Canadá. **3.** Qualquer espécime desse gênero.

falaropo-cinzento *S. m. Zool.* V. *falaropo* (2). [Pl.: *falaropos-cinzentos*.]

falaropo-de-bico-grosso *S. m. Zool.* V. *falaropo* (2). [Pl.: *falaropos-de-bico-grosso*.]

falaropo-de-pescoço-vermelho *S. m. Zool.* V. *falaropo* (2). [Pl.: *falaropos-de-pescoço-vermelho*.]

falaropo-de-wilson *S. m. Zool.* V. *falaropo* (2). [Pl.: *falaropos-de-wilson*.]

falaropodídeo [Do lat. cient. *Phalaropod-* (< tax. *Phalaropus*) + *-ídeo*[1]; tax. *Phalaropodidae*.] *S. m. Zool.* **1.** Espécime dos falaropodídeos, família de pequenas aves caradriiformes, com dedos orlados de membrana natatória ger. dividida em lobos, naturais das regiões árticas, mas que, no inverno, migram para os trópicos, voando aos bandos, com grande rapidez, em alto-mar; tb. são boas nadadoras, mal parecendo pousar na água. Caracterizam-se por ser a fêmea que corteja, e o macho que faz a incubação. • *Adj.* **2.** Pertencente ou relativo a eles.

falastrão [De *falar* + *-astr(o)-* + *-ão*[1].] *Adj. S. m.* Diz-se de, ou indivíduo que fala muito; falador. [Fem.: *falastrona*.]

falastrona *S. f.* Fem. de *falastrão* (q. v.).

falatório [De *falar* + *-tório*.] *S. m.* **1.** Sussurro de muitas pessoas a falar ao mesmo tempo; ruído de vozes, de falas; falada, falácia, falaraz, falario, parlatório: "Remexia na rede, virava de um lado para o outro, até que ouvi o falatório de gente na rua." (José Lins do Rego, *Meus Verdes Anos*, p. 337.) **2.** Falar demorado e importuno: "Estava acostumada àqueles longos falatórios da velha, acompanhados de grandes gestos" (Amando Fontes, *Os Corumbas*, p. 17). **3.** Murmuração, maledicência: "Não duvidava dos bons sentimentos da menina, cujos modos entretanto serviam de motivo a muitos mexericos e falatórios" (Visconde de Taunay, *Ao Entardecer*, p. 75). **4.** Locutório, parlatório.

fala-verdade [De *falar* + *verdade*.] *S. m. Bras. Pop.* Qualquer arma de defesa pessoal: faca, pistola, etc.: "O facão nem a pistola, isso, sim, nenhum aficionado joga; os fala-verdade é que têm de garantir a retirada do perdedor sem debocheira dos ganhadores..." (Simões Lopes Neto, *Contos Gauchescos e Lendas do Sul*, pp. 213-214). [Pl.: *fala-verdades*. Observe-se, no texto citado, o pl. *fala-verdade*, menos regular.]

falaz [Do lat. *fallace*.] *Adj. 2 g.* **1.** Intencionalmente enganador; ardiloso, enganoso, capcioso: *argumento falaz.* **2.** Vão, quimérico, ilusório, enganoso: "Será o eterno tactear entre as miragens de um processo falaz e duvidoso" (Euclides da Cunha, *Contrastes e Confrontos*, p. 90). [Superl. abs. sint.: *falacíssimo*.]

falbalá [Do fr. *falbala*.] *S. m.* Folho de saia, de cortina, etc.: "sempre tinham todo o gosto das rendas, dos veludos, dos falbalás esvoaçantes" (Pedro Nava, *Balão Cativo*, p. 12). [Var.: *falvalá*.]

falca [Do ár. *filqa(t)*, 'metade'; 'pedaço'; ár.-hisp. *falqa*.] *S. f.* **1.** Toro de madeira falquejado, com quatro faces retangulares. **2.** *Artilh.* Cada uma das duas peças laterais que vão do eixo à conteira no reparo das bocas de fogo. **3.** *Constr. Nav.* Tábua que corre de proa a popa numa embarcação miúda, por cima do alcatrate, e que remata a borda.

falcaça [De *falca*, poss.] *S. f. Marinh.* Trabalho marinheiro que consiste em dar certo número de voltas redondas, com fio de vela ou de merlim, em torno das extremidades dos cordões do chicote de um cabo, a fim de impedir que eles se descochem.

falcaçar [De *falcaça* + *-ar*[2].] *V. t. d. Marinh.* Fazer falcaça em (um cabo). [Conjug.: v. *laçar*.]

falcado [Do lat. *falcatu*.] *Adj.* V. *falciforme* (1 e 3).

falcão [Do lat. tard. *falcone*.] *S. m.* **1.** *Zool.* Qualquer das aves de rapina diurnas, falconídeas, como, p. ex., o *falcão-peregrino* (q. v.). **2.** *Zool.* Qualquer das aves de rapina falconídeas conhecidas, no Brasil, como *gavião*. **3.** *Ant.* Peça de artilharia comprida, que atirava projetis de ferro de cinco a dez libras de peso; sagre: "Deixaram-nos chegar a distância de tiro, e só então os falcões abriram fogo." (Aquilino Ribeiro, *Portugueses das Sete Partidas*, p. 105.)

falcão-peregrino *S. m. Zool.* Falcão (*Falco peregrinus*) de distribuição quase cosmopolita que, em adulto, tem a plumagem cinza-azulada, escura, no dorso, quase negra na cabeça, e branca na parte inferior, com linhas negras no pescoço; era muito us. na caça de altanaria. [F. red.: *peregrino*[2]. Pl.: *falcões-peregrinos*.]

falcato [Do lat. *falcatu*.] *Adj.* **1.** Armado de foice. **2.** V. *falciforme* (1).

falcatrua [Dev. de *falcatruar*.] *S. f.* **1.** Artifício para burlar; ardil. **2.** Fraude, logro, embuste.

falcatruar [De *desfalcar*, com aférese e aposição de sufixo obscuro, poss.] *V. t. d.* Enganar com falcatrua; lograr, enganar.

▲**falci-** [Do lat. *falx*, *falcis*.] *El. comp.* = 'foice': *falciforme*, *falcípede*.

falcífero [Do lat. *falciferu*.] *Adj. Poét.* Armado ou provido de foice.

falcifoliado [De *falci-* + *-foli-* + *-ado*[1].] *Adj. Bot.* Que tem folhas falciformes.

falciforme [De *falci-* + *-forme*.] *Adj. 2 g.* **1.** Em forma de foice; foiciforme, fouciforme, falcado, falcato, afoiçado. **2.** *Anat.* Diz-se de formação (5) em forma de foice. **3.** *Bot.* Recurvado do meio para o ápice, como foice; falcado: *legume falciforme.* **4.** *Zool.* Diz-se das lâminas que formam o prolongamento das tíbias posteriores dos insetos.

falcípede [De *falci-* + *-pede*.] *Adj. 2 g. Poét.* Cujos pés são falciformes.

falco [Do tax. *Falco*.] *S. m. Zool.* **1.** O gênero-tipo dos falconídeos. **2.** Qualquer espécie desse gênero, como, p. ex., a *Falco peregrinus* (v. *falcão-peregrino*). **3.** Qualquer espécime desse gênero.

falcoada [De *falcão* + *-ada*[1], com desnasalação.] *S. f.* **1.** Bando de falcões. **2.** Tiro de falcão (3).

falcoado [Part. de *falcoar*.] *Adj.* Diz-se de caça perseguida por meio de falcão (1).

falcoar [De *falcão* + *-ar*[2], com desnasalação.] *V. t. d.* Perseguir (caça) com falcão (1). [Conjug.: v. *coroar*.]

falcoaria [De *falcão* + *-aria*, com desnasalação.] *S. f.* **1.** Arte de adestrar falcões para a caça. **2.** Caçada com falcões. **3.** Lugar onde se criam falcões.

falcoeiro [De *falcão* + *-eiro*, com desnasalação.] *S. m.* Adestrador ou criador de falcões para a caça.

falconete (ê) [De *falcão* (3) + *-ete* (ê), com desnasalação.] *S. m.* Peça antiga de artilharia, de calibre inferior ao do falcão (3): "Substituída a tripulação da goleta, ... duas bombardeiras e quatro falconetes portugueses .... foram nela montados" (Virgílio Várzea, *O Brigue Flibusteiro*, p. 167).

falcónida *S. m. Adj. 2 g. Zool.* V. *falcônida*. [Uso freq. em P.]

falcônida [Do tax. *Falcon* + *-ida*[1].] *S. m. Adj. 2 g. Zool.* V. *falconídeo*[2].

falconídeo[1] [Do lat. tard. *falco*, *onis*, 'falcão', + *-ídeo*[3].] *Adj. 2 g.* Relativo a falcão (1 e 2).

falconídeo[2] [Do lat. cient. *Falcon-* (< tax. *Falco* < lat. tard. *falco*, *onis*, 'falcão') + *-ídeo*[1]; tax. *Falconidae*.] *Zool. S. m.* **1.** Espécime dos falconídeos, família de aves falconiformes, de vértebras dorsais fixas, ramos de mandíbula com escavação, superfície ventral da maxila superior com uma espécie de crista longitudinal na linha média. São os caracarás, ximangos, caranchos, caurés e outros. • *Adj.* **2.** Pertencente ou relativo a eles.

falconiforme [Do lat. cient. *Falcon-* (v. *falconídeo*[2]) + *-iforme*; tax. *Falconiformes*.] *Zool. S. m.* **1.** Espécime dos falconiformes, ordem de aves neórnites, neógnatas, predadoras, diurnas, de bico robusto, mandíbula curva para baixo, ceroma bem desenvolvido, asas longas e fortes, tarso escutiforme, dedos anteriores reunidos na base por uma pequena membrana, garras pontiagudas e robustas. São os falcões e os gaviões. • *Adj. 2 g.* **2.** Pertencente ou relativo a eles. [Sin. ger.: *acipitriforme*.]

falda [Do frâncico **falda*, 'dobra', pelo cat. ou pelo occitano, poss.] *S. f.* Abas da montanha; sopé, fralda: "Lá fora, o nevoeiro contornando as faldas das serras" (Fernando Namora, *Retalhos da Vida de um Médico*, p. 67).

faldistório [Do frâncico **faldistôl*, pelo lat. med. *faldistoliu*, *faldistoriu*.] *S. m.* Cadeira episcopal móvel, sem espaldar, usada nos atos litúrgicos que devem ser realizados em frente do altar; facistol.

faldra [De *falda*, com epêntese.] *S. f. Ant. Pop.* Fralda (q. v.).

falecer [Do lat. **fallescere*, f. incoativa do lat. *fallere*, 'enganar', 'faltar'.] *V. int.* **1.** V. *morrer* (1). **2.** Haver falta ou carência; faltar; escassear: *A viagem foi longa, e os alimentos faleceram.* **3.** Não existir, ou deixar de existir: *Com a seca, a vegetação faleceu; Ali a vegetação falece.* *T. i.* **4.** Falecer (2): "Nada falece ali do que ao pobre convém; / que digo? o próprio rico ali mil vezes vem / buscar com que acrescente os dons da lauta mesa" (Antônio Feliciano de Castilho, *Outono*, pp. 148-149); *Não lhe faleceram oportunidades.* **5.** Não ter; carecer: *Falece de meios para estabelecer-se.* **6.** Ser insuficiente; não chegar: *Falecem-lhe os meios de subsistência.* [Conjug.: v. *aquecer*.]

falecido [Part. de *falecer*.] *Adj.* **1.** Que faleceu; morto. **2.** Que carece de alguma coisa; falho, falto. • *S. m.* **3.** Aquele que morreu; o morto.

falecimento [De *falecer* + *-imento*.] *S. m.* **1.** Ato de falecer ou morrer; morte, óbito, passamento. **2.** Falta, falência, carência, privação: *falecimento de forças, de ânimo.*

falena [Do tax. *Phalaena*.] *S. f. Zool.* **1.** Gênero de insetos lepidópteros, noctuídeos, que reúne mariposas noturnas cujas larvas, fitófagas, são nocivas a culturas vegetais. **2.** Espécie ou espécime desse gênero.

falência [De *falir* + *-ência*.] *S. f.* **1.** Ato ou efeito de falir; quebra. **2.** V. *falecimento* (2). **3.** *Dir. Com.* Execução coletiva do devedor empresarial, à qual concorrem todos os credores, e que tem por fim arrecadar o patrimônio disponível, verificar os créditos, solver o passivo e liquidar o ativo, mediante rateio, observadas as preferências legais; insolvência empresarial. **4.** *Med. Restr.* Falta ou insuficiência de funcionamento de órgão(s) [v. *órgão* (1)], em decorrência de causas diversas. ◆ **Falência póstuma.** *Jur.* A do espólio do devedor comerciante morto.

falencial [De *falência* + *-al*[1].] *Adj. 2 g. Dir. Com.* Relativo a falência (3); falimentar. ~ V. *direito* —.

falenopse [Do tax. *Phalaenopsis*.] *S. f. Bot.* **1.** Gênero de orquidáceas epífitas nativas da Índia e do arquipélago malaio, de folhas carnosas e coriáceas, flores de vários tons entre o branco e o rosa, com grandes pétalas laterais. **2.** Qualquer espécie desse gênero, como, p. ex., a *Phalaenopsis amabilis*, de espigas dotadas de flores brancas e amarelas. **3.** Qualquer espécime desse gênero, ou a flor dele.

falerno [Do lat. *(vinu) falernu*, 'vinho de Falerno'.] *S. m.* **1.** Antigo vinho de Falerno, território da Campânia (Itália): "É notório como Horácio bebia falerno" (Ramalho Ortigão, *Em Paris*, p. 119). **2.** *P. ext.* Vinho bom, generoso.

falésia [Do fr. *falaise*, de or. incerta.] *S. f.* Designação comum a terras ou rochas altas e íngremes à beira-mar, resultado da erosão marinha: "Quando este mar embravece, vagalhões como montanhas despedaçam-se com fúria nas falésias maciças" (Raul Brandão, *As Ilhas Desconhecidas*, p. 227). [Sin. (lus.): *arriba*.]

falha[1] [Do lat. vulg. **fallia*, 'defeito'.] *S. f.* **1.** Fenda, brecha, racha: *Abriu-se uma falha na tábua ressecada.* **2.** Espaço vazio numa série ou num elemento contínuo: *Havia uma falha na cerca.* **3.** Falta, defeito: *Este objeto tem uma falha de fabricação.* **4.** *Fig.* Omissão, lacuna: *O regulamento apresenta muitas falhas.* **5.** *P. ext.* Defeito físico ou moral: *falha de uma das pernas; falha de caráter.* **6.** Desequilíbrio mental; mania, telha. **7.** *Expl.* V. *nega* (2). **8.** *Bras. S.*

F

Interrupção casual de uma viagem; pouso. ◆ **Estar de falha.** *Bras. S.* Estar de pouso em casa de alguém.

falha^{2} [Do lat. vulg. **fallia*, pelo fr. *faille*.] ***S. f.*** *Geol.* Plano de separação que se forma entre blocos de uma rocha em consequência do deslocamento desta, por ocasião dos movimentos tectônicos; paráclase.

falhadão [Aum. da substantivação de *falhado*.] ***S. m.*** *Bras. SP* Lugar, no cafezal, onde morreram diversos pés.

falhado [Part. de *falhar*.] ***Adj.*** **1.** Que tem falha(s): "A sertaneja, dengosa, arreganhou os dentes falhados" (Alberto Deodato, *Canaviais*, p. 27). **2.** Fendido; rachado. **3.** Que falhou, que não teve êxito; falido, fracassado, malogrado: *vida falhada; crime falhado.* **4.** *Bras.* Diz-se da égua ou vaca que não ficou prenhe no tempo próprio. [Sin. ger.: *falho*.] ~ V. *ato —*.

falhanço [De *falh(ar)* + *-anço*.] ***S. m.*** *Lus.* Fracasso, fiasco.

falhar [De *falha^{1}* + *-ar^{2}*.] ***V. t. d.* 1.** Fazer falhas em; lascar, fender, rachar. **2.** Não acertar; errar. ***T. i.* 3.** Deixar de fazer ou cumprir; faltar: *Falhou ao prometido.* **4.** Não acorrer, não acudir: "Se me falha a Tua graça, / Faça o que faça ou não faça, / Que faço que me contente?" (José Régio, *Mas Deus É Grande*, p. 52.) **5.** Enganar, iludir, faltar: *Se não me falha a memória, conhecemo-nos há pouco.* **6.** Não corresponder às expectativas (de alguém), ou trair-lhe a confiança: *Falhou com o amigo por causa de mulher.* ***Int.* 7.** Faltar ao peso ou à medida. **8.** Não suceder como se esperava: *A tática falhou.* **9.** Negar fogo, não acertar (espingarda, tiro). **10.** Malograr-se, frustrar-se, gorar-se: *Falharam todas as esperanças.* **11.** Deixar de suceder, de ocorrer: *Nesta época as chuvas nunca falham.* **12.** Dar em falso; resvalar: *Falhou, e foi ao chão.* **13.** *Bras.* Não ficar prenhe (a égua ou a vaca). **14.** Não funcionar, ou fazê-lo mal: *O motor falhou.* ***T. c.* 15.** *Bras.* Interromper acidentalmente uma viagem por causa de qualquer contrariedade: *Como não havia balsa, falhou à beira do rio.* **16.** *Bras.* Deter-se (em viagem): *Falhou na fazenda por um dia.* **17.** *Bras.* Passar a noite; pernoitar, dormir (no decurso de uma viagem): "aconteceu de falharem numa fazenda, onde à noite lhes foi servida a ceia .... com talheres de prata" (Eduardo Frieiro, *Feijão, Angu e Couve*, p. 105).

falho [De *falha^{1}*.] ***Adj.* 1.** V. *falhado*: "amarelão, o bigode desleixado, a barba falha" (Alberto Deodato, *Canaviais*, p. 58). **2.** Falto, carente, desprovido: "As *Décadas* [de João de Barros e Diogo do Couto].... são falhas daquela objetividade preciosa que caracteriza a ata testemunhal." (Aquilino Ribeiro, *Os Avós dos Nossos Avós*, p. 173.) **3.** Que não tem o peso devido. **4.** Que tem poucas cartas de um naipe. ~ V. *ato —* e *crime —*.

falhudo [De *falha^{1}* + *-udo*.] ***Adj.*** *Bras. RS* Que apresenta falhas; falhado.

falibilidade [De *falível* + *-(i)dade*, seg. o padrão erudito.] ***S. f.*** Qualidade de falível.

falibilíssimo ***Adj.*** Superl. abs. sint. de *falível*.

falicismo [De *fálico* + *-ismo*.] ***S. m.*** Culto do falo, entre os antigos.

fálico [Do gr. *phallikós*.] ***Adj.*** Referente ao falo ou a seu culto. ~ V. *dança —a*.

falida [F. subst. de *falido*.] ***S. f.*** *Desus.* Ato de falir; falência.

falido [Part. de *falir*.] ***Adj.* 1.** Que faliu. **2.** V. *falhado* (3). **3.** Que sofreu falência (3): *projeto falido.* **4.** Diz-se dos bens de negociante que faliu. ~ V. *massa —a* e *volta —a*. ● ***S. m.* 5.** Aquele que faliu.

falimentar [De *falimento* + *-ar^{1}*.] ***Adj. 2 g.*** *Dir. Com.* Falencial. ~ V. *direito —*.

falimento [De *falir* + *-mento*.] ***S. m.* 1.** Ato de falir; falência. **2.** Culpa punível; erro, omissão.

falir [Do lat. *fallere*.] ***V. int.* 1.** Suspender os pagamentos; não ter com que pagar aos credores. **2.** Ser malsucedido; malograr-se, fracassar: *Suas tentativas faliram.* **3.** Faltar, minguar. **4.** Perder as forças; desfalecer. **5.** *Dir. Com.* Deixar (o empresário ou a sociedade empresarial) de pagar, na data do vencimento, obrigações líquidas, sem que haja patrimônio suficiente que garanta seus credores, ou realizar qualquer dos atos que a lei considera típicos do estado de falência. ***T. i.* 6.** Faltar, minguar: *Se lhe falirem os meios esperados, claro que não poderá levar a cabo a obra.* [Defect.; só se conjuga nas f. em que ao *l* da raiz se seguir a vogal *i* da terminação.]

falite [De *fal(o)-* + *-ite^{1}*.] ***S. f.*** *Patol.* Inflamação do pênis.

falível [De *falir* + *-vel*.] ***Adj. 2 g.* 1.** Que pode falhar. **2.** Que pode enganar-se. **3.** Em que pode haver erro. [Superl. abs. sint.: *falibilíssimo*.]

falo [Do gr. *phallós*, pelo lat. *phallu*.] ***S. m.* 1.** Representação do pênis, adorado pelos antigos como símbolo da fecundidade da natureza. **2.** O pênis. **3.** *Embr.* Órgão precursor do clitóris e do pênis. [F. paral.: *fálus*.]

▲**fal(o)-** [Do gr. *phallós, oû*.] ***El. comp.*** = 'pênis': *falite, falorragia*. [Equiv.: *-fal(o)-*, *-falo*: *difalia*; *difalo*.]

▲**-fal(o)-** V. *fal(o)-*.

▲**-falo** V. *fal(o)-*.

falodinia [De *fal(o)-* + *-odin(o)-* + *-ia^{1}*.] ***S. f.*** *Urol.* Dor no pênis.

falodínico [De *falodinia* + *-ico^{2}*.] ***Adj.*** Relativo a falodinia.

falofórias [Do gr. *phallephória*.] ***S. f. pl.*** Festas pagãs em honra do falo.

falóforo [Do gr. *phallophóros*.] ***S. m.*** Sacerdote grego que transportava o falo, em procissões ou em dias de festa.

faloncose [De *fal(o)-* + *-oncose*.] ***S. f.*** *Urol.* Tumoração do pênis.

falopiano ***Adj.*** Pertencente ou relativo a Gabriele Fallopio (1523-1562), anatomista italiano.

faloplastia [De *fal(o)-* + *-plast(o)-* + *-ia^{1}*.] ***S. f.*** *Cir. Plást.* Intervenção cirúrgica plástica no pênis.

falorragia [De *fal(o)-* + *-ragia*.] ***S. f.*** *Urol.* Hemorragia do pênis.

falorrágico [De *falorragia* + *-ico^{2}*.] ***Adj.*** Referente a falorragia.

falotremo [De *fal(o)-* + gr. *tréme*, 'orifício', 'abertura'; ingl. *phallotreme*.] ***S. m.*** *Zool.* Filamento longo, tubular, encontrado em muitos insetos machos, que emerge do edeago durante a cópula, e através do qual o esperma é passado para a fêmea.

falparaz ***S. m.*** *Bot.* V. *paparraz*.

falparraz ***S. m.*** *Bot.* V. *paparraz*.

falqueador (ô) [De *falquear* + *-dor*.] ***S. m.*** Aquele que falqueia; falquejador.

falquear [De *falca* + *-ear^{2}*.] ***V. t. d.*** Falquejar. [Conjug.: v. *frear*.]

falquejador (ô) [De *falquejar* + *-dor*.] ***S. m.*** Aquele que falqueja; falqueador.

falquejar [De *falca* + *-ejar*.] ***V. t. d.* 1.** Desbastar (um toro de madeira): "saem vencedores aqueles homens enérgicos, brônzeos, que .... decepam galhos, degolam arbustos, falquejam troncos" (Gustavo Barroso, *Terra de Sol*, pp. 18-19). **2.** Esquadriar a machado ou a enxó. **3.** Acunhar (1). [Sin. ger.: *falquear*. Conjug.: v. *pelejar*.]

falquejo (ê) [Dev. de *falquejar*.] ***S. m.*** Operação de reduzir a quadrados ou retângulos as seções das toras de madeira.

falqueta (ê) ***S. f.*** Ato de, no jogo de bilhar, lançar uma bola por sobre outra.

falripas ***S. f. pl.*** Farripas: "Era uma mulher magra, maltrapilha, com falripas grisalhas esfiapando-se-lhe pela testa, esvoaçando ao vento." (Coelho Neto, *Obra Seleta*, I, p. 198.)

falsa-braga [Do fr. *fausse-braie*.] ***S. f.*** Parte interior de muralha: "deparou um soldado que se debruçava do parapeito da falsa-braga do velho forte" (Gustavo Barroso, *Mississípi*, p. 107). [Pl.: *falsas-bragas*.]

falsa-caribeia (éi) [Do f. de *falso* + *caribeia*, do top. (*ilhas do*) *Caribe*, por anal. com f. como *europeia*, embora não haja registro de *caribeu*.] ***S. f.*** *Bot.* Arbusto rubiáceo (*Exostema longiflorum*) nativo de Cuba e doutras ilhas do Caribe, cuja casca encerra alcaloides febrífugos; tem flores brancas, frutos capsulares, bivalves, e fornece madeira de boa qualidade. [Pl.: *falsas-caribeias*.] ❖

falsa-erva-de-rato [Do f. de *falso* + *erva-de-rato*.] ***S. f.*** *Bras. Bot.* V. *oficial-de-sala*. [Pl.: *falsas-ervas-de-rato*.]

falsa-erva-mate [Do f. de *falso* + *erva-mate*.] ***S. f.*** *Bras. MT Bot.* Arbusto mirsináceo (*Rapanea matensis*) cuja inflorescência apresenta flores de pétalas e sépalas lobadas, e cuja folha é falsamente apresentada como sendo erva-mate. [Pl.: *falsas-ervas-mates* e *falsas-ervas-mate*.]

falsa-espelina [Do f. de *falso* + *espelina*.] ***S. f.*** *Bras. Bot.* Planta fabácea (*Clitoria guianensis*) forraginosa, e de propriedades medicinais; espelina-falsa. [Pl.: *falsas-espelinas*.]

falsa-glicínia [Do f. de *falso* + *glicínia*.] ***S. f.*** *Bras. RJ Bot.* Planta fabácea (*Apios tuberosa*) de caule herbáceo, ornamental, revestida de pelos sedosos e alvacentos quando jovens, flores róseo-purpúreas, aromáticas, pequenas, dispostas em racimos axilares, e cujas raízes ou caules subterrâneos formam um rosário de tubérculos irregulares, saborosos, adocicados, considerados comestíveis. [Pl.: *falsas-glicínias*.]

falsa-guarda [Do f. de *falso* + *guarda*.] ***S. f.*** *Encad.* V. *salvaguarda* (5). [Pl.: *falsas-guardas*.]

falsa-ipeca [Do f. de *falso* + *ipeca^{1}*.] ***S. f.*** *Bras. Bot.* Planta acantácea (*Ruellia tuberosa*) de caule ereto, dotada de propriedades febrífugas, com flores azuis de corola tubulosa, dispostas em cimeiras dicótomas multifloras, e cujo fruto é cápsula lanceolada, que contém várias sementes, a qual, umedecida, se abre com elasticidade e pequeno ruído. Vegeta de preferência em lugares úmidos. [Pl.: *falsas-ipecas*.]

falsa-quilha [Do f. de *falso* + *quilha*.] ***S. f.*** *Constr. Nav.* Sobressano. [Pl.: *falsas-quilhas*.]

falsa-quina [Do f. de *falso* + *quina^{2}*.] ***S. f.*** *Bras. L. C. S. Bot.* Pequena árvore loganiácea (*Strychnos pseudoquina*) dotada de propriedades medicinais, cujas flores são alvas ou esverdeadas, aromáticas, dispostas em racimos axilares, e cujo fruto é baga coriácea, com várias sementes envoltas em polpa amarela. [Pl.: *falsas-quinas*. Cf. *quina^{2}* (2).]

falsar [Do lat. tard. *falsare*.] ***V. t. d.* 1.** Enganar (alguém) no peso ou na medida. **2.** Pesar ou medir por medidas não exatas; falsificar, adulterar. **3.** Fender, abrir, quebrar, romper. **4.** Frustrar, baldar. ***Int.* 5.** Dizer falsidades; mentir. **6.** Dar em falso; falhar. **7.** Começar a aluir-se ou a fender-se. **8.** Dar tom falso; desafinar. [Fut. do pret.: *falsaria*, etc. Cf. *falsária*, fem. de *falsário*.]

falsa-rédea [Do f. de *falso* + *rédea*.] ***S. f.*** Correia que liga a cabeçada ao peitoral do equídeo. [Pl.: *falsas-rédeas*.]

falsário [Do lat. *falsariu*.] ***S. m.* 1.** Falsificador de documentos, de moeda, de sinais. **2.** Aquele que jura falso, ou falta a juramento ou promessa; perjuro. [Fem.: *falsária*. Cf. *falsaria*, do v. *falsar*.]

falsa-tiririca [Do f. de *falso* + *tiririca*.] ***S. f.*** *Bras. L. SP Bot.* Erva amarilidácea (*Hypoxis decumbens*) acaule, cujo rizoma tuberoso é curto, subgloboso, com radículas fibrosas e carnosas, cujas flores são pequenas, amarelo-esverdeadas, e cujo fruto é cápsula cilíndrica, que contém sementes pretas; mariricó-bravo, tiririca-falsa. [Pl.: *falsas-tiriricas*.]

falseamento [De *falsear* + *-mento*.] ***S. m.*** Ato ou efeito de falsear.

falsear [De *falso* + *-ear^{2}*.] ***V. t. d.* 1.** Tornar falso; falsificar: *falsear a verdade.* **2.** Romper, fender, falsar: *falsear uma armadura.* **3.** Enganar, atraiçoar: *Falseou o velho amigo.* **4.** Tornar inútil; frustrar, baldar: *Falsearam suas aspirações.* **5.** Desvirtuar, adulterar: *O pregador falseava as ideias.* **6.** Induzir em erro. **7.** Dar tom de falsete a (a voz). **8.** Pôr (o pé) em falso; torcê-lo: *O homem falseou o pé.* ***T. i.* 9.** Deixar de cumprir ou realizar; falhar: *falsear a um compromisso.* ***Int.* 10.** Pisar em falso: *Ao subir a escada, falseou.* [Conjug.: v. *frear*.]

falseta (ê) [De *falso* + *-eta* (ê).] ***S. f.*** *Gír.* Ação desleal; falsidade: "Uma suspeita vaga de que tudo seja ilusão, um temor de que à última hora certa egrégia pessoa pratique alguma falseta" (Carlos Drummond de Andrade, *Fala, Amendoeira*, p. 91).

falsete (ê) [Do it. *falsetto*.] ***S. m.* 1.** Voz de cabeça com que os cantores masculinos procuram imitar a voz de soprano ou as vozes de meninos. **2.** Aquele que tem voz de falsete ou canta em falsete. **3.** Voz esganiçada.

falsetear [De *falsete* + *-ear^{2}*.] ***V. t. d.*** Falar ou cantar em falsete. [Conjug.: v. *frear*.]

falsia [De *falso* + *-ia^{1}*.] ***S. f.*** *Ant. Pop.* V. *falsidade*.

falsidade [Do lat. tard. *falsitate*.] ***S. f.* 1.** Qualidade de falso. **2.** Mentira, calúnia: "Tem-se dito que o gaiato é ocioso. Falsidade. Raras vezes vereis o gaiato repousar-se indolente" (Latino Coelho, *Tipos Nacionais*, p. 26); *Espalhou falsidades sobre a moça.* **3.** Ação ou atitude de falso (4); fingimento, hipocrisia: *Sua atitude conciliadora era pura falsidade.* [Sin. ger.: *falsídia* (pop.) e *falsia* (ant. e pop.).] ◆ **Falsidade ideológica.** *Dir. Penal* O crime consistente em omitir declaração que devia constar em documentos públicos ou privados, ou de neles inserir ou fazer inserir declaração falsa ou diferente da que devia ser escrita, com o intuito de prejudicar direito, criar obrigação ou alterar a verdade acerca de fato juridicamente relevante; falsidade intelectual. **Falsidade intelectual.** *Jur.* Falsidade ideológica.

falsídia [De *falsíd(ico)* + *-ia^{2}*.] ***S. f.*** *Pop.* V. *falsidade*.

falsídico [Do lat. *falsidicu*.] ***Adj.*** Que diz falsidades; mentiroso.

falsificação [De *falsificar* + *-ção*.] ***S. f.* 1.** Ato ou efeito de falsificar ou falsar. **2.** Objeto falsificado: *Este objeto é uma falsificação grosseira.* ◆ **Falsificação retrospectiva.** *Psiq.* **1.** Distorção inconsciente de acontecimentos passados de modo a torná-los adequados às necessidades emocionais do momento. **2.** Acréscimo de detalhes falsos a uma lembrança verdadeira.

falsificado [Part. de *falsificar*.] ***Adj.*** Que se falsificou; que sofreu falsificação; falso.

falsificador (ô) [De *falsificar* + *-dor*.] ***Adj. S. m.*** Que, ou aquele que falsifica: "um calabrês, varão de cinquenta anos, insigne falsificador de documentos" (Machado de Assis, *Histórias sem Data*, p. 11). [Cf. *falsário* (1).]

falsificar [Do lat. med. *falsificare*.] ***V. t. d.* 1.** Imitar ou alterar com fraude: *falsificar uma assinatura.* **2.** Adulterar (substâncias alimentícias). **3.** Reproduzir, imitando; contrafazer: *falsificar dinheiro.* **4.**

Dar aparência enganosa a, a fim de passar por bom: *falsificar joias*. **5.** *Fig.* Dar falsa interpretação a; afastar do verdadeiro sentido; desvirtuar: *Aquela obra falsifica a história do Brasil.* [Conjug.: v. *trancar*. Pres. ind.: *falsifico*, etc. Cf. *falsífico*, adj.]

falsificável [De *falsificar* + *-vel*.] ***Adj. 2 g.*** Que pode ser falsificado.

falsífico [Do lat. *falsificu*.] ***Adj.*** *P. us.* Que pratica falsidade; que usa de falsidade. [Cf. *falsifico*, do v. *falsificar*.]

falso [Do lat. *falsu*.] ***Adj.*** **1.** Contrário à realidade. **2.** Em que há mentira, fingimento, dissimulação ou dolo: *juramento falso*. **3.** Fingido, fictício, enganoso: *Houve um falso casamento*; *falsa cura*. **4.** Desleal, pérfido, traiçoeiro: *amigo falso*. **5.** Sem fundamento; infundado: *afirmações falsas*. **6.** Errado, inexato: *É falso que Casimiro de Abreu tenha nascido em 1837: sabe-se hoje que o poeta é de 1839.* **7.** Falsificado: *assinatura falsa*; *moeda falsa*. **8.** V. *aparente* (1): *bolso falso*; *fundo falso*. **9.** Diz-se daquilo que é feito à semelhança ou imitação do verdadeiro: *joia falsa*. ~ V. *alçapão —*, *chave —a*, *costela —a*, *—a etimologia*, *— irmão*, *lombo —*, *moeda —a*, *moedeiro —*, *ouro —*, *ponto —*, *porta —a*, *rebate —*, *resguardo —*, *— sambaqui*, *terminação —a*, *teto —*, *—s amigos*, *—s cognatos*, *— título* e *— topázio*. ● ***S. m.*** **10.** Aquilo que é falso: *Ali o falso toma o lugar do verdadeiro.* **11.** Indivíduo falso (4). **12.** *Fam.* Calúnia, mentira, falsidade. ◆ **Em falso. 1.** Errando o passo ou a pancada; sem firmeza. **2.** Em vão; inutilmente. **Envidar de falso.** Oferecer por mera cortesia, sem desejo de que aceitem a oferta.

falso-alcaparreiro ***S. m.*** *Bot.* Fabagela. [Pl.: *falsos-alcaparreiros*.]

falso-anil ***S. m.*** *Bot.* Erva fabácea (*Galega officinalis*) dotada de flores azuladas, pêndulas, dispostas em racemos eretos e axilares, e cujo fruto é vagem com sementes avermelhado-pardacenta. [Pl.: *falsos-anis*.]

falso-dorso ***S. m.*** *Encad.* Tira de cartão ou de papel grosso que se cola na parte do revestimento do livro correspondente à lombada, deixando-a separada do dorso dos cadernos; lombo falso, cartão do lombo. [Pl.: *falsos-dorsos*.]

falso-oró ***S. m.*** *Bras. N.E. L. Bot.* Planta fabácea (*Calopogonium mucunoides*) arbustiva, cujo caule tem pelos avermelhados e emite raízes desde a base até os nós, e que é dotada de racimos floríferos, e brácteas e bractéolas sedosas; enxada-verde, jequitirana. [Pl.: *falsos-orós*.]

falso-paratudo ***S. m.*** *Bras. L. S. Bot.* Planta apocinácea (*Laseguea acutifolia*) dotada de inflorescência, com flores amarelas e pedunculadas, e cujo fruto é folículo linear, com sementes coroadas de pelos compridos; abutua, paratudo. [Pl.: *falsos-paratudos*.]

falso-pinho ***S. m.*** *Bot.* V. *abeto-falso*. [Pl.: *falsos-pinhos*.]

falso-plátano ***S. m.*** *Bot.* Grande árvore aceráceа (*Acer pseudoplatanus*) ornamental, originária da Europa, dotada de flores com propriedades melíferas, dispostas em cachos compridos, pedunculados, racemosos e vilosos, e cujo fruto é sâmara dupla, com várias sementes revestidas de arilo; sicômoro. [Pl.: *falsos-plátanos*.]

falso-rosto ***S. m.*** *Bibliol. Bibliogr.* V. *falsa folha de rosto*. [Pl.: *falsos-rostos*.]

falso-título ***S. m.*** *Bibliol.* V. *falsa folha de rosto*. [Pl.: *falsos-títulos*.]

falta [Do lat. vulg. **fallita*, f. de **fallitu* (por *falsu*, part. pass. de *fallere*, 'enganar', 'faltar').] ***S. f.*** **1.** Ato ou efeito de faltar: *Por meia hora houve falta de luz.* **2.** Ausência (3): *Sua falta é sempre muito sentida.* **3.** *P. ext.* Morte, falecimento: *Sentiu muito a falta do pai.* **4.** Privação, carência, carecimento: *falta de forças*. **5.** Culpa, pecado: *Deus há de perdoar-lhe as faltas.* **6.** Erro, engano: *É boa obra de pesquisa, mas ressente-se de algumas faltas.* **7.** Imperfeição, defeito: *Tem lá suas faltas, mas não a da deslealdade.* **8.** Inobservância de preceitos legais e regulamentares, de obrigações contratuais, de deveres sociais, de diligência e lealdade, etc. **9.** *Esport.* Transgressão das regras de um jogo ou esporte; infração. **10.** *Esport.* Chute, arremesso manual ou jogada a que o adversário tem direito, como punição dessa transgressão; infração. ◆ **Falta de ar.** Dificuldade para respirar; dispneia. **Falta dupla.** *Basq.* Infração cometida por dois ou mais jogadores dos times adversários; falta recíproca. **Falta pessoal.** *Basq.* Infração cometida contra um jogador adversário. [Tb. se diz apenas *pessoal*.] **Falta recíproca.** *Basq.* Falta dupla. **Falta técnica. 1.** *Fut. Vôlei* Infração disciplinar punida a critério do juiz, e que pode ser aplicada a jogador, técnico, ou torcida. **2.** *Esport.* No basquete, no futsal e no handebol, qualquer tipo de infração cometida intencionalmente contra o adversário, tais como: dar pontapé, empurrar, agarrar, etc. **Bater falta.** *Esport.* Chutar, arremessar (1), ou fazer uma jogada, como punição de falta (9); cobrar falta. **Cobrar falta.** *Esport.* Bater falta. **Estar com falta.** *Chulo* Estar sem fazer sexo há muito tempo. **Sem falta.** Infalivelmente.

faltante [De *faltar* + *-nte*.] ***Adj. 2 g.*** Que falta: *dinheiro faltante nos cofres públicos*.

faltar [De *falta* + *-ar*[2].] ***V. t. i.*** **1.** Sentir privação de (coisa necessária ou com que se contava): *Faltaram-lhe as forças.* **2.** *Restr.* Deixar de haver; não existir: *Faltam recursos ao Estado.* **3.** *Restr.* Sentir-se a ausência ou necessidade de: *Falta um goleiro ao time.* **4.** Deixar de fazer ou de cumprir; falsear: *Não se deve faltar à palavra.* **5.** Não socorrer; deixar de acudir: *Não seria capaz de faltar aos amigos.* **6.** Escassear, carecer, falecer: "Mas a mimosa flor, faltando-lhe a orvalhada, / Não pode resistir, e pende ao chão queimada!" (Bulhão Pato, *Livro do Monte*, p. 26.) **7.** Ser necessário: *Faltam-lhe apenas algumas moedas.* **8.** Não dar ou não fazer em tempo oportuno: *faltar com o lanche*. **9.** Enganar, iludir: *Faltou-me, ele que se dizia meu amigo íntimo.* **10.** Não dar de si; falhar: "Exausta, no limite de tuas forças, sentindo que as pernas te iam faltar, sentaste na cadeira de balanço de Mestre Severino" (Josué Montelo, *Cais da Sagração*, p. 154). ***T. c.*** **11.** Ser indispensável (para que se complete um número ou um todo, um valor): *Estão faltando 300 reais para o aluguel.* **12.** Ter sido subtraído ou retirado de um todo (de um lugar): *Estavam faltando vinte reais da carteira.* **13.** Estar por decorrer: *Faltam 20 minutos para as nove horas*; "Faltam ainda cinco minutos para as oito." (Lindolfo Collor, *Europa 1939*, p. 11.) ***Int.*** **14.** Não existir; deixar de haver; haver carência de: *Ali falta quase tudo.* **15.** Faltar (3): *Faltam duas pessoas.* **16.** Não comparecer: *A maioria dos alunos faltou.* **17.** Morrer, expirar: *O arrimo da família faltou.* ◆ **Faltar pouco para.** Diz-se de algo que está prestes a acontecer. **Era só o que (me, te, etc.) faltava.** Diz-se quando ocorre algo que extravasa os limites da paciência ou da tolerância de alguém; não (me, te, etc.) faltava mais nada. **Não (me, te, etc.) faltava mais nada.** V. *era só o que (me, te, etc.) faltava*: "Não pensasse lá agora a senhora D. Maria da Glória Sância que estava disposto a deixar-se perder para sempre no seu regaço macio de solteirona. Não faltava mais nada!" (Miguel Torga, *Bichos*, p. 19.)

falto [F. contrata de *faltado*, part. de *faltar*.] ***Adj.*** **1.** Necessitado, carecido: "Eu não faço nada, falto de estímulos" (Cesário Verde, *Obra Completa*, p. 233); "Andamos faltos de carinho, do calor e do aconchego de um lar verdadeiro." (Maria Julieta Drummond de Andrade, *O Valor da Vida*, p. 180). **2.** Desprovido, desprevenido, falho: "lábios descorados, faltos de sangue vivo" (Eça de Queirós, *Ecos de Paris*, p. 90).

faltoso (ô) [De *faltar* + *-oso*.] ***Adj.*** **1.** Que cometeu falta; culpado. **2.** Que costuma faltar: *É professor competente porém faltoso.*

falua [Var. de *faluca*, ou do ár. *falūwa*, 'potranca'; 'pequena nave de carga', poss.] ***S. f.*** **1.** *Lus.* Antiga embarcação com câmara à popa, impelida por 20 ou mais remos, ou à vela, e usada para recreio pelos reis portugueses do século XVIII. **2.** *Lus.* No Tejo, embarcação semelhante às antigas fragatas à vela: "Uns homens .... cobriam com encerados uma falua carregada de lenha e barricas de alcatrão" (Camilo Castelo Branco, *Perfil do Marquês de Pombal*, p. 15). **3.** Embarcação de boca aberta, proa e popa afiladas, com dois mastros e velas latinas triangulares, usada para transportar mercadorias e pessoal em portos, rios, etc.

faluca [Do ár. *falūka(t)*, 'barca', 'nave', 'arca'.] ***S. f.*** Embarcação costeira dos marroquinos.

falucho [Alter. de *faluca*.] ***S. m.*** *Lus.* **1.** Embarcação ligeira do Mediterrâneo, com dois mastros, que envergam velas bastardas triangulares (o que difere do caíque, por ter este velas bastardas quadrangulares). **2.** Pequena embarcação do Mediterrâneo, com um mastro muito inclinado para vante, e que enverga vela latina triangular e vela de proa. **3.** Navio de três mastros e velas triangulares. [Var.: *felucho*.]

falueiro [De *falua* + *-eiro*.] ***S. m.*** **1.** Indivíduo que dirige uma falua. ● ***Adj.*** **2.** Relativo a falua.

falupa ***S. f.*** *Bras.* Casulo do bicho-da-seda onde o inseto morreu.

falus [Do lat. *phallus* < gr. *phallós*.] ***S. m. 2 n.*** Falo.

falvalá ***S. m.*** V. *falbalá*: "saia de roda e falvalás à Pompadour" (Martins Fontes, *A Dança*, p. 51).

fama [Do lat. *fama*.] ***S. f.*** **1.** Voz geral; voz pública: *correr fama*. **2.** Opinião geral sobre a excelência de alguém; renome, nomeada, nome, celebridade, notoriedade: *pintor de fama internacional*. **3.** Reputação, conceito, nome: *casa de má fama*; "os norte-americanos têm fama de ser os melhores maridos do mundo" (Alceu Amoroso Lima, *A Realidade Americana*, p. 61). **4.** Notoriedade; publicidade: *Bem cedo seu talento ganhou fama.* ● ***S. m. e f.*** **5.** Pessoa famosa; celebridade. ◆ **De fama.** Famoso, célebre, notável. **Levar fama sem proveito.** Levar culpa pelo que não fez.

famaliá [Alter. de *familiar* (8).] ***S. m.*** *Bras. Etnogr.* Diabinho familiar, às vezes gerado ou produzido em casa por processos mágicos tradicionais, pronto a satisfazer os desejos do dono.

famanado [De *fama* + *-n-* + *-ado*[1].] ***Adj.*** *Bras. N. N. E. Pop.* V. *famanaz*: "Um outro cantador de viola negro que embora não tenha nascido em Alagoas merece ser incluído neste estudo .... foi Pedro da Catingueira, sobrinho do famanado Inácio da Catingueira" (Téu Brandão, *Folclore de Alagoas*, p. 141).

famanaz [De *fama* + *-n-* + *-az*.] *Bras. Pop.* ***Adj. 2 g.*** **1.** Muito afamado pelo seu valor, proezas ou influência; famanado, afamanado: "Outra variedade do tipo cangaceiro é o cabra valentão, famanaz, 'desmancha-sambas', ... desordeiro." (Gustavo Barroso, *Terra de Sol*, p. 150.) ● ***S. m.*** **2.** Indivíduo famanaz: "Manteve na administração Messias, ... um famanaz, pessoa de confiança do sogro" (Coelho Neto, *Treva*, p. 251).

famão ***S. m.*** *Bras. AM* Exímio empinador de papagaio (5).

➔fama volat ['fama 'volat] [Lat., 'a fama voa'.] Palavras de Virgílio para caracterizar a rapidez com que as notícias se difundem.

famelga [De *famélica*, *i. e.*, 'pessoa famélica'.] ***S. 2 g.*** *Pop.* Pessoa franzina, com cara de fome. [Cf. *famelguita*.]

famelguita [De *famelga* + *-ita*[1].] ***S. f.*** *Pop.* Criança franzina, com cara de fome.

famélico [Do lat. *famelicu*.] ***Adj.*** **1.** V. *faminto*. **2.** Que tem fome devoradora: "Através da campina trotaram dois lobos, esgalgados, famélicos, com os verdes olhos acesos." (Eça de Queirós, *Contos*, p. 182.)

famense ***Adj. 2 g.*** **1.** De, ou pertencente ou relativo a Fama (MG). ● ***S. 2 g.*** **2.** O natural ou habitante de Fama.

famigerado [Do lat. *famigeratu*.] ***Adj.*** **1.** Que tem fama; muito notável; célebre, famoso, famígero: "Não têm os biógrafos do famigerado romancista achado documentos nem tradições com que esclarecer sobejamente os primeiros anos de Cervantes." (Latino Coelho, *Cervantes*, pp. 51-52); "Naquela casa de Vila Cova .... floresceram .... padres de muito saber, uns famigerados na oratória, outros grandes casuístas" (Camilo Castelo Branco, *O Bem e o Mal*, p. 39); "Tinha visto aquele encaminhar-se à engenhoca, o que o fizera acreditar que entre os malfeitores .... se achava o famigerado bandido" (Franklin Távora, *O Cabeleira*, p. 202). [Como se vê nos dois primeiros exemplos, a palavra não se aplica só a malfeitores, embora no uso comum se observe tendência para isso.] **2.** *Pop.* Faminto, esfomeado.

famígero [Do lat. *famigeru*.] ***Adj.*** V. *famigerado* (1).

família [Do lat. *familia*.] ***S. f.*** **1.** Pessoas aparentadas, que vivem, em geral, na mesma casa, particularmente o pai, a mãe e os filhos. **2.** Pessoas unidas por laços de parentesco, pelo sangue ou por aliança: *uma festa de família*; *os membros de uma família*. **3.** Ascendência, linhagem, estirpe. **4.** *Biol.* Categoria taxonômica compreendida entre a ordem e o gênero. [V. *grupos taxonômicos*.] **5.** *P. ext.* Grupo de indivíduos que professam o mesmo credo, têm os mesmos interesses, a mesma profissão, são do mesmo lugar de origem, etc.: *a família católica*; *a família paulista*. **6.** *Fig.* Categoria, classe: *O novo material para acondicionamento é da família dos plásticos.* **7.** *E. Ling.* Conjunto de vocábulos que têm a mesma raiz (10 e 11); família de palavras, família léxica. [Em português, p. ex., cada um dos seguintes grupos pertence a uma família: (a) *povoar*, *populismo e republiqueta*; (b) *falar*, *falador*, *falatório*.] **8.** *E. Ling.* Conjunto de línguas que derivam de uma língua ancestral comum; família linguística: *família indo-europeia*, *família camito-semítica*, *família nigero-congolesa*. [Cf., nesta acepç., *bloco* (8) e *filo* (2), *grupo* (9) e *ramo* (13).] **9.** *Genét.* Conjunto de gêneros afins. **10.** *Quím.* Grupo (3). **11.** *Sociol.* Núcleo constituído pela união entre dois indivíduos e pelos filhos nascidos ou agregados a partir dessa união. **12.** *Sociol.* Unidade espiritual constituída pelas gerações descendentes de um mesmo tronco, e fundada, pois, na consanguinidade. **13.** *Sociol.* Grupo formado por indivíduos que são ou se consideram consanguíneos uns dos outros, ou por descendentes dum tronco ancestral comum e estranhos admitidos por adoção. **14.** *Tip.* Conjunto de tipos que apresentam o mesmo desenho básico, malgrado variações de corpo, inclinação, largura, etc. Ex.: Bodoni, Didot e Helvética. **15.** *Bras. MG MT RS* Filho ou filha: "falei-lhe em casamento .... porque os pais devem tomar isso a si para bem de suas famílias; não acha?" (Visconde de Taunay, *Inocência*, p. 52). ◆ **Família conjugal.** *Antrop.* Família de procriação. **Família de orientação.** *Antrop.* A família elementar (q. v.) de um indivíduo que dela faz parte como filho ou filha; família natal. **Família de palavras.** *E. Ling.* V. *família* (7). **Família de procriação.** *Antrop.* A família elementar (q. v.) de um indivíduo adulto que dela participa como pai ou mãe; família conjugal. **Família elementar.** *Antrop.* Família (1) constituída pelo casal e seus filhos; família nuclear. **Família etimológica.** *E. Ling.* Conjunto de palavras que têm a mesma raiz (11). **Família extensa.** *Antrop.* Família (1) constituída pela associação de duas ou mais famílias elementares (v. *família elementar*), segundo princípios variáveis, mas ger. homogêneos em cada sociedade. **Família ideológica.** *E. Ling.* Conjunto de palavras sinônimas ou de significado muito próximo: *mar, oceano, pego, pélago e ponto constituem uma família ideológica.* **Família léxica.** *E. Ling.* V. *família* (7). **Família linguística.** *E. Ling.* Família (8). **Família natal.** *Antrop.* Família de orientação. **Família nuclear.** *Antrop.* Família elementar. **Família radioativa.** *Fís. Nucl.* Série radioativa. **A Santa Família.** Quadro ou outra obra de arte que representa a Virgem Maria, S. José e o Menino Jesus; Sagrada Família. **Em família.** Na intimidade. **Sagrada Família.** A Santa Família. **Ser família.** Ser honesto, recatado: *Não se meta com aquela pequena: ela é família.*

familial [De *família* + *-al*[1].] *Adj. 2 g.* V. *familiar* (1): "Naquele país de montanhas habita .... a mais típica raça portuguesa, ... opulenta .... das virtudes familiais que foram apanágio dos antigos povos pastores." (Fialho d'Almeida, *Pasquinadas*, pp. 330-331).

familiar [Do lat. *familiare.*] *Adj. 2 g.* **1.** Respeitante à, ou próprio da família; doméstico, familial: *ambiente familiar.* **2.** Que pertence ao cotidiano; vulgar, trivial, comum: "Alguma coisa evita deixar-me estar onde estava, sentado numa cadeira, entre as mais familiares realidades da minha existência." (João Gaspar Simões, *O Mistério da Poesia*, pp. 9-10.) **3.** Que se conhece por haver visto, praticado, estudado, etc., muitas vezes: *Seu rosto me é familiar; Nenhum assunto lhe é tão familiar.* **4.** Íntimo, cordial, afetuoso: "Ele conservou-se instalado, com um ar de demora, familiar, e bamboleando a perna." (Eça de Queirós, *Os Maias*, II, p. 54.) ~ V. *agricultura —.* • *S. m.* **5.** Pessoa da família. **6.** Membro de confraria religiosa. **7.** Servo, criado, fâmulo. **8.** *Folcl.* V. *demônio familiar.* ◆ **Familiar do Santo Ofício.** Espécie de meirinho da Inquisição.

familiaridade [Do lat. *familiaritate.*] *S. f.* **1.** Qualidade do que é familiar. **2.** Ausência de cerimônia, de formalismo, porém sem grosseria. **3.** Franqueza no falar, no tom, nas maneiras, no proceder; confiança: *Aprecio a familiaridade com que ele me trata.* **4.** Intimidade: *Não quero familiaridade com os vizinhos.*

familiarização [De *familiarizar* + *-ção.*] *S. f.* Ato ou efeito de familiarizar(-se).

familiarizar [De *familiar* + *-izar.*] *V. t. d.* **1.** Tornar familiar. **2.** Fazer comum; vulgarizar, divulgar. **3.** Introduzir (alguém) na familiaridade de. *T. d. e i.* **4.** Habituar, acostumar: *O século XX familiarizou o homem com a máquina;* "Lesseps familiariza-nos com os costumes da Abissínia e explica-nos os trabalhos do canal de Suez" (Ramalho Ortigão, *Em Paris*, p. 255). *P.* **5.** Travar conhecimento; relacionar-se. **6.** Acostumar-se, habituar-se, afazer-se. **7.** Perder o receio de.

familiarizável [De *familiarizar* + *-vel.*] *Adj. 2 g.* Que pode de familiarizar-se.

familistério [Do fr. *familistère.*] *S. m. Arquit.* Conjunto de habitações encostadas umas às outras para acomodar diversas famílias, segundo a concepção de Fourier. [V. *fourierismo.*]

faminto [Do lat. vulg. **faminentu* < lat. vulg. **faminen* < lat. *fames.*] *Adj.* **1.** Que tem fome; afaimado, esfomeado, esfaimado, famélico, famulento: "Vão andrajosos, vão famintos, vão morrendo." (Vicente de Carvalho, *Poemas e Canções*, p. 57.) **2.** *Fig.* Ávido, sôfrego, insaciável, famélico: *faminto de riqueza e de glória.*

famoso (ô) [Do lat. *famosu.*] *Adj.* **1.** Que tem fama; notável, egrégio, célebre, famigerado (q. v.): *um autor famoso; romance famoso.* **2.** Fora do comum; invulgar, extraordinário: "— Doze duros e setenta cêntimos? Não se pode dizer que seja uma quantia famosa..." (Domingos Monteiro, *Histórias Castelhanas*, p. 129.)

famulagem [De *fâmulo* + *-agem*[2].] *S. f.* Conjunto de fâmulos; os fâmulos; criadagem.

famular [Do lat. *famulare.*] *V. t. d.* **1.** Servir como fâmulo a. *P.* **2.** Ajudar-se ou auxiliar-se reciprocamente. [Pres. ind.: *famulo*, etc. Cf. *fâmulo.*]

famulatício [Do lat. *famulatus*, 'tornado servo', + *-ício.*] *Adj.* **1.** Famulatório. **2.** Que desempenha funções de fâmulo.

famulato [Do lat. *famulatu.*] *S. m.* Cargo ou serviço de fâmulo.

famulatório [Do lat. tard. *famulatoriu.*] *Adj.* Referente a fâmulo; famulatício.

famulento [Cruz. do arc. *fame* com *fâmulo*, poss., + *-ento.*] *Adj.* **1.** V. *faminto* (1): "agrupavam-se, tintos pelos clarões dos braseiros, os heróis infelizes, como um bando de canibais famulentos em repasto bárbaro..." (Euclides da Cunha, *Os Sertões*, pp. 284-285). **2.** *Fig.* Que consome com violência; voraz.

fâmulo [Do lat. *famulu.*] *S. m.* **1.** Criado, servidor: "As criadas e escravas acudiam à janela enquanto os fâmulos e agregados corriam ao lugar do acontecimento" (José de Alencar, *O Sertanejo*, p. 110). **2.** *P. ext.* Indivíduo servil; caudatário. **3.** Clérigo ou leigo a serviço da residência episcopal. **4.** Empregado de casas religiosas ou canônicas, que nelas vive; fiel. [Cf. *famulo*, do v. *famular.*]

▲**-fana** [Do gr. *-phanês* (ā) < gr. *phaínein.*] *El. comp.* = 'que mostra'; 'que se mostra', 'que aparece': *glaucófana, hidrófana.* [V. *fen(o)-.*]

fanado[1] [Part. de *fanar*[1].] *Adj.* Que se fanou ou murchou; murcho, emurchecido.

fanado[2] [Part. de *fanar*[2].] *Adj. Desus.* **1.** Cortado, amputado. **2.** Que sofreu circuncisão. • *S. m.* **3.** *Guin.* O conjunto das cerimônias que marcam a iniciação à vida adulta: "Um dia chegou a altura de ir ao fanado, os meninos tinham que ir ao fanado mas a mãe não podia levá-los" (Teresa Montenegro e Carlos de Morais, *Uori: Stórias de Lama e Philosofia*, p. 135).

fanagalô [Do ngúni *fana ga lo*, 'deste modo'.] *S. m. Deprec. Gloss.* Pídgin de base zulu, falado entre os trabalhadores migrantes de vários países da África austral, resultante da adaptação de diversas línguas do grupo banto, do inglês e do africâner (v. *zulu básico*): "quase falava o linguajar onomatopaico da gente suburbana, fanagalô vivíssimo, de semântica bastarda" (João Salva-Rey, *Ku Femba*, p. 170).

fanal [Do it. *fanale.*] *S. m.* **1.** Farol, facho: "Basta à minha pupila / O fanal dessas almas luminosas" (Raimundo Correia, *Poesias*, p. 213). **2.** Guia, norte.

fanar[1] [Do fr. *faner.*] *V. t. d.* **1.** Murchar, emurchecer. *P.* **2.** Perder a frescura; murchar(-se), emurchecer; secar(-se): *Com o sol intenso os vegetais fanaram-se.*

fanar[2] [Do lat. *fanare*, 'consagrar', poss.] *V. t. d.* **1.** *Desus.* Cortar, amputar. **2.** *P. ext. Guin.* Circuncidar. **3.** Tirar uma parte, um bocado, de; aparar.

fanático [Do lat. *fanaticu.*] *Adj.* **1.** Que se considera inspirado por uma divindade, pelo espírito divino; iluminado. **2.** Que tem zelo religioso cego, excessivo; intolerante: *Portou-se como um católico fanático.* **3.** Que adere cegamente a uma doutrina, a um partido; que é partidário exaltado; faccioso: *Silva Jardim era um republicano fanático.* **4.** Que tem dedicação, admiração ou amor exaltado a alguém ou algo; entusiasmado, apaixonado: "converteu-se [Silva Túlio] num dos mais fanáticos admiradores de Camilo Castelo Branco, a quem .... tratava habitualmente por mestre" (Alberto Pimentel, *O Romance do Romancista*, p. 215); *É um jogador fanático.* • *S. m.* **5.** Indivíduo fanático.

fanatismo [Do fr. *fanatisme.*] *S. m.* Qualidade, caráter, espírito ou procedimento de fanático (1 a 4).

fanatizador (ô) [De *fanatizar* + *-dor.*] *Adj. S. m.* Que, ou aquele que fanatiza.

fanatizar [Do fr. *fanatiser.*] *V. t. d.* **1.** Inspirar fanatismo a; tornar fanático. **2.** Inspirar simpatia veemente a. *P.* **3.** Tornar-se fanático.

fanatizável [De *fanatizar* + *-vel.*] *Adj. 2 g.* Que pode fanatizar-se; sujeito ou propenso a isso.

fanca [Do ant. *faianca*, de or. obscura.] *S. f. Bras.* **1.** Conjunto de fazendas [v. *fazenda* (3)] para vender. **2.** Objetos de fancaria.

fancaria [De *fanca* + *-aria*, poss.] *S. f.* **1.** Comércio de fanqueiros. **2.** Trabalho grosseiro, mal-acabado; pacotilha.

fanchão *S. m. Chulo* Fanchono.

fancho[1] *S. m. Bras.* Taco auxiliar de bilhar, sinuca, etc., que serve de guia ao taco principal quando a bola está num ponto da mesa cujo acesso é difícil ao jogador. [Sin.: *ancinho, fanchone, garfo, reste* ou *resto* e (lus.) *rabeca.*]

fancho[2] *S. m. Chulo* V. *fanchono*: "Ele não queria ficar com fama de fancho." (Rubem Fonseca, *Agosto*, p. 68.)

fanchona [Fem. de *fanchono.*] *S. f. Pop.* Lésbica.

fanchone *S. m.* **1.** *Bras.* Pequeno carro ou tábua grossa, com quatro rodízios, us. nas casas comerciais para transporte de fardos. **2.** *Bras. P. us.* V. *fancho.* [Cf. *fanchono.*]

fanchonice [De *fanchono* + *-ice.*] *S. f.* Qualidade, ato ou dito de fanchono ou fanchona; fanchonismo.

fanchonismo [De *fanchono* + *-ismo.*] *S. m.* Fanchonice.

fanchono [Do it. *fanciullo*, poss.] *S. m. Chulo* Homossexual, esp. o ativo. [F. red.: *fancho.* Cf. *fanchone.*]

fandangaçu [De *fandango* + *-açu.*] *S. m. Bras.* Baile popular, carnavalesco, animado e ruidoso.

fandangar [De *fandango* + *-ar*[2].] *V. int.* Dançar o fandango; fandanguear. [Conjug.: v. *largar.*]

fandango [Do esp. *fandango.*] *S. m.* **1.** Dança espanhola, cantada e sapateada, em compasso ternário (3/4) ou binário composto (6/8), andamento vivo, ao som da guitarra e das castanholas. **2.** *Mús.* Música para essa dança. **3.** *Mús.* Canto popular espanhol. **4.** Dança rural portuguesa, sem canto. **5.** *Bras. SP Mús.* Espécie de cateretê; chula. **6.** *Bras. PR SP* Baile popular, esp. rural, ao som da viola, rabeca ou da sanfona, e no qual se executam várias danças de roda e sapateadas, conhecidas como marcas [v. *marca* (23)] alternadas com estrofes cantadas, durante as quais a dança para; caranguejo, pagará, pega-fogo, tatu. **7.** *Bras. S.* Qualquer baile ou divertimento; pagará. **8.** *Bras. S.* V. *xiba* (1). **9.** *Bras. S.* V. *rolo*[1] (16). **10.** *Bras. N.E. Folcl.* Auto ou representação popular em torno da chegada de uma embarcação a vela a porto seguro. [Sin.: *barca, marujada, marujos* e (nalguns estados do N. e N.E.) *chegança.*] ◆ **Fandango bailado.** *Bras. SP* Fandango mais estilizado, no qual o bate-pé é rigorosamente proibido. **Fandango batido.** *Mús. Bras. SP PR* Fandango em que é obrigatório o bate-pé.

fandanguear [De *fandango* + *-ear*[2].] *V. int.* **1.** Fandangar. **2.** Dançar em fandango. **3.** *Bras.* Meter-se em pândegas ou folias. [Conjug.: v. *frear.*]

fandangueiro [De *fandango* + *-eiro.*] *Adj.* **1.** Que toca ou dança o fandango. **2.** Que gosta de fandango e doutras danças populares. • *S. m.* **3.** Aquele que toca ou dança o fandango. **4.** Aquele que gosta de fandango e doutras danças populares. [Sin. (nessas acepç.): *fandanguista.*] **5.** *Bras. Zool.* V. *tangará.*

fandanguista [De *fandango* + *-ista.*] *Adj. 2 g. S. 2 g. Bras. S.* V. *fandangueiro* (1 a 4).

faneca[1] [De *faneco*[2].] *S. f.* **1.** *Zool.* Peixe teleósteo, gadídeo [v. *gado*[2] (2)]. **2.** Castanha chocha. • *Adj. 2 g.* **3.** Magro, seco.

faneca[2] [De *faneco*[1].] *S. f. Pop.* Pedaço de pão; faneco.

faneco[1] [De *fanar*[2].] *S. m.* **1.** *Ant.* Faneca[2]. **2.** Pedaço, bocado. ◆ **Pintar o faneco.** *Bras. Fam.* V. *pintar o sete.*

faneco[2] [De *fanar*[1].] *Adj.* **1.** Murcho, chocho, fanado. **2.** Magro, seco.

fanega [Do esp. *fanega* < ár. *fanīqa(t)* (v. etim. de *fanga*).] *S. f. Bras. RS* Medida para secos, de uso na fronteira, e equivalente a 100 quilos.

faneranto [De *faner(o)-* + *-anto.*] *Adj. Bot.* Que tem flores conspícuas.

fanerítico [De *faner(o)-* + *-ítico.*] *Adj.* ~ V. *rocha —a.*

▲**faner(o)-** [Do gr. *phanerós, á, ón.*] *El. comp.* = 'visível', 'aparente': *faneranto, fanerocarpo.*

fânero [Do gr. *phanerós*, 'visível'.] *S. m. Anat.* Qualquer formação (5), visível e persistente, na superfície da pele, como, p. ex., os pelos.

fanerocarpo [De *faner(o)-* + *-carpo.*] *Adj. Bot.* Cujos frutos são aparentes.

fanerocéfalo [De *faner(o)-* + *-céfalo*; tax. *Phanerocephala.*] *S. m. Adj. Zool.* V. errante[2].

fanerófito [De *faner(o)-* + *-fito.*] *S. m. Ecol.* Planta cujas gemas se acham a mais de 25cm do solo, como, p. ex., as árvores.

faneróforo [De *faner(o)-* + *-foro.*] *Adj. Anat.* Que tem fâneros.

fanerógama [Adapt. do tax. *Phanerogamae.*] *S. f. Bot.* Espécime das fanerógamas, grupo taxionômico que engloba as plantas fanerogâmicas.

fanerogamia [De *faner(o)-* + *-gam(o)-* + *-ia*[1].] *S. f. Bot.* Ramo da botânica que trata dos fanerógamos.

fanerogâmico [De *fanerogamia* + *-ico*[2].] *Adj.* Relativo a fanerogamia, ou a fanerógamo: *flora fanerogâmica.*

fanerógamo [De *faner(o)-* + *-gamo.*] *Adj. S. m. Bot.* Diz-se de, ou vegetal cujos órgãos reprodutivos são bem evidentes.

faneroglosso [De *faner(o)-* + *-glosso*; tax. *Phaneroglossa.*] *Zool. S. m.* **1.** Espécime dos faneroglossos, subordem de anfíbios anuros cuja língua é muito desenvolvida e as tubas auditivas são independentes e abrem-se separadamente na faringe. Ex.: a perereca, o sapo-boi, o sapo-cururu, etc. • *Adj.* **2.** Pertencente ou relativo a eles.

faneroscopia [De *faner(o)-* + *-scop-* + *-ia*[1].] *S. f. Med.* Exame de pele por meio do faneroscópio.

faneroscópico [De *faner(o)-* + *-scop-* + *-ico*[2].] *S. m.* Relativo a faneroscopia, ou a faneroscópio.

faneroscópio [De *faner(o)-* + *-scópio.*] *S. m. Derm.* Instrumento com que, em determinados exames, se ilumina a pele, tornando-a transparente.

fanerozônio *S. m. Adj.* V. *fanerozônio.* [Uso freq. em P.]

fanerozônio [De *faner(o)-* + gr. *zóne*, 'cintura', 'faixa', + *-io*[3]; tax. *Phanerozonia.*] *Zool. S. m.* **1.** Espécime dos fanerozônios, ordem de animais equinodermos asteroides, providos de braços com duas fileiras de placas marginais, pápulas aborais, tubos ambulacrários em duas fileiras e sem pedicelárias cruzadas. ● ***Adj.*** **2.** Pertencente ou relativo a eles.

fanfa [F. red. de *fanfarrão*.] ***S. m. Pop.*** V. *fanfarrão* (2).

fanfã [De or. obsc.] ***S. m. Bras. Bot.*** Arbusto malváceo (*Hibiscus bifurcatus*) nativo do Brasil, cuja casca tem propriedades eméticas e fornece fibras; as flores são róseas ou arroxeadas, e as folhas são comestíveis e medicinais; algodão-do-brejo, maioranta, majorana, vinagreira.

fanfarra[1] [Do fr. *fanfare*.] ***S. f. Mús.*** **1.** *Ant.* Toque de trompas e clarins nas caçadas. **2.** Conjunto de melodias de caça. **3.** *P. ext.* Banda de música que acompanhava os cortejos civis ou os regimentos de cavalaria; banda de cavalaria, charanga. **4.** Música para essa banda. **5.** Atualmente, banda de música formada por instrumentos de sopro, de metal, aos quais se incorporam os saxofones e a bateria; harmonia, banda. **6.** Na ópera, trecho executado em cena por instrumentos de metal.

fanfarra[2] [Der. regress. de *fanfarria*.] ***S. f.*** V. *fanfarrice* (2).

fanfarrada [De *fanfarra*[2] + *-ada*[1].] ***S. f.*** V. *fanfarrice* (2).

fanfarrão [Do esp. *fanfarrón*, do mesmo rad. onom. do ár. *farfār*, 'leviano', 'inconstante'.] ***Adj.*** **1.** Que blasona de valente, poderoso, sem o ser; alardeador, bazófio, bizarro, blasonador, bufador, chibante, farfante, farofeiro, farofento, farrombeiro, farromeiro, ferrabrás, gabarola(s), gabola(s), garganta, jactancioso, marombado, pabola, pábulo, pimpão, prosa, rebolão, valentão, vaniloquente, vanílоquo. ● ***S. m.*** **2.** Indivíduo fanfarrão; alardeador, arrotador, balandrão, bazófio, blasonador, bufador, bufão, chibante, farfante, farofeiro, farroma, farrombeiro, farromeiro, farronca, farsola, ferrabrás, gabarola(s), gabola(s), garganta, goela, gomeiro, pabola, pábulo, pimpão, prosa, rebolão, roncador. [F. red. (na acepç. 2): *fanfa, fanfo*. Fem.: *fanfarrona*.]

fanfarrear [Do esp. *fanfarrear*.] ***V. int.*** Ter fanfarrice; blasonar de valentão; bazofiar. [Conjug.: v. *frear*.]

fanfarria [Do esp. *fanfarria*.] ***S. f.*** V. *fanfarrice* (2).

fanfarrice [De *fanfarra*[2] + *-ice*.] ***S. f.*** **1.** Qualidade ou caráter de fanfarrão; fanfarronice; bazófia, bizarria, bizarrice, chibança, chibantaria, chibantice, chibantismo, dom-quixotismo, pabulagem, quixotada, quixotice, quixotismo. **2.** Ato, dito ou modos de fanfarrão; africanada, agalhas, balandronada, bazófia, bizarria, bizarrice, bravata, chibança, chibantaria, chibantice, chibantismo, compadrada, dom-quixotismo, emboança, espanholada, fanfarra, fanfarrada, fanfarria, fanfarronada, fanfarronice, fanfarronismo, farelice, farfalhice, farfância, farofa, farofada, farolagem, farrambamba, farroma, farromba, farronca, farruma, gabarolice, gabolice, gasconada, gauchada, gauchagem, gaucharia ou gaucheria, gauchismo, goga, goma, jactância, mariquinha, pabulagem, parada, pavonada, pimponice, presepada, prosa, prosápia, quixotada, quixotice, quixotismo, rabularia, rebolaria, rodamontada, roncaria.

fanfarrona ***S. f.*** Fem. de *fanfarrão* (q. v.).

fanfarronada [Do esp. *fanfarronada*.] ***S. f.*** V. *fanfarrice* (2).

fanfarronar [De *fanfarrão* + *-ar*[2], seg. o padrão erudito.] ***V. int.*** Mostrar-se fanfarrão; fanfarrear.

fanfarronesco (ê) [Do esp. *fanfarronesco*.] ***Adj.*** Próprio de fanfarrão.

fanfarronice [De *fanfarrão* + *-ice*, seg. o padrão erudito.] ***S. f.*** V. *fanfarrice*.

fanfarronismo [De *fanfarrão* + *-ismo*, seg. o padrão erudito.] ***S. m.*** V. *fanfarrice* (2).

fanfo ***S. m. Pop.*** V. *fanfarrão* (2).

fanfreluche [Do fr. *fanfreluche*.] ***S. f.*** **1.** Coisa leve, sem consistência. **2.** Ornamento de pouco valor.

fanga [Do ár. *fanīqa(t)*, 'saco'; 'grande saca'.] ***S. f.*** **1.** Antiga unidade de medida de capacidade para secos, equivalente a quatro alqueires [v. *alqueire* (1)], ou seja, 145 litros aproximadamente. **2.** Lugar ou casa onde se vendiam cereais por estiva.

fanglomerado [Adapt. do ingl. *fanglomerate*.] ***S. m. Geol.*** Depósito de piemonte solidificado, cujos fragmentos têm os tamanhos mais variados, desde argila até blocos, e que, quanto a esses tamanhos, pode ser homogêneo ou heterogêneo.

fangue [Desta língua.] ***S. 2 g.*** **1.** *Etnôn.* Indivíduo dos fangues, um dos maiores dos cerca de 200 grupos étnicos de Camarões e também do Gabão e da Guiné Equatorial (O. da África). ● ***S. m.*** **2.** *Gloss.* A língua benuê-congo desse grupo, falada em Camarões, Guiné Equatorial e Gabão. ● ***Adj. 2 g.*** **3.** Pertencente ou relativo aos fangues, ou à sua língua.

fangueiro ***Adj. S. m.*** V. *fãozense*.

fanha [T. onom., poss.] ***Adj. 2 g. S. 2 g. Bras. S. Prov. port.*** Diz-se de, ou pessoa fanhosa [v. *fanhoso* (1)].

fanho ***Adj. Bras.*** V. *fanhoso* (1): "um som rouco e fanho de buzina" (Coelho Neto, *Turbilhão*, p. 58); "flautas sicilianas, violas de amor, ... acompanham a dança, em fanhos zanguizarreios e estrídulos assobios." (Martins Fontes, *A Dança*, p. 42).

fanhosear [De *fanhoso* + *-ear*[2].] ***V. int.*** **1.** Falar fanhoso. ***T. d.*** **2.** Dizer, pronunciar fanhosamente: "Como não é artista e como não estuda, ... ele fica sempre um mastigador de palavreado oco, porque não transfiltra alma ao que retorica, cantilena ou fanhoseia." (Albino Forjaz de Sampaio, *Crônicas Imorais*, p. 108.) [Conjug.: v. *frear*.]

fanhoso (ô) [De *fanha* + *-oso*.] ***Adj.*** **1.** Que fala ou parece falar pelo nariz. [Sin.: *fanha* (bras., S., e prov. lus.). F. red.: *fanho* (bras.).] **2.** Diz-se da voz de quem fala assim, ou de som que lembra essa voz. [Sin. ger.: *roufenho, rouquenho*.] ● ***Adv.*** **3.** Com voz fanhosa: *falar fanhoso*.

fanicar [De *fanico*[2] + *-ar*[2].] ***V. int.*** Andar em busca de fanico[2] (2). [Conjug.: v. *trancar*.]

fanico[1] [De *fanar*[1], poss.] ***S. m.*** V. *síncope* (1).

fanico[2] [De *fanar*[2], poss.] ***S. m.*** **1.** Fragmento, migalha, cigalho. **2.** Pequenos lucros.

faniqueiro [De *fanico*[2] + *-eiro*.] ***Adj.*** Que anda à procura de fanico[2] (2); que fanica.

faniquiteiro [De *faniquito* + *-eiro*.] ***Adj. S. m. Bras. Fam.*** Que, ou aquele que é dado a faniquitos.

faniquito [De *fanico*[1] + *-ito*[1].] ***S. m. Fam.*** Ataque de nervos sem importância nem gravidade.

fanisco [De *fanar*[1], poss.] ***S. m. Bras. RS Pop.*** Pessoa magra e de baixa estatura.

fano [Do lat. *fanu*.] ***S. m. Arquit. Desus.*** Lugar consagrado; templo, santuário.

▲**-fan(o)-** V. *fen(o)-*.

▲**-fano** [Do gr. *-phanḗs, ḗs, és (ā)* < gr. *phaínein*, seg. o padrão do gr. *diaphanḗs(ā)*, v. *diáfano*.] ***El. comp.*** = 'que mostra'; 'que se mostra', 'que aparece': *harmófano, hidrófano*. [V. *fen(o)-*.]

fanqueiro [De *fanca* + *-eiro*.] ***S. m.*** Negociante de fazendas de algodão, linho, lã, etc.

fantascópio [De *fanta(sma)* + *-scópio*.] ***S. m.*** Espécie de lanterna mágica usada em fantasmagoria (1).

fantasia [Do gr. *phantasía*.] ***S. f.*** **1.** Aquilo que não corresponde à realidade, mas que é fruto da imaginação: *Aquele amor só existe na sua fantasia.* **2.** Obra literária, pictórica, etc., que não segue regras ou modelos fixos: *Não chega a ser uma peça, antes é uma fantasia teatral.* **3.** Capricho da imaginação; devaneio, sonho: *Dar asas à fantasia*; "Com a aproximação da puberdade apareceram-lhe caprichos românticos e fantasias poéticas" (Aluísio Azevedo, *O Mulato*, p. 19). **4.** Capricho (1): *Não se podem atender as suas fantasias.* **5.** *Mús.* Peça instrumental de criação livre, com variações e outros recursos, não raro parafraseando outra composição: *Fantasia triunfal sobre o hino nacional brasileiro, de Gottschalk.* **6.** *Bras.* Vestimenta us. no carnaval e em outros festejos e que imita a de palhaços, tipos populares, figuras mitológicas, etc. [Sin. (lus.): *máscara*.] **7.** *Bras.* Joia falsa, ou de valor relativamente baixo. **8.** *Bras.* Assombração, visagem, fantasma. ◆ **Rasgar a fantasia.** *Bras.* Mostrar a verdadeira face da sua personalidade, depois de haver tentado dissimulá-la. **De fantasia.** Feito com material não precioso (diz-se de joia): *A pedra deste anel é de fantasia.*

fantasiador (ô) [De *fantasiar* + *-dor*.] ***Adj. S. m.*** Que, ou aquele que fantasia.

fantasiar [De *fantasia* + *-ar*[2].] ***V. t. d.*** **1.** Criar na fantasia; imaginar, idealizar: "A Antiguidade fantasiou tipos com que idealiza as boas e as más paixões da humanidade." (Latino Coelho, *Tipos Nacionais*, p. 58.) ***Transobj.*** **2.** Vestir fantasia (6): *No carnaval, fantasiou o filho de pirata.* ***Int.*** **3.** Pensar vagamente em algo; sonhar, devanear. ***P.*** **4.** Vestir fantasia (6): *Pelo carnaval gosta de fantasiar-se.* [Sin., nesta acepç., lus.: *mascarar-se*.]

fantasioso (ô) [De *fantasia* + *-oso*.] ***Adj.*** **1.** Em que há fantasia (1). **2.** V. *fantasista* (2).

fantasista [De *fantasia* + *-ista*.] ***Adj. 2 g.*** **1.** Que tem fantasia. **2.** Que fantasia; fantasioso, imaginoso. ● ***S. 2 g.*** **3.** Pessoa fantasista: "os episódios satíricos refulgem, e .... deixam ver em Eça de Queirós o fantasista prodigioso, que pelo poder da observação e pelo poder da ironia, iguala Thackeray" (Fialho d'Almeida, *Pasquinadas*, p. 281).

fantasma [Do gr. *phántasma*, pelo lat. *phantasma*.] ***S. m.*** **1.** Imagem ilusória; fantasmagoria: *Tudo aquilo, que ele julgara tão real, não passava de fantasmas.* **2.** Visão terrífica, medonha, apavorante: *Vivia perseguido por fantasmas, fruto da sua crueldade com os escravos.* **3.** Suposto reaparecimento de defunto ou de alma penada, em geral sob forma indefinida e evanescente, quer no seu antigo aspecto, quer usando atributos próprios, como sudário, cadeias, etc.; alma do outro mundo, abantesma, avantesma ou aventesma, aparição, armada, assombração, assombramento, assombro, avejão, espectro ou espetro, mal-assombrado, mal-assombramento, mal-assombro, marmota, papa-gente, pirilampagem, simulacro, sombra, visagem, visão, visonha: "Cresce .... o medo de ficarmos presos, aqui passarmos a noite junto aos fantasmas dos mortos de bexiga." (Osmã Lins, *Nove, Novena*, p. 65.) **4.** Coisa espantosa, medonha: *O fantasma da peste assolava a região.* **5.** Imagem multiplicada que em aparelhos de televisão às vezes se observa, em consequência de más condições de recepção. **6.** Pessoa muito magra, débil, macilenta: *Depois da gripe ficou um fantasma.* **7.** *Bras. Zool.* V. *cangulo* (1). [Posposto a outro substantivo ao qual se liga por hífen, este vocábulo tem valor adjetivo e significa 'que existe apenas aparentemente, e/ou que existe apenas no papel, e/ou que esconde propósitos fraudulentos, etc.': *empresa-fantasma; conta-fantasma*.]

fantasmagoria [Do fr. *fantasmagorie*.] ***S. f.*** **1.** Arte de fazer aparecer, de fazer ver, figuras luminosas na escuridão. **2.** Fantasma (1). **3.** Falsa aparência: "seguiam-na devagar as ovelhas brancas, ... na esperança de, com a ternura dos seus balidos, arrancarem esse pobre espírito às fantasmagorias do encantamento." (Fialho d'Almeida, *O País das Uvas*, p. 103).

fantasmagórico [De *fantasmagoria* + *-ico*[2].] ***Adj.*** **1.** Relativo a, ou próprio de fantasmagoria: *A iluminação dava ao cenário aspecto fantasmagórico.* **2.** Imaginário, ilusório, irreal, fantástico, fantasmático, fantasmal: "E os bicos de gás iluminavam de fora, intermitentemente, o vagão, como que em fantasmagórica visita" (Visconde de Taunay, *Ao Entardecer*, p. 28). **3.** Relativo a, ou próprio de fantasma (2 e 3); fantástico.

fantasmal [De *fantasma* + *-al*[1].] ***Adj. 2 g.*** V. *fantasmagórico* (2).

fantasmático [Do lat. med. *phantasmaticu*.] ***Adj.*** **1.** Relativo a fantasma. **2.** V. *fantasmagórico* (2): "era pelas frestas dos meus olhos .... que me chegava aquela claridade impassível e verde e os fantasmáticos contornos dos objetos..." (Domingos Monteiro, *Enfermaria, Prisão e Casa Mortuária*, p. 136).

fantástico [Do gr. *phantastikós*, pelo lat. med. *phantasticu*.] ***Adj.*** **1.** Só existente na fantasia ou imaginação: *As sereias são seres fantásticos*; "E ri-se a orquestra irônica, estridente... / E da ronda fantástica a serpente / Faz doudas espirais..." (Castro Alves, *Obra Completa*, p. 280). **2.** Caprichoso, extravagante: "A chama, levantando e abaixando, projetava-lhes as sombras .... na parede caiada do fundo, fazendo-as dançar de um modo fantástico." (Conde de Ficalho, *Uma Eleição Perdida*, p. 173.) **3.** Incrível, extraordinário, prodigioso: *Tem uma inteligência fantástica.* **4.** Falso, simulado, inventado, fictício: *No júri, só apresentou provas fantásticas.* **5.** *Liter.* Diz-se de obra do fantástico (7): *Os contos fantásticos de Poe.* ~ V. *pseudologia —a*. ● ***S. m.*** **6.** Aquilo que só existe na imaginação: *Nos seus contos, apela com frequência para o fantástico.* **7.** *Liter.* Gênero literário em que elementos sobrenaturais estão integrados ao discurso e são tratados com naturalidade: "A transmissão do pensamento, alucinações, catalepsias, sósias, influências mágicas, talismãs, predições — eis alguns dos principais elementos do fantástico" (Aurélio Buarque de Holanda Ferreira e Paulo Rónai, *Mar de Histórias*, III, p. 14).

fantastiquice [De *fantástico* + *-ice*.] ***S. f.*** Extravagância de gostos ou apetites.

fante ***S. 2 g. S. m. Adj. 2 g.*** V. *fanti*.

fante-achante ***S. m. 2 n. Adj. 2 g. e 2 n.*** V. *fanti-axanti*.

fante-achanti ***S. m. 2 n. Adj. 2 g. e 2 n.*** V. *fanti-axanti*.

fante-axante ***S. m. 2 n. Adj. 2 g. e 2 n.*** V. *fanti-axanti*.

fante-axanti ***S. m. 2 n. Adj. 2 g. e 2 n.*** V. *fanti-axanti*.

fanti ***S. 2 g.*** **1.** Indivíduo dos fantis, povo do S. da antiga Costa do Ouro, atual República de Gana. ● ***S. m.*** **2.** *Gloss.* V. *acã*. ● ***Adj. 2 g.*** **3.** Relativo ou pertencente aos fantis.

fanti-achanti ***S. m. 2 n. Adj. 2 g. e 2 n.*** V. *fanti-axanti*.

fanti-axanti ***S. m. 2 n.*** **1.** Agrupamento linguístico e cultural que ocupa, no golfo da Guiné, a área conhecida como Costa do Ouro (atual República de Gana), cuja cultura material é muito semelhante à dos outros povos vizinhos, e, no Brasil, se tornou conhecido por *mina*. ● ***Adj. 2 g. e 2 n.*** **2.** Pertencente ou relativo a esse agrupamento. [Var.: *fante-axanti, fante-axante, fanti-achanti, fante-achanti, fante-achante*.]

fantil ***Adj. 2 g.*** Diz-se de cavalo ou de égua de boa altura e de boa raça.

fantochada [De *fantoche* + *-ada*[1].] ***S. f.*** **1.** Porção de fantoches. **2.** Cenas de fantoche. **3.** *Fig.* Ação ridícula, caricata. **4.** Cena ridícula ou de fingimento; encenação.

F

fantoche [Do fr. *fantoche*.] *S. m.* **1.** Boneco que tem a cabeça de massa de papel, ou de tecido de meia gessado, etc., mãos geralmente de feltro, e em cujo corpo, formado pela roupa, o operador esconde a mão que movimenta por meio do dedo indicador a cabeça, e com o polegar e o médio os braços. [Sin. (no N.E.): *mamulengo*.] **2.** Designação comum aos bonecos do teatro de fantoches, seja qual for a maneira por que são feitos ou movidos. [Sin.: *boneco de engonço, bonifrate, marionete, títere* e (bras.) *briguela, mamulengo, mané-gostoso*.] **3.** *Fig.* Pessoa incapaz de ação própria, que fala ou procede orientada ou comandada por outrem; boneco, bonifrate, palhaço, títere. [Cf. *autômato* (3).] ~ V. *fantoches*.

fantoches *S. m. pl.* Sombrinhas. ~ V. *fantoche*.

→**fanzine** ['fænzijn] [Ingl., do ingl. *fan*, 'fã', + *magazine*, 'periódico'.] *S. m. Jorn.* Publicação alternativa, fora dos padrões convencionais, dedicada a assuntos como música, cinema, televisão, história em quadrinhos e comportamento. [F. red.: *zine*.]

fanzoca *S. 2 g. Fam.* Fã (1) exaltado.

■ **FAO** [Acrôn. do ingl. *Food and Agriculture Organization*.] Sigla de *Organização das Nações Unidas para a Alimentação e Agricultura*.

fão *S. m.* Antigo peso da China.

fãozense *Adj. 2 g.* **1.** De, ou pertencente ou relativo a Fão (Portugal). ● *S. 2 g.* **2.** O natural ou habitante de Fão. [Sin. ger.: *fangueiro*.]

■ **Faperj** Sigla de *Fundação de Amparo à Pesquisa do Estado do Rio de Janeiro*.

■ **Fapesp** Sigla de *Fundação de Amparo à Pesquisa do Estado de São Paulo*.

faquear [De *faca*[1] + *-ear*[2].] *V. t. d.* **1.** Esfaquear (1). **2.** *Bras. RS* Dar facada (pedir dinheiro) em. [Conjug.: v. *frear*.]

faqueiro [De *faca*[1] + *-eiro*.] *S. m.* **1.** Jogo completo de talheres do mesmo material e marca: *um faqueiro de prata*. **2.** Estojo para talheres, e em especial para facas. **3.** Fabricante de facas.

faqui *S. m.* V. *faquir*: "Almuulin, o pobre faqui penitente e quase cego de chorar as próprias culpas e as culpas dos homens" (Alexandre Herculano, *Lendas e Narrativas*, I, p. 10).

faquil *S. m.* V. *faquir*.

faquinha [De *faca*[1] + *-inha*.] *S. m. Bras. BA* Aquele que se incumbe de picar em pedaços pequenos a baleia depois de pescada. [Cf. *facão* (4).]

faquino[1] [Do it. *facchino*.] *S. m.* **1.** *Ant.* Moço de fretes; carregador. **2.** *Lus.* Homem que presta pequenos serviços em igrejas, que as varre, etc.

faquino[2] *S. m. Ant.* Faquir.

faquir [Do ár. *faqīr*, 'pobre'.] *S. m.* **1.** Muçulmano mendicante que vive em ascetismo rigoroso. **2.** Hindu itinerante e asceta que exibe poderes extraordinários, como, p. ex., insensibilidade física. [Var.: *faqui* e *faquil*.]

faquirismo [De *faquir* + *-ismo*.] *S. m.* Condição, estado ou modo de vida de faquir.

faquista [De *faca*[1] + *-ista*.] *S. 2 g.* **1.** Pessoa que usa de faca (1) como arma ofensiva; navalhista. **2.** *Bras. RS Gír.* Facadista.

farad [Do antr. *(Michael) Farad(ay)* (1791-1867), físico inglês.] *S. m. Eletr.* Unidade de capacitância do Sistema Internacional, igual à capacitância dum elemento passivo de um circuito entre cujos terminais se manifesta uma tensão constante igual a um volt, quando carregado com uma quantidade de eletricidade invariável igual a um coulomb [símb.: *F*]. [Pl.: *farads*.]

→**faraday** ['faɾədij] [V.C.I., do antr. *Faraday* (v. *farad*).] *S. m. Fís.-Quím.* Quantidade de eletricidade que, numa eletrólise, deposita, liberta ou decompõe um equivalente-grama de uma espécie iônica; quantidade de eletricidade igual à carga elétrica de um mol de um íon monovalente positivo [símb.: *F*]. [É igual a 96.485 coulombs por equivalente-grama. Sin.: *constante de Faraday*.]

farádico [De *farad(ay)* + *-ico*[2].] *Adj.* Relativo à faradização.

faradização [De *faradizar* + *-ção*.] *S. f. Terap.* Uso de corrente interrompida para estimular músculos e nervos.

faradizar [De *farad(ay)* + *-izar*.] *V. t. d. Terap.* Tratar pela faradização.

faranacaré *S. 2 g. Adj. 2 g. Bras.* Faranacaru.

faranacaru *Bras. S. 2 g.* **1.** *Etnôn.* Indivíduo dos faranacarus, subgrupo dos pianocotós da região do rio Nhamundá (N. do PA). ● *Adj. 2 g.* **2.** Pertencente ou relativo a esses indígenas. [Sin. ger.: *faranacaré*.] [Tb. us. como *s. 2 g. e 2 n.* (com cap.) e *adj. 2 g. e 2 n.*]

farândola [Do occitano *farandoulo*.] *S. f.* **1.** Dança provençal, executada por uma cadeia alternada de dançarinos e dançarinas, com acompanhamentos de galubés e tamborins. **2.** Bando de maltrapilhos; farandolagem. **3.** Bando, súcia: "Eram .... gente ínfima e suspeita, avessa ao trabalho, farândola de vencidos da vida, vezada à mandria e à rapina." (Euclides da Cunha, *Os Sertões*, p. 164.) **4.** *Teatr.* No teatro espanhol do séc. XVI, pequena companhia mista, em geral com participação de três mulheres, que se dedicava a representações volantes. [Cf. *farandola*, do v. *farandolar*.]

farandolagem [De *farândola* + *-agem*[2].] *S. f.* Farândola (2).

farandolar [De *farândola* + *-ar*[2].] *V. int.* **1.** Dançar a farândola. **2.** Entrar em danças agitadas e alegres. [Pres. ind.: *farandolo, farandolas, farandola*, etc. Cf. *farândola*.]

faraó [Do egípcio, pelo gr. *pharaó* e pelo lat. tard. *pharao* ou *pharaon, onis*.] *S. m.* **1.** Título dos soberanos do antigo Egito. **2.** Antigo jogo de azar.

faraónico *Adj.* V. *faraônico*. [Uso freq. em P.]

faraônico [Do lat. tard. *pharaon* + *-ico*[2].] *Adj.* **1.** De, ou relativo aos faraós ou à sua época, ou próprio deles ou dela. **2.** *Pop.* Diz-se de construção, obra pública, etc., exageradamente grande, luxuosa, cara.

faraz [Do ár. *farrāš*.] *S. m.* **1.** Tapeteiro. **2.** Criado, camareiro. [Fem.: *farazoa* (ô).]

farcino [Do fr. *farcin*.] *S. m.* Mormo.

farcinoso (ô) [De *farcino* + *-oso*.] *Adj. Veter.* Que foi acometido por farcino ou mormo. [Flex.: *farcinosos* (ó), *farcinosa(s)* (ó).]

farda [Do cat. *farda*, do ár.] *S. f.* **1.** Traje uniforme para uma classe de indivíduos; uniforme, fardamento. [Cf. *libré* (1).] **2.** *Fig.* A vida militar.

fardagem[1] [De *fardo* + *-agem*[2].] *S. f.* Reunião de fardos; fardelagem.

fardagem[2] [De *farda* + *-agem*[2].] *S. f.* V. *roupagem* (1): "quatrocentos [homens], todos equipados de armas dobradas e fains, com fardagem à altura." (Aquilino Ribeiro, *Portugueses das Sete Partidas*, p. 86).

fardalhão [De *farda* + *-alhão*.] *S. m.* Farda (1) pomposa; fardão.

fardamenta [De *farda* + *-menta*.] *S. f. Bras.* Fardamento.

fardamento [De *farda* + *-mento*.] *S. m.* **1.** V. *farda* (1): "Caçulinha já tinha posto seu fardamento da Escola Normal." (Amando Fontes, *Os Corumbas*, p. 76.) **2.** Conjunto de fardas. **3.** Tipo de farda. [F. paral. (bras.): *fardamenta*.]

fardão [De *farda* + *-ão*[1].] *S. m. Bras.* **1.** Fardalhão. **2.** *Restr.* Veste simbólica dos membros da Academia Brasileira de Letras.

fardar [De *farda* + *-ar*[2].] *V. t. d.* **1.** Vestir com farda: *fardar soldados*. **2.** Prover de farda(s). *P.* **3.** Vestir uniforme ou farda. [Pres. subj.: *farde*, ... *fardeis, fardem*. Cf. *fardéis*, pl. de *fardel*.]

fardel [Do fr. ant. *fardel*, atual *fardeau*.] *S. m.* V. *farnel*. [Pl.: *fardéis*. Cf. *fardeis*, do v. *fardar*.]

fardelagem [De *fardel* + *-agem*[2].] *S. f. Ant.* **1.** Fardagem[1]. **2.** Bagagem, equipagem.

fardeta (ê) [De *farda* + *-eta* (ê).] *S. f.* Farda que os soldados vestem quando estão na faxina; jaleco: "Vestido com uma velha fardeta de soldado, ... segurava na mão uma cana" (Bernardo Pinheiro Pindela, *Azulejos*, pp. 23-24).

fardete (ê) [De *fardo* + *-ete* (ê).] *S. m.* Pequeno fardo.

fardo [Der. regress. de *fardel*.] *S. m.* **1.** Coisa ou conjunto de coisas, mais ou menos volumosas ou pesadas, que se destinam a transporte; carga. **2.** Pacote, embrulho, volume. **3.** *Fig.* O que moralmente custa a suportar, ou o que impõe responsabilidades. [Dim.: *fardete*.]

fardola *S. m. Bras. MG Pop.* Indivíduo pedante, metediço.

farejador (ô) [De *farejar* + *-dor*.] *Adj.* **1.** Que fareja. **2.** Diz-se do cão treinado que, pelo faro, detecta a presença de drogas, ou pessoas soterradas, cadáveres, etc.: "Até agora, a polícia, que usou uma retroescavadeira e cães farejadores na busca, encontrou apenas uma sandália feminina e alguns pedaços de roupa" (*O Globo*, 10.08.2007).

farejar [De *faro*[1] + *-ejar*.] *V. t. d.* **1.** Seguir ou acompanhar levado pelo faro ou cheiro: *Os cães farejavam a lebre*. **2.** Aspirar o cheiro de; cheirar. **3.** Procurar (alguém ou algo), seguindo determinados indícios: *Os animais farejavam um sítio para dormir*. **4.** Descobrir, achar: *Conseguiu farejar o melhor lugar para hospedar-se*. **5.** Adivinhar, pressentir: *farejar o perigo*; "Farejava uma ironia até no seu próprio desinteresse" (José de Alencar, *Lucíola*, p. 93). **6.** Examinar, esquadrinhar: *Farejou as gavetas*. **7.** Perscrutar, sondar: *O viajante fareja o horizonte*. *Transobj.* **8.** Prever, adivinhar: *O pai farejou-o bacharel*. *Int.* **9.** Tomar o faro. [Sin. ger.: *fariscar*. Conjug.: v. *pelejar*.]

farejo (ê) [Dev. de *farejar*.] *S. m.* Ato de farejar; farisco.

faréláceo [De *farelo* + *-áceo*.] *Adj.* **1.** Relativo ao farelo; furfuráceo. **2.** Da natureza do farelo. **3.** Que se desfaz em farelo.

farelada [De *farelo* + *-ada*[1].] *S. f.* **1.** Farelagem (1). **2.** Água com farelo, para os porcos.

farelagem [De *farelo* + *-agem*[2].] *S. f.* **1.** Porção de farelos; farelada. **2.** *Fig.* Insignificância, ninharia, bagatela, farelo.

farelento [De *farelo* + *-ento*.] *Adj.* **1.** Abundante em farelos. **2.** Que produz farelos. **3.** *P. ext.* Reduzido a farelo: *substância farelenta*.

farelhão [Do it. meridional *faraglione*, pelo esp. *farellón*.] *S. m.* **1.** Pequeno promontório ou ilhota escarpada. **2.** Certo tipo de abrolhos: "Nisto, de encontro aos farelhões da costa, / Ruge, rimbomba, anseia, estala o oceano..." (Alberto de Oliveira, *Poesias*, 1.ª série, p. 102.).

farelice [De *farelo* + *-ice*.] *S. f.* V. *fanfarrice* (2).

farelo [Do lat. **farellu*, dim. de *far*, 'trigo', 'toda espécie de cereal'.] *S. m.* **1.** A parte grosseira da farinha de trigo, que resta depois da peneirada. **2.** Resíduos grosseiros dos cereais moídos. **3.** Serradura de madeira. **4.** *Fig.* V. *farelagem* (2). **5.** *Med.* Descamação furfurácea da pele.

farelório [De *farelo* + *-ório*.] *S. m.* **1.** Coisa de pouca importância. **2.** Palavreado oco.

farense *Adj. 2 g.* **1.** De, ou pertencente ou relativo a Faro (PA e Portugal). ● *S. 2 g.* **2.** O natural ou habitante de Faro.

fáretra [Do gr. *pharétra*, pelo lat. *pharetra*.] *S. f.* V. *aljava* (2).

farfalha [Voc. onom.] *S. f.* Farfalhada (1). ~ V. *farfalhas*. [Cf. *farfalha*, do v. *farfalhar*.]

farfalhada [De *farfalha* + *-ada*[1].] *S. f.* **1.** Rumor de maravalhas ou farfalhas. **2.** Ruído semelhante a esse rumor, particularmente o da folhagem das árvores sob a ação do vento; farfalho, farfalhejo. **3.** *Fig.* Palavras vãs; palavreado, palavrório. [Sin. ger.: *farfalharia, farfalheira*.]

farfalhador (ô) [De *farfalhar* + *-dor*.] *Adj.* **1.** V. *farfalhante*. ● *S. m.* **2.** Aquele que farfalha; farfalhão.

farfalhante [De *farfalhar* + *-nte*.] *Adj. 2 g.* Que farfalha; farfalhador, farfalhento, farfalheiro.

farfalhão [De *farfalha* + *-ão*[2].] *S. m.* Farfalhador (2). [Fem.: *farfalhona*.]

farfalhar [De *farfalha* + *-ar*[2].] *V. int.* **1.** Fazer farfalhada (1 e 2): "Dum lado e doutro era o canavial, farfalhando ao vento." (Coelho Neto, *Treva*, p. 261.) **2.** Falar sem tino; parolar. **3.** Fazer ostentação; blasonar. [Sin. ger.: *farfalhejar*. Pres. ind.: *farfalho, farfalhas, farfalha*, etc.; fut. pret.: *farfalharia, farfalharias*, etc. Cf. *farfalho*, s. m., *farfalha*, s. f., e *farfalharia*, s. f.]

farfalharia [De *farfalha* + *-aria*.] *S. f.* V. *farfalhada*. [Cf. *farfalharia*, do v. *farfalhar*.]

farfalhas [Pl. de *farfalha*.] *S. f. pl.* **1.** Aparas, limalha. **2.** Coisas sem importância; bagatelas. ~ V. *farfalha*.

farfalheira [De *farfalha* + *-eira*.] *S. f.* V. *farfalhada*.

farfalheiro [De *farfalha* + *-eiro*.] *Adj.* V. *farfalhante*.

farfalhejar [De *farfalha* + *-ejar*.] *V. int.* Farfalhar. [Conjug.: v. *pelejar*.]

farfalhejo (ê) [Dev. de *farfalhejar*.] *S. m.* V. *farfalhada* (2): "Farfalhejo de folhas, estrépitos de galhos arrebataram-no do arroubo." (Coelho Neto, *Banzo*, p. 122.)

farfalhento [De *farfalho* + *-ento*.] *Adj.* V. *farfalhante*.

farfalhice [De *farfalho* + *-ice*.] *S. f.* **1.** Ostentação espalhafatosa. **2.** V. *fanfarrice* (2).

farfalho [Dev. de *farfalhar*.] *S. m.* **1.** Ato ou efeito de farfalhar; farfalhada: "O farfalho das árvores era sonoro e grandioso como um hino de triunfo." (Coelho Neto, *Sertão*, p. 96.) **2.** V. *sapinhos* (1). [Cf. *farfalho*, do v. *farfalhar*.]

farfalhona *S. f.* Fem. de *farfalhão*.

farfalhosamente [Do f. de *farfalhoso* + *-mente*.] *Adv.* De modo farfalhoso; com farfalho: "As árvores abalavam-se em via de ruírem, sacudindo farfalhosamente as frondes aos esbarros dos brutos" (Coelho Neto, *Banzo*, p. 130).

farfalhoso (ô) [De *farfalho* + *-oso*.] *Adj.* V. *farfalhudo*: "Ariel sustinha-se nas altas regiões do espaço e baixava muito até aflorar os tetos das choupanas, a farfalhosa coma das árvores" (Alberto Rangel, *Livro de Figuras*, p. 176).

farfalhudo [De *farfalha* + *-udo*.] *Adj.* **1.** Enfeitado em excesso; garrido, vistoso. **2.** Empolado, bombástico. [Sin. ger.: *farfalhoso*.]

→**farfalle** [far'fal.le] [It.] *S. f. pl. Cul.* Massa italiana seca em forma de gravata-borboleta; gravatinha.

farfância [De *farfante* + *-ia*[2], seg. o padrão analógico.] *S. f.* V. *fanfarrice* (2).

farfante [Do occitano *forfant*, pelo cat. *farfant* ou pelo it. *farfante*.] *Adj. 2 g. S. 2 g.* V. *fanfarrão*.

faria-lemense *Adj. 2 g.* **1.** De, ou pertencente ou relativo a Faria Lemos (MG). ● *S. 2 g.* **2.** O natural ou habitante de Faria Lemos. [Pl.: *faria-lemenses*.]

farias-britense *Adj. 2 g.* **1.** De, ou pertencente ou relativo a Farias Brito (CE). ● *S. 2 g.* **2.** O natural ou habitante de Farias Brito. [Pl.: *farias-britenses*.]

farináceo [Do lat. tard. *farinaceu*.] ***Adj.*** **1.** Relativo à, ou da natureza da farinha. **2.** Que contém ou produz farinha: *grão farináceo; leguminosa farinácea.* ● ***S. m.*** **3.** Alimento farináceo.

farinar [Do lat. *farina*, 'farinha', + -ar[2].] ***V. t. d.*** Converter em farinha; reduzir a farinha.

faringal [De *faring(o)-* + *-al*[1].] ***Adj. 2 g.*** Faríngeo.

faringalização [Do ingl. *pharyngalization*.] ***S. f. E. Ling.*** Na produção de uma consoante, o estreitamento da faringe simultâneo à obstrução produzida pela articulação primária (q. v.).

faringe [Do lat. cient. *pharynx, pharyngis*, do gr. *phárynx, yngis*.] ***S. f.*** **1.** *Anat.* Órgão fibromuscular, oval, que se estende da base do crânio ao início do esôfago, e por onde se faz o trânsito respiratório e o de matérias que passam ao esôfago ou, eventualmente, retornam por ele. **2.** *Zool.* Porção do tubo digestivo seguinte à cavidade bucal.

faringectomia [De *faring(o)-* + *-ectom-* + *-ia*[1].] ***S. f. Cir.*** Excisão parcial da faringe.

faringectómico ***Adj.*** V. *faringectômico*. [Uso freq. em P.]

faringectômico [De *faringectomia* + *-ico*[2].] ***Adj. Cir.*** Referente a faringectomia.

faríngeo [De *faring(o)-* + *-eo*.] ***Adj.*** Relativo ou pertencente à faringe; faríngico, faringiano.

faringiano [De *faring(o)-* + *-iano*.] ***Adj.*** V. *faríngeo*.

faríngico [De *faring(o)-* + *-ico*[2].] ***Adj.*** V. *faríngeo*.

faringite [De *faring(o)-* + *-ite*[1].] ***S. f. Otor.*** Inflamação da faringe.

▲**faring(o)-** [Do gr. *phárynx, pháryngos*.] ***El. comp.*** = 'faringe': *faringectomia, faringoplegia.* [Equiv.: *-faring(o)-*: *glossofaríngeo*.]

▲**-faring(o)-** Equiv. de *faring(o)-*.

faringobdélido [De *faring(o)-* + *-bdel(o)-* + *-ido*[3].] ***S. m. Adj. Zool.*** V. *herpobdélido*.

faringocele [De *faring(o)-* + *-cele*[1].] ***S. f. Otor.*** **1.** Hérnia de porção da faringe. **2.** Deformidade cística da faringe.

faringoconjuntival [De *faring(o)-* + *conjuntiva* + *-al*[1].] ***Adj. 2 g.*** V. *febre —*.

faringodinia [De *faring(o)-* + *-odin(o)-* + *-ia*[1].] ***S. f. Otor.*** Dor na faringe.

faringodínico [De *faringodinia* + *-ico*[2].] ***Adj.*** Relativo a faringodinia.

faringógnato [Adapt. do tax. *Pharyngognathi*.] *Zool.* ***S. m.*** **1.** Espécime dos faringógnatos, designação dada a peixes osteíctes cujos ramos direito e esquerdo do quinto arco branquial são fundidos de maneira que formam um só osso na parte inferior da boca. [Alguns autores a consideram subordem dos actinopterígios.] ● ***Adj.*** **2.** Pertencente ou relativo a eles.

faringografia [De *faring(o)-* + *-grafia*.] ***S. f.*** **1.** *Anat.* Descrição da faringe. **2.** *Radiol.* Visualização radiológica da faringe.

faringográfico [De *faringografia* + *-ico*[2].] ***Adj.*** Referente a faringografia.

faringolaringite [De *faring(o)-* + *-laring(o)-* + *-ite*[1].] ***S. f. Otor.*** Faringite e laringite simultâneas.

faringologia [De *faring(o)-* + *-logia*.] ***S. f. Med.*** O conjunto de conhecimentos sobre a faringe.

faringológico [De *faringologia* + *-ico*[2].] ***Adj.*** Relativo a faringologia.

faringoplegia [De *faring(o)-* + *-pleg-* + *-ia*[1].] ***S. f. Otor.*** Paralisia da faringe.

faringoplégico [De *faringoplegia* + *-ico*[2].] ***Adj.*** Relativo a faringoplegia.

faringoscopia [De *faring(o)-* + *-scop-* + *-ia*[1].] ***S. f. Otor.*** Visualização da faringe mediante o faringoscópio.

faringoscópico [De *faring(o)-* + *-scop-* + *-ico*[2].] ***Adj.*** Relativo a faringoscopia, ou a faringoscópio.

faringoscópio [De *faring(o)-* + *-scópio*.] ***S. m. Otor.*** Instrumento com que se faz a endoscopia faríngea.

faringotomia [De *faring(o)-* + *-tom(o)-* + *-ia*[1].] ***S. f. Cir.*** Incisão na faringe.

faringotómico ***Adj.*** V. *faringotômico*. [Uso freq. em P.]

faringotômico [De *faringotomia* + *-ico*[2].] ***Adj.*** Referente a faringotomia.

faringótomo [De *faring(o)-* + *-tomo*.] ***S. m. Cir.*** Instrumento com que se faz a faringotomia.

farinha [Do lat. *farina*.] ***S. f.*** **1.** Pó a que se reduzem os cereais moídos: *Com a farinha de trigo se faz, milenarmente, o pão.* **2.** Pó em que se transformam, uma vez trituradas, certas sementes e raízes, e no Brasil com especialidade a farinha de mandioca. **3.** *Bras. PA MG GO SP MT Bot.* Árvore cesalpiniácea (*Dimorphandra mollis*) que atinge até 14m, de pequeninos folíolos ovados ou oblongos, flores amarelas, dispostas em espigas, e cujo fruto é vagem carnosa e achatada com sementes cilíndricas, sendo a polpa rica em rutina; barbatimão, barbatimão-de-folha-miúda, barbatimão-falso, faveira, faveiro, faveiro-do-cerrado. **4.** *Bras. Bot.* V. *canafístula* (3). ◆ **Farinha de mesa.** *Bras.* A farinha comum de mandioca, branca e fina; farinha da terra, farinha de guerra, farinha de pau, farinha seca, farinha suruí. **Farinha de pão.** Farinha de rosca. **Farinha de rosca.** Pão torrado e reduzido a farinha, us. em diversas preparações culinárias, como milanesas, croquetes, etc.; farinha de pão. **Farinha seca.** *Bras. N.* V. *farinha de mesa*. [Cf. *farinha-seca* e *farinha-d'água*.] **Farinha suruí.** *Bras. Amaz.* V. *farinha de mesa*. **Ser farinha do mesmo saco.** *Fig.* Ter (dois ou mais indivíduos, um grupo) os mesmos defeitos de caráter; ser da mesma laia; ser vinho da mesma pipa; ser retalho da mesma peça. **Tirar farinha.** *Fig. Bras.* **1.** Exigir satisfações. **2.** Procurar briga. **3.** Levar vantagem. **Vender farinha.** *Bras. Fam.* Andar com a fralda da camisa à mostra.

farinhada [De *farinha* + *-ada*[1].] ***S. f. Bras. N. N.E.*** Fabrico da farinha de mandioca; desmancha.

farinha-d'água ***S. f. Bras. N. N.E.*** Farinha acentuadamente granulada, de cor amarelada, feita de mandioca de puba (1): "Alguns dias dava-lhe uma gana de satisfazer o apetite, devorando lascas de pirarucu assado, com farinha-d'água e latas de marmelada" (Inglês de Sousa, *O Missionário*, p. 55). [Pl.: *farinhas-d'água*. Cf. *farinha seca*.]

farinha da terra ***S. f. Bras.*** V. *farinha de mesa*: "Quando os holandeses tomaram a Bahia, acharam trinta navios ancorados, alguns ainda carregados com as fazendas que trouxeram do reino, ... outros de farinha da terra" (Fr. Vicente do Salvador, *História do Brasil*, p. 531). [Pl.: *farinhas da terra*. Cf. *farinha do reino*.] [Na 5ª ed. do Volp., com hífen; corrigido em errata.] ❇

farinha de guerra ***S. f. Bras. N.E.*** V. *farinha de mesa*: "cozem a mesma farinha [de mandioca] mexendo-a na bacia como confeitos, e esta, se a torram bem, dura mais que os beijus, e por isso é chamada farinha de guerra, porque os índios a levam quando vão à guerra longe de suas casas" (Fr. Vicente do Salvador, *História do Brasil*, pp. 36-37). [Pl.: *farinhas de guerra*.] ☑

farinha de pau ***S. f. Bras.*** V. *farinha de mesa*: "A principal comida era a que sabemos: feijão com toucinho e carne-seca, substituído o pão pela farinha de pau ou de milho, em todas as mesas." (Eduardo Frieiro, *Feijão, Angu e Couve*, p. 118.) [Pl.: *farinhas de pau*.] ☑

farinha do reino ***S. f. Bras. N.E.*** Farinha (1) de trigo. [Pl.: *farinhas do reino*. Cf. *farinha-da-terra*.] ☑

farinha-fóssil ***S. f. Geol.*** V. *trípole*. [Pl.: *farinhas-fósseis*.]

farinha-queimada ***S. f. Bras. CE*** Certo bailado popular. [Pl.: *farinhas-queimadas*.]

farinha-seca (sê) [De *farinha* + o f. de *seco*.] ***S. f. Bras. Bot.*** **1.** Jacaré-do-mato. **2.** V. *maperoá*. **3.** V. *pau-marfim* (2). **4.** V. *canafístula* (3). **5.** Liana fabácea (*Machaerium glabrum*) nativa do Brasil, de folhas imparipenadas, flores em panículas curtas e frutos leguminoformes. **6.** Árvore mimosácea (*Pithecellobium polycephalum*) nativa da América do Sul, de caule ereto, madeira própria para carpintaria e pasta de papel, flores alvas ou amareladas, e frutos leguminiformes, chatos; faveira. **7.** Árvore sapindácea (*Dilodendron bipinnatum*) nativa do Peru, Bolívia e Brasil, de folhas oblongas, flores amarelas e frutos capsulares com sementes de que se extrai óleo; maria-mole, maria-pobre, pau-pobre. **8.** Árvore ocnácea (*Ouratea castaneifolia*) de madeira compacta, elástica, folhas simples, flores amarelas paniculadas, e frutos drupáceos; manga-do-mato, mangue-do-mato, manuel-comprido, pau-de-serra. [Pl.: *farinhas-secas*. Cf. *farinha seca*.]

farinheira [De *farinha* + *-eira*.] ***S. f.*** **1.** Mulher que vende farinha. **2.** Vaso destinado à farinha de mandioca ou de milho servida às refeições. **3.** *Lus. Cul.* Enchido (3) de carne de porco, vinho branco, suco de laranja e farinha de trigo.

farinheiro [De *farinha* + *-eiro*.] ***S. m.*** **1.** Indivíduo que negocia em farinha. ● ***Adj.*** **2.** V. *farinhento*.

farinhento [De *farinha* + *-ento*.] ***Adj.*** **1.** Que tem muita farinha ou fécula. **2.** Semelhante a farinha. **3.** Coberto de farinha. [Sin. ger.: *farinheiro, farinhoso, farinhudo*.]

farinhoso (ô) [De *farinha* + *-oso*.] ***Adj.*** V. *farinhento*.

farinhudo [De *farinha* + *-udo*.] ***Adj.*** **1.** V. *farinhento*. **2.** Diz-se particularmente dos frutos de polpa branda, que se desfaz como que em grânulos farináceos.

farisaico [Do gr. *pharisaikós*, pelo lat. tard. *pharisaicu*.] ***Adj.*** **1.** Relativo a, ou próprio de fariseu. **2.** *Fig.* Hipócrita, fingido.

farisaísmo [Do fr. *pharisaïsme*.] ***S. m.*** **1.** Caráter dos fariseus. **2.** *Fig.* Hipocrisia, fingimento.

fariscar [De *faro*[1] + *-iscar*.] ***V. t. d. Transobj. Int.*** Farejar. [Conjug.: v. *trancar*.]

farisco [Dev. de *fariscar*.] ***S. m.*** Ato de fariscar; farejo.

fariseu [Do aramaico, pelo gr. *pharisaîos* e pelo lat. tard. *pharisaeu*.] ***S. m.*** **1.** *Rel.* Membro de uma seita judaica surgida no séc. II a. C., que se caracteriza pela observância exageradamente rigorosa das prescrições da lei escrita, mas que, nos Evangelhos, é acusado de hipocrisia e excessivo formalismo: "Deixo a falsidade dos fariseus, que muitas vezes lhe mostravam [a Nosso Senhor] honra e gasalhado, ora convidando-o a suas casas a comer, ora dizendo-lhe louvaminhas" (Fr. Tomé de Jesus, *Trabalhos de Jesus*, II, p. 19). **2.** Seguidor formalista de uma religião. **3.** Fiel orgulhoso ou hipócrita. **4.** *Fig.* Indivíduo que aparenta santidade, não a tendo. **5.** Indivíduo hipócrita, fingido.

farjuto ***Adj. Bras. Gír.*** V. *fajuto*.

farmacêutico [Do gr. *pharmakeutikós*, pelo lat. tard. *pharmaceuticu*.] ***Adj.*** **1.** Respeitante a farmácia. **2.** Preparado em farmácia: *produto farmacêutico.* ~ V. *botânica —a, dispensatório — e forma —a.* ● ***S. m.*** **3.** Aquele que exerce a farmácia (3); boticário.

farmácia [Do gr. *pharmakeía*, pelo lat. tard. *pharmacia*.] ***S. f.*** **1.** Parte da farmacologia que trata da maneira de preparar, caracterizar e conservar os medicamentos. **2.** Estabelecimento onde se vendem medicamentos industrializados ou manipulados, substâncias de uso terapêutico e outros produtos ou objetos, de higiene, de toalete, de perfumaria. [Sin., desus., nesta acepç.: *botica*.] **3.** Profissão de farmacêutico. **4.** Setor de hospital ou de ambulatório em que se armazenam medicamentos, ou os dispensam, sob orientação médica ou farmacêutica. **5.** Conjunto de medicamentos que se têm em casa, num colégio, numa repartição, etc., para uso no tratamento de leves indisposições, ou em primeiros socorros. ◆ **Farmácia galênica.** *Farm.* Ramo da farmácia (1) em que se estudam os medicamentos de composição não definida, a manipulação das formas farmacêuticas (q. v.) e das receitas [v. *receita* (4)].

▲**farmaco-** [Do gr. *phármakon, ou*.] ***El. comp.*** = 'medicamento': *farmacognosia, farmacologia.*

fármaco [Do gr. *phármakon*.] ***S. m. Farm.*** Substância biologicamente ativa, com estrutura química e ação farmacológica definidas, que é, ou pode ser, usada em medicamento; base.

farmacocinética [De *farmac(o)-* + *cinética*.] ***S. f. Farmac.*** O estudo do movimento dos fármacos em diferentes regiões do organismo, no que se refere a sua absorção, distribuição, biotransformação e excreção, sob a forma original ou de seus metabólitos.

farmacodependência (fàr) [De *farmaco-* + *dependência*.] ***S. f. Med.*** Estado psíquico e físico, decorrente da absorção, periódica ou contínua, de um fármaco (analgésico, hipnótico, etc.), sendo este estado acompanhado, ou não, de tolerância (7); o organismo, para manter um novo estado de equilíbrio, passa a requerer ministração regular, e muitas vezes crescente, desse fármaco, e sua falta pode causar perturbação psíquica e/ou física. [Tb. se diz *dependência química* ou, apenas, *dependência*.]

farmacodinâmica (fàr) [De *farmaco-* + *dinâmica*; ingl. *pharmacodynamics*.] ***S. f. Farmac.*** Ramo da farmacologia que trata da ação de fármacos no organismo.

farmacodinâmico (fàr) [De *farmacodinâmica*, com var. suf. (v. *-ico*[2]).] ***Adj. Farmac.*** Relativo à farmacodinâmica.

farmacognosia (fàr) [De *farmaco-* + *-gnosia*.] ***S. f. Farmac.*** Parte da farmacologia que estuda matérias de origem vegetal, mineral e animal que, potencialmente, podem ser usadas no tratamento de enfermidades, e que constituem a forma bruta do medicamento.

farmacografia (fàr) [De *farmaco-* + *-grafia*.] ***S. f. Farmac.*** Descrição das substâncias medicinais.

farmacográfico (fàr) [De *farmacografia* + *-ico*[2].] ***Adj. Farmac.*** Respeitante à farmacografia.

farmacolando (fàr) [De *farmacol(ogia)* + *-ando* (q. v.).] ***S. m. Bras.*** Aquele que está prestes a formar-se ou graduar-se em farmácia.

farmacologia (fàr) [De *farmaco-* + *-logia*.] ***S. f. Med.*** Parte da medicina que estuda as drogas, suas fontes, produção, e características físicas, químicas e fisiológicas, bem como o seu emprego e a sua ação; iamologia.

farmacológico (fàr) [De *farmacologia* + *-ico*[2].] ***Adj. Farmac.*** Referente à farmacologia; iamológico.

farmacologista (fàr) [De *farmacologia* + *-ista*.] ***S. 2 g. Farmac.*** Especialista em farmacologia; farmacólogo.

farmacólogo (fàr) [De *farmaco-* + *-logo*.] ***S. m. Farmac.*** Farmacologista.

farmacomania (fàr) [De *farmaco-* + *-mania*.] ***S. f. Psiq.*** Tendência mórbida de tomar medicamentos, ou de indicá-los a outrem.

farmacomaníaco (fàr) [De *farmacomania* + *-íaco*.] ***Psiq. Adj.*** **1.** Relativo a farmacomania. **2.** Que tem farmacomania; farmacômano. ● ***S. m.*** **3.** Aquele que tem farmacomania; farmacômano.

farmacómano ***Adj. S. m. Psiq.*** V. *farmacômano*. [Uso freq. em P.]

farmacômano [De *farmaco-* + *-mano*[1].] *Adj.* *S. m.* *Psiq.* Farmacomaníaco (2 e 3).

farmacopeia (éi) [Do gr. *pharmakopoiía.*] *S. f.* *Farmac.* 1. Livro oficial em que se reúnem fórmulas e preceitos relativos à preparação de medicamentos e à sua identificação, e se arrolam os medicamentos aprovados pelo Estado. 2. Coleção ou repositório de receitas de medicamentos básicos ou gerais. 3. V. *código* (3). ❖

farmacopeico (éi) [De *farmacopeia* + *-ico*[2].] *Adj.* Relativo a farmacopeia. ❖

farmacopola [Do gr. *pharmakopóles*, pelo lat. *pharmacopola.*] *S. m.* 1. Vendedor de drogas. 2. Charlatão.

farmacotécnica (fàr) [De *farmaco-* + *técnica.*] *S. f.* *Farmac.* Estudo dos fármacos estaticamente considerados, em oposição à farmacodinâmica (q. v.).

farmacotécnico (fàr) [De *farmacotécnica*, com var. suf. (v. *-ico*[2]).] *Adj.* Referente à farmacotécnica.

farmacoterapia [De *farmaco-* + *-terapia.*] *S. f.* *Med.* Tratamento, esp. o de transtorno psíquico, por meio de fármaco(s).

farmacoterápico *Adj.* *Med.* De, ou relativo a farmacoterapia.

farne *S. m.* *Bras.* *Pop.* V. *farno.*

farnel [Alter. de *fardel.*] *S. m.* 1. Saco para provisões de jornada. 2. Provisões alimentícias para jornada; merenda, matula: 📖 "Seria fastio do pobre pirarucu e da carne salgada do farnel, ou, na contemplação da natureza virgem, esquecera as necessidades corpóreas?" (Inglês de Sousa, *O Missionário*, p. 212.) [Sin. ger.: *fardel.* Pl.: *farnéis.*]

farneseno [Do tax. *(Acacia) farnes(iana)* + *-eno*[2].] *S. m.* *Quím.* Qualquer de vários sesquiterpenos acíclicos, com quatro ligações duplas, que ocorrem em vários vegetais, como, p. ex., na casca da maçã [fórm.: $C_{15}H_{24}$].

farnesia *S. f.* *Ant.* V. *frenesi.* [Cf. *farnesim.*]

farnesim *S. m.* *Bras.* *Pop.* V. *frenesi.* [Cf. *farnesia.*]

farnesol [Do tax. *(Acacia) farnes(iana)* + *-ol*[2].] *S. m.* *Quím.* Álcool sesquiterpênico com três ligações duplas e estrutura semelhante à do farneseno, que ocorre em vários óleos essenciais e é us. em perfumaria [fórm.: $C_{15}H_{26}O$]. [Pl.: *farnesóis.*]

→**far-niente** [f ar ˈnjente] [It., 'fazer nada'.] *S. m.* Ócio.

farno [De *farne(sim).*] *S. m.* *Bras.* *Pop.* Mal-estar, inquietação. [F. paral.: *farne.*]

faro[1] [De or. obscura.] *S. m.* 1. O olfato dos animais; vento. 2. *P. ext.* Cheiro, odor. 3. *Fig.* Intuição; instinto: 📄 *Tem o faro dos negócios.*

faro[2] [Do gr. *Pháros*, pelo lat. *Pharu*, nome de uma ilha do porto de Alexandria.] *S. m.* 1. Terra ou lugar onde há farol (1) para guia de navegantes. 2. Farol (1).

faroeste [Do ingl. *Far West*, denominação norte-americana das regiões que se estendem a O. do Mississípi.] *S. m.* *Bras.* 1. Região assolada por crimes e violências de toda ordem: 📄 *A zona do cangaço foi o faroeste brasileiro.* 2. *Cin.* V. *bangue-bangue.*

farofa [Do quimb. *falofa*, poss.] *S. f.* 1. Jactância, bazófia, prosa: 📖 "uma vulgar mulatinha, muito estúpida, cheia de farofas de beleza e de presunção" (Lima Barreto, *Diário Íntimo*, pp. 75-76). 2. Coisa sem importância ou valor. 3. *Bras.* Farinha comestível torrada ou escaldada com manteiga ou gordura, e às vezes misturada com ovos, azeitonas, carne, etc. [Var., us. nessas acepçs.: *farófia.*] 4. *Bras.* Certa espécie ou tipo de açúcar. 5. *Bras.* Conversa fiada. 6. *Bras.* V. *fanfarrice* (2). ◆ **Farofa à brasileira.** *Bras.* *Cul.* Aquela que é feita com farinha de mandioca crua ou torrada, ovos, linguiça, ger. em cubinhos, cebola picada e azeitonas. **Farofa de bolão.** *Bras.* *Cul.* A que é feita com farinha de mandioca crua, cebola e cheiro-verde picados, e molho de pimenta a gosto: 📖 "mastigando, com o que restava de seus dentes cariados, nacos de carne de sol com farofa de bolão" (Lêdo Ivo, *Ninho de Cobras*, p. 87).

farofada [De *farofa* + *-ada*[1].] *S. f.* *Bras.* V. *fanfarrice* (2).

farofeiro [De *farofa* + *-eiro.*] *S. m.* 1. V. *fanfarrão* (2). 2. *Bras.* Indivíduo que mora longe da praia e a frequenta levando o seu farnel. ● *Adj.* 3. V. *fanfarrão* (1). 4. *Bras.* Relativo a, ou próprio de farofeiro (2).

farofento [De *farofa* + *-ento.*] *Adj.* *Bras.* V. *fanfarrão* (1).

farófia[1] *S. f.* V. *farofa* (1 a 3).

farófia[2] *S. f.* *Lus.* *Cul.* Ovos-nevados.

farol [Do esp. *farol.*] *S. m.* 1. Construção, em geral turriforme, erguida na costa, à entrada de um porto sobre um baixio, numa ilha, etc., e em cuja parte superior há uma luz com características especiais, para servir de guia ou ponto de referência aos navegantes; faro. 2. Candeeiro ou lanterna, em embarcação, para indicar sua presença e posição: 📖 "na densa escuridão que .... afogava a paisagem em redor, só o seu farol [do navio *Estrela*] luzia" (Virgílio Várzea, *Mares e Campos*, p. 54). [Dim. (irreg.), nessas acepçs.: *farolim, farolete.*] 3. Lanterna de automóveis. 4. *Fig.* Coisa que alumia ou guia; direção, diretor, guia, norte. 5. Anel com brilhante exageradamente grande. 6. Indivíduo pago para, nos leilões, fazer lanços, atraindo assim os licitantes. 7. *Bras.* Aquele que, em casas de jogo ou cassinos, joga com dinheiro da casa, fingindo-se frequentador como os outros. 8. *Bras.* *SP* V. *sinaleira.* 9. *Bras.* *Pop.* Conversa com que se procura burlar o próximo; fita, ostentação. [Pl.: *faróis.*]

farolagem [De *farol* + *-agem*[2].] *S. f.* *Bras.* 1. *Mar.* Conjunto de faróis instalados em dado trecho do litoral. 2. *Bras.* *SP* *Pop.* V. *fanfarrice* (2).

faroleiro [De *farol* + *-eiro.*] *S. m.* 1. Indivíduo encarregado de um farol (1); lanterneiro. 2. *Bras.* *Gír.* Aquele que é dado a fitas, a ostentação, a fazer farol (9). ● *Adj.* 3. *Bras.* *Gír.* Diz-se de faroleiro (2).

farolense *Adj.* *2 g.* 1. De, ou pertencente ou relativo a Farol (PR). ● *S. 2 g.* 2. O natural ou habitante de Farol.

farolete (ê) [De *farol* + *-ete* (ê).] *S. m.* 1. Farolim. 2. *Bras.* Cada um dos pequenos faróis [v. *farol* (3)], dianteiros e traseiros, destinados a assinalar no escuro a presença de um carro em movimento.

farolim [De *farol* + *-im.*] *S. m.* Pequeno farol (1 e 2); farolete: 📖 "pela curva da costa os farolins se apagavam uns após outros, à maneira que as embarcações eram puxadas." (Virgílio Várzea, *Histórias Rústicas*, p. 81).

farosagem [Do gr. *pháros*, 'luz', + *-agem*[2].] *S. f.* *Ópt.* Unidade de medição de densidade de fluxo de radiação. ◆ **Farosagem radiante.** *Ópt.* Emitância energética.

farpa [Dev. de *farpar.*] *S. f.* 1. Ponta metálica penetrante, em forma de ângulo agudo. 2. Hastil armado dessa ponta, com o qual se picam touros em corridas; bandarilha. 3. Estilha de madeira que acidentalmente se introduz na pele ou na carne. 4. Rasgão, rasgadura. 5. *Fig.* Crítica mordaz; sarcasmo.

farpado [De *farpa* + *-ado*[1].] *Adj.* 1. Recortado em forma de farpa: 📖 "A cobra enrolava-se em anéis em volta da criança; lambia-lhe os pés e as mãos com a rubra e farpada língua" (Bernardo Guimarães, *O Seminarista*, p. 18). 2. Armado de farpa (1). ~ V. *arame* —.

farpante [De *farpar* + *-nte.*] *Adj.* *2 g.* Que farpa.

farpão [De *farpa* + *-ão*[1].] *S. m.* 1. Antiga arma de guerra terminada em farpa; arpão. 2. *Fig.* Golpe doloroso; agressão.

farpar [De or. ibero-românica.] *V. t. d.* 1. Meter farpas em; farpear. 2. Armar de farpas ou dentes: 📄 *O arqueiro farpou a seta.* 3. Recortar em forma de farpa. 4. Rasgar, romper, esfarrapar. 5. *Fig.* Farpear (2). *P.* 6. Rasgar-se, romper-se, esfarrapar-se.

farpear [De *farpa* + *-ear*[2].] *V. t. d.* 1. Meter farpa(s) em; ferir com farpa(s); farpar: 📖 "Logo que entrou o touro preto carregou-se de uma nuvem o semblante do ancião. Quando o Conde dos Arcos saiu a farpeá-lo, as feições do pai contraíram-se" (Rebelo da Silva, *Contos e Lendas*, p. 179). 2. *Fig.* Dirigir farpa(s) (5) a; farpar. [Conjug.: v. *frear.* Cf. *bandarilhar.*]

farpela[1] [De *farpa* + *-ela.*] *S. f.* Gancho agudo em que terminam, de um lado, as agulhas de meia e de crochê; barbela.

farpela[2] [De **farrapela*, de *farrapo* + *-ela.*] *S. f.* Vestuário, roupa, fato: 📖 "olhavam com um misto de dó e espanto ou ironia aqueles pobres marítimos magrizelas e malbarbeados, que tiritavam dentro das farpelas de ganga ou cotim desbotado" (José Rodrigues Miguéis, *Gente da Terceira Classe*, p. 39).

farra [Do lunfardo (2) *farra.*] *S. f.* 1. Diversão, festa licenciosa. [V. *orgia* (1).] 2. *Bras.* *Fam.* Troça, caçoada, brincadeira: 📄 *Falei aquilo só por farra.*

farracho [Por **ferracho*, de *ferro* + *-acho.*] *S. m.* *Bras.* 1. Espécie de terçado sem gume, com que se mata peixe à noite. [A pesca que se faz assim, atraindo o peixe por meio da luz, chama-se *pesca de farracho.*] 2. *Bras.* *BA* Faca ou facão estragado.

farrafaiado *S. m.* *Bras.* *BA* Trecho de mato onde as árvores rareiam, havendo, assim, grandes claros.

farragem [Do lat. *farragine.*] *S. f.* 1. Amontoado de coisas: 📖 "era o deserto .... afogado na trama de alguns becos imundos, cheios de detritos e da farragem repugnante dos batalhões que ali tinham acampado" (Euclides da Cunha, *Os Sertões*, p. 486). 2. Miscelânea, mistura, mistifório, salsada.

farragoulo *S. m.* V. *ferragoulo.*

farrambamba *S. f.* *Bras.* 1. V. *fanfarrice* (2). 2. Muito barulho por coisa pouco importante.

farrancho *S. m.* 1. Ranchada que se dirige a romaria ou diversão. 2. Grupo de pessoas com o fito de se divertirem.

farrapada [De *farrapo* + *-ada*[1].] *S. f.* 1. Monte de farrapos ou trapos; farrapagem, farraparia. 2. *Bras.* Designação que se dava ao exército rebelde dos farrapos.

farrapagem [De *farrapo* + *-agem*[2].] *S. f.* V. *farrapada* (1).

farrapão [De *farrapo* + *-ão*[1].] *S. m.* Indivíduo andrajoso, maltrapilho, esfarrapado. [Fem.: *farrapona.*]

farrapar [Por **farapar* < *farpar*, com suarabácti.] *V. t. d.* *P.* V. *esfarrapar.*

farraparia [De *farrapo* + *-aria.*] *S. f.* V. *farrapada* (1).

farrapiada [De *farrapo* (5) + *-iada.*] *S. f.* *Bras.* *RS* Designação dos feitos dos farrapos [v. *farrapo* (5)], em 1835.

farrapo [Por **farapo* (v. *farrapar*).] *S. m.* 1. Pedaço de pano rasgado ou muito usado; andrajo, trapo. 2. Peça de vestuário muito rota. 3. Pessoa maltrapilha. 4. Pedaço de qualquer coisa. 5. *Bras.* *Hist.* Alcunha deprimente (que veio, com o tempo, a tornar-se honrosa) dada pelos legalistas aos insurretos da revolução que irrompeu no RS, em 1835; farroupilha, continentista.

farrapona *S. f.* V. *farrapão.*

farrar [De *farra* + *-ar*[2].] *V. int.* V. *farrear.*

farrear [De *farra* + *-ear*[2].] *V. int.* *Bras.* *Angol.* Fazer farra; patuscar, pandegar, farrar: 📖 "O brasileiro, com raríssimas exceções, quando viaja pela Europa só pensa em gastar e farrear." (Antônio de Alcântara Machado, *Cavaquinho e Saxofone*, p. 137.) [Conjug.: v. *frear.*]

fárreo [Do lat. *farreu.*] *Adj.* 1. De trigo. ● *S. m.* 2. Farro (1).

farricoco (ô) *S. m.* *Ant.* 1. Cada um dos condutores da tumba ou esquife, nos enterros. [Cf. *gato-pingado.*] 2. Indivíduo encapuzado que acompanhava as procissões de penitência, tocando trombeta de vez em quando. 3. Hábito de penitência com capuz para ocultar o rosto.

farripas *S. f. pl.* Cabelos muito ralos na cabeça; falripas. [Cf. *repa* (ê).]

farrista [De *farra* + *-ista.*] *Adj.* *2 g.* *S. 2 g.* *Bras.* *Angol.* *Cabo-verd.* *Moç.* Que, ou quem é dado a farras ou pândegas.

farro [Do it. *farro.*] *S. m.* 1. *Cul.* Bolo de farinha de trigo amassada com água e sal; fárreo. 2. Caldo grosso de cevada ou de cevadinha.

farroma *S. f.* 1. *Bras.* *S.* V. *fanfarrice* (2). ● *S. m.* 2. V. *fanfarrão* (2).

farromba *S. f.* *Bras.* *Prov.* *port.* V. *fanfarrice* (2).

farrombeiro [De *farromba* + *-eiro.*] *Adj.* *S. m.* *Bras.* V. *fanfarrão.* 📖 "— Largue de prosa, farrombeiro! — tornou o outro, novamente escarninho." (Amando Fontes, *Rua do Siriri*, [1ª ed.] p. 229.)

farromear [De *farroma* + *-ear*[2].] *V. int.* *Bras.* *S.* Praticar farromas; fanfarrear. [Conjug.: v. *frear.*]

farromeiro [De *farroma* + *-eiro.*] *Adj.* *S. m.* *Bras.* V. *fanfarrão.*

farronca [Var. de *farroma*, poss. com infl. de *roncar.*] *S. f.* 1. V. *fanfarrice* (2). ● *S. 2 g.* 2. V. *fanfarrão* (2). 3. *Prov.* *port.* *Etnogr.* Entidade fantástica que amedronta as crianças; sarronca.

farroupa [Der. regress. de *farroupilha.*] *S. 2 g.* 1. V. *maltrapilho* (2). 2. Farroupilha (2).

farroupilha [De **farroupilha* (< *farrapo* + *-ilha*), com infl. de *roupa*, poss.] *S. 2 g.* 1. V. *maltrapilho* (2). 2. Pessoa miserável, ou desprezível; farroupa. ● *S. m.* 3. V. *farrapo* (5).

farroupilhense *Adj.* *2 g.* 1. De, ou pertencente ou relativo a Farroupilha (RS). ● *S. 2 g.* 2. O natural ou habitante de Farroupilha.

farroupo [Do ár. *arūf*, 'carneiro', 'burrico'.] *S. m.* Porco de menos de um ano.

farruma *S. f.* *Bras.* *SP* *Pop.* 1. Estardalhaço, espalhafato. 2. V. *fanfarrice* (2).

farrusca [Por **ferrusca* < *ferro* + *-usca*[2].] *S. f.* 1. Espada ferrugenta; chanfalho. 2. Nódoa de carvão ou doutra substância escura; mascarra.

farrusco [Por **ferrusco* < *ferro* + *-usco*[2].] *Adj.* 1. Sujo de carvão ou de fuligem. 2. Escuro, negro.

farsa [Do fr. médio *farse*, atual *farce.*] *S. f.* 1. *Teatr.* Peça teatral de comicidade exagerada, ação vivaz, irreverente e burlesca, e com elementos de comédia de costumes. 2. *Teatr.* Baixa comédia (q. v.). 3. Ato ridículo, próprio de farsas. 4. Coisa burlesca. 5. Embuste, logro, pantomima: 📄 *Aquela choradeira foi uma farsa: estava contentíssima!*

farsada [De *farsa* + *-ada*[1].] *S. f.* Ato burlesco ou ridículo; palhaçada.

farsalhão [De *farsa* + *-alhão.*] *S. m.* *Teatr.* Farsa grande e de pouca importância.

farsanta [De *farsante*, irregularmente.] *S. f.* *Teatr.* Atriz que representa em farsa; farsante.

farsante [Do it. *farsante.*] *S. 2 g.* 1. Pessoa que representa farsa. 2. Pessoa que pratica atos ridículos ou burlescos, ou graceja constantemente; farsista. 3. *Deprec.* Pessoa sem seriedade, sem palavra. ● *Adj.* *2 g.* 4. Diz-se de farsante (2 e 3).

farsantear [De *farsante* + *-ear*[2].] *V. t. d.* 1. Representar em forma de farsa: 📄 *farsantear cenas da vida cotidiana.* *Int.* 2. Praticar atos ou dizer coisas próprias de farsante. [Conjug.: v. *frear.*]

farsesco (ê) [De *farsa* + *-esco.*] *Adj.* *Teatr.* 1. Relativo a farsa. 2. Que contém elementos de farsa: 📖 "tipos farsescos [os de Joaquim Manuel de Macedo], entre os quais sobressaem o Capitão Tibério de *O Fantasma Branco*, herdeiro do Soldado Fanfarrão plautiano" (Sábato Magaldi, *Panorama do Teatro Brasileiro*, p. 86).

farsi [Do top. *Fārsī* (Afeganistão).] *S. m. Gloss.* V. *persa* (3).

farsilhão [Alter. do fr. *ardillon*, poss.] *S. m.* Argola de fivela, na qual se mete a ponta da correia.

farsista [De *farsa* + *-ista*.] *S. 2 g.* **1.** Farsante (2). ● *Adj. 2 g.* **2.** Que pratica atos burlescos ou ridículos, ou graceja constantemente; farsante: *indivíduo farsista.* **3.** Menos sério; burlesco, picaresco: *atitude farsista.*

farsola [De *farsa* + *-ola*[1].] *S. 2 g.* **1.** Pessoa galhofeira, farsista. **2.** V. *fanfarrão* (2).

farsolar [De *farsola* + *-ar*[2].] *V. int.* **1.** Praticar ações de farsola. **2.** Jactar-se, blasonar.

farsolice [De *farsola* + *-ice*.] *S. f.* Ato ou dito de farsola.

farta [F. subst. de *farto*[2].] *El. s. f.* Us. na loc. adv. *à farta.* ◆ **À farta.** Em abundância; abundantemente; com fartura; à saciedade: "Comeram e beberam à farta." (Daniel de Carvalho, *Capítulos de Memórias*, 1ª série, p. 16.).

fartação [De *fartar* + *-ção*.] *S. f.* V. *enfarte* (1).

fartadela [De *fartar* + *-dela*.] *S. f.* **1.** Ato ou efeito de fartar(-se) de cada vez. **2.** Quantidade que farta. **3.** Grande porção de qualquer coisa. [Sin. ger.: *fartão*.]

fartalejo (ê) *S. m.* Farte (1).

fartão [De *farto*[2] + *-ão*[1].] *S. m. Fam.* V. *fartadela*. ◆ **Tomar um fartão. 1.** *Fam.* Comer até fartar-se. **2.** *Fig.* Desfrutar ou suportar até um ponto máximo: *Naquele ano, tomei um fartão de banhos de mar.*

fartar [De *farto*[2] + *-ar*[2].] *V. t. d.* **1.** Saciar a fome ou a sede a: *Os anfitriões fartaram-no.* **2.** Saciar (a sede ou a fome): *O lauto jantar fartou-lhe a fome.* **3.** Satisfazer (sentimentos, desejos). **4.** Causar grande aborrecimento a; cansar, aborrecer, enfastiar. *T. d. e i.* **5.** Encher, abarrotar, atulhar: *Fartaram-no de guloseimas. Int.* **6.** Ser em grande quantidade; ser bastante. *P.* **7.** Comer até à saciedade; encher-se, empanzinar-se, empanturrar-se. **8.** Fazer algo até não querer mais; cansar-se: "E mirou-o lentamente, fartou-se de vê-lo" (Machado de Assis, *Várias Histórias*, p. 53). [Part.: *fartado*, *farto*.]

fartável [De *fartar* + *-vel*.] *Adj. 2 g.* Que se pode fartar.

farte [Dev. de *fartar*.] *S. m. Cul.* **1.** Massa doce, mais ou menos delicada, envolvida em farinha de trigo; fartalejo. **2.** Designação comum a vários bolos que contêm creme: "Alice tinha .... as mangas arregaçadas e as mãos até os pulsos cheios do bolo que estivera amassando no alguidar para fazer os fartes de Natal." (José de Alencar, *O Tronco do Ipê*, p. 172.) [F. paral.: *farto*.]

farto[1] [Dev. de *fartar*.] *S. m. Cul.* Farte.

farto[2] [Do lat. *fartu*.] *Adj.* **1.** Saciado, satisfeito, empanturrado. **2.** Abundante, copioso: *ceia farta.* **3.** Em que há abundância de tudo; repleto, cheio: *casa farta; mesa farta.* **4.** Nutrido, nédio. **5.** Enfastiado, aborrecido: *A situação me deixou farto.*

fartum [Var. de *fortum* < *forte*, i. e., 'cheiro forte'.] *S. m.* **1.** Mau cheiro resultante de ranço. **2.** Bafio, mofo: "Abriam-se as senzalas lufando do interior fuliginoso e morno o acre fartum e a fumaraça espessa dos brasidos que ardiam à noite fazendo um ambiente de estufa" (Coelho Neto, *Rei Negro*, p. 8). **3.** Cheiro mau e/ou nauseante; aca, bodum, catinga, inhaca, morrinha: "Os chocalhos das cabras tilintaram para os lados do rio, o fartum do chiqueiro espalhou-se pela vizinhança." (Graciliano Ramos, *Vidas Secas*, p. 132.)

fartura [Do lat. *fartura*.] *S. f.* **1.** Estado de farto. **2.** Grande quantidade; abundância. **3.** *Lus. Cul.* Churro[2].

farturense *Adj. 2 g.* **1.** De, ou pertencente ou relativo a Fartura (SP). ● *S. 2 g.* **2.** O natural ou habitante de Fartura.

faruaru *Bras. S. 2 g.* **1.** *Etnôn.* Indivíduo dos faruarus, subgrupo dos pianocotós que habita nas margens do alto rio Mapuera (N. do PA). ● *Adj. 2 g.* **2.** Pertencente ou relativo a esses índios. [Tb. us. como *s. 2 g. e 2 n.* (com cap.) e *adj. 2 g. e 2 n.*]

■ **f.a.s.** [Ingl., abrev. de *f(ree) a(longside) s(hip)*.] Us. na expr. *cláusula f.a.s.* (q. v.).

▲**-fas-** Equiv. de *-fase*[2].

fás [Do lat. *fas*, 'justiça', 'o que é lícito, permitido'.] *S. m.* Aquilo que é justo, que é lícito. [Antôn.: *nefas*.] ◆ **Ou por fás ou por nefas.** Por fás ou por nefas: "Mas, ou por fás ou por nefas, ... não tardou muito que se lhe fosse juntar." (Joaquim Paço d'Arcos, *O Navio dos Mortos e Outras Novelas*, p. 240.) **Por fás ou por nefas. 1.** Com razão ou sem ela: "A onomástica nacional, não sei se por fás ou por nefas, não conheceu exclusivos entre os homens." (Aquilino Ribeiro, *Luís de Camões*, I, p. 68.) **2.** Por bem ou por mal. [Tb. se diz *ou por fás ou por nefas*.]

fascal [Do lat.-hisp. vulg. **fascale* < lat. *fascis*, 'feixe'.] *S. m.* Monte de espigas ou de feixes de palha.

fasces [Do lat. *fasces*.] *S. m. pl.* Feixe de varas com que, na Roma antiga, os lictores acompanhavam os cônsules, como insígnia do direito que tinham estes de punir.

fáscia [Do lat. *fascia*.] *S. f. Anat.* **1.** Bainha ou faixa de tecido fibroso situada em profundidade, em relação à pele. **2.** Bainha ou faixa que reveste músculos e vários órgãos do corpo.

fasciação [Do lat. *fasciare*, 'cingir com faixas', + *-ção*.] *S. f. Bot.* Transformação de ramos e raízes em órgãos achatados ou laminares, cuja causa é incerta.

fasciado [Do lat. *fascia*, 'faixa', + *-ado*[1].] *Adj. Bot.* Que apresenta fasciação: *caule fasciado.*

fasciculação [De **fascicular*, 'dispor em fascículos', + *-ção*.] *S. f. Med.* Contração de musculatura estriada esquelética, localizada e pouco intensa, visível através da pele íntegra. [Cf. *fibrilação*.]

fasciculado [De *fascículo* + *-ado*[1].] *Adj.* **1.** Disposto em fascículos ou feixes. **2.** Que tem forma de feixe. ~ V. *raiz —a*.

fascicular [De *fascículo* + *-ar*[1].] *Adj. 2 g.* Que tem forma de fascículo (1).

fascículo [Do lat. *fasciculu*.] *S. m.* **1.** Feixinho. **2.** Porção de varas ou de ervas que se podem transportar debaixo do braço. **3.** V. *gavela*. **4.** *Anat.* Termo genérico que designa pequeno feixe de fibras (nervosas, tendinosas, ou outras). **5.** *Bibliol. Bibliot.* Caderno ou grupo de cadernos de uma obra que se publica à medida que vai sendo impressa. [Sin. lus.: *caderneta*.] **6.** *Bot.* Tipo de inflorescência em que as flores se inserem apertadamente no mesmo nó caulinar. **7.** *Edit.* Unidade de uma publicação periódica; número. [V. *volume* (2).]

fasciite [De *fáscia* + *-ite*[1].] *S. f. Cir.* Inflamação da fáscia.

fascinação [Do lat. *fascinatione*.] *S. f.* **1.** Atração irresistível; fascínio. **2.** Deslumbramento, encanto, enlevo, fascínio.

fascinador (ô) [Do lat. tard. *fascinatore*.] *Adj.* **1.** Fascinante. ● *S. m.* **2.** Aquele que fascina.

fascinante [Do lat. *fascinante*.] *Adj. 2 g.* Que fascina; fascinador: "As estrelas têm um brilho fascinante nesses céus sem nuvens." (Afrânio Peixoto, *Viagens na Minha Terra*, p. 201); *espírito fascinante.*

fascinar [Do lat. *fascinare*.] *V. t. d.* **1.** Subjugar com o olhar: *A serpente fascina sua vítima.* **2.** Dominar por encantamento; prender com feitiços; dar quebranto a; enfeitiçar. **3.** Atrair irresistivelmente; encantar, seduzir: "Cumpre domar Xenócrates! És bela... / Poderás fasciná-lo, se o quiseres!" (Olavo Bilac, *Poesias*, p. 135.) *Int.* **4.** Seduzir, deslumbrar: *A ciência fascina;* "Luz que de tão forte ofusca e fascina." (Pe. Antônio Vieira, *Sertão Brabo*, p. 19).

fascínio [Do rad. de *fascinar* + *-io*[3].] *S. m.* **1.** V. *fascinação*. **2.** Mau-olhado, encantamento.

fascíola [Do tax. *Fasciola* (< lat. *fasciola*, 'pequena fita').] *S. f. Zool.* **1.** Gênero de vermes trematódeos, digêneos, tipo dos fasciolídeos. **2.** Qualquer espécie desse gênero, como, p. ex., a *Fasciola hepatica*, popularmente dita *baratа-do-fígado*, parasito dos canais biliares, pulmão, etc., de mamíferos, sobretudo ruminantes, e raramente do homem. É provida de testículos e ovários muito ramificados, poro genital mediano, e seu ciclo evolutivo faz-se através de moluscos gastrópodes, metacercários infestantes encistados nas plantas. **3.** Qualquer espécime desse gênero.

fasciolária [Do lat. *fasciola*, 'pequena faixa', + *-ária*; tax. *Fasciolaria*.] *S. f. Zool.* Gênero de moluscos gastrópodes, prosobrânquios, cujas conchas são univalves e fusiformes.

fasciolíase [De *fascíola* + *-íase*.] *S. f. Med.* Infecção causada no homem, ocasionalmente, pelos parasitos *Fasciola hepatica* ou *Fasciola gigantea*.

fasciolídeo [Do tax. *Fasciola* (v. *fascíola*) + *-ídeo*[1]; tax. *Fasciolidae*.] *Zool. S. m.* **1.** Espécime dos fasciolídeos, família de vermes platelmintos, trematódeos, parasitos dos mamíferos. Ex.: a fascíola. ● *Adj.* **2.** Pertencente ou relativo a eles.

fasciotomia [De *fáscia* + *-o-* + *-tom(o)-* + *-ia*[1].] *S. f. Cir.* Seção cirúrgica de fáscia.

fascismo [Do it. *fascismo*.] *S. m.* **1.** Sistema político nacionalista, imperialista, antiliberal e antidemocrático, liderado por Benito Mussolini (1883-1945) na Itália, e que tinha por emblema o feixe (em it., *fascio*) de varas dos antigos lictores romanos. **2.** Atitude ou procedimento próprio de fascista.

fascista [Do it. *fascista*.] *Adj. 2 g.* **1.** Relativo ou pertencente ao, ou próprio do fascismo. **2.** Que é partidário ou simpatizante dele. ● *S. 2 g.* **3.** Partidário ou simpatizante do fascismo.

fascistização [De *fascistizar* + *-ção*.] *S. f.* Ato ou efeito de fascistizar(-se).

fascistizar [De *fascista* + *-izar*.] *V. t. d.* **1.** Tender ou fazer tender ao fascismo. *P.* **2.** Imbuir-se de ideias fascistas; colocá-las em prática.

fascistoide (ói) [De *fascista* + *-oide*.] *Adj. 2 g. S. 2 g. Deprec.* V. *fascista*. ✥

fascolomiídeo [Do tax. *Phascolomyidae*.] *S. m. Adj. Zool.* V. *vombatídeo*.

fase [Do gr. *phásis*.] *S. f.* **1.** Qualquer estágio (ou etapa) de uma evolução, que compreende uma série (ou um ciclo) de modificações: *as fases da vida; Em 1930 terminou a primeira fase do período republicano brasileiro.* **2.** Época ou período com características definidas: *a fase azul de Picasso; O clube atravessa uma fase difícil.* **3.** *Astr.* Aspecto que apresenta um astro sem luz própria, planeta, satélite, etc., segundo as condições de iluminação vistas da Terra: *as fases da Lua.* [Sin., p. us., nesta acepç.: *aspecto*.] **4.** *Fís.* Na expressão analítica de um movimento harmônico simples, o argumento da função periódica. **5.** *Fís.-Quím.* Parte homogênea de um sistema heterogêneo. **6.** *Eletr.* Cada uma das tensões de uma corrente trifásica. **7.** *P. ext.* O condutor em que está presente uma dessas tensões. [Cf. *faze*, do v. *fazer*.] ◆ **Fase aberta.** *Fís.-Quím.* Num sistema físico-químico, fase cujas fronteiras permitem a passagem de um ou mais componentes do sistema. **Fase de lançamento.** *Astron.* Fase do voo de um veículo espacial compreendida entre a ignição inicial e o momento em que a sua velocidade permite obedecer aos controles normais. **Fase de meio-curso.** *Astron.* Fase do voo de um veículo espacial compreendida entre o fim da fase de lançamento e o início da fase terminal. **Fase dispersa.** *Fís.-Quím.* Num sistema coloidal, a fase que está particulada e imersa na outra. **Fase dispersora.** *Fís.-Quím.* Num sistema coloidal, a fase contínua na qual a outra fase está imersa. **Fase fechada.** *Fís.-Quím.* Num sistema físico-químico, fase cujas fronteiras não permitem o transporte de massa de um ou mais componentes do sistema. **Fase terminal.** *Astron.* Fase do voo de um veículo espacial caracterizada pela tomada de atitude para o regresso ou para atingir um objetivo.

▲**-fase**[1] Equiv. de *-fas(i)-*.

▲**-fase**[2] [Do gr. *phásis*, *eōs* (ā), 'denúncia', 'delação'; 'aparecimento de uma estrela no horizonte', < gr. *phaínein*, 'mostrar-se', 'aparecer'.] *El. comp.* = 'ação de mostrar-se'; 'fase'; 'período': *anáfase*, *hipófase* (< gr.). [Equiv.: *-fas-*: *anafásico*, *trifásico*.]

faseolar [Do lat. *faseolus*, 'feijão', + *-ar*[1].] *Adj. 2 g.* Que tem forma de feijão, como, p. ex., o rim; faseoliforme.

faseoliforme [Do lat. *faseolus*, 'feijão', + *-iforme*.] *Adj. 2 g.* Faseolar.

faséolo [Do tax. *Phaseolus* (do lat. *phaseolus*, ou *faseolus*).] *S. m. Bot.* **1.** Gênero de plantas fabáceas, herbáceas ou trepadeiras, que fornecem sementes (*feijões*), ou vagens, muitíssimo us. na alimentação. **2.** Qualquer espécie desse gênero, como, p. ex., a *Phaseolus vulgaris* (v. *feijoeiro*). **3.** Qualquer espécime desse gênero.

fasgonuroide (ói) [Do tax. *Phasgonura* (f. irreg. a partir do gr. *phásganon*, 'espada', + lat. cient. *-ura* [v. *uro-*]) + *-oide*.] *S. m. Adj. 2 g. Zool.* V. *ensífero*. ✥

➔**fashion** ['fæʃən] [Ingl.] *Adj. 2 g. e 2 n.* **1.** Ref. à moda ou à sua indústria, próprio da indústria da moda. **2.** Que está na moda. **3.** Que se veste ou produz conforme a moda.

fashionista [De *fashion* + *-ista*.] *Adj. 2 g.* **1.** Referente à moda, ou dela próprio. **2.** Que entende de moda, acompanha as novas tendências, ou produz moda. ● *S. 2 g.* **3.** Aquele ou aquela que produz moda, ou dela entende.

▲**-fas(i)-** [Do gr. *phásis*, *eōs* (ā), 'palavra'; 'declaração', 'afirmação', < gr. *phánai*, 'dizer'.] *El. comp.* = 'palavra': *afasia* (< gr.), *disfasia*. [Equiv.: *-fase*[1]: *apófase* (< gr.), *catáfase* (< gr.).]

fasiânida *S. m. Adj. 2 g. Zool.* V. *fasianídeo*.

fasianídeo [Do tax. *Phasianus* (< lat. *phasianus*, 'faisão') + *-ídeo*[1]; tax. *Phasianidae*.] *Zool. S. m.* **1.** Espécime dos fasianídeos, família de aves galiformes que compreende os faisões, os pavões, as codornas e as perdizes. Têm plumagem intensa, com dimorfismo sexual em várias espécies, e hábitos polígamos; vivem em bandos e buscam terrenos abertos, alimentando-se no solo, principalmente. Largamente representadas no Velho Mundo, têm poucas espécies no Novo Mundo. ● *Adj.* **2.** Pertencente ou relativo a eles. [Sin. ger.: *fasiânida*.]

fasiano [Do tax. *Phasianus*.] *S. m. Zool.* **1.** Gênero de aves galiformes, tipo dos fasianídeos, caracterizadas pela plumagem vistosa, com longas penas caudais. **2.** Qualquer espécie desse gênero, como, p. ex., o *faisão* (q. v.). **3.** Qualquer espécime desse gênero.

fasímetro [De *fase* + *-i-* + *-metro*.] *S. m. Fís.* Instrumento, em geral de natureza eletrônica, para medir a diferença de fase entre dois fenômenos periódicos de igual frequência.

fasma [Do tax. *Phasma*.] *S. m.* **1.** O gênero-tipo dos fasmatídeos. **2.** Qualquer espécie desse gênero, como, p. ex., a vulgarmente conhecida como *bicho-pau* (q. v.). **3.** Qualquer espécime desse gênero.

fasmatídeo [Do lat. cient. *Phasmat-* (< tax. *Phasma* < gr. *phásma, atos* [v. *fasm(o)-*]) + *-ídeo*[1]; tax. *Phasmatidae*.] *Zool. S. m.* **1.** Espécime dos fasmatídeos, família de insetos ortópteros, de forma bacilar, ápteros ou alados. Algumas espécies são verdes e se confundem com folhas, outras mimetizam galhos, como, p. ex., o bicho-pau; quando perseguidos, tornam-se catalépticos e caem no solo, ou abrem as asas posteriores, de um colorido brilhante. ● *Adj.* **2.** Pertencente ou relativo a eles. [Sin. ger.: *fasmídeo*.]

▲ **fasmat(o)-** [Do gr. *phásma, atos*.] *El. comp.* = 'aparência'; 'simulacro'; *fasmatídeo, fasmatódeo*. [Equiv.: *fasm(o)-*; *fasmídeo*.]

fasmatódeo [Adapt. do tax. *Phasmatodea*.] *S. m. Zool.* **1.** Espécime dos fasmatódeos, ordem de grandes insetos, heterometabólicos, terrestres, que reúne espécies ápteras e aladas; na maioria delas as fêmeas têm asas reduzidas e não voam; todas se alimentam de folhas, mas muito poucas são consideradas pragas; habitam zonas tropicais ou subtropicais. ● *Adj.* **2.** Pertencente ou relativo a eles. [Sin. ger.: *ambulatório, fásmido* e *gressório*.]

fasmídeo [De *fasm(o)-* + *-ídeo*[1]; tax. *Phasmidea*.] *S. m. Adj. Zool.* V. *fasmatídeo*.

fásmido[1] [De *fasm(o)-* + *-ido*[1].] *S. m. Zool.* Cada um de um par de órgãos sensoriais, caudais, característicos da maioria dos vermes nematódeos, principalmente dos asquelmintos.

fásmido[2] [De *fasm(o)-* + *-ido*[3]; tax. *Phasmida*.] *S. m. Adj. Zool.* V. *fasmatódeo*.

▲ **fasm(o)-** Equiv. de *fasmat(o)-*.

fasmofobia [Do gr. *phásma, atos*, 'aparição', 'fantasma', + *-o-*[1] + *-fobia*.] *S. f. Psiq.* Medo mórbido de fastasmas.

fasmofóbico [De *fasmofobia* + *-ico*[2].] *Psiq. Adj.* **1.** Relativo a fasmofobia. **2.** Que sofre de fasmofobia; fasmófobo. ● *S. m.* **3.** Aquele que sofre de fasmofobia; fasmófobo.

fasmófobo [De *fasmo-*, como em *fasmofobia*, + *-fobo*.] *Adj. S. m. Psiq.* Fasmofóbico (2 e 3).

fasor (ô) *S. m. Eletrôn.* Vetor giratório que representa as grandezas elétricas de um circuito de corrente alternada.

fasquia [Do gr. *phaskía*, poss. pelo ár.-hisp.] *S. f.* **1.** Pedaço de madeira comprido e estreito; ripa. **2.** Parte alongada e estreita que se separou de um tronco de madeira.

fasquiar [De *fasquia* + *-ar*[2].] *V. t. d.* **1.** Guarnecer de fasquias; ripar. **2.** Construir com fasquias. **3.** Serrar em fasquias.

fastar *V. t. d. T. d. e i. Int. P. Ant. Pop.* Afastar.

➔ **fast-food** [fæst fuwd] [Ingl., *fast*, 'rápido', 'ligeiro', + *food*, 'comida'.] Tipo de alimentação, preparada de modo padronizado e para rápido atendimento, servida em lanchonetes, etc. [Sin. (lus.): *comida rápida, pronto a comer*.]

fastidioso (ô) [Do lat. *fastidiosu*.] *Adj.* **1.** Que produz fastio; tedioso, enfadonho. **2.** Impertinente, rabugento. [Sin. ger.: *fastiento*.]

fastiento [De *fastio* + *-ento*.] *Adj.* V. *fastidioso*.

fastigiado [Do lat. *fastigiatu*.] *Adj.* **1.** Diz-se das árvores altas e frondosas. **2.** *Bot.* Que tem ramos eretos e aproximados da ponta: *inflorescência fastigiada*.

fastígio [Do lat. *fastigiu*.] *S. m.* **1.** O ponto mais elevado; cume, cumeada, pico. **2.** *Fig.* Posição eminente, relevante; ponto muito alto; apogeu, auge: "o desejo de fazer a corte a Pombal, então no fastígio do poder" (José Veríssimo, *Estudos de Literatura Brasileira*, 2ª série, p. 99).

fastigioso (ô) [De *fastígio* + *-oso*.] *Adj.* Que está no fastígio, em posição relevante.

fastio [Do lat. *fastidiu*.] *S. m.* **1.** Aversão a alimento. **2.** *P. ext.* Falta de apetite. **3.** Repugnância, aversão. **4.** Tédio, aborrecimento.

fasto[1] [Do lat. *fastus, us* (v. *fausto*[1]).] *S. m.* Fausto, ostentação. ~ V. *fastos*.

fasto[2] [Do lat. *fastus, a, um* < lat. *fas*, 'lícito', 'permitido'.] *Adj.* **1.** Dizia-se, entre os romanos, dos dias em que era lícito exercer certas jurisdições. **2.** Próspero, feliz, fausto. ~ V. *fastos*.

fastos [Do lat. *fastos*.] *S. m. pl.* **1.** Anais (1). **2.** Registros públicos de fatos ou obras memoráveis. **3.** *Cronol.* Calendário da Roma antiga, que continha os dias fastos e nefastos. ~ V. *fasto*.

fastoso (ô) [Do lat. *fastosu*.] *Adj.* V. *fastuoso*.

fastuoso (ô) [Do lat. *fastuosu*.] *Adj.* Que tem fasto ou fausto; pomposo, luxuoso, aparatoso, fastoso, faustoso.

■ **FAT** Sigla de *Fundo de Amparo ao Trabalhador*.

fataça *S. f. Zool.* Tainha grande.

fatacaz [De *fatia* + *-acaz*, com síncope.] *S. m.* Pedaço ou porção grande.

fatagear [De *fatagem* + *-ear*[2].] *V. int. Desus.* Mexer em fatos ou roupas; revolver roupas. [Conjug.: v. *frear*.]

fatagem [De *fato*[2] + *-agem*[2].] *S. f. Desus.* Ato de fatagear.

fatal [Do lat. *fatale*.] *Adj. 2 g.* **1.** Determinado, marcado, fixado pelo fado ou destino: *O término fatal da existência*. **2.** Que tem de ser; irrevogável: *decisão fatal*. **3.** Improrrogável, final: *prazo fatal*. **4.** Decisivo, inevitável: *É fatal a sua derrota*. **5.** Funesto, nocivo, desastroso, nefasto: "Toda a ditadura oficial e acadêmica é fatal à arte" (Ramalho Ortigão, *Notas de Viagem*, p. 122). **6.** Que traz, ou como que traz, por determinação do fado ou destino, a infelicidade, a ruína, a desgraça: *beleza fatal; paixão fatal*. **7.** Que produz ou prenuncia a morte: "Quem golpes daria / Fatais, como eu dou?" (Gonçalves Dias, *Obras Poéticas*, I, p. 24); *momento fatal*.

fatalidade [Do lat. *fatalitate*.] *S. f.* **1.** Qualidade ou caráter de fatal. **2.** Sorte inevitável; destino, fado, fatalismo. **3.** Acontecimento funesto; infortúnio, desgraça: "Fatalidade atroz que a mente esmaga!... / Extingue nesta hora o brigue imundo / O trilho que Colombo abriu na vaga / Como um íris no pélago profundo!..." (Castro Alves, *Poesias Escolhidas*, p. 336.)

fatalismo [De *fatal* + *-ismo*.] *S. m.* **1.** *Filos.* Atitude ou doutrina que admite que o curso dos acontecimentos está previamente fixado, nada podendo alterá-lo. [Cf. *determinismo*.] **2.** Atitude daqueles que acreditam nessa teoria. **3.** Fatalidade (2).

fatalista [De *fatalismo* + *-ista*.] *Adj. 2 g.* **1.** Relativo ao, ou próprio do fatalismo. **2.** Que acredita nele. ● *S. 2 g.* **3.** Pessoa que acredita no fatalismo.

fatalmente [De *fatal* + *-mente*.] *Adv.* **1.** De modo fatal; inevitavelmente. **2.** Necessariamente. **3.** Certamente, indubitavelmente. **4.** De modo desastroso; desastradamente.

➔ **fata morgana** ['fata mor'gana] [It., 'fada Morgana, da lenda do Rei Arthur' (lit.); 'miragem'.] *Met.* Miragem que mostra imagens invertidas de objetos invisíveis ao observador. [Com cap.]

fateiro [De *fato*[2] + *-eiro*.] *Adj.* **1.** Relativo a fato[2]. **2.** Próprio para guardar fatos ou roupas. ● *S. m. Bras.* **3.** Aquele que vende fato[2] (4), vísceras de animais; bucheiro, tripeiro.

fateixa [Do ár. *fattāša(t)*.] *S. f.* **1.** *Marinh.* Gancho ou arpão com que se tiram objetos do fundo da água. **2.** *Marinh.* Espécie de âncora para fundear pequenos barcos: "um dos marinheiros, à proa [da lancha], acabando de colher a amarra, suspendeu a fateixa." (Xavier Marques, *Jana e Joel*, p. 121). **3.** Utensílio de ferro em que se penduram carnes. **4.** *Bras. N.E.* A pedra que serve de âncora nas jangadas dos pescadores nordestinos. ◆ **Espiar a fateixa.** *Bras. RS* Ancorar.

fatejar [De *fato*[2] + *-ejar*.] *V. int. Bras.* Consertar ou arrumar (fato, roupa): "Siá Dina .... era das tais que briquitavam o dia inteiro, fatejando, trazendo a casa limpa, os filhos asseados" (Nélson de Faria, *Tiziu e Outras Estórias*, p. 205). [Conjug.: v. *pelejar*.]

fateusim [Do lat. **emphyteusinu*, com aférese da primeira sílaba.] *Dir. Civ. Adj. 2 g.* **1.** V. *enfitêutico*. ● *S. f.* **2.** V. *enfiteuse*.

fatia [Do ár. *futāt*, 'pedaço', 'migalha', 'fragmento'.] *S. f.* **1.** Pedaço chato, delgado e mais ou menos comprido de pão, queijo, etc.; talhada. **2.** *Fig.* Lucro, quinhão, ganho. ◆ **Fatia de vida.** *Teatr.* V. *tranche de vie*. [Aum. irreg.: *fatacaz*.]

fatia de parida *S. f. Bras. N. N.E. Prov. port.* V. *rabanada*[1]. [Pl.: *fatias de parida*.] ☑

fatiado [Part. de *fatiar*.] *Adj.* **1.** Cortado em fatias: *queijo fatiado; presunto fatiado*. **2.** *Fig.* Retalhado, despedaçado.

fatia-doirada *S. f. Bras. Prov. port.* V. *fatia-dourada*. [Pl.: *fatias-doiradas*.]

fatia-dourada *S. f. Bras. Prov. port.* V. *rabanada*[1]: "Vinha o café. | Outras vezes, a senhora lembrava-se de um mimo: | — Hoje, faço fatias-douradas..." (Garibaldino de Andrade, *O Sol e as Nuvens*, pp. 43-44.) [Var.: *fatia-doirada*. Pl.: *fatias-douradas*.]

fatiamento [De *fatiar* + *-mento*.] *S. m.* Ato ou efeito de fatiar.

fatiar [De *fatia* + *-ar*[2].] *V. t. d.* **1.** Cortar ou fazer em fatias; esfatiar. **2.** Fazer em pedaços; despedaçar, espedaçar.

fatício [Var. de *factício* (q. v.).] *Adj.* Relativo a fato[1].

fático[1] [De *fato*[1] + *-ico*[2].] *Adj. Jur.* De ou relativo a fato[1] jurídico (q. v.).

fático[2] [Do gr. *phatós*, 'dito', (< v. gr. *phánai*, 'dizer') + *-ico*[2]; ingl. *phatic*.] *Adj. E. Ling.* Relativo a, ou que emprega palavras, mensagens, etc., cujo objetivo principal não é a transmissão de informações e sim, o estímulo ou exercício da sociabilidade e da comunicação. ~ V. *função — a*.

fatídico [Do lat. *fatidicu*.] *Adj.* **1.** V. *fatíloquo*. **2.** Sinistro; trágico: "Revoou-lhe .... lá dentro o pensamento de que no cantar do truão havia o que quer que fosse fatídico, e no seu olhar brilhante o que quer que fosse diabólico." (Alexandre Herculano, *O Bobo*, p. 69.) [Cf. *vatídico*.]

fatigado [Part. de *fatigar*.] *Adj.* Que tem, ou denota fadiga; cansado, fadigoso: *Uma pessoa fatigada não trabalha bem; um ar fatigado*.

fatigador (ô) [De *fatigar* + *-dor*.] *Adj.* V. *fatigante*.

fatigamento [De *fatigar* + *-mento*.] *S. m.* Fadiga (1).

fatigante [Do lat. *fatigante*.] *Adj. 2 g.* Que fatiga; fatigador, fatigoso, fadigoso.

fatigar [Do lat. *fatigare*.] *V. t. d.* **1.** Causar fadiga a; cansar. **2.** Enfastiar, aborrecer, enfadar, importunar: *Aquela história desinteressante fatigava-o*. *Int.* **3.** Causar ou produzir fadiga: *Uma longa caminhada fatiga*. *P.* **4.** Cansar-se, afadigar-se, esfalfar-se. [Var.: *fadigar*; sin. ger.: *afadigar*. Conjug.: v. *largar*.]

fatigável [Do lat. tard. *fatigabile*.] *Adj. 2 g.* Sujeito a fatigar-se; cansável.

fatigoso (ô) [De *fatigar* + *-oso*.] *Adj.* V. *fatigante*.

fatiloquente (qüên) [Do lat. *fatum*, 'destino', + *-i-* + lat. *loquens, entis*, part. pres. de *loqui*, 'falar'.] *Adj. 2 g.* V. *fatíloquo*. ❖

fatíloquo [Do lat. *fatiloquu*.] *Adj.* Que prediz o futuro; profético, fatídico, fatiloquente.

fátima-sulense *Adj. 2 g.* **1.** De, ou pertencente ou relativo a Fátima do Sul (MS). ● *S. 2 g.* **2.** O natural ou habitante de Fátima do Sul. [Pl.: *fátima-sulenses*.]

fatimense[1] *Adj. 2 g.* **1.** De, ou pertencente ou relativo a Fátima (BA e TO). ● *S. 2 g.* **2.** O natural ou habitante de Fátima.

fatimense[2] *Adj. 2 g.* **1.** De, ou pertencente ou relativo a Nova Fátima (BA e PR). ● *S. 2 g.* **2.** O natural ou habitante de Nova Fátima.

fatímida [Do antr. *Fátima* (< ár. *fātima(t)*) + *-ida*[5].] *S. 2 g.* **1.** *Hist.* Qualquer indivíduo de uma dinastia muçulmana ismailita, que reinou sobre parte do N. da África de 909 a 1171, tendo o Cairo (Egito) como capital, e que se declarava descendente direta de Fátima e Ali, filha e genro do profeta Maomé. ● *Adj. 2 g.* **2.** Relativo ou pertencente a essa dinastia.

fatiota *S. f.* **1.** *Vest.* Traje, roupa, farpela, fato: "cuidou de vestir-se, meteu-se na sua melhor fatiota e .... foi procurá-la." (Antônio Celso Alves Pereira, *Rua do Quenta-Sol*, p. 61). **2.** *P. ext.* Farraparia.

fatispécie [Do it. *fattispecie*.] *S. f. Jur.* Conjunto de circunstâncias objetivas que envolvem uma relação jurídica.

fatível *Adj. 2 g.* V. *factível*.

fato[1] [Do lat. *factu*.] *S. m.* **1.** Coisa ou ação feita; sucesso, caso, acontecimento, feito. **2.** Aquilo que realmente existe, que é real. **3.** *Filos.* V. *fenômeno* (8). ◆ **Fato jurídico.** *Jur.* Acontecimento de que decorrem efeitos jurídicos, independentemente da vontade humana (por oposição a *ato*). **De fato. 1.** Com efeito; realmente, efetivamente; de feito. **2.** Na realidade; na verdade; realmente; verdadeiramente; de feito: "O amante ideal de fino tato, / É o que, na mágoa ou no prazer, / Nunca se mostra o que é, de fato, / Mas sim o que devera ser." (Martins Fontes, *Vulcão*, p. 24.) **Estar ao fato de.** Estar ciente de; ser sabedor de.

fato[2] [Do gót. **fat*, poss., assim como o esp. *hato*, 'roupa', 'vestes', 'porção de gado'; 'conjunto de pessoas ou coisas'.] *S. m.* **1.** Roupas, veste(s), vestuário: "quartos de hora preenchidos não somente com palavras, mas com olhares, gestos, a própria mobília, a maneira de nos sentarmos, os fatos que vestíamos, os penteados..." (Augusto Abelaira, *Bolor*, p. 32). **2.** *Restr. Bras. N. Lus.* Terno[1] (4). **3.** Rebanho pequeno, particularmente de cabras. [Cf., nesta acepç., *chibarrada*.] **4.** *Bras. N.E. MG Prov. port.* Intestinos ou vísceras de animal: "uma preta velha .... apregoava em tom muito arrastado e melancólico: 'Fígado, rins e coração! Era uma vendedeira de fatos de boi." (Aluísio Azevedo, *O Mulato*, pp. 9-10).

fato-macaco [De *fato*[2] + *macaco*.] *S. m. Lus.* Macacão (3). [Pl.: *fatos-macacos* e *fatos-macaco*.]

fator (ô) [Do lat. *factore*.] *S. m.* **1.** Aquele que faz ou executa uma coisa. **2.** Aquilo que contribui para um resultado. **3.** *Mat.* Cada um dos elementos submetidos à operação de produto. [Cf., nesta acepç., *parcela* (2).] [Pl.: *fatores* (ô). Cf. *fatores*, do v. *fatorar*, e *fautor*, adj. e s. m.] ◆ **Fator de absorção.** *Fotom.* Relação entre o fluxo luminoso absorvido por uma superfície e o fluxo luminoso incidente sobre ela. **Fator de amplificação.** *Eletrôn.* Numa válvula, quociente entre uma pequena variação de voltagem de placa e a variação de voltagem da grade que é necessária para manter constante a corrente de placa. **Fator de compressibilidade.** *Fís.* Num gás em equilíbrio, quociente entre o produto da pressão pelo volume molar e o produto da temperatura absoluta pela constante dos gases perfeitos. **Fator de crescimento.** *Biol.* Qualquer de certas substâncias, como, p. ex., vitaminas, hormônios ou peptídios, que induzem o desenvolvimento dos organismos, bastando, para tal, quantidades muito pequenas delas. **Fator de demanda.** *Eng. Elétr.* Para um dado consumidor de energia elétrica, a relação entre a potência utilizada e a potência instalada. **Fator de forma.** *Eletrôn.* Relação entre o valor eficaz e o valor médio absoluto de uma função periódica. **Fator de integração.** *Mat.* Fator integrante. **Fator de ondulação.** *Eletrôn.* Numa onda retificada, quociente entre o valor eficaz da parte alternada e o valor da parte contínua. **Fator de potência.** *Eng. Elétr.* Cosseno do ângulo de defasagem entre a potência ativa, medida em W (*watt*), e a potência aparente, medida em VA (*volt-ampère*). **Fator de produção.** *Econ.* V. *insumo.* **Fator de proporcionalidade.** *Mat.* Constante de proporcionalidade. **Fator de qualidade.** *Eletrôn.* Fator associado a um circuito ressonante, e que descreve a seletividade do circuito e a sua habilidade em produzir uma elevada saída na frequência de ressonância [símb.: *Q*]. **Fator de reflexão.** *Fotom.* Refletância. **Fator de transferência.** *Imun.* Extrato dialisável, sem poder antigênico nem capacidade de transferir imunidade humoral, obtido de linfócitos, e que tem a propriedade de transferir imunidade celular específica para determinado antígeno, além de possuir uma ação estimuladora inespecífica do sistema imunitário. **Fator de transmissão.** *Fotom.* V. *transmitância.* **Fator integrante.** *Mat.* Fator que, multiplicado a uma forma diferencial, a transforma em uma diferencial exata; fator de integração. **Fator reativo.** *Eletr.* Num circuito de corrente alternada, seno do ângulo de fase entre a tensão e a corrente. **Fator reumatoide.** *Imun.* Anticorpo, que pode ser IgM, IgG ou IgA, capaz de reagir contra a IgG do próprio doente, e encontrável, na artrite reumatoide, mais frequentemente no soro de pacientes com a forma clássica dessa doença, mas podendo, também, ocorrer em outras condições mórbidas, como lúpus eritematoso sistêmico, hepatite por vírus, lepra, etc. **Fator Rh.** *Biol. Med.* Antígeno responsável por acidentes hemolíticos particularmente observados durante a gravidez, e as transfusões de sangue. [Tb. se diz apenas *Rh.*]

fatoração [De *fatorar* + *-ção.*] *S. f. Mat.* Operação de fatorar.

fatorar [De *fator* + *-ar*[2].] *V. t. d.* **1.** *Mat.* Decompor (um número) em todos os seus fatores até se obter o quociente 1. **2.** *Álg.* Decompor (um polinômio qualquer) num produto de fatores. [Pres. subj.: *fatore, fatores,* etc. Cf. *fatores* (ô), pl. de *fator,* e *faturar.*]

fatorial [De *fator* + *-ial.*] *Adj. 2 g.* **1.** Relativo a fator (3). ~ V. *análise* — e *ligação*—. ● *S. m.* **2.** *Mat.* Produto dos números naturais desde 1 até o inteiro *n* [símb.: *n!*].

fatual *Adj. 2 g.* V. *factual.*

fatuidade (u-i) [Do lat. *fatuitate.*] *S. f.* **1.** Qualidade, ação ou modos de quem é fátuo; presunção, vaidade, estultícia, estultice: 📖 "achou-se ridículo, cheio de fatuidade e ignorância" (Inglês de Sousa, *O Missionário*, p. 65). **2.** Qualidade daquilo que é fátuo, passageiro, fugaz.

fátuo [Do lat. *fatuu.*] *Adj.* **1.** Muito estulto; néscio, tolo, insensato: 📖 "nem chupem e manchem [as mulheres] os dedos do Sacerdote pela pressa de receber o bocado divino, ou pela devoção indiscreta e fátua de participar de caminho também do toque dos dedos, que servem ao Sacramento." (Pe. Manuel Bernardes, *Vários Tratados*, II, p. 191). **2.** Que é vaidoso e oco; presumido, presunçoso, pretensioso: 📖 "E como a juventude — orgulhosos e fátuos — julgais que todos vos obedecem — quando a todos vos sujeitais" (Gonçalves Dias, *Meditação*, p. 15). **3.** Passageiro, transitório, fugaz: 📖 "O sono tinha-se evolado como névoa fátua debaixo dum sol estival." (Aquilino Ribeiro, *Humildade Gloriosa*, p. 98.).

fatura [Do lat. *factura.*] *S. f.* **1.** Ato, efeito, modo de fazer; feitura: 📖 "Fiado o algodão no fuso, os fios eram aproveitados para a fatura de rendas" (Ulisses Lins de Albuquerque, *Um Sertanejo e o Sertão*, p. 233). **2.** Relação que acompanha a remessa de mercadorias expedidas, ou que se remete mensalmente ao comprador, com a designação de quantidades, marcas, pesos, preços e importâncias, podendo tais referências ser substituídas pela simples menção dos números e valores de notas fiscais extraídas, e guardadas conforme determinações da lei. [Cf., nesta acepç., *duplicata* (2) e *nota fiscal.*] ◆ **Fatura consular.** Aquela que arrola mercadorias expedidas de um país a outro, e que deve ser visada pelo consulado do país ao qual se destina. **Liquidar a fatura.** *Bras. Fam.* **1.** Desempenhar-se de uma obrigação, um compromisso. **2.** Levar a termo um negócio ou uma tarefa.

faturação [De *faturar* + *-ção.*] *S. f.* Faturamento.

faturamento [De *faturar* + *-mento.*] *S. m.* **1.** Ato ou efeito de faturar; faturação. **2.** *Econ.* Valor total das vendas de uma empresa, num dado período.

faturar [De *fatura* + *-ar*[2].] *V. t. d. T. d. e i.* **1.** Fazer a fatura de (mercadoria vendida). **2.** Incluir na fatura (uma mercadoria). **3.** *Bras. Pop.* Tirar proveito material (sobretudo pecuniário) de: 📖 "Hoje Pelé fatura a sua glória em todos os lugares por onde passa." (*Correio da Manhã*, Rio, 05.11.1970.) **4.** *Bras. Pop.* Fazer, realizar, conseguir (coisa vantajosa): 📄 *Finalmente, numa incursão pela direita, Garrincha faturou o terceiro gol.* **5.** *Bras. Chulo* Copular com. *Int.* **6.** *Bras.* Ganhar muito dinheiro, ou auferir vantagens: 📄 *O negócio vai de vento em popa, ele está faturando; Aproveitando-se de suas novas relações sociais, tem faturado mais que nunca.* [Cf. *fatorar.*]

faturável [De *faturar* + *-vel.*] *Adj. 2 g.* Que pode ser faturado.

faturista [De *faturar* + *-ista.*] *S. 2 g. Bras.* Empregado de casa comercial incumbido de fazer faturas [v. *fatura* (2)].

fauce [Do lat. *fauce.*] *S. f.* **1.** *Anat.* Segmento de passagem da boca à faringe. [Sin., pop.: *goela.*] **2.** *Bot.* Abertura do limbo da corola.

faúla *S. f.* V. *fagulha*: 📖 "um simples gracejo .... impressionava-o, e ia lavrar-lhe por dentro, agravando-lhe o desespero, como a faúla fugaz que ateia um incêndio." (Godofredo Rangel, *Falange Gloriosa*, p. 99).

faular (a-u) [De *faúla* + *-ar*[2].] *V. t. d.* **1.** Lançar em forma de faúlas. *Int.* **2.** Despedir faúlas. [Conjug.: v. *saudar.*]

faúlha [De *fagulha.*] *S. f.* **1.** V. *fagulha.* **2.** A parte mais sutil da farinha, que se evola na peneiração.

faulhento (a-u) [De *faúlha* + *-ento.*] *Adj.* Que lança ou expede faúlhas: 📖 "Panos de labareda esgarçam-se, tentando seguir a fumaça faulhenta em seu vertiginoso arranco para o alto." (Monteiro Lobato, *Urupês*, p. 155.)

fauna [Do lat. cient. *fauna* < mit. (lat. tard.) *Fauna.*] *S. f.* **1.** O conjunto dos animais próprios de uma região ou de um período geológico. **2.** *Deprec.* Grupo de pessoas; gente: 📄 *a fauna dos literatos.* [Dim. irreg.: *fáunula.*]

fauniano[1] [De *fauno* + *-iano.*] *Adj.* Relativo a, ou próprio de fauno.

fauniano[2] [De *fauna* + *-iano.*] *Adj.* Relativo a fauna; faunístico.

faunístico [De *fauna* + *-ist(a)-* + *-ico*[2].] *Adj.* Fauniano[2].

fauno [Do mit. lat. *Faunus.*] *S. m. Mit.* Divindade campestre caprípede, cornuda e cabeluda: 📖 "Doido fauno: senil, quebrando as finas / Lianas que se erguem no cipal em que erro, / O ar farejo com sôfregas narinas, / Percebo indícios duma ninfa, e berro..." (Humberto de Campos, *Poesias Completas*, p. 211.) ◆ **Fauno dos bosques.** O macaco.

fáunula [De *fauna* + *-ula.*] *S. f.* Fauna local de pequenos animais.

faustiano [Do ficciôn. *Fausto*, da obra homônima de Goethe (v. *goethiano*).] *Adj.* **1.** Diz-se de indivíduo insatisfeito com a estreiteza do conhecimento, o que o levaria, até (como o personagem de Goethe), a trocar valores espirituais por ganhos materiais. ● *S. m.* **2.** Indivíduo faustiano. [Sin. ger.: *fáustico, faustino.*]

fáustico [Do ficciôn. *Fausto* (v. *faustiano*) + *-ico*[2].] *Adj.* *S. m.* V. *faustiano.*

faustino *Adj.* V. *faustiano.*

fausto[1] [Do lat. *faustus, a, um*, 'feliz', 'favorável', 'próspero'.] *Adj.* Feliz, ditoso, venturoso, próspero, faustoso, fasto: 📄 *um fausto acontecimento*; 📖 "Ângela ressurgia salva da perigosa enfermidade, quando Maria Isabel, fechando a longa relação com a fausta nova da convalescença, sobrescritou a carta para Madri." (Camilo Castelo Branco, *O Regicida*, p. 92).

fausto[2] [Alter. do lat. *fastus, us*, 'orgulho', 'soberba', com infl. de *fausto*[1].] *S. m.* Luxo, pompa, ostentação, fasto: 📄 *Vive no fausto, e com isso gasta uma fortuna.*

faustoso (ô) [De *fausto*[2] + *-oso.*] *Adj.* V. *fastuoso.*

faustuoso (ô) [De *fausto*[2] + *-uoso.*] *Adj.* V. *fastuoso.*

➔**fauteuil** [fo'tœj] [Fr.] *S. m.* Poltrona[1].

fautor (ô) [Do lat. *fautore.*] *Adj.* **1.** Que favorece, auxilia, determina, promove, fomenta, é causa. ● *S. m.* **2.** Aquele ou aquilo que é fautor. [Fem.: *fautriz.* Cf. *fator.*]

fautoria [De *fautor* + *-ia*[1].] *S. f.* **1.** Ato de favorecer, promover ou auxiliar. **2.** Auxílio, amparo, favor.

fautorizar [De *fautor* + *-izar.*] *V. t. d.* **1.** Ser fautor (2) de. **2.** Proteger, auxiliar, amparar, apadrinhar, patrocinar.

fautriz [Do lat. *fautrice.*] *Adj.* (*f.*) *S. f.* Fem. de *fautor* (q. v.).

fava [Do lat. *faba.*] *S. f.* **1.** *Bot.* Planta fabácea (*Vicia faba*) anual, de até 1,20m, de caule ereto, ornamental, com propriedades medicinais, de flores alvas ou róseas, com máculas negras nas asas, dispostas em racimos axilares e cujo fruto é vagem viscosa, verde ou preta, comestível, com várias sementes muito nutritivas; nativa do N. da África e da região do mar Cáspio, é cultivada desde a antiguidade. [Sin.: *fava-do-brejo, fava-ordinária, faveira, faveira-do-campo.*] **2.** *Bot.* A vagem ou a semente dessa e doutras fabáceas. **3.** Designação comum a diversos objetos de configuração semelhante à da semente da fava. **4.** *Veter.* Doença que ataca o céu da boca dos equídeos. **5.** *Bras.* Pequeno seixo rolado, constituído, em geral, de minerais fosfatados, e também de óxido de titânio hidratado, e considerado como satélite do diamante. [V. *satélite* (7).] **6.** *Bras. Veter.* Doença que ataca os olhos dos galináceos. **7.** *Bras. MA* Espécie de peixe. ◆ **Fava preta.** Voto de reprovação. **Favas contadas.** Coisa certa, inevitável. **Favas de zircônio.** *Min.* V. *baddeleyíta.* **Ir à fava.** V. *ir às favas.* **Ir às favas.** Ir para longe, afastar-se, para deixar de importunar; ir bugiar, ir pentear macacos, ir plantar batatas, ir queixar-se ao bispo, ir à fava. **Mandar à fava.** V. *mandar às favas.* **Mandar às favas.** **1.** Despedir (alguém que importuna); mandar bugiar, mandar pentear macacos, mandar queixar-se ao bispo, mandar à fava. **2.** Demonstrar pouco apreço a (alguém ou algo); mandar à fava.

fava-barbatimão *S. f. Bras. Bot.* V. *barbatimão* (3). [Pl.: *favas-barbatimões* e *favas-barbatimão.*]

fava-belém *S. f. Bot.* V. *feijão-de-lima.* [Pl.: *favas-beléns* e *favas-belém.*]

fava-brava *S. f. Bot.* V. *feijão-de-porco.* [Pl.: *favas-bravas.*]

fava-café *S. f. Bot.* Pó-de-mico. [Pl.: *favas-cafés* e *favas-café.*]

fava-contra *S. f. Bras. BA PI Bot.* Planta fabácea (*Canavalia gladiata*) de caule glabro, dotada de flores purpúreo-violáceas, pendentes, cujo fruto é legume com asas muito desenvolvidas, que contém sementes arredondadas, e que vegeta à beira-mar. [Pl.: *favas-contra.*]

fava-contra-o-mau-olhado *S. f. Bot.* V. *feijão-de-porco.* [Pl.: *favas-contra-o-mau-olhado.*]

fava-da-índia *S. f.* V. *fava-de-cheiro.* [Pl.: *favas-da-índia.*]

fava-de-arara *S. f. Bras. Bot.* Planta hipocrateácea (*Hippocratea comosa*) de ramos avermelhados, flores estéreis, pequenas, alvas e amareladas, e cujo fruto é oblongo e contém sementes com asa estreita. [Pl.: *favas-de-arara.*]

fava-de-besouro *S. f. Bras. PA Bot.* Pequena árvore cesalpiniácea (*Cassia xinguensis*) cujos pecíolos têm glândulas salientes, côncavas e muito grandes, cujo lenho é esbranquiçado, e que vegeta de preferência em terrenos argilosos. [Pl.: *favas-de-besouro.*]

fava-de-bolacha *S. f. Bras. Bot.* V. *fava-de-impigem.* [Pl.: *favas-de-bolacha.*]

fava-de-bolota *S. f.* **1.** *Bras. Bot.* Árvore mimosácea (*Parkia pendula*) de folhas bipenadas, com pequeninos folíolos, flores ou avermelhadas, ou amarelas, ou brancas, em capítulos globosos [v. *bolota* (5)] e vagens coriáceas, achatadas; a madeira, pardo-avermelhada, é de boa qualidade. [Sin.: *andirá, boloteira, faveirão, jagoirana, jaguarana, juarana, paricá-grande, pau-de-sândalo, rabo-de-arara, visgueiro.*] **2.** Árvore mimosácea (*Parkia platycephala*) de folhas bipenadas, flores vermelho-escuras em capítulos globosos [v. *bolota* (5)] e vagens oblongas; a copa, ampla, quase chega ao chão, sendo a madeira clara. [Sin.: *andirá, jagoirana, pau-de-arara, pracari, visgueiro.*] [Pl.: *favas-de-bolota.*]

fava-de-calabar [De *fava* + *de* + o top. *Calabar* (África).] *S. f. Bot.* Trepadeira fabácea (*Physostigma venenosum*) herbácea e medicinal, de flores hermafroditas, irregulares, vermelho-purpúreas, com veias amareladas, em racimos axilares pendentes e com um disco glanduloso em torno da base do ovário, e cujo fruto é vagem volumosa e ligeiramente falciforme, contendo sementes com hilo que têm um princípio ativo tóxico. [Sin., bras.: *eserê.* Pl.: *favas-de-calabar.*]

fava-de-cheiro *S. f. Bot.* A semente do cumaru (1); cumaru, tonca, fava-da-índia, fava-tonca. [Pl.: *favas-de-cheiro.*]

fava-de-impigem *S. f. Bras. Bot.* Árvore fabácea (*Vatairea guianensis*) nativa do Peru, da Venezuela, das Guianas e da Amazônia brasileira, de flores hermafroditas, roxo-azuladas ou róseas, paniculadas, e cujo fruto é vagem suberosa, com sementes arredondadas, aromáticas; é cultivada como ornamental, pela goma extraída da casca, que produz verniz, e pelo óleo das sementes. [Var.: *fava-de-impingem.* Sin.: *andirá-da-várzea, fava-de-bolacha, faveira-amarela, faveira-de-impigem* ou *faveira-de-impingem, faveira, lombrigueira.* Pl.: *favas-de-impigem.*]

fava-de-impingem *S. f. Bras. Bot.* V. *fava-de-impigem.* [Pl.: *favas-de-impingem.*]

fava-de-lima *S. f. Bot.* V. *feijão-de-lima.* [Pl.: *favas-de-lima.*]

fava-de-quebranto *S. f. Bot.* V. *feijão-de-porco.* [Pl.: *favas-de-quebranto.*]

fava-de-rama *S. f. Bras. Bot.* Trepadeira fabácea (*Canavalia bonariensis*) lenhosa e ornamental, de flores azuis, grandes, pediceladas, e cujo fruto é va-

F

gem que encerra sementes pretas e achatadas. [Pl.: *favas-de-rama*.]

fava-de-rosca *S. f. Bras. Amaz. RJ Bot.* Grande árvore fabácea (*Enterolobium schomburgku*) cuja casca, cinzento-avermelhada, é pouco espessa e bastante fibrosa, cujas flores são alvas ou amareladas, dispostas em pedúnculos axilares, e cujo fruto é vagem espiralada, pardo-escura, com várias sementes; timbaúba, timbó-da-mata, timborana. [Pl.: *favas--de-rosca*.]

fava-de-santo-inácio [De *fava* + *de* + o hag. *Santo Inácio*.] *S. f. Bras. Bot.* 1. V. *castanha-mineira* (1). 2. V. *noz--vômica* (1 e 2). [Pl.: *favas-de-santo-inácio*.]

fava-de-santo-inácio-falsa [De *fava-de-santo-inácio* + o f. de *falso*.] *S. f. Bras. Bot.* 1. Trepadeira cucurbitácea (*Fevillea trilobata*) nativa das regiões tropicais das Américas, com folhas membranosas, trilobadas, flores amarelas e frutos peponídeos globosos (v. *ávila*), cujas sementes são febrífugas, eméticas, emenagogas, e fornecem óleo us. em iluminação, na indústria, e na farmacopeia popular. [Sin.: *andiroba, ararapitiú, cipó-de-cabaça, cipó-de-cobra, cipó-de-jabutá, cipó-de-jabuti, cipó-jabutá, guandiroba, guapeba, guapeva, igarçu, jabutá, jandiroba, jendiroba, nhandiroba, nhandirova, pacapiá*.] 2. Trepadeira cucurbitácea (*Fevillea deltoidea*) nativa do Brasil, de folhas íntegras, flores paniculadas e frutos peponídeos com sementes purgativas, e que fornecem óleo com propriedades antirreumáticas. [Pl.: *favas-de-santo-inácio-falsa*.]

fava-de-sucupira *S. f. Bras. Bot.* V. *faveiro* (2). [Pl.: *favas-de-sucupira*.]

favado [Part. de *favar*.] *Adj. Bras. N.E.* Que não logrou bom êxito; malogrado, gorado. ~ V. *terra —a*.

fava-do-brejo *S. f. Bot.* V. *fava* (1). [Pl.: *favas-do-brejo*.]

faval [De *fava* + *-al*[1].] *S. m.* 1. Plantação de favas. 2. Lugar onde medram favas. [Sin. ger.: *favaria*.]

fava-ordinária *S. f. Bras. Bot.* V. *fava* (1). [Pl.: *favas--ordinárias*.]

fava-oró *S. f. Bot.* Feijão-oró. [Pl.: *favas-orós* e *favas--oró*.]

favar [De *fava*, poss.] *V. int. Bras.* Não lograr bom êxito; malograr-se, gorar. [Fut. pret.: *favaria*, etc. Cf. *favaria*, s. f.]

favaria[1] [De *fava* + *-aria*.] *S. f.* 1. Porção de favas. 2. Faval. [Cf. *favaria*, do v. *favar*.]

favaria[2] [De *favo* + *-aria*.] *S. f.* Porção de favos de abelha. [Cf. *favaria*, do v. *favar*.]

fava-tonca *S. f. Bras. Bot.* V. *fava-de-cheiro*. [Pl.: *favas--toncas* e *favas-tonca*.]

faveca-vermelha *S. f. Bras. Bot.* Arapati. [Pl.: *favecas--vermelhas*.]

faveira [De *fava* + *-eira*.] *S. f. Bot.* 1. Nome comum a algumas árvores fabáceas do gênero *Vatairea*, nativas da Amaz. 2. V. *fava* (1). 3. V. *fava-de-impigem*. 4. V. *farinha* (3). 5. Farinha-seca (6). 6. *Bras.* V. *canafístula* (3).

faveira-amarela *S. f. Bras. Bot.* V. *fava-de-impigem*. [Pl.: *faveiras-amarelas*.]

faveira-de-impingem *S. f. Bras. Amaz. Bot.* V. *fava-de--impigem*. [Pl.: *faveiras-de-impingem*.]

faveira-do-campo *S. f. Bras. Bot.* 1. V. *fava* (1). 2. *Bras. Bot.* V. *faveira-do-mato*. [Pl.: *faveiras-do-campo*.]

faveira-do-mato *S. f. Bras. Bot.* Árvore fabácea (*Pithecellobium multiflorum* ou *Samanea multiflora*) de casca lisa, fina, venenosa, folhas bipenadas, flores branco-amareladas, em capítulos globosos, e frutos leguminiformes, coriáceos, com várias sementes; fornece madeira branco-esverdeada ou rósea, compacta e dura, própria para marcenaria. [Sin.: *canafístula, faveira-do-campo, saboeiro*. Pl.: *faveiras--do-mato*.]

faveirão [De *faveira* + *-ão*[1].] *S. m. Bras. Bot.* V. *fava-de--bolota* (1).

faveira-pequena [De *faveira* + o f. de *pequeno*.] *S. f. Bras. Amaz. Bot.* Arbusto fabáceo (*Clitoria amazonum*) muito vistoso dotado de flores numerosas, grandes, alvas ou róseas com pedúnculos axilares, dispostas em racimos curtos, e cujo fruto é vagem plana, chata e glabra. Vegeta de preferência nas margens de rios e lagoas. [Pl.: *faveiras-pequenas*.]

faveiro [De *fava* + *-eiro*.] *S. m.* 1. *Bras. PI a SP GO MT Bot.* Árvore fabácea (*Platypodium elegans*) de folhas penadas, flores amarelas ou alaranjadas, racemosas, e fruto que é uma vagem pedunculada, coriácea, com uma semente na extremidade mais larga; fornece madeira dura, de alburno branco e cerne pardo-claro. [Sin.: *amendoim-bravo, ipê-branco, jacarandá-branco*.] 2. *Bras. MG SP MT Bot.* Árvore fabácea (*Pterodon emarginatus*) de casca fina e lisa, que encerra óleo essencial aromático, flores vermelho-pálidas, paniculadas, e fruto que é uma vagem de ótima qualidade. [Sin.: *fava-de-sucupira, sucupira-branca*.] 3. *Bras. Bot.* Árvore cesalpiniácea (*Pterogyne nitens*) nativa do N.O. do Brasil à Argentina, de folhas penadas, pequenas flores amarelas, racemosas, e frutos que são vagens achatadas, monospérmicas; a madeira, nobre, é us. em marcenaria. [Sin.: *madeira-nova, passarinho*.] 4. *Bras. Bot.* V. *farinha* (3). 5. *Bras. Bot.* V. *canafístula* (3). 6. *Bot.* V. *coração-de-negro* (1). 7. *Bras. PB* V. *mentiroso* (4). ● *Adj.* 8. *Bras. PB* V. *mentiroso* (1).

faveiro-do-cerrado *S. m. Bras. Bot.* V. *farinha* (3). [Pl.: *faveiros-do-cerrado*.]

favela[1] [Do top. *Favela* (< *fava* + *-ela*), do *Morro da Favela* (RJ), assim denominado pelos soldados que ali se estabeleceram ao regressar da campanha de Canudos.] *S. f. Bras.* Conjunto de habitações populares toscamente construídas (por via de regra em morros) e com recursos higiênicos deficientes. [Sin.: *morro* (RJ) e *caixa de fósforos* (SP). Cf. *bairro de lata*.]

favela[2] [De *fava* + *-ela*; lat. cient. *favella*.] *S. f.* V. *faveleiro*.

favela-branca [De *favela*[2] + o f. de *branco*.] *S. f. Bras. PE a SP Bot.* Árvore fabácea (*Enterolobium ellipticum*) de flores sésseis alvo-amareladas de corola monopétala, dispostas em capítulos, e cujo fruto é vagem coriácea, curvada, com várias sementes. Fornece madeira dura, pesada e bonita, própria para marcenaria. [Sin.: *angico-de-minas, angico-vermelho-do-campo, brinco-de-sagui, orelha--de-negro, sene*. Pl.: *favelas-brancas*.]

favelado [De *favela*[1] + *-ado*[1].] *Adj. S. m. Bras.* Habitante de favela (1); favelista: "A favela de Santa Marta foi toda eletrificada pelos favelados com recursos arrecadados pelo grupo." (*Jornal do Brasil*, 24.01.1982.)

faveleira [De *favela*[2] + *-eira*.] *S. f. Bras. PI a SP* V. *faveleiro*.

faveleiro [De *favela*[2] + *-eiro*.] *S. m. Bras. PI a SP Bot.* Grande arbusto euforbiáceo (*Jatropha phyllacantha*) de flores alvas, dispostas em cimeiras, e cujo fruto é cápsula verrucosa, escura, com sementes pardacentas e oleaginosas; favela, faveleira, mandioca-brava.

favelista [De *favela*[1] + *-ista*.] *Adj. 2 g. S. 2 g.* Favelado.

favelização [De *favelizar* + *-ção*.] *S. f.* 1. *Bras.* Formação de favelas (v. *favela*[1]). 2. Processo de grande decadência de área habitada.

favelizar-se *V. p.* 1. Adquirir aspecto ou condição de favela[1]: *Era um prédio de bom nível, mas favelizou-se.* 2. Receber (um terreno, uma região) construções toscas, típicas de favela[1]: *As encostas do Rio favelizam-se rapidamente.*

faveolado [De **favéolo*, dim. de *favo*, + *-ado*[1].] *Adj.* V. *faviforme*.

faviforme (à) [De *favo* + *-iforme*.] *Adj. 2 g.* Que apresenta forma de favo (1); faveolado, alveolado.

favila [Do lat. *favilla*.] *S. f.* 1. Resíduo de fogo em que predomina a cinza. 2. V. *cinza* (1).

favinha-brava [De *favinha* + o f. de *bravo*.] *S. f. Bras. MG SP Bot.* 1. Designação de várias trepadeiras fabáceas do gênero *Rhynchosia*. 2. Trepadeira fabácea (*Rhynchosia phaseoloides*) dotada de flores amarelas dispostas em racimos axilares, e cujos frutos são vagens, com sementes bicolores; olho-de-pombo, manduvirana. 3. Trepadeira fabácea (*Rhynchosia lobata*) de flores amarelas, us. como forragem; feijão-do-mato, feijãozinho-bravo, olho-de-cabra-miúdo. [Pl.: *favinhas-bravas*.]

favismo [De *fava* + *-ismo*.] *S. m. Med.* Anemia hemolítica, de evolução aguda, causada pela ingestão de fava (*Vicia faba*), ou pela inalação de seu pólen, em indivíduos com lesão bioquímica hereditária de glóbulos vermelhos.

favo [Do lat. *favu*.] *S. m.* 1. Alvéolo ou conjunto de alvéolos onde as abelhas depositam o mel: "Toda a colmeia em alvoroço dispersou assustada ao golpe daquela espada de fogo celeste que deixava à vista os morenos favos de cera cheios de mel." (Raimundo Morais, *País das Pedras Verdes*, p. 49.) 2. *Fig.* Aquilo que é semelhante ao alvéolo. 3. Coisa doce, agradável. 4. *Derm.* Infecção cutânea causada pelo *Tricophyton schoenleini*, e caracterizada pela formação de crostas amarelas em forma de taça, que, aumentando de tamanho, vêm a constituir massas semelhantes a favos [v. *favo* (1)]; tinha favosa.

favonear [De *favônio* + *-ear*[2].] *V. t. d.* Favorecer, proteger, propiciar; patrocinar. [Conjug.: v. *frear*.]

favoniar *V. t. d.* V. *favonear*.

favónio *S. m. Adj.* V. *favônio*. [Uso freq. em P.]

favônio [Do lat. *favoniu*.] *S. m.* 1. Entre os antigos, vento brando do poente: "Pelas corolas túmidas de orvalho / Suspirava um favônio, carinhoso, / Com invisíveis mãos pulsando, leve, / Doce alaúde, ou bandolim mavioso" (Raimundo Correia, *Poesias*, p. 50). 2. *P. ext.* Vento propício, próspero. ● *Adj.* 3. Propício, favorável (vento).

favor (ô) [Do lat. *favore*.] *S. m.* 1. Serviço prestado a alguém com disposição amistosa; aquilo que se faz por ou para alguém sem receber ou esperar receber nada em troca; obséquio: *Solicitar, agradecer um favor.* 2. Benefício concedido; mercê, graça. 3. Benefício, bem, interesse: *Trabalho em seu favor, e não contra você.* 4. Decisão propícia e/ou indulgente; aprovação: *Com o favor da diretoria, seu projeto foi aceito.* 5. Proteção, patrocínio: *Nesta licitação, não pesa o favor dos altos escalões.* 6. Agrado, simpatia: *Com seu talento, o artista em breve conquistou o favor do público.* 7. Falta de isenção no julgar; parcialidade: *É incompetente, mas, com o favor do chefe, foi promovida.* 8. Condição favorável, propícia: "uma galera toda em pano, entrando num favor da aragem, vagarosa, no vermelho da tarde" (Eça de Queirós, *Os Maias*, 1º vol., p. 16). 9. Carta, missiva. ◆ **A favor.** De modo favorável: *Ninguém ousou pronunciar-se nem a favor nem contra.* **A favor da corrente.** Aproveitando a ajuda ou benefício de algo. **A favor de.** 1. Em benefício ou em proveito de algo ou de alguém; com certa finalidade: *Trabalhou a favor da aprovação da emenda;* 2. De acordo com, em defesa ou em prol de (algo ou alguém); favorável: *Ele está/é a favor da reeleição.* [Sin. ger.: *em favor de*.] **A favor do vento.** 1. Na direção do vento, seguindo-lhe a direção. 2. *Fig.* Conforme a situação, a ocasião, a ordem estabelecida, ou o senso comum. **A meu (teu, seu) favor.** Em meu (teu, seu) benefício ou proveito: *O domínio do idioma contou a seu favor na escolha da diretoria.* **De favor.** Graças à gentileza ou bondade de alguém (sem pagar por algo): *Ele mora de favor na casa de amigos.* **Dever favores a.** Estar na obrigação de retribuir um auxílio, obséquio ou gentileza. **Em favor de.** V. *a favor de*. **Fazer (o) favor de.** Expressão us. para pedir que alguém faça ou deixe de fazer algo: *Menino, faça o favor de pegar aquela cadeira.* [Em geral é us. como expressão de cortesia, mas por vezes pode expressar uma ordem de maneira educada.] **Faz favor também se diz.** Expressão com que se repreende alguém que solicita algo de maneira pouco polida, indelicada ou arrogante. [Sin.: *faz favor também se usa, por favor também se diz, por favor também se usa*.] **Faz favor também se usa.** V. *faz favor também se diz*. **Por favor.** 1. Expressão de cortesia para pedir algo a alguém: *Sua licença, por favor.* 2. *Restr.* Expressão de cortesia us. para pedir uma informação: *Que horas são, por favor?; Por favor, onde fica a rua do Ouvidor?* **Por favor também se diz.** V. *faz favor também se diz*. **Por favor também se usa.** V. *faz favor também se diz*. **Ter (alguma coisa) a seu favor.** Ter (algo) em benefício, em proveito: *Ele tem a beleza a seu favor.*

favorável [Do lat. *favorabile*.] *Adj. 2 g.* 1. Que favorece, auxilia, propicia; propício, conveniente, benigno. 2. Que é em favor de alguém ou de algo.

favorecedor (ô) [De *favorecer* + *-dor*.] *Adj. S. m.* Que, ou aquele que favorece.

favorecer [De *favor* + *-ecer*.] *V. t. d.* 1. Ser em favor de (alguém); dar auxílio a; apoiar, defender, proteger, beneficiar: *Em vez de me prejudicar, a demora favoreceu-me.* 2. Fazer favor ou obséquio a; obsequiar: Favoreceu o amigo calando a questão. 3. Proteger com parcialidade: *Em toda a questão ela favorece o filho caçula.* 4. Dar mais força a; corroborar: *As respostas evasivas do réu favoreceram as suspeitas do juiz.* 5. Realçar o mérito de; mostrar (alguém ou algo) como melhor do que é: *O pintor favoreceu-a naquele retrato.* *T. d. e i.* 6. Dotar, beneficiar: *Deus a favoreceu com uma bela aparência.* *P.* 7. Valer-se, servir-se, aproveitar-se: *Favoreceu--se do amigo para alcançar o emprego.* [Conjug.: v. *aquecer*.]

favorecido [Part. de *favorecer*.] *Adj.* 1. Protegido; auxiliado. 2. Diz-se do retrato em que o modelo aparece mais bonito do que o é na realidade. 3. V. *beneficiário* (1). ● *S. m.* 4. V. *beneficiário* (2).

favorecimento [De *favorecer* + *-imento*.] *S. m.* Ato de favorecer(-se). ◆ **Favorecimento pessoal.** *Dir. Proc. Penal* Auxílio que se presta ao criminoso, ao escondê-lo, para livrá-lo da sanção penal, procurando subtraí-lo da ação da autoridade competente. **Favorecimento real.** *Dir. Proc. Penal* Ajuda que se presta, fora dos casos de coautoria ou receptação, para ocultação do produto do crime.

favorita [Fem. de *favorito*.] *S. f.* 1. A mais favorecida; a mais querida; a predileta. 2. *Restr.* A amante de um rei.

favoritismo [De *favorito* + *-ismo*.] *S. m.* 1. Preferência dada a favorito. 2. Proteção com parcialidade.

favorito [Do it. *favorito*.] *Adj.* 1. Amado com preferência; predileto: *amigo favorito*. 2. Escolhido entre dois ou mais; preferido: *assunto favorito; passeio favorito.* 3. *Turfe* Diz-se do cavalo mais apostado num páreo. 4. *Esport.* Diz-se do competidor ou da equipe com mais chances de vitória. ● *S. m.* **5.** Aquele que é o favorito, o predileto. **6.** Cavalo favorito (3).

favoso (ô) [De *favo* + *-oso*.] *Adj. Bot.* Diz-se de órgão vegetal com pequenas cavidades à superfície. ~ V. *tinha —a.*

fax [Do ingl. *fax*, abrev. de *fac s(imile transmission)*, 'transmissão fac-similar'.] *S. m. 2 n.* **1.** Equipamento que reproduz documentos à distância, através de linha telefônica. [Consiste, usualmente, em um aparelho capaz de gerar a imagem digital do documento a ser reproduzido, e transmiti-la a outro aparelho similar, que imprime uma cópia em papel.] **2.** Documento transmitido por um aparelho de fax.

faxina [Do it. *fascina*.] *S. f.* **1.** Feixe de ramos, ou de paus curtos, com que se entopem fossos ou se cobrem parapeitos de bateria, e us. para outros fins nas campanhas militares. **2.** Feixe de ramos com que se entulham estradas, pântanos, etc., sobre os quais se hão de fazer construções. **3.** Lenha miúda; gravetos. **4.** Molho de lenha. **5.** Unidade de peso para lenha, de cerca de 60kg. **6.** Serviço de limpeza ou de condução de rancho nas casernas. **7.** *P. ext.* Limpeza geral. **8.** *Fig.* Estrago, destruição. **9.** *Fig.* Desfalque, alcance. **10.** *Bras. PE* Varas finas e flexíveis com que se fazem cercas, entretecendo-as com outras varas horizontais mais grossas. **11.** *Bras. RS* Trecho alongado de campo que penetra a floresta; faxinal. **12.** *Bras. S.* Campo de pastagem entremeado de arvoredo esguio; faxinal. ● *S. m.* **13.** *Bras. S.* Faxineiro (1).

faxinal [De *faxina* + *-al*[1].] *S. m. Bras. S.* V. *faxina* (11 e 12).

faxinalense[1] *Adj. 2 g.* **1.** De, ou pertencente ou relativo a Faxinal (PR). ● *S. 2 g.* **2.** O natural ou habitante de Faxinal.

faxinalense[2] *Adj. 2 g.* **1.** De, ou pertencente ou relativo a Faxinal dos Guedes (SC). ● *S. 2 g.* **2.** O natural ou habitante de Faxinal dos Guedes.

faxinalzinhense *Adj. 2 g.* **1.** De, ou pertencente ou relativo a Faxinalzinho (RS). ● *S. 2 g.* **2.** O natural ou habitante de Faxinalzinho.

faxinamento [De *faxinar* + *-mento*.] *S. m.* Ato ou efeito de faxinar.

faxinar [De *faxina* + *-ar*[2].] *V. t. d.* **1.** Formar feixes de, juntar em feixes; enfeixar. **2.** Fazer faxina (6 e 7) em. **3.** Entupir (fossos, pântanos) com faxina (1 e 2). **4.** *Pop.* Fazer faxina (3) em: *Faxinou toda a casa para receber as visitas.* [Fut. pret.: *faxinaria*, etc. Cf. *faxinaria*, s. f.]

faxinaria [De *faxina* (6) + *-aria*.] *S. f. Bras.* Compartimento, armário ou caixa onde se guarda, a bordo, material de limpeza e tratamento do navio. [Cf. *faxinaria*, do v. *faxinar*.]

faxina-vermelha [De *faxina* + o f. de *vermelho*.] *S. f. Bras. Bot.* Pequena árvore sapindácea (*Dodonea viscosa*) dotada de propriedades febrífugas, com flores amarelo-esverdeadas, apétalas, reunidas em pequenos corimbos axilares, e cujo fruto é cápsula samaroide, alva com máculas arroxeadas, alaranjadas ou vermelhas, que contém sementes pretas; faxino-vermelho, erva-de-veado, vassoura-do-campo, vassoura-vermelha, vassourinha-do-mato. [Pl.: *faxinas-vermelhas*.]

faxineira [De *faxina* + *-eira*.] *S. f.* **1.** *Bras.* Toalha que certos marinheiros usam ao pescoço, para enxugar o suor, quando executam serviços pesados. **2.** *Bras.* Fem. de *faxineiro*. **3.** *Bras. SP* Certa modalidade de fandango (5).

faxineiro [De *faxina* + *-eiro*.] *S. m.* **1.** Aquele que nos quartéis tem serviço de faxina; faxina. **2.** *P. ext.* Encarregado da faxina (7).

faxino-vermelho *S. m. Bras. Bot.* V. *faxina-vermelha.* [Pl.: *faxinos-vermelhos*.]

➔**fax-modem** [fæks 'mowdɛm] [Ingl.] *S. m. Inform.* Dispositivo de comunicação para computadores, que reúne tanto as funções de um *modem* convencional quanto as de envio e recepção de fax [v. *fax* (2)].

faz de conta [Da 3ª pess. do pres. do ind. de *fazer* + *de* + *conta*.] *Adj. 2 g. e 2 n.* **1.** *Bras. RS* Diz-se de marido enganado pela mulher. ● *S. m. 2 n.* **2.** Imaginação, fantasia: *Vive fora da realidade, no mundo do faz de conta.* **3.** *Bras. RS* Marido enganado pela mulher. V. *corno* (9). ☑ nota 1

fazedoiro [De *fazer* + *-doiro*[1].] *Adj. Desus.* Fazedouro (q. v.).

fazedor (ô) [De *fazer* + *-dor*.] *Adj.* **1.** Que faz; feitor. ● *S. m.* **2.** Aquele que faz ou costuma fazer: "Amplo e legítimo orgulho para todos os legistas e para todos os fazedores de sociologias." (Eça de Queirós, *Cartas Familiares e Bilhetes de Paris*, p. 133.) **3.** Aquele que cumpre ou executa. ◆ **Fazedor de anjos.** *Pop.* Aquele que faz abortos [v. *aborto* (1)] criminosos.

fazedouro [De *fazer* + *-douro*[1]; var. de *fazedoiro*.] *Adj. Desus.* Que se pode ou deve fazer.

fazenda [Do lat.-hisp. vulg. **facienda*, **facenda*, 'coisas que devem ser feitas'.] *S. f.* **1.** Conjunto de bens; haveres: "O pai [em tempo de guerra] não tem seguro o filho, o rico não tem segura a fazenda, o pobre não tem seguro o seu suor" (Pe. Antônio Vieira, *Sermões*, XIV, p. 9). **2.** Grande propriedade rural, de lavoura ou de criação de gado. [Sin. no RS, nesta acepç.: *estância*. Dim. irreg.: *fazendola*.] **3.** *Tec. Têx.* V. *tecido* (3) **4.** Mercadoria; gêneros. **5.** *Econ.* Recursos financeiros do poder público; fazenda pública, fisco, tesouro público, erário. **6.** *Econ.* Área da administração pública que trata da gestão das finanças públicas e da fixação e implementação de políticas econômicas: *Ministério da Fazenda, Secretaria da Fazenda.* **7.** *Fig.* Qualidade, jaez, estofa. **8.** *Pop. Desus.* Mulher bonita, vistosa, atraente; peixão, pancadão: "— E aquela francesa, hem? Que pancadão! Uma fazenda supimpa!" (Cardoso de Oliveira, *Dois Metros e Cinco*, p. 49.) **9.** *Econ. Cont.* Azienda. ◆ **Fazenda marinha.** Criatório de frutos do mar. **Fazenda pública.** *Econ.* V. *fazenda* (5): *Será exigida prova de quitação dos tributos devidos à fazenda pública.*

fazenda-modelo *S. f. Bras.* Fazenda (2) cuja organização e métodos de exploração servem ou podem servir de modelo. [Pl.: *fazendas-modelos* e *fazendas-modelo*.]

fazenda-novense *Adj. 2 g.* **1.** De, ou pertencente ou relativo a Fazenda Nova (GO). ● *S. 2 g.* **2.** O natural ou habitante de Fazenda Nova. [Pl.: *fazenda-novenses*.]

fazendão [De *fazenda* (8) + *-ão*[1].] *S. m. Bras. Pop. Desus.* Mulher alta e corpulenta; peixão; fazenda.

fazendário [De *fazenda* + *-ário*.] *Adj.* Respeitante à fazenda pública; financeiro.

fazendeiro [De *fazenda* + *-eiro*.] *Adj.* **1.** Relativo ou pertencente a, ou próprio de fazenda (2): *ambiente fazendeiro; hábitos fazendeiros.* **2.** Que tem e/ou cultiva fazendas. ● *S. m.* **3.** Dono de fazenda (2). **4.** *Bras. Gloss.* Crioulo (12) de base portuguesa, com elementos do italiano e de línguas africanas, utilizado em áreas rurais do estado de São Paulo. **5.** *Bras. Bot.* Planta asterácea (*Galinsoga parviflora*) herbácea e glabra, considerada erva má, invasora de terras cultivadas, cujas flores são hermafroditas, alvas e amarelas, e as centrais férteis, reunidas em capítulos irregulares e corimbosos, e cujo fruto é aquênio anguloso com papo paleáceo e sem aristas; picão-branco.

fazendense *Adj. 2 g.* **1.** De, ou pertencente ou relativo a Fazenda Rio Grande (PR). ● *S. 2 g.* **2.** O natural ou habitante de Fazenda Rio Grande.

fazendista [De *fazenda* + *-ista*.] *S. 2 g.* Pessoa versada em assuntos da fazenda pública.

fazendola [De *fazenda* + *-ola*[1].] *S. f.* Pequena fazenda (2): "Por uma tarde .... de inverno, o bando do Rio Preto .... apeava numa fazendola insulada no vasto plaino do sertão da Paraíba." (Gustavo Barroso, *Terra de Sol*, p. 134.)

fazendória [De *fazenda* + o f. de *-ório*.] *S. f. Deprec.* Fazenda (2) pouco importante.

fazer [Do lat. *facere*.] *V. t. d.* **1.** Dar existência ou forma a; produzir física ou moralmente; criar: *Deus fez o mundo em seis dias.* **2.** Construir, edificar: *Os espanhóis fizeram igrejas sobre os templos dos deuses astecas.* **3.** Fabricar, manufaturar: *fazer uma estante; fazer um boneco.* **4.** Produzir intelectualmente; escrever, compor: *fazer um romance; fazer uma sonata.* **5.** Praticar, obrar, executar, realizar: *Fez um gesto de assentimento;* "Fez morte por jactância, ... outras em defesa própria." (Bulhão Pato, *Memórias*, II, p. 143); "Por que tão tristes e fechados vamos? / Negro crime fazemos!" (Eugênio de Castro, *Obras Poéticas*, V, p. 170). **6.** Dar, produzir, executar: "Divertia-se em olhar para as gaivotas, que faziam grandes giros no ar" (Machado de Assis, *Várias Histórias*, p. 51). **7.** Aparar, cortar, etc., ou mandar que o façam: *fazer o cabelo, a barba, as unhas;* "Os rapazes .... parece que fazem a barba uma vez por semana, na feira." (José Carlos Cavalcanti Borges, *Padrão G*, p. 22). **8.** Pintar, esculpir, gravar, talhar, etc. (obra de arte). **9.** Proferir, enunciar, exprimir, formular: *fazer uma promessa; Fez votos cordiais.* **10.** Dar origem a; ser causa de; produzir: "Ninguém é mais adulado que os tiranos: o medo faz mais lisonjeiros que o amor." (Marquês de Maricá, *Máximas, Pensamentos e Reflexões*, p. 24); *Fez um barulho que acordou a criança.* **11.** Pôr em ordem; dispor, arranjar: *Faz a cama ao levantar-se.* **12.** Preparar, cozinhando: *Fez o jantar.* **13.** Trabalhar em: *Não faz nada, e está sem vintém; Faz carretos.* **14.** Dar, dispensar: *fazer esmolas.* **15.** Alcançar, conseguir, por influência ou empenho: *Fez que nomeassem o filho.* **16.** Propiciar a formação, educação, instrução, etc., de: *Sua força de vontade o fez.* **17.** Inspirar, despertar, acordar no ânimo (um sentimento): *Faz pena vê-lo assim.* **18.** V. *fazer que.* **19.** Formar, conceber: "Você pode fazer uma pequena ideia do meu martírio, obrigada a viver com um homem que me odeia!" (Joraci Camargo, *Anastácio*, p. 92.) **20.** Tomar ou adquirir a forma de; formar: *A estrada, naquele ponto, faz um S.* **21.** Dedicar-se a, consagrar-se a, sobretudo profissionalmente: *Deixou o emprego público e hoje faz teatro.* **22.** Representar o papel (4) de: *Fez um Hamlet extraordinário.* **23.** Amealhar, juntar, economizar: *No negócio em que se meteu, em pouco tempo, fez muito dinheiro.* **24.** Editar, lançar (livro, disco, etc.). **25.** Percorrer, andar; viajar: *Ao meio-dia já fizera um longo trecho da estrada; Já fez toda a Europa, e agora pretende ir à Ásia.* **26.** Ir às compras em; percorrer para fazer compras: *fazer a feira, o supermercado.* **27.** Seguir o curso (8 e 9) de; cursar: *Ele fazia medicina, quando nos conhecemos.* **28.** Comer (1): *fazer um lanche, uma refeição.* **29.** Passar a ter; conquistar: *fazer amigos.* **30.** Submeter-se à coleta de material para (exame): *fazer exame de sangue.* **31.** Funciona como verbo vicário: "Quis rir, e fê-lo mal." (Machado de Assis, *Quincas Borba*, p. 325); "Meu pai .... pediu-me que eu pegasse uma das alças do caixão fúnebre do padre velho. Fi-lo, numa grande tristeza no coração." (Lima Júnior, *Alguns Homens do Meu Tempo*, p. 17). **32.** Seguido de um verbo no infinitivo, emprega-se como 'ser causa de', 'obrigar', 'constranger': *O terremoto fez tremer a cidade; A chegada dos moradores fez recuar os assaltantes.* **33.** *E. Ling.* Apresentar (certa flexão ou terminação): *O verbo vir faz vier no futuro do subjuntivo; Mão faz mãos no plural.* **34.** *Pop.* Expelir, excretar: *A criança fez xixi na cama.* **35.** *P. us.* Dar, aplicar (injeção). ● *Impess.* **36.** Haver, existir, ocorrer (determinado estado atmosférico ou fenômeno meteorológico); estar: "Faz frio. Há bruma. Agosto vai em meio." (Vicente de Carvalho, *Poemas e Canções*, p. 130); *Fazia um belo sol; Hoje de manhã fez um nevoeiro forte.* **37.** Ter decorrido, passado (determinado período de tempo); haver: "Fui a Viseu... em maio fez dois anos" (Tomás Ribeiro, *D. Jaime*, p. 38); "Fazia um ano que se realizara, na noite de S. João, uma grande festa na casa-grande da fazenda." (Adalberon Cavalcanti Lins, *Curral Novo*, p. 320). *T. d. e i.* **38.** Inspirar, despertar: *A ofensa fez-lhe grande tristeza.* **39.** Converter, reduzir. **40.** Causar, ocasionar: *Não faças mal ao pequeno!* **41.** Dizer respeito; interessar: *Que lhe faz esta nomeação?* **42.** Conceder, tributar, prestar: *Fez grande obséquio ao amigo, e este o traiu.* **43.** Transformar, converter: *Fez do pobre filho um sábio.* **44.** Conseguir, obter: *Fez 11 pontos na loteria esportiva.* *Transobj.* **45.** Converter em; tornar: "Os governos fracos fazem fortes os ambiciosos e insurgentes." (Marquês de Maricá, *Máximas, Pensamentos e Reflexões*, p. 24); *Fez o filho médico;* "as longas vigílias fizeram-me pálido" (Machado de Assis, *Helena*, p. 262). **46.** Destinar (para cargo ou emprego): "Quiseram fazê-lo deputado." (Machado de Assis, *Páginas Recolhidas*, p. 38.) **47.** Elevar à dignidade de: *Fez o prefeito governador do estado.* *T. i.* **48.** Importar, interessar: *Nada disso faz ao caso, podes ficar tranquilo.* **49.** Dizer respeito; importar: *Que me fazem os teus caprichos?* **50.** Diligenciar; esforçar-se: *Faça por ser um bom aluno;* "Faze por ser feliz" (Olegário Mariano, *Toda uma Vida de Poesia*, II, p. 437); "Fez por parecer alegre." (Manuel Bandeira, *Estrela da Vida Inteira*, p. 49). **51.** Fingir, simular: *Faz de severo, mas é um trocista.* *T. c.* **52.** Completar, atingir: *Fez ontem 20 anos;* "Quando fizeram dez anos de casados, Elvira já se transformara numa matrona." (Lêdo Ivo, *O Flautim*, p. 53). **53.** Vender por (preço mais módico); deixar por: "O preço dele é noventa cruzeiros, mas para você, que é freguês, faço por cinquenta." (Adovaldo Fernandes Sampaio, *O Sol na Rede*, p. 23.) **54.** Fazer (25): "fizera os duzentos quilômetros do sertão ao litoral, parte de trem, outra parte a pé" (Raquel de Queirós, *100 Crônicas Escolhidas*, p. 3). *Int.* **55.** Proceder, portar-se, avir-se: *Faça como seu irmão, que soube tornar-se um homem de bem.* *P.* **56.** Tornar-se, converter-se, transformar-se: *O rapazinho fez-se adulto.* **57.** Tornar-se, ficar: "Artur fez-se vermelho de prazer." (Eça de Queirós, *A Capital*, p. 202.) **58.** Constituir-se em certo emprego ou dignidade: *Fez-se a si mesmo imperador.* **59.** Vir a ser; tornar-se: "Nascido de pais humildes, órfão desde cedo, menino afeito ao trabalho, fez-se pelas próprias mãos [Machado de Assis] o maior escritor brasileiro." (Astrogildo Pereira, *Machado de Assis*, p. 13); *Far-se-á, com o tempo, um grande homem.* **60.** Fingir-se; simular ser: *Fez-se de ignorante para não responder.* [Irreg. Pres. ind.: *faço, fazes, faz, fazemos, fazeis, fazem*; imperf.: *fazia, fazias*, etc.; perf.: *fiz, fizeste, fez* (ê), *fizemos, fizestes, fizeram*; m.-q.-perf.: *fizera, fizeras*, etc.; fut. pres.: *farei, farás*, etc.; fut. pret.: *faria, farias*, etc.; imperat.: *faze*, ou *faz, fazei*, etc.; pres. subj.: *faça, faças*, etc.; imperf.: *fizesse, fizesses*, etc.; fut.: *fizer, fizeres*, etc.; inf. pess.: *fazer*,

F

fazeres, etc.; ger.: *fazendo*; part.: *feito*. Cf. *fês*, pl. de *fê*; *fez*, s. f.; e *fase*, s. f.] ◆ **Fazer de tudo.** Trabalhar em muitas coisas. **Fazer e acontecer.** *Bras.* Fazer livremente o que bem entende. **Fazer e desfazer.** Mandar e desmandar. **Fazer por onde. 1.** Procurar jeito (de fazer algo): *Fiz por onde abrandá-lo, e não o consegui.* **2.** Dar motivo a (algo, algum fato): *Foi castigado sem fazer por onde.* **Fazer que. 1.** Obrigar a; causar: *Estava imóvel e fiz que se movesse.* **2.** Fingir, simular: *Faz que trabalha, mas diverte-se; Fez que não viu o amigo.* **Fazer-se rogar.** Gostar de que lhe peçam algo com insistência. **Fazer ver. 1.** Expor à vista; mostrar. **2.** Chamar a atenção para; advertir. **Não fazer por menos. 1.** Agir resolutamente, e sem perda de tempo, sem questionar: *F. candidatou-se ao emprego, e o ministro não fez por menos: nomeou-o imediatamente.* **2.** Revidar rápida e decididamente: *Levou um soco, e não fez por menos: derrubou o adversário.* **Tanto fazer.** Ser indiferente: “tanto lhe faz ser eleito vereador como comer uma posta de pirarucu assado.” (Inglês de Sousa, *O Coronel Sangrado*, pp. 111-112).

fazimento [De *fazer* + *-imento*.] ***S. m.*** Ato ou efeito de fazer(-se).

fazível [De *fazer* + *-ível*.] ***Adj. 2 g.*** V. *factível*.

faz-tudo [De *faz*, do v. *fazer*, + *tudo*.] ***S. 2 g. e 2 n.*** **1.** Pessoa que exerce variadas indústrias ou se ocupa em múltiplos misteres. **2.** Pessoa que conserta objetos estragados, sobretudo domésticos. **3.** Estabelecimento onde se consertam esses objetos.

■ **FBCN** Sigla de *Fundação Brasileira para a Conservação da Natureza*.

■ **Fe** *Quím.* Símb. de *ferro*.

fé [Do lat. *fide*.] ***S. f.*** **1.** Crença religiosa: *De tanto sofrer, perdeu até a fé.* **2.** Conjunto de dogmas e doutrinas que constituem um culto: *a fé muçulmana; a fé católica.* **3.** *Rel.* A primeira virtude teologal: adesão e anuência pessoal a Deus, seus desígnios e manifestações. **4.** Firmeza na execução de uma promessa ou de um compromisso. **5.** Crença, confiança. **6.** Asseveração de algum fato. **7.** Testemunho autêntico que determinados funcionários dão por escrito acerca de certos atos, e que tem força em juízo. [Cf. *fê*.] ◆ **Fé conjugal.** Fidelidade conjugal. **Fé de ofício. 1.** A fé que se funda na honra do cargo ou da profissão de quem atesta ou abona. **2.** Folha de serviço dum funcionário público ou dum militar. **Fé do carvoeiro.** Crença cega. **Fé pública.** Presunção legal de autenticidade, verdade ou legitimidade de ato emanado de autoridade ou de funcionário devidamente autorizado, no exercício de suas funções. **Fé púnica.** Deslealdade, perfídia. **À falsa fé.** Falsamente, deslealmente; com traição: “O certo é que durante a larga demora que sofreu a ratificação, e sobretudo a notificação do tratado, apossaram-se [os holandeses] à falsa fé, e quase sem resistência, de Sergipe e Maranhão, no Brasil; e de Angola, em África” (João Francisco Lisboa, *Obras*, IV, p. 39). **À fé.** Na verdade, por certo; a la fé. **A la fé.** V. *à fé*: “A la fé .... que a festa de vossos anos .... será mais de mancebo cavaleiro que de capitão encanecido e prudente.” (Alexandre Herculano, *Lendas e Narrativas*, II, p. 82.) **Dar fé a.** Acreditar em; acreditar, crer. **Dar fé de. 1.** Afirmar como verdade; testificar. [Cf. *tomar fé*.] **2.** Garantir, por encargo legal, a verdade ou a autenticidade do texto de um documento ou de um relato, de uma assinatura, etc. **3.** Perceber, notar, ver: *Nem deu fé da minha presença.* **Dar por fé. 1.** Afirmar como verdadeiro; certificar. **2.** Garantir, por encargo legal, a verdade ou autenticidade do conteúdo de um documento ou relato; portar por fé. **Fazer fé. 1.** Ser digno de crédito. **2.** Prestar testemunho autêntico. **Fazer fé em.** V. *ter fé em*. **Fazer uma fé em.** V. *fezinha*. **Levar fé em.** V. *ter fé em*: *Não levo fé nesse projeto.* **Portar por fé.** Dar por fé (2). **Ter fé.** Ser digno de crédito. **Ter fé em.** Depositar confiança em; confiar; acreditar; fazer fé em, levar fé em. **Tomar fé.** *Cabo-verd.* Tomar conhecimento; notar: “sombra e silhueta de árvore, sem que elas tomassem fé, tinham descido ao fundo da sua alma.” (Antônio Aurélio Gonçalves, *Noite de Vento*, p. 184). [Cf. *dar fé de*.]

fê ***S. m.*** *Bras. AL SE BA* Efe (1). [Pl.: *fês*. Cf. *fez* (ê), do v. *fazer* e s. m., *fez* (é) e *fé*.]

fealdade [Do lat. **foedalitate*, por *foeditate*.] ***S. f.*** **1.** Qualidade de feio: “Era uma menina muito feia, mas da fealdade núbil que promete à donzela esplendores de beleza.” (José de Alencar, *Diva*, p. 195.) [Sin. (bras.): *feiura* e (MG) *feiume*.] **2.** Indignidade, desdouro.

➔ **feature** [ˈfiјtʃɚ] [Ingl.] ***S. f.*** *Jorn.* Matéria jornalística de grande liberdade estilística, ger. sem cunho factual e imediato, e que ocupa, muitas vezes, o caderno cultural dos jornais.

■ **FEB** Sigla de *Força Expedicionária Brasileira*.

■ **Febec** Sigla de *Federação Brasileira dos Exportadores de Café*.

■ **Febem** Sigla de *Fundação Estadual do Bem-Estar do Menor*.

febeu [Do gr. *phoíbeios* ou *phoibéïos*, pelo lat. *phoebeu*.] ***Adj.*** Relativo a, ou próprio de Febo. [Fem.: *febeia*.]

febo [Do mit. greco-romano *Febo* (lat. *Phoebus*), ‘o deus do Sol’.] ***S. m.*** O Sol. [Com cap.]

febra (ê) [Do ár. *habra(t)*, ‘pedaço de carne sem osso’.] ***S. f.*** **1.** Carne sem osso nem gordura: “gostávamos de ocupar o canto ao pé da porta que dava para a cozinha e mandar vir febras, saladas, batatas fritas, queijos secos e azeitonas” (Clara Pinto Correia, *Ponto Pé de Flor*, p. 39). **2.** Fibra, ligamento, músculo, nervo. **3.** Lasca ou fibra de madeira. **4.** *Fig.* Força; energia, têmpera.

■ **Febraban** Sigla de *Federação Brasileira das Associações de Bancos*.

febrão [De *febre*[1] + *-ão*[1].] ***S. m.*** Forte acesso de febre; febre violenta: “— Tem um febrão de respeito.” (Brito Camacho, *Quadros Alentejanos*, p. 256.)

febre[1] [Do lat. *febre*.] ***S. f.*** **1.** *Med.* Elevação da temperatura corporal por efeito de doença. [Dim.: *febrícula*.] **2.** *Fig.* Grande perturbação de espírito; exaltação. **3.** Desejo ardente; ânsia de possuir, de alcançar alguma coisa: *febre de fortuna, de glória*; “Não era tanto a vontade de fugir a Maria Bárbara o que lhe fazia desejar com tamanha febre aquela viagem ao Rosário” (Aluísio Azevedo, *O Mulato*, p. 121). ~ V. *febres*. ◆ **Febre aftosa.** *Med.* Doença produzida por vírus, altamente contagiosa, que incide em bovinos, suínos e ovinos, e, muito raramente, no homem. [Tb. se diz apenas *aftosa*.] **Febre amarela.** *Med.* Doença produzida por vírus, que ocorre em regiões tropicais e subtropicais da África e América, tendo outrora apresentado incidência significativa em áreas temperadas, sob a forma de epidemias, no verão. Há uma forma urbana (transmissão de homem a homem, através de mosquito), e uma silvestre (transmissão de mosquito a homem). [Sin.: *vômito-negro, tifo icteroide*.] **Febre amarela silvestre.** *Med.* Aquela em que é de animais que o mosquito vetor adquire a infecção, e que afeta, mais frequentemente, indivíduos que trabalham em florestas ou que habitam perto delas. **Febre amarela urbana.** *Med.* Aquela em que é do homem que o mosquito vetor (que prolifera, em geral, perto de residências) adquire a infecção, e que afeta, principalmente, indivíduos que vivem em aglomeração urbana. **Febre atípica.** *Med.* Designação comum às febres intermitentes, sem regularidade nos seus acessos. **Febre de feno.** *Med.* V. *rinite alérgica*. **Febre de Malta.** *Med.* V. *brucelose*. **Febre de Oroya.** *Med.* V. *doença de Carrión*. **Febre de quebra-ossos.** *Pop.* V. *dengue* (6). **Febre de sapo.** *Pop.* Temperatura corporal ligeiramente elevada, sem que haja febre. **Febre do Mediterrâneo.** *Med.* V. *brucelose*. **Febre epacmástica.** *Med.* A que aumenta gradualmente. **Febre errática.** *Med.* Febre intermitente, irregular. **Febre faringoconjuntival.** *Med.* Infecção causada por vírus, e que incide, sob forma epidêmica, principalmente em crianças em idade escolar, manifestando-se, clinicamente, por febre, faringite, rinite, conjuntivite e hipertrofia de linfonodos cervicais. **Febre hemitriteia.** *Med.* Febre intermitente que se manifesta por um acesso cada dia, ocorrendo de dois em dois dias um acesso mais forte; febre hemitrítica, febre hemitrítia. [Tb. se diz apenas *hemitriteia, hemitrítica* ou *hemitrítia*.] **Febre hemitrítia.** *Med.* V. *febre hemitriteia*. **Febre hemitrítica.** *Med.* V. *febre hemitriteia*. **Febre intermitente.** *Med.* **1.** A que se caracteriza por episódios de febre alta, com intervalos em que a temperatura está normal. **2.** *Bras. Prov. port.* V. *malária*. **Febre miliar.** *Med.* Doença infecciosa aguda, que se manifesta de forma epidêmica, e em que o indivíduo apresenta febre de instalação ab-rupta, grande sudorese, prostração, erupção cutânea papular e vesicular e, ocasionalmente, até manifestações hemorrágicas. **Febre octã.** *Med.* A que se repete de oito em oito dias; febre octana. [Tb. se diz apenas *octã* ou *octana*.] **Febre octana.** *Med.* V. *febre octã*. **Febre ondulante.** *Med.* V. *brucelose*. **Febre palustre.** *Med.* V. *malária*. **Febre puerperal.** *Obst.* A que acompanha septicemia, sendo o foco infeccioso lesão, ocorrida durante o parto, da membrana mucosa que reveste colo do útero, vagina e vulva. **Febre Q.** *Med.* Doença infecciosa causada pela *Coxiella burnetii*, microrganismo da família Rickettsiaceae, e que se contrai, principalmente, pelo manuseio ou pela ingestão de materiais contaminados, ou pela inalação de aerossóis e poeiras que contenham essa bactéria. **Febre quartã.** *Med.* Febre intermitente que se repete de quatro em quatro dias. [Tb. se diz apenas *quartã*.] **Febre quintã.** *Med.* Febre intermitente que se repete de cinco em cinco dias. [Tb. se diz apenas *quintã*.] **Febre reumática.** *Med.* V. *reumatismo poliarticular agudo*. **Febre setena.** *Med.* Febre cujos acessos se repetem de sete em sete dias. [Tb. se diz apenas *setena*.] **Febre terçã.** *Med.* Aquela cujos acessos se manifestam de três em três dias. [Tb. se diz apenas *terçã*.] **Febre tifoide.** *Med.* Doença infecciosa causada pela *Salmonella typhose*, e que se prolonga por várias semanas e inclui em seu quadro clínico cefaleia, febre contínua, apatia, esplenomegalia, erupção cutânea maculopapular, podendo, eventualmente, ocorrer perfuração intestinal.

febre[2] [Do fr. *faible*, ‘fraco’.] ***Adj. 2 g.*** **1.** Diz-se de moeda que não tem o peso legal. ● ***S. m.*** **2.** Falta de peso legal. ~ V. *febres*.

febre de caroço ***S. f.*** *Bras. N.E. Pop.* V. *peste bubônica*. [Pl.: *febres de caroço*.] ☑ nota 1

febrento [De *febr(i)-* + *-ento*.] ***Adj.*** **1.** *Bras.* V. *febril* (1). ● ***S. m.*** **2.** Indivíduo febriculoso.

febres [Pl. de *febre*[1].] ***S. f. pl.*** V. *malária*. ~ V. *febre*.

▲ **febr(i)-** [Do lat. *febris, is*.] ***El. comp.*** = ‘febre’: *febrento, febrífugo*.

febricitante [Do lat. *febricitante*.] ***Adj. 2 g.*** **1.** V. *febril* (1 e 3): “nas palestras esparsas em grupos febricitantes vibrava longamente este entusiasmo despedaçado de temores que trabalha as almas revolucionárias.” (Euclides da Cunha, *Contrastes e Confrontos*, p. 16). **2.** Próprio de quem está com febre: “O seu rosto pisado, os olhos injetados de sangue e febricitantes ainda aumentaram o meu vexame.” (José de Alencar, *Lucíola*, p. 120.)

febricitar [Do lat. *febricitare*.] ***V. int.*** **1.** Ter febre. **2.** Estar febricitante, febril.

febrícula [Do lat. *febricula*.] ***S. f.*** Febre ligeira, branda; febrezinha: “a pretexto de visitar a pequena, que adoecera com uma febrícula, Jorge pediu a companhia da velha senhora” (Coelho Neto, *Obra Seleta*, p. 268).

febriculoso (ô) [Do lat. *febriculosu*.] ***Adj.*** Que propende para febres; que as tem com frequência.

febrífugo [De *febr(i)-* + *-fugo*[2].] ***Adj. S. m.*** V. *antitérmico*.

febril [Do lat. tard. *febrile*.] ***Adj. 2 g.*** **1.** Em estado de febre; que tem febre: “No dia seguinte, D. Adélia amanheceu bastante gripada, febril.” (José Afrânio Moreira Duarte, *A Muralha de Vidro*, p. 23.) [Sin.: *febricitante* e (bras.) *febrento*.] **2.** Relativo à, ou próprio da febre; pirético: “os olhos luziam com ardor febril que incomodava” (José de Alencar, *Lucíola*, p. 110). **3.** *Fig.* Exaltado, apaixonado, febricitante.

febriologia [De *febr(i)-* + *-o-* + *-logia*.] ***S. f.*** *Desus.* **1.** Tratado acerca das febres. **2.** Parte da medicina que trata especialmente das febres.

febriológico [De *febriologia* + *-ico*[2].] ***Adj.*** Relativo à febriologia.

fecal [Do fr. *fécal*.] ***Adj. 2 g.*** Referente a fezes, ou que as tem, ou delas é formado; excrementício. ~ V. *coliforme* — e *continência* —.

fecálito [De *fecal* + *-lito*; ingl. *fecalith*.] ***S. m.*** *Patol.* Concreção intestinal que se constitui em torno de núcleo formado por matéria fecal.

fecaloide (ói) [De *fecal* + *-oide*.] ***Adj. 2 g.*** **1.** Que cheira a matérias fecais: *vômito fecaloide*. **2.** Semelhante a fezes. ❖

fecaloma [De *fecal* + *-oma*[1].] ***S. m.*** *Patol.* Acúmulo considerável de matéria fecal no reto, constituindo massa que sugere tumor; coproma.

fecha (ê) [Dev. de *fechar*.] ***S. m.*** *Bras.* Barulho, desordem. V. *rolo*[1] (16). [É comuníssima a pronúncia com o *e* aberto.]

fecha-bodegas [De *fechar* + o pl. de *bodega*.] ***S. m. 2 n.*** *Bras. CE Pop.* V. *valentão* (3): “Outra variedade do tipo cangaceiro é o cabra valentão, famanaz, ‘desmancha-sambas’, ‘acaba-novenas’, fecha-bodegas, jogador de cacete, faquista, desordeiro.” (Gustavo Barroso, *Terra de Sol*, p. 150.)

fechação [De *fechar* + *-ção*.] ***S. f.*** *Bras. Amaz.* Ato de reunir o gado em espaço restrito; rodeio.

fechada [De *fechar* + *-ada*[1].] ***S. f.*** Ato ou efeito de fechar (16): *O carro levou uma fechada violenta e acabou derrapando.*

fechado [Part. de *fechar*.] ***Adj.*** **1.** Que não está aberto; cerrado: *porta fechada; olhos fechados.* **2.** Que tem a abertura ou a boca tapada: *torneira fechada; panela fechada.* **3.** Diz-se do ferimento, ou do corte cirúrgico, cujos lábios se uniram ou cicatrizaram: *ferida fechada; corte fechado.* **4.** Guardado, encerrado: *Tinha o dinheiro fechado e bem fechado.* **5.** Que fala muito pouco de si mesmo; pouco dado a manifestações ou confissões; reservado, trancado: “Era um ser fechado, retraído, que custava a se adaptar, mais ainda a se abrir” (Salim Miguel, *Alguma Gente*, p. 63). **6.** Diz-se do semblante carregado, amarrado: *Ficou de cara fechada todo o tempo.* **7.** Ajustado, ultimado: *Já não podia recuar: o negócio estava fechado.* **8.** Cujas atividades se suspenderam de modo provisório ou definitivo: *Encontrei a* *loja fechada.* **9.** Diz-se de rua ou de qualquer via de comunicação onde está impedido o tráfego: *Com a estrada fechada, o trânsito dificultou-se; O túnel continua fechado.* **10.** Denso, compacto, cerrado: *mata fechada.* **11.** Diz-se do tempo escuro, carregado, nublado, tempestuoso, embruscado, brusco. **12.** Que tende para o escuro, ou que o é: "O rosto, de uma cor fechada de bronze, engelhado, nunca tivera barba" (Coelho Neto, *Sertão*, p. 279). **13.** Que exclui qualquer elemento exterior: *grupo fechado.* **14.** Sem a abertura (6) conveniente ou necessária: *O motorista fez uma curva fechada e o carro capotou.* **15.** *Bras.* Que não tem sorte; azarado, azarento. ~ V. *anúncio —, capital —, cerrado —, circuito —, circulação —a, condomínio —, conjunto —, curva —a, empresa —a, fase —a, fita —a, intervalo —, luto —, mar —, noite —a, pôquer —, questão —a, sílaba —a, sinal —, sistema —, sulco —, televisão —a* e *vogal —a.* ● *S. m.* **16.** *Bras.* Lugar de mato cerrado: "tomaram-lhe o animal, o qual se deixou passivamente conduzir pelo cabresto a um fechado da capoeira onde Joaquim julgou prudente recolhê-lo sem demora." (Franklin Távora, *O Cabeleira*, p. 65).

fechadura [De *fechar* + *-dura*.] *S. f.* Peça metálica que, por meio de lingueta(s) e com o auxílio da chave, fecha portas, gavetas, etc. [Sin., em arquit., *fechal*.]

fecha-fecha (ê...ê) [Do imperat. de *fechar*, repetido.] *S. m. Bras.* **1.** Fechamento generalizado de casas comerciais, bancos, etc. quando ocorrem perturbações da ordem pública, desordens, barulhos, etc. **2.** Barulho, desordem. V. *rolo*[1] (16). [Pl.: *fecha-fechas* e *fechas-fechas*.]

fechal [De *fecho* (ê) + *-al*[1].] *S. m. Arquit.* Fechadura.

fechamento [De *fechar* + *-mento*.] *S. m.* **1.** Ato ou efeito de fechar(-se). **2.** Realização (de um negócio). **3.** *Arquit.* A colocação do fecho (7).

fechar [De *fecho* (ê) + *-ar*[2].] *V. t. d.* **1.** Pôr algo apropriado para obstruir a entrada, a abertura, de, na posição adequada; cerrar: *fechar uma arca.* **2.** Unir, juntar, ajuntar, as partes separadas de; cerrar: "Se eu morresse amanhã, viria ao menos / Fechar meus olhos minha triste irmã" (Álvares de Azevedo, *Obras Completas*, I, p. 326); *fechar os lábios.* **3.** Impedir, por meio de trinco, chave, aldrava, tranca, etc., a comunicação de (janela, porta, portão, etc.) com outra peça ou uma área, ou a parte exterior a esta peça ou área: *fechar a porta, a janela de um quarto, de uma sala; fechar um portão, uma cancela.* **4.** Tapar a abertura de: *fechar uma bica.* **5.** Unir os bordos ou os lábios de: *Fechou o ferimento com alguns pontos.* **6.** Pôr em recinto fechado: *Fechou as crianças e saiu.* **7.** Impedir o acesso a: *fechar as fronteiras.* **8.** Impedir o trânsito em; impedir, obstruir: *Fecharam a rua com barricada.* **9.** Fazer cessar, provisória ou definitivamente, o funcionamento de: *O governo mandou fechar a escola.* **10.** Comprimir; estreitar; apertar; cerrar: *Fechou a mão em que guardava o anel.* **11.** Cercar em assédio: *As tropas aliadas fecharam o inimigo.* **12.** Limitar, demarcar. **13.** Pôr termo a; concluir, terminar: *Fechou o discurso com uma bela frase.* **14.** Realizar definitivamente (um negócio). **15.** Na sinalização do trânsito, fazer passar (o sinal verde, que indica trânsito livre) a vermelho, que indica impedimento: *O guarda fechou o sinal.* **16.** Cortar[1] (16). **17.** Cicatrizar, curar: *Esta pomada fecha qualquer ferida.* **18.** *Inform.* Encerrar uma sessão de uso de [arquivo, programa, janela (7)]. **19.** *Inform.* Numa rede de computadores, concluir (conexão de um computador com outro). **20.** *Bras. PA* Reunir (o gado) na malhada ou noutro ponto qualquer. *T. i.* **21.** Terminar, acabar: *O horizonte fechava em espessa cortina de fumaça; Seu vestido fechava, no decote, em pequenas pregas. T. c.* **22.** Encerrar o expediente: *As lojas fecham às 18 horas. T. d. e c.* **23.** Prender, encerrar: *Fechou o gado no curral. Int.* **24.** Terminar, acabar, findar, rematar: "Este livro [*As Desencantadas*, de Pierre Loti].... fecha tragicamente." (José Vieira, *Sol de Portugal*, p. 59); *Seu discurso fechava com palavras de agradecimento.* **25.** Encerrar a atividade; deixar de funcionar: *O restaurante fechou por falta de freguesia.* **26.** Tornar-se denso, escuro; fechar(-se), cerrar(-se): *A noite fechou.* **27.** Tornar-se (o tempo) chuvoso ou ventoso. **28.** Unirem-se os bordos ou lábios de (um ferimento); cicatrizar-se, fechar-se: *A ferida fechou.* **29.** Na sinalização do trânsito, passar (o sinal) de verde, que indica trânsito livre, a vermelho, que indica impedimento: *O sinal fechou de repente, exigindo uma freada brusca. P.* **30.** Meter-se num recinto fechado; encerrar-se: *Fechou-se no seu quarto e chorou.* **31.** Meter-se consigo mesmo; ensimesmar-se, concentrar-se; retrair-se: "Fecho-me no meu silêncio" (Augusto Frederico Schmidt, *O Galo Branco*, p. 365). **32.** Ter fim; acabar-se: *Ainda tenho muito que lhe dizer: a história não se fecha aqui.* **33.** Tornar-se inacessível, inatingível: *Fechou-se-lhe o caminho da glória.* **34.** Dar por encerrado, por findo (um expediente, um negócio, etc.). **35.** Tornar-se denso, escuro; fechar, cerrar(-se): "O céu fechou-se, denso e negro, rasgando-se aqui e ali para deixar passar os coriscos" (Nélson de Faria, *Tiziu e Outras Estórias*, p. 64). **36.** Unir-se, juntar, ajuntar-se (as partes separadas de alguma coisa); cerrar-se: "Eu estendia-me cada vez mais no banco, amolecida por um entorpecimento agradável; as pálpebras fechavam-se-me." (Aluísio Azevedo, *Pegadas*, p. 166.) **37.** V. *fechar* (26). **38.** *Bras. Marajó* Reunir(-se) o gado na malhada ou em qualquer outro ponto. [Pres. ind.: *fecho* (ê), *fechas* (ê), etc.; fut. pret.: *fecharia*, etc., pres. subj.: *feche* (ê), etc. Cf. *feixe*, *fecho* (ê), s. m., e *fecharia*, s. f.] ◆ **Fechar com.** *Bras.* Estar a favor ou ao lado de; concordar com.

fecharia [De *fecho* + *-aria*.] *S. f.* O conjunto das peças que determinam a explosão nas armas de fogo; fechos: "Defendeu-se a tiros; mas a fecharia do clavinote desmantelou-se" (Gustavo Barroso, *Heróis e Bandidos*, p. 157). [Cf. *fecharia*, do v. *fechar*.]

fechneriano *Adj.* **1.** Pertencente, relativo ou próprio do filósofo, psicólogo experimental e físico alemão Gustav Theodor Fechner (1801-1887). **2.** Que é adepto das concepções de Fechner ou profundo conhecedor de sua obra. ● *S. m.* **3.** Seguidor de suas concepções ou profundo conhecedor de sua obra.

fecho (ê) [De or. obscura.] *S. m.* **1.** Qualquer peça ou dispositivo com que se fecha ou cerra um objeto: *fecho de bolsa; fecho de porta.* **2.** *Restr.* Aldrava ou ferrolho de porta, etc. **3.** Ponto onde se unem e fecham duas partes de uma coisa: *o fecho de um vestido.* **4.** Lugar onde se unem, colando-as ou lacrando-as, duas partes do envoltório de carta ou documento qualquer: "descobriu a carta que eu entrevira, e que ela passou-me sem ter rompido o fecho." (José de Alencar, *Lucíola*, p. 138). **5.** *Encad.* Espécie de tranca metálica, geralmente de caráter ornamental, composta de duas peças presas às capas de um livro ou de um álbum, para mantê-las cerradas. **6.** *Art. Gráf.* Pestana (5). **7.** *Arquit.* A última pedra, aduela ou cunha que sustenta um arco, uma abóbada; chave: *Nas abóbadas, o fecho é em geral ornamentado.* **8.** *Fig.* Remate, acabamento: *O fecho de um poema.* **9.** *Bras. MG GO* Ruptura das serras pelos rios, que aí correm apertadamente ou por sob as arestas vivas das rochas, que apenas deixam uma abertura à superfície, quase sempre de 2 ou 3m de largura; funil, rasgão. **10.** *Bras. SC* Muro de divisão, no campo. [Cf. *fecho* (é), do v. *fechar*.] ~ V. *fechos.* ◆ **Fecho de abóbada.** *Arquit.* Peça de remate na parte mais elevada duma abóbada. **Fecho** ***éclair***. V. *fecho ecler.* **Fecho ecler.** *Bras.* Fecho muito us. em roupas, artefatos de couro, plástico, etc., e no qual dois cadarços, que alinham numa de suas bordas dentes plásticos ou metálicos, podem ser unidos ou separados, engatando-se ou desengatando-se os dentes por meio de um cursor: "Pela primeira vez, uma saia me apertou na cintura, o fecho ecler da calça comprida arrebentou" (Maria Julieta Drummond de Andrade, *O Valor da Vida*, p. 151); "arriando sobre o banco .... a grande bolsa surrada com fecho ecler" (Moreira Campos, *Os Doze Parafusos*, p. 29). [Tb. se diz apenas *ecler*; sin.: *fecho-relâmpago*, *zíper* ou *zipe*; (no MA) *ri-ri* e (em PE) *mamãe vem aí*.] **Fecho pedrês.** *Arquit.* Fecho de correr, que se embebe na soleira ou na verga da porta.

fecho-relâmpago (ê) *S. m. Desus.* V. *fecho ecler.* [Pl.: *fechos-relâmpagos* e *fechos-relâmpago*.]

fechos (ê) [Pl. de *fecho*.] *S. m. pl.* Fecharia. ~ V. *fecho.*

fecial [Do lat. *fetiale*.] *S. m.* Na Roma antiga, sacerdote núncio de paz ou de guerra.

fécio *S. m. Bras. N.E. Pop.* Fedor, fetidez.

▲**fecul-** [Do lat. *faecŭla, ae*, 'sarro', 'borras do vinho'.] *El. comp.* = 'fécula': *fecularia*, *feculência* (< lat.), *feculóideo*, *feculoso*, *feculento* (< lat.).

fécula [Do lat. *faecula*, 'sarro'.] *S. f.* **1.** Substância pulverulenta, farinácea, extraída de tubérculos e raízes e us. como alimento: *fécula de batata.* **2.** *Pop.* Amido, polvilho.

fecularia [De *fecul-* + *-aria*.] *S. f. Bras. SP* Fábrica de féculas.

feculência [Do lat. tard. *faeculentia*.] *S. f.* **1.** Qualidade de feculento. **2.** Sedimento dos líquidos.

feculento [Do lat. *faeculentu*.] *Adj.* **1.** Que contém fécula. **2.** Que tem sedimento ou fezes. [Sin. ger: *feculoso*.]

feculóideo [De *fecul-* + *-óideo*.] *Adj.* Que tem aparência de fécula.

feculoso (ô) [De *fecul-* + *-oso*.] *Adj.* Feculento.

fecundação [De *fecundar* + *-ção*.] *S. f.* **1.** Ato ou efeito de fecundar ou de ser fecundado. **2.** *Biol.* Reprodução sexuada: união de gametas que resulta na formação de um ovo ou zigoto. [Sin.: *fertilização*.] ◆ **Fecundação cruzada.** *Biol. Bot.* V. *alogamia.*

fecundador (ô) [Do lat. tard. *fecundatore*.] *Adj.* **1.** V. *fecundante.* ● *S. m.* **2.** Aquele que fecunda.

fecundante [Do lat. *fecundante*.] *Adj. 2 g.* Que fecunda; fecundador, fecundativo.

fecundar [Do lat. *fecundare*.] *V. t. d.* **1.** Comunicar a (um germe) o princípio, a causa imediata do seu desenvolvimento. **2.** Tornar fecundo, capaz de produzir; fertilizar: *A chuva fecundou os campos.* **3.** Tornar capaz de conceber ou gerar: *fecundar uma mulher.* **4.** Tornar produtivo, inventivo; fertilizar: *As leituras fecundaram-lhe o engenho.* **5.** Fazer progredir; fomentar, desenvolver: *fecundar a indústria. Int. P.* **6.** Tornar-se fecundo, capaz de produzir. **7.** Conceber, gerar.

fecundativo [De *fecundar* + *-tivo*.] *Adj.* V. *fecundante.*

fecundez (ê) [De *fecundo* + *-ez*.] *S. f.* V. *fecundidade.*

fecúndia [Do lat. *fecundia*.] *S. f.* V. *fecundidade.* [Cf. *facúndia*.]

fecundidade [Do lat. *fecunditate*.] *S. f.* **1.** Qualidade de fecundo (1); fertilidade. **2.** Faculdade reprodutora. **3.** Grande produção; fertilidade, abundância. [Antôn., nessas acepçs.: *esterilidade*.] **4.** *Fig.* Facilidade de produzir obras de arte: "Foi em São Miguel de Ceide, no estudo e na solidão, que a fecundidade literária de Camilo não conheceu limites" (Alberto Pimentel, *O Romance do Romancista*, p. 285). [Sin. ger.: *fecundez*, *fecúndia*. Cf. *facundidade*.]

fecundo [Do lat. *fecundu*.] *Adj.* **1.** Capaz de produzir ou de reproduzir(-se); que não é estéril; fértil, produtivo, úbere. **2.** Que dá ou produz em grande quantidade; abundante: *Administração fecunda em medidas de interesse social.* **3.** Que dispõe de artifícios ou recursos; inventivo, criador: *espírito fecundo.* [Cf. *facundo*, adj., e *Facundo*, antr.]

■ **FED** *Econ.* Sigla de *Federal Reserve Bank*, o banco central americano.

fedaim [Do ár. *fed(d)ayin*, 'aqueles que se sacrificam'. Sing.: *fed(d)ai*.] *S. m. pl.* Guerrilheiros árabes (esp. palestinos).

fedegosa [F. subst. de *fedegoso*.] *S. f. Bras. Bot.* **1.** V. *erva-de-são-joão* (1). **2.** V. *erva-fedegosa.*

fedegoso (ô) [Do lat. **foeticosu*, poss.] *Adj.* **1.** Que fede; fétido. ● *S. m.* **2.** *Bras. N.* a *S. Bot.* Designação comum a árvores pequenas ou arbustos cesalpiniáceos, pertencentes ao gênero *Cassia*, algumas medicinais, dotadas de flores amarelas, cujos frutos são vagens, às vezes recurvadas; bico-de-corvo, fedegoso-dos-jardins, feijão-bravo-amarelo, pasto-rasteiro, paramarioba, tararucu. **3.** *Bot.* V. *fedegoso-verdadeiro.* **4.** *Bot.* V. *dartrial.*

fedegoso-de-folha-torta [De *fedegoso* + *de* + *folha*[1] + o f. de *torto*.] *S. m. Bras. MG a RS Bot.* Arbusto cesalpiniáceo (*Cassia corymbosa*) regular e ornamental, cujas folhas têm estípulas lineares e uma glândula, cuja inflorescência é em racimos terminais, às vezes axilares, sendo as flores amarelas, com pequenas brácteas, e cujo fruto é vagem subcilíndrica, de cor amarela, com numerosas sementes; canafístula-da-mata, manjerioba. [Pl.: *fedegosos-de-folha-torta*.]

fedegoso-do-jardim *S. m. Bras. MG RJ MT Bot.* Arbusto cesalpiniáceo (*Cassia angulata*) ornamental, cujas folhas possuem glândula, sendo as flores amarelas, dispostas em panículas compridas, e o fruto uma vagem cilíndrica, com nervuras transversais. É cultivado em jardins. [Pl.: *fedegosos-do-jardim*.]

fedegoso-do-mato *S. m. Bras. RJ PR Bot.* Arbusto cesalpiniáceo (*Cassia pubescens*) pubescente, dotado de flores amarelas, dispostas em racimos terminais, pedunculados, e cujo fruto é vagem achatada. [Pl.: *fedegosos-do-mato*.]

fedegoso-do-pará [De *fedegoso* + *do*[1] + o top. *Pará*.] *S. m. Bras. Amaz.* a *BA Bot.* Arbusto cesalpiniáceo (*Cassia sericea*) pequeno, revestido de pelos sedosos e ruivos, cujas flores são amarelas, dispostas em racemos axilares, e cujo fruto é vagem linear, que contém várias sementes. [Pl.: *fedegosos-do-pará*.]

fedegoso-do-rio-de-janeiro *S. m. Bras. Bot.* V. *fedegoso-grande.* [Pl.: *fedegosos-do-rio-de-janeiro*.]

fedegoso-dos-jardins *S. m. Bras. Bot.* V. *fedegoso* (2). [Pl.: *fedegosos-dos-jardins*.]

fedegoso-grande *S. m. Bras. Bot.* Arbusto cesalpiniáceo (*Cassia quinqueangulata*) alto, dotado de flores amarelas, em racimos curtos, dispostas em panículas terminais, e cujo fruto é vagem; fedegoso-do-rio-de-janeiro, lava-pratos, mamangá. [Pl.: *fedegosos-grandes*.]

fedegoso-verdadeiro *S. m. Bras. Bot.* Arbusto cesalpiniáceo (*Cassia occidentalis*) de caule herbáceo, dotado de propriedades medicinais, cujas flores são grandes, de cor amarela, dispostas em pequenos racimos corimbosos axilares, e cujo fruto é vagem, com sementes escuras, duras e lisas; fedegoso, ibixuma, ibixuna, lava-pratos, mamangá, manjerioba, pajamarioba. [Pl.: *fedegosos-verdadeiros*.]

fedelhice [De *fedelho* + *-ice*.] *S. f.* Ação de fedelho.

fedelho (ê) [Do lat. **feticulu*, de *fetu*, ou de *feder*, poss.] ***S. m.*** **1.** Criança que cheira a cueiros. **2.** Criança de pouca idade; criancinha. **3.** Rapazola que parece criança por seu comportamento infantil; criançola.

fedentina [De **fedento*, por *fedorento*, + *-ina*[1].] ***S. f.*** V. *fetidez*.

feder [Do lat. *foetere*.] ***V. int.*** **1.** Exalar mau cheiro. **2.** *Pop.* Desagradar, complicar: *Esta história começa a feder.* ***T. i.*** **3.** Causar enfado ou aborrecimento: *Tantas exigências já lhe fedem.* **4.** Exalar mau cheiro: "os caboclos suados, sujos, fedendo a cachaça" (Adalberon Cavalcanti Lins, *Curral Novo*, p. 270). **5.** Ter aparência, traços: *Esta conversa fede a briga.* [O *e* do radical é aberto nas f. rizotônicas em que o *d* vem seguido de *e*: *fedes*, *fede*, *fedem*, e fechado naquelas em que ao *d* se segue *o* ou *a*: *fedo* (ê), *feda* (ê), *fedas* (ê), ... *fedam* (ê). M.-q.-perf. ind.: *federa* (ê), *federas* (ê), *federa* (ê), *fedêramos*, *fedêreis*, *federam* (ê). Cf. *federas*, *federa*, *federamos*, *federam*, do v. *federar*.] ◆ **Não feder nem cheirar.** Ser insignificante, sem personalidade.

federação [Do lat. tard. *foederatione*.] ***S. f.*** **1.** União política entre estados ou províncias que gozam de relativa autonomia e que se associam sob um governo central. **2.** Associação, aliança, liga, união. **3.** Reunião de grupos profissionais, esportivos, religiosos, ou outros de caráter definido, para defender e promover objetivos comuns: *a Federação Carioca de Futebol.* [Cf., nesta acepç., *confederação* (4).] **4.** *Dir. Trab.* Associação sindical de grau superior que reúne ao menos cinco sindicatos representativos de atividades ou profissões idênticas, similares ou conexas.

federado [Part. de *federar*.] ***Adj.*** **1.** Que pertence a uma federação. **2.** Unido em confederação. ● ***S. m.*** **3.** Aquele que pertence a uma federação. **4.** Soldado da comuna francesa em 1871.

federais [Pl. subst. do adj. *federal*.] ***S. m. pl.*** Os partidários dos estados do Norte, durante a guerra da secessão norte-americana (1861-1865). [Cf. *sulistas*.] ~ V. *federal*.

federal [Do lat. tard. *foederale*, 'relativo a um tratado'.] ***Adj. 2 g.*** **1.** Relativo ou pertencente a federação. **2.** *Bras. Gír.* Muito grande ou intenso; incomum: *A garotada fez uma bagunça federal.* ~ V. *distrito —*, *justiça —*, *parada —*, *Supremo Tribunal Federal* e *federais*.

federalismo [De *federal* + *-ismo*.] ***S. m.*** Forma de governo pela qual vários estados se reúnem numa só nação, sem perderem sua autonomia fora dos negócios de interesse comum.

federalista [De *federal* + *-ista*.] ***Adj. 2 g.*** **1.** Respeitante a, ou próprio do federalismo. **2.** Que é partidário dessa forma de governo. ● ***S. 2 g.*** **3.** Partidário do federalismo.

federalização [De *federalizar* + *-ção*.] ***S. f.*** Ato ou efeito de federalizar.

federalizar [De *federal* + *-izar*.] ***V. t. d.*** Tornar federal.

federar [Do lat. tard. *foederare*, 'unir por aliança', < lat. *foedus*, *eris*, 'tratado de aliança'.] ***V. t. d. P.*** Reunir (-se) em federação; confederar. [Pres. ind.: *federo*, *federas*, *federa*, *federamos*, *federais*, *federam*. Cf. o m.-q.-perf. ind. do v. *feder*.]

federativo [De *federar* + *-tivo*.] ***Adj.*** Relativo ou pertencente a uma federação, ou a uma confederação. ~ V. *unidade —a*.

fedido [Part. de *feder*.] ***Adj. Bras.*** V. *fétido* (1): "fazendo-se uma comparação, qualquer das moças era um molambo feio e fedido perto das duas professoras." (Albertino Moreira, *Boca-Pio*, p. 132).

fedor (ô) [Do lat. *foetore*.] ***S. m.*** V. *fetidez*.

fedorentina [De *fedorento* + *-ina*[1].] ***S. f.*** V. *fetidez*.

fedorento [De *fedor* + *-ento*.] ***Adj.*** **1.** V. *fétido* (1). **2.** Certo jogo infantil em que, após a retirada de uma das cartas do baralho, os participantes devem casar as cartas restantes pelos números e pelas figuras; perde o jogo aquele que ficar com o par da carta retirada, o *fedorento*. **3.** *P. ext.* A carta retirada do fedorento (2).

➔ **feedback** ['fijdbæk] [Ingl.] ***S. m.*** **1.** *Eletrôn.* V. *realimentação* (2) e *retroalimentação*. **2.** *Fisiol.* Volta, a um sistema, de parte do que ele eliminou, de forma a obter-se algum controle sobre esta eliminação. ◆ **Feedback negativo.** *Fisiol.* Em um dado sistema, manutenção de eliminação constante, mediante controle, por inibição, de uma etapa fundamental desse sistema por um produto dele. **Feedback positivo.** *Fisiol.* Em um dado sistema, obtenção de eliminação, que aumenta continuamente, mediante estimulação de uma etapa fundamental desse sistema por um produto dele.

■ **Feema** Sigla de *Fundação Estadual de Engenharia do Meio Ambiente*.

féerico [Do fr. *féerique*.] ***Adj. Gal.*** Que pertence ao mundo das fadas, ou é próprio de fadas; mágico, maravilhoso, deslumbrante: *iluminação féerica.*

feianchã ***S. f. Bras.*** V. *feianchão*.

feianchão ***Adj. S. m. Bras.*** Feiarrão. [Fem.: *feianchona* e *feianchã*.]

feianchona ***S. f.*** V. *feianchão*: "Que pouca-vergonha! Que senhoras mais feianchonas!" (Paulo Mendes Campos, *O Cego de Ipanema*, p. 137.)

feiarrão [De *feio* + *-arrão*.] ***Adj. S. m. Bras.*** Que, ou aquele que é muito feio; feianchão. [Fem.: *feiarrona*.]

feiarrona ***S. f.*** Fem. de *feiarrão* (q. v.).

feição [Do lat. *factione*.] ***S. f.*** **1.** Forma, feitio, aspecto: *dar feição a um objeto.* **2.** Jeito, maneira, modo. **3.** Índole, tendência, caráter: "Sócrates, ..., pelas suas feições intelectuais inclui-se naturalmente no ciclo dos sofistas contemporâneos" (Latino Coelho, *Oração da Coroa*, CCXIII). **4.** Boa disposição. **5.** *P. us.* Feições (1). ~ V. *feições*. ◆ **À feição. 1.** Segundo o desejo ou escolha; a gosto: *Correu-lhe tudo à feição, nos primeiros tempos.* **2.** A favor; favoravelmente: *O vento soprava à feição.* **À feição de.** À maneira de; ao jeito de: "Com a garganta afogada em uivos, ululantes / Entre os troncos da brenha hirsuta, — O Bandeirante / Jaz por terra, à feição de um tronco derribado..." (Olavo Bilac, *Poesias*, p. 267.)

feições [Pl. de *feição*.] ***S. f. pl.*** **1.** O delineamento do rosto humano e os traços fisionômicos; rosto, semblante, feição: *feições severas.* **2.** Os lados da coronha (1). ~ V. *feição*.

feiíssimo ***Adj.*** Superl. abs. sint. de *feio*.

feijão [Do lat. **phaseolonu* < lat. *phaseolu*.] ***S. m.*** **1.** Semente de feijoeiro. **2.** *Bot.* V. *feijoeiro*. **3.** O feijão (1) cozido, us. como alimento. **4.** Vagem do feijoeiro. **5.** *P. ext.* O alimento; pão; o pão de cada dia: *Graças a Deus, lá em casa nunca falta o feijão.* **6.** *Bras.* Seixo rolado, considerado satélite do diamante: "Encontrei um 'feijão' grande, brunido como carbonato 'extra'." (Alberto Rabelo, *Contos do Norte*, p. 46.) ◆ **Feijão dormido.** *Bras. BA* A feijoada que sobrou da véspera. **Não valer o feijão que come.** Ser muito fraco, física e/ou moralmente, sem merecimento nenhum. **Pegar o feijão de.** *Bras. Pop.* Almoçar ou jantar em casa de.

feijão-aspargo ***S. m. Bot.*** V. *feijão-fradinho*. [Pl.: *feijões-aspargos* e *feijões-aspargo*.]

feijão-azuqui ***S. m. Bot.*** **1.** Planta fabácea (*Phaseolus angularis* ou *Vigna angularis*) ereta ou sarmentosa, de grãos miúdos, marrom-avermelhados, de sabor levemente adocicado. Muito us. na culinária asiática, é a base do *yokan* (q. v.). **2.** A semente dessa planta. [Pl.: *feijões-azuquis* e *feijões-azuqui*.]

feijão-branco ***S. m. Bot.*** **1.** Variedade de feijoeiro de semente branca. **2.** Essa semente. [Pl.: *feijões-brancos*.]

feijão-bravo ***S. m. Bot.*** **1.** *Bras. N. a S.* Designação comum a numerosíssimas trepadeiras fabáceas cujas flores podem ser róseas, alvacentas, azuladas, amarelo-pálidas, vermelhas ou roxas, dispostas em racimos, e cujos frutos são vagens aveludadas, pilosas ou não. **2.** O fruto de qualquer dessas trepadeiras. **3.** Feijão-da-praia (1 e 2). **4.** V. *feijão-de-porco*. **5.** V. *sananduva* (2). [Pl.: *feijões-bravos*.]

feijão-bravo-amarelo ***S. m. Bras. Bot.*** V. *fedegoso* (2). [Pl.: *feijões-bravos-amarelos*.]

feijão-bravo-mata-cabrito [De *feijão-bravo* + o v. *matar* + *cabrito*.] ***S. m. Bras. PA ao RS Bot.*** **1.** Trepadeira cesalpiniácea (*Martiusia rubiginosa*) ornamental, de flores muito aromáticas, grandes, de cor alva com máculas violáceas, reunidas em inflorescências dispostas em racimos paniculados, e cujo fruto é vagem, com sementes viscosas. **2.** Esse fruto. [Pl.: *feijões-bravos-mata-cabrito*.]

feijão-careta ***S. m. Bras. Bot.*** V. *feijão-fradinho*. [Pl.: *feijões-caretas* e *feijões-careta*.]

feijão-casado ***S. m. Bras. GO*** Feijão cozido com carne, toucinho e arroz. [Pl.: *feijões-casados*.]

feijão-chicote ***S. m. Bras. Bot.*** **1.** V. *feijão-de-vaca*. **2.** V. *feijão-fradinho*. [Pl.: *feijões-chicotes* e *feijões-chicote*.]

feijão-chinês ***S. m. Bras. Bot.*** V. *soja*. [Pl.: *feijões-chineses*.]

feijão com arroz ***S. m. Bras. Fam.*** Aquilo que é de cada dia; o comum, o habitual, a rotina. [Pl.: *feijões com arroz*.] ☑ nota 1

feijão-comum ***S. m. Bras. MG a RS Bot.*** V. *feijoeiro*. [Pl.: *feijões-comuns*.]

feijão-cru ***S. m. Bras. MT Bot.*** Árvore mimosácea (*Samanea saman*) grande, de numerosas flores alvirróseas, dispostas em capítulos, cujo fruto é vagem séssil, com polpa que envolve muitas sementes, e cuja madeira, belíssima, de alburno fino e alvo, de cerne castanho-escuro, bastante rija, é especial para marcenaria de luxo; bordão-de-velho, embira-toicinheira, mendubim-de-veado. [Pl.: *feijões-crus*.]

feijão-da-china ***S. m. Bot.*** V. *feijão-fradinho*. [Pl.: *feijões-da-china*.]

feijão-da-espanha [De *feijão* + *da*[1] + o top. *Espanha*.] ***S. m. Bras. Bot.*** **1.** Trepadeira fabácea (*Phaseolus multiflorus*) perene e ornamental, de flores vermelho-vivas dispostas em racimos pedunculados, e cujo fruto é vagem com sementes comestíveis. **2.** Esse fruto. [Sin. ger.: *feijão-trepador*, *feijão-flor*. Pl.: *feijões-da-espanha*.]

feijão-da-índia [De *feijão* + *da*[1] + o top. *Índia*.] ***S. m. Bras. Bot.*** **1.** Planta fabácea (*Phaseolus mungo*) de caule hirsuto, de flores amarelo-claras reunidas em fascículos capituliformes na extremidade dos pedúnculos, e cujo fruto é vagem reta, cilíndrica e fina que, dependendo da variedade, contém sementes alimentícias de várias cores. **2.** Esse fruto. [Pl.: *feijões-da-índia*.]

feijão-da-praia ***S. m. Bot.*** **1.** *Bras. Litoral* Planta fabácea (*Canavalia obtusifolia*) suculenta e carnosa, às vezes trepadeira, de flores róseo-purpúreas, cujo fruto é vagem linear, com sementes pardacentas, e que apresenta a importante característica de fixar as dunas marítimas. **2.** O fruto dessa planta. [Sin., nessas acepçs.: *feijão-bravo*.] **3.** Batatarana. [Pl.: *feijões-da-praia*.]

feijão-de-árvore ***S. m. Bras. Bot.*** V. *dormideira* (2). [Pl.: *feijões-de-árvore*.]

feijão-de-boi ***S. m. Bot.*** **1.** *Bras. Amaz. a SP* Designação comum a várias plantas caparidáceas dotadas de propriedades medicinais, de flores alvas, róseas, amareladas ou vermelho-violáceas, dispostas em racimos axilares, aromáticas dependendo da espécie, e cujo fruto é vagem ou baga com sementes por vezes oleaginosas. **2.** Esse fruto. [Sin., nessas acepçs.: *carrapicho*, *marmelada-de-cavalo*, *muçambê-indecente*, *sapotaia*.] **3.** V. *feijão-fradinho*. [Pl.: *feijões-de-boi*.]

feijão-de-corda ***S. m. Bras. Bot.*** Feijão-fradinho. [Pl.: *feijões-de-corda*.]

feijão-de-frade ***S. m. Bras. Bot.*** V. *feijão-fradinho*. [Pl.: *feijões-de-frade*.]

feijão-de-guizos ***S. m. Bras. AM a SP Bot.*** **1.** Designação comum a arbustos fabáceos de flores amarelas dispostas em racimos axilares, frutos geralmente glabros, e cujas sementes, depois de maduras, se soltam e chocalham, produzindo ruído característico; cascaveleira, guizo-de-cascavel, xiquexique. **2.** O fruto de qualquer desses arbustos. [Pl.: *feijões-de-guizos*.]

feijão-de-lima ***S. m. Bras. Bot.*** **1.** Trepadeira fabácea (*Phaseolus lunatus*) herbácea, de flores alvo-esverdeadas, reunidas em racimos de tamanho variável, e cujo fruto é vagem de forma arqueada, com sementes alimentares e tendo a fécula delicada sabor agradável e grande valor alimentício. **2.** Esse fruto. [Sin. ger.: *fava-belém*, *fava-de-lima*, *mangalô-amargo*. Pl.: *feijões-de-lima*.]

feijão-de-macaçar ***S. m. Bras. Bot.*** V. *feijão-fradinho*. [Pl.: *feijões-de-macaçar*.]

feijão-de-macáçar ***S. m. Bras. Bot.*** V. *feijão-de-macaçar*. [Pl.: *feijões-de-macáçar*.]

feijão-de-metro ***S. m. Bras. Bot.*** V. *feijão-fradinho*. [Pl.: *feijões-de-metro*.]

feijão-de-pombinha ***S. m. Bras. Bot.*** V. *feijão-de-rola*. [Pl.: *feijões-de-pombinha*.]

feijão-de-porco ***S. m. Bras. PA a SP Bot.*** **1.** Planta fabácea (*Canavalia ensiformis*) rasteira, de flores alvas ou roxas dispostas em racimos axilares curvos, cujo fruto é vagem levemente recurvada, comestível, com sementes róseas ou pardo-avermelhadas. **2.** Esse fruto. [Sin. ger.: *fava-brava*, *fava-contra-o-mau-olhado*, *fava-de-quebranto*, *feijão-bravo*, *feijão-holandês*, *mangalô*. Pl.: *feijões-de-porco*.]

feijão-de-rola ***S. m. Bras. Bot.*** **1.** Trepadeira fabácea (*Phaseolus lathyroides*) pequena, anual, dotada de numerosas flores vermelho-violáceas, azuis ou roxas, dispostas em racimos grandes, e cujo fruto é vagem levemente curvada com sementes escuras e achatadas. **2.** Esse fruto. [Sin. ger.: *feijão-de-pombinha*. Pl.: *feijões-de-rola*.]

feijão de tropeiro ***S. m. Bras. Cul.*** Prato típico da cozinha mineira com base em feijão mulatinho que, depois de escorrido e refogado em muita gordura e outros temperos, é misturado a um pouco de farinha de mandioca ou de milho, e guarnecido com pedaços de linguiça frita e torresmo: "Sentamo-nos na praia com nossos pratos feitos como para trabalhador: feijão de tropeiro com farinha, torresmos, ovos fritos e arroz; sobremesa, banana e queijo" (Helena Morley, *Minha Vida de Menina*, p. 271). [Var.: *feijão-tropeiro*. Pl.: *feijões de tropeiro*.] ☑

feijão-de-vaca ***S. m. Bras.*** V. *feijão-fradinho*. [Pl.: *feijões-de-vaca*.]

feijão-do-mato ***S. m. Bras. Bot.*** **1.** Designação comum a várias trepadeiras fabáceas pertencentes aos gêneros *Bradburya* e *Phaseolus*, sobretudo a este último, forrageiras, e cujos frutos são vagens. **2.** Qualquer dos frutos dessas trepadeiras. **3.** Esperlina. **4.** V. *favinha-brava* (3). [Pl.: *feijões-do-mato*.]

feijão-dos-caboclos [De *feijão* + o pl. de *do*[1] + o de pl. *caboclo*[1].] ***S. m. Bras. RJ Bot.*** **1.** Árvore morácea (*Trophis racemosa*) lactescente e regular, dotada de flores femininas e masculinas dispostas em espigas aveludadas, e cujo fruto é baga séssil, lisa, pardo--avermelhada, com sementes grandes envoltas em polpa escassa, sendo a madeira pardo-amarelada, de fina grã, dura e pesada, própria para marcenaria. 2. O fruto dessa árvore. 3. Diconroque. [Pl.: *feijões--dos-caboclos*.]

feijão-fava-bravo *S. m. Bras. RJ SP Bot.* 1. Trepadeira fabácea (*Canavalia versicolor*) alta, ornamental, de flores grandes, primeiramente róseas e depois vermelhas, e cujo fruto é vagem. 2. Esse fruto. [Pl.: *feijões-favas-bravos*.]

feijão-flor *S. m. Bot.* V. *feijão-da-espanha*. [Pl.: *feijões--flores* e *feijões-flor*.]

feijão-frade *S. m. Bot.* V. *feijão-fradinho*. [Pl.: *feijões--frades* e *feijões-frade*.]

feijão-fradinho *S. m. Bras. N. a L. Bot.* 1. Planta fabácea (*Vigna sinensis ou V. unguiculata*) ereta, de flores violáceas com o vexilo amarelo, e cujo fruto é vagem fina, comprida, carnosa, com sementes comestíveis, brancas ou amarelo-pálidas, com hilo branco orlado de preto. 2. A semente dessa planta. 3. A vagem do feijão-fradinho us. como alimento. [Tb. se diz apenas *fradinho*. Sin. ger.: *boca-preta, ervilha-de--vaca, feijão-aspargo, feijão-careta, feijão-chicote, feijão-da-china, feijão-de-boi, feijão-de-frade, feijão--de-macaçar, feijão-de-metro, feijão-frade, macunde*. Pl.: *feijões-fradinhos* e *feijões-fradinho*.]

feijão-guando *S. m. Bras.* V. *andu*[1]. [Pl.: *feijões-guandos* e *feijões-guando*.]

feijão-holandês *S. m. Bot.* V. *feijão-de-porco*. [Pl.: *feijões-holandeses*.]

feijão-macáçar *S. m. Bras. N.E. Bot.* V. *feijão-de--macaçar*. [F. red.: *macáçar*. Pl.: *feijões-macáçares* e *feijões-macáçar*.]

feijão-manteiga *S. m. Bot.* 1. Variedade de feijoeiro de semente graúda, pardo-clara. 2. Essa semente. [Pl.: *feijões-manteigas* e *feijões-manteiga*.]

feijão-mulatinho *S. m. Bot.* 1. Variedade de feijoeiro de semente clara. 2. Essa semente. [Pl.: *feijões-mulatinhos*.]

feijão-oró *S. m. Bras. PI a BA RS Bot.* 1. Planta fabácea (*Phaseolus panduratus*) herbácea, útil para a fixação de dunas, cujas flores, lilases ou cor de tijolo, são dispostas no ápice dos pedúnculos e cujo fruto é vagem tomentosa, forrageira, falcada, com algumas sementes; oró. 2. Esse fruto. [Sin. ger.: *fava-oró*. Pl.: *feijões-orós* e *feijões-oró*.]

feijão-preto *S. m. Bras.* 1. *Bot.* Variedade de feijoeiro de semente preta. 2. *Bot.* Essa semente. 3. Fragmento rolado de turmalina preta; pretinha. 4. V. *satélite* (7). 5. Seixo de jaspe negro. [Pl.: *feijões-pretos*.]

feijão-soja *S. m. Bot.* V. *soja*. [Pl.: *feijões-sojas* e *feijões--soja*.]

feijão-telefone *S. m. Bot.* Planta-telégrafo. [Pl.: *feijões--telefones* e *feijões-telefone*.]

feijão-trepador *S. m. Bot.* V. *feijão-da-espanha*. [Pl.: *feijões-trepadores*.]

feijão-tropeiro *S. m. Bras. Cul.* V. *feijão de tropeiro*. [Pl.: *feijões-tropeiros*.]

feijão-virado *S. m. Bras. SP Cul.* Feijão mexido com farinha. [Pl.: *feijões-virados*. Cf. *virado de feijão*.]

feijãozinho-bravo *S. m. Bras. Bot.* V. *favinha-brava* (3). [Pl.: *feijõezinhos-bravos*.]

feijoada [De *feijão* + *-ada*[1], com desnasalação.] *S. f.* 1. *Cul.* Qualquer prato preparado com feijões. 2. Grande porção de feijões. 3. *Bras. Cul.* Prato típico nacional, preparado com feijão, em geral preto, toucinho, carne-seca, carnes de porco salgadas, linguiças, etc. [No N.E. do Brasil, leva, além de tudo isso, vários legumes, como quiabo, maxixe, couve, abóbora, etc.] 4. *Bras. Pop.* Confusão, balbúrdia, tumulto, angu.

feijoada de ogum *S. f. Rel.* Repasto comunal de Ogum no encerramento das festas anuais de alguns candomblés. [Pl.: *feijoadas de ogum*.] ☑

feijoal [De *feijão* + *-al*[1], com desnasalação.] *S. m.* 1. Quantidade mais ou menos considerável de feijoeiros dispostos proximamente entre si; plantação de feijões. 2. Área ocupada por feijoal (1).

feijoca *S. f.* Variedade de feijão grande.

feijoeiro [De *feijão* + *-eiro*, com desnasalação.] *S. m. Bras. Bot.* Trepadeira fabácea (*Phaseolus vulgaris*) da qual há diversas variedades, de flores alvas ou alvo-arroxeadas dispostas em racimos axilares muito mais curtos que as folhas, e cujo fruto é vagem reta ou curvada, com numerosas sementes reniformes, comestíveis, de colorido que vai do branco até o negro, unicolores ou marmorizadas; feijão, feijão--comum.

feijoense (ò) *Adj. 2 g.* 1. De, ou pertencente ou relativo a Feijó (AC). ● *S. 2 g.* 2. O natural ou habitante de Feijó.

feila [Alter. de *fécula*.] *S. f.* Pó de farinha finíssimo que fica depositado nas mós, eixos e calhas dos moinhos; faúlha.

feio [Do lat. *foedu*.] *Adj.* 1. De aspecto desagradável; que fere a vista ou a estética: *rosto feio; homem feio como o diabo*. 2. Que causa mal-estar ou sofrimento; ameaçador: "Vejo turvo o claro dia; / Sombra feia me acompanha" (Silva Alvarenga, *ap.* Sérgio Buarque de Holanda, *Antologia dos Poetas Brasileiros da Fase Colonial*, II, p. 132). 3. Indecoroso, torpe, vil: *ação feia*. 4. Difícil, insuportável, insofrível: *A situação ficou feia*. 5. Desventuroso, triste, escuro: *Feio destino o seu!* 6. Diz-se do tempo mau, chuvoso ou ventoso; fechado. [Superl. abs. sint.: *feíssimo*.] ~ V. *nome* —. ● *S. m.* 7. Coisa feia. 8. Situação desairosa; má posição moral. 9. Indivíduo feio: "Quem ama o feio, bonito lhe parece" (prov.). 10. *Pop.* V. *diabo* (2). ● *Adv.* 11. De modo feio, desairoso; feiamente: *Perdeu feio*. ◆ **Feio e forte.** Com extraordinária tenacidade; duramente. **Fazer feio.** Fazer má figura.

feioso (ô) [De *feio* + *-oso*.] *Bras. Adj.* 1. Um tanto feio: "É uma moça distinta, um bocado feiosa, mas de muita educação." (José Lins do Rego, *Ficção Completa*, II, p. 291.) [Aplica-se especialmente a pessoas.] ● *S. m.* 2. Indivíduo feioso (1).

feira [Do lat. *feria*, 'dia de festa'.] *S. f.* 1. Lugar público, muitas vezes descoberto, onde se expõem e se vendem mercadorias. 2. Feira livre. 3. *P. ext.* Compras que se fazem na feira livre: *Saiu com a tia para fazer a feira*. 4. Palavra que entra na composição dos nomes dos dias da semana, menos o sábado e o domingo: *segunda-feira, quinta-feira*. 5. *Fig.* Balbúrdia, falario. 6. *Market.* Evento no qual diferentes expositores apresentam seus produtos e serviços em estandes próprios, com finalidade comercial, educacional, caritativa, etc.; exposição, salão: *feira da providência; feira do livro de Frankfurt; feira de ciência*. 7. *Bras.* Venda a preços reduzidos: *feira de discos*. ◆ **Feira livre.** *Bras.* Feira (1) onde se vendem sobretudo legumes e frutas, ger. realizadas em dias fixos. [Tb. se diz apenas *feira*.]

feira-grandense *Adj. 2 g.* 1. De, ou pertencente ou relativo a Feira Grande (AL). ● *S. 2 g.* 2. O natural ou habitante de Feira Grande. [Pl.: *feira-grandenses*.]

feira-novense *Adj. 2 g.* 1. De, ou pertencente ou relativo a Feira Nova (PE e SE). ● *S. 2 g.* 2. O natural ou habitante de Feira Nova. [Pl.: *feira-novenses*.]

feirante [De *feirar* + *-nte*.] *Adj. 2 g.* 1. Relativo a feira. ● *S. 2 g.* 2. Pessoa que vende em feira (1), esp. em feira livre.

feirão [De *feira* + *-ão*[1].] *S. m.* 1. *Pop.* Grande feira. 2. *Prov. port.* Pequena feira; feiroto.

feirar [De *feira* + *-ar*[2].] *V. t. d.* 1. Negociar na feira (1); enfeirar. *Int.* 2. Fazer transações em feira (1).

feirense *Adj. 2 g.* 1. De, ou pertencente ou relativo a Feira de Santana (BA). ● *S. 2 g.* 2. O natural ou habitante de Feira de Santana.

feiroto (ô) [De *feira* + *-oto*[1].] *S. m. Prov. port.* Feirão (2).

feita [F. subst. de *feito*[2].] *S. f.* 1. Ato, obra, ação. 2. Ocasião, vez.

feital [Por *fetal* < *feto*[2] + *-al*[1].] *S. m.* 1. Fetal[2] (2). 2. *Bras.* Solo (2) cansado.

feitar [De *feito* + *-ar*[2].] *V. t. d. Bras. BA Pop.* Fazer (algo).

feitiar [De *feitio* + *-ar*[2].] *V. t. d.* Dar forma ou feitio a; ajeitar. [Pres. ind.: *feitio, feitias*, etc. Cf. *feitio*, s. m.]

feitiçaria [De *feitiço* + *-aria*.] *S. f.* 1. Ação ou prática de feiticeiro ou feiticeira. 2. V. *bruxaria* (2).

feiticeira [Fem. de *feiticeiro*.] *S. f.* 1. Mulher que faz feitiços; bruxa, carocha, estrige, maga, mágica. 2. *Fig.* Mulher encantadora. 3. *Bras.* Espécie de limpador dotado de caixa e escova cilíndrica que, rodando, recolhe para dentro da caixa partículas de lixo. 4. *Bras. RS* Rede de pesca, com três panos e malhas diferentes.

feiticeiral [De *feiticeiro* ou *feiticeira* + *-al*[1].] *Adj. 2 g.* 1. Relativo a, ou próprio de feiticeiro ou de feiticeira. 2. Feito por feiticeiro ou feiticeira; feiticeiresco.

feiticeiresco (ê) [De *feiticeiro* ou *feiticeira* + *-esco*.] *Adj.* Feiticeiral (2).

feiticeiro [De *feitiço* + *-eiro*.] *S. m.* 1. Aquele que faz feitiço; bruxo, mago. [Sin.: (moç.) mulói e (angol.) *mulôji*.] 2. *Fig.* Homem que encanta, seduz, atrai. ● *Adj.* 3. Que faz feitiços. 4. *Fig.* Agradável, encantador, sedutor. ~ V. *matéria —a, médico — e química —a*.

feiticismo [De *feitiço* + *-ismo*.] *S. m. P. us.* V. *fetichismo*: "E urixalá? Soava meio como o nome de um daqueles deuses obscuros de candomblé da Bahia. Entretanto, que sabia de feiticismo, rituais negros, além do indiferentemente encontrado numa revista?" (Macedo Miranda, *As Três Chaves*, p. 41.)

feiticista [De *feitiço* + *-ista*.] *Adj. 2 g. S. 2 g. P. us.* V. *fetichista*.

feitiço [De *feito*[2] + *-iço*.] *Adj.* 1. Artificial, factício: "Diadema de pérolas feitiças, tão bem-acabadas, que iam de par com as duas pérolas naturais, que lhe ornavam as orelhas" (Machado de Assis, *Quincas Borba*, p. 134). 2. Postiço, falso. ● *S. m.* 3. Malefício de feiticeiros. 4. Aquilo que é us. em feitiçaria (1): *Não pise nesta farofa: isto é feitiço*. 5. V. *bruxaria* (2). 6. *P. us.* V. *fetiche*. 7. *Fig.* Encanto, fascinação, fascínio. ◆ **Virar o feitiço contra o feiticeiro.** Voltar-se o feitiço contra o feiticeiro. **Voltar-se o feitiço contra o feiticeiro.** Recaírem as consequências dum ato sobre quem o praticou pensando prejudicar a outrem; virar o feitiço contra o feiticeiro.

feitio [De *feito*[2] + *-io*[2].] *S. m.* 1. Forma, figura, configuração, feição: "Bichos miúdos e grandes, insetos de todo o feitio .... tudinho nesse dia apareceu para glória do dia que era." (Luís Jardim, *Proezas do Menino Jesus*, p. 92.) 2. Modo de ser; maneira, jeito. 3. Disposição de espírito; caráter, índole: "O seu não, seco e duro, era coisa do feitio dela" (Nélson de Faria, *Tiziu e Outras Estórias*, p. 103). 4. Trabalho de artífice, em especial de costureira ou alfaiate. [Cf. *feitio*, do v. *feitiar*.]

feito[1] [Do lat. *factum, i*.] *S. m.* 1. Fato[1] (1). 2. Ação, ato. 3. Ato heroico; empresa, cometimento, façanha: "vereis um novo exemplo / De amor dos pátrios feitos valerosos / Em versos devulgado numerosos." (Luís de Camões, *Os Lusíadas*, I, 9); "Dize-nos quem és, teus feitos canta" (Gonçalves Dias, *Obras Poéticas*, II, p. 22). 4. O jogador que, no voltarete e noutros jogos, se propõe, à vista do jogo que tem, jogar contra os outros parceiros. ~ V. *feitos*. ◆ **De feito.** V. *de fato*: "Costumava dizer que a alegria do pobre era um mau agouro. De feito, não se dava um samba que não acabasse em sangueira." (José Américo de Almeida, *A Bagaceira*, pp. 38-39); "o Palha baixava os olhos do joelho até ao resto da perna [de Sofia], onde pegava com o cano da bota. De feito, era um belo trecho da natureza." (Machado de Assis, *Quincas Borba*, p. 269).

feito[2] [Do lat. *factus, a, um*.] *Adj.* 1. Acostumado, afeito. 2. Exercitado, adestrado, treinado. 3. Adulto, crescido: "Só pancada é que podia endireitar. Mas também, numa mulher feita daquelas, a gente não há de estar batendo a toda hora..." (Amando Fontes, *Os Corumbas*, p. 114.) 4. Amadurecido, maduro. 5. Decidido, resolvido, assente. 6. Constituído, formado. 7. Preparado para ferir ou acometer. 8. Pronto para ser usado ou consumido: "o pai e três irmãos, gente que plantava mandioca e vendia farinha feita" (Adonias Filho, *Luanda Beira Bahia*, p. 10). 9. *Bras. Rel.* Iniciado ritualmente (no candomblé, na umbanda, etc.): *um filho de santo com sete anos de feito*. ~ V. *frase —a, prato —, roupa —a* e *vento —*. ● *Conj.* 10. *Bras.* Como; tal qual; que nem: *O menino berrava feito bezerro desmamado*; "A noite estava feito o dia." (Herberto Sales, *O Lobisomem*, p. 44); "mula veloz feito um raio" (Stella Leonardos, *Geolírica*, p. 131); "eu fiquei olhando feito a gente fica quando vê pela primeira vez uma coisa bonita..." (Luís Vilela, *Tremor de Terra*, p. 10). ◆ **Bem feito.** Interj. de aplauso us. ironicamente; exprime satisfação por algo de mau ocorrido a outrem: *Bem feito! Todos te avisaram para não correr*.

feitor (ô) [Do lat. *factore*.] *Adj.* 1. Fazedor (1). ● *S. m.* 2. Administrador de bens alheios; gestor. 3. Superintendente de trabalhadores; capataz. 4. Rendeiro, caseiro. 5. Fabricante (2). [Pl.: *feitores* (ô). Cf. *feitores*, do v. *feitorar*.]

feitorar [De *feitor* + *-ar*[2].] *V. t. d. Bras.* 1. Gerir como feitor; superintender. 2. Gozar de; usufruir. [Sin. ger.: *feitoriar, feitorizar*. Pres. subj.: *feitore, feitores*, etc. Cf. *feitores* (ô), pl. de *feitor*.]

feitoria [De *feitor* + *-ia*[1].] *S. f.* 1. Administração de feitor. 2. Estabelecimento comercial. 3. Processo de fabricar vinho. 4. Fabrico de vinho. 5. Entreposto, em geral fortificado, que, na fase inicial da colonização dos domínios ultramarinos portugueses, negociava com os nativos e recolhia e armazenava os produtos que deviam ser transportados para a metrópole. 6. *Ant.* Prédio rústico; fazenda. 7. *Bras. Amaz.* Espaço roçado e limpo, no mato, onde o pessoal empregado em qualquer trabalho pernoita, guarda os víveres, a roupa e objetos de uso. 8. *Bras. Amaz.* Lugar, à margem de rio ou lago, onde se salga o peixe. 9. *Bras. Amaz.* Pequena habitação de pescadores, à margem de rio, ribeiro ou lago: "Surge no meio da mata a 'feitoria', que é só um rancho mal-aprumado, à beira de um arroio." (E. Roquete-Pinto, *Seixos Rolados*, p. 85.) 10. *Bras. Amaz.* Pesca do pirarucu, quando efetuada em larga escala.

feitoriar [De *feitor* + *-iar*[2].] *V. t. d.* V. *feitorar*.

feitorizar [De *feitor* + *-izar*.] *V. t. d.* V. *feitorar*: "Esta rica herdeira tem consigo um padre que feitoriza os negócios da casa" (Camilo Castelo Branco, *A Mulher Fatal*, p. 55).

feitos [Pl. de *feito*[1].] *S. m. pl.* Processos judiciais. ~ V. *feito*[1].

F

feitura [Do lat. *factura.*] *S. f.* **1.** Ato de fazer; obra em via de execução; trabalho, serviço: "Porque todos os dias perguntava a alguns desses poucos obreiros portugueses .... como ia a feitura da casa capitular." (Alexandre Herculano, *Lendas e Narrativas*, I, p. 283). **2.** Efeito de fazer; efeito do trabalho; obra, produto: "Eu vivo sozinha; ninguém me procura! / Acaso feitura / Não sou de Tupã?" (Gonçalves Dias, *Obras Poéticas*, II, p. 38.) **3.** Modo de fazer. ◆ **Feitura do santo.** *Bras. Rel.* No candomblé e em religiões afins, processo de iniciação ritual em que o fiel é preparado para servir e encarnar (7) entidades religiosas (orixás, caboclos, etc.).

feiume (ei-ú) [De *feio* + *-ume.*] *S. m. Bras. MG* **1.** V. *fealdade* (1): "O cavalinho era náfego. Para aumentar-lhe o feiume, troncho de uma orelha." (Nélson de Faria, *Tiziu e Outras Estórias*, p. 146.) **2.** Coisa feia. ❖

feiura (ei-ú) [De *feio* + *-ura.*] *S. f. Bras.* **1.** V. *fealdade* (1). **2.** Manifestação ou traço de feiura: "se você ainda tem olhos para enxergar feiuras no seu suposto amado, se tem cabeça para lhe descobrir defeitos, é porque não ama." (Raquel de Queirós, *100 Crônicas Escolhidas*, pp. 41-42). ❖

feixas-fradinho *S. m. Bras. Zool.* Pomba-do-cabo. [Pl.: *feixas-fradinhos.*]

feixe [Do lat. *fasce.*] *S. m.* **1.** Conjunto de objetos reunidos e cingidos de algum modo; molho: *um feixe de varas.* **2.** Grande quantidade de qualquer coisa: "Com uma vida tão intensa que é um feixe de vidas distintas, ela [Sarah Bernhardt] pode se ter cansado da admiração do mundo" (Joaquim Nabuco, *Escritos e Discursos Literários*, p. 39). **3.** *Anat.* Grupo de fibras (tendinosas, musculares ou nervosas). **4.** *Anat.* No sistema nervoso, grupo de fibras que têm a mesma origem, a mesma função e a mesma terminação. **5.** *Fís.* Conjunto de partículas que se deslocam com trajetórias quase paralelas. **6.** *Opt.* Conjunto de raios luminosos paralelos ou quase paralelos, e que correspondem, portanto, a uma frente de onda plana ou quase plana. [Dim. irreg.: *fascículo.* Cf. *feche*, do v. *fechar.*] ◆ **Feixe colimado.** *Fís.* **1.** Feixe de radiação formado de raios paralelos. **2.** Feixe de partículas de trajetórias paralelas. **Feixe de nervos.** Pessoa muito nervosa, excitável, irritável. **Feixe de ossos.** Pessoa macérrima; carga de ossos. **Feixe de planos.** *Mat.* Conjunto de planos que têm em comum uma reta própria ou imprópria. [Cf. *estrela de planos.*] **Feixe de retas.** *Mat.* Família de retas que têm em comum um ponto próprio ou impróprio. **Feixe piramidal.** *Anat.* Cada um de quatro feixes de fibras motoras, dispostas em dois pares, em cada metade da medula espinhal, e que possibilitam o controle cortical de importantes movimentos.

fel [Do lat. *felle.*] *S. m.* **1.** Bílis (1). **2.** Vesícula que contém bílis (1). **3.** *Fig.* Mau humor, azedume; ódio. **4.** *Fig.* Coisa muito amarga: *Este remédio é um fel.* [Pl.: *féis* e *feles.*]

felá [Do ár. *fallāh*, pelo fr. *fellah.*] *S. m.* Camponês ou lavrador egípcio. [Fem.: *felaína.*]

felação [Do lat. **fellatione*, de *fellare*, 'chupar, mamar'.] *S. f.* Coito[1] bucal.

felaína *S. f.* Fem. de *felá* (q. v.).

felandreno [Do tax. (*Eucalyptus*) *phellandra* + *-eno*[2].] *S. m. Quím.* Qualquer de dois monoterpenos cíclicos duplamente insaturados, isômeros do limoneno, ou mistura destes [fórm.: $C_{10}H_{16}$].

felata *S. 2 g.* V. *fula*[3] (1).

fel-da-terra *S. m. Bot.* **1.** *Bras.* Planta herbácea, da família das fumariáceas (*Fumaria officinalis*), essencialmente campestre, de flores pequenas, irregulares, róseas, com a extremidade das pétalas vermelho-escura, dispostas em racimos pedunculados e axilares, e cujo fruto é cápsula indeiscente que contém uma semente; capnoide, erva-molarinha, molarinha, fumo-da-terra, fumária. **2.** *Bras.* V. *esponja-de-raiz.* **3.** *Bras. RJ a SC* Parasito acaule, da família das balanoforáceas (*Lophophytum leandri* e *L. mirabile*), que vegeta em lugares sombrios, preferentemente sobre raízes de leguminosas. **4.** *Bras.* Parasito acaule, da família das balanoforáceas (*Scybalium glaziowii*), que vegeta sobre raízes de melastomáceas e mirsináceas. [Pl.: *féis-da-terra* e *feles-da-terra.*]

feldmarechal [Do al. *Feldmarschall*, de *Feld*, 'campo', e *Marschall*, 'marechal'.] *S. m.* O posto mais elevado na hierarquia militar da Alemanha, da Áustria e doutros países; marechal de campo.

feldspático [De *feldspato* + *-ico*[2].] *Adj.* **1.** Que contém feldspato. **2.** Relativo ao, ou da natureza do feldspato.

feldspato [Do al. *Feldspath* (atual *Feldspat*).] *S. m. Min.* Designação comum aos silicatos de alumínio e de um ou mais metais alcalinos ou alcalinoterrosos, mais comumente potássio, sódio e cálcio, de cor clara, componentes das rochas eruptivas.

felema [De *fel(o)-* + a term. *-ema* (como em *floema*).] *S. m. Bot.* Súber.

féleo [Do lat. *felleu.*] *Adj.* Relativo ao fel.

felibre [Do provenç. mod. *félibre.*] *S. m.* Autor que escrevia na língua d'oc (q. v.).

➔**félibre** [fe'libʀ] [Prov. mod.] *S. m.* V. *felibre.*

felibrige [Do provenç. mod. *félibrige.*] *S. m.* Escola literária provençal fundada em 1854 por sete jovens felibres.

felice [Do lat. *felice*, por via erudita.] *Adj. 2 g. Ant.* Feliz: "Que diversas que são, Marília, as horas, / que passo na masmorra imunda e feia, / dessas horas felices, já passadas / na tua pátria aldeia!" (Tomás Antônio Gonzaga, *Marília de Dirceu*, p. 119.)

felícia [Do lat. *felice*, 'feliz', + *-ia*[2].] *S. f. Fam.* Felicidade, ventura.

felicianense *Adj. 2 g.* **1.** De, ou pertencente ou relativo a Dom Feliciano (RS). ● *S. 2 g.* **2.** O natural ou habitante de Dom Feliciano.

feliciano *Adj.* **1.** De, ou pertencente ou relativo a Joaquim Felício (MG). ● *S. m.* **2.** O natural ou habitante de Joaquim Felício.

felicidade [Do lat. *felicitate.*] *S. f.* **1.** Qualidade ou estado de feliz; ventura, contentamento: "Felicidade! Felicidade! / Ai quem me dera na minha mão! / Não passar nunca da mesma idade, / Dos 25, do quarteirão." (Antônio Nobre, *Só*, p. 45.) **2.** Bom êxito; êxito, sucesso: *Desejo-lhe felicidade no seu novo negócio.* **3.** Boa fortuna; dita, sorte: *Foi uma felicidade eu ter chegado a tempo, com o tráfego todo atrapalhado.* ~ V. *felicidades.*

felicidades *S. f. pl.* Votos de feliz êxito; congratulações. ~ V. *felicidade.*

felicíssimo [Do lat. *felicissimu.*] *Adj.* Superl. abs. sint. de *feliz.*

felicitação [Do fr. *félicitation.*] *S. f.* Ato ou efeito de felicitar(-se). ~ V. *felicitações.*

felicitações [Pl. de *felicitação.*] *S. f. pl.* Palavras de satisfação, de regozijo, dirigidas a alguém diante de acontecimentos felizes; parabéns, congratulações. ~ V. *felicitação.*

felicitar [Do lat. tard. *felicitare.*] *V. t. d.* **1.** Dar a felicidade a; tornar feliz. **2.** Dirigir parabéns ou cumprimentos a; congratular, cumprimentar. *P.* **3.** Aplaudir-se, congratular-se. [Pres. subj.: *felicite*, etc. Cf. *filicite.*]

félida [Do lat. cient. *Fel-* (< tax. *Felis*) + *-ida*[1].] *S. m. Adj. 2 g. Zool.* V. *felídeo.*

felídeo [Do lat. cient. *Fel-* (< tax. *Felis* < lat. *felis*, 'gato') + *-ídeo*[1]; tax. *Felidae.*] *Zool. S. m.* **1.** Espécime dos felídeos, família de mamíferos carnívoros, digitígrados, de cauda longa, unhas afiladas e retráteis, dentes molares e pré-molares cortantes, língua coberta de papilas córneas, e esqueleto apropriado ao pulo. Ex.: os leões, os tigres, as onças e os gatos em geral. ● *Adj.* **2.** Pertencente ou relativo a eles. [Sin. ger.: *félida.*]

feliforme [Do lat. cient. *Fel-* (v. *felídeo*) + *-iforme*; tax. *Feliformia.*] *Zool. S. m.* **1.** Espécime dos feliformes, subordem de mamíferos carnívoros que compreende os extintos miacóideos e os atuais feloídeos (q. v.). ● *Adj. 2 g.* **2.** Pertencente ou relativo a eles.

felinamente [Do f. de *felino* + *-mente.*] *Adv.* À maneira de felino; como um felino: "são [os teus olhos] dois tapetes de peliça, / onde, de rastos, / felinamente se espreguiça / o meu olhar..." (Gilca da Costa Melo Machado, *Poesias*, p. 199).

felino [Do lat. *felinu.*] *Adj.* **1.** Do, relativo ao, ou próprio do gato ou dos demais felídeos, ou semelhante a eles: "o outro lado da atenção seguia o gato ruivo, caminhando com maciez felina em cima do muro alto." (Augusto Meyer, *No Tempo da Flor*, p. 100). **2.** *Fig.* Traiçoeiro, fingido. **3.** *Fig.* Ágil, desenvolto, hábil. ● *S. m.* **4.** Animal felino: "Nosso jaguar ou onça figura entre os maiores exemplares de felinos autóctones" (Cosme Ferreira Filho, *Amazônia em Novas Dimensões*, p. 53).

félis [Do tax. *Felis.*] *S. m. Zool.* **1.** Gênero de mamíferos carnívoros da família dos felídeos, com 29 espécies. **2.** Qualquer espécie desse gênero, como, p. ex., a *Felis catus* [v. *gato* (1)] e a *Felis tigris* [v. *tigre* (1)]. **3.** Qualquer espécime desse gênero.

felisburguense *Adj. 2 g.* **1.** De, ou pertencente ou relativo a Felisburgo (MG). ● *S. 2 g.* **2.** O natural ou habitante de Felisburgo.

➔**felix culpa** ['felɛks 'kulpa] [Lat., 'culpa feliz'.] Palavras de Santo Agostinho referentes à queda do primeiro casal, que nos valeu a redenção.

felixlandense (lis) *Adj. 2 g.* **1.** De, ou pertencente ou relativo a Felixlândia (MG). ● *S. 2 g.* **2.** O natural ou habitante de Felixlândia.

feliz [Do lat. *felice*, por via pop.] *Adj. 2 g.* **1.** Que desfruta de satisfação e ventura; ditoso, afortunado, venturoso: *É homem feliz: a sorte sempre lhe foi favorável;* "Se és feliz e o não sabes, tens na mão / O maior bem entre os mais bens terrenos" (Raul de Leoni, *Luz Mediterrânea*, p. 71). **2.** Intimamente contente, alegre, satisfeito: *Vive feliz com os seus.* **3.** Que prosperou; próspero: *É feliz nos negócios.* **4.** Que teve bom resultado; bem-sucedido: *operação feliz.* **5.** Favorecido pela sorte; afortunado: *"Feliz no jogo, infeliz nos amores", diz o ditado.* **6.** Que proporciona felicidade; abençoado, bendito: *casamento feliz.* **7.** Bem lembrado ou imaginado: *uma feliz combinação de cores.* **8.** Que denota, ou em que há alegria, satisfação, contentamento, ventura: *Tem um ar feliz;* "O eterno sonho da alma desterrada, / Sonho que a traz ansiosa e embevecida, / É uma hora feliz, sempre adiada / E que não chega nunca em toda a vida." (Vicente de Carvalho, *Poemas e Canções*, p. 3). [Antôn.: *infeliz.* Superl. abs. sint.: *felicíssimo.*] ~ V. *fim — e final —.*

feliz-amor *S. m. Bras. RS* Variedade de fandango. [Pl.: *felizes-amores.*]

felizão [De *feliz* + *-ão*[1].] *Adj. S. m. Fam.* Diz-se de, ou indivíduo muito feliz. [Fem.: *felizona.*]

felizardo [De *feliz* + *-ardo.*] *S. m.* Indivíduo de muita sorte, extraordinariamente feliz; felizão: "O Prates é um felizardo: vai meter-se em cobreira grossa e leva uma mulher!..." (Coelho Neto, *Treva*, p. 178.)

feliz-desertense *Adj. 2 g.* **1.** De, ou pertencente ou relativo a Feliz Deserto (AL). ● *S. 2 g.* **2.** O natural ou habitante de Feliz Deserto. [Pl.: *feliz-desertenses.*]

felizense *Adj. 2 g.* **1.** De, ou pertencente ou relativo a Feliz (RS). ● *S. 2 g.* **2.** O natural ou habitante de Feliz.

felizmente [De *feliz* + *-mente.*] *Adv.* **1.** De modo feliz; com felicidade: "Purificado enfim aquele espírito com esta saudável quaresma de penitência, havendo três dias antes dito quando se havia de partir, no último deles se desatou do corpo, felizmente." (P.[e] Manuel Bernardes, *Nova Floresta*, I, pp. 140-141); *Vivem felizmente.* **2.** Por felicidade: *Felizmente achou sua carteira.*

feliz meu bem *S. m. 2 n. Bras.* Certo baile popular, variedade de fandango. ☑

felizona *S. f.* Fem. de *felizão.*

feliz-santense *Adj. 2 g.* **1.** De, ou pertencente ou relativo a Felício dos Santos (MG). ● *S. 2 g.* **2.** O natural ou habitante de Felício dos Santos. [Pl.: *feliz-santenses.*]

felliniano *Adj.* **1.** Pertencente ou relativo a Federico Fellini (1920-1993), cineasta italiano, ou próprio dele e/ou de sua obra. **2.** Que é admirador e/ou profundo conhecedor da obra de Fellini. ● *S. m.* **3.** Admirador e/ou profundo conhecedor da obra desse cineasta.

▲**fel(o)-** [Do gr. *phellós, oû.*] *El. comp.* = 'cortiça': *felogênio, feloplástica.*

felô *S. m. Bras.* V. *alféloa* (1).

feloderma [De *fel(o)-* + *-derma.*] *S. f. Bot.* Córtex secundário, formado por dentro do súber quando do desenvolvimento da estrutura secundária.

felodérmico [De *feloderma* + *-ico*[2].] *Adj. Bot.* De, ou relativo à feloderma: *célula felodérmica.*

felogênico *S. m. Bot.* V. *felogênico.* [Uso freq. em P.]

felogênico [De *felógeno* + *-ico*[2].] *Adj. Bot.* De, ou relativo ao felógeno: *camada felogênica.*

felogénio *S. m. Bot.* V. *felogênio.* [Uso freq. em P.]

felogênio [De *fel(o)-* + *-gen(o)-* + *-io*[3].] *S. m. Bot.* Felógeno.

felógeno [De *fel(o)-* + *-geno.*] *S. m. Bot.* Meristema secundário que dá origem ao súber e a outros tecidos peridérmicos; felogênio.

feloídeo [Do lat. cient. *Fel-* (v. *felídeo*) + *-óideo*; tax. *Feloidea.*] *Zool. S. m.* **1.** Espécime dos feloídeos, superfamília de mamíferos carnívoros, fissípedes, feliformes, caracterizados por apresentarem garras retráteis. Dividem-se em três famílias: viverrídeos, hienídeos e felídeos. ● *Adj.* **2.** Pertencente ou relativo a eles.

felonia [Do fr. *félonie.*] *S. f.* **1.** Rebelião de vassalo contra o senhor. **2.** Traição, deslealdade, perfídia: "Nesses tempos, ... a insídia, a perfídia, a traição, a felonia, [eram] argutos expedientes" (Antero de Figueiredo, *D. Pedro e D. Inês*, p. 158). **3.** Crueldade, ferocidade.

feloplástica [De *fel(o)-* + *-plast(o)-* + *-ica.*] *S. f.* Arte de esculpir em cortiça.

felpa (ê) [Da mesma or. incerta que o esp. *felpa*, o it. *felpa*, o occitano *feupo* e o cat. *felpa.*] *S. f.* **1.** Pelo saliente nos tecidos; felpo: "Um homem alto, de pera, metido em espesso sobretudo de felpas negras, bramava contra o crime" (Coelho Neto, *Obra Seleta*, I, p. 504). **2.** Penugem de animais. **3.** Lanugem de folhas ou de frutos; carepa: "seus dedos ágeis teceram o formoso uru de palha, que forrou da felpa macia da monguba, para agasalhar sua companheira e amiga." (José de Alencar, *Iracema*, p. 120). **4.** Buço de rapazinho; penugem. **5.** *Bras. Fam.* Lascazinha de madeira que acidentalmente se introduz na pele ou na carne; farpa. **6.** *Bras. CE Pop.* Qualidade, espécie, laia: "Da mesma felpa que esses dois, igualando-os na fereza d'alma e nos processos infames, surgem centenas de nevrosados" (Gustavo Barroso, *Terra do Sol*, p. 135). [Pl.: *felpas* (ê). Cf. *felpa* e *felpas*, do v. *felpar*.]

felpado [De *felpa* + *-ado*[1].] ***Adj.*** V. *felpudo*.

felpar [De *felpa* + *-ar*[2].] ***V. t. d.*** Cobrir de felpa. [Pres. ind.: *felpa* (ê), s. f., e pl. *felpas* (ê).]

felpo (ê) ***Adj.*** **1.** V. *felpudo*. ● ***S. m.*** **2.** Felpa (1): "uma gravata de laçarias portentosas e um canudo de felpo lustroso." (Camilo Castelo Branco, *Amor de Salvação*, p. 17). [Pl.: *felpos* (ê). Cf. *felpo*, do v. *felpar*.]

felpudo [De *felpa* + *-udo*.] ***Adj.*** Que tem felpa ou muita felpa; felpado, felpo.

felsítico [Do ingl. *felsite* (< ingl. *fels* [*par*], 'feldspato', + ingl. *-ite* [= *-ite*[2]]) + *-ico*[2].] ***Adj. Petr.*** Diz-se da textura das rochas de granulação tão fina que só pode ser observada com o auxílio de lupa ou de microscópio.

feltrado [Part. de *feltrar*.] ***Adj.*** Guarnecido com feltro; estofado: *mesa de jogo feltrada*.

feltragem [De *feltrar* + *-agem*[2].] ***S. f.*** Ato ou operação de feltrar. [Cf. *filtragem*.]

feltrar [De *feltro* + *-ar*[2].] ***V. t. d.*** Guarnecer com feltro; estofar. [Pres. ind.: *feltro*, etc. Cf. *feltro* (ê) e *filtrar*.]

feltro (ê) [Do it. *feltro* < fr. *feutre*.] ***S. m.*** **1.** *Tec. Têx.* Espécie de estofo, de lã ou de pelo, produzido por empastamento, e usado sobretudo na fabricação de chapéus, pantufos, etc.: "punha na cabeça um chapéu comum de feltro machucado." (Lima Júnior, *Alguns Homens do Meu Tempo*, p. 13). **2.** *Vest.* Chapéu de feltro: "Via-o faceiro e trazendo o seu magnífico feltro marrom." (Rodrigo Otávio, *Minhas Memórias dos Outros*, Nova série, p. 146.) **3.** *Ind. Pap.* Cada um dos retângulos de feltro (1), em que sucessivamente se deitavam as folhas de papel de tina, sobre eles virando a fôrma, até perfazer um conjunto que se levava a uma grande prensa, para auxiliar na retirada da água. **4.** *Ind. Pap.* Cada uma das tiras sem fim de feltro (1), que conduzem a folha de papel e permitem sua formação e secagem nas diversas seções da máquina contínua. [Pl.: *feltros* (ê). Cf. *feltro*, do v. *feltrar*.] ~ V. *feltros*.

feltrógrafo [De *feltro* + *-grafo*.] ***S. m.*** V. *flanelógrafo*.

feltros (ê) [Pl. de *feltro*.] ***S. m. pl.*** Forros metálicos. ~ V. *feltro*.

felucho ***S. m.*** V. *falucho*.

felugem ***S. f.*** V. *fuligem*.

■ **f.e.m.** *Eletr.* Abrev. de *força eletromotriz*.

■ **Femar** Sigla de *Fundação dos Estudos do Mar*.

fembar [Do ronga *femba* (do v. *ku-femba*, 'expulsar os espíritos do corpo, cheirando') + *-ar*[2].] ***V. t. d. Moç.*** Livrar de espíritos malignos, mediante exorcismo: "Era preciso fembar a própria árvore e o local à volta." (Calane da Silva, *Xicandarinha — Na Lenha do Mundo*, p. 33.)

fêmea [Do lat. *femina*.] ***S. f.*** **1.** Qualquer animal do sexo feminino. **2.** Mulher (1). **3.** *Restr.* Mulher sensual. **4.** V. *concubina* (1). **5.** *Deprec.* Meretriz. **6.** *Cost.* Colcheta. **7.** *Tec. Mec.* Peça, de um par, com um orifício onde se adapta a outra, chamada o *macho*. ◆ **Fêmea de governo.** *Bras.* Calço de madeira donde pende o leme das jangadas. **Fêmeas do leme.** *Marinh.* Cada uma das peças com formato de olhal reforçado, cravadas no cadaste do navio ou da embarcação, para receberem os machos fixos na madre do leme, e que, juntamente com esses machos, formam uma goveadura, espécie de dobradiça em torno da qual gira o leme.

femeaço [De *fêmea* + *-aço*.] ***S. m. Pej. Pop.*** Mulherio (1).

femeado [De *fêmea* + *-eado*.] ***Adj. Bras.*** Diz-se do pássaro que passa a cantar muito, após ter estado com a fêmea e ter sido afastado dela. [O canto é tido como maneira de chamar a fêmea, para tê-la de novo.]

femeal [De *fêmea* + *-eal*.] ***Adj. 2 g.*** Fêmeo (2): "uns vampiros de sangue femeal, que trazem o demônio da vingança no corpo" (Camilo Castelo Branco, *A Queda dum Anjo*, p. 180).

femear [De *fêmea* + *-ar*[2].] ***V. int.*** Andar com mulheres: "Todo o cabedal das suas habilitações consistia em saberem fumar, beber, jogar e femear como ninguém." (Aluísio Azevedo, *A Condessa Vésper*, p. 243.) [Conjug.: v. *frear*.]

femeeiro [De *fêmea* + *-eiro*.] ***Adj.*** **1.** Muito dado a mulheres; mulherengo: "O raro fidalgo de estirpe poderia ser namoradiço, femeeiro, e até imoral, se quiserem; mas era-o lá com a parentela." (Camilo Castelo Branco, *Doze Casamentos Felizes*, p. 101.) [Sin. (bras.): *folgazão* (N.) e *raparigueiro* (N.E.).] **2.** *Bras.* Diz-se do touro e do garanhão cujos produtos, na grande maioria, são do sexo feminino. ● ***S. m.*** **3.** Indivíduo femeeiro; mulherengo. **4.** *Pop.* Conjunto de meretrizes em um lugar.

fementido [De *fé* + *mentido*.] ***Adj.*** **1.** Que mentiu à fé jurada; perjuro. **2.** Enganoso, ilusivo, ilusório: "homens cansados das estéreis preocupações da civilização e das suas fementidas promessas" (Fidelino de Figueiredo, *Música e Pensamento*, p. 154).

fêmeo [Do lat. *feminu*.] ***Adj.*** **1.** Que não é macho; feminino. **2.** Relativo a, ou próprio de fêmea; femeal: "— No arroio, delgada, guapa, leve, a Jovita lavava a roupa do Nilo, com cautela, com maneiras bem fêmeas" (Ciro Martins, *Paz nos Campos*, p. 25).

fem-fem [T. onom.] ***S. m. Bras. Amaz. Zool.*** V. *saci* (2). [Pl.: *fem-fens*.] [Na 5ª ed. do Volp., sem hífen; incongruente, portanto, com o critério aplicado em quem-quem.]

fêmico ***Adj. Geol.*** V. *fêmico*. [Uso freq. em P.]

fêmico [De *fe(rro)* + *m(agnésio)* + *-ico*[2].] ***Adj. Geol.*** Diz-se dos minerais ferromagnesianos da norma (6), *i. e.*, daqueles que figuram na composição mineralógica hipotética de uma rocha magmática. [Cf. *sálico*[2].]

feminal [Do lat. *feminale*.] ***Adj. 2 g.*** V. *feminil*: *curiosidades feminais*.

feminela [Do it. *femminella*, 'mulherzinha', 'fêmea de várias peças mecânicas'.] ***S. f. Ant.*** Cilindro de madeira ligado à haste do soquete e coberto com lã de carneiro, us. para empurrar o projetil nas peças de artilharia de carregar pela boca.

femíneo [Do lat. *femineu*.] ***Adj.*** V. *feminil* (1): "Outra é mestiça — rara flor do Egito: / A par dos lábios sensuais que osculam, / E a redondez femínea dos quadris, / Mostra um temperamento hermafrodito" (Raimundo Correia, *Poesias*, p. 76).

feminidade [F. haplológica de *femininidade*.] ***S. f.*** Qualidade, caráter ou propriedade de ser fêmeo. "A maternidade realçava a feminidade." (Machado de Assis, *Contos Avulsos*, p. 231.)

feminifloro [Do lat. *femina*, 'fêmea', + *-ifloro*.] ***Adj. Bot.*** Diz-se do vegetal quando formado de flores femininas.

feminil [Do lat. tard. *feminile*.] ***Adj. 2 g.*** **1.** Relativo a, ou próprio do sexo feminino; feminino, femíneo, feminal: "Uma ninfa... e vestida unicamente / Da tentadora, feminil nudez." (Raimundo Correia, *Poesias*, p. 142.) **2.** *Fig.* Efeminado, adamado.

feminilidade [De *feminil* + *-(i)dade*.] ***S. f.*** Qualidade, caráter, modo de ser, pensar ou viver próprio da mulher.

feminino [Do lat. *femininu*.] ***Adj.*** **1.** Referente ao sexo caracterizado pelo ovário nos animais e nas plantas; fêmeo. **2.** V. *feminil* (1). **3.** *E. Ling.* Diz-se do gênero de palavras ou nomes que, pela terminação e concordância, designam seres femininos ou como tal considerados. ~ V. *circuncisão —a* e *rimas —as*. ● ***S. m.*** **4.** *E. Ling.* O gênero feminino. [V. *gênero* (9).] ◆ **O eterno feminino.** A mulher, como tema ou preocupação dominante.

feminismo [Do fr. *féminisme*.] ***S. m.*** **1.** Movimento daqueles que preconizam a ampliação legal dos direitos civis e políticos da mulher, ou a equiparação dos seus direitos aos do homem. **2.** *Med.* Presença, congênita ou adquirida, de caracteres sexuais secundários femininos em homem.

feminista [Do fr. *féministe*.] ***Adj. 2 g.*** **1.** Relativo ao, ou próprio do feminismo. **2.** Que é partidário ou militante do feminismo. ● ***S. 2 g.*** **3.** Partidário ou militante dele.

feminizar [Do lat. *femina*, 'fêmea', + *-izar*.] ***V. t. d.*** **1.** Dar feição ou caráter feminino a. **2.** Atribuir o gênero feminino a. *P.* **3.** Assumir os caracteres da fêmea; adquirir qualidades ou modos feminis.

femoral [Do lat. *femur*, *femoris*, 'coxa', + *-al*.] ***Adj. 2 g.*** Do fêmur ou da coxa, ou relativo ao fêmur ou à coxa.

▲ **femto-** [Do din. *femten*, 'quinze'.] ***Mat. El. comp.*** que, anteposto ao nome de uma unidade de medida, forma outra com o valor 10^{-15} vezes o da primeira, ou um quatrilionésimo do valor da primeira [símb.: *f*]. Ex.: 1 femtossegundo = 10^{-15} s. [Var.: *fento-*.]

femtofarad [De *femto-* + *farad*.] ***S. m.*** Unidade de medida de capacitância, igual a 10^{-15} farad [símb.: *fF*].

femtômetro [De *femto-* + *metro*.] ***S. m.*** Unidade de medida de comprimento, igual a 10^{-15} m [símb.: *fm*].

femtowatt [De *femto-* + *watt*.] ***S. m.*** Unidade de medida de potência, igual a 10^{-15} watt [símb.: *fW*].

fêmur ***S. m. Anat.***, *Zool.* V. *fêmur*. [Pl.: *fêmures*.]

fêmur [Do lat. *femur*.] ***S. m.*** **1.** *Anat.* Osso único de cada coxa. **2.** *Zool.* O terceiro segmento da pata dos insetos, dos aracnídeos e de certos crustáceos. [Pl.: *fêmures*. Var. pros.: *fémur*.]

▲ **-fena** V. *fen(o)-*.

■ **Fenaban** Sigla de *Federação Nacional dos Bancos*.

fenação [De *fenar* + *-ção*.] ***S. f.*** **1.** Processo de conservação das forragens. **2.** Colheita do feno.

fenacetina [De *fen(o)-* + *acét(ico)* + *-ina*[3].] ***S. f. Quím.*** Pó cristalino, incolor, us. como antipirético e antinevrálgico [fórm.: $C_{10}H_{13}O_2N$].

fenacita [Do rad. gr. *phenak-* (< gr. *phénax*, *akos*, 'enganador') + *-ita*[3].] ***S. f. Min.*** Mineral trigonal, silicato de glucínio.

■ **Fenamar** Sigla de *Federação Nacional das Agências de Navegação Marítima*.

fenantreno [De *fen(o)-* + *antr(ac)eno*.] ***S. m. Quím.*** Substância cristalina, hidrocarboneto aromático tricíclico, isômero do antraceno, encontrado no alcatrão [fórm.: $C_{12}H_{10}$].

fenantrolina [De *fenantr(eno)* + *(quin)olina*.] ***S. f. Quím.*** Qualquer de certas bases nitrogenadas heterocíclicas, derivadas do fenantreno por substituição de dois metinos por dois átomos de nitrogênio [fórm.: $C_{12}H_8N_2$]. [V. *orto-fenantrolina*.]

■ **Fenap** Sigla de *Federação Nacional dos Publicitários*.

fenar [De *feno* + *-ar*[2].] ***V. int. Bras.*** Cultivar feno. [Pres. subj.: *fene*, *fenes*, etc. Cf. *fênix* e *finar*.]

fenarsazina [De *fen(o)-* + *ars(ênico)* + *azina*.] ***S. f. Quím.*** Substância cristalina, base heterocíclica aromática, cujas moléculas se podem considerar derivadas do antraceno por substituição dos dois metinos centrais por um átomo de nitrogênio e outro de arsênio [fórm.: $C_{12}H_8AsN$]. [V. *adamsita*.]

fenato [De *fen(o)-* + *-ato*[2].] ***S. m. Quím.*** Fenolato.

■ **Fenavega** Sigla de *Federação Nacional das Empresas de Navegação Marítima, Fluvial, Lacustre e de Tráfego Portuário*.

fenazina [De *fen(o)-* + *azina*.] ***S. f. Quím.*** Substância cristalina, base heterocíclica aromática, cujas moléculas se podem considerar derivadas do antraceno por substituição dos dois metinos centrais por átomos de nitrogênio [fórm.: $C_{12}H_8N_2$].

fenazopiridina [De *fen(o)-* + *-azo-* + *piridina*.] ***S. f. Quím.*** Substância básica, aromática, que contém o grupo azo, us. como antisséptico urinário, ger. sob forma de sal do ácido clorídrico [fórm.: $C_{11}H_{12}N_5^+Cl^-$].

fenchona [Do al. *Fench(el)*, 'funcho', + *-ona*[2].] ***S. f. Quím.*** Cetona natural, monoterpênica, bicíclica, oleosa, com odor semelhante ao da cânfora (da qual é um isômero), encontrada no funcho e us. na indústria alimentícia e em perfumaria [fórm.: $C_{10}H_{16}O$].

fenda [Dev. de *fender*.] ***S. f.*** **1.** Abertura de maior ou menor extensão na superfície de um corpo; racha, rachadela, greta: *Abriu-se uma fenda no velho muro*. **2.** Qualquer abertura estreita; fendimento, fisga, frincha, greta. **3.** *Bot.* Abertura existente entre as células estomáticas. **4.** *Geol.* Abertura estreita que se apresenta nas rochas, devida ao alargamento nas diáclases. **5.** *Med.* Orifício alongado ou em forma de fissura, e que se verifica no desenvolvimento embrionário, normalmente ou não, neste último caso por não ocorrer a fusão de partes que deveriam unir-se. **6.** *Ópt.* Diafragma, geralmente retangular, através do qual penetra luz num instrumento óptico. ◆ **Fenda bucal.** *Anat.* Espaço mediano, circunscrito pelos dois lábios, no local por onde o tubo digestivo se comunica, superiormente, com o meio exterior ao corpo. **Fenda palpebral.** *Anat.* A abertura existente entre cada pálpebra superior e a inferior homolateral.

fendedor (ô) [De *fender* + *-dor*.] ***Adj. S. m.*** Que, ou aquele que fende.

fendeleira [De *fender* + *-l-* + *-eira*.] ***S. f.*** Cunha de ferro para rachar ou fender.

fendente [Do lat. *fendente*.] ***Adj. 2 g.*** **1.** Que fende. ● ***S. m.*** **2.** Cutelada ou golpe forte para fender.

fender [Do lat. *findere*.] ***V. t. d.*** **1.** Fazer fenda (2) em. **2.** Separar no sentido do comprimento. **3.** Rachar; rasgar. **4.** Dividir, separar, apartar: *O rio fendia o vale*. **5.** Navegar por; sulcar: *A embarcação fendia as águas*. **6.** Atravessar, cruzar, cortar: "uma garça, depois outra, fende o céu alto" (Eça de Queirós, *Contos*, p. 172);"E eis que .... um silvo fende os céus" (Id., *ib.*, p. 177);"fendendo a neve, iam dormir à estrebaria" (Id., *ib.*, p. 129). **7.** Fazer estremecer; comover, abalar. ***Int. P.*** **8.** Abrir-se em fenda (2) ou rachar-se: "A terra fende, crestada, das brechas estoiram, aqui e ali, hastes de junco com bandeiras de lodo penduradas." (José Cardoso Pires, *Jogos de Azar*, pp. 185-186.) [P. us. como int.]

fendido [Part. de *fender*.] ***Adj.*** Que se fendeu. ~ V. *folha —a*.

fendilhamento [De *fendilhar* + *-mento*.] ***S. m.*** Fendimento (1).

fendimento [De *fender* + *-imento*.] ***S. m.*** **1.** Ato ou efeito de fender(-se); fendilhamento. **2.** V. *fenda* (2).

fenecer [De *fenir*, por *finir* (ant.) < lat. *finire*, 'acabar', 'findar', + *-ecer*.] ***V. int.*** **1.** Terminar, acabar, extinguir-se. **2.** V. *morrer* (1): "E, quando assim vemos fenecer, ainda toucadas das flores da mocidade, senhoras que tinham direito a ser felizes... por que não havemos de crer que há anjos?" (Camilo Castelo Branco, *Mosaico e Silva de Curiosidades*, p. 8.) **3.** Murchar (5): *As flores feneciam ao sol do meio-dia*. ***T. c.*** **4.** Ter o seu termo, fim ou limite: *Suas terras fenecem onde começa o oceano*. [Sin. ger.: *enfenecer*. Conjug.: v. *aquecer*.]

F

fenecimento [De *fenecer* + *-imento*.] *S. m.* **1.** Acabamento, fim. **2.** Morte, falecimento.

feneco [Do tax. *Fennecus*.] *S. m. Zool.* **1.** Gênero da família dos canídeos. **2.** Qualquer espécie desse gênero, como a *Fennecus zerda* ou *Vulpes zerda*, raposa que habita os desertos africanos. **3.** Qualquer espécime desse gênero.

feneiro [De *feno* + *-eiro*.] *S. m. Arquit.* Casa ou depósito em que se recolhe o feno.

fenestela [Do tax. *Fenestella* (< lat. *fenestella*, dim. do lat. *fenestra*, 'janela').] *S. f. Paleont.* **1.** O gênero-tipo dos fenestelídeos (q. v.). **2.** Espécie ou espécime desse gênero.

fenestelídeo [Do tax. *Fenestella* (v. *fenestela*) + *-ídeo*[1]; tax. *Fenestellidae*.] *Paleont. S. m.* **1.** Espécime dos fenestelídeos, família de briozoários do paleozoico, que formavam colônias em forma de renda, dispostas de modo a deixarem entradas que lembravam pequenas janelas. ● *Adj.* **2.** Pertencente ou relativo a eles.

fenestração [De *fenestrar* + *-ção*.] *S. f. Otor.* Intervenção, hoje em desuso, sobre o labirinto, para tratamento da surdez por otosclerose.

fenestrado [Do lat. *fenestratu*.] *Adj.* **1.** Que tem janelas. **2.** Cheio de fendas ou buracos. **3.** *Bot.* Dotado de perfurações: 📄 *pólen fenestrado*.

fenestral [Do lat. *fenestra*, 'janela', + *-al*[1].] *Adj. 2 g.* **1.** Relativo a janela. ● *S. m.* **2.** Abertura por onde entram o ar e a luz, como por uma janela.

fenestrar [Do lat. *fenestrare*.] *V. t. d. Desus.* Abrir janelas em.

fenetidina [De *fenet(ol)* + *-idina*.] *S. f. Quím.* Designação genérica de éteres etílicos dos aminofenóis.

fenetol [De *fen(o)-* + *ét(er)* + *-ol*[3].] *S. m. Quím.* Substância aromática, éter que contém etoxila, derivada do benzeno [fórm.: $C_8H_{10}O$]. [Pl.: *fenetóis*.]

fenfém *S. m. Bras. Zool.* V. *saci* (2).

fenfluramina [Voc. farmac.] *S. f. Quím.* Substância cristalina, amina, aromática, fluorada, us. em moderadores de apetite [fórm.: $C_{12}H_{16}F_3N$].

➔**feng chui** [fɔ̃ŋ ʂwèj] [Chin.] *S. m.* Arte de combinar harmoniosamente a arquitetura e a decoração dos ambientes, de acordo com certos preceitos tradicionais chineses.

➔**feng shui** [fɔ̃ŋ ʂwèj] [Chin.] *S. m.* V. *feng chui*.

fenianismo [De *feniano* + *-ismo*.] *S. m.* A doutrina ou as práticas dos fenianos.

feniano [Do ing. *fenian*, alter., por infl. do irl. *Feni*, 'antigos habitantes da Irlanda', do irl.-gael. *feinne*, pl. de *fiann*, 'bando de fenianos'.] *Hist. S. m.* **1.** Membro de uma organização clandestina irlandesa que vigorou no séc. XIX, e cujo fito era abolir o domínio britânico sobre a Irlanda. ● *Adj.* **2.** Relativo ou pertencente aos fenianos, ou deles característico. ~ V. *fogo* —.

fenicado [De (*ácido*) *fênico* + *-ado*[1].] *Adj. Quím.* Que contém ácido fênico.

fenice [Do lat. *phoenice*.] *S. f. P. us.* Fênix. [Var. pros.: *fênice*.]

fênice *S. f.* V. *fenice*.

fenicense *Adj. 2 g.* **1.** De, ou pertencente ou relativo a Fênix (PR). ● *S. 2 g.* **2.** O natural ou habitante de Fênix.

fenício [Do gr. *phoiníkios*, pelo lat. *phoeniciu*.] *Hist. Adj.* **1.** Da, ou pertencente ou relativo à antiga Fenícia (região litorânea da Síria) ou aos seus habitantes: 📄 *alfabeto fenício*; *As colônias fenícias no Mediterrâneo floresceram por volta do séc. X a. C.* ~ V. *alfabeto* —. ● *S. m.* **2.** O natural ou habitante da Fenícia. **3.** *Gloss.* Língua semítica antiga, falada nas cidades de Tiro e Biblos. V. *cananeu* (3).

fénico *Adj. Quím.* V. *fênico*. [Uso freq. em P.]

fênico [De *fen(o)-* + *-ico*[2].] *Adj. Quím.* Relativo ao fenol. ~ V. *ácido* —.

fenicopterídeo [Do tax. *Phoenicopterus* (v. *fenicóptero*) + *-ídeo*[1]; tax. *Phoenicopteridae*.] *Zool. S. m.* **1.** Espécime dos fenicopterídeos, família de aves ciconiiformes, com os três dedos anteriores reunidos por uma membrana, pernas muito compridas, mais longas que o corpo, excluído o pescoço, e bico grosso, abobadado. Vivem junto aos alagadiços ou lagos, procurando alimento na lama. São os flamingos. ● *Adj.* **2.** Pertencente ou relativo a eles.

fenicopteriforme [Do gr. *Phoenicopterus* (v. *fenicóptero*) + *-iforme*; tax. *Phoenicopteriformes*.] *Zool. S. m.* **1.** Espécime dos fenicopteriformes, ordem, segundo alguns autores, de aves neórnites, neógnatas, aquáticas. ● *Adj. 2 g.* **2.** Pertencente ou relativo a eles. [V. *ciconiiforme*.]

fenicóptero [Do tax. *Phoenicopterus*.] *S. m. Zool.* **1.** O gênero-tipo dos fenicopterídeos, que abrange os flamingos nativos da Europa, e alguns da América. **2.** Qualquer espécie desse gênero, como, p. ex., o *Phoenicopterus ruber* (v. *flamingo*). **3.** Qualquer espécime desse gênero.

funículo [Adapt. do tax. *Foeniculum*.] *S. m. Bot.* **1.** Gênero de ervas apiáceas com cerca de cinco espécies originárias da Ásia, e mundialmente conhecidas. **2.** Qualquer espécie desse gênero, como, por ex., a *Foeniculum vulgare* [v. *funcho* (2)]. **3.** Qualquer espécime desse gênero.

fenigma *S. m.* V. *fenigmo*.

fenigmo [Do gr. *phoinigmós*.] *S. m. Med.* Rubefação da pele, produzida por sinapismo. [Var.: *fenigma*.]

fênigue [Do al. *Pfennig*.] *S. m.* Moeda divisionária que representava a centésima parte do marco[2].

▲**fenil-** *Quím. El. comp.* Designa o grupo fenila: *fenilalanina*. [Ocorre, tb., como infixo.]

▲**-fenil-** *Quím.* V. *fenil-*.

fenila [De *fen(o)-* + *-ila*[2].] *S. f. Quím.* Grupamento aromático $-C_6H_5$, a mais simples das arilas, derivado de um benzeno por abstração de um átomo de hidrogênio. [Cf. *benzila*.]

fenilalanina [De *fenil-* + *alanina*.] *S. f. Quím.* Aminoácido natural, essencial, que contém anel benzênico [fórm.: $C_9H_{11}NO_2$].

fenilbutazona [Voc. farmac.] *S. f. Quím.* Substância cristalina, aromática, que contém anel pirazolidínico, us. como anti-inflamatório [fórm.: $C_{19}H_{20}N_2O_2$].

fenileno [De *fenil-* + *-eno*[2].] *S. m. Quím.* Qualquer dos três grupos aromáticos divalentes, $-C_6H_4-$, derivados do benzeno por abstração de dois átomos de hidrogênio (em posições orto, meta ou para). [Cf. *fenila*.]

fenilidrazina [De *fenil-* + *hidrazina*.] *S. f. Quím.* Líquido oleoso, incolor, redutor enérgico, us. como reagente [fórm.: $C_6H_8N_2$].

fenitoína [Voc. farmac.] *S. f. Quím.* Substância pulverulenta, branca, quase insolúvel em água, aromática, derivada da hidantoína, us. como anticonvulsivante [fórm.: $C_{15}H_{12}N_2O_2$].

fénix (s) *S. f. 2 n.* V. *fênix*. [Uso freq. em P.]

fênix (s) [Do gr. *phoînix*, pelo lat. *phoenix*.] *S. f. 2 n.* **1.** *Mit.* Ave fabulosa que, segundo a tradição egípcia, durava muitos séculos e, queimada, renascia das próprias cinzas. **2.** *Astr.* Constelação austral, ao S. do Escultor, ao N. do Tucano e do Erídano, e a E. do Grou. [Com cap., nesta acepç.] **3.** *Fig.* Pessoa ou coisa rara, única em seu gênero. **4.** *Bot.* Gênero de palmeiras arecáceas que reúne 18 espécies dioicas, 17 delas nativas de regiões tropicais e temperadas da África e da Ásia, e uma da Europa, dotadas de folhas pinadas e folíolos dobrados ou enrolados. **5.** Qualquer palmeira desse gênero, como, por ex., a *Phoenix dactylifera* (v. *tamareira*); élate. [F. paral. (p. us.): *fenice*. Cf. *fenes*, do v. *fenar*.]

feno [Do lat. *fenu*, por via erudita.] *S. m.* Erva ceifada e seca, para alimento de animais.

▲**fen(o)-** [Do v. gr. *phaínein*.] *El. comp.* = 'brilhar', 'aparecer', 'fazer aparecer', 'fazer ver': *fenótipo*. [Em Quím., indica 'relação com benzeno' (fenol); 'a presença de fenila' (fenobarbital).] [Equiv.: *-fana* (q. v.), *-fan(o)-*, *-fano* (q. v.), *-fen(o)-*; *-fena*; *-feno* (q. v.): *glaucofana*; *glaucofânio*; *quirófano*; *fosfena*; *fosfeno*; *cloranfenicol*.]

▲**-fen(o)-** *El. comp.* **1.** V. *fen(o)-*. **2.** *Quím.* V. *fen(o)-*. **3.** *Quím.* V. *-feno*.

▲**-feno** [De *fen(o)-* (q. v.).] *El. comp.* **1.** Equiv. de *fen(o)-*. **2.** *Quím.* Indica composto aromático, esp. aqueles policíclicos que contêm uma fusão de dois anéis originando configuração em ângulo de 60°: *pentafeno*. [Ocorre em Quím., tb., como infixo: *-fen(o)-*: *acetofenona*.]

fenobarbital [De *fen(o)-* + *barbital*.] *S. m. Quím.* Barbitúrico us. no tratamento de convulsões e como sedativo, mas que tem efeitos colaterais que podem ser perigosos [fórm.: $C_{12}H_{12}N_2O_3$].

fenocópia [De *feno-*, como em *fenótipo*, + *cópia*.] *S. f. Genét.* Modificação não hereditária, induzida ambientalmente num organismo, porém que lembra intimamente um traço geneticamente modificado.

fenocristal [De *fen(o)-* + *cristal*.] *S. m.* Cristal que, por sua dimensão relativamente maior, sobressai na massa fina vítrea ou microcristalina de uma rocha magmática.

feno-de-cheiro *S. m. Bot.* Erva poácea (*Anthoxanthum odoratum*) de colmo ereto, de flores dispostas em panículas verde-amareladas com as glumas da mesma cor, pubescentes e com nervuras desiguais, e que fornece forragem; flava. [Pl.: *fenos-de-cheiro*.]

feno-grego *S. m. Bot.* Planta fabácea (*Trigonella foenumgraecum*) de caule ereto, flores sésseis, amareladas ou alvas, solitárias ou geminadas na axila das folhas, cujo fruto é vagem séssil, achatada, com sementes ovoides amarelas e transversalmente reticuladas, e que fornece forragem. [Sin.: *alfolva*, *alforba*, *alforfa*, *alforja*, *alforva*, *alfova*. Pl.: *fenos-gregos*.]

fenol [De *fen(o)-* + *-ol*[2].] *S. m. Quím.* **1.** Derivado hidroxilado do benzeno, cristalino incolor, mas avermelhado quando exposto à luz, com cheiro característico, encontrado no alcatrão, e com diversas aplicações importantes; ácido fênico, ácido carbólico [fórm.: C_6H_6O]. **2.** Classe de compostos com uma hidroxila ligada diretamente a um carbono de um anel aromático. [Pl.: *fenóis*.]

fenolato [De *fenol* + *-ato*[2].] *S. m. Quím.* Designação genérica dos sais formados entre fenóis e bases; fenato.

fenolftaleína [De *fenol* + *ftaleína*.] *S. f. Quím.* Substância cristalina, incolor, solúvel em álcool, usada como indicador [fórm.: $C_{20}H_{14}O_4$].

fenólico [De *fenol* + *-ico*[2].] *Adj.* Relativo ao, ou próprio do fenol. ~ V. *resina* —*a*.

fenologia [De *feno-*, como em *fenômeno*, + *-logia*.] *S. f.* **1.** Parte da botânica que estuda vários fenômenos periódicos das plantas, como a brotação, a floração e a frutificação, marcando-lhes as épocas e os caracteres. **2.** *Biol.* Estudo das relações dos processos biológicos periódicos com o clima.

fenológico [De *fenologia* + *-ico*[2].] *Adj.* Referente à fenologia.

fenologista [De *fenologia* + *-ista*.] *S. 2 g.* Especialista em fenologia.

fenolsulfónico *Adj. Quím.* V. *fenolsulfônico*. [Uso freq. em P.]

fenolsulfônico [Do V.C.I.; ingl. *phenolsulfonic*.] *Adj. Quím.* ~ V. *ácido* —.

fenomenal [De *fenômeno* + *-al*[1].] *Adj. 2 g.* **1.** Que tem o caráter de fenômeno. **2.** Que é raro e surpreendente; espantoso, admirável, singular.

fenomenalidade [De *fenomenal* + *-(i)dade*.] *S. f.* Qualidade ou caráter de fenomenal.

fenomenalmente [De *fenomenal* + *-mente*.] *Adv.* De modo fenomenal.

fenoménico *Adj.* V. *fenomênico*. [Uso freq. em P.]

fenomênico [De *fenômeno* + *-ico*[2].] *Adj.* Relativo a fenômeno.

fenomenismo [De *fenômeno* + *-ismo*.] *S. m. Filos.* **1.** Doutrina que admite que todo o real se reduz a fenômenos [v. *fenômeno* (7)]. **2.** Doutrina que admite que só podemos conhecer fenômenos [v. *fenômeno* (7)].

fenómeno *S. m.* V. *fenômeno*. [Uso freq. em P.]

fenômeno [Do gr. *phainómenon*, pelo lat. tard. *phaenomenon*.] *S. m.* **1.** Fato, aspecto ou ocorrência passível de observação. **2.** *Restr.* Fato de interesse científico, suscetível de descrição ou explicação: 📄 *fenômeno meteorológico*. **3.** Fato de natureza moral ou social. **4.** Pessoa que se distingue por algum talento extraordinário. **5.** Pessoa, animal ou objeto excepcional por alguma particularidade; prodígio. **6.** *Filos.* Objeto de experimentação; fato. **7.** *Filos.* O que se manifesta à consciência. [Cf., nesta acepç., *dado* (9).] **8.** *Filos.* No kantismo, tudo que é objeto de experiência possível, *i. e.*, que se pode manifestar no tempo e no espaço através da intuição sensível e segundo as leis do entendimento. [Cf., nesta acepç., *número*.] ◆ **Fenômeno astronômico.** *Astr. P. us.* Configuração de astros que ocupam posições próximas na esfera celeste. **Fenômeno cooperativo.** *Fís.* Qualquer processo cuja ocorrência exige a interação simultânea de vários sistemas cujas atuações se adicionam para levar ao efeito final. **Fenômeno de massa.** *Fís.* O que só existe ou só se manifesta quando ocorre grande quantidade de fenômenos individuais ou particulares. A pressão de um gás, p. ex., é um fenômeno de massa decorrente das diferentes velocidades das moléculas constitutivas do gás e dos choques dessas moléculas com as paredes do recipiente que o contém. **Fenômeno de Raynaud.** *Med.* O que consiste em uma isquemia bilateral intermitente dos quirodáctilos, pododáctilos e, eventualmente, do nariz e das orelhas. [De Maurice Raynaud (1834-1881), médico francês.]

fenomenologia [De *fenômeno* + *-logia*; al. *Phänomenologie*.] *S. f. Filos.* **1.** Estudo descritivo de um fenômeno ou de um conjunto de fenômenos em que estes se definem quer por oposição às leis abstratas e fixas que os ordenam, quer por oposição às realidades de que seriam a manifestação. **2.** Sistema de Edmund Husserl (v. *husserliano*), e de seus seguidores, caracterizado principalmente pela abordagem dos problemas filosóficos segundo um método que busca a volta "às coisas mesmas", numa tentativa de reencontrar a verdade nos dados originários da experiência, entendida esta como a intuição das essências.

fenomenológico [De *fenomenologia* + *-ico*[2].] *Adj.* Relativo a fenomenologia. ~ V. *redução* —*a*.

fenossão [Trad. do fr. *sainfoin* (v. *sanfeno*).] *S. m. Bot.* V. *esparzeta*.

fenotexto (ês) [De *fen(o)-* + *texto*.] *S. m. E. Ling.* Texto cuja redação o seu autor considera definitiva. [Cf. *genotexto*.]

fenotiazina [De *fen(o)-* + *tiazina*.] *S. f. Quím.* **1.** Substância cristalina, base heterocíclica aromática, cujas moléculas se podem considerar derivadas do antraceno por substituição dos dois metinos centrais por um átomo de nitrogênio e outro de enxofre [fórm.: $C_{12}H_9NS$]. **2.** Cada uma de um grupo de substâncias de uso psiquiátrico, principalmente, de estrutura molecular semelhante à da fenotiazina (1), e que tem poderosa ação bloqueadora sobre receptores adrenérgicos, depressora sobre o sistema nervoso central, prolongadora e potencializadora da ação de substâncias narcóticas e hipnóticas, além de indutora de hipotensão arterial e de efeitos antiespasmódico, anti-histamínico e antiemético.

fenotiazínico [De *fenotiazina* + *-ico*².] *Quím.* ***Adj.*** **1.** De, ou relativo a fenotiazina ou a fenotiazínico (2). • ***S. m.*** **2.** Qualquer substância que se pode considerar derivada da fenotiazina, esp. certos medicamentos antipsicóticos.

fenotipagem [De *fenótipo* + *-agem*².] ***S. f.*** *Genét.* Exame que determina as variantes (os fenótipos) da glicoproteína AAT no sangue de um indivíduo por meio de técnica eletroforética.

fenotípico [De *fen(o)-* + *-tip(o)-* + *-ico*².] ***Adj.*** **1.** Que tem a mesma aparência. **2.** Relativo ao fenótipo: *caráter fenotípico.*

fenótipo [De *fen(o)-* + *-tipo.*] ***S. m.*** *Genét.* Característica de um indivíduo (2), determinada pelo seu genótipo e pelas condições ambientais.

fenoxatiina (cs) [De *fen(o)-* + *-ox(a)-* + *-ti(a)-* + *-ina*³.] ***S. f.*** *Quím.* Substância cristalina, base heterocíclica aromática, cujas moléculas se podem considerar derivadas do antraceno por substituição dos dois metinos centrais por um átomo de enxofre e outro de oxigênio [fórm.: $C_{12}H_8OS$].

fenoxazina (cs) [De *fen(o)-* + *oxazina.*] ***S. f.*** *Quím.* Substância cristalina, base heterocíclica aromática, cujas moléculas se podem considerar derivadas do antraceno por substituição dos dois metinos centrais por um átomo de nitrogênio e outro de oxigênio [fórm.: $C_{12}H_9NO$].

fentanila [Voc. farmac.] ***S. f.*** *Quím.* Substância cristalina, incolor, amida aromática, opiáceo sintético, bem mais poderoso que a morfina, us. em medicina [fórm.: $C_{22}H_{28}N_2O$].

▲**fento-** *Mat.* V. *femto-.*

▲**feo-** [Do gr. *phaiós, á, ón.*] ***El. comp.*** = 'escuro', 'pardo': *feodérmico, feófito.*

feodérmico [De *feo-* + *-derm(o)-* + *-ico*².] ***Adj.*** De pele parda; pardo, mulato.

feofícea [De *feo-* + *-fic(o)-*² + *-ea*; tax. *Phaeophyceae.*] ***S. f.*** *Bot.* Espécime das feofíceas, divisão do reino vegetal que compreende as algas pardas, vegetais aquáticos, sobretudo marinhos, cujo talo e órgãos reprodutivos se mostram altamente diferenciados. Algumas alcançam até 100m de comprimento. Apresentam alternância de gerações e paredes celulares pectocelulósicas. [Sin.: *feófito, melanofícea.*]

feofíceo [De *feofícea*, com var. suf. (v. *-eo*).] ***Adj.*** *Bot.* Pertencente ou relativo às feofíceas; feófito, melanofíceo.

feófito [De *feo-* + *-fito*; tax. *Phaeophyta.*] *Bot.* ***S. m.*** **1.** V. *feofícea.* • ***Adj.*** **2.** V. *feofíceo.*

feofó ***S. m.*** *Bras. Pop.* V. *ânus.*

▲**fer-** V. *-fero.*

fera¹ [Do lat. *fera.*] ***S. f.*** **1.** Animal bravio e carnívoro. [Sin., bras.: *bicho do mato.*] **2.** *Fig.* Pessoa agressiva, perigosa, por vezes cruel. **3.** *Fig.* Pessoa muito severa, irascível. **4.** *Fig.* Pessoa de grandes conhecimentos, esp. em determinada matéria: *O homem é fera em matemática.* [Sin. (lus.), nesta acepç.: *fadista.*] **5.** *P. ext. Gír.* Aquele ou aquela que é excepcional em algo; cobra: Ele é fera no basquete.

fera² [Do tax. *Ferae.*] *Zool.* ***S. f.*** **1.** Espécime das feras, superordem de mamíferos eutérios. • ***Adj. 2 g.*** **2.** Pertencente ou relativo a elas.

▲**-fera** [Adapt. do lat. cient. *—ferae*, f. pl. de *-fer, ĕra, ĕrum* (v. *-fero*).] ***El. comp.*** = 'espécime de família de plantas': *conífera, indigófera.* [Equiv.: *-ífera*: *cupulífera.*]

feracidade [Do lat. *feracitate.*] ***S. f.*** Qualidade de feraz; fertilidade, fecundidade. [Cf. *ferocidade.*]

feracíssimo [Do lat. *feracissimu.*] ***Adj.*** Superl. abs. sint. de *feraz*: "E para logo nos empolga a imagem retrospectiva de uma terra admirável e farta e feracíssima" (Euclides da Cunha, *Contrastes e Confrontos*, p. 89). [Cf. *ferocíssimo.*]

feral [Do lat. *ferale.*] ***Adj. 2 g.*** **1.** Fúnebre, funéreo, lúgubre: "O vento geme no feral cipreste, / O mocho pia na marmórea cruz." (Soares de Passos, *Poesias*, p. 12.) **2.** Sinistro, cruel, sangrento.

feraz [Do lat. *ferace.*] ***Adj. 2 g.*** De grande força produtiva; fértil, fecundo, úbere, ubertoso: "Depois, toda essa verdura começava a rir na alvura dos capulhos da várzea feraz." (José Américo de Almeida, *A Bagaceira*, p. 117.) [Superl. abs. sint.: *feracíssimo.* Cf. *feroz.*]

ferberita [Do antr. (*Rudolph*) *Ferber*, alemão do séc. XIX, + *-ita*³.] ***S. f.*** *Min.* Mineral monoclínico, tungstato ferroso e manganoso.

férculo [Do lat. *ferculu.*] ***S. m.*** Andor ou palanquim, em certas solenidades pagãs.

fere-folha [De *ferir* + *folha*¹.] ***S. 2 g.*** Pessoa buliçosa, metediça, irrequieta. [Pl.: *fere-folhas.*]

féretro [Do lat. *feretru.*] ***S. m.*** **1.** Andor em que nos triunfos romanos se levavam os despojos dos vencidos. **2.** V. *caixão* (2): "No cemitério tive de repetir a cerimônia da casa, desatar as correias, e ajudar a levar o féretro à cova." (Machado de Assis, *Dom Casmurro*, p. 344.)

fereza (ê) [De *fero* + *-eza.*] ***S. f.*** Qualidade de fero, cruel; perversidade, ferocidade, feridade.

féria [Do lat. *feria.*] ***S. f.*** **1.** Dia semanal. **2.** Jornal ou salário de trabalhadores. **3.** Soma dos salários da semana. **4.** Rol de salários. **5.** Folga, descanso. **6.** Em casa comercial, o dinheiro das vendas realizadas no dia, na semana, etc. **7.** *Lit.* No calendário litúrgico, dia em que não se comemora uma festa. **8.** V. *receita* (1). [Cf. *feria*, dos v. *ferir* e *feriar.*] ~ V. *férias.*

feriadão [De *feriado* + *-ão*¹.] ***S. m.*** *Pop.* Feriado que cai na sexta³ ou na segunda-feira, proporcionando um fim de semana prolongado.

feriado [Do lat. *feriatu.*] ***Adj.*** **1.** Em que há férias. **2.** Em que não se trabalha; consagrado ao lazer; livre: "lia ou ouvia ler Cristina, que dava aos livros unicamente as horas feriadas das suas ocupações domésticas" (Camilo Castelo Branco, *O Bem e o Mal*, p. 108). ~ V. *dia —.* • ***S. m.*** **3.** Dia feriado (q. v.). **4.** *Bras. RJ* Dia-santo (q. v.).

ferial [De *féria* + *-al*¹.] ***Adj. 2 g.*** **1.** Relativo a féria ou a férias. **2.** Relativo aos dias da semana, aos dias úteis. [Pl.: *feriais.* Cf. *feriais*, do v. *feriar.*]

feriar [Do lat. **feriare*, por *feriari.*] ***V. t. d.*** **1.** Dar férias ou descanso a. ***Int.*** **2.** Tornar feriado: *A vitória da seleção brasileira de futebol feriou o dia.* ***T. c.*** **3.** Estar em férias; passar as férias: *Feriou em setembro; Feriou em Petrópolis.* ***P.*** **4.** Entrar em férias: interromper o trabalho: *Feriou-se após três anos de labuta.* [Pres. ind.: *ferio, ferias, feria, feriamos, feriais, feriam.* Cf. *féria*, s. f., *férias*, s. f. pl.]

férias [Do lat. *ferias.*] ***S. f. pl.*** **1.** Dias em que se suspendem os trabalhos oficiais (datas patrióticas e dias santificados); feriado. **2.** Certo número de dias consecutivos destinados ao descanso de funcionários, empregados, estudantes, etc., após um período anual ou semestral de trabalho ou atividades. [Cf. *ferias*, dos v. *feriar* e *ferir.*]

feriável [De *feriar* + *-vel.*] ***Adj. 2 g.*** Que pode ser feriado.

ferida [F. subst. de *ferido.*] ***S. f.*** **1.** Lesão corporal causada por golpe, queimadura, etc.; ferimento, brejeira (Bras. N. N.E). **2.** Ulceração, chaga. **3.** *Fig.* Golpe mental ou emocional sofrido pela sensibilidade, pelo orgulho ou pela reputação; dor, mágoa, injúria, ofensa, agravo: *Só o tempo poderá curar esta ferida.* **4.** *Cir.* Solução de continuidade em um órgão, em uma área, como resultado de incisão (2). **5.** *Patol.* Solução visível de continuidade em um órgão, em uma área do organismo. ◆ **Ferida braba.** *Bras.* **1.** Ferida de mau caráter. **2.** Úlcera fagedênica própria dos países quentes. **3.** *Fig.* Pessoa ruim. **Ferida contusa.** *Traum.* Aquela em que não há solução de continuidade da pele. **Ferida incisa.** *Cir.* A que é produzida por instrumento cortante. **Ferida ruim.** *Bras.* Lesão infetada pelo germe do tétano; gangrena. **Ferida velha.** Úlcera tórpida, que resiste ao tratamento. **Pôr o dedo na ferida.** Abordar um assunto difícil, melindroso, ou embaraçoso.

feridade [Do lat. *feritate.*] ***S. f.*** V. *fereza*: "Põe-me onde se use toda a feridade, / Entre leões e tigres, e verei / Se neles achar posso a piedade / Que entre peitos humanos não achei" (Luís de Camões, *Os Lusíadas*, III, 129).

feridagem [De *ferida* + *-agem*².] ***S. f.*** *Bras.* Manifestação simultânea de numerosas feridas; furunculose.

feridento [De *ferida* + *-ento.*] ***Adj.*** **1.** *Bras.* Cheio ou coberto de feridas: *um homem magro e feridento; perna feridenta.* • ***S. m.*** **2.** Indivíduo feridento.

ferido [Part. de *ferir.*] ***Adj.*** **1.** Que recebeu ferimento. **2.** Ofendido, magoado. • ***S. m.*** **3.** Aquele que está ferido.

feridor (ô) [De *ferir* + *-dor.*] ***Adj.*** **1.** Que fere. • ***S. m.*** **2.** Aquele que fere. **3.** *Bras.* Nos engenhos de açúcar, extremidade do cálice, que fica por cima dos cubos da roda.

ferimento [De *ferir* + *-mento.*] ***S. m.*** *Traum.* **1.** Ato ou efeito de ferir(-se). **2.** V. *ferida* (1).

ferino [Do lat. *ferinu.*] ***Adj.*** **1.** Semelhante a fera; feroz. **2.** Próprio de fera; feroz: "Cipião .... afogou em sangue, com ferina crueza, um motim das suas tropas" (Aquilino Ribeiro, *Os Avós dos Nossos Avós*, p. 203). **3.** Cruel, desumano, perverso. **4.** *Fig.* Que fere, ofende, magoa; ofensivo: *tom ferino; ironia ferina.* **5.** *Fig.* Muito irônico ou extremamente sarcástico: *Ao falarmos sobre política, desferiu mais um dos seus comentários ferinos.*

ferir [Do lat. *ferire.*] ***V. t. d.*** **1.** Dar golpe que produz chaga, fratura ou contusão; fazer feridas em; golpear: *Feriram-no gravemente.* **2.** Dar golpes ou pancadas em: *ferir a madeira*; "as duas mãos calosas, pouco antes ocupadas em descascar laranjas, juntavam-se com forte barulho de martelos a ferir bigornas." (Graciliano Ramos, *Viagem*, p. 42). **3.** Travar (combate, batalha). **4.** Cortar, fender, rasgar. **5.** Tocar, tanger: *ferir o violão*; "Orfeu as cordas fere" (Tomás Antônio Gonzaga, *Marília de Dirceu*, p. 91). **6.** Causar impressão ou sensação em: *Uma voz feriu-lhe a audição.* **7.** Impressionar, desagradavelmente: *A luz feriu-lhe os olhos*; "Cheiro de carnes putrefactas feriu-lhe logo o olfato agudíssimo" (Franklin Távora, *O Cabeleira*, pp. 141-142). **8.** Ofender, magoar, injuriar: *O artigo feriu-lhe a honra.* **9.** Causar prejuízo a: *A decisão feriu seus interesses.* **10.** Punir, castigar. **11.** Produzir pelo atrito (lume, faíscas): *ferir fogo.* **12.** Provocar sofrimento em; afligir, contristar: *A ingratidão feria-o.* **13.** Articular, pronunciar. **14.** Tratar de (algum assunto): *Feriu de leve a questão delicada.* **15.** Quebrar; romper: *Nada feria o silêncio da sala.* ***Int.*** **16.** Vibrar golpes; causar ferimento(s): *Eia, não firas, pois já te arrependerás.* ***P.*** **17.** Produzir ferimento em si mesmo; golpear-se, cortar-se: "— Mas, espere, ... o senhor feriu-se? Com efeito, a mão do nosso amigo tinha sangue, um ferimento na palma." (Machado de Assis, *Quincas Borba*, p. 113.) **18.** Ofender-se, melindrar-se, doer-se, sentir-se, ressentir-se: *Feriu-se profundamente com tuas palavras.* **19.** Compadecer-se, contristar-se, penalizar-se, condoer-se, doer-se: *Fere-se com a penúria do amigo.* [Irreg. Conjug.: v. *aderir.* Imperf. ind.: *feria, ferias*, etc. Cf. *féria*, s. f., e *férias*, s. f. pl.]

fermata [Do it. *fermata.*] ***S. f.*** *Mús.* **1.** Sinal (𝄐) colocado sobre ou sob uma nota ou uma pausa. Indica que a duração do valor dessa nota ou dessa pausa pode ser arbitrariamente prolongada pelo executante; caldeirão. [Ger. a fermata dobra o valor rítmico escrito. V. *retardo* (2).] **2.** Suspensão temporária do andamento da música.

fermentação [Do lat. tard. *fermentatione.*] ***S. f.*** **1.** Transformação química provocada por fermento vivo ou por princípio extraído de fermento. **2.** Efervescência gasosa proveniente de tal transformação; ebulição. **3.** *Fig.* Agitação, efervescência de ideias: *A fermentação das ideias modernistas entre os literatos brasileiros começou bem antes de 1922.* **4.** *Fig.* Efervescência moral; agitação, comoção, ebulição.

fermentáceo [De *fermento* + *-áceo.*] ***Adj.*** Fermentante.

fermentador (ô) [De *fermentar* + *-dor.*] ***Adj. S. m.*** Que, ou aquilo que fermenta.

fermentante [Do lat. *fermentante.*] ***Adj. 2 g.*** **1.** Que está em fermentação. **2.** Que provoca fermentação. [Sin. ger.: *fermentáceo.*]

fermentar [Do lat. *fermentare.*] ***V. t. d.*** **1.** Produzir fermentação em; fazer levedar: *fermentar cerveja.* **2.** Agitar, excitar, estimular, fomentar: *Aquelas medidas fermentavam a ira popular.* ***Int.*** **3.** Decompor-se pela fermentação; levedar. **4.** Entrar ou estar em agitação; agitar-se.

fermentativo [De *fermentar* + *-tivo.*] ***Adj.*** Que produz fermentação.

fermentável [De *fermentar* + *-vel.*] ***Adj. 2 g.*** Que se pode fermentar.

fermentescente [Do lat. *fermentescente.*] ***Adj. 2 g.*** **1.** Fermentescível. **2.** Que principiou a fermentar.

fermentescibilidade [De *fermentescível* + *-(i)dade*, seg. o padrão erudito.] ***S. f.*** Qualidade de fermentescível.

fermentescível [Do lat. *fermentescere*, 'principiar a fermentar', + *-ível.*] ***Adj. 2 g.*** Preparado para a fermentação; fermentescente.

fermento [Do lat. *fermentu.*] ***S. m.*** **1.** Substância capaz de provocar trocas químicas, particularmente fermentação, sem nada ceder de sua própria matéria aos produtos de fermentação. **2.** Massa de farinha que azedou e que, misturada a outra massa de pão, determina, nesta, a fermentação. [Sin., nessas acepçs.: *levedura.*] **3.** *Fig.* Germe de paixões, revoluções, etc.

fermentoso (ô) [Do lat. tard. *fermentosu.*] ***Adj.*** *Fig.* Que agita, que excita; que dá vida.

fermi [V.C.I., do antr. (*Enrico*) *Fermi* (1901-1954), físico italiano.] ***S. m.*** *Fís. Nucl.* Unidade de medida de comprimento, us. em física nuclear, equivalente a 10^{-15}m [símb.: *fm*]. [Preferível a *fermi*, com o mesmo símbolo, é *femtômetro* (q. v.).]

férmio [Do antr. (*Enrico*) *Fermi* (1901-1954), físico italiano, + *-io*³.] ***S. m.*** *Quím.* Elemento de número atômico 100, transurânico, artificial [símb.: *Fm*].

férmion [De *fermi* (q. v.) + *-on.*] ***S. m.*** *Fís.* Partícula com *spin* semi-inteiro, e que obedece à estatística de Fermi-Dirac. [Cf. *férmio.*]

fernandes-tourinhense *Adj. 2 g.* **1.** De, ou pertencente ou relativo a Fernandes Tourinho (MG). • *S. 2 g.* **2.** O natural ou habitante de Fernandes Tourinho. [Pl.: *fernandes-tourinhenses.*]

fernandina [Do fr. *ferrandine*, com infl. do antr. *Fernandina.*] *S. f. Tec. Têx.* Variedade de tecido de lã ou de algodão.

fernandino [Do antr. *Fernando* + *-ino*[1].] *Adj.* De, ou pertencente ou relativo a D. Fernando I (1345-1383), rei de Portugal, ou à sua época, ou a qualquer outro rei desse nome, e à sua época: "nunca teria a ideia de verificar o traçado da cerca, as portas, que estas aqui cuido eu que já serão da muralha fernandina" (José Saramago, *História do Cerco de Lisboa*, p. 72).

fernando-noronhense *Adj. 2 g.* **1.** De, ou pertencente, ou relativo ao arquipélago de Fernando de Noronha (PE). • *S. 2 g.* **2.** O natural ou habitante de Fernando de Noronha. [Pl.: *fernando-noronhenses.*]

fernandopolense *Adj. 2 g.* **1.** De, ou pertencente ou relativo a Fernandópolis (SP). • *S. 2 g.* **2.** O natural ou habitante de Fernandópolis.

fernando-prestense *Adj. 2 g.* **1.** De, ou pertencente ou relativo a Fernando Prestes (SP). • *S. 2 g.* **2.** O natural ou habitante de Fernando Prestes. [Pl.: *fernando-prestenses.*]

fero [Do lat. *feru.*] *Adj.* **1.** V. *feroz* (1 a 4). **2.** Encarniçado, cruento: *feras batalhas.* **3.** Intimidador, amedrontador, assustador: "Uivam chacais... Ressoa a fera tuba / Dos cafres, pelas grotas retumbando" (Raimundo Correia, *Poesias*, p. 190). **4.** São, rijo, forte, vigoroso. ~ V. *feros*.

▲-fer(o)- V. *-fero*.

▲-fero [Do lat. *-fer, ĕra, ĕrum*, < lat. *ferre*, 'levar', 'trazer'; 'ter'; 'manifestar'; 'causar', 'produzir'.] *El. comp.* = 'que contém'; 'que produz'; 'que transporta': *acidífero, aerífero, alífero*, (< lat.), *amorífero* (< lat.), *antenífero, aquífero, araneífero, armífero* (< lat.), *carbonífero, mamífero.* [Equiv.: *-fer(o)-, -fera* (q. v.), *-(i)fer(o)-, -ífero: calciferol; agatífero, albuminífero, mamífero, seminulífero.*]

ferócia [Do lat. *ferocia.*] *S. f. P. us.* V. *ferocidade*: "A dançatriz [espanhola] reflete .... tudo quanto a sua raça possui: .... ênfase, arroubo, exagero, ferócia, ascо, desdém" (Martins Fontes, *A Dança*, p. 61).

ferocidade [Do lat. *ferocitate.*] *S. f.* Qualidade de feroz; braveza, fereza, feridade, ferócia. [Cf. *feracidade.*]

ferocíssimo [Do lat. *ferocissimu.*] *Adj.* Superl. abs. sint. de *feroz.* [Cf. *feracíssimo.*]

feroês [Do top. *Féroe, Feroé, Faeroe, Faroe* (< din. *Faerörne*), arquipélago do Atlântico norte, pertencente à Dinamarca, + *-ês.*] *Adj.* **1.** De, relativo ou pertencente às ilhas Feroé. • *S. m.* **2.** *Gloss.* Língua germânica falada nessas ilhas.

feromona *S. f. Lus. Quím.* V. *feromônio.*

feromónio *S. m. Quím.* V. *feromônio.* [Uso freq. em P.]

feromônio [De *fer(o)-* + *(hor)mônio*; ingl. *pheromone.*] *S. m. Quím.* Designação genérica de substâncias segregadas por animais, esp. insetos, que servem de meio de comunicação entre indivíduos da mesma espécie ou são atraentes sexuais.

ferormônio [De *fer-* + *hormônio.*] *S. m. Quím.* V. *feromônio.*

feros [Pl. de *fero.*] *S. m. pl.* Fanfarronada, bravata. ~ V. *fero.*

feroz [Do lat. *feroce.*] *Adj. 2 g.* **1.** Que tem índole ou natureza de fera; selvagem, bravio. **2.** Perverso, desumano, cruel: "O assassino era dado como homem frio e feroz." (Machado de Assis, *Quincas Borba*, p. 80.) **3.** Violento, impetuoso: *Uma tempestade feroz se abateu sobre a cidade.* **4.** Ameaçador, sanhudo, terrível: *semblante feroz.* [Sin., nessas acepç.: *fero.*] **5.** Destemido, arrojado. **6.** Arrogante, altivo: *olhar feroz.* **7.** Extraordinário, espantoso, terrível, tremendo: *Tem uma ambição feroz de enriquecer.* [Superl. abs. sint.: *ferocíssimo.* Cf. *feraz.*]

ferra [Dev. de *ferrar.*] *S. f.* **1.** Ato ou efeito de ferrar (3). [Sin., no RS: *marcação.*] **2.** Pá de ferro para mexer ou tirar brasas. **3.** *Bras. N.E.* Época durante a qual se ferra o gado.

ferrabrás [Do fr. *fier-à-bras*, do ficción. *Fierabras*, de uma canção de gesta (q. v.) do séc. XII.] *S. m. Adj.* V. *fanfarrão.* [Pl.: *ferrabrases.*]

ferraça [De *ferro* + *-aça.*] *S. f.* Chapa redonda, de ferro, em cujo centro há um buraco, por onde se ateia fogo ao forno, em cuja boca ela é colocada.

ferração [De *ferrar* + *-ção.*] *S. f.* Ato ou efeito de ferrar (2); ferragem.

ferrada [De *ferro* + *-ada*[1].] *S. f. Bras.* **1.** Pregada. **2.** *Gír.* V. *facada* (3).

ferrado[1] [Do lat. *ferratu*, 'ferruginoso'.] *S. m.* **1.** *Med.* Fezes do recém-nascido. [V. *mecônio* (1).] **2.** Vaso para ordenhar.

ferrado[2] [Part. de *ferrar.*] *Adj.* **1.** Guarnecido de ferradura (2): "sapato ferrado" (Latino Coelho, *Tipos Nacionais*, p. 227). **2.** Que se ferrou, que levou ferradura (cavalgadura). **3.** *Fig.* Aferrado; teimoso. **4.** *Bras. Gír.* Em péssima situação; sem saída: "Estou ferrado, doutor, vou perder o meu emprego." (Rubem Fonseca, *Agosto*, p. 101.) • *S. m.* **5.** Ato de ferrar.

ferrador (ô) [De *ferrar* + *-dor.*] *S. m.* **1.** Indivíduo cuja profissão é ferrar cavalgaduras, etc. **2.** *Bras. Zool.* V. *araponga* (1).

ferradura [De *ferrar* + *-dura.*] *S. f.* **1.** Peça de ferro, de forma especial, que se aplica na face inferior das patas das cavalgaduras. **2.** *P. ext.* Chapinha semicircular, com que se protegem solas e saltos de sapatos. **3.** *Zool.* Designação vulgar de equinodermo equinoide (*Encope emarginata*), que apresenta uma proteção calcária discoide, levemente convexa, com cinco furos radiais e um maior, inter-radial; ferradura-do-cavalo-de-são-tiago, ferradura-do-mar.

ferradura-do-cavalo-de-são-tiago [De *ferradura* + *do* + *cavalo*[1] + *de* + o hag. *São Tiago.*] *S. m. Zool.* V. *ferradura* (3). [Pl.: *ferraduras-do-cavalo-de-são-tiago.*]

ferradura-do-mar *S. f. Zool.* V. *ferradura* (3).

ferrageiro [De *ferragem* + *-eiro.*] *S. m.* Negociante de ferragens ou de ferro; ferreiro, ferragista.

ferragem [De *ferro* + *-agem*[2].] *S. f.* **1.** Conjunto ou porção de peças de ferro necessárias para edificação, artefatos, etc. **2.** Guarnição de ferro: "Gonçalo abriria o gavetão da rica cômoda de ferragens douradas" (Eça de Queirós, *A Ilustre Casa de Ramires*, p. 132). **3.** O conjunto das quatro ferraduras de uma besta. **4.** Ferração. **5.** *Bras.* V. *satélite* (7).

ferragem-azul *S. f. Min.* Octaedrita azul (satélite do diamante). [Pl.: *ferragens-azuis.*]

ferragista [De *ferragem* + *-ista.*] *S. 2 g. Bras.* V. *ferrageiro.*

ferragoilo *S. m. Ant.* V. *ferragoulo.*

ferragoulo [Do it. *ferraiuolo* < ár. vulg.] *S. m. Ant.* Gibão ou gabão de mangas curtas, com cabeção e capuz: "ricos gibões, calças, roupetas e ferragoulos alastrados de passamanes dum gosto duvidoso." (Conde de Sabugosa, *Embrechados*, p. 29). [Var.: *ferragoilo* e *farragoulo.*]

ferrajão [De *ferragem* + *-ão*[1].] *S. m.* V. *informação* (11).

ferrajaria [De *ferragem* + *-aria.*] *S. f.* Fábrica de ferragens.

ferramenta [Do lat. *ferramenta*, pl. de *ferramentum.*] *S. f.* **1.** Utensílio de ferro de um trabalhador. **2.** *P. ext.* Qualquer utensílio empregado nas artes e ofícios. **3.** Conjunto de utensílios de uma arte ou ofício. **4.** *Fig.* Instrumento (3): *A ferramenta do progresso é a educação.* **5.** *Bras. CE* Designação dada, no sertão, às esporas do vaqueiro.

ferramenta de ogum *S. f. Bras. Rel.* Coleção de miniaturas de instrumentos agrícolas, de caça e de guerra, de ferro fundido, com 7, 14, 16 ou 21 peças, símbolo do orixá Ogum. [Pl.: *ferramentas de ogum.*] ☑

ferramental [De *ferramenta* + *-al*[1].] *S. m.* **1.** *Ant.* Ferramenta (1 a 4). **2.** *Aer.* Conjunto de ferramentas. [Cf., nesta acepç., *gabarito* (5).] **3.** *Carp.* Peça de madeira com que se dispõem as ferramentas ao alcance de quem tem de trabalhar com elas.

ferramentaria [De *ferramenta* + *-aria.*] *S. f.* Fábrica de ferramentas, ou estabelecimento que as vende.

ferramenteiro [De *ferramenta* + *-eiro.*] *S. m.* **1.** Mecânico especializado, que faz moldes e ferramentas. **2.** Guarda ou inspetor de ferramentas.

ferrão [De *ferro* + *-ão*[1].] *S. m.* **1.** Ponta de ferro; aguilhão. **2.** *Zool.* Órgão de defesa de certos insetos, como o marimbondo, e que termina em ponta aguçada; o dardo dos insetos. **3.** *Zool.* Espinho encontrado em determinados peixes, ditos venenosos, ligado a glândulas tóxicas rudimentares, ger. próximo às nadadeiras ventrais. **4.** *Bras. Zool.* V. *jaçanã* (1).

ferrar [De *ferro* + *-ar*[2].] *V. t. d.* **1.** Ornar ou guarnecer de ferro. **2.** Pôr ferraduras em (cavalgadura). **3.** Marcar com ferrete quente (boi, cavalo, etc.). **4.** Tornar ferruginosa (a água). **5.** *Marinh.* Colher (vela ou toldo) atando-os com amarrilhos a uma verga, estai ou vergueiro: "navegou terra a terra à sombra da costa ....; .... ferrou panos e fundeou sobre virotes." (Galpi, *Narrativas Militares*, p. 23). **6.** Fisgar; pescar: *Ferrou um enorme bagre.* **7.** *Bras. Pop.* Causar dano ou prejuízo a; prejudicar: *A pressa ferrou o trabalho.* *T. d. e i.* **8.** Dar, aplicar: *O animal ferrou-lhe uma bicada.* **9.** Cravar, enterrar: "O cão de um salto ferrou os dentes no suíno gordo e pesado." (Gustavo Barroso, *Terra de Sol*, p. 87.) **10.** Obrigar a aceitar; impingir: *Há pessoas que por qualquer motivo nos ferram um discurso.* **11.** *Bras. Pop.* Pedir dinheiro emprestado a. *T. i.* **12.** Cair em (sono profundo). **13.** Entregar-se ou dedicar-se a: *Ferrou no trabalho.* **14.** Investir, arremessar-se: *Ferraram gregos com troianos.* *T. d. e c.* **15.** Ferrar (8): *A cobra o ferrou na perna.* **16.** Prender com força; unir fortemente: *Ferrou um gancho no muro.* *T. i. e c.* **17.** Atirar, arremessar: *Ferraram com o desordeiro no cárcere.* **18.** Lançar com força; arremessar: *Furioso, ferrou com o copo na parede.* *Int.* **19.** *Bras.* Marcar o animal com ferrete em brasa. *P.* **20.** Entranhar-se, cravar-se: "Os seus dentes d'amêndoa ferravam-se numa tangerina de chila" (Eça de Queirós, *O Primo Basílio*, p. 185). **21.** Apegar-se, aferrar-se: *Os maus quase sempre se ferram nos bons.* **22.** *Bras. Gír.* Sair-se mal; fracassar; levar ferro: *Ferrou-se na prova de física.* [Fut. pret.: *ferraria*, etc. Cf. *ferraria*, s. f., e *ferrária.*]

ferraria [De *ferro* + *-aria.*] *S. f.* **1.** Fábrica de ferragens. **2.** Loja, oficina ou arruamento de ferreiros. **3.** Grande porção de ferro. [Cf. *ferrária* e *ferraria*, do v. *ferrar.*]

ferrária [Do tax. *Ferraria* < antr. *Ferr(ari)*, de um botânico italiano, + *-ária.*] *S. f. Bot.* **1.** Gênero de plantas iridáceas, originárias da África, dotadas de belas flores. **2.** Qualquer espécie desse gênero, como, por ex., a *Ferraria Candelabrum* e a *F. glutinosa*, nativas de Angola, cultivadas como ornamentais. **3.** Qualquer espécime desse gênero, ou a flor dele. [Cf. *ferraria*, do v. *ferrar* e s. f.]

ferrato [De *ferr(i)-* + *-ato*[2].] *S. m. Quím.* **1.** Qualquer de vários ânions compostos de ferro e oxigênio e, tb., qualquer dos sais que os contêm. **2.** O ânion FeO_4^{-2} ou qualquer dos sais que o contém.

ferrazense *Adj. 2 g.* **1.** De, ou pertencente ou relativo a Ferraz de Vasconcelos (SP). • *S. 2 g.* **2.** O natural ou habitante de Ferraz de Vasconcelos.

ferreirense[1] *Adj. 2 g.* **1.** De, ou pertencente ou relativo a Ferreira Gomes (AP). • *S. 2 g.* **2.** O natural ou habitante de Ferreira Gomes.

ferreirense[2] *Adj. 2 g.* **1.** De, ou pertencente ou relativo a Ferreiros (PE). • *S. 2 g.* **2.** O natural ou habitante de Ferreiros.

ferreirense[3] *Adj. 2 g.* **1.** De, ou pertencente ou relativo a Muniz Ferreira (BA). • *S. 2 g.* **2.** O natural ou habitante de Muniz Ferreira. [Sin. ger.: *muniz-ferreirense.*]

ferreirense[4] *Adj. 2 g.* **1.** De, ou pertencente ou relativo a Porto Ferreira (SP). • *S. 2 g.* **2.** O natural ou habitante de Porto Ferreira.

ferreirinha [De *ferreirinho*, poss.] *S. m. Bras. Zool.* **1.** Designação comum aos peixes anostomídeos do gênero *Leporinus*. **2.** Peixe anostomídeo (*Leporinus fasciatus*) da bacia do rio Amazonas, cujo corpo apresenta 10 faixas transversais escuras e as demais amarelas, e cujo comprimento vai até 30cm. É peixe muito apreciado para aquários. [Sin.: *boga-lisa.*]

ferreirinho [Dim. de *ferreiro.*] *S. m. Bras. Zool.* **1.** Designação comum a duas aves passeriformes, tiranídeas (*Todirostrum chrysocrotaphum illigeri*, da Amaz., e *T. maculatum*), de coloração verde-olivácea, ou verde, e asas e cauda enegrecidas. Na primeira a garganta é amarela e na segunda é branca, mais ou menos pintada de preto. [Sin.: *papa-sebo.*] **2.** Designação comum a outras espécies do gênero. **3.** V. *relógio* (4).

ferreiro [De *ferro* + *-eiro.*] *S. m.* **1.** Artífice que trabalha em ferro. **2.** V. *ferrageiro.* **3.** Gaivão. **4.** *Zool.* V. *araponga* (1): "O ferreiro malhando no toco das baraúnas." (Ascenso Ferreira, *Catimbó e Outros Poemas*, p. 125.) **5.** *Zool.* V. *roncador* (4). **6.** *Zool.* V. *sapo-ferreiro.* • *Adj.* **7.** Diz-se do animal que tem o pelo cor de rato: *potranca ferreira.*

ferreletricidade [De *ferro* + *eletricidade.*] *S. f. Fís.* Fenômeno apresentado por substâncias cristalinas que têm polarização elétrica permanente e espontânea. Do ponto de vista elétrico, é um fenômeno análogo ao ferromagnetismo.

ferrenho [De *ferro* + *-enho.*] *Adj.* **1.** Semelhante ao ferro, na cor ou na dureza. **2.** *Fig.* Duro, inflexível, intransigente, férreo: *vontade ferrenha.* **3.** *Fig.* Que não cede; pertinaz, obstinado: "Forjó .... era um antiabsolutista ferrenho, predisposto ao martírio." (Vitorino Nemésio, *A Mocidade de Herculano*, I, p. 233.)

ferrense[1] *Adj. 2 g.* **1.** De, ou pertencente ou relativo a Ferros (MG). • *S. 2 g.* **2.** O natural ou habitante de Ferros.

ferrense[2] *Adj. 2 g.* **1.** De, ou pertencente ou relativo a São Pedro dos Ferros (MG). • *S. 2 g.* **2.** O natural ou habitante de São Pedro dos Ferros.

férreo [Do lat. *ferreu.*] *Adj.* **1.** Feito de ferro. **2.** Ferrífero (1). **3.** *Fig.* Forte, resistente: *musculatura férrea.* **4.** *Fig.* V. *ferrenho* (2): "Artur Azevedo tivera que conformar-se com a férrea disciplina da época" (R. Magalhães Júnior, *Artur Azevedo e Sua Época*, p. 9). **5.** *Fig.* Cruel, duro, desumano: *coração férreo.* ~ V. *linha — a e via — a.*

ferreta (ê) [De *ferro* + *-eta* (ê).] *S. f.* Ferrão pequeno, ou bico de metal, que constitui a parte inferior do pião. [Pl.: *ferretas* (ê). Cf. *ferreta* e *ferretas*, do v. *ferretar.*]

ferretar [De *ferrete* + *-ar*[2].] *V. t. d.* **1.** Manchar, enodoar, sujar; ferretear: *Ferretaram-lhe a honra.* *Transobj.* **2.** Ferretear (4): *Ferretaram-no de traidor.* [Sin. ger.: *aferretar.* Pres. ind.: *ferreto, ferretas, ferre-*

ta, etc.; pres. subj.: *ferrete*, *ferretes*, etc. Cf. *ferreta* (ê), pl. *ferretas* (ê), e *ferrete* (ê), pl. *ferretes* (ê).]

ferrete (ê) [De *ferro* + *-ete* (ê).] ***S. m.*** **1.** Instrumento com que se marcavam escravos e criminosos, e com que se marca o gado; ferro, marca. **2.** *Fig.* Sinal de ignomínia; estigma, labéu: "uma criatura que perdeu toda uma existência na cadeia e sob o ferrete ignominioso de assassino." (Viriato Correia, *Histórias Ásperas*, p. 201). [Pl.: *ferretes* (ê). Cf. *ferrete* e *ferretes*, do v. *ferretar*.]

ferretear [De *ferrete* + *-ear*[2].] ***V. t. d.*** **1.** Marcar com ferrete (1): *ferretear o gado.* **2.** Afligir, pungir: *Um sonho constante o ferreteia.* **3.** V. *ferretar* (1). ***Transobj.*** **4.** Tachar, acoimar, ferretar: *Ferreteou o adversário de pedante.* [Sin. ger.: *aferretar*, *aferretear*. Conjug.: v. *frear*.]

ferretoada [De *ferretoar* + *-ada*[1].] ***S. f.*** V. *ferroada*.

ferretoar [De *ferrete* + *-oar*.] ***V. t. d.*** **1.** Dar ferretoadas em; aguilhoar; picar. **2.** *Fig.* Dirigir palavras picantes a; censurar. [Sin. ger.: *ferroar*. Conjug.: v. *coroar*.]

▲**ferr(i)-** [Do lat. *ferrum, i.*] ***El. comp.*** **1.** = 'ferro': *férrico, ferrífero.* [Equiv.: *ferro-*, *-ferr(o)-*: *ferrovia*; *antiferromagnetismo*.] **2.** *Quím.* Indica presença de ferro trivalente: *ferricianeto*.

ferricianeto (ê) [De *ferr(i)-* + *cianeto*.] ***S. m. Quím.*** Sal que contém o íon trivalente $[Fe(CN)_6]^{-3}$. [O ferricianeto de potássio é vermelho em meio aquoso.]

férrico [De *ferr(i)-* + *-ico*[2].] ***Adj.*** **1.** Relativo ao ferro. **2.** *Quím.* Referente a, ou próprio de qualquer composto com o ferro trivalente.

ferrífero [De *ferr(i)-* + *-fero*.] ***Adj.*** **1.** Que contém ferro ou sais de ferro; férreo. **2.** Composto de ferro.

ferrificação [De *ferrificar (< *ferr(i)-* + *-ficar*) + *-ção*.] ***S. f.*** Formação do ferro.

ferrimagnetismo [De *ferr(i)-* + *magnetismo*.] ***S. m. Fís.*** Tipo de magnetismo permanente apresentado pelos ferritos, no qual os momentos magnéticos de íons vizinhos tendem a se alinhar como dois vetores antiparalelos. [Cf. *ferromagnetismo*.]

ferrinho [Dim. de *ferro*.] ***S. m.*** *Bras. Jog. Inf.* V. *finca* (3). ~ V. *ferrinhos*.

ferrinhos [Dim. do pl. de *ferro*.] ***S. m. pl.*** *Mús.* Triângulo (3). "vinham os tocadores de ferrinhos, de pandeiros, ... de tambores e de violas" (Melo Morais Filho, *Festas e Tradições Populares do Brasil*, p. 46). ~ V. *ferrinho*.

ferrita [De *ferr(i)-* + *-ita*[2].] ***S. f.*** **1.** *Fís.* Substância constituída por material ferromagnético e diversos óxidos (de níquel, de cobalto, de zinco, etc.), e de elevadíssima resistência elétrica, utilizada em núcleos de transformadores que trabalham em circuitos de alta frequência, como memória magnética em circuitos de computadores, etc. **2.** *Metal.* Solução sólida de carbono em ferro alfa.

ferritina [De *ferr(i)-* + *-it-* + *-ina*[3].] ***S. f.*** *Bioquím.* Proteína em que se encontra acumulado ferro nos organismos.

ferro [Do lat. *ferru*.] ***S. m.*** **1.** *Quím.* Elemento de número atômico 26, metálico, branco-acinzentado, duro, tenaz, reativo, o qual forma ligas que têm aplicações importantes [símb.: *Fe*]. **2.** Esse metal, de numerosas aplicações na indústria e na arte. **3.** Instrumento feito desse metal, ou apenas a parte cortante e/ou perfurante desse instrumento. **4.** Designação comum a diversos instrumentos ou utensílios em que entra principalmente o ferro: *ferro de passar*; *ferro de dourar.* **5.** Espada, florete: *cruzar o ferro.* **6.** *Fig.* Arma homicida. **7.** V. *ferrete* (1). **8.** *P. ext.* A marca deixada pelo ferro (7) no couro do gado. **9.** Ferramenta de arte ou ofício. **10.** *Pop.* V. *dinheiro* (5). **11.** *Marinh.* Designação pela qual a bordo é mais conhecida a âncora. **12.** *Marinh.* O conjunto amarra e âncora. **13.** *Encad.* O ornato estampado com ferro de dourar. **14.** Aborrecimento, amolação: "Que ferro! .... Esqueci-me de mandar fazer hoje para o jantar um grande prato de paio com ervilhas." (Eça de Queirós, *Os Maias*, II, p. 565.) **15.** *Ant.* Ferradura (1). **16.** *Bras. Chulo* O membro viril. ~ V. *ferros*. ◆ **Ferro alfa.** *Metal.* Variedade do ferro, estável abaixo de 912°C. **Ferro batido.** Ferro forjado (2). **Ferro beta.** *Metal.* Denominação de uma suposta variedade do ferro, estável entre 770 e 900°C, mas que é simplesmente ferro alfa paramagnético, pois 770°C é a temperatura Curie do ferro. **Ferro delta.** *Metal.* Variedade do ferro, estável entre 1.390 e cerca de 1.538°C (que é o ponto de fusão do ferro). **Ferro dobrado.** *Constr.* Barra que compõe a armadura de uma peça de concreto armado, e na qual se faz um dobramento em ângulo. **Ferro doce.** *Metal.* Ferro puro, maleável, resistente à corrosão, facilmente magnetizável e desmagnetizável, obtido em forno de revérbero. **Ferro forjado.** **1.** *Metal.* Ferro muito puro, que contém apenas materiais provenientes da escória, mecanicamente muito resistente, pouco sensível à corrosão. **2.** Esse metal trabalhado na bigorna; ferro batido. **Ferro fundido.** *Metal.* Liga de ferro e carbono, com teor deste último superior ao que se encontra no aço. **Ferro fundido branco.** *Metal.* Aquele de aparência clara (na superfície recém-cortada), pois o carbono está sob forma de carboneto e não grafita, extremamente duro e resistente, mas quebradiço e difícil de usinar. **Ferro fundido cinzento.** *Metal.* Aquele que possui veios de grafite, que lhe dão a cor, e que tem alta capacidade de amortecimento de vibrações e resistência à corrosão, apesar de baixa resistência mecânica. **Ferro galvanizado.** *Metal.* Ferro recoberto por uma película de zinco. **Ferro gama.** *Metal.* Variedade do ferro, estável entre 912 e 1.390°C. **Ferro meteorítico.** *Min.* Ferro-níquel. [Esta denominação deve-se ao fato de esta liga ser encontrada em meteoritos.] **Ferro nativo.** *Min.* Ferro encontrado na natureza com pequeníssimo teor de carbono. **Ferros velhos.** Trastes caseiros, usados e de pouco valor. [Cf. *ferros-velhos*, pl. de *ferro-velho*.] **A ferro e a fogo.** **1.** Usando de meios violentos, com armas brancas e armas de fogo: "Esteve a ilha a ferro e fogo e as 'Vésperas Sicilianas traçaram a sangue nova página da servidão da Sicília a soberanos estrangeiros." (Ferreira de Castro, *Obra Completa*, 3º vol., p. 357.) **2.** A todo o transe; de qualquer maneira; por todos os meios possíveis. **A ferro e fogo.** A ferro e a fogo. **Baralhar o ferro.** *Bras. RS* Brigar à arma branca. **Bater o ferro enquanto está quente.** V. *malhar o ferro enquanto está quente.* **De ferro.** Que (no sentido próprio e no figurado) lembra o ferro pela dureza, peso, resistência, rijeza, energia, etc.: *punhos de ferro*; *governar com mão de ferro*; *coração de ferro.* **Lançar ferro.** *Mar.* V. *ancorar* (1). **Levantar ferro.** *Mar.* **1.** Içar âncora (ferro). **2.** Partir em viagem marítima. [Sin. ger.: *levantar âncora*.] **Levar ferro.** Ser malsucedido em (alguma coisa); levar chumbo: *Levou ferro na prova de matemática.* **Malhar em ferro frio.** Perder o tempo, insistindo com pessoa irredutível ou muito ignorante. **Malhar o ferro enquanto está quente.** Aproveitar a oportunidade; malhar o ferro enquanto está quente. **Não ser de ferro.** Ser de carne e osso, ser humano, ter suas fraquezas. **Passar a ferro.** **1.** Alisar (roupa) com ferro de passar; passar: "Passara a ferro as camisas de Armando" (Clarice Lispector, *Laços de Família*, p. 46). **2.** Alisar roupa com ferro de passar; passar: "sempre gostara de passar a ferro e, sem modéstia, era uma passadeira de mão cheia." (Id., *ib.*, p. 46). **Perder ferro e sinal.** *Bras. CE* Ficar no casco da situação. **Puxar ferro.** *Bras.* Fazer musculação (3): *Para ficar mais musculoso, decidiu puxar ferro.*

▲**ferro-** **1.** V. *ferr(i)-* (1). **2.** *Quím.* Indica presença de ferro divalente: *ferrocianeto*.

▲**-ferr(o)-** V. *ferr(i)-* (1).

ferroada [De *ferroar* + *-ada*[1].] ***S. f.*** **1.** Picada com ferrão; aguilhoada. **2.** Pontada (1). **3.** *Fig.* Censura mordaz, picante. [Sin. ger.: *ferretoada*.]

ferroar [De *ferrão* + *-ar*[2], com desnasalação.] ***V. t. d.*** **1.** V. *ferretoar*: "um percevejo ferroa-me o umbigo sem piedade." (Cordeiro de Andrade, *Anjo Negro*, p. 143). **2.** Dirigir palavras ásperas a; censurar: *O jornal ferroou o político.* ***T. d. e c.*** **3.** Ferroar (1): *A abelha o ferroou na orelha.* ***Int.*** **4.** Dar ferroadas: "Senti a impotência do homem contra a calúnia impalpável que esvoaça e zune e ferroa como a vespa" (José de Alencar, *Lucíola*, p. 98); "— .... parece que tenho nos intestinos um formigueiro a morder, a ferroar..." (Godofredo Rangel, *Falange Gloriosa*, p. 227). **5.** Latejar, doer, como que por sofrer ferroadas: *A sua cabeça ferroava.* [Conjug.: v. *coroar*.]

ferroceno [De *ferro-* + *c(iclopentadi)eno*.] ***S. m. Quím.*** **1.** Substância organometálica cristalina, estável, de cor alaranjada, formada pela inclusão de um cátion divalente de ferro (Fe^{+2}) entre dois ânions ciclopentadienila [fórm.: $C_{10}H_{10}Fe$]. **2.** Qualquer de certas substâncias semelhantes ao ferroceno (1) ou dele derivadas.

ferrocianeto (ê) [De *ferro-* + *cianeto*.] ***S. m. Quím.*** Sal que contém o íon tetravalente $[Fe(CN)_6]^{-4}$

ferroeletricidade [De *ferro-* + *eletricidade*.] ***S. f. Fís.*** Ferreletricidade.

ferro-gusa [De *ferro-* + *gusa*.] ***S. m.*** *Metal.* O ferro que se obtém diretamente do alto-forno, em geral com elevado teor de carbono e várias impurezas. [Tb. se diz apenas *gusa*. Pl.: *ferros-gusas* e *ferros-gusa*.]

ferroína [De *ferro-* + *-ina*[3].] ***S. f.*** *Quím.* Substância formada pela reação entre orto-fenantrolina e um sal ferroso, e que é us. em química analítica.

ferrolhar [De *ferrolho* + *-ar*[2].] ***V. t. d.*** Aferrolhar: "Possuem a onipotência terrestre, e ferrolharam-na a sete chaves." (Antônio Feliciano de Castilho, *O Presbitério da Montanha*, p. 109.) [Pres. ind.: *ferrolho*, etc. Cf. *ferrolho* (ô).]

ferrolho (ô) [Do lat. *veruculu*, com infl. de *ferro*, poss.] ***S. m.*** **1.** Tranqueta corrediça de ferro, com a qual se fecham portas e janelas. **2.** *Bras. Fut.* Retranca (5). **3.** *Bras. PE* Passo do frevo em que o dançarino se movimenta em diagonal, seguido de flexão dos joelhos da direita para a esquerda e vice-versa, alternando para a frente e para trás, descrevendo uma circunferência. [Pl.: *ferrolhos* (ô). Cf. *ferrolho*, do v. *ferrolhar*.]

ferromagnesiano [De *ferro-* + *magnésio* + *-ano*[1].] ***Adj.*** *Petr.* Que contém ferro e magnésio.

ferromagnético [De *ferro-* + *magnético*.] ***Adj. Fís.*** Diz-se de substâncias que têm elevada permeabilidade magnética, como o ferro, o níquel, o cobalto e várias ligas, e que pode ser observada pela forte atração entre dois corpos que a possuam.

ferromagnetismo [De *ferro-* + *magnetismo*.] ***S. m. Fís.*** Propriedade das substâncias ferromagnéticas. [Cf. *ferrimagnetismo*.]

ferromoça (ô) [De (*estrada de*) *ferro* + *moça*.] ***S. f.*** *Bras. P. us.* Empregada que, nos trens de passageiros que fazem longos percursos, presta serviços análogos aos das aeromoças nos aviões.

ferro-níquel ***S. m.*** *Min.* Liga natural de ferro e níquel, e que se cristaliza no sistema cúbico. [Sin.: *ferro meteorítico*. Pl.: *ferros-níqueis* e *ferros-níquel*.]

ferropear [De *ferropeia* + *-ar*[2].] ***V. t. d.*** Prender ou agrilhoar com ferropeia. [Conjug.: v. *frear*. Pres. ind.: *ferropeio*, *ferropeias*, *ferropeia*, etc. Cf. *ferropeia* e o pl. *ferropeias*.]

ferropeia (éi) [Do lat. vulg. *ferropedea.] ***S. f.*** Algema, grilhão. [Pl.: *ferropeias*. Cf. *ferropeia* e *ferropeias*, do v. *ferropear*.] ❖

ferros [Pl. de *ferro*.] ***S. m. pl.*** **1.** Algemas, grilhões. **2.** Cárcere, prisão. **3.** Tenaz (8). ~ V. *ferro*.

ferroso (ô) [De *ferro-* + *-oso*.] ***Adj.*** **1.** Ferruginoso (2). **2.** *Quím.* Referente a, ou próprio de qualquer composto com ferro divalente.

ferrossilício [De *ferro-* + *silício*.] ***S. m.*** *Metal.* Liga de ferro e silício constituída por mistura de silicetos de ferro.

ferro-velho ***S. m.*** **1.** V. *adeleiro*. **2.** Estabelecimento que negocia com sucata (1). **3.** Sucata (2). **4.** *Zool.* V. *tietê*. [Pl.: *ferros-velhos*. Cf. *ferros velhos*.]

ferrovia [De *ferro-* + *via*; it. *ferrovia*.] ***S. f.*** Sistema de transporte sobre trilhos, que compreende a via permanente e outras instalações fixas, o material rodante, o equipamento de tráfego, etc. [Sin.: *estrada de ferro*, *linha férrea*, *linha* e (lus.) *caminho de ferro*. Cf. *via férrea*.]

ferroviário [De *ferrovia* + *-ário*; it. *ferroviario*.] ***Adj.*** **1.** Relativo a ferrovia. **2.** Que se faz por ferrovia: *transporte ferroviário.* • ***S. m.*** **3.** Empregado em estrada de ferro.

ferrugem [Do lat. *ferrugine*.] ***S. f.*** **1.** Óxido que se forma na superfície do ferro exposto à umidade. **2.** *P. ext.* Óxido formado sobre outros metais. **3.** Emperramento das articulações. **4.** *Bot.* Doença de poáceas, esp. do trigo, aveia e milho, causada por fungos dos gêneros *Puccinia*, *Tillelia* e *Ustilago*. **5.** *Bras. MG* A hematita em grânulos ou pequenos seixos. **6.** *Bras. Zool.* V. *salema*.

ferrugento [De *ferrugem* + *-ento*.] ***Adj.*** **1.** Que tem ferrugem; enferrujado, rubiginoso. **2.** *Fig.* Velho, antigo, antiquado.

ferrugíneo [Do lat. *ferrugineu*.] ***Adj.*** **1.** Da cor castanho-avermelhada da ferrugem. **2.** Escuro, sombrio.

ferruginosidade [De *ferruginoso* + *-(i)dade*.] ***S. f.*** Qualidade de ferruginoso.

ferruginoso (ô) [Do lat. *ferruginosu*.] ***Adj.*** **1.** Da natureza do ferro ou da ferrugem. **2.** Que contém ferro; ferroso. **3.** Que é da cor do ferro. • ***S. m.*** **4.** Medicamento que contém ferro: *O médico receitou-lhe um ferruginoso.*

ferruncho [De *ferro* (14) + *-uncho*.] ***S. m.*** *Pop.* Despeito amoroso; ciúme.

➔**ferry** [ˈfɛɹij] [Ingl.] ***S. m.*** Barco, aeronave, etc., para transporte de passageiros, mercadorias, etc., com serviço regular: "No último *ferry* da noite entre Cacilhas e Lisboa os dois homens .... falam em francês, muito perto um do outro" (João Maria Mendes, *A Mulher do Terrorista*, p. 107).

fértil [Do lat. *fertile*.] ***Adj. 2 g.*** **1.** V. *fecundo* (1). **2.** Capaz de produzir com facilidade, de inventar, de criar; produtivo, inventivo, criador: *José de Alencar tinha espírito fértil.* **3.** Que se presta a grandes desenvolvimentos: *Tema fértil, a linguagem.* **4.** Diz-se de terra muito fecunda, que produz muito. **5.** Abundante, farto, úbere. [Pl.: *férteis*. Antôn.: *estéril*, *sáfaro*, *maninho*.]

fertilidade [Do lat. *fertilitate*.] ***S. f.*** **1.** Qualidade de fértil. **2.** *Fig.* Disposição para a fecundação. **3.** *Fig.* Abundância; opulência. [Sin. ger.: *fecundidade*. Antôn.: *esterilidade*, *maninhez*.]

fertilização [De *fertilizar* + *-ção*.] ***S. f.*** **1.** Ato ou efeito de fertilizar(-se). **2.** *Biol.* V. *fecundação*. **3.** *Restr. Bot.* União da célula sexual masculina com a célula sexual feminina. ◆ **Fertilização *in vitro*.** Procedimento artificial em que se remove um oócito secundário, o qual é fertilizado em meio de cultura, em laboratório, colocando-se o zigoto, ora em divisão, no interior do útero.

fertilizador (ô) [De *fertilizar* + *-dor*.] ***Adj.*** **1.** Fertilizante (1). ● ***S. m.*** **2.** Aquele ou aquilo que fertiliza.

fertilizante [De *fertilizar* + *-nte*.] ***Adj. 2 g.*** **1.** Que fertiliza; fertilizador. ● ***S. m.*** **2.** Adubo (2).

fertilizar [De *fértil* + *-izar*.] ***V. t. d.*** **1.** Dar fertilidade a; tornar fértil ou produtivo: *As inundações fertilizam o vale do Nilo.* ***Int. P.*** **2.** Tornar-se fértil ou produtivo.

fertilizável [De *fertilizar* + *-vel*.] ***Adj. 2 g.*** Que se pode fertilizar.

fertilizina [De *fertiliz(ar)* + *-ina*[3].] ***S. f. Bioquím.*** Substância segregada pelo óvulo de certas espécies de animais, como, p. ex., o ouriço-do-mar, e que tem a propriedade de ativar a fecundação deles.

férula[1] [Do lat. *ferula*.] ***S. f.*** V. *palmatória* (1): "Não me entrem a gritar .... os críticos da crítica, que a férula de pedagogo se me não sustenta no punho fraco" (Ramalho Ortigão, *Figuras e Questões Literárias*, I, p. 8).

férula[2] [Do tax. *Ferula*.] ***S. f. Bot.*** **1.** Grande gênero de plantas apiáceas, nativas do Velho Mundo, dotadas de folhas partidas, umbelas compostas, flores amarelas e fruto trialado. **2.** Qualquer espécie desse gênero, como, p. ex., a *Ferula asafoetida* (v. *assa-fétida*). **3.** Qualquer espécime desse gênero. **4.** V. *gálbano* (1).

ferungulado [De *fera*[2] + *ungulado*[2]; tax. *Ferungulata*.] *Zool.* ***S. m.*** **1.** Espécime dos ferungulados, coorte que reúne mamíferos eutérios, como, p. ex., os carnívoros, os ungulados fósseis, os atuais perissodáctilos e artiodáctilos, cuja origem seria comum desde o paleoceno. [Tal coorte, proposta por paleontólogos, não é aceita por muitos zoólogos.] ● ***Adj.*** **2.** Pertencente ou relativo a eles.

fervedoiro [De *ferver* + *-doiro*[2].] ***S. m.*** Fervedouro (q. v.).

fervedouro [De *ferver* + *-douro*[2]; var. de *fervedoiro*.] ***S. m.*** **1.** Movimento semelhante ao de um líquido a ferver; agitação. **2.** Grande ajuntamento. **3.** Grande agitação ou movimento. **4.** Agitação íntima; inquietação, desassossego. **5.** *Bras.* Lugar onde deve ser lavado o cascalho diamantífero.

fervença [De *ferv(er)* + *-ença*.] ***S. f. Desus.*** **1.** V. *fervura* (2). **2.** Fervor, zelo, ardor. [Sin. ger., ant.: *fervência*.]

fervência [De *ferv(er)* + *-ência*.] ***S. f. Ant.*** V. *fervença*.

fervendo [Ger. de *ferver*.] ***Adj.*** Fervente (1).

ferventar [De *ferv(er)* + *-entar*.] ***V. t. d.*** V. *aferventar* (1).

fervente [Do lat. *fervente*.] ***Adj. 2 g.*** **1.** Que ferve, que está em ebulição; fervendo. **2.** Que se revolve como a água a ferver. **3.** Que tem ímpeto e ardor; ardente, caloroso; fervoroso, veemente: "rezou em voz baixa uma oração fervente" (Alexandre Herculano, *Lendas e Narrativas*, I, p. 308). [Sin. ger.: *fervescente*.]

ferver [Do lat. *fervere*.] ***V. t. d.*** **1.** Produzir ebulição em: *ferver a água.* **2.** Esterilizar em água fervente ou em outro líquido em ebulição: "Esperou impaciente que Marta entrasse. Fervia a seringa e a agulha, afinal a injeção só lhe faria mesmo bem." (Jorge Amado, *Seara Vermelha*, p. 182.) **3.** Pôr para cozer ou aquecer: *Disse que ainda faltava ferver o feijão.* **4.** Levar ao estado de cólera, de impaciência: *A sua presença ferve-me a alma.* ***Int.*** **5.** Entrar em ebulição (1); ebulir. **6.** Movimentar-se, agitar-se continuamente, lembrando um líquido em ebulição; espumar: "Certa mulher misteriosa, / Que me alucina, costuma / Manter-se em pé, silenciosa, / Junto ao mar, que ferve e espuma..." (Raimundo Correia, *Poesias*, p. 99.) **7.** Aquecer-se muito; escaldar, queimar, arder, fervilhar: *Ferve-me o sangue, de raiva.* **8.** Excitar-se, inflamar-se, exaltar-se, espumar, fervilhar: *No comício, a multidão fervia.* **9.** Aparecer em grande número; amontoar-se, aglomerar-se: *Ferveram mosquitos.* **10.** Atingir alto grau de intensidade, de veemência: *Aquela paixão fervia na alma do poeta.* **11.** Animar-se, estimular-se, excitar-se: *A discussão fervia.* **12.** Sentir paixão; amar intensamente. [Part.: *fervido*. Cf. *férvido*.]

fervescente [Do lat. *fervescente*.] ***Adj. 2 g.*** V. *fervente*.

→**fervet opus** ['fɛrvet 'opus] [Lat., 'o trabalho ferve'.] ***Loc. s. m.*** Atividade intensíssima, como a das abelhas.

fervido [Part. de *ferver*.] ***Adj.*** **1.** Que ferveu: *água fervida.* ● ***S. m.*** **2.** *Bras. RS Cul.* Cozido (3). [Cf. *férvido*.]

férvido [Do lat. *fervidu*.] ***Adj.*** **1.** Que abrasa; muito quente; abrasador. **2.** Em que há animação, entusiasmo e intensidade; cheio de calor; quente, entusiástico, caloroso: *abraço férvido; palavras férvidas.* **3.** Dominado por paixão veemente; apaixonado. **4.** Zeloso, fervoroso. **5.** Fogoso, impaciente. **6.** Muito rápido; arrebatado, veloz. [Cf. *fervido*, do v. *ferver*, adj. e s. m.]

fervilha [Dev. de *fervilhar*.] ***S. 2 g. Pop.*** Pessoa ativa, inquieta, que trata de muitos negócios.

fervilhamento [De *fervilhar* + *-mento*.] ***S. m.*** **1.** Ato ou efeito de fervilhar. **2.** Grande agitação; azáfama, celeuma; esfervilhamento.

fervilhar [De *ferv(er)* + *-ilhar*.] ***V. int.*** **1.** Ferver (3) continuamente: "Há homens debruçados nas caldeiras onde o alcatrão fervilha" (José Cardoso Pires, *Jogos de Azar*, p. 186). **2.** V. *ferver* (5): *O sangue fervilhou-lhe de ódio nas veias.* **3.** V. *ferver* (7): "Em Piraquara fervilharam as contendas nos arraiais políticos" (Antônio Versiani, *Paisagens Humanas*, p. 13). **4.** Achar-se ou ficar em estado de excitação ou agitação intensa; esfervilhar: "Comprida é a noite em que não se dorme e não dormi com a cabeça fervilhando." (Geraldo França de Lima, *Branca Bela*, p. 13.) ***T. i.*** **5.** V. *pulular* (6): *A cidade fervilhava de turistas.*

fervo (ê) [Dev. de *ferver*.] ***S. m. Bras.***, *RS* Conflito; tumulto. [Cf. *frevo*.]

fervor (ô) [Do lat. *fervore*.] ***S. m.*** **1.** Ato de ferver. **2.** Estado do que ferve. **3.** Calor veemente; ardência. **4.** *Fig.* Ardor, energia, entusiasmo, paixão: *Defendeu suas ideias com fervor.* **5.** *Fig.* Desejo veemente de conseguir algo; empenho: *Diante do magistrado, defenderam-se com ousadia e fervor.* **6.** *Fig.* Zelo ardente em exercícios de piedade, devoção, caridade: *Rezou a Deus com muito fervor.* **7.** *Fig.* Dedicação, zelo. **8.** *Fig.* Diligência, atividade. **9.** *Fig.* Ímpeto, violência: *A água levou tudo, com um fervor nunca visto.*

fervor do sangue ***S. m. Pop.*** Urticária. [Pl.: *fervores do sangue*.] ☑ nota 1

fervoroso (ô) [De *fervor* + *-oso*.] ***Adj.*** **1.** Que ferve; fervente. **2.** Que tem fervor; caloroso, ardoroso, fervente: "Rezava como os mais fervorosos crentes" (Mário de Alencar, *Contos e Impressões*, p. 105). **3.** Veemente, impetuoso, arrebatado. **4.** Ativo, diligente. **5.** Zeloso, dedicado.

fervura [Do lat. *fervura*.] ***S. f.*** **1.** Ato ou efeito de ferver; ebulição. **2.** *Fig.* Alvoroço, alvoroto, agitação, exaltação, ebulição, efervescência.

fescenino [Do lat. *fescenninu*.] ***Adj.*** **1.** Diz-se de certo gênero de versos licenciosos da antiga Roma, dos quais se acredita ter provindo a sátira. **2.** Obsceno, licencioso: "Vários amantes se atribuíram à princesa D. Carlota Joaquina e diversos pais aos filhos que se sucediam. Fique aos devassadores de segredos fesceninos a apuração de tais coscuvilhices." (Otávio Tarquínio de Sousa, *A Vida de D. Pedro I*, I, pp. 7-8.) ● ***S. m.*** **3.** Gênero de versos licenciosos da antiga Roma.

festa [Do lat. tard. *festa*, do neutro pl. do lat. *festum, i*.] ***S. f.*** **1.** Reunião alegre para fim de divertimento: *Dará uma festa no seu dia de aniversário.* **2.** O conjunto das cerimônias com que se celebra qualquer acontecimento; solenidade, comemoração. **3.** *Lit.* Dia santificado, ou consagrado à celebração de um ato religioso. **4.** *Lit.* Comemoração de uma festa (3): *Nas festas da Semana Santa os sacerdotes usam casula roxa; Puseram muitas oferendas no mar na festa de Iemanjá.* **5.** *Fig.* Regozijo, alegria, júbilo: *Para ele, hoje, tudo é festa.* **6.** *Fam. Irôn.* Trabalheira, cuidados, barulho. ~ V. *festas*. ◆ **Festa branca.** *Maç.* Cerimônia especial, destinada à comemoração de determinada data ou acontecimento, e em que é permitida a presença de não iniciados; sessão branca. **Festa da cumeeira.** *Bras.* Festa (2) com que se celebra o momento em que uma construção chega ao teto: "A gente ia lá aos domingos, pra ver a casa nova. Tijolos. Festa da cumeeira, quer dizer, do telhado." (Antônio Carlos Vilaça, *A Descoberta do Morro*, p. 19.) **Festa das candeias.** Candelária (1). **Festa de arromba.** *Bras.* V. *festança*. **Festa de carregação.** *Bras. N.E.* Festa sem música e outros atrativos. **Festa de embalo.** *Bras. Gír.* Embalo (3). **Festa imóvel.** A que se celebra todos os anos em dias certos. [Cf. *festa móvel*.] **Festa móvel.** A que em cada ano se celebra em dia diferente na ordem do calendário, por estar a sua fixação dependente do domingo de Páscoa. [Cf. *festa imóvel*.] **Fazer a festa e soltar os foguetes.** Aplaudir os próprios atos. **No melhor da festa.** *Pop.* **1.** Na hora de maior animação. **2.** Na hora mais propícia, em que tudo vai bem: "Finge-se às vezes de comprador, passa uma semana em casa do fazendeiro, ... namora .... a filha [do fazendeiro].... – e no melhor da festa some-se!" (Monteiro Lobato, *Urupês*, p. 104.)

festa de bandeira ***S. f. Cabo-verd.*** Festejo em que há procissão, cavalhadas e baile, organizado na ilha do Fogo (uma das ilhas do arquipélago de Cabo Verde) por ocasião dos dias de São Sebastião e de São Filipe: "Atirar bolos para esta gente! Tal como se fazia antigamente nas festas de bandeira." (Teixeira de Sousa, *Ilhéu de Contenda*, p. 135.) [Pl.: *festas de bandeira*.] ☑

festança [Aum. irreg. de *festa* (v. *-ança*).] ***S. f.*** Grande divertimento; festa muito animada; festa de arromba; festão: "é português e não esconde as saudades que tem do seu Portugal, ... das suas festanças aldeãs" (Lima Barreto, *Vida e Morte de M. J. Gonzaga de Sá*, p. 201).

festão[1] [Do it. *festone*.] ***S. m.*** **1.** Ramalhete de flores e folhagens; grinalda: "Tenho também uma lira / De festões engrinaldada." (Gonçalves Dias, *Obras Poéticas*, I, p. 224.) **2.** *Arquit.* Ornato com a forma de grinalda.

festão[2] [De *festa* + *-ão*[1].] ***S. m. Bras.*** V. *festança*.

festar [De *festa* + *-ar*[2].] ***V. int. Bras.*** **1.** Fazer festa. **2.** Divertir-se na festa; foliar. [Pres. ind.: *festo*, etc. Cf. *festo* (ê).]

festarola [De *festar* + *-ola*[1].] ***S. f. Fam.*** Festança; folguedo.

festas [Pl. de *festa*.] ***S. f. pl.*** **1.** Carícias, agrados. [Tb. us. no sing.] **2.** Presente, mimo, dádiva. **3.** O dia de Natal e o ano-novo: *Que passe as festas em paz e alegria.* ~ V. *festa*.

festeiro [De *festa* + *-eiro*.] ***Adj.*** **1.** Que frequenta festas. **2.** Que faz festas ou carícias: "seu riso, sua voz, suas mãozinhas gorduchas e festeiras, seus beijos molhados" (Lia Correia Dutra, *Navio sem Porto*, p. 202). ● ***S. m.*** **3.** Aquele que faz ou dirige uma festa. **4.** Frequentador de festas. **5.** *Bras.* Aquele que é eleito ou escolhido para patrocinar solenidades religiosas.

festejador (ô) [De *festejar* + *-dor*.] ***Adj. S. m.*** Que, ou aquele que festeja.

festejar [De *festa* + *-ejar*.] ***V. t. d.*** **1.** Fazer festa a; dar demonstrações de alegria a: *Festejou com grandes abraços a chegada do amigo.* **2.** Fazer festa em honra de: *Costuma festejar Santo Antônio todos os anos.* **3.** Fazer festejos por; celebrar, solenizar: *Festejou o nascimento do filho varão;* "Palha festejou o acontecimento com um jantar" (Machado de Assis, *Quincas Borba*, p. 40). **4.** Acolher com prazer; louvar, aprovar: *O público festejou o filme, consagrando-o como um dos melhores do ano.* **5.** Fazer festas a; acariciar, amimar. [Conjug.: v. *pelejar*.]

festejo (ê) [Dev. de *festejar*.] ***S. m.*** **1.** Ato ou efeito de festejar. **2.** Festividade, solenidade. **3.** *Fig.* Carícia, mimo. **4.** *Fig.* Palavras de galanteio; galanteio.

festim [Do fr. *festin* < it. *festino*.] ***S. m.*** **1.** Festa particular, ou em família; pequena festa. **2.** Banquete. **3.** Cartucho (3) sem projetil, usado em tiro simulado: *tiro de festim.*

festinação [Do lat. *festinatione*.] ***S. f. Med.*** Maneira de andar própria da paralisia agitante, e em que o doente, partindo devagar, vai paulatinamente acelerando o passo.

festinho [Do lat. tard. *festino*.] ***Adv. Ant.*** Apressadamente; às pressas.

festiva [F. subst. de *festivo*.] ***S. f. Bras. Joc.*** Esquerda festiva (q. v.).

festival [Do ingl. *festival*.] ***Adj. 2 g.*** **1.** Festivo (1): "Arcos de flores, fachos purpurinos, / Trons festivais, bandeiras desfraldadas" (Raimundo Correia, *Poesias*, p. 163); "por essas noites perladas dos ecos das serenatas, dos perfumes festivais das rosas" (Fialho d'Almeida, *O País das Uvas*, p. 98). ● ***S. m.*** **2.** Grande festa: "Nossas roupas comuns dependuradas / Na corda, qual bandeiras agitadas, / Pareciam um estranho festival" (Orestes Barbosa, *Chão de Estrelas*, p. 275). **3.** Série de acontecimentos e/ou espetáculos artísticos, esportivos, etc., não raro realizados periodicamente: *o festival de música de Salzburgo; o festival de cinema de Gramado.* **4.** Cortejo cívico. **5.** Grande quantidade; chorrilho: *Febeapá – Festival de Besteira Que Assola o País, livro de Stanislaw Ponte Preta.*

festivamente [Do f. de *festivo* + *-mente*.] ***Adv.*** De modo festivo, alegre.

festividade [Do lat. *festivitate*, 'alegria de um dia de festa'.] ***S. f.*** **1.** Festa religiosa ou cívica: "Quanto à pompa litúrgica e à suntuosidade dos divertimentos profanos, já vimos que constituíam aspectos comuns às festividades do templo" (Afonso Ávila, *Resíduos Seiscentistas em Minas*, I, p. 19); *O baile popular foi parte das festividades do cinquentenário da Abolição.* **2.** Demonstração de alegria; regozijo.

festivo [Do lat. *festivu*.] ***Adj.*** **1.** De, ou relativo a, ou próprio de festa; festival: *dia festivo.* **2.** Alegre, divertido: "E cantarolavam baixinho, com ar festivo e satisfeito." (Mário Matos, *Casa das Três Meninas*, p. 114.) ~ V. *esquerda –a*.

festo[1] [Do s. lat. *festu*, poss.] ***S. m.*** Grande festa; festança, farra, divertimento: "A jantarola e o resto do festo iam ser no dia seguinte – que foi o do caso." (Simões Lopes Neto, *Contos Gauchescos e Lendas do Sul*, p. 142.) [Pl.: *festos*. Cf. *festo* (ê) e pl. *festos* (ê).]

festo[2] [Do adj. lat. *festu*.] ***Adj. Poét.*** Festivo, feliz, próspero, fausto. [Pl.: *festos*. Cf. *festo* (ê) e pl. *festos* (ê).]

festo (ê) [Do fr. ant. *fest*, *feste* (atual *faîte*), 'a parte mais elevada de algo'; 'cima', 'altura'.] ***S. m.*** **1.** Largura duma peça de pano, dum tecido qualquer. **2.** Dobra que se faz em pano largo, enfestado, ao meio de sua largura e em toda a sua extensão, para o enrolar em peça. **3.** Dobra de uma folha de papel ou de um caderno, no lado correspondente à costura. [Pl.: *festos* (ê). Cf. *festo*, do v. *festar*, adj. e s. m., e pl. *festos*.] ◆ **Subir a festo.** Subir encosta acima, sem ladear.

festoado [Part. de *festoar*.] ***Adj.*** **1.** Ornado com festões; festonado. **2.** Engalanado, enfeitado: "E a lufa-lufa das abelhas, indo e vindo / Murmurinhando: – Ó fevereiro / Festoado e lindo! / Foi em ti meu noivado!" (Alberto de Oliveira, *Póstuma*, p. 20.)

festoar [De *festão*[1] + *-ar*[2], com desnasalação.] ***V. t. d.*** **1.** Ornar com festões; festonar. **2.** Engalanar, enfeitar. [Conjug.: v. *coroar*.]

festonadas ***S. f. pl.*** **1.** Grandes festões [v. *festão* (1)] em pintura ou escultura. **2.** Ramalhetes de flores, folhagens e ramos entrelaçados: "As moças .... com os cipós floridos das trepadeiras fizeram festonadas, que pendiam das vergas do palhote." (Xavier Marques, *A Cidade Encantada*, p. 69.)

festonado [Part. de *festonar*[1].] ***Adj.*** **1.** Festoado (1). **2.** Recortado, desenhado ou bordado com a forma de festão[1].

festonar[1] [De *festão*[1] + *-ar*[2], seg. o padrão erudito.] ***V. t. d.*** Festoar (1).

festonar[2] [Do fr. *festonner*.] ***V. t. d. Bras.*** Fazer festonê em. [Cf. *pastilhar* (1).]

festonê [Do fr. *festonné*.] ***S. m.*** V. *ponto de festonê*: *A camisa de pagão tem em toda a volta um festonê azul.*

festuca [Do tax. *Festuca*.] ***S. f. Bot.*** **1.** Grande gênero de poáceas perenes que formam touceiras, de folhas compridas e acuminadas, e espiguetas dispostas em grandes panículas, eretas ou inclinadas. **2.** Qualquer espécie desse gênero, como, p. ex., a *Festuca elatior*, e a *F. ovina*, ambas excelentes forragens. **3.** Qualquer espécime desse gênero.

■ **FET** [Abrev. do ingl. *field-effect transistor*.] V. *transistor de efeito de campo*.

fetação [De *feto*[1].] ***S. f. Fisiol.*** Formação do feto[1] na matriz.

fetal[1] [De *feto*[1] + *-al*[1].] ***Adj. 2 g.*** Relativo ao feto[1]. ~ V. *eritroblastose* — e *mumificação* —.

fetal[2] [De *feto*[2] + *-al*[1].] ***Adj. 2 g.*** **1.** Relativo a feto[2]. • ***S. m.*** **2.** Terreno onde crescem muitos fetos; feital.

fetalismo [De *fetal*[1] + *-ismo*.] ***S. m. Med.*** Fetalização.

fetalização [De **fetalizar* (< *fetal*[1] + *-izar*) + *-ção*.] ***S. f. Med.*** Permanência em adulto de caracteres corporais que numa fase anterior da evolução da espécie eram, na realidade, infantis, e desapareceriam com a maturidade; fetalismo.

▲**feti-** [Do lat. *fetus* (ou *foetus*), *us*.] ***El. comp.*** = 'feto[1]': *feticida*.

fetiche [Do fr. *fétiche* < port. *feitiço*.] ***S. m.*** **1.** Objeto animado ou inanimado, feito pelo homem ou produzido pela natureza, ao qual se atribui poder sobrenatural e se presta culto; ídolo, manipanço. [Cf. *amuleto* e *talismã* (1).] **2.** *Fig.* Pessoa a quem se venera e se obedece às cegas. [A f. *feitiço*, preconizada pelos puristas, é pouquíssimo us. nessas acepçs.]

fetíchico [De *fetiche* + *-ico*[2].] ***Adj.*** Fetichista (1).

fetichismo [Do fr. *fétichisme*.] ***S. m.*** **1.** Adoração ou culto de fetiches [v. *fetiche* (1)]. **2.** Culto de objetos materiais, considerados como a encarnação de um espírito, ou em ligação com ele, e possuidores de virtude mágica. **3.** *Fig.* Partidarismo faccioso. **4.** Subserviência total. **5.** *Psiq.* Parafilia em que a preferência para a satisfação sexual recai em objetos inanimados. [A f. *feiticismo*, que os puristas recomendam, é de uso raríssimo.]

fetichista [Do fr. *fétichiste*.] ***Adj. 2 g.*** **1.** Relativo ao, ou próprio do fetiche, ou do fetichismo; fetíchico: *práticas fetichistas*. **2.** Que cultiva o fetichismo. • ***S. 2 g.*** **3.** Pessoa que o cultiva. [Os puristas preconizam *feiticista*, que é, no entanto, muito p. us.]

feticida [De *feti-* + *-cida*.] ***Adj. 2 g.*** **1.** Diz-se de feticida (2 e 3). • ***S. m.*** **2.** Substância capaz de provocar a morte do feto[1]. • ***S. 2 g.*** **3.** *Impr.* Indivíduo que provoca o aborto ilegal.

feticídio [De *feti-* + *-cídio*.] ***S. m.*** Morte provocada de feto[1].

fetidez (ê) [De *fétido* + *-ez*.] ***S. f.*** Qualidade de fétido; fedor, fétido, fedentina, fedorentina.

fétido [Do lat. *foetidu*.] ***Adj.*** **1.** Que fede; que exala mau cheiro: "e, aqui e acolá, cadáveres fétidos" (Alexandre Herculano, *Lendas e Narrativas*, I, p. 185). [Sin.: *fedorento*, *malcheiroso* e (bras.) *fedido*.] **2.** Podre, pútrido. • ***S. m.*** **3.** V. *fetidez*.

feto[1] [Do lat. *fetu* ou *foetu*.] ***S. m.*** **1.** *Biol.* O produto da fecundação, em animal vertebrado, depois que já apresenta a forma da espécie, mas antes de nascido. **2.** *Embr.* Organismo humano em desenvolvimento, no período que vai da nona semana de gestação ao nascimento. [Cf. *embrião* (1 e 2).]

feto[2] [Do lat. *filictu*.] ***S. m. Bot.*** Designação comum a todos os pteridófitos da ordem dos filicales; filifolha.

fetologia [De *feto*[1] + *-logia*.] ***S. f. Biol. Obst.*** Ramo da biologia e da obstetrícia que se ocupa do feto[1].

feto-macho-verdadeiro [De *feto-macho* (*Dryopteris filix-mas*) + *verdadeiro*.] ***S. m. Bras. Bot.*** Planta polipodiácea (*Aspidium filixmas*) ornamental, muito cultivada na Europa, de rizoma subterrâneo, frondes espiraladas, pecioladas e pinadas, soros próximos à nervura e protegidos por indúsio glabro, convexo, reniforme, e que é considerada medicinal por ser vermífuga. [Pl.: *fetos-machos-verdadeiros*.]

fetontídeo [Do lat. cient. *Phaethont-* (< tax. *Phaethon* < mit. gr. *Phaéthon, ontos*) + *-ídeo*[1]; tax. *Phaethontidae*.] ***Zool. S. m.*** **1.** Espécime dos fetontídeos, família de aves pelicaniformes, oceânicas, parecidas com as gaivotas, e que têm o polegar curto e mais elevado que os outros dedos, as duas retrizes medianas mais longas que as demais, afiladas para a ponta, e ranfoteca de bordos serrilhados. São os rabos-de-palha. • ***Adj.*** **2.** Pertencente ou relativo a eles.

feudal [Do lat. med. *feodale*, *feudale*.] ***Adj. 2 g.*** Pertencente ou relativo a, ou próprio de feudo, ou do feudalismo; feudatário.

feudalismo [De *feudal* + *-ismo*; fr. *féodalisme*.] ***S. m.*** Regime resultante dum enfraquecimento do poder central, e que une estreitamente autoridade e propriedade da terra, estabelecendo entre vassalos e suseranos uma relação de dependência.

feudalista [De *feudal* + *-ista*; fr. *féodaliste*.] ***Adj. 2 g.*** **1.** Relativo ao, ou próprio do feudalismo. **2.** Que é sectário desse regime. • ***S. 2 g.*** **3.** Sectário dele.

feudatário [Do lat. med. *feudatariu*.] ***Adj.*** **1.** Feudal. **2.** Que paga feudo. • ***S. m.*** **3.** Vassalo, súdito.

feudo [Do frâncico **fëhu*, 'gado', 'posse', 'propriedade', pelo b.-lat. *feudu*.] ***S. m.*** **1.** Propriedade nobre ou bens rústicos, que o senhor de certos domínios concedia mediante a condição de vassalagem e prestação de certos serviços e rendas. **2.** Direito ou dignidade feudal. **3.** Vassalagem feudal. **4.** *Fig.* Fardo, peso.

fevereiro [Do lat. *februariu*.] ***S. m.*** **1.** *Cronol.* O segundo mês dos calendários juliano e gregoriano. [Em ambos os calendários, nos anos bissextos fevereiro tem 29 dias e nos anos comuns, 28; no calendário gregoriano, porém, os anos seculares, cujo milésimo não é divisível por 400, não são bissextos, ficando fevereiro com 28 dias.] **2.** *Bras. Zool.* V. *joão-bobo*.

fez ***S. f.*** V. *fezes*. [Pl.: *fezes*. Cf. *fez* (ê), do v. *fazer*; *fez* (ê), s. m., pl. *fezes* (ê); *Fez* (ê), top.; e *fês*, pl. de *fé*.]

fez (ê) [Do top. ár. *Fās*, nome da cidade de *Fez* (Marrocos, Africa).] ***S. m.*** Barrete, em geral vermelho, usado por certos povos do Oriente Médio e da África e, em particular, pelos turcos: "A insistência dos modernizadores da Turquia .... em fazerem substituir o fez oriental pela cartola ocidental .... mostra que a sagacidade levantina vê nas coisas, nos 'objetos materiais', nas exterioridades, nos símbolos, influências capazes de influir sobre o íntimo das pessoas ou sobre sua mentalidade" (Gilberto Freire, *Sobrados e Mocambos*, III, p. 816). [Pl.: *fezes* (ê). Cf. *fez*, s. f., pl. *fezes*, e *fês*, pl. de *fé*.]

fezes [Do lat. *faeces*.] ***S. f. pl.*** **1.** V. *borra* (ô) (1): "Não lhe faltou [a Cervantes], para esgotar as últimas fezes do cálix amargurado dos talentos, o ter de .... andar cortejando protetores e sofrendo desdéns de poderosos o que mais tarde havia de subir mais alto do que todos eles." (Latino Coelho, *Cervantes*, p. 103.) **2.** Matérias fecais. **3.** Escórias metálicas. **4.** *Fig.* V. *ralé* (1). [A f. do sing., *fez*, não é de uso moderno. Cf. *fezes* (ê), pl. de *fez* (ê).] ◆ **Fezes de ouro.** *Arquit.* Escória de ouro utilizada nos douramentos de peças de madeira, em antigas construções.

fezinha [Dim. de *fé*.] ***S. f. Bras. Pop.*** O ato de arriscar algum dinheiro no jogo, de jogar ou apostar de modo tímido ou modesto. [Usa-se, em geral, na loc. *fazer uma fezinha em*; *fazer uma fé em*.] ◆ **Fazer uma fezinha em.** V. *fezinha*.

■ **ff** *Mús.* V. *f* (7).

■ **fff** *Mús.* V. *f* (7).

■ **FGTS** Sigla de *Fundo de Garantia do Tempo de Serviço*.

■ **FGV** Sigla de *Fundação Getúlio Vargas*.

fi [Do gr. *pheî*, *phî*.] ***S. m.*** **1.** A 21.ª letra do alfabeto grego (Φ, ϕ), correspondente a um *p* aspirado. **2.** *Fís. Part.* Méson de massa 1.019,41MeV/c², *isospin* nulo, *spin* 1, paridade negativa, carga elétrica nula, composto de um *quark* e um *antiquark* estranho [símb.: ϕ].

■ **FI** *Radiotéc.* Abrev. de *frequência intermediária*.

■ **FIA** Sigla de *Federação Internacional de Automobilismo*.

fiabilidade [De *fiável* + *-(i)dade*, seg. o padrão erudito.] ***S. f.*** Confiabilidade.

fiação [De *fiar*[1] + *-ção*.] ***S. f.*** **1.** Ato, operação, efeito ou modo de fiar; fiadura. **2.** Estabelecimento ou lugar onde se produzem fios têxteis. **3.** O conjunto de fios de uma instalação elétrica. **4.** *Tec. Têx.* O processo final da transformação de fibras naturais, sintéticas, ou das suas misturas, em fios contínuos, coesos e maleáveis.

fiacre [Do fr. *fiacre*.] ***S. m.*** Antigo carro de praça puxado a cavalo, alugado por corrida ou à hora.

fiada [De *fiar*[1].] ***S. f.*** **1.** *Constr.* Carreira horizontal de tijolos ou de pedras da mesma altura, postos uns sobre outros e assentes em cal. **2.** V. *fileira*: "riu, mostrou duas fiadas de dentes brancos como toda ela" (Júlio Dantas, *Espadas e Rosas*, p. 20). **3.** V. *enfiada* (1). **4.** *Constr. Nav.* Fileira de chapas dispostas longitudinal ou transversalmente no costado ou convés da embarcação.

fiadeira [Fem. de *fiadeiro*.] ***S. f.*** Fiandeira (1).

fiadeiro [De *fiar*[1] + *-deiro*.] ***S. m.*** Fiandeiro.

fiadilho [De *fiado*[1] + *-ilho*.] ***S. m.*** A parte que não se fia dos casulos da seda; restos de seda do casulo.

fiado[1] [Part. de *fiar*[1].] ***Adj.*** **1.** Que foi submetido a fiação. **2.** Diz-se do metal que, puxado à fieira (1), se transformou em fio delgado. • ***S. m.*** **3.** Substância filamentosa reduzida a fio.

fiado[2] [Part. de *fiar*[2].] ***Adj.*** **1.** Que tem fé ou confiança. **2.** Vendido a crédito. ~ V. *conversa —a*. • ***Adv.*** **3.** A crédito: *vender, comprar fiado*.

fiador (ô) [De *fiar*[2] + *-dor*.] ***S. m.*** **1.** Aquele que fia ou abona alguém, responsabilizando-se pelo cumprimento de obrigações do abonado; aquele que presta fiança. **2.** *Fig.* V. *fiança* (4). **3.** Descanso de espingarda. **4.** Correia do freio de animais. V. *buçal* (1). **5.** Cordão dos copos de espada. **6.** *Marinh.* Parte da amarra que vai do anilho à máquina de suspender, numa amarração a dois ferros com anilho. **7.** *Marinh.* Amarra destalingada da âncora, us. para amarrar o navio à boia.

fiadoria [De *fiador* + *-ia*[1].] ***S. f.*** V. *fiança* (4).

fiadura [De *fiar*[1] + *-dura*.] ***S. f.*** Fiação (1).

fialhesco (ê) ***Adj.*** **1.** Pertencente ou relativo a Fialho d'Almeida (1857-1911), escritor português: "Em muitas das páginas fialhescas paira uma atmosfera de pesadelo" (Antônio José Saraiva e Óscar Lopes, *História da Literatura Portuguesa*, p. 941). • ***S. m.*** **2.** Admirador de Fialho e/ou grande conhecedor de sua obra.

fiambre [Do esp. *fiambre*, por *friame*.] ***S. m.*** **1.** Carne, particularmente presunto cozido, preparada para se comer fria. [F. paral. (desus.): *friame*.] **2.** *Bras. RS* Provisão de alimentos frios para viagem.

fiambreira [De *fiambre* + *-eira*.] ***S. f. Bras. RS*** Fiambreiro.

fiambreiro [De *fiambre* + *-eiro*.] ***S. m.*** Caixa onde se guarda fiambre. [No RS, *fiambreira*.]

fiança [De *fiar*[2] + *-ança*.] ***S. f.*** **1.** Ato de fiar[2] (1) ou abonar obrigação alheia. **2.** *P. ext.* Quantia em que importa a fiança ou caução. **3.** Responsabilidade, garantia. **4.** *Dir. Civ.* Obrigação acessória assumida por terceira pessoa, que se responsabiliza, total ou parcialmente, pelo cumprimento da obrigação do devedor, caso este não a cumpra ou não possa cumpri-la; abonação, caução fidejussória, fiadoria, fiador, fidejussória. **5.** *Dir. Penal* Caução real, que consiste na entrega de valores (dinheiro, joias, etc.), feita pelo acusado, ou terceiro em seu favor, para que possa defender-se em liberdade, nos casos previstos em lei. **6.** *Bras. Pop. Ant.* Confiança (4): *amigo de fiança*. • ***S. m.*** **7.** Cavalo de fiança, o predileto para montaria, aquele em que se confia para viagens e trabalhos.

fiandeira [Alter. de *fiadeira*, poss. com infl. do esp. *hilandera*.] ***S. f.*** **1.** Mulher que se ocupa em fiar; fiadeira. **2.** *Zool.* Cada um dos apêndices abdominais das aranhas, por onde saem os fios com que fazem a teia.

fiandeiro [Alter. de *fiadeiro*, poss. com infl. do esp. *hilandero*.] ***S. m.*** Homem que se ocupa em fiar; fiadeiro.

fiango [De *fiar*[1], poss.] ***S. m. Bras. N.E.*** Rede (18) pequena, de viagem: "Armaram os fiangos ao pé de uma fogueira, sob a ramaria das árvores. Dentro em pouco, o moço cochilava preguiçosamente." (Gustavo Barroso, *Terra de Sol*, p. 117.)

fiapagem [De *fiapo* + *-agem*[2].] ***S. f.*** Fiaparia: "do alto da parede começou a voar uma porção de fiapagem levíssima e alvinitente, espancada em turbilhão de flocos de nevada." (Alberto Rangel, *Sombras n'Água*, p. 168).

fiaparia [De *fiapo* + *-aria*.] ***S. f.*** Grande quantidade de fiapos ou de algo que os lembra; fiapagem.

fiapo [De *fio* + a terminação *-apo*, como em *farrapo*.] ***S. m.*** Fio tênue; fiozinho. ◆ **Tirar um fiapo.** *Bras. Pop.* Dar uma olhadela.

fiar[1] [Do lat. *filare*.] ***V. t. d.*** **1.** Reduzir a fio (substâncias filamentosas): "tirara um fuso da cintura, e .... começara a fiar as pastas de algodão que estavam dentro de uma cabaça" (José de Alencar, *O Sertanejo*, p. 102); *fiar algodão*. **2.** Puxar à fieira; fazer arame de. 3. Serrar pelo meio, longitudinalmente (tábuas, caibros, etc.). 4. Urdir, tramar, maquinar (intrigas). *Int.* 5. Torcer, ou reduzir a fio, qualquer matéria filamentosa: "ela dando alguns passos, ... com a sua roca, e fiando, com os dedos tão trêmulos, que o fuso lhe caía na relva." (Eça de Queirós, *Últimas Páginas*, p. 376). [Pres. subj.: *fie*, *fies*, ... *fieis*, *fiem*. Cf. *fiéis*, pl. de *fiel*, adj. e s. m., e *Fiéis*, pl. do antr. *Fiel*.] ◆ **Fiar fino.** Ser assunto ou caso melindroso, delicado, de monta, que deve ser tratado com muito cuidado ou minúcia; fiar mais fino, fiar muito fino. **Fiar mais fino.** V. *fiar fino*. **Fiar muito fino.** V. *fiar fino*.

fiar² [Do lat. **fidare*, por *fidere*.] *V. t. d.* 1. Ser o fiador de; abonar, afiançar. 2. Esperar, acreditar, confiar. 3. Vender a crédito: *fiar mercadorias.* *T. d. e i.* 4. Entregar sob confiança; confiar: *Fiou seus pertences ao amigo.* 5. Vender a crédito: *O comerciante fiou-lhe o corte de fazenda*; "Mal o Bazar se abriu, já se negavam, ali, a lhe fiar umas ceroulas" (Ciro dos Anjos, *Explorações no Tempo*, p. 98). 6. Expor ao arbítrio ou capricho de: *Fiou seu destino ao acaso.* 7. Contar com; esperar: *Fio de você a boa solução do problema.* *T. i.* 8. Depositar confiança; acreditar: "Se fiamos num bem, que a mente cria, / Que outro remédio há aí senão ser triste?" (Antero de Quental, *Sonetos*, p. 172); *Evite fiar em estranhos.* *Int.* 9. Vender a crédito: "as casas de pasto não fiavam, nem as quitandeiras." (Miécio Tati, *O Mundo de Machado de Assis*, p. 133). *P.* 10. Ter confiança; confiar, acreditar: "Na sisudez de Don'Ana / Só o esposo se não fia" (Raimundo Correia, *Poesias*, p. 226); "Título simples, mas não te fies em títulos simples; são inventados para guardar versos deleitosos." (Machado de Assis, *A Semana*, II, p. 361). [Pres. subj.: *fie*, *fies*, ... *fieis*, *fiem*. Cf. *fiéis*, pl. de *fiel*, adj. e s. m., e *Fiéis*, pl. do antr. *Fiel*.]

fiasco [Do it. *fiasco*.] *S. m.* 1. Êxito desfavorável, vexatório, ridículo; malogro, fracasso. 2. Má figura; estenderete.

→**fiat lux** ['fiat luks] [Lat.] Faça-se a luz.

fiau *Interj. Bras.* Exprime censura, troça, vaia.

fiável [De *fiar¹* + *-vel*.] *Adj. 2 g.* Que pode ser fiado.

fibra [Do lat. *fibra*.] *S. f.* 1. *Biol.* Designação genérica de estrutura filiforme. 2. *Histol. Bot.* Cada uma das estruturas filamentosas, alongadas, que, dispostas em feixes, constituem tecidos animais e vegetais. 3. Qualquer estrutura filamentosa obtida ou produzida por meio de síntese química. 4. *Tec. Têx.* Estrutura de origem vegetal, animal, mineral ou sintética us. na fabricação de produtos têxteis, e que se classificam em função de sua origem, estrutura química, ou de ambos os fatores. 5. Qualquer filamento ou fio. 6. *Fig.* Força de ânimo; valor moral; firmeza de caráter; energia, caráter, pulso: *moço de fibra.* ◆ **Fibra artificial.** *Tec. Têx.* Aquela obtida a partir de polímeros naturais que são colocados em condições de uso têxtil mediante processo físico-químico. **Fibra colágena.** *Histol.* Tipo de fibra (2) constituída por fibrilas de colágeno, inelásticas e com grande resistência a forças de tração. Estas fibras constituem a matriz extracelular do tecido conjuntivo, sendo abundante em tendões, ligamentos e ossos. **Fibra contra fibra.** *Encad.* Diz-se de papel em ângulo reto em relação ao sentido (direção) da fibra. **Fibra cromossômica.** *Citol.* Cada fibra de fuso acromático que une cromossomo a polo celular. **Fibra de vidro.** Filamento de vidro que se obtém mediante a passagem do vidro em fusão por pequeníssimo orifício, e que tem amplo emprego na indústria. **Fibra elástica.** *Histol.* Tipo de fibra (2) rica em elastina e que entra na constituição de vários tipos de tecidos conjuntivos. **Fibra muscular.** *Histol.* V. *miócito*. **Fibra muscular cardíaca.** *Histol.* V. *miócito cardíaco*. **Fibra muscular estriada.** *Histol.* V. *miócito estriado*. **Fibra muscular lisa.** *Histol.* V. *miócito liso*. **Fibra nervosa.** *Histol.* V. *neurofibra*. **Fibra nervosa amielínica.** *Histol.* V. *neurofibra amielínica*. **Fibra nervosa mielínica.** *Histol.* V. *neurofibra mielínica*. **Fibra óptica.** *Telec.* Material transparente ger. us. para confecção de cabos, e que permite o transporte de sinais ópticos entre suas extremidades. **Fibra peptidérgica.** *Fisiol.* 1. A que tem atividade semelhante à de um hormônio peptídico. 2. A que é ativada por, ou segrega um hormônio peptídico ou um neuropeptídio. **Fibra reticular.** *Histol.* Fibra (2) constituída de colágeno e que ocorre em tecidos conjuntivos, em órgãos hematopoéticos, etc. **Fibra sintética.** *Tec. Têx.* Aquela obtida a partir da polimerização de substâncias sintéticas. **Fibra têxtil.** *Tec. Têx.* Aquela cujas propriedades, como flexibilidade, finura e elevada proporção entre comprimento e espessura, a tornam capaz de ser transformada em fio têxtil. **Fibras esclerenquimáticas.** *Bot.* V. *esclerênquima*.

▲**fibr(i)-** [Do lat. *fibra, ae*.] *El. comp.* = 'fibra', 'filamento'; 'tecido fibroso'; 'fibra óptica': *fibrina*, *fibristereoscopia*. [Equiv.: *fibr(o)-*: *fibroblasto*, *fibroscópio*.]

fibrila [Do lat. cient. *fibrilla*, dim. do lat. *fibra*.] *S. f.* 1. *Astr.* Estrutura filamentar tênue da cromosfera solar. 2. *Bot.* Cada uma das últimas ramificações das raízes; fibrilha. 3. *Histol.* Cada uma das delgadas estruturas formadas por moléculas que se polimerizam longitudinalmente, visíveis apenas por meio de microscopia eletrônica.

fibrilação [De *fibrilar²* + *-ção*.] *S. f. Med.* Contração muscular involuntária e sem coordenação. [Cf. *fasciculação*.] ◆ **Fibrilação atrial.** *Card.* Aquela em que há contrações fibrilares rápidas dos átrios, cujos miócitos individuais agem independentemente. **Fibrilação musculoesquelética.** *Med.* Aquela em que há contrações rápidas de miócitos estriados esqueléticos, individuais, invisíveis através da pele íntegra. **Fibrilação ventricular.** *Card.* Aquela em que há contrações fibrilares rápidas nos ventrículos cardíacos, tornando impossíveis as suas contrações coordenadas.

fibrilar¹ [De *fibrila* + *-ar¹*.] *Adj. 2 g.* Disposto em fibrilas.

fibrilar² [De *fibrila* + *-ar²*.] *V. int. Med.* Produzir fibrilação.

fibrilha [De *fibra* + *-ilha*.] *S. f. Bot.* Fibrila (2).

fibrilífero [De *fibrila* + *-ífero*.] *Adj.* Que tem fibras ou filamentos.

fibriloso (ô) [De *fibrila* + *-oso*.] *Adj.* Originário de uma reunião de fibrilas.

fibrina [De *fibr(i)-* + *-ina³*.] *S. f. Fisiol.* Proteína esbranquiçada, insolúvel, que constitui a parte essencial do coágulo sanguíneo, e provém da ação da trombina sobre o fibrinogênio.

fibrino [De *fibra* + *-ino¹*.] *Adj.* Relativo ou pertencente a fibra.

fibrinofermento [De *fibrina* + *-o-* + *fermento*.] *S. m. Med.* Trombina.

fibrinogenemia [De *fibrinogên(io)* + *-emia*.] *S. f. Fisiol.* Teor sanguíneo de fibrinogênio.

fibrinogênio *Adj. S. m.* V. *fibrinogênio*. [Uso freq. em P.]

fibrinogênio [De *fibrina* + *-o-* + *-gen(o)-* + *-io³*.] *Adj.* 1. Que produz fibrina; fibrinógeno. ● *S. m.* 2. *Fisiol.* Proteína plasmática de alto peso molecular, que se converte em fibrina pela ação da trombina.

fibrinógeno [De *fibrina* + *-o-* + *-geno*.] *Adj.* Fibrinogênio (1).

fibrinoso (ô) [De *fibrina* + *-oso*.] *Adj.* 1. Relativo à, ou que tem as propriedades da fibrina. 2. Formado pela fibrina. ~ V. *pneumonia —a*.

fibristereoscopia [De *fibr(i)-* + *-(e)stere(o)-* + *-scop-* + *-ia¹*.] *S. f. Gin.* Visualização do interior de cavidade uterina com o fim de examiná-la e, eventualmente, nela praticar biópsia ou ato terapêutico, utilizando o fibristereoscópio, acoplado a circuito de televisão.

fibristereoscópico [De *fibristereoscópio* + *-ico²*.] *Adj.* De, ou relativo ao fibristereoscópio ou à fibristereoscopia.

fibristereoscópio [De *fibr(i)-* + *-(e)stere(o)-* + *-scópio*.] *S. m. Gin.* Endoscópio de fibra óptica, destinado a realizar a fibristereoscopia.

▲**fibr(o)-** [De *fibr(i)-* + *-o-*.] Equiv. de *fibr(i)-*.

fibroblasto [De *fibr(o)-* + *-blasto*.] *S. m. Histol.* Célula imatura, abundante no tecido conjuntivo, responsável pela formação de componentes fibrosos e não fibrosos da matriz extracelular.

fibrocartilagem [De *fibr(o)-* + *cartilagem*.] *S. f. Histol.* Tecido cartilaginoso associado à cartilagem hialina e ao tecido conjuntivo denso. É encontrado, p. ex., nos discos intervertebrais, na sínfise pubiana e nos meniscos dos joelhos; cartilagem fibrosa.

fibrocartilagíneo [De *fibrocartilagem* + *-eo*, seg. o padrão erudito.] *Adj. Histol.* V. *fibrocartilaginoso*.

fibrocartilaginoso (ô) [De *fibrocartilagem* + *-oso*, p. anal. com *cartilaginoso*, seg. o padrão erudito.] *Adj. Histol.* 1. Que tem fibrocartilagem. 2. Que tem natureza de fibrocartilagem. [Sin. ger.: *fibrocartilagíneo*.]

fibrocimento [De *fibr(o)-* + *cimento*; ingl. *fibrocement*.] *S. m.* Material de construção resultante de uma mistura íntima de cimento *Portland* e asbesto, e que apresenta boas propriedades de resistência à intempérie, e propriedades isolantes do calor e da umidade, empregado sob as formas de chapas onduladas em coberturas de edifícios, de chapas planas em paredes divisórias e caixas-d'água, e de tubos em canalizações e dutos; cimento-amianto.

fibrocístico [De *fibr(o)-* + *-cist(o)-* + *-ico²*.] *Adj. Patol.* Que se caracteriza por formação de espaço(s) cístico(s), acompanhada de formação excessiva de tecido fibroso.

fibrocisto [De *fibr(o)-* + *-cisto*.] *S. m. Patol.* Lesão cística circunscrita por, ou situada dentro de tecido conjuntivo fibroso.

fibrócito [De *fibr(o)-* + *-cito*.] *S. m. Histol.* Fibroblasto maduro, porém em fase inativa, e que, submetido a estímulo adequado, como ocorre, p. ex., em processo de cicatrização, pode voltar a sintetizar componentes fibrosos e não fibrosos da matriz extracelular.

fibroide (ói) [De *fibr(o)-* + *-oide*.] *Adj. 2 g.* Diz-se de formação que contém elementos semelhantes a fibras. ❖

fibroína [De *fibr(o)-* + *-ina³*; fr. *fibroïne*.] *S. f. Quím.* Proteína insolúvel, constituinte estrutural da seda e das teias de aranha.

fibrolita [De *fibr(o)-* + *-lita*.] *S. f. Min.* Sillimanita.

fibroma [De *fibr(o)-* + *-oma¹*.] *S. m. Patol.* Tumor benigno formado, em grande parte, por tecido fibroso.

fibromatoide (ói) [De *fibr(o)-* + *-omat-* + *-oide*.] *Adj. 2 g.* Semelhante a fibroma. ❖

fibromatose [De *fibr(o)-* + *-omat-* + *-ose¹*.] *S. f. Patol.* Presença de numerosos fibromas.

fibromialgia [De *fibr(o)-* + *-m(i)-* + *algia*.] *S. f. Med.* Dor iniciada em músculo, a qual, como consequência, leva a enrijecimento muscular e articular, e que pode ser difusa ou ter origem em múltiplos locais; frequente na mulher na menopausa.

fibromioma [De *fibr(o)-* + *mioma*.] *S. m. Patol.* Tumor formado por tecido fibroso e por tecido muscular não estriado.

fibromuscular [De *fibr(o)-* + *muscular*.] *Adj. 2 g. Histol.* Constituído de tecido fibroso e muscular.

fibrorradiado [De *fibr(o)-* + *radiado*.] *Adj. Min.* Diz-se do hábito mineral em que as fibras cristalinas irradiam a partir de um centro.

fibrosado [De *fibrose* + *-ado¹*.] *Adj. Patol.* Em que há fibrose.

fibrosante [De **fibrosar* + *-nte*.] *Adj. 2 g.* Que leva à fibrose.

fibroscópico [De *fibroscópio* + *-ico²*.] *Adj.* Do fibroscópio, ou relativo a ele.

fibroscópio [De *fibro-* + *-scópio*.] *S. m. Endosc.* Endoscópio que, sendo flexível e dotado de fibras ópticas, permite ao espectador amplas possibilidades de visualização da superfície interna do órgão a ser examinado.

fibrose [De *fibr(o)-* + *-ose¹*.] *S. f. Patol.* Formação de tecido fibroso; degeneração fibroide.

fibroso (ô) [De *fibr(i)-* + *-oso*.] *Adj.* 1. Que tem fibras. 2. Composto de fibras. 3. Originário de uma reunião de fibras ou filamentos. 4. Semelhante ou relativo a fibra. ~ V. *cartilagem —a* e *proteína —a*.

fibrosseroso (ô) [De *fibr(o)-* + *seroso*.] *Adj.* Que se compõe de elementos fibrosos e serosos. [Flex.: *fibrosserosa* (ó), *fibrosserosos* (ó), *fibrosserosas* (ó).]

fibrotuboscopia [De *fibr(o)-* + *-tub(o)-* + *-scop-* + *-ia¹*.] *S. f. Gin.* Visualização do interior da tuba uterina, com o fim de examiná-la e, eventualmente, nela praticar biópsia ou ato terapêutico.

fibrovascular [De *fibr(o)-* + *vascular*.] *Adj. 2 g. Histol.* Formado por tecido fibroso e por vasos sanguíneos.

fíbula [Do lat. *fibula*.] *S. f.* 1. *Anat.* Osso longo que, junto com a tíbia, constitui o esqueleto de cada perna. [Sin. (ant. denom.): *perôneo*, *perônio*, *peroneu*.] 2. Espécie de alfinete de segurança, broche, etc., que, desde meados da idade do bronze, é us. para prender ou segurar a veste, ou como adorno: *Os gregos e os romanos usavam a fíbula para prender as vestes ao ombro.*

fibulação [Do lat. tard. *fibulatione*.] *S. f. Cir.* Infibulação.

ficáceo [De *fic(o)-¹* + *-áceo*.] *Adj.* Referente ou semelhante à figueira.

ficada [F. subst. de *ficado*.] *S. f.* 1. Ato de ficar; permanência. 2. *Bras.* Carambola difícil que o jogador de bilhar deixa para o parceiro. 3. *Tip.* V. *composição ficada*. 4. *Bras.* A equipe de linotipistas que fica de plantão, no jornal, para compor matéria que entra à última hora. 5. *Bras.* Matéria já composta que nas redações se guarda para aproveitamento futuro.

ficado [Part. de *ficar*.] *Tip. Adj.* 1. ~ V. *composição —a*. ● *S. m.* 2. *Tip.* V. *composição ficada*.

ficão [De *ficar*.] *Adj. S. m. Bras. Pop.* Diz-se de, ou aquele que é dado a demorar-se muito nos lugares aonde vai.

ficar [Do lat. vulg. **figicare*, freq. de *figere*, 'fixar'.] *V. t. c.* 1. Estacionar (em algum lugar); não sair dele; permanecer: *ficar em casa.* 2. Estar situado: "Para o romano, o mundo dos prodígios ficava a Ocidente." (Aquilino Ribeiro, *Os Avós dos Nossos Avós*, p. 39); *Brasília fica no Planalto Central.* 3. Albergar-se, pernoitar: *Anoiteceu, e ficamos num rancho próximo.* 4. Ser adiado, transferido, procrastinado: *Este assunto fica para amanhã.* 5. Ser adquirido pelo preço de; custar: *Cada um dos livros ficou em 25 reais.* 6. Permanecer por algum tempo: *Casou-se e assim ficou por 15 anos.* *T. i.* 7. Restar, sobrar: *Não lhe ficou um só livro.* 8. Não dever ser conhecido senão por (uma ou mais pessoas): *Isto fica entre nós.* 9. Não dizer mais; não ir além de: *Disse três palavras, e nisto ficou.* 10. Provir, proceder, resultar: *Da abundância de pau-brasil na Terra de Santa Cruz lhe ficou o nome de Brasil.* 11. Caber por quinhão; tocar por sorte: *Recebeu a parte da herança que lhe ficou.*

12. Adquirir, comprar: *Reclamou do preço, mas acabou ficando com a mercadoria.* 13. Estar sob a responsabilidade de (alguém): *Isto fica por sua conta.* 14. Ser acometido; contrair: *ficar com sarampo, com caxumba.* 15. Estar, permanecer em companhia: *Não quis vir, preferiu ficar com a mãe.* 16. Obter ou deter a guarda de: *A mãe ficou com os dois filhos do casal.* 17. Manter sob sua posse: *Depois do divórcio, ela ficou com a casa.* 18. Acertar; combinar: *Ficou de sair com a irmã.* 19. *Bras. Pop.* Beijar e trocar carinhos por um período curto, sem compromisso de namoro: *Na festa de formatura, João ficou com a sua melhor amiga.* ***T. d. e i.*** 20. Afiançar, assegurar, prometer: *Fiquei-lhe que faria o prometido.* ***Pred.*** 21. Permanecer em determinada disposição de espírito ou situação: *Durante dias ficou triste; Saí, e ele ficou acamado.* 22. Continuar, permanecer: *Isto não ficará assim*; "'Fica agora assim .... que a luz do entardecer está batendo nos seus cabelos e eu quero guardar .... esta imagem de você assim tão linda.'" (Caio Fernando Abreu, *Estranhos Estrangeiros*, p. 14). 23. Converter-se em; tornar-se: *As tábuas, depois de batidas, ficam mesa.* 24. Vir a estar em determinado estado ou situação; tornar-se, fazer-se: "Os campos ficaram tristes." (Antônio Feliciano de Castilho, *Amor e Melancolia*, p. 25); "E assentado entre as formas incompletas / Para sempre fiquei pálido e triste." (Antero de Quental, *Sonetos*, p. 159). 25. Ser nomeado ou escolhido para cargo: *ficou para chefe.* 26. Estar no lugar de; fazer as vezes de: *Outro jogador ficou como o autor do gol.* ***Int.*** 27. Conservar-se através dos tempos; durar, perdurar, subsistir: *Vão-se os homens, porém suas obras ficam*; "A história das minas jaz na escuridão. Como fazer de uma vez um trabalho que fique?" (Capistrano de Abreu, *Ensaios e Estudos*, 1.ª série, p. 199). 28. Parar de repente; estacar: *Ao ver-me, ficou.* 29. Restar, sobrar: *Trouxe o que pôde, porém muita coisa ficou.* 30. *Bras. Pop.* Namorar sem compromisso ou formalidades: *Eles estão ficando desde o aniversário da irmã dele.* ***P.*** 31. Não dar mais passo; parar: *Seguiram todos e ele ficou-se.* 32. Permanecer, conservar-se, demorar-se, deter-se, quedar-se: *Vai à serra, e fica-te lá um mês*; "E os olhos de azeviche, ardentes e tranquilos, / Ficam-se horas a olhar as sombras do montado..." (Conde de Monsaraz, *Musa Alentejana*, p. 204). 33. Reter em seu poder: *Na herança, ficou-se com a parte melhor.* 34. Entregar-se à guarda e proteção de alguém. 35. Em alguns jogos, cessar de comprar cartas. 36. Fazer-se, tornar-se: "Mais te procuro, mais te ficas alto..." (Hermes-Fontes, *Gênese*, p. 63.) 37. Seguido da prep. *por* mais verbo no infinitivo, expressa que não se praticou a ação indicada por esse verbo: *O trabalho ficou por fazer.* 38. Seguido de gerúndio ou da prep. a, exprime aspecto progressivo, contínuo de uma ação: *Eles ficaram esperando o médico chegar por várias horas; Ele ficou a dizer que alguém precisava resolver a questão.* 39. É us. tb. como auxiliar: *Ficou sabendo de tudo.* [Conjug.: v. *trancar*.] ◆ **Ficar ao pintar.** Quadrar, convir, assentar excelentemente. **Ficar atrás de.** 1. Ser inferior a; ter menos mérito que: *Apesar de bom poeta, Junqueira Freire fica atrás de Castro Alves.* 2. Ter uma qualidade qualquer em grau inferior: *Se Paulo é rico, Pedro não lhe fica atrás*; "Era um velho conversador. Pajeú não ficava atrás: gostava de bater um papo." (Adalberto Cavalcanti Lins, *Curral Novo*, p. 112). [M. us. negativamente.] **Ficar bem.** Quadrar, convir. "– .... Pois não vês, homem, que já não te ficam bem essas coisas?!..." (Aluísio Azevedo, *Filomena Borges*, p. 117.) **Ficar bonitinho.** *Bras. Gír.* Expressão com que se ameaça alguém, aconselhando-o a não se intrometer, não agir. **Ficar de.** 1. Ajustar, combinar, assentar: "Aceitei o oferecimento e a moça ficou de vir à noitinha." (Coelho Neto, *Turbilhão*, p. 295.) 2. Obrigar-se a algo; prometer: *Fiquei de visitá-lo, mas não pude.* **Ficar de fora.** Ser excluído; não ser contemplado. **Ficar de mal com.** *Bras.* Romper relações com; incompatibilizar-se, brigar com; pôr-se de mal com. **Ficar falando sozinho.** 1. Ser desprezado, abandonado, sem a convivência de pessoa querida. 2. Não ser objeto de atenção, de apreço; não ser levado em conta; não ser ouvido. **Ficar limpo.** Perder ou gastar todo o dinheiro. **Ficar mal a.** Não ser próprio ou digno de; ser desabonador para: *Fica-lhe mal agir dessa maneira.* **Ficar mal com.** Não se harmonizar ou não combinar com: *Esta blusa fica mal com a saia.* **Ficar na minha/tua/sua etc.** 1. Manter a opinião que tinha: "Vou, mas fico na minha. Em toda a parte é a mesma volúpia que me invade, a mesma beatitude que me possui." (Miguel Torga, *Portugal*, p. 134.) 2. Não se manifestar ou não mais se manifestar sobre algo ou alguém. **Ficar por isso mesmo.** Não haver punição de falta ou crime cometido: *Pratica as maiores violências, e fica por isso mesmo.* **Ficar sobrando.** 1. Ser relegado, ser esquecido; sobrar: *Os demais irmãos foram convidados, só ele ficou sobrando.* 2. Não ser procurado ou atendido; não ser alvo de atenção; sobrar: *Várias pessoas conseguiram a audiência, e eu fiquei sobrando.* **Ficar sujo.** Desmerecer no conceito alheio.

▲-fic(a)(r)- V. *-ficar*.

▲-ficar [Do lat. *-ficāre*, em compostos do v. lat. *facĕre*, 'fazer', 'executar', 'cumprir', com apofonia.] ***Suf. verb.*** = 'ação factitiva': *glorificar* (< lat.), *petrificar*. [Equiv.: *-fic(a)(r)-, -ificar*: *cerificação; classificar*.]

ficção [Do lat. *fictione*, pelo fr. *fiction*.] ***S. f.*** 1. Ato ou efeito de fingir; simulação, fingimento. 2. Criação ou invenção de coisas imaginárias; fantasia: "Os latinos não conservaram a ficção poética do canto melodioso da cigarra, pois o increpavam de rouco, desagradável" (Alberto Faria, *Acendalhas*, p. 71). 3. *Liter.* Narrativa literária, como o romance, a novela e o conto, com pessoas e eventos imaginários; ficcionismo, literatura de ficção. ◆ **Ficção científica.** *Liter.* Ficção (3) cujo enredo se baseia, em geral, no desenvolvimento científico e nas situações decorrentes de tal desenvolvimento no tempo e no espaço.

ficcional [De *ficção* + *-al*^{1}, seg. o padrão erudito.] ***Adj. 2 g.*** *Bras.* Relativo a, ou próprio da ficção, do ficcionismo; ficcionista: "O conto definia-se como uma peça literária aquém da novela, por sua complexidade ficcional, e muito aquém do romance." (Hélio Pólvora, *A Força da Ficção*, p. 11.)

ficcionômo ***S. m.*** V. *ficciônimo*. [Uso freq. em P.]

ficciônimo [Do rad. do lat. *fictione*, 'ficção', + *-ônimo*.] ***S. m.*** Designação genérica de substantivos ou de adjetivos formados a partir de nomes de obras da literatura de ficção (q. v.), ou de personagens dela: *quixote, frankenstein, eufuísmo, acaciano, liliputiano*, etc.

ficcionismo [De *ficção* + *-ismo*, seg. o padrão erudito.] ***S. m.*** *Bras. Liter.* V. *ficção* (3): "De 1910 a 1930, o romance brasileiro foi quase sempre metropolitano. Em 1928, *A Bagaceira*, de José Américo, anunciava o deslocamento geográfico do nosso ficcionismo." (Brito Broca, *Horas de Leitura*, p. 162.)

ficcionista [De *ficção* + *-ista*, seg. o padrão erudito.] ***S. 2 g.*** 1. Escritor que faz ficção ou literatura de ficção; autor de ficção. ● ***Adj. 2 g.*** 2. Ficcional.

ficela [Do fr. *ficelle*.] ***S. f.*** *Bras.* No carteado, artimanha pouco honesta feita por um parceiro para iludir os demais.

➔ficelle [fi'sɛl] [Fr.] ***S. f.*** Momento da narrativa em que ocorre o suspense (q. v.).

ficha [Do fr. *fiche*.] ***S. f.*** 1. Tento de jogo que, em jogo pago, varia de forma ou de cor, conforme a quantia que representa. 2. Peça semelhante ao tento, de metal, plástico, etc., ou, ainda, retângulo de papel, que se adquire por determinada quantia e corresponde ao preço de uma passagem, de um telefonema, de determinada mercadoria, sobretudo alimentos preparados, etc. 3. Folha solta ou cartão com anotações para ulterior classificação ou pesquisa: *Os verbetes do dicionário eram feitos em fichas; Há fichas perfuradas.* 4. *P. ext.* Aquilo que está anotado em uma ficha: *Fez uma boa ficha da palavra sociedade.* 5. *Constr.* Profundidade até à qual penetra no terreno uma estaca-prancha que nele se crava. 6. *Inform.* V. *cartão perfurado*. 7. Registro em repartições, consultórios, etc., sobre alguém. 8. *Bras. Fig.* Informação sobre a conduta, a vida, etc. de alguém. 9. *Lus. Eletr.* Plugue. 10. *Lus. Eletr.* Pino (8). [Cf. *fixa*, do v. *fixar*, fem. de *fixo* e s. f.] ◆ **Ficha antropométrica.** Registro de caracteres (retrato de frente e de perfil, nome, idade, impressões digitais, etc.) que permite identificar um indivíduo; ficha de identidade. **Ficha de consolação.** 1. Ficha (1) dada ao jogador que perde. 2. *Fig.* Pequena compensação por uma perda, revés, recusa, etc. **Ficha de identidade.** Ficha antropométrica. **Ficha técnica.** *Prop. Rád. Telev.* Relação dos profissionais que participaram da criação e produção de um comercial, disco, programa, etc. [Cf. *crédito* (5, 13 e 14).] **Cair a ficha** *Bras. Pop.* Entender ou perceber de repente aquilo que até então não se entendia ou percebia: "Foi preciso que uma dúzia de estrelas do governo federal fosse apanhada com a mão na mala para que, finalmente, caísse a ficha dos crédulos." (Tales Alvarenga, em Revista *Veja*, 31.08.2005.) **Meter ficha.** *Bras. Gír.* V. *mandar brasa* (1). **Na ficha.** *Bras. Gír.* À vista; a dinheiro; no toco. **Tacar ficha.** *Bras. Gír.* V. *mandar brasa* (1).

fichado [Part. pass. de *fichar*.] ***Adj.*** *Bras.* Registrado em ficha (7): *É um sujeito fichado, perigoso.*

fichamento [De *fichar* + *-mento*.] ***S. m.*** Ato ou efeito de fichar.

fichar [De *ficha* + *-ar*^{2}.] ***V. t. d.*** 1. Anotar ou registrar em fichas; catalogar. 2. *Pop.* Fazer a ficha (7) de. [Pres. ind.: *ficho, fichas, ficha*, etc.; pres. subj.: *fiche*, etc. Cf. *fixo*, adj., flex. *fixa, fixas*; *fixa*, s. f., pl. *fixas*; *fixe*, adj.; e o v. *fixar*.]

fichário [De *ficha* + *-ário*.] ***S. m.*** 1. Coleção de fichas catalogadas para fim de informação, documentação, etc.: *o fichário de uma biblioteca, de um clube.* 2. Gaveta, caixa ou móvel onde se guardam fichas, devidamente classificadas. 3. Caderno escolar de folhas móveis, o que permite a classificação dos apontamentos por matéria, tema, etc. [Sin. ger. (lus.): *ficheiro*.]

ficheiro [De *ficha* + *-eiro*.] ***S. m.*** 1. *Bras. Bot.* V. *baquerubu*. 2. *Lus.* V. *fichário*. 3. *Lus. Inform.* V. *arquivo* (5).

fichinha [De *ficha* + *-inha*.] ***S. f.*** *Bras. Gír.* Pessoa sem importância, sem relevo, sob este ou aquele aspecto.

fichu [Do fr. *fichu*.] ***S. m.*** Triângulo de tecido leve us. pelas mulheres para cobrir os ombros ou a cabeça: "Ajeitou sobre o penteado o fichu de sedinha vermelha" (Monteiro Lobato, *Urupês, Outros Contos e Coisas*, p. 152).

▲fici- [Do lat. *ficus, i*.] ***El. comp.*** = 'figo': *ficiforme*. [Equiv.: *fic(o)-*^{1}: *ficáceo*.]

ficiforme [De *fici-* + *-forme*.] ***Adj. 2 g.*** Que tem forma de figo: *receptáculo ficiforme.*

ficitídeo [Do tax. *Phycita* (v. *fic(o)-*^{2}) + *-ídeo*^{1}; tax. *Phycitidae*.] *Zool.* ***S. m.*** 1. Espécime dos ficitídeos, família de insetos lepidópteros, mariposas de asas anteriores estreitas e posteriores largas; atacam, na forma larvar, cereais armazenados. ● ***Adj.*** 2. Pertencente ou relativo a eles.

fico^{1} [Da 1.ª pess. do sing. do pres. ind. do verbo *ficar*.] ***S. m.*** V. *dia do fico*.

fico^{2} ***S. m.*** *Bot.* V. *fícus* (1 a 3).

▲fic(o)-^{1} Equiv. de *fici-*.

▲fic(o)-^{2} [Do gr. *phýkos, eos-ous* (ῡ).] ***El. comp.*** = 'alga': *ficoide, ficologia*. [Equiv.: *-fic(o)-*^{2}: *clorofícea, feofícea*.]

▲-fic(o)-^{1} Equiv. de *-fico*.

▲-fic(o)-^{2} Equiv. de *fic(o)-*^{2}.

▲-fico [Do lat. *-ficus, a, um* < *-ficāre* (v. *-ficar*).] ***El. comp.*** = 'que faz', 'que produz'; 'que apresenta': *honorífico* (< lat.), *morbífico*. [Equiv.: *-fic(o)-*^{1}: *aramifício, linifício*.]

ficobionte [De *fic(o)-*^{2} + *-bionte*; ingl. *phycobiont*.] ***S. m.*** *Bot.* Alga que compõe o talo liquênio.

ficocianina [De *fic(o)-*^{2} + *-cian(o)-* + *-ina*^{3}.] ***S. f.*** Substância corante, azulada, que se extrai de certas algas.

ficoide (ói) [De *fic(o)-*^{2} + *-oide*.] ***Adj. 2 g.*** Semelhante às algas. ❖

ficologia [De *fic(o)-*^{2} + *-logia*.] ***S. f.*** Algologia.

ficológico [De *ficologia* + *-ico*^{2}.] ***Adj.*** Relativo à ficologia; algológico.

ficologista [De *ficologia* + *-ista*.] ***S. 2 g.*** Especialista em ficologia; ficólogo, algologista.

ficólogo [De *fic(o)-*^{2} + *-logo*.] ***S. m.*** V. *ficologista*.

ficomiceto [De *fic(o)-*^{2} + *-miceto*; tax. *Phycomycetes*.] *Micol.* ***S. m.*** 1. Espécime dos ficomicetos, classe de fungos inferiores, com micélio filamentoso simples e aparelhos esporíferos pouco diferenciados. Na fase inicial do desenvolvimento, são unicelulares e cenocíticos. Aqui se incluem os vulgares bolores. ● ***Adj.*** 2. Pertencente ou relativo a eles.

ficóstase [De *fic(o)-*^{2} + *-stase*.] ***S. f.*** *Bot.* Suspensão do crescimento das algas, ou de sua reprodução, por meio de determinadas substâncias químicas; algóstase.

ficostático [De *ficóst(ase)* + *-ático*.] ***Adj.*** Relativo à ficóstase; algostático: *substância ficostática.*

ficoterapia [De *fic(o)-*^{2} + *-terapia*.] ***S. f.*** *Terap.* Tratamento mediante o emprego de algas.

ficoterápico [De *ficoterapia* + *-ico*^{2}.] ***Adj.*** Relativo à ficoterapia.

fictício [Do lat. *ficticiu*.] ***Adj.*** 1. Em que há ficção; imaginário, ilusório, fabuloso: *história fictícia*; "não me consumia, rondando e almejando em torno de paraísos fictícios, nascidos da minha própria alma desejosa" (Eça de Queirós, *O Mandarim*, p. 8). 2. Aparente, simulado, falso: *alegria fictícia.* [Cf. *factício*.] ~ V. *pessoa —a*.

ficto [Do lat. *fictu*.] ***Adj.*** Fingido, suposto, falso, ilusório. [Cf. *fito*.]

fícus [Do tax. *Ficus* do lat. *ficus*, 'figueira'.] ***S. m.*** *Bot.* 1. Gênero de árvores e arbustos moráceos, lactescentes, caracterizados por estípula conspícua e flores pequenas, unissexuais; muitas espécies são caulifloras. 2. Qualquer espécie desse gênero, como, p. ex., a *Ficus carica* [v. *figueira* (2)], a *Ficus gomelleira* (v. *gameleira-branca*) e outras que são ornamentais, como a *Ficus benjamina* (v. *ficus-benjamim*): "No jardim, revolvendo os canteiros, podando o fícus, estabeleceu-se entre jardineiro e patroa esse entendimento normal entre companheiros de trabalho." (Raquel de Queirós, *100 Crônicas Escolhidas*, p. 22.) 3. Qualquer espécime desse gênero. [Var.: *fico*.]

fícus-benjamim [De *ficus* + o antr. *Benjamim*.] *S. m. Bot.* Designação comum a duas árvores moráceas (*Ficus benjamina* e *Ficus retusa*) ornamentais, originárias da Malásia, e ambas existentes no Brasil, sobretudo a segunda, muito us. em avenidas e parques; figueira-benjamim, figueira; fícus. [Pl.: *fícus-benjamins* e *fícus-benjamim*.]

fidalga [Fem. de *fidalgo*.] *S. f.* **1.** Mulher de fidalgo. **2.** Mulher nobre.

fidalgaço [De *fidalgo* + *-aço*.] *S. m.* Fidalgarrão (q. v.).

fidalgal [De *fidalgo* + *-al*[1].] *Adj. 2 g.* Relativo a, ou próprio de fidalgo.

fidalgaria [De *fidalgo* + *-aria*.] *S. f.* **1.** A classe dos fidalgos. **2.** Grupo ou chusma de fidalgos: "Sempre vos digo .... que a uns certos respeitos .... mais valemos cá nós outros, os da arraia-miúda, que toda a fidalgaria de Palácio" (Antônio Feliciano de Castilho, *Camões*, I, p. 123). **3.** Maneiras de fidalgo.

fidalgarrão [De *fidalgo* + *-arrão*.] *S. m.* **1.** Grande fidalgo. **2.** *Deprec.* Aquele que blasona de fidalgo. [Sin. ger.: *fidalgaço*. Fem.: *fidalgarrona*.]

fidalgarrona *S. f.* Fem. de *fidalgarrão* (q. v.).

fidalgo [Da loc. *filho de algo*, *filho d'algo*, com aglut.] *Adj.* **1.** Relativo a, ou próprio da fidalguia ou fidalgaria. **2.** Que tem foros de nobreza; nobre. **3.** Generoso, nobre, bizarro: *gesto fidalgo.* ● *S. m.* **4.** Indivíduo que tem título de nobreza. [Sin., ant.: *filho d'algo.* Aum.: *fidalgarrão* (1); deprec.: *fidalguete*, *fidalgote*.] **5.** Aquele que vive dos seus rendimentos sem trabalhar e anda bem trajado. **6.** *Bras. Zool.* Peixe pimelodídeo (*Megalonema platanus*), da bacia do Paraná e do Prata, de coloração prateada com o dorso mais escuro e abdome amarelo-opaco. Acúleos das nadadeiras dorsal e peitorais sem serrilhas; comprimento: 25cm. **7.** *Bras. Zool.* Peixe pimelodídeo (*Calophysus macropterus*) da bacia amazônica e do Orinoco, de dorso esverdeado e ventre alvacento, com até 40cm de comprimento; piracatinga. ◆ **À fidalga.** De modo afidalgado; à maneira dos fidalgos: "A representação foi sobre um pátio velho, / Todo armado, à fidalga, em damasco vermelho, / Num tapete real de capas de estudantes!" (Júlio Dantas, *A Ceia dos Cardeais*, p. 21.)

fidalgota *S. f.* Fem. de *fidalgote* (q. v.).

fidalgote [De *fidalgo* + *-ote*.] *S. m.* **1.** Indivíduo afidalgado que, tendo escassos ou duvidosos títulos de nobreza, vive como fidalgo. **2.** *Deprec.* Fidalguete. [Fem.: *fidalgota*.]

fidalgueiro [De *fidalgo* + *-eiro*.] *Adj. S. m.* Que, ou aquele que procura o convívio de fidalgos.

fidalguesco (ê) [De *fidalgo* + *-esco*.] *Adj.* Respeitante a, ou próprio de fidalgo, da fidalguia.

fidalguete (ê) [De *fidalgo* + *-ete* (ê).] *S. m. Deprec.* Fidalgo de somenos, de meia-tigela; fidalgote.

fidalguia [De *fidalgo* + *-ia*[1].] *S. f.* **1.** Qualidade, modos ou ação de fidalgo. **2.** A classe dos fidalgos; a nobreza. **3.** Nobreza, bizarria, generosidade.

fidalguice [De *fidalgo* + *-ice*.] *S. f.* **1.** Qualidade de fidalgote. **2.** Afetação de maneiras de fidalgo; ostentação vã. **3.** Conjunto de etiquetas inúteis.

fidalguinho [F. red. de *fidalguinho-dos-jardins*.] *S. m. Lus. Bot.* V. *escovinha.*

fidalguinho-dos-jardins *S. m. Lus. Bot.* V. *escovinha.* [Pl.: *fidalguinhos-dos-jardins*.]

fidedignidade [De *fidedigno* + *-(i)dade*.] *S. f.* Qualidade de fidedigno.

fidedigno [Do lat. *fide dignu*, com aglut.] *Adj.* Digno de fé; merecedor de crédito: *depoimento fidedigno.*

▲ **fide(i)-** [Do lat. fides, *ei*.] *El. comp.* = 'fé', 'fidelidade': *fideísmo*, *fideicomisso* (< lat.).

fideicometido [De *fide(i)-* + part. pass. de *cometer*.] *Adj.* Diz-se de coisa ou valor que é objeto de fideicomisso.

fideicomissário [Do lat. tard. *fideicommissariu*.] *Dir. Civ. Adj.* **1.** Relativo a fideicomisso: *herdeiro fideicomissário.* ● *S. m.* **2.** Aquele que recebe do fiduciário, por determinação do testador, a herança ou o legado.

fideicomisso [Do lat. *fideicommissu*.] *S. m. Dir. Civ.* Disposição testamentária pela qual o testador institui dois ou mais herdeiros ou legatários, impondo a um (ou alguns) deles, o(s) fiduciário(s), a obrigação de, por sua morte, transmitir ao(s) outro(s), o(s) fideicomissário(s), a certo tempo ou sob certa condição, a herança ou o legado; substituição fideicomissória.

fideicomissório [De *fideicomisso* + *-ório*.] *Adj. Dir. Civ.* **1.** Referente a, ou que envolve fideicomisso. **2.** Proveniente de fideicomisso. ~ V. *substituição —a.*

fideicomitente [Do lat. tard. *fideicommittente*.] *S. 2 g. Dir. Civ.* Testador que institui fideicomisso.

fideísmo [De *fide(i)-* + *-ismo*.] *S. m. Rel.* Erro teológico de algumas correntes católicas do séc. XIX, que consistia em não reconhecer no homem outra fonte válida de conhecimento fora da fé, mesmo para as simples verdades naturais.

fideísta [De *fide(i)-* + *-ista*.] *Adj. 2 g.* **1.** Referente ao fideísmo. **2.** Que antepõe a fé à razão. **3.** Que é partidário do fideísmo. ● *S. 2 g.* **4.** Pessoa que antepõe a fé à razão. **5.** Partidário do fideísmo.

fidejussória [F. subst. de *fidejussório*.] *S. f. Dir. Civ.* V. *fiança* (4).

fidejussório [Do lat. tard. *fidejussoriu*.] *Adj.* ~ V. *caução —a* e *garantia —a.*

fidelense *Adj. 2 g.* **1.** De, ou pertencente ou relativo a São Fidélis (RJ). ● *S. 2 g.* **2.** O natural ou habitante de São Fidélis.

fidelidade [Do lat. *fidelitate*.] *S. f.* **1.** Qualidade de fiel; lealdade. **2.** Constância, firmeza, nas afeições, nos sentimentos; perseverança. **3.** Observância rigorosa da verdade; exatidão. **4.** *Fís.* Propriedade duma balança que assume sempre a mesma posição quando solicitada pelas mesmas forças. **5.** *Fís.* Propriedade dum sistema acústico capaz de reproduzir sons de todas as frequências presentes num sinal original, respeitando as relações de intensidade.

fidelinho [Dim. de *fidéu*, com alter. do rad.] *S. m.* V. *aletria* (1).

fidelismo [Do antr. *Fidel*, de Fidel Castro (v. *castrismo*), + *-ismo*.] *S. m.* Castrismo.

fidelíssimo [Do lat. *fidelissimu*.] *Adj.* Superl. abs. sint. de *fiel.*

fidelista [Do antr. *Fidel* (v. *fidelismo*).] *Adj. 2 g. S. 2 g.* Castrista.

fidelização [De *fidelizar* + *-ção*.] *S. f. Market.* **1.** Processo ou técnica que visa a manter a clientela cativa a determinada empresa mediante recursos de relações públicas, promoção, etc.: *Os programas de milhagem são recursos de fidelização utilizados pelas companhias aéreas.* **2.** O resultado desse processo ou dessa técnica.

fidelizar [Do lat. *fidelis*, 'fiel', + *-izar*.] *V. t. d. Market.* Realizar a fidelização (1) de: "'A empresa X' define estratégias para fidelizar consumidores." (*Gazeta Mercantil*, 24.04.2000).

fidéu *S. m.* V. *fidéus.*

fidéus [Do esp. *fideos*.] *S. m. pl.* V. *aletria* (1). [Tb. us. no sing.]

fido [Do lat. *fidu*.] *Adj. Poét.* V. *fiel* (1): "Sei amar com paixão ardente e fida" (Gonçalves Dias, *Obras Poéticas*, II, p. 134); "Em ti, dos ventos hórridos de Eolo, / Refúgio achamos bom, fido e jucundo" (Luís de Camões, *Os Lusíadas*, II, 105).

▲ **-fido** [Do lat. *-fidus, a, um*, da raiz de *findĕre*, 'fender', 'dividir'.] *El. comp.* = 'dividido em (tantas) partes'; 'dividido (de tal modo)': *multífido* (< lat.), *obtusífido*, *tetráfido.*

fidúcia [Do lat. *fiducia*, por via erudita.] *S. f.* **1.** Confiança, segurança, fiúza. **2.** *Pop.* Atrevimento, audácia, prosápia; fidúncia: "Os outros gaúchos também eram assim, ... fechados por dentro diante de estranhos, por orgulho ou não sei quê; fidúcias ou besteiras?" (Albertino Moreira, *Boca-Pio*, p. 57.)

fiducial [De *fidúcia* + *-al*[1].] *Adj. 2 g.* Referente a fidúcia; fiduciário. ~ V. *nível —.*

fiduciário [Do lat. tard. *fiduciariu*, por via erudita.] *Adj.* **1.** Fiducial. **2.** Dependente de confiança, ou que a revela. ~ V. *alienação —a* e *moeda —a.* ● *S. m.* **3.** *Dir. Civ.* Aquele que recebe a herança ou o legado gravados com fideicomisso, sendo por isso obrigado a transmiti-los, por sua morte, a certo tempo ou mediante certa condição, ao fideicomissário; gravado.

fidúncia *S. f. Bras. Pop.* V. *fidúcia* (2).

➔**fidus Achates** ['fidus a'kʰates] [Lat., 'o fiel Acates'.] Amigo íntimo e fiel. (Alusão a uma personagem da *Eneida*, de Virgílio [v. *virgiliano*], amigo de Eneias.)

fieira [De *fio* + *-eira*.] *S. f.* **1.** Aparelho com que se reduzem a fio os metais. **2.** Escala usada para verificar o diâmetro de fios ou a espessura de chapas de metal. **3.** V. *fileira*: "No peitoril de mais da metade das janelas .... uma fieira de vasos de flores esmalta as fachadas com relevos de verdura salpicada de pintas escarlates." (Ramalho Ortigão, *A Holanda*, p. 45.) **4.** V. *enfiada* (1): "volta com uma fieira de peixes. Prepara-os cantarolando na cozinha." (Guilherme Figueiredo, *História para Se Ouvir de Noite*, p. 37). **5.** Veio mineral. **6.** Cordão torcido com que as crianças fazem rodar o pião. **7.** *Fig.* Experiência por que se fez alguém passar. **8.** *Bras.* Nalguns lugares do País, a linha do anzol.

fiéis [Pl. de *fiel* (15).] *S. m. pl.* **1.** Sectários de uma religião. **2.** *Restr.* Os católicos. [Cf. *fieis*, do v. *fiar*.] ~ V. *fiel.*

fiel [Do lat. *fidele*.] *Adj. 2 g.* **1.** Que é digno de fé; que cumpre aquilo a que se obriga; leal; honrado, íntegro; probo: *servidor fiel.* [Sin., poét.: *fido*.] **2.** Que não falha; seguro, certo: *guarda fiel; memória fiel.* **3.** Que não muda; firme, constante, perseverante: *cliente fiel; É fiel a seus princípios.* **4.** *Rel.* Que professa uma religião. **5.** Que é amigo certo: *empregado fiel; cão fiel.* **6.** Diz-se daquele que não mantém ligações amorosas senão com a pessoa com quem se comprometeu: *marido fiel; namorada fiel.* **7.** Que não rouba; honesto: *empregado fiel.* **8.** V. *pontual* (3). **9.** Exato, verídico, verdadeiro: *Fez um relato fiel dos acontecimentos.* [Superl. abs. sint.: *fidelíssimo* e *fielíssimo*.] ● *S. m.* **10.** Ajudante de tesoureiro. **11.** Fio ou ponteiro que indica o verdadeiro equilíbrio de uma balança. **12.** *Mar.* Almoxarife (5). **13.** *Marinh.* Cabo fino us. para prender um objeto. **14.** *Bras. RS* Volta de couro, no cabo do relho ou do rebenque, na qual se enfia a mão: "chapéu de barbicacho e o mango pendurado pelo fiel." (Darci Azambuja, *Coxilhas*, p. 55). ● *S. 2 g.* **15.** *Rel.* Seguidor dos princípios de uma doutrina, ou duma religião, etc. **16.** *Rel.* Fâmulo (4). [Pl.: *fiéis*. Cf. *fieis*, do v. *fiar*.] ~ V. *fiéis.*

fieldade [De *fiel* + *-(i)dade*.] *S. f. Pop.* Fidelidade (1 a 3).

■ **Fiep** Sigla de *Federação das Indústrias do Estado da Paraíba.*

■ **Fiepe** Sigla de *Federação das Indústrias do Estado de Pernambuco.*

■ **Fiergs** Sigla de *Federação das Indústrias do Estado do Rio Grande do Sul.*

■ **Fierj** Sigla de *Federação das Indústrias do Estado do Rio de Janeiro.*

■ **Fiesp** Sigla de *Federação das Indústrias do Estado de São Paulo.*

fieza (ê) [De *fiar*[2] + *-eza*.] *S. f. Desus.* Confiança, crédito.

■ **FIFA** Sigla de *Federação Internacional de Futebol Associação.*

fífia [De or. onom.] *S. f.* Voz ou som desafinado e agudo.

➔**fifo** ['fajfow] [Ingl., das iniciais de *first in, first out.*] *S. m. Tec.* Sistema de armazenamento ou estocagem em que a primeira peça estocada é a primeira a ser retirada do estoque.

fifó *S. m. Bras. BA MG* Pequeno lampião a querosene, com torcida e sem manga de vidro [v. *periquito*[1] (6)]: "Era por uma noite sem lua, quando a escuridão dominava nos becos .... e só raros fifós brilhavam nas casas." (Jorge Amado, *Jubiabá*, p. 35); "Ritinha chamava-o à realidade, dizendo-lhe .... que o fifó estava quase sem querosene." (Nélson de Faria, *Tiziu e Outras Estórias*, p. 7). [Sin., bras., BA: *fumante*.]

figa [Do lat. tard. **fica*, 'vulva'.] *S. f.* **1.** Amuleto em forma de mão fechada, com o polegar entre o indicador e o dedo médio, e us. supostamente como preservativo de malefícios, doenças, etc.: "Se uma moça da sociedade se recusa a colocar um raminho de arruda por detrás da orelha, para afugentar a má sorte, como faz uma rapariga do povo, porá com prazer uma figa na pulseira." (Renato Almeida, *Inteligência do Folclore*, p. 43.) **2.** Sinal que se faz com a mão, pondo os dedos como na figa, para esconjurar ou repelir; esconjuro. ◆ **Duma figa.** *Fam.* Diz-se de pessoa ou coisa como manifestação, verdadeira ou fingida, de pouco apreço ou de irritação: *Ah, garoto duma figa!; Não sei onde pus aquele livrinho duma figa.* **Fazer figas a. 1.** Fazer cruzes a; esconjurar. **2.** Mostrar ódio a. **3.** Troçar de (alguém).

figada [De *figo* + *-ada*[1].] *S. f.* Doce de figo.

figadal [De *fígado* + *-al*[1].] *Adj. 2 g.* **1.** V. *hepático* (1). **2.** *Fig.* Íntimo, profundo, intenso. **3.** Diz-se de sentimento hostil muito entranhado, profundo, ou do objeto desse sentimento: *ódio figadal; inimigos figadais.*

figadeira [De *fígado* + *-eira*.] *S. f.* **1.** *Veter.* Doença no fígado dos animais. **2.** *Fam.* Hepatite.

fígado [Do lat. vulg. **ficatu* (voc. proparoxítono) < lat. cláss. (*jecur*) *ficatum*, 'fígado de animal alimentado com figos'.] *S. m.* **1.** *Anat.* Víscera glandular volumosa, situada predominantemente no hipocôndrio direito, com pequena parte no epigástrio e hipocôndrio esquerdo, e que desempenha funções tais como secreção da bílis, modificação de medicamentos, produção de glicogênio, e outras. **2.** *Fig.* Ânimo, coragem. **3.** Índole, caráter. ◆ **De maus fígados.** Muito genioso; vingativo; de maus bofes: *homem, pessoa, indivíduo de maus fígados.* **Desopilar o fígado.** Produzir alegria ou bem-estar. **Ter maus fígados.** Ser muito genioso, vingativo; ter maus bofes.

fígaro [Do ficción. *Fígaro*, da trilogia dramática *O Barbeiro de Sevilha*, *O Casamento de Fígaro* e *A Mãe Culpada*, do dramaturgo francês Pierre-Augustin Caron de Beaumarchais (1732-1799).] *S. m. Fam.* V. *barbeiro* (1).

figle [Alter. moderna do fr. *bugle*, com o fonema /f/, de *ophicléide*.] *S. m. Mús.* V. *oficlide.*

figo [Do lat. *ficu*.] *S. m.* **1.** O fruto comestível da figueira formado por infrutescência do tipo sicônio. **2.** *Bot.* V. *fruta-de-manteiga.* **3.** *Pop.* Úlcera do ânus ou de outro órgão pudendo.

figo-da-índia *S. m.* O fruto da figueira-da-barbária ou figueira-da-índia; sabra. [Pl.: *figos-da-índia*.]

figueira [De *figo* + *-eira*.] *S. f. Bot.* **1.** *Bras. PI MG a SP* Designação comum a várias árvores moráceas, brasileiras, pertencentes ao gênero *Ficus*, todas lactescentes, de folhas alternas, flores invisíveis, encerradas em receptáculo carnoso e oco (*figo*), maior ou menor, dependendo da espécie, o qual forma uma cavidade fechada, comunicando-se com o exterior apenas por um pequeno umbigo bracteolado e escamoso, estando as flores masculinas na parte superior e as femininas na inferior. **2.** Pequena árvore morácea (*Ficus carica*) frutífera, dotada de inflorescência monoica, receptáculos (*sicônios*) ou figos solitários ou geminados, axilares, polposos, comestíveis, revestidos de epiderme castanho-violácea com polpa vermelho-carmesim, muito doce quando madura, que contém flores (apenas as femininas, nas variedades cultivadas); figueira-da-europa. **3.** V. *ficus-benjamim*. ◆ **Plantar uma figueira.** *Bras. Fam.* Levar uma queda, um trambolhão.

figueira-benjamim *S. f. Bot.* V. *ficus-benjamim*. [Pl.: *figueiras-benjamins* e *figueiras-benjamim*.]

figueira-branca [De *figueira* + o f. de *branco*.] *S. f. Bras. RJ a SP Bot.* Arbusto moráceo (*Ficus pohliana*) glabro, com receptáculo (*figo*) curto e pedunculado, geminado ou solitário, piriforme, branco-amarelado; figueira-grande. [Pl.: *figueiras-brancas*.]

figueira-brava [De *figueira* + o f. de *bravo*.] *S. f. Bot.* **1.** Pequena árvore morácea (*Ficus guapoi*) dotada de pedúnculos curtos, solitários, articulados na base e no ápice, flores insignificantes, com brácteas espatuladas, alvacentas, diáfanas e membranosas, e cujo receptáculo é globoso e um pouco pubescente; baforeira. **2.** V. *gameleira-branca*. **3.** V. *quaxinduba*. **4.** V. *estramônio*. [Pl.: *figueiras-bravas*.]

figueira-da-barbária *S. f. Bot.* Arbusto cactáceo (*Opuntia ficus-indica*) ereto e ramoso, composto de artículos ou segmentos carnosos, verde-claros e armados de espinhos vigorosos, cujas flores, amarelas, são sésseis, hermafroditas, solitárias, sendo o fruto uma baga vermelha, amarelo-esverdeada ou branca, segundo as variedades; figueira-da-índia, figueira-do-inferno. [Pl.: *figueiras-da-barbária*.]

figueira-da-europa *S. f. Bot.* Figueira (2). [Pl.: *figueiras-da-europa*.]

figueira-da-índia *S. f. Bot.* V. *figueira-da-barbária*. [Pl.: *figueiras-da-índia*.]

figueira-de-lombrigueira *S. f. Bras. Bot.* V. *guaximba-preta*. [Pl.: *figueiras-de-lombrigueira*.]

figueira-do-inferno *S. f. Bras. Bot.* **1.** V. *figueira-da-barbária*. **2.** V. *estramônio*. [Pl.: *figueiras-do-inferno*.]

figueira-dos-pagodes [De *figueira* + o pl. de *do*[1] + o pl. de *pagode*.] *S. f. Bot.* Árvore dos pagodes (2). [Pl.: *figueiras-dos-pagodes*.]

figueira-grande *S. f. Bot.* Figueira-branca. [Pl.: *figueiras-grandes*.]

figueiral [De *figueira* + *-al*[1].] *S. m.* **1.** Quantidade mais ou menos considerável de figueiras dispostas proximamente entre si. **2.** Área ocupada por figueiral (1). [Sin. ger.: *figueiredo*.]

figueiredo[1] (ê) [De *figueira* + *-edo*.] *S. m.* V. *figueiral*.

figueiredo[2] (ê) [Do antr. *Figueiredo*, us. jocosamente por *fígado*, poss.] *S. m. Pop.* Fígado (1).

figueirense[1] *Adj. 2 g.* **1.** De, ou pertencente ou relativo a Figueira (PR). ● *S. 2 g.* **2.** O natural ou habitante de Figueira.

figueirense[2] *Adj. 2 g.* **1.** De, ou pertencente ou relativo a Presidente Figueiredo (AM). ● *S. 2 g.* **2.** O natural ou habitante de Presidente Figueiredo.

figueirilha [De *figueira* + *-ilha*.] *S. f. Bras. RS Bot.* Planta morácea (*Dorstenia montevidensis*) acaule, de flores insignificantes, inseridas em receptáculo carnoso, castanho-escuro, e cuja raiz é considerada febrífuga e us. também para aromatizar o tabaco; contra-erva, figueirinha.

figueirinha [Dim. de *figueira*.] *S. f. Bras. S. Bot.* V. *figueirilha*.

figueiropolense[1] *Adj. 2 g.* **1.** De, ou pertencente ou relativo a Figueirópolis (TO). ● *S. 2 g.* **2.** O natural ou habitante de Figueirópolis.

figueiropolense[2] *Adj. 2 g.* **1.** De, ou pertencente ou relativo a Figueirópolis d'Oeste (MT). ● *S. 2 g.* **2.** O natural ou habitante de Figueirópolis d'Oeste.

figulina [F. subst. de *figulino*.] *S. f. Ant.* Vaso de barro.

figulino [Do lat. *figulinu*.] *Adj.* **1.** Feito de barro. **2.** Que se pode amassar com facilidade. **3.** *Fig.* Brando, dócil, domesticável.

figura [Do lat. *figura*.] *S. f.* **1.** A estatura e a configuração geral do corpo: *A moça tem boa figura.* **2.** Vulto (3): *Uma figura indistinta atravessava a rua.* **3.** Estátua ou pintura que representa o corpo humano, ou o de um animal: *Veem-se na mesa duas figuras de cão.* **4.** Forma exterior; figuração. **5.** Efeito, aspecto, impressão que as coisas produzem; figuração: *Que bela figura produz a torre da igreja, contrastando com o céu azul!* **6.** Imagem, representação, forma; figuração: *Desenharam o deus Cupido em figura de menino.* **7.** Forma imaginária que se dá aos seres metafísicos. **8.** Símbolo, emblema, alegoria. **9.** Representação de imagem por meio de desenho, gravura, fotografia, etc.; ilustração: *as figuras dum livro, duma revista.* **10.** Importância social. **11.** Pessoa ou personalidade representativa; vulto: *Pedro é das mais altas figuras da sociedade; Que figura cômica, o teu médico!* **12.** Designação comum ao rei, ao valete e à dama, nos baralhos. **13.** *Pop.* Cara, rosto: *Injuriou-me, fui-lhe à figura.* **14.** *E. Ling.* Forma de expressão que foge à norma, apresentando alterações fonéticas, morfológicas ou sintáticas. **15.** *E. Ling.* Cada uma das formas de elocução suscitadas pela imaginação e pelos afetos, e que emprestam ao pensamento mais energia, mais vivacidade, e/ou conferem à frase mais beleza e graça. **16.** *Geom.* Configuração (3). **17.** *Mat.* Toda parte de um espaço que pode ser expressa como união finita de intervalos desse espaço. **18.** *Mús.* Cada um dos oito sinais gráficos (*breve, semibreve, mínima, semínima, colcheia, semicolcheia, fusa, semifusa*) que indicam a duração de uma nota (*figura positiva*) ou de uma pausa (*figura negativa*). Cada figura representa a metade da figura que a precede e, portanto, o dobro da que a segue, e seu valor é determinado pelo denominador da fração que, numa peça musical, representa a unidade de tempo de cada compasso dessa peça. [O denominador é 1 para a *semibreve*; 2, para a *mínima*; 4, para a *semínima*; 8, para a *colcheia*; 16, para a *semicolcheia*; 32, para a *fusa*; e 64, para a *semifusa*.] [Tb. se diz *figura de valor*.] **19.** *Teatr.* Cada uma das personagens de uma peça. **20.** *Teatr.* Ator, intérprete, comediante que as representa; figurante: "Se havia canastrões, havia também algumas figuras que mais tarde viriam a destacar-se nos teatros do Rio e São Paulo." (Brito Broca, *Memórias*, p. 88.) ● *S. m.* **21.** *Bras. CE Pop.* V. *diabo* (2). ◆ **Figura de dança.** *Mús.* Cada uma das diversas posições em que se colocam os pares, ou cada uma das sequências de passos executados. **Figura de difração.** *Ópt.* Imagem obtida quando se projeta sobre um anteparo um conjunto de ondas luminosas difratadas ou quando se observa convenientemente com a vista um desses conjuntos. **Figura de interferência.** *Ópt.* Imagem, real ou virtual, que se pode observar, num dispositivo em que há interferência de luz, e que evidencia a redistribuição de energia luminosa nesse fenômeno. Pode ser formada por franjas, raias, anéis, pontos, etc., conforme a natureza do sistema que a produz. **Figura de proa.** **1.** *Constr. Nav.* V. *carranca* (5). **2.** *Fig.* Pessoa que, num empreendimento, organização, etc., aparece com especial relevo; pessoa importante. **Figura de ruído.** *Eletrôn.* Fator de ruído expresso em decibel. **Figura de valor.** *Mús.* V. *figura* (18). **Figura difícil.** *Irôn.* Pessoa que gosta de bancar a difícil (q. v.). **Figura dramática.** *Teatr.* Personagem (2). **Figura negativa.** *Mús.* V. *figura* (18). **Figura positiva.** *Mús.* V. *figura* (18). **Figuras congruentes.** *Geom.* As que coincidem quando superpostas. **Figuras de silogismo.** *Lóg.* As várias posições do termo médio nas premissas. **Figuras semelhantes.** *Geom.* As que se podem tornar congruentes por uma transformação de semelhança. **Fazer boa figura.** Sair-se bem, ser bem-sucedido; brilhar: *No concurso, fez boa figura.* **Fazer figura.** Dar na vista pelo talento, beleza, riqueza, etc.; brilhar. **Fazer figura de.** Comportar-se como se fosse: "O viajante não quer fazer figura de coca-bichinhos, mas enfadam-no certas simplificações." (José Saramago, *Viagem a Portugal*, p. 164.) **Fazer má figura.** Sair-se mal; ser malsucedido; dar fiasco, falhar, malograr-se. **Fazer triste figura.** Desempenhar papel vergonhoso. **Mudar de figura.** Adquirir outro aspecto; tornar-se diferente: "Aqui na corte, um caso desses perde-se na multidão da gente e dos interesses; mas na província muda de figura" (Machado de Assis, *Memórias Póstumas de Brás Cubas*, p. 224). **Ser uma figura.** *Bras.* Ter uma personalidade curiosa, interessante; ser figura ou pessoa fora do comum.

figuração [Do lat. *figuratione*.] *S. f.* **1.** Ato de figurar. **2.** V. *figura* (4 a 6). **3.** Aspecto dos astros do qual se tiram prognósticos. **4.** *Cin. Teatr. Telev.* Papel insignificante; ponta.

figurado [Part. de *figurar*.] *Adj.* **1.** Em que há figuras ou alegorias; metafórico, tropológico. **2.** Alegórico, imitativo; representado. **3.** Não existente; hipotético, suposto. **4.** Diz-se de dança popular ou de salão com passos e marcações variados, movimentados: "um conviva jovem, sacudindo a cabeça, meneando o corpo, marcava muito atento uma valsa figurada" (Afonso Arinos, *Pelo Sertão*, p. 138). **5.** *E. Ling.* Utilizado em seu sentido não literal. ~ V. *linguagem —a* e *sentido —*. ● *S. m.* **6.** Dança figurada (4).

figural [De *figura* + *-al*[1].] *Adj. 2 g.* Que serve de figura ou de tipo.

figuralidade [Do lat. tard. *figuralitate*.] *S. f. Fig.* Propriedade que têm os corpos de adquirir tal ou qual figura.

figurante [Do lat. *figurante*.] *S. 2 g.* **1.** Figura (20). **2.** *Cin. Teatr. Telev.* V. *extra*[1] (4).

figurão [De *figura* + *-ão*[1].] *S. m.* **1.** Personagem importante; figuro: "Não troca .... a mesa de um colega pelo banquete do mais rico figurão" (Joaquim Manuel de Macedo, *Os Romances da Semana*, p. 137). **2.** Ostentação, ato que dá nas vistas. **3.** Pessoa manhosa, astuta. [Fem. nas acepç. (1 e 3): *figurona*.]

figurar [Do lat. *figurare*.] *V. t. d.* **1.** Traçar a figura, a imagem de: *Figurou uma paisagem a carvão.* **2.** Significar por meio de alegoria, figura, símbolo, etc.; simbolizar: *Na liturgia católica, o vinho figura o sangue de Cristo*; "Matilde Emo, com uma túnica flutuante de terciopelo azul-ferrete, que larga zona de alvas calcedônias nublava, ... figurava a Via Láctea" (Carlos Magalhães de Azeredo, *Casos do Amor e do Instinto*, p. 379). **3.** *P. ext.* Significar, representar; lembrar: *Para a criança o pai figura a autoridade*; "Quando se fez ao largo a nave escura / Na praia essa mulher ficou chorando, / No doloroso aspecto figurando / A lacrimosa estátua da amargura." (Gonçalves Crespo, *Obras Completas*, p. 331). **4.** Ter a forma ou figura de: *A nuvem figurava um camelo.* **5.** Representar na imaginação; imaginar, conceber, fantasiar, supor: "Vendo-o discursar, Aurora, emocionada, começou a figurar uma carreira brilhante para o seu louro ginasiano." (Edilberto Coutinho, *Onda Boiadeira*, p. 112); "Figure uma moça vestida de ricas sedas, com as mangas enroladas e a saia arregaçada" (José de Alencar, *Lucíola*, p. 143). **6.** Aparentar, fingir: *Figura doença para não trabalhar.* **7.** *Ópt.* Dar a (uma superfície óptica) uma forma determinada, por meio de operações de polimento. *T. i.* **8.** Tomar parte; participar: *Grandes artistas figuram naquela peça.* **9.** Fazer parte; estar incluído: *O conto "Missa do Galo", obra-prima de Machado de Assis, figura em numerosas antologias; O álcool não figura entre os seus vícios.*

figurarias [De *figura* + o pl. de *-aria*.] *S. f. pl.* Mímica para divertimento de crianças.

figurativa [F. subst. de *figurativo*.] *S. f. E. Ling.* **1.** Letra que caracteriza certos tempos de verbos gregos. **2.** Desinência das palavras declináveis.

figurativismo [De *figurativo* + *-ismo*.] *S. m. Art. Plást.* Qualquer manifestação artística de características figurativas. [Cf. *abstracionismo* (2).]

figurativista [De *figurativismo* + *-ista*.] *Adj. 2 g.* **1.** Relativo ao, ou que é adepto do figurativismo. ● *S. 2 g.* **2.** Adepto dele.

figurativo [Do lat. tard. *figurativu*.] *Adj.* **1.** Que figura; representativo, simbólico. **2.** *Art. Plást.* Diz-se da manifestação artística comum a diferentes épocas, culturas e correntes estéticas, e que se manifesta pela preocupação de representar uma realidade sensível das formas acabadas da natureza: *quadro figurativo.* [Cf., nesta acepç., *abstrato* (4).] **3.** *Art. Plást.* Que é adepto do figurativismo ou lhe adota os princípios. ~ V. *escrita —a*. ● *S. m.* **4.** Artista figurativo.

figurável [De *figurar* + *-vel*.] *Adj. 2 g.* Que se pode figurar.

figurilha [Do esp. *figurilla*.] *S. 2 g.* Pessoa de pequena estatura, quer seja natural, quer representada por desenho, pintura, escultura, etc.

figurinha [De *figura* + *-inha*.] *S. f. Bras.* Pequena estampa, para coleções. ◆ **Figurinha difícil.** *Deprec.* V. *figura difícil*. **Figurinha fácil.** *Pop.* **1.** Pessoa que é muito dada ou que tem bom gênio. **2.** Pessoa que costuma estar presente em todos os eventos e ocasiões. ◆ **Trocar figurinhas.** V. *bater papo*: "Exercitamos o hábito de jantar juntos uma vez por semana, para trocar figurinhas." (Rubem Mauro Machado, *O Executante*, p. 71.)

figurinista [De *figurino* + *-ista*.] *S. 2 g.* **1.** Desenhista de figurinos. **2.** *Cin. Teatr. Telev.* Profissional que pesquisa e/ou cria modelos de roupas para a produção de peça teatral, novela, filme, etc., e supervisiona a confecção e a utilização delas.

figurino [Do it. *figurino*.] *S. m.* **1.** Figura ou estampa que representa o traje da moda. **2.** Revista de modas. **3.** *Fig.* Indivíduo que traja no rigor da moda ou a exagera. **4.** *P. ext.* Vestuário, traje: *Os figurinos da peça são de alta qualidade.* **5.** *Fig.* Modelo, exemplo. ◆ **Como manda o figurino.** Segundo a boa praxe; como deve ser: "Vou fazer do meu menino / Irresistível cantor / Como manda o figurino / Ou, em francês, 'comme il faut'" (Chico Buarque de Holanda, *Roda-Viva*, p. 21).

figurismo [De *figura* + *-ismo*.] *S. m.* Sistema daqueles que consideram ou interpretam alegoricamente os fatos narrados na Bíblia.

figurista [De *figura* + *-ista*.] *Adj. 2 g.* **1.** Diz-se do pintor que se especializa em reproduzir a figura humana. ● *S. 2 g.* **2.** Partidário do figurismo.

F

figuro [De *figura*.] *S. m.* **1.** Indivíduo de reputação duvidosa. **2.** *Fam.* Figurão (1).

figurona *S. f.* Fem. de *figurão* (1 e 2).

fijiano [Do top. *Fiji*, arquipélago no oceano Pacífico composto por mais de 330 ilhas, grande parte delas desabitada, + *-ano*[1].] *Adj.* **1.** Das, ou pertencente ou relativo às ilhas que formam a República de Fiji. • *S. m.* **2.** O natural ou habitante das ilhas da República de Fiji. **3.** *Gloss.* Língua malaio-polinésia falada nesse arquipélago e que, juntamente com o inglês, é língua oficial do país.

fila[1] [Do fr. *file*.] *S. f.* **1.** V. *fileira*. **2.** Fileira de pessoas que se colocam umas atrás das outras, pela ordem cronológica de chegada a um ponto de embarque em veículos urbanos, a guichês ou a quaisquer estabelecimentos onde haja grande afluência de interessados. [Sin.: (bras.) *cobrinha*, (lus.) *bicha*.] **3.** *Álg.* Linha ou coluna de uma matriz. **4.** *Inform.* Estrutura de organização de dados na qual estes são recuperados na mesma ordem em que foram inseridos. [Pl.: *filas*. Cf. *fila* e *filas*, do v. *filar*.] ◆ **Fila indiana.** A que é formada de pessoas alinhadas uma atrás da outra. **Furar fila.** *Bras.* Numa fila, não respeitar a ordem de chegada ou de atendimento, passando à frente de quem teria o direito à vez.

fila[2] [Dev. de *filar*.] *S. f.* **1.** Ato de filar. **2.** *Bras. N. N.E.* V. *cola*[1] (2). [Pl.: *filas*. Cf. *fila* e *filas*, do v. *filar*.]

fila[3] [F. red. de *cão de fila* (v. *filar* [2]).] *S. m. Cinol.* Cão de fila. ◆ **Fila brasileiro.** *Cinol.* Cão de fila, de raça originária do Brasil, de forte musculatura, altura média em torno de 0,65m, faro agudíssimo, cabeça grande, focinho forte, nariz largo e pelo curto e macio.

▲-fila[1] V. *fil(o)-*[1].

▲-fila[2] V. *fil(o)-*[2].

filá [Do ior.] *S. m. Bras. Rel.* **1.** Espécie de gorro de palha da costa do traje cerimonial do orixá Omolu, dotado de longas franjas do mesmo material que cobrem o rosto da iaô e descem abaixo de seus joelhos. **2.** Espécie de gorro de búzios que a/(o) ebômim recebe no decá (q. v.).

filaça [Do esp. *filaza* < moçárabe *hilacha*, poss. do ár.] *S. f.* Filamento grosseiro de substância têxtil.

filactério [Do gr. *phylaktérion*, pelo lat. tard. *phylacteriu*.] *S. m.* **1.** V. *filactérios*. **2.** *P. ext.* Qualquer faixa com divisa. **3.** *P. ext.* Amuleto, talismã.

filactérios *S. m. pl.* No judaísmo, par de pequenas caixas de couro usadas ritualmente, amarradas ao braço e à testa por correias, tb. de couro, e que contêm trechos das Escrituras.

filáctico [Do gr. *phylaktikós*.] *Adj.* **1.** Diz-se de fator que protege. **2.** Em que há proteção. • *S. m.* **3.** Aquilo que protege, que evita.

▲-filá(c)tico [Do gr. *phylaktikós, ḗ, ón* (ȳ), 'que tem a virtude de conservar ou preservar', < v. gr. *phylássein*.] Equiv. de *-filax-*.

▲filact(o)- [Do gr. *phylaktós, ḗ, ón*, adj. verbal de *phylássein*, 'guardar', 'defender'.] *El. comp.* = 'protegido': *filactocarpo*. [V. *-filax-*.]

filadelfense *Adj. 2 g.* **1.** De, ou pertencente ou relativo a Filadélfia (BA). • *S. 2 g.* **2.** O natural ou habitante de Filadélfia.

filadelfiense *Adj. 2 g.* **1.** De, ou pertencente ou relativo a Filadélfia (TO). • *S. 2 g.* **2.** O natural ou habitante de Filadélfia.

filadelfo [Do tax. *Philadelphus* (do gr. *phyládelphos*, 'fraternal').] *S. m. Bot.* **1.** Gênero de arbustos saxifragáceos, cujas flores são dispostas em racemos, com numerosos estames; originários de zonas temperadas do hemisfério norte, foram introduzidos no Brasil como plantas ornamentais. **2.** Qualquer espécie desse gênero, como, p. ex., a *Philadelphus coronarius*, de folhas verde-claras com bordas brancas e cachos de pequeninas flores alvas, odoríferas. **3.** Qualquer espécime desse gênero.

➔fil-à-fil [fila'fil] [Fr., 'fio a fio'.] *S. m. 2 n. Tec. Têx.* Tecido de lã, ou de algodão, com fios de duas cores alternadas, obtidos pelo uso intercalado de um fio de cor e um fio branco.

filame [De *filo-*[2] + *-ame*.] *S. m. Marinh.* A porção de amarra compreendida entre a abita, ou onde esteja com volta passada, e o anete da âncora: "de bordas ferradas nos cabrestantes que tesam e solecam o filame da amarração, de acordo com a vazante e a enchente periódicas — quando arfa e joga, ... dá a impressão de um esquisito navio ancorado." (Raimundo Morais, *País das Pedras Verdes*, pp. 167-168). [O comprimento do filame deve ser igual a três a quatro vezes a profundidade local.]

filamentar [De *filamento* + *-ar*[1].] *Adj. 2 g.* Constituído por filamentos; filamentoso.

filamento [Do lat. med. *filamentu*, pelo fr. *filament*.] *S. m.* **1.** Fio de pequeníssimo diâmetro. **2.** *Astr.* Mancha clara brilhante, estreita e irregular, de aspecto filiforme e de curta duração, que se vê na superfície da Lua. **3.** *Astr.* Protuberância solar vista em projeção sobre o disco do Sol. **4.** *Bot.* Porção do talo dos vegetais talófitos que apresenta desenvolvimento linear e é formada por uma só fileira de células. **5.** *Eletr.* Numa lâmpada elétrica, fio fino de material de elevado ponto de fusão (geralmente tungstênio), aquecido até a incandescência pela passagem duma corrente elétrica. **6.** *Eletrôn.* Numa válvula eletrônica, catodo aquecido pela passagem de uma corrente elétrica. **7.** *Eletrôn.* Eletrodo de uma válvula eletrônica empregado para aquecer o catodo.

filamentoso (ô) [De *filamento* + *-oso*.] *Adj.* Filamentar: *micélio filamentoso*.

filandeira [Do esp. *hilandera*, 'fiandeira'.] *S. f. Tec.* Peça provida de pequeninos orifícios e através da qual se injeta um líquido com o objetivo de conseguir longos filamentos.

filandras [Do b.-lat. *filenda*, pelo fr. *filandre*, pluralizado em port.] *S. f. pl.* **1.** Fios delgados e longos. **2.** Fios de teia de aranha que se desgarram e volteiam pelo ar, prendendo-se a vegetais: "uma nascente tão ensombrada d'arvoredo que a água, sob os pendidos ramos, emaranhados de filandras, parecia negra." (Coelho Neto, *Rei Negro*, p. 263). **3.** Veios filiformes do mármore.

filandroso (ô) [De *filandra(s)* + *-oso*.] *Adj.* Que tem filandras ou nervuras; fibroso.

filante[1] [Do fr. *filant*.] *Adj. 2 g. Gal.* ~ V. *estrela* — e *vinho* —.

filante[2] [De *filar* + *-nte*.] *Adj. 2 g. S. 2 g. Bras.* Que, ou quem é dado a filar (4, 7 e 8): *filante de jantares, de cigarros*.

filanto[1] [De *fil(o)-*[1] + *-anto*.] *Adj. Bot.* Cujas flores repousam sobre as folhas.

filanto[2] [Do tax. *Phyllantus*.] *S. m. Bot.* **1.** Gênero de ervas, pequenas árvores e arbustos euforbiáceos, com folhas alternas, flores pequenas em racemos densos, e frutos, secos ou carnosos, indeiscentes. São plantas ornamentais exóticas, com distribuição pantropical. **2.** Espécie ou espécime desse gênero.

filantropia [Do gr. *philanthropía*, pelo fr. *philanthropie*.] *S. f.* **1.** Amor à humanidade; humanitarismo. [Antôn.: *misantropia* (1), *antropofobia*.] **2.** Caridade (1).

filantrópico [Do gr. *philanthropikós*, pelo fr. *philanthropique*.] *Adj.* **1.** Relativo à filantropia, ou inspirado nela. [Antôn.: *misantrópico*.] **2.** *Bras.* Dizia-se de um dos partidos políticos organizados no PA logo após a abdicação de Pedro I, e dos sectários dessa agremiação. • *S. m.* **3.** *Bras.* Esse partido. **4.** *Bras.* Sectário dele.

filantropismo [De *filantropo* + *-ismo*.] *S. m.* Afetação de filantropia.

filantropo (ô) [Do gr. *philánthropos*, pelo lat. *philanthropu*; fr. *philanthrope*.] *Adj. S. m.* Que, ou aquele que tem filantropia; humanitário: "Trovador dos humildes, ... era [S. Francisco de Assis], na vida real, o maior amigo de todos eles, ao contrário de certos filantropos sentimentais que esgotam toda a sua bondade nos versos que escrevem e não dão um só vintém de esmola..." (Agripino Grieco, *São Francisco de Assis e a Poesia Cristã*, p. 13.) [Antôn.: *misantropo, antropófobo*.]

filantropomania [De *filantropo* + *-mania*.] *S. f.* Impulso para praticar atos filantrópicos; filantropia pouco sincera.

filantropomaníaco [De *filantropomania* + *-íaco*.] *Psiq.* *Adj.* **1.** Relativo a filantropomania. **2.** Que tem filantropomania; filantropômano. • *S. m.* **3.** Aquele que tem filantropomania; filantropômano.

filantropómano *Adj. S. m.* V. *filantropômano*. [Uso freq. em P.]

filantropômano [De *filantropo* + *-mano*[1].] *Adj. S. m.* Filantropomaníaco (2 e 3).

filão[1] [Do fr. *filon*.] *S. m.* **1.** Enchimento das diáclases ou dos fendilhamentos da crosta terrestre por substâncias de origem hidrotérmica. **2.** Veio (2). **3.** *Fig.* Fonte, veia. **4.** *Fig.* Fonte de lucros e de vantagens: "Até o milionário filão de discos de novela — antes com índices médios de 150 mil cópias por lançamento — murchou de vez." (Joyce Pascowitch, em *Folha de S.Paulo*, 23.05.1991.) **5.** *Bras. BA* Linha (48).

filão[2] *S. m. Bras. SP Pop.* Pão comprido, de tamanho e peso variados.

filar[1] *Adj. 2 g.* ~ V. *micrômetro* —.

filar[2] [Do ant. *filhar*, 'tomar'.] *V. t. d.* **1.** Agarrar à força; prender, capturar: "Durante largos anos, a polícia deu caça ao José Antônio e jamais o pôde filar." (Gustavo Barroso, *Terra de Sol*, p. 139.) **2.** Segurar com os dentes: *O cachorro filou o ladrão pela perna.* **3.** Açular (cão de fila). **4.** Conseguir gratuitamente; obter de mão beijada: *Chegou na hora da comida e filou um jantar.* **5.** *Bras. Pop.* Observar ocultamente; espreitar; espiar: *Filava, no jogo, as cartas do parceiro.* **6.** Chorar (15). **7.** *Bras.* Pedir a outrem, para não comprar: "Francisco Alves, apesar de abastado, era famoso como avarento. Não pagava café e filava cigarros." (Nestor de Holanda, *Memórias do Café Nice*, p. 118.) **8.** *Bras.* Fazer que os outros paguem: *Vendo o amigo à porta do cinema, filou uma entrada.* **9.** *Gír.* Colar[3] (4). **10.** *Bras. N.E.* Gazear[2] (2). *T. d. e i.* **11.** Obter gratuitamente: *Filou do garçom um prato de comida.* **12.** *Bras.* Pedir a outrem, para não comprar. **13.** *Bras.* Fazer que outrem pague. *Transobj.* **14.** Agarrar à força; prender (em determinado estado ou condição): *Filaram-no vivo.* *Int.* **15.** Segurar a presa com os dentes. **16.** *Mar.* Aproar ao vento, à corrente, quando fundeada (a embarcação): *Com a tempestade, o navio filou.* **17.** *Gír.* Colar[3] (10). **18.** *Bras. Pop.* Observar ocultamente; espreitar, espiar. **19.** Chorar (16). *P.* **20.** Agarrar-se fortemente com os dentes a alguma coisa. **21.** Agarrar-se, segurar-se. [Pres. ind.: *filo, filas, fila*, etc.; fut. pret.: *filaria*, etc. Cf. *filo*, s. m., *fila*, s. f. e m., pl. *filas*, e *filária*.]

filargíria [Do gr. *philargyría*, pelo lat. tard. *philargyria*.] *S. f.* Avareza, somiticaria.

filária [Do tax. *Filaria*.] *S. f. Zool.* **1.** Gênero de vermes nematódeos, filarióideos, tipo dos filariídeos. **2.** Espécie ou espécime desse gênero. **3.** Designação comum a vermes nematódeos, filarióideos, da família dos filariídeos; outrora classificados no gênero *Filaria* e, atualmente, reagrupados em gêneros afins. São, ger., longos e finos, vivíparos ou ovovivíparos; parasitam o sistema cardiovascular, o tecido conjuntivo, as cavidades serosas, etc., de vertebrados. No Brasil ocorre a espécie *Wuchereria bancrofti*, cujos espécimes adultos vivem nos vasos linfáticos do homem, formando cistos e, eventualmente, causando a elefantíase. A transmissão produz-se através de mosquitos do gênero *Culex Linnaeus*. Conhecem-se, também, espécies do gênero *Dirofilaria*, que raramente parasitam o homem. [Cf. *filaria*, do v. *filar*.]

filaríase [De *filária* + *-íase*.] *S. f. Med.* Filariose.

filaricida [De *filári(a)* + *-cida*.] *Adj. 2 g.* **1.** Que destrói filárias. • *S. m.* **2.** Agente que as destrói.

filariídeo [Do tax. *Filaria* + *-ídeo*[1]; tax. *Filariidae*.] *Zool.* *S. m.* **1.** Espécime dos filariídeos, família de vermes nematódeos, filarióideos, que apresentam poro genital na parte anterior do corpo e habitam cavidades fechadas ou o tecido conjuntivo; os embriões vivem no sangue. A filária (1), gênero-tipo da família, é o agente causador da elefantíase (2). • *Adj.* **2.** Pertencente ou relativo a eles.

filarióideo [Do tax. *Filaria* + *-óideo*.] *Zool. S. m.* **1.** Espécime dos filarióideos, superfamília de vermes nematódeos na qual se classificam os causadores da elefantíase. • *Adj.* **2.** Pertencente ou relativo a eles. [Sin. ger.: *filaróideo*.]

filariose [De *filária* + *-ose*[1].] *S. f. Med.* Infecção devida à presença de filárias no organismo; elefantíase dos árabes; filaríase.

filariósico [De *filariose* + *-ico*[2].] *Adj.* Filariótico.

filariótico [De *filari(ose)* + *-ótico*.] *Adj.* Referente à filariose; filariósico.

filarmónica *S. f. Mús.* V. *filarmônica*. [Uso freq. em P.]

filarmônica [F. subst. de *filarmônico*.] *S. f. Mús.* **1.** Sociedade musical. **2.** Orquestra sinfônica.

filarmónico *Adj. Mús.* V. *filarmônico*. [Uso freq. em P.]

filarmônico [Do fr. *philharmonique* ou do it. *filarmonico*.] *Adj. Mús.* **1.** Amigo da harmonia ou da música. **2.** Diz-se esp. de certas sociedades musicais. **3.** Relativo a, ou próprio de filarmônica (2).

filaróideo [Do tax. *Filaria* + *-óideo*.] *S. m. Adj. Zool.* V. *filarióideo*.

filatelia [Do fr. *philatélie* < *phil-* (v. *fil(o)-*[2]) + gr. *atáleia*, 'isenção de impostos'.] *S. f.* **1.** Estudo dos selos do correio que se usam nas diferentes nações, metodicamente colecionados. **2.** Hábito e gosto de colecionar tais selos.

filatélico [De *filatelia* + *-ico*[2].] *Adj.* Referente à filatelia.

filatelismo [De *filatelia* + *-ismo*.] *S. m.* Gosto e/ou prática da filatelia.

filatelista [Do fr. *philatéliste*.] *S. 2 g.* Pessoa que é dada à filatelia.

filatório [Do lat. *filatum*, sup. de *filare*, 'fazer em fio', 'fiar', + *-ório*.] *Adj.* **1.** Respeitante à fiação. • *S. m.* **2.** Aparelho para fiação (1).

filáucia [Do gr. *philautía* < gr. *phílos* (v. *fil(o)-*[2]) + gr. *autós* (v. *aut(o)-*[1]) + gr. *-ía* (v. *-ia*[1]), pelo lat. tard. *philautia*.] *S. f.* **1.** Amor-próprio; egoísmo. **2.** Vaidade, presunção, jactância, bazófia: "O leitor que as percebe [as incorreções tipográficas] é levado naturalmente, por filáucia, a experimentar certo sentimentozinho de superioridade sobre quem as comete." (Eduardo Frieiro, *Os Livros Nossos Amigos*, p. 180.)

filaucioso (ô) [De *filáucia* + *-oso*.] *Adj.* Que tem ou denota filáucia.

▲-filax- [Do gr. *phýlaxis, eōs*, 'proteção' < v. gr. *phylássein*.] *El. comp.* = 'proteção', 'precaução'; 'que previne'; 'próprio para prevenção': *anafilaxia*, *bibliofilaxia*. [Equiv.: *-filá(c)tico*: *anafilático*, *taquifiláctico*.]

filé [Do fr. *filet*.] ***S. m. Bras.*** **1.** Designação vulgar dos músculos psoas do boi, da vitela, do porco e de outras reses. [Cf. *lombo* (2).] **2.** V. *bife* (1). **3.** Fatia fina do dorso do peixe, do qual se retiram as espinhas. [F. paral. lus., nesta acepç., *filete*.] **4.** Fatia fina cortada, em geral, do peito de aves (frango, peru, etc.). **5.** Certo trabalho de agulha tecido em rede feita à mão, o qual forma desenhos e é geralmente us. para fins decorativos. **6.** *Pop.* Filé *mignon* (2). ◆ **Filé de borboleta.** *Bras. Irôn.* Pessoa extremamente magra.

fileira [De *fila*[1] + *-eira*.] ***S. f.*** Série de coisas, pessoas ou animais em linha reta; ala, linha, alinhamento, renque, fiada, enfiada, fieira, fila. ~ V. *fileiras*.

fileiras [Pl. de *fileira*.] ***S. f. pl.*** A vida militar; caserna. ~ V. *fileira*.

filele [Do ár. dialetal marroquino *filalī* < ár. *halhal*.] ***S. f. Tec. Têx.*** Tecido de lã, leve, próprio para confeccionar bandeiras, galhardetes, etc.

filé-mignon ***S. m.*** **1.** Filé (1) de boi. **2.** *Bras. Pop.* A melhor parte ou porção; filé. [Pl.: *filés-mignons*.]

filer[1] [Do ingl. *filler*.] ***S. m. Tec.*** Material incolor, sólido, que se usa como diluente de pigmentos. [Pl.: *fileres*.]

filer[2] [Do húngaro *fillér*.] ***S. m.*** A centésima parte do forinte (q. v.). [Pl.: *fileres*.]

filerete (ê) [Do esp. *filarete*.] ***S. m.*** Espécie de junteira. ~ V. *fileretes*.

fileretes (ê) [Pl. de *filerete*.] ***S. m. pl.*** Redes onde se metem sacos de algodão, cortiça, etc., e com as quais se guarnecem os bordos do navio contra as balas inimigas. ~ V. *filerete*.

filetado [De *filete* + *-ado*[1].] ***Adj. Arquit.*** Diz-se de elemento arquitetônico que tem filetes ou listéis em sua ornamentação.

filetagem [De *filetar* + *-agem*[2].] ***S. f.*** Ato ou efeito de filetar.

filetar [De *filete* + *-ar*[2].] ***V. t. d.*** **1.** Dar traços filiformes em. **2.** *Tip.* Estampar (capas ou lombadas de livros) com o filete de dourar. [Pres. subj.: *filete*, *filetes*, etc. Cf. *filete* (ê) e pl. *filetes* (ê).]

filete [Do fr. *filet*.] ***S. m. Lus.*** Filé (3). [Pl.: *filetes*. Cf. *filete* (ê) e pl. *filetes* (ê).]

filete (ê) [Do fr. *filet*.] ***S. m.*** **1.** Pequeno fio: 📖 "Tênue filete de ouro embutido bordava a face polida e negra da pedra." (José de Alencar, *Lucíola*, p. 77.) **2.** *Arquit.* V. *listel*. **3.** *Bot.* A parte do estame que sustenta a antera. **4.** Espiral de parafuso. **5.** *Anat.* Cada uma das ramificações mais tênues dos nervos. **6.** *Tip.* Fio (12 e 13). **7.** *Encad.* Traço simples ou ornamental que constitui elemento da douração ou da gofragem da capa ou da lombada de um livro; friso. **8.** *Encad.* Ferro em forma de meia-lua, com que se produz esse traço; sinalefa. **9.** *Heráld.* Linha grossa e escura que rodeia o brasão das bastardias. [Pl.: *filetes* (ê). Cf. *filete* e *filetes*, do v. *filetar* e s. m.] ◆ **Filete inglês.** *Tip.* Filete grosso, apontado nas extremidades, e constituído por traço simples ou por combinação de elementos ornamentais; bigode. **Filete perlado.** *Arquit.* Ornato em forma de pequenos globos dispostos em fileira; pérolas.

filético ***Adj. Biol.*** De, ou relativo a descendência evolucionária de uma espécie ou de um grupo de organismos.

filha[1] [Do lat. *filia*.] ***S. f.*** Pessoa do sexo feminino em relação a seus pais. ◆ **Filha de Eva.** A mulher, como ser sedutor ou capaz de sucumbir a uma tentação: 📖 "Seria ainda amar a verdade que se descobre e a verdade que mal se esconde, o que vai de encontro ao temperamento das filhas de Eva." (Aquilino Ribeiro, *Maria Benigna*, p. 24.) **Filha de Maria.** *Ecles.* Mulher pertencente à congregação religiosa católica devotada à Virgem Maria: 📖 "Antes das seis horas da tarde já os sinos chamavam os fiéis para as bênçãos, logo as naves se enchem das filhas de Maria" (Freitas Cavalcanti, *A Profecia das Águas*, p. 31).

filha[2] ***S. f. Bras. Rel.*** V. *filha de santo*.

filhação [De *filhar*[1] + *-ção*.] ***S. f. P. us.*** V. *filiação*.

filhada [F. subst. de *filhado*, part. de *filhar*[2].] ***S. f. Ant.*** Ato de filhar[2].

filha de santo ***S. f. Bras. Rel.*** **1.** No candomblé nagô e em outros, tirante os de rito jeje, mulher que passou pelo ritual de iniciação, tornando-se sacerdotisa de um orixá. [Cf. *vodúnsi*.] **2.** Na umbanda, médium do sexo feminino. [Tb. se diz apenas *filha*. Pl.: *filhas de santo*.] ☑

filha de senhor de engenho ***S. f. Bras. N.E. Pop.*** V. *cachaça* (1). [Pl.: *filhas de senhor de engenho*.] ☑

filhamento [De *filhar*[2] + *-mento*.] ***S. m.*** Ato de filar (1) ou filhar[2] (1).

filhar[1] [De *filha*[1] + *-ar*[2].] ***V. t. d.*** **1.** V. *filiar* (1). **2.** V. *perfilhar* (3). ***Int.*** **3.** *Bot.* Deitar filhos ou rebentos; brotar, filharar.

filhar[2] [Do lat. **piliare*, cláss. *pilare*, poss. com infl. de *filho*.] ***V. t. d. Ant.*** **1.** Filar (1). **2.** Receber, tomar conta de (terrenos maninhos). **3.** Colher, apanhar. **4.** Tomar em foro de fidalgo.

filharada [De *filho* + *-arada*.] ***S. f.*** Grande porção de filhos: 📖 "esgueirava-se ao longo dos casebres, arrastando pela mão a filharada, semitonta de sono e entanguida de frio" (Hugo de Carvalho Ramos, *Tropas e Boiadas*, pp. 67-68). [Sin., fam.: *ninhada* e *pequenada*.]

filharar [De *filhar*[2] (3), com suf. iterativo.] ***V. int. Bot.*** V. *filhar*[1] (3).

filheiro [De *filho* + *-eiro*.] ***Adj.*** **1.** Que gera muitos filhos; fecundo, filhento. **2.** Muito amigo dos filhos.

filhento [De *filho* + *-ento*.] ***Adj.*** V. *filheiro* (1).

filhinho ***S. m.*** Dim. de *filho*. ◆ **Filhinho de mamãe.** Filho excessivamente protegido pela mãe e extremamente apegado a ela ou dela dependente. **Filhinho de papai.** Filho de papai.

filho[1] [Do lat. *filiu*.] ***S. m.*** **1.** Indivíduo do sexo masculino em relação aos pais. **2.** Descendente (3). **3.** Aquele ou aquilo que é oriundo, originário, natural (de alguma terra, região, etc.): 📰 *É filho das Alagoas.* **4.** Aquilo que se origina, resulta, procede, é consequência: 📖 "Esta observação .... parecia à maior parte das honestas senhoras casadas — filha do mais revoltante cinismo." (José Régio, *Histórias de Mulheres*, p. 299.) **5.** Homem, em relação a Deus, ao estabelecimento onde foi educado, e a quem o educou. **6.** Expressão de carinho. **7.** Rebento da planta. **8.** *Bras.* Pequeno tambor usado em sambas e batuques. **9.** *Teol.* A segunda pessoa da Santíssima Trindade [v. *trindade* (1)]. [Nesta acepç., melhor com cap.] ● ***Adj.*** **10.** Procedente, resultante. ◆ **Filho adotivo.** **1.** Filho de outrem, que se toma como próprio mediante a adoção. **2.** *Pop.* Filho alheio que se toma e se considera como próprio sem qualquer formalidade legal. [Tb. se diz apenas *adotivo*.] **Filho adulterino.** *Jur.* Filho espúrio (q. v.) havido por pessoa casada no tempo da concepção, de outra que não seja o seu consorte. [T. jur. não vigente, atualmente, no Brasil.] **Filho bastardo.** *Jur.* V. *filho ilegítimo*. [T. jur. não vigente, atualmente, no Brasil.] **Filho d'algo.** *Ant.* Fidalgo (4): 📖 "Ser simplesmente filho d'algo em Portugal não valeu tanto como ser freire" (Gilberto Freire, *Casa-Grande e Senzala*, I, p. 301). **Filho de coito danado.** V. *filho sacrílego*. **Filho de criação.** O que é criado por pai(s) adotivo(s). **Filho de Deus.** **1.** Jesus Cristo; o Filho do Homem. **2.** *P. ext.* Qualquer ser humano, considerado como criatura de Deus. **Filho de fora.** *Cabo-verd. Guin.* Filho ilegítimo: 📖 "Pedro era filho de fora dum tal Fonseca" (Teobaldo Virgínio, *O Meu Tio Jonas*, p. 136). **Filho de leite.** A criança, com relação à ama que a amamentou. **Filho de papai.** Filho de pai rico e/ou influente; filhinho de papai. **Filho de uma quinhenta.** *Moç. Pej.* Filho da puta: 📖 "vai lá matar esse filho de uma quinhenta..." (Mia Couto, *A Varanda do Frangipani*, p. 39). **Filho do Sol e neto da Lua.** Indivíduo que se diz descendente de progênie muito ilustre. **Filho espúrio.** *Jur.* Filho ilegítimo (q. v.), nascido de pessoas que, entre si, não podem casar-se, em virtude de proibição legal permanente ou ao tempo da concepção. [T. jur. não vigente, atualmente, no Brasil.] **Filho ilegítimo.** *Jur.* O que não provém de justas núpcias, ou é gerado e nascido fora do matrimônio; filho bastardo. [T. jur. não vigente, atualmente, no Brasil.] **Filho incestuoso.** *Jur.* Filho espúrio (q. v.), nascido de pai e mãe com parentesco que os impede de casar. **Filho legitimado.** *Jur.* Aquele que provém de união ilícita e se equipara ao filho legítimo, quer pelo casamento posterior dos pais, quer por escritura pública ou por declaração no termo de nascimento; filho reconhecido. [T. jur. não vigente, atualmente, no Brasil.] [Tb. se diz apenas *legitimado*.] **Filho legítimo.** *Jur.* Filho proveniente de matrimônio legal e nascido na vigência deste. [T. jur. não vigente, atualmente, no Brasil.] **Filho natural.** *Jur.* Filho ilegítimo (q. v.), havido de pais solteiros entre os quais, ao tempo da concepção ou do parto, não haja impedimento matrimonial, ou de pais judicialmente separados ou divorciados, e, portanto, legitimável. [T. jur. não vigente, atualmente, no Brasil.] **Filho póstumo.** *Jur.* Aquele que nasce após o desaparecimento do pai. **Filho pródigo.** Aquele que, a exemplo do moço da parábola do Evangelho, retorna ao seio da família após longa ausência, em que levou vida dissipada. **Filho putativo.** *Jur.* **1.** O que se supõe ser filho de uma dada pessoa, e cuja paternidade pode ou não ser investigada. **2.** Aquele que provém de casamento putativo. **Filho reconhecido.** *Jur.* Filho legitimado. [T. jur. não vigente, atualmente, no Brasil.] **Filho sacrílego.** *Jur.* Filho de padre ou de outrem que haja feito voto de castidade. **Filho único de mãe viúva.** *Fam.* Coisa preciosa, muito rara e única. **Filhos da viúva.** *Maç.* Os maçons na sua totalidade. **Meu filho.** Expressão com que nos dirigimos a alguém, carinhosamente, mas que pode também encerrar sentido irônico. **O filho de meu pai.** Eu (a pessoa que fala): 📰 *Não é o filho de meu pai quem bajula ninguém* (= "*Não sou eu...*"). **O Filho do Homem.** Filho de Deus (1). **Os filhos da Candinha.** *Bras. Pop.* O vulgo, o povo; os maldizentes, as más-línguas: 📖 "os filhos da Candinha espalharam que minha mãe jurara que, se a candonga fosse verdadeira, ela queria produzir um menino aleijado" (Manuel Lobato, *Garrucha 44*, p. 69). **Também ser filho de Deus.** Ter direitos iguais a outrem e não dever ser excluído de benefícios que devem ser comuns.

filho[2] ***S. m. Bras. Rel.*** V. *filho de santo*.

filhó [Do lat. **foliola*, acus. neutro pl. de **foliŏlum* por *foliŏlum*, dim. de *folium*, 'folha'[1]; o *i* do voc. port. deve-se poss. à infl. regressiva da palatal.] ***S. m. e f. Cul.*** Bolinho ou biscoito de farinha e de ovos, frito em azeite, e que se come polvilhado com açúcar e canela ou passado por calda de açúcar: 📖 "Nunca me há de esquecer .... a santa velha da tia Jerônima, que teria proporcionado mais um capítulo a Chateaubriand sobre a poesia das usanças cristãs, se esse ilustre escritor houvesse .... saboreado as filhós que ela compunha para celebrar o carnaval" (Alexandre Herculano, *Lendas e Narrativas*, II, pp. 127-128). [Var.: *filhós*.]

filho da mãe ***S. m. Pop.*** Expr. eufemística, por filho da puta. [Pl.: *filhos da mãe*.] ☑

filho da puta ***S. m. Chulo*** **1.** Mau-caráter; sacana. **2.** Paradoxalmente, us. em sentido elogioso: 📰 *O filho da puta é inteligente: estudou pouco e mesmo assim passou em primeiro lugar.* [Pl.: *filhos da puta*.] ☑

filho das ervas ***S. m. Pop.*** Filho de pai desconhecido. [Pl.: *filhos das ervas*.] ☑

filho-de-bem-te-vi ***S. m. Bras. Zool.*** V. *bem-te-vi-pequeno*. [Pl.: *filhos-de-bem-te-vi*.]

filho-de-saí ***S. m. Bras. Zool.*** Ave passeriforme, traupídea (*Nemosia p. pileata*), do Brasil amazônico e este-setentrional, de coloração xistáceo-azulada clara no dorso, pescoço, alto e lados da cabeça negros, e abdome branco, tendo a fêmea garganta amarela e sem coloração preta na cabeça e pescoço. [Pl.: *filhos-de-saí*.]

filho de santo ***S. m. Bras. Rel.*** Equivalente masculino da filha de santo, existente esp. na umbanda e nos candomblés de ritos angola-congo e de caboclo. [Tb. se diz apenas *filho*. Pl.: *filhos de santo*.] ☑

filho-família [Var. de *filho-famílias*.] ***S. m.*** **1.** O filho menor sujeito ao pátrio poder. **2.** Entre os romanos, todo aquele que se encontrava sob o pátrio poder, fosse qual fosse a sua idade. **3.** *P. ext.* Rapaz de família abastada, da qual depende economicamente, e que nada faz; filho de papai: 📖 "O *Turf* era uma associação de gentis-homens mais ou menos autênticos, e de elegantes filhos-famílias mais ou menos ricos" (Fialho d'Almeida, *Pasquinadas*, p. 337). [Var.: *filho-famílias*. Pl.: *filhos-famílias* e *filhos-família*.]

filho-famílias [Da loc. lat. *filius familias*.] ***S. m.*** V. *filho-família*. [Pl.: *filhos-famílias*.]

filhós ***S. m. e f.*** V. *filhó*: 📖 "as compotas, os filhoses, os cremes, os alfenins, as balas." (Coelho Neto, *Treva*, p. 37). [Pl.: *filhoses*.]

filhotão [De *filhote* + *-ão*[1].] ***S. m. Bras.*** Animal ou planta já crescida, mas ainda com dimensões menores que as do animal ou do vegetal adulto.

filhote [De *filho* + *-ote*[1].] ***S. m.*** **1.** Natural, oriundo: 📰 *filhote do Ceará.* **2.** Cria de animal. **3.** *Bras.* Protegido beneficiário do filhotismo. **4.** *Bras.* Dim. de *filho*. **5.** *Bras. Econ.* Ação (13) recebida pelos acionistas de uma empresa como bonificação. **6.** *Zool.* Denominação que se dá aos exemplares jovens da piraíba (q. v.): 📖 "piraíba, gurijuba, cangatá, dourado, bagre, pacamão, filhote, pirarucu" (Raimundo Morais, *País das Pedras Verdes*, p. 201).

filhotismo [De *filhote* + *-ismo*.] ***S. m. Bras.*** Proteção escandalosa; favoritismo.

▲fili-[1] [Do lat. *filum*, *i*.] ***El. comp.*** = 'fio': *filipluma*, *filirrostro*. [Equiv.: *-fil(i)-*[1], *filo-*[2]: *afilar*, *filópode*.]

▲fili-[2] [Do lat. *filius*, *ii*. = ***El. comp.*** = 'filho': *filicida*. [Equiv.: *-fil(i)-*[2]: *afiliar*.]

▲fili-[3] V. *fil(o)-*[1].

▲fili-[4] V. *filic(i)-*.

▲-fil(i)-[1] Equiv. de *fili-*[1].

▲-fil(i)-[2] Equiv. de *fili-*[2].

▲-filia [Do gr. *philía*, *as* < gr. *phílos*, *ē*, *on*.] ***El. comp.*** = 'amizade'; 'afinidade'; 'amor', 'afeição', 'atração'; 'atração ou afinidade patológica por'; 'tendência patológica'; '(tipo de) polinização': *anglofilia*; *autofilia*, *bibliofilia*, *biofilia*, *galofilia*, *heliofilia*; *dendrofilia*, *elurofilia*; *claustrofilia*; *anemofilia*, *entomofilia*. [V. *fil(o)-*[2] e *-ia*[1].]

filiação [Do lat. tard. *filiatione*.] ***S. f.*** **1.** Ato de perfilhar. **2.** Designação dos pais de alguém. **3.** Ato ou efeito de filiar-se. **4.** Conexão; dependência; encadeamento. **5.** *Antrop.* Relação social de parentesco entre geni-

F

tor, ou genitora, e progenitura, e que é, ao menos em parte, a base da identidade dos novos membros da sociedade e de sua incorporação aos diversos grupos sociais. **6.** *Genét.* V. *descendência* (6). [F. paral., p. us.: *filhação*.] ◆ **Filiação complementar.** *Antrop.* Relação de filiação oposta e complementar àquela que define a descendência (2), ligando um indivíduo a seu pai e ao grupo deste, quando a descendência é matrilinear, ou vinculando-o a sua mãe e ao grupo desta, quando a descendência é patrilinear. **Filiação trintenária.** *Bras.* Conjunto de documentos oficiais que comprovam o encadeamento de todas as transmissões do domínio dum imóvel no decurso dos últimos trinta anos.

filial [Do lat. tard. *filiale*.] *Adj. 2 g.* **1.** Relativo a, ou próprio de filho: 📖 "despregа da parede o retrato de sua mãe, beija-o com efusão filial" (Ramalho Ortigão, *Em Paris*, p. 141). **2.** Que tem filiação ou dependência. ● *S. f.* **3.** Estabelecimento comercial dependente de outro, a matriz; sucursal. **4.** *Dir. Com.* Estabelecimento comercial secundário de sociedade empresarial, sem alçada deliberativa, que, embora sob a administração e direção do estabelecimento matriz, deve ser inscrito no registro público de empresas mercantis da localidade onde se encontra. **5.** *Bras. Joc.* A casa da concubina, da amante. [Por oposição, nesta acepç., a *matriz*, a casa da mulher legítima.] **6.** *Bras. Joc. P. ext.* A concubina. [Pl.: *filiais*. Cf. *filiais*, do v. *filiar*.]

filiar [De *fili-*[2] + *-iar*[2].] *V. t. d.* **1.** Adotar como filho; perfilhar, filhar. *T. d. e i.* **2.** Admitir (em comunidade, sociedade, etc.); afiliar. **3.** Indicar que tem como origem ou fonte; prender, ligar, entroncar: 📖 "Das premissas filosóficas Tobias chegava aos sistemas jurídicos filiando-os a uma concepção do universo." (Hermes Lima, *Tobias Barreto*, p. 215.) *P.* **4.** Ter origem; originar-se, prender-se, ligar-se, entroncar-se; derivar. **5.** Entrar (em corporação, sociedade, etc.): 📖 "Pouco depois filiava-se [Charles Nodier] aos Filadelfos, sociedade secreta de caráter político-literário" (Melo Nóbrega, *O Soneto de Arvers*, p. 11). [Pres. ind.: *filio*, *filias*, ... *filiais*, *filiam*. Cf. *filiais*, pl. de *filial*.]

filibrânquio [De *fili-*[1] + *-brânquio*; tax. *Filibranchia*.] *Zool. S. m.* **1.** Espécime dos filibrânquios, ordem de moluscos pelecípodes cujas brânquias têm forma de W. São os mexilhões. ● *Adj.* **2.** Pertencente ou relativo a eles.

filical [Do lat. cient. *Filic-* (v. *filicale*) + *-al*[1].] *Adj. 2 g. Bot.* Pertencente ou relativo às filicales.

filicale [Do lat. cient. *Filic-* (do tax. *Filix*, do lat. *filix*, icis) + *-ale*; tax. *Filicales*.] *S. f. Bot.* Espécime das filicales, ordem de plantas filicíneas, herbáceas, arborescentes ou, por vezes, trepadeiras, que compreende os fetos (v. *feto*[2]), e que são caracterizadas por frondes exstipuladas e pela reprodução através de esporos.

▲**filic(i)-** [Do lat. *filix*, *icis*.] *El. comp.* = 'feto[2]': *filicite*, *filicífero*. [Equiv.: *-filic(i)-*: *eufilicale*. F. red.: *fili-*: *filífero*[2].]

▲**-filic(i)-** V. *filic(i)-*.

filicida [De *fili-*[2] + *-cida*.] *Adj. 2 g.* **1.** Diz-se de filicida (2) ● *S. 2 g.* **2.** Pessoa que pratica filicídio.

filicídio [De *fili-*[2] + *-cídio*.] *S. m.* Ato de matar o próprio filho. [Sin., desus.: *gnaticídio*.]

filicífero [De *filic(i)-* + *-fero*.] *Adj.* Que contém fetos fósseis, ou vestígios deles; filífero.

filiciforme (fi) [De *filic(i)-* + *-forme*.] *Adj. 2 g.* Cuja forma lembra a do feto[2].

filicínea [De *filic(i)-* + *-ínea*; tax. *Filicineae*.] *S. f. Bot.* Espécime das filicíneas, classe de pteridófitos caracterizada pelo enorme desenvolvimento do organismo vegetativo e por alta diferenciação. Folhas jovens, enroladas como um cajado de pastor; esporângios localizados sobre as folhas, modificadas ou não; espermatozoides pluriciliados. Engloba os fetos arborescentes, samambaias e avencas.

filicíneo [De *filicínea*, com var. suf. (v. *-áceo*).] *Adj. Bot.* Pertencente ou relativo às filicíneas.

filicite [De *filic(i)-* + *-ite*[2].] *S. m.* Feto fóssil. [Cf. *felicite*, do v. *felicitar*.]

filicópsida [Do tax. *Filicopsida*.] *S. f. Bot.* Espécime das filicópsidas, classe de pteridófitos que reúne 33 famílias e cerca de 8.550 espécies de fetos desde arbóreos a pequeninos, ger. rizomatosos, vários deles aquáticos e flutuantes, que têm raízes, caules e folhas ger. compostas, espiraladas, e esporângios em eixos terminais, ou nas frondes.

filicópsido [De *filicópsida*.] *Adj. Bot.* Pertencente ou relativo às filicópsidas.

filicórneo [De *fili-*[1] + *-corn(i)-* + *-eo*.] *Adj. Zool.* Cujas antenas semelham cornos.

filídeo [Do tax. *Phyllium* (< gr. *phýllon* [v. *fil(o)-*[1]]) + *-ídeo*[1]; tax. *Phyllidae*.] *Zool. S. m.* **1.** Espécime dos filídeos, família de insetos ortópteros que inclui indivíduos cujas asas se assemelham, na cor e na forma, a uma folha e que se distribuem no continente asiático. ● *Adj.* **2.** Pertencente ou relativo a eles.

filidrácea [Do tax. *Philydrium* + *-ácea*; tax. *Philydraceae*.] *S. f. Bot.* Espécime das filidráceas, família de plantas floríferas da ordem das commelinales, constituída de ervas de folhas alternas, estreitas, flores trímeras, zigomorfas, em espiga, providas de um único estame; fruto capsular, polispermo. Engloba apenas quatro espécies, do hemisfério boreal e da Austrália, pertencentes ao gênero *Philydrium*.

filidráceo [De *filidrácea*, com var. suf. (v. *-áceo*).] *Adj. Bot.* Pertencente ou relativo às filidráceas.

filífero[1] [De *fili-*[1] + *-fero*.] *Adj.* Que tem filamentos.

filífero[2] [De *fili-*[4] + *-fero*.] *Adj.* Filicífero.

filifolha (ô) [De *fili-*[4] + *folha*[1].] *S. f.* Feto[2].

filiforme [De *fili-*[1] + *-forme*.] *Adj. 2 g.* **1.** Delgado como um fio; fraco. **2.** Semelhante a fio: 📄 *talo filiforme*.

filigrana [Do it. *filigrana*.] *S. f.* **1.** Obra de ourivesaria, formada de fios de ouro ou de prata, delicadamente entrelaçados e soldados: 📖 "borzeguins altos com rosetas de filigranas de prata" (José de Alencar, *Guerra dos Mascates*, p. 59). **2.** Coisa vã, sem importância; bagatela, ninharia: 📄 *Não se preocupe com esses detalhes: são filigranas*. **3.** *Fig.* Ornamento ou gala do estilo. **4.** *Ind. Pap.* Letreiro ou desenho, ger. emblemático, visível por transparência numa folha de papel, produzido por diferenças de espessura ocasionadas pela pressão da massa sobre uma composição de fios metálicos e que representa em regra a marca de papeleiro, mas também uma efígie, às vezes a meio-tom, em papéis destinados a cédulas, selos, etc.; marca-d'água. [Cf., nesta acepç., *contramarca* (2).] **5.** *Ind. Pap.* A composição de fios metálicos tecidos na fôrma ou no rolo filigranador.

filigranado [Part. de *filigranar*.] *Adj.* **1.** Que se filigranou [v. *filigranar* (3)]. **2.** A que se deu forma de filigrana. ~ V. *papel* —.

filigranador (ô) [De *filigranar* + *-dor*.] *Adj. S. m.* Que, ou aquele que filigrana.

filigranar [De *filigrana* + *-ar*[2].] *V. int.* **1.** Fazer filigrana. **2.** Fazer trabalhos delicados. *T. d.* **3.** Fazer (qualquer trabalho delicado, ou delicadamente artístico). **4.** Dar forma de filigrana a.

filigraneiro [De *filigrana* + *-eiro*.] *S. m.* Filigranista.

filigranista [De *filigrana* + *-ista*.] *S. 2 g.* Operário que faz filigrana; filigraneiro.

filipe[1] [Der. regress. de *filipina*.] *S. m.* **1.** *Bras.* Cada uma das sementes do algodão que, em consequência do ataque da lagarta-rosada, se apresentam grudadas umas às outras. **2.** *Bras. SP Obsol.* Dois grãos de café fundidos, dentro de uma casca única, levemente fendida no sentido longitudinal dos grãos.

filipe[2] [De *filipino* (q. v.), poss.] *S. m.* **1.** *Bras. BA* Saco (15). **2.** *Bras. BA* V. *quincas*. **3.** *Bras. ES Zool.* Ave passeriforme, tiranídea (*Myiophobus fasciatus flammiceps*), do centro e do leste do Brasil, de dorso pardo, loros brancacentos, topete vermelho com tons amarelos, asas negras, duas faixas nas coberteiras e margem externa das rêmiges secundárias do vermelho-claro ao fulvo, e abdome brancacento.

filipe-guerrense *Adj. 2 g.* **1.** De, ou pertencente ou relativo a Filipe Guerra (RN). ● *S. 2 g.* **2.** O natural ou habitante de Filipe Guerra. [Sin. ger.: *filipense*. Pl.: *filipe-guerrenses*.]

filipense[1] *Adj. 2 g.* **1.** De, ou pertencente ou relativo a Filipos (Macedônia). ● *S. 2 g.* **2.** O natural ou habitante de Filipos. **3.** *Rel.* Membro de uma comunidade cristã existente nessa cidade, e à qual se dirigiu S. Paulo numa de suas cartas.

filipense[2] *Adj. 2 g. S. 2 g.* V. *filipe-guerrense*.

filipense[3] *Adj. 2 g.* **1.** De, ou pertencente ou relativo a São Filipe (BA). ● *S. 2 g.* **2.** O natural ou habitante de São Filipe.

filipeta[1] (ê) [De *fili-*[3] + *-peta*.] *S. f.* Pequena folha volante (q. v.).

filipeta[2] (ê) [Do antr. *Filipe* + *-eta* (ê).] *S. f. Bras.* Papel (7) de operação fraudulenta.

filípica [Do gr. *philippiké*, pelo lat. *philippica*.] *S. f.* **1.** Discurso violento e injurioso, que lembra os de Demóstenes (v. *demostênico*) contra o rei Filipe da Macedônia (as *Filípicas*). **2.** *Fig.* Sátira acerba.

filipina [Do al. *Vielliebchen*, 'bem-amada', pelo fr. *philippine*.] *Adj.* (*f.*) **1.** Diz-se da amêndoa de caroço duplo, e de frutas inconhas, as quais, partilhadas entre duas pessoas, dão àquela que no primeiro encontro se referir ao fato o direito de reclamar da outra um presente. ● *S. f.* **2.** Essa amêndoa. **3.** O presente relativo a esse costume. **4.** Esse costume.

filipinho [De *filipe* + *-inho*[1].] *Bras. BA S. m.* **1.** Fruto gêmeo. ● *Adj.* **2.** Diz-se de filipinho (1); inconho (q. v.).

filipino[1] *Adj.* **1.** Das, ou pertencente ou relativo às ilhas Filipinas (Ásia); tagal. ● *S. m.* **2.** O natural ou habitante dessas ilhas; tagalo. **3.** *Gloss.* Língua que resulta da tentativa, que data dos anos 1970, de criar uma língua nacional para as Filipinas, menos baseada no tagalo que o pilipino. [Cf., nesta acepç., *pilipino*.]

filipino[2] *Adj.* De, ou pertencente ou relativo à dinastia dos Filipes, em Portugal e Espanha, ou a qualquer outro rei desse nome, e à sua época.

filipluma [De *fili-*[1] + *pluma*.] *S. f.* Pena de haste delgada.

filirrostro [De *fili-*[1] + *-rostro*.] *Adj. Zool.* Diz-se das aves de bico afilado.

filisteu [Do hebr. *Phelischti*, pelo lat. *Philistaeu*, 'filisteu'.] *Adj.* **1.** *Hist.* De, ou pertencente ou relativo aos filisteus, povo não semita estabelecido no litoral da Palestina desde o séc. XII a. C., e que, segundo a tradição bíblica, foi dominado pelo rei israelita Davi. ● *S. m.* **2.** Indivíduo dos filisteus. [Sin., nas acepç. 1 e 2: *filistino*[1].] **3.** *Fig.* Burguês de espírito vulgar e estreito: 📖 "Na Alemanha dos filisteus da cultura, o nome de Nietzsche, sobretudo depois do rompimento com Wagner e o wagnerismo, só é pronunciado com desdém e escárnio." (Alberto Ramos, *Prosas de Ariel*, p. 112.) [Sin., nesta acepç.: *filistino*[2]. Fem.: *filisteia*.]

filistino[1] [Do lat. tard. *Philistinu*.] *Adj. S. m.* V. *filisteu* (1 e 2).

filistino[2] [Do al. *Philister*, gír. estudantil, pelo fr. *philistin*.] *S. m.* V. *filisteu* (3).

filito [De *fil(o)-*[1] + *-ito*[2].] *S. m. Geol.* Rocha metamórfica formada essencialmente de minerais do grupo das micas, microscópicos e isorientados, o que determina o aspecto folheado e brilhante característico desta rocha.

filmadora (ô) [De *filmar* + *-dora*.] *S. f.* Máquina de filmar.

filmagem [De *filmar* + *-agem*[2].] *S. f. Cin. Telev.* Ato ou efeito de filmar (3). [Em televisão, diz-se, com mais propriedade, *gravação*.]

filmar [De *filme* + *-ar*[2].] *V. t. d.* **1.** Registrar em filme (2); cinematografar, rodar: 📄 *filmar uma cena*. **2.** Fazer um filme (2) baseado no enredo de: 📄 *filmar um romance*. *Int.* **3.** *Cin. Telev.* Registrar em filme cinematográfico ou videoteipe. [Em televisão, diz-se, com mais propriedade, *gravar*.] **4.** Ser fotogênico: 📄 *Esta atriz filma bem*.

filme [Do ingl. *film*.] *S. m.* **1.** *Fot. Cin.* Conjunto constituído por uma emulsão fotossensível depositada sobre uma base flexível de celulose, que é utilizada para registro de imagens fotográficas; filme fotográfico. [Cf. *filme cinematográfico*.] **2.** *Cin. Telev.* Sequência de imagens e/ou de cenas, em movimento ou não, registradas em filme cinematográfico ou em videoteipe; fita, película. **3.** *Art. Gráf.* Fotolito (2). **4.** *Fís.-Quím.* Camada muito fina de um material depositada sobre um sólido, ou situada sobre a superfície de um líquido; filme superficial. **5.** Folha finíssima de plástico us. para recobrir produtos alimentares. ◆ **Filme a traço.** *Art. Gráf. Fot.* Filme us. para feitura de alto contraste (q. v.) e reprodução de artes finais a traço. [Sin.: *filme traço*, *filme de traço*.] **Filme cinematográfico.** *Cin.* Filme (1) us. em câmera cinematográfica. [É produzido em bitolas padronizadas, como as *super 8*, *16mm* e *35mm*.] **Filme colorido.** *Fot.* Filme (1) que permite reproduzir, com pequenas variações, as cores naturais. **Filme de bangue-bangue.** V. *bangue-bangue* (1). **Filme de curta metragem.** *Cin.* V. *curta-metragem*. **Filme de faroeste.** V. *bangue-bangue* (1). **Filme de longa metragem.** *Cin.* V. *longa-metragem*. **Filme de mocinho.** V. *bangue-bangue* (1). **Filme de traço.** *Art. Gráf. Fot.* V. *filme a traço*. **Filme enlatado.** Filme, ger. em série, feito para a televisão e importado do exterior, de caráter alienante e de escassa qualidade artística. [Tb. se diz apenas *enlatado*.] **Filme fotográfico.** **1.** *Fot.* Filme (1). **2.** Filme us. em câmera fotográfica. **Filme infravermelho.** *Fot.* Emulsão fotográfica sensível à radiação infravermelha, e obtida pelo tratamento de uma emulsão fotográfica comum. **Filme negativo.** *Fot.* Filme (1) que, quando revelado, apresenta imagem em negativo. **Filme ortocromático.** *Fot.* Filme capaz de reproduzir em meios-tons cinzentos não apenas o azul, mas também o amarelo e o verde. **Filme pancromático.** *Fot.* Filme preto e branco, cuja emulsão, sensibilizada pela adição de corantes, se tornou sensível à luz verde e à luz vermelha. **Filme positivo.** *Fot.* Filme (1) que, quando revelado, apresenta imagem em positivo. **Filme preto e branco.** *Fot.* Filme (1) no qual as cores naturais são reproduzidas em preto e seus meios-tons. **Filme superficial.** *Fís.-Quím.* V. *filme* (4). **Filme traço.** *Art. Gráf. Fot.* V. *filme a traço*.

filme-catástrofe *S. m. Cin.* Gênero cinematográfico no qual se combinam o enredo catastrófico (ou mesmo apocalíptico), o apelo melodramático, com cenas de ação, ger. de grande impacto. [Pl.: *filmes-catástrofes* e *filmes-catástrofe*.]

filmete (ê) [De *filme* + *-ete* (ê).] *Prop.* Filme (2) curto, ger. com a duração de 15, 30 ou 60 segundos.

fílmico [De *filme* + *-ico*².] ***Adj.*** Relativo a filme.

▲filmo- [De *filme* + *-o-*.] ***El. comp.*** = 'filme'; 'cinema'; 'relativo a filme(s), ou a cinema': *filmografia, filmologia, filmoteca, filmotecário.*

filmografia [De *filmo-* + *-grafia*.] ***S. f.*** Relação metódica de filmes de diretor, de ator, de estúdio, etc.: "Veterano na vanguarda das artes plásticas e cênicas, Jarman [Derek Jarman] só estourou na mídia depois que assumiu sua homossexualidade, a filmografia *gay* e o vírus HIV, diagnosticado em meados dos anos 80." (Carlos Heli de Almeida, em *Jornal do Brasil*, 13.05.1992.)

filmográfico [De *filmografia* + *-ico*².] ***Adj.*** Relativo à filmografia.

filmologia [De *filmo-* + *-logia*.] ***S. f.*** Estudo da influência do cinema na sociedade, no pensamento, na moral, etc.

filmológico [De *filmologia* + *-ico*².] ***Adj.*** Relativo à filmologia.

filmoteca [De *filmo-* + *-teca*.] ***S. f.*** **1.** Lugar onde se colecionam fitas cinematográficas. **2.** Coleção de filmes. **3.** Seção de uma biblioteca onde se guardam, com cuidados especiais, os microfilmes de livros e/ou documentos raros.

filmotecário [De *filmo-* + *-tec(a)-* + *-ário*.] ***S. m.*** *Telev.* Profissional responsável pela guarda e localização de filmes cinematográficos e videoteipes a serem utilizados na produção de programas.

filo [Do lat. cient. *Phylum* < gr. *phy̆lon*, 'tribo', 'raça'.] ***S. m.*** **1.** *Biol.* Categoria taxonômica compreendida entre o reino e a classe. [V. *grupos taxonômicos*.] **2.** *E. Ling.* Na classificação das línguas, reunião de dois ou mais blocos [v. *bloco* (8)]. [Cf., nesta acepç., *família* (8), *grupo* (9) e *ramo* (13).]

▲ fil(o)-¹ [Do gr. *phýllon, ou* (ŷ).] ***El. comp.*** = 'folha'; 'de aspecto ou forma semelhante a folha'; 'folíolo'; 'vegetal': *filanto, filófago, filogênese*. [Equiv.: *-fil(o)*¹, *-fila*¹, *-filo*¹: *heterofilia, filipeta*¹, *adenofilo*.]

▲ fil(o)-² [Do gr. *phílos, ē, on* (ĭ).] ***El. comp.*** = 'amigo', 'amante'; 'atraído por', 'que tem afinidade com'; 'que vive em': *filocínico*. [Equiv.: *-fila*², *-filia* (q. v.), *-fil(o)*², *-filo*²: *xantófila; hemofílico, germanófilo, liófilo, rizófilo, xilófilo*.]

▲ filo-¹ [Do gr. *phylon, ou* (ŷ).] ***El. comp.*** = 'tribo', 'raça': *filogenia*. [Equiv.: *-fil(o)*³, *-filo*³: *hemofilia; sinfilo*.]

▲filo-² Equiv. de *fili-*¹.

▲-fil(o)¹ V. *fil(o)-*¹.

▲-fil(o)² V. *fil(o)-*².

▲-fil(o)³ V. *filo-*¹.

▲-filo¹ V. *fil(o)-*¹.

▲-filo² V. *fil(o)-*².

▲-filo³ V. *filo-*¹.

filó [Do lat. *filu*, 'fio', com mudança da tônica.] ***S. m.*** *Tec. Têx.* Tecido transparente, de seda, algodão ou náilon, ger. engomado, tramado em forma de rede de furos redondos ou hexagonais, e us. sobretudo para véus, cortinados, vestidos de noite ou saiotes de balé; tule, bobinete: "um pedaço de filó trapejando à cabeça sob coroas malpostas, flores ao peito, à cinta" (Coelho Neto, *Rei Negro*, p. 94).

filobrânquio [De *fil(o)-*² + *-brânquio*.] ***Adj.*** *Zool.* Diz-se de molusco que apresenta brânquias constituídas por lamelas de filamentos em forma de *W*.

filocínico [De *fil(o)-*² + *-cin(o)(s)-* + *-ico*².] ***Adj.*** Que gosta de cães; amigo dos cães.

filocladeno [De *filoclád(io)* + *-eno*².] ***S. m.*** *Quím.* Diterpeno tetracíclico insaturado encontrado em certos vegetais [fórm.: $C_{20}H_{32}$].

filocládio [De *fil(o)-*¹ + *-clad(o)-* + *-io*³.] ***S. m.*** *Bot.* Curto ramo foliáceo, que se distingue da verdadeira folha porque gera flores e frutos.

filodendro [Do tax. *Philodendron* (do gr. *philódendron*, neutro de *philódendros*, 'que ama as árvores').] ***S. m.*** *Bot.* **1.** Gênero de plantas trepadeiras aráceas, com espatas de cores variadas, flores em espádices densos, e que são muito cultivadas em parques e jardins. **2.** Qualquer espécie desse gênero, como, p. ex., a *Philodendron oxycardium* ou *P. cordatum* [v. *jiboia* (2)], e a *P. adreanum* (v. *filodendro-negro*). **3.** Qualquer espécime desse gênero.

filodendro-negro ***S. m.*** *Bot.* Trepadeira arácea (*Philodendron adreanum*) nativa das florestas tropicais, de grandes folhas (de até 5m de comprimento) oblongas, de textura aveludada, de cor verde-oliva escuro e nervuras amareladas ou branco-marfim, flores pequeninas, sem pétalas, e reunidas em espádice envolto por espata carnosa; quando cultivadas, a floração não é comum em folhagem (6). V. *fittônia* (2).

filodérmico [De *fil(o)-*² + *-derm(o)-* + *-ico*².] ***Adj.*** Diz-se dos preparados que se usam para conservar a maciez e frescura da pele.

filódico [De *filódio* + *-ico*².] ***Adj.*** *Bot.* Relativo ao, ou da natureza do filódio: *folhas filódicas*.

filódio [Do gr. *phyllódes*, 'foliáceo', + *-io*².] ***S. m.*** *Bot.* Pecíolo dilatado e achatado, verde, característico do gênero *Acacia*, e que se parece com uma folha normal a ponto de dar margem a confusão. Nas plantas jovens ainda ocorrem folhas normais, as quais vêm a desaparecer, dando lugar aos filódios.

filodoxia (cs) [De *fil(o)-*² + *-dox(o)-* + *-ia*¹.] ***S. f.*** *Filos.* Segundo Kant (v. *kantismo*), atitude em face dos problemas filosóficos que consiste em abordá-los por puro diletantismo intelectual, sem a intenção ou a preocupação de verdadeiramente resolvê-los.

filófago [De *fil(o)-*¹ + *-fago*.] ***Adj.*** Que se alimenta de folhas.

filofobia [De *fil(o)-*² + *-fobia*.] ***S. f.*** *Psiq.* Medo patológico de fazer amigos.

filofóbico [De *filofobia* + *-ico*².] *Psiq.* ***Adj.*** **1.** Relativo a filofobia. **2.** Que sofre de filofobia; filófobo. • ***S. m.*** **3.** Aquele que sofre de filofobia; filófobo.

filófobo [De *fil(o)-*² + *-fobo*.] ***Adj. S. m.*** *Psiq.* Filofóbico (2 e 3).

filogênese ***S. f.*** *Biol.* V. *filogênese*. [Uso freq. em P.]

filogênese [De *filo-*¹ + *-gênese*.] ***S. f.*** *Biol.* V. *filogenia* (1).

filogenético [De *filogên(ese)* + *-ético*.] ***Adj.*** Relativo a filogênese ou filogenia; filogênico. ~ V. *sistema* —.

filogenia [De *filo-*¹ + *-genia*.] ***S. f.*** *Biol.* **1.** Evolução das unidades taxonômicas; história evolucionária das espécies; filogênese. [Opõe-se a *ontogenia*.] **2.** Evolução (10). [Cf. *filoginia*.]

filogénico ***Adj.*** V. *filogênico*. [Uso freq. em P.]

filogênico [De *filogenia* + *-ico*².] ***Adj.*** Filogenético.

filoginia [Do gr. *philogynía*.] ***S. f.*** **1.** Amor às mulheres. [Antôn.: *misoginia* (1).] **2.** *Bras.* Teoria de igualdade intelectual do homem e da mulher. [Cf. *filogenia*.]

filógino [De *fil(o)-*² + *-gino*.] ***Adj. S. m.*** **1.** Que, ou aquele que tem inclinação pelas mulheres. **2.** Que, ou aquele que é apaixonado por mulheres. [Antôn.: *misógino*.]

filoide (ói) [De *fil(o)-*¹ + *-oide*.] ***Adj. 2 g.*** **1.** Semelhante à folha. ***S. m.*** **2.** Nos briófitos, estrutura clorofilada, capaz de realizar fotossíntese. ❖

filologia [Do gr. *philología*.] ***S. f.*** **1.** Estudo da língua em toda a sua amplitude, e dos documentos escritos que servem para documentá-la. **2.** Crítica textual (q. v.).

filológico [De *filologia* + *-ico*².] ***Adj.*** Respeitante à filologia.

filologista [De *filologia* + *-ista*.] ***S. 2 g.*** *P. us.* Filólogo.

filólogo [Do gr. *philólogos*, pelo lat. *philologu*.] ***S. m.*** Especialista em filologia. [Sin., p. us.: *filologista*.]

filomático [Do gr. *philomathés* + *-ico*².] ***Adj.*** Que ama as ciências.

filomela [Do mit. gr. *Philoméla*, duma princesa grega transformada nesse pássaro, pelo lat. *Philomela*.] ***S. f.*** *Poét.* Rouxinol (1): "E cantava tão bem, / Que eu punha-me a pensar que na voz dela / Se ouvia a toutinegra e a filomela." (Conde de Monsaraz, *Musa Alentejana*, p. 23.)

filomenense ***Adj. 2 g.*** **1.** De, ou pertencente ou relativo a Santa Filomena (PI). • ***S. 2 g.*** **2.** O natural ou habitante de Santa Filomena.

filonar [De *filão* + *-ar*¹, seg. o padrão erudito.] ***Adj. 2 g.*** Pertencente a filão.

filoneísmo [De *fil(o)-*² + *-ne(o)-* + *-ismo*.] ***S. m.*** Pendor excessivo para coisas novas. [Antôn.: *misoneísmo*.]

filoniano [De *filão* + *-iano*, seg. o padrão erudito.] ***Adj.*** Relativo ao, ou da natureza do filão (1 e 2): *jazida filoniana*.

filopatria [De *fil(o)-*² + *-patr(i)-* + *-ia*¹.] ***S. f.*** *Zool.* Tendência de certos animais a permanecer na área em que nasceram ou a ela retornar; é observada, em certo grau, nos machos das aves e nas fêmeas dos mamíferos.

▲filopatrid(o)- [Do gr. *philópatris, idos*.] ***El. comp.*** = 'que ama o seu país'; 'amor à terra natal': *filopatridomania, filopatridômano*.

filopatridomania (pà) [De *filopatrid(o)-* + *-mania*.] ***S. f.*** *Psiq.* Desejo incontrolável de regressar à terra natal.

filopatridomaníaco (pà) [De *filopatridomania* + *-íaco*.] *Psiq.* ***Adj.*** **1.** Relativo a filopatridomania. **2.** Que tem filopatridomania; filopatridômano. • ***S. m.*** **3.** Aquele que tem filopatridomania; filopatridômano.

filopatridómano ***Adj. S. m.*** *Psiq.* V. *filopatridômano*. [Uso freq. em P.]

filopatridômano [De *filopatrid(o)-* + *-mano*¹.] ***Adj. S. m.*** *Psiq.* Filopatridomaníaco (2 e 3).

filópode [De *fil(o)-*¹ + *-pode*; tax. *Phyllopoda*.] ***S. m. Adj. 2 g.*** *Zool.* V. *branquiópode*.

filoquinona [De *fil(o)-*¹ + *quinona*.] ***S. f.*** *Quím.* V. *fitomenadiona*.

filosofal [De *filósofo* + *-al*¹.] ***Adj. 2 g.*** V. *filosófico*. ~ V. *pedra* —.

filosofante [Do lat. *philosophante*.] ***Adj. 2 g. S. 2 g.*** **1.** Que, ou quem filosofa, é dado a filosofar. **2.** *Deprec.* Que, ou quem discorre disparatadamente considerando-se erudito.

filosofar [Do lat. **philosophare*, por *philosophari*.] ***V. int.*** **1.** Raciocinar acerca de assuntos filosóficos: "Ficalho, que aqui jantou e filosofou *sub tegmine fagi*, recebeu das minhas mãos .... as estampas do seu compatriota sobre a *Macuna Glabra*" (Eça de Queirós, *Últimas Páginas*, p. 445); "Mas isto são filosofias e não estou aqui para filosofar." (Gerardo Melo Mourão, *O Valete de Espadas*, p. 31). **2.** Discorrer sobre qualquer matéria científica. **3.** Raciocinar tirando induções. **4.** Pensar, meditar, cismar, matutar: *Passa horas a fio olhando para o teto, sem fazer nada, filosofando.* ***T. i.*** **5.** Argumentar, discutir ou disputar com sutileza: *Passou a vida a filosofar com os amigos.* ***T. d.*** **6.** Dizer ou escrever como quem filosofa ou raciocina, tirando induções. [Pres. ind.: *filosofo*, etc. Cf. *filósofo*.]

filosofastro [De *filósofo* + *-astro*.] ***S. m.*** *Deprec.* Indivíduo que, julgando-se filósofo, discorre sem acerto.

filosofema [Do gr. *philosóphema*.] ***S. m.*** *Filos.* Proposição filosófica.

filosofia [Do gr. *philosophía*, 'amor à sabedoria'.] ***S. f.*** *Filos.* **1.** Estudo que se caracteriza pela intenção de ampliar incessantemente a compreensão da realidade, no sentido de apreendê-la na sua totalidade, quer pela busca da realidade capaz de abranger todas as outras, o Ser (ora 'realidade suprema', ora 'causa primeira', ora 'fim último', ora 'absoluto', 'espírito', 'matéria', etc.), quer pela definição do instrumento capaz de apreender a realidade, o pensamento (as respostas às perguntas: que é a razão? o conhecimento? a consciência? a reflexão? que é explicar? provar? que é uma causa? um fundamento? uma lei? um princípio? etc.), tornando-se o homem tema inevitável de consideração. Ao longo da sua história, em razão da preeminência que cada filósofo atribua a qualquer daqueles temas, o pensamento filosófico vem-se cristalizando em sistemas, cada um deles uma nova definição da filosofia. **2.** Conjunto de estudos ou de considerações que tendem a reunir uma ordem determinada de conhecimentos (que expressamente limita seu campo de pesquisa, p. ex., à natureza, ou à sociedade, ou à história, ou a relações numéricas, etc.) em um número reduzido de princípios que lhe servem de fundamento e lhe restringem o alcance: *filosofia da ciência; filosofia social; filosofia da história; filosofia da matemática.* **3.** Conjunto de doutrinas de uma determinada época ou país, ou sistema constituído de filosofia: *a filosofia grega; a filosofia cartesiana.* **4.** Conjunto de conhecimentos relativos à filosofia, ou que tem implicações com ela, ministrados nas faculdades. **5.** Tratado ou compêndio de filosofia. **6.** Exemplar de um desses tratados ou compêndios. **7.** Razão; sabedoria: *Os provérbios refletem a filosofia do povo.* **8.** *Bras. Pop.* Modo de pensar: *Nada afeta sua filosofia de boêmio inveterado.* ◆ **Filosofia da identidade.** Doutrina de Friedrich Wilhelm Joseph Schelling (1775-1854), filósofo alemão, caracterizada sobretudo pela identificação da natureza e do espírito. **Filosofia da natureza.** *Ant.* V. *ciências naturais*. **Filosofia das luzes.** *Filos.* Movimento filosófico do séc. XVIII que se caracterizava pela confiança no progresso e na razão, pelo desafio à tradição e à autoridade e pelo incentivo à liberdade de pensamento. [Sin.: *iluminismo, ilustração*. Tb. se usam o al. *Aufklärung* e o ingl. *Enlightenment*.] **Filosofia natural.** *Ant.* V. *ciências naturais*. **Filosofia perene.** *Filos.* O que há de único e permanente na filosofia, não obstante as divergências e até contradições entre os sistemas. **Filosofia primeira.** *Filos.* **1.** Segundo Aristóteles (v. *aristotelismo*), a filosofia concernente às coisas divinas, primeiras, imutáveis e separadas. **2.** Segundo Descartes (v. *cartesianismo*), parte da filosofia que concerne às causas primeiras e aos primeiros princípios, *i. e.*, Deus, as substâncias, as verdades eternas, etc. **3.** Segundo Bacon (v. *baconiano*), conjunto de princípios formais comuns a todas ou a algumas ciências. **Filosofias da existência.** V. *filosofias existenciais*. **Filosofias da vida.** Designação genérica de tendências e doutrinas anti-intelectualistas que integram os nomes de Nietzsche (v. *nietzschiano*), Wilhelm Dilthey (1833-1911), filósofo alemão, Bergson (v. *bergsonismo*) e outros, cujo tema central é a vida tal como os homens a experimentam de modo imediato por intuição, a qual se manifesta no fluir incessante da criação espiritual (nas artes, nas religiões, nas visões de mundo, nos valores, etc.). [Sin.: *filosofias vitalistas, vitalismo*. Cf. *filosofias existenciais*.] **Filosofias existenciais.** Conjunto de sistemas e tendências filosóficas que tomam como ponto de partida e objeto principal da reflexão o modo de ser próprio do homem na sua concretude individual, singular e solitária. [Sin.: *existencialismo, filosofias da existência*. Cf. *heideggeriano, kierkegaardiano*,

F

sartriano e *filosofias da vida.*] **Filosofias vitalistas.** V. *filosofias da vida.*

filosoficamente (zò) [Do f. de *filosófico* + *-mente.*] ***Adv.*** De modo filosófico; a modo de filósofo.

filosofice [De *filósofo* + *-ice.*] ***S. f.*** **1.** Qualidade ou tendência de quem filosofa ridiculamente. **2.** Filosofia ridícula.

filosófico [Do lat. *philosophicu.*] ***Adj.*** **1.** Relativo à filosofia, ou aos filósofos. **2.** Próprio da filosofia ou dos filósofos. **3.** Racional, lógico. [Sin. ger.: *filosofal.*] ~ V. *realismo —.*

filosófico-matemático ***Adj.*** Relativo ou pertencente tanto à filosofia quanto à matemática, ou que das duas é próprio. [Flex.: *filosófico-matemáticos, filosófico-matemática(s).*]

filosofismo [De *filósofo* + *-ismo.*] ***S. m.*** **1.** Mania filosófica. **2.** Falsa filosofia.

filósofo [Do gr. *philósophos*, pelo lat. *philosophu.*] ***Adj.*** **1.** Que cultiva a filosofia. • ***S. m.*** **2.** Aquele que cultiva a filosofia (1 a 3). [Cf. *pensador* (5).] **3.** Aquele que procede sempre com sabedoria e reflexão, que segue uma filosofia de vida. **4.** Aquele que vive tranquilo e indiferente aos preconceitos e convenções sociais. **5.** *Pop.* Indivíduo esquisito, excêntrico. [Deprec.: *filosofastro.* Cf. *filosofo*, do v. *filosofar.*]

filostomatídeo [Do lat. cient. *Phyllostomat-* (< tax. *Phyllostomus* < gr. *phýllon* [v. *fil(o)-*[1]] + gr. *stóma, atos* [v. *estomat(o)-*]) + *-ídeo*[1]; tax. *Phyllostomatidae.*] *Zool.* ***S. m.*** **1.** Espécime dos filostomatídeos, família de mamíferos quirópteros, de apêndice nasal foliáceo, orelhas grandes, uropatágio desenvolvido, e desprovidos de cauda. Alimentam-se de insetos e frutas, e entre eles se encontram os maiores morcegos brasileiros. • ***Adj.*** **2.** Pertencente ou relativo a eles.

filostomídeo [Do tax. *Phyllostomus* + *-ídeo*[1].] ***S. m. Adj.*** *Zool.* V. *filostomatídeo.*

filóstomo [Do tax. *Phyllostomus.*] ***S. m.*** *Zool.* **1.** Gênero de morcegos da América do Sul, tipo dos filostomatídeos (q. v.), que inclui a maior espécie da família. **2.** Espécie ou espécime desse gênero.

filotáctico [De *fil(o)-*[1] + *-tá(c)tico.*] ***Adj.*** Relativo a filotaxia. [Var.: *filotático.* F. paral. menos pref.: *filotáxico.*]

filotático ***Adj.*** V. *filotáctico.*

filotaxia (cs) [De *fil(o)-*[1] + *-taxia.*] ***S. f.*** *Bot.* Estudo da inserção das folhas sobre o caule. [Deste ponto de vista, podem as folhas ser: alternas, opostas, verticiladas, etc.]

filotáxico [De *filotaxia* + *-ico*[2].] ***Adj.*** V. *filotáctico.*

filotecnia [Do gr. *philotechnía.*] ***S. f.*** Amor às artes.

filotécnico [De *filotecnia* + *-ico*[2].] ***Adj.*** Que tem filotecnia; amante das artes.

filotimia [Do gr. *philotimía.*] ***S. f.*** Amor da honra ou das honras.

filotímico [De *filotimia* + *-ico*[2].] ***Adj.*** Relativo à filotimia.

filoxera (cs) [Do tax. *Phylloxera* (v. *fil(o)-*[2] e *-xera*).] ***S. f.*** **1.** *Zool.* Gênero de insetos homópteros, tipo dos filoxerídeos (q. v.). **2.** *Zool.* Qualquer espécie desse gênero, como, p. ex., *Phylloxera vitifoliae*, praga da videira, em que produz cecídios em folhas, gavinhas e brotos, e prejudica as raízes. **3.** *Zool.* Qualquer espécime desse gênero. **4.** *P. ext.* A doença causada na vinha por esse inseto.

filoxerídeo (cs) [De *filoxera* + *-ídeo*[1]; tax. *Phylloxeridae.*] *Zool.* ***S. m.*** **1.** Espécime dos filoxerídeos, família de insetos homópteros muito próxima à dos afidídeos. • ***Adj.*** **2.** Pertencente ou relativo a eles. [V. *afidídeo.*]

filtração [De *filtrar* + *-ção.*] ***S. f.*** Ato ou efeito de filtrar; filtragem, filtramento. ◆ **Filtração a vácuo.** *Quím.* Aquela em que a face do filtro por onde emerge o filtrado está submetida a pressão menor que a pressão atmosférica. **Filtração em gel.** *Quím.* V. *cromatografia por filtração em gel.*

filtrado [Part. de *filtrar.*] ***Adj.*** **1.** Que se filtrou. **2.** *Fisiol. Microbiol.* Diz-se de líquido que passou através de filtro natural, como, p. ex., o rim, ou por filtro artificial. • ***S. m.*** **3.** *Fisiol. Microbiol.* Líquido filtrado (2).

filtrador (ô) [De *filtrar* + *-dor.*] ***Adj.*** Filtrante.

filtragem [De *filtrar* + *-agem*[2].] ***S. f.*** V. *filtração.* [Cf. *feltragem.*]

filtramento [De *filtrar* + *-mento.*] ***S. m.*** V. *filtração.*

filtrante [De *filtrar* + *-nte.*] ***Adj. 2 g.*** Que filtra; filtrador.

filtrar [De *filtro*[1] + *-ar*[2].] ***V. t. d.*** **1.** Fazer ou deixar passar (um líquido) por filtro. **2.** Separar (um sólido) de um líquido ou gás, retendo-o: *Fez uso de aparelho que filtra a poeira.* **3.** Deixar passar ou traspassar moderando a intensidade de; absorver: "O aposento é iluminado por uma grande lâmpada de gás, cujo globo de cristal opaco filtra uma claridade serena e doce" (José de Alencar, *Senhora*, p. 175); *As cortinas filtravam a luz do Sol; As janelas fechadas filtram o ruído da rua.* **4.** Não deixar passar; reter: *Estes óculos filtram os raios infravermelhos.* **5.** Retirar o essencial de; selecionar: *O advogado filtrou as informações antes de utilizá-las no processo.* **6.** Segregar (humores). ***T. d. e i.*** **7.** Escolher, selecionando: *O jornalista filtrou a informação correta do conjunto de dados recebidos.* **8.** Introduzir lentamente; inocular, instilar: *A inveja filtrou no seu coração aquele ódio.* ***T. c.*** **9.** Introduzir-se pouco a pouco; insinuar-se; infiltrar-se: *Noções de lealdade filtraram em seu coração.* **10.** Passar, como por filtro; coar-se, escoar-se: "A luz interior filtrava pelas frestas das rótulas" (José de Alencar, *Alfarrábios*, p. 211). ***Int.*** **11.** Passar através de filtro: *A água filtrou muito lentamente.* ***P.*** **12.** Filtrar (9): *Habilmente filtrou-se em nosso convívio.* **13.** Filtrar (10): "Cortinas e estores não disfarçam a íntima claridade. Ela se filtra, azul, e vem cair no asfalto molhado." (Ricardo Ramos, *Matar um Homem*, p. 59.) [Cf. *feltrar.*]

filtrável [De *filtrar* + *-vel.*] ***Adj. 2 g.*** **1.** Que pode ser filtrado. ~ V. *vírus —.* • ***S. m.*** **2.** Designação comum aos vírus ultramicroscópicos.

filtreiro [De *filtro* + *-eiro.*] ***S. m. P. us.*** Aparelho para filtrar; filtro.

filtro[1] [Do b.-lat. *filtru*, 'feltro', pelo fr. *filtre.*] ***S. m.*** **1.** Qualquer peça de material poroso (como papel, cerâmica, etc.) ou com pequenos orifícios, através da qual se faz passar líquido, ou gás, para que sejam retiradas partículas sólidas que neste estejam dispersas. **2.** Utensílio que purifica água fazendo-a passar por uma peça, ger. cilíndrica, de cerâmica porosa, denominada vela. **3.** Pequena porção de substância porosa na extremidade de certos cigarros e que serve para reter parte da nicotina e do alcatrão da fumaça. **4.** Peça de papel, ger. cônica ou circular, para reter o resíduo sólido de uma infusão, como a do café. **5.** Tela feita de fibras sintéticas, colocada na entrada dos condicionadores de ar. **6.** *Desus.* Denominação comum aos órgãos que segregam os humores do sangue. **7.** *Eletrôn.* Qualquer circuito de dois acessos (quadripolo), linear ou não linear, concentrado ou distribuído, passivo ou ativo, invariante ou variante no tempo, capaz de processar sinais elétricos analógicos ou digitais. **8.** *Eletrôn.* Qualquer quadripolo linear, concentrado e invariante no tempo, capaz de produzir uma resposta especificada para uma dada excitação. **9.** *Eletrôn.* V. *circuito filtro.* **10.** *Fís.* Filtro acústico. **11.** *Ópt.* Elemento óptico que absorve, em geral seletivamente, radiação visível; filtro óptico. ◆ **Filtro acústico.** *Fís.* Instrumento que transmite e absorve sons seletivamente. [Tb. se diz apenas *filtro.*] **Filtro ativo.** *Eletrôn.* Aquele que, além de componentes passivos, contém uma ou mais fontes de tensão ou corrente dependentes. **Filtro Butterworth.** *Eletrôn.* Filtro (8) que tem função de transferência com característica plana em baixas frequências, queda acentuada a partir da frequência de corte, caindo a zero na frequência infinita. **Filtro Cauer.** *Eletrôn.* V. *filtro elíptico.* **Filtro Chebyshev.** *Eletrôn.* Filtro (8) que apresenta uma característica de amplitude equiondulante na faixa de passagem. **Filtro de absorção.** *Eletrôn.* Filtro (8) que tem elementos dissipativos de calor que absorvem os componentes indesejáveis de volta para a entrada. **Filtro de ar.** *Autom.* Peça destinada a reter as impurezas contidas no ar que entra no carburador. **Filtro de areia.** *Tec.* Tipo de filtro cujo meio filtrante é constituído por um leito de areia de granulação conveniente. **Filtro de folhas.** *Tec.* Aquele em que o meio filtrante é constituído por lâminas porosas que se ajustam a um tambor perfurado através do qual flui o meio que se vai filtrar. **Filtro de linha.** *Eletrôn.* Filtro elétrico cuja finalidade é suprimir ruídos e surtos de tensão da rede (14). **Filtro de mangas.** *Tec.* Filtro em que o meio filtrante é constituído por sacos de tecido que recolhem o material filtrado quando a suspensão a filtrar passa pelo seu interior e sai para o exterior. **Filtro de reflexão.** *Eletrôn.* Filtro (8) que, na configuração ideal, não tem elementos dissipativos, refletindo os sinais indesejáveis de volta para a entrada. **Filtro elétrico.** *Eletrôn.* V. *circuito filtro.* **Filtro elíptico.** *Eletrôn.* Filtro (8) que apresenta uma característica de amplitude equiondulante, tanto na faixa de passagem quanto na faixa de rejeição; filtro Cauer. **Filtro LC.** *Eletrôn.* Filtro elétrico formado por combinação de indutores e capacitores. **Filtro óptico.** *Ópt.* Filtro (11). **Filtro passa-altas.** *Eletrôn.* Filtro elétrico que permite a passagem de sinais de altas frequências, bloqueando sinais abaixo da frequência de corte (q. v.) do filtro. **Filtro passa-baixas.** *Eletrôn.* Filtro elétrico que permite a passagem de sinais de baixas frequências, atenuando sinais acima da frequência de corte (q. v.) do filtro. **Filtro passa-faixa.** *Eletrôn.* Filtro elétrico que só permite a passagem de sinais de frequências compreendidas dentro de uma certa faixa de frequência. **Filtro passa-tudo.** *Eletrôn.* Filtro elétrico que permite a passagem de sinais de todas as frequências com a mesma atenuação. **Filtro passivo.** *Eletrôn.* Filtro elétrico que contém apenas componentes passivos, como resistores, capacitores, indutores e transformadores. **Filtro RC.** *Eletrôn.* Filtro elétrico formado por combinação de resistores e capacitores. **Filtro rejeita-faixa.** *Eletrôn.* Filtro elétrico que rejeita sinais numa dada faixa de frequências e permite a passagem de todos os demais. **Filtro solar.** Substância us. em loção, ou loção capaz de absorver raios ultravioleta da luz solar, protegendo a pele de seus efeitos danosos: "As moças ipanemenses, na melhor tradição indígena, protegem seus corpos nos dias ensolarados do verão carioca com filtros solares contendo bixina." (Ângelo C. Pinto, *Química Nova*, 18, p. 609.)

filtro[2] [Do lat. *philtru* < gr. *phíltron.*] ***S. m.*** **1.** Beberagem que se acreditava fazer despertar o amor ou produzir outros efeitos mágicos na pessoa a quem era propinada. **2.** *Fig.* Elixir (3).

filtro-prensa ***S. m.*** *Tec.* Tipo de filtro em que o meio filtrante é uma membrana (de tecido, de plástico, trançado, de tela metálica) através da qual flui o material por filtrar impelido pela pressão que se aplica a um dos lados da membrana mediante um mecanismo análogo ao de uma prensa mecânica. [Pl.: *filtros-prensas* e *filtros-prensa.*]

filustria [De or. express., poss.] ***S. f.*** *Bras. N.E. Pop.* Ato que chama a atenção; proeza, fanfarronada.

fim [Do lat. *fine.*] ***S. m.*** **1.** Momento em que se acaba ou se conclui alguma coisa; conclusão, termo final: *Tudo na vida tem um fim; o fim de uma relação amorosa.* **2.** Ponto além do qual não se pode prosseguir; extremo, limite: *Estava no fim de suas forças.* **3.** A última parte de qualquer coisa: *Lia rápido para chegar ao fim do capítulo.* **4.** Extremidade, limite: *A loja é ali no fim da rua.* **5.** Causa, motivo: *Ver a criança foi o fim que me trouxe aqui.* **6.** Intenção, propósito; finalidade: "O primeiro fim das Farpas foi promover o riso." (Eça de Queirós, *Notas Contemporâneas*, p. 33); *O meu fim, ao fazer esta viagem, foi ser-lhe útil.* **7.** Alvo, fito, mira: *A glória é o seu fim.* **8.** Morte, falecimento: *Nunca se sabe quando chega o fim.* ◆ **Fim de mundo.** V. *cafundó* (3). **Fim de semana.** O tempo decorrido, em geral, entre a noite de sexta-feira e a manhã de segunda, aproveitado para o descanso e o lazer. [Corresponde ao ingl. *weekend.*] **Fim do espinhaço.** *Pop.* O ânus. **Fim do mundo.** **1.** V. *cafundó* (3). **2.** Grande transtorno. **3.** Desgraça total: *Isto não é o fim do mundo, menino!* **Fim em si.** *Filos.* Fim que é bom de modo absoluto, em oposição que aos fins intermediários que servem à consecução de fins mais elevados, quer aos fins relativos à vontade ou às conveniências individuais. **Fim feliz.** *P. us.* Final feliz. [Corresponde ao ingl. *happy end.*] **A fim.** Disposto, desejoso; interessado: "desejava prender, encantar essa presa que se aproximava, felina e morna e nova, até que afinal a rendesse parceira e a fim." (Ricardo Ramos, *O Sobrevivente*, p. 100). [Cf. *afim.*] **A fim de.** Com o propósito ou intenção de; para: *Saiu a fim de visitar amigos.* [Cf. *afim.*] **Ao fim e ao cabo.** V. *no frigir dos ovos.* **Dar fim a.** **1.** Terminar, concluir, rematar; pôr fim a. **2.** Dar sumiço a; fazer desaparecer. **3.** Extinguir, liquidar, matar, assassinar, liquidar. **Estar a fim.** *Bras. Gír.* V. *estar a fim de.* **Estar a fim de.** *Bras. Gír.* Estar com disposição ou desejo de: *Não estou a fim de ir a essa festa: deve ser muito chata.* [E m. us. negativamente, e muitas vezes sem a prep.] **Estar a fim de (alguém).** Estar querendo namorar ou fazer amor: *Estou a fim da Maria.* **Por fim.** Ao cabo ou depois de muito tempo ou esforço; finalmente: "Desce por fim sobre o meu coração / O olvido." (Camilo Pessanha, *Clépsidra e Outros Poemas*, p. 171.) **Pôr fim a.** Dar fim a (1). **Que fim levou?** O que aconteceu (com alguém ou algo)?: *Que fim levou o Mário?; Que fim levou o livro que estava aqui?* **Ser o fim.** **1.** Ser (uma coisa) extremamente desagradável, imprudente, penosa, absurda, etc. **2.** Ser (alguém) muito desagradável, exigente, inconveniente, mal-educado, desonesto, burro, chato, etc. [Sin. ger. (com leve encarecimento): *ser o fim da picada.*] **Ser o fim da picada.** Ser o fim (q. v.). **Ter (ou levar) um fim.** **1.** *Pop.* Morrer: *Teve um fim terrível: morreu num incêndio.* **2.** Sumir: F. levou um fim daqui de casa.

▲**-fim(a)-** V. *fimat(o)-.*

▲**-fima** V. *fimat(o)-.*

fimatíase [De *fimat(o)-* + *-íase.*] ***S. f.*** *Patol. Obsol.* V. *tuberculose.*

▲**fimat(o)-** [Do gr. *phýma* (ou *phýma*), *atos.*] ***El. comp.*** = 'tumor', 'excrescência': *fimatíase.* [Equiv.: *-fim(a)-, -fima: onicofimia; rinofima.*]

fimba [Do quimb.] ***S. f.*** *Angol.* Mergulho (1): "nadou nu em fimba de mar de Luanda e Samba" (José Luandino Vieira, *Lourentinho, Dona Antónia de Sousa Neto & Eu*, p. 24).

fímbria [Do lat. *fimbria*.] *S. f.* **1.** Franja, orla: "e a tarde ia-se toldando, ... o Sol roçando a fímbria d'água do horizonte" (Mário Sete, *Senhora de Engenho*, p. 98). **2.** A orla ou extremidade inferior do vestido, saia, etc.: "Quando o vento que entrava pela janela erguia indiscretamente a fímbria da saia, ... descobria-se a volta bordada de uma calça estreita, cerrando o colo esbelto da perna divina." (José de Alencar, *Lucíola*, p. 133.) **3.** *Anat.* A extremidade de cada tuba uterina. [Cf. *fimbria*, do v. *fimbriar*.]

fimbriado [Do lat. *fimbriatu*.] *Adj.* **1.** Guarnecido de franja ou fímbria, ou de coisa semelhante a franja; franjado. **2.** *Bot.* Finamente recortado na margem ou fímbria: *pétala fimbriada*. **3.** *Zool.* Diz-se de estrutura animal que apresenta margens com franjas, normalmente de pelos.

fimbriar [De *fímbria* + *-ar*[2].] *V. t. d. e i.* Guarnecer de franja ou coisa semelhante a franja; franjar: *O mar fimbria de espumas toda a praia.* [Pres. ind.: *fimbrio, fimbrias, fimbria*, etc. Cf. *fímbria*.]

fim-d'águas *S. m. Bras. Amaz.* A última fase da cheia dos rios, quando as águas se aproximam do nível normal. [Pl.: *fins-d'águas*.]

fim de rama *S. m. Bras.* V. *ponta de rama*. [Pl.: *fins de rama*.]

fim de safra *S. m. Bras.* V. *ponta de rama*. [Pl.: *fins de safra*.]

fim de século *Adj. 2 g. e 2 n.* **1.** Característico do fim do séc. XIX: "Isto, que pela habilidade fim de século que revela parece cousa de hoje, é cousa que data de mais de dois séculos." (Olavo Bilac, *Crítica e Fantasia*, p. 66.) **2.** *P. ext.* Característico do período final de determinado século; finissecular. **3.** Moderno (em relação à época); adiantado.

fimícola [Do lat. *fimus, i*, 'esterco', + *-cola*[1].] *Adj. 2 g.* Que vive ou cresce no estrume.

fimose [Do lat. cient. *phimosis* < gr. *phímosis*, 'cabrestilho'.] *S. f. Urol.* Aperto do prepúcio; capistração. [Sin., bras.: *bico de candeeiro* (BA) e *bico de lamparina* (MG).]

finação [Do cabo-verd. *finaçon*.] *S. f. Cabo-verd.* Cantiga ger. improvisada, e que corresponde a uma fase do batuque (1) cabo-verdiano, em que são abordados conceitos gerais, princípios de comportamento e aspectos satíricos: "À noite a noiva .... escuta a chamada finação, cantiga adequada ao dia que constitui uma exortação ao seu comportamento futuro." (Nuno de Miranda, *Compreensão de Cabo Verde*, p. 54.)

finado [Part. de *finar*.] *Adj.* **1.** Que se finou. ● *S. m.* **2.** Indivíduo que faleceu; defunto, falecido. ~ V. *finados*.

finados [Pl. de *finado*.] *S. m. 2 n.* V. *dia de finados*. ~ V. *finado*.

finais [Pl. de *final*.] *S. f. pl. Bibliogr. Bibliot.* Partes pospostas ao corpo do livro, tais como posfácio, apêndice, índice, etc. [Cf. *finais*, do v. *finar* e pl. do adj. final, e *folhas preliminares*.] ~ V. *final*.

final [Do lat. *finale*.] *Adj. 2 g.* **1.** Do fim. **2.** Derradeiro, último: *suspiro final*. **3.** Que põe termo: *ponto final*. ~ V. *causa* —, *conjunção* —, *disco* —, *juízo* —, *ponto* —, *produto* —, *reta* —, *vácuo* — e *vinheta* —. ● *S. m.* **4.** V. *fim* (1). **5.** Fato que conclui uma situação real ou imaginária; desenlace, desfecho, fim: *A discussão teve final dramático.* **6.** No desenvolvimento de uma obra (musical, literária, cinematográfica, etc.), trecho que antecede o fim: *O final da ópera é extraordinário.* **7.** O ponto extremo de um acidente geográfico, de uma construção: *No final da praia há um ancoradouro.* **8.** *Tip.* V. *vinheta de remate*. ● *S. f.* **9.** A prova final, em competições esportivas e noutras. **10.** *E. Ling.* Conjunção final. [Pl.: *finais*. Cf. *finais*, do v. *finar* e s. f. pl.] V. *finais*. ◆ **Final feliz.** Desenlace feliz das peripécias do enredo (de peça, filme, romance, etc.), ou de situações da vida real; fim feliz.

finalidade [De *final* + *-(i)dade*; lat. tard. *finalitate*, 'desinência', 'terminação'.] *S. f.* **1.** Fim a que se destina uma coisa; objetivo, alvo; destinação. **2.** Causa final, *i. e.*, explicação intelectual dum fenômeno pelos acontecimentos que se lhe seguem, pelo fim a que ele se destina. ◆ **Finalidade externa.** *Filos.* A que tem por fim um ser diferente daquele que (total ou parcialmente) é meio de realizar esse fim. **Finalidade imanente.** *Filos.* A que resulta da natureza e do desenvolvimento do próprio ser em que aparece. **Finalidade interna.** *Filos.* A que tem por fim o próprio ser cujas partes são consideradas como meios. **Finalidade transcendente.** *Filos.* A que se realiza em um ser pela ação que sobre ele exerce outro ser visando ao fim considerado.

finalismo [De *final* + *-ismo*.] *S. m.* Sistema filosófico segundo o qual tudo tem um fim determinado.

finalíssima [Fem. do superl. abs. sint. substantivado (pleonástico) de *final*.] *S. f.* Nas competições esportivas e noutras, a partida ou prova em que se chega à decisão final, e que se caracteriza pela sensação e expectativa que desperta.

finalista [De *final* + *-ista*.] *Adj. 2 g.* **1.** Relativo ao finalismo. **2.** Próprio do finalismo ou dos finalistas: *raciocínio finalista*. **3.** Que é partidário do finalismo. **4.** Nas competições esportivas e noutras, diz-se de pessoa ou equipe que, pela eliminação dos adversários, se classifica para a prova final, na disputa de um título, prêmio, etc. ● *S. 2 g.* **5.** Partidário do finalismo. **6.** Pessoa ou equipe finalista (4).

finalístico [De *finalista* + *-ico*[2].] *Adj.* Que se constitui num fim; que encerra um fim em si.

finalização [De *finalizar* + *-ção*.] *S. f.* Ato ou efeito de finalizar(-se).

finalizar [De *final* + *-izar*.] *V. t. d.* **1.** Pôr fim a; rematar, concluir, ultimar. *Int. P.* **2.** Ter fim; acabar: *Já imagino como o romance finaliza; A tragédia finalizou-se de maneira cruenta.* **3.** *Fut.* Chutar para gol: "pela facilidade com que chuta [Pelé] com os dois pés, com que passa ou finaliza, cabeceia ou até mesmo agarra no gol" (*Jornal do Brasil*, 14.11.69).

finalmente [De *final* + *-mente*.] *Adv.* **1.** Depois de um grande período de tempo, de uma grande demora: *Casaram-se, finalmente.* **2.** Por último: *Estiveram em Madri, Paris, Londres e, finalmente, em Viena.* [Us., por vezes, para acrescentar um último elemento a uma enumeração ou um último argumento a uma série.]

■ **Finame** Sigla de *Agência Especial de Financiamento Industrial*.

finamento [De *finar* + *-mento*.] *S. m.* **1.** Ato de finar(-se). **2.** Morte, falecimento.

finança [Do fr. *finance*.] *S. f.* V. *finanças*.

finanças [Pl. de *finança*.] *S. f. pl.* **1.** A situação econômica de uma instituição, empresa, governo ou indivíduo, com respeito aos recursos econômicos disponíveis, esp. dinheiro, ou ativo líquido; condição financeira: *as finanças do país.* **2.** O conjunto das transações, operações (como empréstimos e investimentos) e agentes (como bancos) que fazem esses recursos circularem, na economia; o sistema financeiro: *as finanças dominam.* **3.** A ciência e a profissão do manejo do dinheiro, particularmente do dinheiro do Estado: *um especialista em finanças.* **4.** O tesouro do Estado. ~ V. *finança*.

financeira [F. subst. do adj. *financeiro*.] *S. f. Bras.* Empresa de crédito e financiamento que opera, basicamente, aceitando letras de câmbio sacadas por um cliente e negociando-as, sob sua coobrigação, com outros.

financeiro [De *finança* (< fr. *finance*) + *-eiro*.] *Adj.* **1.** Relativo às finanças, à circulação e gestão do dinheiro e de outros recursos líquidos [v. *líquido* (2)]; financial. ~ V. *ativo* —, *controle* —, *conta* —*a*, *demonstrações* —*as*, *despesa* —*a*, *direito* —, *especulador* —, *extrato* —, *intermediário* — e *mercado* —. ● *S. m.* **2.** Financista.

financiador (ô) [De *financiar* + *-dor*.] *Adj.* *S. m.* Que, ou aquele que financia algo.

financial [De *finança* + *-ial*.] *Adj. 2 g.* Financeiro (1).

financiamento [De *financiar* + *-mento*.] *S. m.* **1.** Ato de financiar. **2.** Importância com que se financia alguma coisa: *Tenta obter financiamento para compra de uma casa.*

financiar [De *finança* + *-iar*[2].] *V. t. d.* **1.** Prover as despesas de; custear, bancar: *financiar uma obra, um empreendimento*. *T. i. e c.* **2.** Dar como financiamento: *O banco financiou 20 milhões a cada uma das empresas.*

financiável [De *financiar* + *-vel*.] *Adj. 2 g.* Que pode ser financiado.

financista [De *finança* + *-ista*.] *S. 2 g.* Especialista em finanças; financeiro.

finar [De *fim* + *-ar*[2], seg. o padrão erudito.] *V. int.* **1.** Acabar, findar. *P.* **2.** Definhar-se, consumir-se, enfraquecer, debilitar-se: *Finava-se de saudades do filho.* **3.** V. *morrer* (1): "Aquele morreu velho e reumático, e este finou-se, já maduro, espetado na faca do Zelino" (Nélson de Faria, *Tiziu e Outras Estórias*, p. 99); "Bréal [Michel Bréal] finou-se, em Paris, em 1915." (Mário Barreto, *Novíssimos Estudos da Língua Portuguesa*, p. 43). **4.** Ter grande desejo; querer intensamente; apetecer muito: *Fina-se por viajar, mas não pode.* **5.** Encerrar as atividades; acabar, findar: *Infelizmente, a velha chapelaria finou-se.* [Pres. ind.: *fino, finas, fina, finamos, finais, finam*. Cf. *fenar, fino*, adj. e s. m., *fina*, fem. de *fino*, pl. *finas*, e *finais*, pl. do adj. *final* e s. f. pl.]

finca [Dev. de *fincar*.] *S. f.* **1.** Escora, espeque. **2.** *Fig.* Arrimo, amparo, proteção. **3.** *Jog. Inf.* Jogo disputado por dois participantes, que vão fincando no chão, com arremessos curtos, um ferrinho (haste metálica com ponta afiada) para riscar na terra o trajeto por percorrer, sendo obrigatório sair da própria casa (um triângulo marcado num lado do campo), dirigir-se à casa do adversário (situada no lado oposto), contorná-la e retornar ao ponto de partida. [São regras básicas que as linhas traçadas pelos dois adversários não se superponham nem se cruzem, e que o jogador ceda a vez ao oponente sempre que seu ferrinho cair ao chão. Sin., nesta acepç., *ferrinho, fincão* e (MG) *precipício*.]

fincamento [De *fincar* + *-mento*.] *S. m.* Ação ou efeito de fincar(-se).

fincão [De *fincar* + *-ão*[2].] *S. m.* **1.** *Bras. N.E. Zool.* V. *barbeiro* (6). **2.** *Zool.* V. *mosquito* (1). **3.** *Bras. Jog. Inf.* V. *finca* (3).

finca-pé [De *fincar* + *pé*.] *S. m.* **1.** Ato de fincar o pé com força. **2.** *Fig.* Porfia, empenho. [Pl.: *finca-pés*.] ◆ **Fazer finca-pé.** Não mudar de parecer, de resolução; teimar, porfiar, obstinar-se.

fincar [Do lat. vulg. **figicare* (< lat. *figere*, 'fixar', 'cravar'), com nasalização.] *V. t. d.* **1.** Cravar; embeber; enterrar: *Fincou uma estaca.* *T. d. e c.* **2.** Fincar (1): *Fincou o mastro no alto do morro.* **3.** Pôr, colocar, apoiando com força: "Fincara os cotovelos no mármore da mesa" (Machado de Assis, *Páginas Recolhidas*, p. 82). **4.** Enraizar, arraigar, fixar: *Malograda, a Conjuração Mineira fincou mais ainda na mente dos patriotas o ideal da independência.* **5.** Cravar, fitar, fixar: "Quando ele finca os olhos na ponta do nariz, perde o sentimento das cousas externas" (Machado de Assis, *Memórias Póstumas de Brás Cubas*, p. 140). *P.* **6.** Ficar firme ou imóvel. **7.** Cravar-se, enterrar-se: "Os pés fincam-se na areia molhada" (James Amado, *Chamado do Mar*, p. 17). **8.** Teimar com afinco; insistir: *Fincou-se na sua opinião, convicto de que estava certo.* [Conjug.: v. *trancar*.]

finco [Dev. de *fincar*.] *S. m.* **1.** *Ant.* Contrato por escritura. ● *Adj.* **2.** *Lus.* Fincado, apoiado: "apoiando o queixo nas mãos entrelaçadas, cotovelos fincos na mesa, ficou ali como uma estátua." (João da Silva Correia, *Farândola*, p. 149).

fincudo [De *fincar* + *-udo*.] *S. m. Bras.* V. *mosquito* (1).

findar [De *findo* + *-ar*[2].] *V. t. d.* **1.** Pôr fim a; ultimar, terminar, acabar, encerrar, finalizar: *O argumento, de tão forte, findou a discussão.* *T. d. e c.* **2.** Chegar ao termo ou fim de; acabar, terminar: *Findou os seus dias em um convento.* *T. i.* **3.** Redundar, reverter: *As suas ideias findaram no aparecimento de uma teoria.* *Int.* **4.** Ter fim; chegar ao fim; acabar(-se), terminar(-se), finalizar(-se): "O dia finda, / E, extinto archote, tomba o sol..." (Raimundo Correia, *Poesias*, p. 109.) **5.** Desaparecer; desvanecer-se: *Com aquela desilusão, sua esperança findou.* *P.* **6.** Findar (4): *A briga entre os dois findou-se num longo abraço.* [Part.: *findado, findo*.]

findável [De *findar* + *-vel*.] *Adj. 2 g.* Que há de findar, de ter fim.

findinga *S. f. Bras. Deprec. Desus.* Meretriz.

findo [Do lat. *finitu*, por via pop.] *Adj.* **1.** Que findou; passado. **2.** Concluído, acabado.

■ **Finep** Sigla de *Financiadora de Estudos e Projetos*.

finês [Do finl. *finn*, 'astutos', 'espertos', 'sabidos'.] *S. m.* **1.** Indivíduo dos fineses, povo que habita a N.O. da Rússia europeia, sobretudo a Finlândia; fino. **2.** *Gloss.* O grupo de línguas finesas. V. *uralo-altaico* (3). ● *Adj.* **3.** Pertencente ou relativo a esse povo; fino. [Flex.: *finesa* (ê), *fineses* (ê), *finesas* (ê). Cf. *fineza*.]

➔ **fines herbes** [fin 'ɛʁb] [Fr., 'ervas finas'.] *S. f. pl.* Mistura de ervas aromáticas picadas, frescas ou secas, indispensáveis em muitos pratos e molhos.

fineza (ê) [De *fino*[1] + *-eza*.] *S. f.* **1.** Qualidade daquilo ou daquele que é fino[1]; finura. **2.** Finura (3). **3.** Amabilidade, gentileza: "É que ninguém ignorava as finezas de V. Ex.ª para comigo, os bilhetes em que me louvava, ... etc." (Machado de Assis, *Páginas Recolhidas*, p. 115). **4.** Obséquio, favor. **5.** Delicadeza, suavidade: *fineza nas cores.* **6.** Delicadeza, doçura, meiguice: *fineza de coração.* **7.** Primor, perfeição. [Cf. *finesa*, fem. de *finês*.]

finfa *S. m. Bras. Chulo* V. *ânus*.

➔ **finger** ['fɪŋgə] [Ingl.] *S. m.* Parte saliente e comprida de terminal de aeroporto que liga esse terminal à porta da aeronave: "a estação do aeroporto será composta de dois blocos, o terminal propriamente dito e o *finger*." (*Correio da Manhã*, 25.02.1969).

fingidiço *Adj. P. us.* Fictício.

fingido [Part. de *fingir*.] *Adj.* **1.** Que simula; enganoso, fementido; falso: *Seu choro é fingido.* **2.** Que parece mas não é; aparente. **3.** Hipócrita, impostor. ● *S. m.* **4.** Indivíduo fingido.

fingidor (ô) [De *fingir* + *-dor*.] *S. m.* **1.** Aquele que finge: "O poeta é um fingidor. / Finge tão completamente / Que chega a fingir que é dor / A dor que deveras sente." (Fernando Pessoa, *Poesias de Fernando Pessoa*, p. 237.) **2.** Pintor que imita trabalhos alheios. **3.** Pintor de broxa que, mediante a aplicação de tinta em escova especial, imita madeiras finas sobre madeira ordinária.

F

fingimento [De *fingir* + *-mento*.] ***S. m.*** **1.** Ato ou efeito de fingir(-se). **2.** Hipocrisia, impostura.

fingir [Do lat. *fingere*.] ***V. t. d.*** **1.** Inventar, fabular: *Bem industriado, fingiu um álibi verossímil.* **2.** Supor; fantasiar: *Fingi que estava longe do mundo.* **3.** Aparentar, simular: *Não soube fingir alegria*; "Finge [o poeta] tão completamente / Que chega a fingir que é dor / A dor que deveras sente." (Fernando Pessoa, *Poesias de Fernando Pessoa*, p. 237). **4.** Dizer ou escrever fingindo, sem sinceridade: "Dizem que finjo ou minto / Tudo que escrevo." (Id., *ib.*, p. 238.) ***Int.*** **5.** Ser ou mostrar-se dissimulado, hipócrita: *Detesta o rapaz, e parece amigo dele: como sabe fingir!* ***Pred.*** **6.** Fazer crer que é; simular ser; dar-se ares; querer passar; fingir-se: "Há gente rica, ou que finge de rica e vai [à Europa] por conta própria." (João do Rio, *Vida Vertiginosa*, p. 163.) ***P.*** **7.** Dar-se ares de; querer passar por: *Finge-se de rico*; "Ela baixou os olhos fingindo-se distraída." (Coelho Neto, *Turbilhão*, p. 186); "Chico Monte caiu sangrando e ficou sem mexer, fingindo-se de morto." (Lustosa da Costa, *Sobral do Meu Tempo*, p. 80). [Conjug.: v. *dirigir*.]

finidade [De *fini(to)* + *-(i)dade*, com síncope.] ***S. f.*** Qualidade do que é finito.

fininha [F. subst. do dim. do adj. *fino*[1].] ***S. f.*** *Bras. N.E. Pop.* V. *tuberculose*.

fininho [De *fino*[1] + *-inho*[1].] ***Adj.*** **1.** Muito fino. • ***S. m.*** **2.** *Bras. Gír.* Cigarro de maconha (q. v.). ◆ **De fininho. 1.** Silenciosamente. **2.** De modo discreto, disfarçadamente: "Obrigou o moço transido a acompanhá-la de fininho até ao bordel" (Pedro Nava, *Beira-Mar*, p. 132). **Tirar um fininho.** Tirar um fino (q. v.): "Os pneus cantaram no asfalto e o marido tirou um fininho tão ínfimo da amurada que Dionísia levou a mão ao peito" (Sérgio Sant'ana, *Amazona*, p. 14.)

finissecular [De *fim* + *-i-* + *secular*, seg. o padrão erudito.] ***Adj. 2 g.*** Fim de século (2).

finítimo [Do lat. *finitimu*.] ***Adj.*** Confinante, vizinho, limítrofe.

finito [Do lat. *finitu*, por via erudita.] ***Adj.*** **1.** Que tem fim; transitório; contingente; limitado. **2.** *E. Ling.* Diz-se da forma verbal flexionada. [Cf. infinito (4).] ~ V. *conjunto —*, *descontinuidade —a*, *forma —a*, *movimento —* e *sequência —a*. • ***S. m.*** **3.** Aquilo que tem fim.

finitude [De *finito* + *-(t)ude*.] ***S. f.*** Qualidade de finito; limitação.

finlandês ***Adj.*** **1.** De, ou pertencente ou relativo à Finlândia (Europa setentrional). ~ V. *banho —*. • ***S. m.*** **2.** O natural ou habitante da Finlândia. **3.** *Gloss.* Língua ugro-finesa falada na Finlândia. V. *uraliano* (3). **4.** Vocábulo dessa língua. [Flex.: *finlandesa* (ê), *finlandeses* (ê), *finlandesas* (ê).]

➔**fino** ['fino] [Esp.] ***S. m.*** Xerez (2) muitíssimo seco.

fino[1] [Do lat. med. *finu*, 'refinado', 'perfeito', < subst. lat. cláss. *finis, is*, 'ponto extremo', 'grau supremo'.] ***Adj.*** **1.** Que não é grosso; delgado. **2.** Aguçado, afiado: *A lâmina fina cortou-lhe a pele.* **3.** Penetrante, cortante: "Essa dor de tossir bebendo o ar fino, / A esmorecer e desejando tanto..." (Manuel Bandeira, *Estrela da Vida Inteira*, p. 8.) **4.** Diz-se de som ou de voz aguda e vibrante. **5.** Delicado, educado, amável: *Trata bem as senhoras, é muito fino.* **6.** Que revela bom gosto; não vulgar: *Fez uma fina escolha de móveis.* **7.** Aristocrático, elegante, seleto: *ambiente fino.* **8.** Grácil; esbelto, elegante: "Ergueu-se. O busto delicado e fino / Tinha os suaves, religiosos traços / Da Virgem num altar." (Augusto Gil, *Luar de Janeiro*, p. 141.) **9.** Que é de boa qualidade; precioso, excelente: "Sentamo-nos à mesa, em que se viam vinhos finos." (Lima Júnior, *Alguns Homens do Meu Tempo*, p. 29.) **10.** Apurado, escolhido: *Só anda atrás de caça fina.* **11.** Perfeito, aperfeiçoado, apurado: *Aquela joia tem um acabamento fino.* **12.** Suave, delicado, aprazível: *O aroma fino das flores embriagava-o.* **13.** Extremoso, delicado: *Magoou, sem querer, o fino coração da velha mãe.* **14.** Que tem vivacidade: *espírito fino.* **15.** Sagaz, ladino, astuto. **16.** *Tip.* V. *claro* (21). **17.** *Bras. Pop.* V. *pronto* (10). ~ V. *fiar —*, *—a flor*, *gente —a*, *massa —a*, *murça —a*, *ouro —*, *pedra —a*, *química —a*, *reboco —*, *sal —* e *vinho —*. • ***S. m.*** **18.** Coisa fina, delicada, elegante. **19.** *Tip. Caligr.* Qualquer dos elementos delgados do traçado das letras. [Cf. *grosso* (16).] • ***Adv.*** **20.** Com voz fina [v. *fino* (4)]: *F. fala muito fino.* **21.** *Pop.* Cumprindo o dever; na linha: *Empregado meu tem de andar fino, senão, rua!* ◆ **Beber do fino.** Estar informado de segredos políticos e/ou de negócios de importância. **O fino. 1.** A nata, a melhor parte: *Estava naquela sala o fino da intelectualidade.* **2.** *Bras. Gír.* Aquilo que atingiu o ponto alto de perfeição, que é ou está excelente, bom ao extremo: "É que há de fato, entre nós, quem esteja escrevendo o fino: fazendo o bom e o melhor, no manejo das palavras, das ideias e das emoções" (Valdemar Cavalcanti, *Jornal Literário*, p. 41). **Tirar um fino.** Passar de raspão por alguém ou algo, esp. com veículo; tirar um fininho.

fino[2] [Do lat. *finnicu*.] ***Adj. S. m.*** Finês (1 e 3).

▲**fino-** [De *fino*[2].] ***El. comp.*** = 'finês', 'finlandês': *fino-russo*, *fino-úgrico*.

finodentado [De *fino*[1] + *dentado*.] ***Adj.*** *Bot.* Com dentes delicados na margem.

finório [De *fino*[1] + *-ório*.] ***Adj. S. m.*** Diz-se de, ou indivíduo sagaz, esperto, muito fino; manhoso; ladino.

fino-russo [De *fino-* + *russo*.] ***Adj.*** Relativo ou pertencente à Finlândia e à Rússia. [Pl.: *fino-russos*.]

fino-úgrico [De *fino-* + *úgrico*.] *Gloss.* ***S. m.*** **1.** Um dos ramos da família linguística uraliana [v. *uraliano* (3)], e que inclui línguas como o finlandês, o estoniano e o lapão; ugro-finês. • ***Adj.*** **2.** Do, ou relativo ao fino-úgrico. [Pl.: *fino-úgricos*.]

fins-d'água ***S. m. pl.*** *Bras. CE* O fim da época chuvosa, em junho.

■ **FINSOCIAL** Abrev. de *Fundo de Investimento Social*.

finta[1] [Do f. de **finto* < lat. *finitu*, 'acabado', 'findo', poss.] ***S. f.*** **1.** Contribuição extraordinária, ou encargo pecuniário. **2.** Derrama paroquial.

finta[2] [Do it. *finta*.] ***S. f.*** **1.** Engano, logro. **2.** Calote, logro. **3.** *Bras. Esport.* V. *drible*.

fintador (ô) [De *fintar*[2] + *-dor*.] ***Adj. S. m.*** *Bras.* Caloteiro.

fintar[1] [De *finta*[1] + *-ar*[2].] ***V. t. d.*** **1.** Lançar finta[1] sobre. ***P.*** **2.** Contribuir, cotizar-se espontaneamente.

fintar[2] [De *finta*[2] + *-ar*[2].] ***V. t. d.*** **1.** *Bras.* Calotear; enganar, lograr. **2.** *Esport.* Ludibriar o adversário com movimentos corporais, sem tocar na bola.

finura [De *fino*[1] + *-ura*.] ***S. f.*** **1.** Qualidade daquele ou daquilo que é fino, delgado ou tênue; fineza: *A finura de um traço, de uma haste, de um tecido.* **2.** Qualidade do que é sensível, delicado. **3.** Discernimento e sutileza em estabelecer ou captar certas relações; acuidade, penetração, fineza: *finura de espírito*; *finura de percepção.* **4.** Acuidade dos sentidos: *finura do paladar, do olfato.* **5.** Delicadeza de uma forma, de um material: *finura de traços fisionômicos*; *a finura de uma porcelana.* **6.** Tratamento requintado, cuidado na execução de algo: *a finura de um acabamento.* **7.** Requinte, elegância: *finura de maneiras.* **8.** Aptidão para ter bom relacionamento com o próximo; educação: *finura no trato.*

fio [Do lat. *filu*.] ***S. m.*** **1.** Fibra que se extraiu de plantas têxteis. **2.** Linha fiada e torcida. **3.** Porção de metal, muito flexível, de seção circular, com diâmetro muito reduzido em relação ao comprimento. **4.** O fio (3), encapado ou não, usado como condutor de eletricidade. **5.** Tênue corrente de líquido que cai sem despegar. **6.** Enfiada; encadeamento: *Seguiu-lhe todo o fio do discurso*; *A vida para ele é um fio de amarguras.* **7.** Gume de instrumentos cortantes. **8.** Eixo, alinhamento. **9.** Serragem, em peça de madeira. **10.** *Fig.* Qualquer coisa muito sutil, tênue, delicada: *Dentro da sala ouvia-se apenas um fio de voz.* **11.** *Art. Gráf.* Lâmina de metal, geralmente de aço, us., em prensa comum ou especial, para cortar, perfurar, tracejar ou vincar papel ou outro material. **12.** *Tip.* Lâmina de metal para imprimir traços; filete. **13.** *Tip.* Traço impresso por essa lâmina; filete. [Cf. *fio*, do v. *fiar*.] ~ V. *fios*. ◆ **Fio de carreta.** *Marinh.* Cada um dos fios de fibra de que se formam os cordões dos cabos. **Fio de coluna.** *Tip.* Fio claro usado para separar colunas em livros e periódicos. [V. *canal* (19).] **Fio de dobra.** *Art. Gráf.* V. *fio de vincar*. **Fio de nota.** *Tip.* V. *risca de nota*. **Fio dental.** Fio (2) usado para remover fragmentos de comida de entre os dentes. [Cf. *fio-dental*.] **Fio de palomba.** *Marinh.* Mialhar. **Fio de pedra.** Linha de divisibilidade que apresentam as rochas compactas ou de granulação fina. [Cf. *fio de pedra*, s.m.] **Fio de prumo.** Dispositivo constituído de um fio do qual pende um peso de metal, usado pelos pedreiros para verificar a verticalidade de muros, paredes e outros elementos das construções. **Fio de terra.** *Radiotéc.* Condutor metálico ligado à terra, em geral por intermédio de um encanamento de água. **Fio de vela.** *Marinh.* O resultante da torção de fios muito finos. **Fio de trama.** *Tec. Têx.* Conjunto de fios dispostos em direção transversal (largura) e que, com o fio de urdidura, formam o tecido, na tecelagem plana (q. v.). **Fio de urdidura.** *Tec. Têx.* Conjunto de fios dispostos na direção longitudinal (comprimento) e que, com o fio de trama, formam o tecido, na tecelagem plana (q. v.). **Fio de vincar.** *Art. Gráf.* Fio de aço que serve para fazer sulcos em papel, cartolina, etc., a fim de facilitar a dobragem; fio de dobra, fio seco. [V. *vinco* (5).] **Fio isolado.** *Eng. Elétr.* Fio revestido de material isolante ger. protegido por uma capa. **Fio nu.** *Eng. Elétr.* Fio sem revestimento isolante de qualquer espécie. **Fio penteado.** *Tec. Têx.* Fio livre de impurezas naturais por meio de limpeza executada pela penteadeira (2), e que proporciona uma malha mais resistente, de melhor qualidade e mais cara. **Fio seco.** *Tip.* V. *fio de vincar*. **Fio têxtil.** *Tec. Têx.* Fibra natural (de planta, animal, etc.) ou sintética, flexível, de forma cilíndrica, e delgada. **A fio.** A eito; seguidamente: "prendeu-me um dia à chuva / hora e meia, a contar-me a fio uma novela / em dez tomos, que lera" (Antônio Feliciano de Castilho, *O Misantropo*, p. 64); "sentavam-se ao sol, calados horas a fio, os velhos embarcadiços" (Joaquim Paço d'Arcos, *Carnaval e Outros Contos*, p. 16). **A fio comprido.** Deitado ou estendido em decúbito: "caiu do animal abaixo, a fio comprido, com as faces roxas." (Lúcio de Mendonça, *Horas do Bom Tempo*, p. 183); "Meu pai deu-lhe um pontapé na cara. Ele caiu a fio comprido no soalho." (Bernardo Élis, *Ermos e Gerais*, p. 119). **Bater um fio.** *Bras. Fam.* Telefonar (1 e 2). **De fio a pavio.** Do princípio ao fim. **Levar tudo a fio de espada. 1.** Acutilar a torto e a direito. **2.** Levar tudo à força. **No fio.** Muito coçado do uso (roupa ou tecido); puído. **Perder o fio à meada.** *Lus.* Perder o fio da meada: "Para não perder o fio à meada, em assunto de tal transcendência, é conveniente começar por onde se encontram instalados... os arquivos e os fichários." (José Saramago, *Todos os nomes*, p. 13.) **Perder o fio da meada.** Não dar continuidade ao fluxo de ideias, ou de fatos, etc. [Sin., lus.: *perder o fio à meada*.] **Por um fio.** V. *por um triz* (1). **Por um fio de cabelo.** V. *por um triz* (1).

■ **Fiocruz** Sigla de *Fundação Oswaldo Cruz*.

fio-dental ***S. m.*** *Pop.* **1.** Peça inferior de biquíni (1), de pernas excessivamente cavadas e que se enfiam entre as nádegas, deixando-as totalmente descobertas. **2.** Calcinha muitíssimo cavada. • ***Adj. 2 g.*** **3.** Diz-se dessa calcinha ou dessa parte do biquíni (1). [Pl.: *fios-dentais*. Cf. *fio dental*.]

fio de pedra ***S. m.*** *Bras. CE* V. *meio-fio* (1). [Pl.: *fios de pedra*. Cf. *fio de pedra*, loc.] ☑

fiofó ***S. m.*** *Bras. Pop.* V. *ânus*.

fiorde [Do nor. *fjord*, pelo fr. *fjord*, *fiord*.] ***S. m.*** *Geogr.* Golfo estreito e profundo, entre montanhas altas, na Noruega, Suécia e outros países.

fiorita [Do top. (*Santa*) *Fiora* (Itália) + *-ita*[3].] ***S. f.*** *Min.* Variedade de opala, brancacenta, de brilho de madrepérola, em formas concrecionais.

fioritura [Do it. *fioritura*.] ***S. f.*** **1.** *Mús.* Nota ou grupo de notas de ornamento acrescidas às notas essenciais duma melodia; floreio. **2.** *P. ext.* Qualquer acessório ornamental na linguagem falada ou na escrita, nas artes plásticas, etc.; floritura.

fios [Pl. de *fio*.] ***S. m. pl.*** Meios, processos. ~ V. *fio*.

fios de ovos ***S. m. pl.*** *Cul.* Fios-d'ovos. ☑

fios-d'ovos ***S. m. pl.*** *Cul.* Doce em forma de fios, feito de gemas de ovos e açúcar; fios de ovos: "A doçaria enfeita a mesa de um extremo ao outro: são torres de fios-d'ovos." (Martins Fontes, *A Dança*, p. 88). ☑ nota 3

fiota[1] [Var. de *fiote*[2].] ***S. m.*** *Bras. Chulo* V. *ânus*.

fiota[2] ***Adj. 2 g.*** *Bras. N.E. Fam.* V. *fiote*[1].

fiote[1] [De **finote* < *fino* (8), poss.] ***Adj. 2 g.*** *Bras. N.E. Fam.* Elegante, janota, casquilho. [Var.: *fiota*[2].]

fiote[2] ***S. m.*** *Bras. Chulo* V. *ânus*.

■ **FIPE** Sigla de *Fundação Instituto de Pesquisas Econômicas*.

fique ***S. m.*** *Bras. AM Bot.* Planta portulacácea (*Portulaca pusilla*) carnosa, de caule ramoso, folhas esparsas, flores subsésseis, solitárias e róseas, e cujo fruto é cápsula deiscente que encerra numerosas sementes reniformes.

➔**firewall** ['fajɚˌwɔl] [Ingl.] ***S. m.*** *Inform.* Dispositivo de segurança utilizado em rede de computadores que controla os dados que entram ou saem da rede, barrando os nocivos.

firma [Dev. de *firmar*.] ***S. f.*** **1.** Assinatura por extenso ou abreviada, manuscrita ou gravada. **2.** Ponto de apoio. **3.** Estabelecimento industrial ou comercial. [Cf., nesta acepç., *empresa* (2 a 4).] **4.** *Dir. Com.* Nome us. pelo comerciante ou industrial (pessoa natural ou jurídica) no exercício das suas atividades; razão social.

firmã [Do persa, pelo turco *fermân*, 'ordem (do sultão)', e pelo ingl. *firman*.] ***S. m.*** Ordem emanada de um soberano ou autoridade muçulmana.

firmação [De *firmar* + *-ção*.] ***S. f.*** Ato ou efeito de firmar(-se).

firmador (ô) [Do lat. *firmatore*.] ***S. m.*** Aquele que firma.

firmais [Pl. de *firmal*.] ***S. m. pl.*** Pontas do cabresto que se atam às argolas das ilhargas. ~ V. *firmal*.

firmal [De *firme* + *-al*[1].] ***S. m.*** **1.** Broche antigo para prender os vestidos. **2.** Sinete com firma: "D. Fernando, com seu estoque francês à cinta, vestia opa rica, tendo a sua esmeralda grande por firmal" (Antero de Figueiredo, *Leonor Teles*, p. 121). **3.** Relicário. ~ V. *firmais*.

firmamental [De *firmamento* + *-al*[1].] ***Adj. 2 g.*** Relativo ao firmamento, ou que o lembra: "Tem-se o sonho firmamental das miragens do infinito!" (Martins Fontes, *A Dança*, p. 66.)

firmamento [Do lat. *firmamentu*, 'apoio', 'suporte'; a acepç. de 'céu' é do lat. tard.] *S. m.* **1.** *Astr.* Hemisfério celeste visível; céu, abóbada celeste. **2.** Fundamento, sustentáculo, alicerce.

firmar [Do lat. *firmare*.] *V. t. d.* **1.** Tornar firme, seguro, fixo; fixar: *firmar os alicerces de uma construção.* **2.** Tornar firme, estável, definitivo: *O tempo firmou a sua posição na empresa.* **3.** Formar em caráter definitivo; assentar: *firmar uma opinião, um juízo, um conceito.* **4.** Tornar firme, ou mais firme; confirmar; corroborar, ratificar: *Sua atitude recente veio firmar minha opinião sobre ele.* **5.** Suster, escorar, amparar: *Firmou a criança que escorregara; Este gancho não é suficiente para firmar o quadro.* **6.** Estabelecer, instituir, fixar: *A lei firma que não haverá pena de morte; O Supremo firmou jurisprudência a respeito dessa matéria.* **7.** Combinar, ajustar, pactuar: *As partes litigantes firmaram um acordo.* **8.** Pôr firma ou assinatura em; assinar: *firmar uma carta, um documento.* **9.** Sancionar, aprovar, ratificar: *O governo firmou nova lei comercial.* **10.** Abonar, afiançar. **11.** Gravar; inscrever: *Tomou do cinzel e firmou o nome da amada.* ***T. d. e c.*** **12.** Firmar (1): *Firmou o armário na parede.* **13.** Apoiar com força, de sorte que fique firme: *Quando o ônibus freou, firmei o braço na cadeira.* ***T. d. e i.*** **14.** Basear, fundar, fundamentar: *Firmou seu argumento na lei.* ***Int.*** **15.** Ficar (o tempo) firme. ***P.*** **16.** Tornar-se firme, estável, definitivo: *Com o correr do tempo, a situação firmou-se;* "Crescia o seu poder, e se firmava / Entre surdas vinganças." (Basílio da Gama, *O Uraguai*, V, p. 97). **17.** Segurar-se, apoiar-se; amparar-se: *Com a súbita freada do ônibus, tive de firmar-me bem para não cair;* "Em mim se apoiava, / em mim se firmava, / Em mim descansava, / Que filho lhe sou." (Gonçalves Dias, *Obras Poéticas*, II, pp. 24-25). **18.** Basear-se, fundar-se, fundamentar-se, estribar-se. **19.** Tornar-se reconhecido: *Firmou-se como um excelente orador.*

firme [Do lat. vulg. *firme*, cláss. *firmu*.] ***Adj. 2 g.*** **1.** Bem pregado; sólido, seguro, fixo: *O armário está bem firme na parede.* **2.** Que tem estabilidade; estável, seguro: *Agora tem um emprego firme.* **3.** Aprumado, erguido, ereto: "não sendo loura e bonita como Patrícia Lane .... ou Carole Lombard, meus clarins são os peitos – grandes, firmes – e a blusa realça-os." (Osmã Lins, *Nove Novena*, p. 39). **4.** Que se movimenta ou desloca com precisão e equilíbrio: *mão firme; passos firmes.* **5.** Que oferece garantias; que está bem firmado em alguma coisa; seguro: *É uma empresa firme, aquela.* **6.** Imutável, inabalável: *Tomou a firme decisão de concluir a obra.* **7.** Constante, inalterável: *tempo firme.* **8.** Resoluto, determinado, decidido: *Falou em tom firme, sem vacilações.* **9.** Impassível, imperturbável: *Aguentou firme as provocações do colega.* **10.** Que tem prazo fixo. **11.** Diz-se de cor que não desbota. ~ V. *canto – e terra –*. • ***S. m.*** **12.** *Bras. AM* Terreno alto, facilmente inundável, em meio aos igapós encharcados: "a ondulação e a estrutura da gleba, que vai das baixadas aos firmes, dos firmes aos platôs, dos platôs aos cimos serranos" (Raimundo Morais, *Na Planície Amazônica*, p. 44). • ***Adv.*** **13.** Firmemente; com firmeza: "Foi andando à toa, num contentamento enorme. Pisava firme" (Jorge Medauar, *Água Preta*, p. 207).

firmeza (ê) [De *firme* + *-eza*.] *S. f.* **1.** Qualidade de firme; resistente, sólido: *A firmeza de um terreno, de uma construção; firmeza de caráter.* **2.** Segurança, precisão: *firmeza no julgamento, nos movimentos.* **3.** Coragem, decisão, determinação: *Agir com firmeza.* **4.** Rigor, autoridade: *A diretoria carece de firmeza.* **5.** Força, rijeza, vigor.

firmidão [Do lat. *firmitudine*.] *S. f. Desus.* **1.** Constância, firmeza. **2.** Contrato sólido, seguro.

firminense *Adj. 2 g.* **1.** De, ou pertencente ou relativo a Senador Firmino (MG). • ***S. 2 g.*** **2.** O natural ou habitante de Senador Firmino.

firmino-alvense *Adj. 2 g.* **1.** De, ou pertencente ou relativo a Firmino Alves (BA). • ***S. 2 g.*** **2.** O natural ou habitante de Firmino Alves. [Pl.: *firmino-alvenses*.]

firminopolense *Adj. 2 g.* **1.** De, ou pertencente ou relativo a Firminópolis (GO). • ***S. 2 g.*** **2.** O natural ou habitante de Firminópolis.

firmisterno [Do lat. *firmus*, 'firme', + *-i-* + *-sterno*; tax. *Firmisternia*.] *Zool. S. m.* **1.** Espécime dos firmisternos, divisão de anfíbios anuros que apresentam as duas metades da cintura escapular unidas por sutura na linha mediana. A esta série pertencem os ranídeos. • ***Adj.*** **2.** Pertencente ou relativo a eles.

firmitude [De *firme* + *-(t)ude*.] *S. f.* Qualidade de firme; firmeza.

firo *S. m.* **1.** *Bras. CE* Certo jogo semelhante ao jogo de damas, em que jogam duas pessoas, cada uma com nove pedras, vencendo aquela que dispuser três pedras em linha reta: "Ouvindo-as [as passadas] de longe, os meninos emudeciam, parando de jogar onça, firo ou marela" (Gustavo Barroso, *Mississípi*, p. 32). **2.** *Bras. BA* V. *gude*.

firula [Der. regress. do hisp.-amer. *firuletes*, 'floreios', 'adornos retóricos' (< **ferolete*, f. metatética de **felorete* < *felor*, var. vulg. de *flor* em galego-português).] *S. f. Bras.* **1.** *Gír.* Floreio, rodeio, circunlóquio: *Não entra direto no assunto: é cheio de firulas.* **2.** *Fut.* Demonstração de domínio da bola, de grande habilidade, de verdadeiro virtuosismo no lidar com ela: "quando não há pressa, fazem embaixada, fazem uma firula qualquer, realizando com os pés, em matéria de domínio de bola, o que os tenistas pretendem e mal conseguem realizar com a mão." (Armando Nogueira, *Na Grande Área*, p. 16).

fisális [Do tax. *Physalis*.] *S. f. 2 n. Bot.* **1.** Grande gênero de ervas solanáceas, perenes anuais, e que habitam principalmente a América. Têm corola campanuliforme, inflada, cálice por vezes colorido, que encerra fruto globular, amarelo-esverdeado, edule; são cultivadas por seus frutos, e pelos cálices exuberantes. **2.** Qualquer espécie desse gênero, como, p. ex., a *Physalis pubescens* (v. *camapu*). **3.** Qualquer espécime desse gênero.

fisalita [Do gr. *physallís*, 'bolha', + *-ita*[3].] *S. f. Min.* Variedade opaca de topázio.

fisápode [Adapt. do tax. *Physapoda*.] *S. m. Adj. 2 g. Zool.* V. *tisanóptero*.

fiscal [Do lat. *fiscale*.] *Adj. 2 g.* **1.** Relativo ao fisco (2); tributário. ~ V. *anistia –, ano –, carga –, direito –, elisão –, evasão –, executivo –, imunidade –, incentivo –, isenção –, livro –, nota –, paraíso –, política – e remissão –*. • ***S. 2 g.*** **2.** Pessoa encarregada de fiscalizar certos atos, ou a execução de certas disposições: *fiscal aduaneiro; fiscal do imposto de renda; fiscal de trânsito* **3.** *Fig.* Censor, crítico. ◆ **Fiscal de linha.** *Bras. Fut.* V. *auxiliar de arbitragem*. **Fiscal do meio ambiente.** *Bras. Fig.* Pessoa que não trabalha, que vive cômoda e prazerosamente.

fiscalismo [De *fiscal* (1) + *-ismo*.] *S. m.* Preocupação excessiva dos governantes com a criação e a cobrança de impostos.

fiscalista [De *fiscal* (1) + *-ista*.] *Adj. 2 g. S. 2 g.* V. *tributarista*.

fiscalização [De *fiscalizar* + *-ção*.] *S. f.* **1.** Ato ou efeito de fiscalizar. **2.** Pessoa(s) ou entidade(s) que têm a função de fiscalizar.

fiscalizar [De *fiscal* + *-izar*.] *V. t. d.* **1.** Velar por; vigiar, examinando: *fiscalizar obras.* **2.** Submeter a atenta vigilância, sindicar (os atos de outrem). **3.** Examinar, verificar: *fiscalizar uma contabilidade.* ***Int.*** **4.** Exercer o ofício de fiscal.

fiscela [Do lat. *fiscella*.] *S. f.* V. *açaimo*.

fisco [Do lat. *fiscu*.] *S. m. Econ.* **1.** V. *fazenda* (5). **2.** Conjunto de órgãos da administração pública encarregados da arrecadação de tributos e da fiscalização dos contribuintes.

fise [Do gr. *phýsis*, 'formação', 'produção'; 'maneira de ser'; 'natureza'.] *S. f. Anat. Histol.* Placa cartilaginosa, situada entre epífise e diáfise de certos ossos, principalmente de ossos tubulares, e que é responsável pelo crescimento longitudinal durante o período de crescimento somático. [Sin.: *cartilagem epifisária, disco epifisário, placa de crescimento*.]

▲**-fise** [Do gr. *-phýsis, eōs* (ў), como em *apóphysis* e *diáphysis*, < v. gr. *phýein, phýesthai*, 'crescer', 'aumentar'; 'produzir'.] *El. comp.* = 'crescimento'; 'produção (orgânica)': *anáfise, apófise* (< gr.), *diáfise* (< gr.), *epífise* (< gr.), *metáfise, paráfise*.

fiseterídeo [Do tax. *Physeter* + *-ídeo*[1]; tax. *Physeteridae*.] *Zool. S. m.* **1.** Espécime dos fiseterídeos, família de mamíferos cetáceos, odontocetos, de grande porte, cabeça muito volumosa, obtusa, que contém um reservatório onde se aloja o espermacete; maxilares superiores sem dentes. São os cachalotes. • ***Adj.*** **2.** Pertencente ou relativo a eles.

fisga [Dev. de fisgar.] *S. f.* **1.** Arpão (1) para pescar. **2.** V. *fenda* (2): "As paredes esborcinadas, abertas em fisgas e luras, mostravam o barro seco e as ripas." (Coelho Neto, *Miragem*, pp. 287-288.) **3.** *Lus.* Atiradeira.

fisgada [De *fisgar* + *-ada*[1].] *S. f.* Dor aguda e rápida; pontada.

fisgador (ô) [De *fisgar* + *-dor*.] *Adj. S. m.* Que, ou aquele que fisga.

fisgar [Do lat. vulg. **fixicare* < lat. *fixus*, part. pass. de *figere*, 'cravar'.] *V. t. d.* **1.** Pescar com fisga, ou arpão, ou com outro instrumento: "Entretanto Poti, do alto da rocha, fisgava o saboroso camurupim que brincava na pequena baía do Mundaú" (José de Alencar, *Iracema*, p. 101). **2.** Deter, prender (quem se ia escapando). **3.** Tocar, alcançar, atingir, rapidamente: "A unha do tatu, fisgando-lhe a munheca, entrara-lhe rápida na palma da mão" (Herberto Sales, *Histórias Ordinárias*, p. 170). **4.** Apanhar ou perceber com rapidez, de pronto; pegar no ar: *Muito esperto, fisgou logo o alcance da ironia.* **5.** *Bras. Fam.* Despertar amor ou paixão em; prender, enfeitiçar. [Conjug.: v. *largar*.]

fisgo [De *fisga*.] *S. m. Bras.* A parte do anzol ou do arpão que fisga o peixe.

▲**fis(i)-** V. *fisio-*.

fisiatra [De *fis(i)-* + *-iatra*.] *S. 2 g.* Médico especialista em fisiatria.

fisiatria [De *fis(i)-* + *-iatria*.] *S. f. Terap.* Forma de tratamento de doença mediante o emprego de agente físico, como, p. ex., calor, eletricidade, ou a utilização de aparelho mecânico.

fisiátrico [De *fisiatria* + *-ico*[2].] *Adj.* Relativo à fisiatria.

física [Do lat. *physica* < gr. *physiké*, fem. de *physikós*.] *S. f.* **1.** Ciência de conteúdo vasto e fronteiras não muito definidas, que investiga as propriedades dos campos, as interações entre os campos de força e os meios materiais, as propriedades e a estrutura dos sistemas materiais, e as leis fundamentais do comportamento dos campos e dos sistemas materiais. **2.** Conjunto de conhecimentos relativos à física, ou que têm implicações com ela, ministrados nas faculdades. **3.** Tratado ou compêndio de física. **4.** Exemplar de um desses tratados ou compêndios. ◆ **Física atômica.** Parte da física que trata das propriedades do átomo, de suas interações com a radiação e com os campos de força, investiga os níveis de energia e a emissão de energia em sistemas atômicos, e explica a estrutura destes. **Física clássica.** Parte da física que abrange, de modo geral, os conhecimentos e teorias incluídos na física até os fins do século XIX, e se caracteriza por uma formulação teórica baseada nos conceitos e princípios da mecânica clássica (newtoniana) e do eletromagnetismo maxwelliano. **Física coloidal.** Parte da físico-química que investiga as propriedades físicas dos coloides, esp. as ópticas e elétricas. **Física do estado sólido.** Parte da física que investiga as propriedades dos materiais sólidos, esp. dos cristais; física dos sólidos. **Física dos plasmas.** Parte da física que investiga as propriedades e a produção dos plasmas. **Física dos sólidos.** Física do estado sólido. **Física estatística.** Mecânica estatística. **Física experimental.** Investigação dos fenômenos físicos que utiliza processos experimentais e visa à medida de grandezas físicas relevantes, ou à observação de determinados processos físicos. **Física matemática.** Parte da física que tem o objetivo de investigar e descobrir por meio de métodos matemáticos as consequências duma teoria física, partindo da aceitação das hipóteses fundamentais dessa teoria. [Tb. se diz, ocasionalmente, *física teórica* (q. v.).] **Física molecular.** Estudo das propriedades gerais das moléculas, da natureza das forças intermoleculares, da ligação química e dos espectros moleculares. **Física nuclear.** Parte da física que investiga as propriedades do núcleo atômico e das partículas elementares, as forças nucleares e as interações entre as partículas, as reações nucleares e os fenômenos de desintegração e fissão. **Física solar.** Heliofísica. **Física teórica.** **1.** Parte da física em que as teorias desta ciência são expressas e formuladas sob forma matemática, e na qual os resultados obtidos experimentalmente figuram como elementos de validação das relações gerais ou particulares nela incluídos. Tem dois objetivos básicos: a descoberta de leis bastante gerais que possam servir, juntamente com um reduzido número de outras, para a elaboração de uma teoria pertinente a um grande conjunto de fenômenos de mesma natureza, e a derivação, usualmente feita pelos processos formais da matemática, das consequências dessas leis. **2.** V. *física matemática*. **Física terrestre.** V. *geofísica*.

fisicalismo [Do ingl. *physicalism*.] *S. m. Angl.* V. *fisicismo*.

fisicidade (fi) [De *físico* + *-(i)dade*.] *S. f.* **1.** Caráter ou condição do que é físico, do que tem existência material. **2.** Predomínio dos aspectos ou sentidos físicos (por oposição ao que é mental ou espiritual).

fisicismo [De *física* + *-ismo*.] *S. m.* **1.** Sistema daqueles que explicam o Universo pela relação das forças físicas. **2.** *Filos.* Doutrina neopositivista (v. *neopositivismo*), segundo a qual a linguagem da física é, de direito, a linguagem de toda a ciência.

fisicista [De *fisicismo* + *-ista*.] *Adj. 2 g.* **1.** Referente ao, ou que é partidário do fisicismo. • ***S. 2 g.*** **2.** Partidário dele.

físico [Do gr. *physikós*, 'relativo à natureza', pelo lat. *physicu*.] *Adj.* **1.** Relativo à física. **2.** Referente às leis da Natureza; corpóreo; material; natural. ~ V. *amor –, antropologia – a, atmosfera – a, ciências – as, cultura – a, dependência – a, geografia – a, libração – a, oceanografia – a, óptica – a, par –, pêndulo –, pessoa*

—a, preparador — e preparo —. ● *S. m.* **3.** O conjunto das qualidades exteriores e materiais do homem. **4.** *P. ext.* Aspecto; configuração, compleição: "Apesar de ser uma criatura débil, de físico fragílimo, o Artur esteve a pique de ser agredido" (Leonardo Mota, *A "Padaria Espiritual"*, pp. 59-60). **5.** O conjunto das funções fisiológicas. **6.** Especialista em física (1). **7.** *Ant.* Médico[2] (2).

físico-química [De *físico* + *química.*] *S. f.* Ciência de domínio não muito bem definido, que investiga as propriedades de sistemas relacionando-as à sua estrutura e constituição, ou, inversamente, procura determinar as peculiaridades da constituição de um sistema partindo das suas propriedades macroscópicas. [Pl.: *físico-químicas.*]

físico-químico [De *físico-química*, com var. suf. (v. *-ico*[2]).] *Adj.* **1.** Relativo à físico-química. ● *S. m.* **2.** Aquele que é formado em físico-química, ou é versado nessa matéria. [Pl. do adj.: *físico-químicos*; pl. do s. m.: *físicos-químicos.*]

fisiculturismo [De *fisi(co)* + *cultura* + *-ismo.*] *S. m.* Musculação que visa, esp., o aumento do volume dos músculos corporais.

fisiculturista [De *fisiculturismo* + *-ista.*] *Adj. 2 g.* **1.** Relativo ao fisiculturismo. ● *S. 2 g.* **2.** Indivíduo que pratica o fisiculturismo.

▲**fisio-** [Do gr. *phýsis, eōs*, 'formação', 'produção'; 'natureza'.] *El. comp.* = 'natureza física ou moral': *fisiogenia, fisioterapia, fisiostigmina.* [Equiv.: *fis(i)-, -fisi(o)-: fisiatra; monofisismo.*]

▲ **-fisi(o)-** V. *fisio-.*

fisiocracia [De *fisio-* + *-cracia*; fr. *physiocratie.*] *S. f. Econ.* Escola de pensamento econômico em voga na França no séc. XVIII, tendo em François Quesnay (1694-1774) seu principal representante, que sustentava ser a terra a única verdadeira fonte de riqueza, e defendia o liberalismo econômico.

fisiocrata [Var. pros. de *fisiócrata*; fr. *physiocrate.*] *S. 2 g.* Economista adepto da fisiocracia. [Sobre a prosódia deste voc., v. *-crata.*]

fisiócrata [De *fisio-* + *-crata.*] *S. 2 g.* Fisiocrata (q. v.).

fisiocrático [De *fisiocrata* + *-ico*[2]; fr. *physiocratique.*] *Adj.* Concernente à fisiocracia.

fisiogenia [De *fisio-* + *-genia.*] *S. f.* Desenvolvimento natural do organismo.

fisiogénico *Adj.* V. *fisiogênico.* [Uso freq. em P.]

fisiogênico [De *fisiogenia* + *-ico*[2].] *Adj.* Respeitante à fisiogenia.

fisiognomonia [Do gr. *physiognomonía.*] *S. f.* Arte de conhecer o caráter das pessoas pelos traços fisionômicos. [Cf. *fisionomia.*]

fisiognomónico *Adj.* V. *fisiognomônico.* [Uso freq. em P.]

fisiognomônico [De *fisiognomonia* + *-ico*[2].] *Adj.* Relativo à fisiognomonia.

fisiognomonista [De *fisiognomonia* + *-ista.*] *S. 2 g.* Especialista em fisiognomonia.

fisiografia [De *fisio-* + *-grafia.*] *S. f.* Geografia física.

fisiográfico [De *fisiografia* + *-ico*[2].] *Adj.* Pertencente à fisiografia. ~ V. *região —a.*

fisiógrafo [De *fisio-* + *-grafo.*] *S. m.* Especialista em fisiografia.

fisiologia [Do gr. *physiología.*] *S. f.* **1.** Parte da biologia que investiga as funções orgânicas, processos ou atividades vitais, como o crescimento, a nutrição, a respiração, etc. **2.** Tratado ou compêndio de fisiologia. **3.** Exemplar de um desses tratados ou compêndios.

fisiológico [De *fisiologia* + *-ico*[2].] *Adj.* **1.** Relativo à fisiologia: *pesquisas fisiológicas.* **2.** *Fig.* Relativo ao fisiologismo, ou que o pratica. ~ V. *canal — e química —a.*

fisiologismo [De *fisiológico* + *-ismo*, seg. o padrão erudito.] *S. m. Deprec.* Atitude ou prática (de políticos, funcionários públicos, etc.) caracterizada pela busca de ganhos ou vantagens pessoais, em lugar de ter em vista o interesse público: "ao concentrar tantos poderes em suas mãos, acaba acumulando todos os pedidos que surgem e passa a fazer parte do fisiologismo." (Revista *Veja*, 19.08.1987, p. 23).

fisiologista [De *fisiologia* + *-ista.*] *S. 2 g.* Especialista em fisiologia; fisiólogo.

fisiólogo [Do gr. *physiológos*, pelo lat. tard. *physiologus.*] *S. m.* Fisiologista.

fisiolostria [Alter. pop. jocosa de *fisionomia.*] *S. f. Bras. Pop.* Fisionomia (1 e 2).

fisionomia [Do lat. med. *physonomia, physionomia.*] *S. f.* **1.** As feições do rosto; semblante, cara: *Bela de fisionomia, feia de alma.* **2.** A expressão particular dessas feições; ar: *Está com uma fisionomia tão cansada!* **3.** Parecer, aspecto: *Não me agrada a fisionomia desta cidade.* **4.** Conjunto de caracteres especiais: "A atual fisionomia social e política do mundo" (Fidelino de Figueiredo, *Entre Dois Universos*, p. 76). **5.** *Ecol.* Caráter dado a uma comunidade vegetal pela forma biológica de seus componentes. [Cf. *fisiognomonia.*]

fisionómico *Adj.* V. *fisionômico.* [Uso freq. em P.]

fisionômico [De *fisionomia* + *-ico*[2].] *Adj.* Da, ou relativo à fisionomia.

fisionomista [De *fisionomia* + *-ista.*] *S. 2 g.* **1.** Pessoa que conhece a índole de outra pela observação de sua fisionomia. **2.** Pessoa que tem boa memória das fisionomias, que as grava bem.

fisiopatia [De *fisio-* + *-patia.*] *S. f. Neur.* Termo usado pelo neurologista francês Joseph François Felix Babinski (1857-1932) para designar distúrbio neurológico funcional não pertencente à área psíquica.

fisiopático [De *fisiopatia* + *-ico*[2].] *Adj.* Referente à fisiopatia.

fisioterapeuta [De *fisio-* + *terapeuta.*] *S. 2 g.* Especialista em fisioterapia.

fisioterapia [De *fisio-* + *-terapia.*] *S. f. Terap.* Tratamento de doença por meio de exercícios e de agentes físicos.

fisioterápico [De *fisioterapia* + *-ico*[2].] *Adj.* Relativo à fisioterapia.

físis [Do gr. *phýsis.*] *S. f. Hist. Filos.* Segundo os filósofos pré-socráticos, a matéria que é fundamento eterno de todas as coisas e confere unidade e permanência ao Universo, o qual, na sua aparência, é múltiplo, mutável e transitório.

▲**fis(o)-** [Do gr. *physa, ēs.*] *El. comp.* = 'vento', 'ar'; 'bexiga': *fisocele, fisometria.*

fisocele [De *fis(o)-* + *-cele.*] *S. f. Patol.* **1.** Tumoração cheia de gases. **2.** Saco herniário cheio de gases.

fisoide (ói) [Do gr. *physoeidés.*] *Adj. 2 g.* Que tem feitio de bexiga. ❖

fisometria [De *fis(o)-* + *-metria.*] *S. f. Gin.* **1.** Formação de gases na cavidade uterina. **2.** Distensão do útero causada por gases.

fisométrico [De *fisometria* + *-ico*[2].] *Adj.* Relativo à fisometria.

fisópode [Adapt. do tax. *Physopoda.*] *S. m. Adj. 2 g. Zool.* V. *tisanóptero.*

fisostigma [Do tax. *Physostigma.*] *S. m. Bot.* **1.** Gênero de videiras fabáceas, lenhosas. **2.** Qualquer espécie desse gênero, como, por ex., a *Physostigma venenosum* (v. *fava-de-calabar*). **3.** Qualquer espécime desse gênero.

fisostigmina [De *fisostigma* (q. v.) + *-ina*[3].] *S. f. Quím.* Eserina.

fisóstomo [De *fis(o)-* + *-stomo*; tax. *Physostomi.*] *Zool. S. m.* **1.** Espécime dos fisóstomos, ordem de peixes actinopterígios, osteíctes, cuja bexiga natatória se comunica com o tubo digestório através de um canal. ● *Adj.* **2.** Pertencente ou relativo a eles.

fissão [Do lat. *fissione.*] *S. f.* **1.** Ação ou efeito de cindir, fender. **2.** *Astr.* Processo segundo o qual algumas teorias cosmológicas explicam a origem das estrelas múltiplas e dos sistemas planetários. **3.** *Biol.* Cissiparidade. **4.** *Fís. Nucl.* Reação nuclear, espontânea ou provocada, em que um núcleo atômico, geralmente pesado, se divide em duas partes de massas comparáveis, emitindo nêutrons e liberando grande quantidade de energia. [A fissão do urânio 235, induzida por nêutrons, constitui o mecanismo básico do funcionamento dos reatores e das bombas atômicas. Sin.: *fissão nuclear, cisão nuclear.*] ◆ **Fissão atômica.** *Fís. Nucl. Impr.* V. *fissão* (4). **Fissão em cadeia.** *Fís. Nucl.* Reação de fissão em que as partículas produzidas são da mesma espécie que as que a provocam e podem, por sua vez, provocar novas fissões. **Fissão nuclear.** *Fís. Nucl.* V. *fissão* (4).

▲ **fissi-** [Do lat. *fissus, a, um.*] *El. comp.* = 'fendido', 'rachado': *fissifloro, fissíparo.*

fissifloro [De *fissi-* + *-floro.*] *Adj. Bot.* Que tem a corola fendida.

fissiforme [De *fissi-* + *-forme.*] *Adj. 2 g.* Semelhante a fenda.

físsil [Do lat. *fissile.*] *Adj. 2 g.* **1.** Que se pode fender. **2.** *Fís. Nucl.* Diz-se de um isótopo ou de uma substância capaz de sofrer fissão nuclear; fissionável. [Pl.: *físseis.*]

fissilingue *S. m. Adj. 2 g. Zool.* V. *fissilíngue.* [Uso freq. em P.]

fissilíngue (güe) [De *fissi-* + *-língue*; tax. *Fissilinguia.*] *Zool. S. m.* **1.** Espécime dos fissilíngues, grupo de animais metazoários, cordados, répteis, escamados, sáurios, cuja língua é fina, longa, protrátil, bífida na extremidade, e pode projetar-se para fora, sem abertura da boca, através de orifício no lábio superior. ● *Adj. 2 g.* **2.** Pertencente ou relativo a eles. ❖

fissionar [De *fissão* (4) + *-ar*[2], seg. o padrão erudito.] *V. t. d. Fís. Nucl.* Provocar a fissão de (um núcleo).

fissionável [De *fissionar* + *-vel.*] *Adj. 2 g. Fís. Nucl.* Físsil (2).

fissiparidade (fi) [De *fissíparo* + *-(i)dade.*] *S. f. Biol. Genét.* V. *esquizogênese.*

fissíparo [De *fissi-* + *-paro.*] *Adj. Genét.* Que se reproduz pela divisão do seu próprio corpo.

fissípede[1] [Do lat. tard. *fissipede.*] *Adj. 2 g. Zool.* Que tem unhas ou pés fendidos, ou os dedos unidos por membranas.

fissípede[2] [De *fissi-* + *-pede*; tax. *Fissipedia.*] *Zool. S. m.* **1.** Espécime dos fissípedes, subordem de mamíferos carnívoros, terrestres, caracterizados por terem os membros desenvolvidos e os dedos separados, livres, e que compreende todas as formas de carnívoros terrestres. Modernamente, tende-se a substituir esta subordem por outras duas: caniformes e feliformes. ● *Adj. 2 g.* **2.** Pertencente ou relativo a eles.

fissipene [De *fissi-* + *-pene.*] *Adj. 2 g. Zool.* Que tem as asas divididas em partes.

fissirrostro[1] [De *fissi-* + *-rostro.*] *Adj. Zool.* Que tem o bico fendido.

fissirrostro[2] [Adapt. do tax. *Fissirrostres.*] *Zool. S. m.* **1.** Espécime dos fissirrostros, grupo de aves passeriformes, cujo bico é curto, largo e fendido profundamente, permitindo a caça de insetos durante o voo. ● *Adj.* **2.** Pertencente ou relativo a eles.

fissura [Do lat. *fissura.*] *S. f.* **1.** Fenda ligeira, superficial; racha: *Uma imperceptível fissura no violino modifica-lhe a sonoridade.* **2.** *Fig.* Pequena falha, lacuna: "O seu caso é dramático, porque há fissuras de sensibilidade que a vida não conseguiu tapar, e por elas penetra uma ternura engasgada e insuficiente" (Antônio Cândido, *Ficção e Confissão*, p. 32). **3.** *Anat.* Fenda, cissura, incisura. **4.** *Patol.* Solução de continuidade estreita e pouco profunda. **5.** *Bras. Gír.* Ânsia, sofreguidão.

fissuração [De *fissurar* + *-ção.*] *S. f.* **1.** Estado daquilo que está fendido ou rachado. **2.** *Anat.* Divisão das vísceras em lóbulos. **3.** *Bras. Gír.* V. *curtição* (2 e 3).

fissurado [Part. de *fissurar.*] *Adj.* **1.** Que tem fissura; fendido, rachado. **2.** *Bras. Gír.* Loucamente apaixonado (por alguém ou por algo).

fissuramento [De *fissurar* + *-mento.*] *S. m.* **1.** Ato ou efeito de fissurar. **2.** *Tec.* Formação de rachaduras filamentosas num material plástico.

fissurar [De *fissura* + *-ar*[2].] *V. t. d.* Produzir fissura em; fender, rachar.

fístula [Do lat. *fistula*, 'tubo', 'canal'.] *S. f.* **1.** *Patol.* Lesão congênita ou adquirida em que se comunicam, por meio de ducto por onde transita matéria, duas cavidades orgânicas ou uma cavidade orgânica e o meio exterior. **2.** *Cir.* Comunicação feita cirurgicamente entre dois órgãos, ou entre um órgão e o meio exterior. **3.** *Poét.* Flauta pastoril. **4.** *Bras.* Sujeito de mau caráter: *Não se meta com aquele indivíduo: é uma fístula.* [Cf. *fistula*, do v. *fistular.*]

fistulado [Do lat. *fistulatu.*] *Adj.* Que apresenta fístula; fistuloso, fistular.

fistular[1] [Do lat. *fistulare.*] *Adj. 2 g.* V. *fistulado.*

fistular[2] [De *fístula* + *-ar*[2].] *V. t. d.* **1.** Converter em fístula. *Int. P.* **2.** Converter-se em fístula. [Pres. ind.: *fistulo, fistulas, fistula*, etc. Cf. *fístula.*]

fistularíideo [Do tax. *Fistularia* (< lat. *fistula*, 'canal', 'buraco', + lat. cient. *-aria*) + *-ídeo*[1]; tax. *Fistulariidae.*] *Zool. S. m.* **1.** Espécime dos fistularíideos, família de peixes gasterosteiformes, marinhos, com 1 gênero e 4 espécies, de corpo muito alongado, sem escamas, e focinho longo e tubular. São os peixes-trombetas. ● *Adj.* **2.** Pertencente ou relativo a eles.

fistulivalve (fis) [De *fístula* + *-i-* + *-valve.*] *Adj. 2 g. Zool.* Que tem concha com as valvas tubiformes.

fistulização [De *fistulizar* + *-ção.*] *S. f.* **1.** *Patol.* Processo de formação de fístula. **2.** *Cir.* Formação intencional de fístula (2).

fistulizar [De *fístula* + *-izar.*] *V. t. d. Int. Med.* Produzir fístula (em).

fistuloso (ô) [Do lat. *fistulosu.*] *Adj.* **1.** V. *fistulado.* **2.** *Bot.* Provido de cavidade central alongada: *caule fistuloso.*

fita[1] [Do lat. *vitta*, 'faixa', poss.] *S. f.* **1.** Tecido reto e fino, de fio natural ou sintético, cuja largura não ultrapassa em geral 4cm, us. para atar, ornamentar, debruar, etc., e que pode ser convenientemente preparado para outros fins: *um laço de fita*; *fita de máquina.* **2.** *P. ext.* Tira delgada e relativamente estreita de material flexível: *fita colante.* **3.** *Restr.* Insígnia honorífica que se usa ger. na lapela. **4.** *Fig.* Ação que tem por fim impressionar, chamar a atenção, etc.; simulação, fingimento: *Deixa de fita, menina: esse choro não é de dor.* **5.** *Arquit.* Ornato em forma de faixa enrolada em espiral que envolve superfícies cilíndricas, como em colunas, ou decorando sancas e entablamentos. **6.** *Bioquím.* Cada um dos polinucleotídeos constituintes de um ácido desoxirribonucleico. **7.** *Inform. Son. Telev.* Fita magnética. **8.** *Bras.* V. *filme* (2). ~ V. *fitas.* ◆ **Fita de Caspary.** *Bot.* Faixa de Caspary. **Fita fechada.** *Mús.* Gravação dum objeto sonoro em fita magnética que tem as extremidades coladas. **Fita magnética.** *Inform. Telev.* Dispositivo de armazenamento, na forma de uma fita flexível, no qual os dados são registrados pela magnetização seletiva de porções de sua superfície; teipe. [Tb. se diz apenas *fita*.] **Fita métrica.** Fita graduada, ger. com 1,5m de comprimento, us. em costura, etc.

fita[2] [Dev. de *fitar*.] ***S. f.*** Ato de fitar. ~ V. *fitas*.

▲ **-fita** V. *fit(o)-*.

fitáceo [De *fita*[1] + *-áceo*.] ***Adj.*** Que tem forma de fita.

fita-de-moça ***S. f.*** *Bras. Bot.* Pequeno arbusto poligonáceo (*Coccoloba platyclada*) ornamental, de flores sésseis, alvas ou esverdeadas, polígamas ou dioicas, e cujo fruto é um aquênio pequeno, vermelho a princípio, depois preto, circulado pelo cálice, que se torna carnoso. [Pl.: *fitas-de-moça*.]

fital [De *fit(o)-* + *-al*[1].] ***Adj. 2 g.*** *Ecol.* Diz-se do ambiente em que predominam macrófitas, que servem como substrato para o estabelecimento e o desenvolvimento de outros organismos, como, p. ex., os anfípodes.

fitar [Do lat. *fictus*, 'fixado', + *-ar*[2].] ***V. t. d.*** **1.** Fixar a vista em; cravar, pregar os olhos em: *Fitava a noiva enternecidamente*; "ergueu de repelão a cabeça e fitou o prior e o sobrinho como que acordado de súbito." (Arnaldo Gama, *O Balio de Leça*, pp. 47-48); "Os véus tinham-lhe ciúme. Outras, tinham-lhe inveja. / E ao fitá-la os varões tinham pasmos sensuais." (Manuel Bandeira, *Estrela da Vida Inteira*, p. 12). **2.** Fixar (a atenção, o pensamento, etc.) em. **3.** Conservar em posição levantada e imóvel, endireitar (as orelhas): "O onagro fitou as orelhas e .... começou a azurrar" (Alexandre Herculano, *Lendas e Narrativas*, II, p. 38). ***T. d. e i.*** **4.** Fixar, cravar (os olhos, a vista, em): "ele .... fitava nela uns olhos tão cheios de paixão, que não tinha coragem de negar-se." (Amando Fontes, *Os Curumbas*, p. 138); "Às vezes a surpreendia fitando em mim um olhar ardente e longo" (José de Alencar, *Lucíola*, p. 176); "fita-lhe uns olhos namorados, vivamente namorados." (Machado de Assis, *Papéis Avulsos*, p. 131); "fitou-lhe muito os olhos" (Id., *Histórias sem Data*, p. 50). ***P.*** **5.** Fixar-se, cravar-se: "Arrependidos, ou então cansados / De se fitarem com demora em mim, / Os seus olhos piedosos e sagrados / Ao diálogo do amor puseram fim." (Augusto Gil, *Luar de Janeiro*, p. 140.) **6.** Olhar-se mutuamente: *os noivos fitavam-se enternecidos*; "E fitam-se, em silêncio indecifrável, / Contemplam-se de longe, misteriosos" (Antero de Quental, *Sonetos*, p. 308).

fitaria [De *fita*[1] + *-aria*.] ***S. f.*** Grande porção de fitas.

fitas [Pl. de *fita*[1].] ***S. m. pl.*** *Art. Gráf.* V. *cadarços*. ~ V. *fita*.

fiteiro [De *fita*[1] + *-eiro*.] ***S. m.*** **1.** Homem que fabrica fitas [v. *fita*[1] (1)]. **2.** *Bras.* Aquele que faz fita[1] (4). **3.** *Bras.* Indivíduo namorador, galanteador. **4.** *Bras. N.E.* Porta envidraçada que, em casas comerciais, protege as mercadorias postas nas prateleiras. **5.** *Bras. PB* Quiosque (2). • ***Adj.*** **6.** *Bras.* Diz-se daquele que faz fita[1] (4). **7.** *Bras.* Que é namorador, galanteador.

fítico [De *fit(ina)* + *-ico*[2].] ***Adj.*** *Quím.* ~ V. *ácido —*.

fitilho [De *fita*[1] + *-ilho*.] ***S. m.*** Fita muito estreita, de tecido, plástico, etc.; nastro.

fitina [De *fit(o)-* + *-ina*[3].] ***S. f.*** *Quím.* Substância branca, pulverulenta, sal de cálcio e magnésio do ácido fítico, que se extrai de certos grãos e sementes, e é us. como fortificante [fórm.: $(C_6H_{12}O_{24}P_6 3H_2O)_{24}Ca_5Mg$].

fitinha [De *fita*[1] + *-inha*.] ***S. f.*** *Fam.* Condecoração.

➔**fitness** ['fɪtnɪs] [Ingl.] ***S. m.*** **1.** A saúde e o bom preparo, esp. do corpo; bem-estar. **2.** *P. ext.* Os hábitos de vida, esp. a prática esportiva, com este fim: *roupa para fitness*. **3.** *P. ext.* O local em que se faz essa prática esportiva.

fito[1] [Dev. de *fitar*.] ***S. m.*** **1.** Ponto determinado a que se dirige o tiro, flechada, etc.; alvo, mira. **2.** *Fig.* Aquilo a que se dirigem nossos desígnios; intento, fim: "O seu fito único .... era fundear em Porto Alegre no outro dia, cedo — mais nada." (Virgílio Várzea, *Nas Ondas*, p. 35.) [Cf. *ficto*.]

fito[2] [Do lat. *fictu*.] ***Adj.*** **1.** Fixo, cravado, pregado: "com a cabeça pendida para a frente, o olhar fito, os lábios entreabertos, dir-se-ia hipnotizada" (Aluísio Azevedo, *Pegadas*, p. 194). **2.** Diz-se das orelhas que estão erguidas e imóveis: "as cabras vermelhas .... com as orelhas fitas e as cabecinhas finas de animais quase selvagens." (Conde de Ficalho, *Uma Eleição Perdida*, p. 219). [Cf. *ficto*.] ◆ **Fito a fito.** V. *a fito*: "concluiu pondo-lhe as mãos nos ombros, encarando-a fito a fito" (Machado de Assis, *A Mão e a Luva*, em *Obra Completa*, 1º vol., p. 339). **A fito.** De olhos fitos; fixamente, de frente; de fito; fito a fito: "O visconde olhou-o a fito, ... já em rumo para a ação" (Xavier Marques, *As Voltas da Estrada*, p. 81). [Cf. *afito*, do v. *afitar* e s. m.] **De fito.** V. *a fito*: "Ficou olhando para ele bem de fito" (Raquel de Queirós, *100 Crônicas Escolhidas*, p. 13).

▲**fit(o)-** [Do gr. *phyto-* < gr. *phytón, oû* (ў).] ***El. comp.*** = 'vegetal', 'planta': *fitogêneo, fitoide, fitólito*. [Equiv.: *-fit(o)-, -fita, -fito*: *holofítico*; *hemicriptófita*; *xerófito*.]

▲**-fit(o)-** V. *fit(o)-*.

▲**-fito** V. *fit(o)-*.

fitoalexina (cs) [De *fit(o)-* + *alexina*.] ***S. f.*** *Ecol. Quím.* Substância produzida por planta como resposta a infestação por fungo ou outro parasita, e que reduz ou elimina essa infestação.

fitobentos [Do ingl *phytobenthos*.] ***S. m. 2 n.*** *Ecol.* O conjunto das plantas aquáticas macroscópicas, bentônicas.

fitobezoar [De *fit(o)-* + *bezoar*.] ***S. m.*** V. *bezoar*.

fitocenologia [De *fit(o)-* + *-cen(o)-*[2] + *-logia*.] ***S. f.*** Fitossociologia.

fitocenológico [De *fitocenologia* + *-ico*[2].] ***Adj.*** Fitossociológico.

fitofagia [De *fit(o)-* + *-fag(o)-* + *-ia*[1].] ***S. f.*** Qualidade de fitófago.

fitofágico [De *fitofagia* + *-ico*[2].] ***Adj.*** Relativo à fitofagia.

fitófago[1] [De *fit(o)-* + *-fago*.] ***Adj. S. m.*** Diz-se de, ou aquele que se nutre de vegetais.

fitófago[2] [Do tax. *Phytophaga*.] ***Adj. S. m.*** *Zool.* **1.** V. *calastogastro*. **2.** V. *escutelerídeo*.

fitófilo [De *fit(o)-* + *-filo*[2].] ***Adj. S. m.*** *Zool.* Que, ou aquele que vive nas plantas.

fitofisiologia [De *fit(o)-* + *fisiologia*.] ***S. f.*** Fisiologia vegetal.

fitofisiológico [De *fitofisiologia* + *-ico*[2].] ***Adj.*** Relativo à fitofisiologia.

fitofisionomia [De *fit(o)-* + *fisionomia*.] ***S. f.*** **1.** Aspecto da vegetação dum lugar. **2.** Flora típica de uma região.

fitofisionómico ***Adj.*** V. *fitofisionômico*. [Uso freq. em P.]

fitofisionômico [De *fitofisionomia* + *-ico*[2].] ***Adj.*** Referente à fitofisionomia.

fitogéneo ***Adj.*** *Bot.* V. *fitogêneo*. [Uso freq. em P.]

fitogêneo [De *fit(o)-* + *-gen(o)-* + *-eo*.] ***Adj.*** *Bot.* Produzido por vegetais.

fitogénese ***S. f.*** V. *fitogênese*. [Uso freq. em P.]

fitogênese [De *fit(o)-* + *gênese*.] ***S. f.*** Fitogenia.

fitogenia [De *fit(o)-* + *-genia*.] ***S. f.*** Origem ou formação das plantas; fitogênese.

fitogénico ***Adj.*** V. *fitogênico*. [Uso freq. em P.]

fitogênico [De *fitogenia* + *-ico*[2].] ***Adj.*** Relativo à fitogenia.

fitogeografia [De *fit(o)-* + *geografia*.] ***S. f.*** Parte da botânica que trata das relações entre a planta e o meio, sobretudo no concernente à distribuição dos vegetais sobre a face da Terra.

fitogeográfico [De *fitogeografia* + *-ico*[2].] ***Adj.*** Referente à fitogeografia.

fitognomia [De *fit(o)-* + gr. *gnómon*, 'que conhece', + *-ia*[1].] ***S. f.*** *Bot.* Arte de reconhecer pelo aspecto das plantas as suas virtudes medicinais; fitognomônica.

fitognomónica ***S. f.*** V. *fitognomônica*. [Uso freq. em P.]

fitognomônica [De *fit(o)-* + gr. *gnómon*, 'que conhece', + *-ica*.] ***S. f.*** Fitognomia.

fitognomónico ***Adj.*** V. *fitognomônico*. [Uso freq. em P.]

fitognomônico [De *fitognomia* + *-ico*[2].] ***Adj.*** Relativo a fitognomia ou fitognomônica.

fitognosia [De *fit(o)-* + *-gnosia*.] ***S. f.*** Fitografia.

fitografia [De *fit(o)-* + *-grafia*.] ***S. f.*** Parte da botânica que se ocupa da descrição dos vegetais; fitognosia.

fitográfico [De *fitografia* + *-ico*[2].] ***Adj.*** Relativo à fitografia.

fitógrafo [De *fit(o)-* + *-grafo*.] ***S. m.*** Especialista em fitografia.

fitoide (ói) [De *fit(o)-* + *-oide*.] ***Adj. 2 g.*** Semelhante ou referente a planta. ❖

fitol [De *fit(o)-* + *-ol*[2].] ***S. m.*** *Quím.* Líquido oleoso que é um álcool diterpênico acíclico insaturado, que ocorre em certas plantas, e é us. na fabricação de vitaminas E e K [fórm.: $C_{20}H_{40}O$]. [Pl.: *fitóis*.]

fitolaca [Do tax. *Phytolacca*.] ***S. f.*** *Bot.* **1.** O gênero-tipo das fitolacáceas, constituído, em sua maioria, de plantas herbáceas perenes, ou por vezes árvores, nativas de regiões tropicais, e cujo fruto é bacáceo. **2.** Qualquer espécie desse gênero, como, p. ex., a *Phytolacca dioica* (v. *umbu*). **3.** Qualquer espécime desse gênero.

fitolacácea [Do tax. *Phytolacca* (v. *fitolaca*) + *-ácea*; tax. *Phytolaccaceae*.] ***S. f.*** *Bot.* Espécime das fitolacáceas, família de plantas da ordem das centrospermas, composta de ervas, arbustos e árvores dotados de flores racemosas, às vezes cimosas, perianto simples, com quatro ou cinco pétalas; androceu isostêmone, diplostêmone ou polistêmone, e fruto bacáceo ou capsular. Engloba mais de 100 espécies, próprias de países quentes, havendo poucas no Brasil.

fitolacáceo [De *fitolacácea*, com var. suf. (v. *-áceo*).] ***Adj.*** *Bot.* Pertencente ou relativo às fitolacáceas.

fitólito [De *fit(o)-* + *-lito*.] ***S. m.*** **1.** Planta fóssil. **2.** *Bot.* Concreção mineral que se forma nas células de muitas plantas.

fitologia [De *fit(o)-* + *-logia*.] ***S. f.*** *Desus.* Botânica.

fitológico [De *fitologia* + *-ico*[2].] ***Adj.*** *Desus.* Relativo à fitologia; botânico.

fitólogo [De *fit(o)-* + *-logo*.] ***S. m.*** *Desus.* Especialista em fitologia; botânico.

fitomastigino [Adapt. do tax. *Phytomastigina*.] *Zool.* ***S. m.*** **1.** Espécime dos fitomastiginos, subclasse de protozoários mastigóforos que inclui os protozoários flagelados que têm cloroplastos, como, p. ex., a euglena (q. v.). • ***Adj.*** **2.** Pertencente ou relativo a eles. [Sin. ger.: *fitomastigóforo*.]

fitomastigóforo ***S. m. Adj.*** *Zool.* V. *fitomastigino*.

fitomedicamento [De *fit(o)-* + *medicamento*.] ***S. m.*** *Med.* Medicamento constituído, basicamente, de plantas.

fitomenadiona [De *fit(o)-* + *menadiona*.] ***S. f.*** *Quím.* Substância oleosa, amarela, derivada de naftoquinona, encontrada em plantas verdes e bactérias fotossintéticas, vitamina do complexo vitamínico K, que é us. como anticoagulante; filoquinona; fitonadiona; vitamina K_1 [fórm.: $C_{31}H_{46}O_2$].

fitómetro ***S. m.*** *Bot.* V. *fitômetro*. [Uso freq. em P.]

fitômetro [De *fit(o)-* + *-metro*.] ***S. m.*** *Bot.* Vegetal que, cultivado em vários ambientes, serve como indicador das condições neles predominantes, medindo-se-lhes, para tal fim, a transpiração, o crescimento, etc.

fitomonadino [Adapt. do tax. *Phytomonadina*.] *Zool.* ***S. m.*** **1.** Espécime dos fitomonadinos, ordem de protozoários, solitários ou coloniais, providos de flagelos, em número de dois, quatro ou oito; vivem, na maioria, em água doce, e algumas espécies se apresentam envoltas numa membrana de celulose; volvocale. • ***Adj.*** **2.** Pertencente ou relativo a eles; volvocal.

fitomórfico [De *fit(o)-* + *-morf(o)-* + *-ico*[2].] ***Adj.*** **1.** Relativo a fitomorfo. **2.** Que tem atributos de uma planta, ou é representado por eles.

fitomorfo [De *fit(o)-* + *-morfo*.] ***Adj.*** **1.** Em forma de, ou semelhante a planta. • ***S. m.*** **2.** Representação convencional de uma planta, como a que se vê, p. ex., na arte primitiva.

fitonadiona [Do ingl. *phytonadione*.] ***S. f.*** *Quím.* V. *fitomenadiona*.

fitónia ***S. f.*** *Bot.* V. *fitônia*. [Uso freq. em P.]

fitônia ***S. f.*** *Bot.* V. *fittônia*.

fitonomia [De *fit(o)-* + *-nom(o)-* + *-ia*[1].] ***S. f.*** Parte da botânica que estuda a origem e o desenvolvimento dos vegetais.

fitonómico ***Adj.*** V. *fitonômico*. [Uso freq. em P.]

fitonômico [De *fitonomia* + *-ico*[2].] ***Adj.*** Relativo à fitonomia.

fitonose [De *fit(o)-* + *-nose*.] ***S. f.*** Designação comum às doenças dos vegetais.

fitopaleontologia [De *fit(o)-* + *paleontologia*.] ***S. f.*** Estudo dos vegetais fósseis.

fitopaleontológico [De *fitopaleontologia* + *-ico*[2].] ***Adj.*** Referente à fitopaleontologia.

fitopatologia [De *fit(o)-* + *patologia*.] ***S. f.*** Patologia vegetal.

fitopatológico [De *fitopatologia* + *-ico*[2].] ***Adj.*** Relativo à fitopatologia.

fitoplancto [De *fit(o)-* + *plancto*.] ***S. m.*** V. *fitoplâncton*.

fitoplâncton [De *fit(o)-* + *plâncton*.] ***S. m.*** V. *plâncton*.

fitoquímica [De *fit(o)-* + *química*.] ***S. f.*** Química vegetal, que se desdobra em química orgânica vegetal e bioquímica vegetal.

fitoquímico [De *fitoquímica*, com var. suf. (v. *-ico*[2]).] ***Adj.*** Relativo à fitoquímica.

fitose [De *fit(o)-* + *-ose*[1].] ***S. f.*** *Med.* Doença produzida por vegetal.

fitossanitário [De *fit(o)-* + *sanitário*.] ***Adj.*** **1.** Das, ou relativo às condições sanitárias dos vegetais. **2.** Que é us. na prevenção de pragas agrícolas e/ou no seu combate.

fitossanitarismo [De *fitossanitário* + *-ismo*.] ***S. m.*** Controle fitossanitário.

fitossanitarista [De *fitossanitarismo* + *-ista*.] ***Adj. 2 g. S. 2 g.*** Que, ou aquele que é especialista em fitossanitarismo.

fitossaurídeo [Do tax. *Phytosauria* (v. *fitossáurio*) + *-ídeo*[1]; tax. *Phytosauridae*.] *Paleont.* ***S. m.*** **1.** Espécime dos fitossaurídeos, família de fitossáurios (q. v.). • ***Adj.*** **2.** Pertencente ou relativo a eles.

fitossáurio [De *fit(o)-* + *-saur(o)-* + *-io*[3]; tax. *Phytosauria*.] *Paleont.* ***S. m.*** **1.** Espécime dos fitossáurios. • ***Adj.*** **2.** Pertencente ou relativo a eles.

fitossáurios ***S. m. pl.*** Subordem de arcossáurios tecodontes semelhantes aos crocodilianos, semiaquáticos, de água doce, que habitaram o hemisfério norte no triássico.

fitossociologia [De *fit(o)-* + *sociologia*.] ***S. f.*** Parte da botânica que trata das comunidades vegetais no concernente à origem, estrutura, classificação e relações com o meio; fitocenologia.

fitossociológico [De *fitossociologia* + *-ico*[2].] ***Adj.*** Relativo à fitossociologia; fitocenológico.

fitotaxia (cs) [De *fit(o)-* + *-taxia*.] *S. f. Bot. Obsol.* Fitotaxionomia.
fitotaxionomia (cs) [De *fit(o)-* + *taxionomia*.] *S. f.* Taxionomia vegetal. [Sin., obsol.: *fitotaxia*.]
fitoteca[1] [De *fit(o)-* + *-teca*.] *S. f. Bot.* **1.** Herbário (1). **2.** Lugar onde se guardam exsicatas.
fitoteca[2] [De *fita*[1] + *-o-* + *-teca*.] *S. f.* **1.** Coleção de fitas cassetes. **2.** Lugar onde se guardam essas fitas. [Cf. *discoteca* e *fonoteca*.]
fitotecnia [De *fit(o)-* + *-tecn(o)-* + *-ia*[1].] *S. f.* Arte de cultivar e multiplicar as plantas.
fitotécnico [De *fitotecnia* + *-ico*[2].] *Adj.* Relativo à fitotecnia.
fitoterapeuta [De *fit(o)-* + *terapeuta*.] *S. 2 g.* Profissional que exerce a fitoterapia.
fitoterapêutico [De *fitoterapeuta* + *-ico*[2].] *Adj.* De, ou relativo a fitoterapia ou a fitoterapeuta.
fitoterapia [De *fit(o)-* + *-terapia*.] *S. f. Terap.* Tratamento de doença mediante o uso de plantas.
fitoterápico [De *fitoterapia* + *-ico*[2].] *Adj.* Concernente à fitoterapia.
fitotomídeo [Do tax. *Phytotoma* (< gr. *phytón* [v. *fit(o)-*] + gr. *tomé* [v. *tom(o)-*]) + *-ídeo*[1]; tax. *Phytotomidae*.] *Zool. Adj. S. m.* **1.** Espécime dos fitotomídeos, família de aves passeriformes cujos representantes são muito semelhantes aos pardais, com bicos robustos de bordos serrilhados. Devastam as culturas agrícolas e habitam os campos da América do Sul, desde o Peru até a Argentina. ● *Adj.* **2.** Pertencente ou relativo a eles.
fitoxina (cs) [Por **fitotoxina* < *fit(o)-* + *toxina*.] *S. f.* Toxina de origem vegetal.
fitozoário [De *fit(o)-* + *-zo(o)-* + *-ário*.] *Adj. S. m. Zool.* Diz-se de, ou animal metazoário desprovido de simetria ou daquele provido de simetria radial ou axial. [Cf. *cnidários, espongiários* e *equinodermos*.]
fittônia *S. f. Bot.* V. *fittônia*. [Uso freq. em P.]
fittônia [Do tax. *Fittonia* (do antr. [*Elizabeth e Sarah M.*] *Fitton*, botânicas inglesas, + lat. cient. *-ia*, v. *-ia*[2]).] *S. f. Bot.* **1.** Gênero de plantas acantáceas, herbáceas, perenes, nativas das florestas tropicais mas cultivadas como ornamentais; têm caule muito ramificado, lanoso, cilíndrico, folhas ovais, opostas, em que o verde-escuro do limbo contrasta com as nervuras e veias quase brancas, e pequenas flores amarelas em espigas terminais envoltas por brácteas verdes. **2.** Qualquer espécie desse gênero, como, p. ex., a *Fittonia argyroneura* e a *F. verschaffeltii* conhecidas, vulgarmente, como *folhagem* [v. *folhagem* (6)] **3.** Qualquer espécime desse gênero. [Var. (m. us.): *fitônia*.]
fitucar [Do quimb. *futuluka* (do v. *ku-futuluka*, 'irrar-se'), com dissimilação, + *-ar*[2].] *V. int. Angol.* Zangar-se, irritar-se: "Fitucou, é mesmo, não tem palavra alheia para sentir de musseque: raiva quente e palavrosa, de alma revirada para fora, as todas verdades ditas sem mais nem quê — mais amizade na zanga, menos ódio que cólera, como é, no vernáculo?" (José Luandino Vieira, *Macandumba*, p. 84.)
fiu-fiu [Voc. onom.] *S. m. Bras.* Coió (4): "Ao deparar com a pequena multidão fazendo fiu-fiu diante do quadro, ela se aproximara para espiar e se vira exposta à visitação pública." (Rui Castro, *Cármen*, p. 311.) [Pl.: *fiu-fius*.]
fiúsa *Adj. 2 g. Bras. Desus.* Que está fora de moda. [Cf. *fiúza*, s. f., e *Fiúza*, antr.]
fiúza [Do lat. *fiducia*, por via pop.] *S. f.* Fidúcia (1). [Cf. *fiúsa*.]
➔five [fajv] [Ingl., 'cinco'.] No jogo de pôquer (quando joga o curinga), é o lance em que o jogador apresenta cinco cartas do mesmo valor.
fivela [Do lat. vulg. **fibella*, por *fibula*.] *S. f.* **1.** Peça metálica, com uma parte dentada, ou com um ou mais fuzilhões, em que se enfia ou prende a presilha de certos vestuários, uma correia, uma fita, etc. **2.** Objeto de ornato, semelhante à fivela, para sapatos, chapéus, etc. **3.** *Bras.* Peça semelhante à fivela, para prender ou enfeitar os cabelos; passador, prendedor. [Aum.: *fivelão*. Dim. irreg.: *fiveleta*.]
fivelame [De *fivela* + *-ame*.] *S. m.* Conjunto ou porção de fivelas.
fivelão [De *fivela* + *-ão*[1].] *S. m.* Fivela grande.
fiveleta (ê) [De *fivela* + *-eta*.] *S. f.* **1.** Pequena fivela. **2.** Certa dança antiga.
➔five o'clock tea [fajv əˈklɑk tij] [Ingl.] *Obsol.* Lanche das cinco, inclusive chá.
fixa (cs) [F. subst. do adj. *fixo*.] *S. f.* **1.** Pau que se usa em agrimensura, terminado superiormente em argola. **2.** Parte da dobradiça que se embute na madeira. **3.** *Bras. N.E.* Travessa levemente despontada que se encaixa na parte posterior das portas e janelas não engradadas, a fim de manter-lhes unidas as tábuas. **4.** *Bras. N.E.* Chapa de ferro com que se ligam as pontas dos trilhos nas estradas de ferro; tala. [Cf. *ficha*, do v. *fichar* e s. f.]
fixação (cs) [De *fixar* + *-ção*.] *S. f.* **1.** Ato ou efeito de fixar(-se). **2.** Operação química com que se torna fixo um corpo volátil. **3.** *Fot.* Processo químico a que se submete uma emulsão fotográfica, depois de revelada, para remover o halogeneto de prata não sensibilizado. **4.** *Psican.* Apego exagerado, doentio, a uma pessoa, ou a uma coisa: *O rapaz tem fixação materna.* **5.** *Psican.* A pessoa ou coisa que é objeto desse apego: *A namorada é a grande fixação do meu amigo.* ◆ **Fixação de nitrogênio.** *Quím.* Processo químico ou bioquímico que permite a transformação do nitrogênio molecular (N_2), existente no ar, em substâncias nitrogenadas como, p. ex., a amônia, que podem ser assimiladas pelos organismos ou empregadas na indústria.
fixado (cs) [Part. de *fixar*.] *Adj.* Que se fixou; a quem fixaram.
fixador (cs...ô) [De *fixar* + *-dor*.] *Adj.* **1.** Que fixa. ● *S. m.* **2.** Peça para fixar. **3.** Líquido com que se fixa o penteado. **4.** Substância, química ou orgânica, que se adiciona aos perfumes feitos de essências naturais voláteis para que o aroma não se dissipe quando em contato com o ar. **5.** *Bot.* Líquido usado em histologia e anatomia vegetais com o fim de fixar as estruturas e preservá-las para investigações microscópicas. [Os fixadores podem ser formol, álcool e sais de metais pesados.] **6.** *Fot.* Solução aquosa de tiossulfato de sódio ou de amônio, empregada na fixação (3).
fixar (cs) [De *fixo* + *-ar*[2].] *V. t. d.* **1.** Pegar ou pregar em algum lugar: *Tomou de pregos e um martelo e pôs-se a fixar quadros.* **2.** Fitar ou fixar os olhos em; fitar: *Fixei-o bem, e a fisionomia não se lhe alterou.* **3.** Determinar, prescrever: *fixar regras.* **4.** Reter na memória: *Fixou bem as instruções.* **5.** Firmar, assentar, estabelecer: *fixar residência;* "a verdadeira reabilitação [de Joana d'Arc] foi feita realmente por Michelet, em três ou quatro capítulos da *História de França*, que fixaram a beleza e a grandeza moral de Joana." (Eça de Queirós, *Cartas Familiares*, p. 8). **6.** Tornar firme, estável: *Os engenheiros fixaram a coluna.* **7.** *Bot.* Coagular (as proteínas de tecidos vivos), mediante agentes ditos fixadores, com o objetivo de prepará-los para pesquisas microscópicas. *T. d. e c.* **8.** Fixar (1): *Fixou a gravura na parede.* **9.** Fixar (5): *Fixou residência em Paris. T. d. e i.* **10.** Cravar, fitar: "Quando sentiu suas forças declinarem, fixou na filha um olhar entendido e .... endireitou-se para agonizar." (Rodrigo M. F. de Andrade, *Velórios*, p. 27.) *P.* **11.** Tornar-se firme, permanente, estável. **12.** Estabelecer residência. **13.** Olhar detidamente, fixamente; fitar: "Sentei-me no almofadão de veludo grená, apoiei o queixo nas mãos e fixei-me na tapeçaria que pendia do teto até a fronteira do piano." (Lígia Fagundes Teles, *O Jardim Selvagem*, pp. 44-45.) **14.** Aferrar-se, obstinar-se. **15.** Aplicar toda a atenção: "vivia distraído, era incapaz de fixar-me num assunto que dependesse de aplicação e esforço de raciocínio." (Augusto Frederico Schmidt, *O Galo Branco*, p. 108). **16.** Apegar-se doentiamente, exageradamente, a uma pessoa ou coisa. [Pres. ind.: *fixo, fixas, fixa*, etc.; pres. subj.: *fixe*, etc. Cf. *ficha*, s. f., *fixe* (x = ch), adj., e o v. *fichar*.]
fixativo (cs) [De *fixar* + *-tivo*.] *Adj.* **1.** Que fixa. ● *S. m.* **2.** Substância que serve para fixar as imagens fotográficas. **3.** Verniz com que se fixam os traços de um desenho a lápis, carvão, etc., impedindo que se apaguem.
fixável (cs) [De *fixar* + *-vel*.] *Adj. 2 g.* Que se pode fixar.
fixe (ch) [Alter. de *fixo*.] *Adj. 2 g.* **1.** *Pop.* Fixo, firme. **2.** *Bras. Pop.* Forte, compacto. **3.** *Bras. BA Pop.* Diz-se do cigarro já pronto, vendido em maços ou em carteiras. **4.** *Lus. Pop.* Diz-se de pessoa simpática, confiável. **5.** *Lus. Pop.* Diz-se daquilo que agrada. ● *Interj.* **6.** *Lus. Pop.* Está bem; está combinado assim. [Cf. *fiche*, do v. *fichar*, e *fixe* (cs), do v. *fixar*.]
fixidade (cs) [De *fixo* + *-(i)dade*.] *S. f.* Fixidez: "esperava o inimigo com a calma e serenidade do homem que contempla uma cena agradável: apenas a fixidade do olhar revelava um pensamento de defesa." (José de Alencar, *O Guarani*, I, p. 103).
fixidez (cs...ê) [De *fixo* + *-id(o)-*[2] + *-ez*.] *S. f.* Qualidade do que é ou está fixo; fixidade: "tinha alguma cousa de esquisito e trazia ultimamente no olhar a fixidez absorvente de uma ideia." (Inglês de Sousa, *O Missionário*, p. 208).
fixismo (cs) [De *fixo* + *-ismo*; fr. *fixisme*.] *S. m. Filos.* Teoria segundo a qual as espécies biológicas são imutáveis e idênticas desde a sua criação por Deus.
fixo (cs) [Do lat. *fixu*.] *Adj.* **1.** Que está pegado e preso a um corpo imóvel; pregado, colado, fincado. **2.** Voltado para alguém ou algo, sem se desviar; fixado, preso: *Está de olhar fixo; Tem os olhos fixos na moça; Tinha a atenção fixa nas palavras do interlocutor.* **3.** Firme, seguro, estável: *emprego fixo.* **4.** Que não se move; imóvel: *Vejo, no espaço, um ponto fixo.* **5.** Que não varia; constante, dominante: *ideia fixa.* **6.** Definido, determinado: *regras fixas.* **7.** Diz-se da cor que não desbota. ~ V. *aparelho —, ativo —, barra — a, branco —, cabo —, capital —, custo —, estrela — a, fio —, ponto —* e *renda — a*. ● *S. m.* **8.** Peça imóvel. **9.** Salário, retirada, pró-labore, etc., fixos: *Tem um fixo bem alto, e mais 1 por cento nas vendas que faz.* **10.** *Esport.* O defensor mais recuado do futsal; parado. [Fem. do adj.: *fixa*; flex.: *fixos, fixas*. Cf. *ficho, fichas*, do v. *fichar*, e *ficha*, deste v. e s. f.]
▲-fixo [Do lat. *fixus, a, um*.] *El. comp.* = 'fixo', 'fixado': *apicifixo, basifixo, dorsifixo*.
fixomoldagem (cs) [De *fix(o)-* + *moldagem*.] *S. f. Metal.* Processo de fundição que alia técnicas de fundição sob pressão e por injeção, o que permite a produção de peças em uma só etapa.
flá *Adj. 2 g. S. 2 g. Bras. RJ* V. *flamenguista*.
flã [Do fr. *flan*.] *S. m.* **1.** *Cul.* Pudim feito de leite e ovos, assado em forno. **2.** *Cul.* Qualquer pudim semelhante ao flã (1), de diferentes sabores. [Nestas acepçs. tb. se usa o fr. *flan*.] **3.** *Tip.* Cartão de colagem, formado pela intercalação de folhas de papel de seda e de papel mata-borrão, com que se molda a matriz estereotípica, comprimindo-o fortemente, contra a composição tipográfica, entre os cilindros de uma calandra ou em prensa hidráulica; cartão de estereotipia; matriz seca.
flabelação [De *flabelar*[2] + *-ção*.] *S. f.* Ato de flabelar.
flabelado [De *flabel(i)-* + *-ado*[1].] *Adj.* Que tem forma de leque; flabelar, flabeliforme, flabelífero.
flabelar[1] [De *flabel(i)-* + *-ar*[1].] *Adj. 2 g.* V. *flabelado*.
flabelar[2] [De *flabel(i)-* + *-ar*[2].] *V. t. d.* **1.** Agitar (o ar) com o leque. *Int.* **2.** Fazer vento com o leque; agitar-se.
▲flabel(i)- [Do lat. *flabellum, i*.] *El. comp.* = 'leque': *flabelar, flabeliforme*.
flabelífero [De *flabel(i)-* + *-fero*.] *Adj.* **1.** Que tem leque. **2.** V. *flabelado*. **3.** Que tem uma parte em forma de leque.
flabelifoliado [De *flabel(i)-* + *-foli-* + *-ado*[1].] *Adj. Bot.* Que tem folhas em forma de leque.
flabeliforme [De *flabel(i)-* + *-forme*.] *Adj. 2 g.* V. *flabelado*: *folha flabeliforme.*
flabelípede [De *flabel(i)-* + *-pede*.] *Adj. 2 g. Zool.* Que tem pés em forma de leque.
flabelo [Do lat. *flabellu*.] *S. m.* **1.** Leque ou ventarola. **2.** *Ecles.* Alfaia eclesiástica, com que o diácono enxotava as moscas ao celebrante. **3.** Espécie de leque de plumas portado por acompanhantes da cadeira gestatória, nos cortejos papais. **4.** *Fig.* A folha da palmeira.
flacidez (ê) [De *flácido* + *-ez*.] *S. f.* **1.** Qualidade ou estado de flácido. **2.** Debilidade muscular. **3.** Doença epidêmica do bicho-da-seda.
flácido [Do lat. *flaccidu*.] *Adj.* **1.** Mole, frouxo, lânguido: "Augusto confirmou com um gesto flácido de cansaço." (Xavier Marques, *As Voltas da Estrada*, p. 145.) **2.** Mole; adiposo. **3.** Sem elasticidade; frouxo: "As bochechas .... caíam flácidas em pregas que se escondiam por baixo do queixo." (Francisco Julião, *Cachaça*, p. 13).
flaco [Do esp. plat. *flaco*.] *Adj. Bras. RS* Fraco. [V. *flaqueirão*.]
flaconete [Alter. do lat. *flasco, onis*, 'recipiente para vinho', + *-ete*, poss.; marca registrada.] *S. m.* Pequeno recipiente, de plástico ou de vidro, com tampa ou vedado sob pressão (ou outra técnica), us. como embalagem para substâncias medicinais, de cosmética ou de perfumaria, ou de líquido diluente (esp. água destilada).
flacourtia (cur) [Do tax. *Flacourtia* (do antr. *Étienne de Flacourt* [-1660], colonizador francês em Madagascar, + lat. cient. *-ia*, v. *-ia*[2]).] *S. f. Bot.* **1.** O gênero-tipo das flacourtiáceas, que reúne árvores e arbustos, ger. espinhosos, de regiões tropicais da Ásia e da África, dotados de folhas de nervação penada, flores em pequenos racemos axilares, sépalas imbricadas, e sementes encerradas em invólucro córneo envolvido por polpa edule. **2.** Qualquer espécie desse gênero, como, p. ex., a *Flacourtia indica* ou *F. ramontchi* (v. *ameixa-de-madagascar*). **3.** Qualquer espécime desse gênero.
flacourtiácea [Do tax. *Flacourtia* (v. *flacourtia*) + *-ácea*; tax. *Flacourtiaceae*.] *S. f. Bot.* Espécime das flacourtiáceas, família de plantas floríferas da ordem das violales, composta de arbustos e árvores de folhas alternas, pequenas flores solitárias ou cimosas, actinomorfas e hermafroditas, perianto variável, androceu polistêmone, ovário multicarpelar e plurriovulado, e cujo fruto é baga ou cápsula. Tem 89 gêneros com cerca de 800 espécies dos países intertropicais, muitas das quais indígenas.
flacourtiáceo [De *flacourtiácea*, com var. suf. (v. *-áceo*).] *Adj. Bot.* Pertencente ou relativo às flacourtiáceas.

flagelação [Do lat. tard. *flagellatione.*] *S. f.* **1.** Ato ou efeito de flagelar(-se). **2.** Tortura; suplício. **3.** Sofrimento, tormento, aflição.

flagelado[1] [De *flagelo*[2] + *-ado*[1].] *Adj. Biol.* Provido de flagelo[2]; flagelífero: *células flageladas.*

flagelado[2] [Part. pass. de *flagelar.*] *Adj.* **1.** Que sofreu flagelação; açoitado. **2.** Torturado, supliciado. **3.** Atormentado, afligido. **4.** Atingido por calamidade ou flagelo; sinistrado. • *S. m.* **5.** Aquele que sofreu flagelação. **6.** Aquele que foi atingido por calamidade ou flagelo.

flagelado[3] [Do lat. cient. *flagellum* (v. *flagelo*[2]) + *-ado*[3]; tax. *Flagellata.*] *S. m. Adj. Zool.* V. *mastigóforo.*

flagelador (ô) [De *flagelar* + *-dor.*] *Adj.* **1.** Que flagela; flagelante, flagelativo: *azorrague flagelador.* • *S. m.* **2.** Aquele que flagela.

flagelante [De *flagelar* + *-nte.*] *Adj. 2 g.* V. *flagelador* (1).

flagelar [Do lat. *flagellare.*] *V. t. d.* **1.** Bater com flagelo[1] (1); açoitar, chicotear: *flagelar as costas.* **2.** Castigar, torturar: *flagelar os presos.* **3.** Incomodar, enfadar; atormentar, afligir: *flagelar o espírito;* "A peste flagelava especialmente as classes mais pobres" (Joaquim Manuel de Macedo, *Os Romances da Semana*, p. 4). *P.* **4.** Açoitar-se, castigar-se, mortificar-se.

flagelativo [De *flagelar* + *-tivo.*] *Adj.* **1.** V. *flagelador* (1). **2.** Próprio para flagelar.

▲ **flagel(i)-** [Do lat. (cient.) *flagellum, i.*] *El. comp.* = 'flagelo[2]': *flagelado, flageliforme.* [Equiv.: *-flagel(i)-*: *dinoflagelada.*]

▲ **-flagel(i)-** Equiv. de *flagel(i)-.*

flagelífero [De *flagel(i)-* + *-fero.*] *Adj.* Flagelado[1].

flageliforme [De *flagel(i)-* + *-forme.*] *Adj. 2 g. Bot.* Diz-se dos órgãos vegetais compridos e delicados como flagelos (v. *flagelo*[2]).

flagelo[1] [Do lat. *flagellu.*] *S. m.* **1.** Azorrague para açoitar; chicote. **2.** Calamidade, sinistro. **3.** Tortura, castigo, suplício. **4.** Epidemia, peste, praga. **5.** Pessoa que é causa ou instrumento de grande calamidade, ou desgraça, ou aborrecimento, etc. **6.** Desgraça, adversidade.

flagelo[2] [Do lat. cient. *flagellum.*] *S. m. Citol.* Cada filamento protoplasmático que constitui o órgão locomotor de numerosos organismos unicelulares e de vários tipos celulares, como os gametas. Ocorre tanto em animais quanto em vegetais.

flagiciar [De *flagício* + *-ar*[2].] *V. t. d.* Cobrir de opróbrio, de ignomínia; ignominiar, infamar. [Pres. ind.: *flagicio*, etc. Cf. *flagício.*]

flagício [Do lat. *flagitiu.*] *S. m.* **1.** Ação infame ou criminosa; infâmia, opróbrio, ignomínia. **2.** Tortura, tormento, flagelo. [Cf. *flagicio*, do v. *flagiciar.*]

flagicioso (ô) [Do lat. *flagitiosu.*] *Adj.* Que cometeu flagício; facinoroso, celerado, criminoso.

flagra [Der. regress. de *flagrante.*] *S. m. Bras. Pop.* Flagrante (5). ◆ **Dar o flagra.** *Bras. Pop.* Apanhar em flagrante (5).

flagrância [Do lat. *flagrantia.*] *S. f.* **1.** Estado daquilo que é flagrante (4). **2.** Momento em que se verifica um ato flagrante (4). [Cf. *fragrância.*]

flagrante [Do lat. *flagrante.*] *Adj. 2 g.* **1.** Ardente, acalorado, inflamado: *paixão flagrante.* **2.** Incendido, corado, rubro: *faces flagrantes.* **3.** Evidente, manifesto, patente: *injustiça flagrante;* "Chegou a apanhar o rosto de Carlos Maria em flagrante prazer" (Machado de Assis, *Quincas Borba*, p. 49). **4.** Diz-se do ato que a pessoa é surpreendida a praticar: *flagrante delito.* ~ V. — *delito.* • *S. m.* **5.** Ato ou fato que se observa e/ou comprova no momento em que ocorre. **6.** Comprovação ou documentação de um flagrante (5). **7.** *Pop.* Instante, ensejo, momento. [Cf. *fragrante.*] ◆ **Em flagrante.** Na ocasião de praticar um ato.

flagrantemente [De *flagrante* + *-mente.*] *Adv.* De maneira flagrante; com toda a evidência; em flagrante.

flagrar[1] [Do lat. *flagrare.*] *V. int.* Consumir-se em chamas; inflamar-se, arder, deflagrar: *O incêndio foi violento: o edifício inteiro flagrou.*

flagrar[2] [Voc. deduz. de *flagrante.*] *V. t. d. Bras. Pop.* **1.** Apanhar em flagrante (5); surpreender: "Se me flagrava fazendo estripulias, ... olhava-me sisudo" (Reginaldo Guimarães, *Uma Blusa no Cais*, p. 49). **2.** Fazer o flagrante (6) de: *O repórter flagrou o incêndio.*

flajolé [Do fr. *flageolet.*] *S. m.* **1.** *Mús.* Pequena flauta, de madeira e bisel, com um tubo condutor que leva o ar da embocadura até o bisel. Tem, atualmente, seis orifícios dotados de chaves e uma extensão de duas oitavas. [Cf. *flauta doce.*] **2.** Registro de órgão, de dois pés e sonoridade aguda. **3.** Cada um dos sons harmônicos produzidos artificialmente nos instrumentos de cordas friccionáveis; flautado.

flama [Do lat. *flamma.*] *S. f.* **1.** Chama, labareda. **2.** Calor, abrasamento, ardor. **3.** Vivacidade, entusiasmo.

flamância [Do lat. *flammantia*, acus. neutro pl. de *flammans, antis*, part. pres. do v. lat. *flammare*, 'inflamar', 'incendiar'.] *S. f.* **1.** Qualidade do que é flamante. **2.** Brilho, esplendor.

flamante [Do lat. *flammante.*] *Adj. 2 g.* **1.** V. *flamejante:* "Aparecia pintada, ondulada, calçada de sapatos flamantes, metida em vestidos incríveis." (Maria Archer, *Fauno Sovina*, pp. 10-11); *olhos flamantes.* **2.** De cor ardente, muito viva: "Despe o sombrio luto que te afeia, / Toma as sedas flamantes" (Alberto de Oliveira, *Poesias*, 3ª série, p. 152). **3.** Abrasado, rubro.

flamar [Do lat. *flammare.*] *V. t. d.* Desinfetar por meio de chamas rápidas, queimando fachos de algodão embebido em álcool; flambar.

flambagem [Do fr. *flambage.*] *S. f.* **1.** Ato ou efeito de flambar. **2.** *Constr.* Encurvadura a que estão sujeitas peças de uma estrutura (tais como colunas e pilares) que trabalham por compressão.

flambar [Do fr. *flamber.*] *V. t. d.* **1.** Flamar. **2.** *Cul.* Entornar certa quantidade de bebida alcoólica sobre (alimento), ateando-lhe fogo em seguida: *flambar uma omelete, um assado, etc.* **3.** *Constr.* Curvar (peça de uma estrutura) ao longo de seu eixo longitudinal. V. *flambagem* (2). *Int.* **4.** Selar[1] (2). **5.** *Constr.* Flambar (3).

flamboaiã [Do fr. *flamboyant.*] *S. m. Bot.* Árvore cesalpiniácea (*Delonyx regia*) ornamental, originária da África tropical e de Madagascar, da família das leguminosas-cesalpináceas (*Poinciana regia*), de porte superior a 10m, com ramagem alta e engalhada. Folhas grandes com dez a vinte pares de pinas e estas com numerosos folíolos ovais, pequenos. Flores em corimbos racemosos e grande vagem escura e pendente. Perde as folhas na frutificação.

flame [Do fr. *flamme.*] *S. m.* Instrumento com que veterinários ou ferradores sangram animais. [Var. bras.: *fleme* e *freme.*]

flamear [De *flama* + *-ear*[2].] *V. t. d. Int. Pred.* V. *flamejar.* [Conjug.: v. *frear.*]

flamejamento [De *flamejar* + *-mento.*] *S. m.* Ato de flamejar.

flamejante [De *flamejar* + *-nte.*] *Adj. 2 g.* **1.** Que flameja; chamejante: "Por dia de sol ardente, flamejante, ... uma matula de bandidos .... surpreendeu a fazenda de José Leão." (Gustavo Barroso, *Terra de Sol*, p. 143). **2.** Diz-se do ornato que tem a forma retorcida de uma chama, ou do estilo que adota este ornato. **3.** *P. ext.* Ostentoso, vistoso. [Sin., nas acepç. 1 e 3: *flamejante, flâmeo.*] ~ V. *gótico* —.

flamejar [De *flama* + *-ejar.*] *V. int.* **1.** Lançar flamas ou chamas; estar inflamado; arder, chamejar: *O vulcão flameja.* **2.** Lançar raios luminosos; brilhar como a chama; resplandecer: *A iluminação feérica flamejava.* *T. d.* **3.** Expelir, ou como que expelir, à guisa de chamas: *Seus olhos flamejavam chispas de ódio.* *Pred.* **4.** Flamejar (2): "Flamejava violento o sol do meio-dia" (Coelho Neto, *Obra Seleta*, I, p. 34). [F. paral.: *chamejar* (q. v.). Sin. ger.: *flamear*. Conjug.: v. *pelejar*. Norm. é defect., conjugável só nas 3ªs pess.]

flamenco [Do esp. *flamenco*, este do hol. flaming.] *Adj.* **1.** Diz-se de gênero musical ou de dança, originário da Andaluzia (Espanha), com matizes árabes e ciganos, passagens rápidas e ritmo marcado por castanholas, palmas e sapateado. • *S. m.* **2.** Esse gênero musical ou essa dança.

flamengo[1] [Do provenç. *flamenc.*] *S. m. Zool.* V. *flamingo.*

flamengo[2] [Do neerl. *flaming.*] *Adj.* **1.** De, ou pertencente ou relativo a Flandres (França e Bélgica); flandrense, flandrino, flandrisco. ~ V. *queijo* —. • *S. m.* **2.** O natural ou habitante de Flandres; flandrense, flandrino, flandrisco. **3.** *Gloss.* Cada um dos dialetos do neerlandês (3) falados na Bélgica e na região de Dunquerque (França).

flamengo[3] *Adj. S. m. Bras.* V. *flamenguista.*

flamenguinha *S. f. Bras. RJ Zool. Pop.* Viúva-negra.

flamenguinho *S. m. Bras. Zool.* V. *polícia-inglesa* (1).

flamenguista [De (*Clube de Regatas*) do *Flamengo* + *-ista.*] *Bras. Adj. 2 g.* **1.** Pertencente ou relativo ao Clube de Regatas do Flamengo (RJ). **2.** Que é membro, torcedor ou jogador dessa agremiação. • *S. 2 g.* **3.** Membro, torcedor ou jogador dela. [F. red.: *flá* e *mengo*. Sin. ger.: *flamengo, rubro-negro, urubu.*]

flâmeo [Do lat. *flammeu.*] *Adj.* **1.** V. *flamejante.* • *S. m.* **2.** Véu da cor de chama, us. na Roma antiga pelas recém-casadas.

▲ **flami-** [Do lat. *flamma, ae.*] *El. comp.* = 'chama': *flamispirante.*

flamífero [Do lat. *flammiferu.*] *Adj.* **1.** Que apresenta chamas. **2.** Muito brilhante; ofuscante: "atingindo [Eça de Queirós], em flamíferos arrojos, os altos cimos do espírito" (Fialho d'Almeida, *Pasquinadas*, p. 281). [Sin. ger.: *flamígero.*]

flamifervente (flâ) [De *flami-* + *fervente.*] *Adj. 2 g.* Que flameja ou chameja, fervendo.

flamígero [Do lat. tard. *flammigeru.*] *Adj.* V. *flamífero.*

flaminato [Do lat. *flaminatu.*] *S. m.* Dignidade de flâmine.

flâmine [Do lat. *flamine.*] *S. m.* Sacerdote da antiga Roma, dedicado ao culto dos deuses. [Fem.: *flamínica* (q. v.).]

flamingo [Var. de *flamengo*[1].] *S. m. Zool.* Ave ciconiiforme, fenicopterídea (*Phoenicopterus ruber*), das costas atlânticas tropicais e subtropicais da América do Norte, das Antilhas, e da costa setentrional da América do Sul desde as Guianas até o estuário do rio Amazonas. Coloração rosada, rêmiges pretas, e penas dos membros de um encarnado vivo. [Sin.: *ganso-cor-de-rosa, ganso-do-norte, gansão, maranhão.*]

flamínica [Do lat. *flaminica.*] *S. f.* Esposa de flâmine.

flamipotente (flâ) [Do lat. tard. *flammipotente.*] *Adj. 2 g.* Poderoso em chamas. [Epíteto que os antigos romanos davam a Vulcano, deus do fogo e do metal.]

flamispirante (flâ) [De *flami-* + lat. *spirans, antis*, 'espirante'.] *Adj. 2 g. Poét.* Que respira chamas: "Nunca araram por cá touros flamispirantes" (Antônio Feliciano de Castilho, *As Geórgicas*, p. 85).

flamívolo [Do lat. med. *flammivolu.*] *Adj. Poét.* Que voa despedindo chamas.

flamívomo [Do lat. tard. *flammivomu.*] *Adj. Poét.* Que vomita ou lança chamas: "Comburentes, flamívomas bombardas" (Raimundo Correia, *Poesias*, p. 15).

flâmula [Do lat. *flammula.*] *S. f.* **1.** Pequena chama. **2.** Bandeirola estreita e comprida, terminada em bico ou farpada, e que se usa em navios, em sinalizações, em festividades, ou como adorno; galhardete. **3.** *P. ext.* Bandeira, pavilhão, pendão.

➔ **flan** [flã] [Fr.] *S. m. Cul.* V. *flã* (1 e 2).

flanância [De *flanar* + *-ância.*] *S. f. Bras.* Vadiagem, desocupação.

flanar [Do fr. *flâner.*] *V. t. c. Int.* Passear ociosamente; vaguear, perambular: "volta a flanar pelo jardim fronteiro, mordiscando um jasmim." (Valdemar Versiani dos Anjos, *Simplício*, p. 40); *Passou todo o dia flanando.*

flanco [Do fr. *flanc.*] *S. m.* **1.** Espaço entre a cortina e o baluarte, nas fortificações. **2.** *Mil.* Lado de um exército ou de um corpo de tropas. **3.** *Anat.* Cada uma de duas regiões abdominais laterais, direita e esquerda, que se situam, em altura, sob cada hipocôndrio; ilharga, ilhal: "Eu estava inclinado sobre o flanco direito da doente" (Valdemar Versiani dos Anjos, *Jornal de Serra Verde*, p. 178). **4.** *P. ext.* Parte lateral de qualquer objeto; lado. **5.** Ponto ou lado acessível, expugnável. ◆ **De flanco.** De lado; lateralmente: *marcha de flanco; atacar de flanco;* "De face, de flanco, / O preto no branco." (Manuel Bandeira, *Estrela da Vida Inteira*, p. 163).

flande [Var. de *flandre.*] *S. m. Bras. N.E. Pop.* V. *folha de flandres.*

flandeiro [De *flande* + *-eiro.*] *S. m. Bras. N.E.* V. *funileiro* (2).

flandre *S. m. Bras. N.E. Pop.* V. *folha de flandres:* "e, pé ante pé, foi desarrumar o seu velho baú de flandre" (João Clímaco Bezerra, *O Homem e Seu Cachorro*, p. 29).

flandrense [De top. *Flandres* (França e Bélgica) + *-ense.*] *Adj. 2 g. S. 2 g.* V. *flamengo*[2] (1 e 2).

flandres *S. m. 2 n.* V. *folha de flandres.*

flandrino [Do top. *Flandres* (v. *flandrense*) + *-ino*[1].] *Adj. S. m.* V. *flamengo*[2] (1 e 2): "nas setentrionais cidades flandrinas, de canais lentos e brumosos" (Antero de Figueiredo, *Espanha*, p. 16).

flandrisco [Do top. *Flandres* (v. *flandrense*) + *-isco*[2].] *Adj. S. m.* V. *flamengo*[2] (1 e 2).

flanela [Do ingl. *flannel*, pelo fr. *flanelle.*] *S. f. Tec. Têx.* **1.** Tecido leve e macio de algodão, processado em flanelagem (q. v.). **2.** Tecido de algodão, imitante àquele. ◆ **Flanela de lã.** *Tec. Têx.* Tecido de toque macio, de ligamento tafetá, confeccionado com 100% de lã cardada.

flanelagem [De **flanelar* (de flanela) + *-agem*[2].] *S. f. Tec. Têx.* Processo de acabamento de tecido que consiste em passá-lo por cilindros guarnecidos de agulhas que puxam as fibras, formando uma base felpuda.

flanelinha [De *flanela* + *-inha.*] *S. 2 g. Bras. RJ* Guardador (3) informal.

flanelógrafo [De *flanela* + *-o-* + *-grafo.*] *S. m.* Quadro revestido de flanela ou de feltro de cor lisa, us. como recurso didático, e sobre o qual se fazem aderir objetos ou figuras, fixadas ou removidas segundo as necessidades do ensino; feltrógrafo, quadro de flanela, quadro de feltro.

flange [Do ingl. *flange.*] *S. m.* Aba existente em cada extremidade duma seção de canalização, tubo ou eixo, por meio da qual se prendem umas às outras as diferentes seções que constituem uma rede de canalização ou um eixo longo.

flanquear [De *flanco* + *-ear*².] *V. t. d.* **1.** Atacar de flanco: *flanquear o inimigo.* **2.** Marchar ao lado de, paralelamente a; ladear. **3.** Defender (por todos os flancos); tornar defensável: *flanquear a praça.* [Conjug.: v. *frear.*]

→**flap** [flæp] [Ingl.] *S. m.* **1.** *Aer.* Dispositivo localizado na parte posterior e inferior da asa do avião, entre a fuselagem e o *aileron*, e destinado a diminuir a velocidade do aparelho na aterragem. **2.** *E. Ling.* Consoante produzida com um único e brevíssimo contato entre dois articuladores.

flaqueirão [De *flaco* + *-eirão*.] *Adj. Bras. RS* Diz-se do animal de montaria um tanto fraco, emagrecido.

flaquito *Adj. Bras. RS* Dim. de *flaco*.

flarte [Do ingl. *flirt*.] *S. m. Lus.* V. *flerte*.

→**flash** [flæʃ] [Ingl.] *S. m.* **1.** Clarão rápido e intenso, capaz de fornecer a luz necessária para se fazer uma fotografia em ambiente onde a luz natural não é bastante. **2.** Aparelho que produz esse clarão. **3.** *Cin. Telev.* Cena ou plano curtíssimo. **4.** *Jorn.* Apresentação sucinta e prioritária de uma informação importante, que ger. interrompe a programação em curso de emissora de rádio, ou de televisão.

→**flashback** ['flæʃbæk] [Ingl.] *S. m.* **1.** Na narrativa literária, cinematográfica ou teatral, registro de recordação ou de fato já ocorrido. **2.** *P. ext.* Lembrança, recordação.

→**flat**¹ [flæt] [Ingl., 'chato', 'plano'.] *Adj. Surf.* Diz-se do mar sem ondas, que impossibilita a prática do surfe.

→**flat**² [flæt] [Ingl.] *S. m.* **1.** V. *apartamento*² (1): "Entende que gente de mais idade não se adapte a uma casa de vidro, ou a um apartamento cor de gelo, ou a um *flat* metálico com painéis vermelhos." (Chico Buarque, *Benjamim*, p. 63.) ● *S. f.* **2.** *Moç.* V. *apartamento*² (1): "o aroma do café / sai de chávenas conjugais nas outras *flats*" (Sebastião Alba, *O Ritmo do Presságio*, p. 73).

flate [Do ingl. *flat*.] *S. f. Moç.* V. *apartamento*² (1): "acabaram por ocupar uma flate tranquila" (Marcelo Panguana, *As Vozes que Falam de Verdade*, p. 56).

flato [Do lat. *flatu*.] *S. m.* **1.** V. *flatulência*. **2.** Desejo forte; ânsia, gana. **3.** Chilique, crise de nervos, ataque histérico.

flatoso (ô) [De *flato* + *-oso*.] *Adj.* Que causa flatos. [Cf. *flatuoso*.]

flatulência [Do fr. *flatulence*.] *S. f.* **1.** *Med.* Produção e eliminação excessiva de gases do trato intestinal inferior através do ânus; ventosidade. **2.** *Fig.* Vaidade pretensiosa; bazófia, jactância. [Sin. ger.: *flatuosidade* e *flato*.]

flatulento [Do fr. *flatulent*.] *Adj.* **1.** Relativo a flatulência. **2.** Que produz flatulência. **3.** Que é sujeito a flatos ou flatulência; flatuloso, flatuoso.

flatuloso (ô) [De *flatul-*, como em *flatulento*, + *-oso*.] *Adj.* V. *flatulento* (3).

flatuosidade [De *flatuoso* + *-(i)dade*.] *S. f.* V. *flatulência*.

flatuoso (ô) [Do lat. med. *flatuosu*.] *Adj.* V. *flatulento* (3). [Cf. *flatoso*.]

flaubertiano (flô) [Do antr. *Flaubert* + *-iano*.] *Adj.* **1.** Pertencente ou relativo a Gustave Flaubert (1821-1880), escritor francês, ou próprio dele. ● *S. m.* **2.** Grande admirador e/ou profundo conhecedor da obra de Flaubert.

flauta [Do occitano ant. *flauta* ou *flaüt*, poss.] *S. f.* **1.** *Mús.* Instrumento musical de sopro, conhecido desde épocas muito remotas, de tubo aberto, e dotado de orifícios, os quais, obturados, determinam o comprimento da coluna de ar posta em vibração pelos lábios do executante: *uma flauta de bambu.* **2.** *Mús.* Flauta transversal, com a extensão de três oitavas, de embocadura livre, constituída atualmente por um tubo cilíndrico de prata ou de metal prateado que, além do orifício lateral que serve de embocadura, tem mais 16 orifícios dotados de chaves. **3.** *Mús.* Pífaro, pífano. **4.** *Bras.* Vadiação, vagabundagem. **5.** *Bras.* Zombaria, flauteio. ● *S. 2 g.* **6.** *Mús.* V. *flautista* (1). **7.** *Mús.* Registro de quase todos os harmônios. [Var.: *frauta*.] ◆ **Flauta basca.** *Mús.* V. *galubé*. **Flauta de Pã.** *Mús.* Antigo instrumento de sopro, formado por uma série de tubos de comprimento decrescente; siringe. **Flauta doce.** *Mús.* Flauta vertical, de madeira e bisel, acionada diretamente pelos lábios do executante. [Cf. *flajolé* (1).] **Flauta provençal.** *Mús.* V. *galubé*. **Flauta transversa.** *Mús.* A que é executada em posição horizontal; flauta transversal. **Flauta transversal.** *Mús.* Flauta transversa. **Flauta vertical.** *Mús.* A que é soprada pela extremidade superior. **Levar na flauta.** *Bras. Fam.* Não tomar a sério; brincar ou troçar de: *É um boa-vida, leva tudo na flauta;* "Era hábito dos estudantes da Faculdade de Medicina de Belo Horizonte levarem o curso na flauta até às férias do meio do ano." (Pedro Nava, *Beira-Mar*, pp. 16-17).

flautado [Part. de *flautar*.] *Adj.* **1.** V. *aflautado*. ● *S. m.* **2.** *Mús.* Nos órgãos tubulares, jogo ou registro. **3.** *Mús.* Flajolé (3). [Var.: *frautado*.]

flautar [De *flauta* + *-ar*².] *V. t. d.* **1.** Aflautar: *flautar a voz.* *Int.* **2.** Tirar de um instrumento sons de flauta; aflautar. **3.** *Fig.* Falar com afetação: *A criada amaneirada flautava a toda hora.* [Var.: *frautar*.]

flauteador (ô) [De *flautear* + *-dor*.] *S. m. Bras.* Aquele que gosta de flautear.

flautear [De *flauta* + *-ear*².] *V. int.* **1.** Tocar flauta. **2.** Faltar a compromisso; iludir, enganar. **3.** *Bras.* Viver na flauta; vadiar, vagabundear. *T. d.* **4.** *Pop.* Tentar enganar com subterfúgios. **5.** *Bras.* Zombar de; escarnecer. *T. c.* **6.** Distrair-se, espairecer: *Desocupado, flauteava pelos campos.* [Var.: *frautear*. Conjug.: v. *frear*.]

flauteio [Dev. de *flautear*.] *S. m.* **1.** *Mús.* Trecho melódico em que há timbres próprios da flauta. **2.** *Bras.* Zombaria, troça, flauta.

flauteiro [De *flauta* + *-eiro*.] *S. m.* V. *flautista* (1). [Var.: *frauteiro*.]

flautim [Do it. *flautino*.] *S. m.* **1.** *Mús.* Instrumento musical de sopro, semelhante à flauta, porém menor e mais fino, e que dá a oitava superior da nota escrita: "Tíbios flautins finíssimos gritavam" (Olavo Bilac, *Poesias*, p. 135). **2.** Tocador de flautim; flautinista.

flautineiro [De *flautim* + *-eiro*, seg. o padrão erudito.] *S. m.* Fabricante de flautins.

flautinista [De *flautim* + *-ista*, seg. o padrão erudito.] *S. 2 g.* Flautim (2).

flautista [De *flauta* + *-ista*.] *S. 2 g.* **1.** Tocador de flauta; flauteiro, flauta. **2.** Fabricante de flautas.

flava [Do adj. lat. *flava*, 'amarela', 'dourada'.] *S. f. Bot.* Feno-de-cheiro.

flavescente [Do lat. *flavescente*.] *Adj. 2 g.* **1.** Que se torna flavo ou dourado; que flavesce; lourejante. **2.** De coloração amarelada: *râmulos flavescentes.*

flavescer [Do lat. *flavescere*.] *V. int.* Tornar-se flavo; enlourecer; amarelecer: *As espigas flavescem; Flavesceram-lhe os cabelos.* [Conjug.: v. *crescer*.]

▲ **flav(i)-** [Do lat. *flāvus, a, um*.] *El. comp.* = 'louro³', 'amarelo': *flavípede*. [Equiv.: *-flavo*: *undiflavo*.]

flaviense [Do lat. *flaviense*.] *Adj. 2 g.* **1.** De, ou pertencente ou relativo a Chaves (Portugal). ● *S. 2 g.* **2.** O natural ou habitante de Chaves. [Sin. ger.: *chaviano*.]

flavílio [De *flav(ona)* + *-ílio*.] *S. m. Quím.* Cátion aromático oxigenado, que pode ser considerado derivado da flavona [fórm.: $(C_{15}H_{11}O)^+$].

flavípede [De *flav(i)-* + *-pede*.] *Adj. 2 g. Zool.* Cujos pés são amarelos ou amarelados.

flavo [Do lat. *flavu*.] *Adj. Poét.* Que tem a cor do trigo maduro, ou do ouro; louro, fulvo, dourado.

▲ **-flavo** Equiv. de *flav(i)-*.

flavona [De *flav(i)-* + *-ona*².] *S. f. Quím.* Substância cristalina, amarela, encontrada em flores e folhas [fórm.: $C_{15}H_{10}O_2$].

flavonoide (ói) [De *flavona* + *-oide*.] *Adj. 2 g. S. m. Quím.* Diz-se de, ou designação genérica de certos compostos naturais, derivados da flavona; várias frutas e legumes são ricos em flavonoides naturais aos quais são atribuídas propriedades terapêuticas e preventivas de várias enfermidades. ❖

flavorizante [De **flavorizar* (< ingl. *flavor*, 'sabor', + *-izar*) + *-nte*.] *Adj. 2 g. S. m. Tec. Quím.* Diz-se de, ou substância que confere ou intensifica o sabor e o aroma de alimento ou bebida.

flebectasia [De *fleb(o)-* + *-ectas-* + *-ia*¹.] *S. f. Med.* Dilatação de uma veia; variz.

flebectomia [De *fleb(o)-* + *-ectom-* + *-ia*¹.] *S. f. Cir.* Extração de uma veia ou segmento de veia.

flebectómico *Adj.* V. *flebectômico*. [Uso freq. em P.]

flebectômico [De *flebectomia* + *-ico*².] *Adj.* Relativo à flebectomia.

flebectopia [De *fleb(o)-* + *-ectop-* + *-ia*¹.] *S. f. Angiol.* Trajeto anômalo de uma veia.

flébil [Do lat. *flebile*.] *Adj. 2 g.* **1.** Lacrimoso, choroso; lastimoso, plangente: "Guitarras flébeis e violões chorosos" (Augusto Gil, *Versos*, p. 27). **2.** Débil, fraco: *a voz flébil do enfermo.* [Pl.: *flébeis*.]

flebite [De *fleb(o)-* + *-ite*¹.] *S. f. Med.* Inflamação de uma ou mais veias.

▲ **fleb(o)-** [Do gr. *phléps, phlebós*.] *El. comp.* = 'veia', 'artéria': *flebite, flebotomia, flebólito*.

flebobranquiado [De *fleb(o)-* + *-branqui(o)-* + *-ado*³; tax. *Phlebobranchiata*.] *Zool. S. m.* **1.** Espécime dos flebobranquiados, subordem de tunicados enterógonos, relativamente grandes, ger. solitários, e que apresentam abdome, mas não tórax. ● *Adj.* **2.** Pertencente ou relativo a eles.

flebografia [De *fleb(o)-* + *-grafia*.] *S. f.* **1.** *Anat.* Descrição das veias. **2.** *Anat.* Registro do pulso venoso. **3.** *Med.* Visualização radiológica de veia(s) mediante injeção de contraste (7).

flebográfico [De *flebografia* + *-ico*².] *Adj.* Relativo à flebografia.

flebógrafo [De *fleb(o)-* + *-grafo*.] *S. m.* **1.** Anatomista que descreve as veias. **2.** *Med.* Instrumento que registra graficamente o pulso venoso.

flebólito [De *fleb(o)-* + *-lito*.] *S. m. Angiol.* Concreção calcária que se forma em veia (1).

flebomalacia (cí) [De *fleb(o)-* + *-malacia*.] *S. f. Patol.* Amolecimento da parede das veias.

flebopalia [Do gr. *phlebopalía*.] *S. f. Angiol.* Pulsação venosa.

fleborragia [Do gr. *phleborrhagía*.] *S. f. Med.* Hemorragia proveniente de veia(s).

fleborrágico [De *fleborragia* + *-ico*².] *Adj.* Relativo à fleborragia.

flebostasia [De *fleb(o)-* + *-stas(i)(o)-* + *-ia*¹.] *S. f. Cir.* Retardamento ou interrupção do fluxo sanguíneo em veia(s).

flebotomia [Do gr. *phlebotomía*.] *S. f. Cir.* Incisão praticada em veia, com objetivos diversos.

flebotómico *Adj.* V. *flebotômico*. [Uso freq. em P.]

flebotômico [Do gr. *phlebotomikós*.] *Adj.* Referente à flebotomia.

flebotomíneo [Do tax. *Phlebotomus* + *-in(o)-*² + *-eo*.] *Zool. S. m.* **1.** Espécime dos flebotomíneos, subfamília de insetos dípteros, psicodídeos. [Cf. *flebótomo*².] ● *Adj.* **2.** Pertencente ou relativo a eles.

flebótomo¹ [Do gr. *phlebotómos*, pelo lat. tard. *phlebotomu*.] *S. m. Cir.* Escalpelo com que se pratica a flebotomia.

flebótomo² [Do tax. *Phlebotomus*.] *S. m. Zool.* **1.** Gênero de pequenos insetos dípteros, nematóceros, hematófagos, da família dos psicodídeos, que são vetores de diversas doenças. São mosquitos de asas hialinas, relativamente grandes, lanceoladas, fortemente pilosas nos bordos, e pernas muito longas, e cujas larvas são aquáticas ou terrestres; algumas espécies criam-se em bambus ou bromeliáceas. **2.** Qualquer espécie desse gênero, como, p. ex., a *Phlebotomus papatasi* e a *P. pedifer*, vetores de leishmaniose; algumas espécies são vulgarmente conhecidas como mosquito-palha, birigui, barigui, bererê, tatuquira. **3.** Qualquer espécime desse gênero.

flecha [Do fr. *flèche*.] *S. f.* **1.** Haste de madeira, ou metálica, de extremidade pontiaguda, que se arremessa com o arco ou a besta; seta. **2.** *Bot.* Ponta ou rebento terminal das árvores. [Cf., nesta acepç., *galocha* (2).] **3.** Inflorescência masculina do milho. **4.** *Arquit.* Extremidade piramidal ou cônica de uma torre. **5.** *Arquit. Constr.* Deformação vertical de uma viga, laje, ou peça estrutural, medida em um ponto determinado, quando sujeita a um esforço ou sob efeito de seu peso próprio. **6.** *Astr.* Seta¹ (7). **7.** *Constr.* Avoamento. **8.** *Geom.* Numa circunferência, o menor dos dois segmentos determinados por uma corda no diâmetro que lhe é perpendicular. **9.** *Geol.* Disposição, em forma de ponta alongada, que os materiais de aluvião tomam ao depositar-se no litoral. **10.** *Bras. N.E. Bot.* Bandeira (15). **11.** *Bras. Bot.* Planta alismatácea (*Sagittaria montevidensis*) aquática, ornamental, comum em pequenas lagoas e águas estagnadas, muito apreciada pela elegância do porte, pela forma das folhas e pela beleza das flores, que são flutuantes, alvas com máculas purpúreas no centro e numerosos estames, e dispostas em muitos verticilos sobre pedúnculos altos, grossos e moles, sendo o fruto uma cápsula grande, com muitas sementes; aguapé. [Var.: *frecha*.] ◆ **De flecha.** Diretamente: "ficou entalado quando Tomásia, levantando o rosto, avincou a testa, e lhe arremessou de flecha os olhos rutilantes." (Camilo Castelo Branco, *Novelas do Minho*, VI, p. 10.)

flechaço [De *flecha* + *-aço*.] *S. m. Bras.* V. *flechada*.

flechada [De *flecha* + *-ada*¹.] *S. f.* Golpe ou ferimento de flecha. [Var.: *frechada*; sin.: *setada* e (bras.) *flechaço*.]

flecha de parto [De *flecha* + *de* + *parto*².] *S. f.* Frase ferina que alguém diz a outrem ao retirar-se; golpe na hora de retirada. [Alusão à forma de combate dos partos. Var.: *frecha de parto*. Pl.: *flechas de parto*.] ☑

flechado [Part. de *flechar*.] *Adj.* **1.** Ferido com flecha. **2.** Que vai ou vem em direitura com rapidez: *Procurava o filho, e, vendo-o a pequena distância, seguiu flechado em sua direção.* [Var.: *frechado*.]

flecha-peixe [De *flechar* + *peixe*.] *S. m. Bras. Zool.* V. *martim-pescador-grande*. [Pl.: *flecha-peixes*.]

flechar [De *flecha* + *-ar*².] *V. t. d.* **1.** Ferir com flecha(s). **2.** Passar ou atravessar como seta ou flecha. **3.** Ajustar a flecha em (o arco), para poder despedi-la. **4.** *Fig.* Magoar, ferir: *Flechou-o com injúrias.* **5.** *Fig.* Ironizar, satirizar. *T. c.* **6.** *Bras.* Ir ou vir em direitura com rapidez: *O pequeno, ao ver a tia, flechou para ela.* *Int.* **7.** *Bras. Pop.* Envergonhar-se; encabular. [Nas f. rizotônicas tem o *e* aberto. Var.: *frechar*.]

flecharia [De *flecha* + *-aria*.] *S. f.* Grande porção de flechas. [Var.: *frecharia*.]

flecheira [De *flecha* + *-eira*.] *S. f.* V. *seteira* (1). [Var.: *frecheira*.]

flecheirense *Adj. 2 g.* 1. De, ou pertencente ou relativo a Flecheiras (AL). • *S. 2 g.* 2. O natural ou habitante de Flecheiras.

flecheiro [De *flecha* + *-eiro*.] *S. m.* 1. Aquele que atira flechas; seteiro. 2. Soldado que atirava flechas, nos antigos exércitos. [Var.: *frecheiro*.]

flechilha [Do esp. plat. *flechilla*.] *S. f. Bras.* Variedade de grama (*Stipa neesiana*) comuníssima em várias zonas do RS.

flechinha [De *flecha* + *-inha*.] *S. f. Bot.* 1. *Bras. N. a S.* Erva poácea (*Heteropogon contortus*) perene, cujo óleo essencial tem aroma de limão, cujos racimos são solitários, com espiguetas femininas e masculinas, e cujo fruto é cariopse eriçada de pelos castanho-avermelhados, que aderem às roupas. É planta cosmopolita tropical, comum em todo o Brasil, assim como no Velho Mundo. 2. *Bras. RS* Erva poácea (*Piptochaetium ruprechtianum*) perene, considerada invasora de plantações, cuja inflorescência é paniculada, sendo as raques glabras, as espiguetas vermelho-violáceas e vernicosas, as sementes castanho-claras, e que vegeta de preferência em campos férteis.

flectir [Do lat. *flectere*.] *V. t. d.* 1. Fazer a flexão de; vergar, dobrar, flexionar: *flectir os joelhos; flectir o tronco.* *Int. P.* 2. Dar volta; dobrar(-se): "erguem-se uns côvados acima do foco luminoso e .... flectem à retaguarda, tomando altura." (Aquilino Ribeiro, *Caminhos Errados*, p. 296); *Os galhos das árvores flectiam-se sob o vento forte.* [Var.: *fletir*. Defect. Conjug.: v. *aderir*.]

flegma (ê) [Do gr. *phlégma*, 'humor (2)', pelo lat. tard. *phlegma*.] *S. f.* 1. V. *fleuma*. 2. *P. us.* Produto que se obtém numa primeira destilação de suco fermentado de cana e de frutos, e que ainda contém diversas impurezas.

flegmão [Do gr. *phlegmoné*, pelo lat. *phlegmone*.] *S. m. Patol.* V. *fleimão*.

flegmasia [Do gr. *phlegmasía*.] *S. f. Patol.* V. *inflamação* (3).

flegmático [Do gr. *phlegmatikós*, pelo lat. tard. *phlegmaticu*.] *Adj.* V. *fleumático*.

flegmonoso (ô) [De *flegmão* + *-oso*, seg. o padrão erudito.] *Adj. Patol.* Fleimonoso.

fleima *S. f.* V. *fleuma*.

fleimão [De *flegmão*, com vocalização.] *S. m. Patol.* Inflamação de tecido conjuntivo que conduz a ulceração ou abscesso e que, em sua forma difusa, se caracteriza por tendência a progredir em extensão e em profundidade. [Outra var.: *freimão*.]

fleimonoso (ô) [De *fleimão* + *-oso*, seg. o padrão erudito.] *Adj. Patol.* Da natureza do fleimão; flegmonoso. ~ V. *úlcera —a* e *vulvite —a*.

fleme [Do esp. *fleme*.] *S. m. Bras. MG SP* V. *flame*: "Aconselhou-me para o outro — uma sangria na 'tábua' do pescoço, para o quê emprestou-me um fleme." (Amadeu de Queirós, *Os Casos do Carimbamba*, p. 161.)

flente [Do lat. *flente*.] *Adj. 2 g.* Que chora; lastimoso; plangente, flébil.

fleotripídeo [Do tax. *Phloeothrips* + *-ídeo*; tax. *Phloeothripidae*.] *Zool. S. m.* 1. Espécime dos fleotripídeos, família de insetos tisanópteros, ger. castanho-escuros ou pretos, que medem de 0,5mm até 5mm, e atacam as plantas. Ex.: o lacerdinha (q. v.). • *Adj.* 2. Pertencente ou relativo a eles.

flertar [De *flerte* (ê) + *-ar*[2].] *V. t. i.* 1. Ter um flerte com (alguém); namoricar: *Flertou com a irmã do amigo.* 2. *Fig.* Demonstrar interesse, por meio de proposta para contratação, parceria, associação, etc.; estar em negociação: "Corinthians flerta com Cielo" (*Folha de S.Paulo*, 19.01.2010). *Int.* 3. Flertar (1): *Foi ao calçadão flertar.* [Pres. subj.: *flerte, flertes, flerte*, etc. Cf. *flerte* (ê) e pl. *flertes* (ê).]

flerte (ê) [Do ingl. *flirt*.] *S. m.* Namoro ligeiro, sem consequência; namorico. [Pl.: *flertes* (ê). F. paral. (lus.): *flarte*. Cf. *flerte* e *flertes*, do v. *flertar*.]

fletaço [Do esp. plat. *fletazo*.] *S. m. Bras. RS* Flete grande e/ou bom.

flete [Do esp. plat. *flete*.] *S. m. Bras. RS* Cavalo bom e de bela estampa, encilhado com elegância: "Mas os fletes corriam, compassados como numa colhera." (Simões Lopes Neto, *Contos Gauchescos e Lendas do Sul*, p. 330.) [Aum.: *fletaço*.]

fletir *V. t. d. Int. P.* V. *flectir*. [Defect. Conjug.: v. *aderir*.]

fletor (ô) [Do ingl. *flector*.] *Adj.* V. *flexor* (1 e 2). ~ V. *momento —*.

fleuma [Var. de *flegma* (q. v.).] *S. f.* 1. *Obsol. Med.* Um dos quatro humores [v. *humor* (3)] de que trata o humoralismo. 2. *Fig.* Frieza de ânimo; serenidade, impassibilidade: "Portam-se, nesta conjuntura dramática, com uma fleuma britânica." (Érico Veríssimo, *México*, p. 28.) 3. *Fig.* Falta de interesse, diligência ou pressa; lentidão, pachorra. [Outras var.: *fleima, freima* (q. v.).]

fleumático [Var. de *flegmático*.] *Adj.* 1. Relativo a fleuma. 2. Que tem fleuma (2); sereno, impassível. 3. Que tem fleuma (3); lento, pachorrento. [Outra var.: *freimático*.]

➔**flex** [flɛks] [Ingl.] *Adj. 2 g. e 2 n. S. m. 2 n.* 1. Diz-se de, ou motor capaz de funcionar com dois tipos de combustível ao mesmo tempo, ou seja, com álcool e/ou gasolina. 2. Diz-se de, ou o veículo com este tipo de motor. [Em tais veículos a gasolina e o álcool ficam no mesmo tanque e são queimados simultaneamente na câmara de combustão.]

flexão (cs) [Do lat. *flexione*.] *S. f.* 1. Ato de flectir, dobrar(-se), curvar(-se). 2. Estado do que é flexível; dobradura, curvatura. 3. V. *flexibilidade* (2). 4. *E. Ling.* Processo de aposição de desinências a um radical ou tema para a expressão de categorias gramaticais, como tempo, modo, aspecto, voz, caso, gênero, número. [Sin., nesta acepç.: *inflexão* e, desus., *acidência*.] 5. *E. Ling.* Conjunto de formas flexionadas de uma palavra. [V., nesta acepç., *conjugação* e *declinação*. Sin. (desus.): *acidente*.]

▲**flex(i)-** [Do lat. *flexus, a, um*.] *El. comp.* = 'que se curva, dobra', 'flexível': *flexicaule, flexípede*. [Equiv.: *flex(o)-*, *-flexo*: *flexografia, flexório; reflexo* (< lat.).]

flexibilidade (cs) [Do lat. tard. *flexibilitate*.] *S. f.* 1. Qualidade de flexível. 2. Elasticidade, destreza, agilidade, flexão, flexura: *flexibilidade corporal.* 3. Facilidade de ser manejado; maleabilidade. 4. Aptidão para variadas coisas ou aplicações: *flexibilidade de espírito.* 5. Docilidade, brandura. 6. Disponibilidade de espírito; compreensão, complacência. 7. *Adm.* Capacidade de uma operação produtiva variar o volume de produção ou as características do produto ou serviço, ou de oferecer uma combinação abrangente de produtos, atendendo à variação na demanda.

flexibilização (cs) [De *flexibilizar* + *-ção*.] *S. f.* 1. Ato ou efeito de flexibilizar. 2. Afrouxamento ou eliminação de leis ou normas, esp. as que afetam relações econômicas: "O presidente da Argentina .... prometeu .... 'avançar nas medidas de flexibilização trabalhista'. [Isso] significa reduzir ainda mais os encargos sociais e tirar dos sindicatos a intermediação dos serviços médicos previdenciários." (*Gazeta Mercantil*, 27.08.1996.)

flexibilizar (cs) [De *flexível* + *-izar*, seg. o padrão erudito.] *V. t. d.* 1. Tornar flexível. 2. Promover a flexibilização (2) de: *O Governo decidiu flexibilizar o monopólio do petróleo.* *P.* 3. Tornar-se flexível.

flexicaule (cs) [De *flex(i)-* + *-caule*.] *Adj. 2 g. Bot.* Dotado de caule flexuoso.

fléxil (cs) [Do lat. *flexile*.] *Adj. 2 g. Poét.* Flexível: "Abriu com os magros braços / De tecido cipoal os fléxeis ramos." (Alberto de Oliveira, *Poesias*, 3.ª série, p. 275); "Dos fléxiles bambus pela alameda / Clara do saibro solto das colinas, // Passamos." (Id., *ib.*, p. 26). [Pl.: *fléxeis* e (p. us.) *fléxiles*.]

flexíloquo (cs) [Do lat. *flexiloquu*.] *Adj.* Ambíguo ou obscuro na linguagem.

flexionado (cs) [Part. de *flexionar*.] *Adj. E. Ling.* Em que há flexão (4).

flexional (cs) [De *flexão* + *-al*[1], seg. o padrão erudito.] *Adj. 2 g. E. Ling.* Relativo a flexão (4); flexivo. ~ V. *afixo —, língua —, morfologia —* e *sufixo —*.

flexionamento (cs) [De *flexionar* + *-mento*.] *S. m.* Ato ou efeito de flexionar.

flexionar (cs) [De *flexão* + *-ar*[2], seg. o padrão erudito.] *V. t. d.* 1. *E. Ling.* Fazer a flexão de: *flexionar um verbo.* 2. V. *flectir* (1). *P.* 3. *E. Ling.* Assumir a forma flexionada: *O pronome cujo flexiona-se; O que não se flexiona.* 4. Dobrar-se, flectir(-se): *Os ginastas flexionavam-se uniformemente.*

flexionável (cs) [De *flexionar* + *-vel*.] *Adj. 2 g.* Que pode ser flexionado.

flexionismo (cs) [De *flexão* + *-ismo*, seg. o padrão erudito.] *S. m. E. Ling.* Doutrina da flexão das palavras.

flexípede (cs) [De *flex(i)-* + *-pede*; cf. o lat. *flexipes, edis* significa 'que trepa, enroscando-se (com referência à hera)'.] *Adj. 2 g.* Que tem pés tortos.

flexível (cs) [Do lat. *flexibile*.] *Adj. 2 g.* 1. Que se pode dobrar ou curvar; arqueável, vergável, flexo: *vara flexível.* 2. Que se arqueia ou se distende com facilidade; elástico: *cintura flexível.* 3. Fácil de manejar, de moldar; maleável: *tecido flexível.* 4. *Fig.* Dócil, complacente, brando, suave, submisso: *caráter flexível.* 5. *Fig.* Que se adapta às circunstâncias; que não é rígido: *programa flexível.* ~ V. *acoplamento —, horário —*, e *pavimento —*.

flexivo (cs) [De *flex(i)-* + *-ivo*.] *Adj. E. Ling.* Flexional.

flexo (cs) [Do lat. *flexu*.] *Adj.* 1. Em que se produziu flexão (1); dobrado. 2. V. *flexível* (1).

▲**flex(o)-** V. *flex(i)-*.

▲**-flexo** V. *flex(i)-*.

flexografia (cs) [De *flex(o)-* + *-grafia*.] *S. f. Art. Gráf.* Sistema de impressão de relevo, rotativa, com clichês plásticos e tintas fluidas de secagem rápida.

flexográfico (cs) [De *flexografia* + *-ico*[2].] *Adj.* Respeitante à flexografia.

flexor (cs... ô) [De *flex(i)-* + *-or*.] *Adj.* 1. Que efetua a flexão. 2. Que faz dobrar. ~ V. *músculo —*. [Sin., nessas acepç.: *fletor*.] • *S. m.* 3. V. *músculo flexor*.

flexório (cs) [De *flex(i)-* + *-ório*.] *S. m. Anat. Desus.* V. *músculo flexor*.

flexuar (cs) [De *flex(i)-* + *-uar*.] *V. int. P.* Dobrar(-se), vergar(-se), curvar(-se): "Altas gramíneas penachudas esfiavam paina ao vento e o sapê cerrado .... flexuava crepitando como a um fogo latente." (Coelho Neto, *Rei Negro*, p. 248.)

flexuosidade (cs) [De *flexuoso* + *-(i)dade*.] *S. f.* Qualidade ou estado de flexuoso; flexura.

flexuoso (cs... ô) [Do lat. *flexuosu*.] *Adj.* 1. Sinuoso, tortuoso, torto: *caminho flexuoso*; "E flexuosa, em vaivéns, como de dobra em dobra, / A longa fila ondula e serpenteia" (Vicente de Carvalho, *Poemas e Canções*, p. 57). 2. Ondulante, onduloso, ondeante, sinuoso: "afagou-o passando-lhe a mão pelo dorso flexuoso e macio" (Coelho Neto, *Turbilhão*, p. 121). 3. Flexível, balançante: *andar flexuoso.*

flexura (cs) [Do lat. *flexura*.] *S. f.* 1. *Anat.* Curvatura em um órgão. 2. V. *flexibilidade* (2). 3. Flexuosidade. 4. Gesto, meneio: "os mais brandos toques e flexuras de feminilidade lhe animavam o falar, o olhar, o mover-se langorosamente dum sofá para outro." (Camilo Castelo Branco, *A Mulher Fatal*, pp. 38-39). 5. Indolência, frouxidão, moleza. 6. *Geol.* Acidente constituído pela descida de um compartimento de terreno, sem interrupção de continuidade com o compartimento vizinho.

flibusteiro [Do hol. *vrijbuiter* (< *vrijbuiten*, 'saquear'), pelo ingl. *flibutor, frebeter* (atual *freebooter*) e pelo fr. *flibustier*.] *S. m.* 1. Pirata dos mares da América nos sécs. XVII e XVIII. 2. *Fig.* Aventureiro, trapaceiro; ladrão.

flictena [Do gr. *phlýktaina*.] *S. f. Derm.* 1. Coleção localizada de líquido na epiderme, produzida por queimadura. 2. Pequena pústula, em forma de vesícula, que contém linfa.

➔**flint-glass** ['flɪntglæs] [Ingl.] *S. m.* Vidro com base de chumbo, de poder fortemente dispersivo e refrigerante.

fliperama [Do ingl. *flipper*, 'alavanca que movimenta a bola na máquina eletrônica' + *-ama*.] *S. m.* 1. Máquina eletrônica de jogo, acionada por ficha. 2. Estabelecimento onde há vários tipos dessa máquina.

➔**flip-flop** ['flɪpflap] [Ingl.] *S. m. Eletrôn.* Circuito digital que alterna seu estado em função de pulsos que recebe em sua entrada.

➔**float** [flowt] [Ingl.] *S. m. Econ.* Dinheiro em circulação nos bancos (como impostos pagos pelos contribuintes e ainda não creditados ao governo), que pode ser por estes aplicado lucrativamente: "O lucro inflacionário [dos bancos] está diretamente relacionado ao float" (*Gazeta Mercantil*, 13.01.1990).

➔**floater** ['flowtɚ] [Ingl.] *S. m. Surf.* Manobra em que o surfista fica, por um determinado tempo, passeando na crista da onda.

flocado [De *floco* + *-ado*[1].] *Adj.* 1. Semelhante a floco. 2. Feito ou disposto em flocos: *borlas flocadas.* [Sin. ger.: *flocoso*.]

flocagem [De *flocar* + *-agem*[2].] *S. f. Tec. Têx.* Técnica que consiste em colar uma camada de pelos sobre um tecido, por processo eletrostático.

flocar [De *floco* + *-ar*[2].] *V. t. d.* Pôr flocos em. [Conjug.: v. *trancar*.]

floco [Do lat. *floccu*.] *S. m.* 1. Partícula de neve que esvoaça e cai lentamente; folheca, folipa ou folipo. 2. Conjunto de filamentos sutis que esvoaçam ao impulso da aragem: "Da paina os vagos flocos cor de neve / Colhe [o passarinho]" (Alberto de Oliveira, *Poesias*, 2.ª série, p. 232). 3. Tufo, borla, felpa: *floco de lã.* 4. Tufo de pelos na cauda de alguns animais. 5. Forma vaporosa e leve: *os flocos das nuvens; flocos de névoa.* [Var.: *froco*. Dim. irreg.: *flóculo*.]

flocoso (ô) [Do lat. *floccosu*.] *Adj.* 1. Que tem ou faz flocos. 2. V. *flocado*. 3. *Bot.* Tomentoso, porém com os pelos aglomerados em pequenos grupos; flocoso-tomentoso: *pecíolo flocoso.*

flocoso-tomentoso *Adj. Bot.* Flocoso (3). [Pl.: *flocoso-tomentosos*.]

floculação [De *flocular* + *-ção*.] *S. f. Fís.-Quím.* Coagulação (3).

floculante [Do ingl. *flocculant*.] *Adj. 2 g. S. m. Tec. Quím.* Diz-se de, ou substância que promove floculação.

flóculo [Do lat. tard. *flocculu*.] *S. m.* Pequeno floco; flocozinho.

F

floema [Do lat. cient. *phloema* < gr. *phlóos, phlóios*, 'córtex'.] ***S. m. Bot.*** Líber.

floemático [De *floema* + *-ático*.] ***Adj. Bot.*** Relativo ao floema: *parênquima floemático*. ~ V. *seiva –a*.

flogá [De *folgar*, pelo forro[2].] ***S. m. Santom.*** Brincadeira, divertimento: "E esta é a hora de brincarmos, a hora de flogá..." (Sum Marky, *Tempo de Flogá*, p. 30.)

flogístico [Do gr. *phlogistós*, 'inflamado' (subentende-se fluido), + *-ico*[2].] ***Adj.*** **1.** *Quím.* Diz-se do fluido imaginado pelos químicos do séc. XVIII para explicar a combustão. **2.** Inflamatório (2). • ***S. m.*** **3.** *Quím.* Esse fluido; flogisto.

flogisto [Do gr. *phlogistós*, 'inflamado'.] ***S. m. Quím.*** Flogístico (3).

flogopita [Do gr. *phlogopós*, 'que tem o aspecto da chama', + *-ita*[3].] ***S. f. Min.*** Mineral monoclínico do grupo das micas, pardo-avermelhado, com reflexos da cor do cobre, silicato de potássio, magnésio e alumínio.

flogose [Do gr. *phlógosis*.] ***S. f. Med.*** V. *inflamação* (3).

flor (ô) [Do lat. *flos, floris*, por via erud.] ***S. f.*** **1.** *Bot.* Nas angiospermas, órgão da reprodução sexuada, e que consiste, quando completo, em cálice, corola, androceu (órgãos masculinos) e gineceu (órgãos femininos); quando incompleto, consiste, no mínimo, em um estame e um pistilo. [Os órgãos masculinos e femininos podem encontrar-se na mesma flor, ou em flores separadas.] **2.** *P. ext.* Planta que dá flor(es): *regar as flores*. **3.** A parte mais fina de uma substância. **4.** V. *elite* (1): *a flor da intelectualidade brasileira; a flor do magistério*. **5.** Pessoa que sobressai entre as outras: "Teresinha era a flor das pequenas lá da fábrica." (Aluísio Azevedo, *Demônios*, p. 253.) [Cf. *elite* (1).] **6.** O desabrochar (da vida); a flor da idade. **7.** Estado do que é fresco e viçoso: "Eram dous, ele e ela, ambos na flor da beleza e da mocidade" (José de Alencar, *Til*, p. 17). **8.** Beleza, encanto, formosura. **9.** Pessoa bela ou boa, afável, delicada. **10.** Objeto ou ornato que representa uma flor. **11.** Bolor do vinho, da cerveja, etc., quando entra em contato com o ar. **12.** Coisa excelente, ótima, de belo aspecto: *flor de gado* (*i. e.*, gado apurado, fino). **13.** A superfície exterior do couro. **14.** Produto obtido pela sublimação ou oxidação do ar: *flor de enxofre*. [Pl.: *flores* (ô). Dim.: *florinha, florzinha, florículo, flósculo*. Cf. *flores*, do v. *florar*.] ◆ **Flor da idade.** A mocidade, a juventude; flor dos anos: "Morreu na flor da idade em 20 de dezembro de 1803." (Camilo Castelo Branco, *Noites de Insônia*, XI, p. 89.) **Flor de cunho.** *Numism.* Moeda sem qualquer sinal de circulação. **Flor de estufa.** Criança delicada, não criada ao ar livre. **Flor dos anos.** Flor da idade: "essa nostalgia insondável dos que vão morrer na flor dos anos" (Fialho d'Almeida, *A Cidade do Vício*, p. 249). **Flores de retórica.** Ornamentos poéticos do estilo. **Flor holopetalar.** *Bot.* Aquela cujas partes se converteram todas em pétalas. **Flor protogínica.** *Bot.* Flor dicógama em que os órgãos sexuais femininos amadurecem antes dos masculinos. **Flor tubiflora.** *Bot.* Aquela cuja corola tem as pétalas soldadas, formando um tubo longo. **À flor de.** À superfície de; ao lume de. **Em flor.** Muito novo, muito jovem; em plena mocidade: "Do Espanhol as cantilenas / Requebradas de langor, / Lembram as moças morenas, / As andaluzas em flor." (Castro Alves, *Poesias Escolhidas*, p. 328.) **Fina flor.** V. *elite* (1): *a fina flor da sociedade*; "O Clube Tiradentes – o núcleo da fina flor do florianismo – reuniu-se em sessão permanente" (Sílvio Rabelo, *Euclides da Cunha*, p. 83). **Na flor do ar.** *Bras. SE* Com rapidez notável: *apanhar, segurar, pegar na flor do ar*. **Não ser flor de se cheirar.** *Bras. Fam.* Não ser flor que se cheire. **Não ser flor que se cheire.** *Bras. Fam.* Ser desonesto, menos correto, ou não muito digno de confiança; não ser flor de se cheirar: "Todos sabem que Dom Pedro II, no tocante a fidelidade conjugal, não era flor que se cheirasse" (Lêdo Ivo, *Ninho de Cobras*, pp. 120-121.)

flora [Do mit. lat. *Flora*, esposa de Zéfiro e deusa das flores.] ***S. f.*** **1.** *Bot.* O conjunto das espécies vegetais de uma determinada localidade: *a flora brasileira; a flora do Itatiaia*. **2.** Conjunto de plantas que servem para determinado fim: *a flora medicinal*. [Dim. irreg.: *flórula*.] **3.** *Astr.* Asteroide de magnitude 8,9 na oposição, o oitavo que foi descoberto. [Com cap., nesta acepç.] ◆ **Flora bacteriana.** *Microbiol.* Microbiota normal (q. v.).

▲**-flora** V. *flor(i)-*.

floração [De *florar* + *-ção*.] ***S. f.*** **1.** *Bot.* Aparecimento e permanência de flores numa dada planta. **2.** *Fig.* Desabrochamento, desenvolvimento: *floração de uma arte*.

florada [De *flor* + *-ada*[1].] ***S. f.*** **1.** Doce de flores de laranjeira. **2.** Doce de ovos com a forma de flores. **3.** Abertura geral das flores de uma planta ou de um conjunto de plantas.

florado [Part. de *florar*.] ***Adj.*** **1.** *Bras.* Coberto de flores (árvore); florido, enflorado: "o cafezal recendente e florado" (Alberto Rangel, *Quando o Brasil Amanhecia*, p. 212). **2.** Ornado, enfeitado, adornado; embelezado.

floraiense (a-i) ***Adj. 2 g.*** **1.** De, ou pertencente ou relativo a Floraí (PR). • ***S. 2 g.*** **2.** O natural ou habitante de Floraí.

florais [Pl. de *floral*; lat. *floralia*.] ***S. m. pl.*** Jogos florais. ~ V. *floral*.

floral [Do lat. *florale*.] ***Adj. 2 g.*** **1.** Da flor. **2.** Que contém só flores. **3.** Relativo a flor ou a flora. **4.** Próprio de flor; flóreo: "pairou na doce estrada / onde Amor acendia a idade antiga / ao hálito floral da madrugada." (Valdemar Lopes, *Sonetos do Tempo Perdido*, p. 49). ~ V. *jogos florais* e *nectário –*. • ***S. m.*** **5.** Infuso de flores. ~ V. *florais*.

floraniense ***Adj. 2 g.*** **1.** De, ou pertencente ou relativo a Florânia (RN). • ***S. 2 g.*** **2.** O natural ou habitante de Florânia.

florão [Do it. *fiorone*.] ***S. m.*** **1.** Ornato circular, do feitio de flor, no centro de um teto, abóbada, etc. **2.** Espécie de jogo popular. **3.** Espécie de pequena carruagem antiga. **4.** *Heráld.* Ornato em forma de folha de acanto, de ouro ou de pedras preciosas. **5.** *Tip.* Vinheta floriforme usada sobretudo em folha de rosto. **6.** *Encad.* Ferro de dourar, semelhante a essa vinheta.

florar [De *flor* + *-ar*[2].] ***V. int. Bras. N. N.E.*** **1.** V. *florir* (4): "Planta algodão; este cresce e flora." (Gustavo Barroso, *Terra de Sol*, p. 15); "Repare ali embaixo, beirando o leito seco do rio, as acácias florando." (José Bezerra Filho, *Fogo!*, p. 37). ***T. d.*** **2.** V. *florir* (2). [Pres. subj.: *flore, flores*, etc. Cf. *flores* (ô), pl. de *flor*, e *Flores* (ô), antr. e top.]

flora-riquense ***Adj. 2 g.*** **1.** De, ou pertencente ou relativo a Flora Rica (SP). • ***S. 2 g.*** **2.** O natural ou habitante de Flora Rica. [Pl.: *flora-riquenses*.] [Na 5ª ed. do Volp., sem hífen; corrigido em errata.]

flor-da-cachoeira ***S. f. Bras. Amaz. GO Bot.*** Erva podostemácea (*Mourera fluviatilis*) perene, ornamental, de folhas grandes e grossas, carnosas, de bordas recortadas e crespas, flores hermafroditas, grandes, róseas, dispostas em racimos, e cujo fruto é cápsula subséssil com duas valvas iguais e sementes sem albume; vegeta nos remansos de águas represadas que antecedem as grandes pancadas e corredeiras; mururé-das-cachoeiras, uapé ou uapê, uapé-da-cachoeira ou uapê-da-cachoeira. [Pl.: *flores-da-cachoeira*.]

flor-da-esperança ***S. f. Bras. RS Bot.*** Erva ranunculácea (*Anemone triternata*) perene, de flores alvas, solitárias, apétalas, com várias sépalas oblongo-obtusas, formando uma estrela, e cujo fruto é poliaquênio oblongo. [Pl.: *flores-da-esperança*.]

flor-d'água ***S. f. Bras. N. a S. Bot.*** Erva arácea (*Pistia stratiotes*) aquática, ornamental, acaule, estolonífera, com inúmeras raízes imersas, folhas emergentes, esponjosas, sésseis e polimorfas, flores pequenas, amarelo-pálidas, dispostas em espádice e protegidas por espata pequena e alvacenta, e cujo fruto é baga ovoide, com pericarpo fino; alface-d'água, erva-de-santa-luzia. [Pl.: *flores-d'água*.]

flor-da-imperatriz ***S. f. Bras. RJ Bot.*** Erva amarilidácea (*Hippeastrum procerum*) de bulbo grande e ornamental, de folhas grandes, invaginantes e eretas, formando leque, de flores lilás-violáceas internamente e pálidas externamente, pediceladas, com lacínias, dispostas em umbelas, e cujo fruto é cápsula com numerosas sementes comprimidas; açucena, imperatriz-do-brasil, rabo-de-galo. [Pl.: *flores-da-imperatriz*.]

flor-da-noite ***S. f. Bras. Bot.*** Trepadeira cactácea (*Selenicereus pteranthus*) ornamental, de caule longo e vigoroso, originária do México e comum no Brasil, armada de espinhos cônicos e escuros, cujas flores são alvas e amarelas, muito grandes, aromáticas, com tubo verde e escamoso, e cujo fruto é baga globosa e vermelha; flor-de-baile: "A flor-da-noite abre o cálix..." (Olavo Bilac, *Poesias*, p. 155.) [F. paral.: *flor-da-noute*. Pl.: *flores-da-noite*.]

flor-da-noute ***S. f. Bras. Bot.*** Flor-da-noite (q. v.). [Pl.: *flores-da-noute*.]

flor-da-paixão ***S. f. Bras. Bot.*** Designação comum às espécies passifloráceas, ornamentais, do gênero *Passiflora*, conhecidas por *maracujá*, de flores grandes e vistosas, e cujos frutos são muito apreciados. Seus segmentos são comparados com os objetos que serviram ao martírio de Cristo, correspondendo os estaminódios à coroa de espinhos; os estigmas claviformes, aos cravos; os estames, aos martelos; etc. [Pl.: *flores-da-paixão*.]

flor-da-páscoa ***S. f. Bot.*** Pulsatila. [Pl.: *flores-da-páscoa*.]

flor-da-quaresma ***S. f. Bras. Bot.*** Designação comum a muitas árvores ou arbustos melastomatáceos, ornamentais, pertencentes aos gêneros *Tibouchina* e *Rhynchanthera*, próprias para parques e jardins, e que vegetam em vários estados do País; quaresma, quaresmeira, manacá-da-serra. [Pl.: *flores-da-quaresma*.]

flor-da-redenção ***S. f. Bot.*** Bastão-do-imperador. [Pl.: *flores-da-redenção*.]

flor-das-almas [De *flor* + o pl. de *da*[1] + o pl. de *alma*.] ***S. f. Bras. MG a RS MT Bot.*** V. *tasneirinha*. [Pl.: *flores-das-almas*.]

flor-das-pedras ***S. f. Zool.*** V. *anêmona-do-mar*. [Pl.: *flores-das-pedras*.]

flor-da-verdade ***S. f. Bras. Bot.*** Heléboro-branco. [Pl.: *flores-da-verdade*.]

flor-de-abril ***S. f. Bras. Litoral Bot.*** Árvore dilleniácea (*Dillenia indica*) de caule reto e grande copa, de flores axilares ou terminais, solitárias, de cor amarela ou alva, aromática, cujo fruto é cápsula globosa, pêndula, indeiscente, de pericarpo duro e fino, circulada pelo cálice (que se torna carnoso), contendo numerosas sementes envoltas em polpa gelatinosa, e que fornece madeira de cerne compacto e resistente, própria para construção naval; dilênia. [Pl.: *flores-de-abril*.]

flor-de-amor ***S. f. Bras. Bot.*** Designação comum a algumas plantas hidrofiláceas, rústicas, pertencentes ao gênero *Nemophila*, originárias da Califórnia e comumente cultivadas no Brasil, cujas flores, alvas ou azuis, são especiais para formar tapetes floríferos em grandes partes ou bordas de canteiro; flor-de-amores, flor-dos-amores. [Pl.: *flores-de-amor*.]

flor-de-amores ***S. f. Bras. Bot.*** V. *flor-de-amor*. [Pl.: *flores-de-amores*.]

flor-de-babado ***S. f. Bras. C.O. a S. Bot.*** Designação comum a várias plantas apocináceas, campestres, pertencentes ao gênero *Macrosiphonia*, de caule lenhoso, pequenas, lactescentes, e com frutos do tipo folículo; flor-de-babeiro. [Pl.: *flores-de-babado*.]

flor-de-babeiro ***S. f. Bras. C.O. a S. Bot.*** Flor-de-babado. [Pl.: *flores-de-babeiro*.]

flor-de-baile ***S. f. Bras. Bot.*** Flor-da-noite. [Pl.: *flores-de-baile*.]

flor-de-baunilha ***S. f. Bras. Bot.*** V. *baunilha-do-peru*. [Pl.: *flores-de-baunilha*.]

flor-de-besoiro ***S. f. Bot.*** Flor-de-besouro (q. v.). [Pl.: *flores-de-besoiro*.]

flor-de-besouro ***S. f. Bot.*** Flor-de-padre. [F. paral.: *flor-de-besoiro*. Pl.: *flores-de-besouro*.]

flor-de-caboclo ***S. f. Bras. CE BA a SP GO Bot.*** Subarbusto mimosáceo (*Calliandra dysantha*) de flores sésseis, com numerosos estames róseos ou carminados, e cujo fruto é vagem pilosa; treme-treme. [Pl.: *flores-de-caboclo*.]

flor de cal ***S. f.*** Pó finíssimo, resultante do peneiramento da cal extinta. [Pl.: *flores de cal*.] ☑

flor-de-cardeal ***S. f. Bras. PA a SP Bot.*** Trepadeira convolvulácea (*Quamoclit quamoclit*), ornamental, de flores róseas, ou avermelhadas, com corola tubulosa, e cujo fruto é cápsula ovoide; boa-tarde, primavera. [Pl.: *flores-de-cardeal*.]

flor-de-carnaval ***S. f. Bras. RS Bot.*** Planta amarilidácea (*Zephyranthes andersonii*) de bulbo ovoide, de folhas glaucas e escapo mais curto que as folhas, de cor vermelha, flores amarelo-ouro com estrias avermelhado-escuras, espata tubulosa, laciniada no ápice, purpúrea, e cujo fruto é cápsula cônica e turbinada. [Pl.: *flores-de-carnaval*.]

flor-de-cera ***S. f. Bras. RJ Bot.*** Trepadeira asclepiadácea (*Hoya carnosa*) ornamental, originária da Ásia, de crescimento vagaroso e folhagem escassa, porém muito apreciada e cultivada graças às suas flores abundantes, elegantíssimas e duráveis, róseas, aromáticas, luzidias, carnosas, dispostas em inflorescências pêndulas e multifloras que dão a impressão de ser de cera. [Pl.: *flores-de-cera*.]

flor-de-chagas ***S. f. Bot.*** V. *capuchinha*. [Pl.: *flores-de-chagas*.]

flor-de-cobra ***S. f. Bras. RJ SP Bot.*** Arbusto rubiáceo (*Rudgea paniculata*) regular, ornamental, de folhas coriáceas, opostas e cruzadas, de formato oblongo, e flores alvas, dispostas em panículas terminais. [Pl.: *flores-de-cobra*.]

flor-de-coiro ***S. f. Bras. BA SP Bot.*** V. *flor-de-couro*. [Pl.: *flores-de-coiro*.]

flor-de-contas [De *flor* + *de* + o pl. de *conta*.] ***S. f. Bras. RS Bot.*** Planta liliácea (*Ornithogalum arabicum*) ornamental, originária das costas do Mediterrâneo, de flores grandes, pedunculadas, alvas e amarelas, primeiramente dispostas em inflorescências e depois em racimos frouxos, bulbo também grande, revestido de túnica branca e glutinosa, e cujas sementes são pretas e angulosas. [Pl.: *flores-de-contas*.]

flor-de-coral *S. f. Bot.* **1.** *Bras. RJ SP* Arbusto verbenáceo (*Clerodendron speciosissimum*) pequeno, tomentoso e ornamental, originário de Java, de flores grandes, vermelhas, numerosas, vistosas, dispostas em panícula terminal ampla, e cujo fruto é baga azul. **2.** *Bras.* Árvore fabácea (*Erythrina corallodendron*) originária da Amaz. e de MT, de flores vermelhas, dispostas em racimos multifloros, sendo as sementes do fruto do tamanho de um feijão, e vermelhas com mácula preta, duras e verrucosas, e que fornece madeira branca, mole, quebradiça e esponjosa; molongó-branco, pau-coral, mulungu, corticeira, suinã. **3.** *Bras. N. a S.* Designação comum a dois arbustos rubiáceos (*Ixora coccinea* e *Ixora stricta*) ornamentais, muito vistosos, originários da China e da Índia, comuns nos jardins de todo o país, de flores vermelhas, e cujos frutos são bagas, também vermelhas; jasmim-vermelho. **4.** *Bras. BA a SP* Árvore euforbiácea (*Jatropha multifida*) pequena e arbustiva, ornamental, de flores vermelhas, pequenas, dispostas em corimbos multifloros, cujo fruto é cápsula ovoide, amarela, com sementes ariladas, e cuja casca exsuda látex (bálsamo) verde, acre e amargo; árvore-de-bálsamo, coral, coral-dos-jardins, flor-de-sangue. **5.** V. *corticeira* (2). [Pl.: *flores-de-coral*.]

flor-de-couro [Var. de *flor-de-coiro*.] *S. f. Bot.* **1.** *Bras. BA a SP* Planta orquidácea (*Zygopetalum meleagris*) ornamental, de raízes numerosas e compridas, flores semipêndulas, solitárias, rotáceas e carnosas, amarelas na base e vermelhas no ápice, e cujo fruto é cápsula; estrela-da-república, flor-de-sola. **2.** Flor-de-madeira (1). [Pl.: *flores-de-couro*.]

flor-de-duas-esporas [De *flor* + *de* + *duas* + o pl. de *espora*.] *S. f. Bras. RJ Bot.* Planta escrofulariácea (*Diascia barberoe*) herbácea, ornamental, originária do S. da África, de flores róseas, irregularmente abertas, tendo no centro da corola máculas amarelo-vivo, e as duas divisões laterais prolongadas na base em duas esporas curtas e arqueadas, e cujo fruto é cápsula aguda e bivalve. [Pl.: *flores-de-duas-esporas*.]

flor de enxofre *S. f.* Enxofre sublimado e reduzido a pó. [Pl.: *flores de enxofre*.] ☑

flor-de-gelo *S. f. Bot.* V. *folha-de-gelo*. [Pl.: *flores-de-gelo*.]

flor-de-índio *S. f. Bras. S. MT Bot.* Arbusto cesalpiniáceo (*Caesalpinia gilliesii*) pequeno, de folíolos revestidos de numerosas glândulas nectáreas vermelhas e pequenas, flores grandes, amarelo-laranja, masculinas e hermafroditas, dispostas em racimos corimbosos, bracteados, e cujo fruto é vagem linear, com valvas glandulosas, contendo sementes ovoides, lisas, verrucosas, castanhas, com máculas pretas. [Pl.: *flores-de-índio*.]

flor-de-jesus [De *flor* + *de* + o hag. (*Jesus*) *Cristo*.] *S. f. Bras. SC Bot.* Planta orquidácea (*Laelia elegans*) epífita, ornamental, de flores alvirróseo-violáceas, suavemente aromáticas, com máculas amareladas no labelo e as pétalas um pouco mais largas que as sépalas. É espécie belíssima, muito variável na forma e na cor das flores, e das mais famosas, pelo número de variedades hortícolas. [Pl.: *flores-de-jesus*.]

flor-de-lã *S. f. Bras. MG Bot.* Arbusto melastomatáceo (*Trembleya laniflora*) tomentoso, ornamental, de flores alvas, sésseis, axilares, com pétalas nervadas e estames desiguais, aproximadas no ápice dos ramos, e cujo fruto é cápsula lisa, escura, verrucosa, que contém sementes arredondadas nos dois lados. [Pl.: *flores-de-lã*.]

flor de lis *S. f.* Ornamento heráldico em forma de um lírio estilizado, distintivo da realeza na França; lis. [Pl.: *flores de lis*.] ☑ notas 1 e 2

flor-de-lis *S. f. Bot.* Planta amarilidácea (*Sperkelia formosissima*) bulbosa, de flores grandes, em geral solitárias, envolvidas em espata bivalve, e perianto quase sempre vermelho-escuro. Folhas lineares, dísticas, pouco numerosas. [Pl.: *flores-de-lis*.]

flor-de-lótus *S. f. Bot.* V. *loto*[1] (3). [Pl.: *flores-de-lótus*.]

flor-de-madeira *S. f. Bot.* **1.** *Bras. RJ* Trepadeira convolvulácea (*Ipomola glaziovii*), lactescente e ornamental, cuja inflorescência axilar é pauciflora, com flores amarelas, tubulosas e efêmeras, e cujo fruto é cápsula amarela, com sementes pretas, de bordos arredondados; flor-de-couro. **2.** V. *flor-de-pau*. [Pl.: *flores-de-madeira*.]

flor-de-maio *S. f. Bras. Bot.* **1.** Cactácea (*Epiphyllum X hybridus*) epífita ou terrestre, cujo caule principal é lenhoso, e os ramos são achatados, filoides, crenulados nos dois bordos; flores ger. diurnas, em tons de vermelho, rosa, ou tijolo. **2.** *Bras.* V. *lírio-do-vale* (1). [Pl.: *flores-de-maio*.]

flor-de-mico *S. f. Bot.* V. *açucena-do-mato*. [Pl.: *flores-de-mico*.]

flor-de-natal *S. f. Bras. PE Bot.* Arbusto malpighiáceo (*Banisteria nitrosiodora*) trepador, de flores amarelas, que exalam cheiro de ácido nítrico, e cujo fruto é sâmara amarelo-ouro, híspido-sericea, com ala oblonga. [Pl.: *flores-de-natal*.]

flor-de-noiva *S. f. Bras. Bot.* Designação comum a vários arbustos rosáceos, ornamentais, pertencentes ao gênero *Spiraea*, todos muito decorativos, com belas flores alvas ou róseas, dependendo da espécie; biju, buquê-de-noiva. [Pl.: *flores-de-noiva*.]

flor-de-padre *S. f. Bras. AM a PE SP GO Bot.* Árvore cesalpiniáceo (*Senna latifolia*) grande, ornamental, de flores grandes, amarelas, dispostas em panículas curtas, e cujo fruto é vagem com valva coriácea; flor-de-besouro. [Pl.: *flores-de-padre*.]

flor-de-papagaio *S. f. Bras. Bot.* V. *folha-de-sangue*. [Pl.: *flores-de-papagaio*.]

flor-de-passarinho *S. f. Bras. S. Bot.* Designação comum a duas plantas orquidáceas, epífitas, ornamentais, pertencentes ao gênero *Oncidium*, com flores amarelas e de longa duração. [Pl.: *flores-de-passarinho*.]

flor-de-pau *S. f. Bras. N. a S. Bot.* Trepadeira convolvulácea (*Convolvulus gossypifolius rosus*) ornamental, de flores amarelo-enxofre, com corola tubulosa, e tubérculo do tamanho de uma cabeça humana, sendo o fruto cápsula seca, globosa, inclusa nas sépalas, que são coriáceas e parecem feitas de madeira; campainha-amarela, cipó-brasil, flor-de-madeira. [Pl.: *flores-de-pau*.]

flor-de-pérolas [De *flor* + *de* + o pl. de *pérola*.] *S. f. Bras. RJ Bot.* Arbusto nictagináceo (*Torrubia olfersiana*) regular, que vegeta em matas litorâneas, de casca suberosa, flores vermelhas, muito aromáticas, verrucosas, em forma de pérolas, e dispostas em cimeiras umbeliformes, sendo o fruto uma baga elíptica, escura, lisa, com sementes estriadas e glabras. [Pl.: *flores-de-pérolas*.]

flor-de-sangue *S. f. Bot.* V. *flor-de-coral* (4). [Pl.: *flores-de-sangue*.]

flor-de-são-joão *S. f. Bras. Bot.* V. *cipó-de-são-joão*. [Pl.: *flores-de-são-joão*.]

flor-de-são-miguel [De *flor* + de + o hag. *São Miguel*.] *S. f. Bot.* **1.** *Bras. PA* Arbusto verbenáceo (*Petrea recemosa*) escandente e ornamental, de flores de de limbo grande, azul-violáceas, dispostas em racimos, e cujo fruto é cápsula indeiscente, inclusa no tubo do cálice; viuvinha, touca-de-viúva, flor-de-viúva. **2.** V. *coroa-de-viúva*. [Pl.: *flores-de-são-miguel*.]

flor-de-seda *S. f. Bras. Bot.* Ciúme (5). [Pl.: *flores-de-seda*.]

flor-de-sola *S. f. Bras. Bot.* V. *flor-de-couro* (1). [Pl.: *flores-de-sola*.]

flor-de-trombeta *S. f. Bras. Bot.* Planta solanácea (*Salpiglossis sinuata*) herbácea, ornamental, de flores de corola infundibuliforme, com estilete recurvado como trombeta, e cujo fruto é cápsula, com sementes muito pequenas. [Pl.: *flores-de-trombeta*.]

flor-de-vaca *S. f. Bot.* Planta orquidácea (*Stanhopea ecornuta*) epífita e ornamental, originária da América Central, de flores grandes, alvas, com labelo amarelo-pálido, e alvo no ápice, com pontoações purpúreas; cabeça-de-boi. [Pl.: *flores-de-vaca*.]

flor-de-viúva *S. f. Bot.* **1.** V. *flor-de-são-miguel* (1). **2.** V. *coroa-de-viúva*. [Pl.: *flores-de-viúva*.]

flor-do-campo *S. f. Bras. BA Bot.* Arbusto malváceo (*Gaya macrantha*) lenhoso, ornamental, de flores solitárias, grandes, axilares, de cor amarelo-ouro e cálice campanulado e cujo fruto é esquizocarpo, com sementes de cor cinza e pilosa. [Pl.: *flores-do-campo*.]

flor-do-céu *S. f. Bras. RS Bot.* Arbusto mimosáceo (*Calliandra parvifolia*) grande e ornamental, de flores sésseis, com numerosos estames coloridos, dispostas em capítulos solitários, geminados ou axilares, e cujo fruto é vagem coriácea, com margens estreitas, grossas e pilosas; quebra-foice. [Pl.: *flores-do-céu*.]

flor-do-espírito-santo [De *flor* + *do*[1] + o hag. *Espírito Santo*.] *S. f. Bras. MG RJ Bot.* Planta orquidácea (*Oncidium praetextum*) epífita, ornamental, de flores pêndulas, aromáticas, grandes, castanho-escuras zonadas de amarelo. [Pl.: *flores-do-espírito-santo*.]

flor-do-imperador *S. f. Bras. Bot.* Pequeno arbusto oleáceo (*Osmanthus fragrans*) ornamental, originário da China e do Japão, de flores alvas, com pétalas imbricadas, dispostas em racemos simples, curtos, axilares e terminais, utilizadas para perfumar o chá-da-índia, e cujo fruto é baga; jasmim-do-imperador. [Pl.: *flores-do-imperador*.]

flor-do-monturo *S. f. Bras. Bot.* Pequeno arbusto verbenáceo (*Clerodendron fragrans*) ornamental, originário da China e do Japão, cujas folhas têm odor desagradável, e cujas flores são alvas e odorantes, dispostas em corimbos terminais compactos; volcana, clerodendro-cheiroso. [Pl.: *flores-do-monturo*.]

flor-do-natal *S. f. Bras. BA a SC Bot.* Planta orquidácea (*Cattleya guttata*) epífita e ornamental, de flores grandes, amarelo-esverdeadas com máculas vermelho-sangue, lobos laterais alvos e terminal roxo, e cujo fruto é cápsula, coroada pelas cicatrizes das sépalas e das pétalas. [Pl.: *flores-do-natal*.]

flor-do-norte *S. f. Bras. Bot.* V. *boa-noite* (2). [Pl.: *flores-do-norte*.]

flor-dos-amores *S. f. Bras. Bot.* V. *flor-de-amor*. [Pl.: *flores-dos-amores*.]

flor-dos-formigueiros [De *flor* + o pl. de *do*[1] + o pl. de *formigueiro*.] *S. f. Bras. AM MT Bot.* Designação comum a duas plantas orquidáceas (*Epidendrum myrmecophorum* e *Pleurothallis myrmecophila*) epífitas, cujas raízes se entrelaçam formando uma esfera suspensa igual aos cipós, onde as formigas fazem ninho, sendo as flores da primeira espécie inteiramente verdes e as da segunda, cor de vinho e glabras. [Pl.: *flores-dos-formigueiros*.]

floreado [Part. de *florear*.] *Adj.* **1.** Coberto ou ornado de flores; florido; florejado: *jardim floreado*. **2.** Adornado, enfeitado; trabalhado: *relevo floreado*. **3.** Ataviado ridiculamente; arrebicado, amaneirado, afetado: *estilo floreado*. **4.** *Bras. RS* Tonto, perturbado. **5.** *Bras. RS* V. *embriagado* (1). ● *S. m.* **6.** Ornato estilizado; enfeite, adorno. **7.** Variação caprichosa, em música. **8.** Requinte, brilho, floreio: *floreados oratórios*.

floreal [Do fr. *floréal*.] *S. m. Cronol.* V. *calendário republicano*.

florealense *Adj. 2 g.* **1.** De, ou pertencente ou relativo a Floreal (SP). ● *S. 2 g.* **2.** O natural ou habitante de Floreal.

florear [De *flor* + *-ear*[2].] *V. t. d.* **1.** Fazer brotar flores em; semear de flores; florescer, florejar: *A natureza floreia as campinas*. **2.** Cobrir ou adornar com flores; florejar, florir: *florear o altar*. **3.** Enfeitar, adornar, ornamentar, engalanar; florir. **4.** Ornar com imagens ou efeitos literários: *florear o estilo*. **5.** Brandir ou manejar com destreza (arma branca): 📖 "O espanhol é heroicamente bravo; mas outras raças .... possuem esse heroísmo que consiste em soltar um grito, florear a espada, e correr soberbamente para a morte." (Eça de Queirós, *Ecos de Paris*, p. 139.) **6.** Mover ágil e rapidamente; agitar, balançar: *florear o estandarte*. *T. c.* **7.** Fazer figura; fazer vista; brilhar: *florear nos salões*. *Int.* **8.** Criar ou produzir flores; florescer, enflorar. **9.** *Bras. RS* Tornar-se embriagado; embriagar-se. [Conjug.: v. *frear*.]

floreio [Dev. de *florear*.] *S. m.* **1.** Ato de florear. **2.** Brilho, requinte, floreado: *floreios de espírito*. **3.** *Mús.* Floritura (1). **4.** *Bras. RS* Peleja rápida com arma branca. **5.** *Bras. RS* Exercício a que se submete, como treinamento, um cavalo de corrida ou um galo de briga. **6.** *Bras. Cap.* Movimento acrobático em que se exibem a destreza e a criatividade do capoeirista.

floreira [De *flor* + *-eira*.] *S. f.* **1.** Vaso ou jarra para flores; floreiro, porta-flores. **2.** Vendedora de flores; florista.

floreiro [De *flor* + *-eiro*.] *S. m.* **1.** Florista (1). **2.** V. *floreira* (1).

florejado [Part. de *florejar*.] *Adj.* V. *floreado* (1).

florejar [De *flor* + *-ejar*.] *V. t. c. Int.* **1.** Cobrir-se de flores; florir, florescer: 📖 "Nos jardins .... os crisântemos e as dálias .... florejam com uma exuberância primitiva" (Oliveira Viana, *Pequenos Estudos de Psicologia Social*, p. 41); *Certas plantas florejam durante todo o ano*. *T. d.* **2.** Fazer nascer flores em; florear, florescer: *O Sol floreja os prados*. **3.** Ornar de flores; florear, florir. **4.** *Fig.* Fazer brotar, fazer nascer, como flores: *florejar graça e beleza*. **5.** Ornar com flores de estilo; florear. [Conjug.: v. *pelejar*.]

florena [De *flor* + o f. de *-eno*[1].] *S. f. Bras. PA Bot.* Erva asterácea (*Riencourtia glomerata*) ereta e ramosa, de folhas muito pilosas, flores alvas, dispostas em capítulos globosos terminais e solitários, fruto aquênio, e que fornece forragem para o gado equino.

florença [Do top. *Florença* (Itália).] *S. f. Tec. Têx.* Antigo tecido de algodão, imitante à seda, e que era fabricado em Florença (Itália).

florenciada [Adapt. do fr. *florencée*.] *Adj.* (*f.*) ~ V. *cruz* —.

florense[1] *Adj. 2 g.* **1.** De, ou pertencente ou relativo a Flores (PE). ● *S. 2 g.* **2.** O natural ou habitante de Flores.

florense[2] *Adj. 2 g.* **1.** De, ou pertencente ou relativo a Flores da Cunha (RS). ● *S. 2 g.* **2.** O natural ou habitante de Flores da Cunha.

florense[3] *Adj. 2 g.* **1.** De, ou pertencente ou relativo a Flores de Goiás (GO). ● *S. 2 g.* **2.** O natural ou habitante de Flores de Goiás.

florense[4] *Adj. 2 g.* **1.** Da, ou pertencente ou relativo à ilha das Flores (Portugal). ● *S. 2 g.* **2.** O natural ou habitante dessa ilha.

florense-da-serra *Adj. 2 g. S. 2 g.* V. *sul-florense-da-serra*. [Pl.: *florenses-da-serra*.]

florente [Do lat. *florente*.] *Adj. 2 g.* **1.** Que está em flor; florido, flóreo, florescente. **2.** *Fig.* Que floresce; próspero; venturoso; florescente: 📖 "os Píndaros

F

nasceram nos bem-aventurados séculos em que as mais florentes repúblicas .... contendiam pela naturalidade de um cidadão." (Correia Garção, *Obras Poéticas e Oratórias*, p. 568). 3. *Fig.* Brilhante, florido.

florentim *Adj. 2 g. S. 2 g.* Florentino.

florentino *Adj.* 1. De, ou pertencente ou relativo a Florença (Itália). • *S. m.* 2. O natural ou habitante de Florença. [F. paral.: *florentim*.]

florentino-do-piauí *Adj.* 1. De, ou pertencente ou relativo a Flores do Piauí (PI). • *S. m.* 2. O natural ou habitante de Flores do Piauí. [Pl.: *florentinos-do-piauí*.]

flóreo [Do lat. *floreu*.] *Adj.* 1. De flor, de flores: "tudo se esfuma / Às carícias da aurora, ao céu risonho, / Ao flóreo bafo que o sertão perfuma!" (Fagundes Varela, *Poesias Completas*, I, p. 240). 2. Coberto ou adornado de flores; florido: "o rio múrmuro, ... a dessedentar por entre ribas flóreas ou rebanhos tranquilos" (Alcides Maia, *Tapera*, p. 59).

flores-brancas [Trad. (não literal) do lat. *fluor albus*, 'corrimento branco'.] *S. f. pl. Pop.* Leucorreia.

florescência [Do lat. *florescentia*.] *S. f.* Ato de florescer; florescimento. [Cf. *fluorescência*.]

florescente [Do lat. *florescente*.] *Adj. 2 g.* 1. Que floresce; que está em flor; florente, florido: *pomares florescentes*. 2. *Fig.* Notável, brilhante, insigne: *Está no momento florescente de sua carreira*. 3. *Fig.* Bom, são, viçoso, perfeito: *organismo florescente*. 4. *Fig.* Em franco desenvolvimento; progressivo, próspero: *cidade florescente*. [Cf. *fluorescente*.]

florescer [Do lat. *florescere*.] *V. int.* 1. Lançar ou produzir flores; florir, florejar: "O cinamomo floresce / Em frente do teu postigo" (Alphonsus de Guimaraens, *Obra Completa*, p. 226). 2. Medrar, prosperar, desenvolver-se: *As artes florescem*; *O comércio volta a florescer*. *T. c.* 3. Existir com renome, nomeada ou fama; distinguir-se, sobressair; brilhar: "Naquela casa de Vila Cova .... floresceram .... padres de muito saber" (Camilo Castelo Branco, *O Bem e o Mal*, p. 39); "A gastronomia floresceu na Itália antes de requintar-se na França." (Eduardo Frieiro, *Feijão, Angu e Couve*, p. 43). *T. d.* 4. Fazer brotar flores; cobrir de flores nascentes; florear, florejar, florir, enflorar: *A primavera floresce os jardins*. 5. Dar realce, brilho ou renome a: *São poetas que floresceram a sua época*. [Sin. ger.: *enflorescer*. Conjug.: v. *crescer*.]

florescido [Part. de *florescer*.] *Adj.* Que floresceu.

florescimento [De *florescer* + *-imento*.] *S. m.* V. *florescência*.

floresta [Do fr. ant. *forest*, atual *forêt*, com infl. de *flor*.] *S. f.* 1. Formação arbórea densa, na qual, ger., as copas se tocam; mata. 2. *Fig.* Grande quantidade de coisas muito juntas; aglomerado, conglomerado; mata: "O rio era um lençol de barcos e bandeiras, uma floresta de mastros" (Oliveira Martins, *Portugal Contemporâneo*, I, p. 83). 3. *Fig.* Confusão, labirinto, dédalo: *uma floresta de enganos*. 4. *Ecol.* Ecossistema terrestre formado por associações arbóreas de grande extensão, em estratos superpostos (o musgoso, o herbáceo, o arbustivo e o arborescente), o que permite a utilização máxima da energia solar e a maior diversificação dos nichos ecológicos.

floresta-azulense *Adj. 2 g.* 1. De, ou pertencente ou relativo a Floresta Azul (BA). • *S. 2 g.* 2. O natural ou habitante de Floresta Azul. [Pl.: *floresta-azulenses*.]

florestado [De *floresta* + *-ado*[1].] *Adj.* Que tem floresta(s); coberto de floresta(s).

florestal [De *floresta* + *-al*[1].] *Adj. 2 g.* 1. Pertencente ou relativo a, ou próprio de floresta. 2. Que trata de florestas: *engenheiro florestal*. 3. Que tem floresta: *região florestal*. ~ V. *horto —*.

florestalense *Adj. 2 g.* 1. De, ou pertencente ou relativo a Florestal (MG). • *S. 2 g.* 2. O natural ou habitante de Florestal.

florestano[1] *Adj. 2 g.* 1. De, ou pertencente ou relativo a Floresta (PE). • *S. m.* 2. O natural ou habitante de Floresta.

florestano[2] *Adj. S. m.* Florestense[1].

florestense[1] *Adj. 2 g.* 1. De, ou pertencente ou relativo a Floresta (PR). • *S. 2 g.* 2. O natural ou habitante de Floresta. [Sin. ger.: *florestano*.]

florestense[2] *Adj. 2 g. S. 2 g.* V. *nísia-florestense*.

florestense[3] *Adj. 2 g.* 1. De, ou pertencente ou relativo a Nova Floresta (PB). • *S. 2 g.* 2. O natural ou habitante de Nova Floresta.

florestopolitano *Adj.* 1. De, ou pertencente ou relativo a Florestópolis (PR). • *S. m.* 2. O natural ou habitante de Florestópolis.

florestoso (ô) [De *floresta* + *-oso*.] *Adj.* Que tem muitas florestas: "Às vezes, saíamos pela Tijuca e outras alturas florestosas que emolduram o Rio" (Gilberto Amado, *Depois da Política*, p. 143).

floreta (ê) [De *flor* + *-eta* (ê).] *S. f.* Ornato que imita flor.

florete[1] (ê) [Do fr. *fleuret*.] *S. m.* Arma branca, us. na esgrima, composta de cabo e duma haste metálica, prismática e pontiaguda.

florete[2] (ê) [De *flor* + *-ete* (ê).] *S. m. Bras. Zool.* V. *amboré*.

floreteado[1] [De *florete*[1] + *-eado*.] *Adj.* Que tem ponta aguda, como o florete.

floreteado[2] [Part. de *floretear*.] *Adj.* Guarnecido de flores; floreado.

floretear[1] [De *florete*[1] + *-ear*[2].] *V. t. d.* 1. Manejar (arma) como florete; esgrimir: *floretear a espada*. *Int.* 2. Esgrimir. [Conjug.: v. *frear*.]

floretear[2] [De *floreta* + *-ear*[2].] *V. t. d.* Guarnecer de flores; florear, enflorar. [Conjug.: v. *frear*.]

▲**flor(i)-** [Do lat. *flos*, *flōris*.] *El. comp.* = 'flor'; 'pétala'; 'sépala': *floricoroado*. [Equiv.: *-flora*, *-flor(i)-*, *floro-*, *-floro*, *-iflora*, *-ifloro*: *umbeliflora*, *cauliflora*, *acutifloro*, *alterniflóreo*, *floromania*; *bifloro*; *liliiflora*, *similiflora*.]

▲**-flor(i)-** V. *flor(i)-*.

florianense[1] *Adj. 2 g.* 1. De, ou pertencente ou relativo a Floriano (PI). • *S. 2 g.* 2. O natural ou habitante de Floriano.

florianense[2] *Adj. 2 g.* 1. De, ou pertencente ou relativo a Marechal Floriano (ES). • *S. 2 g.* 2. O natural ou habitante de Marechal Floriano.

florianismo [Do antr. *Floriano* (v. etim. de *floriano*) + *-ismo*.] *S. m. Bras.* Partido que apoiava o Marechal Floriano Peixoto (1839-1895) na revolta da Armada, em 1893.

florianista [De *florianismo* + *-ista*.] *Bras. Adj. 2 g.* 1. Relativo ao florianismo. 2. Que é sectário do florianismo. 3. Que era ou é entusiasta dele. • *S. 2 g.* 4. Sectário do florianismo. 5. Entusiasta da política florianista.

floriano [De *Floriano* (*Peixoto*) (1839-1895), presidente do Brasil (1891-1894).] *S. m. Bras. Pop. Obsol.* Cédula de 100 cruzeiros: "Venham consumir seus barões e seus florianos" (Carlos Drummond de Andrade, em *Jornal do Brasil*, 10.11.1979).

florianopolitano *Adj.* 1. De, ou pertencente ou relativo a Florianópolis, capital do Estado de Santa Catarina. • *S. m.* 2. O natural ou habitante de Florianópolis.

floricoroado [De *flor(i)-* + *coroado*[2].] *Adj.* Coroado de flores: "Romanas, a quem votos há cumprido, / cada dia ali vão floric'roadas" (Antônio Feliciano de Castilho, *Os Fastos*, II, p. 33).

florículo [De *flor(i)-* + *-culo*.] *S. m.* 1. V. *florinha*. 2. *Bot.* Flósculo (2).

floricultor (ô) [De *flor(i)-* + *cultor*.] *S. m.* Indivíduo que cultiva flores, que se dedica à floricultura.

floricultura [De *flor(i)-* + *-cultura*.] *S. f.* 1. Arte de cultivar flores; cultura de flores. 2. Lugar onde se cultivam flores.

florídea [Do lat. *floridus*, 'florido', + *-ea*; tax. *Florideae*.] *S. f. Bot.* Espécime das florídeas, classe de algas rodofíceas cujo talo, bem desenvolvido, é muito variável, mas sempre tem poros areolados com plasmodesmas. Reprodução assexuada por vários tipos de esporos; reprodução sexuada mediante carpogamia, sendo a maioria das espécies dioica. Quase todas habitam as águas oceânicas.

floridense *Adj. 2 g.* 1. De, ou pertencente ou relativo a Flórida (PR). • *S. 2 g.* 2. O natural ou habitante de Flórida.

florídeo [De *florídea*, com var. suf. (v. *-eo*).] *Adj. Bot.* Pertencente ou relativo às florídeas.

florido [Part. de *florir*.] *Adj.* 1. Em flor; que tem flores; coberto de flores, flóreo, floreado, florescente, flórido: "Os seus olhos abrangiam o céu inundado de luz, os campos floridos, as cabeleiras das árvores" (José Régio, *O Príncipe com Orelhas de Burro*, p. 160). 2. Adornado de flores; floreado, enflorado, enfloreado; flóreo, floreado: *altar florido*. 3. *Fig.* Viçoso, alegre: "vinte e sete anos floridos e sólidos" (Machado de Assis, *Várias Histórias*, p. 43). 4. *Fig.* Elegante, brilhante, flórido: *estilo florido*. 5. Ataviado, arrebicado, amaneirado, floreado. ~ V. *descanto —* e *gótico —*. [Cf. *flórido*.]

flórido [Do lat. *floridu*.] *Adj.* 1. V. *florido* (1): "Através de ervas flóridas e frescas" (Martins Fontes, *Verão*, p. 60); "Nos Faliscos, país dos flóridos pomares, / Nascera a minha esposa; havia ali seus lares." (Antônio Feliciano de Castilho, *Os Amores*, III, p. 83). 2. V. *florido* (4). 3. *Fig.* Notável, esplêndido: *nos flóridos tempos das navegações*. [Cf. *florido*.]

florífago [De *flor(i)-* + *-fago*.] *Adj.* Que se alimenta de flores.

florífero [Do lat. *floriferu*.] *Adj.* Que tem ou produz flores; florígero: "cresciam árvores frutíferas e arbustos floríferos" (José Veríssimo, *Cenas da Vida Amazônica*, p. 12).

floriferto [Do lat. med. *florifertu*.] *S. m.* Cerimônia religiosa em que os romanos ofereciam à deusa Ceres as primeiras espigas dos cereais.

floriforme [De *flor(i)-* + *-forme*.] *Adj. 2 g.* Semelhante a flor.

florígero [Do lat. med. *florigeru*.] *Adj.* Florífero.

florilégio [Do lat. *florilegiu*, do Renascimento (v. *flor(i)-* e *-légio*).] *S. m.* 1. Coleção de flores. 2. *Fig.* V. *antologia* (2).

florim [Do it. *fiorino*.] *S. m.* 1. Moeda de prata ou de ouro, em vários países. 2. Antiga unidade monetária, e moeda, da Holanda, substituída pelo euro.

florineense *Adj. 2 g.* 1. De, ou pertencente ou relativo a Florínea (SP). • *S. 2 g.* 2. O natural ou habitante de Florínea. [Sin. ger.: *floriniano*.]

florinha [De *flor* + *-inha*.] *S. f.* Pequena flor; florzinha, florículo, flósculo.

floriniano *Adj. S. m.* V. *florineense*.

floríparo [Do lat. tard. *floriparu*.] *Adj. Bot.* Diz-se do botão que só contém flores.

floripense *Adj. 2 g.* 1. De, ou pertencente ou relativo a Flórida Paulista (SP). • *S. 2 g.* 2. O natural ou habitante de Flórida Paulista.

florir [Do lat. tard. *florire*.] *V. t. d.* 1. Adornar, enfeitar, alindar, com flores; pôr flores em; florear, florejar: "D. Adelaide .... mandara florir a mesa com profusão e cobri-la de doces, frutos decorativos e variados." (Luís Forjaz Trigueiros, *Ainda Há Estrelas no Céu*, pp. 79-80). 2. Enfeitar, adornar, engalanar; florear: *florir o salão*; "Prenderam-me, senhor, / Porque furtei anéis, para florir meus dedos." (Eugênio de Castro, *Obras Poéticas*, III, p. 106); "As primeiras palavras [da carta] foi-lhe congelando nos lábios o sorriso que os floria" (José de Alencar, *Senhora*, p. 196). [Sin., bras., N. e N.E., nesta acepç.: *florar*.] 3. Tornar viçoso, cheio de frescor. *Int.* 4. Dar flores; cobrir-se de flores; estar em flor; florescer, florear, enflorar: "As roseiras aqui já estão florindo...' / Mandas dizer..." (Humberto de Campos, *Poesias Completas*, p. 14.) [Sin., bras., N. e N.E., nesta acepç.: *florar*.] 5. Despontar, desabrochar, desenvolver-se; brotar, nascer: *floriu um sorriso discreto no seu semblante*. [Defect.; só se conjuga nas f. em que ao *r* da raiz se segue a vogal *i* ou *e*.]

florista [De *flor(i)-* + *-ista*.] *S. 2 g.* 1. Comerciante de flores; floreiro. 2. Fabricante de flores artificiais.

florística [F. subst. de *florístico*.] *S. f.* Parte da fitogeografia que trata particularmente das famílias, gêneros e espécies ocorrentes numa determinada região.

florístico [De *flora* + *-ist(a)-* + *-ico*[2].] *Adj.* Relativo à flora.

floritura [Do it. *fioritura*.] *S. f.* V. *fioritura* (2).

▲**floro-** V. *flor(i)-*.

▲**-floro** V. *flor(i)-*.

floroglucinol [Do ingl. *phloroglucinol*.] *S. m. Quím.* Substância cristalina us. em fotografia, adesivos e produtos farmacêuticos, que é um fenol, derivado do benzeno, no qual três hidroxilas substituem hidrogênios em carbonos alternados [fórm.: $C_6H_6O_3$]. [Pl.: *floroglucinóis*.]

floromania [De *floro-* + *-mania*.] *S. f.* Paixão pelas flores; antomania.

floromaníaco [De *floromania* + *-íaco*.] *Adj.* 1. Relativo a floromania. 2. Que tem floromania; antômano, florômano. • *S. m.* 3. Aquele que tem floromania; antômano, florômano. [Sin. ger.: *antomaníaco*.]

flórómano *Adj. S. m.* V. *florômano*. [Uso freq. em P.]

florômano [De *floro-* + *-mano*[1].] *Adj. S. m.* V. *floromaníaco* (2 e 3).

flor-santa [De *flor* + o f. de *santo*.] *S. f. Bras. MA a PE Bot.* Erva arácea (*Xanthosoma auriculatum*) lactescente, cujas folhas são cordiformes com mácula vermelha no centro, e que possuem inflorescência em espádice protegido por espata tubulosa. [Pl.: *flores-santas*.]

flor-seráfica *S. f. Bot.* V. *amor-perfeito*. [Pl.: *flores-seráficas*.]

flor-tigre *S. f. Bras. MG SC Bot.* Designação comum a duas plantas iridáceas (*Trigridea lutea* e *Trigridea pavonea*) ornamentais, ambas dotadas de bulbo escamoso, flores belíssimas, aromáticas, amarelas, com máculas que variam, segundo a espécie, e cujo perianto também varia, assim como o tamanho das flores; lírio-dos-astecas. [Pl.: *flores-tigres* e *flores-tigre*.]

flórula [De *flora* + *-ula*.] *S. f.* Pequena flora; flora de uma região muito limitada.

florzita [De *flor* + *-zita*.] *S. f.* Pequena flor.

flósculo [Do lat. *flosculu*.] *S. m.* 1. V. *florinha*. 2. *Bot.* Cada uma das flores que formam o capítulo das asteráceas; florículo. [Cf. *semiflósculo*.]

flosculoso (ô) [De *flósculo* (2) + *-oso*.] *Adj.* Composto de flósculos.

flos-santório [Do bibliôn. (lat.) *Flos Sanctorum*.] *S. m.* Livro que relata a vida dos santos. [Pl.: *flos-santórios*.]

flotação [Do ingl. *flotation.*] *S. f. Quím.* Processo de separação das partículas de uma mistura sólida pulverulenta, mediante a formação de uma espuma que arrasta as partículas de uma espécie, mas não as de outra.

flotel [De *fl(utuante)* + *(h)otel.*] *S. m. Bras.* Alojamento flutuante destinado a quem trabalha em plataformas petrolíferas em alto-mar. [Pl.: *flotéis.*]

flotilha [Do esp. *flotilla.*] *S. f.* **1.** Frota pequena. **2.** Agrupamento de navios (de guerra ou de pesca) de pequeno tamanho e com características idênticas ou semelhantes: 📖 "Uma flotilha de embarcações de pesca ornamentadas de ramagens e bandeiras, vinha em direção do ilhote da Boa Viagem." (Eugênio de Castro, *Terra à Vista*, p. 5.)

➔**flou** [flu] [Fr.] *Adj. 2 g. Art. Plást.* Esbatido, esfumado, pouco nítido ou de contornos fluidos.

flox (cs) [Do tax. *Phlox* (do gr. *phlóx, phlogós*, 'flama').] *S. m. 2 n. Bot.* **1.** Gênero de plantas polemoniáceas (q. v.), herbáceas, ornamentais. **2.** Qualquer espécie desse gênero, como, p. ex., a *Phlox drummondii*, originária da América do Norte, de flores vistosas, pálido-purpúreas ou vermelho-róseas, brilhantes, e fruto trivalvar. **3.** Qualquer espécime desse gênero.

floxo (ô) [Do esp. plat. *flojo.*] *Adj. Bras. RS* **1.** Frouxo; fraco, medroso. **2.** Diz-se do campo de pastagens inferiores.

flozô *S. m. Bras. Pop.* **1.** Relutância aparente, manhosa. **2.** Boa vida; vida ociosa: 📄 *vive num flozô eterno.* **3.** Efeminado (5).

flu *Adj. 2 g. Bras. RJ* V. de *fluminense*[2] (q. v.).

fluctícola *Adj. 2 g.* V. *flutícola.*

flucticolor (ô) *Adj. 2 g.* V. *fluticolor.*

fluctígeno *Adj.* V. *flutígeno.*

fluctissonante *Adj. 2 g.* V. *flutissonante.*

fluctíssono *Adj.* V. *flutíssono.*

fluctívago *Adj.* V. *flutívago.*

fluência [Do lat. tard. *fluentia.*] *S. f.* **1.** Qualidade de fluente; fluidez: 📄 *a fluência das águas.* **2.** *Fís. Metal.* Deformação lenta de um material, submetido a uma tensão constante, ao longo do tempo. [Para a maioria dos materiais esse processo só é importante em altas temperaturas.] **3.** *Fig.* Fluidez (3): 📄 *fluência verbal.*

fluente [Do lat. *fluente.*] *Adj. 2 g.* **1.** Que corre com facilidade; corrente, fluido: 📖 "É a água brotando límpida e fluente da rocha do deserto." (Latino Coelho, *Tipos Nacionais*, p. 86.) **2.** *Fig.* Natural, abundante, fácil, espontâneo: 📖 "E numa prosa fluente, argumentação cerrada, ... um panfleto mordente e verdadeiro" (Inglês de Sousa, *O Missionário*, p. 94).

fluidal (u-i) [De *fluido* + *-al*[1].] *Adj. 2 g.* V. *fluídico* (1). ~ V. *textura* —.

fluidez (u-i... ê) [De *fluido* + *-ez.*] *S. f.* **1.** Qualidade do que é fluido; fluência. **2.** *Fís.* O inverso da viscosidade de um fluido. **3.** *Fig.* Caráter do que é espontâneo, fácil, natural; fluência: 📄 *fluidez de estilo.*

fluídico [De *fluido* + *-ico*[2].] *Adj.* **1.** Relativo ou semelhante a fluido; fluidal, fluido. **2.** Diz-se, em espiritismo, de certos corpos ou sombras, impalpáveis, mas que a fotografia reproduz. **3.** *Fig.* Impalpável, intangível: 📖 "só via sombras que flutuavam, vultos fluídicos errando em lentas, ondeantes evoluções." (Coelho Neto, *Obra Seleta*, I, p. 374).

fluidificação (u-i) [De *fluidificar* + *-ção.*] *S. f.* Ato de fluidificar(-se).

fluidificador (u-i... ô) [De *fluidificar* + *-dor.*] *Adj. S. m.* Que ou o que fluidifica.

fluidificante (u-i) [De *fluidificar* + *-nte.*] *Adj. 2 g. S. m.* Diz-se de, ou substância que fluidifica.

fluidificar (u-i) [De *fluido* + *-ificar.*] *V. t. d.* **1.** Tornar fluido: 📄 *fluidificar um ácido.* ***P.*** **2.** Reduzir-se a fluido; diluir-se. [Conjug.: v. *trancar.*]

fluidificável (u-i) [De *fluidificar* + *-vel.*] *Adj. 2 g.* Que se pode fluidificar.

fluidizar (u-i) [De *fluido* + *-izar.*] *V. t. d. Tec.* Tornar fluido (um leito de partículas sólidas), mediante a injeção de corrente apropriada de gás.

fluidizável (u-i) [De *fluidizar* + *-vel.*] *Adj. 2 g. Tec.* Diz-se de leito de partículas sólidas capaz de assumir, pela ação de uma corrente de gás, um estado em que o conjunto de partículas se assemelha ao conjunto de moléculas de um gás.

fluido (úi) [Do lat. *fluidu.*] *Adj.* **1.** V. *fluídico* (1); 📖 "Porque o amor, tal como eu o estou amando, / É espírito, é éter, é substância fluida" (Augusto dos Anjos, *Eu*, p. 87). **2.** Diz-se das substâncias líquidas ou gasosas. **3.** Que corre ou se expande à maneira de um líquido ou gás; fluente. **4.** *Fig.* Frouxo, mole, flácido: 📄 *carnes fluidas.* **5.** *Fig.* Suave, brando: 📄 *movimentos fluidos.* **6.** *Fig.* Espontâneo, fácil, corrente, fluente: 📄 *linguagem fluida.* ~ V. *mosaico* —. ● *S. m.* **7.** *Fís.* Corpo que, em repouso e em contato com outros, exerce apenas forças normais às superfícies de contato; corpo (líquido ou gasoso) que toma a forma do recipiente em que está colocado: 📄 *O ar e a água são fluidos.* [Cf. *fluído*, do v. *fluir.*] ~ V. *fluidos.* ◆ **Fluido folicular.** *Biol.* V. *líquido folicular.* **Fluido ideal.** *Fís.* Aquele em que a viscosidade é nula. **Fluido intersticial.** *Histol.* V. *líquido intersticial.* **Fluido seminal.** *Biol.* V. *esperma.* **Fluido supercrítico.** *Fís.-Quím.* Aquele que existe em condições de temperatura e pressão além do ponto crítico, e cujas propriedades são, de certa forma, intermediárias entre as de um líquido e as de um gás.

fluidos (úi) [Pl. de *fluido.*] *S. m. pl.* No ocultismo, suposta influência ou força misteriosa que emanaria dos astros, dos seres e das coisas, e que explicaria formas de energia aparentemente inexplicáveis. ~ V. *fluido.*

fluir [Do lat. *fluere.*] *V. t. c. Int.* **1.** Correr em estado fluido; manar: 📖 "e a suave, musical tagarelice / da água múrmura, a fluir do manancial..." (Hermes-Fontes, *Microcosmo*, p. 48); 📄 *Deteve-se para mirar a fonte que fluía.* **2.** Correr com abundância; manar: 📖 "Um filete de sangue fluía-lhe do canto da boca entreaberta." (Nélson de Faria, *Bazé*, p. 36.) **3.** Ir no sentido de; dirigir-se: 📄 *Toda a produção fluiu para a Europa.* *T. i.* **4.** Provir, proceder, derivar: 📄 *Todas as coisas fluem de Deus.* [Conjug.: v. *atribuir.*]

flume [Do lat. *flumen*, por via semierudita.] *S. m. Poét.* Rio (1).

flúmen [Do lat. *flumen*, por via erudita.] *S. m. Poét.* V. *flume.* [Pl.: *flumens* e (p. us. no Brasil) *flúmenes.*]

fluminense[1] [Do lat. *flumine*, 'rio', + *-ense.*] *Adj. 2 g.* **1.** V. *fluvial.* **2.** De, ou pertencente ou relativo ao Estado do Rio de Janeiro. **3.** *Desus.* V. *carioca* (1). **4.** *Gloss.* Nos estudos dialetológicos sobre o português do Brasil, diz-se da variedade falada na área linguística que compreende o Rio de Janeiro, o Espírito Santo, a Zona da Mata e o L. de Minas Gerais. [V. *falar* (29).] ● *S. 2 g.* **5.** O natural ou habitante do RJ. **6.** *Desus.* V. *carioca* (4).

fluminense[2] *Bras. Adj. 2 g.* **1.** Pertencente ou relativo ao Fluminense Futebol Clube (RJ). **2.** Que é membro, torcedor ou jogador dessa agremiação. ● *S. 2 g.* **3.** Membro, torcedor ou jogador dela. [F. red.: *flu.* Sin. ger.: *tricolor, pó de arroz.*]

flumíneo [Do lat. *flumineu.*] *Adj.* V. *fluvial.*

▲**fluo-** V. *fluor(o)-.*

▲**-fluo** [Do lat. *-fluus, a, um* < lat. *fluěre*, 'correr', 'manar'; 'escorrer'.] *El. comp.* = 'que flui', 'que corre': *blandífluo* (< lat.), *celífluo* (< lat.), *dulcífluo* (< lat.), *largífluo* (< lat.), *lucífluo* (< lat.), *melífluo* (< lat.), *multífluo* (< lat.), *tacitífluo, venífluo.*

fluoborato [De *fluo-* + *borato.*] *S. m. Quím.* Qualquer sal ou éster do ácido fluobórico.

fluobórico [De *fluo-* + *bórico.*] *Adj. Quím.* V. *ácido* —.

flúor [Do lat. *fluor*, 'fluxo'.] *S. m.* **1.** *Quím.* Elemento de número atômico 9, pertencente aos halogênios, e que ocorre em inúmeros compostos [símb.: *F*]. **2.** Gás amarelado, tóxico e muito reativo e que é a forma usual do flúor elementar [fórm.: F_2].

fluoração [De **fluorar (flúor + -ar*[2]*)* + *-ção.*] *S. f.* **1.** *Odont.* Tratamento com flúor visando a prevenção de cárie dentária, como, p. ex., o que se faz pela adição daquele elemento à água de beber; fluoretação. **2.** *Quím.* Reação em que se incorpora flúor (a substância).

fluorado [De *flúor* + *-ado*[1].] *Adj.* **1.** Fluorítico. **2.** *Quím.* Que contém flúor.

fluoralcano [De *fluor(o)-* + *alcano.*] *S. m. Quím.* Haloalcano no qual o halogênio é o flúor.

fluorar [De *flúor* + *-ar*[2].] *V. t. d. Quím.* Tratar com flúor, ou fazer combinar com flúor.

fluoreno [De *fluor(o)-* + *-eno*[2].] *S. m. Quím.* Hidrocarboneto aromático, cujas moléculas podem ser vistas como formadas por dois anéis benzênicos fundidos a lados não adjacentes de ciclopentadieno [fórm.: $C_{11}H_{10}$].

fluoresceína [De *fluoresc(ência)* + *-eína.*] *S. f. Quím.* Substância cristalina, pulverulenta, alaranjada, solúvel em soluções alcalinas diluídas, com fortíssima fluorescência verde-amarelada em solução. É uma ftaleína do resorcinol [fórm.: $C_{20}H_{12}O_5$].

fluorescência [De *fluorescer* + *-ência.*] *S. f. Fís.* **1.** Forma de fotoluminescência em que a emissão de luz desaparece tão logo cessa a absorção da radiação excitadora. [O tempo de vida de uma fluorescência é da ordem de 10^{-8}s.] **2.** Emissão de radiação eletromagnética, esp. luz visível ou ultravioleta, por um estado singleto. [Cf. *fosforescência, luminescência.*]

fluorescente [De *fluorescer* + *-nte.*] *Adj. 2 g. Fís.* Que tem a propriedade da fluorescência. ~ V. *lâmpada* —. [Cf. *florescente.*]

fluorescer [De *flúor* + *-escer.*] *V. int. Fís.-Quím.* Emitir radiação de fluorescência. [Conjug.: v. *crescer.* Normalmente é defect., unipess.]

fluoretação [De *fluoretar* + *-ção.*] *S. f.* Fluoração.

fluoretar [De *fluoreto (de cálcio)* + *-ar*[2].] *V. t. d.* Aplicar flúor em.

fluoreto (ê) [De *fluor(o)-* + *-eto*[2].] *S. m. Quím.* Sal do ácido fluorídrico.

fluorfosfato [De *fluor(o)-* + *fosfato.*] *S. m. Quím.* Sal que contém fluoreto e fosfato.

▲**fluori-** V. *fluor(o)-.*

fluorídrico [De *fluor(o)-* + *hidro(gênio)* + *-ico*[2].] *Adj. Quím.* ~ V. *ácido* —.

fluorímetro [De *fluori-* + *-metro.*] *S. m. Fotom.* Fotômetro destinado a medir a intensidade de radiações de fluorescência ou de radiações que provocam fluorescência.

fluorita [De *fluor(o)-* + *-ita*[3].] *S. f. Min.* Mineral isométrico, fluoreto de cálcio.

fluorítico [De *fluor(o)-* + *-ítico.*] *Adj.* Em que há flúor; fluorado.

fluorniobato [De *fluor(o)-* + *nióbio* + *-ato*[1].] *S. m. Min.* Classe de minerais que contêm flúor e óxido de nióbio.

▲**fluor(o)-** [Do lat. cient. *fluor* < lat. *fluor, ōris*, 'fluxo', 'corrimento'; 'corrente de ar', < lat. *fluěre*, 'correr', 'manar'.] *El. comp.* = 'flúor': *fluoreno, fluorometria, fluorocarbonato.* [Ocorre, tb., como *fluori-* e *fluo-*: *fluorímetro, fluobórico.*]

fluorocarbonato [De *fluor(o)-* + *carbonato.*] *S. m. Quím.* Qualquer de certas combinações de fluoretos e carbonatos metálicos.

fluorocarboneto (ê) [De *fluor(o)-* + *carboneto.*] *S. m. Quím.* Designação genérica de compostos análogos aos hidrocarbonetos, em que todos, ou quase todos, os átomos de hidrogênio foram substituídos por flúor.

fluoróforo [De *fluor(o)-* + *-foro.*] *S. m.* Luminóforo.

fluorografia [De *fluor(o)-* + *-grafia.*] *S. f.* Gravura química sobre vidro, com emprego do ácido fluorídrico. [Cf. *hialografia* e *hialotipia.*]

fluorográfico [De *fluorografia* + *-ico*[2].] *Adj.* Concernente à fluorografia.

fluorometria [De *fluor(o)-* + *-metria.*] *S. f. Fotom.* Conjunto de técnicas e métodos destinados a medir radiações de fluorescência.

fluorométrico [De *fluorometria* + *-ico*[2].] *Adj.* Relativo à fluorometria.

fluorona [Do ingl. *fluorone.*] *S. f. Quím.* Cetona derivada do xanteno, cuja estrutura está presente em vários corantes [fórm.: $C_{13}H_8O_2$].

fluoroscopia [De *fluor(o)-* + *-scop-* + *-ia*[1].] *S. f. Radiol.* Radioscopia.

fluoroscópico [De *fluoroscopia* + *-ico*[2].] *Adj.* Radioscópico.

fluoroscópio [De *fluor(o)-* + *-scópio.*] *S. m. Radiol.* Tela de material fluorescente, empregada em radioscopia para tornar visível o feixe de raios X que atravessa o corpo examinado.

fluorose [De *fluor(o)-* + *-ose*[1]; ingl. *fluorosis.*] *S. f. Med. Odont.* Intoxicação por flúor ou por algum de seus compostos, como pode ocorrer, p. ex., pela ingestão inadvertida de inseticidas que contenham fluoreto, verificando-se, então, alterações ósseas e de esmalte dentário.

fluorouracil [De *fluor(o)-* + *-uracil.*] *S. m. Quím.* Fluoruracila.

fluorterapia [De *flúor* + *-terapia.*] *S. f. Odont.* Terapia com produtos químicos à base de flúor para prevenir a cárie, ou combatê-la.

fluoruracila [De *fluor(o)-* + *uracila.*] *S. f. Quím.* Derivado fluorado da uracila, us. como antineoplásico; fluorouracil [fórm.: $C_4H_3FN_2O_2$].

fluossilicato [De *fluo-* + *silicato.*] *S. m. Quím.* Qualquer sal do ácido fluossilícico.

fluossilícico [De *fluo-* + *silícico.*] *Adj. Quím.* ~ V. *ácido* —.

fluoximesterona (cs) [Voc. farmac.] *S. f. Quím.* Substância androgênica sintética, esteroidal, esteroide anabólico, us. em medicina, na oncologia e na endocrinologia masculina [fórm.: $C_{20}H_{29}FO_3$].

➔**flush** [flʌʃ] [Ingl.] *S. m.* V. *pôquer* (1).

➔**flûte** [flyt] [Fr.] *S. f.* Copo de pé, longo e estreito, us. em geral para champanha.

▲**fluti-** [Do lat. *fluctus, us.*] *El. comp.* = 'onda': *flutissonante.*

flutícola [Do lat. tard. *flucticola.*] *Adj. 2 g.* Que habita no mar; marinho.

fluticolor (ô... ôr) [Do lat. tard. *flucticolore.*] *Adj. 2 g.* Da cor do mar; marinho: 📄 *azul fluticolor.*

flutígeno [Do lat. tard. *fluctigenu.*] *Adj.* Que nasce no mar; marinho.

flutissonante (ù) [De *fluti-* + *sonante.*] *Adj. 2 g.* Flutíssono.

flutíssono [Do lat. tard. *fluctisonu.*] *Adj.* Que soa como as vagas; flutissonante.

flutívago [Do lat. tard. *fluctivagu.*] *Adj.* Que anda sobre o mar; undívago.

➔**flutter** ['flʌtə] [Ingl. = 'bater as asas', 'bater irregularmente', 'tremular'.] *S. m.* **1.** *Card.* Cada um de vários tipos (atrial, diafragmático, ventricular, etc.)

de pulsão ou de vibração rápida; adejo. 2. *Acúst.* V. *intermitência* (2).

flutuabilidade [De *flutuável* +-*(i)dade*, seg. o padrão erudito.] *S. f.* Qualidade ou propriedade de flutuável.

flutuação [Do lat. *fluctuatione.*] *S. f.* 1. Ato ou efeito de flutuar. 2. Movimento oscilatório; ondulação: *flutuação das flâmulas; flutuação das águas.* 3. *Fig.* Mudança de ideias, de opiniões; indecisão, vacilação, oscilação. 4. *Fig.* Volubilidade, inconstância. 5. Instabilidade da cotação de preços e valores em um determinado mercado ou praça. 6. Variação alternada. 7. *Astr.* Em astrofísica, a variação local da densidade ao longo do tempo no universo. 8. *Cir.* Sensação táctil produzida em quem examina, simultaneamente, com os dois dedos indicadores, uma coleção líquida, como, p. ex., uma constituída de pus. 9. *Constr. Nav.* Linha de flutuação. 10. *Estat.* Diferença entre o valor instantâneo de uma variável aleatória dependente do tempo e o valor mais provável dessa variável. 11. *Estat. P. us.* O dobro da variância de um conjunto de valores. 12. *Fís.* Afastamento, em relação ao valor médio ou ao valor mais provável, do valor de uma grandeza física dum sistema. 13. *Genét.* Variação morfológica não hereditária; modificação somática; somação.

flutuador (ô) [De *flutuar* + -*dor*.] *Adj.* 1. V. *flutuante* (1 e 2). ● *S. m.* 2. Cada uma das partes do hidravião destinadas a mantê-lo pousado na água. 3. Flutuante (5).

flutuante [Do lat. *fluctuante.*] *Adj. 2 g.* 1. Que flutua; sobrenadante. 2. Oscilante, ondulante: *túnica flutuante.* [Sin., nessas acepçs.: *flutuador, flutuoso.*] 3. *Fig.* Irresoluto, indeciso, vacilante: *espírito flutuante.* 4. *Eletrôn.* Diz-se de circuito, ou de dispositivo, que não tem nenhum terminal ligado à terra (18). ~ V. *cábrea* —, *câmbio* —, *costela* —, *dique* —, *dívida* —, *estaca* —, *mina* — e *valor* —. ● *S. m.* 5. Qualquer plataforma flutuante destinada a manter o navio afastado do cais para não roçar o costado, enquanto atracado, a atracar embarcações em locais onde as variações do nível da água perturbariam o embarque e o desembarque de passageiros, etc.; flutuador. "Luti, o Capitão, deu umas voltas com ele', disse um catraieiro, apontando um flutuante." (Milton Hatoum, *Cinzas do Norte*, p. 39.)

flutuar [Do lat. *fluctuare.*] *V. t. c. Int.* 1. Conservar-se à superfície de um líquido; sobrenadar, boiar: *No mercúrio pode o ferro flutuar.* 2. Pairar ou mover-se em equilíbrio no espaço: *O balão flutua no ar.* 3. Permanecer no ar; pairar: *Seu perfume ainda flutua aqui;* "Um mundo de vapores no ar flutuam..." (Raimundo Correia, *Poesias*, p. 108). 4. Agitar-se ao vento; tremular, ondular: "As fitas coloridas flutuam ao vento na ponta da lança" (Carlos de Gusmão, *Boca da Grota*, p. 5). 5. *Fig.* Estar ou ficar ao léu; errar, vaguear: *Seu pensamento flutuava. T. d.* 6. Fazer agitar-se ao vento; balançar, agitar: *As crianças flutuavam bandeirolas. T. i.* 7. *Fig.* Pensar ou refletir indecisamente: *Flutuava hesitante sobre a melhor maneira de agir. Pred.* 8. Agitar-se, revolver-se, tumultuar: *As ondas flutuavam iradas.*

flutuável [De *flutuar* + -*vel*.] *Adj. 2 g.* 1. Que pode flutuar. 2. Em que se pode flutuar ou navegar; navegável.

flutuosidade [De *flutuoso* + -*(i)dade.*] *S. f.* Qualidade de flutuoso.

flutuoso (ô) [Do lat. *fluctuosu.*] *Adj.* V. *flutuante* (1 e 2).

fluvial [Do lat. *fluviale.*] *Adj. 2 g.* 1. De, ou respeitante a rio: "Regala-se [às cabras]no curral, enquanto o frio dura, / com verde medronheiro, e água fluvial bem pura." (Antônio Feliciano de Castilho, *As Geórgicas*, p. 181.) 2. Próprio dos rios. 3. Que vive nos rios. [Sin., nessas acepçs., *fluminense, flumíneo* e *fluviátil.*] 4. Que opera em rio: *piloto fluvial.* ~ V. *bacia* —, *captura* —, *curso* —, *débito* —, *descarga* —, *despesa* —, *navegação* — e *navio* —.

fluviário *Adj. S. m.* Que, ou aquele que, na marinha mercante, opera na navegação fluvial e lacustre.

fluviátil [Do lat. *fluviatile.*] *Adj. 2 g.* V. *fluvial.* [Pl.: *fluviáteis.*]

▲**fluvio-** [Do lat. *fluvius, ĭi.* = *El. comp.* = 'rio', 'fluvial': *fluviomarinho, fluviômetro.*

fluviograma [De *fluvio-* + -*grama.*] *S. m.* Gráfico que mostra a magnitude da vazão de um rio ou canal ao longo do tempo.

fluviomarinho (ù) [De *fluvio-* + *marinho.*] *Adj.* Relativo ou pertencente a rio e a mar: "Jequiá, ... atravessa a lagoa de igual nome e chega ao mar em um vale entulhado por um terraço fluviomarinho, depois de meandrar" (Ivã Fernandes Lima, *Geografia de Alagoas*, pp. 48-50).

fluviómetro *S. m.* V. *fluviômetro.* [Uso freq. em P.]

fluviômetro [De *fluvio-* + -*metro.*] *S. m.* Instrumento com que se mede a altura das enchentes fluviais.

flux (cs) [De *fluxo*, com apócope.] *S. m. 2 n.* Fluxo. ◆ **A flux.** A jorros; em grande quantidade, em profusão; abundantemente: "E erguem por vias enluaradas / Minhas sandálias chispas a flux..." (Raimundo Correia, *Poesias*, p. 157.)

fluxão (cs) [Do lat. tard. *fluxione.*] *S. f. Med.* Afluxo anormal ou excessivo de líquido a um setor do corpo; defluxão.

▲ **flux(i)-** (cs) [Do lat. *fluxus, us.*] *El. comp.* = 'fluxo', 'corrente': *fluxímetro.* [Equiv.: *fluxo-*: *fluxômetro.*]

fluxibilidade (cs) [De *fluxível* + -*(i)dade*, seg. o padrão erudito.] *S. f.* Qualidade de fluxível.

fluxímetro (cs) [De *flux(i)-* + -*metro.*] *S. m. Fís.* Instrumento com que se mede a velocidade de escoamento ou de vazão de um fluido num conduto.

fluxionário (cs) [De *fluxão* + -*ário*, seg. o padrão erudito.] *Adj.* Respeitante a, ou que produz fluxão.

fluxível (cs) [Do lat. **fluxibile.*] *Adj. 2 g.* 1. *Med.* Suscetível de fluxão. 2. Passageiro, transitório.

fluxo (cs) [Do lat. *fluxu.*] *S. m.* 1. Ato ou modo de fluir. 2. Corrente, curso de fluido em um conduto, de tráfego numa rua, etc. 3. V. *fluxo da maré.* [Cf., nesta acepç., *refluxo.*] 4. Enchente fluvial. 5. O espraiar (das ondas). 6. Escorrimento ou curso de líquido; deflúvio: *o fluxo constante da água esvaziou o reservatório.* 7. *Fig.* Grande quantidade; abundância; superabundância. 8. Qualquer movimento contínuo ou que se repete no tempo: *fluxo de vendas, fluxo de produção.* 9. *Fig.* Sequência ou vicissitude dos acontecimentos. 10. *Mat.* A integral, sobre uma superfície, de uma função vetorial de ponto definida em toda a superfície. 11. *Fís.* Substância muito fusível com que se auxilia a fusão de outras. 12. *Fís.* Num campo vetorial, integral do produto escalar do vetor associado a cada ponto pelo vetor de um elemento infinitesimal de área que contenha o ponto. 13. *Fís.* Energia transportada por uma radiação eletromagnética através de uma área por unidade de tempo. 14. *Fís.* Número de partículas que atravessam uma área por unidade de tempo. 15. *Fís.* Massa de um fluido que passa através de uma área por onde escoa, por unidade de tempo; fluxo de massa. 16. *Liter.* Fluxo de consciência. 17. *Med.* Eliminação de matéria líquida, normal ou patológica, de seu sistema condutor: *fluxo menstrual.* ● *Adj.* 18. Mudável, transitório, passageiro: *a fluxa fortuna.* ◆ **Fluxo da maré.** *Geofís.* Movimento de subida das águas, que antecede a preamar; maré montante. [Tb. se diz apenas *fluxo.*] **Fluxo de caixa.** *Econ.* 1. Pagamentos e recebimentos de uma empresa. 2. Técnica de acompanhamento dos movimentos de caixa de uma empresa. **Fluxo de consciência.** *Liter.* Monólogo interior (q. v.) realizado diretamente pela personagem, sem interferência do autor, e que reflete os processos psíquicos dessa personagem, significativos para o desenvolvimento do tema central. [Tb. se diz apenas *fluxo.*] **Fluxo de indução magnética.** *Fís.* Fluxo magnético. **Fluxo de massa.** *Fís.* Fluxo (15). **Fluxo luminoso.** *Fotom.* Potência irradiada, sob forma de emissão visível, por uma fonte de ondas eletromagnéticas [símb.: *F*]. **Fluxo magnético.** *Fís.* Integral de área do vetor indução magnética; fluxo de indução magnética. **Fluxo radiante.** *Fís.* Potência irradiada, sob forma de ondas eletromagnéticas, por uma fonte emissora de energia.

▲**fluxo-** (cs) Equiv. de *flux(i)-*.

fluxograma (cs) [De *fluxo-* + -*grama.*] *S. m.* 1. *Eng. Elétr.* V. *diagrama de fluxo de sinal.* 2. *Inform.* Representação gráfica, por meio de símbolos geométricos, da solução algorítmica de um problema.

fluxómetro (cs) *S. m. Anest.* V. *fluxômetro.* [Uso freq. em P.]

fluxômetro (cs) [De *fluxo-* + -*metro.*] *S. m. Anest.* Instrumento que mede o volume de um determinado gás que por ele passe, na unidade de tempo.

➔**flyback** ['flajbæk] [Ingl.] *S. m. Eletrôn.* 1. Num oscilógrafo de raios catódicos, o retorno do feixe de elétrons à posição inicial, depois de atingir o ponto extremo da sua deflexão. 2. O mais curto dos dois intervalos de tempo associados a uma onda em dente de serra.

■ **fm** 1. Símb. de *femtômetro.* 2. *Fís. Nucl.* Símb. de *fermi.*

■ **Fm** *Quím.* Símb. de *férmio.*

■ **FM** Abrev. de *frequência modulada.*

■ **FMI** Sigla de *Fundo Monetário Internacional.*

■ **FMIS** Sigla de *Fundação Museu da Imagem e do Som.*

■ **f.m.m.** *Fís.* Abrev. de *força magnetomotriz.*

■ **FND** Sigla de *Fundo Nacional de Desenvolvimento.*

■ **FNDE** Sigla de *Fundo Nacional de Desenvolvimento da Educação.*

■ **FNS** Sigla de *Fundação Nacional de Saúde.*

■ **f.o.b.** [Ingl., abrev. de *free on board*, 'livre a bordo'.] V. *cláusula f.o.b.* [Tb. se grafa com cap.]

foba *Adj. 2 g. S. 2 g. Bras. BA* 1. Diz-se de, ou pessoa medrosa. 2. Palerma, pateta, lorpa. 3. Preguiçoso, indolente, moleirão. 4. Diz-se de, ou pessoa jactanciosa, arrogante. ● *S. m.* 5. *Bras. PB Chulo* V. *ânus.*

fobado *Adj. Bras. PE Pop.* Fobó (1).

fobar *Bras. V. t. d.* 1. Ganhar no jogo (todo o dinheiro de outrem). [Sin., na BA: *fobitar.*] *P.* 2. Perder o dinheiro no jogo. 3. Inventar histórias; contar lorotas.

fobia [Do lat. cient. *phobia* < gr. -*phobía*, como no gr. *hydrophobía*, 'hidrofobia'. V. -*fobia.*] *S. f. Psiq.* 1. Designação comum às diversas espécies de medo mórbido. 2. Horror instintivo a alguma coisa; aversão irreprimível.

▲**-fobia** [Do gr. -*phobía*, 'medo', como no gr. *hydrophobía* < gr. -*phóbos* (como em *hydrophóbos*) < gr. *phóbos, ou*, 'ação de pôr em fuga'; 'medo', < v. gr. *phébesthai*, 'espantar-se'; 'fugir'.] *El. comp.* = 'medo intenso, ou irracional'; 'medo mórbido'; 'aversão instintiva'; 'hostilidade instintiva': *aerofobia, claustrofobia, enofobia, ergofobia, erotofobia, neofobia, nictofobia, nosofobia.* [V. *fob(o)-*, -*fobo* e -*ia*[1].]

fobitar *V. t. d. Bras. BA* Fobar (1).

▲ **fob(o)-** [Do gr. *phóbos, ou.*] *El. comp.* = 'medo': *fobofobia, fobófobo, fobofóbico.* [Equiv.: -*fob(o)-*: *xenofobismo.* V. -*fobia.*]

▲**-fob(o)-** Equiv. de *fob(o)-*.

▲**-fobo** [Do gr. -*phóbos*. V. -*fobia.*] *El. comp.* = 'que foge'; 'que teme'; 'que sofre de algum medo mórbido'; 'que tem aversão a'; 'que não combina com (elemento anteposto)', ou 'que não apresenta certa propriedade': *antropófobo, cromófobo, hidrófobo, enófobo.*

fobó [Voc. express.] *Adj. 2 g.* 1. *Bras. Pop.* Reles, ordinário, fobado. ● *S. m.* 2. *Bras. PE Pop.* Indivíduo sem importância, que nada possui. 3. V. *arrasta-pé* (1). ◆ **Cheio de fobó.** *Bras. RJ* Diz-se daquele que se insinua a uma mulher.

foboca [De or. obsc.] *S. f. Bras. Zool.* V. *veado-roxo.*

fobofobia [De *fob(o)-* + -*fobia.*] *S. f. Psiq.* Medo de seus próprios medos.

fobofóbico [De *fobofobia* + -*ico*[2].] *Psiq. Adj.* 1. Relativo a fobofobia. 2. Que tem fobofobia; fobófobo. ● *S. m.* 3. Aquele que tem fobofobia; fobófobo.

fobófobo [De *fob(o)-* + -*fobo.*] *Adj. S. m. Psiq.* Fobofóbico (2 e 3).

fobos [Do mit. *Phóbos*, filho de *Ares* (v. *ares*[2]).] *S. m. Astr.* O maior e mais interno dos satélites do planeta Marte, com 13km de diâmetro e magnitude aparente de 11,6, na oposição. [Foi descoberto em 17.08.1877 pelo astrônomo norte-americano Asph Hall (1829-1907). Com cap.]

foca[1] [Do gr. *phóke*, pelo lat. *phoca*; tax. *Phoca.*] *S. f. Zool.* 1. Gênero de mamíferos pinípedes, tipo dos focídeos, com distribuição em todos os oceanos, esp. nos pontos extremos das latitudes setentrionais e austrais. 2. Qualquer espécie desse gênero, como, p. ex., a *Phoca vitulina.* 3. Qualquer espécime desse gênero. 4. Designação comum a mamíferos focídeos outrora classificados no gênero *Foca* e, atualmente, reagrupados em gêneros afins como, p. ex., *Arctocephalus, Otaria*, etc.

foca[2] [De or. incerta.] *S. 2 g.* 1. V. *avaro* (3). 2. *Bras. Gír.* Jornalista novato, bisonho: "Na gíria das redações a expressão foca é moeda corrente. Foca é o calouro no trabalho, o principiante no ofício." (Valdemar Cavalcanti, *Jornal Literário*, p. 53.) 3. *P. ext.* Indivíduo inexperiente em qualquer coisa.

➔**focaccia** [fo'ka.tʃa] [It.] *S. f. Cul.* Pão italiano macio, de forma achatada, temperado com azeite e sal, e que pode ser servido com vários ingredientes.

focagem [De *focar* + -*agem*[2].] *S. f.* Ato de focar (aparelho fotográfico ou cinematográfico, etc.); focalização.

focal [De *foco* + -*al*[1].] *Adj. 2 g.* 1. Relativo a foco. ~ V. *distância* —, *linha* —, *plano* —, *reta* — e *superfície* —. ● *S. m.* 2. *Ópt.* Segmento de reta que, num sistema óptico astigmático, constitui a imagem de uma fonte pontual. [Para cada sistema astigmático existem, geralmente, duas focais.] [Sin., nesta acepç., *linha focal* e *reta focal.*]

focalização [De *focalizar* + -*ção.*] *S. f.* Focagem.

focalizar [De *focal* + -*izar.*] *V. t. d.* 1. *Ópt.* Formar, por meio de um sistema óptico (uma imagem nítida, real ou virtual), num anteparo material ou numa superfície no espaço; ajustar ou arrumar (um sistema óptico) de maneira que forme imagens nítidas. 2. *Fig.* Pôr em foco; fazer voltar a atenção, o estudo, para; salientar, evidenciar: *O conferencista focalizou problemas de grande atualidade.* [Sin. ger.: *enfocar* e *focar.*]

focalizável [De *focalizar* + -*vel*.] *Adj. 2 g.* Que pode ser focalizado.

focar [De *foco* + -*ar*[2].] *V. t. d.* V. *focalizar:* "Os versos de Camões não focam uma época — são de sempre." (Gomes Monteiro, *Vencidos da Vida*, p. 33.) [Conjug.: v. *trancar.*]

focenídeo [Do tax. *Phocaena* (< gr. *phókaina*, 'marsuíno') + -*ídeo*[1]; tax. *Phocaenidae.*] *Zool. S. m.* 1. Espécime dos focenídeos, família de cetáceos odontocetos, marinhos, de cabeça cônica, dentes espatulados, com 3 a 7 vértebras cervicais e nadadeira dorsal pequena ou mesmo ausente. São os marsuínos. ● *Adj.* 2. Pertencente ou relativo a eles.

focídeo [Do tax. *Phoca* + *-ídeo*[1]; tax. *Phocidae.*] *Zool.* ***S. m.*** **1.** Espécime dos focídeos, família de mamíferos carnívoros, pinípedes, desprovidos de orelhas, com orifício auditivo descoberto. Caminham saltando com o ventre, dada a impossibilidade de se levantarem com os membros posteriores e de usá-los para locomoção. Distribuem-se em todos os oceanos, principalmente nas regiões de latitude elevada, e ainda no mar Cáspio e no lago de Baical. São as focas, os elefantes-marinhos e os leões-marinhos. ● ***Adj.*** **2.** Pertencente ou relativo a eles.

focinegro (ê) [De *foci(nho)* + *negro.*] ***Adj.*** *Taur.* Diz-se de touro de focinho negro.

focinhada [De *focinho* + *-ada*[1].] ***S. f.*** Pancada com o focinho; trombada.

focinhar [De *focinho* + *-ar*[2].] ***V. t. d. T. i. Int.*** V. *afocinhar*: "Levou na nuca tremenda bordoada e focinhou, vista coberta de estrelas." (Humberto Crispim Borges, *Cacho de Tucum*, p. 104.)

focinheira [De *focinho* + *-eira.*] ***S. f.*** **1.** Focinho de porco. **2.** Focinho; tromba. **3.** Correia pertencente à cabeçada, e que fica por cima das ventas do animal [v. *buçal* (1)]. **4.** *Pop.* Rosto carrancudo; má cara; carranca. **5.** Espécie de açaimo (q. v.).

focinho [Do lat. **faucinu* < lat. *faux* ou *fauces*, 'garganta'.] ***S. m.*** **1.** Parte da cabeça do animal que compreende boca, ventas e queixo; tromba. **2.** *Pop.* Rosto do homem; face, cara. **3.** Saliência boleada do piso de um degrau. **4.** *Turfe* Diferença mínima que separa um cavalo de outro na chegada de um páreo, em geral observada apenas pelo olho mecânico (q. v.). [Cf. *foucinho.*] ◆ **Focinho de cabo.** A parte mais avançada de um cabo[2].

focinho-de-porco ***S. m.*** *Bras. Zool.* V. *cuiú-cuiú* (2 e 3). [Pl.: *focinhos-de-porco.*]

focinho-de-rato ***S. m.*** *Zool.* V. *ubarana-rato.* [Pl.: *focinhos-de-rato.*]

focinhudo [De *focinho* + *-udo.*] ***Adj.*** **1.** Que tem focinho grande. **2.** *Fig.* Macambúzio, trombudo: "A Troncha, cada vez mais arreliada, muito focinhuda com as reflexões do infeliz, sempre a dizer ao coadjutor que não aturava o doudo do abade" (Camilo Castelo Branco, *História e Sentimentalismo*, p. 151). ● ***S. m.*** **3.** *Bras. Zool.* V. *tubarão-azul.*

foco [Do lat. *focu, por via erudita.*] ***S. m.*** **1.** *Ópt.* Numa lente delgada, o ponto para onde converge, ou de onde diverge, um feixe colimado de luz, depois de atravessá-la. **2.** *Ópt.* Num espelho de pequena abertura, o ponto para onde converge, ou de onde diverge, um feixe colimado, depois de ser por ele refletido. **3.** *Ópt.* Foco primário. **4.** *Ópt.* Foco secundário. **5.** *Fig.* Ponto de convergência; aquilo para o qual converge algo; centro: *Ela era o foco das atenções.* **6.** *Fig.* Ponto de ocorrência ou localização: "A Hispânia setentrional, além Ebro, menos pacificada e com focos de rebelião aqui e acolá, confiou-a [Aníbal] a seu irmão Magão" (Aquilino Ribeiro, *Os Avós dos Nossos Avós*, p. 121). **7.** *Fig.* Aquilo em que alguém concentra sua atenção ou aquilo que busca alcançar. **8.** *Fig.* Lugar ou ponto donde algo diverge, parte. **9.** Lugar donde saem emanações. **10.** Facho, farol: *os focos do automóvel.* **11.** *Med.* Local do corpo, nem sempre facilmente reconhecível, em que há alguma lesão (como, p. ex., infecção), e que produz e entretém fenômeno(s) mórbido(s) próximo(s), ou distante(s). **12.** *Hig.* Local de que provêm, por suas condições ambientais, uma ou mais doenças que se disseminam por áreas mais ou menos extensas. **13.** *Eletrôn.* Ponto de convergência do feixe eletrônico na tela de um tubo de raios catódicos. **14.** *Bras.* Lâmpada elétrica, ger. pequena, mas de alta potência, dotada de refletor que concentra a luz num feixe estreito; *spot.* ◆ **Foco primário.** *Ópt.* Ponto no espaço donde um feixe de luz deve divergir para que, depois de refratado num sistema óptico, se transforme em um feixe colimado. [Tb. se diz apenas *foco.*] **Foco secundário.** *Ópt.* Ponto no espaço para onde converge, ou de onde diverge, um feixe colimado de luz depois de atravessar um sistema óptico. [Tb. se diz apenas *foco.*] **Foco sísmico.** *Geol.* Ponto de origem das ondas sísmicas em um terremoto; hipocentro.

foda [Dev. de *foder.*] ***S. f.*** *Chulo* **1.** Cópula (2). **2.** Coisa desagradável ou difícil de executar ou suportar: *Trabalhar 15 horas por dia é foda.*

fodão [De *foda* + *-ão*[1].] ***S. m.*** *Bras. Chulo* Indivíduo importante, figurão: "O nome da jovem era Gabriele, dezesseis anos, filha de um fodão, dono de uma grande empresa de telecomunicações." (Rubem Fonseca, *O Seminarista*, p. 20.)

foder [Do b.-lat. **futere* < *futuere.*] *Chulo* ***V. t. i. Int.*** **1.** V. *copular* (2). ***P.*** **2.** *Bras.* Sair-se muito mal (de qualquer intento); entrar pelo cano (q. v.). **3.** *Bras.* Não fazer caso; não ligar importância. **4.** *Bras.* Levar o diabo; danar-se: "Então rosnou: 'Fodam-se!' em voz baixa, mas com ódio suficiente, exclamação, maiúscula e tudo." (Caio Fernando Abreu, *Estranhos Estrangeiros*, p. 12.)

fodido [Part. de *foder.*] ***Adj.*** *Bras. Chulo* **1.** Que se fodeu [v. *foder* (2)]. **2.** Em situação má ou desesperadora. [Sin. ger.: *fodido e mal pago.*] ◆ **Fodido e mal pago.** *Bras. Chulo* V. *fodido.*

fofa (ô) [F. subst. do adj. *fofo.*] ***S. f.*** **1.** Dança portuguesa, sensual e desenvolta, também conhecida no Brasil no séc. XVIII, e provavelmente antecessora do lundu, ao qual se assemelhava. **2.** *Desus.* Tipo de veste de criança. [Pl.: *fofas* (ô). Cf. *fofa* e *fofas*, do v. *fofar.*]

fofão [De *fofo* + *-ão*[1].] ***S. m.*** *Bras. BA MG Cul.* Na região do médio São Francisco, espécie de biscoito em forma de palma, preparado com a goma da mandioca e um pouco de sal, amassada em água fervendo, e servido com o café da manhã, em substituição ao pão.

fofar [De *fofo* + *-ar*[2].] ***V. t. d.*** **1.** Pôr fofos [v. *fofo* (6)] em; ornar de fofos: *fofar um vestido.* **2.** Tornar fofo; afofar: *fofar poltronas.* ***T. i. Int.*** **3.** *Bras. Gír.* Ir para o fofo (7) com alguém; copular. [Pres. ind.: *fofo*, *fofas*, *fofa*, etc. Cf. *fofo* (ô) e f. *fofa* (ô), pl. *fofas* (ô).]

fofice [De *fofo* + *-ice.*] ***S. f.*** Qualidade do que é fofo.

fofo (ô) [Voc. express.] ***Adj.*** **1.** Leve, ralo, e que facilmente cede à pressão; mole, macio, brando; elástico: *pão fofo*; *cama fofa.* **2.** Tufado, cheio: *saia com pregas fofas.* **3.** *Fig.* Enfatuado, jactancioso, afetado. **4.** *Bras. Fam.* Envaidecido, ancho, concho: "Nego João ficou todo fofo com o elogio." (José Bezerra Filho, *Fogo!*, p. 116.) **5.** *Bras. Fam.* Bonito e gracioso: *criança fofa.* [Flex.: *fofa* (ô), *fofos* (ô), *fofas* (ô). Cf. *fofo*, *fofa* e *fofas*, do v. *fofar.*] ● ***S. m.*** **6.** Ornato fofo ou relevado, saliente, em vestuário, decoração, etc.; tufo: "Branco, de fofos, era o seu vestido." (Ricardo Gonçalves, *Ipês*, p. 45.) **7.** *Fam.* Cama, leito. [Pl.: *fofos* (ô). Cf. *fofo*, do v. *fofar.*]

fofoca [Voc. express.] ***S. f.*** *Bras. Pop.* Mexerico, intriga, bisbilhotice.

fofocada [De *fofoca* + *-ada*[1].] ***S. f.*** *Bras. Pop.* Grande ou muita fofoca; fofocagem.

fofocagem [De *fofoca* + *-agem*[2].] ***S. f.*** *Bras. Pop.* Fofocada.

fofocar [De *fofoca* + *-ar*[2].] ***V. int.*** *Bras. Pop.* Fazer fofoca; intrigar, mexericar, bisbilhotar: "Em Paris, a Liga Antijackie fofoca em torno das cartas de amor da compungida viúva" (Marisa Raja Gabaglia, *Milho pra Galinha, Mariquinha*, p. 17). [Conjug.: v. *trancar.*]

fofoqueiro [De *fofoca* + *-eiro.*] ***Adj.*** *Bras. Pop.* **1.** Diz-se daquele que faz fofocas; mexeriqueiro, intrigante: "Até que ponto os boatos eram verdadeiros, ninguém conseguiu saber, porque sempre houve gente fofoqueira em todas as épocas" (Cora Rónai Vieira e Paulo Rónai, *Aventuras de Fígaro*, p. 60). ● ***S. m.*** **2.** Aquele que faz fofocas; mexeriqueiro, intrigante, leva e traz (q. v.): "Saudades de Dona Geraldina, fofoqueira maior" (Edson Guedes de Morais, *Outras Lembranças, Outra Casa, Outros Mortos*, p. 23).

fofura [De *fofo* + *-ura.*] ***S. f.*** *Bras. Fam.* **1.** Qualidade de fofo (5). **2.** Pessoa, animal ou coisa fofa [v. *fofo* (5)].

→**fog** [fag] [Ingl.] ***S. m.*** Nevoeiro espesso: "Tivemos um domingo de sol pleno, o que não é comum na Serra, ainda sujeita às visitas do 'corrubiana'. .... É um nevoeiro denso que baixa até ao solo, como o fog londrino." (Ciro dos Anjos, *Abdias*, p. 49.)

fogaça[1] [Do lat. tard. *focacia*, pl. de *focacium*, 'pão cozido ao borralho'.] ***S. f.*** Grande bolo ou pão cozido; folar.

fogaça[2] [Do fr. *fougasse.*] ***S. f.*** *P. us. Expl.* Mina terrestre enterrada e disfarçada, que contém pedras ou bombas, e se aciona quer por compressão do terreno onde se acha, quer por comando.

fogaça[3] ***S. f.*** *Bras. BA* Certa formação característica dos terrenos diamantinos.

fogacho [De *fogo* + *-acho.*] ***S. m.*** **1.** Chama, labareda pequena: "Entre as duas velas que se extinguiam, com fogachos lívidos, deixara-lhe uma carta lacrada" (Eça de Queirós, *Os Maias*, I, p. 79). **2.** V. *fogaréu* (1). **3.** *Fig.* Sensação de calor que vem à face por emoção ou estado mórbido. **4.** *Fig.* Ímpeto de mau gênio; assomo, fogagem. **5.** *Fig.* Chama interior súbita; ideia luminosa; lampejo. **6.** *Expl.* Fogo secundário.

fogagem [De *fogo* + *-agem*[2].] ***S. f.*** **1.** *Pop.* Designação comum a diversos distúrbios cutâneos e mucosos: balanopostite, líquen, estrófulo, sapinho. **2.** *Fig.* V. *fogacho* (4).

fogal [De *fogo* + *-al*[1].] ***S. m.*** *Ant.* Imposto que se pagava, e ainda hoje se paga, em alguns concelhos portugueses, por cada fogo (6).

fogaleira [De *fogo* + *-al-* + *-eira.*] ***S. f.*** Pá de ferro com a qual se tiram brasas do forno.

fogão [De *fogo* + *-ão*[1].] ***S. m.*** **1.** Caixa de ferro ou de alvenaria, com fornalha e chaminé, para cozinhar. **2.** Artefato metálico, móvel ou fixo, com bocas [v. *boca* (6)] por onde sai o fogo alimentado por gás, querosene, etc., us. para cozinhar. **3.** Artefato similar ao *fogão* (2), cuja fonte de calor é a eletricidade. **4.** V. *lareira* (2). **5.** Aparelho em que se acende fogo para aquecer salas e outros aposentos; estufa. **6.** Parte da peça de artilharia onde fica o ouvido (4). **7.** *Bras. S.* Trecho limitado de terra em condições mais favoráveis ao cultivo que as terras vizinhas. **8.** *Bras. RS* Lugar, nos galpões das estâncias, onde se faz fogo para o churrasco e o chimarrão. **9.** *Bras. RS* V. *querência* (2). **10.** *Bras. MT* Lugar onde vegeta em grandes grupos a ipecacuanha.

fogaracho [De *fogo* + *-ar-* (express.) + *-acho.*] ***S. m.*** V. *fogaréu* (1).

fogareiro [Do ant. *fogar*, 'casa', 'fogo', 'lar' (lat. tard. [*petra*] *focaris*), + *-eiro.*] ***S. m.*** Pequeno fogão portátil, de barro ou de ferro, para cozinhar ou para aquecer.

fogaréu [De *fogo* + *-aréu.*] ***S. m.*** **1.** Facho, lumeeira, archote, fogo, fogacho, fogaracho, fogueira. **2.** Vaso onde se acendem matérias inflamáveis. **3.** V. *fogo-fátuo* (1). **4.** *Arquit.* Ornato de pedra que termina em labaredas.

foge-foge [Da 3.ª pess. sing. do pres. ind. de *fugir*, repetida.] ***S. m.*** *Bras.* Correria ou fuga provocada por pânico. [Pl.: *foge-foges* e *foges-foges.*]

fogo (ô) [Do lat. *focu.*] ***S. m.*** **1.** Desenvolvimento simultâneo de calor e luz, que é produto da combustão de matérias inflamáveis, como, p. ex., a madeira, o carvão, o gás. [Sin.: *lume.*] **2.** Chama, labareda. **3.** V. *fogaréu* (1). **4.** *P. ext.* Incêndio (2). **5.** Chaminé, fogão, lareira. **6.** Residência de uma família; lar, casa: "A vila fechada, de poucos fogos, é inteiramente defendida por fossos, barbacãs, muros ameados" (Antero de Figueiredo, *Jornadas em Portugal*, p. 76). **7.** Descarga de arma; fuzilaria. **8.** O suplício da fogueira. **9.** Cauterização com ferro em brasa. **10.** *Ant.* Farol de costa marítima para guiar os navegantes. **11.** Sensação geral de calor pronunciado e incômodo. **12.** Aquilo que brilha; luz: *o fogo de seus olhos.* **13.** Clarão intenso. **14.** *Fig.* Ardor, fervor, paixão. **15.** *Fig.* Energia, entusiasmo: *o fogo da juventude.* **16.** *Fig.* Inspiração, imaginação, exaltação: *o fogo da poesia.* **17.** *Fig.* Excitação sexual; sexualidade. **18.** Um dos quatro elementos da Antiguidade (sendo os outros a *água*, a *terra* e o *ar*). **19.** *Bras. Pop.* V. *bebedeira* (1). [Pl.: *fogos* (ó).] ~ V. *fogos.* ◆ **Fogo de artifício. 1.** Designação comum a peças pirotécnicas que se queimam, normalmente à noite, por ocasião de festejos, e produzem jogos de luzes vistosos; fogo de vista, fogos: "Os fogos de artifício estalavam por todo o ar." (Eça de Queirós, *Notas Contemporâneas*, p. 17.) **2.** *Fig.* Aquilo que impressiona pela aparência, que brilha, mas é desprovido, ou quase, de substância: *A oratória daquele deputado é mero fogo de artifício.* [Cf. *artifício de fogo.*] **Fogo de bilbode.** O disparar de muitas espingardas umas depois de outras, sem intervalo sensível. [Tb. se diz apenas *bilbode.*] **Fogo de palha.** Entusiasmo passageiro; animação que dura pouco. **Fogo de proteção.** Tiro[1] de proteção. **Fogo de S. João. 1.** *Bras.* Qualquer tipo de artifício pirotécnico, como, p. ex., buquê, bombinha, fonte, pistola, estalo, busca-pé, us. nas comemorações juninas: "Vamos ver quem é que sabe / soltar fogos de S. João?" (Jorge de Lima, *Obra Completa*, I, p. 240.) **2.** Fogueira que se acende na noite de S. João. **Fogo de vista.** V. *fogo de artifício* (1). **Fogo do céu.** O raio. **Fogo feniano.** *Expl.* Composição incendiária constituída por uma solução de fósforo em sulfeto de carbono, e que se inflama pela evaporação do solvente. **Fogo grego.** *Expl.* **1.** Fogo capaz de arder na água, inventado por gregos bizantinos no séc. VII; fogo greguês: "Contra elas [máquinas de guerra] foram lançadas bolas de fogo grego" (Gustavo Barroso, *Livro dos Milagres*, p. 72). **2.** Composição incendiária constituída por vários materiais combustíveis e salitre bruto. **Fogo greguês.** Fogo grego (1). **Fogo lento.** Chama ou lume brando, para cozinhar. **Fogo posto.** *Lus.* Incêndio criminoso. **Fogo primário.** *Expl.* Fogo dado numa pedreira para fragmentar as rochas. **Fogo pulado.** *Bras.* O fogo que, nas queimadas, é levado de um ponto a outro. **Fogo sagrado. 1.** Chama votiva conservada sempre acesa nos templos de várias religiões. **2.** *Fig.* Inspiração, energia interior, que leva a grandes obras. **Fogo secundário.** *Expl.* Fogo dado numa pedra, já retirada da pedreira, para fragmentá-la mais; fogacho. **Fogo volante.** *Ant. Expl.* Fogo grego lançado em foguetes para atingir navios e posições terrestres dos adversários. **Atiçar o fogo.** *Fig.* Fomentar a discórdia. **Brincar com fogo.** Meter-se levianamente em coisas ou empresas perigosas, arriscadas; arriscar-se imprudentemente. **Comer fogo.** *Bras. Pop.* V. *comer da banda podre.* **Cortar o fogo.** Evitar a propagação dum incêndio. **Cozinhar a fogo brando.** *Fig.* Cozinhar a fogo lento. **Cozinhar a fogo lento.** *Fig.* Adiar, delongar, procrastinar sucessivamente a solução de (um negócio, um caso, um assunto); cozinhar a fogo brando. **Cuspir fogo.** *Bras. N.E. Pop.* Ficar colérico, muito zangado. **De fogo morto.** *Bras.* **1.** Diz-se do engenho que, por qualquer motivo, já não fabrica açúcar. **2.** *P. ext.* Diz-se de estabelecimento fabril que interrompeu a sua atividade. **3.** *P. ext.* Diz-se de pessoa em estado de inatividade, abatimento ou depressão. **Entre dois fogos. 1.** Atacado pelo inimigo por dois lados opostos: *estar, achar-se, ficar entre dois fogos.* **2.** *Fig.* Exposto a dois perigos, a duas influências ou a duas alternativas opostas. **Entre o fogo e a frigideira.** V. *entre a cruz e a caldeirinha.* **Estar de fogo.** *Gír.* Estar embriagado. **Fazer fogo.** Disparar arma de fogo. **Mentir fogo.** *Bras.* **1.** Falhar (arma de fogo). **2.** *Fig.* Falhar, esmorecer, fraquejar: *Parecia muito disposto, mas na hora de a onça beber água mentiu fogo.* [Sin. ger.: *negar fogo.*] **Negar fogo.** *Bras.* V. *mentir fogo.* **Pegar fogo. 1.** Inflamar-se; incendiar-se. **2.** *Fam.* Estar com febre alta: "O pai saltava da cadeira, vinha afagar-lhe a cabeça: pegava fogo." (Dalton Trevisan, *Novelas nada Exemplares*, p. 12.) **3.** *Fig.* Animar-se, acalorar-se: *Em alguns momentos, o debate entre os candidatos pegou fogo.* **4.** *Bras. MA* Zangar-se, irritar-se. **Puxar fogo.** *Bras. N.E. Pop.* V. *puxar* (38): *O cabra carregou na bebida, e está puxando fogo.* **Ser bom para o fogo.** Não prestar para nada, não valer nada (pessoa ou coisa). **Ser fogo.** *Bras. Pop.* **1.** Ser difícil, complicado, trabalhoso, complexo. **2.** Ser de gênio complicado, estranho; ser de convívio ou trato difícil. **3.** Ser muito bom, excelente, ótimo. [Sin. ger.: *ser fogo na pipoca, ser fogo na roupa.*] **Ser fogo na pipoca.** *Bras. Pop.* V. *ser fogo.* **Ser fogo na roupa.** *Bras. Pop.* V. *ser fogo.* **Tocar fogo na canjica.** *Bras. N.E. Pop.* **1.** Precipitar um acontecimento. **2.** Animar-se, entusiasmar-se.

fogo-apagou *S. f. 2 n. Bras. Zool.* V. *fogo-pagou.*

fogo-central *S. 2 g. Bras.* Pequena arma de fogo, de dois canos e dois gatilhos, que podem ser acionados independentemente um do outro; pistola fogo-central: "A ordem foi continuar no jirau e esperar que a cutia voltasse .... para puxar o pinguelo da fogo-central." (M. Cavalcanti Proença, *Manuscrito Holandês*, p. 156). [Pl.: *fogos-centrais.*]

fogo de bengala [De *fogo* + *de* + o top. *Bengala.*] *S. m. Expl.* Fogo de artifício constituído de um longo tubo, que encerra composição pirotécnica suscetível de produzir luz intensa, de cor variada. [Pl.: *fogos de bengala.*] ☑

fogo de santelmo *S. m.* V. *santelmo.* [Pl.: *fogos de santelmo.*] ☑

fogo do ar *S. m.* V. *foguete* (1). [Pl.: *fogos do ar.*] ☑

fogo-fátuo *S. m.* **1.** Inflamação espontânea de gases emanados de sepulturas e de pântanos; fogaréu: "Pelos cemitérios, / Às horas mortas, quando o vento geme / Por entre os ermos ciprestais funéreos, / O fogo-fátuo, fosforeando, treme." (Alphonsus de Guimaraens, *Obra Completa*, p. 201.) [Sin. (bras., pop.): *boitatá, já de la foice, joão-galafoice.*] **2.** *Fig.* Brilho efêmero; prazer ou glória de pouca duração. [Pl.: *fogos-fátuos.*]

fogoió *Adj. Bras. N. N.E.* De cabelo cor de fogo.

fogo-pagou [Voc. onom.] *S. f. 2 n. Bras. Zool.* Ave columbiforme, columbídea (*Scardafella squammata*), do Brasil central e oriental, sobretudo das regiões de cerrados e caatingas, sendo comum também nas estradas e fazendas do interior. Coloração pardo-cinzenta no dorso, branca na região inferior; penas orladas de preto, formando desenhos semilunares, como se fossem escamas. O seu nome popular é onomatopeico, e o modo chocalhante de voar valeu-lhe, ainda, a designação de *pomba-cascavel.* [Var.: *fogo-apagou*; sin.: *rola-cascavel, rolinha-carijó, rolinha-cascavel, picuipinima.*]

fogos (ó) [Pl. de *fogo.*] *S. m. pl.* **1.** Foguetes [v. *foguete* (1)]: *O Governador foi recebido com fogos em sua cidade natal.* **2.** V. *fogo de artifício* (1). **3.** Abertura por onde sai a fumaça das chaminés. ~ V. *fogo.*

fogo-selvagem *S. m. Derm.* Dermatose de evolução crônica, potencialmente letal, só reconhecida no Brasil, e que se assemelha a uma forma de pênfigo foliáceo. [Pl.: *fogos-selvagens.*]

fogosidade [De *fogoso* + *-(i)dade.*] *S. f.* **1.** Qualidade de fogoso; inquietação, impaciência. **2.** Ardor, ímpeto, entusiasmo, fogo.

fogoso (ô) [De *fogo* + *-oso.*] *Adj.* **1.** Extremamente quente, como que em fogo; esbraseado, ardente, abrasador: *verão fogoso.* **2.** Ardoroso, caloroso, impetuoso, arrebatado: "Mesmo os donos de mais fogoso estro, como Castro Alves, se valiam do arbusto alheio para levantar o voo da inspiração." (Fausto Cunha, *O Romantismo no Brasil*, p. 87.) **3.** Irrequieto, impaciente, árdego: "A bizarria com que percorreu a praça, domando sem esforço o fogoso corcel, arrancou prolongados e repetidos aplausos." (Rebelo da Silva, *Contos e Lendas*, p. 176.) **4.** Animado, entusiástico, ardente, inflamado: *discurso fogoso.* **5.** Violento, irascível, iracundo. **6.** *Restr.* Que tem grande ardor sexual: *rapazinho fogoso; mulher fogosa.*

foguear [De *fogo* + *-ear*[2].] *V. t. d.* **1.** Fazer arder; queimar, acender, afoguear: *foguear o cigarro.* **2.** Fazer corar muito; fazer enrubescer: *A anedota picante fogueou-lhe o rosto.* **3.** Animar, excitar: *A presença da amada fogueia-lhe os desejos.* *P.* **4.** Abrasar-se, inflamar-se. **5.** Corar intensamente; ruborizar-se. **6.** Animar-se, excitar-se. [Conjug.: v. *frear.*]

fogueira [Do lat. *focaria*, 'cozinheira', com alter. semântica, ou de *fogo* + *-eira*, poss.] *S. f.* **1.** Lenha ou outra matéria combustível empilhada, à qual se lança fogo. **2.** Monte de lenha em chamas, em que eram queimados aqueles que haviam sido condenados ao suplício do fogo. **3.** Lume de lareira; fogo, lume. **4.** V. *fogaréu* (1). **5.** *Ant.* Fogo (6). **6.** *Fig.* Ardor, exaltação, chama. **7.** Espécie de cavalete formado de dormentes em camadas de dois, postos em cada uma perpendicularmente aos da anterior, e que é muito empregado nas estradas de ferro em construção, ou mesmo em tráfego, como arrimo; gaiola. **8.** *Bras. Zool.* Peixe teleósteo, bericomorfo, holocentrídeo (*Myripristis jacobus*), do Atlântico, de dorso vermelho-brilhante, flancos e abdome prateados, com linhas longitudinais cor-de-rosa, e nadadeiras vermelhas, marginadas de branco. Atinge até 40cm de comprimento. ◆ **Pular uma fogueira.** Superar um obstáculo; contornar situação difícil, embaraçosa.

fogueiro [De *fogo* + *-eiro.*] *S. m.* V. *foguista.*

foguento [De *fogo* + *-ento.*] *Adj.* Que tem fogo (14, 15 e 17).

foguetada [De *foguete* + *-ada*[1].] *S. f.* **1.** V. *foguetório.* **2.** Festa em que se soltam foguetes. **3.** *Fig.* V. *descompostura* (2).

foguetão [De *foguete* + *-ão*[1].] *S. m.* Espécie de foguete com que se atiram cabos a náufragos.

foguete (ê) [Do cat. *coet*, com infl. de *fogo*, poss.] *S. m.* **1.** Engenho pirotécnico que estoura no ar em festas e ocasiões de regozijo, e consta de um tubo de papelão cheio de pólvora e dotado de pavio e punho, o qual atua em virtude da expulsão dos gases da combustão da pólvora, quando se ateia fogo ao pavio; fogo do ar, foguete do ar, rojão. [Cf. *fogos* (1).] **2.** Elemento motor usado em projetis, mísseis, espaçonaves, etc. [Sin. (bras.): *rojão.*] **3.** *Astron.* Veículo espacial que utiliza a propulsão a reação. **4.** *Mil.* Armamento de propulsão própria, movido a propelente sólido, de trajetória balística [v. *balístico* (1)], dotado de cabeça explosiva. **5.** *Tip. Gír.* Sinal de revisão: um traço em forma de flecha, que vai do erro assinalado até a correção feita na margem. **6.** *Bras.* V. *repreensão* (1). **7.** *Bras.* Indivíduo vivaz, expedito, ativo. **8.** *Bras.* Moça namoradeira. ● *Adj. 2 g.* **9.** *Bras.* Vivo, esperto, esfogueteado. ◆ **Foguete de apogeu.** *Astron.* Foguete espacial destinado a funcionar no instante em que o veículo que o transporta está no apogeu de sua órbita, permitindo, assim, a transferência do conjunto para uma órbita mais afastada. **Foguete de flecha.** *Expl.* Dispositivo pirotécnico constituído por um tubo carregado de composição pirotécnica, ao qual se acha presa uma flecha para permitir a subida orientada do dispositivo, e usado em festas de regozijo; foguete voador. **Foguete de lançamento.** *Astron.* Foguete guiado, destinado a colocar um satélite em órbita, ou a lançar outro foguete. **Foguete de três assobios.** Foguete de três respostas. **Foguete de três respostas.** Aquele que dá três séries de estalos no ar; foguete de três assobios. **Foguete granizífugo.** *Expl.* Foguete usado para evitar a queda de granizo. **Foguete iônico.** *Astron.* Foguete proposto, e ainda não realizado, no qual a propulsão seria feita pela ejeção de feixes de partículas eletricamente carregadas. **Foguete multiestágio.** *Astron.* Veículo composto de dois ou mais foguetes, que funcionam em sequência e são largados após fornecerem a respectiva impulsão. **Foguete voador.** *Expl.* Foguete de flecha. **Soltar foguetes.** Dar manifestações intensas de regozijo. **Soltar os foguetes antes da festa.** Antegozar coisa de realização duvidosa.

fogueteada [De *foguete* + *-eada.*] *S. f.* V. *foguetório.*

foguete-alvo *S. m. Astron.* Foguete lançado anteriormente a outro, e que serve de ponto de referência a um veículo espacial, tripulado ou não, que efetuará um encontro no espaço com o anterior; nave-alvo. [Pl.: *foguetes-alvos* e *foguetes-alvo.*]

foguetear [De *foguete* + *-ear*[2].] *V. int.* Lançar ou queimar foguetes. [Conjug.: v. *frear.*]

foguete de assovio *S. m. Expl.* Foguete de flecha que produz, ao subir, ruído semelhante a um assovio. [Pl.: *foguetes de assovio.*] ☑

foguete do ar *S. m.* V. *foguete* (1): "Dali partiu a pé um dos remeiros para anunciar a chegada do Mangaba ...., a fim de haver tempo de preparar as girândolas de foguete do ar" (Cardoso de Oliveira, *Dois Metros e Cinco*, p. 401). [Pl.: *foguetes do ar.*] ☑

fogueteiro [De *foguete* + *-eiro.*] *S. m.* **1.** Fabricante de foguetes e doutras peças de fogo de artifício. **2.** *Bras. RJ Gír.* Indivíduo ligado ao tráfico de drogas que vigia a entrada da comunidade, para dar aviso, por meio de foguetes, da chegada da polícia ou de novo carregamento de drogas. ◆ **Meter-se a fogueteiro.** Aventurar-se a fazer alguma coisa de que não entende e sair-se mal.

foguete-sonda *S. m. Astron.* Foguete suborbital, não tripulado, equipado com aparelhos destinados a colher informações, quer na atmosfera terrestre, quer fora dela. [Pl.: *foguetes-sondas* e *foguetes-sonda.*]

foguetice [De *foguete* + *-ice.*] *S. f. Bras. Fam.* Esfogueteamento.

foguetinho [De *foguete* + *-inho*[1].] *S. m. Bras. MG Zool.* Ave passeriforme, motacilídea (*Anthus hellmayri brasilianus*), do Brasil este-meridional, de dorso escuro, penas marginadas de um tom ferrugíneo, lado ventral pardo-amarelado com manchas escuras no peito, e rêmiges exteriores marginadas de pardo-amarelado. Alimenta-se de insetos.

foguetório [De *foguete* + *-ório.*] *S. m.* Grande porção de foguetes que estouram ao mesmo tempo; foguetada, fogueteada: "Foi Arandu embicar a igarité e pipocou o foguetório com muitos vivas ao herói." (M. Cavalcanti Proença, *Manuscrito Holandês*, p. 223.)

foguinho *S. m. Bras. Zool.* V. *tico-tico-rei* (1).

foguista [De *fogo* + *-ista.*] *S. 2 g. Bras.* Pessoa encarregada das fornalhas nas máquinas a vapor; fogueiro, fornalheiro.

➔**föhn** [fœn] [Al.] *Met.* Vento quente e seco que sopra principalmente nos vales suíços e austríacos. [Com cap.]

foiaíto [Do top. *Foia* + *-ito*[2].] *S. m. Geol.* Tipo de sienito de textura traquitoide, que contém nefelina.

foiçada [Var. de *fouçada* < *fouce* + *-ada*[1].] *S. f.* Golpe de foice.

foiçar [Var. de *fouçar* < *fouce* + *-ar*[2].] *V. t. d.* **1.** Cortar com foice; ceifar ou segar. *Int.* **2.** Dar golpes com foice. [Conjug.: v. *laçar.*]

foice [Var. de *fouce* < lat. *falce.*] *S. f.* **1.** Instrumento curvo para ceifar. **2.** *Anat.* Formação (5) com aspecto que lembra a foice (1).

foiciforme [De *foice*; var. de *fouciforme.*] *Adj. 2 g.* V. *falciforme* (1).

foicinha [Var. de *foucinha.*] *S. f.* Foicinho.

foicinho [Var. de *foucinho.*] *S. m.* Foice pequena, de segar erva; foicinha.

➔**foie gras** [fwa'gʁa] [Fr., 'fígado gordo'] *S. m. Cul.* **1.** Fígado hipertrofiado de ganso ou de pato submetidos a uma superalimentação forçada com grãos de milho. **2.** Apreciadíssimo patê feito com esse fígado.

foiteza (ê) *S. f.* V. *afoiteza*: "A danadinha topou a briga. Botou os livros no chão e veio crescida para riba de mim. Foiteza igual nunca vi" (Nélson de Faria, *Tiziu e Outras Estórias*, p. 171).

foito *Adj.* V. *afoito*: "Não vás ter medo à noite e dar-te algum quebranto, // Que andam bruxas no ermo, és fraca, não és foita / E se arreias, adeus!" (Conde de Monsaraz, *Musa Alentejana*, p. 35.)

fojo (ô) [De um **foja*, do lat. *fovea.*] *S. m.* **1.** Cova funda, cuja abertura se tapa ou se disfarça com ramos a fim de que nela caiam animais ferozes. **2.** Sorvedouro de águas, de lama, etc. **3.** Lugar muito fundo num rio. **4.** Caverna, gruta, furna. **5.** *Bras. N. N.E.* Armadilha para apanhar ratos ou caça miúda: "Prometeu a José que o primeiro preá que o fojo pegasse havia de ser sujeito a um gênero de morte que ele ainda não conhecia." (Franklin Távora, *O Cabeleira*, p. 75.)

fola (ó) [Do ár. *haúla*, 'remoinho', poss.] *S. f.* Marulho de ondas.

folacho *S. 2 g. Pop.* Pessoa branda, doente, fraca.

foladídeo [Do tax. *Pholas* (< gr. *pholás, ádos*, 'certo molusco') + *-ídeo*[1]; tax. *Pholadidae.*] *Zool. S. m.* **1.** Espécime dos foladídeos, família de moluscos pelecípodes, espalhados nos mares do hemisfério norte e da Nova Zelândia. São animais de sifões longos, terminados por um disco franjado; fosforescência acentuada; vivem no interior de rochas e madeiras que furam. ● *Adj.* **2.** Pertencente ou relativo a eles.

folar [Do lat. pop. **foculare*, 'cozido em brasas', < lat. *focula*, 'braseiro', com síncope, poss.] *S. m.* **1.** Fogaça[1]. **2.** Presente de páscoa que os padrinhos dão aos afilhados. [Cf. *fular.*]

folastria *S. f. Bras.* Alegria amalucada.

folcdança [De *folc(lore)* + *dança.*] *S. f.* Parte do folclore que estuda a coreografia de origem coletiva, de cultura popular.

folclore [Do ingl. *folklore*, do ingl. *folk*, 'povo', e do ingl. *lore*, 'saber'.] *S. m.* **1.** Conjunto das tradições, conhecimentos ou crenças populares expressas em provérbios, contos ou canções. **2.** Conjunto das canções populares de uma época ou região. **3.** Estudo e conhecimento das tradições de um povo, expressas nas suas lendas, crenças, canções e costumes; demologia, demopsicologia. [Sin. ger., bras.: *populário*.]

folclórico [De *folclore* + *-ico*².] **Adj.** Relativo ou pertencente ao folclore; folclorístico. ~ V. *música —a*.

folclorismo [De *folclore* + *-ismo*.] **S. m.** O estudo ou conhecimento do folclore.

folclorista [De *folclore* + *-ista*.] **S. 2 g. 1.** Especialista em folclore, na pesquisa de campo e/ou na teoria. **2.** Pessoa versada e/ou interessada em folclore.

folclorístico [De *folclore* + *-ist(a)-* + *-ico*².] **Adj.** Folclórico.

folclorização [De *folclorizar* + *-ção*.] **S. f.** Ação de folclorizar.

folclorizado [Part. de *folclorizar*.] **Adj.** Que se folclorizou.

folclorizar [De *folclore* + *-izar*.] **V. t. d.** Passar ao domínio cultural coletivo (qualquer manifestação de cultura), com a aceitação e a dinâmica populares.

folcmúsica [De *folc(lore)* + *música*.] **S. f.** Parte do folclore que estuda a música de origem coletiva, de cultura popular.

→**folder** ['fowldɚ] [Ingl.] **S. m.** Impresso promocional constituído de uma única folha com duas ou mais dobras.

fole [Do lat. *folle*.] **S. m. 1.** Utensílio destinado a produzir vento para ativar uma combustão ou limpar cavidades. **2.** Taleiga de couro. **3.** V. *papo*¹ (3 e 4). **4.** *Fot.* Parte de uma máquina fotográfica que permite aproximar ou afastar, dentro de limites bastante grandes, a objetiva e a chapa fotográfica, e é constituída por uma sanfona flexível perfeitamente opaca. **5.** *Bras. N.E. Mús.* Espécie de acordeão (1). [Dim.: *folículo*.]

folear [De *fole* + *-ear*².] **V. t. d.** *Bras. N. N.E.* Promover a extinção de (formigas), acionando, depois de o introduzir parcialmente no formigueiro, um fole onde se depositou substância tóxica: "Tudo que ele tinha era para trazer limpinha a igreja, ... matar os morcegos, folear as formigas" (José Lins do Rego, *Pedra Bonita*, p. 16). [Conjug.: v. *frear*. Cf. *foliar*.]

folegar [Do lat. *follicare* (v. *folgar*).] **V. int.** Tomar fôlego; respirar, resfolegar. [Conjug.: v. *regar*.]

fôlego [Dev. de *folegar*.] **S. m. 1.** V. *respiração* (2). **2.** Ato de soprar. **3.** Capacidade de reter o ar nos pulmões. **4.** Espaço de tempo para refazer as forças perdidas; folga. **5.** *Fig.* Ânimo, coragem: *tomar fôlego*. ◆ **Fôlego vivo. 1.** Criatura vivente: "À hora do calor, em que os trabalhadores sachavam os milhos, e se não via na aldeia fôlego vivo, Cunha entrou numa bouça" (Camilo Castelo Branco, *Doze Casamentos Felizes*, p. 232). **2.** *Bras.* Negro escravo. **De um fôlego.** Sem descansar; sem interrupção; de uma assentada: *Leu todo o romance de um fôlego.* **Prender o fôlego.** *Bras.* **1.** Suster a respiração. **2.** Causar dispneia. **Ter fôlego de gato.** Ser dotado de extraordinária resistência.

foleiro [De *fole* + *-eiro*.] **S. m. 1.** Fabricante e/ou vendedor de foles: "Prometo .... escrever a favor do comércio, da indústria, da agricultura, ... dos foleiros, ... dos pedestres, e mais entidades, que se oferecem à minha pena." (Machado de Assis, *Crônicas*, I, pp. 235-237.) **2.** *Bras.* Tocador de fole (5).

folga [Dev. de *folgar*.] **S. f. 1.** Interrupção de uma atividade ou trabalho; descanso, repouso: *Trabalhei sem folga todo o dia.* **2.** Espaço de tempo, ou dia(s) reservado(s) ao descanso, ao repouso: *Os alunos têm folga de 10 minutos entre uma aula e outra*; "Estudei em Juiz de Fora .... nas folgas o carro ia me buscar, mas eu .... procurava muitas vezes permanecer lá sozinho." (Raquel Jardim, *O Penhoar Chinês*, p. 179). **3.** Divertimento, brincadeira, folguedo: "Boa e patusca viúva! Amava o riso e a folga" (Machado de Assis, *Várias Histórias*, p. 61). **4.** Desafogo, alívio: *Que folga senti ao vê-los partir!* **5.** *Constr. Pop.* V. *junta de dilatação*. **6.** *Fig.* Espaço ou afastamento entre partes de um mecanismo, etc., que deveriam estar juntas: *Existe uma folga no pistão da bomba.* **7.** *Fig.* Abastança, largueza: *A situação deles sempre foi de folga, nunca passaram aperturas.* **8.** *Mec.* Afastamento entre os eletrodos de uma vela de ignição. **9.** *Bras. Fam.* Familiaridade, confiança; atrevimento: *Veja a folga daquele sujeito: veio falar comigo, como se me conhecesse!* **10.** *Bras. Gír.* Estado de quem não faz nada; ócio, boa vida: *Que folga, hem! você não quer nada com o trabalho!*

folgado [Part. de *folgar*.] **Adj. 1.** Que tem ou tem tido folga: *Ocupadíssimo outrora, agora vive folgado.* **2.** Largo, amplo: "Trazia um costume folgado de casimira clara" (Júlio Ribeiro, *A Carne*, p. 71). **3.** Desafogado, despreocupado: *vida folgada.* **4.** Não ajustado; largo: *roupa folgada.* **5.** *Bras. Fam.* Confiado, atrevido, metido. **6.** *Bras. Fam.* Que se esquiva ao trabalho, a certas obrigações ou deveres. ● **S. m. 7.** Indivíduo folgado (5 e 6): "— É um boa-vida. — Um folgado." (César Coelho, *Striptease da Cidade*, p. 19.)

folgador (ô) [De *folgar* + *-dor*.] **Adj. 1.** V. *folgazão* (1 e 2). ● **S. m. 2.** *Bras. MA Etnogr.* Tocador de casaca (5), nas bandas de congos. [Sin., bras., ES, nesta acepç.: *conguista*.] **3.** *Bras. PR Etnogr.* Dançarino do fandango, assim chamado porque só dança na folga do sábado para o domingo.

folgança [De *folgar* + *-ança*.] **S. f. 1.** Folga, descanso, ócio. **2.** Brincadeira, divertimento, festa, folguedo.

folgar [Do lat. tard. *follicare*.] **V. t. d. 1.** Dar folga ou descanso a: *Extenuado, folgou os braços.* **2.** Tornar largo; desajustar; desapertar: *folgar a roupa.* **3.** Tornar menos penoso; tornar leve, suave, folgado: "Com as economias .... contratara dois oficiais-aprendizes que lhe folgavam mais o trabalho." (Reginaldo Guimarães, *Uma Blusa no Cais*, p. 17.) **4.** Deixar de tomar parte em; perder: "Em pouco, não folgava João contradança numa festa, nem passava domingo sem compromisso." (Id., *ib.*, p. 71.) **T. d. e i. 5.** Livrar, descansar: *Folgava-o de trabalhos duros.* **T. i. 6.** Ter alívio (nos cuidados, nos trabalhos); descansar: *Aos sábados folgava em alegrias desvairadas.* **7.** Folgar (9). **8.** *Bras. Gír.* Agir com abuso ou com atrevimento (com alguém). **Int. 9.** Ter prazer; alegrar-se, jubilar-se, folgazar: "Honra das tabas que nascer te viram, / Folga morrendo." (Gonçalves Dias, *Obras Poéticas*, II, p. 20); *Folgou com a notícia do prêmio.* **10.** Ter descanso; folgazar. **11.** Divertir-se, brincar, folgazar. **12.** Estar livre, desafogado; folgazar. [Pres. ind.: *folgo*, etc. Cf. *folgo* (ô). Conjug.: v. *largar*.]

folgaz [F. red. de *folgazão*, poss.] **Adj. 2 g.** V. *folgazão* (1 e 2).

folgazã **S. f.** Folgazona.

folgazão [Do esp. *holgazán*, poss.] **Adj. 1.** Que gosta de folgar, brincar, divertir-se: *indivíduo folgazão.* **2.** Alegre, galhofeiro: *gênio folgazão.* [Sin. ger., nessas acepçs.: *folgador*, *folgaz*.] **3.** *Bras. N. N.E.* Femeeiro (1). ● **S. m. 4.** Indivíduo folgazão. [Fem.: *folgazona* e *folgazã*. Pl.: *folgazãos* e *folgazões*.]

folgazar [De *folgaz* + *-ar*².] **V. int.** V. *folgar* (7 a 10).

folgazona **S. f.** Fem. de *folgazão* (q. v.); folgazã.

folgo¹ (ô) **S. m.** F. sincopada de *fôlego*: "— Não sou máquina de ferro pra subir essa morraria num folgo só." (Antônio Olavo Pereira, *Fio de Prumo*, p. 38.) [Pl.: *folgos* (ô). Cf. *folgo*, do v. *folgar*.]

folgo² (ô) [Dev. de *folgar*.] **S. m.** *Ant.* Folgança. [Pl.: *folgos* (ô). Cf. *folgo*, do v. *folgar*.]

folguedo (ê) [De *folgar* + *-edo*.] **S. m.** V. *folgança* (2).

folha¹ (ô) [Do lat. *folia*, pl. de *foliu*, 'folha'.] **S. f. 1.** *Bot.* Órgão laminar e verde das plantas floríferas ou fanerógamas, que constitui a estrutura assimiladora por excelência, e que consta de uma lâmina verde, o *limbo*, de uma haste ou *pecíolo* e, por vezes, de uma parte basal alargada, a *bainha*. **2.** A representação ou imitação de uma folha em escultura, pintura, bordado, ornato arquitetônico, etc. **3.** Pedaço de papel de determinado tamanho, formato, espessura ou cor, us. para diferentes fins: *folha de papel celofane*; *bloco de folhas destacáveis*; "uma folha de papel que voava" (Coelho Neto, *Turbilhão*, p. 161). **4.** Cada uma das unidades materiais de que se compõe um livro, revista, jornal, caderno, etc., cujas faces têm o nome de *página*: *Comprei um caderno de folhas transparentes*; *As folhas dos livros antigos eram de pergaminho.* **5.** *P. ext.* Aquilo que está escrito ou impresso em folha: *As folhas do jornal estão ilegíveis.* **6.** Jornal, gazeta: "Uma das nossas folhas deu notícia de haver morrido em Paris uma bailarina, que luziu nos últimos anos do império" (Machado de Assis, *A Semana*, II, p. 81). **7.** A parte cortante de alguns instrumentos; lâmina. **8.** Peça delgada, achatada e/ou flexível de qualquer material natural ou sintético; lâmina, chapa: *folha de zinco*; *armário com o fundo de folha de compensado.* **9.** Lado, divisão ou parte móvel da janela ou da porta: "O seu ombro fez uma ligeira pressão sobre a folha da porta, e esta cedeu, entreabriu-se" (Júlio Ribeiro, *A Carne*, p. 204). **10.** Relação, rol. **11.** Relação nominal de funcionários, operários, etc., com indicação das respectivas classificações, vencimentos, etc. [Pl.: *folhas* (ô); dim. irreg.: *folíolo*. Cf. *folha* e *folhas*, do v. *folhar*.] ◆ **Folha acerosa.** *Bot.* Folha acicular. **Folha acicular.** *Bot.* Folha muito fina e rígida, como agulha; folha acerosa. **Folha acinaciforme.** *Bot.* Folha provida de um bordo convexo e de outro com duas concavidades, e que tem uma das margens mais espessa que a outra. **Folha alterna.** *Bot.* Folha que se insere solitariamente nos nós caulinares. **Folha alternipenada.** *Bot.* Folha composta penada em que os folíolos se mostram alternos; folha alternipene. **Folha alternipene.** *Bot.* Folha alternipenada. **Folha amplexicaule.** *Bot.* Folha cuja base, reentrante, abraça o caule e se estende além dele. **Folha apedada.** *Bot.* Folha cujos segmentos se dispõem em linha horizontal, recordando os dedos de um pé. **Folha aristada.** *Bot.* Folha que termina por um prolongamento da nervura central, duro e comumente piloso. **Folha arredondada.** *Bot.* Folha orbicular. **Folha áspera.** *Bot.* Folha escabra. **Folha atenuada.** *Bot.* Folha que se estreita na direção do ápice ou da base. **Folha auriculada.** *Bot.* Folha cuja base é fundamente escavada. [Os lobos laterais chamam-se *aurículas*.] **Folha avulsa.** V. *folha volante*. **Folha binada.** *Bot.* Folha digitada de dois folíolos; folha conjugada. **Folha bipenada.** *Bot.* Folha duplamente penada, em que o pecíolo se mostra duas vezes subdividido. **Folha cirrosa.** *Bot.* Folha que termina por uma gavinha, e cuja ponta, portanto, se enrola em algum suporte. **Folha clatrada.** *Bot.* Folha com nervuras longitudinais e veias transversais, delimitando figuras retangulares que, no conjunto, lembram uma grade. **Folha composta.** *Bot.* Folha cujo limbo é subdividido em partes ditas *folíolos*. [Cf. *folha simples*.] **Folha conjugada.** *Bot.* Folha binada. **Folha cordada.** *Bot.* Folha cuja base é um tanto escavada ou reentrante. **Folha corrida.** Certidão mandada passar pelo juiz, na qual todos os escrivães atestam se um indivíduo tem ou não culpa nos respectivos cartórios. **Folha cuneada.** *Bot.* Folha cuja base é estreitada, aguda; folha cuneiforme. **Folha cuneiforme.** *Bot.* Folha cuneada. **Folha de aviamento.** *Tip.* Aquela que fica debaixo da folha de padrão, e na qual se fazem recortes e se colam alças; folha de preparo. **Folha decomposta.** *Bot.* Folha composta, duas vezes subdividida. **Folha decorrente.** *Bot.* Folha cujo limbo se continua pelo ramo, o que o torna alado; folha desinente. **Folha de descarga.** *Art. Gráf.* **1.** Folha de papel impregnada de petróleo, com a qual se reveste o cilindro da prensa, ao fazer a retiração, para evitar que o padrão, recebendo repinte, manche as folhas seguintes. **2.** Maculatura que se faz passar entre os rolos das prensas para eliminar excesso de tinta. [Em ambos os sentidos tb. se diz apenas *descarga*.] **Folha deltoide.** *Bot.* Folha ovada com os dois lados e a base retilíneos, e que recorda um triângulo; folha triangular. **Folha denteada.** *Bot.* Folha que apresenta dentes orientados perpendicularmente ao eixo longitudinal. **Folha de padrão.** *Tip.* A que recobre, por último, a almofada, e fica por cima da folha de aviamento. [Tb. se diz apenas *padrão*.] **Folha de porta.** *Arquit.* Parte móvel da porta. **Folha de preparo.** *Tip.* Folha de aviamento. **Folha de rosto.** *Bibliogr. Tip.* A folha do livro na qual estão impressos o título e o frontispício: "Existem .... duas edições de *Os Lusíadas* datadas de 1572, com os mesmos dizeres na folha de rosto, sem que nenhuma declare ser nova edição." (José Honório Rodrigues, *Teoria da História do Brasil*, p. 389.) **Folha de rosto gravada.** *Bibliogr.* V. *portada* (3). **Folha de serviço.** Registro de serviço prestado. **Folha desinente.** *Bot.* Folha decorrente. **Folha digitada.** *Bot.* Folha composta em que os folíolos se prendem na ponta do pecíolo comum recordando a disposição dos dedos da mão. **Folha dimidiada.** *Bot.* Folha com um dos lados diferente do outro. **Folha dolabriforme.** *Bot.* Folha arredondada numa extremidade, estreitada na outra, e algo desviada para um dos lados. Parece-se com uma machadinha. **Folha elíptica.** *Bot.* Folha oblonga cujo ápice e base são igualmente arredondados, sendo o comprimento uma a duas vezes maior que a largura; folha oval. **Folha escabra.** *Bot.* Folha áspera ao tato, com pelos curtos e rígidos; folha áspera. **Folha escamiforme.** *Bot.* Folha reduzida em suas dimensões e de coloração parda, parecendo escama. **Folha estrelada.** *Bot.* Folha verticilada. **Folha estrigosa.** *Bot.* Folha híspida. **Folha fendida.** *Bot.* Folha cujos recortes ultrapassam um pouco a metade da distância entre a nervura central e a margem. **Folha hastada.** *Bot.* Folha ovada cuja base se prolonga lateralmente, e que recorda a forma de ponta de lança. **Folha híspida.** *Bot.* Folha coberta de longos pelos tesos, esparsos e frágeis, que caem com facilidade; folha estrigosa. **Folha imparipenada.** *Bot.* Folha penada que termina por um folíolo. **Folha incana.** *Bot.* Folha cuja pilosidade lhe confere coloração branco-acinzentada. **Folha inequilátera.** *Bot.* Folha assimétrica na base, onde um dos lados é diferente do outro; folha oblíqua, folha pterigóidea. **Folha integérrima.** *Bot.* Folha que leva margem inteira ou lisa. **Folha íntegra.** *Bot.* Aquela cujo limbo é inteiro. **Folha invaginante.** *Bot.* Folha sem pecíolo, cuja bainha abraça o caule. É formada pelo limbo e bainha. **Folha linear.** *Bot.* Folha lanceolada, muito estreita, com bordos paralelos. **Folha lirada.** *Bot.* Aquela cujo limbo é penatipartido ou penatissecto, e cujo segmento terminal é maior que os demais. **Folha lobada.** *Bot.* Folha cujo limbo é subdividido até a metade da distância entre a margem e a nervura central. Cada recorte é um lobo. **Folha oblíqua.** *Bot.* V. *folha*

F

inequilátera. **Folha opositipenada.** *Bot.* Folha composta penada cujos folíolos são opostos. **Folha oposta.** *Bot.* A que se prende aos pares nos nós caulinares. **Folha orbicular.** *Bot.* Folha cujo ápice, base e lados são aproximadamente iguais, revestindo a forma de um disco; folha arredondada. **Folha oval.** *Bot.* Folha elíptica. **Folha panduriforme.** *Bot.* A que tem forma de guitarra, i. e., que é estreitada do meio para a ponta, que é obtusa. **Folha paripenada.** *Bot.* Folha penada que termina por dois folíolos. **Folha partida.** *Bot.* Folha cujo limbo é profundamente subdividido, atingindo os recortes quase a nervura central. **Folha peciolada.** *Bot.* Folha composta de limbo e pecíolo, sem bainha. **Folha pectinada.** *Bot.* Folha diversamente recortada, mas cujos segmentos são paralelos, lembrando um pente. **Folha pedada.** *Bot.* Folha que se dispõe, mais ou menos paralelamente, ao longo de um suporte. **Folha pedatífida.** *Bot.* A folha pedada que é fendida. **Folha pedatipartida.** *Bot.* A folha pedada que é partida. **Folha pedatissecta.** *Bot.* A folha pedada que é secta. **Folha penada.** *Bot.* Folha composta cujos folíolos se inserem ao longo do pecíolo comum, e que recorda uma pena de galinha; folha pinada. **Folha penatífida.** *Bot.* A que tem o limbo fendido e os segmentos dispostos lado a lado. **Folha penatilobada.** *Bot.* A folha lobada cujos lobos se dispõem de cada lado do eixo comum. **Folha penatipartida.** *Bot.* A folha partida cujos segmentos se ordenam lado a lado. **Folha penatissecta.** *Bot.* A folha secta cujos segmentos são dispostos de cada lado do pecíolo comum. **Folha peninervada.** *Bot.* Folha peninérvea. **Folha peninérvea.** *Bot.* Folha cujas nervuras (ou antes, venas) partem de um eixo longitudinal. A disposição lembra pena de galinha; folha peninervada. **Folha perfolhada.** *Bot.* Folha cujas aurículas se fundem, englobando o ramo. **Folha pinada.** *Bot.* Folha penada. **Folha pregueada.** *Bioquím.* Estrutura secundária, muito frequente em proteínas, na qual porções da cadeia peptídica se encontram estendidas e dispostas lado a lado, graças à existência de pontes de hidrogênio entre elas. **Folha premorsa.** *Bot.* Folha cujo recorte apical é muito profundo. **Folha pterigóidea.** *Bot.* V. *folha inequilátera*. **Folha pubérula.** *Bot.* Folha recoberta de pelos curtos, dificilmente visíveis à vista desarmada. **Folha quintuplinérvea.** *Bot.* Folha com cinco nervuras, sendo quatro laterais que partem acima da base. **Folha reniforme.** *Bot.* Folha lateralmente expandida com a concavidade voltada para baixo. É semelhante a um rim ou feijão. **Folha repanda.** *Bot.* Folha com crenas muito largas e superficiais, e que tem os seios obtusos. **Folha retusa.** *Bot.* Folha cujo ápice é levemente reentrante. **Folha runcinada.** *Bot.* Folha recortada, estando os recortes voltados para a base. **Folhas adunadas.** *Bot.* Folhas (um par) opostas e sésseis cujas bases se soldam. **Folhas anótinas.** *Bot.* Folhas do ano em curso, que surgiram no prazo de um ano. **Folha secta.** *Bot.* Folha subdividida cujas incisões alcançam a nervura principal, e que simula uma folha composta, porém desta se distingue porque os segmentos não se articulam com a nervura central. **Folha simples.** A que não é lobada ou subdividida. [Cf. *folha composta*.] **Folha sinuada.** *Bot.* Folha cujas crenas são desiguais. **Folhas liminares.** *Bibliogr.* V. *folhas preliminares*. **Folhas preliminares.** *Bibliogr.* As folhas iniciais de um livro, ger. numeradas com algarismos romanos, e que contêm a totalidade ou parte dos seguintes elementos extratextuais, além de um eventual fólio branco inicial; falsa folha de rosto, frontispício, folha de rosto, dedicatória, índice geral, índice das ilustrações, lista de abreviaturas, prefácio e (quando não escrita pelo autor da obra) introdução. [Tb. se diz apenas *preliminares*; sin.: *entrada, folhas liminares, princípios*. Cf. *finais*.] **Folha tomentela.** *Bot.* Folha um tanto tomentosa. **Folha tomentosa.** *Bot.* A que tem tomento (2). **Folha triangular.** *Bot.* Folha deltoide. **Folha trifoliolada.** *Bot.* Folha composta de três folíolos. **Folha triplinérvea.** *Bot.* Folha com três nervuras, sendo duas laterais, que partem acima da base. **Folha tubulosa.** *Bot.* Folha cilíndrica, porém oca. **Folha venosa.** *Bot.* Folha que exibe cordões (*venas*) perpendiculares ao eixo longitudinal. **Folha verticilada.** *Bot.* Folha que se apresenta em número de três ou mais em cada nó caulinar; folha estrelada. **Folha violada.** *Bot.* Folha oblonga, dotada de um estreitamento na porção mediana, e que lembra a forma de uma tampa de viola. **Folha volante.** Impresso tirado em folha solta, às vezes dobrada ao meio, que contém circular, anúncio, manifesto, etc., e em geral é distribuído ou espalhado pelas ruas. [Tb. se diz apenas *volante*; sin.: *folha avulsa, avulso, boletim*.] **A folhas tantas.** Em certo momento; a certa altura; a páginas tantas. **Cair nas folhas.** *Bras. MG Pop.* V. *fugir* (1 e 2). **Dourar por folha.** *Encad.* Dourar o corte do livro. **Falsa folha de rosto.** *Bibliogr.* A página que antecede a folha de rosto, e que contém só o título da obra; ante-rosto, falso-rosto, falso-título. **Novo em folha.** Ainda não usado: "A bandeira imperial, nova em folha, é conduzida por dois marinheiros" (Félix Lima Júnior, *Mapirunga*, p. 19). **Numerar por folhas.** *Tip.* V. *paginar a livro aberto*. **Rir com as folhas.** Rir à toa, sem motivo nenhum. **Virar a folha.** *Fam.* V. *mudar o disco*.

folha[2] (ô) *S. f.* V. *folha de flandres*: "Na cozinha, em vez da candeia ...., figurava a esguia vela de sebo de vinte réis, espetada em um castiçal de folha." (França Júnior, *Folhetins*, p. 562.) [Pl.: *folhas* (ô). Cf. *folha* e *folhas*, do v. *folhar*.]

folha-cheirosa [De *folha*[1] + o pl. de *cheiroso*.] *S. f. Bras. AM Bot.* Designação comum a duas plantas aráceas (*Anthurium nymphalifolium* e *Anthurium oxycarpum*) herbáceas, ornamentais, cujas flores estão dispostas em espádice, protegidas por espata, tendo as folhas da primeira, quando secas, odor semelhante ao da baunilha. [Pl.: *folhas-cheirosas*.]

folhada [De *folha*[1] + *-ada*[1].] *S. f.* **1.** V. *folhagem* (1 a 3). **2.** V. *manta* (6).

folha-da-fonte *S. f. Bras. Bot.* V. *jiboia* (2). [Pl.: *folhas-da-fonte*.]

folha-da-fortuna *S. f. Bras. Bot.* Saião. [Pl.: *folhas-da-fortuna*.]

folha-de-bolo *S. f. Bras. AM a SP Bot.* **1.** Arbusto melastomatáceo (*Miconia chamissois*) lenhoso. **2.** Angelim-rosa. **3.** V. *folha-redonda*. [Pl.: *folhas-de-bolo*.]

folha-de-comichão *S. f. Bras. Bot.* Caajuçara. [Pl.: *folhas-de-comichão*.]

folha de flandres [De *folha*[1] + *de* + o top. *Flandres*.] *S. f.* Folha de ferro estanhado, usada no fabrico de numerosos utensílios; lata: "uma canastra, um cabide, um baú de folha de flandres" (Machado de Assis, *Páginas Recolhidas*, p. 26). [F. red.: *folha* e *flandres* (var. desta: *flandre, flande*). Pl.: *folhas de flandres*.] ☑ nota 1

folha-de-gelo *S. f. Bras. Bot.* Planta aizoácea (*Mesembryanthemum crystallinum*) herbácea e xerótica, ornamental, de folhas quase sésseis, axilares, alvas e argênteas, cujo fruto é cápsula deiscente em estrela no ápice. Inúmeras vesículas cristalinas e transparentes cobrem todas as suas partes, e cintilam ao sol, dando a impressão de que a planta está coberta de pedacinhos de gelo. [Sin.: *erva-de-gelo, flor-de-gelo*. Pl.: *folhas-de-gelo*.]

folha-de-hera *S. f. Bot.* Planta geraniácea (*Pelargonium lateripes*) ornamental, de caule carnoso, originária do S. da África, de flores purpúreo-escuras, dispostas em umbelas multifloras, e cujas folhas se assemelham com as da hera. [Pl.: *folhas-de-hera*.]

folha-de-leite *S. f. Bras. RJ a SP Bot.* Pequeno arbusto euforbiáceo (*Euphorbia hirtella*) lactescente, todo revestido de tomento branco, cujas flores verdes são dispostas em cimeiras terminais, e cujo fruto é cápsula glabra, com sementes rugoso-tuberculadas. [Pl.: *folhas-de-leite*.]

folha-de-lixa *S. f. Bras. Bot.* V. *cipó-caboclo*. [Pl.: *folhas-de-lixa*.]

folha-de-mangue *S. f. Bras. Zool.* Peixe perciforme, carangídeo (*Chloroscombrus chrysurus*). [Pl.: *folhas-de-mangue*.]

folha-de-oiro *S. f. Bras. RJ Bot.* Var. de *folha-de-ouro*. [Pl.: *folhas-de-oiro*.]

folha-de-ouro *S. f. Bras. Bot.* **1.** Planta asterácea (*Pyrethrum parthenifolium*), herbácea, ornamental, de flores liguladas nos bordos, mais compridas que as do disco, reunidas em capítulos, e longos pedúnculos, formando corimbos. **2.** Folha-dourada (1). [Var.: *folha-de-oiro*. Pl.: *folhas-de-ouro*.]

folha-de-papagaio *S. f. Bras. Bot.* Arbusto euforbiáceo (*Codiaeum variegatum*) semilenhoso, que habita regiões de clima tropical; tem até 3m, folhas lactescentes, elípticas, coriáceas, inteiras ou recortadas, verdes ou rubras, sempre maculadas, e pequenas flores alvas reunidas em cachos frouxos e longos. [Sin.: *taperebazinho*. Pl.: *folhas-de-papagaio*.]

folha-de-prata *S. f. Bras. PA Bot.* Árvore laurácea (Ocotea argyrophylla) regular, ornamental, de flores femininas, pediceladas, dispostas em panículas axilares e terminais, e cujas folhas, alvas e argênteas na página inferior, com intenso brilho metálico, são muito procuradas para decoração; folha-prateada. [Pl.: *folhas-de-prata*.]

folha-de-sangue *S. f. Bras. Bot.* Arbusto euforbiáceo (*Euphorbia pulcherrima*) ramoso, ornamental, muito característico pelas brácteas opostas, grandes e de cor vermelho-sangue, que circundam pequenas flores amareladas com invólucro globoso e glândula amarela, dispostas em umbela. É muito usada em decoração de Natal. [Sin.: *asa-de-papagaio, bico-de-papagaio, flor-de-papagaio, parece-mas-não-é, poinsétia*. Pl.: *folhas-de-sangue*.]

folha-de-santana [De *folha*[1] + *de* + o hag. *Santana* (contr. de *Santa Ana*).] *S. f. Bras. MG RJ Bot.* Arbusto asteráceo (*Vernonia macrophylla*) ornamental, de caule herbáceo, de flores sésseis, roxas, reunidas em capítulos e dispostas em amplas panículas terminais, e cujo fruto é aquênio castanho, seríceo, com papo também castanho; erva-de-santana. [Pl.: *folhas-de-santana*.]

folha-de-serra *S. f. Bras. MG ES Bot.* Árvore euforbiácea (*Paradrypetes ilicifolia*) de porte médio, muito ornamental, de copa cônica, alongada e inteiramente glabra, inflorescências cimosas, axilares, com flores masculinas, e cujo fruto, liso, elipsoide, afilado na base e no ápice, é muito apreciado por sua polpa adocicada; ameixa. [Pl.: *folhas-de-serra*.]

folha-de-urubu *S. f. Bras. Amaz. Bot.* Trepadeira arácea (*Philodendron laciniatum*) de caule grosso e rugoso, de flores dispostas em espádice subséssil, protegido por espata de tubo exteriormente verde e interiormente vermelho-violáceo, e cujo fruto é baga pequena; guembé. [Pl.: *folhas-de-urubu*.]

folhado [Do lat. *foliatu*.] *Adj.* **1.** Cheio ou coberto de folhas; enfolhado, folhento, folhoso, folhudo. **2.** Que tem forma de folha; foliforme. ~ V. *massa —a*. ● *S. m.* **3.** Ato de folhar. **4.** V. *folhagem* (1 a 3). **5.** *Bot.* Pequeno arbusto caprifoliáceo (*Viburnum tinus*) glabro e ornamental, de folhas pequenas, flores alvas internamente e róseas por fora, campanuladas, pouco aromáticas, dispostas em corimbos compactos, e cujo fruto é baga azul-escura com reflexo metálico.

folha-doirada *S. f. Bras. Bot.* V. *folha-dourada*. [Pl.: *folhas-doiradas*.]

folha-doirada-da-praia *S. f. Bras. Bot.* V. *folha-dourada-da-praia*. [Pl.: *folhas-doiradas-da-praia*.]

folha-dourada [De *folha*[1] + o f. de *dourado*.] *S. f.* **1.** *Bras. Bot.* Árvore laurácea (*Acrodiclidium aureum*) nativa do Brasil, de folhas opostas, oblongas, e flores em panículas axilares; folha-de-ouro. **2.** V. *caimito* (1). [Var.: *folha-doirada*. Pl.: *folhas-douradas*.]

folha-dourada-da-praia [De *folha-dourada* + *da*[1] + *praia*.] *S. f. Bras. RJ SP Bot.* Arbusto malpighiáceo (*Heteropteris chrysophylla*) trepador, ornamental, de flores delicadas, minusculamente crenuladas, amarelas ou cor de laranja, reunidas em umbelas, e estas dispostas em panículas axilares, cujo cálice tem oito glândulas e asas, folhas douradas, e cujo fruto é sâmara alada no dorso; praguá. [Var.: *folha-doirada-da-praia*. Pl.: *folhas-douradas-da-praia*.]

folha-furada *S. f. Bras. Bot.* V. *dragão-fedorento*. [Pl.: *folhas-furadas*.]

folhagem [De *folha*[1] + *-agem*[2].] *S. f.* **1.** O conjunto das folhas de uma planta. **2.** Porção de folhas. **3.** A ramaria dos arvoredos. [Sin. (nessas acepç.): *folhada, folhado, folhame, folharia, folhedo*.] **4.** Ornato que representa ou imita folhas ou flores. **5.** Qualquer planta ornamental, sem flores. **6.** *Bot.* Designação comum a duas plantas acantáceas, herbáceas, a *Fittonia argyroneura*, com nervuras e veias argênteas, e a *Fittonia verschaffeltii*, com nervuras e veias do róseo ao carmim, cultivadas nos jardins do mundo inteiro.

folha-gorda [De *folha*[1] + o f. de *gordo*.] *S. f. Bras. BA a RJ Bot.* Planta urticácea (*Pilea microphylla*) herbácea, de flores alvas, de inflorescência axilar em cimeiras solitárias ou geminadas, e cujo fruto, aquênio, vegeta de preferência em lugares úmidos; urtiga, erva-gorda. [Pl.: *folhas-gordas*.]

folha-lixa *S. f. Bras. Bot.* V. *cipó-caboclo*. [Pl.: *folhas-lixas* e *folhas-lixa*.]

folhame [De *folha*[1] + *-ame*.] *S. m.* V. *folhagem* (1 a 3).

folha-morta *S. f. Aer. Av.* Folha-seca (1). [Pl.: *folhas-mortas*.]

folhão [De *folho* (2) + *-ão*[2].] *S. m.* Cavalo que tem excrescência no casco.

folha-prateada *S. f. Bras. Bot.* Folha-de-prata. [Pl.: *folhas-prateadas*.]

folhar [De *folha*[1] + *-ar*[2].] *V. t. d.* **1.** Produzir folhas em; prover de folhas; folhear: *A primavera folha as árvores.* **2.** Tornar muito delgado, à semelhança de folha(s): *folhar a massa.* **3.** Adornar com folhagem. **4.** Lavrar ou pintar folhagem em. **5.** Revestir de folha[1] (8); folhear, folhetear. *Int.* **6.** Cobrir-se de folhas; folhar-se, folhear, foliar: *É primavera, e as árvores folham.* **7.** *Bras. MG Pop.* V. *fugir* (1 e 2). *P.* **8.** V. *folhar* (6): "O juazeiro florido em moitas viça, / Folha-se o inhame, alça o caniço a flecha." (Alberto de Oliveira, *Poesias*, 3.ª série, p. 283.) [Pres. ind.: *folho, folhas, folha*, etc.; fut. pret.: *folharia*, etc. Cf. *folho* (ô), s. m., *folha* (ô), s. f., pl. *folhas* (ô), e *folharia*, s. f.]

folharada [De *folha*[1] + *-arada*.] *S. f. Bras.* Grande porção de folhas.

folha-redonda [De *folha*[1] + o f. de *redondo*.] *S. f. Bras. MG SP Bot.* Grande árvore euforbiácea (*Alchornea iricurana*) de caule mais ou menos tortuoso, de flores masculinas, glabras, dispostas em espigas paniculadas racemosas, e flores femininas ferrugíneo--esverdeadas, dispostas em espigas simples e solitárias, e cuja madeira, branca, mole, resistente, bastante porosa, é própria para carpintaria; arariba, bujé, folha-de-bolo, iricurana, maria-mole. [Pl.: *folhas-redondas.*]

folharia [De *folha*[1] + *-aria.*] *S. f.* V. *folhagem* (1 a 3): 📖 "Verde da frente da chácara, desdobrado .... no verde .... da folharia das paineiras e das figueiras" (Telmo Vergara, *Contos da Vida Breve*, p. 227). [Cf. *folharia*, do v. *folhar.*]

folha-santa [De *folha*[1] + o f. de *santo.*] *S. f. Bras. Bot.* Pau-santo. [Pl.: *folhas-santas.*]

folha-seca [De *folha*[1] + o f. de *seco.*] *S. f.* **1.** *Aer. Av.* Manobra que consiste em comandar sucessivas perdas de sustentação de uma aeronave, o que provoca a sua descida em movimentos que lembram a queda de uma folha seca; folha-morta. **2.** *Zool.* Designação comum a espécies de borboletas do gênero *Zaretes.* **3.** *Bras. Fut.* Chute direto a gol, geralmente com bola parada, cuja trajetória sofre uma queda súbita, que surpreende o goleiro. [Jogada criada por Didi (Valdir Pereira), jogador da seleção brasileira das Copas do Mundo de 54, 58 e 62.] [Pl.: *folhas-secas.*]

folhato *S. m.* V. *folhelho*[1].

folheação [De *folhear*[2] + *-ção.*] *S. f.* V. *foliação*[2].

folheado[1] [De *folha*[1] + *-eado.*] *Adj.* **1.** Composto ou provido de folhas; foliado. **2.** *Geol.* Diz-se de sedimentos mais ou menos metamorfizados dispostos em forma de folhas.

folheado[2] [Part. de *folhear*[2].] *Adj.* **1.** Que se folheou; revestido de folha[1] (8); foliado: 🗎 *joia folheada.* ● *S. m.* **2.** Lâmina de madeira ou de metal com que se fazem revestimentos.

folhear[1] [De *folha*[1] + *-ear*[1].] *Adj. 2 g.* **1.** V. *foliáceo* (2 e 3). **2.** Que nasce ou vive nas folhas.

folhear[2] [De *folha*[1] + *-ear*[2].] *V. t. d.* **1.** Volver as folhas de (livro, revista, etc.): 📖 "folheio vinte livros e não consigo ler nenhum." (José Rodrigues Miguéis, *Gente da Terceira Classe*, p. 205). **2.** Ler apressadamente ou sem atenção as folhas de: 🗎 *folhear uma revista.* **3.** Compulsar, manusear, consultar, ler, estudar: 🗎 *Dispôs-se a folhear diariamente os clássicos.* **4.** Cortar ou dividir em folhas; folhetear. **5.** V. *folhar* (1 e 5). *Int.* **6.** V. *folhar* (6). [Conjug.: v. *frear.*]

folheca [De *folha*[1] + *-eca.*] *S. f.* V. *floco* (1).

folhedo (ê) [De *folha*[1] + *-edo.*] *S. m.* **1.** Conjunto de folhas desprendidas da árvore. **2.** V. *folhagem* (1 a 3): 📖 "O clarão sideral, nos rasgões do folhedo, / Entra, às vezes, filtrando uma réstia argentina" (Martins Fontes, *Verão*, p. 38).

folheio [Dev. de *folhear*[2].] *S. m.* Ato de folhear[2] (1).

folheiro[1] [De *folha*[1] + *-eiro.*] *Adj.* Que ajunta as folhas secas das árvores.

folheiro[2] [De *folha*[2] + *-eiro.*] *S. m. Bras.* V. *funileiro* (2).

folheiro[3] [Do esp. *fullero.*] De boa aparência; airoso, vistoso, garrido.

folhelho[1] (ê) [Do lat. *folliculu.*] *S. m.* Película que reveste a maçaroca do milho, os bagos de uvas, legumes, etc.; folhato.

folhelho[2] (ê) [De *folha*[1] + *-elho.*] *S. m. Geol.* Rocha argilosa folheada.

folhento [De *folha*[1] + *-ento.*] *Adj.* **1.** V. *folhado* (1). **2.** Copado, frondoso.

folheta (ê) [De *folha*[1] + *-eta* (ê).] *S. f.* **1.** Ornato que imita folha. **2.** Folha ou lâmina muito delgada: 📖 "O Eldorado não proviria das pepitas e das folhetas de ouro que a tribo [dos manaus] possuía? indaga o sábio francês [La Condamine]." (Raimundo Morais, *País das Pedras Verdes*, p. 178.) **3.** Folha delgada que se coloca por baixo das pedras preciosas engastadas.

folhetão [De *folheto* + *-ão*[1].] *S. m. Prop.* Folha[1] (3) de formato grande, impressa em um ou em ambos os lados, utilizada em lançamento de produtos, e ger. distribuída por mala-direta ou como encarte em jornal ou revista; *broadside.*

folhetaria[1] [De *folheta* (1) + *-aria.*] *S. f.* Folhagem desenhada ou pintada.

folhetaria[2] [De *folheto* + *-aria.*] *S. f.* **1.** Coleção de folhetos. **2.** *Bras. Liter. Pop.* Casa especializada na impressão e venda de folhetos e romances [v. *romance* (9)].

folhetázio [De *folheto* + *-ázio.*] *S. m. Deprec.* Folheto aparatoso, mas sem valor.

folhetear [De *folheta* + *-ear*[2].] *V. t. d.* **1.** Pôr folhetas em (pedras preciosas); engastar. **2.** Folhear[2] (4). **3.** V. *folhar* (5). [Conjug.: v. *frear.*]

folheteiro [De *folheto* + *-eiro.*] *S. m. Bras.* **1.** Dono de folhetaria[2] (2). **2.** Vendedor de folhetos.

folheteria [De *folheto* + *-eria.*] *S. f. Market.* Conjunto de folhetos e outros impressos simples us. correntemente para divulgação de uma empresa.

folhetim [Trad. do fr. *feuilleton*, com alter. suf. (v. *-im*).] *S. m.* **1.** Seção literária de um periódico que ocupa, de ordinário, a parte inferior de uma página; gazetilha. **2.** Fragmento de romance publicado em um jornal dia a dia, suscitando o interesse do leitor. **3.** *P. ext. Lus.* Novela (3).

folhetinesco (ê) [De *folhetim* + *-esco*, seg. o padrão erudito.] *Adj.* **1.** Referente a, ou próprio de folhetins. **2.** Que tem o caráter de folhetim: 📖 "O bom êxito do romance camiliano vem em muito desse seu caráter de narrativa empolgante, folhetinesca, espetacular e viva." (José Régio, em João Gaspar Simões, *Perspectiva da Literatura Portuguesa do Século XIX*, p. 183.)

folhetinista [De *folhetim* + *-ista*, seg. o padrão erudito.] *S. 2 g.* Pessoa que escreve folhetins.

folhetinístico [De *folhetinista* + *-ico*[2].] *Adj.* Relativo a, ou próprio de folhetinista.

folhetista [De *folheto* + *-ista.*] *S. 2 g.* Pessoa que escreve folhetos.

folheto (ê) [Do it. *foglietto.*] *S. m.* **1.** *Docum.* Publicação não periódica impressa que contém no mínimo 5 e no máximo 48 páginas, excluídas as capas. [Cf. *livro* (8).] **2.** *Pop.* Impresso de poucas folhas, com capa ou sem ela: 🗎 *folheto de cordel.* **3.** *P. ext.* V. *folder.* **4.** *Anat.* Lâmina ou camada de células. ◆ **Folheto germinativo.** *Embr.* Cada uma das três camadas celulares (ectoderma, mesoderma e endoderma) do embrião, de onde irão se formar, por diferenciação, os diversos tecidos e órgãos.

folhetote [De *folheto* + *-ote.*] *S. m. Deprec.* Folheto (1 e 2) sem importância.

folhinha [De *folha*[1] + *-inha.*] *S. f.* **1.** Folha impressa que contém o calendário. **2.** Calendário (1) em folhas correspondentes a cada dia do ano, e que se arrancam diariamente. **3.** Diretório da reza obrigatória dos padres.

folho (ô) [Do lat. *foliu.*] *S. m.* **1.** *Cost.* Tira de fazenda pregueada ou franzida, aplicada, como detalhe funcional ou ornamental, em vestuário (em barra de saias, vestidos, punhos, golas, etc.), toalhas de altar, toalhas de mesa, roupa de cama e mesa, em estofamento, etc.: 📖 "A moça trajava um vestido de musselina branca enfeitado de folhos" (Inglês de Sousa, *O Coronel Sangrado*, p. 29). **2.** Excrescência no casco dos animais. **3.** *Zool.* V. *folhoso* (2). [Pl.: *folhos* (ó). Cf. *folho*, do v. *folhar.*]

folhoso (ô) [Do lat. *foliosu.*] *Adj.* **1.** V. *folhado* (1). ● *S. m.* **2.** *Zool.* O terceiro estômago dos ruminantes; centafolho, folho, livro, omaso, saltério, tantas-folhas.

folhudo [De *folha*[1] + *-udo.*] *Adj.* V. *folhado* (1): 📖 "Vieram os folhudos repolhos" (Ramalho Ortigão, *As Farpas*, IV, p. 186).

▲fol(i)-[1] [Do lat. *folium, ii.* = *El. comp.* = 'folha': *fólico, folífago, foliforme*[1]. [Equiv.: *-foli-, -fólio: aciculifoliado, bifólio.*]

▲fol(i)-[2] [Do lat. *follis, is.*] *El. comp.* = 'fole'; 'invólucro': *foliforme*[2].

▲-foli- V. *fol(i)-*[1].

folia [Do fr. *folie.*] *S. f.* **1.** Folgança ruidosa; pândega. **2.** *Ant. Mús.* Na Península Ibérica, dança viva, ao som de pandeiro, adufe e canto. **3.** *Mús.* Forma musical espanhola que, por seu estilo e construção, se aproxima da chacona ou da passacale e se presta facilmente à variação instrumental. **4.** *Lus.* Nas Beiras, procissão de homens que cantam em louvor do Espírito Santo. **5.** *Bras.* Grupo de rapazolas, vestidos de branco, que pedem esmolas para a festa do Espírito Santo ou dos Reis, e cantam ao som de violões, cavaquinho, pandeiro, pistom e tam-tam.

foliação[1] [De *foliar*[3] (< *fol(i)-*[1] + *-ar*[2]) + *-ção.*] *S. f. Bot.* Tempo em que principiam a brotar as folhas dos gomos.

foliação[2] [De *foliar*[3] + *-ção.*] *S. f.* **1.** Numeração das folhas de um texto. **2.** Numeração das folhas de um texto que leva em conta apenas o reto[1] (7). [Sin. ger.: folheação. Cf. *paginação.*]

foliáceo [Do lat. *foliaceu.*] *Adj.* **1.** Semelhante a folhas; folhado. **2.** Relativo a folhas; folhear, foliar. **3.** Feito de folhas; folhear. **4.** *Bot.* Diz-se de qualquer órgão ou parte vegetal que apresenta aspecto laminar, seja ou não de coloração verde: 🗎 *talo foliáceo.*

folia de reis *S. f. Bras.* **1.** Festejo em que um grupo de pessoas desfila pelas ruas (esp. em cidades de SP, MG, RJ, ES, BA e GO) às vésperas do dia de Reis, ao som de instrumentos musicais. **2.** O grupo de pessoas que participam deste festejo; terno de reis. [Pl.: *folias de reis.*] ☑

foliado[1] [Do lat. *foliatu.*] *Adj.* **1.** Folheado[1] (1). **2.** Foliáceo (1).

foliado[2] [Part. de *foliar*[3].] *Adj.* Folheado[2] (1).

foliador (ô) [De *foliar*[2] + *-dor.*] *S. m.* Folião (3).

foliagudo [De *fol(i)-*[1] + *agudo.*] *Adj.* Que tem folhas agudas; acutifólio.

folião [De *folia* + *-ão*[2].] *S. m.* **1.** Histrião, farsante. **2.** Amigo da folia, dos folguedos. **3.** *Bras. Restr.* Carnavalesco (2): 🗎 *Grupos de foliões alegravam os antigos carnavais.* ● *Adj.* **4.** Diz-se de indivíduo folião. [Fem.: *foliona.*]

foliar[1] [De *fol(i)-*[1] + *-ar*[1].] *Adj. 2 g.* V. *foliáceo* (2) ~ V. *traço* –. [Cf. *folear.*]

foliar[2] [De *folia* + *-ar*[2].] *V. int.* **1.** Andar em folias, brincadeiras, festas. **2.** Pular, saltar; divertir-se: 📖 "A filha dos lagos recavos e funerários, onde foliam as ariranhas aos ladridos" (Alberto Rangel, *Livro de Figuras*, p. 211). *T. i.* **3.** Fazer brincadeira(s); brincar: 🗎 *Foliou com o menino.* [Pres. ind.: *folio*, etc. Cf. *fólio* e *folear.*]

foliar[3] [Do lat. *folia*, pl. de *folium*, 'folha'', + *-ar*[2].] *V. t. d.* **1.** V. *folhar* (5). *Int.* **2.** V. *folhar* (6). **3.** *Tip.* Numerar as folhas de um livro. **4.** *Tip.* V. *paginar a livro aberto.* [Pres. ind.: *folio*, etc. Cf. *fólio* e *folear.*]

fólico [De *fol(i)-*[1] + *-ico*[2].] *Adj. Quím.* ~ V. *ácido* –.

folicular [De *folículo*[2] + *-ar*[1].] *Adj.* Respeitante a folículo[2]. ~ V. *antro* –, *atresia* –, *fluido* –, *líquido* – e *teca* –.

foliculário [Do fr. *folliculaire.*] *S. m. Deprec.* **1.** Escritor de folhetos. **2.** Mau jornalista.

folículo[1] [De *fol(i)-*[1] + *-culo.*] *S. m.* Pequena folha ou lâmina.

folículo[2] [Do lat. *folliculu.*] *S. m.* **1.** Folezinho. **2.** *Anat.* Designação comum a várias pequenas estruturas em forma de saco. **3.** *Bot.* Fruto seco, deiscente apenas por uma fenda, formado de uma folha carpelar, e que se abre pela sutura ventral e encerra muitas sementes. ◆ **Folículo de De Graaf.** *Biol.* V. *folículo vesicular.* **Folículo linfático.** *Histol.* V. *nódulo linfático.* **Folículo maduro.** *Biol.* V. *folículo vesicular.* **Folículo ovariano.** *Embr.* Cada um dos conjuntos de células que envolvem um ovócito. **Folículo piloso.** *Histol.* Cada invaginação epidérmica que origina pelo. **Folículo primário.** *Biol.* Folículo primordial. **Folículo primordial.** *Biol.* Cada conjunto formado por um ovócito primário envolto em camada de células foliculares; folículo primário. **Folículo secundário.** *Biol.* V. *folículo vesicular.* **Folículo vesicular.** *Biol.* Cada folículo ovariano maduro, entre cujas células começa a acumular-se líquido, o que resulta na formação de uma cavidade única, deixando o óvulo em posição excêntrica em um montículo de células foliculares; folículo maduro, folículo secundário, folículo De Graaf (denom. ant.), vesícula de De Graaf (denom. ant.).

foliculoso (ô) [Do lat. *folliculosu.*] *Adj.* Que tem folículo[2], ou é de natureza folicular.

folidoto[1] [Do gr. *pholidotós.*] *Adj.* Que tem escamas; coberto de escamas; escamoso.

folidoto[2] [Adapt. do tax. *Pholidota.*] *Zool. S. m.* **1.** Espécime dos folidotos, ordem de animais mamíferos, insetívoros, desprovidos de dentes, com língua muito longa e cilíndrica, e corpo revestido de numerosas placas córneas superpostas, com pelos esparsos entre elas. São os pangolins. ● *Adj.* **2.** Pertencente ou relativo a eles.

→folie [fɔ'li] [Fr.] *S. f. Psiq.* V. *psicose.* ◆ **Folie à deux.** [fɔ'li a dø] *Psiq. Desus.* V. *transtorno psicótico induzido.* **Folie du doute.** [fɔ'li dy 'dut] *Psiq.* Insanidade, hoje incluída no transtorno obsessivo-compulsivo, em que o paciente se mostra incapaz de tomar a mais simples decisão. **Folie du pourquoi.** [fɔ'li dy pur'kwa] *Psiq.* Insanidade, hoje incluída no transtorno obsessivo-compulsivo, em que o paciente interroga com muita frequência.

folífago [De *fol(i)-*[1] + *-fago.*] *Adj.* Que come folhas.

folífero [De *fol(i)-*[1] + *-fero.*] *Adj. Bot.* Que tem ou produz folhas.

foliforme[1] [De *fol(i)-*[1] + *-forme.*] *Adj. 2 g.* Que tem forma de folha.

foliforme[2] [De *fol(i)-*[2] + *-forme.*] *Adj. 2 g.* Que tem forma de fole.

fólio[1] [F. red. de *in-fólio.*] *S. m.* **1.** Livro comercial numerado por folhas. **2.** As duas laudas de uma folha. **3.** Número que indica a paginação de uma publicação impressa. **4.** *Tip.* Folha de impressão de quatro páginas (duas de frente e duas de verso), dobrada ao meio. **5.** Livro impresso em formato in-fólio: 📖 "A livraria, ... onde repousavam .... grossos fólios de convento e de foro, respirava para o pomar por duas janelas." (Eça de Queirós, *A Ilustre Casa de Ramires*, p. 6.) [Cf. *folio*, do v. *foliar.*]

fólio[2] [Do lat. *foliu.*] *S. m. Mat.* Podária da tricúspide em relação a um ponto qualquer de um dos seus eixos de simetria. [Cf. *folio*, do v. *foliar.*] ◆ **Fólio duplo.** *Mat.* Bifólio (2). **Fólio simples.** *Mat.* Podária da tricúspide em relação a uma cúspide; curva ovoide.

▲-fólio [Do lat. *-folius, a, um* < lat. *folium, ii.*] V. *fol(i)-*[1]

foliolado [De *folíolo* + *-ado*[1].] *Adj. Bot.* Que tem folíolo (2): 🗎 *folha foliolada.*

folíolo [Do b.-lat. *foliolu.*] *S. m.* **1.** Pequena folha[1] (1): 📖 "por toda parte, se veem os leques das donairosas palmeiras [os buritis] balancear à menor brisa os flexíveis folíolos" (Visconde de Taunay, *Visões do Sertão*, p. 55). **2.** *Bot.* Cada uma das partes em que se subdivide uma folha composta. [Os folíolos são articulados com o pecíolo e se destacam de maneira íntegra.]

foliona *S. f.* Fem. de *folião* (q. v.).

folipa[1] [De *fole*, poss.] *S. f.* **1.** Pequeno fole ou empola na epiderme. **2.** Glóbulo de ar nos líquidos em ebulição ou fermentação. [Sin. ger.: *bolha*. Var.: *folipo*.]

folipa[2] [De **folhipa*, poss.; cf. *folheca*.] *S. f.* V. *floco* (1).

folíparo [De *fol(i)-*[1] + *-paro*.] *Adj. Bot.* Diz-se do vegetal que produz folhas.

folipo[1] *S. m.* V. *folipa*[1].

folipo[2] [De **folhipo*, poss.; cf. *folheca*.] *S. f.* V. *floco* (1).

→**follow-up** ['fɑlowəp] [Ingl.] *S. m.* **1.** *Med.* Catamnésia. **2.** *Market.* Acompanhamento de ação realizada anteriormente, a fim de aumentar ou avaliar a efetividade desta. **3.** *Jorn. Prop.* Artigo, comercial, anúncio, etc., que contém informações adicionais a outro(s) publicado(s) anteriormente.

folote [De *fole*, poss.] *Adj. 2 g. Bras. PE AL Pop.* Muito largo; frouxo, lasso. ◆ **A folote.** *Bras.* A gosto; à vontade.

fom *S. 2 g.* **1.** *Etnôn.* Indivíduo dos fons, grupo do Centro-Sul da República do Benim (África); efã. [No Brasil, é incluído entre os jejes.] ● *S. m.* **2.** *Gloss.* Língua nigero-congolesa do grupo cua falada pelos fons; fon-gbe, daomé, daomeano; jeje. ● *Adj. 2 g.* **3.** Pertencente ou relativo aos fons ou à sua língua.

fome [Do lat. *fame*.] *S. f.* **1.** Grande apetite; urgência de alimento. **2.** Subalimentação (1). **3.** Falta do necessário; penúria, miséria. **4.** Situação de míngua ou escassez de víveres: *A fome assolou a região.* **5.** *Fig.* Avidez, sofreguidão. ◆ **Fome canina.** V. *bulimia* (2). **Apanhar fome.** *Moç.* Ter fome: "Antigamente 'panhava mais fome mas não ficava aqui?" (José Craveirinha, *Casa Velha*, n.º 7, p. 42.) **Juntar-se a fome com a vontade de comer.** Unirem-se dois desejos ou interesses iguais. **Varado de fome.** *Bras.* Extremamente faminto.

fomenica [De *fome*, poss.] *S. 2 g.* V. *avaro* (3).

fomentação [Do lat. tard. *fomentatione*.] *S. f.* **1.** Fomento (1 e 4). **2.** Fricção medicamentosa na epiderme.

fomentador (ô) [De *fomentar* + *-dor*.] *Adj.* **1.** Que fomenta; fomentativo. ● *S. m.* **2.** Aquele que fomenta, promove ou causa.

fomentar [Do lat. tard. *fomentare*.] *V. t. d.* **1.** Promover o desenvolvimento, o progresso de; estimular; facilitar: *fomentar a indústria.* **2.** Excitar, incitar: *fomentar o ódio.* **3.** Friccionar (a pele) com um medicamento líquido. *P.* **4.** *Bras. Chulo* Levar o diabo; danar-se: "— Fomente-se! respondeu o negociante, voltando-lhe as costas." (Aluísio Azevedo, *O Cortiço*, p. 99.)

fomentativo [De *fomentar* + *-tivo*.] *Adj.* Fomentador (1).

fomento [Do lat. *fomentu*, 'lenitivo'; 'estímulo', 'incitação'.] *S. m.* **1.** Ato ou efeito de fomentar; fomentação. **2.** Medicamento para fomentação. **3.** *Fig.* Mitigação de sofrimento; lenitivo, refrigério. **4.** *Fig.* Incitação, estímulo, fomentação. **5.** *Fig.* Proteção, auxílio. ◆ **Fomento comercial.** *Econ.* V. *factoring*. **Fomento mercantil.** *Econ.* V. *factoring*.

fom-fom [T. onom.] *S. m.* O som da buzina do automóvel. [Pl.: *fom-fons*.] ❄

fominha [De *fome* + *-inha*.] *Adj. 2 g. S. 2 g. Bras. Gír.* **1.** Avaro (1 e 3). **2.** Diz-se de, ou indivíduo que quer todo o lucro, vantagem, etc., só para si.

fômite [Do lat. cient. *fomites* (do lat. *fomes, itis*, 'lenha miúda para acender o fogo').] *S. m. Patol.* Objeto (de papel, madeira, etc.) que pode conter germes patogênicos e, assim, funcionar como fator de transmissão de infecção.

fomitura *S. f. Bras. N. Pop.* Fome, miséria, penúria.

fomo [De or. obscura.] *S. m. Bras.* Bacia chata, de barro ou de cobre, na qual se seca e se torra a massa da mandioca.

fon [Do gr. *phoné*, 'som'.] *S. m. Fís.* Unidade de medida de nível de audibilidade dum som que, num ensaio de audição realizado em condições normalizadas, é tão audível quanto outro som, de frequência igual a 1.000Hz e de nível de intensidade sonora igual a um decibel.

fona[1] [Do gót. *fôn*, 'fogo', poss.] *S. f.* Centelha que se apaga no ar; fagulha: "subiam nuvens densas de fumo negro espalhando fonas em voejo" (Coelho Neto, *O Rajá do Pendjab*, I, p. 10).

fona[2] *S. f.* Azáfama, roda-viva, lufa-lufa.

fona[3] [De or. obsc.] *S. m.* **1.** Indivíduo efeminado, fraco, mulherengo. ● *S. 2 g.* **2.** V. *avaro* (3): "Largo de unhas, furtava no peso e na medida e, fona, só pensava em amealhar." (Lêdo Ivo, *Ninho de Cobras*, p. 77.)

fona[4] *S. f. Bras.* Prisma de madeira que se usa em jogo, atirando-o para o ar, e cuja face superior indica, depois da queda, se o jogador perdeu ou ganhou.

fonação [Do fr. *phonation*.] *S. f. E. Ling. Fisiol.* A produção da voz (10) através do uso das pregas vocais.

fonado [De *fone* (1) + *-ado*[1].] *Adj.* ~ V. *telegrama* —.

fonador (ô) [Do fr. *phonateur*.] *Adj.* Que produz a voz. ~ V. *aparelho* — e *sistema* —.

fonalidade [Do fr. *phonalité*.] *S. f.* O caráter dos sons de uma língua.

fonascia [Do gr. *phonaskía*.] *S. f.* Fonástica.

fonástica *S. f.* Arte de exercitar a voz; fonascia.

fonção *S. f. Bras. Pop.* V. *função* (16 e 17).

→**fondant** [fɔ̃'dɑ̃] [Fr.] *S. m.* Massa de açúcar, semelhante ao alfenim (q. v.), da qual se fazem bombons, docinhos, etc.

→**fondue** [fɔ̃'dy] [Fr.] *S. f. Cul.* **1.** Prato suíço preparado com certos queijos derretidos em vinho branco, apresentado na própria panela aquecida ao calor de um fogareiro, e do qual cada conviva se serve, munido de garfo longo onde espeta um pedaço de pão que é embebido na massa fervente: *fondue de queijo.* **2.** Iguaria servida de maneira análoga, e que consta de pequenos cubos de carne crua mergulhados em óleo fervendo e degustados com molhos variados: fondue bourguignonne, *fondue de carne.* **3.** *P. ext.* Qualquer iguaria preparada e servida de modo semelhante à *fondue* (1). ◆ **Fondue bourguignonne.** V. fondue (2). **Fondue de carne.** V. *fondue* (2). **Fondue de queijo.** V. *fondue* (1).

fone[1] [Do gr. *phoné, ês*, 'fala'.] *S. m. E. Ling.* A realização de um fonema; som da fala. [Cf. *fonema*.]

fone[2] [F. red. de *telefone*.] *S. m.* **1.** V. *telefone* (1 e 3). **2.** *Bras.* A peça do aparelho telefônico que se leva à orelha, e por meio da qual, nos aparelhos modernos, também se fala com o interlocutor. [Var., p. us., nesta acepç.: *fono*.]

fone[3] [Do ingl. *-phone*] *S. m.* V. *fone de ouvido*. ◆ **Fone de ouvido.** Dispositivo dotado de pequenos alto-falantes, acoplado a rádio, *CD-player*, CD, mp3, telefone, etc., que se põe na orelha. [Sin. (ingl.): *headphone*. Tb. se diz apenas *fone*.]

▲**-fone** V. *fon(o)-*.

fonema [Do gr. *phónema*, pelo fr. *phonème* e pelo ingl. *phoneme*.] *S. m. E. Ling.* Unidade mínima distintiva no sistema sonoro de uma língua. [Cf. *fone*[1].]

fonemática [De *fonema* + *-ática*.] *S. f. E. Ling.* Parte da fonologia restrita ao estudo dos fonemas.

fonémica *S. f. E. Ling.* V. *fonêmica*. [Uso freq. em P.]

fonêmica [De *fonema* + *-ica*; ingl. *phonemics*.] *S. f. E. Ling.* No estruturalismo norte-americano, o estudo do sistema de fonemas de uma língua.

fonémico *Adj.* V. *fonêmico*. [Uso freq. em P.]

fonêmico [De *fonema* + *-ico*[2].] *Adj. E. Ling.* **1.** Relativo a fonema. **2.** Relativo a fonêmica. ~ V. *transcrição —a*.

fonética [Do gr. (*epistéme*) *phonetiké*, 'ciência da voz'.] *S. f. E. Ling.* Estudo dos sons da fala, especialmente no que diz respeito à sua produção, transmissão e recepção. ◆ **Fonética acústica.** *E. Ling.* Ramo da fonética que estuda as propriedades físicas dos sons da fala. **Fonética articulatória.** *E. Ling.* Ramo da fonética que estuda o modo como os sons da fala são produzidos pelos órgãos do sistema fonador (q. v.). **Fonética auditiva.** *E. Ling.* Ramo da fonética que estuda o modo como se dá a percepção dos sons da fala pela orelha humana. **Fonética experimental.** *E. Ling.* Utilização de instrumentos e de técnicas experimentais na investigação das propriedades dos sons da fala; fonética instrumental. **Fonética instrumental.** *E. Ling.* Fonética experimental.

foneticismo [De *fonética* + *-ismo*.] *S. m.* Fonetismo (q. v.).

foneticista [De *fonética* + *-ista*.] *S. 2 g.* Especialista em fonética; fonetista.

fonético [Do gr. *phonetikós*.] *Adj.* **1.** Relativo à fonética. ~ V. *alfabeto — internacional, escrita —a, ortografia —a, regressão —a* e *transcrição —a*. ● *S. m.* **2.** *Graf.* Parte de um logograma que indica sua pronúncia. [Cf., nesta acepç., *determinativo* (3).]

fonetismo [De *fonético* + *-ismo*, seg. o padrão erudito.] *S. m.* Princípio formador das escritas fonéticas; foneticismo. [V. *acrofonia, alfabetismo, consonantismo* e *silabismo*.]

fonetista [De *fonético* + *-ista*, seg. o padrão erudito.] *S. 2 g.* Foneticista.

fon-eve *S. m. Gloss.* Gbe (3).

fonfonar [De *fom-fom* + *-ar*[2].] *V. int.* Tocar buzina; buzinar: *Chamou pela namorada fonfonando*; "Embaixo o táxi em que ele viera fonfonava impaciente." (Lucilo Varejão, *Visitação do Amor*, p. 69).

fon-gbe *S. m. Gloss.* V. *fom* (2).

fongo [Do cabo-verd.] *S. m. Cabo-verd. Cul.* Bolo feito com farinha de milho, batata-doce, banana amassada, manteiga, ovos e açúcar, cozido em brasa: "Também vinham mocinhas com balaios de fongos que os marinheiros comiam com avidez." (Teobaldo Virgínio, *Distância*, p. 89.)

fonia [De *fon(o)-* + *-ia*.] *S. f.* Som ou timbre da voz.

foniatra [De *fon(o)-* + *-iatra*.] *S. 2 g. Med.* Especialista em foniatria.

foniatria [De *fon(o)-* + *-iatria*.] *S. f. Med.* Ramo da medicina que se ocupa de tratamento de distúrbios da voz e da fala.

foniátrico [De *foniatria* + *-ico*[2].] *Adj. Med.* Referente à foniatria.

fónica *S. f.* V. *fônica*. [Uso freq. em P.]

fônica [De *fon(o)-* + *-ica*.] *S. f.* Arte de combinar os sons, consoante as leis da acústica.

fonice [De *fona*[3] (2) + *-ice*.] *S. f.* Avareza, mesquinharia, somiticaria, sovinice.

fónico *Adj.* V. *fônico*. [Uso freq. em P.]

fônico [De *fon(o)-* + *-ico*[2].] *Adj.* **1.** Referente à voz. **2.** Relativo a som[1]. **3.** Que representa os sons da voz (sinal, etc.). ~ V. *escrita —a, método —* e *substância —a*.

fono *S. m. Bras. P. us.* V. *fone*[2] (2).

▲**fon(o)-** [Do gr. *phōnḗ, ês*.] *El. comp.* = 'som', 'voz': *fônico, fonógrafo*. [Equiv.: *-fone, -fon(o)-, -fono*: *aerofone; telefonia; hipnofono*.]

▲**-fon(o)-** V. *fon(o)-*.

▲**-fono** [Do gr. *-phōnos* (como no gr. *heteróphōnos*, 'de som diferente') < gr. *phōnḗ, ês*.] V. *fon(o)-*. [A pronúncia correta dos voc. formados com este elemento é a paroxítona, mas o uso consagrou a acentuação proparoxítona, donde a variação prosódica: *heterofono/heterófono, homofono/homófono*.]

fonoaudiologia [De *fon(o)-* + *-audi(o)-* + *-logia*.] *S. f.* Estudo da fonação e da audição, das suas perturbações e tratamento delas.

fonoaudiológico [De *fonoaudiologia* + *-ico*[2].] *Adj.* Relativo a fonoaudiologia.

fonoaudiólogo [De *fon(o)-* + *-audi(o)-* + *-logo*.] *S. m.* Especialista em fonoaudiologia.

fonocâmptico [De *fon(o)-* + gr. *kamptikós*, 'que serve para dobrar'.] *Adj. Fís.* Referente a reflexão do som[1].

fonocardiografia [De *fon(o)-* + *-cardi(o)-* + *-grafia*.] *S. f. Card.* Método de registro gráfico de ruídos cardíacos.

fonocardiográfico [De *fonocardiografia* + *-ico*[2].] *Adj. Card.* Respeitante à fonocardiografia.

fonocardiógrafo [De *fon(o)-* + *-cardi(o)-* + *-grafo*.] *S. m. Card.* Instrumento com que se realiza a fonocardiografia.

fonocardiograma [De *fon(o)-* + *-cardi(o)-* + *-grama*.] *S. m. Card.* Registro gráfico, em papel, de ruídos cardíacos.

fonocinematografia [De *fon(o)-* + *cinematografia*.] *S. f.* **1.** Registro ou emissão simultânea de som e imagens. **2.** Cinema falado (q. v.).

fonocinematográfico [De *fonocinematografia* + *-ico*[2].] *Adj.* Relativo a fonocinematografia.

fonoclama *S. m. Bras. Mar.* V. *alto-falante*.

fonofilmagem [De *fonofilmar* + *-agem*[2].] *S. f.* Ação ou efeito de fonofilmar.

fonofilmar [De *fonofilme* + *-ar*[2].] *V. t. d.* Filmar para um fonofilme; fazer a fonofilmagem de.

fonofilme [De *fon(o)-* + *filme*.] *S. m.* Filme cinematográfico sonoro; filmagem sonora.

fonofobia [De *fon(o)-* + *-fobia*.] *S. f. Psiq.* Aversão patológica a sons, e à fala em tom alto.

fonofóbico [De *fonofobia* + *-ico*[2].] *Adj. Psiq.* **1.** Relativo a fonofobia. **2.** Que sofre de fonofobia; fonófobo. ● *S. m.* **3.** Aquele que sofre de fonofobia; fonófobo.

fonófobo [De *fon(o)-* + *-fobo*.] *Adj. S. m. Psiq.* Fonofóbico (2 e 3).

fonofotografia [De *fon(o)-* + *fotografia*.] *S. f.* Processo ou arte de fotografar ondas sonoras ou vibrações dum instrumento produzidas por ondas sonoras que nele incidem.

fonofotográfico [De *fonofotografia* + *-ico*[2].] *Adj.* Referente a fonofotografia.

fonografar [De *fon(o)-* + *-graf(o)-* + *-ar*[2].] *V. t. d.* **1.** Representar (os sons) graficamente, por meio de aparelho registrador. *P.* **2.** Fixar-se, gravar-se. [Pres. ind.: *fonografo*, etc. Cf. *fonógrafo*.]

fonografia [De *fon(o)-* + *-grafia*.] *S. f.* **1.** *E. Ling.* Maneira de representar os sons das palavras graficamente. **2.** *Fís.* Representação gráfica das vibrações dos corpos sonoros. **3.** *Mús.* Processo de registro sonoro sobre suporte material.

fonográfico [De *fonografia* + *-ico*[2].] *Adj.* Respeitante a, ou próprio da fonografia: *indústria fonográfica.* ~ V. *cápsula —a*.

fonógrafo [De *fon(o)-* + *-grafo*.] *S. m.* **1.** Antigo aparelho destinado a reproduzir sons gravados em cilindros ou discos metálicos. **2.** Aparelho que reproduz os sons gravados em discos sob a forma de sulcos espiralados; gramofone. [Cf. *eletrola* e *gravador* (4), e *fonografo*, do v. *fonografar*.]

fonograma [De *fon(o)-* + *-grama*.] *S. m.* **1.** *Graf.* Sinal gráfico que representa um ou mais sons. [Na representação da palavra *ra*, 'sol', em egípcio, há dois fonogramas: um que simboliza uma boca aberta (para *r*), e outro que simboliza um antebraço estendido (para *a*).] **2.** *E. Ling.* Inscrição do som[1], obtida, em fonética experimental, mediante aparelhos registradores. **3.** *Son.* Registro exclusivamente sonoro em suporte material, como disco, fita magnética, etc. [Cf., nesta acepç., *videofonograma*.] **4.** *Bras.* Telegrama fonado.

fonolítico [De *fonólito* + *-ico*[2].] ***Adj.*** Relativo a fonólito.

fonólito [De *fon(o)-* + *-lito*.] ***S. m.*** *Geol.* Rocha extrusiva constituída essencialmente de ortoclásio, nefelina, piroxênio e, mais raramente, de anfibólio.

fonologia [De *fon(o)-* + *-logia*.] ***S. f.*** *E. Ling.* **1.** Estudo dos sistemas sonoros das línguas. [Cf. *fonemática*, *fonêmica*, *fonética* e *fonotática*.] **2.** *Restr.* Fonêmica. **3.** *Restr.* Fonemática. ◆ **Fonologia autossegmental.** *E. Ling.* Teoria fonológica que considera que fatores como acento e entonação têm autonomia em relação à estrutura segmental das frases. **Fonologia lexical.** *E. Ling.* Teoria fonológica que considera alguns fenômenos tradicionalmente tratados na fonologia como parte integrante do léxico. **Fonologia métrica.** *E. Ling.* Teoria fonológica que considera que os segmentos [v. *segmento* (4)] se organizam hierarquicamente sem sílabas, pés e palavras. **Fonologia segmental.** *E. Ling.* Análise da fala em fonemas e fones, *i. e.*, em segmentos [v. *segmento* (4)]. **Fonologia suprassegmental.** *E. Ling.* Estudos dos traços suprassegmentais (acento, ritmo, entoação).

fonológico [De *fonologia* + *-ico*[2].] ***Adj.*** Concernente a fonologia.

fonologista [De *fonologia* + *-ista*.] ***S. 2 g.*** Fonólogo.

fonólogo [De *fon(o)-* + *-logo*.] ***S. m.*** Especialista em fonologia; fonologista.

fonometria [De *fon(o)-* + *-metria*.] ***S. f.*** *Fís.* Arte de medir a intensidade do som ou da voz, de usar o fonômetro.

fonométrico [De *fonometria* ou *fonômetro* + *-ico*[2].] ***Adj.*** Relativo a fonometria, ou a fonômetro.

fonómetro ***S. m.*** *Fís.* V. *fonômetro*. [Uso freq. em P.]

fonômetro [De *fon(o)-* + *-metro*.] ***S. m.*** *Fís.* Instrumento para medir a intensidade do som ou da voz.

fônon [De *fon(o)-* + *-on*.] ***S. m.*** *Fís.* Partícula hipotética, importante no tratamento teórico da condutividade térmica nos sólidos, e que corresponde a um *quantum* de energia vibrátil.

fonopsia [De *fon(o)-* + *-opsia*.] ***S. f.*** *Neur.* Impressão produzida por estímulo auditivo mas que se manifesta sob forma visual, como, p. ex., ver cores.

fonospasmo [De *fon(o)-* + *-spasmo*.] ***S. m.*** *Otor.* Espasmo que acompanha emissão da voz.

fonotática [De *fon(o)-* + *-tá(c)tica*; ingl. *phonotactics*.] ***S. f.*** *E. Ling.* Estudo das sequências específicas de sons que ocorrem numa língua.

fonoteca [De *fon(o)-* + *-teca*.] ***S. f.*** **1.** Coleção de documentos fônicos: discos, fitas magnéticas, etc. **2.** Lugar onde se guardam e escutam esses documentos. [Cf. *discoteca* e *fitoteca*[2].]

fonovisão [De *fon(o)-* + *visão*.] ***S. f.*** *Telev.* Sistema em que os sinais das figuras são gravados em discos fonográficos, para serem ulteriormente reproduzidos.

fontainha (a-í) [Dim. de *fontana*.] ***S. f.*** V. *fontículo*.

fontal [De *fonte* + *-al*[1].] ***Adj. 2 g.*** **1.** V. *fontanal*. **2.** Que dá origem; gerador, originário.

fontana [Do lat. tard. *fontana*.] ***S. f.*** *Ant.* Fonte (1).

fontanal [Do lat. tard. *fontanale*.] ***Adj. 2 g.*** Relativo a fontana ou fonte; fontal, fontanário, fontinal, fontano.

fontanário [De *fontana* + *-ário*.] ***Adj.*** V. *fontanal*. ~ V. *marco* —.

fontanela [Do it. *fontanella*.] ***S. f.*** *Anat.* Cada espaço mole encontrado na caixa óssea craniana, antes que se tenha produzido nela a ossificação completa. [Sin., pop.: *moleira*[2].]

fontanésia [Do tax. *Fontanesia*.] ***S. f.*** *Bot.* **1.** Gênero de arbustos oleáceos. **2.** Qualquer espécie desse gênero, como, p. ex., a *Fontanesia phyllyraeoides* ou a *F. fortunei*, de 3m a 6m, com densas ramificações lisas, acinzentadas, folhas lanceoladas ou elípticas, verde-acinzentadas, e flores de um branco esverdeado, em panículas. **3.** Qualquer espécime desse gênero, ou a flor dele.

fontano [Do lat. *fontanu*.] ***Adj.*** V. *fontanal*.

fonte [Do lat. *fonte*.] ***S. f.*** **1.** Nascente de água. **2.** Bica de onde corre água potável para uso doméstico, etc. **3.** O depósito para onde corre. [Dim. irreg.: *fontainha*, *fontícula*.] **4.** Chafariz (1). **5.** Pia batismal. **6.** *Fig.* Aquilo que origina ou produz; origem, causa: *a fonte do mal*; "O seu gênio poético [de Tennyson] foi uma fonte de emoções e uma fonte de receita." (Constâncio Alves, *Figuras*, p. 161). **7.** *Fig.* Procedência, proveniência, origem: "eram afirmações sem provas, e vinham de fontes suspeitas." (Bulhão Pato, *Memórias*, II, pp. 143-144). **8.** *Fig.* O texto original de uma obra. **9.** Quem dá informação sobre determinado tema. **10.** *Anat.* Cada um dos lados da cabeça que formam a região temporal: "a curiosidade fustigava-lhe o sangue, as fontes latejavam-lhe" (Machado de Assis, *Várias Histórias*, p. 14). **11.** *Art. Gráf.* O conjunto dos caracteres tipográficos de uma mesma família, que compõem uma caixa tipográfica ou uma matriz de máquina compositora. **12.** *Eletr.* Circuito capaz de fornecer energia elétrica, em condições controladas, a outro circuito; fonte de alimentação. **13.** *Eletrôn.* Eletrodo de um transistor de efeito de campo que fornece cargas (elétrons ou buracos) ao canal (10). **14.** *Expl.* Dispositivo pirotécnico constituído de um bastão oco carregado de composição pirotécnica, a qual, inflamada, lança chuva de lágrimas coloridas. **15.** *Fís.* Ponto ou região em que um fluido penetra num sistema; região através da qual há um fluxo de fluido do exterior para o interior de um sistema. **16.** *Fís.-Quím.* Sistema eletroquímico capaz de debitar corrente elétrica ou de impor uma tensão elétrica a um circuito. **17.** *Jorn.* Qualquer pessoa, documento, organismo ou instituição que transmite informações ao repórter para elaboração de uma notícia; a procedência da notícia. **18.** *Teor. Inf.* Elemento de um sistema de comunicação (q. v.) que produz mensagem original a ser transmitida; onde se origina a mensagem a ser comunicada. **19.** *Tip.* Conjunto de caracteres tipográficos que inclui, em dada proporção, letras de caixa-baixa e caixa-alta, algarismos, sinais, etc. [V. *polícia* (7).] **20.** *Tip.* Coleção de matrizes que, em máquina de compor, integra igual conjunto. ◆ **Fonte cósmica de rádio.** *Astr.* V. *fonte de rádio*. **Fonte de alimentação.** *Eletr.* Fonte (12). **Fonte de corrente independente.** Aquela que mantém uma corrente (constante ou variável no tempo) através de seus terminais, independentemente da tensão neles existente. **Fonte de infecção.** *Med.* Foco (11). **Fonte de nêutrons.** *Fís. Nucl.* Sistema em que, mediante uma reação nuclear, há produção contínua de nêutrons. **Fonte dependente.** *Eletrôn.* Num circuito, fonte de tensão, ou de corrente, cujo valor depende de uma outra variável (tensão ou corrente) do circuito. **Fonte de rádio.** *Astr.* Fonte extraterrestre que emite ondas de rádio; radioestrela, fonte cósmica de rádio. **Fonte de rádio extensa.** *Astr.* Fonte cósmica de rádio, com dimensões angulares tão grandes que não pode ser resolvida por uma astroantena. **Fonte de rádio pontual.** *Astr.* Fonte cósmica de rádio, com dimensões angulares tão pequenas que não pode ser resolvida por uma astroantena. **Fonte de tensão independente.** Aquela que mantém uma tensão (constante ou variável no tempo) em seus terminais, independentemente da corrente que a atravessa. **Fonte discreta.** *Astr.* Fonte de rádio que, tal como as nuvens de gases ou galáxias, está situada fora da Via Láctea. **Fonte ortótropa.** *Fotom.* Fonte luminosa cuja brilhância é constante em todas as direções em que ela irradia. **Fonte pontual.** *Ópt.* Fonte luminosa que é vista, através de um instrumento óptico, sob ângulo sólido muito pequeno. [Uma fonte pode ser pontual por ter uma área de emissão muito pequena ou por estar situada a uma distância muito grande do instrumento óptico.] **Fonte primária.** Documento original que serve de base a dado estudo. **Fonte secundária.** Texto que refere outro, este sim o original, e sobre o qual se busca informação. **Fonte térmica.** *Fís.* **1.** Sistema emissor de radiação infravermelha. **2.** Sistema que pode ceder ou receber energia térmica sem que a sua temperatura se altere. **Fontes coerentes.** *Ópt.* Duas ou mais fontes luminosas que emitem a mesma radiação com diferenças de fase constantes no tempo, e capazes de produzir figuras estacionárias de interferência. **De fonte limpa.** De origem certa, segura; mediante informação insuspeita, autorizada: *Conheço o fato de fonte limpa.*

fonte-boense ***Adj. 2 g.*** **1.** De, ou pertencente ou relativo a Fonte Boa (AM). ● ***S. 2 g.*** **2.** O natural ou habitante de Fonte Boa. [Pl.: *fonte-boenses*.]

fontícola [Do lat. tard. *fonticola*.] ***Adj. 2 g.*** Que vive ou cresce nas fontes ou perto delas. [Cf. *fontícula*.]

fontícula [De *fonte* + *-i-* + *-cula*.] ***S. f.*** V. *fontículo*. [Cf. *fontícola*.]

fontículo [Do lat. *fonticulu*.] ***S. m.*** Pequena fonte; fontainha, fontícula.

fontinal [Do lat. *fontinale*.] ***Adj. 2 g.*** V. *fontanal*: "as cristalinas talhas / das naias fontinais" (Antônio Feliciano de Castilho, *As Geórgicas*, p. 199).

fontinalácea [Do tax. *Fontinalis*, gênero-tipo, + *-ácea*; tax. *Fontinalaceae*.] ***S. f.*** *Bot.* Espécime das fontinaláceas, família de musgos, da ordem das isobriales, caracterizados pelo hábitat aquático. Cápsula séssil e regular; caliptra nua; peristoma duplo, cujos dentes internos são reunidos por uma membrana perfurada.

fontinaláceo [De *fontinalácea*, com var. suf. (v. *-áceo*).] ***Adj.*** *Bot.* Pertencente ou relativo às fontinaláceas.

fontourense ***Adj. 2 g.*** **1.** De, ou pertencente ou relativo a Fontoura Xavier (RS). ● ***S. 2 g.*** **2.** O natural ou habitante de Fontoura Xavier.

→**footing** ['futɪŋ] [Ingl., 'pé', 'posição', com evolução semântica em francês.] ***S. m.*** Passeio a pé, para espairecer, ou como exercício físico.

foquismo [Do esp. *foquismo*.] ***S. m.*** Teoria guevarista que advoga que, em país maduro para a revolução, um único grupo guerrilheiro (o foco) é capaz de desencadear o levante de toda a população.

foquista[1] [Do esp. *foquista*.] ***Adj. 2 g. S. 2 g.*** Que, ou aquele que é adepto ou seguidor do foquismo.

foquista[2] [De *foco* (c = *qu*) + *-ista*.] ***Adj. 2 g. S. 2 g.*** Diz-se de, ou especialista em marcar o foco em câmera fotográfica ou cinematográfica.

for [Do lat. *foru*.] ***S. m.*** *Ant.* **1.** Foro (ô). **2.** Costume[1], moda, uso. [Cf. *for* (ô), dos v. *ir* e *ser*.] ◆ **A for de.** *Ant.* À moda de; à maneira de; segundo o costume de.

■ **f.o.r.** [Ingl., abrev. de *free on rail*.] Us. na expr. *cláusula f.o.r.* (q. v.).

fora [Do lat. *foras*.] ***Adv.*** **1.** Na parte exterior: "Fora um perfume vago de magnólias, / Dentro — um perfume quente de mulher." (Olegário Mariano, *Toda uma Vida de Poesia*, I, p. 130.) **2.** Em outro lugar que não em sua casa: *Hoje vou comer fora.* **3.** No estrangeiro: *Foi à França estudar sociologia: lá fora dão mais valor às ciências humanas.* **4.** Sempre em frente; sempre além; afora, em fora: *Foi andando por esse Brasil fora; Pela Vida Fora...* (título de um livro de Silva Ramos); "Tais eram as reflexões que eu vinha fazendo, por aquele Valongo fora" (Machado de Assis, *Memórias Póstumas de Brás Cubas*, p. 190). ● ***Prep.*** **5.** Sem contar com; afora: *Havia no salão apenas 10 pessoas, fora o orador.* **6.** Com exclusão de; exceto: *Todos comeram em casa, fora João.* ● ***Interj.*** **7.** V. *irra*: "É o Alma, o poeta, o doido! Fora! Fora!" (Teixeira de Pascoais, *D. Carlos*, p. 11.) **8.** Modo de chamar os atores, autores, etc., no teatro, para os patear. ● ***S. m.*** **9.** Erro grosseiro. **10.** Rata, fiasco: *Bebeu muito na festa, e deu um grande fora.* **11.** *Bras.* Rompimento brusco de ligação amorosa, ou de amizade, ou comercial, etc.; passa-fora: *O fora da noiva deixou-o indiferente.* [Cf., nesta acepç., *lata* (8).] **12.** A parte externa de uma residência, de um espaço limitado: "o fora da casa era o lugar menos opressivo" (Ana Teresa Jardim, *A Mesa Branca*, p. 12). ~ V. *foras*. [Cf. *fora* (ô) e *foras* (ô), dos v. *ir* e *ser*.] ◆ **Fora de. 1.** Afora, fora, exceto: "fora do Jack, os amigos de Lúcio eram os de Seu Chico." (Pascoal Carlos Magno, *Sol sobre as Palmeiras*, p. 93). **2.** Não envolvido em: *estar, ficar fora de um escândalo.* **Dar o fora. 1.** Ir-se embora; arrancar-se, raspar-se: "— Sabe de uma coisa? Dê o fora depressa antes que eu chame meu marido!" (Carlos Drummond de Andrade, *Cadeira de Balanço*, p. 24.) **2.** V. *fugir* (1 e 2). **Dar um fora.** *Bras.* Cometer uma gafe ou indiscrição; dar uma bandeira. **Dar um fora em.** *Bras.* **1.** Não atender uma pretensão de (alguém); mostrar-se adverso a: *Tirada para dançar, deu um fora no rapaz.* **2.** Cometer uma gafe. **De fora. 1.** À vista; exposto: *Está com as pernas de fora.* **2.** Sem participar em alguma coisa; sem saber do que se passa: *Discutiu-se o assunto e ele ficou de fora.* **De fora a fora.** Em toda a extensão. **Em fora.** V. *fora* (4): "Três entes respiram sobre o frágil lenho que vai singrando veloce, mar em fora." (José de Alencar, *Iracema*, p. 49.) **Levar um fora.** Ser grosseiramente recusado em pretensão, pedido, solicitação, etc.; levar uma bandeira. **Para fora de.** *Bras.* Para mais de; mais do que: "Tinha pra fora de oitenta anos" (João Felício dos Santos, *João Abade*, p. 135). **Por fora de.** Sem saber, sem ter notícia de, ou relação com (algo), ou agindo como se não a tivesse: *Completamente por fora da moda, causou sensação na festa.*

▲**-fora** [Do lat. cient. *-phora*, fem. sing., ou net. *-phorus* < gr. *-phóros*.] V. *-foro*.

fora da lei ***Adj. 2 g. e 2 n. S. 2 g. e 2 n.*** V. *marginal* (6 e 7). ☑

fora de jogo ***S. m. 2 n.*** *Lus. Fut.* Impedimento (4). ☑

foragem [De *foro* (ô) + *-agem*[2].] ***S. f.*** Foro (ô) pequeno, insignificante.

foragido [Do lat. *foras exitu*, 'que foi para fora'.] ***Adj. S. m.*** **1.** Que, ou aquele que anda fora de sua terra; emigrado. **2.** Que, ou aquele que fugiu, está escondido, errante, para escapar à justiça ou a qualquer perseguição.

foragir-se [Voc. deduz. de *foragido* (v. *-ir* e *se*[1]).] ***V. p.*** **1.** Expatriar-se, emigrar. **2.** Esconder-se, homiziar-se: *O criminoso foragiu-se.* [Conjug.: v. *dirigir*.]

foral [De *foro* (ô) + *-al*[1].] ***S. m.*** **1.** Carta de lei que regulava a administração duma localidade ou concedia privilégio a indivíduos ou corporações: "O direito municipal, na letra dos seus forais afonsinos,

F

governa .... os interesses concelhios e caseiros dos seus moradores e vizinhos da vila." (Antero de Figueiredo, *Jornadas em Portugal*, p. 77.) **2.** Carta de aforamento de terras; foro. **3.** Lugar onde outrora se administrava justiça, e que era, de ordinário, junto das igrejas.

foraleiro [De *foral* + *-eiro*.] ***Adj.*** Referente a foral.

forame [Do lat. *foramine*.] ***S. m.*** **1.** Furo, buraco, cavidade. **2.** *Anat.* Designação genérica de abertura natural, esp. a que ocorre em osso. [F. paral.: *forâmen*.] ◆ **Forame magno.** *Anat.* O buraco do osso occipital. **Forame vertebral.** *Anat.* Grande buraco existente em cada vértebra, situado entre o corpo dessa, anteriormente, e, posteriormente, o arco vertebral dela.

forâmen [Do lat. *foramen*.] ***S. m.*** V. *forame*. [Pl.: *foramens* e, p. us. no Brasil, *forâmenes*.]

foraminífero [Do lat. *foramine*, 'forame', + *-ífero*; tax. *Foraminifera*.] *Zool.* ***S. m.*** **1.** Espécime dos foraminíferos, ordem de protozoários rizópodes, de corpo provido de pseudópodes finos, ramificados e pegajosos, dentro de uma carapaça calcária, quitinosa ou de substâncias externas, que contém uma ou mais câmaras, com uma ou várias aberturas. São, na maior parte, marinhos, bentônicos, alguns pelágicos, e importantes indicadores de petróleo. ● ***Adj.*** **2.** Pertencente ou relativo a eles.

foraminoso (ô) [Do lat. tard. *foraminosu*.] ***Adj.*** Que tem forames; esburacado, aberto.

foramontão [De *foro* (ô) + *mont(aria)*[1] + *-ão*[2].] ***Adj.*** Dizia-se dos lugares que pagavam aos seus senhores foro de montaria[1].

forâneo[1] [Do b.-lat. *foranu*, 'estrangeiro', (< lat. *foris*, 'fora'), + *-eo*.] ***Adj.*** Que é de terra estranha; estranho, forasteiro.

forâneo[2] [De *foro* (ô) + *-âneo*.] ***Adj.*** Diz-se do pároco que tem foro (8) sobre os párocos vizinhos. ~ V. *vigário* —.

forania [De *forân(eo)*[2] + *-ia*[1].] ***S. f.*** *Rel.* Sede de uma paróquia forânea.

foranto [De *for(o)-* + *-anto*.] ***S. m.*** *Bot.* O receptáculo das flores.

foras [Do lat. *foras*.] ***S. m. pl.*** *P. us.* A parte exterior. ~ V. *fora*. [Cf. *foras* (ô), dos v. *ir* e *ser*.]

forasteirismo [De *forasteiro* + *-ismo*.] ***S. m.*** Condição ou caráter de forasteiro.

forasteiro [Do cat. *foraster*, pelo esp. *forastero*.] ***Adj.*** **1.** Que é de fora; estrangeiro, peregrino. **2.** Estranho, alheio. ● ***S. m.*** **3.** Indivíduo forasteiro (1).

forata [Do it. *forata*.] ***S. f.*** Aparelho utilizado na espremedura das azeitonas.

forca (ô) [Do lat. *furca*.] ***S. f.*** **1.** Instrumento para o suplício da estrangulação; patíbulo, cadafalso. **2.** *Fig.* Laço, cilada. **3.** *Ant.* Desfiladeiro (1). **4.** *Tip.* Linha quebrada (q. v.) no começo de uma página. **5.** *Bras.* Jogo em que se deve descobrir uma palavra, adivinhando-se cada uma de suas letras, e no qual se vai desenhando, por partes, a figura de um enforcado, à medida que cada letra dita pelo adivinhador não corresponde a nenhuma da palavra escolhida. **6.** *Bras. BA Pop.* Venda de roça; tasca, botequim. [Pl.: *forcas* (ô). Cf. *força* e *forcas*, do v. *forcar*.] ◆ **Forcas caudinas.** **1.** *Hist.* Forca ou desfiladeiro do antigo país dos samnitas, onde os romanos se viram obrigados a render-se à discrição. **2.** *P. ext.* Concessão onerosa e/ou humilhante arrancada dos vencidos. **3.** *P. ext.* Situação humilhante ou vexatória: "Atravessou o corredor como se passasse pelas forcas caudinas" (Machado de Assis, *Contos Avulsos*, p. 35).

força (ô) [Do b.-lat. *fortia*, pl. neutro subst. de *fortis*, 'forte'.] ***S. f.*** **1.** Saúde física; robustez, vigor: *Faltam-me forças para sair da cama.* **2.** Energia física: *Que força tem nas mãos! Quase me quebra os dedos.* **3.** Energia moral: *Mulher de força: enfrentou tudo sozinha, e saiu-se bem.* **4.** Obrigação a que não se pode faltar; necessidade (v. *é força que*): *Força é que me livre desse importuno.* **5.** Esforço necessário para fazer alguma coisa: *Fez força para passar no exame, e o conseguiu.* **6.** Intensidade, calor, veemência: *Foi-se emocionando e aumentando a força das palavras.* **7.** Impulso, incitamento. **8.** Ação de obrigar alguém a fazer algo; violência: *Em vez de argumentos, usa a força.* **9.** Poder, influência, prestígio: *A única força que ela temia era a do pai; Já não tem força sobre mim.* **10.** A virtude, o poder, a eficácia das coisas: *Os livros de Fernando Pessoa têm a força de emocionar-me.* **11.** Faculdade de operar, mover-se, etc.: *Para atender a uma encomenda urgente, utilizou toda a força da fábrica.* **12.** Viveza, intensidade, vigor, valor, peso: *A força da peça tocou-me; É um pintor com força de colorido.* **13.** O mais alto grau de alguma coisa: *Estávamos na força do calor.* **14.** Grande porção; abundância. **15.** A parte mais importante ou numerosa de um todo; a de maior peso; o grosso: *A força das jovens bonitas do Rio encontra-se na Praia de Ipanema.* **16.** Motivo, causa: *Por força da nova lei, teve de pagar o dobro do imposto.* **17.** Energia elétrica: *Companhia de Força e Luz.* **18.** *Fís.* Todo agente capaz de alterar o módulo ou a direção da velocidade de um corpo; todo agente capaz de atribuir uma aceleração a um corpo [símb.: *F*]. **19.** *Maç.* Uma das três colunas simbólicas que sustentam uma loja (4). [Cf. *beleza* (5) e *sabedoria* (6).] **20.** *Mil.* Qualquer conjunto de tropas, navios ou aeronaves (ou uma combinação deles) estabelecido para fins operativos ou administrativos: *força naval; força aérea; força de submarinos.* **21.** *Tip.* Vigor maior ou menor dos traços dos tipos, fios, etc., segundo o qual estes podem ter grau normal, claro, meio-claro, preto e meio-preto; peso. **22.** *Turfe* Cavalo tido como superior a seus concorrentes em determinado páreo. [Pl.: *forças* (ô). Cf. *força* e *forças*, do v. *forçar*.] ◆ **Força bruta.** **1.** A que se manifesta por atos arbitrários e despóticos. **2.** A força material; energia física. **Força central.** *Fís.* Aquela cuja direção passa sempre por um ponto fixo, num sistema de referência. **Força centrífuga.** *Fís.* Para um observador, num sistema de referência que tem um movimento de rotação em relação a outro sistema, força inercial que atua no sistema e é dirigida no sentido oposto ao do eixo de rotação. **Força centrípeta.** *Fís.* Num corpo sujeito a um movimento de rotação, força que atua sobre ele e é dirigida para o eixo de rotação. **Força coerciva.** *Fís.* Coercividade (2). **Força conservativa.** *Fís.* A que é definida e determinada em cada ponto do espaço pelo simétrico do gradiente duma função potencial. **Força contraeletromotriz.** *Eletr.* Qualquer tensão elétrica que num gerador de tensão se opõe à força eletromotriz deste, e que pode ser causada por fenômenos de indução magnética, por fenômenos de natureza eletroquímica, etc. **Força cortante.** *Fís.* Num corpo rígido sujeito à ação de forças, componente dessas forças contida numa seção transversal do corpo. **Força da idade.** O período da vida entre os 25 ou 30 anos e os 50. **Força de ânimo.** Energia moral. **Força de atrito.** *Fís.* A que se opõe ao movimento de um corpo sólido em relação a outro com que está em contato. **Força de câmbio.** *Fís.* V. *força de permuta*. **Força de Coriolis.** *Fís.* Força inercial que atua sobre um corpo que se move num referencial animado de movimento de rotação. **Força de dispersão.** *Fís.* Força entre duas moléculas determinada pela interação de dipolos elétricos que ocasional e momentaneamente se formam graças ao movimento dos elétrons; força de London. **Força de expressão.** *Irôn.* Exagero ao emitir julgamento sobre alguém ou alguma coisa: *Chamam-lhe inteligente, mas é força de expressão.* **Força degenerativa.** *Fís.* V. *força não conservativa*. **Força de London.** *Fís.* Força de dispersão. **Força de permuta.** *Fís.* Força que seria atuante na interação de duas partículas subatômicas com um caráter atrativo ou repulsivo dependente do estado quântico dessas partículas, e que na expressão matemática representativa da interação corresponde a uma ou mais parcelas em que as coordenadas das partículas estão combinadas ou permutadas de maneira peculiar, decorrente de uma degeneração de permuta. [A existência desta força é discutível, pois ela aparece como resultante de um procedimento particular de cálculo de energia de interação entre as partículas.] [Sin.: *força de troca, força de câmbio*.] **Força de trabalho.** *Econ.* **1.** Capacidade dos trabalhadores de produzirem riqueza material: *Para Marx, a compra e venda da força de trabalho é uma das características básicas do capitalismo.* **2.** Total de pessoas disponíveis para exercer atividades produtivas, numa economia, abrangendo tanto os ocupados quanto os que estejam buscando ocupação; população economicamente ativa. **Força de troca.** *Fís.* V. *força de permuta*. **Força de van der Waals.** *Fís.* Interação entre moléculas neutras, que é o resultado de atrações de dipolos elétricos. [Inclui força de dispersão e interações dipolo-dipolo.] **Força de venda.** *Market.* Designação geral de conjunto de pessoas envolvidas na comercialização de produto ou serviço (vendedores, representantes, concessionárias, promotores, etc.). **Força dissipativa.** *Fís.* V. *força não conservativa*. **Força do corpo.** *Tip.* V. *corpo* (33). **Força dramática.** *Teatr.* Grande aprofundamento psicológico e forte intensidade emocional na interpretação de uma personagem, por parte do ator, ou na elaboração dos tipos e da intriga, por parte do dramaturgo. **Força eletromotriz.** *Eletr.* Tensão elétrica entre os terminais de uma fonte de energia elétrica que está funcionando em condições de reversibilidade. [Abrev.: *f.e.m.*] **Força executiva.** *Jur.* Qualidade dum direito que pode, por disposição legal, ser prontamente executado; força executória. **Força executória.** Força executiva. **Força impulsiva.** *Fís.* Força que age sobre um corpo durante um intervalo de tempo muito curto e provoca uma variação de momento igual à impulsão. **Força inercial.** *Fís.* Aquela que um observador, solidário com um referencial acelerado em relação a um sistema de coordenadas, verifica que atua em todos os corpos, e que outro observador, solidário com o sistema de coordenadas, interpreta como resultado da aceleração do referencial. Ex.: a força centrífuga e a força de Coriolis. **Força magnetomotriz.** *Fís.* Integral de linha da intensidade de um campo magnético, tomada ao longo de um circuito fechado no campo; trabalho realizado para deslocar, ao longo de um circuito fechado num campo magnético, uma unidade de polo magnético. É o análogo magnético de força eletromotriz. [Abrev.: *f.m.m.*] **Força maior.** Causa a que não se pode oferecer resistência; acontecimento que não se pode impedir e de que não se é responsável: *Não compareceu à reunião por motivos de força maior;* "– Quem mo dera cá! Mas, se o recebo, fico de mal com seu tio, meu velho amigo de vinte anos. Ele declarou-mo categoricamente. Bem vê. Força maior. Eu sinto, mas..." (Eça de Queirós, *Contos*, p. 716). **Força não conservativa.** *Fís.* A que não pode ser obtida com base numa função potencial; força dissipativa, força degenerativa. **Força pública.** Corporação militar, auxiliar, destinada a manter a ordem pública e a executar serviços de policiamento. **Força singular.** *Mil.* Cada uma das forças armadas (q. v.). **Força termeletromotriz.** *Fís.* Força eletromotriz num sistema em que ocorre o efeito termelétrico. **Força viva.** *Fís.* O dobro da energia cinética de um corpo. [Tb. se usa a expr. lat. correspondente, *vis viva*.] **Forças armadas.** O exército, a marinha e a aeronáutica, considerados como instituições permanentes de um país. **Forças produtivas.** *Econ.* Na economia marxista, elementos de cuja associação decorre, numa dada sociedade, a produção dos bens materiais, e que compreendem os meios de produção (q. v.) e os homens que deles se utilizam dentro de uma determinada organização do trabalho. [Cf. *modo de produção* e *relações de produção*.] **À fina força.** Por força; por qualquer modo, sem atender a razões; à viva força: "Quer à fina força que eu publique esta coisada. Não tenho remédio senão fazer-lhe a vontade" (João de Araújo Correia, *Terra Ingrata*, p. 125). **À força.** Com ou por violência. **À força de.** A poder de: "Sabemos que a moça era bonita. Pois estava linda, à força de felicidade." (Machado de Assis, *Quincas Borba*, p. 220); "À força de viverem em um mundo de convenção, esses homens de sociedade tornam-se artificiais." (José de Alencar, *Senhora*, p. 243). **A toda a força.** No ponto máximo de atuação: *A fábrica, naqueles dias, estava funcionando a toda a força.* **À viva força.** V. *à fina força*: "Você a estas alturas quer sair, mas os anunciadores o retêm quase à viva força para o espetáculo *Uma Noite no Oriente*" (Fernando Sabino, *Medo em Nova Iorque. A Cidade Vazia*, p. 77). **Cobrar forças.** Ir-se restabelecendo; convalescer. **Com força total.** *Fam.* Com muita força; com muita disposição ou vitalidade; disposto a vencer a todo custo. **Dar força a.** **1.** Confirmar, corroborar, reforçar: *Sua reação deu força à desconfiança que ele nos inspirava.* **2.** Prover de apoio; alavancar: *Só uma grande empresa poderá dar força a tal projeto.* **3.** Incentivar; apoiar: *Deu força à filha quando ela resolveu mudar de profissão.* **Dar uma força.** *Bras. Pop.* V. *dar a mão a*: *A entrevista com o presidente foi conseguida porque o amigo influente lhe deu uma força.* **De força.** **Loc. adj.** **1.** De peso, de valor: *argumento de força* **2.** Grande; forte: *um poeta de força.* **3.** Grande, refinado, rematado *um malandro de força.* **Loc. adv.** Forçosamente; por força: "De força que amava a alguém, era claro, via-se-lhe nos olhos" (Machado de Assis, *Quincas Borba*, p. 228). **Desta força.** **1.** Desta grandeza; deste tamanho. **2.** Desta qualidade. **É força que.** É indispensável, é forçoso que: "Esta é a cativa / que me tem cativo, / e, pois nela vivo, / É força que viva." (Luís de Camões, *Rimas*, p. 103.) **Fazer força.** Lutar, esforçar-se; diligenciar: *Quer tudo sem fazer força.* **Terceira força.** **1.** Terceiro mundo. **2.** *Turfe* O terceiro favorito de um páreo. [Corresponde ao lat. *tertius*.] **Tirar a força a.** **1.** Tirar a razão a. **2.** Não confirmar.

forcado [Do ast. *forcán*, poss.] ***S. m.*** **1.** Instrumento de lavoura, que é uma haste terminada em duas ou três pontas do mesmo pau ou de ferro; garfo. **2.** Quantidade de palha ou erva que se apanha de uma vez com o forcado. **3.** *Taur.* Cada um dos rapazes que pegam o touro à unha, depois de este ser lidado [v. *lidar* (4)] na arena.

forçado [Part. de *forçar*.] ***Adj.*** **1.** Obrigado, compelido, violentado. **2.** Necessário, indispensável, forçoso: *visita forçada.* **3.** Que não é natural; sem espontaneidade; contrafeito, afetado, fingido: *riso forçado; amabilidades forçadas.* ~ V. *admissão* —*a*, *amos-*

tragem —a, curso —, escoamento —, herdeiro —, nutação —a, oscilação —a, trabalhos —s, vaga —a e *voga —a.* ● *S. m.* **4.** Condenado a trabalhos forçados; calceta, grilheta. ◆ **Trabalhar como um forçado.** Trabalhar como um mouro.

forçador (ô) [De *forçar* + *-dor.*] *S. m.* Aquele que força.

forcadura [Do esp. *horcadura, forcadura.*] *S. f.* Espaço entre as pontas do forcado (1).

forçamento [De *forçar* + *-mento.*] *S. m.* Ato de forçar ou violar; violação.

forçante [De *forçar* + *-nte.*] *Adj. 2 g.* Que força, que violenta.

forcão [Do esp. *horcón*, 'espeque grande'.] *S. m.* Espeque, escora, esteio.

forcar [Voc. deduz. de *forcado* (v. *-ar*[2]).] *V. t. d. T. d. e c.* Revolver com forcado: *forcar a palha; Forcou a palha na eira.* [Conjug.: v. *trancar.* Pres. ind.: *forco, forcas, forco*, etc. Cf. *forca* (ô) e pl. *forcas* (ô).]

forçar [De *força* + *-ar*[2].] *V. t. d.* **1.** Obter por força; conquistar, conseguir: *Com palavras hábeis, forçou uma confissão.* **2.** Entrar à força em; vencer, subjugar: *forçar o quartel inimigo.* **3.** Constranger, violentar, estuprar: *forçar uma mulher.* **4.** Arrombar, quebrar: *forçar a porta.* **5.** Desviar, torcer: *Forçaram-lhe a vontade.* **6.** Dar a (alguma coisa) uma interpretação descabida, forçada; desvirtuar: *Forçou o sentido daquela frase.* **7.** *Fot.* Revelar (um negativo) por mais tempo que o de uma revelação normal, a fim de compensar deficiências de exposição; puxar (o negativo). **8.** Fazer ir além da atividade normal: *O jóquei forçou o cavalo na corrida.* **9.** Submeter (algo) a um esforço excessivo: *O cantor forçou a voz para alcançar a nota aguda; A subida forçou o motor do carro. T. d. e i.* **10.** Levar alguém a fazer alguma coisa contra vontade; constranger, obrigar: "A morte de Bela veio forçar o médico a não frequentar mais a casa dos Curumbas. Sem o pretexto de ir cuidar da doentinha, dariam muito na vista aquelas visitas repetidas." (Amando Fontes, *Os Curumbas*, p. 112); "Queriam forçar-me a excessivo alimento, encher-me .... o estômago fraco." (Graciliano Ramos, *Viagem*, p. 33). *P.* **11.** Dominar a vontade para fazer algo que lhe repugna; constranger-se. [Conjug.: v. *laçar.* Pres. ind.: *forço, forças, força*, etc. Cf. *força* (ô) e pl. *forças* (ô).]

força-tarefa [De *força* (ô) + *tarefa.*] *S. f.* **1.** *Mar. G.* Grupamento operativo de unidades de diferentes tipos, estabelecido temporariamente, sob comando único, com o fim de realizar uma tarefa específica, cuja execução exige que o grupamento proceda com certa independência. **2.** *P. ext.* Profissionais de diferentes órgãos, ou áreas, que atuam juntos para a realização de uma tarefa: "Eles [30 procuradores federais] vão integrar uma força-tarefa .... que terá como objetivo agilizar a cobrança de multas, aplicadas pelo Ibama, contra os que desmatam a região amazônica" (Elimar Santos, em *O Globo*, 26.02.2008.) [Pl.: *forças-tarefas* e *forças-tarefa.*]

forcejar [De *força* (ô) + *-ejar.*] *V. t. i.* **1.** Empregar esforços; fazer diligência[1]; esforçar-se, empenhar-se: "— Está bom, deixa-me ir despir, disse ela forcejando por descer o vestido." (Machado de Assis, *Quincas Borba*, p. 269); "mamãe .... irrompeu na sala, desgrenhada, aos gritos, forcejando para livrar-se das senhoras que a seguravam." (Coelho Neto, *Obra Seleta*, I, p. 493). **2.** Fazer resistência; lutar[1], pelejar: *O veleiro forcejava contra a maré. Int.* **3.** Fazer esforços; lutar, pelejar: "O boi renitiu, forcejou. Investiu outra vez." (Nélson de Faria, *Tiziu e Outras Estórias*, p. 213.) *P.* **4.** Constranger-se, forçar-se. [Conjug.: v. *pelejar.*]

forcejo (ê) [Dev. de *forcejar.*] *S. m.* Ato ou efeito de forcejar.

fórceps [Do lat. *forceps* (nom.), 'pinça', 'tenaz'.] *S. m. 2 n.* **1.** *Cir.* Instrumento, de que há vários tipos, com dois ramos articulados e cabo, us. para fins diversos (hemóstase, apreensão de tecidos, etc.). **2.** *Obst.* Instrumento que se usa para, a partir de indicação adequada, extrair uma criança do útero. [F. paral.: *fórcipe.*]

fórcipe [Do lat. *forcipe*, acus. do lat. *forceps.*] *S. m.* Fórceps.

forcipulado[1] [Do lat. **forcipulu*, 'pequeno fórcipe', + *-ado*[1].] *Adj.* **1.** Semelhante a um pequeno fórcipe. **2.** *Zool.* Diz-se de asteroide que apresenta pedicelos forcipulados.

forcipulado[2] [Adapt. do tax. *Forcipulata.*] *Zool. S. m.* **1.** Espécime dos forcipulados, ordem de equinodermos, asteroides, cujas placas marginais são pouco distintas, e cuja face dorsal é provida de pequenos espinhos, cercados por numerosos pedicelos forcipulados, e de pódios terminados em ventosas. ● *Adj.* **2.** Pertencente ou relativo a eles.

forçoso (ô) [De *força* + *-oso.*] *Adj.* **1.** Que tem força, vigor. **2.** Violento, impetuoso. **3.** Necessário, fatal, inevitável: *É forçoso lutar.*

forçudo [De *força* + *-udo.*] *Adj. Pop.* Musculoso, robusto, vigoroso, forte, forçoso: "depara-se-me um homem forçudo, mais com ar de batedor de ursos que de monitor de homens." (Aquilino Ribeiro, *Alemanha Ensanguentada*, p. 158).

forçura [De *força* + *-ura.*] *S. f.* Coisa que sustenta; esteio.

forde [Da marca registrada *Ford*, do antr. (*Henry*) *Ford* (1863-1947), industrial americano.] *S. m. Obsol.* Tipo de veículo automóvel de baixo preço, e que era fabricado em série por Henry Ford. [Dim.: *fordeco.*]

fordeco [De *forde* + *-eco*[1].] *S. m. Bras. Fam.* V. *forde*: "Sumiam os carros de bois .... e em seus lugares apareciam fordecos fumacentos" (Antônio Celso, *Girassol de Ouro*, p. 121).

forde de bigode *S. m. Bras.* Automóvel tipo forde, modelo T, de 1911: "Ficava [a fazenda São José] no distrito de São José da Bela Vista, que distava uma hora de forde de bigode da sede da comarca" (Francisco Ribeiro Sampaio, *Renembranças*, p. 11). [Pl.: *fordes de bigode.*] ☑

fordicídio [Do lat. *fordicidiu.*] *S. m.* Entre os antigos romanos, sacrifício em que se imolava uma vaca forda.

fordo (ô) [Do lat. *fordu.*] *Adj.* Pejado, prenhe. [Pl.: *fordos* (ô).]

➔**forehand** ['fɔɹhænd] [Ingl.] *S. m. Tên.* Empunhadura us. no tênis para atacar a bola com as costas da raquete.

foreiro [De *foro* (ô) + *-eiro.*] *Adj.* **1.** Que paga foro. **2.** Relativo a foro. **3.** Sujeito, obrigado. ● *S. m.* **4.** Aquele que tem o domínio útil dum prédio, pagando foro ao senhorio direto.

forense [Do lat. *forense.*] *Adj. 2 g.* **1.** Respeitante ao foro judicial. **2.** Judicial (2). ~ V. *química —.*

▲**-forese** [Do lat. cient. *-phoresis* < gr. *phórēsis, eōs*, 'ação de levar ou trazer'.] *El. comp.* = 'ação de levar ou trazer'; 'transmissão': *anaforese, cataforese, electroforese, iontoforese.*

forésia [Do gr. *phóresis*, 'ação de levar', + *-ia*[2]; lat. cient. *phoresia.*] *S. f.* Comportamento de um animal, que se faz transportar por outro, sem haver parasitismo.

➔**forfait** [fɔʀ'fɛ] [Fr.] *S. m. Turfe* Declaração de ausência, no páreo, dum cavalo inscrito, feita por seu proprietário ou tratador; deserção. ◆ **Fazer *forfait*.** **1.** *Turfe* Deixar de correr (um cavalo), mesmo depois de inscrito, num dos páreos duma reunião do jóquei-clube; desertar. **2.** *P. ext.* Faltar a um compromisso.

fórfex (cs) [Do lat. *forfex* (nom.), 'tesoura'.] *S. m. 2 n.* Instrumento em forma de tesoura ou pinça. [F. paral.: *fórfice.* O pl. mais us. é *fórfices*, da f. paral. *fórfice.*]

fórfice [Do lat. *forfice.*] *S. m.* V. *fórfex.*

forficulídeo [Do tax. *Forficula* (lat. *forficula*, 'tesourinha') + *-ídeo*[1]; tax. *Forficulidae.*] *Zool. S. m.* **1.** Espécime dos forficulídeos, família de insetos dermópteros, ger. alados e com mandíbulas bem desenvolvidas, adaptadas para a mastigação. ● *Adj.* **2.** Pertencente ou relativo a eles.

forinte [Do húngaro *forint.*] *S. m.* Unidade monetária, e moeda, da Hungria (Europa), dividida em 100 fíleres.

forja[1] [Do fr. *forge.*] *S. f.* **1.** Conjunto de fornalha, fole, bigorna, do qual se utilizam no seu ofício os ferreiros e outros artífices que trabalham em metal. **2.** Oficina de ferreiro; fundição; frágua.

forja[2] *S. f. Bras.* Armadilha para apanhar caça grossa; fossa, forje.

forjado [Part. de *forjar.*] *Adj.* **1.** Aquecido e trabalhado na forja; saído da forja. **2.** Falso, forjicado: *notícia forjada.* ~ V. *ferro —.*

forjador (ô) [De *forjar* + *-dor.*] *Adj. S. m.* Que, ou aquele que forja.

forjadura [De *forjar* + *-dura.*] *S. f.* Ato de forjar; forjamento.

forjamento [De *forjar* + *-mento.*] *S. m.* **1.** Forjadura. **2.** *Metal.* Operação de forjar (1); conformação mecânica de um material mediante seu aquecimento e martelamento.

forjar [De *forja* + *-ar*[2].] *V. t. d.* **1.** *Metal.* Aquecer e trabalhar na forja, dando forma; caldear: *forjar um metal.* **2.** Fabricar, fazer: *forjar uma espada.* **3.** Inventar, maquinar, planear, imaginar, forjicar: *forjar sonhos.* **4.** Arranjar defeituosamente; falsificar, forjicar: *forjar um álibi.*

forje *S. m. Bras.* V. *forja*[2].

forjicar [De *forja*[1] + *-icar.*] *V. t. d.* V. *forjar* (3 e 4): "E caminhava a Benedita, forjicando planos, tramando contra o desaforado Miguel" (Afonso Arinos, *Histórias e Paisagens*, p. 38). [Conjug.: v. *trancar.*]

▲**form-** [De (*ácido*) *fórmico.*] *Quím. El. comp.* = 'relativo a ácido fórmico': *formila, formol.* [Ocorre tb. como infixo: *-form-*: *ortofórmico.*]

▲**-form-** *Quím.* V. *form-.*

forma [Do lat. *forma.*] *S. f.* **1.** Os limites exteriores da matéria de que é constituído um corpo, e que conferem a este um feitio, uma configuração, um aspecto particular: *O mecanismo era composto de várias peças de diferentes formas; A água é uma substância sem forma;* "Que somos nós? Formas sem força que uma Força impele." (Eça de Queirós, *Contos*, p. 115). **2.** Ser ou objeto confusamente percebido, e cuja natureza não se pode precisar: *Ao ouvir o tiro, em vão perscrutou as formas da noite: a escuridão era total.* **3.** Realização particular de um fato geral; maneira variável com que uma noção, uma ideia, um acontecimento, uma ação se apresenta; modo de ser; modalidade, variedade: *Sabe dar a uma velha ideia forma nova; É uma forma decadente de civilização;* "Há um grau de amor que é a mais perfeita forma da sabedoria: amar em outrem a sua própria beleza." (Pontes de Miranda, *Obras Literárias*, p. 52). **4.** *P. ext.* Maneira, modo, jeito: *Fez o exercício, mas de que forma!* **5.** Tipo determinado sob cujo modelo se faz alguma coisa: *Fez o cartaz em forma de leque; Compôs um poema em forma de acróstico.* **6.** Estado, condição: *Desde que perdeu o filho, ficou dessa forma triste, alheia ao mundo.* **7.** Estado físico e/ou mental favorável ao desempenho perfeito de certas atividades físicas ou intelectuais: *Será que, com tão pouco treino, o lutador já estará na forma devida para representar o Brasil no exterior?; Treinei uns dois meses, e voltei à minha antiga forma no xadrez.* **8.** Aparência física de perfeita elegância: *O médico recomendou-lhe exercícios e dieta para conservar a forma.* **9.** Alinhamento, fila: *A professora mandou os alunos entrarem em forma.* **10.** O modo de expressão que o artista plástico adota na criação de uma obra, utilizando os elementos específicos da pintura, da escultura, da gravura, etc.: *Para os impressionistas a forma é criada especialmente pela luz.* **11.** Maneira pela qual os meios de expressão literária se organizam em função de um efeito artístico: *Um poema inovador no âmbito da forma; É um procedimento comum a certos críticos literários opor a forma ao fundo.* **12.** *Biol.* Pequena variação dentro de uma variedade (5), em geral de caráter ambiente. **13.** *E. Ling.* Estrutura (9): *Segundo Saussure (v. saussuriano), a língua é forma e, não, substância.* **14.** *E. Ling.* Cada membro de um paradigma flexional: *as formas do verbo jantar.* **15.** *E. Ling.* Elemento linguístico que une significado e expressão fônica. **16.** *Filos.* Caráter comum a várias coisas. **17.** *Filos.* Princípio que confere a um ser os atributos que lhe determinam a natureza própria. **18.** *Filos.* Relação existente entre os termos de uma operação do entendimento, abstraindo-se a matéria e o conteúdo dessa operação. **19.** *Filos.* Conjunto de relações que conferem unidade a um todo que agrupa partes, quer por agregação (4), quer por conexão (8), caracterizando-o como um sistema e determinando-lhe as propriedades operatórias; estrutura. **20.** *Hist. Filos.* Ideia (13). **21.** *Jur.* Conjunto de solenidades que devem ser observadas para que a declaração da vontade de alguém tenha eficácia jurídica. **22.** *Mús.* A estrutura ou organização interna de uma composição. **23.** Forma farmacêutica (q. v.). [Pl.: *formas.* Cf. *fôrma*, s. f., e pl. *fôrmas.*] ◆ **Forma biológica.** *Biol.* Forma de vida. **Forma canônica. 1.** *Quím.* V. *estrutura de ressonância.* **2.** *Rel.* A(s) forma(s) de um ato prescrito pela legislação eclesiástica. **Forma convergente.** *E. Ling.* Cada uma de duas ou mais formas [v. *forma* (15)] de língua estrangeira que, depois de transformações fonéticas, se reduzem, noutra língua, a uma só. [P. ex., as palavras latinas *sanctu, sanu* e *sunt*, que resultaram no português *são.*] **Forma de onda.** *Fís.* Representação gráfica de uma característica de uma onda em função de alguma variável, ger. o tempo. **Forma de palavra.** *E. Ling.* Cada uma das realizações fonéticas de um lexema (2). **Forma de ressonância.** *Quím.* V. *estrutura de ressonância.* **Forma de vida.** *Biol.* Grupo de vegetais sem relação taxinômica, e que se caracteriza por conformação orgânica idêntica; forma biológica. Ex.: árvore, arbusto. [As formas de vida indicam relações entre as plantas e o ambiente.] **Forma divergente.** *E. Ling.* Forma (15) que, embora tenha o mesmo étimo de outra(s), resulta de diferente processo evolutivo: *mácula, mágoa, mancha* e *malha* são *formas divergentes.* **Forma enantiomérica.** *Quím.* V. *enantiômero.* **Forma farmacêutica.** *Farm.* Modo (sólido, líquido, etc.) por que se apresenta um medicamento. [Tb. se diz apenas *forma.*] **Forma finita.** *E. Ling.* Cada uma das realizações de um verbo que pode ocorrer em oração principal, e que admite variação de tempo e modo. **Forma funcional.** *Lóg.* V. *função lógica.* **Forma lied.** *Mús.* Plano de construção do andamento lento da sonata bitemática, que se caracteriza pela ausência do desenvolvimento temático, apresentando apenas duas seções: exposição e reexposição. **Forma livre.** *E. Ling.* Palavra (1). **Forma lógica.** *Lóg.* V. *função lógica.* **Forma magistral.** *Farm.* Forma farmacêutica

F

de complexidade variável e cuja conservação dura pouco tempo, sendo sua fórmula elaborada pelo médico e por ocasião do uso; medicamento magistral. **Forma oficinal.** *Farm.* Forma farmacêutica que pode ser conservada por longo tempo e que é encontrada pronta em farmácia (2), e segundo fórmula fixada oficialmente por farmacopeia (1); medicamento oficinal. **Forma paralela.** *E. Ling.* A que, na língua, coexiste com outra sem, entretanto, dela provir. **Forma presa.** *E. Ling.* Forma (15) que, sozinha, não pode constituir enunciado, como, p. ex., os afixos. **Forma reduzida.** *E. Ling.* Aquela que sofreu redução (6). **Forma sacramental.** *Rel.* Conjunto de palavras ou de gestos, do ministrante ou do fiel que recebe o sacramento, que torna sensível o significado do rito material. **Formas nominais do verbo.** *E. Ling.* Formas verbais a que faltam certas características essenciais do verbo, visto que não têm função exclusivamente verbal. São elas: o infinitivo (ou infinito), o gerúndio e o particípio. **Forma sonata.** *Mús.* Estrutura especial de um dos movimentos da sonata clássica, o alegro inicial. **Forma substancial.** *Filos.* Natureza comum aos indivíduos de uma mesma espécie, enquanto considerada como tendo um modo de existência que lhe é próprio, independente da dos indivíduos em que se realiza. **Formas verbo-nominais.** *E. Ling.* V. *formas nominais do verbo.* **Debaixo de forma.** Em formatura; em fileira, alinhado, para receber ordens, etc. **Em devida forma.** Em forma (1). **Em forma. 1.** Nos devidos termos; em conformidade com a lei; em devida forma: *O requerimento está em forma.* "Houve até um litigante que veio protestar, em forma, por encontrar o tribunal encerrado." (Mário de Carvalho, *Um Deus Passeando pela Brisa da Tarde*, p. 221). **2.** Em condições de saúde e/ou de treino. **Fora de forma.** Sem condições de saúde e/ou de treino: *A doença deixou-o fora de forma.* **Manter a forma.** Conservar o bom estado físico e/ou a boa aparência.

fôrma [De *forma*, com mudança de timbre.] *S. f.* **1.** Modelo oco onde se põe metal derretido, material em estado plástico, vidro ou qualquer líquido que, solidificando-se, tomará a forma desejada; molde. **2.** Peça de madeira que imita o pé, usada no fabrico de calçados. **3.** *Tip.* Caixilho onde estão dispostos ordenadamente os caracteres tipográficos. **4.** *Tip.* Composição tipográfica para impressos comerciais, anúncios, etc. **5.** *Tip.* Composição tipográfica, já na rama, pronta para impressão. **6.** Peça em que se enforma a copa do chapéu. **7.** *P. ext.* O material ainda não enformado us. para esse fim: *uma fôrma de feltro, de palha.* **8.** Vasilha na qual se assam bolos, pudins, tortas, etc., ou se leva a gelar gelatinas, musses, etc. **9.** V. *cincho*[1] (1). **10.** *Fig.* Aquilo que impõe normas a uma personalidade, a uma obra, eliminando-lhes as características individuais: *Aquele colégio é uma verdadeira fôrma: suas alunas pensam todas de maneira igual.* [Pl.: *fôrmas*. Cf. *forma* e *formas*, do v. *formar*, e *forma*, s. f., e pl. *formas*. Parece-nos inaceitável (não só nesta palavra, mas, talvez, sobretudo nela) a abolição do acento diferencial, decorrente da Lei n.º 5.765, de 18.12.1971, que estabelece alterações no sistema ortográfico de 1943. Considerem-se estes versos de Manuel Bandeira: "Vai por cinquenta anos / Que lhes dei a norma: / Reduzi sem danos / A fôrmas a forma." (*Estrela da Vida Inteira*, p. 51.) Seria inteiramente impossível perceber o sentido da estrofe se não fora o acento diferencial. O mesmo se dirá disto de Martins Fontes: "Pela penugem, primeiro, / E, depois, segundo a norma, / Pelo gosto, pelo cheiro, / Pela fôrma, ou pela forma, / Certas frutas europeias, / Como o pêssego — oh! prazer! — / Por vezes nos dão ideias / Que me acanho de dizer." (*Sol das Almas*, p. 40.) Veja-se, ainda, Emanuel de Morais, *Manuel Bandeira*, pp. 29, 43 (três vezes), 44. A nota anterior data da primeira edição da presente obra e foi manifesto consciente de seu autor, razão pela qual a mantivemos até hoje na íntegra. Devemos ressaltar, porém, que doravante (2009), a partir do firmado pelo AOLP, a forma *fôrma* passa a ser considerada facultativa na língua.] ◆ **Fôrma de branco.** *Tip.* Aquela com que se imprime o primeiro lado do papel; primeira fôrma. [Tb. se diz apenas *branco*. V. *tirar de branco*. Cf. *fôrma de retiração*.] **Fôrma de impressão.** *Art. Gráf.* Qualquer superfície de metal, borracha ou plástico que carrega uma imagem (texto, ilustração, etc.) que se quer imprimir; depois de entintada a fôrma transfere a imagem para o papel ou para outra superfície impressora. **Fôrma de retiração.** *Tip.* Aquela com que se imprime o segundo lado do papel; segunda fôrma. [Tb. se diz apenas *retiração*. Cf. *fôrma de branco*.] **Fôrma redonda.** *Ind. Pap.* Cilindro formador. **Guarnecer a fôrma de.** *Tip.* Engradar (5). **Primeira fôrma.** *Tip.* V. *fôrma de branco.* **Segunda fôrma.** *Tip.* V. *fôrma de retiração.* **Ser a fôrma para o pé de.** *Fam.* Ser muito conveniente, muito útil, a; servir-lhe perfeitamente: *Casou bem: a mulher é a fôrma para o seu pé.*

formação [Do lat. *formatione*.] *S. f.* **1.** Ato, efeito ou modo de formar. **2.** Constituição, caráter. **3.** Maneira por que se constituiu uma mentalidade, um caráter, ou um conhecimento profissional: *Embora esteja a par dos novos métodos adotados, custa-lhe muito ir contra a sua formação historicista.* **4.** *Aer.* Conjunto de aeronaves de qualquer tipo, que voam agrupadas sob um mesmo comando. **5.** *Anat.* Designação genérica de estrutura (11) de aspecto definido. **6.** *Educ.* Etapa ou conclusão de um processo educativo. **7.** *Fitogeogr.* Biota vegetal de uma área, definida por certas espécies preponderantes. **8.** *Geol.* Conjunto de rochas com caracteres mais ou menos idênticos no tocante a origem, idade ou litologia, e que constitui a unidade litogenética fundamental na classificação local das rochas. **9.** *Mil.* O conjunto dos elementos que constituem um corpo de tropas. **10.** *Mil.* Disposição que pode tomar um corpo de tropas ou um conjunto de navios de guerra no terreno de operações. **11.** *Bras. MG* V. *normal* (7). ◆ **Formação de capital.** *Econ.* Processo de crescimento do estoque de capital de uma economia, decorrente do investimento. **Formação de culpa.** *Dir. Proc. Penal* Fase do processo criminal em que se apura a existência, natureza e circunstâncias do crime, e bem assim os seus agentes; instrução criminal; sumário de culpa. **Formação de gemas.** *Biol.* Gemação (2). **Formação de par.** *Fís. Nucl.* **1.** Processo em que um fóton, interagindo com o campo de forças de um núcleo atômico, se transforma num elétron e num pósitron. **2.** *P. ext.* Formação de uma partícula e da respectiva antipartícula com base numa radiação gama. **Formação fragmentada.** *Educ.* Educação composta por áreas do conhecimento, ou por disciplinas, em que a formação se dá por partes ou por etapas. **Formação universal.** *Educ.* Modo de educação em seu aspecto geral que visa a formação integral do ser em todos os sentidos.

formado [Part. de *formar*.] *Adj.* **1.** Que recebeu forma; modelado. **2.** Feito, constituído. **3.** Que concluiu formatura numa faculdade, ou em estabelecimento de nível médio. ~ V. *letra chanceleresca —a* e *som —*.

formador (ô) [Do lat. *formatore*.] *Adj.* **1.** Que forma. ~ V. *cilindro —*. ● *S. m.* **2.** Aquele que forma.

formadura [Do lat. *formatura*, 'configuração', 'forma', por via semierudita.] *S. f.* Ato ou efeito de formar.

formal [Do lat. *formale*.] *Adj. 2 g.* **1.** Relativo a forma: "As suas obras [de Raul Brandão] pertencem ao domínio da criação poética, embora o seu aspecto formal indique o contrário." (João Gaspar Simões, *O Mistério da Poesia*, p. 96.) **2.** Evidente, claro, manifesto, patente: "Geraldo e Sá Josefa receberam aquele namoro, desde o primeiro instante, debaixo da mais formal hostilidade." (Amando Fontes, *Os Corumbas*, p. 41.) **3.** Preciso, próprio, genuíno: *São declarações formais as que me chegaram às mãos.* **4.** Que não é espontâneo; que se atém às fórmulas estabelecidas; convencional: *Guarda sempre uma distância formal para com as suas relações, não dando intimidade a ninguém.* **5.** Que é amigo de formalidades, de etiquetas; formalista. **6.** *Filos.* Relativo às leis, às regras ou à linguagem próprias de determinado domínio do conhecimento, e que se consideram independentemente do conteúdo, da matéria ou da situação concreta a que se aplicam. ~ V. *ato —, autoridade —, carga —, causa —, ciências formais, contrato —, crime —, educação —, implicação —, indução —, lei —, lógica —, realismo —, sistema —* e *sofisma —*. ● *S. m.* **7.** Casa ou residência dentro de propriedade enfitêutica.

formaldeído [De *fórm(ico)* + *aldeído*.] *S. m. Quím.* V. *aldeído fórmico.*

formalidade [Do fr. *formalité*.] *S. f.* **1.** Maneira expressa de proceder; aquilo que é de praxe; rotina, uso: *Preenchidas as formalidades, foi concedido o empréstimo.* **2.** Cerimônia imposta pela civilidade; etiqueta: "E havia umas velhinhas que choravam de vez em quando. .... E quem entrava também chorava um pouquinho, como se fosse formalidade." (Cecília Meireles, *Obra Poética*, p. 1.003.) **3.** *Jur.* Requisito previsto em lei para que um ato jurídico seja válido, oponível contra terceiros, e sirva de prova. **4.** *Quím.* Concentração de uma solução expressa pelo número de fórmulas-grama do soluto presente num litro da solução.

formalina [De *formal(deído)* + *-ina*[3].] *S. f. Quím.* Solução aquosa comercial de aldeído fórmico na proporção de 40%, empregada como desinfetante.

formalismo [De *formal* + *-ismo*.] *S. m.* **1.** Qualidade ou caráter de formal (4 e 5). **2.** Exigência de rigor exagerado no cumprimento de normas e/ou princípios. **3.** *Arquit.* O uso de certos elementos formais, como as ordens [v. ordem (25)] e outros motivos ornamentais clássicos, que foi revivido, p. ex., no neoclassicismo, e, mais modernamente, nas décadas de 1940 e 1950. **4.** *Art. Plást.* Manifestação artística que dá ênfase à forma em detrimento do conteúdo, e que, na arte do séc. XX, foge às manifestações da linguagem emocional. **5.** *Liter.* Tendência a privilegiar a forma em relação ao conteúdo. **6.** *Ét.* Caráter de doutrina que situa a moralidade na obediência incondicional a normas estabelecidas. [V. *imperativo categórico*.] **7.** *Filos.* Tendência a priorizar, em qualquer domínio do conhecimento, as características e relações formais dos objetos. **8.** *Lóg.* Concepção fundamental da lógica matemática, desenvolvida principalmente a partir dos trabalhos de David Hilbert (1862-1943), matemático alemão, que assegura a coerência dos sistemas pelo uso da linguagem simbólica e do método axiomático. [Cf., nesta acepç., *intuicionismo* e *logicismo* (2).] ◆ **Formalismo russo.** *Liter.* Movimento surgido na Rússia, na primeira metade do séc. XX, de oposição à crítica acadêmica e impressionista, e que preconizava a análise, através de uma perspectiva formal, dos elementos significantes constitutivos da obra literária, com vista à caracterização do fenômeno literário.

formalista [De *formal* + *-ista*.] *Adj. 2 g.* **1.** Relativo ao, ou que é sectário do formalismo. **2.** Formal (5): "este Duque de Rutland, severo e formalista, que só com dificuldade dava aos próprios parentes a honra de os assentar à sua mesa" (Júlio Dantas, *Abelhas Doiradas*, p. 147). ● *S. 2 g.* **3.** Sectário do formalismo. **4.** Pessoa formalista, amiga de formalidades.

formalística [De *formalista* + *-ica*.] *S. f.* Parte da heuremática que trata da forma dos atos jurídicos.

formalizado [Part. de *formalizar*.] *Adj.* **1.** Que se formalizou. **2.** Ofendido, melindrado, suscetibilizado. **3.** Que afeta formalidade, aparência formal (4); solene, grave. **4.** *Bras.* Vestido com apuro, como quem vai a um ato solene.

formalizar [De *formal* + *-izar*.] *V. t. d.* **1.** Dar forma a; formar. **2.** Realizar segundo as fórmulas ou formalidades: *Após o inquérito, o promotor formalizou a acusação.* **3.** Executar conforme as regras ou cláusulas. **4.** *Lóg.* Substituir os conceitos e as relações dos sistemas por símbolos sujeitos a regras operatórias bem definidas. *P.* **5.** Mostrar-se ofendido ou escandalizado; melindrar-se. **6.** *Bras.* Vestir-se com muito apuro, como quem vai a uma solenidade. **7.** Afetar formalidade ou gravidade; assumir uma aparência formal (4): "veste o paletó, ataca os quatro botões, formaliza-se" (Mauro Mota, *O Pátio Vermelho*, p. 62).

formamida [De *form-* + *-amida*.] *S. f. Quím.* Substância líquida, irritante e teratogênica, amida do ácido fórmico [fórm.: CH_3NO].

formando [De *formar* + *-ando*.] *S. m. Bras.* Aquele que está prestes a formar-se, a concluir um curso: *Foi eleita oradora dos formandos, no Instituto de Educação.*

forma-nervos [De *formar* + *nervo*.] *S. m. 2 n. Encad.* V. *alicate aperta-nervos.*

formante [Do al. *Formant* < lat. *formans, antis*, part. pres. lat. *formare*, 'formar'.] *S. 2 g. E. Ling.* Elemento de formação (em oposição a lexema [q. v.]).

formão [De *formar* + *-ão*[2].] *S. m.* Utensílio de carpinteiro ou de ferrador, com uma extremidade chata e cortante, e a outra embutida em um cabo de madeira.

formar [Do lat. *formare*.] *V. t. d.* **1.** Dar a forma a (algo). **2.** Ter a forma de; assemelhar-se a: *Às vezes as nuvens formam estranhas figuras.* **3.** Conceber, imaginar: *Gostava de formar planos para todo o ano.* **4.** Constituir, compor: "anjos me conduziam num palanquim dourado, entre um curioso povo de profetas e virgens, que formavam alas para me ver passar." (Mário Quintana, *Sapato Florido*, p. 54). **5.** Pôr em ordem, em linha: *formar os soldados.* **6.** Instruir, educar, aperfeiçoar: *Dedica-se a formar o espírito das novas gerações.* **7.** Fabricar, fazer. **8.** Ser, constituir: *Os artistas devem formar a consciência da sociedade.* **9.** Estabelecer, determinar, fixar: *O incidente formou dois campos opostos.* **10.** Promover ou facilitar a formatura a; destinar a estudos em instituição de ensino superior: *Seu sonho é formar os filhos.* *T. d. e c.* **11.** Fundar, criar: *Os bandeirantes iam formando núcleos pelo interior do Brasil.* *T. i.* **12.** Lutar ao lado; participar das mesmas ideias: *Um tipo daqueles não forma comigo.* ***Transobj.*** **13.** Constituir em; fazer: *Formei-o mestre.* ***Int.*** **14.** Entrar em formatura (2): "Sob a direção de um dos aspirantes forma, no convés, a guarda do navio." (Félix Lima Júnior, *Mapirunga*, p. 19.) *P.* **15.** Tomar forma; desenvolver-se. **16.** Adquirir a formatura universitária; doutorar-se: *Formou-se no ano passado em química.* **17.** Educar-se, instruir-se, preparar-se: *Formou-se nos princípios de honra e fidelidade.*

[Pres. ind.: *formo, formas, forma*, etc.; fut. pret.: *formaria*, etc. Cf. *fôrma* (q. v.), pl. *fôrmas*, e *formaria*, s. f.]

formaria [De *fôrma* + *-aria*.] *S. f.* Conjunto de fôrmas de chapeleiro, de sapateiro, etc. [Cf. *formaria*, do v. *formar*.]

formatação [De *formatar* + *-ção*.] *S. f. Inform.* **1.** Ato ou efeito de formatar. **2.** Padrão de organização de um meio de armazenamento magnético. [O procedimento de formatação de um disco consiste em demarcar magneticamente, em sua superfície, uma série de blocos discretos, criando um índice para nomes de arquivos (o diretório raiz) e uma tabela de endereçamento capaz de controlar a localização de toda a informação a ser estocada no disco.] **3.** A disposição espacial dos elementos visuais de um documento (texto, imagens, etc.). **4.** V. *formato* (8 e 9).

formatado [Part. de *formatar*.] *Adj. Inform.* **1.** Diz-se de meio de armazenamento magnético, preparado para receber dados. **2.** Diz-se de arquivo diagramado para impressão.

formatador (ô) [De *formatar* + *-dor*.] *Adj. S. m.* Que, ou aquilo ou aquele que formata.

formatar [De *formato* + *-ar*²; ingl. (*to*) *format*.] *V. t. d. Inform.* **1.** Estabelecer a disposição dos dados em (um arquivo ou registro) indicando a ordem, o comprimento e as normas de codificação desses. **2.** Preparar (meio de armazenamento magnético) para receber dados. **3.** *Inform.* Especificar a disposição visual dos elementos na tela do computador, ou em um relatório ou arquivo a ser impresso por meio dele. **4.** Determinar o formato (8 e 9) de.

formativo [De *formar* + *-tivo*.] *Adj.* **1.** Que dá forma a alguma coisa. **2.** Relativo a formação cultural ou a outras: "Dessas e de outras leituras formativas, falo eu a páginas tantas de *A Vaca e o Hipogrifo*" (Mário Quintana, em Edla Van Steen, *Viver & Escrever*, v. 1, p. 22). ~ V. *afirmação —a*.

formato [Do fr. *format*.] *S. m.* **1.** Feitio, forma. **2.** *Bibliol. Bibliot.* Tamanho relativo do livro, ou de outra publicação, determinado antigamente pelo número de páginas que a folha de impressão comportava, e, logo, pelo número de dobras desta para formar o caderno. [Cf., nesta acepç., *in plano, in-fólio, in quarto* e *in-oitavo*.] **3.** *Edit.* Dimensões (largura e altura) de uma publicação expressas em centímetros. **4.** *Ind. Pap.* Tamanho de uma folha de papel de impressão, outrora designado segundo a marca-d'água que habitualmente o caracterizava, e hoje por expressões que lhe indicam as dimensões em centímetros. **5.** *Prop. Edit.* Tamanho de um anúncio, ampliação fotográfica, etc., ger. indicado pelas dimensões de largura e altura. **6.** *Prop. Edit.* Tempo de duração de um comercial de rádio, televisão ou cinema. **7.** *Televi.* Cada um dos tipos de fita magnética que se diferenciam, basicamente, pela largura: *formato VHS; formato U-matic.* **8.** *Telev. Rád.* Característica estrutural, estilo ou padrão de apresentação de um programa de rádio ou televisão; formatação: *O novo formato da Hora do Brasil fez crescer a audiência do programa.* **9.** *P. ext.* Estrutura ou forma de apresentação de um seminário, evento, comercial de televisão, etc.; formatação. ◆ **Formato AA.** *Ind. Pap.* Formato da folha de papel com 76 x 112cm. **Formato almaço.** *Ind. Pap.* Formato de 33 x 44cm, peculiar ao papel almaço, e que, dobrado ao meio, produz o formato ofício (q. v.). **Formato americano.** *Ind. Pap.* Formato da folha de papel com 87 x 114cm, ou formato do livro impresso nessa folha (cerca de 14 x 21cm). **Formato A4.** *Ind. Pap.* Formato internacional (q. v.) recomendado para papéis de escrita, com 21 x 29,7cm. **Formato BB.** *Ind. Pap.* Formato da folha de papel com 66 x 96cm. **Formato DIN.** V. *formato internacional.* **Formato francês.** *Ind. Pap.* Formato da folha de papel com 76 x 96cm, ou formato do livro impresso nessa folha (cerca de 13,5 x 20,5cm). **Formato in-fólio.** *Edit.* **1.** Formato (2) de livro cujos cadernos são obtidos dobrando-se ao meio a folha de impressão que comporta, portanto, quatro páginas, duas de cada lado. **2.** O livro desse formato. **Formato *in plano*.** *Edit.* **1.** Formato (2) de livro em que cada caderno é formado por uma única folha de impressão que comporta, portanto, duas páginas, uma de cada lado. **2.** O livro desse formato. **Formato *in quarto*.** *Edit.* **1.** Formato (2) de livro cujos cadernos são obtidos dobrando-se duas vezes ao meio a folha de impressão que comporta, assim, oito páginas, quatro de cada lado. **2.** O livro desse formato. **Formato internacional.** *Ind. Pap.* Sistema de séries de formatos padronizados de papel, estabelecido pelo Instituto Alemão de Normalização (DIN) e recomendado pela Organização Internacional de Normalização (ISO), no qual os formatos mantêm a mesma proporção entre largura e altura (1:1,414); formato DIN. [V. *formato série A, formato série B, formato série C.*] **Formato italiano.** *Ind. Pap.* V. *formato oblongo.* **Formato magazine.** *Telev.* Programa diário ou semanal que combina notícias, comentários, entretenimentos, etc. **Formato oblongo.** *Ind. Pap.* Aquele em que a largura da página é maior que a altura. [Sin.: *formato italiano* e (p. us.) *formato solfa*.] **Formato ofício.** *Ind. Pap.* Formato de papel convencionado para o ofício, habitualmente de 22 x 33cm. [Cf. *formato almaço*.] **Formato série A.** *Ind. Pap.* Série principal do formato internacional (q. v.), que adota como formato básico um retângulo de 84,1 x 118,8cm. **Formato série B.** *Ind. Pap.* Série do formato internacional (q. v.), que adota como formato básico um retângulo de 100 x 141,4cm. **Formato série C.** *Ind. Pap.* Série do formato internacional (q. v.), que adota como formato básico um retângulo de 91,7 x 129,7cm. **Formato solfa.** *Ind. Pap. P. us.* V. *formato oblongo.* **Formato tabloide.** *Edit.* Formato correspondente à metade do formato corrente de um jornal.

formatura [Do lat. *formatura*, por via erudita.] *S. f.* **1.** Ato ou efeito de formar(-se). **2.** Alinhamento e ordenação de tropas, navios de guerra, aviões de combate, etc. **3.** Graduação universitária, ou em curso de nível médio: *a formatura dos arquitetos; a formatura das alunas do Instituto de Educação.*

▲**-forme** [Do lat. *-formis* (< lat. *forma, ae*, 'forma', 'semelhança'; 'imagem').] *El. comp.* = 'que tem forma ou aspecto de'; 'de forma semelhante a'; 'semelhante'; 'forma'; (lat. cient. *-formes*, pl. de *-formis*) na tax. científica (ger. de zoologia e botânica), 'espécime de determinada ordem (25), ou de certa família (4)': *ascidiforme, campanuliforme, nidiforme; disforme; casuariforme.* [Equiv.: *-iforme*: *cassidiforme; caprimulgiforme.*]

formeiro [De *fôrma* + *-eiro*.] *S. m.* Fabricante de fôrmas (sobretudo de calçado); formista.

formeno [De *fórm(ico)* + *-eno*².] *S. m. Quím. Desus.* Metano.

formiato [De (*ácido*) *fórmi(co)* + *-ato*².] *S. m. Quím.* Qualquer sal ou éster do ácido fórmico.

formica [Do lat. *formica*, 'formiga', por via erudita.] *S. f. Patol.* Moléstia herpética. [Cf. *fórmica*.]

fórmica [De *Formica*, nome comercial.] *S. f.* Plástico fenólico utilizado para recobrimento decorativo e isolamento térmico ou elétrico. [Cf. *formica*.]

formicação [Do lat. *formicatione*.] *S. f.* V. *formigamento.*

formicante [Do lat. *formicante*.] *Adj. 2 g.* ~ V. *pulso —.*

formicariídeo [Do lat. med. *formicari(um)* (< lat. *formica*, 'formiga') + *-ídeo*; tax. *Formicariidae*.] *Zool. S. m.* **1.** Espécime dos formicariídeos, família de aves passeriformes com tarso taxaspidiano, desprovidas de ceroma e cujo dorso é recoberto por grande quantidade de penas, o que lhes dá forma arredondada. Quase exclusivamente tropicais, são os mais numerosos de todos os passeriformes brasileiros; vivem no solo ou próximo dele, alimentando-se de insetos, sobretudo formigas. São as chocas, mães-da-taoca, os papa-formigas e pintos-do-mato. ● *Adj.* **2.** Pertencente ou relativo a eles.

formicário [De *formic(i)-* + *-ário*.] *Adj.* Formicular.

▲**formic(i)-** [Do lat. *formica, ae*.] *El. comp.* = 'formiga', 'ácido fórmico, ou que dele deriva': *formicário, formicívoro.*

formicíase [De *formic(i)-* + *-íase*.] *S. f. Med.* Intoxicação causada por mordidas de formigas.

formicida [De *formic(i)-* + *-cida*, com haplologia.] *Adj. 2 g.* **1.** Diz-se de substância usada para matar formigas. ● *S. m.* **2.** Substância formicida.

formicídeo [De *formic(i)-* + *-ídeo*; tax. *Formicidae*.] *Zool. S. m.* **1.** Espécime dos formicídeos, família de insetos himenópteros que agrupa as formigas. ● *Adj.* **2.** Pertencente ou relativo a eles. [Cf. *formicídio*.]

formicídio [De *formic(i)-* + *-cídio*, com haplologia.] *S. m. Bras.* Destruição de formigas. [Cf. *formicídeo*.]

formicívoro [De *formic(i)-* + *-voro*.] *Adj.* Que come formigas.

fórmico [Do lat. *formica*, 'formiga'.] *Adj. Quím.* Próprio ou derivado do ácido fórmico. ~ V. *ácido —* e *aldeído —*.

formicular [Do lat. *formicula*, 'formiguinha', + *-ar*¹.] *Adj. 2 g.* Relativo ou pertencente ou semelhante à formiga; formicário.

formidando [Do lat. *formidandu*.] *Adj.* Que infunde medo; terrível, tremendo, pavoroso, formidoloso, formidável: "fugiam [os navios]...., como grandes pássaros marinhos, às rajadas formidandas do ciclone." (Virgílio Várzea, *O Brigue Flibusteiro*, p. 167).

formidável [Do lat. *formidabilis*, 'temível'; 'terrível'.] *Adj. 2 g.* **1.** *Obsol.* Que inspira grande temor; que é perigoso; que tem aspecto terrificante. **2.** Que é acima do comum pela força, pelo tamanho, pela intensidade; descomunal, colossal: *esforço formidável.* **3.** V. *formidando*: "O nome espanhol, já temeroso para a cristandade, ganharia decerto muito em tornar-se formidável aos bárbaros do Bósforo." (Latino Coelho, *Cervantes*, p. 42); "Sei de uma criatura antiga e formidável, / Que a si mesma devora os membros e as entranhas" (Machado de Assis, *Poesias Completas*, p. 293). **4.** Que desperta respeito, admiração ou entusiasmo. **5.** *Bras.* Muito bom, muito bonito; admirável, excelente, magnífico: "fez uma acusação vibrante, veemente, formidável." (Medeiros e Albuquerque, *Surpresas...*, p. 138). **6.** *Bras. Fam.* V. *bacana* (1): *um filme formidável; uma jovem formidável.*

formidoloso (ô) [Do lat. *formidolosu*.] *Adj.* **1.** V. *formidando*. **2.** Que se amedronta facilmente; medroso.

formiga [Do lat. *formica*, por via pop.] *S. f.* **1.** *Zool.* Designação comum a todos os insetos himenópteros, formicídeos, caracterizados por terem o hipopígio do macho em espinho voltado para cima. As fêmeas são dimórficas, as operárias ápteras, com suturas torácicas ausentes ou muito reduzidas, e as formas férteis com suturas presentes. Vivem em colônias. **2.** *Fig.* Pessoa econômica e/ou trabalhadeira. **3.** *Fam.* Pessoa que gosta muito de alimentos doces. ◆ **Como formiga.** Em grande quantidade: *Havia no comício gente como formiga.*

formiga-açucareira *S. f. Bras. Zool.* Designação comum a várias espécies de formigas que atacam matérias doces, especialmente dos gêneros *Monomorium, Iridomyrmex* e *Camponotus*. Costumam atacar também outros comestíveis. [Tb. se diz apenas *açucareira*. Sin.: *formiga-doceira*. Cf. *jejá*. Pl.: *formigas-açucareiras*.]

formiga-aguilhoada *S. f. Bras. Zool.* Formiga-de-ferrão. [Pl.: *formigas-aguilhoadas*.]

formiga-argentina *S. f. Bras. Zool.* Inseto himenóptero, formicídeo (*Iridomyrmex humilis*), espécie melívora que vive em simbiose com afídeos, e cujos hábitos são idênticos aos da formiga-cuiabana. Embora denominada *argentina*, ocorre em grande extensão da região neotropical, tornando-se frequentemente praga caseira. [Sin.: *formiga-caçadora, formiga-cigana*. Pl.: *formigas-argentinas*.]

formiga-asteca *S. f. Bras. Zool.* Inseto himenóptero, formicídeo (*Azteca chartifex*), que vive em trofobiose com afídeos e coccídeos nos cacaueiros da Bahia. Constrói ninhos semelhantes aos dos cupins arbóreos; sugam as secreções dos insetos que parasitam a planta. Outras espécies do mesmo gênero vivem unicamente no caule e galhos da imbaúba (*Cecropia*), onde passam todas as fases de sua vida. [Sin.: *caçarema*. Pl.: *formigas-astecas*.]

formiga-branca *S. f. Zool.* Designação (usada na Europa) comum aos cupins pertencentes à ordem dos isópteros. [Pl.: *formigas-brancas*.]

formiga-cabaça *S. f. Bras. Zool.* Inseto himenóptero, formicídeo (*Dolichoderus gibbosus*), cujos ninhos são construídos nas árvores ou no solo. É carnívoro, ataca frequentemente cupins, e, quando importunado, reage aplicando fortes mordidas. [Pl.: *formigas-cabaças* e *formigas-cabaça*.]

formiga-cabeçuda *S. f. Bras. Zool.* V. *saúva*. [Pl.: *formigas-cabeçudas*.]

formiga-caçadora *S. f. Bras. Zool.* V. *formiga-argentina*. [Pl.: *formigas-caçadoras*.]

formiga-carregadeira *S. f. Bras. Zool.* **1.** V. *saúva*. **2.** V. *quem-quem* (1). [Pl.: *formigas-carregadeiras*.]

formiga-chiadeira *S. f. Bras. RS Zool.* Designação comum a um inseto himenóptero mutilídeo (*Atillum sumptuosum*) e a outras espécies, solitárias, ger. de cor vermelha ou amarela, com máculas arredondadas no abdome. Os machos são alados e inermes; as fêmeas, providas de ferrão aguçado. [Sin.: *formiga-de-bentinho, formiga-feiticeira, oncinha, piolho-de-onça*. Pl.: *formigas-chiadeiras*.]

formiga-cigana *S. f. Bras. Zool.* V. *formiga-argentina*. [Pl.: *formigas-ciganas*.]

formiga-correição *S. f. Bras. Zool.* Designação comum aos insetos himenópteros, dorilídeos, gênero *Eciton*, capazes de realizar grandes migrações, em que milhares de obreiras percorrem vastas extensões de território durante algumas horas, ou mesmo dias. Nalgumas espécies os soldados têm mandíbulas muito desenvolvidas. [Tb. se diz apenas *correição*; sin.: *guaiú, guaju-guaju, guerreira, morupeteca, saca-saia, taceca, taoca*. Pl.: *formigas-correições* e *formigas-correição*.]

formiga-cortadeira *S. f. Bras. Zool.* **1.** V. *saúva*. **2.** V. *quem-quem* (1). [Pl.: *formigas-cortadeiras*.]

formiga-cuiabana *S. f. Bras. Zool.* Inseto himenóptero, formicídeo (*Paratrechinafulva*), espécie melívora que vive também em simbiose com os afídeos. Antenas longas; coloração pardo-amarelada. Em certas regiões pode exercer papel predador sobre a saúva, porém seus malefícios, de modo geral, são maiores que os benefícios. [Sin.: *formiga-doceira, formiga-paraguaia*. Pl.: *formigas-cuiabanas*.]

formiga-da-roça *S. f. Bras. Zool.* V. *saúva*. [Pl.: *formigas-da-roça*.]

formiga-de-bentinho *S. f. Bras. Zool.* V. *formiga-chiadeira.* [Pl.: *formigas-de-bentinho.*]

formiga-de-bode *S. f. Bras. BA Zool.* Inseto himenóptero, formicídeo (*Dolichoderus atellaboides*), com hábitos semelhantes aos da caçarema, e que vive nos cacaueiros procurando pulgões, de cuja secreção se alimenta. Apesar de ser afoita, não tem ferrão nem dá picadas. [Pl.: *formigas-de-bode.*]

formiga-de-cupim *S. f. Bras. Zool.* Inseto himenóptero (*Camponotus termitarius*), que vive no interior dos termiteiros, em simbiose com diversas espécies de cupim, distribuídos no S. e no S.E. do Brasil. [Pl.: *formigas-de-cupim.*]

formiga-de-ferrão *S. f. Bras. Zool.* Inseto himenóptero, formicídeo (*Pachycondyla striata*), do Paraguai e parte meridional do Brasil. É carnívora e terrícola, preta, de corpo bastante alongado, com ferrão terminal. [Sin.: *formiga-aguilhoada.* Pl.: *formigas-de-ferrão.*]

formiga-de-fogo *S. f. Bras. Zool.* V. *formiga-lava-pé.* [Pl.: *formigas-de-fogo.*]

formiga-de-mandioca *S. f. Bras. Zool.* V. *saúva.* [Pl.: *formigas-de-mandioca.*]

formiga-de-monte *S. f. Bras. Zool.* V. *quem-quem* (1). [Pl.: *formigas-de-monte.*]

formiga-de-novato *S. f. Bras. Amaz. Zool.* V. *formiga-lava-pé.* [Pl.: *formigas-de-novato.*]

formiga-de-roça *S. f. Bras. Zool.* V. *saúva.* [Pl.: *formigas-de-roça.*]

formiga-doceira *S. f. Bras. Zool.* **1.** V. *formiga-açucareira.* **2.** V. *formiga-cuiabana.* [Pl.: *formigas-doceiras.*]

formiga-feiticeira *S. f. Bras. Zool.* V. *formiga-chiadeira.* [Pl.: *formigas-feiticeiras.*]

formiga-lava-pé *S. f. Bras. Zool.* Designação comum aos insetos himenópteros, formicídeos, sobretudo às espécies do gênero *Solenopsis*, sendo a mais comum a *S. saevissima*, cujos ninhos subterrâneos são protegidos na entrada por um amontoado de pequenas partículas de terra bastante finas; formiga-de-fogo, formiga-de-novato, novato, formiga-malagueta, formiga-ruiva, lava-pé, lava-pés, jiquitaia, mordedeira, taciburа, tacipitanga, taçuíra, taxi. [Pl.: *formigas-lava-pé.*]

formiga-leão *S. f. Bras. Zool.* Larva do inseto neuróptero, mirmeleontídeo, que vive em pequenas escavações sob a forma de cone invertido, em cujo vértice se encontra a cabeça do inseto. Alimenta-se de outros insetos que resvalam até o fundo do cone; os adultos parecem-se com as libélulas. [Pl.: *formigas-leões* e *formigas-leão.*]

formiga-malagueta *S. f. Bras. BA Zool.* V. *formiga-lava-pé.* [Pl.: *formigas-malaguetas* e *formigas-malagueta.*]

formigamento [De *formigar* + *-mento.*] *S. m.* **1.** Sensação de sucessivas e leves picadas que aparece, p. ex., em membro dormente; formigueiro, formicação: "Sofro muito... Falta de ar... Nervosismo... Formigamento nas juntas..." (Manuel Lobato, *Garrucha 44*, p. 109.) **2.** *Med.* Sintoma que consiste na impressão de que pequenos insetos rastejam pela pele.

formiga-mineira *S. f. Bras. Zool.* V. *quem-quem* (1). [Tb. se diz apenas *mineira.* Pl.: *formigas-mineiras.*]

formigante [De *formigar* + *-nte.*] *Adj. 2 g.* Que formiga.

formigão[1] [De *formiga* + *-ão*[1].] *S. m.* **1.** Formiga grande. **2.** Rastilho de pólvora. **3.** *Bras. Zool.* V. *tocandira.* **4.** *Zool.* V. *tapicuim.* **5.** *Bras. Zool. BA* V. *juruva.* ● *Adj.* **6.** Diz-se do touro de chifres não muito agudos.

formigão[2] [Do esp. *hormigón.*] *S. m. Lus. Constr.* Mistura de cascalho, areia ou saibro e cal, us. em construção ou pavimentação; betão. [Cf. *concreto* (9).]

formigão-preto *S. m. Bras. Zool.* V. *tocandira.* [Pl.: *formigões-pretos.*]

formiga-paraguaia *S. f. Bras. Zool.* V. *formiga-cuiabana.* [Pl.: *formigas-paraguaias.*]

formiga-quem-quem *S. f. Bras. Zool.* V. *quem-quem* (1). [Pl.: *formigas-quem-quens* e *formigas-quem-quem.*]

formigar [Do lat. *formicare.*] *V. int.* **1.** Sentir formigamento. **2.** Procurar ganhar a vida agenciando [v. *agenciar* (1)]. **3.** Acumular ou juntar como a formiga. **4.** Haver em abundância; existir em grande número; pulular: *Neste bairro formigam ladrões. T. i.* **5.** V. *pulular* (6): "Estão as bancadas e os terrados formigando de povo" (José Saramago, *Memorial do Convento*, [8.ª ed.] p. 97). [Conjug.: v. *largar.*]

formiga-ruiva *S. f. Bras. Zool.* V. *formiga-lava-pé.* [Pl.: *formigas-ruivas.*]

formigueira [De *formiga* + *-eira.*] *S. f. Bras.* V. *formigueiro* (6).

formigueirense *Adj. 2 g.* **1.** De, ou pertencente ou relativo a Formigueiro (RS). ● *S. 2 g.* **2.** O natural ou habitante de Formigueiro.

formigueiro [De *formiga* + *-eiro.*] *S. m.* **1.** Buraco ou toca de formigas. **2.** Grande quantidade de formigas. **3.** *P. ext.* Grande quantidade, multidão, de pessoas reunidas ou em desfile: "A casa de Santo Ambrósio, do pátio às salas, um formigueiro de pretendentes!" (Bulhão Pato, *Memórias*, II, p. 5.) **4.** V. *formigamento.* **5.** *Fig.* Desassossego, impaciência. **6.** *Bras. MT Bot.* Árvore poligonácea (*Triplaris nolitangera*) de inflorescência dioica em panículas aveludadas e pilosas, cujo fruto é aquênio, e cujas flores e cálice, por causa dos pelos que contêm, produzem, quando em contato com a pele, coceira e ardor semelhante à picada da formiga; formigueira, pau-de-formiga. ● *Adj.* **7.** *Ant. Pop.* Diz-se de ladrão que furta objetos pouco valiosos. ◆ **Formigueiro humano.** Área de forte densidade demográfica.

formiguejar [De *formiga* + *-ejar.*] *V. int.* **1.** Andar ou mover-se em grande quantidade, como formigueiro; fervilhar: "Recolheram .... os despojos da soberana [D. Leopoldina, do Brasil] no tríplice caixão ao convento da Ajuda, com as pompas da procissão de capas pretas e círios de coches e tropas, escoada entre alas de religiosos formiguejando nas ruas" (Alberto Rangel, *Dom Pedro Primeiro e a Marquesa de Santos*, p. 168). **2.** Sentir comichão; comichar. [Conjug.: v. *pelejar.*]

formiguense *Adj. 2 g.* **1.** De, ou pertencente ou relativo a Formiga (MG). ● *S. 2 g.* **2.** O natural ou habitante de Formiga.

formiguilho [Do esp. *hormiguillo.*] *S. m.* Doença cavalar proveniente dum buraco entre o casco e o saúco.

formiguinha [De *formiga* + *-inha.*] *S. f.* **1.** *Bras. Fam.* Pessoa muito ativa, trabalhadeira. **2.** *Bras. RJ MG Fam.* Mulher encarregada da limpeza urbana. [Sin., nesta acepç., em SP: *margarida.*]

formila [Do fr. *formyle.*] *S. f. Quím.* Acila HCO-, derivada do ácido fórmico.

formilhão [De *formilho* + *-ão*[2].] *S. m. Chapel.* Instrumento de chapeleiro, com que se dá forma às abas do chapéu. [Cf. *formilho.*]

formilhar [De *formilho* + *-ar*[2].] *V. int.* Trabalhar com formilho.

formilho [De *fôrma* + *-ilho.*] *S. m. Chapel.* Instrumento de chapeleiro, com o qual se dá forma à boca da copa do chapéu. [Cf. *formilhão.*]

forminha [De *fôrma* + *-inha.*] *S. f.* Pequena fôrma (8) para assar bolos, empadas, etc.

formió *S. 2 g. Adj. 2 g. Bras.* V. *fulniô.*

▲ **-fórmio** [Do fr. *-forme* < fr. *formyle*, 'formila'.] *Quím. El. comp.* = que designa compostos do tipo HCX_3 (onde os X são grupos como *nitro*, ou átomos como *cloro*, *iodo* ou *bromo*): *clorofórmio*, *iodofórmio.* [Supunha-se que tais substâncias contivessem formila, o que não se confirmou.]

formista [De *fôrma* + *-ista.*] *S. 2 g.* Formeiro.

formol [De *fórm(ico)* + *-ol*[2].] *S. m. Quím.* Solução de aldeído fórmico em água, usada como antisséptico e bactericida. [Pl.: *formóis.*]

formolado [Part. de *formolar.*] *Adj.* Formolizado. [Cf. *formulado.*]

formolar [De *formol* + *-ar*[2].] *V. t. d.* Formolizar. [Cf. *formular.*]

formolizado [Part. de *formolizar.*] *Adj.* Preparado ou desinfetado com formol; formolado.

formolizar [De *formol* + *-izar.*] *V. t. d.* Preparar ou desinfetar com formol; formolar.

formosear [De *formoso* + *-ear*[2].] *V. t. d. P.* V. *aformosear.* [Conjug.: v. *frear.*]

formosense[1] *Adj. 2 g.* **1.** De, ou pertencente ou relativo a Formosa (GO). ● *S. 2 g.* **2.** O natural ou habitante de Formosa.

formosense[2] *Adj. 2 g. S. 2 g.* V. *formosense-do-oeste.*

formosense[3] *Adj. 2 g.* **1.** De, ou pertencente ou relativo a Formosa do Rio Preto (BA). ● *S. 2 g.* **2.** O natural ou habitante de Formosa do Rio Preto.

formosense[4] *Adj. 2 g.* **1.** De, ou pertencente ou relativo a Formoso (GO e MG). ● *S. 2 g.* **2.** O natural ou habitante de Formoso.

formosense-do-araguaia *Adj. 2 g.* **1.** De, ou pertencente ou relativo a Formoso do Araguaia (TO). ● *S. 2 g.* **2.** O natural ou habitante de Formoso do Araguaia. [Pl.: *formosenses-do-araguaia.*]

formosense-do-oeste *Adj. 2 g.* **1.** De, ou pertencente ou relativo a Formosa do Oeste (PR). ● *S. 2 g.* **2.** O natural ou habitante de Formosa do Oeste. [Sin. ger.: *formosense*[2]. Pl.: *formosenses-do-oeste.*]

formosentar [De *formoso* + *-entar.*] *V. t. d. P.* V. *aformosear.*

formosino [Do top. (ilha de) *Formosa*, nome port. de *Taiwan.*] *Adj. S. m.* V. *taiwanês.*

formosíssimo (ô) *Adj.* Superl. abs. sint. de *formoso.*

formoso (ô) [Do lat. *formosu.*] *Adj.* **1.** De formas, feições ou aspecto agradável; belo, bonito. **2.** Deleitoso, aprazível. **3.** Magnífico, brilhante, esplêndido. **4.** Perfeito, primoroso. **5.** Harmonioso, sonoro. [Superl. abs. sint.: *formosíssimo.*]

formosura [De *formoso* + *-ura.*] *S. f.* **1.** Qualidade de formoso; beleza. **2.** Pessoa ou coisa formosa: "uma morena adorável e, sem dúvida, ... a maior formosura daquelas redondezas." (Virgílio Várzea, *Nas Ondas*, p. 92).

fórmula [Do lat. *formula.*] *S. f.* **1.** Expressão de um preceito, regra, código ou princípio: *fórmula de cortesia.* **2.** Modelo já estabelecido para requerer, declarar, executar, resolver, etc., alguma coisa com palavras precisas e determinadas. **3.** Indicação das proporções dos componentes e do método que se deve seguir no preparo de algo; receita: *a fórmula do coquetel.* **4.** Método ou modo de proceder para se alcançar determinado fim; procedimento. **5.** *Mat.* Expressão matemática mediante a qual se enuncia a relação entre diversas variáveis e constantes. **6.** *Med. Farm.* Informação qualitativa e quantitativa sobre a(s) substância(s) que entra(m) na composição de um remédio (2). **7.** *Quím.* Representação simbólica da molécula de uma substância. [Cf. *formula*, do v. *formular.*] ◆ **Fórmula bruta.** *Quím.* Fórmula que indica somente a proporção dos átomos que constituem a substância; fórmula empírica, fórmula mínima. **Fórmula de Fischer.** *Quím.* Representação da estrutura tridimensional das moléculas, esp. de açúcares e aminoácidos, na qual às quatro ligações de um carbono tetraédrico assimétrico correspondem quatro traços, centrados no carbono, formando uma cruz, sendo convencionado que os traços horizontais mostram as duas ligações que saem do carbono, em direção ao observador, e os outros dois traços, verticais, indicam as ligações que se originam no carbono e se afastam do observador; projeção de Fischer. **Fórmula dimensional.** Conjunto dos expoentes das grandezas fundamentais, na expressão duma grandeza derivada. **Fórmula empírica.** *Quím.* V. *fórmula bruta.* **Fórmula estrutural.** *Quím.* Fórmula que indica o número de átomos e as ligações existentes na molécula de uma substância. **Fórmula mínima.** *Quím.* V. *fórmula bruta.* **Fórmula molecular.** *Quím.* Fórmula que indica a proporção e o número de átomos que constituem a molécula de uma substância. **Sagrada fórmula.** A hóstia.

formulação [De *formular* + *-ção.*] *S. f.* Ato ou efeito de formular.

formulado [Part. de *formular.*] *Adj.* Que se formulou. [Cf. *formolado.*]

formulador (ô) [De *formular* + *-dor.*] *Adj. S. m.* Que, ou aquele ou aquilo que formula.

fórmula-grama *S. f. Quím.* O número de gramas de um composto igual à soma das massas atômicas dos elementos que figuram na sua fórmula. [A fórmula-grama pode ser um submúltiplo da molécula-grama. Pl.: *fórmulas-gramas* e *fórmulas-grama.*]

formular [De *fórmula* + *-ar*[2].] *V. t. d.* **1.** Pôr ou redigir em fórmula: *A tarefa dos legisladores é formular os aspectos da vida social.* **2.** *Med.* Indicar (a composição qualitativa e quantitativa de um remédio [2]). **3.** Reduzir a fórmula. **4.** Aviar, expedir. **5.** Expor com precisão, exprimir (um conceito, pedido, proposta, etc.); articular, manifestar: "limitava-se a negar tudo. E digo mal, porque negar é ainda afirmar, e ele não formulava a incredulidade; diante do mistério, contentou-se em levantar os ombros, e foi andando." (Machado de Assis, *Várias Histórias*, p. 5); "Não gostei da brincadeira, mas, antes de poder formular o menor protesto ou dizer uma simples palavra, fui empurrado para a sala" (Cardoso de Oliveira, *Dois Metros e Cinco*, p. 340). *P.* **6.** Formar-se, manifestar-se, aparecer: "Sabeis que pensamentos tais não se formulam como outros, nascem das entranhas do caráter e ficam na penumbra da consciência." (Id., *ib.*, p. 33.) [Pres. ind.: *formulo*, *formulas*, *formula*, etc. Cf. *fórmula*, s. f., e *formolar*, v.]

formulário [De *fórmula* + *-ário.*] *S. m.* **1.** Coleção de fórmulas. **2.** Modelo impresso de fórmula (2), no qual apenas se preenchem os dados pessoais ou particulares. **3.** *Inform.* Janela (7) ou documento que apresenta informações de forma diagramada, e que possui campos [v. *campo* (20)] para que o usuário possa introduzir ou modificar informações. [O formulário é esp. us. em programas de bancos de dados e na *Web.*] **4.** *Rel.* Livro de orações. [Fem.: *formulária.* Cf. *formularia*, do v. *formular.*] ◆ **Formulário contínuo.** *Inform.* Papel us. em determinadas impressoras (esp. as matriciais), que consiste numa série de folhas, cada uma presa à anterior e à seguinte por picotes ou serrilhado, providas de remalina lateral para facilitar a tração automática e a alimentação ininterrupta da impressora, durante a impressão.

formulável [De *formular* + *vel.*] *Adj. 2 g.* **1.** Que se pode formular. **2.** A que se pode dar forma.

formulista [De *fórmula* + *-ista.*] *S. 2 g.* **1.** Pessoa que prescreve fórmulas. **2.** Pessoa que adota rigorosamente certas fórmulas.

fornaça [Do lat. *furnacea*, 'de forno'.] *S. f.* V. *fornalha.*

fornada [De *forno* + *-ada*[1].] *S. f.* **1.** Conjunto dos pães que se cozem de cada vez no mesmo forno; amassadura. **2.** Os tijolos cozidos de cada vez em um forno de olaria. **3.** O que um forno coze duma vez. **4.** *Fig.* Porção de coisas que se fazem duma vez, ou de pessoas que se nomeiam ao mesmo tempo para certos cargos, etc. **5.** *Bras. PA* Lote de gado vacum que, durante a ferra, entra de cada vez no curral de laçar.

fornalha [Do lat. *fornacula*.] *S. f.* **1.** Forno grande. **2.** Parte do forno, da máquina ou do fogão onde se queima o combustível; forno. **3.** *Fig.* Forno (4). **4.** *Fig.* Calor intenso. [Sin. ger.: *fornaça*.]

fornalheiro [De *fornalha* + *-eiro*.] *S. m.* V. *foguista*.

fornear [De *forno* + *-ear*[2].] *V. int.* Exercer o mister de forneiro; trabalhar como forneiro; fornejar: "O fabrico da louça faz-se pelos processos mais primitivos; não sabem amassar o barro, não o sabem cozer, não sabem <u>fornear</u>." (Ramalho Ortigão, *As Farpas*, I, p. 155.) [Conjug.: v. *frear*.]

fornecedor (ô) [De *fornecer* + *-dor*.] *Adj.* **1.** Que fornece. • *S. m.* **2.** Aquele que fornece ou se obriga a fornecer mercadorias. **3.** Agente de quem se obtém os insumos necessários à execução do próprio trabalho. **4.** *Bras. N.E.* Proprietário de áreas produtoras de cana-de-açúcar que fornece à usina o seu produto. ◆ **Fornecedor interno.** *Adm.* Departamento, setor ou funcionário que fornece os insumos necessários ao trabalho de outras pessoas da mesma empresa.

fornecedora (ô) [De *fornecer* + *-dora*.] *S. f.* Empresa fornecedora.

fornecer [Do rad. *forn-*, de *fornir*, + *-ecer*.] *V. t. d.* **1.** Abastecer de; dar: *O campo <u>fornece</u> os alimentos*. **2.** Fortificar, guarnecer. **3.** Gerar, produzir: *As quedas-d'água <u>fornecem</u> eletricidade*. *T. d. e i.* **4.** Prover, abastecer: *<u>Fornecia</u>-o do necessário*. **5.** Fortificar, guarnecer: *<u>fornecer</u> o exército de armas*. **6.** Abastecer, dar, ministrar: *Os campos <u>fornecem</u> mantimentos à cidade*. **7.** Proporcionar ou ministrar o necessário a; pôr à disposição de; facilitar: *Os governos deveriam <u>fornecer</u> meios aos artistas*. *P.* **8.** Fazer provisão ou aquisição; abastecer-se: *<u>fornecer-se</u> de víveres*. [Conjug.: v. *aquecer*.]

fornecimento [De *fornecer* + *-imento*.] *S. m.* **1.** Ato ou efeito de fornecer(-se). **2.** Abastecimento, provisão.

forneco *S. m. Carp.* Peça de madeira que, na construção dos telhados, liga a tacaniça ou rincão ao frechal.

forneiro [Do lat. tard. *furnariu*.] *S. m.* **1.** Dono ou tratador de forno. **2.** *Bras. N.E.* Aquele que durante a farinhada se encarrega do forno. **3.** *Bras. RS Zool.* V. *joão-de-barro*.

fornejar [De *forno* + *-ejar*.] *V. int.* Fornear. [Conjug.: v. *pelejar*.]

fornicação [Do lat. *fornicatione*.] *S. f.* **1.** Ato de fornicar. **2.** *Rel.* O pecado da carne.

fornicador (ô) [Do lat. tard. *fornicatore*.] *Adj. S. m.* Que, ou aquele que fornica ou é dado a fornicar.

fornicar [Do lat. ecles. *fornicare*, por *fornicari*.] *V. int.* **1.** Praticar o coito; copular. *T. d.* **2.** Fazer fornicação com. **3.** *Chulo* Importunar, apoquentar. [Conjug.: v. *trancar*.]

fórnice [Do lat. *fornice*.] *S. m.* **1.** *Arquit.* Arco de porta; abóbada. **2.** *Arquit.* Arco de porta em parede mestra. **3.** *Anat.* Estrutura arciforme. **4.** *Anat.* Espaço semelhante à abóbada, delineado por essa estrutura. [F. paral.: *fórnix*.]

fornido [Part. de *fornir*.] *Adj.* **1.** Abastecido, provido. **2.** Robusto, carnudo, nutrido, alentado: "Era uma mulata <u>fornida</u>, de ancas largas, nova e sadia." (Francisco Julião, *Cachaça*, p. 23.)

fornilho [Do esp. *hornillo*.] *S. m.* **1.** Pequeno forno ou fogareiro. **2.** A parte do cachimbo onde arde o fumo: "Com .... o <u>fornilho</u> do cachimbo na palma da mão, fitou os olhos azulados nos bugalhos pretos do mestiço" (Xavier Marques, *As Voltas da Estrada*, p. 297). **3.** *Mil.* Caixão de pólvora que se enterrava para fazê-lo explodir em caso de guerra.

fornimento [De *fornir* + *-mento*.] *S. m.* **1.** Ato ou efeito de fornir. **2.** Robustez, corpulência.

fornir [Do frâncico **frumjan*, 'executar', pelo fr. ant. *fornir* (atual *fournir*).] *V. t. d.* **1.** Tornar nutrido, robusto, basto, grosso. *T. d. e i.* **2.** Abastecer, prover: *<u>Forni</u>-o de alimentos*. [Defect.; só se conjuga nas f. em que ao *n* da raiz se segue um *i*.]

fórnix (cs) [Do lat. *fornix* (nom.).] *S. m. 2 n.* V. *fórnice*.

forno (ô) [Do lat. *furnu*.] *S. m.* **1.** Construção abobadada de pedras, tijolos, etc., em geral com uma só abertura, capaz de produzir e armazenar o calor necessário a certos processos, como, p. ex., a cozedura de alimentos, barro, porcelana, etc.: *<u>forno</u> de padaria*. **2.** Câmara calorífera de um fogão de cozinha, ou aparelho análogo independente, onde se assam ou se aquecem alimentos: *<u>forno</u> a gás; <u>forno</u> elétrico*. **3.** Fornalha (2). **4.** *Fig.* Ambiente ou lugar demasiado quente; fornalha. **5.** *Med. Terap.* Aparelho, de que há vários tipos, com o qual se procura atingir temperatura elevada, mas que varia de acordo com o fim a que se destina (esterilização, combate a inflamação mediante calor, etc.). **6.** *Bras. Amaz. Bot.* V. *vitória-régia*. [Pl.: *fornos* (ó). Cf. *alto-forno*.] ◆ **Forno de arco.** *Tec.* Aquele em que o aquecimento é provocado pela ação de um arco elétrico gerado entre dois eletrodos convenientemente colocados. **Forno de cuba.** *Tec.* Aquele em que o minério e o combustível estão em contato, intimamente misturados, num vaso vertical onde se processa a fusão da massa. **Forno de indução.** *Tec.* Aquele em que a carga é aquecida mediante a corrente elétrica que nela se induz pela ação de um campo magnético oscilante gerado por uma bobina que envolve o cadinho e é convenientemente alimentada por uma corrente alternada. **Forno de micro-ondas.** Forno (2) que utiliza o aquecimento por micro-ondas. [Tb. se diz apenas *micro-ondas*.] **Forno de mufla.** *Tec.* Aquele em que o aquecimento se faz mediante a radiação térmica das paredes de uma câmara onde se põe a carga que se vai fundir. [Tb. se diz apenas *mufla*.] **Forno de resistência.** *Tec.* Aquele em que o aquecimento é provocado pelo efeito Joule (q. v.) de uma corrente elétrica que percorre resistores imersos na carga, ou que percorre a própria carga, ou que passa por resistores colocados nas paredes do forno. **Forno de revérbero.** *Tec.* Forno de aquecimento indireto, no qual a massa por aquecer fica em contato com os produtos da combustão que se formam pela queima do combustível na fornalha. **De forno e fogão.** Que tem grandes conhecimentos culinários; cozinheiro de forno e fogão (q. v.).

forno-d'água *S. m. Bras. MT Bot.* V. *vitória-régia*. [Pl.: *fornos-d'água*.]

forno-de-jaçanã *S. m. Bras. Amaz. Bot.* V. *vitória-régia*. [Pl.: *fornos-de-jaçanã*.]

forno-de-jacaré *S. m. Bras. Amaz. Bot.* **1.** V. *vitória-régia*: "a vitória-régia, '<u>forno-de-jacaré</u>' dos naturais, desdobra as enormes folhas circulares de bordos cairelados de vivo carmesim virados para cima como um forno indígena" (José Veríssimo, *Cenas da Vida Amazônica*, p. 50). **2.** A folha da *vitória* (2). [Pl.: *fornos-de-jacaré*.]

foro [Do lat. *foru*.] *S. m.* **1.** Praça pública, na antiga Roma. **2.** Local para debates, ou reunião para o mesmo fim. **3.** Centro de múltiplas atividades. [Sin. ger.: *fórum*. Cf. *foro* (ô).]

foro (ô) [De *foro*, com mudança de timbre.] *S. m.* **1.** Quantia ou pensão que o enfiteuta dum prédio paga anualmente ao senhorio direto. **2.** Domínio útil dum prédio. **3.** Encargo ou despesa habitual ou obrigatória. **4.** Uso ou privilégio garantido pelo tempo ou pela lei: "Nem lhes foi conferido o <u>foro</u> de nobreza, prometido por decreto aos delatores plebeus, nem a recompensa pecuniária, se a tiveram, foi de vulto." (J. Lúcio d'Azevedo, *O Marquês de Pombal e a Sua Época*, p. 191.) **5.** Foral (2). **6.** Tribunal de Justiça. **7.** Lugar onde funcionam os órgãos do poder judiciário; fórum. **8.** Jurisdição, alçada, poder: *o <u>foro</u> eclesiástico*. ~ V. *foros*. [Pl.: *foros* (ó). Cf. *foro*.] ◆ **Foro íntimo.** O juízo da própria consciência; julgamento íntimo.

▲for(o)- [Do lat. cient. (ou med.) *phor-*, *phoro-* < gr. *phórein*, freq. de *phérein*. V. *-foro*.] *El. comp.* = 'que apresenta movimento', 'direção': *foronomia*.

▲-for(o)- V. *-foro*.

▲-foro [Do gr. *-phóros* (como em *hydrophóros*) < gr. *phorós, ós, ón*, 'que carrega', < v. gr. *phérein*, 'carregar', 'transportar'.] *El. comp.* = 'que carrega', 'que transporta'; 'que apresenta'; 'que apresenta certo movimento': *adenóforo, andróforo, cromatóforo, hidróforo* (< gr.). [Equiv.: *-fora*, *-for(o)-*: *trocófora, electroforídeo*.]

forónida *S. m. Adj. Zool.* V. *forônida*. [Uso freq. em P.]

forônida [Do tax. *Phoronis* (< mit. gr. *Phoronís*) + *-ida*[1]; tax. *Phoronida*.] *Zool. S. m.* **1.** Espécime dos forônidas, filo de animais metazoários, de simetria bilateral, cilíndricos, vermiformes, não segmentados, que vivem dentro de um tubo produzido por eles próprios. Têm na extremidade anterior um lofóforo em forma de ferradura; tentáculos ciliados; sistema digestório em forma de U; boca e ânus dentro do lofóforo. Marinhos e hermafroditos, sedentários, vivem enterrados no fundo do mar em lugares rasos. Tudo indica que os forônidas são os ancestrais dos braquiópodes e briozoários, pois fósseis são encontrados desde o devoniano. • *Adj. 2 g.* **2.** Pertencente ou relativo a eles.

foronomia [De *for(o)-* + *-nom(o)-* + *-ia*[1].] *S. f.* V. *cinemática*.

foros [Pl. de *foro* (ô).] *S. m. pl.* Imunidades; direitos, privilégios. ~ V. *foro*.

forqueadura [De *forquear* + *-dura*.] *S. f.* Bifurcação.

forquear [De *força* + *-ear*[2].] *V. t. d. P.* V. *bifurcar*. [Conjug.: v. *frear*.]

forqueta (ê) [De *força* + *-eta* (ê).] *S. f.* **1.** Forquilha (3). **2.** *Bras.* Lugar de confluência de dois rios, caracterizado pela formação de um ângulo agudo.

forquilha [Do esp. *horquilla*.] *S. f.* **1.** Pequeno forcado de três pontas. **2.** Vara bifurcada na qual descansa o braço do andor; descanso. **3.** Pau ou tronco bifurcado; forqueta. **4.** Cabide para dependurar qualquer coisa. **5.** *Tip.* Garfo (7). **6.** *Bras. Zool.* Animal nematelminto, nematoide, singamídeo (*Syngamus trachea*), de coloração vermelha, parasito da traqueia da galinha e de outras aves domésticas. O macho é fixo ao terço anterior da fêmea, em forma de forquilha, o que lhe valeu o nome popular. **7.** *Bras. Gír.* Denominação dos dedos médio e indicador, usados na punga[1] (4). **8.** *Bras. Gír.* Longa vara, aforquilhada numa das extremidades, que serve para impulsionar a canoa, tomando-se um ponto de apoio na margem do rio. **9.** *Bras. RS* Sinal que se faz na orelha do gado, como marca. ◆ **Trabalhar na forquilha.** *Bras. Gír.* Ser punguista.

F

forquilhado [De *forquilha* + *-ado*[1].] *Adj.* Em forma de forquilha; bifurcado.

forquilhar [De *forquilha* + *-ar*[2].] *V. t. d. P.* Converter(-se) em forquilha; bifurcar(-se).

forquilheiro [De *forquilha* + *-eiro*.] *S. m. Bras. AM* Aquele que maneja a forquilha (8).

forquilhense[1] *Adj. 2 g.* **1.** De, ou pertencente ou relativo a Forquilha (CE). • *S. 2 g.* **2.** O natural ou habitante de Forquilha.

forquilhense[2] *Adj. 2 g.* **1.** De, ou pertencente ou relativo a Forquilhinha (SC). • *S. 2 g.* **2.** O natural ou habitante de Forquilhinha.

forquilhense[3] *Adj. 2 g.* **1.** De, ou pertencente ou relativo a Três Forquilhas (RS). • *S. 2 g.* **2.** O natural ou habitante de Três Forquilhas.

forquilhoso (ô) [De *forquilha* + *-oso*.] *Adj.* Terminado em forquilha.

forra [F. subst. de *forro*[2].] *S. f. Bras.* Desforra. [Pl.: *forras*. Cf. *forra* (ô), fem. de *forro* (ô), s. f. e pl. *forras* (ô).] ◆ **Ir à forra.** *Bras.* Vingar-se, desforçar-se, forrar-se, desforrar-se.

forra (ô) [Dev. de *forrar*[1].] *S. f.* **1.** Chumaço ou entretela. **2.** *Bras. Constr.* Cada uma das placas de cantaria ou de mármore que revestem uma construção. **3.** *Marinh.* Tira de lona aplicada como reforço a uma vela, toldo, etc., em partes sujeitas a maiores esforços. [Pl.: *forras* (ô). Cf. *forra* e *forras*, do v. *forrar*; *forra*, s. f., e pl. *forras*.] ◆ **Forra de rizes.** *Marinh.* Cada uma das forras [v. *forra* (3)] cosidas a distâncias várias da esteira de certas velas, e que seguram os rizes.

forração [De *forrar*[1] + *-ção*.] *S. f. Bras.* **1.** Forramento. **2.** *Tec. Têx.* Tecido para forro[1] (1 e 2).

forrado [Part. de *forrar*[1].] *Adj.* Que tem forro[1] (1 e 2).

forrador (ô) [De *forrar*[1] + *-dor*.] *S. m.* Aquele que forra.

forra-gaitas [De *forrar*[2] (3) + *gaita* (7).] *S. 2 g. e 2 n. Pop.* V. *avaro* (3).

forrageador (ô) [De *forragear* + *-dor*.] *Adj. S. m.* Que, ou aquele que forrageia.

forrageal [De *forrage(m)* + *-al*[1].] *S. m.* Lugar onde medra abundantemente a forragem.

forragear [De *forrage(m)* + *-ear*[2].] *V. t. d.* **1.** Ceifar forragem em; segar. **2.** Indagar (remexendo); procurar; remexer. **3.** Talar, devastar: *<u>forragear</u> um campo*. **4.** Colher (ideias, passagens) em livros alheios; respigar. *Int.* **5.** Cortar ou segar forragem. **6.** Colher ideias, passagens, em livros alheios. [Conjug.: v. *frear*.]

forrageira [F. subst. de *forrageiro*.] *S. f. Bras.* Planta forrageira [v. *forrageiro* (2)].

forrageiro [De *forrage(m)* + *-eiro*.] *Adj.* **1.** Relativo a forragem. **2.** Que serve como forragem; forraginoso.

forragem [Do fr. *fourrage*.] *S. f.* Qualquer planta ou grão para alimentação do gado: "Quanto a julgar que um campo de capim, crescido na época seca, representa formidável reserva de <u>forragem</u> para o gado, é ilusão talvez nascida de cartões-postais ou de fotografias, em revistas especializadas, de prados artificiais europeus." (M. Cavalcanti Proença, *No Termo de Cuiabá*, p. 63.)

forraginoso (ô) [De *forragem* + *-in(o)-*[2] + *-oso*.] *Adj.* **1.** Forrageiro (2). **2.** Que produz forragem.

forramento [De *forrar*[1] + *-mento*.] *S. m.* Ato ou efeito de forrar[1] (1 e 2); forração.

forrar[1] [Do cat. *folrar*, *forrar* (< cat. ant. *foure* e fr. ant. *fuerre*, 'bainha ou forro de arma'), pelo esp. *forrar*.] *V. t. d.* **1.** Pôr forro[1] em: cobrir de papel, estofo, lâminas, etc.: *Mandou <u>forrar</u> as paredes*. **2.** Reforçar com entretela: *<u>forrar</u> um paletó*. **3.** Revestir, cobrir: "As flores do papel que <u>forrava</u> as paredes eram do campo" (João de Araújo Correia, *Terra Ingrata*, p. 134). *T. d. e i.* **4.** Revestir, cobrir: *<u>forrar</u> as paredes com papel*; "Já havia .... boa porção de cortiça, quando chegou a Fundões um bando de carpinteiros e artífices que .... entraram de <u>forrar</u> da casca preciosa as paredes laterais da grande varanda" (João da Silva Correia, *Farândola*, p. 98). *P.* **5.** Vestir-se; agasalhar-se. **6.** Encher-se, cobrir-se, revestir-se: "O céu sombrio forrou-se literalmente de cores de bandeira" (Raul Pompeia, *Crônicas* 4, p. 15). [Pres. ind.: *forro, forras, forra*, etc. Cf. *forro* (ô), s. m. e adj.; *forra* (ô), fem. do adj. *forro* (ô) e s. f., e pl. *forras* (ô).]

forrar² [De *forro*² + *-ar*².] *V. t. d. e i.* **1.** Tornar forro² ou livre; alforriar: *forrar os escravos.* **2.** Livrar de; evitar: *Aquela medida forrou aborrecimentos.* **3.** Poupar, economizar, aforrar: *Procura forrar uns cobres para a velhice. T. d. e i.* **4.** Forrar (2): *Suas palavras forraram tristezas ao velho amigo. P.* **5.** Esquivar-se, livrar-se: "deixamos de ouvir muito concerto para violino e orquestra de Bach, mas também nossos olhos e ouvidos se forraram à tortura da t.v." (Carlos Drummond de Andrade, *Cadeira de Balanço*, p. 62). **6.** V. *ir à forra*. [Pres. ind.: *forro, forras, forra*, etc. Cf. *forro* (ô), s. m. e adj.; *forra* (ô), fem. do adj. *forro* (ô) e s. f., e pl. *forras* (ô).]

forreca *S. f.* **1.** *Bras. Zool.* A larva do coleóptero *Lygirus humilis*. **2.** *Bras. MG* V. *fubica* (3).

forreta (ê) [De *forrar*² (3) + *-eta* (ê).] *S. 2 g.* V. *avaro* (3): "Imputou-se à Marquesa [Marquesa de Santos] ser forreta, mercando legumes e ratinhando-os, vendendo toucinho à sua escravatura" (Alberto Rangel, *Dom Pedro Primeiro e a Marquesa de Santos*, p. 300).

forro¹ (ô) [Do fr. ant. *feurre*.] *S. m.* **1.** Enchimento ou guarnição interna de certos artefatos, peças de vestuário, etc. **2.** Revestimento de sofás, cadeiras, etc. [Sin., p. us., nessas acepçs.: *enforro*.] **3.** *Constr.* Revestimento interno de um teto. **4.** *P. ext.* O próprio teto. **5.** Revestimento de paredes, edifícios, fundo de navios, etc. [Pl.: *forros* (ô). Cf. *forro*, do v. *forrar*.] ◆ **Forro de esteira.** *Constr.* Aquele constituído por tábuas estreitas cujas beiradas são em geral cortadas em meia-esquadria (2), e unidas por pregos. **Forro de macho e fêmea.** *Constr.* Aquele cujas tábuas, estruturas de PVC, etc., se encaixam uma na outra. **Forro de saia e camisa.** *Constr.* Forro composto por uma fileira de tábuas ditas camisas [v. camisa (10)] de largura uniforme, e alternadamente sobrepostas; saia e camisa. **Forro paulista.** *Constr.* Forro constituído de tábuas estreitas unidas por encaixe do tipo macho e fêmea.

forro² (ô) [Do ár. *ḥurr*, 'liberto'; 'livre ou nascido de pais livres'; 'puro', 'virtuoso', 'nobre'.] *Adj.* **1.** Liberto; alforriado. **2.** Livre de dívidas; desobrigado. **3.** Que não paga foro. **4.** Liberto, livre, isento: "Outros, já forros da canseira, abancavam por ali a fazer comezaina" (João da Silva Correia, *Farândola*, p. 171). **5.** *Santom.* Diz-se de indivíduo natural das ilhas de São Tomé e Príncipe, ou da língua falada pelos forros são-tomenses. ● *S. m.* **6.** *Santom. Etnôn.* Indivíduo forro² (5): "Desde pequenina invejava a condição dos forros, da gente livre que não vivia nas fazendas nem trabalhava às ordens dos brancos, excepto raras excepções." (Sacramento Neto, *Tonga Sofia*, p. 84.) **7.** *Gloss.* A língua falada pelos forros [v. *forro*² (6)]. [Flex.: *forra* (ô), *forras* (ô), *forros* (ô). Cf. *forro*, *forra* e *forras*, do v. *forrar*, e *forra*, s. f., e pl. *forras*.]

forró [F. red. de *forrobodó*.] *S. m.* **1.** *Bras. Santom. Pop.* V. *arrasta-pé* (1): "Vivia nos forrós, sempre alegre, a dedilhar o bandolim nas noites de serenata." (O. G. Rego de Carvalho, *Somos Todos Inocentes*, p. 5.) **2.** *Bras. N.E. Pop. Mús.* Música originalmente apenas instrumental, e dança aparentada ao baião, porém com andamento mais acelerado.

forrobodó [De or. controversa.] *S. m.* **1.** V. *arrasta-pé* (1). **2.** Farra, troça. **3.** Confusão, desordem. V. *rolo*¹ (16). [F. red.: *forró*.]

forroia (ói) *S. f. Bras. N. Pop.* Égua velha. ❖

forrozeiro (ô) [De *forró* + *-zeiro*.] *S. m. Bras.* Dançador e/ou frequentador de forrós.

forsterita [Do antr. (*Johann R.*) *Forster*, viajante alemão do séc. XVIII, + *-ita*³.] *S. f. Min.* Mineral ortorrômbico, silicato de magnésio do grupo das olivinas.

fortalecedor (ô) [De *fortalecer* + *-dor*.] *Adj.* **1.** Que fortalece; fortalecente. ● *S. m.* **2.** Aquele ou aquilo que fortalece.

fortalecente [De *fortalecer* + *-nte*.] *Adj. 2 g.* Fortalecedor (1).

fortalecer [De *fortal(eza)* + *-ecer*.] *V. t. d.* **1.** Guarnecer com meios de defesa; fortificar: *fortalecer um acampamento.* **2.** Tornar forte; robustecer: *fortalecer os músculos*; "firmíssimas esperanças .... desabrocham para logo, alentando e fortalecendo o ânimo." (Antero de Quental, *Prosas*, I, p. 56). **3.** Encorajar, animar. **4.** Dar maior força a; robustecer, corroborar: *Novos fatos vieram fortalecer aqueles argumentos. P.* **5.** Robustecer-se física ou moralmente. [Conjug.: v. *aquecer*.]

fortalecimento [De *fortalecer* + *-imento*.] *S. m.* Ato ou efeito de fortalecer(-se).

fortalexiense *Adj. 2 g. S. 2 g. Pop. P. us.* V. *fortalezense*¹.

fortaleza (ê) [Do occitano ant. *fortalessa, fortaleza*, correspondente do fr. *fortesse*, ambos do lat. *fortis*, 'forte'.] *S. f.* **1.** Fortificação; praça fortificada; forte; castelo. **2.** Qualidade ou virtude dos fortes. **3.** Solidez, segurança. **4.** Força moral, energia, firmeza, constância. **5.** *Bot.* Planta urticácea (*Pellonia deveauana*) herbácea e carnosa, ornamental, de folhas avermelhadas, bronzeadas nas margens, com larga faixa mediana verde-clara, e cujas flores, dispostas em corimbo, quando colhidas ainda em botão, e prendendo-se a ponta do pedúnculo com os dedos, se abrem, com deiscência das anteras, sob a ação do calor da mão, dando o pólen a impressão de explodir e deitar fumaça. **6.** *Bras. Gír.* Lugar bem defendido e escondido que é sede de atividade fora da lei. "Periodicamente, algum centro de apuração do jogo, conhecido como 'fortaleza', era invadido pela polícia" (Rubem Fonseca, *Agosto*, p. 12). [Cf. *fortaleza*, do v. *fortalezar*.]

fortalezar [De *fortaleza* + *-ar*².] *V. t. d. P. us.* Fortificar; guarnecer. [Pres. ind.: *fortalezo, fortalezas, fortaleza*, etc. Cf. *fortaleza*, s. f., e o top. *Fortaleza*.]

fortalezense¹ *Adj. 2 g.* **1.** De, ou pertencente ou relativo a Fortaleza, capital do Estado do Ceará. ● *S. 2 g.* **2.** O natural ou habitante de Fortaleza. [Sin. ger. (p. us.): *fortalexiense*.]

fortalezense² *Adj. 2 g.* **1.** De, ou pertencente ou relativo a Fortaleza de Minas (MG). ● *S. 2 g.* **2.** O natural ou habitante de Fortaleza de Minas.

fortalezense³ *Adj. 2 g.* **1.** De, ou pertencente ou relativo a Fortaleza dos Valos (RS). ● *S. 2 g.* **2.** O natural ou habitante de Fortaleza dos Valos.

fortanogueirense *Adj. 2 g.* **1.** De, ou pertencente ou relativo a Fortaleza dos Nogueiras (MA). ● *S. 2 g.* **2.** O natural ou habitante de Fortaleza dos Nogueiras.

forte [Do lat. *forte*.] *Adj. 2 g.* **1.** Que tem força, vigor; vigoroso: *mãos fortes; indivíduo forte.* **2.** Robusto, corpulento: *um nenê forte e sadio.* **3.** Que tem fortaleza de ânimo; enérgico: *Os homens fortes sabem resistir à adversidade.* **4.** Animoso, valente, valoroso, esforçado: *Um pai fraco não faz fortes filhos.* **5.** Confiado, seguro: *Desde menino é forte em suas decisões.* **6.** Entendido, versado, instruído: *É forte em matemática.* **7.** Que tem muito poder, muita força; poderoso: *governo forte.* **8.** Que tem muita possibilidade de vitória: *É candidato forte à presidência da República.* **9.** Consistente, sólido, rijo: *parede forte.* **10.** Fortificado (2). **11.** Intenso, violento: *vento forte.* **12.** Violento, áspero, arrebatado: *gênio forte.* **13.** Vivo, ativo, intenso: *sol forte.* **14.** Diz-se de voz cheia e sonora. **15.** De valor, de peso: *razão forte.* **16.** Substancioso, nutritivo: *alimento forte.* **17.** Diz-se do que está muito carregado de álcool, essência ou princípio ativo: *perfume forte; chá forte; cigarro forte.* **18.** Diz-se de filme, livro, etc., que apresentam temas de impacto de vivo realismo, em especial temas sexuais. **19.** V. *cabeludo*¹ (3). **20.** Diz-se de relato, acontecimento, notícia, que parecem inacreditáveis ou revoltantes: *Não creio naquela história: é forte demais.* **21.** Difícil de subir; íngreme: "toma impulso [a limusine], aproxima-se da esquina onde começa uma ladeira forte" (Dionélio Machado, *Os Ratos*, p. 81). ~ V. *ácido —, acoplamento —, barro —, cabeça —, eletrólito —, espírito —, interação —, moeda —* e *o sexo —*. ● *S. m.* **22.** Castelo fortificado. **23.** Construção militar destinada a proteger um lugar estratégico, uma cidade; fortaleza. [Dim. irreg. (nas acepçs. 22 e 23): *fortim*.] **24.** Aquilo em que alguém excele: "O Bispo posicionava-se bem acima dos outros dois, de acordo com seu próprio julgamento, uma vez que humildade não era o seu forte." (Lustosa da Costa, *Sobral do Meu Tempo*, p. 82); *Seu forte era o carteado.* **25.** *Mús.* Parte de uma peça musical em que o som é reforçado. ● *S. 2 g.* **26.** Pessoa que tem fortaleza de ânimo, que é forte (3): "A vida é combate, / Que os fracos abate, / Que os fortes, os bravos, / Só pode exaltar." (Gonçalves Dias, *Obras Poéticas*, II, p. 42); "Ela era a forte, a dominadora, a incorruptível" (Antônio de Alcântara Machado, *Novelas Paulistanas*, p. 254). ● *Adv.* **27.** Com força; fortemente: "o coronel saiu, num rompante, batendo forte os saltos dos botins." (Simões Lopes Neto, *Contos Gauchescos e Lendas do Sul*, p. 221); "O telefone tilintou forte no andar térreo" (Reginaldo Guimarães, *Uma Blusa no Cais*, p. 60). **28.** *Mús.* Reforçando o som; executando com muita sonoridade e grande intensidade. [Abrev., nesta acepç.: *f.*]

fortense *Adj. 2 g.* **1.** De, ou pertencente ou relativo à cidade de Oliveira Fortes (MG). ● *S. 2 g.* **2.** O natural ou habitante de Oliveira Fortes.

➔ **fôrte-piano** [fɔrtepi'ano] [It.] *Adv. Mús.* Serve para indicar que um trecho deve ser executado forte e logo depois piano. [sigla: *fp*].

forteza (ê) [De *forte* + *-eza*.] *S. f. Pop.* Valentia, força, fortaleza.

fortidão [Do lat. *fortitudine*.] *S. f.* **1.** Qualidade daquele ou daquilo que é forte, sólido, consistente. **2.** *Fig.* Aspereza, rispidez, violência: *fortidão de gênio.*

fortificação [Do lat. tard. *fortificatione*.] *S. f.* **1.** Ato de fortificar(-se). **2.** Forte, baluarte, fortaleza. **3.** Arte de fortificar e defender uma praça, um acampamento, etc.

fortificado [Part. de *fortificar*.] *Adj.* **1.** Tornado forte; robustecido. **2.** Que tem fortificações; defendido por fortificações; forte.

fortificador (ô) [De *fortificar* + *-dor*.] *Adj.* **1.** Que fortifica; fortificante. ● *S. m.* **2.** Aquele que fortifica.

fortificante [Do lat. tard. *fortificante*.] *Adj. 2 g.* **1.** Fortificador (1). ● *S. m.* **2.** Droga ou medicamento para fortalecer o organismo.

fortificar [Do lat. tard. *fortificare*.] *V. t. d.* **1.** Tornar forte; fortalecer. **2.** Guarnecer de fortes ou fortalezas; dar meios ou condições de defesa a: *fortificar uma cidade.* **3.** Auxiliar, coadjuvar. **4.** Corroborar; animar. *P.* **5.** Tornar-se forte; fortalecer-se. **6.** Manter-se firme. [Conjug.: v. *trancar*.]

fortim [De *forte* + *-im*; esp. *fortín*.] *S. m.* Pequeno forte (22 e 23).

fortíssimo [Do it. *fortissimo*.] *Adv. Mús.* **1.** Executado com o máximo de intensidade possível. [Ger. us. em partituras, como indicação para execução.] [Abrev.: *ff* ou *fff*.] ● *S. m.* **2.** Passagem executada com intensidade muito grande, ou máxima.

fortitude [Do lat. *fortitudine*.] *S. f.* Qualidade de forte; força, energia.

■ **FORTRAN** [Acrôn. do ingl. *for(mula) tran(slation)*, 'tradução de fórmula'.] *Inform.* Sigla que designa uma linguagem de programação de alto nível, desenvolvida na década de 1950, voltada para o uso científico.

fortuitamente (tùi) [Do f. de *fortuito* + *-mente*.] *Adv.* De modo fortuito; ocasionalmente, casualmente.

fortuito (túi) [Do lat. *fortuitu*.] *Adj.* **1.** Casual, acidental, eventual: *Teve um ensejo fortuito de observar-lhe a fisionomia.* **2.** Inopinado, imprevisto: *encontro fortuito.*

fortum [De *forte* + *-um*².] *S. m.* V. *fartum*: "Abriam-se as senzalas ligando do interior fuliginoso e morno o acre fortum e a fumaraça espessa dos brasidos que ardiam à noite" (Coelho Neto, *Rei Negro*, p. 8).

fortuna [Do lat. *fortuna*.] *S. f.* **1.** Acontecimento fortuito; casualidade, acaso: *Por mera fortuna chegou a importante descoberta.* **2.** Destino, fado, sorte: "Erros meus, má fortuna, amor ardente / em minha perdição se conjuraram" (Luís de Camões, *Rimas*, p. 186); "O latim *caput* passou às línguas romances regularmente, segundo as leis fonéticas, porém com fortuna vária quanto à aplicação." (M. Said Ali, *Meios de Expressão e Alterações Semânticas*, p. 89). **3.** Bom êxito; êxito, sucesso. **4.** Boa sorte; sorte, felicidade, ventura. **5.** Revés da sorte; adversidade. **6.** Haveres, riqueza. ◆ **Fortuna crítica.** *Liter.* Bom ou mau acolhimento dado a uma obra pela crítica (3). **Fortuna do mar.** *Com.* Acontecimento imprevisível e/ou inevitável, de que decorre a perda ou o dano do navio, ou de sua carga; risco marítimo. **De fortuna.** Diz-se de qualquer dispositivo, engenho ou arranjo feito em condições precárias, para atender uma emergência. **Fazer fortuna.** Adquirir bens e haveres; enriquecer consideravelmente.

fortunar [Do lat. *fortunare*.] *V. t. d. P.* Afortunar.

fortunatíssimo [Do lat. *fortunatus* + *-íssimo*.] *Adj.* Muito afortunado; muito próspero; afortunadíssimo.

fortunense¹ *Adj. 2 g.* **1.** De, ou pertencente ou relativo a Fortuna (MA). ● *S. 2 g.* **2.** O natural ou habitante de Fortuna.

fortunense² *Adj. 2 g.* **1.** De, ou pertencente ou relativo a Fortuna de Minas (MG). ● *S. 2 g.* **2.** O natural ou habitante de Fortuna de Minas.

fortunoso (ô) [De *fortuna* + *-oso*.] *Adj.* V. *afortunado*: "O seu engenho [de Cervantes], purificado nas aventuras de uma existência trabalhada e pouco fortunosa, revelara-se já quando nos ânimos vulgares se amortece o vigor da adolescência" (Latino Coelho, *Cervantes*, p. 141).

fórum [Do lat. *forum*.] *S. m.* **1.** V. *foro*. **2.** Foro (ô) (7).

➔ **forward** ['fɔ:wəd] [Ingl.] *S. m. Fut. Desus.* Cada um dos cinco jogadores da primeira linha duma equipe. [O do meio chama-se *center-forward*.]

▲ **fos-** [Do gr. *phôs, phōtós*.] *El. comp.* V. *fot(o)-*.

fosca [F. subst. de *fosco*.] *S. f.* V. *fosquinha*. [Pl.: *foscas*. Cf. *fosca* (ô) e *foscas* (ô), flex. de *fosco* (ô).]

foscar [De *fosco* + *-ar*².] *V. t. d.* Tornar fosco. [Conjug.: v. *trancar*. Pres. ind.: *fosco, foscas, fosca*, etc. Cf. *fosco* (ô) e flex. *fosca* (ô), *foscos* (ô).]

fosco (ô) [Do lat. *fuscu*.] *Adj.* **1.** Sem brilho; embaciado, embaçado. **2.** V. *translúcido* (1): *lâmpada fosca.* [Cf. *opaco* (1).] **3.** *Fig.* Covarde, cobarde, fraco. [Flex.: *fosca* (ô), *foscos* (ô), *foscas* (ô). Cf. *fosco*, *fosca* e *foscas*, do v. *foscar*, e *fosca*, s. f., pl. *foscas*.]

fosfagénio *S. m. Bioquím.* V. *fosfagênio.* [Uso freq. em P.]

fosfagênio [De *fosfa(to)* + *(glico)gênio.*] *S. m. Bioquím.* Qualquer de certos fosfatos orgânicos (fosfocreatina, fosfoguanidina, lombricina) capazes de fornecer trifosfato de adenosina (ATP) por reação com difosfato de adenosina. [Servem ao metabolismo como reservatórios de ATP, usado na atividade muscular.]

fosfatado [De *fosfato* + *-ado*[1].] *Adj.* **1.** Que se encontra em estado de fosfato. **2.** Que tem fosfato. **3.** Tratado com fosfato.

fosfatagem [De *fosfato* + *-agem*[2].] *S. f.* Ação de tratar a terra ou o vegetal com fosfato.

fosfatar [De *fosfato* + *-ar*[2].] *V. t. d.* **1.** Pôr fosfato em. **2.** Tratar com fosfato.

fosfatase [De *fosfato* + *-ase.*] *S. f. Bioquím.* Designação genérica das hidrolases que catalisam a hidrólise (ou a síntese) de ésteres do ácido fosfórico.

fosfático [De *fosfato* + *-ico*[2].] *Adj.* **1.** Formado de fosfato. **2.** Relativo a fosfato.

fosfatidilcolina *S. f. Bioquím.* Fosfolipídio, constituinte importante da membrana celular, que se situa, principalmente, na superfície externa desta.

fosfatídio [De *fosfato* + *-ídio*[2].] *S. m. Bioquím.* Qualquer dos lipídios fosfatados que, por hidrólise, fornece glicerol, ácidos graxos, ácido fosfórico e certas aminas, como, p. ex., a etanolamina.

fosfatização [De *fosfatizar* + *-ção.*] *S. f. Metal.* Processo de proteção de materiais ferrosos contra os agentes oxidantes, e que consiste em imergir as partes metálicas, por certo tempo, num banho ou solução fosfática, ou pulverizá-las com esta solução, após tratamento por decapagem ou jato de areia.

fosfatizar [De *fosfato* + *-izar.*] *V. t. d.* Realizar a fosfatização de.

fosfato [De *(ácido) fosf(órico)* + *-ato*[2].] *S. m. Quím.* Qualquer sal do ácido fosfórico. ◆ **Fosfato ácido.** *Quím.* V. *bifosfato.* **Fosfato de acila.** *Bioquím.* Substância resultante da condensação de um ácido carboxílico com o ácido fosfórico, com eliminação de água. **Fosfato diácido.** *Quím.* Di-hidrogenofosfato.

fosfaturia [De *fosfato* + *-uria.*] *S. f. Med.* V. *fosfatúria.*

fosfatúria [De *fosfato* + *-úria.*] *S. f. Med.* Teor de fosfatos na urina. [F. paral.: *fosfaturia.*]

fosfena [De *fos-* + *-fena.*] *S. f.* V. *fosfênio.*

fosfénio *S. m. Med.* V. *fosfênio.* [Uso freq. em P.]

fosfênio [De *fos-* + *-fen(o)-* + *-io*[3].] *S. m. Med.* Impressão luminosa produzida por compressão do globo ocular, estando as pálpebras unidas e na ausência de luz.

fosfina [De *fosf(o)-* + *-ina*[3].] *S. f. Quím.* **1.** Hidreto de fósforo, gasoso, incolor, inflamável [fórm.: PH_3]. **2.** Designação genérica dos derivados da fosfina (1), obtidos por substituição de um ou mais hidrogênios desta por grupos hidrocarbônicos.

fosfito [De *fosf*, abrev. de *fósforo,* + *-ito*[3].] *S. m. Quím.* Sal derivado de um ácido fosforoso.

▲**fosf(o)-** *Quím. El. comp.* Indica **1.** 'a presença, na molécula de uma substância, de um átomo de fósforo, no lugar de um de carbono' (*fosfola*); **2.** 'ácido fosfórico' (*fosfotúngstico*); **3.** 'fósforo' (*fosfoproteína*).

fosfocreatina [De *fosf(o)-* + *creatina.*] *S. f. Bioquím.* Fosfagênio que fornece, por hidrólise, fosfato inorgânico e creatina; é usado no metabolismo de vertebrados.

fosfodiéster [Do ingl. *phosphodiester*, em *phosphodiester bond.*] *S. m. Bioquím.* Grupamento formado por molécula de ácido fosfórico duplamente esterificado.

fosfodiesterase [Do ingl. *phosphodiesterase* (v. *fosfodiéster* e *-ase*).] *S. f. Bioquím.* Qualquer de um grupo de enzimas que catalisa a quebra de ligações fosfodiésteres.

fosfoguanidina [De *fosf(o)-* + *guanidina.*] *S. f. Bioquím.* Fosfagênio que fornece, por hidrólise, fosfato inorgânico e guanidina; é usado no metabolismo de certos invertebrados, como a lagosta.

fosfola [De *fosf(o)-* + *-ola*[2].] *S. f. Quím.* Substância cíclica, insaturada, com anel de 5 átomos, sendo quatro de carbono e o quinto de fósforo [fórm.: C_4H_5P].

fosfolipase [De *fosf(o)-* + *lipase.*] *S. f. Bioquím.* Qualquer enzima que catalisa a hidrólise de fosfatídios.

fosfolipídio [De *fosf(o)-* + *lipídio.*] *S. m. Bioquím.* Qualquer de certas substâncias, de grande importância biológica, que podem ser consideradas produtos de condensação de lipídio com o ácido fosfórico.

fosfomolibdato [De *(ácido) fosfomolíbd(ico)* + *-ato*[2].] *S. m. Quím.* Qualquer sal de ácido fosfomolíbdico.

fosfomolíbdico [De *fosf(o)-* + *molíbdico.*] *Adj. Quím.* ~ V. *ácido* —.

fosfonato [De *(ácido) fosfôn(ico)* + *-ato*[2].] *S. m. Quím.* Qualquer sal ou éster de um ácido fosfônico.

fosfónico *Adj. Quím.* V. *fosfônico.* [Uso freq. em P.]

fosfônico [Alter. de *fosfínico* (< *fosfina* + *-ico*[2]).] *Adj. Quím.* ~ V. *ácido* —.

fosfoproteína [De *fosf(o)-* + *proteína.*] *S. f. Bioquím.* Proteína rica em fósforo.

fosforado [Part. de *fosforar.*] *Adj.* Combinado ou misturado com fósforo.

fosforar [De *fósforo* + *-ar*[2].] *V. t. d.* Combinar ou misturar com fósforo. [Pres. ind.: *fosforo,* etc. Cf. *fósforo.*]

fosforear [De *fósforo* + *-ear*[2].] *V. int.* V. *fosforejar*: 📖 "Esfuziavam relâmpagos, fosforeando na caligem das nuvens" (Alphonsus de Guimaraens, *Obra Completa*, p. 411); "Como pequenas lâmpadas trementes / Fosforeavam na relva os pirilampos." (Olavo Bilac, *Poesias*, p. 85). [Conjug.: v. *frear.*]

fosforeira [De *fósforo* + *-eira.*] *S. f.* Caixinha onde se guardam fósforos.

fosforeiro [De *fósforo* + *-eiro.*] *S. m.* Aquele que trabalha no fabrico de fósforos.

fosforejante [De *fosforejar* + *-nte.*] *Adj. 2 g.* Que fosforeja.

fosforejar [De *fósforo* + *-ejar.*] *V. int.* Brilhar como fósforo inflamado; chamejar, fosforear. [Conjug.: v. *pelejar*. Normalmente é defect., só conjugável nas 3as pess.]

fosfóreo [Do lat. tard. *phosphoreu.*] *Adj.* **1.** Fosfórico (1 e 2). **2.** Que tem fósforo.

fosforescência [De *fosforescer* + *-ência.*] *S. f.* **1.** Propriedade que têm certos corpos de brilhar na obscuridade, sem espalhar calor. **2.** Luminosidade que as águas do mar apresentam, por vezes, quando agitadas pelo vento ou cortadas pela proa da embarcação, e resultante sobretudo da presença de animais microscópicos. **3.** Brilho; clarão: 📖 "As barcas todas acesas de luzes frouxas perdiam-se na fosforescência lunar." (João do Rio, *As Religiões do Rio*, p. 212.) **4.** *Fís.* Forma de fotoluminescência em que a emissão de luz persiste um tempo considerável (de 1 microssegundo a muitos minutos) depois de haver cessado a absorção da radiação excitadora. [A emissão de luz pelo fósforo (1) exposto ao ar deve-se à sua reação lenta com o oxigênio, não sendo, propriamente, uma fosforescência.] **5.** *Fís.* Emissão de radiação eletromagnética, esp. luz visível ou ultravioleta, por um estado tripleto. [Cf., nas acepç. 4 e 5, *fluorescência, luminescência.*]

fosforescência-do-mar *S. f. Bras. RS Zool.* V. *noctiluca*[2] (2). [Pl.: *fosforescências-do-mar.*]

fosforescente [De *fosforescer* + *-nte.*] *Adj. 2 g.* Que tem a propriedade da fosforescência.

fosforescer [De *fosfor(o)-* + *-escer.*] *V. int.* Emitir luz fosforescente: 📖 "Sei que um frêmito de asas multicores / Se ouvia. Eram insetos aos cardumes / A rebulir, fosforescendo no ar." (Alberto de Oliveira, *Poesias*, 2.ª série, p. 272.) [Conjug.: v. *crescer.* Normalmente é defect.]

▲**fosfori-** [Do lat. *phosphŏrus, i* < gr. *phosphŏrus, os, on.*] V. *fosfor(o)-*.

▲**-fosfor(i)-** V. *fosfor(o)-*.

fosfórico [De *fosfor(o)-* + *-ico*[2].] *Adj.* **1.** Relativo a fósforo; fosfóreo. **2.** Que brilha como o fósforo; fosfóreo. **3.** Diz-se de vários compostos que contêm fósforo. **4.** *Fig.* Irritadiço, irritável, irascível, zangadiço. **5.** *Fig.* Duvidoso, difícil. **6.** *Bras. Pop.* Ignorante e palavroso; fósforo. **7.** *Bras. Pop.* De qualidade muito inferior. ~ V. *ácido* —.

fosforífero [De *fosfori-* + *-fero.*] *Adj. Zool.* Diz-se dos animais em que uma parte do corpo é fosforescente.

fosforila [De *fosfor(o)-* + *-ila*[2].] *S. f. Quím.* O grupo trivalente P=O.

fosforilação [De *fosforilar* + *-ção.*] *S. f. Quím.* **1.** Ato ou efeito de fosforilar. **2.** Reação em que ocorre fosforilação (1).

fosforilar [De *fosforila* + *-ar*[2].] *V. t. d. Quím.* Transformar (substância orgânica) em éster ou anidrido do ácido fosfórico.

fosforismo [De *fosfor(o)-* + *-ismo.*] *S. m. Med.* Envenenamento crônico por fósforo, seja por ingestão, seja por inalação, e que se manifesta por odontalgia, necrose mandibular, anorexia, adinamia e anemia.

fosforita [De *fosfor(o)-* + *-ita*[3].] *S. f. Min.* Mineral fibroso, de composição química igual à da apatita, e que em geral se apresenta sob a forma de concreções.

fosforização [De *fosforizar* + *-ção.*] *S. f.* **1.** Ato ou efeito de fosforizar. **2.** Influência ou formação do fosfato calcário na economia animal.

fosforizar [De *fosfor(o)-* + *-izar.*] *V. t. d.* Tornar fosfórico.

▲**fosfor(o)-** [Do gr. *phōsphóros, os, on,* 'que traz, que fornece, dá luz'.] *El. comp.* = 'brilho', 'luminosidade', 'fosforescência'; 'fósforo': *fosforoscópio.* [Equiv.: *fosfori-*; *-fosfor(i)-*: *fosforífero*; *fosforoso*; *amidofosfórico.*]

fósforo [Do gr. *phosphóros,* 'que traz a luz', pelo lat. *phosphoru.*] *S. m.* **1.** *Quím.* Elemento de número atômico 15, não metálico, reativo, com diversos compostos importantes [símb.: *P*]. [É um elemento luminoso na obscuridade, e que arde em contato com o ar.] **2.** Pequena haste de madeira ou cartão provida de uma cabeça impregnada de substâncias que se inflamam quando atritadas com uma superfície áspera. **3.** *Gír.* Pessoa a quem não se dá importância. **4.** *Bras. Pop.* Indivíduo fosfórico (6). **5.** *Bras. SP Pop.* Intruso, penetra. ● *Adj.* **6.** *Bras. Pop.* Fosfórico (6). [Cf. *fosforo,* do v. *fosforar.*]

fosforoscópio [De *fosfor(o)-* + *-scópio.*] *S. m.* Instrumento com que se observa a fosforescência dos corpos.

fosforoso (ô) [De *fosfor(o)-* + *-oso.*] *Adj. Quím.* ~ V. *ácido* —.

fosfotungstato [De *(ácido) fosfotúngst(ico)* + *-ato*[2].] *S. m. Quím.* Qualquer sal de ácido fosfotúngstico.

fosfotúngstico [De *fosf(o)-* + *túngstico.*] *Adj. Quím.* ~ V. *ácido* —.

fosgénio *S. m. Quím.* V. *fosgênio.* [Uso freq. em P.]

fosgênio [De *fos-* + *-gen(o)-* + *-io*[3].] *S. m. Quím.* Cloreto de carbonila, gás tóxico, incolor, com cheiro característico, utilizado como gás de guerra, e importante composto em sínteses orgânicas [fórm.: $COCl_2$].

fósmea [F. subst. de *fósmeo.*] *S. f.* **1.** Ideia confusa e disparatada; concepção abstrusa. **2.** Coisa de que é impossível dar a definição.

fósmeo [De or. obscura.] *Adj.* **1.** Abstruso, disparatado. **2.** Incompreensível, indefinível.

fosqueamento [De **fosquear* (< *fosco* + *-ear*[2]) + *-mento.*] *S. m. Pint.* Ausência de brilho apresentada pela película de um verniz ou laca após a secagem.

fosquinha [Dim. de *fosca.*] *S. f.* **1.** Provocação, negaça. **2.** Trejeito, momice. **3.** Disfarce, fingimento. [Sin. ger.: *fosca.*]

fossa [Do lat. *fossa.*] *S. f.* **1.** Abertura mais ou menos profunda e ampla na terra; cova, buraco, cavidade, fossado, fosso: 📋 *as fossas abissais.* **2.** Cavidade subterrânea para o despejo de matérias fecais, de imundícies. **3.** Covinha no queixo ou na face. **4.** *Anat.* Cavidade ou depressão em osso ou em certos órgãos: 📋 *fossa navicular da uretra.* **5.** *Astr.* Denominação latina adotada pela U.A.I. para designar um fosso, valeta ou rego na superfície lunar ou de um planeta. Ocorre ger. em grupos, e pode ser curva ou reta. **6.** *Bras. Gír.* Forte depressão moral; buraco: 📖 "Diz que teme a guerra atômica / Já trocou tédio por fossa / Já correu para o analista" (Chico Buarque de Holanda, *Roda-Viva*, p. 20). [Dim. irreg.: *fosseta.*] ◆ **Fossa navicular da uretra.** *Anat.* **1.** No homem, expansão apresentada pelo ducto uretral, precedendo imediatamente o meato urinário. Na mulher, espessamento que antecede o orifício vaginal. **2.** Depressão superficial existente em cada hélice (5). **Fossa séptica.** Aparelho sanitário no qual a ação de microrganismos transforma, por fermentação, a matéria orgânica em substâncias minerais. **Na fossa.** *Bras. Gír.* Em estado de intensa depressão moral, de angústia; na pior: 📋 *estar, ficar, andar na fossa.*

fossado [Do lat. tard. *fossatu.*] *S. m.* **1.** V. *fossa* (1). **2.** Fosso (2). **3.** *Ant.* Investida ou correria em território inimigo.

fossador (ô) [De *fossar* + *-dor.*] *Adj.* *S. m.* Que ou o que fossa.

fossadura [De *fossar* + *-dura.*] *S. f.* Ação ou efeito de fossar.

fossar [De *fossa* + *-ar*[2].] *V. t. d.* **1.** Revolver (a terra) com o focinho ou fuça; fuçar: 📖 "Porcos fossavam a terra descobrindo as raízes" (Coelho Neto, *Obra Seleta*, I, p. 29). **2.** Cavar; escavar; fuçar: 📖 "Em breve avistou .... o rebanho de porcos, ... roncando e fossando as raízes" (Eça de Queirós, *Contos*, p. 143). *T. c. Int.* **3.** Revolver a terra com o focinho; fuçar. **4.** *Fig.* Empregar-se em trabalhos grosseiros. **5.** *Bras. Fig.* Fuçar (5). [Pres. ind.: *fosso,* etc.; pres. subj.: *fosse, fosses, fosse, fossemos, fosseis, fossem.* Cf. *fosso* (ô), s. m., o imperf. subj. dos v. *ir* e *ser*, e *fósseis*, pl. de *fóssil.*]

fossário [De *fossa* + *-ário.*] *S. m.* **1.** Lugar onde abundam fossos ou covas; cemitério. **2.** *Ecles.* Serventuário eclesiástico encarregado do enterramento dos fiéis.

fosseta (ê) [De *fossa* + *-eta* (ê).] *S. f.* **1.** Pequena fossa. **2.** *Anat.* Pequena fossa (4). ◆ **Fosseta primitiva.** *Embr.* Cavidade em nó primitivo e que dá origem ao ducto notocordal; blastóporo.

fossete (ê) [De *fosso* + *-ete* (ê).] *S. m.* Pequeno fosso.

fossiforme [De *fossa* + *-iforme.*] *Adj. 2 g.* Que tem a forma de fossa.

fóssil [Do fr. *fossile* < lat. *fossile,* 'tirado da terra'.] *S. m.* **1.** *Paleont.* Vestígio ou resto petrificado ou endurecido de seres vivos que habitaram a Terra antes do holoceno e que se conservaram em depósitos sedimentares da crosta terrestre sem perder as características essenciais. **2.** *Fig. Deprec.* Indivíduo retrógrado, antiquado. ● *Adj. 2 g.* **3.** Diz-se de, ou pertencente ou relativo a fóssil (1): 📋 *animal fóssil; carvão fóssil.* [Pl.: *fósseis.* Cf. *fosseis,* do v. *fossar*, e *fósseis*, dos v. *ir* e *ser.*] ~ V. *índice* —.

F

fossilífero [De *fóssil* + *-fero*.] ***Adj.*** Diz-se de terreno onde há fósseis animais ou vegetais.

fossilificado [Part. de *fossilificar*.] ***Adj.*** V. *fossilizado*.

fossilificar [De *fóssil* + *-ificar*.] ***V. t. d. P.*** V. *fossilizar*.

fossilismo [De *fóssil* + *-ismo*.] ***S. m.*** Apego a coisas antiquadas.

fossilista [De *fóssil* + *-ista*.] ***Adj. 2 g. S. 2 g.*** Diz-se de, ou pessoa que tem fossilismo.

fossilização [De *fossilizar* + *-ção*.] ***S. f.* 1.** Ato ou efeito de fossilizar(-se). **2.** *Paleont.* Conjunto de processos naturais que permitem a conservação dos restos ou vestígios fósseis [v. *fóssil* (3)].

fossilizado [Part. de *fossilizar*.] ***Adj.* 1.** Que se fossilizou ou petrificou. **2.** *Fig.* Que o tempo não modificou; antiquado, retrógrado. [Sin. ger.: *fossilificado*.]

fossilizar [De *fóssil* + *-izar*.] ***V. t. d. P.* 1.** Tornar(-se) fóssil. **2.** *Fig.* Tornar(-se) fora de moda, ultrapassado, antiquado. [Sin. ger. *fossilificar*.]

fossípede [Do lat. *fossus*, 'escavado', + *-i-* + *-pede*.] ***Adj. 2 g.*** *Zool.* Cujos pés são próprios para remexer a terra.

fosso (ô) [Do it. *fosso*.] ***S. m.* 1.** V. *fossa* (1). **2.** Fossa (1) aberta em volta de antigas fortificações, castelos, etc. para servir como defesa; fossado. **3.** Valado (1). **4.** Valeta ou rego ao longo das estradas. [Dim. irreg.: *fossete*. Pl.: *fossos* (ó). Cf. *fosso*, do v. *fossar*.] ◆ **Fosso da orquestra.** *Teatr.* V. *orquestra* (7).

fossorial [Do lat. *fossorium*, 'picareta', + *-al*[1].] ***Adj. 2 g.*** *Zool.* Diz-se de animal, ou de parte dele (focinho, pata, etc.) que apresenta estrutura adaptada a cavar o solo; fossório.

fossório [Do lat. tard. *fossoriu*.] ***Adj.*** *Zool.* Fossorial.

foste ***S. m.*** *Ant.* Fuste. [Pl.: *fostes*. Cf. *foste* (ô) e *fostes* (ô), dos v. *ir* e *ser*.]

fot [Do gr. *phôs*, *photós*, 'luz'.] ***S. m.*** *Fotom.* Unidade de medida de iluminamento, igual a 10.000 lux.

fota [Do ár. *fūṭa(t)*, 'guardanapo', 'toalha'; 'lenço usado com adorno'; 'avental'.] ***S. f.*** Turbante mourisco: "O seu traje caseiro era um gibão de chita, e uma fota de musselina na cabeça." (Camilo Castelo Branco, *Cenas da Foz*, p. 75.)

fotão ***S. m.*** *Lus. Fís. Part.* V. *fóton*. [Pl.: *fotões*.]

foteado [De *fota* + *-eado*.] ***Adj.*** Semelhante à fota: "tinha na cabeça uma touca foteada" (Alexandre Herculano, *Lendas e Narrativas*, I, p. 233).

fotear [De *fota* + *-ear*[2].] ***V. t. d.*** Pôr fota em; cingir com fota. [Conjug.: v. *frear*.]

fotelasticidade [De *fot(o)-* + *elasticidade*.] ***S. f.*** *Fís.* Processo de análise das deformações dum corpo sujeito a tensões, baseado na anisotropia óptica que elas provocam.

fotelástico [De *fot(o)-* + *elástico*.] ***Adj.*** Referente à fotelasticidade.

fotelééctrico ***Adj.*** *Fís.* V. *fotelétrico*.

foteléctron ***S. m.*** *Fís.* Fotelétron.

fotelectrónica ***S. f.*** Foteletrônica.

fotelétrico [De *fot(o)-* + *elétrico*.] ***Adj.*** *Fís.* Que transforma energia luminosa em elétrica. ~ V. *célula —a*, *efeito — e limiar —*.

fotelétron [Var. de *fotelétron* < *fot(o)-* + *eléctron*.] ***S. m.*** *Fís.* Elétron arrancado de uma superfície por influência de uma radiação eletromagnética que nela incide; elétron libertado no efeito fotelétrico.

foteletrónica ***S. f.*** V. *fotoletrônica*. [Uso freq. em P.]

foteletrônica [Var. de *fotelectrónica* < *fot(o)-* + *electrónica*.] ***S. f.*** Ramo da física que se ocupa das ações recíprocas entre a eletricidade e a luz, particularmente as que implicam elétrons livres.

foteliógrafo [De *fot(o)-* + *heliógrafo*.] ***S. m.*** *Astr.* Heliógrafo fotográfico.

fotemissão [De *fot(o)-* + *emissão*.] ***S. f.*** *Fís.* Emissão de elétrons provocada por uma radiação energética.

fotemissivo [De *fot(o)-* + *emissivo*.] ***Adj.*** ~ V. *célula —a*.

fotemissor (ô) [De *fot(o)-* + *emissor*.] ***Adj.*** Referente à fotemissão.

fotino ***S. m.*** *Fís. Part.* S-partícula de fóton.

fotismo [Do gr. *photismós*.] ***S. m.*** *Neur.* Sinestesia em que a sensação de cor ou de luz associa-se à sensação de audição, tato, gustação e olfação.

foto[1] ***S. f.* 1.** V. *fotografia* (2); retrato: "Via-a dos pés para a cabeça, corpo destorcido como numa foto batida de ângulo ingrato" (Macedo Miranda, *As Três Chaves*, p. 87). **2.** Ateliê de fotógrafo.

foto[2] [Alter. do esp. *flote* < esp. *flotar*, 'flutuar'.] ***El. s. m.*** Us. na loc. *estar em foto*. ◆ **Estar em foto.** *Ant. Mar.* Estar (a embarcação) flutuando.

▲**fot(o)-** [Do gr. *phōt-*, *phōto-* < gr. *phôs*, *phōtós*, 'luz', 'luz do Sol'.] ***El. comp.*** = 'luz': *fotopsia, fototerapia*. [Equiv.: *fos-*, *-fot(o)-*, *-foto*[1]: *fosfeno; eufótico; isófoto*.]

▲**foto-** [F. red. de *fotografia*.] ***El. comp.*** = 'fotografia': *fotocópia, fotocromia*. [Equiv.: *-foto*[2]: *aerofoto, radiofoto*.]

▲**-fot(o)-** V. *fot(o)-*.

▲**-foto**[1] V. *fot(o)-*.

▲**-foto**[2] Equiv. de *foto-*.

fotoalgrafia [De *foto-* + *algrafia*.] ***S. f.*** *Fotograv.* V. *fotometalografia*.

fotoalgráfico [De *fotoalgrafia* + *-ico*[2].] ***Adj.*** Relativo à fotoalgrafia; fotometalográfico.

fotobiografia [De *foto-* + *biografia*.] ***S. f.*** Biografia (2) acompanhada de fotografias do biografado, ou daquelas referentes a ele.

fotobiologia [De *fot(o)-* + *biologia*.] ***S. f.*** Estudo dos efeitos da luz visível e da luz ultravioleta sobre os organismos e sistemas biológicos.

fotobiológico [De *fotobiologia* + *-ico*[2].] ***Adj.*** Relativo à fotobiologia.

fotobiologista [De *fotobiologia* + *-ista*.] ***S. 2 g.*** Especialista em fotobiologia.

fotocarta [De *foto-* + *carta*.] ***S. f.*** Carta ou mapa topográfico obtido por meio de fotografias (tiradas de bordo de aviões, etc.).

fotocartografia [De *foto-* + *cartografia*.] ***S. f.*** Fotogrametria.

fotocartográfico [De *fotocartografia* + *-ico*[2].] ***Adj.*** Referente à fotocartografia.

fotocatálise [De *fot(o)-* + *catálise*.] ***S. f.*** *Fís.-Quím.* Catálise provocada pela luz.

fotocatodo (ô) [De *fot(o)-* + *catodo*.] ***S. m.*** *Fís.* Catodo de uma válvula fotelétrica capaz de emitir elétrons quando excitado por luz.

fotocélula [De *fot(o)-* + *célula*.] ***S. f.*** *Eletr.* Dispositivo fotelétrico que converte radiação luminosa em eletricidade; célula solar.

fotocolorímetro [De *fot(o)-* + *colorímetro*.] ***S. m.*** *Fotom.* Instrumento us. para medir intensidade da cor de uma luz.

fotocomposição [De *foto-* + *composição*.] ***S. f.*** *Art. Gráf.* **1.** Sistema de composição em que o mecanismo fundidor é substituído por unidade fotográfica, e que produz textos em suporte de filme ou de papel fotográfico; o sistema completo consta, usualmente, das seguintes unidades: **a)** um teclado para entrada de dados, e que produz fita perfurada ou magnética; **b)** um computador para processar a fita, fazer a divisão silábica das palavras no final da linha, justificar o texto, etc.; **c)** uma fotounidade, unidade de saída que produz a composição final. **2.** *P. ext.* O texto tipográfico produzido pela fotocomposição (1).

fotocompositora (ô) [De *foto-* + *compositora*.] ***S. f.*** *Art. Gráf.* **1.** Máquina de fotocomposição. **2.** Fotounidade.

fotocondutividade [De *fot(o)-* + *condutividade*.] ***S. f.*** *Fís.* Modificação da resistividade de uma substância quando sujeita à ação de radiação eletromagnética, usualmente na faixa que vai do infravermelho às radiações gama.

fotocondutivo [De *fot(o)-* + *condutivo*.] ***Adj.*** *Eletrôn.* ~ V. *célula —a*.

fotocondutor (ô) [De *fot(o)-* + *condutor*[2].] ***S. m.*** *Fís.* Substância que apresenta fotocondutividade.

fotocópia [De *foto-* + *cópia*.] ***S. f.* 1.** Processo de reprodução rápida, por meio da fotografia, de documentos escritos ou impressos, com a utilização dum papel sensibilizado especial que, posto em contato com o original, é por ele diretamente impressionado. **2.** A reprodução feita por esse processo; cópia fotostática; fotostática. [Cf. *xérox* e *fotocopia*, do v. *fotocopiar*.]

fotocopiadora (ô) [De *fotocópia* + *-dora*.] ***S. f.*** Aparelho para tirar fotocópias.

fotocopiar [De *fotocópia* + *-ar*[2].] ***V. t. d.*** Reproduzir por fotocópia: *Mandou fotocopiar a certidão de casamento.* [Pres. ind.: *fotocopio, fotocopias, fotocopia*, etc. Cf. *fotocópia*.]

fotocopista [De *fotocópia* + *-ista*.] ***S. 2 g.* 1.** Pessoa que prepara fotocópias. ● ***Adj. 2 g.* 2.** Que produz fotocópias.

fotocromia [De *foto-* + *-crom(o)-* + *-ia*[1].] ***S. f.*** Processo de fotografia que dá imagens coloridas.

fotocrómico ***Adj.*** V. *fotocrômico*. [Uso freq. em P.]

fotocrômico [De *fotocromia* + *-ico*[2].] ***Adj.*** Relativo à fotocromia. ~ V. *vidro —*.

fotodesintegração [De *fot(o)-* + *desintegração*.] ***S. f.*** *Fís. Nucl.* Desintegração de um núcleo provocada por um fóton de alta energia.

fotodetector (ô) [De *fot(o)-* + *detector*.] ***Adj. S. m.*** *Eletrôn.* Diz-se de, ou dispositivo que detecta a energia luminosa ou a ela responde.

fotodiodo (ô) [De *fot(o)-* + *diodo*.] ***S. m.*** *Eletrôn.* Componente eletrônico em que uma junção constituída por dois semicondutores fotossensíveis controla o fluxo de carga elétrica de acordo com a luz que sobre ela incide.

fotodoscópio [Do gr. *photodo-* (< gr. *photodótes*, 'que ilumina') + *-scópio*.] ***S. m.*** *Fís.* Aparelho para observar a luz.

fotoelasticidade ***S. f.*** *Fís.* V. *fotelasticidade*.

fotoelástico ***Adj.*** V. *fotelástico*.

fotoeléctrico ***Adj.*** V. *fotelétrico*.

fotoeléctron ***S. m.*** *Fís.* V. *fotelétron*.

fotoelectrónica ***S. f.*** V. *foteletrônica*.

fotoelétrico ***Adj.*** *Fís.* V. *fotelétrico*.

fotoelétron ***S. m.*** *Fís.* V. *fotelétron*.

fotoeletrónica ***S. f.*** V. *fotoeletrônica*. [Uso freq. em P.]

fotoeletrônica ***S. f.*** V. *foteletrônica*.

fotoeliógrafo ***S. m.*** *Astr.* V. *foteliógrafo*.

fotoemissão ***S. f.*** *Fís.* V. *fotemissão*.

fotoemissivo ***Adj.*** V. *fotemissivo*.

fotoemissor (ô) ***Adj.*** V. *fotemissor*.

fotofissão [De *fot(o)-* + *fissão*.] ***S. f.*** *Fís. Nucl.* Fissão nuclear provocada por fótons.

fotofobia [De *fot(o)-* + *-fobia*.] ***S. f.*** *Oftalm.* Aversão à luz, resultante, ger., de dor ou de desconforto provocado por ela.

fotofóbico [De *fotofobia* + *-ico*[2].] *Oftalm.* ***Adj.* 1.** Relativo a fotofobia. **2.** Que sofre de fotofobia; fotófobo. ● ***S. m.* 3.** Aquele que sofre de fotofobia; fotófobo.

fotófobo [De *fot(o)-* + *-fobo*.] ***Adj. S. m.*** *Oftalm.* Fotofóbico (2 e 3).

fotóforo [De *fot(o)-* + *-foro*.] ***S. m.* 1.** *Med.* Aparelho provido de lâmpada e preso à testa do observador, para inspeção de cavidades. **2.** *Zool.* Órgão luminoso da pele de certos peixes abissais que segrega compostos que brilham quando ativados ou que contém colônias de bactérias fosforescentes.

fotofosforilação [De *fot(o)-* + *fosforilação*.] ***S. f.*** *Quím.* Fosforilação (2) em que a energia necessária provém de reação fotoquímica, esp. a transformação enzimática do difosfato de adenosina em trifosfato de adenosina, induzida por certos processos que fazem parte da fotossíntese.

fotogalvânico [De *fot(o)-* + *galvânico*.] ***Adj.*** *Quím.* Diz-se de processo ou dispositivo em que ocorre conversão direta de energia da luz, p. ex., solar, em energia eletroquímica, em um acumulador eletroquímico.

fotogenia[1] [De *fot(o)-* + *-genia*.] ***S. f.*** Qualidade de fotogênico[1].

fotogenia[2] [De *foto-* + *-genia*.] ***S. f.*** Qualidade de fotogênico[2].

fotogénico[1] ***Adj.*** V. *fotogênico*[1]. [Uso freq. em P.]

fotogénico[2] ***Adj.*** V. *fotogênico*[2].

fotogênico[1] [De *fot(o)-* + *-gen(o)-* + *-ico*[2].] ***Adj.*** *Lus.* Que produz imagens pela ação da luz.

fotogênico[2] [De *foto-* + *-gen(o)-* + *-ico*[2].] ***Adj.*** Que é capaz de gerar boas imagens ao ser fotografado ou filmado: *Embora não seja bonita, é notavelmente fotogênica.*

fotógrafa [Fem. de *fotógrafo*.] ***S. f.*** Mulher que exerce a fotografia como profissão.

fotografação [De *fotografar* + *-ção*.] ***S. f.*** Ação de fotografar.

fotografar [De *fot(o)-* + *-graf(o)-* + *-ar*[2].] ***V. t. d.* 1.** Reproduzir pela fotografia a imagem de. **2.** *Fig.* Descrever com exatidão. ***Int.* 3.** Sair (bem ou mal) numa fotografia: *Ela fotografa bem, mas o rapaz fotografa horrivelmente.* ***P.* 4.** *Bras.* Sair-se mal; malograr-se. [Pres. ind.: *fotografo*, etc. Cf. *fotógrafo*.]

fotografia [De *fot(o)-* + *-grafia*.] ***S. f.* 1.** Processo de formar e fixar sobre uma emulsão fotossensível a imagem dum objeto, e que compreende, usualmente, duas fases distintas: na primeira, a emulsão é impressionada pela luz, e sobre ela se forma, por meio dum sistema óptico, a imagem do objeto; na segunda, a emulsão impressionada é tratada por meio de reagentes químicos que revelam e fixam, permanentemente, a imagem desejada. **2.** Imagem obtida por esse processo: "Era uma velha fotografia tirada um ano antes. Estava de pé, sobrecasaca abotoada, a mão esquerda no dorso de uma cadeira" (Machado de Assis, *Dom Casmurro*, p. 338). [F. red. (nesta acepç.): *foto*. Sin.: *retrato*.] **3.** *Fig.* Cópia fiel; reprodução exata. ◆ **Fotografia aérea.** A que é tirada com o auxílio de máquina especial, instalada a bordo de aeronave, satélite, foguete ou outro engenho espacial. **Fotografia celeste.** *Astr.* Astrofotografia. **Fotografia de cena.** Aquela em que se fotografam as cenas ao mesmo tempo em que são filmadas; *still*. **Ficar fora da fotografia.** *Turfe* Chegar (o cavalo) a uma distância tal do primeiro colocado que fique excluído do campo visual das fotos dos juízes de chegada. **Tirar fotografia.** *Turfe* Ganhar (um cavalo) disparado uma carreira, deixando o segundo colocado fora do campo fotográfico da foto automática da chegada.

fotográfico [De *fotografia* + *-ico*[2].] ***Adj.* 1.** Relativo à fotografia. **2.** *Fig.* Que lembra a fotografia pela fidelidade de reprodução; muito fiel ao modelo: *cenas de um realismo fotográfico.* ~ V. *câmara —a*, *chapa —a*, *composição —a*, *cópia —a*, *crepúsculo —*, *densidade —a*, *emulsão —a*, *filme —*, *leitura —a*, *máquina —a*, *memória —a*, *modelo — e papel —*.

fotógrafo [De *fot(o)-* + *-grafo*.] ***S. m.*** Aquele que pratica a fotografia, ou que a exerce como profissão. [Cf. *fotografo*, do v. *fotografar*.]

fotograma [De *foto-* + *-grama*.] *S. m. Fot.* **1.** Quadro de filme cinematográfico. **2.** Impressão em papel fotográfico de objetos transparentes ou não, feita sem o auxílio de uma câmara.

fotogrametria [De *foto-* + *-gram(a)-* + *-metria*, com haplologia.] *S. f.* Técnica de determinação da altimetria, nos levantamentos cartográficos, por meio de pares de fotografias tiradas simultaneamente por duas câmaras mantidas a distância constante uma da outra; fotocartografia.

fotogramétrico [De *fotogrametria* + *-ico*[2].] *Adj.* Relativo à fotogrametria.

fotogravador (ô) [De *foto-* + *gravador*.] *S. m.* Gráfico que se ocupa em qualquer das operações próprias dos processos fotomecânicos.

fotogravar [De *foto-* + *gravar*.] *V. t. d.* **1.** Fazer fotogravura de. ***Int.*** **2.** Fazer fotogravura(s).

fotogravura [De *foto-* + *gravura*.] *S. f.* **1.** No sentido mais geral, qualquer processo fotomecânico. [Cf. *fotogravura em relevo*, *fotogravura a entalhe*, *fotogravura em plano*.] **2.** *Restr.* O processo que produz placas em relevo. **3.** Placa, clichê ou cilindro obtido por qualquer desses sistemas, ou, em especial, pelo processo em relevo. **4.** Estampa tirada de qualquer dessas superfícies impressoras. **5.** Oficina ou seção destinada aos trabalhos de fotogravar. ◆ **Fotogravura a entalhe.** Qualquer dos processos de que é representativa a heliogravura, plana ou rotativa (*rotogravura*), e pelos quais se produzem placas ou cilindros de cobre onde a imagem é formada por meio de minúsculos alvéolos de diferentes profundidades, criados pela retícula, e que traduzem os meios-tons, na fase de impressão, segundo a maior ou menor quantidade da tinta especial, fluida, que podem comportar. [Cf. *fotogravura*, *gravura a entalhe* e *impressão de entalhe*.] **Fotogravura a traço. 1.** Processo de fotogravura em relevo para a reprodução de originais em que há apenas traços e chapados, sem meios-tons, e que dispensam, por isso, o uso de retícula; fotogravura linear, zincografia, zincotipia. **2.** Clichê obtido por esse processo; clichê a traço, zincografia, zincotipia. **Fotogravura em plano.** Qualquer dos processos fotomecânicos de que são principais representantes a fotolitografia e a fototipia, os quais, com aproveitamentos variados das propriedades da gelatina bicromada, resultam em superfícies impressoras planográficas, *i. e.*, sem relevo ou entalhe. [Cf. *fotogravura*, *gravura em plano* e *impressão de plano*. V. *planografia*.] **Fotogravura em relevo.** Qualquer dos processos fotomecânicos em que se emprega camada de coloide (albumina ou cola de peixe) bicromado, deitada em placa de metal, ger. o zinco ou o cobre, e a seguir submetida a exposição sob o negativo fotográfico, ficando a imagem, após o banho de revelação, representada pelas partes do coloide, correspondentes aos claros do negativo, tornadas insolúveis pela ação da luz. A placa passa, em seguida, à esmaltagem, que torna a camada acidorresistente, e à mordaçagem, quando se obtém o relevo no metal. [Na fotogravura em relevo distinguem-se dois processos: a fotogravura a traço e a autotipia. Sin.: *fototipografia* e (p. us.) *fototipogravura*. Cf. *fotogravura*, *gravura em relevo* e *impressão de relevo*.] **Fotogravura linear.** V. *fotogravura a traço* (1).

fotojornalismo [De *foto-* + *jornalismo*.] *S. m. Jorn.* Gênero de jornalismo que privilegia a fotografia como elemento informativo.

fotolático *Adj.* V. *fotoláctico*.

foto-legenda [De *foto*[1] + *legenda*.] *S. f.* Nos jornais, foto que recebe um texto mais extenso, descritivo ou interpretativo, como legenda. [Pl.: *fotos-legendas* e *fotos-legenda*.] [Na 5ª ed. do Volp., sem hífen; corrigido em errata.]

fotólise [De *fot(o)-* + *-lise*.] *S. f. Quím.* Transformação ou decomposição de uma substância, provocada pela ação da luz. ◆ **Fotólise de pulso.** *Quím.* Técnica fotoquímica que consiste em produzir uma concentração alta de estados excitados, por meio de um pulso de luz intenso, porém muito breve, para, em seguida, estudá-los usando métodos espectroscópicos.

fotolitar [De *fotolito* + *-ar*[2].] *V. t. d. Art. Gráf.* Fazer o fotolito de.

fotolito [F. red. de *fotolitografia*.] *S. m. Art. Gráf.* **1.** Pedra, ou, mais comumente, placa de metal, com imagem fotolitográfica para impressão ou transporte. [Cf. *chapa* (7), *chapa bimetálica* e *chapa pré-sensibilizada*.] **2.** Diz-se do negativo ou diapositivo fotográfico utilizado para gravação da imagem no fotolito (1) ou na chapa (7); filme. ◆ **Fotolito digital.** *Art. Gráf.* Fotolito (2) próprio do sistema de editoração eletrônica, produzido diretamente do arquivo digital que contém a arte final (1) do trabalho a ser impresso.

fotolitografar [De *foto-* + *litografar*.] *V. t. d.* Reproduzir por meio da fotolitografia.

fotolitografia [De *foto-* + *litografia*.] *S. f.* **1.** Processo de fotogravura em plano no qual se utiliza como superfície impressora a pedra litográfica ou, na prática geral, uma lâmina de metal granido (zinco ou alumínio), para onde a imagem é transferida de negativo ou de diapositivo fotográfico por copiagem direta ou por meio de transporte fotomecânico, baseando-se o método, em ambos os casos, no princípio de que os coloides bicromados, depois de expostos à luz, apenas absorvem umidade nas partes tornadas insolúveis, no fenômeno de repulsão entre as substâncias graxas e a água, característico da litografia. **2.** Estampa obtida por esse processo. [V. *fotometalografia*, *ofsete* e *molhagem*.]

fotolitográfico [De *fotolitografia* + *-ico*[2].] *Adj.* Referente à fotolitografia.

fotolitógrafo [De *fotolito* + *-grafo*.] *S. m.* Gráfico que se ocupa da fotolitografia.

fotolog [Adapt. do ingl. *photolog*.] *S. m.* Álbum de fotografias virtual, posto na Internet.

fotologia [De *fot(o)-* + *-logia*.] *S. f. Fís.* Tratado acerca da luz.

fotológico [De *fotologia* + *-ico*[2].] *Adj.* Relativo à fotologia.

fotoluminescência [De *fot(o)-* + *luminescência*.] *S. f. Fís.* Luminescência provocada por fótons; luminescência provocada pela absorção de luz por uma substância.

fotoluminescente [De *fot(o)-* + *luminescente*.] *Adj. 2 g.* Que tem a propriedade de produzir luminescência ao absorver luz.

fotomagnético [De *fot(o)-* + *magnético*.] *Adj. Fís.* Respeitante aos fenômenos magnéticos devidos à ação da luz.

fotomecânico [De *foto-* + *mecânico*.] *Adj.* ~ V. *processo* —.

fotoméson [De *fot(o)-* + *méson*.] *S. m. Fís. Nucl.* Méson produzido em uma reação fotonuclear.

fotometalografia [De *foto-* + *metalografia*.] *S. f. Fotograv.* Processo de fotolitografia executado em placa de metal, usualmente o zinco (*fotozincografia*), ou o alumínio (*fotoalgrafia*). [Cf. *metalografia*. V. *ofsete*.]

fotometalográfico [De *fotometalografia* + *-ico*[2].] *Adj.* Relativo à fotometalografia; fotoalgráfico.

fotometeoro [De *fot(o)-* + *meteoro*.] *S. m. Met.* Fenômeno óptico, não associado à eletricidade atmosférica, que tem origem na reflexão, refração, difração ou interferência das radiações luminosas emitidas pelo Sol ou refletidas pela Lua.

fotometria [De *fot(o)-* + *-metria*.] *S. f.* Parte da óptica que investiga os métodos e processos de medida de fluxos luminosos e das características energéticas associadas a tais fluxos. ◆ **Fotometria de chama.** *Quím.* Técnica de análise espectral quantitativa baseada na medida da intensidade de uma ou mais raias emitidas por um elemento excitado numa chama de gás, e particularmente adotada para dosagens de lítio, sódio e potássio; espectrometria de chama.

fotométrico [De *fotometria* + *-ico*[2].] *Adj.* Relativo à fotometria. ~ V. *banco* —, *brilhância* —*a* e *paralaxe* —*a*.

fotómetro *S. m.* V. *fotômetro*. [Uso freq. em P.]

fotômetro [De *fot(o)-* + *-metro*.] *S. m.* Instrumento usado para medir a energia de um feixe luminoso, e que se pode basear em comparações efetuadas visualmente ou em comparações quantitativas realizadas por meio de dispositivos fotelétricos.

fotomicrografia [De *foto-* + *micrografia*.] *S. f.* Fotografia realizada ou obtida com o auxílio de um microscópio.

fotomicrográfico [De *fotomicrografia* + *-ico*[2].] *Adj.* Relativo à fotomicrografia.

fotomicrógrafo [De *foto-* + *micrógrafo*.] *S. m.* Aquele que pratica a fotomicrografia.

fotominiatura [De *foto-* + *miniatura*.] *S. f.* **1.** Processo para reduzir quadros, paisagens, desenhos, etc., a pequenas dimensões, com o auxílio da fotografia. **2.** Quadro, paisagem, desenho, etc., depois de submetido a esse processo.

fotominiaturista [De *fotominiatura* + *-ista*.] *S. 2 g.* Pessoa que se ocupa das operações próprias da fotominiatura, que faz fotominiaturas.

fotomontagem [De *foto-* + *montagem*.] *S. f. Fot.* **1.** A arte da colagem de fotografias, combinadas entre si ou com desenhos, e refotografadas ou não, formando alguma composição, sentido ou harmonia. **2.** Imagem resultante desse processo.

fotomultiplicador (ô) [De *foto-* + *multiplicador*.] *Adj.* ~ V. *célula* —*a*.

fotomultiplicadora (ô) [F. subst. de *fotomultiplicador*.] *S. f.* **1.** *Eletrôn.* Célula fotelétrica em que uma série de eletrodos emissores de elétrons permite multiplicar o número de elétrons emitidos por um fotocatodo excitado por uma radiação; célula fotomultiplicadora. **2.** *Fotograv.* Repetidora (1).

fóton [De *fot(o)-* + *-on*.] *S. m. Fís. Part.* Partícula elementar associada ao campo eletromagnético, com massa nula, *spin* 1, carga elétrica nula, estável, e cuja energia é igual ao produto da constante de Planck pela frequência do campo; *quantum* de luz.

fotonovela [De *foto-* + *novela*.] *S. f.* Narração novelesca que se publica ger. em revista especializada, apresentada em quadrinhos (q. v.), e na qual os desenhos são substituídos por fotografias com balões [v. *balão* (12)]. [Sin. (p. us.): *fotorromance*.]

fotonuclear [De *fóton* + *núcleo* + *-ar*[1].] *Adj. 2 g.* Diz-se de fenômeno que envolve um núcleo e um fóton.

fotopatia [De *fot(o)-* + *-patia*.] *S. f. Med.* Qualquer doença produzida por luz.

fotopático [De *fotopatia* + *-ico*[2].] *Adj.* Relativo à fotopatia.

fotoperiodismo [De *fot(o)-* + *período* + *-ismo*.] *S. m. Biol.* Reação de um organismo vivo à luz solar, mais precisamente à duração do dia. [Nos animais, a reprodução, a migração e a constituição de reserva alimentar, p. ex., são sazonais e dependem do fotoperiodismo.]

fotopolimerização [Do f. de *foto(químico)* + *polimerização*.] *S. f. Odont. Quím.* Polimerização promovida por reação fotoquímica. [É us. no endurecimento de resinas compostas odontológicas empregadas em restaurações, etc.]

fotopolimerizador (ô) [De *foto(químico)* + *polimerizador*.] *S. m. Odont.* Aparelho que emite luz, destinada a promover a polimerização.

fotopsia [De *fot(o)-* + *-opsia*.] *S. f. Oftalm.* Visão de traços luminosos não existentes, devida a uma afecção retiniana.

fotóptico [De *fot(o)-* + *-óptico*.] *Adj.* Referente à fotopsia.

fotoquímica [De *fot(o)-* + *química*.] *S. f. Quím.* Parte da química que estuda os estados excitados das moléculas e dos átomos, formados pela absorção de luz visível ou ultravioleta, e as suas reações.

fotoquímico [De *fotoquímica*, com var. suf. (v. *-ico*[2]).] *Adj. Quím.* Relativo a, ou próprio da fotoquímica.

fotorreceptor (ô) [De *fot(o)-* + *receptor*.] *S. m. Bot.* Célula sensível à luz, encontrada em algumas plantas unicelulares, como, p. ex., nas dinoflageladas.

fotorrecetor (ô) *S. m. Bot.* V. *fotorreceptor*. [Uso próprio de P.] ⦿

fotorredução [De *fot(o)-* + *redução*.] *S. f. Quím.* Reação de redução de uma substância, induzida por luz.

fotorreportagem [De *foto-* + *reportagem*.] *S. f.* Reportagem na qual as fotografias constituem a parte mais importante, acompanhadas somente de legendas ou de breve texto explicativo.

fotorrepórter [De *foto-* + *repórter*.] *S. 2 g.* Pessoa que faz fotorreportagem. [Pl.: *fotorrepórteres*.]

fotorromance [De *foto-* + *romance*.] *S. m. P. us.* Fotonovela.

fotoscultura [De *foto-* + *escultura*.] *S. f.* Processo fotográfico pelo qual, reunindo-se os perfis de uma pessoa, se obtém uma espécie de estatueta.

fotosfera [De *fot(o)-* + *-sfera*.] *S. f. Astr.* Camada solar, praticamente esférica, que ocupa um milésimo do raio, é origem da radiação solar visível e constitui o disco solar aparente. ◆ **Fotosfera estelar.** *Astr.* Camada de uma estrela, que se admite como sendo a origem de sua radiação visível.

fotosférico [De *fotosfera* + *-ico*[2].] *Adj.* Relativo à fotosfera.

fotossensibilidade [De *fot(o)-* + *sensibilidade*, ou de *fotossensível* + *-(i)dade*, seg. o padrão erudito.] *S. f. Derm.* Reatividade cutânea anormal à luz solar.

fotossensibilizador (ô) [De *fot(o)-* + *sensibilizador*.] *S. m. Quím.* Substância cujas moléculas, encontrando-se em estado excitado, de alta energia (após haver absorvido luz visível ou ultravioleta), são capazes de transferir essa energia para as moléculas de outra substância, que passarão, estas, a estado excitado.

fotossensível [De *fot(o)-* + *sensível*.] *Adj. 2 g.* Sensível à luz ou à luminosidade. ~ V. *catodo* —.

fotossensor (ô) [De *fot(o)-*[1] + *sensor*.] *Adj. S. m.* Diz-se, ou dispositivo sensível à luminosidade (em diferentes graus).

fotossíntese [De *fot(o)-* + *síntese*.] *S. f. Bot.* Síntese de substâncias orgânicas mediante a fixação do gás carbônico do ar através da ação da radiação solar. A clorofila tem participação fundamental nesse processo. [Sin.: *assimilação clorofiliana*, *assimilação do carbono*. Cf. *quimiossíntese*.]

fotossintético [De *fotossínt(ese)* + *-ético*.] *Adj.* Relativo à, ou próprio da fotossíntese: *processo fotossintético*.

fotossintetizador (ô) [De **fotossintetizar* + *-dor*.] *Adj.* Que promove a fotossíntese.

F

fotostática [F. subst. de *fotostático.*] *S. f. Bras.* Fotocópia (2).

fotostático [De *fotóstato* + *-ico*².] *Adj.* Relativo ao fotóstato, ou produzido por ele. ~ V. *cópia —a.*

fotóstato [De *Photostat*, nome comercial.] *S. m.* **1.** Aparelho usado para tirar fotocópias diretamente em papel de cópia, com a imagem na posição certa, sem uso de negativo. **2.** Fotocópia obtida por esse processo.

fototáctico [De *foto(taxia)* + *-tá(c)tico*, seg. o padrão erudito.] *Adj.* Relativo à fototaxia. [Var.: *fototático.*]

fototactismo [Do V.C.I. *phototactic* (v. *fot(o)-*, *-ta(c) t(o)-* e *-ico*²) + *-ismo.*] *S. m. Biol.* V. *fototaxia.*

fototatismo *S. m.* V. *fototactismo.*

fototaxia (cs) [De *fot(o)-* + *-taxia.*] *S. f. Biol.* Conjunto dos movimentos dos seres vivos, induzidos pela luz; fototactismo, fototatismo.

fototeca [De *foto-* + *-teca.*] *S. f.* **1.** Coleção de fotografias e fotocópias. **2.** Lugar, nas bibliotecas e noutros serviços de documentação, onde é instalada uma dessas coleções.

fototelegrafia [De *foto-* + *telegrafia.*] *S. f.* Reprodução duma imagem a distância por meio do fio elétrico.

fototelegráfico [De *fototelegrafia* + *-ico*².] *Adj.* Relativo à fototelegrafia.

fototerapia [De *fot(o)-* + *-terapia.*] *S. f. Terap.* Tratamento médico por exposição à luz.

fototerápico [De *fototerapia* + *-ico*².] *Adj.* Relativo à fototerapia.

fototeste [De *foto-* + *teste*¹.] *S. m. Bras.* Teste¹ (2) baseado numa fotografia.

fototipar [De *fototip(ia)* + *-ar*².] *V. t. d. Fotograv.* Reproduzir por meio de fototipia; fototipiar. [Pres. ind.: *fototipo*, etc. Cf. *fotótipo.*]

fototipia [De *foto-* + *-tip(o)-* + *-ia*¹.] *S. f.* **1.** Processo de fotogravura em plano, sem retícula, no qual se utiliza como placa impressora uma camada de gelatina bicromada, que se torna capaz de absorver mais ou menos tinta de impressão, segundo os graus diversos de endurecimento que adquire, correspondentes a maior ou menor quantidade de luz recebida do negativo fotográfico. [Sin., p. us.: *colografia.*] **2.** Estampa obtida por esse processo. V. *gelatinografia.*

fototipiar [De *fototipia* + *-ar*².] *V. t. d.* Fototipar.

fototípico [De *fototipia* + *-ico*².] *Adj.* Relativo à fototipia. [Sin., p. us.: *colográfico.*]

fotótipo [De *foto-* + *-tipo.*] *S. m. P. us.* V. *clichê* (1). [Cf. *fototipo*, do v. *fototipar.*]

fototipografia [De *foto-* + *tipografia.*] *S. f.* V. *fotogravura em relevo.*

fototipográfico [De *fototipografia* + *-ico*².] *Adj.* Relativo à fototipografia.

fototipogravura [De *foto-* + *tipo(grafia)* + *gravura.*] *S. f. P. us.* V. *fotogravura em relevo.*

fototransistor (zistôr) *S. m. Eletrôn.* Fotodetector (q. v.) que consiste em um transistor em configuração emissor-comum, mas com a base flutuante, a qual, submetida a radiação luminosa, produz uma corrente de base.

fototropismo [De *fot(o)-* + *tropismo.*] *S. m.* Tropismo determinado pela luz. [Cf. *heliotropismo.*]

foto-unidade [De *foto*¹ + *unidade.*] *S. f. Art. Gráf.* Unidade fotográfica de saída no sistema de fotocomposição, que, mediante projeção sucessiva de matrizes ou de discos transparentes onde estão representados os caracteres, vai formando as linhas e as páginas, em filme ou papel fotográfico; fotocompositora. [Sem hífen no Volp., embora o 1º el. seja um s. f.] [Pl.: *foto-unidades.*]

fotovoltaico [De *fot(o)-* + *voltaico.*] *Adj. Quím.* Diz-se de processo ou dispositivo em que ocorre conversão direta de energia da luz, solar, p. ex., em corrente elétrica. ~ V. *célula —a.*

fotoxidação (cs) [De *fot(o)-* + *oxidação.*] *S. f. Quím.* Reação de oxidação de uma substância, induzida por luz.

fotozincografia [De *foto-* + *zincografia.*] *S. f. Fotograv.* V. *fotometalografia.*

fotozincográfico [De *fotozincografia* + *-ico*².] *Adj.* Referente à fotozincografia.

fotozincogravura [De *foto-* + *zincogravura.*] *S. f.* Qualquer processo de fotogravura em zinco.

fouçada *S. f.* Foiçada.

fouçar *V. t. d.* e *int.* Foiçar. [Conjug.: v. *laçar.*]

fouce *S. f.* Foice.

fouciforme *Adj. 2 g.* V. *falciforme.*

foucinha [Dim. de *fouce.*] *S. f.* Foicinha.

foucinho [Dim. de *fouce.*] *S. m.* Foicinho. [Cf. *focinho.*]

→**fouet** [fu'e] [Fr.] *S. m.* Espécie de batedor feito de fios, ger. de aço, curvos e entrelaçados.

→**foul** [fæwl] [Ingl.] *S. m. Fut. Desus.* V. *falta* (9 e 10).

fouquieriácea [Do tax. *Fouquieria* (do antr. [*Pierre Eloi*] *Fouquier* [1776-1850], médico francês + lat. ant. *-ia* [v. *-ia*²]) + *-ácea*; tax. *Fouquieriaceae.*] *S. f. Bot.* Espécime das fouquieriáceas, família de plantas da ordem das violales, composta de umas poucas espécies mexicanas de arbustos espinhosos e caducifólios, que apresentam flores actinomorfas, com 10 a 15 estames, e fruto globoso, com sementes oleaginosas.

fouquieriáceo [De *fouquieriácea*, com var. suf. (v. *-áceo*).] *Adj. Bot.* Pertencente ou relativo às fouquieriáceas.

→**four** [fɔɹ] [Ingl., 'quatro'.] *S. m.* V. *pôquer* (1).

fourierismo (fu) *S. m.* Sistema utópico de organização social, de François-Marie Charles Fourier (1772-1837), filósofo e sociólogo francês, e/ou de seus discípulos. [Cf. *falanstério.*]

fouveiro [Do lat. med. *falvuariu* < lat. med. *falvu*, 'ruivo', < frâncico **falw.*] *Adj.* **1.** Ruivo (2): "tomou a tez um tom fouveiro, indício da ebulição do sangue a ferver-lhe em bolhas no coração." (José de Alencar, *Til*, p. 34). **2.** Diz-se do equídeo de pelo castanho-claro, quase ruivo. **3.** *Bras. N.E. MG* Diz-se de roupa, chapéu, capa, etc., de cor escura e desbotados pelo uso e/ou tempo. [Sin., nesta acepç. (bras., N.E.): *fubento.*]

fóvea [Do lat. *fovea.*] *S. f.* **1.** Fossa, depressão. **2.** *Anat.* Em um órgão, fossa superficial. **3.** *Bot.* Pequena cavidade em órgão. **4.** *Zool. Anat.* Depressão situada na retina da maioria dos vertebrados diurnos, no centro da mácula lútea, constituída por células em forma de cone. A luz incidente, focalizada na fóvea, produz imagem nítida.

fovente [Do lat. *fovente.*] *Adj. 2 g. Poét.* Favorável; propício.

fovéola [Do lat. cient. *foveola*, 'pequena fóvea'.] *S. f. Anat.* Designação genérica de depressão de mínimas dimensões.

foveolado [De *fovéola* + *-ado*¹.] *Adj. Bot.* Provido de fóvea (2): *semente foveolada.*

fovila [De or. obscura.] *S. f. Bot.* Conteúdo do grão de pólen.

fovismo (ô) [Do fr. *fauvisme.*] *S. m. Pint.* Movimento, surgido na França no princípio do séc. XX, caracterizado pela simplificação das formas e pela valorização da cor, e que realça os aspectos plásticos da obra, sem preocupação de fidelidade ao mundo real ou a valores emotivos. [Cf. *expressionismo* (2).]

fovista (ô) [De *fovismo* + *-ista.*] *Adj. 2 g.* **1.** Relativo ao fovismo. **2.** Que é adepto do fovismo ou segue seus princípios e sua técnica. • *S. 2 g.* **3.** Adepto do fovismo ou seguidor de seus princípios e técnica.

fox¹ (cs) [F. red. de *foxtrote.*] *S. m. 2 n.* V. *foxtrote.*

fox² (cs) *S. m. 2 n.* V. *fox-terrier.*

→**fox-blue** [faks bluw] [Ingl.] *S. m. Bras.* Blues (2).

foxe [De *fox*¹.] *S. m.* V. *foxtrote*: "Os *juke-boxes*, esses grandes gramofones automáticos ...., berram foxes, rumbas, valsas e *blues*." (Érico Veríssimo, *A Volta do Gato Preto*, p. 36.) [Pl.: *foxes.*]

→**fox-terrier** [faks 'tɛɹijɚ] [Ingl.] *Cinol.* Designação comum aos cães da raça *terrier* (q. v.), originários da Inglaterra, com altura média de 0,36m, pelagem densa, macia ou dura, em geral branca com manchas escuras, treinados inicialmente para perseguir raposas. [F. red.: *fox.*]

foxtrote (cs) [Do ingl. *foxtrot.*] *S. m.* Dança de salão, de par, oriunda dos E.U.A., em compasso binário e ritmo sincopado, ou em compasso quaternário, com passos vagarosos e corridos, e que pode ter andamento rápido ou lento: "A orquestra vai tocar o último foxtrote." (Ribeiro Couto, *A Cidade do Vício e da Graça*, p. 47.) [F. red.: *fox.* Cf. *charleston* e *blues* (2).]

→**foyer** [fwa'je] [Fr.] *S. m.* Salão, nos teatros, onde os espectadores aguardam o início da sessão, e podem ficar nos intervalos.

foz [Do lat. *fauce.*] *S. f.* Ponto onde um rio (ou outro curso fluvial) termina, desaguando no mar, num lago ou em outro rio; desembocadura, embocadura. [V. *delta* (2) e *estuário* (1).] ◆ **De foz em fora. 1.** Pelo mar largo; pelo mar fora. **2.** Em excesso; em demasia: "E as mulheres, por pérfidas e vis, / A todas condenei de foz em fora..." (Vicente de Carvalho, *Poemas e Canções*, p. 41.)

■ **fp** *Mús.* Sigla de *forte-piano.*

■ **FPE** Sigla de *Fundo de Participação dos Estados e do Distrito Federal.*

■ **FPM** Sigla de *Fundo de Participação dos Municípios.*

■ **Fr** *Quím.* Símb. de *frâncio.*

fracalhão [De *fraco* + *-alhão.*] *Adj. S. m.* **1.** Fraqueirão. **2.** Diz-se de, ou o indivíduo muito fraco, covarde, medroso, pusilânime. [Fem.: *fracalhona.*]

fracalhona *S. f.* V. *fracalhão.*

fração [Do lat. *fractione.*] *S. f.* **1.** Ato de partir, rasgar ou dividir. **2.** Parte de um todo: "Com o movimento do ônibus, há um instante, uma fração de segundo em que o vitral chameja" (Osmã Lins, *Nove, Novena*, p. 198). **3.** Facção (4). **4.** *Mat.* Número que representa uma ou mais partes da unidade que foi dividida em partes iguais; número fracionário. **5.** *Quím.* Qualquer mistura parcial que se obtém num processo de separação dos componentes de um sistema. ◆ **Fração contínua.** *Mat.* Sequência que se obtém mediante frações nas quais o denominador se forma pela adição, em cada uma, de uma fração própria ao denominador da antecedente. **Fração decimal.** *Mat.* Fração própria cujo denominador é uma potência de dez. [Tb. se diz apenas *decimal.*] **Fração de empacotamento.** *Fís. Nucl.* Quociente da diferença entre a massa atômica e o número de massa de um elemento pelo número de massa deste. **Fração de ramificação.** *Fís. Nucl.* Quociente do número de átomos que seguem um ramo de decaimento particular pelo número total de átomos que sofrem desintegração, e que se expressa, usualmente, como uma porcentagem. **Fração do pão.** *Rel.* **1.** A missa. **2.** A comunhão. **Fração molar.** *Fís.-Quím.* Medida da concentração de um componente numa mistura, igual ao quociente do número de mols do componente pelo número total de mols da mistura.

fraca-roupa [Do f. do adj. *fraco* + *roupa.*] *S. 2 g. Fam.* V. *maltrapilho* (2). [Pl.: *fracas-roupas.*]

fracassar [Do it. *fracassare.*] *V. t. d.* **1.** Despedaçar com estrépito. **2.** Arruinar; quebrar. *Int.* **3.** Produzir ruído, fragor. **4.** Ser malsucedido; falhar, malograr-se: *Apesar do grande esforço comum, a empresa fracassou.*

fracasso [Do it. *fracasso.*] *S. m.* **1.** Estrondo de coisa que se parte ou cai: "camas de ferro, trastes diversos, veladores, que vinham espatifar-se no jardim, com um fracasso de esmagamento." (Raul Pompeia, *O Ateneu*, p. 269). **2.** Desastre, desgraça. **3.** Ruína, perda. **4.** Mau êxito; malogro.

fracatear [De *fraco.*] *V. int. Bras. N.E. Pop.* **1.** Fraquejar; esmorecer. **2.** Falhar, fracassar. [Conjug.: v. *frear.*]

fracção *S. f.* V. *fração.*

fraccionário *Adj.* V. *fracionário.*

fracionado [Part. de *fracionar.*] *Adj.* Que sofreu fracionamento. ~ V. *cristalização —a* e *destilação —a.*

fracionamento [De *fracionar* + *-mento.*] *S. m.* Ato ou efeito de fracionar(-se). ◆ **Fracionamento celular.** *Citol.* Processo pelo qual, com base em suas propriedades físicas, são separados e purificados componentes celulares.

fracionar [De *fração* + *-ar*², seg. o padrão erudito.] *V. t. d.* **1.** Partir em frações ou fragmentos; dividir: *fracionar uma pedra*; "Ou a Fé toda completa, cabal, absoluta .... ou nenhuma Fé. Fracioná-la, decompô-la, ... é pregar-se o homem estupidamente numa cruz desbenzida, revirado com a cabeça para a terra, e os calcanhares contra o Céu." (Antônio Feliciano de Castilho, *O Presbitério da Montanha*, I, p. 116). *T. d.* e *i.* **2.** Dividir, converter: *É impossível fracionar o tempo em momentos estanques. P.* **3.** Separar-se em diversas partes; dividir-se. [Fut. pret.: *fracionaria*, etc. Cf. *fracionária*, fem. de *fracionário.*]

fracionário [De *fração* + *-ário*, seg. o padrão erudito.] *Adj.* Em que há fração. [Fem.: *fracionária.* Cf. *fracionaria*, do v. *fracionar.*] ~ V. *numeral —* e *número —.*

fraco [Do lat. *flaccu.*] *Adj.* **1.** Que não tem força física, vigor; sem força: *Estive de cama, e ainda me sinto fraco.* **2.** Pouco sadio; sem robustez: *criança fraca.* **3.** Que não tem fortaleza de ânimo, força de vontade: *Os homens fracos são vencidos pela vida.* **4.** Sem energia; brando, frouxo, indolente: *É fraca demais com os filhos*; "Que um fraco Rei faz fraca a forte gente." (Luís de Camões, *Os Lusíadas*, III, 138). **5.** Sujeito a errar, a pecar; frágil: *O espírito é forte, mas a carne é fraca.* **6.** Pouco animoso; covarde, cobarde. **7.** Que não tem autoridade, poder, influência. [Aum. irreg., nessas acepç.: *fracalhão.* Dim. irreg.: *fraquete.*] **8.** Pouco versado em: *Está muito fraco em matemática.* **9.** Pouco sólido. **10.** Que se quebra ou rompe com facilidade; pouco resistente: *barbante fraco.* **11.** Guarnecido de forma imperfeita; pouco defendido; falho de recursos. **12.** Em quantidade escassa, ou com intensidade insuficiente; falto, falho: *inteligência fraca.* **13.** De pouca intensidade; pouco ativo; débil: *sol fraco; som fraco.* **14.** Que não apresenta determinado padrão de qualidade; insignificante; medíocre: *O último número da revista está muito fraco; O almoço fraco decepcionou os convivas; Deu-me um apoio fraco, apesar do seu prestígio*; "Era fraca de construção, mas podia considerar-se uma verdadeira casa de campo por sua bonita aparência" (Franklin Távora, *O Cabeleira*, p. 137). **15.** Insuficiente; escasso: *Bem fracas as garantias que me dás.* **16.** Sem importância; de pouco peso; inexpressivo: *argumento fraco; piada fraca.* **17.** Diz-se do que tem pouco álcool, essência, ou qualquer outro princípio ativo: *bebida fraca; perfume, cigarro, chá fraco.* **18.** *Bras. BA Pop.* Pobre, paupérrimo. **19.** *Bras. Pop.* Fraco do peito; tuberculoso. ~ V. *ácido —, acoplamento —, eletrólito —, espírito —, interação —a, massa —a,* *ponto* — *e o sexo* —. ● *S. m.* **20.** Indivíduo fraco (6): "A vida é combate, / Que os fracos abate, / Que os fortes, os bravos, / Só pode exaltar." (Gonçalves Dias, *Obras Poéticas*, II, p. 42.) [Aum. irreg., nesta acepç.: *fracalhão*.] **21.** O que há de menos sólido ou seguro em qualquer coisa; fraqueza. **22.** Pendor ou inclinação irresistível: "Tem [Antônio Silvino] dois fracos, duas manias, pelas quais é capaz de sacrificar tudo: brilhantes e perfumarias." (Gustavo Barroso, *Terra de Sol*, p. 147.)

fracota *Adj. (f.)* Fem. de *fracote*: "A pescaria veio privar .... o Principado [de Mônaco] de ter a sua iluminação, aliás fracota, feita economicamente à base de peixe-elétrico" (Marques Rebelo, *Correio Europeu*, p. 119).

fracote [De *fraco* + *-ote*[1].] *Adj.* Um tanto fraco; fraquete: *um velho vigoroso e um rapaz fracote; escritor fracote; romance fracote.* [Fem.: *fracota*.]

fractal [Do rad. lat. *fract-* (como em *fractus*, 'quebrado', e *fractio, onis*, 'ação de quebrar, partir'; 'fração', ambos de *frangere*, 'fazer em pedaços') + *-al*[1].] *S. m.* **1.** *Mat.* Forma geométrica, de aspecto irregular ou fragmentado, que pode ser subdividida indefinidamente em partes, as quais, de certo modo, são cópias reduzidas do todo. [Nuvens, montanhas, flocos de neve, raízes e galhos de árvore são objetos que podem ser representados por fractais.] **2.** *P. ext.* Desenho ou outro objeto que representa um fractal (1). ● *Adj. 2 g.* **3.** Relativo ou próprio de fractal. ~ V. *dimensão* —.

fractícipito [Do lat. *fracti*, 'quebrados', 'fendidos', + lat. *(oc)cipita*, 'occipícios'; tax. *Fracticipita*.] *Zool. S. m.* **1.** Espécime dos fractícipitos, subordem de insetos sifonápteros cujas regiões frontal e occipital são separadas dorsalmente por um sulco. ● *Adj.* **2.** Pertencente ou relativo a eles.

fractura *S. f.* V. *fratura*.

fradaço [De *frade*[1] + *-aço*.] *S. m. Deprec.* V. *fradalhão*.

fradalhada [De *frade*[1] + *-alhada*.] *S. f.* **1.** *Deprec.* A classe dos frades. **2.** Multidão de frades. **3.** Espírito fradesco. [Sin. ger.: *fradaria*.]

fradalhão [De *frade*[1] + *-alhão*.] *S. m. Deprec.* Frade corpulento e/ou pouco escrupuloso; fradaço, masmarro: "Frei Timóteo, um fradalhão arrábido" (Alexandre Herculano, *Lendas e Narrativas*, II, p. 141).

fradaria [De *frade*[1] + *-aria*.] *S. f.* V. *fradalhada*.

fradar-se [De *frade*[1] + *-ar*[2] + *se*[1].] *V. p.* Tornar-se frade ou freira; professar em ordem monástica; freirar-se.

frade[1] [Do lat. *fratre*, 'irmão'.] *S. m.* **1.** *Rel.* Religioso pertencente a comunidade onde se emitem votos solenes. [Fem.: *freira*; aum. deprec.: *fradalhão* e *fradaço*; deprec.: *fradépio*.] **2.** *Bras. Zool.* V. *paru* (3). **3.** *Bras. Zool.* V. *canhanha* (2). **4.** *Bras. Zool.* V. *paru* (3). **5.** *Bras. Zool.* V. *canhanha* (2). **6.** *Bras. Zool.* V. *salema* (1). **7.** *Bras. Zool.* V. *grilo-toupeira* (1). **8.** *Constr. Nav.* Espécie de mastro curto e forte que, em navios mercantes, é por vezes instalado nas proximidades de uma escotilha para suporte do pau de carga. **9.** *Tip.* Defeito de impressão que consiste em sair mais clara, ou ficar interceptada, uma parte da composição. [V. *ladrão* (8).] ◆ **Frade menor.** V. *franciscano*[1] (5). **Frades pretos.** Os beneditinos.

frade[2] [Eufemismo, por *falo*.] *S. m.* V. *frade de pedra*.

frade de pedra [De *frade*[2] (q. v.) + *de* + *pedra*.] *S. m.* Coluna ou marco de pedra, granito, cimento, etc. que se põe à beira das calçadas, nas esquinas, ou à entrada de ruas, becos, ou em lugares onde se pretende vedar a passagem aos veículos; frade, fradépio. [Pl.: *frades de pedra*.]

frade-fedorento *S. m. Bras. RS Zool.* V. *opilião*. [Pl.: *frades-fedorentos*.]

fradeiro [De *frade*[1] + *-eiro*.] *Adj.* Afeiçoado a frades; fradesco.

fradejar [De *frade*[1] + *-ejar*.] *V. int.* **1.** Murmurar dos amigos, como se diz que fazem os frades: *Nada comente perante ele; tem o hábito de fradejar.* **2.** Intrigar, enredar, mexericar. [Conjug.: v. *pelejar*.]

fradense *Adj. 2 g.* **1.** De, ou pertencente ou relativo a Frade (CE). ● *S. 2 g.* **2.** O natural ou habitante de Frade.

fradépio[1] *S. m. Deprec.* V. *frade*[1] (1).

fradépio[2] *S. m.* V. *frade de pedra*.

fradesco (ê) [De *frade*[1] + *-esco*.] *Adj.* **1.** Relativo a frades ou a conventos. **2.** De espírito monacal. **3.** Próprio de frade. **4.** Fradeiro.

fradete (ê) [De *frade*[2] + *-ete* (ê).] *S. m.* Parte dos fechos da espingarda, dentro da charneira.

fradice [De *frade*[1] + *-ice*.] *S. f.* Ação, maneiras ou expressões de frade[1] (1).

fradicida [De *frade*[1] + *-i-* + *-cida*.] *Adj. 2 g.* **1.** Diz-se de pessoa que mata frade. ● *S. 2 g.* **2.** Pessoa fradicida.

fradinho [De *frade*[1] + *-inho*[1].] *S. m.* V. *feijão-fradinho*.

fradinho da mão furada *S. m.* Trasgo, duende. [Pl.: *fradinhos da mão furada*.]

fraga [Do lat. *fraga*, pl. de *fragum*.] *S. f.* **1.** Rocha escarpada; penedo, penhasco. **2.** Pedra grande; pedregulho, penedo, rocha. [Cf. *frágua*.]

fragal [De *fraga* + *-al*[1].] *Adj. 2 g.* **1.** V. *fragoso*. ● *S. m.* **2.** V. *fraguedo*.

fragalheiro *Adj. S. m. P. us.* V. *frangalheiro*.

fragalho *S. m. P. us.* V. *frangalho*.

fragalhona *S. f. P. us.* V. *frangalhona*.

fragalhotear *V. int.* V. *frangalhotear*. [Conjug.: v. *frear*.]

fragaria *S. f.* V. *fraguedo*. [Cf. *fragária*.]

fragária [Do tax. *Fragaria* (do lat. *fragum* [m. us. no pl. *fraga*], 'morango', + lat. cient. *-aria*).] *S. f. Bot.* **1.** Gênero de pequenas plantas rosáceas, herbáceas, perenes, que compreende os morangueiros; têm folhas trifolioladas, flores alvas, cimosas, e estolhos longos e delgados. As espécies selvagens deram origem a várias cultivares. **2.** Qualquer espécie desse gênero, como, p. ex., a *Fragraria vesca* [v. *morangueiro* (1)]. **3.** Qualquer espécime desse gênero, ou a flor dele. [Cf. *fragaria*.]

fragata[1] [Do it. *fregata*.] *S. f.* **1.** *Ant.* Embarcação menor que o bergantim, com a popa menos elevada. **2.** *Ant.* Navio de guerra semelhante à nau, menor e menos armado que ela, porém mais veloz e de melhor manobra. Não tinha castelo, e sua mastreação era de galera. Apareceu na primeira metade do séc. XVII, como aviso[2] (1), e, com o tempo, chegou a ter 60 peças de artilharia e a pesar 1.800t. [No último quartel do séc. XIX houve fragatas mistas, à vela e a vapor.] **3.** *Lus.* Embarcação de boca aberta e popa chata, com um mastro que enverga vela latina quadrangular e duas velas de proa, capacidade de carga de 20 a 300t., us. no rio Tejo para transporte de mercadorias. **4.** *Mar.* Navio de combate, maior e mais bem armado que a corveta[1] (2), empregado para patrulha antissubmarino e escolta de comboio e de forças-tarefas. **5.** *Pop.* Mulher corpulenta. **6.** *Zool.* V. *alcatraz*[1].

fragata[2] *S. m. Mar. G. Bras.* V. *capitão de fragata*.

fragata[3] [Alter. do tax. *Fregata* (gênero-tipo) (do it. *fregata*).] *S. f. Zool.* **1.** V. *alcatraz*[1].

fragateiro [De *fragata*[1] + *-eiro*.] *S. m. Lus.* Tripulante de fragata[1] (3).

fragatim [De *fragata*[1] + *-im*.] *S. m. Lus. Ant.* Bergantim.

frágil [Do lat. *fragile*.] *Adj. 2 g.* **1.** Fácil de romper ou quebrar: *vidro frágil; estrutura frágil.* **2.** Pouco vigoroso; fraco, débil: *um jovem pálido de saúde frágil.* **3.** *Fig.* Pouco estável; de duração transitória: *acordo frágil.* **4.** *Fig.* De ânimo inseguro; de vontade fraca: *É uma criatura frágil: deixa-se levar facilmente.* [Pl.: *frágeis*; superl. abs. sint.: *fragílimo* e *fragilíssimo*.] ~ V. *o sexo* —.

fragilariácea [Do tax. *Fragilaria* + *-ácea*; tax. *Fragilariaceae*.] *S. f. Bot.* Espécime das fragilariáceas, família de diatomáceas, da classe das penales, cujas valvas não levam rafe, e cujas células são imóveis e emitem auxósporos.

fragilariáceo [De *fragilariácea*, com var. suf. (v. *-áceo*).] *Adj. Bot.* Pertencente ou relativo às fragilariáceas.

fragilidade [Do lat. *fragilitate*.] *S. f.* Qualidade de frágil.

fragílimo *Adj.* Superl. abs. sint. de *frágil*; fragilíssimo: "Apesar de ser uma criatura débil, de físico fragílimo, o Artur esteve a pique de ser agredido" (Leonardo Mota, *A "Padaria Espiritual"*, pp. 59-60).

fragilíssimo [Do lat. tard. *fragilissimu*.] *Adj.* Fragílimo.

fragilizar [De *frágil* + *-izar*.] *V. t. d. P.* **1.** Tornar(-se) frágil, vulnerável. **2.** *Fig.* Enfraquecer(-se), abater(-se) emocional ou psicologicamente.

fragmentação [De *fragmentar* + *-ção*.] *S. f.* **1.** Ato ou efeito de fragmentar(-se). **2.** *Biol.* Forma de reprodução assexuada (q. v.) observada em invertebrados, e na qual partes do organismo se desprendem e, por diferenciação, originam novos seres.

fragmentado [Part. de *fragmentar*.] *Adj.* **1.** Que se fragmentou. **2.** Dividido em fragmentos ou partes. ~V. *formação* —*a*.

fragmentador (ô) [De *fragmentar* + *-dor*.] *Adj. S. m.* Que, ou aquilo que fragmenta.

fragmentar [De *fragmento* + *-ar*[2].] *V. t. d.* **1.** Reduzir a fragmentos; partir em pedaços; dividir, fracionar. *P.* **2.** Fazer-se em fragmentos; quebrar-se. [Fut. pret.: *fragmentaria*, etc. Cf. *fragmentária*, fem. de *fragmentário*.]

fragmentário [De *fragmento* + *-ário*.] *Adj.* **1.** Relativo a fragmento. **2.** Que se encontra em fragmentos: "fragmentária ou incompleta, que ficasse a obra [*Iracema*, de José de Alencar], nem por isso perderia o seu encanto." (Augusto Meyer, *A Chave e a Máscara*, p. 152). [Fem.: *fragmentária*. Cf. *fragmentaria*, do v. *fragmentar*.]

fragmentável [De *fragmentar* + *-vel*.] *Adj. 2 g.* Que se pode fragmentar.

fragmentista [De *fragmento* + *-ista*.] *S. 2 g.* Pessoa que fragmenta.

fragmento [Do lat. *fragmentu*.] *S. m.* **1.** Cada um dos pedaços de uma coisa partida ou quebrada. **2.** Parte de um todo; pedaço, fração. **3.** Parte que resta de uma obra literária ou antiga, ou de qualquer preciosidade. **4.** *Mús.* Excerto musical curto. **5.** *Mús.* Parte de uma obra que pode ser executada independentemente do resto. **6.** *Mús. Concr.* Objeto sonoro da ordem de alguns segundos e no qual se distingue um centro de interesse que não evolve nem se repete.

fragmocone [Do V.C.I. *phragmo-* (< gr. *phragmós*, 'cerca', 'paliçada') + *cone*.] *S. m. Zool.* Tipo de concha de molusco cefalópode, dividida em lojas por septos que deixam passar somente o sifão (5).

fragmose [Do gr. *phragmós*, 'cerca', 'paliçada', + *-ose*[1].] *S. f.* Hábito que têm certos animais (especialmente aranhas, sapos e formigas) de vedar a entrada das respectivas tocas ou ninhos por meio do próprio corpo.

frago [Der. regress. do lat. *fragrare*, 'exalar cheiro', poss.] *S. m.* **1.** Indícios de passagem de caça viva. **2.** Excremento de animais selvagens; estrabo.

▲**-frago** [Do lat. *-frăgus, a, um* < v. lat. *frăgus*, 'quebrar'.] *El. comp.* = 'que quebra': *náufrago* (< lat.), *nucífrago, saxífrago, septífrago, turrífrago*.

fragoído [Cruz. de *fragor* com *ruído*, poss.] *S. m. Bras. AM* Ruído; estrépito, fragor.

fragor (ô) [Do lat. *fragore*.] *S. m.* **1.** Ruído semelhante ao de coisa que se quebra. **2.** Ruído muito forte; estrondo, estampido: "Com medonho fragor na praia nua / Fremem de noite as solitárias ondas" (Correia Garção, *Obras Poéticas e Oratórias*, p. 381). [Pl.: *fragores* (ô). Cf. *fragores*, do v. *fragorar*.]

fragorar [De *fragor* + *-ar*[2].] *V. int.* Produzir fragor; estrondar, fracassar. [Pres. subj.: *fragore, fragores*, etc. Cf. *fragores* (ô), pl. de *fragor*.]

fragoroso (ô) [De *fragor* + *-oso*.] *Adj.* **1.** Que produz fragor; estrondoso. **2.** Incomum, extraordinário; muito falado; ruidoso, estrondoso: *Sofreu uma derrota fragorosa.*

fragosidade [De *fragoso* + *-(i)dade*.] *S. f.* Qualidade de fragoso; fragura.

fragoso (ô) [Do lat. *fragosu*.] *Adj.* **1.** Penhascoso, escabroso, áspero, agreste. **2.** Difícil de transpor, de vencer; de acesso difícil. [Sin. ger.: *fragal*.]

fragrância [Do lat. *fragrantia*.] *S. f.* Qualidade de fragrante; aroma, perfume, cheiro, odor. [Cf. *flagrância*.]

fragrante [Do lat. *fragrante*.] *Adj. 2 g.* Odorífero, odoroso, perfumado, aromático: "Flores fragrantes fresco aroma espargem" (José Albano, *Rimas*, p. 128); "Que coisa distante / Está perto de mim? / Que brisa fragrante / Me vem neste instante / De ignoto jardim?" (Fernando Pessoa, *Obra Poética*, p. 173). [Cf. *flagrante*.]

frágua [Do lat. *fabrica*, 'oficina de ferreiro'.] *S. f.* **1.** Forja, fornalha. **2.** *Fig.* Calor intenso; ardor. **3.** *Fig.* Pena, amargura, aflição. [Cf. *fragua* (ú), do v. *fraguar*, e *fraga*.]

fraguar [De *frágua* + *-ar*[2].] *V. t. d.* **1.** Forjar, falsificar. **2.** *Fig.* Amargurar, amargar, afligir. [Conjug.: v. *averiguar*. Pres. ind.: *fraguo* (ú), *fraguas* (ú), *fragua* (ú), etc. Cf. *frágua*.]

fraguedo (ê) [De *fraga* + *-edo*.] *S. m.* **1.** Série de fragas; penedia. **2.** Fraga extensa; rochedo, penhasco. [Sin. ger.: *fragal, fragaria*.]

fragueirice [De *fragueiro*[2] + *-ice*.] *S. f.* **1.** Ação de quem é fragueiro[2]. **2.** Aspereza, rudeza de vida.

fragueiro[1] [De *frag(ata)*[1] + *-eiro*.] *S. m.* **1.** *Ant.* Construtor de fragatas. **2.** *Bras.* Aquele que exerce o lugar de prático de navegação fluvial.

fragueiro[2] [De *fraga* + *-eiro*.] *Adj.* **1.** Que anda por serras e fragas, mourejando. **2.** Que tem vida trabalhosa; dado aos trabalhos mais rudes; incansável, infatigável: "Sê duro guerreiro, / Robusto, fragueiro" (Gonçalves Dias, *Obras Poéticas*, II, p. 43). **3.** Bravo, rude, áspero, agreste. **4.** Ardente, fogoso, impetuoso. ● *S. m.* **5.** Homem que vive trabalhosamente por serras e fragas. **6.** *Bras. PI MT RJ Bot.* Planta rubiácea (*Diodia prostrata*) herbácea, de ramos prostrados, flores alvas, solitárias ou geminadas, e cujo fruto é cápsula ovoide e pubescente.

fragura [De *fraga* + *-ura*.] *S. f.* Fragosidade.

fraiburguense *Adj. 2 g.* **1.** De, ou pertencente ou relativo a Fraiburgo (SC). ● *S. 2 g.* **2.** O natural ou habitante de Fraiburgo.

frajola [De or. controversa.] *Adj. 2 g. Bras. Gír.* De uma elegância faceira; serelepe.

fralda [Do port. ant. *faldra*, 'falda' (q. v.), com metátese.] *S. f.* **1.** A parte inferior da camisa: "enxugou as lágrimas na fralda da camisa." (Oto Lara Resende, *Boca do Inferno*, p. 98). **2.** *P. ext.* Retângulo de pano macio, ou de material equivalente, que se usa dobrado, de modo que se adapte às entrepernas e nádegas do bebê, a fim de absorver os excrementos. **3.** *P. ext.* A parte inferior, as abas, o sopé (de serra, monte, etc.). ◆ **Fralda do mar.** V. *praia* (1).

fraldão [De *fralda* + *-ão*[1].] *S. m.* **1.** V. *escarcela* (2). **2.** *Ant. Teatr.* Decoração de ambos os lados do palco. **3.** Fralda (2) para adultos enfermos.

fraldar [De *fralda* + *-ar*[2].] *V. t. d.* **1.** Pôr fraldas em. *P.* **2.** Vestir fraldão (1).

fralda-rota (ô) [De *fralda* + o f. de *roto* (ô).] *S. f. Bras. Zool.* V. *galo-branco* (2). [Pl.: *fraldas-rotas*.]

fraldear [De *fralda* + *-ear*[2].] *V. t. d.* Caminhar pela fralda de (monte, etc.): "um deles [os esteiros], muito sinuoso, afunda-se visível por espaço longo, fraldeia a colina" (Júlio Ribeiro, *A Carne*, p. 124). [Conjug.: v. *frear*.]

fraldeiro [De *fralda* + *-eiro*.] *Adj. S. m.* V. *fraldiqueiro*.

fraldejar [De *fralda* + *-ejar*.] *V. t. d.* **1.** V. *fraldear*. *Int.* **2.** Mostrar as fraldas ao andar. [Conjug.: v. *pelejar*.]

fraldelim [De *fralda*.] *S. m. Ant.* **1.** Brial. **2.** Saiote, anágua.

fraldicurto [De *fralda* + *-i-* + *curto*.] *Adj. Poét.* Que tem fraldas curtas.

fraldilha [De *fralda* + *-ilha*.] *S. f.* **1.** Avental de couro us. pelos ferreiros. **2.** Avental que usavam os porta-machados.

fraldinha [De *fralda* + *-inha*.] *S. f. Bras.* Corte de carne bovina, fibrosa e um tanto rija, tirada do abdome do animal.

fraldiqueira [Do esp. *faltriquera* < *faldriquera*.] *S. f. Deprec.* Algibeira.

fraldiqueiro [Do port. ant. *fraldica*, dim. de *fralda*, + *-eiro*.] *Adj.* **1.** Relativo a fraldas. **2.** Efeminado, afeminado. **3.** Diz-se do cão habituado ao regaço das mulheres e ao conchego e calor das saias. ● *S. m.* **4.** Cão fraldiqueiro: "a infinita série de inutilidades do lar desde os gatos e fraldiqueiros aos pássaros de gaiola tem a admiração pateta dos homens." (João do Rio, *Vida Vertiginosa*, p. 324). [Var.: *fraldisqueiro*; sin. ger.: *fraldeiro*.]

fraldisqueiro *Adj. S. m.* V. *fraldiqueiro*.

fraldoso (ô) [De *fralda* + *-oso*.] *Adj.* **1.** Que tem fralda ou cauda muito longa. **2.** *P. ext.* Palavroso, prolixo. ~ V. *estilo* —.

framboesa (ê) [Do fr. *framboise*.] *S. f.* **1.** O fruto da framboeseira. **2.** *Bot.* Amora-vermelha.

framboeseira [De *framboesa* + *-eira*.] *S. f. Bot.* Pequeno arbusto rosáceo (*Rubus idaeus*) ramoso, de flores alvas, reunidas em racemos dispostos na axila das folhas, e cujo fruto, a framboesa, é pubescente, aromático, formado por grande número de pequenas drupas vermelhas, reunidas sobre um ginóforo alongado, que é açucarado e comestível cru. [F. paral.: *framboeseiro*.]

framboeseiro [De *framboesa* + *-eiro*.] *S. m. Bot.* V. *framboeseira*.

framboésia [Do lat. cient. *framboesia*, *frambesia* < fr. *framboise*, 'framboesa'.] *S. f. Med.* V. *bouba* (1).

frança[1] [Do top. *França*.] *Desus. S. f.* **1.** Mulher sécia, delambida, e dada a namoros. ● *S. m.* **2.** Janota, casquilho, franchinote. ● *Adj.* **3.** Casquilho, garrido. ~ V. *franças*.

frança[2] *S. f. Bras. CE* **1.** V. *chicote* (1). **2.** V. *chiqueirador*. ~ V. *franças*.

francalete (ê) [Do esp. *francalete*.] *S. m.* Correia afivelada.

francano *Adj.* **1.** De, ou pertencente ou relativo a Franca (SP). ● *S. m.* **2.** O natural ou habitante de Franca.

franças [Do port. ant. *frонças* < lat. *frondea*, fem. do lat. *frondeu*, 'coberto de folhas'.] *S. f. pl.* Conjunto das ramificações menores da copa das árvores: "A mata começava a farfalhar com o vento que lhe encrespava as franças mais altas." (Ferreira de Castro, *A Selva*, p. 182.) ~ V. *frança*.

francatripa *S. f. Bras.* Boneco que se move acionado por cordas de tripa ou arames; fantoche.

francear [De *franças* + *-ear*[2].] *V. t. d.* **1.** Cortar ou aparar as franças de. *Int.* **2.** Andar por cima das franças, nas árvores. [Conjug.: v. *frear*.]

francelhice [De *francelho* (2) + *-ice*.] *S. f.* V. *francesismo*.

francelho (ê) [De *francês* + *-elho*, poss.] *S. m.* **1.** Barrileira ou mesa com um sulco em redor, onde se junta e donde cai para um balde o soro da coalhada, nas queijarias. **2.** Aquele que tem apego excessivo às coisas francesas ou abusa de francesismos na linguagem; francesista. **3.** *Fam.* Tagarela, palrador. **4.** *Lus. Zool.* Ave falconídea (*Falco naumanni*) migratória, da Europa, África e Ásia, com cerca de 30cm de comprimento. O macho tem cabeça e algumas penas das asas cinzentas, dorso alaranjado, e partes inferiores branco-amareladas; a fêmea, cabeça e dorso castanho-avermelhados. Alimenta-se de insetos e de pequenos vertebrados. [Sin.: *francelho-das-torres*, *penereiro-das-torres*.] **5.** *Lus. Zool.* V. *penereiro*: "não repousará .... no pobre cemitério da sua aldeia, em que avoejam corujas e francelhos" (Fialho d'Almeida, *O País das Uvas*, p. 119). **6.** V. *rebanho*[2]: "não repousará .... no pobre cemitério da sua aldeia, em que avoejam corujas e francelhos" (Fialho d'Almeida, *O País das Uvas*, p. 119).

francelho-das-torres *S. m. Lus. Zool.* V. *francelho* (4). [Pl.: *francelhos-da-torre*.]

francês [Do fr. ant. *franceis*.] *Adj.* **1.** Da, ou pertencente ou relativo à França (Europa) ou aos seus habitantes. ~ V. *altura —a*, *asna —a*, *aspas —as*, *bilhar —*, *cena —a*, *dreno —*, *formato —*, *letra —a*, *pão —*, *parágrafo —* e *viola —a*. ● *S. m.* **2.** O natural ou habitante da França. **3.** *Gloss.* Língua românica oficial da França, que procede do dialeto falado em Paris, cuja expansão por todo o território francês ocorreu a partir do séc. XV. [V. *língua d'oïl*.] [É, igualmente, uma das línguas literárias e oficiais da Suíça, da Bélgica e do Canadá.] **4.** Vocábulo dessa língua. [Flex.: *francesa* (ê), *franceses* (ê), *francesas* (ê).] ◆ **Falar francês.** *Fam.* **1.** Pagar, ou dar a entender que pretende pagar. **2.** Ter dinheiro; ser rico.

francesa (ê) [F. subst. do adj. *francês*.] *El. s. f.* Us. na loc. *à francesa*. ◆ **À francesa.** À moda, à maneira francesa. **Sair à francesa.** Sair de fininho.

francês-cajá *S. m. Gloss.* Cajã (2).

francês-canadense *S. m. Gloss.* Quebequense (3).

francesia [De *francês* + *-ia*[1].] *S. f.* V. *francesismo*.

francesiar [De *francesia* + *-ar*[2].] *V. int.* Falar mal o francês.

francesismo [De *francês* + *-ismo*.] *S. m.* **1.** *E. Ling.* Palavra, expressão ou construção de feição e/ou origem francesa; galicismo. **2.** Imitação afetada de costumes ou coisas francesas. **3.** *Fig.* Delicadeza exagerada, excessiva. [Sin. ger.: *francesia*, *francelhice*.]

francesista [De *francês* + *-ista*.] *S. 2 g.* Francelho (2).

francesmente (ês) [De *francês* + *-mente*.] *Adv.* À maneira francesa; como os franceses; ao modo e gosto franceses.

francevilita *S. f. Min.* Mineral ortorrômbico, vanadato natural de urânio, chumbo e bário.

franchado [Alter. nasalizada do lat. *fractus* + *-ado*[1].] *Adj. Heráld.* Diz-se do brasão dividido diagonalmente ao meio.

franchão *Adj.* Mal-encarado, feio, repulsivo.

franchinote *S. m.* Peralvilho, peralta, janota.

franchinótico [De *franchinote* + *-ico*[2].] *Adj.* Relativo a, ou próprio de franchinote.

➔**franchise** ['frænt∫ajz] [Ingl.] V. *franquia* (6).

franciano [Do fr. *francien*.] *S. m. Gloss.* Romance (1) falado em Paris (*Île de France*), ancestral do francês (3).

frância [Do b.-lat. **francica* (*arma*), 'dos francos'.] *S. f.* V. *franquisque*.

frâncico [Do b.-lat. *francicu*.] *S. m.* **1.** *Gloss.* A língua germânica ocidental dos francos, pertencente ao grupo de línguas do alto-alemão e responsável pelo grande estrato de elementos germânicos do vocabulário francês. **2.** Vocábulo dessa língua.

francinopolitano *Adj.* **1.** De, ou pertencente ou relativo a Francinópolis (PI). ● *S. m.* **2.** O natural ou habitante de Francinópolis.

frâncio [De top. *França* + *-io*[3]; lat. cient. *francium*.] *S. m. Quím.* Elemento de número atômico 87, radioativo [símb.: *Fr*].

francisca [Do b.-lat. (*securis*) *francisca*, 'machado dos francos'.] *S. f.* V. *franquisque*.

franciscana [F. subst. de *franciscano*[1] (1).] *S. f.* A ordem religiosa de S. Francisco.

franciscanada [De *franciscano* + *-ada*[1].] *S. f. Pop.* Folia, patuscada.

franciscano[1] *Adj.* **1.** *Rel.* Pertencente à ordem de S. Francisco, fundada por São Francisco de Assis (1182-1226); capucho. **2.** Pertencente a outras ordens que seguem a regra de São Francisco de Assis. **3.** *Pop.* Diz-se de pobreza ou miséria extrema. **4.** *Chulo* Diz-se de libertinagem desbragada. ● *S. m.* **5.** Frade franciscano (1); capucho, frade menor.

franciscano[2] *Adj.* **1.** De, ou pertencente ou relativo a Barra de São Francisco (ES). ● *S. m.* **2.** O natural ou habitante de Barra de São Francisco.

franciscano[3] *Adj.* **1.** De, ou pertencente ou relativo a São Francisco de Goiás (GO). ● *S. m.* **2.** O natural ou habitante de São Francisco de Goiás.

franciscano[4] *Adj.* **1.** De, ou pertencente ou relativo a São Francisco de Paula (MG). ● *S. m.* **2.** O natural ou habitante de São Francisco de Paula.

franciscano[5] *Adj. S. m.* V. *são-franciscano*[4].

franciscano[6] *Adj.* **1.** De, ou pertencente ou relativo a São Francisco do Pará (PA). ● *S. m.* **2.** O natural ou habitante de São Francisco do Pará.

franciscano[7] *Adj.* **1.** De, ou pertencente ou relativo a São Francisco do Piauí (PI). ● *S. m.* **2.** O natural ou habitante de São Francisco do Piauí. [Sin. ger.: *são-franciscano*.]

franciscano[8] [F. red. de *boto-franciscano*.] *S. m. Bras. Zool.* V. *boto-amarelo*.

francisco-dantense *Adj. 2 g.* **1.** De, ou pertencente ou relativo a Francisco Dantas (RN). ● *S. 2 g.* **2.** O natural ou habitante de Francisco Dantas. [Pl.: *francisco-dantenses*.]

francisco-dumonsense *Adj. 2 g.* **1.** De, ou pertencente ou relativo a Francisco Dumont (MG). ● *S. 2 g.* **2.** O natural ou habitante de Francisco Dumont. [Pl.: *francisco-dumonsenses*.]

francisco-saense *Adj. 2 g.* **1.** De, ou pertencente ou relativo a Francisco Sá (MG). ● *S. 2 g.* **2.** O natural ou habitante de Francisco Sá. [Pl.: *francisco-saenses*.]

francisco-santense *Adj. 2 g.* **1.** De, ou pertencente ou relativo a Francisco Santos (PI). ● *S. 2 g.* **2.** O natural ou habitante de Francisco Santos. [Pl.: *francisco-santenses*.]

francisquense[1] *Adj. 2 g.* **1.** De, ou pertencente ou relativo a Dona Francisca (RS). ● *S. 2 g.* **2.** O natural ou habitante de Dona Francisca.

francisquense[2] *Adj. 2 g.* **1.** De, ou pertencente ou relativo a São Francisco do Sul (SC). ● *S. 2 g.* **2.** O natural ou habitante de São Francisco do Sul.

franciú [De *francês*, por anal. com *mussiú* (pronúncia jocosa de *monsieur*).] *S. m. Pop.* Francês (3).

franckeíta [Do antr. *Francke*, de *Ernest* e *Carl Francke*, engenheiros de minas alemães do séc. XIX, + *-ita*[3].] *S. f. Min.* Mineral ortorrômbico, sulfoantimoneto de chumbo e estanho.

franco[1] [Do fr. *franc*.] *S. m.* **1.** Antiga moeda francesa, de ouro. **2.** Unidade monetária, e moeda, de Benim, Burquina Faso, Burundi, Camarões, Chade, Comores, Congo, Costa do Marfim, Djibuti, Gabão, Guiné, Guiné-Bissau, Guiné Equatorial, Liechtenstein, Madagascar, Mali, Níger, República Centro-Africana, Ruanda, Senegal, Suíça e Togo, dividida em 100 cêntimos. [Era também a de Andorra, Bélgica, França, Luxemburgo e Mônaco, até ser substituída pelo euro.]

franco[2] [Do frâncico **frank*, 'livre', 'isento', 'liberal', 'dadivoso' (por serem os francos, dominadores da Gália, isentos de tributos), pelo b.-lat. *francu*.] *S. m.* **1.** Indivíduo dos francos, confederação de povos germânicos que conquistaram parte da Gália. **2.** *Ant.* Denominação dada aos cristãos europeus no Oriente, especialmente no período das Cruzadas (sécs. XI a XIII). ● *Adj.* **3.** Pertencente ou relativo aos francos. **4.** Espontâneo, sincero, leal, liso: "Desculpe-me esta franqueza; mas eu prefiro ser franco com você a sê-lo com qualquer outra pessoa." (Machado de Assis, *Quincas Borba*, p. 15); *Seus modos francos a todos conquistam.* **5.** Desimpedido, desembaraçado, livre: *A passagem franca ajudou a fuga dos amotinados.* **6.** Liberal, generoso: *É muito franco em questões de dinheiro.* **7.** Claro, evidente, manifesto. **8.** Isento de tributos, impostos ou qualquer forma de pagamento: *entrada franca.* **9.** *Gloss.* Dizia-se da língua germânica falada pelos invasores da Gália [v. *gaulês* (1)]. **10.** *P. ext. Gloss.* Diz-se de língua não vernácula, mas que serve de veículo para relações econômicas, e outras. ~ V. *entrada —a*, *língua —a*, *porto —* e *zona —a*.

▲ **franco-** [De *franco*[2].] *El. comp.* = 'francês': *franco-brasileiro*.

franco-alemão [De *franco-* + *alemão*.] *Adj.* **1.** Relativo à França e à Alemanha, ou a franceses e alemães. **2.** De origem francesa e alemã. ● *S. m.* **3.** Indivíduo franco-alemão (2). [Flex.: *franco-alemã*, *franco-alemães*, *franco-alemãs*.]

franco-atirador [Trad do fr. *franc-tireur*.] *S. m.* **1.** Aquele que faz parte de um corpo irregular de tropas, em uma campanha militar. **2.** *P. ext.* Aquele que trabalha por alguma ideia sem pertencer a nenhum grupo ou organização. [Pl.: *franco-atiradores*.] [Na 5ª ed. do Volp., sem hífen; corrigido em errata.]

franco-bordo [De *franco*[2] + *bordo*.] *S. m. Mar. Merc. Bras. Desus.* Designação dada outrora à borda-livre, por influência de pessoal do Loide Brasileiro que na I Guerra Mundial serviu com a Marinha Francesa. [Pl.: *franco-bordos*.] [Na 5ª ed. do Volp., sem hífen; corrigido em errata.]

franco-brasileiro [De *franco-* + *brasileiro*.] *Adj.* **1.** Relativo à França e ao Brasil, ou a franceses e brasileiros. **2.** De origem francesa e brasileira. ● *S. m.* **3.** Indivíduo franco-brasileiro (2). [Pl.: *franco-brasileiros*.]

franco-canadense [De *franco-* + *canadense*.] *Adj. 2 g.* **1.** Relativo à França e ao Canadá, ou a franceses e canadenses. **2.** De origem francesa e canadense. ● *S. 2 g.* **3.** Indivíduo franco-canadense (2). [Pl.: *franco-canadenses*.]

franco-condês *Adj.* **1.** Relativo ao Franco-Condado (França). ● *S. m.* **2.** O natural ou habitante dessa região. **3.** *Gloss.* Dialeto do francês falado nessa região. [Flex., acepç. 1 e 2: *franco-condesa* (ê), *franco-condeses* (ê), *franco-condesas* (ê).]

franco-espanhol [De *franco-* + *espanhol*.] *Adj.* **1.** Relativo à França e à Espanha, ou aos franceses e espanhóis. **2.** De origem francesa e espanhola. ● *S. m.*

3. Indivíduo franco-espanhol (2). [Flex.: *franco-espanhóis, franco-espanhola(s)*.]

francofilia [De *franco-* + *-filia*.] *S. f.* Qualidade de francófilo; galofilia.

francofílico [De *francofilia* + *-ico*[2].] *Adj.* Relativo a francofilia, ou a francófilo; galofílico.

francófilo [De *franco-* + *-filo*[2].] *Adj. S. m.* Amigo da França e dos franceses; galófilo.

francofonia [De *franco-* + *-fon(o)-* + *-ia*[1].] *S. f.* Adoção da língua francesa como língua de cultura ou língua franca por quem não a tem como vernácula; tal ocorre, p. ex., em vários países de colonização francesa.

francófono [De *franco-* + *-fono*.] *Adj. S. m.* Diz-se de, ou indivíduo que fala francês.

franco-inglês [De *franco-* + *inglês*.] *Adj.* 1. Relativo à França e à Inglaterra, ou aos franceses e ingleses. 2. De origem francesa e inglesa. • *S. m.* 3. Indivíduo franco-inglês (2). [Flex.: *franco-ingleses, franco-inglesa(s)*.]

franco-mação *S. m.* V. *franco-maçom*. [Pl.: *franco-mações*.] [Sem hífen no Volp., embora o 1º el. seja um adj.]

franco-maçom [Do fr. *franc-maçon*, decalque do ingl. *free-mason*.] *S. m. Maç.* Membro da franco-maçonaria; pedreiro-livre, maçom. [Var.: *franco-mação*. Pl.: *franco-maçons*.] [Na 5ª ed. do Volp., sem hífen; corrigido em errata.]

franco-maçonaria [Do fr. *franc-maçonnerie* (1747, antes *franche-maçonnerie* [1742], do fr. *franc-maçon*).] *S. f.* Maçonaria (1). [Na 5.ª ed. do Volp., sem hífen; corrigido em errata.]

francónio *Adj. S. m.* V. *francônio*. [Uso freq. em P.]

francônio *Adj.* 1. Da, ou pertencente ou relativo à Francônia, região histórica da Alemanha, hoje quase totalmente englobada pela Baviera. • *S. m.* 2. O natural ou habitante da Francônia. 3. *Gloss.* Língua germânica (também classificada como dialeto) dessa região.

francoparlante [De *franco-* + *parlante*.] *Adj. 2 g. S. 2 g.* Diz-se de, ou pessoa que fala o francês.

franco-provençal *Adj. 2 g. S. m. Gloss.* Diz-se dos, ou os dialetos franceses intermediários entre a língua *d'oïl* (q. v.) e a língua *d'oc* (q. v.), faladas na Suíça romanda, no Vale do Aosta (entre a Suíça e a França), na Saboia (v. *saboiano*), na antiga província do Delfinado e na região que corresponde, hoje, à cidade de Lião (v. *lionês*) e circunvizinhanças. [Pl.: *franco-provençais*.]

franco-rochense *Adj. 2 g.* 1. De, ou pertencente ou relativo a Franco da Rocha (SP). • *S. 2 g.* 2. O natural ou habitante de Franco da Rocha. [Pl.: *franco-rochenses*.]

franco-suíço [De *franco-* + *suíço*.] *Adj.* 1. Referente à França e à Suíça, ou a franceses e suíços. 2. De origem francesa e suíça. • *S. m.* 3. Indivíduo de origem francesa e suíça. 4. Suíço cuja língua é a francesa. [Pl.: *franco-suíços*.]

frandulagem [De **frandulo* < top. *Frandes*, f. ant. de *Flandres*, + *-agem*[2].] *S. f.* 1. Súcia de maltrapilhos; farandolagem, farândola. 2. Mercadorias de pouco valor; bugigangas.

franduleiro [De **frandulo* (v. *frandulagem*) + *-eiro*.] *Adj.* 1. *Desus.* Que vem de fora; estrangeiro. 2. Que faz parte de uma frandulagem (1) (q. v.). [Cf. *farandolagem*.]

franduno [Do top. *Frandes*, f. ant. de *Flandres*, + *-uno*.] *Adj.* 1. Que tem costumes estrangeirados. 2. Presumido, presunçoso, afetado.

franga [Fem. de *frango*.] *S. f.* Galinha nova, que ainda não põe; polha. ◆ **Soltar a franga.** *Pop.* Tornar-se desinibido, perder o acanhamento.

frangainha (a-í) [De *franga* + *-inha*, por anal. com *frangainho* (q. v.).] *S. f.* Franga pequena; pintainha, pintinha.

frangainho (a-í) [Por **franganinho* (de *frangão* + *-inho*[1], seg. o padrão erudito), com desnasalação, poss.] *S. m.* Frango[1] (1) pequeno; pinto já crescido; franganito, franganote, frangote, franguinho.

frangalhada [De *frango* + *-alhada*.] *S. f. Fam.* Guisado de frango[1] (1).

frangalhar [De *frangalho* + *-ar*[2].] *V. t. d. P.* V. *esfrangalhar*.

frangalheiro [De *frangalho* + *-eiro*.] *Adj. S. m.* Diz-se de, ou indivíduo que se veste de frangalhos; esfarrapado, maltrapilho, trapeiro. [F. paral. (p. us.): *fragalheiro*.]

frangalho [De *franger* (< lat. *frangere*, 'quebrar', 'despedaçar', 'rasgar', 'esmagar', 'comprimir') + *-alho*, poss.] *S. m.* 1. Farrapo, trapo: 📖 "A tanga do rei era um frangalho de cor indecifrável, passado em torno dos rins." (Olavo Bilac, *Crítica e Fantasia*, p. 112.) 2. *Fig.* Coisa imprestável; caco. 3. *Fig.* Pessoa arruinada ou desprezível: *Tornou-se alcoólatra, e hoje é um frangalho*. [F. paral. (p. us.): *fragalho*.]

frangalhona [De *frangalho* + *-ona*[1].] *Adj. (f.) S. f.* Diz-se de, ou mulher desmazelada no trajar; desmazelada; maltrapilha. [F. paral. (p. us.): *fragalhona*.]

frangalhote [De *frango* + *-alh(o)-* + *-ote*[1].] *S. m.* 1. Frango[1] (1) já crescido. 2. *Pop.* Rapazola boêmio e mulherengo.

frangalhotear [De *frangalhote* + *-ear*[2].] *V. int.* Galhofar, folgar, folgazar; estroinar. [F. paral.: *fragalhotear*. Conjug.: v. *frear*.]

franganito [De *frangão* + *-ito*, seg. o padrão erudito.] *S. m.* 1. V. *frangainho*. 2. *Fig.* V. *franganote* (2).

franganote [De *frangão* + *-ote*[1], seg. o padrão erudito.] *S. m.* 1. V. *frangainho*. 2. *Fig.* Rapazote empertigado, cheio de vaidade; franganito, frangote: 📖 "ameaçara, por sua vez, e o outro encolhera-se, um franganote que queria dar-lhe ordens..." (José-Augusto França, *Despedida Breve*, p. 203).

frangão [De *frângão* (q. v.).] *S. m.* Frango[1] (1) grande. [Cf. *frângão*.]

frângão [De or. controversa; poss. do lat. **frangunu*.] *S. m. Antiq.* Frango[1] (1) (q. v.). [Pl.: *frângãos*. Cf. *frangão*.]

frangelha (ê) [De *franger* (v. *frangalho*) + *-elha*.] *S. f.* V. *cincho*[1].

franger [Do lat. *frangere*.] *V. t. d. P. P. us.* 1. V. *franzir*. 2. Quebrar, partir: *franger os muros da praça*. [Sin. ger. (p. us.): *frangir*. Conjug.: v. *tanger*.]

frangibilidade [De *frangível* + *-(i)dade*, seg. o padrão erudito.] *S. f.* Qualidade ou propriedade de frangível.

frangir [Do lat. *frangere*.] *V. t. d. P. us.* V. *franger*. [Conjug.: v. *dirigir*.]

frangível [Do lat. **frangibile*, de *frangere*, 'quebrar'.] *Adj. 2 g.* Quebradiço, frágil.

franglês [De *fran(cês)* + *(in)glês*; fr. *franglais*.] *S. m. Deprec.* O uso de palavras inglesas adaptadas ao francês: 📖 "O grande problema é a fascinação que exerce o franglês, isto é, palavras inglesas adaptadas ao francês, em todas as pessoas que vivem nas cidades, querem estar na moda, endeusam a tecnologia." (*O Globo*, 1995.)

frango[1] [Der. regress. de *frangão*.] *S. m.* 1. O filho da galinha, já crescido, porém antes de ser galo. [Dim. irreg.: *frangainho, franganito, franganote, frangote*.] 2. *Cul.* Iguaria feita com frango (1). 3. *Fam.* Rapazola, rapazelho, adolescente, frangote. 4. *Bras. Fut.* Bola que, embora fácil de defender, o goleiro deixa passar para dentro do gol (1). 5. *Bras. Chulo* Homossexual (3). 6. *Bras. Chulo* Escarro (1). 7. *Bras. RS* Espiga de milho quando seca. 8. Espiga de milho assada. ◆ **Engolir um frango.** *Bras. Fut.* Permitir (o goleiro) que se faça o gol com frango (4).

frango[2] *S. m. Bras. Zool.* V. *cação-frango*.

frango-d'água *S. m. Bras. Zool.* 1. Designação comum a algumas aves gruiformes, ralídeas, gênero *Laterallus*, com cinco espécies no Brasil, sendo a mais comum a *L. melanophaius*, do N. e L., com o dorso oliváceo-enegrecido, garganta e meio do peito brancos, e lados da cabeça, do pescoço e do peito vermelhos. [Sin.: *galinhola, pinto-d'água, açaná, açanã, saracura-da-canarana*. V. *cambonje*.] 2. Designação da *Gallinula chloropus galeata*, mais conhecida como *galinhola*, e que tem a cabeça e a garganta pretas. [Cf. *carqueja* (2). Pl.: *frangos-d'água*.]

frango de botica *S. m. Bras.* Indivíduo novo e magricela com pretensões donjuanescas. [Pl.: *frangos de botica*.] ☑

frango-de-leite *S. m.* Galeto. [Pl.: *frangos-de-leite*.]

frangolho (ô) [Do esp. *frangollo*.] *S. m.* Trigo grosseiramente triturado, que se cozinha em papas.

frangota *S. f.* V. *frangote*.

frangote [De *frango*[1] + *-ote*[1].] *S. m.* 1. V. *frangainho*. 2. *Fig.* V. *frango*[1] (3): 📖 "magoara-o, ... esbagaçara-lhe a vida, fugindo com Zé Dico, homem novo, frangote, podendo, quase, ser filho dela!" (Nélson de Faria, *Tiziu e Outras Estórias*, p. 80). 3. *Fig.* V. *franganote* (2). [Fem.: *frangota*.]

frango-xadrez *S. m. Cul.* Prato oriental feito com peito de frango, sem pele e cortado em cubos, pimentão (verde, vermelho e amarelo), legumes como cenoura e brócolos, molho *shoyu*, amendoim, cebola, amido de milho e açúcar. [Pl.: *frangos-xadrez*.]

franguear [De *frango*[1] (8) + *-ear*[2].] *V. int.* 1. *Bras. Fut.* V. *engolir um frango*. 2. *Bras. RS* Comer milho assado. [Conjug.: v. *frear*.]

frangueiro [De *frango*[1] (4) + *-eiro*.] *Adj. S. m. Bras. Fut.* Diz-se de, ou goleiro inepto, que deixa passar muitos frangos [v. *frango*[1] (4)].

frângula [Do tax. *Frangula* (do lat. *frangere*, 'quebrar', por ser a madeira quebradiça).] *S. f. Bot.* 1. Em antigas classificações, gênero de árvores ramnáceas que, atualmente, se incluem no gênero *Rhamnus* (v. *ramno*). 2. Espécie ou espécime desse gênero.

franja [Do fr. *frange*.] *S. f.* 1. Cadilhos de linho, algodão, seda, ouro, etc., com que se enfeitam ou guarnecem peças de estofo: 📖 "uma banca oval, ... coberta com um pano azul de franjas escarlates." (José de Alencar, *Senhora*, p. 109); "os florões dos móveis de talha, e até as franjas de borlas das cortinas vermelhas." (Raquel de Queirós, *100 Crônicas Escolhidas*, p. 70). 2. Cabelo puxado para a testa e aparado. 3. *Fig.* Aquilo que semelha a franja: *as franjas douradas do crepúsculo*. 4. *Lus. Gír.* Conversa fiada; mentira. ~ V. *franjas*. ◆ **Franja de interferência.** *Ópt.* Parte de uma figura de interferência onde existe um máximo ou um mínimo de intensidade luminosa.

franjado [Part. de *franjar*.] *Adj.* 1. Guarnecido de franjas: 📖 "A Índia a tecer com suas mãos de artista redes de tucum, franjadas, para dá-las de presente aos viajantes" (Viana Moog, *Um Rio Imita o Reno*, p. 95). 2. Recortado à feição de franja. 3. *Fig.* Rendilhado ou orlado como franja. 4. *Fig.* Arrebicado, floreado; pretensioso: *estilo franjado*.

franjamento [De *franjar* + *-mento*.] *S. m.* Ato ou efeito de franjar.

franjar [De *franja* + *-ar*[2].] *V. t. d.* 1. Guarnecer, enfeitar, orlar com franjas: *franjar um vestido*. 2. Cortar ou aparar em franja: *franjar o cabelo*. 3. Desfiar, abrir, separar em franjas: *franjar uma toalha*. 4. *Fig.* Rendilhar, recortar, orlar como franja: *O luar franjava as copas das árvores*. 5. *Fig.* Florear, arrebicar: *franjar o estilo*. 6. Rodear, cercar, orlar, a modo de franja: 📖 "Os ilhais da fera arfam de fadiga, a espuma franja-lhe a boca" (Rebelo da Silva, *Contos e Lendas*, p. 183). 7. *Fig.* Tornar garrido ou pretensioso. *T. d. e i.* 8. Guarnecer (de coisa semelhante a franja): 📖 "O arrebol da tarde franjava de púrpura as agulhas da montanha" (Camilo Castelo Branco, *História e Sentimentalismo*, p. 168). 9. Florear, arrebicar.

franjas [Pl. de *franja*.] *S. f. pl. Fig.* Arrebiques no estilo ou na linguagem; floreados, floreios. ~ V. *franja*.

frankeniácea [Do tax. *Frankenia* (< antr. [*Johan*] *Franke* [1590-1661], professor e médico alemão) + *-ácea*; tax. *Frankeniaceae*.] *S. f. Bot.* Espécime das frankeniáceas, família da ordem das cariofilales, que reúne dois gêneros e 81 espécies de plantas herbáceas ou subarbustivas, de folhas opostas, simples, flores actinomorfas, hermafroditas, solitárias ou em cimeiras. Cálice e corola dotados de quatro a seis peças, o primeiro gamossépalo e a segunda ligulada; androceu com quatro ou muitos estames livres, ou quase; ovário unilocular; frutos capsulares; engloba ervas e subarbustos de folhas opostas e sem estípulas; há cerca de 65 espécies halófilas. São nativas de regiões subtropicais e temperadas, sendo várias cultivadas como ornamentais e como medicinais.

frankeniáceo [De *frankeniácea*, com var. suf. (v. *-áceo*).] *Adj. Bot.* Pertencente ou relativo às frankeniáceas.

➔frankenstein ['fræŋkiⁿstajn] [Ingl., do ficção. *Frankenstein*, da obra *Frankenstein, o Moderno Prometeu*, de Mary Shelley (1797-1851).] *S. m.* 1. Indivíduo com características teratológicas, como as do monstro criado em laboratório pelo herói da novela. 2. Indivíduo que, revoltado por injustiça social ou outra, acaba por tornar-se assassino.

franklinita [Do top. *Franklin*, New Jersey (E.U.A.), + *-ita*[3]; ingl. *franklinite*.] *S. f. Min.* Mineral isométrico, espinélio de zinco e ferro.

franqueado [Part. de *franquear*.] *S. m.* Aquele que obteve, de empresa detentora de marca registrada ou processo patenteado, franquia (4) para uso dessa marca ou processo.

franqueador [De *franquear* + *-dor*.] *S. m.* Aquele que concedeu franquia para utilização de marca ou patente de que é detentor.

franqueamento [De *franquear* + *-mento*.] *S. m.* 1. Ato ou efeito de franquear. 2. Pagamento de tarifa postal: *O Comprovante de Franqueamento e a Etiqueta de Franqueamento são recursos implantados para facilitar a postagem de carta pelos usuários dos Correios*.

franquear [De *franco*[2] + *-ear*[2].] *V. t. d.* 1. Isentar de imposto: *A nova lei franqueou os gêneros de primeira necessidade*. 2. Tornar fácil, desimpedido, franco. 3. Pagar o porte de (carta ou outra remessa postal). 4. Registrar, por meio de máquina, o pagamento de (porte postal); selar mecanicamente. 5. Conceder, permitir. 6. Tornar patente; patentear. 7. Passar além de; transpor: *Franqueou a soleira e berrou: — Ó de casa!* 8. Conceder franquia (4) a: *Visando expandir-se no mercado, a cadeia de* fast-food *franqueou vinte lanchonetes*. *T. d. e i.* 9. Tornar franco, livre; pôr à disposição; facultar, facilitar: *Franqueia aos amigos sua preciosa biblioteca*. [Conjug.: v. *frear*.]

franqueável [De *franquear* + *-vel*.] *Adj. 2 g.* Que pode ser franqueado.

franqueira [Do top. *Franca* + *-eira*.] *S. f. Bras. MG S.* Faca de ponta, que se fabrica em Franca (SP): 📖 "pulou novamente para diante, apertando nos dedos o cabo da franqueira fiel" (Afonso Arinos, *Pelo Sertão*, p. 29).

franqueiro [De *franco*[2] + *-eiro*.] *S. m.* 1. *Bras. SP* Indivíduo cuja mulher é infiel; corno. 2. *Bras. SP a RS* Raça de bois de corpo e aspas grandes.

franqueza (ê) [De *franco*[2] + *-eza*.] *S. f.* 1. Qualidade de franco[2]; liberalidade, generosidade: *Despende* *seus bens com grande franqueza.* **2.** Sinceridade, lisura, lealdade: *falar com franqueza.* **3.** *P. us.* Franquia (1 e 2): *as franquezas democráticas.*

franquia [De *franco*[2] + *-ia*[1].] ***S. f.*** **1.** Liberdade de direitos; imunidade, privilégio, regalia, liberdade: *as franquias democráticas.* **2.** Isenção de certos deveres, impostos ou pagamentos: *franquias diplomáticas.* [Sin., p. us., nas acepçs. 1 e 2: *franqueza.*] **3.** *Fig.* Guarida, asilo, refúgio. **4.** *Econ.* Sistema pelo qual empresa detentora de uma marca registrada, processo patenteado de produção ou direitos similares concede a outras empresas (em geral de menor porte) licença de utilização dessas marcas ou processos, sob certas condições. [Sin. (ingl.), nesta acepç.: *franchise.*] **5.** Estabelecimento que opera sob esse sistema: *Na esquina de minha casa há uma franquia da cadeia da Pizzaria X.* **6.** *Jur.* Faixa mínima de prejuízo pela qual o segurador (2) não responde, estabelecida em cláusula de apólice de seguro. **7.** *Dir. Com.* Permissão dada a um navio para entrar no porto sem pagar direitos alfandegários. **8.** *Dir. Com.* Sistema pelo qual o franqueador cede ao franqueado o direito de uso de marca ou patente, associado ao direito de distribuição de produtos ou serviços e, eventualmente, também ao direito de uso de tecnologia de implantação e administração de negócio ou sistema operacional desenvolvidos ou detidos pelo franqueador, mediante remuneração, sem qualquer vínculo empregatício entre os contratantes. ◆ **Franquia de bagagem.** Peso de bagagem que pode cada passageiro levar sem pagar suplemento. **Franquia postal.** Direito, concedido pelos Correios, para remessa gratuita de correspondências e encomendas.

franquismo ***S. m.*** **1.** Regime político de direita instalado na Espanha, em 1936, pelo General Francisco Franco (1892-1975). **2.** Pensamento ou ação política desse militar. **3.** Adesão ao franquismo (1 e 2), ou simpatia por ele.

franquisque [De *francisca* (q. v.).] ***S. m.*** Antiga acha-d'armas usada pelos francos, godos e outros povos germânicos; frâncica, francisca.

franquista [De *franquismo* + *-ista.*] ***Adj. 2 g.*** **1.** Relativo ao, ou que é partidário do franquismo. ● ***S. 2 g.*** **2.** Partidário dele.

franzido [Part. de *franzir.*] ***Adj.*** **1.** Que se franziu: *babado franzido.* **2.** Enrugado, arrepanhado, engelhado: *testa franzida.* ● ***S. m.*** **3.** Coisa franzida: *os franzidos da blusa.* [Cf. *pregueado.*]

franzimento [De *franzir* + *-mento.*] ***S. m.*** Ato ou efeito de franzir(-se).

franzino [De *frangir* (< lat. *frangere*, 'quebrar', 'enfraquecer', 'debilitar'), com infl. de *franzir*, + *-ino*[1].] ***Adj.*** **1.** De talhe fino, delgado, frágil: *corpo franzino.* **2.** De escassa grossura, textura ou consistência: *pano franzino.* **3.** Pouco intenso; tênue, fraco: *voz franzina.*

franzir [De *frangir* < *franger.*] ***V. t. d.*** **1.** Formar pregas muito pequenas e próximas por meio de pontos ou de cordões corrediços, a fim de reduzir a largura de um tecido ou material análogo: *franzir uma saia; franzir a cortina.* [Cf. *preguear*[1].] **2.** Deixar com pregas ou rugas; enrugar, machucar, amachucar, amarrotar: *O cordão franziu-lhe a túnica.* **3.** Arrepanhar, vincar, contrair, enrugar: *franzir os lábios; franzir a testa;* "Sebastião José de Carvalho franziu as sobrancelhas." (Rebelo da Silva, *Contos e Lendas*, p. 173). ***P.*** **4.** Dobrar-se em pregas. **5.** Arrepanhar-se, vincar-se, enrugar-se, contrair-se: "O rosto encarquilhado da velha franziu-se ainda mais" (Manuel da Fonseca, *Aldeia Nova*, p. 12). **6.** V. *encrespar* (6): "o Viajante sem Porto foi mansamente deslizando sobre as águas escuras do rio, que à sua passagem se franziam, rasgadas pela quilha, para logo se desfranzirem e numa lâmina líquida e densa se alisarem." (Herberto Sales, *Os Pareceres do Tempo*, p. 68).

frapê [Do fr. *frappé*, part. pass. do v. fr. *frapper*, 'bater'.] ***S. m. Cul.*** **1.** Mistura de leite com sorvete de um só sabor, batida no liquidificador e servida em copo alto. **2.** Bolo feito com massa de cores e sabores diferentes na mesma fôrma.

→**frappé** [fʁa'pe] [Fr.] ***Adj.*** Diz-se do líquido resfriado por contato do gelo com o recipiente.

fraque [Do ingl. *frock*, pelo fr. *frac.*] ***S. m.*** Traje de cerimônia masculino, bem ajustado ao tronco, curto na frente e com longas abas atrás.

fraquear [De *fraco* + *-ear*[2].] ***V. int.*** V. *fraquejar*: "sentia-se abalado, começava a fraquear diante da mulher." (Coelho Neto, *Turbilhão*, p. 269). [Conjug.: v. *frear.*]

fraqueira [De *fraco* + *-eira.*] ***S. f. Fam.*** Fraqueza, debilidade, abatimento.

fraqueirão [De *fraco* + *-eirão.*] ***Adj. S. m.*** Que, ou aquele que é muito fraco; fracalhão. [Fem.: *fraqueirona.*]

fraqueiro [De *fraco* + *-eiro.*] ***Adj. Fam.*** Que tem pouca força; débil, fraco.

fraqueirona ***S. f.*** Fem. de *fraqueirão* (q. v.).

fraquejar [De *fraco* + *-ejar.*] ***V. int.*** **1.** Mostrar-se fraco, abatido; perder a força; desfalecer: *No meio da viagem os caminhantes fraquejaram;* "O corpo vai fraquejando, nuns estrebuchos moles, nuns arrepios frouxos. Depois não se mexeu mais." (Viriato Correia, *Novelas Doidas*, p. 228). **2.** Afrouxar-se em resistência ou valor; perder o vigor; mostrar fraqueza; desencorajar-se: *Sua pertinácia não fraquejou, apesar dos obstáculos.* [F. paral.: *fraquear.* Conjug.: v. *pelejar.*]

fraquete (ê) [De *fraco* + *-ete* (ê).] ***Adj.*** Fracote (q. v.).

fraqueza (ê) [De *fraco* + *-eza.*] ***S. f.*** **1.** Qualidade de fraco; falta de força, de vigor, de solidez ou energia; debilidade. **2.** Delicadeza de compleição; fragilidade. **3.** Desânimo, desalento. **4.** Falha, imperfeição, defeito. **5.** Pusilanimidade, covardia, cobardia: "Que é fraqueza entre ovelhas ser leão." (Luís de Camões, *Os Lusíadas*, I, 68.) **6.** Falta de obstinação, de pertinácia. **7.** Propensão para ceder a sugestões, imposições ou impressões. **8.** O lado fraco de um caráter ou de uma coisa: "Eu vivia na ilusão de que .... jamais virias ao conhecimento de uma fraqueza que tão desgraçada me faz neste instante." (Artur Azevedo, *Contos Efêmeros*, p. 236); *O alcoolismo é a sua fraqueza.* ◆ **Fraqueza do peito.** *Pop.* **1.** Predisposição para a tuberculose. **2.** V. *tuberculose.* **Fazer das fraquezas força.** Cobrar ânimo, enfeixar energias, para abalançar-se a empreendimento difícil, ousado.

frasal [De *frase* + *-al*[1].] ***Adj. 2 g.*** Da, ou pertencente ou relativo à frase; frásico: "uma estrutura frasal rígida" (Othon Moacir Garcia, *A Esfinge Clara*, p. 57).

frasca [De *frasco.*] ***S. f.*** **1.** Louça de mesa. **2.** Trem de cozinha; bateria. **3.** Provisões, mantimentos.

frascaria[1] [De *frasco* + *-aria.*] ***S. f.*** Quantidade de frascos. [Cf. *frascária*, fem. de *frascário.*]

frascaria[2] [De *frascário* + *-ia*[1].] ***S. f.*** Qualidade de frascário. [Cf. *frascária*, fem. de *frascário.*]

frascário [De *frasco* + *-ário.*] ***Adj. S. m.*** Diz-se de, ou indivíduo estroina, libertino, devasso, extravagante, dissoluto: "Mulheres, debruçadas às rótulas, conversavam com a malandragem frascária" (Coelho Neto, *Miragem*, p. 198); "mascarando as necessidades frascárias da turba que regressa à animalidade licenciosa, e gosta de se espojar entre comezaina, fêmeas, e uma real borracha de bom vinho." (Fialho d'Almeida, *À Esquina*, p. 164). [Sin.: *frasqueiro.* Fem.: *frascária.* Cf. *frascaria.*]

→**frascatti** [fras'kat.ti] [It.] ***S. m. Enol.*** Vinho branco seco, leve e frutado, da região do Lácio (Itália central).

frasco [Do b.-lat. *flasco, onis* < germ. *flaska.*] ***S. m.*** **1.** Garrafa pequena, de vidro, de cristal ou de barro vidrado, para medicamentos, perfumes, etc.; vidro. **2.** *Bras. Amaz.* Medida correspondente a dois litros. ◆ **Frasco de Erlenmeyer.** *Quím.* Frasco de forma cônica, ger. de vidro, com base plana e uma só boca. [Tb. se diz apenas *Erlenmeyer.*] **Frasco de Kitasato.** *Quím.* Frasco us. para filtração a vácuo, de forma semelhante ao frasco de Erlenmeyer, porém dotado de uma saída lateral e feito de vidro de espessura maior. [Tb. se diz apenas *Kitasato.*]

frase [Do gr. *phrásis*, 'modo de falar', pelo lat. *phrase.*] ***S. f.*** **1.** *E. Ling.* Reunião de palavras que formam sentido completo; sentença. **2.** *E. Ling. Desus.* Locução, expressão. **3.** *Mús.* Fragmento de um trecho musical, que tem um sentido completo e em geral termina com uma cadência. ◆ **Frase assertiva.** *E. Ling.* V. *afirmação* (8). **Frase clivada.** *E. Ling.* A que resulta de clivagem (3). **Frase declarativa.** *E. Ling.* V. *afirmação* (8). **Frase feita.** *E. Ling.* V. *expressão idiomática.* **Frase predicativa.** *E. Ling.* Frase composta apenas por predicado. **Frase quebrada.** *E. Ling.* V. *anacoluto.* **Fazer frases.** Falar ou escrever engrolado, com frases sonoras, de efeito, mas pobres ou vazias de sentido.

▲**-frase** [Do gr. *-phrásis* (ă) < gr. *phrásis, eōs.*] V. *fraseo-.*

fraseado [Part. de *frasear.*] ***Adj.*** **1.** Que se fraseou; disposto em frases. ● ***S. m.*** **2.** Expressão por frases; conjunto orgânico de palavras. **3.** Modo próprio de falar ou de escrever; palavreado, fraseio: "reuniam-se ali alguns deputados da província, homens sérios, ... um sorriso infantil à superfície dos lábios e um fraseado imaginoso, cheio de poesia." (Aluísio Azevedo, *Casa de Pensão*, p. 85). **4.** *Mús.* Maneira de frasear.

fraseador (ô) [De *frasear* + *-dor.*] ***Adj. S. m.*** Que, ou aquele que fraseia.

frasear [De *frase* + *-ear*[2].] ***V. int.*** **1.** Dispor as ideias em frases; fazer frases. **2.** *Mús.* Executar as frases de uma composição musical, dando conveniente relevo à estrutura orgânica, à essência expressiva e ao estilo delas. ***T. d.*** **3.** Escrever, formando frases. [Conjug.: v. *frear.*]

fraseio [Dev. de *frasear.*] ***S. m.*** **1.** Ato ou efeito de frasear. **2.** V. *fraseado* (3).

▲**fraseo-** [Do gr. *phrásis, eōs* (ă).] ***El. comp.*** 'ação de exprimir-se pela palavra'; 'linguagem', 'fala', 'discurso': *fraseologia, fraseomania, fraseomaníaco.* [Equiv.: *-frase, -fras(i)-: epífrase, metáfrase* (< gr.); *afrasia, palinfrasia.*]

fraseologia [De *fraseo-* + *-logia.*] ***S. f. E. Ling.*** **1.** Parte da gramática em que se estuda a construção da frase. **2.** Construção de frase peculiar a uma língua, ou a um escritor: *a fraseologia da língua portuguesa; a fraseologia de Carlos Drummond de Andrade.* **3.** Conjunto ou compilação de frases ou locuções de uma língua ou de um escritor.

fraseológico [De *fraseologia* + *-ico*[2].] ***Adj.*** Relativo a fraseologia.

fraseomania [De *fraseo-* + *-mania.*] ***S. f.*** Mania das frases pomposas e vazias.

fraseomaníaco [De *fraseomania* + *-íaco.*] ***Adj.*** **1.** Relativo a fraseomania. **2.** Que tem fraseomania; fraseômano. ● ***S. m.*** **3.** Aquele que tem fraseomania; fraseômano.

fraseómano ***Adj. S. m.*** V. *fraseômano.* [Uso freq. em P.]

fraseômano [De *fraseo-* + *-mano*[1].] ***Adj. S. m.*** Fraseomaníaco (2 e 3).

▲ **-fras(i)-** V. *fraseo-.*

frásico [De *frase* + *-ico*[2].] ***Adj.*** Frasal.

frasismo [De *frase* + *-ismo.*] ***S. m.*** Uso e/ou gosto das frases pomposas e vazias.

frasista [De *frase* + *-ista.*] ***S. 2 g.*** Aquele que é dado ao frasismo (q. v.).

frasqueira [De *frasco* + *-eira.*] ***S. f.*** **1.** Caixa com divisões para acomodar frascos. **2.** Lugar onde se guardam frascos e garrafas; botelharia. **3.** V. *garrafeira* (2). **4.** Garrafa de vidro própria para servir vinho na mesa. **5.** *Bras.* Maleta ou bolsa em forma de caixa para transporte de objetos de toalete e miudezas. **6.** *Bras. AM PA* Medida de capacidade: garrafão de 24 litros.

frasqueiro [De *frasco* + *-eiro.*] ***Adj.*** **1.** V. *frascário.* **2.** Diz-se do vestuário pouco decente, muito decotado, descomposto. ● ***S. m.*** **3.** V. *frascário.* **4.** *Bras. RN* V. *ralé* (1).

frasqueta (ê) [Do cat. *fresqueta* (< fr. *frisquette*), poss.] ***S. f. Tip.*** Máscara (20).

fráter [Do lat. *frater* (nom.), 'irmão'.] ***S. m.*** Tratamento dado a clérigos ainda não padres e a leigos pertencentes a uma congregação religiosa. [Pl.: *fráteres.*]

fraterna [F. subst. do adj. *fraterno.*] ***S. f.*** Repreensão ou crítica amigável; censura de amigo.

fraternal [De *fraterno* + *-al*[1].] ***Adj. 2 g.*** V. *fraterno.*

fraternalmente [De *fraternal* + *-mente.*] ***Adv.*** De maneira fraternal; fraternamente.

fraternamente [Do f. de *fraterno* + *-mente.*] ***Adv.*** Fraternalmente.

fraternidade [Do lat. *fraternitate.*] ***S. f.*** **1.** Parentesco de irmãos; irmandade. **2.** Amor ao próximo; fraternização. **3.** União ou convivência como de irmãos; harmonia, paz, concórdia, fraternização.

fraternização [De *fraternizar* + *-ção.*] ***S. f.*** **1.** Ato ou efeito de fraternizar. **2.** V. *fraternidade* (2 e 3).

fraternizar [De *fraterno* + *-izar.*] ***V. t. d.*** **1.** Unir com amizade íntima, estreita, fraterna: *O convívio diário terminou fraternizando-os.* ***T. i. Int.*** **2.** Unir-se estreitamente, como entre irmãos: *Cada grupo, esquecendo velhas dissensões, fraternizou com os demais; Os povos mais diversos e afastados fraternizaram.* **3.** Aliar-se, unir-se. **4.** Fazer causa comum; comungar nas mesmas ideias; harmonizar-se: *O governo fraternizou com o povo; Governo e povo fraternizaram.*

fraterno [Do lat. *fraternu.*] ***Adj.*** De, relativo a, ou próprio de irmãos; afetuoso, fraternal.

fratria [Do gr. *phratría*, 'confraria'.] ***S. f.*** **1.** Na Grécia antiga, cada um dos grupos em que se subdividiam as tribos atenienses e doutras cidades da Ática. **2.** *Antrop.* Conglomerado de grupos de descendência (v. *grupo de descendência*) de tipo unilinear, supostamente ligados por um antepassado comum (ger. invocado mítica ou cerimonialmente). **3.** Grupo de germanos [v. *germano*[1] (3)].

fratricida [Do lat. *fratricida.*] ***S. 2 g.*** **1.** Assassino de irmão ou de irmã. **2.** Pessoa que assassina ou concorre para a morte ou ruína de outrem. [Sin., nessas acepçs.: *caim.*] ● ***Adj. 2 g.*** **3.** Que mata irmão ou irmã. **4.** Que concorre para a morte ou ruína de compatriotas, de pessoas que deveriam ser estimadas como irmãos, ou que lhes dá a morte: *luta, guerra fratricida;* "Por ti [ó Força], o homem cruento, nas renhidas / Pugnas que acende o seu furor eterno, / Desembainha, à luz de um sol fraterno, / O aço de mil espadas fratricidas" (Raimundo Correia, *Poesias*, p. 224). **5.** Relativo a fratricídio. **6.** *P. ext.* Referente a guerras civis.

fratricídio [Do lat. tard. *fratricidiu.*] ***S. m.*** **1.** Assassínio de irmão. **2.** *P. ext.* Guerra civil.

fratura [Do lat. *fractura*.] *S. f.* **1.** Ato ou efeito de fraturar; rompimento; quebra, quebradura: *fratura de uma vidraça.* **2.** *Min.* Superfície que se obtém pela ruptura de um mineral numa direção diferente da de clivagem. **3.** *Traum.* Ruptura ou solução de continuidade em osso ou cartilagem. **4.** *Caligr. Tip.* Letra gótica estreita e pontuda, surgida no séc. XV na Alemanha, onde se tornou o tipo corrente de obra até a primeira metade do século atual.

fraturamento [De *fratura* + *-mento*.] *S. m.* Ato ou efeito de fraturar.

fraturar [De *fratura* + *-ar*[2].] *V. t. d.* **1.** Produzir fratura (3) em. **2.** Quebrar com força; romper; arrombar: *fraturar uma porta.*

fraudação [Do lat. *fraudatione*.] *S. f.* **1.** Ato de fraudar(-se). **2.** V. *fraude.*

fraudador (ô) [Do lat. *fraudatore*.] *Adj. S. m.* **1.** Que, ou aquele que frauda; enganador, defraudador. **2.** Contrabandista (1).

fraudar [Do lat. *fraudare*.] *V. t. d.* **1.** Cometer fraude contra; lesar por meio de fraude; defraudar: *fraudar a alfândega.* **2.** Despojar fraudulentamente; espoliar com fraude; defraudar: *fraudar os cofres públicos.* **3.** Enganar, iludir: *fraudar os amigos.* **4.** Frustrar, desenganar: *Fraudou as esperanças do pai.* **5.** Roubar por contrabando. *T. d. e i.* **6.** Privar (1): *O destino fraudou-a da alegria de rever os pais.* *P.* **7.** Privar (4): *fraudar-se dos prazeres da mesa.*

fraudatório [Do lat. tard. *fraudatoriu*.] *Adj.* V. *fraudulento* (2): *plano fraudatório.*

fraudável [De *fraudar* + *-vel*.] *Adj. 2 g.* Sujeito a fraude; suscetível de fraude.

fraude [Do lat. *fraude*.] *S. f.* **1.** V. *logro* (2). **2.** Abuso de confiança; ação praticada de má-fé. **3.** Contrabando, clandestinidade. **4.** Falsificação, adulteração. [Sin. ger.: *defraudação, fraudação, fraudulência.*]

fraudento [De *fraude* + *-ento*.] *Adj.* V. *fraudulento.*

fraudulência [Do lat. *fraudulentia*.] *S. f.* V. *fraude.*

fraudulento [Do lat. *fraudulentu*.] *Adj.* **1.** Propenso à fraude: *empresa fraudulenta.* **2.** Em que há fraude; doloso; impostor; fraudatório: *contrato fraudulento.* [Sin. ger.: *fraudento e frauduloso.*] ~ V. *edição —a.*

frauduloso (ô) [Do lat. tard. *fraudulosu*.] *Adj.* V. *fraudulento.*

frauta *S. f.* **1.** V. *flauta*: "Apetece ser pastor / E tocar frauta de cana" (Augusto Gil, *Luar de Janeiro*, p. 95). **2.** Peça de serralheiros, para alisar o ferro.

frautado *Adj. S. m.* V. *flautado.*

frautar *V. t. d. Int.* V. *flautar.*

frautear *V. int. T. d. T. c.* V. *flautear.* [Conjug.: v. *frear.*]

frauteiro *S. m.* V. *flauteiro.*

fraxíneo (cs) [Do lat. *fraxineu*.] *Adj.* Da natureza do freixo, ou semelhante a ele.

freada [De *frear* + *-ada*[1].] *S. f. Bras.* Ato de frear, de apertar o freio dum veículo: "A viagem [no lotação] é cheia de rangidos, trancos, finos, freadas bruscas, berros de outros motoristas." (Carlos Drummond de Andrade, *Cadeira de Balanço*, p. 67.)

freagem [De *frear* + *-agem*[2].] *S. f.* V. *freamento.*

freamento [De *frear* + *-mento*.] *S. m.* Ato ou efeito de frear; freagem, frenagem, frenamento.

frear [Do lat. *frenare*, 'pôr freio em', por via pop.] *V. t. d.* **1.** Reprimir, conter, frenar, refrear, enfrear: *frear os impulsos.* **2.** Apertar o freio de: "O menino deu sinal ao caminhão que passava na estrada. O motorista freou o carro e indagou: | — Que é que há, menino?" (João Clímaco Bezerra, *O Homem e Seu Cachorro*, p. 21.) *Int.* **3.** Apertar o freio dum veículo: "De súbito, o pé do chofer .... pisa firmemente o acelerador, depois freia, e acelera de novo" (Lêdo Ivo, *O Flautim*, p. 83). **4.** Parar, deter-se (um veículo a que se apertou o freio): "Quando um ônibus freou bruscamente, ao nosso lado, o chofer mastigou um nome feio." (Maria Julieta Drummond de Andrade, *A Busca*, pp. 41-42.) *P.* **5.** Conter-se, refrear-se: *O professor freou-se, embora tivesse vontade de gritar com os alunos insubordinados.* [Sin., nas acepç. 2 a 4: *travar* e (bras.) *brecar*. Recebe um *i* depois do *e* nas f. rizotônicas: *freio, freias, freia, freamos, freais, freiam* (do pres. ind.); *freie, freies, freie, freemos, freeis, freiem* (do pres. subj.). Cf. *Freia*, mit. e *antr.*]

freático [Do gr. *phréar, atos*, 'reservatório de água', 'cisterna', + *-ico*[2].] *Adj.* ~ V. *lençol —.*

frecha *S. f.* V. *flecha*: "D. Íñigo e seu pai .... passam as portas de Toledo com a rapidez da frecha" (Alexandre Herculano, *Lendas e Narrativas*, II, p. 47). ◆ **De frecha.** Diretamente, direto; em linha reta; sem se desviar.

frechada *S. f.* V. *flechada.*

frecha de parto *S. f.* V. *flecha de parto.* [Pl.: *frechas de parto.*] ☑

frechado [Part. de *frechar*.] *Adj.* **1.** V. *flechado.* **2.** *Bras. N.E. Gír.* Celebrado, famoso, afamado.

frechal [De *frecha* + *-al*[1].] *S. m. Constr.* **1.** Viga de madeira, sobre a qual assentam os frontais de cada pavimento de uma casa. **2.** Viga na qual se pregam os barrotes, à beira do telhado.

frechar *V. t. d. T. c. Int.* V. *flechar*: "a fraqueza do corpo se manifestou quando viu dez ou quinze rapazolas frechando sobre ele, ... com o firme propósito de pegá-lo." (Fran Martins, *Dois de Ouros*, p. 10).

frecharia *S. f.* V. *flecharia.*

frecheira[1] *S. f.* V. *flecheira.*

frecheira[2] [De *frecha* + *-eira*.] *S. f. Bras. Zool.* Abelha meliponínea (*Schwarzula timida*) de coloração negra, com partes avermelhadas; lambe-olhos.

frecheirinhense *Adj. 2 g.* **1.** De, ou pertencente ou relativo a Frecheirinha (CE). ● *S. 2 g.* **2.** O natural ou habitante de Frecheirinha.

frecheiro[1] *S. m.* V. *flecheiro.*

frecheiro[2] [De *frecha* + *-eiro*.] *S. m.* V. *Cupido* (1). ◆ **O frecheiro cego.** V. *Cupido* (1): "Destarte o coração, que livre andava, / .... / onde menos temia, foi ferido. // Porque o Frecheiro cego me esperava, / .... / em vossos claros olhos escondidos." (Luís de Camões, *Rimas*, p. 139.)

frederico [Trad. do antr. al. *Friedrich*.] *S. m.* Moeda de ouro antiga da Prússia.

frederiquense *Adj. 2 g.* **1.** De, ou pertencente ou relativo a Frederico Westphalen (RS). ● *S. 2 g.* **2.** O natural ou habitante de Frederico Westphalen.

freeiro [De *freio* + *-eiro*.] *S. m.* Fabricante de freios.

→**freelance** [fɪijlæns] [Ingl.] *S. m.* **1.** Trabalho avulso realizado por profissional autônomo, ger. para empresa jornalística, agência de publicidade, editora, etc.; frila. **2.** Profissional que realiza *freelance* (1); *freelancer.*

→**freelancer** [fɪij'lænsər] [Ingl.] *S. m.* Freelance (2).

→**free shop** [fɪij ʃap] [Ingl., adapt. de *duty-free shop*.] Loja de acesso restrito a passageiros em viagem internacional, na qual as mercadorias são isentas de impostos de comercialização.

→**freeware** ['fɪijweɪ] [Ingl., de *free*, 'livre, gratuito', + *(soft)ware* (q. v.).] *S. m. Inform.* Modalidade de licenciamento de programa de computador, na qual o usuário o utiliza livremente e de graça.

→**freezer** ['fɪijzər] [Ingl.] *S. m.* Congelador (2 e 3).

frega *S. f. Bras. MG Pop. Deprec.* Meretriz.

fregátida [Do lat. cient. *Fregata* + *-ida*[4]; tax. *Fregatida*.] *S. m. Adj. 2 g. Zool.* V. *fregatídeo.*

fregatídeo [Do tax. *Fregata* + *-ídeo*[1]; tax. *Fregatidae*.] *Zool. S. m.* **1.** Espécime dos fregatídeos, família de aves pelicaniformes, de cauda longa e bifurcada, membranas interdigitais profundamente entalhadas, bico longo em forma de gancho terminal; os machos têm bolsa gular nua. São os alcatrazes. ● *Adj.* **2.** Pertencente ou relativo a eles. [Sin. ger.: *fregátida.*]

frege[1] [Dev. de *frigir*.] *S. m. Bras. Pop.* **1.** Arrelia, vias de fato, barulho. [V. *rolo*[1] (16).] **2.** Festa ou função de aparência má. **3.** Bagunça, baderna, confusão. ◆ **Virar frege.** *Bras. Pop.* Provocar desordem.

frege[2] *S. m. Bras. Pop. frege-moscas* (q. v.).

frege-moscas [De *frege*, por *frige*, do v. *frigir*, + o pl. de *mosca*.] *S. m. 2 n. Bras. Pop.* Casa de pasto pouco asseada; tasca: "Chamavam-se frege-moscas, no Rio de Janeiro, as casas de pasto de ínfima categoria." (Eduardo Frieiro, *Feijão, Angu e Couve*, p. 210.) [F. red.: *frege.*]

fregiano *Adj.* De, pertencente ou relativo a Gottlob Frege (1848-1925), matemático e filósofo da matemática alemão.

fregista [De *frege*[2] + *-ista*.] *S. 2 g. Bras. Pop.* Dono ou empregado de frege[2].

fregona [Do esp. *fregona*.] *S. f.* Criada ou serviçal rústica.

freguês [Do lat. hisp. *filiu ecclesiae*, 'filho da igreja', 'paroquiano'.] *S. m.* **1.** Habitante duma freguesia; paroquiano. **2.** Aquele que compra ou vende habitualmente a determinada pessoa. **3.** *P. ext.* Comprador, cliente. **4.** *Bras. Pop.* Pessoa qualquer; indivíduo: *Que freguês cacete!* [Flex.: *freguesa* (ê), *fregueses* (ê), *freguesas* (ê).]

freguesia [De *freguês* + *-ia*[1].] *S. f.* **1.** Povoação, sob o aspecto eclesiástico: "Em uma freguesia rural faleceu há pouco tempo um indivíduo a cujo cadáver o respectivo pároco denegou sepultura" (Ramalho Ortigão, *As Farpas*, V, p. 258). **2.** O conjunto dos paroquianos: "O tempo não lhe chegava para dançar e tocar violão à beira dos lagos, onde passava a maior parte do ano, deixando a freguesia sem missa e sem socorros espirituais." (Inglês de Sousa, *O Missionário*, p. 47.) **3.** Concorrência de compradores a determinado estabelecimento ou vendedor; clientela. **4.** Hábito ou costume de comprar de determinado vendedor. **5.** *Lus.* Nas cidades e províncias portuguesas, a menor das divisões administrativas.

frei *S. m.* F. proclítica, apocopada, e aglutinada de *freire*, quando precede o nome ou apelido: *Frei Boaventura.* [Fem.: *soror*. Abrev.: *Fr.*]

frei-bode *S. m. Bras. N.E. Pop.* V. *protestante* (6). [Pl.: *freis-bodes* e *freis-bode.*]

frei-gasparense *Adj. 2 g.* **1.** De, ou pertencente ou relativo a Frei Gaspar (MG). ● *S. 2 g.* **2.** O natural ou habitante de Frei Gaspar. [Pl.: *frei-gasparenses.*]

frei-inocenciano *Adj.* **1.** De, ou pertencente ou relativo a Frei Inocêncio (MG). ● *S. m.* **2.** O natural ou habitante de Frei Inocêncio. [Pl.: *frei-inocencianos.*]

freijó [F. apocopada e aglutinada de *frei-jorge*.] *S. m. Bras. Bot.* **1.** Árvore boraginácea (*Cordia goeldiana*) nativa da Amaz., de folhas membranáceas, flores alvas, paniculadas, que se tornam ferrugíneas, e madeira parda, us. em mobiliário e em construção naval, etc. Os frutos, pequeninos, têm corola persistente. [Sin.: *frei-jorge, quiri, quirim.*] **2.** V. *louro-pardo.*

frei-jorge *S. m. Bras. Bot.* **1.** V. *freijó* (1). **2.** V. *louro-pardo.* [Pl.: *freis-jorges* e *frei-jorges.*]

freima [Var. de *fleima* < *fleuma* (q. v.).] *S. f.* **1.** Impaciência, desassossego, inquietação, prurido. **2.** Atividade; pressa. **3.** Cuidado, apreensão.

freimão *S. m.* V. *fleimão.*

frei-martinhense *Adj. 2 g.* **1.** De, ou pertencente ou relativo a Frei Martinho (PB). ● *S. 2 g.* **2.** O natural ou habitante de Frei Martinho. [Pl.: *frei-martinhenses.*]

freimático [De *freima* + *-ático*.] *Adj.* Que tem freima.

frei-miguelinense *Adj. 2 g.* **1.** De, ou pertencente ou relativo a Frei Miguelino (PE). ● *S. 2 g.* **2.** O natural ou habitante de Frei Miguelino. [Pl.: *frei-miguelinenses.*]

freio [Do lat. *frenu*.] *S. m.* **1.** Peça de metal que passa pela boca das cavalgaduras, presa às rédeas, dotada de uma reentrância que castiga o animal quando é puxada e que serve para guiá-lo; trava, travão. **2.** *Mec.* Dispositivo para moderar ou fazer cessar o movimento de maquinismos ou veículos; breque, travão. **3.** Queixada do torno de serralheiro. **4.** *Anat.* Pequena prega que reduz ou evita o movimento de um órgão ou de uma estrutura (11). **5.** *Fig.* Aquilo que reprime, modera, contém: *o freio da ética.* **6.** *Fig.* Domínio, jugo, sujeição. **7.** *Fig.* Obstáculo, impedimento. ◆ **Freio ABS.** *Autom.* Sistema de freios para veículos em que estes, ao serem acionados, atuam de modo intermitente, não permitindo o travamento das rodas, o que resulta em menor distância de frenagem e mais controle. **Freio da língua.** *Anat.* Prega de membrana mucosa, disposta em sentido vertical, e que se estende da superfície inferior da língua ao soalho da boca. **Freio de disco.** *Autom.* Aquele que se utiliza do atrito sobre a superfície de um disco metálico preso a uma roda ou eixo. [Cf. pastilha de freio.] **Freio de emergência.** *Autom.* V. *freio de mão.* **Freio de estacionamento.** *Autom.* V. *freio de mão.* **Freio de mão.** *Autom.* Freio mecânico, acionado por uma alavanca de mão, e que serve para manter o veículo parado, quer em ladeira, quer em lugares planos; freio de emergência, freio de estacionamento. **Freio de tambor.** *Autom.* Aquele que se utiliza do atrito sobre a parte interna de um cilindro metálico preso à roda. [Cf. *sapata* (5).] **Freio hidráulico.** *Autom.* Freio que funciona mediante a pressão dum líquido, e que consiste num cilindro mestre que transmite a pressão aos cilindros das rodas por dentro de tubos, os quais acionam as sapatas dos freios. **Freio mecânico.** *Autom.* Aquele em que a pressão do pé do motorista se transmite às sapatas dos freios por meio de tirantes. **Não ter freio na língua.** Ser inconveniente ou descomedido no falar. **Pôr freio em.** Reprimir, sujeitar ou moderar; pôr um freio em: *É preciso pôr freio nos seus desatinos.* **Pôr um freio em.** Pôr freio em: "E pondo na cobiça um freio duro" (Luís de Camões, *Os Lusíadas*, IX, 93). **Tomar o freio nos dentes.** **1.** Desbocar-se (a cavalgadura); não obedecer ao freio. **2.** *Fig.* Indisciplinar-se, desmandar-se, exceder-se, desregrar-se. **3.** *Fig.* Entregar-se com disposição e entusiasmo a qualquer atividade.

frei-paulense *Adj. 2 g.* **1.** De, ou pertencente ou relativo a Frei Paulo (SE). ● *S. 2 g.* **2.** O natural ou habitante de Frei Paulo. [Pl.: *frei-paulenses.*]

freira [Fem. de *freire*.] *S. f.* **1.** Religiosa de determinada ordem, à qual faz votos; madre, monja, professa. **2.** *Bras. PA SP RS Micol.* Cogumelo faláceo (*Dictyophora phalloidea*) cujo pedículo, de altura variável, é oco, com três camadas na base (duas no centro e uma perto do ápice), as quais são câmaras poligonais e isodiamétricas. O chapéu, ou receptáculo, tem forma de cone campanulado, e a sua superfície é cortada de alvéolos poligonais salientes, cobertos por fina membrana, que desaparece com a maturação. Os espécimes brasileiros são brancos. **3.** *Cabo-verd. Bot.* V. *camará* (1): "As freiras nos barrancos floriam com garridice." (Teixeira de Sousa, *Contra Mar e Vento*, p. 93.) [Sin. (cabo-verd.), nesta acepç.: *lantuna.*]

freiral [De *freire* ou *freira* + *-al*[1].] *Adj. 2 g.* Freirático (1 e 2).

F

freirar [De *freire* ou *freira* + *-ar*[2].] *V. t. d.* **1.** *Ant.* Admitir como freire: *freirar um cavaleiro.* *Int.* **2.** Seguir a vida conventual. *P.* **3.** Fazer-se freire ou freira; fradar-se.

freirático [De **freirato* (< *freire* ou *freira* + *-ato*[1]) + *-ico*[2], ou de *freire* + *-ático*.] *Adj.* **1.** Próprio de frades ou de freiras; freiral. **2.** Afeiçoado a costumes monacais; freiral. ● *S. m.* **3.** Aquele que frequenta conventos de freiras, ou simpatiza com os conventos.

freire [Do provenç. *fraire*.] *S. m.* **1.** Membro das antigas ordens militares; irmão: "Ora pois, sabei que os freires resolveram depor Fr. Nuno Mendes antes que esta semana finde" (Arnaldo Gama, *O Balio de Leça*, p. 48). **2.** *Zool.* V. *borboleta-listrada*.

freiria [De *freire* ou *freira* + *-ia*[1].] *S. f.* **1.** Convento ou ordem de freiras. **2.** Ordem de freires.

freiriano [Do antr. de (*Paulo*) *Freire* + *-iano*.] *Adj.* **1.** Do, ou pertencente, ou relativo ao educador e pensador brasileiro Paulo Freire (1921-1997), ou próprio dele. **2.** Que é seu admirador e/ou profundo conhecedor de sua obra. ● *S. m.* **3.** Admirador e/ou profundo conhecedor da obra de Paulo Freire.

freirice [De *freire* ou *freira* + *-ice*.] *S. f.* Maneira ou ação de freire ou freira.

freirinha [De *freira* + *-inha*.] *S. f.* **1.** Noviça [v. *noviço* (1)]. **2.** *Zool.* Crustáceo decápode (*Calappa granulata*).

freitano *Adj.* *S. m.* V. *freitense*[1].

freitense[1] *Adj. 2 g.* **1.** De, ou pertencente ou relativo a Coronel Freitas (SE). ● *S. 2 g.* **2.** O natural ou habitante de Coronel Freitas. [Sin. ger.: *freitano*.]

freitense[2] *Adj. 2 g.* **1.** De, ou pertencente ou relativo a José de Freitas (PI). ● *S. 2 g.* **2.** O natural ou habitante de José de Freitas.

freitense[3] *Adj. 2 g.* *S. 2 g.* V. *paula-freitense*.

frei-vicente *S. m.* *Bras. PE Zool.* V. *saíra-amarela*. [Pl.: *freis-vicentes* e *frei-vicentes*.]

freixal [De *freixo* + *-al*[1].] *S. m.* Mata de freixos; freixial.

freixial [De *freixo* + *-ial*.] *S. m.* Freixal.

freixo [Do lat. *fraxinu*.] *S. m.* *Bot.* **1.** Nome comum a diversas árvores oleáceas que fornecem madeira elástica que tem diferentes empregos. **2.** Árvore oleácea (*Fraxinus excelsior*) nativa da Europa e S.E. da Ásia, de casca cinzenta tirante ao prata, folhas compostas, e madeira útil, compacta, amarela pálida.

frejereba *S. f.* *Bras. Zool.* V. *prejereba*.

freme *S. f.* *Bras.* V. *flame*.

fremebundo [Do lat. *fremebundu*.] *Adj.* V. *frementе*.

fremente [Do lat. *fremente*.] *Adj. 2 g.* **1.** Que freme; vibrante; agitado; violento: *mar fremente.* **2.** *Fig.* Veemente, apaixonado, arrebatado: "Consumia-se em ardores estéreis, ... numa ânsia louca de apertar nos braços um corpo fremente de mulher bonita" (Inglês de Sousa, *O Missionário*, p. 336). [Sin. ger.: *fremebundo*.]

fremir [Do lat. *fremere*.] *V. int.* **1.** Ter rumor surdo e áspero: *Os velozes vagões fremiam.* **2.** Bramir, rugir, gemer, bramar: "Com medonho fragor na praia nua / Fremem de noite as solitárias ondas" (Correia Garção, *Obras Poéticas e Oratórias*, p. 361). **3.** Vibrar, soar, ecoar. **4.** Tremer, estremecer, ter contrações espasmódicas: *Seus lábios fremem.* **5.** Agitar-se ligeiramente; restolhar. **6.** *Fig.* Agitar-se ou estremecer de júbilo ou raiva: *fremir de prazer, de ódio; A notícia fê-lo fremir.* *T. d.* **7.** Agitar, sacudir, estremecer: *o vento freme as bandeiras;* "Além a brisa as casuarinas freme" (Álvares de Azevedo, *Obras Completas*, I, p. 452) [Defect. Não se conjuga na 1ª pess. sing. do pres. ind. nem, pois, no pres. subj.]

frémito *S. m.* V. *frêmito*. [Uso freq. em P.]

frêmito [Do lat. *fremitu*.] *S. m.* **1.** Rumor surdo e áspero: "os uivos dos lobos, os pios dos mochos pelas noites, o frêmito do vento pelos píncaros do pomar" (Antônio Feliciano de Castilho, *Amor e Melancolia*, p. 338). **2.** Sussurro, rumor: *Ouviu-se um frêmito nas arquibancadas.* **3.** Tremor, estremecimento, vibração. **4.** Rumor produzido por esse estremecimento: *o frêmito das asas.* **5.** Movimento agitado; ondulação, balanço: *o frêmito das espigas.* **6.** *Med.* Vibração perceptível pela palpação. **7.** *Fig.* Sensação espasmódica; comoção, com tremor de nervos: "Passe em redor de mim um frêmito de gozo / E um calor de desejo" (Vicente de Carvalho, *Poemas e Canções*, p. 224). **8.** *Fig.* Estremecimento de alegria, de prazer, de ódio: "Um frêmito de alegria passou na luz do Paraíso, que um Santo novo enriquecia." (Eça de Queirós, *Contos*, p. 155.)

frenação [De *frenar* + *-ção*.] *S. f.* Ato ou efeito de frenar.

frenador (ô) [Do lat. *frenatore*.] *Adj.* **1.** Que frena ou enfreia. **2.** Que reprime ou contém; moderador.

frenagem [De *frenar* + *-agem*[2].] *S. f.* V. *freagem*.

frenamento [De *frenar* + *-mento*.] *S. m.* V. *freamento*.

frenar [Do lat. *frenare*, por via erudita.] *V. t. d.* **1.** Enfrear, frear. **2.** *Fig.* Moderar; reprimir, conter, refrear. *P.* **3.** Enfrear-se, frear-se, refrear-se.

frendente [Do lat. *frendente*.] *Adj. 2 g.* Que frende, que range os dentes.

frender [Do lat. *frendere*.] *V. int.* **1.** Ranger os dentes. **2.** Fremir de cólera; irritar-se, encolerizar-se. *T. d.* **3.** Ranger (os dentes): "Hienas de horrorizar, ictiossáurios disformes, / Esfaimados, frendendo as dentuças enormes" (Martins Fontes, *Nos Jardins de Augusto Comte*, p. 100).

frendor (ô) [Do lat. tard. *frendore*.] *S. m.* Rangido de dentes.

frenectomia [De *fren(o)-*[2] + *-ectom-* + *-ia*[1].] *S. f.* *Odont.* Corte para a correção de posição de pregas musculares que se prendem à maxila ou à mandíbula e ligam-se ao lábio e língua, caracterizando-se como freios [v. *freio* (4)].

frenesi [Do lat. *phrenesis*, pelo fr. *frénésie*.] *S. m.* **1.** Delírio, desvario, tresvario. **2.** Entusiasmo delirante; excitação, arrebatamento: *amar com frenesi.* **3.** Atividade sucessiva; agitação, impaciência, inquietação: *Trabalha num verdadeiro frenesi.* **4.** Impertinência, importunidade, enfado. [Var.: *frenesim* e (bras., pop.) *farnesim*.]

frenesiar [De *frenesi* + *-iar*[2].] *V. t. d.* **1.** Causar frenesi a; encher de frenesi. **2.** Incomodar, impacientar, apoquentar. *Int.* *P.* **3.** Sentir frenesi. **4.** Impacientar-se. [F. paral.: *enfrenesiar*.]

frenesim *S. m.* V. *frenesi*: "A minha obsessão vai num crescendo, chega ao frenesim, ao suor da agonia" (José Rodrigues Miguéis, *Gente da Terceira Classe*, p. 141).

frenético [Do lat. *phreneticu*.] *Adj.* **1.** Que tem frenesi; delirante, desvairado, furioso. **2.** Arrebatado, veemente, exaltado. **3.** Impaciente, inquieto; rabugento. **4.** Convulso, agitado.

frenicectomia [De (*nervo*) *frênico* + *-ectom-* + *-ia*[1].] *S. f.* *Cir.* Resseção de nervo frênico com o fim de paralisar de um lado o músculo diafragma, que é, então, empurrado para cima por vísceras abdominais, comprimindo o pulmão doente do mesmo lado.

frenicectómico *Adj.* V. *frenicectômico*. [Uso freq. em P.]

frenicectômico [De *frenicectomia* + *-ico*[2].] *Adj.* Relativo a frenicectomia.

frénico *Adj.* *Anat.* V. *frênico*. [Uso freq. em P.]

frênico [Do lat. cient. *phrenicus* < gr. *phrenikós* (v. *fren(o)-*[1]).] *Adj.* *Anat.* Relativo ou pertencente ao músculo diafragma.

frenicotomia [De (*nervo*) *frênico* + *-tom(o)-* + *-ia*[1].] *S. f.* *Cir.* Seção de nervo frênico.

frenite [De *fren(o)-*[1] + *-ite*[1].] *S. f.* *Med.* Inflamação do diafragma.

▲**fren(o)-**[1] [Do gr. *phrēn*, *phrenós*.] *El. comp.* = 'diafragma'; 'alma', 'inteligência', 'espírito': *frenoplegia*; *frenologia*. [Equiv.: *-fren(o)-*: *parafrenia*.]

▲**fren(o)-**[2] [Do lat. *frenum*, *i*.] *El. comp.* = 'freio': *frenotomia*.

▲**-fren(o)-** Equiv. de *fren(o)-*[1].

frenocómio *S. m.* *P. us.*, *Psiq.* V. *frenocômio*. [Uso freq. em P.]

frenocômio [De *fren(o)-*[1] + *-cômio*.] *S. m.* *P. us.* *Psiq.* Manicômio.

frenologia [De *fren(o)-*[1] + *-logia*.] *S. f.* Teoria que estuda o caráter e as funções intelectuais humanas, baseando-se na conformação do crânio; frenologismo.

frenológico [De *frenologia* + *-ico*[2].] *Adj.* Relativo a frenologia.

frenologismo [De *fren(o)-*[1] + *-log(o)-* + *-ismo*.] *S. m.* Frenologia.

frenologista [De *frenologia* + *-ista*.] *S. 2 g.* Especialista em frenologia; frenólogo.

frenólogo [De *fren(o)-*[1] + *-logo*.] *S. m.* Frenologista.

frenopata [Var. pros. de *frenópata*.] *S. 2 g.* *Psiq.* Pessoa que padece de frenopatia.

frenópata [De *fren(o)-*[1] + *-pata* (q. v.).] *S. 2 g.* *Psiq.* Frenopata (q. v.).

frenopatia [De *fren(o)-*[1] + *-patia*.] *S. f.* *Psiq.* Doença ou distúrbio mental.

frenopático [De *frenopatia* + *-ico*[2].] *Adj.* *Psiq.* Relativo a frenopatia.

frenoplegia [De *fren(o)-*[1] + *-pleg-* + *-ia*[1].] *S. f.* **1.** *Med.* Paralisia do músculo diafragma. **2.** *Psiq.* Perda das faculdades mentais.

frenoplégico [De *frenoplegia* + *-ico*[2].] *Adj.* Relativo a frenoplegia.

frenotomia [De *fren(o)-*[2] + *-tom(o)-* + *-ia*[1].] *S. f.* *Cir.* Seção de freio (4); calinotomia.

frente [Do esp. *frente*.] *S. f.* **1.** Parte anterior de qualquer coisa; lado dianteiro; face. **2.** Fronteira de edifício; fachada. **3.** Rosto, face. **4.** Testa, fronte: "Bem sei que é toda de flores / Essa coroa d'amores / Que na frente vais cingir." (Almeida Garrett, *Folhas Caídas*, p. 133.) **5.** Vanguarda, dianteira: *a frente do exército.* **6.** Local de combate. [Sin., ingl., nesta acepç.: *front*.] **7.** Presença, vista: *Não dirá isto na minha frente.* **8.** *Fig.* Ponto de combate, de resistência ou de ataque: *frente contra a miséria.* **9.** *Edit.* Em uma folha escrita ou impressa, a página cuja leitura deve anteceder a da outra [em um livro ou revista, a frente corresponde ao recto]: *impressão frente e verso.* [Cf., nesta acepç., *anverso*.] **10.** *Encad.* V. *corte da abertura*. **11.** *Ind. Pap.* Em uma folha de papel ou cartolina, a face própria para impressão ou a que se deu tratamento especial, como, p. ex., o papel monolúcido (q. v.). **12.** *Met.* Superfície frontal (q. v.). **13.** *Met.* Linha de interseção da superfície frontal com o solo ou com outra superfície. **14.** *Bras. BA* Lugar onde começa o cascalho, seja qual for o ponto em que ele esteja, a descoberto ou nas grunas. ● *S. m.* **15.** *Bras. BA* Garimpeiro que dirige o serviço ou garimpa.
◆ **Frente a frente.** V. *face a face* (2): "Só uma cousa me apavora / A esta hora, a toda a hora: / É que verei a morte frente a frente / Inevitavelmente." (Fernando Pessoa, *Poemas Dramáticos*, p. 134.) **Frente ártica.** *Met.* Frente polar. **Frente de onda.** *Fís.* Num sistema de ondas que se propagam num meio, lugar geométrico dos pontos das ondas que num instante determinado têm a mesma fase. **Frente de trabalho.** Nova oportunidade de emprego, criada sobretudo em épocas em que há excesso de mão de obra disponível: *As secas deste ano obrigaram o Governo a abrir várias frentes de trabalho.* **Frente fria.** *Met.* Superfície que separa duas massas de ar, a mais fria (e, portanto, mais densa) das quais está avançando e tomando o lugar da massa mais quente: "a chuva .... durou o dia inteiro, fenômeno causado pela chegada da primeira frente fria do outono." (Adriana Falcão, *A Comédia dos Anjos*, p. 32). [Cf. *frente quente*.] **Frente polar.** *Met.* Frente quase permanente, de grande extensão, das latitudes médias, que separa o ar polar, um tanto frio, do ar tropical, relativamente quente; frente ártica. **Frente quente.** *Met.* Superfície que separa duas massas de ar, a mais quente das quais está avançando e tomando o lugar da mais fria. [Cf. *frente fria*.] **Frente única.** *Vest.* Blusa ou vestido amarrado por tiras que se prendem atrás do pescoço, deixando os ombros e costas nus. **À frente. 1.** Na dianteira; na vanguarda. **2.** Na direção; no comando. **Bater de frente.** *Bras. Pop.* Pôr-se em firme desacordo: "O presidente da CNI .... bateu de frente com Fernando Haddad [ministro da Educação]" (Renata Lo Prete, em *Folha de S.Paulo*, 11.04.2008). **De frente.** De face. **Em frente. 1.** Defronte, perante, diante. **2.** Na presença (própria ou alheia). **3.** Adiante; além: *Siga em frente.* **Em frente de.** V. *em face de*. **Fazer frente. 1.** Ficar diante; dar para. **2.** Defrontar, enfrentar. **Ir para a frente.** Progredir, prosperar. **Levar à frente.** Persistir em, não deixar malograr-se (uma ideia, um plano, um propósito). **Na frente de.** Antes de; anteriormente a: "Moema nascera primeiro, isto é, quatro dias na frente da outra." (Nélson Rodrigues, *100 Contos Escolhidos. A Vida como Ela É*, II, p. 35.) **Segunda frente.** Expressão corrente nos noticiários e comentários políticos e militares, durante a II Guerra Mundial, para designar a abertura de novo *front* europeu, ocidental, além da frente russa.

frentear [De *frente* + *-ear*[2].] *V. t. d.* *Bras. RS* **1.** Atacar (o gado) pela frente. **2.** Impedir (o gado) de disparar no campo. [Conjug.: v. *frear*.]

frente de atração *S. f.* *Bras.* Expedição liderada por sertanista com o fito de contatar um povo indígena e procurar convencê-lo a entrar em contato com a sociedade abrangente. [Pl.: *frentes de atração*.] ☑

frentista [De *frente* + *-ista*.] *S. 2 g.* **1.** Oficial que trabalha nos acabamentos e ornatos das fachadas dos edifícios. **2.** Pessoa que se emprega numa frente de trabalho (q. v.). **3.** *Bras.* Num posto de gasolina, empregado que atende o público. [Sin. (lus.), nesta acepç.: *gasolineiro*.]

frenulado [Do lat. cient. *frenul(um)* + *-ado*[1].] *Adj.* *Zool.* Diz-se de lepidópteros que apresentam frênulo, como a maioria dos animais noturnos [v. *noturno* (4)].

frênulo [Do lat. cient. *frenulum*.] *S. m.* **1.** *Anat.* Designação genérica de pequena prega dérmica ou de membrana mucosa que interfere em movimento de órgão, ou de parte dele. **2.** *Zool.* Espinho de asa posterior de certos lepidópteros, que forma um gancho para manter as asas anteriores e posteriores casadas.

freon *S. m.* *Quím.* Nome registrado genérico de certos clorofluorocarbonetos.

frequência (qüên) [Do lat. *frequentia*.] *S. f.* **1.** V. *frequentação*. **2.** Repetição amiudada de fatos ou acontecimentos; reiteração. **3.** As pessoas que frequentam um lugar. **4.** *Fís.* Em um movimento periódico, número de oscilações ou de vibrações realizadas pelo móvel na unidade de tempo; número de ciclos que um sistema com movimento periódico efetua na unidade de tempo [símb.: *V*]. **5.** *Estat.* Número de vezes que um valor ou um subconjunto de valores do domínio de uma variável aleatória aparece numa experiência ou numa observação de caráter estatístico; frequência absoluta, frequência simples.

◆ **Frequência absoluta.** *Estat.* V. *frequência* (5). **Frequência acumulada.** *Estat.* Numa distribuição de frequência, somatório das frequências absolutas estendido da primeira classe até uma classe de ordem determinada. **Frequência acumulada relativa.** *Estat.* O quociente da frequência acumulada pelo somatório de todas as frequências. **Frequência angular.** *Fís.* Num movimento periódico, o produto da frequência do movimento por dois pi. **Frequência crítica.** *Eletrôn.* **1.** Polo ou zero de uma função de transferência. **2.** Frequência abaixo da qual uma componente de onda reflete, e acima da qual penetra numa camada da ionosfera sob incidência vertical. **Frequência de campo.** *Telev.* Número de campos (imagens) por segundo, em sistema de televisão. **Frequência de corte.** *Eletrôn.* V. *frequência de meia potência.* **Frequência de linha.** *Telev.* Número de linhas de imagem exploradas por segundo, em sistema de televisão. **Frequência de meia potência.** *Eletrôn.* Num amplificador ou num filtro, frequência na qual a potência dissipada na carga é igual à metade da potência máxima. [Sin.: *frequência de corte, ponto de meia potência.*] **Frequência de quadro.** *Telev.* Número de quadros (imagens) por segundo, em sistema de televisão. **Frequência de ressonância.** *Eletrôn.* Num circuito elétrico, frequência em que ocorre ressonância. **Frequência fundamental.** A medida da frequência das vibrações criadas pelas pregas vocais. [Sin.: V. *tom* (10).] **Frequência intermediária.** *Eletrôn.* Num circuito super-heteródino, frequência resultante da superposição da onda portadora recebida pelo circuito com o sinal emitido pelo oscilador do circuito. [Abrev.: *FI.*] **Frequência modulada.** *Fís.* Frequência variável que em cada instante é proporcional à amplitude de outro movimento periódico. [Abrev.: *FM.*] **Frequência muito baixa.** *Fís.* Faixa de radio frequências, de 3kHz a 30kHz. [Mais us. a sigla (ingl.) *VLF.*] **Frequência natural.** *Fís.* Frequência própria. **Frequência própria.** *Fís.* Frequência de oscilação ou vibração de um sistema quando não está sujeito a forças periódicas externas; frequência natural. **Frequência relativa.** *Estat.* O quociente da frequência absoluta pelo somatório de todas as frequências. **Frequência simples.** *Estat.* V. *frequência* (5). **Alta frequência.** *Fís.* V. *faixa de ondas decamétricas.* **Baixa frequência.** *Fís.* Faixa de radio frequências, de 30kHz a 300kHz. ❖

frequencímetro (qüen) [De *frequênci(a)* + *-metro.*] *S. m. Fís.* Instrumento medidor de frequências, constituído por um circuito elétrico oscilante ou por um sistema mecânico vibrátil; frequenciômetro. ❖

frequencíômetro (u-en) *S. m. Lus. Fís.* V. *frequenciômetro.*

frequenciômetro (qüen) [De *frequência* + *-o-* + *-metro.*] *S. m. Fís.* Frequencímetro. ❖

frequentação (qüen) [Do lat. *frequentatione*, 'abundância', 'emprego frequente'.] *S. f.* **1.** Ação ou efeito de frequentar. **2.** Convivência habitual com outras pessoas; relações frequentes; convívio social. [Sin. ger.: *frequência.*] ❖

frequentador (qüen...ô) [Do lat. tard. *frequentatore.*] *Adj. S. m.* Que, ou aquele que frequenta: *É um frequentador assíduo de concertos.* ❖

frequentar (qüen) [Do lat. *frequentare.*] *V. t. d.* **1.** Ir com frequência a; visitar amiudadas vezes: "Começou a frequentar a casa de Augusta na qualidade de amigo e vizinho." (Machado de Assis, *Histórias Românticas*, p. 285.) **2.** Conviver com; viver na intimidade de: *frequentar o meio artístico*; "e Onofre foi acusado de receber esmolas das cortesãs, ... de frequentar os pagãos" (Eça de Queirós, *Últimas Páginas*, p. 293). **3.** Consultar ou estudar amiúde: *frequentar os dicionários.* **4.** Cursar (estabelecimento de ensino): "Renan frequentou os seminários de Issy e de Saint-Sulpice" (Machado de Assis, *Páginas Recolhidas*, p. 143); "frequentavam escolas." (Antônio Justa, *Praia do Desterro*, p. 8). [Pret. imperf. ind.: *frequentava*, ... *frequentáveis, frequentavam*; pres. subj.: *frequente*, etc. Cf. *frequente*, adj., e *frequentáveis*, pl. de *frequentável.*] ❖

frequentativo (qüen) [Do lat. tard. *frequentativu.*] *Adj.* ~ V. *verbo* —. ❖

frequentável (qüen) [De *frequentar* + *-vel.*] *Adj. 2 g.* Que pode ser frequentado. [Pl.: *frequentáveis.* Cf. *frequentáveis*, do v. *frequentar.*] ❖

frequente (qüen) [Do lat. *frequente.*] *Adj. 2 g.* **1.** Amiudadamente repetido; continuado. **2.** Assíduo num lugar ou numa coisa. **3.** Incansável, diligente. **4.** Agitado, acelerado. ❖

frequentemente (qüen) [De *frequente* + *-mente.*] *Adv.* De modo frequente; com frequência. ❖

fresa [Do fr. *fraise.*] *S. f. Mec.* Engrenagem motora constituída de um cortador giratório de ângulos diversos, ou de várias freses [v. *frese*^{1} (2)] em movimento rotativo contínuo, e que serve para desbastar ou cortar metais e outras peças.

fresadora (ô) [De *fresar* + *-dora.*] *S. f. Metal.* Máquina-ferramenta para usinar metais ou madeiras, e que consiste numa fresa (q. v.) que opera mediante comandos manuais, semiautomáticos, automáticos ou eletronicamente programáveis.

fresagem [De *fresar* + *-agem*^{2}.] *S. f.* Operação de fresar.

fresamento [De *fresar* + *-mento.*] *S. m. Metal.* Processo mecânico de usinagem destinado a dar acabamento em superfície com auxílio de fresa (q. v).

fresar [De *fresa* + *-ar*^{2}.] *V. t. d.* **1.** Desbastar ou cortar com fresa. **2.** *Metal.* Realizar o fresamento de.

fresca (ê) [F. subst. de *fresco*^{2}.] *S. f.* **1.** Aragem agradável que sopra em alguns dias quentes, ger. ao cair da tarde: "Desde a fresca da manhã Anita dava na casa um jeito de festa." (Chico Anísio, *Teje Preso*, p. 166.) **2.** Sensação aprazível de frescor. ◆ **À fresca.** Em trajes leves; à ligeira; à frescata: "Lídia estava à fresca, de cabelos soltos sobre a toalha felpuda aberta nos ombros." (Adolfo Caminha, *A Normalista*, p. 33.)

frescal [Do esp. *frescal.*] *Adj. 2 g.* **1.** Que é quase fresco, mas levou algum sal: *bacalhau frescal.* **2.** Que não está alterado ou corrupto: *pescada frescal.* **3.** Que ainda conserva o vigor da mocidade; viçoso, fresco: "Tinha os cabelos pretos, olhos pretos, lábios cor de cereja, toda ela uma raparigaça frescal." (Alberto Braga, *Novos Contos*, p. 3.)

frescalhão [De *fresco*^{2} + *-alhão.*] *Adj. Fam.* **1.** Muito fresco^{2} (3, 4 e 9). **2.** Bem conservado, apesar da idade. **3.** Abrejeirado, maroto. [Fem.: *frescalhona.*]

frescalhona *Adj. (f.)* V. *frescalhão*: "Puxou a mãe, que tem aquela mesma pele clara e rosada, os mesmos olhos grandes e rasgados e ainda hoje está tão frescalhona que, se se preparasse mais, poderia parecer irmã dos filhos." (Gastão Cruls, *De Pai a Filho*, p. 19.)

frescão [De *fresco*^{2} + *-ão*^{1}.] *S. m. Bras.* Ônibus grande, confortável, com refrigeração, música, etc.

frescata [De *fresco* + o f. de *-ato*^{1}.] *S. f.* **1.** Digressão pelo campo; passeata, patuscada. ● *S. m.* **2.** Amigo de funçanatas. ◆ **À frescata.** V. *à fresca*: "A gravidade do meu trajo desconcertou-o um tanto. Pediu-me desculpa por me receber tão à frescata." (Aluísio Azevedo, *Demônios*, p. 145.)

fresco^{1} (ê) [Do it. *fresco.*] *S. m.* V. *afresco.* ~ V. *frescos.*

fresco^{2} (ê) [Do germ. **frisk.*] *Adj.* **1.** Entre frio e morno; ligeiramente frio. **2.** Viçoso; verdejante. **3.** Sadio, saudável. **4.** Vigoroso, forte, rijo, robusto. **5.** De pouco tempo; recente. **6.** Que não está estragado. **7.** Cozido há pouco (pão). **8.** Bem arejado. **9.** Que ainda não se cansou; em boa disposição. **10.** Que acabou de ser aplicado e não secou (tinta, verniz, etc.). **11.** *Bras. Gír.* Faceiro, janota, taful. **12.** *Bras. Pej.* Diz-se de homossexual masculino. ~ V. *creme — e terra —a.* ● *S. m.* **13.** V. *frescor* (5): "depois do infalível café, tomavam fresco ao lado um do outro" (Artur Azevedo, *Contos Efêmeros*, p. 57). **14.** *Bras. Pej.* Homossexual masculino. ~ V. *frescos.* ◆ **De fresco.** Recentemente; de fresca data: "A Prazeres, casada então de fresco e uma linda moça, fora a sua primeira paixão – aos treze anos." (Conde de Ficalho, *Uma Eleição Perdida*, p. 102.) **Pôr-se ao fresco.** **1.** V. *fugir* (1 e 2). **2.** Eximir-se de responsabilidades.

frescobol [De *fresco*^{2} + *-bol* (como em *futebol* e *voleibol*, etc.), em alusão ao fato de ser jogado em ambiente aberto, poss.] *S. m. Bras. Esport.* Jogo para dois parceiros, praticado ao ar livre, esp. nas praias, e no qual se utilizam raquetas e bola de borracha: "caiu n'água, escalou rochedos, participou de partidas de frescobol" (Malu de Ouro Preto, em *Vozes da Cidade*, p. 79). [Pl.: *frescobóis.*]

frescobolista [De *frescobol* + *-ista.*] *S. 2 g. Bras.* **1.** Jogador de frescobol. **2.** Apaixonado desse jogo.

frescor (ô) [De *fresco*^{2} + *-or.*] *S. m.* **1.** Qualidade de fresco^{2}. **2.** Viço, verdor: *o frescor das rosas.* **3.** Vivacidade, exuberância, vigor, jovialidade: *frescor da juventude.* **4.** Refrigério, lenitivo. **5.** Vento fresco; brisa amena; fresco. [Sin. ger.: *frescura, frescor, fresquidão.*]

frescos *S. m. pl. Lus.* V. *víveres.* ~ V. *fresco.*

frescura [De *fresco*^{2} + *-ura.*] *S. f.* **1.** V. *frescor.* **2.** *Pop.* Procedimento ou expressão abusada, cínica ou impudica; chulice, fuleiragem. **3.** *Pop.* Efeminamento. **4.** *Pop.* Sentimentalismo excessivo; pieguice. **5.** Apego a convenções, a preconceitos; convencionalismo, friagem. ◆ **Cheio de frescura.** *Bras. Pop.* **1.** V. *cheio de luxo.* **2.** V. *cheio de nove-horas* (2).

frese^{1} [Do fr. *fraise*, 'pequeno utensílio de aço'.] *S. f.* **1.** Ferramenta de aço, espécie de broca em forma de cone denteado, que serve para alargar um orifício. **2.** Roda de aço própria para cortar metais e outros materiais, e que se aplica à fresa (q. v.). **3.** Lima redonda de relojoeiro.

frese^{2} [Do fr. *fraise*, 'morango'.] *S. m.* **1.** A cor do morango. ● *Adj. 2 g. e 2 n.* **2.** Que tem essa cor. **3.** Diz-se dessa cor: *saia de cor frese.*

frésia [Do tax. *Freesia.*] *S. f. Bot.* **1.** Gênero de plantas iridáceas, herbáceas, odoríferas, originárias da África; são dotadas de cormos tunicados, flores afuniladas ou tubulares, vermelhas, brancas ou amarelas, e folhas eretas, estreitas, lineares ou ensiformes. **2.** Qualquer espécie desse gênero, como, p. ex., a *Freesia refracta*, muito cultivada por sua beleza e pelas numerosas flores alvas, amarelas, ou lilases, às vezes maculadas, aromáticas, dispostas em escapos unilaterais. **3.** Qualquer espécime desse gênero, ou a flor dele.

fresnel [Do antr. *(Augustin) Fresnel* (1788-1827), físico francês.] *S. m. Fís.* Unidade de medida de frequência, igual à frequência de 10^{12} Hz. [Pl.: *fresnéis.*]

fresquidão [De *fresco*^{2} + *-idão.*] *S. f.* V. *frescor*: "Do soalho, borrifado d'água, subia uma fresquidão consoladora." (Eça de Queirós, *Contos*, p. 121.)

fressura [Do fr. *fressure.*] *S. f.* O conjunto das vísceras mais grossas, como pulmões, fígado, coração, etc., da maioria dos animais.

fressureiro [De *fressura* + *-eiro.*] *S. m.* Aquele que vende fressura.

fresta (é) [Do lat. *fenestra*, 'janela', por via pop.] *S. f.* **1.** Abertura estreita na parede, menor do que a janela, para deixar passar a luz e o ar. **2.** Janela estreita e alta: *as frestas das igrejas românicas.* **3.** Fenda, greta, frincha, fisga: "Contemplei-a do terraço, através da fresta do batente, e meu propósito de paz se acentuou." (Antônio Olavo Pereira, *Marcoré*, p. 173.)

frestado [De *fresta* + *-ado*^{1}.] *Adj.* Que tem fresta(s).

frestão [De *fresta* (2) + *-ão*^{1}.] *S. m.* Janela alta e grande, bipartida, comumente de estilo ogival.

fretado [Part. de *fretar.*] *Adj.* Tomado ou cedido a frete.

fretador (ô) [De *fretar* + *-dor.*] *S. m.* Aquele que freta; afretador.

fretagem [De *fretar* + *-agem*^{2}.] *S. f.* V. *fretamento.*

fretamento [De *fretar* + *-mento.*] *S. m.* Ato ou efeito de fretar; fretagem, afretamento.

fretar [De *frete* + *-ar*^{2}.] *V. t. d.* **1.** Tomar ou ceder a frete; alugar: *fretar um caminhão, um barco.* **2.** Carregar, equipar. *T. d. e i.* **3.** Ajustar por frete: *Fretamos com a empresa o transporte das mercadorias.* [Sin. ger.: *afretar.*]

frete [Do neerl. *vrecht*, pelo fr. *fret.*] *S. m.* **1.** Aquilo que se paga pelo transporte de algo. [Cf. *tarifa* (3).] **2.** Preço do transporte fluvial ou marítimo. **3.** Preço do carregamento de navio mercante. **4.** Coisa transportada. **5.** Recado, encargo, comissão, cometimento, incumbência. **6.** *Pej.* Meretriz. ◆ **A frete.** Disponível (veículo) para transportes, mediante aluguel: *O caminhão está a frete.*

freteiro [De *frete* + *-eiro.*] *S. m.* **1.** *Bras.* Aquele que faz frete; fretejador. **2.** *Bras. CE* Vaqueiro ou campeiro incumbido de conduzir uma boiada através das estradas sertanejas, e que vai adiante dela, aboiando.

fretejador (ô) [De *fretejar* + *-dor.*] *S. m.* Freteiro (1).

fretejar [De *frete* + *-ejar.*] *V. int.* Fazer fretes; andar ao ganho de fretes: *Ganha a vida fretejando.* [Conjug.: v. *pelejar.*]

fretenir [Do lat. *fritinnire.*] *V. int.* Fazer ouvir a sua voz, cantar (a cigarra): "De asas abertas, rediviva, / A fretenir, no auge da glória, / Era a Cigarra a efígie altiva / Da liberdade e da vitória!" (Martins Fontes, *Verão*, p. 189.) [V. *zi-ziar.* Conjug.: v. *agredir*, mas é defect.]

freto [Do lat. *fretu.*] *S. m. Poét. Lus.* Braço de mar; estreito.

freudiano (frôi) *Adj.* **1.** Pertencente ou relativo a Sigmund Freud, neuropsiquiatra austríaco (1856-1939), ou próprio dele. **2.** Que é partidário do freudismo. ● *S. m.* **3.** Partidário do freudismo. [Sin. ger.: *freudista.*]

freudismo (frôi) [Do antr. *(Sigmund) Freud* (v. *freudiano*) + *-ismo.*] *S. m.* **1.** O conjunto das teorias e métodos psicanalíticos de Freud (v. *freudiano*) e seus discípulos. **2.** A influência de Freud no campo da psicanálise.

freudista (frôi) [De *freudismo* + *-ista.*] *Adj. 2 g. S. 2 g.* V. *freudiano.*

frevo (ê) [Dev. de *frever*, por *ferver.*] *S. m.* **1.** *Bras. N.E.* Dança carnavalesca de rua e de salão, essencialmente rítmica, em compasso binário e andamento mais rápido que o da marchinha carioca, e na qual os dançarinos (*passistas*) executam coreografia individual, improvisada e frenética. **2.** *Bras. N.E. Mús.* Música que acompanha essa dança. **3.** Folia animada. **4.** Desordem, arrelia, barulho. V. *rolo*^{1} (16). [Cf. *fervo.*]

frevo-abafo *S. m. Bras. PE Mús.* Frevo (2) em que predominam os instrumentos metálicos, sobretudo pistões e trombones; frevo de encontro. [Pl.: *frevos-abafos* e *frevos-abafo.*]

F

frevo-canção *S. m. Bras. PE Mús.* Frevo (2) em andamento vivo, com introdução e acompanhamento orquestrais, caracterizado por ter letra, que é cantada por um intérprete acompanhado de coro (2) misto. [Pl.: *frevos-canções* e *frevos-canção*.]

frevo-coqueiro *S. m. Bras. PE Mús.* Frevo (2) caracterizado por suas notas agudas. [Pl.: *frevos-coqueiros* e *frevos-coqueiro*.]

frevo de bloco *S. m. Bras. PE Mús.* Frevo (2) com letra, em andamento mais moderado que o do frevo-canção, e que é executado por orquestra de pau e corda (q. v.) e cantado por um coro (2) feminino; marcha de bloco. [Pl.: *frevos de bloco*.]

frevo de encontro *S. m. Bras. PE Mús.* Frevo-abafo. [Pl.: *frevos de encontro*.]

frevo de rua *S. m. Bras. PE Mús.* Frevo (2) instrumental, em andamento vivo, executado por instrumentos de metal, sobretudo trompetes e trombones, de palheta (8), principalmente saxofones e clarinetes, e de percussão. [Pl.: *frevos de rua*.]

frevo-ventania *S. m. Bras. PE Mús.* Frevo (2) caracterizado pela introdução, em sua pauta, de semicolcheias, que lhe dão um compasso rápido. [Pl.: *frevos-ventanias* e *frevos-ventania*.]

fria [F. subst. do adj. *frio*.] *S. f. Bras. Gír.* **1.** V. *pistola* (1). **2.** Situação crítica; enrascadela, embaraço, dificuldade, apuros. ◆ **Entrar numa fria.** Ficar em situação crítica, difícil ou embaraçosa.

friabilidade [De *friável* + -(*i*)*dade*, seg. o padrão erudito.] *S. f.* Qualidade de friável.

friacho [De *frio* + -*acho*.] *Adj.* Um tanto frio.

friagem [De *frio* + -*agem*[1].] *S. f.* **1.** Frialdade, sobretudo a resultante de vento: "E o reumatismo, com cãibras esporádicas, nos dias de friagem." (Nélson de Faria, *Tiziu e Outras Estórias*, p. 146.) **2.** Frieira (1). **3.** Doença de vegetais crestados pelo frio ou batidos pelo granizo. **4.** *Bras. N.* Queda súbita e acentuada da temperatura, que se registra na Amazônia ocidental, provocada por frentes frias mais intensas, originárias das regiões antárticas, e que em certas épocas do ano atingem aquela área: "Às vezes, a friagem, depois da chuva, provoca uma garoa, que orvalha e molha." (Raimundo Morais, *Na Planície Amazônica*, p. 111.) **5.** *Bras.* V. *frescura* (5).

frialdade [Do lat. tard. *frigiditate*, pela f. **friiedade* e *frieldade* (esp. *frieldad*).] *S. f.* **1.** Qualidade ou estado de frio; frieza, friúra: "Lembrava-se bem da adega, com a sua frialdade subterrânea que dava arrepios!" (Eça de Queirós, *O Primo Basílio*, p. 85.) **2.** Tempo frio; frio atmosférico; friagem. **3.** Falta de ardor; insensibilidade, indiferença, frieza, frigidez. **4.** Acolhimento frio; falta de expansão ou intimidade; desinteresse, frieza, frigidez: *Recebeu-me com frialdade.*

friame *S. m. Desus.* Fiambre (1).

friamente [Do f. de *frio* + -*mente*.] *Adv.* De maneira fria; com frieza: "Em frente da casa de D. Emília, ... Seixas pôde contemplar a gosto o busto da moça. A princípio examinou-a friamente como um artista que estuda o seu modelo." (José de Alencar, *Senhora*, p. 199.)

friável [Do lat. *friabile*.] *Adj. 2 g.* **1.** Que se pode reduzir a fragmentos; que se pode fragmentar, esfacelar. **2.** *Geol.* Diz-se de rocha que se fragmenta facilmente.

friburguense *Adj. 2 g.* **1.** De, ou pertencente ou relativo a Nova Friburgo (RJ). ● *S. 2 g.* **2.** O natural ou habitante de Nova Friburgo.

fricandó [Do fr. *fricandeau*.] *S. m. Cul.* **1.** Variedade de assado culinário lardeado e estufado: *fricandó de vitela.* **2.** *Fam.* Nádegas, traseiro.

fricassé *S. m.* V. *fricassê*: "— Ora sirva-se desse fricassé, ande, abade, disse Afonso" (Eça de Queirós, *Os Maias*, I, p. 95).

fricassê [Do fr. *fricassée*.] *S. m.* **1.** *Cul.* Guisado de carne, vitela ou frango partido em pequenos pedaços e cozido em molho temperado e farto. **2.** *Fig.* Mistura de diferentes coisas. [Var. pros.: *fricassé*.]

fricativa [F. subst. do adj. *fricativo*.] *S. f. E. Ling.* Consoante fricativa (q. v.).

fricativização [De **fricativizar* (< *fricativo* + -*izar*) + -*ção*.] *S. f. E. Ling.* Processo em que uma consoante se torna fricativa.

fricativo [Do lat. *fricatus*, 'esfregado', + -*ivo*.] *Adj.* **1.** Em que há fricção. **2.** Que faz fricção; que fricciona. ~ V. *consoante —a*.

fricção [Do lat. tard. *frictione*.] *S. f.* **1.** Ato de friccionar; esfrega, atrito. **2.** *Terap.* Ação de atritar o corpo, parcial ou totalmente, sob as formas de simples massagem ou de aplicação de medicamento de ação local. **3.** Limpeza da cabeça com líquido aromático ou antisséptico. **4.** Discordância, divergência, desentendimento, atrito: *Os partidos uniram-se em torno do chefe, sem sectarismos, sem fricções.* ◆ **Fricção interétnica.** *Antrop.* Contato (8) que envolve padrões de interdependência de caráter competitivo e/ou conflitante entre coletividades etnicamente diferenciadas, e que leva a transformações nas condutas de ambos os grupos. [Termo cunhado pela Antropologia brasileira como crítica ao conceito de aculturação (1).]

friccional [De *fricção* + -*al*[1], seg. o padrão erudito; ingl. *frictional*.] *Adj. 2 g.* Produzido por fricção. ~ V. *desemprego —*.

friccionar [De *fricção* + -*ar*[2], seg. o padrão erudito, ou do fr. *frictionner*.] *V. t. d.* **1.** Fazer fricção em; esfregar: *friccionar a cabeça.* **2.** Atritar, esfregar, roçar: *friccionar o âmbar*; "O Rabequinha friccionava com força o instrumento" (Inglês de Sousa, *Contos Amazônicos*, p. 146). **3.** Fazer fomentações em. *T. d. e c.* **4.** Friccionar (2): *Friccionou o unguento nas costas.* *P.* **5.** Fazer fricção em si próprio; esfregar-se: *Friccionou-se com álcool.*

friccionável [De *friccionar* + -*vel*.] *Adj. 2 g.* Que se faz vibrar friccionando: *cordas friccionáveis.*

fricote *S. m. Bras. Pop.* **1.** Manha, sestro, dengue, luxo. **2.** Chilique (2).

fricoteiro [De *fricote* + -*eiro*.] *Adj. S. m. Bras. Pop.* Diz-se do, ou aquele que faz ou dá fricotes.

frictor (ô) [Do lat. *frictore*, 'esfregador'.] *S. m. Ant.* Peça de cobre com a qual, nas bocas de fogo, se incendeia a escorva.

friedelina [Do antr. (*Charles*) *Friedel* (1832-1899), químico e mineralogista francês.] *S. f. Quím.* Cetona triperpênica pentacíclica que é encontrada, em abundância, na cortiça [fórm.: $C_{30}H_{50}O$].

frieira [De *frio* + -*eira*.] *S. f.* **1.** Inflamação causada pelo frio, e acompanhada de prurido e inchação; friagem. **2.** Afecção cutânea, de origem vária, localizada nos pés, principalmente nos entrededos. **3.** *Fam.* Pessoa comilona; glutão ou glutona. **4.** *Bras. BA MG* Sensação de frio; frio.

frieirão [De **frieiro* (< *frio* + -*eiro*) + -*ão*[1].] *S. m. Desus.* Indivíduo muito frio, insensível, apático. [Fem.: *frieirona*.]

frieirona *S. f. Desus.* Fem. de *frieirão*.

friento [De *frio* + -*ento*.] *Adj. Bras.* V. *friorento*.

friez [De *frio* + -*ez*.] *S. f.* V. *frialdade* (1).

frieza (ê) [De *frio* + -*eza*.] *S. f.* **1.** V. *frialdade* (1, 3 e 4). **2.** Falta de expressividade ou colorido em obras de arte. ◆ **Quebrada a frieza.** Levemente amornado ou morno; entre frio e morno: *água quebrada a frieza.*

friganeídeo [Do tax. *Phryganea* + -*ídeo*[1]; tax. *Phryganeidae*.] *S. m. Adj. Zool.* V. *tricóptero*.

friganeoide (ói) [Do tax. *Phryganea* + -*oide*.] *S. m. Adj. 2 g. Zool.* V. *tricóptero*.

friganeóideo [Do tax. *Phryganea* + -*óideo*.] *S. m. Adj. Zool.* V. *tricóptero*.

friganido [Do tax. *Phrygan(ea)* + -*ido*[3].] *S. m. Adj. Zool.* V. *tricóptero*.

▲ **frigi-** Equiv. de *frigor(i)-*.

frigidário [Do lat. *frigidariu*.] *S. m.* Nas antigas termas romanas, sala, ger. com uma piscina redonda no centro, onde se tomava banho frio.

frigideira [De *frigir* + -*deira*.] *S. f.* **1.** Utensílio de barro ou de metal, para frigir, e tb. us. no Brasil, em festas populares, como instrumento de percussão: "Não eram dois, eram quatro os ovos que chiavam na frigideira da tia Angélica" (Rebelo da Silva, *De Noite Todos os Gatos São Pardos*, p. 24); "Adiante encontramos um bando de rapazes fantasiados tocando reco-reco, pandeiro, frigideira, numa barulheira irritante." (José J. Veiga, *Os Pecados da Tribo*, p. 14). **2.** *Bras. N.E. MG Prov. port.* V. *fritada* (3): "saboreei .... a frigideira de siris e lagostins, verdadeiramente apetitosos." (Daniel de Carvalho, *De Outros Tempos*, p. 52). ● *S. 2 g.* **3.** Pessoa que gosta de alardear importância e figurar em público. **4.** Pessoa rabugenta, impertinente. ◆ **Sair da frigideira para o fogo.** *Bras. Pop.* Passar de uma situação má para outra pior.

frigidez (ê) [De *frígido* + -*ez*.] *S. f.* **1.** Qualidade de frígido ou de frio; frialdade. **2.** V. *frialdade* (3 e 4). **3.** *Psiq.* Ausência de desejo e/ou prazer sexual.

frigidíssimo [Do lat. *frigidissimu*.] *Adj.* Superl. abs. sint. de *frígido*; friíssimo: "E sucederam-se trinta dias de um calor senegalesco, contrastados com trinta noites frigidíssimas" (Antônio Versiani, *Viola de Queluz*, p. 103).

frígido [Do lat. *frigidu*.] *Adj.* **1.** Muito frio; álgido, gelado: "as brumas batidas pelo vento frígido da madrugada, já clareando, evocavam a Catedral de Burgos à meia-noite, também batida de nuvens desgrenhadas" (Alceu Amoroso Lima, *A Realidade Americana*, p. 19). **2.** *Fig.* Duro, insensível, frio: *olhar frígido.* **3.** *Psiq.* Que não experimenta desejo e/ou prazer sexual. [Superl. abs. sint.: *frigidíssimo*.]

frigífugo[1] [De *frigi-* + -*fugo*[1].] *Adj.* Que evita o frio.

frigífugo[2] [De *frigi-* + -*fugo*[2].] *Adj.* Que livra do frio.

frígio [Do gr. *phrýgios*, pelo lat. *phrygiu*.] *Adj.* **1.** Da, ou pertencente ou relativo à Frígia (Ásia antiga). ~ V. *barrete —*. ● *S. m.* **2.** Indivíduo dos frígios, povo não helênico do ocidente da Ásia Menor, que habitava o território da atual Turquia. [Fem.: *frígia*. Cf. *frigia*, do v. *frigir*.]

frigir [Do lat. *frigere*.] *V. t. d.* **1.** Cozer com manteiga, azeite, etc., na frigideira; fritar. **2.** *Fig.* Apoquentar, importunar, maçar com perguntas, pedidos, etc. *Int.* **3.** Ficar frito; fritar: *Os ovos frigiram.* **4.** *Fam.* Alardear importância; ostentar distinções; gostar de dar na vista. *P.* **5.** Arreliar-se, afligir-se, atormentar-se. [Irreg. Pres. ind.: *frijo*, *freges*, *frege*, *frigimos*, *frigis*, *fregem*; imperat.: *frege*, *frija*, etc.; imperf. ind.: *frigia*, etc.; part.: *frígido* e *frito*. Cf. *frígia*, fem. de *frígio*, e *Frígia*, top.] ◆ **No frigir dos ovos.** No fim de tudo; ao cabo de contas; ao fim e ao cabo; no fritar dos ovos.

frigo *S. m.* V. de *frigorífico* (4 e 5).

frigobar [De *frigo* + *bar*[1].] *S. m.* Geladeira com bebidas e alimentos que nos quartos de hotel está à disposição dos hóspedes, mediante pagamento posterior pelo consumo.

frigomóvel [De *frigo* + -*móvel*.] *S. m. Bras.* Veículo automóvel dotado de frigorífico (4 e 5).

▲ **frigor(i)-** [Do lat. *frigus*, *ŏris*.] *El. comp.* = 'frio': *frigoria*, *frigorífero*. [Equiv.: *frigi-*: *frigífugo*.]

frigoria [De *frigor(i)-* + -*ia*[1].] *S. f. Fís.* Unidade de medida de energia térmica utilizada em medições relacionadas com sistemas de refrigeração, e que é igual a uma quilocaloria retirada de um desses sistemas.

frigorífero [De *frigor(i)-* + -*fero*.] *Adj. S. m.* V. *frigorífico*.

frigorificação [De *frigorificar* + -*ção*.] *S. f.* Ato ou efeito de frigorificar.

frigorificar [De *frigor(i)-* + -*ficar*.] *V. int.* **1.** Produzir o frio: *Estes refrigeradores frigorificam mal.* *T. d.* **2.** Submeter ao frio para conservar; congelar: *frigorificar o peixe.* [Conjug.: v. *trancar*. Pres. ind.: *frigorifico*, etc. Cf. *frigorífico*.]

frigorífico [Do lat. *frigorificu*.] *Adj.* **1.** Que conserva ou conduz o frio. **2.** Que gera ou produz o frio. ~ V. *câmara —a*. ● *S. m.* **3.** Fluido que afugenta o calor. **4.** Aparelho para congelar. **5.** *Lus.* V. *geladeira*. **6.** Aparelho para manter frescas e em bom estado certas substâncias alimentícias. [Sin. ger.: *frigorífero*. Cf. *frigorifico*, do v. *frigorificar*.]

friíssimo *Adj.* Superl. abs. sint. de *frio*.

frila *S. 2 g. Bras. Pop.* Freelance (1).

frima [Do tax. *Phryma*.] *S. f. Bot.* **1.** Gênero de ervas frimáceas que compreende apenas uma espécie e duas variedades nativas do L. da América do Norte, e da Índia ao Japão; são perenes, têm flores hermafroditas e nozes monospérmicas. **2.** A espécie, ou os espécimes desse gênero.

frimácea [Do tax. *Phryma* (v. *frima*) + -*ácea*; tax. *Phrymaceae*.] *S. f. Bot.* Espécime das frimáceas, família da ordem das lamiales que compreende, apenas, o gênero *Phryma* (v. *frima*).

frimáceo [De *frimácea*, com var. suf. (v. -*áceo*).] *Adj. Bot.* Pertencente ou relativo às frimáceas.

frimário [Do fr. *frimaire*.] *S. m. Cronol.* V. *calendário republicano*.

frincha [De or. obscura.] *S. f.* **1.** V. *fenda* (2): "Mormaço. Entrando por toda parte, pelas frinchas da janela e pelo vão do telhado." (Mário Palmério, *Vila dos Confins*, p. 79.) **2.** *Bras.* Canal muito estreito. **3.** *Bras. BA* Nas lavras diamantinas, ferramenta com que se trabalha nas frinchas para desprender o cascalho que elas encerram. **4.** *Bras. MG Pop. Deprec.* Meretriz.

fringilídeo [Do tax. *Fringilla* + -*ídeo*[1]; tax. *Fringillidae*.] *Zool. S. m.* **1.** Espécime dos fringilídeos, família de aves passeriformes, de tarso ocreado, a primeira das rêmiges da mão mais comprida que a segunda, ou igual a esta, o bico curto, mais ou menos grosso, a ponta da maxila nunca entalhada, e os pés médios. São granívoros, preferindo sementes de gramíneas, ou insetívoros, e algumas espécies frugívoras. São os azulões, canários, coleiros, bicudos, curiós, pintassilgos, tico-ticos, cardeais, etc. ● *Adj.* **2.** Pertencente ou relativo a eles.

frintamba [Do mandinga, pelo criol.] *S. m. Guin. Zool.* Pequeno antílope (*Cephalopus sylvicultor*): "Foi caçar, apanhou uma gazela, um frintamba e um búfalo." (Teresa Montenegro e Carlos de Morais, *Uori: Stórias de Lama e Philosophia*, p. 76.)

frio [Do lat. *frigidu*, poss.] *Adj.* **1.** Que cedeu calor; que perdeu o calor: *café frio.* **2.** Em que faz frio (14); friorento, friento. **3.** Privado de calor; que, por natureza, não o tem; friento: *países frios.* **4.** Que comunica o frio ou dele não preserva: *A seda é mais fria que a lã.* **5.** Que provoca arrepio, calafrio, sensação de frio; arrepiante: "Um frio susto corre pelas veias / De Caitutu" (Basílio da Gama, *O Uraguai*, p. 77). **6.** Inexpressivo, desinteressante, desengraçado, sensabor, insípido: *beleza fria*; *linguagem fria.* **7.** Isento de paixão; insensível, indiferente: *cora-*

ção *frio*: "Vereis o ousado espanhol, ... exaltado nas paixões, ambicioso e aventureiro, contrastando com o inglês fleumático e frio, o holandês empreendedor e paciente, e o alemão sisudo e pensador." (Antero de Quental, *Prosas*, I, p. 44). **8.** Insensível, impassível, desumano, cruel: "O assassino era dado como homem frio e feroz." (Machado de Assis, *Quincas Borba*, p. 80.) **9.** Lânguido, frouxo; inerte. **10.** Cru, rude, seco. **11.** *Eng. Nucl.* Diz-se de material ou atmosfera em que há pouca ou nenhuma radioatividade. **12.** *Bras.* Falso (nota, cédula), ou sem fundo (cheque). **13.** *Bras. BA* Sem pimenta. [Superl. abs. sint.: *friíssimo*.] ~ V. *bufê —, cabeça —a, chapa —a, clima —, composição —a, cor —a, dedo —, esmalte —, estufa —a, frente —a, guerra —a, luz —a, malha —a, nêutron —, nome —, placa —a, polo —* e *sangue —*. • *S. m.* **14.** Baixa temperatura: "Frio de serra no mês dos frios" (Alberto de Oliveira, *Lírica*, p. 95). **15.** Ausência de calor. **16.** Sensação produzida por essa ausência; frialdade. **17.** *Fig.* Desânimo, desalento, tibieza, fraqueza, inércia. **18.** *Fig.* Insensibilidade, indiferença. ~ V. *frios*. ◆ **A frio. 1.** Sem aquecimento: *soldar a frio*. **2.** A sangue-frio: *Apunhalou o inimigo a frio*. **3.** Com equilíbrio, com ponderação; conscientemente: "Mas essa solução milagrosa não lhe ocorria, porque ele não conseguia, toldado pela raiva, pensar a frio." (Miguel Sousa Tavares, *Equador*, p. 495.)

frioleira [De *frívolo* + *-eira*, com síncope, poss.] *S. f.* **1.** Espécie de espiguilha feita com lançadeira, para guarnições de vestuário, de cama e mesa, e outros enfeites: "E fixou os olhos no trabalho de linha que fazia, — frioleira é o nome, — enquanto Rubião voltava os seus para um trechozinho de jardim mofino" (Machado de Assis, *Quincas Borba*, p. 264). [O t. correspondente em francês, *frivolité*, é muito us. no Brasil.] **2.** V. *ninharia*: "O caso .... pode parecer banal, como banais são todas essas frioleiras da anarquia ortográfica que servem de alimento comum à mania nacional das altercações filológicas." (João Ribeiro, *Colmeia*, p. 234.) **3.** Tolice, parvoíce.

friorento [Do lat. **frigorentu* < lat. *frigore*, 'frialdade', poss.] *Adj.* **1.** Muito sensível ao frio. **2.** V. *frio* (2): "havendo transposto as ruazinhas friorentas do bairro histórico, entramos um largo banhado de sol" (José Vieira, *Sol de Portugal*, p. 119). [Sin. ger., bras.: *friento*.]

frios *S. m. pl.* Carnes em conserva ou defumadas, ou certas peças de salsicharia, etc., servidas em fatias. ~ V. *frio*.

frisa[1] [Do b.-lat. (*tela*) *frisia*, 'tecido frísio'.] *S. f.* **1.** *Tec. Têx.* Certo tecido grosseiro de lã. **2.** Pelo de pano encrespado. **3.** Porção de lã com que se calafetam portinholas de navios. **4.** *Tip. Ant.* Branqueta [v. *almofada* (6)].

frisa[2] [De *friso*.] *S. f. Teatr.* Camarote quase ao nível da plateia.

frisado[1] [Part. de *frisar*[1].] *Adj.* **1.** Encrespado, anelado, encaracolado. • *S. m.* **2.** Feitio que se dá ao cabelo, encrespando-o e anelando-o a ferro quente: "ela diante do tremó Luís XV, compondo, com os dedos trêmulos, o frisado do cabelo." (Eça de Queirós, *Os Maias*, I, p. 447).

frisado[2] [Part. de *frisar*[2].] *Adj.* **1.** Que tem friso(s). **2.** Salientado, patenteado. **3.** *Bras. Pop.* Diz-se do pneu a que se reavivaram os frisos ou estrias para aumentar-lhe a durabilidade.

frisador (ô) [De *frisar*[1] + *-dor*.] *S. m.* **1.** Instrumento que serve para frisar[1]. **2.** Indivíduo que frisa (tecidos ou cabelos).

frisagem [De *frisar*[1] + *-agem*[2].] *S. f.* Ato ou efeito de frisar[1].

frisante[1] [De *frisar*[1] + *-nte*.] *Adj. 2 g.* **1.** Que frisa, encrespa. **2.** Que é borbulhoso. ~ V. *vinho —*.

frisante[2] [De *frisar*[2] + *-nte*] *Adj. 2 g.* **1.** Que frisa [v. *frisar*[2] (2)]. **2.** Que é próprio ou apropriado; significativo, exato, preciso: *palavra frisante*. **3.** Terminante, convincente: *argumento frisante*.

frisão [Do fr. *frison*.] *Adj.* **1.** Da Frísia, ou Friesland (Holanda); frísio. • *S. m.* **2.** O natural ou habitante da Frísia; frísio. **3.** *Gloss.* Língua germânica, muito próxima ao inglês, que era falada na Holanda e na parte ocidental da Alemanha. **4.** Cavalo forte, corpulento, de raça originária da Frísia; urco: "O Ubirajara era da mesma cor que o Guarani, e alto como cavalo inglês, frisão de trote largo na andadura" (Francisco Ribeiro Sampaio, *Renembranças*, p. 12).

frisar[1] [De *frisa*[1] + *-ar*[2].] *V. t. d.* **1.** Encrespar, anelar, riçar: *frisar o cabelo*. **2.** Encrespar, enrugar, franzir: "Rápida contração frisou o rosto grave e plácido do capitão-mor" (José de Alencar, *O Sertanejo*, p. 43). **3.** Agitar a superfície de; arrepiar, encrespar: "A brisa o lago frisa." (José Severiano de Resende, *Mistérios*, p. 80.) *Int. P.* **4.** Encrespar-se. **5.** Pentear-se, frisando-se.

frisar[2] [De *friso* + *-ar*[2].] *V. t. d.* **1.** Pôr friso em. **2.** Citar ou referir oportuna e apropriadamente. **3.** Salientar, patentear, sublinhar. *T. i.* **4.** Ter semelhança; ser análogo, conforme: *Sua prosa frisa com a de Graciliano Ramos*. **5.** Quase tocar; chegar perto; roçar: *Seus argumentos frisam pela insensatez*.

frísio [Do lat. *frisiu*.] *Adj. S. m.* Frisão (1 e 2).

friso [Do veneziano *friso*.] *S. m.* **1.** *Arquit.* Parte plana do entablamento, entre a cornija e a arquitrave. **2.** Banda ou tira pintada em parede: "Visto de fora o edifício, o friso de azulejo azul que o envolve no alto painel das paredes .... atenua-lhe o tom vermelho do arenito de que é construído." (Raimundo Morais, *País das Pedras Verdes*, p. 173.) **3.** Baixo-relevo ou ornato em friso (2): "Nos tetos, ao invés de heráldicos estuques, / insculturas de heróis, ou brasões de arquiduques, / há frisos de ouro." (Hermes Fontes, *A Fonte da Mata...*, p. 4.) **4.** Beirada contínua de qualquer coisa. **5.** Tábua estreita e aparelhada que tem nas beiras um preparo em meia-cana, e própria para forros ou tetos. **6.** *Encad.* Filete (7). **7.** *Bras. PB* V. *grampo* (3). ◆ **Friso seco.** O que se faz sem ouro nem tinta, ficando só a marca, em baixo-relevo, dos ferros.

➔ **frisson** [fɾiˈsõ] [Fr.] *S. m.* **1.** Frêmito, arrepio. "Não sei que estranho *frisson* nervoso percorre-me às vezes a espinha, me eletriza e sensibiliza todo como se meu corpo fosse um harmonioso teclado de cristal vibrando as sonoridades mais delicadas." (Cruz e Sousa, *Obras Completas*, pp. 406-407.) **2.** Animação, comoção, etc., despertada por algo ou alguém: *A chegada da cantora causou tamanho frisson, que os seguranças tiveram dificuldade em conter o público.*

frita [F. subst. do adj. *frito*.] *S. f.* **1.** Cozimento dos ingredientes de que se fabrica o vidro. **2.** O tempo que dura esse cozimento. **3.** Queima de substâncias orgânicas encontradas em misturas minerais. **4.** V. *fritura* (1). ~ V. *fritas*.

fritada [De *fritar* + *-ada*[1].] *S. f.* **1.** Aquilo que se frita de uma vez. **2.** V. *fritura* (1). **3.** *Cul.* Massa de ovos batidos cozida na frigideira sobre camarões ou picadinho de carne, ou legumes; frigideira, mal-assada.

fritadeira [De *fritar* + *-deira*.] *S. f.* **1.** Mulher que, em festas, eventos e restaurantes, fica responsável pela fritura dos alimentos. **2.** Panela própria para fazer frituras. **3.** Utensílio elétrico, doméstico ou industrial, próprio para realizar a fritura de alimentos (esp. batata, pastéis, salgadinhos, etc.).

fritalhada [De *fritar* + *-alhada*.] *S. f. Bras. Pop.* Fritangada.

fritangada *S. f. Bras. Pop.* Fritada malfeita, mas abundante; fritalhada.

fritar [De *frito* + *-ar*[2].] *V. t. d.* **1.** Frigir (1). **2.** *Fig.* Fazer a fritura (2) de: *Insatisfeito com o desempenho do ministro, o presidente o fritou*. *Int.* **3.** Frigir (3). • *S. m.* **4.** O ato de fritar. ◆ **No fritar dos ovos.** V. *no frigir dos ovos*.

fritas [De (*batatas*) *fritas*.] *S. f. pl. Bras.* Batatas fritas: "um filé com fritas" (Hermilo Borba Filho, *O Cavalo da Noite*, p. 18). ~ V. *frita*.

fritilo [Do lat. *fritillu*.] *S. m.* Copo para jogar dados.

frito [Do lat. *frictu*.] *Adj.* **1.** Que se frigiu ou fritou. **2.** *Pop.* Em maus lençóis; em apuros; em má situação; apertado, arruinado: "Quebro a banca. Tiro a barriga da miséria. Também, se erro, estou frito. O dinheiro é para a fezinha ou para a conta do armazém." (Macedo Miranda, *As Três Chaves*, p. 82.) **3.** *Bras. Pop.* V. *pronto* (10). • *S. m.* **4.** Filhó, filhós, coscorão. **5.** V. *fritura*. **6.** *Bras. Pop.* V. *pronto* (12): "Quem é que paga a minha diária? Você é um frito." (Carlos Paurílio, *Solidão*, p. 40.)

fritura [De *frito* + *-ura*.] *S. f.* **1.** Qualquer coisa ou iguaria frita; fritada, frita, frito. **2.** *Fig.* Ação de minar o prestígio de alguém, ger. o ocupante de cargo público: "Mas o que Zélia sentia em marcha .... eram os indícios — ou o cheiro — de uma 'fritura' — como se passara a designar o processo de desestabilização de alguém do Governo pelo próprio Governo." (Fernando Sabino, *Zélia, uma Paixão*, p. 228.)

friulano (i-u) [Do top. *Friul* + *-ano*[1].] *Adj.* **1.** De, ou pertencente ou relativo a Friul (Itália). • *S. m.* **2.** O natural ou habitante de Friul. **3.** *Gloss.* Língua românica (por vezes classificada como dialeto) dessa região. [V. *rético* (4).]

friúra [De *frio* + *-ura*.] *S. f.* Estado daquilo que é ou se encontra frio; frialdade, frieza: "A voz dele tinha uma toada grave e cheia de fervor, que lhe quebrava a ela a friúra do medo no coração." (Domício da Gama, *Histórias Curtas*, p. 124.)

frivoleza (ê) [De *frívolo* + *-eza*.] *S. f. P. us.* Frivolidade.

frivolidade [De *frívolo* + *-(i)dade*.] *S. f.* Qualidade daquele ou daquilo que é frívolo. [Sin., p. us.: *frivoleza*.]

➔ **frivolité** [fɾivoliˈte] [Fr.] *S. f.* V. *frioleira* (1).

frívolo [Do lat. *frivolu*.] *Adj.* **1.** Sem importância; sem valor; vão: *ideias frívolas*. **2.** Fútil; leviano, volúvel: *pessoa frívola*.

frocado [De *froco* + *-ado*[1].] *Adj.* **1.** Guarnecido de frocos. **2.** *Bras. CE* Empertigado, emproado. • *S. m.* **3.** Frocadura.

frocadura [De *frocado* + *-ura*.] *S. f.* Ornato ou enfeite de frocos; frocado.

froco *S. m.* **1.** V. *floco*: "Como frocos de neve tão alvos, / Palpitavam-lhe os lânguidos seios." (José Bonifácio, o Moço, *Poesias*, p. 119); "Sua tez, alva e pura como um froco de algodão, tingia-se nas faces de uns longes cor-de-rosa." (José de Alencar, *O Guarani*, I, p. 109); "a brisa cariciava uns frocos de nuvens alvas como a penugem das garças." (Id., *Senhora*, p. 240). **2.** Felpa de lã ou de seda, cortada em bocadinhos ou torcida em cordão, para ornato de vestuários.

froixel *S. m.* V. *frouxel*: "Sobre a cama estreita, o eterno *édredon* de penas, roto, com o froixel a evaporar-se ao menor contacto." (Urbano Tavares Rodrigues, *A Noite Roxa*, pp. 138-139.) [Pl.: *froixéis*.]

froixelado *Adj.* V. *frouxelado*.

froixeza (ê) *S. f.* V. *frouxeza*.

froixidade *S. f.* V. *frouxidade*.

froixidão *S. f.* V. *frouxidão*.

froixo *Adj. S. m.* V. *frouxo*.

froixura *S. f. Bras.* V. *frouxura*.

frolo [Dev. de **frolar* < fr. *frôler*.] *S. m. Bras.* Rumor suave do atrito de sedas; fru-fru.

froncil [Da mesma raiz do fr. ant. *froncir* (atual *froncer*), 'arrugar', 'enrugar'; 'franzir', poss.] *Ant. Adj. 2 g.* **1.** Que tem pregas. • *S. m.* **2.** Lenço de pregas.

fronda [Do fr. *Fronde*.] *S. f.* Partido político francês que se rebelou contra Mazarino (1602-1661) durante a menoridade de Luís XIV (1638-1715) e precipitou a guerra civil (1648-1653). [Com cap.]

frondar [De *fronde* + *-ar*[2].] *V. int. Bras.* **1.** Formar fronde; criar folhas; copar. **2.** Ter o aspecto de fronde.

fronde [Do lat. *fronde*.] *S. f.* **1.** A copa das árvores. **2.** *Bot.* Folhas de pteridófitos e palmeiras. **3.** *P. ext.* Ramo ou ramagem de árvore: "as aves, retransidas de medo, acolhem-se, mudas, ao recesso das frondes" (Euclides da Cunha, *À margem da História*, p. 92). **4.** *Bot.* Talo foliáceo das algas.

frondeado [Part. de *frondear*.] *Adj.* Coberto de folhas: "No delíquio e ametistas dos crepúsculos, vai sossegando o rancho alveiro e sonolento, que se agasalha, tapizando de branco o frondeado estendedouro das moitas negras e misteriosas." (Alberto Rangel, *Sombras n'Água*, p. 156.)

frondear [De *fronde* + *-ear*[2].] *V. t. d. Int.* V. *frondejar*: "E o pinheiro bravio, esbelto, a frondear, / Nas escarpas da Costa, a pique sobre o mar!" (Bulhão Pato, *Livro do Monte*, p. 119.) [Conjug.: v. *frear*. Normalmente é defect.]

frondejante [De *frondejar* + *-nte*.] *Adj. 2 g.* V. *frondoso* (1 e 2).

frondejar [De *fronde* + *-ejar*.] *V. t. d.* **1.** Cobrir ou encher de folhas; fazer criar folhas: *As chuvas frondejaram as árvores*. *Int.* **2.** Cobrir-se de folhas; ser frondoso. [Sin. ger.: *frondear, frondescer*. Conjug.: v. *pelejar*.]

frondente [Do lat. *frondente*.] *Adj. 2 g.* V. *frondoso* (1 e 2): "Mais longe erguiam-se palmeiras soberbas, carvalhos e plátanos frondentes." (Guerra Junqueiro, *Contos para a Infância*, pp. 16-17.)

frôndeo [Do lat. *frondeu*.] *Adj.* V. *frondoso* (1 e 2).

frondescência [De *frondescer* + *-ência*.] *S. f. Bot.* O processo de desenvolvimento das frondes; folheatura.

frondescente [Do lat. *frondescente*.] *Adj. 2 g.* **1.** Que principia a criar folhas ou frondes; que frondesce. **2.** V. *frondoso* (1 e 2).

frondescer [Do lat. *frondescere*.] *V. t. d. Int.* V. *frondejar*. [Conjug.: v. *crescer*.]

frondícola [De *fronde* + *-i-* + *-cola*[1].] *Adj. 2 g.* Que vive nas frondes, nos ramos das árvores.

frondífero [Do lat. *frondiferu*.] *Adj.* Que tem ou cria folhas.

frondíparo [De *fronde* + *-i-* + *-paro*.] *Adj. Bot.* Diz-se da flor ou do fruto que produz folhas.

frondista [De *Fronda* (q. v.) + *-ista*.] *S. 2 g.* **1.** Partidário da Fronda (q. v.). **2.** *P. ext.* Pessoa dotada de espírito combativo e mordaz.

frondosidade [De *frondoso* + *-(i)dade*.] *S. f.* **1.** Qualidade de frondoso. **2.** Conjunto de frondes; as frondes: "a alcova nupcial, com suas janelas cortinadas de verde pela frondosidade do pomar contíguo" (Antônio Feliciano de Castilho, *Amor e Melancolia*, p. 375).

frondoso (ô) [Do lat. *frondosu*.] *Adj.* **1.** Que frondeja; que tem muitas folhas ou frondes; abundante em ramos. **2.** Copado, cerrado, espesso: "Coqueiros, bambuais, jequitibás frondosos" (Jorge de Lima, *Obra Poética*, I, p. 209). [Sin., nessas acepçs.: *frondejante, frondente, frôndeo, frondescente*.] **3.** *Fig.* Abundante, prolixo, extenso: *estilo frondoso*. ~ V. *córion —*.

F

fronha [De or. obscura.] *S. f.* 1. Espécie de saco que, com enchimento de substância macia (penas, espuma de plástico, etc.), forma travesseiro ou almofada. 2. Capa para envolver o travesseiro. 3. *Fig.* Invólucro, cobertura.

→**front** [fɹʌnt] [Ingl.] *S. m.* Frente de batalha.

frontaberto [De *fronte* + *aberto*.] *Adj.* Diz-se do equídeo que tem malha² (1) branca, de alto a baixo, na testa; frontino. [Cf. *fronteiro* (3).]

frontal [De *fronte* + -*al*¹.] *Adj. 2 g.* 1. Relativo ou pertencente à fronte. 2. Muito franco; nitidamente declarado; radical: *oposição frontal*. ~ V. *escudo* —, *lobotomia* —, *parede* —, *superfície* — e *sutura* —. ●*S. m.* 3. Faixa que os judeus usam à volta da cabeça. 4. A frente do altar. 5. Frontaleira. 6. *Anat.* Osso ímpar e simétrico situado na porção anterior do crânio e superior da face; coronal. 7. *Arquit.* Fachada principal de uma edificação. 8. *Arquit.* Ornato por cima de portas ou janelas. 9. *Constr.* Parede formada por barrotes, e cujos vãos são preenchidos com alvenaria.

frontaleira [De *frontal* + -*eira*.] *S. f.* Tela, sanefa ou franja que reveste o frontal dos altares; frontal.

frontalidade [De *frontal* + -*(i)dade*.] *S. m. Art. Plást.* Maneira particular de representar a figura humana com o rosto, as pernas e os pés de perfil, e o corpo e o olho de frente, como faziam os antigos egípcios.

frontão [Do it. *frontone*, pelo fr. *front*.] *S. m.* 1. *Arquit.* Peça de forma triangular ou arredondada, com base retilínea, mais larga do que alta, que adorna a parte superior de fachada, abertura (porta, janela, etc.), sendo também adotada em armários e outros móveis: *frontão clássico*; *frontão barroco*; *frontão bipartido*. 2. Parte superior do muro contra o qual se joga a pelota¹ (9), no jogo da pelota basca. 3. Esse jogo.

frontaria [De *fronte*- + -*aria*.] *S. f.* 1. V. *fachada principal*: "agora, o lojista da Rua Nova era um personagem, ... tendo o seu palacete na Praça, de frontaria bem caiada" (Conde de Ficalho, *Uma Eleição Perdida*, p. 195). 2. *Ant.* Guarnição militar ou fortificação de fronteira.

fronte [Do lat. *fronte*.] *S. f.* 1. Testa (1). 2. *Anat.* Porção da face que vai da área de origem dos cabelos aos supercílios e de uma a outra têmpora. 3. Face, rosto, cara. 4. Fachada, frontaria, frontispício. 5. Frente, dianteira. ◆ **Fronte por fronte.** V. *frente a frente*: "outro horizonte, / Túmidas vagas, temporal desfeito, / Quer com eles lutar fronte por fronte." (Machado de Assis, *Poesias Completas*, p. 162). **Curvar a fronte.** Submeter-se, humilhar-se, vergar-se; ceder.

frontear [De *fronte* + -*ear*².] *V. t. d. T. i.* Ficar ou estar defronte; estar situado em frente: *O palácio fronteia uma igreja*; "Nasci na Independência (a casa, que fronteava o Edifício Esplanada, foi demolida há pouco)" (Augusto Meyer, *No Tempo da Flor*, p. 124); "ao fundo, fronteando com o portão, uma casa velha" (Machado de Assis, *Quincas Borba*, p. 240). [Conjug.: v. *frear*.]

fronteira [F. subst. do adj. *fronteiro*.] *S. f.* 1. Limite (1) de um país ou território no extremo onde confina com outro: *demarcação de fronteiras*. 2. A região adjacente a esse limite: *cidade de fronteira*. 3. *Fig.* V. *limite* (6): *Está chegando às fronteiras da loucura*. 4. *Fig.* Extremo, fim, termo. [V. *limite* (3).] 5. *Fís.* Limite material de um sistema; separação entre um sistema e o seu exterior. 6. *Mat.* O conjunto dos pontos-fronteiras de um conjunto; contorno. ◆ **Fronteira agrícola.** *Econ.* Limite da área de exploração agrícola: *A fronteira agrícola no Brasil expandiu-se para o oeste, nas últimas décadas.* **Fronteira de acumulação.** V. *fronteira viva*. **Fronteira de tensão.** V. *fronteira viva*. **Fronteira esboçada.** Tipo de fronteira (1) simplesmente desenhada sobre um mapa, não correspondendo o seu traçado a nenhuma adaptação passiva do homem ao meio nem a nenhuma adaptação ativa do Estado a que pertence. **Fronteira morta.** Tipo de fronteira (1) que passou de viva à categoria das linhas tranquilas, desde que cessou a tensão existente. **Fronteira termodinâmica.** *Met.* Região da atmosfera, a cerca de 160km de altitude, além da qual a rarefação da atmosfera é tão grande que o movimento de um objeto, ainda que em grande velocidade, não gera calor apreciável. **Fronteira viva.** Tipo de fronteira (1) resultante de lenta evolução histórica e fixada através de choques ou de lutas armadas; fronteira de acumulação, fronteira de tensão.

fronteira-faixa *S. f.* Tipo de fronteira (1) representado por fortificações ou obstáculos defensivos. [Pl.: *fronteiras-faixas* e *fronteiras-faixa*.]

fronteira-linha *S. f.* Tipo de fronteira (1) representado por linhas geodésicas ou acidentes naturais. [Pl.: *fronteiras-linhas* e *fronteiras-linha*.]

fronteirar [De *fronteiro* + -*ar*².] *V. t. d.* Tornar fronteiros; pôr defronte.

fronteira-zona *S. f.* Fronteira (1) representada por um espaço vazio e impreciso. [Pl.: *fronteiras-zonas* e *fronteiras-zona*.]

fronteirense¹ *Adj. 2 g.* 1. De, ou pertencente ou relativo a Fronteira (MG). ●*S. 2 g.* 2. O natural ou habitante de Fronteira.

fronteirense² *Adj. 2 g.* 1. De, ou pertencente ou relativo a Fronteiras (PI). ●*S. 2 g.* 2. O natural ou habitante de Fronteiras.

fronteiriço [De *fronteira* + -*iço*.] *Adj.* 1. Que vive ou fica na fronteira; fronteiro, raiano: *estrada fronteiriça*; "O pai, Intendente na zona fronteiriça do Congo, era .... assinante do periódico" (Joaquim Paço d'Arcos, *Carnaval e Outros Contos*, p. 103). ●*S. m.* 2. Filho de fronteira (1). 3. *Psiq.* Indivíduo que se encontra no limiar de um transtorno mental. 4. *Bras. RS* Aquele que nasce nas fronteiras com o Uruguai e a Argentina.

fronteirista-dos-vales *Adj. 2 g.* 1. De, ou pertencente ou relativo a Fronteira dos Vales (MG). ●*S. 2 g.* 2. O natural ou habitante de Fronteira dos Vales. [Pl.: *fronteiristas-dos-vales*.]

fronteiro [De *fronte* + -*eiro*.] *Adj.* 1. Que está defronte; situado em frente: "Vieram sentar-se nos dous bancos fronteiros ao de Rubião" (Machado de Assis, *Quincas Borba*, p. 33). 2. V. *fronteiriço* (1). 3. *Bras. N. N.E.* Diz-se do vacum de testa branca. [Cf., nesta acepç., *frontaberto*.] ●*S. m.* 4. *Ant.* Capitão duma praça de guerra situada na fronteira.

▲**front(i)-** [Do lat. *frons*, *frontis*.] *El. comp.* = 'fronte': *frontirrostro*. [Equiv.: *fronto-*: *frontocervical*.]

frontinense *Adj. 2 g.* 1. De, ou pertencente ou relativo a Engenheiro Paulo de Frontin (RJ). ●*S. 2 g.* 2. O natural ou habitante de Engenheiro Paulo de Frontin. [Sin. ger.: *paulense*.]

frontino [De *fronte*- + -*ino*¹.] *Adj.* Frontaberto (q. v.).

frontirrostro [De *front(i)*- + -*rostro*.] *S. m. Adj. Zool.* V. *hemíptero*².

frontispício [Do b.-lat. *frontispiciu*.] *S. m.* 1. V. *fachada principal*: *frontispício gótico*; "o teatro de minha terra, com seu globo azul no frontispício, dominado pelo voo de uma águia de massa" (Carlos Drummond de Andrade, *Fala, Amendoeira*, pp. 72-73). 2. *Bibliogr. Bibliol.* Estampa colocada na face da folha de rosto. 3. *Bibliogr.* V. *portada* (3). [Acepç. universalmente condenada pelos bibliógrafos e que está em crescente desuso.] 4. Rosto, cara, face.

▲**fronto-** Equiv. de *front(i)*-.

frontocervical [De *fronto*- + *cervical*.] *Adj. 2 g. S. f. Anat.* Diz-se de, ou área que compreende o espaço que vai desde a fronte até o início do pescoço, *i. e.*, a parte superior da cabeça. Nos vertebrados compreende a região que se inicia no osso frontal e termina no occipital, início da região cervical da coluna.

→**frontside** ['fɹʌntsajd] [Ingl.] *S. m. Surf.* Posicionamento frontal do surfista em relação à onda.

fror (ô) [Do lat. *flore*.] *S. f. Ant. Pop.* Flor.

frota [Do fr. *flotte*.] *S. f.* 1. *Ant.* Grande número de navios de guerra que navegam em conjunto: "Estavam aí as esquadras francesas do Levante, a esquadra italiana, ... a frota do Paxá" (Eça de Queirós, *Notas Contemporâneas*, p. 5). 2. Conjunto de navios mercantes pertencentes a um mesmo país (*frota mercante*), ou a uma mesma companhia ou de uma mesma categoria ou espécie (*frota de petroleiros*, *frota pesqueira*). 3. Conjunto de veículos pertencentes a um mesmo indivíduo ou a uma mesma companhia: *frota de táxis*; *frota de ônibus*. 4. *P. ext.* Grande quantidade; chusma, multidão. [Dim. irreg.: *flotilha*.]

fróttola [Do it. *frottola*.] *S. f. Mús.* Canção profana, amorosa, a três ou quatro vozes, de caráter popular, em voga na Itália quatrocentista, e que pode ser considerada como precursora do madrigal.

→**frottage** [fʁɔ'taʒ] [Fr.] *S. m. Psiq.* Parafilia em que um indivíduo se satisfaz sexualmente esfregando-se contra outra pessoa, como, p. ex., em aglomerações; ger. não ocorre contato genital específico. [No Brasil, tb. us. no fem.]

→**frotteur** [fʁɔ'tœʁ] [Fr.] *S. m. Psiq.* Aquele que pratica *frottage*.

frouxel [Var. de *froixel* < cat. *fluixell*.] *S. m.* 1. As penas mais macias das aves; penugem: "Um Menino Jesus em seu presépio, um ninho, / E, em macios frouxéis, implume passarinho" (Raimundo Correia, *Poesia Completa e Prosa*, p. 338). 2. Aquilo que é forrado ou feito de frouxéis ou de qualquer material ou matéria de grande maciez: "Manhãs de paina, em que a alma se reclina / como sobre um frouxel nivoso e largo." (Gilca da Costa Melo Machado, *Poesias*, p. 137); "Frouxéis de nuvens brancas tapetavam docemente o céu." (Godofredo Rangel, *Vida Ociosa*, p. 174). 3. Substância macia como as penas, usada como enchimento de travesseiros, edredons, etc. 4. *Fig.* Maciez, suavidade, brandura.

frouxelado [De *frouxel* + -*ado*¹; var. de *froixelado*.] *Adj.* Que tem frouxel; em que há frouxel.

frouxeza (ê) [Var. de *froixeza*.] *S. f.* V. *frouxidão*.

frouxidade [Var. de *froixidade*.] *S. f.* V. *frouxidão*.

frouxidão [Var. de *froixidão*.] *S. f.* 1. Qualidade daquilo ou daquele que é frouxo; moleza, lassidão, bambeza. 2. *Fig.* Falta de energia, de atividade; tibieza. [Sin. ger.: *frouxeza*, *frouxidade* e (bras.) *frouxura*.]

frouxo [Var. de *froixo* < lat. *fluxu*.] *Adj.* 1. Que não está retesado; lasso, bambo: *corda frouxa*. 2. Pouco apertado, ou que não aperta; folgado: *cinto frouxo*; "Eudóxia é mais jovem do que ela. E parece mais velha, em seus vestidos frouxos" (Osmã Lins, *Nove, Novena*, p. 15). 3. Sem energia; mole, inerte. 4. Enfraquecido, abatido: "Revigorada, embora ainda frouxa da caminhada longa, ... ficou a escutar voz de mulher que vinha do fundo do quintal." (Nélson de Faria, *Tiziu e Outras Estórias*, p. 85). 5. Lânguido, indolente. 6. Falto de vigor ou robustez; fraco, débil, frágil. 7. Tênue, tíbio, fraco: "A luz frouxa e suave do ocaso .... enrolava-se como ondas de ouro e de púrpura sobre a folhagem das árvores." (José de Alencar, *O Guarani*, I, p. 126.) 8. *Bras. Pop.* Covarde, medroso, pusilânime. 9. *Bras. Pop.* Que tem impotência sexual. 10. *Fig.* Que não tem, ou não é feito com rigor ou coerência: *argumentação frouxa*. ●*S. m.* 11. *Bras. Pop.* Indivíduo frouxo (8 e 9).

frouxura [Var. de *froixura*.] *S. f. Bras.* V. *frouxidão*.

fru-fru [Do fr. *froufrou*.] *S. m.* 1. Rumor de folhas. 2. Ruge-ruge (1), esp. de seda: "nada o aborrecia mais que o fru-fru das sedas, o estalar dos leques" (Machado de Assis, *Histórias Românticas*, p. 264); "O tinir de uma fivela e o fru-fru de uma saia caindo fizeram-na enrubescer." (O. G. Rego de Carvalho, *Somos Todos Inocentes*, p. 38). 3. Rumor de asas no voo. [Pl.: *fru-frus*.] ✻

frufrulhar *V. int. Bras.* Frufrutar.

frufrutar [Do fr. *froufrouter*.] *V. int.* Produzir fru-frus; frufrulhar.

frugal [Do lat. *frugale*.] *Adj. 2 g.* 1. Relativo a frutos. 2. Que se sustenta de frutos. 3. Que se contenta com pouco para a sua alimentação; sóbrio. 4. Próprio de quem é frugal (3): "Na mesa, era de uma elegância frugal que desmentia a procedência. Olhava para o bife com um fastio tal e tamanha tristeza, que fazia lembrar Tertuliano, quando, meditando na metempsicose, olhava para o boi cozido e dizia: 'Estarei eu comendo meu avô?'" (Camilo Castelo Branco, *Novelas do Minho*, II, p. 53.) 5. Parco, modesto: "arrancha-se à sombra das árvores comendo a frugal refeição" (Trindade Coelho, *Os Meus Amores*, pp. 214-215).

frugalidade [Do lat. *frugalitate*.] *S. f.* Qualidade de quem ou do que é frugal.

frugífero [Do lat. *frugiferu*.] *Adj.* V. *frutífero* (1).

frugívoro [Do lat. *frugi*- < lat. *frux*, *frugis*, 'produto da terra', + -*voro*.] *Adj. S. m.* Que, ou aquele que se alimenta de frutos ou vegetais; frutívoro.

fruição (u-i) [Do lat. tard. *fruitione*.] *S. f.* Ação ou efeito de fruir; gozo, posse, usufruto: "O intolerável é que pessoas aptas à leitura não liguem importância ao livro. Com isso, perdem a fruição de um prazer superior, além do mais." (Aires da Mata Machado Filho, *Falar, Ler e Escrever*, p. 77.)

fruir [Do lat. **fruere*, por *frui*.] *V. t. d.* 1. Estar na posse de, possuir. 2. V. *usufruir* (2). "Se Marília fruía, em parte, os privilégios de ser a última, — em parte Isabel fruía os de ser a primeira." (José Régio, *Histórias de Mulheres*, p. 99.) 3. *Jur.* Tirar de (uma coisa) todo o proveito, todas as vantagens possíveis, e, sobretudo, perceber os frutos e rendimentos dela. *T. i.* 4. Gozar, desfrutar: "Todos fruíam igualmente de um mar bravo, limpo, da melhor espuma." (Carlos Drummond de Andrade, *Fala, Amendoeira*, p. 55.) [Sin. ger.: *desfruir*. Pres. ind.: *fruo*, *fruis*, *frui*, *fruímos*, *fruís*, *fruem*.]

fruita *S. f.* 1. *Ant. Pop.* Fruta (1). 2. *Bras.* V. *doce de pimenta*. 3. *Bras. CE Pop.* Coisa rara. 4. *Bras. SP Pop.* Jabuticaba. 5. *Bras. AL Pop. Pej.* Homossexual (3).

fruitivo (u-i) [De *fruir* + -*tivo*.] *Adj.* 1. Que frui, goza, tira proveito de alguma coisa. 2. Que é digno de se fruir. 3. Agradável, delicioso.

fruito *S. m. Ant. Pop.* Fruto.

frulaniácea [Do tax. *Frullania* + -*ácea*.] *S. f. Bot.* Espécime das frulaniáceas, família de hepáticas jungermanniales acróginas, cujas folhas são divididas em um lobo anterior achatado e outro posterior cilíndrico. Rizoides que compõem pequenos feixes, arquegônios múltiplos, perianto com abertura comprimida. Estas hepáticas, de pequeno tamanho, acham-se muito disseminadas por todo o globo.

frulaniáceo [De *frulaniácea*, com var. suf. (v. *áceo*).] *Adj. Bot.* Pertencente ou relativo às frulaniáceas.

frumentação [Do lat. *frumentatione.*] *S. f.* Ato de forragear ou de fazer provisões de cereais em tempo de guerra.

frumentáceo [Do lat. tard. *frumentaceu.*] *Adj.* **1.** Semelhante ao trigo ou a cereais. **2.** Que é da natureza do trigo ou de outros cereais. [Sin. ger.: *frumentício.*]

frumental [Do lat. tard. *frumentale.*] *Adj. 2 g.* **1.** Relativo a frumento. **2.** *P. ext.* Relativo a cereais.

frumentício [De *frumento* + *-ício.*] *Adj.* V. *frumentáceo.*

frumento [Do lat. *frumentu.*] *S. m.* **1.** O melhor trigo; trigo candial. **2.** *P. ext.* Qualquer cereal.

frumentoso (ô) [De *frumento* + *-oso.*] *Adj.* Rico em frumento ou em cereais.

fruncho *S. m. Pop.* Furúnculo (q. v.).

frunco *S. m. Pop.* Furúnculo (q. v.).

frúnculo *S. m. Pop.* Furúnculo (q. v.).

frusseria *S. f. Luso-asiat.* Pequena porção de ouro e de prata em grão, que se encontra nos rios, nas minas.

frusto[1] [Do it. *frusto.*] *Adj.* Diz-se da medalha ou da escultura cujos caracteres ou lavores se acham carcomidos pelo tempo. [Cf. *frustro.*]

frusto[2] [Do fr. *fruste.*] *Adj. Gal.* Não polido; rude. [Cf. *frustro.*]

frustração [Do lat. *frustratione.*] *S. f.* **1.** Ato ou efeito de frustrar-se. **2.** *Psican.* Estado daquele que, pela ausência de um objeto ou por um obstáculo externo ou interno, é privado da satisfação dum desejo ou duma necessidade.

frustrado [Part. de *frustrar.*] *Adj.* **1.** Malogrado, falhado, baldado, frustro: *esforços frustrados; tentativa frustrada.* **2.** Que não chegou a desenvolver-se; incompleto, imperfeito, frustro: *aptidão frustrada.* **3.** Que não atingiu o seu ideal, a sua ambição, o seu desejo: *É um homem frustrado, e daí o seu ressentimento.* **4.** *Psican.* Que sofre ou sofreu frustração (2). • *S. m.* **5.** Indivíduo frustrado.

frustrador (ô) [Do lat. tard. *frustratore.*] *Adj.* **1.** Frustrante. • *S. m.* **2.** Aquele que frustra.

frustrâneo [De *frustro* + *-an(o)-* + *-eo.*] *Adj.* **1.** Frustrado, baldado; inútil. **2.** *Bot.* Diz-se das plantas cujas flores não chegam a produzir sementes.

frustrante [De *frustrar* + *-nte.*] *Adj. 2 g.* Que frustra; frustrador.

frustrar [Do lat. *frustrare.*] *V. t. d.* **1.** Enganar a expectativa de; iludir; defraudar. **2.** Baldar; inutilizar. *P.* **3.** Não ter o resultado que se esperava; não sair como se pretendia; malograr-se, falhar: *Frustraram-se todas as suas ambições.*

frustratório [Do lat. tard. *frustratoriu.*] *Adj.* **1.** Falaz, ilusório. **2.** Feito para ganhar tempo; dilatório.

frustro [Der. regress. de *frustrar.*] *Adj.* **1.** V. *frustrado* (1 e 2). **2.** *Med.* Diz-se da forma benigna ou incompleta de uma doença.

frústula [De *frústulo.*] *S. f. Bot.* O conjunto das duas valvas silicosas que constituem a carapaça das diatomáceas. Por sua natureza mineral, conserva-se indefinidamente nas camadas geológicas da crosta terrestre.

frústulo [Do lat. *frustulu.*] *S. m. Bot.* V. *frústula.*

fruta [Do lat. *fructa*, pl. de *fructum.*] *S. f.* **1.** Designação comum aos frutos, pseudofrutos e infrutescências comestíveis, adocicados; fruto. **2.** *Bras. PE Pop.* V. *cachaça* (1). **3.** *Bras. N.E. MG Gír.* Homossexual masculino.

fruta-de-anel *S. f. Bras. Amaz. Bot.* Grande arbusto sapindáceo (*Pseudima fructescens*) de flores alvas, pequenas, dispostas em panículas terminais, solitárias ou aglomeradas, com os ramos pubescentes, e cujo fruto é cápsula bilobada, crustáceo-coriácea, que contém sementes de testa crustácea, preta e luzidia, com arilo branco; camaá, pindobeira, pitombarana. [Pl.: *frutas-de-anel.*]

fruta-de-arara *S. f. Bras. Bot.* V. *andá-açu.* [Pl.: *frutas-de-arara.*]

fruta-de-cachorro *S. f. Bras. Bot.* **1.** Planta rubiácea (*Basanacantha spinosa*) arbustiva, ornamental, de folhas pecioladas e flores terminais solitárias e brancas, que ocorre do AM até SP; angélica, limoeiro-do-mato, limão-bravo, limão-do-mato. **2.** Planta-misteriosa. [Pl.: *frutas-de-cachorro.*]

fruta-de-caiapó *S. f. Bras. Bot.* V. *fruta-de-gentio.* [Pl.: *frutas-de-caiapó.*]

fruta-de-conde *S. f.* **1.** O fruto da pinheira. [Sin., em diversas regiões do Brasil: *pinha, ata, nona.*] **2.** *Bot.* V. *pinheira.* [F. paral.: *fruta-do-conde.* Pl.: *frutas-de-conde.*]

fruta-de-condessa (ê) *S. f. Bot.* Pequena árvore anonácea (*Rollinia deliciosa*) dotada de flores canescentes e pubescentes, de pétalas aproximadas, formando um conjunto quase esférico, e cujo fruto é sincarpo subgloboso, amarelo-creme e com as aréolas bem acentuadas, contendo polpa branco-creme, sucosa, aromática, doce e saborosa, que envolve sementes grandes e arredondadas. [Tb. se diz apenas *condessa.* Pl.: *frutas-de-condessa.*]

fruta-de-coruja *S. f. Bras. RJ Bot.* Grande árvore rosácea (*Couepia ovatifolia*) de flores alvas ou róseas, dispostas em panículas terminais, e cujo fruto é drupa ovoide, comestível; oiti-da-praia. [Pl.: *frutas-de-coruja.*]

fruta-de-cutia *S. f. Bras. Bot.* V. *andá-açu.* [Pl.: *frutas-de-cutia.*]

fruta-de-ema *S. f. Bras. GO MG Bot.* Pequeno arbusto rosáceo (*Moquilea humilis*) de flores cinzentas, dispostas em panículas ramosas e tomentosas, e que vegeta nos campos. [Pl.: *frutas-de-ema.*]

fruta-de-faraó *S. f. Bras. Bot.* V. *cocão*[1] (2). [Pl.: *frutas-de-faraó.*]

fruta-de-gentio *S. f. Bras. MG RJ SP Bot.* Trepadeira cucurbitácea (*Cayaponia pilosa*) herbácea, de flores masculinas, pedunculadas, grandes, solitárias, campanuladas, verde-amareladas ou alvacentas, e cujo fruto é pepônio ovoide, avermelhado, com sementes oblongas, marginadas de branco; aboboreira-do-mato, abobrinha-do-mato, fruta-de-caiapó, purga-de-caboclo. [Pl.: *frutas-de-gentio.*]

fruta-de-guariba *S. f. Bras. PA Bot.* Árvore poligalácea (*Moutabea chodatiana*) de folhas coriáceas marginadas com densas pontoações salientes e estriadas, e flores alvo-esverdeadas e pequenas; gogó-de-guariba. [Pl.: *frutas-de-guariba.*]

fruta-de-jacu *S. f. Bras. MG SP Bot.* Pequena árvore verbenácea (*Duranta repens*) ornamental, de flores lilases, aromáticas, dispostas em racemos axilares, terminais e multifloros, e cujo fruto é drupa globosa amarelo-alaranjada, com quatro divisões, cada uma com duas sementes sem endosperma; fruteira-de-jacu, violeteira. [Pl.: *frutas-de-jacu.*]

fruta-de-lobo *S. f. Bras. AM a RS Bot.* Designação comum a vários arbustos solanáceos, ornamentais, pertencentes ao gênero *Solanum*, cujos frutos, bagas, têm aroma de maçã, sendo considerados comestíveis, por isso, os de muitas espécies. [Pl.: *frutas-de-lobo.*]

fruta-de-macaco *S. f. Bras. Bot.* V. *bacupari-miúdo* (1). [Pl.: *frutas-de-macaco.*]

fruta-de-manteiga *S. f. Bras. MG SP GO Bot.* Grande árvore sapotácea (*Pouteria ramiflora*) habitante dos cerrados, de flores pálidas, de corola campanulada, pequenas e dispostas em racemos axilares simples, e cujo fruto é baga comestível, porém de pouco valor; de pouco valor; fruta-de-veado, guacá, figo, joão, joão-de-leite, leitosa. [Pl.: *frutas-de-manteiga.*]

fruta-de-morcego *S. f. Bot.* V. *fruto-de-morcego.* [Pl.: *frutas-de-morcego.*]

fruta-de-papagaio *S. f. Bras. MG a SC Bot.* Trepadeira rubiácea (*Manettia luteorubra*), ornamental, de flores opostas às folhas, pedunculadas, tubulosas, de cor vermelha desde a base até quase o meio do tubo, e amarelo-ouro até o ápice, e cujo fruto é cápsula bilobada e seca, melífera, com muitas sementes; fruto-de-papagaio. [Pl.: *frutas-de-papagaio.*]

fruta-de-pomba *S. f. Bras. Bot.* **1.** Designação comum a vários arbustos eritroxiláceos, pertencentes ao gênero *Erythroxylum*, todos de frutos drupáceos, muito procurados pelas juritis e pombas, e aceitos também pelas aves domésticas; pombinha. **2.** V. *cocão*[1] (2). [Pl.: *frutas-de-pomba.*]

fruta-de-sabão *S. f. Bras. Bot.* V. *sabonete* (3). [Pl.: *frutas-de-sabão.*]

fruta-de-sabiá *S. f. Bras. MG RJ SP Bot.* Pequena árvore solanácea (*Acnistus arborescens*) de flores pediceladas, alvo-esverdeadas, aromáticas, dispostas em fascículos sésseis, multifloros, e cujo fruto é baga venenosa, amarela, com sementes brancas. Fornece madeira branca e macia. [Sin.: *mariana, marianeira.* Pl.: *frutas-de-sabiá.*]

fruta-de-saíra *S. f. Bras. Bot.* Café-do-diabo. [Pl.: *frutas-de-saíra.*]

fruta-de-sapucainha *S. f. Bras. Bot.* V. *sapucainha* (1). [Pl.: *frutas-de-sapucainha.*]

fruta-de-tucano *S. f. Bras. Bot.* **1.** V. *cabelo-de-negro* (1). **2.** V. *pau-de-caixa.* [Pl.: *frutas-de-tucano.*]

fruta-de-veado *S. f. Bras. Bot.* V. *fruta-de-manteiga.* [Pl.: *frutas-de-veado.*]

fruta-doce *S. f. Bras. Amaz. Bot.* Arbusto da família das violáceas (*Leonia glycycarpa*) de flores alvas, dispostas em racemos cimosos axilares, e cujo fruto é baga esférica, amarelada, áspera, grande, com polpa mole, brancacenta, gelatinosa e comestível, que envolve as sementes; trapiarana. [Pl.: *frutas-doces.*]

fruta-do-conde *S. f. Bot.* V. *fruta-de-conde.* [Pl.: *frutas-do-conde.*]

fruta-do-dragão [Trad. do ingl. *dragon fruit.*] *S. f. Bot.* V. *pitaia.* [Pl.: *frutas-do-dragão.*]

fruta-dos-paulistas *S. f. Bot.* V. *bucha-dos-paulistas* (2). [Pl.: *frutas-dos-paulistas.*]

frutalense *Adj. 2 g.* **1.** De, ou pertencente ou relativo a Frutal (MG). • *S. 2 g.* **2.** O natural ou habitante de Frutal.

frutão [De *fruto* + *-ão*[1].] *S. m. Bras. PA Bot.* Grande árvore sapotácea (*Lucuma pariry*) de flores verdes, dispostas em fascículos axilares, cujo fruto, amarelo-esverdeado, é baga globosa de polpa mole, fibrosa, sucosa, comestível, aromática e azeda, com duas sementes ovoides; abiurana-guta, pariri.

fruta-pão *S. f. Bot.* Árvore morácea (*Artocarpus incisa*) monoica, de flores apétalas, muito pequenas, masculinas e femininas, fruto composto, grande, globoso, verde, de sementes pequenas, insertas na polpa, que é brancacenta ou amarelada, comestível, e de aroma peculiar. [Pl.: *frutas-pães* ou *frutas-pão.* Sin., bras.: *rima.*]

frutar [De *fruto* + *-ar*[2].] *V. t. d. P. us.* Dar origem a; produzir, frutificar: *frutar boas obras.*

frutarianismo [Adapt. do ingl. *fruitarianism.*] *S. m.* Uso de alimentação que se compõe, exclusivamente, de frutas.

frutear [De *fruto* + *-ear*[2].] *V. int.* **1.** V. *frutificar* (1). *T. d.* **2.** Tornar frutífero. [Conjug.: v. *frear.*]

fruteira [De *fruta* + *-eira.*] *S. f.* **1.** Árvore frutífera. **2.** Vendedora de frutas. **3.** Recipiente destinado a conter frutas. **4.** *Bras. RJ Bot.* Arbusto moráceo (*Coussapoa schottii*) de flores avermelhadas, femininas, dispostas em capítulos pequenos e glabros; mata-pau.

fruteira-de-arara *S. f. Bras. Bot.* V. *andá-açu.* [Pl.: *fruteiras-de-arara.*]

fruteira-de-burro *S. f. Bras. Bot.* Arbusto caparidáceo (*Capparis pulcherrima*) ornamental, de flores alvo-amareladas, com pétalas oblongas e tomentosas, dispostas em racemos terminais simples, e cujo fruto é síliqua venenosa, comprida, cilíndrica e carnosa. [Pl.: *fruteiras-de-burro.*]

fruteira-de-jacu *S. f. Bras. Bot.* V. *fruta-de-jacu.* [Pl.: *fruteiras-de-jacu.*]

fruteiro[1] [De *fruta* + *-eiro.*] *S. m.* **1.** Vendedor de frutas. **2.** Fruteira (3). **3.** Lugar onde se guarda fruta. • *Adj.* **4.** Que gosta de frutas.

fruteiro[2] [De *fruto* + *-eiro.*] *Adj.* V. *frutífero* (1).

frutescência [De *frutescer* + *-ência.*] *S. f.* **1.** Época do desenvolvimento dos frutos; frutificação. **2.** A maturação deles. **3.** *Fig.* Frutificação (4).

frutescente [Do lat. *fructescente.*] *Adj. 2 g.* Que produz frutos.

frutescer [Do lat. *fructescere.*] *V. int.* V. *frutificar* (1). [Conjug.: v. *crescer.* Normalmente é defect., conjugável só nas 3.as pess.]

▲frut(i)- [Do lat. *fructus, us.*] *El. comp.* = 'fruta': *fruticultor, frutiforme, frutígero, frutívoro, frutose.* [Equiv.: *-frut(i)-: hortifrutícola, hortifrutigranjeiro.*]

▲-frut(i)- Equiv. de *frut(i)-.*

frútice [Do lat. *frutice.*] *S. m. Bot.* Qualquer vegetal arbustivo ou subarbustivo.

fruticeto [Do lat. *fruticetu.*] *S. m. Bot.* Conjunto de frútices.

fruticoso (ô) [Do lat. *fruticosu*, 'que tem muitos rebentos'.] *Adj.* Semelhante a um pequeno arbusto; fruticuloso.

fruticuloso (ô) [Do lat. **fruticulus*, dim. de *frutex, icis*, 'arbusto', + *-oso.*] *Adj.* Fruticoso.

fruticultor (ô) [De *frut(i)-* + *-cultor.*] *S. m.* Aquele que se dedica à fruticultura.

fruticultura [De *frut(i)-* + *-cultura.*] *S. f.* Cultura de árvores frutíferas.

frutidor (ô) [Do fr. *fructidor.*] *S. m. Cronol.* V. *calendário republicano.*

frutífero [Do lat. *fructiferu.*] *Adj.* **1.** Que dá frutos; frugífero, frutígero, frutificativo, fruteiro: *árvore frutífera.* **2.** *Fig.* Útil, proveitoso, frutificativo: *trabalho frutífero.*

frutificação [Do lat. tard. *fructificatione.*] *S. f.* **1.** Ato ou efeito de frutificar. **2.** Formação do fruto. **3.** *Fig.* Consequência benéfica ou vantajosa; desenvolvimento, frutescência: *a frutificação dos esforços.* **4.** *Bot.* Frutescência (1). **5.** *Bot.* Aparelho esporífero das plantas criptogâmicas.

frutificar [Do lat. *fructificare.*] *V. int.* **1.** Dar frutos; frutescer, frutear: *O coqueiro frutifica seis vezes por ano.* **2.** Produzir resultado vantajoso. **3.** Dar utilidade, benefício; produzir lucro. *T. d.* **4.** Produzir (resultado vantajoso): *Seu esforço frutificou obras utilíssimas.* **5.** Dar ou produzir como fruto: "Heródoto .... diz que há na Índia umas árvores silvestres, que frutificam uma lã mais bela e fina que a das reses" (Camilo Castelo Branco, *Noites de Lamego*, p. 13). [Conjug.: v. *trancar.* Normalmente é defect., conjugável só nas 3.as pess.]

frutificativo [De *frutificar* + *-tivo.*] *Adj.* V. *frutífero.*

frutiforme [De *frut(i)-* + *-forme.*] *Adj. 2 g.* Que tem forma de fruto.

frutígero [De *frut(i)-* + *-gero.*] *Adj.* V. *frutífero* (1).

frutilha [Do esp. plat. *frutilla.*] *S. f. Bras. RS* Morango.

frutívoro [De *frut(i)-* + *-voro.*] *Adj.* Frugívoro.

fruto [Do lat. *fructu*.] *S. m.* **1.** *Bot.* Órgão gerado pelos vegetais floríferos, e que conduz a semente. Resulta do desenvolvimento do ovário em seguida à fecundação. [Sin.: *carpo*.] **2.** Fruta (1). **3.** Produto da terra para sustento e benefício do homem. [M. us., nesta acepç., no pl.] **4.** Filho; prole. **5.** Resultado, consequência: *o fruto da imprevidência.* **6.** Proveito, vantagem, utilidade: *o fruto do estudo.* **7.** Rendimento, renda, produto, lucro: *O novo negócio rendeu-lhe grandes frutos.* ◆ **Fruto composto.** *Bot.* Fruto proveniente de ovários de várias flores, e que, por via de regra, engloba partes acessórias, como cálice e corola. **Fruto deiscente.** *Bot.* Fruto que, alcançada a maturidade, se abre, deixando escapar as sementes. **Fruto múltiplo.** *Bot.* Fruto resultante dos ovários de uma única flor. **Fruto proibido.** **1.** *Rel.* O fruto da árvore da ciência do bem e do mal, comido no Paraíso por Adão e Eva, contra as prescrições de Deus, segundo a Bíblia. **2.** *Fig.* Aquilo em que não se deve tocar, ou de que não se deve fazer uso, e que excita, por isso mesmo, a tentação. **Frutos civis.** *Jur.* Rendimentos (juros, aluguéis, foros, etc.) oriundos da utilização econômica de uma coisa. **Frutos do mar.** *Zool.* Animais marinhos (crustáceos e moluscos) us. na alimentação humana. **Colher os frutos.** Obter a recompensa de seus esforços ou trabalho.

▲**fruto-** *Quím. El. comp.* Indica presença ou proveniência de frutose: *frutofuranose*.

fruto-amargoso (ô) *S. m. Bras. Bot.* V. *castanha-mineira* (1). [Pl.: *frutos-amargosos* (ó).]

fruto-de-imbê *S. m. Bras. Bot.* V. *cipó-de-imbê*. [Pl.: *frutos-de-imbê*.]

fruto-de-morcego (ê) *S. m. Bras. AM SC MG MT Bot.* Arbusto piperáceo (*Piper geniculatum*), de flores alvas, dispostas em amentos obtusos, e cujo fruto é baga, glabra, pela qual os morcegos têm predileção; fruta-de-morcego, jaborandi-do-rio, pimenta-do-mato, pimenta-dos-índios. [Pl.: *frutos-de-morcego*.]

fruto-de-papagaio *S. m. Bot.* Fruta-de-papagaio. [Pl.: *frutos-de-papagaio*.]

frutofuranose [De *fruto-* + *furanose*.] *S. f. Quím.* Furanose da frutose, forma predominante de existência dessa ose.

frutose [De *frut(i)-* + *-ose*[2].] *S. f. Quím.* Cetose de seis átomos de carbono, cristalina, incolor, formada, juntamente com a glicose, pela hidrólise da sacarose; levulose [fórm.: $C_6H_{12}O_6$].

frutuário [Do lat. *fructuariu*.] *Adj.* **1.** Relativo a frutos. **2.** *Fig.* V. *frutuoso*.

frutuosidade (ô) [De *frutuoso* + *-(i)dade*.] *S. f.* Qualidade ou característica de frutuoso.

frutuoso (ô) [Do lat. *fructuosu*.] *Adj.* **1.** Abundante em frutos. **2.** *Fig.* Que produz bons resultados; útil, proveitoso, lucrativo, fértil, fecundo, frutuário.

frutuoso-gomense *Adj. 2 g.* **1.** De, ou pertencente ou relativo a Frutuoso Gomes (RN). ● *S. 2 g.* **2.** O natural ou habitante de Frutuoso Gomes. [Pl.: *frutuoso-gomenses*.]

fruxu *S. m. Bras. Zool.* Ave passeriforme, piprídea (*Neopelma aurifrons*), do Brasil médio-oriental e este-meridional, de dorso oliváceo, asas e cauda pardo-escuras marginadas de verde-oliva, abdome claro, e uma mancha vertical grande, amarelo-citrina, na base das penas; taxuri.

fruzuê *S. m. Bras. RS Pop.* V. *fuzuê*.

ftalato [De *ftál(ico)* + *-ato*[2].] *S. m. Quím.* Qualquer sal ou éster do ácido ftálico.

ftalazina [De *(ácido) ftál(ico)* + *-azina*.] *S. f. Quím.* Substância cristalina, heterocíclica, cujas moléculas se podem considerar formadas por uma piridazina fundida, pelo lado oposto aos nitrogênios, a um anel benzênico [fórm.: $C_8H_6N_2$].

ftaleína [De *(ácido) ftál(ico)* + *-eína*.] *S. f. Quím.* Qualquer dos corantes obtidos pela condensação de um fenol como o anidrido ftálico.

ftálico [De *(na)ftálico*.] *Adj. Quím.* ~ V. *ácido — e anidrido —*.

ftalilsulfatiazol [Voc. farmac.] *S. m. Quím.* Substância cristalina, sulfonamida derivada da sulfanilamida, us. como medicamento antibacteriano [fórm.: $C_{17}H_{13}N_3O_5S_2$]. [Pl.: *ftalilsulfatiazóis*.]

ftalimida [De *ftal(o)-* + *-imida*.] *S. f. Quím.* Substância cristalina, a imida derivada do ácido ftálico [fórm.: $C_8H_5NO_2$].

▲**ftal(o)-** *Quím. El. comp.* = 'relacionado a ácido ftálico': *ftalimida*.

ftalocianina [De *ftál(ico)* + *-o-* + *-cian(o)-* + *-ina*[3].] *S. f. Quím.* Qualquer das substâncias de uma classe de compostos corantes constituídas pela reação entre o anidrido ftálico, um sal metálico e ureia.

ftiráptero [Adapt. do tax. *Phthiraptera*.] *Zool. S. m.* **1.** Espécime dos ftirápteros, ordem de insetos ápteros, ectoparasitos de aves e mamíferos, os quais se alimentam de sangue ou de fragmentos de pele e de penas. [Classificação alternativa para os piolhos. V. *malófago*.] ● *Adj.* **2.** Relativo ou pertencente a eles.

ftiríase [Do gr. *phtheiríasis*, pelo lat. *phthiriase*.] *S. f.* **1.** *Derm.* V. *pediculose*. **2.** *Agr.* Doença dos vegetais que os faz cobrirem-se de pequeníssimos parasitos.

▲**ftirio-** [Do gr. *phtheír, eirós*.] *El. comp.* = 'piolho': *ftiriofobia, ftiriófobo*.

ftiriofobia [De *ftirio-* + *-fobia*.] *S. f. Psiq.* Aversão patológica a piolhos.

ftiriofóbico [De *ftiriofobia* + *-ico*[2].] *Psiq. Adj.* **1.** Relativo a ftiriofobia. **2.** Que sofre de ftiriofobia; ftiriófobo. ● *S. m.* **3.** Aquele que sofre de ftiriofobia; ftiriófobo.

ftiriófobo [De *ftirio-* + *-fobo*.] *Adj. S. m. Psiq.* Ftiriofóbico (2 e 3).

■ **FTP** [Abrev. do ingl. *File Transfer Protocol*, 'protocolo de transferência de arquivos'.] *Inform.* Numa rede (15), protocolo utilizado para a transmissão e recepção de arquivos entre computadores.

fu *Interj.* Indica nojo ou desprezo.

fuá *S. m. Bras.* **1.** Intriga, fuxico. **2.** *Zool.* V. *aruá*[1]. **3.** *Bras. N.* V. *caspa*. **4.** *Bras. N.* Pó finíssimo que se desprende da pele quando a arranham. ● *Adj. 2 g.* **5.** *Bras.* Diz-se do animal equino espantadiço, manhoso ou desconfiado. **6.** *Bras.* V. *valentão* (1).

fuã *S. f.* Fem. de *fuão*.

fuampa *S. f. Bras. CE Deprec.* Meretriz.

fuão *S. m.* F. sincopada de *fulano* (q. v.). [Pl.: *fuãos* e *fuães*. Fem.: *fuã*.]

fuba [Do quimb.] *S. m.* **1.** *Bras. N.E.* V. *fubá* (1). ● *S. f.* **2.** *Angol. Moç.* Farinha de milho, de mandioca, ou de batata-doce, de maçambala (q. v.), etc.: "vai ao celeiro tirar o milho e pisa a fuba para o almoço." (Domingos Van-Dúnem, *Auto de Natal*, p. 9). **3.** *Santom.* Farinha de milho; fubá: "Dirigiram-se para o enorme caldeirão onde cozia a fuba." (Sum Marky, *No Altar da Lei*, p. 58.)

fubá [Do quimb. *fuba*, com hiperbibasmo.] *S. m.* **1.** *Bras.* Farinha de milho ou de arroz. [Há o fubá grosso e o fino, a que chamam *mimoso*. No N.E. do Brasil pronuncia-se também (com rigor etimológico) *fuba* (parox.), pronúncia esta que parece ser a única nas antigas províncias ultramarinas portuguesas.] **2.** *Bras. N.E. Pop.* Barulho, desordem. V. *rolo*[1] (16). ● *Adj. 2 g.* **3.** Diz-se do vacum de pelo branco tirante a azul. ◆ **Fubá mimoso.** *Bras.* V. *fubá* (1).

fubana *S. f. Bras. N. N.E. Deprec.* Meretriz.

fubeca [De *fuba* + *-eca*, poss.] *S. f. Bras. Gír.* **1.** V. *surra* (1). **2.** V. *descompostura* (2). **3.** V. *fubecada* (4).

fubecada [De *fubecar* + *-ada*[1].] *S. f. Bras. Gír.* **1.** V. *surra* (1). **2.** Pancada, bordoada. **3.** V. *descompostura* (2). **4.** Derrota, malogro, insucesso, fubeca.

fubecar [De *fubeca* + *-ar*[2].] *V. t. d.* **1.** *Bras. Gír.* V. *surrar* (2). **2.** Descompor; injuriar. **3.** Vencer, derrotar. [Conjug.: v. *trancar*.]

fubeiro [De *fuba* + *-eiro*.] *S. m. Angol.* Comerciante estabelecido em lugar ermo, ou em musseque (q. v.): "Primeiro, foi a quase inevitável loja de Musseque, como empregado de fubeiro. Não era difícil vender enganando os pretos..." (Antônio Cardoso, *Baixa & Musseques*, p. 145.)

fubento *Adj. Bras. N.E. Fam.* Fouveiro (3).

fubica [De or. controv.] *S. m. Bras.* **1.** V. *joão-ninguém*. **2.** A pedra nº 1 no jogo de víspora. ● *S. f.* **3.** *Bras.* Automóvel velho e/ou muito estragado. [Sin.: *calhambeque* e (MG) *forreca*.]

fuça [Der. regress. de *focinho*.] *S. f. Chulo* **1.** Ventas, focinho. **2.** Cara, rosto, focinho. [M. us. no pl.] **3.** V. *fuças*.

fuça a fuça [De *fuça* + *a*[3] + *fuça*.] *S. m. 2 n. Pop.* Encontro ou conversa face a face.

fucácea [Adapt. do tax. *Fucaceae*.] *S. f. Bot.* Espécime das fucáceas, família de algas feofíceas da ordem das fucales que se caracterizam por terem o talo achatado ou cilíndrico, com ramificação dicotômica, e ger. provido de vesículas de flutuação.

fucáceo [De *fucácea*, com var. suf. (v. *-áceo*).] *Adj. Bot.* Pertencente ou relativo às fucáceas.

fuçador [De *fuçar* + *-dor*.] *Adj. S. m.* Que, ou aquele que fuça [v. *fuçar* (3)], que mexe nas coisas.

fucal [Do tax. *Fucus* (v. *fuco*) + *-al*[1].] *Adj. 2 g. Bot.* Pertencente ou relativo às fucales.

fucale [Do tax. *Fucus* (v. *fuco*) + *-ale*; tax. *Fucales*.] *S. f. Bot.* Espécime das fucales, ordem de algas feofíceas que se caracteriza pela reprodução oogâmica, e que reúne numerosas espécies com grande diversidade morfológica.

fuçar [De *fuça* + *-ar*[2].] *V. t. d. Bras.* **1.** V. *fossar* (1 e 2). **2.** *Fig.* Revolver, remexer. **3.** *Fig.* Sondar, bisbilhotar, farejar. *T. c. Int.* **4.** Fossar (3): "Um cão estranho fuça na esterqueira" (Cruz e Sousa, *Últimos Sonetos*, p. 169). **5.** *Fig.* Bisbilhotar, farejar, esquadrinhar negócios alheios; fossar: *Fuçou na gaveta do irmão procurando a carta; Por mais que fuçasse, nada encontrou.* [Conjug.: v. *laçar*.]

fuças [Pl. de *fuça*.] *S. f. pl.* Fuça: "Ia devagar porque estava matutando. Era a esperança dum turumbamba macota, em que ele desse uns socos formidáveis nas fuças dos polícias." (Mário de Andrade, *Contos Novos*, p. 36.) ◆ **Ir às fuças de.** *Bras. Pop.* Agredir fisicamente.

fúchsia [Do tax. *Fuchsia* < antr. (*Leonhard*) *Fuchs* (1501-1566), botânico alemão, + lat. cient. *-ia* (v. *-ia*[2]).] *S. f. Bot.* **1.** Gênero de arbustos onagráceos, decorativos, penduliflores, de folhas ovais ou lanceoladas, denteadas, opostas; as flores, abundantes, são axilares, isoladas, com cálice tubular dividido em 4 sépalas e corola com 4 pétalas. **2.** Qualquer espécie desse gênero, vulgarmente conhecidas como *brinco-de-princesa* (q. v.); há, ainda, inúmeras cultivares, obtidas no mundo inteiro. **3.** Qualquer espécime desse gênero, ou a flor dele. [Var. (m. us.): *fúcsia*.]

fuchsita [Do antr. (*Johann N. von*) *Fuchs* (-1856), mineralogista alemão, do séc. XIX, + *-ita*[3].] *S. f. Min.* Mineral monoclínico, variedade verde, cromífera, de moscovita.

▲**fuc(i)-** [Do lat. *fucus, i*.] *El. comp.* = 'alga': *fucícola, fucoide*.

fucícola [De *fuc(i)-* + *-cola*[1].] *Adj. 2 g.* Que vive entre os fucos ou algas.

fuciforme [De *fuc(i)-* + *-forme*.] *Adj. 2 g.* Que tem forma de fuco (1); fucoide.

fuco [Do tax. *Fucus* (do lat. *fucus*).] *S. m.* **1.** *Bot.* O gênero-tipo das fucáceas, que abrange algas feofíceas do hemisfério norte, cujo talo, achatado, tem forma de fita, nervura central, ramificação dicotômica e, por vezes, vesiculosa, e que se fixa ao substrato por ampla estrutura discoide. **2.** *Bot.* Qualquer espécie desse gênero, como, p. ex., a *Fucus vesiculosus* (v. *bodelha*). **3.** *Bot.* Qualquer espécime desse gênero. **4.** *Fig.* Pintura para o rosto **5.** *Fig.* Enfeite, arrebique. **6.** *Fig.* Impostura, disfarce, manha.

fucoide (ói) [De *fuc(i)-* + *-oide*.] *Adj. 2 g.* Fuciforme.

fucose [Do tax. *Fucus* + *-ose*[2].] *S. f. Quím.* Substância cristalina, glicídio existente na goma de tragacanto, em algas e no sangue [fórm.: $C_6H_{12}O_5$].

fucoxantina [Do tax. *Fucus* + *xantina*.] *S. f. Quím.* Substância cristalina amarelada, que é um pigmento carotenoide encontrado em algas pardas.

fúcsia *S. f. Bot.* V. *fúchsia*.

fucsina [De *fúcsia* + *-ina*[3].] *S. f. Quím.* Corante que dá um vermelho purpúreo, e que é produzido pela oxidação de uma mistura de anilina e toluidinas; roseína, rosanilina [fórm.: $C_{20}H_{20}N_3Cl$].

fueguino [Do esp. *fueguino*.] *Adj.* **1.** Da, ou pertencente ou relativo à Terra do Fogo (Chile e Argentina). ● *S. m.* **2.** O natural ou habitante da Terra do Fogo.

fueirada [De *fueiro* + *-ada*[1].] *S. f.* Pancada com fueiro[1].

fueiro[1] [Do lat. *funariu*.] *S. m.* **1.** Estaca destinada a amparar a carga do carro de bois: "O carreiro .... pulou na roda do carro para receber e arrumar entre os fueiros a cana tombada..." (Alberto Deodato, *Canaviais*, p. 81.) **2.** Pau grosseiro; estadulho.

fueiro[2] *S. m.* **1.** *Bras.* A parte da barriga do cavalo entre o umbigo e os testículos. **2.** *Bras. MG* V. *ânus*.

➔**fuel** [fjuːl] [Ingl.] *S. m. Lus.* Combustível.

➔**fuero juzgo** ['fwero 'χusgo] [Esp.] Legislação visigótica, que reúne normas de direito comum, e que foi o primeiro código da Espanha, vigente também em Portugal até a publicação das Ordenações Afonsinas (1446).

fúfia [De or. obsc.] *S. f.* **1.** Empáfia, embófia. **2.** Mulher pretensiosa e ridícula: "Velhos viciados à procura de emoções novas, fúfias histéricas e ninfomaníacas, mulatas perdidas" (João do Rio, *As Religiões no Rio*, p. 164). **3.** *Bras. RS* Baile, festa, festejo. ● *S. 2 g.* **4.** Pessoa engrandecida pelo acaso, sem merecimentos.

fúfio [De *fúfia*.] *Adj.* Ordinário, reles, desprezível.

fuga[1] [Do lat. *fuga*.] *S. f.* **1.** Ato ou efeito de fugir; fugida. **2.** Retirada rápida e precipitada; fugida. **3.** Escapatória, subterfúgio. **4.** Escape de gás ou de líquido contido em um recipiente. **5.** Abertura por onde escapa um gás ou um líquido. **6.** Orifício por onde o fole recebe o vento. **7.** Orifício dos aparelhos de destilação. **8.** Oportunidade, ocasião, ensejo. **9.** Perda momentânea da consciência. ◆ **Fuga de ideias.** *Psiq.* Fluxo rápido e contínuo do pensamento, com constante alteração de temas e conteúdos, e ainda uma grande desatenção. **Fuga para o azul.** *Cosm.* V. *desvio para o azul*. **Fuga para o vermelho.** *Cosm.* V. *desvio para o vermelho*. **Em fuga.** Em saída precipitada. **Pôr em fuga.** Fazer fugir; afugentar.

fuga[2] [Do it. *fuga*.] *S. f. Mús.* Composição polifônica, em estilo contrapontístico, sobre um tema único (*sujeito*), exposto sucessivamente numa ordem tonal determinada pelas leis da cadência. [O estilo contrapontístico da fuga baseia-se principalmente na imitação, *i. e.*, na reprodução sucessiva dos mesmos desenhos rítmicos ou melódicos, de duas ou mais vozes, nos diversos graus da escala. Partes da fuga: *exposição, episódio, estreto, resposta, contrassujeito, coda.*]

fugace [Do lat. *fugace*, por via erudita.] ***Adj. 2 g. Poét.*** Fugaz: "Nas ondas mendaces / Senti pelas faces / Os silvos fugaces / Dos ventos que amei." (Gonçalves Dias, *Obras Poéticas*, II, p. 23.)

fugacidade [Do lat. tard. *fugacitate*.] ***S. f.*** **1.** Fuga rápida. **2.** Grande rapidez; grande velocidade. **3.** Transitoriedade, efemeridade. **4.** *Fís.-Quím.* Coordenada termodinâmica mediante a qual se exprime em forma conveniente o potencial químico de substâncias líquidas ou gasosas, puras ou em solução.

fugacíssimo [Do lat. *fugacissimu*.] ***Adj.*** Superl. abs. sint. de *fugaz*.

fugado[1] [Part. de *fugar*[1].] ***Adj. Desus.*** Posto em fuga[1]; afugentado.

fugado[2] [Part. de *fugar*[2].] ***Adj. Mús.*** Composto em estilo de fuga[2].

fugalaça ***S. f.*** Corda comprida que se atira a animais para prendê-los, dando-lhes folga para correrem até cansar.

fugar[1] [De *fuga*[1] + *-ar*[2].] ***V. t. d. Desus.*** Pôr em fuga[1]; afugentar. [Conjug.: v. *largar*.]

fugar[2] [De *fuga*[2] + *-ar*[2].] ***V. t. d. Mús.*** Compor ou improvisar em estilo de fuga[2]. [Conjug.: v. *largar*.]

→**fugato** [fu'gato] [It.] ***S. m. Mús.*** Episódio, movimento ou pequena composição com as características da fuga[2], mas sem a sua estrutura rígida e completa.

fugaz [Do lat. *fugace*, por via pop.] ***Adj. 2 g.*** **1.** Que foge com rapidez; rápido, veloz, fugitivo: "Quisera abranger tudo, e tudo me convida; / mas o tempo é fugaz, e curta e incerta a vida" (Antônio Feliciano de Castilho, *As Geórgicas*, p. 179). **2.** Que passa rapidamente; de pouca duração; transitório, efêmero, fugitivo, fugidio: *paixão fugaz*; "Na breve e fugaz ocupação cartaginesa, ... os atritos que se suscitaram não foram de monta" (Aquilino Ribeiro, *Os Avós dos Nossos Avós*, p. 254). [Superl. abs. sint.: *fugacíssimo*.] ~ V. *estrela* —.

fugente [De *fugir* + *-ente*.] ***Adj. 2 g.*** **1.** *Pint.* Que parece fugir à vista. **2.** *Heráld.* Diz-se de figura representada no brasão em atitude de fuga. ● ***S. m.*** **3.** Fundo ou longes de quadro.

fugição [De *fugir* + *-ção*.] ***S. f. Bras. Pop.*** Fuga, fugida: "bambeava logo as pernas, numa fugição vergonhosa" (Valdomiro Silveira, *Os Caboclos*, p. 32).

fugida [De *fugir* + *-ida*[3].] ***S. f.*** **1.** Fuga[1] (1 e 2). **2.** Ato de ir e voltar rapidamente a algum lugar. ◆ **De fugida. 1.** Por alto; sem prestar maior atenção; de corrida: *tratar um assunto de fugida*. **2.** Sem se demorar; rapidamente: *Visitei-o de fugida*.

fugidiamente [Do f. de *fugidio* + *-mente*.] ***Adv.*** De maneira fugidia: "Boa parte do lirismo camoniano assim decorre, na melancólica saudade dos bens que se foram — ou nunca foram. É raro sentir nele, mesmo fugidiamente, esplenderem alvoradas de esperanças." (Hernâni Cidade, *Luís de Camões. O Lírico*, p. 213.)

fugidiço ***Adj.*** V. *fugidio*.

fugidio [De *fugir* + *-dio*.] ***Adj.*** **1.** Propenso a fugas; acostumado a fugir. **2.** V. *fugitivo* (1). **3.** V. *fugaz* (2): *felicidade fugidia*. **4.** Esquivo, arisco, fugitivo: *pássaro fugidio*; "puritana em extremo, não se detendo ao seu lado senão momentaneamente, mostrando-se sempre apressada, tímida, fugidia." (Virgílio Várzea, *Nas Ondas*, p. 28). [Sin. ger.: *fugidiço*.]

fugido [Part. de *fugir*.] ***Adj. S. m.*** Diz-se de, ou indivíduo que fugiu; fugitivo.

fugiente [Do lat. *fugiente*.] ***Adj. 2 g.*** Que foge, se afasta; que se vai perdendo de vista.

fugir [Do lat. *fugere*.] ***V. int.*** **1.** Desviar-se, ou retirar-se apressadamente, para escapar a alguém ou a algum perigo; pôr-se em fuga, arrancar(-se), derrancar(-se). **2.** Retirar-se em debandada: *As tropas fugiram*. [Sin., nessas acepç. (quase todos pop., e muitos bras.): *abalar, abancar, abrir, abrir no mundo, abrir no pé, abrir nos paus, abrir o arco, abrir o chambre, abrir do chambre, abrir o pala, abrir o pé, abrir os panos, afundar no mundo, aguçar-se, arrancar(-se), arribar no mundo, azular, azular no mundo, bancar veado, bater a bela plumagem, bater a linda plumagem, bater asa, bater asas, bater as asas, bater em retirada, botar o pé no mundo, cair fora, cair na tigüera, cair nas folhas, cair no bredo, cair no mato, cair no mundo, cair no oco do mundo, campar, capar o mato, capinar, dar à canela, dar aos calcanhares, dar às de vila-diogo, dar às pernas, dar com o pé no mundo, dar na pista, dar no pé, dar nos cascos, dar nos paus, dar o fora, dar o pira, derreter, derreter na quiçaça, desabalar, desatar o punho da rede, desunhar, enfiar a cara no mundo, ensebar as canelas, entupir no oco do mundo, escamar-se, escapulir(-se), esquipar, fazer chão, fazer a pista, folhar, ganhar o mato, ganhar o mundo, garfiar, jogar no veado, largar terra para favas, levantar voo, mandar-se, mandar-se dizer na estrada, meter o arco, meter o pé no mundo, mostrar as costas, passar sebo nas canelas, picar a mula, pisar, pisar no mundo, pisar no tempo, pisgar-se, pôr-se ao fresco, pôr sebo nas canelas, raspar-se, riscar chão, unhar, virar alcanfor, virar sorvete, zarpar*.] **3.** Ir-se afastando; ir-se perdendo de vista: *Olhava o mar, via o navio fugindo*. **4.** Passar rapidamente: *Fogem os anos*. ***T. i.*** **5.** Desviar-se, apartar-se: *Ninguém foge ao destino*. **6.** Evitar, afastando-se: *Fugia do inimigo que se aproximava*. **7.** Livrar-se de incorrer em; livrar-se de; evitar: "O que chama a atenção .... é não haver sabido Manuel Duarte evitar, em sua tradução, os defeitos apontados no original, quando, sem esforço, poderia fugir-lhes" (Melo Nóbrega, *O Soneto de Arvers*, p. 91); "O francês não admite neologismos, foge a construções sem tradição na sua própria literatura." (Paulo Rónai, *Escola de Tradutores*, p. 35). **8.** Não ocorrer oportunamente: *Tentava raciocinar, porém as ideias fugiam-lhe da mente*. ***T. c.*** **9.** Fugir (1): *Amedrontado, fugiu para o exterior*. **10.** Fugir (5): *Fugiram do local contaminado pela peste*. **11.** Soltar-se, escapar-se: "só então soube que o canário, estando o criado a tratar dele, fugira da gaiola." (Machado de Assis, *Páginas Recolhidas*, p. 97). ***T. d.*** **12.** Afastar-se de; evitar; abandonar: "Fugia os homens para brincar com os gatos." (João de Araújo Correia, *Sem Método*, p. 82); "e queremos deixá-la [à Terra], e queremos fugi-la, como se ela fosse a culpada dos nossos erros" (Olavo Bilac, *Crítica e Fantasia*, p. 201). ***P.*** **13.** Evitar alguém ou algum perigo, escapando. **14.** Afastar-se de, evitar, fugir, reciprocamente (duas ou mais pessoas): "Assim nós, cujo abraço durou tanto, / Fugir-nos-emos" (Alphonsus de Guimaraens, *Obra Completa*, p. 180). [Irreg. Conjug.: v. *bulir*, porém muda o *g* em *j* antes de *o* e *a*. Vão aqui alguns exemplos de *fugir* onde aparece o *u* em vez de *o*: "Fuge, que o Vento e o Céu te favorece" (Luís de Camões, *Os Lusíadas*, II, 61); "Cogitabunda Musa, / Fuge os pesares. Eia!" (Raimundo Correia, *Poesias*, p. 39).]

fugitivo [Do lat. *fugitivu*.] ***Adj.*** **1.** Que fugiu, que se evadiu; que desertou; fugidio, desertor: *soldado fugitivo*. **2.** V. *fugaz*: "foi apenas uma impressão de momento, uma destas sensações mil vezes mais fugitivas do que o raio de sol que doira uma nuvem." (Conde de Ficalho, *Uma Eleição Perdida*, p. 223). **3.** Que pouca impressão produz; que apenas se entrevê; pouco acentuado: *os contornos fugitivos da paisagem*. **4.** Fugidio (4): *borboleta fugitiva*. ● ***S. m.*** **5.** Indivíduo que foge; desertor.

▲**-fugo**[1] [Do lat. *-fūgus, a, um* < lat. *fugĕre*, 'fugir', 'pôr-se em fuga'.] ***El. comp.*** = 'que foge': *frigífugo*[1], *heliófugo, hiemífugo, prófugo* (< lat.).

▲**-fugo**[2] [Do lat. *fugāre*, 'afugentar'.] ***El. comp.*** = 'que faz fugir': *calorífugo, febrífugo, frigífugo*[2], *vermífugo*.

fuinha (u-í) [Do fr. *fouine*.] ***S. f.*** **1.** *Zool.* Pequeno carnívoro daninho, mustelídeo (*Mustela foina*); fuinho, gardunho, gardunha. ● ***S. 2 g.*** **2.** V. *avaro* (3). **3.** Pessoa muito magra. **4.** Pessoa mexeriqueira, bisbilhoteira, intrigante. [Var., us. nas acepç. 2 a 4: *fuinhas*.]

fuinhas (u-í) [Var. de *fuinha*.] ***S. 2 g. e 2 n.*** V. *fuinha* (2 a 4).

fuinho (u-í) [Var. de *fuinha*.] ***S. m. Zool.*** V. *fuinha* (1).

fujão [De *fugir* + *-ão*[2].] ***Adj. S. m.*** Diz-se de, ou indivíduo vezeiro em fugir. [Fem.: *fujona*.]

fujicar ***V. t. d. Bras. N. N.E.*** **1.** Coser (roupa velha); remendar. **2.** V. *fuxicar* (1). [Sin. ger.: *cosicar*. Conjug.: v. *trancar*. Cf. *fuxicar*.]

fujona ***S. f.*** Fem. de *fujão*.

ful ***S. m. Gloss.*** V. *fula*[3] (2).

fula[1] [De or. obscura.] ***S. f.*** **1.** Diligência, pressa. **2.** Vão das bochechas, onde se acumula a comida mastigada. **3.** V. *quantidade* (3). ◆ **À fula.** Às pressas, à pressa; com precipitação.

fula[2] [Dev. de **fular* < lat. vulg. **fullare*, 'calcar'.] ***S. f. Chapel.*** **1.** Apisoamento e preparação do feltro para a confecção de chapéus. **2.** Aparelho para apisoar e calandrar panos; pisão, calandra.

fula[3] ***S. 2 g.*** **1.** *Etnôn.* Indivíduo dos fulas, povo majoritariamente muçulmano que se estende, na savana sudanesa, desde o Senegal até ao N. dos Camarões (África); fulo; felata. ● ***S. m.*** **2.** *Gloss.* A língua desse povo. ● ***Adj. 2 g.*** **3.** Relativo ou pertencente aos fulas; fulo. [Var., nessas acepç.: *fulá, fulani, fulâni*.] **4.** *Bras. Angol.* Diz-se, hoje, do mestiço de negro e mulato; pardo, fulo: "Depois de sete amas de leite, brancas, me acostumei com os seios de Cristiana, mulata fula, filha de uma escrava da família." (E. di Cavalcanti, *Viagem da Minha Vida*, I, p. 27.)

fulá ***S. 2 g. S. m. Adj. 2 g.*** V. *fula*[3] (1 a 3).

fulani ***S. 2 g. S. m. Adj. 2 g.*** V. *fula*[3] (1 a 3).

fulâni ***S. m. Adj. 2 g.*** V. *fula*[3] (1 a 3).

fulano [Do ár. *fulān*.] ***S. m.*** **1.** Designação vaga de pessoa incerta ou de alguém que não se quer nomear. [Tb. se diz, no Brasil, em ling. fam., *fulano dos anzóis, fulano dos anzóis carapuça, fulano dos grudes, zé dos anzóis, zé dos anzóis carapuça*. V. *beltrano* e *sicrano*. Abrev.: *F.*] **2.** Pessoa, indivíduo: *Que fulano cacete, o seu amigo Onofre!*; *Vi um fulano esquisito*. [Var.: *fuão*, m. us. na acepç. 1, e ger. antes de sobrenome.]

fulano dos anzóis ***S. m. Bras. Fam.*** V. *fulano* (1). [Pl.: *fulanos dos anzóis*.] ☑

fulano dos anzóis carapuça ***S. m. Bras. Fam.*** V. *fulano* (1). [Pl.: *fulanos dos anzóis carapuça*.] ☑

fulano dos grudes ***S. m. Bras. Fam.*** V. *fulano* (1). [Pl.: *fulanos dos grudes*.] ☑

fulão [De *fula*[2] + *-ão*[2].] ***S. m. Ind.*** Máquina cilíndrica rotatória, com eixo na horizontal, us. no beneficiamento de couros.

fular [Do fr. *foulard*.] ***S. m. Tec. Têx.*** Certo tecido de seda. [Cf. *folar*.]

fulcrado [De *fulcro* + *-ado*[1].] ***Adj. Bot.*** **1.** Que produz novo caule. **2.** Diz-se dos caules cujas raízes, mergulhando na terra, originam outros caules.

fulcral [De *fulcro* + *-al*[1].] ***Adj. 2 g.*** Fundamental, básico: "as novas gerações .... sabem que a exigência de estar 'conectado' com a comunicação internacional é fulcral na criação de uma cidade cultural em expansão." (Antônio Pinto Ribeiro, *Abrigos! Condições das Cidades e Energia da Cultura*, p. 79).

fulcro [Do lat. *fulcru*.] ***S. m.*** **1.** Sustentáculo, suporte, apoio. **2.** Base, fundamento, alicerce: "a doutrina dos cátaros tinha por fulcro a coexistência do bem e do mal." (Aquilino Ribeiro, *Por Obra e Graça*, p. 291). **3.** Espigão sobre o qual gira qualquer coisa: "Sentia que a sua vida oscilava na notícia que a Marcelina trouxesse, como num fulcro de aço uma agulha magnética." (Fialho d'Almeida, *Contos*, p. 105.) **4.** *Bot.* Designação comum aos órgãos que protegem ou facilitam a vegetação. **5.** *Fís.* O ponto de apoio de uma alavanca: "Pois é mister que, para o amor sagrado, / O mundo fique imaterializado / — Alavanca desviada do seu fulcro — // E haja só amizade verdadeira / Duma caveira para outra caveira, / Do meu sepulcro para o teu sepulcro?!" (Augusto dos Anjos, *Eu*, p. 43.) **6)** *Fís.* Numa balança de braços iguais, o ponto de apoio do travessão. **7.** *Zool.* Estrutura quitinosa da base do rostro dos insetos.

fuleiragem [De *fuleiro* + *-agem*[2].] ***S. f. Bras. Pop.*** **1.** Atitude ou modos de fuleiro. **2.** V. *frescura* (2).

fuleiro [Do esp. *fulero*.] ***Adj.*** **1.** Sem valor; insignificante, reles. **2.** Miquelino, cafona. ● ***S. m.*** **3.** Indivíduo fuleiro.

fulereno [F. red. de *buckminsterfullereno* < antr. (*R.*) *Buckminster Fuller* (1895-1983), arquiteto norte-americano.] ***S. m. Quím.*** Qualquer de certas substâncias formadas por átomos de carbono unidos em ciclos adjacentes, que podem ser consideradas como análogas ou derivadas do buckminsterfullereno (q. v.).

fulgência [De *fulgir* + *-ência*.] ***S. f.*** Qualidade de fulgente; fulgor.

fulgente [Do lat. *fulgente*.] ***Adj. 2 g.*** Que tem fulgor; que fulge; luzente, brilhante, cintilante, fúlgido, fulgurante, fulguroso.

fulgenteador (ô) [De *fulgentear* + *-dor*.] ***Adj.*** Que fulgenteia; cintilante, fúlgido: "sob o claror fulgenteador de milhares de lâmpadas" (Martins Fontes, *A Dança*, p. 73).

fulgentear [De *fulgente* + *-ear*[2].] ***V. t. d.*** **1.** Tornar fulgente; abrilhantar. ***Int.*** **2.** Apresentar-se ou mostrar-se fulgente (q. v.): "Fúlvida, fulgenteando, áurea, versicolor, / Granada ferve ao luar como uma estranha flor!" (Martins Fontes, *Verão*, p. 73.) [Conjug.: v. *frear*.]

fúlgido [Do lat. *fulgidu*.] ***Adj.*** V. *fulgente*: "E o sol da liberdade, em raios fúlgidos, / Brilhou no céu da pátria nesse instante." (Osório Duque-Estrada, em *Hino Nacional Brasileiro*.) [Cf. *fulgido*, do v. *fulgir*.]

fulgir [Do lat. *fulgere*.] ***V. int.*** **1.** Ter fulgor; brilhar, resplandecer: "o caos doméstico se transformava em ordem e limpeza, ... o assoalho, o ladrilho e os azulejos fulgiam" (Paulo Mendes Campos, *O Cego de Ipanema*, p. 168). **2.** Tornar-se distinto; distinguir-se, salientar-se, sobressair. ***T. d.*** **3.** Fazer brilhar; abrilhantar. **4.** Trazer, ostentar (coisa que fulge): "Usais vestidos bordados d'oiro, ... mostrais as mãos fulgindo pedrarias" (João do Rio, *Sésamo*, p. 27). [Defect.; não se conjuga na 1ª pess. sing. do pres. ind. nem, portanto, no pres. subj. Part.: *fulgido*. Cf. *fúlgido*.]

fulgor (ô) [Do lat. *fulgore*.] ***S. m.*** **1.** Brilho, cintilação, clarão, esplendor: "o Sol agora é de um fulgor compacto" (Augusto dos Anjos, *Eu*, p. 81); "Veste o quimão de cambraia, / Mostra-te ao fulgor lunar." (Manuel Bandeira, *Estrela da Vida Inteira*, p. 26). **2.** Luzeiro, clarão: *Para o lado da mata via-se um intenso fulgor*.

fulgorídeo [Do tax. *Fulgora* + *-ídeo*[1]; tax. *Fulgoridae*.] *Zool.* ***S. m.*** **1.** Espécime dos fulgorídeos, família de insetos homópteros, de grande porte, com cerca de

15cm de envergadura. A frente da cabeça transforma-se num tubo com uma cavidade, à qual, erroneamente, se atribuía luminosidade. Têm distribuição tropical, com centenas de espécies, e são vulgarmente conhecidos como jequitiranaboias. ● *Adj.* **2.** Pertencente ou relativo a eles.

▲ fulgur- [Do lat. *fulgur, ŭris.*] ***El. comp.*** = 'relâmpago', 'raio': *fulgurito* (< lat.), *fulgoroso.*

fulguração [Do lat. *fulguratione.*] ***S. f.*** **1.** Clarão desacompanhado de estampido, causado pela eletricidade atmosférica. **2.** Clarão rápido; cintilação, brilho: 📖 "Os raios do sol nascente entravam quase horizontalmente no rancho, aclarando as costas dos tropeiros, esflorando-lhes as cabeças com fulgurações trêmulas." (Afonso Arinos, *Pelo Sertão*, p. 44.) **3.** Perturbação produzida no organismo vivo por descarga elétrica, especialmente pelo raio. **4.** *Cir.* Destruição de tecido vivo mediante o uso de centelha elétrica proveniente de corrente de alta frequência.

fulgural [Do lat. *fulgurale.*] ***Adj. 2 g.*** Referente a raio ou relâmpago.

fulgurância [De *fulgurar* + *-ância.*] ***S. f.*** Qualidade de fulgurante.

fulgurante [Do lat. *fulgurante.*] ***Adj. 2 g.*** **1.** Que fulgura ou relampeja; coruscante, reluzente, fulguroso. **2.** V. *fulgente.* ~ V. *dor* —.

fulgurar [Do lat. *fulgurare.*] ***V. int.*** **1.** Relampejar, cintilar. **2.** Brilhar, resplandecer, fulgir: 📖 "O sol de Lima em teu olhar fulgura" (Guimarães Passos, *Horas Mortas*, p. 49). **3.** Distinguir-se, sobressair, realçar.

fulgurito [Do lat. tard. *fulguritu*, 'lugar atingido por raio', poss.] ***S. m. Geol.*** Crosta vitrificada originada pela fusão de areia, ou de qualquer outra rocha, por efeito do calor do raio.

fulguroso (ô) [De *fulgur-* + *-oso.*] ***Adj.*** **1.** V. *fulgurante*: 📖 "Às vezes ela simula uma enorme e fulgurosa rosa negra de cem folhas" (Martins Fontes, *A Dança*, p. 60). **2.** V. *fulgente.*

fulheira [De *fulheiro.*] ***S. f.*** Trapaça no jogo.

fulheiro [Do esp. *fullero.*] ***Adj. S. m.*** Que, ou aquele que faz fulheira, que trapaceia no jogo. [Cf. *folheiro.*]

fuligem [Do lat. *fuligine*, vulg. *fulligine.*] ***S. f.*** Substância preta que a fumaça deposita nas paredes e teto das cozinhas e nos canos das chaminés; tisne, picumã, pucumã: 📖 "Na cozinha, negra de fuligem, cheia de picumã, sobre pedras, no chão, estava uma panela de barro." (Coelho Neto, *Treva*, p. 311.) [Var.: *felugem.*]

fuliginosidade [De *fuliginoso* + *-(i)dade.*] ***S. f.*** Qualidade de fuliginoso.

fuliginoso (ô) [Do lat. tard. *fuliginosu.*] ***Adj.*** **1.** Que tem fuligem. **2.** Enegrecido pela fuligem: 📖 "O teto, de telha-vã, com as vigas fuliginosas, como carbonizadas, estava colgado de flocos negros de picumã." (Coelho Neto, *Obra Seleta*, I, p. 197.) **3.** *Med.* Coberto duma crosta escura, depois de certas enfermidades. Aplica-se aos dentes, à língua, etc.

fulista [De *fula*[2] + *-ista.*] ***S. 2 g.*** Oficial de chapelaria encarregado da fula[2] (1) ou preparação do feltro.

➔full-back ['fulbæk] [Ingl.] ***S. m.*** V. *zagueiro.*

➔full-contact [ful 'kɔntækt] [Ingl.] ***S. m. Esport.*** Modalidade de luta esportiva em que são permitidos golpes ao corpo, sem limitação de força ou contundência.

fullereno [Do ingl. *fullerene.*] ***S. m. Quím.*** V. *fulereno.*

➔full hand [ful hænd] [Ingl.] ***Loc. s. m.*** V. *pôquer* (1).

➔full time [ful tajm] [Ingl.] ***Loc. s. m.*** Tempo integral (q. v.).

fulmilenho [Do lat. *fulm-* < lat. *fulmen, inis*, 'raio', 'trovão', + *-i-* + *lenho.*] ***S. m.*** Nitrocelulose de madeira.

fulminação [Do lat. *fulminatione.*] ***S. f.*** **1.** Ato ou efeito de fulminar. **2.** Detonação de substância fulminante.

fulminado [Do lat. *fulminatu.*] ***Adj.*** **1.** Ferido pelo raio. **2.** Tocado de doença que prostra imediatamente. **3.** Morto instantaneamente: 🖹 *Recebeu uma bala no peito e caiu fulminado.* **4.** Profundamente comovido ou abalado; arrasado: 🖹 *A notícia deixou-me fulminado.*

fulminador (ô) [Do lat. tard. *fulminatore.*] ***Adj.*** **1.** V. *fulminante* (1). ● ***S. m.*** **2.** Aquele ou aquilo que fulmina.

fulminante [Do lat. *fulminante.*] ***Adj. 2 g.*** **1.** Que fulmina, despede raios; fulminador, fulminatório. **2.** Que assombra ou mata repentinamente: 🖹 *choques fulminantes.* **3.** Cruel, terrível, atroz. **4.** Que revela indignação ou ira; indignado, irado: 🖹 *palavras fulminantes.* ~ V. *prata* —. ● ***S. m.*** **5.** Cápsula de metal que envolve a escorva da arma de fogo. **6.** *Expl.* Substância que, por ação de choque, percussão, atrito ou elevação de temperatura, detona, produzindo ruído fortíssimo. [A denominação abrange os *fulminatos* e outras substâncias com propriedades similares.]

fulminar [Do lat. *fulminare.*] ***V. t. d.*** **1.** Despedir, lançar (raios). **2.** Ferir com o raio. **3.** Ferir à maneira de raio. **4.** Ferir, matar, destruir (falando-se do raio): 🖹 *O raio fulminou o animal.* **5.** Matar instantaneamente: 🖹 *A punhalada certeira fulminou-o.* **6.** Desmoronar, derrubar, derruir: 🖹 *O furacão fulminou as casas.* **7.** Reduzir a nada; aniquilar: 🖹 *Aquelas palavras fulminaram suas esperanças.* **8.** Despedir (excomunhão, censuras, etc.); lançar, ameaçando. **9.** Censurar acrimoniosamente; invectivar, apostrofar: 📖 "Debalde o grave doutor Francisco da Fonseca Henriques, médico de D. João V, fulminava as mães que, contra os ditames da razão e contra as leis da natureza, negavam a seus filhos o próprio leite" (Júlio Dantas, *O Amor em Portugal no Século XVIII*, p. 208). **10.** Reduzir à impotência; estarrecer, petrificar: 🖹 *O olhar do adversário fulminou-o.* **11.** Punir ou castigar com extremo rigor. ***T. d. e i.*** **12.** Decretar; impor; lançar: 🖹 *O Papa fulminou a excomunhão contra o herege.* **13.** Dirigir, despedir: 🖹 *Fulminaram-lhe maldições.* ***Int.*** **14.** Despedir raios. **15.** Fulgurar, brilhar, lampejar.

fulminato [De *fulmin(ico)* + *-ato*[2].] ***S. m. Quím.*** Qualquer sal do ácido fulmínico, em geral muito explosivo e us. em espoletas de detonação.

fulminatório [De *fulminar* + *-tório.*] ***Adj.*** V. *fulminante* (1).

fulmíneo [Do lat. *fulmineu.*] ***Adj.*** **1.** Relativo ao raio. **2.** *Fig.* Brilhante ou destruidor como o raio. [Sin. ger.: *fulminoso.*]

▲ fulmin(i)- [Do lat. *fulmen, ĭnis.*] ***El. comp.*** = 'raio': *fulminoso, fulminívomo.*

fulmínico [De *fulmin(i)-* + *-ico*[2].] ***Adj. Quím.*** ~ V. *ácido* —.

fulminífero [De *fulmin(i)-* + *-fero.*] ***Adj.*** Que traz ou produz raio.

fulminívomo [De *fulmin(i)-* + *-vomo.*] ***Adj.*** **1.** Que lança chamas. **2.** Que dardeja fogo. **3.** Que despede projetis.

fulminoso (ô) [De *fulmin(i)-* + *-oso.*] ***Adj.*** V. *fulmíneo.*

fulniô *Bras.* ***S. 2 g.*** **1.** *Etnôn.* Indivíduo dos fulniôs, povo indígena do tronco linguístico macro-jê, que habita os municípios de Águas Belas e Itaíba (PE); carnijó. [Tb. us. como *s. 2 g. e 2 n.* (com cap.).] ● ***S. m.*** **2.** *Gloss.* A língua desse povo; iatê. ● ***Adj. 2 g.*** **3.** Pertencente ou relativo a esse povo, carnijó. [Nesta acepç., tb. us. como *adj. 2 g. e 2 n.*] **4.** Pertencente ou relativo a fulniô (2). [Outra f., nas acepçs. 1 e 3: *formió.*]

fulo[1] [Do lat. *fulvu*, por via pop.] ***Adj.*** **1.** Que muda de cor em consequência de alguma sensação recebida: 🖹 *Ficou fulo de raiva.* **2.** Irritadíssimo, genioso; colérico.

fulo[2] ***Adj. S. m.*** V. *fula*[3] (1, 3 e 4).

fulustreco [De *fulano.*] ***S. m. Bras. Pop. Deprec.*** **1.** Designação de alguém que não se quer nomear, ou cujo nome se desconhece; fulano: 🖹 *Chegou um fulustreco com ares de mandachuva.* **2.** Pessoa sem valor, sem importância; joão-ninguém.

fulvato [De *(ácido) fúlv(ico)* + *-ato*[2].] ***S. m. Quím.*** Sal ou combinação de cátion metálico com ácido fúlvico.

fulveno [Do lat. *fulvus*, 'fulvo', + *-eno*[2]; ingl. *fulvene.*] ***S. m. Quím.*** Hidrocarboneto líquido, muito reativo, isômero do benzeno, porém não aromático, formado por um grupamento metileno ligado a um anel como o do ciclopentadieno [fórm.: C_6H_6].

fulverino [Do fr. *fulverin.*] ***S. m.*** Preparação us. para dar cor escura ao pano.

▲ fulvi- [Do lat. *fulvus, a, um.*] ***El. comp.*** = 'fulvo': *fulvirrostro.*

fúlvico [De *fulv(i)-* + *-ico*[2].] ***Adj. Quím.*** V. *ácido* —.

fulvicórneo [De *fulvi-* + *-corn(i)-* + *-eo.*] ***Adj. Zool.*** Que tem as antenas fulvas.

fúlvido [Do lat. med. *fulvidu.*] ***Adj.*** Fulvo e luzente, da cor do ouro: 📖 "relumes de pedrarias fúlvidas, purpurinas, iriantes" (Martins Fontes, *A Dança*, pp. 87-88).

fulvípede [De *fulvi-* + *-pede.*] ***Adj. 2 g.*** Que tem os pés fulvos.

fulvipene [De *fulvi-* + *-pene.*] ***Adj. 2 g. Zool.*** Que tem as penas fulvas.

fulvirrostro [De *fulvi-* + *-rostro.*] ***Adj. Zool.*** Que tem o bico fulvo.

fulvo [Do lat. *fulvu*, por via erudita.] ***Adj.*** **1.** Tirante a amarelo tostado; alourado: 📖 "Comprou a olhos fechados uma junta de bois fulvos como dois leões." (João de Araújo Correia, *Cinza do Lar*, p. 16); "Cuido mesmo ter visto, às bruscas, de repente, / Num relâmpago em meio à morte atra e assombrada, / A tua cabeleira, a revoar, fulva e olente" (José Severiano de Resende, *Mistérios*, p. 66). **2.** Diz-se dessa cor. ● ***S. m.*** **3.** Essa cor: 🖹 *Tinha os cabelos de um fulvo de trigo.* **4.** Roupa fulva.

fumaça [De *fumo*[1] + *-aça.*] ***S. f.*** **1.** Grande porção de fumo[1] (1); fumaçada, fumaraça, fumarada, fumeiro. **2.** V. *fumada* (2). **3.** *Fís.-Quím.* Solução coloidal de uma fase dispersa sólida numa dispersora gasosa. **4.** *Fig.* P. us. V. *fumaças.* **5.** *Bras.* V. *fumo*[1] (1). ● ***Adj. 2 g. e 2 n.*** **6.** *Bras.* S. Diz-se do animal vacum de pelagem vermelha tirante a preto. **7.** Zangado, irado, furioso, fulo. ◆ **E lá vai fumaça.** *Bras. Gír.* Expressão com que se indica uma quantidade que excede largamente um número redondo: 🖹 *Não tem só 70 anos: 70 e lá vai fumaça!* [Sin.: *e lá vai coisa, e lá vai pedra, e lá vai pedrada, e cacetada, e caqueirada, e danou-se.*] **Na fumaça da pólvora.** *Bras.* V. *na bucha.* **Soltar fumaça.** *Bras.* Soltar fumaça pelas ventas: 🖹 *Já chegou soltando fumaça.* **Soltar fumaça pelas ventas.** *Bras.* V. *danado da vida.* [Tb. se diz apenas *soltar fumaça.*] **Tirar fumaça.** *Bras. PB Pop.* Fumar cigarro, charuto, etc.

fumaçada [De *fumaça* + *-ada*[1].] ***S. f.*** **1.** V. *fumaça* (1). **2.** V. *fumada* (2): 📖 "Ficamos .... a conversar molemente, saboreando o café e tirando fumaçadas calmas." (Ribeiro Couto, *Largo da Matriz e Outras Histórias*, p. 105).

fumaçar [De *fumaça* + *-ar*[2].] ***V. t. d.*** **1.** *Bras.* V. *enfumaçar.* ***Int.*** **2.** V. *fumegar* (1): 📖 "desceram para a plataforma, mal alumiada por um candeeiro de querosene, enquanto o trem arrancava de novo, fumaçando" (Mário Sete, *Senhora de Engenho*, p. 106). **3.** *Bras.* Fumar (7): 🖹 *Depois do insulto que ouviu, saiu fumaçando.* [Conjug.: v. *laçar.*]

fumaças [Pl. de *fumaça.*] ***S. f. pl. Fig.*** **1.** Presunção, vaidade; jactância, prosápia: 📖 "— E o Júlio? | — Oh! com suas fumaças de honrado e de falar a verdade, anda gordo." (Antônio Gonçalves Teixeira e Sousa, *O Filho do Pescador*, p. 47.) [Tb. us. (pouco) no sing. Sin.: *fumos, fumo.*] **2.** V. *laivos* (1).

fumacê ***S. m. Bras. Gír.*** Carro provido de aparelho que lança substância us. no combate ao mosquito, esp. ao transmissor do dengue.

fumaceira [De *fumaça* + *-eira.*] ***S. f.*** Grande porção de fumaça.

fumacense ***Adj. 2 g.*** **1.** De, ou pertencente ou relativo a Morro da Fumaça (SC). ● ***S. 2 g.*** **2.** O natural ou habitante de Morro da Fumaça.

fumacento [De *fumaça* + *-ento.*] ***Adj.*** Enfumaçado; fumarento.

fumacista ***Adj. 2 g.*** **1.** De, ou pertencente ou relativo a Fumaça (RJ). ● ***S. 2 g.*** **2.** O natural ou habitante de Fumaça.

fumada [De *fumo*[1] + *-ada*[1].] ***S. f.*** **1.** Fumaça que se faz para sinal de alarma. **2.** Porção de fumo[1] (1) absorvida de cada vez pelo fumante; fumarada, fumaraça, fumaça, fumaçada.

fumado [Part. de *fumar.*] ***Adj.*** **1.** Que se fumou. **2.** Defumado. **3.** *Bras. N.E. Pop.* V. *embriagado* (1). **4.** *Bras. Pop.* Maconhado.

fumadoiro [De *fumar* + *-doiro*[2].] ***S. m.*** Fumadouro (q. v.).

fumador (ô) [De *fumar* + *-dor.*] ***Adj.*** **1.** Que fuma. ● ***S. m.*** **2.** *Lus.* V. *fumante* (3).

fumadouro [De *fumar* + *-douro*[2]; var. de *fumadoiro.*] ***S. m.*** Lugar onde se fuma.

fumageiro [De *fumagem* + *-eiro.*] ***Adj.*** Relativo ao fumo ou tabaco; fumeiro: 🖹 *economia fumageira; indústria fumageira.*

fumagem [De *fumo*[1] + *-agem*[2].] ***S. f.*** **1.** Imposto que incidia sobre as casas onde se acendesse lume. **2.** Douradura da prata. **3.** Ato de fumar (2).

fumagina [Do fr. *fumagine.*] ***S. f. Bot.*** Indumento (2) fuliginoso, espesso, formado por fungos na superfície dos órgãos aéreos das plantas.

fumal [De *fumo*[1] + *-al*[1].] ***S. m. Bras.*** Plantação de fumo[1] (5): 📖 "É fumo do terreno dele. Desconfio .... que o fumal está plantado no pedaço que ele tomou à viúva do defunto Ananias." (Ribeiro Couto, *Largo da Matriz e Outras Histórias*, p. 104). [V. *tabaco* (1).]

fumante [De *fumar* + *-nte.*] ***Adj. 2 g.*** **1.** Que fuma. **2.** Que lança fumo; fumoso (q. v.), fumegante: 📖 "Assim dizendo / Se perdeu entre as nuvens, sacudindo / Sobre as tendas no ar fumante tocha" (Basílio da Gama, *O Uraguai*, II, p. 51). ● ***S. 2 g.*** **3.** Pessoa que fuma [v. *fumar* (1)]. [Sin., nesta acepç.: *fumista* e (lus.) *fumador.*] ● ***S. m.*** **4.** *Bras. BA* Fifó. ◆ **Fumante passivo.** *Hig.* Aquele que, sem ser fumante, inala, passiva e involuntariamente, a fumaça de quem está próximo, podendo, de acordo com a intensidade e repetição da inalação, vir a sofrer distúrbios vários (respiratórios, circulatórios, etc.).

fumar [Do lat. *fumare*, poss. pelo fr. *fumer.*] ***V. t. d.*** **1.** Aspirar fumo ou tabaco de: 🖹 *fumar charuto, cigarro, cachimbo*; 📖 "fumavam cachimbos empestantes, bebiam drogas horríveis" (Olavo Bilac, *Crítica e Fantasia*, p. 349). **2.** Expor ou curar ao fumeiro; defumar. **3.** Dissipar, esbanjar, malbaratar. ***Int.*** **4.** Aspirar o fumo do charuto, cigarro, cachimbo, etc: 📖 "Chove... Alta noite. Fumo e remomoro." (Austro-Costa, *Mulheres e Rosas*, p. 55); "Fumar é morrer um pouco — diz um artigo que tenho diante dos olhos." (Fernando Sabino, *A Falta Que Ela Me Faz*, p. 55). **5.** Lançar fumo; fumegar, fumarar: 📖 "A máquina troveja, / Berra, fuma, atravessa em correria / A amarela paisagem sertaneja." (Humberto de Campos, *Poesias Completas*, p. 17.) **6.** Lançar ou exalar vapor ou vapores: "Fumam ainda nas desertas praias / Lagos de sangue tépidos, e impuros, / Em que ondeiam cadáveres despidos, / Pasto de corvos." (Basílio da Gama, *O Uraguai*, I, p. 1.) **7.** Achar-se ou mostrar-se indignado, furioso, encolerizado: *Ao ouvir os desaforos, o homem ficou fumando.* [Sin., nesta acepç., bras.: *fumaçar*.] **8.** Ir-se como o fumo; evaporar-se. [Fut. pret.: *fumaria*, etc. Cf. *fumária*, s. f.]

fumaraça [Do rad. *fum-*, por *fumaça*, com reforço sufixal.] *S. f.* **1.** V. *fumaça* (1). **2.** V. *fumada* (2): "com o ventre saliente, todo envolvido na fumaraça do charuto, disse com desprezo: | — Uma corja! Uma corja!" (Eça de Queirós, *A Capital*, p. 381.)

fumarada [Do rad. *fum-*, por *fumaça*, + *-arada*.] *S. f.* **1.** V. *fumaça* (1): "A fumarada sobe em novelos buscando os galhos nus." (José Vieira, *Sol de Portugal*, p. 163.) **2.** V. *fumada* (2).

fumarar [De *fumar*, com suf. iterativo.] *V. t. d.* **1.** Expelir ou difundir como a fumaça. *Int.* **2.** Fumar (5).

fumarento [Por *fumacento*, com infl. de *fumarar*.] *Adj.* Que lança fumo ou fumaça: "Nestas práticas nigromantes, ao lume fumarento .... dos fachos de breu, é [o pajé] tenebroso" (Raimundo Morais, *País das Pedras Verdes*, p. 225).

fumária [Do tax. *Fumaria*.] *S. f. Bot.* **1.** Gênero de plantas fumariáceas (q. v.), herbáceas, anuais. **2.** Qualquer espécie desse gênero, como, p. ex., a *Fumaria officinalis* [v. *fel-da-terra* (1)]. **3.** Qualquer espécime desse gênero. [Cf. *fumaria*, do v. *fumar*.]

fumariácea [Do tax. *Fumaria* (v. *fumária*) + *-ácea*; tax. *Fumariaceae*.] *S. f. Bot.* Espécime das fumariáceas, família de ervas eretas, ou trepadeiras que habitam as zonas temperadas do hemisfério norte e o S. da África, com folhas basais ou alternas, recortadas, flores irregularmente esporóforas, e frutos capsulares.

fumariáceo [De *fumariácea*, com var. suf. (v. *-áceo*).] *Adj. Bot.* Pertencente ou relativo às fumariáceas.

fumárico [Do tax. *Fumaria* (v. *fumária*) + *-ico*².] *Adj. Quím.* ~ V. *ácido* —.

fumarola [Do it. *fumaruola*, *fumarola*.] *S. f. Geol.* Emissão de gases e/ou vapores de origem vulcânica por fendas ou aberturas.

fumatório [De *fumar* + *-tório*.] *Adj.* Diz-se do aparelho com que se fuma.

fumável [De *fumar* + *-vel*.] *Adj. 2 g.* Que se pode fumar e/ou é bom para fumar.

fumbamba *S. m. Bras. Zool.* V. *guaiamu*.

fumê [Do fr. *fumé*.] *Adj.* Diz-se do vidro escurecido, que, embora transparente, suaviza a passagem da luz.

fumeante [De *fumear* + *-nte*.] *Adj. 2 g.* Que fumeia; fumegante.

fumear [De *fumo*¹+ *-ear*².] *V. t. d. T. c. Int.* V. *fumegar*: "Chão porém que fumeia um vaporzinho leve, / a si recolhe o humor, ou dá que ao ar se eleve" (Antônio Feliciano de Castilho, *As Geórgicas*, p. 95). [Conjug.: v. *frear*.]

fumega *S. m. Bras.* Pessoa de baixa estatura e nenhuma importância. [Cf. *joão-ninguém* e *catatau*² (3) e *bangalafumenga*.]

fumegante [De *fumegar* + *-nte*.] *Adj. 2 g.* Que fumega; fumeante.

fumegar [Do lat. *fumigare*, por via pop.] *V. int.* **1.** Lançar fumo ou fumaça; fumar, fumear: "Tinham ardido as míseras choupanas / Dos pobres Índios, e no chão caídos / Fumegavam os nobres edifícios, / Deliciosa habitação dos Padres." (Basílio da Gama, *O Uraguai*, IV, p. 85.) **2.** Exalar vapores: "a mesa estava posta e uma terrina fumegava." (Carlos Malheiro Dias, *Os Teles de Albergaria*, p. 201); "Trouxeram .... o caldo verde, fumegando e cheirando nos pratarrões pintados de ramagens azuis." (José Vieira, *Sol de Portugal*, p. 45). **3.** Fazer borbulhas; espumar. **4.** Atear-se, inflamar-se (um sentimento). *T. c.* **5.** *Fig.* Coar-se; transparecer: *Suas intenções fumegavam pelos olhos.* **6.** Evolar-se, exalar-se: "véu tenuíssimo de vapores que fumegam da terra, e sobem invisíveis." (Rebelo da Silva, *Bosquejos Histórico-Literários*, I, p. 53). *T. d.* **7.** Lançar de si; exalar, fumear: *O cozido fumegava um cheiro maravilhoso.* [Sin. ger.: *fumear*, *esfumear*. Conjug.: v. *regar*. Pres. ind.: *fumego*, etc. Cf. *fumego* (ê) e *fumigar*.]

fumego (ê) [Dev. de *fumegar*.] *S. m. Bras.* Ato de fumegar. [Pl.: *fumegos* (ê). Cf. *fumego*, do v. *fumegar*.]

fumeira [De *fumo*¹+ *-eira*.] *S. f. Bras. RS* Bolsa, em geral de borracha, onde se guarda o fumo desfiado.

fumeiro [Do lat. tard. *fumariu*.] *S. m.* **1.** Cano por onde sobe o fumo; chaminé. **2.** V. *fumaça* (1). **3.** Espaço entre a lareira e o telhado, onde se põe carne a defumar. **4.** As carnes defumadas no fumeiro (3); chouriçada. **5.** *Bras. N.E.* V. *maconheiro* (2). ● *Adj.* **6.** *Bras.* Fumageiro.

fúmeo [Do lat. *fumeu*.] *Adj.* V. *fumoso* (1): "Turbando as chamas e os metais, / Sobem as fúmeas espirais / Dos incensários aromais." (Martins Fontes, *Verão*, p. 85.)

fumicultor (ô) [De *fumo*¹+ *-i-* + *cultor*.] *S. m. Bras.* Aquele que se dedica à fumicultura.

fumicultura [De *fumo*¹+ *-i-* + *cultura*.] *S. f. Bras.* Cultura do fumo ou tabaco.

fúmido [Do lat. *fumidu*.] *Adj.* V. *fumoso* (1).

fumífero [Do lat. *fumiferu*.] *Adj.* V. *fumoso* (1).

fumífico [Do lat. *fumificu*.] *Adj.* V. *fumoso* (1).

fumiflamante [De *fumo*¹+ *flamante*.] *Adj. 2 g.* Que lança fumo, ardendo.

fumífugo [De *fumo*¹+ *-i-* + *-fugo*².] *Adj.* **1.** Que afasta o fumo ou fumaça. ● *S. m.* **2.** Aparelho que se põe na chaminé para evitar a difusão da fumaça no interior das casas.

fumigação [Do lat. tard. *fumigatione*.] *S. f.* Ato ou efeito de fumigar; fumigatório.

fumigador (ô) [De *fumigar* + *-dor*.] *Adj.* **1.** Fumigatório (1): "Depois (Celeste) acendeu o pó fumigador para proporcionar-lhe algum alívio" (Lúcia Bittencourte, *A Secretária de Borges*, p. 118).

fumigar [Do lat. *fumigare*, por via erudita.] *V. t. d.* **1.** Expor a fumaça, vapores ou gases; defumar. **2.** Desinfetar (um local) por meio de fumo ou fumaça. [Conjug.: v. *largar*. Cf. *fumegar*.]

fumigatório [De *fumigar* + *-tório*.] *Adj.* **1.** Que serve para fumigar. ● *S. m.* **2.** Fumigação.

fumígeno [De *fumo*¹+ *-i-* + *-geno*.] *Adj.* Que produz fumo ou fumaça.

fuminho [De *fumo*¹+ *-inho*¹.] *S. m. Bras. Gír.* V. *maconha* (2).

fumista [De *fumo*¹+ *-ista*.] *S. 2 g.* V. *fumante* (3).

fumívomo [De *fumo*¹+ *-i-* + *-vomo*.] *Adj.* V. *fumoso* (1).

fumívoro [De *fumo*¹ + *-i-* + *-voro*.] *Adj.* **1.** Que aspira fumo ou fumaça. ● *S. m.* **2.** Aparelho que absorve o fumo dos bicos de gás.

fumo¹ [Do lat. *fumu*.] *S. m.* **1.** Vapor pardacento-azulado que sobe dos corpos em combustão ou muito aquecidos: "através do fumo denso dos cigarros, o Azevedo reconheceu nos grupos o velho Galrão, o Loureiro, o João Gualberto" (Conde de Ficalho, *Uma Eleição Perdida*, p. 13). [Sin., bras.: *fumaça* (1).] **2.** Exalação de cheiro desagradável que sobe de corpos em decomposição. **3.** Evaporação de água que se despenha. **4.** Faixa de crepe para luto: "Foi então que Carlos reparou que ele estava carregado de luto, com fumo no chapéu, luvas pretas, polainas pretas" (Eça de Queirós, *Os Maias*, II, p. 31). **5.** *Bot.* Tabaco (1). **6.** Tabaco para fumar; tabaco. [Sin., bras., nesta acepç.: *petum*, *petume*, *petema*, *petima*, *pitura*.] **7.** *Bras. Gír.* V. *maconha* (2). **8.** *Fig.* O ato ou hábito de fumar: "E o pior é que aos fumantes nem ao menos resta o consolo de saber que estão afugentando a morte quando abandonam o fumo" (Fernando Sabino, *A Falta Que Ela Me Faz*, p. 55); *não sei como o fumo de manhã não te enjoa.* **9.** *Fig.* V. *fumaças*. **10.** *Fig.* Aquilo que se esvaece, ou que é transitório. **11.** Fuligem que entra na composição de certas tintas. ~ V. *fumos*. ◆ **Fumo crioulo.** *Bras.* V. *fumo de rolo*. **Fumo de corda.** *Bras.* V. *fumo de rolo*. **Fumo de palha.** **1.** Coisa de pouca monta. **2.** Palavras sonoras, porém ocas. **Fumo de rolo.** *Bras.* Fumo¹ (6) empacavirado (q. v.), torcido em forma de corda e enrolado em uma haste de madeira. **Beber fumo.** *Bras. N.E. Pop.* Fumar, pitar. **Puxar fumo.** *Bras. Gír.* Fumar maconha. [Tb. se diz apenas *puxar*.]

fumo² [Do chissena e do chuabo.] *S. m. Moç.* Chefe de povoação (2): "A morte da fome está na nossa vontade. Ela virá dos lábios do fumo que é o orador tradicional da prece coletiva." (Aníbal Aleluia, *Mbelele e Outros Contos*, p. 16.)

fumo-bravo *S. m. Bras. Bot.* Designação comum de várias plantas herbáceas e arbustos solanáceos, pertencentes aos gêneros *Nicotiana* e *Solanum*, cujas folhas servem para fumar, e que têm espécies ornamentais e medicinais. [Pl.: *fumos-bravos*.]

fumo-bravo-de-pernambuco [De *fumo* + *bravo* + *de* + o top. *Pernambuco*.] *S. m. Bras. PE BA SP Bot.* Subarbusto asteráceo (*Verbesia diversifolia*) herbáceo, de flores alvas ou amareladas, dispostas em corimbos compostos, e cujo fruto é aquênio glabro com duas arestas livres e sem escamas. [Pl.: *fumos-bravos-de-pernambuco*.]

fumo-bravo-do-amazonas [De *fumo* + *bravo* + *do*¹ + o top. *Amazonas*.] *S. m. Bras. AM a BA Bot.* Erva poligonácea (*Polygonum hispidu*) cespitosa, de flores vermelhas e alvas, dispostas em espigas cilíndricas densifloras e geminadas, cujo fruto é aquênio, e cujas folhas são us. como tabaco e produzem uma espécie de embriaguez; tabacarana. [Pl.: *fumos-bravos-do-amazonas*.]

fumo-bravo-do-ceará [De *fumo* + *bravo* + *do*¹ + o top. *Ceará*.] *S. m. Bras. PA PB RJ Bot.* Planta amarantácea (*Chamissoa macrocarpa*) herbácea, de flores reunidas em espigas crassas, dispostas em panículas laterais e terminais, e cujas folhas são tidas por febrífugas. [Pl.: *fumos-bravos-do-ceará*.]

fumo-da-terra *S. m. Bot.* V. *fel-da-terra* (1). [Pl.: *fumos-da-terra*.]

fumo de angola *S. m. Pop.* V. *maconha* (2). [Pl.: *fumos de angola*.]

fumo-de-jardim *S. m. Bot.* Designação comum a duas plantas solanáceas (*Nicotiana alata* e *Nicotiana longiflora*) herbáceas, ornamentais, de floração abundante, ambas cultivadas nos jardins de todo o mundo, constituindo espécies elegantíssimas. [Pl.: *fumos-de-jardim*.]

fumonisina *S. f. Quím.* Micotoxina produzida por fungos do gênero *Fusarium*, que causa prejuízos à criação de animais, esp. equinos.

fumos [Pl. de *fumo*.] *S. m. pl. Fig.* V. *fumaças*: "Dom veio por ironia, para atribuir-me fumos de fidalgo." (Machado de Assis, *Dom Casmurro*, p. 2.) ~ V. *fumo*.

fumosidade [De *fumoso* + *-(i)dade*.] *S. f.* **1.** Qualidade de fumoso. **2.** Fumo, vapores.

fumoso (ô) [Do lat. *fumosu*.] *Adj.* **1.** Que lança fumo¹ (1); fúmeo, fúmido, fumífero, fumífico, fumívomo: "Arde o pau de resina fumosa, / Não fui eu, não fui eu, que o acendi!" (Gonçalves Dias, *Obras Poéticas*, I, p. 28.) **2.** Em que há fumo¹ (1), ou que está cheio de fumo¹ (1). **3.** *Fig.* Vaidoso, jactancioso.

■ **Funai** Sigla de *Fundação Nacional do Índio*.

funambulesco (ê) [De *funâmbulo* + *-esco*.] *Adj.* **1.** Relativo a, ou próprio de funâmbulo. **2.** *Fig.* Excêntrico, extravagante.

funambulismo [De *funâmbulo* + *-ismo*.] *S. m.* A arte ou ofício de funâmbulo.

funâmbulo [Do lat. *funambulu*.] *S. m.* **1.** Equilibrista que anda e volteia na corda ou no arame; volantim, volatim, burlantim, volteador, aramista. **2.** *Fig.* Indivíduo que muda facilmente de opinião ou de partido.

funaná [Do cabo-verd.] *S. m. Cabo-verd.* Música originariamente executada em gaita e ferrinhos, de ritmo muito acelerado, e proveniente da ilha de Santiago: "estava talhada era para brilhar no funaná." (Germano Almeida, *Estórias de Dentro de Casa*, p. 139).

funante *S. m. Angol. Moç.* Negociante, ger. português, que percorria a mata fazendo comércio de troca: "vem de longe a propensão do funante meter na loja mercadoria proibida pelo fisco" (Raul David, *Narrativas ao Acaso*, p. 28).

■ **Funarte** Sigla de *Fundação Nacional de Arte*.

■ **Funbec** Sigla de *Fundação Brasileira para o Desenvolvimento do Ensino de Ciências*.

funca *Bras. SP Pop. S. 2 g.* **1.** Pessoa ou coisa de pouco préstimo. ● *Adj. 2 g.* **2.** Mau, ruim.

função *S. f.* V. *funçanata*.

funçanata *S. f.* Patuscada, pândega, troça, função: "E a tal Sr.ª Umbelina com o chamarisco de sua boa filha, que anda-me aqui a desinquietar os filhos alheios, dando funçanatas e descantes!" (Bernardo Guimarães, *O Seminarista*, p. 141.) [F. paral.: *funçanada*. Var. (em MG): *funçonata*.]

funçanista [De *função* (18) + *-ista*, com infl. de *funçanata*.] *S. 2 g.* Pessoa dada a funçanatas.

função [Do lat. *functione*.] *S. f.* **1.** Ação própria ou natural dum órgão, aparelho ou máquina. **2.** Cargo, serviço, ofício: *a função pública*. **3.** Prática ou exercício de cargo, serviço, ofício: *Fora designado para aquela função e nela ficara para sempre.* **4.** Utilidade, uso, serventia: *Esta caixa não tem função.* **5.** Posição, papel: *Não consigo ver-me na função de feitor.* **6.** Espetáculo (3): "Aí, a orquestra já ensurdecia o teatro. .... Começava a função da Grande Companhia de Zarzuelas de Madri." (Ribeiro Couto, *Baianinha e Outras Mulheres*, p. 118.) **7.** *Arquit.* Adaptação objetiva da organização do espaço arquitetônico, do mobiliário, etc., visando a uma solução estética e prática das atividades e necessidades humanas. **8.** *E. Ling.* Numa língua, relação que se dá entre duas formas, entre forma e significado ou entre um sistema de formas e o seu contexto. **9.** *Jur.* Cada uma das grandes divisões da atividade do Estado na consecução de seus objetivos jurídicos: *função legislativa, judiciária, administrativa ou executiva*. **10.** *Jur.* O conjunto dos direitos, obrigações e atribuições duma pessoa em sua atividade profissional específica. **11.** *Mat.* Qualquer correspondência entre um conjunto [o *domínio* (q. v.), que pode ser formado por vários subconjuntos] e um segundo conjunto [o *contradomínio* (q. v.)] que seja unívoca no sentido do domínio para o contradomínio [símb. usual: *f*]. [Uma função de uma variável x é representada por $f(x)$; uma função de duas variáveis, x e y, por $f(x, y)$.] **12.** *Quím.* Grupo funcional (q. v.). **13.** *Quím.* Cada uma das classes de substâncias que contêm o mesmo grupo funcional. **14.** *Sociol. Antrop.* A contribuição objetiva de uma instituição à realização de certos processos sociais como adaptação, integração ou continuidade das formas de organização de uma sociedade. **15.**

F

Sociol. Antrop. A relação de interdependência relativa entre os fatos sociais. **16.** *Bras.* Festa dançante; baile, dança: 📖 "Fora, ... o camarada assobiava enternecido uma tirana das derradeiras funções." (Valdomiro Silveira, *Os Caboclos*, pp. 70-71.) **17.** *Bras.* Pândega, divertimento, funçanata. [Var., bras., pop., de 16 e 17: *fonção*.] ◆ **Função algébrica.** *Mat.* A que satisfaz a uma equação algébrica. **Função analítica.** *Mat.* Num domínio do plano complexo, a função de variável complexa que é unívoca e derivável, exceto em um número finito de pontos. **Função analítica regular.** *Mat.* Função analítica que é derivável em qualquer ponto do seu domínio. [Tb. se diz apenas *função regular*; sin.: *função holomórfica*.] **Função antissimétrica.** *Mat.* Função de variáveis reais ou complexas que troca de sinal quando se trocam os sinais das variáveis; função ímpar. **Função antitrigonométrica.** *Mat.* V. *função trigonométrica inversa*. **Função apelativa.** *E. Ling.* Função da linguagem (q. v.) predominantemente centrada no destinatário e, em geral, expressa pelo vocativo. **Função automórfica.** *Mat.* Função meromórfica (q. v.) que se mantém invariável sob um grupo de trans formações lineares, as quais constituem um automorfismo do seu domínio. **Função bem-comportada.** *Mat.* **1.** Função contínua e limitada em todos os pontos do seu domínio. **2.** Função contínua com derivadas contínuas em todos os pontos do seu domínio. **Função bijetora.** *Mat.* Bijeção. **Função biunívoca.** *Mat.* Função que estabelece uma correspondência biunívoca entre dois campos de definição. **Função característica.** *Mat.* **1.** Num conjunto, função que é igual à unidade para todos os pontos do conjunto, e igual a zero para todos os pontos não pertencentes ao conjunto. **2.** V. *autofunção* (1). **Função ciclossimétrica.** *Mat.* A que permanece invariável quando há uma permutação cíclica de suas variáveis. **Função circular.** *Mat.* V. *função trigonométrica*. **Função circular direta.** *Mat.* V. *função trigonométrica*. **Função circular inversa.** *Mat.* V. *função trigonométrica inversa*. **Função cognitiva.** *E. Ling.* V. *função referencial*. **Função composta.** *Mat.* A que é função de uma ou mais variáveis, as quais, por sua vez, são funções de outras variáveis; função de função. **Função conativa.** *E. Ling.* Função da linguagem (q. v.) em que predominam os enunciados que visam a atuar sobre o destinatário. **Função contínua.** *Mat.* Num ponto do seu domínio, é a função que obedece às seguintes condições: a) a função é definida no ponto; b) o limite da função no ponto coincide com o valor da função no ponto. **Função da linguagem.** *E. Ling.* Cada uma das diversas finalidades que caracterizam um enunciado linguístico. Conforme este se volte para o destinatário, remetente, contexto, contato, código ou mensagem, a função predominante será, respectivamente, denominada *conativa*, *emotiva*, *referencial*, *fática*, *metalinguística* ou *poética*. **Função de densidade de frequência.** *Estat.* V. *densidade de probabilidade*. **Função de densidade de probabilidade.** *Estat.* V. *densidade de probabilidade*. **Função de distribuição.** *Estat.* **1.** V. *densidade de probabilidade*. **2.** Função que dá a probabilidade de uma variável aleatória quantitativa assumir um valor menor que um membro do seu domínio. Quando este membro é igual ao supremo do domínio da variável, a função de distribuição é igual a um; quando é igual ao ínfimo do domínio, a função de distribuição é igual a zero. Se a variável for de domínio contínuo, a derivada da função de distribuição dá a densidade de probabilidade. [Tb. se diz, apenas, *distribuição*.] **Função de frequência.** *Estat.* V. *densidade de probabilidade*. **Função de frequência relativa.** *Estat.* V. *densidade de probabilidade*. **Função de função.** *Mat.* Função composta. **Função de Gibbs.** *Fís.-Quím.* Função termodinâmica de estado, igual à diferença entre a entalpia e o produto da temperatura absoluta pela entropia; entalpia livre, energia livre de Gibbs. **Função de grau.** *Mat.* Função da variável real *x*, igual ao maior inteiro contido em *x*, e assim chamada porque o seu gráfico se assemelha ao perfil de uma escada. **Função de Helmholtz.** *Fís.-Quím.* Função termodinâmica de estado, igual à diferença entre a energia interna e o produto da temperatura absoluta pela entropia; energia livre, energia livre de Helmholtz. **Função denotativa.** *E. Ling.* V. *função referencial*. **Função dente de serra.** *Mat.* Função da variável real *x*, igual à diferença entre *x* e o maior inteiro contido em *x*, e assim chamada porque o seu gráfico se assemelha à sucessão dos dentes de uma serra. **Função de onda.** *Fís.* Função matemática que descreve, na mecânica quântica, a probabilidade de uma onda eletromagnética, ou uma partícula, se encontrar numa determinada posição espacial, ou num determinado estado quântico. **Função de partição.** *Fís.* Função univocamente determinada pelos níveis de energia de um sistema quantificado, e cujo conhecimento permite determinar de maneira completa todas as funções termodinâmicas do sistema. **Função de Planck.** *Fís.* Função termodinâmica igual à diferença entre a entropia dum sistema e o quociente da entalpia pela temperatura absoluta do sistema. **Função de poder.** *Estat.* A que dá o poder associado a uma região crítica, em função de um parâmetro ou de um conjunto de parâmetros dessa região. **Função de ponto.** *Mat.* A que tem por argumento um ponto no espaço n-dimensional. **Função de probabilidade.** *Estat.* Função definida sobre um domínio, e que associa a todo subconjunto deste uma probabilidade. [Cf. *função probabilidade*.] **Função de regressão.** *Estat.* Esperança matemática de uma variável aleatória, determinada por uma função de distribuição de várias outras. **Função descontínua.** *Mat.* A que tem pelo menos um ponto de descontinuidade. **Função de verossimilhança.** *Estat.* Função definida para uma amostra de uma população, e igual, para cada composição da amostra, ao produto dos valores das densidades de probabilidade correspondentes aos membros da amostra. **Função elementar.** *Mat.* Qualquer das seguintes funções e suas inversas: soma, produto, potência, função exponencial e função trigonométrica. **Função elíptica.** *Mat.* Função meromórfica duplamente periódica. **Função em.** *Mat.* Função f cujo domínio D e contradomínio C obedecem às relações: $f(D)$ *é diferente de* C; $f(D)$ *está contido em* C. **Função emotiva.** *E. Ling.* Função da linguagem (q. v.) em que predominam os enunciados que expressam, principalmente, a atitude de quem fala com relação àquilo de que fala; função expressiva. **Função explícita.** *Mat.* Função de uma ou mais variáveis cuja dependência funcional é expressa por uma relação analítica em que a função figura apenas no primeiro membro, sozinha e elevada à primeira potência. **Função exponencial.** *Mat.* **1.** Função da variável *x* igual à potência *x* do número *e*: $y = ex$. [Tb. se diz apenas *exponencial*.] **2.** Função da variável *x* igual à potência *x* de um número qualquer: $y = ax$. [Tb. se diz apenas *exponencial*.] **Função expressiva.** *E. Ling.* Função emotiva. **Função fática.** *E. Ling.* Função da linguagem (q. v.) em que predominam as mensagens que têm por objetivo principal prolongar a comunicação ou interrompê-la, atrair a atenção do destinatário ou verificar sua atenção. **Função fonte.** *Astr.* Relação entre a emissividade e o coeficiente de absorção da matéria, numa atmosfera estelar. **Função geratriz.** *Estat.* Função de uma variável cujo desenvolvimento em série de potências em torno de um ponto determinado de seu domínio fornece os diferentes momentos associados a uma distribuição de probabilidades. [Tb. se diz apenas *geratriz*.] **Função harmônica.** *Mat.* **1.** Qualquer solução não trivial da equação de Laplace, cujas derivadas primeira e segunda são contínuas. **2.** Função harmônica simples. **Função harmônica simples.** *Mat.* A função seno ou a função cosseno. [Tb. se diz apenas *função harmônica*.] **Função hiperbólica.** *Mat.* Qualquer das seguintes funções: *seno hiperbólico*, *cosseno hiperbólico*, *tangente hiperbólica*, *cotangente hiperbólica*, *secante hiperbólica*, *cossecante hiperbólica*. **Função holomórfica.** *Mat.* V. *função analítica regular*. **Função homogênea.** *Mat.* Função que permite ser evidenciado um fator que se multiplique por cada uma de suas variáveis. **Função ilimitada.** *Mat.* Função infinita. **Função ímpar.** *Mat.* Função antissimétrica. **Função implícita.** *Mat.* Função cuja dependência funcional é expressa por uma relação analítica em que ela não figura apenas sob a forma linear e isolada num dos membros; função que não é explícita. **Função infinita.** *Mat.* Função cujo módulo, nas vizinhanças dum ponto do seu domínio, pode assumir valores maiores que qualquer número dado; função ilimitada. **Função injetora.** *Mat.* Injeção (7). **Função integrando.** *Mat.* Integrando. **Função inteira.** *Mat.* Função que é analítica para todos os valores finitos da variável; função que não tem singularidade em nenhum ponto de coordenadas finitas. **Função interpolatriz.** *Mat.* A que se usa para interpolar analiticamente os pontos de um conjunto. [Tb. se diz apenas *interpolatriz*.] **Função inversa.** *Mat.* A que estabelece a dependência funcional entre o contradomínio e o domínio duma determinada função. **Função limitada.** *Mat.* Aquela que em qualquer ponto do seu domínio tem o módulo sempre menor que um número real. **Função linear.** *Mat.* Função aditiva e homogênea; função que preserva combinações lineares. **Função lógica.** *Lóg.* Sequência de símbolos que contém pelo menos uma variável; forma lógica; forma funcional. **Função meromórfica.** *Mat.* Função de variável complexa que é analítica num domínio, exceto em um número finito de polos. **Função metalinguística.** *E. Ling.* Função da linguagem (q. v.) na qual predominam os enunciados em que o código, ou parte dele, se constitui objeto de descrição. **Função monótona.** *Mat.* Função de variável real que no seu domínio é sempre crescente, ou sempre decrescente, ou sempre não crescente, ou sempre não decrescente. **Função par.** *Mat.* Função simétrica. **Função poética.** *E. Ling.* Função da linguagem (q. v.) em que predominam os enunciados cuja mensagem se acha centrada em si. **Função probabilidade.** *Estat.* V. *densidade de probabilidade*. [Cf. *função de probabilidade*.] **Função proposicional.** *Lóg.* Função lógica tal que, se suas variáveis forem substituídas por termos determinados, ela se converte em uma proposição. [Cf. *geral* (6).] **Função própria.** *Mat.* V. *autofunção* (1). **Função real.** *Mat.* Função cujo contradomínio é constituído exclusivamente de números reais. **Função referencial.** *E. Ling.* Função da linguagem (q. v.) na qual predominam as mensagens centradas no referente ou contexto; função denotativa, função cognitiva. **Função regular.** *Mat.* Função analítica regular. **Função salto.** *Mat.* Função de uma variável real, que é nula quando a variável é negativa ou nula, e igual à unidade para os valores positivos da variável. **Função simétrica.** *Mat.* Função que permanece invariável quando se trocam os sinais das variáveis independentes; função par. **Função sintática.** *E. Ling.* Relação existente entre uma forma e a estrutura gramatical de um enunciado. **Função sobre.** *Mat.* Função f cujo domínio D e contradomínio C obedecem à relação $f(D)$ é igual a C. **Função sobrejetora.** *Mat.* Sobrejeção. **Função termodinâmica.** *Fís.* Função que relaciona variáveis termodinâmicas macroscópicas de um sistema. **Função trabalho.** *Fís.* Barreira de potencial existente na superfície de uma substância sólida, e que deve ser superada para que esta emita elétrons. É igual ao trabalho necessário para trazer um elétron da banda de condução da substância para o exterior. **Função transcendente.** *Mat.* Qualquer função que não é algébrica. **Função trigonométrica.** *Mat.* Qualquer das seguintes funções: *seno*, *cosseno*, *tangente*, *cotangente*, *secante* e *cossecante*; *função circular direta*. **Função trigonométrica inversa.** *Mat.* Qualquer das seguintes funções: *arco seno*, *arco cosseno*, *arco tangente*, *arco cotangente*, *arco secante* e *arco cossecante*; *função antitrigonométrica*, *função circular inversa*. **Função unívoca.** *Mat.* Função que estabelece uma correspondência unívoca entre dois campos de definição.

funchal [De *funcho* + *-al*[1].] ***S. m.*** **1.** Quantidade mais ou menos considerável de funchos dispostos proximamente entre si. **2.** Área ocupada por funchal (1).

funchalense ***Adj. 2 g.*** **1.** De, ou pertencente ou relativo a Funchal, capital da Ilha da Madeira. • ***S. 2 g.*** **2.** O natural ou habitante de Funchal.

funcho [Do lat. tard. *fenuculu*.] ***S. m.*** *Bot.* **1.** Nome comum a várias ervas apiáceas do gênero *Foeniculum* (v. *fenículo*). **2.** Erva apiácea (*Foeniculum vulgare*) aromática, ramosa, de flores amarelo-esverdeadas, dispostas em numerosas umbelas compostas, e cujo fruto é diaquênio oblongo, glabro, com tubos oleaginosos; anis-doce, erva-doce, máratro, maratro. [Esta espécie deve ter sido introduzida no Brasil pelos primeiros colonos, tal a importância medicinal que então se lhe atribuía.]

funcho-de-porco ***S. m.*** *Bot.* Planta apiácea (*Peucedanum officinale*) de folhas profundamente partidas, flores reunidas em umbelas compostas, fruto fortemente comprimido, e us., outrora, como diurético [Pl.: *funchos-de-porco*.]

funcho-dos-alpes ***S. m.*** *Bot.* Mutelina. [Pl.: *funchos-dos-alpes*.]

funcional [De *função* + *-al*[1], seg. o padrão erudito.] ***Adj. 2 g.*** **1.** Referente a função, ou ao desempenho desta. **2.** *Restr.* Concernente a função ou funções orgânicas vitais, ou à sua realização. [Nessas acepçs., opõe-se a *estrutural*.] **3.** *Restr.* Diz-se da nacionalidade que se adquire em virtude das funções exercidas e se perde ao terminarem estas (no território do Estado do Vaticano, p. ex.). **4.** Diz-se de instrumento, móvel, etc. capaz de cumprir com eficiência seus fins utilitários; prático: ▯ *projeto funcional*; *cozinha funcional*. **5.** *Arquit.* Em cuja concepção e execução se teve em vista atender à função (7): 📖 "Entrou calmamente pela era atômica, e olha com ironia a arquitetura e os móveis chamados funcionais" (Rubem Braga, *Ai de Ti, Copacabana!*, p. 85). **6.** *Sociol. Antrop.* Diz-se da análise em que todo fato social é considerado e explicado sob o ângulo das relações que entretêm sincronicamente com outros fatos sociais. [Essas relações sincrônicas podem ser entendidas como interdependência e mútua influência, ou como contribuição objetiva a processos sociais.] **7.** *Bras.* Relativa a, ou próprio de funcionários públicos: ▯ *atribui-*

ções *funcionais*. ~ V. *arquitetura —, benchmarking —, cálculo —, dependência —, determinante —, forma —, grupo —, lesão —, organização —,* e *prova —*. • *S. m.* **8.** *Mat.* Correspondência entre dois conjuntos de funções. **9.** *Mat.* Correspondência entre um conjunto de funções e um conjunto de números.

funcionalidade [De *funcional* + *-(i)dade.*] *S. f.* Qualidade do que é funcional; funcionalismo: "E na procura dos seus excitantes todas as hierarquias artísticas, a técnica, a forma, a funcionalidade da arte, se abatem." (Mário de Andrade, *O Baile das Quatro Artes*, p. 52.)

funcionalismo [De *funcional* + *-ismo.*] *S. m.* **1.** A classe dos funcionários públicos; funcionarismo. **2.** Funcionalidade. **3.** Tendência a privilegiar, no pensamento ou na prática, aquilo que é funcional, ou a ideia de função. **4.** *Arquit.* Tendência da arquitetura do séc. XX que parte do princípio de que a forma deve resultar da perfeita adequação à função (7). **5.** *E. Ling.* Corrente da linguística que busca a explicação dos fenômenos gramaticais por intermédio de funções comunicativas e pragmáticas. **6.** *Sociol.* O método de análise funcional [v. *funcional* (6)], que tem como princípio orientador a ideia de que os fatos sociais devem ser sistematicamente descritos e estudados levando-se em conta seu contexto e sua interdependência. **7.** *Sociol.* Teoria segundo a qual tudo o que ocorre num sistema social contribui para a manutenção e o equilíbrio dele. [Cf., nesta acepç., *estrutural-funcionalismo*.]

funcionalista [De *funcional* + *-ista.*] *Adj. 2 g.* **1.** Pertencente ou relativo ao funcionalismo (1). **2.** Referente ao funcionalismo (3 a 7) ou próprio dele. • *S. 2 g.* **3.** Seguidor ou adepto do funcionalismo (3 a 7).

funcionalizar-se [De *funcional(ismo)* (1) + *-izar* + *se*[1].] *V. p.* Tornar-se funcionário.

funcionamento [De *funcionar* + *-mento*; fr. *fonctionnement*.] *S. m.* Ato ou efeito de funcionar.

funcionar [De *função* + *-ar*[2], seg. o padrão erudito; fr. *fonctionner*.] *V. int.* **1.** Mover-se bem e com regularidade; realizar os seus movimentos; trabalhar: "libertou da gaveta da cômoda o relógio dourado, que botou para funcionar." (Edilberto Coutinho, *Onda Boiadeira*, p. 93). **2.** Dar bom resultado; ter bom êxito: *A empresa em que se meteu, considerada uma loucura, funcionou.* **3.** *Pop.* Exercer (o homem) a função sexual: *Anda pelos setenta e lá vai fumaça, mas ainda funciona.* *T. c.* **4.** Exercer as funções; estar em exercício; trabalhar: *O governo federal funciona em Brasília.* **5.** Estar em atividade: *O parque funciona das 18 horas em diante.* **6.** Conservar a sua força ou ação; subsistir: "Era geralmente estimado. Mas havia uma exceção. Uma exceção de ódio, que funcionara por setenta anos." (Macedo Miranda, *As Três Chaves*, p. 41.) *Pred.* **7.** Funcionar (4): "Ele não era juiz. Mas funcionava sempre como jurado." (Herberto Sales, *Histórias Ordinárias*, p. 162.) [Fut. pret.: *funcionaria*, etc. Cf. *funcionária*, fem. de *funcionário*.]

funcionário [Do fr. *fonctionnaire*.] *S. m.* **1.** Empregado público. **2.** Aquele que tem ocupação permanente e retribuída; empregado. [Fem.: *funcionária*. Cf. *funcionaria*, do v. *funcionar*.] ◆ **Funcionário público.** Aquele que exerce emprego, cargo ou função pública (ou autárquica), ainda que seja em caráter transitório ou sem remuneração.

funcionarismo [De *funcionário* + *-ismo.*] *S. m.* Funcionalismo (1).

funco [Do cabo-verd.] *S. m.* *Cabo-verd.* Pequena habitação circular, coberta de palha: "Ficou no funco a proteger as coisinhas que não podiam apanhar água." (Teixeira de Sousa, *Na Ribeira de Deus*, p. 23.)

funçonata *S. f. Bras. MG* V. *funçanata*.

funda [Do lat. *funda*.] *S. f.* **1.** Laçada de couro ou de corda para arrojar pedras, ou outros projetis, ao longe. [Sin., ant.: *fundíbulo*.] **2.** *Cir.* Dispositivo empregado para deter o progresso de certas hérnias. **3.** *Bras. MS RS* V. *atiradeira*.

fundação [Do lat. tard. *fundatione*.] *S. f.* **1.** Ato ou efeito de fundar. **2.** *Constr.* Parte de uma construção destinada a distribuir as cargas sobre o terreno; alicerce. **3.** Ato do Estado, ou liberalidade privada, por doação ou por testamento, que institui uma pessoa jurídica autônoma destinada a fins de utilidade pública ou de beneficência, mediante dotação especial de bens livres. **4.** A instituição assim fundada. ◆ **Fundação corrida.** *Constr.* A que transmite ao solo a carga de um muro, de uma parede, ou de uma fila de pilares. **Fundação excêntrica.** *Constr.* Aquela em que a resultante das cargas transmitidas não passa pelo centro de sua base. **Fundação isolada.** *Constr.* A que transmite ao solo a carga de um só pilar. **Fundação rasa.** *Constr.* Radier (q. v.).

fundacional [De *fundação* + *-al*[1], seg. o padrão erudito; esp. *fundacional*.] *Adj. 2 g.* De, pertencente ou relativo a fundação.

fundado [Part. de *fundar*.] *Adj.* Que se apoia ou funda na razão, ou em boas razões. ~ V. *dívida —a*.

fundador (ô) [Do lat. *fundatore*.] *Adj. S. m.* Que, ou aquele que funda; iniciador, instituidor.

fundagem [De *fundo* + *-agem*[2].] *S. f.* Substância que fica sedimentada no fundo de um líquido; sedimento, resíduo, fezes, borra.

fundamentabilidade [De *fundamentável* + *-(i)dade*, seg. o padrão erudito.] *S. f.* Qualidade de fundamentável.

fundamentação [De *fundamentar* + *-ção.*] *S. f.* Ação ou efeito de fundamentar(-se).

fundamentado [Part. de *fundamentar*.] *Adj.* Que tem fundamento, base, razões: *acusação fundamentada; elogio fundamentado.*

fundamentador (ô) [De *fundamentar* + *-dor.*] *Adj.* Que fundamenta.

fundamental [Do lat. tard. *fundamentale*.] *Adj. 2 g.* **1.** Que serve de fundamento. **2.** Básico, essencial, necessário: *princípios fundamentais.* ~ V. *astronomia —, banda —, círculo —, cor —, estado —, estrela —, frequência —, interações fundamentais, lei —, massa —, meridiano —, nível —, nota —, partícula —, pedra —, som —* e *substância —*. • *S. m.* **3.** *Acúst.* Som fundamental.

fundamentalismo [Do ingl. *fundamentalism*.] *S. m.* **1.** *Rel.* Observância rigorosa da ortodoxia duma doutrina religiosa. **2.** *Rel.* Observância rigorosa às crenças religiosas tradicionais, esp. em grupos protestantes dos Estados Unidos, depois da I Guerra Mundial, que enfatiza a interpretação literal das escrituras, a segunda ressurreição de Cristo, a virgindade de Maria, etc. **3.** Atitude daquele que confere um caráter de certeza absoluta em relação ao seu ponto de vista, esp. religioso; fanatismo, sectarismo.

fundamentalista [De *fundamentalismo* + *-ista*; ingl. *fundamentalist*.] *Adj. 2 g.* **1.** Referente ao fundamentalismo, ou próprio dele. ~ V. *análise —*. • *S. 2 g.* **2.** Adepto do fundamentalismo: "o escritor anglo-indiano Salman Rushdie, acusado de blasfemo pelos fundamentalistas islâmicos por seu romance *Versículos Satânicos*, já foi motivo de uma crise interna na Academia [Sueca de Letras]." (*Jornal do Brasil*, 18.10.1989).

fundamentalmente [De *fundamental* + *-mente.*] *Adv.* De modo fundamental; basicamente, essencialmente: "O estudo científico de uma língua é fundamentalmente o estudo da cultura de que ela é a forma e o produto." (Celso Cunha, *Língua, Nação, Alienação*, p. 13.)

fundamentar [De *fundamento* + *-ar*[2].] *V. t. d.* **1.** Lançar os fundamentos ou alicerces de; fundar: *fundamentar uma casa.* **2.** Dar fundamento a; documentar, justificar; estabelecer, firmar: *O réu conseguiu fundamentar a sua defesa.* *T. d. e i.* **3.** Alicerçar, firmar, basear, assentar: *Fundamentou seus argumentos em autoridades na matéria.* *P.* **4.** Basear-se, apoiar-se, fundar-se.

fundamentável [De *fundamentar* + *-vel.*] *Adj. 2 g.* Que pode fundamentar-se.

fundamento [Do lat. *fundamentu*.] *S. m.* **1.** Base, alicerce: "A estas doze portas respondiam outros tantos fundamentos, sobre os quais assentava toda a Cidade" (P.e Antônio Vieira, *Sermões*, VI, p. 191). **2.** Razões ou argumentos em que se funda uma tese, concepção, ponto de vista, etc.; apoio, base. **3.** Razão, justificativa; motivo: *Qual o fundamento do seu pedido de demissão?* **4.** O conjunto dos princípios básicos de um ramo de conhecimento, de uma técnica, de uma atividade, etc. [Mais us. no pl., nesta acepç.] **5.** *Filos.* Aquilo sobre que se apoia quer um dado domínio do ser (e então o fundamento é garantia ou razão de ser), quer uma teoria ou um conjunto de conhecimentos (e então o fundamento é o conjunto de proposições de onde esses conhecimentos se deduzem). [Cf., nesta acepç., *princípio* (7).]

fundanga [Do quimb.] *S. f.* *Etnogr.* Pólvora, us. ger. em práticas feiticeiras nos ritos religiosos afro-brasileiros nacionalizados, que mesclam influências bantas e indígenas; tuia. [Var.: *fundango*.]

fundango *S. m.* *Etnogr.* V. *fundanga*.

fundão [De *fundo* + *-ão*[1].] *S. m.* **1.** Pego[1] (1): "A água rebalsada dá lugar a grandes fundões adormecidos." (Aquilino Ribeiro, *O Homem da Nave*, p. 178.) **2.** V. *brechão*. **3.** Lugar afastado, distante, ermo; fundões. **4.** *Santom.* Baile popular, com instrumentos de corda, e que se realiza fora da cidade: "Era o rei dos fundões, dos piqueniques, dos forrós, da alegria... até me chamavam 'o Armando da farra'." (Maria Olinda Beja, *15 Dias de Regresso*, p. 57.) **5.** *Santom.* Terreiro de dança: "teria que viver como uma santa, sendo-lhe vedado rodopiar nos bailes dos fundões." (Sacramento Neto, *Peneta*, p. 33). [Nesta acepç., tb. é us. no pl.]

fundãoense *Adj. 2 g.* **1.** De, ou pertencente ou relativo a Fundão (ES). • *S. 2 g.* **2.** O natural ou habitante de Fundão.

fundar [Do lat. *fundare*.] *V. t. d.* **1.** Assentar os alicerces de (construção); fundamentar. **2.** Edificar desde os alicerces; construir: *Segundo a lenda, Rômulo e Remo fundaram a cidade de Roma.* **3.** Criar, instituir, estabelecer: *O Marechal Deodoro fundou a República em 1889*; "Tratei logo de fundar um jornal do meu partido" (Aluísio Azevedo, *Demônios*, p. 105). **4.** Firmar, arraigar: *Só a liberdade de manifestação pode fundar uma democracia.* **5.** Tornar profundo; profundar, escavar: *fundar uma cova.* **6.** Proporcionar os fundos necessários para; instituir: *Alfred Nobel fundou, em 1900, o Prêmio Nobel.* **7.** *Lus.* Pôr fundo (8) a. **8.** Fazer a consolidação (8) de: *fundar uma dívida.* *T. d. e i.* **9.** Considerar como fundamento; fundamentar: *Funda na Bíblia toda a sua crença.* **10.** Apoiar, basear, fiar: *Fundava suas convicções na experiência.* **11.** Atribuir, imputar. *T. c.* **12.** Firmar-se, erigir-se: *O edifício funda sobre enormes colunas.* *Int.* **13.** Penetrar no solo; profundar: *Aquela árvore fundou muitíssimo.* *P.* **14.** Basear-se, estribar-se, fundamentar-se: "A liberdade do Espírito funda-se .... sobre a Razão." (João Gaspar Simões, *Liberdade do Espírito*, p. 11.)

fundeado [Part. de *fundear*.] *Adj.* Que fundeou; ancorado.

fundeadoiro [De *fundear* + *-doiro*[2].] *S. m.* Fundeadouro (q. v.).

fundeadouro [De *fundear* + *-douro*[2]; var. de *fundeadoiro*.] *S. m.* V. *ancoradouro*.

fundear [De *fundo* + *-ear*[2].] *V. t. c. Int.* **1.** *Mar.* Deitar ferro ou âncora; ancorar: "dobrou a ponta das Laranjeiras e, oculto no canal, formado pela ilha, ferrou panos e fundeou sobre virotes." (Galpi, *Narrativas Brasileiras*, p. 23); *O navio fundeou em Santos.* **2.** Tocar no fundo; ir ao fundo. *T. d. e c.* **3.** Fundear (1): *Cabral fundeou suas caravelas na Bahia.* *T. d.* **4.** *Mar.* Lançar ao fundo (objeto pesado): *O oficial fundeou o cofre com documentos secretos.* [Conjug.: v. *frear*.]

fundeiro[1] [De *funda* + *-eiro.*] *S. m.* **1.** Fabricante de fundas. **2.** Aquele que combate com funda (1); fundibulário.

fundeiro[2] [De *fundo* + *-eiro.*] *Adj.* **1.** Que está ao fundo e mais baixo do que todos. **2.** Que tem muito fundo ou altura.

fundente [Do lat. *fundente*.] *Adj. 2 g.* **1.** Que está em fusão. **2.** Que facilita a fusão. **3.** Que liquefaz. • *S. m.* **4.** Substância que auxilia a fusão dos metais.

fundiário [Do lat. *fundus*, 'fundo', 'base'; 'fazenda', 'bens de raiz', + *-i-* + *-ário.*] *Adj.* Relativo a terrenos; agrário.

fundibulário [Do lat. *fundibulariu*.] *S. m.* Fundeiro[1] (2): "Por detrás das lanças, os besteiros e fundibulários jogavam setas, pedras, e virotes." (Oliveira Martins, *A Vida de Nun'Álvares*, p. 157.)

fundíbulo [Do lat. *fundibulu*.] *S. m.* *Ant.* Funda (1).

fundição [De *fundir*[1] + *-ção.*] *S. f.* **1.** *Metal.* Ato, efeito, arte ou fábrica de fundir[1]. **2.** *Metal.* Fábrica ou oficina em que se trabalha com metal fundido. **3.** *Fig.* Projeto, plano. **4.** *Fig.* Produção intelectual. **5.** *Tip.* Fábrica de caracteres tipográficos e material branco (q. v.). **6.** *Tip.* Quantidade de letras de determinado caráter encomendada à fábrica de cada vez.

fundido [Part. de *fundir*[1].] *Adj.* **1.** Que se fundiu. **2.** *Quím.* Na estrutura de uma molécula, diz-se de dois anéis que compartilham um lado formado por dois átomos diretamente ligados: *O naftaleno pode ser visto como formado por dois anéis benzênicos fundidos.* [Um grupo de anéis fundidos pode, por sua vez, estar fundido a outro por mais de um lado.] ~ V. *ferro —, ferro — branco* e *ferro — cinzento*.

fundidor (ô) [De *fundir* + *-dor.*] *Adj. S. m.* Que, ou aquele que funde.

fundilhar [De *fundilho* + *-ar*[2].] *V. t. d.* Pôr fundilho (2) em: *Por economia, fundilhou as calças.*

fundilho [De *fundilhos*.] *S. m.* **1.** Parte das calças e das cuecas correspondente ao assento. [Tb. se diz *fundilhos*.] **2.** Remendo nessa parte das calças. ~ V. *fundilhos*.

fundilhos [Do esp. *fondillos*.] *S. m. pl.* Fundilho (1): "Mas, ao tirá-lo [o capote] nas residências que visitava, sentia vergonha das calças puídas nos fundilhos." (Daniel de Carvalho, *Capítulos de Memória*, p. 16.) ~ V. *fundilho*.

→**funding** ['fʌndɪŋ] [Ingl.] *S. m.* *Econ.* Suporte financeiro; provisão de recursos financeiros.

→**funding loan** ['fʌndɪŋ lown] [Ingl.] *Econ.* Empréstimo obtido para refinanciamento de débitos referentes a empréstimos anteriores; empréstimo de consolidação.

fundinho [De *fundo* + *-inho*[1].] *S. m.* **1.** *Teatr.* Tela que, nos cenários, se coloca por trás das aberturas das janelas, balaustradas, portas, etc., e onde às vezes se pintam horizontes ou paisagens. **2.** *Bras.* V. *satélite* (7).

fundir[1] [Do lat. *fundere.*] *V. t. d.* **1.** *Metal.* Derreter, liquefazer (metal): *fundir chumbo.* **2.** *P. ext.* Solidificar em molde (1) metal fundido; vazar: *fundir uma moeda.* **3.** Incorporar (várias coisas em uma só); juntar, unir: *Seu trabalho consistia em fundir os mais diversos pontos de vista.* **4.** Incorporar em volume; organizar. **5.** Esbanjar, dissipar, malbaratar. **6.** Dar como resultado. **7.** *Cin. Telev. Comp. Gráf.* Produzir, gradual e simultaneamente, o desaparecimento de uma imagem e o aparecimento de outra. **8.** *Bras. Gír.* Deixar muito perturbado ou confuso; fundir a cuca de: "És médium? | .... 'Dizem...' | Essa revelação acabou de fundir a D. Pura." (Marisa Raja Gabaglia, *Milho pra Galinha, Mariquinha*, p. 22.) *T. d. e i.* **9.** Dar como produto ou rendimento; render: *A transação vai fundir-lhes um dinheirão.* **10.** Incorporar várias coisas em uma só; juntar, unir: *fundiu as suas pequenas empresas em uma grande.* *Int.* **11.** Proporcionar lucros; render. *P.* **12.** Tornar-se líquido; derreter-se. **13.** Aluir-se, desfazer-se. **14.** Confundir-se; reunir-se; incorporar-se: "Foi uma noite assim que as sombras que dançavam na sala se fundiram numa sombra só" (Nélson de Faria, *Tiziu e Outras Estórias*, p. 107).

fundir[2] [De *fundo* + *-ir.*] *V. t. d.* **1.** *Desus.* Afundar, afundir. *P.* **2.** Ir ao fundo; afundar(-se); soçobrar. **3.** Sumir-se, mirrar-se.

fundista [De (*corrida de*) *fundo* (q. v.) + *-ista.*] *Adj. 2 g. S. 2 g.* **1.** Diz-se de, ou animal que apresenta melhor desempenho nos percursos longos. **2.** Diz-se de, ou atleta que faz corrida de fundo.

fundível [De *fundir* + *-vel.*] *Adj. 2 g.* Que pode fundir-se; fusível, fúsil.

fundo [Do lat. *fundu.*] *Adj.* **1.** Que tem fundura ou profundidade; profundo: *buraco fundo.* **2.** Cavado, reentrante: *A doença deixou-o de faces fundas.* **3.** Muito firme; íntimo, arraigado: *convicção funda*; "Que tragédia tão funda no meu peito!..." (Florbela Espanca, *Sonetos Completos*, p. 89). **4.** Que vem do mais fundo da alma: *suspiro fundo.* **5.** Denso, espesso: *Teve medo da funda escuridão da mata.* **6.** *Bras. Gír.* Pouco inteligente, ou ignorante. **7.** *Bras. Gír.* Que é fraco num jogo ou num esporte, ou que está destreinado, despreparado: *Que time fundo!* • *S. m.* **8.** A parte que, numa cavidade, num recipiente ou noutro objeto, fica mais distante da borda, da abertura de entrada, etc.: *o fundo da grota; o fundo da garrafa; O mágico tirou um coelho do fundo da cartola.* **9.** A parte mais baixa e sólida, natural ou revestida, em que repousam ou correm as águas: *o fundo do mar, de um rio, de uma piscina.* **10.** Profundidade, altura: *A cisterna tem pouco fundo.* **11.** A parte mais baixa ou mais interior de um lugar, de uma região: *o fundo do vale; Construíram a cidade no fundo do território*; "Ao fundo, longe, a paisagem de casario subindo o morro, a igreja de duas torres, onde os sinos nem tocam mais." (Rute Bueno, *O Livro de Auta*, p. 46). **12.** A parte mais afastada do ponto de acesso a um recinto ou a outro lugar: *o fundo da loja; o fundo do jardim.* **13.** A parte do tecido, do papel, etc., de cor lisa ou de contextura homogênea, sobre a qual se destacam desenhos ou relevos. **14.** A extremidade da agulha de costura, oposta à ponta, e que tem um orifício por onde passa o fio. **15.** V. *alto -fundo.* **16.** Razão, justificativa; base, fundamento: *Suas afirmações não têm fundo.* **17.** Substância, essência, suma: "Nesta história, aparentemente frívola, há um grande e sério fundo de filosofia" (Ramalho Ortigão, *Em Paris*, p. 80). **18.** Lastro de conhecimentos. **19.** *Fig.* Âmago, íntimo: *fundo da alma.* **20.** *Fig.* O conteúdo que fica no fundo (8) de um recipiente: *Esvaziou o fundo do copo.* **21.** *Anat.* Designação genérica de base de órgão ou de porção de órgão oco mais afastada de seu orifício de entrada. **22.** *Art. Plást.* Plano que, numa composição, permanece mais afastado em relação às figuras ou objetos representados em destaque. **23.** *Econ.* Recursos monetários, esp. quando reservados para determinado fim. **24.** *Econ.* V. *fundo de investimento.* **25.** *Jur.* Substância, em oposição a forma. **26.** *Teatr.* Parte do cenário situada ao fundo do palco. [Cf., nesta acepç., *rotunda* (4).] **27.** *Tip.* Chapado de tom claro destinado a dar maior realce ao texto ou à imagem que sobre ele se imprime com tinta mais escura. **28.** Acervo (4). **29.** *Bras. BA GO* Diamante de qualidade inferior; detrito de diamante. **30.** *Bras. S.* V. *cafundó* (3). • *Adv.* **31.** Com profundidade; fundamente: "Inocente, curiosa, entrando cada vez mais fundo dentro daqueles olhos que em pressa a fitavam" (Clarice Lispector, *Laços de Família*, p. 162); "Respirou fundo na descida do morrote." (Ilza Espírito Santo Porto, em *Contos Alagoanos de Hoje*, p. 67). ~ V. *fundos.* ◆ **Fundo de ações.** *Econ.* Fundo de investimento aplicado em ações. **Fundo de bateia.** *Bras.* **1.** Resíduo de ouro que fica na bateia após a lavagem da areia. **2.** Reunião de satélites do diamante. **Fundo de comércio.** *Econ.* Conjunto de bens e direitos, tangíveis ou não, que constituem o patrimônio do comerciante (instalações, mercadorias, nome e ponto do estabelecimento, freguesia, etc.). **Fundo de *commodities*.** *Econ.* Fundo de investimento aplicado em títulos vinculados à produção ou comercialização de *commodities* (v. commodity). **Fundo de coral.** *Surf.* Formação do fundo do mar onde se quebram as melhores ondas para a prática do surfe. **Fundo de garantia.** *Dir. Trab.* V. *fundo de garantia por tempo de serviço.* **Fundo de garantia por tempo de serviço.** *Dir. Trab.* Saldo em conta bancária vinculada do trabalhador, resultante dos depósitos a que estão obrigados a realizar todos os empregadores, em valor correspondente a oito por cento da remuneração paga ou devida, no mês anterior, a ele, incluídas na remuneração todas as verbas previstas em lei. [Tb. se diz apenas *fundo de garantia.*] **Fundo de investimento.** *Econ.* Fundo (23) formado por quotas de vários investidores e administrado por instituição financeira, com rateio dos rendimentos entre os quotistas; fundo mútuo, fundo em condomínio. [Tb. se diz apenas *fundo.*] **Fundo de pensão.** *Econ.* Fundo (23) destinado ao pagamento de aposentadoria. **Fundo de renda fixa.** *Econ.* Fundo de investimento (q. v.) aplicado primordialmente em títulos de renda fixa, com regras predeterminadas de rendimento (em oposição a ações, por ex., cujo rendimento varia com a oferta e a procura). **Fundo de reserva.** *Econ.* Importância deduzida dos lucros líquidos de uma empresa com o objetivo de formar disponibilidades para uso futuro. **Fundo em condomínio.** *Econ.* V. *fundo de investimento.* **Fundo musical.** Música(s) que acompanha(m) o desenrolar de um filme, peça de teatro, ou qualquer espetáculo. **Fundo mútuo.** *Econ.* V. *fundo de investimento.* **A fundo. 1.** Em cheio; com largueza: "Sempre tivemos muito assunto, e não deixamos de explorá-lo a fundo." (Carlos Drummond de Andrade, *Cadeira de Balanço*, p. 61.) **2.** Profundamente: *Sabe português a fundo*; "Eu conheço Fr. Nuno bem a fundo." (Arnaldo Gama, *O Balio de Leça*, p. 49). **A fundo perdido.** *Econ.* Diz-se de recursos financeiros, esp. públicos, aplicados sem expectativa de reembolso. **A um de fundo.** Um após outro, em fila, em cordão: *andar, marchar a um de fundo*; "Havia vários modos de combater. .... Um era o az: formatura em linha extensa a um de fundo" (Oliveira Martins, *A Vida de Nun'Álvares*, p. 156). **Dar fundo.** *Mar.* Lançar (a embarcação) a âncora: *O navio deu fundo ao amanhecer.* **Entupir no fundo.** Correr (o vaqueiro), por algum tempo, rente às ancas da rês, a fim de a derrubar pela cauda. **No fundo.** Na substância; intrinsecamente: *No fundo não é má pessoa.*

fundo de garrafa *Adj. 2 g. 2 n.* Diz-se de óculos de grau muito alto, em geral para míopes. ☑

fundo de lâmpada *S. m. Tip.* **1.** V. *vinheta de remate.* **2.** Forma triangular que se dá, por vezes, à composição do fim de um capítulo. [V. *composição em triângulo.*] [Pl.: *fundos de lâmpada.*] ☑

fundo de saco *S. m. Anat.* Cavidade fechada em uma extremidade. [Pl.: *fundos de saco.*] ☑

fundões *S. m. pl. Bras.* V. *fundão* (3).

fundos *S. m. pl. Econ.* **1.** Provisão em dinheiro; fundo: *O cheque foi devolvido pelo banco por falta de fundos.* **2.** Capital e outros valores constitutivos do ativo de uma sociedade. ~ V. *fundo.* ◆ **Fundos de comércio.** *Econ.* Conjunto de direitos e bens mobiliários (freguesia, nome comercial, patentes de invenção, marcas de fábrica, mercadorias, etc.) pertencentes ao comerciante, e que lhe permite efetuar as suas operações mercantis. **Fundos de reserva.** *Econ.* Percentagem ou cota que se deduz dos lucros líquidos de uma empresa com o objetivo de formar disponibilidade suficiente para manter a integridade do capital ou enfrentar eventuais exigências dos negócios. **Fundos públicos.** *Econ.* Títulos de crédito emitidos ou garantidos pelo governo.

fundoscopia [De *fundo* + *-scop-* + *-ia*[1].] *S. f. Oftalm. Med.* Exame do fundo do olho.

fundoscópico [De *fundoscopia* + *-ico*[2].] *Adj.* Referente a fundoscopia.

fundoscópio [De *fundo*, como em *fundoscopia*, + *-scópio.*] *S. m.* Aparelho com que se faz a fundoscopia.

fundura [De *fundo* + *-ura.*] *S. f.* **1.** Distância vertical da boca ou da superfície (de um poço, etc.) ao fundo; profundidade, fundo. **2.** *Bras. Gír.* Falta de habilidade ou competência; incompetência, ignorância. **3.** *Gír.* Fraqueza, abatimento.

fúnebre [Do lat. *funebre.*] *Adj. 2 g.* **1.** Relativo à morte, aos mortos ou a coisas que com eles se relacionem; mortuário: *oração fúnebre; avisos fúnebres.* **2.** *Fig.* Lúgubre, triste, lutuoso: "Tinha a face na mão, e a mão no tronco / De um fúnebre cipreste, que espalhava / Melancólica sombra." (Basílio da Gama, *O Uraguai*, IV, pp. 78-79.) [Sin. ger.: *funéreo, funeral* e *funerário.*] ~ V. *elogio* — e *honras* —*s.*

funerais [Pl. de *funeral.*] *S. m. pl.* V. *funeral* (2).

funeral [Do lat. *funerale.*] *Adj. 2 g.* **1.** V. *fúnebre.* • *S. m.* **2.** Pompas fúnebres; préstito fúnebre; cerimônias de enterramento; enterramento, enterro, inumação, mortório, mortuório, mortualha, saimento: "Chorado ocultamente, e sem as honras / De régio funeral, desconhecida / Pouca terra os honrados ossos cobre." (Basílio da Gama, *O Uraguai*, III, p. 58.) [Tb. us. no pl.] ◆ **Em funeral.** Em sinal de luto.

funerária [F. subst. de *funerário.*] *S. f. Bras.* Casa funerária.

funerário [Do lat. tard. *funerariu.*] *Adj.* **1.** V. *fúnebre*: "nem as corujas funerárias, ... nem os horrendos morcegos, de asas diabólicas, turbavam o descanso imaterial daquelas horas imprevistas." (Alphonsus de Guimaraens, *Obra Completa*, p. 396). **2.** Em que repousam os restos mortais: *urna funerária.* ~ V. *agente* —, *canibalismo* —, *casa* —*a*, *coroa* —*a* e *urna* —*a*.

funéreo [Do lat. *funereu.*] *Adj.* V. *fúnebre.*

funestação [De *funestar* + *-ção.*] *S. f.* **1.** Ato ou efeito de funestar. **2.** Tristeza, pesar, luto.

funestador (ô) [De *funestar* + *-dor.*] *Adj. S. m.* Que, ou aquele que funesta.

funestar [Do lat. *funestare.*] *V. t. d.* **1.** Tornar funesto, infeliz; infelicitar: *A tragédia funestou a cidade.* **2.** Profanar, desonrar, infamar. **3.** Condenar, estigmatizar. *Int.* **4.** Ser funesto.

funesto [Do lat. *funestu.*] *Adj.* **1.** Que fere mortalmente; fatal, mortal: *acidente funesto.* **2.** Que prognostica desgraça, desventura; infausto: *notícia funesta.* **3.** Que produz tristeza, amargura; lutuoso, doloroso, angustioso, aflitivo: *acontecimento funesto.* **4.** Danoso, prejudicial, nocivo: *empreendimento funesto; resolução funesta.* **5.** Desastroso, ruinoso: *consequências funestas.*

funfungagá [Voc. onom.] *S. m. Bras.* V. *fungagá.*

funga [Dev. de *fungar.*] *S. f.* Esgana (3).

fungação [De *fungar* + *-ção.*] *S. f.* V. *fungada* (2).

fungada [De *fungar* + *-ada*[1].] *S. f.* **1.** Ato de fungar (1); fungo. **2.** Ato de fungar (3); fungação, fungo. [Cf. *fungadeira.*]

fungadeira [De *fungar* + *-deira.*] *S. f.* **1.** Ato de fungar com frequência; fungada (2) quase contínua: *Este resfriado me deixou numa fungadeira horrível.* **2.** Caixa de rapé; tabaqueira.

fungador-onça *S. m. Bras. PA MA Mús.* V. *cuíca* (2). [Pl.: *fungadores-onças* e *fungadores-onça.*]

fungagá [F. haplológica de *funfungagá.*] *S. m. Bras.* **1.** Orquestra ou charanga desafinada. **2.** Música desafinada. [Var.: *fungangá.*]

fungangá [De *fungagá*, com nasalação.] *S. m. Bras.* V. *fungagá.*

fungão[1] [De *fungo*[1] + *-ão*[1].] *S. m. Bot.* V. *cravagem.*

fungão[2] [De *fungar* + *-ão*[1].] *Adj.* **1.** Que funga muito, ou que toma muito rapé. • *S. m.* **2.** Aquele que funga muito, ou que toma muito rapé. **3.** *Pop.* Criança chorona. [Fem.: *fungona.*] **4.** *Pop.* V. *nariz* (1).

fungar [Voc. onom.] *V. t. d.* **1.** Absorver ou aspirar pelo nariz: *fungar rapé*; "Continuou a ler o seu latim, / fungando uma pitada." (Guerra Junqueiro, *A Velhice do Padre Eterno*, p. 161). **2.** Resmungar, resmonear. *Int.* **3.** Produzir som, absorvendo ar, rapé, etc., pelo nariz. [Conjug.: v. *largar.*]

▲ **fung(i)-** [Do tax. *Fungi* < lat. *fungus, i*, 'cogumelo'; 'tumor'.] *El. comp.* = 'fungo': *fungicida, fúngico, fungícola, fungiforme.* [Equiv.: *-fung(i)-*: *antifúngico.*]

▲ **-fung(i)-** Equiv. de *fung(i)-*.

fungicida [De *fung(i)-* + *-cida.*] *Adj. 2 g. S. m.* Diz-se de, ou substância empregada no combate aos fungos (v. *fungo*[1]).

fúngico [De *fung(i)-* + *-ico*[2].] *Adj.* Relativo a, ou produzido por fungo[1]: *esporo fúngico; moléstia fúngica.*

fungícola [De *fung(i)-* + *-cola*[1].] *Adj. 2 g.* Que vive nos fungos (v. *fungo*[1]).

fungiforme [De *fung(i)-* + *-forme.*] *Adj. 2 g.* Semelhante a um fungo[1], ger. agaricáceo (v. *agaricáceas*).

fungível [Do lat. *fungibile < v. lat. *fungi*, 'satisfazer uma dívida'.] *Adj. 2 g.* **1.** Que se gasta. **2.** Que se consome com o primeiro uso. ~ V. *bens fungíveis* e *obrigação* —.

fungo[1] [Do lat. *fungu.*] *S. m. Micol.* Organismo pertencente ao Reino *Fungi* (q. v.), e que pode existir ou como célula única, ou formar um corpo multicelular dito micélio, que consiste em filamentos denominados hifas. [Os fungos são encontrados, ger., em condições terrestres úmidas e, devido à ausência de clorofila, são ou parasíticos, ou saprofíticos, em relação a outros organismos.] ◆ **Fungo imperfeito.** *Micol.* Qualquer fungo deuteromicotino.

fungo[2] [Dev. de *fungar*.] *S. m.* V. *fungada*.

fungona *S. f.* Fem. de *fungão*[2] (q. v.).

➔**fungo porcino** ['fuŋgo por'tʃino] [It.] *S. m.* **1.** Nome comum a diversas espécies comestíveis de fungos do gênero boleto, e particularmente da espécie *Boletus edulis*, muito apreciada, cuja cúpula pode chegar a 20cm de diâmetro. [Mais us. no pl.: *funghi* (*porcini*).]

fungosidade [De *fungoso* + -(*i*)*dade*.] *S. f.* **1.** Qualidade de fungoso. **2.** *Med.* Excrescência na superfície de ferida.

fungoso (ô) [Do lat. *fungosu*.] *Adj.* **1.** Relativo ou semelhante a fungo[1]. **2.** Da natureza do fungo[1]: 🕮 "Era horrível essa fungosa e peganhenta família de gordos agáricos de todos os feitios e dimensões" (Aluísio Azevedo, *Demônios*, p. 60). **3.** Esponjoso ou cheio de poros.

fungu *S. m. Bras. RS* V. *bruxaria* (1 e 2): 🕮 "Não vá vancê cuidar que no caso andou mulher botando fungu no coração de ninguém" (Simões Lopes Neto, *Contos Gauchescos e Lendas do Sul*, p. 220).

funicular[1] [De *funículo* + -*ar*[1].] *Adj.* 2 *g.* **1.** Composto de cordas. **2.** Que funciona por meio de cordas. **3.** *Bot.* Relativo ao funículo (3): 🗎 *excrescência funicular.* **4.** Filamentoso, lembrando uma corda, como, p. ex., o caule de muitas trepadeiras; funiforme.

funicular[2] [Do fr. *funiculaire*.] *S. m.* **1.** Sistema de transporte em que a tração do veículo é proporcionada por cabos acionados por motor estacionário, e que frequentemente se utiliza para vencer grandes diferenças de nível. [Cf. *teleférico* (3).] **2.** O veículo pertencente a esse sistema.

funículo [Do lat. *funiculu*, dim. de *funis*, 'corda'.] *S. m.* **1.** Pequena corda. **2.** *Anat.* Designação genérica de estrutura em forma de cordão. **3.** *Bot.* Pequeno cordão ou filamento que une a semente (e o óvulo) à placenta; podospermo. ◆ **Funículo umbilical.** *Anat.* Cordão umbilical.

funífera [Do tax. *Funifera*.] *S. f. Bot.* **1.** Gênero de timeleáceas que abrange algumas espécies nativas do Brasil. **2.** Qualquer dessas espécies, como, por ex., a *Funifera brasiliensis* [v. *embira-branca* (3)]. **3.** Qualquer espécime desse gênero.

funiforme [Do lat. *fune*, 'corda', + -*iforme*.] *Adj.* 2 *g.* Funicular[1] (4).

funil [Do lat. *infundibulu*, pelo lat. vulg. **fundiculu* e pelo bordelês *fonilh*.] *S. m.* **1.** Utensílio cônico, provido de um tubo, destinado a transvasar líquidos; infundíbulo. **2.** Qualquer objeto em forma de funil. **3.** *Bras. BA GO* V. *fecho* (9). ◆ **Funil ambulatório.** *Zool.* Hiponoma. **Funil de Büchner.** *Quím.* Espécie de funil, ger. de porcelana, dotado de uma placa horizontal com pequenas perfurações, que leva um disco de papel, e uma parte superior cilíndrica, e que é us. para filtração a vácuo. [Tb. se diz apenas *büchner*.]

funilandense *Adj.* 2 *g.* **1.** De, ou pertencente ou relativo a Funilândia (MG). ● *S.* 2 *g.* **2.** O natural ou habitante de Funilândia.

funilaria [De *funil* + -*aria*.] *S. f.* Estabelecimento ou loja de funileiro.

funileiro [De *funil* + -*eiro*.] *S. m.* **1.** Fabricante de funis. **2.** Aquele que trabalha em folha de flandres. [Sin., nesta acepç.: *latoeiro* e (bras.) *folheiro*, *flandeiro*, *bate-folha*.]

funje [Do quimb. *funji*, 'massa de fécula de mandioca'.] *S. m.* **1.** *Angol. Cul.* Massa (5) de fuba (2) cozida, que acompanha várias iguarias: 🕮 "compadecido dos presos do pátio, ao vê-los comer funje sem conduto, deitou-lhes pela frincha da rede da janela uns bocados de peixe frito e carne." (Raul David, *Escamoteados na Lei*, p. 65). **2.** *Bras. PE Pop.* Baile popular.

➔**funk** [fʌŋk] [Ingl.] *Mús. S. m.* **1.** Gênero de música popular dançante, de compasso quaternário, de origem norte-americana, ligado ao *soul*. ● *Adj.* 2 *g.* **2.** Relativo ou pertencente ao *funk* (1).

■ **Funrural** Sigla de *Fundo de Assistência e Previdência do Trabalhador Rural*.

fur *S. m. Gloss.* Língua nilo-saariana falada no Sudão e no Chade (África).

fura [Dev. de *furar*.] *S. f. Bras. Prov. port.* Furo feito com formão ou verruma grossa.

fura-balsas [De *furar* + o pl. de *balsa*.] *S. m.* 2 *n. Zool.* Ave silviídea (*Silvia macrocephala*), encontrada em Portugal; toutinegra-dos-valados. [Cf. *pontuação*.]

fura-banana *S. m. Bras. Zool.* V. *joão-congo* (1). [Pl.: *fura-bananas*.]

fura-barreira [De *furar* + *barreira*[2].] *S. m. Bras. Zool.* Ave piciforme, galbulídea (*Galbula cyanicollis*), da Amaz., de dorso verde-metálico, fronte enegrecida, faces azuis, retrizes laterais vermelhas marginadas de verde, parte inferior do corpo ferrugínea no macho e vermelha na fêmea e bico amarelo com ponta preta. Vive na mata, e se alimenta de insetos. [Pl.: *fura-barreiras*.]

fura-barriga [De *furar* + *barriga*.] *S. m. Bras. PE Pop. Zool.* Designação comum às aves piciformes, galbulídeas. [Pl.: *fura-barrigas*.]

fura-bolo (ô) [De *furar* + *bolo*[1] (ô).] *Bras. Fam. S. m.* **1.** V. *dedo indicador*. ● *S.* 2 *g.* **2.** Pessoa metediça, que tenta ingerir-se em todo negócio que lhe chega ao conhecimento. [F. paral.: *fura-bolos*. Pl.: *fura-bolos*.]

fura-bolos *S. m.* 2 *n. S.* 2 *g.* e 2 *n. Bras. Fam.* Fura-bolo (q. v.): 🕮 "enfiou no fura-bolos o rubi circundado de diamantes." (Leonardo Mota, *Sertão Alegre*, p. 96).

fura-buxo [De *furar* + *buxo*.] *S. m. Bras. Zool.* Nome comum a aves procelariídeas, do gênero *Pterodroma*, do Atlântico e Pacífico meridionais, como, p. ex., a *P. incerta*, parda, com peito e abdome brancos, tb. conhecida como fura-buxo-de-capuz, e a *P. mollis*, de cabeça branca, coroa e dorso cinzento-violáceos, asas com pontas pardacentas, abdome branco. Alimentam-se de peixes. [Sin.: *vira-buxo*. Pl.: *fura-buxos*.]

fura-buxo-de-capuz *S. m. Zool.* V. *fura-buxo*. [Pl.: *fura-buxos-de-capuz*.]

fura-camisa [De *furar* + *camisa*.] *S. m. Bras. Zool.* Crustáceo decápode (*Geapsus varius*). [Pl.: *fura-camisas*.]

fura-camisas *S. m.* 2 *n. Zool.* V. *fura-camisa*.

furacão [Do taino *hurakán*, pelo esp. *huracán*.] *S. m.* **1.** Ciclone (2) que se forma nas regiões do Atlântico norte, do mar do Caribe, do golfo do México e na costa nordeste da Austrália, e no qual a velocidade dos ventos pode atingir até 300km/h: 🕮 "teria apenas pegado da costura, quando um furacão repentino .... entrou pela casa, ... arrebatou-lhe o bordado das mãos, e apagou subitamente a vela." (Rebelo da Silva, *De Noite Todos os Gatos São Pardos*, p. 30). [Cf. *tornado* e *tufão*.] **2.** *Fig.* Tudo que destrói com violência e rapidez; turbilhão, vórtice. **3.** *Fig.* Ímpeto muito veemente: 🕮 "entrou, empurrado por um furacão de ódio, e sacando o punhal da bainha .... apunhalou repetidas vezes o travesseiro." (Xavier Marques, *As Voltas da Estrada*, p. 335).

furação [De *furar* + -*ção*.] *S. f.* **1.** Ato ou efeito de furar. **2.** *Bras. Tec.* Conjunto de furos ou orifícios duma peça, em geral rosqueados.

fura-capa [De *furar* + *capa*[1].] *S. f. Bras. PE Bot.* Planta asterácea (*Bidens riparia*) glabra, de flores reunidas em capítulos radiados e pedunculados, e cujo fruto é aquênio, aristado e alado, com alas curtas, glabras e escabrosas. [Pl.: *fura-capas*.]

furacar *V. t. d. Fam.* Esfuracar. [Conjug.: v. *trancar*.]

furacidade [Do lat. *furacitate*.] *S. f.* Tendência para roubar; hábito de roubo.

furada [De *furar* + -*ada*[1].] *S. f. Pop.* **1.** Ato ou efeito de furar. **2.** Situação desagradável, difícil, prejudicial ou perigosa; roubada, podre: 🗎 *Disse ter entrado numa furada ao namorar com o vizinho.* **3.** *Fut. Gír.* Chute que não acerta a bola.

furadeira [De *furar* + -*deira*.] *S. f.* Ferramenta ou máquina com broca, usada para furar (1).

furado [Part. de *furar*.] *Adj.* **1.** Que tem algum furo ou buraco; perfurado. **2.** *Fam.* Que come muito e não engorda. **3.** *Fam.* Diz-se de assunto já divulgado ou sabido, ou de negócio que falhou, que foi por água abaixo. **4.** *Bras. Chulo* Diz-se de mulher desvirginada. ~ V. *papo* —, *semana* — e *tijolo* —. ● *S. m.* **5.** *Bras. BA* Período seco durante a estação chuvosa. **6.** *Bras. BA SP* Canal natural que reúne dois rios ou corta uma grande curva. **7.** *Bras. SP* Vale de curso de água que, após estar represado, logra vencer o obstáculo que o separava da costa. **8.** *Bras. MT* Trecho retilíneo de um rio; estirão. **9.** *Bras. GO* Clareira aberta na mata virgem pela ação do fogo ou dos dendroclastas.

furador (ô) [De *furar* + -*dor*.] *Adj.* **1.** Que fura. ● *S. m.* **2.** Utensílio de metal, de osso ou de marfim, com que se abrem furos ou ilhoses. **3.** *Bras.* Instrumento feito de um osso apontado numa das extremidades, e que serve para emendar uma corda, enfiar botão, quebrar gelo, etc. **4.** *Bras.* V. *cavador* (3). **5.** *Tip.* V. *cavador* (3).

fura-gelo [De *furar* + *gelo* (ê).] *S. m.* Ferramenta pontiaguda usada para dividir em pedaços uma barra de gelo. [Pl.: *fura-gelos*.]

fura-greve [De *furar* + *greve*.] *Adj.* 2 *g. S.* 2 *g.* Diz-se de, ou indivíduo que, contrariando movimento grevista, põe-se a trabalhar. [Pl.: *fura-greves*.]

fura-laranja [De *furar* + *laranja*.] *S. m. Zool.* V. *pica-pau-fura-laranja*. [Pl.: *fura-laranjas*.]

furaldeído [De *fura*(*no*) + *aldeído*.] *S. m. Quím.* Qualquer de duas substâncias que contêm grupo aldeído ligado diretamente a anel furânico, uma das quais, o 2-furaldeído, é ger. chamada de furfural (q. v.).

fura-mato [De *furar* + *mato*.] *S. m. Bras. BA Zool.* **1.** V. *tiriba*. **2.** V. *tiriba-pequeno*. [Pl.: *fura-matos*.]

furânico [De *furano* + -*ico*[2].] *Adj. Quím.* Próprio do, ou relativo ao, ou que contém furano.

furano [De *fur*(*fural*) + -*ano*[2].] *S. m. Quím.* Substância líquida, aromática, heterocíclica [fórm.: C_4H_4O].

furanose [De *furano* + -*ose*[2].] *S. f. Quím.* Forma cíclica de certas oses, na qual existe um anel de cinco átomos — sendo um átomo de oxigênio —, semelhante ao do furano, porém totalmente saturado.

furanosídeo [De *furanose* + -*ídeo*[2].] *S. m. Quím.* Qualquer substância que se pode considerar semelhante a, ou derivada de uma furanose.

furão[1] [Do lat. tard. *furone*.] *S. m. Zool.* **1.** Designação comum às espécies de mamíferos carnívoros fissípedes, viverrídeos, noturnos, de crânio pequeno, focinho fino, orelhas e pernas curtas, corpo alongado e coloração pardo escura. São encontrados na África e Ásia. Ex.: *mangusto*. **2.** *Bras.* Designação comum às espécies de mamíferos carnívoros mustelídeos, gêneros *Grisson* e *Grammogale*, este de ventre baio, dorso e faixa abdominal de cor pardo-castanha, e que só ocorre no PA. Do *Grisson* há duas subespécies: a *G. vittatus vittatus*, da Amaz. e do S.O. do Brasil, e a *G. v. brasiliensis*, do C.O. e S., que tem por cima dos olhos e orelhas uma larga faixa amarela, que vai até a margem anterior da escápula. [Sin., nesta acepç.: *cachorrinho-do-mato*.]

furão[2] [De *furar* + -*ão*[2].] *S. m.* **1.** Indivíduo curioso e bisbilhoteiro. **2.** *Bras.* V. *cavador* (3). **3.** *Bras. Zool.* V. *barbeiro* (6). ● *Adj.* **4.** *Bras.* V. *cavador* (4): 🕮 "furão como ele só; especula com tudo; tem o quarto cheio de .... fitas e teteias de armarinho; vende essas miudezas ...., e dizem que faz negócio." (Aluísio Azevedo, *Casa de Pensão*, p. 103). [Fem. de 1, 2 e 4: *furona*.]

fura-paredes [De *furar* + o pl. de *parede*.] *S.* 2 *g.* e 2 *n.* **1.** Pessoa atilada, ativa, expedita. ● *S. m.* 2 *n.* **2.** *Bot.* Planta urticácea (*Parietaria officinalis*) de caule ereto, pubescente, carnoso, vermelho, de flores polígamas, pequeninas, sésseis, verdes, reunidas em glomérulos axilares num invólucro comum constituído por uma bráctea e bractéolas, e cujo fruto é aquênio ovoide, com apenas uma semente preta; erva-de-santana, quebra-pedra.

furar [Do lat. *forare*.] *V. t. d.* **1.** Abrir ou fazer furo em; perfurar, esburacar. **2.** Penetrar em; introduzir-se por; romper: 🕮 "só gostava de andar à volta com rapazes e molequinhos, ... furando matagais, correndo pelas várzeas" (Visconde de Taunay, *Ao Entardecer*, p. 34); "Minha intenção talvez fosse correr mundo, furar o sertão de Goiás." (Oto Lara Resende, *O Braço Direito*, p. 5). **3.** Perturbar, embaraçar, atrapalhar, dificultar: 🗎 *Procurou por todos os meios furar a transação já bem encaminhada.* **4.** Fazer que se malogre; frustrar: 🗎 *Fez tudo para furar o negócio do concorrente.* **5.** *Pop.* Faltar a um compromisso. **6.** *Bras. Chulo* Desvirginar, descabaçar. *T. i.* **7.** Irromper, sair: 🗎 *Magro e maltrapilho, os ossos furavam-lhe pelas vestes.* **8.** Abrir caminho, passagem: 🗎 *Foi furando por entre a densa multidão até alcançar o orador.* **9.** Vencer dificuldades: 🗎 *Veio furando pela vida fora até se tornar o grande homem que é.* *Int.* **10.** Romper; vazar: 🗎 *O abscesso furou.* **11.** Chutar e não acertar a bola.

fura-terra [De *furar* + *terra*.] *S. f. Bras. Zool.* V. *cobra-cega* (2). [Pl.: *fura-terras*.]

furável [De *furar* + -*vel*.] *Adj.* 2 *g.* Que pode ser furado.

fura-vidas [De *furar* + o pl. de *vida*.] *S.* 2 *g.* Pessoa muito ativa, que por todos os meios procura obter vantagens e servir os seus interesses; cavador.

furazano [De *fur*(*ano*) + -*az*(*a*)- + -*ano*[2].] *S. m. Quím.* Substância heterocíclica aromática, com anel pentagonal contendo o grupo N-O-N [fórm.: $C_2H_2N_2O$].

furazolidona [Voc. farmac.] *S. f. Quím.* Substância heterocíclica, aromática, nitrada, derivada do furano, us. no tratamento de infecções microbianas [fórm.: $C_8H_7N_3O_5$].

furbesco (ê) [Do it. *furbesco*.] *Adj.* Velhaco, patife.

furcífero [Do lat. *furciferu*, 'que merece a forca'.] *Adj.* Que tem a parte do corpo bifurcada.

fúrcula [Do lat. *furcula*.] *S. f.* **1.** *Anat.* Designação de borda em forma de ferradura (1). **2.** *Zool.* A parte do esqueleto das aves constituída pelas duas clavículas soldadas. **3.** *Zool.* Sistema saltador dos colêmbolos (q. v.), formado no quarto ou quinto segmento abdominal, bifurcado, e que acumula energia para impulsionar o animal para cima e para adiante. ◆ **Fúrcula esternal.** *Anat.* Chanfradura côncava existente na extremidade cranial do esterno.

furdunçar *V. int. Bras. Pop.* **1.** Divertir-se com alarido; pandegar. **2.** Promover furdunço, desordem. [Conjug.: v. *laçar*.]

furdunceiro [De *furdunço* + -*eiro*.] *Adj. S. m. Bras. Pop.* Diz-se de, ou indivíduo dado a furdunços.

furdúncio *S. m. Bras. Pop.* V. *furdunço*.

furdunço *S. m. Bras. Pop.* **1.** Festança popular. **2.** Barulho, desordem. [V. *rolo*[1] (16). F. paral.: *furdúncio*.]

furente [Do lat. *furente*.] *Adj.* 2 *g.* Enfurecido, colérico, furioso, furibundo: 🕮 "As altas chamas enoveladas

F

afastam-se, chofram-se, investem furentes, rabeiam, baralhando-se" (Gustavo Barroso, *Terra de Sol*, p. 17).

furfuráceo [Do lat. tard. *furfuraceu*.] ***Adj.*** Relativo ou semelhante ao farelo, ou à farinha; furfúreo, fareláceo, farináceo.

furfural [F. red. de *furfuraldeído*.] ***S. m.*** *Quím.* Aldeído líquido, incolor, facilmente oxidado, o que o torna escuro, tóxico, derivado do furano, encontrado em vários óleos essenciais e no óleo fúsel, ou produzido a partir da espiga do milho [fórm.: $C_5H_4O_2$].

furfuraldeído [De *furfur(o)-* + *aldeído*.] ***S. m.*** *Quím.* Furfural.

furfúreo [Do lat. tard. *furfureu*.] ***Adj.*** **1.** De farelo. **2.** V. *furfuráceo*.

▲ **furfur(o)-** [Do lat. *furfur, ŭris*.] ***El. comp.*** = 'farelo': *furfural*.

furfurol [De *furfur(o)-* + *-ol*[2].] ***S. m.*** *Quím.* V. *furfural*. [Pl.: *furfuróis*.]

furgão [Do fr. *fourgon*.] ***S. m.*** Carro coberto, para transporte de bagagens ou pequena carga.

fúria [Do lat. *furia*.] ***S. f.*** **1.** Agitação violenta; ímpeto de violência; furor: *O louco foi tomado de fúria*. **2.** Exaltação de ânimo; raiva, ódio, ira: *Tomou-se de tremenda fúria*; "levou o arrojo a arrepiar a testa do touro com a ponta da lança. Precipitou-se então o animal com fúria cega e irresistível." (Rebelo da Silva, *Contos e Lendas*, p. 178). **3.** Inspiração, estro, entusiasmo, ímpeto: *fúria criadora*; "Dai-me ũa fúria grande e sonorosa" (Luís de Camões, *Os Lusíadas*, I, 5). **4.** Precipitação ou inconsideração de procedimento. **5.** Pessoa furiosa, raivosa: *O ódio cegava-a: era uma fúria.* **6.** Mulher desgrenhada. ~ V. *fúrias*.

fúrias [Do mit. lat. *Furias*.] ***S. f. pl.*** *Mit.* No mundo latino, divindades infernais (Alecto, Megera e Tisífone) que personificavam o remorso e a vingança dos deuses. [Com cap.] ~ V. *fúria*.

furiba ***S. 2 g.*** *Bras. PB* Pessoa muito franzina.

furibundo [Do lat. *furibundu*.] ***Adj.*** Furioso, enfurecido, colérico: *Furibundo, estraçalhou a carta*; "um homem está em pé com um punhal na mão, olhar furibundo e o cabelo eriçado" (Alexandre Herculano, *Lendas e Narrativas*, II, p. 29).

furico [De *furo* + *-ico*[1].] ***S. m.*** *Bras. PB Pop.* V. *ânus*.

furiosa [F. subst. de *furioso*.] ***S. f.*** *Bras. MG S.* Banda musical de poucas pessoas; charanga.

furiosidade [De *furioso* + *-(i)dade*.] ***S. f.*** Qualidade de furioso.

furioso (ô) [Do lat. *furiosu*.] ***Adj.*** **1.** Que tem fúria: *louco furioso*. **2.** Irritado, irado, raivoso, indignado, enfurecido. **3.** Entusiasta, apaixonado: *É furioso pela música popular.* **4.** Impetuoso, arrebatado: *paixão furiosa*. **5.** Forte, resistente. **6.** Extraordinário, invulgar: *Tem uma furiosa vontade de viver.*

furipterídeo [Do tax. *Furipterus* + *-ídeo*[1]; tax. *Furipteridae*.] *Zool.* ***S. m.*** **1.** Espécime dos furipterídeos, família de mamíferos quirópteros de pequenas dimensões, asas bem desenvolvidas, primeiro dedo livre quase rudimentar, sem apêndices nasais, e uropatágio incluindo a cauda, exceto na porção terminal. Nariz simples, não foliáceo, e orelha provida de trago pequeno, mas distinto. Há somente duas espécies, com distribuição na América tropical. ● ***Adj.*** **2.** Pertencente ou relativo a eles.

furlana [Do it. *furlana*.] ***S. f.*** **1.** Dança de caráter vivo, em compasso binário (6/4 ou 6/8), originária do Friul (Itália) e popular nos bailes públicos de Veneza no séc. XVII. [No princípio do séc. XVIII teve grande voga em toda a Europa, e era executada por um ou dois pares a girar com rapidez e bater com os pés.] **2.** A música para essa dança.

furna [Do lat. *furnu*, 'forno', com mudança de gênero, poss.] ***S. f.*** **1.** Caverna ou gruta, ger. formada de blocos de pedra; fojo, antro, cova, lapa. **2.** Subterrâneo (6). **3.** *Bras. BA* Lugar retirado e esquisito. **4.** *Bras. PR* Espécie de carijo, bem afastado do fogo.

furnariída [Do tax. *Furnarius* (v. *furnariídeo*) + *-ida*[1]; tax. *Furnariides*.] ***S. m.*** ***Adj. 2 g.*** *Zool.* V. *furnariídeo*.

furnariídeo [Do tax. *Furnarius* (< lat. *furnariu*, 'forneiro', 'padeiro') + *-ídeo*[1]; tax. *Furnariidae*.] *Zool.* ***S. m.*** **1.** Espécime dos furnariídeos, família de aves passeriformes, arborícolas, caracterizadas por terem o tarso endaspidiano. Têm bico normal, plumagem marrom-avermelhada, habitam as florestas neotropicais e alimentam-se principalmente de insetos e sementes. Preparam seus ninhos trabalhando a lama. São os joões-de-barro e joões-tenenéns. ● ***Adj.*** **2.** Pertencente ou relativo a eles.

furo [Dev. de *furar*.] ***S. m.*** **1.** Abertura artificial; buraco, rombo, orifício. **2.** *Fig. Fam.* V. *grau* (14). **3.** *Bras.* Notícia dada em primeira mão num jornal, em noticiário radiofônico, de televisão, etc. [Sin. (lus.), nesta acepç.: *cacha*.] **4.** *Bras. Amaz.* Comunicação natural entre dois rios ou entre um rio e um lago: "Levamos muitos dias de viagem porque foi forçoso .... andar pelos furos mais estreitos, arrastando algumas vezes a canoa" (Inglês de Sousa, *Contos Amazônicos*, p. 253). **5.** *Tip.* Unidade tipométrica equivalente a quatro cíceros, ou 48 pontos (18,044mm); concordância. ◆ **Estar cem furos acima de.** Avantajar-se muito, ser muito superior, a (alguém); estar muitos furos acima de. **Estar muitos furos acima de.** Estar cem furos acima de. **Vir a furo. 1.** Chegar (um tumor) ao ponto em que deve ser furado ou espremido. **2.** Chegar (um negócio, um assunto) ao ponto em que a respeito dele se deve tomar uma resolução.

furoar [De *furão*[1] + *-ar*[2], com desnasalação.] ***V. t. d. T. d. e c.*** **1.** Procurar (qualquer coisa) à guisa de furão[1]: *Anda na miséria, furoando alimento no lixo das casas.* **2.** *Fig.* Investigar; pesquisar. [Conjug.: v. *coroar*.]

furona ***S. f.*** Fem. de furão[2] (1, 2 e 4).

furor (ô) [Do lat. *furore*.] ***S. m.*** **1.** Grande exaltação de ânimo; fúria. **2.** Delírio violento. **3.** Arrebatamento, frenesi. **4.** Entusiasmo, veemência: *o furor da paixão.* **5.** Impetuosidade, violência: *o furor da tempestade.* ◆ **Furor uterino.** V. *ninfomania*. **Fazer furor.** Gozar de grande popularidade, fazer sucesso, estar em voga.

➔**furor teutonicus** ['furɔr tjɔ'tɔnekos] [Lat.] Barbárie germânica.

furosemida [Voc. farmac.] ***S. f.*** *Quím.* Ácido carboxílico clorado, derivado da sulfanilamida que contém anel furânico, us. como diurético [fórm.: $C_{12}H_{11}ClN_2O_5S$].

furreca ***Adj. 2 g.*** *Bras.* **1.** V. *mixe*: "Atualmente [em Nova Iorque], um desjejum furreca .... não sai por menos de três dólares." (Sérgio Augusto, em *Folha de S.Paulo*, 04.11.1985.) **2.** Gasto pelo uso; velho: *sandália furreca*.

furriel [Do fr. *fourrier*.] ***S. m.*** **1.** V. *hierarquia militar*. **2.** Militar que detinha a posição hierárquica de furriel. **3.** *Bras. Zool.* Ave passeriforme, fringilídea (*Caryothraustes canadensis*), do Brasil e Guianas, de coloração olivácea com tons amarelados, parte inferior amarelo-olivácea, e sobrancelha, faces e mento pretos. [Pl.: *furriéis*.]

furrundu ***S. m.*** *Bras.* Furrundum.

furrundum ***S. m.*** *Bras.* **1.** *Cul.* Doce feito de cidra ralada, gengibre e açúcar mascavo ou rapadura: "O arroz-doce e o furrundum pareciam esconder-se entre os mais pratos" (Valdomiro Silveira, *Os Caboclos*, p. 143). **2.** Espécie de dança roceira. [F. paral.: *furrundu*.]

furta-cor [De *furtar* + *cor* (ô).] ***Adj. 2 g. e 2 n.*** **1.** Que apresenta cor diversa, segundo a luz projetada; cambiante: *tecido furta-cor*; "Um córrego rolava espumas furta-cor." (Vicente de Carvalho, *Versos da Mocidade*, p. 24). ● ***S. m.*** **2.** A cor cambiante. **3.** *Zool.* Espécie de cobra-cipó (*Philodryas mattogrossensis*). [Pl. do s. m.: *furta-cores*.]

furta-cores [De *furta* + o pl. de *cor* (ô).] ***Adj. 2 g. e 2 n. S. m. 2 n.*** *P. us.* V. *furta-cor* (1 e 2): "agitavam esses .... a sua bandeira revolucionária furta-cores." (José Régio, *O Príncipe com Orelhas de Burro*, p. 104); "um turbilhão borboleteia / De prismáticos sonhos furta-cores" (Raimundo Correia, *Poesias*, p. 132).

furtadela [De *furtar* + *-dela*.] ***S. f.*** Ação de furtar (5 e 8). ◆ **Às furtadelas.** Às escondidas; às ocultas; a furto: "olhava-a sempre vagamente, fugidiamente, às furtadelas" (Virgílio Várzea, *Nas Ondas*, p. 27).

furta-fogo [De *furtar* + *fogo*.] ***S. m.*** **1.** Luzeiro escondido. ● ***Adj. 2 g.*** **2.** ~ V. *lanterna* —. [Pl.: *furta-fogos*.]

furta-moça [De *furtar* + *moça* (ô).] ***Adj. 2 g.*** *Bras.* Diz-se do equídeo sem ferradura. [Pl.: *furta-moças*.]

furta-passo [De *furtar* + *passo*[1].] ***S. m.*** Certa andadura do cavalo cômoda para o cavaleiro. [Pl.: *furta-passos*.] ◆ **A furta-passo.** Com cautela; sem fazer ruído.

furtar [De *furto* + *-ar*[2].] ***V. t. d.*** **1.** Apoderar-se de (coisa alheia móvel); subtrair fraudulentamente (coisa alheia); roubar: "A minha ama de leite Guilhermina / Furtava as moedas que o Doutor me dava." (Augusto dos Anjos, *Eu*, p. 75.) **2.** Fazer passar como seu (trabalho, obra, pensamento, etc., de outrem). **3.** Falsificar, contrafazer: *Hábil imitador, furtou a assinatura do chefe.* ***T. d. e i.*** **4.** Subtrair furtiva ou fraudulentamente; roubar: *Furtou à viúva seus últimos recursos*; "meu genro, que não deixava a mulher um só instante, furtava-lhe beijos sempre que eu me afastava deles" (Aluísio Azevedo, *Livro de uma Sogra*, p. 162). **5.** Afastar; desviar; esquivar: *Furtou a vista aos gestos de súplica.* ***Int.*** **6.** Apoderar-se de coisa alheia móvel; subtrair fraudulentamente coisa alheia móvel; ser ladrão: *Tem o vício de furtar.* **7.** Trapacear no jogo. ***P.*** **8.** Desviar-se, esquivar-se: "Ela alegava .... que a gravidez, ... o mal-estar constante, obrigavam-na a furtar-se aos carinhos dele." (Nélson de Faria, *Cabeça-Torta*, p. 79.) **9.** Esconder-se, ocultar-se.

furtivo [Do lat. *furtivu*.] ***Adj.*** **1.** Praticado a furto, às ocultas. **2.** Oculto, escondido: *caçador furtivo*. **3.** Disfarçado, dissimulado: "as mulheres em biocos, ... namorando com olhadelas furtivas, segredinhos ou bilhetes perfumados" (Oliveira Martins, *História de Portugal*, II, p. 163).

furto [Do lat. *furtu*.] ***S. m.*** **1.** Ato ou efeito de furtar. **2.** Subtração, para si ou para outrem, de coisa alheia móvel. **3.** Aquilo que se furtou. ◆ **A furto.** V. *às furtadelas*: "voltava à sua cadeira, mirando-se a furto nos espelhos da sala" (Aluísio Azevedo, *O Mulato*, p. 79).

furu-furu [Voc. onom.] ***S. m.*** *Bras.* Espuma de melaço a ferver. [Pl.: *furu-furus*.]

furuncular [De *furúnculo* + *-ar*[1].] ***Adj. 2 g.*** Relativo a, ou da natureza do furúnculo.

furúnculo [Do lat. *furunculu*.] ***S. m.*** *Derm.* Lesão inflamatória dura, que ocupa pele e tecido subcutâneo, e em cujo centro ocorre necrose. [Sin.: *leicenço*, (pop.) *fruncho*, *frunco*, *frúnculo*, e (prov. port.) *bichoca* (ô), para furúnculo pequeno.]

furunculose [De *furúnculo* + *-ose*[1].] ***S. f.*** *Derm.* Erupção de furúnculos.

furunculoso (ô) [De *furúnculo* + *-oso*.] ***Adj.*** **1.** Semelhante ou relativo a furúnculo. **2.** Sujeito a furúnculos. **3.** Que os tem.

furungar ***V. t. i. Int.*** *Bras., S. Fam. Mexer*; *remexer*: *Andou furungando nuns papéis velhos*; *Gosta de furungar.* [Conjug.: v. *largar*.]

fusa[1] [Do it. *fusa*.] ***S. f.*** *Mús.* Figura musical que vale a metade da duração da semicolcheia, e que se representa por uma haste e três bandeirolas.

fusa[2] ***S. f.*** *Bras. Pop. Deprec.* Meretriz.

fusada [De *fuso* + *-ada*[1].] ***S. f.*** **1.** Porção de fio enrolada no fuso. **2.** Pancada com o fuso. **3.** Cada volta do fuso, ao fiar.

➔**fusain** [fy'zẽ] [Fr.] ***S. m.*** **1.** Carvão vegetal feito dos ramos do arbusto deste nome e us. para desenhar. **2.** Desenho feito com esse carvão.

fusaiola [Do it. *fusaiola*.] ***S. f.*** Discozinho que tem um orifício central destinado a receber a extremidade do fuso que fia o linho.

fusão [Do lat. *fusione*.] ***S. f.*** **1.** Ato ou efeito de fundir-se ou fundir-se; derretimento pela ação do calor. **2.** Mistura, liga. **3.** Aliança, união: "Estamos assistindo .... à fusão de duas correntes que nasceram como expressões contraditórias e depois se aproximaram pelo que nelas havia de comum. Essas correntes são o individualismo e o socialismo." (Alceu Amoroso Lima, *A Realidade Americana*, p. 251.) **4.** *Adm.* Resultado da combinação, normalmente voluntária, de duas empresas em uma única, normalmente com o intuito de reduzir custos de operação e aproveitar possíveis sinergias: *fusão de bancos, de firmas.* **5.** V. *amalgamação* (4). **6.** *Cin.* Corte de imagens em que há a passagem gradual de uma para outra. **7.** *E. Ling.* Processo de transformação de dois elementos contíguos (como sons, morfemas) num terceiro. **8.** *Estat.* Procedimento adotado na análise da influência de determinados fatores sobre uma população, e que consiste em agrupar dois ou mais fatores para diminuir erros de amostragem. **9.** *Fís.* Passagem de uma substância, ou de uma mistura, da fase sólida para a líquida. [Quando a substância é pura e a pressão constante, a fusão realiza-se isotermicamente.] **10.** *Fís. Nucl.* Fusão nuclear. ◆ **Fusão nuclear.** *Fís. Nucl.* Reação nuclear em que núcleos leves reagem para formar outro mais pesado, com grande desprendimento de energia. Na reação, parte da massa dos núcleos reagentes se transforma em energia e, por isso, a massa do núcleo resultante é menor que a soma das massas dos reagentes. Uma reação de fusão importante é a de formação de um núcleo de trítio a partir de dois núcleos de deutério, e que constitui a base do funcionamento de uma bomba de hidrogênio. Na reação de fusão controlada, procura-se obter uma elevada temperatura, necessária para iniciar a reação, no seio de um plasma gasoso. Como fonte de energia, as fusões nucleares têm papel importante, se não fundamental, na emissão de energia das estrelas. [Tb. se diz apenas *fusão*. Sin.: *reação termonuclear*.]

fusário [Do tax. *Fusarium*.] ***S. m.*** *Micol.* **1.** Gênero de fungos ascomicetos que inclui espécies parasitárias que formam micélio septado e produzem macronídios, e que se podem desenvolver em matéria orgânica em decomposição, ou parasitar plantas ou insetos e crustáceos. **2.** Espécie, ou espécime desse gênero.

fusariose [De *fusário* + *-ose*[1].] ***S. f.*** *Bot.* Moléstia das plantas vascularizadas, causada por um fungo do gênero fusário, que as faz amarelecer e murchar. Gera grandes prejuízos em várias culturas, como, p. ex., a da batateira, cujos tubérculos apodrecem dentro da terra.

fusca[1] [Alter. pop. de *Volks(wagen)*, poss.] *S. m. Bras. Pop.* Automóvel Volkswagen de motor de 1.200 ou 1.300 cilindradas; fusquinha: 📖 "está muito satisfeito, porque ontem roubaram um dos carros dele da garagem, mas foi o fusca. Dos males, o menor!" (Marisa Raja Gabaglia, *Milho pra Galinha, Mariquinha*, p. 55). [Cf. *fuscão*.]

fusca[2] [Do cabo-ver.] *S. f. Cabo-verd.* Embriaguez, bebedeira: 📖 "apanhou uma grande fusca com os amigos na Água do Canal." (Baltasar Lopes, *Chiquinho*, p. 41).

fuscalvo [De *fusc(i)-* + *alvo*.] *Adj.* Fusco e alvo.

fuscão [De *fusca* + *-ão*[1].] *S. m. Bras. Pop.* Automóvel Volkswagen de motor de 1.500 ou 1.600 cilindradas. [Cf. *fusca*[1].]

▲**fusc(i)-** [Do lat. *fuscus, a, um*.] *El. comp.* = 'fusco', 'escuro': *fuscalvo, fuscímano, fuscipene.*

fuscícolo [De *fusc(i)-* + *-colo*.] *Adj. Zool.* Que tem o pescoço pardo.

fuscicórneo [De *fusc(i)-* + *-corn(i)-* + *-eo*.] *Adj. Zool.* Que tem as antenas pardas.

fuscímano [De *fusc(i)-* + *-mano*[2].] *Adj. Zool.* Que tem as patas anteriores escuras.

fuscipene [De *fusc(i)-* + *-pene*.] *Adj. 2 g. Zool.* Que tem penas pardas; fuscipêneo.

fuscipéneo *Adj. Zool.* V. *fuscipêneo*. [Uso freq. em P.]

fuscipêneo [De *fusc(i)-* + *-pen(e)-* + *-eo*.] *Adj. Zool.* Fuscipene.

fuscirrostro [De *fusc(i)-* + *-rostro*.] *Adj. Zool.* Que tem o bico pardo.

fusco [Do lat. *fuscu*.] *Adj.* **1.** Escuro, pardo: 📖 "estendia-se uma sombra cada vez mais baça, mais fusca, mais cinzenta" (Eça de Queirós, *Contos*, p. 154); "Preta? Não; fusca, mulatinha escura, de cabelos ruços e olhos assustados." (Monteiro Lobato, *Urupês, Outros Contos e Coisas*, p. 249). **2.** *Fig.* Triste, melancólico. **3.** *Bras.* Diz-se do gado de pelo escuro, preto. **4.** *Cabo-verd.* Embriagado, bêbado: 📖 "Como ele estivesse meio 'fusco', não fizeram mais caso daqueles disparates." (Luís Romano, *Ilha*, p. 104.)

fusco-fusco *S. m. Bras. S. Pop.* V. *lusco-fusco*: 📖 "Era já fusco-fusco. Pegaram a acender as luzes." (Simões Lopes Neto, *Contos Gauchescos e Lendas do Sul*, p. 211.) [Pl.: *fusco-fuscos*.]

➔**fuseau** [fy'zo] [Fr.] *S. m.* Calça justa, em geral de malha, cujas pernas se prendem por alças que passam por baixo dos pés.

fuseira [De *fuso* + *-eira*.] *S. f.* Fuso (1) grande.

fuseiro [De *fuso* + *-eiro*.] *S. m.* Fabricante ou vendedor de fusos.

fúsel [Do al. *Fusil*, 'aguardente ordinária'.] *Adj.* ~ V. *óleo* —.

fusela [De *fuso* + *-ela*.] *S. f. Heráld.* Ornato semelhante a fuso.

fuselado [Do fr. *fuselé*.] *Adj.* **1.** Que tem fuselas. **2.** V. *afusado*: 📖 "E a quarta [aia] em seu dedo branco e fuselado / Põe o anel pesado de ouro martelado." (Eugênio de Castro, *Obras Poéticas*, I, p. 109.)

fuselagem [Do fr. *fuselage*.] *S. f. Aer.* Estrutura de forma aproximadamente aerodinâmica que abriga a tripulação, passageiros e/ou carga, e à qual são fixadas as asas, as superfícies da cauda e onde se encontram os motores de algumas aeronaves.

▲**fus(i)-** [Do lat. *fusus, i*.] *El. comp.* = 'fuso'; 'que tem forma de fuso': *fusiforme, fusípede.* [Equiv.: *-fus(i)-, fus(o)-*: *afusado; fusologia*.]

▲**-fus(i)-** V. *fus(i)-*.

fusibilidade [De *fusível* + *-(i)dade*, seg. o padrão erudito.] *S. f.* Qualidade de fusível.

fusicórneo [De *fus(i)-* + *-corn(i)-* + *-eo*.] *Zool. S. m.* **1.** Espécime dos fusicórneos, família de insetos lepidópteros, com antenas grossas no meio. ● *Adj.* **2.** Pertencente ou relativo a eles.

fusiforme [De *fus(i)-* + *-forme*.] *Adj. 2 g.* V. *afusado*: 📖 "a bardana dos monturos, de raiz fusiforme" (Camilo Castelo Branco, *Sentimentalismo e História*, p. 164).~ V. *meteoro* —.

fúsil [Do lat. *fusile*.] *Adj. 2 g.* V. *fundível*. [Pl.: *fúseis*. Cf. *fuzil*.]

➔**fusilli** [fu'zil.li] [It.] *S. m. pl.* **1.** V. *parafuso* (6). **2.** *Cul.* Iguaria feita com essa massa.

fusionante [De *fusionar* + *-nte*.] *Adj. E. Ling.* ~ V. *língua* —.

fusionar [De *fusão* + *-ar*[2], seg. o padrão erudito.] *V. t. d.* **1.** Fazer a fusão de; fundir. **2.** Confundir, misturar, amalgamar.

fusionista [De *fusão* + *-ista*, seg. o padrão erudito.] *Adj. 2 g.* **1.** Relativo à fusão política. **2.** Que entrou numa fusão partidária. **3.** Que é partidário de fusão política. ● *S. 2 g.* **4.** Partidário dela.

fusípede [De *fus(i)-* + *-pede*.] *Adj. 2 g. Zool.* Que tem os pés afusados.

fusível [Do b.-lat. *fusibile* < lat. *fusilis*, 'fusil'.] *Adj. 2 g.* **1.** V. *fundível*. ● *S. m.* **2.** *Bras. Eng. Elétr.* Dispositivo de proteção de circuitos elétricos, constituído por um material que funde, interrompendo o circuito, quando a corrente que o percorre ultrapassa um valor determinado.

fuso [Do lat. *fusu*.] *S. m.* **1.** Instrumento roliço sobre o qual se forma, ao fiar, a maçaroca: 📖 "ela dando alguns passos, ... com a sua roca, e fiando, com os dedos tão trêmulos, que o fuso lhe caía na relva." (Eça de Queirós, *Últimas Páginas*, p. 376). [Aum.: *fuseira*.] **2.** Peça onde se enrola a corda do relógio. **3.** *Citol.* Conjunto de microtúbulos e proteínas associadas, o qual se forma entre os polos opostos da célula durante a divisão celular, que fixam e orientam os deslocamentos de separação dos cromossomos. **4.** *Geom.* Porção de superfície esférica compreendida entre dois semiplanos que partem de um diâmetro da esfera; fuso esférico. [Cf., nesta acepç., *luna*.] **5.** *Bras. N.E.* Parafuso de madeira que, conjugando-se com a rosca da vara, a faz subir ou descer no arrocho (4), e que se liga, também, à prensa (6). [Cf. *fuzo*.] ◆ **Fuso acromático.** *Citol.* Fuso (3) cujas fibrilas não coram, ou coram mal, nos processos de mitose; aparelho mitótico, fuso mitótico. **Fuso anastral.** *Citol.* Fuso (3) em que o áster está ausente. **Fuso astral.** *Citol.* Fuso (3) em que o áster está presente. **Fuso distribuidor.** *Tip.* Cada um dos três eixos cujas ranhuras helicoidais fazem avançar as matrizes no distribuidor da linotipo. **Fuso esférico.** *Geom.* Fuso (4). **Fuso horário.** Cada um dos 24 fusos [v. *fuso* (4)] situados entre pares de meridianos terrestres afastados de 15° entre si, e dentro do qual prevalece a mesma hora legal. **Fuso mitótico.** *Citol.* V. *fuso acromático*.

▲**fus(o)-** V. *fus(i)-*.

fusô [Do fr. *fuseau*.] *S. m.* Calça elástica comprida, presa sob o calcanhar.

fusoide (ói) [De *fus(o)-* + *-oide*.] *Adj. 2 g.* V. *afusado*. ❖

fusologia [De *fus(o)-* + *-logia*; fr. *fuséologie*.] *S. f. Astron.* Estudo dos foguetes.

fusólogo [De *fus(o)-* + *-logo*; fr. *fuséologue*.] *S. m. Astron.* Especialista em fusologia.

fusório [Do lat. tard. *fusoriu*.] *Adj.* Respeitante à fundição.

fusquete *Adj. 2 g. S. 2 g. Bras. GO* Diz-se de, ou pessoa levemente embriagada.

fusquinha [De *fusca* + *-inha*.] *S. m. Bras. Pop.* V. *fusca*[1].

fusta[1] [Do cat. *fusta*.] *S. f. Ant.* Embarcação comprida e estreita, de pequeno calado, proa de beque, armada de esporão, dotada de 10 a 26 bancos de remadores, mastro que podia largar uma vela bastarda, e tendal à popa: 📖 "Por fins de 1540 estava concentrada diante de Goa uma garbosa e forte armada, composta de sessenta e sete fustas e catures, três galeotas e doze velas grossas" (Aquilino Ribeiro, *Portugueses das Sete Partidas*, p. 70).

fusta[2] *S. f. Ant.* Espécie de xale.

fustão [De or. obsc.] *S. m. Tec. Têx.* Tecido natural ou sintético, de algodão, linho, seda ou lã, que apresenta o avesso liso e o direito em relevo, formando cordões justapostos paralelos, ou desenhos variados: 📖 "colete de fustão claro, fraque e calça de xadrez" (Leôncio Correia, *A Boêmia do Meu Tempo*, p. 76).

fuste [Do lat. *fuste*, 'vara', 'bastão'.] *S. m.* **1.** Haste, cabo. **2.** A parte principal da coluna, entre o capitel e a base: 📖 "Tal se apruma, // no destruído Fórum, a nobre coluna Trajana, / entre dispersos fustes e capitéis quadrados." (Carlos Magalhães de Azeredo, *Odes e Elegias*, p. 50.) **3.** Pauzinho com uma camada de betume em uma das extremidades, com o qual os ourives pegam nas peças miúdas que hão de lavrar. **4.** O corpo principal do bombo e do tambor. **5.** *Bot.* A porção compreendida, numa árvore, entre o solo e as primeiras ramificações, e que é manipulada pela indústria madeireira; tronco: 📖 "os altos fustes empenachados das palmeiras-imperiais" (Gustavo Barroso, *Mississipi*, p. 111). **6.** *Tip.* V. *haste* (6).

fustete (ê) [Do cat. *fustet* e esp. *fustete*, do ár., poss.] *S. m. Bras. Bot.* Designação comum a várias árvores anacardiáceas, pequenas, exóticas e ornamentais, pertencentes ao gênero *Rhus*, e cujos frutos são drupáceos, com sementes oleaginosas.

fustigação [De *fustigar* + *-ção*.] *S. f.* **1.** Ato ou efeito de fustigar. **2.** *Med. Obsol.* Emprego terapêutico da flagelação com faíscas elétricas.

fustigador (ô) [De *fustigar* + *-dor*.] *Adj.* **1.** Que fustiga; fustigante. ● *S. m.* **2.** Aquele que fustiga.

fustigante [De *fustigar* + *-nte*.] *Adj. 2 g.* Fustigador (1).

fustigar [Do lat. tard. *fustigare*.] *V. t. d.* **1.** Bater com vara: 📝 *O carroceiro fustigou as bestas.* **2.** Vergastar, açoitar, zurzir: 📖 "Brandindo, no ar, um látego de fogo, / Sem piedade, as fustiga" (Teixeira de Pascoais, *Obras Completas*, V, p. 7); "O vento fustigava-lhes o rosto." (Amando Fontes, *Os Corumbas*, p. 18). **3.** Castigar, maltratar: 📝 *O ciúme fustiga a alma.* **4.** Excitar, incitar, estimular: 📝 *A ambição fustiga a vontade.* [Conjug.: v. *largar*.]

fustigo [Dev. de *fustigar*.] *S. m.* Pancada de fuste (1), de vara.

fute *S. m. Bras. Pop.* V. *diabo* (2): 📖 "Para Cosme, não padeceu mais dúvida que Pedro fosse o Diabo. Ter o fute em pessoa dentro de casa!" (José Vieira, *Vida e Aventura de Pedro Malasarte*, p. 88.)

futebol [Do ingl. *football*.] *S. m.* **1.** Cada um dos vários jogos esportivos disputados por dois times, com uma bola de couro, num campo com um gol (1) em cada uma das extremidades, e cujo objetivo é fazer entrar a bola dentro do gol defendido pelo adversário. **2.** Modalidade de futebol (1) disputado entre duas equipes de 11 jogadores, num campo retangular, com o comprimento máximo de 120m e mínimo de 90m, e largura máxima de 90m e mínima de 45m, na qual é vedado aos jogadores, exceto o goleiro, tocar a bola com as mãos, e em que os pontos são marcados por gols. As equipes são ger. distribuídas em goleiro, zagueiros, meios-campos e atacantes, dispostos de acordo com esquema tático. **3.** Estilo e técnica de jogar futebol: 📝 *O futebol do Brasil tem renome internacional; o futebol de Garrincha era divino.* [Pl.: *futebóis*.] ◆ **Futebol americano.** *Esport.* Modalidade de futebol (1), originária dos Estados Unidos, jogada entre duas equipes de onze jogadores, com uma bola oval, e na qual os jogadores se deslocam trazendo a bola nas mãos e os pontos são efetuados a cada vez que se ultrapassam as marcações no campo, ou por gols, que representam a menor pontuação da modalidade e são efetuados através de chutes. **Futebol de areia.** *Esport.* Futebol de praia (q. v.): 📖 "Um dirigente da FIFA .... disse que a entidade quer incluir o futebol de areia nas Olimpíadas." (*O Globo*, 21.02.2000.) **Futebol de botão.** Jogo inspirado no futebol (2), praticado sobre uma mesa ou qualquer área demarcada, e em que os jogadores são representados por botões e a bola é feita de cortiça ou de outro material adequado; jogo de botão. **Futebol de praia.** *Esport.* Variante do futebol (1) com regras bastante semelhantes às deste, jogado na areia, em que cada equipe, descalça, é composta de cinco jogadores e um goleiro. [Sin.: *futebol de areia*. Cf. *beach-soccer*.] **Futebol de salão.** *Esport.* Futsal. **Futebol totó.** *Bras.* Jogo inspirado no futebol (2), praticado numa caixa retangular em cujas paredes laterais se prendem varetas móveis que mantêm suspensos 22 bonecos, e no qual os jogadores, segurando nas extremidades das varetas, que ressaem da caixa, imprimem aos bonecos movimentos pendular e lateral, buscando tocar a bola para o gol. [Sin. (bras.): *pebolim*. Tb. se diz apenas *totó*. Sin. (lus.): *matraquilhos*.]

futebol-arte *S. m. 2 n. Esport.* Aquele que é jogado com graça e elegância, técnica, sem se valer de expedientes antiesportivos.

futebolismo [De *futebol* + *-ismo*.] *S. m. Bras.* **1.** Prática do futebol. **2.** Paixão por esse esporte.

futebolista [De *futebol* + *-ista*.] *S. 2 g. Bras.* **1.** Perito em coisas de futebol. **2.** Apaixonado do futebol. **3.** Jogador de futebol.

futebolístico [De *futebolista* + *-ico*[2].] *Adj. Bras.* Referente ao, ou próprio do futebol.

futebol-soçaite *S. m. Esport.* Variante do futebol, com regras próprias, praticado em um campo com dimensões menores, com equipes de 6 a 8 jogadores. [Pl.: *futebóis-soçaite* e *futebóis-soçaites*.]

futevôlei *S. m.* Jogo, ger. praticado em quadra de areia, e que segue as regras do voleibol, mas no qual é vedado às equipes o uso das mãos.

futicar *V. t. d.* **1.** *Bras. Pop.* Fuxicar (4). **2.** Furar, espetar. **3.** Importunar, aborrecer, amolar. [Var.: *futucar*. Conjug.: v. *trancar*. Cf. *futricar*.]

fútil [Do lat. *futile*.] *Adj. 2 g.* **1.** Frívolo, leviano: 📖 "Tudo nelas .... condiz ao modelo da mulher mal-educada, namoradeira, vaidosa, fútil." (Fialho d'Almeida, *Pasquinadas*, p. 170.) **2.** Insignificante, vão: 📝 *motivo fútil*. ● *S. 2 g.* **3.** Pessoa fútil: 📖 "A Mara é uma fútil, uma desfrutável e uma gastadeira de marca maior!" (Telmo Vergara, *Contos da Vida Breve*, p. 115.)

futilidade [Do lat. *futilitate*.] *S. f.* **1.** Qualidade ou caráter de fútil: 📝 *É notória a sua futilidade.* **2.** Coisa fútil. V. *ninharia*: 📝 *Gasta dinheiro e tempo em futilidades.*

futilizar [De *fútil* + *-izar*.] *V. t. d.* **1.** Tratar com pouco-caso; querer tornar fútil. *Int.* **2.** Tratar de futilidade. **3.** Dizer palavras ocas.

➔**futon** [fu'to:N] [Jap.] *S. m.* **1.** Tipo de colchão de 5cm de espessura, revestido com algodão ou tecido sintético, tradicionalmente us. no Japão; seus similares ocidentais são mais espessos e maiores. **2.** *Restr.* Almofada quadrada, com lados de cerca de meio metro, que ger. se coloca sobre sofás ou camas.

futre [Do fr. *foutre*.] *S. m.* **1.** *Pop.* Homem desprezível, reles, vil; bandalho, futrica. **2.** V. *avaro* (3). ● *Adj.* **3.** Sem-importância; insignificante, reles: 📖 "Luís de Camões .... mantinha certas relações com gente altamente colocada, e iria acalentando as necessidades da vida com os réditos, futres réditos, dos trabalhos de cópia e escrituração, que faria a rogo deste e daquele." (Aquilino Ribeiro, *Luís de Camões*, II, pp. 80-81.)

futrica [De *futre* + o f. de *-ico*[1].] *S. f.* 1. Baiuca, bodega. 2. V. *futricada* (2). 3. *Bras. Pop.* Pilhéria impertinente; provocação. 4. *Bras. Pop.* V. *fuxico* (1). • *S. m.* 5. V. *futre* (1). 6. *Bras.* Indivíduo sem importância social (v. *joão-ninguém*).

futricada [De *futricar* + *-ada*[1].] *S. f.* 1. *Pop.* Ação reles, vil; futricagem, futriquice, futricaria. 2. Trastes velhos, usados; cacaréus, futrica.

futricagem [De *futricar* + *-agem*[2].] *S. f. Pop.* V. *futricada* (1).

futricar [De *futrica* + *-ar*[2].] *V. t. d.* 1. Negociar, mercadejar, fazendo trapaça; chatinar. 2. Estragar, arruinar, prejudicar. 3. Mexer em; agitar, revolver. 4. *Bras. Pop.* Pilheriar de modo impertinente com; provocar, irritar, intrigar, fuxicar, afutricar. *Int.* 5. Intrometer-se em algo para atrapalhar. 6. Intrigar, fuxicar, afutricar: "Tanto sabia lutar a luta honrada e digna ...., defendendo princípios, como sabia futricar, negacear, se preciso fosse, armando as surpresas da politicagem." (Carlos de Gusmão, *Boca da Grota*, p. 490.) [Conjug.: v. *trancar*. Cf. *futicar*.]

futricaria [De *futrica* + *-aria*.] *S. f. Pop.* V. *futricada* (1).

futrico [De *futrica*, poss.] *S. m. Bras. CE Pop.* V. *diabo* (2).

futriquice [De *futrica* + *-ice*.] *S. f. Pop.* V. *futricada* (1).

futsal *S. m. Esport.* Variante do futebol (1), com regras próprias, praticado em quadra com piso artificial, de dimensões menores, e cujas equipes contam com 5 jogadores; futebol de salão.

futucar *V. t. d.* 1. *Bras.* V. *futicar*. 2. *Bras. N.E. MG Pop.* V. *cutucar*. [Conjug.: v. *trancar*.]

futum [Do *ambundo*.] *S. m.* Cheiro forte; mau cheiro; fortum, fartum.

futura [F. subst. do adj. *futuro*.] *S. f. Fam.* Noiva, prometida.

futuração [De *futurar* + *-ção*.] *S. f.* Ação de futurar; suposição, conjetura. [Cf. *futurição*.]

futuramente [Do f. de *futuro* + *-mente*.] *Adv.* Em tempo futuro; no futuro.

futurar [De *futuro* + *-ar*[2].] *V. t. d.* 1. Predizer, prognosticar; antever. 2. Supor, conjeturar. *T. d. e i.* 3. Predizer, prognosticar, antever: "todos futuram sobre o que irão decidir os cruzados" (José Saramago, *História do Cerco de Lisboa*, p. 152); "Mil venturas colhi dos lábios dela, / Que instantes de prazer me futuravam." (Gonçalves Dias, *Obras Poéticas*, I, p. 92). *Int.* 4. Fazer vaticínio. 5. Mostrar bom agouro.

futurição [Do fr. *futurition*.] *S. f. P. us.* 1. Existência duma coisa que está por vir. 2. *Rel.* A vida futura, a vida eterna. [Cf. *futuração*.]

futuridade [De *futuro* + *-(i)dade*.] *S. f.* 1. Qualidade de coisa futura. 2. Tempo ou acontecimento que está por vir.

futurismo [De *futuro* + *-ismo*; fr. *futurisme*.] *S. m.* 1. Movimento modernista lançado em 1909 por Marinetti (Filippo Tommaso Marinetti), autor italiano (1876-1944), e que se baseia numa concepção exasperadamente dinâmica da vida, toda voltada para o futuro, e combate o culto do passado e da tradição, o sentimentalismo, prega o amor das formas nítidas, concisas e velozes; é nacionalista e antipacifista: "Em França e na Itália, Marinetti divulgara a partir de 1909 os princípios basilares do futurismo: luta sem quartel às tradições, à cultura feita; exaltação dos instintos guerreiros; apologia dum novo Homem-protótipo isento de sensibilidade, saudável, amoral, dominador, livre de todas as peias." (Jacinto do Prado Coelho, *Diversidade e Unidade em Fernando Pessoa*, p. 37.) 2. *P. ext. Deprec.* Qualquer forma extravagante de arte.

futurista [De *futurismo* + *-ista*; fr. *futurisme*.] *Adj. 2 g.* 1. Que é adepto ou seguidor do futurismo. 2. Do, ou relativo ou pertencente ao futurismo; futurístico. 3. *P. ext.* Extravagante, excêntrico. • *S. 2 g.* 4. Adepto ou seguidor do futurismo.

futurístico [De *futurista* + *-ico*[2].] *Adj.* Futurista (2).

futurível [Do fr. *futurible*.] *Adj. 2 g.* 1. Diz-se de cada um dos vários modelos possíveis do futuro da humanidade, competindo à teologia investigar se a onisciência divina conhece ou não qual deles emergirá, e aos homens, no seu livre-arbítrio, tomarem ou não o caminho que os levará a esse futurível. • *S. m.* 2. Cada um desses modelos. 3. *Rel.* Na teologia escolástica, futuro condicionado pelos desígnios divinos, mas cuja condição não chegou a cumprir-se.

futuro [Do lat. *futuru*.] *S. m.* 1. Tempo que há de vir. 2. Sorte futura; destino: *Terá um belo futuro.* 3. Existência futura: *Tem agora quem cuide do seu futuro.* 4. Noivo (em relação à noiva). 5. *E. Ling.* Tempo verbal que localiza uma situação determinada numa época subsequente ao momento da enunciação. • *Adj.* 6. Que há de ser: *É um futuro médico.* 7. Que está por vir ou acontecer; vindouro, venturo: *tempos futuros*. ~ V. *mercado —*. ◆ **Futuro absoluto.** *Fís.* No contínuo espaço-tempo, região limitada pelo cone de luz e na qual a coordenada tempo é positiva. **Futuro anterior.** *E. Ling.* V. *futuro do pretérito*. **Futuro do presente.** *E. Ling.* Na NGB, tempo verbal que indica uma situação futura, certa ou apenas provável, em relação ao momento de enunciação: *amarei, terei amado*. **Futuro do pretérito.** *E. Ling.* Na NGB, tempo verbal que indica quer um futuro em relação a um ponto determinado no passado, quer uma condição irrealizável: *amaria, teria amado* **Futuro do subjuntivo.** *E. Ling.* Na NGB, tempo verbal que, nas orações subordinadas, indica quer a eventualidade de uma situação no futuro (*Se puder, voltarei amanhã*), quer um fato futuro como terminado em relação a outro fato futuro (*Se tiver lido tudo, vá descansar*). **De futuro.** 1. Em tempo futuro; futuramente. 2. Com próspero porvir.

futurologia [De *futuro* + *-logia*.] *S. f.* Ramo de conhecimento que especula acerca do futuro, com o fim de antecipar os futuríveis, ocupando-se da explosão demográfica, de possíveis mutações genéticas da humanidade, de processos revolucionários da biologia e da higiene, da segunda revolução tecnológica, do futuro da sociedade e suas instituições políticas e econômicas.

futurológico [De *futurologia* + *-ico*[2].] *Adj.* Referente à futurologia.

futurologista [De *futurologia* + *-ista*.] *S. 2 g.* Futurólogo.

futurólogo [De *futuro* + *-logo*.] *S. m.* Especialista em futurologia; futurologista.

futuroso (ô) [De *futuro* + *-oso*.] *Adj.* 1. Que tem bom futuro. 2. Promissor, prometedor, auspicioso.

fuxicação [De *fuxicar* + *-ção*.] *S. f. Bras. Pop.* V. *bolinagem*.

fuxicada [De *fuxicar* + *-ada*[1].] *S. f. Bras.* Série de fuxicos; mexericada, fuxicaria, fofoca.

fuxicar [Var. de *futicar*.] *V. t. d.* 1. Coser ligeiramente e a grandes pontos: "Pela janela da sala, vê-se .... Dona Luísa fuxicando um par de meias." (Telmo Vergara, *Contos da Vida Breve*, p. 22.) [F. paral. (bras., N. e N.E.): *fujicar* (q. v.).] 2. Amarrotar, enxovalhar, amarfanhar, amarfalhar. 3. Fazer (uma coisa) desajeitadamente e às pressas. 4. Remexer, revolver; futicar. 5. Intrigar, mexericar; futricar, afutricar. *Int.* 6. Fazer intriga, mexerico; intrigar, mexericar; futricar, afutricar: "Ficam dias fuxicando nos cafés e preguiçando, indecentes." (Graciliano Ramos, *Angústia*, p. 6.) [Conjug.: v. *trancar*. Cf. *fujicar*.]

fuxicaria [De *fuxico* + *-aria*.] *S. f. Bras.* V. *fuxicada*.

fuxico [Dev. de *fuxicar*.] *S. m.* 1. *Bras.* Intriga, mexerico, futrica. 2. *Bras.* Cerzidura ou remendo malfeito. 3. *Bras.* Namoro descarado. 4. *Bras. N.E.* Amizade muito estreita.

fuxiqueiro [De *fuxico* + *-eiro*.] *Adj. S. m. Bras.* Diz-se de, ou indivíduo que fuxica, intriga, mexerica; fuxiquento.

fuxiquento [De *fuxico* + *-ento*.] *Adj. S. m. Bras.* Fuxiqueiro.

fuzarca [De *fuzo* (q. v.).] *S. f.* 1. *Bras. Pop.* Farra, folia, pândega, troça. 2. Desordem, bagunça, confusão. [A boa grafia seria, talvez, *fusarca*, pois a palavra parece prender-se a *confuso*. V. (além dos derivados *fuzarquear* e *fuzarqueiro*) *fuzo* e *fuzuê*.]

fuzarquear [De *fuzarca* + *-ear*[2].] *V. int. Bras. S.* Fazer fuzarca (q. v.). [Conjug.: v. *frear*.]

fuzarqueiro [De *fuzarca* + *-eiro*.] *Adj. S. m. Bras. Pop.* Que, ou aquele que gosta de fuzarca (q. v.); farrista.

fuzil [Do fr. *fusil*.] *S. m.* 1. Elo de metal. 2. Anel de cadeia. 3. Aro de ferro que prende a serra grande dos serradores à testeira. 4. Peça de aço com que se fere lume na pederneira: "O seu único alívio era petiscar lume com um fuzil num sílex" (Camilo Castelo Branco, *Sentimentalismo e História*, p. 176). 5. Relâmpago (1): "Os aguaceiros continuavam furiosos. O vento, os fuzis, os trovões não tinham a menor intermitência" (Virgílio Várzea, *Nas Ondas*, p. 30). 6. Arma portátil de repetição, de cano longo, cujo carregador se coloca e se retira facilmente. 7. *Marinh.* Argola oblonga, de ferro, presa ao costado por baixo da mesa da enxárcia, e que segura a bigota inferior onde vai gornir o colhedor que tesa cada ovém. 8. *Fig.* Cadeia, prisão. 9. *Fig.* Elo, ligação. [A boa grafia seria com *s*. Cf. *fúsil*.] ~ V. *fuzis*.

fuzilação [De *fuzilar* + *-ção*.] *S. f.* 1. Ato de fuzilar. 2. Clarão produzido pelo fuzil ao ferir lume na pederneira.

fuzilada [De *fuzil* + *-ada*[1].] *S. f.* 1. Tiros de fuzil (6), ou de qualquer arma de fogo. 2. Pancada de fuzil em pederneira. 3. Relâmpagos longínquos.

fuzilado [Part. de *fuzilar*.] *Adj.* Justiçado ou assassinado com arma de fogo.

fuzilador (ô) [De *fuzilar* + *-dor*.] *Adj. S. m.* Que, ou aquele que fuzila ou manda fuzilar.

fuzilamento [De *fuzilar* + *-mento*.] *S. m.* Ato ou efeito de fuzilar.

fuzilante [De *fuzilar* + *-nte*.] *Adj. 2 g.* Que fuzila, que lança clarões ou centelhas: "A campônia aproximava-se, com aqueles olhos fuzilantes, pretos, perigosos" (Viriato Correia, *Contos do Sertão*, pp. 96-97).

fuzilar [De *fuzil* + *-ar*[2].] *V. t. d.* 1. Despedir de si, soltar, a modo de raios ou centelhas: "E foi por ali, no mesmo tom zangado, fuzilando ameaças" (Machado de Assis, *Várias Histórias*, p. 47). 2. Executar pena capital contra (alguém), com arma de fogo; passar pelas armas: *O governo mandou fuzilar os insurretos.* 3. Matar com arma de fogo: *Sacou da pistola e fuzilou o adversário.* *Int.* 4. Produzirem-se relâmpagos; relampejar; cintilar. 5. Brilhar intensamente: "um relâmpago fuzila e um trovão estala em volta do Corcovado" (Mateus de Albuquerque, *Da Arte e do Patriotismo*, p. 190); "Camilo tirou uma nota de dez mil-réis, e deu-lha. Os olhos da cartomante fuzilaram. O preço usual era dois mil-réis." (Machado de Assis, *Várias Histórias*, p. 17). 6. Tornar-se ou mostrar-se ameaçador; anunciar ódio, rancor: "— Ah! gringa do diabo!... exclamou em voz de trovão. / E batia os queixos como o caititu. .... O olhar fuzilava." (Xavier Marques, *As Voltas da Estrada*, p. 335); "Dona Biluca voltara da missa fuzilando e não era para menos." (Nélio Reis, *Subúrbio*, p. 22). 7. Fugir estonteado. [F. paral.: *afuzilar*.]

fuzilaria [De *fuzil* + *-aria*.] *S. f.* 1. Tiros simultâneos de fuzil (6) ou de qualquer arma de fogo. 2. Tiroteio entre inimigos. 3. *Fig.* Grande abundância.

fuzileiro [De *fuzil* + *-eiro*.] *S. m.* 1. Soldado armado de fuzil. 2. *Bras. Mar.* Fuzileiro naval. ◆ **Fuzileiro naval.** *Bras. Mar.* Militar naval pertencente a uma corporação especial destinada a realizar desembarques à viva força, dar serviço de guarda em estabelecimento de terra, servir de ordenança a certas autoridades, etc. [Tb. se diz apenas *fuzileiro*.]

fuzilhão [De **fuzilho* (< *fuz(il)* + *-ilho*) + *-ão*[2], poss.] *S. m.* Bico de fivela para segurar a presilha.

fuzis [Pl. de *fuzil*.] *S. m. pl. Zool.* As penas maiores, nos cotos das asas das aves. ~ V. *fuzil*. ◆ **Fuzis da amarra.** *Ant. Marinh.* Os elos da amarra.

fuzo *S. m. Bras. Gír.* V. *arrasta-pé* (1). [Cf. *fuso*. Tem-se prendido *fuzo* ao vocábulo *fuzuê*. Parece-nos, porém, que os dois derivam de *confuso*, como, aliás, admite (com dúvida) Antenor Nascentes, sendo, pois, *fuso* e *fusuê* grafias preferíveis.]

fuzuê *S. m. Bras. Gír.* 1. Festa, função. 2. Barulho, confusão, conflito. V. *rolo*[1] (16). [Quanto à grafia, v. *fuzo*.]

➔ **fuzzy** ['fʌzij] [Ingl., 'indistinto'.] *Adj. 2 g.* Difuso (3).

➔ **fuzzy logic** ['fʌzij 'lɑdʒɪk] [Ingl.] *Lóg. Mat.* V. *lógica difusa*.

Minúscula Moderna | Maiúscula Moderna | Minúscula Carolíngia | Romano | Romano | Etrusco | Grego | Grego | Fenício

Em 1941, Aurélio iniciou sua carreira de lexicógrafo, colaborando com o *Pequeno Dicionário da Língua Portuguesa*, por indicação do poeta amigo Manuel Bandeira.

Seu livro de contos, *Dois Mundos*, foi premiado pela Academia Brasileira de Letras em 1942.

g (gê ou guê) *S. m.* **1.** A 7ª letra do nosso alfabeto. [Pode representar: a) o som de consoante oclusiva velar sonora [g], quando anteposta às letras *a, o, u* (como em *gato, gota, agudo, foguete, guiar, água*); b) o som da consoante fricativa palatoalveolar sonora [ʒ], quando antes das letras *e* e *i* (como em *gelo, girassol*).] **2.** A figura dessa letra, ou qualquer representação sua: *No mapa, o local da gruta está assinalado com um g.* **3.** Som representado por essa letra. ● *Num.* **4.** Sétimo (1), numa série ordenada ou hierárquica em que os elementos são designados ou representados pelas letras do alfabeto: *Eliminou a coluna g* (ou *coluna G*) *da tabela.* [Pl. (nas acepçs. 1 a 3) indicado graficamente pela duplicação da letra: *gg*.]

■ **g 1.** Abrev. de *gênero*. **2.** Símb. de *grama*². **3.** *Fís.* Símb. de *aceleração da gravidade*. **4.** *Fís.* Símb. de *gauss*.

■ **G 1.** Abrev. de *grande*. [Ger. us. em relação a tamanho de peças de vestuário.] **2.** Símb. de *giga-*. **3.** *Eletr.* Símb. de *condutância* (3). **4.** *Fís.* Símb. de *constante de gravitação*. **5.** *Mús.* Sinal com que se representa a nota sol (v. *sol*²), ou a escala de que o sol é a tônica, ou o acorde em que é a nota fundamental. [Deriva da notação musical alfabética, ainda us. nos países germânicos e anglo-saxões.] **6.** *Mús. Obsol.* Sinal de indicação da clave de sol.

▲ **-g-** Consoante de ligação: *selagote* (q. v.), *matagal*.

■ **Ga** *Quím.* Símb. de *gálio*².

gã [Do or. afr.] *S. m. Bras. BA* Instrumento da família do agogô (q. v.): "O agogô é um instrumento de ferro — duas campânulas, superpostas, uma menor do que a outra ..... Quando tem apenas uma campânula, chama-se gã." (Edison Carneiro, *Candomblés da Bahia*, p. 103.)

■ **GABA** [Ingl., sigla de *gama-aminobutyric acid*.] *Quím.* Sigla de *ácido gama-aminobutírico*.

gabação [De *gabar* + *-ção*.] *S. f.* Ato de gabar; elogio, gabo, gabadela, gabamento.

gabadela [De *gabar* + *-dela*.] *S. f. Pop.* V. *gabação*.

gabador (ô) [De *gabar* + *-dor*.] *Adj. S. m.* Que, ou aquele que gaba; louvaminheiro, gabão.

gabamento [De *gabar* + *-mento*.] *S. m.* V. *gabação*.

gabão¹ [Do esp. *gabán*, ou it. *gabbano*, poss. de or. ár.] *S. m.* Capote de mangas ou casacão, com capuz e cabeção; garnacho: "o marquês apareceu, abafado num gabão d'Aveiro" (Eça de Queirós, *Os Maias*, II, p. 409).

gabão² [De *gabar* + *-ão*³.] *S. m.* **1.** V. *gabador*. [Fem.: *gabona*.] **2.** *Ant.* Grande louvor ou elogio.

gabaonita [Do lat. tard. *gabaonites*.] *S. 2 g.* **1.** *Etnôn.* Indivíduo dos gabaonitas, povo subjugado pelos hebreus na conquista de Canaã. ● *Adj. 2 g.* **2.** Pertencente ou relativo a esse povo.

gabar [Do ant. escand. *gabba*, 'escarnecer', pelo fr. *gaber* ou pelo provenç. *gabar*.] *V. t. d.* **1.** Fazer o elogio de; preconizar as boas qualidades de; louvar, celebrar, elogiar: *Mãe coruja, vive a gabar os filhos.* **2.** Lisonjear, incensar, turibular. *P.* **3.** Jactar-se, vangloriar-se; blasonar: "Os irmãos Goncourts gabam-se de terem sido na Europa os inventores do japonismo." (Machado de Assis, *A Semana*, II, p. 340.) ◆ **Não é para me gabar...** Expressão, por vezes jocosa, que antecede uma afirmação que em geral representa a satisfação do falante em relação a algo que lhe diz respeito ou que lhe pertence: "— .... Não é para me gabar. Não troco uma peça minha por muita preciosidade que vejo." (José Lins do Rego, *Fogo Morto*, p. 4.)

gabardina [Var. de *gabardine* < fr. *gabardine*.] *S. f.* **1.** *Tec. Têx.* Tecido resistente, ger. de algodão, lã ou fibra sintética, com ligamento sarja, e que produz efeito diagonal acentuado; é próprio para sobretudos, capas de chuva e paletós: "aquele moço bonito que tem uma capa de gabardina." (Guido Vilmar Sassi, *Piá*, p. 47). **2.** *Vest.* Impermeável (5) feito com esse pano. [Cf., nesta acepç., *gabardo*.]

gabardine *S. f.* V. *gabardina*.

gabardo [Cruz. de *gabão*¹ com *tabardo*, poss.] *S. m. Vest.* Capote com mangas e cabeção; gabinardo. [Cf. *gabardina* (2).]

gabari [Do fr. *gabarit*.] *S. m. P. us.* V. *gabarito*.

gabaritado [De *gabarito* + *-ado*¹.] *Adj. Bras.* Que tem gabarito, que apresenta condições (especialmente intelectuais, profissionais ou culturais) para desempenhar determinado cargo ou função.

gabaritagem [De *gabarito* + *-agem*².] *S. f. Arquit. Constr.* Conjunto de gabaritos [v. *gabarito* (2)] ou de normas para estabelecimento de gabarito.

gabaritar [De *gabarito* + *-ar*².] *V. t. d.* Acertar todas as questões de uma prova, ger. de múltipla escolha (q. v.).

gabarito [Do fr. *gabarit*.] *S. m.* **1.** Modelo em verdadeira grandeza a que se devem conformar certas partes de navio, peças de artilharia, etc.; molde. **2.** Dimensões prefixadas. **3.** Instrumento com que se verificam algumas dessas medidas. **4.** *P. ext. Arquit.* Instrumento que serve de molde para a representação gráfica de elementos arquitetônicos, mobiliário e símbolos diversos. **5.** *Aer.* Ferramental de alta precisão, com uma parte fixada ao solo e outra imóvel, que assegura a construção de fuselagens, asas, empenagens e superfícies móveis de uma aeronave, seguindo um rígido controle de medidas, e que dá a cada série de aeronaves o mesmo padrão de segurança e qualidade. **6.** *Arquit. Urb.* Numa construção, o conjunto dos parâmetros de ocupação a serem respeitados, esp. o número máximo de pavimentos, e que são estipulados por legislação. **7.** *Bras.* O conjunto, a tabela das respostas corretas às questões de uma prova, esp. do tipo de múltipla escolha. **8.** *Bras. Fig.* Classe, categoria, nível: *Não tem gabarito para ocupar este cargo.* [F. paral. (p. us.): *gabari*.]

gabarola [De *gabar* + *-ola*¹.] *Adj. 2 g. S. 2 g.* **1.** Que, ou quem se gaba a si mesmo; jactancioso, vaidoso. **2.** V. *fanfarrão*. [F. paral.: *gabarolas*. Sin. ger.: *gabola(s)*.]

gabarolas *Adj. 2 g. e 2 n. S. 2 g. e 2 n.* V. *gabarola*.

gabarolice [De *gabarola* + *-ice*.] *S. f.* **1.** Ato ou dito de gabarola; jactância. **2.** V. *fanfarrice* (2). [Sin. ger.: *gabolice*.]

gabarra [Do gr. *kárabos*, 'caranguejo do mar'; 'embarcação', pelo lat. *carabu* (com metátese, sonorização e mudança de gênero), pelo gascão *gabarra*.] *S. f.* **1.** Antiga embarcação para transporte de carga e de gente, de características muito variáveis. **2.** Canoa de grandes dimensões, com gurupés e dois mastros que envergam velas latinas quadrangulares, dotada de pequena tolda à popa e de uma cobertura plana até a proa, e usada para transporte de gado. **3.** Rede de arrastar.

gabarro [Do esp. *gabarro*.] *S. m. Veter.* Úlcera ou calo infetado que se manifesta entre os cascos dos animais, em resultado da febre aftosa: "— Rezas fortes, pra secar bicheiras, pra sarar gabarros, quem conhece mesmo .... é Siá Ludovina." (Nélson de Faria, *Bazé*, p. 75.)

gabela¹ *S. f.* V. *gavela*.

gabela² [Do fr. *gabelle* < it. *gabella* < ár. *gabāla(t)*, 'imposto', 'receita' (v. *alcavala*).] *S. f. Ant.* **1.** Imposto (2) sobre o sal. **2.** *P. ext.* Imposto (2).

gabião [Do it. *gabbione*.] *S. m.* **1.** Grande cesto para transporte de terra, adubos, etc. **2.** Cestão de vindimar. **3.** *Constr.* Muro de sustentação feito de pedras arrumadas dentro duma tela. **4.** *Mil.* Espécie de cesto de ramos entrelaçados us. para construir parapeitos de terra, sustentar taludes, etc.

gabinardo [Do rad. de *gabão*¹ (q. v.).] *S. m.* Gabardo: "Em choças frias, sem resguardos, / Como nas tocas os coelhos, / Os aldeões tremem nos velhos / Gabinardos." (Conde de Monsaraz, *Musa Alentejana*, p. 168.)

gabinete (ê) [Do fr. *cabinet*.] *S. m.* **1.** Aposento ou compartimento mais ou menos isolado do uso geral do resto da edificação, destinado a determinados trabalhos ou usos: *gabinete de estudos*; "D. Fernanda levou o marido para um gabinete, e, à força de beijos, consolou-o daquele golpe." (Machado de Assis, *Quincas Borba*, p. 232). **2.** Escritório (1). **3.** Laboratório (1): *gabinete de física*. **4.** O conjunto dos ministros de um Estado; ministério: "um amigo político, encarregado pelo imperador de organizar novo gabinete, ofereceu-me a pasta da marinha." (Aluísio Azevedo, *Demônios*, pp. 105-106). **5.** O conjunto dos auxiliares ou colaboradores imediatos de um chefe de Estado, de um ministro, de um prefeito, etc.: *O novo governador ainda não escolheu o gabinete.* **6.** *Bras. Liter. Pop.* Estrofe de 10 versos decassílabos, com descante de toada rápida, usada pelos cantadores nordestinos em seus desafios [v. *martelo*[1](10)]. **7.** *Bras. Gír.* V. *latrina* (1). **8.** *Inform.* Caixa (ger. de plástico ou metal) na qual são acondicionados os principais componentes de um microcomputador, e à qual se ligam, por fios, os demais componentes periféricos. **9.** *Teatr.* Designação genérica de cenários de interiores: "ajudando na montagem do cenário (um gabinete branco com as portas e janelas em marrom)" (Hermilo Borba Filho, *Margem das Lembranças*, p. 43). **10.** *Teatr.* V. *inner stage.* ◆ **Gabinete de leitura. 1.** Biblioteca pública. **2.** No século XIX, instituição que alugava livros a seus associados.

gabionar [De *gabião* (1) + *-ar*[2], seg. o padrão erudito.] *V. t. d.* Cobrir ou fortificar com gabiões.

gabiroba *S. f. Bras. Bot.* V. *guabiroba.*

gabirobeira [De *gabiroba* + *-eira.*] *S. f. Bras. Bot.* **1.** V. *guabiroba* (1). **2.** V. *araçá-felpudo* (1).

gabirova *S. f. Bras. Bot.* V. *guabiroba.*

gabiru [Var. de *guabiru.*] *S. m.* **1.** *Bras. RJ Gír.* Indivíduo desajeitado. **2.** *Bras. N.E. Zool.* V. *rato-preto.* **3.** *Bras. N.E. Zool.* V. *rato-pardo.* **4.** *Bras. N.E. Zool.* V. *rato-de-paiol.* **5.** *Bras. N.E.* V. *guabiru* (1 e 2).

gablete (ê) [Do fr. *gâble* + *-ete.*] *S. m. Arquit.* Elemento ornamental, que lembra um pinhão (1), sobre arco, vão de porta, nicho, janela, etc.; pinhão.

gabo [De *gabar.*] *S. m.* **1.** V. *gabação.* **2.** Vaidade, jactância.

gabola [De *gabar.*] *Adj. 2 g. S. 2 g.* V. *gabarola.* [F. paral.: *gabolas.* Sin. (bras., SP): *erpe.*]

gabolas *Adj. 2 g. e 2 n. S. 2 g. e 2 n.* V. *gabarola.* [Sin. (bras., SP): *erpe.*]

gabolice [De *gabola* + *-ice.*] *S. f.* V. *gabarolice.*

gabona *S. f.* Fem. de *gabão*[2] (1).

gabonense *Adj. 2 g.* **1.** Do, ou pertencente ou relativo ao Gabão (África). ● *S. 2 g.* **2.** O natural ou habitante do Gabão. [Sin. ger.: *gabonês.*]

gabonês *Adj. S. m.* V. *gabonense.* [Flex.: *gabonesa* (ê), *gaboneses* (ê), *gabonesas* (ê).]

gabrielense[1] *Adj. 2 g.* **1.** De, ou pertencente ou relativo a São Gabriel (RS). ● *S. 2 g.* **2.** O natural ou habitante de São Gabriel.

gabrielense[2] *Adj. 2 g.* **1.** De, ou pertencente ou relativo a São Gabriel da Palha (ES). ● *S. 2 g.* **2.** O natural ou habitante de São Gabriel da Palha.

gabrielense[3] *Adj. 2 g.* **1.** De, ou pertencente ou relativo a São Gabriel do Oeste (MS). ● *S. 2 g.* **2.** O natural ou habitante de São Gabriel do Oeste.

gabro [Do it. *gabbro.*] *S. m. Petr.* Rocha magmática, plutônica, em geral preta, constituída essencialmente de plagioclásio cálcico e piroxênio, e que pode conter, ainda, olivina e magnetita.

gaçaba *S. f. Bras.* V. *igaçaba.*

gacha *S. f.* Rede que forra lateralmente o corpo das armações de pesca.

gacheiro [De *gacho* + *-eiro.*] *Adj.* **1.** *Bras. N.E.* Agachado, acaçapado: "viu ele um homem correr gacheiro e cauteloso pelo aceiro afora" (Franklin Távora, *O Cabeleira*, p. 264). **2.** *Bras. PB Pop.* Apertado, estreito.

gacho [Do esp. *gacho.*] *Adj.* **1.** Inclinado, ou encurvado para baixo. **2.** Diz-se do bovino que tem as aspas voltadas para baixo. ● *S. m.* **3.** Parte do cachaço do boi sobre a qual assenta a canga.

gadanha [Do rad. germ. *waith-* (< gót. **waithaneis*, 'próprio dos campos'), pelo lat. **watania* e pelo esp. *guadaña.*] *S. f.* **1.** Foice de cabo comprido para cortar erva; alfanje, gadanho. **2.** Colher grande e funda; concha, caço.

gadanhada [De *gadanha* ou *gadanho* + *-ada*[1].] *S. f.* Golpe de gadanho ou gadanha.

gadanhar [De *gadanha* + *-ar*[2].] *V. t. d.* **1.** Cortar (erva) com o gadanho (4), ou com a gadanha (1). **2.** Arranhar com as unhas, ou com o gadanho (1); agadanhar. **3.** Agarrar firmemente; agadanhar.

gadanheira [De *gadanha* + *-eira.*] *S. f.* Máquina de ceifar.

gadanheiro [De *gadanha* + *-eiro.*] *S. m.* Aquele que se ocupa em gadanhar (1).

gadanho [De *gadanha.*] *S. m.* **1.** Garra de ave de rapina. **2.** *P. ext.* Unha (1 e 2). **3.** *Fam.* Os dedos da mão, ou a mão. **4.** Espécie de ancinho com grandes dentes de ferro, usado para arrastar estrume e em outros serviços agrícolas. **5.** V. *gadanha* (1). **6.** *Tip.* Parte do guindaste da linotipo que arrecada a linha de matrizes para levá-la à distribuição.

gadão [De *gado* + *-ão*[2].] *S. m. Bras.* Gado de boa aparência, de boa raça.

gadeira [De *gado*[1] + *-eira.*] *S. f.* **1.** *Bras.* Gado vacum. **2.** *Bras. Prov. port.* Quantidade de gado; boiada. **3.** *Bras. RS* As reses de uma estância.

gadelha (ê) *S. f.* V. *guedelha.*

gadelho (ê) *S. m.* V. *guedelha.*

gadelhudo [De *gadelha* + *-udo.*] *Adj.* V. *guedelhudo.*

gademar [De *gado de mar*, com haplologia.] *S. m. Bras. Zool.* Boi mestiço de zebu e caracu; guademã, guademão.

gádida [Do lat. cient. *gadus* (v. *gadídeo*) + *-ida*[1].] *S. m. Adj. 2 g. Zool.* V. *gadídeo.*

gadídeo [Do tax. *Gadus* (v. *gado*[2]) + *-ídeo*[1]; tax. *Gadidae.*] *Zool. S. m.* **1.** Espécime dos gadídeos, família de peixes actinopterígios, gadiformes, dos mares frios e temperados, de grande importância comercial. Ex.: o bacalhau e o hadoque. ● *Adj.* **2.** Pertencente ou relativo a eles. [Sin. ger.: *gádida.*]

gadiforme [Do tax. *Gadus* + *-iforme*; tax. *Gadiformes.*] *Zool. S. m.* **1.** Espécime dos gadiformes, ordem de peixes actinopterígios, predominantemente marinhos, de corpo alongado, nadadeiras sem espinhas, suportadas por raios macios; as nadadeiras dorsal e anal são muito compridas e as pélvicas são anteriores às peitorais. Compreende 10 famílias, sendo a dos gadídeos a mais importante. ● *Adj. 2 g.* **2.** Pertencente ou relativo a eles.

gadita [Do antr. *Gad*, sétimo filho de Jacob, + *-ita*[2].] *S. 2 g.* Membro da tribo de Gad, entre os hebreus.

gaditano [Do lat. *gaditanu.*] *Adj.* **1.** De, ou pertencente ou relativo a Cádis (Espanha). ● *S. m.* **2.** O natural ou habitante de Cádis.

gado[1] [De *gãado*, *gaado*, part. pass. do ant. *gãar*, *gaanar*, 'ganhar' (q. v.).] *S. m.* **1.** Reses em geral: *gado bovino; gado caprino.* [V. *armento*, *fato*[2] (3), *vara*[1] (12), *rebanho*[1] (1).] **2.** *Restr.* Gado bovino. **3.** *Chulo* Prostitutas. ◆ **Gado de arribada.** O que fica para trás numa boiada em trânsito. **Gado de cabeceira.** O melhor, o escolhido. **Gado de corte.** Aquele que se destina ao abate. **Gado de curral.** *Bras.* As vacas de leite e os bezerros duma fazenda. **Gado de solta.** *Bras.* Os novilhos, bois, touros e vacas que vivem soltos nos pastos de uma fazenda. **Gado do rio.** *Bras. AM Zool.* Tartaruga (1). **Gado grosso.** Os equinos e bovinos. **Gado miúdo.** Os suínos, os caprinos e os ovinos ou ovelhuns.

gado[2] [Do gr. *gádos*, 'merluza'; tax. *Gadus.*] *S. m. Zool.* **1.** Gênero-tipo dos gadídeos, constituído por peixes marinhos dos mares frios e temperados. **2.** Qualquer espécie desse gênero, como, p. ex., a *Gadus morrhua* [v. *bacalhau* (1)] e a *G. luscus* [v. *faneca*[1] (1)]. **3.** Qualquer espécime desse gênero.

gadolínio [Do lat. cient. *gadolinium* < antr. (*J.*) *Gadolin* (1760-1852), químico finlandês, + lat. *-ium.*] *S. m. Quím.* Elemento de número atômico 64, pertencente aos lantanídeos [símb.: *Gd*].

gadolinita [Do antr. (*J.*) *Gadolin* (v. *gadolínio*) + *-ita*[3].] *S. f. Min.* Mineral monoclínico, escuro, de aspecto graxo, silicato de glucínio, ferro e ítrio.

gadunha [De *unha*, poss.] *S. f.* V. *gadunho.*

gadunhar *V. t. d. Int. Bras. S.* V. *gatunar.*

gadunho *S. m.* **1.** Unha, ou garra. **2.** *P. ext. Pop.* Mão: *Menina, tira o gadunho desse bolo quente.* [Outra f.: *gadunha.*]

gaélico [Do ingl. *gaelic.*] *Adj.* **1.** Dos, ou relativo, ou pertencente aos povos de origem celta da Irlanda ou da Escócia, ou característico deles. [Cf. *gálico* e *galaico.*] ● *S. m.* **2.** *Gloss.* Língua céltica falada na Irlanda e na Escócia. [Foi língua dominante (q. v.) na Irlanda até o século XVII, quando começou a perder terreno para o inglês. Na Escócia é ainda falada nas ilhas e nas Terras Altas, mas o número de falantes vem decrescendo drasticamente. Cf. *celta.*]

gafa[1] [Do ár. *qufā*[c], 'enfermidade que torce os pés dos carneiros'; pelo esp. *gafa.*] *S. f.* **1.** *Ant.* Gancho com que se puxava a corda da besta para armá-la. **2.** Garra[1] (1). **3.** V. *hanseníase.* **4.** *Veter.* Sarna leprosa de certos animais. **5.** *Bot.* Doença dos frutos, que os engelha e faz cair.

gafa[2] [De or. incerta.] *S. f. Marn.* Vaso com que nas salinas se transporta o sal.

gafado [Part. de *gafar*[2].] *Adj.* Que sofre de gafa[1] (3); leproso.

gafanhotão [De *gafanhoto* + *-ão*[1].] *S. m. Zool.* Designação comum aos gafanhotos do gênero *Tropidacris.*

gafanhoto (ô) [Do rad. de *gafa*[1], por alusão à forma recurva do inseto.] *S. m.* **1.** *Zool.* Inseto ortóptero, acridódeo, o qual se distingue das esperanças e dos grilos por ter antenas mais curtas do que o corpo e pernas anteriores semelhantes às do par médio, e é provido de um órgão auditivo ou tímpano de cada lado, no segmento basal do abdome. [Sin.: *acridiano*, *acrídio*, *ticura*, *tucura.*] **2.** *Bras.* Mola que, nas armas de fogo, faz subir ou descer o cão. **3.** *Bras. Gír.* V. *gasparinho.* **4.** *Bot.* Planta euforbiácea (*Jatropha elliptica*) de rizoma lenhoso, disseminada pela área campestre central, dotada de flores pálidas, lanoso-pubescentes, com lacínias glandulosas reunidas em cimeiras pedunculadas, e cujo fruto é cápsula rugosa e áspera, sendo a raiz branca e carnosa; jalapão, raiz-de-cobra, raiz-de-lagarto, raiz-de-laranja, teju, tejutiú, tiu. [Pl.: *gafanhotos* (ô).]

gafanhoto-de-jurema [De *gafanhoto* + *de* + *jurema*[1].] *S. m. Bras. N.E. Zool.* V. *bicho-pau* (2). [Pl.: *gafanhotos-de-jurema.*]

gafanhoto-de-marmeleiro *S. m. Bras. Zool.* V. *bicho-pau* (2). [Pl.: *gafanhotos-de-marmeleiro.*]

gafanhoto-peregrino *S. m.* Inseto ortóptero, acridódeo (*Schistocerca gregaria*), citado na Bíblia como uma das pragas do Egito. [Pl.: *gafanhotos-peregrinos.*]

gafar[1] [Do ár.] *S. m.* Pequeno tributo que os cristãos e judeus pagavam aos turcos quando se achavam sob o domínio destes.

gafar[2] [De *gafa*[1] + *-ar*[2].] *V. t. d.* **1.** Contagiar com gafa[1]. **2.** Eivar; contaminar. *Int. P.* **3.** Encher-se de gafa[1] (4). **4.** Contaminar-se; corromper-se.

gafar[3] [De *gafe* + *-ar*[2].] *V. int. Gal.* Cometer gafe.

gafaria [De *gafo* + *-aria.*] *S. f. Ant.* Hospital para leprosos; leprosário.

gafe [Do fr. *gaffe.*] *S. f.* Ação e/ou palavras impensadas, indiscretas, desastradas; mancada: *Deu parabéns à família do morto, e continuou, inconsciente da gafe cometida.*

gafeira [De *gafa*[1] + *-eira.*] *S. f.* **1.** A sarna do cão; morrinha. **2.** Doença dos olhos dos bois, com inchação das pálpebras. **3.** V. *hanseníase.*

gafeirento [De *gafeira* + *-ento.*] *Adj.* Que tem gafeira; gafeiroso, gafento, gafo.

gafeiroso (ô) [De *gafeira* + *-oso.*] *Adj.* V. *gafeirento.*

gafento [De *gafa*[1] + *-ento.*] *Adj.* V. *gafeirento.*

gafetope [Do ingl. *gaff-top* (*sail*).] *S. f. Marinh.* **1.** Mastaréu que espiga do mastro real e onde arma a vela do mesmo nome. **2.** Vela triangular, ou (raramente) quadrangular, envergada entre a carangueja e o tope do mastro. [Var.: *gavetope.*]

gafieira [De *gafeira*, poss.] *S. f. Bras.* **1.** V. *arrasta-pé* (1). **2.** Estabelecimento comercial com pista (9) e orquestra, onde se dança aos pares.

gafo [De *gafa*[1].] *Adj.* **1.** V. *gafeirento.* **2.** *Fig.* Desmoralizado, corrupto. **3.** *Med.* Que tem a mão em forma de garra. ● *S. m.* **4.** V. *hanseníase.* **5.** Indivíduo gafeirento.

gafonha [De *gafo*, poss.] *S. m. Bras. CE Pop.* V. *mata-cachorro* (2).

gaforina [Do antr. (*Izabela*) *Gafforini*, cantora italiana que se exibiu em Portugal no séc. XIX, e cujos penteados ganharam fama.] *S. f.* **1.** Cabelo em desalinho; grenha: "Agora é moda andar de cabeça descoberta. Até se veem os figurões de gaforina ao léu." (Aquilino Ribeiro, *Aldeia*, p. 84.) **2.** Cabelo levantado sobre a testa; topete. [Var.: *gaforinha.*]

gaforinha *S. f.* V. *gaforina.*

→ **gag** [gæg] [Ingl.] *S. f. Cin. Rád. Teatr. Telev.* Fala, movimento ou situação inesperada e cômica. [V. *caco.*]

gagá [Do fr. *gaga.*] *Adj. 2 g. S. 2 g.* Diz-se de, ou pessoa decrépita e/ou caduca: "Fi-la [a poesia]...., em 3 horas, neste café, com barulho e um militar reformado, gagá, ao meu lado, que fala só e implica com os circunstantes..." (Mário de Sá-Carneiro, *Cartas a Fernando Pessoa*, I, p. 113.)

gagata [Do gr. (*líthos*) *gagátes*, pelo lat. *gagates*, 'certa pedra negra'.] *S. f.* Azeviche (1).

gagau *S. m. Bras.* Jogo de dados muito popular no séc. XIX, e em que o dois e o ás eram as maiores vazas.

gagino [Do esp. plat. *gallino.*] *S. m. Bras. RS* Galo cuja plumagem é semelhante à da galinha.

gago [T. onom.] *Adj.* **1.** Que gagueja; balbo. ● *S. m.* **2.** Aquele que gagueja; qui-qui-qui, linguinha. [Sin. ger.: *borboró*, *tartamudo*, *tartamelo*, *tátaro*, *tártaro*, *tato.*]

gagosa [De or. *obscura.*] *El. s. f.* Us. na loc. adv. *à gagosa* ◆ **À gagosa. 1.** Sem custo; sem trabalho. **2.** À socapa; às ocultas; sorrateiramente. **3.** *Bras.* Sem medida; à vontade.

gagueira [De *gago* + *-eira.*] *S. f.* V. *gaguez.*

gaguejamento [De *gaguejar* + *-mento.*] *S. m.* Gaguejo: "de uma probidade perfeita, de uma palavra sem gaguejamentos hipócritas ou medrosos — não encontrou muitos obstáculos à sua natureza de dominador." (Constâncio Alves, *Figuras*, p. 34).

gaguejar [De *gago* + *-ejar.*] *V. int.* **1.** Pronunciar as palavras com hesitação, sem clareza de sons, e repetindo as sílabas; tartamudear: "olhou para minha mãe ...., e disse a gaguejar, muito envergonhado: — Queria falar ao menino..." (Manuel da Fonseca, *Aldeia Nova*, p. 21). **2.** Falar sem certeza. **3.** Vacilar nas respostas: "chamado à lição e intimado a dizer a data certa da criação do mundo, titubeei, gaguejei, atrapalhei-me, e disse: 4136..." (Olavo Bilac, *Últimas Conferências e Discursos*, p. 353). *T. d.* **4.** Pronunciar com hesitação, sem clareza de sons e repetindo as sílabas: "a gaguejar frases curtas, palavras soltas de mistura com inexpressivos monossílabos" (Afrânio Peixoto, *Bugrinha*, p. 57). [Conjug.: v. *pelejar*.]

gaguejo (ê) [Dev. de *gaguejar*.] ***S. m.*** Ato ou efeito de gaguejar; gaguejamento.

gaguez (ê) [De *gago* + *-ez*.] ***S. f.*** Embaraço fônico característico dos gagos; gagueira, gaguice, pselismo, tartamudez.

gaguice [De *gago* + *-ice*.] ***S. f.*** V. *gaguez*.

gahnita [Do antr. (*Johann G.*) *Gahn* (1745-1818), químico e mineralogista sueco, + *-ita*[3].] ***S. f.*** *Min.* Mineral isométrico, espinélio de zinco. [Var.: *ganita*.]

gáiaco ***S. m.*** *Bot.* V. *guáiaco*.

gaiacol ***S. m.*** V. *guaiacol*. [Pl.: *gaiacóis*.]

gaiado [De *gaias* + *-ado*[1].] ***Adj.*** Diz-se do cavalo que tem gaias (q. v.).

gaial [Do bengali *gayāl*, pelo ingl. *gayal*.] ***S. m.*** *Zool.* Boi indiano (*Bibos frontalis*), doméstico, que difere do gauro (q. v.), do qual pode ser considerado uma variedade, por ter chifres mais delgados e patas brancas.

gaias [Pl. do f. de *gaio*[3].] ***S. f. pl.*** Redemoinho de pelos no peito ou nos quartos da base da cauda do cavalo.

gaiatada [De *gaiato* + *-ada*[1].] ***S. f.*** **1.** Grupo de gaiatos. **2.** V. *gaiatice*.

gaiatar [De *gaiato* + *-ar*[2].] ***V. int.*** Proceder como gaiato.

gaiatice [De *gaiato* + *-ice*.] ***S. f.*** Atos ou palavras de gaiato; garotice; travessura; gaiatada.

gaiato [De *gaio*[3].] ***S. m.*** **1.** Rapaz travesso e vadio; garoto. **2.** Indivíduo alegre, divertido, brincalhão. • ***Adj.*** **3.** Que é gaiato. **4.** Engraçado, cômico, malicioso: *cara gaiata*; "No começo de cada ano letivo os veteranos se distraíam com o 'trote' nos 'bichos' ou novatos. Faziam as mais gaiatas caçoadas." (Daniel de Carvalho, *De Outros Tempos*, p. 27).

gaifona [De or. obscura.] ***S. f.*** Trejeito, gaifonice [v. *careta* (1)]: "A Inglaterra pelas gaifonas do eterno Punch, ri entre dentes, sem tirar o cachimbo da boca." (Monteiro Lobato, *Urupês, Outros Contos e Coisas*, p. 557.)

gaifonar [De *gaifona* + *-ar*[2].] ***V. int.*** Fazer gaifonas, visagens, momices, caretas; caretear, engaifonar.

gaifonice [De *gaifona* + *-ice*.] ***S. f.*** V. *gaifona*.

➔**gaijin** [gajdʒin] [Jap., 'estrangeiro'; 'ocidental', f. sincopada de *gaikokujin* < *gai*, 'exterior', + *koku*, 'país', + *jin*, 'pessoa'.] ***S. 2 g. e 2 n.*** **1.** Estrangeiro (7). **2.** Aquele que não pertence a dado grupo (esp. o do falante). **3.** Aquele que não tem ascendência japonesa. [Há registros, em port., como *adj. 2g 2n.* na 1.ª acepç. Em certos contextos, por vezes, us. deprec.]

gainambé [Var. de *guainambé*.] ***S. m.*** *Bras. AM Zool.* Ave passeriforme, cotingídea (*Procnias alba*), da Amaz., de coloração branca, cabeça com carúnculas e provida de penas na fronte; fêmea de dorso verde, abdome amarelado, manchado de verde e crisso amarelo. Vive na mata e alimenta-se de frutas.

gaio[1] [Do lat. tard. *gaiu*.] ***S. m.*** *Zool.* V. *gárrulo*[2] (2 e 3).

gaio[2] [Do fr. *gui*, pelo ingl. *guy*.] ***S. m.*** **1.** *Marinh.* Cabo que aguenta para vante o pau de surriola. **2.** *Mar. Merc.* Cada um dos guardins do pau de carga.

gaio[3] [Do occitânico *gai*, 'alegre', 'vistoso', poss.] ***Adj.*** Alegre, jovial: "essa robusta veneziana de Mato Grosso, gaia e sonora" (Gilberto Amado, *Mocidade no Rio e Primeira Viagem à Europa*, p. 209); "a nossa alma viçosa desprende-se leve, e, musical, exulta em gaias emoções estéticas." (Antero de Figueiredo, *Toledo*, p. 1).

gaiola [Do lat. *caveola*, com hiperbibasmo.] ***S. f.*** **1.** Pequena clausura onde se encerram aves, feita de cana, junco, verga ou arame: "na sua gaiola de cana, dois melros novos ensaiavam assobios hesitantes, numa modulação fresca de primavera" (Conde de Ficalho, *Uma Eleição Perdida*, p. 13). [Dim. irreg.: *gaiolim*.] **2.** Prisão para feras; jaula. **3.** *Fig.* V. *cadeia* (3). **4.** Esqueleto de uma casa. **5.** Armação de madeira para transporte e resguardo de móveis. **6.** *Fig.* Casa pequena; casinhola. **7.** Fogueira (7). **8.** *Bras.* Vagão ferroviário destinado ao transporte de gado em pé. • ***S. m.*** **9.** *Bras. Amaz. MA PI BA MG* Pequeno vapor de navegação fluvial, de borda baixa e superestrutura alta e avarandada: "Da elevada superestrutura, desenvolvidas obras mortas, dois, três conveses, camarotes nas amuradas, adveio-lhe o apelido irônico e pitoresco de gaiola." (Raimundo Morais, *Na Planície Amazônica*, p. 137.) **10.** *Bras. SP* Vagão aberto para transportar madeira. ◆ **Gaiola torácica.** *Anat.* Esqueleto do tórax. **Fazer gaiola.** *Bras. MA PE Pop.* Praticar o coito anal.

gaioleiro [De *gaiola* + *-eiro*.] ***S. m.*** Fabricante e/ou vendedor de gaiolas: "Prometo .... escrever a favor do comércio, da indústria, da agricultura, ... , dos gaioleiros, ... , dos violeiros, dos pedestres, e mais entidades, que se oferecerem à minha pena." (Machado de Assis, *Crônicas*, I, pp. 235-237.)

gaiolim [De *gaiola* + *-im*.] ***S. m.*** Dim. de *gaiola* (1).

gaiolo (ô) [De *gaiola*.] ***Adj.*** Diz-se do touro cujas hastes são luniformes, e muito próximas nas pontas.

gaipapa [De or. indígena, poss.] ***S. f.*** *Bras. Pop. Zool.* A fêmea do gaturamo-verdadeiro ou gurinhatã. [Var.: *gaipava*.]

gaipapo [Var. de *gaipapa*.] ***S. m.*** *Bras. RJ Zool.* Ave passeriforme, tanagrídea (*Tanagra chalybea*), do S.E. do Brasil, de coloração negro-azulada, fronte amarelo-canário, e peito, abdome e uropígio amarelo-vivos. [Sin., bras., SC.: *gaipara*.]

gaipara ***S. f.*** *Bras. SC Zool.* V. *gaipapo*.

gaipava ***S. f.*** *Bras. Zool.* V. *gaipapa*.

gaita [Do gót. *gaits*, 'cabra', por se fazer com pele de cabra o fole da gaita, poss.] ***S. f.*** **1.** *Mús.* Espécie de pífaro: pequena flauta reta, de folha de flandres ou de bambu. **2.** *Mús.* Instrumento de sopro, com vários orifícios, e que se toca fazendo-o correr por entre os lábios, de uma extremidade a outra; gaita de boca, harmônica e (lus.) gaita de beiços: "sopra na gaita e de novo as notas da valsa se erguem no ar da manhã" (Érico Veríssimo, *Noite*, p. 208). [Cf., nesta acepç., *realejo de boca*.] **3.** *Bras. RS Mús.* V. *Concertina*. **4.** *Bras.* Cada uma das grandes raízes lançadas pela vegetação dos mangues. **5.** *Gír. Deprec.* Objeto qualquer: *Para que serve essa gaita?* **6.** *Bras. MG* V. *zombaria*. **7.** *Bras. Gír.* V. *dinheiro* (5). **8.** *Bras. SP Zool.* V. *tietê*. **9.** *Lus. Pop.* Amolação, maçada. ~ V. *gaitas*.

gaitada [De *gaita* + *-ada*[1].] ***S. f.*** **1.** Tocadela de gaita. **2.** *Deprec.* Trecho de música instrumental ordinária. **3.** *Pop.* V. *repreensão* (1). **4.** *Bras. N. N.E. RS GO Açor.* V. *gargalhada*: "Teve vontade de dar uma gaitada mangando dos perseguidores." (Fran Martins, *Dois de Ouros*, p. 12.)

gaita de beiços [De *gaita* + *de* + o pl. de *beiço*.] ***S. f.*** *Lus. Mús.* V. *gaita* (2). [Pl.: *gaitas de beiços*.] ☑

gaita de boca [De *gaita* + *de* + *boca*[1].] ***S. f.*** *Bras. RS Mús.* V. *gaita* (2). [Pl.: *gaitas de boca*.] ☑

gaita de foles ***S. f.*** *Mús.* Instrumento de caráter pastoril, formado por um saco de couro cheio de ar, um ou dois bordões e dois tubos, um modulante e outro através do qual o ar é conduzido para o odre; cornamusa, gaita-galega: "Na boquinha da noite, ... tomou voz o gemer nasal da gaita de foles." (Antero de Figueiredo, *Jornadas em Portugal*, p. 155.) [Pl.: *gaitas de foles*.] ☑

gaita-galega [De *gaita* + o f. de *galego*.] ***S. f.*** *Mús.* V. *gaita de foles*. [Pl.: *gaitas-galegas*.]

gaitas [Do pl. de *gaita*, por alusão aos orifícios desta.] ***S. f. pl.*** *Zool.* Os orifícios branquiais das lampreias. ~ V. *gaita*.

gaitear [De *gaita* + *-ear*[2].] ***V. int.*** **1.** Tocar gaita. **2.** Andar em folias; divertir-se, foliar. **3.** *Bras. CE* Urrar ou mugir (o gado). ***T. d.*** **4.** Executar em gaita. **5.** Tocar mal (um instrumento musical). [Conjug.: v. *frear*.]

gaiteira [De *gaita* (4) + *-eira*.] ***S. f.*** *Bras. AL* V. *gaiteiro* (2).

gaiteiro [De *gaita* + *-eiro*.] ***S. m.*** **1.** Tocador de gaita; gaitista. **2.** *Bras.* Lugar nas embocaduras dos rios, periodicamente alagado, onde cresce uma vegetação típica e se encontra em abundância o *aratu*. [Var., em AL, *gaiteira*.] **3.** *Bras.* Espécie de mangue cujas raízes-escoras são ditas *gaitas* [v. *gaita* (4)]. • ***Adj.*** **4.** Vistoso, garrido. **5.** Folião, festeiro. **6.** *Bras. RJ* Assanhado, saído, saliente: *É o tipo do velho gaiteiro*. ~ V. *tripa —a*.

gaitista [De *gaita* + *-ista*.] ***Adj. 2 g. S. 2 g.*** Que, ou aquele que toca gaita.

gaiuta (ai-ú.) [Do fr. *cahute*.] ***S. f.*** **1.** *Arquit.* Puxada de uma casa, que abriga mictório, latrina, etc. **2.** *Arquit.* Casinhola ou abrigo de madeira. **3.** *Constr. Nav.* Armação metálica ou de madeira, ger. em forma de telhado de duas águas, envidraçada, com que se cobrem as escotilhas destinadas à entrada de ar e luz para o interior da embarcação. ❖

gaiva [Do lat. vulg. *gavea* < lat. *cavea*, 'abertura'.] ***S. f.*** Fenda ou escavação feita na terra por águas das chuvas.

gaivagem [De *gaiva* + *-agem*[2].] ***S. f.*** Rego fundo ou vala estreita para esgoto ou drenagem de águas.

gaivão ***S. m.*** *Bras.* Aparelho de pesca, de forma cônica; ferreiro.

gaivar [De *gaiva* + *-ar*[2].] ***V. t. d.*** Fazer gaivagem em. [Pres. subj.: *gaive*, ... *gaiveis*, *gaivem*. Cf. *gaivéis*, pl. de *gaivel*.]

gaivel [De *gaiva*.] ***S. m.*** Parede que da base para cima vai diminuindo de espessura. [Pl.: *gaivéis*. Cf. *gaiveis*, do v. *gaivar*.]

gaivota [Do lat. *gavia*, 'gaivota', + *-ota*[2], ou de um seu dim. *gaviota*, com metátese.] ***S. f.*** **1.** *Zool.* Designação comum às aves caradriiformes larídeas, especialmente dos gêneros *Larus*, *Phaetusa* e *Thalasseus*. A gaivota comum, *Larus maculipennis*, ocorre na costa atlântica da América meridional, e dela há quatro espécies no Brasil; tem coloração branco-acinzentada, mais escura no dorso, algumas penas negras nas asas, bico e pés avermelhados, alimenta-se de pequenos peixes e toda sorte de detritos do mar, e o macho, no período da procriação, ostenta a cabeça preta. [Sin.: *ati*, *maria-velha* e (da espécie *L. maculipennis*) *atiati*.] **2.** *Zool.* V. *andorinha-do-mar*. • ***S. m.*** **3.** V. *tolo* (8).

gaivotão [De *gaivota* + *-ão*[1].] ***S. m.*** *Bras. Zool.* **1.** Ave caradriiforme, larídea (*Larus dominicanus*), da costa da África meridional, S. do oceano Índico, Nova Zelândia e ilhas adjacentes, costa pacífica e atlântica da América do Sul até o 10° de latitude sul. No Brasil aparece do RJ ao RS. Coloração branca com asas negras. É maior que a gaivota comum. **2.** Albatroz (1 e 2). **3.** *Impr.* Albatroz (3).

gaivota-preta [De *gaivota* + o f. de *preto*.] ***S. f.*** *Bras. MG Zool.* V. *quero-quero*. [Pl.: *gaivotas-pretas*.]

gaivota-rapineira ***S. f.*** *Bras. Zool.* **1.** Ave caradriiforme, estercorariídea (*Catharacta skua chilensia*), da costa pacífica do Chile e Peru, e atlântica da Argentina até o RS, de coloração parda com reflexos avermelhados ou ocráceos, e com uma mancha branca típica nas asas. **2.** Ave caradriiforme, estercorariídea (*Stercorarius parasiticus*), que nidifica nas ilhas e costas árticas e antárticas, com ocorrências nas zonas intermediárias, inclusive o Brasil, de coloração parda e branca, ou inteiramente parda, com uma mancha branca na asa, e cauda com duas penas muito alongadas. [Pl.: *gaivotas-rapineiras*.]

gajão [Do cigano *gachó*.] ***S. m.*** *Bras.* Título respeitoso de que usam os ciganos para com as pessoas de outros povos: *Meu gajão equivale a 'meu senhor'*.

gajeiro [Do it. *gaggio*, 'gávea', + *-eiro*.] ***S. m.*** **1.** *Marinh.* Nos navios à vela, marinheiro que tem a seu cargo um dos mastros, zela por ele e dirige os trabalhos que nele se executam, e a quem outrora competia, ainda, subir ao cesto de gávea, nas proximidades de terra, a fim de procurar avistá-la antes dos demais elementos da tripulação: "o gajeiro do cesto de gávea espiando terra" (Raimundo Morais, *País das Pedras Verdes*, p. 210). • ***Adj.*** **2.** Que tem agilidade para subir ou trepar.

gajeru [Var. de *guajeru*.] ***S. m.*** *Bras. Bot.* V. *abajeru*.

gajeta (ê) [Do esp. *galleta*.] ***S. f.*** *Bras. RS* Espécie de bolacha.

gajiru [Var. de *guajeru*.] ***S. m.*** *Bras. Bot.* V. *abajeru*.

gajo [Der. regress. de *gajão*.] ***S. m.*** **1.** Homem de maneiras abrutalhadas. **2.** Indivíduo ou sujeito qualquer; tipo. **3.** Indivíduo finório, velhaco.

gajuru [Var. de *guajeru*.] ***S. m.*** *Bras. Bot.* V. *abajeru*.

■ **Gal** *Fís.* Símb. de *galileu*[1].

gala[1] [Do fr. ant. *gale*, 'divertimento'; 'alegria'.] ***S. f.*** **1.** Traje para solenidades. **2.** V. *pompa* (2). **3.** Festa nacional. **4.** Ornamentação ou enfeites ricos, preciosos: "Nos seus fugazes poemas [de Anacreonte] passavam por diante da alma as estátuas, os painéis, ... as galas do toucado e do vestido" (Antônio Feliciano de Castilho, *A Lírica de Anacreonte*, p. 17). ◆ **Fazer galas.** *Lus.* Basofiar, blasonar, gabar-se.

gala[2] [Dev. de *galar*.] ***S. f.*** **1.** Mancha germinativa no ovo; galadura. **2.** *Bras. N.E. Chulo* Sêmen, esperma.

galã [Do esp. *galán* < fr. *galant*.] ***S. m.*** **1.** *Teatr. Cin.* Personagem ou ator que representa o herói de boa aparência e atitudes, inteligente e corajoso, e que exerce o papel decisivo nas intrigas de amor. **2.** *Fig.* Homem belo e elegante. **3.** *Fam.* Namorador, galanteador.

galã-bandeja ***S. m.*** *Teatr. Telev.* Ator principiante, que desempenha papéis menores, como o de criado ou mordomo. [Cf. *extra* (4).] [Pl.: *galãs-bandejas* e *galãs-bandeja*.]

galação [De *galar* + *-ção*.] ***S. f.*** *Bras.* V. *galadura* (1).

galacrista [Var. de *galicrista*.] ***S. f.*** *Bot.* V. *crista-de-galo* (2).

galactagogo (ô) [De *galact(o)-* + *-agogo*.] ***Adj.*** *Farmac.* **1.** Que aumenta a secreção do leite. • ***S. m.*** **2.** Meio ou substância que se emprega para aumentar a secreção do leite.

galáctico [Do gr. *galaktikós*.] ***Adj.*** *Astr.* Relativo à Galáxia (2), ou a uma galáxia que não a Via Láctea. ~ V. *absorção —a*, *aglomerado —*, *canibalismo —*, *centro —*, *círculo —*, *concentração —a*, *cúmulo —*, *disco —*, *equador —*, *grupo —*, *halo —*, *janela —a*, *latitude —a*, *nebulosa —a*, *plano —* e *rotação —a*.

▲ **-galáctico** [Do gr. *galaktikós*, do gr. *gálaktos*, gen. de *gála*, 'leite', fonte tb. do adj. gr. *galaxías*, 'do leite', 'lácteo'.] ***El. comp.*** **1.** us. na formação de adj., de *Astr.* e *Cosm.*, para subst. compostos por *galáxia*[1], com a ideia de 'pertencente ou relativo a X': *hipergaláctico, metagaláctico, protogaláctico, radiogaláctico*. [V. *galact(o)-*.]

galactisquia [De *galact(o)-* + *-isqu(i)-* + *-ia*[1].] ***S. f.*** *Obst.* Supressão de secreção láctea.

galactita [Do gr. *galaktítes*, pelo lat. *galactites*.] ***S. f.*** Certa pedra solúvel, não identificada, formada, poss., de nitrato de cálcio, cuja solução leitosa deu origem a lendas e superstições medievais.

▲ **galact(o)-** [Do gr. *galakto-*, do gr. *gála* (genit. *gáláktos*).] ***El. comp.*** = 'leite'; 'lácteo': *galactogogo*, *galactorreia*. [Equiv.: *-galact(o)-*: *antigaláctico*.]

▲ **-galact(o)-** Equiv. de *galact(o)-*.

galactocele [De *galact(o)-* + *-cele*[1].] *S. f. Med.* **1.** Ingurgitamento cístico de glândula mamária que contém leite. **2.** Hidrocele que contém líquido de aspecto leitoso.

galactófago [De *galact(o)-* + *-fago*.] *Adj.* Que se alimenta de leite.

galactoforite [De *galactóforo* + *-ite*[1].] *S. f. Gin.* Inflamação de ducto(s) galactóforo(s).

galactóforo [Do gr. *galaktophóros*.] *Adj. Anat.* Que conduz leite: *vasos galactóforos*.

galactografia [De *galactó(foro)* + *-grafia*.] *S. f. Radiol.* Visualização radiológica de ductos galactóforos, após a introdução, neles, de contraste (6).

galactologia [De *galact(o)-* + *-logia*.] *S. f.* Tratado ou ciência relativa ao leite.

galactológico [De *galactologia* + *-ico*[2].] *Adj.* Concernente à galactologia.

galactômetro *S. m.* V. *galactômetro*. [Uso freq. em P.]

galactômetro [De *galact(o)-* + *-metro*.] *S. m.* V. *lactômetro*.

galactopoese [De *galact(o)-* + *-poese*.] *S. f. Fisiol.* Formação de leite.

galactopoético [De *galact(o)-* + *-poético*.] *Adj.* Relativo à galactopoese.

galactoposia [Do gr. *galaktoposía*.] *S. f.* **1.** Uso do leite como bebida habitual. **2.** *Terap.* Tratamento médico em que o doente só se alimenta de leite.

galactoscópio [De *galact(o)-* + *-scópio*.] *S. m.* Instrumento com que se verifica a proporção de creme existente no leite.

galactose [Do gr. *galáktosis*.] *S. f. Quím.* Aldoexose, açúcar cristalino, branco, encontrado em vegetais e no leite [fórm.: $C_6H_{12}O_6$].

galactosemia [De *galactose* + *-emia*.] *S. f. Med.* Doença metabólica hereditária que se pode apresentar de duas formas: a) hepatomegalia, catarata e retardo mental, e b) apenas catarata, e acúmulo de galactose no sangue e em tecidos.

galactóstase [De *galact(o)-* + *-stase*.] *S. f. Obst.* Acúmulo anormal de leite em glândula mamária.

galactosuria [De *galactose* + *-uria*.] *S. f. Med.* V. *galactosúria*.

galactosúria [De *galactose* + *-úria*.] *S. f. Med.* Presença de galactose na urina. [F. paral.: *galactosuria*.]

galactoterapia [De *galact(o)-* + *-terapia*.] *S. f. Terap.* Administração de medicamento à lactante para que ele se transmita ao lactente.

galactoterápico [De *galactoterapia* + *-ico*[2].] *Adj.* Relativo à galactoterapia.

galactotise [De *galact(o)-* + *-tise*.] *S. f. Obst.* Emagrecimento por lactação prolongada.

galactotrofia [De *galact(o)-* + *-trofia*.] *S. f. Med.* Alimentação pelo uso de leite.

galactotrófico [De *galactotrofia* + *-ico*[2].] *Adj. Med.* Relativo à galactotrofia.

galacturia [De *galact(o)-* + *-uria*.] *S. f. Med. Desus.* V. *quilúria*.

galactúria [De *galact(o)-* + *-úria*.] *S. f. Med. Desus.* V. *quilúria*. [F. paral.: *galacturia*.]

galado [Part. de *galar*.] *Adj. Pop.* **1.** Fecundado. **2.** Diz-se de fêmea de galináceo fecundada.

galadura [De *galar* + *-dura*.] *S. f.* **1.** Ação de galar (1); galação. **2.** Gala[2] (1).

gala-gala [Do *ronga*.] *S. m. Moç. Zool.* Grande lacertílio cinzento, de cabeça azul: "e o menino que eu fui outrora desce / alvoroçado de meus olhos, desliza / entre o capim, atira pedras aos gala-galas" (Rui Knopfli, *Mangas Verdes com Sal*, p. 32). [Pl.: *gala-galas*.]

galagala [Do mal. *gala-gala*.] *S. f.* **1.** *Obsol. Constr. Nav.* Espécie de betume constituído de cal virgem, estopa e azeite, destinado a vedar juntas e a revestir as obras vivas das embarcações, e sobre o qual se aplicava um forro de cobre, para protegê-las do gusano. **2.** Mistura de óleo de baleia e conchas trituradas, utilizada para rejuntar pedras de pavimentação de ruas e estradas: "Na serra, permaneceu o tortuoso caminho de tropas, com pedras rejuntadas à custa de galagala, mistura de óleo de baleia e conchas esmagadas." (Nélson Werneck Sodré, *Memórias de um Soldado*, p. 271.)

gálago [Do tax. *Galago* (poss. do uolofe *golokh*, 'macaco').] *S. m. Zool.* **1.** Gênero de primatas prossímios, lorisídeos, de hábitos noturnos, que habitam as florestas e savanas africanas; arborícolas, têm olhos muito grandes, e os membros posteriores alongados lhes possibilitam pular com maior agilidade. **2.** Qualquer espécie desse gênero, como, p. ex., a *Galago senegalensis*, de porte pequeno, e a *G. crassicaudatus*, de porte um tanto maior. **3.** Qualquer espécime desse gênero.

galaico [Do lat. *gallaicu*.] *Adj. S. m.* V. *galego* (1 a 3). [Cf. *gaélico*.]

galaico-lusitano *Adj.* Relativo à Galiza (Espanha) e à Lusitânia (Portugal). [Pl.: *galaico-lusitanos*.]

galaico-português *Adj. S. m.* Galego-português. [Pl.: *galaico-portugueses*.]

galalau [Do antr. e ficción. *Galalão* (adapt. do fr. *Ganelon*, personagem da canção de gesta [q. v.] *La Chanson de Roland*), com desnasalação.] *S. m. Bras.* Homem de estatura elevada: "A voz de Godô era um fiapinho, contrastando com o tom abaritonado do outro, um galalau de homem, desempambado" (Nélson de Faria, *Bazé*, p. 101). [Sin.: *galerão, manguari, arganaz, peroba*; *butelo* (N. e C.O.); *manjolão* (PE).]

galalite [Do al. *Galalith*, marca registrada.] *S. f.* Material plástico derivado da caseína pura, tratada pelo formol.

galanar [De *galã* + *-ar*[2], seg. o padrão erudito.] *V. t. d. Int.* Galanear.

galandi [De or. tupi, poss.] *S. m. Bot.* V. *jacareúba*.

galane [Do fr. *galant*.] *Adj. 2 g.* Galante, cortês.

galanear [De *galã* + *-ear*[2], seg. o padrão erudito.] *V. int.* **1.** Trajar-se com requinte, à maneira de galã; trajar à fidalga. *T. d.* **2.** Vestir (roupas luxuosas). [F. paral.: *galanar*. Conjug.: v. *frear*.]

galanga [Do b.-lat. *galanga*, poss. do ár.] *S. f. Bot.* Erva zingiberácea (*Alpinia officinarum* ou *A. galanga*) cujo rizoma era us. na preparação de chás e licores; galanga-da-china, galanga-verdadeira.

galanga-da-china [De *galanga* + *da*[1] + o top. *China*.] *S. f. Bot.* V. *galanga*. [Pl.: *galangas-da-china*.]

galanga-verdadeira [De *galanga* + o f. de *verdadeiro*.] *S. f. Bot.* V. *galanga*. [Pl.: *galangas-verdadeiras*.]

galanice [De *galã* + *-ice*, seg. o padrão erudito.] *S. f.* **1.** Qualidade ou procedimento de galã. **2.** Gentileza, donaire, galantaria.

galantaria [Var. de *galanteria*.] *S. f.* **1.** Ato ou efeito de galantear; galanteio. **2.** Coisa ou pessoa galante. [F. paral.: *galanteria*.]

galante [Do it. *galante*.] *Adj. 2 g.* **1.** Gracioso, gentil, donairoso, esbelto. **2.** Distinto, elegante, polido: *galante no trato*. **3.** Engraçado, espirituoso, divertido. **4.** Licencioso, picante: *anedota galante*. **5.** *Bras. MT* Diz-se dos espécimes de certa raça bovina. • *S. 2 g.* **6.** Pessoa galante.

galanteador (ô) [De *galantear* + *-dor*.] *Adj. S. m.* Que, ou aquele que galanteia, que corteja mulheres; cortejador.

galantear [De *galante* + *-ear*[2].] *V. t. d.* **1.** Fazer a corte a; cercar de atenções e amabilidades; cortejar. **2.** Enfeitar, adornar, ornar. *Int.* **3.** Dizer galanteios; namorar: "Mesurado, donairosíssimo, diserto, dameja, corteja, galanteia, idiliza" (Martins Fontes, *A Dança*, p. 53). [Conjug.: v. *frear*.]

galanteio [Dev. de *galantear*.] *S. m.* **1.** Atenções amorosas; galantaria, corte (ô), fineza. **2.** V. *namoro*.

galanteria [Do fr. *galanterie*, ou do it. *galanteria*.] *S. f.* Galantaria (q. v.).

galantina [Do fr. *galantine*.] *S. f. Cul.* **1.** Iguaria de alta culinária, feita com galinha ou carne desossada e recheada com diversos ingredientes e condimentos, com a qual se faz um rolo que depois é cozido num caldo feito de substâncias gelatinosas. Serve-se fria, cortada em fatias e acompanhada da geleia (2) feita com o caldo. **2.** *P. ext.* Prato frio, feito com geleia ou gelatina salgada e enformada com outros ingredientes, como carnes, legumes, camarão, etc.

galão[1] [Do fr. *galon*.] *S. m.* **1.** Tira ou cadarço de tecido bordado ou de fios entrançados, us. como enfeite ou debrum sobretudo em roupas infantis ou femininas, em decoração de ambientes, ou em roupas de cama e mesa; grega: "Às portas havia grandes reposteiros de belbutina preta, com galões dourados" (Inglês de Sousa, *O Coronel Sangrado*, p. 257). [Cf. *passamanaria* (1).] **2.** Tira dourada, usada como distintivo nas mangas da farda de certas categorias de militares e de funcionários: "Gastara em África os melhores anos da existência ..... Para lá abalara pela vez primeira ainda com o galão de alferes." (Joaquim Paço d'Arcos, *Carnaval e Outros Contos*, p. 53.)

galão[2] [Do ingl. *gallon*.] *S. m.* **1.** Medida de capacidade. [Há o *galão imperial* (inglês), equivalente a exatos 4,54609 litros, e o *galão americano*, equivalente a exatos 3,785411784 litros.] **2.** *Lus. Pop.* Café com leite servido em copo: "[na leitaria] uma mulher gorda, na mesa ao lado, que acompanha com um galão claro o seu bolo mil-folhas" (José Saramago, *História do Cerco de Lisboa*, p. 63). ◆ **Galão americano.** V. *galão*[2] (1). **Galão imperial.** V. *galão*[2] (1).

galão[3] [De *galo*[1] + *-ão*[2].] *S. m.* **1.** Corcovo ou salto em que o equídeo ergue as mãos e arqueia o dorso. **2.** *P. ext.* Salto, pulo. **3.** *Turfe* Medida da passada do cavalo a galope.

galápago [Do esp. *galápago*.] *S. m. Veter.* Úlcera na coroa do casco das cavalgaduras.

galapo [Do esp. *galapo*.] *S. m.* **1.** Coxim da sela do cavalo. **2.** Ligadura para feridas.

galar [De *galo*[1] + *-ar*[2].] *V. t. d.* **1.** Machear, fecundar (a fêmea). [Aplica-se aos galináceos.] **2.** *Bras. Pop.* Engravidar, emprenhar (mulher): "— E tem uma sorte danada com saia ..... Morre uma, nasce outra. Foge uma, vêm duas. Nesta boa vida já galou cinco." (Humberto Crispim Borges, *Cacho de Tucum*, p. 59.) **3.** *Bras. N.E. Chulo* Emitir gala[2] (2); ejacular.

galardão [Do gót. **withralaum*, **gwedarlaun*, pelo romance antigo **gwelardaum* (com metátese), e pelas f. (port. ant.) *galardom*, *gualhardom*.] *S. m.* **1.** Recompensa de serviços valiosos; prêmio. **2.** Honra, glória.

galardoador (ô) [Do esp. *galardonador*, com desnasalação.] *Adj. S. m.* Que, ou aquele que galardoa.

galardoar [Do esp. *galardonar*, com desnasalação.] *V. t. d.* **1.** Conferir prêmio ou galardão a, por algum serviço ou merecimento. **2.** Premiar, compensar. **3.** Consolar, adoçar, aliviar, mitigar. [Conjug.: v. *coroar*.]

galarim [Do esp. *gallarín*.] *S. m.* **1.** O dobro da parada (9), no jogo. **2.** O ponto mais alto; a posição de maior evidência; cúmulo, fastígio, fausto, valimento.

gálata [Do gr. *galátes*, pelo lat. *galata*.] *Adj. 2 g.* **1.** De, ou pertencente ou relativo à antiga Galácia (Ásia Menor). • *S. 2 g.* **2.** O natural ou habitante da Galácia. • *S. m.* **3.** *Gloss.* Língua falada pelos celtas que migraram para a Ásia Menor, e que foi extinta por volta do século V.

galateia (éi) [Do mit. *Galateia*.] *S. f. Astr.* Um dos satélites de Netuno, com diâmetro de 160km e órbita quase circular de 62.000km no eixo maior, no sentido direto e no plano do equador. [Foi descoberto em julho de 1989 pela sonda espacial norte-americana *Voyager 2*.] [Com cap.] ❖

galato [De *gal(o)-* + *-ato*[2].] *S. m. Quím.* Qualquer sal ou éster do ácido gálico.

gálax (cs) [Do tax. *Galax* (v. *galact(o)-*).] *S. f. 2n. Bot.* **1.** Gênero monotípico de ervas diapensiáceas, perenes. **2.** A espécie desse gênero (*Galax aphylla*), que ocorre no S. dos E.U.A. **3.** Espécime desse gênero. [Sin. nas acepç. 2 e 3: *galáxia*.]

galáxia[1] (cs) [Do gr. *galaxías* (*kýklos*), pelo lat. *galaxias*.] *S. f. Astr.* **1.** Sistema estelar aparentemente isolado no espaço cósmico, e que contém milhões ou bilhões de estrelas, poeira e gás, mantidas agrupadas pela gravidade; universo-ilha. **2.** Sistema estelar ao qual pertencem o Sol, o sistema solar, todas as estrelas visíveis individualmente a olho desarmado, além de milhões de outras estrelas, gás e poeira interestelares, e que visto pela luneta se apresenta ao observador terrestre como uma esteira brilhante; Via Láctea. [Com cap., nesta acepç.] **3.** Plêiade (3). ◆ **Galáxia anular.** *Astr.* Galáxia com a aparência dum anel formado por estrelas azuis luminosas, mas com pouca matéria luminosa, relativamente, nas regiões centrais. [Acredita-se que tais sistemas foram uma galáxia ordinária que em época mais recente sofreu colisão com outra.] **Galáxia canibal.** *Astr.* Galáxia de grande massa, responsável pelo canibalismo galáctico. **Galáxia compacta.** *Astr.* Galáxia cuja luminosidade por unidade de superfície é muito superior à de uma galáxia normal. **Galáxia dupla.** *Astr.* Sistema de duas galáxias ligadas pela força de gravitação. **Galáxia esférica.** *Astr.* Galáxia que não apresenta braços e tem a forma aparente de um círculo. **Galáxia espiral.** *Astr.* Aquela cujo aspecto lembra uma espiral, como, por ex., a Via Láctea. **Galáxia múltipla.** *Astr.* Sistema de várias galáxias associadas gravitacionalmente entre si. **Galáxia regular.** *Astr.* Galáxia que apresenta simetria axial.

galáxia[2] (cs) [Do tax. *Galax* + *-ia*[2].] *S. f. Bot.* V. *gálax* (2 e 3).

galaxiídeo (cs) [Do tax. *Galaxias* + *-ídeo*[1]; tax. *Galaxiidae*.] *Zool. S. m.* **1.** Espécime dos galaxiídeos, família de peixes actinopterígios, salmoniformes, de água doce, caracterizados por corpo tubuloso, fino, e desprovido de escamas. Habitam a Tasmânia, a Nova Zelândia e as Ilhas Malvinas. • *Adj.* **2.** Pertencente ou relativo a eles.

galaxímetro (cs) [De *galáx(ia)*[1] + *-metro*.] *S. m. Astr.* Interferômetro destinado à determinação da velocidade de rotação das galáxias.

galbaneiro [De *gálbano* + *-eiro*.] *S. m. Bot.* V. *gálbano* (1).

gálbano [Do hebr., pelo gr. *chalbáne* e pelo lat. *galbanu*.] *S. m.* **1.** *Bot.* Planta apiácea (*Ferula galbaniflua*) sempre-verde, que fornece resina medicinal e óleo volátil; férula, galbaneiro. **2.** A resina dessa planta.

galbo [Do fr. *galbe*.] *S. m. Arquit.* Perfil ou contorno elegante de peças ou elementos arquitetônicos. ◆ **Galbo do contrafeito.** *Arquit.* Curvatura das extremidades do telhado, que se obtém pelo uso do contrafeito (2).

gálbula [Do lat. *galbulu*, pelo fr. *galbule*.] *S. f. Bot.* Cone carnoso e baciforme que encerra várias sementes, e é próprio das cupressáceas. [F. paral.: *gálbulo*.]

galbulídeo [Do tax. *Galbula* + *-ídeo*[1]; tax. *Galbulidae*.] *Zool. S. m.* **1.** Espécime dos galbulídeos, família de aves piciformes, insetívoras, caracterizadas por terem o bico reto, comprido, mais ou menos compresso, e plumagem ger. brilhante, de coloração metálica. Vivem em matas densas das Américas Central e do Sul. São as arirambas e os beija-flores-da-mata-virgem. • *Adj.* **2.** Pertencente ou relativo a eles.

gálbulo [Do lat. *galbulu.*] *S. m. Bot.* Gálbula.

galdrope [Do ingl. *guide rope.*] *S. m. Constr. Nav. Ant.* V. *gualdrope.*

galé [Do gr. bizantino *galéa*, pelo f. ant. *galée.*] *S. f.* **1.** *Ant.* Antiga embarcação de guerra, comprida e estreita, que emergia pouco acima da água, impelida basicamente por grandes remos (15 a 30 por bordo, manejado cada um por três a cinco homens), e acessoriamente por duas velas bastardas, içadas em mastros próximos à proa, dotada de esporão (4), que era o seu principal engenho de ataque: "manda o mui político Hiparco armar uma alterosa galé de cinquenta remos, mastros dourados e velas de púrpura" (Antônio Feliciano de Castilho, *A Lírica de Anacreonte*, p. 15). **2.** *Tip.* Espécie de bandeja retangular de três rebordos, outrora de madeira e hoje usualmente de metal, onde o tipógrafo vai pondo os grupos de linhas tirados do componedor a fim de formar a chapa ou o granel, ou para paginar, servindo a extremidade sem rebordo para deixar que a composição deslize para o mármore; bolandeira. **3.** *Tip.* V. *prova de granel.* **4.** *Bras. N.E.* Piscina natural formada, esp. na maré baixa, por barreira de recifes. • *S. m.* **5.** Indivíduo sentenciado a trabalhos forçados. ~ V. *galés.*

gálea [Do lat. *galea.*] *S. f.* **1.** Elmo (1). **2.** *Med.* Dor de cabeça que produz a sensação de um gorro a apertar o crânio. **3.** *Anat.* Aponeurose epicraniana. **4.** *Bot.* O lábio (4) superior da corola bilabiada.

galeaça [Do it. *galeazza.*] *S. f.* Galé (1) mais alterosa e de maior boca, com castelo na proa e na popa, e três mastros com velas bastardas.

galeado [De *gálea* + *-ado*[1].] *Adj.* V. *galeato* (1).

galeantropia [Do gr. *galê*, 'gato', + *-antrop(o)-* + *-ia*[1].] *S. f. Psiq.* Doença mental em que o doente se julga transformado em gato.

galeantrópico [De *galeantropia* + *-ico*[2].] *Adj.* Relativo a galeantropia.

galeão [Do fr. *galion* < fr. ant. *galée.*] *S. m.* **1.** *Ant.* Navio a remo, comprido e ligeiro, usado pelos árabes. **2.** Antigo navio de guerra, de sólida construção e formas finas, popa arredondada e bojuda, com quatro mastros: os de vante com velas redondas e os de ré com velas bastardas: "cortando o oceano Índico no velho galeão" (Fialho d'Almeida, *Lisboa Galante*, p. 93). [Era menos alteroso e mais leve que a nau, porém de melhores qualidades marinheiras. Criado em Portugal no início do séc. XVI especialmente para proteção da frota mercante, foi pouco a pouco sendo substituído pela nau de guerra, e desaparece no fim do século XVIII.] **3.** *Lus.* A maior das embarcações empregadas na arte de galeão (pesca de sardinha). **4.** Aparelho de pesca de cerco.

galear[1] [De *gala*[1] + *-ear*[2].] *V. int.* Vestir, trajar, ostentar galas; galanear: "famílias galeando à moda, faiscando em joias" (Coelho Neto, *Obra Seleta*, I, p. 227). [Conjug.: v. *frear.*]

galear[2] [De *galé* + *-ear*[2].] *V. int.* **1.** Balançar, atirando ou arremessando; arremessar, balançando. **2.** *Mar.* Balouçar natural e suavemente (o navio), ao navegar ou fundeado, por ação do vento ou da corrente: "Ao romper da manhã seguinte o Manaus caturrava e galeava em pleno Lamarão." (Gustavo Barroso, *Mississípi*, p. 98.) **3.** *Marinh.* Balançar (o mastro) na enora, por não estar convenientemente acunhado ou por esta ser folgada. **4.** *Marinh.* Balançar (o leme e outras peças de bordo que, por malseguras ou fixas em seus alojamentos, se ressentem do jogo do navio). *T. d.* **5.** Balouçar, atirando ou arremessando. [Conjug.: v. *frear.*]

galear[3] [De *galão*[3] + *-ear*[2], com desnasalação.] *V. int.* Saltar em galão[3] (o cavalo). [Conjug.: v. *frear.*]

galeato [Do lat. *galeatu.*] *Adj.* **1.** Que tem gálea; coberto com gálea; galeado. **2.** *Fig.* Defensivo.

galega[1] (ê) [Do lat. *gallica* (*herba*), 'erva da Gália'; tax. *Galega.*] *S. f. Bot.* **1.** Gênero de ervas fabáceas, glabras e multicaules. **2.** Qualquer espécie desse gênero, como, p. ex., a *Galega officinalis* (v. *falso-anil*). **3.** Qualquer espécime desse gênero.

galega[2] (ê) *S. f. Bras.* V. *pomba-legítima.*

galegada [De *galego* + *-ada*[1].] *S. f.* **1.** Dito ou ação de galego. **2.** Multidão de galegos. **3.** *Bras. Gír.* Tolice, calinada. **4.** *Bras. S. Deprec.* A colônia portuguesa.

galego (ê) [Do lat. *gallaecu.*] *Adj.* **1.** Da, ou pertencente ou relativo à Galiza (Espanha). ~ V. *gaita —a.* • *S. m.* **2.** O natural ou habitante da Galiza. **3.** *Gloss.* Língua românica falada na Galiza (Espanha). [Sin., nessas acepç.: *galaico.*] **4.** *Bras. Deprec.* Português (2). [Há outras muitas alcunhas dadas por brasileiros a portugueses, algumas delas já fora de uso: *abacaxi, bicudo, boaba* ou *boava, emboaba* ou *emboava, candango, caneludo, chumbinho, cotruco, cupé, cutruca, jaleco, japona, labrego, marabuto, marinheiro, maroto, marreta, mascate, matruco, mondrongo, novato, parrudo, pé de chumbo, portuga, puça, sapatão, talaveira.*] **5.** *Bras. RS* V. *carimboto.* **6.** *Bras. N.E. SC* Estrangeiro, sem distinção de nacionalidade. **7.** *Bras. N.E.* Indivíduo louro.

galego-português *Adj.* **1.** Relativo à Galiza (Espanha) e a Portugal, ou ao galego-português (3). **2.** Na periodização da língua portuguesa, diz-se da fase que se estende dos primeiros documentos totalmente escritos em vernáculo até meados do séc. XIV. • *S. m.* **3.** *Gloss.* Língua românica (q. v.) que era falada a N.O. da Península Ibérica [atuais Galiza (Espanha), Minho e Trás-os-Montes (Portugal)] e cujas fronteiras, a E., eram o leonês e o castelhano e, ao S., abaixo do rio Minho, os dialetos moçárabes que ali se desenvolviam. [Atestada pelo menos desde o séc. VIII, os primeiros documentos nela conhecidos e redigidos por inteiro datam do séc. XIII. No séc. XII Portugal, mas não a Galiza, torna-se independente de Leão e se estende para o S., criando-se, assim, uma fronteira política que, no séc. XIV, já seria também uma fronteira linguística: ao N., o galego, e ao S., o português.] [Sin. ger.: *galaico-português.* Pl.: *galego-portugueses.*]

galeiforme [De *gálea* + *-iforme.*] *Adj. 2 g.* Que tem forma de gálea (1).

galeio[1] [Dev. de *galear*[2].] *S. m.* **1.** Ato ou efeito de galear[2]. **2.** *Bras.* Movimento rápido e repentino do corpo para um lado ou para trás; requebro: "O gigante tomou distância, deu um galeio no corpo e formou carreira." (M. Cavalcanti Proença, *Manuscrito Holandês*, p. 209.) ◆ **Perder o galeio.** Tornar-se desajeitado.

galeio[2] [De *galo*[1] (1).] *S. m.* Ato pré-sexual do galo.

galena [Do lat. *galena.*] *S. f.* **1.** *Min.* Mineral monométrico, sulfeto de chumbo, o principal minério de chumbo. [Quando argentífero, é tb. minério de prata. Sin.: *galenita.*] • *S. m.* **2.** *Bras.* Aparelho rudimentar de rádio, no qual se usa o cristal de galena; rádio de galena.

galênico *Adj.* V. *galênico.* [Uso freq. em P.]

galênico [Do epíteto *Galeno* (< gr. *Galenós* < gr. *galenós*, 'calmo', 'sereno'), de Cláudio de Pérgamo, filho de Nícon de Pérgamo, + *-ico*[2].] *Adj.* **1.** Pertencente ou relativo a Galeno, célebre médico grego, que exerceu a medicina, principalmente em Roma, ou próprio dele. **2.** Relativo ao sistema médico de Galeno, ao galenismo (q. v.). **3.** Diz-se de medicamento de composição maldefinida. ~ V. *farmácia —a.*

galenismo [Do epíteto *Galeno* (v. *galênico*) + *-ismo.*] *S. m.* O sistema médico de Galeno (v. *galênico*), que desfrutou de prestígio até o Renascimento, e no qual se misturam a teoria dos quatro humores hipocráticos (sangue, fleuma, bile amarela e bile negra) e a doutrina numérica de Pitágoras (v. *pitagórico*). [Cf. *paracelsismo.*]

galenista [De *galenismo* + *-ista.*] *S. 2 g.* Seguidor do galenismo.

galenita [De *galena* (1) + *-ita*[3].] *S. f.* Galena (1).

galeno [Do epíteto *Galeno* (v. *galênico*).] *S. m.* Qualquer médico.

galense *Adj. 2 g. S. 2 g.* V. *galês* (1 e 2).

galéola [Do lat. *galeola.*] *S. f. Ant.* Vaso em forma de gálea (1).

galeonete (ê) [De *galeão* + *-ete* (ê), seg. o padrão erudito.] *S. m. Lus.* Embarcação do tipo do galeão (3), que o acompanha e auxilia nas fainas da pesca, quando esta é muito abundante.

galeopiteco (à) [Do gr. *galeo-* (< gr. *galée*, nome de diversos animais: 'doninha'; 'gato', etc.) + *-piteco*; tax. *Galeopithecus.*] *S. m. Adj. Zool.* V. *dermóptero.*

galeota [Do it. *galeotta.*] *S. f.* **1.** *Ant.* Pequena galé (1), de até 20 remos: "Por fins de 1540 estava concentrada diante de Goa uma garbosa e forte armada composta de sessenta e sete fustas e catures, três galeotas e doze velas grossas" (Aquilino Ribeiro, *Portugueses das Sete Partidas*, p. 70). [Var.: *galeote.*] **2.** *Ant. Bras.* Embarcação a remo, com um camarim à popa, de boca aberta, usada para transporte do rei e, depois, do imperador e seus familiares. **3.** *Bras. Amaz.* Grande canoa usada pelos regatões, antigamente movida à vara ou a remo, e hoje a motor, com camarim à popa, coberta até quase a proa, e subdividida internamente para armazenamento das mercadorias que se vão comerciar: "Que funda saudade daquela vida livre de campônio desocupado, enquanto a galeota singrava as águas ao som cadenciado dos remos!" (Inglês de Sousa, *O Missionário*, p. 206.) **4.** *Bras.* Carrocim constituído de uma caixa inclinável para carga e descarga, duas rodas e um varal central, e que se usa, puxado a braço, em trabalhos de terraplenagem manual, para transportar o material escavado.

galeote[1] *S. m.* V. *galeota* (1).

galeote[2] [Do it. *galeotto.*] *S. m.* **1.** Remador de galé (1): "mandou [D. Fernando] uma frota de sete navios em que .... os galeotes, todos vestidos com libré igual, manejavam remos pintados das mesmas cores." (Antero de Figueiredo, *Leonor Teles*, p. 27). **2.** Indivíduo condenado às galés. **3.** Espécie de capa ou de bedém que os galeotes usavam.

galera[1] [Do cat. *galera* < gr. bizantino *galéa.*] *S. f.* **1.** *Ant.* Galé (1): "defrontaram [os cartagineses] uma frota romana composta de galeras de alto bordo e cinco bancos de remadores" (Aquilino Ribeiro, *Os Avós dos Nossos Avós*, p. 80). **2.** Antigo navio à vela, de mastreação constituída de gurupés e três mastros de brigue, envergando ou não, além das velas redondas e de proa, velas latinas quadrangulares. Raramente existiram galeras com 4 e 5 mastros. **3.** Carroça para transporte de bombeiros, em serviço de incêndio. **4.** Forno de fundição.

galera[2] [De *galeria* (11), com síncope.] *S. f. Bras.* **1.** V. *torcida*[1] (2). **2.** V. *turma*[1] (7).

galerão *S. m. Bras.* V. *galalau.*

galeria [Do b.-lat. *galilaea*, 'átrio, ou claustro de igreja'.] *S. f.* **1.** Corredor (4) extenso e largo. **2.** Numa construção, extensa passagem coberta, seja interna, seja dando para o exterior: *Uma galeria com arcadas circunda o pátio; no prédio existe uma elegante galeria com lojas.* **3.** Em construções de grandes proporções, em palácios, etc., peça ampla, mais longa do que larga, que ger. serve de ligação entre diferentes cômodos, e em que a decoração e o mobiliário se restringem à proximidade das paredes: *A galeria dos Espelhos de Versalhes.* **4.** *P. ext.* Cada uma das salas sucessivas de um museu: *As galerias do Vaticano.* **5.** *Fig.* Coleção de quadros, ou de outros objetos de arte, etc., organizada artisticamente: *Em sua galeria figuram dois Portinari.* **6.** *Fig.* Coleção de estudos sobre personalidades ilustres e outras: *Seu livro é uma galeria de figuras do império.* **7.** Estabelecimento onde são expostas e negociadas obras de arte. **8.** Nos recintos de assembleias, salas de reunião, etc., tribuna para o público: "Nenhum tumulto nas sessões do antigo Senado ..... Geralmente, as galerias não eram mui frequentadas" (Machado de Assis, *Páginas Recolhidas*, pp. 166-167). [Tb. us. no pl., nesta acepç.] **9.** *Jorn.* Conjunto de bonecos [v. *boneco* (6)] de tamanhos semelhantes. **10.** *Bot.* Mata que margeia rio, riacho ou córrego; mata ciliar. **11.** *Teatr.* Localidade de ingresso mais módico, ordinariamente situada na parte mais alta do recinto; torrinha. [Tb. us. no pl., nesta acepç.] **12.** *P. ext.* O conjunto das pessoas que se acham na galeria (8 e 11). [Tb. us. no pl., nesta acepç.] **13.** Varanda ou alpendre. **14.** Conjunto de ornamentos em relevo e formando rebordo, em edificação, ou em móvel, etc.: *Uma galeria com cinco águias encima o Palácio do Catete; mesinha de chá com galeria.* **15.** Passagem ou corredor subterrâneo: *as galerias da mina, do metrô, da rede pluvial; O túnel Rebouças tem duas galerias.* **16.** Caminho feito em solo, madeira, etc., por certos animais, como, p. ex., a toupeira, o cupim, etc. ~ V. *galerias.* ◆ **Galeria de águas pluviais.** *Constr.* Escoadouro, ger. de seção retangular, para o escoamento das águas da chuva. **Para a galeria.** Diz-se de ato, palavras, atitudes, com que se visa a efeito sobre a opinião pública.

galeriano [De *galera* + *-iano.*] *Adj. S. m. Ant.* Dizia-se do, ou o remador que cumpria pena nas galés.

galerias [Pl. de *galeria.*] *S. f. pl.* Galeria (8, 11 e 12): *Após o discurso do senador, as galerias prorromperam em palmas.* ~ V. *galeria.*

galerícola [De *galeria* + *-cola*[1].] *Adj. 2 g. Zool.* Diz-se do animal que vive em galeria (16).

galerista [De *galeria* + *-ista.*] *S. 2 g.* Pessoa proprietária de galeria (7).

galerno [Do fr. *galerne*, poss. do bretão *gwaleru*, 'noroeste', de or. incerta.] *Adj. Ant.* **1.** Dizia-se de um vento brando, suave: "Assopra-lhe galerno o vento, e brando" (Luís de Camões, *Os Lusíadas*, II, 67). • *S. m.* **2.** Vento brando, aprazível.

galés [Do pl. de *galé.*] *S. m. pl.* **1.** *Ant.* A pena dos condenados a remar em galé (1). **2.** Trabalhos forçados executados por presos com correntes aos pés. ~ V. *galé.* [Cf. *galês.*]

galês *Adj.* **1.** Da, ou pertencente ou relativo à região do País de Gales (Grã-Bretanha). • *S. m.* **2.** O natural ou habitante dessa região. **3.** *Gloss.* Língua céltica falada no País de Gales, atualmente com *status* de língua oficial, ao lado do inglês. [Em consequência da emigração, o galês chegou a ter cerca de 3.000 falantes na Patagônia (Argentina) no início do séc. XX, mas, com o crescente domínio do espanhol na região, essa variedade está quase desaparecida.] [Sin. de 1 e 2: *galense.* Flex. de 1 e 2: *galesa* (ê), *galeses* (ê), *galesas* (ê). Cf. *galés* e *gauleses.*]

galeto (ê) [Do it. *galletto.*] *S. m. Bras.* **1.** Frango abatido entre 28 e 30 dias de vida; frango-de-leite. **2.** *P. ext.*

Galeto (1) assado. **3.** Restaurante onde se serve esp. galeto (2).

galezia [De or. incerta.] *S. f. Fam.* Velhacaria, fraude, maroteira, trapaça. [Cf. *galizia*.]

galfarro [Do esp. *galfarro*.] *S. m.* V. *beleguim*.

galga [De *galgo*.] *S. f.* **1.** *Zool.* A fêmea do galgo (1). **2.** Mó de lagar de azeite. **3.** *Tec. P. ext.* Moinho de cerâmica em que o agente de moagem é uma mó que se desloca rodando sobre o material. **4.** *Ant. Marinh.* Ancorote usado na manobra de fundear à galga. ◆ **À galga.** *Ant. Marinh.* Dizia-se do fundeio com dois ferros, tendo o menor (*galga*) o chicote de sua amarra talingado no anete do maior, e lançando-se este em continuação àquele.

galgar [De *galgo* + *-ar*[2].] *V. t. d.* **1.** Transpor, alargando as pernas: *Dando um salto, galgou a vala.* **2.** Saltar por cima de; transpor: "foi .... beirando o muro do cemitério até o ponto em que pôde galgá-lo e saltou à rua." (Mário de Alencar, *Contos e Impressões*, p. 118). **3.** Passar além de; transpor: "O auto rompeu outra vez na estrada, ... galgou um serro adiante, ... estacando em face do hospital da empresa." (Herman Lima, *Garimpos*, p. 16.) **4.** Subir; trepar: *Galgou depressa os degraus.* **5.** Subir; trepar, elevar-se a: "Descem vales fundos, galgam serranias." (Olegário Mariano, *Toda uma Vida de Poesia*, I, p. 291.) **6.** Rolar por: *A pedra galgou a ladeira e bateu contra um muro.* **7.** Destorcer, desempenar, alinhar. *T. c.* **8.** Andar por; percorrer: *Galgou a pé 15 quilômetros.* **9.** Passar de (certa idade): *Já galgou os cinquenta.* **10.** Pular, saltar: *O cavalo galgava por cima de riachos.* *Bit. i.* **11.** Chegar em pouco tempo a uma posição elevada: *De servente galgou a diretor.* *Int.* **12.** Andar velozmente. **13.** Subir repentinamente; elevar-se rapidamente. **14.** Insistir em desobediência; recalcitrar. [Conjug.: v. *largar*.]

galgaz [De *galgo* + *-az*.] *Adj. 2 g.* Semelhante a galgo; esguio; magro: "Deu-se o caso que, correndo num cavalo galgaz, caísse abaixo e se matasse." (Aquilino Ribeiro, *Portugueses das Sete Partidas*, p. 134.)

galgo [Do lat. vulg. *gallicu*, f. red. de *canis gallicus*, 'cão da Gália'.] *S. m.* **1.** *Cinol.* Cão de talhe elevado, pernas longas e musculosas, abdome estreito e focinho afilado, e que se caracteriza pela agilidade e rapidez: "Sonha que anda a caçar: leva consigo / Muitos galgos e alãos." (Eugênio de Castro, *Obras Poéticas*, V, p. 39.) [Cf. *lebréu*.] ● *Adj.* **2.** *Bras. RS* Esfomeado, sedento ou desejoso de qualquer coisa.

galguincho [De *galgo*.] *Adj. Bras. RS Pop.* **1.** Magricela, magrela. **2.** Faminto, esfomeado e/ou sedento.

galha[1] [Do esp. *agalla*, com aférese.] *S. f.* Designação que os pescadores dão à primeira barbatana dorsal dos peixes, e que em alguns, como no tubarão, anda, mais ou menos, fora da água. ~ V. *galhas*.

galha[2] [Do lat. **gallea* (*nuce*), 'noz de galha'.] *S. f. Bot. Pop.* V. *cecídio*. ~ V. *galhas*.

galha-branca [De *galha*[1] + o f. de *branco*.] *S. m. Zool.* Tubarão carcarrinídeo (*Carcharhinus longimanus*) muito agressivo, de águas tropicais e subtropicais oceânicas; tem focinho curto, nadadeiras peitorais longas, dorso cinza-escuro, ventre branco e extremidade das nadadeiras com manchas brancas, sobretudo a primeira dorsal, as peitorais, as pélvicas e a caudal. Comprimento: até 3,50m. [Sin.: *cação-galhudo, tubarão-de-pontas-brancas* (lus.).]

galhada [De *galho* + *-ada*[1].] *S. f.* **1.** Cornos de ruminantes; galhadura, galhas. **2.** *Bras.* Ramagem de árvores; galharada, galharia: "no momento está [a amendoeira] sem folhas, e sua galhada nua se desenha no céu feio." (Rubem Braga, *O Homem Rouco*, p. 25).

galhadura [De *galho* + *-dura*.] *S. f.* V. *galhada* (1).

galha-preta [De *galha*[1] + o f. de *preto*.] *S. m. Zool.* V. *cação-garoupa*. [Pl.: *galhas-pretas*.]

galharada [De *galho* + *-arada*.] *S. f. Bras.* V. *galhada* (2): "o miraculoso luar do sertão, tão límpido e sugestivo naquelas terras, entrava por toda parte, espancando penumbras, devassando meandros, coado aqui pela galharada das gameleiras" (Hugo de Carvalho Ramos, *Tropas e Boiadas*, p. 83).

galharda [Do fr. *gaillarde*.] *S. f.* **1.** Dança saltada, rápida, em compasso ternário, e em voga no séc. XVI. **2.** *Mús.* Peça instrumental inspirada no ritmo dessa dança, e que surge nas suítes do séc. XVII, contrastando com a pavana.

galhardear [De *galhardo* + *-ear*[2].] *V. int.* **1.** Mostrar-se ou apresentar-se com galhardia; ser galhardo; brilhar; sobressair. *T. d.* **2.** Exibir com galhardia; ostentar, pompear: "fulgindo na irradiação das lágrimas, e galhardeando tristezas..." (Euclides da Cunha, *À margem da História*, p. 87); *Passeava, galante, galhardeando o seu novo chapéu.* [Conjug.: v. *frear*.]

galhardete (ê) [Do occitânico ant. *galhardet*.] *S. m.* **1.** *Mar.* Bandeira em forma de trapézio, empregada para fazer sinais: "iça-se um galhardete ao som dum tiro de peça" (Ramalho Ortigão, *Em Paris*, p. 13). **2.** *Prop.* Bandeirola (1) us. em eventos promocionais, campanha eleitoral, etc. **3.** Bandeira para ornamentação de ruas ou de edifícios em ocasiões festivas; flâmula, pendão: "Porto Alegre, profusamente iluminada e enfeitada de ramos, galhardetes, guirlandas e arcos, transforma-se numa grande cidade" (Atos Damasceno, *O Carnaval Porto-Alegrense no Século XIX*, p. 84).

galhardia [De *galhardo* + *-ia*[1].] *S. f.* **1.** Qualidade de galhardo; garbo, elegância, bizarria: *galhardia de porte.* **2.** *Fig.* Grandeza de alma; generosidade, gentileza: *galhardia de gestos.* **3.** Valor, bravura: *Venceu com galhardia as dificuldades.*

galhardo [Do fr. *gaillard*, ou do occitânico ant. *galhart*.] *Adj.* **1.** Garboso, elegante, bizarro, bem-apessoado: "a lua é a minha rival, é a rival que alumia de longe o belo rosto do galhardo Romeu" (Machado de Assis, *Páginas Recolhidas*, p. 108). **2.** Generoso, gentil. **3.** Bravo, esforçado. ● *S. m.* **4.** *Lus.* V. *diabo* (2).

galharia [De *galho* + *-aria*.] *S. f. Bras.* V. *galhada* (2).

galhas [De *galho*.] *S. f. pl. Bras. N.* V. *galhada* (1). ~ V. *galha*.

galheiro [De *galho* + *-eiro*.] *S. m. Bras.* **1.** *Zool.* Veado de galhos ou chifres grandes. **2.** *Fig. Chulo* V. *corno* (9).

galheta[1] (ê) [Do esp. *galleta*, de or. incerta.] *S. f.* **1.** Vaso pequeno, de vidro, em que se servem o azeite e o vinagre nos serviços de mesa. **2.** Pequeno vaso que contém água ou vinho para a missa: "devorando silenciosamente as hóstias da caixinha de lata, regando-as com o vinho branco das galhetas" (Inglês de Sousa, *O Missionário*, p. 384). **3.** Instrumento de vidro empregado em laboratórios químicos.

galheta[2] (ê) [De *galho* + *-eta* (ê).] *S. f. Moç.* Em Maputo (Moçambique), trombeta de guerra, feita de chifre de cabrito.

galheta[3] (ê) [Do esp. *galleta*, 'certo biscoito'; 'bofetada', < fr. *galette*.] *S. f. Lus.* Bofetada (1).

galheteiro [De *galheta*[1] + *-eiro*.] *S. m.* Utensílio de mesa que sustenta as galhetas [v. *galheta*[1] (1)] e também os depósitos de sal e pimenta-do-reino; talher de galhetas.

galho [Do lat. vulg. **galleu*.] *S. m.* **1.** Ramo (1). **2.** A parte do ramo que fica presa ao caule depois de partido o ramo. **3.** Chifre de ruminantes. **4.** *Bras. Gír.* V. *bico*[1] (13). **5.** *Bras. Gír.* Dificuldade; complicação: *Esta página está cheia de galhos.* **6.** *Bras. Gír.* V. *caso* (7). **7.** *Bras. MG* Barulho, briga. ~ V. *galhos* ◆ **Balançar o galho da roseira.** *Bras. AL Chulo* Peidar, soltar-se. **Botar o galho (pra) dentro.** *Bras. Chulo* Acovardar-se, fazendo-se de desentendido, diante de alguém ou de algo (situação desfavorável, etc.); pôr o galho (pra) dentro. **Dar (um) galho.** *Bras. Gír.* Trazer dificuldades, complicações, aborrecimentos. **De galho.** Por meio de um galho: *Há plantas que pegam de galho.* **Pôr o galho (pra) dentro.** *Chulo* Botar o galho (pra) dentro. **Quebrar (o/um) galho** *Bras. Gír.* Resolver ou ajudar a resolver uma dificuldade. **Serrar o galho em que está sentado.** V. *atirar no próprio pé*.

galhofa [Do esp. *gallofa*, poss. do lat. med. *galli offa*, 'bocado do (peregrino) francês'.] *S. f.* **1.** Gracejo, risota, risada. **2.** V. *zombaria*: "A aldeia chama-se Vilarinho de Samardã .... . É citada nos epigramas de Filinto Elísio como tipo de chalaça, de galhofa, de surriada." (Camilo Castelo Branco, *Serões de São Miguel de Ceide*, III, p. 49.)

galhofada [De *galhofa* + *-ada*[1].] *S. f.* Grande galhofa; galhofaria.

galhofar [De *galhofa* + *-ar*[2].] *V. int.* **1.** Fazer galhofa; gracejar. **2.** Divertir-se ruidosamente. *T. i.* **3.** Fazer galhofa; gracejar: *Desrespeitoso, costuma galhofar dos amigos mais íntimos.* **4.** Zombar, escarnecer, mofar. *T. d.* **5.** Dizer em tom de galhofa: "— Ah! então o senhor não é daqui? — perguntou, surpreendida. | Cabo Inácio se deteve. Dilatou e, ... numa atitude jocosa, galhofou: | — Que o quê, menina! Eu sou pernambucano, do sertão!" (Amando Fontes, *Os Curumbas*, p. 40.) [Sin. ger.: *galhofear*.]

galhofaria [De *galhofa* + *-aria*.] *S. f.* Galhofada.

galhofear [De *galhofa* + *-ear*[2].] *V. int. T. d. e i.* V. *galhofar*. [Conjug.: v. *frear*.]

galhofeiro [De *galhofa* + *-eiro*.] *Adj. S. m.* Que, ou aquele que é dado à galhofa; gracejador, brincalhão, zombeteiro.

galhos [Do pl. de *galho*.] *S. m. pl. Bras.* Conjunto de riachos que, nas cabeceiras, se unem para formar um rio. ~ V. *galho*.

galhudo [De *galho* + *-udo*.] *Adj.* **1.** Que tem galhos. **2.** Que tem chifres grandes. **3.** *Bras. Fig. Chulo* V. *corno* (11). ● *S. m.* **4.** *Bras. Zool.* Peixe teleósteo, perciforme, carangídeo (*Trachynotus glaucus*), do Atlântico tropical, desde a Virgínia até a Argentina, de coloração azul-prateada no dorso e branco-prateada no abdome, e até 40cm de comprimento. A característica da espécie é o longo acúleo da nadadeira dorsal, que lhe motivou o nome comum, além de quatro a cinco listras verticais pretas, às vezes pouco aparentes. É peixe de profundidade, alcançando não raro os 100m. Pesca-se de arrastão e redes. [Sin.: *jiriquiti, pâmpano, pampo, pampo-riscado, pampo-galhudo, pampo-aracanguira, aratubaia, sargento*.] **5.** *Bras. Fig. Chulo* V. *corno* (9).

galibi do oiapoque *Bras. S. 2 g.* **1.** *Etnôn.* Indivíduo dos galibis do oiapoque, povo indígena da família linguística caraíba, que habita a região do rio Oiapoque, no extremo N. do AP. ● *Adj. 2 g.* **2.** Pertencente ou relativo a esse povo. [Tb. us. como *s. 2 g. e 2 n.* (com cap.) e *adj. 2 g. e 2 n.*] [Pl.: *galibis do oiapoque*.] ☑

galibi-maruorno *Bras. Etnôn. S. 2 g. Adj. 2 g.* V. *galibi-marvorno*. [Pl.: *galibis-maruornos*.]

galibi-marvorno *S. 2 g. Bras.* **1.** *Etnôn.* Indivíduo dos galibis-marvornos [ou (etnôn. bras.) *Galibi-Marworno], povo indígena da família linguística caraíba, que habita as margens do rio Uaçá (AP). ● *Adj. 2 g.* **2.** Pertencente ou relativo a eles. [Pl.: *galibis-marvornos*. Tb. *galibi-maruorno*.]

galicanismo [Do fr. *gallicanisme*.] *S. m. Rel.* Doutrina que defendia a interferência dos reis franceses nos negócios eclesiásticos, e mais tarde, após o séc. XVII, a autonomia dos bispos franceses (igreja galicana) em face da autoridade pontifícia romana. [Opõe-se a *ultramontanismo* (1).]

galicano [Do fr. *gallican* < lat. med. *gallicanu*.] *Adj.* **1.** Relativo à Gália, ou à França. **2.** Diz-se da Igreja francesa, de seu ritual e suas leis. ● *S. m.* **3.** Partidário das liberdades da Igreja francesa.

galiciano *Adj.* **1.** Da, ou pertencente ou relativo à Galícia, região da Europa central dividida, em 1945, entre a Polônia e a Rússia. ● *S. m.* **2.** O natural ou habitante da Galícia. [Cf. *galiziano*.]

galicínio [Do lat. *gallicíniu*.] *S. m.* **1.** Canto de galo. **2.** A hora matutina em que o galo canta.

galiciparla [Do lat. *gallicus*, 'gaulês', + *-i-* + *parlar*.] *S. 2 g.* Pessoa que fala afrancesadamente; galiparla, galiparlista.

galiciparlar [De *galiciparla* + *-ar*[2].] *V. int.* V. *galicismar*.

galicismar [De *galicismo* + *-ar*[2].] *V. int.* Usar de, incorrer em galicismos; galicizar, galiciparlar.

galicismo [Do fr. *gallicisme*.] *S. m. E. Ling.* Palavra, expressão ou construção afrancesada, como, p. ex., *fetiche* (por *feitiço*), *gauche* (por *desajeitado*), *ter lugar* (por *realizar-se*), *fazer um passeio* (por *dar um passeio*). [Sin.: *francesismo*.]

galicista [De *galicismo* + *-ista*, seg. o padrão erudito.] *S. 2 g.* Pessoa que usa galicismos, ou deles é amiga.

galicizar [De *gálico*[2] + *-izar*.] *V. int.* V. *galicismar*.

gálico[1] [Do lat. *galla*, 'noz de galha', + *-ico*[2].] *Adj. Quím.* V. *ácido* —.

gálico[2] [Do lat. *gallicu*.] *Adj.* Relativo à Gália; gaulês.

gálico[3] [F. red. de *mal-gálico*.] *S. m.* V. *sífilis*.

galicrista [Do lat. *galli crista*.] *S. f. Bot.* V. *crista-de-galo* (2).

galiense *Adj. 2 g.* **1.** De, ou pertencente ou relativo a Gália (SP). ● *S. 2 g.* **2.** O natural ou habitante de Gália.

galífero [Do lat. *galla*, 'galha', + *-fero*.] *Adj. Micol.* Diz-se de um fungo cujo parasitismo dá lugar à formação de galhas (v. *galha*[2]).

galiforme [Do lat. cient. *Galli-* (< tax. *Gallus* < lat. *gallus*, 'galo'[1]) + *-forme*; tax. *Galliformes*.] *Zool. S. m.* **1.** Espécime dos galiformes, ordem de aves neórnites, neógnatas, de bico curto, palatino esquizógnato, ranfoteca singela; rêmiges do carpo em número de dez, patas fortes, dedos unidos na base por uma membrana, asas curtas e arredondadas. São, na maioria, fitófagas, algumas são corredoras e há várias espécies domesticadas. Atualmente têm distribuição universal e dividem-se em seis famílias, das quais as dos fasianídeos, dos opistocomídeos e cracídeos são as mais conhecidas. Ex.: galinhas, perus, faisões e jacus. ● *Adj. 2 g.* **2.** Pertencente ou relativo a eles.

galilé [Do b.-lat. *galilaea*.] *S. f.* **1.** Galeria situada na extensão do pórtico de uma igreja. **2.** Parte alpendrada de claustro.

galileano *Adj.* Pertencente ou relativo ao físico e astrônomo italiano Galileu Galilei (1564-1642), ou próprio dele. ~ V. *satélite* —.

galileense (èên) *Adj. 2 g. S. 2 g.* V. *galileu*[2] (2 e 4).

galileu[1] [Do antr. *Galileu Galilei*, astrônomo e físico italiano (1564-1642).] *S. m. Fís.* Unidade c. g.s. de medida de aceleração, igual a 1cm/s[2] [símb.: *Gal*].

galileu[2] [Do lat. *galilaeu*.] *Adj.* **1.** Da, ou pertencente ou relativo à Galileia (região da Palestina em que Cristo pregou grande parte de sua doutrina). **2.** De, ou pertencente ou relativo a Galileia (MG); galileense. ● *S. m.* **3.** O natural ou habitante da Galileia [v. *galileu*[2] (1)]. **4.** O natural ou habitante de Galileia [v. *galileu*[2] (2)]; galileense. [Fem.: *galileia*.]

galimatias [Do fr. *galimatias*.] *S. m. 2 n.* **1.** Discurso arrevesado, confuso, obscuro; babel de palavras cujo significado mal se pode entender. **2.** *Mús. Ant.* Composição híbrida, sem forma definida.

galimatizar [De *galimat(ias)* + *-izar*.] ***V. int.*** Usar de galimatias.

galimimo [Do tax. *Gallimimus*.] ***S. m.*** *Paleont.* **1.** Gênero de dinossauros ornitísquios, que tinham cerca de 4m de comprimento, e deslocavam-se em posição bipedal e, poss., se alimentavam de ovos que desenterravam, já que as suas patas dianteiras não tinham a capacidade de dilacerar carne; tinham longo bico que era largo e achatado na ponta, olhos grandes e mandíbulas desprovidas de dentes. Viveram no cretáceo na Ásia. **2.** Espécie ou espécime desse gênero.

galináceo [Do lat. *gallinaceu*.] ***Adj.*** **1.** Dos, ou relativo aos galiformes (galinhas, perus, faisões, jacus, etc.). ● ***S. m.*** **2.** Qualquer dessas aves.

galindréu [De or. obscura.] ***S. m.*** *Marinh.* **1.** Chapa de metal que abraça o mastro na bancada ou na meia-coxia das embarcações miúdas, a fim de mantê-lo na vertical. **2.** Dispositivo metálico com diferentes serventias a bordo: abraçar o calcês do mastro para engatar a adriça do pique da carangueja, fixar ao mastro o lais da retranca, prender o pau de surriola no pé de galinha quando prolongado. [Sin. ger.: *garlindéu, garlindréu*.]

galinha [Do lat. *gallina*.] ***S. f.*** **1.** *Zool.* Ave galiforme, fasianídea, a fêmea, adulta, do galo[1] (1). **2.** *Cul.* Prato feito com ela. **3.** *Fig.* Pessoa muito volúvel, que se entrega [v. *entregar* (10)] com facilidade. **4.** *Fig.* Pessoa fraca, covarde ou medrosa. **5.** Pessoa que não se contenta em ter apenas um parceiro sexual. **6.** *Bras. Pej.* V. *integralista* (3). ◆ **Galinha choca.** *Bras. N.E.* **1.** Pessoa irrequieta. **2.** Pessoa doentia, ou acanhada, ou nervosa, ou covarde, ou medrosa, ou imprestável. [Cf. *galinha-choca*.] **Galinha garnisé.** V. *garnisé* (3 e 4). **Deitar-se com as galinhas.** Deitar-se logo ao anoitecer ou não muito depois; dormir com as galinhas: "Naquele dia, a Regina despertava mais cedo que de costume. Mas também na véspera se deitara às ave-marias, com as galinhas." (Virgílio Várzea, *Nas Ondas*, p. 82.) **Dormir com as galinhas.** Deitar-se com as galinhas. **Passar por alguém como galinha por sal.** *Fam.* Passar indiferentemente, sem fazer caso. **Quando as galinhas criarem dentes.** *Pop.* Nunca, jamais; quando as galinhas tiverem dentes. **Quando as galinhas tiverem dentes.** *Pop.* Quando as galinhas criarem dentes.

galinha-arrepiada [De *galinha* + o f. de *arrepiado*.] ***S. f.*** *Bras. BA Pop.* Maxixe[1]. [Pl.: *galinhas-arrepiadas*.]

galinha-choca [De *galinha* + o f. de *choco*[2].] ***S. f.*** *Bras. PI a RS MT MG Bot.* Arbusto eritroxiláceo (*Erythroxylum suberosum*) de casca suberosa, amarelada, dotado de flores pequenas, alvas, dispostas em fascículos axilares, cujo fruto é drupa ovoide, pequena e vermelha, e que fornece madeira vermelho-escura, própria para marcenaria; azougue-do-campo, cabelo-de-negro e mercúrio-do-campo. [Pl.: *galinhas-chocas*. Cf. *galinha choca*.]

galinhada [De *galinha* + *-ada*[1].] ***S. f.*** *Bras. Cul.* **1.** Prato típico de Minas Gerais, feito com arroz, frango, tomate, cebola, pimentão e linguiça. **2.** Prato típico de Goiás que leva, além de frango e arroz, açafrão, guariroba e pequi.

galinha-da-areia ***S. f.*** *Zool.* V. *perdiz-do-mar*. [Pl.: *galinhas-da-areia*.]

galinha-d'água ***S. f.*** **1.** *Bras. Zool.* V. *carqueja* (2). **2.** *Bras. N.E.* Descendente de holandês, de olho azul e cabelo louro ou ruivo. [Pl.: *galinhas-d'água*.]

galinha-da-guiné ***S. f.*** *Bras. Zool.* V. *galinha-d'angola*. [Pl.: *galinhas-da-guiné*.]

galinha-da-índia ***S. f.*** *Zool.* V. *galinha-d'angola*. [Pl.: *galinhas-da-índia*.]

galinha-d'angola ***S. f.*** **1.** *Zool.* Ave numidídea (*Numida meleagris*) originária da África dotada, no alto da cabeça, dum capacete ósseo mais ou menos destacado sobre a pele desnuda, e de penas pretas com pintas brancas. [Perfeitamente aclimada no mundo inteiro, conserva, entretanto, resquícios da vida selvagem: o natural espantadiço e o hábito de nidificar longe do convívio com os outros galináceos de capoeira.] [F. red.: *angola*. Sin.: *galinha-da-índia, galinha-da-numídia, galinha-da-guiné, angolinha, angolista, angulista, galinhola, capote, cocar, estou-fraca, guiné, picota, pintada, tô-fraca, tô-fraco*.] **2.** *Cul.* O prato feito com galinha-d'angola (1). [Pl.: *galinhas-d'angola*.]

galinha-da-numídia ***S. f.*** *Bras. Zool.* V. *galinha-d'angola*. [Pl.: *galinhas-da-numídia*.]

galinha-do-mato ***S. f.*** *Bras. Zool.* V. *tovacuçu*. [Pl.: *galinhas-do-mato*.]

galinhagem [De *galinhar* + *-agem*[2].] ***S. f.*** *Bras. Pop.* Vida, ou modo de agir, de galinha (3 e 5).

galinha-gorda [De *galinha* + o f. de *gordo*.] ***S. f.*** *Bras.* Brincadeira infantil, em que as crianças disputam alguma coisa pertencente a uma delas, que outra lhes atira, após dialogar com as demais de modo tradicional, como nesta variante da Bahia: *"Galinha gorda! Gorda! Vamos a ela? Vamos!"* [Pl.: *galinhas-gordas*.]

galinha-morta [De *galinha* + o f. de *morto*.] ***S. f.*** **1.** *Bras. RJ Gír.* V. *pechincha* (3). **2.** *Bras. RJ Gír.* Coisa fácil de aprender ou de fazer. **3.** *Bras. RS* Certa cantiga que era executada à viola ou ao violão. **4.** *Bras. RS* Dança que acompanhava essa cantiga. ● ***S. m.*** **5.** *Bras. RJ Gír.* Indivíduo fraco, covarde ou medroso. [Pl.: *galinhas-mortas*.]

galinhar [De *galinha* + *-ar*[2].] ***V. int.*** *Bras. Gír.* Portar-se como galinha (3 e 5): *Por não acreditar em romance, levava a vida a galinhar.* [Sin.: *agalinhar*.]

galinha-verde ***S. 2 g.*** *Pej.* V. *integralista* (2). [Pl.: *galinhas-verdes*.]

galinheiro [De *galinha* + *-eiro*.] ***S. m.*** **1.** Vendedor de galinhas. **2.** Cercado onde se guardam galinhas. **3.** *Bras. RJ MG* V. *aviário*[1] (2). **4.** *Bras. Pop.* Galeria (11).

galinhense ***Adj. 2 g.*** **1.** De, ou pertencente ou relativo a Galinhos (RN). ● ***S. 2 g.*** **2.** O natural ou habitante de Galinhos.

galinho [De *galo*[1] + *-inho*[1].] ***S. m.*** *Bras. Zool.* V. *galo-branco* (2).

galinho-da-serra ***S. m.*** *Bras. Zool.* V. *tico-tico-rei* (2). [Pl.: *galinhos-da-serra*.]

galinhola [De *galinha* + *-ola*[1].] ***S. f.*** *Zool.* **1.** V. *frango-d'água* (1). **2.** V. *galinha-d'angola*. **3.** Narcejão. **4.** V. *frango-d'água* (2).

▲ **galini-** [Do lat. *gallīna, ae*.] ***El. comp.*** = 'galinha': *galinicultor, galinicultura*.

galinicultor (ô) [De *galini-* + *-cultor*.] ***S. m.*** Criador de galináceos.

galinicultura [De *galini-* + *-cultura*.] ***S. f.*** Criação de galináceos.

gálio[1] [Do top. *Gal(ia)* + *-io*[3].] ***S. m.*** *Gloss. P. us.* Gaulês (3).

gálio[2] [Do lat. cient. *gallium*, do lat. *gallus*, 'galo[1]', para traduzir o antr. (*Paul É.*) *Lecoq* (*de Boisbaudran*) (-1912), químico francês.] ***S. m.*** *Quím.* Elemento de número atômico 31, metálico, pouco abundante na crosta terrestre, usado em algumas ligas [símb.: *Ga*].

galipão [De or. obsc.] ***S. m.*** *Gír.* Automóvel velho, ou de modelo antiquado; calhambeque, caranguejola.

galiparla [Do lat. *gallus* + *-i-* + *parlar*.] ***S. 2 g.*** V. *galiciparla*.

galiparlista [De *galiparla* + *-ista*.] ***S. 2 g.*** V. *galiciparla*.

galipódio [Do esp. *galipodio*.] ***S. m.*** **1.** Terebintina impura, sólida, privada do seu óleo essencial. **2.** Resina restante no tronco do pinheiro depois de se extrair a terebintina. [Sin. ger.: *galipote*.]

galipote [Do fr. *galipot*.] ***S. m.*** V. *galipódio*.

galiqueira [De *gálico*[2] + *-eira*.] ***S. f.*** *Bras. N.E. Zool.* Manifestação sifilítica mais ou menos considerável.

galiré [De *gali(nha)*.] ***S. f.*** *Bras. N. N.E. Zool.* Espécie de galinha muito pequena.

galispo [De *galo*[1], poss. com suf. express.] ***S. m.*** *Zool.* Pequeno galo[1] (1): "Eu .... cortava-lhe o pescoço redondo, que aquilo não é galo. É o demônio! | É o demônio! Esta exclamação, na boca do Tibúrcio, pintou-me o galispo com um feitio e cores terríveis." (João de Araújo Correia, *Cinza do Lar*, p. 214).

galista [De *galo*[1] + *-ista*.] ***S. 2 g.*** *Bras.* **1.** Pessoa que se ocupa em criar, preparar e guiar, durante a luta, galos de briga e que vive sobretudo das apostas feitas sobre eles. **2.** Amador de rinhas de galos.

galito [De *galo*[1] + *-ito*[1].] ***S. m.*** *Bras. Zool.* Tesoura-do-campo.

galivar [De or. controversa.] ***V. t. d.*** **1.** Tornar apropriado; dar o feitio próprio ou devido a. **2.** Tracejar, delinear. **3.** *Constr. Nav.* Desbastar (um madeiro), dando-lhe a forma conveniente ao fim a que se destina, na construção do navio.

galizia [De or. incerta.] ***S. f.*** *Bras. N.* **1.** *Pop.* Novidade, complicação, exigência: *É menina cheia de galizias.* **2.** Orgulho, vaidade, presunção. [Cf. *galezia*.] ◆ **Cheio de galizia.** *Bras. N.E. Pop.* V. *Cheio de luxo*.

galiziano [Do top. *Galiza* (Espanha) + *-iano*.] ***Adj.*** Relativo à língua literária de Portugal e da Galiza nos primeiros séculos da nacionalidade portuguesa. [Cf. *galiciano*.]

galo[1] [Do lat. *gallu*.] ***S. m.*** **1.** *Zool.* Ave galinácea, de crista carnuda e asas curtas e largas; o macho da galinha. **2.** *Cul.* Iguaria feita com ela. **3.** Vela que, nos ofícios da semana santa, ocupa o vértice do candelabro triangular. **4.** *Pop.* Pequena inchação (bossa ou protuberância) na testa ou na cabeça, resultante de pancada. **5.** *Bras. Zool.* V. *aracanguira*. **6.** *Bras.* No jogo do bicho (q. v.) o 13.º grupo (14), que abrange as dezenas 49, 50, 51 e 52, e corresponde ao número 13. **7.** *Bras. Desus.* Nota ou moeda de 50 cruzados. ● ***S. 2 g.*** **8.** *Bras.* V. *atleticano*[1]. **9.** *Bras.* V. *trezeano*. ● ***Adj. 2 g.*** **10.** *Bras.* V. *atleticano*[1]. **11.** *Bras.* V. *trezeano*. ◆ **Galo carijó.** *Bras.* V. *atleticano*[1]. **Galo de briga.** *Fig.* Galo de rinha. **Galo de rinha.** *Fig.* Indivíduo brigão, rixoso; galo de briga. **Galo garnisé.** V. *garnisé* (3 e 4). **Galo músico.** Denominação dada a certos galos que cantam de maneira particular, diferente do canto comum dessas aves. **Cantar de galo.** *Fam.* Impor a própria vontade. **Cozinhar o galo.** *Bras. SP Gír.* Simular que está trabalhando sem estar; fazer hora; morrinhar. **Ficar para galo de S. Roque.** *Bras. SP Pop.* V. *ficar para tia*. **Ouvir cantar o galo e não saber onde.** *Fam.* Não estar bem a par do assunto. **Salgar o galo.** *Bras. N.E. Pop.* Ingerir pela primeira vez no dia qualquer bebida alcoólica. **Ser um galo.** Ter (o homem) o orgasmo rapidíssimo.

galo[2] [Do tax. *Gallus* < lat. *gallus* (v. *galo*[1]).] *Zool.* ***S. m.*** **1.** Gênero de aves galiformes fasianídeas, que abrange espécies domésticas e selvagens. **2.** Qualquer espécie desse gênero, como, p. ex., o *Gallus gallus*, ancestral selvagem dos galiformes domésticos (galinhas, perus e faisões). **3.** Qualquer espécime desse gênero.

galo[3] ***Adj. S. m.*** V. *gaulês* (1 e 2).

galo[4] ***S. m.*** *Esport.* V. *peso-galo*.

▲ **gal(o)-** [De (*ácido*) *gál(ic)o*.] *Quím.* ***El. comp.*** = 'noz de galha' e, p. ext., 'ácido gálico': *galaldeído*. [Ocorre, tb., como infixo: *pirogalol*.]

▲ **galo-** [Do lat. *gallus, i*.] ***El. comp.*** = 'gaulês', 'francês': *galo-romano, galomania, galofobia*.

▲ **-gal(o)-** V. *gal(o)-*.

galo-bandeira ***S. m.*** *Bras. Zool.* V. *peixe-galo* (2). [Pl.: *galos-bandeiras* e *galos-bandeira*.]

galo-branco ***S. m.*** **1.** *Bras. AM Bot.* Planta orquidácea (*Catasetum pileatum*), ornamental, com raízes numerosas, dotada de flores grandes, alvas lavadas de cor-de-rosa e com pontoações purpúreas, sendo as femininas um pouco menores que as masculinas. **2.** *Bras. Zool.* Peixe carangídeo (*Selene setapinnis*) do Atlântico ocidental (do Canadá ao Uruguai), de coloração prateada, verde-azulada no dorso, e com até 40cm. Carnívoro, é encontrado, em cardumes, em águas costeiras e rasas, e sua carne é tida como de boa qualidade. [Sin., nesta acepç.: *aracorana, doutor, fralda-rota, galinho, galo-da-costa, galo-de-rebanho, galo-verdadeiro, peixe-galo, zabucaí*.] [Pl.: *galos-brancos*.]

galocha [Do provenç. ant. *galocha*, ou do fr. *galoche*, de igual or. incerta.] ***S. f.*** **1.** Espécie de calçado impermeável us por cima das botas ou dos sapatos. **2.** *Bot.* Rebento do enxerto; guia. [Cf., nesta acepç., *flecha* (2).]

galo-da-campina ***S. m.*** *Bras. Zool.* V. *cardeal* (3). [Pl.: *galos-da-campina*.]

galo-da-costa ***S. m.*** *Bras. Zool.* V. *galo-branco* (2). [Pl.: *galos-da-costa*.]

galo-da-rocha ***S. m.*** *Bras. Zool.* V. *galo-da-serra*. [Pl.: *galos-da-rocha*.]

galo-da-serra ***S. m.*** *Bras. Zool.* Ave passeriforme, cotingídea (*Rupicola rupicola*), da margem esquerda do rio Amazonas, nas serras do N. do Brasil e países limítrofes. O macho tem coloração alaranjada viva, asas e cauda pardas, marginadas de alaranjado pálido; a fêmea é parda, pintada de alaranjado no uropígio, na cauda e na barriga, e tem crista desenvolvida e unhas fortes. Alimenta-se de bagas e frutos tenros, e nidifica em rochas escarpadas. É ave muito valorizada para cativeiro. [Sin.: *galo-do-pará, galo-da-rocha*. Pl.: *galos-da-serra*.]

galo das trevas ***S. m.*** Candelabro triangular, com 13 velas, que vão sendo apagadas à medida que se cantam as várias partes das matinas ou ofícios da semana santa. [Pl.: *galos das trevas*.] ☑

galo de campina *Bras.* ***S. m.*** V. *regatiano* (3). [Pl.: *galos de campina*.] ☑ notas 1 e 2

galo-de-campina ***S. m.*** *Bras. Zool.* V. *cardeal* (3). [Pl.: *galos-de-campina*.]

galo-de-fita ***S. m.*** *Zool.* **1.** V. *aracanguira*. **2.** V. *peixe-galo* (2). [Pl.: *galos-de-fita*.]

galo-de-penacho ***S. m.*** *Bras. Zool.* V. *peixe-galo* (2). [Pl.: *galos-de-penacho*.]

galo-de-rebanho ***S. m.*** *Bras. Zool.* V. *galo-branco* (2). [Pl.: *galos-de-rebanho*.]

galo-do-alto ***S. m.*** *Bras. Zool.* **1.** V. *galo-do-fundo*. **2.** V. *peixe-galo* (2). [Pl.: *galos-do-alto*.]

galo-do-campo ***S. m.*** *Bras. Zool.* V. *sabiá-do-campo*. [Pl.: *galos-do-campo*.]

galo-do-fundo ***S. m.*** *Bras. Zool.* Peixe teleósteo, zeomorfo, zeídeo (*Zenopsis conchifer*), do Atlântico. Coloração geral prateada, com uma negra mancha, circundada de um anel claro, no flanco; boca grande e protraível. Comprimento: até 45cm. É peixe de profundidade, sendo raro nos mercados. [Sin.: *galo-do-alto, galo-do-mar, peixe-de-são-pedro*. Pl.: *galos-do-fundo*.]

galo-do-mar ***S. m.*** *Bras. Zool.* V. *galo-do-fundo*. [Pl.: *galos-do-mar*.]

galo-do-mato ***S. m.*** *Bras. Zool.* **1.** V. *tico-tico-rei*. **2.** V. *cardeal* (3). [Pl.: *galos-do-mato*.]

galo-do-morro ***S. m.*** *Bras. Zool.* V. *peixe-galo* (2). [Pl.: *galos-do-morro*.]

galo-do-pará ***S. m.*** *Bras. Zool.* V. *galo-da-serra*. [Pl.: *galos-do-pará*.]

galo-enfeitado ***S. m.*** *Bras. N.E. Pop.* V. *mata-cachorro* (2). [Pl.: *galos-enfeitados*.]

G

galofilia [De *galo-* + *-filia*.] *S. f.* Francofilia (q. v.).

galofílico [De *galofilia* + *-ico*[2].] *Adj.* Francofílico (q. v.).

galófilo [De *galo-* + *-filo*[2].] *Adj. S. m.* Francófilo (q. v.).

galomania [De *galo-* + *-mania*.] *S. f.* Admiração apaixonada à França e aos franceses, que leva a imitar uma e outros até no que têm de inaceitável.

galomaníaco [De *galomania* + *-íaco*.] *Adj.* **1.** Relativo a galomania. **2.** Que tem galomania; galômano. • *S. m.* **3.** Aquele que tem galomania; galômano.

galómano *Adj. S. m.* V. *galômano*. [Uso freq. em P.]

galômano [De *galo-* + *-mano*[1].] *Adj. S. m.* Galomaníaco (2 e 3).

galonar [De *galão*[1] + *-ar*[2], seg. o padrão erudito.] *V. t. d.* Agaloar (1).

galopada [De *galopar* + *-ada*[1].] *S. f.* Corrida a galope: "guapos e emplumados cavaleiros em grande galopada de altivo e marcial arranque" (Ramalho Ortigão, *Arte Portuguesa*, II, p. 175). [Sin.: *desembestada, galope* (bras.), *galopeação, galopeada, galopeadura* (bras., RS).]

galopador (ô) [De *galopar* + *-dor*.] *Adj. S. m.* Que, ou aquele que galopa bem.

galopante [De *galopar* + *-nte*.] *Adj. 2 g.* **1.** Que galopa. **2.** *Fig.* Que se produz ou avança rapidamente: *doença galopante; inflação galopante.* ~ V. *tísica* — e *tuberculose* —. • *S. f.* **3.** *Patol.* Tísica ou tuberculose galopante. • *S. m.* **4.** *Bras. Cap.* Golpe traumático em que o capoeirista busca acertar a face de seu adversário com a palma da mão.

galopar [Do fr. *galoper*, poss. do frâncico **wala hlaupan*, 'saltar bem'.] *V. int.* **1.** Andar a galope: *Com o incêndio a manada de búfalos pôs-se a galopar.* **2.** Cavalgar animal que galopa: *O emissário galopou levando consigo importante missão.* **3.** Correr de maneira desenfreada. **4.** Andar muito depressa. *T. d.* **5.** Percorrer, galopando: "E vós bem sabeis, ó Vilas, / e tu bem sabes, estrada, / quem galopava essa terra" (Cecília Meireles, *Obra Poética*, p. 820). **6.** Fazer galopar (1): *galopar um alazão.* [Sin. ger., bras.: *galopear* (q. v.).]

galope [Do fr. *galop* < fr. *galoper*, 'galopar'.] *S. m.* **1.** A carreira mais rápida de alguns animais, e em especial do cavalo. **2.** *Marinh.* A parte superior de um mastro que não tenha mastaréus, ou a do último mastaréu, e que recebe a borla. **3.** Dança rodada, em ritmo acelerado, compasso binário e coreografia variada, e que, em geral, terminava a quadrilha francesa: "as polcas, os galopes, as quadrilhas e as valsas respiravam apenas, sufocados pelos sons dos guizos e das trompas" (Melo Morais Filho, *Festas e Tradições Populares do Brasil*, p. 36). **4.** *Bras. Liter. Pop.* V. *martelo agalopado*. **5.** *Fig.* Corrida veloz. **6.** *Bras.* V. *galopada*. **7.** *Bras. S.* V. *repreensão* (1). ◆ **Galope à beira-mar.** *Bras. Liter. Pop.* Estrofe de 10 versos hendecassílabos, com o mesmo esquema rimático da décima clássica, e que finda obrigatoriamente com o refrão "correndo e cantando na beira-mar", ou "cantando galope na beira do mar". Às vezes, porém, o primeiro, o segundo, o quinto e o sexto versos da estrofe são heptassílabos, e o refrão é "meu galope à beira-mar". **Galope de apresentação.** *Bras. Turfe* Cânter. **Galope de saúde.** *Turfe* Vitória muito fácil de um cavalo, deixando seus competidores a grande distância. **Galope gabinete.** *Bras. N.E. Liter. Pop.* Sextilha de decassílabos com esquema rimático ABABAB.

galopeação [De *galopear* + *-ção*.] *S. f. Bras. RS* V. *galopeada*.

galopeada [De *galopear* + *-ada*[1].] *S. f. Bras. RS* **1.** V. *galopada*. **2.** Corrida a galope para amansar o potro. [Sin. ger.: *galopeação*.]

galopeado [Part. de *galopear*.] *Adj.* **1.** *Bras. RS* Diz-se do cavalar treinado para corridas. • *S. m.* **2.** *Bras. PE* Guisado de carne picada com cujo molho se faz um pirão cozido de farinha de mandioca; pitéu.

galopeador (ô) [De *galopear* + *-dor*.] *S. m. Bras. S.* Aquele que galopeia.

galopeadura [De *galopear* + *-dura*.] *S. f. Bras. RS* V. *galopada*.

galopear [De *galope* + *-ear*[2].] *V. int.* **1.** *Bras.* V. *galopar* (1 a 4). *T. d.* **2.** Galopar (5). **3.** *Bras. RS* Amansar, domar (cavalo, potro). [Conjug.: v. *frear*.]

galopim [Do fr. *galopin*.] *S. m.* **1.** Rapaz malicioso, brejeiro. **2.** Cabo eleitoral. **3.** *Bras. BA* Sapato de tênis (1).

galopinagem [De *galopinar* + *-agem*[2].] *S. f.* Ação ou trabalho de galopim (2).

galopinar [De *galopim* + *-ar*[2], seg. o padrão erudito.] *V. int.* **1.** Praticar atos de galopim (1). **2.** Agir como galopim (2); angariar votos para eleições.

galo-românico *Adj. S. m. Gloss.* **1.** Diz-se de, ou o conjunto de variedades linguísticas que se constituíam numa evolução do latim vulgar e que foi falado entre os séculos V e IX na região equivalente à antiga Gália romana (atuais França, Bélgica, parte da Holanda, Alemanha e Suíça e N. da Itália); galo-romano. **2.** Diz-se de, ou o conjunto formado pelo francês, franco-provençal, provençal e gascão. [V. *balcano-românico, ibero-românico, ítalo-românico, reto-românico*. Pl.: *galo-românicos*.]

galo-romano [De *galo* + *romano*.] *Adj.* **1.** Diz-se de povo ou da civilização oriunda do contato entre os invasores romanos e os gauleses após a conquista da Gália. **2.** *Gloss.* V. *galo-românico* (1). • *S. m.* **3.** O natural ou habitante da Gália romana. **4.** *Gloss.* V. *galo-românico* (1). [Pl.: *galos-romanos*.]

galo-verdadeiro *S. m. Bras. Zool.* V. *galo-branco* (2). [Pl.: *galos-verdadeiros*.]

galpão [Do hisp.-amer. *galpón*, de or. náuatle.] *S. m.* **1.** *Bras.* Construção coberta e fechada pelo menos por três de suas faces, na altura total ou em parte dela, por paredes ou tapumes, e destinada a fins industriais ou a depósito, mas não a habitação. **2.** *Bras. RS* Edificação aberta em um dos lados para abrigo de homens, animais, material, etc. **3.** *Bras. RS* Estábulo.

galponeiro [De *galpão* + *-eiro*, seg. o padrão erudito.] *Adj. Bras.* **1.** Relativo a galpão. **2.** Que mora em galpão. **3.** Passado ou vivido em galpão: "Blau Nunes, índio velho contador de 'casos' nas horas galponeiras" (Augusto Meyer, *Prosa dos Pagos*, p. 146).

galrão [De *galrar* + *-ão*[1].] *Adj. S. m.* V. *tagarela* (1 e 2). [Fem.: *galrona*.]

galrar [F. metatética de **garlar* < *garrular*, com síncope.] *V. int.* **1.** Falar à toa. **2.** Falar muito, sem necessidade; parolar, papaguear. **3.** Blasonar, bravatear, jactar-se. **4.** *Lus.* Crescer ou desenvolver-se rapidamente.

galreador (ô) [De *galrear* + *-dor*.] *Adj. S. m.* Que, ou aquele que galreia; galreiro, galrejador.

galrear [De *galrar*, com mudança de suf. (v. *-ear*[2]).] *V. int.* **1.** Galrar (a criança que emite vozes sem articular palavras); chalrar. **2.** Chilrar: *As aves galreavam na madrugada.* [Sin. ger.: *galrejar*. Conjug.: v. *frear*.]

galreio [Dev. de *galrear*.] *S. m.* Ato ou efeito de galrear: "deixavam-se [os pássaros] ficar nos ramos, desferindo os últimos galreios." (Coelho Neto, *Treva*, p. 154).

galreiro [De *galr(ar)* + *-eiro*.] *Adj. S. m.* V. *galreador*.

galrejador (ô) [De *galrejar* + *-dor*.] *Adj. S. m.* V. *galreador*.

galrejar [De *galrar*, com mudança de suf. (v. *-ejar*).] *V. int.* V. *galrear*. [Conjug.: v. *pelejar*.]

galricho *S. m.* V. *galrito*.

galrito [Do esp. *garlito*, com metátese.] *S. m.* Rede para pesca de peixe miúdo. [Var.: *galricho*.]

galrona *S. f.* Fem. de *galrão* (q. v.).

galubé [Do provenç. *galoubet*.] *S. m. Mús.* Pequena flauta vertical de uso pastoril, com três orifícios, usada principalmente na Provença (França), e que é, em geral, acompanhada de tamboril pelo próprio executante; flauta provençal, flauta basca.

galucha [Do rad. *gal-*, como em *gálico*[2], + *-ucha*, poss.] *S. f. Bras. AL Pop.* Ferida cancerosa.

galucho [De *galo*[1] + *-ucho*.] *S. m.* **1.** *Lus.* V. *recruta* (1): "Consegui até .... que ele me falasse um pouco mais à vontade do que um galucho a um capitão." (João de Araújo Correia, *Cinza do Lar*, p. 103). **2.** Calouro, novato. **3.** Indivíduo acanhado, inexperiente.

galurês *S. m. Gloss.* Dialeto do sardo[1] (q. v.) falado no N.E. da Sardenha.

galvânico [Do fr. *galvanique*.] *Adj.* Pertinente ao galvanismo (q. v.). ~ V. *acoplamento* —.

galvanismo [Do fr. *galvanisme* (do antr. [*Luigi*] *Galvani* [1737-1798], médico e físico italiano, + fr. *-isme*, v. *-ismo*).] *S. m.* **1.** *Eletr.* Conjunto de fenômenos de natureza eletroquímica que se passam em sistemas constituídos por metais diferentes postos em contato com eletrólitos. **2.** *Terap.* Utilização terapêutica da corrente contínua.

galvanização [De *galvanizar* + *-ção*.] *S. f.* **1.** Ato ou efeito de galvanizar. **2.** *Metal.* Operação de recobrir metais (ferro, aço, etc.) com uma camada de zinco metálico, a fim de protegê-los contra os efeitos da oxidação; zincagem. **3.** *Terap.* Tratamento pelo uso de corrente contínua.

galvanizado [Part. de *galvanizar*.] *Adj.* **1.** Submetido à galvanização (1 e 2): *portão de ferro galvanizado.* **2.** *Fig.* A que se deu vida, energia, estímulo; reanimado. **3.** *Fig.* Arrebatado, encantado, inflamado, eletrizado: *O orador falou mais de uma hora a uma assistência galvanizada.* ~ V. *ferro* —.

galvanizador (ô) [De *galvanizar* + *-dor*.] *Adj.* Que galvaniza; galvanizante.

galvanizante [De *galvanizar* + *-nte*.] *Adj. 2 g.* Galvanizador.

galvanizar [De *galvanismo* + *-izar*, seg. o padrão erudito.] *V. t. d.* **1.** *Eletr.* Recobrir (um metal) com outro, mediante processo eletrolítico. **2.** Dourar ou pratear, etc., por meio da galvanoplastia. **3.** *P. ext.* Dourar ou pratear: "A brisa barra / Afla de leve... O luar as cousas galvaniza." (Martins Fontes, *Volúpia*, p. 164.) **4.** Dar movimento a (músculos), em vida ou pouco após a morte, por meio de eletricidade galvânica. **5.** *Fig.* Dar vida, energia passageira, a; reanimar. **6.** *Fig.* Encantar, arrebatar, inflamar, eletrizar: *O conferencista galvanizou o numeroso público.*

galvano *S. m. Tip.* V. *galvanótipo*.

▲ **galvano-** [Do V.C.I. *galvano-* < fr. *galvanisme*.] *El. comp.* = 'galvanismo', 'ação de galvanizar': *galvanocáustica*.

galvanocáustica [De *galvano-* + o f. de *cáustico*.] *S. f.* Cauterização por corrente elétrica contínua.

galvanocáustico [De *galvanocáustica*, com var. suf. (v. *-ico*[2]).] *Adj.* Respeitante à galvanocáustica.

galvanocautério [De *galvano-* + *cautério*.] *S. m. Cir.* Instrumento que serve para cortar e cauterizar imediatamente a parte cortada.

galvanografia [De *galvano-* + *-grafia*.] *S. f.* **1.** Galvanogravura obtida por meio de placa desenhada a tinta isolante. **2.** Estampa produzida por esse processo. [Sin. ger.: *eletrografia*.]

galvanográfico [De *galvanografia* + *-ico*[2].] *Adj.* Relativo à galvanografia, ou à galvanogravura.

galvanogravura [De *galvano-* + *gravura*.] *S. f.* Designação comum às várias técnicas, tornadas obsoletas, de produção de placas gravadas por processo galvanográfico; eletrogravura.

galvanomagnético [De *galvano-* + *magnético*.] *Adj.* Referente ao galvanomagnetismo.

galvanomagnetismo [De *galvano-* + *magnetismo*.] *S. m.* O conjunto dos efeitos galvânicos e magnéticos a um só tempo.

galvanómetro *S. m. Eletr.* V. *galvanômetro*. [Uso freq. em P.]

galvanômetro [De *galvano-* + *-metro*.] *S. m. Eletr.* Instrumento com que se medem pequenas correntes, ou pequenas tensões, baseado na deformação que forças eletromagnéticas provocam num sistema mecânico elástico, e geralmente oscilante. ◆ **Galvanômetro balístico.** *Eletr.* Aquele que, graças às características do movimento que efetua, pode medir impulsos elétricos de curta duração.

galvanoníquel [De *galvano-* + *níquel*.] *S. m. Tip.* Galvanótipo obtido diretamente por eletrodeposição de níquel ou revestimento posterior com esse metal, para maior durabilidade; niqueltipo. [V. *niqueltipia*.]

galvanoplastia [De *galvano-* + *-plast(o)-* + *-ia*[1].] *S. f.* **1.** *Eletr.* Parte da eletroquímica aplicada que investiga os processos e métodos de formação de corpos maciços por meio da eletrólise. **2.** *Metal.* Deposição, por meio de processo da galvanoplastia (1), de uma película metálica sobre uma peça do mesmo, ou de outro, metal, para proteção ou decoração. [Sin. ger.: *eletrotipia, galvanoplástica, galvanostegia, galvanotécnica, galvanotecnia*.]

galvanoplástica [De *galvano-* + *-plast(o)-* + *-ica*.] *S. f. Eletr. Metal.* V. *galvanoplastia*.

galvanoplástico [De *galvanoplastia* + *-ico*[2].] *Adj. Eletr. Metal.* Da, ou relativo à galvanoplastia.

galvanoscópio [De *galvano-* + *-scópio*.] *S. m. Eletr.* Galvanômetro não calibrado, que serve para indicar a presença e o sentido de uma corrente elétrica sem a medir.

galvanostegia [De *galvano-* + *-steg(o)-* + *-ia*[1].] *S. f.* **1.** *Eletr.* Parte da eletroquímica aplicada que investiga os processos e métodos de recobrimento de superfícies metálicas depositadas eletroliticamente; eletrostegia. **2.** *Metal.* V. *galvanoplastia*.

galvanotecnia [De *galvano-* + *-tecn(o)-* + *-ia*[1].] *S. f. Eletr. Metal.* V. *galvanoplastia*.

galvanotécnica [De *galvano-* + *técnica*.] *S. f. Eletr. Metal.* V. *galvanoplastia*.

galvanoterapia [De *galvano-* + *-terapia*.] *S. f. Terap.* Terapêutica pela corrente contínua.

galvanoterápico [De *galvanoterapia* + *-ico*[2].] *Adj.* Relativo a galvanoterapia.

galvanotipagem [De *galvanotipar* + *-agem*[2].] *S. f. Tip.* Ato ou efeito de galvanotipar.

galvanotipar [De *galvanótipo* + *-ar*[2].] *V. t. d.* Reproduzir por meio da galvanotipia; eletrotipar.

galvanotipia [De *galvano-* + *-tip(o)-* + *-ia*[1].] *S. f. Tip.* **1.** Processo pelo qual se obtém, de composição tipográfica, clichê ou gravura, por moldagem em cera, chumbo, etc., uma matriz que, submetida a banho eletrolítico, adquire uma fina camada (*casca*) destacável de metal, geralmente cobre, a qual, depois de enchimento, acabamento e montagem, constitui duplicata perfeita da fôrma inicial; electrotipia, eletrotipia. [Quando se usa a cera, a fôrma é, em seguida, metalizada, em geral grafitada, para se tornar condutora de eletricidade.] **2.** V. *galvanótipo*.

galvanotípico [De *galvanotipia* + *-ico*[2].] *Adj.* Referente à galvanotipia.

galvanotipista [De *galvanotipia* + *-ista*.] *S. 2 g. Tip.* Pessoa que trabalha em galvanotipia.

galvanótipo [De *galvano-* + *-tipo*.] *S. m. Tip.* Fôrma compacta obtida por galvanotipia, que se conserva para repetição indefinida de impressões; clichê, galvanotipia, electrotipia ou eletrotipia, eletrótipo, eletro. [F. red.: *galvano*.]

galvãoense *Adj. 2 g.* **1.** De, ou pertencente ou relativo a Galvão (SC). ● *S. 2 g.* **2.** O natural ou habitante de Galvão.

gama[1] [Do gr. *gámma*, pelo lat. tard. *gamma*.] *S. m.* **1.** A 3ª letra do alfabeto grego (Γ, γ), à qual corresponde o nosso *g*. **2.** *Fís.* Massa igual a um milionésimo de grama [símb.: γ]. **3.** *Fís. Nucl.* Raios gama. **4.** *Quím.* Designação de átomo (ou substituinte a este ligado) ligado a um átomo beta (1). [Nesta acepç., posposto a outro substantivo, tem valor adjetivo: *abstração de hidrogênio gama*; tb. se usa a letra grega γ.] ● *S. f.* **5.** *Fot. Telev.* Grau de contraste entre tons claros e escuros em uma imagem. **6.** *Geofís.* Unidade de intensidade de campo geomagnético, equivalente a um centésimo de gauss. **7.** *Mús.* A nota mais grave (G) da solmização medieval. **8.** *Mús.* Posteriormente, qualquer escala. **9.** *Mús.* Na música tonal, sucessão de sons dentro de uma oitava. **10.** *Fig.* Série ou sucessão de ideias, sensações, teorias, etc.

gama[2] [De *gamo*.] *S. f. Zool.* A fêmea do gamo.

gama[3] *S. f. Bras. Gír.* V. *gamação*.

▲ **gama-[1]** [Do gr. *gámma* (indeclinável).] *El. comp.* = 'terceira letra do alfabeto grego'; 'raios gama': *gamacismo, gamagrafia*.

▲ **gama-[2]** *Quím. Pref.* **1.** Indica, numa molécula, átomo ou grupo gama[1] (4): *ácido gama-aminobutírico*. **2.** Designa, segundo critérios mais ou menos arbitrários, uma entre várias moléculas relacionadas: *gama-ioimbina*. **3.** Indica, em lactona e lactama, anel de cinco átomos: *gama-lactona*. [Em todos os casos, tb. é us. a letra grega γ.]

gama-aminobutírico [De *gama-* + *aminobutírico*.] *Adj. Quím.* V. *ácido* —. [Pl.: *gama-aminobutíricos*.]

gamação [De *gamar* + *-ção*.] *S. f. Bras. Gír.* Amor violento; paixão. [F. red.: *gama*.]

gamacismo [De *gama*[1] + a term. de (*lambda*)*cismo*.] *S. m.* Impossibilidade ou dificuldade de articular a consoante velar *g*.

gamado[1] [De *gama*[1] + *-ado*[1].] *Adj.* ~ V. *cruz —a*.

gamado[2] [Part. de *gamar*.] *Adj. Bras. Gír.* V. *vidrado* (4).

gamaglobulina [De *gama-*[2] + *globulina*.] *S. f. Bioquím.* **1.** Qualquer de certas globulinas, existentes no plasma ou no soro sanguíneo, e sendo muitas delas anticorpos. **2.** Fração proteica do sangue, rica em anticorpos e que, após purificação, pode ser empregada em medicina. [Tb. se escreve γ-globulina.]

gamagrafia [De *gama-*[1] + *-grafia*.] *S. f. Fís.* Radiografia que utiliza raios gama de um nuclídeo radioativo.

gamão [De or. incerta.] *S. m.* **1.** Jogo (de azar e cálculo) de tábulas e dados, entre dois parceiros. **2.** Tabuleiro em que se joga o gamão. **3.** *Bot.* V. *abrótea*[2] (2 e 3). **4.** *Bot.* V. *abrótea-de-verão*.

gamão-fistuloso *S. f. Bot.* V. *abrótea-fistulosa*. [Pl.: *gamões-fistulosos* (ó).]

gamar [De or. incerta.] *V. t. i. Int. Bras. Gír.* V. *vidrar* (3): 📖 "Pois, estavam as coisas nesse pé, quando Rosinha contratou uma camareira, moça muito bonita, alegre e simpática, chamada Susana, por quem Fígaro gamou na mesma hora em que a viu." (Cora Rónai Vieira e Paulo Rónai, *Aventuras de Fígaro*, p. 60); 📄 *Viu a pequena e foi a conta: gamou.*

gamarra [Do cruz. do lat. *camus*, 'focinheira', 'cabeçada', com *amarra*, ou do it. *gamarra*, ant. *camarra* (< lat. *camus*), poss.] *S. f.* Correia que se ata da cilha ao bocal ou cabeção da cavalgadura a fim de que não levante demasiado a cabeça.

➔ **gamay** [gã'mɛ] [Fr.] *S. m.* **1.** *Vitic.* Casta de uva tinta, predominante na região de Beaujolais, onde é a única cultivada, na Côte d'Or (Borgonha, v. *borgonhês*) e na Touraine (região a S.O. de Paris). **2.** *Enol.* Vinho produzido com essa uva.

gamba [F. red. do it. *viola da gamba*.] *S. f. Mús.* V. *viola de gamba*.

gambá [Do tupi.] *S. m. e f.* **1.** *Bras. Zool.* Nome comum a vários didelfídeos do gênero *Didelphis* [v. *didelfo* (2)] que habitam o Brasil. [Sin.: *cassaco, sariguê, saruê, mucura, micurê, raposa, taibu, tacaca, ticaca, timbu*.] ● *S. m.* **2.** *Bras. AM PA* Instrumento de percussão feito de tronco de molongó ou jutaí ocos e um couro estirado na parte superior. **3.** *Bras. AM PA Etnogr.* Dança dos índios maués da Amazônia, que lembra o carimbó, da região oriental. **4.** *Bras. Gír.* V. *ébrio* (8). ● *S. f.* **5.** *Bras. PI Pop.* V. *ralé* (1). ◆ **Bêbado como um gambá.** Em estado de grande embriaguez: 📖 "Muito bêbado, hem? — Como um gambá." (Aluísio Azevedo, *O Cortiço*, p. 238.) **Comer gambá errado.** *Bras.* V. *comprar gato por lebre*. **Fazer gambá.** *Bras. PR* Dançar o fandango em cima do arroz, para descascá-lo, como na região de Paranaguá.

gambadonas [De or. obscura.] *S. f. pl. Mar.* Cabos em que se envolvem os mastros para torná-los mais fortes; gambadonos.

gambadonos *S. m. pl. Mar.* Gambadonas.

gambarra *S. f. Bras. AM* Grande embarcação de dois mastros, empregada para condução de gado.

gambé [De or. incerta; poss. express.] *S. m. Bras. Gír. Pej.* Policial.

gambelar *V. t. d. Bras. RS* V. *engabelar*. [Pres. ind.: *gambelo*, etc. Cf. *gambelo* (ê).]

gambelo (ê) *S. m. Bras. PE* Coisa boa, agradável, doce. [Us. na expr. *doce como um gambelo*. Pl.: *gambelos* (ê). Cf. *gambelo*, do v. *gambelar*.] ◆ **Doce como um gambelo.** V. *gambelo*.

gambérria [Do rad. *gamb-*, como em *gamba* e *gâmbia*, poss. com suf. express.] *S. f.* **1.** Pancada com o pé nas pernas de outrem para fazê-lo cair. **2.** *Pop.* Trapaça, tramoia, fraude, logro. **3.** *Pop.* Briga, rixa, contenda.

gambeta (ê) [Der. regress. do it. *gambettare*, 'mover ligeiramente as pernas', ou do it. *gambetta*, 'perninha'.] *S. f. Bras.* **1.** Certo movimento que se faz com o corpo e as pernas para enganar o perseguidor e livrar-se dele, fugindo para um lado e para outro. **2.** Movimento desordenado que faz um animal.

gambeteação [De *gambetear* + *-ção*.] *S. f. Bras.* Ato de gambetear.

gambeteador (ô) [De *gambetear* + *-dor*.] *Adj. S. m. Bras.* Gambeteiro.

gambetear [De *gambeta* + *-ear*[2].] *V. int. Bras.* **1.** Fazer gambetas. *T. d.* **2.** Esquivar (o corpo) com o fim de escapar ao golpe do adversário. [Conjug.: v. *frear*.]

gambeteiro [De *gambet(ear)* + *-eiro*.] *Adj. S. m. Bras.* Diz-se de, ou indivíduo ou animal que gambeteia; gambeteador.

gâmbia [Do it. *gamba*.] *S. f. Pop.* Perna (2 e 3): 📖 "A raposa transpunha agora com donaire, ... aprumada nas gâmbias nervosas, o espaço crítico através do qual se decidiria da sua vida ou morte." (Aquilino Ribeiro, *Maria Benigna*, p. 153.)

gambiano *Adj.* **1.** Da, ou pertencente ou relativo à Gâmbia (África ocidental). ● *S. m.* **2.** O natural ou habitante da Gâmbia.

gambiarra [Do rad. *gamb-*, como em *gamba* e *gâmbia*, poss.] *S. f.* **1.** *Mar.* Lâmpada instalada na extremidade dum comprido cabo elétrico para poder ser utilizada numa área relativamente grande. **2.** *Mar.* Rosário de lâmpadas com que se iluminam fortemente determinados locais, quando necessário; chuveiro. **3.** *Teatr.* Rampa de luzes e/ou refletores, de cores variadas, situada ao lado de outras, ou na parte anterior do urdimento, acima da ribalta, ou no teto da plateia, a alguns metros de distância do palco: 📖 "Estão acesos tangões, gambiarras e ribaltas para lhe esmaltar a pele [da atriz] e afagar as linhas do corpo." (Antero de Figueiredo, *Cômicos*, p. 131.) **4.** *Pop.* Recurso, ger. provisório, para solucionar um problema: 📄 *Enquanto esperava o encanador, fez uma gambiarra para estancar o vazamento.*

gambista [De *gamba* + *-ista*.] *S. 2 g.* Tocador de gamba: 📖 "Do conjunto faz parte há 15 anos a gambista Kristina Augustin" (Clóvis Marques, em *Jornal do Brasil*, 11.03.1999).

gambito[1] [Do it. *gambetto*.] *S. m.* **1.** Ardil para vencer o adversário. **2.** Abertura de partida no xadrez, em que se sacrifica um peão para obter vantagem de posição. [Há diversas espécies de gambito, segundo o peão sacrificado.]

gambito[2] [Do rad. *gamb-*, como em *gamba* e *gâmbia*, + *-ito*[1].] *S. m. Joc.* Cambito (2).

gamboa[1] (ô) [De or. obscura.] *S. f.* Fruto do gamboeiro.

gamboa[2] (ô) *S. f.* **1.** *Bras.* Camboa (2). **2.** *Bras. SP* Local, no leito dos rios, onde se remansam as águas, dando a impressão de lago sereno.

gamboeiro [De *gamboa*[1] + *-eiro*.] *S. m. Bot.* Variedade de marmeleiro.

gamboína [De or. incerta.] *S. f. Pop.* Trapaça no jogo (1 e 5).

gambota [Var. de *cambota*[1].] *S. f.* Molde ou arco de madeira para construir uma abóbada.

➔ **game** [gejm] [Ingl.] *S. m. Tên.* Série de pontos disputados numa partida de tênis. [São necessários 4 pontos para se vencer um *game*.]

gamela[1] [Dim. de *gama*[2].] *S. f. Zool.* Pequena corça.

gamela[2] [Do lat. vulg. **gamella*, cláss. *camella*, 'certo vaso de madeira'.] *S. f.* Vasilha de madeira ou de barro, com a forma de alguidar ou de escudela grande, us. para lavagem (4) e/ou para dar comida aos animais domésticos.

gamela[3] [De or. express. V. *tramela* e *tagarela*.] *S. f. Bras.* **1.** *Pop.* V. *mentira* (1). ● *S. m.* **2.** Indivíduo que faz as vezes de engenheiro sem ser.

gamela[4] *Bras. S. 2 g.* **1.** Indivíduo dos gamelas [ou (etnôn. bras.) *Gamella], povo indígena extinto que habitava as margens do rio Pindaré e a margem esquerda do rio Mearim (MA). ● *Adj. 2 g.* **2.** Pertencente ou relativo a esse povo.

gamelada [De *gamela*[2] + *-ada*[1].] *S. f.* **1.** Gamela[2] cheia. **2.** Porção de comida ou de líquido contida numa gamela[2].

gamelão[1] [De *gamela*[2] + *-ão*[1], por anal. à forma, poss.] *S. f.* Arena circular com cerca acolchoada, onde brigam os galos, nos rinhadeiros.

gamelão[2] [Do javanês *gamelan*.] *S. m. Mús.* Orquestra indonésia, composta, sobretudo, de instrumentos de bronze, xilofones e tambores.

gameleira [De *gamela*[2] (1) + *-eira*.] *S. f. Bot.* **1.** Nome comum a várias árvores moráceas, esp. do gênero *Ficus* (v. *ficus*), de madeira ger. us. para a confecção de gamelas e outros objetos de uso doméstico; mulemba (angol.). **2.** V. *guaxinduba*.

gameleira-branca [De *gameleira* + o f. de *branco*.] *S. f. Bras. MG ES a RS Bot.* Grande árvore morácea (*Ficus doliaria*) de folhas alternas, verde-escuras e vernicosas na página superior, cujo receptáculo (*figo*) é grande e amarelado. Fornece madeira branca, mole, leve e resistente, própria para utensílios de uso doméstico, e sua casca, quando incisada, exsuda látex viscoso, espesso, branco e de sabor adocicado; cerejeira, figueira-brava, gameleira-de-purga, gameleira-de-cansação, iroco (afric.). [Pl.: *gameleiras-brancas*.]

gameleira-de-cansaço *S. f. Bras. Bot.* V. *gameleira-branca*. [Pl.: *gameleiras-de-cansaço*.]

gameleira-de-purga *S. f. Bras. Bot.* V. *gameleira-branca*. [Pl.: *gameleiras-de-purga*.]

gameleira-de-veneno *S. f. Bras. AM Bot.* Planta morácea (*Ficus atrox*) trepadora enquanto jovem, de folhas alternas, ovadas e membranosas, com nervuras pubescentes, e cuja casca se suspeita ser venenosa. [Pl.: *gameleiras-de-veneno*.]

gameleirense *Adj. 2 g.* **1.** De, ou pertencente ou relativo a Gameleira (PE). ● *S. 2 g.* **2.** O natural ou habitante de Gameleira.

gamélias [Adapt. do gr. *Gamélia*.] *S. f. pl.* Na antiga Atenas, festas em honra da deusa Hera, celebradas no mês de gamélion.

gamélio *S. m. Cronol.* V. *gamélion*.

gamélion [Do gr. *Gamelión*.] *S. m. Cronol.* O sétimo mês do calendário grego, com 30 dias, que correspondia aproximadamente ao mês de janeiro do calendário gregoriano. [Var.: *gamélio*.]

gamelo (ê) [De *gamela*[2].] *S. m.* **1.** Vasilha comprida na qual se põe água ou comida para o gado. **2.** *Bras. PE* Papagaio (5) formado de um triângulo isósceles com o vértice para baixo e de um trapézio assente em sua base, sendo menor o lado superior deste.

gamenhar [De *gamenho* + *-ar*[2].] *V. int. Bras. PE* Fazer-se gamenho.

gamenhice [De *gamenho* + *-ice*.] *S. f.* **1.** Qualidade de gamenho. **2.** Ato ou modos próprios de gamenho. [Sin. ger.: *janotice, janotada, janotaria*.]

gamenho [Da mesma or. incerta que o fr. *gamin*, poss.] *Adj. S. m.* **1.** Diz-se de, ou indivíduo casquilho, janota, muito enfeitado. **2.** Malandro, vadio.

gameta (ê) [Do lat. cient. *gameta* < gr. *gamétes*, 'esposo', e gr. *gameté*, 'esposa'.] *S. m. Biol.* Célula sexuada e haploide dos seres vivos, responsável pela reprodução mediante a fecundação ou fusão nuclear. [A feminina diz-se *óvulo*, nos animais, e *oosfera*, nos vegetais; e a masculina, *espermatozoide*, nos animais, e *anterozoide*, nos vegetais; o produto de sua união é o *ovo* ou *zigoto*.] [Var.: *gameto*. Sin.: *célula germinativa*. A melhor f. é *gâmeta*, mas o uso consagrou *gameta*.]

▲**-gameta** V. *gamet(o)-*.

gâmeta *S. m. Biol.* Gameta (q. v.).

▲**-gâmeta** V. *gamet(o)-*.

gametângio [De *gamet(o)-* + *-ângio*.] *S. m. Bot.* Célula em cujo interior se formam gametas.

gamético [De *gameta* + *-ico*[2].] *Adj. Biol.* Relativo ao gameta.

gameto *S. m. Biol.* V. *gameta*.

▲ **gamet(o)-** [Do lat. cient. *gameta* < gr. *gamétes*, ou, 'esposo', e gr. *gameté*, ês, 'esposa', + -o-[1].] *El. comp.* = 'gameta': *gametângio, gametogênese*. [Equiv.: -*gâmeta*, -*gameta*, -*gamet(o)*-: *macrogameta, apogametia*.]

▲**-gamet(o)-** V. *gamet(o)-*.

gametófito [De *gamet(o)-* + *-fito*.] *S. m. Bot.* Organismo ou parte do organismo de uma planta, que tem por função produzir células sexuadas reprodutivas.

gametogénese *S. f. Biol.* V. *gametogênese*. [Uso freq. em P.]

gametogênese [De *gamet(o)-* + *-gênese*.] *S. f. Biol.* Processo segundo o qual se formam os gametas.

gâmico [De *gam(o)-* + *-ico*[2].] *Adj. Biol.* **1.** De, ou relativo a gameta. **2.** Diz-se dos ovos que só se desenvolvem após a fecundação.

gamiova [De or. incerta.] *S. f. Bras. Bot.* Palmeira arecácea (*Geonoma gamiova*) de caule ger. simples, fino, com até 4m, folhas largas, com até 0,80cm, folíolos coriáceos, sulcados, desigualmente divididos, e pequenos frutos globosos, pretos quando maduros. Ocorre desde SP ao RS, e suas folhas são us. para cobrir ranchos. [Sin.: *guaricanga-de-folha-larga*.]

gamo [Do lat. vulg. *gammu*.] *S. m. Zool.* Ruminante asiático (*Cervus dama*), semelhante ao veado, mas que tem a cauda comprida e a parte superior dos galhos achatada e palmada. [Fem.: *gama*.]

▲**gam(o)-** [Do gr. *gámos, ou* (ă).] *El. comp.* = 'casamento', 'união'; 'que se casou'; 'fecundado'; 'reproduzido': *gamomania*. [Equiv.: *-gam(o)-, -gamo*: *adelfogamia*; *alógamo*.]

▲**-gam(o)-** V. *gam(o)-*.

▲**-gamo** [Do gr. *-gamos* (ă), como no gr. *dígamos, monógamos* e *polýgamos*, < gr. *gámos, ou*.] V. *gam(o)-*.

gamocarpelar [De *gam(o)-* + *carpelar*.] *Adj. 2 g. Bot.* Provido de carpelos concrescidos numa só peça: *ovário gamocarpelar.*

gamofilo [De *gam(o)-* + *-filo*[1].] *Adj. Bot.* **1.** Formado pela soldadura de folhas. **2.** Que tem folhas soldadas umas às outras.

gamofobia [De *gam(o)-* + *-fobia*.] *S. f. Psiq.* Medo patológico de casamento.

gamofóbico [De *gamofobia* + *-ico*[2].] *Psiq. Adj.* **1.** Relativo a gamofobia. **2.** Que sofre de gamofobia; gamófobo. • *S. m.* **3.** Aquele que sofre de gamofobia; gamófobo.

gamófobo [De *gam(o)-* + *-fobo*.] *Adj. S. m. Psiq.* Gamofóbico (2 e 3).

gamogénese *S. f.* V. *gamogênese*. [Uso freq. em P.]

gamogênese [De *gam(o)-* + *-gênese*.] *S. f. Biol.* Reprodução sexuada; gamogonia.

gamogenético [De *gamogên(ese)* + *-ético*.] *Adj. Biol.* Relativo a gamogênese.

gamogonia [De *gam(o)-* + *-gon(o)-*[2] + *-ia*[1].] *S. f. Biol.* Gamogênese.

gamologia [De *gam(o)-* + *-logia*.] *S. f.* Tratado ou discurso a respeito do casamento.

gamológico [De *gamologia* + *-ico*[2].] *Adj.* Relativo a gamologia.

gamomania [De *gam(o)-* + *-mania*.] *S. f. Psiq.* Desejo patológico de casar.

gamomaníaco [De *gamomania-* + *-íaco*.] *Adj. Psiq.* **1.** Relativo a gamomania. **2.** Que sofre de gamomania; gamômano. • *S. m.* **3.** Aquele que sofre de gamomania; gamômano.

gamómano *Adj. S. m. Psiq.* V. *gamômano*. [Uso freq. em P.]

gamômano [De *gam(o)-* + *-mano*[1].] *Adj. S. m. Psiq.* Gamomaníaco (2 e 3).

gamopatia [De *gam(aglobulina)* + *-o-* + *-patia*.] *S. f. Med.* Distúrbio de natureza imunológica cuja característica é o aumento exagerado de células linfoides produtoras de imunoglobulinas.

gamopétalo [De *gam(o)-* + *-pétalo*.] *Adj. Bot.* Cujas pétalas são unidas entre si; simpétalo, simpetálico. [Opõe-se a *coripétalo*. Cf. *monopétalo*.]

gamossépalo [De *gam(o)-* + *-sépalo*.] *Adj. Bot.* Que tem as sépalas concrescentes em corpo único; sinsépalo: *cálice gamossépalo*. [Opõe-se a *dialissépalo*. Cf. *monossépalo*.]

gamostilo [De *gam(o)-* + *-stilo*[1].] *Adj. Bot.* Formado pela união de estiletes.

gamote [Do rad. *gam-*, como em *gamela*[2], + *-ote*[1].] *S. m. Ant. Mar.* Vasilha de madeira que se usava para esgotar a água dos porões das embarcações.

gamotépalo [De *gam(o)-* + *-tépalo*.] *Adj. Bot.* Que apresenta tépalas soldadas: *perigônio gamotépalo.*

gana [Do esp. *gana*, poss. do gót. **ganô*, 'avidez'.] *S. f.* **1.** Grande apetite ou desejo de algo; fome. **2.** Impulso, ímpeto, capricho, veneta: *Teve ganas de estrangular.* **3.** Má vontade contra alguém, ou desejo de prejudicá-lo, de fazer-lhe mal; raiva, ódio.

ganacha [Do it. *ganascia*.] *S. f.* A maxila inferior do cavalo.

ganadaria [Do esp. *ganadería*.] *S. f.* **1.** Criação de touros de lide. **2.** *P. ext.* O conjunto desses animais. **3.** *P. ext.* O local onde esses animais são criados.

ganadeiro [Do esp. *ganadero*.] *S. m.* Criador de touros de lide.

ganância [Do esp. *ganancia* < esp. *ganar*, 'ganhar' (q. v.), + esp. *-ancia* (= *-ância*).] *S. f.* **1.** Ambição de ganho. **2.** V. *ganho* (2). **3.** Ganho ilícito; usura. **4.** *P. ext.* Ambição desmedida. [Cf. *ganancia*, do v. *ganančiar*.]

ganančiar [De *ganância* + *-ar*[2].] *V. t. d.* Ganhar; conquistar. [Pres. ind.: *ganancio, ganancias, ganancia*, etc. Cf. *ganância*.]

ganancioso (ô) [De *ganância* + *-oso*.] *Adj.* **1.** Em que há ganho. **2.** Que tem ambição de ganhar; que só tem em vista o lucro. **3.** Que tem ou revela ganância: *olhar ganancioso.* • *S. m.* **4.** Indivíduo ganancioso.

gança [Do port. arc. *gãar, gaanar*, 'cobiçar', 'obter' (v. *ganhar*), + *-ança*, donde o port. ant. *gaança*, 'ganho', 'interesse'; 'meretriz' (v. *ganância*).] *S. f. Ant.* Meretriz. [Cf. *gansa*, fem. de *ganso*.]

ganchar [De *gancho* + *-ar*[2].] *V. t. d.* Agarrar com gancho; enganchar.

gancheado [De *gancho* + *-eado*.] *Adj.* Que tem forma de gancho.

gancheiro[1] [De *gancho* + *-eiro*.] *S. m. Bras. Amaz.* Canoeiro que põe a embarcação em movimento por meio de gancho que vai prendendo em árvores, pedras, etc., das margens do rio.

gancheiro[2] *Adj.* **1.** De, ou pertencente ou relativo a Governador Celso Ramos (SC). • *S. m.* **2.** O natural ou habitante de Governador Celso Ramos.

gancho [De or. incerta; poss. do céltico **ganskio*, 'ramo', 'galho'.] *S. m.* **1.** Peça recurva, de metal ou de outra substância resistente, usada para suspender quaisquer pesos. **2.** *P. ext.* Anzol (1). **3.** Grampo em forma de *U*, com que as mulheres prendem o cabelo: "dous ganchos de pentear, um jasmim seco" (Aluísio Azevedo, *O Mulato*, p. 128). **4.** Em certos aparelhos de telefone, dispositivo onde se engancha o auscultador quando o aparelho está desligado. **5.** V. *bico*[1] (13 e 14). **6.** *Jorn.* Motivo que dá ensejo à publicação de uma matéria. **7.** *Tip. Gír.* O ponto de interrogação, em revisão acompanhada. **8.** *Bras.* Certa rede de pescaria. **9.** *Bras. Alfaiat.* Parte da calça em que se unem as duas bandas. **10.** *Bras. Comun.* Recurso narrativo us. para prender a atenção do leitor, ouvinte, espectador, etc., fazendo com que este se interesse pela continuidade de texto ou programa: *O gancho da novela foi o anúncio da separação das personagens.* **11.** *Bras. Esport.* No pugilismo, golpe curto, desferido, de baixo para cima, com o braço flexionado. **12.** *Bras. Esport.* No basquete, arremesso que se faz com o braço descrevendo um arco de baixo para cima, estando o jogador (ger. o pivô) posicionado lateralmente à cesta. **13.** *Bras. Fut.* Suspensão: *O artilheiro pegou gancho por xingar o árbitro.* **14.** *Bras. RJ Gír.* Curral (2) para camarão e tainha: "Mas nesse tempo ele também trabalhava no gancho de Duca Zeca" (Herberto Sales, *Rebanho do Ódio*, p. 249). **15.** *Lus.* Grampo ou prendedor de cabelo: "O Amândio tira-lhe um gancho do cabelo e o penteado de Ana Isa desfaz-se." (Augusto Abelaira, *Enseada Amena*, p. 25.) **16.** *Lus. Gír.* Casa de penhor. ◆ **Gancho de parada.** *Aer.* Dispositivo retrátil situado na parte póstero-inferior de aeronave embarcada. [Destina-se a deslizar sobre o convés de navio-aeródromo durante o pouso para prender-se a um dos cabos transversais nele existentes, que se distendem e desaceleram rapidamente a aeronave.] **De gancho. 1.** Em que há dificuldade, obstáculo: *negócio de gancho.* **2.** *P. ext.* Difícil de curar: *gonorreia de gancho.*

ganchorra (ô) [De *gancho* + *-orra*.] *S. f.* **1.** *Lus.* Croque usado por barqueiros. **2.** *Gír.* Mão[1] (1).

ganchoso (ô) [De *gancho* + *-oso*.] *Adj.* Curvo como um gancho. ~ V. *osso —*.

ganchudo [De *gancho* + *-udo*.] *Adj.* Semelhante a, ou em forma de gancho: "uma das velhas .... veio a mim e toda enternecimento, cutucando-me com os dedos ganchudos, me disse" (Gilberto Amado, *Depois da Política*, p. 45).

ganço [De *gança* (q. v.).] *S. m. Ant.* V. *ganho* (2). [Cf. *ganso*.]

ganda *S. m. Gloss.* Luganda.

gandaia [Do cat. *gandalla*, 'pequena rede para prender o cabelo'; 'vida vadia'; 'vadiagem', de or. incerta.] *S. f.* **1.** O ato de revolver o lixo à procura de quaisquer objetos de algum valor porventura misturados com ele. **2.** O ofício de trapeiro. **3.** *Fig.* Vadiagem; mandriice, ociosidade. **4.** *Fig.* Vida dissoluta. **5.** *Fig.* Diversão, farra: *Apesar de trabalhar na manhã seguinte, ficou na gandaia até de madrugada; cair na gandaia.* ◆ **À gandaia.** A esmo; à toa; ao léu; sem destino: "Acho mais natural que ela, ... em vez de se ir à gandaia com o tamborileiro por aí fora, aspirasse à canonização" (Camilo Castelo Branco, *Maria da Fonte*, p. 53).

gandaiar [De *gandaia* + *-ar*[2].] *V. int.* **1.** Andar à gandaia. **2.** Perder a seriedade, o comedimento. **3.** Cair em vida desregrada, na gandaia; vadiar.

gandaieiro [De *gandaia* + *-eiro*.] *Adj. S. m.* Diz-se de, ou aquele que anda à gandaia; vadio.

gandaice [De *gandai(eiro)* + *-ice*.] *S. f.* Modos ou ato de gandaieiro.

gândara [De or. pré-romana.] *S. f.* Charneca (2): "A Planície, desde a charneca rala do Sado, até às humosas terras do Carregueiro, ... é uma dor. O viandante que passa ali queda-se a olhar o astro, a gândara, e fica triste." (Antunes da Silva, *Gaimirra*, p. 161.) [Var.: *gandra*.]

gandarês [De *gândara* + *-ês*.] *Adj.* **1.** Que habita em gândara. **2.** Referente a, ou próprio de gândara. [Flex.: *gandaresa* (ê), *gandareses* (ê), *gandaresas* (ê).]

gandavo [De or. obscura.] *S. m. Bras. BA* **1.** Contador de histórias e fábulas. **2.** V. *mentiroso* (4). [Cf. *Gândavo*, antr.]

gandhismo [Do antr. *Gandhi* + *-ismo*.] *S. m.* **1.** Pensamento político e religioso do líder indiano Mohandas Karamchand Gandhi (Mahatma Gandhi, 1869-1948). **2.** A atuação política, social e religiosa desse líder.

gandhista [De *gandhismo* + *-ista*.] *Adj. 2 g.* **1.** Referente ao gandhismo. **2.** Que é partidário ou simpatizante dele. • *S. 2 g.* **3.** Partidário ou simpatizante do gandhismo.

gandola [De or. obscura.] *S. f. Bras. MG S.* Peça que substitui o capote, usada por militares: "Saí do cinema querendo bancar o valente, imitante o herói no modo de andar, ... bibico meio de banda, gandola ajustada..." (Manuel Lobato, *Os Outros São Diferentes*, p. 59.)

gandra *S. f.* V. *gândara*.

gandu [Do forro[2].] *S. m. Santom. Zool.* Designação comum ao tubarão: "hei de ir de mãos dadas com o vento / empurrar as canoas para a pesca / do gandu, do atum, do voador" (Maria Olinda Beja, *Bô Tendê?*, p. 29).

ganduense *Adj. 2 g.* **1.** De, ou pertencente ou relativo a Gandu (BA). • *S. 2 g.* **2.** O natural ou habitante de Gandu.

gandula [De *gandulo*.] *S. m.* **1.** Gandulo (1). • *S. 2 g.* **2.** *Bras. Esport.* Pessoa incumbida de ir buscar e devolver a bola que sai de campo ou de quadra durante o jogo; boleiro.

gandular [De *gandulo* + *-ar*[2].] *V. int. Bras. RS* **1.** Ter vida de gandulo; viver a expensas de outrem. **2.** Andar pedindo; viver de pedincha. **3.** Desejar tudo quanto vê.

gandulo [Do esp. *gandul*, 'mouro ou índio jovem e guerreiro'; 'vagabundo', (< ár. *gandûr*, 'jovem de origem modesta, modos refinados e que agrada às mulheres'), poss.] *S. m.* **1.** Garoto vadio; gandula. **2.** V. *parasito* (2). **3.** *Bras. RS* Indivíduo gandulo (4). • *Adj.* **4.** *Bras. RS* Que deseja tudo quanto vê; pedinchão.

ganeira [De or. obscura.] *S. f.* Ramo grande de árvore.

ganense *Adj. 2 g.* **1.** Da, ou pertencente ou relativo à República de Gana (África ocidental). • *S. 2 g.* **2.** O natural ou habitante da República de Gana. [Sin. ger.: *ganês*.]

ganês *Adj. S. m.* V. *ganense*. [Flex.: *ganesa* (ê), *ganeses* (ê), *ganesas* (ê).]

→**gang** [gæŋ] [Ingl.] *S. f.* V. *gangue*.

ganga[1] [Do quimb.] *S. m.* Entre os congos da África e os transplantados para o Brasil, sacerdote ligado aos ritos do cariapemba (2): "Os gangas eram possuídos pelos poderes da terra e das águas, ... e recebiam os espíritos ligados à dimensão do cariapemba." (Alberto da Costa e Silva, *A Enxada e a Lança*, p. 493.)

ganga[2] [Do chinês.] *S. f. Tec. Têx.* Certo tecido forte, azul ou amarelo: "No verão, o bom velho usava um fato largo de ganga azul da Índia" (Bulhão Pato, *Memórias*, II, p. 149).

ganga[3] *S. f.* V. *canga*[2].

ganga[4] [Do al. *Gang*.] *S. f. Min.* Resíduo, em geral não aproveitável, de uma jazida filoniana, o qual pode, no entanto, em certos casos, conter substâncias economicamente úteis. [Cf. *canga*[3].]

ganga[5] [De or. obscura.] *S. f. Gír.* Qualquer bebida espirituosa, em especial a aguardente de vinho.

ganga[6] [De or. obscura.] *S. f. Bras.* Variedade de algodoeiro de fibras pardas, da região do São Francisco.

ganga[7] [De or. obscura.] *S. f. Bras.* Série de partidas, em vários jogos, especialmente no gamão.

ganga[8] [Do criol.] *S. f. Guin. Zool.* Ave pernalta, cultrirrostra (*Balearica pavonica*): "lá em cima estava a ganga que acabava de pôr os seus três ovos e de se deitar por cima." (Teresa Montenegro e Carlos de Morais, *Uori: Stórias de Lama e Philosophia*, p. 163).

gangamópteris [Do gr. *gángamon*, 'pequena rede', + *-pteris*; tax. *Gangamopteris*.] *S. 2 g. Paleont.* **1.** Gênero de plantas que viveram no permiano e no triássico inferior, no hemisfério sul, e que foram, inicialmente, consideradas pteridófitas filicíneas, mas que são, hoje, classificadas entre as gimnospermas. **2.** Espécie, ou espécime desse gênero.

gangana [Do quimb.] *S. f. Bras. Fam.* Mulher idosa.

gangão[1] [De or. obscura.] *S. m. Bras.* Espiga de milho atrofiada, com poucos grãos, e estes dispersos pelo sabugo; catambuera, catanguera, dente de velha.

gangão[2] [De or. incerta.] *El. s. m.* Us. na loc. adv. *de gangão*. ◆ **De gangão.** De enfiada; de corrida; sem parar.

gangarilha [Do esp. *gangarilla*.] *S. f. Teatr.* Companhia volante, composta de três ou quatro atores, no teatro espanhol do séc. XVI.

gangarina [De or. obscura.] *S. f. Gír.* Igreja (1).

gangarreão [De or. expressiva, poss.] *S. m. Bras. Fam.* Alteração mais ou menos profunda na saúde de alguém.

gangético [Do lat. *gangeticu*.] *Adj.* Do, ou pertencente ou relativo ao rio Ganges (Índia), ou à região por ele banhada.

gangliectomia [De *gangli(o)-* + *-ectom-* + *-ia*[1].] *S. f. Cir.* Extirpação de gânglio.

gangliectómico *Adj.* V. *gangliectômico*. [Uso freq. em P.]

gangliectômico [De *gangliectomia* + *-ico*[2].] *Adj.* Relativo a gangliectomia.

gangliforme [De *gangli(o)* + *-forme*.] *Adj. 2 g.* Que tem forma de gânglio.

▲ **gangli(o)-** [Do gr. *gánglion, ou*, 'tumor subcutâneo' (*i*).] *El. comp.* = 'gânglio': *gangliectomia, gangliforme.* [Equiv.: *ganglion-*: *ganglionar, ganglionite*.]

gânglio [Do gr. *gánglion*, pelo lat. tard. *ganglion*.] *S. m. Anat.* Cada uma das pequenas formações, variáveis em forma, espessura e constituição, que se situam ao longo dos vasos linfáticos (*linfonodos*), ou se localizam no curso das raízes posteriores da medula espinhal ou no sistema nervoso autônomo (*gânglios nervosos*). ◆ **Gânglio linfático.** *Anat.* V. *linfonodo.* **Gânglio nervoso.** *Anat.* V. *gânglio.*

ganglioma [De *gangli(o)-* + *-oma*[1].] *S. m. Patol.* **1.** *Obsol.* Tumor de linfonodo. **2.** V. *ganglioneuroma.*

▲ **ganglion-** Equiv. de *gangli(o)-*.

ganglionar [De *ganglion-* + *-ar*[1].] *Adj. 2 g. Med.* Da natureza de gânglio, ou relativo ou pertencente a ele.

ganglioneuroma (ân) [De *gangli(o)-* + *-neur(o)-* + *-oma*[1].] *S. m. Patol.* Tumor benigno formado por fibras e células ganglionares nervosas, maduras; ganglioma.

ganglionite [De *ganglion-* + *-ite*[1].] *S. f. Med.* Inflamação ganglionar.

gangloplegia (ân) [De *gangli(o)-* + *-pleg-* + *-ia*[1].] *S. f. Farmac.* Bloqueio de transmissão de impulsos nervosos através de gânglios do sistema nervoso autônomo.

ganglioplégico (ân) [De *ganglioplegia* + *-ico*[2].] *Farmac. Adj.* **1.** Referente a, ou que tem a propriedade de produzir ganglioplegia. ● *S. m.* **2.** Agente que produz ganglioplegia.

gangliosídeo [Adapt. do ingl. *ganglioside*.] *S. m. Bioquím.* Qualquer de certos esfingolipídios que ocorrem em membranas biológicas, e que fornecem, por hidrólise, além de esfingosina e ácido graxo, oligossacarídeos e ácido siálico; são importantes no reconhecimento entre células.

gangolina [De or. obscura.] *S. f. Bras. RS Pop.* V. *rolo*[1] (16).

gangolino [De or. obscura.] *S. m. Bras.* Indivíduo mau pagador; caloteiro, velhaco.

gangorra[1] (ô) [De or. incerta.] *S. f. Bras.* **1.** Aparelho para diversão infantil: uma tábua apoiada num espigão, sobre o qual gira horizontalmente, ou oscila, ocorrendo que, neste caso, as crianças montam as extremidades, que sobem e descem alternadamente; arre-burrinho, burrica, coximpim, jangalamarte, jangalamaste, joão-galamarte, zangaburrinha, zangaburrinho. **2.** Engenho manual, primitivo, de cana-de-açúcar, constituído tão somente por dois rolos de madeira entre dois esteios verticais. **3.** *Bras. PI CE* Armadilha para apanhar animais bravios. **4.** *Bras. PB* Engenho de madeira usado pelos pequenos lavradores para fabricar rapadura. **5.** *Bras. PE Gír.* Bicicleta (1). **6.** *Bras. MG* Curral de entrada fácil e saída impossível, para pega de pequenos animais.

gangorra[2] (ô) [De *gorra*, poss.] *S. f. Ant.* Espécie de carapuça.

gangosa [Do esp. *gangosa*, f. de *gangoso*, 'fanhoso'.] *S. f. Patol.* Ulceração que principia na abóbada palatina e se espraia, destruindo-a, bem como ao nariz, ao lábio, etc.; rinofaringite mutilante.

gangoso (ô) [Do esp. *gangoso*.] *Adj. Desus.* Fanhoso.

gangrena [Do gr. *gángraina*, pelo lat. *gangraena*.] *S. f.* **1.** *Patol.* Morte, em extensão variável, de tecido ou de órgão, e devida à perda de suprimento sanguíneo seguida, ou não, de invasão bacteriana e de decomposição tecidual. [Cf. *necrose*.] **2.** *Fig.* Aquilo que produz destruição, ou corrupção moral. ◆ **Gangrena gasosa.** *Patol.* A que decorre da ação de bactérias anaeróbias, produzindo-se gás e exsudato serossanguinolento em tecidos subcutâneos e em músculos. **Gangrena seca.** *Patol.* Aquela em que não ocorre invasão bacteriana significativa, tornando-se secos e enrugados os tecidos comprometidos. **Gangrena úmida.** *Patol.* Aquela em que a morte tecidual é acompanhada de ação bacteriana que leva à decomposição proteolítica. **Estar com a gangrena.** *Bras. N.E. Pop.* Estar muito zangado, irritado, abespinhado.

gangrenado [Part. de *gangrenar*.] *Adj.* **1.** Atacado de gangrena. **2.** *Fig.* Corrompido, corrupto, pervertido.

gangrenar [De *gangrena* + *-ar*[2].] *V. t. d.* **1.** Produzir gangrena em. **2.** Perverter; corromper: *Os vícios da sociedade em que vive gangrenaram sua alma. Int. P.* **3.** Ser atacado de gangrena. **4.** Perverter-se; corromper-se.

gangrenoso (ô) [De *gangrena* + *-oso*.] *Adj.* **1.** Que é da natureza da gangrena. **2.** Que tem gangrena.

→**gangster** [ˈgæŋstə] [Ingl.] *S. m.* V. *gângster.*

gângster [Do ingl. *gangster* < ingl. *gang* (v. *gangue*).] *S. m.* **1.** Membro de um grupo de malfeitores que nas grandes cidades cometem assaltos e roubos à mão armada. **2.** *P. ext.* Indivíduo sem escrúpulos e/ou perigoso. [Pl.: *gângsteres*.]

gangsterismo [De *gângster* + *-ismo*.] *S. m.* Ação de gângster, atitude ou comportamento próprio de um gângster.

gangue [Do ingl. *gang*.] *S. f. Bras.* **1.** Grupo de malfeitores mancomunados. **2.** *P. ext. Gír.* Turma, grupo, patota: "O pseudorrestaurante era uma tenda de madeira, onde uma gangue cabeluda e maltrapilha curtia uns chopinhos." (Marisa Raja Gabaglia, *Milho pra Galinha, Mariquinha*, p. 12); "— Seu problema é cuca, filhinha, Freud explica, Freud explica... | — Quero que Freud faleça, ele e sua gangue." (Id., *ib.*, p. 105).

ganguê *S. m. Bras. PE* V. *morrinha* (4).

ganhadeiro [De *ganhar* + *-deiro*.] *Adj.* **1.** Que faz qualquer tipo de serviço. ● *S. m.* **2.** Indivíduo ganhadeiro; ganhão.

ganha-dinheiro [De *ganhar* + *dinheiro*.] *S. m.* V. *jornaleiro*[1] (1). [Pl.: *ganha-dinheiros*.]

ganhador (ô) [De *ganhar* + *-dor*.] *Adj.* **1.** Que ganha. ● *S. m.* **2.** Aquele que ganha. **3.** V. *jornaleiro*[1] (1). **4.** *Bras. N.E.* Carregador (1). **5.** *Bras. S.* Indivíduo inescrupuloso, para quem todo lucro é bom.

ganhame [De *ganho* + *-ame*.] *S. m. Pop.* V. *ganho* (2): "O Tião da Doroteia aparecia aos sábados: deixava na Venda todo o seu ganhame da semana." (Maria José de Queirós, *Como Me Contaram*, p. 200).

ganhança [De *ganhar* + *-ança*.] *S. f. Pop.* V. *ganho* (2).

ganhão [De *ganhar* + *-ão*[1].] *S. m.* Aquele que vive do trabalho, que para viver faz qualquer tipo de serviço; ganhadeiro, ganha-pão: "ela filha mais nova de um maioral do conselheiro e ele ganhão da herdade de Valparaíso" (Fialho d'Almeida, *Contos*, p. 119).

ganha-pão [De *ganhar* + *pão*.] *S. m.* **1.** Trabalho de que alguém vive: *Seu ganha-pão é a costura*; "Claro que não os deixei na mão, isso não! Não sou homem de tirar o ganha-pão de ninguém!" (Marques Rebelo, *O Simples Coronel Madureira*, p. 61). **2.** Objeto com o auxílio do qual se adquirem os meios de subsistência: *A agulha e a linha são o meu ganha-pão.* **3.** V. *ganhão*: "Deram uma bíblia ao ganha-pão, ao porcariço, ao bufarinheiro, e por esse fato constituíram-no teólogo, santo-padre e, até, concílio." (Alexandre Herculano, *Lendas e Narrativas*, II, p. 203.) [Pl.: *ganha-pães*.]

ganha-perde [De *ganhar* + *perder*.] *S. m. 2 n.* Jogo em que ganha aquele que primeiro perde, o que faz menos pontos. [M. us. no Brasil: *perde-ganha*.]

ganhar [Cruz. do gót. **ganan*, 'cobiçar', com o germ. *waidanjan*, 'colher', pelo port. arc. *gãar, gaanar*.] *V. t. d.* **1.** Adquirir, granjear; conquistar: *Pelos seus feitos ganhou a fama de herói*; "essa gente pobre, que ganha com suor e sangue o pão que come" (Olavo Bilac, *Crítica e Fantasia*, p. 140); "A fama de valente e destemido ganhou-a deslocando o pulso a um escrivão remisso no lavrar uns mandados de posse" (Camilo Castelo Branco, *A Mulher Fatal*, pp. 55-56). **2.** Adquirir a posse de: *Ganhou larga soma no jogo.* **3.** Conseguir, granjear: *Com os seus modos ásperos, não ganha facilmente amigos.* **4.** Conseguir, alcançar, lograr: *Graças aos seus esforços, ganhou alta fama de ator.* **5.** Adquirir ou conquistar o direito a; obter: *ganhar uma bolsa de estudos.* **6.** Alcançar ou obter por acaso: *Ganhou o melhor prêmio no sorteio.* **7.** Apoderar-se ou apossar-se de: *A esperança de ganhar novas terras levou os portugueses às viagens ultramarinas.* **8.** Aproveitar, lucrar: *Que ganhou ele prejudicando o amigo?* **9.** Tirar bom resultado de; obter a vitória em; vencer: *Foi-lhe fácil ganhar a ação judicial.* **10.** Captar, conciliar, atrair, cativar: *Soube portar-se de modo a ganhar o afeto do velho tio.* **11.** Recuperar, recobrar, ressarcir: *Nada faz para ganhar o tempo perdido.* **12.** Criar, desenvolver, adquirir: *Ganhou o mau hábito de falar da vida alheia.* **13.** Adquirir, tomar: "Tudo ia ganhando contornos na luz matinal — cercas, árvores, cancelas, um feixe de lenha desfeito" (Herberto Sales, *Além dos Marimbus*, p. 137). **14.** Passar a ter: *O prédio ganhará uma nova portaria*; "Região dos Lagos ganha novos acessos." (*O Globo*, 28.12.1998.) **15.** Chegar a; atingir: *Os presos fugiram e ganharam as fronteiras da cidade.* **16.** Estender-se a; propagar-se, lavrar por: *Sua simpatia ganhou todos os ouvintes.* **17.** Tomar (13): "Despediram-se do Juiz de Direito, que os acompanhou até à porta, e ganharam a estrada para S. Félix." (Carlos de Oliveira, *Dois Metros e Cinco*, p. 253.) **18.** *Fam.* Dar à luz; parir: *F. ganhou bebê ontem. T. d. e i.* **19.** Receber (presente, dádiva, etc.): *Ganhou um carro do pai.* **20.** Ser vítima de (golpe); receber, sofrer: *Ganhou um soco inesperado do adversário.* **21.** Ser motivo, razão ou objeto; receber: *Ficou feliz porque ganhou um sorriso do professor; Ganhou uma careta do amiguinho, e revidou.* **22.** Dar como lucro ou proveito: *Nada lhes ganhou a arriscada empresa.* **23.** Contrair, criar; tomar: "ela achava-o desajeitado, vulgar, pretensioso; ganhava-lhe aversão" (Júlio Ribeiro, *A Carne*, p. 246); "Laura parecia ir ganhando ódio a homens" (Camilo Castelo Branco, *A Mulher Fatal*, p. 29). **24.** Ganhar (2): *Ganhou milhões na loteria. T. c.* **25.** Vencer, perceber (importância correspondente a ordenado, salário, etc.): "Ganhava duzentos mil-réis por mês" (Machado de Assis, *Outras Relíquias*, p. 20). *T. c. e i.* **26.** Receber (quantia): *Ganhou 25 reais do padrinho. Bit. i.* **27.** Superar, exceder: *Ganhava da irmã em simpatia. Int.* **28.** Adquirir a posse de dinheiro, ou de bens: "Enquanto Cole Porter ficou milionário, nos Estados Unidos, somente com o sucesso de *Night and Day*, nenhum musicista brasileiro ganhou para viver." (Nestor de Holanda, *Memórias do Café Nice*, p. 100.) **29.** Ser feliz em alguma empresa; obter resultado: *Invejoso, persegue sempre quem ganha.* **30.** Obter melhoria; tornar-se melhor ou superior: *As bebidas espirituosas ganham com os anos.* [Part.: *ganhado* e *ganho*. A f. *regular, ganhado*, é p. us. *hoje*, a não ser em certos provérbios e locuções, como, p. ex., *vintém poupado, vintém ganhado*.] ◆ **Ganhar, mas não arrastar.** *Bras. Gír.* Ganhar, mas não levar (1). **Ganhar, mas não levar.** *Bras. Gír.* **1.** Alcançar o prêmio ou a vitória, numa disputa, ou pretensão, mas sem vir a usufruir os louros e/ou vantagens; ganhar, mas não arrastar. **2.** Ter vantagem apenas aparente.

ganha-saia [De *ganhar* + *saia*.] *S. f. Bot.* **1.** *Bras. L. S.* Subarbusto campanuláceo (*Centropogon surinamensis*) glabro e ornamental, dotado de flores solitárias, pedunculadas, axilares, róseas, de corola tubulosa e glabra, com sementes escuras, e que vegeta de preferência em terrenos úmidos ou pantanosos; crista-de-peru. **2.** *Bras. MG RJ SP* Subarbusto violariáceo (*Hybanthus atropurpureus*) de raiz comprida e grossa, dotado de flores pequenas, bracteadas, zigomorfas, de cor amarelo-esverdeada ou alva, dispostas em racemos terminais, cujo fruto é cápsula globoso-trilobada, coriácea, contendo sementes quase pretas; apanha-saia, purga-de-veado, purga-de-vento. [Pl.: *ganha-saias*.]

ganhável [De *ganhar* + *-vel*.] *Adj. 2 g.* Que se pode ganhar.

ganho [Der. de *ganhar*.] *Adj.* **1.** Que se ganhou: "O merceeiro mais grado da vila era o Pacabote. Era-o pela importância que dava a si mesmo — nanja pelo dinheiro ganho e acumulado." (João de Araújo Correia, *Terra Ingrata*, p. 117). ● *S. m.* **2.** Aquilo que se ganhou; lucro, vantagem, proveito, ganância, ganhança, ganhame, ganhuça. **3.** *Eletrôn.* Medida da capacidade de um equipamento, dispositivo, ou circuito, de produzir, na saída, aumento do valor de um dado parâmetro elétrico de entrada. **4.** *Rád. Telec. Telev.* Aumento em potência na transmissão de sinal de um ponto a outro. **5.** *Bras.* Roubo, furto. ◆ **Ganho de causa.** Vitória em pleito judicial. **Ganho de potência.** *Eletrôn.* Num amplificador de potência, quociente entre a potência de saída do amplificador e a potência de entrada. **Ganho de tensão.** *Eletrôn.* Num amplificador de tensão, quociente entre a tensão de saída numa carga (17) e a tensão de entrada.

ganhoso (ô) [De *ganho* + *-oso*.] *Adj.* Que só pensa em ganhos, em lucros; interesseiro, ambicioso.

ganhuça [De *ganho* + *-uça*.] *S. f. Fam.* V. *ganho* (2).

ganiçar [De rad. de *gan(ir)* + *-içar*.] *Bras. GO V. int. T. d.* **1.** Ganir (1 e 2). [Conjug.: v. *laçar*. Normalmente, é defect.] ● *S. m.* **2.** Ganir (3).

ganido [Do lat. *gannitu*.] *S. m.* **1.** Grito lamentoso dos cães, ou como que dos cães: "Quando ela falou do meu rato ela soluçou muito alto e depois deu um ganido." (Hilda Hilst, *Ficções*, p. 37.) **2.** *Fig.* Voz esganiçada.

ganimedes [Do mit. gr. *Ganymédes*.] *S. m. Astr.* O maior satélite de Júpiter e o maior do sistema solar, com 5.260km de diâmetro e 4,5 de magnitude aparente na oposição. [Descoberto por Galileu (v. *galileano*) em 1610.] [Com cap.]

ganir [Do lat. *gannire*.] *V. int.* **1.** Dar ganidos; gemer como os cães: "grasnavam patos, ganiam cães" (Coelho Neto, *A Conquista*, p. 444). *T. d.* **2.** Soltar ou emitir à maneira de ganido: "devorou-a num abraço de todo o corpo, ganindo ligeiros gritos, secos, curtos, muito agudos" (Aluísio Azevedo, *O Cortiço*, p. 195); "Ser cachorro! Ganir incompreendidos / Verbos!" (Augusto dos Anjos, *Eu*, p. 27). [Defect. Não se conjuga na 1ª pess. sing. do pres. ind. nem no pres. subj.] ● *S. m.* **3.** Ato de ganir; ganido: "ouviu o ganir de um cão, ao longe." (Machado de Assis, *Contos*, p. 38). [Sin. ger. (em GO): *ganiçar*.]

ganizar [De *gan-*, como em *ganir*, + *-izar*.] *V. int.* Soltar a voz (o cão pequeno).

ganja[1] [Do hindi *gãjā*.] *S. f.* Resina extraída do cânhamo (1), e que é a base do haxixe.

ganja[2] [Do quimb.] *S. f.* **1.** *Bras. Fam.* Vaidade, presunção. ● *Adj. 2 g.* **2.** *Ant.* V. *ganjento.* **3.** *Ant.* Dado a tomar liberdades; confiado. ◆ **Dar ganja a.** *Bras.*

G

S. Fam. Dar importância, dispensar consideração a (pessoa abusada, confiada).

ganjento [De *ganja*[2] (1) + *-ento*.] *Adj. Bras. Pop.* Vaidoso, presumido, enganjento.

▲ **gano-** [Do gr. *gános, eos-ous* (*ă*).] *El. comp.* = 'brilho': *ganoide, ganoína*.

ganoide[1] (ói) [Do fr. *ganoïde* < gr. *gános*, 'brilho'.] *Adj. 2 g. Zool.* Diz-se da escama romboide, que se une às outras por justaposição, e que é formada, tanto nos peixes atuais como nos fósseis, por uma camada superficial de ganoína (q. v.), uma camada média, e uma camada basal de tecido ósseo vascularizado. ❖

ganoide[2] (ói) [Adapt. do tax. *Ganoidei*.] *Zool. S. m.* **1.** Espécime dos ganoides, grupo de peixes caracterizados por terem brânquias recobertas por opérculos, contidas, portanto, em cavidade branquial que apresenta apenas um orifício externo, e escamas ganoides. ● *Adj. 2 g.* **2.** Pertencente ou relativo a eles. ❖

ganoína [V.C.I. *gano-* (< ingl. *ganoid* < fr. *ganoïde* [v. *ganoide*[1]]) + *-ina*[3].] *S. f.* Substância semelhante ao esmalte dos dentes, e que forma as escamas de certos peixes.

gansa [Do gót. **gans*.] *S. f. Zool.* A fêmea do ganso[1] (1). [Cf. *gança*.]

gansada [De *ganso*[1] + *-ada*[1].] *S. f. Mar. G. Gír.* Esperteza, deslealdade, traição: *Fez uma gansada comigo, que nem lhe conto.*

gansão [De *ganso*[1] + *-ão*[1].] *S. m. Bras. Zool.* V. *flamingo*.

ganso[1] [Do gót. **gans*, 'gansa'.] *S. m.* **1.** *Zool.* Ave anseriforme, anatídea (*Anser domesticus*), da Europa e Ásia, atualmente domesticada e cosmopolita. Os gansos verdadeiros são migratórios. A espécie precursora da doméstica é o *Anser anser*, do N. da Ásia e Europa. Os remígios do ganso foram utilizados para escrever, antes do uso de penas metálicas. **2.** *Bras. Zool.* Marrecão. [Fem. (nessas acepçs.): *gansa*.] **3.** *Bras. Gír.* V. *bebedeira* (1). [Cf. *ganço* e *gança*.] ◆ **Afogar o ganso.** *Bras. Chulo* Copular (2).

ganso[2] [De or. obscura.] *S. m.* Parte externa e posterior da coxa do boi, imediata à chã de fora. [Cf. *ganço*.]

ganso-cor-de-rosa *S. m. Bras.*, *Amaz.*, *Zool.* V. *flamingo*. [Pl.: *gansos-cor-de-rosa*.]

ganso-do-mato *S. m. Zool.* O ganso indígena (*Alopochen jubata*). [Pl.: *gansos-do-mato*.]

ganso-do-norte *S. m. Bras. Zool.* V. *flamingo*. [Pl.: *gansos-do-norte*.]

ganzá [Do quimb.] *S. m. Mús.* **1.** *Bras.* Espécie de chocalho de folha de flandres e formas variadas: "nem [quer] silenciar os tambores, os bombos, os violões, as flautas e os ganzás que andam pelas ruas, neste domingo de carnaval" (Osmã Lins, *Nove, Novena*, p. 98). [Var.: *canzá*. Sin.: *amelê, pau de semente, xeque, xeque-xeque, xique-xique*.] **2.** *Bras. AM* Dança cujo nome provém desse instrumento. **3.** *Bras.* V. *reco-reco* (1).

ganzepe [De or. obscura.] *S. m.* **1.** Entalhe em madeira, o qual estreita de baixo para cima, como triângulo isóscele. **2.** Sarrafo de madeira, de seção trapezoidal, e que é, p. ex., fixado à parede ou ao chão, para que nele se prendam lambris ou tábua corrida.

ganzola [De or. obscura.] *S. f. Bras. MA* Pique[1] (4).

ganzuá *S. m. Bras. Rel.* V. *canzuá*.

➔ **gap** [gæp] [Ingl.] *S. m.* Quebra indesejável de continuidade.

■ **GAPA** Sigla de *Grupo de Apoio e Prevenção à Aids*.

gapinar *V. t. d. Bras. PA MA* Apanhar (peixe); pescar.

gapira *S. f. Bras.* V. *guapira*.

gapó *S. m. Bras.* V. *igapó*: "O sangue tinguijou o gapó." (Lauro Palhano, *O Gororoba*, p. 235.)

gaponga [Do tupi.] *S. f. Bras. AM* Bola feita de osso de peixe-boi, presa por uma linha à ponta de um caniço, para se bater na água imitando a queda de um fruto e assim atrair o peixe.

gapororoca [De or. tupi.] *S. f. Bras. Zool.* V. *veado-roxo*.

gapuia [De or. tupi, poss.] *S. f. Bras. AM* Modo de pescar em que se faz a moponga, *i. e.*, se bate a água do rio para que o peixe vá para junto da mucuoca.

gapuiador (ô) [De *gapuiar* + *-dor*.] *S. m. Bras. AM* Pescador de baixios, ao léu da sorte.

gapuiar [Do tupi = 'tirar a água por cima'.] *V. int. Bras. AM* **1.** Pescar nos baixios, fora da canoa, um tanto a esmo, lançando o arpão ou a flecha aqui e ali. **2.** Apanhar camarões em cestos nas pequenas lagoas. **3.** Esgotar uma lagoa para deixar o peixe a seco. **4.** Procurar uma coisa ao sabor da sorte.

gapuicipó (u-i) [Do tupi.] *S. m. Bras. AM Bot.* Arbusto bignoniáceo (*Martinella obovata*) trepador, de flores glabras e violáceas, dispostas em racemos axilares, e cujo fruto é cápsula com sementes aladas; guapuí.

garabebel [De or. obscura.] *S. m. Bras. Zool.* V. *cernambiguara*. [Pl.: *garabebéis*.]

garabu *S. m. Bras. Bot.* V. *guarabu* (1 e 2).

garabulha [De *garabulho*.] *S. f.* **1.** Confusão, embrulhada, trapalhada. **2.** V. *garatuja* (2): "Sente-se em todas as linhas a incerteza do rascunho. As garabulhas infantis, ora sobem acima da pauta, ora descem abaixo dela" (João Ribeiro, *Cartas Devolvidas*, pp. 203-204). [Var. nesta acepç.: *garavunha*.] *S. m.* **3.** Homem intrigante.

garabulhar [De *garabulha* + *-ar*[2].] *V. t. d. Int.* V. *garatujar*.

garabulhento [De *garabulho* + *-ento*.] *Adj.* Que tem garabulho (1); escabroso, áspero.

garabulho [Do it. *garbuglio*, 'confusão', com epêntese.] *S. m.* **1.** Aspereza (2). **2.** V. *garatuja* (2).

garafunhas *S. f. pl.* V. *garatuja* (2). [Var.: *garafunhos*.]

garafunhos [Var. de *garafunhas*.] *S. m. pl.* V. *garatuja* (2).

garage *S. f.* V. *garagem*.

garageiro [De *garag(em)* + *-eiro*.] *Adj.* **1.** Que toca ou ensaia em garagem (diz-se de músico ou banda). **2.** Feito ou produzido em garagem: *CD garageiro*. **3.** Que abriu seu negócio na garagem de casa (diz-se de empresário). **4.** *Fig.* Empreendedor: *espírito garageiro*. ● *S. m.* **5.** Indivíduo garageiro (3 ou 4). **6.** Garagista.

garagem [Do fr. *garage*.] *S. f.* **1.** Abrigo para veículos automóveis: "Ele tem uma garagem ao lado da casa, e está disposto a me alugar, pelo menos enquanto não comprar outro carro." (Herberto Sales, *Histórias Ordinárias*, p. 76.) **2.** Oficina de consertos de automóveis. **3.** Estabelecimento onde se alugam automóveis à hora.

garagista [De *garage* + *-ista*.] *S. 2 g. Bras.* Proprietário ou encarregado de garagem.

garajau [De or. tupi, poss.] *S. m.* **1.** *Bras.* Espécie de cesto fechado e oblongo, no qual os roceiros conduzem galinhas e outras aves ao mercado. **2.** *Bras. N.E.* Aparelho em que se conduz louça de barro, a cavalo ou a pé. **3.** *Bras. RN* Aparelho no qual se conduz o peixe seco, e composto de duas peças chatas e quadrangulares, com cerca de 65cm de comprimento e 55cm de largura, formada cada peça por quatro varas presas pelas extremidades, cheio o intervalo com embiras ou palhas de carnaúba tecidas em largas malhas. [Var.: *grajau*.]

garajuba *S. f. Bras. Zool.* V. *guarijuba*.

garaldino *Adj. S. m. Tip.* Diz-se do, ou tipo de obra de estilo renascentista, curvas graciosas e divergentes, pequeno contraste de finos e grossos, e serifas em forma de consolo. [É tradicionalmente denominado *romano antigo*.]

garalhada *S. f. Bras. S.* V. *gralhada*.

garalhar *V. int. Bras.* V. *gralhar*: "Levando as folhas secas, amarelas, / Garalha a água e chilra e remurmura..." (João Ribeiro, *Versos*, p. 232.)

garança [Do fr. *garance*.] *S. f.* **1.** Ruiva[1]. **2.** Garancina. **3.** O tom vermelho-vivo da garancina.

garançar [De *garança* + *-ar*[2].] *V. t. d.* Tingir com garança. [Conjug.: v. *laçar*.]

garanceira [De *garança* + *-eira*.] *S. f.* Quantidade mais ou menos considerável de garanças dispostas proximamente entre si.

garancina [De *garança* + *-ina*[3].] *S. f.* Substância corante que se extrai da garança; garança.

garanhão [Do germ. *wranjo*, fonte tb. do esp. *garañón*.] *S. m.* **1.** Cavalo destinado a reprodução: "Inquieto cheirou o ar, como cachorro que fareja caça, ou como garanhão que encontra égua no cio." (Rute Guimarães, *Água Funda*, p. 81.) [Sin., bras.: *pai-d'égua, pastor, rufião*.] **2.** *Fig.* Homem femeeiro. [Sin., bras., nesta acepç.: *pai-d'égua, rufião*.]

garanhuense *Adj. 2 g. S. 2 g.* V. *garanhunense*.

garanhum *Bras. S. 2 g.* **1.** *Etnôn.* Indivíduo dos garanhuns, povo indígena extinto que habitava o S. de PE. ● *Adj. 2 g.* **2.** Pertencente ou relativo a esse povo. [Tb. us. como *s. 2 g. e 2 n.* (com cap.) e *adj. 2 g. e 2 n.*]

garanhunense *Adj. 2 g.* **1.** De, ou pertencente ou relativo a Garanhuns (PE). ● *S. 2 g.* **2.** O natural ou habitante de Garanhuns.

garanjão [Alter. de *garanhão*, poss.] *S. m.* Homem alto e corpulento.

garante [Do fr. *garant*.] *S. 2 g.* Pessoa responsável por alguma coisa; abonador, fiador. [Cf. *avalista* e *endossante*.]

garantia [Do fr. *garantie*.] *S. f.* **1.** Ato ou efeito de garantir(-se). **2.** Ato ou palavra com que se assegura uma obrigação, uma intenção, um sentimento, etc.; prova, segurança. **3.** Documento com que se assegura a autenticidade e/ou a boa qualidade de um produto ou serviço, e se assume, junto ao comprador ou usuário, o compromisso de ressarci-lo em caso de ineficiência ou fraude comprovadas. **4.** *P. ext.* O período em que vigora tal garantia: *Este carro ainda está na garantia.* ~ V. *garantias*. ◆ **Garantia fidejussória.** *Jur.* V. *garantia pessoal*. **Garantia pessoal.** *Jur.* A que resulta de um contrato acessório de fiança pelo qual o fiador passa a garantir, com a universalidade de seu patrimônio, a dívida de outrem; garantia fidejussória. **Garantia real.** *Jur.* A que constitui um direito real limitado sobre coisa alheia em favor daquele a quem é dada, como garantia de uma dívida, como, p. ex., o penhor e a hipoteca.

garantias [Do pl. de *garantia*.] *S. f. pl.* Privilégios. ~ V. *garantia*. ◆ **Garantias constitucionais.** *Jur.* Direitos e privilégios dos cidadãos conferidos pela Constituição dum país. **Garantias individuais.** *Jur.* A proteção assegurada a cada cidadão, e bem assim as limitações que em benefício dele a Constituição impõe aos poderes públicos. [Cf. *direito individual*.]

garantido [Part. de *garantir*.] *Adj.* **1.** Que se garantiu; afiançado. **2.** Cuja boa qualidade é afiançada: *produto garantido*. ~ V. *conta —a*.

garantidor (ô) [De *garantir* + *-dor*.] *Adj. S. m.* Que, ou aquele que garante.

garantir [Do fr. *garantir*.] *V. t. d.* **1.** Responsabilizar-se por; afiançar, abonar: *garantir um título*. **2.** Afirmar como certo; asseverar, certificar: *Garantiu a autenticidade do objeto antigo*. **3.** Tornar certo, seguro: *Disse que aquele remédio garantiria a sua cura*. *T. d. e i.* **4.** Asseverar, afiançar: *Garantiu-lhes que dissera a verdade*. **5.** Livrar, defender, acautelar: *Enviou os seus para o campo a fim de os garantir contra os assaltos inimigos*.

garapa [Der. regress. do esp. *garapiña* < esp. *garapiñar*, 'solidificar um líquido, de modo a formar grumos'.] *S. f. Bras.* **1.** Bebida refrigerante, de mel ou de açúcar com água, a que algumas vezes se adicionam gotas de limão; jacuba. **2.** Refresco de qualquer fruta. **3.** Qualquer líquido que se põe a fermentar para depois ser destilado. **4.** O caldo da cana, quando destinado à destilação. **5.** *Fig.* Coisa boa, ou fácil de conseguir, ou certa. [No N.E. e no S., quando se quer exprimir facilidade ou certeza na obtenção de uma coisa desejada, diz-se: *É aquela garapa!*] **6.** *Bras. BA a RS MT Bot.* V. *murajuba* (1).

garapa-amarela [De *garapa* + o f. de *amarelo*.] *S. f. Bras. Bot.* V. *marajuba* (1). [Pl.: *garapas-amarelas*.]

garapacapunta [De or. indígena, poss.] *S. f. Bras. Bot.* Arbusto mirsináceo (*Conomorpha peruviana*) cuja madeira é utilizada em pequenas obras de marcenaria e carpintaria.

garapada [De *garapa* + *-ada*[1].] *S. f. Bras. CE* Abundância de garapa (2).

garapau *S. m. Bras.* V. *carapau*.

garapeira [De *garapa* + *-eira*.] *S. f. Bras. PE* Espécie de rancho, à beira-estrada, onde os tropeiros, mediante pagamento, dão a beber garapa (2).

garapeiro [De *garapa* + *-eiro*.] *S. m. Bras. AM Etnogr.* Indivíduo que apregoa e vende café e refresco, navegando mansamente pelo rio Negro.

garapiapunha *S. f. Bras. Bot.* V. *marajuba* (1).

garapinha [De *garapa* + *-inha*.] *S. f. Bot.* V. *murajuba* (1).

garapu [Var. de *guarapu*.] *S. m. Zool.* **1.** *Bras.* V. *guarapu* (1). **2.** *Bras. N.E.* V. *veado-roxo*.

gararoba [Var. de *guariroba*.] *S. f. Bras. Bot.* **1.** V. *guariroba* (1). **2.** V. *maçaranduba* (4).

gararuense *Adj. 2 g.* **1.** De, ou pertencente ou relativo a Gararu (SE). ● *S. 2 g.* **2.** O natural ou habitante de Gararu.

garateia [De or. obscura.] *S. f.* **1.** *Bras.* Aparelho de pesca, formado de vários anzóis (em geral três) na extremidade da mesma linha. **2.** *Bras. BA* Pequena âncora de pedra, usada em embarcações de pesca. **3.** *Marinh.* Busca-vida. [Cf. *grateia*.] ❖

garatuja [Do it. *grattugia*, poss.] *S. f.* **1.** Esgar, momice, careta. **2.** Desenho malfeito, tosco, de pouca importância; rabisco, gatafunho, gatafunhos, garabulha, garabulho, garafunhas, garafunhos, gatimanhos, garavunha, gregotim, gregotins. **3.** Rabisco (1).

garatujar [Do it. *grattuggiare*.] *V. t. d.* **1.** Cobrir com garatujas; rabiscar. *Int.* **2.** Fazer garatujas. [Sin. ger.: *esgaratujar, garabulhar*.]

garatusa [Do esp. *garatusa*.] *S. f.* V. *logro* (2).

garavanço [Do rad. *garav-*, como em *garavato* (q. v.), + *-anço*, poss. V. *gravanço*[2].] *S. m.* Forcado com que se limpa o trigo nas eiras.

garavataí *S. m. Bras. Zool.* V. *carataí*.

garavato [Da mesma or. incerta que o esp. *garabato*; poss. do esp. (asturiano) *gárabu, gáraba*, 'pauzinho', de or. pré-romana.] *S. m.* **1.** Cambo[1]. **2.** V. *graveto* (2). [Var.: *gravato*.]

garavetar [De *garaveto* + *-ar*[2].] *V. int.* Apanhar ou colher garavetos. [Pres. ind.: *garaveto*, etc. Cf. *garaveto* (ê).]

garaveto (ê) [Var de *garavato*.] *S. m.* V. *graveto* (2). [Pl.: *garavetos* (ê). Cf. *garaveto*, do v. *garavetar*.]

garavim [Da mesma or. incerta que o esp. *garvín*.] *S. m.* Toucado antigo, de retrós, com lavores de fio de ouro e renda na parte dianteira: "a cabecita airosa / Toda num garavim de seda cor-de-rosa, / Como um beijo de luz, recendia inocências..." (Júlio Dantas, *A Ceia dos Cardeais*, p. 20).

garavunha [Var. de *garabulha*.] *S. f.* V. *garatuja* (2).

garbo [Do it. *garbo*.] *S. m.* **1.** Elegância, galhardia, donaire. **2.** Pundonor, brio, bizarria. **3.** Distinção, primor.

garbosidade [De *garboso* + -*(i)dade*.] *S. f.* Qualidade ou maneiras de garboso.

garboso (ô) [De *garbo* + -*oso*.] ***Adj.*** Que tem ou revela garbo; donairoso, elegante, bizarro, distinto.

garça[1] [Da mesma or. incerta que o esp. *garza*; poss. de uma f. pré-romana **karkia*.] *S. f. Zool.* Designação comum às aves ciconiiformes, ardeídeas. Vivem aos bandos, frequentam rios, lagoas, charcos, praias marítimas ou manguezais de pouca salinidade, e se alimentam quase só de peixes.

garça[2] [De or. incerta.] *S. f. Tec. Têx.* Certo tecido muito ralo: 📖 "D. Flor tinha nessa manhã um pequeno xale escarlate de garça de seda que lhe servia de gravata" (José de Alencar, *O Sertanejo*, p. 229). [Cf. *talagarça*.]

garça-azul *S. f. Zool.* Ave ciconiiforme, ardeídea (*Florida caerulea*), das costas atlânticas meridionais dos E.U.A. até o N. da Patagônia, de coloração azul-escura, sendo purpúreo-escura na cabeça e no pescoço na época de incubação. Os jovens são brancos. [Sin.: *garça-morena*. Pl.: *garças-azuis*.]

garça-branca-grande [De *garça*[1] + o f. de *branco* + *grande*.] *S. f. Zool.* Ave ciconiiforme, ardeídea (*Casmerodius albus egretta*), da América temperada e tropical, de coloração branca, pés pretos e bico amarelo; a asa mede cerca de 40cm. É extremamente resistente à poluição ambiental. [Sin.: *acará, acaratinga, guiratinga*. Pl.: *garças-brancas-grandes*.]

garça-branca-pequena [De *garça*[1] + o f. de *branco* + o f. de *pequeno*.] *S. f. Zool.* Ave ciconiiforme, ardeídea (*Leucophyx thula*), da América temperada e tropical, desde os E.U.A. até o Chile, de coloração branca e bico preto. Atinge 65cm de comprimento, com a cauda, e as asas têm 25cm. As penas do alto da cabeça são arrepiadas. Alimentam-se de peixes e pequenos animais que vivem no lodo. [Sin.: *garça-pequena, garceta, garcinha*. Pl.: *garças-brancas-pequenas*.]

garça-cinzenta [De *garça*[1] + o f. de *cinzento*.] *S. f. Bras. Zool.* V. *taquiri*. [Pl.: *garças-cinzentas*.]

garça-de-cabeça-preta [De *garça*[1] + *de* + *cabeça* + o f. de *preto*.] *S. f. Bras. Zool.* V. *garça-real*. [Pl.: *garças-de-cabeça-preta*.]

garça-morena [De *garça*[1] + o f. de *moreno*.] *S. f. Bras. Zool.* Garça-azul. [Pl.: *garças-morenas*.]

garção [Do fr. *garçon*.] *S. m.* **1.** *Antiq.* Rapaz, moço, mancebo: 📖 "Tinha dezessete anos; pungia-me um buçozinho que eu forcejava por trazer a bigode. .... Ao cabo, era um lindo garção, lindo e audaz" (Machado de Assis, *Memórias Póstumas de Brás Cubas*, p. 48). **2.** *P. us.* Garçom.

garça-parda [De *garça*[1] + o f. de *pardo*.] *S. f. Bras. RS Zool.* V. *maguari*. [Pl.: *garças-pardas*.]

garça-pequena [De *garça*[1] + o f. de *pequeno*.] *S. f. Bras. Zool.* V. *garça-branca-pequena*. [Pl.: *garças-pequenas*.]

garça-real *S. f. Zool.* Ave ciconiiforme, ardeídea (*Pilherodius pileatus*), que ocorre no Panamá, no N. e L. da América meridional, inclusive na Bolívia, no Paraguai e em quase todo o Brasil. Tem coloração geral branca, e o alto da cabeça preto-purpúreo. [Sin.: *garça-de-cabeça-preta, acaratimbó*. Pl.: *garças-reais*.]

garça-vermelha [De *garça*[1] + o f. de *vermelho*[1].] *S. f. Bras. Zool.* Socó-vermelho. [Pl.: *garças-vermelhas*.]

garceiro [De *garça*[1] + -*eiro*.] ***Adj.*** **1.** Diz-se do falcão que mata garças. **2.** Caçador de garças. ● *S. m.* **3.** *Bras. BA* Lagoa de vegetação abundante, cerrada, de acesso difícil, onde vivem garças em grande quantidade.

garcense[1] ***Adj. 2 g.*** **1.** De, ou pertencente ou relativo a Garça (SP). ● *S. 2 g.* **2.** O natural ou habitante de Garça.

garcense[2] ***Adj. 2 g. S. 2 g.*** V. *barra-garcense*.

garceta (ê) [De *garça*[1] + -*eta* (ê).] *S. f. Bras. Zool.* V. *garça-branca-pequena*.

garcinha [De *garça*[1] + -*inha*.] *S. f. Zool.* V. *garça-branca-pequena*.

garcínia [Do tax. *Garcinia* (do antr. [*Laurent*] *Garcin* [-1751], botânico francês, + lat. cient. -*ia*, v. -*ia*[2]).] *S. f. Bot.* **1.** Grande gênero de árvores clusiáceas originárias de regiões tropicais da Ásia, dotadas de folhas coriáceas e fruto bacáceo com sementes ariladas. **2.** Qualquer espécie desse gênero, como, p. ex., a *Garcinia gardneriana* [v. *bacupari* (2)]. **3.** Qualquer espécime desse gênero.

garço [Da mesma or. incerta que o esp. *garzo*, poss.] ***Adj.*** Esverdeado ou verde-azulado; gázeo: 📖 "O Ega achava-a deliciosa, com o seu corpinho nervoso e ondeado, os seus grandes olhos garços..." (Eça de Queirós, *Os Maias*, II, p. 85.)

garçom [Do fr. *garçon*.] *S. m.* Empregado que serve à mesa em restaurantes, cafés, etc.: 📖 "É ali que circula José Real, o garçom. Não era sempre o garçom do hotel." (Thiers Martins Moreira, *Os Seres*, p. 43.) [A f. *garção* é p. us.]

garçonete [De *garçom* + -*ete*, seg. o padrão erudito.] *S. f. Bras.* Empregada (geralmente de cafés) que serve à mesa ou ao balcão, tal como os garçons.

➔**garçonnière** [gaʀsɔ'njɛʀ] [Fr.] *S. f.* Casa ou apartamento particular, para encontros amorosos clandestinos.

garçota [De *garça*[1] + -*ota*[1].] *S. f. Zool.* **1.** Ave ciconiiforme que se distingue por apresentar à altura da nuca formosas plumas. **2.** Garça[1] nova. ~ V. *garçotas*.

garçotas [Do pl. de *garçota*.] *S. f. pl.* **1.** Penas de garça[1]. **2.** *P. ext.* Penacho (1). ~ V. *garçota*.

gardênia [Do tax. *Gardenia* (do antr. [*Alexander*] *Garden* [1728-1791], naturalista escocês, + lat. cient. -*ia*, v. -*ia*[2]).] *S. f. Bot.* **1.** Grande gênero de árvores e arbustos rubiáceos tropicais, nativos do Velho Mundo, dotados de flores exuberantes, odoríferas, brancas ou amarelas. **2.** Qualquer espécie desse gênero, como, p. ex., a *Gardenia grandiflora* (v. *jasmim-do-cabo*). **3.** Qualquer espécime desse gênero, ou a flor dele.

gardingato [De *gardingo* + -*ato*[1].] *S. m.* Condição ou função de gardingo.

gardingo [Do lat. tard. *gardingu*, de or. gótica.] *S. m.* Homem de classe nobre, entre os visigodos: 📖 "Longe do condado do ilustre barão Argimiro o Negro, para as bandas de Galiza, vivia um nobre gardingo" (Alexandre Herculano, *Lendas e Narrativas*, II, pp. 26-27).

gardunha [Da mesma or. incerta que o esp. *garduña*.] *S. f. Zool.* V. *fuinha* (1).

gardunho [De *gardunha*.] *S. m. Zool.* V. *fuinha* (1).

gare [Do fr. *gare*.] *S. f. Gal.* Estação de estrada-de-ferro.

garela [Do lat. **garela*, por *garrula* (*perdix*), 'perdiz chilreante', f. de *garrulus*, 'que chilra'.] *S. f.* A perdiz no tempo do acasalamento.

garera (ê) [De or. tupi, poss.] *S. f. Bras. Amaz.* Certo utensílio com o feitio de alguidar: 📖 "os apetrechos da fabricação da farinha, os ralos, as gurupemas, os tipitis, as gareras ou cochos, umas como ubás a que houvessem cortado as extremidades, onde ralam a mandioca." (José Veríssimo, *Cenas da Vida Amazônica*, pp. 11-12).

garfada [De *garfo* + -*ada*[1].] *S. f.* Porção de comida que um garfo leva de cada vez.

garfar [De *garfo* + -*ar*[2].] *V. t. d.* **1.** Revolver com garfo (2). **2.** Rasgar com garfo (1): 📄 *garfar a carne*. **3.** Enxertar de garfo (6). **4.** *Bras. Gír.* Prejudicar, lesar. ***Int.*** **5.** Enxertar plantas por meio de garfos [v. *garfo* (6)].

garfeira [De *garfo* (1) + -*eira*.] *S. f.* Estojo para garfos [v. *garfo* (1)].

garfete (ê) [De *garfo* + -*ete* (ê).] *S. m.* Instrumento cilíndrico, de pau ou de vidro, usado na fabricação da seda.

garfiar [De or. obscura.] *V. int. Bras. RS Pop.* V. *fugir* (1 e 2).

garfilha [Var. de *grafila*.] *S. f.* V. *grafila*.

garfo [Do lat. *graphiu* (< gr. *grápheion*), pela var. ant. metatética *garfio*, poss. com infl. do esp. *garfa* (v. *garra*[1]).] *S. m.* **1.** Utensílio de três ou quatro dentes, que faz parte do talher e serve para tirar do prato a comida e levá-la à boca, e também para segurar alguma peça de alimento que se quer cortar. **2.** Forcado (1). **3.** Forquilha das rodas da bicicleta. **4.** Enxame emigrante. **5.** Certo instrumento de tortura semelhante a um garfo. **6.** *Agr.* Haste nova, ou pedaços de casca, com um ou mais botões, e que se transporta para outro indivíduo. **7.** *Tip.* Peça que prende o cilindro da prensa plano-cilíndrica durante o movimento de volta do carro; forquilha. **8.** *Bras.* V. *fancho*. **9.** *Bras.* Pente (1) em forma de garfo com dentes geralmente de metal; ouriçador: 📖 "Quase todos [os menores] portavam pentes usados para eriçar cabelo rebelde, ... chamado de garfo, que os comissários consideram 'uma arma perigosíssima'." (*Jornal do Brasil*, 20.02.1981.) **10.** *Bras. RS* Tipo de fisga com três dentes. ◆ **Ser um bom garfo.** Gostar de comer bem e/ou em quantidade.

gargaçalada *S. f.* V. *gargalaçada*: 📖 "ouviu o rodar rangente da rolha sendo removida e, numa gargaçalada, o líquido entornar-se na cuia." (Herberto Sales, *Além dos Marimbus*, pp. 145-146).

gargajola [De or. obscura.] *S. m.* Rapaz espigado, alto, crescido.

gargalaçada [De *gargalaçar* + -*ada*[1].] *S. f.* Ato de beber ou despejar com ruído o líquido de uma vasilha de gargalo: 📖 "Servido o caldo, a Glória apareceu com a cabaça de vinho, que correu de boca em boca, esvaziando-se em gargalaçadas formidáveis." (José Vieira, *Sol de Portugal*, pp. 45-46.) [Var. metatética: *gargaçalada*.]

gargalaçar [De *gargalo* + -*açar*.] *V. t. d. **Int.*** Beber metendo na boca o gargalo da vasilha: 📄 *Gargalaçou meia garrafa de vinho*; 📖 "A cabaça corre de mão em mão, ... e as bocas sequiosas .... descomedidamente gargalaçam." (José Vieira, *Sol de Portugal*, pp. 47-48). [Conjug.: v. *laçar*.]

gargaleira [De *gargalo* + -*eira*.] *S. f.* Batoque (1). [Cf. *gargalheira*.]

gargalhada [De *gargalhar* + -*ada*[1].] *S. f.* Risada franca e mais ou menos ruidosa e prolongada; casquinada, gaitada.

gargalhadear [De *gargalhada* + -*ear*[2].] *V. int.* Gargalhar. [Conjug.: v. *frear*.]

gargalhar [Do rad. onom. *garg*-, como em *garganta* (q. v.), + -*alhar*.] *V. int.* Soltar gargalhadas; gargalhadear.

gargalhear [De *gargalhar*, com mudança de suf. (v. -*ear*[2]).] *V. int.* Soltar a voz (a hiena).

gargalheira [Por *gargaleira* < *gargalo* + -*eira*.] *S. f.* **1.** Coleira com que se prendiam os escravos. **2.** Coleira de cão de guarda, geralmente com puas. **3.** V. *gorjal*. **4.** *Fig.* Algemas, grilheta. **5.** *Fig.* Opressão, despotismo, tirania. [Cf. *gargaleira*.]

gargalho [Do rad. onom. *garg*-, como no esp. *gargajo* e no port. *garganta*, + -*alho*.] *S. m.* Escarro espesso, que se expele a custo. [Cf. *gargalo*.]

gargalo [Do rad. onom. *garg*-, como em *garganta* (q. v.).] *S. m.* **1.** Colo de garrafa, ou de outra vasilha, com entrada estreita: 📖 "tomou a garrafa, e pelo gargalo sorveu um longo gole." (Lima Barreto, *Recordações do Escrivão Isaías Caminha*, p. 266). **2.** *Burl.* Pescoço, garganta. **3.** *Fig.* Obstáculo, empecilho: 📖 "Começa a se adensar o debate sobre a necessidade de impulsionar a formação profissional, um preocupante gargalo do desenvolvimento" (*Folha de S.Paulo*, 29.04.2008). [Cf. *gargalho*.]

garganta [Do rad. onom. *garg*-, que imita o 'ruído que se faz ao expectorar, escarrar'; 'garganta', poss. pela f. **gargante*, part. pres. do lat. vulg. **gargare*, 'fazer ruído com a garganta'.] *S. f.* **1.** *Pop.* Segmento anterior do pescoço contendo as vias que levam da boca e do nariz, respectivamente, ao estômago e aos pulmões. [Sin.: *gorja, gasganete, goela* e (pop.) *tragadeiro*.] **2.** *P. ext.* A voz: 📄 *Fulano tem uma garganta possante*. **3.** Entrada ou abertura estreita. **4.** V. *desfiladeiro* (1). **5.** *Arquit.* Moldura côncava feita de vários centros. **6.** *Astron.* A parte mais estreita da tubeira de escapamento de um motor à reação, ou de um foguete. ● *S. 2 g.* **7.** *Bras. Pop.* V. *fanfarrão* (2). ● ***Adj. 2 g.*** **8.** *Bras. Pop.* V. *fanfarrão* (1). ◆ **Garganta propulsora.** *Astron.* Conduto de seção reta variável, colocado à saída de um propulsor, e que serve para transformar em energia cinética a energia dos gases em combustão. **Atravessado na garganta.** Diz-se de pessoa, fato, etc. que não se pode perdoar, desculpar ou suportar; entalado na garganta. **Entalado na garganta.** V. *atravessado na garganta*. **Limpar a garganta.** V. *pigarrear* (2). **Molhar a garganta.** *Bras. Pop.* Ingerir bebida alcoólica; molhar a goela. **Não passar da garganta.** Não passar pela garganta: 📖 "– .... Olha, esse tal duque louro, por exemplo, esse que te mandou ontem aquele diamante negro, não me passa da garganta!" (Aluísio Azevedo, *Filomena Borges*, p. 160.) **Não passar pela garganta.** *Bras. Pop.* Ser intolerável, insuportável; não passar da garganta: 📄 *Aquela referência do maledicente não me passou pela garganta*. **Temperar a garganta.** V. *pigarrear* (2). **Ter boa garganta.** Ter boa voz.

garganta-de-ferro *S. f. Bras. Zool.* V. *cotinga*[2]. [Pl.: *gargantas-de-ferro*.]

gargantão [De *garganta* + -*ão*[1].] ***Adj. S. m.*** Glutão, comilão. [Fem.: *gargantona*.]

garganteação [De *gargantear* + -*ção*.] *S. f.* Ato de gargantear.

garganteado [Part. de *gargantear*.] ***Adj.*** **1.** Modulado com afinação. ● *S. m.* **2.** Trinado, gorjeio; garganteio.

garganteador (ô) [De *gargantear* + -*dor*.] ***Adj. S. m.*** Que, ou aquele que garganteia.

gargantear [De *garganta* + -*ear*[2].] *V. int.* **1.** Cantar, variando os tons com ligeireza: 📄 *Com voz suave, garganteava alegremente*. **2.** Fazer trinados com a voz. **3.** Cantar com voz requebrada. **4.** *Bras. Pop.* Contar vantagens; fanfarrear, bazofiar. *T. d.* **5.** Gargantear (1): 📖 "E garganteava umas coplas que tinha aprendido na véspera, quando dançava a tirana e se divertia." (Simões Lopes Neto, *Contos Gauchescos e Lendas do Sul*, p. 143); "o feio caraxué do canto divino garganteia além as melodias mais imprevistas que nunca sonharam maestros." (José Veríssimo, *Cenas da Vida Amazônica*, p. 54). **6.** Cantar ou pronunciar com voz requebrada. [Sin., bras., nas aceps. 1, 3, 5 e 6: *garguitear*. Conjug.: v. *frear*.]

garganteio [Dev. de *gargantear*.] *S. m.* Garganteado (2).

gargantilha [Do esp. *gargantilla*.] *S. f.* Colar ou enfeite que se usa ajustado em volta do pescoço: 📖 "vergado o colo ao peso das gargantilhas de pérolas" (Ricardo Jorge, *Passadas de Erradio*, p. 5).

gargantilho [De *gargantilha*.] ***Adj.*** *Bras.* Diz-se do cão ou do cavalo que tem o pelo da garganta manchado de branco.

gargantona *S. f.* Fem. de *gargantão*.

gargântua [Do fr. *gargantua*, do ficción. fr. *Gargantua*, '*Gargântua*' (< rad. onom. *garg*-, 'garganta' [q. v.]), de

G

Gargântua e Pantagruel, obra de François Rabelais (v. *rabelaisiano*).] *S. m.* Glutão, comilão.

gargantuesco (ê) [Do ficción. *Gargântua* + *-esco*.] *Adj.* Relativo ou semelhante a, ou próprio de Gargântua, personagem comilão e beberrão, pai de Pantagruel (v. *pantagruélico*), criado por Rabelais (v. *rabelaisiano*).

gargarejamento [De *gargarejar* + *-mento*.] *S. m.* Ato ou efeito de gargarejar; gargarejo (1).

gargarejar [Do lat. *gargarizare* < gr. *gargarízein* < rad. onom. *garg-* (v. *gargalho* e *garganta*).] *V. t. d.* **1.** Agitar (um líquido) na boca expelindo o ar pela laringe. **2.** Dizer, proferir, com voz trêmula. *Int.* **3.** Agitar na boca um líquido, com ação medicamentosa ou não, retendo-o, sem engoli-lo, por meio do ar expelido pela laringe. **4.** Fazer gargarejos. **5.** *Pop.* Namorar da rua para a janela. [Conjug.: v. *pelejar*.]

gargarejo (ê) [Dev. de *gargarejar*.] *S. m.* **1.** Agitação de um líquido na boca ou na garganta; gargarejamento. **2.** Líquido, medicamentoso ou não, com que se gargareja. **3.** *Pop.* Namoro da rua para a janela. **4.** *Bras. MG Bot.* Arbusto mimosáceo (*Calliandra santosiana*) dotado de flores vermelho-violáceas. **5.** *Bras. Gír.* Nos teatros, cinemas, auditórios, etc., a primeira fila de cadeiras, ou de pessoas em pé que, pela proximidade com a tela, palco, palanque, etc., são obrigadas a dobrar a cabeça para trás.

gargaú [De *guaru-guaru*.] *S. m. Bras. Zool.* V. *barrigudinho* (1).

gargolejar [De *gorgolejar*, com infl. do rad. *garg-*, como em *garganta*.] *V. int. T. d. T. d. e i.* V. *gorgolejar*: "— E eu? e eu? gargolejaram outras bocas em estertores." (João do Rio, *As Religiões no Rio*, p. 45); "Já vi na Gamboa uma mulher que ficava dous palmos acima do solo, com os braços em cruz, gargolejando injúrias ao Criador" (Id., *ib.*, pp. 173-174).

garguitear *V. int. T. d. Bras.* Garganteаr (1, 3, 5 e 6). [Conjug.: v. *frear*.]

gárgula [Do fr. *gargouille* (ant. *gargoule*) < rad. onom. *garg-*, 'garganta' (q. v.), + fr. *goule*, 'goela'.] *S. f.* **1.** Buraco por onde se escoa a água de uma fonte ou de uma cascata: "Tomou dois sorvos de água, que escorria fria de neve da gárgula centenária" (José Rodrigues Miguéis, *Onde a Noite Se Acaba*, p. 42). **2.** *Arquit.* Cano saliente situado na parte externa de beirais ou cimalhas, que capta e escoa as águas da chuva para longe das paredes, e que, em antigas construções, tinha final esculpido, quase sempre representando figura grotesca. **3.** *P. ext.* Essa figura, considerada motivo de ornamentação de fachada: *As gárgulas das catedrais.*

gari [Do antr. (*Aleixo*) *Gary*, incorporador de uma antiga empresa incumbida da limpeza das ruas cariocas.] *S. 2 g.* Empregado da limpeza pública que varre as ruas; lixeiro: "Não se viam papéis pelas sarjetas; os garis mantinham as ruas impecáveis" (Maria Julieta Drummond de Andrade, *Um Buquê de Alcachofras*, p. 32).

garibaldense *Adj. 2 g.* **1.** De, ou pertencente ou relativo a Garibaldi (RS). • *S. 2 g.* **2.** O natural ou habitante de Garibaldi.

garibáldi [Do antr. (*Giuseppe*) *Garibaldi* (1807-1882), general italiano.] *S. m.* **1.** Blusão vermelho usado exteriormente. **2.** *Bras. Cul.* V. *rocambole* (1).

garimpagem [De *garimpar* + *-agem*².] *S. f. Bras.* **1.** Prática de garimpo. **2.** *Fig.* Ato ou efeito de garimpar (3).

garimpar [De *garimpo* + *-ar*².] *V. t. d.* **1.** Procurar (metal precioso), explorando garimpo (3): *garimpar ouro.* **2.** *P. ext.* Procurar como que em garimpo: *Rato de sebo, vive a garimpar livros raros.* **3.** *Fig.* Selecionar (o que houver de valioso), reunindo, coligindo: *garimpar jornais; garimpar ideias.* *Int.* **4.** Exercer o ofício de garimpeiro. **5.** *Fam.* Minerar (5).

garimpeiro [De *grimpa* + *-eiro*, com epêntese.] *S. m. Bras.* **1.** Aquele que anda à cata de metais e pedras preciosas. **2.** Aquele que trabalha nas lavras diamantinas; cristaleiro. **3.** *P. ext.* V. *faiscador* (1). **4.** *Ant.* Contrabandista que catava furtivamente diamantes nos distritos onde era proibida a entrada de pessoas estranhas ao serviço legal da mineração. **5.** *Fig.* Explorador de preciosidades literárias ou linguísticas.

garimpense *Adj. 2 g.* **1.** De, ou pertencente ou relativo a Conceição das Alagoas (MG). • *S. 2 g.* **2.** O natural ou habitante de Conceição das Alagoas.

garimpo [Voc. deduz. de *garimpeiro*.] *S. m. Bras.* **1.** Mina de diamantes ou carbonados. **2.** Lugar onde se encontram tais minas. **3.** Lugar onde existem explorações diamantinas e auríferas. **4.** *Ant.* Mineração ou exploração clandestina de diamante e de ouro. **5.** *Bras. GO* Povoação fundada e habitada pelos garimpeiros.

garina *S. f. Angol. Fam.* Mulher jovem: "esse gajo com cinquenta anos ainda pensa em apanhar garinas novas?" (Pepetela, *Lueji*, p. 424).

gariroba *S. m. Bras. Bot.* V. *guariroba* (1).

gariteiro [Do esp. *garitero*.] *S. m. Desus.* Proprietário de garito.

garito [Do esp. *garito* < esp. *garita* < fr. ant. *garite* (v. *guarita*).] *S. m. Desus.* Casa de jogo.

garlindéu *S. m. Marinh.* V. *galindréu*.

garlindréu *S. m. Marinh.* V. *galindréu*.

garlopa [Do provenç. *garlopa*.] *S. f.* Plaina grande.

garnacha [Do occitano ant. *ganacha*, *garnacha*, poss. do lat. *gaunaca*, 'certo manto veloso'.] *S. f.* **1.** Veste talar, larga, de cabeção, usada por certos monges e magistrados: "nem a cogula do beneditino, nem a garnacha do arcediago eram apertadas com o cinto de couro recamado, que cingia os briais dos cavaleiros" (Alexandre Herculano, *O Bobo*, p. 89). • *S. m.* **2.** Aquele que veste garnacha.

garnacho [De *garnacha*.] *S. m.* Gabão¹.

garnear [De or. incerta.] *V. t. d.* Alisar [cabedal (7)] com maceta¹ (1). [Conjug.: v. *frear*.]

garnierita [Do antr. (*Jules*) *Garnier* (-1904), geólogo francês, + *-ita*³.] *S. f. Min.* Mineral amorfo, verde, silicato hidratado de níquel e magnésio, importante minério de níquel.

garnimento [De *garnir* + *-mento*.] *S. m. Ant.* Guarnição (6).

garnir [Do fr. *garnir* < germ. ocidental *warnjan* (v. *guarnir*).] *V. t. d. T. d. e i. Ant.* Guarnecer.

garnisé [Do top. *Guernsey* (Grã-Bretanha).] *Adj. 2 g.* **1.** Diz-se dum galináceo pequeno, de certa raça originária da ilha de Guernsey (Grã-Bretanha). **2.** *Bras. Pop.* Diz-se de pessoa de pequena estatura, arrogante e brigona, provocadora. • *S. 2 g.* **3.** Galo¹ (1) ou galinha (1) garnisé. **4.** *Bras. Pop.* Pessoa garnisé (2); galo garnisé, galinha garnisé.

garo¹ [Do lat. *garus*, *i*.] *S. m. Zool.* Peixe, hoje desconhecido, com o qual os romanos preparavam o garo².

garo² [Do lat. *garum*, *i* < gr. *gáron*.] *S. m.* Entre os antigos romanos, molho muitíssimo apreciado, obtido da salmoura (3) dos intestinos, fígado e demais partes das entranhas de certos peixes, como o garo¹, o escaro e a cavala.

garo³ [Do sânscr. *agaru* < hindi *agaru* < port. *agara* ou *garo*.] *S. m. Bot.* V. *agáloco* (1).

garoa¹ (ô) [Var. de *garua*.] *S. f.* **1.** *Met.* Chuva constituída de gotículas com diâmetro inferior a 0,5mm que caem muito próximas umas das outras, o que resulta em diminuição da visibilidade. **2.** V. *chuvisco* (1). **3.** Chuva fina, miúda e persistente. [Sin., nesta acepç.: *zimbro* (bras.), *xereré* (MA), *arenga de mulher* (PI e PE), *xi-xi-xi*, *xixi*, *toró* (N.E.), *apaga-pó*, *jereré* (BA), *xererém* (GO).]

garoa² (ô) *S. m. Bras. SP Pop.* V. *valentão* (3).

garoar [De *garoa*¹ + *-ar*².] *V. int. Bras.* Cair garoa; chuviscar: "Íamos cedo, com o sol ainda débil, o chão molhado de sereno como se tivesse garoado" (Marques Rebelo, *O Trapicheiro*, p. 231); "Garoava na madrugada roxa." (Antônio de Alcântara Machado, *Novelas Paulistanas*, p. 96). [F. paral.: *garuar*. Conjug.: v. *coroar*. Defect., impess.]

garoento [De *garoa*¹ + *-ento*.] *Adj. Bras.* Em que há garoa: "Tristonha, soturna mesmo, garoenta a maior parte do ano, Ouro Preto tinha a sua principal distração nas festividades religiosas." (Eduardo Frieiro, *Feijão, Angu e Couve*, pp. 207-208.)

garopabense *Adj. 2 g.* **1.** De, ou pertencente ou relativo a Garopaba (SC). • *S. 2 g.* **2.** O natural ou habitante de Garopaba.

garota (ô) [Fem. de *garoto*.] *S. f. Bras. Pop.* **1.** Menina (1 e 2). **2.** Namorada; pequena. **3.** V. *ônibus* (2). [Pl.: *garotas* (ô). Cf. *garota* e *garotas*, do v. *garotar*.]

garotada [De *garoto* + *-ada*¹.] *S. f.* **1.** Ajuntamento de garotos. **2.** Os garotos. **3.** Ato ou palavras de garoto. [Sin. ger.: *garotagem*.]

garotagem [De *garoto* + *-agem*².] *S. f.* Garotada: "Trabalhadores .... saíam à beira do caminho, fazendo coro com a garotagem: 'Corujão! Eh! Corujão!'" (Coelho Neto, *Treva*, p. 302.)

garotão [De *garoto* + *-ão*¹.] *S. m. Bras. Fam.* Rapaz que ainda não enfrenta as responsabilidades da vida adulta.

garotar [De *garoto* + *-ar*².] *V. int.* **1.** Andar na garotice; ter vida de garoto. **2.** Andar à tuna; vadiar, gandaiar. [Pres. ind.: *garoto*, *garotas*, *garota*, etc. Cf. *garoto* (ô), *garota* (ô) e o pl. *garotas* (ô).]

garotice [De *garoto* + *-ice*.] *S. f.* **1.** Vida de garoto. **2.** Ato ou palavras de garoto; brejeirice.

garoto (ô) [De or. incerta.] *Adj.* **1.** Que brinca ou anda vadiando pelas ruas; travesso. • *S. m.* **2.** Rapaz sem educação, que anda a vadiar pelas ruas. **3.** Rapaz imberbe. **4.** *Bras.* V. *menino* (1): "Os meninos, no meio do quarteirão, pararam também. Eram dois garotos e uma garota" (Oto Lara Resende, *O Lado Humano*, p. 47). **5.** *Bras. Fam.* Rapaz (2). **6.** *Bras.* Chope pequeno. **7.** *Lus. Pop.* Café com leite servido em xicrinha. [Flex.: *garota* (ô), *garotos* (ô), *garotas* (ô). Cf. *garoto*, *garotas*, *garota*, do v. *garotar*.]

garoto-propaganda *S. m. Bras.* Rapaz que faz publicidade pelos meios visuais de comunicação. [Pl.: *garotos-propagandas* e *garotos-propaganda*.]

garotote [De *garoto* + *-ote*¹.] *S. m.* V. *rapazote*.

garoupa [De or. incerta.] *S. f. Zool.* Designação comum às espécies de peixes teleósteos, perciformes, serranídeos, de carne muito apreciada.

garoupa-chita *S. f. Bras. RJ Zool.* V. *garoupinha*. [Pl.: *garoupas-chitas* e *garoupas-chita*.]

garoupa-crioula [De *garoupa* + o f. de *crioulo*.] *S. f. Bras. Zool.* V. *garoupa-verdadeira* (1). [Pl.: *garoupas-crioulas*.]

garoupa-de-segunda *S. f. Bras. Zool.* Garoupa-são-tomé. [Pl.: *garoupas-de-segunda*.]

garoupa-gato *S. f. Bras. Zool.* Peixe teleósteo, perciforme, serranídeo (*Alphestes afer*), do Atlântico tropical, de coloração avermelhado-escura, com manchas pouco distintas esparsas pelos flancos. Comprimento: 30cm; peso: 1 a 1,8kg. Alimenta-se de peixes e crustáceos, e é pescado com linha de fundo. [Sin.: *peixe-gato*, *pirapiranga*, *cerigado-vermelho*, *sapá*, *sulapeba*. Pl.: *garoupas-gatos* e *garoupas-gato*.]

garoupa-preta [De *garoupa* + o f. de *preto*.] *S. f. Bras. Zool.* V. *garoupa-verdadeira* (1). [Pl.: *garoupas-pretas*.]

garoupa-são-tomé *S. f. Bras. Zool.* Peixe teleósteo, perciforme, serranídeo (*Epinephelus morio*), da costa atlântica da América, de coloração avermelhado-clara, com pontoações quase negras por baixo dos olhos, e abdome claro. Tem o segundo acúleo da dorsal igual ao terceiro, ou maior que este; vive no fundo, sendo pescado com linha; alimenta-se de peixes e crustáceos. [Sin.: *garoupa-de-segunda*. Pl.: *garoupas-são-tomé*.]

garoupa-verdadeira [De *garoupa* + o f. de *verdadeiro*.] *S. f.* **1.** *Bras. Zool.* Peixe teleósteo, perciforme, serranídeo (*Epinephelus gigas*), do Atlântico e Mediterrâneo, de coloração pardo-avermelhada com o flanco manchado irregularmente de verde, uma estria negra atrás dos maxilares, e nadadeiras marginadas de branco. [Sin.: *piracuca*, *garoupa-preta*, *garoupa-crioula*.] **2.** *Bras. ES* Peixe teleósteo, perciforme, serranídeo (*E. moris*). [Pl.: *garoupas-verdadeiras*.]

garoupeira [De *garoupa* + *-eira*.] *S. f. Bras.* Embarcação com um mastro a meio, e outro, pequeno, à popa, onde se iça uma vela, o *burriquete*, empregada na pesca da garoupa nos baixios dos Abrolhos.

garoupinha [De *garoupa* + *-inha*.] *S. f. Bras. Zool.* Peixe teleósteo, perciforme, serranídeo (*Cephalopholis fulvus*), do Atlântico ocidental, da Flórida ao RJ, de coloração variável do amarelo-claro e vermelho-vivo ao pardo, salpicada de pontos azuis. Mede cerca de 22cm. [Sin.: *garoupa-chita*, *catuá*, *caraúna*, *piraúna*.]

garra¹ [De or. incerta; poss. do esp. *garra* (< esp. *garfa*, poss. do ár.).] *S. f.* **1.** Unha aguçada e curva de feras e aves de rapina; gafa. **2.** *P. ext.* Unhas, dedos, mãos. **3.** Pelo comprido ao redor das juntas dos pés dos cavalos. **4.** *Fig.* Tirania, opressão. **5.** *Fig.* Forte interesse, disposição e persistência na execução de qualquer ato; entusiasmo. **6.** *Fig.* Força, intensidade, vigor. **7.** *Cin. Fot.* V. *grifa*² (3). **8.** *Quím.* Peça, ger. metálica, dotada de uma haste e de duas partes curvas em forma de garra¹ (1), com abertura regulável, us. para prender ou sustentar o colo de um balão em montagens laboratoriais. ~ V. *garras*. ◆ **Esconder as garras.** V. *esconder as unhas*. ◆ **Mostrar as garras.** V. *mostrar as unhas*.

garra² [Dev. de *garrar*.] *S. f.* Ato de garrar. ~ V. *garras*. ◆ **À garra.** **1.** *Mar. Bras.* Deixado ao léu; abandonado: *objeto à garra.* **2.** À deriva: *O navio vai à garra.*

garrafa [De or. incerta; poss. do ár. *girāf*, 'medida para grãos', ou de um ár.-persa *qarāba*, 'utensílio para transportar água'.] *S. f.* **1.** Vaso, comumente de vidro, com gargalo estreito, e destinado a conter líquidos. **2.** Porção de líquido que a garrafa contém: *Tomou duas garrafas de cerveja.* [Var.: *algarafa*.] ◆ **Garrafa térmica.** Vaso alongado, de vidro e metal, recoberto de material plástico especial, que conserva quente o líquido que contém; termo. **Conversar com a garrafa.** *Bras. Pop.* V. *embriagar* (4).

garrafada [De *garrafa* + *-ada*¹.] *S. f.* **1.** O conteúdo de uma garrafa. **2.** Medicamento líquido contido em uma garrafa. **3.** Pancada com garrafa. **4.** *Bras.* Beberagem de curandeiro aplicada como remédio: "parou dois dias no Varjão, dando garrafadas com raspas de raiz de ruibarbo, genciana e quinino. A febre não cedeu." (Nélson de Faria, *Tízio e Outras Estórias*, p. 60).

garrafaense *Adj. 2 g.* **1.** De, ou pertencente ou relativo a Garrafão do Norte (PA). • *S. 2 g.* **2.** O natural ou habitante de Garrafão do Norte.

garrafal¹ [Do esp. *garrafal*, alter., por etim. pop., do esp. *garrofal*.] *Adj. 2 g.* **1.** Diz-se de ginja ou de alfarroba de tamanho superior ao habitual. **2.** Grande, graúdo: *letras garrafais.* ~ V. *letra* —.

garrafal² [De *garrafa* + *-al*¹.] *Adj. 2 g.* Que tem forma de garrafa.

garrafão [De *garrafa* + *-ão*[1].] *S. m.* **1.** Grande garrafa, geralmente empalhada ou coberta de verga ou de cortiça: 📖 "O garrafão de pinga, dali a pouco, era levado por um velho perrengue" (Cornélio Pires, *Quem Conta um Conto...*, p. 140). **2.** *Basq.* Área do campo de basquete, sob a tabela, na qual o jogador atacante só pode permanecer, no máximo, três segundos. **3.** *Jog. Inf.* Jogo de pegar, feito junto a um garrafão (1) riscado no terreno, dentro do qual podem refugiar-se os participantes, com a ajuda do companheiro que representa a rolha e que uma vez por outra ocupa a boca do gargalo, para impedir a entrada do pegador.

garrafaria [De *garrafa* + *-aria*.] *S. f.* V. *garrafeira* (1 e 2).

garrafeira [De *garrafa* + *-eira*.] *S. f.* **1.** Depósito ou conjunto de garrafas; garrafaria. **2.** Armário onde se guardam garrafas com vinho; garrafaria, frasqueira. **3.** *Lus.* Adega (1): 📖 "Mais alguns anos de experiência, — o tempo preciso para os colecionadores de garrafeiras começarem a provar como velhos os vinhos presentemente novos — e hão de ver que ninguém mais quererá vinho da véspera" (Ramalho Ortigão, *As Farpas*, I, p. 179).

garrafeiro [De *garrafa* + *-eiro*.] *S. m. Bras.* **1.** Comprador ambulante de garrafas. **2.** Peça de madeira, plástico, etc., para guardar e/ou transportar garrafas: 📖 "O garrafeiro de plástico resistente tem capacidade para seis garrafas, não ocupa espaço, é de fácil limpeza" (*Jornal do Brasil*, 01.10.1981). ● *Adj.* **3.** *Tec. Têx.* Diz-se de um tipo de tecido de algodão encorpado, de fundo preto com listras tirantes a cinza, muito usado em confecções populares, sobretudo em calças para homem: 📖 "quase uma saia, a calça listrada de cintura baixa, inspirada na linha *clochard*, em tecido garrafeiro claro" (*Id.*, 03.07.1982).

garraiada [De *garraio* + *-ada*[1].] *S. f.* **1.** Corrida de garraios. **2.** Grupo ou ajuntamento de garraios.

garraio [De or. obsc.] *S. m.* **1.** Bezerro ainda não corrido e não matreiro. **2.** *Fig.* Homem novato, bisonho, inexperiente. ● *Adj.* **3.** *Fig.* Diz-se de garraio (2): 📖 "um ou dois frades garraios .... cuja estada ali denotava .... que se acha dentro a importante personagem a quem está de ordens." (Almeida Garrett, *Obras Completas*, II, p. 13). **4.** *Bras. RS* Diz-se da cavalgadura ruim.

garrana [De *garrano*.] *S. f.* Égua pequena, porém forte.

garranchada [De *garrancho* + *-ada*[1].] *S. f. Bras.* Grande porção de garranchos: 📖 "Outros ramos se lhe foram juntar e mais uns restos de macegas e garranchadas" (Afonso Arinos, *Pelo Sertão*, p. 133).

garranchento [De *garrancho* + *-ento*.] *Adj.* Cheio de garranchos; garranchoso: 📖 "Antes do carreador .... , tinha um matinho garranchento, especial pra gente se esconder." (Nélson de Faria, *Tiziu e Outras Estórias*, p. 172.)

garrancho [Do esp. *garrancho*.] *S. m.* **1.** Moléstia no casco das cavalgaduras. **2.** Ramo tortuoso de árvores. **3.** Pessoa que, no jogo do solo ou do voltarete, quando a mesa é composta de quatro parceiros, dá as cartas e fica sem jogar. **4.** *Bras.* Galho fino de árvore ou de arbusto; graveto. **5.** *Bras.* Letra ruim, ininteligível.

garranchoso (ô) [De *garrancho* + *-oso*.] *Adj.* **1.** Garranchento: 📄 *mato garranchoso.* **2.** *Bras.* Que tem forma de garrancho; torto: 📖 "sobrescritos traçados por inábeis e toscas mãos de marujo, produtoras sempre .... de uma garranchosa caligrafia impossível." (Virgílio Várzea, *Histórias Rústicas*, p. 15).

garrano [Do ingl. *garron*, *garran*, de or. gaélica.] *S. m.* **1.** Cavalo pequeno, mas forte: 📖 "Acudiram mais corcéis de todas as raças e de todos os reinos, garranos árdegos como touros" (Aquilino Ribeiro, *Jardim das Tormentas*, p. 160). **2.** *Fig.* Indivíduo velhaco, patife.

garrão [Do esp. *garrón*.] *S. m. Bras. RS* Jarrete do cavalo. ◆ **Afrouxar o garrão.** *Bras. RS* **1.** Dobrar as pernas e cair. **2.** Amolecer as pernas, perdendo as forças para subir uma lomba. **3.** *Fig.* Acovardar-se (o homem) em face do adversário.

garrar [Do esp. *garrar*.] *V. int.* **1.** *Mar.* Deslocar-se (uma embarcação fundeada), em virtude de haver-se desunhado sua âncora por ação do vento, maré, correnteza: 📖 "Todo o seu receio era que o barco garrasse e desse no baixio pedregoso" (Xavier Marques, *Jana e Joel*, p. 18). *T. d.* **2.** Desunhar (a âncora) do fundo a que se achava presa, em virtude de forte ação do vento ou da correnteza sobre a embarcação fundeada. *T. i.* **3.** *Bras. Pop.* Começar a, pôr-se a: 📖 "Escuto as notícias, garro a espernear." (Adélia Prado, *Solte os Cachorros*, p. 55.)

garras [Do pl. de *garra*.] *S. f. pl. Bras. RS* Arreios velhos e já gastos. ~ V. *garra*.

garreado [Part. de *garrear*.] *Adj. Bras. RS* **1.** Que sofreu o garreio. **2.** *Fig.* Desanimado (1). **3.** *Fig.* Que se vê em apuros; que anda perseguido.

garrear [De *garra*[1] + *-ear*[2].] *V. t. d.* **1.** *Bras. RS* Tirar as garras de couro de (o animal). **2.** Tosquiar em (o ovino) a lã que não faz parte do véu, *i. e.*, a da região do garrão, entre outras. **3.** Prender com a garra; agarrar. **4.** *Fig.* Derrear (4). *Int.* **5.** Esmorecer, desanimar, derrear-se. [Conjug.: v. *frear*.]

garreio [Dev. de *garrear*.] *S. m. Bras. RS* Ato de garrear (2).

garriácea *S. f. Bot.* V. *garryácea*.

garriáceo *Adj. Bot.* V. *garryáceo*.

garrial *Adj. 2 g. Bot.* V. *garryal*.

garriale *S. f. Bot.* V. *garryale*.

garriça *S. f. Bras. Zool.* **1.** Ave passeriforme, troglodítidea (*Troglodytes musculus*), distribuída pelo Brasil e países limítrofes, de coloração parda, avermelhada no crisso e na cauda, indistintamente listrada de negro no dorso, asas e caudas listradas de preto. Frequenta habitações humanas e se alimenta de insetos, aranhas e outros artrópodes de pequeno porte. Seu canto é agradável. [Sin.: *cutipuruí*, *curupuruí*.] **2.** Designação comum a outras espécies dos gêneros *Troglodytes* e *Cistothorus*, com os mesmos hábitos e alimentação. [Var. e sin. ger.: *carriça*, *carricinha*, *corruíra*, *cambaxirra* (q. v.), *garricha*, *garrincha*.]

garricha *S. f. Bras. Zool.* V. *garriça*.

garrida [F. subst. de *garrido*.] *S. f.* **1.** Sineta. **2.** Roda de ferro que se põe por baixo de pedras grandes para deslocá-las.

garridice [De *garrido* + *-ice*.] *S. f.* **1.** Requinte excessivo no vestir; janotismo, garridismo. **2.** *Fig.* Brilho, cintilação; elegância: 📄 *São notáveis as garridices do seu estilo.*

garridismo [De *garrido* + *-ismo*.] *S. m.* V. *garridice* (1).

garrido [Part. de *garrir*.] *Adj.* **1.** Muito enfeitado; janota, casquilho. **2.** Alegre, brilhante, vivo. **3.** Elegante, gracioso. **4.** Que dá na vista, que chama a atenção; vistoso: 📖 "um carro alentejano, sem toldo, trazendo dentro um ramilhete de sorrisos frescos, de saias claras e refesteladas, de lenços garridos, azuis como a flor do almeirão, escarlates como as papoilas, amarelos como os malmequeres" (Conde de Ficalho, *Uma Eleição Perdida*, pp. 236-237).

garril [De or. obscura.] *S. m. Bras.* Obstáculo intencional ao trânsito de veículos e/ou de cavaleiros, e que consiste numa árvore caída sobre uma estrada. [Us. por cangaceiros.]

garrincha *S. f. Bras. PE a SE Zool.* V. *garriça*.

garrir [Do lat. *garrire*.] *V. int.* **1.** Ressoar, badalar. **2.** Tagarelar, chilrear. **3.** Brincar, folgar, foliar. **4.** Ostentar luxo. **5.** Brilhar, luzir. *P.* **6.** Trajar com garridice; pavonear-se. [Defect. Só se conjuga nas f. em que ao *r* da raiz se segue um *i*.]

garro [De or. obscura.] *Adj. Desus.* **1.** V. *leproso* (1). ● *S. m.* **2.** Sarro (4).

garrocha [Do esp. *garrocha*.] *S. f. Taur.* Pau com ferro farpado numa extremidade, substituído atualmente pela farpa ou bandarilha. [Cf. *garrucha*.]

garrochada [De *garrocha* + *-ada*[1].] *S. f.* Picada com a garrocha.

garrochar [Do esp. *garrochar*.] *V. t. d.* **1.** Picar (touro) com garrocha. **2.** Estimular, incitar. [Cf. *garruchar*.]

garroeira [De **garroa*, por *garoa*, + *-eira*.] *S. f. Bras. AL* Entre os pescadores, o alísio de sudeste.

garrota [Fem. de *garrote*[2] (q. v.).] *S. f. Bras.* Cria fêmea da vaca até os dois anos de idade.

garrotada [De *garrote*[2] + *-ada*[1].] *S. f. Bras.* Porção de garrotes.

garrotar [De *garrote*[1] + *-ar*[2].] *V. t. d.* **1.** Estrangular por meio de garrote[1]; garrotear, agarrotar. **2.** Aplicar garrote[1] (3) em; garrotear.

garrote[1] [Do fr. *garrot* (de or. controversa), poss.] *S. m.* **1.** Pau curto com que se apertava a corda que estrangulava os condenados. **2.** Estrangulação sem suspensão do padecente. **3.** *Cir. Med.* Torniquete ou faixa que se coloca, preventivamente ou não, em parte de um membro do corpo, visando a evitar ou estancar uma hemorragia, tornar uma veia saliente bastante para permitir a retirada de sangue para exame, para administrar certos medicamentos, ou ainda, para diminuir o afluxo de sangue venoso para o coração. **4.** *Fig.* Angústia, tormento.

garrote[2] [Do fr. *garrot* (< provenç. *garrot*), poss.] *S. m.* Bezerro de dois a quatro anos de idade. [Fem. (bras.): *garrota* (q. v.).]

garrotear [De *garrote*[1] + *-ear*[2].] *V. t. d.* **1.** V. *garrotar*: 📖 "foi ela [a vitória contra os franceses de Villegagnon, em 1567] manchada pelo fanatismo e crueldade dos vencedores, que fizeram garrotear alguns vencidos colonistas que escaparam à carnificina da batalha." (João Ribeiro, *História do Brasil*, p. 118). **2.** *Bras. RS* Sovar (o couro) até amaciá-lo bem. [Conjug.: v. *frear*.]

garrotilho [Do esp. *garrotillo*.] *S. m.* **1.** *Patol.* V. *crupe diftérico*. **2.** *Veter.* Doença de cavalos, causada pelo *Streptococcus equi*.

garrucha [Do esp. *garrucha*.] *S. f.* **1.** *Ant.* Pau curto com que se armavam as bestas. **2.** *Ant.* Polé de dar tratos. **3.** *Bras.* Pistola de carregar pela boca. [Sin., pop., nesta acepç.: *combleia*, *perereca* (bras.) e *cu de boi* (bras., BA).] **4.** *Bras. SP* O jogador que não tenta grandes lances e procura não arriscar o lucro. **5.** *Bras. RS Pop.* China[2] (5 e 6) velha. ● *Adj. 2 g.* **6.** *Bras. SP* Diz-se de garrucha (4). [Cf. *garrocha*.]

garruchar [De *garrucha* (4) + *-ar*[2].] *V. int. Bras. SP* Jogar cautelosamente, para não arriscar os lucros dos primeiros lances. [Cf. *garrochar*.]

garruchense *Adj. 2 g.* **1.** De, ou pertencente ou relativo a Garruchos (RS). ● *S. 2 g.* **2.** O natural ou habitante de Garruchos.

garruchismo [De *garrucha* + *-ismo*.] *S. m. Bras. SP* Sovinice, agarramento.

garrucho [Do esp. *garrucho* < esp. *garrucha*.] *S. m. Marinh.* Garruncho.

garruço *S. m. Prov. port.* V. *carapuça* (1 e 2).

garrulante [De *garrular* + *-nte*.] *Adj. 2 g.* Que garrula; que é dado a garrular: 📖 "E a verde nuvem garrulante, aos gritos, / De súbito se apossa / Dos cachos sussurrantes do arrozal." (Da Costa e Silva, *Poesias Completas*, p. 84.)

garrular [Do lat. *garrulare*.] *V. int.* Palrar, parolar, tagarelar, grulhar: 📖 "Mulheres e meninos trêfegos, garrulando, corriam à praia." (Xavier Marques, *Jana e Joel*, p. 43.) [Pres. ind.: *garrulo*, etc. Cf. *gárrulo*.]

garrulear [De *gárrulo*[1] + *-ear*[2].] *V. int.* V. *garrular*: 📖 "em Haddock Lobo, Julieta garruleia em bandos pela calçada; e nas casas humildes da Cidade Nova, Julieta, que trabalhou todo o dia pensando nessa hora fugace, pende à janela o seu busto formoso..." (João do Rio, *A Alma Encantadora das Ruas*, p. 21). [Conjug.: v. *frear*.]

garrulice [De *garrulo* + *-ice*.] *S. f.* Qualidade de gárrulo; tagarelice: 📖 "Tudo isto interrompido por mil carinhos e entremeado dessa ingênua garrulice com que as mães falam aos filhinhos de colo, e que eles parecem entender" (José de Alencar, *O Sertanejo*, p. 47).

gárrulo[1] [Do lat. *garrulu*.] *Adj.* **1.** Que canta muito. **2.** Que fala muito; palrador, tagarela: 📖 "Aqueles corriam, pelas calçadas da vila, gárrulos e trêfegos" (Antônio Justa, *Praia do Desterro*, p. 8). **3.** Em que há garrulice, tagarelice: 📖 "A gárrula dobadoira de há pouco é agora uma estática maceração aos gritos." (Miguel Torga, *Diário*, IV, p. 33.) ● *S. m.* **4.** Aquele que canta muito. **5.** Tagarela, palrador, loquaz. [Cf. *garrulo*, do v. *garrular*.]

gárrulo[2] [Do tax. *Garrulus*.] *S. m. Zool.* **1.** Grande gênero de pássaros da família dos corvídeos, que destes se distinguem por serem menores, mais arborícolas e terem, frequentemente, a cauda mais longa, e crista; têm hábitos errantes, são belicosos, onívoros, e costumam destruir os ninhos e matar os filhotes doutros pássaros. **2.** Qualquer espécie desse gênero, como, p. ex., a *Garrulus glandarius*, europeia, de plumagem marrom tirante ao vermelho, mosqueada de azul, preto e branco; essa espécie, assim como outras do gênero, é tb. chamada *gaio*. **3.** Qualquer espécime desse gênero.

garruncho [Var. de *garrucho*, poss.] *S. m. Marinh.* Cada um dos anéis de metal ou de cabo presos no gurutil de vela latina para envergá-la na carangueja, ou nos punhos de qualquer vela para fixação da sua adriça, amura, escota, etc.; garrucho. [F. paral.: *garrucho*.]

gárrya [Do tax. *Garrya* (do antr. [*Nicholas*] *Garry*, administrador inglês que foi secretário da *Hudson Bay Company* no séc. XIX).] *S. f. Bot.* **1.** O gênero-tipo das garryáceas, que reúne cerca de 33 espécies de arbustos e árvores dioicos, perenes, ricos em alcaloides tóxicos, com folhas simples, pequeninas flores amentíferas e frutos bacáceos; são cultivados como ornamentais e como medicinais, sendo nativos do N.O. dos E.U.A. ao Panamá e ilhas do Caribe. **2.** Qualquer espécie, ou espécime desse gênero.

garryácea [Do tax. *Garrya* (v. *gárrya*) + *-ácea*, tax. *Garryaceae*.] *S. f. Bot.* Espécime das garryáceas, família da ordem das cornales que compreende os gêneros *Eucuba* e *Garrya* (v. *gárrya*).

garryáceo [De *garryácea*, com var. suf. (v. *-áceo*).] *Adj. Bot.* Pertencente ou relativo às garryáceas.

garryal [Do lat. cient. *Garry-* (v. *garryale*) + *-al*[1].] *Adj. 2 g. Bot.* V. *cornal*.

garryale [Do tax. *Garrya* (v. *gárrya*) + *-ale*; tax. *Garryales*.] *S. f. Bot.* V. *cornale*.

garua [Do esp. *garúa* < port. *caruja* (q. v.).] *S. f. Bras.* V. *garoa*[1].

garuar [De *garua* + *-ar*[2].] *V. int. Bras.* V. *garoar*.

garupa [Do fr. *croupe* < frâncico **kruppa*.] *S. f.* **1.** A parte superior do corpo das cavalgaduras que se estende do lombo aos quartos traseiros: 📖 "Em certas ocasiões me botava na garupa do seu cavalo Gouveia e saía para ver de perto os trabalhos dos cabras no eito." (José Lins do Rego, *Meus Verdes Anos*, p. 322.) **2.** *P. ext.* Anca (1): 📖 "A garupa da vaca era palustre e bela" (Jorge de Lima, *Obra Completa*, I, p. 638). **3.** *P. ext.* Alforje, mala ou malote que se leva atrás da sela. **4.** *P. ext.* Lugar ou espaço atrás da sela ou do selim:

G

O cavaleiro levava o filho na garupa; O menino ia na garupa da bicicleta. ◆ **Tirar na garupa.** *Bras. RS* Tirar de um perigo, de dificuldade, de aperto.

garupada [De *garupa* + *-ada*[1].] ***S. f.*** Salto que o cavalo dá sem mostrar as ferraduras.

garupeira [De *garupa* + *-eira.*] ***S. f.*** *Bras. MG PA* Tiras de sola, ou relhos, fixadas ao traseiro da sela, e com as quais se amarra qualquer objeto que se transporta sobre o xairel ou pendurado de qualquer dos lados.

garuvense ***Adj. 2 g.*** **1.** De, ou pertencente ou relativo a Garuva (SC). ● ***S. 2 g.*** **2.** O natural ou habitante de Garuva.

gás [Do fr. ant. *gas*, atual *gaz*, t. criado pelo médico e químico flamengo *Van Helmont* (1577-1644), a partir do lat. *chaos*, gr. *cháos* (v. *caos*), cujo som consonantal correspondia no flamengo ao *g.*] ***S. m.*** **1.** Fluido infinitamente compressível, cujo volume é o do recipiente que o contém. **2.** *Fig.* Animação, entusiasmo, desembaraço. **3.** *Bras.* Presunção, bazófia, jactância. **4.** *Fig.* Vigor, energia, disposição; animação. **5.** *Bras. N.E. N.* Morrão de balão de S. João. **6.** *Bras. BA Pop.* V. *cachaça* (1). **7.** *Lus.* Gasolina (1). **8.** *Fís.* Fluido compressível em que as interações moleculares são bastante fracas, a agitação térmica é permanente e notável, e não existe organização espacial. [Pl.: *gases* (q. v.). Cf. *gaz*, s. m., o pl. *gazes*, e *gazes*, pl. de *gaze.*] ~ V. *gases.* ◆ **Gás asfixiante.** *Mil. P. us.* Produto químico que tem ação fisiológica asfixiante. **Gás carbônico.** *Quím.* Dióxido de carbono, gasoso, incolor, inodoro, solúvel em água, formando solução ácida; dióxido de carbono [fórm.: CO_2]. **Gás clorídrico.** *Quím.* Cloreto de hidrogênio, gasoso, incolor, sufocante, solúvel em água, formando o ácido clorídrico [fórm.: HCl]. **Gás combustível.** *Quím.* Mistura gasosa combustível usada em processos de calefação industrial ou no acionamento de motores de explosão. **Gás de água.** *Quím.* O que se obtém pela ação de vapor de água sobre carvão a quente, constituído por monóxido de carbono e hidrogênio. **Gás de alto-forno.** *Quím.* O que eflui de um alto-forno, resultante da reação entre o ar, o coque e o minério, e constituído por dióxido de carbono, monóxido de carbono, hidrogênio e nitrogênio, e que, depois de tratamento apropriado, se usa como combustível secundário na usina siderúrgica. **Gás de Clayton.** *Quím. Desus.* Gás empregado para matar ratos e insetos, e resultante da passagem de uma corrente de ar sobre enxofre. **Gás de combate.** *Mil.* Qualquer agente químico usado em ações bélicas sob a forma de gás, de névoa ou de poeira finíssima. **Gás de coqueria.** *Quím.* Mistura gasosa obtida na pirólise do coque, e que, depois de purificado de fenóis, alcatrão e compostos amoniacais, é usado como gás combustível industrial. **Gás de gasogênio.** *Quím.* Gás de gerador. **Gás de gerador.** *Quím.* Gás combustível gerado pela ação de ar ou de vapor de água sobre carvão aquecido, de modo que se tem combustão incompleta, e constituído por monóxido de carbono, hidrogênio e nitrogênio, além de outros gases em proporção pequena, usado como combustível industrial ou destinado a motores de explosão; gás de gasogênio. **Gás de iluminação.** Mistura gasosa, obtida pela destilação da hulha, e com proporções variadas de hidrogênio, monóxido de carbono e metano, usado para fins culinários, de iluminação, ou de calefação industrial. **Gás de mostarda.** *Mil.* Iperita. **Gás de petróleo.** *Quím.* Mistura gasosa combustível, constituída por hidrogênio, monóxido de carbono e metano, além de outros gases em proporção pequena, obtido pela reação entre o vapor de água e vapores de petróleo, e usado como combustível industrial. **Gás de refinaria.** *Quím.* Mistura gasosa de hidrogênio, metano, propano, butano, eteno, propeno, alguns hidrocarbonetos de maior massa molecular, e também com pequeno teor de compostos sulfurados, obtida no craqueamento e destilação de petróleo e usada como matéria-prima em diversos procedimentos industriais (obtenção de gasolina com alto teor de octano, obtenção de alcoóis, sínteses orgânicas, p. ex.). **Gás de síntese.** *Quím.* Mistura de monóxido de carbono e hidrogênio, usada como ponto de partida da síntese industrial de hidrocarbonetos, de alcoóis e de outros compostos orgânicos. **Gás dos nervos.** *Mil.* Designação genérica de várias substâncias venenosas, gases ou aerossóis, us. em guerra química, que são compostos organofosforados, com ação inibitória da acetilcolinesterase. **Gás dos pântanos.** *Quím.* O metano que se desprende em consequência da fermentação anaeróbica da matéria orgânica nos pântanos. **Gás esternutatório.** *Mil.* V. *gás vomitivo.* **Gás hilariante.** *Quím.* Óxido de dinitrogênio, gasoso, incolor, anestesiante [fórm.: N_2O]. **Gás ideal.** *Fís.* Gás em que o produto da pressão pelo volume é proporcional à temperatura absoluta; gás que obedece às leis de Boyle e de Gay-Lussac. [Sin.: *gás perfeito.*] **Gás inerte.** *Quím.* Gás nobre. **Gás iodídrico.** *Quím.* Iodeto de hidrogênio, incolor, solúvel em água [fórm.: HI]. **Gás liquefeito de petróleo.** *Quím.* Mistura combustível, constituída principalmente por propano e butano em proporções variadas, usada como combustível de uso doméstico [sigla: *GLP*]. **Gás natural.** *Quím.* Mistura gasosa, rica em hidrocarbonetos leves, especialmente metano, encontrada em jazimentos geológicos ou que escapa desses jazimentos. **Gás natural veicular.** *Quím.* O combustível fóssil metano, us. em motores a gasolina [sigla: GNV.] **Gás nobre.** *Quím.* Qualquer dos gases elementares, hélio, neônio, argônio, criptônio, xenônio e radônio, que constituem uma família homogênea na classificação periódica dos elementos; gás inerte. **Gás perfeito.** *Fís.* Gás ideal. **Gás permanente.** *Fís.* Designação comum outrora a alguns gases cuja liquefação parecia impossível. **Gás pobre.** *Quím.* Gás combustível, constituído por hidrogênio, monóxido de carbono, dióxido de carbono, e nitrogênio, obtido pela passagem de ar e vapor de água sobre carvão aquecido. **Gás real.** *Fís.* O que não é ideal e cuja equação de estado não é, portanto, a dos gases perfeitos. **Gás sulfídrico.** *Quím.* Composto de enxofre e hidrogênio, gasoso, incolor, com cheiro nauseabundo, venenoso [fórm.: H_2S]. **Gás sulfuroso.** *Quím.* Dióxido de enxofre, incolor, com cheiro sufocante, venenoso, solúvel em água [fórm.: SO_2]. **Gás tonante.** *Quím.* Mistura explosiva constituída por duas partes de hidrogênio e uma de oxigênio. **Gás vomitivo.** *Mil.* Gás de combate que provoca tosse, espirro, dores no nariz e na garganta, fluxo nasal, e, às vezes, lágrimas, dor de cabeça e vômitos; gás esternutatório. **Gases industriais.** *Quím.* Designação genérica de gases que servem de matéria-prima industrial nos processos de química pesada, e entre os quais se incluem o hidrogênio, o monóxido de carbono, o dióxido de enxofre, o gás de síntese, o acetileno, o óxido nitroso e o amoníaco. **Gases nobres.** *Quím.* O grupo (3) que ocupa a décima oitava coluna da tabela periódica, formado pelos gases nobres (v. *gás nobre*). **Cheio de gás.** *Pop.* Com muita disposição; ansioso por agir.

gasalhado [Subst. do part. de *gasalhar.*] ***S. m.*** **1.** Bom acolhimento; hospedagem, agasalho. **2.** Conforto, calor, agasalho. **3.** *Ant.* Roupas.

gasalhar ***V. t. d. P.*** V. *agasalhar.*

gasalho [Dev. de *gasalhar.*] ***S. m.*** Aconchego, agasalho.

gasalhoso (ô) [De *gasalho* + *-oso.*] ***Adj.*** Que dá gasalho ou hospitalidade; hospitaleiro: *Passei três meses sob o seu teto gasalhoso.*

gascão [Do fr. *gascon.*] ***Adj.*** **1.** De, ou pertencente ou relativo à Gasconha (França). ● ***S. m.*** **2.** O natural ou habitante da Gasconha. **3.** *Gloss.* Língua românica (também classificada como dialeto) dessa região; occitânico. **4.** *Fig.* Fanfarrão, parlapatão.

gasconada [De *gascão* + *-ada*[1], seg. o padrão erudito.] ***S. f.*** Ato, modos ou dito de gascão (4). V. *fanfarrice* (2).

gasear [De *gás* + *-ear*[2].] ***V. t. d.*** Sujeitar à ação de gases; atacar com gases. [Conjug.: v. *frear*. Cf. *gazear.*]

gaseificação (e-i) [De *gaseificar* + *-ção.*] ***S. f.*** Operação de gaseificar(-se); gasificação.

gaseificar (e-i) [Adapt. do fr. *gazéifier.*] ***V. t. d.*** **1.** Reduzir a gás; vaporizar. **2.** Adicionar gás a. ***P.*** **3.** Reduzir-se ao estado de gás. [Sin. ger.: *gasificar*. Conjug.: v. *trancar.*]

gaseificável (e-i) [De *gaseificar* + *-vel.*] ***Adj. 2 g.*** Que se pode gaseificar; gasificável.

gaseiforme (e-i) [Do fr. *gazéiforme.*] ***Adj. 2 g.*** Que se apresenta no estado gasoso.

gases [Do pl. de *gás.*] ***S. m. pl.*** Vapores do estômago e dos intestinos; ventosidades. [Cf. *gazes*, pl. de *gaze.*] ~ V. *gás.*

gasganete (ê) [Do rad. express. *gasg-*, 'garganta' (q. v.), comum em *engasgar* e em *engasgalhar.*] ***S. m.*** V. *garganta* (1). [Var.: *gasnete*, f. sincopada, e *gasnate*, var. de *gasnete* com assimilação.]

gasguita [Do rad. *gasg-*, como em *engasgar* e *gasganete* (q. v.).] ***Adj. (f.) S. f.*** *Bras.* Diz-se de, ou mulher ou criança de voz esganiçada ou que fala esgoelando-se.

gasguitar [De *gasguita* + *-ar*[2].] ***V. int.*** *Bras.* Falar com voz de gasguita; gasguitear.

gasguitear [De *gasguita* + *-ear*[2].] ***V. int.*** *Bras.* Gasguitar. [Conjug.: v. *frear.*]

gasificação [De *gasificar* + *-ção.*] ***S. f.*** Gaseificação.

gasificar [De *gás* + *-ificar.*] ***V. t. d. P.*** Gaseificar. [Conjug.: v. *trancar.*]

gasificável [De *gasificar* + *-vel.*] ***Adj. 2 g.*** Gaseificável.

gasista [De *gás* + *-ista.*] ***S. 2 g.*** **1.** *Bras. Ant.* Homem que acendia os candeeiros de gás da iluminação pública. **2.** Indivíduo que faz instalações de gás e/ou as conserta. [Sin. (lus.), nesta acepç.: *canalizador.*] **3.** Pessoa que trabalha na indústria de gás.

gasnate ***S. m.*** V. *gasganete*: "se pudesse, era capaz de ir ter com ele, e deitar-lhe as mãos ao gasnate." (Machado de Assis, *Quincas Borba*, p. 89).

gasnete (ê) ***S. m.*** V. *gasganete.*

▲ **gas(o)-** [De *gás* + *-o-*, a exemplo do fr. *gazo-* < fr. *gaz* + *-o-*, como em *gazomètre*, 'gasômetro'.] ***El. comp.*** = 'gás': *gasogênio, gasometria.*

gasoduto [De *gas(o)-* + *-duto.*] ***S. m.*** Tubulação destinada a conduzir a grandes distâncias produtos gasosos, particularmente gases naturais ou derivados de petróleo.

gasogénio ***S. m.*** V. *gasogênio.* [Uso freq. em P.]

gasogênio [De *gas(o)-* + *-gen(o)-* + *-io*[3]; fr. *gazogène.*] ***S. m.*** **1.** Aparelho para fabricar ou produzir gás; gasógeno. **2.** Aparelho que transforma, por oxidação incompleta, o carvão ou a madeira no gás pobre, empregado nos motores de explosão como substituto da gasolina, etc.

gasogenista [De *gasogênio* + *-ista.*] ***S. 2 g.*** Fabricante de gasogênio.

gasógeno [De *gas(o)-* + *-geno.*] ***Adj.*** **1.** Que produz gás. ● ***S. m.*** **2.** Gasogênio (1).

gasóleo [Do ingl. *gas oil.*] ***S. m.*** *Quím.* Produto de destilação do petróleo, com ponto de ebulição superior ao do querosene e inferior ao do óleo lubrificante, usado como combustível em motores *diesel* e também como matéria-prima para craqueamento.

gasolina [Do fr. *gazoline.*] ***S. f.*** **1.** *Quím.* Mistura de hidrocarbonetos, em geral saturados, com quatro até doze átomos de carbono, obtida pela destilação fracionada e pelo craqueamento do petróleo, usada como combustível em motores de explosão. A gasolina comercial contém também olefinas, hidrocarbonetos aromáticos e naftênicos. O ponto de fulgor é da ordem de -45°C e na destilação passa entre 39°C e 204°C. [Sin., lus.: *gás.*] **2.** *Bras.* Barco de motor acionado por gasolina. [Em Portugal, nesta acepç., é s. m.] **3.** *Bras. BA* Qualquer barco a motor.

gasolineira [De *gasolina* + *-eira.*] ***S. f.*** *Lus.* Posto[1] (7).

gasolineiro [De *gasolina* + *-eiro.*] ***S. m.*** *Lus.* Frentista (3).

gasometria [De *gas(o)-* + *-metria.*] ***S. f.*** Arte de medir os volumes dos gases.

gasométrico [De *gasometria* + *-ico*[2].] ***Adj.*** Referente à gasometria.

gasómetro ***S. m.*** V. *gasômetro.* [Uso freq. em P.]

gasômetro [De *gas(o)-* + *-metro.*] ***S. m.*** **1.** Aparelho para medir gás. **2.** Reservatório de gás para iluminação ou combustão. **3.** Fábrica de gás.

gasosa [F. subst. de *gasoso.*] ***S. f.*** *Bras. N.E.* **1.** Limonada gasosa. **2.** *Angol.* Retribuição de serviço prestado, muitas vezes ligado ao processo de corrupção: "Haveria que preparar tudo, incluindo lençóis, cobertor, a gasosa para as enfermeiras" (Manuel Rui, *Rioseco*, p. 476).

gasoso (ô) [De *gás* + *-oso.*] ***Adj.*** **1.** Da natureza do gás. **2.** Saturado de anidrido carbônico. ~ V. *água mineral —a, cromatografia —a, estado —, gangrena —a* e *limonada —a.*

gaspacho [Do esp. *gazpacho.*] ***S. m.*** *Cul.* Iguaria de origem espanhola: sopa fria com pedacinhos de pão temperada fortemente com vinagre, alho, cebola, tomate, etc., e sobretudo com azeite: "Tudo nele [no Alentejo] é novo e bizarro para quem o visita. .... Os arcos .... e os coruchéus das suas casas; a açorda de coentros e o gaspacho de alho e vinagre das suas refeições" (Miguel Torga, *Portugal*, p. 120). [Sin., lus.: *agermolho, agernulho, algeramolho.*]

gasparense ***Adj. 2 g.*** **1.** De, ou pertencente ou relativo a Gaspar (SC). ● ***S. 2 g.*** **2.** O natural ou habitante de Gaspar.

gaspariense ***Adj. 2 g.*** **1.** De, ou pertencente ou relativo a Comendador Levy Gasparian (RJ). ● ***S. 2 g.*** **2.** O natural ou habitante de Comendador Levy Gasparian.

gasparinho [Do antr. *Gaspar* (*da Silveira Martins*) (1835-1901), político brasileiro que em 1878, ministro da Fazenda, autorizou fracionarem-se os bilhetes de loteria.] ***S. m.*** *Bras.* A menor fração de bilhete de loteria. [Sin.: *gasparino, gafanhoto.*]

gasparino [Do antr. *Gaspar* (v. *gasparinho*) + *-ino*[2].] ***S. m.*** *Bras.* V. *gasparinho.*

gáspea [De or. obscura.] ***S. f.*** A parte superior e dianteira do calçado, a qual cobre parcialmente o pé e é cosida à parte posterior: *Prefiro os mocassins de gáspea alta.*

gaspeadeira [De *gaspear* + *-deira.*] ***S. f.*** Operária que gaspeia.

gaspeador (ô) [De *gaspear* + *-dor.*] ***S. m.*** Operário que gaspeia. [Fem.: *gaspeadeira.*]

gaspear [De *gáspea* + *-ar*[2].] ***V. t. d.*** Pôr gáspeas em (calçado). [Conjug.: v. *frear.*]

gastadeira [De *gastar* + *-deira.*] ***Adj. (f.) S. f.*** V. *gastador*: "A Mara é uma fútil, uma desfrutável, e uma gastadeira de marca maior!" (Telmo Vergara, *Contos da Vida Breve*, p. 115.)

gastador (ô) [De *gastar* + *-dor.*] ***Adj. S. m.*** **1.** Que, ou aquele que gasta. **2.** Que, ou aquele que gasta em excesso; esbanjador, dissipador, perdulário. [Fem.: *gastadeira* e *gastadora.*]

gastalho [Do rad. *gast-*, como em *gastar*, + *-alho*.] ***S. m.*** **1.** *Marc.* Espécie de grampo com que se apertam aduelas, folhas de madeira, etc., nos trabalhos de tanoaria e marcenaria; gravata. **2.** *Prov. port.* Aparelho para tirar água de poço: "um mundo rico, de aluvião, de maná, onde não é preciso tirar dos abismos, a gastalho, a verdura duma couve" (Miguel Torga, *Portugal*, p. 106).

gastamento [De *gastar* + *-mento*.] ***S. m. P. us.*** Gasto (6).

gastança [De *gastar* + *-ança*.] ***S. f.*** Gasto excessivo.

gastar [Do lat. *vastare*, 'devastar', 'arruinar', com infl. do germ. ocidental *wôstan*, ou *wôstjan*.] ***V. t. d.*** **1.** Diminuir pelo atrito o volume de: *O uso gasta o soalho.* **2.** Consumir, destruir, danificar: *O tempo gasta igualmente o belo e o feio.* **3.** Deteriorar, safar, estragar; rapar: *gastar os sapatos.* **4.** Esgotar, exaurir, consumir: *Gastou em vão as suas energias.* **5.** Fazer gasto de; despender: *Gastou enormes quantias.* **6.** Servir-se de; usar, empregar: *Não gasta palavras à toa.* **7.** Cansar, importunar: *gastar a paciência.* **8.** Enfraquecer, abater: *gastar a saúde.* **9.** Fazer a digestão de; digerir. **10.** Passar (a vida, o tempo); ocupar. **11.** *Cabo-verd.* Comer (1): "Ofereceram-lhe janta. .... Não quis gastar nada." (Baltasar Lopes, *Os Trabalhos e os Dias*, p. 79.) ***T. d. e i.*** **12.** Aplicar, empregar, consumir: *Gastou no negócio tudo o que possuía.* **13.** Dissipar, desperdiçar: *Gastou a juventude em farras.* ***Int.*** **14.** Despender dinheiro: "A mulher do Adão .... parecia atacada da mania de gastar. Comprava tudo, arrematava tudo." (Vieira Pires, *Querência*, p. 67.) **15.** Deteriorar-se, estragar-se, consumir-se. **16.** *Cabo-verd.* Guinchar: "Nas rochas, os macacos, perturbados, começaram a 'gastar' com insistência." (Manuel Veiga, *Diário das Ilhas*, p. 48.) ***P.*** **17.** Perder as forças, a saúde: *Gastou-se com os anos de fumo e bebida.* **18.** Extinguir-se, acabar(-se). **19.** Deteriorar-se, estragar-se: *De muito usado, não tardou o aparelho a gastar-se*; "A voz de Ernestina gastou-se nesse pedir de trinta anos." (José Vieira, *Sol de Portugal*, p. 55). **20.** Enfraquecer(-se), debilitar-se; mortificar-se: "gastara-me em macerações, ávido de santificar-me." (Humberto Crispim Borges, *Cacho de Tucum*, pp. 39-40). [Part.: *gastado* e *gasto*.]

gastável [De *gastar* + *-vel*.] ***Adj. 2 g.*** **1.** Que se pode gastar. **2.** Que se gasta muito.

gáster [Do lat. cient. *gaster* < gr. *gastér*, 'ventre', 'abdome'.] ***S. m. Zool.*** Os últimos sete ou oito segmentos abdominais das formigas, situados atrás do pecíolo [Pl.: *gásteres*.]

▲**-gáster** V. *gastr(o)-*.

gasteralgia [De *gaster(o)-* + *-alg(o)-*[2] + *-ia*[1].] ***S. f. Med.*** *Obsol.* V. *gastralgia*.

▲ **gaster(o)-** V. *gastr(o)-*.

▲**-gástero** V. *gastr(o)-*.

gasteropelecídeo [Adapt. do *Gasteropelecidae*.] *Zool.* ***S. m.*** **1.** Espécime dos gasteropelecídeos, família de peixes caraciformes, encontrados na América do Sul, que têm o corpo lateralmente comprimido e o abdome dilatado; podem planar sobre a água, batendo rapidamente as nadadeiras peitorais bem desenvolvidas. Ex.: borboleta-branca. • ***Adj.*** **2.** Pertencente ou relativo a eles.

gasterosteiforme [Adapt. do tax. *Gasterosteiformes*.] *Zool.* ***S. m.*** **1.** Espécime dos gasterosteiformes, ordem de peixes teleósteos, com 11 famílias, distribuídos em águas marinhas, temperadas e tropicais, ou em águas fluviais. • ***Adj. 2 g.*** **2.** Pertencente ou relativo a eles.

gasto [De *gastar*.] ***Adj.*** **1.** Que se gastou ou despendeu. **2.** Deteriorado, estragado, danificado: "os sapatos gastos, sem salto, não faziam rumor." (Coelho Neto, *Turbilhão*, p. 162). **3.** Coçado, surrado: *roupa gasta.* **4.** *Fig.* Abatido, enfraquecido, consumido, avelhantado: *Apesar de novo, é um homem gasto.* **5.** *Fig.* Abalado, desgastado: *Está com os nervos gastos.* • ***S. m.*** **6.** Aquilo que se gastou ou consumiu; despesa, dispêndio: *Teve com a festa um gasto enorme.* [Sin., p. us., nesta acepç.: *gastamento*.] **7.** Dano, detrimento. **8.** *Adm. Econ.* Dispêndio financeiro relacionado a um custo produtivo, a uma despesa ou a um investimento.

gastralgia [De *gastr(o)-* + *-alg(o)-*[2] + *-ia*[1].] ***S. f. Med.*** Dor no estômago; gasteralgia, gastrodinia.

gastrálgico [De *gastralgia* + *-ico*[2].] ***Adj.*** Relativo a gastralgia.

gastrectasia [De *gastr(o)-* + *-ectas-* + *-ia*[1].] ***S. f. Med.*** Dilatação do estômago.

gastrectomia [De *gastr(o)-* + *-ectom-* + *-ia*[1].] ***S. f. Cir.*** Excisão parcial ou total do estômago.

gastrectómico ***Adj.*** V. *gastrectômico*. [Uso freq. em P.]

gastrectômico [De *gastrectomia* + *-ico*[2].] ***Adj.*** Referente a gastrectomia.

gastrenterite [De *gastr(o)-* + *-enter(o)-* + *-ite*[1].] ***S. f. Med.*** Inflamação simultânea do estômago e dos intestinos. [Sin., p. us.: *enterogastrite*.]

gastrenterocolite (ên) [De *gastr(o)-* + *-enter(o)-* + *-col(o)-* + *-ite*[1].] ***S. f. Med.*** Inflamação simultânea do estômago, intestino delgado e intestino grosso.

gastrenterologia (ên) [De *gastr(o)-* + *-enter(o)-* + *-logia*.] ***S. f.*** Parte da medicina que se ocupa das doenças do sistema digestório.

gastrenterológico (ên) [De *gastrenterologia* + *-ico*[2].] ***Adj.*** Relativo à gastrenterologia.

gastrenterologista (ên) [De *gastrenterologia* + *-ista*.] ***S. 2 g.*** Especialista em gastrenterologia.

gastrepático [De *gastr(o)-* + *-(h)epat(o)-* + *-ico*[2].] ***Adj.*** *Med.* Do estômago e do fígado, ou relativo a eles.

gastresofagiano [De *gastr(o)-* + *esôfago* + *-iano*.] ***Adj.*** *Med.* Relativo ao estômago e ao esôfago.

gastresofagite [De *gastr(o)-* + *esôfago* + *-ite*[1].] ***S. f. Patol.*** Inflamação simultânea do estômago e do esôfago.

gástrico [De *gastr(o)-* + *-ico*[2].] ***Adj. Anat.*** Relativo ou pertencente ao estômago. ~ V. *aquilia —a* e *embaraço —*.

gastrina [De *gastr(o)-* + *-ina*[3].] ***S. f. Bioquím.*** Cada um de um grupo de hormônios polipeptídicos, de diferentes pesos moleculares, liberados no suco gástrico; o grupo estimula a secreção gástrica ácida, causando contração do esfíncter inferior do esôfago e alteração da motilidade gastrintestinal, aumenta o crescimento de células mucosas secretoras de ácido e, discretamente, excita a secreção de enzimas pancreáticas e a contração da vesícula biliar.

gastrinoma [De *gastrina* + *-oma*[1].] ***S. m. Patol.*** Tumor que segrega gastrina, encontrado, principalmente, no pâncreas, mas que pode ocorrer, também, noutros locais, como o estômago.

gastrintestinal [De *gastr(o)-* + *intestinal*.] ***Adj. 2 g. Anat.*** Relativo ou pertencente ao estômago e aos intestinos.

gastrite [De *gastr(o)-* + *-ite*[1].] ***S. f. Patol.*** Inflamação do estômago.

gastro [Do lat. *gastru*.] ***S. m.*** Antigo vaso romano, muito bojudo.

▲ **gastr(o)-** [Do gr. *gastḗr*, *gastrós*.] ***El. comp.*** = 'estômago', 'ventre', 'área ventral', 'formação semelhante ao ventre': *gástrico*, *gastroduodenal*. [Equiv.: *-gáster*, *-gástero*, *-gastr(o)-*, *-gastro*: *apogáster*, *siderogáster*; *mixogástero*; *gasteralgia*; *paquigástrico*; *anfigastro*, *hologastro*.]

▲**-gastr(o)-** V. *gastr(o)-*.

▲**-gastro** V. *gastr(o)-*.

gastrocâmara [De *gastr(o)-* + *câmara*.] ***S. f. Med.*** Pequena câmara (12) que pode ser deglutida ou introduzida no estômago por meio de instrumento apropriado, para fotografar-lhe o interior.

gastrocele [De *gastr(o)-* + *-cele*[1].] ***S. f. Embr.*** Arquêntero.

gastrocnémio ***Adj. Anat.*** V. *gastrocnêmio*. [Uso freq. em P.]

gastrocnêmio [Do lat. cient. *gastrocnemius*.] ***Adj. Anat.*** ~ V. *músculo —*.

gastrocólico [De *gastr(o)-* + *-col(o)-* + *-ico*[2].] ***Adj.*** Do estômago e do colo[2], ou relativo a eles. ~ V. *reflexo —*.

gastrocolite [De *gastr(o)-* + *-col(o)-* + *-ite*[1].] ***S. f. Patol.*** Inflamação simultânea do estômago e do colo[2].

gastroconjuntivite [De *gastr(o)-* + *conjuntivite*.] ***S. f. Veter.*** Inflamação do estômago e da mucosa ocular, que ataca a espécie cavalar quando é excessivo o calor.

gastrodinia [De *gastr(o)-* + *-odin(o)-* + *-ia*[1].] ***S. f. Med.*** V. *gastralgia*.

gastrodínico [De *gastrodinia* + *-ico*[2].] ***Adj.*** Relativo a gastrodinia.

gastroduodenal [De *gastr(o)-* + *duodeno* + *-al*[1].] ***Adj. 2 g.*** *Anat.* Relativo ou pertencente ao estômago e ao duodeno.

gastroduodenite [De *gastr(o)-* + *duodeno* + *-ite*[1].] ***S. f.*** *Gastr.* Inflamação do estômago e do duodeno.

gastroduodenostomia [De *gastr(o)-* + *duodeno* + *-stom(o)-* + *-ia*[1].] ***S. f. Cir.*** Comunicação estabelecida cirurgicamente entre o estômago e o duodeno.

gastroduodenostómico ***Adj.*** V. *gastroduodenostômico*. [Uso freq. em P.]

gastroduodenostômico [De *gastroduodenostomia* + *-ico*[2].] ***Adj.*** Relativo a gastroduodenostomia.

gastroenterite [De *gastr(o)-* + *-enter(o)-* + *-ite*[1].] ***S. f.*** *Patol.* V. *gastrenterite*.

gastroenterocolite (ên) [De *gastr(o)-* + *-enter(o)-* + *-col(o)-* + *-ite*[1].] ***S. f. Patol.*** V. *gastrenterocolite*.

gastroenterologia (ên) ***S. f.*** V. *gastrenterologia*.

gastroenterológico (ên) ***Adj.*** V. *gastrenterológico*.

gastroenterologista (ên) ***S. 2 g.*** V. *gastrenterologista*.

gastroesofagite ***S. f. Patol.*** V. *gastresofagite*.

gastrointestinal (o-in) ***Adj. 2 g.*** V. *gastrintestinal*.

gastrólatra [De *gastr(o)-* + *-latra*.] ***S. 2 g.*** Pessoa que tudo sacrifica aos prazeres do estômago. [Cf. *glutão*.]

gastrolatria [De *gastrólatra* + *-ia*[1].] ***S. f.*** Qualidade ou índole de gastrólatra.

gastrolátrico [De *gastrólatra* + *-ico*[2].] ***Adj.*** Relativo a gastrolatria, ou a gastrólatra.

gastrolitíase [De *gastr(o)-* + *-lit(o)-* + *-íase*.] ***S. f. Med.*** Presença de cálculos [v. *cálculo* (4)] no estômago.

gastrólito [De *gastr(o)-* + *-lito*.] ***S. m. Patol.*** Cálculo (4) que se forma no estômago.

gastrologia [Do gr. *gastrología*.] ***S. f.*** **1.** Arte culinária. **2.** O conhecimento profundo dessa arte.

gastrológico [De *gastrologia* + *-ico*[2].] ***Adj.*** Relativo à gastrologia.

gastrólogo [De *gastro-*, como em *gastrologia*, + *-logo*.] ***S. m.*** Especialista em gastrologia.

gastronecto [De *gastr(o)-* + *-necto*.] ***Adj. Zool.*** Diz-se do peixe cujas vértebras abdominais são tão desenvolvidas que formam um órgão próprio para a natação.

gastronomia [Do gr. *gastronomía*.] ***S. f.*** **1.** Conhecimento teórico e/ou prático acerca de tudo que diz respeito à arte culinária, às refeições apuradas, aos prazeres da mesa. **2.** Arte de regalar-se com finos acepipes.

gastronómico ***Adj.*** V. *gastronômico*. [Uso freq. em P.]

gastronômico [De *gastronomia* + *-ico*[2].] ***Adj.*** Respeitante à gastronomia.

gastrónomo ***S. m.*** V. *gastrônomo*. [Uso freq. em P.]

gastrônomo [Voc. deduz. de *gastronomia* (v. *gastr(o)-* e *-nomo*).] ***S. m.*** Aquele que é dado à gastronomia: "Monselet era um gastrônomo consciente e requintado, que fazia da mesa a sua grande voluptuosidade." (Fialho d'Almeida, *Pasquinadas*, p. 196.)

gastropancreático [De *gastr(o)-* + *-pancreat(o)-* + *-ico*[2].] ***Adj.*** Do estômago e do pâncreas, ou relativo a eles.

gastropatia [De *gastr(o)-* + *-patia*.] ***S. f. Patol.*** Qualquer doença do estômago; gastrose.

gastropático [De *gastropatia* + *-ico*[2].] ***Adj.*** Referente a gastropatia.

gastrópode [De *gastr(o)-* + *-pode*; tax. *Gastropoda*.] *Zool.* ***S. m.*** **1.** Espécime dos gastrópodes, importante classe de moluscos de concha univalve, ou desprovidos de concha, quase sempre assimétricos, corpo dividido em três regiões distintas: cabeça, com tentáculos onde se situam os olhos e os órgãos sensitivos; um pé largo, situado ventralmente e às vezes adaptado para natação; e uma massa visceral, dorsal, normalmente protegida numa concha formada de uma só peça. As espécies adaptadas à vida terrestre constituem a ordem dos pulmonados. • ***Adj. 2 g.*** **2.** Pertencente ou relativo a eles.

gastropterígio [De *gastr(o)-* + *-pterígio*.] ***Adj. Zool.*** Diz-se dos peixes cujas barbatanas ventrais ficam atrás das peitorais.

gastrorreia (éi) [De *gastr(o)-* + *-reia*.] ***S. f. Med.*** Excesso de produção de muco ou de suco gástrico no estômago. ❖

gastrorreico (éi) [De *gastror(reia)* + *-reico*.] ***Adj.*** Relativo a gastrorreia. ❖

gastroscopia [De *gastr(o)-* + *-scop-* + *-ia*[1].] ***S. f. Med.*** Inspeção do interior do estômago, mediante o uso de gastroscópio.

gastroscópio [De *gastr(o)-* + *-scópio*.] ***S. m. Med.*** Endoscópio com que se faz a gastroscopia.

gastrose [De *gastr(o)-* + *-ose*[1].] ***S. f. Patol.*** Gastropatia.

gastrospasmo [De *gastr(o)-* + *espasmo*.] ***S. m. Med.*** Contração espasmódica do estômago.

gastrostomia [De *gastr(o)-* + *-stom(o)-* + *-ia*[1].] ***S. f. Cir.*** Formação cirúrgica de fístula gástrica para introdução de alimentos ou esvaziamento do estômago. [Cf. *gastrotomia*.]

gastrostómico ***Adj.*** V. *gastrostômico*. [Uso freq. em P.]

gastrostômico [De *gastrostomia* + *-ico*[2].] ***Adj.*** Relativo à gastrostomia. [Cf. *gastrotômico*.]

gastrotomia [De *gastr(o)-* + *-tom(o)-* + *-ia*[1].] ***S. f. Cir.*** Seção de parede gástrica. [Cf. *gastrostomia*.]

gastrotómico ***Adj.*** *Cir.* V. *gastrotômico*. [Uso freq. em P.]

gastrotômico [De *gastrotomia* + *-ico*[2].] ***Adj.*** *Cir.* Relativo à gastrotomia. [Cf. *gastrostômico*.]

gastrotríquio [De *gastr(o)-* + *-triqu(i)-* + *-io*[3]; tax. *Gastrotricha*.] *Zool.* ***S. m.*** **1.** Espécime dos gastrotríquios, classe de asquelmintos minúsculos (0,07 a 0,60mm), marinhos ou de água doce, revestidos de cerdas. Têm o corpo cilíndrico anteriormente e achatado posteriormente; porção ventral com duas fileiras de cílios para locomoção. • ***Adj.*** **2.** Pertencente ou relativo a eles.

gastrovascular [De *gastr(o)-* + *vascular*.] ***Adj. 2 g. Zool.*** Diz-se de cavidade dotada de funções tanto digestivas quanto circulatórias, como a que existe nos cnidários.

gastrozoário [De *gastr(o)-* + *-zo(o)-* + *-ário*.] ***S. m. Zool.*** Animal em que é predominante o sistema digestório.

gástrula [De *gastr(o)-* + *-ula*.] ***S. f. Embr.*** Estágio de desenvolvimento embrionário em que estão presentes os três folhetos germinativos e o arquêntero.

gastrulação [Do ingl. *gastrulation* (do ingl. [*to*] *gastrulate*, este do lat. cient. *gastrula*).] ***S. f. Embr.*** Processo pelo qual o disco embrionário bilaminar é convertido em disco embrionário trilaminar.

gastura [De *gasto* + *-ura*.] ***S. f. Bras.*** Prurido, comichão, arrepio, aflição, irritação nervosa, originados por sons ou ruídos, sensações de tato, etc.: "Uma coisa .... desgranida, repuxando os nervos da mão da gente, solevando os braços, sem a gente querer. Uma gastura danada..." (Nélson de Faria, *Bazé*, p. 108). [Cf. *agastura*.]

gata [Do lat. *catta*.] *S. f.* **1.** *Zool.* A fêmea do gato. **2.** *Marinh.* Mastro de ré dos navios de três mastros aparelhados à galera. **3.** *Marinh.* Mastaréu de gávea que espiga logo acima do mastro real da gata. **4.** *Marinh.* Verga de gávea que cruza no mastaréu da gata, por cima da verga seca. **5.** *Marinh.* Âncora de um só braço, usada em amarrações fixas. **6.** *Marinh.* Na galera, a vela de gávea do mastro de ré (mastro da gata). **7.** Antiga máquina de guerra, espécie de catapulta: "Por cima das muralhas, os engenhos das gatas jogam pedras soltas." (Antero de Figueiredo, *Leonor Teles*, p. 151.) **8.** *Pop.* V. *bebedeira* (1). **9.** *Bras. Gír.* Mulher muito bonita e/ou provocante; gatona. **10.** *Bras. Zool.* V. *cação-pinto*. ◆ **Chegar à gata.** *Bras. S.* Chegar com dificuldade e cansaço. **De gatas.** De gatinhas (q. v.). **Não aguentar uma gata pelo rabo. 1.** *Fam.* Estar muito fraco, debilitado, em extremo; não aguentar um gato pelo rabo: "amolentava-lhe as forças com mixilanga somente dela conhecida, e, quando percebia que o sujeito não aguentava mais uma gata pelo rabo, investia." (Nélson de Faria, *Bazé*, p. 45). **2.** *Irôn.* Diz-se de alguém que se presume mais forte, mais saudável, ou mais poderoso, etc., do que realmente é: *Não aguentava uma gata pelo rabo, no entanto almejava a diretoria-geral da empresa.*

gata-borralheira *S. f.* **1.** Cinderela. **2.** *P. ext.* Mulher muito dada aos serviços da casa, e que ger. não gosta de sair. [Pl.: *gatas-borralheiras*.]

gatafunhar [De *gata*, poss.] *V. t. d.* Garatujar, rabiscar: "É possível que o poeta Félix Arvers sentisse desejos de, renunciando a tantos sonhos inatingíveis, continuar no cartório bafiento, gatafunhando clarezas e escrituras" (Melo Nóbrega, *O Soneto de Arvers*, p. 25).

gatafunho [De *gata*, poss.] *S. m. P. us.* V. *garatuja* (2).

gatafunhos *S. m. pl.* V. *garatuja* (2).

gatão [De *gato* + *-ão*[1].] *S. m.* **1.** V. *gato* (1). **2.** *Bras. Gír.* V. *gato* (20).

gata-parida [De *gata* + o f. de *parido*.] *S. f.* **1.** *Bras.* Brinquedo de meninos em que todos se sentam num banco e principiam a comprimir-se uns aos outros, imitando os miados do gato; espreme-gato. **2.** *Bras. PE* Brincadeira infantil em que crianças ficam sentadas num banco e se esforçam por expulsar uma delas, empurrando-se mutuamente. [Pl.: *gatas-paridas*.]

gataria [De *gato* + *-aria*.] *S. f.* Multidão de gatos. [Cf. *gatária*.]

gatária [Adapt. do lat. cient. (*Nepeta*) *cataria*, por tratar-se de erva muitíssimo apreciada pelos gatos.] *S. f. Bot.* Planta lamiácea (*Nepeta cataria*) tomentosa, nativa do C. e do S.O. asiáticos, de folhas cordiformes e flores de corola branca pontilhada de vermelho; as folhas, cultivadas como medicinais, têm efeito análogo ao da maconha e são muito apreciadas pelos gatos. [Sin.: *erva-dos-gatos*, *erva-gateira*, *erva-gato*.]

gatarrão [De *gato* + *-arrão*.] *S. m.* V. *gato* (1): "um esplêndido gatarrão nédio e branco" (Graciliano Ramos, *Linhas Tortas*, p. 19).

gatázio [De *gato* + *-ázio*.] *S. m. Pop.* **1.** Unhas, garras. **2.** Dedos.

gateado[1] [De *gato* + *-eado*.] *Adj. Bras.* **1.** Diz-se do cavalo de pelo amarelo-avermelhado: "e 'para ginetear um pouco', escolheu o gaúcho a um bagual gateado" (Alcides Maia, *Tapera*, p. 87). **2.** Diz-se dos olhos amarelo-esverdeados, como os do gato; gateado: "Os olhos miúdos, inquietos, meio gateados, ... denotam vivacidade" (Vieira Pires, *Querência*, p. 39).

gateado[2] [Part. de *gatear*.] *Adj.* Seguro com gato (3).

gateador (ô) [De *gatear* + *-dor*.] *S. m. Bras.* **1.** Caçador que gateia [v. *gatear* (3)], que é ardiloso, manhoso. **2.** Indivíduo ardiloso, astuto, manhoso. **3.** Ladrão, gatuno.

gatear [De *gato* + *-ear*[2].] *V. t. d.* **1.** Segurar com gatos [v. *gato* (3)]. **2.** Consertar, segurando com gatos [v. *gato* (3)]. **3.** *Bras.* Caçar aproximando-se sorrateiramente de (a caça). *Int.* **4.** Andar de gatinhas; engatinhar. **5.** Roubar, furtar. [Conjug.: v. *frear*.]

gateio [Dev. de *gatear*.] *S. m. Bras.* Ato de gatear na caça.

gateira [De *gato* + *-eira*.] *S. f.* **1.** Buraco nas portas para passagem dos gatos. **2.** Fresta ou trapeira sobre o telhado, para entrar luz e ar. **3.** *Constr. Nav.* Abertura no convés, por onde a amarra desce para o seu paiol. **4.** *Constr. Nav.* Abertura quadrangular na antepara do porão, por onde, em ocasiões de combate, passavam, do paiol de pólvora, os cartuchos, polvorinhos, etc. **5.** *Bras.* Buraco que se deixa na parte superior dos alicerces das casas à maneira de respiradouro dos porões.

gateiro [De *gato* + *-eiro*.] *S. m.* **1.** Aquele que conserta louça prendendo as diversas partes com gatos [v. *gato* (3)]. **2.** Indivíduo que gosta e/ou cuida de gatos. **3.** *Bras. Amaz.* Gato (18): "No início toda essa gente foi aliciada pelos gateiros, que a retirou de outros estados, principalmente Goiás, alegando que ganhariam dinheiro fácil na região." (Edilson Martins, *Nossos Índios, Nossos Mortos*, p. 94.) ●*Adj.* **4.** Diz-se de gateiro (2).

→**gatekeeper** ['gejt,kijpə] [Ingl.] *S. m. Comun.* Profissional que, numa empresa de comunicação, é responsável pela seleção daquilo que será publicado ou apresentado ao público.

gatesco (ê) [De *gato* (1) + *-esco*.] *Adj. Desus.* V. *felino* (1).

→**gateway** ['gejtwej] [Ingl., lit., 'portão'.] *S. m. Inform.* Em redes de computadores, dispositivo ou programa que permite a ligação entre redes que utilizam protocolos de comunicação diferentes, compatibilizando-os.

gateza (ê) [De *gato* + *-eza*.] *S. f.* **1.** *Bras.* Qualidade ou característica típica dos gatos. **2.** *Bras. N. N.E. MG* Ligeireza, agilidade: "Laçara a bicha uma suçuarana, com uma gateza tal que deixara o próprio felino aturdido e sufocado." (Nélson de Faria, *Bazé*, p. 82.)

gaticida [De *gato* + *-i-* + *-cida*.] *Adj. 2 g.* **1.** Que mata gatos. ●*S. m.* **2.** Aquilo que mata gatos. ●*S. 2 g.* **3.** Indivíduo que mata gatos.

gaticídio [De *gato* + *-i-* + *-cídio*.] *S. m.* Ação de matar gato(s).

gatil [De *gato* + *-il*[1].] *S. m. Bras. P. us.* Lugar onde se abrigam ou criam gatos.

gatilho [Do esp. *gatillo*.] *S. m.* **1.** Peça dos fechos da arma de fogo, pela qual se puxa a fim de efetuar o disparo. [Sin.: *disparador* e (bras.) *pinguelo*.] **2.** *Eletrôn.* Circuito biestável que passa de uma para outra condição quando recebe um pulso; multivibrador biestável; disparo. **3.** *Fís. Part.* Condição ou conjunto de condições que, caso satisfeitas, disparam um detector. **4.** *Inform.* Procedimento, ger. associado a um banco de dados, que é executado automaticamente quando uma condição preestabelecida é satisfeita; disparo. ◆ **Gatilho salarial.** *Econ.* Sistema de reajuste salarial pelo qual os salários são aumentados sempre que a inflação acumulada atingir determinado percentual.

gatimanhos [De *gato*.] *S. m. pl.* **1.** Gestos ridículos ou sinais feitos com as mãos; gatimônias, gatimonha, gatimonho: "o marotinho do rapaz gingava no telhado, bamboleando o corpo e fazendo-lhe gatimanhos de zombaria" (José de Alencar, *Guerra dos Mascates*, p. 57). **2.** V. *garatuja* (2).

gatimonha *S. f.* V. *gatimanhos* (1).

gatimonho *S. m. Bras.* V. *gatimanhos* (1).

gatimónias *S. f. pl. Prov. port.* V. *gatimônias*.

gatimônias *S. f. pl. Bras. N. N.E. SP* V. *gatimanhos* (1): "como ele se recusasse a falar e a olhá-la, passou ela a fazer uma porção de gatimônias." (Dalcídio Jurandir, *Três Casas e um Rio*, p. 154).

gatina [De *gattina*.] *S. f.* Doença peculiar dos bichos-da-seda.

gatinha [De *gata* + *-inha*.] *S. f.* **1.** *Bras. BA Zool.* Filhote de tintureiro (7). **2.** *Bras. Gír.* Adolescente muito bonita, graciosa. ~ V. *gatinhas*.

gatinhar [De *gatinha*, dim. de *gata*, + *-ar*[2].] *V. int.* V. *engatinhar* (1): "— Eu tenho pai, juro. .... Morreu quando eu gatinhava." (Humberto Crispim Borges, *Cacho de Tucum*, p. 41.)

gatinhas [Do pl. de *gatinha*, dim. de *gata*.] *El. s. f. pl.* Us. na loc. *de gatinhas*. ~ V. *gatinha*. ◆ **De gatinhas.** Apoiado no chão com as mãos e os joelhos; de gatas: *andar, ficar de gatinhas*; "Foram-se aproximando do pego, de gatinhas." (Fialho d'Almeida, *Contos*, p. 152).

gato [Do lat. *cattu*.] *S. m.* **1.** *Zool.* Animal mamífero, carnívoro, felídeo (*Felis cattus domesticus*), digitígrado, de unhas retráteis, domesticado pelo homem desde tempos remotos, e usado comumente para combate aos ratos. [Sin., inf.: *miau*. Aum.: *gatão*, *gatarrão*, *gatorro*.] **2.** Indivíduo ligeiro, esperto. **3.** Peça de metal que prende louça rachada ou quebrada. **4.** Utensílio de tanoeiro, com que se arqueiam vasilhas e se endireitam aduelas de pipas. **5.** Grampo (1). **6.** Erro, engano, descuido, lapso. **7.** *Marinh.* Gancho de aço forjado, ger. preso a um olhal, para ser amarrado ao chicote de um cabo ou corrente a fim de içar pesos ou prender-se onde for necessário. **8.** *Bras. Mar. G.* Objeto, serviço ou obra, feitos durante o horário de expediente e/ou com material do navio, sem autorização competente. **9.** *Bras. Mar. Gír.* Jacaré (8). **10.** *Bras. Tip.* V. *erro tipográfico*. **11.** *Bras. Turfe Gír.* Cavalo que, não sendo puro-sangue, foi inscrito irregularmente entre animais de raça de uma sociedade que exige *pedigree*. [Cf. *gato* (15).] **12.** *Bras. N.E. Fam.* V. *repreensão* (1). **13.** *Bras. MA PE Gír.* Concubina. **14.** *Bras. MA PE Gír.* Mulher um tanto leviana. **15.** *Bras. PE* Cavalo de corrida dado como de sangue inferior ao que na realidade tem. [Cf. *gato* (11).] **16.** *Bras. S.* Ladrão, gatuno, larápio. **17.** *Bras.* No jogo do bicho (q. v.), o 14º grupo (14), que abrange as dezenas 53, 54, 55 e 56, e corresponde ao número 14. **18.** *Bras.* Aquele que recruta trabalhadores, servindo de intermediário entre o empreiteiro e o peão[2] (4); gateiro: "Essa gente foi recrutada do Nordeste, de Goiás .... Como elemento sedutor, nessa mobilização, surge a figura do gato, que envolve o futuro peão, ... oferece-lhe inclusive um salário mensal." (Edilson Martins, *Nós, do Araguaia*, p. 159.) **19.** *Bras. Pop.* Ligação clandestina de energia elétrica, telefone, água, televisão por assinatura, etc. **20.** *Bras. Gír.* Homem bonito e/ou atraente; gatão. ◆ **Amarrar o gato. 1.** *Bras. MG Pop.* V. *defecar* (5). **2.** V. *embriagar* (4). **Chamar o gato meu tio.** Tomar a bênção a cachorro. **Comer gato por lebre.** *Pop.* V. *comprar gato por lebre.* **Comprar gato por lebre.** *Pop.* Ser enganado, recebendo coisa pior do que a devida ou esperada. [Sin.: *comer gato por lebre*; *comer gambá errado*.] **Dar o gato em.** *Bras.* Prender, segurar. **Dar uma de gato mestre.** *Bras.* Meter-se a gato mestre. **Fazer de gato e sapato.** *Bras.* V. *fazer gato-sapato de.* **Meter-se a gato mestre.** Agir como quem sabe tudo, quando pouco ou nada sabe; dar uma de gato mestre. **Não aguentar um gato pelo rabo.** *Fam.* Não aguentar uma gata pelo rabo. **Vender gato por lebre.** *Pop.* Enganar, oferecendo coisa pior do que a devida ou esperada. **Viver como gato e cachorro.** Viver (duas pessoas) em conflitos intermináveis, sempre a discutir, a brigar.

gato-açu [De *gato* + *-açu*.] *S. m. Bras. Zool.* V. *jaguatirica*. [Pl.: *gatos-açus*.]

gato-africano-selvagem *S. m. Zool.* V. *gato-cáfer*. [Pl.: *gatos-africanos-selvagens*.]

gato-almiscarado *S. m. Zool.* V. *algália*[2] (3). [Pl.: *gatos-almiscarados*.]

gato-cáfer *S. m. Zool.* Mamífero carnívoro (*Felis lybica*), feliforme, felídeo, que habita estepes, bosques e savanas da Ásia e África. É um animal pequeno, muito esguio e de cabeça estreita, pelo cinza-amarelado, sendo o dorso mais escuro, com flancos e traseiro mais claros. É considerado o ancestral mais próximo do gato doméstico. [Sin.: *gato-africano-selvagem*. Pl.: *gatos-cáferes*.]

gato com botas [De *gato* + *com* + o pl. de *bota*[1].] *S. m. Bras.* Gato de botas. [Pl.: *gatos com botas*.] ☑

gato-de-algália *S. m. Zool.* V. *algália*[2] (3). [Pl.: *gatos-de-algália*.]

gato de botas [De *gato* + *de* + o pl. de *bota*[1].] *S. m. Bras.* Indivíduo exagerado, mentiroso; gato com botas. [Pl.: *gatos de botas*.] ☑

gato de escape *S. m. Marinh.* Gato (7) cujo cotovelo é articulado, permitindo que a tensão ou o peso exercidos sobre ele sejam aliviados. [Pl.: *gatos de escape*.] ☑

gato-do-mato *S. m. Bras. Zool.* Designação comum a todas as espécies de mamíferos carnívoros, especialmente os de pequeno porte, felídeos, pintados ou unicolores, que vivem na região neotrópica. [Pl.: *gatos-do-mato*.]

gato-do-mato-grande *S. m. Bras. Zool.* V. *jaguatirica*. [Pl.: *gatos-do-mato-grande*.]

gato-mourisco *S. m. Bras. Zool.* Mamífero carnívoro felídeo (*Felis herpailurus yaguarondi*), o qual varia do pardo-escuro ao avermelhado. Difere de todos os demais gatos selvagens pela coloração uniforme desde o nascimento. Mede 60cm de corpo e 40cm de cauda, e se alimenta sobretudo de aves, pequenos mamíferos e reptis. [Sin.: *eirá*, *jaguarundi*, *maracajá-preto*. Pl.: *gatos-mouriscos*.]

gatona [De *gata* + *-ona*[1].] *S. f. Bras. Gír.* Gata (9).

gato-pingado [De *gato* + *pingado*.] *S. m.* **1.** Indivíduo que acompanhava, com tocha ou archote, os enterros a pé. **2.** *Bras.* V. *papa-defuntos*. **3.** Cada um daqueles (em número muito reduzido) que comparecem a qualquer reunião ou espetáculo, ou fazem parte de algum agrupamento: *Foi uma tristeza: só compareceram ao enterro de F. oito gatos-pingados; No baile só havia meia dúzia de gatos-pingados.* [Us., por via de regra, no pl.] **4.** V. *joão-ninguém*: "embora soubesse que o Negus trazia consigo meia dúzia de gatos-pingados, todos os seus exércitos e força não passando duma descaradíssima patranha, convinha-lhe contemporizar." (Aquilino Ribeiro, *Portugueses das Sete Partidas*, p. 115). [Pl.: *gatos-pingados*.]

gato-preto (ê) *S. m. Bras. CE Pop.* V. *diabo* (2). [Pl.: *gatos-pretos*.]

gatorro (ô) [De *gato* + *-orro*.] *S. m. Zool.* V. *gato* (1).

gato-sapato *S. m.* Coisa desprezível. [Pl.: *gatos-sapatos* e *gatos-sapato*.] ◆ **Fazer gato-sapato de. 1.** Fazer de (alguém) joguete: "O primo Afonso de Gamboa esteve cá há dias, e a modo de caçoada foi-me dizendo que lá na capital as mulheres enguiçam os homens, e fazem deles gato-sapato." (Camilo Castelo Branco,

A Queda dum Anjo, p. 182.) **2.** Tratar (alguém) com desprezo. [Sin. ger.: *fazer de gato e sapato*.]

■ **Gatt** [Acrôn. do ingl. *General Agreement on Tariff and Trade*.] Sigla de *Acordo Geral de Tarifas e Comércio*.

gatum [De *gato* + *-um*[1].] ***Adj. 2 g. P. us.*** Relativo ou pertencente a, ou próprio de gato; felino.

gatunagem [De *gatuno* + *-agem*[2].] ***S. f.* 1.** Ação própria de gatuno; gatunice, roubo, furto, rapinagem: *O preço desta casa é uma verdadeira gatunagem.* **2.** Bando de gatunos; os gatunos: *A gatunagem anda solta na cidade.* **3.** A vida de gatunos: *Tentaram recuperá-lo, mas ele não conseguiu deixar a gatunagem.*

gatunar [De *gatuno* + *-ar*[2].] ***V. t. d. Int.*** Furtar, roubar. [Var., bras.: *gatunhar* (q. v.), *gaturar* (MG), *gadunhar* (S.).]

gatunhar [De *gatunar*, com infl. de *unha*.] ***V. t. d. Int. Bras.*** V. *gatunar*.

gatunice [De *gatuno* + *-ice*.] ***S. f.*** V. *gatunagem* (1).

gatuno [Do esp. *gatuno*.] ***S. m.* 1.** Aquele que furta; ladrão, pandilha. ● ***Adj.* 2.** Que furta: *É um vendedor gatuno, rouba nos preços.*

gaturamo [Do tupi = 'o que será bom'.] ***S. m. Bras. Zool.*** Designação comum a várias espécies de aves emberizídeas traupíneas, esp. as dos gêneros *Chlorophonia* e *Euphonia*. São pássaros pequenos, de dorso azulado ou esverdeado e região ventral amarelada. [Var.: *guturamo*. Sin.: *bonito, curiantã, guarantã, guaratã, guarinhatã, guatinhuma, guiratã, guriantã, guriatã, gurinhatã, tem-tem, teitei, tieteí, vem-vem, vim-vim*.]

gaturamo-bandeira ***S. m. Bras. Zool.*** V. *bonito-do-campo*. [Pl.: *gaturamos-bandeiras* e *gaturamos-bandeira*.]

gaturamo-filó ***S. m. Bras. Zool.*** V. *bonito-do-campo*. [Pl.: *gaturamos-filós* e *gaturamos-filó*.]

gaturamo-itê ***S. m. Bras. Zool.*** V. *gaturamo-verdadeiro*. [Pl.: *gaturamos-itês* e *gaturamos-itê*.]

gaturamo-miudinho [De *gaturamo* + o dim. de *miúdo*.] ***S. m. Bras. Zool.*** V. *vivi*. [Pl.: *gaturamos-miudinhos*.]

gaturamo-rei ***S. m. Bras. Zool.* 1.** Ave emberizídea traupínea (*Euphonia cyanocephala*), distribuída por quase todo o Brasil. O macho é azulado, com o alto da cabeça azul-claro, e o uropígio e a parte inferior amarelos; a fêmea é olivácea, com a parte inferior amarelada. [Sin.: *bonito-canário, bonito-fogo, tereno*.] **2.** V. *tietê*. [Pl.: *gaturamos-reis* e *gaturamos-rei*.]

gaturamo-serrador (ô) ***S. m. Bras. Zool.*** V. *tietê*. [Pl.: *gaturamos-serradores*.]

gaturamo-verdadeiro ***S. m. Bras. Zool.*** Ave emberizídea traupínea (*Euphonia violacea*) com cerca de 12cm de comprimento, que ocorre das Guianas e Venezuela ao S. do Brasil e tb. Paraguai e N. da Argentina. Tem coloração geral preto-azulada brilhante, e fronte e parte inferior amarelas; a fêmea é verde-olivácea, com a parte inferior mais clara. É muito apreciada pela capacidade que tem de imitar o canto de outras aves. [Sin.: *guiratã-de-coqueiro, gaturamo-itê, tem-tem-de-estrela, tem-tem-verdadeiro*. Pl.: *gaturamos-verdadeiros*.]

gaturamo-verde ***S. m. Bras. Zool.*** V. *bonito-do-campo*. [Pl.: *gaturamos-verdes*.]

gaturar[1] [Alter. de *capturar*.] ***V. t. d. Bras. MG Pop.*** Prender, capturar. [Var.: *gaturrar*.]

gaturar[2] [Alter. de *gatunar*.] ***V. t. d. Int. Bras. Pop.*** V. *gatunar*. [Var.: *gaturrar*.]

gaturrar[1] ***V. t. d. Bras. MG Pop.*** V. *gaturar*[1].

gaturrar[2] ***V. t. d. Int.*** V. *gaturar*[2].

gauchaço (a-u) [De *gaúcho* + *-aço*.] ***S. m. Bras. RS* 1.** Aum. de *gaúcho*. **2.** Indivíduo destemido, desempenado, cavaleiro destro e perito nas lides do campo.

gauchada (a-u) [De *gaúcho* + *-ada*[1].] ***S. f. Bras.* 1.** Grande porção de gaúchos. **2.** V. *gaucharia*.

gauchagem (a-u) [De *gaúcho* + *-agem*[2].] ***S. f. Bras. RS*** V. *gaucharia*.

gauchar (a-u) [De *gaúcho* + *-ar*[2].] ***V. int.* 1.** ***Bras. RS*** Praticar (o gaúcho) os seus costumes. **2.** Imitar (um estranho) os costumes gauchescos. **3.** V. *gauderiar* (3). [Sin. ger.: *gaucherear*.]

gaucharia (a-u) [De *gaúcho* + *-aria*.] ***S. f. Bras. RS* 1.** Ação nobre ou corajosa, própria de gaúcho. **2.** Proeza no serviço do campo. **3.** V. *fanfarrice* (2). **4.** Conversa fiada; léria. **5.** Astúcia, ardil, estratagema. [F. paral.: *gaucheria*. Sin. ger.: *gauchada, gauchagem, gauchismo*.]

➔ **gauche** [goʃ] [Fr.] ***Adj. 2 g.*** Acanhado, inepto; esquerdo.

gaucherear (a-u) [De *gaucher(ia)* + *-ear*[2].] ***V. int. Bras.*** *S.* Gauchar. [Conjug.: v. *frear*.]

gaucheria (a-u) [De *gaúcho* + *-eira*.] ***S. f. Bras. RS*** V. *gaucharia*.

gauchesco (a-u... ês) [De *gaúcho* + *-esco*.] ***Adj. Bras.*** Relativo ao, ou próprio do gaúcho (1 e 2); gaúcho.

gauchismo (a-u) [De *gaúcho* + *-ismo*.] ***S. m. Bras.* 1.** Costume(s) e hábito(s) de gaúcho (1 e 2). **2.** Palavra, expressão ou construção típica do falar gaúcho (1 e 2). **3.** V. *gaucharia*.

gauchito (a-u) [De *gaúcho* + *-ito*[1].] ***S. m. Bras.*** Dim. de *gaúcho*.

gaúcho [Do esp. plat. *gaucho*, de or. incerta.] ***Bras. S. m.* 1.** Primitivamente, o habitante do campo, descendente, na maioria, de indígenas, de portugueses e de espanhóis. **2.** V. *rio-grandense-do-sul* (2). **3.** *P. ext.* O natural do interior do Uruguai e de parte da Argentina. **4.** Peão de estância. **5.** Cavaleiro hábil. ● ***Adj.* 6.** Gauchesco. **7.** V. *rio-grandense-do-sul* (1).

gauda [Do fr. *gaude* < germ. **walda*.] ***S. f. Bot.*** Lírio-dos-tintureiros.

gauderiação [De *gauderiar* + *-ção*.] ***S. f. Bras. RS*** Ato de gauderiar.

gauderiar [De *gaudério* + *-ar*[2].] ***V. t. d.* 1.** ***Bras. N.E.*** V. *goderar* (1). ***Int.* 2.** ***Bras. N.E.*** V. *goderar* (3). **3.** ***Bras. RS*** Tornar-se gaudério; andar errante de casa em casa, sem ocupação séria; flautear, gauchar. [Var.: *goderar*. Pres. ind.: *gauderio*, etc. Cf. *gaudério*.]

gaudério [Do esp. plat. *gauderio*.] ***S. m.* 1.** Folgança, pândega, patuscada, gáudio. **2.** Vadio, malandro. V. *vagabundo* (7). **3.** ***Bras. PE Zool.*** V. *chupim* (1). **4.** ***Zool.*** V. *barbeiro* (6). **5.** ***Bras. N.E.*** V. *parasito* (2). **6.** ***Bras. RS*** Aquele que acompanha qualquer pessoa, abandonando-a logo para seguir outra. **7.** ***Bras. RS*** Cão errante, sem dono. **8.** ***Lus.*** Ladrão (2). ● ***Adj.* 9.** ***Lus.*** Diz-se de gaudério (5, 6 e 7). [Cf. *gauderio*, do v. *gauderiar*.]

gáudio [Do lat. *gaudiu*.] ***S. m.* 1.** Júbilo, alegria, regozijo. **2.** Folgança, pândega, brincadeira.

gaugino [Do ingl. *gauge* + *-ino*[1].] ***S. m. Fís. Part.*** Cada uma das s-partículas (v. *s-partícula*) companheiras supersimétricas de bósons de *gauge*. [V. *fotinos, winos, zinos, gluínos* e *gravitinos*.]

➔ **gauleiter** ['gawlajtɐʀ] [Al.] ***S. m.* 1.** Governador de uma província, na Alemanha. **2.** *P. ext.* Chefe de distrito do Partido Nacional-Socialista alemão, e que também exerceu funções de governador nos territórios sob ocupação nazista durante a II Guerra Mundial. **3.** ***Fig.*** Pessoa cuja conduta tirânica e arrogante se assemelha à de Gauleiter (2). [Com cap.]

gaulês [Do top. *Gaula* (adapt. do fr. *Gaule* < frâncico **walha*) + *-ês*.] ***Adj.* 1.** Da, ou pertencente ou relativo à Gália. [Sin.: *galo* e, p. us., *gálico*.] ~ V. *espírito* —. ● ***S. m.* 2.** O natural ou habitante da Gália; galo. **3.** ***Gloss.*** Língua céltica que era falada no território da atual França e a N.O. da Itália, e da qual se tem registro apenas através de algumas inscrições esparsas, e pela toponímia dessa região. [Sin. (desus.), nesta acepç.: *gálio*.] **4.** Vocábulo dessa língua. [Flex., nas acepç. 1, 2 e 4: *gaulesa* (ê), *gauleses* (ê), *gaulesas* (ê).]

gaullista (gô) [Do antr. *Gaulle* + *-ista*.] ***Adj. 2 g.* 1.** Pertencente ou relativo a Charles André Joseph Marie De Gaulle (1890-1970), general e estadista francês, ou que é partidário dele. ● ***S. 2 g.* 2.** Partidário de Charles De Gaulle.

gauramense ***Adj. 2 g.* 1.** De, ou pertencente ou relativo a Gaurama (RS). ● ***S. 2 g.* 2.** O natural ou habitante de Gaurama.

gauro [Do hindi (< sâncr. *gaura*), pelo ingl. *gaur*.] ***S. m. Zool.*** Boi indiano (*Bibos gaurus*) selvagem, de testa larga, pescoço curto e cornos cônicos e curtos.

➔ **gauss** [gaws] [V.C.I., do antr. al. (*Karl Friedrich*) *Gauss* (1777-1855), físico e matemático alemão.] ***S. m. 2 n. Fís.*** Unidade c.g.s. de medida de indução magnética, igual a 10−4 teslas [símb.: *g*].

gaussiano [Do antr. *Gauss* (v. *gauss*) + *-iano*.] ***S. m.* 1.** ***Mat.*** O menor expoente inteiro a que se deve elevar um número inteiro para que a potência resultante, quando dividida por outro inteiro, dê o resto um. ● ***Adj.* 2.** ~ V. *curvatura* —*a* e *sistema* —.

gaussímetro [Do antr. *Gauss* (v. *gauss*) + *-i-* + *-metro*.] ***S. m. Fís.*** Magnetômetro que mede a intensidade dum campo magnético, sem lhe determinar a direção.

gavar ***V. t. d. P. Pop.*** V. *gabar*.

gavarro [Var. de *gabarro*.] ***S. m.*** Unheiro.

gávea [Do lat. **gavia*, por *cavea*, 'gaiola'.] ***S. f. Marinh.* 1.** Cada um dos mastaréus que espigam logo acima dos mastros reais. [Nos navios de três mastros, denominam-se, a partir de vante, *mastaréu do velacho, mastaréu da gávea* e *mastaréu da gata*.] **2.** Mastaréu que espiga logo acima do mastro real grande. **3.** Cada uma das vergas que cruzam nos mastaréus de gávea. [Nos navios de três mastros, chamam-se, a partir de vante, *verga do velacho, verga da gávea* e *verga da gata*. Antigamente chamavam-se *traquetes*, sendo, a partir de vante, *traquete de proa* ou *de vante, tranquete da gávea* e *traquete da gata*.] **4.** Verga que cruza no mastaréu de gávea grande. **5.** Cada uma das velas que envergam nas vergas de gávea. [Nos navios de três mastros, denominam-se, a partir de vante, *vela do velacho, vela da gávea* e *vela da gata*. Antigamente chamavam-se *traquetes*.] **6.** Vela que enverga na verga de gávea grande. **7.** ***Mar.*** Cesto de gávea.

gavela (é) ***S. f.*** Feixe de espigas; paveia, fascículo.

gaveta (ê) [Do lat. *gabata*, pelo provenç. *gaveda*.] ***S. f.* 1.** Caixa sem tampa, corrediça, que se introduz, como parte integrante, em mesa, prateleira, cômoda, etc. **2.** ***Jorn.*** Material jornalístico preparado com antecedência, para se usar quando necessário. **3.** ***Bras.*** Nas máquinas, dispositivo que distribui o vapor aos cilindros; gavetão. **4.** ***Bras.*** Cavalo arisco, bravio, difícil de apanhar. ◆ **Gaveta aberta.** *Bras. RJ Pop.* Bom negócio. **Gaveta de sapateiro.** Desordem ou confusão de vários objetos dispersos. **Gaveta do expulsor.** *Tip.* Peça corrediça que auxilia a expulsar do molde a linha-bloco da linotipo.

gavetão [De *gaveta* + *-ão*[1].] ***S. m.* 1.** Gaveta grande. **2.** V. *gaveta* (2).

gaveteiro [De *gaveta* + *-eiro*.] ***S. m.* 1.** Armação que se coloca no interior de um móvel para suster gavetas [v. *gaveta* (1)]. **2.** ***Bras. MG*** V. *avaro* (3). [Por alusão pilhérica aos indivíduos de certa região desse estado a quem se atribui o costume de meter os pratos de comida em gavetas quando chegam visitas à hora das refeições.]

gavetope ***S. m. Marinh.*** V. *gafetope* (1 e 2).

gávia [Do tax. *Gavia* < lat. *gavia*, 'gaivota'.] ***S. f. Zool.* 1.** O gênero-tipo dos gaviídeos (q. v.), aves migradoras que habitam a região setentrional do hemisfério norte. **2.** Cada uma das quatro espécies que constituem esse gênero. **3.** Qualquer espécime desse gênero.

gavial [Do fr. *gavial* < *hindustani ghariỳal*; 'pote'; tax. *Gavialis*.] ***S. m.* 1.** ***Zool.*** Gênero de crocodilianos gavialídeos. **2.** A espécie desse gênero, *Gavialis gangeticus*; alimenta-se de peixes, tem mandíbula estreita, alongada, e pode medir até 7m. **3.** Qualquer espécime desse gênero.

gavialídeo [Adapt. do tax. *Gavialidae*.] ***Zool. S. m.* 1.** Espécime dos gavialídeos, família monoespecífica que abrange os gaviais que habitam as bacias dos rios Ganges, Indo e Bramaputra (Índia). ● ***Adj.* 2.** Pertencente ou relativo a eles.

gaviama [De or. obsc.] ***S. f. Zool.*** V. *barracuda*.

gavião[1] [Da mesma or. incerta que o esp. *gavilán*; poss. do gót. **gabilans*.] ***S. m.* 1.** ***Zool.*** Qualquer das aves acipitrídeas e falconídeas que, em sua maioria, alimentam-se de presas vivas: aves, reptis, pequenos mamíferos, ou invertebrados, tais como insetos e moluscos. **2.** O último dente de cada lado da maxila do cavalo. **3.** Parte do fecho da estribeira. **4.** Cada uma das extremidades do gume dum formão ou de outros instrumentos. **5.** ***Bot.*** V. *gavinha*. **6.** ***Bras.*** Indivíduo esperto, vivo, fino. **7.** ***Bras.*** Indivíduo propenso a conquistas amorosas. **8.** ***Bras. PE*** A ponta posterior do gume do machado. **9.** ***Bras. SP MG*** A parte interna e volteada da foice. ● ***Adj.* 10.** ***Bras. RS*** Diz-se do cavalo arisco, matreiro.

gavião[2] ***S. 2 g. Bras.*** Denominação dada a três povos indígenas distintos que vivem em diferentes estados do Brasil: gavião de mãe maria (q. v.), gavião de rondônia (q. v.) e gavião do maranhão (q. v.).

gavião-azul ***S. m. Bras. Zool.*** Ave falconiforme, acipitrídea (*Leucopternis schistacea*), do L. do Equador e do Peru, e que também frequenta o N.O. do Brasil, de coloração preta com tons azulados, e cauda preta com uma faixa e a ponta branca. [Pl.: *gaviões-azuis*.]

gavião-belo ***S. m. Bras. Zool.*** Ave falconiforme, acipitrídea (*Busarellus nigricollis*), distribuída do México até SP e MT, de coloração geral ferruginosa, a cabeça amarelada, uma mancha escura no meio da parte anterior do pescoço e uma coroa na cabeça. Frequenta terrenos abertos, sobretudo margens de rios e lagoas, onde costuma apanhar aruás. [Sin.: *gavião-padre, gavião-velho*. Pl.: *gaviões-belos*.]

gavião-caboclo ***S. m. Bras. Zool.*** Ave falconiforme, acipitrídea (*Heterospizia meridionalis*), do L. do Panamá e de toda a América do Sul, de dorso pardo-acinzentado, cabeça, coberteiras superiores das asas e parte das rêmiges vermelhas, cauda pardo-enegrecida listrada de branco, e parte inferior do corpo vermelha, finamente listrada de pardo-escuro. [Sin.: *casaca-de-coiro, casaca-de-couro, gavião-puva, gavião-tinga*. Pl.: *gaviões-caboclos*.]

gavião-caburé ***S. m. Bras. Zool.*** Gavião-mateiro. [Pl.: *gaviões-caburés* e *gaviões-caburé*.]

gavião-caipira ***S. m. Bras. Zool.*** V. *cancã*[2] (3). [Pl.: *gaviões-caipiras*.]

gavião-caramujeiro ***S. m. Bras. Zool.*** Ave falconiforme, acipitrídea (*Rostrhamus sociabilis*), do L. do Panamá e região tropical e temperada da América do Sul, de coloração pardo-escura, e coberteiras, base e ponta da cauda brancas. [Tb. se diz apenas *caramujeiro*. Sin.: *gavião-de-uruá, gavião-pescador*. Pl.: *gaviões-caramujeiros*.]

gavião-carijó ***S. m. Bras. Zool.*** Ave falconiforme, acipitrídea (*Rupornis magnirostris magniplumis*), do C.O. e S. do Brasil até o N.E. da Argentina, de coloração pardo-acinzentada, peito vermelho-claro, abdome vermelho-claro listrado de branco, parte das rêmiges parda com tons castanhos, a outra parte pardo-

G

-escura listrada de vermelho, e cauda listrada de preto; pega-pinto, indaié, inajé. [Pl.: *gaviões-carijós*.]

gavião-carrapateiro *S. m. Bras. Zool.* Ave falconiforme, falconídea (*Milvago chimachima*), da América cisandina, de dorso pardo, cabeça e parte inferior branca, e cauda branca listrada de pardo. [Tb. se diz apenas *carrapateiro*. Sin.: *gavião-pinhé, pinhé, pinhém, carapinhé, caracará-branco, caracaratinga, caracatinga, ximango-branco, ximango-do-campo, ximango-carrapateiro* Pl.: *gaviões-carrapateiros*.]

gavião-das-taperas *S. m. Bras. Zool.* V. *gavião-tesoura*. [Pl.: *gaviões-das-taperas*.]

gavião-de-coleira *S. m. Bras. Zool.* Ave falconiforme, falconídea (*Falco fusco-caerulescens*), distribuída por toda a América cisandina, de dorso preto, cabeça cinzento-escura, fronte e fita nucal vermelho-claras, estria preta nos lados da cabeça, peito e abdome vermelho-claros e cauda listrada. [Pl.: *gaviões-de-coleira*.]

gavião de mãe maria *Bras. S. 2 g.* **1.** *Etnôn.* Indivíduo dos gaviões de mãe maria [ou (etnôn. bras.) *Parkatejê], da família linguística jê, subfamília timbira, que habita a margem direita do rio Araguaia (PA). • *Adj. 2 g.* **2.** Pertencente ou relativo a esse povo. [Pl.: *gaviões de mãe maria*.] ☑

gavião-de-penacho *S. m. Bras. Zool.* **1.** Ave falconiforme, acipitrídea (*Morphnus guianensis*), que ocorre em toda a região cisandina da América do Sul e na América Central. É um dos dois maiores gaviões brasileiros. Tem parte superior do corpo preta, coberteiras superiores das asas e caudas marginadas de branco, cauda listrada, cabeça e crista pardo-cinzentas, abdome branco listrado de vermelho-claro. [Sin.: *uiraçu*.] **2.** V. *harpia*[2] (2 e 3). [Pl.: *gaviões-de-penacho*.]

gavião de rondônia *Bras. S. 2 g.* **1.** *Etnôn.* Indivíduo dos gaviões de rondônia [ou (etnôn. bras.) *Digüt], da família linguística mondé, tronco tupi, que habita a região do igarapé Lourdes, L. de RO, divisa com o AM. • *Adj. 2 g.* **2.** Pertencente ou relativo a esse povo. [Pl.: *gaviões de rondônia*.] ☑

gavião-de-uruá *S. m. Bras. Zool.* V. *gavião-caramujeiro*. [Pl.: *gaviões-de-uruá*.]

gavião-do-mangue *S. m. Bras. Zool.* Ave falconiforme, acipitrídea (*Buteogallus aequinoctialis*), das matas costeiras do Brasil, Venezuela, Guianas, Paraguai e extremo N. da Argentina, de dorso preto, parte das penas marginadas de ferrugíneo, garganta enegrecida, abdome ferrugíneo, listrado de preto, e cauda com estria e ponta brancas. [Pl.: *gaviões-do-mangue*.]

gavião do maranhão *Bras. S. 2 g.* **1.** *Etnôn.* Indivíduo dos gaviões do maranhão [ou (etnôn. bras.) *Pukobiê], povo indígena da família linguística jê, subfamília timbira, que habita as regiões dos rios Grajaú e Pindaré (MA). • *Adj. 2 g.* **2.** Pertencente ou relativo a esse povo. [Pl.: *gaviões do maranhão*.] ☑

gavião-mateiro *S. m. Bras. Zool.* Ave falconiforme, falconídea (*Micrastur ruficollis*), do S. e L. do Brasil, de coloração branco-acinzentada no dorso (macho), ou marrom-avermelhada (fêmea), parte inferior da garganta ao peito castanha, e branca daí para trás, com faixas transversais pretas, e cauda preta com quatro fitas brancas estreitas. Alimenta-se de outras aves e também de artrópodes. [Sin.: *gavião-caburé*. Pl.: *gaviões-mateiros*.]

gavião-padre *S. m. Bras. Zool.* V. *gavião-belo*. [Pl.: *gaviões-padres* e *gaviões-padre*.]

gavião-papa-formigas *S. m. Bras. Zool.* V. *gavião-pomba* (3). [Pl.: *gaviões-papa-formigas*.]

gavião-papa-peixe *S. m. Bras. Zool.* V. *gavião-pescador* (1). [Pl.: *gaviões-papa-peixe*.]

gavião-pato *S. m. Bras. Zool.* Ave falconiforme, acipitrídea (*Spizaetus melanoleucus*), distribuída desde o México até a Argentina, de coloração quase inteiramente branca, asas escuras, cauda com quatro faixas pretas, e penacho pardo. [Pl.: *gaviões-patos* e *gaviões-pato*.]

gavião-pega-macaco *S. m. Bras. Zool.* Ave falconiforme, acipitrídea (*Spizaetus tyrannus*), de coloração preta, cabeça com crista, coxas e coberturas inferiores da cauda, cauda e rêmiges listradas de branco; apacanim, cutiú-preto, papa-mico, uiruucotim. [Pl.: *gaviões-pega-macaco*.]

gavião-papa-pinto *S. m. Bras. Amaz. Zool.* V. *japacanim* (1). [Pl.: *gaviões-pega-pinto*.]

gavião-pescador *S. m. Bras. Zool.* **1.** Ave falconiforme, acipitrídea (*Pandion haliaetus carolinensis*), da porção ocidental da América do Norte, América Central e Antilhas, de onde emigra frequentemente para a América do Sul. Coloração dorsal pardo-escura, mesclada de branco na cabeça; parte inferior branca, estriada de pardo no pescoço e peito; ponta da cauda e estria atrás do olho brancas. [Sin.: *águia-pescadora, águia-pesqueira, gavião-papa-peixe*.] **2.** V. *gavião-caramujeiro*. [Pl.: *gaviões-pescadores*.]

gavião-pinhé *S. m. Bras. Zool.* V. *gavião-carrapateiro*: 📖 "O general Rondon verificou que a anta solta assobios, principalmente quando nota um gavião-pinhé sobrevoando seu hábitat." (Hitoshi Nomura, em *O Estado de S. Paulo*, 29.09.1982.) [Pl.: *gaviões-pinhés*.]

gavião-pomba *S. m. Bras. Zool.* **1.** Designação comum a algumas espécies de gaviões que, durante o voo, se assemelham aos pombos. São mais conhecidos com esse nome os acipitrídeos do gênero *Leucopternis*, especialmente *L. polionota* e *L. lacernulata*, ambos com cabeça, pescoço e lado inferior brancos, dorso e asas cinza-escuros, com faixas transversais. Alimentam-se de reptis e outros animais de pequeno porte. **2.** Designação dada também ao gavião *Circus cinereus*, acipitrídeo das regiões O. e S. da América do Sul, de cor cinzenta, abdome raiado de vermelho, e cuja fêmea é parda, com abdome da mesma cor que o macho. **3.** Designação também dada ao pequeno acipitrídeo *Ictinia plumbea*, distribuído desde o México até o N. da Argentina, de coloração cinzenta uniforme, asas e cauda pretas, retrizes com três faixas transversais brancas, e lado interno das asas castanho-vivo, e que frequenta descampados e cerrados, alimentando-se de insetos e pequenas aves; gavião-papa-formigas, gavião-sauveiro, sovi. [F. paral.: *gavião-pombo*. Pl.: *gaviões-pombas* e *gaviões-pomba*.]

gavião-pombo *S. m. Bras. Zool.* V. *gavião-pomba*. [Pl.: *gaviões-pombos* e *gaviões-pombo*.]

gavião-preto (ê) *S. m. Bras. RS Zool.* V. *cancã*[2] (3). [Pl.: *gaviões-pretos*.]

gavião-puva *S. m. Bras. Zool.* V. *gavião-caboclo*. [Pl.: *gaviões-puva* e *gaviões-puvas*.] ❄

gavião-quiri-quiri *S. m. Bras. Zool.* Ave falconiforme, falconídea (*Chercheis sparverius eidos*), do C. e L. do Brasil e países limítrofes, de dorso castanho, cabeça e coberteiras das asas azuis com tons cinza, três faixas pretas no lado da cabeça e outra subapical na cauda, e lado inferior branco com manchas pretas. Alimenta-se de artrópodes em geral, além de pássaros de pequeno porte. [Tb. se diz apenas *quiri-quiri*. Sin.: *gavião-rapina, quiri-quiri*. Pl.: *gaviões-quiri-quiris* e *gaviões-quiri-quiri*.] [Na 5.ª ed. do Volp., sem hífen; corrigido em errata.] ❄

gavião-rapina *S. m. Bras. CE BA Zool.* V. *gavião-quiri-quiri*. [Pl.: *gaviões-rapinas* e *gaviões-rapina*.]

gavião-real *S. m. Bras. Zool.* V. *harpia*[2] (2 e 3). [Pl.: *gaviões-reais*.]

gavião-sauveiro (a-u) *S. m. Bras. Zool.* V. *gavião-pomba* (3). [Pl.: *gaviões-sauveiros*.]

gavião-tesoira *S. m. Bras. Zool.* V. *gavião-tesoura*. [Pl.: *gaviões-tesoiras* e *gaviões-tesoira*.]

gavião-tesoura [Var. de *gavião-tesoira*.] *S. m. Bras. Zool.* Ave falconiforme, acipitrídea (*Elanoides forficatus yetapa*), distribuída da América Central ao N. da Argentina, de coloração branca, e dorso, asas e cauda pretos; gavião-das-taperas, tapema, itapema, tesourão. [Pl.: *gaviões-tesouras* e *gaviões-tesoura*.]

gavião-tinga [De *gavião*[1] + *-tinga*.] *S. m. Bras. Zool.* V. *gavião-caboclo*. [Pl.: *gaviões-tinga* e *gaviões-tingas*.] ❄

gavião-vaqueiro *S. m. Bras. Zool.* Ave falconiforme, acipitrídea (*Leucopternis kuhli*), do L. do Peru e N.O. do Brasil, de dorso preto, grande mancha branca sobre os olhos, nuca e pescoço com faixa branca, cauda com faixa mediana da mesma cor, pescoço e lados da face claros, com faixas pretas dos lados do peito, e lado inferior branco com faixas pretas. Alimenta-se de outras aves e de insetos. [Pl.: *gaviões-vaqueiros*.]

gavião-velho *S. m. Bras. Zool.* V. *gavião-belo*. [Pl.: *gaviões-velhos*.]

gaviãozinho [De *gavião* + *-zinho*.] *S. m. Bras.* Ave falconiforme, falconídea (*Gampsonyx swainsoni*), do N. e C.O., com dorso pardo-escuro, fita nucal branca, fronte, região auricular e coxas vermelho-amareladas, e parte inferior do corpo branca.

gaviete (ê) [Do esp. *gaviete*.] *S. m. Constr. Nav.* Peça robusta, de madeira ou de ferro, em uma de cujas extremidades leva um rodete no qual trabalha um cabo ou uma corrente, e que é rigidamente presa na proa ou na popa de embarcação que trabalha com cabos submarinos ou se destina a içar pesos do fundo do mar.

gavídeo [Do tax. *Gavia* (v. *gávia*) + *-ideo*; tax. *Gaviidae*.] *Zool. S. m.* **1.** Espécime dos gavídeos, família de aves mergulhadoras gaviiformes, de plumagem marrom e preta no dorso e branca no ventre, com desenhos característicos no pescoço, que é longo; têm bico pontudo, pernas curtas, e são sindáctilas. Alimentam-se de peixes. • *Adj.* **2.** Pertencente ou relativo a eles.

gaviiforme [Do tax. *Gavia* (v. *gávia*) + *-iforme*; tax. *Gaviiformes*.] *Zool. S. m.* **1.** Espécime dos gaviiformes, ordem de aves neórnites, neógnatas, que compreende uma única família, a dos gavídeos. • *Adj. 2 g.* **2.** Pertencente ou relativo a eles.

gavinha [De or. incerta; poss. do rad. gót. *gab-*, 'gancho', 'garra'.] *S. f. Bot.* Órgão de fixação das plantas sarmentosas ou trepadeiras, com o qual elas se prendem a outras ou a estacas; abraço, mão, elo, gavião. [M. us. no pl.]

gavinhoso (ô) [De *gavinha* + *-oso*.] *Adj.* Que tem gavinhas.

gaviola [De *gav-*, como em *gaveta* (q. v.), poss.] *S. f. Bras. Gír.* **1.** Gaveta, especialmente de caixa registradora. **2.** A técnica de furtar dinheiro de caixas registradoras.

gavionar [De *gavião* + *-ar*[2], seg. o padrão erudito.] *V. int.* **1.** *Bras. RS* Não se deixar apanhar (o cavalo). **2.** Andar esquivo, fugitivo; vagabundear. **3.** Paquerar (3).

gavionense *Adj. 2 g.* **1.** De, ou pertencente ou relativo a Gavião (BA). • *S. 2 g.* **2.** O natural ou habitante de Gavião.

gavionice [De *gavion(ar)* + *-ice*.] *S. f. Bras. RS* Ato de gavionar.

gavirova *S. f. Bras. Bot.* V. *guabiroba*.

gavota [Do fr. *gavotte*.] *S. f. Mús.* Antiga dança francesa, originária do País de Gap (Delfinado), cujos habitantes eram designados por *gavots*. É em compasso binário (2/4), andamento moderado e ritmo anacrústico masculino, e, nos sécs. XVII e XVIII, fez parte da suíte, entre a sarabanda e uma segunda gavota que tem todas as características de um trio: 📖 "Dançava-se a nobre pavana ou o minueto ingênuo e palaciano do século dezoito. Depois veio a gavota." (A. S. de Mendonça Júnior, *Jornal da Província*, p. 55.)

gaxeta (ê) [De or. obscura.] *S. f.* **1.** Trançado feito com merlim, malhar, etc., e utilizado para fins ornamentais em molduras, fiéis, fundas, cortinas, etc. [Recebe qualificativos distintos, conforme o processo de confecção: *simples, dobrada, quadrada, redonda, inglesa, francesa, portuguesa, de rabo de cavalo, de meia-cana*.] **2.** *Mec.* Peça de amianto, linho, algodão, metal, borracha ou outro material, com que se completa a vedação nas juntas de canalizações, tampas de cilindro, etc., ou se impede o escapamento de fluido por uma junção móvel.

→**gay** [gej] [Ingl.] *Adj. 2 g. e 2 n. S. 2 g.* V. *guei*.

gaydar [Do ingl. *gaydar*, do ingl. *gay* + ingl. *(ra)dar*.] *S. m. Gír. Joc.* Capacidade que se tem de detectar a homossexualidade de alguém, principalmente quando esta não é evidente.

gaz *S. m.* Medida de extensão, na Índia. [Pl.: *gazes*. Cf. *gás* e pl. *gases*.]

gaza[1] *S. f.* V. *gaze* (1): 📖 "um véu de gaza fina" (Gonçalves Dias, *Obras Poéticas*, II, p. 100). [Cf. *Gaza*, top. e antr.]

gaza[2] *S. f.* Pequena moeda persa, de cobre. [Cf. *Gaza*, top. e antr.]

gazal *S. m.* V. *gazel*.

gazânia [Do tax. *Gazania* (do antr. [*Teodoro*] *Gaza* [1400-1478] + lat. cient. *-ia*, v. *-ia*[2]).] *S. f. Bot.* **1.** Gênero de plantas asteráceas, herbáceas, tomentosas, originárias da África do Sul. **2.** Qualquer espécie desse gênero, como, p. ex., a *Gazania splendens*, ornamental, dotada de folhas verde-escuras, brilhantes em cima e brancas na face inferior, capítulos grandes, alaranjados, com uma dupla marca alva e preta que circunda o disco central e tinge a base das pétalas. **3.** Qualquer espécime desse gênero, ou a flor dele.

gazão [Do fr. *gazon*.] *S. m.* **1.** Relva de jardim. **2.** Terreno coberto de relva.

gaze [Do fr. *gaze*, de or. oriental, mas de étimo incerto.] *S. f.* **1.** *Tec. Têx.* Tecido leve e transparente, ger. de algodão cardado, mas que também pode ser de seda, lã ou fibra sintética; escumilha, bandagem: 📖 "saias de gaze tufadas" (Eça de Queirós, *Cartas Familiares e Bilhetes de Paris*, p. 186). [Var.: *gaza*.] **2.** *Encad.* Gaze (1) engomada, us. para reforçar a lombada costurada e prendê-la às capas. **3.** *Med. Cir.* Tecido leve, de algodão, muito poroso, esterilizável, de tamanho variável conforme o uso a que se destina, de largo emprego em curativos, intervenções cirúrgicas, etc., podendo ser impregnado de substâncias várias, como antissépticos. [Pl.: *gazes*. Cf. *gases*, pl. de *gás*.]

gazeador (ô) [De *gazear*[2] + *-dor*.] *Adj.* **1.** Que gazeia; gazeante. • *S. m.* **2.** Aquele que gazeia.

gazeante [De *gazear*[2] + *-nte*.] *Adj. 2 g.* Gazeador (1).

gazear[1] [Voc. onom.] *V. int.* **1.** Soltar a voz (a garça, a andorinha, etc.); gazular, gazilar, gazinar: 📖 "um bando / De anuns, gárrulo e louco, / Passava gazeando, chilreando, / Sobre as nossas cabeças..." (Raimundo Correia, *Poesias*, p. 49). **2.** Chalrar (criança); palrar. *T. d.* **3.** Soltar ou emitir como um gazeio[1]. • *S. m.* **4.** Ato de gazear: 📖 *O gazear das andorinhas alegrava a tarde*. [Conjug. v. *frear*. Cf. *gasear*.]

gazear[2] [De *gazetear*, poss.] *V. int.* **1.** Faltar às aulas ou ao trabalho para vadiar; fazer gazeta; gazetear. *T. d.* **2.** Faltar a (o estudo, o trabalho, as aulas): "manhãs frias, de chuva, em que fosse preciso gazear as aulas e deixar-se ficar ali" (Aluísio Azevedo, *Casa de Pensão*, p. 101). [Sin., bras., N.E.: *filar*. Conjug.: v. *frear*. Cf. *gasear*.]

gazebo [Do ingl. *gazebo* < ingl. (*to*) *gaze*, 'contemplar', + lat. *-ebo*, suf. da 1ª pess. fut. ind.] *S. m. Arquit.* Construção isolada, com pilares e teto, edificada em jardins.

gazeio[1] [Dev. de gazear[1].] *S. m.* Canto da garça, da andorinha, etc.

gazeio[2] [Dev. de *gazear*[2].] *S. m.* Ato de gazear[2], de faltar às aulas por vadiação; gazeta.

gazel [Do ár. *gazal*, 'requebro', 'galanteio'; 'poesia erótica'.] *S. m. Arte Poét.* Poesia amorosa ou báquica, espécie de ode, dos persas e dos árabes, que se compõe de vários dísticos, 15 no máximo, rimando os versos do primeiro dístico entre si e com o segundo verso de cada um dos outros: *São famosos os gazéis de Hafiz, poeta persa do séc. XIV.* [F. paral.: *gazal*. Pl.: *gazéis*.]

gazela [Do ár. *gazāla(t)*; tax. *Gazella*.] *S. f. Zool.* **1.** Gênero de mamíferos bovídeos que reúne pequenos antílopes da África e da Ásia, de pernas longas e chifres espiralados, presentes em ambos os sexos. **2.** Qualquer espécie desse gênero, como, p. ex., a *Gazella thomsoni*. **3.** Qualquer espécime desse gênero. [F. paral. (ant.), nas acepç. 2 e 3: *agazela*.]

gázeo [De or. incerta.] *Adj.* Garço: "menino de dez anos, de olhos gázeos" (Amadeu de Queirós, *João*, p. 70); "esses olhos vidrentos [os da onça] cujos lumes gázeos fervilham dentro n'alma." (José de Alencar, *O Sertanejo*, p. 68). ~ V. *gázeos*.

gázeos [Subst. do pl. de *gázeo*.] *S. m. pl. Pop.* Os olhos. ~ V. *gázeo*.

gazeta[1] (ê) [Do veneziano *gazeta* (do nome de um jornal criado em Veneza, em 1539, a partir de *gazza*, 'moeda'), pelo it. *gazzetta*.] *S. f.* **1.** Publicação periódica de natureza política, doutrinária, literária, religiosa, etc., impressa ger. em folhas soltas, dobradas em um ou mais cadernos. **2.** V. *jornal*[2] (1).

gazeta[2] (ê) [De or. obscura.] *S. f.* Gazeio[2]. ◆ **Fazer gazeta.** V. *gazear*[2] (1).

gazetal [De *gazeta*[1] + *-al*[1].] *Adj. 2 g. Burl.* Gazetário.

gazetário [De *gazeta*[1] + *-ário*.] *Adj. Burl.* Relativo a gazetas; gazetal.

gazetear [De *gazeta*[2] + *-ear*[2].] *V. int. T. d.* V. *gazear*[2]. [Conjug.: v. *frear*.]

gazeteiro[1] [De *gazeta*[1] + *-eiro*.] *S. m.* **1.** *Deprec.* Jornalista; noticiarista. **2.** *Bras.* Vendedor de jornais; jornaleiro.

gazeteiro[2] [De *gazeta*[2] + *-eiro*.] *Adj. S. m. Bras.* Diz-se de, ou estudante que gazeia, que gazeteia.

gazetilha [De *gazeta*[1] + *-ilha*.] *S. f.* **1.** Seção noticiosa de um periódico. **2.** Folhetim (1).

gazetilhista [De *gazetilha* + *-ista*.] *S. 2 g.* Pessoa que faz gazetilhas.

gazetismo [De *gazeta*[1] + *-ismo*.] *S. m.* Influência ou domínio exercido pelas gazetas.

gazil *Adj. 2 g.* Airoso, elegante: "Ouvem-se, ao longe, os sons de um concerto gazil, / De cítola e doçaina, alaúde e arrabil..." (Martins Fontes, *Verão*, p. 73.)

gazilar [Voc. onom.] *V. int.* V. *gazear*[1] (1).

gazinar *V. int.* **1.** V. *gazear*[1] (1). ● *S. m.* **2.** Ato de gazinar.

gazo [Var. de *gázeo*.] *Adj. S. m. Bras. N.E. Pop.* V. *albino*.

gazofilácio [Do gr. *gazophylákion*, pelo lat. *gazophylaciu*.] *S. m.* **1.** Lugar, no templo, onde se guardavam os vasos e recolhiam as oferendas. **2.** Cofre de joias; escrínio. **3.** Tesouro.

gazua[1] [De or. obscura.] *S. f.* Ferro curvo ou torto com que se podem abrir fechaduras; chave falsa. [Sin.: (gír. de ladrões) *mixa* e (lus.) *retanha*. Cf. *gázua*.]

gazua[2] *S. f.* V. *gázua*.

gázua [Do ár. *gazwa(t)*, 'ataque, incursão'.] *S. f.* Expedição de árabes contra tribo inimiga; razia. [Var.: *algazu*, *gazua* (menos correta).]

gazular [Voc. onom.] *V. int.* **1.** V. *gazear*[1] (1). ● *S. m.* **2.** Ato de gazular: "na ridente quadra hirundina, o ledo gazular das emigrantes aves" (Raimundo Correia, *Poesia Completa e Prosa*, p. 597).

■ **Gb** *Fís.* Símb. de *gilbert*.

■ **GB** **1.** Sigla do antigo Estado da Guanabara. **2.** *Inform.* Símb. de *gigabyte*.

→ **gbaia** [Afric.] *S. m. Gloss.* Língua nigero-congolesa, falada na República Centro-Africana.

→ **gbari** *S. 2 g.* **1.** *Etnôn.* Indivíduo dos gbaris, povo que vive a oeste da confluência dos rios Níger e Benué, na Nigéria (C.O. da África). ● *S. m.* **2.** *Gloss.* A língua do grupo cua falada na região da confluência dos rios Níger e Benué. ● *Adj. 2 g.* **3.** Pertencente ou relativo aos gbaris ou à sua língua.

→ **gbe** [Eve, 'voz', 'fala'.] *S. m. Gloss.* **1.** Conglomerado de línguas do grupo cua da família nigero-congolesa, em que se incluem o fom, o eve, o mina. **2.** Qualquer língua desse grupo: *fon-gbe, gen-gbe, eve-gbe, gun-gbe*. **3.** O conglomerado formado por fom e eve; fon-eve. [Sin. desus., nesta acepç.: *evoé*.] **4.** Eve (2).

→ **gbe-gbe** *S. m. Gloss.* Mina[2] (3).

■ **Gd** *Quím.* Símb. de *gadolínio*.

■ **Ge** *Quím.* Símb. de *germânio*.

gê *S. m.* A letra *g*. [Sin., em AL, SE e BA: *guê*. Pl.: *gês* e *guês*. Cf. *jê*.]

geada [Da subst. do lat. *gelata*, f. de *gelatus* (v. *geado*).] *S. f.* **1.** *Met.* Orvalho congelado que forma camada branca. **2.** *Bras.* V. *podridão-parda*. ◆ **Geada branca.** Depósito de gelo cristalino, em geral feito de escamas, agulhas, penas ou leques, e que se forma de maneira análoga ao orvalho, mas com temperaturas inferiores a 0°C; escarcha. [Sin. pop., em SP: *branquinha*, *dona-branca*.]

geadeiro [De *geada* + *-eiro*.] *Adj.* Geoso: *"Janeiro, geadeiro."* (prov. luso.)

geado [Do lat. *gelatu*, part. de *gelare*, 'gelar' (q. v.), 'congelar' (v. *gear*).] *Adj.* Sobre que se formou geada; em que geou: *plantas geadas; café geado.*

gear [Do lat. *gelare*.] *V. int.* **1.** Formar-se geada. **2.** Apresentar-se sob a forma de geada (o inverno): "O outono passa, caem todas as folhas, o inverno geia em França." (Vitorino Nemésio, *A Mocidade de Herculano*, II, p. 192.) *T. d.* **3.** Reduzir a gelo; gelar. [Conjug.: v. *frear*. Defect. na 1ª acepç.]

geba (ê) [Do lat. *gibba*.] *S. f.* **1.** V. *corcunda* (1). **2.** *Ant.* Mulher velha e corcunda. [Pl.: *gebas* (ê). Cf. *geba* e *gebas*, do v. *gebar*, e *jeba*, s. f.]

gebada [De *gebar* + *-ada*[1].] *S. f.* Pancada que intencionalmente se dá num chapéu, em geral masculino, para machucá-lo, amassá-lo; cochichada.

gebar [De *gebo* + *-ar*[2].] *V. t. d.* Machucar com pancadas. [Pres. ind.: *gebo, gebas, geba*, etc. Cf. *gebo* (ê), adj. e s. m., e *geba* (ê), s. f., pl. *gebas* (ê).]

gebo (ê) [De *geba*.] *Adj.* **1.** V. *corcunda* (6). **2.** Malvestido, mal-amanhado. **3.** *P. us. Zool.* Zebu (q. v.). ● *S. m.* **4.** Indivíduo malvestido; farroupilha. **5.** *Zool.* Zebu (q. v.). [Pl.: *gebos* (ê). Cf. *gebo*, do v. *gebar*.]

geboso (ô) [Do lat. tard. *gibbosu*.] *Adj.* V. *corcunda* (6).

gecarcinídeo [Do tax. *Gecarcinus* + *-ídeo*[1]; tax. *Gecarcinidae*.] *Zool. S. m.* **1.** Espécime dos gecarcinídeos, família de crustáceos decápodes, malacostráceos, onívoros, de hábitos terrestres, e que só retornam ao oceano para a reprodução; podem sobreviver em águas salobras ou em água doce, e habitam regiões tropicais da América, África ocidental e do Sudeste Asiático. Ex.: o guaiamu. ● *Adj.* **2.** Pertencente ou relativo a eles.

geconídeo [Do lat. cient. *Geccon-/Gekkon-* (tax. *Gekko* < malaio *gĕkog*) + *-ídeo*[1]; tax. *Gecconidae, Gekkonidae*.] *Zool. S. m.* **1.** Espécime dos geconídeos, família de reptis sáurios, escamados, que reúne lagartixas notívagas, com pupila vertical e desprovidas de pálpebras; as patas são providas de papilas adesivas, e a cauda, usada para armazenar gordura, pode apresentar autotomia (q. v.). Atingem cerca de 17cm, mas existem exemplares na Ásia com até 35cm de comprimento. Distribuem-se nas latitudes quentes. ● *Adj.* **2.** Pertencente ou relativo a eles.

gedrita [Do top. *Gèdre* (França) + *-ita*[3].] *S. f. Min.* Mineral ortorrômbico, aluminossilicato básico de magnésio e ferro.

gedunina [Do ingl. *gedunin*.] *S. f. Quím.* Substância limonoide encontrada na andiroba, que possui propriedades anti-inflamatórias e antialérgicas [fórm.: $C_{28}H_{34}O_7$].

geena [Do lat. tard. *Gehenna*, *Géenna* < gr. *Geenna*, do hebr.] *S. f.* **1.** O Inferno. **2.** *P. ext.* Lugar de suplícios, pelo fogo e pelos vermes: "Por teu amor, desci às pávidas geenas, / dos não ouvidos ais, das não ouvidas penas." (Gomes Leal, *A Mulher de Luto*, p. 182.)

geento [Do rad. de *ge(ada)* + *-ento*.] *Adj.* **1.** *Bras.* Em que há geada; em que geia. **2.** Sujeito a geadas.

gefiriano [Do tax. *Gephyrea* (< gr. *géphyra*, 'ponte') + *-iano*.] *Zool. S. m.* **1.** Espécime dos gefirianos, antigo filo de animais vermiformes que hoje são classificados como priapulóideos, sipunculoides e equiuróideos. ● *Adj.* **2.** Pertencente ou relativo a eles.

▲ **gefiro-** [Do gr. *géphyra, as*.] *El. comp.* = 'ponte': *gefirofobia, gefirófobo*.

gefirofobia (è) [De *gefiro-* + *-fobia*.] *S. f. Psiq.* Medo patológico de andar em ponte, margem de rio, ou outro local perto de água.

gefirofóbico (è) [De *gefirofobia* + *-ico*[2].] *Psiq. Adj.* **1.** Relativo a gefirofobia. **2.** Que sofre de gefirofobia; gefirófobo. ● *S. m.* **3.** Aquele que sofre de gefirofobia; gefirófobo.

gefirófobo [De *gefiro-* + *-fobo*.] *Adj. S. m. Psiq.* Gefirofóbico (2 e 3).

geidrografia (e-i) [De *ge(o)-* + *-(h)idr(o)-* + *-grafia*.] *S. f.* Ramo da geografia que estuda as relações entre as porções sólidas e as líquidas da Terra.

geidrográfico (e-i) [De *geidrografia* + *-ico*[2].] *Adj.* Referente à geidrografia.

geio [Dev. de *gear*.] *S. m.* **1.** Ato de gear. **2.** Gelo (ê) (1).

gêiser [Do isl. *Geysir*, pelo ingl. *geyser* ou pelo fr. *geyser*.] *S. m.* Fonte quente com erupções periódicas, e que, normalmente, traz muitos sais em dissolução. [Pl.: *gêiseres*.]

geiserita [De *gêiser* + *-ita*[3].] *S. f. Min.* Variedade de opala concrecionada formada pelas águas dos gêiseres que trazem a sílica em solução e que é precipitada nas proximidades do gêiser.

geissoloma [Do tax. *Geissoloma* (do gr. *geîsson*, 'cornija', + gr. *lôma, atos*, 'franja').] *S. m. Bot.* **1.** Gênero monotípico de arbustos geissolomatáceos, floríferos. **2.** A única espécie desse gênero, a *Geissoloma marginatum*, é um pequeno arbusto sempre-verde dotado de folhas opostas e minutas flores solitárias. **3.** Espécime desse gênero, ou a flor dele.

geissolomatácea [Do lat. cient. *Geissolomat-* (do tax. *Geissoloma*; v. *geissoloma*) + *-ácea*; tax. *Geissolomataceae*.] *S. f. Bot.* Espécime das geissolomatáceas, família de arbustos floríferos, sempre-verdes, da ordem das mirtales, nativos da África do Sul.

geissolomatáceo [De *geissolomatácea*, com var. suf. (v. *-áceo*).] *Adj. Bot.* Pertencente ou relativo às geissolomatáceas.

geistória (e-is) [De *ge(o)-* + *história*.] *S. f.* História da Terra e de sua evolução, desde a origem até o estado atual.

geistórico (e-is) [De *geistória* + *-ico*[2].] *Adj.* Referente à geistória.

gel [F. red. de *gelatina*; ingl. *gel*.] *S. m.* **1.** *Fís.-Quím.* Sistema coloidal constituído por uma fase dispersora líquida e uma fase dispersa sólida, e que apresenta propriedades macroscópicas (elasticidade, manutenção de forma, etc.) parecidas às dos sólidos. [Pl.: *géis* e *geles*.] **2.** *Pop.* Cosmético gelatinoso usado nos cabelos para fixá-los. ◆ **Gel de sílica.** *Quím.* Sílica em grãos muito pequenos, como uma areia muito fina, porém extremamente porosa, obtida pela coagulação de um gel aquoso de sílica e us. em cromatografia, ou como catalisador, etc. [Sin. (impr.): *sílica-gel*.]

gelada[1] [Do lat. *gelata* (v. *geada*).] *S. f.* **1.** Geada. **2.** *Bras. N.* V. *refresco* (2). **3.** *Bras. N.E.* Raspa-raspa.

gelada[2] [Do tax. (*Theropithecus*) *gelada*.] *S. m. Zool.* Macaco cercopitecídeo (*Theropithecus gelada*), semelhante aos cinocéfalos, que habita as montanhas da Etiópia (entre 2.000m e 4.000m). É o maior espécime do grupo dos babuínos e atinge a altura do homem; pelagem longa nos ombros e no pescoço dos machos, de coloração marrom escura, sendo a cabeça e a cauda mais claras. Vive em grupos de 300 a 400 indivíduos e alimenta-se de larvas, caramujos e cebolas, devastando campos cultivados.

geladaria [De *gelado* + *-aria*.] *S. f. Lus.* Sorveteria.

geladeira [De *gelar* + *-deira*.] *S. f. Bras.* **1.** Eletrodoméstico ou móvel termicamente isolado, dotado de máquina frigorífica que mantém o seu interior com temperatura adequada a conservar, resfriar ou refrigerar alimentos. [Sin.: *refrigerador*, (lus.) *frigorífico*, (moç.) *geleira*.] **2.** *Pop.* Prisão ladrilhada ou revestida de cimento.

geladinha [Subst. do dim. do f. de *gelado*.] *S. f. Bras. Pop.* Cerveja (2 e 3).

gelado [Do lat. *gelatu*, part. pass. do lat. *gelare*.] *Adj.* **1.** Muito frio; glacial, frigidíssimo: "embora levasse as mãos nos bolsos, sentia-as entorpecidas e geladas de encontro às coxas." (Manuel da Fonseca, *Aldeia Nova*, p. 177). ● *S. m.* **2.** Sorvete. **3.** *Bras.* Qualquer bebida gelada. **4.** *Bras. N. N.E.* V. *refresco* (2).

gelador (ô) [De *gelar* + *-dor*.] *Adj.* Que gela.

geladura [De *gelar* + *-dura*.] *S. f.* **1.** Queima ou seca produzida nas plantas pela geada. **2.** *Patol.* Lesão produzida nos tecidos como consequência de baixa temperatura.

gelar [Do lat. *gelare*.] *V. t. d.* **1.** Solidificar (um líquido) pelo frio; reduzir a gelo; gear, congelar. **2.** Tornar muito frio: *Mandou gelar o vinho.* **3.** Trespassar de frio: "Um vento frio e silencioso .... penetrava, através dos cobertores, e gelava-o." (Domingos Monteiro, *Enfermaria, Prisão e Casa Mortuária*, p. 53.) **4.** Tornar frio; resfriar: *O vento gelou-lhe o corpo.* **5.** Causar espanto ou medo a; paralisar de assombro; aterrar; intimidar: *O susto gelou-o.* **6.** Fazer perder o ardor dos sentimentos a. **7.** *Bras.* Enganar, lograr, burlar, embair. *Int.* **8.** Converter-se em gelo; gelar-se. **9.** Trespassar de frio; tornar gelado, congelar: "por entre as frestas das portas entra um frio pelo inverno, que gela" (Camilo Castelo Branco, *Noites de Insônia*, IX, p. 38). **10.** Esfriar-se muito; resfriar-se, gelar-se: "Gelaram-se-lhe os pés, gelaram-se-lhe as mãos, e somente o coração naquele incêndio torturador..." (Viriato Correia, *Novelas Doidas*, p. 251.) **11.** Ficar assombrado ou amedrontado; gelar-se. "A primeira vez que me convocaram para uma conversa no quartel, confesso que gelei." (Carlos Morais, *Agora Deus Vai Te Pegar lá Fora*, p. 25.) **12.** Suspender-se, interromper-se; gelar-se. **13.** Tornar-se insensível, imóvel, indiferente; gelar-se: "No último gesto de quem se abandona / À morte esquiva que apavora e gela" (Alphonsus de Guimaraens, *Obra Completa*, p. 264). **14.** Perder a animação ou o entusiasmo; gelar-se. **15.** Emudecer, entorpecer; gelar-se. **16.** Desorganizar-se pelo frio; requeimar-se; gelar-se. ***P.* 17.** Gelar (8 e 10 a 16). [Pres. ind.: *gelo*, etc. Cf. *gelo* (ê).]

gelásimo [Do tax. *Gelasimus*.] ***S. m.*** *Zool.* V. *uca*[1] (1 a 3).

gelatina [Do it. *gelatina* (< lat. *gelatus* [v. *gelado*]), poss. pelo fr. *gélatine*.] ***S. f.* 1.** *Quím.* Proteína existente nos ossos e tecidos fibrosos animais, que forma com a água géis mais ou menos consistentes. **2.** *P. ext.* Essa substância preparada industrialmente para uso alimentar. **3.** Iguaria, especialmente sobremesa, preparada com gelatina (2). [Cf., nas acepç. 2 e 3, *geleia* (2).] **4.** *P. ext.* Qualquer substância com textura semelhante à gelatina; gel. **5.** *Fot.* V. *emulsão fotográfica*. ◆ **Gelatina explosiva.** *Expl.* Explosivo plástico e elástico, insolúvel em água, formado por uma solução de 8% de nitrocelulose em 92% de nitroglicerina.

gelatiniforme [De *gelatina* + *-iforme*.] ***Adj. 2 g.*** Que tem aparência de gelatina.

gelatinização [De *gelatinizar* + *-ção*.] ***S. f.*** Ato ou efeito de gelatinizar(-se).

gelatinizado [Part. de *gelatinizar*.] ***Adj.*** Que se gelatinizou.

gelatinizar [De *gelatina* + *-izar*.] ***V. t. d. P.*** Converter(-se) em gelatina.

gelatinizável [De *gelatinizar* + *-vel*.] ***Adj. 2 g.*** Que se pode gelatinizar.

gelatinografia [De *gelatina* + *-o-* + *-grafia*.] ***S. f.*** *Fotograv.* Qualquer processo fotomecânico (especialmente a fototipia) em que se utilize diretamente, como superfície impressora, uma película de coloide (em geral gelatina) endurecida por exposição à luz.

gelatinográfico [De *gelatinografia* + *-ico*[2].] ***Adj.*** Relativo a gelatinografia.

gelatinoide (ói) [De *gelatina* + *-oide*.] ***Adj. 2 g.*** Que tem a natureza ou a consistência da gelatina. ❖

gelatinoso (ô) [De *gelatina* + *-oso*.] ***Adj.* 1.** Que contém gelatina. **2.** Que tem a natureza e o aspecto da geleia: "um dos olhos, aberto, gelatinoso, esbranquiçado, lembrou a Raul os olhos do gato morto, boiando na correnteza" (Lia Correia Dutra, *Navio sem Porto*, p. 174). **3.** Pegajoso, viscoso, visguento.

gelba [Do ár. *ǧilba(t)*.] ***S. f.*** Embarcação de pequeno porte, us. na região do mar Vermelho. [Var.: *gelva*.]

geleia (éi) [Do fr. *gelée*.] ***S. f.* 1.** Alimento preparado com frutas cozidas em açúcar, e que, ao esfriar, toma consistência gelatinosa. **2.** Preparado culinário rico em substâncias gelatinosas (patas de certos animais, ossos, espinhas e peles de peixe, etc.), e que, depois de frio e solidificado, se torna transparente. [As geleias servem de base a diversas iguarias salgadas e doces. Cf. *gelatina* (2 e 3).] ❖

geleificação (èi) [De **geleificar* (< *geleia* + *-ficar*) + *-ção*.] ***S. f.*** *Bot.* Modificação da parede celular vegetal, que se converte em mucilagem.

geleificar (èi) [De *geleia* + *-ficar*.] ***V. int.* 1.** Transformar-se em geleia; adquirir a consistência de geleia. **2.** Modificar-se (a parede celular vegetal), convertendo-se em mucilagem.

geleira [De *gelo* + *-eira*.] ***S. f.* 1.** *Geol.* Amontoamento de gelo passível de deslocamento, nas regiões em que a queda de neve ultrapassa o degelo. **2.** Grande acúmulo natural de gelo. **3.** Cavidade, nas altas montanhas, onde se forma gelo. **4.** Aparelho para fabricar gelo. **5.** *Bras. PA* Embarcação de vela parecida à vigilenga e destinada unicamente ao transporte de peixe. **6.** *Lus.* Isopor (2) com gelo, us. para resfriar ou conservar alimentos, bebidas, etc. **7.** *Moç.* V. *geladeira* (1): "É que ainda tenho umas prestações a pagar das mobílias e da geleira..." (Eduardo Paixão, *Cacimbo*, p. 208.)

geleiro [De *gelo* + *-eiro*.] ***S. m.* 1.** *Bras.* Fabricante, vendedor ou entregador de gelo. **2.** *Bras. AM PA* Alcunha dada ao pescador português. **3.** *Bras. PA* Aquele que em geleira (5) transporta para a cidade o pescado adquirido em diversos centros de pesca. ● ***Adj.* 4.** *Bras. PA* Diz-se da geleira (5): *canoa geleira*.

gelequiída [Do tax. *Gelechia* (v. *gelequiídeo*) + *-ida*[1].] ***S. m. Adj. 2 g.*** *Zool.* V. *gelequiídeo*.

gelequiídeo [Do tax. *Gelechia* (< gr. *geléchés*, 'que dorme sobre a terra') + *-ídeo*[1]; tax. *Gelechiidae*.] *Zool.* ***S. m.* 1.** Espécime de gelequiídeos, família de insetos lepidópteros que reúne pequenas mariposas cosmopolitas, cujas larvas são pragas das culturas de milho, cevada e outros cereais. É uma das maiores famílias de microlepidópteros (v. *microlepidóptero*). ● ***Adj.* 2.** Pertencente ou relativo a eles. [Sin. ger.: *gelequiída*.]

gelequioídeo [Do tax. *Gelechia* (v. *gelequiídeo*) + *-oídeo*.] *Zool.* ***S. m.* 1.** Espécime dos gelequioídeos, superfamília de insetos lepidópteros em que se localizam os gelequiídeos (q. v.). ● ***Adj.* 2.** Pertencente ou relativo a eles.

gelha (ê) [De or. incerta.] ***S. f.* 1.** Grão de cereal com o tegumento enrugado. **2.** Engelhamento na película de grãos ou de frutos. **3.** *P. ext.* Ruga na pele, especialmente na do rosto; gorovinhas: "A água corria em fio, pelas gelhas do pescoço, a entrar no peito suado." (José Loureiro Botas, *Maré Alta*, p. 153.) **4.** Prega ou dobra acidental em um tecido.

gelidez (ê) [De *gélido* + *-ez*.] ***S. f.*** Qualidade ou estado de gélido.

gélido [Do lat. *gelidu*.] ***Adj.* 1.** Muito frio; gelado: "Por onde andará agora a alma de Dona Eufrásia, que morreu durante um gélido inverno gaúcho, sem nunca ter sequer mordiscado o fruto do amor?" (Érico Veríssimo, *A Volta do Gato Preto*, p. 14.) **2.** Enregelado. **3.** *Fig.* Paralisado, imóvel: *gélido de medo*.

gelifazer [De *gelo* (ê) + *-i-* + *fazer*.] ***V. t. d. P.*** Converter(-se) em gelo; gelificar. [Conjug.: v. *fazer*.]

gelificação[1] [De *gelificar*[1] + *-ção*.] ***S. f.*** Ato ou efeito de gelificar[1].

gelificação[2] [De *gelificar*[2] + *-ção*.] ***S. f.*** *Tec. Quím.* Ato ou efeito de gelificar[2].

gelificado [Part. de *gelificar*.] ***Adj.*** Que se gelificou.

gelificante [De *gelificar*[2] + *-nte*.] *Tec. Quím.* Diz-se de, ou substância que provoca ou favorece gelificação[2].

gelificar[1] [De *gelo* (ê) + *-ificar*.] ***V. t. d. P.*** Gelifazer. [Conjug.: v. *trancar*.]

gelificar[2] [De *gel* + *-ificar*.] ***V. t. d. P.*** *Tec. Quím.* Transformar-se em gel. [Conjug.: v. *trancar*.]

gelificável [De *gelificar*[1] + *-vel*.] ***Adj. 2 g.*** Que pode gelificar-se ou gelifazer-se.

gelividade [Do fr. *gélivité*, poss.] ***S. f.*** Propriedade que apresenta um material ou um solo de se desagregar ou expandir por efeito da congelação da água contida em seus interstícios.

gelo (ê) [Do lat. *gelu*.] ***S. m.* 1.** Água em estado sólido, cristalizada no sistema hexagonal. **2.** Frio excessivo: *Não vou sair: lá fora está um gelo.* **3.** Sensação viva de frio: "Um gelo toma todo o seu corpo. Gelo que é tristeza e desânimo." (Dionélio Machado, *Os Ratos*, p. 17.) **4.** *Fig.* Insensibilidade, indiferença. **5.** Desinteresse, frialdade: *Lançou-lhe um olhar de gelo.* **6.** Tonalidade de cinza quase branco. ● ***Adj. 2 g. e 2 n.* 7.** *Bras.* Diz-se dessa tonalidade de cinza. **8.** *Bras.* Que tem essa tonalidade: *tecido gelo*. [Pl. do s. m.: *gelos* (ê). Cf. *gelo*, do v. *gelar*.] ◆ **Dar um gelo em.** *Bras. Fam.* Passar a tratar (alguém) com indiferença, frieza; pôr no gelo. **Enxugar gelo.** *Bras.* Realizar tarefa impossível de resultar em algo positivo; fazer algo fadado a ser improdutivo (v. *trabalho de Sísifo*): "Há apenas o necessário reconhecimento de que equivale a enxugar gelo tentar despoluir quando fatores poluidores continuam a proliferar descontroladamente." (*O Globo*, 19.05.2005). **Pôr no gelo.** *Bras. Fam.* Dar um gelo em. **Quebrar o gelo.** Lançar mão de atitude, gesto, palavras amáveis, para fazer com que pessoa, ou ambiente hostil, ou frio, se torne mais amigável, mais acolhedor.

gelo-baiano ***S. m.*** *Bras.* Pré-moldado utilizado pelas autoridades de trânsito para orientar o tráfego de veículos automóveis. [Pl.: *gelos-baianos*.]

geloplegia [Do gr. *gélos*, 'forte acesso de riso', + *-pleg-* + *-ia*[1].] ***S. f.*** *Neur.* Episódio paralítico dos membros inferiores, de caráter paroxístico, decorrente de acesso de riso, e que ocasiona queda do paciente.

gelose [De *gel* + *-ose*[1].] ***S. f.*** V. *ágar-ágar*.

gelo-seco [De *gelo* (ê) + *seco* (ê).] ***S. m.*** *Quím.* Anidrido carbônico sólido. [Pl.: *gelos-secos*.]

gelosia [Do it. *gelosia*.] ***S. f.* 1.** Grade de fasquias de madeira cruzadas intervaladamente, que ocupa o vão de uma janela; rótula. **2.** Janela de rótula.

gelsemiácea [Do tax. *Gelsemium* + *-ácea*; tax. *Gelsemiaceae*.] ***S. f.*** *Bot.* Espécime das gelsemiáceas, família de plantas floríferas da ordem das rubiales que engloba, apenas, dois gêneros, *Gelsemium* (v. *gelsêmio*) e *Mostuea*; são arbustos e lianas dos quais se extraem alcaloides venenosos, que têm uso como estimulantes e antinevrálgicos.

gelsemina [Do lat. cient. *gelsem-* (< tax. *Gelsemium* [v. *gelsêmio*]) + *-ina*[3].] ***S. f.*** *Quím.* Cristal branco, venenoso, solúvel em álcool, éter e ácidos diluídos, e ponto de fusão 178°C, obtido do rizoma da raiz do gelsêmio e usado em medicina [fórm.: $C_{20}H_{22}O_2N_2$].

gelsêmio [Do tax. *Gelsemium* (do it. *gelsemino*, *gelsomino*, 'jasmim').] ***S. m.*** *Bot.* **1.** Pequeno gênero de trepadeiras e arbustos gelsemiáceos, naturais da Ásia e do S. dos E.U.A. **2.** Qualquer espécie desse gênero, como, p. ex., a *Gelseminum sempervirens* (v. *jasmim-amarelo*). **3.** Qualquer espécime desse gênero, ou a flor dele.

gélula [Do fr. *gélule* < rad. de *gélatine* (v. *gelatina*), sob o modelo de *capsule* (v. *cápsula*).] ***S. f.*** *Farm.* Cápsula gelatinosa, de consistência sólida.

gelva ***S. f.*** V. *gelba*.

gema [Do lat. *gemma*.] ***S. f.*** *Biol.* **1.** A parte central, amarela, do ovo das aves, rica em lipídios e outros nutrientes. **2.** Massa celular que, brotando de um tecido, ou de um órgão, pode originar um novo indivíduo. **3.** *Bot.* Pequena protuberância, lateral ou apical, em caule ou em ramo, e que dá origem a folha, flor, outro ramo ou caule, ou a um novo indivíduo; botão, borbulha, brotação, brotadura, brotamento, broto, gomo, olho, rebento, renovo. **4.** Resina primitiva dos pinheiros. **5.** Pedra preciosa: "O Emílio bem sabe que a minha mania são brilhantes e berilos, e destas gemas tenho que baste." (Aquilino Ribeiro, *Maria Benigna*, p. 45.) **6.** A parte essencial. **7.** Aquilo que é mais genuíno, mais puro: "Os nobres da mais pura gema, aqui aportados, desdenham de ligar-se às grandes famílias territoriais" (Oliveira Viana, *Populações Meridionais do Brasil*, p. 63). ◆ **Da gema.** Genuíno, autêntico: "era carioca da gema." (Inglês de Sousa, *O Missionário*, p. 85).

gemação [De *gemar* + *-ção*.] ***S. f.* 1.** Ato ou efeito de gemar. **2.** *Biol.* Tipo de reprodução assexuada que ocorre em certos organismos, e que se dá pelo surgimento de uma massa celular protuberante, que cresce e se diferencia, dando origem a um novo indivíduo. [Sin.: *brotamento*.]

gemada [De *gema* + *-ada*[1].] ***S. f.*** Gema ou porção de gemas de ovo, batidas com açúcar, às quais se adiciona, às vezes, um líquido quente. [Sin., bras.: *batida*.]

gema de ovo ***Adj. 2 g. e 2 n.*** *Bras.* Que é amarelo tirante à cor da gema do ovo. ☑ notas 1 e 2

gema-de-ovo ***S. f.*** *Bras. Bot.* V. *arapoca*. [Pl. *gemas-de-ovo*.]

gemado[1] [De *gema* + *-ado*[1].] ***Adj.* 1.** Que tem gemas. **2.** Cuja cor é semelhante à da gema do ovo.

gemado[2] [Part. de *gemar*.] ***Adj.*** Enxertado de gema.

gemagem [De *gema* + *-agem*[2].] ***S. f.*** Operação que consiste na extração de resina ou de látex das árvores.

gemante [Do lat. *gemmante*.] ***Adj. 2 g.*** Brilhante como pedras preciosas.

gemar [Do lat. *gemmare*.] ***V. t. d.* 1.** *Bot.* Enxertar com gema ou rebento. **2.** Preparar com gemas de ovo. ***Int.* 3.** *Bot.* Produzir gema (3).

gematria [Do hebr. tard., do gr. *geometría*.] ***S. f.*** Sistema criptográfico que consiste em atribuir valores numéricos às letras.

gemátrico [De *gematria* + *-ico*[2].] ***Adj.*** Relativo à gematria.

gemebundo [Do lat. *gemebundu*.] ***Adj.*** V. *gemente*: "Homens e mulheres, muitos dos quais dançavam languidamente ao som do arrastado e gemebundo *blue*" (Érico Veríssimo, *Noite*, p. 133).

gemedeira [De *gemer* + *-deira*.] ***Adj.*** ***(f.)* 1.** Gemedora, gemente. ● ***S. f.* 2.** Grande rumor de gemidos. **3.** Lamúria, lamentação: *Desempregado, vive numa gemedeira sem fim.* **4.** *Bras. N.E. Etnogr.* Desafio de temas jocosos que usa a interposição de versos de quatro ou, raramente, de duas sílabas, entre a quinta e a sexta linhas da sextilha formada pelas interjeições *ai* e *ui* ou *ai* e *hum*.

gemedor (ô) [De *gemer* + *-dor*.] ***Adj.* 1.** V. *gemente*: "O carro gemedor chega dos estevais" (Bulhão Pato, *Livro do Monte*, p. 5). ● ***S. m.* 2.** Aquele que geme.

gemelar [Do lat. *gemellus*, 'gêmeo', + *-ar*[1].] ***Adj. 2 g.*** *Embr.* ~ V. *útero* —.

gemelhicar ***V. int.*** Gemicar. [Conjug.: v. *trancar*.]

gemelípara [Do lat. *gemellipara*.] ***Adj.*** ***(f.) S. f.*** Diz-se de, ou mulher que dá à luz filhos gêmeos.

gemente [Do lat. *gemente*.] ***Adj. 2 g.*** Que geme; gemedor, gemebundo: "Das gementes alciones o bando / Via-se ao longe, em círculos, voando" (Gonçalves Crespo, *Obras Completas*, p. 331); "A casa, onde vivo, rodeiam-na pinhais gementes, que sob qualquer lufada desferem suas harpas." (Camilo Castelo Branco, *Amor de Salvação*, p. 41).

gêmeo ***Adj.*** ***S. m.*** V. *gêmeo*. [Uso freq. em P.]

gêmeo [Do lat. *geminu*.] ***Adj.* 1.** Diz-se de cada uma das crianças que nasceram de um mesmo parto: *irmãos gêmeos*. **2.** Idêntico, igual. **3.** Diz-se de coisas que, sendo iguais, ou simétricas, formam um conjunto: *camas gêmeas; fachadas gêmeas*. **4.** *Fig.* V. *afim* (1): *almas gêmeas*. ~ V. *cristal* — e *músculo* —. ● ***S. m.* 5.** Cada um daqueles que nasceram do mesmo parto. **6.** *Bras.* Distância que vai da extremidade do polegar até a do indicador, achando-se ambos distendidos e afastados o mais possível um do outro. ~ V. *gêmeos*. ◆ **Gêmeos conjugados.** *Embr.* Gêmeos em cuja gestação o disco embrionário não se divide completamente; gêmeos xifópagos. **Gêmeos dizigóticos.** *Embr.* Os que resultam da fecundação de dois óvulos por diferentes espermatozoides.

Gêmeos monozigóticos. *Embr.* Os que resultam da fecundação de um único óvulo; gêmeos univitelinos. **Gêmeos univitelinos.** *Embr.* Gêmeos monozigóticos. **Gêmeos xifópagos.** *Embr.* Gêmeos conjugados.

gêmeos [Do pl. de *gêmeo*.] *S. m. pl.* **1.** *Astr.* A terceira constelação do Zodíaco, situada no hemisfério norte, a 7h de ascensão reta e 2º de declinação norte. **2.** O terceiro signo do Zodíaco, relativo aos que nascem entre 21 de maio e 20 de junho. [Com cap., nessas acepç.] ~ V. *gêmeo*.

gemer [Do lat. *gemere*.] *V. int.* **1.** Exprimir dor moral ou física com voz inarticulada ou sons plangentes; dar gemidos. **2.** Sofrer, padecer. **3.** Murmurar em tom plangente; soltar lamentos; lastimar-se. **4.** Produzir som triste ou monótono. **5.** Cantar (a rola, a pomba, o rouxinol). **6.** Vergar, arcar, dobrar. **7.** Ranger, estalar. *T. d.* **8.** Dizer, proferir, ou cantar, etc., gemendo: "Uma noite, como sempre ele gemia o seu contínuo lamento." (Maria Archer, *Fauno Sovina*, p. 100); "— Ai, gemeu Sofia; não me machuques." (Machado de Assis, *Quincas Borba*, p. 140); "Era uma voz de homem, quente e lânguida, gemendo uma canção triste." (Érico Veríssimo, *México*, p. 33). **9.** Lançar de si, soltar, à maneira de gemido: "O vento geme / pavorosas canções nas árvores" (Augusto de Lima, *Poesias*, p. 53). **10.** Prantear, lastimar: *Gemia a perda de um ser querido.* **11.** Deplorar, lamentar. **12.** Sofrer, padecer.

gemicar [De *gem(er)* + *-icar*.] *V. int.* Gemer baixo, mas continuamente; gemelhicar. [Conjug.: v. *trancar*.]

gemido[1] [Do lat. *gemitu*, com deslocação do acento por infl. do part. de *gemer*.] *S. m.* **1.** Ato de gemer (1). **2.** V. *lamentação* (3). **3.** Som lastimoso ou plangente.

gemido[2] [Part. de *gemer*.] *Adj.* Em que há gemidos; próprio de quem geme: "Vida gemida, vida comprida" (prov.).

gemífero [Do lat. *gemmiferu*.] *Adj.* Que produz ou tem gemas.

geminação [Do lat. *geminatione*.] *S. f.* **1.** Disposição aos pares. **2.** *E. Ling.* Processo que aumenta a duração (5) e intensidade de uma consoante. **3.** *Min.* Grupamento de dois ou mais cristais segundo uma lei determinada, em que os indivíduos não cresceram paralelamente [v., nesta acepç., *macla*].

geminado [Do lat. *geminatu*, part. pass. de *geminare* (v. *geminar*).] *Adj.* **1.** Duplicado, ou que constitui um par: *letras geminadas*; *colunas geminadas*. **2.** Diz-se daquilo que tem partes duplicadas e justapostas: *A janela geminada tem duas folhas.* **3.** Que é igual e conjugado: *apartamentos geminados*. **4.** *Bot.* Que nasce ou se insere aos pares: *flores geminadas*. **5.** *E. Ling.* Diz-se da consoante que resulta de processo de geminação (2). [Sin. ger.: *gêmino*.] ~ V. *casas —as*.

geminar [Do lat. *geminare*.] *V. t. d.* **1.** *E. Ling.* Duplicar (letras consoantes). **2.** Duplicar, ligando. [Pres. ind.: *gemino*, etc. Cf. *gêmino*.]

geminiano [Do lat. *geminus*, 'gêmeo', + *-iano*.] *S. m.* **1.** Indivíduo nascido sob o signo de Gêmeos. ● *Adj.* **2.** Diz-se de, ou pertencente ou relativo a geminiano (1).

gêmino *Adj.* V. *gêmino*. [Uso freq. em P.]

gêmino [Do lat. *geminu*.] *Adj.* V. *geminado*. [Cf. *gemino*, do v. *geminar*.]

gemiparidade [De *gemíparo* + *-(i)dade*.] *S. f. Biol.* Processo de reprodução por meio de gemas.

gemíparo [Do lat. *gemma*, 'broto', 'gema', + *-i-* + *-paro*.] *S. m. Biol.* Que se reproduz por meio de gema.

gemologia [De *gema* + *-o-* + *-logia*.] *S. f.* Parte da geologia que trata das pedras preciosas.

gemológico [De *gemologia* + *-ico[2]*.] *Adj.* Relativo à gemologia.

gemólogo [De *gema* + *-o-* + *-logo*.] *S. m.* Especialista em gemologia.

gemônias *S. f. pl.* V. *gemônias*. [Uso freq. em P.]

gemônias [Do lat. *gemonias*, *i. e.*, *scalas gemonias*.] *S. f. pl.* **1.** Escadas do monte Capitólio que davam para o Tibre, e pelas quais, na Roma antiga, eram arrastados e atirados ao rio os corpos dos supliciados. **2.** *Fig.* Opróbrio público: *O pobre governador foi arrastado às gemônias.*

gempílida [Do tax. *Gempylus* (v. *gempilídeo*) + *-ida[1]*.] *S. m. Adj. 2 g. Zool.* V. *gempilídeo*.

gempilídeo [Do tax. *Gempylus* + *-ídeo[1]*; tax. *Gempylidae*.] *Zool. S. m.* **1.** Espécime dos gempilídeos, família de peixes actinopterígios, perciformes, de corpo alongado, boca grande, com dentes fortes. Habitam as costas oceânicas de águas temperadas e tropicais. Ex.: a cavalinha e a anchova-preta. ● *Adj.* **2.** Pertencente ou relativo a eles. [Sin. ger.: *gempílida*.]

gêmula *S. f.* V. *gêmula*. [Uso freq. em P.]

gêmula [Do lat. *gemmula*.] *S. f.* **1.** *Biol.* Pequena gema (2 e 3). **2.** *Bot.* V. *embrião* (2). **3.** *Zool.* Corpo reprodutor assexuado que se forma nas esponjas de água doce e em certos organismos marinhos, destinado à multiplicação vegetativa.

gemulação [Do ingl. *gemmulation*.] *S. f. Biol.* Formação de gêmulas.

genal [De *gen(o)-[1]* + *-al[1]*.] *Adj. 2 g.* Referente à face (1).

genciana [Do lat. *gentiana*; tax. *Gentiana*.] *S. f. Bot.* **1.** O gênero-tipo das gencianáceas, constituído por cerca de 300 espécies originariamente reunidas nas regiões montanhosas europeias; são plantas herbáceas perenes, anuais ou bienais, de folhas opostas e exuberantes flores ger. azuis, solitárias ou cimosas, com corola de 4 ou 5 lobos. **2.** Qualquer espécie desse gênero, como, p. ex., a *Gentiana lutea*, de flores amarelas, de cujo rizoma e de cuja raiz se obtém substância amarga us. como tônico (4). **3.** Qualquer espécime desse gênero, ou a flor dele.

genciana-brasileira [De *genciana* + o f. de *brasileiro*.] *S. f. Bras. BA a PR MT Bot.* Planta gencianácea (*Lisianthus pendulus*) grande, dotada de propriedades medicinais, e cujas flores são róseas ou violáceas, campanuladas, dispostas em cimeiras, sendo o fruto uma cápsula; genciana-do-brasil, raiz-amarga. [Pl.: *gencianas-brasileiras*.]

gencianácea [Do tax. *Gentiana* (v. *genciana*) + *-ácea*; tax. *Gentianaceae*.] *S. f. Bot.* Espécime das gencianáceas, família da ordem das gencianales, composta de ervas cujas folhas são opostas. Ovário unilocular e pluriovulado; fruto quase sempre capsular. Montam a cerca de 800 espécies, que habitam maciçamente as zonas temperadas do hemisfério boreal; no Brasil ocorrem umas poucas, sem maior expressão.

gencianáceo [De *gencianácea*, com var. suf. (v. *-áceo*).] *Adj. Bot.* Pertencente ou relativo às gencianáceas.

genciana-do-brasil *S. f. Bras. BA a PR MT Bot.* V. *genciana-brasileira*. [Pl.: *gencianas-do-brasil*.]

genciana-dos-jardins [De *genciana* + o pl. de *do[1]* + o pl. de *jardim*.] *S. f. Bras. Bot.* Planta gencianácea (*Gentiana acaulis*) ornamental, dotada de belas flores azuis, grandes, campanuladas e solitárias, e que é própria para jardins e indicada para guarnecer cachoeiras e rochedos artificiais. [Pl.: *gencianas-dos-jardins*.]

gencianal [De *genciana* + *-al[1]*.] *Adj. 2 g. Bot.* Pertencente ou relativo às gencianales.

gencianale [Adapt. do tax. *Gencianales*.] *S. f. Bot.* Espécime das gencianales, ordem de dicotiledôneas que inclui, entre outras, as famílias das apocináceas, asclepiadáceas, gencianáceas e loganiáceas.

gendarmaria [Do fr. *gendarmerie*.] *S. f.* Corpo de gendarmes.

gendarme [Do fr. *gendarme*.] *S. m. Gal.* Soldado da força incumbida de velar pela segurança e ordem pública, na França.

gene [Do al. *Gen* (t. criado por *Wilhelm L. Johannsen* [1857-1927], botânico dinamarquês, a partir do gr. *génos* [v. *gen(o)-[2]*]), pelo ingl. *gene* ou pelo fr. *gène*.] *S. m. Genét.* **1.** Unidade hereditária ou genética, situada no cromossomo, e que determina as características de um indivíduo. **2.** Unidade funcional do ácido desoxirribonucleico envolvida na síntese de uma cadeia polipeptídica; cístron. ◆ **Gene dominante.** *Genét.* Caráter genético manifesto, em oposição ao recessivo, que permanece latente. [Tb. se diz apenas *dominante*.] **Gene estrutural.** *Genét.* Aquele que contém a informação que determina a sequência de aminoácidos de uma cadeia polipeptídica. **Gene operador.** *Genét.* Gene responsável pelo controle do funcionamento de um ou mais genes estruturais a ele associados. **Gene recessivo.** *Genét.* Caráter hereditário que só se manifesta na ausência do caráter contrário dito dominante. [Tb. se diz apenas *recessivo*.] **Gene regulador.** *Genét.* Aquele que controla a taxa de produção do produto de outros genes.

genealogia [Do gr. *genealogía*, pelo lat. tard. *genealogia*.] *S. f.* **1.** Lista, enumeração ou diagrama com os nomes dos antepassados de um indivíduo e a indicação dos casamentos e das sucessivas gerações que o ligam a um ou mais ancestrais. **2.** O conjunto ou série desses antepassados. **3.** *P. ext.* Estirpe, linhagem. **4.** O estudo da origem das famílias. **5.** *Fig.* Procedência, origem. **6.** *Biol.* Conjunto de descendentes dum indivíduo. **7.** *Biol.* Estudo da origem e formação do indivíduo ou da espécie.

genealógico [Do gr. *genealogikós*.] *Adj.* Respeitante à genealogia. ~ V. *árvore —a*.

genealogista [De *genealogia* + *-ista*.] *S. 2 g.* Pessoa que se dedica a estudos genealógicos ou é especializada em genealogia; linhagista.

geneantropia [Dogr. *geneá*, 'geração', + *-antrop(o)-* + *-ia[1]*.] *S. f.* Tratado sobre a origem da espécie humana.

genearca [Do gr. *geneárches*.] *S. m.* O progenitor, o fundador, de uma família, de uma linhagem ou de uma espécie.

genebra [Do fr. ant. *genevre* (lat. *juniperu*, 'zimbro'), atual *genièvre*.] *S. f.* **1.** Aguardente, em geral de cereais, com bagas de zimbro nela destiladas ou maceradas. **2.** Gim[2].

genebrada [De *genebra* + *-ada[1]*.] *S. f.* Bebida feita com água, açúcar, genebra e suco de casca de limão.

genebrês *Adj.* **1.** De, ou pertencente ou relativo a Genebra (Suíça). ● *S. m.* **2.** O natural ou habitante de Genebra. [Sin. ger.: *genebrino*. Flex.: *genebresa* (ê), *genebreses* (ê), *genebresas* (ê).]

genebrino *Adj. S. m.* Genebrês.

genecologia [Do ingl. *genecology* (do gr. *génos*, 'raça', + o ingl. *ecology* [v. *ecologia*]).] *S. f. Biol.* **1.** Estudo da interação entre genótipos e meio. **2.** *Ecol.* Genética ecológica. [Cf. *ginecologia*.]

genecológico [De *genecologia* + *-ico[2]*.] *Adj.* Relativo à genecologia. [Cf. *ginecológico*.]

generacionismo *S. m. Rel.* Traducianismo.

general [Do fr. *général* < it. ant. *generale* < lat. med. *generale*.] *S. m.* **1.** V. *hierarquia militar*. **2.** Oficial que detém o posto de general. **3.** *Bras.* Denominação comum a *general de exército*, *general de divisão* e *general de brigada*. **4.** *Fig.* Caudilho, chefe. ● *Adj. 2 g.* **5.** *Desus.* Geral (2). [Como adj. ainda é us. no composto *quartel-general*.]

generala [De *general*.] *S. f.* **1.** Certo toque de tambor ou de trombeta com que se chamam tropas às armas ou a postos. **2.** *Fam.* Mulher de general.

generalado [De *general* + *-ado[2]*.] *S. m.* Generalato.

generalato [De *general* + *-ato[1]*.] *S. m.* **1.** Posto de general: "Ia-se por água abaixo o seu generalato. Viver tantos anos a sonhar com aquelas estrelas e elas se escapavam assim ....!" (Lima Barreto, *Triste Fim de Policarpo Quaresma*, p. 92). **2.** Dignidade do geral duma ordem religiosa: "Entrando no mosteiro, ... fazendo-se mestre em teologia, ... podia aspirar-se a uma grossa prebenda ...., esperar as honras singulares do generalato de uma ordem" (Latino Coelho, *Cervantes*, p. 53). [F. paral.: *generalado*.]

general-carneirense *Adj. 2 g.* **1.** De, ou pertencente ou relativo a General Carneiro (MT). ● *S. 2 g.* **2.** O natural ou habitante de General Carneiro. [Pl.: *general-carneirenses*.]

general de brigada *S. m.* **1.** V. *hierarquia militar*. **2.** Oficial que detém o posto de general de brigada. [V. *general* (3).] [Pl.: *generais de brigada*.] ☑

general de divisão *S. m.* **1.** V. *hierarquia militar*. **2.** Oficial que detém o posto de general de divisão. [V. *general* (3).] [Pl.: *generais de divisão*.] ☑

general de exército *S. m.* **1.** V. *hierarquia militar*. **2.** Oficial que detém o posto de general de exército. [V. *general* (3).] [Pl.: *generais de exército*.] ☑

generalício [De *general* + *-ício*.] *Adj. Bras.* Referente a general (1).

generalidade [Do lat. tard. *generalitate*.] *S. f.* **1.** Qualidade do que é geral (1 a 3). **2.** O maior número. ~ V. *generalidades*.

generalidades [Do pl. de *generalidade*.] *S. f. pl.* **1.** Princípios elementares; rudimentos. **2.** Coisas triviais, cotidianas: "Durante alguns minutos falaram sobre generalidades: o frio que fazia em Praga, os problemas com o transporte coletivo, coisas assim." (Moacir Scliar, *Os Leopardos de Kafka*, pp. 78-79.) ~ V. *generalidade*.

generalíssimo[1] [Superl. abs. sint. de *general*.] *S. m.* **1.** O chefe supremo de um exército. **2.** Título do soberano de uma nação com relação ao exército.

generalíssimo[2] *Adj.* Superl. abs. sint. de *geral*.

generalista [Do ingl. *generalist*.] *S. 2 g.* **1.** Pessoa que tem conhecimentos gerais, e não especializados, em determinada matéria. **2.** Médico que exerce a medicina em geral, só encaminhando o paciente a especialista quando o caso ultrapassa as suas possibilidades técnicas; geralista, internista, policlínico. **3.** *Ecol.* Organismo que pode viver em muitos tipos de meio ambiente, e que é capaz de utilizar variadas fontes de alimentação. ● *Adj. 2 g.* **4.** Que é generalista.

generalização [De *generalizar* + *-ção*.] *S. f.* **1.** Ato ou efeito de generalizar(-se). **2.** Extensão de um princípio ou de um conceito a todos os casos a que se pode aplicar. **3.** *E. Ling.* Regra ou princípio que explica dados linguísticos. **4.** *E. Ling.* No processo de aquisição de uma língua, procedimento que consiste em extrair uma regra ou princípio geral a partir da observação de exemplos particulares. [V. *interlíngua[1]*.] **5.** *Lóg.* Processo pelo qual se reconhecem caracteres comuns a vários objetos singulares, daí resultando quer a formação de um novo conceito ou ideia, quer o aumento da extensão de um conceito já determinado que passa a cobrir uma nova classe de exemplos. [Cf., nesta acepç., *abstração* (2), *analogia* (3 a 5), *determinação* (7), *indução* (2), *compreensão* (3) e *extensão* (11).]

generalizado [Part. de *generalizar*.] *Adj.* Em que houve generalização. ~ V. *coordenadas —as*, *crise epiléptica —a*, *momento —* e *momentum —*.

generalizador (ô) [De *generalizar* + *-dor*.] *Adj.* Que generaliza; generalizante.

G

generalizante [De *generalizar* + *-nte*.] *Adj. 2 g.* Generalizador.

generalizar [Do lat. *generalis*, 'geral', + *-izar*.] *V. t. d.* 1. Tornar geral; desenvolver, difundir, estender: *Tinha o hábito de generalizar suas observações particulares.* 2. Tornar comum; propagar, vulgarizar: *O governo procurava generalizar novos costumes.* *Int.* 3. Fazer generalizações. *P.* 4. Tornar-se comum a muitos indivíduos; propagar-se. 5. Estender-se, desenvolver-se.

generalizável [De *generalizar* + *-vel*.] *Adj. 2 g.* Que pode generalizar-se.

generante [Do lat. *generante*, part. pres. de *generare*, 'gerar', 'criar'.] *Adj. 2 g.* Gerador (1).

generativo [Do lat. *generatus* (part. pass. de *generare* [v. *generante*]) + *-ivo*.] *Adj.* 1. Que pode gerar; gerativo. 2. Relativo à geração.

generatriz [Do lat. *generatrice*.] *Adj.* (*f.*) *S. f.* Geratriz (1 e 2).

genérico[1] [De *gênero* + *-ico*[2].] *Adj.* 1. Respeitante a gênero. 2. Geral (1): "Foi para o sensual amante da Maintenon [Luís XIV].... que se inventaram as bebidas preparadas com açúcar e perfumes, que nós designamos em português pelo nome genérico de licores." (Ramalho Ortigão, *Em Paris*, p. 119). 3. Que tem o caráter de generalidade. 4. *Lóg.* Diz-se do que pertence ao gênero. ~ V. *definição —a*. [Opõe-se, nesta acepç. a *específico* (4).] ~ V. *medicamento —*. ● *S. m.* 5. *Farm.* Medicamento genérico (q. v.).

genérico[2] [Do fr. *générique*.] *S. m. Lus. Cin. Telev.* Crédito (5): "Eu não estou na história ...., sou uma simples comparsa dos que não têm nome no genérico, dos que nunca o terão .... e isto por absoluta falta de vocação dramática." (Maria Judite de Carvalho, *Os Armários Vazios*, p. 48).

género *S. m.* V. *gênero*. [Uso freq. em P.]

gênero [Do lat. *genus*, *eris*, 'classe', 'espécie', poss. pelo pl. lat. *genera*, ou pelo lat. **generum*, com mud. de declinação.] *S. m.* 1. *Lóg.* Classe cuja extensão se divide em outras classes, as quais, em relação à primeira, são chamadas *espécies*. 2. *Lóg.* Um dos predicáveis (q. v.): característica(s) que uma coisa tem em comum com outra, e que lhe(s) determina(m) a essência, quando acrescida da diferença (8). [Cf., nesta acepç., *classe* (22).] 3. *P. ext.* Qualquer agrupamento de indivíduos, objetos, fatos, ideias, que tenham caracteres comuns; espécie, classe, casta, variedade, ordem, qualidade, tipo: *Frequentava todo gênero de gente; Que gênero de conversa é esta?; Nesta rua há todo gênero de casas.* 4. Maneira, modo, estilo: *Não concordo com esse gênero de vida.* 5. Nas obras de um artista, de uma escola, cada uma das categorias que, por tradição, se definem e classificam segundo o estilo, a natureza ou a técnica: *os gêneros literários, musicais, pictóricos.* 6. Classe ou natureza do assunto abordado por um artista: *gênero dramático; gênero romântico.* 7. *Antrop.* A forma culturalmente elaborada que a diferença sexual toma em cada sociedade, e que se manifesta nos papéis e *status* atribuídos a cada sexo e constitutivos da identidade sexual dos indivíduos. 8. *Biol.* Categoria taxonômica compreendida entre a família e a espécie. [V. *grupos taxonômicos*.] 9. *E. Ling.* Categoria gramatical (q. v.) que dispõe os nomes de uma língua em classes (como *feminino*, *masculino*, *neutro*, *animado*, *inanimado*), de acordo com: (a) a referência pronominal (*a casa/ela*; *o menino/ele*); (b) a concordância com os modificadores (*a menina bonita/o gato gordo*); (c) a presença de determinados afixos (como, p. ex., *-triz*). 10. *Mat.* Diferença entre o número máximo de pontos duplos que uma curva unicursal pode ter e o número dos que ela realmente possui; deficiência. 11. *Mat.* Metade do número de cortes que devem ser feitos em uma superfície para que ela se torne simplesmente conexa. ~ V. *gêneros*. ◆ **Gênero de vida.** Conjunto de atividades habituais, provenientes da tradição, mercê das quais o homem assegura a sua existência, adaptando a natureza em seu proveito. **Gênero humano.** A espécie humana; a humanidade. **Gênero textual.** Produto (escrito ou falado) historicamente determinado, que constitui uma forma relativamente estável de enunciado. **Comum de dois gêneros.** *E. Ling.* V. *comum de dois*. **Fazer gênero.** *Bras. Gír.* Fingir ser o que não é. **Não fazer o gênero de.** *Bras.* Não estar conforme a opinião ou gosto de (alguém); não agradar a.

géneros *S. m. pl.* V. *gêneros*. [Uso freq. em P.]

gêneros [Do pl. de *gênero*.] *S. m. pl.* Mercadorias, principalmente víveres (q. v.). ~ V. *gênero*. ◆ **Gêneros de estiva.** *Bras. PE* Aqueles que constituem o comércio de secos e molhados em grosso. **Gêneros de primeira necessidade.** Mercadorias, esp. alimentos, indispensáveis às necessidades básicas do homem.

generosidade [Do lat. *generositate*.] *S. f.* 1. Qualidade de generoso[2]. 2. Ação ou atitude generosa.

generoso[1] (ô) [Do antr. *Generoso*, poss.] *S. m. Bras. S.* Ente fantástico que, segundo a crendice popular, entrava nas casas sem ser visto, fazia barulho nos quartos, tocava instrumentos musicais, etc.

generoso[2] (ô) [Do lat. *generosu*.] *Adj.* 1. Que gosta de dar; pródigo. 2. Que perdoa com facilidade. 3. Nobre, leal, valente. 4. Que revela generosidade, nobreza, liberalidade; próprio de quem é generoso: *procedimento generoso; atitude generosa.* 5. Diz-se da terra fértil. 6. Diz-se do cavalo brioso. ~ V. *vinho —*.

género-tipo *S. m. Zool.* V. *gênero-tipo*. [Uso freq. em P. Pl.: *géneros-tipos* e *géneros-tipo*.]

gênero-tipo *S. m. Biol.* Numa família ou subfamília taxonômica, o gênero (8) a partir do qual se formam os nomes de famílias e/ou subfamílias, ger. porque é o maior, ou o mais conhecido, ou o que foi inicialmente descrito ou us. como base para tal nomenclatura, e não porque as características sejam as mais representativas. [Pl.: *gêneros-tipos* e *gêneros-tipo*.]

génese *S. f. S. m.* V. *gênese*. [Uso freq. em P.]

gênese [Do gr. *génesis*, pelo lat. *genese*.] *S. f.* 1. Formação dos seres, desde uma origem; geração. 2. *P. ext.* Formação, constituição; origem: "Não insistirei em como na gênese de toda a arte se pode descobrir a mesma vontade de fuga ou de transposição, que vemos existir em Mário de Sá-Carneiro." (João Gaspar Simões, *O Mistério da Poesia*, p. 149.) ● *S. m.* 3. *Rel.* O primeiro livro do Pentateuco (q. v.), no qual se descrevem a criação e os tempos primitivos do mundo. [Com cap., nesta acepç.]

▲**-gênese** V. *genes(i)-*.

▲**genes(i)-** [Do gr. *génesis*, *genéseōs*.] *El. comp.* = 'geração', 'criação', 'gênese': *genésico*, *genesíaco*. [Equiv.: *-genes(i)-*, *-gênese*: *androgenesia*, *palingenesia*; *ontogênese*.]

▲**-genes(i)-** V. *genes(i)-*.

genesíaco [Do b.-lat. *genesiacu*.] *Adj.* V. *genético* (1).

genésico [De *gênese* + *-ico*[2].] *Adj.* V. *genético* (1): "Em Castela com certeza fez ele [D. Antônio, prior do Crato] algumas das suas proezas genésicas. O filho D. Cristóvão que nasceu em Tânger é provavelmente de uma mulher que ele levou consigo já grávida de Espanha." (Camilo Castelo Branco, *D. Luís de Portugal*, p. 167.).

genesiologia [De *genes(i)-* + *-o-* + *-logia*.] *S. f.* Estudo de todos os aspectos de reprodução (4).

geneta [Do tax. *Genetta*.] *S. f. Zool.* 1. Gênero de mamíferos viverrídeos, semelhantes a um gato de maior porte; têm corpo alongado, cabeça triangular, e focinho pontudo. Distribuem-se pela África, Espanha e S. da França. 2. Espécie ou espécime desse gênero.

genética [F. subst. de *genético*.] *S. f. Biol.* Ramo da biologia que estuda as leis da transmissão dos caracteres hereditários nos indivíduos, e as propriedades das partículas (genes) que asseguram essa transmissão. ◆ **Genética ecológica.** *Biol. Ecol.* Estudo das inter-relações das características genéticas das espécies ou populações de seres vivos e as condições ecológicas; genecologia.

geneticamente Do f. de *genético* + *-mente*.] *Adv.* 1. Por causas, ou meios genéticos. 2. No que respeita à genética, ou aos genes de um organismo. 3. Segundo a genética.

geneticista [De *genética* + *-ista*.] *S. 2 g.* Especialista em genética.

genético [Do gr. *genetikós*, 'capaz de procriar'; 'que engendra', 'que produz'.] *Adj.* 1. Relativo ou pertencente à gênese, à geração; genesíaco, genésico. 2. Relativo à genética. ~ V. *aconselhamento —*, *assimilação —a*, *código —*, *discriminação —a*, *engenharia —a* e *informação —a*.

genetlíaco [Do gr. *genethliakós*, pelo lat. tard. *genethliacu*.] *Adj.* 1. Natalício (2). 2. Que celebra o nascimento de alguém: *poesia genetlíaca.* ● *S. m.* 3. Aquele que prevê o futuro pela observação dos astros. 4. O dia do nascimento: *Comemora-se hoje o seu genetlíaco.* [Cf., nesta acepç., *aniversário* (5).]

genetliologia (nè) [Do gr. *genethliología*.] *S. f.* 1. Arte de prognosticar o futuro pela observação dos astros. 2. Arte de explicar o horóscopo.

genetliológico (nè) [De *genetliologia* + *-ico*[2].] *Adj.* Respeitante à genetliologia.

genetliólogo (nè) [Do gr. *genethliológos*.] *S. m.* Aquele que pratica a genetliologia.

→**genetrix** [gene'trĭks] [Lat.] *S. f. Antrop.* Genitora.

genetriz [Do lat. *genetrice*.] *S. f.* Aquela que gera; a mãe.

geneúna [Do tupi.] *S. f. Bras. Bot.* V. *cássia-grande*.

gengibirra [Do ingl. *ginger beer*.] *S. f.* 1. *Bras.* Bebida fermentada, feita de frutos, gengibre, açúcar, ácido tartárico, fermento de pão e água. [Sin. (no N.E.): *champanhe de cordão* e *cerveja de barbante*.] 2. *Bras. Pop.* V. *cachaça* (1).

gengibre [Do ár. *zingibīle* < lat. *zingibere* (lat. tard. *gingiber*) < gr. *zingíberis*, poss. de or. prácrita ou dravídica.] *S. m. Bot.* 1. Erva zingiberácea (*Zingiber zingiber*) medicinal, dotada de flores verde-amareladas, hermafroditas, dispostas em espigas ovoides, no ápice dos pedúnculos, com brácteas florais esverdeadas, as margens amarelas, pontoadas de roxo, e cujo fruto é cápsula trilocular, com sementes azuladas, de albume carnoso. 2. O rizoma dessa erva.

gengibre-de-dourar [De *gengibre* + *de* + o v. *dourar*.] *S. m. Bras. Bot.* V. *açafrão-da-terra* (1). [Pl.: *gengibres-de-dourar*.]

gengibre-dourado *S. m. Bot.* V. *açafrão-da-terra* (1). [Pl.: *gengibres-dourados*.]

gengiva [Do lat. *gingiva*.] *S. f. Anat.* Tecido fibroso fixado aos maxilares e à mandíbula e que tem membrana mucosa suprajacente, estendendo-se entre os dentes, a cujos colos adere firmemente.

gengival [De *gengiva* + *-al*[1].] *Adj. 2 g.* Relativo ou pertencente à gengiva; gengivoso.

gengivectomia [De *gengiva* + *-ectom-* + *-ia*[1].] *S. f. Odont.* Secção de tecido gengival patológico ou com volume excessivo.

gengivite [De *gengiva* + *-ite*[1].] *S. f. Odont.* Inflamação das gengivas.

gengivoestomatite [De *gengiva* + *-o-*[1] + *-estomat(o)-* + *-ite*[1].] *S. f. Odont.* Inflamação das gengivas, que pode ser causada por infecção por bactéria, vírus ou fungo e apresenta, como sintomas, dor, hiperemia gengival, necrose tecidual, odor fétido, sensação de compressão entre os dentes, febre, diarreia, vômito e hiperacidez bucal.

gengivoplastia [De *gengiva* + *-o-*[1] + *plastia*.] *S. f. Odont.* Intervenção plástica, com fins estéticos, que refaz o contorno gengival, deixando o indivíduo com dentes maiores e a gengiva em bom tamanho.

gengivoso (ô) [De *gengiva* + *-oso*.] *Adj. 2 g.* Gengival.

▲**-genia** [Do gr. *-genía* ou do gr. *-géneia* < gr. *génos*, *eos-ous*.] *El. comp.* = 'nascimento'; 'processo natural de formação'; 'evolução'; 'produção': *fitogenia*, *nevrogenia*, *organogenia*, *osteogenia*, *termogenia*. [V. *gen(o)-*[2] e *-ia*[1].]

genial [Do lat. *geniale*.] *Adj. 2 g.* 1. Que tem ou revela gênio (3): *poeta genial; obra genial.* 2. Relativo a, ou próprio de gênio. 3. Prazenteiro, alegre, jovial. 4. *Bras. Gír.* Ótimo, excelente, formidável, legal: *Você teve uma ideia genial: é, vamos à boate; Viu que pequena genial?*

genialidade [De *genial* + *-(i)dade*.] *S. f.* Qualidade de genial.

geniano [Do gr. *gén(eion)*, 'queixo', + *-iano*.] *Adj. Anat.* Relativo ao queixo.

genica *S. f. Lus. Pop.* Energia, vigor.

génico *Adj.* V. *gênico*. [Uso freq. em P.]

gênico [De *gene* + *-ico*[2].] *Adj.* Do gene, ou relativo a ele. ~ V. *expressão —a*.

▲**-gênico** [De *-gen(o)-* + *-ico*[2].] *El. comp.* = 'que causa', 'que produz': *ansiogênico*.

geniculação [Do lat. tard. *geniculatione*.] *S. f.* Curvatura em forma de joelho.

geniculado [Do lat. *geniculum*, 'joelho pequeno', + *-ado*[1].] *Adj.* Dobrado em forma de joelho: *colmo geniculado.* ~ V. *corpo —*.

▲**genio-** [Do gr. *géneion*, *ou*.] *El. comp.* = 'queixo': *genioplastia*, *genioplástico*.

génio *S. m.* V. *gênio*. [Uso freq. em P.]

gênio [Do lat. *geniu*.] *S. m.* 1. Espírito benéfico ou maléfico, que, segundo os antigos, presidia ao destino de uma pessoa, ou de uma comunidade, e que era responsável pelo desencadear de determinados fatos, etc. 2. *Fig.* Espírito inspirador ou tutelar: *Um gênio brejeiro e sentimental habitava Charles Chaplin.* 3. *Fig.* Altíssimo grau, ou o mais alto, de capacidade mental criadora, em qualquer sentido: *Dante é um poeta de gênio.* 4. Indivíduo de extraordinária potência intelectual: *Einstein é um gênio; Beethoven é um gênio da música.* 5. Índole, temperamento: *Impossível viver com ela: tem um gênio muito difícil.* 6. Mau gênio; irascibilidade: *Tem um gênio aquela criança!* ◆ **Gênio das trevas.** V. *diabo* (2). **Gênio do Mal.** V. *diabo* (2).

genioplastia (ê) [De *genio-* + *-plast(o)-* + *-ia*[1].] *S. f. Cir. Plást.* Intervenção cirúrgica plástica no queixo.

genioplástico (ê) [De *genioplastia* + *-ico*[2].] *Adj. Med.* Relativo a genioplastia.

genioso (ô) [De *gênio* + *-oso*.] *Adj.* Que tem gênio mau; irascível, colérico. [Sin., bras.: *genista*.]

genista[1] [Do tax. *Genista* (do lat. *genista*).] *S. f. Bot.* 1. Grande gênero de árvores e arbustos fabáceos, ger. espinhosos, dotados de folhas simples e flores amarelo-ouro; retama. 2. Qualquer espécie desse gênero, como, p. ex., a *Genista tinctoria* [v. *giesta* (1)]. 3. Qualquer espécime desse gênero.

genista[2] [De *gênio* + *-ista*.] *Adj. 2 g. Bras.* V. *genioso*.

genital [Do lat. *genitale*.] *Adj. 2 g.* 1. Relativo à geração. 2. Que serve para a geração. 3. *P. ext.* Relativo aos, ou próprio dos órgãos genitais. ~ V. *membro —*, *sistema —* e *tubérculo —*.

genitália [Do lat. *genitalia*, neutro pl. do lat. *genitalis*.] *S. f.* **1.** *Anat.* O conjunto dos órgãos reprodutores, especialmente os órgãos sexuais externos. **2.** *Zool.* Conjunto do órgão copulador e anexo, nos artrópodes. ◆ **Genitália assessória.** *Zool.* Órgão copulador dos insetos odonatos, situado nos esternitos do segundo e do terceiro segmento abdominal; genitália secundária. **Genitália secundária.** *Zool.* Genitália assessória.

genitivo [Do lat. *genitivu*, 'de nascimento', 'natural'; 'genitivo'.] *E. Ling.* *Adj.* **1.** Relativo a genitivo (2). ~ V. *caso* —. ● *S. m.* **2.** Caso genitivo (q. v.).

gênito *Adj.* V. *gênito*. [Uso freq. em P.]

gênito [Do lat. *genitu*.] *Adj.* Gerado.

▲-gênito [Do lat. *genitus, a, um*.] *El. comp.* = 'gerado', 'nascido': *bigênito, secundogênito*.

genitor (ô) [Do lat. *genitore*.] *S. m.* **1.** Aquele que gera, ou que gerou. **2.** Pai. **3.** *Antrop.* Aquele que é socialmente reconhecido como quem gerou (ou, dependendo da teoria nativa sobre procriação, um dos que geraram) determinado indivíduo. [Cf., nesta acepç., *pater*.]

genitora (ô) [Fem. de *genitor*.] *S. f.* **1.** Aquela que gera, ou que gerou. **2.** Mãe. **3.** *Antrop.* Mulher socialmente reconhecida como aquela que gerou ou que deu à luz determinado indivíduo. [Cf., nesta acepç., *mater*.]

genitura [Do lat. *genitura*.] *S. f.* Geração, raça, origem.

geniturinário (ê) [De *genit(al)* + *urinário*.] *Adj.* *Anat.* Relativo ou pertencente aos órgãos genitais e urinários.

▲gen(o)-[1] [Do lat. *gena, ae*.] *El. comp.* = 'face', 'bochecha': *genoplastia*.

▲gen(o)-[2] [Do gr. *génos, eos-ous*, do rad. do v. gr. *gígnesthai*, 'nascer'.] *El. comp.* = 'nascimento', 'origem'; 'raça', 'família'; 'nacionalidade', 'povo', 'nação'; 'geração', 'reprodução sexual'; 'que gera', 'que produz'; 'gene': *genocídio, genoma*. [Equiv.: *-gen(o)-, -geno*: *ideogênico, lacrimogêneo; cancerígeno, hipnógeno*.]

▲-gen(o)- V. *gen(o)-*[2].

▲-geno V. *gen(o)-*[2].

genoblasto [De *gen(o)-*[2]- + *-blasto*.] *S. m.* *Citol.* *P. us.* Célula sexual madura.

genocida [De *gen(o)-*[2] + *-cida*.] *Adj. 2 g.* **1.** Relativo a genocídio. **2.** Que comete ou ordena um genocídio. ● *S. 2 g.* **3.** Aquele ou aquela que comete ou ordena um genocídio.

genocídio [De *gen(o)-*[2] + *-cídio*.] *S. m.* Crime contra a humanidade, que consiste em, com o intuito de destruir, total ou parcialmente, um grupo nacional, étnico, racial ou religioso, cometer contra ele qualquer dos atos seguintes: matar membros seus; causar-lhes grave lesão à integridade física ou mental; submeter o grupo a condições de vida capazes de o destruir fisicamente, no todo ou em parte; adotar medidas que visem a evitar nascimentos no seio do grupo; realizar a transferência forçada de crianças dum grupo para outro: "Quantas esperanças fundaram os alemães nos gases asfixiantes e na guerra bacteriológica! .... E os que mais protestavam contra esses nefandos genocídios herdaram a ideia e continuaram estudos de aperfeiçoamento dela" (Fidelino de Figueiredo, *O Medo da História*, pp. 153-154).

genoma [Do al. *Genom*; v. *gene* e *(cromoss)oma*.] *S. m.* *Genét.* Constituição genética total de um indivíduo ou zigoto.

genômica [Adapt. do ingl. *genomics*.] *S. f.* O estudo da estrutura e do funcionamento dos genomas dos seres vivos.

genômico [De *genoma* + *-ico*[2].] *Adj.* Relativo ou pertencente ao genoma ou à genômica.

genonomia [De *gen(o)-*[2] + *-nom(o)-* + *-ia*[1].] *S. f.* *Genét.* Estudo das relações entre famílias que compõem uma espécie.

genoplastia [De *gen(o)-*[1] + *-plast(o)-* + *-ia*[1].] *S. f.* *Cir. Plást.* Cirurgia plástica facial.

genoplástico [De *genoplastia* + *-ico*[2].] *Adj.* Referente a genoplastia.

genotexto (ês) [De *gen(o)-*[2] + *texto*.] *S. m.* *E. Ling.* Conjunto das várias fases da elaboração de um texto, e que inclui notas, esboços, rascunhos e redações não definitivas. [Cf. *fenotexto*.]

genotipagem [De *genótipo* + *-agem*[2].] *S. f.* *Genét.* Exame ou processo pelo qual é feita a identificação de variantes genéticas de interesse para estudo de uma espécie.

genotípico [De *genótipo* + *-ico*[2].] *Adj.* *Genét.* Relativo ao genótipo.

genótipo [De *gen(o)-*[2] + *-tipo*.] *S. m.* *Genét.* A composição genética de uma célula ou de um organismo. [Cf. *fenótipo*.]

genovês *Adj.* **1.** De, ou pertencente ou relativo a Gênova (Itália). ● *S. m.* **2.** O natural ou habitante de Gênova. [Sin., p. us.: *genuense, genuês*. Flex.: *genovesa* (ê), *genoveses* (ê), *genovesas* (ê).]

genreador (ô) [De *genrear* + *-dor*.] *Adj. S. m.* *Bras.* *Gír.* Diz-se de, ou aquele que genreia, que vive à custa do(s) sogro(s).

genrear [De *genro* + *-ear*[2].] *V. int.* *Bras.* *Gír.* Viver à custa do(s) sogro(s). [Conjug.: v. *frear*.]

genro [Do lat. *generu*.] *S. m.* O marido da filha em relação aos pais dela. [Fem.: *nora*.]

gentaça [De *gente* + *-aça*.] *S. f.* V. *ralé* (1).

gentalha [Do cat. *gentalla* ou do it. *gentaglia*, poss.] *S. f.* V. *ralé* (1): "Aqui [na Lapa] vens encontrar os pequenos cabarés da gentalha, os 'concertos' deliciosamente canalhas e perigosos." (Ribeiro Couto, *A Cidade do Vício e da Graça*, p. 81.)

gentama [De *gente* + *-ama*.] *S. f.* *Bras.* *RS* **1.** Grande porção de gente; multidão, gentarada: "Aquela gentama toda que estava pela encosta da serra tremia de medo" (M. Cavalcanti Proença, *Manuscrito Holandês*, p. 263). **2.** V. *ralé* (1).

gentamicina [Do tax. *Gent(iana)* (v. *genciana*) + *-a-* + *-micina*.] *S. f.* *Quím.* Qualquer de certos glicosídeos antibióticos naturais, produzidos por fermentação, ou a mistura destes.

gentarada [De *gente* + *-arada*.] *S. f.* *Bras.* *S. Pop.* Gentama (1).

gente [Do lat. *gente*.] *S. f.* **1.** Quantidade maior ou menor de pessoas indeterminadas; povo: *Havia pouca gente no cinema.* **2.** Determinado número de pessoas que têm em comum certas características, ou profissão, ou interesse pessoal: *A gente do meu bairro gosta de flores; É gente honesta; A gente do teatro foi em peso à festa.* **3.** Número indeterminado de pessoas, ou mesmo uma só pessoa; alguém: *Havia gente batendo à porta.* **4.** O gênero humano; a humanidade. **5.** O ser humano; homem, pessoa: *Não parece gente; Não quer ver gente.* **6.** Habitantes de determinada localidade, região ou país; população, povo: *gente do campo; a gente do Brasil.* **7.** Partidários ou sequazes de uma ideia, de uma facção ou causa política; companheiro, camarada: *Serei eleito com os votos da minha gente.* **8.** Família ou empregados: *Minha gente é de Minas.* **9.** *Mil.* Força armada. ◆ **Gente bem.** Pessoa(s) da alta-roda, com boa situação na vida: "para Cornélio Pena, o passado brasileiro, de fazendeiros e de gente bem, ... nada tinha de parecido com o passado dos bisbilhoteiros da história" (Augusto Frederico Schmidt, *As Florestas*, p. 226). **Gente boa.** V. *minha gente*: *Oi, gente boa, quando é que o ônibus sai?*; "– Ô gente boa! Estou na onça, quero um bife a cavalo." (Reginaldo Guimarães, *Uma Blusa no Cais*, p. 5). **Gente de baixo.** *Bras.* *MT* Designação dada em Cuiabá, outrora, aos portugueses. **Gente de nação.** Descendentes dos judeus. **Gente fina.** **1.** *Bras.* *Gír.* Pessoa agradável, de boa índole, confiável e generosa. **2.** *Bras.* *Gír.* Indivíduo capaz. **3.** *Bras.* *Amaz.* *Rel.* Entidade (4) da nobreza de origem branca (fidalgo, rei, rainha, etc.), personagem real ou fictícia dos cultos de composição afro-indígena. **Gente grande.** Pessoas adultas: *Nossa festa é de crianças: gente grande não entra.* **A gente.** A(s) pessoa(s) que fala(m); eu, nós: "De Jesus Cristo resta unicamente / Um esqueleto; e a gente, vendo-o, a gente / Sente vontade de abraçar-lhe os ossos!" (Augusto dos Anjos, *Eu*, p. 110); "E quando a gente volta à casa, um dia, | Vê trancada a janela que sorria | E lê na porta: 'Aluga-se esta casa'." (Afonso Schmidt, *Mocidade*, p. 16). **Como gente.** *P. us.* Como gente grande (q. v.): "Sentou-se ao cravo; reproduziu as notas e chegou ao lá... | – *Lá, lá, lá...* | Nada, não passava adiante. E contudo, ele sabia música como gente." (Machado de Assis, *Histórias sem Data*, pp. 43-44). **Como gente grande.** *Bras.* Muito; largamente: *Come como gente grande; Fala francês como gente grande.* [Sin., p. us.: *como gente*.] **Dar-se por gente.** V. *entender-se por gente*: "Quando me dei por gente, reparei que meu Pai não era homem de pescarias nem de caçadas." (Odilo Costa Filho, *A Faca e o Rio*, p. 163.) **Entender-se de gente.** V. *entender-se por gente*: "A velha Janoca, a minha avó, desde que me entendi de gente não tinha olhos para tomar conta das cousas." (José Lins do Rego, *Meus Verdes Anos*, p. 15.) **Entender-se por gente.** Começar, a criança, a ter percepção, noção das coisas, do mundo, da vida; dar-se por gente; entender-se de gente. **Fazer-se gente.** **1.** Ser gente (1): *Fez-se gente à custa do próprio esforço.* **2.** Crescer, ficar grande: "Este, tão logo se fez gente e capaz de equilibrar-se nas próprias perninhas, começou a trazer os pais em constante preocupação por causa da estrada." (Fernando Sabino, *O Grande Mentecapto*, p. 10.) **Minha gente.** *Fam.* Forma amistosa de tratamento; meu amigo, meu chapa, gente boa. **Ser gente.** **1.** Ter importância ou valimento; ser alguém; fazer-se gente: *Se ele é gente, deve-o a si mesmo.* **2.** Ser pessoa sensível, humana, compreensiva, generosa: *Conta com a minha irmã: ela é gente.* **Toda a gente.** V. *todos*.

gente-de-fora-já-chegou [Voc. onom.] *S. m. 2 n.* *Bras.* *Zool.* V. *gente-de-fora-vem-aí*.

gente-de-fora-vem [Voc. onom.] *S. m. 2 n.* *Bras.* *Zool.* V. *gente-de-fora-vem-aí*.

gente-de-fora-vem-aí [Voc. onom.] *S. m. 2 n.* *Bras.* *Zool.* Ave passeriforme, ciclarídea (*Cyclarhis gujanensis*), da Amaz., de coloração verde, cabeça cinzento-escura, fronte e sobrancelha vermelhas, parte inferior cinzenta, mais clara no meio do abdome, e a garganta, os lados do peito e os flancos verde-amarelados. [Sin.: *adivinhe-quem-vem-hoje, gente-de-fora-já-chegou, gente-de-fora-vem, pitiguari*.]

gentiense *Adj. 2 g.* **1.** De, ou pertencente ou relativo a Gentio do Ouro (BA). ● *S. 2 g.* **2.** O natural ou habitante de Gentio do Ouro.

gentil [Do lat. *gentile*, por via erudita.] *Adj. 2 g.* **1.** Nobre, generoso, cavalheiresco: *um gesto gentil.* **2.** *Fig.* Esbelto, garboso, elegante: "Adeus, corpo gentil, pátria do meu desejo!" (Olavo Bilac, *Poesias*, p. 182.) **3.** Delicado, gracioso, mimoso: "Meigas flores gentis, quem vos não ama?" (Gonçalves Dias, *Obras Poéticas*, II, p. 105.) **4.** *Fig.* Agradável, aprazível. **5.** *Fig.* Delicado, amável, cortês: "As senhoras, querendo ser gentis com ele, posto que tivessem escrúpulos de receber dois homens em casa, ofereceram um dos quartos do fundo" (Coelho Neto, *Treva*, p. 174). [Superl. abs. sint.: *gentilíssimo* e *gentílimo*.]

gentil-dona *S. f.* *Desus.* Mulher fidalga, nobre. [Pl.: *gentis-donas*. Cf. *gentil-homem*.]

gentilense *Adj. 2 g.* **1.** De, ou pertencente ou relativo a Gentil (RS). ● *S. 2 g.* **2.** O natural ou habitante de Gentil.

gentileza (ê) [De *gentil* + *-eza*.] *S. f.* **1.** Qualidade ou caráter de gentil. **2.** Ação nobre, distinta ou amável. **3.** Donaire, garbo, elegância. **4.** Amabilidade, delicadeza: *Foi um gesto de extrema gentileza; Estas palavras são pura gentileza.*

gentil-homem [Do fr. *gentilhomme*.] *S. m.* Homem nobre, distinto, fidalgo, cavalheiresco: "O *Turf* era uma associação de gentis-homens mais ou menos autênticos, e de elegantes filhos-famílias mais ou menos ricos." (Fialho d'Almeida, *Pasquinadas*, p. 337.) [Pl.: *gentis-homens*.] ◆ **Gentil-homem da Câmara.** **1.** Um dos cargos da corte imperial do Brasil. **2.** Ocupante desse cargo.

gentilício [Do lat. *gentilitiu*.] *Adj.* Gentílico (1).

gentílico [Do lat. *gentilis* + *-ico*[2].] *Adj.* **1.** Dos, ou próprio dos gentios; gentilício. **2.** *E. Ling.* Diz-se de adjetivo que designa povo ou nação. ~ V. *adjetivo* —. ● *S. m.* **3.** *E. Ling.* Esse adjetivo: *Bracarense e brácaro são gentílicos sinônimos.*

gentilidade [Do lat. *gentilitate*.] *S. f.* **1.** A religião dos gentios; paganismo, gentilismo, etnicismo. **2.** Os gentios; gentilismo.

gentílimo *Adj.* Superl. abs. sint. de *gentil*; gentilíssimo.

gentilismo [De *gentil* + *-ismo*.] *S. m.* V. *gentilidade*: "a música no alto parecia tocar em honra daquele batizado, festejando a salvação de uma alma resgatada ao gentilismo." (Xavier Marques, *Jana e Joel*, p. 49).

gentilíssimo [Do lat. tard. *gentilissimu*.] *Adj.* Superl. abs. sint. de *gentil*; gentílimo.

gentilizar [Do lat. *gentilis*, 'gentio', + *-izar*.] *V. t. d.* **1.** Tornar gentio. **2.** Dar caráter ou feição de gentio a. *Int.* **3.** Praticar o culto pagão.

gentilmente [De *gentil* + *-mente*.] *Adv.* De modo gentil; com gentileza.

gentinha [De *gente* + *-inha*.] *S. f.* **1.** V. *ralé* (1). **2.** Pessoas mexeriqueiras.

gentio[1] [Do lat. *gentivu*.] *S. m.* **1.** Para os hebreus, o estrangeiro. **2.** Para os cristãos, aquele que professava o paganismo: *São Paulo foi o apóstolo dos gentios.* **3.** *P. ext.* Índio[2] (4). ● *Adj.* **4.** Que segue o paganismo; idólatra.

gentio[2] [De *gente* + *-io*[1].] *S. m.* *Pop.* Grande porção de gente; multidão.

gentita *S. f.* *Min.* Mineral amorfo, silicato hidratado de níquel e magnésio.

➔gentleman ['dʒentəlmən] [Ingl.] *S. m.* Homem de boas maneiras, boa educação. [Pl.: *gentlemen*.]

gentuça [De *gente* + *-uça*.] *S. f.* *Pop.* V. *ralé* (1).

➔genu ['geno] [Lat.] *S. m.* *Anat.* **1.** Joelho (1). **2.** Denominação genérica de estrutura (3) ou de formação (5) curva como o joelho. ◆ **Genu valgum.** ['geno 'valgo(m)] *Ort.* Deformidade em membros inferiores e em que os joelhos estão demasiadamente próximos um do outro, e os tornozelos muito afastados entre si. **Genu varum.** ['geno 'varo(m)] *Ort.* Deformidade em membros inferiores e em que os joelhos estão demasiadamente afastados um do outro, e os membros inferiores recurvados para dentro, podendo tal comprometimento ser parcial (só pernas ou só coxas) ou total (membros inteiros).

▲ genu- [Do lat. *genu, us*.] *El. comp.* = 'joelho': *genuflexão* (< lat.).

genuense [Do lat. *genuense*, por via erudita.] *Adj. 2 g. S. 2 g. P. us.* V. *genovês*.

genuês [Do lat. *genuense*, por via erudita.] *Adj. S. m. P. us.* V. *genovês*. [Flex.: *genuesa* (ê), *genueses* (ê), *genuesas* (ê).]

genuflectir [Do lat. tard. *genuflectere*.] *V. int.* **1.** Dobrar o joelho; ajoelhar(-se). *T. d.* **2.** Dobrar (a perna) pelo joelho; curvar. [Var.: *genufletir*. Conjug.: v. *aderir*, mas em geral somente nas f. em que ao *t* se segue *e* ou *i*.]

genuflector (ô) [Do fr. *génuflecteur*, der. erudito do lat. *genuflectere*, (v. *genuflectir*).] *Adj.* Que genuflecte; que faz genuflexão. [Var.: *genufletor*.]

genufletir *V. int. T. d.* V. *genuflectir*: 🕮 "Dobravam-se os joelhos, não como pedinchões. Genufletiam moídos de fadiga." (José Américo de Almeida, *A Bagaceira*, p. 6.)

genufletor (ô) *Adj.* V. *genuflector*.

genuflexão (cs) [Do lat. tard. *genuflexione*.] *S. f.* Ato de genuflectir: 🕮 "persignou-se em latim, fez genuflexão ao Sacramento" (Ramalho Ortigão, *As Farpas*, V, p. 49).

genuflexo (cs) [Do lat. tard. *genuflexu*, part. pass. de *genuflectere*.] *Adj.* Ajoelhado (1).

genuflexório (cs) [Do lat. med. *genuflexoriu*.] *S. m.* Estrado para ajoelhar e orar, com apoio para os braços: 🕮 "Passados dez minutos, D. João ergueu-se do genuflexório, persignou-se, e correu a vista pela multidão." (Rebelo da Silva, *De Noite Todos os Gatos São Pardos*, p. 78.)

genuinidade (u-i) [De *genuíno* + *-(i)dade*.] *S. f.* Qualidade de genuíno.

genuíno [Do lat. *genuinu*.] *Adj.* **1.** Sem mistura nem alteração; puro: 🖹 *produto genuíno; vinho genuíno.* **2.** Próprio, natural, autêntico; legítimo: 🕮 "É [a tourada] o único divertimento nacional, genuíno, característico, que tem acompanhado durante séculos a História" (Conde de Sabugosa, *Embrechados*, p. 13).

➔**genus irritabile** ['genos iřreˈtabelę] [Lat.] Raça irritadiça. [Expr. de Horácio com referência aos poetas (*genus irritabile vatum*), aplicada, p. ext., aos literatos em geral.]

genuvalgo [Do lat. *genu*, 'joelho', + lat. *valgu*, 'voltado para fora'.] *S. m. Ort.* V. *genu valgum*.

genuvaro [Do lat. *genu*, 'joelho', + lat. *varu*, 'voltado para dentro'.] *S. m. Ort.* V. *genu varum*.

▲**ge(o)-** [Do gr. *geō-* < gr. *gê*, *ês*.] *El. comp.* = 'Terra'; 'terra': *geoide; geomorfologia, geófago, geomante.* [Equiv.: *-ge(o)-*: *pangeia*.]

▲**-ge(o)-** Equiv. de *ge(o)-*.

geobatráquio [De *ge(o)-* + *batráquio*.] *Adj. S. m. Zool. Desus.* Diz-se de, ou anfíbio terrestre. [Cf. *hidrobatráquio*.]

geobiologia [De *ge(o)-* + *biologia*.] *S. f. Biol.* Estudo da evolução da vida em função da evolução da Terra.

geobiológico [De *geobiologia* + *-ico*[2].] *Adj.* Relativo à geobiologia.

geobotânica [De *ge(o)-* + *botânica*.] *S. f.* Ciência que se ocupa das relações entre a vida vegetal e o meio terrestre.

geobotânico [De *geobotânica*, com var. suf. (v. *-ico*[2]).] *Adj.* **1.** Respeitante à geobotânica. ● *S. m.* **2.** Especialista nessa matéria.

geocarpia [De *ge(o)-* + *-carp(o)-* + *-ia*[1].] *S. f. Bot.* Maturação de frutos no interior do solo, como só acontece com o amendoim.

geocárpico [De *geocarpia* + *-ico*[2].] *Adj.* Relativo à geocarpia.

geocêntrico [De *ge(o)-* + *-centr(o)-* + *-ico*[2].] *Adj. Astr.* **1.** Relativo ao centro da Terra. **2.** Que tem a Terra como centro. [Cf. *heliocêntrico*.] ~ V. *ascensão reta —a, coordenadas —as, declinação —a, elongação —a, latitude —a, latitude eclíptica —a, longitude —a, longitude eclíptica —a, oposição —a, posição —a* e *sistema —*.

geociências [De *ge(o)-* + o pl. de *ciência*.] *S. f. pl.* As ciências relacionadas com o estudo da Terra, como, p. ex., a geografia, a geologia, a geofísica.

geóclase [De *ge(o)-* + *-clase*.] *S. f. Geol.* Grande fratura ou falha que afeta a crosta terrestre em toda a sua espessura.

geocorísido [Adapt. do tax. *Geocorizae*.] *S. m. Adj. Zool.* V. *gimnocerado*.

geocorônio *S. m.* V. *geocorônio*. [Uso freq. em P.]

geocorônio [De *ge(o)-* + *corônio*.] *S. m.* Gás que parece caracterizar a ionosfera, e cuja presença é atestada pela análise espectral das auroras polares.

geocronologia [De *ge(o)-* + *cronologia*.] *S. f.* Capítulo interdisciplinar da química e da geologia que visa a determinar a idade de rochas mediante análise de natureza química, como, p. ex., a medição da razão urânio/chumbo na rocha, ou da razão rubídio/estrôncio.

geocronológico [De *geocronologia* + *-ico*[2].] *Adj.* Relativo à geocronologia.

geode [Do gr. *geódes*, pelo lat. *geode*.] *S. m. Geol.* Geodo (q. v.).

geodesia [Do gr. *geodaisía*.] *S. f.* **1.** Ciência que se ocupa da forma e das dimensões da Terra, ou duma parte da sua superfície. **2.** Arte de medir e dividir as terras. [Var. pros.: *geodésia*.]

geodésia *S. f.* V. *geodesia*.

geodésica [F. subst. de *geodésico*.] *S. f. Mat.* Sobre uma superfície, curva cuja normal principal coincide, em cada ponto, com a normal a essa superfície. Numa esfera, p. ex., as geodésicas são as circunferências de grandes círculos. [Sin.: *curva geodésica* e *linha geodésica*.]

geodésico [De *geodesia* + *-ico*[2].] *Adj.* Relativo à geodesia; geodético (q. v.). ~ V. *curva —a, curvatura —a, distância —a, divisão —a, linha —a, paralelo —, polígono —, posição —a, raio —* e *triângulo —*.

geodético [De *geod(esia)* + *-ético*.] *Adj.* Geodésico.

geodinâmica [De *ge(o)-* + *dinâmica*.] *S. f.* V. *tectônica* (2).

geodinâmico [De *geodinâmica*, com var. suf. (v. *-ico*[2]).] *Adj.* Respeitante à geodinâmica.

geodo [Var. de *geode*.] *S. m. Geol.* A parte oca das rochas cuja parede interna esteja revestida de cristais ou de matéria mineral. [A melhor forma é *geode*.]

geoeletricidade [De *ge(o)-* + *eletricidade*.] *S. f.* Disciplina que estuda as correntes elétricas no globo terrestre.

geofagia [De *ge(o)-* + *-fag(o)-* + *-ia*[1].] *S. f. Med.* Hábito patológico de ingerir barro ou outra forma de terra.

geofágico [De *geofagia* + *-ico*[2].] *Adj. Med.* Relativo a geofagia.

geófago [De *ge(o)-* + *-fago*.] *Adj.* **1.** Que come terra. ● *S. m.* **2.** Aquele que come terra. [Sin., pop.: *come-longe, papista*.]

geofilídeo [Do tax. *Geophilus* + *-ideo*[1]; tax. *Geophilidae*.] *Zool. S. m.* **1.** Espécime dos geofilídeos, família de miriápodes, quilópodes, geofilomorfos, cegos, luminescentes, de patas curtas e numerosos anéis (acima de cento e sessenta). Alimentam-se de insetos e raízes carnudas. ● *Adj.* **2.** Pertencente ou relativo a eles.

geofilomorfo [Do tax. *Geophilus* + *-morfo*; tax. *Geophilomorpha*.] *Zool. S. m.* **1.** Espécime dos geofilomorfos, ordem de miriápodes, quilópodes, com 31 a 101 pares de pernas. ● *Adj.* **2.** Pertencente ou relativo a eles. [V. *geofilídeo*.]

geofísica [De *ge(o)-* + *física*.] *S. f.* Ciência que investiga os fenômenos físicos que afetam a Terra; física terrestre.

geofísico [De *geofísica*, com var. suf. (v. *-ico*[2]).] *Adj.* **1.** Relativo à geofísica. ~ V. *guiamento de influência —a* e *satélite —*. ● *S. m.* **2.** Especialista em geofísica.

geófito [De *ge(o)-* + *-fito*.] *S. m. Bot.* **1.** Planta terrestre, em geral. **2.** Vegetal cujas gemas se acham no interior da terra, onde está o principal órgão caulinar (*rizoma*, p. ext.) encarregado de formá-las.

geogenia [De *ge(o)-* + *-genia*.] *S. f.* Ramo da geologia que estuda a origem e formação da Terra.

geogénico *Adj.* V. *geogênico*. [Uso freq. em P.]

geogênico [De *geogenia* + *-ico*[2].] *Adj.* Relativo à geogenia.

geogénio *S. m. Geol.* V. *geogênio*. [Uso freq. em P.]

geogênio [De *ge(o)-* + *-gen(o)-* + *-io*[3].] *S. m. Geol.* Rocha, ou fragmento de rocha de provável origem meteorítica, composto por uma liga magnética de ferro e níquel. [V. *siderólito*.]

geognosia [De *ge(o)-* + *-gnosia*.] *S. f.* Ramo da geologia que tem por objeto o estudo da parte sólida da Terra.

geognóstico [De *ge(o)-* + *-gnóstico*.] *Adj.* Relativo à geognosia.

geografar [De *ge(o)-* + *-graf(o)-* + *-ar*[2].] *V. t. d.* Descrever geograficamente. [Pres. ind.: *geografo*, etc. Cf. *geógrafo*.]

geografia [Do gr. *geographía*.] *S. f.* **1.** Ciência que tem por objeto a descrição da superfície da Terra, o estudo dos seus acidentes físicos, climas, solos e vegetações, e das relações entre o meio natural e os grupos. **2.** Tratado ou compêndio relativo a tal ciência. **3.** Exemplar de um desses tratados ou compêndios. ◆ **Geografia econômica.** Ramo da geografia que estuda os recursos do solo e do subsolo, e a distribuição, produção e consumo deles. **Geografia física.** Ramo da geografia que estuda a superfície da Terra em seu aspecto atual; fisiografia. **Geografia humana.** Ramo da geografia que trata de todos os feitos terrestres resultantes da atividade do homem; antropogeografia. **Geografia linguística.** *E. Ling.* **1.** Metodologia originada nos estudos histórico-comparativos do séc. XIX, e que vê na evolução diacrônica e no distanciamento espacial entre os falantes as causas das diferenças linguísticas. **2.** Dialetologia. **Geografia política.** Ramo da geografia que trata do Estado em suas íntimas relações com o meio; geopolítica.

geográfico [Do gr. *geographikós*, pelo lat. tard. *geographicu*.] *Adj.* Relativo ou pertencente à geografia. ~ V. *acidente —, carta —a, coordenada —a, latitude —a, língua —a* e *meio —*.

geógrafo [Do gr. *geográphos*, pelo lat. tard. *geographu*.] *S. m.* Especialista em geografia. [Cf. *geografo*, do v. *geografar*.]

geo-hidrografia *S. f.* V. *geoidrografia*.

geo-hidrográfico *Adj.* V. *geoidrográfico*.

geo-história *S. f.* V. *geoistória*.

geo-histórico *Adj.* V. *geoistórico*.

geoide (ói) [De *ge(o)-* + *-oide*.] *S. m. Geofís.* Sólido geométrico que tem forma semelhante à da Terra, forma essa que não é a de uma esfera perfeita. ❖

geoidrografia (e-o-i) [De *ge(o)-* + *-idr(o)-* + *-grafia*.] *S. f.* V. *geidrografia*.

geoidrográfico (e-o-i) [De *geoidrografia* + *-ico*[2].] *Adj.* V. *geidrográfico*.

geoistória (e-o-is) [De *ge(o)-* + *história*.] *S. f.* V. *geistória*.

geoistórico (e-o-is) [De *geoistória* + *-ico*[2].] *Adj.* V. *geistórico*.

geolho (ô) [Do lat. tard. *genuculu*, por *geniculu*, dim. de *genu*, 'joelho'.] *S. m. Ant. Pop.* Joelho.

geologia [Do lat. med. *geologia* (v. *ge(o)-* e *-logia*).] *S. f.* **1.** Ciência cujo objeto é o estudo da origem, da formação e das sucessivas transformações do globo terrestre, e da evolução do seu mundo orgânico. **2.** Tratado ou compêndio dessa ciência. **3.** Exemplar de um desses tratados ou compêndios.

geológico [De *geologia* + *-ico*[2].] *Adj.* Relativo à geologia. ~ V. *coluna —a, corte —, oceanografia —a, tempo —* e *terreno —*.

geólogo [De *ge(o)-* + *-logo*.] *S. m.* Especialista em geologia.

geomagnético [De *geomagnetismo* + *-ico*[2].] *Adj. Geofís.* Relativo ao geomagnetismo. ~ V. *atividade —a, campo —, caráter —, eixo —, índice —* e *polo —*.

geomagnetismo [De *ge(o)-* + *magnetismo*.] *S. m. Geofís.* Ramo da geofísica que estuda a morfologia, origem e variação do campo magnético terrestre; magnetismo terrestre.

geomagnetista [De *geomagnetismo* + *-ista*.] *S. 2 g. Geofís.* Especialista em geomagnetismo.

geomancia (cí) [Do gr. *geomanteía*, pelo lat. tard. *geomantia*.] *S. f.* Adivinhação que se faz deitando pó de terra sobre uma mesa e examinando as figuras que se formam.

geomante [Do gr. *geomántis*, pelo lat. tard. *geomante*.] *S. 2 g.* Pessoa que pratica a geomancia.

geomântico [Do lat. med. *geomanticu*.] *Adj.* Relativo a geomancia, ou a geomante.

geómetra *S. 2 g.* V. *geômetra* (1 e 2). [Uso freq. em P.]

geômetra [Do gr. *geométres*, pelo lat. *geometra*.] *S. 2 g.* **1.** Especialista em geometria. **2.** *Ant.* Agrimensor. ● *S. f.* **3.** *Bras. Zool.* V. *lagarta-mede-palmos*.

geometral [De *ge(o)-* + *-metr(o)-*[2] + *-al*[1].] *Adj. 2 g.* Que apresenta as dimensões, forma e posição das partes de uma obra.

geometria [Do gr. *geometría*, 'agrimensura'.] *S. f.* **1.** Ciência que investiga as formas e as dimensões dos seres matemáticos; ciência que estuda as propriedades dum conjunto de elementos que são invariantes sob determinados grupos de transformações. **2.** Tratado ou compêndio dessa ciência. **3.** Exemplar de um desses tratados ou compêndios: 🖹 *O aluno perdeu a sua geometria, e não pode comprar outra.* ◆ **Geometria analítica.** Parte da geometria que investiga as propriedades das linhas, superfícies e volumes mediante expressões analíticas associadas a tais elementos. **Geometria descritiva.** Parte da matemática aplicada em que se representam e estudam os sólidos tridimensionais mediante projeções desses sólidos em planos. **Geometria diferencial.** Investigação das propriedades métricas das linhas, superfícies e volumes, mediante os processos da análise matemática. **Geometria elementar.** Parte da geometria que estuda as figuras planas que podem ser traçadas com régua e compasso, e os sólidos cujas seções são essas figuras. **Geometria euclidiana.** Aquela em que se investigam as propriedades dos elementos geométricos num espaço euclidiano. **Geometria não euclidiana.** Parte da geometria em que as investigações se conduzem num espaço não euclidiano. **Geometria plana.** Parte da geometria em que se investigam os espaços bidimensionais. **Geometria projetiva.** Parte da geometria que investiga as propriedades das configurações invariantes sob a operação de projeção. **Geometria riemanniana.** Parte da geometria não euclidiana que estuda as configurações nos espaços riemannianos. **Geometria sólida.** A que investiga as propriedades das figuras num espaço euclidiano a três dimensões.

geométrico [Do gr. *geometrikós*, pelo lat. *geometricu*.] *Adj.* Relativo ou pertencente à geometria, ou próprio dela, ou que a lembra: 🕮 "O estilo do Sr. Gustavo Flaubert é de uma precisão geométrica que a arte da palavra não tinha ainda obtido antes dele." (Ramalho Ortigão, *Notas de Viagem*, p. 89.) ~ V. *aberração —a, centro —, elemento —, isomeria —a, lugar —, média —a, óptica —a, ponto —* e *progressão —a*.

geometrídeo [Do gr. *geométres*, 'agrimensor', + *-ídeo*[1]; tax. *Geometridae*.] *Zool.* ***S. m.*** **1.** Espécime dos geometrídeos, família de insetos lepidópteros que engloba mariposas de tamanho médio e asas largas, cujas larvas são predadoras de vegetais. Há cerca de 12.000 espécies, com distribuição universal. • ***Adj.*** **2.** Pertencente ou relativo a eles.

geometrização [De *geometrizar* + *-ção*.] ***S. f.*** Ato ou efeito de geometrizar.

geometrizar [De *geométrico* + *-izar*, seg. o padrão erudito.] ***V. t. d.*** Dar forma geométrica a.

geomiídeo [Do tax. *Geomys* (v. *geômis*) + *-ídeo*[1].] *Zool.* ***S. m.*** **1.** Espécime dos geomiídeos, família de roedores coloniais de cauda curta, dotados de garras nos cinco dedos de cada pata, sendo as garras das patas dianteiras mais fortes, já que são escavadores; compreende várias espécies que habitam a América do Norte e a América Central. • ***Adj.*** **2.** Pertencente ou relativo a eles.

geómis ***S. m. 2 n.*** *Zool.* V. *geômis*. [Uso freq. em P.]

geômis [Do tax. *Geomys* (v. *ge(o)-* e *-mis*).] ***S. m. 2 n.*** *Zool.* **1.** O gênero-tipo dos geomiídeos, constituído por roedores de pequeno porte, que habitam a América Central e o S. dos E.U.A. **2.** Espécie ou espécime desse gênero. [Atualmente, vêm sendo utilizados para estudos de adaptação a terrenos áridos.]

geomorfologia [De *ge(o)-* + *-morf(o)-* + *-logia*.] ***S. f.*** Ciência que estuda as formas do relevo terrestre.

geomorfológico [De *geomorfologia* + *-ico*[2].] ***Adj.*** Relativo à geomorfologia.

geonímia [De *geônimo* + *-ia*[2].] ***S. f.*** O estudo e a classificação dos geônimos.

geonímico [De *geônimo* + *-ico*[2].] ***Adj.*** Relativo a geonímia, ou a geônimo.

geónimo ***S. m.*** V. *geônimo*. [Uso freq. em P.]

geônimo [De *ge(o)-* + *-ônimo*.] ***S. m.*** Designação comum aos nomes de acidentes geográficos: *Jamundá, Purus, Pireneus.*

geonoma [Do tax. *Geonoma*.] ***S. f.*** *Bot.* **1.** Gênero de palmeiras arecáceas que habitam as regiões tropicais das Américas, dotadas de folhas quase inteiras, ou fendidas em pinas, e pequenos frutos globosos. **2.** Qualquer espécie desse gênero, como, p. ex., a *Geonoma schottiana* (v. *guaricanga-de-folha-miúda*). **3.** Qualquer espécime desse gênero.

geonomástico [De *ge(o)-* + *onomástico*.] ***Adj.*** Referente aos nomes das localidades geográficas.

geopolítica [De *ge(o)-* + *política*.] ***S. f.*** Geografia política.

geopolítico [De *geopolítica*, com var. suf. (v. *-ico*[2]).] ***Adj.*** Relativo à geopolítica.

geopotencial [De *ge(o)-* + *potencial*.] ***S. m.*** *Fís.* Potencial do campo gravitacional da Terra.

geoquímica [De *ge(o)-* + *química*.] ***S. f.*** Parte da geofísica que estuda a composição química do globo terrestre.

geoquímico [De *geoquímica*, com var. suf. (v. *ico*[2]).] ***Adj.*** Referente à geoquímica.

georama [De *ge(o)-* + *-orama*.] ***S. m.*** Representação em relevo da superfície terrestre.

georgiano[1] [Do top. *Geórgia* (Europa) + *-ano*[1].] ***Adj.*** **1.** Da, ou pertencente ou relativo à República da Geórgia; geórgico. • ***S. m.*** **2.** O natural ou habitante da República da Geórgia. **3.** *Gloss.* Língua caucasiana falada na República da Geórgia [v. *caucásio* (2)].

georgiano[2] [Do ingl. *georgian*.] ***Adj.*** Do tempo dos quatro primeiros reis Jorges da Inglaterra (1714-1830), ou relativo a eles: *período georgiano.*

geórgica [Do gr. *georgiké*, pelo lat. *georgica*.] ***S. f.*** Poema que celebra a vida rústica. [Por alusão às *Geórgicas*, poema de Virgílio (v. *virgiliano*) acerca da agricultura.]

geórgico[1] [Do top. *Geórgia* (Europa) + *-ico*[2].] ***Adj.*** Georgiano[1] (1).

geórgico[2] [Do gr. *georgikós*, pelo lat. *georgicu*.] ***Adj.*** **1.** Relativo aos trabalhos agrícolas. **2.** Relativo à geórgica (q. v.).

georginense ***Adj. 2 g.*** **1.** De, ou pertencente ou relativo a Senador Georgino Avelino (RN). • ***S. 2 g.*** **2.** O natural ou habitante de Senador Georgino Avelino.

geosmina [De *ge(o)-* + *-osm(o)-*[1] + *-ina*[3].] ***S. f.*** *Quím.* Substância produzida por certas algas e bactérias, de odor particularmente intenso (perceptível em concentrações menores que 10 bilionésimos de grama por litro), descrito como "de barro" ou "de terra", e que pode contaminar a água dos reservatórios ou produtos alimentícios, como peixes criados em viveiro [fórm.: $C_{12}H_{22}O$]. [É responsável pelo "cheiro de terra molhada", às vezes percebido após chuva em solo seco.]

geoso (ô) [Por **geloso* (< *gelo* + *-oso*), com síncope.] ***Adj.*** Em que há geada; em que geia; geadeiro.

geossáurio [Adapt. do tax. *Geosauria*.] *Paleont.* ***S. m.*** **1.** Espécime dos geossáurios, ordem de reptis crocodilianos fósseis, de forma alongada, ictiófagos, que desenvolveram nadadeiras laterais e nadadeira caudal e adaptaram-se aos mares, formando o grupo dos talatossúquios. Viveram do jurássico inferior até o final do cretáceo. • ***Adj.*** **2.** Pertencente ou relativo a eles.

geossauro [Do tax. *Geosaurus* (v. *ge(o)-* e *-sauro*).] ***S. m.*** *Paleont.* Gênero de reptis crocodilianos modificados para, quase permanentemente, viver na água: as patas dianteiras e traseiras se desenvolveram em nadadeiras remiformes; tinham pescoço curto e cabeça relativamente grande, como a de outros carnívoros aquáticos, e dentes afiados que indicam terem-se alimentado de peixes. Viveram do jurássico ao final do cretáceo.

geossinclinal [De *ge(o)-* + *sinclinal*.] ***S. m.*** *Geol.* Vasta depressão alongada, situada nos bordos dos continentes, e cujo fundo se deprime ao peso dos sedimentos que se vão depositando.

geossíncrono [De *ge(o)-* + *síncrono*.] ***S. m.*** *Astron.* Diz-se do satélite cujo período de revolução é igual ao período de rotação da Terra.

geostática [De *ge(o)-* + *estática*.] ***S. f.*** **1.** Estática do globo terrestre. **2.** A parte da geografia física que estuda a Terra quanto às suas propriedades mecânicas.

geotécnica [De ge(o)- + *técnica*.] ***S. f.*** *Geol.* Ramo da geologia que estuda as propriedades dos solos e das rochas com vista a projetos de construção.

geotécnico [De *ge(o)-* + *técnico*.] ***Adj.*** *Constr.* ~ V. *prospecção —a.*

geotectónica ***S. f.*** V. *geotectônica*. [Uso freq. em P.]

geotectônica [De *ge(o)-* + *tectônica*.] ***S. f.*** V. *tectônica* (2).

geotectónico ***Adj.*** V. *geotectônico*. [Uso freq. em P.]

geotectônico [De *geotectônica*, com var. suf. (v. *-ico*[2]).] ***Adj.*** Referente à geotectônica.

geotermia [De *ge(o)-* + *-term(o)-* + *-ia*[1].] ***S. f.*** Ramo da geografia que estuda os fenômenos térmicos ocorrentes no interior do globo terrestre e as diferentes manifestações do calor da Terra.

geotérmico [De *geotermia* + *-ico*[2].] ***Adj.*** Relativo à geotermia. ~ V. *energia —a* e *grau —.*

geotermómetro ***S. m.*** V. *geotermômetro*. [Uso freq. em P.]

geotermômetro [De *ge(o)-* + *termômetro*.] ***S. m.*** Termômetro com que se determinam as temperaturas do solo a diferentes profundidades.

geotrópico [De *geotropismo* + *-ico*[2], seg. o padrão erudito.] ***Adj.*** Relativo a, ou que apresenta geotropismo.

geotropismo [Do al. *Geotropismus* (v. *ge(o)-* e *tropismo*).] ***S. m.*** *Biol.* Movimento trópico orientado pela gravidade, *i. e.*, na direção da Terra, próprio das raízes, rizomas e tubérculos; geotropismo positivo. ◆ **Geotropismo negativo.** *Biol.* Geotropismo peculiar aos órgãos que se afastam da Terra, como os caules aéreos; anageotropismo. **Geotropismo positivo.** *Biol.* Geotropismo.

■ **Ger** *Fís.* Símb. de *guericke*.

geração [Do lat. *generatione*.] ***S. f.*** **1.** Ato de gerar: *A geração fez-se em má época, e o feto não vingou.* **2.** O conjunto das funções ou fenômenos pelos quais um ser organizado produz outro semelhante. **3.** Cada grau de filiação de pai a filho; posteridade, descendência: *De geração em geração cresce em prestígio aquela família.* **4.** Linhagem, estirpe, ascendência, genealogia: *homem de geração ilustre.* **5.** O conjunto dos indivíduos nascidos pela mesma época: *a geração do pós-guerra.* **6.** O espaço de tempo (aproximadamente 25 anos) que vai de uma geração (3) a outra. **7.** *P. ext.* Produção, formação. **8.** *Fís. Nucl.* Num sistema em que estejam ocorrendo fissões nucleares, conjunto de nêutrons produzidos em um mesmo intervalo de tempo. **9.** *Rád. Telev.* Transmissão de sinais, em programa ao vivo ou gravado. ◆ **Geração alternante.** *Bot.* A que sucede a outra no ciclo vital de muitas plantas. **Geração espontânea.** *Biol.* V. *abiogênese*.

geracional [De *geração* (*geracion-*) + *-al*[1], seg. o padrão erudito.] ***Adj. 2 g.*** **1.** De, ou relativo a geração. **2.** Próprio de indivíduos de uma mesma geração, ou de indivíduos de gerações diferentes.

gerado [Part. de *gerar*.] ***Adj.*** Que se gerou; criado, gênito.

gerador (ô) [Do lat. *generatore*.] ***Adj.*** **1.** Que gera; generante. • ***S. m.*** **2.** Aquele que gera; genitor. **3.** Aquele que cria ou produz: "os tesouros inexauríveis do Oriente, gerador das raças, origem das origens." (Martins Fontes, *Terras da Fantasia*, p. 56). **4.** Parte das máquinas de vapor em que este fluido se produz. **5.** *Eng. Elétr.* Máquina que transforma energia mecânica em elétrica, produzindo uma corrente contínua ou alternada. **6.** *Eletrôn.* Circuito que tem por fim produzir uma corrente ou uma tensão com características predeterminadas. ◆ **Gerador de caracteres.** *Telev.* Dispositivo eletrônico utilizado para a produção de caracteres. [V. *caráter* (2).]

geradora (ô) ***S. f.*** Fem. de *gerador*.

gerais [De *campos gerais*.] ***S. m. pl.*** *Bras.* **1.** Campos do Planalto Central. **2.** Lugares desertos e intransitáveis, no sertão do Nordeste. **3.** Campos planos cobertos de erva ou grama. **4.** Campos extensos, inaproveitados e pouco habitados; campos gerais: "— Amigo Aleixo, nasci e criei-me nestes gerais: as árvores das serras e das várzeas são minhas irmãs de leite." (José de Alencar, *O Sertanejo*, p. 89.) **5.** Lugar virgem, coberto de mato. ~ V. *geral*. ◆ **Estar nos seus gerais.** *Bras.* Estar a seu gosto, em liberdade, contente, satisfeito.

geral [Do lat. *generale*.] ***Adj. 2 g.*** **1.** Comum à maior parte ou à totalidade de um grupo de pessoas, de coisas: *A alegria era geral.* **2.** Que abrange ou compreende um todo; total: *A pesquisa científica é de interesse geral; a falha geral de energia paralisou a cidade.* **3.** Que é abrangente, global; que não é específico, nem especializado: *cultura geral; ideias gerais; traços gerais.* **4.** *Jorn.* Diz-se da seção de um jornal ou revista que cobre assuntos não pertencentes a uma editoria específica. **5.** *Lóg.* Diz-se de termo, conceito ou ideia que convém a todos os objetos que se agrupam em uma classe; universal. [Opõe-se, nesta acepç., a *particular* (6).] **6.** *Lóg.* Diz-se de termo, conceito ou ideia que convém à maior parte dos objetos que se agrupam em uma classe; particular. **7.** *Lóg.* Diz-se de proposição que contém um ou mais termos variáveis ou indeterminados. [Cf., nesta acepç., *função proposicional*.] [Este adjetivo, posposto a um substantivo, ao qual se liga, ou não, por hífen, significa 'cujas atividades abrangem todos os setores de uma instituição, empresa, organização, etc.': *secretário-geral, secretário geral; diretor-geral, diretor geral.* Superl. abs. sint.: *generalíssimo*.] ~ V. *anestesia —, astronomia —, biologia —, botânica —, campos gerais, carga —, clínica —, ideia —, implicação —, integral —, língua —, língua — amazônica, língua — paulista, linguística —, paralisia —, paralisia — progressiva, plano —, proposição —, solução —, vontade —* e *ventos gerais*. • ***S. m.*** **8.** A maior parte; o maior número: *Pouco lhe importa o que dele pense o geral dos homens;* "via ainda muito com que contar na tremenda crise que reduzia o geral da população da província a extrema penúria." (Franklin Távora, *O Cabeleira*, p. 252). **9.** O comum, o normal: *O geral, naquela família, é o sentimento da união.* **10.** Chefe supremo de ordem religiosa, especificamente da dos jesuítas. **11.** *Bras. PA* Vento de nordeste, que sopra da ilha de Marajó, e nos estuários dos rios Pará e Amazonas. **12.** *Bras. RN PB* Lugar coberto pelo mato. • ***S. f.*** **13.** Localidade, nos teatros, circos, estádios, na qual se cobram preços mais baixos. **14.** *Bras.* Revisão em automóvel, maquinaria, etc. **15.** *Bras.* Batida policial. ~ V. *gerais*. ◆ **Dar uma geral.** *Bras. Pop.* Inspecionar, repassar, limpar, revisar, rever, alguma coisa: *Antes da festa, deu uma geral na sala; Precisa dar uma geral no carro, pois está caindo aos pedaços.* **Em geral.** **1.** Indica relação ou referência a todos, ou à maioria, de um grupo ou conjunto. **2.** Indica que aquilo que se diz é um fato regular, habitual, comum. **3.** Na maioria das vezes. **No geral.** V. *geralmente*.

geraldino [Criação express. a partir de *geral* (13) + *-ino*[1], com infl. do antr. *geraldo*.] ***S. m.*** *Bras. Pop.* Frequentador da geral (13). [Cf. *arquibaldo*.]

geralista[1] [De *Gerais* (< *Minas Gerais*) + *-ista*.] ***S. 2 g.*** V. *mineiro*[2] (2).

geralista[2] [De *gerais* (< *campos gerais*) + *-ista*.] ***S. 2 g.*** *Bras.* Habitante dos gerais.

geralista[3] [De *geral* + *-ista*.] ***S. 2 g.*** *Med.* V. *generalista* (2).

geralmente [De *geral* + *-mente*.] ***Adv.*** De modo geral; na generalidade; em geral; no geral.

geraniácea [Do tax. *Geranium* (v. *gerânio*) + *-ácea*; tax. *Geraniaceae*.] ***S. f.*** *Bot.* Espécime das geraniáceas, família de plantas floríferas, da ordem das geraniales, composta de ervas e subarbustos de folhas partidas e estipuladas e flores pentâmeras, comumente vistosas e ornamentais. Na maturidade o fruto se fragmenta em várias partes. Há umas 650 espécies, dos países temperados e subtropicais, raras no Brasil, onde só existem cultivadas.

geraniáceo [De *geraniácea*, com var. suf. (v. *-áceo*).] ***Adj.*** *Bot.* Pertencente ou relativo às geraniáceas.

geranial[1] [De *gerânio* (q. v.) + *-al*[2].] ***S. m.*** *Quím.* Substância líquida, um dos isômeros geométricos do citral; citral a.

geranial[2] [Do lat. cient. *Gerani-* (v. *geraniale*) + *-al*[1].] ***Adj. 2 g.*** *Bot.* Pertencente ou relativo às geraniales.

geraniale [Do tax. *Geranium* (v. *gerânio*) + *-ale*; tax. *Geraniales*.] ***S. f.*** *Bot.* Espécime das geraniales, ordem de vegetais dicotiledôneos, arquiclamídeos, heteroclamídeos, providos de flores pentâmeras. Engloba muitas famílias, em várias subordens.

gerânio [Do lat. *geranion*, ou *geranium* (< gr. *geránion*); tax. *Geranium*.] ***S. m.*** *Bot.* **1.** Gênero-tipo das gera-

G

niáceas, constituído de plantas ornamentais originárias da Europa, dotadas de flores regulares, e cujo fruto é uma cápsula. **2.** Espécie, ou espécime desse gênero. [Var. bras., pop., nesta acepç.: *girame*.] **3.** V. *pelargônio* (2).

gerânio-brasileiro *S. m. Bras. RJ Bot.* Planta geraniácea (*Geranium brasiliensis*) pubescente, dotada de flores roxas, de sépalas glanduloso-pilosas e pétalas glanduloso-ciliadas, dispostas em umbelas, e cujo fruto é cápsula ovoide e pilosa. [Pl.: *gerânios-brasileiros*.]

gerânio-ferradura *S. m. Bras. Bot.* V. *pelargônio* (2). [Pl.: *gerânios-ferraduras*.]

geraniol [De *gerânio* (q. v.) + *-ol*².] *S. m. Quím.* Álcool primário monoterpenoide, acíclico, que contém duas ligações duplas, isômero do nerol, e que é encontrado em vários óleos essenciais, esp. o de rosas [fórm.: $C_{10}H_{18}O$]. [Pl.: *geraniois*.]

gerar [Do lat. *generare*.] *V. t. d.* **1.** Dar o ser a; dar existência a; criar, procriar: *Eva gerou Caim.* **2.** Fazer aparecer; causar, produzir, formar, desenvolver: "as insolências do forte contra o fraco só geram ódios fundos" (Alexandre Herculano, *Lendas e Narrativas*, II, p. 321). **3.** Lançar de si; produzir. **4.** Fazer produzir; fecundar, conceber: *A boa terra gera bons frutos.* **5.** *Rád. Telev.* Fazer a geração de (sinais de áudio e/ou imagem). *Int. P.* **6.** Nascer, formar-se, desenvolver-se. [Nesta acepç., é muito m. us. como pron. Pres. ind.: *gero*, etc. Cf. *jero*.]

gerativo [De *gerar* + *-tivo*.] *Adj.* Generativo. ~ V. *gramática* —*a*.

gerativo-transformacional *Adj. 2 g. E. Ling.* ~ V. *gramática* —. [Pl.: *gerativo-transformacionais*.]

geratriz [Do lat. *generatrice*.] *Adj.* (*f.*) **1.** Que gera. ~ V. *função* —. ● *S. f.* **2.** Aquela que gera. [Sin., nessas acepçs.: *generatriz*.] **3.** *Geom.* Curva que, ao mover-se, origina uma superfície. **4.** *Estat.* Função geratriz.

gerbão *S. m. Bras. Bot.* V. *gervão* (2).

gérbera [Do tax. *Gerbera* (do antr. [*Traugott*] *Gerber* [-1743], naturalista alemão).] *S. f. Bot.* **1.** Gênero de plantas asteráceas, herbáceas, perenes, dotadas de folhas basais, e flores reunidas em capítulos solitários e multifloros de 10cm de diâmetro, intensamente coloridos, e cujo fruto é aquênio acicular. **2.** Qualquer espécie desse gênero, como, p. ex., a *Gerbera jamensonii* (v. *margarida-do-transval*). **3.** Qualquer espécime desse gênero, ou a flor dele.

gerbilo [Do tax. *Gerbillus*.] *S. m. Zool.* **1.** Gênero de mamíferos roedores cricetídeos que, como os gerbos, têm as patas traseiras mais longas que as dianteiras. **2.** Espécie, ou espécime desse gênero.

gerbo [Do lat. cient. *gerboa* (< árabe).] *S. m. Zool.* Denominação comum a mamíferos roedores cricetídeos, esp. os do gênero *Gerbillus*, que vivem nas estepes e desertos do Velho Mundo. Pequenos e fortes, são excelentes saltadores, graças às patas traseiras muito desenvolvidas, que lhes permitem manter-se em posição bípede, como os cangurus. [Sin.: *rato-gerbo*, *rato-canguru* e *rato-saltador*.]

gerência [De *gerente* + *-ia*², seg. o padrão analógico.] *S. f.* **1.** Ato ou efeito de gerir. **2.** As funções de gerente; gestão, administração. **3.** O gabinete do gerente. **4.** Mandato de administração. **5.** Administração (1): "Esses dois fatos memoráveis .... bastam para revelar toda a solicitude empregada pelo governo português na gerência dos negócios coloniais." (Ramalho Ortigão, *As Farpas*, IV, p. 254.) [Cf. *gerencia*, do v. *gerenciar*.] ◆ **Gerência de produto.** *Market.* Supervisão e coordenação de todos os procedimentos relacionados a um produto específico, desde a produção até a venda.

gerencial [De *gerência* + *-al*¹.] *Adj. 2 g.* Relativo a, ou próprio de gerência ou de gerente.

gerenciamento [De *gerenciar* + *-mento*.] *S. m.* Ato ou efeito de gerenciar.

gerenciar [De *gerência* + *-ar*².] *V. t. d.* **1.** Dirigir (uma empresa) na qualidade de gerente. **2.** Exercer as funções de gerente em (uma empresa). **3.** V. *gerir*: "Uma série de artigos científicos .... mostram que o ser humano tem um impacto devastador sobre os ecossistemas do planeta, e que já está na hora de se começar a gerenciar os recursos da Terra de modo racional" (Ricardo Bonalume Neto, em *Folha de S. Paulo*, 03.08.1997). [Pres. ind.: *gerencio*, *gerencias*, *gerencia*, etc. Cf. *gerência*.]

gerente [Do lat. *gerente*, part. pres. do lat. *gerere* (v. *gerir*).] *Adj. 2 g. S. 2 g.* Que, ou quem gere ou administra negócios, bens ou serviços. ◆ **Gerente de produto.** *Market.* O responsável por gerência de produto.

gergelim [Do. ár. vulg. *gilgilan* (ár. cláss. *ǧulǧulān*, 'grão de coentro').] *S. m.* **1.** *Bot.* Planta pedaliácea (*Sesamum indicum*) herbácea, originária do Oriente, com propriedades medicinais, de flores alvas, róseas ou vermelhas, hermafroditas, malcheirosas, dispostas nas axilas das folhas, e cujo fruto é cápsula oblonga, pubescente, com sementes pequenas, amarelas, alvas ou pretas, arredondadas e levemente comprimidas; sésamo. **2.** A semente dessa planta. **3.** *Cul.* Bolo, farinha ou paçoca em que entra semente de gergelim. [Var.: *gerzelim*, *gingelim*, *gingerlim* e *zirzelim*.]

gergilada [De *gergel(im)* + *-ada*¹.] *S. f. Cul.* Doce de gergelim.

geriatra [De *ger(o)-* + *-iatra*.] *S. 2 g.* Especialista em geriatria.

geriatria [De *ger(o)-* + *-iatria*.] *S. f. Med.* Parte da gerontologia que se ocupa do diagnóstico e do tratamento das doenças dos idosos.

geriátrico [De *geriatria* + *-ico*².] *Adj.* Relativo a geriatria.

gerifalte [Do fr. ant. *girfalt* (atual *gerfaut*) < escandinavo ant. *geirfalki*.] *S. m. Zool.* Ave de rapina diurna da família dos falconídeos, de cauda longa e direita, que habita os países nórdicos, nidificando nas falésias ou em árvores: "o bater das asas dos nebris e gerifaltes empoleirados nos punhos dos falcoeiros" (Alexandre Herculano, *Lendas e Narrativas*, I, p. 186).

gerigonça *S. f.* V. *geringonça*: "traziam variadas damas que lhes falavam numa gerigonça arrevesada que mesmo não sei que língua era." (Lima Barreto, *Vida e Morte de M. J. Gonzaga de Sá*, p. 248).

geringonça [Var. de *gerigonça* < esp. *jerigonza*.] *S. f.* **1.** Gíria, calão. **2.** Objeto, coisa malfeita e de duração ou estrutura precária.

gerir [Do lat. *gerere*, 'trazer'; 'produzir', 'criar'; 'executar'; 'administrar'.] *V. t. d.* Ter gerência sobre; administrar, dirigir, reger; gerenciar: *gerir uma empresa*; "Henrique chegava à tardinha e logo pela manhã saía para o Outeiro, onde geria os negócios da mãe." (José Lins do Rego, *Meus Verdes Anos*, p. 177). [Irreg. Conjug.: v. *aderir*.]

germacrano *S. m. Quím.* Hidrocarboneto cíclico sesquiterpenoide saturado que contém dez átomos [fórm.: $C_{15}H_{30}$].

germacrona *S. f. Quím.* Cetona sesquiterpênica com esqueleto do germacrano e três ligações duplas [fórm.: $C_{15}H_{22}O$].

germanar [De *germano*¹ + *-ar*².] *V. t. d.* **1.** Tornar semelhante; irmanar, agermanar. **2.** Reunir, juntar, ajuntar, agermanar. *P.* **3.** Tornar-se semelhante; identificar-se. **4.** Reunir-se, juntar-se, ajuntar-se, agermanar-se.

germânico [Do lat. *germanicu*.] *Adj.* **1.** Pertencente ou relativo à antiga Germânia (v. *germano*²) e à Alemanha (Europa). **2.** Relativo ou próprio das regiões de língua e civilização alemã: *os países germânicos*; *a música germânica*. [Cf., nesta acepç., *teutônico* (1 e 2).] **3.** Pertencente ou relativo ao germânico (4). ● *S. m.* **4.** *Gloss.* Grupo de línguas indo-europeias do N.O. da Europa e que compreende três subgrupos: (a) o *germânico oriental*, do qual apenas o gótico foi preservado em manuscrito; (b) o *germânico setentrional*, representado pelo sueco, dinamarquês, norueguês, islandês e por uma variedade literária, o nórdico antigo; (c) o *germânico ocidental*, que compreende o inglês, o alemão, o frísio, o iídiche, o holandês, os dialetos flamengos da Bélgica, e o africâner.

germanidade¹ [De *germano*¹+ *-(i)dade*.] *S. f. Antrop.* Relação de parentesco entre irmãos germanos [v. germano¹ (1)] ou entre meio-irmãos; irmandade.

germanidade² [De *germano*² + *-(i)dade*.] *S. f.* **1.** Condição de germano². **2.** Qualidade, ou espírito característico do povo alemão. **3.** Germanismo (2).

germânio [Do lat. cient. *germanium* < top. lat. *Germania*, 'Alemanha'.] *S. m. Quím.* Elemento de número atômico 32, cristalino, cinza-metálico, semicondutor com importante emprego na manufatura de circuitos transistorizados [símb.: *Ge*].

germanismo [De *germano*² + *-ismo*.] *S. m.* **1.** *E. Ling.* Palavra, expressão ou construção peculiar à língua alemã. **2.** Sentimento de amor pela Alemanha; admiração por tudo que é de origem alemã; teutomania. **3.** Imitação das maneiras, costumes ou coisas alemãs. [Sin. ger.: *alemanismo*.]

germanista [De *germano*² + *-ista*.] *S. 2 g.* Especialista em línguas germânicas, ou na cultura alemã; alemanista.

germanização [De *germanizar* + *-ção*.] *S. f.* Ato ou efeito de germanizar(-se).

germanizar [De *germano*² + *-izar*.] *V. t. d. P.* Tornar(-se) alemão ou germânico; adaptar(-se) ao temperamento, maneira ou estilo germânico; alemanizar(-se).

germano¹ [Do lat. *germanu*, 'irmão'.] *Adj.* **1.** Diz-se de irmãos que procedem do mesmo pai e da mesma mãe. **2.** *Fig.* Que não sofreu adulteração; puro, verdadeiro, genuíno. ~ V. *primo* —. ● *S. m.* **3.** Cada um dos irmãos procedentes do mesmo pai e/ou da mesma mãe.

germano² [Do lat. *germanu*, 'da Germânia'.] *S. m.* **1.** Indivíduo dos germanos, povos que habitavam a região denominada *Germânia* pelos antigos romanos. ● *Adj.* **2.** De, ou pertencente ou relativo a esses povos. **3.** Alemão (1).

germanofilia [De *germano*² (3) + *-filia*.] *S. f.* Qualidade de germanófilo.

germanofílico [De *germanofilia* + *-ico*².] *Adj.* Relativo a germanofilia, ou a germanófilo.

germanófilo [De *germano*² (3) + *-filo*².] *Adj. S. m.* Que, ou aquele que é amigo ou admirador da Alemanha e dos alemães.

germanofonia [De *germanófono* + *-ia*¹.] *S. f.* Adoção da língua alemã como língua de cultura ou língua franca por quem não a tem como vernácula.

germanófono [De *germano*² + *-fono*.] *Adj. S. m.* Diz-se de, ou país, ou povo, ou indivíduo, etc., que fala alemão, ou que tem o alemão como língua (4).

germe [Do lat. *germen*, por via pop.] *S. m.* **1.** *Biol.* Estágio inicial de um novo organismo. **2.** *Biol.* Microrganismo patogênico; micróbio. **3.** *P. ext.* O princípio, a origem ou a causa de qualquer coisa. **4.** *P. ext.* Estágio rudimentar de algo: "A loucura, que existe, em germe, dentro de cada um de nós, coincidiria, eventualmente, com as manifestações vigorosas ainda que estranhas, do psiquismo humano." (Moacir Scliar, *Saturno nos Trópicos*, p. 88.) **5.** *Zool.* A cicatrícula (q. v.) do ovo das aves. **6.** *Microbiol.* Micróbio (2). ◆ **Germe dentário.** *Odont.* Rudimento de dente em formação.

gérmen [Do lat. *germen*, por via erudita.] *S. m.* V. *germe*. [Pl.: *germens* e (p. us. no Brasil) *gérmenes*.]

▲germ(i)- Equiv. de *germin(i)-*.

germicida [De *germ(i)-* + *-cida*.] *Adj. 2 g. S. m. Microbiol.* Diz-se de, ou substância ou agente físico que tem o poder de matar os germes [v. *germe* (6)]; microbicida.

germinação [Do lat. *germinatione*.] *S. f.* **1.** *Biol.* Desenvolvimento do embrião de uma semente ou de um esporo. **2.** *Fig.* Expansão, desenvolvimento, evolução.

germinado [Part. de *germinar*.] *Adj.* Que germinou, ou que foi gerado.

germinadoiro [De *germinar* + *-doiro*².] *S. m.* Germinadouro (q. v.).

germinador (ô) [De *germinar* + *-dor*.] *S. m.* Aparelho dotado de aquecimento artificial e destinado ao processo de germinação das sementes para estudo do poder germinativo delas.

germinadouro [De *germinar* + *-douro*²; var. de *germinadoiro*.] *S. m.* Lugar subterrâneo onde se põe a cevada a germinar em montão, para a fabricação da cerveja.

germinal¹ [Do fr. *germinal*.] *S. m. Cronol.* V. *calendário republicano*.

germinal² [De *germin(i)-* + *-al*¹.] *Adj. 2 g.* **1.** Relativo a germe. **2.** *Biol.* Relativo às células reprodutivas dos seres vivos, os gametas.

germinante [De *germinar* + *-nte*.] *Adj. 2 g.* Que germina; germinativo.

germinar [Do lat. *germinare*.] *V. int.* **1.** Principiar a desenvolver-se (sementes, bulbos, etc.); deitar rebentos; grelar, abrolhar. **2.** Ter começo; tomar incremento ou vulto; nascer, desenvolver-se, difundir-se: *Novas formas de arte germinaram na primeira metade do século XX. T. d.* **3.** Dar causa a; produzir, gerar, originar: *O ódio germina o crime.*

germinativo [De *germinar* + *-tivo*.] *Adj.* Germinante. ~ V. *célula* —*a*, *célula* —*a primordial*, *estrato* —, *folheto* —, *plasma* — e *poro* —.

▲ germin(i)- [Do lat. *germen*, *inis*.] *El. comp.* = 'germe': *germiníparo*, *germinista*. [Equiv.: *germ(i)-*: *germicida*.]

germiníparo [De *germin(i)-* + *-paro*.] *Adj.* Que se reproduz por meio de germes.

germinista [De *germin(i)-* + *-ista*.] *Adj. 2 g.* **1.** Relativo ao germe. ● *S. 2 g.* **2.** Partidário da teoria segundo a qual as partes mutiladas de certos seres se reproduzem por meio de germes reparadores.

▲ ger(o)- [Do gr. *gēr-*, *gēro-* < gr. *gêras*, *géraos* -*ōs*, 'velhice'.] *El. comp.* = 'velhice'; 'velho'; 'pessoa idosa': *geriatria*, *gerocomia* (< gr.), *gerocômico* (< gr.), *gerodermia*, *gerodérmico*. [Equiv.: *-ger(o)-*: *progéria*. V. *geront(o)-*.]

▲-ger(o)- Equiv. de *ger(o)-*.

▲-gero [Do lat. *-ger*, *-ĕra*, *ĕrum* < v. lat. *gerĕre*, 'ter consigo', 'trazer em cima do corpo'.] *El. comp.* = 'que traz'; 'que contém', 'que produz': *lanígero*. [Equiv.: *-ígero*: *bolbígero*.]

gerocomia [Do gr. *gerokomía*.] *S. f. Med.* Ramo da gerontologia que se ocupa de bem cuidar dos velhos, inclusive no que toca aos aspectos higiênicos.

gerocômica *Adj.* V. *gerocômico*. [Uso freq. em P.]

gerocômico [Do gr. *gerokomikós*.] *Adj.* Relativo a gerocomia.

gerodermia [De *ger(o)-* + *-derm(o)-* + *-ia*[1].] *S. f. Patol.* Distrofia da pele e da genitália externa, e de que resulta seu envelhecimento precoce.

gerodérmico [De *gerodermia* + *-ico*[2].] *Adj.* Relativo a gerodermia.

➔**gérome** [ʒeʀoˈme] [Fr.] *S. m. Cul.* Queijo de leite de vaca semelhante ao *munster*, originário da Lorena (L. da França).

gerôntico [De *geront(o)-* + *-ico*[2].] *Adj.* Diz-se do estádio do ciclo ontogenético correspondente à fase senil.

▲**geront(o)-** [Do gr. *geront-*, *geronto-* < gr. *gérōn*, *gérontos*, 'pessoa idosa, sábia, digna de respeito'.] *El. comp.* = 'pessoa idosa': *gerôntico, gerontocracia, gerontofilia, gerontologia.* [V. *ger(o)-*.]

gerontocracia [De *geront(o)-* + *-cracia*.] *S. f.* **1.** Governo exercido por anciãos. **2.** *Antrop. Sociol.* Sistema político baseado na autoridade decisiva dos membros mais velhos do grupo. **3.** Grupo social dominante constituído por velhos: "toda a vida será invadida, infiltrada, minada de velhos, e as gerontocracias .... governarão ainda mais discricionariamente o mundo." (Júlio Dantas, *Espadas e Rosas*, p. 95).

gerontocrático [De *geront(o)-* + *-crat(a)-* + *-ico*[2].] *Adj.* Relativo a gerontocracia, ou próprio dela.

gerontofilia [De *geront(o)-* + *-filia*.] *S. f. Psiq.* Sentimento ou tendência de quem é gerontófilo; cronoinversão; presbiterofilia.

gerontofílico [De *gerontofilia* + *-ico*[2].] *Adj.* **1.** Relativo a gerontofilia. **2.** Que tem gerontofilia; gerontófilo. ● *S. m.* **3.** Aquele que tem gerontofilia; gerontófilo. [Sin. ger.: *presbiterofílico*.]

gerontófilo [De *geront(o)-* + *-filo*[2].] *Adj. S. m. Psiq.* Que, ou aquele que tem preferência mórbida por pessoas idosas, ou tendência para manter relações sexuais com tais pessoas; presbiterófilo.

gerontofobia [De *geront(o)-* + *-fobia*.] *S. f. Psiq.* Medo mórbido da velhice ou do envelhecimento.

gerontofóbico [De *gerontofobia* + *-ico*[2].] *Psiq. Adj.* **1.** Relativo a gerontofobia. **2.** Que sofre de gerontofobia; gerontófobo. ● *S. m.* **3.** Aquele que sofre de gerontofobia; gerontófobo.

gerontófobo [De *geront(o)-* + *-fobo*.] *Adj. S. m. Psiq.* Gerontofóbico (2 e 3).

gerontologia [De *geront(o)-* + *-logia*.] *S. f. Med.* Ciência que estuda o processo de envelhecimento, e os problemas dos idosos, sob todos os seus aspectos: biológico, clínico, histórico, econômico e social.

gerontológico [De *gerontologia* + *-ico*[2].] *Adj.* Referente a gerontologia.

gerontologista [De *gerontologia* + *-ista*.] *S. 2 g.* Especialista em gerontologia; gerontólogo.

gerontólogo [De *geront(o)-* + *-logo*.] *S. m.* Gerontologista.

gerotoxo (cs) [Do fr. *gérotoxon*.] *S. m. Med.* Anel branco, frequente nos velhos, que circunda a córnea e resulta de degeneração gordurosa do tecido corneano; arco senil.

gerreídeo [Adapt. do tax. *Gerreidae*.] *Zool. S. m.* **1.** Espécime dos gerreídeos, família de peixes actinopterígios, que reúne pequenos peixes marinhos de corpo oblongo, tegumento prateado, boca protrátil, nadadeira dorsal alta e caudal fendida. Cerca de 40 espécies habitam as águas costeiras tropicais e subtropicais. ● *Adj.* **2.** Pertencente ou relativo a eles.

gerrídeo [Do tax. *Gerris* + *-ídeo*[1]; tax. *Gerridae*.] *Zool. S. m.* **1.** Espécime dos gerrídeos, família de insetos da ordem dos hemípteros, de hábitos aquáticos e que caçam com o auxílio das patas anteriores. Gênero mais comum: *Halobates*. ● *Adj.* **2.** Pertencente ou relativo a eles. [Sin. ger.: *guerrídeo*.]

gersdorffita [Do antr. (*Iohann von*) *Gersdorff* (1781-1849), proprietária de uma mina de níquel em Schladming, Áustria, onde o mineral foi descoberto, + *-ita*[3].] *S. f. Min.* Mineral isométrico, sulfarsenieto de níquel [fórm.: NiAsS].

gertrudes [Do antr. *Gertrudes*.] *S. f. 2 n. Bras. Bot.* Erva apiácea (*Apium amni*) nativa do Brasil, de raiz afusada, pequenas folhas, flores alvas, umbeliformes, e frutos tirantes ao marrom; a infusão dela tem propriedades cicatrizantes e desinfetantes.

gerúndio [Do lat. tard. *gerundiu*.] *S. m. E. Ling.* Forma nominal do verbo, formada, em português, pelo sufixo *-ndo*. Ex.: *comendo, falando.*

gerundivo [Do lat. tard. *gerundivu*.] *S. m. E. Ling.* **1.** O particípio futuro passivo latino. **2.** Forma adjetival derivada do verbo por analogia com o gerundivo (1).

gerúsia [Do gr. *gerousía*, pelo lat. *gerusia*.] *S. f.* Em Esparta (Grécia antiga), conselho de 28 cidadãos com mais de 60 anos, nomeados pelo povo em caráter vitalício.

gervão [De *ogervão*.] *S. m.* **1.** *Bot.* Designação comum a várias verbenáceas, esp. do gênero *Starchytarpheta*, ger. cultivadas como ornamentais, medicinais ou forrageiras. **2.** Subarbusto verbenáceo (*Stachytarpheta cayennensis* ou *S. dichotoma*) de folhas opostas, luzidias na página superior e opacas na inferior, e pequenas flores azuis arroxeadas, dispostas em espigas terminais; as folhas, aromáticas, têm uso medicinal. [Sin., nesta acepç.: *aguaraponda, erva-do-sumidouro, erva-gervão, gerbão, gervão-azul, gervão-verdadeiro, ogervão, rinchão, urgebão, verbena-falsa.*] **3.** *Bras. SC Zool.* V. *mandorová*.

gervão-azul *S. m. Bras. Bot.* V. *gervão* (2). [Pl.: *gervões-azuis*.]

gervão-verdadeiro *S. m. Bras. Bot.* V. *gervão* (2). [Pl.: *gervões-verdadeiros*.]

gerzelim *S. m.* V. *gergelim*.

gesnéria [Do tax. *Gesneria* (do antr. [*Konrad*] *Gesner* [1516-1565], naturalista suíço, + lat. cient. *-ia*, v. *-ia*[2]).] *S. f. Bot.* **1.** Gênero-tipo das gesneriáceas, com cerca de 50 espécies na América tropical e Antilhas. São ervas dotadas de flores exuberantes, tubulosas. **2.** Qualquer espécie, ou espécime desse gênero. **3.** *Bras. PI a BA MT GO* Designação comum a várias plantas gesneriáceas, brasileiras, ornamentais, pertencentes aos gêneros *Achimenes, Alloplectus, Besleria, Drymonia, Nematanthus* e *Gesneria*, que se caracterizam pelas belas flores, razão por que são muito cultivadas universalmente.

gesneriácea [Do tax. *Gesneria* (v. *gesnéria*) + *-ácea*; tax. *Gesneriaceae*.] *S. f. Bot.* Espécime das gesneriáceas, família de vegetais da ordem das escrofulariales, providos de flores zigomorfas e hermafroditas, cuja corola é bilabiada. Androceu com quatro estames didínamos; ovário bicarpelar e unilocular, súpero ou ínfero; o fruto é cápsula ou baga. São ervas de folhas opostas e flores muito vistosas, vivamente coloridas. Há umas 1.100 espécies, na maioria tropicais, e muitas delas importantes como ornamento hortense.

gesneriáceo [De *gesneriácea*, com var. suf. (v. *-áceo*).] *Adj. Bot.* Pertencente ou relativo às gesneriáceas.

gessada [De *gessar* + *-ada*[1].] *S. f.* Base de gesso, feita com bolo-armênio e óleo ou azeite, sobre a qual se aplicam as folhas de ouro, nos trabalhos de douramento.

gessado [Part. de *gessar*.] *Adj.* Que se gessou; engessado. ~ V. *papel —*.

gessagem [De *gessar* + *-agem*[2].] *S. f.* Ato ou operação de gessar.

gessal [De *gesso* + *-al*[1].] *S. m.* Mina de gesso; gesseira.

gessar [De *gesso* + *-ar*[2].] *V. t. d.* **1.** Revestir com gesso para pintar ou dourar; estucar, engessar. **2.** Engessar (1 e 3). [Pres. ind.: *gesso*, etc. Cf. *gesso* (ê).]

gesseira [De *gesso* + *-eira*.] *S. f.* Gessal.

gesseiro [De *gesso* + *-eiro*.] *S. m.* Aquele que trabalha em gesso.

gesso (ê) [Do gr. *gýpsos*, pelo lat. *gypsu*.] *S. m.* **1.** Gipsita cozida a baixa temperatura, que faz pega com água e é, por isso, empregada em moldagens. **2.** *P. ext.* Gipsita. **3.** *P. ext.* Objeto de arte moldado em gesso (1). **4.** Ornato em gesso (1) para desenho. [Pl.: *gessos* (ê). Cf. *gesso*, do v. *gessar*.] ◆ **Gesso comum.** Gesso ordinário. **Gesso de estuque.** Gipsita submetida à calcinação completa de forma a constituir-se no sulfato de cálcio anidro. **Gesso de Paris.** Gipsita que foi submetida a uma calcinação parcial, de modo que retém meia molécula de água para cada molécula de sulfato de cálcio, usada em moldagem e em estuques. **Gesso ordinário.** Gesso impuro que é uma mistura de gipsita com outras classes de gesso; gesso comum.

gesso-cré *S. m.* Material branco, friável, mole, constituído por carbonato de cal impuro. [Pl.: *gessos-crés* e *gessos-cré*.]

gesta[1] [Do fr. *geste* < lat. clás. *gesta*, 'ações', neutro pl. subst. de *gestus*, part. pass. de *gerere*, 'executar'.] *S. f.* **1.** Feitos guerreiros; façanhas: "o seu aspecto fundamental [da tomada de Ceuta] é o de uma gesta bélica de gentes de algo, a brandir um golpe no islamita." (Antônio Sérgio, *Ensaios*, I, p. 310). **2.** Canções que celebram grandes feitos. **3.** Acontecimentos históricos; história.

gesta[2] *S. f. Bot.* V. *giesta*.

gestação [Do lat. *gestatione*, nome da ação do lat. *gestare*, 'levar', 'trazer'; 'carregar'.] *S. f.* **1.** *Obst.* Fenômeno de desenvolvimento, no útero, do produto da fecundação, e que compreende as fases ovular, embrionária e fetal, até que, finda a última, ocorre o nascimento; gravidez. **2.** *Fig.* Elaboração, produção: *A gestação das obras de Flaubert era extraordinariamente demorada.*

gestacional [De *gestação* (*gestacion-*) + *-al*[1], seg. o padrão erudito.] *Adj. 2 g.* Da, ou relativo à gestação: *período gestacional.*

➔**gestalt** [gəˈʃtalt] [Al., 'forma', 'figura', 'configuração'.] *S. f.* **1.** *Art. Plást.* Posicionamento que parte da teoria do gestaltismo (q. v.) e afirma estar a experiência estética relacionada às estruturas básicas, indivisíveis; o artista não imprime qualidades estéticas ou emocionais à obra de arte, uma vez que a forma preexiste à criação. **2.** *Filos.* Gestaltismo. [Com cap.]

gestáltico [De *gestalt* + *-ico*[2].] *Adj.* De, ou relativo a *Gestalt* ou a gestaltismo.

gestaltismo (gues) [Do al. *Gestalt*, 'forma', + *-ismo*, para traduzir o al. *Gestalt Theorie*.] *S. m. Filos.* Doutrina relativa a fenômenos psicológicos e biológicos, que veio a alcançar domínio filosófico, e consiste em considerar esses fenômenos não mais como soma de elementos por isolar, analisar e dissecar, mas como conjuntos que constituem unidades autônomas, manifestando uma solidariedade interna e possuindo leis próprias, donde resulta que o modo de ser de cada elemento depende da estrutura do conjunto e das leis que o regem, não podendo nenhum dos elementos preexistir ao conjunto; teoria da forma.

gestante [Do lat. *gestante*, part. pres. de *gestare*, 'levar', 'trazer'; 'carregar'.] *Adj. 2 g.* **1.** Que contém o embrião. **2.** Que está em gestação. ● *S. f.* **3.** Mulher no período de gestação.

gestão [Do lat. *gestione*.] *S. f.* Ato de gerir; gerência, administração. ◆ **Gestão de negócios.** *Jur.* Administração oficiosa de negócio alheio, sem mandato ou representação legal.

➔**gestapo** [gəˈʃtapo] [Al., das iniciais de *Geheimestaatspolizei*, 'Polícia Secreta do Estado'.] *S. f.* Designação da polícia secreta alemã ao tempo do nazismo. [Com cap.]

gestar [Do lat. *gestare*, 'levar', 'trazer', 'carregar', por via erudita.] *V. t. d.* **1.** Conceber, produzir, gerar: *Gestou um belo menino.* **2.** Inventar, engendrar, criar: *Criativo, gestou várias obras musicais.* *Int.* **3.** Gestar (1): *É estéril, incapaz de gestar.*

gestatório [Do lat. *gestatoriu*.] *Adj.* **1.** Relativo a gestação. **2.** Que pode ser transportado. ~ V. *cadeira —a e sede —a*.

gesticulação [Do lat. *gesticulatione*.] *S. f.* Ação de gesticular; gesticulado, gesto: *A gesticulação lhe é tão eloquente quanto a fala.*

gesticulado [Do lat. *gesticulatu*.] *Adj.* **1.** Que se faz por gestos; em que os gestos são o meio, único ou auxiliar, de expressão: "caminhavam juntas, numa conversa gesticulada e calorosa." (Amando Fontes, *Os Corumbas*, p. 146). ● *S. m.* **2.** V. *gesticulação*.

gesticulador (ô) [Do lat. *gesticulatore*.] *Adj. S. m.* Que, ou aquele que gesticula.

gesticular [Do lat. **gesticulare*, por *gesticulari*.] *V. int.* **1.** Fazer gestos, em geral acompanhando com eles a fala: "quem lhe entrasse em casa, às dez horas da noite, vê-lo-ia passear na sala, ... resmungando, gesticulando, suspirando, evidentemente aflito." (Machado de Assis, *Histórias sem Data*, p. 131); "Vocês fujam de mulher que gesticula com sedução, ... mulher de gesto mais significativo que palavra." (Mário Matos, *Casa das Três Meninas*, p. 224). *T. d.* **2.** Exprimir por gestos; formular gesticulando: *gesticular uma súplica.*

gesto[1] [Do lat. *gestu*.] *S. m.* **1.** Movimento do corpo, em especial da cabeça e dos braços, ou para exprimir ideias ou sentimentos, ou para realçar a expressão; mímica: "soltou a mão da mulher, com um gesto de desespero." (Machado de Assis, *Quincas Borba*, p. 93). **2.** V. *gesticulação*. **3.** Aparência, semblante, fisionomia, rosto: "as feições enrugadas, a palidez do rosto, o encovado dos olhos, que lhe davam ao gesto todos os sintomas de cadáver." (Alexandre Herculano, *Lendas e Narrativas*, I, p. 37); "Teófilo tinha ainda o gesto abatido com que entrou" (Machado de Assis, *Memorial de Aires*, p. 319).

gesto[2] [Do fr. *geste* < fr. ant. *gest* < lat. *gestu*.] *S. m.* Ação, ato (em geral, brilhante): *gesto de generosidade; gesto de nobreza.*

gesto-chave *S. m. Teatr.* Cada um dos gestos convencionais dos atores (principalmente no teatro oriental e na *commedia dell'arte* [q. v.]) cujos significados já são do conhecimento dos espectadores. [Pl.: *gestos-chaves* e *gestos-chave*.]

gestor (ô) [Do lat. *gestore*.] *S. m.* Gerente, administrador.

gestose [De *gest(ação)* + *-ose*[1].] *S. f. Obst.* Toxemia gravídica (q. v.).

gestual [De *gesto* + *-ual*.] *Adj. 2 g.* **1.** Relativo a gesto[1] (1). **2.** Que se faz com gestos. **3.** *Pint.* Diz-se de uma pintura informal em que se exprimem, especialmente, os gestos espontâneos (e até violentos) do artista no ato de pintar. ~ V. *linguagem —, língua —, língua — portuguesa e pintura —*.

gestualidade [De *gestual* + *-(i)dade*.] *S. f.* Qualidade de gestual.

getuliense[1] *Adj. 2 g.* **1.** De, ou pertencente ou relativo a Getúlio Vargas (RS). ● *S. 2 g.* **2.** O natural ou habitante de Getúlio Vargas.

getuliense[2] *Adj. 2 g.* **1.** De, ou pertencente ou relativo a Presidente Getúlio (SC). ● *S. 2 g.* **2.** O natural ou habitante de Presidente Getúlio.

getulinense *Adj. 2 g.* **1.** De, ou pertencente ou relativo a Getulina (SP). ● *S. 2 g.* **2.** O natural ou habitante de Getulina.

getulismo [Do antr. *Getúlio* (*Vargas*) + *-ismo*.] *S. m.* **1.** Movimento político-social de que foi chefe Getúlio

G

Vargas (1883-1954). **2.** A atuação política e social de Getúlio Vargas. **3.** Período de seu governo como presidente da República ou de seu domínio na política brasileira.

getulista [De *getulismo* + *-ista*.] ***Adj. 2 g.*** **1.** Referente ao getulismo. **2.** Que é partidário dele. ● ***S. 2 g.*** **3.** Partidário ou simpatizante do getulismo.

GeV [De *giga-* + *elétron-volt*.] ***S. m.*** Um bilhão de elétrons-volt.

➔**gewürztraminer** [geˌvyʁtstʁaˈminɐ] [Al.] ***S. m.*** **1.** *Vitic.* Casta nobre de uva branca, cultivada sobretudo na Alsácia (v. *alsaciano*). **2.** *Enol.* Vinho produzido com essa uva. [Com cap.]

■ **gf** *Fís.* Símb. de *grama-força*.

➔**ghost-writer** [ˈgowstˌɹajtɚ] [Ingl., de *ghost*, 'fantasma', + *writer*, 'escritor'.] ***S. 2 g.*** Pessoa que, mediante encomenda, escreve para outra, que lhe compra o trabalho e o assina. [Sin., em fr.: *nègre*.]

■ **GHz** *Fís.* Símb. de *giga-hertz*.

giárdia [Do tax. *Giardia* < antr. (*Alfred U.*) *Giard* (1846-1908), biólogo francês, + lat. cient. *-ia* (v. *-ia*[2]).] ***S. f.*** *Zool.* **1.** Gênero de protozoários, mastigóforos, zoomastiginos, cujo corpo apresenta simetria bilateral e oito flagelos. **2.** Qualquer espécie desse gênero, como, p. ex., a *Giardia lamblia*, parasita do sistema digestório do homem. **3.** Qualquer espécime desse gênero.

giardíase [Do tax. *Giard(ia)* + *-íase*.] ***S. f.*** *Patol.* Doença infecciosa do intestino delgado, aguda ou crônica, causada pelo flagelado *Giardia duodenalis*.

giba [Do lat. *gibba*.] ***S. f.*** **1.** V. *corcunda* (1): "Seu corpo disforme, cheio de gibas de gordura, dava-lhe aspecto de grande besouro castanho e zumbidor." (Cornélio Pena, *A Menina Morta*, p. 29.) **2.** *Marinh.* Vela triangular que enverga no estai próprio e se situa logo por anteavante da bujarrona. É a vela de proa que fica mais para fora do gurupés, no sentido longitudinal do navio. [Cf. (nesta acepç.) *bujarrona*.] **3.** *Marinh.* Pau da giba (2). [Cf. *jiba*.]

gibão[1] [Do it. ant. *gippone*, atual *giubbone*.] ***S. m.*** **1.** Vestidura antiga, que cobria os homens desde o pescoço até a cintura. **2.** Espécie de casaco curto que se vestia sobre a camisa. **3.** *Bras.* Véstia (2).

gibão[2] [De um dialeto da Índia oriental., pelo fr. *gibbon*.] ***S. m.*** *Zool.* Mamífero primata, simiiforme, hilobatídeo, de pequeno porte, pernas compridas e braços muito longos, especializados para braquiação, e que é arborícola, essencialmente vegetariano, e vive em grupo.

gibão-de-coiro ***S. m.*** *Bras. BA Zool.* Gibão-de-couro (q. v.). [Pl.: *gibões-de-coiro*.]

gibão-de-couro [Var. de *gibão-de-coiro*.] ***S. m.*** *Bras. BA Zool.* V. *birro*[1]. [Pl.: *gibões-de-couro*.]

gibarra ***Adj. 2 g.*** *Bras. N. Pop.* De estatura muito elevada; muito grande; altíssimo.

gibatão [De or. tupi.] ***S. m.*** *Bot.* V. *mucuri*.

gibbsita [Do antr. (*George*) *Gibbs* (1776-1833), mineralogista norte-americano, + *-ita*[3].] ***S. f.*** *Min.* Mineral monoclínico, hidróxido de alumínio, que eventualmente pode ser um minério de alumínio, sendo grande a sua concentração; hidrargilita.

gibelino [Do it. *ghibellino*.] ***Adj. S. m.*** Nos Estados italianos da Idade Média, partidário dos imperadores da Alemanha em luta contra os Papas, cujos sectários se chamavam *guelfos*.

giberélico [De *giberel(ina)* + *-ico*[2].] ***Adj.*** *Quím.* ~ V. *ácido* —.

giberelina [Do tax. *Gibberella* (*fujikuroi*) + *-ina*[3].] ***S. f.*** *Quím.* Qualquer de certos diterpenoides tetracíclicos relacionados ao ácido giberélico, encontrados em muitos vegetais superiores, e que são hormônios de crescimento.

gibi ***S. m.*** *Bras.* **1.** *Gír. Desus.* Meninote preto; negrinho. **2.** Nome registrado de determinada revista em quadrinhos, infantojuvenil. **3.** *P. ext.* Qualquer revista em quadrinhos. **4.** Publicação interna. ◆ **Não estar no gibi.** *Bras. Pop.* Ser fora do comum; ser inacreditável: *O talento da menina não está no gibi; O que ele disse da sogra não está no gibi.*

▲ **gibi-** [Do lat. *gibbus, i*.] ***El. comp.*** = 'giba', 'corcunda': *gibífero, gibifloro.*

gibizada [De *gibi* + *-zada*.] ***S. f.*** *Bras.* Reunião ou grupo de gibis.

gibosidade [De *giboso* + *-(i)dade*; lat. med. *gibbositate*.] ***S. f.*** *Med.* Curvatura da coluna vertebral com elevação exterior. V. *corcunda* (1).

giboso (ô) [Do lat. tard. *gibbosu*.] ***Adj.*** **1.** V. *corcunda* (6). **2.** *Astr.* Diz-se dum astro sem luz própria no qual a parte iluminada ocupa quase todo o disco aparente.

gibraltarino ***Adj.*** **1.** De, ou pertencente ou relativo a Gibraltar, território inglês no mar Mediterrâneo. ● ***S. m.*** **2.** O natural ou habitante de Gibraltar.

gibreiro ***S. m.*** *Bras. PA* Trabalhador braçal.

gicá [De or. afr.] ***S. m.*** *Bras. Rel.* Reverência especial que a filha de santo, ou o filho de santo, de orixá hermafrodito, faz diante do peji, do chefe do terreiro, dos orixás incorporados ou de visitantes grados. [Cf. *dobale* e *icá*.]

giclê [Do fr. *gicleur*.] ***S. m.*** *Autom.* Conjunto de orifícios que dosam a passagem da gasolina ao ser esta despejada na câmara de carburação. [Var.: *giglê*.]

gidiano [Do antr. (*André*) *Gide* + *-iano*.] ***Adj.*** **1.** Pertencente ou relativo a André Gide (1869-1951), escritor francês, ou próprio dele: "páginas gidianas nas quais o bem e o mal adquirem uma única face" (Sábato Magaldi, *Panorama do Teatro Brasileiro*, p. 255). ● ***S. m.*** **2.** Grande admirador e/ou profundo conhecedor da obra de Gide.

giesta [Do lat. *genista*.] ***S. f.*** *Bot.* **1.** Nome comum a vários arbustos fabáceos, esp. do gênero *Cytisus* (v. *cítiso*), que têm, ger., propriedades medicinais. **2.** Subarbusto fabáceo (*Genista tinctoria*) de até 1,50m de altura, muito ramoso, dotado de folhas unifoliodadas, oblongas, ciliadas, vernicosas e glabras, ou pouco pubescentes, e flores amarelas, dispostas em racimos terminais espiciformes, que fornecem matéria tintorial amarela; é cultivado como ornamental. [V. *genista*[1].] **3.** Planta fabácea (*Spartium junceum*) arbustiva, ornamental, de folhas pouco numerosas e flores amarelas, de cheiro agradável. [Var.: *gesta*.]

giesta-das-vassouras [De *giesta* + o pl. de *da*[1] + o pl. *vassoura*.] ***S. f.*** *Bras. Bot.* Subarbusto fabáceo (*Genista scoparia*) de até 2m, muito ramoso, sendo os ramos muito eretos e flexíveis; folhas muito pequenas, decorrentes; flores axilares, amarelo-ouro, dispostas em belos racimos terminais. Vegeta em terrenos silicosos e áridos, que sejam ensolarados, e fornece boa forragem quando jovem. [Sin.: *retama*. Pl.: *giestas-das-vassouras*.]

giestal [De *giesta* + *-al*[1].] ***S. m.*** Quantidade mais ou menos considerável de giestas dispostas proximamente entre si: "Referve a seiva nos giestais da fraga" (Antônio Correia d'Oliveira, *Antologia, I, Líricas*, p. 216).

■ **GIF** [Abrev. do ingl. *Graphics Interchange Format*, 'formato intercambiável de gráficos'.] *Inform.* Padrão para compressão de imagens.

giffordiácea [Do tax. *Giffordia* + *-ácea*; tax. *Giffordiaceae*.] ***S. f.*** *Bot.* Espécime das giffordiáceas, família de algas feofíceas, da ordem das ectocarpales, caracterizada pelo talo filiforme, que lembra o das ectocarpáceas. Esporângios uniloculares e gametângios plurioculares. Habitam os oceanos.

giffordiáceo [De *giffordiácea*, com var. suf. (v. *-áceo*).] ***Adj.*** *Bot.* Pertencente ou relativo às giffordiáceas.

giga[1] [De or. obscura.] ***S. f.*** **1.** Selha larga e baixa. **2.** Canastra em forma de selha.

giga[2] [Do fr. ant. *gigue* < ant. alto al. *giga*, 'violino', (al. *Geige*).] ***S. f.*** **1.** Antigo instrumento musical de cordas friccionáveis, cuja forma lembra a do bandolim, e cujo braço é um prolongamento da caixa de ressonância. **2.** Antiga dança, em andamento vivo e compasso binário, provavelmente originária da Inglaterra, onde era muito popular na época elisabetana; jiga. **3.** Dança italiana, de estrutura binária, em voga nos sécs. XVII e XVIII, e que em geral termina a suíte ou o concerto de câmara.

▲ **giga-** [Do gr. *gígas, gígantos* (i).] ***Pref.*** **1.** Que, anteposto ao nome de uma unidade de medida, forma o nome de uma unidade derivada 10^9 vezes a primeira. Ex.: gigâmetro = 10^9m, ou 1.000.000.000 de metros. **2.** *Inform.* Anteposto ao nome de uma unidade empregada em sistemas binários, indica multiplicação dessa unidade por 2^{30} (ou seja, 1.073.741.824) [símb.: *G*]: *1 gigabyte = 1 GB =* 2^{30}*bytes.*

➔**gigabit** [ˈdʒɪgə bɪt] [Ingl.] ***S. m.*** *Inform.* 2^{30}*bits* (aprox. 1 bilhão de *bits*). [Simb. *Gb*.]

➔**gigabyte** [ˈdʒɪgə bajt] [Ingl.] ***S. m.*** *Inform.* 2^{30}*bytes* (aprox. 1 bilhão de *bytes*) [símb.: *GB*].

giga-hertz [De *giga-* + *hertz*.] ***S. m. 2 n.*** *Fís.* Unidade de medida de frequência, igual a 10^9 hertz [símb.: *GHz*].

gigâmetro [De *giga-* + *metro*.] ***S. m.*** Mil milhões de metros.

giganta ***S. f.*** Fem. de *gigante* (2 e 3).

gigantão [De *gigante* + *-ão*[1].] ***S. m.*** *Bras. MG SP Folcl.* Cada uma das grandes figuras de papelão, de homem, mulher e menino, de proporções descomunais (João Paulino, Maria Angu, Catitão, etc.), dentro das quais se mete uma pessoa, e que, ao som de ruidosa música, desfilam entre o Natal e o carnaval, em companhia de outros mascarados, alguns deles trazendo cabeçorras. [V. *cabeçorra* (2).]

gigante [Do gr. *gígas, antos*, pelo lat. *gigante*.] ***S. m.*** **1.** Designação comum a seres fabulosos, de forma ger. humana e monstruosa, de estatura colossal, e que, nas diversas mitologias, surgem nos tempos primordiais, empenhando-se em lutas, em obras extraordinárias, etc. **2.** Homem de elevada estatura e/ou grande corpulência. **3.** Animal ou coisa de grande porte. **4.** *Fig.* Homem de notável capacidade intelectual, espírito empreendedor, etc. **5.** *Fig.* Aquilo que é ou se tornou extraordinariamente grande e poderoso: *os gigantes da indústria automobilística.* **6.** *Constr.* Contraforte (4). ● ***Adj. 2 g.*** **7.** Muito grande; enorme, gigantesco. [Nesta acepç., pode ou não ligar-se por hífen ao substantivo que o precede: *estrela gigante; baleia-gigante.*] ~ V. *célula* —.

gigantear [De *gigante* + *-ear*[2].] ***V. int.*** **1.** Tornar-se gigante; crescer muito. **2.** Tornar-se maior; engrandecer-se, agigantar-se. [Conjug.: v. *frear*. Pres. ind.: *giganteio, giganteias, giganteia*, etc. Cf. *giganteia*, fem. de *giganteu*.]

gigantesco (ê) [Do fr. *gigantesque* < it. *gigantesco*.] ***Adj.*** **1.** Que tem estatura de gigante; de altura desmedida. **2.** *P. ext.* Prodigioso, grandioso, portentoso. [Sin. ger.: *giganteu*.]

giganteu [Do gr. *gigánteios*, pelo lat. *giganteu*.] ***Adj.*** V. *gigantesco*. [Fem.: *giganteia*. Cf. *giganteia*, do v. *gigantear*.]

gigantez (ê) [De *gigante* + *-ez*.] ***S. f.*** Qualidade ou condição de gigante.

gigantil ***Adj. 2 g.*** Diz-se de certa variedade de milho amarelo.

gigantismo [De *gigant(o)-* + *-ismo*.] ***S. m.*** **1.** Desenvolvimento extraordinário e anormal de qualquer ser, quer animal, quer vegetal. **2.** *P. ext.* Desenvolvimento ou crescimento gigantesco: *As empresas estatais atingiram nos últimos anos um verdadeiro gigantismo.* [Antôn.: *nanismo*.]

▲ **gigant(o)-** [Do gr. *gígas, gígantos*.] ***El. comp.*** = 'gigante': *gigantografia, gigantismo*. [V. *giga-*.]

gigantófis [Do tax. *Gigantophis*.] ***S. f. 2 n.*** *Paleont.* **1.** Gênero de reptis ofídios do terciário, cujos vestígios da coluna vertebral e mandíbula, encontrados em Fayum (Egito), revelam um comprimento de 11m. **2.** Espécie ou espécime desse gênero.

gigantografia [De *gigant(o)-* + *-grafia*.] ***S. f.*** **1.** História de gigantes. **2.** *Art. Gráf.* Técnica para a reprodução de fotografia com retícula ampliada, de modo a facilitar sua impressão em cartazes, *outdoors*, etc.

gigantográfico [De *gigantografia* + *-ico*[2].] ***Adj.*** Referente à gigantografia.

gigantopiteco [Do *Gigantopithecus*.] ***S. m.*** *Paleont.* **1.** Gênero de primatas gigantes que viveram no plistoceno da China, e que apresentavam diversas características que se podem considerar intermediárias entre as dos grandes macacos e as do homem primitivo; são, por vezes, classificados como hominídeos. **2.** Qualquer espécie, ou espécime desse gênero.

giglê ***S. m.*** *Autom.* V. *giclê*.

gigo [De *giga*[1].] ***S. m.*** **1.** Cesto de vime, estreito e alto; cabaz: "Os homens fuscos do deserto apinhavam-se em torno dos gigos de fruta." (Eça de Queirós, *A Relíquia*, p. 190.) **2.** Ramo de árvore com frutos. **3.** *Bras.* Engradado de verga ou de junco, revestido de palha na parte interna, e usado para transportar louça.

gigô [Do fr. *gigot*, 'pernil de carneiro, cabrito'.] ***S. m.*** *Cul.* Pernil de carneiro assado, ou ensopado, etc., cortado em fatias e servido com legumes. [F. paral.: *gigote*.]

gigolô [Do fr. *gigolo*.] ***S. m.*** *Bras.* **1.** Indivíduo, ger. moço e bem-parecido, que vive a expensas de prostituta ou de mulher mantida por outro homem. **2.** *P. ext.* Indivíduo que vive à custa de outrem.

gigolotagem [De *gigolô* + *-t-* + *-agem*[2].] ***S. f.*** *Bras.* Ação, procedimento ou vida de gigolô.

gigote [Do fr. *gigot*, poss. pelo esp. *gigote*.] ***S. m.*** Gigô (q. v.).

gila [F. red. de *gila-caiota*.] ***S. f.*** *Bot.* V. *chila-caiota*.

gila-caiota ***S. f.*** *Bot.* V. *chila-caiota*. [Pl.: *gila-caiotas*.]

gilbarbeira [De or. obsc.] ***S. f.*** *Bot.* Planta liliácea (*Ruscus aculeatus*) silvestre, de filocládio ovado, aguçado, rígido, espinescente. Leva uma baga vermelha, quando madura, e uma a três flores em cada filocládio. Em Portugal é utilizada como ornamental na época natalina.

➔**gilbert** [gɪlbəɹt] [V.C.I., do antr. (*William*) *Gilbert* (1544-1603), físico e médico inglês.] ***S. m.*** *Fís. Obsol.* Unidade c.g.s. de força magnetomotriz, que vale 0,7958 *ampère* -espira [símb.: *Gb*].

gilbertês ***S. m.*** *Gloss.* Quiribati.

gilbertiano [Do antr. *Gilberto (Freire)* + *-iano*.] ***Adj.*** **1.** Relativo ou pertencente ao sociólogo brasileiro Gilberto Freire (1900-1987). **2.** Que é seu admirador e/ou profundo conhecedor de sua obra. ● ***S. m.*** **3.** Admirador e/ou profundo conhecedor da obra de Gilberto Freire.

gilbueense (eên) ***Adj. 2 g.*** **1.** De, ou pertencente ou relativo a Gilbués (PI). ● ***S. 2 g.*** **2.** O natural ou habitante de Gilbués. [Sin. ger.: *gilbuense*.]

gilbuense ***Adj. 2 g. S. 2 g.*** V. *gilbueense*.

gilê [Do fr. *gilet*.] ***S. m.*** Colete (1).

gilete (é) [Do antr. *Gillette*, marca registrada.] ***S. f.*** **1.** Lâmina de barbear: "Seu Raul saiu do banheiro com o rosto ensaboado, e gritou para a mulher: — Eufrosina, cadê a gilete que eu deixei aqui no banheiro?" (Herberto Sales, *Histórias Ordinárias*, p. 63.) **2.** *P. ext.* O aparelho que serve para sustentar essa lâmina em posição própria para ser utilizada. **3.** *Bras. Chulo* Indivíduo que se relaciona sexualmente com homens e mulheres. [Nesta acepç., por analogia com lâminas que cortam dos dois lados.]

gília [Do tax. *Gilia* (do antr. [*Felipe*] *Gil*, botânico espanhol do séc. XIX, + lat. cient. *-ia*, v. *-ia*[2]).] ***S. f.*** *Bot.* **1.** Gênero de plantas polemoniáceas, ramosas e ornamentais, de folhas alternas e flores dispostas em cimeiras paniculadas. **2.** Qualquer espécie desse gênero, como, p. ex., a *Gilia tricolor*, dotada de flores odoríferas, tricolores, de tubo amarelo, fauce purpúrea e limbo lilás. [Esta espécie, e as suas variedades, são muito comuns em jardins.] **3.** Qualquer espécime desse gênero, ou a flor dele.

gilvaz [De or. obscura.] ***S. m.*** Golpe ou cicatriz no rosto: "estamos todos a vê-lo [a Alexandre Herculano], feio, duro, rijo, com aquele gilvaz com que uma navalha lhe talhou a boca em novo, na feira das Amoreiras" (Vitorino Nemésio, *Ondas Médias*, p. 245). [Sin., bras., RJ, gír.: *rabo de galo*.]

gilvicentesco (ê) [Do antr. *Gil Vicente*, dramaturgo português, + *-esco*.] ***Adj. S. m.*** Vicentino[1].

gim[1] [Do ingl. *gin* < fr. ant. *engin*.] ***S. m.*** Instrumento para encurvar os carris das vias férreas.

gim[2] [Do ingl. *gin* < ingl. *geneva*, 'genebra'.] ***S. m.*** Aguardente feita de cereais (cevada, trigo, aveia) e zimbro; genebra.

gimnanto [De *gimn(o)-* + *-anto*.] ***Adj.*** *Bot.* Que tem flores destituídas de perianto ou perigônio.

gimnarquídeo [Do tax. *Gymnarchus* + *-ídeo*[1]; tax. *Gymnarchidae*.] *Zool.* ***S. m.*** **1.** Espécime dos gimnar quídeos, família monotípica de peixes actinopterígios de água doce, providos de órgãos elétricos, como, p. ex., o peixe-elétrico do Egito (*Gymnarchus niloticus*), que chega a atingir 1m de comprimento. • ***Adj.*** **2.** Pertencente ou relativo a eles.

▲ **gimn(o)-** [Do gr. *gymnós, ḗ, ón*.] ***El. comp.*** = 'nu', 'despido': *gimnocéfalo, gimnuro*.

gimnoblasto [De *gimn(o)-* + *-blasto*; tax. *Gymnoblastea*.] *Zool.* ***S. m.*** **1.** V. *antomedusa*. • ***Adj.*** **2.** V. *antomedúseo*.

gimnocarpia [De *gimnocarpo* + *-ia*[1].] ***S. f.*** *Bot.* Condição de gimnocarpo.

gimnocarpo [De *gimn(o)-* + *-carpo*.] ***Adj.*** *Micol.* Cujo aparelho esporífero é descoberto, *i. e.*, fica exposto durante todo o desenvolvimento fúngico (diz-se de ascocarpos e basidiocarpos).

gimnocaule [De *gimn(o)-* + *-caule*.] ***Adj. 2 g.*** *Bot.* Que tem o caule permanentemente desprovido de folhas.

gimnocéfalo [De *gimn(o)-* + *-céfalo*.] ***Adj.*** *Zool.* Que tem a cabeça nua, sem pelos ou penas.

gimnocerado [De *gimn(o)-* + *-cerato*; tax. *Gymnocerata*.] *Zool.* ***S. m.*** **1.** Espécime dos gimnocerados, subordem de insetos hemípteros, cujas antenas, visíveis de cima, são bem desenvolvidas. São percevejos terrestres ou que vivem na superfície da água. • ***Adj.*** **2.** Pertencente ou relativo a eles. [Sin. ger.: *geocorisido*.]

gimnodermo [De *gimn(o)-* + *-dermo*.] ***Adj.*** *Zool.* Que tem a pele nua.

gimnodonte [De *gimn(o)-* + *-odonte*.] ***Adj. 2 g.*** *Zool.* Que tem os dentes à vista.

gimnofídio [De *gimn(o)-* + *ofídio*.] ***Adj.*** *Zool.* Diz-se das serpentes de pele nua, lisa e viscosa.

gimnofiono [Adapt. do tax. *Gymnophiona* (do gr. *gymnós*, 'nu', + gr. *ophióneos*, 'de serpente').] *Zool.* ***S. m.*** **1.** Espécime dos gimnofionos, ordem de anfíbios de corpo vermiforme, sem pernas, cintura escapular ou pélvica, pele lisa, com sulcos transversais formando anéis e provida de secreção defensiva, cauda curta, ânus próximo da extremidade distal do corpo. São conhecidos popularmente como cobras-cegas. • ***Adj.*** **2.** Pertencente ou relativo a eles. [Sin. ger.: *ápode*.]

gimnofobia [De *gimn(o)-* + *-fobia*.] ***S. f.*** *Psiq.* Aversão ao, ou medo do nu. [Cf. *ginofobia*.]

gimnofóbico [De *gimnofobia* + *-ico*[2].] *Psiq.* ***Adj.*** **1.** Relativo a gimnofobia. **2.** Que sofre de gimnofobia; gimnófobo. • ***S. m.*** **3.** Aquele que tem gimnofobia; gimnófobo.

gimnófobo [De *gimn(o)-* + *-fobo*.] ***Adj. S. m.*** *Psiq.* Gimnofóbico (2 e 3).

gimnógino [De *gimn(o)-* + *-gino*.] ***Adj.*** *Bot.* Que tem ovário descoberto, por falta de perianto e de brácteas.

gimnolemado [De *gimn(o)-* + gr. *laimós*, 'garganta', 'goela', + *-ado*[3]; tax. *Gymnolaemata*.] *Zool.* ***S. m.*** **1.** Espécime dos gimnolemados, classe de animais metazoários, briozoários, providos de lofóforo circular, boca com tentáculos à sua volta, zoécio complexo, e epístoma ausente; lofópodes. • ***Adj.*** **2.** Pertencente ou relativo a eles. [Sin. ger.: *lofópode*.]

gimnonecto [De *gimn(o)-* + *-necto*.] ***Adj.*** *Zool.* Diz-se de animal nadador cujo corpo é inteiramente nu.

gimnopédia [Do gr. *gymnopaidía*.] ***S. f.*** Festa anual em honra de Apolo, celebrada em Esparta (Grécia antiga), na qual dois grupos de homens casados e de meninos, todos nus, dançavam e cantavam hinos para homenagear os guerreiros mortos em Tireia, ilha ao largo da costa do Peloponeso, próxima de Hermíone, na Argólida.

gimnópode [Do gr. *gymnópous, odos*.] ***Adj. 2 g.*** *Zool.* Que tem os pés nus.

gimnopomo [De *gimn(o)-* + *-pomo*.] ***Adj.*** *Zool.* Que tem os opérculos nus.

gimnóptero [De *gimn(o)-* + *-ptero*.] ***Adj.*** *Zool.* Que tem asas nuas, sem escamas.

gimnosperma [De *gimn(o)-* + *-sperma*; tax. *Gymnospermae*.] ***S. f.*** *Bot.* Espécime das gimnospermas, subdivisão dos espermatófitos que abrange aqueles em que os óvulos e sementes ficam expostos, *i. e.*, não são recobertos por estrutura carpelar. [Cf. *angiosperma*.]

gimnospermia [De *gimn(o)-* + *-sperm(o)-* + *-ia*[1].] ***S. f.*** *Bot.* Ocorrência de sementes expostas, por ser o fruto aberto. [Cf. *angiospermia*.]

gimnospérmico [De *gimnosperma* + *-ico*[2].] ***Adj.*** Gimnospermo.

gimnospermo [De *gimn(o)-* + *-spermo*.] ***Adj.*** *Bot.* Relativo às gimnospermas; gimnospérmico.

gimnosporado [De *gimn(o)-* + *-spor(o)-* + *-ado*[1].] ***Adj.*** *Bot.* Que tem esporos com membrana delgada; gimnósporo.

gimnósporo [De *gimn(o)-* + *-sporo*.] *Bot.* ***S. m.*** **1.** Esporo com membrana delgada (por oposição a *clamidósporo*). • ***Adj.*** **2.** Gimnosporado.

gimnossomo [De *gimn(o)-* + *-somo*.] ***Adj.*** *Zool.* Que tem o corpo nu.

gimnotídeo [Do tax. *Gymnotus* + *-ídeo*[1]; tax. *Gymnotidae*.] *Zool.* ***S. m.*** **1.** Espécime dos gimnotídeos, família de peixes gimnotiformes, com cerca de 60cm, com um único gênero e três espécies, e que se caracterizam por apresentar somente nadadeiras anal e peitoral. Têm boca grande e são capazes de produzir choques fracos. Alimentam-se de insetos, crustáceos, outros peixes, etc., e ocorrem na América do Sul e Central. Ex.: carapó. • ***Adj.*** **2.** Pertencente ou relativo a eles.

gimnotiforme [Adapt. do tax. *Gymnotiformes*.] *Zool.* ***S. m.*** **1.** Espécime dos gimnotiformes, ordem de peixes ostariofisos, fluviais, de corpo anguiliforme, que têm a nadadeira anal longa, as pélvicas e a dorsal ausentes e a caudal ausente ou muito reduzida; apresentam órgão capaz de produzir descarga elétrica. • ***Adj. 2 g.*** **2.** Pertencente ou relativo a eles.

gimnurídeo [Adapt. do tax. *Gymnuridae*.] *Zool.* ***S. m.*** **1.** Espécime dos gimnurídeos, família de raias miliobatiformes, de tamanho médio a grande, que se caracterizam por terem o disco mais largo que comprido, e a cauda curta. Ex.: raia-manteiga. • ***Adj.*** **2.** Pertencente ou relativo a eles.

gimnuro[1] [De *gimn(o)-* + *-uro*.] ***Adj.*** *Zool.* Que tem cauda nua.

gimnuro[2] [Do tax. (*Echinosorex*) *gymnurus*.] ***S. m.*** *Zool.* V. *equinossórex* (2 e 3).

gim-tônica [De *gim* + (*água-*)*tônica*.] ***S. m. e f.*** *Bras.* O gim que se serve misturado com água tônica e, ger., com uma rodela de limão. [Pl.: *gins-tônicas*. Sin. (freq. em P.): *gim-tónico*.]

gim-tónico [De *gim* + *tónico*.] ***S. m.*** V. *gim-tônica*. [Uso freq. em P. Pl.: *gins-tónicos*.]

ginandrarquia [De *gin(o)-* + *-andr(o)-* + *-arquia*.] ***S. f.*** *Biol.* Entre os insetos sociais, forma de organização em que, juntamente com as fêmeas, os machos tb. participam na ordenação da colônia.

ginandria [De *ginandro* + *-ia*[1].] ***S. f.*** **1.** *Biol.* V. *hermafroditismo* (1). **2.** *Bot.* Condição de ginandro (2).

ginândrico [De *ginandria* + *-ico*[2].] ***Adj.*** *Biol.* V. *hermadrodito* (1).

ginandrismo [De *ginandro* + *-ismo*.] ***S. m.*** **1.** *Biol.* V. *hermafroditismo* (1). **2.** *Med.* Pseudo-hermafroditismo feminino.

ginandro [Do gr. *gynándros, on* (v. *gin(o)-* e *-andro*).] ***Adj.*** **1.** *Biol.* Relativo ao ginandrismo ou hermafroditismo. **2.** *Bot.* Que apresenta estames soldados ao pistilo, como ocorre, p. ex., nas orquídeas.

ginandromorfismo [De *ginandromorfo* + *-ismo*.] ***S. m.*** *Biol.* Presença simultânea de caracteres sexuais secundários masculinos e femininos.

ginandromorfo [De *gin(o)-* + *-andr(o)-* + *-morfo*.] ***Adj. S. m.*** *Biol.* Diz-se de, ou indivíduo que apresenta ginandromorfismo.

ginantropo (ô) [De *gin(o)-* + *-antropo*.] ***S. m.*** Hermafrodito que participa mais das qualidades físicas da mulher que das do homem.

ginarquia [De *gin(o)-* + *-arquia*.] ***S. f.*** *Biol.* Entre os insetos sociais, forma de organização em que somente as fêmeas participam na ordenação da colônia.

ginasial [De *ginásio* + *-al*[1].] ***Adj. 2 g.*** **1.** Respeitante a ginásio. **2.** *Desus.* Dizia-se do curso de nível secundário que era feito em ginásio (2). **3.** *Desus.* Dizia-se da instrução ou ensino de primeiro grau, de 5ª à 8ª série, e do curso ou do estabelecimento em que se ministrava essa instrução. • ***S. m.*** **4.** *Desus.* Ginásio (3).

ginasiano [De *ginásio* + *-ano*[1].] ***S. m.*** *Bras.* Aluno de ginásio (2 e 3): "Ginasiano. Rui também já foi ginasiano .... Ginasiano estudando, ginasiano em férias." (Telmo Vergara, *Contos da Vida Breve*, p. 185.)

ginásio [Do gr. *gymnásion*, pelo lat. *gymnasiu*.] ***S. m.*** **1.** Lugar onde se pratica a ginástica. **2.** *Desus.* Estabelecimento de ensino ginasial. **3.** *Desus.* Curso ginasial; ginasial: "Falava da mulher e dos filhos, dois, que já cursavam o ginásio com proveito" (Marques Rebelo, *A Mudança*, p. 204).

ginasta [Do gr. *gymnastés*.] ***S. 2 g.*** Pessoa que pratica a ginástica, ou que nela é hábil: "quando os clubes ginásticos .... organizam os grandes e belos espetáculos em que o público aprende a estimar a força e a destreza dos músculos como uma das perfeições do homem, os ginastas não se vestem nunca de cetim e ouro como se fossem pobres e míseros saltimbancos." (Ramalho Ortigão, *As Farpas*, VIII, p. 291).

ginástica [Do fr. *gymnastique* (s. f.) < gr. *gymnastiké* (*téchne*).] ***S. f.*** **1.** Arte ou ato de exercitar o corpo para fortificá-lo e dar-lhe agilidade. **2.** O conjunto dos exercícios corporais sistematizados, para esse fim, realizados no solo ou com auxílio de aparelhos. **3.** *Fig. Fam.* Conjunto de movimentos, providências, expedientes, etc., para um dado fim: *Para sustentar mulher e cinco filhos tem de fazer ginástica.* ◆ **Ginástica aeróbica.** Qualquer sistema de exercício que se destina a aumentar a oxigenação do sangue, e a fortalecer o coração e os pulmões. [Tb. se diz apenas *aeróbica*.] **Ginástica artística.** *Esport.* Modalidade olímpica constituída de exercícios de solo, evoluções e salto sobre o cavalo (9), exercícios nas barras paralelas, nas barras assimétricas e nas argolas; ginástica olímpica. [As técnicas modernas desta modalidade foram desenvolvidas na Alemanha, no fim do séc. XVIII.] **Ginástica corretiva.** Aquela que visa corrigir defeitos de postura. **Ginástica olímpica.** *Esport.* Ginástica artística. **Ginástica rítmica.** *Esport.* Programa de exercícios físicos realizados no solo, em que se fazem evoluções [v. *evolução* (3)] com fitas, argolas, bastões e bolas, e na qual são incorporados elementos do balé clássico. **Ginástica sueca.** Método tradicional de ginástica posto em prática em Copenhague (Dinamarca) no começo do séc. XIX, e que se baseia nos movimentos, conjugados ou não, dos membros, do tronco e do pescoço.

ginasticar [De *ginástica* + *-ar*[2].] ***V. t. d. Int. P. Lus.*** Exercitar(-se) praticando ginástica.

ginástico [Do gr. *gymnastikós*, pelo lat. *gymnasticu*.] ***Adj.*** **1.** Relativo à ginástica. **2.** Que pratica ginástica: *Os acrobatas são artistas ginásticos.*

gincana [Do ingl. *gymkhana*, do hindi.] ***S. f.*** Competição, em geral entre equipes motorizadas, e na qual se leva em conta não apenas a rapidez com que os concorrentes cumprem as tarefas predeterminadas, mas também a habilidade com que o fazem.

gincgo ***S. m.*** *Bot.* V. *ginco* (2).

gincgoácea ***S. f.*** *Bot.* V. *gincoácea*.

gincgoáceo ***Adj.*** *Bot.* V. *gincoáceo*.

gincgoal ***Adj. 2 g.*** *Bot.* V. *gincoal*.

gincgoale ***S. f.*** *Bot.* V. *gincoale*.

ginco [Do tax. *Ginkgo* (do jap. *ginkyo*).] ***S. m.*** *Bot.* **1.** Gênero monotípico das gincoáceas, constituído por árvores ornamentais, nativas da China oriental, dotadas de folhas decíduas em forma de leque, e pequenas flores amarelas. **2.** A única espécie desse gênero, a *Ginkgo biloba*, que pode viver cerca de 400 anos, e cujas folhas fornecem extrato que é mundialmente us. como suplemento nutricional, e antioxidante. **3.** Qualquer espécime desse gênero. [Outras formas: *gincgo* e *gingo*. O tax. *Ginkgo*, fonte tb. do fr. *ginkgo* e do ingl. *ginkgo, gingko, ginko*, potencializa as formas *gincgo-*, *gingo-* e *ginco-*, esta última de uso corrente, poss. por infl. do ingl. e do fr.]

gincoácea [Do tax. *Ginkgo* (v. *ginco*) + *-ácea*; tax. *Ginkgoaceae*.] ***S. f.*** *Bot.* Espécime das gincoáceas, família de árvores gimnospermas que encerra diversas espécies extintas e a espécie atual do gênero *Ginkgo* (v. *ginco*). [Outras formas: *gincgoácea, gingoácea*.]

gincoáceo [De *gincoácea*, com var. suf. (v. *-áceo*).] ***Adj.*** *Bot.* Pertencente ou relativo às gincoáceas. [Outras formas: *gincgoáceo, gingoáceo*.]

gincoal [Do lat. cient. *Ginkgo-* (v. *gincoale*) + *-al*[1].] ***Adj. 2 g.*** *Bot.* Pertencente ou relativo às gincoales. [Outras formas: *gincgoal, gingoal*.]

gincoale [Do tax. *Ginkgo* (v. *ginco*) + *-ale*; tax. *Ginkgoales*.] ***S. f.*** *Bot.* Espécime das gincoales, ordem de árvores gimnospermas que surgiram no permiano e que são representadas, atualmente, pela única espécie exstante, a *Ginkgo biloba* [v. *ginco* (2)]. [Outras formas: *gincgoale, gingoale.*]

gineceu [Do gr. *gynaikeîon*, pelo lat. *ginaeceu.*] *S. m.* **1.** *Ant.* Parte da habitação grega destinada às mulheres. **2.** *Bot.* Órgão feminino das flores, que consta, quase sempre, de três partes superpostas: ovário, estilete e estigma. [Sin. (nesta acepç.): *pistilo*. Cf., nesta acepç.: *androceu.*]

▲ **gineco-** [Do gr. *gynaiko-* < gr. *gynḗ, gynaikós* (♀), 'mulher'.] *El. comp.* = 'mulher'; 'elemento feminino'; 'órgão(s) feminino(s)'; *ginecocracia* (< gr.), *ginecofobia, ginecografia, ginecologia, ginecomania, ginecomasto* (< gr.), *ginecopatia*. [V. *gin(o)-*.]

ginecocracia (è) [Do gr. *gynaikokratía.*] *S. f.* **1.** Governo da mulher. **2.** Predominância das mulheres na governação pública.

ginecocrata (è) [Var. pros. de *ginecócrata.*] *S. 2 g.* Partidário da ginecocracia. [Sobre a prosódia deste voc., v. *-crata.*]

ginecócrata [De *gineco-* + *-crata.*] *S. 2 g.* Ginecocrata (q. v.).

ginecocrático (è) [De *ginecocracia* + *-ico*^{2}, seg. o padrão erudito.] *Adj.* Referente à ginecocracia.

ginecofobia (è) [De *gineco-* + *-fobia.*] *S. f. Psiq.* Aversão patológica a convívio com mulheres; ginofobia.

ginecofóbico (è) [De *ginecofobia* + *-ico*^{2}.] *Psiq. Adj.* **1.** Relativo a ginecofobia. **2.** Que sofre de ginecofobia; ginecófobo; ginófobo. ● *S. m.* **3.** Aquele que sofre de ginecofobia; ginecófobo, ginófobo. [Sin. ger.: *ginofóbico.*]

ginecófobo [De *gineco-* + *-fobo.*] *Adj. S. m. Psiq.* V. *ginecofóbico* (2 e 3).

ginecografia (è) [De *gineco-* + *-grafia.*] *S. f. Radiol.* Visualização radiológica de órgãos genitais femininos internos.

ginecográfico (è) [De *ginecografia* + *-ico*^{2}.] *Adj.* Relativo a ginecografia.

ginecologia (è) [De *gineco-* + *-logia.*] *S. f. Med.* Parte da medicina que se ocupa das doenças privativas das mulheres. [Cf. *genecologia.*]

ginecológico (è) [De *ginecologia* + *-ico*^{2}.] *Adj.* Relativo a ginecologia. [Cf. *genecológico.*]

ginecologista (è) [De *ginecologia* + *-ista.*] *S. 2 g.* Especialista em ginecologia; ginecólogo.

ginecólogo [De *gineco-* + *-logo.*] *S. m.* V. *ginecologista.*

ginecomania (è) [Do gr. *gynaikomanía.*] *S. f. Psiq.* V. *satiríase.*

ginecomaníaco (è) [De *ginecomania* + *-íaco.*] *Psiq. Adj.* **1.** Relativo a ginecomania. **2.** Que tem ginecomania; ginecômano. ● *S. m.* **3.** Aquele que tem ginecomania; ginecômano.

ginecómano *Adj. S. m. Psiq.* V. *ginecômano.* [Uso freq. em P.]

ginecômano [Do gr. *gynaikomanés.*] *Adj. S. m. Psiq.* Ginecomaníaco (2 e 3).

ginecomastia (è) [De *ginecomasto* + *-ia*^{1}.] *S. f. Med.* Desenvolvimento excessivo de glândula mamária do homem.

ginecomasto (è) [Do gr. *gynaikómasthos.*] *Adj. S. m. Med.* Diz-se de, ou indivíduo que tem ginecomastia.

ginecopatia (è) [De *gineco-* + *-patia.*] *S. f. Gin.* Designação comum às afecções genitais da mulher.

ginecopático (è) [De *ginecopatia* + *-ico*^{2}.] *Adj.* Concernente a ginecopatia.

ginecoplastia [De *gineco-* + *-plast(o)-* + *-ia*^{1}.] *S. f. Gin.* Intervenção cirúrgica em órgão(s) genital (genitais) feminino(s).

ginecoplástico [De *ginecoplastia* + *-ico*^{2}.] *Adj.* Referente a ginecoplastia.

gineta [Do ár. *jarmait.*] *S. f. Zool.* Mamífero viverrídeo (*Viverra genetta*) semelhante ao furão; gineto. [Cf. *ginete* (ê).]

gineta (ê) [De *ginete.*] *S. f.* **1.** Sistema de equitação de estribo curto, arções altos e freio apropriado. **2.** Pequena bengala, símbolo da autoridade do capitão. [Cf. *ginete* (ê).]

ginetaço [Do esp. plat. *jinetazo.*] *S. m. Bras. RS* Ginete (1) que cavalga bem e com garbo. [Us. tb. com relação ao cavaleiro.]

ginetado [De *gineta* + *-ado*^{1}.] *Adj.* Montado à gineta (1).

ginetário [De *gineta* + *-ário.*] *S. m. Ant.* Aquele que montava à gineta (1): 📖 "O Marquês de Távora, um ginetário de primeira ordem, ... era coronel de cavalaria, e muito gentil da sua pessoa." (Camilo Castelo Branco, *Perfil do Marquês de Pombal*, p. 36).

ginete (ê) [Do ár. *zanātī*, 'indivíduo dos zenetas (tribo famosa por sua cavalaria ligeira)'] *S. m.* **1.** Cavalo de boa raça, fino e bem adestrado: 📖 "Couraçado de ferro, épico e deslumbrante, / passa no seu ginete um cavaleiro andante." (Guerra Junqueiro, *ap.* Agostinho de Campos, *Junqueiro*, p. 124). **2.** *Bras. N.E.* Sela dos vaqueiros do sertão. [Sin. (em GO): *cutuca.*] **3.** *Bras. S.* Aquele que é bom cavaleiro, que monta bem e firme. **4.** *Ant.* Cavaleiro armado de lança e adaga. **5.** *Turfe* V. *jóquei* (2). [Cf. *gineta* (ê).]

ginetear [Do esp. plat. *jinetear.*] *V. int.* **1.** *Bras.* Montar bem a cavalo. **2.** Andar em cavalo arisco ou xucro. **3.** Aguentar corcovos, mantendo-se na sela. **4.** Corcovar (o cavalo). *T. d.* **5.** Fazer o animal corcovar: *Ginetou o seu alazão com a espora.* [Conjug.: v. *frear.*]

gineto [De *gineta*^{2}.] *S. m. Zool.* **1.** Gineta^{2}: 📖 " Eram cintilações, dois olhos, um cão, ou um gineto ...., pensou o oleiro" (José Saramago, *A Caverna*, p. 48).

ginga [Dev. de *gingar.*] *S. f.* **1.** *Marinh.* Remo que se coloca em forqueta ou em cavado à popa, para gingar. [Cf. *zinga* (2).] **2.** *Bras. N.E.* Caneco de cabo longo, usado nos engenhos de banguê para baldear o caldo de uma tacha para outra. **3.** *Bras. Cap.* Movimento fundamental, do qual partem todos os golpes ofensivos ou defensivos, e em que o capoeirista, agitando-se sem deixar de manter a base de apoio, em conjugação com as mãos, procura iludir e desnortear o adversário. **4.** *Moç.* V. *bicicleta* (1): 📖 "montou a 'ginga' e pedalou" (Virgílio Chide Ferrão, *Norte*, p. 70). [Cf. *jinga.*]

gingação [De *gingar* + *-ção.*] *S. f.* Ato de gingar; gingo.

gingado [Part. de *gingar.*] *Adj.* **1.** Em que se meneia, ou requebra o corpo: *andar gingado.* ● *S. m.* **2.** Meneio ou requebro do corpo.

gingante [De *gingar* + *-nte.*] *Adj. 2 g.* Que ginga; gingão.

gingão [De *ging(ar)* + *-ão*^{1}.] *Adj.* **1.** Gingante. **2.** Próprio de quem ginga. ● *S. m.* **3.** Desordeiro, brigão. [Fem.: *gingona.*]

gingar [Do port. ant. *gingrar*, de or. obscura.] *V. int.* **1.** Inclinar-se para um e outro lado, ao andar; bambolear(-se), bambalear(-se): 📖 "Como tivesse os braços desproporcionalmente longos e caminhasse gingando, um pouco ladeado, parecia um chimpanzé." (Érico Veríssimo, *Noite*, p. 29); "estava enorme, gingando por efeito das ancas exageradas." (Ribeiro Couto, *Cabocla*, p. 42). **2.** Caçoar, troçar, chalacear. **3.** Recusar-se desdenhosamente à satisfação de um pedido. **4.** *Marinh.* Remar com um só remo pela popa, segurando-o com ambas as mãos e dando-lhe um movimento, na água, de boreste a bombordo e de cima para baixo, de modo que faça a embarcação prosseguir na direção desejada. [Cf., nesta acepç., *zingar.*] **5.** *Moç.* Mostrar-se, exibir-se: 📖 "E ginga como menina branca na cidade" (Bahassan Adamodjy, *Mussodji*, p. 76). [Conjug.: v. *largar*. Pres. ind.: *gingo, gingas, ginga*, etc. Cf. *jingo* e *jinga.*]

ginge *S. m. Bras. Pop.* Arrepio de emoção.

gingelim *S. m.* V. *gergelim.*

➔ **ginger ale** [dʒindʒə'ejl] [Ingl.] Refrigerante efervescente feito com essência de gengibre.

gingerlim *S. m. Bot.* V. *gergelim.*

gingerlina *S. f. Tec. Têx.* Certo tecido de lã com fio de seda; lã de camelo.

ginglimo [Do lat. cient. *ginglymus* < gr. *gínglymos*, 'gonzo'; 'articulação dos membros'.] *S. m. Anat.* Tipo de articulação que só permite movimento em um plano, para a frente e para trás.

gingo^{1} [Dev. de *gingar.*] *S. m.* Gingação. [Cf. *jingo.*]

gingo^{2} *S. m. Bot.* V. *ginco* (2).

gingoácea *S. f. Bot.* V. *gincoácea.*

gingoáceo *Adj. Bot.* V. *gincoáceo.*

gingoal *Adj. 2 g. Bot.* V. *gincoal.*

gingoale *S. f. Bot.* V. *gincoale.*

gingona *S. f.* Fem. de *gingão* (q. v.).

ginitria [Por **gineteria* < *ginete* + *-eria.*] *S. f. Bras. N.E. Pop.* Habilidade e acrobacia com cavalo.

ginja [De or. obscura.] *S. f.* **1.** *Bot.* Azereiro. **2.** Fruto da ginjeira; espécie de cereja de um vermelho mais escuro que o da comum, e de sabor agradável. **3.** Bebida fabricada com ginja (2). ● *S. 2 g.* **4.** Pessoa velha aferrada a costumes antigos. **5.** Pessoa magra e avelhentada. **6.** *Bras.* V. *avaro* (3).

ginjal [De *ginja* + *-al*^{1}.] *S. m.* Quantidade mais ou menos considerável de ginjeiras dispostas proximamente entre si.

ginjeira [De *ginja* + *-eira.*] *S. f. Bot.* Árvore rosácea (*Cerasus vulgaris*) originária da Ásia Menor, dotada de folhas bisserreadas de pecíolo curto, flores pediceladas e de corola branca e frutos drupáceos glabros, globosos, vermelhos, de sabor ácido, a ginja.

ginjeira-brava [De *ginjeira* + o f. de *bravo.*] *S. f. Bras. Bot.* V. *ginjeira-da-terra* (1). [Pl.: *ginjeiras-bravas.*]

ginjeira-da-terra *S. f. Bras. S. Bot.* **1.** Árvore rosácea (*Prunus myrtifolia*) de até 12m, de madeira rósea ou violácea, casca que tem uso medicinal, folhas ovadas coriáceas, flores alvas, melíferas, e frutos drupáceos, globosos. É nativa do Brasil. [Sin.: *cerejeira-do-brasil, ginjeira-brava.*] **2.** Planta solanácea (*Solanum pseudocapsicum*) de flores alvas, levemente aromáticas, e melíferas, e cujo fruto é baga ornamental, alaranjada ou amarelo-ouro; pimentão-doce. [Pl.: *ginjeiras-da-terra.*]

ginjinha [De *ginja* + *-inha.*] *S. f.* Aguardente na qual se maceraram ginjas [v. *ginja* (2).]

▲ **gin(o)** [Do lat. cient. *gyno-* < gr. *gynḗ, gynaikós* (♀), 'mulher'.] *El. comp.* = 'mulher'; 'elemento feminino'; 'órgão ou célula sexual feminina'; 'órgão reprodutor'; 'gineceu'; 'pistilo'; 'ovário'; 'estilete'; 'estigma': *ginobásico, ginofobia, ginófobo, ginóforo, ginostêmio, ginostemo.* [Equiv.: *-gin(o)-*, *-gino*: *proteroginia; acrógino, andrógino, dodecágino, eneágino, epígino, exógino, filógino* (< gr.), *hendecágino, heptágino, hexágino, hipógino, isógino, octógino, perígino, proterógino, tetrágino, tricógino.* V. *gineco-*.]

▲ **-gin(o)-** V. *gin(o)-*.

▲ **-gino** [Do gr. *-gynēs, ou* (♀), ou do lat. cient. *-gynus* (< gr.).] V. *gin(o)-*.

ginobásico [De *gino-* + *-bas(i)-* + *-ico*^{2}.] *Adj.* Que nasce da base do ovário.

ginofilia [De *gin(o)-* + *-filia.*] *S. f.* Atração por mulheres.

ginofobia [De *gin(o)-* + *-fobia.*] *S. f. Psiq.* Ginecofobia. [Cf. *gimnofobia.*]

ginofóbico [De *ginofobia* + *-ico*^{2}.] *Adj. S. m. Psiq.* V. *ginecofóbico.*

ginófobo [De *gin(o)-* + *-fobo.*] *Adj. S. m. Psiq.* V. *ginofóbico* (2 e 3).

ginoforado [De *ginóforo* + *-ado*^{1}.] *Adj. Bot.* Que tem um ginóforo.

ginóforo [De *gin(o)-* + *-foro.*] *S. m. Bot.* Porção alongada do eixo floral que sustenta o gineceu, ficando o ovário colocado bem acima do comum. Ocorre, p. ex., nas caparidáceas e leguminosas.

ginoide (ói) [De *gin(o)-* + *-oide.*] *Adj. 2 g. S. m. Biol.* Diz-se de, ou organismo triploide cujos tecidos são formados por dois conjuntos de cromossomos maternos e um paterno. ❖

ginostégio [De *gin(o)-* + *-steg(o)-* + *-io*^{3}.] *S. m. Bot.* Estrutura floral, distinta do perianto, cuja função é proteger o gineceu, como ocorre nas asclepiadáceas.

ginostémio *S. m. Bot.* V. *ginostêmio.* [Uso freq. em P.]

ginostêmio [De *gin(o)-* + *-stem(o)-* + *-io*^{3}.] *S. m. Bot.* Órgão colunar das flores das orquídeas, formado por um prolongamento unilateral sobre o qual se inserem estames e estiletes; androstilo, ginostemo.

ginostemo [De *gin(o)-* + *-stemo.*] *S. m. Bot.* V. *ginostêmio.*

➔ **ginseng** ['dʒinsen] [Ingl., do chinês.] *S. m. Bot.* **1.** V. *pânax* (2 e 3). **2.** A raiz aromática das espécies chinesas ou americanas do *ginseng* ou pânax, que tem gosto adocicado que lembra o do alcaçuz, de propriedades tônicas e emolientes, e que, na China, tem uso medicinal.

gio [De or. obscura.] *S. m. Constr. Nav.* Nas popas quadradas, cada uma das peças dispostas horizontalmente, entalhadas e cavilhadas no contracadaste, constituindo, assim, como que as cavernas de tais popas.

gípseo [Do lat. *gypseu.*] *Adj.* Feito de gesso.

▲ **gipsi-** [Do lat. *gypsum, i* < gr. *gýpsos, ou.*] Equiv. de *gips(o)-*.

gipsífero [De *gipsi-* + *-fero.*] *Adj.* Que contém gesso.

gipsita [De *gips(o)-* + *-ita*^{3}.] *S. f. Min.* Mineral monoclínico, sulfato de cálcio hidratado; gesso.

▲ **gips(o)-** [Do gr. *gýpsos, ou.*] *El. comp.* = 'gesso': *gipsita, gipsografia.* [Equiv.: *gipsi-*: *gipsífero.*]

gipsófila [Do tax. *Gypsophila.*] *S. f. Bot.* Cravo-de-amor.

gipsografia [De *gips(o)-* + *-grafia.*] *S. f. Grav.* **1.** Processo de tiragem de gravuras que consiste em gofrar a estampa já impressa, colocando-a em superfície de gesso, ou semelhante, gravada a entalhe. **2.** Estampa obtida por esse processo.

gipsográfico [De *gipsografia* + *-ico*^{2}.] *Adj.* Referente à gipsografia.

gir [Do top. *Gir*, localidade da Índia ocidental.] *Adj. S. m.* Diz-se de, ou determinada raça zebu (q. v.).

gira^{1} [Dev. de *girar.*] *S. f.* **1.** Ato de girar. ● *S. 2 g.* **2.** *Fam.* Pessoa adoidada, amalucada: 📖 "— Como vai o gira? | — O gira vai bem. Hoje convidou o cachorro para cantar .... Ele, quando está de pancada, parece que é como quem governa o mundo." (Machado de Assis, *Quincas Borba*, p. 330). ● *Adj. 2 g.* **3.** V. *maluco* (2): 📖 "Gente que nunca vira cousa alguma nestas brenhas ficava gira de entusiasmo, deslumbrada com o malefício." (Alberto Rangel, *Lume e Cinza*, p. 169.)

gira^{2} [Do quimb.] *S. f. Bras. Rel.* Enjira. [A grafia preferível é *jira.*]

giração [De *girar* + *-ção.*] *S. f.* Ato ou efeito de girar.

gira-discos [De *girar* + o pl. de *disco.*] *S. m. 2 n. Lus.* Toca-discos: 📖 "Alguém levara um gira-discos e dançavam com entusiasmo uma melodia." (Maria Judite de Carvalho, *Os Armários Vazios*, p. 32.)

girado [De *gir* + *-ado*^{1}.] *Adj. Bras.* Diz-se de gado que tem sangue gir; mestiço de gir e outra raça qualquer: 📖 "— Vote, bicho perebento! — gritou Gracindo, fazendo voltar um boi girado, de chifres voltados para baixo e para a frente" (Nélson de Faria, *Tiziu e Outras Estórias*, p. 210).

girador (ô) [De *girar* + *-dor.*] *Adj.* **1.** Que gira; girante, giratório. **2.** Que faz girar. ● *S. m.* **3.** Aquele ou aquilo que faz girar. **4.** *Bras. S.* Virador (5).

girafa [Do ár. *zarāfa(t)*, pelo it. *giraffa*; tax. *Giraffa*.] *S. f.* **1.** *Zool.* O gênero-tipo dos girafídeos, constituído por grandes mamíferos naturais da África, que se deslocam em rapidez notável, têm pescoço muito longo, cabeça com dois chifres curtos, pernas longas e número reduzido de costelas; podem atingir 5m de altura e são dotados de um mecanismo que regula o fluxo sanguíneo quando levantam a cabeça. Alimentam-se de brotos e folhas. **2.** *Zool.* Espécie desse gênero, a *Giraffa camelopardalis*, que habita a África, ao S. do Saara. **3.** *Zool.* Qualquer espécime desse gênero. **4.** *Astr.* Uma das constelações boreais. [Com cap., nesta acepç.] **5.** *Pop.* Pessoa alta e/ou de pescoço muito comprido. **6.** *Bras.* Haste comprida, móvel e em geral articulada, na qual se prende o microfone, e que permite acompanhar o artista que se movimenta no palco, pôr em relevo o som de um elemento específico de um conjunto, etc.

girafídeo [Do tax. *Giraffa* (v. *girafa*) + *-ídeo*[1]; tax. *Giraffidae*.] *Zool. S. m.* **1.** Espécime dos girafídeos, família de mamíferos ruminantes, artiodáctilos, que compreende a girafa, o ocapi e várias formas fósseis. Apresentam pequenos chifres em ambos os sexos, os membros são longos e o peso do corpo é equilibrado nas patas anteriores; a porção traseira da coluna vertebral constitui parte dos membros posteriores, o que facilita o desenvolvimento de velocidade na corrida. • *Adj.* **2.** Pertencente ou relativo a eles.

girame *S. m. Bras. Pop.* V. *gerânio* (2 e 3).

girândola [Do it. *girandola*.] *S. f.* **1.** Roda ou travessão em que se reúne certo número de foguetes, que sobem e estouram simultaneamente. **2.** O conjunto dos foguetes assim reunidos.

girante [De *girar* + *-nte*.] *Adj. 2 g.* V. *girador* (1). ~ V. *janela —a*.

girão [Do fr. *giron*.] *S. m.* **1.** *Ant.* Orla ou debrum de vestuário. **2.** *Ant.* Pedaço de pano. **3.** *Fig.* Seio, regaço. **4.** *Heráld.* Peça em forma de triângulo equilátero, e de posição centralizada.

girar [Do lat. *gyrare*.] *V. int.* **1.** Andar à roda ou em giro; mover-se circularmente: *O carrossel girava devagar*; "Os pneumáticos giravam sem ruído sobre a erva marginal" (Tristão da Cunha, *Histórias do Bem e do Mal*, p. 131). **2.** Andar de um lado para outro; andar sem rumo certo; divagar, vagar, vaguear: *Desorientado, girava como um louco.* **3.** Revolutear, agitar-se. **4.** Ter curso legal (moeda); correr. **5.** Cavar a vida; lidar. **6.** *Bras.* Ficar gira[1] (2); endoidecer, enlouquecer, ensandecer. *T. d.* **7.** Descrever (giro, círculo): *O carro girou algumas voltas, e capotou.* **8.** Fazer rodar, circular; fazer dar voltas: "os trabalhadores rilhavam os dentes, assistindo à luta dum companheiro que .... se inteiriçava, girando os olhos por detrás das pálpebras cerradas." (José Cardoso Pires, *Jogos de Azar*, p. 202). **9.** Andar em derredor de; percorrer. **10.** Vaguear em; discorrer. *T. c.* **11.** Girar (2): *Sozinho, girou pelas ruas da cidade.* **12.** Circular, correr: *Gabava-se do sangue que lhe girava nas veias.* **13.** Descrever voltas; estender-se em voltas; circular: *A estrada girava entre as montanhas.* **14.** Percorrer sem se fixar; voltear ao acaso: *Seus olhos giravam pela sala.* *T. i.* **15.** Fazer circular: *A Bolsa de Valores gira milhões de reais.* **16.** Fazer negócios; negociar: *Alguns giram com milhões, e outros com um nada.* ◆ **Girar em torno de.** Ter como motivo, razão ou referencial: "A minha vida passou a girar em torno do canário." (José Lins do Rego, *Meus Verdes Anos*, p. 343.) **Não girar bem.** *Bras.* Não ter bom juízo; não ser certo da bola: "Havia quem dissesse que o agulheiro não girava bem. Desde que perdera o menino, sob as rodas do trem, desinteressara-se por tudo." (Permínio Asfora, *Vento Nordeste*, p. 62.)

girassol [De *girar* + *sol*[1].] *S. m.* **1.** *Bot.* Planta asterácea (*Helianthus annuus*) sublenhosa, de grande porte e ornamental, dotada de grande capítulo com numerosíssimas flores de corola ligulada amarelo-laranja e de corola tubulosa amarelo-pálida, tipo de corola esse que pertence às flores do disco, as quais têm entre si palhetas pretas, o que confere ao disco uma tonalidade escura. O seu fruto é aquênio aristado, achatado e vulgarmente chamado *semente*. **2.** *Min.* Variedade de opala com reflexos azuis e vermelhos. [Pl.: *girassóis*.]

girassol-do-campo *S. m. Bras. AM Bot.* Erva asterácea (*Zexmenia rudis*) muito ramificada, dotada de capítulos frouxo-corimbosos, amarelos, com brácteas rígidas, membranáceas e um pouco pilosos, cujo fruto é aquênio com asa larga, e que vegeta nas margens dos rios Amazonas e Purus, nas matas próximas do rio Coari e nos terrenos dominados pelo rio Negro. [Pl.: *girassóis-do-campo*.]

girassol-do-mato *S. m. Bras. RS Bot.* Subarbusto asteráceo (*Grindelia discoide*) muito ramoso e glabro, dotado de folhas sésseis, lanceoladas, glabras na página superior, serreadas, com os dentes marginais, agudos e córneos, no ápice, flores amarelas, tubulosas, reunidas em capítulos solitários na extremidade dos ramos, sendo o fruto aquênio glabro; malmequer-do-rio-grande. [Pl.: *girassóis-do-mato*.]

girata *S. f. Pop.* V. *giro*[1] (7).

giratório [De *girar* + *-tório*.] *Adj.* **1.** Em giros; circulatório: *movimento giratório.* **2.** V. *girador* (1): "Recostou-se ao espaldar de sua cadeira giratória." (Amando Fontes, *Os Corumbas*, p. 84.) ~ V. *britador —, palco —, ponte —a* e *porta —a*.

girento [De *gir(ar)* + *-ento*.] *Adj. Bras. N.E. Pop.* Diz-se daquele que procura girar (5), arranjar-se, cavar a vida; cavador.

girgolina *S. f. Bras. Pop.* V. *cachaça* (1).

gíria [De or. obscura.] *S. f.* **1.** *E. Ling.* Linguagem que, nascida num determinado grupo social, termina estendendo-se, por sua expressividade, à linguagem familiar de todas as camadas sociais. **2.** *E. Ling.* Palavra ou expressão de gíria: *Usa muitas gírias na conversa; "Bacana" é gíria.* **3.** *E. Ling.* Linguagem peculiar àqueles que exercem a mesma profissão ou arte; jargão: *a gíria dos artistas.* **4.** *E. Ling.* Linguagem de malfeitores, malandros, etc., com a qual procuram não ser entendidos pelas outras pessoas; calão, geringonça (q. v.). • *S. 2 g.* **5.** *Bras. Amaz.* Pessoa que conhece dialetos indígenas.

girial [De *gíria* + *-al*[1].] *Adj. 2 g.* V. *gírio* (1).

girice [De *gira*[1] (2) + *-ice*.] *S. f. Bras. Fam.* Maluqueira.

giriesco (ê) [De *gíria* + *-esco*.] *Adj.* V. *gírio* (1).

girino [Do gr. *gyrînos*, ou *gírinos*, pelo lat. *gyrinu*.] *S. m. Zool.* Designação comum às larvas dos anfíbios anuros, cujo desenvolvimento se processa, na maioria dos casos, dentro da água. A princípio ápodes, adquirem logo em seguida os membros posteriores, depois os anteriores, perdem a cauda e, adultos, com respiração pulmonar, abandonam o meio líquido. Alimentam-se de matéria orgânica em geral, sobretudo de substâncias vegetais, especialmente lodo. [Sin., pop.: *cabeçote, sambacaçote, rapa-colher*.]

gírio [De *gíria* + *-io*[3].] *Adj.* **1.** Pertencente ou relativo à gíria; girial, giriesco. **2.** Que usa de gíria.

gıríssimo [Superl. abs. sint. de *giro*[1].] *Adj. Lus. Pop.* Muito giro (13): "— Cortei, desfrisei, fiz franja e fiz madeixas. | — Pois, está iríssimo" (Clara Pinto Correia, *Ponte Pé de Flor*, p. 88).

→**girl** [gɜl] [Ingl., 'moça'.] *S. f.* Corista de teatro ou cinema.

giro[1] [Do gr. *gyæros*, pelo lat. *gyru*.] *S. m.* **1.** Volta, circuito, rotação, revolução: "Divertia-se em olhar para as gaivotas, que faziam grandes giros no ar" (Machado de Assis, *Várias Histórias*, p. 51). **2.** Circunlóquio, rodeio. **3.** Turno, vez. **4.** Movimento comercial: *o giro dos negócios.* **5.** *Econ.* Circulação (de dinheiro, títulos de crédito, etc.). **6.** *Econ.* Número de transações efetuadas, num dado período, em relação a uma quantidade disponível (de mercadorias, capital, etc.): *giro de um estoque; O giro do ativo de uma empresa é dado pelas vendas anuais divididas pelo valor médio de seu ativo.* **7.** *Fam.* Pequena excursão ou passeio; passeata, volta, girata: "Nós dávamos, os dois, um giro pelo vale" (Cesário Verde, *Obra Completa*, p. 93). **8.** Jogo de bilhar em parceria, e no qual cada participante, ao perder ponto, cede a vez ao parceiro. **9.** *Anat.* Circunvolução cerebral. **10.** *Bras.* Ferragem que substitui os gonzos em certas portas de móveis, constante de um par de lâminas de ferro, uma das quais, munida de um pino, se encaixa num orifício existente na segunda. • *Adj.* **11.** V. *amalucado* (1): *O rapaz é meio giro.* **12.** *Bras. RS* Diz-se do galo de plumas escuras, com penas brancas e prateadas. **13.** *Lus. Pop.* Palavra-ônibus que exprime inúmeras ideias apreciativas, e equivale a bonito, elegante, interessante, educado, inteligente, etc.: "— O teu cabelo está muito giro, miúda" (Clara Pinto Machado, *Ponto Pé de Flor*, p. 58); "— Sou tão gira ..... — Não sou bonita, mas sou muito gira." (Id., *ib.*, p. 80).

giro[2] [F. red. de *giroscópico*.] *S. f. Náut.* V. *agulha giroscópica*.

▲**giro-** [Do gr. *gyro-* < gr. *gŷros*, *ou* (ȳ), 'círculo' (< lat. *gyrus*, *i*).] *El. comp.* = 'círculo', 'rotação'; 'que gira': *giroscópio*. [Equiv.: *-gir(o)-*, *-giro*: *oculogiria*, *dextrogiro*, *levogiro*, *sinistrogiro*.]

▲**-gir(o)-** V. *giro-*.

▲**-giro** V. *giro-*.

girogirar [De *giro*[1] + *girar*.] *V. int.* Andar à toa, ao léu, dum lado para outro; girovagar.

girolas [De *giro*[1].] *S. 2 g. e 2 n. Bras.* **1.** V. *doidivanas*. **2.** V. *tolo* (8).

giromagnético [De *giro-* + *magnético*.] *Adj.* ~ V. *razão —a*.

gironda[1] [De or. obsc.] *S. f. Prov. port. Zool.* A fêmea do javali, quando inteiramente desenvolvida ou quando velha. [Cf. *javalina*.]

gironda[2] [Do top. fr. *Gironde*, donde provieram seus principais dirigentes.] *S. f.* Partido político moderado, chefiado por Jacques-Pierre Brissot (1754-1793), na Revolução Francesa. [Com cap.]

girondino [Do fr. *girondin*.] *Adj.* **1.** Da, ou pertencente ou relativo à Gironda[2], (S.O. da França). • *S. m.* **2.** Membro da Gironda[2].

giropiloto (ô) [De *giro*[2] + *piloto*.] *S. m.* Instrumento que serve para manter automaticamente um navio ou aeronave em determinado rumo, por meio de giroscópio(s).

giroscópico [De *giroscópio* + *-ico*[2].] *Adj. Fís.* Relativo ao giroscópio. ~ V. *agulha —a*.

giroscópio [De *giro-* + *-scópio*; fr. *gyroscope*.] *S. m. Fís.* Instrumento constituído por um corpo simétrico capaz de girar com alta velocidade em torno do eixo de simetria, e que, suspenso apropriadamente, mantém invariável a direção desse eixo.

girosela [Do fr. *giroselle*.] *S. f. Bot.* Pequena planta primulácea (*Dodecatheon meadia*) de flores rosadas.

girovagar [De *giro*[1] + *vagar*.] *V. int.* Girogirar. [Conjug.: v. *largar*.]

giroversão [De *giro-* + *versão*.] *S. f. Odont.* Posicionamento anormal de dente que apresenta giro em torno de seu eixo; torsiversão.

giruaense *Adj. 2 g.* **1.** De, ou pertencente ou relativo a Giruá (RS). • *S. 2 g.* **2.** O natural ou habitante de Giruá.

giscardiano [Do antr. (*Valéry*) *Giscard* (*d'Estaing*) + *-iano*.] *Adj.* **1.** Pertencente ou relativo a Valéry Giscard d'Estaing (1926-), estadista francês, ou que dele é partidário. • *S. m.* **2.** Partidário dele.

gitano [Do esp. *gitano*, 'egípcio', por se considerar que os ciganos eram oriundos do Egito.] *S. m.* **1.** Cigano da Espanha [v. *cigano* (1)]: "os gitanos entoando a seguidilha" (Ramalho Ortigão, *As Farpas*, I, p. 83). **2.** *Gloss.* V. *caló* (1). • *Adj.* **3.** ~ V. *seguidilha —a*.

giz [Do ár. *ǧibs* < gr. *gýpsos*, 'gesso', 'greda'.] *S. m.* **1.** Greda. **2.** Lápis ou bastonete feito com carbono ou sulfato de cálcio, e que se usa para escrever sobre o quadro (4). **3.** *Bras. N.E.* Traço retilíneo, a ferro quente, com o qual se assinala o gado vacum, e que indica, por ocasião do inventário, que o animal já foi contado; contramarca que se põe num animal quando ele passa a outro possuidor. [Pl.: *gizes*. Cf. *jis*, pl. de *ji*.]

gizamento [De *gizar* + *-mento*.] *S. m.* Ato ou efeito de gizar.

gizar [De *giz* + *-ar*[2].] *V. t. d.* **1.** Riscar ou traçar com giz. **2.** *Fig.* Descrever sucintamente; delinear. **3.** *Fig.* Calcular, conjeturar; determinar: "Gizou o ponto da floresta em que se achava o sujeito, e com tal exatidão que lá iria de olhos fechados em linha reta." (José de Alencar, *O Sertanejo*, p. 73.) **4.** *Fig.* Figurar, imaginando; prefigurar, conceber, imaginar: "todos nós desde mui cedo gizamos um Amazonas ideal" (Euclides da Cunha, *À margem da História*, p. 5). **5.** *Bras. N.E.* Assinalar (o gado vacum) por meio de giz (3).

glabela [Do lat. cient. *glabella*, do f. do lat. *glabellus*, 'sem pelos'.] *S. f. Anat.* Bossa frontal média ou nasal, situada entre as duas arcadas superciliares, e que, em geral, é desprovida de pelos. [Sin.: *intercílio*, *mesófrio*.]

glabérrimo *Adj. Bot.* Completamente destituído de pelos: *folha glabérrima*.

glabriúsculo [De *glabro* + *-i-* + *-úsculo*.] *Adj.* Quase glabro.

glabro [Do lat. *glabru*.] *Adj.* Sem pelos, ou sem barba: "Estou a vê-lo, de estatura meã, escanzelado, macilento, glabro de cara, exceto no lábio superior, onde curtos pelos ásperos armavam um bigode em sovela" (Brito Camacho, *Gente Rústica*, p. 9); *folha glabra*.

glaçado [Part. de *glaçar*.] *Adj. Cul.* Coberto ou envolvido em glace: *bolo glaçado*.

glaçar [De *glace* + *-ar*[2].] *V. t. d. Cul.* Cobrir ou envolver em glace. [Conjug.: v. *laçar*.]

glace [Do fr. *glace*.] *S. f. Cul.* Cobertura de bolo, solidificada ou não, à base de açúcar dissolvido em caldo de frutas, ou em manteiga, em clara batida em neve, etc.; glacê.

glacê [Do fr. *glacé*.] *S. m.* **1.** Glace. • *Adj. 2 g.* **2.** Diz-se de certo tipo de seda lustrosa com reflexo prateado, em geral sintética. **3.** Diz-se das frutas secas e cobertas de açúcar cristalizado. ~ V. *papel —*.

glaciação [Do lat. *glaciare*, 'transformar em gelo', + *-ção*.] *S. f.* **1.** Ação de transformar em gelo, de congelar. **2.** *Geol.* Ação exercida sobre a superfície da terra pelas geleiras [v. *geleira* (1)]. **3.** *Geol.* Cada um dos períodos de grande modificação climática da Terra, em que um terço dos atuais continentes ficou coberto de espessa camada de gelo.

glacial [Do lat. *glaciale*.] *Adj. 2 g.* **1.** Do, ou relativo ao gelo. **2.** Gelado (1): "o desaparecimento do Sol, o céu sempre cor de chumbo, as névoas glaciais, a lama, a tristeza invernal." (Eça de Queirós, *Cartas Familiares e Bilhetes de Paris*, p. 113). **3.** *Ecol.* Diz-se

G

das plantas e das comunidades que habitam a zona das neves nas montanhas. **4.** *Fig.* Que não tem ou não demonstra animação, vida. **5.** *Fig.* Pouco expansivo; frio: "o Conde de Ficalho era uma criatura reservada, glacial, protocolar, pouco comunicativa, nada acessível" (Júlio Dantas, *Abelhas Doiradas*, pp. 146-147). **6.** Que denota grande frieza ou insensibilidade: "O melancólico moço [Gonçalves Dias] espairecia a sua mágoa fumando constantemente e falando da morte, que tinha nos pulmões, com uma glacial indiferença" (Ramalho Ortigão, *Em Paris*, p. 71). ~ V. *circo —, clima —, época —, zona —, zona — antártica, zona — ártica.*

glaciar [Do fr. *glacier*.] *S. m. Geol.* Geleira (1).

glaciário [Do fr. *glaciaire*.] *Adj.* **1.** Do gelo ou das geleiras. **2.** Relativo à época glacial ou plistocena.

glaciarista [De *glaciário* + *-ista*.] *S. 2 g.* Geólogo especialista na época glacial ou plistocena.

glaciologia [Do lat. *glacie*, 'gelo', + *-o-* + *-logia*.] *S. f.* Ramo da geofísica que estuda a água superficial da Terra, quando se apresenta sob a forma de gelo.

glaciológico [De *glaciologia* + *-ico*[2].] *Adj.* Respeitante à glaciologia.

glaciologista [De *glaciologia* + *-ista*.] *S. 2 g.* Especialista em glaciologia; glaciólogo.

glaciólogo [Do lat. *glacies, ei*, 'gelo', + *-o-*[1] + *-logo*.] *S. m.* Glaciologista.

gladiador (ô) [Do lat. *gladiatore*.] *S. m.* Indivíduo que nos circos romanos combatia com outros homens ou com feras, para divertimento público.

gladiar [Voc. deduz. de *digladiar*.] *V. int. P.* V. *digladiar*. [Pres. ind.: *gladio*, etc. Cf. *gládio*.]

gladiatório [Do lat. *gladiatoriu*.] *Adj.* Respeitante a gladiador.

gladiatura [Do lat. *gladiatura*.] *S. f.* **1.** Combate de gladiadores. **2.** A arte desses combates.

gladífero [Do lat. *gladius, ii*, 'espada', + *-fero*.] *Adj. Zool.* Que tem prolongamento em forma de espada.

gládio [Do lat. *gladiu*.] *S. m.* **1.** Espada de dois gumes; espada. **2.** Punhal (1). **3.** *Fig.* Poder, força. **4.** Combate, luta. [Cf. *gladio*, do v. *gladiar*.]

gladíolo [Do tax. *Gladiolus*.] *S. m. Bot.* **1.** Gênero de plantas iridáceas, herbáceas, nativas esp. da África, algumas da Europa e Ásia, e que são dotadas de folhas ensiformes e inflorescências espiciformes, com flores brilhantemente coloridas e cormófitas. **2.** Qualquer espécie desse gênero, como, p. ex., o *Gladiolus communis* (v. *palma-de-santa-rita*). **3.** Qualquer espécime desse gênero, ou a flor dele.

glagolítico [Do fr. *glagolitique*.] *Adj. Graf.* ~ V. *alfabeto —*.

glaiadina *S. f.* Substância glutinosa que se mistura ao vinho para o tornar grosso e claro.

➔glamor ['glæmə˞] [Ingl.] *S. m.* Encanto pessoal; magnetismo, charme. [Var.: glamour.]

glamorização [De *glamorizar* + *-ção*.] *S. f.* Ato ou efeito de glamorizar; glamourização.

glamorizar [Adapt. do ingl. *(to) glamorize*; v. *-ar*[2].] *V. t. d. P.* Tornar(-se) glamoroso; glamourizar.

glamoroso (ô) [De *glamor* + *-oso*; ingl. *glamorous*.] *Adj.* Que tem ou que revela *glamor*; glamouroso. [Flex.: *glamorosos* (ó), *glamorosa(s)* (ó).]

➔glamour ['glæmə˞] [Ingl.] *S. m.* V. *glamor*.

glamourização [De *glamourizar* + *-ção*.] *S. f.* V. *glamorização*.

glamourizar [Do ingl. *glamour* + *-izar*.] *V. t. d.* V. *glamorizar*.

glamouroso (mu... ô) [Adapt. do ingl. *glamourous*.] *Adj.* Que tem ou que revela *glamour*.

glandado [De *glande* + *-ado*[1].] *Adj. Heráld.* Diz-se de peça que termina em forma de glande.

glande [Do lat. *glande*.] *S. f.* **1.** *Bot.* Fruto do gênero *Quercus* (carvalho), conhecido vulgarmente como *abelota, belota* e *bolota* (q. v.), e que consta de um pericarpo coriáceo, envolvido na base por uma cúpula receptacular. Pertencente ao grupo dos aquênios. [Sin.: *lande*.] **2.** *P. ext.* Objeto semelhante a esse fruto. **3.** *Anat.* A cabeça do pênis; bálano[1]. **4.** *Anat.* Extremidade do clitóris.

glande-do-mar *S. f. Bras. Zool.* V. *bálano*[2]. [Pl.: *glandes-do-mar*.]

glandífero [Do lat. *glandiferu*.] *Adj.* Que tem ou produz glandes: "o glandífero roble" (Antônio Feliciano de Castilho, *As Geórgicas*, p. 77).

glandiforme [De *glande* + *-iforme*.] *Adj. 2 g.* Que tem forma de glande.

glândula [Do lat. *glandula*.] *S. f.* **1.** Pequena glande (1 e 2). **2.** *Anat.* Conjunto de células que segregam ou excretam substâncias que não se relacionam com as suas necessidades habituais. [Há *glândulas endócrinas, exócrinas* e *mistas*.] **3.** *Bot.* Célula epidérmica, muitas vezes em forma de pelo capitado, que segrega um líquido particular. As glândulas são extremamente difundidas no reino vegetal. [A palavra pode ser aplicada a qualquer célula segregante.] ◆ **Glândula de Bartholin.** *Anat.* V. *glândula vestibular maior*. **Glândula de secreção externa.** *Anat.* Glândula exócrina. **Glândula de secreção interna.** *Anat.* Glândula endócrina. **Glândula endócrina.** *Anat.* Glândula (2) cuja secreção se lança diretamente na circulação sanguínea. São glândulas endócrinas: a epífise ou glândula pineal, a hipófise ou glândula pituitária, a glândula tireóidea, o timo, as glândulas paratireóideas, a porção endócrina do pâncreas, as glândulas suprarrenais, os testículos, os ovários. [Sin.: *glândula de secreção interna*.] **Glândula exócrina.** *Anat.* Glândula (2) cuja secreção é lançada, através de um conduto, para o exterior do órgão que a produz. São glândulas exócrinas: as glândulas salivares, as sebáceas e sudoríparas, as lacrimais. [Sin.: *glândula de secreção externa*.] **Glândula mista.** *Anat.* A que tem, a um tempo, secreção interna e externa. **Glândula mucípara.** *Anat.* Glândula mucosa. **Glândula mucosa.** *Anat.* Qualquer glândula que segrega muco; glândula mucípara. **Glândula paratireóidea.** *Anat.* Cada uma das glândulas de secreção interna situadas atrás da tireoide, ger. em número de quatro, e que exercem papel regulador no metabolismo do cálcio e do fósforo. **Glândula pineal.** *Anat.* Epífise (2). **Glândula pituitária.** *Anat.* V. *hipófise*. **Glândula salivar.** *Anat.* Cada uma das que segregam a saliva. **Glândula sebácea.** *Anat.* Glândula situada no córion, e que segrega o sebo. **Glândula suprarrenal.** *Anat.* Cada uma de duas glândulas endócrinas situadas na parte superior da face interna de cada rim, compostas de duas porções distintas, o córtex e a medula suprarrenal, e que segregam hormônios da maior importância para diversas funções do organismo (metabolismo, circulação, etc.). [Tb. se diz apenas *suprarrenal*.] **Glândula tireóidea** *Anat.* Glândula endócrina de situação anterior e inferior no pescoço, formada, habitualmente, por dois lobos unidos por um istmo, e que desempenha importantes funções metabólicas; tireoide (denom. ant.). **Glândula vesiculosa.** *Anat.* Cada uma de duas glândulas que se relacionam com a parede posterior da bexiga, e dispõem de um ducto que se junta ao ducto deferente do mesmo lado, para formar ducto ejaculatório; vesícula seminal (denom. ant.). **Glândula vestibular maior.** *Anat.* Cada uma de duas pequenas formações, uma de cada lado do orifício da vagina; glândula de Bartholin (denom. ant.). **Glândulas meibomianas.** *Anat.* Folículos sebáceos situados entre tarsos e conjuntivas palpebrais.

glandulação [Do ingl. *glandulation*.] *S. f.* Estrutura ou disposição das glândulas.

glandular [De *glândula* + *-ar*[1].] *Adj. 2 g.* **1.** Relativo a glândula; glanduloso. **2.** V. *glanduliforme*. ~ V. *pelo —*.

glandulífero (ân) [De *glândula* + *-ifero*.] *Adj.* Que tem glândulas.

glanduliforme (ân) [De *glândula* + *-iforme*.] *Adj. 2 g.* Que tem forma de glândula; glandular, glanduloso.

glanduloso (ô) [Do lat. *glandulosu*.] *Adj.* **1.** Glandular (1). **2.** V. *glanduliforme*. ~ V. *pelo —*.

glaréola [Do tax. *Glareola*.] *S. f. Zool.* **1.** Gênero de pequenas aves glareolídeas, caradriiformes, nativas da Europa. **2.** Qualquer espécie desse gênero, como, p. ex., a popularmente conhecida como *perdiz-do-mar* (q. v.). **3.** Qualquer espécime desse gênero.

glareolídeo [Do tax. *Glareola*, gênero-tipo, + *-ídeo*[1]; tax. *Glareolidae*.] *Zool. S. m.* **1.** Espécime dos glareolídeos, família de aves cursórias caradriiformes, de cor marrom ou cinza no dorso, e branca nas partes inferiores, e com desenho característico na cabeça e nas asas; têm cauda com penacho, são pernaltas, e habitam áreas desérticas ou pedregosas. Aéreas, ou terrestres, alimentam-se de insetos e nidificam no solo. Compreendem cinco gêneros e 16 espécies, e habitam a Europa, Ásia, África e Austrália. ● *Adj.* **2.** Pertencente ou relativo a eles.

➔glasnost ['glasnɔst] [Russo, 'transparência'.] *S. f.* Na antiga União Soviética, relativa abertura, a partir de 1985, nas normas políticas vigentes até então, com maior divulgação das atividades governamentais e abrandamento da censura, levada a efeito por Mikhail Gorbachev (1931-); a ela seguiram-se a reabilitação dos dissidentes, a liberdade de culto, etc. [Cf. *perestroika*.]

glauberita [Do antr. (*Johann R.*) *Glauber* (-1668), químico alemão, + *-ita*[3].] *S. f. Min.* Mineral monoclínico, sulfato de sódio e cálcio.

gláucico [De *glauc(o)-* + *-ico*[2].] *Adj.* De cor mais ou menos verde. [Cf. *glauco*.]

glauco [Do gr. *glaukós*, pelo lat. *glaucu*.] *Adj.* **1.** V. *verde-claro*: "Em muitos lugares, o ribeiro tomava conta de porção da mata, onde se embarrava, transformando-se em um largo açude glauco dos reflexos das massas azinhavradas das folhagens" (Alberto Rangel, *Sombras n'Água*, p. 154). **2.** De coloração verde e tonalidade ligeiramente azulada. [Cf. *gláucico*.]

▲ glauc(o)- [Do gr. *glaukós, ḗ, ón*.] *El. comp.* = 'glauco', 'verde-claro', 'azul-claro': *glaucofânio*. [Equiv.: *glaucon-*: *glauconita*.]

glaucófana [De *glauc(o)-* + *-fana*.] *S. f. Min.* Glaucofânio.

glaucofânio [De *glauc(o)-* + *-fan(o)-* + *-io*[3].] *S. m. Min.* Mineral monoclínico do grupo dos anfibólios, por via de regra azulado, silicato de sódio, alumínio e ferro, e que pode possuir mais ou menos magnésio; glaucófana.

glaucoma [Do gr. *glaúkoma*, pelo lat. *glaucoma*.] *S. m. Oftalm.* Doença caracterizada pelo aumento de pressão intraocular, que leva ao endurecimento do globo ocular e à compressão do nervo óptico, tendo como consequência a diminuição da acuidade visual.

glaucomatoso (ô) [Do gr. *glaúkoma, atos* + *-oso*.] *Adj. S. m.* Que, ou aquele que tem glaucoma.

▲ glaucon- [Do gr. *glaukón*, neutro de *glaukós*.] Equiv. de *glauc(o)-*.

glauconita [De *glaucon-* + *-ita*[3].] *S. f. Min.* Mineral monoclínico, de cor verde, silicato hidratado de potássio e ferro, formado de modo autígeno nos sedimentos marinhos.

gleba [Do lat. *gleba*.] *S. f.* **1.** Terreno próprio para cultura; leiva, torrão: "Quando o homem .... percorria a passo as glebas tranquilas, e distinguia uma planta que sobrepujava as outras em força e vitalidade, lembrava-se do filho." (Gastão de Holanda, *O Burro de Ouro*, p. 55.) **2.** Terreno que contém mineral. **3.** *P. ext.* V. *terra* (6). **4.** Terreno, feudo a que os servos estavam adscritos. **5.** *Urb.* Área de terra não urbanizada.

gleichênia [Do tax. *Gleichenia* (do antr. [*W. F. von*] *Gleichen* [-1783], naturalista alemão, + lat. cient. *-ia*, v. *-ia*[2]).] *S. f. Bot.* **1.** O gênero-tipo das gleicheniáceas, que reúne espécies leptosporangiadas, dotadas de esporângios sésseis, destituídos de indúsio, e que expulsam as sementes por ânulo transverso. **2.** Qualquer espécie desse gênero, como, p. ex., a *Gleichenia excelsa*. **3.** Qualquer espécime desse gênero.

gleicheniácea [Do tax. *Gleichenia* (v. *gleichênia*) + *-ácea*; tax. *Gleicheniaceae*.] *S. f. Bot.* Espécime das gleicheniáceas, família de pteridófitos, da ordem das eufilicales, caracterizada pelos esporângios em número de dois a oito nos soros, que não levam indúsio; os esporângios têm anel transversal. Há umas 80 espécies, em sua maioria dos países intertropicais e subtropicais do hemisfério austral.

gleicheniáceo [De *gleicheniácea*, com var. suf. (v. *-áceo*).] *Adj. Bot.* Pertencente ou relativo às gleicheniáceas.

gleiquênia *S. f. Bot.* V. *gleichênia*.

gleiqueniácea *S. f. Bot.* V. *gleicheniácea*.

gleiqueniáceo *Adj. Bot.* V. *gleicheniáceo*.

glena [Do gr. *gléne*.] *S. f. Anat.* Cavidade de osso em que se encaixa a superfície articular de outro.

glenoidal [De *glenoide* + *-al*[1].] *Adj. 2 g. Anat.* De, relativo a, ou que se articula em glena; glenoide, glenóideo.

glenoide (ói) [Do gr. *glenoeidés*.] *Adj. 2 g. Anat.* V. *glenoidal*. ❖

glenóideo [De *glena* + *-óideo*.] *Adj. Anat.* V. *glenoidal*.

gleucômetro *S. m.* V. *gleucômetro*. [Uso freq. em P.]

gleucômetro [Do gr. *gleûkos*, 'vinho doce', + *-metro*.] *S. m.* Instrumento que serve para dosar a quantidade de açúcar contida no mosto; glicômetro.

glia [Do gr. *glía*, 'grude', 'cola'.] *S. f. Histol.* Gliócito.

▲ gli(a)- [Do gr. med. *glía*, 'cola', 'grude'.] *El. comp.* = 'substância viscosa'; 'de substância viscosa': *glial, glioma*. [Equiv.: *-glia, -gli(a)-*: *neuróglia, neuroglioma*.]

▲-gli(a)- V. *gli(a)-*.

▲-glia V. *gli(a)-*.

gliadina [Do ingl. *gliadin*.] *S. f. Quím.* Proteína constituinte do glute, esp. rica em glutamina e prolina.

glial [De *glia* + *-al*[1].] *Adj. 2 g. Histol.* Relativo a, ou da natureza da glia, do gliócito.

glicana [De *glic(o)-* + *-ana*[2].] *S. f. Quím.* V. *polissacarídeo*.

glicano [De *glic(o)-* + *-ano*[2].] *S. m. Quím.* V. *polissacarídeo*.

glicárico [De *glic(o)-* + *(ald)árico*.] *Adj. Quím.* ~ V. *ácido —*.

glicemia [De *glic(o)-* + *-emia*.] *S. f. Med.* Taxa de açúcar no sangue, a qual se pode situar acima (hiperglicemia) ou abaixo (hipoglicemia) da faixa normal.

glicêmico *Adj.* V. *glicêmico*. [Uso freq. em P.]

glicêmico [De *glicemia* + *-ico*[2].] *Adj.* Relativo a glicemia.

gliceraldeído [De *glicer(o)-* + *aldeído*.] *S. m. Quím.* Substância líquida, a menor das aldoses, triose da qual existem dois enantiômeros; aldeído glicérico [fórm.: $C_3H_6O_3$].

glicerense *Adj. 2 g.* **1.** De, ou pertencente ou relativo a Glicério (SP). ● *S. 2 g.* **2.** O natural ou habitante de Glicério.

glicéria [Do tax. *Glyceria*.] *S. f. Bot.* **1.** Gênero de plantas poáceas, aquáticas, radicantes, de rizomas rastejantes. **2.** Qualquer espécie desse gênero, como, p. ex., a *Glyceria fluitans*, dotada de espiguetas lineares, mais ou menos cilíndricas, as inferiores quase sésseis e as demais pedunculadas, e cujo fruto é cariopse de cor castanha, que fornece forragem de boa qualidade. **3.** Qualquer espécime desse gênero.

glicérico [De *glicer(o)-* + *-ico*[2].] ***Adj.*** *Quím.* Que tem por base a glicerina; glicério. **2.** Relativo a glicerina, ou dela derivado: *aldeído glicérico*.

glicerídeo [De *glicer(o)-* + *-ídeo*[2].] ***S. m.*** *Quím.* Qualquer éster da glicerina, principalmente os que fornecem, por hidrólise, ácidos graxos.

glicerina [De *glicer(o)-* + *-ina*[3]; fr. *glicérine*.] ***S. f.*** *Quím.* Glicerol.

glicerinado [De *glicerina* + *-ado*[1].] ***Adj.*** Que contém glicerina.

glicério [De *glicer(o)-* + *-io*[3].] ***Adj.*** *Quím.* Glicérico (1). [Cf. *Glicério*, top. e antr.]

▲ **glicer(o)-** [Do gr. *glykerós, á, ón* (ў).] ***El. comp.*** = 'de sabor doce', 'doce'; 'glicerina': *gliceróleo*. [Em *Quím.*, 'arranjo estereoquímico de átomos, ou de grupos encontrados no gliceraldeído': *glicérico, glicerol*.]

glicerol [De *glicer(o)-* + *-ol*[2].] ***S. m.*** *Quím.* Substância orgânica, líquida, incolor, viscosa, adocicada, que é um triálcool; glicerina [fórm.: $C_3H_8O_3$]. [Pl.: *gliceróis*.]

gliceróleo [De *glicer(o)-* + *-óleo*.] ***S. m.*** Medicamento, para uso externo, que tem como excipiente a glicerina.

glicídeo [De *glic(o)-* + *-ídeo*[2].] ***S. m.*** *Bioquím.* V. *glicídio*.

glicídico [De *glicíd(io)* + *-ico*[2].] ***Adj.*** *Quím.* Próprio de, ou relativo a glicídio.

glicídio [De *glic(o)-* + *-ídio*[2].] ***S. m.*** *Bioquím.* Designação genérica das aldoses e cetoses, e de certos derivados delas, e que inclui açúcares, carboidratos, sacarídeos (monossacarídeos, trissacarídeos, etc., e polissacarídeos), glicosídeos e certas substâncias análogas.

glicina [De *glic(o)-* + *-ina*[3].] ***S. f.*** *Quím.* O mais simples dos aminoácidos; ácido aminoacético, glicocola [fórm.: $C_2H_5NO_2$].

glicínia [De *glic(o)-* + *-in(o)-*[2] + *-ia*[1]; lat. cient. *Glycinia*.] ***S. f.*** *Bot.* Nome comum a trepadeiras fabáceas, muito ramificadas, do gênero *Wisteria* (v. *wistéria*), como, p. ex., a *Wisteria floribunda* (v. *wistéria-japonesa*), com densa ramagem e inflorescências pêndulas, longas, com numerosas flores pequenas, azuis-violeta; ocorrem, ainda, numerosas variedades com flores brancas ou róseas. Originárias da Ásia, são mundialmente cultivadas por serem ornamentais.

▲ **glic(o)-** [Do gr. *glyk-, glyko-* < gr. *glykýs, eîa, ý* (ў*k*).] ***El. comp.*** = 'doce'; 'açúcar': *glicemia, glicógeno*. [Equiv.: *-glic(o)-, gluc(o)-*: *aglicônio*; *glucínio*.]

▲ **glico-** *Quím.* ***El. comp.*** Indica presença, ou proveniência de glicose: *glicopiranose*.

▲ **-glic(o)-** V. *glic(o)-*.

glicocálix (x=s) [De *glic(o)-* + *cálix*.] ***S. f. 2 n.*** *Citol.* Camada de glicoproteínas e glicolipídios, associada à superfície externa da membrana plasmática de célula eucariótica, e que, entre outras funções, participa no reconhecimento celular.

glicocola [De *glic(o)-* + *-cola*[2].] ***S. f.*** *Quím.* V. *glicina*.

glicogénese ***S. f.*** *Fisiol.* V. *glicogênese*. [Uso freq. em P.]

glicogênese [De *glic(o)-* + *-gênese*.] ***S. f.*** *Fisiol.* Glicogenia.

glicogenia [De *glic(o)-* + *-genia*.] ***S. f.*** *Fisiol.* Formação ou síntese de glicogênio; glicogênese.

glicogénico ***Adj.*** V. *glicogênico*. [Uso freq. em P.]

glicogênico [De *glicogenia* + *-ico*[2].] ***Adj.*** Relativo a glicogenia.

glicogénio ***S. m.*** *Quím.* V. *glicogênio*. [Uso freq. em P.]

glicogênio [De *glic(o)-* + *-gen(o)-* + *-io*[3].] ***S. m.*** *Quím.* Polissacarídeo existente como substância de reserva nos animais, cristalino, incolor [fórm.: $(C_6H_{10}O_5)_n$].

glicógeno [De *glic(o)-* + *-geno*.] ***Adj.*** Que produz açúcar.

glicol [De *glic(o)-* + *-ol*[2].] ***S. m.*** *Quím.* **1.** Qualquer álcool diidroxilado, esp. em carbonos adjacentes. **2.** Etilenoglicol. [Pl.: *glicóis*.]

glicolato [De *glicól(ico)* + *-ato*[2].] ***S. m.*** *Quím.* Qualquer sal ou éster do ácido glicólico.

glicólico ***Adj.*** *Quím.* ~ V. *ácido —*.

glicolipídio [De *glic(o)-* + *lipídio*.] ***S. m.*** *Bioquím.* Qualquer substância que fornece, por hidrólise, um lipídio e um glicídio.

glicólise [De *glic(o)-* + *-lise*.] ***S. f.*** Desaparecimento do açúcar contido no sangue sob a ação do fermento glicolítico.

glicolítico [De *glicol(ise)* + *-ítico*.] ***Adj.*** Que tem a propriedade de realizar a glicólise.

glicómetro ***S. m.*** V. *glicômetro*. [Uso freq. em P.]

glicômetro [De *glic(o)-* + *-metro*.] ***S. m.*** Gleucômetro.

glicónico[1] ***Adj. S. m.*** V. *glicônico*[1]. [Uso freq. em P.]

glicónico[2] ***Adj.*** *Quím.* V. *glicônico*[2]. [Uso freq. em P.]

glicônico[1] [Do lat. *glyconicum* (*metrum*), 'metro inventado por Glícon (poeta grego)'.] ***Adj.*** **1.** ~ V. *verso —*. • ***S. m.*** **2.** Verso glicônico (q. v.).

glicônico[2] [De *glic(o)-* + *(ald)ônico*.] ***Adj.*** *Quím.* ~ V. *ácido —*.

glicopeptídio [De *glic(o)-* + *peptídio*.] ***S. m.*** *Quím.* Substância que contém em sua estrutura uma parte peptídica e outra glicídica.

glicopiranose [De *glico-* + *piranose*.] ***S. f.*** *Quím.* Piranose da glicose, forma predominante de existência desta ose.

glicoproteico (éi) [De *glic(o)-* + *proteico*.] ***Adj.*** Da glicoproteína, ou relativo a ela. ❖

glicoproteína [De *glic(o)-* + *proteína*.] ***S. m.*** *Bioquím.* Substância que contém em sua estrutura uma parte proteica e outra glicídica; glicopeptídio, proteoglicano.

glicosado [De *glicose* + *-ado*[1].] ***Adj.*** Que contém glicose.

glicosamina [De *glicose* + *-amina*.] ***S. f.*** *Quím.* Substância cristalina, incolor, hexosamina derivada da glicose, que existe, sob forma combinada, na quitina e em certos mucopolissacarídeos e mucoproteínas [fórm.: $C_6H_{13}NO_5$].

glicosaminoglicano [De *glicose* + *-amin(o)-* + *glicano*.] ***S. m.*** *Bioquím.* Mucopolissacarídeo.

glicose [De *glic(o)-* + *-ose*[2]; fr. *glycose*.] ***S. f.*** *Quím.* **1.** Açúcar cristalino, incolor, do qual existem dois enantiômeros, encontrado no sangue e em diversas plantas, e que é a mais abundante das aldoexoses; dextrose [fórm.: $C_6H_{12}O_6$]. **2.** Açúcar (3).

glicosídeo [De *glicose* + *-ídeo*[2].] ***S. m.*** *Quím.* Designação genérica dos heterosídeos e holosídeos.

glicosido [De *glicose* + *-ido*[2].] ***S. m.*** *Quím.* V. *glicosídeo*.

glicosuria [De *glicose* + *-uria*.] ***S. f.*** *Med.* V. *glicosúria*.

glicosúria [De *glicose* + *-úria*.] ***S. f.*** *Med.* Presença de glicose na urina. [F. paral.: *glicosuria*.]

glicurónico ***Adj.*** *Quím.* V. *glicurônico*. [Uso freq. em P.]

glicurônico ***Adj.*** *Quím.* ~ V. *ácido —*.

➔ **glide** [glajd] [Ingl., 'deslize'.] ***S. m.*** *E. Ling.* **1.** Som de transição produzido enquanto os órgãos do trato vocal preparam a articulação do som seguinte. **2.** Semivogal.

glífico [De *glif(o)-* + *-ico*[2].] ***Adj.*** ~ V. *letra —a*.

glifo [Do gr. *glyphé*, 'gravura', 'entalhe'.] ***S. m.*** Pictograma gravado em pedra.

▲ **glif(o)-** [Do v. gr. *glýphein* (ў).] ***El. comp.*** = 'gravar', 'esculpir': *glífico*. [Equiv.: *-glif(o)-, -glifo*: *zooglifito*; *hieróglifo, xilóglifo*.]

▲ **-glifo** [Do gr. *glyphḗ, ês* < v. gr. *glýphein*.] V. *glif(o)-*.

▲ **-glif(o)** V. *glif(o)-*.

glifodonte [De *glif(o)-* + *-odonte*.] ***Adj. 2 g.*** *Zool.* Diz-se de ofídios cujas presas apresentam sulcos por onde passa o veneno.

glifosato [Do ingl. *glyphosate*.] ***S. m.*** *Quím.* Substância sintética, derivada da glicina, us. como herbicida, não seletivo [fórm.: $C_3H_8NO_5P$].

gliócito [De *gli(a)-* + *-o-*[1] + *-cito*.] ***S. m.*** *Histol.* Designação de vários tipos celulares presentes no sistema nervoso central, cuja função é dar suporte físico, metabólico e proteção aos neurônios; glia. [Ant. denom.: *neuróglia, neuroglia* e *glia*.]

glioma [De *gli(a)-* + *-oma*[1].] ***S. m.*** *Neur.* Tumor de glia.

glioxal (cs) [De *gli(col)* + *-ox(i)-* + *-al*[2].] ***S. m.*** *Quím.* Substância amarela, muito reativa, formada por 2 grupos aldeído diretamente ligados [fórm.: $C_2H_2O_2$].

glioxima (cs) [De *gliox(al)* + *oxima*.] ***S. f.*** *Quím.* Substância cristalina, a oxima do glioxal [fórm.: $C_2H_4N_2O_2$].

glioxissomo (cs) [Do ingl. *glyoxysome*.] ***S. m.*** *Citol. Bot.* Organela membranosa encontrada em células vegetais, relacionada ao metabolismo de triglicerídeos.

glíptica [Do gr. *glyptiké*, poss. pelo fr. *glyptique*.] ***S. f.*** Arte de gravura em pedras preciosas.

▲ **glipt(o)-** [Do gr. *glyptós, ḗ, ón*.] ***El. comp.*** = 'gravado em relevo'; p. ext., 'relevo': *gliptogênese, gliptografia*.

gliptodonte [De *glipt(o)-* + *-odonte*; tax. *Glyptodon*.] ***S. m.*** *Paleont.* **1.** Gênero de tatus gigantescos, com cerca de 3m de comprimento e 1,5m de altura, que habitaram a América do Sul no plistoceno; tinham uma vasta couraça formada de placas ósseas circulares, irregulares, adaptadas umas às outras. Vestígios deles foram encontrados, no Brasil, em MG, SP e RS. **2.** Espécie ou espécime desse gênero.

gliptogénese ***S. f.*** *Geol.* V. *gliptogênese*. [Uso freq. em P.]

gliptogênese [De *glipt(o)-* + *-gênese*.] ***S. f.*** *Geol.* Formação do relevo da superfície terrestre graças aos agentes erosivos e intempéricos.

gliptografia [De *glipt(o)-* + *-grafia*.] ***S. f.*** Gliptologia.

gliptográfico [De *gliptografia* + *-ico*[2].] ***Adj.*** Gliptológico.

gliptologia [De *glipt(o)-* + *-logia*.] ***S. f.*** Ciência que tem por fim o estudo das pedras antigas gravadas; gliptografia.

gliptológico [De *gliptologia* + *-ico*[2].] ***Adj.*** Relativo à gliptologia; gliptográfico.

gliptoteca [De *glipt(o)-* + *-teca*.] ***S. f.*** **1.** Coleção de pedras gravadas. **2.** *P. ext.* Local onde se encontra uma dessas coleções.

gliquemia ***S. f.*** V. *glicemia*.

gliro [Adapt. do tax. *Glires*.] *Zool.* ***S. m.*** **1.** Espécime dos gliros, divisão de animais mamíferos que apresentam incisivos de crescimento contínuo para compensar o desgaste da mastigação. São os lagomorfos e os roedores. • ***Adj.*** **2.** Pertencente ou relativo a eles.

glissada [Do fr. *glissade*.] ***S. f.*** *Aer. Av.* Ato ou efeito de glissar.

glissando [Do it. *glissando*.] ***S. m.*** *Mús.* **1.** Na harpa, no piano e noutros instrumentos de teclado, passagem rápida, ascendente ou descendente, das unhas ou das pontas dos dedos sobre uma série de notas consecutivas. **2.** Nos instrumentos de cordas friccionáveis, o deslize de um dedo para cima e para baixo sobre as notas de uma corda, enquanto o arco permanece em movimento. [Cf., nessas acepçs., *portamento* (1).] **3.** No trombone de vara, passagem rápida, como um murmúrio indistinto sem intervalos definidos, produzida pela abertura e fechamento rápidos da vara, e trazido para a orquestração moderna pela influência do jazz: 📖 "Enquanto eu ouvia os glissandos imprevistos dos trombones, gelava ante a ideia de novo cãozinho estraçalhado" (Irene Moutinho, *Até Agora, Nada*, p. 105).

glissar [Do fr. *glisser*.] ***V. t. d.*** *Aer. Av.* Manobrar (a aeronave) de modo a criar uma componente de velocidade ao longo do seu eixo transversal, com o fim de aumentar a razão de descida.

glisseta (ê) [Do fr. *glissete* < fr. *glisser*, 'deslizar'.] ***S. f.*** *Mat.* Lugar geométrico de um ponto de uma curva plana que desliza em seu plano, sujeita a determinadas restrições.

global [De *globo* + *-al*[1].] ***Adj. 2 g.*** **1.** Tomado ou computado em globo, por inteiro; integral, total. **2.** Relativo ou pertencente ao globo terrestre: *McLuhan considera o mundo uma aldeia global.* ~ V. *demanda —, guerra —, método —* e *oferta —*.

globalização [De *globalizar* + *-ção*; ingl. *globalization*.] ***S. f.*** **1.** Ato ou efeito de globalizar. **2.** *Econ.* Processo típico da segunda métade do séc. XX que conduz a crescente integração das economias e das sociedades dos vários países, esp. no que toca à produção de mercadorias e serviços, aos mercados financeiros, e à difusão de informações: *As novas tecnologias de comunicação e de processamento de dados contribuíram enormemente para a globalização.* [Sin., nesta acepç.: *mundialização*.]

globalizado [Part. de *globalizar*.] ***Adj.*** Tornado global; totalizado.

globalizar [De *global* + *-izar*.] ***V. t. d.*** *Bras.* **1.** Totalizar, integralizar. **2.** Estender a todos: *É preciso globalizar a educação.* **3.** Fazer participar da globalização (2). ***P.*** **4.** Sofrer processo de globalização (2).

➔ **globe-trotter** [glowb 'tɹatɚ] [Ingl.] ***S. m.*** Aquele que viaja mundo em fora.

▲ **glob(i)-** [Do V.C.I. *glob-, globi-, globo-* < lat. *globus, i*.] ***El. comp.*** = 'esfera', 'globo': *globífero, globifloro, globina*. [Equiv.: *-glob(i)-*: *acroglobina*.]

▲ **-glob(i)-** Equiv. de *glob(i)-*.

globífero [De *glob(i)-* + *-fero*.] ***Adj.*** *Bot.* Que dá frutos arredondados.

globifloro [De *glob(i)-* + *floro*.] ***Adj.*** *Bot.* Que tem flores globosas.

globigerina [Do tax. *Globigerina*.] ***S. f.*** *Zool.* **1.** Gênero de protozoários foraminíferos, pelágicos, de carapaça delicada, formada por cavidades esféricas superpostas de maneira espiralar. Com a sua morte formam, no fundo do oceano, vasas que chegam a constituir 50% dos resíduos bentônicos. **2.** Espécie ou espécime desse gênero.

globina [De *glob(i)-* + *-ina*[3]; al. *Globin*.] ***S. f.*** *Bioquím.* **1.** O componente proteico da hemoglobina. **2.** Qualquer membro de um grupo de proteínas semelhante à globina (1).

globo (ô) [Do lat. *globu*.] ***S. m.*** **1.** Corpo esférico, redondo: 📖 "É noite e a luz que vem de cima, transbordando de um globo de gás, ilumina o grupo de três velhotes" (Aluísio Azevedo, *Demônios*, p. 161). **2.** O globo terrestre, a Terra: 📖 "À volta de seis enormes mesas, ... reúnem-se em cada noite centenares de viajantes, vindos de todos os pontos do globo à romagem da nova Meca." (Ramalho Ortigão, *Em Paris*, p. 109.) **3.** Representação esférica do sistema planetário. **4.** Peça esférica de vidro, porcelana, cristal, etc., us. em luminárias para tornar difusa a luz da lâmpada. [Pl.: *globos* (ô). Dim. irreg.: *glóbulo*.] ◆ **Em globo.** No conjunto; na totalidade.

globosidade [Do lat. tard. *globositate*.] ***S. f.*** Qualidade de globoso.

globoso (ô) [Do lat. *globosu*.] ***Adj.*** Globular (1): 📖 "São pilhas piramidais de laranjas globosas e doiradas" (Martins Fontes, *Terras da Fantasia*, p. 57).

globular [De *glóbulo* + *-ar*[1].] ***Adj. 2 g.*** **1.** Com a forma de globo; globoso. **2.** Diz-se dessa forma: 📖 "As urnas funerárias de barro (igaçabas), lisas, de forma globular assentada em fundo cônico, ... marcavam, na face do solo, inúmeros círculos." (Raimundo Morais, *País das Pedras Verdes*, p. 282.) **3.** Reduzido a globo (1). ~ V. *aglomerado —, cúmulo —, projeção celeste —* e *proteína —*.

globulariácea [Do tax. *Globularia* + *-ácea*; tax. *Globulariaceae*.] *S. f. Bot.* Espécime das globulariáceas, família de plantas da ordem das escrofulariales, composta de plantas herbáceas com folhas alternas e flores dispostas em capítulos. Flores zigomorfas, com androceu didínamo ou com dois estames, e ovário unilocular. Fruto: núcula, com pericarpo delgado. Há cerca de 20 espécies, quase todas europeias.

globulariáceo [De *globulariácea*, com var. suf. (v. *-áceo*).] *Adj. Bot.* Pertencente ou relativo às globulariáceas.

globuliforme (mè) [De *glóbulo* + *-iforme*.] *Adj. 2 g.* Globuloso (1).

globulina [De *glóbulo* + *-ina*[3].] *S. f. Quím.* Qualquer proteína pertencente à classe das que são insolúveis em água, solúveis em soluções salinas, ácidas ou básicas diluídas, e coaguláveis pelo calor.

globulito [De *glóbulo* + *-ito*[2].] *S. m. Geol.* Formas globulares, microscópicas, encontradas nas rochas magmáticas, efusivas.

glóbulo [Do lat. *globulu*.] *S. m.* Pequeno globo. ◆ **Glóbulo branco.** *Histol.* Leucócito. **Glóbulo de Bok.** *Astr.* Nuvem interstelar quase esférica, compacta, cuja massa é de 20 massas solares, e cujo raio tem cerca de um ano-luz. **Glóbulo polar.** *Embr.* Corpúsculo polar. **Glóbulo sanguíneo.** *Histol.* Cada um dos elementos figurados do sangue (hemácia, leucócito, plaqueta). **Glóbulo vermelho.** *Histol.* V. *eritrócito*.

globuloso (ô) [De *glóbulo* + *-oso*.] *Adj.* **1.** Que tem forma de glóbulo; globuliforme: 📖 "desceu o cabeção da camisa, fez sair o seio esquerdo, globuloso, duro" (Júlio Ribeiro, *A Carne*, p. 246). **2.** Reduzido a glóbulos.

glomerar [Do lat. *glomerare*.] *V. t. d. P. P. us.* V. *aglomerar*.

glomerular [De *glomérulo* + *-ar*[1].] *Adj. 2 g.* De, ou relativo a glomérulo.

glomeruliforme [De *glomérulo* + *-iforme*.] *Adj. 2 g. Bot.* Que tem forma de glomérulo (2).

glomerulite [De *glomérulo* + *-ite*[1].] *S. f. Patol.* Inflamação do glomérulo renal.

glomérulo [Do lat. cient. *glomerulus*, dim. de *glomus*, 'novelo', 'bola'.] *S. m.* **1.** *Anat.* Tufo de vasos sanguíneos ou neurofibras. **2.** *Bot.* Inflorescência curta e globosa, que é, na realidade, uma cimeira fortemente contraída. ◆ **Glomérulo de Malpighi.** *Anat.* Cada um dos numerosos tufos vasculares, de origem arterial, existentes no rim, e que constituem a primeira estrutura do sistema de filtração.

glomerulonefrite (mè) [De *glomérulo* + *nefrite*.] *S. f. Patol.* Forma de nefrite em que os glomérulos de Malpighi são atingidos. ◆ **Glomerulonefrite crônica.** *Patol.* Conjunto de lesões renais de localização glomerular, e que evolui, de modo lento e irregular, para uma insuficiência renal de caráter letal; doença de Bright.

glomo [Do lat. *glomu*.] *S. m. Histol.* Pequeno órgão oval constituído por arteríolas que se comunicam diretamente com vênulas, e dotado de camadas musculares lisas ricamente inervadas, que circundam vaso sanguíneo e controlam o fluxo sanguíneo na região.

➔**gloria** ['glɔrɪa] [Lat., f. red. da loc. *Gloria in Excelsis Deo*, "Glória a Deus no Céu".] *S. m. 2 n. Lit.* Parte da missa (1) que sucede ao *Kyrie*, e que se inicia com essas palavras, recitadas ou cantadas. [V. *liturgia da missa*. Cf. *gloria*, do v. *gloriar*, *glória*, s. f., e *Glória*, antr. e top.] [Com cap.]

glória [Do lat. *gloria*.] *S. f.* **1.** Fama adquirida por ações extraordinárias, feitos heroicos, grandes serviços prestados à humanidade, às letras, às ciências, etc.; celebridade, renome, reputação: 📄 *Tornou à sua cidade coberto de glórias.* **2.** *P. ext.* Pessoa famosa, célebre; celebridade: 📄 *Ele é a glória de sua terra.* **3.** Honra, orgulho: 📄 *Sua eleição encheu de glória a família.* **4.** Magnificência, brilho, esplendor, prestígio: 📄 *a glória da antiga Roma; A cidade tivera seus dias de glória.* **5.** Alegria, satisfação: 📄 *Foi uma glória vencermos o jogo.* **6.** Grande mérito; superioridade: 📄 *Naquilo residia a glória da empresa.* **7.** Ufania, vaidade, vanglória: 📄 *De seus próprios defeitos tira a glória.* **8.** Preito, honra, homenagem: 📄 *Glória ao Pai, ao Filho e ao Espírito Santo.* **9.** A bem-aventurança; o Céu: 📄 *O morto, que Deus o tenha em sua santa glória, ia ser enterrado.* **10.** Jogo de dados em que os parceiros devem percorrer uma faixa em espiral, dividida em casas, até alcançar a última e central, a glória; e em que ganha quem, vencendo todos os obstáculos, ali chegar primeiro; jogo da glória, oca. **11.** *Rel.* Hino cantado na missa. [Cf. *gloria*, do v. *gloriar*, *Gloria*, lit., e *Glória*, antr. e top.] ◆ **Ser a glória.** *Bras.* Ser maravilhoso, excelente, genial: 📄 *Ter recebido tal prêmio foi a glória para a atriz estreante.*

gloriabundo [Do lat. tard. *gloriabundu*.] *Adj. P. us.* Que se gloria; que é dado a gloriar-se, a ostentações.

glória-da-manhã *S. f. Bot.* Trepadeira convolvulácea (*Ipomoea acuminata*) herbácea, de folhas alternas, cordiformes, flores violáceas, ou de um azul intenso, ou brancas; campainha, bom-dia. [Pl.: *glórias-da--manhã*.]

glória-douradense *Adj. 2 g.* **1.** De, ou pertencente ou relativo a Glória de Dourados (MS). ● *S. 2 g.* **2.** O natural ou habitante de Glória de Dourados. [Pl.: *glória-douradenses*.]

gloriar [Do lat. **gloriare*, por *gloriari*.] *V. t. d.* **1.** Cobrir de glória. *P.* **2.** Cobrir-se de glória. **3.** Ufanar-se, envaidecer-se, envaidar-se, jactar-se, glorificar-se, vangloriar-se: 📖 "não se dedignam, antes se prezam e gloriam, de assentar por suas mãos a coroa dos imortais na fronte radiosa de um seu benemérito concidadão." (Latino Coelho, *Cervantes*, p. 160). **4.** Fazer consistir sua glória em alguém ou algo: 📄 *O velho gloria-se no filho eminente; Gloriava-se nos seus títulos universitários.* [Pres. ind.: *glorio, glorias, gloria*, etc. Cf. *glória*, s. f., pl., *glórias*, *Gloria*, lit., e *Glória*, antr. e top.]

➔**gloria victis** ['glɔrɪa 'vɪktɪs] [Lat., 'glória aos vencidos'.] Antítese da expr. *vae victis* (q. v.).

gloriense[1] *Adj. 2 g.* **1.** De, ou pertencente ou relativo a Glória (BA). ● *S. 2 g.* **2.** O natural ou habitante de Glória.

gloriense[2] *Adj. 2 g.* **1.** De, ou pertencente ou relativo a Glória do Goitá (PE). ● *S. 2 g.* **2.** O natural ou habitante de Glória do Goitá.

gloriense[3] *Adj. 2 g.* **1.** De, ou pertencente ou relativo a Nossa Senhora da Glória (SE). ● *S. 2 g.* **2.** O natural ou habitante de Nossa Senhora da Glória.

gloriense[4] *Adj. 2 g.* **1.** De, ou pertencente ou relativo a São João Batista do Glória (MG). ● *S. 2 g.* **2.** O natural ou habitante de São João Batista do Glória.

glorificação [Do lat. ecles. *glorificatione*.] *S. f.* **1.** Ato de glorificar(-se); exaltação. **2.** Ascensão à bem-aventurança ou à glória eterna; canonização.

glorificador (ô) [De *glorificar* + *-dor*.] *Adj.* **1.** Que glorifica; glorificante. ● *S. m.* **2.** Aquele que glorifica.

glorificante [Do lat. ecles. *glorificante*.] *Adj. 2 g.* Glorificador (1).

glorificar [Do lat. ecles. *glorificare*.] *V. t. d.* **1.** Prestar glória ou homenagem a. **2.** Dar glória a; honrar: 📖 "São os homens assim [como Ferdinand Denis] os que verdadeiramente glorificam o trabalho" (Ramalho Ortigão, *Em Paris*, p. 69). **3.** Canonizar, beatificar. *P.* **4.** Adquirir glória. **5.** Ufanar-se, jactar--se, gloriar-se. [Conjug.: v. *trancar*.]

glorificativo [De *glorificar* + *-tivo*.] *Adj.* Próprio para glorificar.

glorinhense *Adj. 2 g.* **1.** De, ou pertencente ou relativo a Glorinha (RS). ● *S. 2 g.* **2.** O natural ou habitante de Glorinha.

gloríola [Do lat. *gloriola*.] *S. f.* **1.** Glória vã, tirada de coisas frívolas: 📖 "Esta é a verdadeira glória, sem gloríolas" (Augusto Meyer, *Preto & Branco*, p. 81). **2.** Boa fama imerecida.

gloriosa[1] [Do tax. *Gloriosa*.] *S. f. Bot.* **1.** Gênero de plantas herbáceas colquicáceas, tuberosas, ger. trepadeiras, nativas da Ásia e da África, dotadas de flores vermelhas, amarelas, ou vermelhas com laivos amarelados. **2.** Qualquer espécie desse gênero, como a *Gloriosa virescens* ou *G. rothschildiana* (v. *lírio--trepadeira*). **3.** Qualquer espécime desse gênero.

gloriosa[2] [F. subst. de *glorioso*.] *S. f. Bras. N.E. Chulo* Automasturbação.

gloriosa-dos-jardins *S. f. Bot.* V. *gloxínia*. [Pl.: *gloriosas--dos-jardins*.]

glorioso (ô) [Do lat. *gloriosu*.] *Adj.* **1.** Cheio de glória, de fama; famoso, renomeado. **2.** Que dá glória ou honra; honroso. **3.** Esplêndido, deslumbrante, magnífico: 📄 *um espetáculo glorioso, sublime.* ~ V. *mistérios gloriosos*.

glosa [Do gr. *glôssa*, 'língua (1)', 'linguagem', pelo lat. *glosa*, 'termo raro, obscuro', e pelo b.-lat. *glosa*.] *S. f.* **1.** Nota explicativa de palavra ou do sentido de um texto; comentário, interpretação. **2.** Anotação marginal ou interlinear. **3.** Censura, crítica. **4.** Cancelamento ou recusa, parcial ou total, dum orçamento, conta, verba, por ilegais ou indevidos. **5.** *Pop.* Suspensão, cancelamento. **6.** *Bras.* Composição poética, ordinariamente formada de quatro décimas, às quais servem de mote os quatro versos de uma quadra. **7.** *Bras. Liter. Pop.* Décima (5) única, na qual se inclui o mote de um ou de dois versos.

glosador (ô) [De *glosar* + *-dor*.] *S. m.* **1.** Aquele que glosa; hermeneuta, intérprete. **2.** *Ant.* Jurista que comentava textos legais por meio de glosas.

glosar [De *glosa* + *-ar*[2].] *V. t. d.* **1.** Comentar, anotar, explicar. **2.** Censurar, criticar. **3.** Suprimir ou anular (parte de conta ou de orçamento). **4.** Desenvolver em verso (um mote). *Int.* **5.** Fazer glosas.

➔**gloss** [glɔs] [Ingl.] *S. m.* V. *gloss labial*. ◆ **Gloss labial.** Cosmético próprio para dar brilho aos lábios

glossa[1] [Do lat. *glossa* (v. *glosa*).] *S. f. Ant.* Glosa.

glossa[2] [Do lat. cient. *glossa* < gr. *glôssa*.] *S. f. Zool.* Projeção linguiforme mediana dos lábios dos insetos.

▲**-glossa** V. *gloss(o)-*.

glossado [De *gloss(o)-* + *-ado*[3].] *S. m. Adj. Zool.* V. *lepidóptero*.

glossalgia [De *gloss(o)-* + *-alg(o)-*[2] + *-ia*[1].] *S. f. Med.* Dor na língua (1).

glossálgico [De *glossalgia* + *-ico*[2].] *Adj.* Relativo à glossalgia.

glossantraz [De *gloss(o)-* + *antraz*.] *S. m. Veter.* Carbúnculo dos cavalos, que se lhes desenvolve sobretudo na língua, peito, coxas e extremidades dos membros anteriores e posteriores.

glossário [Do lat. *glossariu*.] *S. m.* **1.** Vocabulário ou livro em que se explicam palavras de significação obscura; elucidário. **2.** Dicionário de termos técnicos, científicos, poéticos, etc. **3.** Vocabulário que figura como apêndice a uma obra, principalmente para elucidação de palavras e expressões regionais ou pouco usadas: 📄 *Os volumes de contos regionais de Valdomiro Silveira trazem utilíssimos glossários.* **4.** Léxico de um autor, que figura, em geral, como apêndice a uma edição crítica: 📄 *o glossário de Gil Vicente.*

glossarista [De *glossário* + *-ista*.] *S. 2 g.* Autor de glossário(s).

glossema [De *gloss(o)-* + *-ema*.] *S. m. E. Ling.* A menor unidade linguística que pode servir de suporte a uma significação (2).

glossemática [De *glossema* + *-ática*.] *S. f. E. Ling.* Termo proposto pelo linguista dinamarquês Louis Trolle Hjelmslev (1899-1965) para designar o estudo e a classificação dos glossemas.

glossiano [De *gloss(o)-* + *-iano*; fr. *glossien*.] *Adj. Anat.* Glóssico.

glóssico [De *gloss(o)-* + *-ico*[2].] *Adj. Anat.* Relativo ou pertencente à língua (1); glossiano.

glossina [De *gloss(o)-* + *-ina*[1]; tax. *Glossina*.] *S. f. Zool.* **1.** Gênero de moscas vivíparas e hematófagas, vetoras da doença do sono. **2.** Qualquer espécie desse gênero, como, p. ex., a conhecida popularmente como *tsé-tsé*. **3.** Qualquer espécime desse gênero.

glossinídeo [Do tax. *Glossina* + *-ídeo*[1]; tax. *Glossinidae*.] *Zool. S. m.* **1.** Espécime dos glossinídeos, família de moscas ciclorrafas, de tamanho médio, caracterizadas pela probóscide acicular, protegida em uma espécie de estojo quando não está em uso, e por prosterno membranoso, nos indivíduos adultos. São importantes vetores dos tripanossomos, agentes etiológicos de diversas doenças do homem e de animais. ● *Adj.* **2.** Pertencente ou relativo a eles.

glossióideo [De *gloss(o)-* + *hioide* + *-eo*.] *Adj. Anat.* Da língua e do osso hioide, ou referente a ambos.

glossite [De *gloss(o)-* + *-ite*[1].] *S. f. Patol.* Inflamação da língua (1).

▲**gloss(o)-** [Do gr. *glôssa* (ático, *glôtta*), *ēs*.] *El. comp.* = 'língua (órgão)', 'língua (linguagem)'; 'glossa[2]': *glossite, glossografia*. [Equiv.: *-glossa, -gloss(o)-, -glosso, -glota, glot(o)-, -glot(o)-: interglossa; microglossia; macroglosso; triglota; glotologia; isoglótico*.]

▲**-gloss(o)-** V. *gloss(o)-*.

▲**-glosso** V. *gloss(o)-*.

glossocátoco [Do gr. *glossokátochon*, neutro de *glossokátochos*.] *S. m. Med.* V. *abaixador de língua*.

glossocele [De *gloss(o)-* + *-cele*[1].] *S. f. Patol.* Tumefação da língua (1).

glossofaríngeo [De *gloss(o)-* + *-faring(o)-* + *-eo*.] *Anat. Adj.* **1.** Relativo à língua e à faringe. ~ V. *músculo —* e *nervo —*. ● *S. m.* **2.** Nervo glossofaríngeo.

glossografia [De *gloss(o)-* + *-grafia*.] *S. f.* **1.** Investigação de línguas [v. *língua* (3)] obscuras e antigas. **2.** Descrição anatômica da língua (1). **3.** *E. Ling. Psiq.* Na escrita, fenômeno equivalente à glossolalia (q. v.).

glossográfico [De *glossografia* + *-ico*[2].] *Adj.* Relativo à glossografia.

glossógrafo [De *gloss(o)-* + *-grafo*.] *S. m.* Especialista em glossografia.

glossoide (ói) [Do gr. *glossoeidés*.] *Adj. 2 g.* Semelhante à língua. ❖

glossolalia [De *gloss(o)-* + *-lal(o)-* + *-ia*[1].] *S. f. E. Ling. Psiq.* Fenômeno, que pode ocorrer em situação de exaltação religiosa, caracterizado pelo comportamento de certos indivíduos que começam, espontaneamente, a falar línguas desconhecidas, tidas como frutos de dom divino, mas que, ger. são línguas inexistentes. [Tais línguas, ger., não apresentam significado sistemático para palavras ou frases, têm poucas unidades estruturais previsíveis, muitas repetições na cadeia sonora, e os falantes não conseguem repetir os enunciados como os haviam pronunciado antes.] [Cf. *xenoglossia*.]

glossolálico [De *glossolalia* + *-ico*[2].] *Adj. E. Ling. Psiq.* Relativo à glossolalia.
glossologia [De *gloss(o)-* + *-logia*.] *S. f.* V. *glotologia*.
glossológico [De *glossologia* + *-ico*[2].] *Adj.* Glotológico.
glossologista [De *glossologia* + *-ista*.] *S. 2 g.* V. *glotólogo*.
glossólogo [De *gloss(o)-* + *-logo*.] *S. m.* V. *glotólogo*.
glossomancia (cí) [De *gloss(o)-* + *-mancia*.] *S. f.* **1.** Arte de adivinhar o caráter e o futuro de alguém pela forma da língua. **2.** *Med.* Prognóstico que se fundamenta no aspecto da língua (1).
glossomante [De *gloss(o)-* + *-mante*.] *S. 2 g.* Pessoa que pratica a glossomancia (1).
glossomântico *Adj.* Relativo a glossomancia, ou a glossomante.
glossonímico [De *glossônimo* + *-ico*[2].] *Adj. E. Ling.* Relativo a glossônimo.
glossónimo *S. m. E. Ling.* V. *glossônimo*. [Uso freq. em P.]
glossônimo [De *gloss(o)-* + *-ônimo*.] *S. m. E. Ling.* Nome de língua (4): *português, latim, tupi, suaíli*, etc.
glossopatia [De *gloss(o)-* + *-patia*.] *S. f. Med.* Qualquer doença da língua (1).
glossopático [De *glossopatia* + *-ico*[2].] *Adj. Med.* Relativo a glossopatia.
glossópetra [Do lat. cient. *glossopetra* < lat. *glosopetra* < gr. *glossópetra*.] *S. f.* Dente fóssil de peixe, em forma de língua.
glossópteris [De *gloss(o)-* + *-pteris*; tax. *Glossopteris*.] *S. f. 2 n. Paleont.* **1.** Gênero que reunia fetos e outras plantas filiciformes que se caracterizavam pelas densas frondes cujas nervuras e veias formavam como que uma malha; habitaram o hemisfério sul, onde compunham imensas florestas; no Brasil, vestígios delas foram encontrados em São Paulo, Paraná e Santa Catarina. **2.** Espécie ou espécime desse gênero.
glossotério [De *gloss(o)-* + *-tério*[1]; tax. *Glossotherium*.] *S. m. Paleont.* **1.** Gênero de mamíferos desdentados, que habitaram a América do Sul no plistoceno e que reuniam grandes preguiças terrícolas cujas ossadas foram encontradas, no Brasil, em grutas do rio das Velhas (MG). **2.** Espécie ou espécime desse gênero.
glossotomia [De *gloss(o)-* + *-tom(o)-* + *-ia*[1].] *S. f. Cir.* Incisão da língua.
glossotómico *Adj.* V. *glossotômico*. [Uso freq. em P.]
glossotômico [De *glossotomia* + *-ico*[2].] *Adj.* Relativo a glossotomia.
▲ **-glota** V. *gloss(o)-*.
glotal [De *glote* + *-al*[1].] *Adj. 2 g. E. Ling.* **1.** Relativo à glote. **2.** Relativo a consoante glotal (q. v.).
glotálico [De *glotal* + *-ico*[2].] *Adj. E. Ling.* Diz-se de mecanismo que usa a glote como fonte de vibração, na produção de um som.
glotalização [De **glotalizar* (< *glotal* + *-izar*) + *-ção*.] *S. f. E. Ling.* Constrição da glote que ocorre simultaneamente a outra. [V. *articulação secundária*.]
glotalizado [De **glotalizar* (< *glotal* + *-izar*) + *-ado*[1].] *Adj. E. Ling.* Diz-se de som que apresenta uma articulação secundária (q. v.) na glote.
glote [Do gr. *glottís*, 'lingueta'.] *S. f. Anat.* Abertura, em forma de pequena língua, na laringe, entre as bordas livres das pregas vocais inferiores, para a passagem do ar inspirado e expirado, e que, na deglutição, é fechada pela epiglote (q. v.). [Sin. pop.: *goto*.]
gloterar *V. int.* V. *glotorar*.
glótica [F. subst. de *glótico*.] *S. f.* V. *glotologia*.
glótico [Do gr. *glottikós*.] *Adj.* Relativo ou pertencente à glote.
glotite [De *glote* + *-ite*[1].] *S. f. Patol.* Inflamação da glote.
▲ **glot(o)-** V. *gloss(o)-*.
▲ **-glot(o)-** V. *gloss(o)-*.
glotocronologia [De *glot(o)-* + *cronologia*.] *S. f. E. Ling.* Método que procura relacionar, por meio de técnicas estatísticas, a percentagem de cognatos presentes em duas línguas com o tempo em que ambas se originaram de uma única fonte. [Assim, se duas línguas têm atualmente em comum 80% de cognatos, ambas devem ter começado a divergir cerca de 7,4 séculos atrás, *i. e.*, por volta do séc. XIII.]
glotologia [De *glot(o)-* + *-logia*.] *S. f.* Ciência da linguagem; glossologia, glótica.
glotológico [De *glotologia* + *-ico*[2].] *Adj.* Relativo à glotologia; glossológico.
glotologista [De *glotologia* + *-ista*.] *S. 2 g.* V. *glotólogo*.
glotólogo [De *glot(o)-* + *-logo*.] *S. m.* Especialista em glotologia; glossologista, glossólogo, glotologista.
glotorar [Do lat. *gloctorare*.] *V. int.* Soltar a sua voz (a cegonha); gloterar.
gloxínia (cs) [Do tax. *Gloxinia* (do antr. [*Benjamin P.*] *Gloxin* [séc. XVIII], botânico alemão que descreveu a planta, + lat. cient. *-ia*, v. *-ia*[2]).] *S. f. Bot.* Erva gesneriácea (*Sinningia speciosa*), tuberosa, muito cultivada, graças à beleza das grandes flores alvas, azuis, vermelhas e maculadas; folhas amplas, carnosas, vilosas e crenadas; corola afunilada, com limbo curto e quatro estames. É nativa do Brasil. [Sin.: *gloriosa-dos-jardins*.]

■ **GLP** Sigla de *gás liquefeito de petróleo*.
gluão *S. m. Lus. Fís. Part.* V. *glúon*. [Pl.: *gluões*.]
glucagon [Do ingl. *glucagon*.] *S. m. Bioquím.* Hormônio polipeptídico segregado pelo pâncreas em resposta à queda da glicemia.
glucídio [De *gluc(o)-* + *-ídio*[2].] *S. m. Quím.* V. *glicídio*.
glucina *S. f. Quím.* V. *glicina*.
glucínio [De *gluc(o)-* + *-in(o)-*[2] + *-io*[3].] *S. m. Quím. Desus.* Berílio.
▲ **gluc(o)-** V. *glic(o)-*.
glucónico *Adj. Quím.* V. *glucônico*. [Uso freq. em P.]
glucônico [De *gluc(o)-* + *(ald)ônico*.] *Adj. Quím.* ~ V. *ácido —*.
glucose [De *gluc(o)-* + *-ose*[1].] *S. f. Quím.* V. *glicose*.
glucosídeo [De *glucose* + *-ídeo*[2].] *S. m. Quím.* Glicosídeo.
glu-glu [Voc. onom.] *S. m.* Som imitativo da voz do peru, ou do ruído de um líquido que sai dum vaso de gargalo estreito. [Pl.: *glu-glus*.] ❄
glugluejar [T. onom.] *V. int.* V. *grugulejar*.
gluíno [De *glú(on)* + *-ino*[1].] *S. m. Fís. Part.* S-partícula de glúon.
gluma [Do lat. cient. *gluma* (do lat. *gluma*, 'película', 'casca dos grãos').] *S. f. Bot.* Bráctea da espigueta das poáceas, por dentro da qual ficam as flores. Cada espigueta possui duas glumas em oposição.
glumáceo [De *glum(i)-* + *-áceo*.] *Adj. Bot.* Que não tem perianto propriamente dito, mas brácteas.
glumela [De *glum(i)-* + *-ela*.] *S. f. Bot.* Bractéola da espigueta das poáceas, que envolve a flor. Há duas glumelas para cada flor.
glumélula [De *glumela* + *-ula*.] *S. f. Bot.* Cada uma das duas peças muito reduzidas da flor das poáceas, que correspondem ao perianto; lodícula.
▲ **glum(i)-** [Do lat. cient. *glum-*, *glumi-* < lat. cient. *gluma* < lat. *gluma*, 'película', 'casca dos grãos'.] *El. comp.* = 'gluma': *glumáceo, glumífero*.
glumífero [De *glum(i)-* + *-fero*.] *Adj. Bot.* Que tem glumas.
glumiflora [De *glum(i)-* + *-flora*; tax. *Glumiflorae*.] *S. f. Bot.* Espécime das glumifloras, ordem de vegetais monocotiledôneos, caracterizados pelas flores dotadas de glumas e glumelas, hermafroditas, e pelos frutos secos e indeiscentes. Compreende as famílias das poáceas e das ciperáceas. [Sin.: *glumiflorale*.]
glumifloral [De *glumiflorale*.] *Adj. 2 g. Bot.* Glumifloro.
glumiflorale [De *glum(i)-* + *-flor(i)-* + *-ale*.] *S. f. Bot.* Glumiflora.
glumifloro [De *glumiflora* (v. *glum(i)-* e *-floro*).] *Adj. Bot.* Pertencente ou relativo às glumifloras; glumifloral.
glúon [Do ingl. *gluon*.] *S. m. Fís. Part.* Bóson vetorial de massa nula, associado ao campo de cor [v. *cor*(13)] na cromodinâmica quântica (q. v.), mediador das interações fortes entre *quarks*, e responsável pela força de coesão que os mantém unidos para formar hádrons.
glutamato [De *glutâm(ico)* + *-ato*[2].] *S. m. Quím.* **1.** Qualquer sal ou éster do ácido glutâmico. **2.** Glutamato monossódico. ◆ **Glutamato de sódio.** *Quím.* Glutamato monossódico (q. v.). **Glutamato monossódico.** *Quím.* Sal sódico obtido pela neutralização de uma das carboxilas do ácido glutâmico, e que é us. como intensificador de sabor em culinária, principalmente a de origem chinesa; glutamato de sódio. [Tb. se diz apenas *glutamato*.]
glutâmico [De *glút(en)* + *âmico*.] *Adj. Quím.* V. *ácido —*.
glutamina [De *glút(en)* + *-amina*.] *S. f. Quím.* Aminoácido natural, cristalino, que contém um grupo amida [fórm.: $C_5H_{10}N_2O_3$].
glutão [Do lat. *glutone*.] *Adj.* **1.** Que come muito e com avidez; voraz, edaz. ● *S. m.* **2.** Aquele que come muito e com avidez. [Cf., nesta acepç., *gastrólatra*. Fem. *glutona*.]
glute [Do lat. *gluten*.] *S. m. Bioquím.* Constituinte proteico (formado por gliadinas e gluteninas), dos grãos de certos cereais (esp. o trigo e, menos, a cevada, o centeio e a aveia), que forma a massa gomosa, elástica, restante quando das respectivas farinhas se separa, por lavagem com água, o amido, e que (graças a sua propriedade de reter gases) é responsável pela textura aberta, esponjosa, e consistência macia, características do pão comum, feito com farinha de trigo e fermento. [Certas pessoas têm alergia ao glute, que deve ser excluído da dieta.]
▲ **glut(e)-** [Do lat. *gluten, inis*.] *El. comp.* = 'grude', 'cola'[1]: *glutâmico, glutina*.
glúten *S. m.* V. *glute*. *Bioquím.* [Pl.: *glutens* e (p. us. no Brasil) *glútenes*.]
glutenina [De *glúten* + *-ina*[3].] *S. f. Quím.* Principal proteína constituinte do glute, de composição semelhante à das gliadinas, porém massa molecular muito maior.
glúteo [Do gr. *gloutós*, 'nádega', + *-eo*.] *Adj. Anat.* Referente ou pertencente às nádegas: ▤ *a região glútea*.
glutina [De *glut(e)-* + *-ina*[3].] *S. f.* Proteína que se encontra na gelatina (1).

glutinar [Do lat. *glutinare*.] *V. t. d.* Conglutinar (1) (q. v.).
glutinativo [Do lat. tard. *glutinativu*.] *Adj.* Aglutinativo.
glutinosidade [De *glutinoso* + *-(i)dade*.] *S. f.* Qualidade de glutinoso.
glutinoso (ô) [Do lat. tard. *glutinosu*.] *Adj.* **1.** Que tem glute. **2.** Que se assemelha ao glute. **3.** Pegajoso, viscoso.
glutona *S. f.* V. *glutão*.
glutonaria [De *glutão* + *-aria*, seg. o padrão erudito.] *S. f.* Qualidade de glutão; voracidade, edacidade, glutonia. [Cf. *gula* (1). Var.: *glutoneria*.]
glutoneria [De *glutão* + *-eria*, seg. o padrão erudito.] *S. f.* V. *glutonaria*.
glutonia [De *glutão* + *-ia*[1], seg. o padrão erudito.] *S. f.* V. *glutonaria*.
glutónico *Adj.* V. *glutônico*. [Uso freq. em P.]
glutônico [Do lat. *glutone*, 'glutão', + *-ico*[2].] *Adj.* Relativo a glutão.
gnafálio [Do tax. *Gnaphalium* < lat. *gnaphalion*, *gnaphalium*, 'cotonária'.] *S. m. Bot.* V. *cotonária*.
gnaisse [Do al. *Gneiss*.] *S. m. Geol.* Rocha metamórfica feldspática laminada, nitidamente cristalina, e de composição mineralógica muito variável.
gnáissico [De *gnaisse* + *-ico*[2].] *Adj.* Relativo ao, ou próprio do gnaisse.
▲ **-gnata** V. *gnat(o)-*.
gnatalgia [De *gnat(o)-* + *-alg(o)-*[2] + *-ia*[1].] *S. f. Med.* Dor no queixo.
gnatálgico [De *gnatalgia* + *-ico*[2].] *Adj.* Relativo à gnatalgia.
gnaticídio [Do lat. *gnatus*, 'filho', + *-i-* + *-cídio*.] *S. m. Desus.* Filicídio.
gnatite [De *gnat(o)-* + *-ite*[1].] *S. f. Patol.* Inflamação da bochecha.
▲ **gnat(o)-** [Do gr. *gnáthos, ou* (ã).] *El. comp.* = 'queixo', 'maxilar', 'bochecha': *gnatalgia, gnatite, gnatodonte*. [Equiv.: *-gnata, -gnat(o)-, -gnato*: *neógnata, agnatia; epígnato*.]
▲ **-gnat(o)-** V. *gnat(o)-*.
▲ **-gnato** V. *gnat(o)-*.
gnatobdélido [De *gnat(o)-* + *-bdel(o)-* + *-ido*[3]; tax. *Gnathobdelida*.] *Zool. S. m.* **1.** Espécime dos gnatobdélidos, ordem de vermes anelídeos, hirudíneos, aquáticos ou terrestres, providos de ventosa anterior, três maxilas quitinizadas e sangue vermelho; probóscide ausente. A ordem inclui a maioria das sanguessugas. ● *Adj.* **2.** Pertencente ou relativo a eles. [Sin. ger.: *arincobdélido*.]
gnatodonte [De *gnat(o)-* + *-odonte*.] *Adj. 2 g. Zool.* Que tem os dentes inseridos na espessura das maxilas.
gnatoplastia [De *gnat(o)-* + *-plast(o)-* + *-ia*[1].] *S. f. Cir. Plást.* Cirurgia plástica em mandíbula.
gnatoplástico [De *gnatoplastia* + *-ico*[2].] *Adj.* Relativo à gnatoplastia.
gnatoplegia [De *gnat(o)-* + *-pleg-* + *-ia*[1].] *S. f. Med.* Paralisia do queixo.
gnatoplégico [De *gnatoplegia* + *-ico*[2].] *Adj.* Relativo à gnatoplegia.
gnatopófise [De *gnat(o)-* + *apófise*.] *S. f. Zool.* Saliência ou apófise na lâmina labial da armadura de aranhas do gênero *Gnaphosa*.
gnatostomado[1] [De *gnat(o)-* + *-stom(o)-* + *-ado*[1].] *Adj. Zool.* Com maxilares na boca.
gnatostomado[2] [Adapt. do tax. *Gnathostomata*.] *Zool. S. m.* **1.** Espécime dos gnatostomados, superclasse de vertebrados providos de maxilares, dois tubos nasais, apêndices ger. pares (membros ou nadadeiras), e sexos separados. Inclui peixes, anfíbios, reptis, aves e mamíferos, com raras exceções. **2.** Superordem de equinoides, nos quais o periprocto localiza-se fora do sistema apical. ● *Adj.* **3.** Pertencente ou relativo a eles.
gnetácea [Do tax. *Gnetum* + *-ácea*; tax. *Gnetaceae*.] *S. f. Bot.* Espécime das gnetáceas, família de plantas gimnospérmicas, que compreende apenas o gênero *Gnetum*, composto de arbustos e lianas com folhas normais. Flores unissexuais reunidas no mesmo indivíduo; as masculinas levam um perianto tubular difilo e um ou dois estames, e as femininas têm óvulos protegidos por dois tegumentos prolongados em tubo. Há umas 30 espécies, que habitam as regiões tropicais, existindo várias na Amazônia.
gnetáceo [De *gnetácea*, com var. suf. (v. *-áceo*).] *Adj. Bot.* Pertencente ou relativo às gnetáceas.
gnetal [Do lat. cient. *Gnet-* (v. *gnetale*) + *-al*[1].] *Adj. 2 g. Bot.* Pertencente ou relativo às gnetales.
gnetale [Do tax. *Gnetum* + *-ale*; tax. *Gnetales*.] *S. f. Bot.* Espécime das gnetales, classe de gimnospermas caracterizada pelos estames reduzidos e por um filamento, que insere as anteras no ápice. Engloba três famílias: efedráceas, welwitschiáceas e gnetáceas.
■ **GNL** Sigla de *gás natural liquefeito*.
gnoma [Do gr. *gnóme*, pelo lat. tard. *gnome*.] *S. f.* Sentença moral [v. *máxima* (2)].

G

gnómico ***Adj.*** V. *gnômico*. [Uso freq. em P.]

gnômico [Do gr. *gnomikós*, pelo lat. *gnomicu*.] ***Adj.*** Relativo a, ou que tem caráter de gnoma.

gnomo [Do lat. dos alquimistas *gnomu*, poss. alter. de **genomus* < gr. *genomos*, 'habitante da terra'.] ***S. m.*** Designação comum a certos espíritos, feios e de baixa estatura, que, segundo os cabalistas, habitam o interior da Terra e têm sob sua guarda minas e tesouros: 📖 "E esse pequeno ser que se assemelha às divindades pastorais, aos gnomos teosóficos cujo mister é guardar e amar a árvore ou a roseira que lhes coube, obrigava os sentidos de André a uma alta harmonia entre si" (Barreto Filho, *Sob o Olhar Malicioso dos Trópicos*, p. 74). [Cf. *anão* (2) e *gnômon*.]

▲**gnom(o)-** [Do gr. *gnṓme, ēs*.] ***El. comp.*** = 'faculdade de conhecer'; 'compreensão', 'inteligência'; 'reflexão'; 'julgamento', 'sentença': *gnomologia*. [Equiv.: *-gnom(o)-*: *metagnomia*.]

▲**-gnom(o)-** Equiv. de *gnom(o)-*.

gnomologia [De *gnom(o)-* + *-logia*.] ***S. f. Filos.*** Filosofia sentenciosa.

gnomológico [Do gr. *gnomologikós*.] ***Adj.*** Relativo à gnomologia.

gnomólogo [De *gnomo-* + *-logo*.] ***S. m.*** Aquele que discorre ou escreve sentenciosamente, que usa de gnomologia.

gnómon ***S. m.*** V. *gnômon*. [Uso freq. em P.]

gnômon [Do gr. *gnómon*, pelo lat. *gnomon*.] ***S. m.*** Ponteiro ou outro instrumento que marca a altura do Sol pela direção da sombra; relógio solar. [Pl.: *gnômons* e *gnômones*. Var.: *gnômone*. Cf. *gnomo*.]

gnómone ***S. m.*** V. *gnômone*. [Uso freq. em P.]

gnômone ***S. m.*** V. *gnômon*.

gnomónica ***S. f.*** V. *gnomônica*. [Uso freq. em P.]

gnomônica [Do gr. *gnomoniké, i. e., téchne gnomoniké*, pelo lat. *gnomonice*.] ***S. f.*** Arte e técnica de construir e empregar os gnômons e os quadrantes solares.

gnomónico ***Adj.*** V. *gnomônico*. [Uso freq. em P.]

gnomônico [Do gr. *gnomonikós*, pelo lat. *gnomonicu*.] ***Adj.*** Relativo aos gnômons. ~ V. *projeção —a*.

gnomonista [De *gnômon* + *-ista*.] ***S. 2 g.*** Especialista em gnomônica.

gnomonógrafo [De *gnômon* + *-grafo*.] ***S. m.*** Instrumento idealizado que permite o traçado de um quadrante solar, por um processo óptico, sobre uma superfície qualquer.

gnose [Do gr. ecles. *gnôsis*.] ***S. f.*** **1.** Conhecimento, sabedoria. **2.** *Hist. Filos.* Conhecimento esotérico e perfeito da divindade, e que se transmite por tradição e mediante ritos de iniciação. [Cf. *gnosticismo*.]

▲**-gnose** [Do gr. *-gnōsis, eōs* < gr. *gnôsis, eōs*.] V. *gnoseo-*.

▲**gnoseo-** [Do gr. *gnôsis, eōs*.] ***El. comp.*** = 'ação de conhecer'; 'conhecimento'; 'estudo': *gnoseologia, gnoseológico*. [Var. (impr.): *gnosio-*: *gnosiologia, gnosiológico*. Equiv.: *-gnose* (q. v.), *-gnos(i)-*, *-gnosia* (q. v.), *-gnóstico* (q. v.): *baragnose, biognose, prognose* (< lat. < gr.), *tanatognose*; *anagnosigrafia*; *acognosia, agnosia* (< gr.), *biognosia, etognosia*; *aerognóstico*.]

gnoseologia [De *gnoseo-* + *-logia*.] ***S. f. Filos.*** V. *teoria do conhecimento*. [Var.: *gnosiologia*.]

gnoseológico [De *gnoseologia* + *-ico*[2].] ***Adj.*** **1.** Relativo ao conhecimento. **2.** *Filos.* Relativo à gnoseologia. [Var.: *gnosiológico*.]

▲ **-gnos(i)-** V. *gnoseo-*.

▲ **-gnosia** [Do gr. *-gnōsía* < gr. *gnôsis, eōs* + gr. *-ía* (v. *-ia*[1]).] V. *gnoseo-*.

gnósico [De *gnose* + *-ico*[2]; fr. *gnosique*.] ***Adj.*** Relativo à gnose, ao conhecimento.

▲ **gnosio-** V. *gnoseo-*.

gnosiologia [De *gnosio-* + *-logia*.] ***S. f. Filos.*** V. *teoria do conhecimento*.

gnosiológico [De *gnosiologia* + *-ico*[2].] ***Adj.*** V. *gnoseológico*.

gnosticismo [De *gnóstico* + *-ismo*.] ***S. m. Hist. Filos.*** Ecletismo filosófico-religioso surgido nos primeiros séculos da nossa era e diversificado em numerosas seitas, e que visava a conciliar todas as religiões e a explicar-lhes o sentido mais profundo por meio da gnose. [São dogmas do gnosticismo: a emanação, a queda, a redenção e a mediação, exercida por inúmeras potências celestes, entre a divindade e os homens. Relaciona-se o gnosticismo com a cabala, o neoplatonismo e as religiões orientais.] [Cf. *gnose* (2).]

gnóstico [Do gr. *gnostikós*, pelo lat. *gnosticu*.] ***Adj. S. m.*** Diz-se de, ou sectário do gnosticismo.

▲ **-gnóstico** [Do gr. *gnōstikós, ḗ, ón*.] ***El. comp.*** = 'relativo ao conhecimento'; 'relativo a certa ciência ou a um de seus ramos'; 'próprio do conhecimento': *etognóstico, geognóstico*. [V. *gnoseo-*.]

gnotobiótica [Do gr. *gnotós*, 'conhecido', + lat. cient. *biota* + *-ica*.] ***S. f. Biol.*** O estudo da criação, em laboratório, de animais cujas microfauna e microflora são específicas e plenamente conhecidas.

gnotobiótico [De *gnotobiótica*, com var. suf. (v. *-ico*[2]).] ***Adj. Biol.*** Pertencente ou relativo à gnotobiótica.

gnu [Do boximane *nqu*, pelo ingl. *gnu* ou pelo fr. *gnou*.] ***S. m. Zool.*** Mamífero artiodáctilo, bovídeo, que habita desde as regiões do Quênia até a África do Sul; é um antílope com cabeça e chifres semelhantes aos do búfalo, visão e olfato muito apurados e tem chifres espiralados, corpo de cor cinza e marrom, comprimento de cerca 2,70m e altura de até 1,40m.

GNV Sigla de *gás natural veicular* (q. v.).

■ **GO** Sigla do Estado de Goiás.

goa (ô) [Do top. *Goa* < hindi *govapuri, gova*.] ***S. f.*** *Constr. Nav. Ant.* Medida us. nos estaleiros do Mediterrâneo no fabrico das galés, igual a três palmos de 0,25m.

goano ***Adj. S. m.*** V. *goense*. [Cf. *guano*.]

gobelino [Do fr. *gobelin*, da manufatura de tapetes fundada em Paris, no séc. XVIII, na *Maison des Gobelins*, estabelecida pelos irmãos Gobelins no séc. XV.] ***S. m.*** **1.** Tapeçaria proveniente da célebre manufatura (3) da Casa dos Gobelins: 📖 "— Acabo de vir de uma exposição de tapeçaria. Que cousas lindas! .... Há até um autêntico gobelino" (Lima Barreto, *Vida e Morte de M. J. Gonzaga de Sá*, p. 257). **2.** *P. ext. Tec. Têx.* Tecido que imita o gobelino (1), us. para forrar móveis, etc.

gobiesocídeo [Do lat. cient. *Gobiesoc-* (do tax. *Gobiesox*) + *-ídeo*[1]; tax. *Gobiesocidae*.] *Zool.* ***S. m.*** **1.** Espécime dos gobiesocídeos, grande família de peixes actinopterígios, gobiesociformes, cosmopolitas, que habitam estuários e águas costeiras. Dentre as mais de cem espécies conhecidas, há algumas de água doce. ● ***Adj.*** **2.** Pertencente ou relativo a eles.

gobiesociforme [Do lat. cient. *Gobiesoc-* (v. *gobiesocídeo*) + *-ídeo*[1]; tax. *Gobiesociformes*.] *Zool.* ***S. m.*** **1.** Espécime dos gobiesociformes, ordem de peixes osteíctes, actinopterígios, de cabeça achatada, escamas ausentes e cujas nadadeiras pélvicas, situadas à frente das peitorais, formam um disco suctorial. Vivem no fundo lodoso das águas rasas. A principal família aqui incluída é a dos gobiesocídeos, com muitas espécies e distribuição cosmopolita. ● ***Adj. 2 g.*** **2.** Pertencente ou relativo a eles.

gobíida [Do tax. *Gobius* + *-ida*[1].] ***S. m. Adj. 2 g.*** *Zool.* V. *gobiídeo*.

gobiídeo [Do tax. *Gobius* + *-ídeo*[1]; tax. *Gobiidae*.] *Zool.* ***S. m.*** **1.** Espécime dos gobiídeos, grande família de peixes osteíctes, actinopterígios, perciformes, cosmopolitas, que habitam águas costeiras tropicais e temperadas. Em muitas espécies as nadadeiras pélvicas fusionam-se formando um disco, uma espécie de ventosa, que permite a sua fixação no fundo do mar e nas rochas. O gênero-tipo é Gobius e reúne centenas de espécies marinhas e fluviais, de corpo pequeno e alongado, e cabeça robusta. Ex.: o amboré. ● ***Adj.*** **2.** Pertencente ou relativo a eles. [Sin. ger.: *gobíida*.]

gobioidídeo [Adapt. do tax. *Gobioididae*.] *Zool.* ***S. m.*** **1.** Espécime dos gobioidídeos, família de peixes actinopterígios, perciformes, marinhos ou de água doce, de corpo anguiliforme, olhos pequenos, nadadeiras dorsal e anal longas e a caudal arredondada. As nadadeiras pélvicas ger. formam um disco de sucção abaixo da cabeça. Têm distribuição tropical e habitam o O. da África, a América e a região indo-pacífica. ● ***Adj.*** **2.** Pertencente ou relativo a eles.

gobira ***S. m.*** *Bras. PB* V. *efeminado* (6).

gobo[1] (ô) [Do it. *gobbo*, 'corcova', 'corcunda'.] ***S. m.*** Pedra de calçamento.

gobo[2] (ô) [De or. afric.] ***S. m.*** *Bras.* V. *berimbau* (2).

gode ***El. s. m.*** Us. na loc. adv. *de gode*. ◆ **De gode.** De graça, grátis: 📖 "pagou o preço que Dona Maria Serra queria, e era muito barato, só pra não dizer que era de gode" (Josué Montelo, *Os Tambores de São Luís*, p. 244).

godé[1] ***S. m.*** Godê[1].

godé[2] ***S. m. Adj. 2 g.*** *Cost.* V. *godê*[2].

godê[1] [Do fr. *godet* < neerl. *kodde*, 'peça de madeira de forma cilíndrica'.] ***S. m.*** Pequena tigela que se adapta à palheta, e na qual os pintores diluem as tintas. [Var. pros.: *godé*[1].]

godê[2] [Do fr. *godet* < fr. *goder*, 'fazer pregas ou falhas (em fazenda ou papel)'.] *Cost.* ***S. m.*** **1.** Corte do tecido em viés, em forma de leque, e que se aplica em saia, manga, etc., a fim de se obter um movimento ondulado. ● ***Adj. 2 g.*** **2.** Diz-se de veste cortada dessa maneira: 📖 "Se ao menos usasse saias godês, esconderia aquelas regiões do corpo que lhe davam forma de pastel." (Nélida Piñon, *O Calor das Coisas*, p. 187.)

godeme [Do ingl. *God damn*, 'danado', 'maldito' (interj.).] ***S. m.*** **1.** *Bras.* Murro ou soco aplicado na cara: 📖 "Os ingleses atacavam a murros e 'godemes'" (Inglês de Sousa, *Contos Amazônicos*, p. 107). **2.** *Desus.* Alcunha pitoresca dos ingleses.

goderar [Var. de *gauderiar*.] ***V. t. d.*** **1.** *Bras.* Ficar vendo (os outros) comerem, à espera de que lhe deem alguma coisa; invejar (a quem come) acompanhando-lhe os movimentos; gongorar, gauderiar. **2.** Parasitar, filar. ***Int.*** **3.** Ficar vendo os outros comerem, à espera de que lhe deem alguma coisa; comer com os olhos; gongorar, gauderiar.

godério [Var. de *gaudério* (q. v.).] ***S. m.*** *Bras. Zool.* V. *chupim* (1).

godero [Var. de *gaudério*.] ***S. m.*** **1.** *Bras. N.E.* V. *parasito* (2). **2.** *Bras. Zool.* V. *chupim* (1).

godilhão [Do **godilho*, alter. de *codilho*, + *-ão*[2], poss.] ***S. m.*** **1.** Nó formado de fios empastados, que se encontra nos tecidos ou nos enchimentos de colchões, travesseiros, etc. **2.** Grumo ou caroço de farinha, em molhos, na calda, etc.

godo ***S. m.*** *Prov. port.* Pequeno seixo rolado. [Pl.: *godos*. Cf. *godo* (ô), pl. *godos* (ô).]

godo (ô) [Do b.-lat. *gothu*.] ***S. m.*** **1.** *Etnôn.* Indivíduo dos godos, povo antigo da Germânia, que do séc. III ao V invadiu os impérios romanos do Ocidente e do Oriente. Dividiam-se em ostrogodos (godos do leste) e visigodos (godos do oeste). ● ***Adj.*** **2.** Pertencente ou relativo aos godos. [Flex.: *goda* (ô), *godos* (ô), *godas* (ô). Cf. *godo*, pl. *godos*.]

godoense ***Adj. 2 g.*** **1.** De, ou pertencente ou relativo a Godoy Moreira (PR). ● ***S. 2 g.*** **2.** O natural ou habitante de Godoy Moreira.

godofredense ***Adj. 2 g.*** **1.** De, ou pertencente ou relativo a Godofredo Viana (MA). ● ***S. 2 g.*** **2.** O natural ou habitante de Godofredo Viana.

godoiense (ói) ***Adj. 2 g.*** **1.** De, ou pertencente ou relativo a Cândido Godói (RS). ● ***S. 2 g.*** **2.** O natural ou habitante de Cândido Godói.

goela [Do lat. **gulella*, dim. de *gula*, 'garganta', 'goela'.] ***S. f.*** **1.** V. *garganta* (1). **2.** *Tip.* Canal onde fica presa a linha de matrizes, na cabeça do primeiro elevador da linotipo. ● ***S. 2 g.*** **3.** *Bras.* Pessoa gananciosa e sem escrúpulos. ● ***S. m.*** **4.** *Bras.* Indivíduo que conta muita vantagem [v. *fanfarrão* (2)]. ◆ **Cair na goela do lobo.** Cair no perigo que se queria evitar. **Molhar a goela.** *Bras.* Molhar a garganta.

goela-d'água ***S. f.*** *Bras. BA Zool.* V. *vi-vió*. [Pl.: *goelas-d'água*.]

goela de pato ***S. f.*** V. *rigatone*. [Pl.: *goelas de pato*.] ☑

goelar [De *goela* + *-ar*[2].] ***V. int.*** **1.** Esgoelar (3). **2.** Falar muito. **3.** Abrir as goelas; esgoelar-se.

goense ***Adj. 2 g.*** **1.** De, ou pertencente ou relativo a Goa (Índia). ● ***S. 2 g.*** **2.** O natural ou habitante de Goa. [Sin. ger.: *goês, goano*.]

goês ***Adj. S. m.*** V. *goense*. [Flex.: *goesa* (ê), *goeses* (ê), *goesas* (ê).]

goete (ê) [De or. obsc.] ***S. m.*** *Bras. Zool.* **1.** Peixe cienídeo (*Cynoscion jamaicensis*) do Atlântico ocidental, do Panamá ao N. da Argentina, de corpo prateado e dorso mais escuro. Comprimento: até 30cm. Nada em cardumes e sua carne é de boa qualidade. [Sin.: *boca-mole, boca-torta, gorete, pescadinha-branca, piramembeca*.] **2.** V. *pescada-foguete*. **3.** V. *pescadinha* (2).

goethiano (gue) [Do antr. *Goethe* + *-iano*.] ***Adj.*** **1.** Pertencente ou relativo a Johann Wolfgang von Goethe (1749-1832), poeta alemão, ou próprio dele: 📖 "Goethe é um espírito de paz .... Toda a natureza goethiana está voltada para a paz." (Augusto Frederico Schmidt, *O Galo Branco*, p. 362.) ● ***S. m.*** **2.** Admirador e/ou profundo conhecedor da obra de Goethe.

goethita (gue) [Do antr. (*Johann Wolfgang von*) *Goethe* (v. *goethiano*) + *-ita*[3].] ***S. f.*** *Min.* Mineral ortorrômbico, óxido de ferro e hidrogênio.

gofrado [Part. de *gofrar*.] ***Adj.*** ~ V. *papel —*.

gofrador (ô) [De *gofrar* + *-dor*.] ***Adj.*** **1.** Que gofra. ~ V. *cilindro —*. ● ***S. m.*** **2.** Instrumento para gofrar.

gofradura [De *gofrar* + *-dura*.] ***S. f.*** V. *gofragem*.

gofragem [De *gofrar* + *-agem*[2].] ***S. f.*** Ato ou efeito de gofrar; gofradura, relevo seco. [Cf. *estampagem* (3).]

gofrar [Do fr. *gaufrer*.] ***V. t. d.*** **1.** Fazer as nervuras de (folhas ou flores artificiais). **2.** Dar textura a (papel ou cartão), geralmente passando as folhas entre cilindros ou placas gravadas, na prensa de gofrar. **3.** *Encad.* Marcar por pressão, sem tinta, ouro ou outro material, ornatos e letras, nas lombadas e pastas de pano, couro, etc., de (livro ou outra coisa que se encaderna); estampar a frio; estampar a seco.

goga [Alter. de *goela*, poss.] ***S. f.*** *Bras. N.E. Pop.* **1.** Vaidade, jactância. **2.** V. *fanfarrice* (2).

gogo (ô) [Alter. de *gosma*, poss.] ***S. m.*** **1.** V. *gosma* (1): 📖 "Pois deixa estar, hei de levar a galinha mais magra, a pinta, a que tem gogo." (Bernardo Pinheiro Pindela, *Azulejos*, p. 10.) **2.** *Bras.* Pigarra. **3.** *Bras. N.E.* Minhoca (1). [Pl.: *gogos* (ô).]

gogó[1] [Alter. de *goela*.] ***S. m.*** *Bras. Fam. Anat.* V. *proeminência laríngea*.

gogó[2] [Do forro[2].] ***S. m.*** *Santom. Bot.* Árvore meliácea (*Carapa procera*) cuja madeira é muito apreciada para obras de marcenaria e carpintaria: 📖 "a pequena cubata da tia Juliana se encontrava sobre estacas de gogó" (Francisco Costa Alegre, *Mussandá*, p. 24).

➔go-go boy ['gowgow bɔj] [Ingl.] *S. m.* Em boates, bares, etc., dançarino e/ou *stripper*, ger. musculoso, contratado para entreter o público. [Pl.: *go-go boys.*]
gogó-de-guariba *S. m. Bras. Bot.* Fruta-de-guariba. [Pl.: *gogós-de-guariba.*]
➔go-go girl ['gowgow gɜl] [Ingl.] *S. f.* Em boates, bares, etc., dançarina e/ou *stripper* contratada para entreter o público. [Pl.: *go-go girls.*]
gogoroba *S. m. Bras. N.E. Pop.* V. *ébrio* (8).
gogoso (ô) [De *gogo* + *-oso.*] *Adj.* V. *goguento.*
gogué *S. 2 g. Adj. 2 g. Bras.* V. *guegué.*
goguento [De *gogo* + *-ento.*] *Adj.* Atacado de gogo; gosmento; gogoso.
gói [Do iídiche *goy, goi,* < hebr. *goy,* 'povo', 'nação'.] *S. 2 g.* Entre os judeus, designação dada a indivíduo ou povo não judeu. [Tb. us. como adj.]
goia (ói) *S. f. Bras. N.E.* V. *guimba.* ❖
goiá[1] *Bras. S. 2 g.* **1.** Indivíduo dos goiás [ou (etnôn. bras.) *Goyá], povo indígena extinto que habitava a nascente do rio Vermelho (GO). ● *Adj. 2 g.* **2.** Pertencente ou relativo a esse povo.
goiá[2] *S. m. Bras. Zool.* V. *guajá*[1].
goiaba[1] [Var. de *guaiaba.*] *S. f.* **1.** O fruto da goiabeira. ● *S. 2 g.* **2.** *Bras. SP Gír.* Pessoa cacete, chata; bolha.
goiaba[2] *S. f. Bras. Min.* Goiasita (q. v.).
goiabada [De *goiaba*[1] + *-ada*[1].] *S. f.* Doce de goiaba em pasta.
goiaba-de-anta *S. f. Bras. Bot.* Araçá-da-anta. [Pl.: *goiabas-de-anta.*]
goiabal [De *goiaba*[1] + *-al*[1].] *S. m. Bras.* Quantidade mais ou menos considerável de goiabeiras dispostas proximamente entre si.
goiabalense *Adj. 2 g.* **1.** De, ou pertencente ou relativo a São José do Goiabal (MG). ● *S. 2 g.* **2.** O natural ou habitante de São José do Goiabal.
goiabeira [De *goiaba*[1] + *-eira.*] *S. f. Bras. Bot.* Arbusto ou pequena árvore mirtácea (*Psidium guajava*) nativa de regiões tropicais das Américas e amplamente cultivada, de folhas oblongas, com glândulas translúcidas que fornecem óleo essencial, pequenas flores brancas, e frutos bacáceos, carnosos e polispérmicos, com polpa branca, avermelhada ou rósea, muitíssimo apreciados; araçaíba, araçá-guaçu, araçá-mirim.
goiabinha [De *goiaba*+ *-inha.*] *S. f. Bras. Bot.* V. *araçá-felpudo* (1 e 2).
goiaca *S. f. Bras. S.* V. *guaiaca.*
goiamu *S. m. Bras. Zool.* V. *guaiamu.*
goiamum *S. m. Bras. Zool.* V. *guaiamu.*
goianá *Bras. S. 2 g.* **1.** *Etnôn.* Indivíduo dos goianás [ou (etnôn. bras.) *Goyana], povo indígena extinto que habitava a costa da Bahia. ● *Adj. 2 g.* **2.** Pertencente ou relativo a esse povo.
goianapolino *Adj.* **1.** De, ou pertencente ou relativo a Goianápolis (GO). ● *S. m.* **2.** O natural ou habitante de Goianápolis.
goiandirense *Adj. 2 g.* **1.** De, ou pertencente ou relativo a Goiandira (GO). ● *S. 2 g.* **2.** O natural ou habitante de Goiandira.
goianense *Adj. 2 g.* **1.** De, ou pertencente ou relativo a Goiana (PE). ● *S. 2 g.* **2.** O natural ou habitante de Goiana. [Cf. *goianiense.*]
goianesiense *Adj. 2 g.* **1.** De, ou pertencente ou relativo a Goianésia (GO). ● *S. 2 g.* **2.** O natural ou habitante de Goianésia.
goianiense *Adj. 2 g.* **1.** De, ou pertencente ou relativo a Goiânia, capital do Estado de Goiás. ● *S. 2 g.* **2.** O natural ou habitante de Goiânia. [Cf. *goianense.*]
goianinhense *Adj. 2 g.* **1.** De, ou pertencente ou relativo a Goianinha (RN). ● *S. 2 g.* **2.** O natural ou habitante de Goianinha.
goianirense *Adj. 2 g.* **1.** De, ou pertencente ou relativo a Goianira (GO). ● *S. 2 g.* **2.** O natural ou habitante de Goianira.
goiano *Adj.* **1.** De, ou pertencente ou relativo ao Estado de Goiás, ou à cidade e município do mesmo nome. ● *S. m.* **2.** O natural ou habitante de Goiás. [Fem.: *goiana.* Cf. *guianá*, adj. 2 g. e s. 2 g., e *Guiana*, top. Sin. ger., só aplicável ao da cidade e município de Goiás: *vila-boense.*]
goianortense *Adj. 2 g.* **1.** De, ou pertencente ou relativo a Goianorte (TO). ● *S. 2 g.* **2.** O natural ou habitante de Goianorte.
goianzeiro *S. m. Bras. S.* Matagal ou capinzal cerrado.
goiasita [Do top. *Goiás* (Brasil) + *-ita*[3].] *S. f. Bras. Min.* Mineral que ocorre em GO, e cuja composição química é hidrofosfato de alumínio com sulfato de cálcio; goiaba. [Parece pouco aceitável a grafia oficial, *goiazita*, derivada da antiga escrita *Goiaz*, com *z.*]
goiatinense *Adj. 2 g.* **1.** De, ou pertencente ou relativo a Goiatins (TO). ● *S. 2 g.* **2.** O natural ou habitante de Goiatins.
goiatubense *Adj. 2 g.* **1.** De, ou pertencente ou relativo a Goiatuba (GO). ● *S. 2 g.* **2.** O natural ou habitante de Goiatuba.
goiaúna (oi-a-ú) *S. m. Bras. Zool.* V. *caranguejo-do-rio.*
goiazita *S. f. Bras. Min.* V. *goiasita.*
goio-erense *Adj. 2 g.* **1.** De, ou pertencente ou relativo a Goio-Erê (PR). ● *S. 2 g.* **2.** O natural ou habitante de Goio-Erê. [Pl.: *goio-erenses.*]
goipeba [De *boipeba*, poss.] *S. f. Bras. MT Zool.* V. *jabutiboia.*
goirana [De or. incerta.] *S. f. Zool.* V. *barracuda.*
goitacá *Bras. S. 2 g.* **1.** *Etnôn.* Indivíduo dos goitacás, povo indígena extinto que até a metade do séc. XVII senhoreava o litoral brasileiro do ES até o Paraíba do Sul, RJ. ● *Adj. 2 g.* **2.** Pertencente ou relativo a esse povo. [Tb. us. como *s. 2 g. e 2 n.* (com cap.) e *adj. 2 g. e 2 n.*]
goiti *S. m. Bras. Bot.* V. *oiti.*
goiva [Do lat. tard. *gulbia.*] *S. f.* **1.** Espécie de formão de seção côncavo-convexa, que tem o chanfro do corte no lado côncavo e corta em forma de meia-cana, usado em marcenaria, escultura, gravura em madeira, encadernação, estereotipia, etc. **2.** *Ant.* Agulha com que o artilheiro desobstruía o ouvido da peça.
goivado [Part. subst. de *goivar.*] *S. m.* **1.** Goivadura. **2.** Certo tipo de entalhe decorativo feito com goiva.
goivadura [De *goivar* + *-dura.*] *S. f.* Ato ou efeito de goivar (1); goivado.
goivagem [De *goivar* + *-agem*[2].] *S. f.* Ato ou efeito de goivar.
goivar [De *goiva* + *-ar*[2].] *V. t. d.* **1.** Cortar ou entalhar com goiva. **2.** *P. ext.* Ferir muito.
goiveiro [De *goivo* + *-eiro.*] *S. m. Bot.* V. *aleli* (1).
goivete (ê) [De *goiva* + *-ete* (ê).] *S. m.* Espécie de plaina semelhante ao guilherme, com dois ferros.
goivira *S. f. Bras.* V. *guaivira.*
goivo [Do lat. *gaudiu*, 'gozo', 'alegria'.] *S. m. Bot.* V. *aleli.*
gojoba *S. f. Bras. Gír.* Coisa sem préstimo.
gol (ô) [Do ingl. *goal.*] *S. m. Esport.* **1.** Linha ou quadro que a bola deve transpor, como principal objetivo do jogo; arco, baliza, cidadela, goleira, meta, vala. **2.** *P. ext.* Ponto que se marca quando a bola transpõe o gol (1) do adversário. [Pl.: *gois* (p. us.) e *golos* (lus. e bras., RS).] Cf. *Góis*, antr. É incoerente o pl. *gols*, para uma palavra aportuguesada. Contudo, parece-nos difícil que se venha a fugir desse barbarismo, tão arraigado está.] ◆ **Gol contra.** **1.** *Bras. Fut.* Aquele marcado involuntariamente por um jogador contra a sua própria equipe. [Sin. (lus.): *autogolo.*] **2.** *Fig.* Sair o tiro pela culatra (q. v.). **Gol de honra.** *Bras. Fut.* O único gol marcado por uma equipe que sofreu uma derrota. **Gol de placa.** *Fut.* Conceito criado a partir de um gol espetacular de Pelé (Edson Arantes do Nascimento) que lhe rendeu uma placa honorária. [Cf. *golaço.*] **Gol olímpico.** *Fut.* Gol feito de uma cobrança de escanteio. **Chutar a gol.** *Esport.* Chutar na tentativa do gol. **Fechar o gol.** *Fut.* Praticar (o goleiro) defesas constantes, impedindo que o time adversário marque gois.
gola [Do lat. *gula*, 'garganta', 'pescoço'.] *S. f.* **1.** *Vest.* A parte do vestuário junto ao pescoço ou em volta dele: 📖 "Quando saía à rua, em noites chuvosas, com a gola do sobretudo até às orelhas ...., passava por um velhinho" (Aluísio Azevedo, *Demônios*, p. 229). [Cf. *colarinho* (1).] **2.** *Arquit.* Moldura de superfície, parte côncava, parte convexa; talão. **3.** *Fort.* Linha ou espaço entre os lados de um ângulo saliente, nas fortificações. **4.** *Marinh.* A meia-cana de um sapatilho. **5.** *Marinh.* Peça circular de ferro, com perfil especial, fixada na parte inferior da saia do cabrestante, e que sujeita a amarra para içá-la. **6.** *Bras. Amaz. Zool.* V. *coleira*[1] (4). **7.** *Lus.* Golada[1]. ◆ **Gola alta.** *Vest.* Gola rulê. **Gola canoa.** *Vest.* Gola ligeiramente ovalada, que atravessa de ombro a outro com a mesma profundidade nas costas e na frente. **Gola careca.** *Vest.* Linha de decote arredondada e baixa. **Gola mandarim.** *Vest.* Gola alta, semelhante à das vestes chinesas, us. em jaquetas, vestidos e blusas. **Gola marinheiro.** *Vest.* Gola (1) formada por duas partes firmes de tecido quadrado costuradas uma à outra, caídas nas costas e em pontas afuniladas na frente, amarradas em laço. **Gola polo.** *Vest.* Linha de decote redonda, rente ao pescoço, us. em roupas esportivas. **Gola rulê.** *Bras. Vest.* Gola alta, dupla, revirada ou enrolada sobre si mesma, feita de tecido enviesado ou em tecido de malha, para que fique rente ao pescoço. [Sin. (lus.): *gola alta.*]
golaço [De *gol* + *-aço.*] *S. m. Bras. Fut.* Gol marcado com extrema perícia ou arte. [Cf. *gol de placa.*]
golada[1] [De *gola* (7) + *-ada*[1].] *S. f. Lus.* Canal de navegação, nos extremos dos bancos de areia de uma barra, que dá passagem a pequenos barcos; gola.
golada[2] [De *gole* + *-ada*[1].] *S. f.* V. *gole*: 📖 "daí a pouco ele se atolava num prato fundo de caldo, enquanto os homens, suspendendo afetadamente o mindinho, sorviam goladas de café." (Macedo Miranda, *Pequeno Mundo Outrora*, pp. 41-42).
gola de couro *S. m. Bras. RS Pop.* Soldado, milico: 📖 "uma partida de milicianos saía de atravessa-do e tomava conta de tudo, a couce d'arma: isto foi ensinando a escaramuçar com os golas de couro." (Simões Lopes Neto, *Contos Gauchescos e Lendas do Sul*, p. 208). [Pl.: *golas de couro.*] ☑
golado [De *gola* + *-ado*[1].] *Adj.* Provido de gola ou de algo que a lembre: 🗎 *faisão golado.*
golconda [Do top. *Golconda*, atual Haiderabad, no Paquistão.] *S. f.* Mina de riquezas (no sentido próprio e no figurado).
golda *S. f. Bras. Pop.* Infusão para uso externo ou interno: 📖 "o sertanejo cavava um quadrado no chão, pondo ali a casca do angico dentro de um pouco d'água e, naquela golda, eram postos os couros de molho, a fim de serem curtidos" (Ulisses Lins de Albuquerque, *Um Sertanejo e o Sertão*, p. 231).
gole [Por *engole, dev. de *engolir*, com aférese.] *S. m.* Porção de líquido que se engole de uma vez; trago, golada, goleta, golpe: 📖 "O chá subiu daí a pouco. Estêvão .... bebeu dous goles" (Machado de Assis, *A Mão e a Luva*, p. 3). [Var.: *golo.*] ~ V. *goles.*
goleada [De *golear* + *-ada*[1].] *S. f.* **1.** *Bras. Fut.* Vitória por larga margem de gois ou tentos; enfiada. **2.** Grande número de gols: 🗎 *Nosso time levou uma goleada; perder de goleada.*
goleador (ô) [De *golear* + *-dor.*] *Bras. Fut. Adj.* **1.** Diz-se do atacante que goleia, que faz muitos gois. ● *S. m.* **2.** Artilheiro (2 e 3).
golear [De *gol* + *-ear*[2].] *V. int. T. d. Bras. Fut.* Vencer por larga margem de gois ou tentos; dar uma goleada (em): 🗎 *Há times que raramente goleiam; O Flamengo goleou todos os adversários.* [Conjug.: v. *frear.*]
goleira [De *gol* + *-eira.*] *S. f.* **1.** Aquela que joga no gol. **2.** *Bras. S.* V. *gol* (1).
goleiro [De *gol* + *-eiro.*] *S. m. Bras. Fut.* Jogador que tem por função defender o gol e é o único que pode tocar a bola com a mão em sua grande área; arqueiro, guarda-meta, guarda-rede, guarda-redes, guarda-vala, guarda-valas, guardião, golquíper, quíper, vigia: 📖 "Pepe continua avançando, dribla os dois zagueiros, invade a área, tira o goleiro da jogada..." (Fernando Sabino, *O Homem Nu*, p. 141.)
golejar [De *gole* + *-ejar.*] *P. us. V. int.* **1.** Beber aos goles: 🗎 *Não bebe depressa, goleja. T. d.* **2.** Beber aos goles; beberica: 🗎 *Golejou tranquilo uma cerveja.* [Conjug.: v. *pelejar.*]
golelha (ê) [Do esp. *gulilla.*] *S. f. Fam.* Esôfago.
golelhar [De *golelha* + *-ar*[2].] *V. int.* Dar à língua; tagarelar, palrar, parolar. [Conjug.: v. *aparelhar.*]
golelheiro [De *golelha* + *-eiro.*] *S. m.* Falador, tagarela, mexeriqueiro.
➔golem ['gowlәm] [Ingl., do hebr.] *S. m.* Segundo a tradição judaica, ser fantástico animado, criado de matéria inanimada.
goles [Do fr. ant. *goles* (atual *gueules*).] *S. m. pl. Heráld.* O esmalte vermelho dos brasões, representado por traços negros em pala[1] (11); corresponde ao rubi e simboliza valores como audácia, coragem, nobreza, etc.: 📖 "Vimos hoje o brasão de Sua Senhoria: / Goles, sinople, blau, toda a cor da armaria / Sob a fulguração brunida dos metais." (Júlio Dantas, *Sonetos*, p. 73.) ~ V. *gole.*
goleta[1] (ê) [De *gola* (7) + *-eta* (ê).] *S. f.* Canal estreito de acesso a um porto; barra: 📖 "Só visto se fazia ideia do movimento dos seus dois portos [de Cartago] talhados em rocha viva, o do comércio comunicando com o mar por uma goleta, o da guerra, mais para o interior, articulado àquele por um canal abobadado" (Aquilino Ribeiro, *Os Avós dos Nossos Avós*, p. 51).
goleta[2] (ê) [Do fr. *goélette*, pelo esp. *goleta.*] *S. f.* Pequena escuna: 📖 "o Falcão, velas brancas abertas e seguido da goleta, como um enorme e estranho albatroz seguido duma gaivota, pôs-se a cruzar ameaçadoramente à boca do largo rio." (Virgílio Várzea, *O Brigue Flibusteiro*, p. 164).
goleta[3] (ê) [De *gole* + *-eta* (ê).] *S. f.* V. *gole.*
golfada [Da mesma or. incerta do esp. *golfarada* e a *golfaraes*, 'aos borbotões'.] *S. f.* **1.** Aquilo que se golfa ou vomita de uma vez. **2.** Porção de líquido que sai de uma vez; jorro, jato, gorgolão, gorgolhão, golpada: 📖 "Siá Maria chegou no momento em que a vaca caía, ajoelhando-se, o sangue em golfadas espirrando do longe." (Nélson de Faria, *Cabeça-Torta*, p. 24.) **3.** *Fig.* Ímpeto, impulso.
gólfão [De *golfão* (aum. de *golfo*).] *S. m.* **1.** *Desus.* Golfo (1). **2.** *Bot.* Nome comum a diversas ervas ninfeáceas, por vezes cultivadas como ornamentais; golfo (var.), lírio-d'água, jigoga. [Pl.: *gólfãos*. Cf. *golfam*, do v. *golfar*. Alguns autores, Gonçalves Viana entre eles, consignam também o vocábulo como oxítono, *golfão*, de onde o pl. *golfões.*]
golfar [Voc. deduz. de *golfada* (v. *-ar*[2]).] *V. t. d.* **1.** Expelir em golfadas; vomitar, gorgolejar: 📖 "Era o Luís que saíra para o terreiro em mangas de camisa, golfando sangue em borbotões pela boca." (Mário Matos, *Casa das Três Meninas*, p. 150.) **2.** Arremessar em grande quantidade; expedir: 🗎 *A locomotiva*

golfava espessa fumaça. **3.** Lançar de si; emitir. **4.** Proferir em quantidade e violentamente: *golfar insultos.* ***T. c.*** **5.** Golfar (7): *A fumaça golfou da chaminé da fábrica.* ***Int.*** **6.** Sair em gorgolão ou golfadas; gorgolar, gorgolhar: "De novo a tosse violentou-o; novo frouxo de sangue golfou em escoo." (Coelho Neto, *Obra Seleta*, I, p. 223.) **7.** Aparecer com ímpeto; irromper, surgir. [Sin. ger. *golfejar*. Pres. ind.: *golfo, golfas, golfa, ... golfam*, etc.; pres. subj.: *golfe, golfes*, etc. Cf. *golfo* (ô), *gólfão*, s. m. e *golfe* (ô), s. m., pl. *golfes* (ô).]

golfe (ô) [Do ingl. *golf.*] ***S. m.*** Jogo de origem escocesa, que consiste em impelir com um taco uma bola pequena e maciça, fazendo-a entrar em uma série de buracos distribuídos em grande extensão de terreno, o campo (13); o vencedor será o jogador que empregar o menor número de tacadas. [Pl.: *golfes* (ô). Cf. *golfe* e *golfes*, do v. *golfar.*]

golfejar [De *golf(ar)* + *-ejar.*] ***V. t. d. T. c. Int.*** V. *golfar*: "o sangue purulento já lhe golfejava da boca e caía-lhe em jorro pelo corpo." (Aluísio Azevedo, *Casa de Pensão*, p. 248). [Conjug.: v. *pelejar.*]

golfinho[1] [Do gr. *delphís, ínos*, pelo lat. *delphinu*, com infl. de *golfo.*] ***S. m.*** **1.** *Zool.* Delfim[1] (1). **2.** *Zool.* V. *boto-da-baía-de-guanabara.* **3.** *Heráld.* Figura que representa um golfinho com lombo arqueado em semicírculo e a cauda em forma de folha de acanto. **4.** *Nataç.* Variante do nado borboleta (q. v.) em que o nadador executa movimentos com pernas e pés juntos, impulsionando o corpo à maneira dos golfinhos ou delfins. **5.** *Ant.* Cada uma das asas das peças de artilharia.

golfinho[2] [Dim. de *golfe.*] ***S. m.*** Espécie de golfe de jardim.

golfinho-branco ***S. m.*** *Zool.* V. *beluga* (1). [Pl.: *golfinhos-brancos.*]

golfista [De *golfe* + *-ista.*] ***S. 2 g.*** *Bras.* Jogador de golfe.

golfístico [De *golfista* + *-ico*[2].] ***Adj.*** *Bras.* Relativo ao golfe.

golfo (ô) [Do gr. *kólpos*, pelo lat. vulg. *colphu.*] ***S. m.*** **1.** Porção de mar que entra fundo pela terra e cuja abertura é muito larga. [Sin. (desus.): *gólfão.*] **2.** V. *gólfão* (2). **3.** *Bras. MT* Depósito diamantífero no leito profundo dos rios. [Pl.: *golfos* (ô). Cf. *golfo*, do v. *golfar.*]

gólgota [Do top. *Gólgota* (< aramaico *golgolta*, 'crânio'), colina situada perto de Jerusalém, onde Jesus Cristo foi crucificado.] ***S. m.*** **1.** Lugar de suplício. **2.** Sofrimento atroz; suplício.

goliardesco (ê) [De *goliardo* + *-esco.*] ***Adj.*** **1.** Referente a, ou próprio de goliardo; devasso, dissoluto. **2.** Farsista, farsante, chocarreiro.

goliárdico [De *goliardo* + *-ico*[2].] ***Adj.*** De, ou pertencente ou relativo a goliardo.

goliardo [Do fr. antr. *goliart.*] ***Adj. S. m.*** **1.** Diz-se de, ou indivíduo dado a gula e vida desregrada ou devassa, de hábitos demoníacos como os do gigante bíblico Golias, que personificava o demônio. **2.** Diz-se de, ou cada um de um grupo de estudantes de vida errante que, na Idade Média, escreviam em latim versos soltos, de cunho satírico, em geral crítica social, e que, por vezes, se dedicavam à função de jogral ou de bufão, para ganhar a vida. **3.** *P. ext.* Que, ou aquele que leva vida desregrada ou devassa.

golilha [Do esp. *golilla.*] ***S. f.*** **1.** Cabeção com volta engomada, que se usava com a beca. **2.** Argola pregada em um poste, à qual se prendia alguém pelo pescoço; argola, colar: "o imediato, homem feroz, só falava em chibata e golilha." (Adolfo Caminha, *Bom-Crioulo*, p. 83).

golo [De *gole.*] ***S. m.*** *Pop.* V. *gole*: "— Quincas Borba está muito impaciente? perguntou Rubião bebendo o último golo de café" (Machado de Assis, *Quincas Borba*, p. 3). [Pl.: *golos*. Cf. *golo* (ô) e pl. *golos* (ô).]

golo (ô) ***S. m.*** *Bras. RS Lus. Fut.* V. *gol*. [Pl.: *golos* (ô). Cf. *golo* e pl. *golos.*]

golpada[1] [De *golpe* + *-ada*[1].] ***S. f.*** Grande golpe; golpázio.

golpada[2] [Alter. de *golfada.*] ***S. f.*** V. *golfada* (2).

golpázio [De *golpe* + *-ázio.*] ***S. m.*** Golpada[1].

golpe[1] [Do lat. vulg. **colupus* < lat. *colophus* (< gr. *kólaphos*), 'bofetada'.] ***S. m.*** **1.** Choque ou pancada produzidos por um corpo que, em movimento rápido, atinge outro com maior ou menor intensidade: *Deu violentos golpes na mesa; Um golpe de marreta fraturou a pedra.* **2.** *P. ext.* Incisão ou marca deixadas por tal choque ou pancada: *Vê-se-lhe na pele um fundo golpe.* **3.** Ato ou gesto pelo qual alguém alcança ou tenta alcançar pessoa, animal ou coisa com um objeto contundente ou cortante: *Deu-lhe um golpe com o chicote.* **4.** *P. ext.* Ferimento, ferida, corte, ou outra lesão resultante de tal ato: *Levou muitas navalhadas e ainda tem o corpo cheio de golpes.* **5.** Ação súbita e inesperada: *golpe de audácia.* **6.** Acontecimento súbito e inesperado: *golpe da sorte.* **7.** Abalo, choque, comoção moral: *Rude golpe sofreu ele com a morte do amigo.* **8.** Rasgo, lance: *golpe de coragem; golpe decisivo; golpe de mestre.* **9.** Ímpeto, impulso. **10.** Manobra desonesta, com o fim de enganar, prejudicar, roubar outrem: *Deu um golpe na praça; Não tem caráter: vive de golpes.* **11.** *Bras. Amaz.* Talho que se faz na seringueira para se obter o látex. **12.** *Desus.* Grande porção de pessoas ou de coisas que saem e entram duma vez: "Golpes de gente azoinada e assustadiça borbotam uns após outros da Rua Direita e Beco dos Barbeiros" (José de Alencar, *Alfarrábios*, p. 30). **13.** *Bras.* O canto da araponga. ◆ **Golpe de aríete.** Choque causado pela súbita parada da corrente líquida em um conduto forçado. **Golpe de Estado.** Subversão da ordem constitucional e tomada de poder por indivíduo ou grupo de certo modo ligados à máquina do Estado. **Golpe de mar.** Golpe violento de grande vaga contra a embarcação, e que lhe salta por cima da borda. **Golpe de mestre.** Ação audaciosa e/ou brilhante e feliz. **Golpe de vista.** **1.** Olhar que se lança rapidamente a alguma coisa; olhada, olhadela, mirada. **2.** Capacidade de observar com rapidez e precisão: *O bom motorista deve ter golpe de vista.* **Golpe do baú.** Casamento por interesse financeiro: *O camarada deu o golpe do baú: a pequena tem 10 mil de renda.* **Golpe teatral.** *Teatr.* Efeito dramático súbito ou imprevisto (ruído, desvendamento de um mistério, aparição súbita, intervenção de nova personagem, etc.), que muda radicalmente a linha da ação; lance dramático; lance teatral. **De golpe.** De repente; de súbito, de chofre; repentinamente, subitamente: "ergueu-se de golpe, deu duas voltas e atirou-se à cama chorando..." (Machado de Assis, *Quincas Borba*, p. 73). **Queimar no golpe.** *Bras. MG* Zangar-se muito; irritar-se.

golpe[2] [Alter. de *gole.*] ***S. m.*** V. *gole.*

golpeado [Part. de *golpear.*] ***Adj.*** **1.** Ferido de golpes; ferido. **2.** *Desus.* Dizia-se de peça de vestuário na qual, como adorno, se faziam cortes ou aberturas com diferentes feitios, para que por baixo aparecesse o forro, de cor diversa. ● ***S. m.*** **3.** *Desus.* Esse adorno: "Pelos golpeados deste simples roupão borbulhavam os frocos de transparente cambraia" (José de Alencar, *Senhora*, p. 176).

golpeão [De *golpear* + *-ão*[2], poss.] ***S. m.*** *Bras.* Serra manual para traçar madeiras em toras: "comprou enxós, serrotes e golpeões." (Nélson de Faria, *Cabeça-Torta*, p. 9).

golpear [De *golpe*[1] + *-ear*[2].] ***V. t. d.*** **1.** Dar golpes em; esborcinar. **2.** Ferir com golpes; recortar, retalhar. **3.** Açoitar, fustigar. **4.** Afligir profundamente; angustiar. ***Int.*** **5.** *Bras.* Soltar a voz (a araponga). ***P.*** **6.** *Bras. RS* Atirar-se, lançar-se. [Sin. ger.: *agolpear*. Conjug.: v. *frear.*]

golpelha[1] (ê) [Do lat. *corbicula.*] ***S. f.*** Alcofa (1) grande, de esparto.

golpelha[2] (ê) [Do lat. *vulpecula* (dim. de *vulpes*, 'raposa').] ***S. f.*** *Ant. Zool.* Raposa (1).

golpismo [De *golpe*[1] + *-ismo.*] ***S. m.*** Qualidade ou modo de agir de quem é golpista.

golpista [De *golpe*[1] + *-ista.*] ***Adj. 2 g. S. 2 g.*** Diz-se de, ou pessoa que dá golpe[1] (10) ou golpes.

golquíper [Do ingl. *goalkeeper.*] ***S. m.*** *Bras.* V. *goleiro*. [Pl.: *golquíperes.*]

goma[1] [Do b.-lat. *gumma* < lat. *gummis, is.*] ***S. f.*** **1.** Designação genérica de resinas translúcidas e viscosas de alguns vegetais. **2.** Qualquer das substâncias que se empregam na colagem do vinho. **3.** *Patol.* Formação mole, semelhante a tecido de granulação, que ocorre em algumas inflamações, sendo característica da fase terciária da sífilis. **4.** *Bras.* Massa feita com farinha de trigo, dextrina, etc., e água, usada para colar papel, cartão, etc.; cola. **5.** *Bras.* Preparado feito com água e amido, empregado para engomar roupa. **6.** *Bras.* Tapioca (2). **7.** *Bras.* V. *fanfarrice* (2). **8.** *Bras.* V. *mentira* (1). **9.** *Bras.* Gomose. ◆ **Goma de mascar.** Pastilha (2) feita com a goma de certas plantas e envolvida por uma camada de açúcar com sabor variado, que, dada a sua consistência elástica e pegajosa, não se dissolve com a mastigação; chicle e (lus.) pastilha elástica. **Cagar goma.** *Bras. N. N.E. Pop.* Ser dado à mentira; mentir: "quem estaria na Delegacia era Dois de Ouros, e Justiniano bravateando na calçada, cagando goma." (Fran Martins, *Dois de Ouros*, p. 15).

goma[2] ***S. f.*** *Angol.* V. *ngoma*: "A goma, quando é boa, até o lobo semba com a onça." (Óscar Ribas, *Izomba*, p. 60.)

goma-arábica ***S. f.*** Resina produzida por diversas árvores do gênero *Acacia*. [Pl.: *gomas-arábicas.*]

goma-copal ***S. f.*** *Bras.* V. *anime*. [Pl.: *gomas-copais.*]

goma de batata ***S. f.*** *Bras.* Tapioca de purga (2). [Pl.: *gomas de batata.*] ☑

gomado[1] [Part. de *gomar.*] ***Adj.*** Embebido em goma ou em que se passou goma: *papel gomado.*

gomado[2] [De *gomo* (2) + *-ado*[1].] ***Adj.*** Cujo formato lembra uma sucessão de gomos [v. *gomo* (2)]: "Germana traz um prato de cristal .... onde pousa trêmulo, ... um gelado feito de coco em forma gomada" (Raquel Jardim, *O Penhoar Chinês*, p. 128).

gomador (ô) [De *gomar*[1] + *-dor.*] ***S. m.*** **1.** Operário que trabalha na gomagem de papel. **2.** Aparelho de gomar papéis; máquina de gomar. **3.** *Tip.* Peça de máquina de fazer envelopes, usada para aplicar a goma às margens de colagem de cada um deles.

goma-elástica [De *goma*[1] + o f. de *elástico.*] ***S. f.*** *Bot.* V. *árvore-da-goma-elástica*. [Pl.: *gomas-elásticas.*]

gomagem [De *gomar*[1] + *-agem*[2].] ***S. f.*** Ato ou efeito de gomar[1].

gomal [De *goma* + *-al*[1].] ***S. f.*** Cauchal (2).

goma-laca [De *goma* + *laca.*] ***S. f.*** Laca (1). [Pl.: *gomas-lacas* e *gomas-laca.*]

gomalina [Marca registrada.] ***S. f.*** Produto us. para fixar os cabelos.

gomar[1] [De *goma* + *-ar*[2].] ***V. t. d.*** **1.** Passar goma[1] (5) em; engomar. **2.** Tornar gomado.

gomar[2] [De *gomo* + *-ar*[2].] ***V. int.*** *P. us.* Lançar gomos ou rebentos; abrolhar, abrotar, germinar, desabrochar.

goma-resina ***S. f.*** *Quím.* Produto vegetal obtido por incisão e que contém glicídeos, resinas e essências. [Pl.: *gomas-resinas* e *gomas-resina.*]

gombô [De *quingombô*, com aférese.] ***S. m.*** *Bras.* V. *quiabo.*

gombô-grande ***S. m.*** *Bras. Bot.* V. *bucha* (11). [Pl.: *gombôs-grandes.*]

gomeira [De *goma* + *-eira.*] ***S. f.*** *Bras. Bot.* V. *pau-de-goma.*

gomeiro [De *goma* + *-eiro.*] ***S. m.*** **1.** Fabricante e/ou vendedor de goma. **2.** *Bras. Pop.* Aquele que é dado a mentiras, a gomas; mentiroso, potoqueiro. **3.** *Bras. Pop.* V. *fanfarrão* (2).

gomeleira [Do rad. de **gomo.*] ***S. f.*** V. *ladrão* (6).

gomia ***S. f.*** V. *agomia*[1].

gomiada [De *gomia* + *-ada*[1].] ***S. f.*** Golpe de gomia.

gomífero [De *goma* + *-ífero.*] ***Adj.*** Que produz goma: *árvore gomífera.*

gomil [Var. de *agomil* (q. v.).] ***S. m.*** Jarro[1] de boca estreita; agomia, agomil: "Desde o verde gomil, onde uma verde flor / Encurva seu pescoço em morosa atitude, / Até ao cetim verde, antipático e rude, / Dos reposteiros e dos longos espaldares" (Eugênio de Castro, *Obras Poéticas*, I, p. 37).

gomitar ***V. t. d. Int.*** V. *vomitar* (11).

gomo (ô) [De or. obscura.] ***S. m.*** **1.** *Bot.* V. *gema* (3). **2.** Divisão natural da polpa de certos frutos, como, p. ex., a laranja e o limão. **3.** O intervalo entre dois nós do caule de gramíneas, como o bambu e a cana. **4.** Pedaço de gomo (3): "Trazia a menina os bolsos do avental cheios de gomos de cana" (José de Alencar, *Guerra dos Mascates*, p. 43). **5.** V. *broto* (2). [Pl.: *gomos* (ô).]

gomortegácea [Do tax. *Gomortega* (de or. obscura) + *-ácea*; tax. *Gomortegaceae.*] ***S. f.*** *Bot.* Espécime das gomortegáceas, família de plantas da ordem das ranales, que compreende a espécie única, *Gomortega nitida*, arbusto chileno de folhas opostas.

gomortegáceo [De *gomortegácea*, com var. suf. (v. *-áceo*).] ***Adj.*** *Bot.* Pertencente ou relativo às gomortegáceas.

gomose [De *goma* + *-ose*[1].] ***S. f.*** *Bras.* Doença dos vegetais, caracterizada por produção e secreção de goma, ou de líquido com aspecto gomoso; goma.

gomosidade [De *gomoso*[1] + *-(i)dade.*] ***S. f.*** Qualidade de gomoso[1].

gomoso[1] (ô) [De *goma* + *-oso.*] ***Adj.*** **1.** Que dá goma. **2.** Que tem a consistência da goma; viscoso: "Num caldeirão... descubro gomosa vianda, parecida com a graxa de cor dos sapatos." (Aquilino Ribeiro, *Alemanha Ensanguentada*, p. 142.)

gomoso[2] (ô) [De *gomo* + *-oso.*] ***Adj.*** Que tem gomos.

gónada ***S. f.*** *Biol.* V. *gônada*. [Uso freq. em P.]

gônada [Do lat. cient. *gonad* < gr. *gónos* (v. *gon(o)-*), poss. pelo ingl. *gonad.*] ***S. f.*** *Biol.* Glândula sexual que produz gametas e segrega hormônios. [Os testículos são as gônadas masculinas e os ovários, as femininas.]

gonadal [De *gônada* + *-al*[1].] ***Adj. 2 g.*** Relativo à gônada; gonádico.

gonadia ***S. f.*** Glândula reprodutora dos animais.

gonádico [De *gônada* + *-ico*[2].] ***Adj.*** Gonadal.

gonalgia [De *gon(o)-* + *-alg(o)-*[2] + *-ia*[1].] ***S. f.*** *Med.* V. *gonialgia.*

gonálgico [De *gonalgia* + *-ico*[2].] ***Adj.*** V. *goniálgico.*

gonângulo ***S. m.*** *Zool.* Esclerito especial dos insetos, formado pelo nono segmento abdominal e que faz parte da estrutura do ovipositor.

gonartrite [De *gon(i)-* + *artrite.*] ***S. f.*** *Patol.* Inflamação da articulação no joelho.

▲ **gonat(o)-** Equiv. de *gon(i)-*.

gonatocele (gô) [De *gonat(o)-* + *-cele*[1].] ***S. f.*** *Med.* Gonicele.

gonatozigácea (gô) [Do tax. *Gonatozygon* (do gr. *gónatos*, 'joelho', + *zygon*, 'jugo') + *-ácea*; tax. *Gonatozygaceae.*] ***S. f.*** *Bot.* Espécime das gonatozigáceas, família de algas conjugadas, da ordem das desmidiales, cujas células cilíndricas se unem em filamentos facilmente desagregáveis. O zigoto é livre.

gonatozigáceo (gô) *Adj. Bot.* Pertencente ou relativo às gonatozigáceas.

gonçalense[1] *Adj. 2 g.* 1. De, ou pertencente ou relativo a São Gonçalo (RJ). • *S. 2 g.* 2. O natural ou habitante de São Gonçalo.

gonçalense[2] *Adj. 2 g.* 1. De, ou pertencente ou relativo a São Gonçalo do Amarante (CE e RN). • *S. 2 g.* 2. O natural ou habitante de São Gonçalo do Amarante. [Sin. ger. (CE): *amarantino*.]

gonçalo-alves *S. m. Bras. Bot.* Grande árvore anacardiácea (*Astronium fraxinifolium*) das matas secas, cerrados e caatingas, de caule ereto e casca alvacenta, folhas compostas, pequenas flores alvas, e que fornece madeira muito pesada, compacta, rija, de grande durabilidade, sendo us. na construção civil e naval, em marcenaria, etc. [Sin.: *aroeira-vermelha, aroeira-do-campo, cubatão-vermelho, jejuíra, sete-cascas* ou *sete-cascos, ubatã, xibatã* ou *chibatã*. Pl.: *gonçalos-alves* e *gonçalo-alves*.]

gonçalvense *Adj. 2 g.* 1. De, ou pertencente ou relativo a Gonçalves (MG). • *S. 2 g.* 2. O natural ou habitante de Gonçalves.

gonçalvino[1] *Bras. Adj.* 1. Pertencente ou relativo a Gonçalves Dias, poeta brasileiro (1823-1864), ou próprio dele. • *S. m.* 2. Grande admirador e/ou profundo conhecedor da obra de Gonçalves Dias.

gonçalvino[2] *Adj.* 1. De, ou pertencente ou relativo a Gonçalves Dias (MA). • *S. m.* 2. O natural ou habitante de Gonçalves Dias.

gondito [Do etnôn. *Gong*, de um povo da Índia central, + *-ito*[2].] *S. m. Geol.* Rocha metamórfica, constituída essencialmente de espessartita, e de cuja degradação intempérica se originam concentrações de minério de manganês.

gôndola [Do it. *gondola*.] *S. f.* 1. Embarcação comprida, de pequena boca, com as extremidades um tanto levantadas, movida por um remo na popa, característica dos canais de Veneza. 2. *Astron.* Cápsula hermeticamente fechada, destinada ao transporte de aeróstatas na exploração da estratosfera. 3. *Market.* Estante ou conjunto de prateleiras em supermercados, etc. 4. *Bras.* Vagão ferroviário aberto superiormente, e de paredes laterais basculantes, destinado ao transporte de minérios, carvão e outros materiais a granel. 5. *Bras.* Antigo veículo urbano carioca, puxado a burros: 📖 "Um embaraço imprevisto, causado por duas gôndolas, linha feito parar o carro." (José de Alencar, *Lucíola*, p. 29.) 6. *Bras.* Ônibus (q. v.), em certas localidades. 7. *Bras. MG C.O.* Corrente de relógio: 📖 "Um relógio — de ouro, para dar imagem do tempo — devia bater dentro do colete, de onde escorria uma gôndola grossa." (Carlos Drummond de Andrade, *Contos de Aprendiz*, p. 171.) [Cf. *gondola*, do v. *gondolar*.]

gondolar [De *gôndola* + *-ar*[2].] *V. int.* Andar em gôndola. [Pres. ind.: *gondolo, gondolas, gondola*, etc. Cf. *gôndola*.]

gondoleiro [De *gôndola* + *-eiro*.] *S. m.* Tripulante de gôndola (1 a 4).

gonduana *S. f.* Na teoria do geólogo alemão Alfred Wegener (1880-1930), supercontinente meridional, separado do setentrional pelo mar de Tétis, e que seria formado pela divisão da massa continental primitiva, *Pangeia* (q. v.), e era constituído pelo conjunto da América do Sul, África, Madagascar, Índia, Austrália e Antártica. [Com cap.]

gonete (ê) [De or. obscura.] *S. m.* V. *trado* (1).

gonfalão [Do fr. *gonfalon*.] *S. m. Ant.* Bandeira de guerra, com três ou quatro pontas pendentes: 📖 "uma figura de homem, ... caído por terra, erguendo bem alto .... uma bandeira impoluta, um gonfalão desfraldado." (Martins Fontes, *Terras da Fantasia*, pp. 41-42).

gonfaloneiro [De *gonfalão* + *-eiro*, seg. o padrão erudito.] *S. m.* 1. Aquele que levava o gonfalão; porta-bandeira. 2. Magistrado municipal de certas repúblicas italianas da Idade Média.

gonfíase [De *gonf(o)-* + *-íase*.] *S. f. Odont.* Afrouxamento do encaixe de dente em alvéolo dental.

gonfídeo [Adapt. do tax. *Gomphidae*.] *Zool. S. m.* 1. Espécime dos gonfídeos, família de insetos odonatos que reúne libélulas de distribuição cosmopolita, cujas ninfas vivem no fundo de riachos, frequentemente enterrados na lama, e algumas respiram por tubos. • *Adj.* 2. Pertencente ou relativo a eles.

▲ **gonf(o)-** [Do gr. *gómphos, ou*.] *El. comp.* = 'pino de madeira ou de ferro'; 'cavilha'; 'articulação': *gonfíase, gonfocarpo*.

gonfocarpo [De *gonf(o)-* + *carp(o)-*; tax. *Gomphocarpus*.] *S. m. Bot.* 1. Grande gênero de ervas e arbustos asclepiadáceos, dotados de flores exuberantes, de corola cuculada destituída de apêndice, e frutos dentados. 2. Espécie ou espécime desse gênero, ou a flor dele.

gonfose [Do gr. *gómphosis*, 'articulação'.] *S. f. Anat.* Tipo fibroso de articulação (3) em que uma saliência cônica se encaixa em receptáculo ósseo, como ocorre com os dentes em relação aos alvéolos dentais.

gonfoteriídeo [Do tax. *Gomphotherium* (v. *gonfotério*) + *-ídeo*[1]; tax. *Gomphotheriidae*.] *Paleont. S. m.* 1. Espécime dos gonfoteriídeos, família largamente distribuída de mamíferos proboscídeos que se extinguiram no plistoceno. • *Adj.* 2. Pertencente ou relativo a eles.

gonfotério [De *gonf(o)-* + *-tério*[1]; tax. *Gomphotherium*.] *S. m. Paleont.* 1. O gênero-tipo dos gonfoteriídeos, que reunia mastodontes com até 3m de altura, com quatro presas, duas na maxila e duas na longa mandíbula; viveram no mioceno superior, na Europa, Ásia, África e América do Norte. 2. Espécie ou espécime desse gênero.

gonfrena [Do tax. *Gomphrena* (do lat. *gomphrena*).] *S. f. Bot.* 1. Gênero de plantas herbáceas ou de pequenos arbustos amarantáceos, nativos de regiões tropicais; têm folhas opostas e flores em capítulos muito próximos uns dos outros. 2. Qualquer espécie desse gênero, como, p. ex., a *Gomphrena globosa* [v. *perpétua* (3)]. 3. Qualquer espécime desse gênero, ou a flor dele.

gonga *S. f. Bras. N.E. Pop.* Roupa (em geral de homem) muito velha.

gongá [Do quimb., poss.] *S. m.* 1. *Bras. Rel.* Na umbanda e em cultos afrorreligiosos não ortodoxos, não raro com elementos ameríndios, o santuário do templo. 2. *Bras. Rel. P. ext.* Recinto onde fica esse altar. [Var., nessas acepçs., *congá*. Cf. *peji*.] 3. *Bras. N. Zool.* Espécie de sabiá (1). 4. *Bras. RJ* Pequena cesta, com tampa.

gongar [De *gongo* + *-ar*[2].] *V. t. d. Bras. Gír.* Eliminar de certame ou competição, por meio de sinal, emitido especialmente por gongo: 📺 *O animador do programa de televisão gongou o cantor desafinado.* [Conjug.: v. *largar*.]

gongilar [De *gôngilo* + *-ar*[1].] *Adj. 2 g. Bot.* Relativo ou pertencente ao gôngilo.

gôngilo [Do gr. *gongýlos*.] *S. m. Bot.* Estrutura de multiplicação vegetativa dos pteridófitos.

gongo[1] [Do mal. *gong*.] *S. m.* 1. *Mús.* Instrumento de percussão, de origem oriental, constituído por um disco metálico que se faz vibrar batendo-o com uma baqueta enchumaçada em uma das extremidades. [Cf. *tam-tam*.] 2. *P. ext.* Qualquer objeto semelhante ao gongo. 3. *Bras. Pop.* Sinal (de campainha, sirena, etc.) que dá o início ou marca o fim de disputa, tarefa, etc., com tempo marcado previamente. ◆ **Ser salvo pelo gongo.** *Bras. Pop.* Livrar-se de aborrecimento, punição, situação embaraçosa, etc., precisamente quando estão a pique de ocorrer.

gongo[2] [De or. obscura.] *S. m. Bras. N.* Croque com que, nos barcos pequenos, os barqueiros se seguram aos ramos das árvores, nas margens dos rios.

gongogiense *Adj. 2 g.* 1. De, ou pertencente ou relativo a Gongogi (BA). • *S. 2 g.* 2. O natural ou habitante de Gongogi.

gongolo (ô) [Do quimb.] *S. m. Bras. Zool.* V. *embuá*.

gongolô [Var. de *gongolo*.] *S. m. Bras. Zool.* V. *embuá*.

gongom [Do cabo-verd.] *S. m. Cabo-verd.* Entidade fantástica e maléfica, ger. representada com aspecto de ave noturna; bicho-papão: 📖 "Os gongons já não piam na rocha da noite" (Osvaldo Alcântara, *Cântico da Manhã Futura*, p. 91).

gongorar *V. int. Bras. N.E. Fam.* V. *goderar* (1 e 3).

gongórico [Do antr. (*Luís de*) *Góngora* (*y Argote*) + *-ico*[2].] *Adj.* 1. Pertencente ou relativo a Luís de Góngora, ou ao gongorismo (q. v.), ou próprio daquele ou deste. 2. Em que há gongorismo.

gongorismo [Do antr. (*Luís de*) *Góngora* (*y Argote*) + *-ismo*.] *S. m.* 1. Escola espanhola de poesia inspirada no modelo de Luís de Góngora y Argote (1561-1627), poeta espanhol, e caracterizada por um excesso de metáforas, antíteses, inversões, trocadilhos, e alusões clássicas. 2. Feição literária típica dessa escola.

gongorista [De *gongorismo* + *-ista*.] *Adj. 2 g.* 1. Referente ao gongorismo; gongórico. 2. Que é partidário ou imitador do gongorismo. • *S. 2 g.* 3. Partidário ou imitador dessa escola.

gongorizar [De *gongorismo* + *-izar*, seg. o padrão erudito.] *V. t. d.* 1. Dar feição gongórica a. *Int.* 2. Poetar ou escrever no estilo gongórico.

gonguê *S. m. Bras. N. N.E. Mús.* V. *gonguê*.

gonguê [De or. afr.] *S. m. Bras. N. N.E. Mús.* 1. Agogô de uma só campânula. 2. Pequeno tambor que produz um som seco e surdo, e faz parte do conjunto instrumental do bambelô. [Var. pros.: *gongué*.]

gonguinha *S. f. Bras. PE* V. *jacuba* (1).

gonguito [De or. incerta.] *S. m. Bras. Zool.* V. *bagre-amarelo* (1).

▲ **gon(i)-** [Do gr. *góny, gónatos*.] *El. comp.* = 'joelho': *gonalgia, gonialgia*. [Equiv.: *gonat(o)-*: *gonatocele*.]

gonialgia [De *gon(i)-* + *-alg(o)-*[2] + *-ia*[1].] *S. f. Med.* Dor em joelho; gonalgia.

goniálgico [De *gonialgia* + *-ico*[2].] *Adj.* Referente à gonialgia; gonálgico.

gonicele [De *gon(i)-* + *-cele*[1].] *S. f. Med.* Tumoração em joelho; gonatocele. [Cf. *gonocele*.]

gonídia [Adapt. do lat. cient. *gonidia*, pl. do lat. cient. *gonidium* (v. *gonídio*).] *S. f. Bot.* 1. O conjunto de células verdes que formam, nas algas e nos liquens, uma camada contínua, na qual parece residir todo o poder vegetativo dessas plantas. 2. V. *gonídio* (1).

gonidial [De *gonídio* + *-al*[1].] *Adj. 2 g.* Relativo ou pertencente ao gonídio.

gonídio [Do lat. cient. *gonidium* < gr. *gónos* (v. *gon(o)-*) + lat. *-idium*.] *S. m.* 1. *Bot.* Alga que entra na constituição do talo liquênico. Indica preferentemente as clorofíceas; gonídia. 2. *Citol. Bot.* Célula liberada pelo filamento de certas algas e que delas se destaca, repetindo, depois, o processo.

gonilha *S. f.* 1. Aquilo que cinge, rodeia o pescoço, apertando. 2. *Bras.* Círculo de ferro que se encaixava no pescoço dos escravos fujões. [Cf. *golilha* (1).]

gonimoblasto (gô) [Do gr. *gónimos*, 'capaz de produzir', 'fecundo', + *-blasto*.] *S. m. Bot.* Órgão das algas rodofíceas, formado de filamentos, que produz os carpósporos.

▲ **gonio-** [Do gr. *gōnía, as*.] *El. comp.* = 'ângulo', 'canto': *goniômetro*. [Equiv.: *-gon(o)-*[1], *-gono* (q. v.): *nonágono*.]

gónio *S. m.* V. *gônio*. [Uso freq. em P.]

gônio[1] [Do lat. cient. *gonion* < gr. *gōnía* (v. *gonio-*).] *S. m. Anat. Antropom.* Ponto inferior, posterior e lateral de cada ângulo externo da mandíbula, us. como ponto de referência em cefalometria.

gônio[2] *S. m.* V. *radiogoniômetro*.

goniofolídeo (gô) [Do tax. *Goniopholis* + *-ídeo*[1]; tax. *Goniopholidae*.] *Paleont. S. m.* 1. Espécime dos goniofolídeos, família de reptis crocodilianos, fósseis dos terrenos jurássicos e cretáceos; tinham cabeça longa, pescoço curto e cauda lateralmente achatada. No Brasil, fósseis foram encontrados na Bahia. • *Adj.* 2. Pertencente ou relativo a eles.

goniógrafo [De *gonio-* + *-grafo*.] *S. m.* Instrumento que serve para marcar graficamente qualquer ângulo.

goniometria (gô) [De *gonio-* + *-metria*.] *S. f.* A técnica de medir ângulos.

goniométrico (gô) [De *goniometria* + *-ico*[2].] *Adj.* Relativo à goniometria.

goniómetro *S. m.* V. *goniômetro*. [Uso freq. em P.]

goniômetro [De *gonio-* + *-metro*.] *S. m.* Instrumento com que se medem ângulos.

gónis *S. m. 2 n. Zool.* V. *gônis*. [Uso freq. em P.]

gônis [Do lat. cient. *gonys*, poss. alter. do gr. *génys*, 'mandíbula'.] *S. m. 2 n. Zool.* Contorno inferior mediano e longitudinal do bico das aves.

gonite [De *gon(i)-* + *-ite*[3].] *S. f. Patol.* Inflamação do joelho.

▲ **gon(o)-** [Do gr. *gónos, ou*.] *El. comp.* = 'semente', 'esperma', 'órgãos genitais'; 'produção', 'geração': *gonococo*. [Equiv.: *-gon(o)-*[2]: *agamogonia, podogônio*.]

▲ **-gon(o)-[1]** V. *gonio-*.

▲ **-gon(o)-[2]** Equiv. de *gon(o)-*.

▲ **-gono** [Do gr. *-gônos*.] V. *gonio-*. [A pronúncia correta dos voc. formados com este elemento é a paroxítona, mas o uso consagrou a acentuação proparoxítona: *decágono*, por *decagono*; *pentágono*, por *pentagono*, etc.]

gonocele [De *gon(o)-* + *-cele*[1].] *S. f. Urol.* Espermatocele. [Cf. *gonicele*.]

gonócito [De *gon(o)-* + *-cito*.] *S. m. Biol.* Célula produtora de gametas.

gonococia (cí) [De *gonococo* + *-ia*[1].] *S. f. Med.* Infecção causada pelo gonococo.

gonocócico [De *gonococo* + *-ico*[2].] *Adj.* Referente ao gonococo ou por ele produzido.

gonococo [Do lat. cient. *gonococcus* (v. *gon(o)-* e *-coco*).] *S. m. Microbiol.* Bactéria gram-negativa (*Neisseria gonorrhoeae*) que causa gonorreia.

gonocórico [De *gon(o)-* + *-cor(i)-* + *-ico*[2].] *Adj. Biol.* Diz-se de espécie em que há diferenciação de sexos.

gonocorismo [De *gonocórico* + *-ismo*, seg. o padrão gr.] *S. m. Biol.* 1. Condição de gonocórico. 2. Diferenciação sexual das espécies.

gonocóxito (cs) [De *gon(o)-* + lat. *coxa* + *-ito*[1].] *S. m. Zool.* A coxa (2) dos gonópodes.

gonomerídeo [De *gon(o)-* + *-mer(o)-*[1] + *-ídeo*[3].] *S. m. Zool.* Blastostilo.

gonópode [De *gon(o)-* + *-pode*.] *S. m. Zool.* Em muitos artrópodes, apêndice modificado para servir de órgão copulatório.

gonopódio [De *gon(o)-* + *-pod(o)-* + *-io*[3]; lat. cient. *gonopodium*.] *S. m. Zool.* Órgão copulador de certos peixes poecilídeos e goodeídeos, formado a partir da nadadeira anal modificada.

G

gonopófise *S. m. Zool.* Órgão localizado na região anal de certos insetos e que serve como órgão copulador, ferrão, ou ovopositor.

gonóporo [De *gon(o)-* + *-poro.*] *S. m. Zool.* Abertura externa do sistema genital observada em vários grupos de animais.

gonorreia (éi) [Do gr. *gonórrhoia*, pelo lat. tard. *gonorrhoea.*] *S. f. Med.* Infecção venérea purulenta que surge com poucos dias de incubação e se localiza, inicialmente, na uretra, donde pode estender-se a outras estruturas urinárias e genitais, no homem ou na mulher. Além das precedentes, podem ocorrer lesões cutâneas, articulares, oculares e, mais raramente, meníngeas e endocárdicas. [Sin.: *blenorragia* e (pop.) *esquentamento, pingadeira, purgação.*] ❖

gonorreico (éi) [De *gonor(reia)* + *-reico.*] *Adj.* Relativo à, ou da natureza da gonorreia; blenorrágico. ❖

gonorrinquiforme [Adapt. do tax. *Gonorynchiformes.*] *Adj. 2 g. S. m. Zool.* Diz-se de, ou espécime dos gonorrinquiformes, ordem de peixes ostariofisos, marinhos e de água doce, com quatro famílias exstantes, dotados de pequena boca, sem dentes, e nadadeira dorsal única.

gonostomatídeo [De *gon(o)-* + *-(e)stomat(o)-* + *-ídeo*[1]; tax. *Gonostomatidae.*] *Zool. S. m.* **1.** Espécime dos gonostomatídeos, família de peixes actinopterígios, salmoniformes, que apresentam fotóforos e habitam regiões abissais. ● *Adj.* **2.** Pertencente ou relativo a eles.

gonu *S. m. Bot.* Mercúrio-dos-pobres.

gonzaguense[1] *Adj. 2 g.* **1.** De, ou pertencente ou relativo a Gonzaga (MG). ● *S. 2 g.* **2.** O natural ou habitante de Gonzaga.

gonzaguense[2] *Adj. 2 g.* **1.** De, ou pertencente ou relativo a São Luís Gonzaga do Maranhão (MA). ● *S. 2 g.* **2.** O natural ou habitante de São Luís Gonzaga do Maranhão.

gonzaguiano [Do antr. (*Tomás Antônio*) *Gonzaga* + *-iano.*] *Adj.* **1.** Pertencente ou relativo a Tomás Antônio Gonzaga (1744-1810), ou próprio dele. ● *S. m.* **2.** Admirador desse poeta e/ou profundo conhecedor de sua obra.

gonzemo (ê) [De língua banta.] *S. m. Bras. Rel.* No candomblé angola-congo, altar do templo.

gonzo [Do fr. ant. *gonz*, pl. de *gont* (atual *gond*) < lat. *gomphu*, 'cavilha'.] *S. m.* **1.** Peça dupla, formada por dois anéis de ferro enganchados e terminados ambos com um espigão, um dos quais se prega em uma peça fixa e o outro na peça que se pretende fazer mover sobre a primeira, como uma porta, janela, etc.; quício. **2.** V. *dobradiça* (1): "o portão de madeira rangedor nos gonzos velhíssimos." (Raquel de Queirós, *100 Crônicas Escolhidas*, p. 66).

→**good bye** [gud baj] [Ingl.] *Interj.* Adeus.

goodeídeo (gu) [Adapt. do tax. *Goodeidae.*] *Zool. S. m.* **1.** Espécime dos goodeídeos, família de peixes actinopterígios, de água doce, com nadadeira dorsal única e focinho pontudo; a nadadeira anal dos machos apresenta-se como um gonopódio primitivo. Há cerca de trinta espécies, na região oeste do México. ● *Adj.* **2.** Pertencente ou relativo a eles.

goodeniácea (gu) [Do tax. *Goodenia* (do antr. [*Samuel*] *Gooden(ough)* [1743-1827], bispo e botânico inglês) + *-ácea*; tax. *Goodeniaceae.*] *S. f. Bot.* Espécime das goodeniáceas, família de plantas da ordem das asterales, cujas flores são zigomorfas e levam ovário bilocular. Fruto capsular. Ervas ou arbustos, muitas vezes com folhas algo suculentas. Há umas 300 espécies, em sua grande maioria australianas. No Brasil, ocorre apenas uma, nas areias do litoral. [Sin.: *goodenoughiácea.*]

goodeniáceo (gu) [De *goodeniácea*, com var. suf. (v. *-áceo*).] *Adj. Bot.* Pertencente ou relativo às goodeniáceas; goodenoughiáceo.

goodenoughiácea (gu... nâfi) [Do antr. (*Samuel*) *Goodenough* (v. *goodeniácea*) + *-i-* + *-ácea*; tax. *Goodenoughiaceae.*] *S. f. Bot.* Goodeniácea.

goodenoughiáceo (gu... nâfi) [De *goodenoughiácea*, com var. suf. (v. *-áceo*).] *Adj. Bot.* Goodeniáceo.

goraná-timbó *S. m. Bras. Bot.* V. *guaraná-timbó.* [Pl.: *goranás-timbós* e *goranás-timbó.*] ❖

gorar [Do esp. ant. **gorare* (de or. céltica), fonte tb. do esp. dial. *gorar.*] *V. t. d.* **1.** Malograr, frustrar, inutilizar. **2.** Impedir a incubação de (ovo). *Int.* **3.** Corromper-se na incubação (ovo). **4.** Não ter efeito; abortar; frustrar-se, malograr-se, inutilizar-se. *P.* **5.** Frustrar-se, malograr-se. [Pres. ind.: *goro*, etc. Cf. *goro* (ô).]

gorarema [Alter. de *guararema.*] *S. f. Bras. Bot.* V. *pau-d'alho* (1).

gorceixita (cs) [Do antr. (*Henri*) *Gorceix* (1842-1919), geólogo francês, fundador da Escola de Minas e Metalurgia de Ouro Preto (MG), + *-ita*[3].] *S. f. Min.* Mineral hexagonal, fosfato básico hidratado de bário e alumínio.

gorda (ô) *S. f. Bras.* V. *gordo* (8).

gordacho [De *gordo* + *-acho.*] *Adj. S. m. Bras. RS* V. *gordalhão.*

gordaço [De *gordo* + *-aço.*] *Adj. S. m.* V. *gordalhão.*

gordalhaço [De *gordalh(ão)* + *-aço.*] *Adj. S. m.* V. *gordalhão.*

gordalhão [De *gordo* + *-alhão.*] *Adj. S. m.* Diz-se de, ou indivíduo muito gordo. [Sin.: *gordaço, gordalhaço, gordalhudo; gordalhufo, gordanchudo, gordão* e (bras., RS) *gordacho.* Fem.: *gordalhona.*]

gordalhona *S. f.* Fem. de *gordalhão*; *gordona.*

gordalhudo [De *gordalh(ão)* + *-udo.*] *Adj. S. m.* V. *gordalhão.*

gordalhufo [De *gordo.*] *Adj. S. m.* V. *gordalhão*: "os dois acólitos, um teso como um pinheiro, o outro gordalhufo e enxovalhado" (Eça de Queirós, *O Crime do Padre Amaro*, p. 420).

gordanchudo [De *gordo.*] *Adj. S. m.* V. *gordalhão.*

gordão [De *gordo* + *-ão*[1].] *Adj. S. m.* V. *gordalhão.* [Fem.: *gordona.*]

gordiáceo [Do tax. *Gordius* + *-áceo*; tax. *Gordiacea.*] *S. m. Adj. Zool.* V. *nematomorfo.*

gordinha [F. subst. do dim. de *gordo.*] *S. f. Bras. Zool.* V. ubari.

gordinho [Dim. subst. do adj. de *gordo.*] *S. m. Bras. Zool.* V. *paru* (3).

górdio [Do lat. tard. *gordiu.*] *Adj.* Pertencente ou relativo a Górdio, rei lendário da Frígia, antiga região da Ásia Menor. ~ V. *nó —.*

gordióideo [Do tax. *Gordius* + *-óideo*; tax. *Gordioidea.*] *Zool. S. m.* **1.** Espécime dos gordióideos, ordem de asquelmintos nematomorfos, providos de duas gônadas, e cujo corpo é desprovido de cerdas para natação. ● *Adj.* **2.** Pertencente ou relativo a eles.

gordo (ô) [Do lat. *gurdu*, 'grosseiro', 'rude'; 'estúpido', 'tolo'.] *Adj.* **1.** Que tem gordura; untuoso; gordurento, gorduroso, grassento, grasso, graxo: *carne gorda.* **2.** Que tem excesso de tecido adiposo desenvolvido: *criança gorda.* [Aum., nesta acepç.: v. *gordalhão.*] **3.** V. *gordurento* (2). **4.** Semelhante à gordura. **5.** *Fig.* Alentado, volumoso: "tirou das algibeiras das calças dois gordos maços de notas" (Coelho Neto, *Turbilhão*, p. 200); "Uma mulher abriu a porta, o corpo bloqueando a entrada ....; para entrar eu teria que me esfregar nos seus peitos gordos." (Rubem Fonseca, *A Coleira do Cão*, p. 169). **6.** *Fig.* Avultado, considerável: *uma gorda quantia.* **7.** Diz-se do terreno fértil: *as terras gordas do Sul.* **8.** *Bras.* Diz-se das cartas pertencentes aos naipes de copas e espadas: *carta gorda; dama gorda; ás gordo.* [Tb. us. como s. f., mas só em relação à palavra *carta*: *Bateu a parada com uma gorda.*] **9.** *Tip.* Preto (7). ~ V. *ácido —, alvenaria —a, argamassa —a, argila —a, cal —a, dia —, dias —s, domingo —, letra —a, de letras —as, olho —, sábado —* e *terça-feira —a.* ● *S. m.* **10.** Qualquer substância gorda: *o gordo do porco.* **11.** Indivíduo obeso, gordo. [Sin., pop., deprec., nesta acepç.: *baleia, hipopótamo* e (bras.) *boi, elefante.* Aum., nesta acepç.: v. *gordalhão.*]

gordona *S. f.* Fem. de *gordão*; gordalhona.

gordota *S. f.* Fem. de *gordote*: "crianças sadias correndo, cunhatás gordotas sorrindo" (Raimundo Morais, *País das Pedras Verdes*, p. 275).

gordote [De *gordo* + *-ote*[1].] *Adj. S. m.* Gorducho: "o pescador fora sempre quieto, reconcentrado, gordote e de boa paz." (Almiro Caldeira, *Maré Alta*, p. 11). [Fem.: *gordota.*]

gorducho [De *gordo* + *-ucho.*] *Adj. S. m.* Que, ou aquele que é um tanto gordo; gordote: "E Dâmaso rompeu pela sala, ... gorducho, risonho, familiar" (Eça de Queirós, *Os Maias*, II, p. 49).

gordura[1] [De *gordo* + *-ura.*] *S. f.* **1.** *Quím.* Designação genérica dos triacilglicerídeos ger. sólidos, que fornecem, por hidrólise, glicerina e ácidos graxos de cadeia saturada longa (p. ex., os ácidos mirístico, palmítico e esteárico) e encontrados nos tecidos adiposos dos animais (banha) ou extraídos de certos vegetais (p. ex., gordura de coco); triacilglicerídeo. **2.** Tecido adiposo. **3.** Obesidade, nediez. ◆ **Gordura insaturada.** *Quím.* Gordura natural que é formada total, ou predominantemente, por ácidos graxos de cadeia insaturada, e que é considerada mais saudável como alimento. [Os ácidos graxos insaturados destas gorduras são sempre *cis.*] **Gordura saturada.** *Quím.* Gordura natural que é formada total, ou predominantemente, por ácidos graxos saturados. **Gordura trans.** *Quím.* Gordura que é formada por, ou contém em proporção considerável, ácidos graxos insaturados *trans*, e que, apesar de certas vantagens para o processamento industrial, é considerada pouco saudável. [Estes ácidos são formados por aquecimento ou tratamentos físico-químicos de gorduras naturais.]

gordura[2] *S. m. Bras. Bot.* V. *capim-gordura.*

gordural [De *gordura*[2] + *-al*[1].] *S. m. Bras.* Lugar onde medra o capim-gordura.

gordurento [De *gordura*[1] + *-ento.*] *Adj.* **1.** V. *gordo* (1). **2.** Sujo de gordura; untoso, engordurado, gordo. **3.** Cheio de nódoas; ensebado, sujo. [Sin. ger.: *gorduroso.*]

gorduroso (ô) [De *gordura*[1] + *-oso.*] *Adj.* **1.** V. *gordurento.* **2.** Que tem a consistência da gordura.

gorete (ê) [De or. obsc.] *S. m. Bras. Zool.* **1.** V. *goete* (1). **2.** V. *pescada-foguete.* **3.** V. *pescadinha* (2).

gorgolão [Do rad. *gorgol-* (< rad. onom. *gorg-*, 'garganta', poss. com infl. de *gargalo*) + *-ão*[3].] *S. m.* V. *golfada* (2).

gorgolar [Do rad. *gorgol-*, como em *gorgolão* (q. v.), + *-ar*[2].] *V. int.* **1.** Sair em golfada ou gorgolão; golfar. [Var., nesta acepç.: *gorgolhar.*] **2.** Gorgolejar (1).

gorgolejante [De *gorgolejar* + *-nte.*] *Adj. 2 g.* Que gorgoleja.

gorgolejar [De rad. *gorgol-*, como em *gorgolão* (q. v.), + *-ejar.*] *V. int.* **1.** Produzir ou imitar o ruído característico do gargarejo; gorgolar: "lá iam, aos apertões, ... em direção à pia, cuja torneira jorrava gorgolejando." (Coelho Neto, *Turbilhão*, p. 166); "o murmúrio doce da água de rega, que ao pé gorgolejava" (Alberto Rabelo, *Contos do Norte*, p. 74). *T. d.* **2.** Beber produzindo o ruído do gargarejo. **3.** V. *golfar* (1). **4.** Dizer como que gorgolejando: *gorgolejar injúrias. T. d. e i.* **5.** Gorgolejar (4): *Desesperado, gorgolejava insultos a todos.* [Var.: *gargolejar.* Conjug.: v. *pelejar.*]

gorgolejo (ê) [Dev. de *gorgolejar.*] *S. m.* Ato ou efeito de gorgolejar: "Começou [o canto dum perdigão] por uns gorgolejos roucos e acabou com um apelo insistente e doloroso." (Domingos Monteiro, *Histórias das Horas Vagas*, p. 11.) [Cf. *gorgorejo.*]

gorgoleta (ê) [Do rad. *gorgol-*, como em *gorgolão* (q. v.) e *gorgolejar*, + *-eta* (ê).] *S. f.* Vaso de barro, com um ralo por onde a água passa produzindo ruído.

gorgolhão [Var. de *gorgolão.*] *S. m.* V. *golfada* (2).

gorgolhar [Var. de *gorgolar.*] *V. int.* V. *gorgolar* (1).

gorgomila [Do cat. *gargamella* (< rad. onom. *garg-*), com infl. do lat. *gurges*, 'sorvedouro', 'voragem' (v. *garganta* e *gorgolão*).] *S. f. Ant.* V. *gorgomilos.*

gorgomilo [De *gorgomila.*] *S. m. Pop.* V. *gorgomilos.*

gorgomilos [Do pl. de *gorgomilo.*] *S. m. pl.* O princípio do esôfago; garganta, goela. [F. ant. e pop.: *gorgomilo, gorgomila.*]

górgona *S. f.* V. *górgone.*

gorgonáceo [Do tax. *Gorgonia* (v. *gorgônia*) + *-áceo*; tax. *Gorgoniacea, Gorgonacea.*] *Zool. S. m.* **1.** Espécime dos gorgonáceos, ordem de animais celenterados, alcionários, que formam colônias, em geral arborescentes, com esqueleto axial constituído por espículas calcárias e/ou gorgonina córnea e têm pólipos curtos. Entre eles se incluem os corais vermelhos, usados em joalheria. ● *Adj.* **2.** Pertencente ou relativo a eles.

górgone [Sing. de *górgones*, do gr. *Gorgónes* (de *gorgós*), 'rápido, impetuoso, terrível', pelo lat. *Gorgones.*] *S. f.* **1.** Cada uma das três personagens mitológicas, Esteno, Euríale e Medusa, mulheres que tinham serpentes por cabelos e transformavam em pedra quem as encarava. [Com cap., nesta acepç.] **2.** *Fig.* Mulher repulsiva ou perversa.

gorgôneo *Adj. Poét.* V. *gorgôneo.* [Uso freq. em P.]

gorgôneo [Do lat. *gorgoneu* < lat. *Gorgo, onis* (v. *górgone*).] *Adj. Poét.* Relativo às górgones, em especial a Medusa.

gorgônia *S. f. Zool.* V. *gorgônia.* [Uso freq. em P.]

gorgônia [Do tax. *Gorgonia* < lat. *Gorgo, onis* (< mit. gr. *Gorgó* [v. *górgone*]) + lat. cient. *-ia* (v. *-ia*[2]).] *S. f. Zool.* **1.** O gênero-tipo dos gorgoniídeos (q. v.). **2.** Espécie ou espécime desse gênero.

gorgoniídeo [Do tax. *Gorgonia* + *-ídeo*[1]; tax. *Gorgoniidae.*] *Zool. S. m.* **1.** Espécime dos gorgoniídeos, família de antozoários alcionários, gorgonáceos, arborescentes, que formam colônias. ● *Adj.* **2.** Pertencente ou relativo a eles.

gorgonzola [Do it. *gorgonzola* < top. *Gorgonzola* (província de Milão).] *S. m.* Queijo italiano de massa mole e amanteigada, cheiro intenso, gosto forte e picante, e raiado de mofo.

gorgorão [Do ant. ingl. *grogoran* (atual *grogram*); fr. *gourgouran.*] *S. m.* **1.** *Tec. Têx.* Tecido encorpado, em cordões mais ou menos salientes, de seda ou de lã: "Trazia um soberbo vestido de gorgorão azul" (Machado de Assis, *Memórias Póstumas de Brás Cubas*, p. 325). **2.** Fita[1] (1) desse tecido.

gorgorejo (ê) [Do rad. *gorgol-* (v. *gorgolão*), com infl. de *gargarejo*, poss.] *S. m.* Som gutural. [Cf. *gorgolejo.*]

gorgossauro [Do mit. gr. *Gorgó* (v. *górgone*) + *-sauro*; tax. *Gorgosaurus.*] *S. m. Paleont.* **1.** Gênero de dinossauros terópodes, que atingiam até 9m de comprimento e pesavam até 3 toneladas. Habitaram a América do Norte no cretáceo. **2.** Espécie ou espécime desse gênero.

gorgosterol [Do tax. *Gorgo(nia)* (v. *gorgônia*) + *-sterol.*] *S. m. Quím.* Esterol que contém anel ciclopropânico na cadeia lateral e que ocorre em certos corais [fórm.: $C_{30}H_{50}O$]. [Pl.: *gorgosteróis.*]

gorgota *S. m. Bras.* 1. Marinheiro veterano. 2. Homossexual (3).

gorgulho [Do lat. vulg. *gurgulio, onis* (< lat. *curculio, onis*), poss. pela f. nominativa.] *S. m.* 1. *Zool.* V. *caruncho* (1). 2. *Bras.* Fragmentos de rocha entre os quais se encontra o ouro. 3. *Bras.* V. *gupiara* (2). 4. *Bras. Amaz.* Pedra miúda que se vê, por vezes, no leito dos rios.

goriana [De or. incerta.] *S. f. Zool.* V. *barracuda*.

gorila [Do tax. *Gorilla*, t. criado em 1847 pelo viajante norte-americano Savages, com base no voc. *gorillai*, que, num texto grego sobre o périplo do navegador cartaginês Hannon (c. 500 a. C.), designava seres humanos peludos encontrados nas costas africanas.] *S. m. Zool.* 1. Gênero de macacos pongídeos que habitam uma parte das florestas tropicais da África equatorial. Têm orelhas pequenas e olhos escondidos em supercílios grossos, crista sagital na cabeça e membros que apresentam proporções quase humanas, sendo, entretanto, os braços maiores que as pernas; a cor varia desde o branco ao negro retinto, passando pelo castanho-claro. [São os maiores e os mais fortes dos primatas, podendo o macho adulto atingir 1,80m e 220kg.] 2. Qualquer espécie desse gênero, como, por ex., a *Gorilla beringei* (por vezes classificada como subespécie, *Gorilla gorilla beringei*) ou gorila-das-montanhas, que habita as regiões altas ao N. das montanhas dos lagos Kivu, Tanganica e Alberto, e que se distingue da espécie *Gorilla gorilla* por ter o crânio mais estreito e o palato mais alongado. 3. Qualquer espécime desse gênero. [Var., nas acepç. 2 e 3: *gorilha*.] 4. *Pop.* Militar, ger. de direita, que toma o poder por golpe, ou que é defensor dessa prática. 5. *Bras. Pop.* Indivíduo abrutalhado na aparência ou no agir; brutamontes.

gorila-das-montanhas *S. m. Zool.* V. *gorila* (2). [Pl.: *gorilas-das-montanhas*.]

gorilão [De *gorila* + *-ão*[1].] *S. m. Bras.* Gorila (4) muito convicto.

gorilha *S. m. Zool.* V. *gorila* (2 e 3).

gorilismo [De *gorila* + *-ismo*.] *S. m. Bras.* Mentalidade, procedimento ou ato de, ou próprio de gorila (3 e 4).

gorja [Do fr. *gorge*.] *S. f.* 1. V. *garganta* (1): "Essa interrupta e rouca / Voz na gorja sumida" (Alberto de Oliveira, *Poesias*, 3ª série, p. 200). 2. Pescoço, cachaço. ◆ **Mentir pela gorja.** Mentir cinicamente, deslavadamente: "mente pela gorja quem disser que eu ficarei aqui" (Alexandre Herculano, *Lendas e Narrativas*, II, p. 82).

gorjal [De *gorja* + *-al*[1].] *S. m.* Parte da armadura, para defesa do pescoço; gorjeira, gargalheira: "fidalgos armados com ricas capelinas de camalha, ... seus estoques, franceses, os pescoços levantados dentro de gorjais polidos, ... as pernas hirtas nas estribeiras" (Antero de Figueiredo, *Leonor Teles*, p. 325).

gorjala *S. m. Bras. CE* 1. *Etnogr.* Denominação de um gigante. 2. *P. ext.* Indivíduo agigantado e muito comilão.

gorjeador (ô) [De *gorjear* + *-dor*.] *Adj.* Que gorjeia.

gorjear [De *gorja* + *-ear*[2].] *V. int.* 1. Soltar sons agradáveis (os passarinhos); trilar, trinar, cantar: "As aves, que aqui gorjeiam, / Não gorjeiam como lá." (Gonçalves Dias, *Obras Poéticas*, I, p. 21.) 2. Cantar variando os tons; gargantear. *T. d.* 3. Exprimir em gorjeios. 4. Cantar com voz melodiosa: *Gorjeia lindas canções.* 5. Dar, soltar, emitir, à maneira de gorjeio: "A moça continuou a gorjear o seu riso sarcástico" (José de Alencar, *Senhora*, p. 268); "E nos ramos saltavam aves / Gorjeando canoros queixumes" (Bernardo Guimarães, *Poesias Completas*, p. 151). [Conjug.: v. *frear*.]

gorjeio [Dev. de *gorjear*.] *S. m.* 1. Ato ou efeito de gorjear; trinado. 2. *Fig.* O chilrear das crianças.

gorjeira [De *gorja* + *-eira*.] *S. f.* 1. Renda ou pano com que se adorna o pescoço. 2. V. *gorjal*.

gorjeta[1] (ê) [De *gorja* + *-eta*.] *S. f.* 1. Bebida ou dinheiro com que se gratificava um pequeno serviço. 2. Pequena importância em dinheiro, além do devido, que se dá a alguém cujo serviço nos parece satisfatório; gratificação, espórtula. [Sin., nesta acepç. (quase todos pop., e alguns deles bras.): *anhapa, blefaia, cabeça, changa, gosto, gruja* (q. v.), *inhapa, jabaculê, japa, lambidela, lambuja, lambujem, maquia, mata-bicho, molhadela, molhadura, mota, potaba, saguate, xixica*.]

gorjeta[2] (ê) [Do fr. *gorget*, poss.] *S. f.* Escopro delgado com que se trabalha em mármore.

gorne [Do it. *gorna*.] *S. m. Marinh.* Abertura na caixa de um poleame de laborar, na qual trabalha a roda.

gornir [De *gorne* + *-ir*.] *V. t. d. Marinh.* Passar (os cabos) nos gornes. [Cf. *gurnir*. Defect., não conjugável nas f. em que ao *n* se seguiria um *a* ou um *o*.]

gornope *S. m. Bras. PE* Porção de aguardente, ou de outra qualquer bebida alcoólica, ingerida de uma vez. V. *bicada*[1] (5).

goro (ô) [Dev. de *gorar*.] *Adj.* 1. Que se gorou (ovo); choco: "uma fritada de meia quarta de linguiça e três ovos (um botou-se fora, porque estava goro)." (Alexandre Herculano, *Lendas e Narrativas*, II, p. 237). 2. *Fig.* Frustrado, malogrado, falhado: "tratou de estabelecer relações seguras com Cartago, pelo quê foi cercar Nápoles, que era o porto ideal para tal fim, mas saíram-lhe os cálculos goros ante a resistência inesperada da fortaleza." (Aquilino Ribeiro, *Os Avós dos Nossos Avós*, p. 172). [Pl.: *goros* (ô). Cf. *goro*, do v. *gorar*.]

goró [F. red. de *gororoba*.] *S. f.* 1. *Bras. MG RJ* V. *cachaça* (1). 2. *P. ext.* Qualquer bebida alcoólica.

gororoba [De or. incerta] *S. f.* 1. *Bras. Bot.* V. *araribá*. 2. *Bras. Gír.* Comida, boia[1]. 3. *Bras. Gír.* Comida malfeita, ou de má qualidade; massamorda. 4. *Bras. Pop.* V. *cachaça* (1). 5. *Bras.* Mistura, confusão, desordem. 6. *Bras. Pop.* V. *ébrio* (8). 7. *Bras. PA Pop.* Indivíduo lento, molengão, ou covarde.

gorovinhas [De or. obscura.] *S. f. pl.* 1. Pregas ou rugas em peça de roupa amarrotada. 2. Rugas na pele; gelhas.

gorra (ô) [Da mesma or. incerta que o esp. *gorra*.] *S. f.* V. *barrete* (1): "O alfaiate tirou a gorra, ajeitou a pescoceira do gibão" (Antero de Figueiredo, *Leonor Teles*, p. 85). ◆ **Meter-se de gorra.** 1. Combinar-se ou conluiar-se com alguém. 2. Insinuar-se.

gorrixo [De or. indígena.] *S. m. Bras. Zool.* V. *chupim* (1).

gorro (ô) [De *gorra*.] *S. m.* V. *barrete* (1). [Pl.: *gorros* (ô).]

gorutubano [Do top. *Gorutuba* (MG) + *-ano*[1].] *S. m. Bras. MG* Mestiço de caboclo; gurutubano.

gosma [De or. controversa.] *S. f.* 1. Doença que ataca a língua das aves, em especial as galináceas; gogo. 2. Inflamação na mucosa das vias respiratórias dos poldros. 3. Matéria que se compõe de várias substâncias (água, muco, etc.) e se expele pela boca. 4. Qualquer matéria aquosa semelhante à gosma (3).

gosmado [Part. subst. de *gosmar*.] *S. m. Bras. PB PE MG Chulo* Discurso, falação.

gosmar [De *gosma* + *-ar*[2], poss.] *V. t. d.* 1. Escarrar, expectorar. 2. Proferir escarrando ou tossindo. *Int.* 3. Expelir gosma; cuspir muito. 4. Resmungar, rezingar. 5. *Bras. PB PE Chulo* Fazer discurso; deitar falação.

gosmento [De *gosma* + *-ento*.] *Adj.* 1. Que tem gosma. 2. Que escarra muito. 3. *P. ext.* Adoentado, abatido, fraco. 4. *Pop.* Que tem a consistência da gosma: *Que doce gosmento é esse?* 5. V. *goguento*.

gospe-gospe *S. m. Bras. Zool.* V. *cospe-cospe*. [Pl.: *gospes-gospes* e *gospe-gospes*.]

→**gospel** ['gɑspəl] [Ingl.] *S. m.* 1. Nos cultos evangélicos norte-americanos, o canto influenciado pelo *blues* e pela música popular dos negros americanos. 2. Qualquer música de louvor dos negros americanos. 3. *Bras. Pop.* Canção de louvor ou de tema bíblico.

→**gossip** ['gɑsɪp] [Ingl., 'fofoca'.] *Jorn.* Informação de caráter pessoal e privado sobre nomes conhecidos do público, veiculada, principalmente, em colunas sociais.

gossípio [Do tax. *Gossypium*.] *S. m. Bot.* 1. Gênero de ervas e arbustos malváceos dotados de folhas palmatilobadas, flores vistosas e frutos capsulares, loculicidas, com sementes cobertas de longos pelos. 2. Qualquer espécie desse gênero, como, p. ex., a *Gossypium herbaceum* [v. *algodoeiro* (3)]. 3. Qualquer espécime desse gênero.

gostar [Do lat. *gustare*.] *V. t. i.* 1. Achar bom gosto ou sabor: *O brasileiro gosta de feijoada.* 2. Sentir prazer: "Curioso como é de todas as formas da vida, Garrett gosta de saber novidades." (José Osório de Oliveira, *O Romance de Garrett*, p. 180); *Gosta de viagens.* 3. Ter afeição, amizade, a; sentir simpatia por: "— Sofia, ... nenhum homem esquece a mulher que verdadeiramente gostou dele" (Machado de Assis, *Quincas Borba*, p. 283). 4. Julgar bom; apreciar; aprovar: *Gostou logo da sugestão.* 5. Dar-se bem; ser compatível; acomodar-se; aclimar-se, aclimatar-se: *Há pessoas que não gostam do clima quente.* 6. Dar gosto; causar prazer; agradar: *Aquilo não lhe gostava.* 7. Ter o hábito de; costumar: "Mallarmé gostava de redigir em versos os endereços de suas cartas." (Manuel Bandeira, *Poesia e Prosa*, II, p. 369); *Gosta de passear pela manhã.* 8. Ser compatível; dar-se bem: *Samambaias gostam de luz; Violetas gostam de sombra.* 9. *Gír.* Sentir atração sexual, desejo: *Na gíria, rapaz alegre é aquele que gosta de homens.* *T. d.* 10. Experimentar, gozar, fruir: "Leitor ignaro, se não guardas as cartas da juventude, ... não gostarás o prazer de ver-te, ao longe, ... a bailar ao som de uma gaita anacreôntica." (Machado de Assis, *Memórias Póstumas de Brás Cubas*, p. 296.) 11. Tomar o gosto a; provar: "Hoje é amargo tudo quanto eu gosto" (Augusto dos Anjos, *Eu*, p. 116). 12. Ter gosto ou prazer em: "Eu gosto morrer por ti; / Tu gostas ver-me expirar" (Domingos Caldas Barbosa, *Brasileiros da Fase Colonial*, I, p. 285); "— Eu gostava que fosses ver tua madrinha." (Camilo Castelo Branco, *Mistérios de Fafe*, p. 54). *P.* 13. Estimar-se ou amar-se reciprocamente: "Ele não se conformava com esse *e não quero mudar*, argumentando, se eles se gostavam, tinham de fazer um esforço de ajustamento" (Rubem Mauro Machado, *Lobos*, p. 160). [Pres. ind.: *gosto*, etc. Cf. *gosto* (ô), s. m.]

gostável [Do lat. tard. *gustabile*.] *Adj. 2 g.* 1. De que se gosta ou se pode gostar. 2. Que dá gosto; agradável, aprazível.

gosto (ô) [Do lat. *gustu*.] *S. m.* 1. Sentido pelo qual se percebe o sabor das coisas; paladar, sabor: *Estou com o gosto embotado pela gripe.* 2. V. *sabor* (2): *Esta fruta tem um gosto enjoativo.* 3. Prazer, agrado, satisfação: *Ela come com gosto; Tenho gosto em ser-lhe útil.* 4. Simpatia, inclinação; pendor: *Não tem gosto pelas letras.* 5. Critério, opinião: *Escolhi segundo o meu gosto.* 6. Maneira, moda: *Decorou a casa ao gosto da época.* 7. Faculdade de julgar os valores estéticos segundo critérios subjetivos, sem levar em conta normas preestabelecidas: *gosto requintado; falta de gosto.* 8. Bom gosto (q. v.): *Veste-se com gosto.* 9. *Bras. CE* V. *gorjeta*[1] (2). [Pl. *gostos* (ô). Cf. *gosto*, do v. *gostar*.] ◆ **Gosto estragado.** V. *bom gosto*. **A gosto.** 1. Conforme o desejo ou a escolha de alguém. 2. Sem cerimônia; à vontade. **Bom gosto.** 1. Gosto (7) finamente adequado às exigências da moda, dos costumes, etc. 2. Gosto apurado, requintado. [Antôn. ger.: *mau gosto, gosto estragado*. Tb. se diz apenas *gosto*.] **Cair no gosto** V. *cair no goto*: "Caíra (Cássia Eller) no gosto da crítica. Em um *show* ...., no Rio, em junho, o jornal .... mencionava sua desenvoltura no palco" (Eduardo Belo e Ana Cláudia Landi, *Apenas uma Garotinha*, p. 270) [Corruptela da expressão *cair no goto*.] **Mau gosto.** V. *bom gosto*. **Não gabar o gosto.** Forma eufemística de discordar das preferências de outrem.

gostosão [Aum. subst. de *gostoso*.] *S. m.* 1. *Bras. Gír.* Indivíduo bonito, muito atraente, estimado pelas mulheres. [Fem.: *gostosona*.] 2. *Bras. RJ Gír.* Designação que era comum a certos ônibus grandes e vistosos: "um pobre homem atropelado por um gostosão em plena Avenida Rio Branco" (Malu de Ouro Preto, *Siri na Noite sem Lua*, p. 119).

gostoso (ô) [De *gosto* + *-oso*.] *Adj.* 1. Que tem bom gosto ou sabor; saboroso: *comida gostosa.* 2. Que dá gosto, prazer; agradável; delicioso: *Viajar é gostoso; Fez de sua casa um ambiente gostoso; Faz um friozinho gostoso;* "Mas que cheiro gostoso tem Iaiá!" (Jorge de Lima, *Obra Completa*, I, p. 299); "aquele cheiro gostoso na minha roupa, no meu corpo, na minha carnezinha magra" (Edilberto Coutinho, *Onda Boiadeira*, p. 59). 3. Que revela prazer, gosto; alegre, satisfeito: *risada gostosa.*

gostosona *S. f. Bras.* Fem. de *gostosão* (1).

gostosura [De *gostoso* + *-ura*.] *S. f. Bras. S. Fam.* 1. Qualidade de gostoso. 2. Grande gosto; prazer imenso; deleite, delícia: "O sonho do moço era enriquecer às rápidas para reatar a gostosura do idílio interrompido." (Monteiro Lobato, *Urupês, Outros Contos e Coisas*, p. 63.)

gota [Do top. *Ghota* (Alemanha).] *S. m.* Avião alemão de bombardeio, que se usou na grande guerra de 1914-1918. [Pl.: *gotas*. Cf. *gota* (ô) e pl. *gotas* (ô).]

gota[1] (ô) [Do lat. *gutta*.] *S. f.* 1. Porção mínima de líquido suficientemente pesado para cair em forma de esfera ou pera; lágrima, pinga, pingo: *A água caía gota a gota.* 2. *P. ext.* Quantidade mínima de qualquer substância: *Não tinha em casa uma gota de café.* 3. Camarinhas (de orvalho, ou de suor); baga: *O suor escorria-lhe em gotas.* 4. Pequeno ornato arquitetônico redondo, quadrado ou cônico. 5. Qualquer coisa, ou ornamento, que tenha o feitio de gota. 6. *Reum.* Forma hereditária de artrite, caracterizada por hiperuricemia e recidivas paroxísticas agudas, e que ocorre, em geral, numa única articulação periférica, seguindo-se remissão completa do fenômeno clínico. 7. *Bras. Pop.* V. *epilepsia*. [Pl.: *gotas* (ô). Cf. *gota*, pl. *gotas*, e *Gota*, top. Dim. irreg.: *gotícula*.] ◆ **Gota militar.** Gonorreia ou uretrite crônica. **Uma gota d'água.** Quase nada, uma insignificância relativamente àquela com que se compara ou a que se junta: *Tudo o que disse no julgamento não é senão uma gota d'água no mar de lama das outras acusações.* **Ser a gota d'água.** Ser aquilo que faz ultrapassar os limites de alguém ou de algo: *Tal grosseria foi a gota d'água: tive de reagir à altura.* **Ser uma gota de água no oceano.** Ser coisa sem valor, sem importância, em relação àquela com que é confrontada: *Com a fortuna dele, um milhão é uma gota de água no oceano.*

gota[2] (ô) *S. f.* V. *gota-serena*. ◆ **Dar a gota.** *Bras. N.E. Pop.* V. *dar a gota-serena*. **Estar com a gota.** *Bras. N.E. Pop.* V. *estar com a gota-serena*.

gota-coral *S. f. Patol.* V. *epilepsia*. [Pl.: *gotas-corais*.]

G

gotado [De *gota*[1] (ô) + *-ado*[1].] *Adj.* **1.** Que tem gotas. **2.** Ornado de gotas [v. *gota*[1] (4 e 5)].

gota-serena [De *gota*[1] (ô) + o f. de *sereno*.] *S. f. Pop.* V. *amaurose*. [Pl.: *gotas-serenas*.] ◆ **Dar a gota-serena.** *Bras. N.E. Pop.* Estar muito zangado; irritado, abespinhado. [Sin.: *estar com a gota-serena*. Tb. se diz apenas *dar a gota*.] **Estar com a gota-serena.** *Bras. N.E. Pop.* V. *dar a gota-serena*. [Tb. se diz apenas *estar com a gota*.]

gotear [De *gota*[1] (ô) + *-ear*[2].] *V. int. T. d.* Gotejar: "cada sacrificador [de reses], ao pisar o portal, goteava sangue dos facões" (Alcides Maia, *Tapera*, p. 58). [Conjug.: v. *frear*.]

goteira [De *gota*[1] (ô) + *-eira*.] *S. f.* **1.** V. *calha* (1). **2.** Telha de beiral, de onde escorre a água pluvial: "E nesses escuros dias de chuva, cheios de friagem lá fora e do rumor das goteiras, aquele canto da janela .... tinha um ar íntimo e carinhoso..." (Eça de Queirós, *Os Maias*, II, p. 40.) **3.** Fenda ou buraco do telhado de onde cai água em casa quando chove. **4.** *Encad. Tip.* V. *canal* (11 e 18). **5.** *Bras.* Falha na integridade mental. ● *S. 2 g.* **6.** *Maç.* Não iniciado, presente em ambiente maçônico ou entre maçons.

gotejamento [De *gotejar* + *-mento*.] *S. m.* Ato ou efeito de gotejar.

gotejante [De *gotejar* + *-nte*.] *Adj. 2 g.* Que goteja: "A passarada irrequieta descansa pelas frondes gotejantes" (Euclides da Cunha, *Os Sertões*, p. 75).

gotejar [De *gota*[1] (ô) + *-ejar*.] *V. int.* **1.** Cair em gotas; gotear. *T. d.* **2.** Deixar cair gota a gota; entornar; gotear: "de armas falseadas uns, gotejando sangue muitos deles" (Aquilino Ribeiro, *Aventura Maravilhosa*, p. 9). [Conjug.: v. *pelejar*.]

gótico [Do b.-lat. *gothicu* < b.-lat. *Gothi, orum*, 'Godos'.] *Adj.* **1.** Relativo a godos ou proveniente deles. **2.** Criado ou usado pelos godos. ~ V. *abóbada —a, alfabeto —, estilo —, letra —a, romance —* e *tipo —*. ● *S. m.* **3.** V. *estilo gótico*. **4.** *Gloss.* Língua dos godos. [V. *germânico* (4).] ◆ **Gótico antigo.** *Arquit.* V. *romão* (2). **Gótico flamejante.** Estilo gótico que floresceu no séc. XV, e se caracteriza pela presença de elementos decorativos, especialmente formas lanceoladas, à feição de chamas; gótico florido. **Gótico florido.** Gótico flamejante.

gotícula [De *gota*[1] (ô) + *-i-* + *-cula*.] *S. f.* Gotinha, gotazinha.

gotímetro [De *gota*[1] (ô) + *-i-* + *-metro*.] *S. m.* Conta-gotas.

goto[1] (ô) [Do lat. *guttur*.] *S. m. Pop.* Glote. [Pl.: *gotos* (ô).] ◆ **Cair no goto.** Dar no goto. **Cair no goto de.** Ser objeto de agrado, de simpatia, por parte de; cair nas graças de; dar no goto de, cair no gosto de: *O romance caiu no goto do público, e é* best seller. **Dar no goto.** Produzir sufocação ao ser engolido; cair no goto. **Dar no goto de.** V. *cair no goto de*. "e nem Macário sabia por que é que aquela ventarola de mandarim o preocupava assim: mas segundo ele me disse – aquilo deu-lhe no goto." (Eça de Queirós, *Contos*, p. 12.)

goto[2] (ô) [Do jap. *Koto*.] *S. m.* Harpa ou lira japonesa. [Pl.: *gotos* (ô).]

gotoso (ô) [De *gota*[1] (ô) + *-oso*.] *Adj. S. m.* Que, ou aquele que padece de gota[1] (ô) (6).

→ **gouda** ['χawdə] [Neerl.] *S. m. Cul.* Queijo de leite de vaca, de crosta amarela, consistência macia e sabor suave, originário da cidade holandesa que lhe dá o nome.

gougre *Adj. 2 g. Bras.* Deselegante no trajar; deselegante.

gouli *S. m. Luso-asiat.* Homem da casta pastoril. [Fem.: *goulina*.]

goulina [Fem. de *gouli*.] *S. f. Luso-asiat.* Mulher da casta pastoril.

→ **gourde** [guʁd] [Fr.] *S. f.* V. *gurde*.

→ **gourmand** [guʁ'mɑ̃] [Fr.] *S. m.* **1.** Aquele que é dado às comidas apetitosas. **2.** Indivíduo guloso. [Cf. *gourmet*.]

→ **gourmet** [guʁ'me] [Fr.] *S. m.* Indivíduo apreciador e conhecedor de iguarias finas: "No começo, Ramos era o único gourmet autêntico do grupo." (Luís Fernando Veríssimo, *O Clube dos Anjos*, p. 15.) [Cf. *gourmand*.]

gouveano *Adj.* **1.** De, ou pertencente ou relativo a Gouveia (MG). ● *S. m.* **2.** O natural ou habitante de Gouveia.

gouvelandense *Adj. 2 g.* **1.** De, ou pertencente ou relativo a Gouvelândia (GO). ● *S. 2 g.* **2.** O natural ou habitante de Gouvelândia.

governabilidade [De *governável* (*governabil-*) + *-(i)dade*, seg. o padrão erudito.] *S. f.* **1.** Qualidade, característica ou condição de governável. **2.** Estabilidade política, financeira e social que garante ao governo a direção, o controle e o gerenciamento da nação. **3.** *P. ext. Fig.* A necessidade de alcançar tal estabilidade: "Reeleito como foi, o presidente Lula respondeu ao desafio da governabilidade atraindo o PMDB e montando uma ampla coalizão." (Tereza Cruvinel, em *O Globo*, 09.08.2007.)

governação [Do lat. *gubernatione*.] *S. f.* Ato de governar(-se); governo; governança.

governadeira [De *governar* + *-deira*.] *Adj.* (*f.*) *S. f.* Que ou mulher que governa ou administra bem a sua casa; governadora.

governado [Do lat. *gubernatu*, part. pass. de *gubernare* (v. *governar*).] *Adj.* **1.** Dirigido, orientado. **2.** Administrado. **3.** Que se sabe governar; poupado, parcimonioso, econômico.

governador (ô) [Do lat. *gubernatore*.] *Adj.* **1.** Que governa. ● *S. m.* **2.** Aquele que governa. **3.** Aquele que governa um estado, uma região administrativa. **4.** Aquele que ocupa o cargo de chefe do poder executivo de um dos estados de uma república federativa.

governadora (ô) [F. de *governador*.] *S. f.* Aquela que ocupa o cargo de chefe do poder executivo de um dos estados de uma república federativa.

governadoria [De *governador* + *-ia*[1].] *S. f.* Cargo ou função de governador (3).

governadura [De *governar* + *-dura*.] *S. f. Ant.* Certo trabalho em ferro, na Índia. ~ V. *governaduras*.

governaduras [De *governar* + o pl. de *-dura*.] *S. f. pl. Bras. Constr. Nav.* Conjunto de machos e fêmeas por meio dos quais se prende no cadaste o leme, de modo que possa girar em torno de um eixo vertical. ~ V. *governadura*.

governamental [Do fr. *gouvernemental*.] *Adj. 2 g.* **1.** Pertencente ou relativo ao governo: "O ministro não atribui o progresso a si, nem ao elenco governamental em que ele está incluso" (Antônio Sérgio, *Cartas do Terceiro Homem*, p. 59). **2.** Que parte ou emana do governo. **3.** Ministerial (3). ● *S. m.* **4.** Indivíduo partidário de um governo; governista.

governança [De *governar* + *-ança*.] *S. f.* **1.** V. *governação*. **2.** *Adm.* Processo que envolve os relacionamentos entre acionistas, conselho de administração, diretoria, auditoria independente e conselho fiscal no processo de gestão de uma empresa.

governanta [Do fr. *gouvernante*, subst. do f. de *gouvernant*, part. pres. de *gouverner* (v. *governar*).] *S. f.* **1.** Mulher encarregada de administrar casa de outrem. **2.** Mulher que se emprega em casa de família para educar crianças.

governante [De *governar* + *-nte*.] *Adj. 2 g. S. 2 g.* Que, ou quem governa.

governar [Do lat. *gubernare*, 'dirigir um navio', 'conduzir', 'guiar'; 'administrar', < gr. *kybernân*, 'conduzir'.] *V. t. d.* **1.** Regular o andamento de; conduzir: *O cocheiro não conseguia governar os cavalos.* **2.** Exercer o governo de; imperar em; dirigir, administrar: *governar um país.* **3.** Ter poder ou autoridade sobre; reger: *É grande a responsabilidade dos que governam os destinos do homem.* **4.** Reger, dirigir, administrar: *Gostava de governar a casa*; "O avô havia governado bem a vida" (Nélida Piñon, *O Calor das Coisas*, p. 25). **5.** Dirigir (uma embarcação) com o leme: "sabia governar um escaler ou uma canoa" (Aluísio Azevedo, *Pegadas*, p. 84). **6.** Ter grande influência em; dirigir as ações de; dominar: *Mulheres há que governam os maridos.* *T. c.* **7.** Encaminhar-se, dirigir-se: *A embarcação governou ao porto.* *Int.* **8.** Ter mando ou poder de administrar e dispor; exercer autoridade: "Quando os homens que governam não sabem nem podem fazer-se estimar, recorrem à tirania para se fazer temidos." (Marquês de Maricá, *Máximas, Pensamentos e Reflexões*, p. 42.) **9.** Saber o que faz; regular. **10.** Obedecer à ação do leme: "Aguentava [o navio] todo o tempo, todo o pano, todo o mar. Governava quase com a exatidão de um pêndulo." (Virgílio Várzea, *Nas Ondas*, p. 8.) **11.** *Bras. S.* Obedecer (o cavalo) à ação das rédeas. *P.* **12.** Cuidar dos seus interesses; arranjar-se bem; dirigir-se. **13.** Regular-se, guiar-se, dirigir-se: "Sem se poder governar, achou-se de repente voltado para o rio" (Franklin Távora, *O Cabeleira*, p. 111). [Pres. ind.: *governo*, etc. Cf. *governo* (ê), s. m.]

governativo [De *governar* + *-tivo*.] *Adj.* Do, ou relativo ao governo.

governatriz [Do lat. *gubernatrice*.] *Adj.* (*f.*) *S. f.* Diz-se de, ou aquela que governa.

governável [Do lat. *gubernabile*.] *Adj. 2 g.* **1.** Que pode ser governado ou dirigido. **2.** Dócil, obediente.

governicho [Dim. deprec. de *governo* (v. *governo* e *-icho*).] *S. m. Bras.* **1.** Mau governo. **2.** Exercício de um pequeno emprego. [Sin. ger.: *governículo*.]

governículo [De *governo* + *-i-* + *-culo*.] *S. m. Bras.* Governicho.

governismo [De *governo* + *-ismo*.] *S. m.* **1.** Sistema de governar ou mandar. **2.** Exercício ditatorial do poder.

governista [De *governo* + *-ista*.] *Adj. 2 g. S. 2 g.* Partidário do governo.

governo (ê) [Dev. de *governar*.] *S. m.* **1.** Ato ou efeito de governar(-se); governação. **2.** Administração, gestão, direção: *o governo de uma casa.* **3.** Domínio, controle: *Falta-lhe o governo de seus sentimentos.* **4.** A administração superior; o ministério; o poder executivo: *É membro do governo do país.* **5.** Sistema político pelo qual se rege um Estado; regime: *governo republicano.* **6.** Modo por que está administrado um Estado: *governo liberal.* **7.** Território da jurisdição de um governador. **8.** Espaço de tempo durante o qual alguém governa ou governou: *Durante o seu governo, o país prosperou muito.* **9.** *Pop.* Leme (1): *Tomou o governo do barco.* **10.** Freio, direção: *O carro está sem governo.* **11.** Informação; orientação: *Digo isto para seu governo.* [Pl.: *governos* (ê). Cf. *governo*, do v. *governar*.] ◆ **Governo colegiado.** Aquele em que o poder executivo compete a um gabinete ministerial, que exerce coletivamente a chefia do Estado. [Esta forma de governo só existe, hoje, na Suíça.]

gozação [De *gozar* + *-ção*.] *S. f. Bras.* Ato ou efeito de gozar (4 e 5). [Sin., em MG: *gozeira*.]

gozada [De *gozar* + *-ada*[1].] *S. f. Bras.* Ação isolada de gozar (4 e 9), de fazer uma gozação: *Quis bancar o importante, e demos uma gozada nele.*

gozado [Part. de *gozar*.] *Adj.* **1.** Que alguém gozou; desfrutado, fruído: "antegostando as delícias dum paraíso na terra, que imaginava semelhante ao de Maomé, o árabe, com as huris muito gozadas e eternamente virgens!" (Inglês de Sousa, *O Missionário*, p. 60). **2.** *Bras. Gír.* Engraçado, cômico, divertido: "O papai .... não dissera que o homem tinha aquele jeito gozado. A cabeça lustrosa, sem cabelo nenhum...., a cabeça .... parecia sapato novo." (Telmo Vergara, *Contos da Vida Breve*, pp. 175-176.) **3.** *Bras.* Esquisito, estranho, curioso, excêntrico: "Padre gozado! Meses e meses sumido, só voltava à Vila dos Confins com as chuvaradas." (Mário Palmério, *Vila dos Confins*, p. 20.)

gozador (ô) [De *gozar* + *-dor*.] *Adj. S. m. Bras.* **1.** Que, ou aquele que goza a vida, que vive confortavelmente, e sem se esforçar. **2.** Que, ou aquele que faz ou é dado a fazer gozação. [Sin. (lus.), nesta acepç.: *gozão*.]

gozão [De *goz(ar)* + *-ão*[1].] *Adj. S. m. Lus.* Gozador (2).

gozar [Do esp. *gozar*.] *V. t. d.* **1.** Usar ou possuir (coisa útil ou aprazível). **2.** Aproveitar-se das vantagens de; aproveitar, fruir, desfrutar, desfruir: "para lá do Hudson, no lar dum amigo fiel, onde eu gostaria de ficar hoje a gozar em silêncio a paz do dia santo" (José Rodrigues Miguéis, *Gente da Terceira Classe*, p. 51). **3.** Sentir prazer íntimo, deliciar-se, com: "para o atendimento de pedidos que até lhe agradavam, ela levava dias, gozando a ansiedade de quem dela se acercava" (Nélson de Faria, *Tiziu e Outras Estórias*, p. 103). **4.** *Bras.* Deliciar-se com, achar graça em, rir de (ato de alguém, ou fato acontecido a alguém). *T. i.* **5.** Desfrutar, fruir; ter: "Nabuco e algum outro dos principais da casa [o Senado, o antigo] gozavam do privilégio de atrair grande auditório" (Machado de Assis, *Páginas Recolhidas*, p. 167). **6.** Sentir prazer ou satisfação: "Terá ela caído na miséria? | – Qual! Tem perto dos seus cinquenta contos e quer gozar da vida tranquilamente." (José de Alencar, *Lucíola*, p. 161.) *Int.* **7.** Experimentar prazer: "Vive! goza! respira este ar cheiroso e ambiente!" (Alberto de Oliveira, *Poesias*, 3.ª série, p. 11); "Gozou mais em meia hora de sono do que todos os potentados da terra durante a vida inteira." (Mário Brandão, *Almas do Outro Mundo*, p. 34). **8.** Viver agradavelmente; divertir-se. **9.** Deliciar-se com; achar graça em, rir de ato de alguém, ou fato acontecido a alguém. **10.** *Bras.* Atingir o orgasmo. *P.* **11.** Tirar proveito ou satisfação; aproveitar-se, desfrutar. [Pres. ind.: *gozo*, etc. Cf. *gozo* (ô).]

gozeira [De *gozar* + *-eira*.] *S. f. Bras. MG* Gozação.

gozo[1] (ô) [Do esp. *gozo*.] *S. m.* **1.** Ato de gozar; gosto, prazer, satisfação. **2.** Posse ou uso de alguma coisa de que advêm satisfação, vantagens, interesses: *Entrou no gozo de sua fortuna*; *Está em pleno gozo das faculdades mentais.* **3.** *Bras.* Motivo de hilaridade; graça: *Sua chegada foi um gozo: todos caíram na gargalhada.* **4.** *Bras.* Deleite sexual; prazer. **5.** *Bras.* Orgasmo: "Pecado é a tua boca, o teu sexo, o teu peito, os teus pelos, a testa franzida quando vais gritar de gozo." (Nélida Piñon, *O Calor das Coisas*, p. 127.) [Pl. *gozos* (ô). Cf. *gozo*, do v. *gozar*.]

gozo[2] (ô) [De or. controversa; poss. da onom. *gus(k)-*, com que se chamam ou incitam cães.] *S. m.* **1.** Cão pequeno e vulgar. **2.** *Bras. GO* Caçador bisonho, inexperiente. [Pl.: *gozos* (ô). Cf. *gozo*, do v. *gozar*.]

gozoso (ô) [De *gozo*[1] (ô) + *-oso*.] *Adj.* **1.** Em que há, ou que revela ou constitui gozo[1] (1): "Ao bem-estar gozoso, indefinível, que gera a boa digestão de um repasto suculento, juntavam-se alegrias de mente" (Júlio Ribeiro, *A Carne*, p. 182). **2.** Que tem gozo ou prazer. ~ V. *mistérios —s*.

■**GPS** [Sigla do ingl. *global positioning system*.] **1.** V. *sistema de posicionamento global*. **2.** *P. ext.* Aparelho receptor das transmissões do sistema de posicionamento global, us. para localizar-se na superfície da Terra.

grã[1] [Do lat. *grana*, nom. pl. de *granum, i*, 'grão', 'semente'.] *S. f.* **1.** Lã tinta de escarlate: "Os trajos eram dos mais preciosos estofos, e sobre as camisas brancas de algodão finíssimo vestiam-se túnicas de chamalote ou grã" (Oliveira Martins, *História de Portugal*, I, p. 255). **2.** A cor escarlate.

grã[2] *S. f. Pop.* O aspecto macroscópico do tecido das madeiras e do couro curtido.

grã[3] [F. apocopada de *grande*.] *Adj. 2 g.* V. *grão*[2]: "Por isso procura trazer dos planetas / a Vós, seu grã Neto, destinos propícios" (Antônio Feliciano de Castilho, *Camões*, I, p. 105).

▲ **grã-** [De *grã*[3].] *El. comp.* = 'grande': *grã-duque, grã-cruz.* [Equiv.: *grão-*: *grão-ducado, grão-cruz.*]

graal [Do fr. *graal* (séc. XII) < lat. med. *gradale*, de or. incerta; poss. conexo com o lat. *gradus* (v. *grau*).] *S. m. Ant.* Vaso santo que, segundo tradição corrente nos romances de cavalaria, teria servido a Cristo na última ceia, e no qual José de Arimateia haveria recolhido o sangue que de Cristo jorrou quando o centurião lhe deu a lançada. [F. paral., menos us.: *gral.*]

grabatário [De *grabato* + *-ário*.] *S. m. Bras. Med.* Doente cronicamente acamado.

grabato [Do lat. *grabatu* < gr. *krábatos*, 'leito de repouso'.] *S. m.* Leito pequeno e pobre; catre: "E o mendigo da aldeia, o velho cego, / Sobre o duro grabato, em choça humilde, / Achou a paz." (Alexandre Herculano, *Poesias*, p. 116.)

graça [Do lat. *gratia*.] *S. f.* **1.** Favor dispensado ou recebido; mercê, benefício, dádiva. **2.** Benevolência, estima, boa vontade. **3.** *Jur.* Ato de clemência do poder público (no Brasil, o executivo), que favorece individualmente um condenado em definitivo por crime comum ou por contravenção, extinguindo-lhe, reduzindo-lhe ou comutando-lhe a pena; mercê. [Cf. *anistia* (2), *clemência* (1) e *indulto* (4).] **4.** Beleza, elegância ou atrativo de forma, de aspecto, de composição, de expressão, de gestos ou de movimentos. **5.** Elegância de estilo. **6.** Dito ou ato espirituoso ou engraçado. [Sin., nesta acepç.: *caçoada, chiste, gracejo, graceta, pilhéria, troça* e (no Brasil) *gozação, chiata.*] **7.** O nome de batismo: "Como vai um pouco atrás, ... Belarmina (tal é a graça da criada de menina Olímpia) surpreende certos risos boçais" (José Régio, *Histórias de Mulheres*, pp. 58-59). **8.** Privança, intimidade. **9.** *Teol.* Dom ou virtude especial concedido por Deus como meio de salvação ou santificação. **10.** *Teol.* Favor ou mercê concedida por Deus a uma pessoa. ~ V. *graças.* **11.** *Cabo-verd.* Vontade, desejo: "Tenho mesmo graça de embarcar para qualquer cabo do mundo!" (João Lopes Filho, *Estória, Estória... Contos Cabo-Verdianos*, p. 102.) [Cf. *grassa*, do v. *grassar*.] ◆ **Graça atual.** *Rel.* O conjunto das inspirações e moções divinas transitórias. **Graça habitual.** *Rel.* Estado de benevolência e paz com Deus. **Graças a.** Por causa de; devido a: "a varíola — enfermidade hoje erradicada, graças a uma campanha mundial de vacinação — era particularmente letal" (Moacir Scliar, *Saturno nos Trópicos*, p. 195). **Cair em graça. 1.** Ser acolhido com benevolência. **2.** Merecer a simpatia: "Antes cair em graça do que ser engraçado" (prov.). **Cair nas graças de. 1.** Gozar da simpatia ou da benevolência de (alguém); cair no gosto de: "Foi ali que ele mudou de opinião a respeito dela, e se deixou cair nas graças de uma dama, que diziam ter matado o marido com desgostos." (Machado de Assis, *Contos sem Data*, p. 76.) **2.** Ter valimento junto de (alguém). [Sin. ger.: *estar em graça para com, estar na graça de.*] **De graça. 1.** Gratuitamente. **2.** Muito barato. **3.** Sem apostas de dinheiro; a leite de pato: *Jogamos ontem à noite toda de graça.* **4.** Sem razão, sem motivo: *Orgulhoso, não foi de graça que resolveu pedir desculpas ao colega.* **Estar em graça para com.** V. *cair nas graças de.* **Estar na graça de.** V. *cair nas graças de.* **Ficar sem graça.** V. *perder a graça.* **Não ser de graças.** Ser sério, grave, austero, sisudo. **Perder a graça.** Atrapalhar-se, perturbar-se, desconcertar-se; ficar sem graça. [Sin., bras., pop.: *perder o rebolado, perder a prosa.*] **Uma graça.** V. *um amor* (1).

graça-aranhense *Adj. 2 g.* **1.** De, ou pertencente ou relativo a Graça Aranha (MA). ● *S. 2 g.* **2.** O natural ou habitante de Graça Aranha. [Pl.: *graça-aranhenses.*]

graças [Do pl. de *graça*.] *S. f. pl.* **1.** Agradecimento. **2.** Benefícios espirituais concedidos pela Igreja. **3.** *Mit.* Designação de três deusas que personificam o dom de agradar: *as três graças.* [Com cap., nesta acepç.] ● *Interj.* **4.** Bem haja: *Graças! até que enfim chegou!* **5.** V. *obrigado* (2): *Graças! não quero nada disto!* ~ V. *graça.*

gracejador (ô) [De *gracejar* + *-dor*.] *Adj. S. m.* Que, ou aquele que graceja.

gracejar [De *graça* + *-ejar*.] *V. int.* **1.** Dizer gracejos; ter ditos espirituosos: "Gracejar, gracejo, e o patrão faz-me o favor de rir; mas não se puxa o nariz a um homem..." (Machado de Assis, *A Semana*, II, p. 257.) *T. d.* **2.** Exprimir por gracejo: *Gracejou uma zombaria.* *T. i.* **3.** Dizer gracejos; ter ditos espirituosos: *Gracejava com o amigo.* [Conjug.: v. *pelejar*.]

gracejo (ê) [Dev. de *gracejar*.] *S. m.* V. *graça* (6).

gracense[1] *Adj. 2 g.* **1.** De, ou pertencente ou relativo a Graça (CE). ● *S. 2 g.* **2.** O natural ou habitante de Graça.

gracense[2] *Adj. 2 g.* **1.** De, ou pertencente ou relativo a Nossa Senhora das Graças (PR). ● *S. 2 g.* **2.** O natural ou habitante de Nossa Senhora das Graças.

graceta (ê) [De *graça* + *-eta* (ê).] *S. f.* V. *graça* (6).

gracho-cardosense *Adj. 2 g.* **1.** De, ou pertencente ou relativo a Gracho Cardoso (SE). ● *S. 2 g.* **2.** O natural ou habitante de Gracho Cardoso. [Pl.: *gracho-cardosenses.*]

graciana *S. f. Bras. SP* Variedade de fandango.

grácil [Do lat. *gracile*.] *Adj. 2 g.* **1.** Delgado, delicado, fino: *cintura grácil.* **2.** Airoso, donairoso, elegante, gracioso: "Maria, rapariga de dezoito anos: linda, grácil e acrisolada encarnação duma raça aristocrática e dominadora." (Antônio Correia d'Oliveira, *Líricas*, p. 132); "Cada arremesso de tigre causa uma debandada furiosa d'ancas, e chifres, e clinas, onde, mais certo e mais leve, se arqueia o pulo grácil dos antílopes." (Eça de Queirós, *Contos*, p. 167). **3.** Agudo, sutil. [Pl.: *gráceis*. Superl. abs. sint.: *gracílimo, gracilíssimo.*]

gracilariídeo [Do tax. *Gracilaria* (do lat. *gracilis*, 'delgado') + *-ídeo*[1]; tax. *Gracilariidae*.] *Zool. S. m.* **1.** Espécime dos gracilariídeos, família de insetos lepidópteros, cosmopolitas, que reúne pequenas mariposas com asas estreitas e coloridas. ● *Adj.* **2.** Pertencente ou relativo a eles.

▲ **gracil(i)-** [Do lat. *gracilis, e*.] *El. comp.* = 'delgado', 'tênue': *gracilifoliado, gracilirrostro, gracilissuco.*

gracilidade [Do lat. *gracilitate*.] *S. f.* Qualidade de grácil: "colchas puídas da sobreposição dos anos, mas ainda firmes na gracilidade do seu ornato de aves e flores" (João de Araújo Correia, *A Cinza do Lar*, p. 161).

gracilifoliado (àc) [De *gracil(i)-* + *-foli-* + *-ado*[1].] *Adj. Bot.* Que tem folhas delgadas.

gracílimo [Do lat. *gracillimu*.] *Adj.* Superl. abs. sint. de *grácil*; gracilíssimo.

gracilípede [Do lat. *gracilipede*.] *Adj. 2 g. Zool.* Que tem pés delgados.

gracilirrostro [De *gracil(i)-* + *-rostro*.] *Adj. Zool.* Que tem bico delgado.

gracilíssimo *Adj.* Gracílimo.

gracilissuco [De *gracil(i)-* + *-suco*.] *S. m. Paleont.* **1.** Gênero de arcossauros crocodilianos, tecodontes, de pequeno porte, com 0,60m de comprimento e 1kg de peso; carnívoros e insetívoros, habitaram os charcos e pântanos da Argentina no triássico superior. **2.** Espécime, ou espécie desse gênero.

graciosidade [Do lat. *gratiositate*.] *S. f.* Qualidade de gracioso.

gracioso (ô) [Do lat. *gratiosu*.] *Adj.* **1.** Que tem, ou em que há graça: *menina graciosa; gestos graciosos.* **2.** Gracejador. **3.** Dado ou feito de graça; que envolve generosidade, liberalidade; gratuito: *atestado gracioso.* ~ V. *jurisdição —a.* ● *S. m.* **4.** Chocarreiro, motejador. **5.** *Teatr.* V. *bufo*[3] (1): "Grande número destas peças não têm senão um papel burlesco, o do criado ou gracioso, que serve principalmente para parodiar os motivos sublimes das ações de seus amos" (Alexandre Herculano, *Opúsculos*, IX, p. 135). **6.** *Teatr.* Personagem cômica típica do teatro do Século de Ouro espanhol.

gracitar [Do lat. *gracitare*.] *V. int.* Soltar a voz (o pato); grasnar.

graçola [De *graça* + *-ola*[1].] *S. f.* **1.** V. *chalaça* (2). [Sin., p. us.: *graçota*.] ● *S. 2 g.* **2.** Pessoa que diz graçolas, que graçola.

graçolar [De *graçola* + *-ar*[2].] *V. int.* Dizer graçolas.

graçota [De *graça* + *-ota*[1].] *S. f. P. us.* V. *graçola* (1).

grã-cruz [De *grã-* + *cruz*.] *S. f.* **1.** O grau mais alto, em certas ordens honoríficas. **2.** Insígnia desse grau, a qual consiste numa cruz suspensa de uma fita larga, a tiracolo: "Pela porta nobre desta sala desguarnecida entram dous senhores, ... com grã-cruzes que me pareceram ser da Ordem da Conceição." (Eça de Queirós, *Ecos de Paris*, p. 158.) ● *S. 2 g.* **3.** Dignitário condecorado com a grã-cruz: "Era grã-cruz da ordem da Torre-Espada, vice-almirante, ministro e secretário de Estado honorário" (Camilo Castelo Branco, *Noites de Insônia*, I, pp. 72-73). [F. paral.: *grão-cruz*. Pl.: *grã-cruzes.*]

■ **grad** *Mat.* Abrev. de *gradiente* (3).

gradação [Do lat. *gradatione*.] *S. f.* **1.** Aumento ou diminuição gradual. **2.** Passagem ou transição gradual: "Acabava o crepúsculo e o céu escurecia devagarinho, passando do rosa pálido e do amarelo transparente, ao lilás, ao cinza, ao roxo, ao azul-escuro, numa gradação suave" (Malu de Ouro Preto, *Siri na Noite sem Lua*, p. 43). **3.** *E. Ling.* Clímax (4 e 5).

gradador (ô) [De *gradar*[1] + *-dor*.] *S. m.* **1.** Aquele que grada a terra. **2.** Grade (4).

gradadura [De *gradar*[1] + *-dura*] *S. f.* Gradagem.

gradagem [De *gradar*[1] + *-agem*[2].] *S. f.* Operação de gradar (a terra); gradadura.

gradaó *Bras. S. 2 g.* **1.** *Etnôn.* Indivíduo dos gradaós, subgrupo indígena pertencente aos caiapós do norte. ● *Adj. 2 g.* **2.** Pertencente ou relativo a esse subgrupo. [Tb. us. como *s. 2 g. e 2 n.* (com cap.) e *adj. 2 g. e 2 n.*] [Var.: *gradaú.*]

gradar[1] [De *grade* + *-ar*[2].] *V. t. d.* Esterroar ou aplanar (a terra lavrada) com grade (4); gradear, agradar.

gradar[2] [De *grado*[3] + *-ar*[2].] *V. int.* Tornar-se grado[3] (1); crescer, gradecer.

gradaria [De *grade* + *-aria*.] *S. f.* V. *grade* (1): "Por trás daquelas gradarias severas, daquelas muralhas ameaçadoras, está uma cidadinha toda feminina, sempre em paz e em festa" (Antônio Feliciano de Castilho, *Amor e Melancolia*, p. 265).

gradativo [Do lat. *gradatus*, 'disposto em degraus', + *-ivo*.] *Adj.* **1.** Disposto em graus. **2.** V. *gradual* (2): "No correr dos tempos, na marcha gradativa do seu espírito, nas horas de desalento, ... a pungente saudade o torturava ainda" (Inglês de Sousa, *O Missionário*, p. 206).

gradaú *S. 2 g. Adj. 2 g. Bras.* V. *gradaó.*

➔ **grade** [gɹejd] [Ingl.] *S. m. Eng. Civ.* V. *gradiente* (4).

grade [Do lat. *crate*.] *S. f.* **1.** Armação de peças encruzadas com intervalos, destinada a resguardar ou vedar um lugar; gradaria, engradamento. **2.** Locutório de convento ou de cadeia. **3.** Caixilho onde o pintor assenta a tela que vai pintar. **4.** Instrumento de madeira ou de metal, de formas diferentes, para esterroar e aplanar a terra lavrada; gradador. **5.** Molde para telha ou tijolo. **6.** Instrumento com que se cauterizam feridas de animais. **7.** Espécie de pente de limpar cavalgaduras. **8.** Conjunto de linhas horizontais e verticais, dispostas a intervalos regulares, e que fornecem coordenadas para localizar pontos em uma imagem. **9.** *Educ.* V. *grade curricular.* **10.** *Eletrôn.* Numa válvula eletrônica, eletrodo com uma ou várias aberturas, e que controla, em geral, a intensidade de um feixe de elétrons. **11.** *Rád. Telev.* Esquema da programação periódica de emissora de rádio ou televisão. **12.** *Bras. CE* Engradado (3): *uma grade de cerveja.* ~ V. *grades.* ◆ **Grade curricular.** *Educ.* Composição de disciplinas de um curso. [Tb. se diz apenas *grade.*]

gradeado [De *grade* + *-eado*.] *Adj.* **1.** Que tem grade. **2.** Balaustrado. ● *S. m.* **3.** V. *gradeamento* (2).

gradeamento [De *gradear* + *-mento*.] *S. m.* **1.** Ato ou efeito de gradear. **2.** Grade para vedar jardins, parques, pátios, janelas, etc.; gradil, gradeado.

gradear [De *grade* + *-ear*[2].] *V. t. d.* **1.** Prover de grades; pôr grades em; limitar com grades. **2.** V. *gradar*[1]. **3.** Cauterizar com grade (6). [Conjug.: v. *frear*.]

gradecer [De *grado*[3] + *-ecer*.] *V. int.* **1.** V. *gradar*[2]. **2.** *Fig.* Pôr-se de grado[3] (2). [Conjug.: v. *aquecer*.]

gradeira [De *grade* + *-eira*.] *S. f.* Freira que acompanha outra(s) ao locutório.

grades [Pl. de *grade*.] *S. f. pl. Bras. Pop.* V. *cadeia* (3). ~ V. *grade.*

gradeza (ê) [De *grado*[3] + *-eza*.] *S. f.* Qualidade do que é grado[3].

gradiente [Do lat. *gradiente*.] *S. m.* **1.** Medida da declividade dum terreno. **2.** Medida da variação de determinada característica de um meio (tais como a pressão atmosférica, a temperatura, etc.) de um ponto para outro desse meio. **3.** *Mat.* Vetor resultante do produto do operador nabla por uma função escalar de ponto. [Abrev.: *grad.*] **4.** *Eng. Civ.* Linha que representa a diretriz de uma estrada, composta de uma sequência de retas com declividades [v. *declividade* (3)] permitidas, que o projetista traça sobre o perfil longitudinal do terreno. [Também se usa, nesta acepç., o ingl. *grade.*] **5.** *Med.* Coeficiente de modificação de temperatura, pressão, etc. **6.** *Met.* Expressão numérica da diferença de pressão entre dois locais, expressa em milímetros, ou a distância entre esses dois lugares, expressa em graus de latitude. ◆ **Gradiente termométrico vertical.** *Met.* Decréscimo da temperatura em consequência das diferenças de altitude (contado de 100 em 100m).

gradil [De *grade* + *-il*[1].] *S. m. Bras.* Gradeamento (2) pouco alto: "Sei que era o céu azul, e a mesma cor / Sorria num gradil de trepadeiras" (Alberto de Oliveira, *Poesias*, 2.ª série, p. 271).

gradim [Do fr. (*s. f.*) *gradine* (< it. *gradina*), poss. com infl. do fr. (*s. m.*) *gradin*, 'pequeno degrau'.] *S. m.* Instrumento com que os escultores desbastam as asperezas que o ponteiro deixou no mármore.

gradinada [De *gradinar* + *-ada*[1].] *S. f.* Retoque feito com gradim.

gradinar [De *gradim* (q. v.) + *-ar*[2], seg. o padrão erudito.] *V. t. d.* **1.** Retocar ou desbastar com gradim. *Int.* **2.** Trabalhar com gradim.

grado[1] [Do lat. *gratu*.] *S. m.* Vontade (1). Us. nas loc. *de bom grado* e *de mau grado*. ◆ **De bom grado.** De boa vontade: 📖 "O amigo aceitou de bom grado o reinício da conversa, já prelibando numa gargalhada o que o outro ia dizer." (Fernando Sabino, *O Homem Nu*, p. 114.) **De mau grado.** De má vontade.

grado[2] [Do lat. *gradu*.] *S. m.* **1.** *Geom.* Unidade de medida de ângulo, igual ao ângulo central de uma circunferência de círculo que subtende um arco de 1/400 de toda a circunferência. [Cf. *grau* (21).] **2.** *P. us.* Passo, andadura.

grado[3] [Do lat. *granatu*, 'abundante em grãos'.] *Adj.* **1.** Bem desenvolvido; graúdo. **2.** *Fig.* Importante, notável: 📖 "Entre o almoço e o jantar, pessoas gradas, oficiais e letrados conversam na livraria coisas da terra" (José Vieira, *Sol de Portugal*, p. 86).

▲**-grado**[1] [Do lat. *-grădus, a, um*, 'que anda', < v. lat. *gradi*, 'caminhar', 'andar'.] *El. comp.* = 'que anda', 'que se locomove', 'que caminha'; 'que se movimenta'; *celerígrado, citígrado, destrógrado, digitígrado, gravígrado, lentígrado, plantígrado*[1], *retígrado, retrógrado* (< lat.), *saltígrado, sinistrógrado, tardígrado*[1] (< lat.).

▲**-grado**[2] [Do lat. *grădus, us*, 'o andar', 'passo'; 'degrau'; 'grau', < v. lat. *gradi*, 'caminhar'.] *El. comp.* = 'grau': *centígrado, heterógrado, homógrado*.

graduação [Do lat. *graduatione*.] *S. f.* **1.** Ato ou efeito de graduar(-se). **2.** Divisão de círculo, escala, etc., em graus, minutos e segundos. **3.** Valor de um arco em graus, etc. **4.** *Bras.* Grau hierárquico da praça (5). [Cf., nesta acepç., *posto*[1] (4).] **5.** Posição, hierarquia social; categoria. **6.** *Ant.* Posto militar honorífico ou sem vencimentos. [Sin., nessas acepçs.: *graduamento*.] **7.** *Educ.* Grau do ensino superior destinado aos alunos que tenham concluído o segundo grau e obtido classificação no vestibular: 📄 *curso de graduação.*

graduado [Part. de *graduar*.] *Adj.* **1.** Dividido em graus. **2.** Que se graduou e diplomou em alguma universidade. **3.** Que tem as honras de um posto ou grau, mas sem os proventos dele. **4.** Elevado, conceituado, eminente, grado: 📄 *Era dos mais graduados membros daquela sociedade.* ● *S. m.* **5.** Designação genérica de militar do nível de sargento ou suboficial.

graduador (ô) [De *graduar* + *-dor*.] *Adj.* **1.** Que gradua. ● *S. m.* **2.** Aquele que gradua. **3.** *Tip.* Peça corrediça com que se fixa a medida no acomodador (3).

gradual [Do lat. med. *graduale*, alter. do lat. tard. *gradalis* < lat. *gradus*, 'passo', 'degrau'.] *Adj. 2 g.* **1.** Que se faz por graus. **2.** Que não se dá de modo rápido nem súbito; que avança passo a passo; gradativo: 📄 *elevação gradual.* **3.** Que não é rápido nem súbito; que avança passo a passo: 📄 *sua ascensão política foi lenta, gradual; levou anos.* ● *S. m.* **4.** *Rel.* Salmo que, anteriormente ao Concílio do Vaticano II, era cantado ou recitado na missa após a primeira leitura. [O salmista cantava-o um degrau abaixo do de onde aquela era proclamada.] **5.** *Rel.* Livro que contém o cantochão das rezas eclesiásticas.

gradualismo [De *gradual* + *-ismo*.] *S. m. Econ.* Forma de atuação governamental, esp. na área de política econômica, que se caracteriza por ações graduais, de efeito cumulativo: 📄 *Na terapia anti-inflacionária, o gradualismo opõe-se ao tratamento de choque.*

gradualista [De *gradualismo* + *-ista*.] *S. 2 g. Econ.* Referente ao gradualismo, ou adepto dele.

graduamento [De *graduar* + *-mento*.] *S. m.* V. *graduação* (1 a 6).

graduando [De *graduar* + *-ando*.] *S. m. Bras.* Aluno que se acha prestes a receber o grau de bacharel ou de licenciado; bacharelando, licenciando.

graduar [Do fr. *graduer* < lat. med. *graduare*.] *V. t. d.* **1.** Dispor por graus; marcar os graus divisórios de: 📄 *graduar um barômetro, um termômetro, uma régua.* **2.** Ordenar em categorias; classificar. **3.** Dirigir de modo gradual: 📄 *graduar a aplicação de um medicamento.* **4.** Apreciar o grau de; aquilatar: 📄 *Graduou os sentimentos do outro pelos gestos.* **5.** Conferir grau universitário a. **6.** Regular, proporcionar. *T. d. e i.* **7.** Conferir grau universitário: 📄 *A velha Faculdade do Recife o graduou em direito.* *Transobj.* **8.** Conferir as honras de posto militar, ou de grau acadêmico: 📄 *Graduaram-no capitão; A universidade graduou-o doutor em Letras. P.* **9.** Tomar grau universitário.

graduável [De *graduar* + *-vel*.] *Adj. 2 g.* Que se pode graduar.

grã-ducado [De *grã-duque* + *-ado*[2].] *S. m.* Grão-ducado. [Pl.: *grã-ducados*.]

grã-ducal [De *grã-duque* + *-al*[1].] *Adj. 2 g.* Grão-ducal. [Pl.: *grã-ducais*.]

grã-duque [De *grã-* + *duque*.] *S. m.* Grão-duque (q. v.). [Pl.: *grã-duques*.]

grã-duquesa (ê) [De *grã-* + *duquesa*.] *S. f.* Fem. de *grã-duque*. [Pl.: *grã-duquesas*.]

graeiro [De *grão*[1] + *-eiro*, com desnasalação.] *S. m.* Grão de chumbo ou de cereais.

grafar [De *graf(o)-* + *-ar*[2].] *V. t. d.* Dar forma escrita a; ortografar.

grafe *S. m. Graf.* O menor segmento discreto numa sequência escrita. Ex.: *t, T* e *t* são grafes em sequências escritas em português. [Cf. *grafema*.]

grafema [Do ingl. *grapheme* (v. *graf(o)-* e *-ema*).] *S. m. Graf.* A menor unidade contrastiva num sistema de escrita. Ex.: *l, a, ?* e ^ são grafemas na escrita do português atual. [V. *determinativo* e *fonético*. Cf. *grafe*.]

grafemático [De *grafema* + *-ático*.] *Adj. Graf.* Referente a grafema.

grafémico *Adj.* V. *grafêmico*. [Uso freq. em P.]

grafêmico [De *grafema* + *-ico*[2].] *Adj.* Relativo a, ou que encerra grafema.

grafeno [Do ingl. *graphene*.] *S. m. Quím.* Folha de grafita, com a espessura de um átomo, com uso proposto em dispositivos nanotecnológicos.

grafética [De *graf(o)-* + *(fon)ética*.] *S. f. Graf.* O estudo das propriedades físicas dos símbolos que constituem os sistemas de escrita. [Cf. *grafologia* (1).]

grafia [De *graf(o)-* + *-ia*[1]; fr. *graphie*.] *S. f.* **1.** Ortografia (3). **2.** *E. Ling.* Sistema de escrita para a representação de uma língua; escrita.

▲**-grafia** [Do gr. *-graphía* < v. gr. *gráphein*, 'escrever'.] *El. comp.* = 'ação de escrever'; 'maneira de escrever ou de representar'; 'escrita'; 'descrição, tratado ou estudo'; 'reprodução gráfica', 'registro': *caligrafia* (< gr.), *criptografia; ideografia; biografia; iconografia* (< lat. < gr.); *tipografia; cinematografia* (< fr.). [V. *graf(o)-* e *-ia*[1].]

gráfica [F. subst. de *gráfico*.] *S. f.* **1.** Arte de grafar os vocábulos. **2.** Estabelecimento gráfico.

gráfico [Do gr. *graphikós*, pelo lat. *graphicu*.] *Adj.* **1.** Respeitante à grafia. **2.** Representado por desenho ou figuras geométricas. **3.** Relativo às artes gráficas. **4.** *Geol.* Diz-se da variedade de pegmatito em que os cristais de feldspato e quartzo se dispõem à maneira de caracteres cuneiformes. ~ V. *análise —a; artes —as, computação —a, interface —a, parque —, produção —a, produtor —, projeto —, substância —a* e *traçador —*. ● *S. m.* **5.** Representação gráfica de fenômenos físicos, econômicos, sociais, ou outros. **6.** Indivíduo que trabalha na indústria gráfica. **7.** *Mat.* Representação de uma função mediante uma curva ou uma superfície, num sistema de coordenadas. **8.** *Mat.* Conjunto finito de pontos e de segmentos de linhas que unem pontos distintos. ◆ **Gráfico de barras.** *Estat.* Diagrama de barras. **Gráfico de Gannt.** *Adm.* Diagrama utilizado para representar as diversas atividades que compõem um projeto, indicando a sequência em que devem ser executadas, as eventuais folgas existentes para sua execução e outras informações importantes para o gerente de projetos.

gráfico-editorial *Adj. 2 g.* Respeitante à parte gráfica e à editorial. [Pl.: *gráfico-editoriais*.]

gráfico-visual *Adj. 2 g.* Respeitante à parte gráfica e à visual. [Pl.: *gráfico-visuais*.]

grafila [Do rad. do gr. *gráphein* (v. *graf(o)-*), como o esp. *grafila, gráfila*.] *S. f.* Em moeda ou medalha, orla a partir da qual se abre a inscrição. [Var.: *grafilha* (ant.), *garfilha*.]

grafilha *S. f. Ant.* V. *grafila*.

grã-fina *S. f. Bras.* Fem. de *grã-fino* (q. v.). [Pl.: *grã-finas*.]

grã-finagem [De *grã-fino* + *-agem*[2].] *S. f. Bras.* Grã-finismo (3): 📖 "Os caixotins de rolo de fumo barato da Bahia fariam na Europa as delícias da grã-finagem que se dependura de charutos." (Vitorino Nemésio, *O Segredo de Ouro Preto*, p. 135.) [Pl.: *grã-finagens*.]

grã-finismo [De *grã-fino* + *-ismo*.] *S. m. Bras.* **1.** Qualidade ou condição de grã-fino: 📄 *Era dona de um grã-finismo inato.* **2.** Ato ou hábito de grã-fino: 📖 "Ah, meu Deus, Copacabana!... Não é... Não é por grã-finismo, mas eu tenho loucura, mesmo, por Copacabana." (Telmo Vergara, *Contos da Vida Breve*, p. 104.) **3.** O grupo dos grã-finos; os grã-finos; grã-finagem: 📄 *O jantar reunia todo o grã-finismo local.* [Pl.: *grã-finismos*.]

grã-fino *S. m.* **1.** *Bras. Deprec.* Indivíduo rico, de hábitos requintados, ou elegante; bacana, bacano: 📖 "o frio, na nossa terra [o Ceará] — não sei por quê — é considerado um requinte, quase um prazer de grã-finos." (Raquel de Queirós, *100 Crônicas Escolhidas*, p. 45). **2.** *Bras. PE AL* Certo tipo de açúcar. ● *Adj.* **3.** Diz-se de indivíduo grã-fino. **4.** Relativo a, próprio de, ou frequentado por grã-fino: 📄 *hábitos grã-finos;* 📖 "artista famoso .... que nos idos de sua juventude marcou época como animador de cerimônias sociais ...., nos salões grã-finos do Rio de Janeiro." (Antônio Celso Alves Pereira, *Rua do Quenta-Sol*, p. 83). [F. red.: *granfa*. Flex.: *grã-fina, grã-finos, grã-finas*.]

gráfio [Do lat. *graphiu*.] *S. m.* Estilo (1).

grafismo [De *graf(o)-* + *-ismo*.] *S. m.* **1.** Modo de escrever as palavras de determinada língua. **2.** Modo de escrever peculiar a um indivíduo. **3.** Técnica de elaborar traçados sem qualquer significação, preparatórios para a escrita. **4.** Maneira de traçar uma linha, de desenhar.

grafista [De *graf(o)-* + *-ista*.] *Adj. 2 g.* **1.** ~ V. *análise —*. ● *S. 2 g.* **2.** *Bras. S. Gír.* Desenhista de plantas ou projetos, sem ser especialista no assunto.

grafita [Do al. *Graphit*, pelo fr. *graphite*.] *S. f. Quím.* Forma alotrópica do carbono, cristalina, com sistema hexagonal, negra, usada como mina de lápis e em diversos equipamentos e peças industriais. [Cf. *grafito*.]

grafitado[1] [Part. de *grafitar*.] *Adj.* Convertido em grafita.

grafitado[2] [De *grafite*[2] + *-ado*[1].] *Adj.* Coberto de grafite: 📄 *muro grafitado.*

grafitar[1] [De *grafita* + *-ar*[2].] *V. t. d.* Converter em grafita.

grafitar[2] [De *grafite*[2] + *-ar*[2].] *V. t. d. Bras.* Inscrever ou fazer grafite[2] em.

grafite[1] *S. f.* V. *grafita*.

grafite[2] [Do it. *graffiti*, pl. de *graffito*.] *S. m.* **1.** Lápis próprio para desenhar. **2.** Palavra, frase ou desenho, geralmente de caráter jocoso, informativo, contestatório ou obsceno, em muro ou parede de local público; grafito. [Cf., nesta acepç.: *pichação* (2).]

grafiteiro [De *grafite*[2] + *-eiro*.] *S. m.* Aquele que inscreve grafite.

grafítico [De *grafita* + *-ico*[2].] *Adj.* Relativo à, ou que contém grafita. ~ V. *corrosão —a*.

grafitização [De **grafitizar* (< *grafita* + *-izar*) + *-ção*.] *S. f. Quím.* Transformação, em grafita, de carbono presente num sistema.

grafito [Do it. *graffito*.] *S. m.* **1.** Inscrição ou desenho de épocas antigas, toscamente riscado à ponta ou a carvão, em rochas, paredes, vasos, etc. **2.** Grafite[2] (2). [Cf. *grafita*.]

grafo *S. m.* **1.** Diagrama composto de pontos, alguns dos quais são ligados entre si por linhas, e que é ger. us. para representar graficamente conjuntos de elementos inter-relacionados. [Os pontos, ditos *nós* [v. *nó* (12)], representam os elementos individuais, e as linhas, ditas *arestas* [v. *aresta* (6)], representam a relação entre pares de elementos.] **2.** *Mat.* Conjunto finito e não vazio de elementos, associado a um conjunto finito (vazio ou não) de pares não ordenados desses elementos. **3.** *Inform.* Estrutura de representação de dados sob a forma de grafo (1). ◆ **Grafo conexo.** Grafo (1) em que todo nó está ligado aos demais por uma sequência ininterrupta de arestas.

▲ **graf(o)-** [Do gr. *gráphein*.] *El. comp.* = 'descrever', 'escrever'; 'descrição'; 'escrita'; 'que registra': *grafema, grafologia*. [Equiv.: *-grafia* (q. v.), *-graf(o)-*, *-grafo: radiografia; taquígrafo*. V. *gramat(o)-*.]

▲**-graf(o)-** V. *graf(o)-*.

▲**-grafo** [Do gr. *-gráphos* ou do gr. *-graphē*, ambos do v. gr. *gráphein*, 'escrever'.] V. *graf(o)-*.

grafofobia [De *graf(o)-* + *-fobia*.] *S. f. Psiq.* Medo patológico de escrever.

grafofóbico [De *grafofobia* + *-ico*[2].] *Psiq. Adj.* **1.** Relativo a grafofobia. **2.** Que sofre de grafofobia; grafófobo. ● *S. m.* **3.** Aquele que sofre de grafofobia; grafófobo.

grafófobo [De *graf(o)-* + *-fobo*.] *Adj. S. m. Psiq.* Grafofóbico (2 e 3).

grafologia [Termo cunhado p. anal. com *fonologia*, a partir de *graf(o)-* e *-logia*.] *S. f.* **1.** O estudo dos sistemas de símbolos criados para a comunicação linguística em sua forma escrita. [Cf. *grafética* e *grafema*.] **2.** Análise da personalidade de um indivíduo por meio do estudo dos traços de sua escrita, como, p. ex., o tamanho das letras, o ângulo de inclinação, a regularidade, a rapidez e a espessura do traçado.

grafológico [De *grafologia* + *-ico*[2].] *Adj. Graf.* Referente à grafologia.

grafólogo [De *graf(o)-* + *-logo*.] *S. m.* Especialista em grafologia.

grafomania [De *graf(o)-* + *-mania*.] *S. f. Psiq.* Desejo obsessivo de escrever.

grafomaníaco [De *grafomania* + *-íaco*.] *Adj. Psiq.* **1.** Relativo a grafomania. **2.** Que tem grafomania; grafômano. ● *S. m.* **3.** Aquele que tem grafomania; grafômano.

grafómano *Adj. S. m. Psiq.* V. *grafômano*. [Uso freq. em P.]

grafômano [De *graf(o)-* + *-mano*[1].] *Adj. S. m. Psiq.* Grafomaníaco (2 e 3).

grafómetro *S. m.* V. *grafômetro*. [Uso freq. em P.]

grafômetro [De *graf(o)-* + *-metro*.] *S. m.* Instrumento com que se medem ângulos sobre um terreno.

grafonola [Por **grafofonola* (< *graf(o)-* + *-fon(o)-* + *-ola*[1]), com haplologia.] *S. f. Obsol.* Fonógrafo: 📖 "E nessa calma, enquanto rola / A lua pela amplidão, / Subitamente se evola / O som duma grafonola,

/ Quebrando a paz do sertão." (Paulo Setúbal, *Alma Cabocla*, p. 37.)

graforreia (éi) [De *graf(o)-* + *-reia*.] *S. f. Psiq.* Perturbação mental em que o paciente escreve muito e de modo desconexo. ❖

graforreico (éi) [De *grafor(reia)* + *-reico*.] *Adj.* Relativo à graforreia. ❖

grafoscopia [De *graf(o)-* + *-scop-* + *-ia*[1].] *S. f.* Exame que visa ao reconhecimento de uma grafia, por comparação de talhes de letra.

grafostática [De *graf(o)-* + *estática*.] *S. f.* Conjunto de processos gráficos que se aplicam à resolução de problemas da estática (1).

grafoteca [De *graf(o)-* + *-teca*.] *S. f.* **1.** Museu de gravura. **2.** Parte dum museu reservada a gravuras.

grafotécnica [De *graf(o)-* + *técnica*.] *S. f.* O conjunto dos recursos técnicos para o estudo da escrita.

grafotécnico [De *grafotécnica*, com var. suf. (v. *-ico*[2]).] *Adj.* Relativo à grafotécnica.

grageia (éi) [Do fr. *dragée* (fonte tb. do esp. *gragea*), com infl. de *grão*[1].] *S. f.* **1.** Confeito miúdo. **2.** Pílula medicamentosa preparada em tacho com xarope aromático. [Var. (menos pref.): *grajeia, grangeia, granjeia*. Cf. *drágea* e *drageia*.] ❖

gragoatã [De or. tupi.] *S. m. Bras. Bot.* V. *camboatã-de-folha-grande*.

grainha (a-í) [De *grão*[1] + *-inha*.] *S. f. P. us.* Semente de uvas, de tomates e de outros frutos; bagulho, granita, graúlho: 📖 "A mesa regalada de outrora... resumiu-lha a Anacreonte o fastio em passas de uvas. A grainha de uma, caindo-lhe um dia no esôfago, o afogou aos oitenta e cinco anos de sua idade." (Antônio Feliciano de Castilho, *A Lírica de Anacreonte*, p. 19.)

graipu *S. m. Bras. Zool.* V. *guarapu* (1).

grajau *S. m. Bras.* V. *garajau*. [Cf. *Grajaú*, top.]

grajauense (a-u) *Adj. 2 g.* **1.** De, ou pertencente ou relativo a Grajaú (MA). ● *S. 2 g.* **2.** O natural ou habitante de Grajaú.

grajeia (éi) *S. f.* V. *grageia*. ❖

gral [V. *graal*.] *S. m.* **1.** V. *almofariz*: 📖 "trinta anos de botica, sombrio laboratório — o gral esbeiçado, as espátulas consumidas, ... os boiões de fina porcelana, ornados de florões com misteriosas inscrições latinas" (Marques Rebelo, *O Trapicheiro*, p. 31). **2.** *Ant.* V. *graal*.

grã-lama [De *grã-* + *lama*[2].] *S. m.* Grão-lama. [Pl.: *grã-lamas*.]

gralha [Do lat. *graculu*, com mudança de gênero no lat. tard.] *S. f.* **1.** *Zool.* Designação comum a várias espécies de aves corvídeas, esp. do gênero *Cyanocorax*, com várias espécies no Brasil. Em geral, têm belas cores, destacando-se o azul de vários matizes, com branco, creme ou preto, e voz estridente; são praticamente onívoras, e vivem aos bandos. [Sin.: *acaé*. Cf. *cancã*[2] (1).] **2.** *Zool.* Ave corvídea (*Pyrrhocorax graculus*), típica de regiões montanhosas da Europa, com cerca de 37cm de comprimento, coloração negra, pernas vermelhas e bico amarelo. **3.** *Fig.* Pessoa que fala muito; tagarela. **4.** *Tip.* Erro tipográfico, que consiste em tipo virado, deslocado do lugar, ou trocado. ~ V. *gralhas*.

gralha-azul *S. f. Bras. Zool.* **1.** Ave passeriforme, corvídea (*Cyanocorax cayanus*), da Amaz., cuja coloração é predominantemente azul. **2.** Ave passeriforme, corvídea (*C. caeruleus*), do S. e C.O. do Brasil, de coloração geral azul com a cabeça preta. Frequenta os pinheirais sulinos, onde atua como disseminadora das sementes do pinho. [Pl.: *gralhas-azuis*.]

gralha-branca [De *gralha* + o f. de *branco*.] *S. f. Bras. Zool.* V. *gralha-do-campo*. [Pl.: *gralhas-brancas*.]

gralhada [De *gralhar* + *-ada*[1].] *S. f.* **1.** Canto ou pipilar de muitos pássaros ao mesmo tempo: 📖 "gritando, enchendo o ar com a sua gralhada dissonante, bandos de ariramba*s*" (José Veríssimo, *Cenas da Vida Amazônica*, p. 42). **2.** Vozearia ou falatório confuso, indistinto: 📖 "Odiava então a presença das velhas, a gralhada das vozes" (Eça de Queirós, *O Crime do Padre Amaro*, p. 481). [Var., epentética, bras.: *garalhada*. Sin.: *grasnada*.]

gralha-do-campo *S. f. Bras. Zool.* Ave corvídea (*Cyanocorax cristatellus*), do C. do Brasil, com cerca de 33cm de comprimento, coloração azul-marinho, cabeça, com pequeno topete, e garganta negras, peito, abdome e parte apical da cauda brancos. Frequenta matas de galeria, cerrados e regiões descampadas. [Sin.: *gralha-branca, gralha-do-cerrado, gralha-do-peito-branco, abade, bico-doce, pega* (ê). Pl.: *gralhas-do-campo*.]

gralha-do-cerrado *S. f. Bras. Zool.* V. *gralha-do-campo*. [Pl.: *gralhas-do-cerrado*.]

gralha-do-mato *S. f. Bras. Zool.* Ave passeriforme, corvídea (*Cyanocorax chrysops*), do S. do Brasil, de coloração semelhante à da gralha-do-campo (q. v.). Vive nas matas, em bandos, alimentando-se de frutas, artrópodes, e até de ovos e filhotes de outras aves. [Pl.: *gralhas-do-mato*.]

gralha-do-peito-branco *S. f. Bras. Zool.* V. *gralha-do-campo*. [Pl.: *gralhas-do-peito-branco*.]

gralhão [De *gralha* + *-ão*[1].] *S. m. Bras. Zool.* V. *cancã*[2] (1 e 2).

gralhar [De *gralha* + *-ar*[2].] *V. int.* **1.** Grasnar (a gralha e algumas outras aves). **2.** Falar confusamente; engrolar. **3.** Tagarelar, parolar, palrar. *T. d.* **4.** Gralhar (2): 🖹 *Os nativos gralhavam um dialeto desconhecido.* [Var. epentética, bras.: *garalhar*. Sin. ger.: *gralhear*.]

gralhas [Do pl. de *gralha*.] *S. f. pl.* Certo jogo popular. ~ V. *gralha*.

gralhear [De *gralha* + *-ear*[2].] *V. int. T. d.* V. *gralhar*: 📖 "voltou logo de corrida a dizer palavras muito cariciáveis às avezinhas que nós ouvíamos gralhear." (Camilo Castelo Branco, *A Mulher Fatal*, p. 107). [Conjug.: v. *frear*.]

gralinídeo [Do tax. *Grallina* + *-ideo*[1]; tax. *Grallinidae*.] *Zool. S. m.* **1.** Espécime dos gralinídeos, família de aves passeriformes, de coloração branca, preta ou cinzenta. Habitam bosques, florestas e savanas da Austrália e Nova Guiné, e constroem ninhos de barro. ● *Adj.* **2.** Pertencente ou relativo a eles.

gram [Do antr. (*Hans Christian Joachim*) *Gram* (1853-1938), médico dinamarquês.] *S. m. Microbiol.* Coloração de Gram (q. v.).

grama[1] [Do lat. *gramina*, pl. de *gramen, inis*, 'relva'; 'erva'.] *S. f. Bot.* **1.** Designação comum a várias espécies de poáceas cultivadas em áreas urbanas e jardins, e de outras forrageiras, além de algumas medicinais. **2.** *Bras.* V. *capim-de-burro*.

grama[2] [Do fr. *gramme* < lat. *gramma* < gr. *grámma*.] *S. m. Fís.* Unidade de medida de massa no sistema c.g.s., igual a 10^{-3}kg [símb.: *g*]. [É corrente o uso deste vocábulo no feminino.]

▲**-gram(a)-** V. *gramat(o)-*.

▲**-grama** V. *gramat(o)-*.

grama-comum [De *grama*[1] + *comum*.] *S. f. Bras. Bot.* V. *capim-de-burro*. [Pl.: *gramas-comuns*.]

grama-da-guiné [De *grama*[1] + *da*[1] + o top. *Guiné*.] *S. f. Bras. Bot.* V. *capim-guiné*. [Pl.: *gramas-da-guiné*.]

grama-das-boticas [De *grama*[1] + o pl. de *da*[1] + o pl. de *botica*.] *S. f. Bras. Bot.* V. *capim-de-burro*. [Pl.: *gramas-das-boticas*.]

grama-das-índias [De *grama*[1] + o pl. de *da*[1] + o top. *Índia(s)*.] *S. f. Bot.* V. *vetiver*. [Pl.: *gramas-das-índias*.]

grama-da-terra [De *grama*[1] + *da*[1] + *terra*.] *S. f. Bras. MA Bot.* V. *trapoerabarana*. [Pl.: *gramas-da-terra*.]

gramadeira [De *gramar*[1] + *-deira*.] *S. f.* **1.** Peça de madeira com que se trilha ou grama o linho antes de ser espadelado. **2.** Gancho com que, nas cavalariças, se puxa a palha para as manjedouras.

grama-de-jacobina [De *grama*[1] + *de* + *jacobina*.] *S. f. Bras. Bot.* V. *burrão* (4). [Pl.: *gramas-de-jacobina*.]

grama-de-marajó [De *grama*[1] + *de* + o top. *Marajó*.] *S. f. Bras. Bot.* V. *capim-de-burro*. [Pl.: *gramas-de-marajó*.]

gramadense *Adj. 2 g.* **1.** De, ou pertencente ou relativo a Gramado (RS). ● *S. 2 g.* **2.** O natural ou habitante de Gramado.

grama-de-são-paulo [De *grama*[1] + *de* + o top. *São Paulo*.] *S. f. Bras. Bot.* V. *capim-de-burro*. [Pl.: *gramas-de-são-paulo*.]

gramado[1] [Part. de *gramar*[1].] *Adj.* Trilhado com gramadeira.

gramado[2] [Part. de *gramar*[2].] *Adj. Bras.* **1.** Coberto ou plantado de grama[1]. ● *S. m.* **2.** Terreno coberto de grama[1] ou relva; relvado. **3.** Campo (13) de futebol.

grama-do-pará [De *grama*[1] + *do*[1] + o top. *Pará*.] *S. f. Bras. Bot.* Erva acantácea (*Beloperone amherstiae*) de cerca de 2m, nativa e cultivada como ornamental. Folhas ovadas, acuminadas e crenadas; flores róseo-violáceas, de corola bilabiada e dispostas em racemos; cápsula bivalve, com sementes discoides. [Pl.: *gramas-do-pará*. Sin.: *orelha-de-cutia*.]

gramado-xavierense *Adj. 2 g.* **1.** De, ou pertencente ou relativo a Gramado Xavier (RS). ● *S. 2 g.* **2.** O natural ou habitante de Gramado Xavier. [Pl.: *gramado-xavierenses*.]

grama-fina [De *grama*[1] + o f. de *fino*[1].] *S. f. Bot.* V. *capim-de-burro*. [Pl.: *gramas-finas*.]

grama-força [De *grama*[2] + *força*.] *S. m. Fís.* Unidade de medida de força: peso de um corpo de massa igual a um grama, sujeito à aceleração normal da gravidade [símb.: *gf*]. Vale 9,80665 x 10^{-3} newtons. [Pl.: *gramas-forças* e *gramas-força*.]

gramagem [De *grama*[2] + *-agem*[2].] *S. f. Ind. Pap.* Gramatura.

gramão [De *grama*[1] + *-ão*[1].] *S. m. Bras. Bot.* V. *capim-de-burro*.

grama-preta *S. f. Bot.* Pelo-de-urso (q. v.). [Pl.: *gramas-pretas*.]

gramar[1] [De or. obscura.] *V. t. d.* **1.** Trilhar (o linho) com gramadeira. **2.** *Fam.* Engolir, tomar, comer. **3.** Suportar, aguentar, aturar: 🖹 *Grama cadeia por muitos anos*; 📖 "era-me indispensável gramar, de cabo a rabo, aquela medonha papelada." (Graciliano Ramos, *Linhas Tortas*, p. 151). **4.** Levar (sova); apanhar. **5.** *Lus. Gír.* Gostar de, apreciar: 🖹 *gramar jogos de cartas*. *T. c.* **6.** *Bras. Pop.* Andar, trilhar: 🖹 *Gramou três quilômetros a pé pelo mato, até encontrar a casa.*

gramar[2] [De *grama*[1] + *-ar*[2].] *V. t. d. Bras.* Cobrir ou plantar de grama[1].

grama-rasteira [De *grama*[1] + o f. de *rasteiro*.] *S. f. Bras. Bot.* V. *capim-de-burro*. [Pl.: *gramas-rasteiras* e *gramas-rasteira*.]

grama-roxa [De *grama*[1] + o f. de *roxo*.] *S. f. Bras. Bot.* V. *capim-de-burro*. [Pl.: *gramas-roxas*.]

gramática [Do lat. *grammatica* < gr. *grammatiké*, 'arte de ler e de escrever', f. subst. de *grammatikós*.] *S. f.* **1.** A arte de falar e de escrever bem em uma língua. **2.** *E. Ling.* Estudo ou tratado que expõe as regras da língua-padrão (q. v.). **3.** Obra em que se expõem essas regras. **4.** Exemplar de uma dessas obras. **5.** *E. Ling.* Estudo da morfologia e da sintaxe de uma língua. **6.** *E. Ling.* Conhecimento internalizado dos princípios e regras de uma língua particular. **7.** *E. Ling.* Estudo sistemático desse conhecimento. **8.** *E. Ling.* Estudo dos morfemas gramaticais de uma língua, como artigos, preposições, conjunções, desinências. **9.** *Bras. PE Pop.* V. *cachaça* (1). **10.** *Bras. PE Pop.* Qualquer bebida alcoólica. [Cf. *gramatica*, do v. *gramaticar*.] ◆ **Gramática descritiva.** *E. Ling.* Estudo da gramática que visa a descrever os padrões contidos num *corpus* falado ou escrito. **Gramática gerativa.** *E. Ling.* Teoria linguística que procura estabelecer, com base em princípios universais, um modelo geral de gramática, do qual derivariam as gramáticas de cada língua em particular; gramática gerativo-transformacional, gramática transformacional. **Gramática gerativo-transformacional.** *E. Ling.* V. *gramática gerativa.* **Gramática histórica.** *E. Ling.* Estudo da evolução das línguas; linguística histórica. **Gramática normativa.** *E. Ling.* Aquela que prescreve as normas do bem falar e escrever, *i. e.*, a que estabelece o padrão (10) vigente; gramática prescritiva. **Gramática pedagógica.** *E. Ling.* Obra destinada ao ensino de língua materna (q. v.) ou de uma língua estrangeira (q. v.). **Gramática prescritiva.** *E. Ling.* Gramática normativa. **Gramática tradicional.** *E. Ling.* Todo o estudo de cunho gramatical que segue os princípios impostos pela tradição anterior ao advento da ciência linguística. **Gramática transformacional.** *E. Ling.* V. *gramática gerativa.* **Gramática universal.** *E. Ling.* Conjunto de princípios que restringe a forma e o funcionamento de qualquer gramática (6).

gramatical [Do lat. *grammaticale*.] *Adj. 2 g.* **1.** Relativo à gramática. **2.** *E. Ling.* Em acordo com as regras da gramática. [Cf. *agramatical*.] ~ V. *análise —, categoria —, charada —, classe —, construção —, regra —* e *significado —*.

gramaticalismo [De *gramatical* + *-ismo*.] *S. m.* Escrúpulo exagerado na construção gramatical das frases.

gramaticalização [Do fr. *grammaticalisation*.] *S. f. E. Ling.* No processo de mudança linguística, a passagem de um morfema que funciona como forma livre (q. v.), ou como afixo derivacional, a marcador gramatical (2); redução. [No port., p. ex., a marca de futuro do presente resultou da gramaticalização do presente do verbo latino *habere*, 'haver', que se seguia ao infinitivo: *amare habeo* < *amare aio* < *amarei*.]

gramaticão [De *gramática* + *-ão*[1].] *S. m. Deprec.* **1.** Aquele que se presume de bom gramático. **2.** Aquele que só sabe gramática.

gramaticar [De *gramática* + *-ar*[2].] *V. int.* **1.** *Fam.* Tratar questões de gramática; ensinar gramática. *T. d.* **2.** *Bras.* Sistematizar dentro dos princípios da gramática, das normas gramaticais: 📖 "uma língua que estou gramaticando para uso das academias, como o fiz sumariamente para meu próprio uso." (Machado de Assis, *Papéis Avulsos*, p. 210). [Conjug.: v. *trancar*. Pres. ind.: *gramatico, gramaticas, gramatica*, etc. Cf. *gramático* e *gramática*.]

gramático[1] [Do gr. *grammatikós*, pelo lat. *grammaticu*.] *Adj.* **1.** Relativo à gramática. ● *S. m.* **2.** Aquele que escreve acerca de gramática, ou se dedica a estudos gramaticais. [Deprec.: *gramaticão* e *gramatiqueiro*. Cf. *gramatico*, do v. *gramaticar*.]

gramático[2] [De *grama*[1] + *-ático*.] *Adj. S. m. Bras. Turfe Gír.* Diz-se do, ou o animal que demonstra acentuada preferência pela corrida em pista de grama. [Cf. *arenático* e *gramatico*, do v. *gramaticar*.]

gramaticoide (ói) [De *gramático*[1] + *-oide*.] *S. m.* Indivíduo que se pretende bom gramático, mas não o é; gramático incompetente: 📖 "o emprego abundante do pronome pessoal, que no Brasil não é galicismo, como afirmam gramaticoides" (Mário de Andrade, *O Empalhador de Passarinho*, p. 237). ❖

gramaticologia (mà) [De *gramático*[1] + *-logia*.] *S. f.* Estudo científico da gramática.

gramaticológico (mà) [De *gramaticologia* + *-ico*[2].] *Adj.* Referente à gramaticologia.

G

gramaticólogo [De *gramático*[1] + *-logo*.] ***S. m.*** Especialista em gramaticologia.

gramatiqueiro [De *gramática* + *-eiro*.] ***S. m. Bras. Deprec.*** **1.** Gramático[1] (2) de visão estreita, muito rigoroso: "Veio à baila o nome de um gramatiqueiro caturra, tipo do professor que empacou nas regrinhas de lana-caprina." (Leôncio Correia, *A Boêmia do Meu Tempo*, p. 150.) **2.** Aquele que é dado à gramatiquice.

gramatiquice [De *gramática* + *-ice*.] ***S. f.*** Rigorismo afetado e ridículo em coisas de linguagem; mania de correção gramatical: "Rapaz de poucas letras, comprou um dicionário e colhe termos em desuso. Não lhe nego .... o valor. Mas, as gramatiquices, detestáveis." (Geraldo França de Lima, *Branca Bela*, p. 101.)

gramatista [Do fr. *grammatiste* < lat. *grammatista* < gr. *grammatistés*.] ***S. m.*** **1.** Na Antiguidade clássica, professor de primeiras letras. ● ***S. 2 g.*** **2.** *Fig.* Gramático[1] (2) incompetente, ou pedante.

▲ **gramat(o)-** [Do gr. *grámma, atos* < v. gr. *gráphein*, 'escrever'.] ***El. comp.*** = 'letra', 'texto escrito', 'registro': *gramatologia*. [Equiv.: *-gram(a)-*, *-grama*: *fotogrametria*; *diagrama* (< lat. < gr.); *eletrocardiograma*. V. *graf(o)-*.]

gramatologia (âm) [De *gramat(o)-* + *-logia*.] ***S. f.*** Tratado das letras, alfabeto, silabação, leitura e escrita.

gramatológico (âm) [De *gramatologia* + *-ico*[2].] ***Adj.*** Referente à gramatologia.

gramatura [Do rad. greco-latino *grammat-*, por *grama*[2] (q. v.), + *-ura*.] ***S. f. Ind. Pap.*** Valor que, representando uma das características dos papéis, exprime o peso, em gramas, de uma folha com um metro quadrado; gramagem. [Cf. *corpo* (30).]

grameal [De *grama*[1] + *-eal*.] ***S. m. Bras. N. Impr.*** Em certas regiões, vegetação secundária, arbustiforme.

grameiras [De or. obscura.] ***S. f. pl.*** Orifícios que rodeiam os cadinhos, nos fornos de fundição de bronze.

gramense[1] ***Adj. 2 g.*** **1.** De, ou pertencente ou relativo a Santo Antônio do Grama (MG). ● ***S. 2 g.*** **2.** O natural ou habitante de Santo Antônio do Grama.

gramense[2] ***Adj. 2 g.*** **1.** De, ou pertencente ou relativo a São Joaquim da Grama (RJ). ● ***S. 2 g.*** **2.** O natural ou habitante de São Joaquim da Grama.

gramense[3] ***Adj. 2 g.*** **1.** De, ou pertencente ou relativo a São Sebastião da Grama (SP). ● ***S. 2 g.*** **2.** O natural ou habitante de São Sebastião da Grama.

grã-mestre [De *grã-* + *mestre*.] ***S. m.*** Grão-mestre (q. v.). [Pl.: *grã-mestres*.]

gramicidina [De *gram* (*-positivo*) + lat. *-cida* (v. *-cida*) + *-ina*[3].] ***S. f. Bioquím.*** Qualquer de um grupo de peptídios antibióticos, inicialmente isolados de *Bacillus brevis*.

gramina [Do lat. *gramen*, 'relva', + *-ina*[3].] ***S. f. Quím.*** Alcaloide indólico encontrado em certos tipos de cevada [fórm.: $C_{11}H_{14}N_2$].

graminácea [De *gramin(i)-* + *-ácea*; tax. *Graminaceae*.] ***S. f. Bot. Desus.*** V. *poácea*.

gramináceo [De *graminácea*, com var. suf. (v. *-áceo*).] ***Adj. Bot. Desus.*** V. *poáceo*.

gramínea [Do tax. *Gramineae*, do neutro pl. do lat. *gramineus*, 'gramíneo' (q. v.).] ***S. f. Bot. Desus.*** V. *poácea*.

gramíneo [Do lat. *gramineu* < lat. *gramen, inis*, 'relva', 'grama'[1].] ***Adj. Bot. Desus.*** V. *poáceo*.

graminha [Dim. de *grama*[1].] ***S. f. Bras. Bot.*** V. *capim-de-burro*.

graminha-comum ***S. f. Bras. Bot.*** V. *capim-de-burro*. [Pl.: *graminhas-comuns*.]

graminha-da-cidade ***S. f. Bras. Bot.*** V. *capim-de-burro*. [Pl.: *graminhas-da-cidade*.]

graminha-de-jacobina ***S. f. Bras. Bot.*** V. *burrão* (4). [Pl.: *graminhas-de-jacobina*.]

graminha-de-raiz ***S. f. Bras. Bot.*** V. *capim-de-burro*. [Pl.: *graminhas-de-raiz*.]

graminha-do-mato ***S. f. Bras. Bot.*** V. *capim-de-burro*. [Pl.: *graminhas-do-mato*.]

graminha-fina [De *graminha* + o f. de *fino*[1].] ***S. f. Bras. Bot.*** V. *capim-de-burro*. [Pl.: *graminhas-finas*.]

graminhar [De *graminho* + *-ar*[2].] ***V. t. d.*** Riscar, acertar ou retificar com o graminho.

graminha-seda [De *graminha* + *seda*.] ***S. f. Bras. Bot.*** V. *capim-de-burro*. [Pl.: *graminhas-sedas* e *graminhas-seda*.]

graminho [Da mesma or. incerta que o esp. *gramil*.] ***S. m. Carp.*** Instrumento de carpintaria com que se traçam riscos paralelos ao bordo das tábuas.

▲ **gramin(i)-** [Do lat. *gramen, inis*.] ***El. comp.*** = 'relva'; 'grama'; 'gramíneo': *graminifólio*, *graminiforme*, *graminoide*.

graminícola [De *gramin(i)-* + *-cola*[1].] ***Adj. 2 g.*** Que vive na palha ou nos campos de cereais.

graminifólio (â) [De *gramin(i)-* + *-fólio*.] ***Adj. Bot.*** Cujas folhas são semelhantes às das gramíneas (poáceas).

graminiforme (â) [De *gramin(i)-* + *-forme*.] ***Adj. 2 g.*** Semelhante às gramíneas.

graminoide (ói) [De *gramin(i)-* + *-oide*.] ***Adj. 2 g.*** Semelhante a gramínea. ❖

graminoso (ô) [Do lat. *graminosu*.] ***Adj.*** Abundante em grama[1].

gramita [De *gram(o)-* + *-ita*[3].] ***S. f. Min.*** Designação comum a diversas pedras cujas cores representam linhas.

gramixanga [De or. obsc.] ***S. f. Bras. Bot.*** V. *pau-marfim* (2).

gramixinga [De or. obsc.] ***S. f. Bras. Bot.*** V. *pau-marfim* (2).

gram-negativo [De *gram* + *negativo*.] ***Adj. Microbiol.*** V. *coloração de Gram*. [Pl.: *gram-negativos*.]

▲ **gram(o)-** [Do gr. *grammé, ês*.] ***El. comp.*** = 'traço', 'linha': *gramita*, *gramômetro*.

gramofone [Do ingl. *gramophone*, pelo fr. *gramophone*.] ***S. m.*** Fonógrafo (2): "No gramofone, a música melodiosa da nova dança invadia o salão" (Antônio Celso Alves Pereira, *Rua do Quenta-Sol*, p. 39). [Var. (bras., N.E.): *zonofone*.]

gramómetro ***S. m.*** V. *gramômetro*. [Uso freq. em P.]

gramômetro [De *gram(o)-* + *-metro*.] ***S. m.*** Divisor mecânico empregado em desenho.

grampa [Do germ. **krampa*, poss. pelo it. *grampa*, ou pelo cat. *grampa*.] ***S. f.*** **1.** *Náut. Ant.* Instrumento que serve para apertar por meio de roscas ou parafusos. **2.** Gancho para o cabelo.

grampação [De *grampar* + *-ção*.] ***S. f. Art. Gráf.*** V. *grampeamento*.

grampador (ô) [De *grampar* + *-dor*.] ***S. m. Art. Gráf.*** Grampeador (2).

grampadora (ô) [De *grampar* + *-dora*.] ***S. f. Art. Gráf.*** V. *grampeadora*.

grampagem [De *grampar* + *-agem*[2].] ***S. f. Art. Gráf.*** V. *grampeamento*.

grampar [De *grampo* + *-ar*[2].] ***V. t. d.*** Grampear (1).

grampeação [De *grampear* + *-ção*.] ***S. f. Art. Gráf.*** V. *grampeamento*.

grampeadeira [De *grampear* + *-deira*.] ***S. f. Art. Gráf.*** V. *grampeadora*.

grampeador (ô) [De *grampear* + *-dor*.] ***S. m.*** **1.** Aparelho manual para grampear papéis. [Sin. lus., nesta acepç.: *agrafador* e *agrafadora*.] **2.** *Art. Gráf.* Gráfico que trabalha em grampeadora; grampador.

grampeadora (ô) [De *grampear* + *-dora*.] ***S. f. Art. Gráf.*** Máquina para brochar cadernos, revistas e livros, a fio metálico, o qual é inserido lateralmente ou pelo festo dos cadernos; grampeadeira, grampadora.

grampeamento [De *grampear* + *-mento*.] ***S. m. Art. Gráf.*** Brochagem a fio metálico; grampação, grampagem, grampeação. [V. *costura* (6).]

grampear [De *grampo* + *-ear*[2].] ***V. t. d.*** **1.** Prender com grampos; grampar. **2.** *Art. Gráf.* Brochar a fio metálico. **3.** *Gír.* Imobilizar (alguém) para que outro o roube. **4.** Roubar; furtar. **5.** Prender, deter. **6.** *Bras.* Interferir, numa central telefônica, nas ligações da linha do telefone que se quer controlar, a fim de ouvir e/ou gravar conversações. **7.** *Bras.* Grampear (6) as ligações [v. *ligação* (8)] de (alguém): "O ministro das Comunicações diz que o grampearam enquanto tentava jogar o preço da mercadoria para cima." (Elio Gaspari, em *Folha de S. Paulo*, 18.11.1998.) [Conjug.: v. *frear*.]

grampeiro [De *grampo* + *-eiro*.] ***S. m. Bras.*** Indivíduo que faz grampo telefônico. [V. *grampear* (6).]

grampo [De *grampa* (q. v.), poss.] ***S. m.*** **1.** Peça de metal que segura e liga duas pedras em uma construção; gato. **2.** *Marc.* Haste de aço ou de madeira usada para segurar peças nas quais se trabalha. **3.** Gancho de metal com que se prende o cabelo. [Sin., nesta acepç., em GO, *ramona*; em MG, *besteira*; na PB, *friso*.] **4.** Alfinete longo para prender chapéu de senhora. **5.** Prego em forma de U, com que se prendem os arames das cercas, se firmam fios elétricos ou telefônicos etc. **6.** Fio de metal fino e duro, de mais ou menos 1,5cm, com as pontas dobradas em ângulo reto, utilizado para grampear (1). [Sin. lus., nesta acepç.: *agrafe* e *agrafo*.] **7.** *Bras.* Instalação que interfere nas ligações da linha do telefone que se quer controlar, a fim de ouvir e/ou gravar conversações: "As gravações são perfeitamente audíveis, pois o *grampo* foi colocado nos aparelhos telefônicos da presidência do BNDES no Rio de Janeiro." (Revista *Época*, 23.11.1998.) ♦ **Grampo a cavalo.** *Art. Gráf.* V. *grampo em canoa*. **Grampo em canoa.** *Art. Gráf.* Tipo de grampeamento us. em revistas, livros finos, panfletos, etc., em que os grampos são aplicados na linha da dobra do impresso; grampo a cavalo, a cavalo, em canoa. **Grampo lateral.** *Art. Gráf.* Tipo de grampeamento de impressos em que os grampos, aplicados perto da lombada, prendem todas as folhas.

gram-positivo [De *gram* (q. v.) + *positivo*.] ***Adj. Microbiol.*** V. *coloração de Gram*. [Pl.: *gram-positivos*.]

grana[1] [De *grão*[1].] ***S. f. Bras. Gír.*** V. *dinheiro* (5): "Grana nenhuma e a carne cheirando. / Não resistindo, esmolou: / — Um pouquinho, chefe." (Humberto Crispim Borges, *Cacho de Tucum*, p. 138.)

grana[2] [Do lat. cient. *grana*, neutro pl. de *granum, i*, 'grão'[1].] ***S. m. pl. Bot.*** Conjunto dos grânulos que contêm clorofila existentes nas células verdes das plantas. A clorofila distribui-se sobre um estroma proteico.

granada[1] [Do fr. *grenade* < lat. *granatum*, 'romã', < lat. *granum*, 'grão'[1].] ***S. f.*** **1.** *Ant.* Projetil com a forma de romã, que se enchia de pólvora, à qual se lançava fogo. **2.** Artefato bélico com uma câmara interna que leva uma carga de arrebentamento, o qual em geral se lança com a mão ou com arma de fogo.

granada[2] [De or. controversa; poss. do occitânico ant. *granat*, ou do cat. *granat*, ou do fr. *grenat*, todos conexos com o lat. *granum*, 'grão'[1].] ***S. f. Min.*** Designação comum aos minerais do grupo das granadas, silicatos, cristalizados no sistema monométrico, e cuja coloração (vermelho-castanho, branco-esverdeado, etc.) depende da composição; granate.

granada[3] [De or. incerta; do fr. *grenat*, poss.] ***S. f. Tec. Têx.*** Tecido de seda semelhante à granadina, porém mais torcido.

granada-foguete [De *granada*[1] + *foguete*.] ***S. f.*** Granada[1] (2) projetada à maneira de foguete: *A bazuca lança granadas-foguetes.* [Pl.: *granadas-foguetes* e *granadas-foguete*.]

granadeiro [De *granada*[1] + *-eiro*.] ***S. m. Ant.*** **1.** Soldado que lançava granada. **2.** Soldado pertencente à companhia que vai na dianteira de cada regimento. **3.** *Fig.* Homem alto e corpulento.

granadense ***Adj. 2 g.*** **1.** De, ou pertencente ou relativo a Nova Granada (SP). ● ***S. 2 g.*** **2.** O natural ou habitante de Nova Granada.

granadilho [Do esp. *granadillo*.] ***S. m.*** Madeira de macacaúba (q. v.).

granadina [Fem. de *granadino*[2].] ***S. f. Tec. Têx.*** Tecido rendado de seda crua ou de algodão transparente.

granadinense ***Adj. 2 g. S. 2 g.*** V. *são-vicentino*[1].

granadino[1] [De *granada*[1] + *-ino*[1].] ***Adj.*** Da cor da romã.

granadino[2] [Do esp. *granadino*.] ***Adj.*** **1.** De, ou pertencente ou relativo a Granada (Espanha e ilha do Caribe oriental). ● ***S. m.*** **2.** O natural ou habitante de Granada.

granador (ô) [De *granar* + *-dor*.] ***S. m.*** Aparelho para granar pólvora.

granal [De *gran(i)-* + *-al*.] ***Adj. 2 g.*** Relativo a grão[1] ou grãos.

granalha [De *gran(i)-* + *-alha*.] ***S. f.*** Pequenos fragmentos, em forma de grânulos ou de palhetas, a que se reduz o metal fundido, nas operações precedentes à amoedação; granulação.

➔ **grana padano** ['grana pa'dano] [It.] ***S. m. Cul.*** Queijo de leite de vaca de consistência dura e granulada, semelhante ao parmesão (q. v.).

granar [De *gran(i)-* + *-ar*[2].] ***V. t. d.*** **1.** Reduzir a grão[1]; granular. ***Int.*** **2.** *Bras.* Criar grão[1] (o milho, o trigo, etc.); granear. **3.** *Bras.* Estar (alguém) na adolescência. [Pres. subj.: *grane*, ... *graneis*, *granem*, etc. Cf. *granéis*, pl. de *granel*.]

granate [Do fr. *grenat*.] ***S. m. Min.*** Granada[2].

grandalhão [De *grande* + *-alhão*.] ***Adj.*** **1.** Muito grande: "Forte e grandalhão, Chico Bento ergue o corpo franzino do velho" (José Potiguara, *Terra Caída*, p. 63). ● ***S. m.*** **2.** Indivíduo muito alto. [Sin. ger.: *grandão*. Fem.: *grandalhona*.]

grandalhona ***S. f.*** Fem. de *grandalhão* (q. v.).

grandão [De *grande* + *-ão*[1].] ***Adj. S. m.*** V. *grandalhão*. [Fem.: *grandona*.]

grande [Do lat. *grande*.] ***Adj. 2 g.*** **1.** De tamanho, volume, intensidade, valor, etc., acima do normal. **2.** Comprido, longo: *um fio grande*. **3.** De grande extensão ou volume: *O São Francisco é um grande rio.* **4.** Crescido, desenvolvido, taludo: *um menino grande.* **5.** Numeroso: *uma classe grande; um grande exército.* **6.** Intenso, forte: *grande frio; grande dor.* **7.** Exagerado, excessivo: *grande pompa; grande luxo.* **8.** Dilatado, longo: *Deu-me um grande prazo para responder.* **9.** Extraordinário, excepcional, desmedido: *Causou-me grande espanto a sua demissão.* **10.** Imponente, surpreendente: *um grande sucesso.* **11.** Notável, imponente: *uma grande escola.* **12.** Magnânimo, bondoso, generoso: *uma grande alma; grande coração.* **13.** Magnífico, soberbo, grandioso: *grande espetáculo.* **14.** Grave, pesado, ponderoso: *grande responsabilidade.* **15.** Superior, respeitável, venerando: *grande mestre.* **16.** Poderoso, influente: *uma grande companhia; um grande jornal.* **17.** Diz-se de gesto ou atitude que revela magnanimidade, longanimidade, ou heroísmo, coragem, valor, etc. **18.** Que opera em grande escala: *grande indústria.* **19.** Anteposto ao nome de uma cidade, indica estar ela considerada juntamente com as povoações periféricas e/ou cidades-satélites: *a grande Londres; o grande Rio.* [Comp. de super.: *maior*; superl. abs.

sint.: *grandíssimo, máximo* e (pop.) *grandessíssimo*; aum.: *grandalhão, grandão*; dim. irreg.: *grandote*.] ~ V. *ano —, — área, — bairã, — cabotagem, caixa —, casa —, circulação —, — epíploo, — explosão, gente —, hora —, — implosão, — imprensa, —s lábios, mastro —, olho —, — Oriente, papai —, — peitoral, — plano, — prêmio, — psoas, — região, — reportagem, sobrejoanetinho —, sorte —, tambor —, tirana —, veia — safena, — veículo* e *verso — alcaico*. • ***S. m.* 20.** Pessoa rica e/ou poderosa, influente: "Não lhe era possível continuar a viver em Portugal, caído em desgraça dos reis e dos grandes." (Antero de Figueiredo, *Leonor Teles*, p. 173.) **21.** O sublime; o grandioso. **22.** Membro da mais alta nobreza, na Espanha e no antigo Portugal. **23.** *Marinh.* Mastro grande. **24.** *Marinh.* Verga de papafigo que cruza na parte inferior da romã do mastro grande. **25.** *Marinh.* Vela de papafigo que enverga na verga grande. **26.** *Constr. Nav.* Mastro grande. ◆ **Grande de Espanha.** Pessoa nobre, eminente, insigne: "desajeitado e canhestro, era [Euclides da Cunha] o menos possível o tipo que pudesse comparecer às festas de Rio Branco — festas de grande de Espanha." (Sílvio Rabelo, *Euclides da Cunha*, p. 327). [Cf. *grande* (22).] **À grande. 1.** Com magnificência; à larga; de grande: "continuava a viver à larga, à grande, gastando, dando, esbanjando." (Antero de Figueiredo, *Jornadas em Portugal*, p. 388). **2.** Regaladamente, confortavelmente; de grande: "Até eu vivia à grande, mal chegava a fazer trabalho de criada." (José Régio, *Histórias de Mulheres*, p. 76.) **3.** Em excesso; muito: *Quando rico, gastava à grande.* **De grande.** V. *à grande* (1 e 2). **Em grande. 1.** Em ponto grande. **2.** Com largueza. **Infinitamente grande.** *Mat.* Diz-se da sucessão que tem limite infinito.

grande-angular *Fot. S. f.* **1.** Objetiva grande-angular (q. v.): *O fotógrafo utilizou uma grande-angular para obter efeito especial.* • ***Adj. 2 g.* 2.** ~ V. *objetiva —*. [Pl. do s. f.: *grandes-angulares*. Pl. do adj.: *grande-angulares*.]

grande-caloria *S. f. Fís. Obsol.* Unidade de medida de energia (especialmente energia térmica), igual a 1.000 calorias; quilocaloria. [Pl.: *grandes-calorias*.]

grandeira *S. f.* Maço de bater palha nas estrebarias.

grande-oblíquo *Adj. S. m. Anat.* **1.** Diz-se de, ou cada um dos dois músculos situados um de cada lado do abdome, e que tomam parte na formação da parede anterolateral abdominal. **2.** Diz-se de, ou cada um dos dois músculos que, um em cada órbita, se originam do ápice da pirâmide orbitária, inserindo-se na bainha do nervo óptico e na parte superior e interna do buraco óptico. [Pl.: *grande-oblíquos*.]

grandes-riense *Adj. 2 g.* **1.** De, ou pertencente ou relativo a Grandes Rios (PR). • ***S. 2 g.* 2.** O natural ou habitante de Grandes Rios. [Pl.: *grandes-rienses*.]

grandessíssimo [F. reforçada de *grandíssimo*.] *Adj. Pop.* Superl. abs. sint. de *grande*: *um grandessíssimo idiota*; "Malandros, filhos da mãe. Grandessíssimos filhos da mãe." (José Cardoso Pires, *Jogos de Azar*, p. 106); "Há uma forma de superlativo sintético muito usada: grandessíssimo. Tem entretanto especialização de emprego: serve somente para reforçar um desaforo, para elevar um insulto ao mais alto grau" (Mário Marroquim, *A Língua do Nordeste*, p. 116).

grandevo [Do lat. *grandaevu*.] *Adj.* V. *longevo* (1).

grandeza (ê) [De *grande* + *-eza*.] *S. f.* **1.** Qualidade ou caráter de grande. **2.** Tratamento honorífico dos antigos grandes do reino. **3.** Nobreza de ânimo; generosidade, liberalidade. **4.** *Astr. Obsol.* Magnitude (3). **5.** *Mat.* Entidade suscetível de medida. ◆ **Grandeza extensiva.** *Fís.* Num sistema, grandeza física que tem um valor proporcional à massa do sistema. Ex.: volume, entropia, energia cinética. **Grandeza intensiva.** *Fís.* Num sistema, grandeza cujo valor é independente da massa do sistema e caracteriza o estado físico deste. Ex.: pressão, temperatura, velocidade.

➔ **grand-guignol** [gʁɑ̃ giˈɲol] [Fr.] *S. m. Teatr.* Teatro de sentimentos extremados, com cenas de terror, crimes, suicídios, violência, visando ao cômico por meio do susto, em voga em Paris sobretudo na passagem do séc. XIX ao XX.

grandíloco [Do lat. *grandiloquu*.] *Adj.* V. *grandíloquo*: "A verdade que eu conto nua e pura / Vence toda grandíloca escritura!" (Luís de Camões, *Os Lusíadas*, V, 89).

grandiloquência (qüên) *S. f.* Qualidade de grandíloquo. ❖

grandiloquente (qüen) *Adj. 2 g.* V. *grandíloquo*. ❖

grandiloquentíssimo (qüen) *Adj.* Superl. abs. sint. de *grandíloquo* e *grandiloquente*. ❖

grandíloquo [Do lat. *grandiloquu*.] *Adj.* **1.** Que tem linguagem erguida, elevada, nobre, pomposa; muito eloquente. **2.** Diz-se do estilo nobre, elevado, erguido. [Superl. abs. sint.: *grandiloquentíssimo*; sin. ger.: *grandiloquente*.]

grandiosidade [Do esp. *grandiosidad*.] *S. f.* Qualidade de grandioso.

grandioso (ô) [Do esp. *grandioso*.] *Adj.* **1.** Grande, nobre, elevado: *sentimentos grandiosos; estilo grandioso.* **2.** Pomposo, aparatoso, magnificente, magnífico: *espetáculo grandioso.*

grandisol [Do tax. (*Anthonomus*) *grandis* (gorgulho do algodão) + *-ol*^{3}.] *S. m. Quím.* Álcool terpênico insaturado, que contém em sua estrutura um anel como o do ciclobutano, e que é o principal feromônio sexual do gorgulho do algodão [fórm.: $C_{10}H_{18}O$]. [Pl.: *grandisóis*.]

grandíssimo *Adj.* Superl. abs. sint. de *grande*.

➔ **grand marnier** [gʁɑ̃ maʁˈnje] [Fr.] *S. m.* Licor aromático à base de laranja e de conhaque.

➔ **grand monde** [gʁɑ̃ ˈmɔ̃d] [Fr.] A alta sociedade.

grandona *S. f.* Fem. de *grandão*.

grandota *Adj. (f.) Bras.* Fem. de *grandote*.

grandote [De *grande* + *-ote*^{1}.] *Adj. Bras.* Um tanto grande; já crescido. [Fem.: *grandota*.]

grandumba [De *grande*.] *Adj. 2 g. S. 2 g. Bras. RS* Diz-se de, ou pessoa grandalhona, porém mole, pouco ativa.

granear [Do esp. *granear*.] *V. int. Bras. RS* Granar (2). [Conjug.: v. *frear*. Normalmente, é defect.]

granéis [Pl. de *granel*.] *S. m. pl. Mar. Merc.* Mercadorias, como cereais, minérios ou petróleo, que são transportadas sem embalagem; cargas a granel: *O transporte de granéis tem uma legislação própria.* [Cf. *graneis*, do v. *granar*.] ~ V. *granel*.

granel [Do cat. *graner*.] *S. m.* **1.** Tulha, celeiro. **2.** *Tip.* Conjunto de linhas de composição manual ou mecânica ainda não paginado, e que se ata com um fio para tirar prova; paquê. [Cf., nesta acepç., *prova de granel*.] [Pl.: *granéis*. Cf. *graneis*, do v. *granar*.] ~ V. *granéis*. ◆ **A granel.** ***Loc. adj.* 1.** Diz-se de cargas tais como cereais, carvão, minérios, combustíveis líquidos, etc., que são transportadas sem embalagem ou acondicionamento. **2.** Diz-se de mercadorias comercializadas fora da embalagem, em quantidades fracionárias: *A mercearia da esquina vende azeitonas a granel.* ***Loc. adv.*** *Fig.* Em grande quantidade; a rodo.

graneleiro [De *granel* + *-eiro*.] *S. m. Bras.* **1.** Veículo que transporta cargas a granel. V. *a granel* (1). • ***Adj.* 2.** Diz-se de veículo que transporta cargas a granel. ~ V. *navio —*.

granfa *Adj. 2 g. S. 2 g. Bras. Gír.* V. *grã-fino*.

granganzá *S. 2 g. Bras. N.E.* V. *grangazá*.

grangazá [De *grande*.] *Bras. N.E.* ***S. 2 g.* 1.** Pessoa de grande estatura e desengonçada. • ***Adj. 2 g.* 2.** Alto, corpulento. [Var.: *granganzá*.]

grangeia (éi) *S. f.* V. *grageia*. [Cf. *granjeia*, do v. *granjear*.] ❖

▲ **gran(i)-** [Do lat. *grani-* < lat. *granum, i*.] ***El. comp.*** = 'grão': *granar, granífero* (< lat.), *graniforme, granilito, granita, granito*^{1}, *granívoro*. [Equiv.: *-gran(i)-, grano-*: *degranar*; *granodiorito*.]

▲ **-gran(i)-** V. *gran(i)-*.

granido [Part. de *granir*.] ***Adj.* 1.** Desenhado ou gravado a pontos miúdos. • ***S. m.* 2.** *Art. Gráf.* Aspereza praticamente imperceptível, transmitida à pedra litográfica e às placas metalográficas, com o granidor, para que mais facilmente recebam a molhagem durante a impressão.

granidor (ô) [De *granir* + *-dor*.] *S. m. Art. Gráf.* **1.** Máquina dotada de placas que giram sobre a pedra litográfica para grani-la por meio de areia e de água. **2.** Aparelho para dar o granido à superfície do zinco, do alumínio, etc., e que consiste num depósito oscilante em cujo fundo se põe a placa, coberta em seguida por camada de esferas de vidro ou de porcelana que fazem agir o abrasivo na ocasião adicionado. **3.** Instrumento em forma de cinzel largo e curto, chanfrado e rematado por linha curva guarnecida de finos dentes, e que se usa para granir as placas no processo de gravura à maneira-negra. **4.** Operário que trabalha pedra litográfica na máquina de granir.

granífero [Do lat. *graniferu*.] *Adj.* Que produz ou tem grãos.

graniforme [De *gran(i)-* + *-forme*.] *Adj. 2 g.* Que tem forma de grão^{1} (1).

granilito [De *gran(i)-* + *-lito*.] *S. m.* Revestimento de pisos e paredes de superfície contínua e polida, composto de argamassa de cimento com adições de pó de mármore ou de outras rochas para dar cor ou formar desenhos.

granir [Do it. *granire*.] ***V. t. d.* 1.** Desenhar ou gravar a pontos miúdos. **2.** *Art. Gráf.* Dar a (a pedra litográfica ou as placas metalográficas) a aspereza necessária para que retenham mais facilmente a umidade. [Cf. *ponçar*.]

granita [De *gran(i)-* + *-ita*^{1}.] *S. f.* **1.** Glóbulo de substância mole. **2.** Excremento expelido em bolinhas, como o de cabras, ovelhas, etc. **3.** Semente de uva. [V. *grainha*.]

granitado [De *granito*^{2} + *-ado*^{1}.] *Adj.* De superfície irregular.

granitar^{1} [De *granita* + *-ar*^{2}.] ***V. t. d.* 1.** Dar forma de granita a. **2.** Reduzir a granitas.

granitar^{2} [De *gran(i)-* + *-itar*.] *V. t. d.* Granizar^{1}.

granitê [Do fr. *granité*.] *S. m. Tec. Têx.* Tecido encorpado, com aspecto granuloso, produzido com os mais variados tipos de fibras, muito us. em decoração para revestimentos e estofados.

granitense ***Adj. 2 g.* 1.** De, ou pertencente ou relativo a Granito (PE). • ***S. 2 g.* 2.** O natural ou habitante de Granito.

granítico [De *granito*^{2} + *-ico*^{2}.] ***Adj.* 1.** Da natureza do granito^{2}; granitoso. **2.** *P. ext.* Muitíssimo consistente; duríssimo. **3.** Muito firme; inabalável: *caráter granítico; convicções graníticas.*

granitização [De **granitizar* (< *granito*^{2} + *-izar*) + *-ção*.] *S. f. Geol.* Fenômeno pelo qual uma rocha qualquer preexistente se transforma noutra de caráter semelhante ao do granito^{2}, sem ter havido um estágio magmático intermediário.

granito^{1} [De *gran(i)-* + *-ito*^{1}.] *S. m.* **1.** Pequeno grão^{1} (1 e 2). **2.** *Bras. RS* Peça para assar, tirada de cima do esterno da rês, e composta de grânulos rijos de tecidos gordurosos.

granito^{2} [Do it. *granito*.] *S. m. Geol.* Rocha magmática granular, de profundidade, caracterizada essencialmente por quartzo e por um feldspato alcalino.

granito^{3} *S. m. Bras. MG* Sol ou calor forte, após muitos dias chuvosos.

granitoide (ói) [De *granito*^{2} + *-oide*.] *Adj. 2 g. Geol.* Diz-se da textura cujos constituintes não têm contornos cristalinos próprios e são aproximadamente de iguais dimensões. ❖

granitoso (ô) [De *granito*^{2} + *-oso*.] *Adj.* Granítico (1).

granívoro [De *gran(i)-* + *-voro*.] *Adj.* Que se alimenta de grãos ou de sementes.

granizada [De *granizo* + *-ada*^{1}.] *S. f.* **1.** Bátega de granizo (1) ou saraiva. **2.** *Fig.* Aquilo que, à semelhança do granizo, cai ou é expelido ou lançado em grande quantidade; granizo: *uma granizada de impropérios.* [Sin. ger.: *saraivada*.]

granizar^{1} [De *gran(i)-* + *-izar*.] *V. t. d.* Dar forma granular a; granitar.

granizar^{2} [De *granizo* + *-ar*^{2}.] ***V. int.* 1.** Cair granizo. **2.** Cair à maneira de granizo. ***T. d.* 3.** Atirar com granizo contra.

granizífugo [De *granizo* + *-i-* + *-fugo*^{2}.] *Adj.* ~ V. *foguete —*.

granizo [Do esp. *granizo*.] *S. m.* **1.** *Met.* Tipo de precipitação atmosférica na qual as gotas de água se congelam ao atravessar uma camada de ar frio, caindo sob a forma de glóbulos ou pedaços de gelo, separadamente ou aglomerados em blocos irregulares; saraiva, chuva de pedra: "um trovão rola sobre as serras — e subitamente, com o estalido de lanças entrechocando-se, caiu o granizo." (Eça de Queirós, *Últimas Páginas*, p. 87). **2.** *Fig.* Granizada (2).

granja [Do fr. *grange* < lat. vulg. **granica* < lat. cláss. *granum*, 'grão^{1}'.] *S. f.* **1.** Pequena propriedade rural, sítio de cultura lucrativa. **2.** Construção onde se recolhem os frutos de uma herdade; abegoaria.

granjaria [De *granja* + *-aria*.] *S. f.* Reunião de granjas.

granjeador (ô) [De *granjear* + *-dor*.] *Adj. S. m.* Que, ou aquele que granjeia.

granjear [De *granja* + *-ear*^{2}.] ***V. t. d.* 1.** Amanhar, cultivar (a terra). **2.** Conquistar ou obter com trabalho ou com esforço: *Procurou granjear o interesse dos presentes a fim de obter o que pretendia.* **3.** Atrair, conquistar: *Não granjeou a simpatia do auditório.* **4.** *Ant.* Esmiuçar; rebuscar. ***T. d. e i.* 5.** Fazer alcançar; valer; atrair: "Essas manifestações antibonapartistas e a lembrança da sátira que lhe valera trinta e seis dias de prisão, granjearam-lhe [a Charles Nodier] favores do regime restaurado." (Melo Nóbrega, *O Soneto de Arvers*, p. 13.) [Conjug.: v. *frear*. Pres. ind.: *granjeio, granjeias, granjeia, granjeamos, granjeais, granjeiam*. Cf. *granjeia* e *grangeia*.]

granjearia [De *granjear* + *-ia*^{1}.] *S. f.* **1.** *Ant.* O produto do lucro de uma granja. **2.** Lavoura (1).

granjeia (éi) *S. f.* V. *grageia*. [Cf. *granjeia*, do v. *granjear*.] ❖

granjeio [Dev. de *granjear*.] *S. m.* **1.** Ato ou efeito de granjear (1). **2.** *P. ext.* Colheita de produtos agrícolas. **3.** *Fig.* Trabalho realizado com o fim de obter comodidades ou vantagens, lucros.

granjeirense ***Adj. 2 g.* 1.** De, ou pertencente ou relativo a Granjeiro (CE). • ***S. 2 g.* 2.** O natural ou habitante de Granjeiro.

granjeiro [De *granja* + *-eiro*.] *S. m.* **1.** Aquele que cultiva a granja por conta de outrem. **2.** Dono de granja.

granjense ***Adj. 2 g.* 1.** De, ou pertencente ou relativo a Granja (CE). • ***S. 2 g.* 2.** O natural ou habitante de Granja.

granjola *Adj. 2 g. S. 2 g. Pop.* Diz-se de, ou pessoa corpulenta.

▲ **grano-** [De *gran(i)-* + *-o-*.] V. *gran(i)-*.

granodiorito [De *grano-* + *diorito*.] *S. m. Geol.* Rocha magmática plutônica, granular, constituída essencialmente de plagioclásio, feldspato alcalino e, em menor quantidade, quartzo.

granola [Marca registrada.] *S. f.* Alimento matinal composto de aveia e outros cereais, pedaços de frutas secas, amêndoas, castanha-do-pará, passas, açúcar mascavo, etc.

granoso (ô) [Do lat. *granosu*.] *Adj.* Que tem grãos (v. *grão*[1]).

granta [Do sânscr. *grantha*, 'livro'.] *Graf. S. m.* **1.** Alfa-granta. ● *Adj. 2 g.* **2.** ~ V. *alfabeto —*.

➔**granth** [grant[h]] [Hindi < sânscr. *grantha*, 'livro'.] *S. m.* V. *Adi Granth*. [Com cap.]

➔**granth sahib** [grant[h] 'sahib] [Hindi < sânscr. *grantha*, 'livro', + *sahib*, 'reverenciado'.] V. *Adi Granth*. [Com cap.]

granulação [De *granular*[2] + *-ção*.] *S. f.* **1.** Ato ou efeito de granular[2]. **2.** Granalha. **3.** *Astr.* Estrutura em forma de grânulos que reveste a fotosfera solar. **4.** *Cir.* Cada pequena porção de massa arredondada de tecido constituído, pelo menos em grande parte, de vasos capilares e fibroblastos, muitas vezes com a presença de células inflamatórias, etc. **5.** *Fot.* Efeito arenoso conferido à fotografia por grãos [v. *grão*[1] (7)]. **6.** *Geol.* Aspecto da textura de uma rocha quanto ao tamanho de seus componentes. ◆ **Granulação citoplasmática.** *Biol.* **1.** Qualquer processo de formação de grânulos no citoplasma. **2.** Qualquer matéria granular presente em citoplasma; grânulo.

granulado[1] [De *grânulo* + *-ado*[1].] *Adj.* Que apresenta grânulos ou granulações.

granulado[2] [Part. de *granular*[2].] *Adj.* **1.** Reduzido a grânulos [v. *grânulo* (1)]: ▣ *açúcar granulado*, *chocolate granulado*. ● *S. m.* **2.** *P. ext.* Confeito em grânulos.

granulagem [De *granular*[2] + *-agem*[2].] *S. f.* Ato de granular[2] ou granir.

granular[1] [De *grânulo* + *-ar*[1].] *Adj. 2 g.* **1.** Semelhante, na forma, ao grão[1] (1 e 2). **2.** Composto de pequenos grãos. ~ V *retículo endoplasmático —*.

granular[2] [De *grânulo* + *-ar*[2].] *V. t. d.* **1.** Dar forma de grânulos a; reduzir a grânulos. **2.** Granar (1). [Pres. ind.: *granulo*, etc. Cf. *grânulo*.]

▲**granul(i)-** [Do lat. *granŭlum*, *i*.] ***El. comp.*** = '(pequeno) grão'; 'grânulo': *granuliforme*, *granulito*, *granuloma*. [Equiv.: *granul(o)-*: *granulócito*, *granulometria*, *granulômetro*.]

granulia [Do fr. *granulie* < b.-lat. *granulum* + fr. *-ie* (v. *-ia*[1]).] *S. f. Fisiol.* Condição patológica resultante da disseminação pelo sangue da infecção tuberculosa, produzindo-se lesões milimétricas em várias estruturas do organismo (pulmões, rins, ossos, baço, etc.).

granuliforme [De *granul(i)-* + *-iforme*.] *Adj. 2 g.* Que tem forma de grânulos.

granulito [De *granul(i)-* + *-ito*[2].] *S. m. Geol.* Variedade de gnaisse que se caracteriza por possuir granulação fina e coloração clara, e ser rico em granada.

▲ **granul(o)-** Equiv. de *granul(i)-*.

grânulo [Do lat. *granulu*.] *S. m.* **1.** Pequeno grão: 📖 "Os grânulos de ouro, apurados nos dias mais felizes, vendiam-se a um ourives a troco de alguns mil-réis." (Eduardo Frieiro, *Feijão, Angu e Couve*, p. 172.) **2.** Pequena esfera; glóbulo. **3.** Cada uma das pequenas saliências duma superfície áspera; aspereza. **4.** *Farm.* Forma farmacêutica que se apresenta como partícula redonda ou pequena pílula. **5.** *Biol.* Granulação citoplasmática (2). **6.** *Fot. Cin.* Grão[1] (7). **7.** *Inform.* Grupamento (2). [Cf. *granulo*, do v. *granular*.] ◆ **Grânulo de secreção.** *Citol.* Agregado de substância(s), situado dentro de célula(s), e que se apresenta sob a forma de grânulo(s), sendo liberado sob a ação de estímulo(s) adequado(s). **Grânulo solar.** *Astr.* A menor marca superficial capaz de ser observada na fotosfera solar.

granulocítico (â) [De *granulócito* + *-ico*[2].] *Adj.* De, ou pertencente ou relativo a granulócito.

granulócito [De *granul(o)-* + *-cito*.] *S. m. Histol.* Leucócito com núcleo de forma irregular e grânulos no citoplasma. Distinguem-se três tipos de granulócitos: basófilos, eosinófilos e neutrófilos. [Sin.: *leucócito polimorfonuclear*.]

granuloma [De *granul(i)-* + *-oma*[1]; lat. cient. *granuloma*.] *S. m. Patol.* **1.** Neoformação constituída por tecido de granulação (4). **2.** Massa de tecido não tumoral, com características proliferativas, fibrosantes e degenerativas, que se desenvolve, muitas vezes, em diferentes inflamações crônicas.

granulomatose (ân) [Do lat. cient. *granulomat-* (< lat. cient. *granuloma*) + *-ose*[1].] *S. f. Patol.* Presença de múltiplos granulomas.

granulomatoso (ân) [Do lat. cient. *granulomat-* (< lat. cient. *granuloma*) + *-oso*.] *Adj.* **1.** Relativo ao granuloma, ou da natureza dele. **2.** Formado por granulomas.

granulometria (ân) [De *granul(o)-* + *-metria*.] *S. f. Tec.* Método de análise que visa a classificar as partículas de uma amostra pelos respectivos tamanhos e a medir as frações correspondentes a cada tamanho; análise granulométrica.

granulométrico (ân) [De *granulometria* + *-ico*[2].] *Adj.* Relativo à granulometria. ~ V. *análise —a*.

granulômetro *S. m.* V. *granulômetro*. [Uso freq. em P.]

granulômetro [De *granul(o)-* + *-metro*.] *S. m.* Instrumento com que se medem os grãos ou partículas que constituem um agregado.

granulosidade [De *granuloso* + *-(i)dade*.] *S. f.* Qualidade de granuloso.

granuloso (ô) [De *grânulo* + *-oso*.] *Adj.* **1.** Formado de grânulos. **2.** Em que há granulações. **3.** Que tem a superfície áspera. ~ V. *camada —a*, *estrato —* e *retículo endoplasmático —*.

grão[1] [Do lat. *granu*.] *S. m.* **1.** *Bot.* Semente de cereais e de algumas outras plantas. **2.** Partícula (1) de areia, sal, etc. **3.** *P. ext.* Pequeno corpo arredondado: ▣ *chumbo em grãos*. **4.** Antiga unidade de medida de peso, equivalente a 1/4 do quilate, ou seja, 49,8 miligramas. **5.** Elemento que caracteriza a textura da madeira, do couro, do papel, da rocha, etc. **6.** Quantidade mínima de qualquer coisa: ▣ *um grão de malícia*. **7.** *Fot.* Cada uma das partículas que formam a imagem; grânulo. **8.** *Chulo* Testículo. [Pl.: *grãos*.] ◆ **Grão de pólen.** *Bot.* Cada uma das unidades celulares que compõem o elemento reprodutivo masculino dos vegetais floríferos. **Grão de pólvora.** *Expl.* Cada uma das partículas de uma carga de pólvora que têm forma, peso, estrutura, composição e acabamento superficial específicos.

grão[2] *Adj. 2 g.* F. apocopada de *grande*; grã: 📖 "E passou assim este grão caso" (Camilo Castelo Branco, *A Mulher Fatal*, p. 54); "Na grão fornalha já se a flama agita" (Fr. Francisco de S. Carlos, *A Assunção*, p. 243). [Pl.: *grãos*.]

▲ **grão-** [De *grão*[2].] Equiv. de *grã-*.

grão-cruz [De *grão-* + *cruz*.] *S. f. S. 2 g.* Grã-cruz. [Pl.: *grão-cruzes*.]

grão de arroz [De *grão*[1] + *de* + *arroz*.] *S. m. Astr.* Ponto brilhante na superfície do Sol, em geral no centro do disco, facilmente observável pelo contraste com o resto do disco, e de duração muito curta. [Pl.: *grãos de arroz*.] ☑

grão-de-bico [De *grão*[1] + *de* + *bico*[1].] *S. m.* **1.** *Bot.* Planta fabácea (*Cicer arietinum*) de porte ereto, folhas imparipenadas, flores solitárias, pêndulas, e frutos que são vagens ovoides, ger. monospérmicas, bivalves, com sementes grandes. **2.** A semente, alimentícia, dessa planta. [Sin. ger.: *gravanço*, *ervanço*. Pl.: *grãos-de-bico*.]

grão-de-galo [De *grão*[1] + *de* + *galo*[1].] *S. m. Bras. Bot.* **1.** Árvore boraginácea (*Cordia magnoliaefolia*) nativa do RS, cujas folhas têm ápice duro, pontiagudo; as flores têm panículas terminais corimbosas, e os frutos drupáceos, edules, têm propriedades antitussígenas; acoaramuru, jaguaramuru. **2.** V. *grão-de-porco* (1). **3.** V. *louro-pardo*. **4.** V. *babosa-branca*. **5.** V. *caraíba*[2] (2 e 3). **6.** Arbusto ulmáceo (*Celtis iguanaea*) nativo do Brasil, de casca tanífera, ramos espinhosos, folhas variáveis, flores cimosas amareladas, e frutos drupáceos, edules; a madeira é forte e flexível. [Sin.: *juá-miúdo*, *vurapiá*.] **7.** Árvore ramnácea (*Ziziphus undulata*) nativa do Brasil, do CE ao RJ, de folhas onduladas, flores branco-esverdeadas ou amareladas, em fascículos, e frutos ovoides, edules; juá-mirim, juazeiro, maminha-de-cabra. **8.** V. *talá-verdadeiro*. **9.** V. *acá* (1). [Pl.: *grãos-de-galo*.]

grão-de-porco [De *grão*[1] + *de* + *porco*.] *S. m. Bras. Bot.* **1.** Árvore boraginácea (*Cordia grandifolia*) nativa do Brasil, de folhas pilíferas, flores alvas, campanuliformes, e frutos drupáceos globosos, edules, dos quais se faz xarope antitussígeno; acoaramuru, grão-de-galo, jaguaramuru, jaraguamuru. **2.** V. *babosa-branca*. **3.** V. *pau-de-rosas* (1). [Pl.: *grãos-de-porco*.]

grão-ducado [De *grão-duque* + *-ado*[2].] *S. m.* País governado por um grão-duque. [F. paral.: *grã-ducado*. Pl.: *grão-ducados*.]

grão-ducal [De *grão-duque* + *-al*[1].] *Adj. 2 g.* Relativo a grão-duque, ou a grão-ducado. [F. paral.: *grã-ducal*. Pl.: *grão-ducais*.]

grão-duque [De *grão-* + *duque*.] *S. m.* **1.** Título dado a alguns príncipes soberanos: 📖 "O rei da Holanda era .... membro votante na dieta germânica, na sua qualidade de duque do Limburgo e de grão-duque do Luxemburgo." (Ramalho Ortigão, *A Holanda*, p. 341.) **2.** Príncipe da família imperial russa e da austríaca. [F. paral.: *grã-duque*. Flex.: *grão-duquesa* (ê), *grão-duques*, *grão-duquesas* (ê).]

grão-duquesa (ê) [De *grão-* + *duquesa*.] *S. f.* Fem. de *grão-duque* (q. v.). [Pl.: *grão-duquesas*.]

grão-lama [De *grão-* + *lama*[2].] *S. m.* Dalai-lama. [F. paral.: *grã-lama*. Pl.: *grão-lamas*.]

grão-mestre [De *grão-* + *mestre*.] *S. m.* **1.** O chefe supremo de antiga ordem religiosa ou de cavalaria. **2.** *Maç.* O chefe supremo de uma Grande Loja ou de um Grande Oriente maçônicos. [F. paral.: *grã-mestre*. Pl.: *grão-mestres*.]

grão-mogolense *Adj. 2 g.* **1.** De, ou pertencente ou relativo a Grão-Mogol (MG). ● *S. 2 g.* **2.** O natural ou habitante de Grão-Mogol. [Pl.: *grão-mogolenses*.]

grão-paraense *Adj. 2 g.* **1.** De, ou pertencente ou relativo a Grão-Pará (SC). ● *S. 2 g.* **2.** O natural ou habitante de Grão-Pará. [Pl.: *grão-paraenses*.]

grão-rabino [De *grão-* + *rabino*[1].] *S. m.* **1.** O chefe supremo de uma sinagoga ou de um consistório israelita. **2.** O rabino principal de uma comunidade israelita. [F. paral.: *grã-rabino*. Pl.: *grão-rabinos*.]

grãos de café *S. m. pl. Astr.* Denominação clássica, utilizada por J. Rösch (1915), para caracterizar o aspecto, análogo ao dos grãos de café, da granulação solar na fase que antecede o aparecimento das manchas solares em uma determinada região. ☑ nota 1

grão-tinhoso (ô) [De *grão-* + *tinhoso*.] *S. m.* V. *diabo* (2). [F. paral.: *grã-tinhoso*. Pl.: *grão-tinhosos*.]

grão-turco [De *grão-* + *turco*.] *S. m.* O antigo sultão de Constantinopla. [F. paral.: *grã-turco*. Pl.: *grão-turcos*.]

grão-vizir [De *grão-* + *vizir*.] *S. m.* O primeiro-ministro do Império Otomano. [F. paral.: *grã-vizir*. Pl.: *grão-vizires*.]

grapa[1] [Do frâncico **krappa*, 'gancho', pelo cat. *grapa*.] *S. f. Veter.* Ferida na dianteira das curvas e na traseira dos braços da cavalgadura.

grapa[2] [Do it. *grappa*.] *S. f.* Aguardente de uva, com forte gradação alcoólica.

➔ **grapefruit** ['gɹejpfɹuwt] [Ingl.] V. *toranja*.

grapiapunha [Var. de *garapiapunha*.] *S. f. Bras. Bot.* V. *murajuba* (1).

grapirá [De or. tupi.] *S. m. Bras. Zool.* V. *alcatraz*[1].

grapiúna [De or. tupi.] *Bras. S. 2 g.* **1.** Habitante da região cacaueira do S. da BA. ● *Adj. 2 g.* **2.** Diz-se dele, de seu modo de vida, de seus hábitos, etc.: 📖 "Ficcionistas e poetas do homem grapiúna, do homem do cacau, daquele ser humano que tem um modo singular de vida, porque ali nasceu, ali criou raízes e ali morre." (Cyro de Matos, em *Jornal de Letras*, janeiro de 1990.) **3.** Diz-se dessa região do S. da BA.

grapsídeo [Do tax. *Grapsus* (do rad. do gr. *grapsaîos*, 'certo caranguejo') + *-ídeo*[1]; tax. *Grapsidae*.] *Zool. S. m.* **1.** Espécime dos grapsídeos, família de crustáceos decápodes, braquiúros, com cerca de 300 espécies, que habitam mares, estuários e mangues. Têm carapaça quadrada e pinças de igual tamanho. ● *Adj.* **2.** Pertencente ou relativo a eles.

graptolitino [De *graptólito* + *-ino*[2]; tax. *Graptolithina*.] *Paleont. S. m.* **1.** Espécime dos graptolitinos, classe de organismos coloniais marinhos, hemicordados, que segregavam exoesqueleto quitinoso do qual ficaram vestígios, em forma de faixas e linhas semelhantes a marcas a lápis, em rochas do ordoviciano e do siluriano. ● *Adj.* **2.** Pertencente ou relativo a eles.

graptólito [Do gr. *graptós*, 'pintado', 'escrito' (< v. gr. *gráphein* [v. *graf(o)-*]), + *-lito*.] *S. m. Paleont.* Qualquer de vários animais coloniais, marinhos, do grupo dos graptolitóideos, dos quais se conhecem apenas vestígios carbonizados em rochas, do cambriano superior até o devoniano.

graptólitos *S. m. pl. Paleont.* Classe de hemicordados coloniais, marinhos, fósseis, que apareceram no cambriano e foram extintos no carbonífero. Segregavam um exoesqueleto quitinoso com faixas e linhas e deixavam sinais nas rochas, semelhantes à marcas de lápis.

graptolóideo [De *graptól(ito)* + *-óideo*; tax. *Graptoloidea*.] *Paleont. S. m.* **1.** Espécime dos graptolóideos, ordem de graptolitinos que compreende os verdadeiros graptólitos. ● *Adj.* **2.** Pertencente ou relativo a eles.

grã-rabino [De *grã-* + *rabino*[1].] *S. m.* Grão-rabino. [Pl.: *grã-rabinos*.]

grasnada [De *grasnar* + *-ada*[1].] *S. f.* **1.** Ato ou efeito de grasnar; grasnadela, grasnido, grasno. **2.** V. *gralhada*.

grasnadela [De *grasnar* + *-dela*.] *S. f.* V. *grasnada* (1).

grasnador (ô) [De *grasnar* + *-dor*.] *Adj.* **1.** Que grasna; grasnante, grasneiro. ● *S. m.* **2.** Aquele que grasna.

grasnante [De *grasnar* + *-nte*.] *Adj. 2 g.* V. *grasnador* (1).

grasnar [Do lat.-hisp. **gracinare*, conexo com o lat. *gracitare*, 'grasnar', e com o lat. *gracillare*, 'cacarejar', ambos tardios.] *V. int.* **1.** Soltar a voz (o pato, a rã, etc.): 📖 "E vinha o entardecer, com os marrecos grasnando na lagoa." (Herberto Sales, *O Lobisomem*, p. 43); "Passam, grasnando no ar, periquitos, em bando" (Martins Fontes, *Verão*, p. 35). **2.** Soltar a voz (o corvo); crocitar: 📖 "Um corvo passa e grasna" (Manuel Bandeira, *Estrela da Vida Inteira*, p. 14). **3.** Gritar com voz desagradável como a dos corvos. *T. d.* **4.** Dizer, proferir, exprimir, grasnando. [Sin. ger.: *grasnir*.]

grasneiro [De *grasnar* + *-eiro*.] *Adj.* V. *grasnador* (1).

grasnido [De *grasnir* + *-ido*[1].] *S. m.* V. *grasnada* (1): 📖 "partem [as gaivotas] em todas as direções, ... soltando grasnidos que soam como o próprio clamor da angústia humana." (José Carlos Oliveira, *A Revolução das Bonecas*, p. 145).

grasnir [De *grasnar*, com mudança de conjug. (v. *-ir*).] ***V. int. T. d.*** V. *grasnar*: 📖 "e as rãs que estão grasnindo / nos limos do marnel as prístinas querelas!" (Antônio Feliciano de Castilho, *As Geórgicas*, p. 49).

grasno [Dev. de *grasnar*.] ***S. m.*** V. *grasnada* (1): 📖 "não solta o canto / O terno sabiá — nos ermos onde / O fúnebre urubu desata o grasno" (Gonçalves Dias, *Obras Poéticas*, II, p. 344).

graspa [Do it. *grappa* (v. *grapa*[2]).] ***S. f. Bras. S.*** **1.** Aguardente procedente da destilação das borras ou fezes do vinho. **2.** *Impr.* Bagaceira (2).

grassar [Do lat. **grassare*, por *grassari*, 'caminhos'; 'marchar contra'.] ***V. int.*** **1.** Desenvolver-se; alastrar-se, propagar-se progressivamente: 📖 "A gripe ou influenza grassou com tal intensidade que levou *O Município* a dizer que a cidade estava como um hospital" (Raul Lima, *O Fio do Tempo*, p. 129). **2.** Propalar-se, propagar-se, difundir-se, divulgar-se: 📄 *Grassou a novidade com grande rapidez.* [Defect., só us. nas 3.as pess. Pres. ind.: *grassa*, *grassam*. Cf. *graça*, s. f., e *Graça*, hier. e antr.]

grassento [De *grasso* + *-ento*.] ***Adj.*** **1.** V. *gordo* (1). **2.** Que tem a consistência da graxa.

grasso [Do lat. *crassu*.] ***Adj.*** V. *gordo* (1).

gratear [Do fr. *gratter*, poss.] ***V. t. d.*** Empregar a grateia em. [Conjug.: v. *frear*. Pres. ind.: *grateio*, *grateias*, *grateia*, etc. Cf. *grateia*, s. f., e *rocegar*.]

grateia (éi) [Dev. de *gratear*.] ***S. f.*** Instrumento com que se limpa o fundo dos rios. [Cf. *garateia* e *grateia*, do v. *gratear*.] ❖

➔**gratia argumentandi** ['grateaˈargomenˈtandẹ] [Lat.] Pelo prazer de argumentar.

gratícula [Do fr. *graticule* < lat. med. *graticula*, por *craticula*, 'pequena grelha'.] ***S. f. Ópt.*** Retículo constituído por um conjunto de linhas gravadas em um vidro transparente.

gratidão [Do lat. tard. *gratitudine*.] ***S. f.*** **1.** Qualidade de quem é grato. **2.** Reconhecimento por um benefício recebido; agradecimento, reconhecimento.

gratificação[1] [Do lat. *gratificatione*.] ***S. f.*** **1.** Ato ou efeito de gratificar. **2.** Retribuição de serviço extraordinário. **3.** Remuneração acima da devida, extraordinária, por determinado serviço que se reputou muito bem executado, ou de execução difícil: 📄 *Fiquei tão contente com o serviço que dei ao rapaz uma boa gratificação.* **4.** Remuneração de certos cargos públicos em comissão. **5.** V. *gorjeta*[1] (2). ◆ **Gratificação de Natal.** V. *décimo terceiro salário*. **Gratificação natalina.** V. *décimo terceiro salário*.

gratificação[2] [Do ingl. *gratification*.] ***S. f.*** Ato ou efeito de gratificar[2].

gratificado[1] [Part. de *gratificar*[1].] ***Adj.*** Que é ou foi objeto de gratificação[1], ou que a recebe ou recebeu: 📄 *função gratificada; funcionário gratificado.*

gratificado[2] [Part. de *gratificar*[2].] ***Adj.*** Grato, agradecido.

gratificador (ô) [Do lat. *gratificatore*.] ***Adj. S. m.*** Que, ou aquele que gratifica, paga, remunera.

gratificante[1] [De *gratificar*[1] + *-nte*.] ***Adj. 2 g.*** Que gratifica (v. *gratificar*[1]).

gratificante[2] [De *gratificar*[2] + *-nte*.] ***Adj. 2 g.*** Que gratifica (v. *gratificar*[2]).

gratificar[1] [Do lat. *gratificare*, por *gratificari*, 'ser agradável a', 'favorecer', 'obsequiar', 'servir', 'recompensar'.] ***V. t. d.*** **1.** Dar ou conceder gratificação (3) a; pagar o serviço extraordinário de: 📄 *Gratificou o porteiro.* **2.** Brindar em prova de reconhecimento: 📄 *Gratificou-o pela boa notícia de que foi portador.* **3.** Pagar; remunerar; premiar. ***T. d. e i.*** **4.** Pagar; remunerar; premiar: 📖 "declarou isto mesmo à pobre mulher, gratificando-a, ao despedir-se, com uma moeda de oiro." (Guerra Junqueiro, *Contos para a Infância*, pp. 61-62). **5.** Dar gorjeta a. ***Int.*** **6.** Mostrar-se reconhecido. [Conjug.: v. *trancar*. Pres. ind.: *gratifico*, etc. Cf. *gratífico*.]

gratificar[2] [Do ingl. *(to) gratify*.] ***V. t. d.*** Mostrar gratidão a, por gestos, palavras, etc.; dar alegria ou prazer a. [Conjug.: v. *trancar*. Pres. ind.: *gratifico*, etc. Cf. *gratífico*.]

gratífico [Do lat. *gratificu*.] ***Adj.*** **1.** Que manifesta gratidão. **2.** Que exprime agrado. [Cf. *gratifico*, do v. *gratificar*.]

➔**gratin** [gʁaˈtɛ̃] [Fr.] ***S. m. Cul.*** Gratinado (4).

gratinado [Adapt. do fr. *gratiné*.] *Cul.* ***Adj.*** **1.** Diz-se de certos pratos de forno em cuja superfície, ger. polvilhada de queijo ralado, farinha de rosca, etc., se forma uma crosta, tostada pela ação do calor: 📄 *lasanha gratinada; creme gratinado.* **2.** Diz-se dessa crosta. ● ***S. m.*** **3.** Prato gratinado. **4.** Crosta gratinada; *gratin*: 📄 *O gratinado é a parte mais gostosa deste prato.*

gratinar [Do fr. *gratiner*.] ***V. t. d. Int.*** Fazer tostar queijo ralado, farinha de rosca, etc., na superfície de (certos pratos de forno), para que se forme crosta: 📄 *O chefe de cozinha gratinou os suflês em forno bem quente; Leve a torta ao forno para gratinar.*

grã-tinhoso (ô) [De *grã-* + *tinhoso*.] ***S. m.*** Grão-tinhoso. [Pl.: *grã-tinhosos*.]

grátis [Do lat. *gratis*.] ***Adj.*** **1.** De graça; gratuito. ● ***Adv.*** **2.** Gratuitamente, graciosamente.

grato [Do lat. *gratu*.] ***Adj.*** **1.** Agradecido, reconhecido: 📄 *Ficou eternamente grato ao amigo;* 📖 "Isso não prova senão que ela sabe ser grata aos benefícios recebidos." (Machado de Assis, *Páginas Recolhidas*, p. 120). **2.** Agradável, doce: 📄 *É-me grato recordar aquele tempo;* 📖 "eu começava a ler, num desses in-fólios vetustos, um capítulo intitulado 'Brecha das Almas', e ia caindo numa sonolência grata" (Eça de Queirós, *O Mandarim*, pp. 10-11).

gratuidade (u-i) [De *gratuito* + *-(i)dade*, com haplologia.] ***S. f.*** **1.** Qualidade de gratuito; gratuitidade. **2.** *Bras.* Direito que deficientes físicos, idosos e estudantes uniformizados têm de utilizar veículos de transporte coletivo, como ônibus, metrô, etc., gratuitamente.

gratuitidade (ùi) [De *gratuito* + *-(i)dade*.] ***S. f.*** Gratuidade.

gratuito (úi) [Do lat. *gratuitu*.] ***Adj.*** **1.** Feito ou dado de graça. **2.** Desinteressado; espontâneo: 📖 "Toda a problemática do pensamento interessado e do sentimento gratuito, do ideal e do real, do sonho e da ação, da poesia e da prédica surge .... nos versos de José Gomes Ferreira" (João Gaspar Simões, *Crítica*, II, I, p. 328). **3.** Destituído de fundamento; infundado: 📄 *acusação gratuita.* ~ V. *ato* — e *justiça* —*a*.

gratulação [Do lat. *gratulatione*.] ***S. f.*** **1.** Ato ou efeito de gratular (1). **2.** Congratulação.

gratular [Do lat. **gratulare*, por *gratulari*.] ***V. t. d.*** **1.** Mostrar-se reconhecido para com. **2.** Dar parabéns a; congratular-se com; felicitar.

gratulatório [Do lat. *gratulatoriu*.] ***Adj.*** **1.** Em que se manifesta gratidão. **2.** Próprio para felicitar.

grã-turco [De *grã-* + *turco*.] ***S. m.*** Grão-turco. [Pl.: *grã-turcos*.]

grau [Do lat. *gradu*, 'degrau', 'passo'.] ***S. m.*** **1.** Cada um dos pontos ou estágios sucessivos de uma progressão (2): 📄 *grau de aceleração de um veículo; grau de umidade do ar; grau de tensão duma corda.* **2.** Cada uma das divisões de uma escala (específica ou arbitrária) de medidas quantitativas: 📄 *os graus de um termômetro, de um transferidor; os graus de um gráfico.* **3.** Unidade de medida de temperatura. **4.** Unidade de medida de concentração duma solução: 📄 *álcool a 90 graus.* **5.** Unidade de medida entre os paralelos e meridianos terrestres. **6.** Título obtido ao completar-se o curso universitário: 📄 *Tem grau de doutor em medicina.* **7.** Posição hierárquica que denota mérito ou honraria: 📄 *Tinha o grau de cavaleiro da Ordem da Rosa.* **8.** V. *nota* (10). **9.** Distância e número de gerações que separam os parentes até o tronco comum: 📄 *São primos em segundo grau.* **10.** *Fig.* Ponto irreversível que se atinge num estado (físico, psíquico, social, etc.), ou num projeto: 📄 *Seu grau de diabetes já não tem cura; Este plano ultrapassa o grau de simples utopia.* **11.** Posição relativa acima ou abaixo de determinado ponto; nível: 📄 *O grau de aproveitamento dos alunos foi baixo.* **12.** *Fig.* Classe, categoria, ordem: 📄 *Camões é poeta do mais alto grau; É um ator de ínfimo grau.* **13.** *Fig.* Gradação, nível, estágio, passo: 📄 *Conheceu todos os graus do sofrimento.* **14.** *Fig.* Ponto, passo, degrau; furo: 📄 *Subiu um grau no meu conceito.* **15.** *Álg.* Soma dos expoentes de um monômio. **16.** *Álg.* Num polinômio, o grau do monômio de grau mais elevado. **17.** *Álg.* Numa equação algébrica, o grau do seu polinômio. **18.** *Álg.* Dimensão (4). **19.** *Mat.* A potência da derivada de maior ordem que aparece numa equação diferencial. **20.** *Fís.* A unidade de medida de uma escala que, em geral, não pertence a um sistema de unidades. **21.** *Geom.* Unidade de medida de ângulo, igual ao ângulo central de uma circunferência de círculo que subtende um arco de 1/360 da circunferência inteira. [Cf., nesta acepç., *grado*[2] (1).] **22.** *E. Ling.* Categoria que exprime aumento ou diminuição do ser, relativamente à sua dimensão normal (grau do substantivo), ou intensidade maior ou menor de um atributo (grau do adjetivo e do advérbio). **23.** *Maç.* Estágio de aprendizagem dos maçons, que varia de número conforme os ritos. **24.** *Mús.* Cada um dos sons que se sucedem numa escala, e que podem ser representados por algarismos romanos (I a VII) ou por outros símbolos gráficos. [Nas acepç. 3, 4, 5 e 21, indica-se graficamente por um zero alceado.] **25.** *Bras.* Cada uma das divisões do ensino, segundo a legislação vigente até dezembro de 1996: 📄 *ensino de primeiro grau; ensino de segundo grau.* ◆ **Grau absoluto.** *Fís.* V. *kelvin*. **Grau Celsius.** *Fís.* Cada uma das subdivisões unitárias da escala Celsius (q. v.), equivalente a um centésimo do intervalo de temperatura existente entre a temperatura de ebulição normal da água e a temperatura de cristalização da água saturada com ar atmosférico [símb.: °*C*]. [Sin.: *grau centesimal* e (impr.) *grau centígrado*.] **Grau centesimal.** *Fís.* Grau Celsius. **Grau centígrado.** *Fís.* Designação imprópria de grau Celsius. **Grau de açúcar.** *Fís.-Quím.* Intervalo unitário de uma escala convencional utilizada para medir a concentração de soluções de açúcar mediante a rotação do plano da luz polarizada. **Grau de dissociação.** *Fís.-Quím.* Numa reação de decomposição em equilíbrio, a fração das moléculas do reagente que foram decompostas. **Grau Fahrenheit.** *Fís.* Intervalo unitário de temperatura na escala Fahrenheit [símb.: °*F*]. **Grau geotérmico.** Profundidade que é preciso atingir, no interior da crosta terrestre, para que se observe o aumento de um grau Celsius na temperatura. **Grau Kelvin.** *Fís. Obsol.* V. *kelvin*. **Graus de liberdade. 1.** *Fís. Part.* Cada um dos atributos básicos que caracterizam uma partícula elementar, como, por ex., a massa e a carga elétrica. **2.** *Fís.-Quím.* Num sistema físico-químico, as variáveis termodinâmicas independentes que podem ser alteradas sem provocar o aparecimento ou desaparecimento de fases do sistema. **Alto grau.** *Maç.* Qualquer grau acima do terceiro. **Em alto grau.** Muitíssimo, extraordinariamente: 📄 *É inteligente e culto em alto grau;* 📖 "Nunca se viu homem que possuísse em mais alto grau a devoção da cortesia, o culto da polidez, a preocupação das boas maneiras." (Lúcio de Mendonça, *Horas do Bom Tempo*, p. 44).

graucá (a-u) [De or. tupi.] ***S. m.*** **1.** *Bras. Zool.* Cabeleireiro (4). ● ***S. 2 g.*** **2.** *Bras. N.E. P. ext.* V. *albino* (1). ● ***Adj. 2 g.*** **3.** *Bras. N.E.* V. *albino* (2).

grau-dez ***Adj. 2 g. e 2 n.*** *Bras.* Excelente, perfeito, inexcedível: 📄 *É um caráter grau-dez.*

graúdo [Do lat. **granutu*, poss.] ***Adj.*** **1.** Grande, grado: 📄 *milho graúdo.* **2.** Grande, crescido; desenvolvido: 📄 *menino já graúdo.* **3.** Importante; influente; prestigioso: 📖 "Viam-se alguns grupos de pessoas graúdas da vila, corretas nas suas sobrecasacas pretas de pano lustroso" (Conde de Ficalho, *Uma Eleição Perdida*, p. 253). **4.** Considerável, abundante, grosso, vultoso: 📖 "Dinheiro graúdo. Dinheiro muito." (João Felício dos Santos, *João Abade*, p. 213.) ~ V. *agregado* —. ● ***S. m.*** **5.** Indivíduo rico e/ou poderoso: 📄 *Sempre é amigo dos graúdos.*

graúlho [De *grão*[1] + *-ulho*, com desnasalação, poss.] ***S. m.*** Semente de uva. [Cf. *grainha*.]

graúna[1] [Do tupi.] ***S. f. Bras. Zool.*** **1.** Ave emberizídea icterínea (*Molothrus oryzivorus*) de coloração geral preta com brilho violáceo e bico preto, parasita de ninhos de outros icteríneos, e que se distribui do S. do México ao N. da Argentina, tendo o macho cerca de 36cm de comprimento e a fêmea cerca de 28cm. [Sin.: *chico-preto*, *melrão*, *rexenxão*, *vira-bosta-grande*.] **2.** V. *pássaro-preto*. [Var.: *araúna*, *caraúna*, *craúna*, *iraúna*.]

graúna[2] ***S. f.*** *Bot.* V. *braúna* (1).

grauvaca [Do al. *Grauwacke*.] ***S. f.*** *Geol.* Sedimento arenoso, formado de detritos, sobretudo de rochas básicas pouco decompostas.

gravá ***S. m.*** *Bras.* V. *caroá*.

gravação[1] [De *gravar*[1] + *-ção*.] ***S. f.*** **1.** Ato ou efeito de gravar[1]. **2.** Ato ou efeito de registrar sons e/ou imagens em um suporte (4) por meio de processos mecânicos, magnéticos, ópticos, eletrônicos, etc. **3.** O disco, a fita, etc., assim gravados. [Cf. *gravura*.]

gravação[2] [De *gravar*[2] + *-ção*.] ***S. f.*** Ato ou efeito de gravar[2].

gravado[1] [Part. de *gravar*[1].] ***Adj.*** Que foi objeto de gravação[1]. ~ V. *rosto* —.

gravado[2] [Part. de *gravar*[2].] ***Adj.*** **1.** Sujeito a ônus ou encargo; vinculado. ● ***S. m.*** **2.** *Jur.* Fiduciário (3). **3.** *Jur.* Bem onerado com restrição de uso, de disponibilidade ou outra limitação em razão de direito de terceiro.

gravador (ô) [De *gravar*[1] + *-dor*.] ***Adj.*** **1.** Que grava (v. *gravar*[1]). ● ***S. m.*** **2.** Aquele que grava [v. *gravar*[1] (1 a 5)]. **3.** Artista que faz gravuras. **4.** Aparelho de gravação[1] (2) e reprodução sonora por processos magnéticos. [Cf. *fonógrafo*.] ◆ **Gravador de videocassetes.** Gravador de videoteipes que usa videocassetes.

gravadora (ô) [De *gravar*[1] + *-dora*.] ***S. f.*** *Bras.* Estabelecimento industrial destinado a fazer gravações [v. *gravação*[1] (2)] para fins comerciais.

gravame [Do lat. *gravamen*.] ***S. m.*** **1.** Ato ou efeito de molestar; incômodo; vexame, gravação. **2.** Imposto; ônus, encargo pesado. **3.** *Jur.* Situação jurídica resultante de lei ou de contrato que cerceia os direitos do proprietário ou possuidor de um bem móvel ou imóvel; vínculo.

gravana [Do forro[2].] ***S. f.*** *Santom.* Estação seca e relativamente fresca, de junho a setembro: 📖 "Estamos na gravana, / Mata-me o frio." (Francisco Stockler, em *Antologia Poética de S. Tomé e Príncipe*, p. 17.)

G

gravancear [De *gravanço*[1] + *-ear*[2].] *V. int. Bras. Gír.* Fazer refeição; comer. [Conjug.: v. *frear*.]

gravanço[1] [De or. incerta; poss. do gót. **arwaits*, 'espécie de ervilha', pelo esp. *garbanzo*.] *S. m.* **1.** *Bot.* V. *grão-de-bico*. **2.** *Gír.* Comida, refeição.

gravanço[2] [Do rad. *grav-*, como em *gravato* e *graveto*, + *-anço*, poss. V. *garavanço*.] *S. m.* Espécie de gadanho, ancinho.

gravanha [De or. obscura.] *S. f. Bras. AL Pop.* Comida ruim.

gravanzudo [Por **gravançudo* < *gravanço*[1] + *-udo*.] *Adj. Veter.* Diz-se de uma espécie de esparavão cuja forma lembra a da semente do gravanço[1] (1) (q. v.).

gravar[1] [Do fr. *graver* < frâncico ant. **graban*, 'cavar', 'escavar'.] *V. t. d.* **1.** *Art. Gráf.* Esculpir com cinzel, ponteiro, etc., em pedra, mármore, gemas, etc. **2.** *Grav.* Entalhar com formão, talhadeira, etc., em madeira. **3.** *Grav.* Abrir com buril, em aço (cunhos ou punções). **4.** *Grav.* Insculpir (letras, ornamentos, etc.) em material duro. **5.** *Grav.* Entalhar, incisar, abrir, fixar ou fazer corroer, para posterior impressão (imagens e eventualmente letras), em placas de metal, pranchas de madeira, de pedra ou de outro material, com o auxílio de buril, ponta, faca, goiva, etc., ou reagente químico. **6.** *Rád. Telev. Jorn.* Fazer gravação[1] (2) de. **7.** Marcar com selo ou ferrete. **8.** Reter na memória; memorizar, decorar. ***T. d. e i.*** **9.** *Inform.* Escrever (dados da memória) em um dispositivo de armazenamento secundário. **10.** Assinalar; perpetuar, imortalizar: *Tal feito gravará seu nome na história.* **11.** Imprimir; fixar: *Gravou todos os acontecimentos na mente.* ***P.*** **12.** Imprimir-se; fixar-se: "O poeta cantava; e seus carmes se iam gravando no coração do povo." (José de Alencar, *O Guarani*, I, p. 74.)

gravar[2] [Do lat. *gravare* < lat. *gravis, e*, 'pesado' (v. *grave*).] *V. t. d.* **1.** Onerar, oprimir, vexar. **2.** Sobrecarregar com tributos. **3.** *Jur.* Impor gravame (3) a: *gravar um bem.*

gravata [Do fr. *cravate*, 'soldado croata de cavalaria ligeira' (ant.); 'o lenço amarrado ao pescoço us. pelos soldados croatas'; 'gravata', < fr. *cravate, corbate* (ant.), 'croata' (q. v.), < al. dial. *Krawat*.] *S. f.* **1.** Tira de tecido, estreita e longa, usada em volta do pescoço e amarrada em nó ou laço na parte da frente. **2.** Manta, lenço ou fita usados como gravata (1). **3.** Tira de couro, ou coleira, que os militares usavam. **4.** *Art. Gráf.* Fio que separa o cabeçalho do corpo de uma tabela. **5.** *Constr.* Montagem de barras de madeira ou de metal para prender fôrmas para concreto. **6.** *Marc.* Gastalho (1). **7.** *Zool.* Penas de cor diversa das do resto do corpo, que orlam o pescoço de algumas aves. **8.** *Bras.* Golpe sufocante aplicado com o braço no pescoço do contendor ou da vítima. **9.** *Bras. RS* Decepamento, degola. ◆ **Gravata à Lavallière.** Gravata (1) larga, de laço bufante. **De gravata lavada. 1.** De certa categoria social; de certo prestígio. **2.** Decente, bem-educado, bem-posto. **Passar a gravata colorada em.** *Bras. RS* Matar por degolamento; degolar, gravatear.

gravatá [De *caraguatá*.] *S. m. Bras. Bot.* Nome comum a vários gêneros de bromeliáceas epífitas e terrestres, muito cultivadas como ornamentais; caraguatá, caruatá, caruatá-de-pau, coroá, coroá-verdadeiro, craguatá, crauaçu, crautá, curauá.

gravatá-açu [De *gravatá* + *-açu*.] *S. m. Bras. Bot.* V. *caraguatá-piteira*. [Pl.: *gravatás-açus*.]

gravata-borboleta *S. f. Bras.* Gravata (1) curta, cujas pontas, iguais entre si, ficam, depois de dado o laço, a um e outro lado dele, em posição horizontal, sem cair sobre o peito, como se dá com as outras gravatas; gravatinha: "O garçom que se afasta, vestido a rigor mas familiar, a gravata-borboleta de pontas murchas." (Ricardo Ramos, *Matar um Homem*, p. 135.) [Pl.: *gravatas-borboletas* e *gravatas-borboleta*.]

gravatá-branco *S. m. Bras. Bot.* V. *abacaxi-de-tingir*. [Pl.: *gravatás-brancos*.]

gravata de coiro *S. m. Bras. S.* Gravata de couro. [Pl.: *gravatas de coiro*.] ☑

gravata de couro [Var. de *gravata de coiro*.] *S. m. Bras. S.* Soldado raso. [Pl.: *gravatas de couro*.] ☑

gravatá-de-tingir *S. m. Bras. Bot.* V. *abacaxi-de-tingir*. [Pl.: *gravatás-de-tingir*.]

gravataense *Adj. 2 g.* **1.** De, ou pertencente ou relativo a Gravatá (PE). ● *S. 2 g.* **2.** O natural ou habitante de Gravatá. [Cf. *gravataiense*.]

gravataí *S. m. Bras. Zool.* V. *carataí*.

gravataiense (a-i) *Adj. 2 g.* **1.** De, ou pertencente ou relativo a Gravataí (RS). ● *S. 2 g.* **2.** O natural ou habitante de Gravataí. [Cf. *gravataense*.]

gravatalense *Adj. 2 g.* **1.** De, ou pertencente ou relativo a Gravatal (SC). ● *S. 2 g.* **2.** O natural ou habitante de Gravatal.

gravatão [De *gravata* + *-ão*[1].] *S. m.* Indivíduo pedante, pretensioso, enfatuado.

gravataria [De *gravata* + *-aria*.] *S. f.* **1.** Lugar ou estabelecimento onde se vendem e/ou fabricam gravatas [v. *gravata* (1)]. **2.** Grande porção de gravatas.

gravatazal [De *gravatá* + *-zal*.] *S. m. Bras.* Quantidade mais ou menos considerável de gravatás dispostos proximamente entre si.

gravatazeiro (tà) [De *gravatá* + *-zeiro*.] *S. m. Bras. Zool.* Ave formicariídea (*Rhopornis ardesiaca*) que habita as matas ricas em gravatás, e que se alimenta de animais que vivem dentro das rosetas destas plantas; tem cauda longa, o macho é cor de ardósia, com garganta e coberteiras superiores das asas, negras, e a fêmea é cinzenta, com nuca ferrugínea.

gravateador (ô) [De *gravatear* + *-dor*.] *S. m. Bras. RS* Aquele que gravateia.

gravatear [De *gravata* + *-ear*[2].] *V. t. d. Bras. RS* V. *passar a gravata colorada em*. [Conjug.: v. *frear*.]

gravateiro [De *gravata* + *-eiro*.] *S. m.* **1.** Fabricante e/ou vendedor de gravatas [v. *gravata* (1)]. **2.** *Bras. Gír.* Ladrão que ataca a vítima pela garganta.

gravatinha [De *gravata* + *-inha*.] *S. f. Bras.* **1.** Gravata-borboleta. **2.** *Zool.* V. *papa-arroz* (1). **3.** *Bras. Cul.* V. *farfalle*.

gravato *S. m.* V. *garavato*.

grave [Do lat. *grave*.] *Adj. 2 g.* **1.** Sujeito à ação da gravidade. **2.** Importante, sério, ponderoso: *Graves razões me levam a proceder assim.* **3.** Austero, solene, sério, circunspecto: "A bordo encontramos o escritor [Júlio Dantas]. Sisudo, grave, com ar distante, frio, retraído." (Lima Júnior, *Alguns Homens do Meu Tempo*, p. 30.) **4.** Rígido, severo: *Lançou-lhe um olhar grave; Tem um ar grave.* **5.** Intenso, vivo, profundo: *A doença do filho provocou uma grave e triste aflição.* **6.** Doloroso, penoso: *Deram-lhe a grave incumbência de comunicar a morte trágica do amigo comum.* **7.** Nobre, elevado: *estilo grave.* **8.** Suscetível de consequências sérias, trágicas: *doença grave; falta grave.* **9.** Diz-se do som produzido por ondas de pequena frequência (4). **10.** *E. Ling.* Diz-se do acento (2) us. para indicar crase. **11.** *E. Ling. Obsol.* Paroxítono (1). **12.** *Mús.* Diz-se do mais lento de todos os andamentos. **13.** *Mús.* Na escala geral dos sons, diz-se da região que se estende do dó 1 ao dó 2. ~ V. *acento —, miastenia —, passo —* e *verso —*. ● *S. m.* **14.** Moeda portuguesa, de prata, do tempo de D. Fernando I (séc. XIV), que valia 21 réis. **15.** *Mús.* Andamento lento, vagaroso.

gravela [Do fr. *gravelle*.] *S. f.* **1.** Bagaço da uva seco e espremido. **2.** Fezes do vinho.

gravelado [De *gravela* + *-ado*[1].] *Adj.* **1.** Referente a gravela. **2.** Extraído da gravela.

gravéola *S. f. Bras. Bot.* V. *graviola*.

graveolência [Do lat. *graveolentia*.] *S. f.* Mau cheiro: "No perfume do lenço fino não se lhe abafaria de todo a graveolência dos saladeiros pelotenses." (Alberto Rangel, *Papéis Pintados*, p. 32.)

graveolente [Do lat. *graveolente*.] *Adj. 2 g.* Que tem cheiro forte e mau; que cheira mal. [Var.: *grave-olento*.]

graveolento *Adj.* V. *graveolente*.

gravetar [De *graveto* + *-ar*[2].] *V. int.* Fazer gravetos. [Pres. ind.: *graveto, gravetas, graveta*, etc. Cf. *graveto* (ê).]

graveto (ê) [Var. de *garaveto*, com síncope.] *S. m.* **1.** Galho fino, tirado ou caído, de árvore ou arbusto: "Não deixava entre os pés de milho e a rama do feijão um graveto, uma folha seca. Varria tudo" (Raquel de Queirós, *100 Crônicas Escolhidas*, p. 6). **2.** Pedaço de lenha miúda; garavato, garaveto, cavaco. **3.** Garrancho (4). **4.** *Gír.* Dedo muito fino. [Pl.: *gravetos* (ê). Cf. *graveto*, do v. *gravetar*.]

graveza (ê) [De *grave* + *-eza*.] *S. f. Desus.* Gravidade (1): "Pois assim como do aborrecimento, que os Anjos e Santos têm ao pecado, se colige bem sua graveza, por serem amigos de Deus: assim se pode coligir o mesmo do grande desejo com que o procura o Diabo, por ser este seu adversário declarado." (P.e Manuel Bernardes, *Exercícios Espirituais*, I, pp. 131-132.)

▲ **gravi-** [Do lat. *gravis, e*.] ***El. comp.*** = 'pesado', 'grave'; 'lento': *gravífico, gravígrado, gravimetria, gravímetro*.

grávida [Do lat. *gravida*, f. do adj. *gravidus, a, um* (v. *grávido*).] *S. f.* Mulher grávida.

gravidação [Do lat. *gravidatione*.] *S. f. P. us.* V. *gravidez*.

gravidade [Do lat. *gravitate*.] *S. f.* **1.** Qualidade de grave. [Sin., desus.: *graveza*.] **2.** Circunspeção, sisudez, ponderação, austeridade. **3.** Intensidade, profundidade. **4.** Circunstância perigosa. **5.** Agravamento perigoso de uma doença. **6.** *Fís.* Atração que a Terra exerce sobre qualquer corpo colocado nas suas vizinhanças; atração do campo gravitacional da Terra. **7.** *Fís.* Atração que estrela, planeta, ou qualquer outro corpo celeste, exerce sobre outro corpo; atração do campo gravitacional de estrela, planeta ou de um corpo celeste. ◆ **Gravidade artificial.** *Astron.* Simulação do efeito da gravidade pela utilização da força centrífuga. **Gravidade específica.** *Fís.* Densidade relativa (q. v.).

gravidar [Do lat. *gravidare*.] *V. t. d. Int.* Tornar(-se) grávida ou prenhe. [Sin. ger.: *engravidar*. Pres. ind.: *gravido*, etc. Cf. *grávido*.]

gravidez (ê) [De *grávido* + *-ez*.] *S. f.* **1.** Estado da mulher, e das fêmeas em geral, durante a gestação; prenhez. **2.** *P. ext.* Gestação (1). [Sin. ger., p. us.: *embaraço* e *gravidação*.] ◆ **Gravidez abdominal.** *Embr. Obst.* Implantação de blastocisto na cavidade abdominal; é fenômeno muito raro. **Gravidez cervical.** *Embr. Obst.* Implantação de blastocisto na cérvice uterina. **Gravidez ectópica.** *Embr. Obst.* Implantação de blastocisto em local extrauterino. **Gravidez nervosa.** *Obst.* Pseudociese. **Gravidez ovariana.** *Embr. Obst.* Implantação de blastocisto em ovário. **Gravidez tubária.** *Embr. Obst.* Implantação de blastocisto em tuba uterina; prenhez tubária.

gravídico [De *grávido* + *-ico*[2].] *Adj.* Relativo à gravidez. ~ V. *toxemia —a*.

grávido [Do lat. *gravidus*.] *Adj.* **1.** Cheio, pleno: "enormes jarrões de porcelana grávidos de flores tropicais" (Jô Soares, *O Xangô de Baker Street*, p. 109). **2.** Que se acha em estado de gravidez; prenhe (diz-se de mulher ou de fêmea). **3.** Carregado, pesado. [Cf. *gravido*, do v. *gravidar*.] ◆ **Apanhar grávida.** *Moç.* Gravidar, engravidar: "Apanhei grávida de ti." (João Salva-Rey, *Ku Femba*, p. 220.)

gravífico [De *gravi-* + *-fico*.] *Adj. Fís.* V. *gravitacional*. ~ V. *campo —*.

gravígrado [De *gravi-* + *-grado*[1].] *Adj.* Que tem o andar pesado.

gravimetria (grà) [De *gravi-* + *-metria*.] *S. f.* **1.** *Fís.* Conjunto de métodos e técnicas de medida da aceleração da gravidade na Terra. **2.** Ramo da geofísica que estuda a direção e intensidade do campo gravitacional da Terra.

gravimétrico (grà) [De *gravimetria* + *-ico*[2].] *Adj.* Relativo à gravimetria.

gravimetrista (grà) [De *gravimetria* + *-ista*.] *S. 2 g.* Especialista em gravimetria.

gravímetro [De *gravi-* + *-metro*.] *S. m. Geofís.* Instrumento para determinar a intensidade e a direção do campo gravitacional da Terra, em um dado ponto de sua superfície.

graviola [De or. obscura.] *S. f.* **1.** *Bras. Bot.* Árvore anonácea (*Anona muricata*) de até 10m de altura, de flores amareladas, solitárias, axilares, grandes frutos sincárpicos, de casca coriácea, com saliências cônicas em cujo ápice há um espinho, e polpa branca, edule, us. na feitura de sucos e sorvetes. [Sin.: *anona-de-espinho, araticum-grande, coração-de-rainha, guanabano, jaca-de-pobre, jaca-do-pará, sape-sape*.] **2.** O fruto dessa árvore.

graviportal (grà) *Adj. 2 g. Zool.* Diz-se de animais de membros curtos e pesados, adaptados a suportar grande peso, como, p. ex., o elefante.

gravisco [De *grave* + *-isco*[2].] *Adj.* **1.** *Desus.* Que apresenta aspecto grave. **2.** Esquivo, arisco.

gravitação [Do lat. cient. *gravitatio, onis*, pelo ingl. *gravitation*, ou pelo fr. *gravitation*.] *S. f.* **1.** Ato de gravitar. **2.** *Fís.* Atração que um corpo exerce sobre outro, e que sempre existe, quaisquer que sejam os corpos, e cuja intensidade segue a lei de Newton.

gravitacional [De *gravitação* + *-al*[1], seg. o padrão erudito.] *Adj. 2 g.* Relativo à gravitação; gravífico. ~ V. *campo —, interação —, lente —, massa —, miragem —* e *potencial —*.

gravitante [De *gravitar* + *-nte*.] *Adj. 2 g.* Que gravita.

gravitar [Do fr. *graviter* < lat. cient. *gravitare* < lat. *gravitas, atis*, 'gravidade'.] *V. t. c.* **1.** Mover-se à volta de um corpo celeste, atraído por ele: *A Terra gravita em torno do Sol; a Lua gravita em torno da Terra.* **2.** *Fís.* Tender para um ponto ou centro pela força da gravitação. ***T. i.*** **3.** *Fig.* Estar, ficar (pessoa) como que gravitando em torno de outra, pondo-se em segundo plano: *Pouco expressivo, gravita em torno do pai.* **4.** Ter como base, referência, ou objetivo principal: *Sua vida gravita em torno da moda.*

gravitino [De *gráv(it(on)* + *-ino*[1].] *S. m. Fís. Part.* S-partícula de gráviton.

gravito [De or. obscura.] *Adj.* Diz-se do touro de hastes quase verticais.

gráviton [Do ingl. *graviton*.] *S. m. Fís.* Partícula cuja existência é prevista na teoria quântica do campo gravitacional, e que deve ter massa em repouso igual a zero, carga elétrica nula e *spin* igual a dois. [A detecção experimental desta partícula ainda não foi conseguida (1999).]

grã-vizir [De *grã-* + *vizir*.] *S. m.* Grão-vizir. [Pl.: *grã-vizires*.]

gravoso (ô) [De *grave* + *-oso*.] *Adj.* **1.** Que grava, oprime, onera, vexa; pesado: "Para o estudante americano .... a sobrecarga do latim é ainda mais gravosa, porque ele está mentalmente mais distanciado do latim que o estudante europeu." (Fidelino de Figueiredo, *Música e Pensamento*, p. 46.) **2.** *Bras.* Diz-se da mercadoria exportável que, dado o seu alto custo de produção, não pode competir, no mercado internacional, com os similares estrangeiros, ficando, assim, na dependência de medidas protecionistas por parte do governo.

gravotear [De *gravar*, poss.] *V. t. d. Carp.* Riscar com o compasso (o lugar em que se vai serrar). [Conjug.: v. *frear*.]

gravura [Do fr. *gravure* < fr. *graver* (v. *gravar*[1]).] *S. f.* **1.** Ato ou efeito de gravar[1] (1 a 5). **2.** Arte de formar por meio de incisões e talhos, ou fixar por meios químicos, em metal, madeira, pedra, etc., imagens, e eventualmente letras, em relevo, a entalhe ou em plano, para reprodução e multiplicação por entintamento e estampagem, manual ou mecanicamente, em papel ou outro material. **3.** A placa de metal, a prancha de madeira ou a pedra, etc., assim trabalhadas; matriz, prancha. **4.** Estampa resultante de qualquer desses processos: 📖 "Pendia do outro lado .... uma velha gravura, antigamente encaixilhada, representando a imagem de Nossa Senhora dos Navegantes." (Ramalho Ortigão, *Primeiras Prosas*, p. 207.) [O termo, primitivamente reservado à técnica do metal, estendeu-se à xilogravura, e hoje abrange até a litografia. Cf. *gravação*[1].] ◆ **Gravura a água-forte. 1.** Processo de gravura a entalhe em que a imagem é obtida mediante mordaçagem dos traços pelos quais a ponta ou agulha do gravador põe a descoberto o metal na superfície da placa previamente protegida por camada de verniz acidorresistente. **2.** Estampa obtida por esse processo. [Tb. se diz apenas *água-forte* (q. v.).] **Gravura a água-tinta. 1.** Processo de gravura a entalhe cujo desenho, em geral previamente gravado a água-forte, adquire meio-tom mediante granulagem obtida com pulverização de resina ou por outra técnica, o que dá à estampa resultante o aspecto de aguada. **2.** Estampa obtida por esse processo. [Tb. se diz apenas *água-tinta* (q. v.).] **Gravura a buril. 1.** Processo de gravura a entalhe em que o desenho, em geral decalcado na placa, é aberto por meio de buril (1), que levanta talhas e as remove da placa, deixando o sulco onde se localiza a tinta na ocasião da tiragem. [Cf. *gravura a ponta-seca*.] **2.** Estampa obtida por esse processo. [Tb. se diz apenas *buril*.] **Gravura a entalhe. 1.** Qualquer dos processos de gravura em que o metal (geralmente o cobre) retém a tinta apenas nas reentrâncias ou entalhes praticados por instrumento ou ácido, e que representam a imagem, e cuja tiragem se faz passando a placa, com o papel, entre os dois cilindros da prensa de talho-doce. **2.** Estampa obtida por qualquer desses processos. [Sin.: *gravura a talho-doce* e, p. us., *gravura calcográfica*. V. *calcografia*. Cf. *fotogravura a entalhe* e *impressão de entalhe*.] **Gravura à maneira-negra. 1.** Processo de gravura a entalhe em que a imagem se consegue mediante granido da placa, que produz um negro uniforme, depois anulado ou atenuado nas partes convenientes, com rascadores e brunidores, para obtenção dos meios-tons e dos brancos. **2.** Estampa obtida por esse processo. [Sin.: *gravura a meia-tinta*. Tb. se diz apenas *maneira-negra*. V. *granidor*.] **Gravura a meia-tinta.** V. *gravura à maneira-negra*. [Tb. se diz apenas *meia-tinta*.] **Gravura a ponta-seca. 1.** Processo de gravura a entalhe praticado com o instrumento pontiagudo chamado *ponta-seca* (q. v.), que apenas arranha a placa, deixando rebarbas nas bordas do sulco, as quais, retendo também a tinta, concorrem para dar à estampa resultante um aspecto aveludado. [Cf. *gravura a buril*.] **2.** Estampa obtida por esse processo. [Tb. se diz apenas *ponta-seca*.] **Gravura a talho-doce. 1.** Denominação primitiva da gravura a buril, que depois se estendeu a qualquer processo de gravura a entalhe (q. v.). **2.** Estampa tirada por esse processo. [Tb. se diz apenas *talho-doce*.] **Gravura calcográfica.** *P. us.* V. *gravura a entalhe*. **Gravura em linóleo.** V. *linoleogravura*. **Gravura em madeira. 1.** Gravura em relevo sobre prancha de madeira (buxo, pereira, cerejeira, guatambu, pau-cetim, peroba, etc.). **2.** Estampa tirada por esse processo. [Sin. ger.: *xilografia*, *xilogravura*. Cf. *gravura em madeira ao fio* e *gravura em madeira de topo*.] **Gravura em madeira ao fio. 1.** A que é trabalhada a faca, formão ou goiva na superfície paralela às fibras da prancha, e que apresenta grandes brancos e contrastes fortes em cor, à maneira das estampas populares do N.E. brasileiro. **2.** Estampa obtida por esse processo. **Gravura em madeira de topo. 1.** A que é trabalhada a vários instrumentos, mas sobretudo a buril (q. v.), na superfície perpendicular às fibras da prancha, o que permite, pela maior resistência da madeira, a execução de talhos finíssimos, à imitação das técnicas de metal. **2.** Estampa obtida por esse processo. **Gravura em plano. 1.** O processo litográfico (dito também *planográfico*), por oposição aos processos em relevo e a entalhe. **2.** Estampa obtida por esse processo. [V. *litografia* e *planografia*. Cf. *fotogravura em plano* e *impressão de plano*.] **Gravura em relevo. 1.** Designação genérica dos processos da gravura em madeira, metal, linóleo, etc., em que as partes deixadas em relevo na prancha ou placa é que formam a imagem, recebendo e transmitindo a tinta, e cuja tiragem se faz à mão ou em prensa tipográfica. **2.** Estampa obtida por esse processo. [Cf. *fotogravura em relevo* e *impressão de relevo*.] **Gravura rupestre.** Qualquer sinal ou figura gravada ou esgrafiada pelos primitivos em rochedos e paredes de cavernas, frequentemente combinados com pinturas; petróglifo, litóglifo. [Cf. *pintura rupestre*.]

gravurista [De *gravura* + *-ista*.] *S. 2 g.* Pessoa que exerce a arte da gravura: 📖 "A retrospectiva da gravura brasileira parte dos anos 30 e percorre os anos seguintes marcados pela regionalização dos núcleos de gravuristas." (Marília Martins, em *Jornal do Brasil*, 14.04.1992.)

graxa [Do lat. vulg. **crassia*.] *S. f.* **1.** Substância usada para conservar o couro e dar-lhe brilho. **2.** *Quím.* Emulsão de um sabão metálico num óleo, mais ou menos consistente, destinada à lubrificação.

graxa-de-estudante *S. f. Bot.* Mimo-de-vênus. [Pl.: *graxas-de-estudante*.]

graxaim (a-ím) [Var. de *guaraxaim*.] *S. m. Bras. Zool.* V. *cachorro-do-mato*.

graxear [De *graxa* + *-ear*[2].] *V. int. Bras. Chulo* V. *namorar* (9). [Conjug.: v. *frear*.]

graxeira [De *graxa* + *-eira*.] *S. f.* **1.** *Bras.* Cada um dos dispositivos, existentes em máquinas, motores, etc., em que se introduz graxa nas partes que necessitam lubrificação. **2.** *Bras. RS* Caldeirão grande, no qual se fervem os ossos e se derrete o sebo da rês carneada, para extrair a graxa. **3.** *Bras. RS* Compartimento, na estância ou na charqueada, onde se instala esse caldeirão.

graxeiro [De *graxa* + *-eiro*.] *S. m. Bras.* Empregado de estrada de ferro ou de companhia de bondes, incumbido de lubrificar, com graxa, máquinas e chaves de desvio das linhas férreas.

graxento [De *graxa* + *-ento*.] *Adj.* **1.** *Bras. S.* Que tem muita graxa. **2.** Lambuzado de graxa. [Sin. ger.: *graxudo*.]

graxo [De *graxa*.] *Adj.* V. *gordo* (1). ~ V. *ácido* —.

graxudo [De *graxa* + *-udo*.] *Adj. Bras. S.* **1.** V. *graxento*. **2.** Diz-se do animal que está gordo.

➔ **gray** [grej] [Ingl.] *S. m. Med. Nucl.* Unidade de medida de dose de radiação ionizante absorvida, e que equivale a uma transferência de energia de 1 joule por quilo para um material qualquer, inclusive tecidos do corpo, com capacidade de absorção [símb.: *Gy*]. [É a unidade do sistema internacional recomendada em substituição ao *rad*; 1Gy = 100 *rads*.]

grazina [De *grazinar*.] *Adj. 2 g.* **1.** Que muito fala, ou resmunga, ou grita. ● *S. 2 g.* **2.** Indivíduo grazina (1). ● *S. m.* **3.** O som emitido pela cigarra, ou por aves como a coruja, o papagaio, a maracanã, etc.; grazinar. **4.** Ruído desagradável, irritante: 📄 *Que grazina! Você não pode abaixar este som?*

grazinada [De *grazinar* + *-ada*[1].] *S. f.* **1.** Vozearia ou gritaria confusa, incômoda; barulheira, barulhada: 📖 "ele ia recuando para a rua, sem se voltar, ... e nós o íamos acossando com a grazinada infernal." (Lúcio de Mendonça, *Horas do Bom Tempo*, p. 47); "procelárias e gaivotas alvíssimas acudiam, ... a saudar alegremente a frota passando por entre as velas e mastros numa grazinada festiva." (Virgílio Várzea, *Nas Ondas*, p. 117). **2.** Ruído confuso, barulheira de muitas aves soltando a voz ao mesmo tempo: 📄 *a grazinada dos periquitos enchia o ar de sons agudos.*

grazinador (ô) [De *grazinar* + *-dor*.] *Adj. S. m.* Que, ou aquele que grazina.

grazinar [Do esp. *graznar*, ou do port. *grasnar*.] *V. int.* **1.** Falar muito e alto; palrar; vozear: 📖 "já as crianças grazinavam na varanda, perseguindo, em volta de um grande aquário, os peixinhos vermelhos que fugiam entre pequeninas ilhas de pedra..." (Veiga Miranda, *Pássaros Que Fogem...*, p. 105). **2.** Articular sons vazios de sentido; palrar. **3.** Importunar, falando ou lamentando-se; resmungar, rezingar. *T. d.* **4.** Falar, dizer, em tom de grazina. *Int.* **5.** Soltar a voz, ou emitir som (a coruja, a arara, a maracanã, a cigarra, etc.): 📖 "Já se ouviam grazinar as maracanãs entre os leques sussurrantes de carnaúba" (José de Alencar, *O Sertanejo*, p. 99). ● *S. m.* **6.** Ruído produzido pelos ventos. **7.** Grazina (3).

gré [De or. obscura.] *S. m. Bras. N.* A última parte do curral de pesca para onde refluem os peixes; viveiro.

grecânico [Do lat. *graecanicu*.] *Adj. Desus.* V. *grego* (1).

greciano [Do top. *Grécia* + *-ano*[1].] *Adj. S. m. Desus.* V. *grego* (1 e 4).

grecismo [Do lat. med. *graecismu* < lat. *Graecus* + lat. *-ismus* (v. *-ismo*).] *S. m.* V. *helenismo* (1).

grecizar [Do lat. tard. *graecizare*, alter. de *graecissare* < gr. *graikízein*, 'falar grego'.] *V. t. d.* Dar feição, caráter ou costumes gregos a.

▲ **greco-** [Do lat. *graecus, a, um*.] *El. comp.* = 'grego': *greco-latino*, *grecomania*.

greco-latino [De *greco-* + *latino*.] *Adj.* Pertencente ou relativo à Grécia e a Roma, a gregos e latinos, ou ao grego e ao latim; grego-latino, heleno-latino. [Pl.: *greco-latinos*.]

grecomania [De *greco-* + *-mania*.] *S. f.* **1.** Mania de imitar os usos e/ou a língua dos gregos. **2.** Paixão pelas coisas da Grécia.

grecomaníaco [De *grecomania* + *-íaco*.] *Adj.* **1.** Relativo à grecomania. **2.** Que tem grecomania; grecômano. ● *S. m.* **3.** Aquele que tem grecomania; grecômano.

grecômano [De *greco-* + *-mano*[1].] *Adj. S. m.* Grecomaníaco (2 e 3).

greco-romano [De *greco-* + *romano*.] *Adj.* Comum aos gregos e aos romanos. [Pl.: *greco-romanos*.]

greda (ê) [Do lat. *creta*.] *S. f.* Calcário friável que, em geral, contém sílica e argila; giz.

gredelém *Adj. 2 g. e 2 n.* V. *gridelém*: 📖 "O luar entrava, florejando a cela, / Desfolhando acantos, trevos gredelém." (Martins Fontes, *Verão*, p. 239.)

gredoso (ô) [De *greda* + *-oso*.] *Adj.* Que tem greda ou aspecto de greda.

➔ **green** [gɹiːn] [Ingl.] *S. m. Esport.* No golfe, área de grama em torno do buraco.

grega (ê) [F. subst. do adj. *grego*.] *S. f.* **1.** Cercadura arquitetônica formada de linhas retas entrelaçadas. **2.** *Bras.* Galão[1] (1).

gregal[1] [Do lat. *gregale*.] *Adj. 2 g.* Relativo a grei; gregário. ~ V. *soldado* —.

gregal[2] [Do lat. tard. *graecale* < lat. *graecus*, 'da Grécia'.] *Adj. 2 g.* Dos gregos [v. *grego* (4)].

gregal[3] [Do it. *grecale*, *gregale* < it. *grecale*, 'grego', < lat. tard. *graecalis*.] *Adj. 2 g. S. 2 g.* Diz-se de, ou forte vento nordeste do centro Mediterrâneo.

gregalada [De *gregal*[3] + *-ada*[1].] *S. f.* Rajada de vento gregal[3].

gregarina [Do tax. *Gregarina* < lat. *gregarius*, 'relativo aos gados', + lat. cient. *-ina* (v. *-ina*[1]).] *S. f. Zool.* **1.** Gênero de protozoários, esporozoários, telosporídeos, gregarinidos. **2.** Qualquer espécie desse gênero, como, p. ex., a *Gregarina dufour*, parasito de gafanhotos e coleópteros. É extracelular e, no trofozoíto, é vermiforme, com 10 a 16mm de comprimento; aloja-se no tubo digestivo dos hospedeiros. **3.** Qualquer espécime desse gênero.

gregarinido [Do tax. *Gregarina* (v. *gregarina*) + *-ido*[1]; tax. *Gregarinida*.] *Zool. S. m.* **1.** Espécime dos gregarinidos, ordem de protozoários, telosporídeos, que parasitam o celoma, o tubo digestivo e outras cavidades dos invertebrados. A parte anterior do animal apresenta ganchos, ventosas ou filamentos, que permitem sua fixação nas células do hospedeiro. ● *Adj.* **2.** Pertencente ou relativo a eles. [Sin. ger.: *gregarinóideo*.]

gregarinóideo *S. m. Adj. Zool.* V. *gregarinido*.

gregário [Do lat. *gregariu*.] *Adj.* **1.** Que faz parte de grei ou rebanho; que vive em bando. **2.** Gregal[1]. **3.** Que induz a viver em bando: 📖 "O homem .... obedece ao espírito gregário, é um ser que vive em bando, como os pássaros." (Martins Fontes, *Terras da Fantasia*, p. 33.) **4.** Diz-se de soldado raso. ● *S. m.* **5.** Soldado raso.

gregarismo [De *gregário* + *-ismo*.] *S. m.* Instinto gregário (1 e 3).

grege [Do lat. *grex*, *gregis*, por via semierudita.] *S. f. P. us.* Grei.

grego (ê) [Do gr. *graikós*, pelo lat. *graecu*.] *Adj.* **1.** Da, ou pertencente ou relativo à Grécia (Europa). [Sin.: *heleno* (poét.), *argivo* e (desus.) *greciano* e *grecânico*.] **2.** Pertencente ou relativo ao grego (5). **3.** *Fig.* Obscuro, ininteligível: 📄 *Isto para mim é grego; não entendo nada.* ~ V. *alfabeto* —, *calendário* —, *calendas* —*as*, *cortina* —*a*, *cruz* —*a*, *fogo* — *e i* —. ● *S. m.* **4.** O natural ou habitante da Grécia. [Sin., nesta acepç.: *heleno* (poét.), *argivo* e (desus.) *greciano*.] **5.** Heleno (3). **6.** *Gloss.* Língua indo-europeia falada na Grécia e na parte grega da ilha de Chipre. [Suas primeiras atestações datam de 34 séculos atrás. Os diversos dialetos unificaram-se na época helenística (séc. IV a. C.) num dialeto de base ática, tendo passado, na época do império bizantino (séc. V ao séc. XV), por transições de que a seguir resultaria o grego moderno. O grego padrão apresenta atualmente duas variedades principais: o *demótico* (4) e o *catarévussa*. As variedades subpadrão são o *grego pôntico* e o *zacônio*.] **7.** *Angol. Deprec.* Marginal, bandido: 📖 "o grego arrancou-lhe o cartão com o forro dos calções" (Manuel Rui, *1 Morto & os Vivos*, p. 18). ◆ **Grego bizantino.** *Gloss.* Coiné bizantina (q. v.). **Grego helenístico.** *Gloss.* Coiné helenística (q. v.). **Grego jônico.** *Gloss.* Grupo de dialetos da Grécia antiga, que era falado na Eubeia, nas ilhas Cíclades e na região da Ásia Menor que compreende Esmirna, Éfeso e Mileto. [É a base da língua de Homero (v. *homérico*), Hesíodo (séc. VIII-VII a. C.) e Heródoto (c. 484-c. 430 a. C.).] **Grego micênico.** *Gloss.* Aquele atestado em inscri-

G

ções conhecidas como Linear B. **Grego moderno.** *Gloss.* Desenvolvimento da coiné bizantina a partir do século XV; romaico, neo-helênico. **Grego pôntico.** *Gloss.* Dialeto do grego moderno derivado do ático. [Originalmente falado nas costas da Anatólia (Turquia) banhadas pelo mar Negro (antigo Ponto Euxino), região de colonização grega, foi levado para a Grécia nas décadas de 1920 e de 1930 pela imigração. O moderno grego padrão e o pôntico não são mutuamente inteligíveis.] [Tb. se diz apenas *pôntico.*] **Gregos e troianos.** Pessoas pertencentes a dois partidos ou grupos contrários: *Astuto, procura agradar a gregos e troianos.* **Grego tardio.** *Gloss.* O escrito a partir de 30 a. C. (conquista do Egito pelos romanos) por alguns escritores dos primeiros séculos da era cristã e que representou um retorno artificial ao grego dos grandes escritores áticos. [Cf. *coiné helenística.*] **Estar grego em.** Nada saber a respeito de (um assunto ou matéria); ser grego em. **Ser grego em.** V. *estar grego em.* **Ver-se grego.** Ter grande aperto, grande dificuldade: "— Vi-me grego para descobrir onde moras." (Lobo Antunes, *Ontem não Te Vi em Babilónia*, p. 158.)

grego-latino [De *grego-* + *latino.*] **Adj.** V. *greco-latino.* [Pl.: *grego-latinos.*]

gregoriano[1] [Do Papa *Gregório* I + *-iano.*] **Adj.** *Rel.* Diz-se do rito e do canto atribuídos ao Papa Gregório I (c. 540-604). ~ V. *canto* —.

gregoriano[2] [Do Papa *Gregório* XIII + *-iano.*] **Adj.** *Rel.* Diz-se do calendário reformado pelo Papa Gregório XIII (1502-1585). ~ V. *calendário* —.

gregório [Do antr. *Gregório*, poss.] **S. m.** *Bras. GO Pop.* Pessoa que sofre de bócio.

gregotim [Do port. arc. *gregotil*, da expressão *y grego til.*] **S. m.** *Desus.* V. *garatuja* (2): "despejavam-se as três [penas de ganso] sobre o almaço por modo que as folhas e cadernos de papel desapareciam devorados pelo infatigável gregotim." (José de Alencar, *Alfarrábios*, p. 41). [Ê m. us. no pl.]

gregotins [V. *gregotim.*] **S. m. pl.** V. *garatuja* (2): "Seus livros [de Rui Barbosa].... eram, página a página, sem mácula de tinta, sem correções na escrita, emendas, rasuras ou gregotins, cobertos .... de anotações, verbetes, comentários, esclarecimentos." (Martins Fontes, *Terras da Fantasia*, p. 202.)

greguejar [De *grego* + *-ejar.*] **V. int.** *Fam.* Falar de modo obscuro, ininteligível [v. *grego* (3)]. [Conjug.: v. *pelejar.*]

greguês [De *grego* + *-ês.*] **Adj.** ~ V. *fogo* —.

gregueu [De or. obscura.] **S. m.** *Bras. Pop.* **1.** Biscate, gancho, bico. **2.** Negócio ilícito.

grei [Do lat. *grege*, por via pop.] **S. f. 1.** Rebanho de gado miúdo: "Resta ir ver nessas campinas / o lanígero fato e as hirtas greis caprinas." (Antônio Feliciano de Castilho, *As Geórgicas*, p. 179.) **2.** O conjunto dos paroquianos ou diocesanos; congregação. **3.** *Fig.* Sociedade; partido. **4.** *Ant.* Nação, povo: "quem já viu subir ao poder vários que diziam desprezar o poder, e viu ao que se limitava o seu apregoado amor pela grei, — já não vai muito em discursos férvidos..." (José Régio, *O Príncipe com Orelhas de Burro*, p. 70). [F. paral., p. us.: *grege.*]

greide [Do ingl. *grade.*] **S. m.** *Eng. Civ.* Perfil longitudinal duma estrada (de ferro ou de rodagem) que dá as cotas [v. *cota*[2] (9)] dos diversos pontos do seu eixo.

grela [De or. incerta.] **S. f.** Instrumento com que os penteeiros amaciam os pentes de alisar.

grelação [De *grelar*[2] + *-ção.*] **S. f.** *Bras. Gír.* Ação de grelar[2] (1).

grelado [Part. de *grelar*[1] (1).] **Adj.** Que grelou: *milho grelado.*

grelador (ô) [De *grelar*[2] + *-dor.*] **Adj. S. m.** *Bras. Gír.* Que, ou aquele que grela, que olha com insistência (para uma mulher); namorador.

grelar[1] [De *grelo* + *-ar*[2].] **V. int. 1.** Deitar grelo (1 e 2); espigar; germinar; brotar. **2.** *Bras.* Crescer, aumentar (o dinheiro). [Neste sentido, é muito us. por jogadores com referência a uma entrada pequena, que a sorte torna apreciável. Pres. ind.: *grelo*, etc. Cf. *grelo* (ê).]

grelar[2] **V. t. d.** *Bras. Gír.* **1.** Olhar fixamente para (uma mulher), tentando namorá-la. **2.** Espiar, observar: "Compridos, os bugalhos grelavam as pernas da cabocla" (Humberto Crispim Borges, *Cacho de Tucum*, p. 123). [Pres. ind.: *grelo*, etc. Cf. *grelo* (ê).]

grelha (ê) [Do fr. ant. *greille* (atual *grille*) < lat. *craticula*, 'grelha', dim. de *crates, is*, 'grade'.] **S. f. 1.** Pequena grade de ferro sobre a qual se assam ou torram substâncias comestíveis. **2.** Objeto semelhante, sobre o qual se acende o carvão nos fogareiros, nas fornalhas, etc. **3.** Antigo instrumento de suplício em forma de grelha, no qual se torravam os condenados. **4.** *Encad.* Espécie de crivo sobre o qual se esfrega uma escova embebida em tinta, para fazer o espargido no corte dos livros; grade, rede. **5.** *Bras. PE* Cavalo magro e ordinário. **6.** *Bras. AL* V. *limpa-trilhos.* [É corrente, em boa parte do S. do Brasil, a pronúncia de *grelha* com *e* fechado.]

grelhado [Part. de *grelhar.*] **Adj. 1.** Assado ou torrado na grelha: *carne grelhada; peixe grelhado.* **2.** Em forma de grelha (1). • **S. m. 3.** *Cul.* Prato de carne ou de peixe assim preparado: *Comi apenas um grelhado e uma sobremesa leve.*

grelhar [De *grelha* + *-ar*[2].] **V. t. d.** Assar ou torrar na grelha. [Pres. ind.: *grelho* (é), *grelhas* (é), *grelha* (é), etc.]

grelheiro [De *grelha* + *-eiro.*] **S. m.** Operário encarregado das grelhas de uma oficina.

grelo (ê) [De or. incerta.] **S. m. 1.** *Bot.* Broto (2) dos bulbos, rizomas e tubérculos, ao aparecer fora da terra. **2.** O embrião quando surge da semente: "Os grelos que brotaram quando vim ao mundo, já estão árvores da mata." (José de Alencar, *O Sertanejo*, p. 155.) **3.** *Chulo* Clitóris. [Pl.: *grelos* (ê). Cf. *grelo*, do v. *grelar.*]

gremial [De *grêmio* + *-al*[1].] **Adj. 2 g. 1.** Relativo a grêmio. • **S. m. 2.** Pano que se coloca sobre os joelhos de um bispo oficiante.

grémio **S. m.** V. *grêmio.* [Uso freq. em P.]

grêmio [Do lat. *gremiu.*] **S. m. 1.** Seio, regaço: "era a primeira vez que ouvia tais palavras, fora do grêmio conjugal" (Machado de Assis, *Quincas Borba*, pp. 75-76). **2.** V. *sociedade* (7 e 8). **3.** *Bras.* Gremista (3).

gremista [De *Grêmio* (*Futebol Porto-Alegrense*) + *-ista.*] *Bras.* **Adj. 2 g. 1.** Pertencente ou relativo ao Grêmio Futebol Porto-Alegrense (RS). **2.** Que é membro, torcedor ou jogador dessa agremiação. • **S. 2 g. 3.** Membro, torcedor ou jogador dela; grêmio.

grená [Do fr. *grenat.*] **Adj. 2 g. 1.** Que tem a cor vermelho-castanho da granada[2]: *vestido grená.* **2.** Diz-se dessa cor: *gravata de cor grená.* • **S. m. 3.** Essa cor. [Cf. *vinho* (4 e 7) e *bordô* (1 e 4).]

→ **grenache** [gʁɘ'naʃ] [Fr.] **S. m. 1.** *Vitic.* Casta de uva tinta, originária da Espanha (Aragão, v. *aragonês*) e cultivada nesse país, no S. da França e na Califórnia (N.O. dos E.U.A.). **2.** *Enol.* Vinho produzido com essa uva.

grenado **Adj.** *Bras. BA Pop.* Disposto, decidido. V. *valentão* (1).

grenha [Do lat. **grennione* < rad. céltico *grenn*, 'pelo do rosto'.] **S. f. 1.** Gaforina (1): "a cabeça desconforme, de grenha hirsuta" (Coelho Neto, *Rei Negro*, p. 140). **2.** *P. ext.* Madeixa, mecha: "Uma grenha de cabelos grisalhos, crespos e bastos, descia a afrontar-lhe a testa" (Rebelo da Silva, *Contos e Lendas*, p. 78). **3.** Juba de leão. **4.** *P. ext.* Mata densa, emaranhada.

grenho [De *grenha.*] **Adj.** *Bras. SP* Desgrenhado (1).

grenhudo [De *grenha* + *-udo.*] **Adj.** *Bras.* De cabeleira abundante, porém malcuidada.

grés [Do fr. *grès.*] **S. m.** *Desus.* Arenito.

gresífero [De *grés* + *-ífero.*] **Adj.** Diz-se do terreno onde há grés.

gresiforme [De *grés* + *-iforme.*] **Adj. 2 g.** Semelhante a grés.

gressorial **Adj. 2 g.** *Zool.* Diz-se de pernas adaptadas à corrida.

gressório [Do lat. cient. *Gressorius.*] **S. m. Adj.** *Zool.* V. *fasmatódeo.*

greta (ê) [Do lat. vulg. **crepta*, var. sincopada de *crepita*, f. do part. do lat. *crepare*, 'crepitar'.] **S. f. 1.** Abertura da terra, provocada pelo calor do Sol. **2.** V. *fenda* (1). **3.** V. *fenda* (2). [Pl.: *gretas* (ê). Cf. *greta*, *gretas*, do v. *gretar.*]

gretado [Part. de *gretar.*] **Adj. 1.** Que tem gretas. **2.** Diz-se da pele com pequenas rachaduras: *Tinha os lábios gretados de frio.* **3.** *Heráld.* Diz-se de vieiras ou de outros emblemas quando estriados ou listrados.

gretadura [De *gretar* + *-dura.*] **S. f. 1.** Ato ou efeito de gretar(-se). **2.** Rachadura ou fenda na pele.

gretar [Do lat. vulg. **creptare* < lat. vulg. **crepta* (v. *greta*).] **V. t. d. 1.** Abrir fenda ou greta em. **Int. P. 2.** Fender-se, abrir-se, rasgar-se. **3.** *Fig.* Desmanchar-se; descompor-se. **4.** Estalar, fendendo-se. [Pres. ind.: *greto*, *gretas*, *greta*, etc. Cf. *greta* (ê) e pl. *gretas* (ê).]

grevas (ê) [Do fr. ant. *greve.*] **S. f. pl.** *Ant.* Parte da armadura que cobria a perna, do joelho ao pé.

greve [Do fr. *grève* < lat. vulg. *grava.*] **S. f. 1.** Recusa, resultante de acordo de operários, estudantes, funcionários, etc., a trabalhar ou a comparecer onde o dever os chama, enquanto não sejam atendidos em certas reivindicações; parede. **2.** *Dir. Trab.* Direito assegurado aos trabalhadores de suspender, total ou parcialmente, de forma coletiva, temporária e pacífica, a prestação pessoal de serviços ao empregador, quando frustrada a negociação ou verificada a impossibilidade de recurso à via arbitral. ◆ **Greve branca.** Mera paralisação de atividades, desacompanhada de represálias. **Greve de braços cruzados.** Mera paralisação de atividades, sem a ausência do grevista. **Greve de fome.** Recusa de alimentação por parte de quem não tem outro meio de chamar a atenção das autoridades para suas reivindicações.

grevílea **S. f.** *Bot.* V. *grevíllea.*

grevíllea [Do tax. *Grevillea* (do antr. [*Charles Francis*] *Greville* [1749-1809], botânico escocês, + lat. cient. *-ea*).] **S. f.** *Bot.* **1.** Gênero de árvores, ou arbustos proteáceos, ornamentais, de folhas alternas e flores dispostas em racimos. **2.** Qualquer espécie desse gênero, como, p. ex., a *Grevillea robusta*, de flores amarelas, ou a *G. forsterii*, de flores vermelhas. **3.** Qualquer espécime desse gênero.

grevista [De *greve* + *-ista.*] **Adj. 2 g. 1.** Relativo a, ou que tem caráter de greve: *movimento grevista.* • **S. 2 g. 2.** Pessoa que promove uma greve e/ou nela toma parte. [Sin. ger.: *paredista.*]

→ **grid** [gɪɪd] [Ingl.] **S. m.** *Autom.* Disposição dos carros na largada de uma corrida.

gridelém [Do fr. *gris de lin.*] **Adj. 2 g.** De cor semelhante à da flor do linho. [Var.: *gredelém.* F. paral.: *gridelim.*]

gridelim **Adj. 2 g.** V. *gridelém.*

grifa[1] **S. f.** A fêmea do grifo[1].

grifa[2] [Do fr. *griffe.*] **S. f. 1.** Chave de grifa (q. v.). **2.** *Desus.* Garra[1] (1). **3.** *Cin. Fot.* Peça da câmara, ou do projetor, que se encaixa nas perfurações do filme para tracioná-lo; garra.

grifar [De *grifo*[3] (1) + *-ar*[2].] **V. t. d. 1.** *Tip.* Compor (palavra ou trecho de texto) em grifo, para realçar. **2.** Sublinhar, no original (palavra ou trecho que se deva compor em grifo). **3.** *P. ext.* Sublinhar (1). **4.** Pronunciar com entonação especial, de modo que torne notado: *Grifou bem o que desejava ressaltar.* **5.** Frisar, encaracolar (o cabelo).

grife [Do fr. *griffe.*] **S. f.** *Market.* Marca comercial de produtos ou de linhas de produtos sofisticados, usada com o nome de pessoa famosa: *grife Paloma Picasso, grife Calvin Klein.* [Cf. *assinatura* (6).] ◆ **De grife.** De marca (q. v.).

grífea [Do tax. *Gryphaea.*] **S. f.** *Zool.* **1.** Gênero de moluscos pelecípodes, anisomiários, comestíveis, que são criados em viveiros em Portugal, na Espanha e na França. **2.** Espécie ou espécime desse gênero.

grifeia (éi) **S. f.** *Zool.* V. *grífea.* ❖

→ **griffe** [gʁif] [Fr.] **S. f.** V. *grife.*

griffínia [Do tax. *Griffinia* (do antr. [*William*] *Griffin*, introdutor da planta na Inglaterra, + lat. cient. *-ia*, v. *-ia*[2]).] **S. f.** *Bot.* **1.** Gênero de plantas amarilidáceas, bulbosas. **2.** Espécie ou espécime desse gênero. [Var.: *grifínia.*]

gríﬁco[1] [De *grifo*[1] + *-ico*[2].] **Adj.** Relativo ou pertencente a grifo[1].

gríﬁco[2] [De *grifo*[3] + *-ico*[2].] **Adj.** *P. us.* Pertencente ou relativo a grifo[3] (5). ~ V. *letra* —*a*.

grifínia **S. f.** *Bot.* V. *griffínia.*

grifo[1] [Do lat. tard. *gryphu* (lat. *gryphus, grypus, i* < lat. *gryps, ypis* < gr. *grýps, ypós*).] **S. m.** Animal fabuloso, de cabeça de águia e garras de leão. ~ V. *letra* —*a*.

grifo[2] [Do gr. *gríphos*, pelo lat. *griphu.*] **S. m. 1.** Questão difícil, embaraçosa; enigma. **2.** Elocução ambígua.

grifo[3] [Do antr. (*Sebastian*) *Gryphe* (1493-1556), impressor alemão que se fixou em Lião (França).] **Adj. 1.** V. *itálico* (3). **2.** Sublinhado, grifado. **3.** Encaracolado, frisado. **4.** Diz-se de galinha e doutras aves que têm as penas do pé eriçadas. • **S. m. 5.** V. *itálico* (7 e 8). **6.** Aquilo que se grifou. **7.** *Bras.* Seção, num jornal ou revista, composta em grifo ou itálico. ◆ **Grifo alemão.** *Tip.* Realce tipográfico obtido por interespacejamento.

grigri [Do ior. *grigri*, 'encantamento', 'feitiço'.] **S. m. 1.** Certo amuleto, de versículos do Alcorão escritos em papel, usado pelos muçulmanos da costa ocidental da África. **2.** Pessoa que é tida, por força desse amuleto, como dotada de poder sobre-humano.

grilado [Part. de *grilar.*] **Adj.** *Bras. Gír.* Que se grilou; vivamente preocupado ou amolado.

grilagem [De *grilo* + *-agem*[2].] **S. f.** *Bras. RJ SP GO MT* Sistema ou organização ou procedimento dos grileiros: "Mato Grosso acusa Goiás de invasão e grilagem para anexação de terras" (*Jornal do Brasil*, 03.07.1981).

grilar [De *grilo* + *-ar*[2].] *Bras. Gír.* **V. t. d. 1.** Pôr (alguém) em situação ou estado de grilo (5). **2.** Transtornar, atrapalhar, estragar: *O mau tempo grilou o passeio.* **Int. 3.** Pôr alguém em situação ou estado de grilo (5). **4.** Apossar-se de terra alheia mediante falsa escritura: "Que vergonha, governadores! É isso mesmo que pedirão ao governo federal? Que quem grilou e desmatou possa ser financiado e comercializar o seu produto?" (Miriam Leitão, em *O Globo*, 27.05.2008.) **P. 5.** Incomodar-se, amolar-se, cacetear-se, chatear-se.

grileiro [De *grilo* + *-eiro.*] **S. m.** *Bras. RJ SP GO MT* Indivíduo que procura apossar-se de terras alheias mediante falsas escrituras de propriedade: "Malária, amarelão, tracoma, analfabetismo e cachaça. Não vira outra coisa, naquelas semanas de sertão, onde viera enfrentar um grileiro qualquer, de capangas bem armados a tomar posse de longas datas de terra" (Orígenes Lessa, *Omelete em Bombaim*, p. 12).

grilento [De *grilo* + *-ento*.] ***Adj.*** *Bras. RJ SP* Diz-se de grilo (5); engrilado.

grilhagem [De *grilho* + *-agem*[2].] ***S. f.*** V. *cadeia* (1).

grilhão [De *grilho* + *-ão*[1].] ***S. m.*** **1.** V. *cadeia* (1): "colarinho alto, chapéu redondo, grilhão de ouro no relógio e luva branca." (Ramalho Ortigão, *As Farpas*, II, p. 14). **2.** Cordão de ouro. **3.** Corrente que prende os condenados; cadeia, algema: "Partiu grilhões, abriu o ergástulo fatal / E voltou livre, livre! ao seu torrão natal!..." (Guerra Junqueiro, *Pátria*, p. 62.) **4.** *Fig.* Laço, prisão, grilheta: "Que haja neste Brasil .... quem se deixe budicamente atar aos grilhões dos empregos, é de pasmar!" (Mário Sete, *Senhora de Engenho*, p. 135.)

grilheta (ê) [De *grilho* + *-eta* (ê).] ***S. f.*** **1.** *Ant.* V. *calceta*. **2.** *Fig.* V. *grilhão* (4). ● ***S. m.*** **3.** *Ant.* V. *calceta* (3).

grilho [Do esp. *grillo*.] ***S. m.*** *Ant.* Grilhão.

grilídeo [Do tax. *Gryllus* + *-ideo*[1]; tax. *Gryllidae*.] *Zool.* ***S. m.*** **1.** Espécime dos grilídeos, família de insetos ortópteros que reúne cerca de duas mil espécies. São os grilos das matas e bosques e os domésticos, com grande variedade de asas e patas, quanto a forma e tamanho. Várias espécies comunicam-se pela audição e algumas são pragas de culturas e pastagens. ● ***Adj.*** **2.** Pertencente ou relativo a eles.

grilir [Do cabo-verd.] ***V. t. d.*** *Cabo-verd.* Arregalar (os olhos): "Os meninos griliram os olhos e escancararam a boca." (Teixeira de Sousa, *Djunga*, p. 195.)

➔ **grill-room** [gɪɫ ruwm] [Ingl.] ***S. m.*** Sala de restaurante em que as carnes e os peixes são grelhados à vista do freguês.

grilo [Do lat. *grillu*.] ***S. m.*** **1.** *Zool.* Inseto ortóptero, grilóideo, de coloração geralmente parda ou escura, com antena muito mais longa que o corpo, tarso de três artículos, fêmures posteriores muito grossos, apropriados para o salto, e cujo órgão estridulante se acha localizado nas tégminas do macho. **2.** *Pop.* Ruído das peças da carroçaria dos automóveis velhos ou mal-ajustados: "— Você não escuta um barulhinho? .... Tem um grilo neste carro, pelo amor de Deus, me tira isso que senão eu acabo louco." (Fernando Sabino, *A Mulher do Vizinho*, pp. 193-194.) **3.** *Gír.* V. *relógio* (2). **4.** *Bras. Gír.* Indivíduo maçante, amolante, chato. **5.** *Bras. Gír.* Preocupação, amolação, chateação. **6.** *Bras. RJ SP* Terreno cujo título de propriedade é falso. **7.** *Bras. SP* Guarda de trânsito. **8.** *Bras. S. Gír.* Confusão, complicação, trapalhada, enredo: "— D. Gracinda, tem um grilo qualquer nesse negócio. Como é que a senhora sabe disso tudo?" (Marisa Raja Gabaglia, *Milho pra Galinha, Mariquinha*, p. 24.) ◆ **Encangar grilos.** *Bras. Pop.* Não ter que fazer.

griloblatódeo [Do tax. *Grylloblatta* (< lat. *gryllus* [*grillus*], 'grilo', + lat. *blatta*, 'barata') + *-ódeo*; tax. *Grylloblattodea*.] *Zool.* ***S. m.*** **1.** Espécime dos griloblatódeos, pequena ordem de insetos pterigotos, de corpo pequeno (10 a 30mm), ápteros, antenas longas e filiformes, abdome com cercos e ovipositor (fêmea). Vivem no solo onde haja matéria orgânica vegetal em decomposição, e são predadores. Ocorrem em latitudes altas do Japão, Sibéria e América do Norte. São conhecidas seis espécies. ● ***Adj.*** **2.** Pertencente ou relativo a eles. [Sin. ger.: *griloblatóideo*.]

griloblatóideo [Do tax. *Grylloblatta* (v. *griloblatódeo*) + *-óideo*.] ***S. m. Adj.*** *Zool.* V. *griloblatódeo*.

grilódeo [Do tax. *Gryllus* (v. *grilóideo*) + *-ódeo*.] ***S. m. Adj.*** *Zool.* V. *grilóideo*.

grilóideo [Do tax. *Gryllus* (do lat. *gryllus*, 'grilo') + *óideo*; tax. *Grylloidea*.] *Zool.* ***S. m.*** **1.** Espécime dos grilóideos, superfamília de insetos ortópteros, tetigonióideos, com antenas muito mais longas que o corpo, tarsos com três artículos, e fêmures posteriores muito fortes, e apropriados para o salto. ● ***Adj.*** **2.** Pertencente ou relativo a eles. [Sin. ger.: *aquetóideo*, *grilódeo*.]

grilotalpídeo [Do tax. *Gryllotalpa* (do lat. *gryllus*, 'grilo', + lat. *talpa*, 'toupeira') + *-ídeo*[1]; tax. *Gryllotalpidae*.] *Zool.* ***S. m.*** **1.** Espécime dos grilotalpídeos, superfamília de insetos ortópteros, tetigonióideos, cosmopolitas, com antenas filiformes, mais curtas que o corpo, pernas anteriores fossoriais, ovipositor ausente. São as paquinhas, frades ou cachorrinhos-d'água. ● ***Adj.*** **2.** Pertencente ou relativo a eles.

grilo-toupeira ***S. m.*** *Zool.* **1.** Inseto ortóptero, grilotalpídeo (*Gryllotalpa hexadactyla*) encontrado em todo o continente americano. Vive em galerias no solo, à maneira de toupeiras; noctívago, invade as habitações, mas é inofensivo. [Sin.: *bicho-da-terra*, *cachorrinho-da-areia*, *cachorrinho-d'água*, *cava-terra*, *frade*, *macaco*, *paquinha*, *paquinha-das-hortas*, *toupeirinha*.] **2.** Designação comum a todas as espécies do gênero *Gryllotalpa*. [Pl.: *grilos-toupeiras* e *grilos-toupeira*.]

grima[1] [Da mesma or. incerta que o esp. *grima*; poss. do gót. **grimms*, 'horrível' (ant. alt.-al. *grim*, 'hostil').] ***S. f.*** *Desus.* Ódio, raiva.

grima[2] ***S. f.*** *Bras. BA Etnogr.* Bastão curto, de madeira, que os brincantes do maculelê chocam ritmadamente uns contra os outros.

grimaça [Do fr. *grimace*.] ***S. f.*** V. *careta* (1).

grimpa [Dev. de *grimpar*[1], poss.] ***S. f.*** **1.** Lâmina móvel do cata-vento, que indica a direção do vento; ventoinha. **2.** O ponto mais alto; cocuruto, crista: "E nas douradas grimpas / Das cúpulas soberbas / Piam noturnas agoureiras aves." (Correia Garção, *Obras Poéticas e Oratórias*, p. 382.) **3.** *Fig.* Voz altaneira, de rezingão. **4.** *Gír.* V. *cabeça* (1). **5.** *Bras. S.* Ramo de pinheiro. ◆ **Levantar a grimpa. 1.** Mostrar-se soberbo ou insubmisso. **2.** Reagir, protestar.

grimpado [De *grimpa* + *-ado*[1].] ***Adj.*** **1.** Que tem grimpa. **2.** Que está na grimpa, no auge.

grimpagem [De *grimpar*[2] + *-agem*[2].] ***S. f.*** *Bras.* Ato ou efeito de grimpar.

grimpar[1] [Do fr. *grimper*.] ***V. int.*** **1.** Investir ou arremessar-se contra alguém. **2.** Responder com desabrimento ou insolência; respingar. ***T. d.*** **3.** Elevar-se ou subir a; trepar a; galgar: "grimpou a serra, ganhou o chapadão, alcançou a estrada real." (Nélson de Faria, *Bazé*, p. 117); "Saio para uma voltinha, bufo um bocadinho ao grimpar certas ladeiras." (Marques Rebelo, *Correio Europeu*, p. 209). ***T. c.*** **4.** Subir, trepar: *Grimpou até o alto do muro e saltou para o outro lado.* ***T. d. e i.*** **5.** Fazer subir; elevar: "Porém o grimparam [a Castro Alves] a alturas excessivas que ele, como artista, e mesmo simplesmente como natureza criadora, não merece." (Mário de Andrade, *Táxi e Crônicas no Diário Nacional*, p. 355.)

grimpar[2] [Var. nasalada de *gripar*[1] (q. v.).] ***V. int. T. d.*** *Bras.* Colarem-se as peças de (motor de explosão), por desuso, fusão ou desgaste; engripar, gripar: *Todo motor grimpa se não é engraxado; A falta de óleo grimpou o motor.*

grinalda [Do fr. ant. *guerlande* (v. *guirlanda*), com metátese.] ***S. f.*** **1.** Coroa de flores, ramos, pedraria, etc.; capela, guirlanda. **2.** Ornato arquitetônico de folhas ou de flores: "Dois anjos de cor, roçagantes e alados, sustentam grinaldas de rosas." (Vitorino Nemésio, *O Segredo de Ouro Preto*, p. 105.) **3.** *Fig.* Florilégio ou antologia (q. v.) literária. **4.** *Constr. Nav.* A parte superior do painel de popa da embarcação.

grinalda-de-noiva ***S. f.*** *Bot.* V. *ulmária*. [Pl.: *grinaldas-de-noiva*.]

grinaldar [De *grinalda* + *-ar*[2].] ***V. t. d. P.*** V. *engrinaldar*.

grindélia [Do tax. *Grindelia* (do antr. [*David Hieronymus*] *Grindel* [1777-1836], botânico russo, + lat. cient. *-ia*, v. *-ia*[2]).] ***S. f.*** *Bot.* **1.** Grande gênero de plantas asteráceas, herbáceas ou viscosas, ou resinosas, nativas, principalmente, do O. da América do Norte, e dotadas de capítulos, em invólucro com 30 a 40 séries de flores, as externas com lígulas amarelas. **2.** Qualquer espécie desse gênero, como, p. ex., a *Grindelia robusta* e a *G. buphthalmoides*, vulgarmente conhecida como *malmequer-do-campo*. **3.** Qualquer espécime desse gênero, ou a flor dele; malmequer-do-campo. **4.** As folhas e caules, secos, de algumas espécies de grindélia, de uso medicinal.

grinfa [De or. obsc.] ***S. f.*** *Bras. Gír.* Seringa (1): "Acharam uma grinfa, ainda com sangue dentro, debaixo da cama do Coça-Coça." (Dráuzio Varela, *Estação Carandiru*, p. 66.)

grinfar [Voc. onom.] ***V. int.*** Soltar a voz (a andorinha ou a calhandra); trissar, trinfar.

grinfo ***S. m.*** **1.** *Bras. S. Gír.* Crioulo, moreno. **2.** V. *namorado* (4).

gringada [De *gringo* + *-ada*[1].] ***S. f.*** *Bras.* **1.** Reunião ou grupo de gringos. **2.** Os gringos em geral. [Sin. ger.: *gringalhada*.]

gringal ***S. m.*** Certa espécie de pano alemão.

gringalhada [De *gringo* + *-alhada*.] ***S. f.*** *Bras.* V. *gringada*.

gringo [Do esp. *gringo*, poss. do esp. *griego*, 'grego'.] ***S. m.*** **1.** *Bras. Pop. Deprec.* V. *estrangeiro* (7). **2.** *Bras. N.E. Pop.* Mascate (1) estrangeiro.

gringolim [De or. express., poss.] ***S. m.*** *Bras. Gír.* Qualquer bebida espirituosa.

➔ **grip** [gɹɪp] [Ingl.] ***S. m.*** *Esport.* No tênis, empunhadura do cabo da raquete.

gripado [De *gripe* + *-ado*[1].] ***Adj. S. m.*** *Bras.* Atacado de gripe.

gripagem [Do fr. *grippage* < fr. *gripper* (v. *gripar*[1]).] ***S. f.*** *Bras.* Ato ou efeito de gripar[1].

gripal [De *gripe* + *-al*[1].] ***Adj. 2 g.*** Relativo à, ou próprio da gripe.

gripar[1] [Do fr. *gripper* (< frâncico **gripan*), poss.] ***V. int. T. d.*** *Bras.* Grimpar[2].

gripar[2] [De *gripe* + *-ar*[2].] *Bras.* ***V. t. d.*** **1.** Causar gripe a. ***Int. P.*** **2.** Ser atacado de gripe.

gripe [Do fr. *grippe*.] ***S. f.*** *Med.* Doença infecciosa produzida por vírus e que, a par de fenômenos gerais (febre, cefaleia, mal-estar, etc.), produz manifestações respiratórias, tais como irritação nasofaríngea e laríngea, e espirros. [Sin.: *influenza*, *espanhola* (obsol.) e *macaca*, *macacoa* (bras., S., pop.).]

gris [Do frâncico **gris*, pelo occitânico ant. *gris*.] ***Adj. 2 g.*** **1.** Cinzento (1) tirante a azul: "A natureza tomou uma vestidura penitencial, serguilha rota polvilhada de cinzas. Tudo é gris, desde os restolhais .... aos coutos de urze e sargaço." (Aquilino Ribeiro, *Aldeia*, p. 185); "O desolamento daquelas paragens grises, o salseiro do mar e das chuvas" (Vitorino Nemésio, *A Mocidade de Herculano*, II, p. 280). [O pl. pode ser *gris* ou *grises*.] **2.** Diz-se dessa cor: *um vestido de cor gris.* **3.** *Tip.* Diz-se do impresso em que, por defeito de tintagem, se observam tons apagados, cinzentos. **4.** *Tip.* Diz-se do negativo fotográfico que não tem contrastes suficientes, o que impossibilita boa reprodução. ● ***S. m.*** **5.** A cor gris: *O gris é uma cor fria.* **6.** *Ant. Tec. Têx.* Grise.

grisado [Adapt. do fr. *grisé*.] ***S. m.*** Conjunto de traços finos e paralelos que, em desenho ou gravura, constitui recurso tonal, em geral para representar uma área sombreada; grisê. [Cf. *azurado* (2), *guilhochê* e *hachura*.]

grisalha [Do fr. *grisaille*.] ***S. f.*** Pintura monocromática em tons de cinza, branco e preto. [Cf. *camaïeu*.]

grisalhar [De *grisalho* + *-ar*[2].] ***V. int.*** Ficar grisalho; começar a ter cabelos brancos: "diante de nós reapareceu o poeta Aristides Bruant, ... cabeleira crespa, grisalhando." (Rodrigo Otávio [filho], *Velhos Amigos*, p. 34).

grisalho [Do fr. *grisaille*.] ***Adj.*** **1.** Diz-se do cabelo preto ou castanho entremeado de fios brancos. **2.** Que tem cabelos grisalhos: *homem grisalho*; *barba grisalha*.

grisão [Do fr. *grison*.] ***Adj.*** **1.** Do, ou pertencente ou relativo ao cantão dos Grisões (Suíça). ● ***S. m.*** **2.** O natural ou habitante desse cantão.

grisar [De *gris* + *-ar*[2].] ***V. int.*** **1.** *Bras.* Tornar-se gris (1); acinzentar-se; agrisalhar. ***T. d.*** **2.** *Tip.* Gravar ou traçar (as finas linhas paralelas que constituem o grisado).

grise [De *gris*.] ***S. m.*** *Ant. Tec. Têx.* Tecido de lã pardacento usado em certos hábitos monásticos; gris.

grisê ***S. m.*** Grisado (q. v.).

griseofulvina [Do tax. (*Penicillium*) *griseofulv(um)* + *-ina*[3]; voc. farmac.] ***S. f.*** *Quím.* Antibiótico natural, us. como antifúngico [fórm.: $C_{17}H_{17}ClO_6$].

griseta (ê) [De or. obscura.] ***S. f.*** **1.** Peça metálica onde se enfia a torcida das lâmpadas ou das lamparinas; lamparina. **2.** Caixa que, nas lanternas, contém o azeite.

griséu [De *gris*.] ***Adj.*** V. *acinzentado*.

➔ **grissini** [gris'sini] [It.] ***S. m. pl.*** *Cul.* Palitos finos e crocantes feitos de massa de pão e ger. temperados com sal grosso.

grisu [Do valão *grisou*, pelo fr. *grisou*.] ***S. m.*** Gás inflamável contido nas minas de carvão, e que encerra quantidades variáveis de metano.

grita [Dev. de *gritar*.] ***S. f.*** **1.** V. *gritaria*: "Sempre que fazia alguma ao voltar caíam-lhe todos em cima: a mulher e os filhos, e era uma grita de enlouquecer." (Coelho Neto, *A Conquista*, p. 444.) **2.** Clamor de vozes; alarido, grito.

gritada [De *gritar* + *-ada*[1].] ***S. f.*** V. *gritaria*.

gritadeira [De *gritar* + *-deira*.] ***S. f.*** **1.** Mulher que grita muito. **2.** V. *gritaria*. **3.** *Bras. Bot.* V. *douradão* (3).

gritador (ô) [De *gritar* + *-dor*.] ***Adj. S. m.*** Que, ou aquele que fala em voz muito alta, ou que grita.

gritalhão [De *gritar* + *-alhão*.] ***S. m.*** Indivíduo que grita muito. [Fem.: *gritalhona*.]

gritalhona ***S. f.*** Fem. de *gritalhão*.

gritante [De *gritar* + *-nte*.] ***Adj. 2 g.*** **1.** Que grita, clama ou brada. **2.** V. *clamoroso* (1 e 3). **3.** Diz-se de cor muito viva: *um azul gritante.*

gritantemente [De *gritante* + *-mente*.] ***Adv.*** De modo gritante, à maneira de quem grita; berrantemente: "Mas entre o espírito de Washington Luís e o processo racional de pensar a que o gênero humano se acostumou — havia espaços, distâncias grandes, como a questão das candidaturas tão gritantemente o mostrou." (Gilberto Amado, *Depois da Política*, p. 7.)

gritar [Da mesma or. incerta que o esp. *gritar*; poss. do lat. vulg. **critare* < lat. *quiritare*, 'gritar por socorro'.] ***V. int.*** **1.** Dar ou soltar grito(s): *Não conseguindo fazer-se ouvido, pôs-se a gritar; Ferido, gritava de dor.* **2.** Falar muito alto: *Percebendo que o interlocutor era surdo, resolveu gritar.* **3.** Pedir socorro, bradando: "Elas começam súbito a gritar, / Como que assalto tal não esperavam." (Luís de Camões, *Os Lusíadas*, IX, 72). **4.** Protestar, reclamar: *Praticam-se violências, e ninguém tem ânimo de gritar.* ***T. i.*** **5.** Chamar aos gritos; bradar, clamar: "Margarida gritava, aflita, ajoelhada, na calçada, por Nossa Senhora da Conceição" (Adalberon Cavalcanti Lins, *Curral Novo*, p. 282); *Ao ver-se acuado, gritou pelo amigo.* **6.** Queixar-se; protestar, reclamar. ***T. d.*** **7.** Dizer aos gritos; bradar, clamar: *Saiu gritando:*

G

— *"Viva!"* **8.** Reclamar em altas vozes; pedir, clamar: *Insultado, gritou vingança.* **9.** Proferir em alta voz: "aquele infusado que estava lá atrás, ... gritando nomes feios, ... tirou a bainha de sola da ponta da vara" (Nélson de Faria, *Tiziu e Outras Estórias*, p. 111). ***T. d. e i.*** **10.** Dizer em voz alta; bradar: *Gritou para o filho que se afastasse do local.*

gritaria [De *grite* + *-aria*.] ***S. f.*** Muitos gritos; sucessão de gritos; grita, gritada, gritadeira.

grito [Dev. de *gritar*.] ***S. m.*** **1.** Voz, geralmente aguda e elevada, de modo que se possa ouvir ao longe; brado: *Maria! — era o grito que partia da casa.* **2.** *P. ext.* Vozes inarticuladas emitidas por quem sente dor, alegria, espanto: *Ouviam-se no campo de batalha os gritos dos feridos.* **3.** V. *grita* (2): *Os gritos de alegria da multidão enchiam a praça.* **4.** Voz emitida pelos animais, e que varia de acordo com a espécie: *O grito dos pássaros alegrava a tarde.* **5.** *P. ext.* Ruído estridente produzido por certos objetos em determinadas condições: *o grito das serras em movimento.* **6.** *Fig.* V. *clamor* (2): *Agora explodia o grito daquela consciência oprimida.* **7.** *Bras. Turfe* O ato da partida dos animais que correm num páreo. ◆ **De gritos.** *Bras. Gír.* Ótimo, excelente, delicioso: *O caruru do Paulo estava de gritos.* **Ganhar no grito.** *Bras. Gír. Fut.* Atitude de uma equipe ou de um jogador que influencia a decisão do árbitro. **No grito.** *Bras. Gír.* Por meios violentos; à viva força: "Cláudia vai comandar o barco, mas o Jefferson, seu namorado, acha que é perigoso e assume no grito." (Edson Afonso, em *Jornal do Brasil*, 07.02.1982.)

griujuba (i-u) ***S. f.*** *Bras. Zool.* V. *guarijuba*.

grivar [De or. incerta.] ***V. int.*** *Mar.* V. *panejar* (5).

groairense (a-i) ***Adj. 2 g.*** **1.** De, ou pertencente ou relativo a Groaíras (CE). ● ***S. 2 g.*** **2.** O natural ou habitante de Groaíras.

groçaí [De *guaraçaí*.] ***S. m.*** *Bot.* V. *guaraçaí* (1).

groçaí-azeite [De *groçaí*, var. de *guaraçaí*, + *azeite*.] ***S. m.*** *Bras. Bot.* V. *guaraçaí* (1). [Pl.: *groçaís-azeites* e *groçaís-azeite*.]

groçaí-pardo [De *groçaí*, var. de *guaraçaí*, + *pardo*.] ***S. m.*** *Bras. Bot.* V. *guaraçaí-pardo*. [Pl.: *groçaís-pardos*.]

grode [De or. obscura.] ***S. m.*** *Bras. Pop.* Trago de bebida alcoólica.

groenlandês ***Adj.*** **1.** Da, ou pertencente ou relativo à Groenlândia (território semiautônomo da Dinamarca). ● ***S. m.*** **2.** O natural ou habitante da Groenlândia. **3.** *Gloss.* Dialeto do esquimó (2) que é a língua oficial da Groenlândia. **4.** Vocábulo desse dialeto. [Flex.: *groenlandesa* (ê), *groenlandeses* (ê), *groenlandesas* (ê).]

grogotó [De or. express., poss.] ***Interj.*** *Bras.* Agora é tarde; acabou-se!

grogoturi ***S. m.*** *Bras. Zool.* V. *caracaraí*.

grogue [Do ingl. *grog*.] ***S. m.*** **1.** Bebida alcoólica misturada com água quente, açúcar e casca ou suco de limão: "entravam na taberna, bebiam nela o seu grogue" (Franklin Távora, *O Cabeleira*, p. 197). **2.** *Cabo-verd.* Aguardente de cana; cachaça: "se mar fosse grogue o que eu queria era ser peixe." (Euclides de Menezes, *Toti Cadabra e Novas Estórias*, p. 94). ● ***Adj. 2 g.*** **3.** Diz-se de quem está meio tonto, como sob o efeito da ingestão de bebida alcoólica.

grolado [De or. express., poss.] ***S. m.*** *Bras. N.* Doce de frutas, às quais não se tira a casca.

groló ***S. m.*** *Bras. Zool.* V. *anu-coroca*.

groma [Do lat. *groma*.] ***S. f.*** Vara de sete pés, com que os romanos mediam os campos.

gromática [F. subst. de *gromático*.] ***S. f.*** V. *agrimensura*.

gromático [Do lat. *gromaticu*.] ***Adj.*** Relativo à gromática.

gronelandês ***Adj. S. m.*** *Lus.* V. *groenlandês*. [Flex.: *gronelandesa* (ê), *gronelandeses* (ê), *gronelandesas* (ê).]

gronga [De or. express., poss.] ***S. f.*** *Bras.* **1.** Coisa malfeita; geringonça. **2.** Feitiçaria por meio de beberagem: "Como foi rondador de casas alheias e fazedor de grongas para as moças que por bem o não queriam, era caneludo em excesso" (Valdomiro Silveira, *Os Caboclos*, p. 62).

➔**groom** [gɹuwm] [Ingl.] ***S. m.*** Empregado que trata dos cavalos.

grosa[1] [Do it. *grossa*.] ***S. f.*** Doze dúzias: "barganhava duas grosas de foguetes por duas dúzias de garrafas de branquinha." (Nélson de Faria, *Cabeça-Torta*, p. 57).

grosa[2] [De or. obscura.] ***S. f.*** **1.** Lima grossa com que se desbasta madeira, ferro, ou o casco de cavalgaduras. **2.** Faca de fio embotado, para descarnar peles.

grosa[3] ***S. f.*** *Ant.* Glosa.

grosar[1] [De *grosa*[2] + *-ar*[2].] ***V. t. d.*** Desbastar ou limar com a grosa: "Para conservá-las [as margens grandes dos livros] .... deve recomendar-se ao encadernador que se limite a aparar e jaspear a cabeça dos livros, grosando a frente e o pé." (Eduardo Frieiro, *Os Livros Nossos Amigos*, p. 177.)

grosar[2] [De *grosa*[3] + *-ar*[2].] ***V. t. d. Int.*** *Ant.* Glosar.

groseira [De *grosa*[1] + *-eira*, poss.] ***S. f.*** *Bras. BA* Aparelho de pesca no qual se empregam até 200 anzóis.

groselha (é) [Do fr. *groseille*.] ***S. f.*** **1.** Fruto da groselheira. **2.** Xarope de groselha (1). **3.** *Bot.* Groselheira-da-índia. ● ***S. m.*** **4.** A cor vermelha da groselha: *Só gosto do groselha combinado com o róseo.* ● ***Adj. 2 g. e 2 n.*** **5.** Que tem a cor vermelha da groselha: *vestidos groselha.* **6.** Diz-se dessa cor: *saia de cor groselha.*

groselheira [De *groselha* + *-eira*.] ***S. f.*** *Bot.* **1.** Designação comum a diversas saxifragáceas, que produzem a groselha. **2.** V. *bilimbi*.

groselheira-da-índia [De *groselheira* + *da*[1] + o top. *Índia*.] ***S. f.*** *Bot.* Arbusto euforbiáceo (*Phyllanthus acidus*) nativo da Índia, Malásia e Filipinas, dotado de folhas dísticas, flores avermelhadas ou róseas, frutos bacáceos dos quais se fazem compotas e geleias; as raízes e sementes são catárticas. [Sin.: *groselha*. Pl.: *groselheiras-da-índia*.]

groselheira-preta [De *groselheira* + o f. de *preto*.] ***S. f.*** *Bot.* Arbusto saxifragáceo (*Ribes nigrum*) nativo da Europa e da Ásia, de flores esverdeadas e pequenos frutos bacáceos, globosos, escuros, edules, com propriedades tônicas e digestivas; cassis.

➔**gros-grain** [gʁo gʁɛ̃] [Fr.] ***S. m.*** V. *gorgorão*.

grossaria [De *grosso* + *-aria*.] ***S. f.*** **1.** *Tec. Têx.* Tecido grosso de linho ou de algodão. **2.** V. *grosseria*.

grosseira [De *grosso* + *-eira*.] ***S. f.*** *Bras.* Erupção cutânea passageira, espécie de urticária; grosseiro.

grosseirão [De *grosseiro*[2] + *-ão*[1].] ***Adj. S. m.*** V. *grosseiro*[2] (1, 3 e 6). [Fem.: *grosseirona*.]

grosseiro[1] [De *grosso* + *-eiro*.] ***S. m.*** *Bras.* V. *grosseira*.

grosseiro[2] [Do fr. *grossier*.] ***Adj.*** **1.** De qualidade inferior; grosso, grosseirão: *tecido grosseiro de algodão.* **2.** Malfeito, rude, tosco: *móveis grosseiros; sapatos grosseiros.* **3.** Mal-educado, incivil, impolido, grosseirão; grosso: *Que indivíduo grosseiro!* **4.** Áspero, rude, estúpido: *modos grosseiros.* **5.** Imoral, sórdido, imundo, grosso: *piada grosseira.* ● ***S. m.*** **6.** Indivíduo grosseiro; grosseirão.

grosseirona ***S. f.*** Fem. de *grosseirão* (q. v.).

grossense ***Adj. 2 g.*** **1.** De, ou pertencente ou relativo a Grossos (RN). ● ***S. 2 g.*** **2.** O natural ou habitante de Grossos.

grosseria [Do fr. *grosserie* (hoje, desus. nesta acepç.).] ***S. f.*** **1.** Falta de urbanidade; impolidez, indelicadeza: *Aquele sujeito é a própria grosseria.* **2.** Expressão ou ato grosseiro, indelicado, impolido; grossura: *Disse-me uma grosseria; Fez uma grosseria.* [Var.: *grossaria*.]

grossidão [De *grosso* + *-idão*.] ***S. f.*** *Ant.* Grossura (1).

grossista [De *grosso* + *-ista*.] *Bras.* ***Adj. 2 g.*** **1.** Referente ao comércio em grosso. **2.** Diz-se de negociante em grosso; atacadista. ● ***S. 2 g.*** **3.** Negociante em grosso; atacadista.

grosso (ô) [Do lat. *grossu*.] ***Adj.*** **1.** De grande diâmetro: *A mangueira é árvore de tronco grosso.* **2.** Sólido, consistente: *Bateu o creme até ficar bem grosso.* **3.** Denso, compacto, espesso: *caldo grosso; sangue grosso.* **4.** Áspero, escabroso: *pele grossa; superfície grossa.* **5.** Grave (9): *voz grossa.* **6.** Grave, sério, importante: "Não me obrigue a falar, porque, se falo, temos escândalo e escândalo grosso!" (Artur Azevedo, *Contos Cariocas*, p. 193.) **7.** Abundante, copioso, polpudo: *Ganhou na transação dinheiro grosso;* "desse ajuda à igreja, esmola grossa aos cegos da feira" (Jorge Medauar, *Água Preta*, p. 98). **8.** Diz-se daquilo que, em comparação com outro da mesma espécie, tem maior volume, espessura, encorpadura, etc.: *papel, madeira, sal, livro grosso.* **9.** *Gír.* V. *grosseiro*[2] (3): *indivíduo grosso; atitude grossa.* **10.** *Gír.* V. *grosseiro*[2] (5): *gesto grosso.* **11.** Diz-se do mar de grandes vagas ou vagalhões. ~ V. *avaria —a, bastarda —a, capoeira —a, concerto —, gado —, intestino —, massa —a, mato —, nota —a, obra —a, reboco —, sal — e vela —a.* ● ***Adv.*** **12.** Com voz grossa: "Falava grosso, muito magra e pequena." (José Carlos Cavalcanti Borges, *O Assassino*, p. 13.) ● ***S. m.*** **13.** A parte mais grossa. **14.** A maior parte: "as outras duas [naus] salvaram-se, bem como o grosso da esquadra" (Oliveira Martins, *A Vida de Nun'Álvares*, p. 181). **15.** Indivíduo impolido, grosseiro. **16.** *Tip. Caligr.* Qualidade dos elementos espessos do traçado das letras. [Cf., nesta acepç., *fino*[1] (19).] [Pl.: *grossos* (ó).] ◆ **Em grosso.** Em alta escala; por atacado: *Só vendem em grosso;* "e então principiou a ganhar em grosso" (Aluísio Azevedo, *O Cortiço*, p. 13). [Cf. *a retalho*.] **Torado no grosso.** *Bras. PB PE Pop.* Baixo e gordo; atarracado.

➔**grosso modo** [ˈgrɔso ˈmɔdo] [It.] De modo grosseiro, impreciso; aproximadamente.

grossudo [De *grosso* + *-udo*.] ***Adj.*** *Zool.* Diz-se do bico das aves curto e cônico, como o do pardal.

grossulária [Do lat. cient. *Grossularia*.] ***S. f.*** **1.** *Bot.* V. *ribes*. **2.** *Min.* Mineral do grupo das granadas, silicato de alumínio e cálcio.

grossulariácea [Adapt. do tax. *Grossulariaceae*.] ***S. f.*** *Bot.* Espécime das grossulariáceas, família da ordem das saxifragales, que reúne cerca de 34 gêneros e 330 espécies de árvores e arbustos, em sua maioria armados, de folhas simples, ger. dispostas em espiral, flores racemosas, ger. hermafroditas, e frutos capsulares ou bacáceos; têm distribuição cosmopolita e muitos são cultivados pelos frutos edules.

grossulariáceo [De *grossulariácea*, com var. suf. (v. *-áceo*).] ***Adj.*** *Bot.* Pertencente ou relativo às grossulariáceas.

grossura [De *grosso* + *-ura*.] ***S. f.*** **1.** Qualidade de grosso. **2.** Dimensão de alguns sólidos entre a superfície anterior e a posterior. **3.** Corpulência; proporções avolumadas. **4.** *Gír.* Grosseria (2). **5.** *Gír.* Ato ou expressão grosseira [v. *grosseiro*[2] (5)].

grota [Do it. *grotta* (v. *gruta*).] ***S. f.*** **1.** Abertura produzida pelas enchentes na ribanceira ou na margem de um rio. **2.** *Bras.* Vale[1] (1) profundo. **3.** Depressão de terreno úmida e sombria: "Durante a seca as boiadas refugiavam-se nas serras, e escondiam-se pelas lapas e grotas, onde passavam os rigores da estação ardente, que abrasa a rechã." (José de Alencar, *O Sertanejo*, p. 197.) ◆ **Grota cega.** *Bras. MT* Barranco onde não existe ouro.

grotão [De *grota* + *-ão*[1].] ***S. m.*** *Bras.* **1.** Grota grande. **2.** Depressão funda entre montanhas de lombadas muito alcantiladas: "rodando por alguma perambeira, ou caindo .... no fundo de algum grotão." (Afonso Arinos, *Histórias e Paisagens*, p. 12). **3.** V. *brechão*. **4.** Qualquer lugarejo, distante dos centros urbanos.

groteiro [De *grota* + *-eiro*] ***S. m.*** *Bras. MG* V. *caipira* (1).

grotesco (ê) [Do it. *grottesco*, 'que lembra o estilo das grutas' (v. *grotesco* [1]).] ***Adj.*** **1.** Diz-se do estilo plástico que se originou na imitação de ruínas de edificações descobertas no séc. XIV, em Roma, e que foram tidas como grutas; nelas se encontraram pinturas que retratavam, sob forma de arabescos e linhas sinuosas, homens e animais. [O estilo grotesco foi us. por pintores renascentistas, como Rafael Sanzio (v. *rafaelesco*), Giovanni da Udine (1487-1564), etc.] **2.** Que suscita riso ou escárnio; ridículo: *indivíduo grotesco; moda grotesca.* **3.** *Tip.* V. *lineal* (2). **4.** *Teatr.* Diz-se do drama (2 [segundo Victor Hugo (v. *hugoano*)] que, no romantismo, passa, naturalmente, da tragédia à comédia, do sublime ao grotesco. ● ***S. m.*** **5.** Qualidade ou caráter daquilo que é ridículo, grotesco: *O grotesco da situação ressaltava em toda a sua força.* [Cf. *grutesco*.]

grou[1] [Do lat. vulg. **gruu* < lat. *grus, uis*, 'corvo'.] ***S. m.*** **1.** *Zool.* Ave pernalta, cultrirrostra (*Grus cinerea*): "grous e andorinhas passavam no céu anunciando a rispidez do inverno" (Alberto Rangel, *Livro de Figuras*, p. 236). [Fem.: *grua*.] **2.** *Astr.* Constelação do hemisfério austral, próxima ao Índio e à Fênix. [Com cap., nesta acepç.]

grou[2] [Do marata *garav*.] ***S. m.*** Sudra que faz serviços nos pagodes indianos.

grua[1] [Do lat. vulg. **grua*.] ***S. f.*** A fêmea do grou[1] (1).

grua[2] [Do cat. *grua* ou do fr. *grue*, ambos do lat. vulg. **grua* (v. *grua*[1]).] ***S. f.*** **1.** Aparelho usado para levantar grandes pesos. **2.** Máquina que serve para introduzir água nas locomotivas. **3.** Guindaste (1). **4.** *Cin. Telev.* Espécie de guindaste com plataforma e assento nela fixado, us. para suspender câmera, operador cinematográfico, diretor, etc.

grubbiácea [Do tax. *Grubbia* (do antr. [*Howard*] *Grubb* (1844-1931), nobre astrônomo inglês), + *-ácea*; tax. *Grubbiaceae*.] ***S. f.*** *Bot.* Espécime das grubbiáceas, família de vegetais floríferos, da ordem das santalales, que engloba exclusivamente o gênero sul-africano *Grubbia*. São plantas lenhosas, de folhas opostas e flores inconspícuas, e cujo fruto é uma drupa.

grubbiáceo [De *grubbiácea*, com var. suf. (v. *-áceo*).] ***Adj.*** *Bot.* Pertencente ou relativo às grubbiáceas.

grudado [Part. de *grudar*.] ***Adj.*** **1.** Pegado com grude. **2.** Muito ligado ou apegado: *O pequeno não larga a mãe, vive grudado.*

grudadoiro [De *grudar* + *-doiro*[2].] ***S. m.*** Grudadouro (q. v.).

grudador (ô) [De *grudar* + *-dor*.] ***Adj.*** **1.** Que gruda ou serve para grudar. ● ***S. m.*** **2.** Aquilo ou aquele que gruda.

grudadouro [De *grudar* + *-douro*[2]; var. de *grudadoiro*.] ***S. m.*** Série de cavaletes de madeira ou de ferro, sobre os quais, nas fábricas de lanifícios, se estendem as teias para secar, depois de mergulhadas em cola ou grude.

grudadura [De *grudar* + *-dura*.] ***S. f.*** Ação ou efeito de grudar(-se).

grudar [De *grude* + *-ar*[2].] *V. t. d.* **1.** Pegar, ligar, unir, colar, fazer aderir, com grude. **2.** *P. ext.* Fazer aderir a alguma superfície; ligar, colar, pegar: *O barro grudava-lhe os pés ao chão. Int.* **3.** Ter propriedade adesiva: *O visgo gruda.* **4.** Ser aceito; ser bem acolhido; colar: *Não lhe foi preciso insistir: o plano grudou logo. P.* **5.** Ligar-se, pegar-se, aderir, com grude ou outra substância aglutinante. **6.** Ligar-se, unir-se, juntar-se: "Mal se deram boa-noite, e as mãos se grudaram." (Telmo Vergara, *Contos da Vida Breve*, p. 83.)

grude [Do lat. *glute(n).*] *S. m.* **1.** Espécie de cola para ajustar e unir peças de madeira, etc. **2.** Massa empregada pelos sapateiros. **3.** *Bras.* Ligação íntima entre indivíduos. **4.** *Bras. Pop.* Comida; refeição: "Fixa o relógio e .... chega à porta e contempla a agonia do Sol. Certo! Hora do grude." (Humberto Crispim Borges, *Cacho de Tucum*, p. 63.) **5.** *Bras.* Luta corporal; briga, desordem. V. *rolo*[1] (16). **6.** *Bras. N.E. Cul.* Doce feito de goma seca e coco ralado, enrolado em folha de bananeira e assado em forno. **7.** *Bras. N.E. S.* Cola[1] (1) feita de farinha de trigo. **8.** *Bras. S.* V. *namoro* (1).

grude de goma *S. m. Bras. AL Cul.* Iguaria feita com leite de coco e goma, que se assam envolvidos em folha de bananeira. [Pl.: *grudes de goma.*]

grudento [De *grude* + *-ento.*] *Adj.* Que tem a consistência do grude; que o lembra; pegajoso, peganhento.

grueiro [Do lat. *grus, uis* + *-eiro.*] *Adj.* Diz-se do falcão ensinado para caçar grou[1] (1).

grugrulhar [T. onom.] *V. int.* **1.** *Bras.* Entrar em ebulição; ferver: "O caldeirão preso à rabicha grugrulhava ao fogo" (Afonso Arinos, *Pelo Sertão*, p. 9). **2.** V. *grugulejar.*

grugulejar [T. onom.] *V. int.* **1.** Soltar a voz (o peru). **2.** Imitar a voz do peru. [Sin. ger.: *glugluejar, grugrulhar, gugluejar.*] [Conjug.: v. *pelejar.* Normalmente, é defect., conjugável só nas 3.as pess.]

grugunzar [De or. express.] *V. int. T. i.* **1.** *Bras. N.E. MG Pop.* Meditar, refletir, matutar, parafusar: "Astrogildo grugunzava, marchando à traseira de uma ponta — uns dez bois erados. .... O pensamento dele vagava distâncias." (Nélson de Faria, *Tiziu e Outras Estórias*, p. 210); *Grugunzou bastante sobre a questão.* **2.** Empregar muito esforço para decifrar alguma coisa.

grugutuba *S. m.* Variedade de feijão.

gruídeo [Do tax. *Grus* + *-ídeo*[1]; tax. *Gruidae.*] *Zool. S. m.* **1.** Espécime dos gruídeos, família de aves gruiformes, pernaltas, de pescoço comprido, coloração marrom, cinza ou branca, bico reto e de tamanho médio. São os grous das planícies e alagadiços, que nidificam no solo. Existem cerca de 15 espécies, distribuídas na Europa, Ásia, América do Norte e Australásia. • *Adj.* **2.** Pertencente ou relativo a eles.

gruiforme (u-i) [Do tax. *Grus* (do lat. *grus, uis*, 'corvo') + *-iforme*; tax. *Gruiformes.*] *Zool. S. m.* **1.** Espécime dos gruiformes, ordem de aves neórnites, neógnatas, aquáticas ou terrestres, de bico mais ou menos alongado, pernas compridas, asas curtas, e pés com dedos ger. muito longos e delgados. Compreende 12 famílias distribuídas universalmente, sendo as mais importantes as dos gruídeos, ralídeos e otitídeos. São as saracuras, galinholas, seriemas, os carões e jacamins. • *Adj. 2 g.* **2.** Pertencente ou relativo a eles.

gruijuba (u-i) [Var. de *gurijuba.*] *S. f. Bras. Zool.* V. *gua-rijuba.*

gruir [Do lat. *grus, uis*, 'corvo', + *-ir.*] *V. int.* **1.** Soltar (o grou) a sua voz. **2.** *Ant.* Correr fazendo algazarra.

gruja [F. red. de **grujeta*, por *gorjeta.*] *S. f. Bras. Gír.* V. *gorjeta*[1] (2).

grulha [Do esp. *grulla*, alter. do ant. *gruya, grua* < lat. vulg. **grua* < lat. *grus, uis*, 'corvo'.] *S. 2 g.* **1.** Pessoa muito loquaz; tagarela. **2.** *Bras. RS* V. *valentão* (3). • *Adj. 2 g.* **3.** *Bras. RS* V. *valentão* (1).

grulhaço [De *grulha* + *-aço.*] *Adj. S. m. Bras. RS* V. *valentão* (1 e 3).

grulhada [De *grulhar* + *-ada*[1].] *S. f.* **1.** Vozes de grou. **2.** *Fig.* Barulho, gritaria: "ela ficava à porta, ... fazendo uma grulhada em línguas esquisitas, rindo, mostrando dentes falsos" (Graciliano Ramos, *Linhas Tortas*, p. 23).

grulhar [De *grulha* + *-ar*[2].] *V. int.* **1.** V. *garrular*: "Os bebedores aglomeraram-se à volta dos carros de vinho, emborcando as canecas, grulhando, sapateando" (José Vieira, *Sol de Portugal*, p. 155). **2.** Soltar a voz (o sapo-cururu).

grulho *S. m. Bras. RS* Cada um dos sabugos de milho que, debulhados, servem para um jogo em que cada jogador, segurando um deles, dá contra o do parceiro ou contendor, para ver se o quebra.

grumar [De *grumo* + *-ar*[2].] *V. t. d.* **1.** Dar forma de grumo a. **2.** Reduzir a grumos. *Int. P.* **3.** Fazer-se em grumos. [Sin. ger.: *engrumar* e *grumecer.*]

grumaré [De or. tupi, poss.] *S. m. Bras. Bot.* V. *mata-olho* (1).

grumatá [Do tupi.] *S. m. Bras. SE Zool.* V. *curimbatá.*

grumatã [Var. de *grumatá.*] *S. m. Bras. SE Zool.* V. *curimbatá.*

grumecência [De *grumecer* + *-ência.*] *S. f.* Propriedade ou estado do que grumeceu ou pode grumecer.

grumecer [De *grumo* + *-ecer.*] *V. t. d. Int. P.* Grumar.

grumetagem [De *grumete* + *-agem*[2].] *S. f.* Os grumetes de um navio.

grumete (ê) [Do fr. ant. e médio *gromet*, 'jovem servente', de or. incerta.] *S. m.* Marinheiro que está iniciando a carreira na armada: "é de saber que .... o marinheiro substituirá o grumete no governo do leme" (Alexandre Herculano, *Lendas e Narrativas*, II, p. 316).

grumixá *S. m. Bras.* V. *curubixá.*

grumixama [Do tupi.] *S. f. Bras. Bot.* Fruto da grumixameira. [Var.: *gurumixama.*]

grumixameira [De *grumixama* + *-eira.*] *S. f. Bras. Bot.* Árvore mirtácea (*Eugenia brasiliensis*) de tamanho médio, cujo fruto roxo-escuro e pequeno, semelhante a uma amêndoa, tem a casca lisa, a polpa aquosa e o sabor levemente ácido. [Var.: *gurumixameira.*]

grumo [Do lat. *grumu.*] *S. m.* **1.** Pequena pasta ou aglomeração de partículas, seres ou objetos pequeninos; grânulo. **2.** Pequeno coágulo. [Dim.: *grúmulo.*]

grumoso (ô) [De *grumo* + *-oso.*] *Adj.* Que apresenta grumos; granuloso.

grúmulo [Do lat. *grumulu.*] *S. m.* Pequeno grumo: "e todos os verões correria assim, ... rolando grúmulos vermelhos e resíduos roxos, o rio múrmuro" (Alcides Maia, *Tapera*, p. 59).

gruna *S. f. Bras. BA* **1.** Nas lavras diamantinas, escavação funda feita pelos garimpeiros nos terrenos diamantíferos. **2.** Depressão formada pelas águas nas ribanceiras de certos rios; gruta. [Sin. ger. (no N.): *engrunado.*]

grunado [De *gruna* + *-ado*[1].] *S. m. Bras. BA* Nas lavras diamantíferas, rio subterrâneo; escondido, sumidouro. [Cf. *itararé.*]

gruneiro [De *gruna* + *-eiro.*] *S. m. Bras. BA* Trabalhador das grunas.

grünerita [Do antr. (*E. L.*) *Grüner* (séc. XIX) + *-ita*[2]; al. *Grünerit.*] *S. f. Min.* Mineral monoclínico, do grupo dos anfibólios, silicato de ferro e manganês. [Sem trema no Volp., embora se trate de voc. de or. alemã, derivado do antr al. *Grüner.*]

→**grunge** [gɹʌndʒ] [Ingl., 'sujeira'.] *S. m.* **1.** *Mús.* Tipo de *rock* surgido no final da década de 1980, caracterizado por um vocal rouco acompanhado por guitarra destoante, e cujos temas giravam em torno de angústia, alienação e desencantamento social. **2.** *P. ext. Vest.* Nome comum às roupas desgastadas, desalinhadas, semelhantes às dos músicos do *grunge* (1), ger. us. por adolescentes.

grunha [Alter. de *gruna.*] *S. f. Bras.* Concavidade nas serras, algumas vezes bem espaçosa.

grunhidela [De *grunhir* + *-dela.*] *S. f.* Ato isolado de grunhir.

grunhido [De *grunhir* + *-ido*[1].] *S. m.* **1.** Ação de grunhir; voz do porco ou do javali: "Em tremendos grunhidos, os javardos / Uns aos outros coos dentes se acutilam." (Eugênio de Castro, *Obras Poéticas*, V, p. 39.) **2.** Ação ou efeito de grunhir (2 a 5). **3.** *Restr.* O som resultante dessa ação.

grunhidor (ô) [De *grunhir* + *-dor.*] *Adj. S. m.* Que, ou aquele que grunhe.

grunhir [Do lat. *grunnire.*] *V. int.* **1.** Soltar grunhidos (o porco ou o javali): "Haviam-no sangrado [ao porco]. O animal grunhia dolorosamente." (Guido Vilmar Sassi, *Piá*, p. 25.) **2.** Soltar vozes que lembram a do porco ou a do javali: "os cachorrinhos a grunhirem como se estivessem chorando" (José de Alencar, *O Sertanejo*, p. 122). **3.** Atroar como grunhido. **4.** Resmungar, rezingar. *T. d.* **5.** Soltar, emitir (grunhido ou som semelhante): "Entanto o tigre continuava a grunhir o seu riso de fera." (José de Alencar, *O Sertanejo*, p. 69.) **6.** Dizer com voz que parece um grunhido: "— Queria um pedacinho de presunto, não era, Bolo-Fofo? — grunhiu uma vozinha sumida, da cama de ferro ao lado." (Amando Fontes, *Os Curumbas*, p. 17.) [Defect. Não se conjuga na 1.ª pess. sing. do pres. ind. nem, pois, no pres. subj.]

grupal [De *grupo* + *-al*[1].] *Adj. 2 g.* Relativo a, ou próprio de grupo, ou que se realiza entre membros de um grupo. ~ V. *sexo* —.

grupamento [De *grupar* + *-mento.*] *S. m.* **1.** Ato ou efeito de grupar. **2.** *Inform.* Unidade mínima, medida em *bytes*, de espaço de armazenamento em disco magnético, conforme estabelecida pelo sistema operacional durante a formatação do disco; grânulo. **3.** *Mil.* Organização militar, operacional ou administrativa, de constituição variável, que reúne elementos de comando e de combate. **4.** *Quím.* V. *grupo* (13). ◆ **Grupamento cristalino.** *Crist.* Reunião de indivíduos cristalinos.

grupar [De *grupo* + *-ar*[2].] *V. t. d.* V. *agrupar* (2).

grupelho (ê) [De *grupo* + *-elho.*] *S. m. Deprec.* Pequeno grupo; facção insignificante, sem importância.

grupeto (ê) [Do it. *gruppetto.*] *S. m. Mús.* Ornamento musical formado por dupla apojatura superior ou inferior.

grupiara [De or. tupi.] *S. f. Bras.* V. *gupiara.*

grupiarense *Adj. 2 g.* **1.** De, ou pertencente ou relativo a Grupiara (MG). • *S. 2 g.* **2.** O natural ou habitante de Grupiara.

grupo [Do it. *gruppo*, poss. do gót. **krupps*, 'objeto avultado'.] *S. m.* **1.** Conjunto de objetos que se veem duma vez ou se abrangem no mesmo lance de olhos. **2.** Reunião de coisas que formam um todo. **3.** *Quím.* Conjunto de elementos que constituem uma coluna na tabela periódica (q. v.) e que têm, ger., propriedades químicas semelhantes, em decorrência de possuírem configurações eletrônicas análogas quanto à ocupação da camada eletrônica mais externa. [O grupo VIIIB (q. v.), excepcionalmente, é formado por três colunas na tabela periódica.] [Por causa da falta de uniformidade na designação dos grupos, recomenda-se o uso do número da respectiva coluna da tabela periódica.] **4.** Reunião de pessoas. **5.** Pequena associação ou reunião de pessoas ligadas para um fim comum: *O grupo de trabalho da Secretaria de Educação reuniu-se ontem.* **6.** *Aer.* Unidade administrativa e operacional constituída de dois ou mais esquadrões. **7.** *Álg.* Conjunto de elementos, fechado, para uma operação binária, unívoca e associativa, em relação à qual o conjunto possui o elemento identidade e o inverso de cada um de seus elementos. **8.** *Astr.* Conjunto de manchas solares; área ativa. **9.** *E. Ling.* Na classificação das línguas, associação de duas ou mais línguas que constituem ou uma família (8), ou várias famílias, ou um ramo (13) de uma família. [Cf., nesta acepç., *bloco* (8), *filo* (2).] **10.** *Exérc.* Unidade administrativa e operacional constituída de duas ou mais baterias de artilharia. **11.** *Mil.* Um ou mais símbolos que formam uma unidade criptográfica ou de comunicação. **12.** *Mús.* Monofonia (da ordem de alguns segundos) desenvolvida no tempo por meio de repetições ou de evolução interna. **13.** *Quím.* Numa molécula, conjunto de átomos que é capaz de guardar a sua individualidade em determinadas reações, e que atribui a essa molécula propriedades características ou especiais; grupamento (4), radical. **14.** *Bras.* No jogo do bicho (q. v.), cada um dos 25 conjuntos de quatro dezenas em que estão divididos os números de um a 00 (zero zero), do final do prêmio, e aos quais corresponde o nome de um animal: *o grupo do cachorro.* **15.** *Bras.* Conjunto de salas num edifício comercial. **16.** *Bras. Cap.* Nas antigas maltas [v. *malta*[1] (5)] do Rio de Janeiro, conjunto de capoeiristas que obedeciam à orientação de um mesmo mestre, treinavam regularmente em comum e se reuniam num determinado local. ◆ **Grupo abeliano.** *Álg.* Grupo cuja operação é comutativa; grupo comutativo. [Tb. se diz apenas *abeliano.*] **Grupo de combate.** *Exérc.* Pequena unidade composta de um sargento, um cabo e cinco soldados. [É o elemento básico de combate da infantaria.] **Grupo comutativo.** *Álg.* Grupo abeliano. **Grupo de controle.** *Estat. Sociol.* Em experimentação, o grupo que não recebe tratamento. **Grupo de descendência.** *Antrop.* Grupo de parentes, fundado numa regra de descendência (q. v.) ger. unilinear, detentor de propriedades, direitos e deveres específicos, e que em diversas sociedades compõe, com outros grupos do mesmo tipo, a base da organização sociopolítica. **Grupo de força.** *E. Ling.* Sintagma (3) de dois ou mais vocábulos que, numa frase, constituem um conjunto fonético significativo, enunciado sem pausa(s) e subordinado a um acento tônico preponderante, que é o do vocábulo mais importante do grupo. Ex.: "Subiu, / acompanhado do cão, / e foi parar defronte da igreja." (Machado de Assis, *Quincas Borba*, p. 354); "Levantava-se a cruz / sobre as alvas areias" (Olavo Bilac, *Poesias*, p. 160). [Nem sempre a pausa entre os grupos de força (indicada, acima, por meio de barra oblíqua) é marcada por sinal de pontuação; observe-se o último exemplo.] **Grupo de galáxias.** *Astr.* Grupo galáctico. **Grupo de impressão.** *Art. Gráf.* Unidade de impressão. **Grupo de onda.** *Fís.* V. *pacote de ondas.* **Grupo de pressão.** Grupo de pessoas com identidade de interesse em determinado campo (p. ex., economia, política, religião, filosofia, etc.), que se organiza para influenciar a opinião pública, ou ações administrativas governamentais, ou diretrizes políticas, etc. **Grupo doméstico.** *Antrop.* Grupo social, definido pela residência comum e pela cooperação econômica cotidiana, e que tem como núcleo uma ou mais famílias elementares (v. *família elementar*), podendo também incorporar indivíduos segundo outros critérios além do parentesco. **Grupo escolar.** Escola de ensino primário. **Grupo estelar.** *Astr.* V. *aglomerado estelar.* **Grupo étnico.** *Antrop.*

G

Etnia (2). **Grupo experimental.** *Estat. Sociol.* Em experimentação, o grupo que recebe tratamento. **Grupo fraseológico.** *E. Ling.* V. *expressão idiomática.* **Grupo funcional.** *Quím.* Grupo de átomos que atribui a uma classe de substâncias, em cujas moléculas está presente um comportamento químico determinado e mais ou menos uniforme; função. **Grupo galáctico.** *Astr.* Conjunto de galáxias que ocupam posições próximas; grupo de galáxias. **Grupo local.** *Astr.* Conjunto de mais de 20 galáxias, entre as quais a Via Láctea, que ocupam no espaço um volume, em forma de um elipsoide, cujo eixo maior tem, aproximadamente, 1.000 quiloparsecs, tendo o eixo menor 500 quiloparsecs. **Grupo mineiro.** *Liter.* Grupo literário (séc. XVIII) ao qual pertenceram Basílio da Gama e Santa Rita Durão (poetas épicos), e Cláudio Manuel da Costa, Silva Alvarenga, Alvarenga Peixoto e Tomás Antônio Gonzaga (líricos), dos quais os quatro primeiros nasceram, e os dois últimos viveram, em MG, o centro intelectual de então. São os árcades brasileiros (v. *arcadismo*). [Sin.: *escola mineira.*] **Grupo prostético.** *Bioquím.* Aquele que é formado por certas substâncias que são parte integrante de algumas enzimas e essenciais à sua ação, mas que, apesar de fortemente ligadas a estas, podem, em princípio, ser separadas. **Grupo protetor.** *Quím.* Grupo introduzido numa substância mediante reação de proteção. **Grupo sanguíneo.** *Med.* Cada uma das categorias em que são classificados indivíduos, segundo a variedade de aglutinogênios e de aglutininas encontradas em suas hemácias e em seus soros; a identificação do grupo sanguíneo de um indivíduo é essencial para que este possa ser objeto de transfusão de sangue, ou de enxerto de órgão. **Grupo social.** *Sociol.* Forma básica da associação humana: agregado social que tem uma entidade e vida própria, e se considera como um todo, com as suas tradições morais e materiais. **Grupos taxonômicos.** *Biol.* Classificação metódica dos seres vivos, de autoria de Carolus Linnaeus (1707-1778), naturalista sueco, que considera um conjunto de caracteres e se baseia no conceito de espécie, unidade fundamental para essa classificação. A partir daí, grupos aparentados são formados em ordem crescente: gênero (reunião de espécies), família (reunião de gêneros), ordem (reunião de famílias), classe (reunião de ordens), ramo (reunião de ordens em botânica) e filo (reunião de ordens em zoologia). A reunião de todos os ramos ou filos forma o reino. Admitem-se também subdivisões em todos os graus da hierarquia, como subordem, subfamília, etc. **Grupo topológico.** *Mat.* Grupo que é também um espaço topológico, e cuja operação é contínua. **Grupo 0 (zero).** *Quím.* Designação usual do *grupo 18* [v. *grupo* (3)]. **Grupo 1.** *Quím.* Aquele formado pelos elementos da primeira coluna da tabela periódica (q. v.), que são os metais alcalinos (q. v.); grupo IA. [V. *grupo* (3).] **Grupo 2.** *Quím.* Aquele formado pelos elementos da segunda coluna da tabela periódica, que são os metais alcalinoterrosos (q. v.); grupo IIA. [V. *grupo* (3).] **Grupo 3.** *Quím.* Aquele formado pelos elementos da terceira coluna da tabela periódica: o escândio, o ítrio, o lantânio e o actínio; grupo IIIB. [São nele incluídos, por vezes, os outros lantanídeos, junto com o lantânio, e os outros actinídeos, junto com o actínio.] [V. *grupo* (3).] **Grupo 4.** *Quím.* Aquele formado pelos elementos da quarta coluna da tabela periódica: o titânio, o zircônio, o háfnio e o rutherfórdio; grupo IVB. [V. *grupo* (3).] **Grupo 5.** *Quím.* Aquele formado pelos elementos da quinta coluna da tabela periódica: o vanádio, o nióbio, o tântalo e o dúbnio; grupo VB. [V. *grupo* (3).] **Grupo 6.** *Quím.* Aquele formado pelos elementos da sexta coluna da tabela periódica: o cromo, o molibdênio, o tungstênio e o seabórgio; grupo VIB. [V. *grupo* (3).] **Grupo 7.** *Quím.* Aquele formado pelos elementos da sétima coluna da tabela periódica: o manganês, o tecnécio, o rênio e o bóhrio; grupo VIIB. [V. *grupo* (3).] **Grupo 8.** *Quím.* Aquele formado pelos elementos da oitava coluna da tabela periódica: o ferro, o rutênio, o ósmio e o hássio. [V. *grupo VIIIB* e *grupo* (3).] **Grupo 9.** *Quím.* Aquele formado pelos elementos da nona coluna da tabela periódica: o cobalto, o ródio, o irídio e o meitnério. [V. *grupo VIIIB* e *grupo* (3).] **Grupo 10.** *Quím.* Aquele formado pelos elementos da décima coluna da tabela periódica: o níquel, o paládio, a platina e, possivelmente, o ununílio. [V. *grupo VIIIB* e *grupo* (3).] **Grupo 11.** *Quím.* Aquele formado pelos elementos da décima primeira coluna da tabela periódica: o cobre, a prata, o ouro, e, possivelmente, o unununio; grupo IB. [V. *grupo* (3).] **Grupo 12.** *Quím.* Aquele formado pelos elementos da décima segunda coluna da tabela periódica: o zinco, o cádmio, o mercúrio e, possivelmente, o unúmbio; grupo IIB. [V. *grupo* (3).] **Grupo 13.** *Quím.* Aquele formado pelos elementos da décima terceira coluna da tabela periódica: o boro, o alumínio, o gálio, o índio e o tálio; grupo IIIA. [V. *grupo* (3).] **Grupo 14.** *Quím.* Aquele formado pelos elementos da décima quarta coluna da tabela periódica: o carbono, o silício, o germânio, o estanho e o chumbo; grupo IVA. [V. *grupo* (3).] **Grupo 15.** *Quím.* Aquele formado pelos elementos da décima quinta coluna da tabela periódica: o nitrogênio, o fósforo, o arsênio, o antimônio e o bismuto; grupo VA. [V. *grupo* (3).] **Grupo 16.** *Quím.* Aquele formado pelos elementos da décima sexta coluna da tabela periódica, que são os calcogênios (q. v.); grupo VIA. [V. *grupo* (3).] **Grupo 17.** *Quím.* Aquele formado pelos elementos da décima sétima coluna da tabela periódica, que são os halogênios; grupo VIIA. [V. *grupo* (3).] **Grupo 18.** *Quím.* Os gases nobres (q. v.); grupo 0. [V. *grupo* (3).] **Grupo IA.** *Quím.* Designação usual do *grupo 1* (q. v.). [Tb. é usada a f. *grupo 1A.*] **Grupo IB.** *Quím.* Designação usual do *grupo 11* (q. v.). [Tb. é usada a f. *grupo 1B.*] **Grupo IIA.** *Quím.* Designação usual do *grupo 2* (q. v.). [Tb. é usada a f. *grupo 2A.*] **Grupo IIB.** *Quím.* Designação usual do *grupo 12* (q. v.). [Tb. é usada a f. *grupo 2B.*] **Grupo IIIA** *Quím.* Designação usual do *grupo 13* (q. v.). [Tb. é usada a f. *grupo 3A.*] **Grupo IIIB.** *Quím.* Designação usual do *grupo 3* (q. v.). [Tb. é usada a f. *grupo 3B.*] **Grupo IVA.** *Quím.* Designação usual do *grupo 14* (q. v.). [Tb. é usada a f. *grupo grupo 4A.*] **Grupo IVB.** *Quím.* Designação usual do *grupo 4* (q. v.). [Tb. é usada a f. *grupo 4B.*] **Grupo VA.** *Quím.* Designação usual do *grupo 15* (q. v.). [Tb. é usada a f. *grupo 5A.*] **Grupo VB.** *Quím.* Designação usual do *grupo 5* (q. v.). [Tb. é usada a f. *grupo 5B.*] **Grupo VIA.** *Quím.* Designação usual do *grupo 16* (q. v.). [Tb. é usada a f. *grupo 6A.*] **Grupo VIB.** *Quím.* Designação usual do *grupo 6* (q. v.). [Tb. é usada a f. *grupo 6B.*] **Grupo VIIA.** *Quím.* Designação usual do *grupo 17* (q. v.). [Tb. é usada a f. *grupo 7A.*] **Grupo VIIB.** *Quím.* Designação usual do *grupo 7* (q. v.). [Tb. é usada a f. *grupo 7B.*] **Grupo VIIIB.** *Quím.* Designação usual do que, a rigor, deveriam ser três grupos, o 8, o 9 e o 10, reunidos em consequência de semelhanças nas propriedades químicas dos respectivos elementos. [Tb. é usada a f. *grupo 8B*; v. *grupo* (3).]

gruta [Do napolitano ou do siciliano *grutta* (it. *grotta*) < lat. vulg. *crupta* (lat. clάss. *crypta*).] ***S. f.*** **1.** Caverna natural ou artificial; antro: 🕮 "Parecia-lhe que .... nem a justiça dos homens nem a de Deus .... teriam poder para arrancá-lo desses sombrios e protetores esconderijos, dessas grutas insondáveis, perpetuamente abertas às onças e a ele" (Franklin Távora, *O Cabeleira*, p. 217). **2.** V. *gruna* (2).

grutesco (ê) [De *gruta* + *-esco.*] ***Adj.*** Relativo a, ou próprio de gruta. [Cf. *grotesco.*] ~ V. *grutescos.*

grutescos (ê) [De *grutesco.*] ***S. m. pl.*** **1.** Ornatos artísticos, muito rebuscados, que reproduzem objetos da natureza, como, p. ex., folhas, caracóis, penhascos, árvores. **2.** Obras de pintura ou de escultura, que representam grutas. **3.** Espécie de arabesco. [Cf. *grotescos*, pl. de *grotesco.*] ~ V. *grutesco.*

→ **gruyère** [gʁyˈjɛʁ] [Fr.] ***S. m. Cul.*** Queijo de leite de vaca, de consistência rija e cor amarelo-clara, de sabor adocicado e levemente picante, com pequenos olhos, originário da Suíça.

gu [Do jeje.] ***S. m. Bras. Rel.*** Correspondente jeje do orixá ioruba Ogum; Gum. [Com cap.]

guaaura *Bras.* ***S. 2 g.*** **1.** *Etnôn.* Indivíduo dos guaauras [ou (etnôn. bras.) *Guahaura], povo indígena extinto que habitava a margem direita do rio Curuá do Sul, afluente do rio Amazonas (PA). • ***Adj. 2 g.*** **2.** Pertencente ou relativo a esse povo.

guabiju [Do tupi.] ***S. m. Bras. S. Bot.*** **1.** O fruto do guabijueiro. **2.** V. *guabijueiro* (1 e 2).

guabijueiro [De *guabiju* + *-eiro.*] ***S. m. Bot.*** **1.** Árvore mirtácea (*Eugenia guabiju*) nativa do Brasil (RS), Uruguai e Argentina de madeira útil, casca e folhas taníferas, flores brancas e frutos bacáceos, comestíveis; guabiju, guabiraguaçu, guaviraguaçu. **2.** Árvore mirtácea (*Eugenia pagens*) nativa do Brasil e Argentina, de madeira vermelha, com propriedades taníferas, folhas coriáceas; flores melíferas e frutos bacáceos; guabiju, guabijuzeiro.

guabijuense ***Adj. 2 g.*** **1.** De, ou pertencente ou relativo a Guabiju (RS). • ***S. 2 g.*** **2.** O natural ou habitante de Guabiju.

guabijuzal [De *guabiju* + *-zal.*] ***S. m. Bras. S.*** Quantidade de mais ou menos considerável de guabijuzeiros ou guabijueiros dispostos proximamente entre si.

guabijuzeiro [De *guabiju* + *-zeiro.*] ***S. m. Bot.*** V. *guabijueiro* (2).

guabiraba [Do tupi.] ***S. f. Bras. Bot.*** **1.** V. *guabiroba.* **2.** O fruto dessa planta.

guabirabense ***Adj. 2 g.*** **1.** De, ou pertencente ou relativo a Barra de Guabiraba (PE). • ***S. 2 g.*** **2.** O natural ou habitante de Barra de Guabiraba.

guabiraguaçu [De or. tupi.] ***S. m. Bot.*** V. *guabijueiro* (1).

guabiroba [Do tupi.] ***S. f. Bras. Bot.*** **1.** Nome comum a várias arvoretas e arbustos mirtáceos do gênero *Campomanesia* (v. *campomanésia*). [Sin.: *gabirobeira* ou *guabirobeira*, *guabirobeira-do-mato.*] **2.** V. *araçá-felpudo* (1 e 2). **3.** O fruto dessas árvores. [Var.: *guabiraba, guabirova, guavirova, gabiroba, gabirova* e *gavirova.*]

guabiroba-branca [De *guabiroba* + o f. de *branco.*] ***S. f. Bras. Bot.*** Guabiroba-lisa. [Pl.: *guabirobas-brancas.*]

guabiroba-de-são-paulo [De *guabiroba* + *de* + o top. *São Paulo.*] ***S. f. Bras. Bot.*** Arbusto ou árvore mirtácea (*Campomanesia guazumifolia*) de folhas oblongas, flores aromáticas e frutos bacáceos, edules; ibirapiroca, sete-casacas. [Pl.: *guabirobas-de-são-paulo.*]

guabiroba-felpuda [De *guabiroba* + o f. de *felpudo.*] ***S. f. Bras. Bot.*** V. *araçá-congonha* (1). [Pl.: *guabirobas-felpudas.*]

guabiroba-lisa [De *guabiroba* + o f. de *liso.*] ***S. f. Bras. Bot.*** Arbusto mirtáceo (*Campomanesia obscura*) com até 1,20m, ramoso, de folhas pecioladas arredondadas na base, glabras, luzidias, flores brancas pedunculadas e frutos bacáceos, comestíveis; guabiroba-branca. [Pl.: *guabirobas-lisas.*]

guabirobeira [De *guabiroba* + *-eira.*] ***S. f. Bras. Bot.*** **1.** V. *guabiroba* (1). **2.** V. *araçá-felpudo* (1).

guabirobeira-do-mato ***S. f. Bras. Bot.*** V. *guabiroba* (1). [Pl.: *guabirobeiras-do-mato.*]

guabirobinha [De *guabiroba* + *-inha.*] ***S. f. Bras. Bot.*** V. *araçá-congonha* (1).

guabirova ***S. f. Bras. Bot.*** V. *guabiroba.*

guabiru [Do tupi.] ***S. m. Bras. N. N.E.*** **1.** *Zool.* V. *rato-de-paiol.* **2.** Gatuno, larápio, rato. [Var., nessas acepçs.: *gabiru.*] **3.** *Bras.* V. *miguelista* (4).

guabirubense ***Adj. 2 g.*** **1.** De, ou pertencente ou relativo a Guabiruba (SC). • ***S. 2 g.*** **2.** O natural ou habitante de Guabiruba.

guacá [De or. obsc.] ***S. f. Bot.*** **1.** V. *mata-olho* (2). **2.** V. *fruta-de-manteiga.*

guaçaí [Var. de *açaí.*] ***S. m. Bras. Bot.*** V. *açaí-do-alto-amazonas.*

guacamole [Do náuatle *auacamolli* < náuatle *auacate*, 'abacate', + náuatle *molli*, 'molho cozido'.] ***S. m. Cul.*** Prato (2) mexicano feito com abacate amassado e temperado com sal, limão, azeite, *chile*, e cebola e tomate picados.

guacapi [Do tupi.] ***S. m. Bras.*** Cada um dos paus sobre os quais se constrói o jirau.

guacara *Bras.* ***S. 2 g.*** **1.** *Etnôn.* Indivíduo dos guacaras, povo indígena extinto que habitava as margens do rio Jatapu (AM). • ***Adj. 2 g.*** **2.** Pertencente ou relativo a esse povo. [Tb. us. como *s. 2 g. e 2 n.* (com cap.) e *adj. 2 g. e 2 n.*]

guacari [Do tupi.] ***S. m. Bras. Zool.*** V. *cacajau* (2).

guacariaçu [De *guacari* + *-açu.*] ***S. m. Bras. Zool.*** V. *acariaçu.*

guacariguaçu [De *guacari* + *-guaçu.*] ***S. m. Bras. Zool.*** V. *acariaçu.*

guaçatonga ***S. f. Bras. Bot.*** V. *guaçatunga.*

guaçatunga [Do tupi.] ***S. f. Bras. Bot.*** **1.** Nome comum a várias flacourtiáceas do gênero *Casearia* (v. *caseária*), muitas delas com usos medicinais. **2.** Arvoreta ou arbusto flacourtiáceo (*Casearia sylvestris*) de folhas persistentes, glabras, ásperas, brilhantes na página superior, tidas como medicinais, pequenas flores alvas, reunidas em glomérulos, e frutos drupáceos, muito procurados pelas aves. [Sin., nesta acepç.: *cafezeiro-do-mato, chá-de-bugre, língua-de-bugre, língua-de-lagarto, língua-de-teju.*] [Var.: *guaçatonga.*]

guácharo [Do hisp.-amer.] ***S. m. Bras. RR Zool.*** Ave noturna caprimulgiforme (*Steatornis caripensis*), cavernícola, cuja cor é um marrom ferrugíneo; a cabeça é pequena, o bico é forte, adunco, lembrando o da coruja, e os olhos são pequenos. As asas, longas e estreitas, têm envergadura de mais de um metro, e o comprimento é de cerca de 40cm. As pernas são curtas e fracas, e os pés, pequenos.

guache [Do fr. *gouache* < it. *guazzo* < lat. *aquatio*, 'ação de aguar, de molhar'; 'lugar em que se encontra a água'.] ***S. m.*** **1.** Preparação que se faz com substâncias corantes destemperadas em água de mistura com goma e tornadas pastosas pela adição de mel. **2.** Pintura executada com tal preparação. [Var.: *guacho.* Cf. *guaxe* e *guaxo.*]

guacho ***S. m.*** V. *guache.* [Cf. *guaxo.*]

guacindiba ***S. f. Bras. Bot.*** V. *guaxindiba.*

guaco [Do hisp.-amer. *guaco.*] ***S. m. Bot.*** **1.** Designação comum a várias plantas asteráceas medicinais. **2.** Planta asterácea (*Mikania cordifolia*) medicinal.

▲**-guaçu** V. *-açu.* [Ver obs. *in fine* de *-açu.*]

guaçuano ***Adj.*** **1.** De, ou pertencente ou relativo a Mojiguaçu (SP). • ***S. m.*** **2.** O natural ou habitante de Mojiguaçu.

guaçubirá [Do guar.] ***S. m. Bras. Zool.*** V. *veado-catingueiro.*

guaçuboia (ói) [Do guar.] ***S. f. Bras. Zool.*** V. *salamanta.* ❖

guaçucatinga [Do guar.] ***S. m. Bras. Zool.*** V. *veado-catingueiro.*

guacucuia [Do tupi.] ***S. m. Bras. Zool.*** Certo peixe do mar, de PE.

guaçuetê [Do guar.] ***S. m. Bras. Zool.*** V. *veado-mateiro.*

guaçuiense (u-i) *Adj. 2 g.* **1.** De, ou pertencente ou relativo a Guaçuí (ES). ● *S. 2 g.* **2.** O natural ou habitante de Guaçuí.

guaçupita [Do guar.] *S. m. Bras. Zool.* V. *veado-mateiro.*

guacuri [Do tupi.] *S. m. Bras. Bot.* V. *acuri.*

guacuru [Do tupi.] *S. m. Bras. Zool.* V. *taquiri.*

guaçutinga [Do guar.] *S. m. Zool.* V. *veado-catingueiro.*

guadalupense *Adj. 2 g.* **1.** De, ou pertencente ou relativo a Guadalupe (Espanha e PI). ● *S. 2 g.* **2.** O natural ou habitante de Guadalupe.

guadameci [Do ár. *gadāmisī*, 'relativo a Gadamés, oásis da Líbia'.] *S. m.* Tapeçaria antiga, de couro com pinturas e dourados, originária de Gadamés, cidade da Tripolitânia. [Var.: *guadamecil, guadamecim.*]

guadamecil *S. m.* V. *guadameci.*

guadamecim *S. m.* V. *guadameci*: 📖 "Um dia, ... estava ele afobadíssimo recebendo certa caixa que guardava uma arca forrada de guadamecim, objeto precioso e antigo" (Luís Edmundo, *De um Livro de Memórias*, III, p. 662).

guadaxo *Bras. S. 2 g.* **1.** *Etnôn.* Indivíduo dos guadaxos, povo indígena extinto que habitava as margens do rio Anhandu (MS). ● *Adj. 2 g.* **2.** Pertencente ou relativo a esse povo. [Tb. us. como *s. 2 g. e 2 n.* (com cap.) e *adj. 2 g. e 2 n.*]

guademã *S. m. Bras. Zool.* V. *gademar.*

guademão *S. m. Bras. Zool.* V. *gademar.*

guadramilês [Do top. *Guadramil* (Portugal) + *-ês*.] *Adj.* **1.** De, pertencente ou relativo a Guadramil (Trás-os-Montes). ● *S. m.* **2.** O natural ou habitante de Guadramil. **3.** *Gloss.* Dialeto do português europeu falado em Guadramil. [V. *mirandês.*]

guaguaçu *S. m. Bras. Bot.* V. *babaçu.*

guai [Do gót. *wái*.] *Ant. Interj.* **1.** Ai[1] (2). ● *S. m.* **2.** Ai, lamento: 📖 "E ouça-se a voz das plagas campineiras, / Que, dominando os hinos das palmeiras, / Chore e soluce, em convulsivo guai!" (Martins Fontes, *Guanabara*, p. 67.)

guaia [Dev. de *guaiar*.] *S. f. Ant.* Choro, lamento, pranto.

guaiá *S. m.* **1.** *Bras. SP* Espécie de chocalho, usado no batuque. **2.** *Bras. Zool.* V. *caranguejo* (1). **3.** *Bras. Zool.* V. *guajá*[1].

guaiá-apará *S. m. Bras. Zool.* V. *guajá*[1]. [Pl.: *guaiás-aparás.*]

guaiaba *S. f. Bras.* Goiaba[1].

guaiaca [Do esp. (plat.) *guayaca*, de or. quíchua.] *S. f. Bras. S.* Cinto largo de couro ou de camurça, provido de bolsinhos, usado para se guardar dinheiro e objetos miúdos, e também para o porte de armas: 📖 "Duma feita que viajava de escoteiro, com a guaiaca empanzinada de onças de ouro, vim parar aqui neste mesmo passo" (Simões Lopes Neto, *Contos Gauchescos e Lendas do Sul*, p. 125). [Var.: *goiaca.*]

guáiaco [Do tax. *Guaiacum* (do esp. *guayaco, guaycán*, do taíno).] *S. m. Bot.* **1.** Gênero de árvores e arbustos zigofiláceos, americanos, de folhas pinuladas, flores ger. azuis, e frutos capsulares. **2.** Qualquer espécie desse gênero, como, p. ex., a *Guaiacum officinale* e a *Guaiacum sanctum*, das quais se obtém resina com odor balsâmico, e que têm propriedades medicinais. **3.** Qualquer espécime desse gênero. [Var. pop., nas acepç. 2 e 3: *gáiaco.*]

guaiacol [De *guáiaco* (q. v.) + *-ol*[3].] *S. m. Quím.* Composto aromático, fenol que contém metoxila em posição orto, líquido, oleoso, incolor, com cheiro característico, usado em medicina [fórm.: $C_7H_8O_2$]. [Var.: *gaiacol.*] [Pl.: *guaiacóis.*]

guaiá-das-pedras *S. m. Bras. Zool.* Designação comum a quase todos os crustáceos marinhos da ordem dos decápodes e família dos cancrídeos. [Pl.: *guaiás-das-pedras.*]

guaiambé [Do tupi.] *S. m. Bot.* V. *guaimbé.*

guaiamu [Do tupi.] *S. m. Bras. Zool.* Crustáceo decápode, braquiúro, gecarcinídeo (*Cardisoma guanhumi*), de coloração azul, cuja pinça maior pode atingir até 30cm, e cuja carapaça mede até 11cm. Vive em lugares lamacentos, à beira-mar, escondido em tocas que ele mesmo cava, em profundidades de até quatro metros. [Var. e sin.: *guaiamum, goiamum, goiamu, fumbamba, caranguejo-mulato-da-terra.*]

guaiamum *S. m. Bras. Zool.* V. *guaiamu.*

guaianãs *Bras. S. 2 g.* **1.** *Etnôn.* Indivíduo dos guaianãs [ou (etnôn. bras.) *Guayanã], povo indígena extinto da família linguística jê, tronco macro-jê, que habitava as margens do rio Paranapanema (SP). ● *Adj. 2 g.* **2.** Pertencente ou relativo a esse povo.

guaiano [De *guai(azuleno)* + *-ano*[2].] *S. m. Quím.* Hidrocarboneto saturado bicíclico, derivado do guaiazuleno [fórm.: $C_{15}H_{28}$].

guaiapá [De or. indígena.] *S. m. Bras. Bot.* V. *espinho-de-judeu.*

guaiar [De *guaia* + *-ar*[2].] *Ant. V. int.* **1.** Soltar ais ou guais; queixar-se, lamentar-se, lastimar-se; aiar: 📖 "Agarrou com as mãos ambas a cabeça e, gemendo, foi-se pelo mato dentro aos uivos, guaiando, e muito tempo ouvi os seus gemidos." (Coelho Neto, *Sertão*, p. 144.) **2.** Cantar em tom de lamentação. **3.** Despedir sons que, de tristes, lembram lamentos, queixas, ais: 📖 "Guaia o vento" (Martins Fontes, *Verão*, p. 264). *T. d.* **4.** Proferir em tom de lamento ou lamúria: 🗎 *O infeliz guaiou: — Triste vida!*

guaiaúna *S. m. Bras. Zool.* V. *caranguejo-do-rio.*

guaiazuleno [De *guái(aco)* + *azuleno*.] *S. m. Quím.* Hidrocarboneto derivado do azuleno [fórm.: $C_{15}H_{18}$].

guaíba [Do tupi.] *S. f. Bras. S.* Pântano profundo. [O Volp. manteve o acento no *i* após o ditongo crescente, embora o acordo não diga que somente as tônicas precedidas de ditongo decrescente terão o acento gráfico eliminado.]

guaibense (a-i) *Adj. 2 g.* **1.** De, ou pertencente ou relativo a Guaíba (RS). ● *S. 2 g.* **2.** O natural ou habitante de Guaíba.

guaibipocaíba [De or. tupi, poss.] *S. m. Bras. Bot.* V. *avaremotemo.*

guaibira (a-i) *S. f. Bras. Zool.* V. *guaivira.*

guaíbo *S. m. Gloss.* Família linguística que inclui línguas faladas por povos indígenas da Colômbia. [Sobre o acento gráfico, ver o que se diz em *guaíba.*]

guaicá [De or. obsc.] *S. f. Bot.* **1.** V. *canela-guaicá* (1). **2.** V. *canela-rajada.*

guaiçarense *Adj. 2 g.* **1.** De, ou pertencente ou relativo a Guaiçara (SP). ● *S. 2 g.* **2.** O natural ou habitante de Guaiçara.

guaicuru[1] [De or. indígena.] *S. m. Bras. Bot.* Subarbusto plumbagináceo (*Limonium brasiliense*) de folhas rosuladas, flores caliciformes avermelhadas, de corola azulada, paniculadas, frutos que são utrículos deiscentes e cujas raízes fornecem matéria adstringente de uso medicinal. [Var.: *baiacuru, baicuru.*]

guaicuru[2] *Bras. S. 2 g.* **1.** *Etnôn.* Indivíduo dos guaicurus [ou (etnôn. bras.) *Guaikurú], povo indígena extinto da família linguística guaicuru, que vivia em MT e no Paraguai. ● *S. m.* **2.** *Gloss.* Família linguística a que pertencem as línguas faladas por povos indígenas de Mato Grosso e do Paraguai. ● *Adj. 2 g.* **3.** Pertencente ou relativo aos guaicurus ou a guaicuru[2] (2).

guaimbé [Do tupi.] *S. m. Bras. Bot.* Trepadeira arácea (*Philodendron squamiferum*) nativa do PA, que se fixa nas árvores por raízes adventícias; tem folhas íntegras ou palmatífidas, espádice oblíquo com espata verde, parte interna amarelo-esverdeada, e pequenos frutos bacáceos, róseos. [Var.: *guaiambé, guambé.*]

guaimbeense (a-im... eên) *Adj. 2 g.* **1.** De, ou pertencente ou relativo a Guaimbê (SP). ● *S. 2 g.* **2.** O natural ou habitante de Guaimbê.

guainambé [Do tupi.] *S. m. Bras. Amaz. Zool.* **1.** Gainambé (q. v.). **2.** V. *anambé*[1] (1).

guainaú *Bras. S. 2 g.* **1.** *Etnôn.* Indivíduo dos guainaús, povo indígena extinto da família linguística aruaque, que habitava as margens do rio Auari, N.O. de RR, e a Venezuela. ● *Adj. 2 g.* **2.** Pertencente ou relativo a esse povo. [Tb. us. como *s. 2 g. e 2 n.* (com cap.) e *adj. 2 g. e 2 n.*]

guainumbi [De or. indígena.] *S. m. Bras. Zool.* V. *beija-flor.*

guainumbiapirati (bi) [Do tupi.] *S. m. Bras. Zool.* Ave troquilídea (*Stephanoxys lodiggesi*).

guaiol [De *guái(aco)* + *-ol*[2].] *S. m. Quím.* Álcool terciário sesquiterpênico com esqueleto como o do guaiazuleno, encontrado no guáiaco [fórm.: $C_{15}H_{26}O$]. [Pl.: *guaióis.*]

guaipé [De *guaipeva*, com apócope.] *S. m. Bras. S.* V. *cusco.*

guaipeca [Var. de *guaipeva*.] *S. m. Bras. S.* V. *cusco.*

guaipeva [Do tupi.] *S. m. Bras. S.* V. *cusco.*

guaipevada [De *guaipeva* + *-ada*[1].] *S. f. Bras. S.* Porção de guaipevas.

guairabe *Bras. S. 2 g.* **1.** *Etnôn.* Indivíduo dos guairabes [ou (etnôn. bras.) *Guayrabe], povo indígena extinto da família linguística jê, tronco macro-jê, que habitava a margem esquerda do rio Amazonas. ● *Adj. 2 g.* **2.** Pertencente ou relativo a esse povo.

guairaçaense *Adj. 2 g.* **1.** De, ou pertencente ou relativo a Guairaçá (PR). ● *S. 2 g.* **2.** O natural ou habitante de Guairaçá.

guairana *S. f. Bras. Bot.* V. *gueirana.*

guairense (a-i) *Adj. 2 g.* **1.** De, ou pertencente ou relativo a Guaíra (PR e SP). ● *S. 2 g.* **2.** O natural ou habitante de Guaíra.

guaitacá *S. 2 g. Adj. 2 g. Bras.* V. *goitacá.*

guaiú [Do tupi.] *S. m.* **1.** *Bras.* Barulho ensurdecedor; alarido, gritaria: 📖 "Quase chorava de alegria ao recordar o guaiú das piracemas, em dezembro" (Valdomiro Silveira, *Nas Serras e nas Furnas*, p. 120). **2.** *Bras. RJ Zool.* V. *formiga-correição.*

guaiuba (guai-ú) *S. f. Bras. N.E. Zool.* Guajuba. ❖

guaiubano (guai-u) *Adj.* **1.** De, ou pertencente ou relativo a Guaiuba (CE). ● *S. m.* **2.** O natural ou habitante de Guaiuba.

guaiule (gua-i) [Do náuatle *quanholli*, 'planta da borracha', pelo esp. mexicano *guayule*.] *S. m. Bot.* Planta asterácea (*Parthenium argentatum*) cujas folhas, tomentosas, são prateadas, e as flores, amarelas, são paniculadas; é cultivado para extração de borracha que, no entanto, é de qualidade inferior. ❖

guaivira (a-i) [Var. sincopada de *guajuvira*.] *S. f. Bras. Zool.* Peixe teleósteo, perciforme, carangídeo (*Oligoplites saurus*), do Atlântico, desde Nova Iorque até o Uruguai, de coloração plúmbeo-azulada no dorso, mais clara nos flancos, prateada no abdome, e nadadeiras amarelas. Comprimento: até 33cm. Sua carne é de pouco valor. Pesca-se com linha e rede de pesca. [A mesma designação costuma ser dada a outras espécies do gênero. Var.: *guaibira, guajuvira, guaravira, goivira.* Sin.: *cavaco, tábua, tiburo, solteira, pamparrona.*]

guajá[1] *S. m. Zool.* Crustáceo decápode, braquiúro, calapídeo (*Calappa flammea*), que ocorre em toda a costa do N. do Brasil até o RJ, e cuja carapaça pode medir até 10cm; goiá, guaiá, guaiá-apará, uacapará.

guajá[2] *Bras. S. 2 g.* **1.** *Etnôn.* Indivíduo dos guajás [ou (etnôn. bras.) *Awá], povo indígena da família tupi-guarani, tronco tupi, que habita a região do alto rio Turiaçu, a margem direita do rio Gurupi e a margem do rio Mearim (MA). ● *Adj. 2 g.* **2.** Pertencente ou relativo a esse povo. [Sin. ger.: *avá.*]

guajabara [Do tupi.] *S. f. Bras. Bot.* V. *cabuçu* (2).

guajajara *Bras. S. 2 g.* **1.** *Etnôn.* Indivíduo dos guajajaras [ou (etnôn. bras.) *Tenethehara], povo indígena da família linguística tupi-guarani, tronco tupi, que habita os municípios de Amarante do Maranhão, Grajaú, Barra do Corda, Bom Jardim e Monção (MA). ● *Adj. 2 g.* **2.** Pertencente ou relativo a esse povo.

guajaná-timbó *S. m. Bras. Bot.* V. *anileira-verdadeira.* [Pl.: *guajanás-timbós.*]

guajará[1] [Do tupi.] *S. m. Bras. Bot.* **1.** Árvore sapotácea (*Chrysophyllum excelsum* ou *C. venezuelanense*) nativa do N.O. da América do Sul, de folhas coriáceas, flores esverdeadas, em fascículos axilares, e frutos bacáceos, comestíveis; uajará. **2.** V. *cutitiribarana* (2).

guajará[2] *Bras. S. 2 g.* **1.** *Etnôn.* Indivíduo dos guajarás, povo indígena extinto que habitava a ilha de Marajó (PA). ● *Adj. 2 g.* **2.** Pertencente ou relativo a esse povo. [Tb. us. como *s. 2 g. e 2 n.* (com cap.) e *adj. 2 g. e 2 n.*]

guajaraense[1] *Adj. 2 g.* **1.** De, ou pertencente ou relativo a Guajará (AM). ● *S. 2 g.* **2.** O natural ou habitante de Guajará.

guajaraense[2] *Adj. 2 g. S. 2 g.* V. *guajará-mirense.*

guajará-mirense *Adj. 2 g.* **1.** De, ou pertencente ou relativo a Guajará-Mirim (RO). ● *S. 2 g.* **2.** O natural ou habitante de Guajará-Mirim. [Sin. ger.: *guajaraense*[2]. Pl.: *guajará-mirenses.*]

guajaru [Do tupi.] *S. m. Bras. Bot.* **1.** V. *abajeru.* **2.** V. *guajuru* (1).

guajeju *Bras. S. 2 g.* **1.** *Etnôn.* Indivíduo dos guajejus, povo indígena extinto que habitava as margens do rio Corumbiara (RO). ● *Adj. 2 g.* **2.** Pertencente ou relativo a esse povo. [Tb. us. como *s. 2 g. e 2 n.* (com cap.) e *adj. 2 g. e 2 n.*]

guajeru [Do tupi.] *S. m. Bras. Bot.* V. *abajeru.*

guajeruense *Adj. 2 g.* **1.** De, ou pertencente ou relativo a Guajeru (BA). ● *S. 2 g.* **2.** O natural ou habitante de Guajeru.

guajiru [Var. de *guajeru*.] *S. m. Bras. Bot.* V. *abajeru.*

guajuba [Do tupi.] *S. f. Bras. N.E. Zool.* Peixe do mar, cujo nome comum ainda não está bem correlacionado com o nome científico; guaiuba.

guaju-guaju [Do tupi.] *S. m. Bras. Zool.* V. *formiga-correição.* [Pl.: *guajus-guajus* e *guaju-guajus.*]

guajuru [Do tupi.] *S. m. Bras. Bot.* **1.** Arbusto ou árvore crisobalanácea (*Chrysobalanus icaco*) de folhas variadas, flores em racemos, e frutos drupáceos comestíveis; ajuru, guajaru, icaco, jingimo (angol.) mafua (angol.). Ocorre em regiões tropicais das Américas e da África. **2.** V. *abajeru.*

guajuvira [Do tupi.] *S. f. Bras.* **1.** *Bot.* V. *cabuçu* (2). **2.** *Zool.* V. *guaivira.*

gualaxi *Bras. S. 2 g.* **1.** *Etnôn.* Indivíduo dos gualaxis [ou (etnôn. bras.) *Gualachí], povo indígena extinto que habitava o O. de SC e a região da cabeceira do rio Ivaí (PR). ● *Adj. 2 g.* **2.** Pertencente ou relativo a esse povo.

gualdir *V. t. d. Fam.* **1.** Comer, engolir. **2.** Gastar, dissipar, esbanjar.

gualdo [Do gót. **walda*, pelo esp. *gualda* (subst.), *gualdo* (adj.).] *Adj.* V. *jalne*: 📖 "desfralda [a luz] as labaredas flavas, / Jalnes, rufas, de tons gualdos e fulvescentes." (Martins Fontes, *Verão*, p. 32).

gualdra [De or. obscura.] *S. f.* Puxador de gaveta, em forma de argola.

gualdrapa [De *wasdrappa, var. do lat. tard. *vastrapes*, 'faixa de pano com que se envolviam os músculos'; 'bragas', 'calções', com infl. do lat. tard. *drappum*, 'trapo', poss.] *S. f.* **1.** V. *xairel*: 📖 "minha mãe entrou no povo a cavalo na burrinha, ... com sua colcha branca por gualdrapa" (Aquilino Ribeiro, *Estrada de Santiago*, p. 174). **2.** Grandes abas de casacão.

gualdripar *V. t. d. Fam.* Roubar, furtar, surrupiar.

gualdrope [Var. de *galdrope* < ingl. *guide-rope*.] *S. m. Constr. Nav.* **1.** Corrente, cadeia ou cabo de arame que transmite à cana do leme os movimentos da roda do leme: 📖 "A água já corre pelo tombadilho e o navio inclina-se pavorosamente aos sacões da maré. Gemem os gualdropes, range o velame." (João da Silva Correia, *Farândola*, p. 142.) **2.** Nas embarcações miúdas, cada um dos cabos presos às duas pontas da meia-lua do leme, para manobra deste.

guamaense *Adj. 2 g.* **1.** De, ou pertencente ou relativo a São Miguel do Guamá (PA). • *S. 2 g.* **2.** O natural ou habitante de São Miguel do Guamá.

guamareense (èen) *Adj. 2 g.* **1.** De, ou pertencente ou relativo a Guamaré (RN). • *S. 2 g.* **2.** O natural ou habitante de Guamaré.

guambé *S. m. Bot.* V. *guaiambé*.

guamirim-felpudo *S. m. Bras. Bot.* Arbusto melastomáceo (*Miconia pusilliflora*) nativo de MG, RJ e SC, de folhas membranosas, grandes flores paniculadas e frutos bacáceos; a madeira, branca, é compacta. [Pl.: *guamirins-felpudos*.]

guamixinga [De or. obsc.] *S. f. Bras. Bot.* **1.** Arbusto ou pequena árvore mirtácea (*Galipea jasminiflora*) nativa de MG e RJ a SC, de folhas trifolioladas, flores hermafroditas, paniculadas, frutos capsulares, casca tônica e adstringente, e madeira branca e mole; guaximinga, quinaquina. **2.** V. *pau-marfim* (2).

guampa [Do esp. plat. *guampa*.] *S. f. Bras.* **1.** V. *corno* (1). **2.** Copo ou vasilha para líquidos, feita de chifre. [Var., nessas acepçs.: *guampo*.] **3.** V. *cachaça* (1). **4.** Guampas.

guampaço [De *guampa* (1) + *-aço*.] *S. m. Bras. S.* **1.** V. *guampada* (1): 📖 "o touro vigoroso, ... cujas armas rígidas e curtas relembram .... guampaços formidáveis, em luta com os rivais possantes" (Euclides da Cunha, *Os Sertões*, p. 127). **2.** Guampa (2) bem trabalhada, bonita.

guampada [De *guampa* (1) + *-ada*¹.] *S. f. Bras. S.* **1.** Golpe dado pelo animal com a guampa (1); guampaço. V. *chifrada*. **2.** A porção de líquido contida em uma guampa (2).

guampas [Pl. de *guampa*.] *S. f. pl. Bras. Burl.* A testa, a cabeça; guampa. ~ V. *guampa*. ◆ **Bater guampas.** *Bras. S.* V. *bater orelha*.

guampa-torta [De *guampa* + o f. de *torto*.] *S. m. Bras. RS Pop.* V. *valentão* (3). [Pl.: *guampas-tortas*.]

guampear [De *guampa* + *-ear*².] *V. t. d. Bras. S.* **1.** Laçar (o animal) pelas guampas. **2.** Cornar, escornar, marrar, chifrar. **3.** *Chulo* Cornear (2). [Conjug.: v. *frear*.]

guampo [De *guampa*.] *S. m. Bras.* V. *guampa* (1 e 2): 📖 "O menino saiu mesmo a pé e voltou com o guampo pingando água fresca e limpa" (Bernardo Élis, *Veranico de Janeiro*, p. 131).

guampudo [De *guampa* (1) + *-udo*.] *Bras. RS Adj.* **1.** De grandes chifres. • *S. m.* **2.** *Fig.* V. *corno* (11).

guamuxinga [De or. obsc.] *S. f. Bras. Bot.* V. *pau-marfim* (2).

guaná¹ *S. 2 g. Adj. 2 g. Bras.* V. *cane*.

guaná² *Bras. S. 2 g.* **1.** *Etnôn.* Indivíduo dos guanás, povo indígena aruaque extinto que habitava a margens do rio Mearim (MA). • *Adj. 2 g.* **2.** Pertencente ou relativo a esse povo. [Tb. us. como *s. 2 g. e 2 n.* (com cap.) e *adj. 2 g. e 2 n.*]

guanabano [Do esp. *guanábano*, do taino.] *S. m. Bras. Bot.* V. *graviola*.

guanabarino *Adj.* **1.** Pertencente ou relativo à baía de Guanabara, ao antigo Estado da Guanabara. • *S. m.* **2.** O natural ou habitante do antigo Estado da Guanabara.

guanacaste [Do esp. *guanacaste*, *conacaste* < náuatle *cuauhnacaztli* < náuatle *cuahuitl*, 'árvore', + *nacaztli*, 'orelha'.] *S. m. Bot.* Árvore fabácea (*Enterolobium cyclocarpum*) nativa de regiões tropicais das Américas, de vagens coriáceas e frutos espiralados; é cultivada pela madeira e pelos frutos, us. como forragem.

guanaco [Do esp. *guanaco*, do quíchua *wanácu*.] *S. m. Zool.* Mamífero camelídeo (*Lama guanicoe*), sem corcova, de coloração pardo-avermelhada, e que pode atingir o tamanho de um cervo. Vive em rebanhos de 6 a vinte indivíduos, a 4.500 metros de altitude, na cordilheira andina. É animal em via de extinção. [V. *lama*³ (2).]

guanambi [Var. de *guainumbi*.] *S. m. Bras. Zool.* V. *beija-flor*.

guanambiense *Adj. 2 g.* **1.** De, ou pertencente ou relativo a Guanambi (BA). • *S. 2 g.* **2.** O natural ou habitante de Guanambi.

guananá *Bras. S. 2 g.* **1.** *Etnôn.* Indivíduo dos guananás [ou (etnôn. bras.) *Guanãná], povo indígena extinto que habitava a região próxima ao rio Pelotas, N. do RS, e margens do rio Peixe (SC). • *Adj. 2 g.* **2.** Pertencente ou relativo a esse povo.

guanandi [Do tupi.] *S. m. Bras. Bot.* **1.** V. *anani*. **2.** V. *jacareúba*.

guanaré *Bras. S. 2 g.* **1.** *Etnôn.* Indivíduo dos guanarés, povo indígena extinto que habitava a margem direita do rio Itapicuru (MA) e a região do rio Parnaíba, MA, atravessando para o PI. • *Adj. 2 g.* **2.** Pertencente ou relativo a esse povo. [Tb. us. como *s. 2 g. e 2 n.* (com cap.) e *adj. 2 g. e 2 n.*]

guanaru *Bras. S. 2 g.* **1.** *Etnôn.* Indivíduo dos guanarus [ou (etnôn. bras.) *Guanarú], povo indígena extinto que habitava as margens do rio Juruá (AM). • *Adj. 2 g.* **2.** Pertencente ou relativo a esse povo.

guanavena *Bras. S. 2 g.* **1.** *Etnôn.* Indivíduo dos guanavenas, povo indígena extinto que habitava as margens do rio Urubu, afluente da margem esquerda do rio Amazonas (AM). • *Adj. 2 g.* **2.** Pertencente ou relativo a esse povo. [Tb. us. como *s. 2 g. e 2 n.* (com cap.) e *adj. 2 g. e 2 n.*]

guancho *S. m.* Indivíduo dos guanchos, antigos habitantes do Tenerife, ilhas Canárias.

guandeiro [De *guando* + *-eiro*.] *S. m. Bras. Bot.* Anduzeiro.

guandira [Do tupi.] *S. m. Bras. Zool.* V. *morcego*¹ (1).

guandiraçu [De *guandirá* + *-açu*.] *S. m. Bras. Zool.* V. *andirá-açu*.

guandiroba [De or. obsc.] *S. f. Bras. Bot.* V. *fava-de-santo-inácio-falsa* (1).

guando [Var. de *guandu*.] *S. m. Bras.* V. *andu*¹.

guandu [De or. afr.] *S. m. Bras.* V. *andu*¹. [Var.: *guando*.]

guanduense *Adj. 2 g.* **1.** De, ou pertencente ou relativo a Baixo Guandu (ES). • *S. 2 g.* **2.** O natural ou habitante de Baixo Guandu.

guanhanense *Adj. 2 g.* **1.** De, ou pertencente ou relativo a Guanhães (MG). • *S. 2 g.* **2.** O natural ou habitante de Guanhães.

guanidina [De *guan(ina)* + *-idina*.] *S. f. Quím.* **1.** Substância cristalina deliquescente, fortemente básica, encontrada sob forma catiônica (v. *guanidínio*) em vários organismos [fórm.: CH_5N_3]. **2.** O grupo monovalente $HN{=}C(NH_2)NH$–, que se obtém da guanidina (1) por abstração de um átomo de hidrogênio. **3.** Substância derivada da guanidina. **4.** Substância que contém o grupo guanidina (2).

guanidínio [De *guanidin(a)* + *-io*³.] *S. m. Quím.* Cátion derivado da guanidina [fórm.: $(CH_6N_3)^+$].

guanílico [De *guan(ina)* + *-il-* + *-ico*²; ingl. *guanylic*.] *Adj. Quím.* ~ V. *ácido —*.

guanina [De *guano* + *-ina*³.] *S. f. Quím. Genét.* Substância cristalina nitrogenada, básica, que é um derivado aminado da purina [fórm.: $C_5H_5N_5O$].

guano [Do esp. *guano*, do quíchua *huanu*, 'esterco'.] *S. m.* **1.** Acumulação de fosfato de cálcio resultante de excremento de aves marinhas. **2.** Adubo artificial para as terras, preparado com matérias orgânicas de composição semelhante à do guano natural. [Cf. *goano*.]

guanosina [Comb. de *guanina* e *ribose*.] *S. f. Quím.* Nucleosídeo de ácidos ribonucleicos que, por hidrólise, fornece ribose e guanina [fórm.: $C_{10}H_{13}N_5O_5$].

guante [Do frâncico *want, pelo cat. *guant*.] *S. m.* **1.** Luva de ferro, na armadura antiga: 📖 "Os romances, as xácaras, as baladas e os solaus, com as suas castelãs, os seus paladinos, os seus pajens, os seus menestréis e os seus respectivos atributos — lanças, montantes, elmos, guantes de ferro, ... pediam um cenário de fortificação feudal" (Ramalho Ortigão, *O Culto da Arte em Portugal*, p. 30). **2.** *Fig.* Autoridade despótica; mão de ferro: 📖 "O Presidente do Estado, nessa época, era um homem voluntarioso e truculento. .... Sob seu guante a oposição não desfrutava de um só momento de trégua." (Amando Fontes, *Os Corumbas*, p. 62.)

guanumbi [Do tupi.] *S. m. Bras. Zool.* V. *beija-flor*.

guanumbiguaçu (ü) [De *guanumbi* + *-guaçu*.] *S. m. Bras. Zool.* V. *cuitelão* (1).

guanxuma *S. f. Bras. Bot.* V. *guaxima* (1).

guaparaíba [Do tupi.] *S. f. Bras. Bot.* V. *mangue-vermelho*.

guaparanga *S. f. Bras. Bot.* V. *guaporanga*.

guapear [Do esp. (plat.) *guapear*.] *V. int. Bras. RS* **1.** Mostrar-se guapo (1); demonstrar ânimo, ousadia, valor, resistência; guapetonear. **2.** *Fig.* Resistir à ação do tempo; durar, subsistir. [Conjug.: v. *frear*.]

guapeba [De or. tupi.] *S. f. Bras. Bot.* **1.** Nome comum a árvores e arbustos sapotáceos, esp. do gênero *Ecclinusa* (v. *eclinusa*); guapebeira, guapeva (var.), guapeveira **2.** Árvore sapotácea (*Chrysophyllum cuspidatum*) de folhas obovadas, pequenas flores alvas, em fascículos axilares, frutos vermelho-escuros, e madeira dura. **3.** Arbusto sapotáceo (*Ecclinusa costata*) nativo do Brasil, nas regiões arenosas da restinga do RJ, de folhas elípticas, oblongas, e flores avermelhadas. **4.** Árvore sapotácea (*Ecclinusa ramiflora*) nativa do Brasil (MG, RJ) com grandes folhas, flores campanuliformes, sésseis, e frutos bacáceos, amarelo-claros; acá, guaraitá, maçaranduba, oacá, vacá. **5.** V. *castanha-mineira* (1). **6.** V. *fava-de-santo-inácio-falsa* (1).

guapebeira [De *guapeba* + *-eira*.] *S. f. Bras. Bot.* V. *guapeba* (1). [Var. *guapeveira*.]

guapeense (èen) *Adj. 2 g.* **1.** De, ou pertencente ou relativo a Guapé (MG). • *S. 2 g.* **2.** O natural ou habitante de Guapé. [Sin. ger.: *guapense*.]

guapense *Adj. 2 g. S. 2 g.* V. *guapeense*.

guapetaço [De *guapetão*, com mudança de suf. (v. *-aço*).] *Adj. Bras. RS* Guapetão.

guapetão [Do esp. (plat.) *guapetón*.] *Adj. Bras. RS* Muito guapo (1); guapetaço.

guapetonagem [De *guapetão* + *-agem*², seg. o padrão erudito.] *S. f. Bras. RS* V. *guapeza*.

guapetonear [De *guapetão* + *-ear*², seg. o padrão erudito.] *V. int. Bras. RS* V. *guapear* (1). [Conjug.: v. *frear*.]

guapeva [Do tupi.] *Adj. S. f. Bras.* **1.** V. *cusco*. **2.** *Bot.* V. *guapeba* (1). **3.** *Bot.* V. *acá* (1). **4.** *Bot.* V. *fava-de-santo-inácio-falsa* (1).

guapeveira [De *guapeva* + *-eira*.] *S. f. Bras. Bot.* V. *guapeba* (1).

guapeza (ê) [Do esp. (plat.) *guapeza*.] *S. f. Bras. RS* Qualidade de guapo (2); guapetonagem, guapice.

guapiaçuense *Adj. 2 g.* **1.** De, ou pertencente ou relativo a Guapiaçu (SP). • *S. 2 g.* **2.** O natural ou habitante de Guapiaçu.

guapiara *S. f. Bras.* V. *gupiara*.

guapiarense *Adj. 2 g.* **1.** De, ou pertencente ou relativo a Guapiara (SP). • *S. 2 g.* **2.** O natural ou habitante de Guapiara.

guapice [De *guapo* + *-ice*.] *S. f.* V. *guapeza*.

guapicobaíba [Do tupi.] *S. f. Bras. Bot.* V. *cássia-grande*.

guapimiriense *Adj. 2 g.* **1.** De, ou pertencente ou relativo a Guapimirim (RJ). • *S. 2 g.* **2.** O natural ou habitante de Guapimirim.

guapindaia *Bras. S. 2 g.* **1.** *Etnôn.* Indivíduo dos guapindaias [ou (etnôn. bras.) *Guapindaya], povo indígena extinto que habitava a região entre o rio das Mortes e o rio Culuene (MT). • *Adj. 2 g.* **2.** Pertencente ou relativo a esse povo.

guapira [Do tupi.] *S. f. Bras. SP* Lugar onde começa um vale. [Var.: *gapira*.]

guapiramense *Adj. 2 g.* **1.** De, ou pertencente ou relativo a Guapirama (PR). • *S. 2 g.* **2.** O natural ou habitante de Guapirama.

guapironga *S. f. Bras. Bot.* V. *guaporanga*.

guapiruvu [De or. tupi.] *S. m. Bras. Bot.* V. *baquerubu*.

guapo [Do esp. *guapo*.] *Adj.* **1.** Animoso, corajoso, ousado, valente. **2.** Bonito, airoso: 📖 "Depós ela veio a rainha, com as suas damas, formoso cortejo de mouras, qual delas mais guapa, e mais pálida de espanto ou escarlate de ira." (Camilo Castelo Branco, *Doze Casamentos Felizes*, p. 191.) **3.** Elegante, esbelto, garboso.

guapô [Alter. de *vapor*, pronunciado *vapô*.] *S. m. Bras. SP Pop.* Locomotiva de estrada de ferro.

guapoense (ôen) *Adj. 2 g.* **1.** De, ou pertencente ou relativo a Guapó (GO). • *S. 2 g.* **2.** O natural ou habitante de Guapó.

guaporanga [Do tupi.] *S. f. Bras. Bot.* Arbusto mirtáceo (*Marlierea tomentosa*) nativo de SP a RS, de casca adstringente, folhas oblongas, grandes flores paniculadas e bagas roxas, tomentosas, comestíveis. [Var.: *guaparanga*, *guapironga*.]

guaporemense *Adj. 2 g.* **1.** De, ou pertencente ou relativo a Guaporema (PR). • *S. 2 g.* **2.** O natural ou habitante de Guaporema.

guaporense *Adj. 2 g.* **1.** De, ou pertencente ou relativo a Guaporé (RS). • *S. 2 g.* **2.** O natural ou habitante de Guaporé.

guapuí [De or. tupi.] *S. m. Bras. Bot.* Gapuicipó.

guapurubu [De or. tupi.] *S. m. Bras. Bot.* V. *baquerubu*. [Var.: *guapuruvu*.]

guapuruvu [Var. de *guapurubu*.] *S. m. Bras. Bot.* V. *baquerubu*.

guará¹ [Do tupi *agwa'rá*.] *S. m. Bras. Zool.* Ave ciconiiforme, tresquiornitídea (*Guara rubra*), dos mangues e estuários da América do Sul setentrional e oriental, de coloração vermelho-viva e pontas das rêmiges exteriores da mão pretas. Os jovens são mais ou menos brancos, pintados de pardo.

guará² [Do tupi *gwa'rá*.] *S. m. Zool.* Mamífero carnívoro, canídeo (*Chrysocyon brachyurus*), das regiões abertas do N. da Argentina, do Paraguai e do Brasil, especialmente nos cerrados, de coloração pardo-avermelhada, mais escura no dorso, pés e focinho pretos, com mancha branca na garganta. Mede 1,45m de comprimento e 45cm de cauda; alimenta-se de pequenos mamíferos, aves e frutas. Extremamente arisco, tem hábitos noturnos. É um dos maiores e mais belos canídeos. [Var.: *aguará*; sin.: *aguaraçu*.]

guarabirense *Adj. 2 g.* **1.** De, ou pertencente ou relativo a Guarabira (PB). • *S. 2 g.* **2.** O natural ou habitante de Guarabira.

guarabu [Do tupi.] *S. m. Bras.* **1.** *Bot.* Árvore cesalpiniácea (*Peltogyne discolor*) de até 20m, casca fina e resinosa, folhas compostas, pecioladas, pequenas flores alvas; fornece madeira aromática, arroxeada, us. na construção civil e naval, em obras expostas, etc. [Sin.: *pau-roxo, pau-violeta, roxinho*.] **2.** *Bot.* Árvore cesalpiniácea (*Peltogyne angustiflora*) que ocorre do S. da BA a SP; a madeira, dura, fácil de trabalhar, tem alta resistência e é us. em marcenaria, obras externas, construção civil, etc. [Var., nessas acepç.: *garabu*.] **3.** *Bot.* V. *itapicuru* (1). **4.** *Zool.* V. *guarapu* (1).

guarabu-amarelo *S. m. Bras. Bot.* V. *itapicuru* (1). [Pl.: *guarabus-amarelos*.]

guarabu-batata *S. m. Bras. Bot.* V. *itapicuru* (1). [Pl.: *guarabus-batatas* e *guarabus-batata*.]

guarabu-branco *S. m. Bras. Bot.* V. *itapicuru* (1). [Pl.: *guarabus-brancos*.]

guarabu-da-serra *S. m. Bras. Bot.* Árvore cesalpiniácea, do gênero *Peltogyne*, nativa do Brasil. [Pl.: *guarabus-da-serra*.]

guarabu-marcineiro *S. m. Bras. Bot.* V. *mucuri*. [Pl.: *guarabus-marcineiros* e *guarabus-marcineiro*.]

guarabu-preto *S. m. Bras. Bot.* **1.** V. *mucuri*. **2.** V. *itapicuru* (1). [Pl.: *guarabus-pretos*.]

guarabu-roxo *S. m. Bras. Bot.* V. *itapicuru* (1). [Pl.: *guarabus-roxos*.]

guarabu-vermelho *S. m. Bras. Bot.* Árvore cesalpiniácea (*Peltogyne paniculata pubescens*) de casca adstringente e madeira nobre, arroxeada, por vezes vermelho-violácea, folhas bifolioladas, flores brancacentas e vagens coriáceas. [Pl.: *guarabus-vermelhos*.]

guaracabuçu [Var. de *guaracavuçu*.] *S. m. Bras. Zool.* Ave da família dos tiranídeos (*Empidochanes fuscatus*).

guaraçaí [Do tupi.] *S. m. Bras. Bot.* **1.** Árvore cesalpiniácea (*Moldenhawera floribunda*) que exsuda resina adstringente; tem madeira parda ou avermelhada, folíolos luzidios, flores amarelas e frutos leguminiformes. [Sin.: *groçaí, groçaí-azeite*.] **2.** Árvore cesalpiniácea (*Chamaecrista apoucouita*) de casca quase preta e madeira dura, pardo-escura; maria-preta, braúna.

guaraçaí-branco *S. m. Bras. Bot.* V. *guaraçaí-pardo*. [Pl.: *guaraçaís-brancos*.]

guaraçaiense (a-i) *Adj. 2 g.* **1.** De, ou pertencente ou relativo a Guaraçaí (SP):. • *S. 2 g.* **2.** O natural ou habitante de Guaraçaí.

guaraçaíma [Do tupi.] *S. m. Bras. Zool.* Certo peixe do mar.

guaraçaí-pardo *S. m. Bras. Bot.* Arbusto cesalpiniáceo (*Moldenhawera cuprea*) nativo de MG, de folíolos coriáceos, flores amarelas e frutos leguminiformes, lineares; groçaí-pardo, guaraçaí-branco. [Pl.: *guaraçaís-pardos*.]

guaracava [Do tupi.] *S. f. Bras. Zool.* **1.** V. *maria-é-dia* (1). **2.** V. *tucão*. [Var.: *guracava*.]

guaracavuçu [Do tupi.] *S. m. Bras. Zool.* Guaracabuçu (q. v.).

guaracema [Do tupi; var. de *guaraçuma*.] *S. f. Bras. Zool.* **1.** V. *xaréu*[1] (1). **2.** V. *xarelete* (1). **3.** V. *xaréu-branco* (2).

guaraciabense[1] *Adj. 2 g.* **1.** De, ou pertencente ou relativo a Guaraciaba (MG e SC). • *S. 2 g.* **2.** O natural ou habitante de Guaraciaba.

guaraciabense[2] *Adj. 2 g.* **1.** De, ou pertencente ou relativo a Guaraciaba do Norte (CE). • *S. 2 g.* **2.** O natural ou habitante de Guaraciaba do Norte.

guaraciense *Adj. 2 g.* **1.** De, ou pertencente ou relativo a Guaraci (SP e PR). • *S. 2 g.* **2.** O natural ou habitante de Guaraci.

guaracimbora [Do tupi.] *S. m. Bras. Zool.* V. *xaréu-branco* (2).

guaracu [Do tupi.] *S. m. Bras. Zool.* Xarelete, quando velho.

guaraçuma [Do tupi.] *S. f. Bras. Zool.* **1.** V. *xaréu*[1] (1) **2.** V. *xarelete* (1). [Var.: *guaracema*.]

guaraense *Adj. 2 g.* **1.** De, ou pertencente ou relativo a Guará (SP). • *S. 2 g.* **2.** O natural ou habitante de Guará.

guaraguá [Do tupi.] *S. m. Bras. Amaz. Zool.* V. *peixe-boi*.

guaraicanga-de-bengala *S. f. Bras. Bot.* Palmeira arecácea (*Geonoma elegans*) cespitosa, de até 3m, nativa do Brasil, de estipe anelado, folhas com largas pinas, flores roxas ou vermelhas e frutos bacáceos, oblongos, roxo-escuros; açairana, ubim. [Pl.: *guaraicangas-de-bengala*.]

guaraiense (a-i) *Adj. 2 g.* **1.** De, ou pertencente ou relativo a Guaraí (TO). • *S. 2 g.* **2.** O natural ou habitante de Guaraí.

guaraio *Bras. S. 2 g.* **1.** *Etnôn.* Indivíduo dos guaraios, povo indígena que vivia nos campos de Pauserna (RO) e na margem esquerda do rio Guaporé, na Bolívia. • *Adj. 2 g.* **2.** Pertencente ou relativo a esse povo. [Tb. us. como *s. 2 g. e 2 n.* (com cap.) e *adj. 2 g. e 2 n.*]

guaraipo [Var. de *guarapu*.] *S. m. Bras. RS* **1.** *Zool.* V. *guarapu* (1). **2.** *Fig.* Pessoa ladina, velhaca, dissimulada.

guaraitá [Do tupi, poss.] *S. m. Bot.* V. *guapeba* (4).

guaraíto [De or. obsc.] *S. m. Bot.* V. *caimito* (1).

guaraiúba *S. f. Bras. Zool.* V. *guarajuba* (1). ❖

guarajuba [Do tupi.] *S. f. Bras.* **1.** *Zool.* Peixe teleósteo, perciforme, carangídeo (*Caranx latus*), da costa atlântica, desde a América do Norte até o RJ, de coloração cinza-azulada no dorso e branca no abdome. [A mesma designação é dada a outras espécies do gênero. Sin.: *carapau, guaraiúba*.] **2.** *Zool.* V. *guaruba*. **3.** *Bot.* Árvore combretácea (*Terminalia acuminata*) nativa do RJ a SC, de folhas elípticas ou abovadas, flores brancas, paniculadas, e frutos samariformes; guarajubeira.

guarajubeira [De *guarajuba* + *-eira*.] *S. f. Bras. Bot.* Guarajuba (3).

guaramiranguense *Adj. 2 g.* **1.** De, ou pertencente ou relativo a Guaramiranga (CE). • *S. 2 g.* **2.** O natural ou habitante de Guaramiranga.

guaramirense *Adj. 2 g.* **1.** De, ou pertencente ou relativo a Guaramirim (SC). • *S. 2 g.* **2.** O natural ou habitante de Guaramirim.

guaraná [Do tupi.] *S. m. Bras. Bot.* **1.** Arbusto sapindáceo (*Paullinia cupania*) da floresta amazônica, de folhas trifolioladas, flores pequenas, alvacentas, e cuja cápsula fornece semente rica em substâncias excitantes (*xantinas*) e, por isso, adequadas à fabricação de refrigerantes e certos medicamentos; guaranazeiro. **2.** Massa consistente, comestível, com formas diversas, fabricada pelos índios maués com as sementes desse arbusto. **3.** Bebida que se faz com o pó dessa massa.

guaraná-timbó *S. m. Bras. Bot.* Arbusto fabáceo (*Dahlstedtia pinnata*) nativo das Guianas e do Brasil, de folhas imparipenadas, flores tubulosas róseas, em racemos laterais, e cuja casca é us. como matéria tintória e tem uso medicinal; goraná-timbó, timbó-de-raiz. [Pl.: *guaranás-timbós* e *guaranás-timbó*.]

guaranazal (nà) [De *guaraná* + *-zal*.] *S. m. Bras. N.* Quantidade mais ou menos considerável de guaranás ou guaranazeiros dispostos proximamente entre si.

guaranazeiro (nà) [De *guaraná* + *-zeiro*.] *S. m. Bras.* **1.** *Bot.* Guaraná (1). **2.** Aquele que trabalha na extração de guaraná.

guarandi [Do tupi.] *S. m. Bras. Zool.* Ave traupídea (*Tachyphonus rufus*), distribuída da Amaz. até BA, MT e MG, o macho de coloração preta, coberteiras superiores menores da asa brancas, e a fêmea pardo-avermelhada, mais clara na parte inferior; gurundi, pipira-preta, tachá, macho-de-joão-gomes, maria-mulata.

guaranesiano *Adj.* **1.** De, ou pertencente ou relativo a Guaranésia (MG). • *S. 2 g.* **2.** O natural ou habitante de Guaranésia.

guaranhém [Do tupi.] *S. m. Bras. Bot.* V. *buranhém* (1).

guarani[1] [De origem indígena incerta.] *Bras. S. 2 g.* **1.** *Etnôn.* Indivíduo dos guaranis, povo indígena formado por diversos subgrupos [*Kaiowá, *M'bya, *Nhandeva, *Pai-Tavyterã, *Xixipá e *Chiriguano (etnôn. bras.)] da família linguística tupi-guarani, tronco tupi, que habita o Brasil (MS, SP, RJ, PR, ES, SC e RS), no qual representa um dos maiores grupos, além de Paraguai, Bolívia e Argentina. **2.** *Gloss.* Língua da família tupi-guarani que era falada no domínio espanhol da América do Sul, atestada já no século XVI. **3.** *Gloss.* Denominação para diversas variantes de línguas indígenas da família tupi-guarani, tronco tupi, da qual a mais conhecida é língua oficial no Paraguai, ao lado do espanhol. **4.** Vocábulo guarani[1] (6). • *Adj. 2 g.* **5.** Pertencente ou relativo aos guaranis. **6.** Pertencente ou relativo a guarani[1] (2 e 3). [Tb. us. como *s. 2 g. e 2 n.* (com cap.) e *adj. 2 g. e 2 n.*] [Cf. *apapocuva*.]

guarani[2] *S. m.* Unidade monetária, e moeda, do Paraguai, dividida em 100 cêntimos.

guarânia *S. f. Mús.* Balada em andamento lento e, em geral, em tom menor, considerada a música típica da região da bacia do rio Paraguai.

guaraniaçuano *Adj.* **1.** De, ou pertencente ou relativo a Guaraniaçu (PR). • *S. m.* **2.** O natural ou habitante de Guaraniaçu. [Sin. ger.: *guaraniaçuense*.]

guaraniaçuense *Adj. 2 g. S. 2 g.* V. *guaraniaçuano*.

guaraniana [De *guarani*[1] + o f. de *-ano*[1].] *S. f. Bras.* V. *Tupiana*. [Com cap.]

guaraniano *Adj. Bras.* Pertencente ou relativo a Guaraniana.

guaranicinga [Do tupi.] *S. f. Bras. SP Zool.* V. *bico-de-pimenta*.

guaraniense[1] *Adj. 2 g.* **1.** De, ou pertencente ou relativo a Guarani (MG). • *S. 2 g.* **2.** O natural ou habitante de Guarani.

guaraniense[2] *Adj. 2 g.* **1.** De, ou pertencente ou relativo a Guarani das Missões (RS). • *S. 2 g.* **2.** O natural ou habitante de Guarani das Missões.

guaraniense[3] *Adj. 2 g.* **1.** De, ou pertencente ou relativo a Guarani de Goiás (GO). • *S. 2 g.* **2.** O natural ou habitante de Guarani de Goiás.

guaraniense[4] *Adj. 2 g.* **1.** De, ou pertencente ou relativo a Guarani d'Oeste (SP). • *S. 2 g.* **2.** O natural ou habitante de Guarani d'Oeste.

guaranítico [De *guarani*[1] + *-ítico*.] *Adj. Bras.* Pertencente ou relativo aos índios guaranis e à sua língua.

guarantã [Do tupi.] *S. m. e f.* **1.** *Bot.* Árvore rutácea (*Esenbeckia leiocarpa*) de folhas oblongas, pequenas flores alvas, paniculadas, e madeira nobre; pau-duro. [Var., nesta acepç.: *guaratã, guratã*.] **2.** *Zool.* V. *gaturamo*.

guarantãense[1] *Adj. 2 g.* **1.** De, ou pertencente ou relativo a Guarantã (SP). • *S. 2 g.* **2.** O natural ou habitante de Guarantã.

guarantãense[2] *Adj. 2 g.* **1.** De, ou pertencente ou relativo a Guarantã do Norte (MT). • *S. 2 g.* **2.** O natural ou habitante de Guarantã do Norte.

guaraparé [Var. de *guarapari*.] *S. m. Bras. Bot.* V. *copiúva*.

guarapari [Do tupi.] *S. m. Bras. Bot.* V. *copiúva*.

guarapariense *Adj. 2 g.* **1.** De, ou pertencente ou relativo a Guarapari (ES). • *S. 2 g.* **2.** O natural ou habitante de Guarapari.

guaraparim [Var. nasalada de *guarapari*.] *S. m. Bras. Bot.* V. *copiúva*.

guaraperê [Do tupi.] *S. m. Bras. Bot.* Árvore mimosácea (*Zygia cataractae*) de casca grossa e rugosa, folhas penadas, flores brancas ou róseas, e frutos leguminiformes.

guarapicica [Do tupi.] *S. f. Bras. Bot.* Árvore sapotácea do gênero *Pouteria*, cuja madeira se usa em marcenaria.

guarapirá [Do tupi.] *S. m. Bras. N.E. Zool.* V. *alcatraz*[1].

guarapu [Do tupi.] *S. m. Bras. Zool.* **1.** Abelha meliponínea (*Melipona bicolor*) mansa, com cerca de 8mm de comprimento, de coloração escura, que tem ampla distribuição no Brasil, e nidifica em ocos de árvores, quase sempre junto à base. [Var.: *guarabu, guarupu, garapu, graipu, guaraipo, gurupu*. Sin.: *pé-de-pau, uruçu*.] **2.** V. *veado-roxo*.

guarapuava [Do top. *Guarapuava* (PR), poss.] *S. m. Bras. SP Zool.* Cavalo árdego, espantadiço e pouco resistente.

guarapuavano *Adj.* **1.** De, ou pertencente ou relativo a Guarapuava (PR). • *S. m.* **2.** O natural ou habitante de Guarapuava.

guaraqueçabano *Adj.* **1.** De, ou pertencente ou relativo a Guaraqueçaba (PR). • *S. m.* **2.** O natural ou habitante de Guaraqueçaba.

guararapense *Adj. 2 g.* **1.** De, ou pertencente ou relativo a Guararapes (SP). • *S. 2 g.* **2.** O natural ou habitante de Guararapes.

guararema [De *ibiraréma*, poss.] *S. f. Bras. Bot.* **1.** V. *pau-marfim* (1). **2.** V. *pau-d'alho* (1). [Var.: *gurarema, guarema, urarema*.]

guararemense *Adj. 2 g.* **1.** De, ou pertencente ou relativo a Guararema (SP). • *S. 2 g.* **2.** O natural ou habitante de Guararema.

guararense *Adj. 2 g.* **1.** De, ou pertencente ou relativo a Guarará (MG). • *S. 2 g.* **2.** O natural ou habitante de Guarará.

guarariba [Do tupi.] *S. f. Bras. Bot.* Grande árvore bombacácea (*Quararibea guianensis*) de casca lisa, folhas lanceoladas, flores brancas e frutos capsulares, amarelos; é comum em áreas inundadas e em margens de rios, desde as Guianas até o Brasil.

guaratã [Do tupi.] *S. m. Bot.* V. *guarantã* (1).

guarataia [De or. obsc.] *S. f. Bras. Bot.* V. *pau-marfim* (2).

guarategaja *Bras. S. 2 g.* **1.** *Etnôn.* Indivíduo dos guarategajas [ou (etnôn. bras.) *Guaratégaja], povo indígena extinto que habitava as margens dos rios Mequéns e Colorado (RO). • *Adj. 2 g.* **2.** Pertencente ou relativo a esse povo.

guaratinguense *Adj. 2 g.* **1.** De, ou pertencente ou relativo a Guaratinga (BA). • *S. 2 g.* **2.** O natural ou habitante de Guaratinga.

guaratinguetaense *Adj. 2 g.* **1.** De, ou pertencente ou relativo a Guaratinguetá (SP). • *S. 2 g.* **2.** O natural ou habitante de Guaratinguetá.

guaratubano *Adj. S. m.* V. *guaratubense*.

guaratubense *Adj. 2 g.* **1.** De, ou pertencente ou relativo a Guaratuba (PR). • *S. 2 g.* **2.** O natural ou habitante de Guaratuba. [Sin. ger.: *guaratubano*.]

G

guaraúna [Var. de *baraúna*.] *S. f.* **1.** *Bras. Bot.* V. *braúna* (1). **2.** *Bras. AM Zool.* V. *tapicuru*[1].

guaravira [Do tupi.] *S. f. Bras. Zool.* V. *guaivira*.

guaraxaim (a-ím) [Var. aferética de *aguaraxaim*.] *S. m. Bras. Zool.* V. *graxaim*.

guarda [Do germ. *warda*, ou dev. de *guardar* (q. v.).] *S. f.* **1.** Ato ou efeito de guardar; vigilância, cuidado, guardamento: *Foi-lhe confiada a guarda do prédio.* **2.** *Fig.* Proteção, amparo, favor, benevolência. **3.** Resguardo da mão, na arma branca. **4.** Posição de defesa, na esgrima. **5.** Vara que o podador conserva na videira. **6.** Serviço de vigilância desempenhado por uma ou mais pessoas. **7.** Sentinela (4). **8.** *Encad.* Cada uma das folhas de papel, branco marmoreado, de fantasia, etc., dobradas ao meio e coladas no princípio e no fim de um livro, para consolidar a encadernação, proteger a primeira e a última folha dos cadernos, e proporcionar ao volume acabamento correto. [Cf. *resguardo* (6) e *salvaguarda* (6).] **9.** *Encad. Restr.* A parte da guarda (8) que se cola à capa. [A que fica solta chama-se *contraguarda*.] **10.** V. *andar* (25). ● *S. 2 g.* **11.** Pessoa encarregada de vigiar ou guardar alguma coisa; vigia, vigiador, sentinela. ◆ **Guarda avançada. 1.** Destacamento de segurança que precede o grosso de uma coluna em movimento; vanguarda. **2.** *Fig.* O que precede algo com o fim de protegê-lo. **Guarda civil.** Corporação policial não pertencente às forças militares. [Cf. *guarda-civil*.] **Guarda de honra.** Força militar armada, designada para prestar honras militares, em solenidades que exigem tal representação. **Guarda nacional. 1.** Corpo de infantaria e cavalaria de segunda linha, criado em 1831 e extinto em 1910, composto de cidadãos armados para conservação da ordem. **2.** Milícia auxiliar formada por civis, com postos honoríficos. **Guarda suja.** *Encad.* V. *salvaguarda* (6). **Guardas da ponte.** Peitoris de um e outro lado dela. **Guardas de fechadura.** A roda, o restolho e a cruzeta, no interior da fechadura, onde entra o palhetão da chave. **Abrir a guarda.** Tornar-se ou mostrar-se vulnerável; descuidar-se; dar mole. **Baixar a guarda.** Abandonar a prevenção; tornar-se receptivo ou vulnerável: *No meio da festa, já um tanto embriagado, baixou a guarda.*

guarda-arnês [De *guardar* + *arnês*.] *S. m.* Lugar onde se guardam as guarnições e o correame de cavalaria. [Pl.: *guarda-arneses*.]

guarda-barreira [De *guardar* + *barreira*.] *S. 2 g.* Empregado aduaneiro fiscal de barreira[2] (5). [Pl.: *guarda-barreiras*.]

guarda-braço [De *guardar* + *braço*.] *S. m. Ant.* A parte das armaduras que revestia os braços. [Pl.: *guarda-braços*.]

guarda-cabeça *S. m. Cabo-verd.* Cerimônia que ocorre na noite do sétimo dia dum recém-nascido e em que há ruídos, música, bebidas alcoólicas e danças, para protegê-lo contra a ação das bruxas: "Há realmente superstições que se creem de origem africana, como o 'guarda-cabeça' contra as feiticeiras que querem devorar a criança de sete dias" (Manuel Ferreira, *A Aventura Crioula*, p. 83). [Pl.: *guarda-cabeças*.]

guarda-cadeira [De *guardar* + *cadeira*.] *S. m. Arquit.* V. *alizar* (1). [Pl.: *guarda-cadeiras*.]

guarda-cama [De *guardar* + *cama*.] *S. m.* Rodapé, de tecido ou de outro material, que se suspende em volta das camas, como ornato e para encobrir o espaço que fica entre o estrado delas e o chão. [Pl.: *guarda-camas*.]

guarda-cancela [De *guardar* + *cancela*.] *S. m. Bras.* Indivíduo preposto à guarda de uma barreira nas passagens de nível das vias férreas. [Pl.: *guarda-cancelas*.]

guarda-cascos [De *guardar* + o pl. de *casco*.] *S. m. 2 n.* Prolongamento do bordo exterior da ferradura, no lugar da pinça.

guarda-catarro [De *guardar* + *catarro*.] *S. m. Bras. N.E. Fam.* O peito (5). [Pl.: *guarda-catarros*.]

guarda-chapim [De *guardar* + *chapim*.] *S. m.* **1.** Pequeno muro ou fiada de cantaria sobre que se assenta uma grade. **2.** Guarnecimento, em geral de cantaria, que acompanha lateralmente os degraus duma escada. [Pl.: *guarda-chapins*.]

guarda-chaves [De *guardar* + o pl. de *chave*.] *S. 2 g. e 2 n.* Pessoa incumbida de vigiar e manobrar as chaves [v. *chave* (28)] nos desvios ou entroncamentos dos trilhos das estradas de ferro.

guarda-chuva [De *guardar* + *chuva*.] *S. m.* Armação de varetas móveis, coberta de pano ou de outro material, usada para resguardar as pessoas da chuva ou do sol. [Sin.: *guarda-sol, chapéu de chuva, chapéu de sol, chapéu, para-sol, para-chuva, sombrinha, umbrela, umbela, barraca* (fam.) e (bras., N.E., pop.), quando preto e de homem, *parteira*. Pl.: *guarda-chuvas*.]

guarda-chuvada [De *guarda-chuva* + *-ada*[1].] *S. f.* Pancada com guarda-chuva. [Pl.: *guarda-chuvadas*.]

guarda-civil [De *guarda* (11) + *civil*.] *S. m.* Membro da guarda civil. [Pl.: *guardas-civis*. Cf. *guarda civil*.]

guarda-comida [De *guardar* + *comida*.] *S. m.* Armário provido de tela de arame, para guardar comidas. [F. paral.: *guarda-comidas*. Sin., bras.: *petisqueira, petisqueiro*. Pl.: *guarda-comidas*.]

guarda-comidas [De *guardar* + o pl. de *comida*.] *S. m. 2 n.* V. *guarda-comida*.

guarda-corpo [De *guardar* + *corpo*.] *S. m.* **1.** *Arquit.* Proteção a meia altura, em grade, balaustrada, etc., que resguarda a parte inferior do balcão, varanda, sacada ou vão (10), ou que acompanha os degraus da escada, encimado por corrimão. **2.** *Eng. Civ.* Mureta ou proteção construída nas laterais de uma rodovia para evitar a saída dos veículos da pista no caso de acidentes ou derrapagens.

guarda-costas [De *guardar* + o pl. de *costa*.] *S. m. 2 n.* **1.** *Mar.* Embarcação velocíssima e de grande mobilidade, destinada à patrulha e à defesa de águas costeiras. **2.** *Fig.* Pessoa que acompanha outra para defendê-la de agressões; satélite. [Cf., nesta acepç., *segurança* (10).] **3.** V. *capanga* (4).

guardador (ô) [De *guardar* + *-dor*.] *Adj.* **1.** Que guarda ou observa certos preceitos. ● *S. m.* **2.** Aquele que guarda, a quem compete guardar ou vigiar alguma coisa. **3.** *Bras. RJ SP* Indivíduo que vigia para os respectivos donos os automóveis estacionados nas ruas, recebendo, em troca, gorjetas do público ou remuneração do Departamento de Trânsito. [Sin., nesta acepç.: (RJ) *flanelinha* e (desus.) *olheiro*.]

guardados [Subst. do pl. do part. pass. de *guardar*.] *S. m. pl. Bras.* **1.** Objetos particulares (geralmente miúdos) que se guardam em gaveta, caixa, cofre: "remexer nos guardados da avó, atrás de broches, contas de colares, pedaços de enfeites" (Maria Julieta Drummond de Andrade, *Um Buquê de Alcachofras*, p. 25). **2.** Reserva em dinheiro; economias.

guarda-espelho [De *guarda* (8) + *espelho*.] *S. f. Encad.* Guarda cujas metades são separadas, ao longo do encaixe, por uma charneira (4). [Pl.: *guardas-espelhos* e *guardas-espelho*.]

guarda-fato [De *guardar* + *fato*[2].] *S. m. Lus.* Espécie de armário móvel, onde se guardam fatos; guarda-roupa: "E, no guarda-fato, os vestidos .... de noiva enamorada baloiçavam-se ao ritmo do navio enorme cortando as águas do oceano." (Natércia Freire, *A Alma da Velha Casa*, p. 112.) [Pl.: *guarda-fatos*.]

guarda-fechos [De *guardar* + o pl. de *fecho*.] *S. m. 2 n.* Peça de couro usada para cobrir os fechos da espingarda a fim de que não se enferrujem.

guarda-fio [De *guardar* + *fio*.] *S. m.* V. *guarda-fios*. [Pl.: *guarda-fios*.]

guarda-fios [De *guardar* + o pl. de *fio*.] *S. m. 2 n.* Aquele que tem a seu cargo vigiar e reparar as linhas ou cabos de luz elétrica, telegráficos e telefônicos. [F. paral.: *guarda-fio*.]

guarda-florestal [De *guarda* (11) + *florestal*.] *S. m.* Funcionário do Estado, incumbido de vigiar as florestas, impedindo derrubadas ilegais, incêndios, caça em época proibida, etc. [Pl.: *guardas-florestais*.]

guarda-fogo [De *guardar* + *fogo*.] *S. m.* **1.** Peça metálica que se coloca diante da chaminé e serve para evitar incêndios. **2.** Parede entre prédios contíguos para evitar a comunicação de fogo. [Sin., nessas acepçs.: *guarda-lume*.] **3.** Para-fogo. [Pl.: *guarda-fogos* (ó).]

guarda-freio [De *guardar* + *freio*.] *S. m.* V. *guarda-freios*. [Pl.: *guarda-freios*.]

guarda-freios [De *guardar* + o pl. de *freio*.] *S. m. 2 n.* Empregado de estrada de ferro que vigia e manobra os freios de carros e vagões, em obediência a instruções do maquinista. [F. paral.: *guarda-freio*.]

guarda-joias (ói) [De *guardar* + o pl. de *joia*.] *S. m. 2 n.* **1.** Vaso, cofre, escrínio, etc., onde se guardam joias; porta-joias. **2.** Oficial da casa real incumbido da conservação das joias. ✤

guarda-lama [De *guardar* + *lama*[1].] *S. m.* **1.** *Lus.* Para-lama. **2.** Extremidade inferior, maciça, da bainha da espada. [Pl.: *guarda-lamas*.]

guarda-linha [De *guardar* + *linha*.] *S. m.* Empregado que vigia as linhas férreas. [Pl.: *guarda-linhas*.]

guarda-livros [De *guardar* + o pl. de *livro*.] *S. 2 g. e 2 n.* Empregado do comércio, ou profissional independente, que se encarrega da escrituração dos livros mercantis.

guarda-loiça *S. m.* V. *guarda-louça*. [Pl.: *guarda-loiças*.]

guarda-louça [De *guardar* + *louça*.] *S. m.* **1.** Armário para guardar louça; louceiro, louceira: "a seguir, a alcova, que abria para a sala de jantar, autêntica varanda espaçosa do sul, com talha de água a um canto, guarda-louças respeitável e, ao fundo, outro corredor levando à cozinha." (Augusto Meyer, *No Tempo da Flor*, p. 71). **2.** Prateleira ou cantoneira em que se guardam louças. [F. paral.: *guarda-loiça*. Pl.: *guarda-louças*.]

guarda-lume [De *guardar* + *lume*.] *S. m.* Guarda-fogo (1 e 2). [Pl.: *guarda-lumes*.]

guarda-mancebo (ê) [De *guardar* + *mancebo*.] *S. m. Marinh.* Cada um dos cabos que servem de corrimão no gurupés e no pau de surriola. [Pl.: *guarda-mancebos*.]

guarda-mão [De *guardar* + *mão*[1].] *S. m.* Arco entre os copos e a maçã da espada, o qual serve para resguardar a mão. [Pl.: *guarda-mãos*.]

guarda-marinha [Do esp. *guardia marina*.] *S. m.* **1.** Aluno da Escola Naval durante o estágio de adaptação por que passa antes de ser promovido a segundo-tenente. **2.** V. *hierarquia militar*. **3.** Militar que detém a posição hierárquica de guarda-marinha. [Pl.: *guardas-marinhas* e *guardas-marinha*.]

guarda-mato [De *guardar* + *mato*.] *S. m.* **1.** Peça da espingarda, arciforme, que serve para resguardar o gatilho. **2.** Valado que limita matagais ou terras de pastagem. [Pl.: *guarda-matos*.]

guardamento [De *guardar* + *-mento*.] *S. m.* **1.** V. *guarda* (1). **2.** *Bras. PR* V. *velório*[2].

guarda-meta [De *guardar* + *meta*.] *S. 2 g. Fut.* V. *goleiro*. [Pl.: *guarda-metas*.]

guarda-mor [De *guarda* (11) + *mor*.] *S. m.* **1.** Antigo oficial que comandava 20 archeiros ou alabardeiros da casa real. **2.** Título oficial do chefe da polícia aduaneira nos portos. **3.** Representante do fisco a bordo dos navios. [Pl.: *guardas-mores*.]

guarda-morense *Adj. 2 g.* **1.** De, ou pertencente ou relativo a Guarda-Mor (MG). ● *S. 2 g.* **2.** O natural ou habitante de Guarda-Mor. [Pl.: *guarda-morenses*.]

guardamoria [De *guarda-mor* + *-ia*[1].] *S. f. Bras.* Repartição anexa às alfândegas, encarregada da polícia fiscal nos portos e a bordo dos navios.

guarda-móveis [De *guardar* + o pl. de *móvel*.] *S. m. 2 n. Bras.* Estabelecimento onde, mediante pagamento, mensal por via de regra, se depositam móveis.

guardanapo [Do fr. *garde-nappe*.] *S. m.* Pequena toalha, de pano ou, às vezes, de papel, com que à mesa se limpam os lábios. [Sin. (ant.): *toalhete*.]

guarda-noturno [De *guarda* (11) + *noturno*.] *S. m.* Indivíduo que, por conta dos habitantes ou negociantes de uma rua ou bairro, guarda de noite, rondando e vigiando, as entradas das habitações, ou casas de negócio. [Pl.: *guardas-noturnos*.]

guarda-olhos [De *guardar* + o pl. de *olho*.] *S. m. 2 n. Bot.* Agáloco (3).

guarda-patrão [De *guardar* + *patrão*.] *S. m. Marinh.* Tábua que transversalmente, de boreste a bombordo, limita o paneiro das embarcações miúdas, e por trás da qual se assenta o patrão. [Pl.: *guarda-patrões*.]

guarda-pé [De *guardar* + *pé*.] *S. m. Bras. BA* Certo tipo de botas usadas pelos vaqueiros. [Pl.: *guarda-pés*.]

guarda-peito [De *guardar* + *peito*.] *S. m. Bras. N.E.* Pedaço de couro curtido com que os vaqueiros resguardam o peito, e que se prende por meio de correias ao pescoço e à cintura; peitoral. V. *couros*. [Pl.: *guarda-peitos*.]

guarda-pó [De *guardar* + *pó*.] *S. m.* **1.** *Arquit.* Forro de tábuas que reveste o vigamento superior de um telhado. **2.** Espécie de avental, semelhante ao que usam médicos, professores, etc., que se põe por cima da roupa a fim de resguardá-la da poeira, sobretudo em viagem: "Ainda estavam chegando passageiros, esbaforidos, de guarda-pó, com chapeleiras na mão." (Eça de Queirós, *Os Maias*, II, p. 31.) [Pl.: *guarda-pós*.]

guarda-portão [De *guardar* + *portão*.] *S. m.* Porteiro[1]: "Aproximei-me do cubículo em que habitava o guarda-portão à entrada do pátio." (Ramalho Ortigão, *Em Paris*, p. 17.) [Pl.: *guarda-portões*.]

guarda-pratas [De *guardar* + o pl. de *prata*.] *S. m. 2 n.* Móvel para guardar pratas, sobretudo a baixela; argentário.

guardar [Do germ. *wardôn* (ant. alt.-al. *wartên*, 'buscar com a vista', neerl. médio *waerden*, 'velar', 'vigiar', escandinavo ant. *varda*, 'montar guarda') < germ. *warda*, 'ação de buscar com a vista', 'guarda' (ant. alt.-al. *warta*), < germ. *warôn*, 'prestar atenção', < raiz germ. *war-*, 'estar atento'.] *V. t. d.* **1.** Vigiar com o fim de defender, proteger ou preservar: "No Vaticano, em grupos prosternados, / Com as longas fardas rubras, os soldados / Guardam o corpo do Divino Mestre." (Augusto dos Anjos, *Eu*, p. 110.) **2.** Pôr em lugar conveniente; acondicionar, arrecadar, conservar: *Após a consulta, guardou o livro.* **3.** Tomar conta de; zelar por; conduzir, vigiando: *O pastor guarda suas ovelhas.* **4.** Ter cuidado em manter seguro ou preso: *guardar detentos.* **5.** Conservar em poder próprio; manter: *Ainda guarda seus objetos de infância.* **6.** Não revelar; ocultar, calar: *guardar segredo.* **7.** Ter a seu cuidado; defender, proteger, resguardar: *Deus o guarde.* **8.** Observar, cumprir, praticar: *Todos precisam guardar algum preceito ético.* **9.** Dar mostras de: *É bem-educado, sabe guardar respeito.* **10.** Observar, cumprir as prescrições ou preceitos de: *A Igreja manda guardar os dias santos.* **11.** Conservar, manter. **12.** Conservar, manter, gravar na memória: "Foram estas .... as palavras que minha mãe me disse naquele último encontro, guardei-as com absoluta fidelidade." (Umberto Peregrino, *Três*

Mulheres, p. 4.) **13.** Passar a noite em vigília; velar: *Passaram a noite guardando o corpo de um desconhecido.* ***T. d. e c.*** **14.** Guardar (2): *Guardou as meias na gaveta da cômoda.* **15.** Continuar a ter; não perder; manter: *Guardou a jovialidade até a velhice.* **16.** Adiar, delongar, procrastinar: *Guardou o projeto para o próximo ano.* ***T. d. e i.*** **17.** Reservar, destinar: *Guardou uma parte da herança para os amigos.* **18.** Dedicar, consagrar. **19.** Defender, livrar, isentar: *Guardei-o de riscos.* ***Transobj.*** **20.** Guardar (11): *Guardou intatas as lembranças da namorada.* ***P.*** **21.** Acautelar-se, prevenir-se, precaver-se, precatar-se. **22.** Abster-se, conter-se, refrear-se. **23.** Reservar-se, esperar. **24.** Defender-se, preservar-se, livrar-se. **25.** Abrigar-se, desviar-se.

guarda-rede [De *guardar* + *rede*.] ***S. 2 g.*** *Fut.* V. *goleiro*. [Pl.: *guarda-redes*.]

guarda-redes [De *guardar* + o pl. de *rede*.] ***S. 2 g. e 2 n.*** *Fut.* V. *goleiro*: "se o guarda-redes for daqueles paralíticos ou reumáticos .... , adeus campeonato" (José Saramago, *História do Cerco de Lisboa*, p. 38).

guarda-roupa [De *guardar* + *roupa*.] ***S. m.*** **1.** Armário onde se guarda a roupa: "Tinham descoberto num velho guarda-roupa um vestido de baile de D. Margarida Terra" (Vitorino Nemésio, *Mau Tempo no Canal*, p. 132). [Cf. *guarda-vestidos*.] **2.** O conjunto das roupas de uso duma pessoa ou dos componentes de um grupo ou de uma instituição: *Fez um guarda-roupa novo para o inverno*; "Anunciávamos agora um drama de grande efeito, *O Pirata*, com cenário e guarda-roupa a caráter." (Brito Broca, *Memórias*, p. 80). **3.** O encarregado do guarda-roupa de uma instituição, de um teatro, etc.; guarda-roupeiro. **4.** *Teatr.* O conjunto de trajes de um espetáculo; os figurinos de uma produção teatral. **5.** *Bras.* Um dos cargos da corte imperial do Brasil. **6.** Ocupante desse cargo. [Pl.: *guarda-roupas*.]

guarda-roupeiro ***S. m.*** Guarda-roupa (3). [Cf. *camareiro*.] [Pl.: *guarda-roupeiros*.]

guarda-selos [De *guardar* + o pl. de *selo*.] ***S. m. 2 n.*** *Ant.* Chanceler (1).

guarda-sexo [De *guardar* + *sexo*.] ***S. m.*** *Etnol.* Tanga ou outra indumentária com que se cobrem os órgãos genitais. [Pl.: *guarda-sexos*.]

guarda-sol [De *guardar* + *sol*[1].] ***S. m.*** **1.** V. *guarda-chuva*. **2.** Grande guarda-chuva (q. v.) que se fixa no solo ou em uma armação especial e serve para proteger as pessoas contra o sol; chapéu de sol, para-sol, chapéu. **3.** *Bras. Bot.* V. *amendoeira-da-praia*. [Pl.: *guarda-sóis*.]

guarda-soleiro [De *guarda-sol* + *-eiro*.] ***S. m.*** Fabricante de guarda-sóis. [Pl.: *guarda-soleiros*.]

guarda-vala [De *guardar* + *vala*.] ***S. 2 g.*** *Bras. Fut.* V. *goleiro*. [Pl.: *guarda-valas*.]

guarda-valas [De *guardar* + o pl. de *vala*.] ***S. 2 g. e 2 n.*** *Bras. Fut.* V. *goleiro*.

guarda-vassoiras [De *guardar* + o pl. de *vassoira*.] ***S. m. 2 n.*** Guarda-vassouras (q. v.).

guarda-vassouras [De *guardar* + o pl. de *vassoura*.] ***S. m. 2 n.*** Rodapé (2). [Var. de *guarda-vassoiras*.]

guarda-vento [De *guardar* + *vento*.] ***S. m.*** Anteparo de madeira que se põe internamente diante das portas, sobretudo portas de igrejas, para que o recinto não fique devassado e para resguardo do vento; para-vento, contravento. [Pl.: *guarda-ventos*.]

guarda-vestidos [De *guardar* + o pl. de *vestido*.] ***S. m. 2 n.*** Espécie de armário, com cabides, onde se dependuram e guardam vestidos. [Cf. *guarda-roupa* (1).]

guarda-vidas [De *guardar* + o pl. de *vida*.] ***S. 2 g. e 2 n.*** V. *salva-vidas* (2).

guarda-vinho [De *guardar* + *vinho*.] ***S. m.*** Muro da lagariça ou lagar onde se faz o vinho. [Pl.: *guarda-vinhos*.]

guarda-vista [De *guardar* + *vista*.] ***S. m.*** Espécie de viseira que se põe ante os olhos para protegê-los da intensidade da luz. [Pl.: *guarda-vistas*.]

guarda-volante[1] [De *guarda* + *volante*.] ***S. f.*** **1.** Corpo de soldados que fazem guarda sem estacionar, mas andando em várias direções. ● ***S. m.*** **2.** Soldado pertencente à guarda-volante[1] (1). [Pl.: *guardas-volantes*.]

guarda-volante[2] [De *guardar* + *volante*.] ***S. m.*** Peça que cobre o volante dos relógios. [Pl.: *guarda-volantes*.]

guarda-volumes [De *guardar* + o pl. de *volume*.] ***S. m. 2 n.*** Sala ou lugar qualquer para, com segurança e por determinado tempo, se depositarem volumes.

guarda-voz [De *guardar* + *voz*.] ***S. m.*** *Arquit.* Dossel ou cúpula que cobre púlpito ou tribuna, funcionando como concha acústica; abaixa-voz. [Pl.: *guarda-vozes*.]

guardear [De *guarda* + *-ear*[2].] ***V. t. d.*** Pôr guardas ou resguardos ao longo de. [Conjug.: v. *frear*.]

guardiã ***S. f.*** Fem. de *guardião* (q. v.).

guardiania [Do esp. *guardianía*.] ***S. f.*** Cargo de guardião (1).

guardião [De **wardianem*, romanização do gót. *wardjan*, acus. de *wardja*, 'o que monta guarda', 'sentinela', 'vigia'.] ***S. m.*** **1.** Aquele que guarda. **2.** Superior religioso de alguns conventos: "Em santa obediência ao guardião do convento, consentiu que o limpassem dos seus trapos" (Eça de Queirós, *Contos*, p. 152). **3.** *Bras. Bot.* V. *abóbora-do-mato*. **4.** *Bras. Fut.* V. *goleiro*. **5.** *Ant. Mar. G.* Sargento da especialidade de manobra. [Fem.: *guardiã*. Pl.: *guardiães* e *guardiões*.]

guardim [Do esp. *guardín*.] ***S. m.*** *Marinh.* **1.** Cabo com duas pernadas que movimenta o penol da carangueja para um e outro bordo, para a posição mais conveniente. **2.** *Bras.* Cada um dos cabos ou aparelhos de força presos ao penol de um pau de carga, que permite manobrá-lo lateralmente; pluma.

guárea [Do tax. *Guarea*.] ***S. f.*** *Bot.* **1.** Gênero de árvores e arbustos meliáceos que habitam, ger., as regiões tropicais da América, dotados de folhas penadas, pequenas flores paniculadas, e frutos capsulares. **2.** Qualquer espécie desse gênero, como, p. ex., a *Guarea kunthiana* [v. *jatuaúba* (1)]. **3.** Qualquer espécime desse gênero.

guarecer [De *guar(ir)* (q. v.) + *-ecer*.] ***V. t. d. Int. P.*** *Ant.* V. *guarir*.

guareiense (e-i) ***Adj. 2 g.*** **1.** De, ou pertencente ou relativo a Guareí (SP). ● ***S. 2 g.*** **2.** O natural ou habitante de Guareí.

guarema [Var. haplológica de *guararema* (q. v.).] ***S. f.*** *Bras. Bot.* V. *pau-d'alho* (1).

guarente [De or. obscura.] ***S. m.*** As sobras de tecido quando se encurtam peças de vestuário pela parte de baixo.

guariba [Do tupi.] ***S. m. e f.*** *Bras. Zool.* Designação comum aos símios platirrinos, cebídeos, do gênero *Alouata*, da América Central e do Sul, de coloração escura, caracterizados pela maxila inferior barbada, e sobretudo pelo grito peculiar. São frugívoros e vegetarianos, e vivem em bandos de mais de 12 indivíduos, guiados pelo macho mais velho, o *capelão*. [Sin.: *barbado*, *bugio*.]

guaribada ***S. f.*** *Gír.* **1.** Limpeza, polimento, e retoque que se faz na pintura de automóvel que vai ser vendido, para dar-lhe melhor aspecto e, consequentemente, obter-se melhor preço. **2.** *P. ext.* Melhoramento no aspecto de pessoa ou coisa: *Dei uma guaribada na sala, pois vou ter visitas.* **3.** Cópula (2).

guariba-preto ***S. m.*** *Zool.* Macaco cebídeo, do gênero *Alouata*. Animal corpulento, de aspecto pesado, grave e circunspecto, e queixo barbudo. Costumam gritar pela manhã e à tardinha, e o povo procura relacionar essa manifestação com variações meteorológicas: "Guariba na serra, chuva na terra". [Sin.: *bugio-preto* e *carajá*. Pl.: *guaribas-pretos*.]

guariba-vermelho ***S. m.*** *Zool.* Macaco cebídeo, do gênero *Alouata*, de pelo fulvo ou mesmo avermelhado. Segundo Herman von Ihering (1850-1930), naturalista alemão naturalizado brasileiro, é comum encontrar machos ruivos e fêmeas pretas dentro da mesma espécie. Esse dimorfismo sexual explicaria as designações populares de *guariba-preto* e *guariba-vermelho* para macacos da mesma espécie. [Sin.: *arauatu*. Pl.: *guaribas-vermelhos*.]

guaribense[1] ***Adj. 2 g.*** **1.** De, ou pertencente ou relativo a Guariba (SP). ● ***S. 2 g.*** **2.** O natural ou habitante de Guariba.

guaribense[2] ***Adj. 2 g. S. 2 g.*** V. *monteiropolense*.

guaribu [Do tupi.] ***S. m.*** *Bras. Bot.* V. *itapicuru* (1).

guaribu-preto ***S. m.*** *Bras. Bot.* V. *mucuri*. [Pl.: *guaribus-pretos*.]

guaricanga [Do tupi.] ***S. f.*** *Bras.* **1.** *Bot.* Nome comum a diversas palmeiras arecáceas, do gênero *Geonoma* (v. *geonoma*). **2.** *Bot.* V. *guaricanga-de-folha-miúda*. **3.** Palhoça feita com folhas dessa palmeira.

guaricanga-de-folha-larga [De *guricanga* + *de* + *folha*[1] + o f. de *largo*[2].] ***S. f.*** *Bras. Bot.* Gaviova. [Pl.: *guaricangas-de-folha-larga*.]

guaricanga-de-folha-miúda [De *guricanga* + *de* + *folha*[1] + o f. de *miúdo*.] ***S. f.*** *Bras. Bot.* Palmeira arecácea (*Geonoma schottiana*) de estipe anelado e folhas penadas verde-escuras, us. no fabrico de cestos, peneiras e outras obras trançadas. [Tb. se diz apenas *guaricanga*. Pl.: *guaricangas-de-folha-miúda*.]

guaricema [De or. tupi.] ***S. f. e m.*** *Bras. Zool.* **1.** V. *xaréu*[1] (1). **2.** V. *xarelete* (1).

guarida [De *guarir* + *-ida*[3].] ***S. f.*** **1.** Covil de feras. **2.** *Fig.* Abrigo, asilo, refúgio, proteção: "O ar então começou a escandescer-se; / E ao som dos ventos a enrijar-se a neve. / Os humanos então principiaram / Guaridas a buscar" (Antônio Feliciano de Castilho, *As Metamorfoses*, p. 18). **3.** V. *guarita*.

guarijuba [Var. de *gurijuba*.] ***S. f.*** *Bras. Zool.* Bagre ariídeo (*Aspistor luniscutis*), do Atlântico ocidental, do S. do Caribe ao N. e N. E. do Brasil, de coloração amarelada, e comprimento de até 1,50m. [Var. e sin.: *gurijuba*, *garajuba*, *gurujuba* ou *gurujuva*, *griujuba*, *gruijuba*, *guribu*, *guriaçu*, *bagre-guri*, *bagre-caiacoco*, *bagre-amarelo*, *bagre-cangatá*, *bagre-de-areia*, *cangatá*, *iriceca*, *jurupiranga*.]

guarimpe [De *garimpo*.] ***S. m.*** *Bras. PE* Talude vertical regularizado a bico de picareta, nos cortes das estradas, quando se deseja conservá-los em caixão.

guarinense ***Adj. 2 g.*** **1.** De, ou pertencente ou relativo a Guarinos (GO). ● ***S. 2 g.*** **2.** O natural ou habitante de Guarinos.

guarinhatã ***S. m. e f.*** *Bras. Zool.* V. *gaturamo*.

guarino *Bras.* ***S. 2 g.*** **1.** *Etnôn.* Indivíduo dos guarinos, povo indígena extinto que habitava o S.O. de MG. ● ***Adj. 2 g.*** **2.** Pertencente ou relativo a esse povo. [Tb. us. como *s. 2 g. e 2 n.* (com cap.) e *adj. 2 g. e 2 n.*]

guaripé [Do tupi.] ***S. f.*** *Bras. Zool.* V. *ema*[1] (1).

guarir [Do germ. *warjan* (gót. *warjan*, 'proibir', ant. alt.-al. *werian*, 'proibir'; 'proteger').] *Desus.* ***V. t. d.*** **1.** Curar, sanar, sarar. ***Int. P.*** **2.** Curar-se, sanar-se, sarar(-se). [Sin. ant.: *guarecer*.]

guariroba [Do tupi.] ***S. f.*** *Bras. Bot.* **1.** Palmeira arecácea (*Syagrus oleracea*) nativa do Paraguai e do Brasil, com folhas dispostas em espiral, frutos verde-amarelados, edules, e palmito amargo, com propriedades medicinais e us. em culinária; catolé, catulé, coco-babão, coco-catulé, coco-da-quaresma, coqueiro-amargoso, coqueiro-guariroba, gararoba (var.), gariroba (var.), guavira, guaviroveira, palmito-amargoso. **2.** V. *jerivá* (1).

guariroba-do-campo ***S. f.*** *Bras. Bot.* **1.** V. *butiá* (1). **2.** V. *coqueiro-catulé*. [Pl.: *guarirobas-do-campo*.]

guarirobal [De *guariroba* + *-al*[1].] ***S. m.*** *Bras.* Quantidade mais ou menos considerável de guarirobas dispostas proximamente entre si.

guarita [Do fr. ant. *garite* (atual *guérite*) < fr. ant. *garrette* < fr. ant. *guarir* ou *garir* (atual *guérir*), 'proteger', 'defender' (v. *guarir*).] ***S. f.*** **1.** Torre nos ângulos dos antigos baluartes, destinada a abrigo das sentinelas. **2.** Casinha portátil, de madeira ou de outro material, para o mesmo fim: "A guarita próxima, erguida no muro alto, parecia deserta: a sentinela devia cochilar pacificamente, esquecida a vigilância." (Graciliano Ramos, *Memórias do Cárcere*, IV, p. 154.) [F. paral.: *guarida*.]

guaritá [De or. obsc.] ***S. m.*** *Bras. Bot.* V. *tamanqueira* (1).

guariúba [Do tupi.] ***S. f.*** *Bras. Bot.* V. *oiticica* (1 e 2).

guarnecedor (ô) [De *guarnecer* + *-dor*.] ***Adj. S. m.*** Que, ou aquele que guarnece.

guarnecer [Do port. *guarn(ir)* (q. v.) + *-ecer*.] ***V. t. d.*** **1.** Prover do necessário; munir, abastecer: *O governo guarneceu os expedicionários.* **2.** Dispor forças militares em; fortalecer, fortificar: *guarnecer as fronteiras.* **3.** Ocupar militarmente. **4.** Caiar (parede) depois de rebocada; branquear. **5.** Pôr ornatos ou guarnições na fímbria de; enfeitar nas bordas; adornar: *guarnecer uma saia.* **6.** *Mar.* Prover de marinheiros, de tripulantes. [Cf., nesta acepç., *equipar* e *tripular* (3).] **7.** *Tip.* Revestir (o cilindro da prensa) com pano e papel; cercar. ***T. d. e i.*** **8.** Prover, abastecer, munir: *Guarneci-o do necessário ao desempenho da tarefa.* [Sin. ger., p. us.: *guarnir*. Conjug.: v. *aquecer*.]

guarnecido [Part. de *guarnecer*.] ***Adj.*** **1.** Dotado de guarnição; aparelhado. **2.** Tripulado, equipado. ~ V. *pontoação —a*.

guarnecimento [De *guarnecer* + *-imento*.] ***S. m.*** **1.** Ato ou efeito de guarnecer. **2.** Guarnição (1). **3.** *Arquit.* Camada de cal ou de gesso que se aplica para branquear paredes, tetos, etc. **4.** *Arquit.* Adorno, ornato.

guarnição [De *guarnir* + *-ção*.] ***S. f.*** **1.** Aquilo que guarnece; guarnecimento. **2.** Tropa que defende determinada praça, que foi destacada para servir nela. **3.** *Bras. Mar. G.* A totalidade das praças que guarnecem um navio de guerra. [Cf. *tripulação* (1).] **4.** Grupo de praças que guarnece determinado posto de serviço: *guarnição de um canhão, de uma lancha.* **5.** O conjunto dos remadores dum barco de regata. **6.** O punho e os copos da espada. **7.** Ornato, enfeite, adorno. **8.** Enfeite em beirada; orla: *A toalha tem uma guarnição de renda em toda a volta; Há uma guarnição de pregas na saia.* **9.** *Constr.* Régua ou sarrafo que se usa para cobrir a junta formada no encontro do marco de uma porta ou janela com a parede; mata-junta, alizar, cercadura. **10.** *Tip.* Material branco (q. v.) usado na imposição e no engradamento da fôrma, ou para formar os claros maiores da composição. [V. *lingão*, *lingote* (4) e *regreta* (1).] **11.** *Tip.* Moldura ornamental, composta de fios ou vinhetas, que se põe em páginas, estampas, etc.; cercadura, orla, tarja. **12.** *Bras.* Guarnição (7 e 8) feita com uma preparação culinária, um alimento cru (verdura ou fruta), ou outro material adequado, e que se usa no arranjo de um prato.

guarnir [Do germ. ocidental *warnan*, 'advertir (contra perigo ou ameaça)'; 'prover', 'guarnecer', 'armar', fonte tb. do esp. *guarnir* e do fr. *garnir*.] ***V. t. d. T. d. e i.*** *P. us.* Guarnecer. [Defect., só conjugável nas f. em

G

que ao *n* se segue um *i*: *guarnimos, guarnis; guarnia,* etc.]

guar-te [Por *guarda-te* ('acautela-te, abstém-te, resguarda-te'), 2.ª pess. do sing. do imperat. de *guardar-se*, com apócope.] *El. v.* Us. na loc. *sem tir-te nem guar-te* (q. v.).

guaru[1] [Do tupi = 'aquele que come'.] *S. m. Bras.* V. *barrigudinho* (1).

guaru[2] *S. 2 g.* 1. *Etnôn.* Indivíduo dos guarus [ou (etnôn. bras.) *Guarú], povo indígena extinto que habitava as proximidades do rio Paraíba do Sul (RJ). ● *Adj. 2 g.* 2. Pertencente ou relativo a esse povo.

guaruaçu [De *guaru* + *-açu*.] *S. m. Bras. Zool.* Espécie de peixe pecilídeo (*Phalloptychus jamarius*).

guaruba [De or. tupi.] *S. f. Bras. Zool.* Ave psitaciforme, psitacídea (*Guaruba guarouba*), que ocorre no PA e MA, de coloração amarela, e rêmiges verdes; aiurujuba, ararajuba, guarajuba, marajuba, tanajuba.

guaruçá [Do tupi.] *S. m. Bras. Zool.* V. *espia-maré* (3).

guarucaia [Do tupi, poss.] *S. f. Bras.* 1. V. *hanseníase* (1). 2. *Bot.* V. *canafístula* (3).

guaru-guaru [Reduplic. de *guaru* (q. v.).] *S. m. Bras. Zool.* V. *barrigudinho* (1). [Pl.: *guarus-guarus* e *guaru-guarus*.]

guarujaense[1] *Adj. 2 g.* 1. De, ou pertencente ou relativo a Guarujá (SP). ● *S. 2 g.* 2. O natural ou habitante de Guarujá.

guarujaense[2] *Adj. 2 g.* 1. De, ou pertencente ou relativo a Guarujá do Sul (SC). ● *S. 2 g.* 2. O natural ou habitante de Guarujá do Sul.

guarulhense *Adj. 2 g.* 1. De, ou pertencente ou relativo a Guarulhos (SP) ● *S. 2 g.* 2. O natural ou habitante de Guarulhos.

guarulho *Bras. S. m.* 1. *Etnôn.* Indivíduo dos guarulhos, denominação outrora dada pelos portugueses a diversos povos indígenas de várias capitanias do Brasil. ● *Adj. 2 g.* 2. Pertencente ou relativo a qualquer desses povos.

guarundi [Var. de *guiraundi*.] *S. m. Bras. Zool.* V. *tié-preto*.

guarundi-azul *S. m. Bras. Zool.* V. *azulão* (3). [Pl.: *guarundis-azuis*.]

guarupu [Do tupi.] *S. m. Bras. Zool.* V. *guarapu* (1).

guasca [Do hisp.-amer. *guasca* < quíchua *wáskha*, 'laço', 'corda'.] *S. f. Bras. RS* 1. Tira ou correia de couro cru. ● *S. 2 g.* 2. V. *caipira* (1). 3. V. *rio-grandense-do-sul* (2). ● *Adj. 2 g.* 4. V. *rio-grandense-do-sul* (1): "Trouxe [Sebastião Veríssimo].... um sopro de espiritualidade para o seu burgo guasca, onde imperava um chefe político atrabiliário" (Érico Veríssimo, *Solo de Clarineta: Memórias*, p. 51).

guascaço [Do hisp.-amer. *guascazo*.] *S. m. Bras. RS* Golpe de guasca (1); guascada, guasqueada.

guascada [De *guasca* + *-ada*[1].] *S. f. Bras. RS* 1. Reunião ou grupo de guascas; gauchada, guascaria. 2. V. *guascaço*.

guasca-largado *S. m. Bras. RS Pop.* V. *valentão* (3). [Pl.: *guascas-largados*.]

guascaria [De *guasca* + *-aria*.] *S. f. Bras. RS* 1. V. *guascada* (1). 2. Estabelecimento que negocia com guasca (1).

guasqueação [De *guasquear* + *-ção*.] *S. f. Bras. RS* Ato de guasquear.

guasqueada [De *guasquear* + *-ada*[1].] *S. f. Bras. RS* V. *guascaço*.

guasquear [De *guasca* + *-ear*[2].] *V. t. d. Bras. RS* Fustigar com a guasca, ou com outro açoite qualquer. [Conjug.: v. *frear*.]

guasqueiro[1] [De *guasca* + *-eiro*.] *S. m. Bras. RS* Indivíduo que trabalha em guascas [v. *guasca* (1)].

guasqueiro[2] *Adj. Bras.* Vasqueiro, raro.

guataia [De or. obsc.] *S. f. Bras. Bot.* V. *pau-marfim* (2).

guataiapoca *S. f. Bras. Bot.* V. *arapoca*.

guatambu [Do tupi.] *S. m.* 1. *Bras. Bot.* Nome comum a diversas espécies de apocináceas do gênero *Aspidosperma* (v. *aspidosperma*), dotadas de madeira de boa qualidade. 2. *Bras. Bot.* Árvore apocinácea (*Aspidosperma macrocarpon*) nativa da BA a SP, de folhas coriáceas, flores alvas, em cimeiras tomentosas, e frutos em folíolos geminados, com várias sementes aladas; panaceia, pau-cetim, pau-pereira, pau-cheiroso, pereiro, peroba, peroba-cetim, peroba-do-campo. 3. *Bras. Bot.* Árvore apocinácea (*Aspidosperma parvifollium*) nativa da BA ao RS, de folhas com margens onduladas, flores alvacentas, em cimeiras, folículos piriformes, e madeira compacta e rija; araraúba, araracanga, guatambu-marfim, pau-cetim, pequiá-amarelo, pequiá-branco, pequiá-marfim, pereiro, pereiro-amarelo, pereiro-da-praia, pereiro-da-restinga, peroba-tambu, pitiá. 4. *Bras. Bot.* Árvore apocinácea (*Aspidosperma ramiflorum*) de folhas elípticas e luzidias e flores alvacentas, em cimeiras; pequiá-doce, tambu-peroba. 5. *Bras. Bot.* V. *pau-marfim* (2). 6. *Bras. MG SP GO Pop.* Enxada (1). 7. *Bras. SP Pop.* Cabo de enxada.

guatambu-marfim *S. m. Bras. Bot.* V. *guatambu* (3). [Pl.: *guatambus-marfins* e *guatambus-marfim*.]

guatapará [Do tupi.] *S. m. Bras. Zool.* V. *veado-mateiro*.

guataparaense *Adj. 2 g.* 1. De, ou pertencente ou relativo a Guatapará (SP). ● *S. 2 g.* 2. O natural ou habitante de Guatapará.

guatapi [Var. de *uatapu*.] *S. m. Bras.* V. *búzio* (1).

guatemalense *Adj. 2 g. S. 2 g.* Guatemalteco.

guatemalteco [Do esp. *guatemalteco*.] *Adj.* 1. Da, ou pertencente ou relativo à Guatemala (América Central). ● *S. m.* 2. O natural ou habitante da Guatemala. [Sin. ger.: *guatemalense*.]

guatimbó *S. m. Bras. Bot.* V. *guaraná-timbó*.

guatingueiro [De or. obscura.] *S. m. Bras. Zool. BA* Certo aparelho de pesca.

guatinhuma [De or. indígena.] *S. f. Bras. Zool.* V. *gaturamo*.

guató *Bras. S. 2 g.* 1. *Etnôn.* Indivíduo dos guatós, povo indígena do tronco linguístico macro-jê, que habita o município de Corumbá (MS) ● *Adj. 2 g.* 2. Pertencente ou relativo a esse povo. [Tb. us. como *s. 2 g. e 2 n.* (com cap.) e *adj. 2 g. e 2 n.*]

guatucupajuba *S. m. Bras. Zool.* V. *canhanha* (2).

guavatã [De or. tupi.] *S. m. Bras. SP Bot.* V. *camboatã-de-folha-grande*.

guavira [Do tupi.] *S. f. Bras. Bot.* 1. V. *guabiroba* (1). 2. Arbusto mirtáceo (*Campomanesia adamantinum*) silvestre, que habita os campos e cerrados das regiões S.E. e C.O., de frutos edules, muito apreciados, e folhas que têm propriedades medicinais, como adstringentes e antidiarreicos.

guaviraguaçu [Var. de *guabiraguaçu*.] *S. m. Bot.* V. *guabijueiro* (1).

guavirova *S. f. Bras. Bot.* V. *guabiroba*.

guaxarapo *Bras. S. 2 g.* 1. *Etnôn.* Indivíduo dos guaxarapos, povo indígena extinto que habitava as margens do rio Aquidauana (MS). ● *Adj. 2 g.* 2. Pertencente ou relativo a esse povo. [Tb. us. como *s. 2 g. e 2 n.* (com cap.) e *adj. 2 g. e 2 n.*]

guaxe [Do tupi.] *S. m. Zool.* 1. Ave emberizídea icterínea (*Cacicus haemorrhous*), com duas populações distintas: uma da bacia do Amazonas e do Orinoco, e outra do Brasil central para o S., Paraguai e áreas adjacentes da Argentina; tem coloração preta, coberteiras da cauda e uropígio vermelho-vivos, e bico amarelo-esverdeado; japim-de-costa-vermelha, japim-do-mato, japim-da-mata-encarnado, japira, japuíra, japuí, japujuba, xicu, bauá, xexéu-bauá. 2. V. *joão-congo* (1). [Cf. *guache*.]

guaxima [Do tupi.] *S. f. Bras. Bot.* 1. Nome comum a diversas malváceas, como, por ex., a *Urena lobata*, dotada de fibras têxteis, e que tem propriedades medicinais. 2. Erva ou arbusto malváceo (*Sida rhombifolia*) de folhas serreadas, flores alvas ou amareladas e frutos capsulares, angulosos; nativo de regiões tropicais; é cultivada pelo córtex, de que se extraem fibras, pela raiz diurética e pelas folhas, forrageiras quando novas, e que em certas regiões são usadas para substituir o chá-da-índia. [Sin., nesta acepç.: *relógio, vassoura, vassoura-relógio, vassourinha, vassourinha-de-relógio, zanzo*.] 3. Guaxima.

guaxima-macho *S. f. Bras. Bot.* 1. V. *guaxima-roxa*. 2. V. *camacã*[2]. [Pl.: *guaximas-machos*.]

guaxima-roxa [De *guaxima* + o f. de *roxo*.] *S. f. Bras. Bot.* Arbusto malváceo (*Urena lobata*) de distribuição pantropical, de folhas alternas e palmatífidas, flores roxas ou róseas, e frutos capsulares espinhosos, que fornecem fibras brancas, flexíveis, us. na feitura de redes e cordoalhas, e que têm propriedades emolientes. [Sin.: *aguaxima, carrapicho-do-mato, embira, guaxima-macho, guaxiúma, guaxuma, malvaísco, uaixima*. Pl.: *guaximas-roxas*.]

guaximba [Var. de *guaxima*.] *S. f.* Arbusto malváceo (*Hibiscus brasiliensis*) com flores roxas, róseas ou brancas e folhas lobadas, e que pode alcançar até 2m de altura; guaxima.

guaximba-preta [De *guaximba* + o f. de *preto*.] *S. f. Bras. Bot.* Planta morácea (*Ficus radula*) nativa do PA, PI e CE, que fornece látex us. como drástico e antelmíntico, o qual seca como borracha; as folhas são ger. obovadas e os frutos são pequenos sicônios; figueira-de-lombrigueira, guaxinduba-preta. [Pl.: *guaximbas-pretas*.]

guaximinga [De *guamixinga*, com metátese.] *S. f. Bras. Bot.* 1. V. *guamixinga* (1). 2. V. *pau-marfim* (2).

guaxiná *Bras. S. 2 g.* 1. *Etnôn.* Indivíduo dos guaxinás, povo indígena extinto que habitava a margem esquerda do baixo rio Itapicuru (MA). ● *Adj. 2 g.* 2. Pertencente ou relativo a esse povo. [Tb. us. como *s. 2 g. e 2 n.* (com cap.) e *adj. 2 g. e 2 n.*]

guaxindiba [Do tupi.] *S. f. Bras. Bot.* Árvore malvácea (*Kydia brasiliensis*) de até 15m, nativa do Brasil e da Índia, de folhas trilobadas, flores brancas em panículas multifloras, e frutos capsulares. [Var.: *guacindiba, uacindiba*.]

guaxinduba [Do tupi.] *S. f. Bras. Bot.* Árvore morácea (*Ficus pertusa* ou *F. anthelmintica*) de pequenas folhas coriáceas com nervuras salientes, flores agrupadas em receptáculo urnígero e fruto globoso, vermelho; a casca, que é cáustica, exsuda látex com propriedades vermicidas. [Var.: *cuaxinduba, guaxinguba, quaxinduba, quaxinguba*. Sin.: *gameleira*.]

guaxinduba-preta [De *guaxinduba* + o f. de *preto*.] *S. f. Bras. Bot.* V. *guaximba-preta*. [Pl.: *guaxindubas-pretas*.]

guaxinguba [Do tupi.] *S. f. Bras. N. N.E. Bot.* V. *guaxinduba*.

guaxinim [Do tupi.] *S. m. Bras. Zool.* V. *mão-pelada*.

guaxiúma [Var. de *guaxima*.] *S. f. Bras. Bot.* V. *guaxima-roxa*.

guaxo [Do esp. *guacho*, de or. quíchua.] *S. m.* 1. *Bras.* Designação dada pelos ervateiros às mudas da erva-mate. 2. *Bras. S.* Animal (e, p. ext., criança) amamentado com leite que não é o materno. 3. *Bras. S. GO Zool.* V. *joão-congo* (1). ● *Adj.* 4. Diz-se daquele que não tem mãe ou que dela foi separado na idade da amamentação. 5. Diz-se do ovo que a ave põe fora do seu ninho ou em ninho doutra ave. 6. Diz-se de pé de milho, feijão, etc., que nasce à toa e vinga sem os cuidados da capina. [Seria preferível a grafia *guacho*. Cf. *guacho*, var. de *guache*.]

guaxuma [Var. de *guaxima*.] *S. f. Bras. Bot.* V. *guaxima-roxa*.

guaxumbo *S. m. Bras. Bot.* V. *saguaraji*.

guaxupé [Do tupi.] *S. f. Bras. Zool.* V. *irapuá*.

guaxupeano *Adj.* 1. De, ou pertencente ou relativo a Guaxupé (MG). ● *S. m.* 2. O natural ou habitante de Guaxupé.

guazil *S. m.* V. *aguazil*.

guazuma [Do tax. *Guazuma* (do esp. amer. *guázuma*).] *S. f. Bot.* 1. Gênero de árvores esterculiáceas que habitam, esp., regiões tropicais da América, dotadas de folhas alternas, dentadas, flores em cimeiras, e fruto capsular, lenhoso. 2. Qualquer espécie desse gênero, como, p. ex., a *Guazuma ulmifolia* [v. *camacá*]. 3. Qualquer espécime desse gênero.

gude [De *gode* (prov. minhoto), 'pedrinha redonda e lisa'.] *S. m. Bras.* 1. Jogo infantil em que se procura fazer entrar em três buracos bolinhas de vidro, ou os carocinhos pretos do fruto do saboeiro, ganhando o jogador que chega primeiramente de volta ao primeiro buraco: "Raul brincava sossegado com as bolas de gude" (Lia Correia Dutra, *Navio sem Porto*, p. 171). 2. Bolinhas de vidro, etc., usadas nesse jogo. [Sin. ger.: *baleba, bilosca, birosca, bolita, búraca, búrica, cabiçulinha, firo, peteca, pirosca, ximbra* e (lus.) *berlinde* e *bute*.]

gudermanniana [Do antr. (C.) *Gudermann* (1798-1852), matemático alemão, + o f. de *-iano*.] *S. f. Mat.* A função arco tangente do seno hiperbólico de x.

gudião *S. m. Bras. Zool.* V. *bodião*[1].

gudunho *S. m. Bras. Zool.* Peixe teleósteo, plectógnato, monocantídeo (*Alutera monoceros*), do Atlântico, claviforme, e de coloração cinérea uniforme, com a axila das nadadeiras peitorais escura; peixe-porco.

guê *S. m. Bras. AL SE BA* Gê. [Pl.: *guês* e (graficamente) *gg*.]

gueba *S. f. Bras.* Animal forte e grande.

guebo (ê) *S. m. Bras. Zool.* V. *agulhão-bandeira*.

guebro [Do persa *gäbr*, 'adorador do fogo'.] *S. m.* 1. Indivíduo dos guebros, descendentes dos persas derrotados pelos árabes no séc. VII, e que continuaram praticando o zoroastrismo. ● *Adj.* 2. Pertencente ou relativo aos guebros.

guebuçu [De *guebo* + *-uçu*.] *S. m. Bras. Zool.* V. *agulhão-bandeira*.

guedé *S. f. Bras. Zool.* V. *coruja-do-campo*.

guedelha (ê) [Do lat. *viticula*, 'pequena vide', 'melena', poss. com infl. do gót. **wathils*, 'penacho'.] *S. f.* Cabelo desgrenhado e longo. [Var.: *guedelho, gadelha* e *gadelho*.]

guedelho (ê) *S. m.* V. *guedelha*.

guedelhudo [De *guedelha* + *-udo*.] *Adj.* Que tem guedelhas; cabeludo: "Pela abertura da camisa desabotoada via-se-lhe o peito guedelhudo, arfando." (Coelho Neto, *Treva*, p. 312.) [Var.: *gadelhudo*.]

guegue [De or. obsc.] *S. m. Bot.* V. *cajazeira*.

gueguê *Bras. S. 2 g.* 1. *Etnôn.* Indivíduo dos gueguês, povo indígena extinto de filiação linguística jê, tronco macro-jê, que habitava a região do rio Itaim e a nascente do rio Parnaíba (PI). ● *Adj. 2 g.* 2. Pertencente ou relativo a esse povo. [Outra forma: *gogué*. Tb. us. como *s. 2 g. e 2 n.* (com cap.) e *adj. 2 g. e 2 n.*]

guei [Do ingl. *gay*, 'alegre', 'gaio'; 'homossexual'.] *Adj. 2 g.* 1. Diz-se de homossexual. 2. Pertencente ou relativo a guei (4). 3. Que se destina a público homossexual: *revista guei*. ● *S. 2 g.* 4. Indivíduo homossexual. [Tb. se usa a f. ingl. *gay*.]

gueijo [Do ingl. *gauge*, 'medida', 'bitola', poss.] *S. m. Bras.* Instrumento usado para marcar a bitola nas estradas de ferro.

gueirana [Do tupi.] *S. f. Bras. Bot.* Árvore apocinácea (*Tabernaemontana laeta*) de látex abundante, e cuja madeira, branca, é útil. [Var.: *guairana.* Sin.: *café-do-mato.*]

gueixa [Do jap. *geixa* < *gei*, 'arte', + *xa*, 'pessoa'.] *S. f.* Cantora e dançarina japonesa que, em reuniões, entretém os homens com dança, música e conversação. [Cf. *guexa.*]

gueledê [Do ioruba.] *S. m. Bras. BA* Festa cerimonial das máscaras.

guelfo [Do it. *Guelfo* < lat. med. *Guelphus* < médio alt.-al. *Welf*, nome de uma nobre família alemã radicada na Itália.] *Adj. S. m.* Nos Estados italianos da Idade Média, partidário dos Papas e adversário dos gibelinos.

guelra [De or. controvertida.] *S. f.* Brânquia: "Um deles vinha alquebrado com volumosa carga de peixes, todos enfiados, presos pela boca, pelas guelras" (José Fonseca Fernandes, *Joatão e a Ilha*, p. 53).

guembé *S. m. Bras. Bot.* Folha-de-urubu. [Cf. *guembê.*]

guembê *S. m. Bras. Bot.* V. *cipó-de-imbé.* [Cf. *guembé.*]

guembu [Do forro[2].] *S. m. Santom. Zool.* Morcego de grandes dimensões: "Com os seus focinhos minúsculos de rafeiro, orelhas fitas, grandes membranas alares fortemente retesadas, guembus adejavam em volta, aos guinchos, assustados" (Luís Cajão, *A Estufa*, p. 78).

guenizá [Do hebr. = 'esconderijo'.] *S. f.* Numa sinagoga, local em que os textos antigos já deteriorados (livros sagrados, registros de nascimento, de morte, etc.), em que consta, ou poderia constar, no todo ou em parte, o nome de Deus, são guardados para serem posteriormente enterrados.

guenoa *Bras. S. 2 g.* **1.** *Etnôn.* Indivíduo dos guenoas, povo indígena extinto que habitava as margens do rio Ibiraquita, S.O. do RS. ● *Adj. 2 g.* **2.** Pertencente ou relativo a esse povo. [Tb. us. como *s. 2 g.* e *2 n.* (com cap.) e *adj. 2 g.* e *2 n.*]

guenza *S. f. Bras. MT Zool.* V. *jacundá* (1).

guenza-branca [De *guenza* + o f. de *branco.*] *S. f. Bras. Zool.* V. *jacundá-branco.* [Pl.: *guenzas-brancas.*]

guenza-verde *S. f. Bras. Zool.* Jacundá-verde. [Pl.: *guenzas-verdes.*]

guenzo [De or. obscura.] *Adj.* **1.** *Bras.* Muito magro; adoentado; enfezado, fraco: "Ele anda .... pregoando pra Zizinha, minha namorada, que eu sou guenzo, que não aguento a canhota dele, nem com as duas mãos." (Nélson de Faria, *Tiziu e Outras Estórias*, p. 171.) **2.** *Bras. N.E.* Inseguro, bamboleante, bambaleante. **3.** *Bras. RS* Fora do prumo; inclinado, torto: "As casas guenzas e de reboco descascado .... fecharam, quase todas, as feias janelas de guilhotina." (Telmo Vergara, *Contos da Vida Breve*, p. 163.)

guepardo *S. m. Zool.* Mamífero carnívoro, felídeo, da África e S.O. da Ásia (*Acinonyx jubatus*), com certos caracteres caninos, pernas longas, pelagem fulva com manchas pretas e garras não retráteis. Seu comprimento varia de 120 a 150 cm, tem cerca de 75cm de altura, é o felino mais veloz da fauna terrestre, atingindo 95km por hora em corridas curtas; alimenta-se de gazelas e antílopes e pode ser domesticado para auxiliar na caça; chita, chita-africana.

guerê-guerê [Voc. onom.] *S. m. Bras. Pop.* Falatório, mexerico, intriga. [F. paral.: *guéri-guéri.* Pl.: *guerê-guerês.*] ❄

guerém *Bras. S. 2 g.* **1.** *Etnôn.* Indivíduo dos gueréns [ou (etnôn. bras.) *Gueren], povo indígena extinto da família linguística botocudo, tronco macro-jê, que habitava a costa da BA. ● *Adj. 2 g.* **2.** Pertencente ou relativo a esse povo.

guereza *S. m. Zool.* Macaco cercopitecídeo (*Colobus guereza*) que se caracteriza pelos polegares extremamente reduzidos e pela pelagem sedosa, muito longa, que cai lateralmente, sob forma de manto. Está, atualmente, em perigo de extinção.

guericke [V.C.I., do antr. (*Otto von*) *Guericke* (1602-1686), físico alemão.] *S. m. Fís.* Unidade de medida de pressão, igual à exercida por uma coluna de água de um centímetro de altura [símb.: *Ger*].

guéri-guéri *S. m. Bras. Pop.* V. *guerê-guerê.* [Pl.: guéri-guéris.] ❄

gueriri *S. f. Bras. Zool.* V. *ostra* (1).

guerra [Do germ. ocidental *werra*, 'discórdia', 'peleja'.] *S. f.* **1.** Luta armada entre nações ou partidos; conflito. **2.** Expedição militar; campanha. **3.** Combate, peleja, luta, conflito. **4.** *P. ext.* A arte militar. **5.** A administração, os negócios militares: *O antigo Ministério da Guerra depois Ministério do Exército, juntamente com o Ministério da Marinha e o Ministério da Aeronáutica foram unificados no Ministério da Defesa.* **6.** *Fig.* Oposição, hostilidade: *Os dois concorrentes estão em guerra pela preferência do público.* ◆ **Guerra atômica.** Guerra nuclear. **Guerra bacteriológica.** Guerra biológica. **Guerra biológica.** Guerra em que se empregam microrganismos vivos ou suas toxinas prejudiciais ou letais aos seres humanos ou às plantações, rebanhos, etc.; guerra bacteriológica. **Guerra civil.** A que se faz entre partidos ou grupos de um mesmo povo; guerra intestina. **Guerra convencional.** Guerra que é levada a efeito com forças armadas regulares e emprego de armas convencionais (sobretudo armas de fogo). **Guerra de extermínio.** Aquela em que um contendor, ou os contendores, se empenha(m) em exterminar totalmente o adversário; guerra total, guerra de morte, guerra sem cartel. **Guerra de morte.** *Fig.* V. *guerra de extermínio.* **Guerra de movimento.** *Mil.* A que se desenrola em locais sempre flutuantes, procurando os contendores, em batalhas sucessivas e pela pressão ininterrupta sobre o inimigo, destruir-lhe a capacidade de lutar. [Opõe-se a *guerra de trincheira.*] **Guerra de nervos.** Ato, atitude, notícia, etc., com que se busca sobressaltar o adversário para com maior facilidade o dobrar ou vencer. **Guerra de posição.** *Mil.* Aquela em que dois exércitos inimigos se defrontam, entrincheirados, cada qual procurando desgastar a fôrça do adversário e ocupar posições dominantes ou outras que lhe permitam dominar o adversário pela redução do poder de luta contrário. **Guerra de trincheira.** Guerra em que os exércitos contendores se instalam em trincheiras, procurando conquistar as dos adversários. [Opõe-se a *guerra de movimento.*] **Guerra econômica.** Guerra (6) em que se empregam ações econômicas para pressionar outrem. **Guerra fria.** **1.** Estado de tensão entre prováveis beligerantes, que buscam prejudicar-se mutuamente por meio de quaisquer atos que não impliquem diretamente declaração de guerra. **2.** *Fig.* Hostilidade ou rivalidade acirrada, que não chega a se tornar conflito violento. **Guerra global.** Aquela cujo(s) teatro(s) de operações se estende(m) pelo mundo inteiro. [Cf. *guerra total.*] **Guerra intestina.** Guerra civil. **Guerra limitada.** Aquela em que os Estados envolvidos lançam mão de apenas uma parte dos seus recursos materiais e humanos mobilizáveis. **Guerra localizada.** Aquela cujo(s) teatro(s) de operações se localiza(m) numa área geográfica restrita. **Guerra nuclear.** Aquela em que se empregam armas nucleares ou atômicas, *i. e.*, baseadas na fissão de átomos de substâncias pesadas, tais como o urânio e o plutônio, ou fusão de átomos de substâncias leves, tais como o hidrogênio; guerra atômica. **Guerra psicológica.** Guerra (6) que é levada a efeito mediante ações de natureza psicológica (propaganda, intimidação, etc.). **Guerra química.** Aquela em que se empregam substâncias químicas prejudiciais à vida. **Guerra revolucionária.** Guerra de caráter ideológico, levada a efeito contra um governo constituído, mediante o emprego de guerrilhas rurais e urbanas, e de ações de natureza psicológica. **Guerra santa.** **1.** A que se fazia contra os infiéis, a pretexto de conquistar os lugares santos. **2.** *P. ext.* Guerra por motivo ou a pretexto religioso. [Cf. *hagiomaquia.*] **Guerra sem cartel.** **1.** V. *guerra de extermínio.* **2.** *Fig.* Perseguição inclemente. **Guerra total.** **1.** Aquela em que os Estados envolvidos lançam mão de todos os seus recursos materiais e humanos mobilizáveis. **2.** V. *guerra de extermínio.* [Cf. *guerra global.*] **Velho de guerra.** Expressão que envolve admiração, carinho, etc.: *Como vão todos em casa, amigo velho de guerra? Olá, compadre velho de guerra!*

guerra-relâmpago *S. f.* A que se desenvolve e é resolvida rapidamente, mercê do uso de grande quantidade de meios de ação combinados, particularmente aviação e blindados, com o objetivo de paralisar e desintegrar o moral das forças adversárias e dos países a que pertencem. [Pl.: *guerras-relâmpagos* e *guerras-relâmpago.*]

guerreador (ô) [De *guerrear* + *-dor.*] *Adj. S. m.* Que, ou aquele que guerreia.

guerrear [De *guerra* + *-ear*[2].] *V. t. d.* **1.** Travar guerra com; fazer guerra a; combater: "Se fosse guerreiro, bateria às costas da Aquitânia ou às da Grã-Bretanha a guerrear ingleses; mas com vizinhos – amizades." (Antero de Figueiredo, *Leonor Teles*, pp. 141-142); "Demora semanas e semanas os dramas, sem os ler; guerreia as vírgulas e as palavras" (Rebelo da Silva, *Bosquejos Histórico-Literários*, I, p. 40). **2.** Fazer oposição a; hostilizar: "Odeiam e guerreiam os padres e no entanto continuam a entregar suas mulheres aos confessionários" (Ramalho Ortigão, *As Farpas*, II, p. 94). **3.** Causar dano ou vexame a; perseguir, vexar, oprimir: *A polícia guerreia sem tréguas os criminosos.* *Int.* **4.** Travar ou fazer guerra; combater, pugnar, pelejar, lutar. [Conjug.: v. *frear.*]

guerreira [F. subst. do adj. *guerreiro.*] *S. f. Bras. Zool.* V. *formiga-correição.*

guerreiro [De *guerra* + *-eiro.*] *Adj.* **1.** Referente a, ou próprio da guerra. **2.** Belicoso, aguerrido, combativo; armipotente. ● *S. m.* **3.** Indivíduo que guerreia. **4.** Aquele que tem ânimo belicoso. **5.** Aquele que tem tomado parte em guerras, portando-se com denodo. **6.** Aquele que exerce a profissão das armas. **7.** *Bras.* Indivíduo intrépido, batalhador. **8.** *Bras. RS* Cavalo que, cansado de serviços a forças beligerantes, ou delas desgarrado, vai ter às estâncias, sem que lhe conheçam o dono. ~ V. *guerreiros.*

guerreiros [Do pl. de *guerreiro.*] *S. m. pl. Bras. Folcl.* Auto popular, composto de elementos dramático-musicais de velhos reisados, e que termina com a cena da morte do boi, tirada do bumba meu boi. Consiste na luta entre guerreiros e caboclos, e reúne grande número de participantes, que se exibem com vistosas coroas. [Sin., em AL: *baile.*] ~ V. *guerreiro.*

guerrídeo *S. m. Adj. Zool.* V. *gerrídeo.*

guerrilha [Do esp. *guerrilla.*] *S. f.* **1.** Luta armada realizada por meio de pequenos grupos constituídos irregularmente, sem obediência às normas estabelecidas nas convenções internacionais, e que, com extrema mobilidade e grande capacidade de atacar de surpresa, visa ao crescimento progressivo das próprias forças mediante a incorporação de novos combatentes e abertura de novas frentes guerrilheiras até que se possam travar com êxito combates diretos contra as tropas regulares inimigas: *Os brasileiros empregaram a guerrilha para combater o domínio holandês.* **2.** *P. ext.* Corpo de combatentes que lutam segundo essa técnica: *A guerrilha atravessou extensas regiões.* **3.** *Pej.* Tropa indisciplinada. ◆ **Guerrilha rural.** Guerrilha (1) cujos princípios gerais foram devidamente adaptados à luta no campo. **Guerrilha urbana.** Guerrilha (1) cujos princípios gerais foram devidamente adaptados à luta urbana.

guerrilhar [De *guerrilha* + *-ar*[2].] *V. int.* Ser guerrilheiro; viver como guerrilheiro.

guerrilheiro [De *guerrilha* + *-eiro.*] *S. m.* **1.** Aquele que combate numa guerrilha (1). ● *Adj.* **2.** Relativo a, ou próprio de guerrilha (1): *manual guerrilheiro.* **3.** Onde se trava guerrilha: *frente guerrilheira.* **4.** Pertencente ou relativo a guerrilha (2): *acampamento guerrilheiro.*

gueta (u-e) [Do quimb. *ngueta.*] *S. m. Angol. Pej.* V. *ngueta*: "pasmavam de seu timbre. | – Pareces mesmo um gueta! – Exclamavam." (Óscar Ribas, *Tudo Isto Aconteceu*, p. 26).

gueto (ê) [Do it. *ghetto.*] *S. m.* **1.** Bairro onde os judeus eram forçados a morar, em certas cidades europeias. **2.** *P. ext.* Bairro, em qualquer cidade, onde são confinadas certas minorias por imposições econômicas e/ou raciais.

guevarismo [Do antr. (*Ernesto "Che"*) *Guevara* + *-ismo.*] *S. m.* Conjunto de ideias e conceitos desenvolvidos pelo marxista argentino Ernesto "Che" Guevara (1929-1967).

guevarista [Do antr. (*Ernesto "Che"*) *Guevara* + *-ista.*] *Adj. 2 g.* **1.** Relativo a, ou próprio de "Che" Guevara ou do guevarismo. **2.** Que é partidário ou seguidor do guevarismo. ● *S. 2 g.* **3.** Partidário ou seguidor dele.

guexa (ê) [Do açor. *gueixo*, 'novilho'.] *S. f. Bras. RS Zool.* V. *burra* (1). [Cf. *gueixa.*]

gugluejar [Voc. onom.] *V. int.* V. *grugulejar.*

guguru [Do ior.] *S. m. Bras. Rel.* Pipoca, comida votiva dos orixás Oxumarê e Omolu, e também da predileção de Exu.

guia [Dev. de *guiar.*] *S. f.* **1.** Ato ou efeito de guiar. **2.** Documento que acompanha a correspondência oficial e a isenta de pagamento de porte, ou que acompanha mercadorias para que tenham livre trânsito. **3.** Formulário usado em repartições públicas para pagamento de importâncias devidas, notificações, etc. **4.** Vara que assenta a empa da vinha. **5.** V. *remígio* (1). **6.** V. *galocha* (2). **7.** Cada uma das longas correias que se afivelam nas tesouras e se comunicam com o freio dos cavalos de tiro. **8.** Correia comprida que se afivela na argola do cabeção de um cavalo para exercício de picadeiro, ficando a outra extremidade na mão do picador. **9.** Peça que dirige o movimento do êmbolo das máquinas de vapor. **10.** Os pelos de cada um dos extremos do bigode: "a barba loura apartada em leque, o bigode torcido em grandes guias" (Ramalho Ortigão, *Notas de Viagem*, p. 29). **11.** *Art. Gráf.* V. *baliza* (9). **12.** *Bras.* V. *meio-fio* (1): "Depois se equilibrou na guia do passeio, pesadamente desceu ao leito da rua." (Antônio de Alcântara Machado, *Novelas Paulistanas*, p. 246.) **13.** *Bras.* Bebida que se toma antes de outra. **14.** *Bras. Rel.* Nas religiões afro-brasileiras, colar consagrado, de 1 a 16 fios, feito de contas de vidro ou louça, ou de miçangas, e cujas cores são emblemáticas do orixá ou entidade (6) que cada um venera. ● *S. 2 g.* **15.** Pessoa que guia, orienta outros. **16.** Pessoa ou profissional que acompanha turistas, viajantes, etc., chamando-lhes a atenção para o caminho por onde seguem e dando informações sobre ele e sobre as obras de arte, edificações ou coisas importantes com que se vão deparando. ● *S. m.* **17.** Livro ou publicação de instruções acerca de algum ramo especial de serviço ou de qualquer outro assunto: *guia do criador de porcos*; *guia das mães.* **18.** Publicação destinada a orientar habitantes

G

ou visitantes de determinada região ou cidade, sobre atrações turísticas, estradas, logradouros, horários de transportes, etc.; roteiro. **19.** *Marinh.* Cabo preso a um objeto que está sendo içado ou arriado, para lhe ir dando a direção conveniente. **20.** *Bras. Rel.* Na umbanda, entidade (6) de elevado grau de evolução espiritual, que encarna num médium para orientar os crentes. **21.** *Bras.* O vaqueiro que encabeça a boiada. ◆ **Guia de onda.** *Fís.* Tubo condutor, ou cilindro dielétrico, capaz de conduzir uma onda eletromagnética ou de irradiá-la para o espaço.

guia-corrente [De *guiar* + *corrente*.] *S. m.* Estrutura destinada a orientar as correntes de um rio ou de um estuário, de modo que provoque o aprofundamento do canal pela intensidade da correnteza. [Pl.: *guia-correntes*.]

guiada *S. f. Bras. Pop.* Alter. de *aguilhada* (q. v.).

guiado [Part. de *guiar*.] *Adj.* V. *míssil* —.

guiador (ô) [De *guiar* + *-dor*.] *Adj.* **1.** Que guia; guiante. ● *S. m.* **2.** Aquele que guia. **3.** Índice de livros de escrituração.

guiagem [De *guiar* + *-agem*[2].] *S. f.* Imposto sobre transporte de mercadorias, fazendas, gados, etc.

guia-lopense *Adj. 2 g.* **1.** De, ou pertencente ou relativo a Guia Lopes (MG). ● *S. 2 g.* **2.** O natural ou habitante de Guia Lopes. [Pl.: *guia-lopenses*.]

guia-matrizes [De *guiar* + o pl. de *matriz*.] *S. m. 2 n. Tip.* Peça da linotipo que serve para facilitar a entrada das matrizes no componedor.

guiamento [De *guiar* + *-mento*.] *S. m.* **1.** Ação de guiar-se; guia. **2.** *Astron.* Conjunto de operações necessárias para encaminhar um veículo espacial a um determinado objetivo. ◆ **Guiamento astronômico.** *Astron.* Sistema de guiamento autônomo que utiliza astros como referência; guiamento celestial. **Guiamento autônomo.** *Astron.* Sistema de guiamento cujos componentes estão no interior do engenho. **Guiamento celestial.** *Astron.* Guiamento astronômico. **Guiamento de atração.** *Astron.* Aquele em que o engenho se orienta para o objetivo por meio de emissões recebidas deste. **Guiamento de atração ativo.** *Astron.* Guiamento de atração que utiliza emissões de uma fonte contida no engenho e refletidas pelo objetivo. **Guiamento de atração passivo.** *Astron.* Guiamento de atração que utiliza emissões características do objetivo. **Guiamento de atração semiativo.** *Astron.* Guiamento de atração que utiliza emissões de uma fonte fora do engenho e refletidas pelo objetivo. **Guiamento de feixe.** *Astron.* Aquele em que dispositivos sensíveis a um feixe de radar, contidos no engenho, controlam a trajetória deste, mantendo-o no eixo central do feixe. **Guiamento de inércia.** *Astron.* Guiamento autônomo independente de influências externas, e que mantém o engenho em trajetória e velocidades predeterminadas pela correção contínua da atitude (6) e da aceleração. **Guiamento de influência geofísica.** *Astron.* Guiamento autônomo pelo qual a trajetória predeterminada de um engenho pode ser corrigida por meio de dispositivos que reagem a determinadas características terrestres; guiamento de referência terrestre. **Guiamento de meio curso.** *Astron.* Aquele que vai do término da fase do lançamento até o início da fase terminal do voo. **Guiamento de radionavegação.** *Astron.* Guiamento em que o engenho é mantido numa trajetória predeterminada por meio de um dispositivo que utiliza os sinais de rádio externos. **Guiamento de referência terrestre.** *Astron.* Guiamento de influência geofísica. **Guiamento de telecomando.** *Astron.* Aquele em que a trajetória dum engenho é corrigida continuamente pelos sinais eletromagnéticos de uma fonte externa. **Guiamento pré-ajustado.** *Astron.* Guiamento autônomo em que se registram elementos que obrigam o engenho a percorrer uma trajetória predeterminada, não sendo possíveis os reajustes após o lançamento.

guianá *Bras. S. 2 g.* **1.** *Etnôn.* Indivíduo dos guianás, povo indígena extinto que habitava a região do rio Iguaçu, entre o Paraná e o Uruguai, e dominava parte da capitania de São Vicente; são provavelmente antepassados dos caingangues atuais. ● *Adj. 2 g.* **2.** Pertencente ou relativo a esse povo. [Tb. us. como *s. 2 g. e 2 n.* (com cap.) e *adj. 2 g. e 2 n.*]

guianense (güi) *Adj. 2 g.* **1.** Das, ou pertencente ou relativo às Guianas (Guiana Francesa e República Cooperativa da Guiana [antiga Guiana Inglesa]). ● *S. 2 g.* **2.** O natural ou habitante dessas Guianas. [Sin. ger.: *guianês*.]

guianês (güi) *Adj. 2 g. S. 2 g.* Guianense. [Flex.: *guianesa* (ê), *guianeses* (ê), *guianesas* (ê).]

guiante [De *guiar* + *-nte*.] *Adj. 2 g.* Guiador (1).

guião [Do fr. ant. *guion*.] *S. m.* **1.** Estandarte que vai à frente de procissões ou irmandades: "Com o guião e a cruz de tintinábulos, os romeiros de cem aldeias traziam frauta, sanfona e o bornal farto." (Aquilino Ribeiro, *Caminhos Errados*, p. 268.) **2.** Estandarte que ia à frente das tropas: "falamos de apostas, porfias e promessas de cavaleiros, antes de se desfraldarem os guiões e bandeiras na batalha de Aljubarrota." (Camilo Castelo Branco, *Noites de Insônia*, I, p. 26). [Sin., nessas acepçs.: *pendão*.] **3.** O cavaleiro que conduzia esse estandarte. **4.** *Mús.* Sinal musical antigo que, posto no fim de uma pauta, indicava a primeira nota da pauta seguinte. **5.** Guidom (1) (q. v.). [Pl.: *guiães* e *guiões*.]

guiar [Da mesma or. incerta que o esp. *guiar*, occitânico *guidar*, fr. *guider* (ant. *guier*), it. *guidare*; poss. de uma f. **widare*, ligada ao gót. **widan*, 'juntar'; *p. ext.* 'acompanhar'.] *V. t. d.* **1.** Servir de guia a; orientar, dirigir: *As estrelas sempre guiaram os navegantes.* **2.** Proteger, amparar, socorrer: *Deus te guie.* **3.** Governar, conduzir (cavalos). **4.** Dirigir (veículo automóvel). **5.** Aconselhar; orientar: "foi preciso alfaiá-la [a casa], e ainda aqui o amigo Palha prestou grandes serviços ao Rubião, guiando-o com o gosto, com a notícia" (Machado de Assis, *Quincas Borba*, p. 40). *T. d. e c.* **6.** Conduzir, encaminhar: "O seu fim é .... guiar para o aprisco as ovelhas tresmalhadas do rebanho do Senhor" (Ramalho Ortigão, *Primeiras Prosas*, p. 274). *T. c.* **7.** Levar a; ir ter a: "Guiava à casa do morro, em voltas, o caminho" (Alberto de Oliveira, *Poesias*, 4ª série, p. 223). **8.** Ir, dirigir-se, encaminhar-se: *Guiou para a biblioteca a fim de pesquisar a matéria.* **Bit. c.** **9.** Guiar (8): "Guiou dali Vieira para a escola com grande alvoroço" (João Francisco Lisboa, *Obras*, IV, p. 10). *Int.* **10.** *Bras.* Dirigir um veículo automóvel; dirigir: *Em poucos dias aprendeu a guiar, e é um motorista excelente.* *P.* **11.** Dirigir-se, orientar-se. **12.** Navegar, encaminhar-se.

guiará [Do tupi, poss.] *S. m. Bras. Zool.* V. *xaréu-branco* (2).

guibuguira [Do tupi, poss.] *S. f. Bras. BA* Certa formiga.

guiché *S. m.* V. *guichê*.

guichê [Do fr. *guichet*.] *S. m.* Portinhola aberta em uma parede, porta, grade, e pela qual o público se comunica com funcionários ou empregados de uma repartição pública, de uma instituição, de um escritório, com o caixa de um banco, de uma bilheteria de cinema, teatro, etc., e por onde se entrega ou recebe dinheiro, valores, documentos, etc. [Var. pros.: *guiché*.]

guicó *S. m. Bras. Zool.* V. *sauá*.

guidagem [Do fr. *guidage*.] *S. f. Astron.* **1.** Ação de orientar ou dirigir um instrumento astronômico para um corpo celeste. **2.** Processo que visa impor uma trajetória a um veículo aeronáutico ou espacial, por intermédio de um referencial ou de uma trajetória predeterminada.

guidão *S. m.* V. *guidom*: "O pai sentou-se diante do guidão e ligou o carro" (Autran Dourado, *Nove Histórias em Grupos de Três*, p. 182).

guidom [Do fr. *guidon*.] *S. m.* **1.** Barra de metal, movimentada manualmente, que comanda a roda da frente de bicicletas, motocicletas, etc.; guião. **2.** *P. ext.* Volante (12). [F. paral.: *guidão*.]

guidovalense *Adj. 2 g.* **1.** De, ou pertencente ou relativo a Guidoval (MG). ● *S. 2 g.* **2.** O natural ou habitante de Guidoval.

guieiro [De *gui(ar)* + *-eiro*.] *Adj.* **1.** Que guia ou vai na frente. ● *S. m.* **2.** *Bras.* Indivíduo que guia bois: "E a manada .... perdeu-se na poeira dourada donde apenas vinham os gritos dos guieiros" (Coelho Neto, *A Conquista*, p. 158). **3.** *Bras.* Carreiro (1).

guiga [Do ingl. *gig*.] *S. f.* Barco esguio, próprio para regatas: "E a guiga vogando manso, ... sem ruído, tendo a mulher de negro ao leme..." (Fialho d'Almeida, *A Cidade do Vício*, p. 38.)

guigó *S. m. Bras. BA Zool.* V. *sauá*.

guilda [Do fr. *guilde*, *gilde* < lat. med. *gilda*, f. latinizada do neerl. médio *gilde*, 'reunião', 'banquete de natureza simbólica e religiosa'; 'corporação'.] *S. f.* Associação de auxílio mútuo constituída na Idade Média entre as corporações de operários, artesãos, negociantes ou artistas.

guilha[1] [Do esp. *guilla*.] *S. f. Desus.* Colheita abundante de cereais.

guilha[2] [Do ant. fr. *guille* < frâncico **wigila*, 'traição'.] *S. f.* Fraude, logro, velhacaria.

guilherme [Adapt. do fr. *guillaume* < antr. *Guillaume*.] *S. m. Carp.* Utensílio us. pelos carpinteiros para fazer os filetes das portas, as junturas das tábuas, frisos de caixilhos, etc.

guilho [De or. controversa.] *S. m.* Espigão de ferro ou de pedra em que termina inferiormente o eixo do rodízio, e que gira dentro duma cavidade aberta em uma pedra fixa.

guilhoché [Do fr. *guilloché*, subst. do part. do v. fr. *guillocher*.] *S. m.* Ornato composto de linhas onduladas que se cruzam ou entrelaçam simetricamente. [Var.: *guilochê*. Cf. *azurado* (2), *grisado* e *hachura*.]

guilhotina[1] [Do fr. *guillotine*, do antr. (*J. I.*) *Guillotin* (1738-1814), médico fr. que preconizou o uso desse instrumento, inventado pelo médico Louis (donde o fr. ant. *Louisette*), para abreviar o sofrimento dos condenados à morte.] *S. f.* **1.** Instrumento de decapitação, no qual o golpe é desferido por uma lâmina triangular precipitada de certa altura. **2.** *Art. Gráf.* Máquina para cortar papel, livros, etc., por meio de faca que desce de viés e apara o material, preso pelo calçador, no ponto previamente determinado pelo esquadro. ◆ **Guilhotina trilateral.** *Art. Gráf.* Guilhotina[1] (2) de três facas, empregada no refilo dos três lados externos de um produto encadernado, numa só operação.

guilhotina[2] [F. red. de *janela-guilhotina*.] *S. f. Arquit.* Janela de guilhotina (q. v.).

guilhotinar [De *guilhotina* + *-ar*[2].] *V. t. d.* **1.** Decapitar com a guilhotina. **2.** Cortar com guilhotina[1] (2).

guilochê *S. m.* V. *guilhochê*.

guimaranense *Adj. 2 g.* **1.** De, ou pertencente ou relativo a Guimarânia (MG). ● *S. 2 g.* **2.** O natural ou habitante de Guimarânia.

guimarantino *Adj. S. m.* V. *vimaranense*.

guimba *S. f. Bras. Pop.* A parte que resta do charuto, do cigarro ou do baseado[1] depois de fumados; bagana, beata, bituca, chica, goia, menor, piola, ponta, prisca, pucho, vinte, vintes, xepa.

guimbarda [Do fr. *guimbarde*.] *S. f.* V. *berimbau* (1).

guimberana [De or. tupi.] *S. f. Bras. Bot.* **1.** V. *aningaúba*. **2.** V. *jiboia* (2).

guina[1] *S. f.* Apetite violento; gana.

guina[2] [Dev. de *guinar*.] *S. f. Bras.* V. *guinada* (3).

guinação [De *guinar* + *-ção*.] *S. f. Bras. Pop.* Papagaio (5) que dá guinadas violentas.

guinada [De *guinar* + *-ada*[1].] *S. f.* **1.** *Mar.* Desvio da proa para um ou outro bordo, que afasta o navio, deliberadamente ou por força das circunstâncias, do rumo em que vinha: "Havia .... um torvelinhar surdo e vago de coisas no tombadilho: eram as ondas que, às vezes, à menor guinada, apesar de todo o cuidado no leme, embarcavam pelo través, pela alheta" (Virgílio Várzea, *Nas Ondas*, p. 45). **2.** *Astron.* Movimento dum veículo espacial em torno dum eixo contido num plano vertical, e normal ao eixo longitudinal do veículo. **3.** *P. ext.* Mudança ou desvio profundo, radical e/ou súbito, num movimento, numa situação, numa atitude, etc.; virada, guina: *Quando enxergou o inimigo, deu uma guinada e passou para o outro lado da rua; Já tudo combinado, deu uma guinada e desistiu do negócio.* **4.** *P. ext.* Salto dado pelo equídeo para esquivar-se ao castigo do cavaleiro. **5.** Dor aguda e repentina.

guinambé *S. m. Bras. Zool.* V. *anambé*[1] (1).

guinar [Da mesma or. incerta que o esp. *guiñar*; poss. da raiz **gin-*, de criação expressiva.] *V. int. T. c.* **1.** Mover-se às guinadas; oscilar: *Bêbado, guinava à direita e à esquerda.* **2.** *Mar.* Desviar (a embarcação), de propósito ou por força das circunstâncias, a proa do rumo que vem seguindo, para outro rumo; dar uma guinada (1). **3.** *P. ext.* Dar guinada (3): *Desorientado, o ciclista guinava a torto e a direito.* **4.** Desviar-se com rapidez. *T. d.* **5.** Desviar com rapidez, ou repentinamente: *Guinou a embarcação para não se chocar com o rochedo.*

guincha *S. f. Bras. RS* Poldra. V. *égua* (1).

guinchado [De *guincho*[1] + *-ado*[1].] *S. m.* **1.** Série de guinchos. **2.** Gritaria.

guinchar[1] [De *guincho*[1] + *-ar*[2].] *V. int.* **1.** Soltar guinchos; chiar: "Fisgado ao pescoço, o porco quase sem fôlego guinchava de dor." (Gustavo Barroso, *Terra de Sol*, p. 87); "Os freios do Buick guincham nas rodas e os pneumáticos deslizam rente à calçada." (Antônio de Alcântara Machado, *Novelas Paulistanas*, p. 64). *T. d.* **2.** Dar ou soltar ao modo de guincho: "outros cães, com as caudas retraídas, aflitos, saltavam paredes, guinchando latidos de pavor." (Camilo Castelo Branco, *Sentimentalismo e História*, p. 209).

guinchar[2] [De *guincho*[2] + *-ar*[2].] *V. t. d. Bras.* **1.** Puxar ou arrastar (um veículo) com o guincho[2] (3). **2.** Içar com o guincho[2] (3).

guincheiro [De *guincho*[2] + *-eiro*.] *S. m. Bras. Mar. Merc.* Aquele que opera um guincho[2] (2).

guincho[1] [T. onom.] *S. m.* **1.** Som agudo e inarticulado, do homem e de alguns animais: "E ouve-se o guincho estridente / Que no ar sossegado e quente / Solta um gavião-de-penacho." (Ricardo Gonçalves, *Ipês*, p. 20.) **2.** Som agudo produzido pelas rodas dos carros e por outras coisas; chio.

guincho[2] [Do ingl. *winch*.] *S. m.* **1.** Pequeno guindaste (1). **2.** *Constr. Nav.* Máquina constituída por um ou dois tambores presos a um eixo horizontal movido a eletricidade ou a vapor, empregada a bordo na manobra de cabos ou amarras: "Puxara a embarcação no declive um sistema especial de guinchos, invenção do engenheiro Morton." (Ranulfo Prata,

Navios Iluminados, p. 49.) [Cf. *cabrestante*.] 3. *Bras.* V. *reboque*[2] (4).

guinda [Dev. de *guindar*.] *S. f.* 1. Corda de guindar. 2. *Marinh.* Altura (de um mastro ou mastaréu ou de um mastro completo).

guindado [Part. de *guindar*.] *Adj.* 1. Que se guindou, alçou; alçado. 2. Empolado, afetado, enfático: 📖 "Outro defeito que se lhe argui [a Antônio José da Silva, o Judeu], é o tom guindado e os arrebiques de conceito, que se notam em muitas falas de certos personagens" (Machado de Assis, *Crítica*, p. 171).

guindagem [Do fr. *guindage*.] *S. f.* Ato ou operação de guindar.

guindaleta (ê) *S. f.* Guindalete.

guindalete (ê) [De *guindar*.] *S. m.* Cabo de guindaste; guindaleta.

guindar [Do fr. ant. *winder* (atual *guinder*) < ant. escandinavo *vinda*, 'voltear', 'enrolar'; 'levantar', 'içar'.] *V. t. d.* 1. Levantar, elevar, içar. 2. Erguer a uma posição elevada. 3. Construir (o estilo, a frase) de maneira empolada ou pretensiosa. 4. *Bras. RJ Gír.* Levar preso; deter, encanar. *T. d. e i.* 5. Elevar a posição de destaque. *T. d. e c.* 6. Guindar (1): 📄 *Guindou os sacos de café a três metros de altura, para depô-los no navio.* *P.* 7. Elevar-se, alçar-se.

guindaste [Do fr. ant. *guindas*, atual *guindeau* (< escandinavo ant. *vindáss*), pelo occitânico **guindatz*.] *S. m.* 1. Aparelho para levantar pesos; grua. 2. *Tip.* V. *elevador* (4).

guiné [Do top. *Guiné*.] *S. f. Bras.* 1. *Bot.* V. *solidônia* (1). 2. *Bot.* V. *tipi*. 3. *PE Zool.* V. *galinha-d'angola*.

guineano (è) *Adj.* 1. Da, ou pertencente ou relativo à Guiné (África ocidental). • *S. m.* 2. O natural ou habitante da Guiné. [Cf. *guineense*.]

guineense (êen) *Adj. 2 g.* 1. Da, ou pertencente ou relativo à Guiné-Bissau (costa oeste da África). • *S. 2 g.* 2. O natural ou habitante da Guiné-Bissau. [Cf. *guineano*.]

guineensismo (èen) [De *guineense* + *-ismo*.] *S. m.* 1. Palavra ou locução própria dos guineenses. 2. Modismo próprio da linguagem dos guineenses.

guiné-legítimo *S. m. Bras. Bot.* V. *capim-guiné*. [Pl.: *guinés-legítimos*.]

guinéu [Do top. *Guiné*, pelo ingl. *guinea*.] *S. m.* 1. *Ant.* Moeda de ouro inglesa, cunhada a começar de 1663 para o tráfico africano, extinta em 1813, e que valia a princípio 20 e depois 21 xelins. 2. Moeda inglesa de cálculo, com valor de 21 xelins, e por longo tempo usada em relação a salários profissionais, preços de pinturas, de objetos de luxo, como joias, tecidos de alto preço, etc., de cavalos, propriedades, etc.

guinéu-equatoriano *Adj.* 1. Da, ou pertencente ou relativo à República da Guiné Equatorial (África ocidental). • *S. m.* 2. O natural ou habitante da República da Guiné Equatorial. [Pl.: *guinéu-equatorianos*.]

guingão [Do mal. *guingong*.] *S. m. Ant.* 1. Borra de seda. 2. Excremento do bicho-da-seda. 3. Tecido muito fino, de algodão.

guingombô *S. m. Bras.* V. *quiabo*.

guinhol [Do fr. *guignol* < antr. *Guignol*, personagem de um teatro de fantoches lionês do séc. XIX.] *S. m.* Teatro de fantoches [v. *fantoche* (2)] em que o herói tem o nome de guinhol. [Pl.: *guinhóis*.]

guinilha *Bras. S. f.* 1. Andadura ligeira e sacudida do cavalo. • *S. m.* 2. Cavalo de andadura pesada, ou que anda pouco.

guinumbi [De or. indígena.] *S. m. Bras. Zool.* V. *beija-flor*.

guio [Dev. de *guiar*.] *S. m. Bras. N.E.* Cunha de ferro empregada para abrir ou lascar regularmente grande bloco de pedra.

guiomaense *Adj. 2 g.* 1. De, ou pertencente ou relativo a Senador Guiomard (AC). • *S. 2 g.* 2. O natural ou habitante de Senador Guiomard.

guipura [Do fr. *guipure*.] *S. f.* Renda de linho ou de seda, de malhas largas e sem fundo: 📖 "Sedas que deixam ver, nas transparências raras, / Guipuras d'Alençon, de Malinas ou Bruges." (Martins Fontes, *Vulcão*, p. 96.) [M. us. na f. fr., *guipure*.]

➔ **guipure** [gi'pyʀ] [Fr.] *S. f.* Guipura (q. v.).

guira *S. f. Bras. Zool.* V. *abelha-mulata*.

guirá [De or. indígena.] *S. m. Bras. Zool.* Roedor equimiídeo (*Euryzygomatomys spinosus*), fossório, de pelagem bastante densa e áspera, e cauda curta, que ocorre no L. e S. do Brasil, Paraguai, e N.E. da Argentina, ger. em capoeiras ralas e capinzais com água nas proximidades.

guirá-acangatara [Do tupi.] *S. f. Bras. Zool.* V. *anu-branco*. [Pl.: *guirás-acangataras* e *guirás-acangatara*.]

guiraguaçuberaba [Do tupi.] *S. m. Bras. Zool.* V. *anu-branco*.

guiramembé [Do tupi.] *S. m. Bras. Zool.* V. *sanhaço-de-encontro*.

guiramombucu [Do tupi.] *S. m. Bras. Zool.* V. *uiramembi* (1).

guirapereá [Do tupi.] *S. m. Bras. Zool.* V. *saíra-amarela*.

guiraponga *S. f. Bras. Zool.* V. *araponga* (1).

guirapuru *S. m. Bras. Zool.* V. *uirapuru* (1).

guiraquereá [Do tupi.] *S. m. Bras. Zool.* V. *bacurau* (1).

guirarepoti [Do tupi.] *S. f. Bras. Bot.* V. *erva-de-passarinho*.

guiraró [Do tupi.] *S. m. Bras. Zool.* Ave tiranídea (*Fluvicola climazura*).

guiratã *S. m. e f. Bras. Zool.* V. *gaturamo*.

guiratã-de-coqueiro *S. m. e f. Bras. Zool.* V. *gaturamo-verdadeiro*. [Pl.: *guiratãs-de-coqueiro*.]

guiratinga [Do tupi.] *S. f. Bras. AM Zool.* V. *garça-branca-grande*.

guiratingano *Adj. S. m.* V. *guiratinguense*.

guiratinguense *Adj. 2 g.* 1. De, ou pertencente ou relativo a Guiratinga (MT). • *S. 2 g.* 2. O natural ou habitante de Guiratinga. [Sin. ger.: *guiratingano*.]

guiratirica [Do tupi.] *S. f. Bras. Zool.* V. *cardeal* (3).

guiraundi (a-un) [Do tupi.] *S. m. Bras. Zool.* V. *tié-preto*. [Var.: *guraundi*.]

guiraxué [Do tupi.] *S. m. Bras. Zool.* V. *caraxué* (1).

guiricemense *Adj. 2 g.* 1. De, ou pertencente ou relativo a Guiricema (MG). • *S. 2 g.* 2. O natural ou habitante de Guiricema.

guirlanda [Do fr. ant. *guerlande* (atual *guirlande*) < it. *ghirlanda*, 'coroa de flores', < provenç. *guirlanda*, 'coroa de fios d'ouro'; v. *grinalda*.] *S. f.* 1. V. *grinalda* (1). 2. Festão ornamental de flores, frutos ou ramagens: 📖 "Porto Alegre, profusamente iluminada e enfeitada de ramos, galhardetes, guirlandas e arcos, transforma-se numa grande cidade" (Atos Damasceno, *O Carnaval Porto-Alegrense no Século XIX*, p. 84).

guirri [T. onom., poss.] *S. m. Bras. Zool.* V. *jandaia-de-cabeça-azulada*.

guiruçu [De or. tupi.] *S. m. Bras. Zool.* 1. V. *abelha-mulata*. 2. Mombuca.

guisa[1] [Do germ. **wisa*, 'modo', 'maneira' (hoje, al. *Weise*).] *S. f. P. us.* Maneira, modo, feição. ◆ **À guisa de.** À maneira de; ao modo de; à feição de: 📖 "Figure uma moça vestida de ricas sedas, ... com uma toalha passada pelo pescoço à guisa de avental" (José de Alencar, *Lucíola*, p. 143).

guisa[2] [Do cabo-verd.] *S. f. Cabo-verd.* Velório com choro, pranto, carpido: 📖 "A guisa, com a sua mistura de vozes, com o seu cruzamento de gritos, de soluços, repovoava o quarto de um desespero cada vez mais tumultuoso e comovente." (Antônio Aurélio Gonçalves, *Recaída*, p. 40.)

guisado [Subst. do part. de *guisar*.] *S. m. Cul.* 1. Preparação culinária com refogado. 2. Ensopado (2). 3. *Bras. S.* Picadinho de carne fresca ou de charque.

guisamento [De *guisar* + *-mento*.] *S. m.* Os utensílios e alfaias necessários ao culto, ao serviço divino.

guisar [De *guisa* + *-ar*[2].] *V. t. d.* 1. Preparar com refogado; refogar: 📖 "o pescado cru e o coco formam a base da alimentação dos indígenas em algumas das ilhas de coral, no Pacífico. Não quer isto dizer que esses rudes povos ignorem a arte de cozer ou guisar os alimentos" (Eduardo Frieiro, *Feijão, Angu e Couve*, p. 27). 2. Ensopar (4). 3. Preparar, traçar. 4. Ajudar, auxiliar, dirigir, encaminhar. [Pres. ind.: *guiso*, etc. Cf. *guizo*.]

guita [Do lat. *vitta*, 'fita', 'faixa', com infl. germânica.] *S. f.* 1. Barbante fino. 2. V. *dinheiro* (5): 📖 "É uma pelintragem que faz medo: uns pindaíbas, sem lasca de guita, muito engravatados, batendo a calçada e fazendo estrupícios." (Coelho Neto, *Turbilhão*, p. 69.) 3. *Bras. RS Deprec.* V. *mata-cachorro* (2).

guitarra [Do ár. *kītāra* < gr. *kithára*, 'cítara'.] *S. f.* 1. *Mús.* Designação comum a diversos instrumentos musicais de cordas dedilháveis, feitos de madeira, dotados de braço longo, e com a caixa de ressonância de fundo chato. 2. *Mús.* V. *violão* (1). 3. *Bras. Mús.* V. *viola*[1] (5). 4. *Bras. Gír. Irôn.* Prelo de produzir papel-moeda falsificado. ◆ **Guitarra elétrica.** *Mús.* Instrumento muito usado atualmente na música popular, semelhante ao violão (1) e com mesma afinação, tendo, porém, um captador sob as cordas ligado a um amplificador de áudio. **Guitarra espanhola.** *Bras. Mús.* V. *violão* (1). **Guitarra havaiana.** *Mús.* A que é executada com auxílio de uma lâmina de aço usada para produzir portamento característico. **Guitarra inglesa.** *Mús.* Guitarra piriforme, desenvolvida a partir do cistre, introduzida em Portugal na metade do século XVIII, e antecessora da guitarra portuguesa. **Guitarra portuguesa.** *Mús.* Guitarra piriforme, como o bandolim, porém de tampo mais largo e fundo chato, e que é o instrumento acompanhador do fado.

guitarrada [De *guitarra* + *-ada*[1].] *S. f. Mús.* 1. Trecho musical executado à guitarra. 2. Música de conjunto executada por guitarras.

guitarrear [De *guitarra* + *-ear*[2].] *V. int.* 1. Tocar guitarra. *T. d.* 2. Cantar ao som da guitarra. [Conjug.: v. *frear*.]

guitarreiro [De *guitarra* + *-eiro*.] *S. m.* 1. Fabricante de guitarras. 2. *Mús.* Guitarrista (1).

guitarrilha [De *guitarra* + *-ilha*.] *S. f.* Pequena guitarra de quatro cordas: 📖 "Tens o donaire todo da espanhola / e o jeito de quem vibra a guitarrilha / e estala a castanhola / numa orgíaca noite de Sevilha..." (Austro-Costa, *Mulheres e Rosas*, p. 53.)

guitarrista [De *guitarra* + *-ista*.] *S. 2 g.* 1. *Mús.* Pessoa que toca e/ou ensina a tocar guitarra; guitarreiro. 2. *Bras. Gír. Irôn.* Vigarista que imprime papel-moeda falsificado usando a guitarra (4).

guitiroba [Do tupi.] *S. f. Bras. Bot.* V. *cutitiribá*.

guititiroba *S. f. Bras. Bot.* V. *cutitiribá*.

guizalhar [De *guizo* + *-alhar*.] *V. int. Bras.* 1. Agitar guizos. 2. Produzir o som do guizo. 3. Emitir som (a cigarra, o grilo, etc.). *T. d.* 4. Fazer soar à maneira de guizo.

guizo [De or. incerta.] *S. m.* Pequena esfera oca de metal, com pequenas aberturas ou furos, que tem dentro um pedaço de metal ou bolinha(s), e que, ao ser agitada, produz som. [Cf. *guiso*, do v. *guisar*.]

guizo-de-cascavel *S. m. Bras. Bot.* V. *feijão-de-guizos* (1). [Pl.: *guizos-de-cascavel*.]

gujarate *Adj. 2 g.* Guzerate (1).

gujaráti *S. m. Gloss. Graf.* V. *guzerate* (5 e 6).

gula [Do lat. *gula*, 'esôfago', 'garganta'.] *S. f.* 1. Excesso na comida e na bebida. [Cf. *glutonaria*.] 2. Apego excessivo a boas iguarias. [Sin. ger.: *gulodice* ou *gulosice*.]

gulache [Do húng. *guliás*.] *S. m. Cul.* Ensopado de carne bovina preparado à maneira húngara, com páprica.

➔ **gulag** ['gulag] [Rus.] *S. m.* Campo de concentração, na antiga União Soviética.

gulandim [Alter. de *guanandi*.] *S. m. Bras. Bot.* V. *jacareúba*.

gular [Do lat. *gula*, 'garganta', 'esôfago', + *-ar*[1].] *Adj. 2 g.* Pertencente ou relativo à garganta. ~ V. *bolsa* —.

gularrostro [Do lat. *gula*, 'garganta', + *-rostro*.] *S. m. Adj. Zool.* V. *esternorrinco*.

guleima [De *gula* + *-eima*.] *S. m.* Comilão; guloso.

gulodice [Alter. de *gulosice*.] *S. f.* 1. Gula (q. v.). 2. Doce ou iguaria qualquer, muito apetitosa; guloseima, lambiscaria, paparicos; gulosice: 📖 "Todos os acepipes raros, todos os vinhos inéditos, todas as esquisitas gulodices" (Fialho d'Almeida, *Pasquinadas*, p. 339).

gulosa *S. f. Bras. N.* V. *areia-gulosa* (2) (q. v.).

gulosar [De *guloso* + *-ar*[2].] *V. int.* 1. Comer gulodices. 2. Comer pequenas quantidades de várias coisas; beliscar, lambiscar. [Pres. ind.: *guloso*, etc. Cf. *guloso* (ô).]

gulose [Comb. de *glucose* e *xilose*.] *S. f. Quím.* Aldoexose que pode ser preparada a partir da xilose [fórm.: $C_6H_{12}O_6$].

guloseima [De *guloso* + *-eima*.] *S. f.* V. *gulodice* (2): 📖 "bolinhos de frango, amendoim, pé de moleque, e mil guloseimas amontoadas em ordem." (Cornélio Pires, *Quem Conta um Conto...*, p. 100).

gulosice [De *guloso* + *-ice*.] *S. f.* V. *gulodice*.

guloso (ô) [Do lat. *gulosu*.] *Adj. S. m.* 1. Que, ou aquele que gosta de gulodices. 2. Que, ou aquele que tem gula. 3. *Turfe* Diz-se de, ou cavalo que, em carreira, mesmo quando contido pelo seu jóquei, demonstra muita vontade de correr. [Pl.: *gulosos*. Cf. *guloso*, do v. *gulosar*.]

gum [Do jeje.] *S. 2 g. Etnôn.* 1. Indivíduo dos guns, povo do S.E. da República do Benim (antigo Daomé, África). [No Brasil, é incluído entre os jejes.] • *Adj. 2 g.* 2. Relativo ou pertencente a esse povo.

gume [Do lat. *acumen*, com aférese.] *S. m.* 1. O lado afiado de instrumento de corte. 2. *Fig.* Perspicácia, agudeza.

gumífero [Do lat. *gummis, is*, 'goma', + *-fero*.] *Adj.* Que produz goma.

guna [Afr.] *S. f. Rel.* 1. *Bras. PI* Na encanteria, coluna central do barracão, na base da qual se acendem velas e em torno da qual os fiés formam um círculo, para que dentro dele o pai de terreiro dance ritualmente. 2. *Bras. N.E.* Forquilha com velas acesas apoiada sobre uma laje, existente em alguns terreiros.

gundu [De or. afr.] *S. m. Med.* Excrescências ósseas que se desenvolvem simetricamente sobre os ossos próprios do nariz e sobre a maxila.

gunga[1] [Do quimb. *ngunga*.] *S. m. Bras. Cap. Mús.* Berimbau de som mais grave que comanda o ritmo da roda de capoeira. [Sin.: *berra-boi*.]

gunga[2] [F. red. de *gunga-muxique*.] *S. m. Bras. SP* V. *mandachuva*.

gunga-muxique [De or. afr., poss.] *S. m. Bras. SP* V. *mandachuva*. [Pl.: *gunga-muxiques*.]

➔ **gun-gbe** [gun gbè] [Afr.] *S. m. Gloss.* Uma das línguas do grupo cuá falada em Benim (N.O. da África); alada.

gungunar [Do quimb. *kingungunu*, 'espécie de zangão', + *-ar*[2].] *V. t. d. Int. Bras. SP* Resmungar, rosnar, rezingar.

gungunhana [Do afr.] *S. m. Bras.* Negro (11).

gupiara [Var. de *crupiara*.] *S. f.* **1.** *Bras. BA* Cascalho ralo, que tem pouca terra a encobri-lo. **2.** *Bras. C.O.* Depósito sedimentoso diamantífero nas cristas dos morros; gorgulho. **3.** *Bras. C.O.* Designação dada, nas regiões auríferas, ao cascalho em camadas nas faldas das montanhas, e de onde se extrai ouro. [Outras var.: *grupiara* e *guapiara*.]

guque *S. 2 g. Adj. 2 g. Bras. Gloss.* V. *aruaque* (1 e 4).

gur *Adj. 2 g. S. m. Gloss.* Diz-se de, ou ramo do níger-congo, que se estende pelo S.E. de Mali, N. da Costa do Marfim, Burquina Faso, N. de Gana, Togo e Benim e N.O. da Nigéria, e cuja língua mais conhecida é o mossi; voltaico.

guracava [Var. de *guaracava*.] *S. f. Bras. SP Zool.* **1.** V. *maria-é-dia* (1). **2.** V. *tucão*.

guraém *S. m. Bras. Bot.* V. *buranhém* (1).

gurandi-azul *S. m. Bras. Zool.* Pássaro fringilídeo (*Cyanocompsa cyanea*); azulão. [Pl.: *gurandis-azuis*.]

guranhém *S. m. Bras. Bot.* V. *buranhém* (1).

gurarema (ê) *S. f. Bras. Bot.* V. *guararema*.

guratã *S. m. e f. Bot.* V. *guarantã* (1).

gurataiapoca *S. f. Bras. Bot.* V. *arapoca*.

guraundi *S. m. Bras. Zool.* V. *guiraundi*.

gurde [Do fr. *gourde*.] *S. f.* Unidade monetária, e moeda, do Haiti, a qual se divide em 100 cêntimos.

gureri [De or. tupi.] *S. m. Bras. Zool.* Molusco ostreídeo (*Ostrea brasiliana*).

gurgueíno (è) *Adj.* **1.** De, ou pertencente ou relativo a Redenção do Gurgueia (PI). ● *S. m.* **2.** O natural ou habitante de Redenção do Gurgueia.

guri [Do tupi = 'pequeno'.] *S. m. Bras.* **1.** Criança (1) [v. *menino* (1)]: 📖 "Ele agora está com quase dezesseis anos, e a sua cabeça está como de guri de nove anos." (Telmo Vergara, *Contos da Vida Breve*, p. 171.) [Fem.: *guria*.] **2.** *Zool.* Designação comum aos bagres marinhos. [F. paral. (nesta acepç., us. na Amaz. e no MA): *uri*.] **3.** *Bot.* V. *buri-da-praia*.

guria [Fem. de *guri*.] *S. f. Bras.* **1.** Menina: 📖 "Guria estranha... Tinha vezes que não parecia uma menina. Parecia uma moça" (Telmo Vergara, *Contos da Vida Breve*, p. 187). **2.** Namorada, garota.

guriaçu [Do tupi.] *S. m. Bras. Zool.* **1.** V. *guarijuba*. **2.** V. *bagre-urutu* (2).

guriantã *S. m. e f. Bras. Zool.* V. *gaturamo*.

guriatã [Do tupi.] *S. m. e f. Bras. Zool.* V. *gaturamo*.

guriba [De or. indígena, poss.] *Adj. 2 g.* De penas arrepiadas: *galinha guriba*.

guribu [Do tupi.] *S. m. Bras. Zool.* V. *guarijuba*.

guriçá [Do tupi.] *S. m. Bras. Zool.* V. *espia-maré* (3).

guricema [Do tupi.] *S. f. Bras. Zool.* **1.** V. *xaréu*[1]. **2.** V. *xarelete* (1).

guricemense *Adj. 2 g.* **1.** De, ou pertencente ou relativo a Guricema (MG). ● *S. 2 g.* **2.** O natural ou habitante de Guricema.

guriguaçu [De *guri*, 'bagre novo', + *-guaçu*.] *S. m. Bras. Zool.* Bagre grande.

gurijuba [Do tupi.] *S. f. Bras. PA Zool.* V. *guarijuba*.

gurinhatã [Var. de *guriatã*.] *S. m. e f. Bras. Zool.* V. *gaturamo*.

gurinhatense *Adj. 2 g.* **1.** De, ou pertencente ou relativo a Gurinhatã (MG). ● *S. 2 g.* **2.** O natural ou habitante de Gurinhatã.

gurinheense (èèn) [Do top. *Gurinhém* + *-ense*, com desnasalação.] *Adj. 2 g.* **1.** De, ou pertencente ou relativo a Gurinhém (PB). ● *S. 2 g.* **2.** O natural ou habitante de Gurinhém. [Sin. ger.: *gurinhense*.]

gurinhém [Alter. de *buranhém*, poss.] *S. m. Bras. N.* V. *chicote* (1).

gurinhense *Adj. 2 g. S. 2 g.* V. *gurinheense*.

guriri [Do tupi.] *S. m. Bras. Bot.* V. *buri-da-praia*.

guriri-do-campo *S. m. Bras. Bot.* V. *ariri* (1). [Pl.: *guriris-do-campo*.]

gurita[1] [Alter. de *guarita*.] *S. f. Pop.* **1.** Guarita. **2.** *Bras. RS* Cerros altos e imponentes, sobretudo os da serra de Caçapava.

gurita[2] *S. f. Bras. BA* Égua velha; cangorça.

guriúma [De or. tupi.] *S. f. Bras. Bot.* V. *criciúma*.

gurizada [De *guri* + *-zada*.] *S. f. Bras.* **1.** Grande número de guris; criançada. [Sin., no RS: *gurizeiro*.] **2.** Ação própria de guri (1); criancice.

gurizeiro [De *guri* + *-zeiro*.] *S. m. Bras. RS* **1.** Gurizada (1). **2.** Grupo de gurias.

gurizote [De *guri* + *-zote*.] *S. m. Bras.* Guri quase rapaz; rapazote.

gurjãense (ã-ên) *Adj. 2 g.* **1.** De, ou pertencente ou relativo a Gurjão (PB). ● *S. 2 g.* **2.** O natural ou habitante de Gurjão.

gurjão *S. m.* Pequeno pedaço de peixe frito.

gurma [De or. incerta.] *S. f.* Doença que ataca os potros na fase de dentição.

gurmuqui *Adj. 2 g. Graf.* ~ V. *alfabeto* —.

gurnir [Var. de *gornir*.] *V. int. Bras. RS* **1.** Trabalhar muito, com afinco. **2.** Sofrer duramente, ou resistindo a dores, ou para obter alguma coisa. **3.** Suportar incômodos ou dores; padecer. *T. d.* **4.** Padecer, suportar, sofrer, aguentar: 📖 "O imperador, com toda a sua imperadorice, / gurniu fome!" (Simões Lopes Neto, *Contos Gauchescos e Lendas do Sul*, p. 174.) [Cf. *gornir*.]

guropé [Alter. de *gurupês*.] *S. m. Bras. Amaz.* Certa embarcação. [Pl.: *gurupés*. Cf. *gurupés*.]

guru [Do hindu *gurū*, 'venerável', < sânscr. *gurúh*, 'grave'.] *S. m.* **1.** Na Índia, mestre da vida interior. **2.** *P. ext.* Guia ou líder espiritual que à sua volta congrega seguidores, às vezes fanáticos. ● *S. 2 g.* **3.** *Bras.* Mentor; guia, conselheiro: 📖 "Antigos gurus, velhas fidelidades, lideranças carismáticas, crenças ideológicas, talvez seja preciso o advento de uma geração nova para que tudo isso venha a ser, afinal, arquivado." (Fernando Pedreira, *O Quebra-Cabeças*, p. 33.)

gurucaia [De or. obsc.] *S. f. Bras. Bot.* V. *canafístula* (3).

gurugumba *S. f. Bras.* Espécie de cacete (1). [Cf. *gurungumba*.]

gurujuba *S. f. Bras. Zool.* V. *guarijuba*.

gurujuva *S. f. Bras. Zool.* V. *guarijuba*.

gurumixama *S. f. Bras. Bot.* V. *grumixama*.

gurumixameira *S. f. Bras. Bot.* V. *grumixameira*.

gurundi [Var. de *guiraundi*, com síncope.] *S. m. Zool.* **1.** *Bras.* V. *guarandi*. **2.** *Bras. SP* V. *tié-preto*.

gurundi-azul *S. m. Bras. Zool.* V. *azulão* (1). [Pl.: *gurundis-azuis*.]

gurunga *S. f. Bras. BA* Var. aferética de *ingurunga* (q. v.)

gurungumba *S. f. Bras. MG* V. *ingurunga*. [Cf. *gurugumba*.]

gurupaense *Adj. 2 g.* **1.** De, ou pertencente ou relativo a Gurupá (PA). ● *S. 2 g.* **2.** O natural ou habitante de Gurupá.

gurupema *S. f. Bras.* V. *urupema*: 📖 "uma porção de mandioca que estava a escorrer de uma gurupema para um grande alguidar." (José Veríssimo, *Cenas da Vida Amazônica*, p. 158).

gurupés [Do fr. *beaupré*.] *S. m. 2 n. Marinh.* Nos veleiros, mastro que se lança do bico de proa para a frente, no plano longitudinal, com uma inclinação de cerca de 35º acima do plano horizontal: 📖 "Novo [o barco]...., era de fina proa alterosa, de onde se debruçava para as ondas uma Sereia alegórica, em colossal escultura de pinho, à enora quadrangular do gurupés." (Virgílio Várzea, *Nas Ondas*, p. 8.) [Entre o gurupés e o mastro do traquete, em estais, envergam-se a bujarrona, a giba e outras velas de proa. Cf. *guropés*, pl. de *guropé*.]

gurupi *S. m. Bras. S.* Indivíduo que em leilões faz grandes lances fictícios, de combinação com o leiloeiro.

gurupiense *Adj. 2 g.* **1.** De, ou pertencente ou relativo a Gurupi (TO). ● *S. 2 g.* **2.** O natural ou habitante de Gurupi.

gurupu *S. m. Bras. Zool.* V. *guarapu* (1).

gururi *S. m. Bras. Bot.* Coco-de-vassoura (1).

gurutil [De or. incerta.] *S. m. Marinh.* **1.** Nas velas redondas e nas latinas quadrangulares, o lado superior da vela. **2.** Nas velas que envergam em estai e nos gafetopes (velas latinas triangulares clássicas), o lado que se prende ao estai ou ao mastro (conforme o caso). [Cf. *esteira*[2] (2), *testa* (4) e *valuma*.]

gurutuba [Do top. *Gorutuba* (MG), poss.] *S. f.* Espécie de feijão.

gurutubano *S. m. Bras. MG* Gorutubano.

gusa [Do fr. *gueuse* < b.-al. *Göse*, pl. de *Gos*, 'ganso', t. us. pelos fundidores alemães para designar pedaços informes de ferro fundido, poss.] *S. f. Metal.* V. *ferro-gusa*.

gusano [Do esp. *gusano*.] *S. m. Bras. Zool.* V. *teredo* (2 e 3).

gusla [Do croata *gusle*, poss. pelo fr. *guzla* ou pelo it. *guzla*.] *S. f.* Instrumento monocórdio, em forma de violino, usado por alguns povos eslavos dos Bálcãs: 📖 "Claés, que mão divina as cordas brande / De gusla de ouro, cujo som não finda, / Se a tua voz em borbotões se expande?" (Guimarães Passos, *Versos de um Simples*, p. 74.)

gustação [Do lat. *gustatione*.] *S. f.* **1.** Ato de provar (7 e 12). **2.** *Fisiol.* Sentido (5) mediante o qual se percebe o sabor.

gustar [Do lat. *gustare*.] *V. t. d. Obsol.* Provar, degustar, gostar: 📖 "o teu carinho de tal forma cresce / e os sentidos me assume, / que, em momentos, uma árvore parece, / hauro-lhe o flóreo e o lânguido perfume, / gusto-lhe os frutos de rubente messe" (Gilca da Costa Melo Machado, *Mulher Nua*, p. 39).

gustativo [Do lat. *gustatus*, 'saboreado', + *-ivo*.] *Adj.* Respeitante ao sentido do gosto; gustatório.

gustatório [Do lat. *gustatus*, 'saboreado', + *-ório*.] *Adj.* Gustativo.

guta [Do lat. cient. *gutta*.] *S. f.* Espécie de goma que se extrai das gutiferáceas.

gutação [Do ingl. *guttation* < lat. cient. *gutta*.] *S. f. Bot.* Emissão de água em forma líquida pelas plantas. Tal água goteja das folhas e escapa pelos hidatódios.

guta-percha [Do ingl. *gutta-percha* < mal. *getah*, 'exsudação', 'resina', + *percha*, 'certa árvore'.] *S. f. Quím.* Substância glutinosa que se extrai de várias árvores sapotáceas dos gêneros *Palanquium* e *Payena*, e que é us. como isolante elétrico, em odontologia, na confecção de bolas de golfe, etc. [F. red.: *percha*. Pl.: *gutas-perchas* e *guta-perchas*.]

gutenberguiano *Adj.* Pertencente ou relativo a Johann Gutenberg (c. 1398-1468), alemão, o inventor da imprensa (q. v.), ou próprio dele.

▲ **guti-** [Do lat. *gutta, ae*.] *El. comp.* = 'gota', 'pingo': *gutífero*[2].

gutífera [Do tax. *Gutiffera*.] *S. f. Bot. Desus.* V. *clusiácea*.

gutiferácea [Adapt. do tax. *Gutifferaceae*.] *S. f. Bot. Desus.* V. *clusiácea*.

gutiferáceo [De *gutiferácea*, com var. suf. (v. *-áceo*).] *Adj. Bot. Desus.* V. *clusiáceo*.

gutífero[1] [De *guta* + *-ífero*.] *Adj.* Que produz ou contém guta.

gutífero[2] [De *guti-* + *-fero*.] *Adj. Poét.* Que deita gotas.

gutífero[3] [De *gutífera* (q. v.).] *Adj. Bot. Desus.* V. *clusiáceo*.

gutural [De *gutur(i)-* + *-al*[1].] *Adj. 2 g.* **1.** Relativo ou pertencente à garganta. **2.** Relativo ao ponto de articulação de um som, compreendido como produzido na garganta. [Esta referência é pouco precisa. Pode ser glotal, velar, uvular, por exemplo.]

guturalidade [De *gutural* + *-(i)dade*.] *S. f.* Qualidade, condição ou caráter de gutural.

guturalização [De *guturalizar* + *-ção*.] *S. f. E. Ling.* Ato ou efeito de guturalizar.

guturalizar [De *gutural* + *-izar*.] *V. t. d. E. Ling.* Pronunciar (determinados fonemas) dando-lhes inflexão gutural.

guturamo *S. m. Bras. Zool.* V. *gaturamo*.

▲ **gutur(i)-** [Do lat. *guttur, ŭris*.] *El. comp.* = 'garganta': *gutural*.

guturoso (ô) [Do lat. *gutturosu*.] *Adj.* **1.** *Bot.* Diz-se de certos musgos que têm apófise volumosa. **2.** *Zool.* Diz-se do animal que tem a parte anterior do pescoço dilatada.

guzarate *Adj. 2 g. S. 2 g. S. m.* V. *guzerate*.

guzerá *Adj. 2 g. S. 2 g.* V. *guzerate* (2 e 4).

guzerate [Do top. *Guzerat*, ou *Guzarat*, ou *Gujarat* (Índia).] *Adj. 2 g.* **1.** Da, pertencente ou relativo à região de Guzerate; gujarate. **2.** Diz-se de certa raça bovina originária da Índia e muito desenvolvida no Brasil; guzerá. ● *S. 2 g.* **3.** O natural ou habitante de Guzerate. **4.** Exemplar da raça guzerate (2); guzerá. ● *S. m.* **5.** *Gloss.* Língua indo-europeia do grupo indo-ariano falada na Índia e no Paquistão; guzeráti, gujaráti. [É língua oficial da Índia, a sétima em importância nesse país.] **6.** *Graf.* A escrita do guzerate, derivada do devanágari; gujaráti. [F. paral.: *guzarate*.]

guzeráti *S. m.* V. *guzerate* (5).

guzolandense *Adj. 2 g.* **1.** De, ou pertencente ou relativo a Guzolândia (SP). ● *S. 2 g.* **2.** O natural ou habitante de Guzolândia.

guzunga [De or. afr., poss.] *S. m. Bras. SP* Tambor de jongo, seguro por uma correia que passa pelo ombro do tocador e mantém o instrumento debaixo da axila.

■ **Gy** *Med. Nucl.* Símb. de *gray*.

Paulo Rónai, o amigo e parceiro de trabalho na obra *Mar de Histórias,* apresentou Marina Baird ao lexicógrafo, com quem ele se casou em 1945 e teve dois filhos.

Aurélio e Maria Luísa, que lhes deram cinco netos. Marina foi sua companheira de vida e assistente em muitas de suas obras.

h (agá) *S. m.* 1. A 8ª letra do nosso alfabeto. [É muda na língua portuguesa quando inicia sílaba. Posposta à letra *l,* forma o símbolo *lh* que, na escrita, representa a consoante lateral palatal [ʎ], como em *lhano, galho*; posposta ao *n,* com ele forma o símbolo *nh,* que representa a consoante nasal palatal [ɲ] (como em *nhambu, ninho*); posposta ao *c,* forma o símbolo *ch,* que representa a consoante fricativa palatal surda, como em *chão.* Tb. é us. para representar aspiração mais ou menos forte, como em interjeições e onomatopeias (p. ex., *hum, hã*).] 2. A figura dessa letra, ou qualquer representação sua: ▣ *O h foi confundido com um l, e criou-se o mal-entendido.* ●*Num.* 3. Oitavo (1), numa série ordenada ou hierárquica cujos elementos são designados ou representados pelas letras do alfabeto: ▣ *loja h* (ou *loja H*). [Pl. (nas acepçs. 1 e 2) indicado graficamente pela duplicação da letra: *hh.*]

■ **h** 1. Símb. de *hora.* 2. *Eletr.* Símb. de *hect(o)-* (q. v.). 3. *Fís.* Símb. de *constante de Planck.*

■ **H** 1. *Fís.* Símb. de *entalpia.* 2. *Fís.* Símb. de *intensidade do campo magnético.* 3. *Eletr.* Símb. de *henry.* 4. *Fís. Part.* Símb. de *Higgs.* 5. *Mús.* Sinal com que se representa a nota si natural (v. *si*¹), segundo a notação alfabética, us. modernamente nos países germânicos. [Cf. *B* (6)]. 6. *Quím.* Símb. de *hidrogênio.* [Com o número 2 justaposto e alceado (H^2 ou ^2H, simboliza o *deutério*; com o número 3 justaposto e alceado H^3 ou ^3H, simboliza o *trítio.*]

■ **ha** Símb. de *hectare.*

hã [T. onom.] *Interj.* Indica reflexão, esclarecimento, admiração: 📖 "— Medalhas .... hã! medalhas, — murmurou o jovem mestre, derreando o canto da boca num gesto de desprezo." (J. F. da Costa Filho, *As Facetas do Diabo,* p. 106.)

habanera [Do esp. *habanera,* f. de *habanero,* 'natural de Havana'.] *S. f.* 1. Dança de origem afro-cubana, difundida na Espanha, e cuja forma rítmica influenciou o maxixe, o tango e a música popular de quase todos os países hispano-americanos. É em compasso binário, com o primeiro tempo fortemente acentuado, e consiste, em geral, numa curta introdução, seguida de duas partes de oito compassos cada uma, com modulação do tom menor para o maior. 2. *Mús.* Canção que acompanha essa dança.

hábeas *S. m. 2 n. Bras.* V. *habeas corpus.*

➔ **habeas corpus** ['habeas 'kɔrpus] [Lat., 'que tenhas teu corpo'.] Garantia constitucional outorgada em favor de quem sofre ou está na iminência de sofrer coação ou violência na sua liberdade de locomoção por ilegalidade ou abuso de poder. [F. red. (bras.): *hábeas.*]

➔ **habeas data** ['habeas 'data] [Lat.] Direito constitucional, assegurado ao impetrante, de conhecer dados relativos à sua pessoa, constantes de registros em entidades governamentais ou de caráter público, e de retificá-los se incorretos.

habena [Do lat. *habena.*] *S. f. Poét.* 1. Rédea do cavalo. 2. V. *chicote* (1).

hábil [Do lat. *habile.*] *Adj. 2 g.* 1. Que tem aptidão para alguma coisa: ▣ *É muito hábil em trabalhos manuais.* 2. Competente, apto, capaz: ▣ *O projeto foi confiado a um desenhista hábil.* 3. Ágil de mãos e movimentos; destro. 4. Inteligente, esperto, sagaz, fino: ▣ *Hábil que é, no final vai sair-se bem.* 5. Astucioso, manhoso. 6. Que tem capacidade legal para certos atos. 7. Engenhoso; sutil: ▣ *Deu-lhe a má notícia de maneira hábil.* 8. Conveniente, vantajoso. 9. Que está de acordo com as imposições legais, com as exigências preestabelecidas: ▣ *Fez o requerimento em tempo hábil.* [Pl.: *hábeis.*]

habilhamento [Do fr. *habillement.*] *S. m. Ant. Gal.* 1. Ato de enfeitar-se. 2. Enfeite, adorno, atavio.

habilidade [Do lat. *habilitate.*] *S. f.* 1. Qualidade de hábil. 2. Aptidão, capacidade, competência. ~ V. *habilidades.* ◆ **Altas habilidades.** *Educ.* Notável desempenho e elevada potencialidade em qualquer dos seguintes aspectos, isolados ou combinados: capacidade intelectual geral, aptidão específica, pensamento criativo ou produtivo, capacidade de liderança, talento especial para artes, e capacidade psicomotora. [Termo da educação especial.]

habilidades *S. f. pl.* Exercícios ginásticos de agilidade e destreza. ~ V. *habilidade.*

habilidoso (ô) [De *habilidade* + *-oso,* com haplologia.] *Adj. S. m.* Diz-se de, ou aquele que tem ou revela habilidade, que é destro, jeitoso, hábil: 📖 "era extremamente habilidoso em todos os trabalhos manuais" (Urbano Tavares Rodrigues, *A Noite Roxa,* p. 95).

habilitação [De *habilitar* + *-ção.*] *S. f.* 1. Ato ou efeito de habilitar(-se). 2. Capacitação, habilitação: ▣ *Ele tem habilitação para o trabalho.* 3. *Educ.* Certificação de conclusão de curso: ▣ *Ele tem habilitação em estudos sociais.* 4. Documento fornecido por órgão competente, que autoriza alguém a dirigir veículos automotores. 5. *Jur.* Formalidades jurídicas necessárias para a aquisição dum direito ou a demonstração de capacidade legal. 6. *Jur.* Conjunto de documentos apresentados à autoridade competente por quem está interessado em provar os fatos que legitimam e justificam sua pretensão.

habilitado [Part. de *habilitar.*] *Adj.* 1. Que se habilitou a, ou para alguma coisa. 2. Que tem habilitação; apto, capaz. ●*S. m.* 3. *Bras. PR MT* Empreiteiro da elaboração da erva-mate.

habilitador (ô) [De *habilitar* + *-dor.*] *Adj. S. m.* Que, ou aquele que habilita.

habilitanço [De *habilitar* + *-anço.*] *S. m.* Quantia que, em jogo de azar, um parceiro empresta a outro.

habilitando [De *habilitar* + *-ando.*] *Adj. S. m.* Que, ou aquele que trata de habilitar-se.

habilitante [De *habilitar* + *-nte.*] *Adj. 2 g. S. 2 g.* Que, ou quem requer habilitação judicial.

habilitar [Do lat. *habilitare.*] *V. t. d.* 1. Tornar hábil: ▣ *Era incapaz, mas a experiência habilitou-o. T. d. e i.* 2. Preparar, dispor: ▣ *Sua condição de eremita habilitou-o à dura vida de privações; Sua ambição o habilitou para a luta.* 3. Tornar apto, capaz; prover com conhecimentos precisos para um ato público ou para qualquer fim: ▣ *A professora habilitou os candidatos para a prova. P.* 4. Tornar-se apto, capaz: ▣ *Estudou com afinco para habilitar-se ao exame.* 5. Dispor-se, preparar-se. 6. Justificar com documentos legais a habilitação jurídica. 7. Comprar bilhete de uma loteria.

➔ **habillé** [abi'je] [Fr.] *Adj.* Diz-se da roupa ou traje luxuoso: ▣ *No convite para a festa pedia-se: traje habillé.*

habitabilidade [De *habitável* + *-(i)dade,* seg. o padrão erudito.] *S. f.* Qualidade de habitável; possibilidade de ser habitado.

habitação [Do lat. *habitatione.*] *S. f.* 1. Ato ou efeito de habitar. 2. Lugar ou casa onde se habita; morada; vivenda, residência. [Sin. (p. us.), nesta acepç.: *bata.*] 3. *Jur.* Direito real que tem uma pessoa e sua família de habitar gratuitamente casa alheia.

habitacional [De *habitação* + *-al*¹, seg. o padrão erudito.] *Adj. 2 g.* Referente a habitação.

habitáculo [Do lat. *habitaculu.*] *S. m.* Habitação pequena e modesta: 📖 "Débil e mesquinho corpo [o de Leopardi], habitáculo de uma alma desejosa de ações grandes" (Carlos Magalhães de Azeredo, *Homens e Livros,* p. 12).

habitador (ô) [Do lat. *habitatore.*] *Adj. S. m. P. us.* V. *habitante*: 📖 "Tu és bem o que eu sou, filha das ondas, / Habitadora de ilhas solitárias!" (Alberto de Oliveira, *Poesias,* 3ª série, p. 272.)

habitante [Do lat. *habitante.*] *Adj. 2 g. S. 2 g.* Que, ou quem reside habitualmente num lugar. [Sin.: *morador* e (p. us.) *habitador.*]

habitar [Do lat. *habitare.*] *V. t. d.* 1. Ocupar como residência; residir, morar, viver em: 📖 "Habita uma pequena chacrinha, onde possui a sua criação." (Dionélio Machado, *Os Ratos,* p. 9.) 2. Tornar habitado; ocupar, povoar: ▣ *Os sitiantes habitaram as margens da estrada.* 3. Ter hábitat em: ▣ *Espécies que habitam as florestas tropicais. T. c.* 4. Estar domiciliado; residir, morar, viver: ▣ *Era a pessoa mais* *capaz que habitava naquelas terras;* "Nas limpas águas / Habita aquele" (Tomás Antônio Gonzaga, *Marília de Dirceu*, p. 35). **5.** Estar; permanecer: *A tranquilidade não podia habitar naquele torturado corpo.* ***T. i.*** **6.** Morar, residir; coabitar: *Promoveu tais brigas, que o irmão não quis mais habitar com ele.* [Pres. ind.: *habito, habitas, habita*, etc. Cf. *abitar*, v., *abita*, s. f., e *hábito*, s. m.]

→ **habitat** ['ħabetat] [Lat., 3ª pess. do sing. do pres. do ind. do lat. *habitare*, 'morar'.] ***S. m. 2 n.*** *Ecol.* Hábitat (q. v.).

hábitat [Aport. do lat. *habitat*, 'ele habita', poss. pelo fr. *habitat*.] ***S. m.*** *Ecol.* **1.** Lugar de vida de um organismo. **2.** Total de características ecológicas do lugar específico habitado por um organismo ou população. [Pl.: *hábitats*. O Volp. registra apenas a f. lat.]

habitável [Do lat. *habitabile*.] ***Adj. 2 g.*** **1.** Que se pode habitar. **2.** Próprio para ser habitado.

habite-se [Da 3ª pess. do sing. do pres. subj. de *habitar* + *se*[1].] ***S. m. 2 n.*** Documento fornecido pelo poder municipal, e em que se autoriza a ocupação e uso de edifício recém-concluído ou reformado.

hábito [Do lat. *habitu*.] ***S. m.*** **1.** Disposição duradoura adquirida pela repetição frequente de um ato, uso, costume: *Só a educação pode criar os bons hábitos.* **2.** Maneira usual de ser: *Mulher pedir em casamento é contra os hábitos sociais.* **3.** Roupagem de frade ou freira. **4.** *P. ext.* Condição, estado de frade ou freira: *tomar hábito; largar o hábito.* **5.** Vestuário, indumentária. **6.** *Fig.* Aparência exterior: "O hábito não faz o monge" (prov.). **7.** Insígnia de ordem militar ou religiosa. **8.** *Biol.* Constituição, modo de crescimento, ou de alimentação, de um animal ou planta: *planta de hábito arbóreo; animal de hábito carnívoro.* **9.** *Min.* Aspecto de um mineral: *hábito fibroso; hábito acicular.* [Cf. *habito*, do v. *habitar*.] ◆ **Lançar o hábito às ervas.** Abandonar o estado de sacerdote.

habituação [De *habituar* + *-ção*.] ***S. f.*** Ato de habituar(-se).

habituado [Part. de *habituar*.] ***S. m.*** **1.** Frequentador certo, habitual, de uma casa, clube, etc.: "Nenhum dos habituados da casa compareceu ao almoço." (Machado de Assis, *Quincas Borba*, p. 184.) **2.** Aquele que de costume comparece ou toma parte em diversão, folguedo, etc.: "Nas mesas cheias, aparecia sempre um lugar para mim. Aí já se encontravam os habituados de tocatas e serenatas" (Aires da Mata Machado Filho, *Dias e Noites em Diamantina*, p. 7).

habitual [Do lat. med. *habituale*.] ***Adj. 2 g.*** **1.** Que se faz, ou que sucede, por hábito. **2.** Comum, vulgar. **3.** Frequente, usual. **4.** *E. Ling.* Relativo a habitual (5). ~ V. *aspecto* — e *graça* —. • ***S. m.*** **5.** *E. Ling.* Aspecto habitual (q. v.).

habitualidade [De *habitual* + -(i)dade.] ***S. f.*** *Bras.* Habitualismo.

habitualismo [De *habitual* + *-ismo*.] ***S. m.*** Qualidade de habitual. [Sin. (bras.): *habitualidade*.]

habituar [Do lat. med. *habituare*.] ***V. t. d. e i.*** **1.** Fazer tomar o hábito de; acostumar, avezar: *Habituou-o, com dificuldade, a frequentar diariamente as aulas.* **2.** Preparar por meio de hábito ou de prática; exercitar: *Habitando a floresta, habituou os filhos a defenderem-se das feras.* ***P.*** **3.** Contrair o hábito de; acostumar-se, avezar-se: "Habituara-se a viver com mais do que precisava" (Ricardo Ramos, *Os Inventores Estão Vivos*, pp. 27-28).

habitude [Do lat. med. *habitudine*.] ***S. f.*** *Ant.* Hábito, costume.

habitudinário [Do lat. *habitudine*, 'habitude', + *-ário*.] ***Adj.*** **1.** *P. us.* Habitual. **2.** Que cai sempre nos mesmos costumes, nos mesmos erros, incorrigível.

→ **habitué** [abity'e] [Fr.] ***S. m.*** Frequentador certo; habituado. [Fem. *habituée*.]

→ **habitus** ['ħabetos] [Lat., 'caráter', 'disposição'; 'hábito'.] ***S. m. 2 n.*** *Antrop. Sociol.* Conceito com o qual se designa o conjunto de padrões adquiridos de pensamento, comportamento, gosto, etc., considerados como elo entre as estruturas sociais abstratas e a prática ou ação social concreta.

→ **haboob** [ħə'buwb] [Ingl.] ***S. m.*** *Met.* Vento forte, quente e úmido, observado no Sudão, ao longo do deserto do Saara, e a que se podem associar violentas tempestades de areia e poeira, grandes temporais e pequenos tornados.

▲ **habro-** [Do gr. *habrós, á, ón*.] ***El. comp.*** = 'delicado', 'gracioso': *habromania, habrômano*.

habromania [De *habro-* + *-mania*.] ***S. f.*** *Psiq.* Distúrbio mental caracterizado por grande alegria e jovialidade; amenomania.

habromaníaco [De *habromania* + *-íaco*.] *Psiq.* ***Adj.*** **1.** Relativo a habromania. **2.** Que tem habromania; amenômano, habrômano. • ***S. m.*** **3.** Aquele que tem habromania; amenômano, habrômano. [Sin. ger.: *amenomaníaco*.]

habrómano ***Adj. S. m.*** *Psiq.* V. *habrômano*. [Uso freq. em P.]

habrômano [De *habro-* + *-mano*[1].] ***Adj. S. m.*** *Psiq.* Habromaníaco (2 e 3).

hacaneia (éi) [Do fr. *haquenée* < ingl. med. *hackney*, poss. do top. *Hackney* (Inglaterra), cidade célebre por seus cavalos.] ***S. f.*** Cavalgadura bem proporcionada, mansa e de tamanho regular; faca: "Relincham em minha baia / Hacaneias de invejar." (Manuel Bandeira, *Estrela da Vida Inteira*, p. 26.) ❖

hachura [Do fr. *hachure* < fr. *hache*, 'machado', < frâncico **hapja*.] ***S. f.*** Raiado que, em desenho ou gravura, produz efeito de sombra ou meio-tom. [Cf. *azurado* (2), *grisado, guilhochê*.]

hachurar [Do fr. *hachurer*.] ***V. t. d.*** **1.** Traçar hachuras em. **2.** Produzir em (um desenho) o efeito das hachuras.

→ **hacker** ['ħækɚ] [Ingl., substantivo de agente do v. *to hack*, 'dar golpes cortantes (para abrir caminho)', anteriormente aplicado a programadores que trabalhavam por tentativa e erro.] ***S. 2 g.*** *Inform.* Indivíduo hábil em enganar os mecanismos de segurança de sistemas de computação e conseguir acesso não autorizado aos recursos destes, ger. a partir de uma conexão remota em uma rede de computadores; violador de um sistema de computação.

hadeofobia [Do gr. *Haídes*, 'inferno entre os gregos antigos', + *-o-*[1] + *-fobia*.] ***S. f.*** *Psiq.* Estigiofobia.

hadeofóbico [De *hadeofobia* + *-ico*[2].] ***Adj. S. m.*** *Psiq.* V. *estigiofóbico*.

hadeófobo [Do gr. *Haídes*, 'inferno entre os gregos antigos', + *-o-*[1] + *-fobo*.] ***Adj. S. m.*** *Psiq.* V. *estigiofóbico* (2 e 3).

→ **hadith** [ħa'diθ] [Ár., 'conversação'; 'narração'.] ***S. m.*** O registro de palavras e atos de Maomé (v. *maometano*) e de seus discípulos, e que, em relação à fé islâmica, representa o documento mais importante depois do Corão (q. v.). [Com cap.]

hadji [Do ár. *ḥaǧǧī*, 'peregrino', < persa.] ***S. m.*** Muçulmano que faz a peregrinação a Meca e Medina. [Var.: *agi, haje, haji, háji*.]

hadoque [Do ingl. *haddock*.] ***S. m.*** *Zool.* Peixe gadídeo (*Melanogrammus aeglefinus*), semelhante ao bacalhau, porém menor do que ele, encontrado nas costas da Europa e da América do Norte.

hadrão ***S. m.*** *Lus. Fís. Part.* V. *hádron*. [Pl.: *hadrões*.]

hádron [Do gr. *hadrós*, 'grosso', 'espesso', + *-on*.] ***S. m.*** *Fís. Part.* Designação genérica de partículas que sofrem interações fortes, e da qual se conhecem dois tipos: os bárions, formados por três *quarks*, e os mésons, formados por um *quark* e um *antiquark*.

hadrónico ***Adj.*** V. *hadrônico*. [Uso freq. em P.]

hadrônico [De *hádron* + *-ico*[2].] ***Adj.*** Relativo a hádron. ~ V. *era* —*a*.

hadronização [De **hadronizar* (< *hádron* + *-izar*) + *-ção*.] ***S. f.*** *Fís. Part.* Processo de formação de hádrons pela aglutinação de *quarks* e glúons.

hadrossaurídeo [Do tax. *Hadrosaurus* + *-ídeo*[1]; tax. *Hadrosauridae*.] *Paleont.* ***S. m.*** **1.** Espécime dos hadrossaurídeos, família de dinossauros ornitísquios, arcossauros de até 9m de comprimento, desprovidos de couraças, e com os dedos dos membros anteriores interligados por membrana. Herbívoros, tinham um grande bico semelhante ao dos patos, e dentes especiais para triturar alimentos. Habitaram o cretáceo superior e eram, provavelmente, anfíbios. • ***Adj.*** **2.** Pertencente ou relativo a eles.

hadrossauro [Do tax. *Hadrosaurus*.] ***S. m.*** *Paleont.* **1.** O gênero-tipo dos hadrossaurídeos, que reunia grandes dinossauros bípedes, herbívoros, do final do cretáceo; tinham mandíbula achatada que lembrava um bico de pato. **2.** Espécie ou espécime desse gênero.

hafalgesia [De *haf(e)-* + *-alges(i)-* + *-ia*[1].] ***S. f.*** *Med.* Sensação de dor produzida por contato com objetos não irritantes, ou percebida quando a pele sofre leve toque, e que pode ser observada em várias condições, como histeria e a tabe.

hafalgésico [De *hafalgesia* + *-ico*[2].] ***Adj.*** *Med.* Relativo à hafalgesia.

▲ **haf(e)-** [Do gr. *haphḗ, ês*.] ***El. comp.*** = 'tato[1]': *hafalgesia, hafefobia*.

hafefobia [Do gr. *haphé*, 'tato', + *-fobia*.] ***S. f.*** *Psiq.* Medo patológico de tocar ou ser tocado. [F. menos pref., porém mais us.: *afefobia*.]

hafefóbico [De *hafefobia* + *-ico*[2].] *Psiq.* ***Adj.*** **1.** Relativo a hafefobia. **2.** Que sofre de hafefobia; haféfobo. • ***S. m.*** **3.** Aquele que sofre de hafefobia; haféfobo. [F. menos pref., porém mais us.: *afefóbico*.]

haféfobo [Do gr. *haphé*, 'tato' + *-fobo*.] ***Adj. S. m.*** *Psiq.* Hafefóbico (2 e 3). [F. menos pref., porém mais us.: *aféfobo*.]

háfnia [Do lat. *Hafnia* (v. *háfnio*).] ***S. f.*** *Quím.* Dióxido de háfnio, sólido, branco, refratário [fórm.: HfO_2].

háfnio [Do lat. cient. *hafnium* < lat. *Hafnia*, nome latino de *Copenhague* (Dinamarca).] ***S. m.*** *Quím.* Elemento de número atômico 72, maleável, dúctil, denso [símb.: *Hf*].

→ **hagadá** [ħaga'da] [Hebr., 'aquilo que se diz ou se recita', 'narrativa'.] ***S. f.*** Narrativa da libertação e saída dos judeus do antigo Egito, entremeada de ensinamentos rabínicos, salmos de louvor, canções e trechos bíblicos, conforme compilada da tradição oral, e que é recitada na primeira noite da Páscoa judaica.

▲ **hagi(o)-** [Do gr. *hágios, a, on*, 'santo', 'sagrado'.] ***El. comp.*** = 'santo': *hagiólogo, hagiônimo*.

hagiografia (àg) [De *hagi(o)-* + *-grafia*.] ***S. f.*** **1.** Biografia de santo. **2.** Escrito acerca dos santos.

hagiográfico (àg) [De *hagiografia* + *-ico*[2].] ***Adj.*** Relativo à hagiografia.

hagiógrafo [Do lat. tard. *hagiographu* < gr. *hágios* (v. *hagi(o)-*) + gr. *gráphein* (v. *-grafo*).] ***Adj.*** **1.** Diz-se dos livros do Antigo Testamento, menos o Pentateuco e os Profetas. • ***S. m.*** **2.** Cada um desses livros. **3.** Autor inspirado dos livros da Bíblia. **4.** Autor que conta a vida dos santos.

hagiólatra [De *hagi(o)-* + *-latra*.] ***S. 2 g.*** Pessoa que pratica a hagiolatria.

hagiolatria (àg) [De *hagi(o)-* + *-latria*.] ***S. f.*** Adoração que se presta aos santos.

hagiolátrico (àg) [De *hagiolatria* + *-ico*[2].] ***Adj.*** Relativo à hagiolatria.

hagiológico (à) [De *hagi(o)-* + *-log(o)-* + *-ico*[2].] ***Adj.*** Referente aos santos.

hagiológio (à) [De *hagi(o)-* + *-log(o)-* + *-io*[3].] ***S. m.*** Tratado sobre a vida dos santos; santoral: "Esse homem de nome de santo [João de Deus], figura única no hagiológio dos artistas, viveu em eterno estado de graça" (Agripino Grieco, *São Francisco de Assis e a Poesia Cristã*, p. 158).

hagiólogo [De *hagi(o)-* + *-logo*.] ***S. m.*** Aquele que escreve a respeito de santos, que compõe hagiológio.

hagiómaco ***S. m.*** V. *hagiômaco*. [Uso freq. em P.]

hagiômaco [De *hagi(o)-* + gr. *máchos* < gr. *máchesthai*, 'combater'.] ***S. m.*** Aquele que combate o culto dos santos.

hagiomaquia (àg) [De *hagi(o)-* + *-maquia*.] ***S. f.*** Combate aos santos, à sua existência. [Cf. *guerra santa*.]

hagiomáquico (àg) [De *hagiomaquia* + *-ico*[2].] ***Adj.*** Referente à hagiomaquia.

hagionímia (àg) [De *hagiônimo* + *-ia*[2].] ***S. f.*** Hieronímia (q. v.).

hagionímico (à) [De *hagiônimo* + *-ico*[2].] ***Adj.*** Hieronímico (q. v.).

hagiónimo ***S. m.*** V. *hagiônimo*. [Uso freq. em P.]

hagiônimo [De *hagi(o)-* + *-ônimo*.] ***S. m.*** Hierônimo.

hagioterapia (àg) [De *hagi(o)-* + *-terapia*.] ***S. f.*** Suposta cura de doentes por intervenção de santos, ou pela ocorrência de milagres.

hagioterápico (àg) [De *hagioterapia* + *-ico*[2].] ***Adj.*** Relativo à hagioterapia.

haglura [Do fr. *haglure*.] ***S. f.*** Em falcoaria, mancha nas penas das asas ou da cauda das aves.

hahnemanniano ***Adj.*** **1.** Pertencente ou relativo a Christian Friedrich Samuel Hahnemann (1755-1843), médico alemão, o criador da homeopatia. **2.** Homeopático (1).

hâhnio [Do antr. (*Otto*) *Hahn* (1879-1969), químico alemão, + *-io*[3].] ***S. m.*** *Quím. Desus.* **1.** Dúbnio. **2.** Hássio. [Símb.: *Hn*.]

haicai [Do jap.] ***S. m.*** *Arte Poét.* Poema japonês constituído de três versos, dos quais dois são pentassílabos e um, o segundo, heptassílabo: "Há quem exceda, em brevidade, a essa trova popular, de quatro versos, ou vinte e oito pés métricos. É o *haicai* japonês, pequeno poema de três versos, de cinco, sete e cinco pés métricos, respectivamente, que resumem uma impressão, um conceito, um drama, um poema, às vezes deliciosamente, não raro profundamente." (Afrânio Peixoto, *Miçangas*, pp. 234-235.) [Cf. *haicu*.]

haicom [Do sã *hai//om*, em que o símbolo // indica um clique (q. v.) alveolar lateral.] ***S. m.*** *Gloss.* V. *bosquímano* (2).

haicu [Do jap.] ***S. m.*** *Arte Poét.* Poema lírico japonês, constituído de dezessete sílabas distribuídas em versos não rimados, de cinco e sete sílabas. [Cf. *haicai*.]

haida ***S. 2 g.*** **1.** *Etnôn.* Indivíduo dos haidas, povo indígena das ilhas da Rainha Carlota (Colúmbia Britânica, Canadá) e da ilha Príncipe de Gales (Alasca, E.U.A.) que fica ao N. daquelas. • ***S. m.*** **2.** *Gloss.* A língua isolada (q. v.) desse povo, considerada uma família linguística. • ***Adj. 2 g.*** **3.** Pertencente ou relativo aos haidas, ou à sua língua.

→ **haikai** [haj'kaj] [Jap.] ***S. m.*** *Arte Poét.* V. *haicai*.

→ **haiku** [haj'ku] [Jap.] ***S. m.*** *Arte Poét.* V. *haicu*.

haique [Do ár. *ḥa'ik*, 'peça do vestuário árabe, de lã ou seda, que envolve todo o corpo e us. sob o albornoz'.] *S. m.* Capa árabe, provida de capuz.

haitiano [Do top. *Haiti* + *-ano*.] *Adj.* **1.** Do, ou pertencente ou relativo ao Haiti (América Central). ● *S. m.* **2.** O natural ou habitante do Haiti.

haje *S. m.* V. *hadji*.

haji *S. m.* V. *hadji*.

hájì *S. m.* V. *hadji*.

➔**hakka** [hakə] [Cantonês, 'estrangeiro', pelo ingl.] *S. m. Gloss.* Conjunto de dialetos do chinês (4), de difícil delimitação geográfica, mas cujo ponto central parece ser a região montanhosa a leste do rio Norte (ou Bei Jiang ou Pei Kiang).

halali [Do fr. *hallali*.] *S. m.* Grito de caça, ao som de trompa, anunciando que o veado está acuado.

haleto (ê) [De *hal(o)-* + *-eto*[2].] *S. m. Quím.* Halogeneto.

➔ **half-back** ['hæfbæk] [Ingl.] *S. m. Fut. Desus.* Cada um dos três jogadores da linha média. [Sin. port., obsol.: *asa*.]

halial [Do lat. *hallus* ou *hallux*, 'dedo do pé', + *-ial*.] *Adj. 2 g. Anat. P. us.* Relativo ou pertencente ao dedo polegar.

halibute [Do ingl. *halibut*.] *S. m. Zool.* Peixe actinopterígio, pleuronectídeo, do Atlântico norte (*Hippoglossus hippoglossus*) e do Pacífico (*H. stenolepis*), podendo a fêmea medir até 2,70m de comprimento e pesar 250kg; alimenta-se de peixes menores, lulas e caranguejos, é o maior dos linguados, e tem os olhos do lado direito e nadadeiras ventrais simétricas.

halictídeo [Do tax. *Halictus* + *-ídeo*[1]; tax. *Halictidae*.] *Zool. S. m.* **1.** Espécime dos halictídeos, família de insetos himenópteros, cosmopolitas, de grande interesse para os etólogos por apresentarem todos os graus de socialização. ● *Adj.* **2.** Pertencente ou relativo a eles.

haliêutica [Do gr. *halieutiké, i. e., téchne halieutiké*, 'a arte da pesca'.] *S. f.* A arte da pesca.

haliêutico [Do gr. *halieutikós*, pelo lat. *halieuticu*.] *Adj.* Respeitante à haliêutica.

halístase [De *hal(o)-* + *-i-* + *-stase*.] *S. f. Geol.* Baía marinha de águas paradas, de fundo impróprio à vida, em virtude da formação de gases putrefatos ricos em enxofre e venenosos.

halita [De *hal(o)-* + *-ita*[3].] *S. m. Min.* Sal-gema.

hálito [Do lat. *halitu*.] *S. m.* **1.** Ar expirado; bafo. **2.** Cheiro da boca. **3.** Exalação, emanação, cheiro. **4.** *Poét.* Viração, aragem.

halitofobia [De *(mau) hálito* + *-fobia*.] *S. f. Psiq.* Desequilíbrio (2) em que a pessoa passa a ter medo ou pavor de ter mau hálito.

halitofóbico [De *halitofobia* + *-ico*[2].] *Psiq. Adj.* **1.** Relativo a halitofobia. **2.** Que sofre de halitofobia; halitófobo. ● *S. m.* **3.** Aquele que sofre de halitofobia; halitófobo.

halitófobo [De *(mau) hálito* + *-fobo*.] *Adj. S. m. Psiq.* Halitofóbico (2 e 3).

halitose [De *hálito* + *-ose*[1].] *S. f. Med.* Hálito fétido, resultante de má higiene bucal ou de infecções dentárias; ozostomia, cacostomia.

➔**hall** [hɔl] [Ingl.] *S. m.* Sala, vestíbulo ou saguão, ger. de grandes dimensões; átrio. [F. aport.: *hol*.]

halloysita [Do antr. (*Omalius d'*)*Halloy* (1783-1875), geólogo belga, + *-s-* + *-ita*[3].] *S. f. Min.* Mineral monoclínico, silicato hidratado de alumínio.

halmirólise [Do gr. *halmirós*, 'salgado', + *-lise*.] *S. f. Geol.* Decomposição subaquática marinha das rochas.

halo [Do lat. *halos* < gr. *halós*.] *S. m.* **1.** *Met.* Designação comum a uma grande variedade de meteoros luminosos constituídos de círculos ou arcos de círculos brilhantes, tendo por centro o Sol ou a Lua, e causados pela reflexão ou refração da luz solar ou lunar em cristais de gelo em suspensão na atmosfera terrestre. [No caso da refração, o halo aparece colorido, tendo o bordo interno avermelhado e o bordo externo violáceo. Cf. *coroa* (17) e *aréola* (3).] **2.** V. *auréola* (1 e 2). **3.** Aréola (3). **4.** *Anat.* Hálux (1). **5.** *Fig.* Glória, prestígio, honra, auréola. **6.** *Cin. Fot. Telev.* Efeito indesejável, que consiste no surgimento de uma auréola negra ao redor de um objeto claro e brilhante, em função do forte contraste com a área ao seu redor. **7.** *Cosm.* Nuvem difusa, e quase esférica, formada por estrelas velhas e aglomerados globulares que envolvem uma galáxia espiral. [Cf. *alo*, do v. *alar*.] ◆ **Halo galáctico.** *Astr.* Região do espaço que envolve uma galáxia, e que tem pequena densidade estelar e forma esférica.

▲ **hal(o)-** [Do gr. *háls, halós*.] *El. comp.* = 'sal'; 'mar': *halófito, haloide*; 'de, ou relacionado a um sal' (*halocromismo*). [Em Quím., 'halogênio, ou que o contém': *haloalcano*.] [Equiv.: *-(h)al(o)-*: *isoalina*.]

▲**-(h)al(o)-** V. *hal(o)-*.

haloalcano [De *hal(o)-* + *alcano*.] *S. m. Quím.* Designação genérica das substâncias orgânicas formadas por átomo de halogênio ligado diretamente a uma alquila; halogeneto de alquila.

halocromismo [De *hal(o)-* + *-crom(o)-* + *-ismo*.] *S. m.* O fenômeno da formação de sais fortemente coloridos pela adição de ácidos a compostos de fraca coloração.

halófilo [De *hal(o)-* + *-filo*[2].] *Adj. Ecol.* Que habita meios ricos em sal: *comunidade halófila*.

halófito [De *hal(o)-* + *-fito*.] *S. m. Bot.* Vegetal que cresce em solo com alta concentração de sal.

halogenação [De *halogenar* + *-ção*.] *S. f. Quím.* Introdução de átomos de halogênios na molécula de um composto.

halogenado [Part. de *halogenar*.] *Adj. Quím.* ~ V. *derivado* —.

halogenar [De *halogênio* + *-ar*[2].] *V. t. d. Quím.* Tratar com halogênio, ou fazer combinar com halogênio; introduzir halogênio em.

halogeneto (ê) [De *halogên(io)* + *-eto*[2].] *S. m. Quím.* Designação genérica dos fluoretos, cloretos, brometos e iodetos; haleto. ◆ **Halogeneto de alquila.** *Quím.* Haloalcano.

halogénico *Adj. Quím.* V. *halogênico*. [Uso freq. em P.]

halogênico [De *halógeno* + *-ico*[2].] *Adj. Quím.* Diz-se de composto que encerra um halogênio.

halogénio *S. m. Quím.* V. *halogênio*. [Uso freq. em P.]

halogênio [De *hal(o)-* + *-gen(o)-* + *-io*[3].] *S. m. Quím.* Qualquer dos elementos flúor, cloro, bromo, iodo e astatínio; halógeno [símb.: *X*]. ~ V. *halogênios*.

halogénios *S. m. pl. Quím.* V. *halogênios*. [Uso freq. em P.]

halogênios *S. m. pl. Quím.* O grupo (3) formado pelos halogênios. ~ V. *halogênio*.

halógeno [De *hal(o)-* + *-geno*.] *S. m.* **1.** *Quím.* Halogênio. ● *Adj.* **2.** Relativo a halogênio (1). ~ V. *lâmpada* —*a*.

halografia [De *hal(o)-* + *-grafia*.] *S. f. Quím.* Tratado dos sais; halologia.

halográfico [De *halografia* + *-ico*[2].] *Adj.* Relativo ou pertencente à halografia; halológico.

halógrafo [De *hal(o)-* + *-grafo*.] *S. m.* Especialista em halografia.

haloide (ói) [De *hal(o)-* + *-oide*.] *Adj. 2 g. S. m. Quím.* Diz-se de, ou qualquer dos compostos que encerram um halogênio. ❖

halologia [De *hal(o)-* + *-logia*.] *S. f. Quím.* Halografia.

halológico [De *halologia* + *-ico*[2].] *Adj. Quím.* Relativo à halologia; halográfico.

halomancia (ci) [De *hal(o)-* + *-mancia*.] *S. f.* Arte de adivinhar por meio de sal.

halomanciano [De *halomancia* + *-ano*[1].] *Adj.* Halomântico.

halomante [De *hal(o)-* + *-mante*.] *S. 2 g.* Pessoa que pratica a halomancia.

halomântico [De *halomante* + *-ico*[2].] *Adj.* Relativo à halomancia, ou a halomante; halomanciano.

halometria [De *hal(o)-* + *-metria*.] *S. f. Quím.* Processo para avaliar a qualidade das soluções salinas empregadas no comércio.

halométrico [De *halometria* + *-ico*[2].] *Adj.* Respeitante à halometria.

haloperidol [Voc. farmac.] *S. m. Quím.* Substância cristalina, cetona aromática halogenada, medicamento antipsicótico us. no tratamento da esquizofrenia [fórm.: $C_{21}H_{23}ClFNO_2$]. [Pl.: *haloperidóis*.]

haloplancto [De *hal(o)-* + *plancto*.] *S. m. Ecol.* V. *plâncton*.

haloplâncton [De *hal(o)-* + *plâncton*.] *S. m. Ecol.* V. *plâncton*.

haloragácea [Do tax. *Haloragis* (f. irreg. do gr. *háls* [v. *hal(o)-*] + *rháx, rhagós*, 'bago de uva') + *-ácea*; tax. *Haloragaceae*.] *S. f. Bot.* Espécime das haloragáceas, família de vegetais floríferos, da ordem das mirtales, de flores actinomorfas, hermafroditas e ger. apétalas, e fruto nuciforme ou drupáceo. Engloba ervas com flores minutíssimas. Há cerca de 160 espécies, dos países temperados e subtropicais; no Brasil, umas poucas. [Sin.: *haloragidácea*.]

haloragáceo [De *halorragácea*, com var. suf. (v. *-áceo*).] *Adj. Bot.* Pertencente ou relativo às haloragáceas; haloragidáceo.

haloragidácea [Do lat. cient. *Haloragid-* (do tax. *Haloragis*) + *-ácea*; tax. *Haloragidaceae*.] *S. f. Bot.* Haloragácea

haloragidáceo [De *haloragidácea*, com var. suf. (v. *-áceo*).] *Adj. Bot.* Haloragáceo.

halotano [De *hal(o)-* + *(e)tano*.] *S. m. Quím.* Substância halogenada, derivada do etano, usada como anestésico [fórm.: $C_2HBrClF_3$].

halotecnia [De *hal(o)-* + *-tecn(o)-* + *-ia*[1].] *S. f.* Parte da química que trata da preparação dos sais.

halotécnico [De *halotecnia* + *-ico*[2].] *Adj.* Relativo à halotecnia.

halter [Do nom. sing. do lat. *halteres*.] *S. m.* V. *haltere*. [Pl.: *halteres*. Cf. *alteres*, do v. *alterar*, e *álter*, pl. *álteres*.]

halterado [Do lat. cient. *halter* (do sing. do gr. *haltêres*) + *-ado*[3].] *S. m. Adj. Zool.* V. *díptero*[2]. [Cf. *alterado*.]

haltere [Do acus. sing. do lat. *halteres* < gr. *haltêres*.] *S. m.* Instrumento ginástico formado por duas esferas de ferro ligadas por uma haste do mesmo metal, que a mão segura com facilidade; barra, peso. ~ V. *halteres*. [Var.: *halter*. Pl.: *halteres*. Cf. *álter*, pl. *álteres*, e *altere*, *alteres*, do v. *alterar*.]

halteres *S. m. pl. Zool.* Balancins. ~ V. *haltere*.

halteríptero [Adapt. do tax. *Halterata*.] *S. m. Adj. Zool.* V. *díptero*[2].

▲ **halter(o)-** [Do gr. *haltêres, érōn*.] *El. comp.* = 'halteres': *halterofilia, halterofilista*.

halterofilia [De *halter(o)-* + *-filia*.] *S. f. Bras.* A prática da ginástica por meio de halteres e/ou o gosto por esse esporte; halterofilismo.

halterofílico [De *halterofilia* + *-ico*[2].] *Adj.* Relativo à halterofilia.

halterofilismo [De *halter(o)-* + *-fil(o)-*[2] + *-ismo*.] *S. m. Bras.* Halterofilia.

halterofilista [De *halterofilismo* + *-ista*.] *S. 2 g. Bras.* Pessoa dada à halterofilia.

halurgia [De *hal(o)-* + *-urgia*.] *S. f.* Técnica de preparar sais.

halúrgico [De *halurgia* + *-ico*[2].] *Adj.* Referente à halurgia.

hálux (cs) [Do lat. *hallux* (nom.), 'artelho'.] *S. m. 2 n.* **1.** *Anat.* O dedo grande de cada pé; halo. **2.** *Zool.* Dedo posterior da pata das aves. **3.** *Zool.* Nos membros pentadáctilos posteriores, o dedo do lado tibial, ger. mais curto que os outros.

hamádria [Do lat. *hamadryas* (nom.).] *S. f.* V. *hamadríade*[1].

hamadríada *S. f.* V. *hamadríade*[1].

hamadríade[1] [Do lat. *hamadryade* < gr. *hamadryás, ádos*, 'ninfa dos carvalhos'.] *S. f.* **1.** *Mit.* Ninfa dos bosques, que nascia e morria com a árvore que lhe era destinada, e onde se admitia que ela morasse: "Gênios caprípedes e broncos / Estupram virgens hamadríades." (Manuel Bandeira, *Estrela da Vida Inteira*, p. 64.) **2.** *Bras.* Designação dada por Carl Friedrich Philipp von Martius (1794-1869), botânico alemão, a uma das grandes regiões geobotânicas em que dividiu o Brasil (região cálido-seca). [Var.: *hamadríada*. F. paral.: *hamádria*.]

hamadríade[2] [Trad. do lat. cient. *Hamadryas*, epíteto de *Naja hamadryas* (tax.).] *S. f. Zool.* Viperídeo (*Ophiofagus hannah*) da Índia, Malásia e S. da China, a maior serpente venenosa conhecida, que chega a medir 5 metros.

hamadríade[3] [Trad. do lat. cient. *Hamadryas*, epíteto de *Papio hamadryas* (tax.).] *S. f. Zool.* Pequeno babuíno cercopitecídeo (*Papio hamadryas*) da Somália, Eritreia e S.O. da Ásia, que vive em grupos de mais de cem indivíduos. [Sin.: *hamádrias, babuíno sagrado*.]

hamádrias [Do lat. cient. *Hamadryas*.] *S. m. 2 n. Zool.* V. *hamadríade*[3].

hamamelidácea [Do lat. cient. *Hamamelid-* (do tax. *Hamamelis* [v. *hamamélis*]) + *-ácea*; tax. *Hamamelidaceae*.] *S. f. Bot.* Espécime das hamamelidáceas, família de plantas floríferas, da ordem das hamamelidales, composta de árvores e arbustos com folhas alternas e estipuladas, e flores reunidas em cachos ou espigas. Existem cerca de 100 espécies, todas do hemisfério norte.

hamamelidáceo [De *hamamelidácea*, com var. suf. (v. *-áceo*).] *Adj. Bot.* Pertencente ou relativo às hamamelidáceas.

hamamelidal [Do lat. cient. *Hamamelid-* (v. *hamamélis*) + *-al*[1].] *Adj. 2 g. Bot.* Pertencente ou relativo às hamamelidales.

hamamelidale [Do lat. cient. *Hamamelid-* (v. *hamamélis*) + *-ale*; tax. *Hamamelidales*.] *S. f. Bot.* Espécime das hamamelidales, pequena ordem de plantas floríferas dicotiledôneas, com cinco famílias e 112 espécies.

hamamélis [Do tax. *Hamamelis* (do gr. *hamámelis*, *idos*, 'espécie de nespeira').] *S. f. 2 n. Bot.* **1.** Gênero de plantas hamamelidáceas (q. v.), outrora muito empregada em medicina. **2.** Qualquer espécie desse gênero, como, p. ex., a *Hamamelis virginiana*. **3.** Qualquer espécime desse gênero.

hamartia [Do gr. *hamartía*.] *S. f. Teatr.* Na tragédia grega, erro de julgamento do herói e que leva à catástrofe.

▲ **hamart(o)-** [Do gr. *hamartía, as*.] *El. comp.* = 'erro', 'defeito', 'pecado': *hamartoma*.

hamartoma [De *hamart(o)-* + *-oma*[1].] *S. m. Patol.* Tumor (1) formado por proliferação excessiva e desordenada de células, ou de tecidos em um órgão, e cuja composição pode ser de apenas um, ou mais de um tecido, sempre próprio daquele órgão; tem ainda como característica histológica ser constituído por células normais e inteiramente diferenciadas.

H

hambergita [Do antr. (*Axel*) *Hamberg* (1933), mineralogista sueco, + *-ita*[3].] ***S. f. Min.*** Mineral ortorrômbico, borato básico de glucínio.

hamburgo [Do ingl. *hamburger.*] ***S. m.*** V. *hambúrguer.*

hambúrguer [Do ingl. *hamburger.*] ***S. m. Cul.*** **1.** Carne passada na máquina, temperada com cebola, salsa, mostarda, etc., e ligada com ovo, formando massa a que se dá forma arredondada e que se leva a fritar como bife (1); hamburgo, hamburguesa. [Pl.: *hambúrgueres.*] **2.** Sanduíche, originalmente americano, feito com hambúrguer (1) achatado e redondo, posto na chapa, e pão também arredondado. **3.** *P. ext.* V. *hambúrguer de forno.* [Pl.: *hambúrgueres.*] ◆ **Hambúrguer de forno.** Salgado similar a um hambúrguer feito no forno.

hamburguês ***Adj.*** **1.** De, ou pertencente ou relativo a Hamburgo (Alemanha). ● ***S. m.*** **2.** O natural ou habitante de Hamburgo. [Flex.: *hamburguesa* (ê), *hamburgueses* (ê), *hamburguesas* (ê).]

hamburguesa (ê) [De *hambúrgu(er)* + *-esa.*] ***S. f. Bras.*** V. *hambúrguer.*

hamiltoniana [F. subst. de *hamiltoniano.*] ***S. f. Fís.*** Função quadrática das coordenadas generalizadas e dos momentos generalizados de um sistema, mediante a qual se pode determinar o movimento deste, e que se confunde com a energia total do sistema quando ele é conservativo.

hamiltoniano [Do antr. (*William R.*) *Hamilton* (1805-1865), matemático inglês, + *-iano.*] *Fís.* ***Adj.*** **1.** V. *operador —.* ● ***S. m.*** **2.** Operador hamiltoniano.

hamita [Do antr. *Hã* ou *Cã*, segundo filho de Noé, + *-ita*[2].] ***Adj. 2 g. S. 2 g.*** V. *camita.*

hamítico [De *hamita* + *-ico*[2].] ***Adj. S. m.*** V. *camítico.*

hamito-semita ***Adj. 2 g. S. 2 g. S. m.*** V. *camito-semítico.* [Pl.: *hamito-semitas.*]

hamletiano [Do ficciôn. *Hamlet*, da obra *Hamlet*, de William Shakespeare (v. *shakespeariano*), + *-iano.*] ***Adj.*** Diz-se daquele que se caracteriza por ser sonhador e pessimista, indeciso e perplexo, intelectualizado, mas inepto para atitudes enérgicas.

➔**hamster** [ˈhæmstɚ] [Ingl. (< al.).] ***S. m. Zool.*** Designação genérica de vários mamíferos roedores, cricetídeos, que podem atingir até 30cm; têm cauda curta e são providos de bolsa na face interna da bochecha. O *hamster* comum (*Cricetus cricetus*) tem o dorso pardo e o ventre preto, e o dourado (*Misocricetus auratus*) tem coloração parda tirante a dourado.

hâmulo [Do lat. *hamulu*, 'anzol pequeno'.] ***S. m. Anat.*** Apófise em forma de gancho.

han [Do chinês.] ***S. f.*** **1.** Notável dinastia imperial chinesa que governou de 206 a.C. a 8 d.C. (dinastia han anterior), e após breve interrupção, de 25 a 220 d.C. (dinastia han posterior). ● ***S. 2 g. e 2 n.*** **2.** Indivíduo dos han, o grupo étnico majoritário da China. ● ***Adj. 2 g. e 2 n.*** **3.** Pertencente ou relativo a essa dinastia ou a esse grupo étnico.

➔**handball** [ˈhændbɔl] [Ingl.] ***S. m.*** V. *handebol.*

handebol [Do ingl. *handball.*] ***S. m. Esport.*** Jogo com regras semelhantes às do basquete, praticado em quadra de piso artificial, com equipes de 7 jogadores, e cujo objetivo é a realização de gois.

handebolista [De *handebol* + *-ista.*] ***Adj. 2 g. S. 2 g.*** *Esport.* Que, ou aquele que pratica o handebol.

➔**handicap** [ˈhændikæp] [Ingl.] ***S. m.*** **1.** *Esport.* Nas competições esportivas, certa vantagem que algum concorrente dá a outro, a fim de igualar as possibilidades de vitória. **2.** *Esport.* Prova em que são admitidos cavalos de todas as classes, igualando-se as possibilidades de vitória pela diferença de peso. **3.** *Esport.* No golfe, vantagem inicial na pontuação, dada ao golfista amador ou iniciante. **4.** *Med.* Termo que designa desvantagem física ou mental (congênita ou adquirida) resultante de deficiência (com ou sem incapacitação) que afeta um indivíduo. **5.** *Fig.* Desvantagem.

hangar [Do fr. *hangar* < frâncico **haimgard*, 'cerca em torno da casa'.] ***S. m. Gal.*** **1.** *Aer.* Abrigo fechado, ou galpão (1), para balões, dirigíveis, aviões, barcos, etc. **2.** *Bras. Constr. Nav.* Em navio-aeródromo, a primeira coberta abaixo do convés de voo, na qual se guardam e reparam os aviões.

➔**hangfive** [ˈhæŋfajv] [Ingl.] ***S. m. Surf.*** Manobra em que o surfista coloca os dedos de um dos pés no bico da prancha.

➔**hangten** [ˈhæŋtɛn] [Ingl.] ***S. m. Surf.*** Manobra em que o surfista coloca os dedos dos pés no bico da prancha.

hanoveriano ***Adj.*** **1.** Do ou pertencente ou relativo a Hanôver (Alemanha). ● ***S. m.*** **2.** O natural ou habitante de Hanôver. [Var. impr.: *hanovriano.*]

hanovriano ***Adj. S. m.*** V. *hanoveriano.*

hansa [Do fr. *hanse* < ant. alt.-al. *hansa*, 'tropa de soldados' (médio alt.-al. *hanse*, 'associação de mercadores').] ***S. f.*** Associação que existia em várias cidades do N. da Europa, na Idade Média, para efeitos comerciais. [Cf. *ansa.*]

hanseático (se) [Do fr. *hanséatique* < al. *hanseatisch.*] ***Adj.*** Relativo ou pertencente à hansa.

hanseniano [Do antr. (*Gerhard Henrik Armauer*) *Hansen* (1841-1912), médico e botânico norueguês, descobridor do bacilo da lepra, + *-iano.*] ***Adj. S. m.*** V. *leproso* (1 e 5).

hanseníase [Do antr. *Hansen* (v. *hanseniano*) + *-íase.*] ***S. f.*** *Patol.* Infecção crônica causada pelo microrganismo *Mycobacterium leprae*, que produz lesões na pele, mucosas e nervos periféricos. [Sin.: *lepra, gafa, gafeira, gafo, lazeira, elefantíase dos gregos, mal de Hansen, mal-bruto, mal de lázaro, mal de são lázaro, mal-morfético, morfeia* e (bras.) *mal, mal do sangue, mal de cuia, guarucaia, macota, macutena.*]

hantavírus [Do top. *Hantan*, rio da Coreia (Ásia), + *vírus.*] ***S. m. 2 n.*** *Microbiol.* **1.** Gênero de vírus da família *Bunyaviridae*, causadores, em caráter epidêmico, de quadro infeccioso com pneumonia e hemorragias internas; transmite-se pela ingestão de água ou de alimentos contaminados por matéria (urina, fezes, saliva) proveniente de ratos, sendo incerta a possibilidade de transmissão direta de pessoa a pessoa. **2.** Espécie ou espécime desse gênero.

➔**hanukah** [ʕanuˈka] [Hebr.] ***S. m.*** V. *chanukah.*

hapalémure ***S. m.*** *Zool.* V. *hapalêmure.* [Uso freq. em P.]

hapalêmure ***S. m.*** *Zool.* Pequeno lêmure noturno, gênero *Cheirogaleus* ou *Mioxicebus*, que se alimenta de brotos e raízes de bambu.

hapálida [Do gr. *hapalós* (v. *hapalídeo*) + *-ida*[1].] ***S. m. Adj. 2 g.*** *Zool.* V. *calitriquídeo.*

hapalídeo [Do gr. *hapalós*, 'delicado', 'gracioso', + *-ídeo*[1]; tax. *Hapalidae.*] ***S. m. Adj.*** *Zool.* V. *calitriquídeo.*

hápax (cs) [F. red. do gr. *hápax legómenon*, 'o que foi dito apenas uma vez'.] ***S. m. 2 n.*** Palavra, termo, locução, etc., que ocorre apenas uma vez em documento, obra literária ou científica, etc., *i. e.*, que pode ser abonada [v. *abonar* (3)] com apenas uma citação.

hapaxanto (cs) [Do gr. *hápax*, 'uma vez', + *-anto.*] ***Adj.*** *Bot.* Monocárpico (2).

▲ **hapl(o)-** [Do gr. *haplóos-oûs, óē- ê-, óon-oûn.*] ***El. comp.*** = 'não composto'; 'simples': *haploide, haplologia.* [Var. impr.: *apl(o)-: aplito.*]

haplobionte [De *hapl(o)-* + *-bionte.*] ***S. m.*** *Biol.* Organismo cujas células somáticas têm um número haploide de cromossomos; haplonte. [Cf. *diplobionte.*]

haplobiôntico [De *haplobionte* + *-ico*[2].] ***Adj.*** Relativo a haplobionte. ~ V. *ciclo —.*

haplocantossauro ***S. m.*** *Paleont.* **1.** Gênero de dinossauros saurópodes, saurísquios, carnívoros, que habitavam os lagos e as margens dos rios dos Estados Unidos no jurássico superior. Com cerca de 6m de comprimento e 2 toneladas de peso, eram de grande voracidade. **2.** Espécie ou espécime desse gênero.

haplodiplobionte [De *hapl(o)-* + *-dipl(o)-* + *-bionte.*] ***S. m.*** *Biol.* V. *diplobionte.*

haplodiplobiôntico [De *haplodiplobionte* + *-ico*[2].] ***Adj.*** *Biol.* V. *diplobiôntico.* ~ V. *ciclo —.*

haplodiploide (ói) [De *hapl(o)-* + *-dipl(o)-* + *-oide.*] ***Adj. 2 g. S. m.*** *Biol.* Diz-se de, ou indivíduo formado por haplodiploidia. ❖

haplodiploidia [De *haplodiploide* + *-ia*[1].] ***S. f.*** *Biol.* Modo de reprodução em que os machos se desenvolvem de óvulos não fertilizados, sendo, portanto, haploides; as fêmeas desenvolvem-se de óvulos fertilizados e, por isso, são diploides. [É observado, p. ex., nas abelhas, formigas e aranhas.]

haplódoco [Adapt. do tax. *Haplodoci* (do gr. *haplóos*, (v. *hapl(o)-*), + gr. *dakós*, 'viga', 'barra').] ***S. m. Adj.*** *Zool.* V. *batracoidiforme.*

haplófase [De *hapl(o)-* + *-fase*[2].] ***S. f.*** *Biol.* Fase do ciclo vital de certos organismos em que as células são haploides.

haplografia [De *hapl(o)-* + *-grafia.*] ***S. f.*** Haplologia originada por erro de cópia.

haplográfico [De *haplografia -ico*[2].] ***Adj.*** Relativo à haplografia.

haploide (ói) [De *hapl(o)-* + *-oide.*] ***Adj. 2 g.*** *Biol.* Que tem número de cromossomos típico dos gametas normais: *núcleo haploide.* ~ V. *célula —* e *número —.* [Cf. *diploide, tetraploide* e *triploide.*] ❖

haploidia [De *haploide* + *-ia*[1].] ***S. f.*** *Biol.* Estado de uma célula ou de um organismo em que o material genético é formado por um só conjunto de cromossomos.

haplolepídeo [Do tax. *Haplolepus* + *-ídeo*[1]; tax. *Haplolepidae.*] *Paleont.* ***S. m.*** **1.** Espécime dos haplolepídeos, família de pequenos peixes actinopterígios, primitivos, do carbonífero superior, caracterizados pelas grandes escamas. ● ***Adj.*** **2.** Pertencente ou relativo a eles.

haplologia [De *hapl(o)-* + *-logia.*] ***S. f.*** *E. Ling.* Contração ou redução dos elementos similares de um vocábulo. Ex.: *semínima*, por *semimínima*; *idólatra*, por *idolólatra*; *bondoso*, por *bondadoso.* [Cf. *síncope* (2).] ◆ **Haplologia sintática.** Redução de duas palavras homônimas ou parônimas, e vizinhas, a uma só. Ex.: "Antes queria morrer do que [que] me acusassem de ladrão." (Domingos Monteiro, *Contos do Dia e da Noite*, p. 137)

haplológico [De *haplologia* + *-ico*[2].] ***Adj.*** Relativo à, ou em que ocorre haplologia.

haplomastodonte [De *hapl(o)-* + *mastodonte*; tax. *Haplomastodon.*] ***S. m.*** *Paleont.* **1.** Gênero de mamíferos proboscídeos, gonfoteriídeos, largamente distribuídos na América do Sul, tendo migrado do norte. No grupo inclui-se a maior parte dos mastodontes brasileiros, esp. a espécie *Haplomastodon waringi*, da qual existe em Araxá (MG) um rico jazigo com cerca de trinta indivíduos. **2.** Espécie ou espécime desse gênero.

haplomo [De *hapl(o)-* + *-omo*; tax. *Haplomi.*] ***S. m. Adj.*** *Zool. Desus.* V. *salmoniforme.*

haplonte [De *hapl(o)-* + *-onte.*] ***S. m.*** *Biol.* Haplobionte.

haplopoliploide (ói) [De *hapl(o)-* + *poliploide.*] ***Adj. 2 g.*** Diz-se de organismo, célula ou núcleo poliploide na fase em que apresenta um número haploide de cromossomos. ❖

haplosporídio [Adapt. do tax. *Haplosporidia.*] *Zool.* ***S. m.*** **1.** Espécime dos haplosporídios, ordem de protozoários cnidosporídios, com esporos em número reduzido, dentro de um cisto pequeno. São, em sua maioria, parasitas de anelídeos. ● ***Adj.*** **2.** Pertencente ou relativo a eles.

haplóstomo [De *hapl(o)-* + *-stomo.*] ***Adj.*** *Zool.* Que tem abertura ou boca simples.

haplótipo [De *hapl(o)-* + *-tipo.*] ***S. m.*** *Genét.* Grupo de alelos situados em regiões muito próximas, sendo transmitidos em conjunto para os descendentes.

haplotomia [De *hapl(o)-* + *-tom(o)-* + *-ia*[1].] ***S. f.*** *Desus. Cir.* Incisão simples.

➔**happening** [ˈhæpənɪŋ] [Ingl., 'acontecimento', 'evento'.] ***S. m.*** Manifestação artística em que se mesclam artes visuais, improvisações cênicas e objetos não artísticos, e que é aberta à participação do público.

➔**happy ending** [ˈhæpij ˈɛndɪŋ] [Ingl., 'fim feliz'.] V. *fim feliz.*

➔**happy few** [ˈhæpij fjuw] [Ingl.] Os poucos felizes; a elite intelectual.

➔**happy hour** [ˈhæpij ˈæwɚ] [Ingl., lit. 'hora feliz'.] ***S. m.*** Período após o expediente de trabalho, em que as pessoas se encontram em bares, restaurantes, etc., para beber, comer e conversar.

hapteno [Do rad. gr. *hapt-* (< gr. *haptein*, 'prender', 'fixar'), + *-eno*[2]; al. *Hapten.*] ***S. m.*** *Imun.* Substância de baixo peso molecular, sem poder antigênico, e que é um dos dois constituintes de um antígeno. [Para ter poder antigênico, o hapteno deve estar associado a uma substância proteica ou polissacarídea denominada *portador.*]

haptonomia ***S. f.*** *Psiq.* Técnica de apoio a paciente em estágio terminal de doença, e que o prepara psicologicamente para enfrentar a fase final da vida: "Ela (Marie de Hinnezel [psiquiatra francesa da atualidade]) desenvolveu uma técnica chamada haptonomia, ciência do contato afetivo, que considera salvadora no momento da morte." (*O Globo*, 09.01.1996.)

haptotrópico [De *haptotropismo* + *-ico*[2], seg. o padrão erudito.] ***Adj.*** *Ecol.* Relativo ao haptotropismo.

haptotropismo ***S. m.*** *Ecol.* Reação de uma planta, ou de parte dela, a estímulo externo, como, p. ex., o toque. [V. *tropismo.*]

haraganar [De *haragano* + *-ar*[2].] ***V. int.*** *Bras. S.* V. *haraganear.*

haraganear [Do esp. (plat.) *haraganear.*] ***V. int.*** *Bras. S.* **1.** Viver solto (o animal); tornar-se haragano. **2.** Andar sem ocupação; vadiar. [Sin. ger.: *haraganar.* Conjug.: v. *frear.*]

haragano [Do esp. (plat.) *haragán*, 'preguiçoso', alter. do esp. (ant.) *harón* < ár. *harûn*, 'cavalo que empaca'.] ***Adj.*** *Bras. S.* **1.** Diz-se do cavalo que dificilmente se deixa agarrar. **2.** Mandrião, velhaco, vagabundo.

haraquiri [Do jap. *haru-quiri*, poss. pelo fr. *hara-kiri.*] ***S. m.*** Modalidade japonesa de suicídio, que consiste em rasgar o ventre a faca ou a sabre.

haras [Do fr. *haras* < ant. escandinavo *hârr*, 'de pelo cinzento', poss.] ***S. m. 2 n.*** *Turfe* Campo ou fazenda de criação de cavalos de corrida; coudelaria. [Cf. *aras*, do v. *arar* e pl. de *ara.*]

➔**hard news** [hɑɹd njuwz] [Ingl.] ***S. m. 2 n.*** *Jorn.* Material jornalístico noticioso que trata de forma objetiva assuntos sérios, ou complexos, do cotidiano, ou da área política, econômica, etc.

➔**hard rock** [hɑɹd ɹak] [Ingl.] V. *roque pesado.*

➔**hardware** [ˈhɑɹdwejɹ] [Ingl., lit., 'conjunto de peças (ger., metálicas); ferragens, maquinaria, aparelhagem'.] ***S. m.*** *Inform.* Componente, ou conjunto de componentes físicos de um computador ou de seus periféricos. [Cf. *software.*]

➔**hare krishna** [ˈhare ˈkriʃna] [Ingl., do hindi, lit., 'Ó Senhor Krishna' (vocativo), palavra de abertura de um verso sagrado frequentemente cantado em público pelos adeptos do movimento.] *Rel.* Membro de uma seita hinduísta ('Consciência de Krishna'), baseada na adoração do deus Krishna, e que foi fundada nos Estados Unidos em 1966, cujos princípios incluem vegetarianismo, abstenção de sexo fora do casamento e completa abstinência de drogas e jogos de azar.

harém [Do fr. *harem* < ár. *ḥarīm*, 'aquilo que é proibido, ou que se deve manter fora de alcance, defendido'; 'objeto ou pessoa sagrada'; 'santuário, lugar inviolável'; 'a parte da casa reservada à mulher (e à qual um estranho não pode ter acesso)'; 'a(s) esposa(s)'.] ***S. m.* 1.** Parte do palácio do sultão muçulmano onde se acham encerradas as odaliscas; serralho. **2.** O conjunto das odaliscas de um harém. **3.** Parte da casa muçulmana destinada à habitação das mulheres. **4.** *Fig.* V. *prostíbulo.* [Cf. *arem*, do v. *arar.*]

▲ **hariolo-** [Do lat. *hariŏlus, i* + *-o-* (q. v.).] ***El. comp.*** = 'adivinho': *hariolomancia; hariolomante.*

haríolo [Do lat. *hariolu.*] ***S. m.*** V. *adivinho.*

hariolomancia (i...cí) [De *hariolo-* + *-mancia.*] ***S. f.*** Arte de adivinhar por meio de ídolos.

hariolomante (i) [De *hariolo-* + *-mante.*] ***S. 2 g.*** Pessoa que pratica a hariolomancia.

hariolomântico (io) [De *hariolomante* + *-ico*[2].] ***Adj.*** Relativo a hariolomancia, ou a hariolomante.

harmala [Do lat. cient. *harmala*, do ár. *ḥarmal.*] ***S. f.*** *Bot.* Erva zigofilácea (*Peganum harmala*) originária da Índia e de regiões do Mediterrâneo oriental, com sementes fortemente odoríferas que fornecem alcaloides us. como vermífugo e como estimulante.

harmalina [De *harmala* (q. v.) + *-ina*[3].] ***Adj.*** *Quím.* Substância alucinogênica relacionada à harmina [fórm.: $C_{13}H_{14}N_2O$].

harmatã ***S. m.*** *Met.* Vento nordeste, ou este, seco e carregado de poeira, que ocorre no O. da África, e cujos efeitos são sentidos de janeiro a julho, desde o N. do Equador às proximidades do trópico de Câncer; harmatão: "Chegaram os mais famosos, os mais ilustres ventos da Terra: / .... / — Harmatã, em fúrias gloriosas e torvelinhos, trazidos da Costa da Guiné" (Joaquim Cardoso, *Poesias Completas*, p. 69).

harmatão ***S. m.*** *Met.* Harmatã.

harmina [De *har(mala)* (q. v.) + *-ina*[3].] ***S. f.*** *Quím.* Alcaloide encontrado no caapi e nalgumas plantas aparentadas, que tem ação alucinógena [fórm.: $C_{13}H_{12}N_2O$]. [Tais plantas, empregadas pelos índios em rituais sagrados, ocorrem na região amazônica.]

harmonia [Do gr. *harmonía.*] ***S. f.* 1.** Disposição bem ordenada entre as partes de um todo. **2.** Proporção, ordem, simetria. **3.** Acordo, conformidade. **4.** V. *paz* (1 e 2). **5.** Suavidade e sonoridade do estilo. **6.** Consonância ou sucessão agradável de sons. **7.** *Anat.* Sinartrose formada por dois ossos cujo contato se dá mediante superfícies de recorte quase imperceptível, como é o caso de osso nasal com ramo ascendente de maxilar. **8.** *E. Ling.* Influência que um som de palavra ou sintagma exerce sobre outro(s), vizinho(s) ou próximo(s), e que os torna mais semelhantes entre si. **9.** *Mús.* Na Grécia antiga, sucessão lógica dos sons, dentro da oitava. **10.** *Mús.* Na Grécia antiga, um acorde de sons e, particularmente, um acorde de oitava. **11.** *Mús.* Entre os gregos, modo (15), como, p. ex., o dório, o frígio, o lídio, etc. **12.** *Mús.* Entre os gregos, a adaptação de um texto a uma melodia. **13.** *Mús.* Arte e ciência que tem por objeto a formação e o encadeamento dos acordes, segundo as leis da tonalidade (q. v.), do cromatismo (q. v.), ou, modernamente, por meio do afastamento mais ou menos radical das categorias tonais. [Cf. *contraponto* e *atonalidade.*] **14.** *Mús.* Conjunto dos instrumentos de sopro, na orquestra. **15.** *Mús.* Orquestra formada exclusivamente por instrumentos de sopro e percussão; banda, fanfarra. ◆ **Harmonia consonantal.** *E. Ling.* Harmonia (8) exercida sobre consoantes. **Harmonia imitativa.** *Mús.* Reprodução de sensações diversas por intermédio dos sons ou do ritmo. **Harmonia preestabelecida.** *Filos.* Segundo Leibniz (v. *leibniziano*), acordo estabelecido por Deus entre as mônadas, que explica a ação recíproca de umas sobre as outras pela correspondência previamente determinada entre suas leis de desenvolvimento interno. **Harmonia vocálica.** *E. Ling.* Harmonia (8) exercida sobre vogais de uma palavra ou sintagma.

harmónica ***S. f.*** V. *harmônica.* [Uso freq. em P.]

harmônica [Do ingl. *harmonica*, 'instrumento musical inventado na Alemanha e aperfeiçoado por Benjamin Franklin (1716-1790)'.] ***S. f.* 1.** Instrumento musical: caixa de ressonância provida de lâminas de vidro de comprimento desigual que são vibradas com uma baqueta. [Cf. *copofone.*] **2.** V. *gaita* (2). **3.** V. *concertina.* **4.** *Bras.* Espécie de acordeão (1).

harmónico ***Adj. S. m.*** V. *harmônico.* [Uso freq. em P.]

harmônico [Do lat. *harmonicu* < gr. *harmonikós.*] ***Adj.* 1.** Concernente a, ou em que há harmonia. **2.** Regular; coerente; proporcionado. **3.** *Fís.* Diz-se de um fenômeno a que se associa uma expressão analítica que envolve uma função harmônica do tempo. **4.** *Fís.* Diz-se do fenômeno periódico cuja frequência (4) é um múltiplo inteiro da frequência de outro. ~ V. *analisador —, análise —a, baixo —, divisão —a, função —a, função —a simples, marcha —a, média —a, movimento —, movimento — simples, onda —a, progressão —a, razão —a* e *série —a.* ● ***S. m.* 5.** Cada um dos múltiplos da frequência fundamental (q. v.). **6.** *Fís.* Fenômeno harmônico (4). **7.** *Mús.* Cada um dos sons produzidos numa série harmônica (2).

harmonicorde [De *harmôni(o)* + *-corde*, poss.] ***S. m.* 1.** Espécie de piano de cordas friccionáveis por meio de um rolo acionado por teclado. **2.** Instrumento inventado por A. F. Debain (1809-1877), dotado de cordas e de palhetas livres, e que é uma combinação de piano e harmônio.

harmoniense ***Adj. 2 g.* 1.** De, ou pertencente ou relativo a Harmonia (RS). ● ***S. 2 g.* 2.** O natural ou habitante de Harmonia.

harmoniflute [Do fr. *harmoniflûte.*] ***S. m.*** Instrumento musical intermediário entre o harmônio e a sanfona.

harmónio ***S. m.*** V. *harmônio.* [Uso freq. em P.]

harmônio [Do fr. *harmonium*, voc. pseudolatino criado por A. F. Debain (1809-1877), fabricante de órgãos, em 1840.] ***S. m.*** Pequeno órgão de sala em que os tubos são substituídos por palhetas livres.

harmonioso (ô) [De *harmonia* + *-oso.*] ***Adj.* 1.** Que tem harmonia. **2.** Que está em harmonia, em consonância; acorde, proporcionado: "Ouvindo-a [à cigarra], ... entre o rumor silencioso da mata virgem, achei-a harmoniosa com a imensidade sombria, pesada, ... da espessura impenetrável." (Mário de Alencar, *Contos e Impressões*, p. 177.)

harmonista[1] [De *harmonia* + -ista.] ***S. 2 g.*** Pessoa que sabe as regras da harmonia.

harmonista[2] [De *harmônio* + *-ista.*] ***S. 2 g.*** *Bras.* Tocador de harmônio.

harmonística [Do fr. *harmonistique.*] ***S. f.*** *Rel.* Estudo da conciliação ou harmonização crítica das diversas passagens do Novo Testamento que parecem contraditórias.

harmónium ***S. m.*** V. *harmônium.* [Uso freq. em P.]

harmônium ***S. m.*** V. *harmônio.*

harmonização [De *harmonizar* + *-ção.*] ***S. f.*** Ação ou efeito de harmonizar(-se).

harmonizador (ô) [De *harmonizar* + *-dor.*] ***Adj. S. m.*** Que, ou aquele que harmoniza.

harmonizar [De *harmonia* + *-izar.*] ***V. t. d.* 1.** Pôr em harmonia (1); tornar harmônico; conciliar, congraçar. **2.** *Mús.* Escrever o acompanhamento musical de (uma melodia). **3.** *Mús.* Realizar os acordes indicados em (um baixo-cifrado). ***T. d. e i.* 4.** Pôr em harmonia (1); tornar harmônico; conciliar, congraçar: *Consegui harmonizar os meus pontos de vista com os seus.* ***T. i. Int.* 5.** Estar em harmonia; estar harmônico, de acordo; harmonizar-se: *Sua concepção harmoniza com a minha; Nossas ideias harmonizaram.* ***P.* 6.** Estar ou ficar em harmonia; estar ou pôr-se harmônico, de acordo; harmonizar: *Suas opiniões se harmonizam;* "gesticulo ou ando, e meus passos e gestos harmonizam-se com os alheios, como num bailado" (Geir Campos, *O Vestíbulo*, p. 16).

harmonizável [De *harmonizar* + *-vel.*] ***Adj. 2 g.*** Que se pode harmonizar; compatível, conciliável.

harmonógrafo [Do V.C.I. *harmono-* (< gr. *harmonía*) + *-grafo*; ingl. *harmonograph.*] ***S. m.*** *Fís.* Instrumento destinado a evidenciar graficamente a superposição de dois movimentos periódicos, e que pode ser mecânico, elétrico, óptico, etc.

harmonómetro ***S. m.*** V. *harmonômetro.* [Uso freq. em P.]

harmonômetro [Do fr. *harmonométre.*] ***S. m.*** Instrumento com que se medem as relações harmônicas dos sons.

harmosta [Do gr. *harmostés.*] ***S. m.*** Designação dos governadores militares que, durante sua hegemonia, os lacedemônios estabeleceram nas cidades subjugadas.

harpa [Do fr. *harpe* < lat. tard. *harpa* < germ. **harpa.*] ***S. f.* 1.** *Mús.* Instrumento musical de cordas dedilháveis, conhecido desde a Antiguidade. **2.** *Mús.* Atualmente, instrumento aproximadamente triangular, de cordas desiguais, que se tangem com os dedos das duas mãos, e dotado de um mecanismo de pedais. **3.** *Tip.* Resvaladouro (4). [Cf. *arpa*, do v. *arpar.*] ◆ **Harpa eólia.** *Mús.* Instrumento musical constituído por uma caixa sonora com seis ou oito cordas afinadas em um mesmo tom, e que soava quando exposto a uma corrente de vento.

hárpaga [Do lat. *harpaga* < gr. *harpáge.*] ***S. f.*** Gancho de ferro us. para abordar embarcação.

harpagão [Do ficciôn. fr. *Harpagon*, da obra *O Avarento*, de Molière (v. *molièresco*).] ***S. m.*** V. *avaro* (3): "— Um pouco tolo, dominado pela mulher, que é .... um harpagão de saias. .... — Tão somítica que põe de novo na caixa de rapé os resíduos das unhas, quando toma uma pitada." (Cardoso de Oliveira, *Dois Metros e Cinco*, p. 121.)

harpar [De *harpa* + *-ar*[2].] ***V. t. d. Int.*** V. *harpear.* [Cf. *arpar.*]

harpaxofobia (cs) [Do gr. *hárpax*, 'rapina', 'roubo', + *-o-*[1] + *-fobia.*] ***S. f.*** *Psiq.* Medo mórbido de ser vítima de roubo, de ser assaltado.

harpaxofóbico (cs) [De *harpaxofobia* + *-ico*[2].] *Psiq.* ***Adj.* 1.** Relativo a harpaxofobia. **2.** Que sofre de harpaxofobia; harpaxófobo. ● ***S. m.* 3.** Aquele que sofre de harpaxofobia; harpaxófobo.

harpaxófobo (cs) [Do gr. *hárpax*, 'rapina', 'roubo', + *-o-*[1] + *-fobo.*] ***Adj. S. m.*** *Psiq.* Harpaxofóbico (2 e 3).

harpear [De *harpa* + *-ear*[2].] ***V. t. d.* 1.** Tocar na harpa: *Harpeou uma bela romança.* ***Int.* 2.** Tocar harpa. [Sin. ger.: *harpar, harpejar.* Conjug.: v. *frear.* Cf. *arpear.*]

harpejar [De *harpa* + *-ejar.*] ***V. t. d. Int.*** V. *harpear.* [Conjug.: v. *pelejar.* Pres. ind.: *harpejo*, etc. Cf. *arpejo*, do v. *arpejar*, e este v.]

harpia[1] (pí) [Do lat. *harpyia* < gr. *hárpyia.*] ***S. f.* 1.** Monstro fabuloso, com rosto de mulher e corpo de abutre: "Aquele, que gigante inda no berço / Se mostrava às nações, no berço mesmo / E já cadáver de cruéis harpias, / De malfazejas fúrias." (José Bonifácio, *Poesias*, p. 160.) **2.** Pessoa ávida, que vive de extorsões.

harpia[2] (pí) [Do tax. *Harpia* (v. *harpia*[1]).] ***S. f.*** *Zool.* **1.** Gênero monoespecífico de aves falconiformes, acipitrídeas, do México, América Central e região cisandina até o N. da Argentina. Têm a parte superior do corpo cinza-claro, crista e fita peitoral cinza, parte inferior branca, rêmiges enegrecidas e cauda parda listrada de preto. **2.** A espécie desse gênero (*Harpia harpyja*), dotada de dupla crista, e de bico e garras muitíssimo fortes; ocorre na América do Sul e na América Central. **3.** Qualquer espécime desse gênero. [Sin., nas acepçs. 2 e 3: *cutucurim, gavião-de-penacho, gavião-real, uiraçu* ou *uraçu, uiruuetê.*]

harpista [De *harpa* + *-ista.*] ***S. 2 g.*** *Mús.* Pessoa que toca e/ou ensina a tocar harpa: "Que as harpistas toquem alguma cousa..." (Eugênio de Castro, *Obras Poéticas*, II, p. 171.) [Cf. *arpista.*]

harritiaã *Bras.* ***S. 2 g.* 1.** *Etnôn.* Indivíduo dos harritiaãs [ou (etnôn. bras.) *Harrytiahan], povo indígena extinto que habitava as margens do rio Vila Nova, no S. do AP. ● ***Adj. 2 g.* 2.** Pertencente ou relativo a esse povo.

harto [Do esp. *harto* < lat. *fartu*, 'cheio', part. pass. de *farcire.*] ***Adj.* 1.** Forte, robusto, sólido: "Era inteiriço tronco centenário, / Harto jequitibá daqueles sítios" (Alberto de Oliveira, *Poesias*, 3ª série, p. 138). **2.** Grosso, espesso: "Hartos troncos, robustos, gigantes; / Vossas matas tais monstros contêm." (Gonçalves Dias, *Obras Poéticas*, I, p. 30.) ● ***Adv.* 3.** De sobra; muito, assaz: "é plausível que a sua filosofia [de Pitágoras], por demasiado científica e ideal, e a sua política, por harto facciosa e adversa aos princípios e aos interesses democráticos, não atraíssem o afeto das multidões" (Latino Coelho, *A Oração da Coroa*, p. CLXXX).

haruspicação [Do lat. *(h)aruspicatione.*] ***S. f.*** V. *aruspicação.*

harúspice [Do lat. *(h)aruspice.*] ***S. m.*** V. *arúspice.*

haruspicino [Do lat. *(h)aruspicinu.*] ***Adj.*** V. *aruspicino.*

haruspício [Do lat. *(h)aruspiciu.*] ***S. m.*** V. *aruspício.*

harveyano ***Adj.* 1.** Relativo ou pertencente a William Harvey (1578-1657), médico inglês, ou próprio dele. **2.** Que é seguidor e/ou grande admirador de seus trabalhos. ● ***S. m.* 3.** Seguidor e/ou admirador de William Harvey, ou de seus trabalhos.

→**hashi** [haʃi] [Jap.] ***S. m. pl.*** Par de varetas us. para levar a comida à boca.

hassídico [De *hassidismo* + *-ico*[2], seg. o padrão erudito.] ***Adj.*** Pertencente ou relativo ao hassidismo.

hassidismo [Do hebr. *hassid*, 'piedoso', + *-ismo.*] ***S. m.*** Seita religiosa de tendência carismática fundada pelo rabino Israel Baal Shem-Tov no séc. XVIII, e que se caracteriza pela alegria em servir a Deus, com danças e cantos.

hássio [De *hass(ias)*, latinização para *Hess*, estado da Alemanha, + *-io*[3].] ***S. m.*** *Quím.* Elemento transférmico (q. v.) de número atômico 108 [símb.: *Hs*]; unilóctio.

hasta [Do lat. *hasta.*] ***S. f.* 1.** Lança, pique. **2.** Leilão, arrematação. ◆ **Hasta pública.** *Jur.* Venda de bens em pregão público, efetuada privativamente por leiloeiros públicos ou, onde não os houver, pelos porteiros dos auditórios do foro, a quem oferecer maior lanço, não devendo este, em nenhum caso, ser inferior ao preço da estimativa judicial feita de antemão; leilão. [Cf. *licitação* (1).]

hastado [De *hasta* + *-ado*[1].] ***Adj.*** Dotado de hasta (1). ~ V. *folha —a.*

haste [De *hasta.*] ***S. f.* 1.** Pau ou ferro, direito, longo e levantado, no qual se encrava ou apoia alguma coisa.

2. Pau de bandeira. 3. *P. ext.* Caule. [Dim. irreg.: *hastilha.*] 4. V. *corno* (1). [Var., nessas acepç.: *hástia.*] 5. *P. ext.* Parte longa e levantada: "Mário tinha uma bela caligrafia, ... caprichava nas hastes das maiúsculas" (Oto Lara Resende, *Boca do Inferno*, p. 74). 6. *Tip.* O floco de metal ou de madeira que constitui o tipo, excetuado o olho; fuste. 7. *Tip.* O traço alongado das letras ascendentes e das letras descendentes. [Cf., nesta acepç., *perna* (6).] ◆ **Haste de aterramento.** *Eng. Elétr.* Eletrodo constituído de uma peça condutora rígida, enfiada no solo.

hasteado [Part. de *hastear.*] *Adj.* 1. Posto em haste. 2. Arvorado, erigido.

hasteamento [De *hastear* + *-mento.*] *S. m.* Ação de hastear.

hastear [De *haste* + *-ear*[2].] *V. t. d.* 1. Elevar ou prender ao cimo de uma haste, vara ou mastro; içar, arvorar. 2. *P. ext.* Erguer alto: "o tamanduá passeava gravemente hasteando o longo penacho de sua cauda à guisa de bandeira." (José de Alencar, *O Sertanejo*, p. 213). *P.* 3. Erguer-se alto; levantar-se. 4. Içar-se, desfraldar-se. [Conjug.: v. *frear.*]

▲ **hasti-** [Do lat. *hăsta, ae.*] *El. comp.* = 'hasta', 'lança'; 'haste': *hastiforme, hastifoliado; hastibranco, hastifino.*

hástia [De *hasta.*] *S. f.* V. *haste* (1 a 4): "viu-se o Conde dos Arcos firme na sela provocar o ímpeto da fera e a hástia flexível do rojão ranger e estalar, embebendo o ferro no pescoço musculoso do boi." (Rebelo da Silva, *Contos e Lendas*, pp. 177-178); "Vê quando a amendoeira em flores se desata, / curva as hástias cheirosa, e a primavera chama." (Antônio Feliciano de Castilho, *As Geórgicas*, p. 25).

hastibranco [De *hasti-* + *branco.*] *Adj.* Diz-se do touro de hastes brancas com ponta negra.

hastifino [De *hasti-* + *fino.*] *Adj.* Diz-se do touro que tem hastes delgadas.

hastifoliado [De *hasti-* + *-foli-* + *-ado*[1].] *Adj. Bot.* Que tem folhas hastadas.

hastiforme [De *hasti-* + *-forme.*] *Adj. 2 g.* Que tem forma de hasta (1); lanceolado.

hastil [Do lat. *hastile.*] *S. m.* 1. Cabo de lança. [Cf. *haste* (1).] 2. Haste (3): "Entre os mil primores, / Que há pelo Brasil, / Brilham essas flores / De doirado hastil." (Martins Fontes, *Vulcão*, p. 103.)

hastilha [De *haste* + *-ilha.*] *S. f.* 1. Pequena haste. 2. *Constr. Nav.* Nos navios de casco metálico, chapa vertical disposta ao pé de cada caverna, transversalmente à quilha, para reforçar a ligação daquela com esta. [Cf. *astilha.*]

hastilhar [De *hastilha* + *-ar*[2].] *V. t. d. P.* Fazer(-se) em hastilhas; despedaçar(-se), romper(-se); estilhaçar(-se).

hastingsita [Do top. *Hastings* (Canadá) + *-ita*[3].] *S. f. Min.* Mineral monoclínico, aluminossilicato básico de sódio, cálcio e ferro com magnésio do grupo dos anfibólios.

hastiverde (ê) [De *hasti-* + *verde.*] *Adj. 2 g.* Diz-se do touro cujas hastes são esverdeadas.

hataioga *S. f.* V. *ioga.* ❇

hauçá *S. 2 g.* 1. Indivíduo dos hauçás, povo muçulmano do N. da Nigéria, S. do Níger e N. de Camarões: "Os hauçás, antes de mais nada, tinham-se por agricultores." (Alberto da Costa e Silva, *A Enxada e a Lança*, p. 433.) 2. *P. ext.* Indivíduo dos haúças trazido como escravo para o Brasil no início do séc. XIX. ● *S. m.* 3. *Gloss.* Língua do ramo chadiano da família camito-semita, falada principalmente na Nigéria, mas também em Níger, Camarões, Chade e Gana. [É a única língua chadiana a ter escrita, e emprega atualmente o alfabeto romano, em lugar do árabe.] 4. Vocábulo dessa língua. ● *Adj. 2 g.* 5. Pertencente ou relativo aos hauçás ou à sua língua. [Var.: *haúça, haússa, haussá.*]

haúça *S. m.* V. *hauçá.*

haurir [Do lat. *haurire.*] *V. t. d.* 1. Tirar para fora de lugar profundo. 2. Esgotar, consumir. 3. Beber; sorver, aspirar: "andou esse extravagante inglês [Cook] pisando todos os areais, haurindo todas as brisas, galgando todos os montes" (Olavo Bilac, *Crítica e Fantasia*, p. 150); "hauro-lhe o flóreo e lânguido perfume" (Gilca da Costa Melo Machado, *Mulher Nua*, p. 39). 4. Extrair, colher: "a Amazônia brasileira haure os seus recursos, como antigamente, da borracha, da juta, da castanha-do-pará, ... do pirarucu, do casco de tartaruga." (Edison Carneiro, *A Sabedoria Popular*, p. 26). [Normalmente, não se conjuga nas f. terminadas em *o* e *a.*]

haurível [De *haurir* + *-vel.*] *Adj. 2 g.* Que se pode haurir. [Pl.: *hauríveis.*]

hausmannita [Do antr. (*J. F. L.*) *Hausmann* (1782-1859), mineralogista alemão, + *-ita*[3]; ingl. *hausmannite.*] *S. f. Min.* Mineral tetragonal, óxido de manganês.

haussá *S. m.* V. *hauçá.*

haússa *S. m.* V. *hauçá.*

haustelado[1] [De *haustelo* + *-ado*[1].] *Adj.* Adaptado para sugar; haustelar.

haustelado[2] [Do lat. cient. *haustellum* + *-ado*[3]; tax. *Haustellata.*] *Zool. S. m.* 1. Espécime dos haustelados, agrupamento artificial de insetos, que reúne os providos de haustelo ou probóscide; antliado. ● *Adj.* 2. Pertencente ou relativo a eles.

haustelar [De *haustelo* + *-ar*[1].] *Adj. 2 g.* Haustelado[1].

haustelo [Do lat. cient. *haustellum* < lat. *haustum* + lat. cient. *-ellum.*] *S. m. Zool.* Parte da armadura bucal dos insetos dípteros.

hausto [Do lat. *haustu.*] *S. m.* 1. Ato de haurir. 2. Trago, gole; sorvo. 3. Sorvo, aspiração: "Depois dilatou as narinas e sorveu o ar num hausto cheio, que correu livre os brônquios." (Moreira Campos, *Portas Fechadas*, p. 13.) 4. Medicamento que se bebe.

haustório [Do lat. *haustor, oris*, 'o que tira (líquido)', 'o que bebe', + *-io*[3].] *S. m. Micol.* Estrutura especializada pela qual certos fungos (p. ex., os parasitas de plantas) absorvem o alimento do organismo parasitado.

➔ **haute gomme** [ˈot gɔm] [Fr.] *Gír.* A sociedade elegante.

haüynita [Do antr. (*René Just*) *Haüy* (1743-1822), mineralogista francês, + *-n-* + *-ita*[3].] *S. f. Min.* Mineral monométrico, silicato de sódio e alumínio com sulfato de cálcio, na proporção de três moléculas do primeiro para uma do segundo.

havaiano (a-i) *Adj.* 1. Do, ou pertencente ou relativo ao arquipélago-estado norte-americano do Havaí (Oceania). ~ V. *guitarra —a.* ● *S. m.* 2. O natural ou habitante do Havaí.

havana [Do top. *Havana* (Cuba).] *S. m.* 1. Charuto fabricado em Havana (Cuba), ou que imita os feitos ali: "o espanhol .... continuou a fumar tranquilamente o seu havana." (Artur Azevedo, *Contos Possíveis*, p. 121). [Em Portugal, *havano.*] ● *Adj. 2 g. e 2 n.* 2. Castanho-claro.

havanês *Adj.* 1. De, ou pertencente ou relativo a Havana, capital de Cuba. ● *S. m.* 2. O natural ou habitante de Havana. [Sin. ger.: *havano.* Flex.: *havanesa* (ê), *havaneses* (ê), *havanesas* (ê).]

havano[1] *Adj. S. m.* Havanês.

havano[2] [F. red. de (*charuto*) *havano.*] *S. m. Lus.* Havana (1).

haver [Do lat. *habere.*] *V. t. d.* 1. *P. us.* Ter, possuir: "A todo o instante que este livro abrires, / Lendo estes versos, dize: hei um amigo." (Domingos José Gonçalves de Magalhães, *Suspiros Poéticos e Saudades*, p. 339.) 2. Alcançar, obter, conseguir: *Muito se esforçou, e não houve o que sonhava.* 3. Sentir, experimentar; ter: *Todos houveram medo de se envolver na questão.* 4. Considerar, julgar, entender: *Houveram que era covardia suportar semelhante afronta.* ● *Impess.* 5. Existir (1): "Há no meu ser crepúsculos e auroras" (Raul de Leoni, *Luz Mediterrânea*, p. 27); "Há numa vida humana cem mil vidas" (Olavo Bilac, *Poesias*, p. 174); "Podia haver prêmios literários conferidos a escritores para que não escrevessem." (Afonso Lopes Vieira, *Nova Demanda do Graal*, p. 319). 6. Suceder, acontecer, ocorrer, dar-se: "Naturalmente, houve alguma vez arrufos." (Machado de Assis, *A Semana*, II, p. 378). 7. Realizar-se, efetuar-se, ocorrer, dar-se: "Cerimônias religiosas, houve-as, e muito concorridas e solenes" (José Vieira, *Sol de Portugal*, p. 90). 8. Fazer (37): "Havia dias não caía neve." (Benjamim Costallat, *Modernos...*, p. 103); *Havia meses que não nos víamos.* 9. Fazer (36): "havia luar." (Aluísio Azevedo, *Pegadas*, p. 85); "faz frio. Há bruma. Agosto vai em meio." (Vicente de Carvalho, *Poemas e Canções*, p. 130); *Ao voltarmos de Petrópolis, havia um ruço dos diabos.* 10. Existir meio de; ser possível: "E lá se vão [os bois]; não há mais contê-los ou alcançá-los." (Euclides da Cunha, *Os Sertões*, p. 128); "Não há entender mulheres, Sr. Aires Ruivo" (Tristão da Cunha, *Histórias do Bem e do Mal*, p. 79); "Carlota determinara ir ao teatro, não havia persuadi-la de outra coisa." (Machado de Assis, *Contos sem Data*, p. 128). *T. d. e i.* 11. Obter, conseguir, alcançar: *Os sentenciados houveram do juiz a comutação da pena.* ***Transobj.*** 12. Ter na conta de; julgar, supor, considerar: *Todos o havemos por inteligente.* *P.* 13. Proceder, portar-se, comportar-se: "Sim, três vezes louco, pois te houveste com o poder, que te dei, mais inconsideradamente que menino de berço com lanceta afiada!" (Aquilino Ribeiro, *Estrada de Santiago*, p. 313); "Na sangrenta luta da Ponta da Armação, ... Remígio se houve com grande bravura" (Antônio Celso Alves Pereira, *Rua do Quenta-Sol*, pp. 52-53). 14. Entender-se, arranjar-se, avir-se: "Rubião tinha vexame por causa de Sofia; não sabia haver-se com senhoras." (Machado de Assis, *Quincas Borba*, p. 39.) 15. Como auxiliar, junto ao particípio, forma os tempos compostos para o pretérito: "Havia começado o inverno." (Nélida Piñon, *Sala de Armas*, p. 167.) 16. Como auxiliar, junto do infinitivo precedido da preposição *de*, forma os tempos compostos do futuro: *Hás de perceber que o rapaz tem bons princípios*; "A vida, meu Amor, quero vivê-la! / Na mesma taça erguida em tuas mãos, / Bocas unidas hemos de bebê-la!" (Florbela Espanca, *Sonetos Completos*, p. 71). [Pres. do ind.: *hei, hás, há, havemos* ou *hemos, haveis* ou *heis, hão*; pret. imperf.: *havia*, etc.; perf.: *houve, houveste, houve, houvemos, houvestes, houveram*; m.-q.-perf.: *houvera, houveras*, etc.; imperat.: *há, havei*; pres. subj.: *haja, hajas*, etc.; imperf.: *houvesse, houvesses*, etc.; fut.: *houver, houveres*, etc. Cf. *ah, eis*, o pres. subj. do v. *agir*, o pres. ind. do v. *aviar* e *ouve*, do v. *ouvir*. As f. *hemos* e *heis* estão obsoletas.] "Ceifeira como esta jamais heis de achar." (Soares de Passos, *Poesias*, p. 144). ● *S. m.* 17. A parte do crédito na escrituração comercial. ~ V. *haveres.* ◆ **Há-de vir.** *Moç.* O tempo que há de vir; o porvir: "aprendera a espalhar na sua alma o remédio do há-de vir." (Mia Couto, *Vozes Anoitecidas*, p. 125). **Haja o que houver.** Aconteça o que acontecer; custe o que custar. **Haver por bem.** Dignar-se, resolver. **Bem haja.** Que tudo corra da melhor maneira; graças. **Mal haja.** Que tudo corra da pior maneira possível. **Não há de quê.** Não há por que agradecer; não há por quê. **Não há por quê.** Não há de quê.

haveres (ê) [Do pl. da subst. do v. *haver.*] *S. m. pl.* Bens; riqueza: "Parece que era família [a de Anacreonte] de grande conta, por virtude e haveres, representação e antiguidade" (Antônio Feliciano de Castilho, *A Lírica de Anacreonte*, p. 11). ~ V. *haver.*

haxixe [Do ár. *šašiš*, 'feno'; 'forragem'; 'erva-seca'; 'cânhamo', ou as folhas secas, narcóticas, dessa planta'; pelo fr. *ha(s)chi(s)ch.*] *S. m.* Resina extraída das folhas e das inflorescências do cânhamo (1). [Mascado ou fumado, é de uso comum no Oriente, com efeito estupefaciente. Cf. *maconha.*]

haxixismo [De *haxixe* + *-ismo.*] *S. m. Med.* Intoxicação pelo haxixe.

➔ **hazkarah** [haskaˈra] [Hebr., da raiz *zkhr*, 'lembrar'.] *S. f.* No judaísmo, cerimônia realizada aos trinta dias do falecimento de um membro da comunidade.

■ **HBsAg** [Ingl., *hepatitis B surface (antigen).*] Sigla de *antígeno superficial do vírus da hepatite B* (q. v.).

■ **HD** [Acrôn. do ingl. *h(ard) d(isk).*] *Inform.* V. *disco rígido.*

■ **HDD** [Acrôn. do ingl. *h(ard) d(isk) d(rive)*, 'acionador de disco rígido'.] *Inform.* V. *disco rígido.*

■ **HDL** [Acrôn. do ingl. *H(igh) D(ensity) L(ipoprotein)*, 'lipoproteína de alta densidade'.] *Bioquím.* Lipoproteína plasmática que se caracteriza por conter alto teor de proteína, baixo teor de triglicerídios, fosfolipídios em concentração média e colesterol em quantidade relativamente baixa. [Concentrações elevadas de HDL estão associadas a solubilização do colesterol e baixa probabilidade de aterosclerose: esta condição é chamada vulgarmente de *colesterol bom.*] [Cf. *LDL.*]

■ **He** *Quím.* Símb. de *hélio*[1] (1).

➔ **headhunter** [ˈhɛdˌhʌntə˞] [Ingl.] *S. 2 g.* 1. Especialista em recrutar profissionais de alto nível para ocupar cargos em empresas. 2. Profissional que seleciona ou descobre artistas de talento.

heautognose [Do gr. *heautoû*, 'de si mesmo', + *-gnose.*] *S. f.* Conhecimento de si mesmo.

➔ **heavy-metal** [ˈhɛvij ˈmɛtəl] [Ingl.] *S. m. Mús.* Tipo de roque com poucos acordes, som distorcido, batida muito forte, tocado em instrumento cujo som é muito amplificado, e em que o vocalista explora sons guturais. [Cf. *roque pesado.*]

hebdómada *S. f.* V. *hebdômada.* [Uso freq. em P.]

hebdômada [Do f. lat. pop. *hebdomada* (< gr. *hebdomás, ádos*), frequente na língua eclesiástica.] *S. f.* 1. Semana. 2. Espaço de sete dias, sete semanas ou sete anos.

hebdomadário [Do lat. ecles. *hebdomadariu.*] *Adj.* 1. V. *semanal*: "A imprensa quotidiana e hebdomadária celebrou .... a digna e serena compostura de Paris no prêmio da grande tragédia." (Aquilino Ribeiro, *É a Guerra*, p. 59.) ● *S. m.* 2. Semanário (3).

hebdomático [Do lat. tard. *hebdomaticu* < gr. *hebdomatikós.*] *Adj.* Relativo ao número sete.

▲ **heb(e)-** [Do gr. *hḗbē, ēs.*] *El. comp.* = 'mocidade': *hebeclínio, hebefrenia, hebiatria.*

hebeanto [De *hebe-* + *-anto.*] *Adj. Bot.* Que tem flores pubescentes.

hebecarpo [De *hebe-* + *-carpo.*] *Adj. Bot.* Que tem frutos pubescentes.

hebeclínio [Do tax. *Hebeclinium.*] *S. m. Bot.* V. *eupatório.*

hebefrenia [De *hebe-* + *-fren(o)-* + *-ia*[1]; al. *Haebephrenia.*] ***S. f. Psiq.*** V. *esquizofrenia hebefrênica.*

hebefrénico ***Adj. S. m.*** V. *hebefrênico.* [Uso freq. em P.]

hebefrênico [De *hebefrenia* + *-ico*[2].] ***Adj.*** **1.** Relativo a, ou que sofre de hebefrenia. ~ V. *esquizofrenia —a.* ● ***S. m.*** **2.** Indivíduo hebefrênico.

hebepétalo [De *hebe-* + *-pétalo.*] ***Adj. Bot.*** Que tem pétalas pubescentes.

hebetação [Do lat. imp. *hebetatione.*] ***S. f.*** Ato ou efeito de hebetar; hebetamento.

hebetado [Part. de *hebetar.*] ***Adj.*** Aparvalhado, atoleimado, apalermado; hebetizado: "Mathews sorriu amarelo: | — Será uma epidemia? | E ficou hebetado no meio da sala" (Orígenes Lessa, *A Desintegração da Morte*, p. 33).

hebetamento [De *hebetar* + *-mento.*] ***S. m.*** Hebetação.

hebetar [Do lat. imp. *hebetare.*] ***V. t. d. P.*** Tornar(-se) bronco, embotado, obtuso; hebetizar: *O álcool terminou hebetando o pobre rapaz.*

hebético [Do gr. *hebetikós.*] ***Adj. Med.*** Referente à, ou próprio da puberdade.

hebetismo [Do rad. *hebet-*, como em *hebetado* e *hebetar*, + *-ismo.*] ***S. m.*** Qualidade de hebetado; imbecilidade.

hebetizado [Part. de *hebetizar.*] ***Adj.*** V. *hebetado.*

hebetizar [Do rad. *hebet-* (v. *hebetismo*) + *-izar.*] ***V. t. d. P.*** Hebetar.

hebetude [Do lat. tard. *hebetudine.*] ***S. f.*** Torpor, entorpecimento, estupor: "olhou-o, limitou-se a constatar a expressão de hebetude do doente, os tremores da língua e das mãos" (Júlio Dantas, *Abelhas Doiradas*, p. 149).

hebiatra [De *heb(e)-* + *-iatra.*] ***S. 2 g. Med.*** Pediatra especialista em hebiatria.

hebiatria [De *heb(e)-* + *-iatria.*] ***S. f. Med.*** Ramo da medicina que se ocupa dos problemas típicos dos adolescentes.

hebiátrico [De *hebiatria* + *-ico*[2].] ***Adj. Med.*** De, ou relativo a hebiatria.

hebraico [Do lat. cristão *hebraicu* < gr. *hebraikós.*] ***Adj.*** **1.** Hebreu (3). ~ V. *alfabeto —, alfabeto — antigo* e *alfabeto — moderno.* ● ***S. m.*** **2.** V. *hebreu* (1). **3.** *E. Ling.* Língua semítica do tronco cananeu, na qual foi escrita grande parte da Bíblia; hebreu. [Tendo ficado vários séculos como língua morta, passou, em fins do séc. XIX, a língua viva, com o movimento sionista, e é hoje a língua oficial do Estado de Israel.]

hebraísmo [De *hebraico* + *-ismo*, seg. o padrão erudito.] ***S. m. E. Ling.*** Palavra, locução ou construção peculiar ao hebraico (3), ou imitada dessa língua. [V. *estrangeirismo* (1).]

hebraísta [De *hebraico* + *-ista*, seg. o padrão erudito.] ***S. 2 g.*** Pessoa que se dedica ao estudo do hebraico.

hebraizante (a-i) [De *hebraizar* + *-nte.*] ***Adj. 2 g.*** Que hebraíza.

hebraizar (a-i) [Adapt. do gr. tard. *hebraízein.*] ***V. int.*** **1.** Conhecer o hebreu. **2.** Seguir a doutrina ou praticar a religião hebraica; judaizar. [Conjug.: v. *enraizar.*]

hebreu [Do lat. imp. *hebraeu* < gr. *hebraíos*, do hebr.] ***S. m.*** **1.** Indivíduo dos hebreus, povo semita da Antiguidade, do qual descendem os atuais judeus (v. *judeu*); hebraico. **2.** *E. Ling.* Hebraico (3): "O certo é que hoje, em Israel, ... o hebreu é a língua oficial" (Cecília Meireles, *Eternidade de Israel*, p. 27). ● ***Adj.*** **3.** Dos, ou pertencente ou relativo aos hebreus; hebraico. [Fem., nas acepçs. 1 e 3: *hebreia.*]

hebridense ***Adj. 2 g.*** **1.** Das, ou pertencente ou relativo às ilhas Hébridas (Grã-Bretanha). ● ***S. 2 g.*** **2.** O natural ou habitante das Hébridas.

hecatésias [Adapt. do gr. *Hekatésia.*] ***S. f. pl.*** Na Grécia antiga, festas em honra de Hécate, divindade ao mesmo tempo lunar e ctoniana, assimilada a Ártemis e a Perséfone.

hecatomba ***S. f.*** V. *hecatombe.*

hecatombe [Do lat. *hecatombe* < gr. *hekatómbe* (< gr. *hekatón*, 'cem', + gr. *boûs*, 'boi').] ***S. f.*** **1.** Outrora, sacrifício de cem bois. **2.** *P. ext.* Sacrifício de numerosas vítimas. **3.** *Fig.* Matança humana; mortandade, carnificina: "Morticínios, hecatombes pavorosas deram fim ao protesto da plebe rebelada que ousou por vezes readquirir os seus direitos." (Xavier Marques, *A Cidade Encantada*, p. 42.) [Var.: *hecatomba.*]

hecatombeias (éi) [Adapt. do gr. *Hekatómbaia.*] ***S. f. pl.*** Na antiga Esparta, festas em que se sacrificavam cem bois.

hecatombéon [Do gr. *hekatombaión.*] ***S. m. Cronol.*** O primeiro mês do calendário grego, com 30 dias, que correspondia aproximadamente ao mês de julho do calendário gregoriano. [Var.: *hecatombeu.*]

hecatombeu ***S. m. Cronol.*** V. *hecatombéon.*

hecatômpedo [Do gr. *hekatómpedos, os, on* < gr. *hekatón*, 'cem', + gr. *poûs, podós*, 'pé'.] ***S. m.*** Templo com cem pés de extensão, como o Partenon em Atenas ou o de Zeus em Dodona.

▲ **hecato(n)-** [Do gr. *hekatón.*] ***El. comp.*** = 'cem': *hecatostilo.*

hecatonquiro [Do gr. *hekatóncheiros.*] ***Adj.*** Que tem cem braços ou mãos.

hecatóstilo ***S. m.*** V. *hecatostilo.*

hecatostilo [De *hecato(n)-* + *-stilo*[2].] ***S. m.*** Pórtico ou edifício de cem colunas. [Var. impr.: *hecatôstilo.*]

hecceidade [Do lat. med. *haecceitate, hecceitate* (lat. clás. *haecceitas, atis* < lat. *haec, haecce*, 'esta', f. de *hic*, + *-(i)tas, atis* [v. *-(i)dade*]).] ***S. f. Filos.*** Segundo Duns Scot (v. *scotismo*), o princípio de individuação; ipseidade. [Var.: *ecceidade.*]

hechor (ô) [Do esp. plat. *hechor*, 'o que faz'; 'garanhão'.] ***S. m. Bras. RS*** Asno que serve de garanhão numa manada de éguas; burro-choro.

hectaédrico [De *hectaedro* + *-ico*[2].] ***Adj.*** Relativo a, ou que tem a forma de hectaedro.

hectaedro [De *hect(o)-* + *-a-* + *-edro*, poss. por anal. com *hexaedro, pentaedro*, etc.] ***S. m. Geom.*** Poliedro de 100 faces.

hectágono [De *hect(o)-* + *-a-* + *-gono*, poss. por anal. com *hexágono, pentágono*, etc.] ***S. m. Geom.*** Polígono de 100 lados. [A pronúncia correta seria *hectagono*; v. *-gono.*]

hectare [De *hect(o)-* + *are.*] ***S. m.*** Unidade de medida agrária, equivalente a cem ares ou um hectômetro quadrado [símb.: *ha.*]

hecteu [Do gr. *hecteús.*] ***S. m.*** Na antiga Atenas, medida de volume para grãos, equivalente a quase nove litros.

héctica [F. subst. de *héctico.*] ***S. f.*** **1.** *Med.* Consumpção por febre lenta. **2.** *Med.* Febre lenta, consecutiva a doença crônica. **3.** *Pop.* Tísica. [Var.: *hética.*]

hecticidade [De *héctico* + *-(i)dade.*] ***S. f.*** Estado de héctico; tísica. [Var.: *heticidade.*]

héctico [Do lat. tard. *hecticu* < gr. *hektikós.*] ***Adj.*** **1.** Relativo a, ou que sofre de héctica. ● ***S. m.*** **2.** Aquele que sofre de héctica. [Var.: *hético.*]

▲ **hect(o)-** [Do V.C.I. < gr. *hekatón*] ***El. comp.*** = 'cem': *hectocótilo.* [Anteposto ao nome de uma unidade de medida, forma o nome de outra derivada cem vezes a primeira: *hectare, hectolitro.* Símb.: *h.*]

hectocótilo [De *hect(o)-* + *-cótilo.*] ***S. m. Zool.*** Nos cefalópodes machos, braço (4) us. para transferir os espermatozoides durante a cópula. Insere-se na cavidade do manto da fêmea e, nos argonautas e em alguns polvos, pode romper-se.

hectografia [De *hect(o)-* + *-grafia.*] ***S. f. Art. Gráf.*** Processo de duplicação por meio de hectógrafo.

hectográfico [De *hectógrafo* + *-ico*[2].] ***Adj.*** ~ V. *papel —.*

hectógrafo [De *hect(o)-* + *-grafo*; ingl. *hectograph.*] ***S. m.*** Duplicador que, por meio de umedecimento a álcool, transfere para o papel com que é alimentado o escrito ou o desenho da matriz obtida por meio de papel hectográfico; duplicador a álcool.

hectograma [De *hect(o)-* + *grama*; fr. *hectogramme.*] ***S. m.*** Medida de massa, equivalente a 100 gramas [símb.: *hg*].

hectolitro [De *hect(o)-* + *litro.*] ***S. m.*** Medida de capacidade, equivalente a 100 litros [símb.: *hl*].

hectométrico [De *hectômetro* + *-ico*[2].] ***Adj.*** **1.** Relativo ao hectômetro. **2.** Que tem um hectômetro. **3.** Que se mede por hectômetros. ~ V. *onda —a.*

hectómetro ***S. m.*** V. *hectômetro.* [Uso freq. em P.]

hectômetro [De *hect(o)-* + *-metro.*] ***S. m.*** Medida de comprimento, equivalente a 100 metros [símb.: *hm*].

hectopsilídeo [Do tax. *Hectopsylla* + *-ídeo*[1]; tax. *Hectopsyllidae.*] ***Zool. S. m.*** **1.** Espécime dos hectopsilídeos, família de insetos sifonápteros que têm três tergitos torácicos juntos, mais curtos que o primeiro abdominal. Parasitos permanentes, são frequentemente encontrados com outras pulgas numa só família, a dos tungídeos. Ex.: o bicho-de-pé. ● ***Adj.*** **2.** Pertencente ou relativo a eles.

hectostere ***S. m.*** V. *hectostéreo.*

hectostéreo [De *hect(o)-* + *estéreo*[1].] ***S. m.*** Volume de 100 estéreos. [Var. impr.: *hectostere.*]

hedenberguita [Do antr. (*M. A. Ludwig*) *Hedenberg*, mineralogista sueco, + *-ita*[2].] ***S. f. Min.*** Mineral monoclínico de coloração esverdeada, do grupo dos piroxênios, silicato de cálcio e ferro.

hédera [Do tax. *Hedera* (do lat. *hedera, ae*, 'hera').] ***S. f. Bot.*** **1.** Gênero de araliáceas que reúne cerca de doze espécies de trepadeiras nativas da Europa e da Ásia, muito cultivadas como ornamentais. **2.** Qualquer espécie, ou espécime desse gênero.

hederáceo [Do lat. *hederaceu.*] ***Adj.*** Relativo ou semelhante à hera.

▲ **heder(i)-** [Do lat. *hedĕra, ae.*] ***El. comp.*** = 'hera': *hederiforme.*

hederiforme (èd) [De *heder(i)-* + *-forme.*] ***Adj. 2 g.*** Que tem forma de hera.

hederígero [Do lat. *hederigeru.*] ***Adj.*** **1.** Que tem ou produz heras. **2.** Ornado de heras.

hederoso (ô) [Do lat. *hederosu.*] ***Adj.*** Abundante de heras.

➔**hedge** [hɛdʒ] [Ingl.] ***S. m. Econ.*** Expediente adotado por empresas ou homens de negócios para se resguardarem de flutuações de preços. [Ex.: firmas com dívidas em dólares compram títulos reajustados pela taxa cambial: havendo desvalorização do real, o aumento de valor dos títulos compensa o crescimento do montante, em reais, da dívida.]

hediondez (ê) [De *hediondo* + *-ez.*] ***S. f.*** **1.** Qualidade do que é hediondo. **2.** *Fig.* Procedimento hediondo. [F. paral.: *hediondeza.*]

hediondeza (ê) [De *hediondo* + *-eza.*] ***S. f.*** Hediondez.

hediondo [Do esp. *hediondo* < lat. vulg. **foetibundu.*] ***Adj.*** **1.** Depravado, vicioso, sórdido, imundo. **2.** Repelente, repulsivo; horrendo: "espécie de funâmbulo patibular, face contorcida em esgar ferino, como um traumatismo hediondo" (Euclides da Cunha, *Os Sertões*, p. 201). **3.** Sinistro, pavoroso, medonho: "Dizem que cometi um crime hediondo" (Almeida Fischer, *10 Contos Escolhidos*, p. 65). **4.** *P. us.* Que cheira mal; fedorento.

hedónico ***Adj.*** V. *hedônico.* [Uso freq. em P.]

hedônico [De *hedonismo* + *-ico*[2], seg. o padrão grego.] ***Adj.*** Relativo ao hedonismo.

hedonismo [Do gr. *hedoné*, 'prazer', + *-ismo.*] ***S. m.*** **1.** *Ét.* Doutrina que considera que o prazer individual e imediato é o único bem possível, princípio e fim da vida moral: "A teoria socrática do bom e do útil, da prudência, ... produz, entendida pela índole voluptuária de Aristipo, o hedonismo, ou a filosofia, em que toda a humana bem-aventurança se resolve no prazer" (Latino Coelho, *A Oração da Coroa*, pp. CCXXXVI-CCXXXVII). **2.** *Filos.* Doutrina moral do cirenaísmo.

hedonista [Do gr. *hedoné*, 'prazer', + *-ista.*] ***Adj. 2 g. S. 2 g.*** Partidário do hedonismo.

hedonístico [De *hedonista* + *-ico*[2].] ***Adj.*** V. *escola —a.*

hedonofobia [Do gr. *hedoné*, 'prazer', + *-o-*[1] + *-fobia.*] ***S. f. Psiq.*** Medo mórbido de sentir prazer.

hedonofóbico [De *hedonofobia* + *-ico*[2].] ***Psiq. Adj.*** **1.** Relativo a hedonofobia. **2.** Que sofre de hedonofobia; hedonófobo. ● ***S. m.*** **3.** Aquele que sofre de hedonofobia; hedonófobo.

hedonófobo [Do gr. *hedoné*, 'prazer', + *-o-*[1] + *-fobo.*] ***Adj. S. m. Psiq.*** Hedonofóbico (2 e 3).

hedrocele [Do gr. *hédra*, 'ânus', + *-o-* + *-cele*[1].] ***S. f. Cir. Obsol.*** Prolapso intestinal através do ânus. [Cf. *hidrocele.*]

hegelianismo (gue) [De *hegeliano* (q. v.) + *-ismo*; fr. *hégélianisme.*] ***S. m. Filos.*** Doutrina de Georg Wilhelm Friedrich Hegel (1770-1831), filósofo alemão, e de seus seguidores, idealismo absoluto que identifica a realidade com a razão ("todo real é racional"), compreendida esta por meio do desenvolvimento histórico da consciência, do que resultou a criação do método dialético. [Cf. *direita hegeliana* e *esquerda hegeliana.*]

hegeliano (gue) [Do antr. (*G. W. F.*) *Hegel* (1770-1831), filósofo alemão, + *-iano.*] ***Adj.*** **1.** Pertencente ou relativo a Hegel, ou próprio dele ou de sua filosofia. ~ V. *esquerda —a* e *direita —a.* ● ***S. m.*** **2.** Partidário de Hegel, do hegelianismo (q. v.).

hegemonia [Do gr. *hegemonía.*] ***S. f.*** **1.** Preponderância de uma cidade ou de um povo sobre outras cidades ou outros povos: "Lembra .... a carta, por exemplo, de D. Luís da Cunha, do tempo de D. João V, na qual aconselha a mudança da capital portuguesa para o Rio de Janeiro, certo de que o futuro da raça estava no Brasil e de que a hegemonia do mundo teria de pertencer à América." (João Ribeiro, *Cartas Devolvidas*, p. 89.) **2.** *Fig.* Preponderância, supremacia, superioridade.

hegemónico ***Adj.*** V. *hegemônico.* [Uso freq. em P.]

hegemônico [Do gr. *hegemonikós.*] ***Adj.*** Relativo a hegemonia.

hégira [Do ár. *hağra(t)*, lit., 'emigração'.] ***S. f.*** **1.** Era maometana, que tem como ponto de partida a fuga de Maomé de Meca para Medina, em 622 da nossa era. **2.** *Fig.* Fuga[1] (1): "Fora longo recontar a sua hégira [da nacionalidade peruana] para o levante, nas investidas sucessivas por cinco penosíssimas estradas desesperadoramente retorcidas no boleado das serras" (Euclides da Cunha, *À margem da História*, p. 96.)

heideggeriano (hai... gue) ***Adj.*** **1.** Pertencente, relativo ao, ou próprio do filósofo existencial Martin Heidegger (1889-1976). **2.** Que é adepto da filosofia de Heidegger, ou profundo conhecedor de sua obra. ● ***S. m.*** **3.** Seguidor de sua filosofia ou profundo conhecedor de sua obra.

heiduque [Do fr. *heiduque* < húng. *hajdúk*, pl. de *hajdú*, 'infante'.] ***S. m.*** **1.** Outrora, na Hungria, miliciano de determinada região. **2.** Na França, outrora, criado vestido à húngara. **3.** Modernamente, o soldado de infantaria.

hein ***Interj.*** V. *hem.*

H

heitoraiense (a-i) *Adj. 2 g.* **1.** De, ou pertencente ou relativo a Heitoraí (GO). ● *S. 2 g.* **2.** O natural ou habitante de Heitoraí.

helanca [Marca registrada.] *S. f. Tec. Têx.* Tecido elástico produzido com fios de poliamida texturizada, us. desde as décadas de 1960 e 1970 em roupas esportivas.

→**hélas** [e'las] [Fr.] *Interj.* Exprime queixa, dor, saudade, etc.

helciário [Do lat. *helciariu.*] *S. m.* Entre os antigos romanos, aquele que puxava um barco à sirga.

▲ **helc(o)-** [Do gr. *hélkos, eos-ous.*] *El. comp.* = 'úlcera': *helcologia.*

helcologia [De *helc(o)-* + *-logia.*] *S. f. Med.* Estudo das úlceras.

helcológico [De *helcologia* + *-ico*[2].] *Adj. Med.* Referente à helcologia.

helcose [Do gr. *hélkosis.*] *S. f. Med.* Ulceração.

heleborinha [Do lat. *helleborine* (do gr. *helleborine*).] *S. f. Bot.* Erva orquidácea (*Epidendrum secundum*) ornamental, nativa do Brasil, de folhas crassas, flores pequenas, mas agregadas com inflorescências compactas e vistosas, com o pólen reunido em massas consistentes, e fruto capsular, com miríades de sementes mínimas.

heleborismo [De *heléboro* + *-ismo.*] *S. m.* Sistema antigo de tratamento e prevenção de doenças por meio do heléboro.

heleborizar [De *heléboro* + *-izar.*] *V. t. d.* Tratar com o heléboro.

heléboro [Do tax. *Helleborus* (do lat. *helleborus* < gr. *helléboros*).] *S. m. Bot.* **1.** Gênero de ervas ranunculares perenes, dotadas de folhas profundamente sulcadas e flores exuberantes, com cinco sépalas petaloides. **2.** Qualquer espécie desse gênero, como, p. ex., a *Helleborus viridis* (v. *heléboro-verde*). **3.** Qualquer espécime desse gênero.

heléboro-branco [De *heléboro* + *branco.*] *S. m. Bras. Bot.* Planta liliácea (*Veratrum album*) que se caracteriza pelas folhas inferiores largamente elípticas, e as superiores lanceoladas e acuminadas; é tida como emética e purgativa e contém o alcaloide *veratrina.* [Sin.: *flor-da-verdade.* Pl.: *heléboros-brancos.*]

heléboro-verde [De *heléboro* + *verde.*] *S. m. Bot.* Planta ranunculácea (*Helleborus viridis*) europeia, de grandes flores amarelo-esverdeadas e frutos capsulares. [Pl.: *heléboros-verdes.*]

heleídeo [Do tax. *Helea* (< gr. *héleia,* f. de *héleios,* 'do pântano') + *-ídeo*[1]; tax. *Heleidae.*] *S. m. Adj. Zool.* V. *ceratopogonídeo.*

helenense *Adj. 2 g. S. 2 g.* V. *santa-helenense*[1].

helênico *Adj.* V. *helênico.* [Uso freq. em P.]

helênico [Do gr. *hellenikós.*] *Adj.* **1.** Dos helenos, ou da natureza deles. **2.** Relativo ou pertencente à Hélade, ou Grécia antiga: "Para a antiguidade helênica o diamante era o metal invencível com que os deuses fabricavam as suas armas" (Ramalho Ortigão, *A Holanda,* p. 182).

helenismo [Do gr. *hellenismós.*] *S. m.* **1.** *E. Ling.* Palavra, locução ou construção própria da língua grega, ou dela imitada; grecismo. **2.** O conjunto das ideias e costumes da Grécia antiga; a civilização grega.

helenista [Do gr. *hellenistés.*] *S. 2 g.* Pessoa versada na língua e na civilização da Grécia antiga.

helenístico [De *helenista* + *-ico*[2].] *Adj.* **1.** Referente ao helenismo (2). **2.** Diz-se do período histórico que vai desde a conquista do Oriente por Alexandre até a conquista da Grécia pelos romanos. ~ V. *coiné —a* e *grego —.*

helenização [De *helenizar* + *-ção.*] *S. f.* Ato ou efeito de helenizar.

helenizante [De *helenizar* + *-nte.*] *Adj. 2 g. S. 2 g.* Que, ou quem se dedica ao helenismo (2), se interessa pelo seu estudo.

helenizar [De *heleno* + *-izar.*] *V. t. d.* **1.** Tornar conforme o caráter grego. *Int.* **2.** Dedicar-se ao estudo do idioma e/ou da civilização grega.

heleno [Do gr. *héllen, enos.*] *Adj.* **1.** V. *grego* (1). ● *S. m.* **2.** V. *grego* (4). **3.** Indivíduo dos helenos, povos que, substituindo a dominação dos pelasgos, povoaram a Grécia; grego. [Fem.: *helena.* Cf. *elena.*]

heleno-latino *Adj.* V. *greco-latino.* [Pl.: *heleno-latinos.*]

helépole [Do lat. *helepole* < gr. *helépolis.*] *S. f.* Designação genérica, entre os antigos, das máquinas de ataque a fortificações, como torres móveis, catapultas, etc.: "Uma helépole veio altaneira e vagarosa do largo, onde a estiveram a armar piquetes de operários." (Aquilino Ribeiro, *Os Avós dos Nossos Avós,* p. 114.)

helespontíaco [Do lat. *hellespontiacu* < gr. *hellespontia-kós.*] *Adj.* Helespôntico.

helespôntico [Do lat. *hellesponticu.*] *Adj.* Pertencente ou relativo ao Helesponto, denominação antiga do estreito de Dardanelos; helespontíaco.

helíaco [Do lat. tard. *heliacu* < gr. *heliakós.*] *Adj. Astron.* ~ V. *pôr — e nascer —.*

heliânteo [De *helianto* + *-eo.*] *Adj. Bot.* Pertencente, relativo ou semelhante ao helianto.

helianto [Do tax. *Helianthus* (v. *heli(o)-* e *-anto*).] *S. m. Bot.* **1.** Gênero de ervas asteráceas, perenes ou anuais, altas e por vezes muito ramificadas, dotadas de capítulos com grandes flores discoides, purpúreas ou amarelas, circundadas por lígulas vistosas, amarelas, estéreis. **2.** Qualquer espécie desse gênero, como, p. ex., a *Helianthus annuus* [v. *girassol* (1)]. **3.** Qualquer espécime desse gênero.

heliasta [Do gr. *heliastés.*] *S. m.* Membro da Helieia (q. v.).

helicase [De *helic(o)-* + *-ase.*] *S. f. Bioquím.* Qualquer das enzimas que catalisam a separação das fitas do ADN, antes da replicação.

hélice[1] [Do lat. tard. *helice* < gr. *hélix, ikos.*] *S. f.* **1.** *Geom.* Curva reversa cujas tangentes formam um ângulo constante com uma reta fixa do espaço; curva reversa em que é constante a razão entre a curvatura e a torção. **2.** *Constr. Nav.* Propulsor de navio, que substituiu as rodas. [Consta de cubo e pás. Nesta acepç., nas Marinhas brasileira e portuguesa só se usa no masc.] **3.** *Aer.* Peça propulsora dos aviões. **4.** Qualquer objeto em forma de caracol (1); espiral. ● *S. m.* **5.** *Anat.* Rebordo exterior do pavilhão da orelha; hélix. [Dim.: *helícula.*] ◆ **Hélice alfa.** *Bioquím.* Estrutura secundária muito frequente em proteínas, na qual a cadeia peptídica se encontra disposta na forma de hélice cilíndrica (q. v.), graças à existência de pontes de hidrogênio entre diferentes grupos nessa cadeia. [Sin.: *alfa-hélice.*] **Hélice cilíndrica.** *Geom.* Curva cilíndrica cujas tangentes formam um ângulo constante com as geratrizes do cilindro sobre o qual ela se encontra. **Hélice cônica.** *Geom.* Curva cônica na qual as tangentes fazem um ângulo constante com o eixo do cone. **Hélice dupla.** *Bioquím.* A estrutura característica dos ácidos desoxirribonucleicos, constituída por dois polinucleotídeos complementares, com conformações em hélice cilíndrica, e entrelaçados, unidos por pontes de hidrogênio.

hélice[2] [Adapt. do tax. *Helix* < lat. tard. *helix, icis* (v. *hélice*[1]).] *S. f. Zool.* **1.** Gênero de moluscos ao qual pertence o caracol (1). **2.** Espécie ou espécime desse gênero.

heliceno [De *helic(o)-* + *-eno*[2].] *S. m. Quím.* Designação genérica de certas substâncias cujas moléculas podem ser consideradas como formadas por seis ou mais anéis benzênicos consecutivamente fundidos, de tal modo que a estrutura resultante lembra uma hélice.

▲ **helic(i)-** [Do lat. tard. *hĕlix, ĭcis.*] *El. comp.* = 'hélice'; 'caracol': *helicicultura, helicídeo.*

helicicultor (è... ô) [De *helic(i)-* + *-cultor.*] *S. m.* Indivíduo que se dedica à helicicultura.

helicicultura (è) [De *helic(i)-* + *-cultura.*] *S. f.* Cultura de caramujos do gênero *Helix.* [V. *escargô.*]

helícida [Do lat. cient. *Helic-* (v. *helicídeo*) + *-ida*[1]; tax. *Helicidae.*] *S. m. Adj. 2 g. Zool.* V. *helicídeo.*

helicídeo [Do lat. cient. *Helic-* (do tax. *Helix* [v. *hélice*[2]]) + *-ídeo*[1]; tax. *Helicidae.*] *Zool. S. m.* **1.** Espécime dos helicídeos, família de moluscos pulmonados que têm como tipo o caracol comum. ● *Adj.* **2.** Pertencente ou relativo a eles. [Sin. ger.: *helícida.*]

helicite [De *helic(i)-* + *-ite*[2].] *S. f.* Concha fóssil, turbinada em rosca.

▲ **helic(o)-** [Do gr. *hélix, ikós.*] *El. comp.* = 'hélice'; 'espiral': *helicômetro, helicóptero.*

helicoidal [De *Helicoide* + *-al*[1].] *Adj. 2 g.* Helicoide (1). ~ V. *superfície —.*

helicoide (ói) [Do gr. *helikoeidés.*] *Adj. 2 g.* **1.** Que tem a forma de, ou é semelhante a hélice; em caracol; helicoidal. ~ V. *abóbada —.* ● *S. m.* **2.** *Geom.* Superfície regrada cuja diretriz é uma hélice. ❖

helicômetro *S. m.* V. *helicômetro.* [Uso freq. em P.]

helicômetro [De *helic(o)-* + *-metro.*] *S. m.* Aparelho com que se mede a força das hélices.

hélicon [Do gr. *helikón,* neutro do adj. *helikós, é, ón,* 'sinuoso'.] *S. m. Mús.* Saxorne, contrabaixo ou tuba, com a forma circular de uma grande trompa de caça, e usado nas bandas militares em marcha.

helicónia[1] *S. f. Zool.* V. *helicônia*[1]. [Uso freq. em P.]

helicónia[2] *S. f.* V. *helicônia*[2]. [Uso freq. em P.]

helicônia[1] [Adapt. do tax. *Heliconius.*] *S. f. Bras. Zool.* **1.** Gênero de lepidóptero ninfalídeo, heliconiídeo, de coloração viva sobre fundo negro ou negro-azulado, provido de asas anteriores, pelo menos, tão longas quanto a largura máxima, e asas posteriores pequenas e arredondadas. **2.** Espécie ou espécime desse gênero.

helicônia[2] [Do tax. *Heliconia.*] *S. f. Bot.* **1.** Gênero de plantas musáceas perenes, americanas, frequentes nas matas úmidas. **2.** Qualquer espécie desse gênero, como, p. ex., a *Heliconia pendula* (v. *pacavira*) e a *H. bihai* (v. *caité-vermelho*). [v. *pacavira*]. **3.** Qualquer espécime desse gênero, ou a flor dele.

heliconiídeo [Adapt. do tax. *Heliconius* + *-ídeo*[1]; tax. *Heliconiidae.*] *Zool. S. m.* **1.** Espécime dos heliconiídeos, família de insetos lepidópteros, neotropicais, de cores brilhantes e asas anteriores estreitas e alongadas. Têm sabor desagradável, sendo por isso evitados pelos predadores. As lagartas alimentam-se das folhas das passifloráceas. Ex.: a castanha-vermelha e a castanha-amarela. ● *Adj.* **2.** Pertencente ou relativo a eles.

heliconiíneo [Do tax. *Heliconiinae.*] *Zool. S. m.* **1.** Espécime dos heliconiíneos, subfamília de insetos ninfalídeos, quase todos de regiões tropicais das Américas, que têm cores vivas, brilhantes, o que indica sua toxicidade para potenciais predadores, e asas estreitas, alongadas. ● *Adj.* **2.** Pertencente ou relativo a eles.

helicóptero [De *helic(o)-* + *-ptero*; fr. *hélicoptère.*] *S. m. Aer. Av.* Aeronave de asa rotativa, capaz de elevar-se verticalmente, e que depende de rotores movidos a motor para seus deslocamentos horizontais, verticais e voo pairado (q. v.).

helicosporídio [Adapt. do tax. *Helicosporidia.*] *Zool. S. m.* **1.** Espécime dos helicosporídios, ordem de protozoários cnidosporídeos cujos esporos são em forma de barril, com um filamento espiralado. São parasitos de moscas e larvas de ácaros. ● *Adj.* **2.** Pertencente ou relativo a eles.

helíctere [Do tax. *Helicteres* (do gr. *heliktér, êros,* 'objeto que se enrola ou se retorce').] *S. f. Bot.* **1.** Gênero de árvores e arbustos esterculiáceos que abrange cerca de 40 espécies nativas de regiões tropicais da Ásia e das Américas, ger. dotadas de cascas que fornecem boa fibra. **2.** Qualquer espécie desse gênero, como, por ex., a *Helicteres brevispina* [v. *saca-rolhas* (7)]. **3.** Qualquer espécime desse gênero.

helictite [Do gr. *heliktós,* 'curvo', + *-ite*[2].] *S. f.* Estalactite (q. v.) de forma curva e irregular.

helícula [De *hélice*[1] + *-ula.*] *S. f.* Pequena hélice; helicezinha.

helieia (éi) [Do gr. *Heliaía.*] *S. f.* Na antiga Grécia, o mais importante tribunal ateniense, composto de seis mil membros — os heliastas —, sorteados anualmente entre os cidadãos de mais de trinta anos de idade. [Com cap.] ❖

▲ **heli(o)-** [Do gr. *hḗlios, hēlíou.*] *El. comp.* = 'Sol'[1]: *helianto, heliocêntrico.* [Equiv.: *-(h)elio-, -(h)élio*: *pireliômetro; anti-hélio, periélio.*]

▲ **-(h)elio-** V. *heli(o)-.*

hélio[1] [Do lat. cient. *helium* < gr. *hélios, helíon.*] *S. m.* **1.** *Quím.* Elemento de número atômico 2, pertencente à família dos gases nobres, incolor, usado como componente de atmosferas inertes e enchimento de balões [símb.: *He*]. **2.** *Astr.* Sol[1] (1).

hélio[2] *S. f.* V. *heliogravura.*

▲ **-(h)élio** V. *heli(o)-*

heliobiologia (è) [De *heli(o)-* + *biologia.*] *S. f. Astr.* Estudo da influência da atividade solar sobre a vida na Terra.

heliocêntrico (è) [De *heli(o)-* + *-centr(o)-* + *-ico*[2].] *Adj.* **1.** *Astr.* Relativo ao centro do Sol[1] (1). **2.** Que tem o Sol[1] (1) como centro. [Cf. *geocêntrico.*] **3.** Relativo ao heliocentrismo: *teoria heliocêntrica.* ~ V. *ascensão reta —a, declinação —a, latitude —a, latitude eclíptica —a, longitude —a, longitude eclíptica —a, oposição —a, posição —a* e *sistema —.*

heliocentrismo (è) [De *heli(o)-* + *-centr(o)-* + *ismo.*] *S. m.* Sistema heliocêntrico (2).

heliocromia [De *heli(o)-* + *-crom(o)-* + *-ia*[1].] *S. f.* **1.** *Fotograv.* Heliogravura em cores. **2.** Reprodução das cores pela fotografia.

heliocrómico *Adj.* V. *heliocrômico.* [Uso freq. em P.]

heliocrômico [De *heliocromia* + *-ico*[2].] *Adj.* Referente à heliocromia.

heliodorense *Adj. 2 g.* **1.** De, ou pertencente ou relativo a Heliodora (MG). ● *S. 2 g.* **2.** O natural ou habitante de Heliodora.

helioestacionário [De *heli(o)-* + *estacionário.*] *Adj. Astron.* Diz-se de satélite que tem uma posição fixa em relação ao Sol.

heliofilia [De *heli(o)-* + *-filia.*] *S. f. Bot.* Necessidade que tem uma planta de exposição total ao sol para completar o seu ciclo vital. [Opõe-se a *esciofilia.*]

heliofílico [De *heliofilia* + *-ico*[2].] *Adj.* Relativo à heliofilia.

heliófilo [De *heli(o)-* + *-filo*[2].] *Adj.* Que vive ao sol; que gosta do sol.

heliofísica (è) [De *heli(o)-* + *física.*] *S. f.* Parte da astrofísica que estuda o Sol[1] (1); física solar.

heliofísico [De *heliofísica,* com var. suf. (v. *-ico*[2]).] *Adj.* Referente à heliofísica.

heliófito [De *heli(o)-* + *-fito*.] *S. m. Ecol.* Planta que só pode crescer e reproduzir-se sob insolação completa; planta de sol.
heliofobia [De *heli(o)-* + *-fobia*.] *S. f. Psiq.* Medo patológico da luz solar.
heliofóbico [De *heliofobia* + *-ico*[2].] *Psiq. Adj.* **1.** Relativo a heliofobia. **2.** Que sofre de heliofobia; heliófobo. ● *S. m.* **3.** Aquele que sofre de heliofobia; heliófobo.
heliófobo [De *heli(o)-* + *-fobo*.] *Adj. S. m. Psiq.* Heliofóbico (2 e 3).
heliófugo [De *heli(o)-* + *-fugo*[1].] *Adj.* Que evita o Sol[1] (1); que se desvia da ação dele.
heliogeofísica [De *heli(o)-* + *geofísica*.] *S. f. Astr.* Ciência que estuda as influências da atividade solar na atmosfera, na magnetosfera e na hidrosfera terrestre.
heliografia [De *heli(o)-* + *-grafia*.] *S. f.* **1.** *Astr.* Estudo do Sol[1]. **2.** *Tip.* Designação comum aos processos de decalque fotográfico de desenhos a traço, plantas, mapas, etc.
heliográfico [De *heliografia* + *-ico*[2].] *Adj.* **1.** Relativo à heliografia, ou à heliogravura. **2.** Relativo ao disco aparente do Sol[1] (1). ~ V. *coordenadas —as, cópia —a, latitude —a* e *papel —*.
heliógrafo [De *heli(o)-* + *-grafo*.] *S. m. Astr.* **1.** Instrumento astronômico destinado à observação solar. **2.** Aparelho registrador das horas de insolação ou durante as quais o Sol[1] (1) esteve descoberto: "Inacinho .... fazia a leitura dos aparelhos do Posto Meteorológico. Retirava a fita do heliógrafo, examinava o barômetro, o anemômetro, abria a torneirinha do pluviômetro" (Nélson de Faria, *Cabeça-Torta*, p. 118). **3.** Aparelho de sinalização por meio de lampejos da luz solar refletida e convenientemente orientada por um espelho.
heliogravador (ô) [De *heli(o)-* + *gravador*.] *S. m.* Fotogravador que se dedica à heliogravura. [Cf. *rotogravador*.]
heliogravura [De *heli(o)-* + *gravura*.] *S. f.* **1.** Processo de fotogravura a entalhe que se vale do fenômeno de endurecimento da gelatina bicromada sob a ação da luz, e no qual a copiagem da retícula, no papel-pigmento, precede a do diapositivo da imagem (ou da combinação texto-imagem), a fim de produzir, no cobre, os minúsculos alvéolos cuja profundidade, maior ou menor, conforme a resistência oposta pelas diferentes zonas do coloide à penetração do percloreto de ferro us. na mordaçagem, determina a quantidade de tinta que podem receber. [A heliogravura tem maior aplicação em sua forma rotativa (*rotogravura*), empregada sobretudo na impressão de textos e ilustrações de revistas de grande tiragem.] **2.** Placa obtida por esse processo. **3.** Estampa tirada de placas ou cilindros assim produzidos. [F. red.: *hélio*.]
heliólatra [De *heli(o)-* + *-latra*.] *S. 2 g.* Adorador do Sol[1] (1).
heliolatria [De *heli(o)-* + *-latria*.] *S. f.* Adoração ao Sol[1] (1).
heliolátrico [De *heliolatria* + *-ico*[2].] *Adj.* Relativo à heliolatria.
heliolite [Do tax. *Heliolites*.] *S. f. Paleont.* **1.** Gênero de corais antozoários, alcionários, fósseis, do devoniano e do siluriano; formavam polipeiros cujo calcário produzia coralitos ligados por pequenos tubos actiniformes. **2.** Espécie ou espécime desse gênero.
heliométrico [De *heliômetro* + *-ico*[2].] *Adj.* Relativo ao heliômetro.
heliómetro *S. m.* V. *heliômetro*. [Uso freq. em P.]
heliômetro [Do fr. *héliomètre* (v. *heli(o)-* + *-metro*).] *S. m.* Instrumento construído pelo astrônomo francês P. Bourguer (1698-1758), e destinado, no começo, a medir o diâmetro aparente do Sol[1] (1), donde o seu nome. Compõe-se de uma luneta cuja objetiva foi cortada diametralmente; as duas metades dessa objetiva são justapostas e comandadas por um ou dois parafusos micrométricos, servindo, assim, para determinar a posição relativa entre dois astros ou acidentes muito próximos.
helionose [De *heli(o)-* + *-nose*.] *S. f. Bot.* Designação comum às enfermidades fisiológicas produzidas pela ação dos raios solares sobre as plantas.
heliopatia [De *heli(o)-* + *-patia*.] *S. f. Med.* Qualquer lesão produzida por luz solar.
heliopático [De *heliopatia* + *-ico*[2].] *Adj.* Relativo à heliopatia.
heliopausa [De *heli(o)-* + *-pausa*.] *S. f. Astrofís.* Limite da heliosfera ao longo do qual as densidades de energia do vento solar e do meio interestelar se equilibram.
heliornitídeo [Do lat. cient. *Heliornith-* (do tax. *Heliornis*) + *-ídeo*[1]; tax. *Heliornithidae*.] *Zool. S. m.* **1.** Espécime dos heliornitídeos, família de aves raliformes, de dedos marginados por membrana, plumagem marrom-olivácea, e cabeça longa e fina. Habitam as margens dos rios e lagos, alimentando-se de pequenos moluscos, insetos e invertebrados aquáticos. O único representante brasileiro é o ipequi. ● *Adj.* **2.** Pertencente ou relativo a eles.
helioscopia [De *heli(o)-* + *-scop-* + *-ia*[1].] *S. f.* Observação do Sol[1] (1) pelo helioscópio.
helioscópico [De *helioscopia* + *-ico*[2].] *Adj.* Relativo à helioscopia, ou ao helioscópio.
helioscópio [De *heli(o)-* + *-scópio*.] *S. m.* Instrumento astronômico destinado à observação visual do Sol[1] (1).
heliose [De *heli(o)-* + *-ose*[1].] *S. f. Med.* Insolação.
heliosfera [De *heli(o)-* + *-sfera*.] *S. f. Astrofís.* Região do espaço em que a densidade de energia do vento solar é superior à do meio interestelar.
heliostática [De *heli(o)-* + gr. *statiké*, 'estática'.] *S. f. Astr.* Teoria dos movimentos planetários baseada na hipótese heliocêntrica.
heliostático [De *helióstato* + *-ico*[2].] *Adj.* Referente ao helióstato.
helióstato [De *heli(o)-* + *-stato*.] *S. m.* Instrumento astronômico e topográfico provido de um espelho plano que gira em torno de um eixo de tal sorte que mantém fixa a direção dos raios solares por ele refletidos; celostato.
helioterapia [De *heli(o)-* + *-terapia*.] *S. f. Terap.* Tratamento de doenças pela luz solar.
helioterápico [De *helioterapia* + *-ico*[2].] *Adj.* Relativo à helioterapia.
heliotermómetro *S. m.* V. *heliotermômetro*. [Uso freq. em P.]
heliotermômetro [De *heli(o)-* + *termômetro*.] *S. m.* Aparelho com que se mede a intensidade do calor solar.
heliotropia [De *heli(o)-* + *-trop(o)-* + *-ia*[1].] *S. f.* Qualidade de vegetal heliotrópico.
heliotrópico [De *heliotropia* + *-ico*[2].] *Adj.* Relativo ao heliotropismo.
heliotropina [De *heliotrópio*[2] + *-ina*[3].] *S. f. Quím.* Piperonal.
heliotrópio[1] [Do lat. *heliotropiu*, 'girassol'; 'pedra preciosa', < gr. *heliotrópion*.] *S. m.* **1.** *Bot.* Designação comum às plantas cuja flor se volta para o Sol[1] (1). **2.** Instrumento de física que permite concentrar num ponto distante os raios solares. **3.** *Min.* Espécie de jaspe verde-escuro com manchas avermelhadas; jaspe-sanguíneo.
heliotrópio[2] [Do tax. *Heliotropium* (do lat. *heliotropium*, v. *heliotrópio*[1]).] *S. m. Bot.* **1.** Gênero de plantas boragináceas, herbáceas e arbustivas, de flores diminutas, alvas ou purpúreas, fragrantes, reunidas em inflorescências escorpioides, e fruto que se separa em quatro partes, cada uma com uma semente; distribuem-se em regiões tropicais e temperadas. **2.** Qualquer espécie desse gênero, como, p. ex., a *Heliotropium peruvianum*, que tb. se encontra no Brasil. **3.** Qualquer espécime desse gênero, ou a flor dele.
heliotropismo [De *heli(o)-* + *-tropismo*.] *S. m.* Fenômeno de fototropismo (q. v.) no qual a fonte de luz é o Sol[1] (1).
heliozoário (è) [De *heli(o)-* + *-zo(o)-* + *-ário*; tax. *Heliozoa*.] *Zool. S. m.* **1.** Espécime dos heliozoários, ordem de animais protozoários, actinópodes, de corpo globular, nu ou com carapaça em forma de tela, e do qual se irradiam numerosos pseudópodes, que lembram o Sol[1] (1), donde o nome da ordem. Vivem, na maioria, em água doce. ● *Adj.* **2.** Pertencente ou relativo a eles.
helipoliense *Adj. 2 g.* **1.** De, ou pertencente ou relativo a Heliópolis (BA). ● *S. 2 g.* **2.** O natural ou habitante de Heliópolis.
heliponto [De *heli(cóptero)* + *ponto*.] *S. m. Aer.* Porção de solo ou água, ou estrutura artificial, us. para pousos e decolagens de helicópteros.
heliporto (ô) [De *heli(cóptero)* + *porto*.] *S. m. Aer.* Heliponto (q. v.) público, dotado de instalações para pouso e decolagem de helicópteros, embarque e desembarque de passageiros e/ou de carga.
heliportuário (ô) [De *heliporto* + *-uário*.] *Adj.* Relativo ou pertencente a heliporto.
helitransportado [De *heli(cóptero)* + *transportado*, part. de *transportar*.] *Adj.* Diz-se de pessoal, equipamento, etc., transportado por helicóptero.
hélix (cs) [Do lat. *helix* (nom.).] *S. m. 2 n. Ant.* Hélice[1] (5).
helminte [Do lat. *helminthe < gr. *hélmins, inthos*.] *S. m. Zool.* V. *helminto*.
▲ **-(h)elminte** V. *helmint(o)-*.
helmintíase [De *helmint(o)-* + *-íase*.] *S. f. Med.* Infecção produzida por helminto.
helmíntico [De *helmint(o)-* + *-ico*[2].] *Adj.* Pertencente ou relativo aos helmintos.
helminto [Do gr. *hélmins, inthos*.] *S. m. Zool.* Entozoário ou verme intestinal. [F. paral.: *helminte*.]
▲ **helmint(o)-** [Do gr. *hélmins, inthos*.] *El. comp.* = 'verme'; 'verme intestinal': *helmintólite, helmintologia*. [Equiv.: *-(h)elminte, -(h)elmint(o)-, -(h)elminto*: *platelminte; antelmíntico, anti-helmíntico, celelminto*.]
▲ **-(h)elmint(o)-** V. *helmint(o)-*.
▲ **-(h)elminto** V. *helmint(o)-*.
helmintofobia [De *helmint(o)-* + *-fobia*.] *S. f. Psiq.* Medo patológico de ser infectado por helminto, por verme.
helmintofóbico [De *helmintofobia* + *-ico*[2].] *Psiq. Adj.* **1.** Relativo a helmintofobia. **2.** Que sofre de helmintofobia; helmintófobo. ● *S. m.* **3.** Aquele que sofre de helmintofobia; helmintófobo.
helmintófobo [De *helmint(o)-* + *-fobo*.] *Adj. S. m. Psiq.* Helmintofóbico (2 e 3).
helmintoide (ói) [De *helmint(o)-* + *-oide*.] *Adj. 2 g.* Semelhante a helminto. ❖
helmintólite [De *helmint(o)-* + *-lite*.] *S. m.* Verme fóssil.
helmintologia [De *helmint(o)-* + *-logia*.] *S. f.* Tratado sobre vermes intestinais.
helmintológico [De *helmintologia* + *-ico*[2].] *Adj.* Referente à helmintologia.
helmintologista [De *helmintologia* + *-ista*.] *S. 2 g.* Especialista em helmintologia; helmintólogo.
helmintólogo [De *helmint(o)-* + *-logo*.] *S. m.* Helmintologista.
▲ **helo-**[1] [Do gr. *hálos, ou*.] *El. comp.* = 'prego': *helócero*.
▲ **helo-**[2] [Do gr. *hélos, eos-ous*.] *El. comp.* = 'brejo', 'pântano': *helófito*.
helobial [Do lat. cient. *Helobi-* (v. *helobiale*) + *-al*[1].] *Adj. 2 g. Bot.* V. *alismatal*.
helobiale [De *helo-*[2] + *-bi(o)-* + *-ale*; tax. *Helobiales*.] *S. f. Bot.* V. *alismatale*.
helócero [De *helo-*[1] + *-cero*.] *Adj. Zool.* Que tem as antenas em forma de prego.
helociácea [Do tax. *Helotium* + *-ácea*; tax. *Helotiaceae*.] *S. f. Micol.* Espécime das helociáceas, família de fungos ascomicetos cujos corpos reprodutivos levam um perídio formado de hifas pálidas e de paredes delgadas, as quais se ordenam em uma sorte de pseudoparênquima elástico. Engloba espécies saprófitas e parasitas.
helociáceo [De *helociácea*, com var. suf. (v. *-áceo*).] *Adj. Micol.* Pertencente ou relativo às helociáceas.
helodermatídeo [Do lat. cient. *Helodermat-* (do tax. *Heloderma*) + *-ídeo*[1]; tax. *Helodermatidae*.] *Zool. S. m.* **1.** Espécime dos helodermatídeos, família de reptis sáurios que compreende lagartos com glândulas venenosas localizadas na parte posterior do maxilar inferior. Há duas espécies que ocorrem na América do Norte, do estado de Nevada (E.U.A.) até o México. Ex.: o monstro-de-gila. ● *Adj.* **2.** Pertencente ou relativo a eles.
helófito [De *helo-*[2] + *-fito*.] *Adj. S. m.* Diz-se de, ou vegetal aquático que fixa raízes ou rizoma no fundo de águas rasas.
helópira [De *helo-*[2] + *-pira*.] *S. f.* V. *malária*.
helostomatídeo [Do lat. cient. *Helostomat-* (do tax. *Helostoma*) + *-ídeo*[1]; tax. *Helostomatidae*.] *Zool. S. m.* **1.** Espécime dos helostomatídeos, família de peixes perciformes, fluviais, do Sudeste Asiático, com um único gênero, e uma única espécie. São os peixes-beijadores. ● *Adj.* **2.** Pertencente ou relativo a eles.
helotismo [Do ingl. *helotism* (do lat. *helotes* [< gr. *heílotes*, pl. de *heílos*] + o ingl. *-ism*, v. *-ismo*).] *S. m. Biol.* Modalidade de simbiose em que um dos simbiontes obtém maiores vantagens que o outro.
➔ **help** [help] [Ingl.] *S. m. Inform.* V. *ajuda* (7).
helvécio [Do lat. *helvetiu*.] *Adj.* **1.** Da, ou pertencente ou relativo à Helvécia ou Suíça (Europa). ● *S. m.* **2.** Indivíduo dos helvécios, povo gálio que habitava na Helvécia. [Sin. ger.: *suíço*.]
helvética *S. f. Tip.* Família de tipos sem serifa, criada na Suíça no final da década de 1960.
hem *Interj.* **1.** Denota não haver a pessoa ouvido bem o que lhe disseram, ou ter ficado espantada ou indignada: "Ele espanta-se de a ver ali àquela hora. / — Ainda aí, hem?" (Natércia Freire, *A Alma da Velha Casa*, p. 83.) **2.** Equivale, ainda, a 'não é verdade?' e 'que é?': "E o senhor também rabisca para a imprensa, hem?" (Graciliano Ramos, *Linhas Tortas*, p. 35); *— Pedro! / — Hem? / — Quer jantar? / — Não.* [F. paral.: *hein*. Cf. *em*.]
hemácia [Do fr. *hématie*.] *S. f. Histol.* V. *eritrócito*.
hemalopia [Do gr. *haimálops*, 'sangue extravasado dos olhos', + *-ia*[1].] *S. f. Oftalm.* Hemoftalmia (q. v.).
hemangioblastoma [De *hem(o)-* + *angioblasto* + *-oma*[1].] *S. m. Patol.* **1.** Tumor benigno de vasos sanguíneos, formado por células desses vasos e por angioblastos; admite-se a sua evolução para a malignidade. [Sin.: *angioblastoma*.]
hemangioma [De *hem(o)-* + *-angi(o)-* + *-oma*[1].] *S. m. Patol.* Tumor formado pela proliferação de vasos sanguíneos.
hemartrose [De *hem(o)-* + *-artr(o)-* + *-ose*[1].] *S. f. Med.* Hemorragia em articulação.

H

hemateína [De *hemat(o)-* + *-eína.*] *S. f. Quím.* Substância vermelha, produzida por oxidação da hematoxilina (q. v.), us. como corante [fórm.: $C_{16}H_{12}O_6$].

hematémese *S. f. Med.* V. *hematêmese.* [Uso freq. em P.]

hematêmese [De *hemat(o)-* + *-êmese.*] *S. f. Med.* Vômito de sangue.

hematia [Do fr. *hématie.*] *S. f.* V. *hemácia.*

hemático [De *hemat(o)-* + *-ico*[2].] ***Adj.*** Do, ou relativo ao sangue. ~ V. *carbúnculo* —.

hematidrose [De *hemat(o)-* + *-(h)idr(o)-* + *-ose*[1].] ***S. f. Med.*** Excreção de suor sanguinolento.

hematímetro [De *hemat(o)-* + *-i-* + *-metro.*] ***S. m. Patol.*** Hemocitômetro.

hematina [De *hemat(o)-* + *-ina*[3].] ***S. f. Bioquím. Desus.*** V. *heme.*

hematita [De *hemat(o)-* + *-ita*[3].] ***S. f. Min.*** Mineral trigonal, sesquióxido de ferro, um dos mais importantes minérios de ferro; oligisto. [Cf. *especularita.*] ◆ **Hematita parda.** *Min.* V. *limonita.*

hematítico [De *hematita* + *-ico*[2].] ***Adj.*** Relativo à, ou próprio da hematita.

▲ **hemat(o)-** [Do gr. *haimato-* < gr. *haîma, atos.*] ***El. comp.*** = 'sangue': *hematêmese, hematocele, hematófago, hematófilo.* [Equiv.: *-emia* (q. v.), *-(h)emat(o)-, hem(o)-, -(h)em(o)-*: *cefalematoma*; *hemartrose, hemopatia*; *toxêmico.*]

▲ **-(h)emat(o)-** V. *hemat(o)-.*

hematocele [De *hemat(o)-* + *-cele*[2].] ***S. f. Patol.*** Efusão de sangue, o qual se infiltra e faz saliência entre tecidos, ou se acumula em cavidade, como, p. ex., na túnica vaginal de testículo.

hematocolpo [De *hemat(o)-* + *-colpo.*] ***S. m. Gin.*** Coleção de sangue menstrual retido na vagina por obstáculo à eliminação dele para o meio exterior.

hematócrito [De *hemat(o)-* + gr. *kritós*, 'separado', 'escolhido', < gr. *krínein.*] ***S. m. Med.*** Volume percentual de hemácias presente em amostra de sangue total.

hematode [Do gr. *haimatódes.*] ***Adj. 2 g.*** **1.** Da natureza do sangue. **2.** Hematoide.

hematófago [De *hemat(o)-* + *-fago.*] ***Adj. Zool.*** Diz-se de animal que se alimenta de sangue.

hematofilo [De *hemat(o)-* + *-filo*[1].] ***Adj. Bot.*** Que tem folhas vermelhas da cor do sangue. [Cf. *hematófilo.*]

hematófilo [De *hemat(o)-* + *-filo*[2].] ***Adj.*** Que gosta de sangue. [Cf. *hematofilo.*]

hematofobia [De *hemat(o)-* + *-fobia.*] ***S. f. Psiq.*** Horror patológico a sangue; hemofobia.

hematofóbico [De *hematofobia* + *-ico*[2].] ***Psiq. Adj.*** **1.** Relativo a hematofobia. **2.** Que tem hematofobia; hematófobo, hemófobo. ● ***S. m.*** **3.** Aquele que tem hematofobia; hematófobo, hemófobo. [Sin. ger.: *hemofóbico.*]

hematófobo [De *hemat(o)-* + *-fobo.*] ***Adj. S. m. Psiq.*** V. *hematofóbico* (2 e 3).

hematoide (ói) [Do gr. *haimatoeidés.*] ***Adj. 2 g.*** Semelhante ao sangue; hematode (2). ❖

hematologia [De *hemat(o)-* + *-logia.*] ***S. f.*** **1.** Estudo, sob todos os aspectos, do sangue e órgãos hematopoéticos. **2.** Ramo da medicina que trata das doenças do sangue e órgãos hematopoéticos.

hematológico [De *hematologia* + *-ico*[2].] ***Adj.*** Referente à hematologia.

hematologista [De *hematologia* + *-ista.*] ***S. 2 g.*** Especialista em hematologia; hematólogo.

hematólogo [De *hemat(o)-* + *-logo.*] ***S. m.*** Hematologista.

hematoma [De *hemat(o)-* + *-oma*[1].] ***S. m. Patol.*** Extravasamento de sangue em tecido, que se deve a traumatismo ou a alterações hematológicas, e que aí forma tumor (1): 📖 "apresentava um braço completamente roxo, como se um hematoma feio o houvesse coberto em toda a extensão." (Antônio Versiani, *Paisagens Humanas*, p. 3).

hematônfalo [De *hemat(o)-* + *-ônfalo.*] ***S. m. Cir.*** Hérnia umbilical cujo saco contém serosidade e sangue.

hematopinídeo [Do tax. *Haematopinus* + *-ídeo*[1]; tax. *Haematopinidae.*] *Zool.* ***S. m.*** **1.** Espécime dos hematopinídeos, família de insetos anopluros, parasitos cutâneos dos mamíferos. Ex.: o piolho. ● ***Adj.*** **2.** Pertencente ou relativo a eles.

hematopodídeo [Adapt. do tax. *Haematopodidae.*] *Zool.* ***S. m.*** **1.** Espécime dos hematopodídeos, família de aves caradriiformes caracterizadas por terem o gônis muito mais comprido que os ramos da mandíbula, o bico longo, mais alto que largo, e comprimido na porção apical. São os pirupirus. ● ***Adj.*** **2.** Pertencente ou relativo a eles.

hematopoese [De *hemat(o)-* + *-poese.*] ***S. f. Fisiol.*** Formação e desenvolvimento das células sanguíneas. [F. impr.: *hematopoiese.* Sin.: *hemocitopoese.*]

hematopoético [De *hemat(o)-* + *-poético.*] ***Adj. Fisiol.*** **1.** Relativo à hematopoese. **2.** Diz-se dos órgãos onde se processa a hematopoese. [Sin. ger.: *hemocitopoético.*]

hematopoiese *S. f. Impr. Fisiol.* V. *hematopoese.*

hematopoiético *Adj.* V. *hematopoético.*

hematose [Do gr. *haimátosis.*] ***S. f. Fisiol.*** Fenômeno ocorrente na pequena circulação: o sangue trazido pelas artérias pulmonares, com baixo teor de oxigênio, transita pelos pulmões, de onde sai, pelas veias pulmonares, com baixo teor de dióxido de carbono e alto teor de oxigênio.

hematoxilina (cs) [Do tax. *Haematoxyl(on)*, gênero-tipo (v. *campeche*), + *-ina*[3].] ***S. f. Quím.*** Substância cristalina, incolor ou amarelada, semelhante à brasilina (porém com uma hidroxila adicional), encontrada no campeche, e que, ao ser exposta ao ar, se oxida, transformando-se em hemateína, vermelha [fórm.: $C_{16}H_{14}O_6$].

hematóxilo (cs) [De *hemat(o)-* + *-xilo*; tax. *Haematoxylon.*] ***S. m. Bot.*** V. *campeche.*

hematozoário [De *hemat(o)-* + *-zo(o)-* + *-ário.*] *Zool.* ***Adj.*** **1.** Diz-se dos protozoários que parasitam o sangue de animais, como os hemococcídios e os hemoflagelados. ● ***S. m.*** **2.** Indivíduo hematozoário.

hematuria [De *hemat(o)-* + *-uria.*] ***S. f. Med.*** V. *hematúria.*

hematúria [De *hemat(o)-* + *-úria.*] ***S. f. Med.*** Emissão de urina que contém sangue em grau variável. [F. paral.: *hematuria.*] ◆ **Hematúria microscópica.** A que só é verificável pelo exame de urina feito mediante o uso de microscópio.

hematúrico [De *hematúria* + *-ico*[2].] ***Adj. Med.*** **1.** Referente à, ou que sofre de hematúria. ● ***S. m.*** **2.** Aquele que sofre de hematúria.

heme ***S. f. Bioquím.*** Porfirina que contém ferro e, unida à globina, constitui a hemoglobina, e que entra, também, na constituição de vários pigmentos respiratórios e de muitas células, tanto animais quanto vegetais. [Sin., desus.: *hematina.*]

hemeproteína [De *heme* + *proteína.*] ***S. f. Bioquím.*** Qualquer proteína cujo grupo prostético é o heme.

hemeralope [Do gr. *hemerálops* < gr. *heméra*, 'dia', + gr. *-álops*, de *nyktálops.*] ***Adj. 2 g. S. 2 g. Oftalm.*** Diz-se de, ou pessoa que sofre de hemeralopia. [Cf. *nictalope.*]

hemeralopia [De *hemeralope* + *-ia*[1].] ***S. f. Oftalm.*** Distúrbio em que a visão é deficiente quando no ambiente há luz brilhante; cegueira diurna.

hemeralópico [De *hemeralopia* + *-ico*[2].] ***Adj.*** Relativo a, ou que sofre de hemeralopia. [Cf. *nictalópico.*]

▲ **hemero-** [Do gr. *hēméra, as.*] ***El. comp.*** = 'dia': *hemeropatia, hemeroteca.* [Equiv.: *-émero*: *efêmero* (< gr.).]

hemerobiiforme (êm) [Adapt. do tax. *Hemerobiiformes.*] ***Adj. 2 g. S. m. Zool.*** V. *planipene*[2].

hemerocale [Do tax. *Hemerocallis* (do lat. imp. *hemerocalles*, do gr. *hemerokallés*, 'bela durante um dia').] ***S. m. Bot.*** **1.** Gênero de ervas liliáceas eurasianas, dotadas de raízes fibrosas, folhas basais, lineares, e exuberantes flores em cachos, em escapos nus. **2.** Qualquer espécie desse gênero, como, p. ex., a *Hemerocallis flava* (v. *lírio-de-são-josé*). **3.** Qualquer espécime desse gênero.

hemerologia (êm) [De *hemero-* + *-logia.*] ***S. f. Cronol.*** Arte de compor calendários.

hemerológio (êm) [De *hemero-* + *-log(o)-* + *-io*[3].] ***S. m. Cronol.*** Tratado sobre a concordância dos calendários.

hemerólogo [De *hemero-* + *-logo.*] ***S. m. Cronol.*** Especialista em hemerologia.

hemeropata (êm) [Var. pros. de *hemerópata.*] ***S. 2 g. Med.*** Pessoa que sofre de hemeropatia.

hemerópata (êm) [De *hemero-* + *-pata* (q. v.).] ***S. 2 g. Med.*** Hemeropata (q. v.).

hemeropatia (êm) [De *hemero-* + *-patia.*] ***S. f. Med.*** Doença que só se manifesta durante o dia.

hemeropático (êm) [De *hemeropatia* + *-ico*[2].] ***Adj.*** Relativo à hemeropatia.

hemeroteca (êm) [De *hemero-* + *-teca.*] ***S. f.*** Seção das bibliotecas em que se colecionam jornais e revistas.

▲ **hemi-** [Do gr. *hēmi-.*] ***El. comp.*** = 'meio', 'pela metade': *hemialgia, hemiedria.*

hemiacetal [De *hemi-* + *acetal.*] ***S. m. Quím.*** Designação genérica de substâncias do tipo RCH(OH)OR (onde os RR são grupos hidrocarbônicos), que se formam pela reação de uma molécula de um aldeído com uma de um álcool.

hemialgia [De *hemi-* + *-alg(o)-*[2] + *-ia*[1].] ***S. f. Med.*** Dor que surge apenas em uma das metades do corpo.

hemiálgico [De *hemialgia* + *-ico*[2].] ***Adj. Med.*** Referente à hemialgia.

hemianestesia [De *hemi-* + *anestesia.*] ***S. f. Neur.*** Ausência de sensibilidade em apenas um lado do corpo.

hemianopsia [De *hemi-* + *-an-* + *-opsia.*] ***S. f. Oftalm.*** Deficiência em metade de um dos campos visuais; hemiopia.

hemiarcada [De *hemi-* + *arcada.*] ***S. f. Anat.*** A metade de cada arcada dentária.

hemicarpo [De *hemi-* + *-carpo.*] ***S. m. Bot.*** Metade de um fruto que se divide em dois quando maduro.

hemicetal [De *hemi-* + *cetal.*] ***S. m. Quím.*** Designação genérica de substâncias do tipo $R_2C(OH)OR$ (onde os RR são grupos hidrocarbônicos), que se formam pela reação de uma molécula de uma cetona com uma de um álcool.

hemicíclico [Do gr. *hemikyklikós.*] ***Adj.*** **1.** Relativo a hemiciclo; semicircular. **2.** *Bot.* Diz-se da flor que apresenta certas partes em verticilos e outras em espiral.

hemiciclo [Do lat. *hemicyclu* < gr. *hemíkyklos.*] ***S. m.*** Espaço semicircular, especialmente o munido de bancadas para receber espectadores.

hemicilíndrico [De *hemicilindro* + *-ico*[2].] ***Adj.*** Semelhante a um hemicilindro.

hemicilindro [Do lat. *hemicylindru* < gr. *hemikýlindros.*] ***S. m.*** Cada uma das duas partes em que se divide um cilindro por um plano meridiano.

hemicordado [De *hemi-* + *cordado*[1]; tax. *Hemichordata.*] *Zool.* ***S. m.*** **1.** Espécime dos hemicordados, filo de animais marinhos, bentônicos, vermiformes, trissegmentados: uma probóscide anterior, um colar na região mediana, e um tronco posterior. As fendas branquiais situadas no tronco, e o cordão dorsal oco, no colar, os aproxima dos cordados. Abrange duas classes: os enteropneustos e os pterobrânquios. ● ***Adj.*** **2.** Pertencente ou relativo a eles.

hemicrania [Do lat. tard. *hemicrania* < gr. *hemicranía*, segundo a prosódia grega.] ***S. f. Med.*** Dor que incide em uma das metades da cabeça (1).

hemicrânico [De *hemicrania* + *-ico*[2].] ***Adj.*** Relativo à hemicrania.

hemicriptófita [De *hemi-* + *-cript(o)-* + *-fita.*] ***S. f. Bot.*** V. *hemicriptófito.*

hemicriptófito [De *hemi-* + *-cript(o)-* + *-fito.*] ***S. m.*** Vegetal cuja parte aérea morre anualmente, desenvolvendo-se novos órgãos aéreos a partir da parte subterrânea, na próxima estação favorável. [Var.: *hemicriptófita.*]

hemidesmossomo [De *hemi-* + *desmossomo.*] ***S. m. Citol.*** Estrutura proteica disciforme, localizada na porção basal de células epiteliais em contato com a lâmina basal, com função de aderência.

hemiedria [De *hemi-* + *-edr(o)-* + *-ia*[1].] ***S. f. Crist.*** Qualidade particular de certos cristais, que consiste em as modificações que os afetam só se darem em metade das arestas ou dos ângulos semelhantes.

hemiédrico [De *hemiedria* + *-ico*[2].] ***Adj.*** ~ V. *cristal* —.

hemiedro [De *hemi-* + *-edro.*] ***S. m. Crist.*** Cristal que apresenta hemiedria.

hemiélitro [De *hemi-* + *élitro.*] ***S. m. Zool.*** Asa anterior dos hemípteros, quase totalmente recoberta por quitina, com exceção da região terminal, que é membranosa.

hemifacial [De *hemi-* + *face* + *-ial.*] ***Adj. 2 g. Anat.*** Referente a uma das metades da face (1).

hemi-hidratado [De *hemi-* + *hidratado.*] ***Adj. Quím.*** Diz-se de composto cuja estequiometria é de meia molécula de água para uma molécula de substância anidra. [Pl.: *hemi-hidratados.*] ❖

hemilabial [De *hemi-* + *lábio* + *-al*[1].] ***Adj. 2 g. Anat.*** Relativo à metade de lábio (2).

hemimerídeo [Do tax. *Hemimerus* + *-ídeo*[1]; tax. *Hemimeridae.*] *Zool.* ***S. m.*** **1.** Espécime dos hemimerídeos, família de insetos dermápteros, cegos e desprovidos de asas. São ectoparasitos de roedores e ocorrem na África do Sul. ● ***Adj.*** **2.** Pertencente ou relativo a eles.

hemimerino [Do tax. *Hemimerus* + *-ino*[3].] ***S. m. Adj. Zool.*** V. *diploglossado.*

hemimetabólico [De *hemi-* + *metabólico.*] ***Adj. S. m. Zool.*** V. *heterometabólico.*

hemimorfita [De *hemi-* + *-morf(o)-* + *-ita*[3].] ***S. f. Min.*** Calamina.

hemioctaedro [De *hemi-* + *octaedro.*] ***S. m. Geom.*** Poliedro de quatro faces.

hemiodontídeo [Adapt. do tax. *Hemiodontidae.*] *Zool.* ***S. m.*** **1.** Espécime dos hemiodontídeos, família de peixes caraciformes da América do Sul, com 9 gêneros e 50 espécies, em que a maioria delas não apresentam dentes na mandíbula. ● ***Adj.*** **2.** Pertencente ou relativo a eles.

hemiopia [De *hemi-* + *-opia.*] ***S. f. Oftalm.*** Hemianopsia.

hemiparaplegia [De *hem(i)-* + *paraplegia.*] ***S. f. Neur.*** Paralisia unilateral da metade inferior do corpo.

hemiparasita [De *hemi-* + *-parasita.*] ***Adj. 2 g. S. m.*** V. *hemiparasito.*

hemiparasitismo [De *hemi-* + *parasitismo.*] ***S. m. Ecol.*** Parasitismo caracterizado pela presença de folhas verdes, que permitem à planta realizar fotossíntese, e no qual o parasito só extrai do hospedeiro a seiva mineral, sintetizando, ele mesmo, as substâncias orgânicas de que necessita para sua nutrição.

hemiparasito [De *hemi-* + *-parasito.*] ***Adj.*** **1.** Diz-se do ser vivo parcialmente parasito. **2.** Diz-se do ser que em certas circunstâncias vive como parasito, em outras não. ● *S. m.* 3. Ser hemiparasito. [F. paral.: *hemiparasita*.]

hemiparesia [De *hemi-* + *paresia*.] *S. f. Neur.* Fraqueza muscular que incide apenas em uma das metades do corpo, constituindo forma atenuada de hemiplegia.

hemiparético [De *hemipar(esia)* + *-ético*.] *Adj.* **1.** Relativo a, ou que sofre de hemiparesia. ● *S. m.* **2.** Aquele que sofre de hemiparesia.

hemipénis *S. m. 2 n. Zool.* V. *hemipênis*. [Uso freq. em P.]

hemipênis [De *hemi-* + *pênis*.] *S. m. 2 n. Zool.* Cada um dos dois órgãos copuladores pares dos lagartos e das cobras.

hemiplegia [De *hemi-* + *-pleg-* + *-ia*[1].] *S. f. Neur.* Paralisia de um dos lados do corpo.

hemiplégico [De *hemiplegia* + *-ico*[2].] *Adj.* **1.** Referente a, ou que sofre de hemiplegia. ● *S. m.* **2.** Aquele que sofre de hemiplegia.

hemiprismático [De *hemi-* + *prismático*.] *Adj.* ~ V. *cristal —*.

hemiprocnídeo [Adapt. do tax. *Hemiprocnidae*.] *Zool. S. m.* **1.** Espécime dos hemiprocnídeos, pequena família de aves apodiformes, da Índia, Indonésia e Nova Guiné, que encerra andorinhas cinzentas ou marrons. ● *Adj.* **2.** Pertencente ou relativo a eles.

hemíptero[1] [De *hemi-* + *-ptero*.] *Adj. Zool.* Que tem asas ou barbatanas curtas.

hemíptero[2] [Adapt. do tax. *Hemiptera* (do gr. *hemi-*; v. *hemi-*, + gr. *pterón* (v. *pter(o)-*)).] *Zool. S. m.* **1.** Espécime dos hemípteros, ordem de artrópodes da classe dos insetos, paurometabólicos, providos de sistema bucal sugador, asas do mesotórax com a parte basal coriácea e a porção apical e as asas membranosas, as posteriores também membranosas, sendo ápteras algumas espécies. Aquáticos ou terrestres, na maioria fitófagos, mas há espécies parasitas e hematófagas. Ex.: o percevejo e o barbeiro. ● *Adj.* **2.** Pertencente ou relativo a eles. [Sin. ger.: *frontirrostro*, *heteróptero*, *rincoto*.]

hemiranfídeo [Do tax. *Hemirhamphus* + *-ideo*[1]; tax. *Hemirhamphidae*.] *Zool. S. m.* **1.** Espécime dos hemiranfídeos, família de peixes beloniformes que apresentam a maxila curta, enquanto a mandíbula é alongada e fina. Ex.: agulha-branca. ● *Adj.* **2.** Pertencente ou relativo a eles.

hemisférico [De *hemisfério* + *-ico*[2].] *Adj.* Que tem forma de hemisfério; semiesférico.

hemisfério [Do lat. *hemisphaeriu* < gr. *hemisphaírion*.] *S. m.* **1.** Metade duma esfera. **2.** Cada uma das duas metades em que a Terra é imaginariamente dividida pelo círculo do equador. **3.** Cada uma das metades da esfera celeste. **4.** *Anat.* Cada uma das duas metades laterais do cérebro. **5.** *Anat.* Cada uma das duas metades laterais do cerebelo. **6.** *Geom.* Parte de uma esfera limitada por um grande círculo. ◆ **Hemisfério austral.** Hemisfério sul. **Hemisfério boreal.** Hemisfério norte. **Hemisfério iluminado.** Uma das duas partes da superfície de um corpo obscuro do sistema solar que é iluminada pelo Sol. **Hemisfério norte.** Uma das metades da esfera celeste de um corpo em rotação no sistema solar, limitada por um equador, e que contém um polo norte; hemisfério boreal. **Hemisfério sul.** Uma das metades da esfera celeste de um corpo em rotação no sistema solar, limitada por um equador e que contém um polo sul; hemisfério austral. **Hemisfério visível. 1.** Uma das duas partes da superfície de um corpo do sistema solar que é visível da Terra. **2.** A metade da esfera celeste que é visível para um observador.

hemisferoédrico [De *hemi-* + *-(e)sfer(o)-* + *-edr(o)-* + *-ico*[2].] *Adj.* ~ V. *cristal —*.

hemisferoidal [De *hemisferoide* + *-al*[1].] *Adj. 2 g.* Semelhante a um hemisferoide; hemisferoide.

hemisferoide (ói) [De *hemi-* + *esferoide*.] *Adj. 2 g.* **1.** Hemisferoidal. ● *S. m.* **2.** A metade de um esferoide. ❖

hemissimétrico [De *hemi-* + *simétrico*.] *Adj.* ~ V. *determinante — e lente — a*.

hemissingínico [De *hemi-* + *-sin-* + *-gin(o)-* + *-ico*[2].] *Adj. Bot.* Diz-se do cálice meio aderente ao ovário.

hemistíquio [Do lat. tard. *hemistichiu* < gr. *hemistíchion*.] *S. m.* **1.** Metade de um verso alexandrino. **2.** *P. ext.* Metade de um verso.

hemiteratia [De *hemi-* + *-terat(o)-* + *-ia*[1].] *S. f. Patol.* Deformidade congênita que não chega a ser uma monstruosidade; hemiteria.

hemiterático [De *hemiteratia* + *-ico*[2].] *Adj.* Que apresenta hemiteratia.

hemiteria [De *hemi-* + *-ter(a)-* + *-ia*[1].] *S. f. Patol.* Hemiteratia.

hemitritaico [Do lat. tard. *hemitritaicu* < gr. *hemitritaïkós*.] *Adj.* De, ou relativo a febre hemitriteia.

hemitriteia (éi) [Do f. do lat. *hemitritaeu* < gr. *hemitritaîos*.] *S. f.* V. *febre hemitriteia*. ❖

hemitriteu [Do lat. *hemitritaeu*.] *Adj.* De, ou relativo a febre hemitriteia. ~ V. *febre hemitriteia*.

hemitritia [Do gr. *hemitriteía*.] *S. f. Impr.* V. *febre hemitriteia*.

hemitrítica [De *hemitritia* + o f. de *-ico*[2].] *S. f. Impr.* V. *febre hemitriteia*.

hemitropia [De *hemi-* + *-trop(o)-* + *-ia*[1].] *S. f. Crist.* Rotação de 180 graus em redor de um eixo normal ao plano comum de associação, e que define geometricamente a situação recíproca dos dois indivíduos geminados, supondo um deles anteriormente situado no prolongamento do outro.

hemitrópico [De *hemitropia* + *-ico*[2].] *Adj.* Relativo à hemitropia.

hemítropo [De *hemi-* + *-tropo*.] *Adj. Crist.* Geminado por hemitropia.

hemizigótico [De *hemizigoto* + *-ico*[2].] *Adj. Biol.* Referente a, ou da natureza de hemizigoto (2).

hemizigoto (ô ou ó) [De *hemi-* + *-zigoto*.] *Adj.* **1.** Diz-se de, ou característico de gene não emparelhado, ou do que possui apenas um de um par de alelos; hemizigótico. [Os machos são hemizigotos quanto aos genes do cromossomo X.] ● *S. m.* **2.** Indivíduo que possui gene hemizigoto (1), ou esse gene.

▲ **hem(o)-** [Do gr. *haim-*, *haimo-* < gr. *haîma*, *atos*.] V. *hemat(o)-*.

▲ **-(h)em(o)-** V. *hemat(o)-*.

hemocaterese [De *hem(o)-* + gr. *kathaíresis*, 'destruição', 'redução'.] *S. f. Histol.* Fenômeno de remoção, do sangue, de hemácias em via de degeneração.

hemocentro [De *hem(o)-* + *centro*.] *S. m. Med.* Centro (5) que se ocupa da coleta e preparação de sangue e derivados, e de sua ministração.

hemocianina [De *hem(o)-* + *-cian(o)-* + *-ina*[3].] *S. f. Biol.* Proteína que contém cobre e não contém o grupo heme, encontrada na hemolinfa de alguns moluscos e artrópodes, e que desempenha na respiração destes a mesma função que a hemoglobina na respiração dos vertebrados: o transporte de oxigênio para os tecidos. [É azul quando combinada com o oxigênio.]

hemocitoblasto [De *hem(o)-* + *-cit(o)-* + *-blasto*.] *S. m. Histol.* Célula precursora dos glóbulos sanguíneos, de acordo com a teoria monofilética.

hemocitómetro *S. m. Med.* V. *hemocitômetro*. [Uso freq. em P.]

hemocitômetro [De *hem(o)-* + *-cit(o)-* + *-metro*.] *S. m. Med.* Aparelho com que se determina o número de glóbulos em certa quantidade de sangue.

hemocitopoese [De *hem(o)-* + *-cit(o)-* + *-poese*.] *S. f. Fisiol.* V. *hematopoese*.

hemocitopoético [De *hem(o)-* + *-cit(o)-* + *-poético*.] *Adj. Fisiol.* V. *hematopoético*.

hemocitopoiese *S. f. Fisiol.* V. *hemocitopoese*.

hemococcídio [De *hem(o)-* + *coccídio*.] *Adj. S. m. Zool.* Diz-se de, ou protozoário esporozoário que parasita os glóbulos vermelhos do sangue dos vertebrados, esp. das aves, e causa a coccidiose.

hemocromatose [De *hem(o)-* + *-cromat(o)-* + *-ose*[1].] *S. f. Med.* Distúrbio de metabolismo de ferro, que se caracteriza pela deposição excessiva desse material nos tecidos, principalmente no fígado e no pâncreas, surgindo cirrose hepática e diabetes melito, além da pigmentação cutânea bronzeada, e doutras lesões, como alterações ósseas e articulares.

hemocultura [De *hem(o)-* + *cultura*.] *S. f. Med.* Exame laboratorial que visa a indicar a presença de microrganismos no sangue, e que consiste em pôr certa quantidade de sangue em meio nutritivo apropriado à proliferação deles.

hemodia [Do gr. *haimodía*.] *S. f. Obsol. Odont.* Sensibilidade dentária anormal.

hemodiagnóstico [De *hem(o)-* + *diagnóstico*.] *S. m. Med.* Diagnóstico obtido por, ou baseado em exames sanguíneos.

hemodialisador (ô) [De **hemodialisar* (< *hemodiálise* + *-ar*[2]) + *-dor*.] *S. m. Nefr.* Instrumento com que se realiza hemodiálise, e no qual o sangue que nele penetra fica separado, por uma membrana semipermeável, de uma solução (9) cuja composição promove a saída, por difusão do sangue, de certos elementos e substâncias. [Sin.: *rim artificial*.]

hemodiálise [De *hem(o)-* + *diálise*.] *S. f. Nefr.* Processo terapêutico em que o sangue, mediante o uso de equipamento especial, é depurado de diversas substâncias nocivas.

hemodinâmica [De *hem(o)-* + *dinâmica*.] *S. f. Fisiol. Card.* Estudo dos movimentos do sangue e dos fatores que neles intervêm.

hemodinâmico [De *hemodinâmica*, com var. suf. (v. *-ico*[2]).] *Adj.* Relativo à hemodinâmica.

hemodinamómetro *S. m. Fisiol. Card.* V. *hemodinamômetro*. [Uso freq. em P.]

hemodinamômetro [De *hem(o)-* + dinamômetro.] *S. m. Fisiol. Card.* Instrumento destinado a medir a pressão com que o sangue circula nos vasos [v. *vaso* (6)].

hemodorácea [Do tax. *Haemodorum* (v. *hemodoro*) + *-ácea*; tax. *Haemodoraceae*.] *S. f. Bot.* Espécime das hemodoráceas, família de monocotiledôneas da ordem das commelinales, ervas perenes, de folhas dísticas. Há umas 35 espécies, em sua maioria habitantes do hemisfério austral.

hemodoráceo [De *hemodorácea*, com var. suf. (v. *-áceo*).] *Adj. Bot.* Pertencente ou relativo às hemodoráceas.

hemodoro [Do tax. *Haemodorum* (poss. do gr. *haîma* [v. *hem(o)-*] + gr. *dóron*, ou, 'dom', 'presente').] *S. m. Bot.* **1.** Gênero-tipo da família das hemodoráceas, que reúne cerca de 20 espécies originárias da Austrália, uma delas tb. da Nova-Guiné, dotadas de rizomas alimentícios us. pelos aborígines. **2.** Qualquer espécie, ou espécime desse gênero.

hemodrómetro *S. m. Fisiol. Card.* V. *hemodrômetro*. [Uso freq. em P.]

hemodrômetro *S. m. Fisiol. Card.* V. *hemodromômetro*.

hemodromómetro *S. m. Fisiol. Card.* V. *hemodromômetro*. [Uso freq. em P.]

hemodromômetro [De *hem(o)-* + *-drom(o)-* + *-metro*.] *S. m. Fisiol. Card.* Instrumento com que se avalia a velocidade de circulação do sangue nos vasos [v. *vaso* (6)]. [Var. haplológica: *hemodrômetro*.]

hemofilia [De *hem(o)-* + *-filia*.] *S. f. Hemat.* Condição hemorrágica hereditária (embora, às vezes, seja muito difícil identificar ascendentes hemofílicos) que incide quase sempre no homem e só excepcionalmente na mulher, e caracterizada por hemorragias precoces, abundantes e prolongadas, que se repetem espontaneamente, ou por ocasião de traumatismos mínimos subcutâneos, submucosos, musculares, articulares, viscerais, etc. [A condição tem etapas evolutivas: um traumatismo pode não provocar hemorragia numa fase, e provocar em outra.]

hemofílico [De *hemofilia* + *-ico*[2].] *Adj.* **1.** Relativo a, ou que sofre de hemofilia. ● *S. m.* **2.** Aquele que sofre de hemofilia.

hemoflagelado [De *hem(o)-* + *flagelado*[2].] *Adj. S. m. Zool.* Diz-se de, ou protozoário flagelado que parasita o sangue dos vertebrados.

hemofobia [De *hem(o)-* + *-fobia*.] *S. f. Psiq.* Hematofobia. [Cf. *homofobia*.]

hemofóbico [De *hemofobia* + *-ico*[2].] *Adj. S. m. Psiq.* V. *hematofóbico*. [Cf. *homofóbico*.]

hemófobo [De *hem(o)-* + *-fobo*.] *Adj. S. m. Psiq.* V. *hematofóbico* (2 e 3). [Cf. *homófobo*.]

hemoftalmia [De *hem(o)-* + *-(o)ftalm(o)-* + *-ia*[1].] *S. f. Oftalm.* Derramamento de sangue em globo ocular; hemalopia.

hemofuscina [Do ingl. *hemofuscin*.] *S. f. Bioquím.* Pigmento marrom-amarelado resultante da decomposição de hemoglobina, e que dá à urina uma forte coloração cor-de-rosa.

hemoglobina [F. red. de **hematoglobulina* (< *hemat(o)-* + *globulina*), a partir de *hem(o)-* + *glob(ul)ina*.] *S. f.* Pigmento existente na hemácia, formado por heme e globina, e entre cujas funções estão as de fixação do oxigênio atmosférico e sua transferência às células.

hemoglobinemia [De *hemoglobina* + *-emia*.] *S. f. Med.* Presença de hemoglobina livre no plasma sanguíneo, devida à destruição de glóbulos vermelhos.

hemoglobínico [De *hemoglobina* + *-ico*[2].] *Adj.* De, ou pertencente ou relativo a hemoglobina.

hemoglobinocolia [De *hemoglobina* + *-col(e)-* + *-ia*[1].] *S. f. Med.* Ocorrência de hemoglobina na bile.

hemoglobinómetro *S. m. Med.* V. *hemoglobinômetro*. [Uso freq. em P.]

hemoglobinômetro [De *hemoglobina* + *-o-* + *-metro*.] *S. m. Med.* Instrumento com que se mede a hemoglobina do sangue; hemômetro.

hemoglobinuria [De *hemoglobina* + *-uria*.] *S. f. Med.* V. *hemoglobinúria*.

hemoglobinúria [De *hemoglobina* + *-úria*.] *S. f. Med.* Presença, na urina, de hemoglobina. [F. paral.: *hemoglobinuria*.]

hemograma [De *hem(o)-* + *-grama*.] *S. m. Med.* Exame laboratorial de sangue que fornece dados quantitativos e, eventualmente, qualitativos, sobre hemácias, leucócitos (incluindo a discriminação de seus tipos), plaquetas e hemoglobina. [O hemograma pode constituir valioso auxiliar no diagnóstico e no estudo da evolução de diversas condições mórbidas.]

hemolinfa [De *hem(o)-* + *-linfa*.] *S. f. Zool.* Líquido que se encontra no sistema cardiovascular de certos invertebrados, em que desempenha papel análogo ao do sangue e da linfa nos vertebrados.

hemolisar [De *hemólise* + *-ar*[2].] *V. t. d.* Operar a hemólise em. [Pres. subj.: *hemolise*, etc. Cf. *hemólise*.]

hemólise [De *hem(o)-* + *-lise*.] *S. f. Hemat.* Destruição de glóbulos vermelhos do sangue, com libertação de hemoglobina; hemotexia. [Cf. *hemolise*, do v. *hemolisar*.]

hemolítico [De *hemól(ise)* + *-ítico*.] *Adj.* Relativo à hemólise.

hemómetro *S. m. Med.* V. *hemômetro*. [Uso freq. em P.]

H

hemômetro [De *hem(o)-* + *-metro*.] *S. m. Med.* Hemoglobinômetro.

hemopatia [De *hem(o)-* + *-patia*.] *S. f. Hemat.* Qualquer doença do sangue.

hemoplania [De *hem(o)-* + gr. *pláne*, 'desvio', + *-ia*[1].] *S. f. Gin.* Menstruação por via outra que não a normal.

hemoplastia [De *hem(o)-* + *-plast(o)-* + *-ia*[1].] *S. f. Biol.* Formação ou produção do sangue.

hemoplástico [De *hemoplastia* + *-ico*[2].] *Adj.* Relativo à hemoplastia.

hemóptico [Do lat. *haemoptyicu* < gr. *haimoptyikós*.] *Adj. Pneum.* **1.** Relativo a, ou em que há hemoptise. **2.** Diz-se do escarro na vigência de hemoptise.

hemoptise [Do lat. *haemoptise* < gr. *haemóptysis* (< gr. *haíma*, 'sangue', + gr. *ptýsis*, 'ação de cuspir').] *S. f. Pneum.* Expectoração (q. v.) sanguínea ou sanguinolenta.

hemorragia [Do lat. imp. *haemorrhagia* < gr. *haimorrhagía*.] *S. f. Med.* Derramamento de sangue para fora de vaso(s) [v. *vaso* (6)] que deve(m) contê-lo.

hemorrágico [De *hemorragia* + *-ico*[2].] *Adj.* **1.** Relativo a, ou que padece de hemorragia. ~ V. *dengue* —. ● *S. m.* **2.** Aquele que padece de hemorragia.

hemorrinia [De *hem(o)-* + *-rin(o)-* + *-ia*[1].] *S. f. Med.* V. *epistaxe*.

hemorroida (ói) [Do lat. *haemorrhoida*, do gr. *haimorrhoís*, *ídos*.] *S. f. Proct.* Dilatação de veia anal ou retal. [F. paral.: *hemorroide*. Sin., pop.: *almorreima*, (CE) *caseira*.] ❖

hemorroidal [De *hemorroida* + *-al*[1].] *Adj. 2 g.* Referente a hemorroida.

hemorroidaria [De *hemorroida* + *-aria*.] *S. f. Fam.* Ataque de hemorroida. [Cf. *hemorroidária*, fem. de *hemorroidário*.]

hemorroidário [De *hemorroida* + *-ário*.] *Adj.* **1.** Relativo a hemorroida. ~ V. *mamilo* —. ● *S. m.* **2.** Aquele que sofre de hemorroida. [Sin., pop., nas acepç. 1 e 2: *hemorroidoso*. Fem.: *hemorroidária*. Cf. *hemorroidaria*.]

hemorroide (ói) *S. f. Proct.* V. *hemorroida*. ❖

hemorroidectomia [De *hemorroida* + *-ectom-* + *-ia*[1].] *S. f. Proct.* Excisão de hemorroida.

hemorroidoso (ô) [De *hemorroida* + *-oso*.] *Adj. S. m. Pop.* Hemorroidário (1 e 2).

hemorroíssa [Do lat. ecles. *haemorrhoissa*.] *S. f. Rel.* Segundo o Evangelho, mulher que tinha fluxo de sangue constante e se curou ao tocar a túnica de Cristo.

hemospasia [De *hem(o)-* + rad. do v. gr. *spân*, 'retirar', 'extrair'; 'atrair para si', + *-ia*[1].] *S. f. Terap.* Meio terapêutico pelo qual, formando-se vácuo na superfície do corpo, se faz que para aí aflua o sangue.

hemospásico [De *hemospasia* + *-ico*[2].] *Adj.* Hemospástico.

hemospástico [De *hem(o)-* + gr. *spastikós* (v. gr. *spân* [v. *hemospasia*]).] *Adj.* Relativo à hemospasia; hemospásico.

hemosporídio [De *hem(o)-* + *-(e)sporídio*; tax. *Haemosporidia*.] *Microbiol. S. m.* **1.** Espécime dos hemosporídios, ordem de protozoários esporozoários cuja forma trofozoítica adulta é unicelular e ameboide, parasitando o sangue dos vertebrados. Ex.: o plasmódio. ● *Adj.* **2.** Pertencente ou relativo a eles.

hemossedimentação [De *hem(o)-* + *sedimentação*.] *S. f. Med.* V. *velocidade de hemossedimentação*.

hemossiderina [De *hem(o)-* + *-sider(o)-* + *-ina*[3].] *S. f. Bioquím.* Pigmento insolúvel que contém hidróxido férrico, e que representa uma forma de armazenamento de ferro no organismo, sendo encontrado, normalmente, em células do sistema reticuloendotelial; patologicamente, pode ser visto em focos hemorrágicos antigos, em vísceras de pacientes com hemocromatose, e noutras condições mórbidas.

hemossiderose [De *hem(o)-* + *-sider(o)-* + *-ose*[1].] *S. f. Patol.* Aumento localizado ou generalizado em depósitos orgânicos de ferro.

hemóstase [Do gr. *haimostasis*.] *S. f. Cir.* Ação ou efeito de estancar uma hemorragia; hemostasia.

hemostasia [De *hemóstase* + *-ia*[1].] *S. f. Cir.* Hemóstase.

hemostática [De *hem(o)-* + gr. *statiké*, 'arte de pesar e de equilibrar'.] *S. f. Fisiol.* **1.** Estudo das leis do equilíbrio do sangue nos respectivos vasos. **2.** Pinça hemostática.

hemostático [De *hemóst(ase)* + *-ático*.] *Adj.* **1.** Referente à hemóstase. **2.** Diz-se de medicamento contra as hemorragias. ~ V. *lápis* — e *pinça* —*a*. ● *S. m.* **3.** Medicamento contra as hemorragias.

hemoterapeuta [De *hem(o)-* + *terapeuta*.] *S. 2 g.* Especialista em hemoterapia.

hemoterapia [De *hem(o)-* + *-terapia*.] *S. f. Terap.* Tratamento mediante o uso de sangue ou de integrantes dele (plasma, hemácia, etc.).

hemoterápico [De *hemoterapia* + *-ico*[2].] *Adj.* Relativo a hemoterapia.

hemotexia (cs) [De *hem(o)-* + gr. *têxis*, 'fusão', 'liquefação'; 'dissolução', + *-ia*[1].] *S. f. Hemat.* Hemólise.

hemotórax (cs) [De *hem(o)-* + *-tórax*.] *S. m. 2 n. Cir.* Coleção sanguínea em cavidade pleural.

hemulídeo [Adapt. do tax. *Haemulidae*.] *Zool. S. m.* **1.** Espécime dos hemulídeos, família de peixes perciformes, ger. marinhos, com 17 gêneros e cerca de 150 espécies. São as corcorocas. ● *Adj.* **2.** Pertencente ou relativo a eles.

hena [Do ár. *ḥinna(t)*, pelo fr.] *S. f. Bot.* Pequena árvore ou arbusto litráceo (*Lawsonia inermis*) tropical, cujas flores, paniculadas, perfumadas e brancas, são usadas pelos budistas e muçulmanos em cerimônias religiosas, e de cuja casca e folhas secas se prepara uma tintura castanho-avermelhada us. simples ou adicionada a outros agentes corantes para tingir cabelos, em xampus, em cosméticos, etc. [Cf. *henê*.]

▲ **hendec(a)-** [Do gr. *héndeka*.] *El. comp.* = 'onze': *hendecafilo*, *hendecandro*.

hendecaedro [De *hendec(a)-* + *-edro*.] *S. m. Geom.* Poliedro de 11 faces; undecaedro.

hendecafilo [De *hendec(a)-* + *-filo*[1].] *Adj. Bot.* Que tem onze folhas ou onze folíolos.

hendecágino [De *hendec(a)-* + *-gino*.] *Adj. Bot.* Que tem 11 pistilos.

hendecágono [Do lat. tard. *hendecagonu* (< gr. *héndeka*, 'onze', + gr. *gonía*, 'ângulo').] *Adj. Geom.* **1.** Que tem 11 ângulos e 11 lados. ● *S. m.* **2.** Polígono de 11 faces; undecágono. [A pronúncia correta seria *hendecagono*; v. *-gono*.]

hendecandro [De *hendec(a)-* + *-andro*.] *Adj. Bot.* Que tem 11 estames.

hendecano [De *hendec(a)-* + *-ano*[2].] *S. m. Quím.* Undecano.

hendecassílabo [Do lat. *hendecasyllabu* < gr. *hendecasýllabos*.] *Adj.* **1.** Que tem 11 sílabas. ● *S. m.* **2.** Verso de onze sílabas.

hendecosaedro *S. m. Geom.* Poliedro de 21 faces.

hendecoságono *S. m. Geom.* Polígono de 21 lados. [A pronúncia correta seria *hendecosagono*, v. *-gono*.]

hendíadis [Do lat. tard. *hendiadis* < gr. *hén dià dyoîn*, 'uma coisa por meio de duas'.] *S. f. 2 n. E. Ling.* Figura que consiste em exprimir por dois substantivos ligados por coordenação uma ideia que normalmente se representaria subordinando um deles ao outro. Ex.: *Ia andando, no sossego e na tarde, em vez de no sossego da tarde*; *Respirava o perfume e os campos, em vez de: Respirava o perfume dos campos*.

henê [Do fr. *henné* < lat. med. *henne* < ár. *ḥinna(t)*, 'alfena', 'hena'.] *S. m.* Tintura e/ou alisador para cabelos, e cosmético, feitos, basicamente, com tintura de hena (q. v.).

henequém [Do esp. *henequén*, de or. americana, poss. do maia.] *S. f. Bot.* Grande erva agaváceа (*Agave rigida*) rosulada, originária do México, altamente ornamental. Alcança de 1 a 2m de altura; folhas lanceoladas, acinzentadas, com 1,5 por 2,2m, grossas e espinescentes nas margens; inflorescência terminal muito grande, com flores campanuladas; em vez de frutos, produz enorme quantidade de bolbilhos, que facilmente reproduzem a planta.

henoteísmo [Do gr. *hén*, neutro de *heîs*, *mía*, *hén*, 'um', + *-o-* + *teísmo*[1].] *S. m. Filos.* Segundo Max Müller (1823-1900), orientalista alemão, forma de religião em que se cultua um só Deus sem que se exclua a existência de outros. [Cf. *monoteísmo* e *politeísmo*.]

henriquino *Adj.* Relativo ou pertencente a pessoa chamada Henrique, e particularmente ao Infante D. Henrique, o Navegador (1394-1460), de Portugal.

➔ **henry** ['hɛnɹij] [V.C.I., do antr. (*Joseph*) *Henry* (1797-1878), físico norte-americano.] *S. m. Eletr.* Unidade de indutância do Sistema Internacional de Medidas, igual à indutância dum elemento passivo de um circuito entre cujos terminais é induzida uma tensão igual a um volt, quando ele é percorrido por uma corrente elétrica com uma intensidade que varia, uniformemente, à razão de um ampère por segundo [símb.: *H*]. [Pl.: *henrys*.]

hentriacontaedro [Do gr. *hén*, 'um', + gr. *triakonta*, 'trinta', + *-edro*.] *S. m. Geom.* Poliedro de 31 faces.

hentriacontágono [Do gr. *hén*, 'um', + gr. *triakonta*, 'trinta', + *-gono*.] *S. m. Geom.* Polígono de 31 lados. [A pronúncia correta seria *hentriacontagono*, v. *-gono*.]

heortónimo *S. m.* V. *heortônimo*. [Uso freq. em P.]

heortônimo [Do gr. *heorté*, 'festa', + *-ônimo*.] *S. m.* Denominação com que se designam festividades populares: *carnaval*, *lupercais*, etc.

hep *Interj. Bras. RS* Usa-se no campo para incitar os animais a andar.

hépar [Do gr. *hépar* (nom.), 'fígado'.] *S. m. Quím. Desus.* Designação genérica dos sulfetos alcalinos. [Pl.: *hépares*.]

heparina [Do lat. cient. *hepar* (v. *hepat(o)-*) + *-ina*[3].] *S. f. Quím.* Substância natural, polissacarídeo sulfatado, us. como anticoagulante.

hepatal [De *hepat(o)-* + *-al*[1].] *Adj. 2 g.* V. *hepático*[1].

hepatalgia [De *hepat(o)-* + *-alg(o)-*[2] + *-ia*[1].] *S. f. Patol.* Dor no fígado.

hepatálgico [De *hepatalgia* + *-ico*[2].] *Adj.* Relativo a hepatalgia.

hepatargia [De *hepat(o)-* + *-argia*.] *S. f. Gastr. Desus.* Autointoxicação devida a mau funcionamento hepático.

hepatectomia [De *hepat(o)-* + *-ectom-* + *-ia*[1].] *S. f. Cir.* Excisão, em extensão variável, do fígado.

hepatesplenomegalia [De *hepat(o)-* + *-(e)splen(o)-* + *-megal(o)-* + *-ia*[1].] *S. f. Med.* Aumento de volume, concomitante, do fígado e do baço.

hepática [Adapt. do tax. *Hepaticae* (do pl. do lat. *hepatica*, f. do lat. *hepaticus*, v. *hepático*[1]).] *S. f. Bot.* Espécime das hepáticas, grupo de briófitos dotados de organismo taloide ou foliáceo. Protonema rudimentar, laminar; cápsula provida ou não de seta; calíptra persistente ou evanescente; não há columela; eláteros presentes. Subdivide-se em duas subclasses: hepaticales e antocerotales.

hepatical [Do lat. cient. *Hepatic-* (v. *hepaticale*) + *-al*[1].] *Adj. 2 g. Bot.* Pertencente ou relativo às hepaticales.

hepaticale [Do tax. *Hepaticae* (v. *hepática*) + *-ale*.] *S. f. Bot.* Espécime das hepaticales, subclasse de hepáticas que engloba formas talosas e foliosas. Células com numerosos cloroplastos e sem pirenoides; estômatos variados, seta desenvolvida; não há columela; multiplicação vegetativa frequente.

hepático[1] [Do gr. *hepatikós*, pelo lat. *hepaticu*.] *Adj.* **1.** Relativo ao fígado; figadal, hepatal, jecoral, jecorário. **2.** Pertencente ou relativo a formação ou formações anatômica(s) do fígado, ou a prova(s) médica(s) referente(s) a ele. ~ V. *canal* —, *cirrose* —*a* e *docimasia* —*a*, *ducto* —, *ducto* — *comum*, *ducto* — *direito* e *ducto* — *esquerdo*.

hepático[2] [De *hepática*, com var. suf. (v. *-ico*[2]).] *Adj. Bot.* Pertencente ou relativo às hepáticas.

hepatismo [De *hepat(o)-* + *-ismo*.] *S. m. Patol. Desus.* Comprometimento orgânico devido a mau funcionamento hepático.

hepatite [De *hepat(o)-* + *-ite*[1].] *S. f. Patol.* Inflamação do fígado, que pode ter causas várias (vírus, substâncias químicas, agentes anestésicos, etc.). [Sin., pop.: *figadeira*.]

hepatização [De *hepatizar* + *-ção*.] *S. f. Med.* Ato ou efeito de hepatizar-se.

hepatizar-se [De *hepat(o)-* + *-izar* + *se*[1].] *V. p. Med.* Passar (um tecido orgânico) a um estado em que apresenta o aspecto de fígado.

▲ **hepat(o)-** [Do gr. *hêpar*, *hêpatos*.] *El. comp.* = 'fígado': *hepatite*, *hepatopatia*. [Equiv.: *-(h)epat(o)-*: *gastrepático*.]

▲ **-(h)epat(o)-** Equiv. de: *hepat(o)-*.

hepatocele [De *hepat(o)-* + *-cele*[1].] *S. f. Med.* Saliência herniária produzida pelo fígado.

hepatografia [De *hepat(o)-* + *-grafia*.] *S. f.* **1.** Descrição científica do fígado. **2.** *Radiol.* Radiografia hepática.

hepatográfico [De *hepatografia* + *-ico*[2].] *Adj.* Relativo a hepatografia.

hepatólise [De *hepat(o)-* + *-lise*.] *S. f. Patol.* Destruição de células hepáticas.

hepatolítico [De *hepatól(ise)* + *-ítico*.] *Adj.* Relativo a, ou em que há hepatólise.

hepatologia [De *hepat(o)-* + *-logia*.] *S. f.* **1.** Estudo do fígado. **2.** Estudo das doenças do fígado.

hepatológico [De *hepatologia* + *-ico*[2].] *Adj.* Relativo a hepatologia.

hepatologista [De *hepatologia* + *-ista*.] *S. 2 g. Med.* Especialista em hepatologia.

hepatoma [De *hepat(o)-* + *-oma*[1].] *S. m. Patol.* Qualquer tumor do fígado.

hepatomegalia [De *hepat(o)-* + *-megal(o)-* + *-ia*[1].] *S. f. Med.* Aumento de volume do fígado.

hepatomegálico [De *hepatomegalia* + *-ico*[2].] *Adj.* Relativo a hepatomegalia.

hepatopatia [De *hepat(o)-* + *-patia*.] *S. f. Patol.* Designação comum às moléstias do fígado.

hepatopático [De *hepatopatia* + *-ico*[2].] *Adj. Patol.* Relativo a hepatopatia.

hepatorreia (éi) [De *hepat(o)-* + *-reia*.] *S. f.* **1.** Secreção patologicamente excessiva de bílis. **2.** Fluxo patológico de qualquer substância proveniente do fígado. *Patol.* ❖

hepatorreico (éi) [De *hepator(reia)* + *-reico*.] *Adj.* Relativo a hepatorreia. ❖

hepatorrenal [De *hepat(o)-* + *renal*.] *Adj. 2 g. Anat.* ~ V. *recesso* —.

hepatorrexe (cs) [De *hepat(o)-* + *-rexe*.] *S. f. Med.* Ruptura do fígado; hepatorrexia.

hepatorrexia (cs) [De *hepat(o)-* + *-rex-* + *-ia*[1].] *S. f. Med.* Hepatorrexe.

hepatoscopia [De *hepat(o)-* + *-scop-* + *-ia*[1].] *S. f. Med.* Visualização do fígado a olho nu, ou com auxílio de instrumento.

hepatoscópico [De *hepatoscopia* + *-ico*[2].] *Adj.* Relativo a, ou feito mediante hepatoscópio.
hepatotomia [De *hepat(o)-* + *-tom(o)-* + *-ia*[1].] *S. f. Cir.* Incisão no fígado.
hepatotómico *Adj. Cir.* V. *hepatotômico.* [Uso freq. em P.]
hepatotômico [De *hepatotomia* + *-ico*[2].] *Adj. Cir.* Relativo a hepatotomia.
hepatotoxicidade (cs) [De *hepatotóxico* + *-(i)dade.*] *S. f. Med.* Caráter do que é hepatotóxico.
hepatotóxico (cs) [De *hepat(o)-* + *-tóxico.*] *Adj. S. m. Med.* Diz-se de, ou substância que é tóxica para o fígado.
hepialídeo [Do tax. *Hepialus* + *-ídeo*[1]; tax. *Hepialidae.*] *Zool. S. m.* **1.** Espécime dos hepialídeos, família de insetos lepidópteros, heteróceros, cosmopolitas, formada por mariposas de tamanho médio ou grande, cujas asas são redondas nos ápices; a venação é a mesma nas asas anteriores e posteriores.● *Adj.* **2.** Pertencente ou relativo a eles.
▲ **hept(a)-** [Do gr. *hept(a)-* < gr. *heptá.*] *El. comp.* **1.** = 'sete': *heptaedro, heptose.* **2.** *Quím.* Indica cadeia de sete átomos de carbono, em grupamento ou substância: *heptano, heptila, heptose.*
heptacampeã *S. f.* Fem. de *heptacampeão* (q. v.).
heptacampeão [De *hept(a)-* + *campeão.*] *Adj. S. m.* **1.** Diz-se de, ou indivíduo, equipe, grupo etc., que foi campeão por sete vezes (consecutivas ou não) em competição ou modalidade esportiva, artística, ou cultural, ou em concurso. **2.** *Restr.* Diz-se de, ou indivíduo que participou da conquista de um heptacampeonato [Fem.: *heptacampeã.*]
heptacampeonato [De *hept(a)-* + *campeonato.*] *S. m.* **1.** Campeonato (2) obtido por um mesmo disputante pela sétima vez. **2.** *Restr.* Aquele que é conquistado pela sétima vez consecutiva.
heptacontaedro *S. m. Geom.* Poliedro de 70 faces.
heptacontágono *S. m. Geom.* Polígono de 70 lados. [A pronúncia correta seria *heptacontagono*, v. *-gono.*]
heptacordo [Do lat. tard. *heptachorda* < gr. *heptáchordos.*] *S. m.* **1.** Sistema de sons compostos de sete notas, como, p. ex., o da gama. **2.** Lira[1] (1) de sete cordas.● *Adj.* **3.** Que tem sete cordas.
heptacosaedro [De *hept(a)-* + *(i)cosaedro.*] *S. m. Geom.* Poliedro de 27 faces.
heptacoságono [De *hept(a)-* + *(i)coságono.*] *S. m. Geom.* Polígono de 27 lados. [A pronúncia correta seria *heptacosagono*, v. *-gono.*]
heptadáctilo [Do gr. *heptadáktylos.*] *Adj.* Que tem sete dedos. [Var.: *heptadátilo.*]
heptadátilo *Adj.* V. *heptadáctilo.*
heptadecaedro [De *hept(a)-* + *decaedro.*] *S. m. Geom.* Poliedro de 17 faces.
heptadecágono [De *hept(a)-* + *decágono.*] *S. m. Geom.* Polígono de 17 lados. [A pronúncia correta seria *heptadecagono*, v. *-gono.*]
heptaédrico [De *heptaedro* + *-ico*[2].] *Adj.* Relativo a heptaedro.
heptaedro [De *hept(a)-* + *-edro.*] *S. m. Geom.* Poliedro de sete faces.
heptafilia [De *heptafilo* + *-ia*[1].] *S. f. Bot.* Ocorrência de heptafilo.
heptafilo [Do gr. *heptáphyllos.*] *Adj. Bot.* Que tem sete folhas ou sete folíolos.
heptafone [Var. de *heptafono.*] *Adj. Fís.* Diz-se do eco que repete um som sete vezes.
heptafono [Do gr. *heptáphonos.*] *Adj. Fís.* Heptafone (q. v.).
heptageniídeo *Zool.* [Adapt. do tax. *Heptageniidae.*] *S. m.* **1.** Espécime dos heptageniídeos, família de insetos efemerópteros.● *Adj.* **2.** Pertencente ou relativo a eles. [V. *heptagenióideo.*]
heptagenióideo [Adapt. do tax. *Heptagenioidea.*] *Zool. S. m.* **1.** Espécime dos heptageniídeos, subordem de insetos efemerópteros, de tarso posterior com cinco artículos livres e móveis. ● *Adj.* **2.** Pertencente ou relativo a eles.
heptaginia [De *heptágino* + *-ia*[1].] *S. f. Bot.* Condição de heptágino.
heptágino [De *hept(a)-* + *-gino.*] *Adj. Bot.* Que tem sete pistilos.
heptagonal [De *heptágono* + *-al*[1].] *Adj. 2 g.* Referente a heptágono.
heptágono [Do gr. *heptágonos*, pelo lat. tard. *heptagonu.*] *S. m. Geom.* Polígono de sete lados. [A pronúncia correta seria *heptagono*, v. *-gono.*]
hepta-hidratado *Adj.* V. *heptaidratado.* ❖
heptaidratado (a-i) [De *hept(a)-* + *hidratado.*] *Adj. Quím.* Diz-se de substância da qual cada uma das moléculas se acha associada quimicamente a sete moléculas de água.
heptaleno [De *hept(a)-* + *-aleno.*] *S. m. Quím.* Hidrocarboneto bicíclico, totalmente insaturado, cujas moléculas são formadas por dois anéis fundidos, cada um com sete átomos de carbono [fórm.: $C_{12}H_{10}$].
heptâmero [De *hept(a)-* + *-mero.*] *Adj.* Que tem sete partes. [Cf. *heptâmeron.*]
heptâmeron [Do biblion. fr. *Heptaméron* (< gr. *heptá*, 'sete', + gr. *heméra*, 'dia', + fr. *-on*, por anal. com it. *Decameron*, de Boccaccio [v. *boccacciano*]), obra inacabada de Marguerite de Navarre (1492-1549), publicada em 1559.] *S. m.* Obra em sete partes distribuídas por sete dias. [Cf. *heptâmero.*]
heptâmetro [Do lat. tard. *heptametru.*] *S. m.* **1.** Verso heptâmetro.● *Adj.* **2.** ~ V. *verso* —.
heptanal [Do ingl. *heptanal.*] *S. m. Quím.* Aldeído com 7 átomos de carbono e cadeia saturada, esp. o linear; enantal.
heptandria [De *heptandro* + *-ia*[1].] *S. f. Bot.* Condição de heptandro. [Cf. *heptândria.*]
heptândria [Do lat. cient. *Heptandria.*] *S. f. Bot.* Conjunto de vegetais heptandros, no sistema de Lineu (v. *lineano*). [Cf. *heptandria.*]
heptandro [De *hept(a)-* + *-andro.*] *Adj. Bot.* Diz-se de planta, flor ou androceu que apresenta sete estames iguais e livres.
heptanemo [De *hept(a)-* + *-nemo.*] *Adj. Zool.* Que tem sete tentáculos.
heptano [De *hept(a)-* + *-ano*[2].] *S. m. Quím.* Hidrocarboneto saturado, de que existem diversos isômeros, líquido, incolor, inflamável, obtido do petróleo [fórm.: C_7H_{16}].
heptanoico (ói) [De *heptano* + *-oico*[2].] *Adj. Quím.* V. *ácido* —.❖
heptanterado [De *hept(a)-* + *antera* + *-ado*[1].] *Adj.* Que tem sete anteras.
heptapsogasterídeo [Adapt. do tax. *Heptapsogasteridae.*] *Zool. S. m.* **1.** Espécime dos heptapsogasterídeos, família de insetos anopluros parasitos de aves, principalmente dos tinamiformes; são piolhos sugadores que diferem dos iscnóceros por apresentarem os três primeiros segmentos abdominais fusionados.● *Adj.* **2.** Pertencente ou relativo a eles.
heptarca [De *hept(a)-* + *-arca*[1].] *S. m.* Cada um dos membros de uma heptarquia.
heptarquia [De *hept(a)-* + *-arquia.*] *S. f.* **1.** Governo formado por sete indivíduos. **2.** Reunião de sete monarquias.
heptárquico [De *heptarquia* + *-ico*[2].] *Adj.* Referente a heptarquia.
heptassílabo [De *hept(a)-* + *-sílabo.*] *Adj. S. m.* Setissílabo.
heptateuco [Do lat. tard. *heptateuchu* < gr. *heptáteuchos.*] *S. m.* **1.** Obra dividida em sete livros. **2.** Os sete primeiros livros do Antigo Testamento: os cinco do Pentateuco, o Livro de Josué e o Livro dos Juízes.
heptatlo [De *hept(a)-* + *-atlo.*] *S. m. Esport.* Versão feminina do decatlo, conjunto de sete provas do atletismo: corridas (100m, 200m e 800m), saltos (em distância e em altura) e lançamentos (de peso e de dardo).
heptátomo [De *hept(a)-* + *-tomo.*] *Adj. Zool.* Que tem sete articulações.
▲ **heptil-** [De *hept(a)-* + *-il*[2].] *Quím. El. comp.* Indica o grupo heptila, $-C_7H_{15}$: *heptilamina.*
heptila [De *hept(a)-* + *-ila*[2].] *S. m. Quím.* O grupamento monovalente saturado $-C_7H_{15}$, derivado do heptano.
heptilamina [De *heptil-* + *-amina.*] *S. f. Quím.* Amina saturada com sete átomos de carbono [fórm.: $C_7H_{17}N$].
heptílico [De *heptila* + *-ico*[2].] *Adj. Quím.* Diz-se dos compostos que contêm o grupamento heptila.
heptodo (ô) [De *hept(a)-* + *-odo.*] *S. m. Eletrôn.* Válvula eletrônica com sete eletrodos: um catodo, uma placa, uma grade de controle, e quatro eletrodos adicionais, geralmente grades.
heptose [De *hept(a)-* + *-ose*[2].] *S. f. Quím.* Ose com sete átomos de carbono.
hera [Do lat. *hedera*, por via pop.] *S. f. Bot.* **1.** Nome comum às trepadeiras lenhosas araliáceas do gênero *Hedera* (v. *hédera*), ger. com caules enraizados e folhas trilobadas. **2.** Trepadeira araliácea (*Hedera helix*) com raízes adventícias e fixadoras, folhas trilobadas verde-escuras, flores verde-amareladas e frutos pretos ou amarelos, e nativa do Velho Mundo; hera-verdadeira. [Pl.: *heras*. Cf. *era*, *eras*, dos v. *ser* e *erar*, e s. f.]
heráclias [Adapt. do gr. *Heráklia*, ou do gr. *Herákleia.*] *S. f. pl.* Na Grécia antiga, festas em honra de Hércules ou Hércules (v. *herculano*).
heraclida [Do gr. *Herakleídes*, *ou*, pelo lat. *Heraclides*, *ae.*] *S. m. Mit.* Descendente de Héracles ou Hércules.
heraclitiano [Do antr. *Heráclito* + *-iano.*] *Adj.* **1.** Pertencente, relativo a, ou próprio de Heráclito de Éfeso (c. 544-480 a. C.). **2.** Que é adepto da filosofia de Heráclito de Éfeso, ou profundo conhecedor de sua obra.● *S. m.* **3.** Seguidor de sua filosofia ou profundo conhecedor de sua obra. [Sing. ger.: *heraclítico.*]
heraclítico [Do antr. *Heráclito* + *-ico*[2].] *Adj. S. m.* V. *heraclitiano.*
heraclitismo [Do antr. *Heráclito* + *-ismo.*] *S. m.* **1.** *Filos.* Doutrina de Heráclito de Éfeso (c. 544-480 a. C.), filósofo grego, fundador da escola de Éfeso ou escola efésia, caracterizada principalmente pela afirmação de que a luta é princípio de todas as coisas, gerando as oposições de que decorrem os equilíbrios que se sucedem num universo em permanente movimento e transformação segundo uma medida e um ritmo que expressam justiça e harmonia profundas: a sabedoria é o reconhecimento de que todas as coisas são regidas por todas as coisas, segundo um princípio supremo de unificação, o logos (q. v.). **2.** Doutrina que admite que o Universo está em perpétuo devenir.
hera-do-cabo *S. f. Bot.* Trepadeira asterácea (*Senecio macroglossus*) originária da África do Sul, de folhas carnosas, triangulares, semelhante às da hera, e dotadas de inflorescências com pequenas flores asteroides, em capítulos brancos. [Pl.: *heras-do-cabo.*]
heráldica [Do fr. *héraldique*, der. do lat. med. *heraldus.*] *S. f.* **1.** A arte ou ciência dos brasões. **2.** O conjunto dos emblemas de brasão. [Sin. ger.: *parassematografia.*]
heráldico [Do fr. *héraldique.*] *Adj.* **1.** Relativo a brasões; parassematográfico.● *S. m.* **2.** V. *heraldista.*
heraldista [Do fr. *héraldiste.*] *S. 2 g.* Especialista em heráldica; parassematógrafo, heráldico.
heraldo [Do fr. *héraut* < lat. med. *heraldu* < frâncico **herald*, 'funcionário do exército'.] *S. m. Ant.* Arauto (1).
herança [Do lat. *haerentia*, subst. do neutro pl. de *haerens*, *tis*, part. pres. de *haerere* (2.ª conj.), 'estar pegado'; 'aderir'; a infl. de *herdar* explica a passagem de *-ença* a *-ança.*] *S. f.* **1.** Aquilo que se herda. **2.** Aquilo que se transmite por hereditariedade (2). **3.** *Dir. Civ.* Acervo de bens, direitos e obrigações transmitido em razão da morte aos herdeiros legítimos ou aos herdeiros testamentários do falecido. **4.** *Fig.* Aquilo que se recebeu dos pais, das gerações anteriores, da tradição; legado. **5.** *Inform.* Em modelagem (3) orientada a objetos (v. *orientação a objetos*), transmissão automática de determinadas propriedades de uma classe (21) a outra(s) classe(s) dela derivada(s). [Cf. *hierarquia* (4).] **6.** *Inform.* O conjunto das propriedades e especificações assim transmitidas de uma classe para outra(s). **7.** *Genét.* Aquilo que se herda ou se transmite por hereditariedade.
◆ **Herança jacente.** *Jur.* Aquela cujos beneficiários ainda não são conhecidos, e que fica, por isso, sob a guarda, conservação e administração dum curador, até aparecerem os herdeiros ou declarar-se-lhe a vacância. **Herança vacante.** *Jur.* A herança jacente que se devolve ao Estado uma vez decorrido o prazo legal e confirmado o não aparecimento de herdeiros; herança vaga. **Herança vaga.** *Jur.* Herança vacante.
hera-sueca *S. f. Bot.* V. *hera-terrestre.* [Pl.: *heras-suecas.*]
hera-terrestre [De *hera* + *terrestre.*] *S. f. Bot.* Erva lamiácea (*Glechoma hederacea*) vivaz, nativa das regiões setentrionais da Europa e da Ásia; é prostrada, estolhosa, radicante, dotada de folhas pecioladas, orbiculares ou reniformes, crenadas, e de pequeninas flores azul-claras dispostas em racemos. [Sin.: *hera-sueca* e (bras.) *dólar*. Pl.: *heras-terrestres.*]
hera-verdadeira [De *hera* + o f. de *verdadeiro.*] *S. f. Bot.* Hera (2). [Pl.: *heras-verdadeiras.*]
herbáceo [Do lat. *herbaceu.*] *Adj.* **1.** Respeitante a erva. **2.** Diz-se de planta que tem a consistência e o porte de erva.
herbanário [Do lat. *herbanu* + *-ário.*] *S. m.* **1.** Estabelecimento que vende ervas medicinais. [Sin., em SP: *ervanaria.*] **2.** Indivíduo que vende e/ou conhece plantas medicinais. [F. paral.: *ervanário.*]
herbário [Do lat. *herbarium*, 'tratado de botânica'.] *S. m.* **1.** Coleção de plantas dessecadas que se conservam nas instituições botânicas e são destinadas à pesquisa científica; fitoteca. **2.** Livro em que antigamente se reuniam descrições e figuras de plantas, com indicações acerca de suas propriedades medicinais.
herbático [Do lat. *herbaticu.*] *Adj.* Herbóreo.
▲ **herbi-** [Do lat. *hĕrba*, *ae.*] *El. comp.* = 'erva', 'plantas herbáceas': *herbiforme, herbívoro.*
herbicida [De *herbi-* + *-cida.*] *Adj. 2 g.* **1.** Diz-se de substância empregada na destruição de ervas daninhas. ● *S. m.* **2.** Substância herbicida. [Sin. ger.: *ervicida.*]
herbífero [Do lat. *herbiferu.*] *Adj.* Que produz erva.
herbiforme [De *herbi-* + *-forme.*] *Adj. 2 g.* Semelhante a erva (1).
herbivoraz [De *herbi-* + *voraz.*] *Adj. 2 g. S. 2 g.* Herbívoro: 📖 "Num ano, em que excessiva fora a seca, /

Contam que os animais herbivorazes / Desciam das montanhas ressecadas / Buscando um fresco prado." (Bernardo Guimarães, *Poesias Completas*, p. 416.)

herbívoro [De *herbi-* + *-voro*.] *Adj.* **1.** Que se alimenta de erva ou de vegetais. • *S. m.* **2.** Animal herbívoro. [Sin. ger.: *herbivoraz*.]

herbolária [F. subst. de *herbolário*.] *S. f.* Mulher que fazia feitiços, ou preparava venenos com vegetais.

herbolário [Do lat. *herbula* (dim. do lat. *herba*) + *-ário* (v. *herbóreo*).] *Adj. S. m.* **1.** Que, ou aquele que coleciona plantas. **2.** Que, ou aquele que conhece plantas medicinais; ervanário.

herbóreo [Do lat. *herba*, com infl. do lat. *arboreu*, 'arbóreo', poss.] *Adj.* Relativo a erva; herbático.

herborista [Do fr. *herboriste* < fr. ant. *herboliste* < lat. *herbula*, 'ervinha'.] *S. 2 g.* Pessoa que conhece as virtudes das plantas e/ou que vende plantas medicinais; ervanário, herbolário.

herborização [De *herborizar* + *-ção*.] *S. f.* Ato ou efeito de herborizar.

herborizador (ô) [De *herborizar* + *-dor*.] *Adj.* **1.** Que herboriza; herborizante. • *S. m.* **2.** Aquele que herboriza; coletor ou colecionador de plantas.

herborizante [De *herborizar* + *-nte*.] *Adj. 2 g.* Herborizador (1).

herborizar [Do fr. *herboriser*.] *V. int.* Colher e/ou colecionar plantas para estudo ou para uso medicinal: "Barreto herborizou durante todo o tempo. .... De volta, atulhou-nos o ônibus de cássias, mimosas, ... tudo o que encontrou à mão para o seu herbário." (Ciro dos Anjos, *Abdias*, p. 49.)

herboso (ô) [Do lat. *herbosu*.] *Adj.* Ervoso.

hercotectônica *S. f.* V. *hercotectônica*. [Uso freq. em P.]

hercotectônica [Do gr. *hérkos*, 'muralha', + *tektoniké*, 'arte de construir'.] *S. f.* Arte de fortificar praças.

herculandense *Adj. 2 g.* **1.** De, ou pertencente ou relativo a Herculândia (SP). • *S. 2 g.* **2.** O natural ou habitante de Herculândia.

herculano [Do lat. *herculanu*.] *Adj.* De, relativo a, ou próprio de Hércules, semideus da mitologia grega, célebre pela sua força; hercúleo.

hercúleo [Do lat. *herculeu*.] *Adj.* **1.** Herculano. **2.** Que tem força extraordinária. **3.** Diz-se de tarefa, ou missão, árdua, difícil, digna de Hércules (v. *herculano*): "Foi assim que Rónai e Aurélio deram início a um trabalho hercúleo, que resultaria na publicação de dez incomparáveis livros." (Cecília Costa, em *O Globo*, 01.05.1999.)

hércules [Do mit. *Hércules* (v. *herculano*).] *S. m. 2 n.* *Fig.* **1.** Homem hercúleo. **2.** *Astr.* Constelação boreal, a O. da Lira e a E. da Coroa Boreal. **3.** *Astr.* Cratera lunar com 75km de diâmetro. [Com cap., nas acepç. 2 e 3.]

herdade [Do lat. *hereditate*.] *S. f.* **1.** *Lus.* Grande propriedade rural, composta, em geral, de terras de semeadura, montados e casa de habitação; quinta: "lá longe, marcando os quartéis-generais das herdades, casalitos brancos com medas de palha à boca das arribanas" (Fialho d'Almeida, *O País das Uvas*, p. 185). [Dim.: *herdadola*.] **2.** *Ant.* Herança (3).

herdadola [De *herdade* + *-ola*[1].] *S. f.* Pequena herdade (1).

herdador (ô) [De *herdar* + *-dor*.] *S. m.* Aquele que herda; herdeiro.

herdar [Do lat. tard. *hereditare*.] *V. t. d.* **1.** Receber, obter; ou ter direito a receber por herança (3): *Herdou uma bela fortuna.* **2.** Adquirir por parentesco ou hereditariedade (virtude, vício, moléstia, etc.): "Dos quatro filhos vivos de Bernardo, um, o que recebeu o nome paterno, também lhe herdou a veia humorística" (Basílio de Magalhães, *Bernardo Guimarães*, p. 15). **3.** Receber por transmissão: *A geração de hoje herdou a moda dos anos vinte.* *T. d. e i.* **4.** Herdar (1): "Garnier herdara dum velho parente inglês a bela soma de 150.000 libras esterlinas." (Lauro Palhano, *O Gororoba*, p. 179); *Da avó materna herdou sua bela morada.* **5.** Herdar (2): *Do avô paterno herdou o alcoolismo.* **6.** Herdar (3): *Herdou dos antigos certos hábitos curiosos.* **7.** Deixar por herança ou transmissão; legar: *Herdou ao filho a paixão do estudo.* *T. c. e i.* **8.** Herdar (1): *Herdou dez mil dólares do seu tio avô.*

herdável [De *herdar* + *-vel*.] *Adj. 2 g.* Que pode ser herdado: *características herdáveis.*

herdeiro [Do lat. *hereditariu*, por via pop.] *S. m.* **1.** Aquele que herda; sucessor. **2.** *Fam.* Filho (1). **3.** *Jur.* Aquele que sucede a título universal, cabendo-lhe a totalidade da herança, ou quota parte ideal desta, sem especificação de direito a bens determinados que integram o espólio. ◆ **Herdeiro beneficiário.** *Jur.* Aquele que aceita a herança a benefício de inventário. V. *benefício de inventário*. **Herdeiro forçado.** *Jur.* V. *herdeiro necessário*. **Herdeiro legitimário.** *Jur.* V. *herdeiro necessário*. **Herdeiro necessário.** *Jur.* Herdeiro instituído por lei e que não pode ser preterido (ascendentes, descendentes e cônjuge), sendo-lhe assegurada a legítima ou reservatória; herdeiro forçado, herdeiro legitimário, herdeiro reservatário. **Herdeiro reservatário.** *Jur.* V. *herdeiro necessário*. **Herdeiro testamentário.** *Jur.* Aquele a quem é destinada cota parte ideal do espólio em razão de disposição testamentária que o favorece.

herderita [Do antr. (*Siegmund A. W. von*) *Herder* (1776-1838), mineralogista alemão, + *-ita*[3].] *S. f.* *Min.* Mineral monoclínico, fosfato natural de cálcio e berílio, que contém flúor.

hereditariedade [De *hereditári(o)* + *-edade*.] *S. f.* **1.** Qualidade de hereditário. **2.** Transmissão dos caracteres físicos ou morais de uma pessoa aos seus descendentes. [Cf. *atavismo*.] **3.** *Biol.* Transferência de características de pais para descendentes pela transmissão de genes através dos gametas. **4.** *Genét.* Conjunto de processos biológicos que resultam na transmissão de traços [v. *traço* (9)], na descendência.

hereditário [Do lat. *hereditariu*.] *Adj.* Que se transmite por herança, de pais a filhos ou de ascendentes a descendentes. ~ V. *capitania —a*, *caráter —*, *doença —a* e *vocação —a*.

▲ **heredo-** [Do lat. *hēres, ēdis* + *-o-*.] *El. comp.* = 'hereditário': *heredofamiliar*.

heredofamiliar [De *heredo-* + *familiar*.] *Adj. 2 g.* Que ocorre em certas famílias em circunstâncias que implicam um caráter hereditário.

heredograma [De *heredo-* + *-grama*.] *S. m.* *Genét.* Diagrama que descreve a história familiar de um indivíduo, e por meio do qual se evidencia o aparecimento de determinado fenótipo, ou de enfermidade hereditária, assim como o grau de parentesco do indivíduo afetado com outros familiares.

herege [Do provenç. ant. *eretge* < lat. tard. *haereticu* < gr. *hairetikós*, 'que escolhe'; 'faccioso', 'sectário'.] *Adj. 2 g.* **1.** Que professa doutrina contrária ao que foi definido pela Igreja como sendo matéria de fé. • *S. 2 g.* **2.** Pessoa que professa doutrina dessa natureza; herético. **3.** *Pop.* Pessoa ímpia, que não pratica o culto externo; herético.

heregia [De *herege* + *-ia*[1].] *S. f.* *Ant.* Heresia.

heréon [Do gr. *heraîon*.] *S. m.* Na Grécia antiga, templo consagrado à deusa Hera. [Pl.: *heréons* e *heréones*.]

heresia [Do gr. *haíresis*, 'escolha'; 'escola filosófica', 'seita religiosa', pelo lat. *haeresis* + *-ia*[1].] *S. f.* **1.** *Rel.* Doutrina contrária ao que foi definido pela Igreja em matéria de fé. **2.** *Rel.* Ato ou palavra ofensiva à religião. **3.** Ideia ou teoria contrária a qualquer doutrina estabelecida. **4.** *Fig.* Contrassenso, tolice.

heresiarca [Do lat. ecles. *haeresiarcha* < gr. *haíresis*, 'seita', + gr. *árchein*, 'comandar', 'começar'.] *S. 2 g.* Chefe ou fundador de uma seita herética.

herético [Do lat. tard. *haereticu*.] *Adj.* **1.** Relativo a heresia ou que a contém. • *S. m.* **2.** Herege (2 e 3).

heréu [Do cat. *hereu* < lat. *heres, edis*; a forma *ereos* figura em Gil Vicente.] *S. m.* *Ant.* Herdeiro (1).

heril [Do lat. *herile*.] *Adj. 2 g.* **1.** Próprio do senhor, com relação ao escravo: *mandado heril.* **2.** *P. ext.* Próprio de senhor; senhoril: "Pinta-a, ideando-a só: o heril recacho, / O torso e o resto..." (Raimundo Correia, *Poesias*, p. 36.) [Cf. *eril*.]

herma [Do lat. *Herma, ae* < gr. *Hermês*, 'Hermes', o deus grego correspondente ao Mercúrio dos romanos.] *S. f.* *Escult.* **1.** Hermes (2): "Também chamaram os gregos hermas aos marcos de pedra quadrados, que mostravam os caminhos, porque costumavam rematar-se em um meio-corpo, ou cabeça de Mercúrio." (P.ᵉ Manuel Bernardes, *Nova Floresta*, II, p. 90.) **2.** Busto em que o peito, as costas e os ombros são cortados por planos verticais. **3.** *Bras.* Qualquer meio-busto esculpido, ou estátua aplicada a um plinto. [Pl.: *hermas*. Cf. *erma* e *ermas*, do v. *ermar*, e *erma* (ê), *ermas* (ê), flex. de *ermo* (ê).]

hermafrodita [Do lat. *hermafrodita*, f. do lat. *hermaphroditus* (v. *hermafrodito*).] *Adj. 2 g. S. 2 g.* *Biol.* V. *hermafrodito*.

hermafroditismo [De *hermafrodita* + *-ismo*.] *S. m.* **1.** *Biol.* Condição de hermafrodito; androginia, androginismo, ginandria, ginandrismo. **2.** *Med.* Presença, no mesmo indivíduo, de tecidos ovariano e testicular, com caracterização sexual imprecisa.

hermafrodito [Do lat. *hermaphroditus, a, um* do mit. lat. *Hermaphroditus* < mit. gr. *Hermaphróditos*, filho de Hermes e Afrodite.] *Biol.* *Adj.* **1.** Diz-se de indivíduo (animal ou vegetal) dotado de órgãos reprodutores dos dois sexos; andrógino, bissexual, ginândrico. • *S. m.* **2.** Indivíduo hermafrodito; andrógino, bissexual. [F. paral.: *hermafrodita*.]

hermeneuta [Do gr. *hermeneutés*.] *S. 2 g.* Especialista em hermenêutica.

hermenêutica [F. subst. de *hermenêutico*.] *S. f.* **1.** Interpretação do sentido das palavras. **2.** Interpretação dos textos sagrados: "Para esclarecer o problema religioso, ... traduz [Marnix] os Evangelhos em língua holandesa, e entrega desvendado à hermenêutica de cada um o texto das revelações divinas." (Ramalho Ortigão, *A Holanda*, p. 11.) **3.** Arte de interpretar leis: "Tanto a praxe como a boa hermenêutica aconselhariam apresentar queixa em juízo contra o delinquente e prosseguir na causa" (Alberto Rangel, *Fura-Mundo!*, p. 155).

hermenêutico [Do gr. *hermeneutikós*.] *Adj.* Respeitante à hermenêutica.

hermes [Do mit. gr. *Hermês*, pelo lat. *Hermes* (v. *herma*).] *S. m. 2 n.* **1.** Cabeça do deus Hermes ou Mercúrio sustentada por mísula. **2.** Qualquer estátua desse deus; herma. **3.** *Astr.* *P. us.* Mercúrio (1). [Com cap., nesta acepç.] [Cf. *ermes*, do v. *ermar*.]

hermeta [Do it. *hermetta*.] *S. m.* Coluneta que sustenta um hermes (2). [Var.: *hermete*.]

hermete *S. m.* V. *hermeta*.

hermético [Do b.-lat. *hermeticu*.] *Adj.* **1.** Encimado por um hermes. **2.** Inteiramente fechado, de maneira que não deixe penetrar o ar (vaso, janela, etc.). **3.** De compreensão muito difícil; obscuro. **4.** Relativo à ciência da transmutação dos metais, ou à alquimia.

hermetismo [De *hermético* + *-ismo*, seg. o padrão erudito; fr. *hermétisme*.] *S. m.* **1.** Qualidade de hermético (3). **2.** *Filos.* Doutrina ligada ao gnosticismo (q. v.), surgida no Egito no séc. I, atribuída ao deus Thot, chamado pelos gregos *Hermes Trismegisto*, e formada principalmente pela associação de elementos doutrinários orientais e neoplatônicos. Cristalizou-se num ensinamento secreto em que se misturam filosofia e alquimia.

hermocêntrico [De *Hermes* (3) + *-o-* + *centro* + *-ico*[2].] *Adj.* ~ V. *longitude —a*.

hermografia [De *Hermes* (3) + *-grafia*.] *S. f.* Estudo do planeta Mercúrio.

hermográfico [De *hermografia* + *-ico*[2].] *Adj.* Relativo à hermografia. ~ V. *longitude —a*.

hernandiácea [Do tax. *Hernandia* (do antr. [*Francisco*] *Hernández*, naturalista espanhol) + *-ácea*; tax. *Hernandiaceae*.] *S. f.* *Bot.* Espécime das hernandiáceas, família de plantas da ordem das ranales, composta de árvores, arbustos e trepadeiras de folhas alternas e pequenas flores hermafroditas ou unissexuais. Há cerca de 22 espécies tropicais, sendo umas poucas encontradas no Brasil.

hernandiáceo [De *hernandiácea*, com var. suf. (v. *-áceo*).] *Adj.* *Bot.* Pertencente ou relativo às hernandiáceas.

hérnia [Do lat. *hernia*.] *S. f.* **1.** *Cir.* Passagem, parcial ou total, de um ou mais órgãos ou formações anatômicas, através de orifício patológico ou tornado patológico, de sua localização normal para outra anormal. [Sin., pop.: *quebradura*, *quebra*, *rendidura*.] **2.** *Bot.* Certa doença da raiz da couve. ◆ **Hérnia do hiato.** *Cir.* Hérnia que ocorre no hiato esofagiano. **Hérnia encarcerada.** *Cir.* A que não é redutível, mas não apresenta sofrimento circulatório. **Hérnia estrangulada.** *Cir.* Aquela em que há sofrimento circulatório do(s) órgão(s) porventura contido(s) em seu saco, e cuja vitalidade está, pois, ameaçada, podendo este(s) vir a necrosar-se, caso o comprometimento circulatório não seja tratado em tempo. **Hérnia incisional.** *Cir.* A que se desenvolve em local onde se realizou uma intervenção cirúrgica. **Hérnia irredutível.** *Cir.* Aquela em que não se consegue que o conteúdo do saco herniário retorne a seu local normal. **Hérnia redutível.** *Cir.* Aquela em que o conteúdo do saco herniário retorna, com maior ou menor facilidade, a seu local normal, mediante manobras nesse sentido ou, eventualmente, sem elas.

herniação [De **herniar* (*hérnia* + *-ar*[2]) + *-ção*.] *S. f.* *Cir.* Produção de hérnia; herniamento.

herniado [De *hérnia* + *-ado*[1].] *Adj. S. m.* Que, ou aquele que tem hérnia (1); hernioso.

hernial [De *hérnia* + *-al*[1].] *Adj. 2 g.* Relativo a hérnia; herniário, hérnico.

herniamento [De **herniar* (< *hérnia*) + *-mento*.] *S. m.* *Cir.* Herniação.

herniário [De *hérnia* + *-ário*.] *Adj.* V. *hernial*. ~ V. *saco —*.

hérnico [De *hérnia* + *-ico*[2].] *Adj.* V. *hernial*.

▲ **hernio-** [Do lat. cient. *hernio-* < lat. *hernia, ae*.] *El. comp.* = 'hérnia': *hernioplastia*, *herniotomia*.

hernioplastia (èr) [De *hernio-* + *-plast(o)-* + *-ia*[1].] *S. f.* *Cir.* *Impr.* Cura cirúrgica de hérnia.

hernioplástico (èr) [De *hernioplastia* + *-ico*[2].] *Adj.* Relativo a hernioplastia.

hernioso (ô) [Do lat. *herniosu*.] *Adj.* Herniado.

herniotomia (èr) [De *hernio-* + *-tom(o)-* + *-ia*[1].] *S. f.* *Cir.* *Impr.* Cura cirúrgica de hérnia.

herniotómico (èr) *Adj.* V. *herniotômico*. [Uso freq. em P.]

herniotômico (èr) [De *herniotomia* + *-ico*[2].] *Adj.* Relativo a herniotomia.

hernuto [Do top. *Herrnhut*.] *S. m.* Membro da seita cristã dos irmãos morávios.

herodotiano *Adj.* De, ou pertencente, ou relativo a Heródoto (c. 484-430/20 a. C.), dito o autor das primeiras narrativas históricas.

herói [Do gr. *héros, héroos*, pelo lat. **heroe*.] *S. m.* **1.** Homem extraordinário por seus feitos guerreiros, seu valor ou sua magnanimidade. **2.** *P. ext.* Pessoa que por qualquer motivo é centro de atenções. **3.** Protagonista de uma obra literária. **4.** *Mit.* Semideus (2). [Fem.: *heroína*.]

heroicidade [De *heroico* + -*(i)dade*.] *S. f.* Heroísmo.

herói-civilizador [De *herói* + *civilizador*.] *S. m. Etnol.* Ente mítico, criador, transformador ou introdutor de acidentes geográficos, instituições sociais, cultos, meios de sustento, técnicas e outros elementos culturais; herói-cultural. [Pl.: *heróis-civilizadores*.]

heroicização [De *heroicizar* + -*ação*.] *S. f.* V. *heroificação*.

heroicizante [De *heroicizar* + -*nte*.] *Adj. 2 g.* Heroificante.

heroicizar [De *heroico* + -*izar*.] *V. t. d.* V. *heroificar*.

heroico (ói) [Do gr. *heroikós*, pelo lat. *heroicu*.] *Adj.* **1.** Próprio de herói. **2.** Diz-se do estilo ou gênero literário em que se celebram façanhas de heróis. ~ V. *verso — e verso — quebrado*. ❖

herói-cómico *Adj.* V. *herói-cômico*. [Uso freq. em P. Flex.: *herói-cómica, herói-cómicos, herói-cómicas*.]

herói-cômico [De *herói(co)* + *cômico*.] *Adj.* Que participa, simultaneamente, da feição heroica e da cômica: *Antônio Dinis da Cruz e Silva é o autor de* Hissope, *poema herói-cômico.* [Flex.: *herói-cômica, herói-cômicos, herói-cômicas*.]

herói-cultural *S. m. Etnol.* Herói-civilizador. [Pl.: *heróis-culturais*.]

heroide (ói) [Do lat. *heroide* < gr. *herois, ídos*.] *S. f.* Epístola amorosa em verso, sob o nome de um herói ou de personagem notável. ❖

heroificação [De *heroificar* + -*ção*.] *S. f.* Ato ou efeito de heroificar; heroicização, heroização.

heroificante [De *heroificar* + -*nte*.] *Adj. 2 g.* Que heroifica; heroicizante.

heroificar [De *herói* + -*ficar*.] *V. t. d.* **1.** Qualificar de herói; engrandecer, glorificar. **2.** Incluir no número dos heróis. [Sin. ger.: *heroicizar, heroizar*.] [Conjug.: v. *trancar*.]

heroína[1] [Do lat. *heroine* < gr. *heroíne*.] *S. f.* **1.** Mulher de valor extraordinário. **2.** Mulher que figura como a personagem principal duma obra literária: *Capitu é a heroína de Dom Casmurro, romance machadiano.* ◆ **Heroína de dois mundos.** Antonomásia de Anita Garibaldi (1821-1849), que lutou na Revolução Farroupilha e pela unificação da Península Itálica.

heroína[2] [Do fr. *héroïne*, ou do ingl. *heroin*, ambos do al. *Heroin* (< gr. *héros*, por anal. entre a impetuosidade do herói e a exaltação provocada pela droga).] *S. f. Quím.* Alcaloide obtido pela ação do anidrido acético sobre a morfina, com ação fisiológica mais acentuada e poderosa que esta [fórm.: $C_{21}H_{23}O_5N$].

heroísmo [De *herói* + -*ismo*.] *S. m.* **1.** Qualidade ou caráter de herói, ou de heroico. **2.** Magnanimidade, longanimidade, generosidade. **3.** Ato heroico. [Sin. ger.: *heroicidade*.]

heroização [De *heroizar* + -*ção*.] *S. f.* V. *heroificação*.

heroizar [De *herói* + -*izar*.] *V. t. d.* V. *heroificar*.

heroo *S. m.* V. *herôon*. ❖

heróon *S. m.* V. *herôon*. [Uso freq. em P.]

herôon [Do gr. *herôon* (com iota subscrito).] *S. m.* Na Grécia antiga, templo ou monumento funerário erigido em honra de um herói. [Var.: *heroo*.]

herpes [Do lat. imp. *herpes, etis*, 'doença da pele' (< gr. *hérpes, etos*, 'dartro'), poss. pelo fr. *herpès*.] *S. m. 2 n.* **1.** *Patol.* Dermatose inflamatória causada por herpes-vírus e caracterizada pela formação de pequenas vesículas que se apresentam em grupo. **2.** *Impr.* Dartro. **3.** *Fig.* Mal contagioso; estrago, podridão. [Cf. *erpes*, pl. de *erpe*.] ◆ **Herpes simples.** *Patol.* Doença aguda, produzida por vírus e caracterizada pela formação de grupos de vesículas na pele e membranas mucosas, tais como bordas dos lábios e narinas, superfícies mucosas genitais.

herpesvirídeo [Adapt. do tax. *Herpesviridae*.] *Microbiol. S. m.* **1.** Espécime dos herpesvirídeos, família de vírus DNA que infectam vertebrados, inclusive humanos. ● *Adj.* **2.** Relativo ou pertencente a eles.

herpes-vírus *S. m. 2 n. Microbiol.* Cada um de um amplo grupo de vírus ADN, de simetria icosaédrica e envelopados, passíveis de formar inclusões intranucleares e de causar infecção no homem e em algumas espécies animais, e com tropismo para a pele e para o sistema nervoso.

herpes-zóster *S. m. Patol.* Doença virótica aguda, produzida pelo *Varicela zoster virus*, cuja infecção primária é a varicela, e a recorrente é caracterizada por inflamação de um ou mais gânglios de raízes nervosas dorsais ou de gânglios de nervos cranianos. Apresenta-se como erupção vesicular dolorosa, na pele ou nas membranas mucosas, que se distribui ao longo do trajeto de nervos sensitivos periféricos originados nos gânglios afetados. [Tb. se diz apenas *zóster*. Sin.: *zona*. Pl.: *herpes-zósteres* e *herpes-zóster*.]

herpético [De *herpet(o)*-[2] + -*ico*[2].] *Adj.* **1.** Da natureza dos herpes. **2.** Que sofre de herpes. ● *S. m.* **3.** Aquele que sofre de herpes.

herpetiforme[1] [De *herpet(o)*-[1] + -*iforme*.] *Adj. 2 g.* Que tem forma de reptil.

herpetiforme[2] [De *herpet(o)*-[2] + -*iforme*.] *Adj. 2 g.* V. *dermatite* —.

herpetismo [De *herpet(o)*-[2] + -*ismo*.] *S. m. Derm. Obsol.* A predisposição para padecer de várias afecções tidas como herpéticas.

▲ **herpet(o)-**[1] [Do gr. *herpetón, oû*.] *El. comp.* = 'reptil': *herpetiforme*[1], *herpetologia*.

▲ **herpet(o)-**[2] [Do gr. *hérpēs, ētos*.] *El. comp.* = 'dermatose', 'herpes': *herpetismo, herpetiforme*[2].

herpetofobia [De *herpet(o)*-[1] + -*fobia*.] *S. f. Psiq.* Medo patológico de reptis.

herpetofóbico [De *herpetofobia* + -*ico*[2].] *Psiq. Adj.* **1.** Relativo a herpetofobia. **2.** Que tem herpetofobia; herpetófobo. ● *S. m.* **3.** Aquele que tem herpetofobia; herpetófobo.

herpetófobo [De *herpet(o)*-[1] + -*fobo*.] *Adj. S. m. Psiq.* Herpetofóbico (2 e 3).

herpetografia [De *herpet(o)*-[1] + -*grafia*.] *S. f.* Herpetologia.

herpetográfico [De *herpetografia* + -*ico*[2].] *Adj.* Referente à herpetografia; herpetológico.

herpetógrafo [De *herpet(o)*-[1] + -*grafo*.] *S. m.* V. *herpetólogo*.

herpetologia [De *herpet(o)*-[1] + -*logia*.] *S. f. Zool.* Parte da zoologia que trata dos reptis e dos anfíbios; herpetografia.

herpetológico [De *herpetologia* + -*ico*[2].] *Adj.* Relativo à herpetologia; herpetográfico.

herpetologista [De *herpetologia* + -*ista*.] *S. 2 g.* V. *herpetólogo*.

herpetólogo [De *herpet(o)*-[1] + -*logo*.] *S. m.* Especialista em herpetologia; herpetologista, herpetógrafo.

herpevirídeo [Adapt. do tax. *Herpesviridae*.] *Microbiol. S. m.* **1.** Espécime dos herpevirídeos, família de vírus DNA de 80 a 100 milímetros, e cujo capsídeo inclui 162 capsômeros. ● *Adj.* **2.** Pertencente ou relativo a eles.

herpobdélido [Do tax. *Herpobdella* (do gr. *hérpein*, 'arrastar', + -*o*[1]- + gr. *bdélla*, 'sanguessuga') + -*ido*[3]; tax. *Herpobdellida*.] *Zool. S. m.* **1.** Espécime dos herpobdélidos, ordem de animais metazoários, anelídeos, hirudíneos, de maxilas reduzidas, probóscide ausente, e que compreende as sanguessugas que parasitam as larvas dos insetos. Muitos autores consideram esta ordem como uma divisão dos gnatobdélidos. ● *Adj.* **2.** Pertencente ou relativo a eles. [Sin. ger.: *faringobdélido*.]

herpolodia [Do gr. *hérpein*, 'arrastar-se', + gr. *pólos, ou*, 'polo', + gr. *hodós, oû*, 'caminho', + -*ia*[1].] *S. f. Fís.* No movimento de rotação dum corpo rígido com um ponto fixo e sobre o qual não atuam forças nem pares, curva contida no plano invariável do movimento, e que é o lugar geométrico do ponto de contato do elipsoide de Poinsot com esse plano.

➔ **herr** [hɛʁ] [Al.] *S. m.* Palavra de tratamento, correspondente a 'senhor'. [Com cap.]

herrerassauro *S. m. Paleont.* Reptil do início do triássico, encontrado no sopé dos Andes argentinos em 1989, e que, apesar de ser o mais antigo dos dinossauros descobertos, já apresentava maxilar duplo, articulado. Viveu há cerca de 230 milhões de anos.

herrero *S. m. Etnôn.* **1.** Indivíduo dos herreros, povo pastor do S. de Angola (S.O. da África). ● *Adj.* **2.** Pertencente ou relativo a esse povo.

➔ **hertz** [hɛʁts] [V.C.I., do antr. (*Heinrich*) *Hertz* (1857-1894), físico alemão.] *S. m. 2 n. Fís.* Unidade de medida de frequência de um fenômeno periódico, igual à frequência de um evento por segundo; um ciclo por segundo [símb.: *Hz*].

hertziano [De *hertz* + -*iano*.] *Adj.* ~ V. *onda —a*.

hervalense[1] *Adj. 2 g.* **1.** De, ou pertencente ou relativo a Herval (RS). ● *S. 2 g.* **2.** O natural ou habitante de Herval.

hervalense[2] *Adj. 2 g.* **1.** De, ou pertencente ou relativo a Herval d'Oeste (SC). ● *S. 2 g.* **2.** O natural ou habitante de Herval d'Oeste.

hervalense[3] *Adj. 2 g.* **1.** De, ou pertencente ou relativo a Santa Maria do Herval (RS). ● *S. 2 g.* **2.** O natural ou habitante de Santa Maria do Herval.

hervalense[4] *Adj. 2 g.* **1.** De, ou pertencente ou relativo a São José do Herval (RS). ● *S. 2 g.* **2.** O natural ou habitante de São José do Herval.

herzegovino *Adj.* **1.** Da, ou pertencente ou relativo a Herzegóvina, região dos Bálcãs, parte meridional da República da Bósnia Herzegóvina. ● *S. m.* **2.** O natural ou habitante da Herzegóvina. [V. *bósnio*.]

➔ **heshvan** [ʃeʃ'van] [Hebr.] *S. m. Cronol.* O segundo mês do calendário judaico, que recai entre os meses de outubro e novembro dos calendários juliano e gregoriano.

hesitação [Do lat. *haesitatione*.] *S. f.* **1.** Ato ou efeito de hesitar. **2.** Estado de quem hesita. **3.** Indecisão, perplexidade, dúvida.

hesitante [Do lat. *haesitante*.] *Adj. 2 g.* Que hesita; indeciso, perplexo, vacilante.

hesitar [Do lat. *haesitare*.] *V. int. T. i.* **1.** Estar ou ficar indeciso, perplexo, incerto, irresoluto; não tomar resolução; vacilar, trepidar, titubear: *Hesitou muito antes de estabelecer o plano*; "A princípio hesitou em prosseguir a marcha, e recuou assustado" (Afonso Arinos, *Histórias e Paisagens*, p. 70); "Entreparou novamente, como que hesitando sobre o que ia proferir." (Amando Fontes, *Rua do Siriri*, p. 73). *T. d.* **2.** Ter dúvidas sobre; vacilar em: *Não hesitou esbofetear o ofensor.*

hesperetina [Do ingl. *hesperetin* (do ingl. *hesperidin*).] *S. f. Quím.* Flavonoide que é o aglicônio da hesperidina [fórm.: $C_{16}H_{14}O_6$].

hespérico [De *hespério* + -*ico*[2].] *Adj. Poét.* V. *ocidental*.

hesperídeo *S. m. Adj. Zool.* V. *hesperiídeo*.

hesperidina [Do ingl. *hesperidin* (do lat. cient. *hesperidium*, 'o fruto cítrico = a laranja, a tangerina, o limão').] *S. f. Quím.* Glicosídeo flavonoide encontrado em frutas cítricas, que possui ação antioxidante, entre outras propriedades farmacológicas [fórm.: $C_{28}H_{34}O_{15}$].

hesperídio [Do lat. cient. *hesperidium* < mit. gr. *Hespérides* (lat. *Hesperides*); as Hespérides habitavam ilhas com jardins onde havia fabulosos pomos de ouro, as laranjas.] *S. m. Bot.* Variedade de baga multicarpelar, cujo endocarpo apresenta numerosos pelos, cheios de suco. É característico do gênero *Citrus*.

hesperiídeo [Do tax. *Hesperia* + -*ídeo*[1]; tax. *Hesperiidae*.] *Zool. S. m.* **1.** Espécime dos hesperiídeos, família de insetos lepidópteros, com ampla distribuição mundial, que se caracterizam pela desproporção entre as asas curtas e a cabeça e o corpo, e por apresentarem antenas mais separadas na base do que as demais borboletas. ● *Adj.* **2.** Pertencente ou relativo a eles.

hespério [Do lat. *Hesperia*, 'ocidente', + -*io*[3].] *Adj. Poét.* V. *ocidental*.

▲ **hesper(o)-** [Do gr. *hésperos, os, on*.] *El. comp.* = 'do oeste', 'ocidental': *hespérico, hesperornite, hesperossuco*.

héspero [Do astr. gr. *Hésperos*, pelo lat. *Hesperu*.] *S. m. Astr.* Entre os gregos, o planeta Vênus quando visto como estrela vespertina. [Com cap.] [Cf. *espero*, do v. *esperar*.]

hesperórnis [Do tax. *Hesperornis*.] *S. m. 2 n. Paleont.* Gênero de aves fósseis, do cretáceo, surgido cerca de trinta milhões de anos após a primeira ave, o arqueópterix. Apresentava a forma das aves atuais, tinha 1m de comprimento, cauda grossa e curta, patas fortes e dentes nos dois maxilares.

hesperossuco [Do tax. *Hesperosuchus* (v. *hesper(o)*- e -*suco*).] *S. m. Paleont.* Gênero de dinossauros tecodontes, carnívoros, e que viveram no triássico superior do O. dos Estados Unidos; aparentavam ser uma mistura de ave ratita com crocodilo.

hessiano [Do antr. (*Ludwig Otto*) *Hesse* (1811-1874), matemático alemão, + -*iano*.] *S. m. Mat.* Determinante funcional que envolve as derivadas segundas de uma função de diversas variáveis. [Cf. *eciano*.]

hester [De or. ameríndia, poss.] *S. m.* Madeira cinzento-escura, das Antilhas. [Pl.: *hesteres*. Cf. *Ester*, antr., e *éster*, pl. *ésteres*.]

hesterno [Do lat. *hesternu*.] *Adj.* Referente ao dia de ontem. [Cf. *esterno* e *externo*.]

hestíase [Do gr. *hestíasis, eos*.] *S. f.* Na Grécia antiga, banquete oferecido por um cidadão aos membros de sua tribo.

hetaira *S. f.* V. *hetera*.

hetera [Do gr. *hetaíra*.] *S. f.* **1.** Na antiga Grécia, mulher dissoluta, cortesã: "As mais belas / Das heteras de Samos e Mileto // Eram todas na orgia." (Olavo Bilac, *Poesias*, p. 134.) **2.** Prostituta elegante e distinta.

heteracanto [De *heter(o)*- + -*acanto*.] *S. m. Bot.* Planta que tem espinhos de várias formas.

heterergia [De *heter(o)*- + -*erg(o)*-[1] + -*ia*[1].] *S. f. Farm.* Efeito não habitual, produzido por um só de dois medicamentos, quando empregados juntos. [Cf. *homergia*.]

heterérgico [De *heterergia* + -*ico*[2].] *Adj.* Relativo à heterergia, ou que a causa.

heteria [Do gr. *hetaireía*.] *S. f.* **1.** Confraria, associação de amigos. **2.** Sociedade política secreta, na Grécia antiga. **3.** Hoje, sociedade política ou literária grega.

heterinfeção (èt) *S. f. Microbiol.* V. *heterinfecção*.

H

heterinfecção (èt) [De *heter(o)-* + *infecção.*] *S. f. Microbiol.* Infecção de um indivíduo produzida por germes de fonte exterior a ele. [Var.: *heterinfeção.*]

heterismo [Do gr. *hetairismós.*] *S. m.* V. *prostituição.* [V. *hetera.*]

heterista [De *hetera* + *-ista.*] *Adj. 2 g.* Relativo às, ou próprio das heteras; sensual.

▲ **heter(o)-** [Do gr. *hetero-* < gr. *héteros, a, on.*] *El. comp.* = 'outro', 'diferente': *heterinfecção, heterógrafo.* [É seguido de hífen quando anteposto a palavra iniciada por *h* ou *o*: *hétero-hemorragia/heteroemorragia, hétero-hemorrágico/heteroemorrágico, heterorexia/ hétero-orexia*; é grafado com *r* ou *s* duplicados quando anteposto a palavra iniciada por *r* ou *s*: *heterossexual, heterossexualidade.*]

hétero *Adj. 2 g. S. 2 g. Pop.* V. *heterossexual.*

heteroagressão (èt) [De *heter(o)-* + *agressão.*] *S. f. Psicol.* Consumação de atos destrutivos que têm como objeto o mundo exterior. [Cf. *autoagressão.*]

heteroandria (èt) [De *heteroandro* + *-ia*[1].] *S. f. Bot.* Ocorrência de estames de diferentes formas e comprimentos.

heteroândrico (èt) [De *heteroandria* + *-ico*[2].] *Adj.* Relativo a heteroandria.

heteroandro (èt) [De *heter(o)-* + *-andro.*] *Adj. Bot.* Cujas anteras têm formas e tamanhos diferentes (diz-se de flor).

heteroátomo (èt) [De *heter(o)-* + *átomo.*] *S. m. Quím.* Qualquer átomo, que não seja de carbono ou de hidrogênio, constituinte de uma molécula orgânica, esp. de um ciclo.

heterobrânquio[1] (èt) [De *heter(o)-* + *-brânquio.*] *Adj. Zool.* Diz-se de animal aquático cujas brânquias diferem.

heterobrânquio[2] (èt) [Do tax. *Heterobranchus* + *-io*[3].] *S. m. Zool.* **1.** Gênero de peixes africanos, de água doce, osteíctes, fisóstomos, siluróideos, que apresentam barbilhões muito longos e cujo sistema respiratório é complexo, com sistema aéreo e branquial. São os peixes-gatos. **2.** Espécie ou espécime desse gênero.

heterocário (èt) [De *heter(o)-* + *-cário.*] *Adj. Micol.* Diz-se da célula do micélio de um fungo, portadora de dois núcleos geneticamente diferentes.

heterocarionte (èt) *S. m. Citol.* Célula que contém dois ou mais núcleos geneticamente diferentes.

heterocarpo (èt) [De *heter(o)-* + *-carpo.*] *Adj. Bot.* Anomocarpo (1).

heterocelo (èt) [De *heter(o)-* + *-celo*[1]; tax. *Heterocoela.*] *Zool. S. m.* **1.** Espécime dos heterocelos, ordem de animais poríferos, calcários, que reúne esponjas marinhas, com a parede do corpo grossa, com dobras na porção interna e coanócitos, descontínuos, situados nos canais radiais. ● *Adj.* **2.** Pertencente ou relativo a eles.

heterocelular (èt) [De *heter(o)-* + *celular.*] *Adj. 2 g. Biol.* Que tem células de mais de um tipo.

heterocerca (èt) [De *heter(o)-* + *-cerca.*] *S. f. Zool.* Nadadeira heterocerca.

heterocerco (èt) [De *heter(o)-* + *-cerco.*] *Adj. Zool.* Cujo lobo superior é mais desenvolvido que o inferior, estendendo-se a coluna vertebral no lobo maior (diz-se de nadadeira caudal).

heterócero [De *heter(o)-* + *-cero*; tax. *Heterocera.*] *Zool. S. m.* **1.** Espécime dos heteróceros, divisão de insetos lepidópteros com espécies de tamanho médio ou grande, a maior parte de hábitos crepusculares ou noturnos, que se caracterizam pelas cores sóbrias e pelas asas posteriores geralmente com frênulo. São as mariposas. ● *Adj.* **2.** Pertencente ou relativo a eles. [Cf. *ropalócero.*]

heterocíclico (èt) [De *heter(o)-* + *cíclico* (7).] *Adj. Quím.* Diz-se de um composto em cuja molécula existe um ciclo constituído por átomos que não são todos da mesma espécie.

heterocisto (èt) [De *heter(o)-* + *-cisto.*] *S. m. Bot.* Em algumas algas azuis, células especiais de membrana espessa, de conteúdo mais claro, e que servem, provavelmente, para sobrevivência em condições desfavoráveis.

heteroclamídeo (èt) [De *heter(o)-* + *-clamid(o)-* + *-eo.*] *Adj. Bot.* Que apresenta cálice e corola: *flor heteroclamídea.*

heteróclito [Do gr. *heteróklitos,* pelo lat. *heteroclitu.*] *Adj.* **1.** Que se desvia dos princípios da analogia gramatical ou das normas de arte. **2.** *P. ext.* Singular, excêntrico, extravagante: "Vultos heteróclitos, surpreendentes, vinham-se postando aos lados do Esquife para desfilar com o préstito." (Veiga Miranda, *Maria Cecília,* p. 27); "Homens estranhos, ... artistas exóticos, um mundo agitado e heteróclito, enervado e enfarado" (Menotti del Picchia, *Salomé,* pp. 151-152).

heteroconta (èt) [Adapt. do tax. *Heterokontae* (do gr. *héteros* [v. *heter(o)-*] + gr. *kontós,* 'vara', 'estaca').] *S. f. Bot.* Espécime das heterocontas, divisão do reino vegetal composta de algas unicelulares flagelíferas, isoladas ou reunidas em filamentos, que vivem de preferência nas águas doces. São de cor verde-amarelada, contêm óleo, e reproduzem-se mediante zoósporos, aplanósporos e acinetos. [Sin.: *heterocontácea.*]

heterocontácea (èt) [De *heteroconta* + *-ácea.*] *S. f. Bot.* Heteroconta.

heterocontáceo [De *heterocont-,* como em *heteroconta* e *heterocontácea,* + *-áceo.*] *Adj. Bot.* Pertencente ou relativo às heterocontas ou heterocontáceas.

heterocromatina (èt) [De *heter(o)-* + *cromatina.*] *S. f. Citol. Genét.* Região da cromatina que permanece muito condensada durante a interfase, que cora fortemente por corantes básicos, e é transcricionalmente inativa. [Sin., desus.: *cromocentro.*]

heterocromia (èt) [De *heter(o)-* + *-crom(o)-* + *-ia*[1].] *S. f.* Coloração diferente de partes que normalmente deviam ter a mesma cor.

heterocronia [De *heter(o)-* + *-cron(o)-* + *-ia*[1].] *S. f.* Geração de partes do corpo em época diferente daquela em que nascem normalmente.

heterócrono [De *heter(o)-* + *-crono.*] *Adj. Med.* ~ V. *pulso* —.

heterodáctilo (èt) [De *heter(o)-* + *-dá(c)tilo.*] *Adj. Zool.* Diz-se de ave cujo dedo externo é reversível. [Var.: *heterodátilo.*]

heterodátilo (èt) *Adj. Zool.* V. *heterodáctilo.*

heterodinamia (èt) [Voc. deduz. de *heterodinâmico* (v. *heter(o)-, -dinam(o)-* e *-ia*[1]).] *S. f.* Qualidade ou condição de heterodinâmico.

heterodinâmico (èt) [De *heter(o)-* + *dinâmico.*] *Adj.* Que tem força desigual.

heterodino (èt) *Adj. S. m. Eletrôn.* V. *heteródino.*

heteródino (èt) [De *heter(o)-* + *-dino.*] *Adj. S. m. Eletrôn.* Diz-se de, ou processo eletrônico de superpor uma onda portadora recebida por um radiorreceptor a uma outra, gerada neste, de frequência um pouco diferente, produzindo-se, assim, um fenômeno de batimento. [Var.: *heterodino.*]

heterodonte[1] (èt) [De *heter(o)-* + *-odonte.*] *Adj. 2 g. Zool.* **1.** Que tem dentes diferenciados. **2.** Cujos dentes laterais e medianos se inserem nas depressões de valvas opostas.

heterodonte[2] (èt) [Do tax. *Heterodonta* (do gr. *héteros,* v. *heter(o)-,* + lat. cient. *-odonta* [do gr. *odoús, odóntos,* 'dente']).] *Zool. S. m.* **1.** Espécime dos heterodontes, subclasse de moluscos bivalves heterodontes [v. *heterodonte*[1] (2)]. ● *Adj. 2 g.* **2.** Pertencente ou relativo a eles.

heterodontia (èt) [De *heterodonte*[1] + *-ia*[1].] *S. f.* Condição de heterodonte[1].

heterodontossauro (èt) [De *heter(o)-* + *-odont(o)-* + *-sauro*; tax. *Heterodontosaurus.*] *S. m. Paleont.* **1.** Gênero de dinossauros ornitísquios, ornitópodes, herbívoros, de pequeno porte; habitaram a África do Sul no triássico superior. **2.** Espécie ou espécime desse gênero.

heterodoxia (èt... cs) [Do gr. *heterodóxos,* 'de opinião diferente', + *-ia*[1].] (èt...cs) *S. f.* **1.** Qualidade de heterodoxo. **2.** Oposição aos sentimentos de ortodoxia. [Antôn.: *ortodoxia.*]

heterodoxo (èt... cs) [Do gr. *heteródoxos.*] (èt...cs) *Adj.* Não ortodoxo; oposto aos princípios duma religião ou ortodoxia; herético: "Heterodoxos, ou hereges, que são, abrem o espírito a outras influências" (Vivaldo Coaraci, *Todos Contam Sua Vida,* p. 203). ● *S. m.* **2.** Indivíduo heterodoxo. [Antôn.: *ortodoxo.*]

heteroerotismo (èt) [De *heter(o)-* + *erotismo.*] *S. m. Psicol.* Aloerotismo.

heteroexose (cs) *S. f. Quím.* V. *hetero-hexose.*

heterofilia (èt) [De *heter(o)-* + *-fil(o)-*[1] + *-ia*[1].] *S. f. Bot.* Ocorrência de mais de uma classe de folhas em regiões afastadas, numa dada planta. [Cf. *anisofilia* e *isofilia.*]

heterofílico (èt) [De *heterofilia* + *-ico*[2].] *Adj.* Relativo a heterofilia, ou a heterofilo.

heterofilo (èt) [De *heter(o)-* + *-filo*[1].] *Adj. S. m. Bot.* Que apresenta heterofilia: *arbusto heterofilo.* [Antôn.: *homofilo.*]

heterófito (èt) [De *heter(o)-* + *-fito.*] *S. m. Bot.* **1.** Planta que pode desenvolver-se em diversos hábitats. **2.** Vegetal dioico[1]. **3.** Vegetal desprovido de clorofila e que é, portanto, parasito.

heterofonia (èt) [Do gr. *heterophonía.*] *S. f. E. Ling.* Qualidade das palavras heterófonas. [Antôn.: *homofonia* (1).]

heterofônico (èt) *Adj. E. Ling.* V. *heterofônico.* [Uso freq. em P.]

heterofônico (èt) [De *heterófono* + *-ico*[2].] *Adj. E. Ling.* V. *heterófono.* [Antôn.: *homofônico.*]

heterofono (èt) [Do gr. *heteróphōnos.*] *Adj. S. m. E. Ling.* Heterófono (q. v.).

heterófono (èt) [Var. pros. de *heterofono.*] *Adj. S. m. E. Ling.* Diz-se de, ou vocábulo que tem grafia idêntica à de outro, mas se pronuncia de modo diferente. Ex.: *sede* (ê) = secura, e *sede* = assento; *coro* (ô)= conjunto vocal, e *coro,* do v. corar. [Sin. do adj.: *heterofônico.* Antôn. ger.: *homófono.* A melhor forma é *heterofono,* mas o uso consagrou *heterófono*; v. *-fono.*]

heteroforia (èt) [De *heter(o)-* + *-for(o)-* + *-ia*[1].] *S. f. Oftalm.* Distúrbio, de que há várias formas, em que os eixos visuais demonstram tendência a desvio.

heterogamético (èt) [De *heter(o)-* + *gameta* + *-ico*[2].] *Adj. Genét.* Que tem o sexo determinado por cromossomos sexuais diferentes. [Nos seres humanos, é o caso do sexo masculino.] [Cf. *homogamético.*]

heterogamia (èt) [De *heter(o)-* + *-gam(o)-* + *-ia*[1].] *S. f.* **1.** *Biol.* Tipo de reprodução sexuada por meio de gametas diferentes em estrutura e dimensão; anisogamia. **2.** *Bot.* Condição em que há, num mesmo capítulo, flores hermafroditas e unissexuais. [Cf. *homogamia.*]

heterogâmico (èt) [De *heterógamo* + *-ico*[2].] *Adj. Biol. Bot.* Relativo a, ou que apresenta heterogamia; heterógamo.

heterógamo (èt) [De *heter(o)-* + *-gamo.*] *Adj. Biol. Bot.* Heterogâmico.

heterogeneidade (èt) [Do lat escolástico *heterogeneitate.*] *S. f.* Qualidade de heterogêneo. [Antôn.: *homogeneidade.*]

heterogeneizar (èt) [De *heterogêneo* + *-izar.*] *V. t. d. e P.* Tornar-se heterogêneo.

heterogéneo (èt) *Adj.* V. *heterogêneo.* [Uso freq. em P.]

heterogêneo (èt) [Do lat. escolástico *heterogeneu* < gr. *heterogenés,* 'de outro gênero'.] *Adj.* **1.** De diferente natureza. **2.** Composto de partes de diferente natureza. [Antôn. ger.: *homogêneo.*] ~ V. *azeótropo* —, *catálise* —*a, reator* — e *sistema* —.

heterogénese (èt) *S. f. Biol.* V. *heterogênese.* [Uso freq. em P.]

heterogênese (èt) [De *heter(o)-* + *-gênese.*] *S. f. Biol.* V. *alternância de gerações.*

heterogenético (èt) [De *heterogên(ese)* + *-ético.*] *Adj.* Relativo à heterogênese.

heterogenia (èt) [Do gr. *heterogenés,* 'de outro gênero', + *-ia*[1].] *S. f. Biol.* V. *alternância de gerações.*

heterogénico (èt) *Adj. Biol.* V. *heterogênico.* [Uso freq. em P.]

heterogênico (èt) [De *heterogenia* + *-ico*[2].] *Adj. Biol.* Relativo à heterogenia.

heterógino [De *heter(o)-* + *-gino.*] *Adj. Biol.* Diz-se de animais, como, por ex., formigas, abelhas e vespas, que apresentam dois tipos de fêmeas, uma sexualmente reprodutiva e outra, infértil.

heterogonia (èt) [De *heter(o)-* + *-gon(o)-*[2] + *-ia*[1].] *S. f. Biol.* V. *alternância de gerações.*

heterogônico (èt) [De *heterogonia* + *-ico*[2].] *Adj. Biol.* Relativo à heterogonia.

heterogradia (èt) [De *heterógrado* + *-ia*[1].] *S. f. Estat.* A classificação heterógrada.

heterógrado [De *heter(o)-* + *-grado*[2].] *Adj. Estat.* Diz-se da classificação que, levando em conta o fato quantitativo, procura avaliar a intensidade com que o atributo principal aparece em cada elemento do conjunto. [Opõe-se a *homógrado.*]

heterógrafo (èt) [De *heter(o)-* + *-grafo.*] *Adj. S. m. E. Ling.* Diz-se de, ou vocábulos homônimos que, tendo a mesma pronúncia, se escrevem de maneira diversa. Ex.: *incipiente* = principiante, e *insipiente* = ignorante; *sede* = assento, e *cede,* do v. ceder. [Antôn.: *homógrafo.*]

hetero-hexose [De *heter(o)-* + *hexose.*] *S. f. Quím.* Qualquer heterosídeo no qual a ose é uma hexose. (V. *heterosídeo*). [Pl.: *hetero-hexoses.*] ❖

heteroico (èt...ói) [De *heter(o)-* + *-oico*[1].] *Adj. Bot.* Caracterizado pela presença de anterídios e arquegônios na mesma ramificação, ou em ramificações diferentes de uma planta. ❖

heteroinfeção (èt... o-in) *S. f. Bacter.* V. *heterinfecção.*

heteroinfecção (èt... o-in) [De *heter(o)-* + *infecção.*] *S. f. Bacter.* V. *heterinfecção.* [Var.: *heteroinfeção.*]

heteroinoculação (èt... o-i) [De *heter(o)-* + *inoculação.*] *S. f. Med.* Inoculação de material proveniente de um indivíduo em outro indivíduo.

heterolécito (èt) [De *heter(o)-* + *-lécito.*] *S. m. Embr.* Óvulo que apresenta vitelo abundante, distribuído de modo heterogêneo e com maior densidade em um dos polos (polo vegetativo); mediolécito.

heterólise (èt) [De *heter(o)-* + *-lise.*] *S. f. Quím.* Quebra de uma ligação covalente em que os dois elétrons desta permanecem com um dos átomos que estavam ligados, originando-se um ânion e um cátion.

heterologia (èt) [De *heterólogo* + *-ia*[1]. Cf. o gr. *heterología,* 'linguagem diferente'.] *S. f.* Qualidade de heterólogo.

heterológico (èt) [De *heterologia* + *-ico*[2].] *Adj. Lóg.* Diz-se de termo ou de locução que não se refere a si mesmo. Ex.: o termo *monossílabo,* que não é monossilábico. [Opõe-se a *autológico.*]

heterólogo (èt) [De *heter(o)-* + *-logo.*] ***Adj.*** Diz-se do que é composto de elementos diferentes pela origem ou pela estrutura; xenogenético.

heteromaquia (èt) [De *heter(o)-* + *-maquia.*] ***S. f.*** Luta de um homem com outro.

heteromasturbação (èt) [De *heter(o)-* + *masturbação.*] ***S. f.*** Masturbação praticada em outrem. [Opõe-se a *automasturbação.*]

heterómero (èt) ***S. m.*** V. *heterômero.* [Uso freq. em P.]

heterômero (èt) [De *heter(o)-* + *-mero.*] ***Adj.* 1.** *Bot.* Diz-se de flor que apresenta em cada verticilo um número diferente de peças. **2.** *Zool.* Cujos tarsos se formam, conforme as patas, de um número diferente de artículos.

heterometabólico (èt) [De *heterometabolismo* + *-ico*[2], seg. o padrão erudito.] *Biol.* ***Adj.* 1.** Diz-se dos insetos cuja metamorfose se processa, ger., de maneira progressiva, raramente com estágio pupal, e cujas asas se desenvolvem externamente. ● ***S. m.* 2.** Indivíduo heterometabólico. [Sin. ger.: *paurometabólico, hemimetabólico, exopterigoto.*]

heterometabolismo (èt) [De *heter(o)-* + *metabolismo.*] ***S. m.*** *Biol.* Metamorfose incompleta observada nos insetos heterometabólicos.

heterometria (èt) [De *heter(o)-* + *-metria.*] ***S. f.* 1.** Alteração de dimensões. **2.** Modificação dos tecidos e humores, que resulta de alterações quantitativas em suas substâncias constituintes.

heterométrico (èt) [De *heterometria* + *-ico*[2].] ***Adj.* 1.** Relativo à heterometria. **2.** Que não tem as mesmas dimensões.

heterometropia (èt) [De *heter(o)-* + *-metr(o)-*[2] + *-opia.*] ***S. f.*** *Oftalm.* Condição em que o tipo de refração num olho difere do encontrado no outro.

heterometrópico (èt) [De *heterometropia* + *-ico*[2].] ***Adj.*** Relativo a heterometropia.

heteromiário (èt) [De *heter(o)-* + *-m(i)-* + *-ário.*] ***S. m.*** *Zool.* Anisomiário.

heteromo (èt) [De *heter(o)-* + *-omo*; tax. *Heteromi.*] ***S. m.*** *Adj. Zool. Desus.* V. *notacantiforme.*

heteromorfia (èt) [De *heteromorfo* + *-ia*[1].] ***S. f.*** Heteromorfismo. [Antôn.: *homomorfismo* (1).]

heteromórfico (èt) [De *heteromorfia* + *-ico*[2].] ***Adj.*** Referente a heteromorfia.

heteromorfismo (èt) [De *heteromorfo* + *-ismo.*] ***S. m.*** Qualidade de heteromorfo; heteromorfia. [Antôn.: *homomorfismo* (1).]

heteromorfo (èt) [Do gr. *heterómorphos.*] ***Adj.* 1.** Que se apresenta ou se pode apresentar em formas diferentes. **2.** Cujas partes constituintes são diferentes. **3.** Que apresenta diversidade em sua natureza ou em sua composição molecular. [Antôn.: *homomorfo.*]

heteromorfose (èt) [De *heteromorfo* + *-ose*[1].] ***S. f.*** *Biol.* Regeneração duma parte cortada, com diferença na forma e no tamanho.

heteronemertino (èt) [De *heter(o)-* + *nemertino* (q. v.); tax. *Heteronemertini.*] *Zool.* ***S. m.* 1.** Espécime dos heteronemertinos, ordem de animais nemertinos, ânoplos, de derma fibrosa, e cujos músculos do corpo são dispostos em três camadas, a mais interna longitudinal. ● ***Adj.* 2.** Pertencente ou relativo a eles.

heteroneuro (èt) [De *heter(o)-* + *-neuro*; tax. *Heteroneura.*] *Zool.* ***S. m.* 1.** Espécime dos heteroneuros, em algumas classificações, subordem de insetos lepidópteros cuja nervação das asas anteriores e posteriores é diferente. São as mariposas de espirotrompa longa. ● ***Adj.* 2.** Pertencente ou relativo a eles.

heteronímia (èt) [De *heter(o)-* + *-onim(o)-* + *-ia*[2].] ***S. f.*** *E. Ling.* Supletivismo.

heteronímico (èt) [De *heteronimia* + *-ico*[2].] ***Adj.*** Relativo à heteronímia.

heterónimo (èt) ***Adj. S. m.*** V. *heterônimo.* [Uso freq. em P.]

heterônimo (èt) [De *heter(o)-* + *-ônimo.*] ***Adj.* 1.** Diz-se de autor que publica um livro sob o nome verdadeiro de outra pessoa. **2.** Diz-se de produção literária publicada sob o nome de outra pessoa que não o autor. ● ***S. m.* 3.** Outro nome, imaginário, que um homem de letras empresta a certas obras suas, atribuindo a esse autor por ele criado qualidades e tendências literárias próprias, individuais, diferentes das do criador: 📖 "Cerebral e retraído, inimigo da expansão ingênua, Fernando Pessoa concebeu o projeto de se ocultar na criação voluntária, *fingindo* indivíduos independentes dele — os heterônimos —, e inculcando-os como produtos dum imperativo alheio à sua vontade" (Jacinto do Prado Coelho, *Diversidade e Unidade em Fernando Pessoa*, p. 9). [Na última acepç., a palavra parece haver começado a circular após o surgimento de Fernando Pessoa (1888-1935), grande poeta português, que, além de usar o próprio nome em diversas produções, muitas assinou com os nomes Álvaro de Campos, Alberto Caeiro, Ricardo Reis, e outros, poetas, cada um destes, de características bem individuais, tanto nos meios expressivos quanto na sensibilidade, e até com biografias, curiosamente inventadas por Fernando Pessoa. Nessa diferença de características entre as obras das criaturas e as do criador é que reside a distinção entre o heterônimo e o pseudônimo. Cf. *ortônimo* e *heterônomo.*]

heteronomia (èt) [De *heter(o)-* + *-nom(o)-* + *-ia*[1].] ***S. f.*** *Ét.* Condição de pessoa ou de grupo que receba de um elemento que lhe é exterior, ou de um princípio estranho à razão, a lei a que se deve submeter. [Cf. *autonomia* (5), *autodeterminação* (2) e *liberdade* (11).]

heteronómico (èt) ***Adj.*** *Ét.* V. *heteronômico.* [Uso freq. em P.]

heteronômico (èt) [De *heteronomia* + *-ico*[2].] ***Adj.*** *Ét.* Relativo à heteronomia.

heterónomo (èt) ***Adj.*** V. *heterônomo.* [Uso freq. em P.]

heterônomo (èt) [De *heter(o)-* + *-nomo.*] ***Adj.*** ~ V. *cristal* —. [Cf. *heterônimo.*]

hetero-ovular [De *heter(o)-* + *ovular*[1].] ***Adj. 2 g.*** *Biol.* Dizigótico. [Pl.: *hetero-ovulares.*]

heteropatia (èt) [Do gr. *heteropátheia.*] ***S. f.*** *Med.* V. *alopatia.*

heteropático (èt) [De *heteropatia* + *-ico*[2].] ***Adj.*** *Med.* V. *alopático.*

heteropétalo (èt) [De *heter(o)-* + *-pétalo.*] ***Adj.*** *Bot.* Que tem pétalas diferentes entre si. [Antôn.: *homopétalo.*]

heteropixidácea (èt... cs) [Do lat. cient. *Heteropyxid-* (do tax. *Heteropyxis*, do gr. *héteros* [v. *heter(o)-*] + gr. *pyxís, ídos*, 'caixa') + *-ácea*; tax. *Heteropyxidaceae.*] ***S. f.*** *Bot.* Espécime das heteropixidáceas, família de plantas floríferas, da ordem das mirtales, cujo androceu é diplostêmone. Ovário súpero, com numerosos óvulos; um só estilete; fruto capsular. São arbustos providos de flores inconspícuas e dispostas em panículas. Há duas espécies, no S.E. africano.

heteropixidáceo (èt... cs) [De *heteropixidácea*, com var. suf. (v. *-áceo*).] ***Adj.*** *Bot.* Pertencente ou relativo às heteropixidáceas.

heteroplasia (èt) [De *heter(o)-* + *-plas(i)-* + *-ia*[1].] ***S. f.*** *Biol.* Formação de estruturas anormais no desenvolvimento embrionário de um tecido ou de um órgão.

heteroplásico (èt) [De *heteroplasia* + *-ico*[2].] ***Adj.*** *Biol.* Relativo a heteroplasia.

heteroplasma (èt) [De *heter(o)-* + *-plasma.*] ***S. m.*** *Biol. Desus.* Tecido que se forma em local onde normalmente não ocorre.

heteroplastia (èt) [De *heter(o)-* + *-plast(o)-* + *-ia*[1].] ***S. f.* 1.** Heteroplasia. **2.** *Cir.* Substituição, mediante intervenção cirúrgica, de estrutura(s) perdida(s), por outra(s) proveniente(s) de indivíduo de espécie diferente, ou por material sintético ou inorgânico.

heteroplástico (èt) [De *heteroplastia* + *-ico*[2].] ***Adj.*** Relativo a heteroplastia.

heterópode[1] (èt) [De *heter(o)-* + *-pode.*] ***Adj. 2 g.*** Que tem pés diferentes.

heterópode[2] (èt) [Adapt. do tax. *Heteropoda.*] *Zool.* ***S. m.* 1.** Espécime dos heterópodes, pequena divisão, anteriormente tida como ordem, de moluscos gastrópodes, prosobrânquios, que reúne espécies dos mares quentes, e cujo pé achatado forma uma lâmina vertical que funciona como nadadeira. ● ***Adj. 2 g.* 2.** Pertencente ou relativo a eles. [Sin. ger. (desus.): *nucleobrânquio.*]

heteropolar (èt) [De *heter(o)-* + *polar.*] ***Adj. 2 g.*** *Fís.-Quím.* ~ V. *ligação* —.

heteropoliácido (èt... pò) [De *heter(o)-* + *poliácido.*] ***S. m.*** *Quím.* Ácido complexo constituído por dois ou mais grupos ácidos diferentes.

heteropolissacarídeo (èt... pò) [De *heter(o)-* + *polissacarídeo.*] ***S. m.*** *Bioquím.* Polissacarídeo que possui como componentes açúcares que contêm átomos de outros elementos, além de carbono, hidrogênio e oxigênio.

heteróporo (èt) [De *heter(o)-* + *-poro.*] ***S. m.*** *Zool.* Diz-se dos pólipos em que as aberturas das células se dirigem em todos os sentidos.

heteróptero (èt) [De *heter(o)-* + *-ptero*; tax. *Heteroptera.*] ***S. m. Adj.*** *Zool.* V. *hemíptero*[2].

heterorexia (èt... cs) [De *heter(o)-* + *-orex-* + *-ia*[1].] ***S. f.*** Heteroxia (q. v.).

heterorgânico (èt) [De *heter(o)-* + *orgânico.*] ***Adj.*** *E. Ling.* Diz-se de fonemas em cuja enunciação participam órgãos diferentes. Ex.: *b* (bilabial) e *t* (linguodental). [Antôn.: *homorgânico* (1).]

heteróscio (èt) [Do gr. *heteróskios* (< gr. *héteros* [v. *heter(o)-*] + gr. *-skios*, do gr. *skiá*, 'sombra').] ***Adj. S. m.*** Diz-se de, ou aquele que habita para lá dos dois trópicos, e cujas sombras se conservam opostas durante todo o ano.

heterose (èt) [De *heter(o)-* + *-ose*[1].] ***S. f.*** *Biol.* Estado em que a primeira geração dum híbrido é mais forte que qualquer das raças paternas.

heterosfera (èt) [De *heter(o)-* + *-sfera.*] ***S. f.*** *Geofís.* Zona da atmosfera superior, situada a altitude acima de 100km, na qual os constituintes se estratificam, as proporções relativas de oxigênio, nitrogênio e outros gases são irregulares, e em que as partículas de radiação e micrometeoroides se encontram misturadas com as partículas de ar.

heterosídeo (èt) [De *heter(o)-* + *-os(e)-*[2] + *-ídeo*[2].] ***S. m.*** *Quím.* Designação genérica de substância que fornece, por hidrólise, uma ose e outra substância de natureza química diversa, o aglicônio; heterossacarídeo.

heterosporado (èt) [De *heter(o)-* + *-spor(o)-* + *-ado*[1].] ***Adj.*** *Bot.* Diz-se dos vegetais (esp. certos pteridófitos) que apresentam heterosporia; heterósporo. [Antôn.: *isosporado.* Cf. *homosporado* e *isosporado.*]

heterosporia (èt) [De *heter(o)-* + *-spor(o)-* + *-ia*[1].] ***S. f.*** *Bot.* A produção de esporos de tipo diverso pelo mesmo espécime, ou por espécimes diversos da mesma espécie. [Cf. *homosporia.*]

heterósporo (èt) [De *heter(o)-* + *-sporo.*] ***S. m.*** *Bot.* Heterosporado (q. v.). [Cf. *homósporo.*]

heterossacarídeo (èt) [De *heter(o)-* + *sacarídeo.*] ***S. m.*** *Quím.* V. *heterosídeo.*

heterossexual (èt... cs) [De *heter(o)-* + *sexual.*] ***Adj. 2 g.* 1.** Relativo à afinidade, atração e/ou comportamento sexuais entre indivíduos de sexo diferente. **2.** Que tem essa afinidade e/ou comportamento. ● ***S. 2 g.* 3.** Indivíduo heterossexual (2). [F. red.: *hétero.*]

heterossexualidade (èt... cs) [De *heterossexual* + *-(i)dade.*] ***S. f.*** Qualidade ou caráter de heterossexual; heterossexualismo. [Antôn.: *homossexualidade.*]

heterossexualismo (cs) [De *heterossexual* + *-ismo.*] ***S. m.* 1.** Prática do comportamento heterossexual. **2.** Heterossexualidade.

heterossomo[1] (èt) [Adapt. do tax. *Heterosomi.*] *Zool.* ***S. m.* 1.** Espécime dos heterossomos, ordem de peixes actinopterígios com o corpo muito assimétrico e comprimido, os olhos postos do mesmo lado da cabeça, nadadeiras dorsal e anal marginando o corpo, e sem bexiga natatória. Ficam no fundo do mar, deitados sobre o lado sem olhos. São os linguados ou solhas. ● ***Adj.* 2.** Pertencente ou relativo a eles.

heterossomo[2] (èt) [De *heter(o)-* + *-somo.*] ***S. m.*** *Citol.* Heterocromossomo.

heterotáctico (èt) [De *hetero(taxia)* + *-tá(c)tico*, seg. o padrão erudito.] ***Adj.* 1.** Relativo à heterotaxia, ou que a apresenta. ● ***S. m.* 2.** Aquele que apresenta heterotaxia. [Var.: *heterotático.*]

heterotalia (èt) [De *heter(o)-* + *-tal-* + *-ia*[1].] ***S. f.*** *Micol.* Fenômeno ocorrente em certos fungos cujos micélios, conquanto iguais na aparência, são de dois grupos sexuais opostos pelo comportamento. [Antôn.: *homotalia.*]

heterotálico (èt) [De *heterotalia* + *-ico*[2].] ***Adj.*** *Micol.* Diz-se do fungo que apresenta heterotalia. [Antôn.: *homotálico.*]

heterotático (èt) ***Adj. S. m.*** V. *heterotáctico.*

heterotaxia (èt... cs) [De *heter(o)-* + *-taxia.*] ***S. f.*** *Med.* Localização anômala, ou transposição, de estruturas anatômicas, sem que haja alteração funcional.

heterotecnia (èt) [De *heter(o)-* + *-tecn(o)-* + *-ia*[1].] ***S. f.*** Divergência nas técnicas, práticas ou processos empregados.

heterotécnico (èt) [De *heterotecnia* + *-ico*[2].] ***Adj.*** Relativo à heterotecnia.

heterotélico (èt) [De *heter(o)-* + *-tel(o)-* + *-ico*[2].] ***Adj.*** *Filos.* Diz-se do que tem finalidade ou sentido além ou fora de si. [Opõe-se a *autotélico.*]

heterotermia (èt) [De *heter(o)-* + *-term(o)-* + *-ia*[1].] ***S. f.*** Estado de heterotérmico. [Antôn.: *homotermia.*]

heterotérmico (èt) [De *heter(o)-* + *-term(o)-* + *-ico*[2].] ***Adj.*** Que tem diferente temperatura. [Antôn.: *homotermal.*]

heterotopia (èt) [De *heter(o)-* + *-top(o)-* + *-ia*[1].] ***S. f.*** Posição ou localização diferente da normal ou usual.

heterotópico (èt) [De *heterotopia* + *-ico*[2].] ***Adj.* 1.** Que apresenta heterotopia. **2.** *Quím.* Diz-se do que é enantiotópico ou diastereotópico. ~ V. *transplante* —.

heterotríquio (èt) [De *heter(o)-* + *-triqu(i)-* + *-io*[3]; tax. *Heterotricha.*] *Zool.* ***S. m.* 1.** Espécime dos heterotríquios, ordem de protozoários ciliados cujo revestimento ciliar na margem do peristômio é formado por membranelas compostas de cílios aglutinados. O conjunto destas constitui a franja adoral. São marinhos e comensais. ● ***Adj.* 2.** Pertencente ou relativo a eles.

heterotrofia (èt) [De *heter(o)-* + *-trofia.*] ***S. f.*** *Biol.* Condição de heterotrófico. [Cf. *autotrofia.*]

heterotrófico (èt) [De *heterotrofia* + *-ico*[2].] ***Adj.*** *Biol.* Diz-se de organismos incapazes de sintetizar o próprio alimento e, por isso, dependentes de obter a energia de que precisam de alguma fonte externa

H

de compostos orgânicos. [Os animais, os fungos e a maioria das bactérias são heterotróficos.] [Cf. *autotrófico*.]

heterotrofismo (èt) [De *heterotrofia* + *-ismo*.] *S. m. Biol.* Propriedade dos organismos heterotróficos.

heterotrófito (èt) [De *heter(o)-* + *-trof(o)-* + *-fito*, com haplologia.] *S. m. Biol.* Organismo heterotrófico. [Opõe-se a *autotrófito*.]

heterótrofo (èt) [Do gr. *heterótrophos*.] *Adj. S. m. Biol.* Diz-se de, ou organismo heterotrófico. [Cf. *autótrofo*.]

heteroxia (èt... cs) [De *heter(o)-* + *-orex-* + *-ia*[1], com haplologia.] *S. f. Med.* Perversão ou depravação do apetite. [A melhor forma é *heterorexia*.]

heterozigose (èt) [De *heter(o)-* + *-zig(o)-* + *-ose*.] *S. f.* Condição de heterozigoto.

heterozigótico (èt) [De *heterozigoto* + *-ico*[2].] *Adj. Genét.* Diz-se do, ou relativo ao heterozigoto.

heterozigoto (èt... ô ou èt...ó) [De *heter(o)-* + *-zigoto*.] *S. m. Genét.* Diz-se de, ou organismo que apresenta alelos diferentes em determinado lócus. [Cf. *homozigoto*.]

heteu [Do lat. *hethaeu*.] *S. m.* **1.** Cada um dos descendentes de Heth, que habitavam as terras de Canaã (v. *cananeu*). ● *Adj.* **2.** Pertencente ou relativo aos heteus. [Fem.: *heteia*.]

hética *S. f.* V. *héctica*. [Cf. *ética*, fem. de *ético*, e s. f.]

heticidade *S. f.* V. *hecticidade*.

hético *Adj. S. m.* V. *héctico*. [Cf. *ético*.]

heu [Do lat. *heu*.] *Ant. S. m.* **1.** Canto fúnebre; lamento. ● *Interj.* **2.** Desgraçado; triste; ai. [Cf. *eu*.]

heulandita [Do antr. (*Henry*) *Heuland* (1778-1896), colecionador inglês, + *-ita*[3].] *S. f. Min.* Mineral monoclínico do grupo das zeólitas, silicato hidratado de alumínio, cálcio e sódio.

heureca [Do gr. *heúreka*, pret. perf. do ind. de *heurískein*, 'achar', 'descobrir'.] *Interj.* Achei, encontrei. [Emprega-se quando se encontrou a solução de problema difícil. Cf. *heurística* (1).]

heurema [Do gr. *heúrema* (nom.), 'invenção', 'descoberta'.] *S. m. Jur.* Prevenção ou cautela com o fim de assegurar a validade e eficácia dum ato jurídico.

heuremática [De *heurema* + *-ática*.] *S. f. Jur.* Complexo de normas para a aplicação dos heuremas.

heuremático [De *heurema* + *-ático*.] *Adj. Jur.* Relativo a heurema.

heurético [Do gr. *heuretikós, é, ón*, 'inventivo'.] *Adj.* Relativo à heurística (1 e 2).

heurística [Do lat. cient. *heuristica* (< gr. *heuristiké* [*téchne*], 'arte de encontrar', 'descobrir').] *S. f.* **1.** Conjunto de regras e métodos que conduzem à descoberta, à invenção e à resolução de problemas. [Cf. *heureca*.] **2.** Procedimento pedagógico pelo qual se leva o aluno a descobrir por si mesmo a verdade que lhe querem inculcar. **3.** Ciência auxiliar da História, que trata da pesquisa das fontes. **4.** *Inform.* Metodologia, ou algoritmo, us. para resolver problemas por métodos que, embora não rigorosos, ger. refletem o conhecimento humano e permitem obter uma solução satisfatória.

heurístico [De *heurística*, com var. suf. (v. *-ico*[2]).] *Adj.* Relativo à heurística. ~ V. *hipótese —a*.

hévea [Do tax. *Hevea*.] *S. f. Bot.* **1.** Pequeno gênero de árvores euforbiáceas, sul-americanas, dotadas de folhas trifolioladas, pequenas flores apétalas, em panículas, e fruto capsular; muitas espécies fornecem látex us. no fabrico da borracha. **2.** Qualquer espécie desse gênero, como, p. ex., a *Hevea brasiliensis* (v. *seringueira*). **3.** Qualquer espécime desse gênero.

heveicultura (ève-i) [De *Hevea* (*brasiliensis*) + *-i-* + *-cultura*.] *S. f.* Cultura da seringueira.

▲ **hex-** (cs) *El. comp. Quím.* Indica cadeia de seis átomos de carbono, em grupamento ou substância: *hexila*, *hexano*. [Tb. ocorre como infixo *-(h)ex-*.]

▲ **-(h)ex-** (cs) *El. comp. Quím.* **1.** V. *hex-*. **2.** Designa, na nomenclatura sistemática dos elementos transférmicos (q. v.), a presença do algarismo 6 no número atômico do elemento: *unilêxio*.

hexa[1] *S. m.* V. *hexacampeonato*.

hexa[2] *Adj. 2 g. e 2 n. S. 2 g. e 2 n.* V. *hexacampeão*: 📖 "Brasil, hexa na areia, sonha com Olimpíada." (*O Globo*, 21.02.2000.)

▲ **hex(a)-** (cs) [Do gr. *hex(a)-* < gr. *héx*.] *El. comp.* = 'seis': *hexandro*, *hexagrama*.

hexacampeã (cs) [De *hex(a)-* + *campeã*.] *Adj. S. f.* Fem. de *hexacampeão* (q. v.).

hexacampeão (cs) [De *hex(a)-* + *campeão*.] *Adj. S. m.* **1.** Diz-se de, ou indivíduo, equipe, grupo etc., que foi campeão por seis vezes (consecutivas ou não) em competição ou modalidade esportiva, artística, ou cultural, ou em concurso. **2.** *Restr.* Diz-se de, ou indivíduo que participou da conquista de um hexacampeonato. [F. red.: *hexa*. Fem.: *hexacampeã*.]

hexacampeonato (cs) [De *hex(a)-* + *campeonato*.] *S. m.* **1.** Campeonato (2) obtido por um mesmo disputante pela sexta vez. **2.** *Restr.* Aquele que é conquistado pela sexta vez consecutiva: 📖 "a seleção brasileira conquistou ontem de manhã .... o hexacampeonato mundial de futebol de areia" (*O Globo*, 21.02.2000). [F. red.: *hexa*.]

hexacanto (cs) [De *hex(a)-* + *-acanto*.] *Adj.* Que tem seis espinhos ou aguilhões.

hexaceno (cs) [De *hex(a)-* + *-aceno*.] *S. m. Quím.* Hidrocarboneto hexacíclico, aromático, cujas moléculas podem ser consideradas como formadas por seis anéis benzênicos fundidos em configuração linear [fórm.: $C_{26}H_{16}$].

hexacianoferrato (cs) [De *hex(a)-* + *-cian(o)-* + *ferrato*.] *S. m. Quím.* Ferrocianeto [hexacianoferrato (II)] ou ferricianeto [hexacianoferrato (III)].

hexaciclo (cs) [De *hex(a)-* + *-ciclo*.] *Adj.* Que tem seis rodas.

hexaclorocicloexano (cs... cs) [De *hexacloro* + *cicloexano*.] *S. m. Quím.* Qualquer das substâncias, ger. obtidas por cloração do benzeno, seguida de hidrogenação, algumas com atividade inseticida, esp. o lindano [fórm.: $C_6H_6Cl_6$].

hexaclorofeno (cs) [De *hex(a)-* + *-clor(o)-* + *-feno*.] *S. m. Quím.* Substância sólida, cristalina, aromática, fenólica, clorada, us. como antisséptico e desinfetante [fórm.: $C_{13}H_6Cl_6O_2$].

▲ **hexacont(a)-** (cs) [Do V.C.I. *hexacont-* (< gr. *hexékonta*, 'sessenta'), p. anal. com *triacont(a)-* (q. v.).] *El. comp.* = '60' = *hexacontaedro*, *hexacontágono*.

hexacontaedro (cs) [De *hexacont(a)-* + *-edro*.] *S. m. Geom.* Poliedro de 60 faces.

hexacontágono (cs) [De *hexacont(a)-* + *-gono*.] *S. m. Geom.* Polígono de 60 lados. [A pronúncia correta seria *hexacontagono*, v. *-gono*.]

hexacoraliário (cs) [Do tax. *Hexacorallia* + *-ário*.] *S. m. Adj. Zool.* V. *zoantário*.

hexacorde (cs) [De *hex(a)-* + *-corde*.] *S. m. Mús.* Série de seis notas consecutivas, com um semitom diatônico separando a terceira nota da quarta, e tons [v. *tom* (11)] separando as outras notas entre si. [Introduzido por Guido d'Arezzo (séc. XI), ainda era de uso corrente no séc. XVII. V. *solmização* e *ut*.]

hexacordo (cs) [Var. de *hexacorde*.] *S. m. Mús.* **1.** Intervalo de sexta maior ou menor. **2.** *P. us.* Hexacorde. **3.** Instrumento (5) de seis cordas.

hexacosaedro (cs) [De *hex(a)-* + *(i)cosaedro*.] *S. m. Geom.* Poliedro de 26 faces.

hexacoságono (cs) [De *hex(a)-* + *(i)coságono*.] *S. m. Geom.* Polígono de 26 lados. [A pronúncia correta seria *hexacosagono*, v. *-gono*.]

hexacosano (cs) [De *hex(a)-* + *(i)cosano*.] *S. m. Quím.* Qualquer alcano com vinte e seis átomos de carbono, esp. o linear [fórm.: $C_{26}H_{54}$].

hexactinélida (cs) [Do tax. *Hexactinella* (v. *hex(a)-*, *actin(o)-*, *-ela*) + *-ida*[1]; tax. *Hexactinellida*.] *Zool. S. f.* **1.** Espécime das hexactinélidas; classe de animais poríferos caracterizados por terem espículas silicosas com seis raios. São todos marinhos e vivem em profundidade. Não têm fibras de espongina e o corpo tem estrutura do tipo leucon; hialospôngia. ● *Adj. 2 g.* **2.** Pertencente ou relativo a elas; hialospôngio.

hexadáctilo (cs) [De *hex(a)-* + *-dá(c)tilo*.] *Adj. Zool.* Que tem seis dedos. [Var.: *hexadátilo*.]

hexadátilo (cs) *Adj. Zool.* V. *hexadáctilo*.

hexadecaedro (cs) [De *hex(a)-* + *decaedro*.] *S. m. Geom.* Poliedro de 16 faces.

hexadecágono (cs) [De *hex(a)-* + *decágono*.] *S. m. Geom.* Polígono de 16 lados. [A pronúncia correta seria *hexadecagono*, v. *-gono*.]

hexadecanoico (cs...ói) *Adj. Quím.* ~ V. *ácido —*. ❖

hexadeceno (cs) [De *hex(a)-* + *deceno*.] *S. m. Quím.* Qualquer alceno com 16 átomos de carbono; ceteno [fórm.: $C_{16}H_{32}$].

hexadecimal (cs) [De *hex(a)-* + *decimal*.] *Adj. 2 g.* **1.** Relativo ao número 16. **2.** Relativo ou pertencente ao sistema de numeração cuja base é 16. ~ V. *número —*.

hexaédrico (cs) [De *hexaedro* + *-ico*[2].] *Adj.* Relativo a hexaedro; hexaedro.

hexaedro (cs) [De *hex(a)-* + *-edro*.] *S. m.* **1.** *Geom.* Poliedro de seis faces. ● *Adj.* **2.** Hexaédrico.

hexaeliceno (cs) [De *hex(a)-* + *(h)eliceno*.] *S. m. Quím.* Heliceno cujas moléculas podem ser consideradas como formadas por seis anéis benzênicos fundidos [fórm.: $C_{26}H_{16}$].

hexafeno (cs) [De *hex(a)-* + *-feno*.] *S. m. Quím.* Hidrocarboneto hexacíclico, aromático, isômero do hexaceno e cujas moléculas têm configuração angular [fórm.: $C_{26}H_{16}$].

hexafilo (cs) [De *hex(a)-* + *-filo*[1].] *Adj. Bot.* Que tem seis folhas ou folíolos.

hexaginia (cs) [De *hexágino* + *-ia*[1].] *S. f. Bot.* Qualidade de hexágino.

hexágino (cs) [De *hex(a)-* + *-gino*.] *Adj. Bot.* Que tem seis pistilos.

hexagonal (cs) [De *hexágono* + *-al*[1].] *Adj. 2 g. Geom.* **1.** Que tem seis ângulos. **2.** Que tem por base um hexágono. **3.** Relativo ao hexágono. [Sin. ger.: *hexágono*.] ~ V. *sistema —*.

hexágono (cs) [Do lat. *hexagonu*.] *S. m.* **1.** *Geom.* Polígono de seis lados. ● *Adj.* **2.** V. *hexagonal*. [A pronúncia correta seria *hexagono*, v. *-gono*.]

hexagrama (cs) [De *hex(a)-* + *-grama*.] *S. m.* Reunião de seis letras ou caracteres.

hexa-heliceno (cs) *S. m. Quím.* V. *hexaeliceno*. [Pl.: *hexa-helicenos*.] ❖

hexa-hidratado (cs) *S. m. Quím.* V. *hexaidratado*. [Pl.: *hexa-hidratados*.] ❖

hexaidratado (csa-i) [De *hex(a)-* + *hidratado*.] *Adj. Quím.* Diz-se de substância da qual cada uma das moléculas se acha associada quimicamente a seis moléculas de água.

hexâmero (cs) [Do gr. *hexamerés*, 'dividido em seis partes'.] *Adj. Bot.* Diz-se de qualquer verticilo floral que tenha seis peças.

hexametilenodiamina (cs) *S. f. Quím.* Substância sólida, diamina em que os dois grupos amina estão ligados às extremidades de uma cadeia saturada, linear, de seis átomos de carbono, us. na fabricação de poliamidas [fórm.: $C_6H_{16}N_2$].

hexametilenotetramina (cs) *S. f. Quím.* Nome químico da urotropina.

hexametilfosforamida (cs) [De *hex(a)-* + *-metil-* + *fosforam(ídico)* + *-ida*[4].] *S. f. Quím.* Substância líquida, derivada do ácido fosfórico, e que é us. como solvente polar aprótico [fórm.: $C_6H_{18}N_3OP$]. [Abrev. usual: *HMPA*.]

hexametilfosforotriamida (cs) [De *hex(a)-* + *-metil-* + *fosforoso* + *-tri-* + *-amida*.] *S. f. Quím.* Substância líquida, derivada do ácido fosforoso, e que é us. como solvente polar aprótico [fórm.: $C_6H_{18}N_3P$]. [Abrev. usual: *HMPT*.]

hexâmetro (cs) [Do gr. *hexámetros*, pelo lat. *hexametru*.] *Adj. S. m. Arte Poét.* ~ V. *verso —*.

hexandria (cs) [De *hexandro* + *-ia*[1].] *S. f. Bot.* Ocorrência de seis estames [v. *estame* (3)] livres entre si. [Cf. *hexândria*.]

hexândria (cs) [Do lat. cient. *Hexandria*.] *S. f. Bot.* Conjunto de vegetais hexandros, no sistema de Lineu (v. *lineano*). [Cf. *hexandria*.]

hexandro (cs) [De *hex(a)-* + *-andro*.] *Adj. Bot.* Que apresenta hexandria.

hexano (cs) [De *hex(a)-* + *-ano*[2].] *S. m. Quím.* Hidrocarboneto saturado, com cinco isômeros, todos líquidos, incolores, componente do éter de petróleo [fórm.: C_6H_{14}].

hexanoico (cs...ói) *Adj. Quím.* ~ V. *ácido —*. ❖

hexapétalo (cs) [De *hex(a)-* + *-pétalo*.] *Adj. Bot.* Diz-se de corola com seis pétalas.

hexápode[1] (cs) [Do gr. *hexápous, odos*.] *Adj. 2 g.* Que tem seis pés.

hexápode[2] (cs) [Adapt. do tax. *Hexapoda*.] *S. m. Zool. Desus.* V. *inseto* (1).

hexaspermo (cs) [De *hex(a)-* + *-spermo*.] *Adj. Bot.* Que tem seis sementes.

hexassépalo (cs) [De *hex(a)-* + *-sépalo*.] *Adj. Bot.* Diz-se do cálice formado de seis sépalas.

hexassílabo (cs) [Do gr. *hexasýllabos*, pelo lat. *hexasyllabu*.] *Adj.* **1.** Que tem seis sílabas. ● *S. m.* **2.** Verso ou palavra de seis sílabas.

hexástico (cs) [Do gr. *hexástichon*, pelo lat. cient. *hexastichon*.] *Adj.* **1.** Composto de seis versos. ● *S. m.* **2.** *Arte Poét.* Composição de seis versos.

hexastilo (cs) [Do gr. *hexástylos* (ȳ), pelo lat. imp. *hexastylos*.] *S. m.* Pórtico com seis colunas.

hexatônico [De *hex(a)-* + *-ton(o)-* + *-ico*[2].] *Adj. Mús.* Que tem em seus seis sons. ~ V. *escala —a*.

hexavalente (cs) [De *hex(a)-* + *valente* (6).] *Adj. 2 g. Quím.* Que tem seis valências.

hexil (cs) [De *hex(a)-* + *-il*[2].] *S. m. Expl.* Hexanitrodifenilamina, sólido, explosivo, amarelado; hexita [fórm.: $C_{12}H_5N_7O_{12}$].

▲ **hexil-** (cs) *Quím. El. comp.* Designa o grupo hexila: *hexilamina*. [Ocorre, tb., como infixo: *-exil(a)-*: *cicloexilamina*.]

hexila (cs) [De *hex(a)-* + *-ila*[2].] *S. f. Quím.* O grupamento monovalente $-C_6H_{13}$, derivado do hexano.

hexilamina (cs) *S. f. Quím.* Amina saturada com seis átomos de carbono [fórm.: $C_6H_{15}N$].

hexílico (sc) [De *hexila* + *-ico*[2].] *Adj. Quím.* Diz-se dos compostos que contêm o grupamento hexila.

hexita (cs) [Do fr. *hexite*.] *S. f. Expl.* Hexil.

hexocinase (cs) [De *hexo(se)* + *-cin(e)-* + *-ase*.] *S. f. Bioquím.* Designação de diversas enzimas que atuam no metabolismo dos carboidratos, catalisando a reação do trifosfato de adenosina com as hexoses, e a fosforilação destas.

hexodo (cs... ô) [De *hex(a)-* + *-odo*.] *S. m. Eletrôn.* Válvula eletrônica com seis eletrodos: catodo, placa, grade de controle, e três eletrodos adicionais. [Cf. *êxodo*.]

hexógeno (cs) [Do fr. *hexogène*.] *S. m. Expl.* Trinitrotrimetilenotriamina, sólido, cristalino, branco, poderoso explosivo; ciclonita [fórm.: $C_3H_6N_6O_6$].

hexosamina (cs) [De *hexose* + *-amina*.] *S. f. Bioquím.* Açúcar nitrogenado, com seis átomos de carbono, em que um grupo amina substitui um grupo hidroxila.

hexose (cs) [De *hex(a)-* + *-ose*[2].] *S. f. Quím.* Ose com seis átomos de oxigênio, como, p. ex., a glicose, a galactose, a frutose.

■ **Hf** *Quím.* Símb. de *háfnio*.

■ **HF** [Abrev. do ingl. *h(igh) f(requency)*, 'frequência alta'.] *Fís.* V. *faixa de ondas decamétricas*.

■ **hg** Símb. de *hectograma*.

■ **Hg** *Quím.* Símb. de *mercúrio* (2).

híades [Do mit. lat. *Hyades* < gr. *Hyádes*, lit. 'as chuvosas' (< gr. *húein*, 'chover').] *S. f. pl. Astr.* Asterismo na constelação do Touro, e que constitui um cúmulo aberto de aproximadamente 140 estrelas, as mais brilhantes das quais formam o V daquela constelação.

hialino [Do gr. *hyálinos*, pelo b.-lat. *hyalinu*.] *Adj.* **1.** Relativo ao vidro. **2.** Que tem a aparência ou a transparência do vidro; hialoide: "O hialino orvalho aos poucos se evapora, / Agoniza o arrebol." (Alphonsus de Guimaraens, *Obra Completa*, p. 289). ~ V. *cartilagem —a*.

hialita [De *hial(o)-* + *-ita*[3].] *S. f. Min.* Variedade de opala semelhante ao vidro.

hialite [De *hial(o)-* + *-ite*[1].] *S. f. Oftalm.* **1.** Inflamação de membrana hialoide. **2.** Inflamação de humor vítreo.

hiálito [De *hial(o)-* + *-lito*, com haplologia.] *S. m.* Vidro opaco, em geral negro, empregado em objetos de ornato ou de luxo, e em vasos para conter líquidos em ebulição.

▲ **hial(o)-** [Do gr. *hyal-*, *hyalo-* < gr. *hýalos, ou*.] *El. comp.* = 'vidro'; 'transparente'; 'substância transparente, ou translúcida': *hiálito, hialotipia*.

hialofobia [De *hial(o)-* + *-fobia*.] *S. f. Psiq.* Medo patológico de vidro.

hialofóbico [De *hialofobia* + *-ico*[2].] *Psiq. Adj.* **1.** Relativo a hialofobia. **2.** Que sofre de hialofobia; hialófobo. ● *S. m.* **3.** Aquele que sofre de hialofobia; hialófobo.

hialófobo [De *hial(o)-* + *-fobo*.] *Adj. S. m. Psiq.* Hialofóbico (2 e 3).

hialografia [De *hial(o)-* + *-grafia*[1].] *S. f.* Arte de gravar sobre vidro. [Cf. *fluorografia* e *hialotipia*.]

hialográfico [De *hialografia* + *-ico*[2].] *Adj.* Relativo à hialografia.

hialógrafo [De *hial(o)-* + *-grafo*.] *S. m.* Instrumento com que se desenha a perspectiva e tiram provas de um desenho.

hialoide (ói) [Do gr. *hyaloeidés*, pelo b.-lat. *hyaloides*.] *Adj. 2 g.* Hialino (2). ~ V. *membrana —*. ❖

hialoideo [De *hialoide* + *-eo*.] *Adj. Anat.* Relativo ou pertencente à membrana hialoide.

hialoma[1] [De *hial(o)-* + *-oma*[1].] *S. m. Patol.* Lesão resultante da degeneração coloide de camadas superficiais da derme.

hialoma[2] [De *hial(o)-* + *-oma*[3]; tax. *Hyalomma*.] *S. m. Zool.* **1.** Gênero de carrapatos do Velho Mundo, da família dos ixodídeos, parasitos de animais selvagens e domésticos, e do próprio homem. **2.** Espécime desse gênero.

hialopilítico [De *hial(o)-* + gr. *pílos, on*, 'feltro', + *-it(o)-*[1] + *-ico*[2]; al. *hyalopilitisch*.] *Adj.* ~ V. *textura —a*.

hialoplasma [De *hial(o)-* + *-plasma*; ingl. *hyaloplasm*.] *S. m. Biol.* Citosol.

hialospôngia [De *hial(o)-* + *spôngia*; tax. *Hyalospongia*.] *S. f. Zool.* Hexactinélida (1).

hialospôngio [De *hialospôngia*.] *Adj. Zool.* Hexactinélida (2).

hialossomo [De *hial(o)-* + *-somo*.] *Adj. Zool.* Cujo corpo é translúcido como o vidro.

hialotecnia [De *hial(o)-* + *-tecn(o)-* + *-ia*[1].] *S. f.* Arte de trabalhar em vidro.

hialotécnico [De *hialotecnia* + *-ico*[2].] *Adj.* Referente à hialotecnia.

hialotipia [De *hial(o)-* + *-tip(o)-* + *-ia*[1].] *S. f.* Gravura em relevo sobre vidro. [Cf. *fluorografia* e *hialografia*.]

hialurgia [Do gr. *hyalourgós*, 'fabricante de vidro', + *-ia*[1].] *S. f.* A arte da fabricação do vidro.

hialúrgico [De *hialurgia* + *-ico*[2].] *Adj.* Relativo à hialurgia.

hialurônico *Adj. Quím.* V. *hialurônico*. [Uso freq. em P.]

hialurônico *Adj. Quím.* ~ V. *ácido —*.

hiante [Do lat. *hiante*.] *Adj. 2 g.* **1.** *Poét.* Que tem a boca aberta. **2.** Que tem grande fenda ou abertura. **3.** *Fig.* Faminto, famélico, esfomeado.

hiatizar [De *hiato* + *-izar*.] *V. t. d.* Transformar em hiato (1 e 2): "Cristóvão Falcão ainda se serve à larga da possibilidade de hiatizar os encontros de *que* + *vogal*, embora já revele acentuada inclinação para resolvê-los em ditongo." (Celso Cunha, *Língua e Verso*, p. 39.)

hiato [Do lat. *hiatu*.] *S. m.* **1.** *Anat.* Designação genérica de fenda ou abertura, no interior do organismo. **2.** *E. Ling.* Sequência de duas vogais que pertencem a sílabas diferentes: *Irá a Roma; dia; reúne; países*. **3.** *Fig.* Lacuna, intervalo, falha. ◆ **Hiato esofagiano.** *Anat.* Abertura existente no diafragma, e que permite a continuidade das porções torácica e abdominal do esôfago.

hiauim (u-ím) *Bras. S. 2 g.* **1.** *Etnôn.* Indivíduo dos hiauins [ou (etnôn. bras.) *Hiauhim], povo indígena extinto que habitava a margem esquerda do rio Tapajós (PA). ● *Adj. 2 g.* **2.** Pertencente ou relativo a esse povo.

hibernação [Do lat. *hibernatione*.] *S. f.* Entorpecimento ou estado letárgico de certos animais e vegetais, durante o inverno, quando o seu metabolismo diminui bastante e são utilizadas as reservas alimentares; sono hibernal. ◆ **Hibernação artificial.** *Farmac.* Estado produzido por drogas que inibem a ação do sistema nervoso simpático, com baixa do nível de reações homeostáticas, observando-se redução do metabolismo, relaxamento muscular e sono crepuscular.

hibernáculo [Do lat. imp. *hibernaculu*, por via erudita.] *S. m.* **1.** Arraial de inverno, entre os antigos romanos. **2.** *Bot.* Lugar coberto e abrigado artificialmente a fim de proteger as plantas contra o frio; invernáculo, invernadouro. [Cf. *estufa* (3).] **3.** *Bot.* Brotos especiais que as plantas aquáticas flutuantes formam para passar a estação do inverno.

hibernal [Do lat. *hibernale*.] *Adj. 2 g.* Do, ou relativo ao inverno, ou próprio dele; invernal, hiberno, hibernoso, hiemal. ~ V. *sono —*.

hibernante [Do lat. *hibernante*.] *Adj. 2 g.* Que hiberna.

hibernar [Do lat. *hibernare*, por via erudita.] *V. int.* **1.** Estar ou cair em hibernação. **2.** V. *invernar* (4).

hibérnico [Do top. lat. *Hibernia* + *-ico*[2].] *Adj.* **1.** Da, ou pertencente ou relativo à Hibérnia, hoje Irlanda; irlandês. ● *S. m.* **2.** *Gloss.* Antiga língua da Irlanda; hibérnio.

hibérnio [Do top. lat. *Hibernia*, com var. suf. (v. *-io*[3]).] *S. m. Gloss.* Hibérnico (2).

hiberno [Do lat. *hibernu*.] *Adj.* V. *hibernal*.

hibernoso (ô) [De *hiberno* + *-oso*.] *Adj.* V. *hibernal*.

hibisco [Do tax. *Hibiscus* (do lat. *hibiscus*).] *S. m. Bot.* **1.** Grande gênero de plantas herbáceas, arvoretas e arbustos malváceos, dotados de folhas folhas denteadas ou lobadas e grandes folhas exuberantes. **2.** Qualquer espécie desse gênero, como, p. ex., a *Hibiscus rosa-sinensis* (v. *mimo-de-vênus*), vastamente cultivada como ornamental. **3.** Qualquer espécime desse gênero, ou a flor dele.

hibridação [De *hibridar* + *-ção*.] *S. f.* **1.** *Biol.* Cruzamento fecundo entre indivíduos diferentes na variedade ou na espécie. **2.** *Fís.-Quím.* V. *hibridização*.

hibridar [De *híbrido* + *-ar*[2]; fr. *hybrider*.] *V. t. d.* **1.** Fazer a hibridação de: *hibridar duas espécies*. *P.* **2.** Fecundar-se (planta) pelo pólen de outra espécie ou variedade.

hibridez (ê) [De *híbrido* + *-ez*.] *S. f.* **1.** Qualidade de híbrido. **2.** Anomalia, irregularidade. [Sin. ger.: *hibridismo*.]

hibridismo [De *híbrido* + *-ismo*.] *S. m.* **1.** Hibridez. **2.** *E. Ling.* Palavra formada com elementos tomados a línguas diversas. Ex.: *sociologia, caiporismo, automóvel*.

hibridização [De **hibridizar* (< *híbrido* + *-izar*) + *-ção*.] *S. f. Fís.-Quím.* **1.** Operação matemática que consiste em formar combinações lineares de orbitais de um átomo e que resultam em novos orbitais, os quais se prestam melhor à representação das propriedades de ligação desse átomo. **2.** Descrição de um átomo empregando orbitais hibridizados: *hibridização sp*[3]. [Sin. ger.: *hibridação*.] ◆ **Hibridização sp**[1]. *Fís.-Quím.* Aquela que resulta da combinação de um orbital atômico *p* com um orbital atômico *s*. **Hibridização sp**[2]. *Fís.-Quím.* Aquela que resulta da combinação de dois orbitais atômicos *p* com um orbital atômico *s*. **Hibridização sp**[3]. *Fís.-Quím.* Aquela que resulta da combinação de três orbitais atômicos *p* com um orbital atômico *s*.

hibridizado [Part. de **hibridizar* (v. *hibridização*).] *Adj. Fís.-Quím.* Que sofreu hibridização (1).

híbrido [Do lat. *ibrida, hibrida* ou *hybrida*, 'filho de pais de diferentes países ou de condições diversas', evidentemente relacionado com o gr. *hýbris*, 'destempero', 'excesso', poss. pelo fr. *hybride*.] *Adj.* **1.** *Biol.* Originário do cruzamento de espécies diferentes. **2.** *Fig.* Em que há mistura de espécies diferentes: *Seus olhos eram de uma cor híbrida*. **3.** *E. Ling.* Diz-se de vocábulo composto de elementos de línguas diversas, como, p. ex., *monóculo*, em que o primeiro elemento vem do grego e o segundo, do latim. ~ V. *orbital —*. ● *S. m.* **4.** Animal ou vegetal híbrido: *A mula é híbrida do asno e da égua, ou do cavalo e da jumenta*. ◆ **Híbrido de ressonância.** *Quím.* Representação da molécula, resultante das contribuições de duas ou mais formas de ressonância.

hibridoma [De *híbrido* + *-oma*[1].] *S. m. Citol.* Linhagem celular mista, produzida pela fusão de plasmócitos com células malignas, que se multiplicam e produzem anticorpos monoclonais.

híbris *S. f.* V. *hybris*.

hibrístico [Do gr. *hybristikós*.] *Adj.* Arrogante, insolente.

➔ **hic** [hɛk] [Lat., 'aqui'.] *S. m.* A principal dificuldade de uma matéria, de um negócio.

➔ **hic et nunc** [hɛk ɛt nuŋk] [Lat.] Aqui; nestas circunstâncias.

hicso *S. m.* **1.** *Etnôn.* Indivíduo dos hicsos, povo da Antiguidade, originário da Síria, que se estabeleceu na metade oriental do delta do Nilo, no séc. XVIII a. C. ● *Adj.* **2.** Dos, ou pertencente ou relativo aos hicsos.

hidantoína [De *hid(rogênio)* + *(al)antoína*.] *S. f. Quím.* Substância sólida, heterocíclica, us. na preparação de vários anticonvulsivos [fórm.: $C_3H_4N_2O_2$].

▲ **hidat(i)-** Equiv. de *hidatid(o)-*.

hidático [Do gr. *hydatikós*.] *Adj.* Relativo à hidátide; hidatídico.

hidátide [Do gr. *hydatís, ídos*.] *S. f.* **1.** Forma larvar enquistada dos cestódeos do gênero *Echinococcus*. **2.** *Anat.* Qualquer estrutura semelhante a cisto. ◆ **Hidátide de Morgagni.** *Anat.* Pequena estrutura rudimentar, semelhante a cisto, apensa ao testículo e epidídimo, no homem, ou à trompa, na mulher.

hidatídico [De *hidátide* + *-ico*[2].] *Adj.* Hidático.

▲ **hidatid(o)-** [Do gr. *hydatís, ídos* (ýa).] *El. comp.* = 'hidátide': *hidatidocele*. [Equiv.: *hidat(i)-*: *hidatígero*.]

hidatidocele (à) [De *hidatid(o)-* + *-cele*[1].] *S. f. Patol.* Tumor (1) escrotal que contém hidátides.

hidatidose [De *hidatid(o)-* + *-ose*[1].] *S. f. Patol.* Doença hidática: infecção produzida por formas larvárias de certos cestódeos, e que se caracteriza pelo desenvolvimento de cistos expansivos; equinococose.

hidatiforme [De *hidat(i)-* + *-forme*.] *Adj. 2 g.* Que tem a aparência da hidátide. ~ V. *mola —*.

hidatígero [De *hidat(i)-* + *-gero*.] *Adj.* Que tem ou que produz hidátide; hidátulo.

hidatismo [Do gr. *hydatismós*.] *S. m. Med.* Ruído provocado pela oscilação do líquido contido em uma cavidade.

▲ **hidato-** [Do gr. *hydōr, hydatos*.] V. *hidr(o)-*[1].

hidatódio [Do gr. *hydatódes* + *-io*[3].] *S. m. Bot.* Pequeno órgão, existente nas folhas de muitas plantas, que segrega água em forma de gotículas.

hidatologia (i) [De *hidato-* + *-logia*.] *S. f.* Hidrologia.

hidatológico (i) [De *hidatologia* + *-ico*[2].] *Adj.* Referente à hidatologia; hidrológico.

hidatomorfismo (i) [De *hidato-* + *-morf(o)-* + *-ismo*.] *S. m. Geol.* Processo de formação de minerais à custa de soluções, mas sem a ação do calor.

hidatsa *S. m. Gloss.* Língua siuana falada na Dacota do Norte (E.U.A.).

hidátulo [De *hidat(i)-* + *-ulo*.] *Adj.* Hidatígero.

hidnácea [Do tax. *Hydum* (v. *hidno*), + *-ácea*; tax. *Hydnaceae*.] *S. f. Micol.* Espécime das hidnáceas, grande família de fungos da ordem das agaricales, os quais apresentam espinhos, dentes, ou verrugas [v. *verruga* (3)] na parte inferior do píleo.

hidnáceo [De *hidnácea*, com var. suf. (v. *-áceo*).] *Adj. Micol.* Pertencente ou relativo às hidnáceas.

hidno [Do tax. *Hydnum* (do gr. *hýdnon*, 'trufa').] *S. m. Micol.* **1.** Gênero-tipo das hidnáceas (q. v.). **2.** Espécie ou espécime desse gênero.

▲ **hidn(o)-** [Do gr. *hýdnon, ou*.] *El. comp.* = 'túbera', 'trufa': *hidnácea, hidnocarpo*.

hidnocarpo [De *hidn(o)-* + *-carpo*; tax. *Hydnocarpus*.] *S. m.* Gênero de árvores tropicais da família das flacourtiáceas, de folhas alternas, pequenas flores solitárias ou cimosas e frutos capsulares.

hidnorácea [Adapt. do tax. *Hydnoraceae*.] *S. f. Bot.* Espécime das hidnoráceas, família de plantas parasitas, com dois gêneros e sete espécies, da ordem das aristoloquiales, das Américas Central e do Sul e tb. da África e da Arábia Saudita.

hidnoráceo [De *hidnorácea*, com var. suf. (v. *-áceo*).]

hidra[1] [Do mit. gr. *Hýdra*, pelo lat. *Hydra*.] *S. f.* **1.** *Mit. Fig.* Hidra de Lerna. **2.** *Astr.* Constelação situada, em sua maior parte, no hemisfério sul, formada de estrelas pouco brilhantes, e a mais extensa da esfera celeste. [Com cap., nesta acepç.] ◆ **Hidra de Lerna.** **1.** *Mit.* Serpente de sete cabeças, que renasciam assim que eram cortadas, morta por Hércules (v. *herculano*). **2.** *Fig.* Coisa ou fato que envolve perigo público, ou que ameaça a ordem social; aquilo que representa um risco contínuo, incessante: "Quando entrara no quinteiro, saía o lavrador da adega, onde pela terceira vez fora matar o bicho, aquela hidra de Lerna que botava cabeças todo o santo dia no bucho hercúleo de João da Laje." (Camilo Castelo

H

Branco, *Novelas do Minho*, VII, p. 52.) [Tb. se diz apenas *hidra*.]

hidra[2] [Do tax. *Hydra* (v. *hidra*[1]).] *S. f. Zool.* **1.** Gênero de cnidários hidrozoários, hidróideos, de água doce, e cuja forma é a de um pólipo simples, séssil; são destituídos de esqueleto calcário, têm tubo digestivo simples, desprovido de septos ou sifonóglifos, e vivem em colônias de quatro a cinco indivíduos, ger. fixados a gravetos, folhas ou outros objetos submersos. **2.** Espécie ou espécime desse gênero.

▲ **hidra-** V. *hidr(o)-*[1].

hidrácido [De *hidr(o)-*[1] + *ácido*.] *S. m. Quím.* Substância ácida em que o hidrogênio responsável pela acidez não está ligado a oxigênio.

hidradenite [De *hidr(o)-*[2] + *adenite*.] *S. f. Cir.* Inflamação de glândula sudorípara. [Sin., desus.: *hidrosadenite*.]

hidragogo (ô) [Do gr. *hydragogós*, pelo lat. tard. *hydragogu*.] *Adj. S. m. Farmac.* Que, ou aquilo que produz a eliminação de líquidos.

hidramático [Do ingl. *Hydra-Matic*, marca registrada.] *Adj. Bras. Autom.* **1.** Diz-se da mudança (4) cujo comando é acionado automaticamente por meio de um sistema hidráulico. **2.** Diz-se do automóvel dotado desse tipo de mudança.

hidrâmnio [De *hidr(o)-*[1] + *âmnio*.] *S. m. Obst.* Excesso de líquido amniótico.

hidrângea [De *hidr(o)-*[1] + gr. *angeîon, ou*, 'receptáculo', 'cápsula', + *-ea*; tax. *Hydrangea*.] *S. f.* **1.** *Bot.* Gênero vastamente distribuído de arbustos hidrangeáceos, dotados de folhas opostas e flores, ger. vistosas, dispostas em racemos corimbosos. **2.** Qualquer espécie desse gênero, como, p. ex., a *Hydrangea hortensia* e a *H. macrophylla* (v. *hortênsia*). **3.** Qualquer espécime desse gênero, ou a sua flor.

hidrangeácea [Do tax. *Hydrangea* + *-ácea*; tax. *Hydrangeaceae*.] *S. f. Bot.* Espécime das hidrangeáceas, família da ordem das rosales que reúne cerca de 190 espécies de árvores, arbustos, lianas e ervas rizomatosas, com folhas simples, flores hermafroditas e/ou estéreis, cimosas, em corimbos ou em panículas, e frutos bacáceos ou capsulares; muitas espécies são cultivadas como ornamentais.

hidrangeáceo [De *hidrangeácea*, com var. suf. (v. *-áceo*).] *Adj. Bot.* Pertencente ou relativo às hidrangeáceas.

hidranose [De *hidra-* + *-nose*.] *S. f. Patol.* Infiltração de uma área, de uma região, por serosidade (3).

hidrante [Do ingl. *hydrant*.] *S. m.* Válvula ou torneira a que se liga a mangueira, para extinção de incêndios.

hidranto [De *hidr(o)-*[1] + *-anto*.] *S. m. Zool.* Numa colônia de hidrozoários, cada um dos indivíduos polimorfos.

hidrargilita [De *hidr(o)-*[1] + *argilita*; ingl. *hydrargillite*.] *S. f. Min.* Gibbsita.

hidrargiria [Do lat. cient. *hydrargyria* < lat. *hydrargyrus* (v. *hidrargírio*).] *S. f.* **1.** *Tox.* V. *hidrargirismo*. **2.** *Derm.* Dermopatia produzida pelo uso de medicamentos mercuriais.

hidrargírico [De *hidrargírio* + *-ico*[2].] *Adj.* **1.** Relativo ao hidrargírio. **2.** Feito de mercúrio; em cuja composição entra o mercúrio.

hidrargírio [Do lat. imp. *hydrargyrus* (< gr. *hydrárgyros*), 'mercúrio artificial', + *-io*[3].] *S. m. Ant.* Mercúrio (2).

hidrargirismo [De *hidrargír(io)* + *-ismo*.] *S. m. Tox.* Intoxicação por mercúrio, e que pode ser aguda ou crônica; hidrargirose, hidrargiria.

hidrargirose [De *hidrargír(io)* + *-ose*[1].] *S. f. Tox.* V. *hidrargirismo*.

hidrário [De *hidra*[2] + *-ário*.] *Zool. S. m.* **1.** V. *antomedusa*. ● *Adj.* **2.** V. *antomedúseo*.

hidrartrose [De *hidr(o)-*[1] + *-artr(o)-* + *-ose*[1].] *S. f. Patol.* Acumulação de líquido aquoso em articulação (3).

hidraste [Do tax. *Hydrastis* (poss. relacionado com *hidr(o)-*[1]).] *S. f. Bot.* **1.** Gênero de ervas ranunculáceas. **2.** Qualquer espécie desse gênero, como, p. ex., a *Hydrastis canadensis*, nativa da América do Norte, e outrora de larga aplicação terapêutica. Rizoma pequeno, rugoso e amarelo, provido de vários alcaloides, um dos quais, a berberina, produz fortes contrações no músculo uterino; flores pouco ornamentais. **3.** Qualquer espécime desse gênero.

hidrastina [Do tax. *Hydrastis* (v. *hidraste*) + *-ina*[3].] *S. f. Quím.* Alcaloide extraído da hidraste, cristalino, hemostático [fórm.: $C_{21}H_{21}O_6N$].

hidrastinina [De *hidrastina* + *-ina*[3].] *S. f. Quím.* Produto da oxidação da hidrastina, cristalino, incolor, com ação anti-hemorrágica [fórm.: $C_{11}H_{13}O_3N$].

hidratação [De *hidratar* + *-ção*.] *S. f.* **1.** Ato ou efeito de hidratar. **2.** *Quím.* Associação de uma ou mais moléculas de água a uma espécie química.

hidratado [Part. de *hidratar*.] *Adj.* **1.** Tratado por água. **2.** Associado quimicamente à água.

hidratador (ô) [De *hidratar* + *-dor*.] *Adj. S. m.* Hidratante.

hidratante [De *hidratar* + *-nte*.] *Adj. 2 g. S. m.* Diz-se de, ou aquilo que hidrata; hidratador: *A pele ressecada trata-se com cremes nutritivos e hidratantes.*

hidratar [De *hidrato* + *-ar*[2].] *V. t. d.* **1.** Converter em hidrato. **2.** Tratar por água. **3.** Combinar com água. **4.** Tratar (a pele, cabelos, etc.) com substância que lhe devolva a umidade natural ou evite que se resseque. **5.** *Terap.* Administrar água ou, muito frequentemente, líquido constituído por água e diversas substâncias (glicose, cloreto de sódio, cloreto de potássio, etc.), com o objetivo de compensar perdas e, eventualmente, como parte de alimentação parenteral.

hidratável [De *hidratar* + *-vel*.] *Adj. 2 g.* Que pode ser hidratado.

hidrático [De *hidrato* + *-ico*[2].] *Adj. Quím.* Que tem alguns caracteres de hidrato.

hidrato [De *hidr(o)-*[1] + *-ato*[2].] *S. m. Quím.* Composto que contém uma ou mais moléculas de água. ◆ **Hidrato de carbono.** *Quím.* V. *carboidrato*. **Hidrato de cloral.** *Quím.* Substância derivada do cloral por adição de água, e que é um forte sedativo [fórm.: $C_2H_3Cl_3O_2$].

hidráulica [F. subst. de *hidráulico*.] *S. f.* **1.** *Fís.* Parte da hidrodinâmica aplicada que investiga de forma simplificada o escoamento de fluidos (especialmente água) e as aplicações tecnológicas de alguns tipos de escoamento. **2.** A arte das construções na água. **3.** Direção dos serviços hidráulicos.

hidraulicidade (àu) [De *hidráulico* + *-(i)dade*.] *S. f.* Propriedade que tem a cal, o cimento e certas argamassas de fazer pega sob excesso de água.

hidráulico [Do lat. *hydraulicu*, 'movido por água', < gr. *hydraulikós*, der. de *hydraulis, ídos*, 'órgão musical movido por água', < gr. *hýdor* + gr. *aulós*, 'flauta'.] *Adj.* **1.** Referente a qualquer movimento de líquidos, especialmente a água. **2.** Relativo à hidráulica: *engenheiro hidráulico.* **3.** Que funciona por meio de um líquido qualquer: *freio hidráulico.* ~ V. *alvenaria —a, argamassa —a, aterro —, bomba —a, bombeiro —, cal —a, carneiro —, cimento —, desmonte —, direção —a, estopim —, freio —, ladrilho —, macadame —, órgão —, prensa —a, raio —, roda —a* e *turbina —a*. ● *S. m.* **4.** *Obsol.* Especialista em hidráulica. **5.** *Obsol.* Engenheiro de obras hidráulicas.

hidravião [De *hidr(o)-*[1] + *avião*.] *S. m. Aer. Av.* Avião que opera somente a partir de superfície aquática; hidroplano, hidroavião. ◆ **Hidravião com casco.** *Aer. Av.* Hidravião cuja parte inferior da fuselagem, que é o seu principal meio de sustentação na água, tem a forma de casco de embarcação. **Hidravião com flutuadores.** *Aer. Av.* Hidravião provido de flutuadores, que constituem a sua forma de sustentação na água.

hidrazida [De *hidraz(ina)* + *-ida*[4].] *S. f. Quím.* Designação genérica de substâncias derivadas da hidrazina (1) por substituição de um hidrogênio por grupo acila.

hidrazina [De *hidr(o)-*[1] + *-az(o)-* + *-ina*[3]; al. *Hydrizin*.] *S. f. Quím.* **1.** Líquido incolor na temperatura ambiente, muito redutor, usado como combustível em foguetes [fórm.: N_2H_4]. **2.** Designação genérica de certas substâncias que se podem considerar derivadas da hidrazina (1).

hidrazoico (ói) [De *hidr(o)-*[1] + *azoico*.] *Adj. Quím.* ~ V. *ácido —*. ✣

hidrazona [De *hidraz(ina)* + *-ona*[2].] *S. f. Quím.* Designação genérica de certas substâncias formadas pela reação de uma hidrazina com uma cetona, ou com um aldeído.

hidrelétrica [F. subst. de *hidrelétrico*.] *S. f.* **1.** Empresa ou companhia de energia hidrelétrica. **2.** V. *usina hidrelétrica*.

hidreletricidade [De *hidrelétrica* + *-(i)dade*.] *S. f.* Eletricidade produzida a partir de energia hidráulica: *Houve queda de preço da hidreletricidade da Amazônia.*

hidrelétrico [De *hidr(o)-*[1] + *elétrico*.] *Adj.* Respeitante à produção de corrente elétrica por meio de força hidráulica. ~ V. *usina —a*.

hidremia [De *hidr(o)-*[1] + *-emia*.] *S. f. Med.* Conteúdo aquoso do sangue.

hidrémico *Adj.* V. *hidrêmico*. [Uso freq. em P.]

hidrêmico [De *hidremia* + *-ico*[2].] *Adj.* Relativo à hidremia.

hidreto (ê) [De *hidr(o)-*[1] + *-eto*[2].] *S. m. Quím.* **1.** Composto binário de hidrogênio e outro elemento. **2.** O ânion H^-.

hídria [Do gr. *hydría*, pelo lat. *hydria*.] *S. f.* Vaso grande de cerâmica, com bojo arredondado, duas asas horizontais na parte lateral e asa vertical na parte posterior, us. pelos gregos e pelos romanos para armazenar água.

hidriatria [De *hidr(o)-*[1] + *-iatria*.] *S. f. Terap.* V. *hidroterapia*.

hídrico [De *hidr(o)-*[1] + *-ico*[2].] *Adj.* **1.** Da, ou pertencente à água. **2.** Constituído de águas: "os rios, as baías, as angras, os igapós, os lagos, ... os igarapés da formidável rede hídrica da planície amazônica" (Raimundo Morais, *País das Pedras Verdes*, p. 91). **3.** Baseado na água: *dieta hídrica.* **4.** *Ecol.* Diz-se de ambiente extremamente úmido. ~ V. *equilíbrio —*.

hidrindano [Do ingl. *hydrindane*.] *S. m. Quím.* Alcano bicíclico em que um anel de seis átomos está fundido de modo cis a outro, de cinco átomos ou, p. ext., derivado desta substância [fórm.: C_9H_{16}].

▲ **hidr(o)-**[1] [Do gr. *hydro-* < gr. *hýdōr, hydatós*.] *El. comp.* **1.** = 'água', 'líquido': *hidrato, hidrodinâmico*. [Equiv.: *hidato-, hidra-, -hidr(o)-, -idr(o)-, -idro*: *hidatologia*; *hidranose*; *super-hidratação*; *oligoidria*; *sulfidrato*; *anidro* (< gr.). Nos voc. com hífen, permanece o *h* de *hidr(o)-*[1] quando interpositivo.] **2.** *Quím.* Us. como antepositivo e infixo (*-idr(o)-*), indica a presença de átomo de hidrogênio: *hidrazina*; *tetraidrofurano*, *fluorídrico*.

▲ **hidr(o)-**[2] [Do gr. *hidrṓs, ōtos*.] *El. comp.* = 'suor': *hidradenite, hidrose*.

▲ **-hidr(o)-** V. *hidr(o)-*[1].

hidroa (ô) [Do gr. *hídroa*, 'pústulas', 'brotoeja', < gr. *hidrós*, 'suor', poss. pelo fr. *hydroa*.] *S. f. Patol.* Dermatose caracterizada por áreas irregulares, vermelhas, em que se formam grupos de vesículas, e que se acompanha de intenso prurido, estado de debilitação e sintomas neurológicos; dermatite herpetiforme.

hidroadenite [De *hidr(o)-*[2] + *adenite*.] *S. f. Cir.* Hidradenite.

hidroavião *S. m. Aer. Av.* V. *hidravião*. ◆ **Hidroavião com casco.** *Aer. Av.* V. *hidravião com casco*. **Hidroavião com flutuadores.** *Aer. Av.* V. *hidravião com flutuadores*.

hidrobatídeo [Do tax. *Hydrobates* (v. *hidr(o)-*[1] e *-bata*[1]) + *-ídeo*[1]; tax. *Hydrobatidae*.] *Zool. S. m.* **1.** Espécime dos hidrobatídeos, família de aves procelariiformes pelágicas, que reúne gaivotas de asas longas e cauda curta. Habitam os oceanos austrais e reproduzem-se nas ilhas antárticas. ● *Adj.* **2.** Pertencente ou relativo a eles.

hidrobatráquio [De *hidr(o)-*[1] + *batráquio*.] *Adj. S. m. Zool. Desus.* Diz-se de, ou anfíbio aquático. [Cf. *geobatráquio*.]

hidróbio [De *hidr(o)-*[1] + *-bio*.] *Adj. S. m.* Diz-se de, ou o que vive na água.

hidrobiologia [De *hidr(o)-*[1] + *biologia*.] *S. f.* Ciência que estuda os organismos aquáticos sob todos os seus aspectos e, em particular, os que vivem nas águas continentais doces ou salgadas.

hidrobiológico [De *hidrobiologia* + *-ico*[2].] *Adj.* Relativo à hidrobiologia.

hidrobiologista [De *hidrobiologia* + *-ista*.] *S. 2 g.* Especialista em hidrobiologia; hidrobiólogo.

hidrobiólogo [De *hidr(o)-*[1] + *biólogo*.] *S. m.* Hidrobiologista.

hidrocarbonado [De *hidr(o)-*[1] + *-carbon(i)-* + *-ado*[1].] *Adj. Quím.* Diz-se de composto que contém carbono e hidrogênio.

hidrocarbonato [De *hidr(o)-*[1] + *carbonato*.] *S. m. Quím. Desus.* Bicarbonato.

hidrocarboneto (ê) [De *hidr(o)-*[1] + *carboneto*.] *S. m. Quím.* Composto constituído apenas por carbono e hidrogênio. ◆ **Hidrocarboneto saturado.** *Quím.* Alcano [Os hidrocarbonetos insaturados compreendem os alcenos, os alcinos e os hidrocarbonetos aromáticos.]

hidrocarbónico *Adj. Quím.* V. *hidrocarbônico*. [Uso freq. em P.]

hidrocarbônico [De *hidrocarbono* + *-ico*[2].] *Adj. Quím.* Próprio de, ou relativo a hidrocarboneto.

hidrocáris [Do tax. *Hydrocharis* (do gr. *hýdor, hýdatos* [v. *hidr(o)-*[1]] + gr. *kháris, itos*, 'beleza'; 'graça').] *S. f. 2 n. Bot.* **1.** Gênero de ervas hidrocaritáceas que reúne três a seis espécies aquáticas, flutuantes, dioicas, nativas do Velho Mundo; são cultivadas como ornamentais. **2.** Qualquer espécie, ou espécime desse gênero.

hidrocaritácea [Do lat. cient. *Hydrocharit-* (v. *hidrocáris*) + *-ácea*; tax. *Hydrocharitaceae*.] *S. f. Bot.* Espécime das hidrocaritáceas, família da ordem das hidrocaritales ou alismatales, que reúne 13 gêneros e cerca de 80 espécies de ervas aromáticas pantropicais, flutuantes ou emergentes, com folhas em espiral, opostas ou verticiladas, flores trímeras ou aclamídeas, ger. unissexuais, solitárias ou cimosas, e frutos capsulares, septicidas; algumas são cultivadas como ornamentais, ou como alimentícias.

hidrocaritáceo [De *hidrocaritácea*, com var. suf. (v. *-áceo*).] *Adj. Bot.* Pertencente ou relativo às hidrocaritáceas.

hidrocarital [Do lat cient. *Hydrocharit-* (v. *hidrocáris*) + *-al*[1].] *Adj. 2 g. Bot.* Pertencente ou relativo às hidrocaritales.

hidrocaritale [Do lat cient. *Hydrocharit-* (v. *hidrocáris*) + *-ale*; tax. *Hydrocharitales.*] *S. f. Bot.* Espécime das hidrocaritales, ordem de monocotiledôneas ger. incluída entre as alismatales, e que compreende, apenas, a família das hidrocaritáceas.

hidrocefalia [De *hidrocéfalo* + *-ia*[1].] *S. f. Neur.* Condição caracterizada por acúmulo anormal, no crânio, de líquido cefalorraquiano, com dilatação de ventrículos cerebrais, aumento da cabeça, proeminência da fronte, atrofia encefálica, deficiência mental e convulsões. [Sin., pop.: *cabeça-d'água*.]

hidrocefálico [De *hidrocefalia* + *-ico*[2].] *Adj.* Relativo a hidrocefalia.

hidrocéfalo [Do lat. cient. *hydrocephalus* < gr. *hydroképhalon*.] *Adj. S. m.* Que, ou aquele que sofre de hidrocefalia.

hidrocele [Do gr. *hydrokéle*, pelo lat. imp. *hydrocele*.] *S. f. Urol.* Coleção líquida limitada que se localiza, principalmente, em túnica vaginal testicular ou ao longo de cordão espermático. [Cf. *hedrocele* e *sarcocele*.]

hidrocélico [Do gr. *hydrokelikós*, pelo lat. imp. *hydrocelicu*.] *Adj.* **1.** Relativo a hidrocele, ou que a tem. ● *S. m.* **2.** Aquele que tem hidrocele.

hidrociclone [De *hidr(o)-*[1] + *ciclone*.] *S. m. Tec.* Ciclone (3) que opera com partículas suspensas num líquido.

hidrocinemática [De *hidr(o)-*[1] + *cinemática*.] *S. f. Fís.* Parte da hidrodinâmica que estuda o escoamento dos fluidos sem se preocupar com as forças que o determinam.

hidrocisto [De *hidr(o)-*[1] + *-cisto*.] *S. m. Patol.* Cisto cujo conteúdo é aquoso.

hidrocistoma [De *hidr(o)-*[2] + *-cist(o)-* + *-oma*[1].] *S. m. Patol.* Cisto que contém suor.

hidroconformação [De *hidr(o)-*[1] + *conformação*.] *S. f. Metal.* Processo de conformação para a produção de componentes industriais leves e de geometria complexa, na qual uma folha maleável, ger. metálica, é forçada contra um molde, por pressão hidráulica.

hidrocoralino [De *hidr(o)-*[1] + lat. *corallinus*, 'vermelho como o coral'; tax. *Hydrocorallina*.] *Zool. S. m.* **1.** Espécime dos hidrocoralinos, grupo de hidrozoários que compreende os mileporinos e os estilasterinos. ● *Adj.* **2.** Pertencente ou relativo a eles.

hidrocoria [De *hidrocoro* + *-ia*[1].] *S. f. Bot.* Disseminação de sementes, frutos e esporos mediante a ação da água de chuvas, rios, mares, etc.

hidrocórico [De *hidrocoro* + *-ico*[2].] *Adj.* Relativo a hidrocoro, ou a hidrocoria.

hidrocorísido *S. m. Adj. Zool.* V. *criptocerado*.

hidrocoro [De *hidr(o)-*[1] + *-coro*.] *Adj. S. m. Bot.* Diz-se de, ou vegetal cujos diásporos são disseminados pela água.

hidrocortisona [De *hidr(o)-*[1] + *cortisona*.] *S. f. Bioquím.* Hormônio esteroide de córtex suprarrenal [fórm.: $C_{21}H_{30}O_5$].

hidrocução [De *hidr(o)-*[1] + a term. *-cução*, como em *execução* e *eletrocução* (q. v.).] *S. f. Med. Leg.* Morte causada por água e, consequentemente, afogamento.

hidrocultor (ô) [De *hidr(o)-*[1] + *-cultor*.] *S. m. Impr.* Hidroponicista.

hidrocultura [De *hidr(o)-*[1] + *-cultura*.] *S. f. Impr.* V. *hidropônica*.

hidrodessulfurização [De *hidr(o)-*[1] + *dessulfurização*.] *S. f. Quím.* Procedimento industrial em que se elimina, pela ação do hidrogênio e de catalisador apropriado, o enxofre de uma essência natural ou de um derivado do petróleo.

hidrodinâmica [De *hidr(o)-*[1] + *dinâmica*.] *S. f.* Parte da hidromecânica que investiga o movimento de fluidos incompressíveis e as interações dos fluidos em movimento com as fronteiras do domínio onde se movem.

hidrodinâmico [De *hidrodinâmica*, com var. suf. (v. *-ico*[2].)] *Adj.* Relativo à hidrodinâmica.

hidroelétrica *S. f.* V. *hidrelétrica*.

hidroelétrico *Adj.* V. *hidrelétrico*.

hidrófana [De *hidr(o)-*[1] + *-fana*.] *S. f. Min.* Variedade de opala que na água se torna mais translúcida.

hidrófano [De *hidr(o)-*[1] + *-fano*.] *Adj.* Que é translúcido na água.

hidrofiídeo [Do tax. *Hydrophis* (v. *hidr(o)-*[1] e *ofi(o)-*) + *-ídeo*[1]; tax. *Hydrophiidae*.] *Zool. S. m.* **1.** Espécime dos hidrofiídeos, família de serpentes pelágias do oceano Pacífico, ger. ovovivíparas e venenosas; têm corpo alongado, com escamas ventrais e se nutrem de pequenos peixes. ● *Adj.* **2.** Pertencente ou relativo a eles.

hidrofilácea [Do tax. *Hydrophyllum* (v. *hidr(o)-*[1] e *-filo*[1]) + *-ácea*; tax. *Hydrophyllaceae*.] *S. f. Bot.* Espécime das hidrofiláceas, família de dicotiledôneas, da ordem das solanales, composta de ervas e de arbustos providos de folhas alternas ou opostas e de flores em cincinos. Ovário bilocular; fruto capsular. Existem cerca de 170 espécies, em sua maioria da América do Norte, sendo poucas as conhecidas no Brasil.

hidrofiláceo [De *hidrofilácea*, com var. suf. (v. *-áceo*).] *Adj. Bot.* Pertencente ou relativo às hidrofiláceas.

hidrofílico [De *hidr(o)-* + *-fil(o)-*[1] + *-ico*[2].] *Adj.* **1.** V. *hidrófilo*. **2.** *Quím.* Que é atraído pela água; que nela se dissolve facilmente.

hidrófilo [De *hidr(o)-*[1] + *-filo*[2].] *Adj.* **1.** Ávido de água. **2.** Que a absorve bem. **3.** *Ecol.* Que é polinizado por água. [Sin. ger.: *hidrofílico*.] ~ V. *algodão* — e *coloide* —.

hidrófito [De *hidr(o)-*[1] + *-fito*.] *Bot. Adj.* **1.** Diz-se de planta que vive na água. ● *S. m.* **2.** Planta aquática, seja submersa, seja natante.

hidrofobia [Do gr. *hydrophobía*, pelo b.-lat. *hydrophobia*.] *S. f.* **1.** *Psiq.* Aversão ou horror mórbido a líquidos. **2.** *P. ext. Impr.* V. *raiva* (1).

hidrofóbico [Do gr. *hydrophobikós* (v. *hidr(o)-*[1], *-fob(o)* e *-ico*[2]).] *Adj.* **1.** Respeitante à hidrofobia. **2.** *Quím.* Que repele a água. **3.** *Quím.* Que é incapaz de dissolver ou de ser dissolvido na água.

hidrófobo [Do gr. *hydrophóbos*, pelo lat. *hydrophobu*.] *Adj.* **1.** Que é atacado de hidrofobia. **2.** *Fig.* Diz-se de indivíduo colérico, furioso, possesso. ~ V. *coloide* —. ● *S. m.* **3.** Indivíduo hidrófobo (1). **4.** *Fig.* Indivíduo hidrófobo (2).

hidrofobofobia [De *hidrófobo* + *-fobia*.] *S. f. Psiq.* V. *lissofobia*.

hidrofobofóbico [De *hidrofobofobia* + *-ico*[2].] *Adj. S. m. Psiq.* V. *lissofóbico*.

hidrofobófobo [De *hidrófobo* + *-fobo*.] *Adj. S. m. Psiq.* V. *lissofóbico* (2 e 3).

hidrofólio [De *hidr(o)-*[1] + *fólio*.] *S. m.* Estrutura cuja forma é destinada a produzir uma reação hidrodinâmica normal em relação à direção do seu movimento.

hidrofone [De *hidr(o)-*[1] + *-fone*.] *S. m.* Aparelho destinado à detecção de sinais sonoros submarinos.

hidroformação [Calque (2) do ingl. *hydroforming*, a partir de *hidr(o)-*[1] + *formação*.] *S. f. Quím.* Procedimento industrial de desidrogenação de derivados do petróleo, em presença de catalisadores, com o intuito de se obterem compostos aromáticos.

hidróforo [Do gr. *hydrophóros*.] *Adj.* Que conduz água ou serosidade nos corpos organizados.

hidrofosfato [De *hidr(o)-*[1] + *fosfato*.] *S. m. Quím.* Fosfato hidratado.

hidrofráctico [De *hidr(o)-*[1] + gr. *phraktikós* < gr. *phrássein* ou *phráttein*, 'tapar', 'obstruir'; 'cobrir', 'proteger'.] *Adj.* Impermeável à água. [Var.: *hidrofrático*.]

hidrofrático *Adj.* V. *hidrofráctico*.

hidrófugo [De *hidr(o)-*[1] + *-fugo*[2].] *Adj.* **1.** Diz-se do material compacto que não pode impregnar-se de umidade e que, portanto, impede a sua progressão além de si mesmo. **2.** Que preserva da umidade.

hidrogel [De *hidr(o)-*[1] + *gel*.] *S. m. Fís.-Quím.* Gel obtido em meio aquoso. [Pl.: *hidrogéis*.]

hidrogenação [De *hidrogenar* + *-ção*.] *S. f. Quím.* Reação de incorporação de hidrogênio a uma substância.

hidrogenada [F. subst. de *hidrogenado*.] *S. f.* Parte da atmosfera situada entre 80 e, provavelmente, 200km de altura, e caracterizada pelo predomínio do hidrogênio.

hidrogenado [Part. de *hidrogenar*.] *Adj. Quím.* **1.** Que contém hidrogênio. **2.** Que sofreu hidrogenação.

hidrogenar [De *hidrogênio* + *-ar*[2], com síncope.] *V. t. d. P.* Combinar(-se) com o hidrogênio.

hidrogenia [De *hidr(o)-*[1] + *-genia*.] *S. f.* Teoria acerca da formação das massas de água espalhadas sobre a Terra.

hidrogênio *S. m. Quím.* V. *hidrogênio*. [Uso freq. em P.]

hidrogênio [De *hidr(o)-*[1] + *-gen(o)-* + *-io*[3]; fr. *hidrogène*.] *S. m. Quím.* **1.** Elemento de número atômico 1, participante de uma série extensa de compostos [símb.: *H*]. **2.** Gás incolor, inodoro, insípido, inflamável e muito pouco denso e que é a forma usual do hidrogênio elementar [fórm.: H_2].

hidrogeniônico *Adj. Quím.* V. *hidrogeniônico*. [Uso freq. em P.]

hidrogeniônico *Adj. Quím.* Próprio de, ou relativo ao hidrônio. ~ V. *potencial* —.

▲ **hidrogeno-** *Quím. El. comp.* Indica a presença de um hidrogênio ácido em sal formado pela neutralização parcial de um ácido poliprótico: *hidrogenocarbonato*. [Ocorre, tb., como infixo.] [*Bi-* é us. como el. comp. alternativo, com o mesmo fim: *bicarbonato*.]

▲ **-(h)idrogeno-** V. *hidrogeno-*.

hidrógeno [De *hidr(o)-*[1] + *-geno*.] *Adj. Geol.* ~ V. *rocha* —*a*.

hidrogenocarbonato [De *hidrogeno-* + *carbonato*.] *S. m. Quím.* V. *bicarbonato*.

hidrogenofosfato [De *hidrogeno-* + *fosfato*.] *S. m. Quím.* V. *bifosfato*.

hidrogeno-oxalato [De *hidrogeno-* + *oxalato*.] *S. m. Quím.* Bioxalato. [Pl.: *hidrogeno-oxalatos*.]

hidrogenossulfato [De *hidrogeno-* + *sulfato*.] *S. m. Quím.* V. *bissulfato*.

hidrogenossulfeto [De *hidrogeno-* + *sulfeto*.] *S. m. Quím.* V. *bissulfeto*.

hidrogenossulfito [De *hidrogeno-* + *sulfito*.] *S. m. Quím.* Bissulfito.

hidrogenotartarato [De *hidrogeno-* + *tartarato*.] *S. m. Quím.* Bitartarato.

hidrogeologia [De *hidr(o)-*[1] + *geologia*.] *S. f.* Parte da geologia que estuda o comportamento e a distribuição das águas subterrâneas em diferentes tipos de rochas e formações.

hidrogeológico [De *hidrogeologia* + *-ico*[2].] *Adj.* Relativo à hidrogeologia.

hidrogeologista [De *hidrogeologia* + *-ista*.] *S. 2 g.* Especialista em hidrogeologia; hidrogeólogo.

hidrogeólogo [De *hidr(o)-*[1] + *-ge(o)-* + *-logo*.] *S. m.* Hidrogeologista.

hidroginástica [De *hidr(o)-*[1] + *ginástica*.] *S. f.* Modalidade de ginástica praticada dentro da água.

hidrografia [De *hidr(o)-*[1] + *-grafia*.] *S. f.* **1.** Topografia marítima que tem por objeto levantar a planta das costas, ilhas, etc. **2.** O conjunto das águas correntes ou estáveis duma região. **3.** Descrição da parte líquida do globo. **4.** Ciência que ensina a conhecer o regime das águas duma região.

hidrográfico [De *hidrografia* + *-ico*[2].] *Adj.* Relativo ou pertencente à hidrografia. ~ V. *bacia* —*a*, *carta* —*a* e *zero* —.

hidrógrafo [De *hidr(o)-*[1] + *-grafo*.] *S. m.* Especialista em hidrografia.

hidrograma [De *hidr(o)-*[1] + *-grama*.] *S. m. Geofís.* Gráfico que mostra a variação de determinada característica hidrológica ao longo do tempo.

hidroide (ói) [Do tax. *Hydra* (< mit. gr. *Hýdra* [v. *hidra*[1]]) + *-oide*; tax. *Hydroida*.] *Zool. S. m.* **1.** Espécime dos hidroides, ordem de cnidários hidrozoários, em que a geração de pólipos, solitários ou coloniais, é bem desenvolvida e ger. formada por gemulação (q. v.). São as antomedusas, leptomedusas e limnomedusas. ● *Adj. 2 g.* **2.** Pertencente ou relativo a eles. [Sin. ger.: *leptolínida*.] ❖

hidrolaboratório [De *hidr(o)-*[1] + *laboratório*.] *S. m.* Edificação com enormes tanques de água, nos quais os astronautas simulam atividades extraveiculares, sob condições subaquáticas de imponderabilidade.

hidrolandense *Adj. 2 g.* **1.** De, ou pertencente ou relativo a Hidrolândia (CE e GO). ● *S. 2 g.* **2.** O natural ou habitante de Hidrolândia.

hidrolase [De *hidról(ise)* + *-ase*.] *S. f. Bioquím.* Qualquer enzima que catalisa reação de hidrólise.

hidrolato [De *hidr(o)-*[1] + *-l-* + *-ato*[2].] *S. m. Farmac.* Líquido incolor e aromático, que se obtém pela destilação da água com plantas ou com outras substâncias aromáticas.

hidrólatra [De *hidr(o)-*[1] + *-latra*.] *S. 2 g.* Adorador da água. [Cf. *idólatra* e *idiólatra*.]

hidrolatria [De *hidr(o)-*[1] + *-latria*.] *S. f.* Culto ou adoração da água. [Cf. *idolatria* e *idiolatria*.]

hidrolátrico [De *hidrolatria* + *-ico*[2].] *Adj.* Relativo a hidrolatria. [Cf. *idiolátrico* e *idolátrico*.]

hidrolinense *Adj. 2 g.* **1.** De, ou pertencente ou relativo a Hidrolina (GO). ● *S. 2 g.* **2.** O natural ou habitante de Hidrolina.

hidrólio *S. m. Farm.* Forma farmacêutica (q. v.) em que a água é o veículo.

hidrolipoaspiração [De *hidr(o)-*[1] + *-lip(o)-* + *aspiração*.] *S. f. Cir. Plást.* Processo que consiste na infiltração, em determinada área do corpo, de solução hipotônica (constituída de soro fisiológico acrescido de água destilada) em quantidade suficiente para que se obtenha hidrotomia das células adiposas dessa área, facilitando, assim, a retirada, por aspiração, de excesso de gordura dela.

hidrolisar [De *hidrólise* + *-ar*[2].] *V. t. d.* Fazer a hidrólise de. [Pres. subj.: *hidrolise*, etc. Cf. *hidrólise*, s. f.]

hidrolisável [De *hidrolisar* + *-vel*.] *Adj. 2 g.* Que se pode hidrolisar.

hidrólise [De *hidr(o)-*[1] + *-lise*.] *S. f. Quím.* Reação da água sobre um composto com fixação de íons hidrogênio e/ou de íons hidroxila. [Cf. *hidrolise*, do v. *hidrolisar*.]

hidrolítico [De *hidrol(ise)* + *-ítico*.] *Adj. Quím.* Relativo à hidrólise.

hidrologia [De *hidr(o)-*[1] + *-logia*.] *S. f.* Estudo da água, nos estados líquido, sólido e gasoso, da sua ocorrência, distribuição e circulação na natureza; hidatologia.

hidrológico [De *hidrologia* + *-ico*[2].] *Adj.* Relativo a hidrologia; hidatológico. ~ V. *estância* —*a*.

hidrólogo [De *hidro(logia)* + *-logo*.] *S. m.* Especialista em hidrologia.

hidromancia (cí) [Do gr. *hydromanteía*, pelo lat. *hydromantia* (?).] *S. f.* Arte de adivinhar por meio da água.

H

hidromania [De *hidr(o)-*[1] + *-mania*.] *S. f.* 1. *Psiq.* Comportamento em que o indivíduo revela tendência ao suicídio por afogamento. 2. *Med.* Polidipsia.

hidromaníaco [De *hidromania* + *-íaco*.] *Adj. Psiq. Med.* 1. Relativo a hidromania. 2. Que tem hidromania; hidrômano. ● *S. m.* 3. Aquele que tem hidromania; hidrômano.

hidrómano *Adj. S. m. Psiq. Med.* V. *hidrômano*. [Uso freq. em P.]

hidrômano [De *hidr(o)-*[1] + *-mano*[1].] *Adj. S. m. Psiq. Med.* Hidromaníaco (2 e 3).

hidromante [Do gr. *hydrómantis*, pelo lat. *hydromantis*.] *S. 2 g.* Pessoa que pratica a hidromancia.

hidromântico [De *hidromante* + *-ico*[2].] *Adj.* Referente a hidromancia, ou a hidromante.

hidromassagem [De *hidr(o)-*[1] + *massagem*.] *S. f.* Massagem feita por meio de jatos de água.

hidromassagista [De *hidr(o)-*[1] + *massagista*.] *S. 2 g.* Pessoa que faz hidromassagens.

hidromecânica [F. subst. de *hidromecânico*.] *S. f.* Parte da física que estuda o equilíbrio e o movimento de fluidos. Compreende a hidrostática e a hidrodinâmica.

hidromecânico [De *hidr(o)-*[1] + *mecânico*.] *Adj.* Em que se emprega a água como força motriz.

hidromedusa [De *hidr(o)-*[1] + tax. *Medusa* (v. *medusa*).] *S. f. Zool.* Hidrozoário (1).

hidromedúseo [De *hidromedusa* + *-eo*.] *Adj. Zool.* Hidrozoário (2).

hidromel [Do gr. *hydroméli*, pelo lat. imp. *hydromeli*.] *S. m.* Mistura de água e mel, que pode ser fermentada, tornando-se alcoólica; água-mel, mulso. [Pl.: *hidroméis*.]

hidrometalurgia [De *hidr(o)-*[1] + *metalurgia*.] *S. f. Metal.* Designação genérica das técnicas de tratamento de minérios que se efetuam em temperaturas relativamente pouco elevadas, mediante soluções salinas.

hidrometalúrgico [De *hidrometalurgia* + *-ico*[2].] *Adj.* Relativo à hidrometalurgia.

hidrometeoro [De *hidr(o)-*[1] + *meteoro*.] *S. m. Met.* Produto da condensação do vapor de água em suspensão ou em queda na atmosfera: a chuva, a neve, o granizo, o nevoeiro, a neblina, o orvalho, a geada, a tromba-d'água, etc.

hidrometria[1] [De *hidr(o)-*[1] + *-metria*.] *S. f.* Medição da velocidade e vazão dos líquidos, particularmente da água.

hidrometria[2] [De *hidr(o)-*[1] + *-metr(o)-*[1] + *-ia*[1].] *S. f. Patol.* Coleção líquida serosa no útero.

hidrométrico[1] [De *hidrometria*[1] + *-ico*[2].] *Adj.* Relativo a hidrometria[1].

hidrométrico[2] [De *hidrometria*[2] + *-ico*[2].] *Adj. Patol.* Relativo à hidrometria[2].

hidrómetro *S. m.* V. *hidrômetro*. [Uso freq. em P.]

hidrômetro [De *hidr(o)-*[1] + *-metro*.] *S. m.* 1. Instrumento usado nas aplicações da hidrometria[1]. 2. Aparelho com que se mede a quantidade de água consumida nas residências.

hidromielia [De *hidr(o)-*[1] + *-miel(o)-* + *-ia*[1].] *S. f. Neur.* Condição que se caracteriza por acúmulo de líquido no canal central, alargado, da medula espinhal.

hidromineral [De *hidr(o)-*[1] + *mineral*.] *Adj. 2 g.* Relativo à água mineral. ~ V. *estância —*.

hidromotor (ô) [De *hidr(o)-*[1] + *motor*.] *S. m.* Motor cuja energia resulta do empuxo ou do peso da água.

hidronastia [De *hidr(o)-*[1] + *-nastia*.] *S. f. Ecol.* Caráter de hidronástico.

hidronástico [De *hidronastia* + *-ico*[2].] *Adj. Ecol.* Em órgãos vegetais, diz-se do movimento nástico induzido por mudanças na umidade do ar.

hidronefrose [De *hidr(o)-*[1] + *nefrose*.] *S. f. Urol.* Distensão da pelve e cálices renais pela urina, em consequência da obstrução ureteral, observando-se, também, atrofia do parênquima renal; uronefrose.

hidronefrótico [De *hidronefr(ose)* + *-ótico*.] *Adj.* Referente à hidronefrose; uronefrótico.

hidrônfalo [De *hidr(o)-*[1] + *-ônfalo*.] *S. m. Patol. Obsol.* Tumoração no umbigo, e cuja consistência indica conteúdo líquido.

hidrónimo *S. m.* V. *hidrônimo*. [Uso freq. em P.]

hidrônimo [De *hidr(o)-*[1] + *-ônimo*.] *S. m.* Nome próprio de cursos de água, oceanos, etc.

hidrónio *S. m. Quím.* V. *hidrônio*. [Uso freq. em P.]

hidrônio [De *hidr(o)-*[1] + *-ônio*; *hydronium*.] *S. m. Quím.* Íon resultante da associação de um próton com diversas moléculas de água.

hidropata [Var. pros. de *hidrópata*.] *S. 2 g. Med.* Pessoa que trata doentes pela hidropatia.

hidrópata [De *hidr(o)-*[1] + *-pata* (q. v.).] *S. 2 g. Med.* Hidropata (q. v.)

hidropatia [De *hidr(o)-*[1] + *-patia*.] *S. f. Terap.* Tratamento das doenças pela água.

hidropático [De *hidropatia* + *-ico*[2].] *Adj.* Relativo à hidropatia.

hidropedese *S. f. Impr. Med.* Hiper-hidrose.

hidropericárdio [De *hidr(o)-*[1] + *pericárdio*.] *S. m. Patol.* Acumulação anormal de líquido seroso na cavidade pericárdica.

hidroperóxido (cs) [De *hidr(o)-*[1] + *peróxido*.] *S. m. Quím.* 1. Função da química orgânica, caracterizada pelo grupo funcional R-O-O-H (em que R é alquila ou arila), ou este grupo. 2. Qualquer substância orgânica que contém o grupo hidroperóxido (1).

hidrópico [Do gr. *hydropikós*, pelo lat. *hydropicu*.] *Adj. S. m.* Que, ou aquele que tem hidropisia.

hidropisia [Do b.-lat. *hydropisia*.] *S. f. Med.* Acumulação anormal de líquido seroso em tecidos ou em cavidade do corpo.

hidroplano [De *hidr(o)-*[1] + *(aero)plano*.] *S. m.* V. *hidravião*.

hidropoese [De *hidr(o)-*[2] + *-poese*.] *S. f. Fisiol.* Formação e secreção de suor.

hidropoético [De *hidropo(ese)* + *-ético*.] *Adj. Fisiol.* Relativo à, ou que promove a hidropoese.

hidroponia *S. f.* V. *hidropônica*.

hidropónica *S. f.* V. *hidropônica*. [Uso freq. em P.]

hidropônica *S. f.* Técnica de cultura de certos vegetais em solução nutriente, com suporte de areia, cascalho, etc., ou sem ele. [Sin.: *hidroponia* e (impr.) *aquicultura*, *hidrocultura*.]

hidroponicista [De *hidropônica* + *-ista*.] *S. 2 g.* Pessoa que se dedica à hidropônica.

hidropónico *Adj.* V. *hidropônico*. [Uso freq. em P.]

hidropônico [De *hidropônica*, com var. suf. (v. *-ico*[2]).] *Adj.* De, ou pertencente ou relativo a hidropônica.

hidróporo [De *hidr(o)-*[1] + *-poro*.] *S. m. Zool.* Orifício encontrado nos pelmatozoários, por onde circula a água.

hidrópota [Do gr. *hydropótes*, pelo b.-lat. *hydropota*.] *S. 2 g.* Pessoa que só bebe água.

hidropteridal [De *hidropterid-*, como em *hidropteridale*, + *-al*[1].] *Adj. 2 g. Bot.* Pertencente ou relativo às hidropteridales.

hidropteridale [Do tax. *Hydropteris* + *-ale*; tax. *Hydropteridales*.] *S. f. Bot.* Espécime das hidropteridales, ordem de filicíneas que se caracteriza pelos esporângios heterosporados. São vegetais aquáticos ou palustres, providos de caule rastejante ou rizomatoso. Compreende duas famílias: marsileáceas e salviniáceas.

hidroquerídeo [Do tax. *Hydrochoerus* (do gr. *hydro-* [v. *hidr(o)-*[1]] + gr. *choîros*, 'porco') + *-ídeo*[1]; tax. *Hydrochoeridae*.] *Zool. S. m.* 1. Espécime dos hidroquerídeos, família monoespecífica de mamíferos roedores, em que se classifica a capivara. ● *Adj.* 2. Pertencente ou relativo a eles.

hidroquinina [De *hidr(o)-*[1] + *quinina*.] *S. f. Quím.* Alcaloide que ocorre, em pequena quantidade, junto com a quinina, da qual se pode obter por hidrogenação parcial [fórm.: $C_{20}H_{24}N_2O_2$].

hidroquinona [De *hidr(o)-*[1] + *quinona*.] *S. f. Quím.* Substância cristalina branca, que é um difenol com as duas hidroxilas fenólicas em posições opostas (para) de um anel benzênico, e que é us. como revelador em fotografia; quinol [fórm.: $C_6H_6O_2$].

hidrorragia [De *hidr(o)-*[1] + *-ragia*.] *S. f. Med.* Descarga aquosa abundante; hidrorreia.

hidrorrágico [De *hidrorragia* + *-ico*[2].] *Adj.* Referente a hidrorragia; hidrorreico.

hidrorreia[1] (éi) [De *hidr(o)-*[1] + *-reia*.] *S. f. Med.* Hidrorragia. ❖

hidrorreia[2] (éi) [De *hidr(o)-*[2] + *-reia*.] *S. f. Med.* Hiper-hidrose. ❖

hidrorreico[1] (éi) [De *hidror(reia*[1]*)* + *-reico*.] *Adj.* Hidrorrágico. ❖

hidrorreico[2] (éi) [De *hidror(reia*[2]*)* + *-reico*.] *Adj.* Relativo a hidrorreia[2]. ❖

hidrosadenite [De *hidrose* + *adenite*.] *S. f. Cir.* Hidradenite.

hidroscopia [Do gr. *hydroskopía*.] *S. f.* Técnica de reconhecer a existência de águas subterrâneas.

hidroscópico [De *hidroscopia* + *-ico*[2].] *Adj.* Relativo à hidroscopia.

hidróscopo [Do gr. *hydroskópos*.] *S. m.* Especialista em hidroscopia.

hidrose [De *hidr(o)-*[2] + *-ose*[1].] *S. f.* Secreção e excreção de suor.

hidrosfera [De *hidr(o)-*[1] + *-sfera*.] *S. f. Geogr.* Camada aquosa da crosta terrestre, que compreende os oceanos, os mares, os rios, lagos e outras águas; talassosfera. [Cf. *litosfera*.]

hidrosférico [De *hidrosfera* + *-ico*[2].] *Adj.* Relativo à hidrosfera.

hidrosseparador (ô) [De *hidr(o)-*[1] + *separador*; ingl. *hydroseparator*.] *S. m. Tec.* Tanque de sedimentação operado de modo que no sobrenadante efluem os sólidos mais leves, enquanto os mais pesados ficam retidos na lama.

hidrossol [De *hidr(o)-*[1] + *sol(ução)*.] *S. m. Fís.-Quím.* Solução coloidal aquosa. [V. *sol*[4]. Sin.: *sol aquoso*. Pl.: *hidrossóis*.]

hidrossolúvel [De *hidr(o)-*[1] + *solúvel*.] *Adj. 2 g.* Diz-se de qualquer substância solúvel na água.

hidrossulfato [De *hidr(o)-*[1] + *sulfato*.] *S. m. Quím. Desus.* Sulfeto.

hidrossulfeto (ê) [De *hidrossulf(uroso)* + *-eto*[2].] *S. m. Quím.* V. *bissulfeto*.

hidrossulfito [De *hidrossulf(uroso)* + *-ito*[3].] *S. m. Quím.* V. *ditionito*.

hidrostaquiácea [Do tax. *Hydrostachys* (do gr. *hydro-* [v. *hidr(o)-*[1]] + gr. *stáchys*, 'espiga') + *-ácea*; tax. *Hydrostachyaceae*.] *S. f. Bot.* Espécime das hidrostaquiáceas, família de dicotiledôneas, da ordem das hidrostaquiales, formada de plantas aquáticas dioicas, cujas folhas, simples ou penadas, fazem recordar os licopódios. Flores aclamídeas, as masculinas com um só estame; ovário unilocular e multiovulado. Existem apenas 12 espécies, africanas.

hidrostaquiáceo [De *hidrostaquiácea*, com var. suf. (v. *-áceo*).] *Adj. Bot.* Pertencente ou relativo às hidrostaquiáceas.

hidrostaquial [Do lat. cient. *Hydrostachy-* (v. *hidrostaquiale*) + *-al*[1].] *Adj. 2 g. Bot.* Pertencente ou relativo às hidrostaquiales.

hidrostaquiale [Do tax. *Hydrostachys* (v. *hidrostaquiácea*) + *-ale*.] *S. f. Bot.* Espécime das hidrostaquiales, ordem de vegetais dicotiledôneos que engloba unicamente a família das hidrostaquiáceas.

hidrostática [De *hidr(o)-*[1] + *estática*.] *S. f.* Parte da hidromecânica que estuda o equilíbrio de líquidos, e também de gases, sujeitos à ação da gravidade.

hidrostático [De *hidrostática*, com var. suf. (v. *-ico*[2]).] *Adj.* Relativo à hidrostática. ~ V. *balança —a*, *equilíbrio —* e *pressão —a*.

hidróstato [De *hidr(o)-*[1] + *-stato*.] *S. m.* Instrumento de metal, flutuante, com que se pesam corpos.

hidrotecnia [De *hidr(o)-* + *-tecn(o)-* + *-ia*[1].] *S. f.* Parte da mecânica que trata da distribuição e condução das águas.

hidrotécnico [De *hidrotecnia* + *-ico*[2].] *Adj.* Relativo à hidrotecnia.

hidroterapêutica [De *hidr(o)-*[1] + *terapêutica*.] *S. f. Terap.* V. *hidroterapia*.

hidroterapêutico [De *hidroterapêutica*, com var. suf. (v. *-ico*[2]).] *Adj.* Referente à hidroterapêutica; hidroterápico.

hidroterapia [De *hidr(o)-*[1] + *-terapia*.] *S. f. Terap.* Tratamento de doenças por meio da água, mediante aplicações externas (banhos, duchas, aspersões, etc.); hidroterapêutica, hidriatria.

hidroterápico [De *hidroterapia* + *-ico*[2].] *Adj.* Referente à hidroterapia.

hidrotermal [De *hidr(o)-*[1] + *termal*.] *Adj. 2 g.* Referente às águas térmicas.

hidrotérmico [De *hidr(o)-*[1] + *-term(o)-* + *-ico*[2].] *Adj.* Relativo à água e ao calor.

hidrótico [Do gr. *hidrotikós* < gr. *hidrós*, 'suor'.] *Adj.* V. *sudorífero* (1).

hidrotimetria [De *hidrotímetro* + *-ia*[1]; fr. *hydrotimétrie*.] *S. f.* Determinação da quantidade de sais calcários que a água contém; emprego do hidrotímetro.

hidrotimétrico [De *hidrotímetro* + *-ico*[2].] *Adj.* Relativo à hidrotimetria ou ao hidrotímetro.

hidrotímetro [Do rad. *hidrot-* (< gr. *hydrótes*, 'qualidade do que é líquido'), + *-i-* + *-metro*; fr. *hydrotimètre*.] *S. m.* Instrumento com que se determina a quantidade de sais calcários que a água contém.

hidrotórax (cs) [De *hidr(o)-*[1] + *-tórax*.] *S. m. 2 n. Pneum.* Coleção de líquido aquoso em cavidade pleural.

hidrotrópico [De *hidrotropismo* + *-ico*[2], seg. o padrão erudito.] *Adj. Bot.* Referente ao, ou próprio do hidrotropismo.

hidrotropismo [De *hidr(o)-*[1] + *tropismo*.] *S. m. Bot.* Tipo de tropismo determinado pela água.

hidrovia [De *hidr(o)-*[1] + *via*.] *S. f. Bras.* Via líquida (mar, rios, lagos, etc.) usada para o transporte e para as comunicações. [Sin., menos us.: *aquavia*.]

hidroviário [De *hidrovia* + *-ário*.] *Adj.* 1. Relativo à hidrovia. 2. Que se faz por hidrovia: *transporte hidroviário*.

▲ **hidrox(i)-** (cs) *Quím. El. comp.* Indica a presença do grupo -OH numa molécula: *hidroxiácido*. [Ocorre, tb, como infixo: *-hidrox(i)-*: *dibutil-hidroxitolueno*.]

▲ **-hidrox(i)-** (cs) V. *hidrox(i)-*.

hidroxiácido (cs) [De *hidrox(i)-* + *ácido*.] *S. m. Quím.* Ácido carboxílico hidroxilado.

hidroxiapatita (cs) [De *hidrox(i)-* + *apatita*.] *S. f. Quím.* Composto mineral que é o principal componente dos ossos e dentes [fórm.: $Ca_{10}(PO_4)_6(OH)_2$].

hidroxibenzoico (cs...ói) *Adj. Quím.* ~ V. *ácido —*. ❖

hidróxido (cs) [De *hidr(o)-*[1] + *óxido*.] *S. m. Quím.* Composto de um elemento eletropositivo com íons hidroxila.

hidroxidoácido (cs) [De *hidróxido* + *ácido*.] *S. m. Quím.* V. *hidroxiácido*.

hidroxidrila (cs) [De *hidr(o)-*[1] + *oxidrila*.] *S. f. Quím. Desus.* Hidroxila.

hidroxila (cs) [De *hidrox(i)-* + *-ila*[2].] *S. f. Quím.* **1.** O grupamento monovalente -OH; oxidrila. **2.** O ânion HO^-. [Sin. ger.: *oxidrila*.]

hidroxilado (cs) [De *hidroxila* + *-ado*[1].] *Adj. Quím.* Que contém hidroxila.

hidroxilamina (cs) [De *hidroxila* + *-amina*.] *S. f. Quím.* Sólido incolor, deliquescente, redutor enérgico [fórm.: NH_2OH].

hidroxilisina (cs) [De *hidrox(i)-* + *lisina*.] *S. f. Quím.* Aminoácido natural, básico, que se pode considerar um derivado hidroxilado da lisina [fórm.: $C_6H_{14}N_2O_3$].

hidroxiprolina (cs) [De *hidrox(i)-* + *prolina*.] *S. f. Quím.* Aminoácido natural, que se pode considerar um derivado hidroxilado da prolina [fórm.: $C_5H_9NO_3$].

hidroxitriptamina (cs) [De *hidrox(i)-* + *triptamina*.] *S. f. Quím.* Serotonina.

hidrozoário [De *hidr(o)-*[1] + *-zo(o)-* + *-ário*; tax. *Hydrozoa*.] *Zool. S. m.* **1.** Espécime dos hidrozoários, classe de cnidários caracterizados por pólipos, geralmente coloniais, com cavidade digestiva sem estomodeu e septos, e medusas craspedotas. São bastante conhecidas as hidras de água doce e as caravelas marinhas, representantes do grupo. [Sin.: *hidromedusa*.] ● *Adj.* **2.** Pertencente ou relativo a eles; hidromedúseo.

hidruria [De *hidr(o)-*[1] + *-uria*.] *S. f. Patol.* V. *hidrúria*.

hidrúria [De *hidr(o)-*[1] + *-úria*.] *S. f. Med.* **1.** Teor de água na urina. **2.** *Impr.* Eliminação de urina de baixa osmolalidade. [F. paral.: *hidruria*.]

hidrúrico [De *hidrúria* + *-ico*[2].] *Adj.* **1.** Relativo a, ou que sofre de hidrúria. ● *S. m.* **2.** Aquele que sofre de hidrúria.

hiemação [Do lat. *hiematione*.] *S. f.* **1.** Ato de hibernar. **2.** Propriedade das plantas que crescem no inverno.

hiemal [Do lat. *hiemale*.] *Adj. 2 g.* **1.** V. *hibernal*. **2.** *Biol.* Diz-se de organismo que prospera no inverno.

hiemalizar [De *hiemal* + *-izar*.] *V. t. d.* Pôr em hibernação.

hiemífugo [Do rad. *hiem-* (< lat. *hiems, is*) + *-i-* + *-fugo*[1].] *Adj. Zool.* Diz-se do animal que emigra durante o inverno.

hiena [Do gr. *hýaina*, pelo lat. *hyaena*.] *S. f. Zool.* Designação comum a diversos mamíferos carnívoros, digitígrados, de hábitos noturnos, e que constituem a família dos hienídeos (q. v.).

hiena-escura [De *hiena* + o f. de *escuro*.] *S. f. Zool.* Mamífero carnívoro, hienídeo (*Hyaena brunnea*), de pelo cinzento escuro, e que mede de 0,90m a 1,20m de comprimento. [Pl.: *hienas-escuras*.]

hiena-pintada [De *hiena* + o f. de *pintado*.] *S. f. Zool.* Mamífero carnívoro, hienídeo (*Crocuta crocuta*), de pelo amarelado ou acinzentado, com pintas escuras, e que mede cerca de 2m. [Pl.: *hienas-pintadas*.]

hiena-rajada [De *hiena* + o f. de *rajado*.] *S. f. Zool.* Mamífero carnívoro, hienídeo (*Hyaena hyaena*), de pelo amarelado ou cinzento, com listras escuras, e que mede de 0,90m a 1,20m de comprimento. [Pl.: *hienas-rajadas*.]

hienídeo [Do tax. *Hyaena* (v. *hiena*) + *-ídeo*[1]; tax. *Hyaenidae*.] *Zool. S. m.* **1.** Espécime dos hienídeos, família de mamíferos carnívoros, fissípedes, digitígrados, sociais, originários da África e Ásia. Têm patas posteriores menores que as anteriores, focinho comprido, dentição forte, maxilares poderosos e ger. se alimentam da carcaça de outros mamíferos. São as hienas. ● *Adj.* **2.** Pertencente ou relativo a eles.

hienodonte [Do tax. *Hyena* + *-odonte*; tax. *Hyenodon*.] *S. m. Paleont.* **1.** Gênero de mamíferos carnívoros, felídeos, do período terciário. **2.** Espécie ou espécime desse gênero.

hienodontídeo [Do lat. cient. *Hyenodont-* (< tax. *Hyenodon*) + *-ídeo*[1]; tax. *Hyenodontidae*.] *Paleont. S. m.* **1.** Espécime dos hienodontídeos, família de mamíferos creodontes, carnívoros, do paleoceno, de crânio estreito, patas longas, dentes carniceiros bem desenvolvidos; diversificaram-se, nas formas mais antigas, nos atuais cães, gatos e hienas. ● *Adj.* **2.** Pertencente ou relativo a eles.

hienoide (ói) [De *hiena* + *-oide*.] *Adj. 2 g.* Semelhante a hiena. ❖

hieralgia [De *hier(o)-* + *-alg(o)-*[2] + *-ia*[1].] *S. f. Cir.* Dor no sacro.

hierálgico [De *hieralgia* + *-ico*[2].] *Adj.* Referente à hieralgia.

hieranose [Do fr. *hiéranose* (< gr. *hierà* + gr. *nósos*).] *S. f. Neur.* V. *epilepsia*.

hierão *S. m.* V. *híeron*.

hierarca [Do lat. med. *hierarcha* (< gr. *hierárches*).] *S. m.* **1.** Título dado a altos dignitários da Igreja grega, bispos e arcebispos. **2.** Autoridade superior em matérias eclesiásticas.

hierarquia [Do b.-lat. *hierarchia*, 'hierarquia eclesiástica' (< gr. *hierós*, 'sagrado', + gr. *arché*, 'comando', 'autoridade', + gr. *-ía*), retomando a prosódia gr.] *S. f.* **1.** Ordem e subordinação dos poderes eclesiásticos, civis e militares. **2.** Graduação da autoridade, correspondente às várias categorias de funcionários públicos; classe. **3.** *Fig.* Série contínua de graus ou escalões, em ordem crescente ou decrescente; escala: *hierarquia de valores*. **4.** *Inform.* Na orientação a objetos (q. v.), organização de classes [v. *classe* (21)], que indica suas subordinações com relação à herança (5 e 6). **5.** *Rel.* Ordem e subordinação dos diferentes coros dos anjos. **6.** *Rel.* Ordem e subordinação dos diferentes graus das categorias eclesiásticas. [Var.: *jerarquia*.] ◆ **Hierarquia militar.** Ordenação da autoridade, em diferentes níveis, dentro da estrutura das forças armadas. [No Exército, Marinha de Guerra e Aeronáutica brasileiros existem hoje, respectivamente, os seguintes postos e graduações, aqui citados em ordem decrescente: *marechal, almirante, marechal do ar* (preenchidos apenas em épocas excepcionais); *general de exército, almirante de esquadra, tenente-brigadeiro; general de divisão, vice-almirante, major-brigadeiro; general de brigada, contra-almirante, brigadeiro do ar; coronel, capitão de mar e guerra, coronel-aviador; tenente-coronel, capitão de fragata, tenente-coronel-aviador; major, capitão de corveta, major-aviador; capitão, capitão-tenente, capitão-aviador; primeiro-tenente* (nas três armas); *segundo-tenente* (nas três armas); *aspirante a oficial, guarda-marinha, aspirante a oficial-aviador; subtenente, suboficial; primeiro-sargento* (nas três armas); *segundo-sargento* (nas três armas); *terceiro-sargento* (nas três armas); *cabo* (nas três armas); *soldado, marinheiro, soldado*. No Exército do Brasil colonial e imperial, a hierarquia militar era a seguinte: *marechal de exército; tenente-general; marechal de campo; brigadeiro, mestre de campo*, ou *coronel; tenente-coronel; sargento-mor* ou *major; ajudante* ou *capitão; tenente; alferes; primeiro-cadete; segundo-cadete; primeiro-sargento; segundo-sargento; furriel; cabo de esquadra; anspeçada; soldado*; e na Marinha de Guerra: *almirante; vice-almirante; chefe de esquadra; chefe de divisão; capitão de mar e guerra; capitão de fragata; capitão-tenente; tenente do mar* ou *primeiro-tenente; segundo-tenente; guarda-marinha; aspirante; primeiro-sargento; segundo-sargento; quartel-mestre; cabo; marinheiro*. Em Portugal, atualmente, existem, no Exército e na Aeronáutica, os postos seguintes: *marechal, general, brigadeiro, coronel, tenente-coronel, major, capitão, tenente* e *alferes*; e na Marinha de Guerra: *almirante, vice-almirante, contra-almirante, comodoro, capitão de mar e guerra, capitão de fragata, capitão-tenente, primeiro-tenente, segundo-tenente, subtenente* e *guarda-marinha* (equivalentes).]

hierárquico [Do gr. *hierarchikós*.] *Adj.* Conforme a hierarquia. [Var.: *jerárquico*.]

hierarquismo [De *hierarquia* + *-ismo*.] *S. m.* Respeito exagerado à hierarquia. [Var.: *jerarquismo*.]

hierarquista [De *hierarquismo* + *-ista*.] *Adj. 2 g.* **1.** Relativo ao hierarquismo. **2.** Diz-se de pessoa partidária do hierarquismo. ● *S. 2 g.* **3.** Indivíduo hierarquista.

hierarquização [De *hierarquizar* + *-ção*.] *S. f.* Ato ou efeito de hierarquizar: 📖 "Eis-nos perante uma inesperada hierarquização de valores." (João Gaspar Simões, *O Mistério da Poesia*, p. 146.) [Var.: *jerarquização*.]

hierarquizado [Part. de *hierarquizar*.] *Adj.* Organizado ou distribuído segundo uma ordem hierárquica. [Var.: *jerarquizado*.]

hierarquizar [De *hierarquia* + *-izar*.] *V. t. d.* Organizar ou distribuir segundo uma ordem hierárquica. [Var.: *jerarquizar*.]

hierarquizável [De *hierarquizar* + *-vel*.] *Adj. 2 g.* Que se pode ou deve hierarquizar. [Var.: *jerarquizável*.]

hierática [F. subst. de *hierático*.] *S. f.* Papiro finíssimo, que só se usava na escrita hierática.

hierático [Do gr. *hieratikós*, pelo lat. *hieraticu*.] *Adj.* **1.** Referente às coisas sagradas. **2.** *Art. Plást.* Diz-se das formas em geral rígidas e majestosas impostas por certas tradições sacras. **3.** *E. Ling.* Diz-se de variedade linguística de uso restrito a determinados propósitos, como, p. ex., as atividades relacionadas à prática religiosa. [Cf., nesta acepç., *demótico* (1).] **4.** *Graf.* Relativo a uma das escritas do antigo Egito; hierogramático. [Cf., nesta acepç., *escrita demótica*.] ~ V. *escrita —a*.

▲ **hier(o)-** [Do gr. *hiero-* < gr. *hierós, á, ón*.] *El. comp.* = 'sagrado', 'divino': *hierogramático, hieroterapia*.

hierodula [F. adaptado de *hierodulo*.] *S. f.* Na Grécia antiga, cortesã que exercia a prostituição sagrada em alguns templos dedicados a Afrodite, a deusa do Amor.

hierodulia [De *hierodulo* + *-ia*[1].] *S. f.* Condição de hierodulo ou hierodula.

hierodulo [Do gr. *hieródoulos*, pelo lat. tard. *hierodulu*.] *S. m.* Na Grécia antiga (e excepcionalmente entre os romanos), escravo eunuco ligado ao serviço de um templo.

hierofania [Do fr. *hiérophanie*.] *S. f.* Manifestação do sagrado.

hierofânico [De *hierofania* + *-ico*[2].] *Adj.* **1.** Relativo a hierofania. **2.** *P. ext.* Relativo a, ou próprio das ciências ocultas.

hierofanta [Do gr. *hierophanta* (acus. gr.).] *S. m.* V. *hierofante*.

hierofante [Do gr. *hierophántes*, pelo lat. *hierophante*.] *S. m.* **1.** O sacerdote que presidia aos mistérios de Elêusis, na Grécia antiga. **2.** Na antiga Roma, o grão-pontífice. **3.** *P. ext.* Cultor de ciências ocultas; adivinho: 📖 "O hierofante que leu a minha sina / Ignorante é de que és, talvez, nascida / Dessa homogeneidade indefinida / Que o insigne Herbert Spencer nos ensina." (Augusto dos Anjos, *Eu*, p. 41.) [Var.: *hierofanta*.]

hierofobia [De *hier(o)-* + *-fobia*.] *S. f. Psiq.* Pavor de coisas sagradas ou religiosas.

hierofóbico [De *hierofobia* + *-ico*[2].] *Psiq. Adj.* **1.** De, ou relativo a hierofobia. **2.** Que sofre de hierofobia; hierófobo. *S. m.* **3.** Aquele que sofre de hierofobia; hierófobo.

hierófobo [De *hier(o)-* + *-fobo*.] *Adj. S. m. Psiq.* Hierofóbico (2 e 3).

hieroglífico [Do gr. *hieroglyphikós*, pelo lat. *hieroglyphicu*.] *S. m.* **1.** *P. us.* Hieróglifo. ● *Adj.* **2.** Respeitante aos hieróglifos. [Var., nesta acepç.: *jeroglífico*.] ~ V. *escrita —a*.

hieroglifo [Do fr. *hyéroglyphe*.] *S. m.* V. *hieróglifo*.

hieróglifo [De *hier(o)-* + *-glifo*.] *S. m.* **1.** Ideograma figurativo que constitui a notação de certas escritas analíticas, como, p. ex., a egípcia; letra glífica. [Cf. *escrita hieroglífica*.] **2.** *Fig.* Escrita ilegível. **3.** *P. ext.* Tudo o que é difícil de decifrar. [Var.: *jeróglifo*. A pronúncia corrente é *hieroglifo* (paroxítono).]

hierografia [Do gr. *hierographía*.] *S. f.* Descrição das coisas sagradas.

hierográfico [Do gr. *hierographikós*.] *Adj.* Referente à hierografia.

hierograma [De *hier(o)-* + *-grama*.] *S. m.* Grafia hierática.

hierogramático [De *hier(o)-* + *-gramat(o)-* + *-ico*[2].] *Adj.* Hierático (4).

hierologia [Do gr. *hierología*.] *S. f.* Tratado ou estudo das diferentes religiões.

hierológico [De *hierologia* + *-ico*[2].] *Adj.* Referente à hierologia.

hieromania [Do gr. *hieromanía*.] *S. f. Psiq.* **1.** Tendência exagerada de cultuar santos. **2.** Mania (1) de religião.

hieromaníaco [De *hieromania* + *-íaco*.] *Psiq. Adj.* **1.** Relativo a hieromania. **2.** Que tem hieromania; hierômano. ● *S. m.* **3.** Aquele que tem hieromania; hierômano.

hierómano *Adj. S. m. Psiq.* V. *hierômano*. [Uso freq. em P.]

hierômano [De *hier(o)-* + *-mano*[1].] *Adj. S. m. Psiq.* Hieromaníaco (2 e 3).

hieromnemone *S. m.* V. *hieromnêmone*. [Uso freq. em P.]

hieromnêmone [Do gr. *hieromnémon, onos*.] *S. m.* Em Atenas e em outras cidades da Grécia antiga, guardião dos arquivos sagrados, secretário de cada delegação no conselho dos anfictiones.

híeron [Do gr. *hierón*.] *S. m.* Na Grécia antiga, templo ou santuário. [Var. pros.: *hierão*.]

hieronímia [De *hierônimo* + *-ia*[2].] *S. f.* O estudo e a classificação dos hierônimos; hagionímia.

hieronímico[1] [De *hierônimo* + *-ico*[2].] *Adj.* Relativo a hieronímia, ou a hierônimo; hagionímico.

hieronímico[2] [Do (hag.) lat. *Hieronymus*, '(São) Jerônimo', + *-ico*[2].] *Adj.* Relativo a São Jerônimo.

hieronimita [Do (hag.) lat. *Hieronymus*, '(São) Jerônimo', + *-ita*[2].] *Adj. 2 g.* **1.** Da Ordem de São Jerônimo. ● *S. 2 g.* **2.** Membro dessa ordem.

hierónimo *S. m. Neol.* V. *hierônimo*. [Uso freq. em P.]

hierônimo [De *hier(o)-* + *-ônimo*.] *S. m. Neol.* Designação comum aos nomes sagrados e aos nomes próprios referentes a crenças de quaisquer religiões. Ex.: *Deus, Jeová, Alá, Maomé, Oxalá, Natividade, Ressurreição*. [Sin.: *hagiônimo*.]

hieropeu [Do gr. *hieropoiós*.] *S. m.* Na antiga Atenas, cada um dos dez inspetores a quem incumbia fiscalizar os sacrifícios ou as cerimônias religiosas.

hierosolimita [Do gr. *Hierosolymítes*, pelo lat. **hierosolymita*.] *Adj. 2 g.* **1.** De, ou pertencente ou relativo a Jerusalém, cidade dividida em 1948, por linha de armistício, entre a Jordânia e o Estado de Israel (parte ocidental), do qual é a capital. ● *S. 2 g.* **2.** O natural ou habitante de Jerusalém. [Var.: *jerosolimita, jerosolimitano*. Sin. ger.: *hierosolimitano*.]

hierosolimitano [Do lat. *hierosolymitanu*.] *Adj. S. m.* V. *hierosolimita*.

H

hieroterapia [De *hier(o)-* + *-terapia*.] ***S. f.*** Tratamento de doenças por meio de exercícios religiosos.

hieroterápico [De *hieroterapia* + *-ico²*.] ***Adj.*** Relativo a hieroterapia.

▲ **hieto-** [Do gr. *hyeto-* < gr. *hyetós, oû*.] ***El. comp.*** = 'chuva': *hietômetro, hietografia.*

hietografia [De *hieto-* + *-grafia*.] ***S. f.*** Ramo da climatologia que se ocupa da distribuição geográfica da chuva.

hietográfico [De *hieto-* + *-graf(o)-* + *-ico²*.] ***Adj.*** Pertencente, ou relativo a hietografia, ou a hietógrafo.

hietógrafo [De *hieto-* + *-grafo*.] ***S. m.*** **1.** Mapa que registra a média da precipitação pluviométrica anual. **2.** Hietometrógrafo.

hietograma [De *hieto-* + *-grama*.] ***S. m.*** *Meteor.* Pluviograma.

hietometria [De *hieto-* + *-metria*.] ***S. f.*** Pluviometria.

hietométrico [De *hietometria* + *-ico²*.] ***Adj.*** Pluviométrico.

hietómetro ***S. m.*** V. *hietômetro*. [Uso freq. em P.]

hietômetro [De *hieto-* + *-metro*.] ***S. m.*** V. *pluviômetro*.

hietometrógrafo [De *hieto-* + *-metr(o)-* + *-grafo*.] ***S. m.*** Instrumento que registra a precipitação pluviométrica em determinado lugar; hietógrafo.

hifa [Do lat. cient. *hypha*, do gr. *hyphé*, 'tecido'; 'teia de aranha'.] ***S. f.*** *Micol.* Estrutura filamentosa presente na maioria dos fungos, e que pode ser septada ou não.

hifal [De *hif-*, como em *hifale*, + *-al¹*.] ***Adj. 2 g.*** *Micol.* Hifomiceto (2).

hifale [Do lat. cient. *hypha* (v. *hifa*) + *-ale*.] ***S. f.*** *Micol.* Hifomiceto (1).

hifalmiroplancto ***S. m.*** *Ecol.* V. *hifalmiroplâncton*.

hifalmiroplâncton ***S. m.*** *Ecol.* V. *plâncton*.

hifema [Do gr. *hýphaimos, os, on*, 'sangrento', poss. pelo fr. *hyphéma*.] ***S. m.*** *Oftalm.* Hemorragia em câmara anterior de olho.

hifemia [Do lat. cient. *hyphemia*.] ***S. f.*** *Med.* Oligoemia.

hifémico ***Adj.*** V. *hifêmico*. [Uso freq. em P.]

hifêmico [De *hifemia* + *-ico²*.] ***Adj.*** Referente à hifemia.

hífen [Do lat. tard. *hyphen* < gr. *hyphén*, 'traço em forma de arco invertido para assinalar a união de duas letras ou de duas partes de um vocábulo'.] ***S. m.*** Sinal diacrítico (-) (q. v.) usado para ligar os elementos de palavras compostas (*couve-flor*; *ex-presidente*), para unir pronomes átonos a verbos (*ofereceram-me*; *vê-lo-ei*) e para, no fim da linha, separar uma palavra em duas partes (*ca-/sa*; *compa-/nheiro*). [Sin.: *traço de união, tirete*. Pl.: *hífens* e (p. us. no Brasil) *hífenes*.]

hifenação [De **hifenar* (< *hífen* + *-ar²*) + *-ção*.] ***S. f.*** Hifenização.

hifenização [De *hifenizar* + *-ção*.] ***S. f.*** Ação ou efeito de hifenizar; hifenação.

hifenizar [De *hífen* + *-izar*.] ***V. t. d.*** Usar o hífen em: *Hifenizou, segundo a norma, as palavras vaga-lume e bem-aventurado.*

hiférese [Do gr. *hyphaíresis*.] ***S. f.*** *E. Ling.* Omissão de som, letra ou sílaba num vocábulo.

hiferético [De *hifér(ese)* + *-ético*.] ***Adj.*** *E. Ling.* Relativo a hiférese.

hífico [De *hifa* + *-ico²*.] ***Adj.*** *Micol.* Relativo à hifa: *espessamento hífico.*

▲ **hif(o)-** [Do gr. *hýphos, eos-ous*, ou *hyphḗ, ês*.] ***El. comp.*** = 'tecido'; 'teia', 'rede': *hifomiceto, hifomicose.*

hifomiceto [De *hif(o)-* + *-miceto*; tax. *Hyphomycetes*.] *Micol.* ***S. m.*** **1.** Espécime dos hifomicetos, grupo de fungos imperfeitos, destituídos de qualquer tipo de esporos em cuja origem estejam fenômenos de sexualidade (ascos e basídios, p. ex.); hifale. ● ***Adj.*** **2.** Pertencente ou relativo a eles; hifal.

hifomicose [De *hif(o)-* + *micose*.] ***S. f.*** *Patol.* Infecção causada por hifomicetos.

→**higgs** [hɪgs] [V.C.I., do antr. (*Peter W.*) *Higgs* (1929), físico britânico.] ***S. m.*** *Fís. Part.* Bóson escalar previsto na teoria unificada das interações eletromagnéticas e fracas que, pelo mecanismo de Higgs (q. v.), gera massa para os bósons intermediários W e Z [símb.: *H*]. [Embora sem confirmação experimental, sua massa é estimada entre 114 e 185 GeV/c².] [Com cap.]

→**high fidelity** [haj fɪ'delɪtij] [Ingl.] ***S. f.*** V. *alta-fidelidade*.

→**high-life** [haj lajf] [Ingl.] ***S. m.*** V. *alta-roda*.

→**high society** [haj sə'sajətij] [Ingl.] ***S. f.*** V. *alta-roda*.

→**high tech** [haj tɛk] [Ingl.] ***S. f.*** Alta tecnologia. [No Brasil, us. como *adj. 2 g. 2 n.*, com o sentido de 'de alta tecnologia, de tecnologia avançada'.]

higidez (ê) [De *hígido* + *-ez*.] ***S. f.*** *Med.* Estado de saúde.

hígido [Do gr. *hyg(iés)*, 'são', 'saudável', + *-ido¹*.] ***Adj.*** **1.** Respeitante à saúde. **2.** Que tem higidez; sadio, são.

higiene [Do fr. *hygiène* < gr. *hygieinón*, 'saúde', neutro subst. de *hygieinós, é, on*, 'que contribui para a saúde'.] ***S. f.*** **1.** Ramo da medicina que visa à prevenção da doença. **2.** *Fig.* Limpeza, asseio. ◆ **Higiene mental.** Prática educativa, profilática ou psicoterápica aplicada para prevenir perturbações mentais.

higiénico ***Adj.*** V. *higiênico*. [Uso freq. em P.]

higiênico [De *higiene* + *-ico²*.] ***Adj.*** **1.** Referente à higiene. **2.** Propício à saúde: *passeio higiênico.* **3.** Limpo, asseado: *Gosto de pessoas higiênicas, e detesto as sujas.* – V. *absorvente – e papel –*.

higienista [De *higiene* + *-ista*.] ***Adj. 2 g. S. 2 g.*** Sanitarista.

higienização [De *higienizar* + *-ção*.] ***S. f.*** **1.** Ato ou efeito de higienizar. **2.** *Bibliot.* Limpeza de livros e documentos, retirando poeira e outros resíduos, mediante técnicas apropriadas, com vistas à sua preservação.

higienizar [De *higiene* + *-izar*.] ***V. t. d.*** **1.** Tornar higiênico, saudável, livre de microrganismo, que propagam doenças. **2.** Tornar limpo, asseado.

▲ **higi(o)-** [Do gr. *hygiḗs, ḗs, és*.] ***El. comp.*** = 'são', 'saudável': *higiologia.*

higiologia (ig) [De *higi(o)-* + *-logia*.] ***S. f.*** Ramo do conhecimento que estuda a teoria e a prática da higiene e do saneamento.

higiológico (ig) [De *higiologia* + *-ico²*.] ***Adj.*** Respeitante à higiologia.

higiologista (ig) [De *higiologista* + *-ista*.] ***S. 2 g.*** Especialista em higiologia; higiólogo.

higiólogo [De *higi(o)-* + *-logo*.] ***S. m.*** Higiologista.

▲ **higr(o)-** [Do gr. *hygro-* < gr. *hygrós, á, ón*.] ***El. comp.*** = 'molhado', 'úmido': *higrófito, higrômetro; higroma.*

higróbio [Do gr. *hygróbios*.] ***Adj. S. m.*** Diz-se de, ou o que vive em meio úmido ou aquoso.

higroexpansibilidade [De *higr(o)-* + *expansibilidade*.] ***S. f.*** *Art. Gráf.* Propriedade que tem o papel de se expandir ou contrair de acordo com a maior ou menor umidade do ambiente.

higrófilo [De *higr(o)-* + *-filo²*.] ***Adj.*** *Ecol.* Diz-se da planta que só vegeta em lugares úmidos e que se caracteriza por grandes folhas delgadas, moles e terminadas em ponta afilada. [Antôn.: *xerófilo*.]

higrofitismo [De *higrófito* + *-ismo*.] ***S. m.*** *Ecol.* Conjunto de caracteres apresentados pelos higrófitos. [Antôn.: *xerofitismo*.]

higrófito [De *higr(o)-* + *-fito*.] ***Adj.*** *Ecol.* Vegetal higrófilo. [Antôn.: *xerófito*.]

higrofobia [De *higr(o)-* + *-fobia*; lat. *hygrophobia*.] ***S. f.*** Horror à umidade, que não se adapta a ela.

higrofóbico [De *higrofobia* + *-ico²*.] ***Adj.*** Relativo a higrofobia.

higrófobo [De *higr(o)-* + *-fobo*.] ***Adj. S. m.*** Diz-se de, ou o que apresenta higrofobia.

higrógrafo [De *higr(o)-* + *-grafo*.] ***S. m.*** *Met.* Aparelho que registra a umidade da atmosfera.

higrologia [De *higr(o)-* + *-logia*.] ***S. f.*** **1.** Ramo da física que trata da umidade atmosférica. **2.** *Med. Obsol.* Tratado dos humores ou fluidos do corpo humano.

higrológico [De *higrologia* + *-ico²*.] ***Adj.*** Relativo a higrologia.

higrologista [De *higrologia* + *-ista*.] ***S. 2 g.*** Especialista em higrologia; higrólogo.

higrólogo [De *higr(o)-* + *-logo*.] ***S. m.*** Especialista em higrologia; higrólogo.

higroma [De *higr(o)-* + *-oma¹*.] ***S. m.*** *Patol.* Cisto ou bursa distendida em consequência de acúmulo de líquido.

higrometria [De *higr(o)-* + *-metria*.] ***S. f.*** Parte da física que estuda os processos e métodos de medida da umidade da atmosfera.

higrométrico [De *higrometria* + *-ico²*.] ***Adj.*** Referente à higrometria.

higrómetro ***S. m.*** *Fís.* V. *higrômetro* [Uso freq. em P.]

higrômetro [De *higr(o)-* + *-metro*; fr. *hygromètre*.] ***S. m.*** *Fís.* Qualquer instrumento destinado a medir a umidade do ar ou de um gás: "Tornou-se afamado .... um higrômetro que ele trazia na sala, pendurado como cromo de folhinha; representava uma casa de duas portas, com um terreirinho à frente. Fosse o tempo duvidoso, numa porta mostrava-se um homenzinho e noutra uma mulherzinha; propendendo a chuva, o homem saía ao terreiro e a mulher entrava" (Godofredo Rangel, *Andorinhas*, p. 129).

higroscopicidade [De *higroscópico* + *-(i)dade*.] ***S. f.*** **1.** *Fís.* Propriedade de higroscópico (3). **2.** *Art. Gráf.* Propriedade que tem o papel de absorver a umidade do ambiente.

higroscópico [De *higroscópio* + *-ico²*.] ***Adj.*** **1.** Relativo ao higroscópio. **2.** *Fís.* Diz-se do material ou substância que tem grande afinidade pelo vapor de água, sendo capaz de retirá-lo de uma atmosfera ou eliminá-lo de uma mistura gasosa. ● ***S. m.*** **3.** Esse material ou substância.

higroscópio [De *higr(o)-* + *-scópio*; fr. *hygroscope*.] ***S. m.*** *Met.* Instrumento, ou substância, que indica aumento ou diminuição da umidade do ar.

higróstato [De *higr(o)-* + *-stato*.] ***S. m.*** *Fís.* Dispositivo para manter constante a umidade do ar num ambiente confinado.

higrotermográfico [De *higrotermógrafo* + *-ico²*.] ***Adj.*** Relativo ao, ou feito mediante o higrotermógrafo.

higrotermógrafo [De *higr(o)-* + *-term(o)-* + *-grafo*.] ***S. m.*** Instrumento que registra, em gráficos separados, a temperatura e a umidade do ar.

hilar [De *hilo* + *-ar¹*.] ***Adj. 2 g.*** *Anat.* Hilário¹. [Pl. *hilares*. Cf. *hílares*, pl. de *hílare*.]

hílare [Do lat. *hilare* < gr. *hilarós*.] ***Adj. 2 g.*** **1.** Alegre, risonho, contente, folgazão. **2.** Que denota alegria, contentamento; alegre: "Conta-se .... que Filipe Augusto assistiu com hílare disposição ao incêndio da cidade, e que ele mesmo .... atiçou o lume." (Aquilino Ribeiro, *Portugueses das Sete Partidas*, p. 197.) [Sin. ger.: *hilário*. Pl.: *hílares*. Cf. *hilares*, pl. de *hilar*.]

hilária [Do antr. (*Auguste de Saint*) *Hilaire* (1799-1853), naturalista francês, + *-ia²*.] ***S. f.*** **1.** Gênero de plantas da família das gramíneas, do S.O. dos Estados Unidos e do México. **2.** Espécie ou espécime desse gênero.

hilariância [De *hilariante* + *-ia²*, seg. o padrão erudito.] ***S. f.*** Caráter ou qualidade de hilariante.

hilariante [De *hilariar* + *-nte*.] ***Adj. 2 g.*** Que produz alegria, riso, hilaridade; hilário. – V. *gás –*.

hilariar [De *hílare* + *-iar²*.] ***V. t. d.*** Tornar(-se) hílare.

hilaridade [Do lat. *hilaritate*.] ***S. f.*** **1.** Alegria, riso. **2.** Vontade de rir; explosão de riso(s): "Os seus ditos satíricos, ao passo que suscitavam a hilaridade dos cortesãos, faziam sempre uma vítima." (Alexandre Herculano, *O Bobo*, p. 28.)

hilário¹ [De *hilo* + *-ário*.] ***Adj.*** *Anat.* Referente ao hilo; hilar.

hilário² [De *hílare* + *-io³*.] ***Adj.*** **1.** V. *hílare*. **2.** Hilariante. "Essa coisa .... da crendice, numa família que abrigava duas freiras em seu círculo de primeiro grau ...., gerava histórias hilárias." (Ana Ramalho, em *Jornal do Brasil*, 07.11.2009.)

hilarizar [De *hílare* + *-izar*.] ***V. t. d.*** **1.** Provocar hilaridade em; tornar hílare. **2.** Dar alegria a; alegrar, contentar.

hilaródia [Do gr. *hilaroidía*.] ***S. f.*** Cantiga alegre, jovial.

hilarodo (ô) [Do gr. *hilaroidós*.] ***S. m.*** Cantor ou autor de hilaródias.

▲ **hil(e)-** [Do gr. *hýlē, ēs*.] ***El. comp.*** = 'árvore', 'madeira'; 'matéria', 'substância': *hilídeo, hilemorfismo*. [Equiv.: *hilo-, -(h)il(o)-, -(h)ilo*: *hilogenia; cetílico; monoilo*. V. *-il²*.]

hileano [De *hileia* + *-ano¹*.] ***Adj.*** V. *hileiano*.

hileia (éi) [Do gr. *hylaía*, fem. de *hylaîos*, 'da floresta', 'selvagem', pelo al. *Hyläa*; ou do gr. *hylé* (v. *hil(e)-*), 'matéria', 'madeira', 'floresta', + *-eia*.] ***S. f.*** *Fitogeogr.* **1.** A floresta amazônica, segundo denominação de Alexander von Humboldt (1769-1859), naturalista alemão, e Aimé Goujaud Bonpland (1773-1858), naturalista francês. **2.** *P. ext.* A Amazônia. ❖

hileiano [De *hileia* + *-ano¹*.] ***Adj.*** Relativo à hileia; hileano, amazônico: *gênero hileiano.*

hilemórfico [De *hilemorfismo* + *-ico²*, seg. o padrão erudito.] ***Adj.*** Pertencente ou relativo ao hilemorfismo; hilomórfico.

hilemorfismo [De *hil(e)-* + *-morf(o)-* + *-ismo*.] ***S. m.*** *Filos.* Doutrina aristotélico-escolástica segundo a qual os seres corpóreos resultam de dois princípios distintos e complementares, um deles indeterminado e comum a todos, que é a matéria, e o outro determinante e que faz que uma coisa seja tal como é e distinta de todas as outras, que é a forma; hilomorfismo.

hilemorfista [De *hilemorfismo* + *-ista*, seg. o padrão erudito.] ***Adj. 2 g.*** **1.** Relativo ao hilemorfismo. **2.** Que é partidário do hilemorfismo. ● ***S. 2 g.*** **3.** Adepto do hilemorfismo.

hilética [Do fr. *hylétique*.] ***S. f.*** *Filos.* Na fenomenologia (2), a teoria da matéria da sensação considerada como puro dado, sem sentido intencional.

hílico [Do gr. *hylikós*, pelo lat. tard. *hylicu*.] ***Adj.*** Relativo à matéria; material, corpóreo.

hílida [Do tax. *Hyla* + *-ida¹*.] ***S. m. Adj. 2 g.*** *Zool.* V. *hilídeo*.

hilídeo [Do tax. *Hyla* (v. *hil(e)-*) + *-ídeo¹*; tax. *Hylidae*.] *Zool.* ***S. m.*** **1.** Espécime dos hilídeos, família de anfíbios anuros cujos dedos, longos, apresentam ventosas. Há cerca de 600 espécies, a maioria arborícola, sendo poucas aquáticas ou terrestres; distribuem-se nas zonas temperadas e tropicais. São as pererecas. ● ***Adj.*** **2.** Pertencente ou relativo a eles. [Sin. ger.: *hílida*.]

hilífero [De *hilo* + *-ífero*.] ***Adj.*** **1.** Provido de hilo. **2.** Que tem hilo aparente. [Sin. ger.: *hilóforo*.]

hilo [Do lat. *hilum*, 'ninharia'.] ***S. m.*** **1.** *Anat.* Depressão no local onde penetram, num órgão, seus vasos e nervos. **2.** *Bot.* Área, na superfície da semente, onde se prende o funículo.

▲ **hilo-** V. *hil(e)-*.

▲ **-(h)il(o)-** V. *hil(e)-*.

▲ **-(h)ilo** V. *hil(e)-*.

hilobatídeo [Do tax. *Hylobates* + *-ídeo*[1]; tax. *Hylobatidae*.] *Zool. S. m.* **1.** Espécime dos hilobatídeos, família de mamíferos primatas, simiiformes, que inclui o gibão e espécies próximas. Caracterizados pela braquiação, têm pernas e braços compridos e a mão em gancho; os caninos são grandes e afiados, nos dois sexos. Habitam o Sudeste Asiático, até Java. ● *Adj.* **2.** Pertencente ou relativo a eles.

hilóbio [Do tax. *Hylobius*.] *S. m. Zool.* **1.** Gênero de insetos coleópteros curculionídeos. **2.** Qualquer espécie desse gênero, como, p. ex., a *Hylobius abietis*, gorgulho que, na fase adulta, ataca árvores resinosas, esp. pinheiros. **3.** Qualquer espécime desse gênero.

hilófero [De *hilo* + *-fero*.] *Adj.* Hilífero.

hilofobia [De *hilo-* + *-fobia*.] *S. f. Psiq.* Pavor de florestas.

hilofóbico [De *hilofobia* + *-ico*[2].] *Psiq. Adj.* **1.** De, ou relativo a hilofobia. **2.** Que sofre de hilofobia; hilófobo. ● *S. m.* **3.** Aquele que sofre de hilofobia; hilófobo.

hilófobo [De *hilo-* + *-fobia*.] *Adj. S. m. Psiq.* Hilofóbico (2 e 3).

hilogenia [De *hilo-* + *-genia*.] *S. f.* Formação de matéria.

hilogênico *Adj.* V. *hilogêntico*. [Uso freq. em P.]

hilogêntico [De *hilogenia* + *-ico*[2].] *Adj.* Respeitante à hilogenia.

hilomórfico [De *hilo-* + *-morf(o)-* + *-ico*[2].] *Adj.* Hilemórfico.

hilomorfismo [De *hilo-* + *-morf(o)-* + *-ismo*.] *S. m. Filos.* Hilemorfismo.

hilomorfista [De *hilomorfismo* + *-ista*.] *Adj. 2 g. S. 2 g.* Hilemorfista.

hilota [Do gr. *heilótes*.] *S. 2 g.* **1.** Em Esparta (Grécia antiga), escravo que cultivava o campo: "O hilota é um servo da gleba, inalienável" (Oliveira Martins, *Quadro das Instituições Primitivas*, p. 306). **2.** Pessoa de ínfima condição social.

hilotismo [De *hilota* + *-ismo*.] *S. m.* **1.** Condição de hilota. **2.** *Fig.* Estado de abjeção e ignorância.

hilozoísmo [De *hilo-* + *-zo-* + *-ismo*.] *S. m. Filos.* **1.** Doutrina que considera a vida como propriedade inseparável da matéria. **2.** Doutrina que atribui à matéria qualidades espirituais.

hilozoísta [De *hilozoísmo* + *-ista*.] *Adj. 2 g.* **1.** Relativo a hilozoísmo. **2.** Partidário do hilozoísmo. ● *S. 2 g.* **3.** Aquele que é partidário dele.

himácio [Do gr. *himátion*.] *S. m.* Manto amplo e comprido, semelhante à toga romana, que os gregos antigos usavam sobre a túnica, ao sair de casa.

himantandrácea [Do tax. *Himantandra* (do gr. *himas, himantos*, 'correia', + gr. *anér, andrós*, 'homem', 'varão') + *-ácea*; tax. *Himantandraceae*.] *S. f. Bot.* Espécime das himantandráceas, família de plantas da ordem das magnoliales, composta de espécies lenhosas. Flores hermafroditas e esparsas; androceu polistêmone; carpelos numerosos, cada um com apenas um óvulo. Não ocorrem no Novo Mundo.

himantandráceo [De *himantandrácea*, com var. suf. (v. *-áceo*).] *Adj. Bot.* Pertencente ou relativo às himantandráceas.

himantose [Do gr. *himántosis*.] *S. f. Med.* Alongamento da úvula.

hímen [Do gr. *hymén, énos*, 'membrana', 'pele fina', pelo b.-lat. *hymen*, por via erudita.] *S. m. Anat.* Prega formada pela membrana mucosa da vagina, cujo orifício externo oclui parcial ou totalmente, e que apresenta uma abertura de forma e diâmetro variáveis. [Pl.: *himens* e (p. us. no Brasil) *hímenes*.] ◆ **Hímen complacente.** *Anat.* O que não se rompe à passagem do pênis.

himeneia (éi) [Do tax. *Hymenaea*.] *S. f. Bot.* **1.** Gênero de árvores cesalpiniáceas de até 20m, de folhas compostas de dois folíolos brilhantes, flores vistosas, em cimeiras, e cujo fruto é uma vagem longa e grossa, edule. **2.** Qualquer espécie desse gênero, como, p. ex., a *Hymenaea courbaril* (v. *jatobá*). **3.** Qualquer espécime desse gênero. ❖

himeneu [Do gr. *hyménaios*, pelo lat. *hymenaeu*.] *S. m.* **1.** Casamento, matrimônio: "o hábito de a moça solteira conservar-se virgem para o himeneu é fato de verificação trivial." (A. Austregésilo, *Obras Completas*, III, p. 246). **2.** Festa de núpcias.

himenial [De *himênio* + *-al*[1].] *Adj. 2 g.* Relativo ao himênio: *gonídio himenial*.

himénio *S. m. Micol.* V. *himênio*. [Uso freq. em P.]

himênio [Do lat. cient. *hymenium* < gr. *hyménion*, 'pequena membrana'.] *S. m. Micol.* Camada constituída de hifas ascógenas ou basidiógenas ordenadas em paliçada, entre as quais há sempre muitas paráfises. O himênio reveste determinadas áreas ou porções dos aparelhos esporígenos dos fungos, bem como dos líquens.

▲**himen(o)-** [Do gr. *hymĕn, énos*.] *El. comp.* = 'membrana'; 'hímen'; 'himênio': *himenologia, himenotomia*.

himenocarpo (ĭ) [De *himen(o)-* + *-carpo*.] *Adj. Bot.* Que tem fruto membranoso.

himenofilácea (ĭm) [Do tax. *Hymenophyllum* (v. *himen(o)-* e *-filo*[1]) + *-ácea*; tax. *Hymenophyllaceae*.] *S. f. Bot.* Espécime das himenofiláceas, família de pteridófitos, da ordem das eufilicales, composta de plantas muito delicadas, que podem ser formadas por uma só camada celular. Esporângios agrupados em soros marginais, com indúsio; anel completo, transversal ou oblíquo. Há umas 200 espécies, principalmente das matas úmidas montanhosas, muitas brasileiras

himenofiláceo (ĭm) [De *himenofilácea*, com var. suf. (v. *-áceo*).] *Adj. Bot.* Pertencente ou relativo às himenofiláceas.

himenóforo [De *himen(o)-* + *-foro*.] *S. m. Micol.* A parte do esporóforo dos fungos na qual se encontra o himênio.

himenografia (ĭm) [De *himen(o)-* + *-grafia*.] *S. f.* Descrição das membranas.

himenográfico (ĭm) [De *himenografia* + *-ico*[2].] *Adj.* Referente à himenografia.

himenoide (ói) [Do gr. *hymenoeidés*.] *Adj. 2 g.* Semelhante a membrana, ou que tem constituição membranosa. ❖

himenolíquen (ĭm) [De *himen(o)-* + *líquen*; tax. *Hymenolichenes*.] *Bot. S. m.* **1.** Espécime dos himenolíquens, subgrupo de liquens, que coexiste com o dos basidioliquens, e que é constituído de uns poucos himenomicetos associados a algas. ● *Adj. 2 g.* **2.** Pertencente ou relativo a eles.

himenologia (ĭm) [De *himen(o)-* + *-logia*.] *S. f.* Tratado acerca das membranas.

himenológico (ĭm) [De *himenologia* + *-ico*[2].] *Adj.* Relativo à himenologia.

himenomiceto [De *himen(o)-* + *-miceto*; tax. *Hymenomycetes*.] *Micol. S. m.* **1.** Espécime dos himenomicetos, classe de fungos cujo aparelho esporígeno é amplo, laminar, ou em forma de chapéu. ● *Adj.* **2.** Pertencente ou relativo a eles.

himenópode [De *himen(o)-* + *-pode*.] *Adj. 2 g. Zool.* Diz-se da ave que tem dedos meio ligados por membrana.

himenopteral (ĭm) [De *himenóptero* + *-al*[1].] *Adj. 2 g. Zool.* Diz-se de asas de inseto que são totalmente membranosas, como as das abelhas e vespas.

himenóptero [De *himen(o)-* + *-ptero*; tax. *Hymenoptera*.] *Zool. S. m.* **1.** Espécime dos himenópteros, ordem de insetos holometabólicos, com cerca de 300.000 espécies estimadas e cerca de 130.000 espécies descritas, sendo muitas sociais. As larvas são eruciformes e ger. ápodes, os adultos têm dois pares de asas membranosas, sendo as posteriores menores que as anteriores, sistema bucal adaptado para cortar ou lamber ou sugar, ovipositor ger. modificado para serrar, perfurar e ferroar. São as abelhas, as formigas e as vespas. [Têm enorme importância econômica, seja como produtores (as abelhas), polinizadores, e mesmo no controle de pragas na agricultura (principalmente muitas espécies de formiga).] ● *Adj.* **2.** Pertencente ou relativo a eles.

himenotomia (ĭm) [De *himen(o)-* + *-tom(o)-* + *-ia*[1].] *S. f. Cir.* **1.** Dissecção de membrana. **2.** Incisão praticada no hímen.

himenotómico (ĭm) *Adj.* V. *himenotômico*. [Uso freq. em P.]

himenotômico (ĭm) [De *himenotomia* + *-ico*[2].] *Adj.* Relativo à himenotomia.

hinaiana [Do sânscr. *hīnayāna*.] *S. m. Filos.* V. *budismo hinaiana*.

hinaianista [De *hinaiana* + *-ista*.] *Adj. 2 g. S. 2 g.* Diz-se de, ou adepto do budismo hinaiana (q. v.).

hinaianístico [De *hinaianista* + *-ico*[2].] *Adj.* Do, ou relativo ao budismo hinaiana (q. v.).

hinário [Do lat. tard. *Hymnariu*.] *S. m.* **1.** Coleção de hinos. **2.** *Lit.* Livro de hinos religiosos: "acabando em êxtase perante o Universo, aberto por cima deles como uma rosa perfeita, melhor que a página dum hinário de coro consagrado a cantar a Deus e a enaltecer-lhe glórias e grandezas" (Aquilino Ribeiro, *Aventura Maravilhosa*, p. 211).

hindi [Do hindi ou urdu *hindi*, 'da Índia'.] *S. m. Gloss.* A mais importante das línguas vernáculas da Índia, considerada a língua oficial da União; urdu. [Após a criação da fronteira entre a Índia e o Paquistão (1947), motivos políticos e religiosos vêm sendo usados para o aprofundamento das diferenças entre o hindi e o urdu, o que já afetou a escrita (da esquerda para a direita em hindi e na direção inversa em urdu), e a língua tomada como base para novos empréstimos lexicais (para o hindi, o sânscrito; para o urdu, o árabe e o persa).] [V. *hindustâni*.]

hindu [Do sânsc. *sindhu*, 'rio', pelo persa *hindu*, 'do vale do rio (Indo)'.] *Adj. 2 g. S. 2 g.* **1.** V. *indiano*. **2.** V. *hinduísta*.

hinduísmo [De *hindu* + *-ismo*.] *S. m. Filos.* Religião atual da maioria dos povos indianos, resultante de uma evolução secular do vedismo e do bramanismo, que se transformaram pela especulação filosófica e pela integração de cultos locais. Constitui o hinduísmo ampla manifestação cultural, expressando-se por uma riquíssima literatura de sentido poético-religioso, na qual se cristalizaram numerosos preceitos relativos à vida cotidiana e à organização social, e se desenvolveram, através dos séculos, vários sistemas teológico-filosóficos. [Cf. *darsana* e *vaisefica*.]

hinduísta [De *hindu* + *-ista*.] *Adj. 2 g.* **1.** Referente ao hinduísmo. **2.** Que professa o hinduísmo e/ou se dedica ao seu estudo. ● *S. 2 g.* **3.** Pessoa que o professa e/ou se dedica ao seu estudo. [Sin. ger.: *hindu*.]

hindustâni [Do persa, pelo hindi ou urdu *hindustani*, 'do país hindu'.] *S. m. Gloss.* **1.** O dialeto padrão do hindi. **2.** O hindi e o urdu, tomados como um conjunto de variedades com diferenças estruturais muito pequenas; hirdu. **3.** Língua franca (q. v.) do N.E. da Índia, baseada no hindi.

hindustânico *Adj.* **1.** Relativo ao Hindustão (Índia e Paquistão atuais). **2.** Relativo ao hindustâni. [F. paral.: *indostânico*.]

hínico [De *hino* + *-ico*[2].] *Adj.* Referente a, ou do gênero do hino.

hinir [Do lat. *hinnire*.] *V. int. P. us.* Relinchar, nitrir.

hinista [De *hino* + *-ista*.] *S. 2 g.* Pessoa que canta e/ou compõe hinos; hinólogo.

hino [Do lat. *hymnu* < gr. *hýmnos*.] *S. m.* **1.** Poema ou cântico de veneração, ou louvor, ou invocação à divindade: "Vem cantando também, boca vermelha e casta, / Um hino de louvor ao Deus que nos afasta / Das rubras tentações da carne e do pecado." (Conde de Monsaraz, *Musa Alentejana*, p. 64.) **2.** Cântico sacro, especialmente o que se relaciona com a liturgia cristã. **3.** Música, geralmente marcial ou solene, acompanhada de um texto, e que exalta o valor de algo ou de alguém: *o hino à bandeira; o hino dos escoteiros.* **4.** Canção, canto: *O Cisne Branco é considerado o hino da Marinha Brasileira.* **5.** Poema lírico ou canção que exprime entusiasmo, contentamento, admiração, etc.: *hino à natureza; hino ao amor.* **6.** *Fig.* Louvor, elogio: *Teceu hinos à beleza da garota.* [Cf. *Ino*, antr.] ◆ **Hino ambrosiano.** O Te-Déum (1). **Hino nacional.** Hino (3) que simboliza uma nação: *O Hino Nacional Brasileiro foi composto por Francisco Manuel da Silva.*

hinodo (ô) [Do gr. *hymnodós* (com iota subscrito).] *S. m.* Entre os gregos antigos, aquele que nas solenidades religiosas cantava os hinos.

hinografia [De *hino* + *-grafia*.] *S. f.* Tratado bibliográfico dos hinos.

hinográfico [De *hinografia* + *-ico*[2].] *Adj.* Relativo à hinografia.

hinógrafo [Do gr. *hymnográphos*.] *S. m.* Compositor de hinos.

hinologia [Do gr. *hymnología*.] *S. f.* **1.** Arte da composição de hinos. **2.** Ato de cantar ou recitar hinos.

hinológico [De *hinologia* + *-ico*[2].] *Adj.* Relativo à hinologia.

hinólogo [Do lat. *hymnologu* < gr. *hymnológos*.] *S. m.* Hinista.

hinterlândia [Adapt. do al. *Hinterland*.] *S. f.* **1.** Território situado por trás de uma costa marítima ou de um rio; interior: "Varam a hinterlândia e desembocam no Atlântico." (Raimundo Morais, *Na Planície Amazônica*, p. 134.) **2.** Região servida por um determinado porto.

hiociamina *S. f. Quím.* V. *hiosciamina*.

hiodontídeo [Do lat. cient. *Hiodont-* (do tax. *Hiodon*, f. irreg. a partir do gr. *hyo-*, e do gr. *odoús, odóntos*, 'dente') + *-ídeo*[1]; tax. *Hiodontidae*.] *Zool. S. m.* **1.** Espécime dos hiodontídeos, família de peixes osteoglossiformes, semelhantes aos arenques, com uma única nadadeira dorsal, olhos grandes e dentes pequenos. Há apenas duas espécies, encontradas no Canadá e nos Estados Unidos. ● *Adj.* **2.** Pertencente ou relativo a eles.

hioglosso (ô) [De *hió(ide)* + *-glosso*.] *S. m. Anat.* Cada um dos dois músculos que se estendem do osso hioide à língua.

hioide (ói) [Do gr. *hyoeidès (ostoûn)*, 'osso em forma de ipsilo'.] *S. m. Anat.* Pequeno e único osso, em forma de ferradura, situado na parte anterior do pescoço, na base da língua. ❖

hioideo [De *hioide* + *-eo*.] *Adj.* Relativo ou pertencente ao hioide.

hiosciamina [Do tax. *Hyoscyamus* (v. *hiosciamo*) + *-ina*[3]; al. *Hyoscyamin*.] *S. f. Quím.* Alcaloide que existe sob a forma de dois enantiômeros, cuja mistura racêmica é a atropina (q. v.) [fórm.: $C_{17}H_{23}NO_3$]. [O enantiômero levogiro, com acentuada ação fisiológica, é encontrado na beladona e noutras solanáceas.]

hiosciamo [Do tax. *Hyoscyamus* do lat. *hyoscyamum* ou *hyosciamus* < gr. *hyoskýamos*, lit., 'fava ou feijão de porco'.] *S. m. Bot.* **1.** Gênero de ervas solanáceas, venenosas, de folhas simples, flores um tanto irregulares, e fruto capsular; das folhas se extraem alcaloides (v. *hiosciamina*). **2.** Qualquer espécie desse gênero, como, p. ex., a *Hyoscyamus niger* (v. *meimendro*). **3.** Qualquer espécime desse gênero.

hioscina [F. red. de *hiosciamina*; ingl. *hyoscine* < al. *Hyoscin.*] *S. f. Quím.* Escopolamina.

hiosternal [De *hió(ide)* + *esterno* + *-al*[1].] *Adj. 2 g. Anat.* Relativo aos ossos hioide e esterno.

hiotério [Do tax. *Hyotherium.*] *S. m. Paleont.* **1.** Gênero de suínos que viveram no mioceno e no início do plioceno da Europa e da América do Norte e que são ancestrais, em linha direta, do javali e dos porcos domésticos. **2.** Espécie ou espécime desse gênero.

hiotireoideo [De *hió(ide)* + *-tireoid(e)-* + *-eo.*] *Adj. Anat.* Relativo ao osso hioide e à cartilagem tireóidea.

hip [Do ingl. *hip.*] *Interj.* Proferida antes do hurra (q. v.).

hipabissal [De *hip(o)-*[1] + *abissal.*] *Adj. 2 g.* ~ V. *rocha —.*

hipacusia [De *hip(o)-*[1] + *-acus(i)-* + *-ia*[1].] *S. f. Fonoaud. Otor.* Diminuição do sentido da audição. [Cf. *anacusia* e *disacusia.*]

hipacústico [De *hip(o)-*[1] + *acústico.*] *Adj.* Relativo a hipacusia.

hipálage [Do gr. *hypallagé*, pelo lat. *hypallage.*] *S. f. E. Ling.* Figura pela qual se atribui a certa(s) palavra(s) de uma frase o que convém logicamente a outra(s) da mesma frase, clara(s) ou subentendida(s). Ex.: 📖 "No silêncio orvalhado da manhã" (Miguel Torga, *Diário*, X, p. 169);"em cada olho um grito castanho de ódio." (Dalton Trevisan, *Desastres do Amor*, p. 30);"o raspar espavorido de fósforos" (Eça de Queirós, *A Correspondência de Fradique Mendes*, p. 9);"Era o amigo do chapéu de palha: abriu grandes braços pasmados." (Id., *Contos*, p. 30). [No penúltimo exemplo, *espavorido* refere-se, logicamente, não ao substantivo virtual *raspar*, mas ao agente da ação de *raspar.*]

hipalgesia [De *hip(o)-*[1] + *-alges(i)-* + *-ia*[1].] *S. f. Med.* Diminuição da sensibilidade à dor; hipalgia.

hipalgésico [De *hipalgesia* + *-ico*[2].] *Adj.* Relativo a hipalgesia; hipálgico.

hipalgia [De *hip(o)-*[1] + *-alg(o)-*[2] + *-ia*[1].] *S. f. Med.* Hipalgesia.

hipálgico [De *hipalgia* + *-ico*[2].] *Adj.* Relativo a hipalgia; hipalgésico.

hipanto [De *hip(o)-*[1] + *-anto.*] *S. m. Bot.* Parte tubular do receptáculo floral que se solda ao ovário ínfero de muitas plantas; tubo do cálice.

hipantódio [De *hipanto.*] *S. m. Bot.* Fruto composto constituído de receptáculo carnoso sobre o qual se inserem numerosos frutinhos, ora aberto, como no caso do caiapiá, ora fechado, como no caso do figo; cenanto.

hipantropia [Do gr. *hippánthropos*, 'centauro', + *-ia*[1].] *S. f. Psiq.* Distúrbio mental em que o indivíduo se julga transformado em cavalo.

hipantrópico [De *hipantropia* + *-ico*[2].] *Adj.* Relativo a hipantropia.

hiparca [Do gr. *hippárches.*] *S. m.* Na Grécia antiga, comandante de cavalaria. [F. paral.: *hiparco.*]

hiparco [Do gr. *hípparchos.*] *S. m.* Hiparca (q. v.).

hipárion [Do tax. *Hipparion.*] *S. m. Paleont.* **1.** Gênero de mamíferos perissodáctilos, equídeos, que habitaram a Europa e a América do Norte no mioceno e no plioceno, atualmente considerados ancestrais diretos do cavalo. **2.** Espécie ou espécime desse gênero.

hiparquia [Do gr. *hipparchía.*] *S. f.* Na Grécia antiga, esquadrão de cavalaria composto de 512 homens.

hipe [Do ingl. *hippie.*] *Adj. 2 g. S. 2 g.* V. *hippie.*

hipélate [Do tax. *Hippelates* (< gr. *hippelates*, 'cavaleiro').] *S. f. Zool.* **1.** Gênero de pequenas moscas clorópidas, que inclui espécies que são consideradas como vetores de conjuntivites agudas, contagiosas. **2.** Espécie ou espécime desse gênero.

hipemia *S. f. Patol.* V. *hipoemia.*

▲**hiper-** [Do gr. *hypér.*] *Pref.* = 'posição superior'; 'além'; 'excesso': *hiperemia*; *hiperpiese*; *hiperstílico.* [É seguido de hífen quando anteposto a palavra iniciada por *h* ou *r* (em tais casos, apenas o 2º el. é flexionado na formação do plural: *hiper-hidrose*: *hiper-hidroses*; *hiper-requintado*: *hiper-requintados*).] [Equiv.: *-(h)iper-*: *bati-hiperestesia.*]

▲**-(h)iper-** Equiv. de *hiper-*.

hiperacidez (ê) [De *hiperácido* + *-ez.*] *S. f.* Qualidade ou estado de hiperácido.

hiperácido [De *hiper-* + *ácido.*] *Adj.* Demasiadamente ácido.

hiperacuidade (u-i) [De *hiper-* + *acuidade.*] *S. f.* **1.** Acuidade excessiva. **2.** *Med.* Excessiva percepção por parte de órgão sensorial, como ocorre, por ex., na hiperacusia.

hiperacusia [De *hiper-* + *-acus(i)-* + *-ia*[1].] *S. f. Otor.* Acuidade auditiva exacerbada; hiperestesia acústica.

hiperacúsico [De *hiperacusia* + *-ico*[2].] *Adj. S. m.* Que, ou aquele que sofre de hiperacusia.

hiperacústico [De *hiper-* + *-acústico.*] *Adj.* Referente a hiperacusia. ~ V. *zona —a.*

hiperadrenocorticismo [De *hiper-* + *-adren(o)-* + *-cortic(i)-* + *-ismo.*] *S. m. Med.* Secreção excessiva de hormônios de córtex de glândula suprarrenal.

hiperafrodisia [De *hiper-* + *afrodisia.*] *S. f.* Excitação sexual em demasia.

hiperagudeza (ê) [De *hiper-* + *agudeza.*] *S. f.* Qualidade ou caráter de hiperagudo.

hiperagudo [De *hiper-* + *agudo.*] *Adj.* Fortemente agudo; acutíssimo, agudíssimo.

hiperalbuminemia [De *hiper-* + *albumina* + *-emia.*] *S. f. Med.* Albuminemia acima da normal.

hiperaldosteronismo [De *hiper-* + *aldosterona* + *-ismo.*] *S. m. Med.* Distúrbio resultante de excessiva secreção de aldosterona, e que produz alterações do metabolismo de eletrólitos, elevação da pressão arterial, etc. [Sin., impr.: *aldosteronismo.*]

hiperalgesia [De *hiper-* + *-alges(i)-* + *-ia*[1].] *S. f. Med.* Exagero da sensibilidade à dor; hiperalgia.

hiperalgésico [De *hiperalgesia* + *-ico*[2].] *Adj.* Referente a hiperalgesia; hiperálgico.

hiperalgia [De *hiper-* + *-alg(o)-*[2] + *-ia*[1].] *S. f. Med.* Hiperalgesia.

hiperálgico [De *hiperalgia* + *-ico*[2].] *Adj.* Relativo a hiperalgia; hiperalgésico.

hiperão *S. m. Lus. Fís. Part.* V. *híperon.* [Pl.: *hiperões.*]

hiperatividade [De *hiperativo* + *-(i)dade.*] *S. f.* **1.** Qualidade de hiperativo. **2.** Atividade excessiva.

hiperativo [De *hiper-* + *ativo.*] *Adj.* Excessiva ou patologicamente ativo.

hiperbárico [De *hiper-* + *-bar(i)-* + *-ico*[2].] *Adj.* **1.** Caracterizado por peso ou pressão superior à normal. **2.** *Med.* Diz-se de anestésico que tem gravidade específica maior do que a do fluido cerebrospinal. [Cf. *hipobárico.*] ~ V. *câmara —a.*

hipérbato [Do gr. *hyperbatón*, pelo lat. *hyperbaton.*] *S. m. E. Ling.* Inversão da ordem natural das palavras ou das orações. Ex.: 📖 "Do que a terra mais garrida / Teus risonhos, lindos campos têm mais flores" (Osório Duque-Estrada, em *Hino Nacional Brasileiro*); "Não é que o meu o teu sangue / Sangue de maior primor." (Alexandre Herculano, *Poesias*, p. 209). [*I. e., O teu sangue não é de maior primor que o meu.*] [Cf. *anástrofe* e *sínquise.*]

hipérbaton *S. m. E. Ling.* V. *hipérbato.*

hiperbibasmo [Do gr. *hyperbibasmós*, 'transposição', < gr. *hyperbibázein*, 'transportar uma letra ou um acento'.] *S. m. E. Ling.* Deslocação do acento tônico de uma palavra, ou para sílaba anterior (*sístole*): *amávamos* (por *amavamos* < lat. *amabamus*); *pântano*, por *pantano*; *bênção*, por *benção*; *pégada* (pronúncia errônea), por *pegada*; ou para sílaba posterior (*diástole*): *murmurio*, *exul* (pronúncias menos corretas, comuns em poesia) por *murmúrio*, *êxul.*

hipérbole [Do gr. *hyperbolé*, pelo lat. *hyperbole.*] *S. f.* **1.** *E. Ling.* Figura que engrandece ou diminui exageradamente a verdade das coisas; exageração, auxese. Ex.: 📖 "Chorei biliões de vezes com a canseira / De inexorabilíssimos trabalhos!" (Augusto dos Anjos, *Eu*, p. 21.) **2.** *Geom.* Lugar geométrico dos pontos de um plano cujas distâncias a dois pontos fixos desse plano têm diferença constante; interseção de um cone circular reto com um plano que faz com o eixo do cone um ângulo menor que o do vértice. Com uma escolha adequada das coordenadas cartesianas *x* e *y*, sua equação pode ser simplificada a $(x^2/a^2) - (y^2/b^2) = 1$, onde *a* e *b* são constantes. ◆ **Hipérbole equilátera.** *Geom.* Hipérbole cujos eixos conjugado e transverso são iguais. **Hipérboles conjugadas.** *Geom.* Duas hipérboles dispostas de modo que o eixo conjugado de uma seja o transverso da outra, e vice-versa.

hiperbólico [Do gr. *hyperbolikós*, pelo lat. *hyperbolicu.*] *Adj.* **1.** Que usa de, ou em que há hipérbole (1); exagerado. **2.** De, ou pertencente ou relativo a hipérbole (2). ~ V. *arco cossecante —a, arco cosseno —, arco cotangente —a, arco secante —a, arco seno —, arco tangente —a, cometa —, cossecante —a, cossecante —a inversa, cosseno —, cosseno — inverso, cotangente —a, cotangente —a inversa, dúvida —a, função —a, logaritmo —, secante —a, secante —a inversa, seno —, seno — inverso, tangente —a* e *tangente —a inversa.*

hiperboliforme (èr) [De *hipérbole* + *-iforme.*] *Adj. 2 g.* Semelhante a hipérbole (2).

hiperbolismo [De *hipérbole* + *-ismo.*] *S. m.* Uso imoderado de hipérbole (1).

hiperboloide (ói) [De *hipérbole* + *-oide.*] *S. m. Mat.* Superfície do segundo grau, cuja equação, em coordenadas cartesianas, pode ser reduzida a uma forma quadrática homogênea com um ou dois coeficientes negativos. ◆ **Hiperboloide de revolução.** *Geom.* Hiperboloide de uma folha ou de duas folhas, resultante da rotação de uma hipérbole em torno do eixo conjugado, ou do eixo conjugado ou do transverso, respectivamente. ❖

hiperbóreo [Do gr. *hyperbóreos*, pelo lat. *hyperboreu.*] *Adj.* Do extremo N. da Terra; setentrional: 📖 "foram [os fenícios e cartagineses]ao incerto Ofir do oceano Índico, e, em busca do estanho e do âmbar, às costas da Inglaterra e às praias hiperbóreas do Báltico." (Eduardo Prado, *Coletâneas*, III, p. 137).

hiperbraquicefalia [De *hiperbraquicéfalo* + *-ia*[1].] *S. f. Antropom.* Estado ou caráter de hiperbraquicéfalo.

hiperbraquicefálico [De *hiperbraquicéfalo* + *-ico*[2].] *Adj. Antrop.* Relativo à hiperbraquicefalia.

hiperbraquicéfalo [De *hiper-* + *braquicéfalo.*] *Adj. S. m. Antropom.* Diz-se de, ou indivíduo cujo índice cefálico é de 85,5, ou acima deste valor.

hipercalcemia [De *hiper-* + *calcemia.*] *S. f. Med.* Concentração, acima da normal, de cálcio no sangue.

hipercalciuria [De *hiper-* + *calciuria.*] *S. f. Med.* V. *hipercalciúria.*

hipercalciúria [De *hiper-* + *calciúria.*] *S. f. Med.* Teor de cálcio na urina acima do normal. [F. paral.: *hipercalciuria.*]

hipercaliemia [De *hiper-* + *caliemia.*] *S. f. Med.* Concentração, acima da normal, de potássio no sangue.

hipercaliuria [De *hiper-* + *caliuria.*] *S. f. Med.* V. *hipercaliúria.*

hipercaliúria [De *hiper-* + *caliúria.*] *S. f. Med.* Teor excessivo de potássio na urina. [F. paral.: *hipercaliuria.*]

hipercalórico [De *hiper-* + *calórico.*] *Adj.* De alto teor calórico. [Antôn.: *hipocalórico.*]

hipercapnia [De *hiper-* + *-capn(o)-* + *-ia*[1].] *S. f. Med.* Excesso de dióxido de carbono no sangue.

hipercarga [De *hiper-* + *carga.*] *S. f. Fís. Nucl.* Número quântico conservado nas interações fortes e eletromagnéticas, igual à soma do número bariônico e da estranheza de uma partícula [símb.: *Y*].

hipercarotenemia [De *hiper-* + *carotenemia.*] *S. f. Med.* Concentração, acima da normal, de caroteno no sangue.

hipercataléctico [Do lat. tard. *hypercatalecticu.*] *Adj.* ~ V. *verso —.* [Var.: *hipercatalético.*]

hipercatalecto *S. m.* Verso hipercataléctico.

hipercatalético *Adj.* V. *hipercataléctico.*

hiperceratose [De *hiper-* + *-cerat(o)-* + *-ose*[1].] *S. f.* **1.** *Derm.* Hipertrofia da camada córnea da pele. **2.** *Oftalm.* Hipertrofia da córnea.

hipercerebração [De *hiper-* + *cerebração.*] *S. f.* Trabalho intelectual excessivo.

hipercinesia [De *hiper-* + *-cines(i)-* + *-ia*[1].] *S. f. Med.* Excesso anormal de função ou atividade motora; aumento de motilidade.

hipercinético [De *hipercin(esia)* + *-ético.*] *Adj.* Relativo à hipercinesia.

hipercloremia [De *hiper-* + *cloremia.*] *S. f. Med.* Concentração, acima da normal, de cloreto no sangue.

hipercloridria *S. f. Med.* Excessiva secreção de ácido clorídrico pelas células gástricas.

hipercloruria [De *hiper-* + *-clor(o)-* + *-uria.*] *S. f. Med.* V. *hiperclorúria.*

hiperclorúria [De *hiper-* + *clor(eto)-* + *-úria.*] *S. f. Med.* Teor excessivo de cloreto na urina. [F. paral.: *hipercloruria.*]

hipercolesterolemia [De *hiper-* + *colesterolemia.*] *S. f. Med.* Colesterolemia acima da normal.

hipercolia [De *hiper-* + *-col(e)-* + *-ia*[1].] *S. f. Med.* Secreção excessiva de bile.

hipercorreção [De *hiper-* + *correção.*] *S. f.* V. *ultracorreção.*

hipercrinia [De *hiper-* + *-crin(o)-* + *-ia*[1].] *S. f. Med.* Excessiva produção de secreção.

hipercrínico [De *hipercrinia* + *-ico*[2].] *Adj.* Respeitante a hipercrinia.

hipercrítico [De *hiper-* + *crítico.*] *S. m.* **1.** Crítico desapiedado; censor excessivo. ● *Adj.* **2.** Que critica com exagero.

hipercromático [De *hiper-* + *-cromat(o)-* + *-ico*[2].] *Adj.* Hipercrômico. ~ V. *lente —a.*

hipercromia [De *hiper-* + *-crom(o)-* + *-ia*[1].] *S. f.* Aumento do conteúdo em pigmento de qualquer célula ou tecido.

hipercrómico *Adj.* V. *hipercrômico.* [Uso freq. em P.]

hipercrômico [De *hipercromia* + *-ico*[2].] *Adj.* Relativo à hipercromia; hipercromático. ~ V. *efeito —.*

hipercubo [De *hiper-* + *cubo.*] *S. m. Geom.* Num espaço a mais de três dimensões, poliedro com faces quadradas iguais.

hiperdesenvolvimento [De *hiper-* + *desenvolvimento.*] *S. m.* Desenvolvimento excessivo. [Opõe-se a *hipodesenvolvimento.*]

hiperdimensional [De *hiper-* + *dimensional.*] *Adj. 2 g. Astron.* De, ou relativo a espaço que tem mais de três dimensões.

hiperdolicocéfalo (dò) [De *hiper-* + *dolicocéfalo*.] **Adj.** **S. m.** *Anat.* Diz-se de, ou indivíduo cujo índice cefálico é inferior a 75,9.

hiperdosagem [De *hiper-* + *dosagem*.] **S. f.** Dosagem acima da normal.

hiperdulia [De *hiper-* + *dulia*.] **S. f.** *Teol.* Forma especial e excelente de culto aos santos, reservada, por isso, a Nossa Senhora: 📖 "O culto a Maria — a hiperdulia — quase constitui uma religião à parte no decorrer dos séculos XII e XIII." (Guedes de Miranda, *Eu e o Tempo*, p. 17.) [Cf. *dulia*.]

hiperecoico (ói) [De *hiper-* + *eco* + *-ico*².] **Adj.** *Radiol.* Em órgão(s) ou em estrutura(s) [v. *estrutura* (12)], diz-se de área(s) que reflete(m) intensivamente as ondas que a ela(s) são dirigidas, em exame ultrassonográfico. ❖

hiperemia [De *hiper-* + *-emia*.] **S. f.** *Patol.* Superabundância de sangue em qualquer parte do corpo.

hiperémico **Adj.** V. *hiperêmico*. [Uso freq. em P.]

hiperêmico [De *hiperemia* + *-ico*².] **Adj.** Referente a, ou em que há hiperemia.

hiperergia [De *hiper-* + *-erg(o)-*¹ + *-ia*¹.] **S. f.** *Imun.* Hipersensibilidade a alérgeno.

hiperesfera [De *hiper-* + *-sfera*.] **S. f.** Esfera de um espaço multidimensional hipotético.

hiperespaço [De *hiper-* + *espaço*.] **S. m.** *Astron.* Suposto domínio espacial, além do espaço-tempo do mundo físico.

hiperesplénico **Adj.** V. *hiperesplênico*. [Uso freq. em P.]

hiperesplênico [De *hiperesplenismo* + *-ico*².] **Adj.** Relativo ao hiperesplenismo, ou que dele sofre.

hiperesplenismo [De *hiper-* + *-(e)splen(o)-* + *-ismo*.] **S. m.** *Med.* Síndrome caracterizada por diminuição de um ou mais tipos de células sanguíneas, atividade normal ou exacerbada da medula óssea, e melhora, ou cura, pela esplenectomia.

hiperestático [De *hiper-* + *estático*.] **Adj.** ~ V. *estrutura —a*.

hiperesteatose [De *hiper-* + *-(e)steat(o)-* + *-ose*¹.] **S. f.** *Derm.* V. *seborreia*.

hiperestenia [De *hiper-* + *estenia*.] **S. f.** *Med.* Tonicidade aumentada.

hiperesténico **Adj.** V. *hiperestênico*. [Uso freq. em P.]

hiperestênico [De *hiperestenia* + *-ico*².] **Adj.** **1.** Relativo a, ou que apresenta hiperestenia. ● **S. m.** **2.** Aquele que a apresenta.

hiperestesia [De *hiper-* + *-estes(i)-* + *-ia*¹.] **S. f.** *Med.* Sensibilidade excessiva a qualquer estímulo.

hiperestesiar [De *hiperestesia* + *-ar*².] **V. t. d.** Produzir hiperestesia em.

hiperestésico [De *hiperestesia* + *-ico*².] **Adj.** Relativo a hiperestesia.

hiperexcitabilidade [De *hiperexcitável* + *-(i)dade*, seg. o padrão erudito.] **S. f.** Qualidade de hiperexcitável; excitabilidade extrema.

hiperexcitável [De *hiper-* + *excitável*.] **Adj. 2 g.** Excitável ao extremo.

hiperfocal [De *hiper-* + *focal*.] **Adj. 2 g.** ~ V. *distância —*.

hiperforia [De *hiper-* + *-for(o)-* + *-ia*¹.] **S. f.** *Oftalm.* Heteroforia em que o eixo visual de um dos dois olhos sempre mostra desvio em sentido vertical, depois de cessada a estimulação visual.

hiperfrenia [De *hiper-* + *-fren(o)-* + *-ia*¹.] **S. f.** *Psiq.* Atividade mental exagerada.

hipergaláxia (cs) [De *hiper-* + *galáxia*.] **S. f.** *Cosm.* Sistema que consiste numa galáxia espiral dominante que está envolvida por nuvens de galáxias satélites anãs, não raro elípticas. [A nossa galáxia e a galáxia de Andrômeda constituem uma hipergaláxia.]

hipergamia [De *hiper-* + *-gam(o)-* + *-ia*¹.] **S. f.** **1.** Casamento com indivíduo de *status* social, econômico ou religioso mais elevado. **2.** *Antrop.* Costume, ou prática socialmente regulamentada, que determina que a mulher se case com um homen de *status* social superior (ger. um membro de grupo hierarquicamente superior ao dela). [Opõe-se a *hipogamia*. Cf. *isogamia* (1 e 2) e *anisogamia* (1 e 2).]

hipergâmico [De *hiper-* + *-gam(o)-* + *-ico*².] **Adj.** **1.** Relativo à hipergamia, ou caracterizado por ela. **2.** Diz-se daquele que casa com alguém de posição social mais elevada que a sua. ● **S. m.** **3.** Indivíduo hipergâmico.

hipergeométrico [De *hiper-* + *geométrico*.] **Adj.** *Mat.* ~ V. *série —a*.

hipergeusia [De *hiper-* + *(para)geusia*.] **S. f.** *Med.* Forma de parageusia em que há hipersensibilidade do sentido do paladar.

hiperglicemia [De *hiper-* + *glicemia*.] **S. f.** *Patol.* Aumento da taxa de glicose no sangue.

hiperglicémico **Adj.** V. *hiperglicêmico*. [Uso freq. em P.]

hiperglicêmico [De *hiperglicemia* + *-ico*².] **Adj.** Referente a hiperglicemia.

hiperglobulinemia [De *hiper-* + *globulinemia*.] **S. f.** *Med.* Globulinemia acima da normal.

hipergnose [De *hiper-* + *-gnose*.] **S. f.** *Psiq.* Exagero de percepção encontrado em alguns transtornos psicóticos.

hiper-hedónico **Adj.** V. *hiper-hedônico*. [Uso freq. em P. Pl.: *hiper-hedónicos*.]

hiper-hedônico [De *hiper-* + *hedônico*.] **Adj.** Relativo ao hiper-hedonismo. [Pl.: *hiper-hedônicos*.]

hiper-hedonismo [De *hiper-* + *hedonismo*.] **S. m.** Hedonismo levado ao excesso. [Pl.: *hiper-hedonismos*.]

hiper-hidrose [De *hiper-* + *hidrose*.] **S. f.** *Med.* Excessiva secreção de suor; hidrorreia. [Pl.: *hiper-hidroses*. Cf. *anidrose* (1).] ❖

hiper-humano [De *hiper-* + *humano*.] **Adj.** Que é humano no mais alto grau. [Pl.: *hiper-humanos*.]

hipericão [Do lat. *hypericon* (do gr. *hyperikón*); tax. *Hypericum*.] **S. m.** *Bot.* **1.** Gênero vastamente distribuído de ervas e arbustos clusiáceos que se caracterizam, esp., pelas flores pentâmeras, amarelas, por vezes exuberantes. **2.** Qualquer espécie desse gênero, como, p. ex., a *Hypericum perforatum* [v. *erva-de-são-joão* (4)]. **3.** Qualquer espécime desse gênero.

hiperinflação [De *hiper-* + *inflação*.] **S. f.** *Econ.* Aumento muito acelerado do nível de preços de um país, provocando rejeição crescente da moeda nacional. [Segundo uma definição convencional, há hiperinflação quando a inflação mensal ultrapassa 50%.]

hiperinose [De *hiper-* + *-in(o)-*¹ + *-ose*¹.] **S. f.** *Patol.* Hiperinosemia.

hiperinosemia [De *hiperinose* + *-emia*.] **S. f.** *Patol.* Excesso de fibrina no sangue; hiperinose.

➔**hiperlink** [Do ingl. *hyperlink*] **S. m.** *Inform.* V. *link*.

hiperlipemia [De *hiper-* + *-lip(o)-* + *-emia*.] **S. f.** *Med.* Variedade de hiperlipidemia que se refere, essencialmente, a aumento de triglicerídeos.

hiperlipidemia [De *hiper-* + *lipidemia*.] **S. f.** *Med.* Aumento do teor total de lipídios contidos no sangue.

hipermagnesemia [De *hiper-* + *magnésio* + *-emia*.] **S. f.** *Med.* Magnesemia acima da normal.

hipermastia [De *hiper-* + *-mast(o)-* + *-ia*¹.] **S. f.** *Med.* Hipertrofia de glândula mamária.

hipermastigino [De *hiper-* + *-mastig(o)-* + *-ino*³; tax. *Hypermastigina*.] *Zool.* **S. m.** **1.** Espécime dos hipermastiginos, ordem de protozoários zoomastiginos, de corpo com estrutura complexa, com numerosos flagelos e corpos parabasais. Vivem no intestino dos cupins e das baratas, digerindo a celulose que ali se encontra. ● **Adj.** **2.** Pertencente ou relativo a eles.

hipermenorreia (éi) [De *hiper-* + *menorreia*.] **S. f.** *Gin.* Menstruação excessiva. ❖

hipermercado [De *hiper-* + *mercado*.] **S. m.** Supermercado de grandes proporções, onde, além das mercadorias comuns, se vendem eletrodomésticos, móveis, carros, etc.

hipermetamorfose [De *hiper-* + *metamorfose*.] **S. f.** *Zool.* Tipo de desenvolvimento observado em certos insetos, ger. parasitos, em que ocorrem várias diapausas seguidas de transformações.

hipermetria [Do gr. *hypérmetros, os, on*, 'que ultrapassa a medida de um verso', + *-ia*¹.] **S. f.** *Arte Poét.* Separação de elementos duma palavra composta, ou do verbo em relação ao pronome enclítico, ficando parte no fim de um verso e parte no começo do verso seguinte: 📖 "Ó anjos, dai- / Lhe a gentileza da mãe, / A inteligência do pai." (Manuel Bandeira, *Estrela da Vida Inteira*, p. 297.)

hipermétrico [De *hipermetria* + *-ico*².] **Adj.** Em que há hipermetria.

hipermetrope [Do gr. *hypérmetros*, 'que ultrapassa a medida', 'excessivo', + *-ope*.] **Adj. 2 g.** **S. 2 g.** Que, ou quem sofre de hipermetropia; hiperope.

hipermetropia [Do gr. *hypérmetros*, 'que ultrapassa a medida', 'excessivo', + *-opia*.] **S. f.** *Oftalm.* Vício de refração em que os raios luminosos que entram no olho paralelamente ao eixo óptico são levados a um foco além da retina, dado o encurtamento anteroposterior do globo ocular; hiperopia. [Cf. *miopia* (1).]

hipermídia [De *hiper-* (< *hipertexto*) + *mídia*; ingl. *hypermedia*.] **S. f.** *Inform.* Conjunto de informações apresentadas na forma de textos, gráficos, sons, vídeos e outros tipos de dados, e organizadas segundo o modelo associativo e de remissões, próprio do hipertexto. [Cf. *multimídia*.]

hipermiopia [De *hiper-* + *miopia*.] **S. f.** *Oftalm.* Miopia muito pronunciada.

hipermiópico [De *hipermiopia* + *-ico*².] **Adj.** *Med.* Relativo à hipermiopia.

hipermnesia [De *hiper-* + *-mnesia*.] **S. f.** *Psiq. Neur.* Hipermnésia (q. v.).

hipermnésia [Var. de *hipermnesia*.] **S. f.** *Psiq. Neur.* Exagero da capacidade de evocação das lembranças.

hipernatremia [De *hiper-* + *natremia*.] **S. f.** *Med.* Natremia acima da normal.

hipernatriuria [De *hiper-* + *nátrio* + *-uria*.] **S. f.** *Med.* V. *hipernatriúria*.

hipernatriúria [De *hiper-* + *nátrio* + *-úria*.] **S. f.** *Med.* Teor excessivo de sódio na urina. [F. paral.: *hipernatriuria*.]

hipernúcleo [De *hiper*, f. red. de *híperon* (q. v.), + *núcleo*.] **S. m.** *Fís. Nucl.* Núcleo que contém um híperon em lugar de um núcleon.

hiperoarte [Adapt. do tax. *Hyperoartii*.] **S. m.** **Adj. 2 g.** *Zool. Desus.* V. *petromizonte*.

hiperodonte (ì) [Do gr. *hyperôios*, ou *hyperôos*, 'situado no andar superior'; 'andar superior', + *-odonte*; tax. *Hyperoodon*.] **S. m.** *Zool.* **1.** Gênero de cetáceos zifiídeos de focinho alongado e estreito. **2.** Qualquer espécie desse gênero, como, p. ex., a *Hiperoodon ampullatus*, na qual todas as vértebras cervicais são fundidas. **3.** Qualquer espécime desse gênero.

híperon [De *hiper-* + *-on*.] **S. m.** *Fís. Part.* Denominação genérica de bárions instáveis mais pesados que o próton, e que contêm pelo menos um *quark* estranho. São híperons as partículas *lambda*, *sigma*, *csi* e *ômega-menos*.

hiperonímia [De *hiperônimo* + *-ia*².] **S. f.** *E. Ling.* Entre vocábulos de uma língua, relação que se estabelece com base na menor especificidade do significado de um deles. [P. ex.: *móvel* está numa relação de hiperonímia com *mesa*.] [Cf. *hiponímia*.]

hiperonímico [De *hiperonímia* + *-ico*².] **Adj.** *E. Ling.* Relativo à hiperonímia.

hiperónimo **S. m.** *E. Ling.* V. *hiperônimo*. [Uso freq. em P.]

hiperônimo [De *hiper-* + *-ônimo*.] **S. m.** *E. Ling.* Numa relação de hiperonímia, o termo cujo significado é mais genérico. [Cf. *hipônimo*.]

hiperope [De *hiper-* + *-ope*.] **Adj. 2 g.** **S. 2 g.** Hipermetrope.

hiperopia (ìp) [De *hiper-* + *-opia*.] **S. f.** *Oftalm.* Hipermetropia.

hiperorexia (ìp...cs) [De *hiper-* + *-orex-* + *-ia*¹.] **S. f.** *Med.* Apetite excessivo. [Cf. *bulimia*.]

hiperosmia [De *hiper-* + *-osm(o)-*¹ + *-ia*¹.] **S. f.** *Med.* Estado de excitação anormal do olfato.

hiperósmico [De *hiperosmia* + *-ico*².] **Adj.** *Med.* Relativo a, ou que tem hiperosmia.

hiperosteose [De *hiper-* + *-oste(o)-* + *-ose*¹.] **S. f.** *Med.* Hipertrofia óssea.

hiperpepsia [De *hiper-* + *pepsia*.] **S. f.** *Med.* Perturbação digestiva consequente a hipercloridria.

hiperpéptico **Adj.** **1.** Relativo a hiperpepsia, ou que dela sofre. ● **S. m.** **2.** Indivíduo hiperpéptico.

hiperpiese [De *hiper-* + *-piese*.] **S. f.** *Med.* **1.** Pressão anormalmente alta. **2.** *P. ext.* Hipertensão arterial.

hiperpiético [De *hiperpi(ese)* + *-ético*.] **Adj.** *Med.* Caracterizado por hiperpiese, ou que a tem.

hiperpigmentado [De *hiper-* + *pigmentado*.] **Adj.** Que tem excesso de pigmentação.

hiperplano [De *hiper-* + *plano* (v. *plano coordenado*).] **S. m.** *Mat.* Num espaço euclidiano a mais de três dimensões, o lugar geométrico dos pontos que obedecem a uma equação linear das coordenadas cartesianas.

hiperplasia [De *hiper-* + *-plas(i)-* + *-ia*¹.] **S. f.** *Patol.* Crescimento exagerado de um órgão por proliferação exagerada das células; hipertrofia numérica.

hiperpneia (éi) [De *hiper-* + *-pneia*.] **S. f.** *Med.* Aumento da frequência e da profundidade dos movimentos respiratórios. ❖

hiperpredador (ô) [De *hiper-* + *predador*.] **S. m.** Predador que ataca outro.

hiperprosexia (cs) [De *hiper-* + o gr. *prósexis, eos*, 'atenção', + *-ia*¹.] **S. f.** *Psiq.* Excesso ou exagero de atenção.

hiper-rancoroso (ô) [De *hiper-* + *rancoroso*.] **Adj.** Excessivamente rancoroso. [Pl.: *hiper-rancorosos* (ó).]

hiper-realismo [De *hiper-* + *realismo*.] **S. m.** *Art. Plást.* Arte pictórica cuja proposta é apresentar o real em *trompe-l'oeil*, tal como é registrado numa fotografia; nela, o tema é menos relevante do que a verossimilhança e a fidelidade com que é representado.

hiper-realista [De *hiper-* + *realista*.] **Adj. 2 g.** **1.** Relativo ao, ou próprio do hiper-realismo. **2.** Que é adepto ou seguidor do hiper-realismo. ● **S. 2 g.** **3.** Adepto ou seguidor do hiper-realismo. [Pl.: *hiper-realistas*.]

hiper-requintado [De *hiper-* + *requintado*.] **Adj.** Requintado ao extremo. [Pl.: *hiper-requintados*.]

hiper-rugoso (ô) [De *hiper-* + *rugoso*.] **Adj.** Rugoso em excesso. [Pl.: *hiper-rugosos* (ó).]

hipersalino [De *hiper-* + *salino*.] **Adj.** Intensamente salino.

hipersalivação [De *hiper-* + *salivação*.] **S. f.** *Med.* Distúrbio na produção de saliva e que se caracteriza pelo excesso de secreção salivar.

hipersarcose [De *hiper-* + *-sarc(o)-* + *-ose*¹.] **S. f.** *Patol.* *Impr.* V. *sarcose*.

hipersecreção [De *hiper-* + *secreção*.] **S. f.** Secreção excessiva.

hipersecretor (ô) [De *hiper-* + *secretor*.] **Adj.** Que tem ou provoca hipersecreção.

H

hipersemia [De *hiper-* + *-sem(a)-* + *-ia*[1].] *S. f.* Exageração de sinais, na linguagem mímica.

hipersémico *Adj.* V. *hipersêmico*. [Uso freq. em P.]

hipersêmico [De *hipersemia* + *-ico*[2].] *Adj.* Relativo à hipersemia.

hipersensibilidade [De *hipersensível* + *-(i)dade*, seg. o padrão erudito.] *S. f.* **1.** Qualidade ou estado de hipersensível. **2.** *Imun.* Reação anormalmente intensa a um agente estranho ao organismo. **3.** *Med.* Sensibilidade anormalmente aumentada a qualquer tipo de estímulo. ◆ **Hipersensibilidade cutânea basófila.** *Imun.* Reação de Janes-Mote (q. v.). **Hipersensibilidade imediata.** *Imun.* Reação imunológica exagerada a substância estranha ao organismo, e que ocorre dentro de minutos, sendo mediada por linfócitos T. **Hipersensibilidade tardia.** *Imun.* Reação imunológica exagerada a substância estranha ao organismo, e que ocorre ao cabo de horas, sendo mediada por linfócitos T.

hipersensível [De *hiper-* + *sensível*.] *Adj. 2 g.* Extremamente sensível; supersensível.

hipersexualismo (cs) [De *hiper-* + *sexualismo*.] *S. m. Med.* Tendência exagerada para as práticas sexuais. [Cf. *afrodisia, ninfomania* e *satiríase*.]

hipersialia [De *hiper-* + *-sial(o)-* + *-ia*[1].] *S. f. Med.* Excesso de secreção salivar.

hipersistolia [De *hiper-* + *sístole* + *-ia*[1].] *S. f. Card.* Sístole excessiva.

hipersistólico [De *hipersistolia* + *-ico*[2].] *Adj.* Referente à hipersistolia.

hipersónico *Adj.* V. *hipersônico*. [Uso freq. em P.]

hipersônico [De *hiper-* + *sônico*.] *Adj.* ~ V. *velocidade —a.*

hipersonoridade [De *hiper-* + *sonoridade*.] *S. f.* Sonoridade excessiva.

hipersténio *S. m. Min.* V. *hiperstênio* [Uso freq. em P.]

hiperstênio [De *hiper-* + *-sten(o)-* + *-io*[3].] *S. m. Min.* Mineral ortorrômbico do grupo dos piroxênios, silicato de ferro e magnésio.

hiperstílico [De *hiper-* + *-stil(o)-*[1] + *-ico*[2].] *Adj. Bot.* Que se insere por cima do estilete.

hiperstómico *Adj. Bot.* V. *hiperstômico*. [Uso freq. em P.]

hiperstômico [De *hiper-* + *-stom(o)-* + *-ico*[2].] *Adj. Bot.* Que se insere por cima do orifício do cálice.

hipertelia[1] [De *hiper-* + *-tel(e)-* + *-ia*[1].] *S. f. Ter.* Presença de mamilo(s) em número acima do normal.

hipertelia[2] [De *hiper-* + *-tel(e)(o)-* + *-ia*[1].] *S. f. Zool.* Extremo grau de coloração, ou ornamentação, que não se explica em termos de utilidade.

hipertélico[1] [De *hipertelia*[1] + *-ico*[2].] *Adj. Med.* Relativo a hipertelia[1] ou que a apresenta.

hipertélico[2] [De *hipertelia*[2] + *-ico*[2].] *Adj. Zool.* Relativo a hipertelia[2].

hipertelorismo [Adapt. do ingl. *hypertelorism*.] *S. m. Patol.* Afastamento excessivo entre órgãos pares, como, por ex., entre os olhos.

hipertensão [De *hiper-* + *tensão*.] *S. f. Med.* Elevação, acima do normal, da pressão arterial, no interior de um órgão ou de um sistema. [Antôn.: *hipotensão*. Cf. *normotensão*.] ◆ **Hipertensão arterial.** *Med.* Elevação, acima do normal, da pressão sanguínea dentro de rede arterial. **Hipertensão intracraniana.** *Neur.* Elevação, acima do normal, da pressão exercida pelo líquido cefalorraquiano. **Hipertensão pulmonar.** *Med.* Elevação, acima do normal, da pressão sanguínea na pequena circulação. **Hipertensão renal.** *Med.* Hipertensão arterial que tem origem renal. **Hipertensão venosa.** *Med.* Elevação, acima do normal, da pressão sanguínea dentro da rede venosa.

hipertenso [Voc. deduz. de *hipertensão*.] *Adj. S. m.* Que, ou aquele que tem algum tipo de hipertensão. [Opõe-se a *hipotenso*. Cf. *normotenso*.]

hipertensor (ô) [De *hiper-* + *tensor*.] *Adj. S. m.* Diz-se de, ou agente capaz de causar algum tipo de hipertensão. [Opõe-se a *hipotensor*.]

hipertermia [De *hiper-* + *-term(o)-* + *-ia*[1].] *S. f. Med.* Elevação da temperatura corporal acima do limite da normalidade (37°C). [Opõe-se a *hipotermia* (1).]

hipertérmico [De *hipertermia* + *-ico*[2].] *Adj.* Relativo a hipertermia.

hipértese [Do gr. *hypérthesis*.] *S. f. E. Ling.* V. *metátese* (1).

hipertexto (ês) [De *hiper-* + *texto*; do ingl. *hypertext*.] *S. m.* **1.** Forma de apresentação ou organização de informações escritas, em que blocos de texto estão articulados por remissões, de modo que, em lugar de seguir um encadeamento linear e único, o leitor pode formar diversas sequências associativas, conforme seu interesse. **2.** Conjunto de textos estruturados ou organizados dessa forma, e ger. implementado em meio eletrônico computadorizado, no qual as remissões correspondem a comandos que permitem ao leitor passar diretamente aos elementos associados.

hipertextual (ês) [De *hipertexto* + *-ual*.] *Adj. 2 g.* Relativo ou pertencente a hipertexto.

hipertimia [De *hiper-* + *-tim(o)-* + *-ia*[1].] *S. f. Psiq.* Emotividade excessiva, representa o afeto dos estados maníacos (de exaltação do humor).

hipertímico [De *hipertimia* + *-ico*[2].] *Adj. S. m.* Que, ou quem apresenta hipertimia.

hipertireóideo [De *hiper-* + *-tireoid(e)-* + *-eo*.] *Endocr. Adj.* **1.** Relativo a hipertireoidismo. ● *S. m.* **2.** Aquele que sofre de hipertireoidismo.

hipertireoidismo [De *hiper-* + *-tireoid(e)-* + *-ismo*.] *S. m. Endocr.* Conjunto de sinais e sintomas decorrentes do excesso de hormônios da glândula tireóidea, e que pode ocorrer por excesso de funcionamento desta, ou por ingestão de hormônios tireoideos.

hipertiro [Do lat. *hiperthyriu*.] *S. m. Arquit.* Elemento formado por um friso e uma cornija, que se sobrepõe a um lintel.

hipertonia [De *hiper-* + *tono* + *-ia*[1].] *S. f. Fisiol.* Aumento de tono.

hipertónico *Adj. Fisiol.* V. *hipertônico*. [Uso freq. em P.]

hipertônico [De *hipertonia* + *-ico*[2].] *Adj. Fisiol.* Relativo a hipertonia.

hipertragulídeo [Adapt. do tax. *Hypertragulidae*.] *Paleont. S. m.* **1.** Espécime dos hipertragulídeos, família de ruminantes primitivos, artiodáctilos, da qual se conhecem poucos representantes, que habitaram o final do eoceno, e o oligoceno da Eurásia; no entanto, a família, como um todo, surgiu no oligoceno e no início do mioceno da América do Norte. ● *Adj.* **2.** Pertencente ou relativo a eles.

hipertricose [De *hiper-* + *tricose*.] *S. f. Med.* Excesso de pelos, localizado ou generalizado.

hipertrofia [De *hiper-* + *-trofia*.] *S. f.* **1.** *Fisiol. Med.* Aumento de tamanho de órgão, ou de parte de órgão. **2.** *Fig.* Desenvolvimento ou aumento excessivo: "Foi a hipertrofia da intervenção do Estado nas relações sociais, cada dia mais pronunciada, ... que determinou, através das leis, esse alargamento do campo da advocacia." (Neemias Gueiros, *A Advocacia e o Seu Estatuto*, p. 89.) ◆ **Hipertrofia numérica.** Hiperplasia. **Hipertrofia simples.** *Med.* V. *hipertrofia* (1).

hipertrofiar [De *hipertrofia* + *-ar*[2].] *V. t. d.* **1.** Produzir hipertrofia em. *P.* **2.** Desenvolver-se em exagero.

hipertrófico [De *hipertrofia* + *-ico*[2].] *Adj.* Relativo a hipertrofia.

hiperurbanismo [De *hiper-* + *urbano* + *-ismo*.] *S. m. E. Ling.* V. *ultracorreção*.

hiperuricemia [De *hiper-* + *uricemia*.] *S. f. Med.* Quantidade acima da normal de ácido úrico no sangue.

hiperventilação [De *hiper-* + *ventilação*.] *S. f. Med.* Troca gasosa pulmonar maior do que a necessária para o metabolismo normal, decorrente do aumento da frequência respiratória ou do volume ventilativo total, situação que resulta em hipocapnia, caso não seja corrigida.

hipervolemia [De *hiper-* + *volemia*.] *S. f. Patol.* Aumento do volume sanguíneo.

hipervolémico *Adj. Patol.* V. *hipervolêmico*. [Uso freq. em P.]

hipervolêmico [De *hipervolemia* + *-ico*[2].] *Adj. Patol.* Relativo a hipervolemia.

hipestesia [De *hip(o)-*[1] + *-estes(i)-* + *-ia*[1].] *S. f. Med.* V. *hipoestesia*.

➔**hip hop** ['hɪp,hɒp] [Ingl.] *S. m.* Movimento sociocultural contestatório e reinvidicatório, surgido no final da década de 1970 entre a juventude urbana dos E.U.A., e que reúne diversas expressões artísticas: música, dança, pintura [v. *grafite*[2] (2)], etc. [No Brasil, foi adotado, principalmente, pela juventude pobre das periferias das grandes cidades e tem sido importante instrumento na luta contra a discriminação racial e a exclusão social.]

hipiatria [De *hip(o)-*[2] + *-iatria*.] *S. f.* **1.** Especialidade da medicina veterinária que trata dos cavalos. **2.** *P. ext.* Aquilo que diz respeito a cavalos.

hipiátrico [Do gr. *hippiatrikós*.] *Adj.* Relativo a hipiatria, ou a cavalos.

hipiatro [Do gr. *hippiatrós, oû* (ă).] *S. m.* Veterinário (2).

hípico [Do gr. *hippikós*.] *Adj.* Relativo ao hipismo ou a cavalos.

hipídio [Do tax. *Hippidion*.] *S. m. Paleont.* **1.** Gênero de cavalos que habitaram o plistoceno da Argentina e do Brasil; vestígios deles foram encontrados em RS, MG e CE. **2.** Espécie ou espécime desse gênero.

hipidiomórfico [De *hip(o)-*[1] + *idiomórfico*.] *Adj.* ~ V. *textura —a.*

hipinose [De *hip(o)-*[1] + *-in(o)-*[1] + *-ose*[1].] *S. f. Patol.* Hipoinosemia. [Cf. *hipnose*.]

hipinótico [De *hipin(ose)* + *-ótico*.] *Adj.* Relativo à hipinose. [Cf. *hipnótico*.]

hipismo [De *hip(o)-*[2] + *-ismo*.] *S. m.* **1.** O esporte das corridas de cavalos; turfe. **2.** Provas de equitação.

hipista [De *hip(o)-*[2] + *-ista*.] *S. 2 g.* Pessoa dada ao hipismo.

hipnagoge [De *hipn(o)-* + gr. *agogé*, 'ação de transportar'.] *S. f. Psiq.* Indução a sono.

hipnagógico [De *hipn(o)-* + *-agog(o)-* + *-ico*[2].] *Adj.* **1.** Diz-se das alucinações e visões que se têm ao cair no sono. ~ V. *alucinação —a.* ● *S. m.* **2.** V. *hipnótico* (3).

hipnagogismo [De *hipn(o)-* + *-agog(o)-* + *-ismo*.] *S. m. Psiq.* Processo de indução ao sono.

hipnal [De *hipn(o)-* + *-al*[1].] *Adj. 2 g.* **1.** Relativo ao sono. ● *S. m.* **2.** Qualquer poção que provoque o sono.

hipnalgia [De *hipn(o)-* + *-alg(o)-*[2] + *-ia*[1].] *S. f. Neur.* Dor que se manifesta durante o sono.

hipniatria [De *hipn(o)-* + *-iatria*.] *S. f.* O suposto método de cura prescrito por hipniatro.

hipniátrico [De *hipniatria* + *-ico*[2].] *Adj.* Relativo à hipniatria.

hipniatro [De *hipn(o)-* + *-iatro*.] *S. m.* Indivíduo que em estado hipnótico prescreve tratamento para a cura de doenças.

▲**hipn(o)-** [Do gr. *hýpnos, ou*.] *El. comp.* = 'sono': *hipnofobia, hipnose*. [Equiv.: *-(h)ipn(o)-*: *anipnia*.]

▲**-(h)ipn(o)-** Equiv. de *hipn(o)-*.

hipnoanálise [De *hipn(o)-* + *análise*[2].] *S. f. Psiq.* Método psicanalítico em que se hipnotiza o paciente para obter informações analíticas, livre associação e reações emocionais da infância.

hipnoanalítico [De *hipnoanál(ise)* + *-ítico*.] *Adj.* Relativo a hipnoanálise.

hipnóbata [De *hipn(o)-* + *-bata*[1].] *Adj. 2 g. S. 2 g.* Diz-se de, ou aquele que caminha e age dormindo. [Cf. *sonâmbulo*.]

hipnoblepsia [De *hipn(o)-* + *-bleps-* + *-ia*[1].] *S. f.* Sonambulismo lúcido.

hipnofobia [De *hipn(o)-* + *-fobia*.] *S. f. Psiq.* **1.** Medo de dormir. **2.** Terror ou medo durante o sono.

hipnofóbico [De *hipnofobia* + *-ico*[2].] *Psiq. Adj.* **1.** Relativo a hipnofobia. **2.** Que tem hipnofobia; hipnófobo. ● *S. m.* **3.** Aquele que tem hipnofobia; hipnófobo.

hipnófobo [De *hipn(o)-* + *-fobo*.] *Adj. S. m. Psiq.* Hipnofóbico (2 e 3).

hipnofone [De *hipn(o)-* + *-fone*.] *S. m.* Aquele que fala durante o sono; hipnofono.

hipnofono [De *hipn(o)-* + *-fono*.] *S. m.* V. *hipnofone*.

hipnógeno [De *hipn(o)-* + *-geno*.] *Adj. S. m.* V. *hipnótico* (2 e 3).

hipnografia [De *hipn(o)-* + *-grafia*.] *S. f.* Descrição do sono.

hipnográfico [De *hipnografia* + *-ico*[2].] *Adj.* Referente à hipnografia.

hipnologia [De *hipn(o)-* + *-logia*.] *S. f.* Tratado acerca do sono e seus efeitos.

hipnológico [De *hipnologia* + *-ico*[2].] *Adj.* Relativo à hipnologia.

hipnopedia [De *hipn(o)-* + *-pedia*.] *S. f.* Aprendizado ministrado durante o sono.

hipnopômpico [Do ingl. *hypnopompic*.] *Adj. Psiq.* V. *alucinação —a.*

hipnose [De *hipn(o)-* + *-ose*[1].] *S. f.* **1.** *Psiq.* Estado mental semelhante ao sono, provocado artificialmente, e no qual o indivíduo continua capaz de obedecer às sugestões feitas pelo hipnotizador. **2.** *Fig.* Modorra, sonolência, torpor. [Cf. *hipinose*.]

hipnosia [De *hipnose* + *-ia*[1].] *S. f. Med.* Doença do sono (q. v.).

hipnósporo [De *hipn(o)-* + *-sporo*.] *S. m. Bot.* Esporo que se envolve numa membrana espessa e atravessa um período de repouso, até que as condições ambientes sejam favoráveis à sua germinação.

hipnoterapeuta [De *hipn(o)-* + *terapeuta*.] *S. 2 g.* Profissional que aplica a hipnoterapia.

hipnoterapêutico [De *hipnoterapeuta* + *-ico*[2].] *Adj.* Relativo a hipnoterapeuta, ou a hipnoterapia.

hipnoterapia [De *hipn(o)-* + *-terapia*.] *S. f.* **1.** Tratamento de uma doença por meio do hipnotismo. **2.** Psicoterapia que facilita a sugestão, a reeducação ou a análise por meio da hipnose.

hipnoterápico [De *hipnoterapia* + *-ico*[2].] *Adj.* Relativo a hipnoterapia.

hipnótico [Do gr. *hypnotikós*, poss. pelo fr. *hypnotique*.] *Adj.* **1.** Relativo à hipnose. **2.** Que produz sono; hipnagógico, hipnógeno, sonífero. [Cf. *agripnético*.] ~ V. *sugestão —a* e *transe —*. ● *S. m.* **3.** *Farm.* Substância hipnótica (2); hipnagógico, hipnógeno, sonífero.

hipnotismo [Do ingl. *hypnotism*, pelo fr. *hypnotisme*.] *S. m.* **1.** Conjunto de processos físicos ou psíquicos utilizados para produzir a hipnose. **2.** Ciência que trata dos fenômenos hipnóticos.

hipnotização [De *hipnotizar* + *-ção*.] *S. f.* Ação ou efeito de hipnotizar.

hipnotizado [Part. de *hipnotizar*.] *Adj.* **1.** Que sofreu hipnose. **2.** *Fig.* Magnetizado, encantado.

hipnotizador (ô) [De *hipnotizar* + *-dor*.] *S. m.* Aquele que hipnotiza.

hipnotizar [Do fr. *hypnotiser.*] *V. t. d.* **1.** Fazer cair em hipnose. **2.** *Fig.* Magnetizar, atrair, encantar, fascinar: *Os encantos dela hipnotizaram o jovem. P.* **3.** *Fig.* Concentrar a atenção, as esperanças, em.

hipnotizável [De *hipnotizar* + *-vel.*] *Adj. 2 g.* Que pode ser hipnotizado.

hipnozigoto (ô) [De *hipn(o)-* + *-zigoto.*] *S. m. Bot.* Zigoto que passa por um período de vida latente antes de germinar.

hipo [De *hipo(sulfito de sódio).*] *S. m. Quím.* O hipossulfito de sódio.

▲ **hip(o)-**[1] [Do gr. *hypo-* < gr. *hypó.*] *Pref.* = 'posição inferior'; 'escassez': *hipanto, hipoderme; hipoacusia.* [É seguido de hífen quando anteposto a palavra iniciada por *h* ou *o*: *hipemia/hipoemia/hipo-hemia, hipo-ovarianismo;* é grafado com *r* ou *s* duplicados quando anteposto a palavra iniciada por *r* ou *s*: *hipossinergia, hipossistolia.*] [Em Quím., como antepositivo, indica combinação de (determinado) elemento em sua mais baixa valência: *hipoclorito.*] [Equiv. (exceto em quím.): *-(h)ip(o)-*: *batipestesia.*]

▲ **hip(o)-**[2] [Do gr. *híppos, ou.*] *El. comp.* = 'cavalo'': *hipismo, hipofagia*[2], *hipólito.*

▲ **-(h)ip(o)-** Equiv. de *hip(o)-*[1].

hipoabissal [De *hip(o)-*[1] + *abissal.*] *Adj. 2 g.* Hipabissal.

hipoacidez (ê) [De *hip(o)-*[1] + *acidez.*] *S. f. Med.* Diminuição da acidez normal em um determinado meio.

hipoacusia [De *hip(o)-*[1] + *-acus(i)-* + *-ia*[1].] *S. f. Fonoaud. Otor.* V. *hipacusia.*

hipoacústico [De *hip(o)-*[1] + *-acústico.*] *Adj.* V. *hipacústico.*

hipoalbuminemia [De *hip(o)-*[1] + *albumina* + *-emia.*] *S. f. Patol.* Teor anormalmente baixo de albumina no sangue.

hipoaldosteronismo [De *hip(o)-*[1] + *aldosterona* + *-ismo.*] *S. m. Med.* Diminuição de secreção de aldosterona, caracterizada por hipotensão, desidratação e uma tendência a excretar quantidades excessivas de sódio.

hipoalgesia [De *hip(o)-*[1] + *-alges(i)-* + *-ia*[1].] *S. f. Med.* V. *hipalgesia.*

hipoalgia [De *hip(o)-*[1] + *-alg(o)-*[2] + *-ia*[1].] *S. f. Med.* V. *hipalgia.*

hipobárico [De *hip(o)-*[1] + *-bar(i)-* + *-ico*[2].] *Adj.* **1.** De, relativo a, ou que utiliza uma pressão menor do que a normal. **2.** *Med.* Diz-se de anestésico que tem uma gravidade específica menor do que a do fluido cerebrospinal. [Cf. *hiperbárico.*]

hipobiose [De *hip(o)-*[1] + *-bi(o)-* + *-ose*[1].] *S. f. Biol.* Redução da atividade metabólica, como a que ocorre nos animais em hibernação.

hipoblasto [De *hip(o)-*[1] + *-blasto.*] *S. m. Embr.* Camada do disco embrionário bilaminar, constituída por células cuboides adjacentes à cavidade blastocística.

hipoboscídeo [Do tax. *Hippobosca* (do gr. *híppos*, 'cavalo'', + gr. *boskein*, 'alimentar') + *-ídeo*[1]; tax. *Hippoboscidae.*] *Zool. S. m.* **1.** Espécime dos hipoboscídeos, família de moscas aberrantes, em geral desprovidas de asas, de corpo achatado e cabeça escondida num sulco do tórax; as peças bucais formam uma minúscula probóscide. São ectoparasitos de aves e mamíferos, e não há estágio intermediário entre o de larva e o de pupa, o que configura uma forma de viviparidade. ● *Adj.* **2.** Pertencente ou relativo a eles.

hipobosco [De *hip(o)-*[2] + v. gr. *boskein*, 'alimentar'; tax. *Hippobosca.*] *S. m. Zool.* **1.** Gênero-tipo dos hipoboscídeos (q. v.). **2.** Espécie ou espécime desse gênero.

hipobrânquio [De *hip(o)-*[1] + *brânquio.*] *Adj. Zool.* Que tem as brânquias por baixo do corpo.

hipobromito [De *hipobrom(oso)-* + *-ito*[3].] *S. m. Quím.* **1.** O ânion BrO^-. **2.** Designação de qualquer sal composto de cátion metálico e ânion hipobromito.

hipobromoso (ô) [De *hip(o)-*[1] + *-brom(o)-* + *-oso.*] *Adj. Quím.* ~ V. *ácido —.*

hipobulia [De *hip(o)-*[1] + *-bulia.*] *S. f.* Diminuição da vontade.

hipobúlico [De *hipobulia* + *-ico*[2].] *Adj. S. m.* Que, ou aquele que sofre de hipobulia.

hipocalcemia [De *hip(o)-*[1] + *calcemia.*] *S. f. Bioquím. Med.* Concentração, abaixo da normal, de cálcio no sangue.

hipocalciuria [De *hip(o)-*[1] + *calciuria.*] *S. f. Med.* V. *hipocalciúria.*

hipocalciúria [De *hip(o)-*[1] + *calciúria.*] *S. f. Med.* Concentração, abaixo da normal, de cálcio na urina. [F. paral.: *hipocalciuria.*]

hipocaliemia [De *hip(o)-*[1] + *caliemia.*] *S. f. Med.* Concentração, abaixo da normal, de potássio no sangue.

hipocaliuria [De *hip(o)-*[1] + *caliuria.*] *S. f. Med.* V. *hipocaliúria.*

hipocaliúria [De *hip(o)-*[1] + *caliúria.*] *S. f. Med.* Concentração, abaixo da normal, de potássio na urina. [F. paral.: *hipocaliuria.*]

hipocalórico [De *hip(o)-*[1] + *calórico.*] *Adj.* De baixo teor calórico: *dieta hipocalórica.* [Antôn.: *hipercalórico.*]

hipocampo [Do gr. *hippókampos*, pelo lat. *hippocampu.*] *S. m.* **1.** *Zool.* V. *cavalo-marinho* (1 a 3). **2.** *Mit.* Monstro fabuloso, metade cavalo, metade peixe. **3.** *Anat.* Circunvolução situada na face inferior de lobo temporal do cérebro, de grande importância nos mecanismos da memória.

hipocapnia [De *hip(o)-*[1] + gr. *kapnós*, 'fumaça', 'vapor', + *-ia*[1].] *S. f. Med.* Baixa de tensão de dióxido de carbono no sangue. [Sin., impr.: *acapnia.*]

hipocarpo [De *hip(o)-*[1] + *-carpo.*] *S. m. Bot.* Ápice intumescido do pedículo de um fruto, como o do caju.

hipocastanácea [Do tax. *Hippocastanum* (< gr. *híppos*, 'cavalo', + gr. *kástanon*, 'castanha') + *-ácea*; tax. *Hippocastanaceae.*] *S. f. Bot.* Espécime das hipocastanáceas, família de plantas da ordem das sapindales, que engloba arbustos e árvores de folhas digitadas e flores vistosas, e consta de cerca de 20 espécies, do Velho Mundo.

hipocastanáceo [De *hipocastanácea*, com var. suf. (v. *-áceo*).] *Adj. Bot.* Pertencente ou relativo às hipocastanáceas.

hipocausto [Do gr. *hypókauston*, pelo lat. *hypocaustu.*] *S. m. Ant.* Na antiga Roma, sistema de calefação formado por tubulação situada no piso ou nas paredes de construções ou de aposentos que recebia e distribuía o calor de uma fornalha.

hipocentro [De *hip(o)-*[1] + *centro.*] *S. m. Geol.* Foco sísmico (q. v.).

hipocerca [De *hip(o)-*[1] + *-cerca.*] *S. f. Zool.* Nadadeira caudal em que o lóbulo inferior é maior que o superior.

hipocicloide (ói) [De *hip(o)-*[1] + *cicloide.*] *S. f. Geom.* Curva plana descrita por um ponto fixo de uma circunferência que rola, sem deslizar, sobre outra circunferência fixa no mesmo plano, e internamente a ela. ❖

hipocinesia [De *hip(o)-*[1] + *-cines(i)-* + *-ia*[1].] *S. f. Neur.* Diminuição anormal de função ou atividade motora; diminuição anormal da mobilidade.

hipocloremia [De *hip(o)-*[1] + *-clor(o)-* + *-emia.*] *S. f. Med.* Concentração, abaixo da normal, de cloreto no sangue.

hipoclorina [De *hipoclor(ito)* + *-ina*[1].] *S. f.* Solução de hipoclorito de sódio empregada como antisséptico e germicida.

hipoclorito [De *hipoclor(oso)* + *-ito*[3].] *S. m. Quím.* **1.** O ânion ClO^-. **2.** Designação de qualquer sal composto de cátion metálico e ânion hipoclorito. [O hipoclorito de sódio é o princípio ativo da água sanitária.]

hipocloroso (ô) *Adj. Quím.* ~ V. *ácido —.*

hipocloruria [De *hip(o)-*[1] + *clor(eto)* + *-uria.*] *S. f. Med.* V. *hipoclorúria.*

hipoclorúria [De *hip(o)-*[1] + *clor(eto)* + *-úria.*] *S. f. Med.* Concentração, abaixo da normal, de cloreto na urina. [F. paral.: *hipocloruria.*]

hipocofose [De *hip(o)-*[1] + *cofose.*] *S. f. Otor.* Surdez incompleta.

hipocondria [Do lat. cient. *hypochondria* < lat. tard. *hypochondria.*] *S. f.* **1.** *Psiq.* Afecção mental em que há preocupação somática excessiva com o próprio estado de saúde: o doente, por efeito de sua atenção mórbida aos detalhes do funcionamento orgânico, julga-se preso a doenças inexistentes e passa a procurar, permanentemente, tratamentos que, além de descabidos, são muitas vezes perigosos (medicações, intervenções cirúrgicas, etc.). [Sin., desus.: *nosomania.*] **2.** Tristeza profunda; melancolia: 📖 "Era um acesso de hipocondria, uma invasão de tristeza negra, biliosa" (Camilo Castelo Branco, *Serões de São Miguel de Ceide*, I, p. 35).

hipocondríaco [Do gr. *hypochondriakós.*] *Adj.* **1.** Relativo a, ou que tem hipocondria. ● *S. m.* **2.** Aquele que sofre de hipocondria.

hipocôndrio [Do gr. *hypochóndrion*, pelo lat. *hypochondriu.*] *S. m. Anat.* Cada uma de duas regiões abdominais superiores e laterais, direita e esquerda.

hipocorístico [Do gr. *hypokoristikón*, 'diminutivo'.] *Adj. S. m.* Diz-se de, ou vocábulo familiar carinhoso: *Bibi, Didi, Lulu, Vavá, Zezé, Zezinho*; 📖 "Sei de uma família onde há três *Lúcias*, mãe, filha e neta: a filha tem o hipocorístico *Lulu*, a neta o diminutivo *Lucita*." (Leite de Vasconcelos, *Antroponímia Portuguesa*, p. 491).

hipocotilar [De *hipocótilo* + *-ar*[1].] *Adj. 2 g.* Relativo ao hipocótilo.

hipocótilo [De *hip(o)-*[1] + *-cótilo.*] *S. m. Bot.* Parte do eixo do embrião ou da plântula germinante que se acha abaixo da inserção dos cotilédones. [Sin., desus.: *caulículo.*]

hipocrateácea [Do tax. *Hippocrastanum* (do antr. *Hipócrates*, v. *hipocrático*) + *-ácea*; tax. *Hippocrateaceae.*] *S. f. Bot.* Espécime das hipocrateáceas, família de vegetais floríferos, da ordem das sapindales, composta de arbustos e cipós com folhas alternas, flores pouco aparentes, androceu de três estames, ovário multiovulado, e fruto magno, piriforme ou alado. É essencialmente tropical, representada no Brasil, entre outras, pelo abacate-do-mato (*Salacia braquypoda*), cujas sementes, amargas, têm propriedades estomáquicas.

hipocrateáceo [De *hipocrateácea*, com var. suf. (v. *-áceo*).] *Adj. Bot.* Pertencente ou relativo às hipocrateáceas.

hipocrático [Do lat. tard. *hippocraticu.*] *Adj.* **1.** Pertencente ou relativo a Hipócrates (460-377 a. C.), célebre médico da Grécia antiga, ou próprio dele ou de sua doutrina. **2.** Que é partidário da doutrina de Hipócrates. ~ V. *dedo —, face —a* e *juramento —.* ● *S. m.* **3.** Aquele que é hipocrático (2).

hipocraz [Do fr. *hypocras* (alter. de *Hippocrate*, 'Hipócrates', a quem se atribuía sua invenção).] *S. m.* Infusão de canela, açúcar, etc., em vinho.

hipocrénico *Adj.* V. *hipocrênico.* [Uso freq. em P.]

hipocrênico [Do top. *Hipocrene* (< gr. *Hippokréne*, der. de *híppoukréne*, 'fonte do cavalo', pelo lat. *Hippocrene*) + *-ico*[2].] *Adj.* De, pertencente ou relativo a Hipocrene, fonte do monte Hélicon (Beócia, Grécia), consagrada às musas.

hipocrisia [Do gr. *hypokrisía.*] *S. f.* **1.** Afetação duma virtude, dum sentimento louvável que não se tem. **2.** Impostura, fingimento, simulação, falsidade. **3.** Falsa devoção.

hipócrita [Do gr. *hypokrités*, 'ator', pelo lat. *hypocrita.*] *Adj. 2 g.* **1.** Que tem, ou em que há hipocrisia: *moço hipócrita; sorriso hipócrita.* ● *S. 2 g.* **2.** Pessoa hipócrita.

hipocromia [De *hip(o)-*[1] + *-crom(o)-* + *-ia*[1].] *S. f.* **1.** Deficiência de cor ou pigmentação. **2.** *Med.* Deficiência da hemoglobina nas hemácias.

hipocrómico *Adj.* V. *hipocrômico.* [Uso freq. em P.]

hipocrômico [De *hip(o)-*[1] + *-crom(o)-* + *-ico*[2].] *Adj.* Que apresenta hipocromia. ~ V. *efeito —.*

hipodáctilo [De *hip(o)-*[1] + *-dá(c)tilo.*] *S. m. Zool.* A parte inferior dos dedos das aves. [Var.: *hipodátilo.*]

hipodátilo *S. m. Zool.* V. *hipodáctilo.*

hipoderma [De *hip(o)-*[1] + *-derma.*] *S. f. Zool.* Gênero de insetos dípteros, cosmopolitas, cuja larva é o berne[1] (q. v.).

hipoderme [De *hip(o)-*[1] + *-derme.*] *S. f.* **1.** *Histol.* V. *tela subcutânea.* **2.** *Bot.* Camada celular subepidérmica e nitidamente distinta do parênquima cortical subjacente.

hipodérmico [De *hipoderme* + *-ico*[2].] *Adj.* **1.** Que está por baixo da pele. **2.** Que se dá ou aplica por baixo da pele: *injeção hipodérmica.* **3.** Relativo à tela subcutânea. ~ V. *seringa —a.*

hipodesenvolvimento [De *hip(o)-*[1] + *desenvolvimento.*] *S. m.* Desenvolvimento insuficiente. [Opõe-se a *hiperdesenvolvimento.* Cf. *subdesenvolvimento.*]

hipodigma [Do gr. *hypódeigma*, 'modelo', 'exemplo'.] *S. m. Zool.* Modelo que um taxinomista cria, a partir de características de vários indivíduos de uma espécie, para descrevê-la e classificá-la: 📖 "O herói [Macunaíma] é o que se chama, em Zoologia, um hipodigma. Não tem existência real. É um tipo imaginário no qual estão contidos todos os caracteres encontrados nos indivíduos da espécie" (M. Cavalcanti Proença, *Roteiro de Macunaíma*, p. 15).

hipodromia [Do gr. *hippodromía.*] *S. f.* **1.** Corrida de cavalos ou de carros. **2.** Arte de correr a cavalo.

hipodrómico *Adj.* V. *hipodrômico.* [Uso freq. em P.]

hipodrômico [De *hipodromia* + *-ico*[2].] *Adj.* Relativo à hipodromia.

hipódromo [Do gr. *hippódromos*, pelo lat. imp. *hippodromu.*] *S. m.* Local onde se realizam corridas de cavalos; prado.

hipoecoico (ói) [De *hip(o)-*[1] + *-ecoico.*] *Adj. Radiol.* Em órgão(s) ou em estrutura(s) [v. *estrutura* (12)], diz-se de área(s) que reflete(m) fracamente as ondas que a ela(s) são dirigidas, em exame ultrassonográfico. ❖

hipoema *S. m. Oftalm.* V. *hifema.*

hipoemia [De *hip(o)-*[1] + *-emia.*] *S. f. Patol.* V. *hifemia.*

hipoepatia [De *hip(o)-*[1] + *-(h)epat(o)-* + *-ia*[1].] *S. f.* Insuficiência hepática.

hipoestesia [De *hip(o)-*[1] + *-estes(i)-* + *-ia*[1].] *S. f. Med.* Diminuição de sensibilidade. [Var.: *hipestesia.*]

hipofagia[1] [De *hip(o)-*[1] + *-fag(o)-* + *-ia*[1].] *S. f. Med.* Ingestão de quantidade insuficiente de alimentos.

hipofagia[2] [De *hip(o)-*[2] + *-fag(o)-* + *-ia*[1].] *S. f.* Ato ou hábito de alimentar-se com carne de cavalo.

hipofágico[1] [De *hipofagia*[1] + *-ico*[2].] *Adj. Med.* Relativo à hipofagia[1].

hipofágico[2] [De *hipofagia*[2] + *-ico*[2].] *Adj.* Relativo à hipofagia[2].

hipófago [De *hip(o)-*[2] + *-fago.*] *Adj. S. m.* Que, ou aquele que pratica a hipofagia[2].

H

hipofalangismo [De *hip(o)-*^{1} + *falange* + *-ismo*.] *S. m. Med.* Má-formação em que o número de falanges dos dedos das mãos ou dos pés é menor do que o normal.

hipófase [Do gr. *hypóphasis*.] *S. f. Med.* Estado em que, de ambos os lados da face, as pálpebras estão muito pouco afastadas uma da outra, de modo que apenas parte de esclera é vista.

hipofisário [De *hipófise* + *-ário*.] *Adj.* Relativo a hipófise.

hipófise [Do gr. *hypóphisis*.] *S. f. Anat.* Glândula de secreção interna, situada sob a face inferior do cérebro, e que é constituída por uma parte posterior, a neuroipófise, ligada ao hipotálamo, e por uma parte anterior, a adenoipófise ou ante-hipófise. [A hipófise exerce funções importantíssimas, inclusive reguladoras das atividades de outras glândulas endócrinas, como a glândula tireóidea, a suprarrenal, etc.]

hipofleódico [De *hip(o)-*^{1} + gr. *phloiódes*, 'semelhante ao córtex', + *-ico*^{2}.] *Adj. Bot.* Diz-se do líquen que habita sob a casca das árvores.

hipófora [Do gr. *hypophorá*, pelo lat. *hypophora*.] *S. f. Patol.* Úlcera profunda e fistulosa.

hipofosfato [De *hip(o)-*^{1} + *fosfato*.] *S. m. Quím.* Qualquer sal, ou éster do ácido hipofosfórico.

hipofosfito [De *hipof(osforoso)* + *-ito*^{3}.] *S. m. Quím.* Qualquer sal, ou éster do ácido hipofosforoso.

hipofosfórico [De *hip(o)-*^{1} + *fosfórico*.] *Adj. Quím.* ~ V. *ácido* —.

hipofosforoso (ô) [De *hip(o)-*^{1} + *fosforoso*.] *Adj. Quím.* ~ V. *ácido* —.

hipoftalmídeo [Do tax. *Hypophtalmus* (v. *hip(o)-*^{1} e *oftalm(o)-*) + *-ídeo*^{1}.] *Zool. S. m.* **1.** Espécime dos hipoftalmídeos, família de peixes actinopterígios, de água doce, comuns nos rios da Amazônia, com olhos pequenos situados sobre a articulação mandibular. Ex.: o mapará. ● *Adj.* **2.** Pertencente ou relativo a eles.

hipogamia [De *hip(o)-*^{1} + *-gam(o)-* + *-ia*^{1}.] *S. f.* **1.** Casamento com indivíduo de *status* social, econômico ou religioso mais baixo. **2.** *Antrop.* O costume ou a prática socialmente regulamentada, que determina que a mulher se case com um homem de posição social mais baixa, ger. membro de um grupo inferior ao dela, na hierarquia social. [Opõe-se a *hipergamia*; cf. *anisogamia* (1 e 2) e *isogamia* (1 e 2).]

hipogâmico [De *hip(o)-*^{1} + *-gam(o)-* + *-ico*^{2}.] *Adj.* **1.** Relativo à hipogamia, ou caracterizado por ela. **2.** Diz-se daquele que casa com alguém de posição social inferior à sua. ● *S. m.* **3.** Indivíduo hipogâmico.

hipogástrico [De *hipogástrio* + *-ico*^{2}.] *Adj.* Relativo ou pertencente ao hipogástrio. ~ V. *região* —*a*.

hipogástrio [Do gr. *hypogástrion*.] *S. m. Anat.* Região ímpar, central e inferior do abdome; região hipogástrica.

hipogenitalismo [De *hip(o)-*^{1} + *genital* + *-ismo*.] *S. m. Med.* Hipogonadismo.

hipogeu [Do gr. *hypogeîon*, pelo lat. *hypogeu*.] *S. m.* Escavação subterrânea onde os antigos enterravam os seus mortos.

hipogeusia [De *hip(o)-*^{1} + *(para)geusia*.] *S. f. Med.* Forma de parageusia em que há hipossensibilidade do sentido do paladar.

hipoginia [De *hipógino* + *-ia*^{1}.] *S. f. Bot.* Condição de flor ou peça floral hipógina.

hipógino [De *hip(o)-*^{1} + *-gino*.] *Adj. Bot.* Diz-se da flor ou da peça floral que se insere debaixo do ovário (2). [Opõe-se a *epígino*.]

hipoglicemia [De *hip(o)-*^{1} + *glicemia*.] *S. f. Med.* Concentração, abaixo da normal, de glicose no sangue.

hipoglicemiante [De **hipoglicemiar* (< *hipoglicemia* + *-ar*^{2}) + *-nte*.] *Adj. 2 g. S. m. Med.* Diz-se de, ou droga ou substância que tem a propriedade de reduzir a concentração de glicose no sangue e pode ser usada como antidiabético.

hipoglicémico *Adj.* V. *hipoglicêmico*. [Uso freq. em P.]

hipoglicêmico [De *hipoglicemia* + *-ico*^{2}.] *Adj.* Relativo à hipoglicemia.

hipoglosso [De *hip(o)-*^{1} + *-glosso*.] *Anat. Adj.* **1.** Situado sob a língua. ~ V. *nervo* —. ● *S. m.* **2.** Nervo hipoglosso.

hipógnata [De *hip(o)-*^{1} + *-gnata*.] *Adj. 2 g. S. 2 g. Zool.* V. *hipógnato*.

hipognatia [De *hipógnato* + *-ia*^{1}.] *S. f. Zool.* Condição de ave hipógnata.

hipognático [De *hipógnato* + *-ico*^{2}.] *Adj. Zool.* Relativo a hipognatia, ou a hipógnato.

hipógnato [De *hip(o)-*^{1} + *-gnato*.] *Adj. S. m. Zool.* Diz-se de, ou ave que tem a parte inferior do bico projetada em relação à superior; hipógnata.

hipogonadismo [De *hip(o)-*^{1} + *gônade* + *-ismo*.] *S. m. Med.* Condição decorrente de atividade funcional deficiente das gônadas, e da qual decorrem retardamento do crescimento e do desenvolvimento sexual; hipogenitalismo.

hipogrifo [De *hip(o)-*^{2} + *grifo*; fr. *hippogriffe* e it. *ippogrifo*.] *S. m.* Animal fabuloso, monstro alado, metade cavalo, metade grifo: 📖 "Da brenha louca saíram então a correr .... mastins vários de todas as cores e feitios, e, de mistura, hipogrifos, licornes, dragões alados" (Aquilino Ribeiro, *Estrada de Santiago*, pp. 312-313).

hipoinose (o-i) [De *hip(o)-*^{1} + *-in(o)-*^{1} + *-ose*^{1}.] *S. f. Med.* Hipoinosemia.

hipoinosemia (o-i) [De *hipoinose* + *-emia*.] *S. f. Patol.* Conteúdo anormalmente baixo de fibrina no sangue; hipinose, hipoinose.

hipolímnion [De *hip(o)-*^{1} + gr. *limníon*, 'laguinho'.] *S. m. Ecol.* A parte mais interna, mais fria de um lago.

hipolitano *Adj.* **1.** De, ou pertencente ou relativo a Monsenhor Hipólito (PI). ● *S. m.* **2.** O natural ou habitante de Monsenhor Hipólito.

hipolítico [De *hip(o)-*^{1} + *-lit(o)-* + *-ico*^{2}.] *Adj.* Relativo a hipólito.

hipólito [De *hip(o)-*^{2} + *-lito*.] *S. m.* Pedra amarela que se encontra nos intestinos do cavalo, da qual se fazia uso na antiga farmacopeia.

hipologia [De *hip(o)-*^{2} + *-logia*.] *S. f.* Tratado ou estudo acerca do cavalo.

hipológico [De *hipologia* + *-ico*^{2}.] *Adj.* Referente à hipologia.

hipólogo [De *hip(o)-*^{2} + *-logo*.] *S. m.* Especialista em hipologia.

hipomagnesemia [De *hip(o)-*^{1} + *magnesemia*.] *S. f. Med.* Concentração, abaixo da normal, de magnésio no sangue.

hipomancia (cí) [De *hip(o)-*^{2} + *-mancia*.] *S. f.* Entre os antigos, arte de adivinhar pelos relinchos e movimentos dos cavalos consagrados.

hipómane *S. m. Zool.* V. *hipômane*. [Uso freq. em P.]

hipômane [Do gr. *hippomanés*.] *S. m. Zool.* Protuberância por vezes encontrada na testa de potro novo e que, na Antiguidade, era tida como afrodisíaca.

hipomania^1 [Do gr. *hippomanía*.] *S. f.* **1.** Paixão pelos cavalos. **2.** *Veter.* Espécie de frenesi que por vezes acomete os cavalos.

hipomania^2 [De *hip(o)-*^{1} + *-mania*.] *S. f. Psiq.* Distúrbio de humor (4) que se assemelha a mania (4), mas que se manifesta de forma menos intensa.

hipomaníaco^1 [De *hipomania*^{1} + *-íaco*.] *Adj.* **1.** Relativo a hipomania^1. **2.** *Psiq.* Que tem hipomania^1 (1); hipômano. **3.** *Veter.* Diz-se de cavalo acometido por hipomania^1 (2). ● *S. m.* **4.** *Psiq.* Aquele que tem hipomania^1 (1); hipômano.

hipomaníaco^2 [De *hipomania*^{2} + *-íaco*.] *Psiq. Adj.* **1.** Relativo a hipomania^2. **2.** Que tem hipomania^2; hipômano. ● *S. m.* **3.** Aquele que tem hipomania^2; hipômano.

hipómano *Adj. S. m. Psiq.* V. *hipômano*. [Uso freq. em P.]

hipômano^1 [De *hip(o)-*^{2} + *-mano*^{1}.] *Adj. S. m. Psiq.* Hipomaníaco^1 (2 e 4).

hipômano^2 [De *hip(o)-*^{1} + *-mano*^{1}.] *Adj. S. m.* Hipomaníaco^2 (2 e 3).

hipomante [De *hip(o)-*^{2} + *-mante*.] *S. 2 g.* Pessoa que pratica a hipomancia.

hipomántico *Adj.* V. *hipomântico*. [Uso freq. em P.]

hipomântico [De *hipomante* + *-ico*^{2}.] *Adj.* Relativo a hipomancia, ou a hipomante.

hipomenorreia (éi) [De *hip(o)-*^{1} + *menorreia*.] *S. f. Med.* Diminuição do volume total da menstruação, decorrente da diminuição do volume diário descarregado e/ou do número de dias de sua duração. ❖

hipómero *S. m. Embr.* V. *hipômero*. [Uso freq. em P.]

hipômero [De *hip(o)-* + *-mero*.] *S. m. Embr.* Subdivisão ventral de miótomo (q. v.).

hipómetro *S. m.* V. *hipômetro*. [Uso freq. em P.]

hipômetro [De *hip(o)-*^{2} + *-metro*.] *S. m.* Instrumento de veterinária utilizado para medir a altura dos cavalos.

hipomorfo [De *hip(o)-*^{2} + *-morfo*; tax. *Hippomorpha*.] *Zool. S. m.* **1.** Espécime dos hipomorfos, subordem de mamíferos semelhantes ao cavalo, com várias famílias extintas, e uma existente, a dos equídeos. ● *Adj.* **2.** Pertencente ou relativo a eles.

hipomotilidade [De *hip(o)-*^{1} + *motilidade*.] *S. f. Med.* Mobilidade deficiente.

hipomóvel [De *hip(o)-*^{2} + *móvel*.] *Adj. 2 g. S. m.* Diz-se de, ou veículo de tração animal.

hiponatremia [De *hip(o)-*^{1} + *natremia*.] *S. f. Med.* Concentração, abaixo da normal, de sódio no sangue.

hiponatriuria [De *hip(o)-*^{1} + *nátrio* + *-uria*.] *S. f. Med.* V. *hiponatriúria*.

hiponatriúria [De *hip(o)-*^{1} + *nátrio* + *-úria*.] *S. f. Med.* Concentração, abaixo da normal, de sódio na urina. [F. paral.: *hiponatriuria*.]

hiponímia [De *hipônimo* + *-ia*^{2}.] *S. f. E. Ling.* Entre vocábulos de uma língua, relação que se estabelece com base na maior especificidade do significado de um deles. [Por ex.: *mesa* está numa relação de hiponímia com *móvel*.] [Cf. *hiperonímia*.]

hiponímico [De *hiponímia* + *-ico*^{2}.] *Adj. E. Ling.* Relativo a, ou em que há hiponímia.

hipónimo *S. m. E. Ling.* V. *hipônimo*. [Uso freq. em P.]

hipônimo [De *hip(o)-*^{1} + *-ônimo*.] *S. m. E. Ling.* Numa relação de hiponímia, o termo cujo significado é menos genérico. [Cf. *hiperônimo*.]

hiponoma [Do ingl. *hyponome* < gr. *hyponomé*, 'passagem subterrânea'.] *S. m. Zool.* Nos moluscos cefalópodes, tubo afunilado pelo qual a água é expelida da cavidade do manto, permitindo a propulsão a jato. [Sin.: *funil ambulatório*.]

hipónomo *S. m. Zool.* V. *hipônomo*. [Uso freq. em P.]

hipônomo [Do gr. *hypónomos*, 'subterrâneo', 'que passa por baixo'.] *S. m. Zool.* Em moluscos cefalópodes, tubo afunilado através do qual a água é expelida da cavidade do manto de forma a permitir a propulsão do animal.

hiponutrição [De *hip(o)-*^{1} + *nutrição*.] *S. f.* **1.** Carência ou falta de alimentos ou de certos nutrientes. **2.** Estado ou condição de hiponutrido.

hiponutrido [De *hip(o)-*^{1} + *nutrido*.] *Adj. S. m.* Que, ou aquele cujo organismo apresenta deficiência nutricional, por falta ou comprometimento alimentar.

hipo-ovarianismo [De *hip(o)-*^{1} + *ovariano* + *-ismo*.] *S. m. Med.* Deficiência de atividade endócrina do ovário. ❖

hipo-ovarismo [De *hip(o)-*^{1} + *-ovar(i)(o)-* + *-ismo*.] *S. m. Med.* V. *hipo-ovarianismo*. ❖

hipopatologia [De *hip(o)-*^{2} + *patologia*.] *S. f. Veter.* Patologia do cavalo.

hipopatológico [De *hipopatologia* + *-ico*^{2}.] *Adj.* Referente à hipopatologia.

hipopédia [Do gr. *hippopéde*, 'linha curva descrita por um planeta', + *-ia*^{2}.] *S. f. Geom.* Lugar geométrico da interseção de uma superfície cilíndrica circular com uma superfície esférica que lhe é tangente num ponto.

hipopetalia [De *hipopétalo* + *-ia*^{1}.] *S. f. Bot.* Condição de órgão hipopétalo.

hipopétalo [De *hip(o)-*^{1} + *-pétalo*.] *Adj. Bot.* Diz-se de órgão que tem inserção sob as pétalas.

hipopiese [De *hip(o)-*^{1} + *-piese*.] *S. f. Med.* **1.** Pressão anormalmente baixa. **2.** *P. ext.* Pressão arterial anormalmente baixa; hipotensão arterial.

hipopiético [De *hipopi(ese)* + *-ético*.] *Adj. Med.* Caracterizado por hipopiese, ou que a tem.

hipopígio [De *hip(o)-*^{1} + *-pig(o)-* + *-io*^{3}.] *S. m. Zool.* **1.** Placa inferior da abertura anal dos insetos. **2.** Conjunto dos órgãos sexuais masculinos e dos segmentos terminais do abdome dos dípteros.

hipópio [Do gr. *hypópion*, pelo lat. *hypopiu*.] *S. m. Oftalm.* Derrame purulento em câmara anterior do olho. [F. paral.: *hipópion*.]

hipópion [Do lat. *hypopion*.] *S. m. Oftalm.* V. *hipópio*.

hipoplancto [De *hip(o)-*^{1} + *plancto*.] *S. m. Biol.* Plancto das grandes profundidades oceânicas.

hipoplasia [De *hip(o)-*^{1} + *-plas(i)-* + *-ia*^{1}.] *S. f. Patol.* Subdesenvolvimento de órgão ou de tecido.

hipoplástico [De *hip(o)-*^{1} + *-plast(o)-* + *-ico*^{2}.] *Adj.* Referente a hipoplasia.

hipoploide (ói) [De *hip(o)-*^{1} + *-ploide*.] *Adj. 2 g. Biol.* Aneuploide que tem menos do que o número diploide de normal de cromossomos. ❖

hipoploidia [De *hipoploide* + *-ia*^{1}.] *S. f. Biol.* Condição de hipoploide.

hipopneia (éi) [De *hip(o)-*^{1} + *-pneia*.] *S. f. Med.* Diminuição da profundidade e da frequência dos movimentos respiratórios. ❖

hipópode [De *hip(o)-*^{2} + *-pode*.] *Adj. 2 g. S. 2 g. Poét.* Que tem, ou ser que tem pés de cavalo.

hipopotâmico [De *hipopótamo* + *-ico*^{2}.] *Adj. Bras.* **1.** Semelhante ao hipopótamo. **2.** Extremamente gordo; obeso.

hipopotamídeo [Do tax. *Hipopotamus* (v. *hipopótamo*) + *-ídeo*^{1}; tax. *Hippopotamidae*.] *Zool. S. m.* **1.** Espécime dos hipopotamídeos, família de mamíferos artiodáctilos, de grande porte, confinados à África, com dentição completa, à exceção dos incisivos dianteiros. Têm olhos pequenos e situados na parte mais alta do crânio, narinas valvulares, e membros dotados de quatro dedos, todos eles funcionais. Atualmente, habitam apenas a África, mas no plistoceno eram vastamente distribuídos pelas regiões mais quentes do Velho Mundo. ● *Adj.* **2.** Pertencente ou relativo a eles.

hipopótamo [Do gr. *hippopótamos*, pelo lat. *hippopotamu* (tax. *Hippopotamus*).] *S. m.* **1.** *Zool.* Cada um de dois gêneros monotípicos de mamíferos (*Hippopotamus* e *Choeropsis*) hipopotamídeos, paquidermes, e que habitam às margens dos rios africanos. **2.** *Zool.* Cada uma das espécies desses gêneros: a *Hippopotamus amphibius*, que reúne os hipopótamos comuns, e a *Choeropsis liberiensis*, que reúne os hipopótamos-pigmeus. **3.** *Zool.* Qualquer espécime desses gêneros. **4.** *Fig.* V. *gordo* (11).

hipopótamo-pigmeu *S. m. Zool.* V. *hipopótamo* (2). [Pl.: *hipopótamos-pigmeus*.]

hipoprosexia (cs) [De *hip(o)*-[1] + o gr. *prósexis, eos*, 'atenção', + *-ia*[1].] *S. f. Psiq.* Diminuição ou enfraquecimento da atenção.

hipóptero [De *hip(o)*-[1] + *-ptero*.] *S. m. Zool.* Tufo de penas da asa, na região da axila (2).

hiporquema [Do gr. *hypórchema*.] *S. m. Teatr.* Texto lírico composto de pequenos versos, que se destinava a acompanhar as danças dramáticas em honra de Apolo, as quais constituem uma das manifestações precursoras do teatro grego.

hiporraque *S. f. Zool.* Pena acessória situada na parte posterior do cálamo da pena nas aves.

hiposcénio *S. m. Teatr.* V. *hiposcênio*. [Uso freq. em P.]

hiposcênio [Do gr. *hyposkénion*.] *S. m. Teatr.* **1.** Nos antigos teatros gregos e romanos, a parte inferior do palco, abaixo da cena ou do proscênio. **2.** Muro dianteiro em que se apoiava o proscênio, nos teatros da Antiguidade, em geral decorado de colunas e estátuas. **3.** Espaço que, naqueles teatros, circundava a cena e o proscênio, ao nível do chão; orquestra.

hiposfagma [Do gr. *hypósphagma*.] *S. m. Oftalm.* Equimose de conjuntiva ocular.

hiposmia [De *hip(o)*-[1] + *-osm(o)*-[2] + *-ia*[1].] *S. f. Med.* Diminuição da sensibilidade olfativa.

hipósmico [De *hiposmia* + *-ico*[2].] *Adj. Med.* Relativo a hiposmia, ou que a tem.

hipospádias [Do gr. *hypospadías*.] *S. f. 2 n. Urol.* Desenvolvimento insuficiente da uretra em seu trajeto peniano, do qual resulta a abertura anormal dela na face ventral do pênis, ou no períneo; esta malformação observa-se, também na mulher, abrindo-se a uretra na vagina.

hipospádico [De *hipospád(ias)* + *-ico*[2].] *Adj. Urol.* Relativo a hipospádias.

hipospado *Adj. S. m.* Diz-se de, ou aquele que apresenta hipospádias.

hipossalivação [De *hip(o)*-[1] + *salivação*.] *S. f. Med.* Distúrbio na produção de saliva e que se caracteriza pela redução de secreção salivar.

hipossensibilidade [De *hip(o)*-[1] + *sensibilidade*.] *S. f. Med.* Qualidade ou estado de hipossensível.

hipossensível [De *hip(o)*-[1] + *sensível*.] *Adj. 2 g.* **1.** Que é pouco ou menos sensível. **2.** Que se torna menos sensível a determinado alergênio.

hipossinergia [De *hip(o)*-[1] + *sinergia*.] *S. f. Biol. Med.* Diminuição de sinergia.

hipossistolia [De *hip(o)*-[1] + *sístole* + *-ia*[1].] *S. f. Card.* Diminuição da sístole.

hipossuficiente [De *hip(o)*-[1] + *suficiente*.] *Adj. 2 g. S. 2 g. Jur.* Diz-se de, ou pessoa que é pobre na acepção legal do termo e que faz jus ao benefício da assistência judiciária gratuita, ou daquele que, por razões econômicas ou técnicas, não tem como fazer prova dos fatos constitutivos de seu direito.

hipossulfito *S. m. Quím.* V. *ditionito*. [Apesar de desus., ainda tem emprego em fotografia.]

hipostaminado [De *hip(o)*-[1] + *-stamin(i)*- + *-ado*[1].] *Adj. Bot.* Cujos estames se acham insertos abaixo do ovário.

hipostaminia [De *hip(o)*-[1] + *-stamin(i)*- + *-ia*[1].] *S. f. Bot.* Estado de uma planta hipostaminada.

hipóstase [Do gr. *hypóstasis*, pelo lat. tard. *hypostase*.] *S. f.* **1.** *Med.* Depósito ou sedimento de matéria orgânica, como, p. ex., na urina. [Sin., pop.: *sarro*.] **2.** *Med.* Retardamento circulatório nas regiões anatômicas em declive. **3.** *Filos.* V. *substância* (10). **4.** *Filos.* Ficção ou abstração falsamente considerada como real.

hipostasiar [De *hipóstase* + *-iar*[2].] *V. t. d. Filos.* Atribuir a condição de hipóstase (3) a.

hipostático [Do gr. *hypostatikós*, pelo lat. med. *hypostaticu*.] *Adj.* Referente a hipóstase. ~ V. *união —a*.

hipostenia [De *hip(o)*-[1] + *-sten(o)*- + *-ia*[1].] *S. f. Med.* Diminuição de forças; enfraquecimento.

hiposténico *Adj. Med.* V. *hipostênico*. [Uso freq. em P.]

hipostênico [De *hipostenia* + *-ico*[2].] *Adj. Med.* Referente a hipostenia.

hipostilo [Do gr. *hypóstylos*.] *Adj.* **1.** Diz-se de um compartimento cujo teto é sustentado por colunas. ● *S. m.* **2.** Teto sustentado por colunas: "Maiandéua, cidade encantada, jardins de Cusco, metrópoles do Oriente, de hipostilos e coruchéus" (Alberto Rangel, *Lume e Cinza*, p. 102).

hipostomídeo [De *hip(o)*-[1] + *-stom(o)*- + *-ídeo*[1]; tax. *Hypostomides*.] *Zool. S. m.* **1.** Espécime dos hipostomídeos, ordem de peixes actinopterígios, de porte reduzido, com o corpo completamente coberto de placas ósseas, a porção superior do focinho prolongada em rostro, e sem bexiga natatória. ● *Adj.* **2.** Pertencente ou relativo a eles.

hipostroma [Do lat. cient. *hypostroma*.] *S. m. Micol.* Massa compacta de hifas que fica sob o verdadeiro estroma de um fungo.

hipotalâmico [De *hipotálamo* + *-ico*[2].] *Adj. Anat.* Relativo ao hipotálamo.

hipotálamo [De *hip(o)*-[1] + *-tálamo*.] *S. m. Anat.* Porção do diencéfalo, que forma o soalho e parte das paredes laterais do terceiro ventrículo, exercendo os núcleos hipotalâmicos controle sobre atividades das mais importantes do organismo, tais como sono, metabolismo da água, temperatura corporal, etc.

hipotalássico [De *hip(o)*-[1] + *-talass(o)*- + *-ico*[2].] *Adj.* Que se efetua debaixo da água do mar; submarino: *navegação hipotalássica*.

hipotalo [De *hip(o)*-[1] + *-talo*.] *S. m. Bot.* Camada cortical do talo de muitos liquens, de coloração negra e que pode levar rizinas.

hipotaxe (cs) [Do gr. *hypótaxis*.] *S. f. E. Ling.* Subordinação. [Cf. *parataxe*.]

hipoteca [Do gr. *hypothéke*, pelo lat. tard. *hypotheca*.] *S. f.* **1.** Sujeição de bens imóveis, navios ou aeronaves ao pagamento de uma dívida, sem se transferir ao credor a posse do bem gravado. [Cf. *anticrese*.] **2.** Dívida resultante dessa sujeição. **3.** Direito ou privilégio que têm certos credores, dadas certas condições, de ser pagos pelo valor de certos bens imóveis do devedor, preferentemente a outros credores.

hipotecar [De *hipoteca* + *-ar*[2].] *V. t. d.* **1.** Sujeitar a hipoteca; onerar com hipoteca: *Para obter o empréstimo, hipotecou a casa*. *T. d. e i.* **2.** Ceder (um bem) a alguém em hipoteca: *Hipotecou o sítio a um banco*. **3.** *Fig.* Garantir, assegurar: "passou um entusiasmado telegrama ao Dr. Cesário Alvim, ... hipotecando-lhe irrestrita solidariedade" (Antônio Celso, *Rua do Quenta-Sol*, pp. 30-31). [Conjug.: v. *trancar*. Fut. pret.: *hipotecaria*, etc. Cf. hipotecária, fem. de *hipotecário*.]

hipotecário [Do lat. tard. *hypothecariu*.] *Adj.* Relativo a hipoteca. [Fem.: *hipotecária*. Cf. *hipotecaria*, do v. *hipotecar*.] ~ V. *cédula —a* e *letra —a*.

hipotécio [De *hip(o)*-[1] + *-técio*.] *S. m. Micol.* Camada subimenial do apotécio dos liquens, que se prolonga lateralmente, formando o pratécio.

hipotelorismo [Do ingl. *hypotelorism*.] *S. m. Patol.* Diminuição da distância normal entre órgãos pares, como, p. ex., entre os olhos.

hipotenar [Var. impr. de *hipótenar*.] *S. m. Lus. Anat.* V. *hipótenar*.

hipotênar [Var. impr. de *hipótenar*.] *S. m. Anat.* V. *hipótenar*. [Pl.: *hipotênares*.]

hipótenar [Do gr. *hypóthenar*, com epsilo.] *S. m. Anat.* Saliência existente na parte interna da palma da mão, na direção do dedo mínimo. [Pl.: *hipotênares*.]

hipotensão [De *hip(o)*-[1] + *tensão*.] *S. f. Med.* Diminuição, abaixo do normal, da pressão, no interior de um órgão ou de um sistema. [Antôn.: *hipertensão*. Cf. *normotensão*.] ◆ **Hipotensão arterial.** *Med.* Diminuição, abaixo do normal, da pressão sanguínea dentro de rede arterial. **Hipotensão venosa.** *Med.* Diminuição, abaixo do normal, da pressão sanguínea dentro de rede venosa.

hipotenso [Voc. deduz. de *hipotensão*.] *Adj. S. m.* Que, ou aquele que tem hipotensão. [Antôn.: *hipertenso*. Cf. *normoteso*.]

hipotensor (ô) [De *hip(o)*-[1] + *tensor*.] *Adj. S. m.* Diz-se de, ou medicamento que serve para baixar a tensão ou pressão arterial. [Antôn.: *hipertensor*.]

hipotenusa [Do gr. *hypoteínousa*, de *hypoteínon*, part. pres. de *hypoteínein*, 'estender por baixo', pelo lat. tard. *hypotenusa*.] *S. f. Geom.* Lado oposto ao ângulo reto de um triângulo retângulo.

hipotermal [De *hip(o)*-[1] + *termal*.] *Adj. 2 g. Geol.* Diz-se de um depósito mineral de origem hidrotermal diretamente ligado a atividades magmáticas, e formado em condições de alta pressão e alta temperatura.

hipotermia [De *hip(o)*-[1] + *-term(o)*- + *-ia*[1].] *S. f.* **1.** *Med.* Diminuição da temperatura corporal abaixo do limite da normalidade (36° C). [Opõe-se a *hipertermia*.] **2.** *Anest.* Diminuição intencional da temperatura corporal, por meios físicos e farmacológicos, us. em certas intervenções cirúrgicas, ou como meio de preservação de órgão retirado de um corpo e que se destina a enxerto.

hipotérmico [De *hipotermia* + *-ico*[2].] *Adj.* Relativo a hipotermia. ~ V. *idade —a*.

hipótese [Do gr. *hypóthesis*, pelo lat. *hypothese*.] *S. f.* **1.** Suposição, conjetura: *formular hipóteses*. **2.** Acontecimento incerto; eventualidade; caso: *Na hipótese de sua candidatura, avise-nos*. **3.** *Filos.* Suposição que orienta uma investigação por antecipar características prováveis do objeto investigado e que vale, quer pela confirmação dessas características, quer pelo encontro de novos caminhos de investigação; hipótese heurística. **4.** *Filos.* Proposição que se admite de modo provisório como princípio do qual se pode deduzir um conjunto dado de proposições. ◆ **Hipótese ergódica.** *Fís.* Qualquer hipótese que permita provar a coincidência entre a média de uma variável de um sistema termodinâmico fechado tomada sobre o tempo e a média da mesma variável calculada no espaço de fase. **Hipótese heurística.** *Filos.* Hipótese (3).

hipotético [Do gr. *hypothetikós*, pelo lat. *hypotheticu*.] *Adj.* **1.** Fundado em hipótese: *raciocínio hipotético*. **2.** Duvidoso, incerto: *Aquela reconciliação é hipotética*. ~ V. *imperativo —*, *juízo —*, *paralaxe —a* e *silogismo —*.

hipotético-dedutivo [De *hipotético* + *dedutivo*.] *Adj. Lóg.* ~ V. *método —*. [Pl.: *hipotético-dedutivos*.]

hipotimia [De *hip(o)*-[1] + *-tim(o)*- + *-ia*[1].] *S. f. Psiq.* Emotividade diminuída, representa o afeto dos estados depressivos.

hipotímico [De *hipotimia* + *-ico*[2].] *Psiq. Adj.* **1.** Relativo a hipotimia. **2.** Que apresenta hipotimia. ● *S. m.* **3.** Aquele que apresenta hipotimia.

hipótipo [De *hip(o)*-[1] + *-tipo*.] *S. m. Biol.* Espécime em que se baseia a redescrição de uma espécie cujo holótipo já havia sido estabelecido.

hipotipose [Do gr. *hypotýposis*.] *S. f. E. Ling.* Descrição tão viva e animada de um objeto ou de uma ação, que apresenta à vista o que pretende significar.

hipotireóideo [De *hip(o)*-[1] + *-tireoid(e)*- + *-eo*.] *Adj.* **1.** Relativo a hipotireoidismo. ● *S. m.* **2.** Aquele que sofre de hipotireoidismo.

hipotireoidismo [De *hip(o)*-[1] + *-tireoid(e)*- + *-ismo*.] *S. m. Endocr.* Estado em que se verifica uma deficiência de atividade tireoidiana.

hipotomia [De *hip(o)*-[2] + *-tom(o)*- + *-ia*[1].] *S. f.* Anatomia do cavalo.

hipotómico *Adj.* V. *hipotômico*. [Uso freq. em P.]

hipotômico [De *hipotomia* + *-ico*[2].] *Adj.* Referente a hipotomia.

hipotonia [De *hip(o)*-[1] + *-ton(o)*- + *-ia*[1].] *S. f. Fisiol. Med.* Condição em que há diminuição ou perda do tônus (muscular, cutâneo, etc.).

hipotónico *Adj.* V. *hipotônico*. [Uso freq. em P.]

hipotônico [De *hipotonia* + *-ico*[2].] *Adj.* Relativo a hipotonia.

hipotremado [Adapt. do tax. *Hypotremata*.] *S. m. Adj. Zool.* V. *rajiforme*.

hipotricose [De *hip(o)*-[1] + *-tric(o)*- + *-ose*[1].] *S. f.* Deficiência congênita de pelos, de cabelo.

hipotríquida [De *hip(o)*-[1] + *-triqu(i)*- + *-ida*[3]; tax. *Hypotrichida*.] *S. m. Adj. 2 g. Zool.* V. *hipotríquio*.

hipotríquio [De *hip(o)*-[1] + *-triqu(i)*- + *-io*[3]; tax. *Hypotricha*.] *Zool. S. m.* **1.** Espécime dos hipotríquios, ordem de protozoários ciliados, de corpo ger. achatado, providos de cirros para locomoção, localizados no lado ventral ou inferior. ● *Adj.* **2.** Pertencente ou relativo a eles. [Sin. ger.: *hipotríquida*.]

hipotrocoide (ói) [De *hip(o)*-[1] + *trocoide*.] *S. f. Geom.* Curva plana descrita por um ponto rigidamente ligado a um círculo que rola, sem deslizar, sobre e internamente a outro círculo fixo do mesmo plano. ❖

hipotrofia [De *hip(o)*-[1] + *-trofia*.] *S. f. Patol.* V. *abiotrofia*.

hipoventilação [De *hip(o)*-[1] + *ventilação*.] *S. f. Med.* Troca gasosa pulmonar menor do que a necessária para o metabolismo normal, decorrente da diminuição da frequência respiratória ou do volume ventilativo total, situação que resulta em hipercapnia, caso não seja corrigida.

hipovolemia [De *hip(o)*-[1] + *volemia*.] *S. f. Patol.* Diminuição do volume sanguíneo.

hipovolémico *Adj.* V. *hipovolêmico*. [Uso freq. em P.]

hipovolêmico [De *hipovolemia* + *-ico*[2].] *Adj.* Relativo a hipovolemia.

hipoxantina [De *hip(o)*-[1] + *xantina*.] *S. f. Quím.* Substância que se pode considerar um derivado hidroxilado da purina, encontrada em tecidos animais e vegetais [fórm.: $C_5H_4N_4O$.]

hipoxemia (cs) [De *hip(o)*-[1] + *-ox(i)*- + *-emia*.] *S. f. Med.* Concentração, abaixo da normal, de oxigênio no sangue.

hipoxia (cs) [De *hip(o)*-[1] + *-ox(i)*- + *-ia*[1].] *S. f. Med.* Baixo teor de oxigênio. [Sin., impr.: *anoxia*. Var. pros. impr.: *hipóxia*.]

hipóxia (cs) *S. f. Med.* V. *hipoxia*.

hipoxiar (cs) [De *hipoxia* + *-ar*[2].] *V. int. Med.* Apresentar hipoxia. [Sin. impr.: *anoxiar*.]

➔**hippie** ['hipij] [Ingl.] *S. 2 g.* **1.** Indivíduo que, nas décadas de 1960 e 1970, fazia parte de um grupo não conformista caracterizado pelo rompimento com a sociedade tradicional, esp. no que respeitava à aparência pessoal (uso de cabelos longos, de roupas e acessórios muito coloridos, etc.) e aos hábitos de vida, e por um enfático ideal de paz e amor universais. [Faziam uso de drogas alucinógenas, pregavam o amor livre e a vida comunitária, e eram adeptos da não violência.] ● *Adj. 2 g. e 2 n.* **2.** Relativo ou pertencente aos, ou próprio dos *hippies*: *moda hippie*; *comunidade hippie*.

hipselodonte [Do gr. *hypselós, é, ou*, 'alto', 'elevado', + *-odonte*.] *S. m. Zool.* Dente incisivo de crescimento contínuo, como o dos roedores e lagomorfos.

H

▲ **hipsi-** [Do adv. gr. *hýpsi* (v. *hips(o)-*).] ***El. comp.*** = 'no alto', 'em cima': *hipsistenocefalia*.

hipsilo *S. m.* V. *ipsílon*.

hipsilofodonte [Do gr. *hypsílophos* + *-odonte*; tax. *Hypsilophodon*.] *S. m. Paleont.* **1.** Gênero de dinossauros ornitísquios, ornitópodes, de tamanho médio (de 1,4m a 2,3m), de membros superiores pequenos, dotados de 5 dedos, e membros inferiores longos, com 4 dedos; deslocavam-se com grande rapidez, e a cauda, rígida, era us. para a manutenção do equilíbrio. Não tinham dentes na parte anterior da boca, mas, sim, um bico ósseo, poss. coberto de tecido córneo, com que arrancavam as plantas que mastigavam com os dentes posteriores. Habitavam florestas ao S. da Inglaterra no cretáceo inferior e são tidos como os mais primitivos dos dinossauros ornitópodes. **2.** Espécie ou espécime desse gênero.

hipsilofodontídeo [Do lat. cient. *Hypsilophodont-* (do tax. *Hypsilophodon*) + *-ídeo*[1]; tax. *Hypsilophodontidae*.] *Paleont. S. m.* **1.** Espécime dos hipsilofodontídeos, família de dinossauros ornitísquios, ornitópodes, herbívoros, de tamanho médio (até 2,3m de comprimento), cujo gênero-tipo era o hipsilofodonte (q. v.), e que habitaram a Inglaterra do triásico superior ao cretáceo superior.● *Adj.* **2.** Pertencente ou relativo a eles.

hipsiloide (ói) *Adj. 2 g.* V. *ipsiloide*.❖

hipsistenocefalia [De *hipsi-* + *-sten(o)-* + *-céfal(o)-* + *-ia*[1].] *S. f. Med.* Conformação da cabeça (1) em que há vértex alto e curvo, proeminência óssea de bochecha e prognatismo.

hipsistenocefálico [De *hipsistenocefalia* + *-ico*[2].] *Adj. S. m. Med.* Diz-se de, ou aquele que apresenta hipsistenocefalia.

▲ **hips(o)-** [Do gr. *hýpsos, eos-ous*.] ***El. comp.*** = 'altura', 'elevação': *hipsocéfalo, hipsografia*.

hipsocefalia [De *hipsocéfalo* + *-ia*[1].] *S. f.* Qualidade de hipsocéfalo.

hipsocéfalo [De *hips(o)-* + *-céfalo*.] *Adj.* Que tem um índice de largura-altura da cabeça acima de 75. [V. *índice craniano*.]

hipsocrómico *Adj. Quím.* V. *hipsocrômico*. [Uso freq. em P.]

hipsocrômico [De *hips(o)-* + *-crom(o)-* + *-ico*[2].] *Adj. Quím.* ~ V. *efeito* —.

hipsodonte [De *hips(o)-* + *-odonte*.] *Adj. 2 g.* **1.** Diz-se de dente em que a coroa é alta e as raízes, curtas. ● *S. m.* **2.** Esse dente.

hipsofilo [De *hips(o)-* + *-filo*[1].] *S. m. Bot.* Folha floral: brácteas e bractéolas.

hipsofobia [De *hips(o)-* + *-fobia*.] *S. f. Psiq.* Medo mórbido das alturas.

hipsofóbico [De *hipsofobia* + *-ico*[2].] *Psiq. Adj.* **1.** Relativo a hipsofobia. **2.** Que sofre de hipsofobia; hipsófobo. ● *S. m.* **3.** Aquele que sofre de hipsofobia; hipsófobo.

hipsófobo [De *hips(o)-* + *-fobo*.] *Adj. S. m. Psiq.* Hipsofóbico (2 e 3).

hipsografia [De *hips(o)-* + *-grafia*.] *S. f.* Descrição dos lugares elevados.

hipsográfico [De *hipsografia* + *-ico*[2].] *Adj.* Relativo à hipsografia. ~ V. *curva* —*a*.

hipsometria [De *hips(o)-* + *-metria*.] *S. f.* Altimetria.

hipsométrico [De *hipsometria* + *-ico*[2].] *Adj.* Relativo à hipsometria.

hipsómetro *S. m.* V. *hipsômetro*. [Uso freq. em P.]

hipsômetro [De *hips(o)-* + *-metro*.] *S. m.* Aparelho para medir a altitude de um lugar pela temperatura em que nele a água entra em ebulição. [Cf. *altímetro*.]

hipural *S. f. Zool.* Costela ventral da região caudal dos peixes actinopterígios, e que suporta a nadadeira caudal.

hipurgia [Do gr. *hypourgía*.] *S. f. Med.* Conjunto de pequenos cuidados físicos e morais que ajudam o tratamento de uma doença.

hipuria [De *hip(o)-*[2] + *-uria*.] *S. f. Med.* V. *hipúria*.

hipúria [De *hip(o)-*[2] + *-úria*.] *S. f. Med.* Presença do ácido hipúrico na urina. [F. paral.: *hipuria*.]

hipúrico [De *hip(o)-*[2] + *-ur(o)-* + *-ico*[2].] *Adj. Quím.* ~ V. *ácido* —.

hipuridácea [Do lat. cient. *Hippurid-* (do tax. *Hippuris*) + *-ácea*; tax. *Hippuridaceae*.] *S. f. Bot.* Espécime das hipuridáceas, família monotípica de plantas floríferas da ordem das mirtales, cujo único gênero é o hipúris (q. v.), de ampla distribuição.

hipuridáceo [De *hipuridácea*, com var. suf. (v. *-áceo*).] *Adj. Bot.* Pertencente ou relativo às hipuridáceas.

hipúris [Do tax. *Hippuris*.] *S. m. Bot.* **1.** Gênero de plantas hipuridáceas, herbáceas, aquáticas, perenes. **2.** A única espécie desse gênero, a *Hippuris vulgaris*, de folhas lineares, em verticilos, e flores inconspícuas que brotam das axilas foliares que emergem da água. Habitam a Europa, a Ásia ocidental e o N. da África. **3.** Qualquer espécime desse gênero, ou a flor dele.

hírace *S. m. Zool.* V. *hírax*.

hiracídeo [Do lat. cient. *Hyrac-* (< tax. *Hyrax*) + *-óideo*; tax. *Hyracoidea*.] *Zool. S. m.* **1.** Espécime dos hiracoideos.● *Adj.* **2.** Pertencente ou relativo a eles. [Sin. ger.: *hiracoide*.]

hiracodonte [Do tax. *Hyracodon*.] *S. m. Paleont.* **1.** O gênero-tipo dos hiracodontídeos, mamíferos perissodáctilos que antecederam os atuais rinocerontes, e que eram esbeltos e ágeis, destituídos de chifre, e tinham três dedos em cada pata. **2.** Espécie ou espécime desse gênero.

hiracodontídeo [Do gr. *hýrax, akos*, 'sorriso', + *-(o)dont(o)-* + *-ídeo*[1]; tax. *Hyracodontidae*.] *Paleont. S. m.* **1.** Espécime dos hiracodontídeos, família de mamíferos perissodáctilos que reunia rinocerontes pequenos e esbeltos, tb. ditos rinocerontes corredores; alimentavam-se de brotos, e surgiram no eoceno, tendo-se extinguido no mioceno inferior, e habitaram os continentes setentrionais onde, poss., foram substituídos pelos ancestrais do cavalo. Eram dotados de dentes semelhantes aos dos atuais rinocerontes, mas diferiam deles por terem pernas longas, e três dedos em cada pata (semelhantes aos do atual cavalo).● *Adj.* **2.** Pertencente ou relativo a eles.

hiracoide (ói) [Do lat. cient. *Hyrac-* (do tax. *Hyrax*) + *-oide*.] *S. m. Adj. 2 g. Zool.* V. *hiracóideo*.❖

hiracóideo [Do lat. cient. *Hyrac-* (do tax. *Hyrax*) + *-oide*.] *Zool. S. m.* **1.** Espécime dos hiracóideos, ordem de mamíferos ungulados, herbívoros, arborícolas, ou que habitam regiões rochosas; ocorrem na África e no Oriente Médio. Vários deles são extintos, e compreendem atualmente apenas uma família, com espécies semelhantes ao coelho.● *Adj.* **2.** Pertencente ou relativo a eles. [Sin. ger.: *hiracoide*.]

hiracotério [Do lat. cient. *Hyrac-* (< tax. *Hyrax*) + *-tério*[1]; tax. *Hyracotherium*.] *S. m. Paleont.* **1.** Gênero de mamíferos equídeos, o mais antigo perissodáctilo de que se tem conhecimento, que tinha apenas até 27cm de altura, e o porte de um *fox terrier* atual, e que existia em abundância na América do Norte e na Europa, no início do eoceno. Alimentava-se de brotos das clareiras florestais e é tido como ancestral dos cavalos. **2.** Espécie ou espécime desse gênero. [Sin. ger. (desus.): *eoípo*.]

hiragana [Do japonês *hira*, 'expandido', + *kana*, 'silabário'.] *S. m. Graf.* V. *kana*.

hiraquiídeo [Adapt. do tax. *Hyrachyidae*.] *Paleont. S. m.* **1.** Espécime dos hiraquiídeos, família de ungulados perissodáctilos primitivos, cujo gênero-tipo era o hiraquio (q. v.).● *Adj.* **2.** Pertencente ou relativo a eles.

hiraquio [Do tax. *Hyrachyus*.] *S. m. Paleont.* O gênero-tipo dos hiraquiídeos, ungulados perissodáctilos primitivos, ancestrais dos rinocerontes, que habitaram o eoceno da América do Norte.

hírax [Do lat. cient. *Hyrax* (gr. *hýrax*).] *S. m. 2 n. Zool.* Designação comum a pequenos mamíferos hiracóideos. V. *procávia* (2). [Var.: *hírace*.]

hírax-das-rochas [De *hírax* + pl. de *da*[1] + o pl. de *rocha*.] *S. m. 2 n. Zool.* V. *procávia* (2).

▲ **hirc(i)-** [Do lat. *hīrcus, i*.] ***El. comp.*** = 'bode': *hircismo*.

hírcico [De *hirc(i)-* + *-ico*[2].] *Adj. Desus.* Hircino: 📖 "Toda a libidinagem dos mormaços / Americanos fluía--lhes dos braços, / Irradiava-se-lhe, hírcica, das veias" (Augusto dos Anjos, *Eu*, 30ª ed., p. 194).

hircina [De *hirc(i)-* + *-ina*[3].] *S. f.* Substância que se extrai da gordura do bode e do carneiro.

hircino [Do lat. *hircinu*.] *Adj.* Relativo ao, ou próprio do bode (1): 📖 "estimulado e entontecido pelo cheiro hircino das africanas e crioulas." (Xavier Marques, *O Feiticeiro*, p. 41). [Sin., desus.: *hírcico*.]

hircípede [De *hirc(i)-* + *-pede*.] *Adj. 2 g.* Que tem pés de bode.

hircismo [De *hirc(i)-* + *-ismo*.] *S. m. Endocr.* Cheiro desagradável exalado pelas axilas de certas pessoas, decorrente de decomposição bacteriana de suor. [Cf. *bodum* (2).]

hirco [Do lat. *hircu*.] *S. m. Desus.* **1.** Bode. **2.** Cheiro de bode.

hircoso (ô) [Do lat. *hircosu*.] *Adj.* Diz-se de certas plantas que exalam cheiro desagradável, semelhante ao bodum.

hirdu *S. m. Gloss.* V. *hindustâni* (2).

hirsutismo [De *hirsuto* + *-ismo*.] *S. m. Endocr.* Excesso de pelos, principalmente o que se apresenta, na mulher, como tendo padrão semelhante ao do homem.

hirsuto [Do lat. *hirsutu*.] *Adj.* **1.** De pelos longos, duros e espessos; cerdoso. **2.** V. *hirto* (3): 📖 "Ao sorrir mostrava através da barba hirsuta de mulato uns dentes brancos, pontudos" (Ribeiro Couto, *Largo da Matriz e Outras Histórias*, p. 47). **3.** *Fig.* V. *hirto* (4).

hirtela [Do tax. *Hirtella*.] *S. f. Bot.* **1.** Gênero de árvores crisobalanáceas que habitam regiões tropicais da América e de Madagascar. **2.** Qualquer espécie desse gênero, como, p. ex., a *Hirtella martiana* (v. *comandatuba*.) **3.** Qualquer espécime desse gênero.

hirteza (ê) [De *hirto* + *-eza*.] *S. f.* Estado ou qualidade de hirto.

hirto [Do lat. *hirtu*.] *Adj.* **1.** Teso, retesado, inteiriçado, híspido: 📖 "o Presidente usava uns colarinhos singulares, ... que não convieram a este povo acostumado aos colarinhos corretos, hirtos e majestáticos do Sr. Carnot." (Eça de Queirós, *Cartas Familiares e Bilhetes de Paris*, p. 122). **2.** Que parou ou estacou; parado, estacado, imóvel: 📄 *Susteve o passo e, hirto, pôs-se a contemplá-la*. **3.** Crespo, eriçado, erriçado, ouriçado, hirsuto, híspido. **4.** *Fig.* Áspero, intratável, ríspido, hirsuto. **5.** *Bot.* Dotado de pelos curtos e rígidos: 📄 *ramo hirto*.

hirudina [De *hirud(o)-* + *-ina*[3].] *S. f. Bioquím.* Princípio ativo encontrado na secreção de glândulas bucais de sanguessuga, e que tem o poder de evitar a coagulação do sangue, agindo como uma antitrombina.

hirudíneo [Adapt. do tax. *Hirudinea*.] *Zool. S. m.* **1.** Espécime dos hirudíneos, classe de anelídeos de corpo achatado, foliáceo, segmentado, sendo cada segmento dividido externamente em anéis, e desprovidos de cerdas ou parápodes. A região posterior é dotada de uma ventosa para fixação, frequentemente acompanhada de outra menor, na extremidade anterior. Hermafroditos, de hábitos parasitários ou predatórios, vivem na terra, água doce ou, mais raramente, no mar. São as sanguessugas.● *Adj.* **2.** Pertencente ou relativo a eles.

▲ **hirudin(i)-** [Do lat. *hirūdo, ĭnis*.] ***El. comp.*** = 'sanguessuga': *hirudinicultura*. [Equiv.: *hirud(o)-*: *hirudina*.]

hirudiníase [Do lat. cient. *Hirudin-* (< tax. *Hirudo* [v. *hirudin(i)-*]) + *-íase*.] *S. f. Med.* **1.** Invasão, por sanguessugas, de nariz, boca, faringe e laringe. **2.** Inserção de sanguessugas na pele.

hirudinicultor (ùd... ô) [De *hirudin(i)-* + *-cultor*.] *S. m.* Aquele que se dedica à hirudinicultura.

hirudinicultura (ùd) [De *hirudin(i)-* + *-cultura*.] *S. f.* Arte ou técnica de criar sanguessuga.

hirudinizar [De *hirudina* + *-izar*.] *V. t. d.* Tornar (o sangue) incoagulável, pela ministração de hirudina.

▲ **hirud(o)-** Equiv. de *hirudin(i)-*.

hirundinídeo [Do lat. cient. *Hirundin-* (do tax. *Hirundo*) + *-ídeo*[1]; tax. *Hirundinidae*.] *Zool. S. m.* **1.** Espécime dos hirundinídeos, família de aves passeriformes, de coloração preta, branca, parda, às vezes vermelha ou amarelada, a primeira das rêmiges da mão de comprimento igual ao da segunda, ou maior que o desta, bico chato e curto, asas e cauda compridas, pernas curtas e fracas. Vivem em bandos, fazem migrações, e alimentam-se de insetos que ger. capturam no voo. São as andorinhas.● *Adj.* **2.** Pertencente ou relativo a eles.

hirundino [Do lat. imp. *hirundininu*, com haplologia.] *Adj.* Relativo à, ou próprio da andorinha: 📖 "na ridente quadra hirundina, o ledo gazular das emigrantes aves" (Raimundo Correia, *Poesia Completa e Prosa*, p. 597).

hispalense [Do lat. *hispalense*.] *Adj. 2 g. S. 2 g.* Sevilhano.

hispânico [Do lat. *hispanicu*.] *Adj.* **1.** Da, ou pertencente ou relativo à Hispânia. **2.** Da, ou pertencente ou relativo à Espanha; espanhol: 📄 *língua e literatura hispânicas*.

hispanismo [De *hispan(o)-* + *-ismo*.] *S. m.* **1.** V. *espanholismo* (1 a 3). **2.** Dedicação ao estudo da língua e da literatura espanholas e/ou às coisas ou costumes da Espanha.

hispanista [De *hispan(o)-* + *-ista*.] *S. 2 g.* Estudioso de coisas espanholas, particularmente língua e literatura.

▲ **hispan(o)-** [Do lat. *hispānus, a, um*.] ***El. comp.*** = 'hispânico', 'espanhol': *hispano-americano*.

hispano-americanismo [De *hispano-americano* + *-ismo*.] *S. m.* **1.** Palavra, locução ou construção própria do espanhol falado na América. **2.** Doutrina que prega a união espiritual de todos os povos hispano--americanos. [Pl.: *hispano-americanismos*.]

hispano-americano [De *hispan(o)-* + *americano*.] *Adj.* **1.** Da, ou pertencente ou relativo à América de língua espanhola. **2.** *Restr. E. Ling.* Diz-se de termo, ou expressão do espanhol (3) da América Latina.● *S. m.* **3.** Indivíduo de origem espanhola e americana. [Flex.: *hispano-americana, hispano-americanos, hispano--americanas*.]

hispano-árabe [De *hispan(o)-* + *árabe*.] *Adj. 2 g.* Relativo ou pertencente à Espanha, ou melhor, à Península Ibérica, sob o domínio dos árabes, do séc. VIII ao XIV. [Pl.: *hispano-árabes*.]

hispanofilia [De *hispan(o)-* + *-filia*.] *S. f.* **1.** Amor ou grande admiração à Espanha e/ou aos espanhóis. **2.** Interesse por coisas espanholas ou pela cultura, língua, literatura, história, etc., da Espanha.

hispanofílico [De *hispanofilia* + *-ico*[2].] *Adj.* Relativo a hispanofilia, ou a hispanófilo.

hispanófilo [De *hispan(o)-* + *-filo*[2].] *Adj. S. m.* Que, ou aquele que tem hispanofilia.

hispanofonia [De *hispan(o)-* + *-fon(o)-* + *-ia*[1].] *S. f.* Adoção da língua espanhola como língua de cultura ou língua franca por quem não a tem por vernácula, como ocorre em vários países de colonização espanhola.

hispanofono [De *hispan(o)-* + *-fono.*] *Adj. S. m.* Hispanófono (q. v.).

hispanófono [Var. pros. de *hispanofono.*] *Adj. S. m.* Diz-se de, ou indivíduo que fala o espanhol. [A melhor f. é *hispanofono*, mas o uso consagrou *hispanófono.*]

hispanoparlante [De *hispan(o)-* + **parlante*, 'que fala'.] *Adj. 2 g.* Diz-se de pessoa cujo idioma é o espanhol: 📖 "Sabemos que na maioria dos países hispanoparlantes a palavra correspondente [a suborno] é soborno." (Benedito Silva, em *Informativo*, maio de 1981, p. 32.)

hispano-romani *S. m. Gloss.* V. *caló* (1). [Pl.: *hispanos-romanis* e *hispano-romanis.*]

hispar-se *V. p. Bras.* V. *hispidar-se.*

hispidar-se [Do lat. *hispidare* + *se*[1].] *V. p.* Tornar-se híspido; eriçar-se, erriçar-se, ouriçar-se. [Var. sincopada (bras.): *hispar-se.* Pres. ind.: *hispido-me*, etc. Cf. *híspido.*]

hispidez (ê) [De *híspido* + *-ez.*] *S. f.* Qualidade de híspido.

híspido [Do lat. *hispidu*, 'eriçado'; 'áspero'.] *Adj.* **1.** V. *hirto* (1): 📖 "o cavalo estacou espavorido com o pelo híspido e as narinas insufladas pelo terror." (José de Alencar, *O Sertanejo*, p. 34); "Dilacerem-te os pés urzes e cardos, / Pontas de rochas, híspidos abrolhos..." (Da Costa e Silva, *Sangue*, p. 51). **2.** V. *hirto* (3). [Cf. *hispido-me*, do v. *hispidar-se.*] ~ V. *folha —a.*

híspido-seríceo [De *híspido* + *seríceo.*] *Adj. Bot.* Provido de pelos longos, tesos e brilhantes. [Pl.: *híspido-seríceos.*]

hispíneo [Adapt. do tax. *Hispinae.*] *Zool. S. m.* **1.** Espécime dos hispíneos, subfamília de insetos da ordem dos coleópteros, família dos crisomelídeos. Ex.: a lesma dos coqueiros. ● *Adj.* **2.** Pertencente ou relativo a eles.

hissopada [De *hissopar* + *-ada*[1].] *S. f.* Ato ou efeito de hissopar (uma vez); aspersão.

hissopar [De *hissope* + *-ar*[2].] *V. t. d.* Aspergir água benta com o hissope em. [Pres. ind.: *hissopo*, etc. Cf. *hissopo* (ô).]

hissope [De *hissopo*, por ser com raminhos desta planta que se fazia a bênção.] *S. m.* Aspersório: 📖 "aspergiu em cruz exorcizando a terra e o ar, ... e, de novo, três vezes embebeu o hissope e sacudiu-o na direção das cercas" (Coelho Neto, *Treva*, p. 296). [Cf. *hissopo.*]

hissopo (ô) [Do tax. *Hyssopus* (do lat. *hyssopus* < gr. *hýssopos*, 'planta aromática').] *S. m. Bot.* **1.** Gênero de plantas lamiáceas, herbáceas, aromáticas, perenes, lenhosas na parte inferior, verticifloras, e dotadas de folhas lineares; o cálice tem cinco dentes quase iguais, e a corola é bilabiada. **2.** Qualquer das cinco espécies desse gênero como, p. ex., a *Hyssopus officinalis*, de folhas altamente aromáticas e de forte sabor, cultivada como medicinal. **3.** Qualquer espécime desse gênero, ou a flor dele. [Pl.: *hissopos* (ô). Cf. *hissopo*, do v. *hissopar*, e *hissope.*]

histamina [De *hist(o)-* + *amina.*] *S. f. Bioquím.* Produto da descarboxilação da histidina, encontrado também no organismo, cristalino, incolor, solúvel em água, com ação vasodilatadora e constritora de músculos lisos [fórm.: $C_5H_9N_3$].

histaminase [De *histamina* + *-ase.*] *S. f. Bioquím.* Enzima capaz de catalisar a oxidação da histamina e de outras diaminas.

histaminérgico [De *histamina* + *-erg(o)-*[1] + *-ico*[2].] *Adj.* Que é exibido, da parte de receptor histamínico, à histamina.

histamínico [De *histamina* + *-ico*[2].] *Adj.* Próprio de, ou relativo a histamina.

histaminólise [De *histamina* + *-o-* + *-lise.*] *S. f. Fisiol. Farmac.* Inativação da histamina.

histaminolítico [De *histaminól(ise)* + *-ítico.*] *Adj. S. m. Fisiol. Farmac.* Diz-se de, ou fenômeno que inativa a histamina.

histeralgia [De *hister(o)-*[1] + *-alg(o)-*[2] + *-ia*[1].] *S. f. Gin.* Dor no útero.

histerálgico [De *histeralgia* + *-ico*[2].] *Adj.* Relativo a histeralgia.

histeranto [De *hister(o)-*[2] + *-anto.*] *Adj. S. m. Bot.* Diz-se de, ou planta cujas flores aparecem antes das folhas.

histerectomia [De *hister(o)-*[1] + *-ectom-* + *-ia*[1].] *S. f. Gin.* Ablação do útero, em extensão variável.

histerectómico *Adj. Gin.* V. *histerectômico.* [Uso freq. em P.]

histerectômico [De *histerectomia* + *-ico*[2].] *Adj. Gin.* Relativo a histerectomia.

histerese [Do ingl. *hysteresis*, cunhado em 1881 pelo físico J. A. Ewing (1855-1935) a partir do gr. tard. *hystéresis*, 'falta'; 'atraso'.] *S. f. Fís.* Fenômeno que consiste em a resposta de um sistema a uma solicitação externa se atrasar em relação ao incremento ou à atenuação dessa solicitação, como, p. ex., na magnetização e desmagnetização do ferro doce por um campo magnético.

histeria [De *hister(o)-*[1] + *-ia*[1].] *S. f. Psiq.* Afecção mental cujos sintomas se baseiam em conversão (10) e dissociação, é caracterizada por uma disfunção fisiológica na ausência de alterações orgânicas. Freud considerava que sua característica psicopatológica determinante residia na utilização da repressão como principal defesa do ego. ◆ **Histeria de conversão.** *Psiq. Desus.* V. *transtorno conversivo.* **Histeria de dissociação.** *Psiq. Desus.* V. *transtorno dissociativo.*

histérico [Do gr. *hysterikós*, 'referente ao útero'.] *Adj.* **1.** Relativo à, ou próprio da histeria. **2.** Que a tem. **3.** *Pop.* Irritadiço, zangadiço, nervoso. ~ V. *bolo —*, *neurose —a* e *transe —.* ● *S. m.* **4.** Aquele que tem ou mostra histeria.

histerídeo [Do tax. *Hister* + *-ídeo*[1]; tax. *Histeridae.*] *Zool. S. m.* **1.** Espécime dos histerídeos, família de coleópteros com cerca de 3900 espécies, encontrados em vários hábitats, quase sempre associados a material orgânico em decomposição. São ger. ovoides, pretos e brilhantes, e caracterizam-se pela cabeça retrátil, pelos élitros curtos, e pelas antenas geniculadas, com os três antenômeros terminais formando bastão. ● *Adj.* **2.** Pertencente ou relativo a eles.

histerismo [De *histeria* + *-ismo.*] *S. m.* **1.** *Med.* Forma frustra de histeria. **2.** Irritabilidade ou nervosismo excessivo.

▲ **hister(o)-**[1] [Do gr. *hystéra, as.*] *El. comp.* = 'útero'; p. ext. 'histérico': *histerectomia, histeria, histerocele, histerólito.* [Equiv.: *-(h)ister(o)-*: *ooforisterectomia.*]

▲ **hister(o)-**[2] [Do gr. *hystero-* < gr. *hýsteros, a, on.*] *El. comp.* = 'atrás', 'posterior': *histeranto, histerologia*[1].

▲ **-(h)ister(o)-** Equiv. de *hister(o)-*[1].

histerocele (is) [De *hister(o)-*[1] + *-cele*[1].] *S. f. Gin.* Saliência herniária produzida pelo útero.

histeróclise[1] [De *hister(o)-*[1] + *-clise*[2].] *S. f. Gin.* Sutura dos lábios do colo uterino.

histeróclise[2] [De *hister(o)-*[1] + *-clise*[3].] *S. f. Gin.* Lavagem uterina.

histeroepilepsia (is) [De *hister(o)-*[1] + *epilepsia.*] *S. f. Psiq. Neur.* Sintoma característico do transtorno conversivo (q. v.) que se manifesta na forma de acesso(s) que simula(m) ataque(s) epiléptico(s).

histerofisa (ist) [De *hister(o)-*[1] + gr. *phys*, raiz de *physáo*, 'soprar', 'inchar'.] *S. f. Gin.* Distensão do útero, produzida por gases.

histerografia (is) [De *hister(o)-*[1] + *-grafia.*] *S. f. Gin.* **1.** Descrição do útero. **2.** Visualização radiológica do útero mediante injeção local de contraste. **3.** Registro gráfico da força das contrações uterinas. [Sin., desus.: *metrografia.*]

histerográfico (is) [De *histerografia* + *-ico*[2].] *Adj.* Relativo à histerografia. [Sin., desus.: *metrográfico.*]

histerólito [De *hister(o)-*[1] + *-lito.*] *S. m. Patol.* Cálculo uterino.

histerologia[1] (is) [Do gr. tard. *hysterología.*] *S. f. E. Ling.* Recurso de estilo que consiste em o escritor ou o orador referir-se primeiramente àquilo que deveria vir depois; histeron-próteron.

histerologia[2] (is) [De *hister(o)-*[1] + *-logia.*] *S. f. Med.* Estudo e descrição do útero.

histerológico[1] (is) [De *histerologia*[1] + *-ico*[2].] *Adj. E. Ling.* Relativo a histerologia[1].

histerológico[2] (is) [De *histerologia*[2] + *-ico*[2].] *Adj. Med.* Relativo a histerologia[2].

histerólogo[1] [De *hister(o)-*[2] + *-logo.*] *S. m.* Aquele que usa histerologia[1].

histerólogo[2] [De *hister(o)-*[1] + *-logo.*] *S. m. Med.* Especialista em histerologia[2].

histeroloxia (is... cs) [De *hister(o)-*[1] + *-lox(o)-* + *-ia*[1].] *S. f. Patol.* Versão ou flexão oblíqua do útero.

histeromalacia (is... cí) [De *hister(o)-*[1] + *-malacia.*] *S. f. Patol.* Amolecimento dos tecidos do útero.

histerómana *S. f. Psiq.* V. *histerômana.* [Uso freq. em P.]

histerômana [De *hister(o)-*[1] + *-mana.*] *S. f. Psiq.* V. *ninfômana.*

histeromania (is) [De *hister(o)-*[1] + *-mania.*] *S. f. Psiq.* V. *ninfomania.*

histeromaníaca (is) [F. subst. de *histeromaníaco.*] *S. f. Psiq.* V. *ninfômana.*

histeromaníaco (is) [De *histeromania* + *-íaco.*] *Adj. Psiq.* V. *ninfomaníaco.*

histerómetro *S. m. Gin.* V. *histerômetro.* [Uso freq. em P.]

histerômetro [De *hister(o)-*[1] + *-metro.*] *S. m. Gin.* Instrumento com que se mede a cavidade do útero.

hísteron-próteron *S. m.* Histerologia[1]. [Pl.: *hísterons-próterons.*]

histeropexia (is... cs) [De *hister(o)-*[1] + *-pex-* + *-ia*[1].] *S. f. Cir.* Fixação cirúrgica do útero.

histeroptose (is) [De *hister(o)-*[1] + *-ptose.*] *S. f. Patol.* Queda ou ptose do útero. [Sin., desus.: *metroptose.*]

histeroscopia (is) [De *hister(o)-*[1] + *-scop-* + *-ia*[1].] *S. f. Gin.* Exame endoscópico da cavidade uterina, mediante uso de equipamento especial que permite a obtenção de imagens televisionadas, além de possibilitar a feitura de biopsia; uteroscopia.

histeroscópio (is) [De *hister(o)-*[1] + *-scópio.*] *S. m. Gin.* Endoscópio usado na histeroscopia.

histerostomatomia (is) [De *hister(o)-*[1] + *-stoma-* + *-tom(o)-* + *-ia*[1].] *S. f. Obst.* Incisão nos lábios do colo uterino, visando dilatação ou alargamento.

histerostomátomo (is) [De *hister(o)-*[1] + *-stoma-* + *-tomo.*] *S. m. Obst.* V. *histerostomótomo.*

histerostomótomo (is) [De *hister(o)-*[1] + *-stom(o)-* + *-tomo.*] *S. m. Obst.* Instrumento utilizado para secionar os lábios do colo uterino; histerostomátomo.

histerotocotomia (is) [De *hister(o)-*[1] + *-toc(o)-* + *-tom(o)-* + *-ia*[1].] *S. f. Obst. Desus.* Operação cesariana.

histerotomia (is) [De *hister(o)-*[1] + *-tom(o)-* + *-ia*[1].] *S. f. Obst.* Incisão do útero; uterotomia, metrotomia.

histerotómico (is) *Adj. Obst.* V. *histerotômico.* [Uso freq. em P.]

histerotômico (is) [De *histerotomia* + *-ico*[2].] *Adj. Obst.* Relativo a histerotomia.

histerótomo [De *hister(o)-*[1] + *-tomo.*] *S. m. Cir.* Instrumento com que se pratica a histerotomia.

histerotraumático (is) [De *hister(o)-*[1] + *traumático.*] *Adj. Psiq. Med. Leg.* Relativo a histerotraumatismo.

histerotraumatismo (is) [De *hister(o)-*[1] + *traumatismo.*] *S. m. Psiq. Med. Leg.* Sintoma característico do transtorno conversivo (q. v.) ou do transtorno dissociativo (q. v.), consecutivo a traumatismo, e que pode ter importante implicação médico-legal; eventualmente, a diferenciação com lesão orgânica se torna difícil.

histidina *S. f. Quím.* Aminoácido natural, essencial, básico, que contém um anel de imidazol [fórm.: $C_6H_9N_3O_2$].

▲ **histio-** [Do gr. *histíon*, ou < gr. *histós, oû* (v. *hist(o)-*).] *El. comp.* = 'tecido'; 'vela de barco': *histiócito, histiodromia.*

histiócito [De *histio-* + *-cito.*] *S. m. Histol.* Macrófago fixo.

histiodromia [De *histio-* + *-drom(o)-* + *-ia*[1].] *S. f.* Arte de navegar à vela.

▲ **hist(o)-** [Do gr. *histós, oû.*] *El. comp.* = 'tecido': *histologia, histotipia.* [V. *histio-.*]

histocompatibilidade [De *hist(o)-* + *compatibilidade.*] *S. f. Imun.* Capacidade de um tecido ou de um órgão de doador ser aceito por um receptor, permanecendo funcional.

histocompatível [Voc. deduz. de *histocompatibilidade*; v. *hist(o)-* e *compatível.*] *Adj. 2 g. Imun.* Relativo a histocompatibilidade.

histofisiologia (fi) [De *hist(o)-* + *fisiologia.*] *S. f.* Ramo da histologia que estuda células e tecidos do ponto de vista da função deles.

histofisiológico (fi) [De *histofisiologia* + *-ico*[2].] *Adj.* Relativo a histofisiologia.

histogéneo *Adj. Biol.* V. *histogêneo.* [Uso freq. em P.]

histogêneo [De *hist(o)-* + *-gen(o)-* + *-eo.*] *Adj. Biol.* Que gera tecidos orgânicos.

histogénese *S. f. Biol.* V. *histogênese.* [Uso freq. em P.]

histogênese [De *hist(o)-* + *-gênese.*] *S. f. Biol.* Formação e desenvolvimento dos tecidos orgânicos; histogenia.

histogenésico [De *histogênese* + *-ico*[2].] *Adj. Biol.* Histogenético.

histogenético [De *histogên(ese)* + *-ético.*] *Adj. Biol.* Relativo a histogênese; histogenésico, histogênico.

histogenia [De *hist(o)-* + *-genia.*] *S. f. Biol.* Histogênese.

histogénico *Adj. Biol.* V. *histogênico.* [Uso freq. em P.]

histogênico [De *histogenia* + *-ico*[2].] *Adj. Biol.* Referente a histogenia; histogenético.

histografia [De *hist(o)-* + *-grafia.*] *S. f. Biol.* Descrição dos tecidos orgânicos.

histográfico [De *histografia* + *-ico*[2].] *Adj.* Relativo à histografia.

histógrafo [De *hist(o)-* + *-grafo.*] *S. m.* Especialista em histografia.

histograma [De *hist(o)-* + *-grama.*] *S. m. Estat.* Representação gráfica de uma distribuição de frequência em que as frequências de classes são representadas pelas áreas de retângulos contíguos e verticais, com as bases colineares e proporcionais aos intervalos das classes.

histólise [De *hist(o)-* + *-lise.*] *S. f. Patol.* Destruição ou dissolução de tecido(s).

histolítico [De *histól(ise)* + *-ítico.*] *Adj. Patol.* Relativo a histólise.

H

histologia [De *hist(o)-* + *-logia*.] ***S. f. Biol.*** Ramo da biologia que estuda a estrutura microscópica de tecidos e órgãos.

histológico [De *histologia* + *-ico*[2].] ***Adj. Biol.*** Relativo a histologia.

histologista [De *histologia* + *-ista*.] ***S. 2 g. Biol.*** Especialista em histologia.

histoma [De *hist(o)-* + *-oma*[1].] ***S. m. Patol.*** Qualquer tumor constituído por tecido (5).

histometábase [De *hist(o)-* + *metábase*.] ***S. f. Geol.*** Processo de fossilização por substituição, sendo esta realizada molécula por molécula, do que resulta uma reprodução perfeita do fóssil nos mínimos pormenores celulares.

histona [De *hist(o)-* + *-ona*[2].] ***S. f. Bioquím.*** Qualquer de certas enzimas que se ligam firmemente ao ácido desoxirribonucleico dos cromossomos de células eucarióticas.

histonomia [De *hist(o)-* + *-nom(o)-* + *-ia*[1].] ***S. f. Biol.*** Estudo dos tecidos baseado na transposição, para termos biológicos, das leis quantitativas derivadas de mensuração histológica.

histonómico ***Adj. Biol.*** V. *histonômico*. [Uso freq. em P.]

histonômico [De *histonomia* + *-ico*[2].] ***Adj. Biol.*** Relativo a histonomia.

histopatologia [De *hist(o)-* + *patologia*.] ***S. f. Patol.*** Estudo, em nível microscópico, de lesões orgânicas.

histoplasma [De *hist(o)-* + *-plasma*; tax. *Histoplasma*.] ***S. m. Biol.*** **1.** Gênero de fungos imperfeitos da classe dos ascomicetos. **2.** Qualquer espécie desse gênero, como, p. ex., a *Histoplasma capsulatum*, o agente etiológico da histoplasmose. **3.** Qualquer espécime desse gênero.

histoplasmina [Voc. farmac.; ingl. *histoplasmin*.] ***S. f. Med.*** Antígeno para teste cutâneo preparado a partir da fase miceliana do *Histoplasma capsulatum* [v. *histoplasma* (2)], e que é us., principalmente, em explorações epidemiológicas e em testes que investigam grau de reatividade cutânea, no diagnóstico de imunodeficiências.

histoplasmose [De *hist(o)-* + *-plasm(o)-* + *-ose*[1].] ***S. f. Med.*** Infecção que pode ter evolução aguda ou crônica, causada pelo fungo *Histoplasma capsulatum*, e que, se chegar a manifestar-se clinicamente (pois é assintomática na maioria dos casos), se exterioriza por pneumonia aguda, hepatesplenomegalia e anemia.

histoquímica [De *hist(o)-* + *química*.] ***S. f.*** Ramo da histologia que estuda células e tecidos sob o aspecto de sua composição química.

histoquímico [De *histoquímica*, com var. suf. (v. *-ico*[2]).] ***Adj.*** Relativo a histoquímica.

história [Do gr. *historía*, pelo lat. *historia*.] ***S. f.*** **1.** Narração metódica dos fatos notáveis ocorridos na vida dos povos, em particular, e na vida da humanidade, em geral: *a <u>história</u> do Brasil; <u>história</u> universal.* **2.** Conjunto de conhecimentos adquiridos através da tradição e/ou por meio dos documentos, relativos à evolução, ao passado da humanidade. **3.** Ciência e método que permitem adquirir e transmitir aqueles conhecimentos. **4.** O conjunto das obras referentes à história. **5.** Conjunto de conhecimentos relativos a esta ciência, ou que têm implicações com ela, ministrados nas respectivas faculdades: *estudante de <u>História</u>.* [Com cap., nesta acepç.] **6.** Tratado ou compêndio de história. **7.** Exemplar de um desses tratados ou compêndios. **8.** Estudo das origens e processos de uma arte, de uma ciência ou de um ramo do conhecimento: *<u>história</u> da pintura; <u>história</u> da medicina.* **9.** Narração de acontecimentos, de ações, em geral cronologicamente dispostos: *a <u>história</u> das viagens do Capitão Cook; a <u>história</u> de Napoleão.* **10.** Narração de fatos, acontecimentos ou particularidades relativas a um determinado assunto: *<u>histórias</u> do Rio antigo; Longa e curiosa é a <u>história</u> daquele casarão.* **11.** Conto, narração, narrativa: *Meu avô era grande contador de <u>histórias</u>; Conhece a <u>história</u> do Chapeuzinho Vermelho?* **12.** Enredo, trama, fábula: *É um romance ótimo, apesar de quase não ter <u>história</u>.* **13.** Patranha, lorota, peta; conto: *Nada havia de verdade no que o patife lhe contara: tudo era <u>história</u>.* **14.** Complicação, amolação, chateação: *Saiu logo da festa, porque não queria saber de <u>histórias</u>.* **15.** Luxo, melindre, dengue, complicação: *Não se faça de rogado, deixe de <u>história</u>, venha jantar conosco.* **16.** Relação amorosa; caso, aventura: *Era do conhecimento de todos a sua <u>história</u> com a moça.* **17.** *Fam.* Coisa, objeto, negócio, troço: *Que <u>história</u> é essa aí na sua blusa?* [Dim. irreg.: *historieta, historíola*. Cf. *historia*, do v. *historiar*.] ◆ **História aos quadradinhos.** *Lus.* História em quadrinhos. **História da carochinha.** V. *conto da carochinha*: "e toda a santa noite se perdia em rezas, em oratórios, em recados, em <u>histórias da carochinha</u>" (Júlio Dantas, *O Amor em Portugal no Século XVIII*, p. 198). **História de Trancoso.** V. *conto da carochinha*. **História do arco-da-velha.** História espantosa, extraordinária, inverossímil. **História em quadrinhos.** Narração de uma história, ou de aventuras ou mesmo de um romance, feita por meio de desenhos e legendas dispostos em uma série de quadros. [Tb. se diz apenas *quadrinhos*.] [Sin.: *banda desenhada* e (lus.) *história aos quadradinhos*.] **História natural.** Designação tradicional das ciências naturais (q. v.), que hoje se aplica ao estudo meramente descritivo dos seres vegetais, animais ou minerais. **História para boi dormir.** *Bras.* V. *conversa mole* (2). **História para menino dormir sem ceia.** *Bras. N.E.* V. *conversa mole* (2). **Cheio de histórias. 1.** Enredado, enleado, complicado, difícil: *Impossível conviver com ela: é <u>cheia de histórias</u>.* **2.** Afetado, presunçoso, pretensioso, historiento; cheio de luxo: *É um sujeito metido a besta, <u>cheio de histórias</u>.* **Ficar pra contar a história.** *Bras.* Ser o único a escapar, a sobreviver.

historiada [De *história* + *-ada*[1].] ***S. f. Bras.*** **1.** Coisa complicada ou embrulhada. **2.** História longa demais.

historiado [Part. de *historiar*.] ***Adj.*** **1.** Que se historiou. **2.** Cheio ou adornado de episódios. **3.** *Fam.* Enfeitado, embonecado. **4.** Em que se pôs ou fez adornos: "uma faca truculenta e pontuda, <u>historiada</u> de lavores de prata." (Eduardo Frieiro, *O Mameluco Boaventura*, p. 37). ~ V. *letra —a*.

historiador (ô) [De *historiar* + *-dor*.] ***S. m.*** **1.** Especialista em história (1); historiógrafo. **2.** Aquele que historia ou narra um fato ou acontecimento.

historial [De *história* + *-al*[1].] *Desus.* ***Adj. 2 g.*** **1.** Pertencente ou relativo à história (1). ● ***S. m.*** **2.** Obra historial; história, narrativa: "Antigamente foi esta Ilha de Cândia mui povoada, e mui célebre no mundo. Dela escreve o glorioso Santo Antonino no seu <u>historial</u> haver tido cem cidades" (Fr. Pantaleão de Aveiro, *Itinerário da Terra Santa e Suas Particularidades*, p. 30).

historiar [De *história* + *-ar*[2].] ***V. t. d.*** **1.** Fazer a história (1) de. **2.** Contar, narrar: *Emocionado, não conseguia <u>historiar</u> o que presenciara.* **3.** *Fam.* Alindar com ornatos; enfeitar, adornar, embrincar. ***T. d. e i.*** **4.** Narrar, contar: *<u>Historiei</u>-lhe o episódio tim-tim por tim-tim.* [Pres. ind.: *historio, historias, historia*, etc. Cf. *história*.]

historicidade [De *histórico* + *-(i)dade*.] ***S. f.*** **1.** Caráter do que é histórico. **2.** *Liter.* Atuação do homem como agente no processo histórico-literário.

historicismo [De *histórico* + *-ismo*.] ***S. m. Filos.*** **1.** Doutrina que estuda seus objetos do ponto de vista da origem e desenvolvimento deles, vinculando-os às condições concretas que os acompanham. **2.** Concepção idealística ligada ao neokantismo (q. v.), e em que se afirma a singularidade absoluta dos fatos históricos e a subjetividade, tb. absoluta, da sua apreensão. [Sin. ger. (menos us.): *historismo*.]

histórico [Do gr. *historikós*, pelo lat. *historicu*.] ***Adj.*** **1.** Relativo à história (1): *fato <u>histórico</u>; romance <u>histórico</u>.* **2.** Digno de figurar na história (1): *A vitória do Brasil na Copa do Mundo de 70 é um acontecimento <u>histórico</u>.* **3.** Real, verdadeiro: *Muito se discutiu acerca da pessoa de Homero: legendária ou <u>histórica</u>? <u>Histórica</u>.* ~ V. *biogeografia —a, centro —, cidade —a, conjunto —, custo —, gramática —a, linguística —a, materialismo —, núcleo —, presente —, romance —* e *sítio —*. ● ***S. m.*** **4.** Exposição cronológica de fatos: *O médico, sem um minucioso <u>histórico</u> da doença, não podia diagnosticá-la.* **5.** *Cont.* Menção sintética da origem, da natureza e doutras circunstâncias esclarecedoras das operações contabilizadas com a qual se completam e se individuam lançamentos por partidas dobradas.

histórico-cultural [De *histórico* + *cultural*.] ***Adj. 2 g.*** Relativo à história (1) e à cultura (5 e 11). [Pl.: *histórico-culturais*.]

historieiro [De *história* + *-eiro*.] ***Adj. Bras. Pop.*** Diz-se de cavalar indócil.

historiento [De *história* + *-ento*.] ***Adj. Bras. Pop.*** V. *cheio de luxo*.

historieta (ê) [Do fr. *historiette*.] ***S. f.*** **1.** Narração sem importância. **2.** História (11) pequena, curta. **3.** Anedota (1). [Sin. ger.: *historíola*.]

historiografia (tò) [Do gr. *historiographía*.] ***S. f.*** **1.** Arte de escrever a história (1): "a filosofia da história partirá das fronteiras últimas da <u>historiografia</u> para especular livremente sobre problemas e inquietações que não cabem nos domínios da história científica." (Fidelino de Figueiredo, *Entre Dois Universos*, p. 209). **2.** Estudo histórico e crítico acerca da história ou dos historiadores.

historiográfico (tò) [Do gr. *historiographikós*.] ***Adj.*** Referente à historiografia.

historiógrafo [Do gr. *historiográphos*, pelo lat. *historiographu*.] ***S. m.*** **1.** Aquele que é designado para escrever a história duma nação, duma época, duma dinastia, etc.; cronista. **2.** Historiador (1): "Segundo as investigações pacientes do <u>historiógrafo</u> Sr. Maximiano d'Aragão, o grande Vasco Fernandes, o maior pintor português de todos os tempos, nasceu em Viseu .... e morreu obscuro em Tomar" (José Vieira, *Sol de Portugal*, p. 72).

historíola [De *história* + *-ola*[1].] ***S. f.*** V. *historieta*.

historiologia (tò) [De *história* + *-o-* + *-logia*; ingl. *historiology*.] ***S. f.*** Filosofia da história.

historiológico (tò) [De *historiologia* + *-ico*[2].] ***Adj.*** Relativo à historiologia.

historismo [De *história* + *-ismo*; fr. *historisme*.] ***S. m. Filos.*** Historicismo (q. v.).

historrexe (cs) [De *hist(o)-* + *-rexe*.] ***S. f.*** Ruptura de tecido (5).

histotipia [De *hist(o)-* + *-tip(o)-* + *-ia*[1].] ***S. f.*** Arte de imprimir em tecidos. [Cf. *linografia* (1).]

histotomia [De *hist(o)-* + *-tom(o)-* + *-ia*[1].] ***S. f. Med.*** Dissecção tecidual.

histotómico ***Adj. Med.*** V. *histotômico*. [Uso freq. em P.]

histotômico [De *histotomia* + *-ico*[2].] ***Adj. Med.*** Relativo a histotomia.

histótomo [De *hist(o)-* + *-tomo*.] ***S. m.*** Instrumento usado em histotomia.

histotripsia [De *hist(o)-* + *-trips-* + *-ia*[1].] ***S. f. Cir.*** Esmagamento de tecido (5).

histotromia [De *hist(o)-* + gr. *trómos*, 'tremor', + *-ia*[1].] ***S. f. Med.*** Contração fibrilar que se observa em músculos, e em especial nas pálpebras.

histotrómico ***Adj. Med.*** V. *histotrômico*. [Uso freq. em P.]

histotrômico [De *histotromia* + *-ico*[2].] ***Adj. Med.*** Relativo a histotromia.

histozima [Do V.C.I. *histozyme*.] ***S. f. Bioquím.*** Enzima que remove o grupo acila da molécula de certos aminoácidos (como o ácido hipúrico).

histozoário ***S. m. Zool.*** Animal histozoico.

histozoico (ói) [De *hist(o)-* + *zo(o)-* + *-ico*[2].] ***Adj. Zool.*** Que vive no interior de tecidos, ou sobre eles. [Diz-se de parasitos.] ❖

histrião [Do lat. *histrione*.] ***S. m. Teatr.*** **1.** No antigo teatro romano, cada um dos mimos [v. *mimo*[2] (2)], jograis ou comediantes etruscos que representavam as fábulas ou farsas do período. **2.** *P. ext. Teatr.* Farsista, comediante, cômico: "Felizmente, a humanidade não se compõe só de <u>histriões</u>; embora nela predominem .... os que tomam a vida como uma comédia" (Oliveira Martins, *A Vida de Nun'Álvares*, p. 352). **3.** Bufão, palhaço, bobo. **4.** Indivíduo ridículo, ou vil, abjeto.

histricídeo [Do lat. cient. *Hytric-* (do tax. *Hystrix*, do gr. *hýstrix, echos*, 'porco-espinho') + *-ídeo*[1]; tax. *Hystricidae*.] *Zool.* ***S. m.*** **1.** Espécime dos histricídeos, família de mamíferos roedores, histricomorfos, das regiões quentes do Velho Mundo, de hábitos noturnos. São os porcos-espinhos da África e Ásia. ● ***Adj.*** **2.** Pertencente ou relativo a eles.

histricomorfo [Do lat. cient. *Hystric-* (v. *histricídeo*) + *-o-* + *-morfo*; tax. *Hystricomorpha*.] *Zool.* ***S. m.*** **1.** Espécime dos histricomorfos, subordem de roedores que compreende animais de cabeça grande, corpo roliço, pernas delgadas e rabo curto, e em que parte do masseter mediano estende-se para diante, através de um grande forame no arco zigomático, e prende-se no lado do rostro. Ex.: porco-espinho, capivara, chinchila. ● ***Adj.*** **2.** Pertencente ou relativo a eles.

histrionice [De *histrião* + *-ice*, seg. o padrão erudito.] ***S. f.*** Qualidade, maneiras, ato ou dito de histrião; histrionismo.

histriónico ***Adj.*** V. *histriônico*. [Uso freq. em P.]

histriônico [Do lat. *histrionicu*.] ***Adj.*** Relativo a, ou próprio de histrião.

histrionismo [De *histrião* (*histrion-*) + *-ismo*, seg. o padrão erudito.] ***S. m.*** Histrionice.

➔**hit** [hɪt] [Ingl.] ***S. m.*** Aquilo que está na moda, que faz sucesso no momento, na temporada, etc.: *O <u>hit</u> deste verão são os minivestidos de malha.*

hitchcockiano [Do antr. (*Alfred*) *Hitchcock* + *-iano*.] ***Adj.*** **1.** Pertencente ou relativo a Alfred Hitchcock (1899-1980), cineasta inglês, ou próprio dele e/ou de sua obra. **2.** Que é admirador e/ou profundo conhecedor da obra de Hitchcock. ● ***S. m.*** **3.** Admirador e/ou profundo conhecedor da obra desse cineasta.

hitita [Do fr. *hittite*.] ***S. 2 g.*** **1.** Indivíduo dos hititas, povo da Antiguidade que habitou a Síria setentrional por volta de 1900 a. C. ● ***S. m.*** **2.** *Gloss.* Língua indo-europeia falada por esse povo, cujas inscrições, pertencentes ao segundo milênio a. C., são os mais antigos testemunhos do tronco linguístico indo-europeu. ● ***Adj. 2 g.*** **3.** Pertencente ou relativo a esse povo ou à sua língua.

hititologia [De *hitita* + *-o-* + *-logia*.] ***S. f.*** Estudo dos restos arqueológicos dos hititas, de sua língua e das maneiras de grafá-la.

hititológico [De *hititologia* + *-ico*[2].] *Adj.* Relativo à hititologia.

hititólogo [De *hitita* + *-o-* + *-logo*.] *S. m.* Especialista em hititologia.

hitleriano [De *Hitler* + *-iano*.] *Adj. S. m.* V. *hitlerista*.

hitlerismo [De *Hitler* + *-ismo*.] *S. m.* **1.** O conjunto das doutrinas de Hitler (v. *hitlerista*). **2.** Influência de Hitler na política. [V. *nazismo*.]

hitlerista [De *Hitler* + *-ista*.] *Adj. 2 g.* **1.** Relativo ou pertencente a Adolf Hitler (1889-1945), político alemão, ou próprio dele ou de sua doutrina. **2.** Que é partidário do hitlerismo. ● *S. 2 g.* **3.** Partidário dele.

➔**hit man** [hɪt mæn] [Ingl.] *S. m.* Assassino profissional (esp. o que trabalha para organização criminosa): 📖 "você era mesmo um hit man conhecido como Especialista?" (Rubem Fonseca, *O Seminarista*, p. 168).

➔**hit parade** [hɪt pəˈɹeɪd] [Ingl.] *Mús.* Parada de sucesso (q. v.).

hiulco (i-úl) [Do lat. *hiulcu*.] *Adj. Poét.* Hiante, fendido.

■**HIV** [Acrôn. da expressão inglesa *H(uman) I(mmunodeficiency) V(irus)*.] Sigla que designa retrovírus do gênero *Lentivirus*, e do qual se identificaram dois sorotipos (HIV-1 e HIV-2); é agente causador da síndrome de imunodeficiência adquirida (AIDS).

■ **HIV-1** V. *HIV*.

■ **HIV-2** V. *HIV*.

hixcariana *Bras. S. 2 g.* **1.** *Etnôn.* Indivíduo dos hixcarianas [ou (etnôn. bras.) *Hixkaryana], povo indígena, da família linguística caraíba, que habita a margem esquerda do rio Nhamundá, na região da divisa do AM com o PA. ● *Adj. 2 g.* **2.** Pertencente ou relativo a esse povo.

■ **hl** Símb. de *hectolitro*.

■ **hm** Símb. de *hectômetro*.

■ **HMPA** [Ingl. *hexamethylphosphoramide*.] *Quím.* Abrev. de *hexametilfosforamida*.

■ **HMPT** [Ingl. *hexamethylphosphorous triamide*.] *Quím.* Abrev. de *hexametilfosforosotriamida*.

■ **Hn** *Quím.* Símb. de *hâhnio*.

■ **Ho** *Quím.* Símb. de *hólmio*.

➔**hobby** [ˈhɑbij] [Ingl.] *S. m.* Atividade de recreio ou de descanso, praticada, em geral, nas horas de lazer.

hodierno [Do lat. *hodiernu*.] *Adj.* Relativo aos dias de hoje; atual.

▲ **hodo-** [Do gr. *hodós, oû*.] *El. comp.* = 'via', 'caminho', 'jornada': *hodômetro*. [Equiv.: *-od(o)-*[2], *-odo* (q. v.).]

hodofobia [De *hodo-* + *-fobia*.] *S. f. Psiq.* Aversão patológica a percorrer caminhos.

hodofóbico [De *hodofobia* + *-ico*[2].] *Psiq. Adj.* **1.** Relativo a hodofobia. **2.** Que sofre de hodofobia; hodófobo. ● *S. m.* **3.** Aquele que sofre de hodofobia; hodófobo.

hodófobo [De *hodo-* + *-fobo*.] *Adj. S. m. Psiq.* Hodofóbico (2 e 3).

hodográfico [De *hodógrafo* + *-ico*[2].] *Adj.* ~ V. *curva —a*.

hodógrafo [De *hodo-* + *-grafo*.] *S. m. Fís.* Curva que é o lugar das extremidades de segmentos orientados de origem fixa e equipolentes a vetores que representam a velocidade de um ponto; curva hodográfica.

hodometria [De *hodo-* + *-metria*.] *S. f.* Arte de medir as distâncias percorridas.

hodométrico [De *hodometria* + *-ico*[2].] *Adj.* Relativo à hodometria.

hodómetro *S. m.* V. *hodômetro*. [Uso freq. em P.]

hodômetro [De *hodo-* + *-metro*.] *S. m.* Instrumento para medir distâncias percorridas. [Sin., desus.: *celerímetro*. Cf. *taxímetro*, *velocímetro* e *udômetro*.]

hodotermitídeo [Adapt. do tax. *Hodotermitidae*.] *Zool. S. m.* **1.** Espécime dos hodotermitídeos, família de insetos pterigotos, isópteros, xilófagos ou fitófagos, cujos olhos são bem desenvolvidos; são cupins da região tropical do Velho Mundo. ● *Adj.* **2.** Pertencente ou relativo a eles.

hodotermitíneo [Adapt. do tax. *Hodotermitinae*.] *Zool. S. m.* **1.** Espécime dos hodotermitíneos, subfamília de insetos hodotermitídeos (q. v.). ● *Adj.* **2.** Pertencente ou relativo a eles.

hoia (ói) [Do tax. *Hoya* (do antr. [*Thomas*] *Hoy* [-1821], jardinista inglês).] *S. f. Bot.* **1.** Grande gênero de arbustos asclepiadáceos, alguns deles trepadores, nativos da Australásia, dotados de folhas carnosas e flores odoríferas, de corola rotiforme e corona estreliforme. **2.** Qualquer espécie desse gênero, como, p. ex., a *Hoya carnosa* (v. *flor-de-cera*). **3.** Qualquer espécime desse gênero, ou a flor dele. ❖

hoje (ô) [Do lat. *hodie*.] *Adv.* **1.** No dia em que estamos: 🗒 *Hoje haverá grande festa em nossa terra.* **2.** Na época que corre; atualmente. ● *S. m.* **3.** A época presente: 🗒 *os jovens de hoje.* ◆ **Mais hoje, mais amanhã.** Mais dia, menos dia.

hol [Aportug. imperfeito do ingl.] *S. m.* V. *hall*: 📖 "Me introduziram na saletinha da esquerda, uma espécie de luís-quinze .... dando pro hol central." (Mário de Andrade, *Contos Novos*, p. 18.)

holanda [Do top. *Holanda*.] *S. m.* **1.** *Ind. Pap.* Papel da Holanda (q. v.): 📖 "edições preciosas, impressas em holanda, china ou japão." (Afrânio Peixoto, *Poeira da Estrada*, p. 111). ● *S. f.* **2.** *Desus. Tec. Têx.* Certo tecido de linho finíssimo: 📖 "De clara holanda vestis / Vosso corpo, linda Infanta" (Eugênio de Castro, *Obras Poéticas*, I, p. 147).

holandês *Adj.* **1.** Da, ou pertencente ou relativo à Holanda (Europa). **2.** Diz-se de gado vacum originário da Holanda, e que se caracteriza pela habilidade leiteira de suas vacas. ~ V. *cilindro —*. ● *S. m.* **3.** O natural ou habitante da Holanda. **4.** *Gloss.* Variedade do neerlandês (3) falada na Holanda. [V. *germânico*.] **5.** *Ind. Pap.* V. *holandesa*. **6.** *Zool.* Peixe-voador (1). **7.** *Cabo-verd.* Emigrante que regressou da Holanda: 📖 "Os 'holandeses' andavam a comprar casas velhas ou em ruína, quando as não construíam de raiz. A Avenida da Holanda surgira precisamente com esse febre de adquirir habitação." (Teixeira de Sousa, *Entre Duas Bandeiras*, p. 141.) [Flex.: *holandesa* (ê), *holandeses* (ê), *holandesas* (ê).]

holandesa (ê) [F. subst. do adj. holandês.] *S. f. Ind. Pap.* Aparelho usado outrora para desintegrar os trapos, e posteriormente para refinar a semipasta, convertendo-a na polpa adequada à alimentação da máquina de papel; holandês, cilindro holandês.

holandilha [Dim. de *holanda* (2); ou do esp. *holandilla*.] *S. f. Tec. Têx.* Tecido grosso, de linho, usado sobretudo em entretelas: 📖 "toalha de holandilha picada de rendas" (Júlio Dantas, *A Ceia dos Cardeais*, p. 9).

holártica [De *hol(o)-* + o f. de *ártico*.] *S. f.* Região zoogeográfica que compreende a Europa, o N. da África, o N. da Ásia até o Himalaia, e a América do Norte até o N. do México. [Com cap.]

holártico [De *hol(o)-* + *ártico*.] *Adj.* Da, ou pertencente ou relativo à Holártica.

➔**holding** [ˈhowldɪŋ] [Do ingl. *holding company*.] *S. m.* **1.** Empresa cujo capital é constituído exclusivamente de ações de outras, que são, assim, por ela controladas, e cujo controle é a sua única atividade. **2.** Empresa que adquire a totalidade ou a maioria das ações de outras, que passam a ser suas subsidiárias.

holectipoide (ói) [Adapt. do tax. *Holectypoida*.] *Zool. S. m.* **1.** Espécime dos holectipoides, ordem de animais equinodermos, equinoides, providos de lanterna de aristóteles e dentes carenados, com franjas laterais. ● *Adj. 2 g.* **2.** Pertencente ou relativo a eles. ❖

➔**hole-in-one** [howl ɪn wʌn] [Ingl.] *S. m. 2 n. Esport.* No golfe, o ato de acertar um buraco com apenas uma tacada.

holerite [Do antr. (*Hermann*) *Hollerith* (1860-1929), estatístico e engenheiro norte-americano.] *S. m. Bras.* V. *contracheque*.

holismo [De *hol(o)-* + *-ismo*.] *S. m.* **1.** *Filos.* Tendência, que se supõe seja própria do Universo, a sintetizar unidades em totalidades organizadas. **2.** Teoria segundo a qual o homem é um todo indivisível, e que não pode ser explicado pelos seus distintos componentes (físico, psicológico ou psíquico), considerados separadamente; holística.

holista [De *holismo* + *-ista*.] *S. 2 g.* **1.** Partidário do holismo. ● *Adj. 2 g.* **2.** Holístico.

holística [F. subst. do adj. *holístico*.] *S. f.* Holismo (2).

holístico [De *holista* + *-ico*[2].] *Adj.* Relativo ao holismo (1 e 2), ou próprio dele.

➔**hollerith** [ˈhɔləɹɪθ] [Ingl. (< antr. *Hollerith*, de Herman Hollerith (1860-1929), inventor norte-americano, criador de um equipamento eletromecânico para contagens e tabulações estatísticas, que funcionava com cartões perfurados.] *S. m.* **1.** *Inform.* V. *cartão perfurado*. **2.** *Bras.* V. *contracheque*.

hollywoodiano [Do top. *Hollywood* + *-iano*.] *Adj.* **1.** De, ou relativo a Hollywood (Los Angeles, E.U.A.). **2.** Da, relativo à, ou próprio da indústria cinematográfica ali instalada, e aos filmes que ela produz. **3.** *Fig.* Próprio do *glamor* dos artistas e dos filmes de grandes produções.

holmiense *Adj. 2 g.* **1.** De, ou pertencente ou relativo a Estocolmo, capital da Suécia (Europa). ● *S. 2 g.* **2.** O natural ou habitante de Estocolmo.

hólmio [De *Holmia*, f. latinizada de *Stockholm* (Suécia), localidade em cujas vizinhanças se encontram minerais ricos em hólmio.] *S. m. Quím.* Elemento de número atômico 67, pertencente aos lantanídeos [símb.: *Ho*].

▲**hol(o)-** [Do gr. *hólos, ē, on*.] *El. comp.* = 'inteiro', 'completo'; 'indiviso', 'compacto'; 'homogêneo', 'similar': *holográfo*, *holoparasito*; *holorrino*.

holobasídio [De *hol(o)-* + *basídio*.] *S. m. Micol.* Basídio indiviso, não septado; autobasídio.

holobrânquio [De *hol(o)-* + *-brânquio*.] *Adj. Zool.* Que tem brânquias completas.

holocausto [Do gr. *holókauston*, 'sacrifício em que a vítima era queimada inteira', pelo lat. tard. *holocaustu*.] *S. m.* **1.** Entre os antigos hebreus, sacrifício em que se queimavam inteiramente as vítimas; imolação. **2.** A vítima assim sacrificada. **3.** *P. ext.* Sacrifício, expiação. **4.** *Fig.* Abstração da vontade própria para satisfazer a de outrem. **5.** *Restr.* A execução, em massa, de judeus e/ou de outras minorias perseguidas, como ciganos, homossexuais, etc., durante o nazismo. [Com cap. e antecedido do artigo def., nesta acepç.]

holocéfalo [De *hol(o)-* + *-céfalo*; tax. *Holocephali*.] *Zool. S. m.* **1.** Espécime dos holocéfalos, subclasse de peixes condrictes que apresentam uma só fenda branquial em cada lado do corpo, são desprovidos de espiráculo, e quando adultos não têm escamas. São as quimeras. ● *Adj.* **2.** Pertencente ou relativo a eles.

holoceno [De *hol(o)-* + *-ceno*[1].] *S. m.* **1.** *Geol.* Época holocena. ● *Adj.* **2.** ~ V. *época —a*.

holocentrídeo [De *hol(o)-* + *-centr(o)-* + *-ídeo*; tax. *Holocentridae*.] *Zool. S. m.* **1.** Espécime dos holocentrídeos, família de peixes actinopterígios, marinhos, noturnos, cosmopolitas, com as espinhas da nadadeira anal bem desenvolvidas e a nadadeira caudal bifurcada. São pequenos, de cores vivas e têm escamas fortemente pectinadas. Ex.: o talhão. ● *Adj.* **2.** Pertencente ou relativo a eles.

holócrino [De *hol(o)-* + *-crino*.] *Adj. Histol.* **1.** Diz-se da secreção que se acumula no interior da célula que a produz, sendo liberada quando da morte desta. **2.** Diz-se de célula que produz tal secreção, e de glândula formada por tais células. [O processo de secreção envolve a destruição celular, como, p. ex., nas glândulas sebáceas.]

holocristalino [De *hol(o)-* + *cristalino*.] *Adj. Geol.* ~ V. *rocha —a*.

holoedria [De *holoedro* + *-ia*[1].] *S. f. Crist.* Qualidade de holoedro.

holoédrico [De *holoedria* + *-ico*[2].] *Adj. Crist.* Que apresenta holoedria.

holoedro [De *hol(o)-* + *-edro*.] *S. m. Crist.* Cristal com a totalidade das suas faces geometricamente iguais.

holoenzima [De *hol(o)-* + *enzima*.] *S. f. Bioquím.* A enzima completa, com todos os componentes necessários ao desempenho de suas funções catalíticas.

holofítico [De *hol(o)-* + *-fit(o)-* + *-ico*[2].] *Adj.* De nutrição semelhante à das plantas clorofiladas.

holofote [Do fr. *holóphotos*, 'totalmente iluminado', poss. pelo fr. *holophote*.] *S. m.* **1.** Projetor de grande intensidade cuja luz ilumina os objetos à distância. **2.** *Bras. Burl.* V. *nádegas*.

holófrase [De *hol(o)-* + *-frase*.] *S. f. E. Ling.* Nos estudos crioulísticos e de aquisição, enunciado composto de uma única palavra, que equivale a uma frase completa. [V. *fala holofrástica*.]

holofrástico *Adj. E. Ling.* Relativo a, ou em que há holófrase. ~ V. *fala —a*.

hologamia [De *hol(o)-* + *-gam(o)-* + *-ia*[1].] *S. f. Biol.* Condição em que os gametas são similares às células somáticas no tamanho e na forma.

hologâmico [De *hologamia* + *-ico*[2].] *Adj. Biol.* Relativo a, ou em que há hologamia.

hologastro [De *hol(o)-* + *-gastro* tax. *Hologastra*.] *Zool. Desus. S. m.* **1.** Espécime dos hologastros, antigo grupo de artrópodes aracnídeos, cujo abdome é inteiro, com os segmentos fundidos numa peça única, e no qual se incluíam as aranhas e os acarinos. ● *Adj.* **2.** Pertencente ou relativo a eles.

hologénese *S. f. Biol.* V. *hologênese*. [Uso freq. em P.]

hologênese [De *hol(o)-* + *-gênese*.] *S. f. Biol.* Teoria de Daniel Rosa, biologista italiano, segundo a qual cada espécie se desenvolve e dá origem a outras, desaparecendo a primitiva.

hologenético [De *hologên(ese)* + *-ético*[2].] *Adj. Biol.* Relativo à hologênese.

holografia [De *hol(o)-* + *-grafia*.] *S. f. Ópt.* Técnica de obtenção de hologramas.

holográfico [De *holografia* + *-ico*[2].] *Adj. Ópt.* Relativo à holografia.

hológrafo [Do gr. *hológraphos*, pelo lat. *holographu*.] *Adj.* **1.** ~ V. *testamento —*. ● *S. m.* **E.** *Ling.* **2.** Documento totalmente escrito a mão pelo seu autor.

holograma [De *hol(o)-* + *-grama*.] *S. m. Ópt.* Chapa fotográfica onde se registram as figuras de interferência resultantes da superposição das ondas de um feixe de radiação coerente com as ondas que foram refletidas por um objeto, e que se obtém mediante os raios de um *laser*.

holometabólico[1] [De *holometabolismo* + *-ico*[2], seg. o padrão erudito.] *Adj. Zool.* Que apresenta holometabolismo.

holometabólico[2] *Zool. S. m.* **1.** Espécime dos holometabólicos, divisão de insetos que apresentam holometabolismo (q. v.). ● *Adj.* **2.** Pertencente ou relativo a eles. [Sin. ger.: *endopterigoto*.]

holometabolismo [De *hol(o)-* + *metabolismo*.] *S. m. Biol.* Desenvolvimento de insetos mediante metamorfose completa, com quatro fases bem distintas:

ovo, larva (formas jovens sem olhos compostos), pupa, casulo ou crisálida, e adulto ou imago.

holométrico [De *holômetro* + *-ico*².] *Adj.* Relativo ao holômetro.

holómetro *S. m.* V. *holômetro*. [Uso freq. em P.]

holômetro [De *hol(o)-* + *-metro*.] *S. m.* Instrumento com que se mede a altura angular de um ponto acima do horizonte.

holomórfico [De *hol(o)-* + *-morf(o)-* + *-ico*².] *Adj. Mat.* ~ V. *função —a.*

holomorfose [De *hol(o)-* + *morfose*.] *S. f. Biol.* Regeneração completa de órgão ou membro perdido.

holonomia [De *holônomo* + *-ia*¹.] *S. f. Fís.* Propriedade dos sistemas em que só existem vínculos holônomos (q. v.).

holonómico *Adj. Fís.* V. *holonômico*. [Uso freq. em P.]

holonômico [De *holonomia* + *-ico*².] *Adj. Fís.* Relativo à holonomia.

holónomo *Adj.* V. *holônomo*. [Uso freq. em P.]

holônomo *Adj. Fís.* ~ V. *vínculo —.*

holoparasitismo [De *hol(o)-* + *-parasit(o)-* + *-ismo*.] *S. m. Bot.* Parasitismo das plantas aclorofiladas, como o cipó-chumbo e os fungos, que necessitam obter do hospedeiro a seiva elaborada, já contendo as substâncias orgânicas que elas são incapazes de sintetizar.

holoparasito [De *hol(o)-* + *-parasito*.] *Adj.* *S. m. Bot.* Diz-se de, ou planta que exibe holoparasitismo.

holopetalar [De *hol(o)-* + *-petal(o)-* + *-ar*¹.] *Adj. 2 g. Bot.* ~ V. *flor —.*

holoplancto *S. m. Biol.* V. *holoplâncton*.

holoplâncton [De *hol(o)-* + *plâncton*.] *S. m. Biol.* Organismo que é planctônico em todas as fases do seu ciclo vital, como os radiolários e as globigerinas.

holopnêustico *Adj. Zool.* Diz-se de sistema respiratório, mais frequente nos insetos, em que todos os estigmas são abertos, principalmente os do tórax e os dos sete ou oito primeiros segmentos abdominais.

holorríneo [De *hol(o)-* + *-rin(o)-* + *-eo*.] *Adj. Zool.* Holorrino.

holorrino [De *hol(o)-* + *-rino*.] *Adj. Zool.* Diz-se das narinas das aves quando unidas em toda a sua extensão; holorríneo.

holosídeo (z) [De *hol(o)-* + *-os(e)-*² + *-ídeo*².] *S. m. Quím.* Designação genérica de substância que fornece, por hidrólise, duas ou mais oses. [V. *dissacarídio*, *oligossacarídio* e *polissacarídio*.]

holossimétrico [De *hol(o)-* + *simétrico*.] *Adj. Ópt.* ~ V. *lente —a.*

holósteo [De *hol(o)-* + *-ósteo*; tax. *Holostei*.] *Zool. S. m.* **1.** Espécime dos holósteos, uma das três infraordens em que se pode dividir os actinopterígios, e que reúne peixes com características primitivas, agrupados nas ordens amiiforme e semionotiforme. ● *Adj.* **2.** Pertencente ou relativo a eles.

holotípico [De *holótipo* + *-ico*².] *Adj.* Do, ou relativo ao holótipo.

holótipo [De *hol(o)-* + *-tipo*.] *S. m. Biol.* Espécime considerado representativo para a descrição de uma espécie.

holotríquio [De *hol(o)-* + *-triqu(i)-* + *-io*³; tax. *Holotricha*.] *Zool. S. m.* **1.** Espécime dos holotríquios, ordem de protozoários euciliados, com o corpo revestido de cílios simples em toda a extensão, e desprovidos de cílios adorais. Algumas espécies são parasitas em vertebrados ou invertebrados, outras comensais, porém a maioria é de vida livre. ● *Adj.* **2.** Pertencente ou relativo a eles.

holotúria [Do tax. *Holothuria* < lat. *holothuria* < gr. *holothoúria*, pl. de *holothoúrion*.] *S. f. Zool.* **1.** Gênero de equinodermos de tegumento coriáceo e corpo cilíndrico. [V. *pepino-do-mar*.] **2.** Espécie ou espécime desse gênero.

holoturoide (ói) [De *holotúr(ia)* + *-oide*; tax. *Holothuroidea*.] *Zool. S. m. Adj.* V. *holoturóideo*. ❖

holoturóideo [Adapt. do tax. *Holothuroidea*.] *Zool. S. m.* **1.** Espécime dos holoturóideos, classe de animais equinodermos, de corpo alongado, em forma de pepino, ou vermiforme, flexível, carnosos, placas do esqueleto reduzidas a espículas microscópicas, boca e ânus em extremidades opostas, a primeira cercada de tentáculos retráteis, e desprovidos de braços ou raios, pedicelárias ou espinhos. São conhecidos popularmente como pepinos-do-mar. Vivem enterrados na areia ou na lama. ● *Adj. 2 g.* **2.** Pertencente ou relativo a eles.

holozoico (ói) [De *hol(o)-* + *-zoico*.] *Adj. Zool.* Diz-se do animal que se alimenta exclusivamente de matéria orgânica de origem animal. ❖

holter [Do antr. (*Norman J.*) *Holter* (1914-1983), biofísico americano.] *S. m.* Monitor não invasivo, destinado a registro eletrocardiográfico contínuo, e apenso a um indivíduo por determinado período, cabendo a este indivíduo anotar cronologicamente, durante tal período, as principais ocorrências de interesse para a interpretação do exame (esforço, repouso, refeição, necessidades fisiológicas, etc.). [É us. para detectar distúrbios de ritmo cardíaco, alterações coronarianas, etc.]

homaça [De *homem* + *-aça*.] *S. f.* V. *machão* (1): "Uma, robustona, homaça, quase de bigode, narigão, sobrancelhuda, e que eu chamava Cloto, mantinha a roca em movimento" (Gilberto Amado, *Depois da Política*, p. 41).

▲ **homal(o)-** [Do gr. *homalós*, *ḗ*, *ón* (*ă*).] *El. comp.* = 'liso', 'chato', 'plano'; 'igual': *homalocéfalo*. [Equiv.: *-ômalo*: *anômalo* (< gr.).]

homalocéfalo (ôm) [De *homal(o)-* + *-céfalo*.] *S. m. Paleont.* **1.** Gênero de dinossauros ornitísquios, ornitópodes, paquicefalossaurídeos, que habitaram os charcos e pântanos da Mongólia, no cretáceo superior. Tinham cerca de 1,50m de altura e pesavam até 20kg, e corriam com velocidade em posição bipedal. **2.** Espécie ou espécime desse gênero.

homalópode [De *homal(o)-* + *-pode*.] *Adj. 2 g.* Que tem pés chatos.

homão [De *homem* + *-ão*¹.] *S. m. Fam.* Homenzarrão (q. v.).

homarídeo [Do lat. cient. *Homar-* (do tax. *Homarus*) + *-ídeo*¹; tax. *Homaridae*.] *Zool. S. m.* **1.** Espécime dos homarídeos, família de crustáceos decápodes que apresentam abdome alongado, terminando por uma estrutura em forma de nadadeira em leque, composta do telso e de urópodes. São as lagostas europeias, que habitam praias rochosas e têm uma pinça maior que a outra. ● *Adj.* **2.** Pertencente ou relativo a eles.

hombridade [Do esp. *hombredad*.] *S. f.* **1.** Aspecto varonil; corporatura. **2.** *Fig.* Nobreza de caráter; dignidade: "E dão-nos todas elas [as orações do Regente Feijó] a impressão de .... uma natureza moral .... feita de rusticidade, retidão, hombridade, franqueza." (Oliveira Viana, *Pequenos Estudos de Psicologia Social*, p. 187.) **3.** *P. ext.* Desejo de igualar-se a alguém que lhe é superior.

homem [Do lat. *homine*.] *S. m.* **1.** Qualquer indivíduo pertencente à espécie animal que apresenta o maior grau de complexidade na escala evolutiva; o ser humano: *As três linhas mestras dos arranjos de flores japoneses representam o céu, o homem e a Terra*; *O homem pré-histórico já possuía os recursos rudimentares para dominar a natureza.* **2.** A espécie humana; a humanidade: *A história do homem sofreu transformações profundas no séc. XV.* **3.** O ser humano, com sua dualidade de corpo e de espírito, e as virtudes e fraquezas decorrentes desse estado; mortal: "Cegou-me tanta luz! Errei, fui homem!" (Fagundes Varela, *Poesias Completas*, II, p. 53); *É apenas um homem, não pode fazer milagres.* **4.** Ser humano do sexo masculino; varão: *Depois de cinco mulheres, nasceu-lhes um homem.* **5.** Esse mesmo ser humano na idade adulta; homem-feito: *Já era homem quando perdeu o pai.* **6.** *Restr.* Adolescente que atingiu a virilidade. **7.** Homem (4) dotado das chamadas qualidades viris, como coragem, força, vigor sexual, etc.; macho: *Homem que é homem não leva desaforo para casa.* **8.** Marido ou amante: *Ela vive bem com o seu homem.* **9.** Homem (5) que apresenta os requisitos necessários para um empreendimento; o homem indicado para um fim: *Campos Sales precisava de pôr ordem às finanças do Brasil, e o homem foi Joaquim Murtinho.* **10.** Um homem (5) qualquer; indivíduo, sujeito, camarada, cara: *Não sei quem telefonou, foi um homem.* **11.** Soldado (6): *Na fronteira havia um contingente de 2.000 homens.* **12.** Aquele que, numa equipe de trabalho, executa ordens de seus superiores: *O técnico da seleção declarou que seus homens estão aptos a enfrentar qualquer adversário no gramado.* **13.** *Zool.* V. *homo* (1 a 3). [Fem., nas acepçs. 4 a 6 e 8 a 10: *mulher*. Aum., nas acepçs. 4 a 6: *homenzarrão* e *homão*. Dim., nas mesmas acepçs.: *homenzinho*, *hominho* e *homúnculo*.] ● *Pron.* **14.** *Ant.* Alguém (1): "cad'um terá sua escusa; / dei-vos já muitas por mim, / e estas cousas são enfim / como delas homem usa." (Francisco de Sá de Miranda, *Obras Completas*, II, pp. 65-66); "Dor d'alma é, na verdade, não poder homem na solidão pagar por estes, e por si mesmo, dívidas grandes e urgentes da Humanidade." (Antônio Feliciano de Castilho, *O Presbitério da Montanha*, p. 110); "Na verdade, jamais homem há visto / Cousa na terra semelhante a isto" (Machado de Assis, *Poesias Completas*, p. 302). ◆ **Homem da lei.** Magistrado, advogado, oficial de justiça. **Homem da rua.** Homem do povo [Cf. *homem da rua*, s.m.]. **Homem de ação.** Indivíduo enérgico, ativo, expedito, diligente. **Homem de bem.** Indivíduo honesto, honrado, probo. **Homem de cor.** Homem negro ou mulato. **Homem de Deus.** Homem piedoso, santo (us. como vocativo, traduz um sentimento de impaciência, enfado, ou de ironia): "— Cala a boca, homem de Deus!" (Aluísio Azevedo, *Filomena Borges*, p. 193.) **Homem de empresa.** *Econ.* V. *empresário* (2). **Homem de espírito.** Indivíduo de inteligência viva, engenhosa, sutil, espirituosa. **Homem de Estado.** Estadista. **Homem de letras.** Literato, intelectual. **Homem de negócios.** Pessoa que trata de grandes negócios e/ou que tem importantes relações no comércio. **Homem de palavra.** Indivíduo que cumpre o que diz ou promete. **Homem de prol.** **1.** Homem nobre. **2.** Intelectual ou artista. **Homem de pulso.** Homem enérgico, firme. **Homem de sete instrumentos.** Indivíduo capaz de executar diferentes atividades profissionais, artísticas, culturais, etc.: "Homem de sete instrumentos, tinha fama de ativo e competente. Fabricava dentaduras, consertava rádios e vitrolas, tirava retratos para carteiras" (Jorge Amado, *Dona Flor e Seus Dois Maridos*, p. 37). **Homem de sociedade.** O que frequenta a alta sociedade e conhece seus hábitos; homem do mundo. **Homem do leme.** Timoneiro. **Homem do mar.** Homem habituado às lidas marítimas; marinheiro. **Homem do mundo.** Homem da sociedade. **Homem do povo.** Indivíduo considerado como representativo dos interesses e opiniões do homem comum; homem da rua. **Homem marginal.** *Sociol.* Indivíduo que vive em duas culturas em conflito, ou que, tendo-se desprendido de uma cultura, não se integrou de todo em outra, ficando à margem das duas. [Cf. *marginal* (6).] **Homem público.** Indivíduo que se consagra à vida pública, ou que a ela está ligado. **Como um só homem.** Em massa, em peso; por unanimidade; como uma só pessoa: *Responderam como um só homem.* **De homem para homem.** **1.** Com franqueza; com sinceridade: *Conversaram de homem para homem.* **2.** Franco, leal, sincero, verdadeiro: *Pai e filho tiveram uma conversa de homem para homem.* **Os homens.** A humanidade; o homem. **Ser outro homem.** Diz-se de indivíduo que passou por grande transformação, ger. para melhor. **Ser um homem ao mar.** Perder as qualidades que o faziam admirado, conceituado, invejado. **Terceiro homem.** *Hist. Filos.* Designação dada por Aristóteles (v. *aristotelismo*) a um argumento contrário à concepção platônica da existência autônoma das ideias.

homem-bom *S. m. Ant.* **1.** Indivíduo da classe dos herdadores (entre as classes não nobres). **2.** O mais respeitável dos indivíduos das classes nobres. **3.** Homem que se fazia notar, nos conselhos, pelo seu bom porte, e que era designado para as funções públicas. [Pl.: *homens-bons*.]

homem-bomba *S. m.* Indivíduo que, por motivos políticos, ou religiosos, faz detonar explosivos presos ao próprio corpo, em local público, coletivos, etc., morrendo e atingindo pessoa(s) ou alvo(s) previamente escolhidos: "Somos todos homens-bomba. Vivemos o momento de nossa própria destruição." (Patrícia Melo, *Valsa Negra*, p. 170.) [Pl.: *homens-bombas* e *homens-bomba*.]

homem-chave *S. m.* Indivíduo indispensável à realização de um empreendimento. [Pl.: *homens-chaves* e *homens-chave*.]

homem da rua *S. m. Bras. Rel.* Exu¹. [Pl.: *homens da rua*. Cf. *homem da rua* (loc.).] ☑

homem de palha *S. m.* V. *testa de ferro*. [Pl.: *homens de palha*.] ☑

homem de perna de pau *S. m. Prop.* Indivíduo que anuncia, nas ruas, produtos ou lojas, caminhando sobre andas (1) e com cartazes e/ou megafone. [Pl.: *homens de perna de pau*. Cf. *homem-sanduíche*.] ☑

homem-feito *S. m.* Homem (5). [Pl.: *homens-feitos*.]

homem-grande *S. m. Guin.* Homem idoso, respeitável, conselheiro do chefe de aldeia: "iam a casa do homem-grande pedir-lhe que intercedesse junto da filha" (Teresa Montenegro e Carlos de Morais, *Uori: Stórias de Lama e Philosophia*, p. 156). [Pl.: *homens-grandes*.]

homem-hora *S. m.* Unidade de trabalho humano correspondente ao trabalho efetuado por uma pessoa durante uma hora. [Pl.: *homens-horas*.]

homem-mosca *S. m.* Homem ágilimo, que sobe ou se equilibra perigosamente em paredes ou estruturas externas de edifícios, torres, etc., executando arriscadas acrobacias. [Pl.: *homens-moscas* e *homens-mosca*.]

homem-pássaro *S. m.* Praticante de asa-delta. [Pl.: *homens-pássaros* e *homens-pássaro*.]

homem-rã *S. m.* Mergulhador profissional, equipado com indumentária apropriada, aparelhamento respiratório autônomo e outros petrechos, e treinado especialmente para executar manobras submarinas de guerra (ofensivas ou defensivas), ou manobras de resgate, de salvamento, de estudos, etc. [Pl.: *homens-rãs* e *homens-rã*.]

homem-sanduíche *S. m.* Indivíduo que trabalha caminhando pelas ruas com dois cartazes publicitários, um nas costas, outro no peito. [Pl.: *homens-sanduíches* e *homens-sanduíche*. Cf. *homem de perna de pau*.]

homenageado [Part. de *homenagear*.] ***Adj. S. m.*** Que, ou aquele que é objeto de homenagem.

homenageador (ô) [De *homenagear* + *-dor*.] ***Adj. S. m.*** Que, ou aquele que homenageia.

homenageante [De *homenagear* + *-nte*.] ***Adj. 2 g.*** Que homenageia; que constitui homenagem: 📖 "O motorista de uniforme debruado tirou o boné em curva homenageante." (Genolino Amado, *O Reino Perdido*, p. 31.)

homenagear [De *homenagem* + *-ear*[2], com desnasalação.] ***V. t. d.*** Prestar homenagem a. [Conjug.: v. *frear*.]

homenagem [Do occitano ant. *omenatge*.] ***S. f.*** **1.** Promessa de fidelidade do vassalo ao senhor feudal. **2.** Protesto de veneração e respeito; preito. **3.** Ato de cortesia, de consideração, de galanteria. **4.** Obra composta de trabalhos de vários autores, dedicada a pessoa notável numa área do conhecimento, por ocasião de aniversário ou de outro fato marcante em sua vida e que registra a admiração e o respeito dos que a escrevem.

homenzarrão [De *homem* + *-(z)arrão*.] ***S. m.*** Homem (4 a 6) de grande estatura e corpulência; homão: 📖 "Era um homenzarrão possante, de largos ombros, braços musculosos cobertos de um velo grosso como cerda." (Coelho Neto, *Treva*, p. 302.)

homenzinho [De *homem* + *-zinho*.] ***S. m.*** **1.** Homem (4 a 6) de pequena estatura; homúnculo, hominho. **2.** Rapaz, no começo da adolescência; rapazinho. **3.** *Fig.* Homem insignificante, sem importância.

▲**homeo-** [Do gr. *homoio-* < gr. *hómoios, a, on*.] ***El. comp.*** = 'semelhante', 'da mesma natureza': *homeopatia*.

homeografia [De *homeo-* + *-grafia*.] ***S. f. Tip.*** Processo pelo qual se obtêm fac-símiles de velhas gravuras. [V. *impressão anastática*.]

homeográfico [De *homeografia* + *-ico*[2].] ***Adj.*** Referente à homeografia.

homeómero ***Adj.*** V. *homeômero*. [Uso freq. em P.]

homeômero [Do gr. *homoiomerés*.] ***Adj.*** Formado de partes semelhantes.

homeomorfismo [De *homeomorfo* + *-ismo*.] ***S. m.*** **1.** *Álg.* Bijeção bicontínua. **2.** *Ecol.* Condição de homeomorfo (1).

homeomorfo [De *homeo-* + *-morfo*.] *Ecol.* ***Adj.*** **1.** Diz-se de organismo que, por evolução convergente (q. v.), é semelhante a outro, embora ambos não tenham relação taxonômica; homeomorfótico. ● ***S. m.*** **2.** Organismo homeomorfo.

homeomorfótico [De *homeo-* + *-morf(o)-* + *-ótico*.] ***Adj.*** *Ecol.* Homeomorfo (1).

homeopata [De *homeo-* + *-pata* (q. v.).] ***Adj. 2 g. S. 2 g.*** *Med.* Diz-se de, ou médico que exerce a homeopatia.

homeopatia [De *homeo-* + *-patia*.] ***S. f.*** **1.** *Med.* Sistema terapêutico criado por Christian Friedrich Samuel Hahnemann (1755-1843), que consiste em tratar as doenças por meio de substâncias ministradas em doses diluídas a ponto de se tornarem, por vezes, infinitesimais, consideradas capazes de produzir, em indivíduos sãos, quadros clínicos semelhantes aos que apresentam os doentes a serem tratados. [Cf. *alopatia* e *isopatia*.] **2.** *Bras. PE Pop.* V. *cachaça* (1).

homeopático [De *homeopatia* + *-ico*[2].] ***Adj.*** **1.** Relativo ou pertencente à homeopatia; hahnemanniano. [Antôn.: *alopático*.] **2.** *Fig.* Muito pequeno; ínfimo, insignificante: 📋 *Serviu o licor em doses homeopáticas.*

homeoptoto [Do gr. *homoióptoton*, pelo lat. *homoeoptoton*.] ***S. m.*** *E. Ling.* Homoptoto.

homeostase ***S. f.*** *Fisiol. Med. Cibern.* V. *homeóstase*.

homeóstase [De *homeo-* + *-stase*.] ***S. f.*** **1.** *Fisiol. Med.* Tendência à estabilidade do meio interno do organismo. **2.** *Cibern.* Propriedade autorreguladora de um sistema ou organismo que permite manter o estado de equilíbrio de suas variáveis essenciais ou de seu meio ambiente. [V. *retroalimentação*. Var. pros.: *homeostase*.]

homeostático[1] [De *homeost(ase)* + *-ático*.] ***Adj.*** Relativo a homeóstase.

homeostático[2] [De *homeostato* + *-ico*[2].] ***Adj.*** Relativo a homeostato.

homeostato [De *homeo-* + *-stato*.] ***S. m.*** *Cibern.* Mecanismo de retroalimentação (q. v.) que permite alcançar e/ou manter um estado de equilíbrio dinâmico (o termostato, p. ex.).

homeoteleuto [Do gr. *homoiotéleuton*, pelo lat. *homoeoteleuton*.] ***S. m.*** *E. Ling.* Emprego sucessivo de palavras com desinência igual ou semelhante. Ex.: 📖 "E a massa rotunda e rubicunda do Pimentinha dominava, atulhava a região." (Eça de Queirós, *A Cidade e as Serras*, p. 203); "a sua vida é um constante solicitar, adular, vergar, rastejar, aturar" (Id., *ib.*, p. 127).

homeotermia (ôm) [De *homeo-* + *-term(o)-* + *-ia*[1].] ***S. f.*** V. *homotermia*.

homeotérmico (ôm) [De *homeotermia* + *-ico*[2].] ***Adj.*** Relativo à homeotermia.

homeotermismo (ôm) [De *homeo-* + *-term(o)-* + *-ismo*.] ***S. m.*** *Zool.* V. *endotermia*.

homeotermo (ôm) [De *homeo-* + *-termo*.] ***Adj. S. m.*** *Zool.* V. *endotérmico* (2 e 3).

➔**homepage** [howm pejdʒ] [Ingl., lit., 'página original' ou 'página de base'.] ***S. f.*** *Inform.* Página de entrada em um *site* da *Web*, ou de outro sistema de hipertexto ou de hipermídia, que ger. contém uma apresentação geral e um índice, com elos de hipertexto que remetem às principais seções de conteúdo do *site*, visando facilitar a navegação pelo sistema; página inicial, página *default*. [Usa-se, impr., como designação de qualquer página da *Web*, ou mesmo, por sinédoque, de todo um *site*. A forma mais correta, e mais us., em ingl. é *home page*.]

homergia [De *hom(o)-* + *-erg(o)-*[1] + *-ia*[1].] ***S. f.*** *Farm.* Produção do mesmo efeito por dois medicamentos. [Cf. *heterergia*.]

homérgico [De *homergia* + *-ico*[2].] ***Adj.*** Relativo à homergia, ou que a causa.

homérico [Do gr. *homerikós*, pelo lat. *homericu*.] ***Adj.*** **1.** Pertencente ou relativo a Homero, o grande poeta grego, ou próprio dele ou de sua obra: 📖 "Todos os guerreiros que apareciam, com as armas homéricas, rutilantes e fortes" (Machado de Assis, *A Semana*, II, p. 59). **2.** *Fig.* Estrondoso, retumbante, ecoante: 📋 *O trovão homérico ensurdeceu a todos*; 📖 "Mas nesse momento rebentou aos ouvidos do mancebo uma gargalhada homérica." (Joaquim Manuel de Macedo, *Os Romances da Semana*, p. 203). **3.** *Fig.* Fora do comum; enorme, excessivo, extraordinário: 📋 *A mulher, coitada, levou uma surra homérica do marido*. ~ V. *gargalhada —a*.

homérida [Do gr. *homerídes*, pelo lat. *homerida*.] ***S. m.*** **1.** Rapsodo que cantava os poemas de Homero. ● ***Adj. 2 g.*** **2.** Que imita Homero, o estilo homérico.

homessa [De *homem* + *essa*.] ***Interj.*** Exprime surpresa ou irritação, e equivale a *ora essa, essa agora*: 📖 "Homessa! Então eu sou obrigado a andar de ônibus só?" (Antônio de Alcântara Machado, *Novelas Paulistanas*, p. 123.)

➔**home theater** [howm 'θijətə˞] [Ingl.] ***S. m.*** **1.** Em residências, pequena sala de cinema. **2.** A aparelhagem eletrônica própria para este tipo de ambiente.

homicida [Do lat. *homicida*.] ***Adj. 2 g.*** **1.** Que pratica homicídio(s): 📋 *um rapaz homicida*. **2.** Que ocasiona a morte de alguém: 📋 *ferro homicida*; *arma homicida*; 📖 "Pelo direito, ergui a voz ardente / No meio das revoltas homicidas" (Antero de Quental, *Sonetos*, p. 312). **3.** Que leva à prática do homicídio, ou a pensar em praticá-lo: 📋 *instinto homicida*. ● ***S. 2 g.*** **4.** Pessoa que pratica homicídio(s).

homicídio [Do lat. *homicidiu*.] ***S. m.*** Morte de uma pessoa praticada por outrem; assassínio.

homilética [Subst. do f. do adj. *homilético*.] ***S. f.*** Arte de pregar sermões religiosos.

homilético [Do gr. *homiletikós*, pelo lat. *homileticu*.] ***Adj.*** Referente à homilética.

homilia [Do gr. *homilía*, 'reunião', 'conversação familiar', e este do gr. *homós*, 'semelhante', 'igual', + gr. *íle*, 'grupo', 'companhia'.] ***S. f.*** **1.** Pregação em estilo familiar e quase coloquial sobre o Evangelho: 📖 "nem que .... o santo bispo de Hipona, pregando à gente púnica, tivesse ali ao pé um copo de falerno para regar as homilias." (Latino Coelho, *Tipos Nacionais*, pp. 247-248). **2.** *P. ext.* Discurso que afeta moral exagerada. [F. paral.: *homília*.]

homília [Do lat. tard. *homilia* < gr. *homilía*.] ***S. f.*** V. *homilia*. [Cf. *homilia*, do v. *homiliar*.]

homiliar [De *homilia* + *-ar*[2].] ***V. int.*** Escrever ou fazer homilias. [Pres. ind.: *homilio, homilias, homilia*, etc. Cf. *homília*.]

homiliasta ***S. 2 g.*** Pessoa que faz ou prega homilias.

hominal [De *homin(i)-* + *-al*[1].] ***Adj. 2 g.*** Relativo ou pertencente ao homem.

hominalidade [De *hominal* + *-(i)dade*.] ***S. f.*** **1.** O caráter, a essência hominal. **2.** Ação ou força privativas da natureza humana.

hominho [De *homem* + *-inho*[1].] ***S. m.*** V. *homenzinho* (1).

▲**homin(i)-** [Do lat. *hŏmo, ĭnis* = ***El. comp.*** = 'homem': *hominícola, hominídeo*.]

hominícola [De *homin(i)-* + *-cola*[1].] ***S. 2 g.*** Indivíduo que adora o Homem, na pessoa de Jesus Cristo (v. *cristão*). [Epíteto que os apolinaristas (q. v.) aplicavam aos católicos.]

homínida [Do lat. cient. *Homin-* (< tax. *Homo*) + *-ida*[1].] ***S. m. Adj. 2 g.*** *Zool.* V. *hominídeo*.

hominídeo [Do lat. cient. *Homin-* (do tax. *Homo* [q. v.]) + *-ídeo*[1]; tax. *Hominidae*.] *Zool.* ***S. m.*** **1.** Espécime dos hominídeos, família de primatas simiiformes que inclui os gêneros parantropo, australopiteco e homo. [Supunha-se que a única espécie existante era a Homo sapiens, mas há provas cada vez mais concludentes de que os gorilas e os chimpanzés estão mais próximos do homem que dos orangotangos, o que significa que, pelo menos, os grandes macacos africanos deveriam ser incluídos entre os hominídeos.] ● ***Adj.*** **2.** Pertencente ou relativo a eles. [Sin. ger.: *homínida*.]

homínido [De *homin(i)-* + *-ido*[3].] ***Adj.*** *Zool.* Diz-se de mamífero semelhante ao homem.

hominização [Do fr. *hominization*.] ***S. f.*** O processo evolutivo pelo qual a espécie humana se constituiu, tomando as características físicas, fisiológicas e psíquicas que a distinguem dos demais primatas.

hominóideo [Do lat. cient. *Homin-* (v. *hominídeo*) + *-óideo*; tax. *Hominoidea*.] *Zool.* ***S. m.*** **1.** Espécime dos hominóideos, superfamília de primatas simiiformes que inclui os hilobatídeos (o gibão e espécies próximas), os pongídeos (gorilas, chimpanzés e orangotangos) e os hominídeos; caracterizam-se pela ausência de cauda e de bolsas faciais, pelo septo nasal estreito e narinas voltadas para baixo, e pelo polegar oponente e, em algumas espécies, reduzido. ● ***Adj.*** **2.** Pertencente ou relativo a eles.

homiziado [Part. de *homiziar*.] ***Adj.*** **1.** Que anda fugido à justiça. **2.** Escondido, oculto. ● ***S. m.*** **3.** Indivíduo homiziado.

homiziadoiro [De *homiziar* + *-doiro*[2].] ***S. m.*** Homiziadouro (q. v.).

homiziadouro [De *homiziar* + *-douro*[2]; var. de *homiziadoiro*.] ***S. m.*** Lugar onde alguém se homizia; valhacouto, homizio.

homiziar [Do arc. *homizio*, 'homicídio', + *-ar*[2], pois o homicida fugia à ação da justiça, buscando guarida.] ***V. t. d. T. d. e c.*** **1.** Dar guarida, abrigo, refúgio, ou homizio a; esconder à vigilância da justiça: 📋 *Homiziou o criminoso em sua casa.* **2.** Esconder, encobrir: 📋 *homiziar riquezas*; *O falso mendigo homiziou sua fortuna no colchão.* ***T. d. e i.*** **3.** *P. us.* Indispor, inimizar, malquistar, intrigar: 📋 *Procuram homiziá-lo com velhos amigos.* ***P.*** **4.** Esconder-se, ocultar-se, fugindo à ação da justiça: 📖 "Falavam nuns tiros de emboscada... nos criminosos que se homiziavam na fazenda de Camboim, Barão do Buique..." (Ulisses Lins de Albuquerque, *Um Sertanejo e o Sertão*, p. 32.) **5.** Esconder-se, encobrir-se.

homizio [Do lat. *homicidiu*, por via pop.] ***S. m.*** **1.** Ato ou efeito de homiziar(-se). **2.** Esconderijo, valhacouto. **3.** *Ant.* Homicídio. **4.** Crime que pelas leis antigas era punido com a morte ou o desterro.

➔**homo** ['homɔ] [Lat., tax. *Homo*.] ***S. m.*** *Etnol. Paleont.* **1.** Gênero de primatas simiiformes, hominídeos, ao qual pertence o homem. **2.** Espécie desse gênero, como, p. ex., a *Homo habilis*, a *Homo erectus*, a *Homo sapiens*. [Os adjetivos latinos *habilis* (hábil), *erectus* (ereto), *sapiens* (inteligente) designam a característica que as distingue, que marca o progresso, no tempo, do gênero. A subespécie *Homo sapiens sapiens* pertence o homem atual.] **3.** Qualquer espécime desse gênero.

homo ***Adj. 2 g. S. 2 g.*** *Pop.* V. *homossexual*.

■ **HOMO** [Ingl., acrôn. de *H(ighest) O(ccupied) M(olecular) O(rbital)*.] *Quím.* Em uma molécula, o orbital molecular de maior energia entre aqueles que contêm ao menos um elétron.

▲**hom(o)-** [Do gr. *hom-, homo-* < gr. *homós, ḗ, ón*.] ***El. comp.*** = 'semelhante', 'igual'; 'comum': *homopétalo, homossexual; homergia*. [É grafado com *r* ou *s* duplicados quando anteposto a palavra iniciada por *r* ou *s*: *homorráfida, homossexualidade, homossexualismo*.]

homoafetividade [De *homoafetivo* + *-(i)dade*.] ***S. f.*** **1.** Qualidade ou caráter de homoafetivo. **2.** Relação afetiva e sexual entre pessoas do mesmo sexo.

homoafetivo [De *hom(o)-* + *afetivo*.] ***Adj.*** **1.** Que diz respeito à afetividade e a sexualidade entre pessoas do mesmo sexo. **2.** Realizado entre pessoas do mesmo sexo: 📋 *casamento homoafetivo*. **3.** Relativo ou pertencente a, ou próprio de duas pessoas do mesmo sexo que mantém relação conjugal, ou que pretendem fazê-lo: 📋 *direito homoafetivo*.

homocelo [De *hom(o)-* + *-celo*[1]; tax. *Homocoela*.] *Zool.* ***S. m.*** **1.** Espécime dos homocelos, ordem de animais poríferos com a parede do corpo fina, sem dobras na porção interna, forrada continuadamente por coanócitos. ● ***Adj.*** **2.** Pertencente ou relativo a eles.

homocêntrico [De *homocentro* + *-ico*[2].] ***Adj.*** Concêntrico.

homocentro [Do gr. *homókentros*.] ***S. m.*** *Geom.* Centro comum de várias circunferências.

homocerca [De *hom(o)-* + *-cerca*.] ***S. m.*** *Zool.* Nadadeira homocerca.

homocerco [De *hom(o)-* + *-cerco*.] ***Adj.*** *Zool.* Cujos lobos são simétricos (diz-se de nadadeira caudal).

homocíclico [De *hom(o)-* + *cíclico*.] ***Adj.*** *Quím.* Diz-se de um composto em cuja molécula existe um ciclo constituído por átomos idênticos.

homoclamídeo [De *hom(o)-* + *-clamid(o)-* + *-eo*.] ***Adj.*** *Bot.* Que apresenta todas as peças do perigônio semelhantes, não se distinguindo sépalas de pétalas: *flor homoclamídea.*

homocromia [De *hom(o)-* + *-crom(o)-* + *-ia*[1].] ***S. f.*** *Biol.* Faculdade que têm certos animais de adquirir a cor do meio em que vivem. [Cf. *mimetismo* (1).]

homocrómico ***Adj.*** V. *homocrômico*. [Uso freq. em P.]

homocrômico [De *homocromia* + *-ico*[2].] ***Adj.*** Referente à homocromia.

homocronia [De *hom(o)-* + *-cron(o)-* + *-ia*[1].] ***S. f.*** *Biol.* Caráter de homócrono.

homócrono [Do gr. *homóchronos*, 'do mesmo tempo'.] ***Adj.*** *Biol.* Diz-se do tipo de herança cujas características hereditárias surgem na prole na mesma idade em que surgiram nos pais.

homodonte [De *hom(o)-* + *-odonte*.] ***Adj. 2 g.*** *Zool.* Diz-se de animal que tem um só tipo de dentes.

→**Homo erectus** ['homo e'rektos] [Lat., tax.] *Etnol. Paleont.* ***Loc. subst.*** V. *homo* (2).

homoerótico [De *hom(o)-* + *erótico*.] ***Adj.*** **1.** Relativo ao, ou próprio do homoerotismo. **2.** Diz-se de indivíduo que tem inclinação homoerótica. • ***S. m.*** **3.** Indivíduo homoerótico. [Cf. *homossexual*.]

homoerotismo [De *hom(o)-* + *erotismo*.] ***S. m.*** Tendência a orientar a libido para indivíduo(s) do mesmo sexo, ou obter deste(s) satisfação erótica. [Cf. *homossexualismo*.]

homofilo [De *hom(o)-* + *-filo*[1].] ***Adj.*** *Bot.* Diz-se da planta de folhas ou folíolos semelhantes. [Antôn.: *heterofilo*.]

homofobia [De *hom(o)-* + *-fobia*.] ***S. f.*** Aversão a homossexuais ou ao homossexualismo. [Cf. *hemofobia*.]

homofóbico [De *homofobia* + *-ico*[2].] ***Adj.*** Relativo a homofobia. [Cf. *hemofóbico*.]

homófobo [De *hom(o)-* + *-fobo*.] ***Adj. S. m.*** Que, ou aquele que tem homofobia. [Cf. *hemófobo*.]

homofocal [De *hom(o)-* + *focal*.] ***Adj. 2 g.*** *Mat.* Diz-se das curvas ou superfícies que têm o mesmo foco.

homofonia [Do gr. *homophonía*.] ***S. f.*** **1.** *E. Ling.* Qualidade das palavras homófonas. [Antôn.: *heterofonia*.] **2.** Música executada em uníssono por instrumentos e/ou vozes.

homofónico ***Adj.*** *E. Ling.* V. *homofônico*. [Uso freq. em P.]

homofônico [De *homofonia* + *-ico*[2].] ***Adj.*** *E. Ling.* V. *homófono*. [Antôn.: *heterofônico*.]

homofono [Do gr. *homóphōnos*.] ***Adj. S. m.*** *E. Ling.* Homófono (q. v.).

homófono [Var. pros. de *homofono*.] ***Adj. S. m.*** *E. Ling.* Diz-se de, ou vocábulo que tem o mesmo som de outro com grafia e sentido diferente. Ex.: paço = palácio real, e passo = marcha, censo = recenseamento, e senso = juízo. [Sin. do adj.: *homofônico*. Antôn. ger.: *heterófono*. Cf. *homônimo*.] [A melhor forma é *homofono*, mas o uso consagrou *homófono*; v. *-fono*.]

homofonógrafo [De *hom(o)-* + *-fon(o)-* + *-grafo*.] ***Adj.*** *E. Ling.* Diz-se das palavras que se escrevem e pronunciam de modo igual, mas têm sentido e origens diferentes. Ex.: lima (fruta) e lima (ferramenta).

homofonologia [De *hom(o)-* + *fonologia*.] ***S. f.*** *E. Ling.* Estudo das palavras homófonas.

homofonológico [De *homofonologia* + *-ico*[2].] ***Adj.*** Relativo a homofonologia.

homogamético [De *hom(o)-* + *gameta* + *-ico*[2].] ***Adj.*** *Genét.* Que tem o sexo determinado por cromossomos sexuais homólogos. [Nos seres humanos, é o caso do sexo feminino.] [Cf. *heterogamético*.]

homogamia [De *homógamo* + *-ia*[1].] ***S. f.*** *Bot.* Propriedade que tem uma flor ou uma planta de seus estames e pistilos amadurecerem ao mesmo tempo, podendo nela produzir-se, pois, a autofecundação. [Cf. *heterogamia*.]

homogâmico [De *homogamia* + *-ico*[2].] ***Adj.*** Relativo à homogamia.

homógamo [Do gr. *homógamos*.] ***Adj.*** *Bot.* Que apresenta homogamia.

homogeneidade [De *homogên(eo)* + *-eidade*.] ***S. f.*** **1.** Qualidade de homogêneo; homogenia. **2.** *Cosm.* Suposta propriedade do Universo segundo a qual, em um determinado instante, o cosmo, considerado como um todo, apareceria semelhante para todos os observadores, independentemente do lugar que venham ocupar. [Antôn.: *heterogeneidade*.]

homogeneização [De *homogeneizar* + *-ção*.] ***S. f.*** **1.** Ato ou efeito de homogeneizar(-se). **2.** Tratamento que se dá ao leite e impede a decantação de seus elementos.

homogeneizado [Part. de *homogeneizar*.] ***Adj.*** Que sofreu homogeneização (2). ~ V. *leite —*.

homogeneizador (ô) [De *homogeneizar* + *-dor*.] ***Adj. S. m.*** Diz-se do, ou o que é capaz de homogeneizar os líquidos.

homogeneizar [De *homogêneo* + *-izar*.] ***V. t. d. P.*** Tornar(-se) homogêneo; assemelhar(-se); igualar(-se).

homogéneo ***Adj.*** V. *homogêneo*. [Uso freq. em P.]

homogêneo [Do gr. *homogenés*, pelo lat. escolástico *homogeneu*.] ***Adj.*** **1.** Cujas partes todas são da mesma natureza: *líquido homogêneo*. **2.** Cujas partes são ou estão solidamente e/ou estreitamente ligadas: *Os alunos da quarta série formam um grupo homogêneo*. **3.** Cujas partes ou unidades não apresentam ou quase não apresentam desigualdades, altos e baixos: *Sua produção é sólida e, o que é mais raro, homogênea; A conferência foi ouvida por um público atento e homogêneo*. [Antôn. ger.: *heterogêneo*.] ~ V. *azeótropo —, catálise —a, equação diferencial —a, equação diferencial linear —a, função —a, operação —a, reator —* e *sistema —*.

homogénese ***S. f.*** *Biol.* V. *homogênese*. [Uso freq. em P.]

homogênese [De *hom(o)-* + *-gênese*.] ***S. f.*** *Biol.* Reprodução por único processo nas sucessivas gerações, em contraste com a alternância de gerações (q. v.); homogenia.

homogenia [Do gr. *homogéneia*, 'descendência comum', 'parentesco pelo sangue'.] ***S. f.*** **1.** Homogeneidade (1). **2.** *Biol.* Homogênese.

homógrado [De *hom(o)-* + *-grado*[2].] ***Adj.*** *Estat.* Diz-se dum conjunto de dados estatísticos referentes apenas às duas alternativas mutuamente exclusivas de um atributo comum. [Opõe-se a *heterógrado*.] ~ V. *atributo —*.

homografia [De *hom(o)-* + *-grafia*.] ***S. f.*** **1.** *E. Ling.* Qualidade de homógrafo. **2.** *Geom.* Dependência recíproca de duas figuras geométricas.

homográfico [De *homografia* + *-ico*[2].] ***Adj.*** Relativo à homografia.

homógrafo [De *hom(o)-* + *-grafo*.] ***Adj. S. m.*** *E. Ling.* Diz-se de, ou vocábulos que têm a mesma grafia, mas significações diferentes. Ex.: cedo (advérbio) e cedo (do v. *ceder*); canto (esquina) e canto (do v. *cantar*). [Antôn.: *heterógrafo*. Cf. *homônimo*.] ◆ **Homógrafo imperfeito.** *E. Ling.* Aquele que se distingue apenas pela acentuação gráfica e, portanto, não é homófono. [Ex.: *pode* e *pôde*, do v. *poder*; *fábrica*, s. f., e *fabrica*, do v. *fabricar*.]

→**Homo habilis** ['homo 'habeles] [Lat., tax.] *Etnol. Paleont.* ***Loc. subst.*** V. *homo* (2).

homoide (ói) [Do gr. *homoeidés*.] ***Adj. 2 g.*** *Biol.* Diz-se do mestiço originado de duas raças da mesma espécie. ❖

homolateral [De *hom(o)-* + *-later(o)-* + *-al*[1].] ***Adj. 2 g.*** Situado no, relativo ao, ou que afeta o mesmo lado; ipsilateral.

homólise [De *hom(o)-* + *-lise*.] ***S. f.*** *Quím.* Quebra de uma ligação covalente por separação dos dois elétrons que a constituem, originando-se dois radicais livres.

homologabilidade [De *homologável* + *-(i)dade*, seg. o padrão erudito.] ***S. f.*** Qualidade de homologável.

homologação [De *homologar* + *-ção*.] ***S. f.*** **1.** Ato ou efeito de homologar. **2.** *Dir. Proc. Civ.* Ato de ratificação realizado pelo magistrado para conferir força de decisão judicial a acordo ou deliberação tomada pelas partes. **3.** *Dir. Adm.* Aprovação ou ratificação dada por autoridade administrativa a certos atos de funcionários hierarquicamente inferiores, ou mesmo de particulares, para que produzam os efeitos jurídicos que lhes são próprios. **4.** *Jur.* Ato pelo qual o Supremo Tribunal Federal aprova a executoriedade duma sentença estrangeira no território nacional, depois de ter verificado que ela atende a certos requisitos legais. [Cf., nesta acepç., *juízo de delibação*.]

homologar [De *homólogo* + *-ar*[2].] ***V. t. d.*** **1.** *Jur.* Confirmar ou aprovar por autoridade judicial ou administrativa. **2.** Conformar-se com. **3.** *Quím.* Transformar (substância) em substância homóloga [v. *homólogo* (5)], ger. com mais átomos de carbono. [Conjug.: v. *largar*. Pres. ind.: *homologo*, etc. Cf. *homólogo*, adj.]

homologatório [De *homologar* + *-tório*.] ***Adj.*** Que serve ou tem força para homologar.

homologável [De *homologar* + *-vel*.] ***Adj. 2 g.*** Suscetível de homologação.

homologia [Do gr. *homología*.] ***S. f.*** **1.** Qualidade de homólogo. **2.** *E. Ling.* Repetição das mesmas palavras, conceitos, figuras, etc., no mesmo discurso. **3.** *Genét.* Semelhança de estrutura e de origem, em partes de organismos taxonomicamente diferentes.

homológico [De *homologia* + *-ico*[2].] ***Adj.*** Relativo à homologia.

homólogo [Do gr. *homólogos*.] ***Adj.*** **1.** *Geom.* Diz-se dos lados, ângulos, diagonais, segmentos, vértices e outros elementos que se correspondem ordenadamente em figuras semelhantes. **2.** *Biol.* Diz-se de características morfológicas, de duas ou mais espécies, que indicam uma origem evolutiva comum, mas que desenvolveram funções diferentes, como, por ex., as asas de um morcego, as nadadeiras de um golfinho, e os braços humanos. **3.** *Genét.* Diz-se de par de cromossomos com os mesmos genes na mesma sequência, sendo cada membro do par herdado de um dos genitores. **4.** *Bot.* Diz-se dos órgãos ou partes vegetais que apresentam homologia (3). **5.** *Quím.* Diz-se de substâncias que têm a mesma função, mas diferem pelo número de átomos de carbono da cadeia principal. **6.** *P. ext.* Equivalente, correspondente, embora mais ou menos diverso. ~ V. *cromátides —as*. [Cf. *homologo*, do v. *homologar*.]

homómero ***Adj.*** V. *homômero*. [Uso freq. em P.]

homômero [De *hom(o)-* + *-mero*.] ***Adj.*** Cujas partes são todas semelhantes.

homomerologia [De *homômero* + *-logia*.] ***S. f.*** *Anat.* Tratado dos sistemas orgânicos.

homomerológico [De *homomerologia* + *-ico*[2].] ***Adj.*** Relativo a homomerologia.

homomorfismo [De *homomorfo* + *-ismo*.] ***S. m.*** **1.** Qualidade de homomorfo. [Antôn.: *heteromorfismo* e *heteromorfia*.] **2.** *Álg.* Transformação unívoca de um grupo sobre outro que preserva as operações dos grupos.

homomorfo [De *hom(o)-* + *-morfo*.] ***Adj.*** Que tem a mesma forma. [Antôn.: *heteromorfo*.]

homomorfose [De *homomorfo* + *-ose*[1].] ***S. f.*** *Biol.* Regeneração de uma parte igual à que foi perdida.

homonimia [Do gr. *homonymía*, pelo lat. *homonymia*.] ***S. f.*** *E. Ling.* **1.** Qualidade do que é homônimo. **2.** Identidade fonética entre formas de significado e origem completamente distintos, como entre *são*, presente do verbo 'ser', e *são*, 'santo'. **3.** Na escrita, palavras que têm a mesma pronúncia, e igual grafia (como *falácia*, 'qualidade de falaz', e *falácia*, 'falatório') ou grafia diferente (como *lasso*, 'cansado', e *laço*, 'laçada').

homonímico [De *homonímia* + *-ico*[2].] ***Adj.*** Em que há homonímia.

homónimo ***Adj. S. m.*** V. *homônimo*. [Uso freq. em P.]

homônimo [Do gr. *homónymos*, pelo lat. *homonymus*.] ***Adj. S. m.*** **1.** Que, ou aquele que tem o mesmo nome. **2.** *E. Ling.* Diz-se de, ou palavra que se pronuncia da mesma forma que outra, mas cujo sentido e escrita são diferentes (os homófonos *laço* = laçada, *lasso* = cansado), ou que se pronuncia e escreve do mesmo modo, mas cujo significado é diverso (os homógrafos *falácia* = qualidade de falaz, e *falácia* = falatório). [Cf. *parônimo*, *sinônimo*, *homófono*, *antônimo* e *homógrafo*.]

homonomia [De *homônomo* + *-ia*[1].] ***S. f.*** Caráter de homônomo.

homónomo ***Adj.*** *Biol.* V. *homônomo*. [Uso freq. em P.]

homônomo [Do gr. *homónomos*, 'que obedece às mesmas leis'.] ***Adj.*** *Biol.* Que tem a mesma forma e função.

homopétalo [De *hom(o)-* + *-pétalo*.] ***Adj.*** *Bot.* Que tem pétalas semelhantes. [Antôn.: *heteropétalo*.]

homoplanasia ***S. f.*** *Ópt.* Propriedade de um sistema óptico, simétrico em relação ao eixo óptico, em que a cáustica que é imagem de um ponto tem simetria cilíndrica.

homoplanático ***Adj.*** *Ópt.* Relativo a um sistema óptico com homoplanasia.

homoplasia [De *hom(o)-* + *-plas(i)-* + *-ia*[1].] ***S. f.*** *Biol.* V. *convergência adaptativa*.

homoplástico [De *hom(o)-* + *plast(o)-* + *-ico*[2].] ***Adj.*** Relativo à homoplasia.

homopolar [De *hom(o)-* + *polar*.] ***Adj. 2 g.*** *Fís.-Quím.* ~ V. *ligação —*.

homopolímero [De *hom(o)-* + *polímero*.] ***S. m.*** *Quím.* Polímero formado por sucessivas aglomerações de grande número de moléculas fundamentais, os monômeros, iguais.

homóptero [De *hom(o)-* + *-ptero*; tax. *Homoptera*.] *Zool.* ***S. m.*** **1.** Espécime dos homópteros, subordem de artrópodes, insetos, fitófagos, terrestres, providos de sistema bucal sugador, e cujos ovos são postos na casca ou em fendas dos vegetais. Conhecidos popularmente como cigarras, cigarrinhas e pulgões. • ***Adj.*** **2.** Pertencente ou relativo a eles. [Sin. ger.: *rincoto*.]

homoptoto [Do gr. *homóptoton*.] ***S. m.*** *E. Ling.* Emprego sucessivo de verbos nos mesmos tempos e pessoas, ou de nomes nos mesmos casos; homeoptoto.

homoptóton ***S. m.*** *E. Ling.* V. *homoptoto*.

homorgânico [De *hom(o)-* + *orgânico*.] ***Adj.*** **1.** *E. Ling.* Diz-se dos fonemas cuja pronúncia depende do(s) mesmo(s) órgão(s): *bê*, *pê*, *mê* (todos bilabiais), *dê*, *tê* (linguodentais). [Antôn.: *heterorgânico*.] **2.** *Anat.* Diz-se de objeto que é semelhante, em organização, a outro. **3.** *E. Ling.* Diz-se de um som com o mesmo ponto de articulação (5) de outro.

homos [Do turco *humus*, ár. dialetal *ḥummuṣ*, < ár. *ḥimiṣ*, 'grão de bico'.] ***S. m. 2 n.*** *Cul.* Iguaria árabe, feita de pasta de grão-de-bico, com óleo de gergelim e temperos. [Var.: *homus.*]

→**Homo sapiens** ['homɔ 'sapẹɛns] [Lat., tax.] *Etnol. Paleont.* ***Loc. subst.*** V. *homo* (2).

→**Homo sapiens sapiens** ['homɔ 'sapẹɛns'sapẹɛns] [Lat., tax.] *Etnol. Paleont.* ***Loc. subst.*** V. *homo* (2).

homose [De *hom(o)-* + *-ose*[1].] ***S. f.*** **1.** Comparação dum objeto com outro. **2.** Assimilação e cocção de suco nutritivo.

homosfera [De *hom(o)-* + *-sfera.*] ***S. f.*** *Geofís.* Zona da atmosfera, situada a altitude inferior a 100km, na qual a mistura dos componentes é homogênea, e que mantém, portanto, em todos os pontos, a mesma composição química.

homosporado [De *homósporo* + *-ado*[1].] ***Adj.*** *Bot.* Que apresenta homosporia; homósporo. [Cf. *heterosporado.*]

homosporia [De *hom(o)-* + *-spor(o)-* + *-ia*[1].] ***S. f.*** *Bot.* A produção de esporos do mesmo tipo em espécimes diversos da mesma espécie, como ocorre, p. ex., com a cavalinha (1). [Cf. *heterosporia.*]

homósporo [De *hom(o)-* + *-sporo.*] ***Adj.*** *Bot.* Homosporado. [Cf.: *heterósporo.*]

homossexual (cs) [De *hom(o)-* + *sexual.*] ***Adj. 2 g.*** **1.** Relativo à afinidade, atração e/ou comportamento sexuais entre indivíduos do mesmo sexo. **2.** Que tem essa afinidade e esse comportamento. • ***S. 2 g.*** **3.** Pessoa homossexual (2). [F. red.: *homo.*]

homossexualidade (cs) [De *homossexual* + *-(i)dade.*] ***S. f.*** Qualidade ou caráter de homossexual; homossexualismo, inversão. [Antôn.: *heterossexualidade.*]

homossexualismo (cs) [De *homossexual* + *-ismo.*] ***S. m.*** **1.** Prática do comportamento homossexual. **2.** V. *homossexualidade.*

homotalia [De *hom(o)-* + *-tal-* + *-ia*[1].] ***S. f.*** *Bot.* Qualidade de homotálico. [Antôn.: *heterotalia.*]

homotálico [De *homotalia* + *-ico*[2].] ***Adj.*** *Micol.* Diz-se do fungo que não apresenta qualquer diferenciação sexual. [Antôn.: *heterotálico.*]

homotermal [De *hom(o)-* + *termal.*] ***Adj. 2 g.*** Isotérmico (1). [Antôn.: *heterotérmico.*]

homotermia [De *hom(o)-* + *-term(o)-* + *-ia*[1].] ***S. f.*** *Zool.* V. *endotermia.*

homotérmico [De *homotermia* + *-ico*[2].] ***Adj.*** V. *homotermo* (1 e 2).

homotermismo [De *hom(o)-* + *-term(o)-* + *-ismo.*] ***S. m.*** *Zool.* V. *endotermia.*

homotermo [De *hom(o)-* + *-termo.*] ***Adj. S. m.*** *Zool.* V. *endotérmico* (2 e 3).

homotesia [De *hom(o)-* + *-tes-* + *-ia*[1].] ***S. f.*** *Geom.* V. *homotetia.*

homotetia [De *hom(o)-* + gr. *thetós*, 'colocado', 'estabelecido', der. do v. gr. *títhemi*, + *-ia*[1].] ***S. f.*** *Geom.* Propriedade das figuras semelhantes e semelhantemente dispostas; homotesia.

homotético [De *homotetia* + *-ico*[2].] ***Adj.*** **1.** Relativo à homotetia. **2.** *Geom.* Diz-se de figuras cujos pontos correspondentes são ligados por segmentos de reta que têm um ponto comum que os divide numa razão constante. ~ V. *transformação —a.*

homotipia [De *hom(o)-* + *-tip(o)-* + *-ia*[1].] ***S. f.*** *Anat.* **1.** Qualidade dos órgãos homótipos. **2.** Analogia de certos órgãos num mesmo indivíduo.

homotípico [De *homotipia* + *-ico*[2].] ***Adj.*** Relativo à homotipia.

homótipo [De *hom(o)-* + *-tipo.*] ***Adj.*** *Anat.* Diz-se de órgãos que, num mesmo indivíduo, são os análogos de outros órgãos, como, p. ex., os dedos dos pés em relação aos das mãos.

homótono [Do gr. *homótonos*, pelo lat. *homotonu.*] ***Adj.*** Que tem o mesmo tom; monótono, uniforme.

homotópico [De *hom(o)-* + *tópico.*] ***Adj.*** *Quím.* Diz-se de átomo ou grupo de uma molécula aquiral, ou de face de uma molécula insaturada, que não leva ao surgimento de um enantiômero, seja por substituição, seja por adição. ~ V. *transplante —.*

homotransplante [De *hom(o)-* + *transplante.*] ***S. m.*** *Med.* Aloenxerto.

homótropo [Do gr. *homótropos*, 'que tem os mesmos gostos, os mesmos costumes ou o mesmo caráter'; fr. *homotrope.*] ***Adj.*** *Bot.* Diz-se das partes do vegetal que tomam a mesma direção.

homovalve [De *hom(o)-* + *-valve.*] ***Adj. 2 g.*** *Bot.* Diz-se do fruto cujas valvas são semelhantes.

homozigose [De *hom(o)-* + *-zig(o)-* + *-ose*[1].] ***S. f.*** Condição de homozigoto.

homozigótico [De *homozigoto* + *-ico*[2].] ***Adj.*** *Genét.* Diz-se do, ou relativo ao homozigoto.

homozigoto [De *hom(o)-* + *-zigoto.*] ***S. m.*** *Genét.* Diz-se de, ou organismo que apresenta alelos idênticos em determinado lócus. [Cf. *heterozigoto.*]

homúnculo [Do lat. *homunculu.*] ***S. m.*** **1.** V. *homenzinho* (1): "Essa civilização de homúnculos atingira considerável índice de desenvolvimento material" (Ferreira Gullar, *Cidades Inventadas*, p. 18). **2.** Pequeno ser sem corpo, sem peso, sem sexo, e dotado de poder sobrenatural, que os feiticeiros pretendiam fabricar. **3.** *Fig.* Homem vil, desprezível, abjeto. **4.** *Biol.* Miniatura do feto humano que se supôs existir no espermatozoide.

homus ***S. m. 2 n.*** V. *homos.*

hon-diapá *Bras.* ***S. 2 g.*** **1.** *Etnôn.* Indivíduo dos hons-diapás [ou (etnôn. bras.) *Hon-dyapá, *Hon-dy], povo indígena extinto, de família linguística catuquina, que habitava a margem esquerda do rio Juruá (AM). • ***Adj. 2 g.*** **2.** Pertencente ou relativo a esse povo. [Pl.: *hons-diapás.*]

hondurenho [Do esp. *hondureño.*] ***Adj.*** **1.** De, ou pertencente ou relativo a Honduras (América Central). • ***S. m.*** **2.** O natural ou habitante de Honduras.

honestador (ô) [De *honestar* + *-dor.*] ***Adj. S. m.*** Que, ou aquele que honesta.

honestar [Do lat. *honestare.*] ***V. t. d.*** **1.** Tornar honesto; honrar. **2.** Fazer que pareça conforme a honra, a honestidade; coonestar. **3.** Embelezar, ornar, adornar. ***P.*** **4.** Portar-se com decência e honestidade.

honestidade [De *honesto* + *-(i)dade.*] ***S. f.*** **1.** Qualidade ou caráter de honesto; honradez, dignidade. **2.** Probidade, decoro, decência: *Preso, não teve a honestidade de reconhecer seus crimes.* **3.** Castidade; pureza; virtude.

honestizar [De *honesto* + *-izar.*] ***V. t. d. P.*** Tornar(-se) honesto; nobilitar(-se), dignificar(-se).

honesto [Do lat. *honestu.*] ***Adj.*** **1.** Honrado, digno, decente: *homem honesto; procedimento honesto.* **2.** Íntegro, probo, reto, decente: *juiz honesto; governante honesto.* **3.** Conveniente, correto, adequado; decente: *Apareceu a digna velha, em trajes honestos.* **4.** Casto, puro, virtuoso: *moça honesta.*

→ **honni soit qui mal y pense** [õni swa ki mal i pãs] [Fr.] Envergonhe-se quem nisto vê malícia. [Divisa da Ordem da Jarreteira.]

honor (ô) [Do lat. *honor, oris.*] ***S. m.*** *Desus.* Honra. [Pl.: *honores* (ô). Cf. *honores*, do v. *honorar.*]

honorabilidade [Do lat. *honorabilitate*; fr. *honorabilité.*] ***S. f.*** **1.** Qualidade de honorável (1): "Alguns até conservavam uma espécie de velha amásia oficial, que chegara a conquistar a quase honorabilidade duma esposa segunda." (José Régio, *Histórias de Mulheres*, p. 289.) **2.** V. *honradez* (1): *A honorabilidade do seu proceder é inatacável.* **3.** Merecimento, benemerência.

honorar [Do lat. *honorare*, ou de *honor* + *-ar*[2].] ***V. t. d. P.*** *Desus.* Honrar(-se). [Pres. subj.: *honore, honores*, etc.; fut. pret.: *honoraria*, etc. Cf. *honores* (ô), pl. de *honor*, s. m., e *honorária*, fem. de *honorário*, adj.]

honorário [Do lat. *honorariu.*] ***Adj.*** **1.** V. *honorífico* (1). **2.** Que dá honras, glórias, sem proventos materiais; honorífico: *título honorário; cargo honorário.* **3.** Que tem honras, sem receber proventos ou desempenhar as funções de um cargo: *sócio honorário; presidente honorário.* ~ V. *cônsul —* e *honorários*. [Fem.: *honorária*. Cf. *honoraria*, do v. *honorar.*]

honorários [Pl. subst. de *honorário.*] ***S. m. pl.*** **1.** Remuneração àqueles que exercem uma profissão liberal: advogado, médico, etc.; proventos. **2.** *P. ext.* Vencimentos, salário, remuneração. ~ V. *honorário.*

honorável [Do lat. *honorabile.*] ***Adj. 2 g.*** **1.** Digno de ser honrado. **2.** V. *honorífico* (1).

honorificar [Do lat. *honorificare.*] ***V. t. d.*** Dar honras ou mercês a; honrar, agraciar. [Conjug.: v. *trancar*. Pres. ind.: *honorifico*, etc. Cf. *honorífico.*]

honorificência [Do lat. *honorificentia.*] ***S. f.*** Aquilo que constitui honra ou distinção.

honorífico [Do lat. *honorificu.*] ***Adj.*** **1.** Que honra e distingue; honroso, honorário, honorável. **2.** Honorário (2). [Cf. *honorifico*, do v. *honorificar.*]

→ **honoris causa** [ho'nores 'kawsa] [Lat., 'para honra'.] Diz-se dos títulos universitários conferidos sem exame ou concurso, a título de homenagem: *doutor* honoris causa.

honra [Dev. de *honrar.*] ***S. f.*** **1.** Consideração e homenagem à virtude, ao talento, à coragem, às boas ações ou às qualidades de alguém: *Vários embaixadores compareceram ao jantar em honra do Presidente.* **2.** Sentimento de dignidade própria que leva o indivíduo a procurar merecer e manter a consideração geral; pundonor, brio: *É crime ofender gratuitamente a honra de alguém.* **3.** Dignidade, probidade, retidão: *É homem de bem, de honra.* **4.** Grandeza, esplendor, glória: *Trabalhou para a honra de sua terra.* **5.** Pessoa ou coisa que é motivo de honra, de glória: *Caxias é uma honra do exército brasileiro; O saber de Pontes de Miranda é uma das honras do Brasil.* **6.** Culto, veneração: *Frequentava com assiduidade a ladainha em honra de Nossa Senhora.* **7.** Graça, mercê, distinção: *S. Ex.a concedeu-me a honra de jantar comigo.* **8.** Honestidade, pureza, castidade, virgindade. **9.** *Ant.* Terra privilegiada, de fidalgos ou cavaleiros. ~ V. *honras*. ◆ **Honras fúnebres.** Homenagens prestadas durante o funeral. **Honras militares.** Saudação ou salva com que militares homenageiam uma personalidade ou um falecido. **Fazer as honras a.** Comer ou beber muito e com gosto: "David trouxera até uma garrafa de *champagne* francês, um Veuve Clicquot a que Luís Bernardo, por conselho médico, não pôde fazer as devidas honras." (Miguel Sousa Tavares, *Equador*, p. 391.) **Fazer as honras da casa.** Receber os convidados com cortesia e atenção especial. **Lavar a honra.** **1.** Vingar-se de uma afronta, derramando o sangue do ofensor. **2.** Desforrar-se: *Com a goleada imposta ao adversário, a seleção lavou a honra depois da última derrota.* **Por honra da firma.** **1.** Só para impedir que o nome do devedor sofra suspeita ou descrédito: *Paguei a conta por honra da firma.* **2.** Apenas para cumprir uma obrigação ou não fugir à praxe: *Embora muito gripado, veio trabalhar, por honra da firma.* **3.** Sem maior interesse ou prazer, apenas para salvar as aparências: *Apesar de já não o estimar, visita-o por honra da firma.*

honradez (ê) [De *honrado* + *-ez.*] ***S. f.*** **1.** Qualidade de honrado (1); probidade, honestidade, honra, honorabilidade. **2.** Brio, decoro, pundonor.

honrado [Part. de *honrar.*] ***Adj.*** **1.** Que tem honra; honesto, digno, probo. **2.** Tratado com honra e respeito; respeitado, venerado. **3.** Casto, puro, virtuoso.

honrador (ô) [De *honrar* + *-dor.*] ***Adj.*** Que honra.

honrar [Do lat. *honorare.*] ***V. t. d.*** **1.** Conferir honras a; dar crédito ou merecimento a: *Honrou nobremente o próprio adversário.* **2.** Cobrir de honras; distinguir com honrarias; dignificar, enobrecer, ilustrar. **3.** Estimar, respeitar, acatar; venerar: "Honrarás pai e mãe" (*um dos 10 mandamentos da Lei de Deus*). **4.** Lisonjear, penhorar: *Honram-me os seus elogios.* **5.** Não desmerecer de: *Sempre honrou o nome da família*; "Honrar o passado é preparar o futuro." (Carlos de Laet, *Obras Seletas*, I, p. 62). ***P.*** **6.** Adquirir honra ou distinção; enobrecer-se: *Honrou-se desmentindo as acusações que fizera.* **7.** Ufanar-se, vangloriar-se: *Eu muito me honro com as suas palavras.* [F. paral., desus.: *honorar.*]

honraria [De *honra* + *-aria.*] ***S. f.*** **1.** Dignidade, distinção; honras: *Foi enterrado com honrarias de chefe de Estado.* [É m. us. no pl.] **2.** Manifestação honrosa. **3.** Graça ou mercê que nobilita.

honras [Pl. de *honra.*] ***S. f. pl.*** **1.** Título ou cargo honorífico: *Chegou, por mérito, às maiores honras da Igreja.* **2.** Honraria (1). ~ V. *honra*. ◆ **Honras fúnebres.** Homenagens prestadas a um morto; honras supremas; exéquias. **Honras militares.** Ato de cerimonial militar a que um cidadão tem direito, ou pela posição militar, ou pelo cargo civil, ou eclesiástico, a que corresponde certa precedência hierárquica. **Honras supremas.** V. *honras fúnebres*. **Fazer as honras da casa.** Dar atenção especial a convidados e visitas (o dono da casa, ou outrem, a seu pedido): *Por favor, faça as honras da casa, enquanto mando servir o jantar.*

honroso (ô) [De *honra* + *-oso.*] ***Adj.*** **1.** Que dá honra; que enobrece, dignifica: *profissão honrosa.* **2.** Em que há honra; honesto, honrado: *Comigo sempre se conduziu de modo honroso.* **3.** V. *honorífico* (1).

hoódene *Bras.* ***S. 2 g.*** **1.** *Etnôn.* Indivíduo dos hoódenes [ou (etnôn. bras.) *Hohódene, *Huhúteni], povo indígena de família linguística aruaque, que habita as margens do rio Aiari, região do alto rio Negro, conhecida como Boca do Cachorro (AM). • ***Adj. 2 g.*** **2.** Pertencente ou relativo a esse povo. [Sin. ger.: *baníua do Içana.*]

hopi [Desta língua, pelo ingl.] ***S. 2 g.*** **1.** *Etnôn.* Indivíduo dos hopis, povo indígena do N. do Arizona (E.U.A.). • ***S. m.*** **2.** *Gloss.* A língua uto-asteca desse povo. • ***Adj. 2 g.*** **3.** Pertencente ou relativo aos hopis, ou à sua língua.

hoplestigmatácea [Do lat. cient. *Hoplestigmat-* (do tax. *Hoplestigma* [v. *hop(o)-* e *-(e)stigmat(o)-*]) + *-ácea*; tax. *Hoplestigmataceae.*] ***S. f.*** *Bot.* Espécime das hoplestigmatáceas, família de plantas dicotiledôneas, da ordem das ebenales, que compreende apenas o gênero *Hoplestigma*, composto de duas espécies arbóreas da África ocidental.

hoplestigmatáceo [De *hoplestigmatácea*, com var. suf. (v. *-áceo*).] ***Adj.*** *Bot.* Pertencente ou relativo às hoplestigmatáceas.

hoplita [Do gr. *hoplítes*, pelo lat. *hoplites, ae.*] ***S. m.*** Na Grécia antiga, soldado de infantaria pesada cuja armadura era composta de elmo, couraça, escudo, grevas, espada e lança.

hoplítico ***Adj.*** De, ou relativo a hoplita. ~ V. *infantaria —a.*

▲ hopl(o)- [Do gr. *hopl-*, *hoplo-* < gr. *hóplon*, *ou*, 'instrumento'; 'arma'.] ***El. comp.*** = 'arma'; 'que tem arma(s) ou instrumento(s)': *hoplestigmatácea*, *hoplocarídeo*, *hoplonemertino*.

hoplocarídeo [De *hopl(o)-* + gr. *karís*, *ídos*, 'lágrima', + *-eo*; tax. *Hoplocarida*.] *Zool.* ***S. m.*** **1.** Espécime dos hoplocarídeos, ordem de crustáceos marinhos, providos de carapaça curta, deixando livres os somitos torácicos posteriores, abdome muito desenvolvido, brânquias abdominais, e um par de patas raptoriais; são as tamburutacas. ● ***Adj.*** **2.** Pertencente ou relativo a eles.

hoplofóneo ***S. m.*** *Paleont.* V. *hoplofôneo*. [Uso freq. em P.]

hoplofôneo [Do tax. *Hoplophoneus*.] ***S. m.*** *Paleont.* Mamífero carnívoro, feloide, do oligoceno das Américas; tinha membros muito fortes, adaptados ao salto e à corrida, garras retráteis e caninos em forma de faca. Foi ancestral do tigre-de-dentes-de-sabre (q. v.).

hoplómaco ***S. m.*** V. *hoplômaco*. [Uso freq. em P.]

hoplômaco [Do gr. *hoplomáchos* (*ā*).] ***S. m.*** Na Grécia antiga, o que participava de uma hoplomaquia.

hoplomaquia [Do gr. *hoplomachía*.] ***S. f.*** Na Grécia antiga, combate com armas pesadas.

hoplonemertino [De *hopl(o)-* + *nemertino* (q. v.); tax. *Hoplonemertini*.] *Zool.* ***S. m.*** **1.** Espécime dos hoplonemertinos, ordem de animais nemertinos, enoplídeos, cujas probóscides têm um ou mais estiletes; intestino reto com divertículos pares. Vivem na água doce, nas praias ou no mar, até profundidades de 1.000m. ● ***Adj.*** **2.** Pertencente ou relativo a eles. [Sin. ger.: *metanemertino*.]

hoplopleurídeo [De *hopl(o)-* + *-pleur(o)-* + *-ídeo*[1]; tax. *Hoplopleuridae*.] *Zool.* ***S. m.*** **1.** Espécime dos hoplopleurídeos, família de piolhos sugadores que parasitam os roedores, insetívoros e lagomorfos. ● ***Adj.*** **2.** Pertencente ou relativo a eles.

hoploteca [Do gr. *hoplothéke*.] ***S. f.*** **1.** Coleção de armas. **2.** Lugar onde se guardam armas. [Cf. *arsenal*.]

hóquei [Do ingl. *hockey*.] ***S. m.*** *Esport.* Jogo esportivo em que duas equipes, munidas de bastões recurvados numa extremidade, tentam impelir uma pequena bola maciça através de arcos opostos. [Cf. *oquei*, do v. *ocar*.]

hora [Do gr. *hóra*, pelo lat. *hora*.] ***S. f.*** **1.** A 24ª parte do dia natural, ou do tempo que a Terra leva para fazer uma rotação completa sobre si mesma [símb.: *h*]. **2.** Pancada ou badalada na campainha ou sino do relógio, indicando horas. **3.** Número ou sinal que nos quadrantes ou mostradores de relógio serve para indicar as horas. **4.** Momento, ocasião: "Em torno a mim, nesta hora, estriges voam" (Augusto dos Anjos, *Eu*, p. 63). **5.** Tempo ou momento em que de ordinário se faz ou realiza uma determinada coisa, ou em que ela deve fazer-se ou realizar-se: *a hora do almoço; O trem chegou na hora.* **6.** Momento conveniente, oportuno, adequado, ocasião propícia; oportunidade, ensejo: *Está esperando a hora de pôr em prática o seu ambicioso plano.* **7.** Momento de importância ou de relevo: *O simbolismo teve a sua hora.* **8.** Horário (4). [Cf. *ora*, do v. *orar*, s. m., adv., conj. e interj.] ~ V. *horas*. ◆ **Hora da onça beber água.** *Bras. Pop.* Hora de perigo; hora difícil; hora de cancão pegar menino. **Hora das cabaças.** *Bras.* Na região do rio São Francisco, designação dada ao cair da tarde, hora em que as mulheres se dirigem, com suas cabaças, até o rio, a apanhar água para uso doméstico. **Hora de cancão pegar menino.** *Bras. Pop.* Hora da onça beber água (q. v.). **Hora de verão.** *Cronol.* Horário de verão (q. v.). **Hora equinocial.** *Cronol.* Na escala de tempo dos povos antigos, instante definido como uma das 12 partes iguais do intervalo entre o nascer e o ocaso do Sol, nos equinócios. **Hora falada.** *Cronol.* Hora difundida verbalmente por gravação sincronizada a relógio. **Hora grande.** *Bras.* A meia-noite. **Hora H. 1.** *Mil.* Hora ou instante tomados como referência para o planejamento detalhado de uma operação bélica. [Os instantes dos detalhes que antecedem o início da operação são caracterizados como *H-n*, ..., *H-3*, *H-2*, *H-1*; e os que sucedem ao início, como *H+1*, *H+2*, etc. Assim, toda a operação pode ser planejada antes de se haver fixado a hora *H*.] **2.** *P. ext.* O momento preciso, exato: *Estamos lanchando. Você chegou na hora H.* **Hora legal.** *Cronol.* Instante, na escala de tempo, definido para um determinado lugar segundo as convenções astronômicas internacionais dos fusos horários; hora oficial. **Hora local.** *Cronol.* Instante, na escala de tempo, definido para um dado lugar. [Conforme o índice da escala de tempo, poderá ser *hora média* ou *hora sideral*.] **Hora local média.** *Cronol.* Ângulo horário do Sol médio (q. v.), em relação a um observador localizado na superfície da Terra, ou próximo dela. **Hora local sideral.** *Cronol.* Ângulo horário do ponto vernal (q. v.), em relação a um observador localizado na superfície da Terra, ou próximo dela. **Hora média.** *Cronol.* Hora local, definida segundo o movimento do Sol médio. **Hora oficial.** *Cronol.* Hora legal. **Hora sideral.** *Cronol.* Hora local, definida segundo a rotação da esfera das fixas. **Hora temporária.** *Cronol.* Na escala de tempo dos povos antigos, instante definido como uma das 12 partes iguais do intervalo de tempo decorrido entre o nascer e o ocaso do Sol. **Horas canônicas. 1.** *Lit.* Na liturgia católica, cada uma das partes em que se divide a recitação do ofício divino ou breviário: *matinas, laudes, vésperas, prima, terça, sexta, noa e completas.* **2.** *P. ext. Lit.* Coleção de orações para as diferentes horas canônicas. **3.** *Fig.* Horas certas, regulares. **Horas e horas.** Durante longo tempo; horas esquecidas, horas perdidas. **Horas esquecidas.** V. *horas e horas*: "Nestas páginas, horas esquecidas, / Que de sonhos andamos levantando!" (Eugênio de Castro, *Obras Poéticas*, V, p. 158); "ali, muda e queda horas esquecidas, escutava ela o vago cantar dos seus rouxinóis" (Almeida Garrett, *Viagens na Minha Terra*, pp. 179-180). **Horas extras.** *Dir. Trab.* **1.** Período excedente ao da jornada diária ou semanal máxima permitida por lei, convenção ou acordo coletivo de trabalho, fazendo jus o trabalhador a pagamento adicional além do que lhe seria regularmente devido, sendo variável, nos termos da lei, o valor deste pagamento. **2.** Pagamento relativo a esse período excedente: *O patrão ainda não depositou suas horas extras.* **Horas in itinere.** *Dir. Trab.* Tempo que o empregado gasta em deslocamento até o local do trabalho e no seu retorno, utilizando meio de transporte fornecido pelo empregador, devendo tal período ser computado na jornada de trabalho. **Horas mortas.** Horas da noite em que tudo está em silêncio; altas horas da noite; altas horas; desoras: "conservava acesa a sua lâmpada até horas mortas da noite" (Bernardo Guimarães, *O Seminarista*, p. 74); "Horas mortas, a lua o véu desata, / E em cheio brilha" (Alberto de Oliveira, *Poesias*, 2ª série, p. 123). **Horas perdidas.** V. *horas e horas*: "Conversava horas perdidas com seu amigo Tuísca" (Jorge Amado, *Gabriela, Cravo e Canela*, p. 450). **Hora temporária.** *Cronol.* Na escala de tempo dos povos antigos, instante definido como uma das 12 partes iguais do intervalo de tempo decorrido entre o nascer e o ocaso do Sol. **Hora universal.** *Cronol.* Instante, na escala de tempo, definido como tempo médio local (q. v.) do meridiano de Greenwich. **À horas.** A tempo; oportunamente, pontualmente: "Este chegava a horas, porque os tempos eram de calamidade" (Antero de Figueiredo, *Jornadas em Portugal*, p. 87). **A horas mortas.** A altas horas da noite; por altas horas; às horas mortas; por horas mortas: "Oh Camilo .... dos fados chorados em ruelas a horas mortas sob o luar doente" (Antero de Figueiredo, *Jornadas em Portugal*, p. 175). **Altas horas.** V. *horas mortas*: "Sem sono, de olhos arregalados e fixos no teto de esteira, assim foi até altas horas, em cochilos e despertares constantes" (Antônio Celso Alves Pereira, *Rua do Quenta-Sol*, p. 60). **Altas horas da noite.** V. *horas mortas*. **Arrepender-se da hora em que nasceu.** *Bras.* Sofrer profundo arrependimento. **Às horas mortas.** V. *a horas mortas*: "O terror, que arreda o homem / Do limiar do tempo às horas mortas, / Não vem de crença vã." (Alexandre Herculano, *Poesias*, p. 13.) **Chegar a sua hora.** Estar (alguém) à morte, prestes a morrer: *O moribundo tinha a certeza de que chegara a sua hora.* **Em boa hora.** No momento favorável, oportunamente. [Cf. *embora*.] **Em cima da hora.** No momento exato, preciso, a partir do qual se ficará atrasado quanto a um compromisso, obrigação, encontro, partida, etc.: *Já estou em cima da hora: se não correr, perco o trem; Chegou em cima da hora para a entrevista com o ministro.* **Em má hora.** Fora de tempo; inoportunamente. **Fazer hora.** Entreter-se ou ocupar-se em alguma coisa, procurar distrair-se, enquanto não chega o momento de fazer o que está planejado ou é obrigatório; fazer horas: "Marquei a passagem para o [avião] das duas e meia, e fiquei banzando por ali, fazendo hora." (Fernando Sabino, *A Mulher do Vizinho*, p. 85.) **Fazer hora com.** *Bras. Pop.* Caçoar com, motejar ou zombar de (alguém): *Saiu do quarto enfurecido, pois todos estavam fazendo hora com ele.* **Fazer horas.** Fazer hora: "Saía à boca da noite, fazia horas pelos botequins até ir jantar num restaurante do centro" (Lima Barreto, *Vida e Morte de M. J. Gonzaga de Sá*, p. 247). **Fora de horas.** Tarde; a desoras. **Isto são horas?** Palavras que se dirigem a alguém que chega muito tarde, fora de horas. **Na hora. 1.** Sem detença; imediatamente: "apareceu um senhor no hospital e me convidou para ser deputado. .... Aceitei na hora." (Clodovil Hernandes, em Revista *Veja*, 25.03.2009.) **2.** No momento: *Na hora do boa-noite, aproximou-se e deu um beijo na mãe.* **Na hora agá.** No exato momento (em que algo está para acontecer). **Não ter horas.** Estar disponível a qualquer momento, a qualquer hora: "Carolina não tinha horas, oferecia-se para a vigília junto à Roda .... e, no dia seguinte, continuava até tarde cuidando dos necessitados." (Jô Soares, *O Xangô de Baker Street*, p. 213.) **Pela hora da morte.** Por preço altíssimo; muito caro: "Os romances brasileiros custam uma ninharia e envelhecem nas prateleiras dos editores. Os romances franceses estão pela hora da morte e são procurados com avidez." (Graciliano Ramos, *Linhas Tortas*, p. 149.) **Por altas horas.** V. *a horas mortas*: "Certa noite, por altas horas, num bairro afastado, vi aberto um botequim lôbrego" (Olavo Bilac, *Crítica e Fantasia*, p. 348). **Por horas mortas.** V. *a horas mortas*: "É certo que a clareza deste [termo]vem do verbo donde saiu. Quem o inventou? Talvez algum céptico, por horas mortas, relembrando uma procissão qualquer" (Machado de Assis, *A Semana*, II, p. 232).

hora-aula ***S. f.*** *Educ.* A duração de uma aula. [Pl.: *horas-aulas* e *horas-aula*.]

horaciano [Do lat. *horatianu*.] ***Adj.*** **1.** Pertencente ou relativo a Horácio (68-8 a. C.), poeta latino, ou próprio dele. ● ***S. m.*** **2.** Grande admirador e/ou profundo conhecedor da obra de Horácio.

horal [Do lat. *horale*.] ***Adj. 2 g.*** Relativo a hora(s). [Cf. *oral*.]

hora-luz ***S. f.*** Distância percorrida pela luz em uma hora e equivalente a 1,1 bilhão de quilômetros. [Pl.: *horas-luz*.]

horário [De *hora* + *-ário*.] ***Adj.*** **1.** Relativo a hora(s). **2.** Que se percorre no espaço de uma hora: *O carro desenvolvia 120km horários quando se deu o desastre.* ~ V. *ângulo —*, *ângulo — astronômico*, *ângulo — civil*, *carga —a*, *círculo —*, *eixo —*, *fuso —* e *sentido —* ● ***S. m.*** **3.** Tabela indicativa das horas em que se devem fazer certos serviços. **4.** Hora normal, prefixada, de chegada ou partida de um meio de transporte; hora: *Qual é o horário do próximo trem?* **5.** *Bras.* Esse transporte, especialmente o trem: "o trem saiu, correndo por entre os canaviais e os roçados de algodão do meu avô. | Chegava gente na porta para ver o horário em disparada." (José Lins do Rego, *Ficção Completa*, I, p. 137). [Cf. *orário*.] ◆ **Horário de verão.** *Cronol.* Tempo civil adiantado de um fuso horário, a fim de que se aproveite mais largamente a claridade do dia; hora de verão. **Horário de pico.** Aquele de maior afluência (de pessoas, de veículos, etc.): "CPTM [Companhia Paulista de Trens Metropolitanos] recebe mais pessoas fora do horário de pico" (Elvis Pereira, em *O Estado de São Paulo*, 16.11.2009). **Horário de trabalho.** *Dir. Trab.* Período em que o trabalhador deve estar dedicado às suas atividades de trabalho e pelo qual será remunerado. **Horário flexível.** *Dir. Trab.* Jornada de trabalho que não apresenta rigidez de horário para início e fim das atividades diárias, permitindo a formação de um banco de horas em que ficam registradas as horas que o trabalhador trabalhou a mais ou a menos do que o definido para posterior ajuste ou compensação. **Horário integral.** Tempo integral (q. v.). **Horário nobre.** Aquele em que, no rádio e na televisão, a audiência e a assistência atingem o ápice, encarecendo os preços da propaganda.

horas [Pl. de *hora*.] ***S. f. pl.*** **1.** Espaço de tempo indeterminado. **2.** Livro de horas. **3.** Som de campainha ou de sino de relógio, que indica horas. ~ V. *hora*.

horda [Do fr. *horde* < turco-mongol *orda*, *horda*, 'acampamento militar'.] ***S. f.*** **1.** Tribo nômade. **2.** Bando indisciplinado, malfazejo: "De todas as senzalas, da casa, da horta, do pasto, negrinhos acudiam correndo, como uma horda de capetinhas nus." (Godofredo Rangel, *Vida Ociosa*, p. 49.)

hordeáceo [Do lat. *hordeaceu*.] ***Adj.*** Semelhante a grãos ou espigas de cevada.

▲ horde(i)- [Do lat. *hordĕum*, *ei*.] ***El. comp.*** = 'cevada': *hordeína*.

hordeína [De *horde(i)-* + *-ina*[3].] ***S. f.*** *Bioquím.* Glicoproteína retirada da cevada.

hordenina [Do V.C.I. *horden-* (< lat. *hordeum*, 'cevada') + *-ina*[3].] ***S. f.*** *Quím.* Alcaloide do germe de cevada, extraído sob forma cristalina, acicular, incolor [fórm.: $C_{10}H_{15}ON$].

hordéolo [Do lat. *hordeolu*.] ***S. m.*** *Oftalm.* Terçol.

horebense ***Adj. 2 g.*** **1.** De, ou pertencente ou relativo a Monte Horebe (PB). ● ***S. 2 g.*** **2.** O natural ou habitante de Monte Horebe.

horista [De *hora* + *-ista*.] ***Adj. 2 g. S. 2 g.*** *Dir. Trab.* Diz-se do, ou empregado cujo salário (1) é calculado em horas, e não em dias.

horizontal [De *horizonte* + *-al*[1].] ***Adj. 2 g.*** **1.** Paralelo ao horizonte. **2.** Relativo ao horizonte. **3.** Estendido horizontalmente, esticado, deitado. ~ V. *integração —*, *leme* —, *paralaxe* —, *pêndula* —, *prensa* — e *sismógrafo* —.● *S. f.* **4.** Linha paralela ao horizonte. **5.** *Fig.* Meretriz: "Passou uma horizontal, oxigenada e ágil, que trocou um sinal com os dois." (Urbano Tavares Rodrigues, *Vida Perigosa*, p. 137.) **6.** *Fam.* A posição de quem está deitado; posição horizontal: *Preguiçoso, sempre que pode está na horizontal.*

horizontalidade [De *horizontal* + *-(i)dade*.] *S. f.* Qualidade ou estado do que é horizontal.

horizontalismo [De *horizontal* + *-ismo*.] *S. m. Teol.* Tendência a cultuar Deus apenas pelo amor e pelo serviço prestado ao próximo.

horizontalizar [De *horizontal* + *-izar*.] *V. t. d. P.* Igualar(-se), nivelar(-se).

horizonte [Do gr. *horízon*, *ontos*, pelo lat. *horizonte*.] *S. m.* **1.** Linha circular que limita o campo da nossa observação visual, e na qual o céu parece encontrar-se com a superfície terrestre (considerada uma esfera perfeita). **2.** *Fig.* Extensão indefinida; espaço. **3.** *Fig.* Perspectiva ou probabilidade de desenvolvimento, de progresso, de melhoria: *Cidade morta, sem horizontes; Leva, naquele ambiente estreito, uma vida sem horizonte; Novos horizontes se abriram à ciência com os antibióticos.* [Nesta acepç., é talvez m. us. no pl.] **4.** Linha que termina o céu de um quadro. **5.** *Pedol.* As camadas de solo genericamente relacionadas entre si. ~ V. *horizontes*. ◆ **Horizonte aparente.** *Astr.* V. *horizonte sensível*. **Horizonte artificial.** **1.** *Astr.* Superfície de um líquido, geralmente o mercúrio, em repouso num recipiente, e utilizada em diversos instrumentos astronômicos a fim de materializar o plano horizontal local. **2.** *Aer.* Instrumento giroscópico ou eletrônico que, em voo, reproduz na cabine as posições da aeronave em relação ao horizonte verdadeiro. **Horizonte astronômico.** *Astr.* V. *horizonte racional*. **Horizonte cosmológico.** *Astr.* Limite além do qual o Universo se torna inobservável. **Horizonte de eventos.** *Astr.* Lugar geométrico dos pontos do espaço-tempo em que, segundo um observador distante, o tempo parece estar parado, como ocorre, p. ex., na superfície que envolve um buraco negro. **Horizonte racional.** *Astr.* Círculo máximo da esfera celeste, e que é a interseção do plano perpendicular à vertical de um lugar com essa esfera; horizonte astronômico, horizonte verdadeiro. **Horizonte sensível.** *Astr.* Linha sobre a esfera celeste, e que é o limite desta com a superfície terrestre; horizonte aparente, horizonte visível. **Horizonte verdadeiro.** *Astr.* V. *horizonte racional*. **Horizonte visível.** *Astr.* V. *horizonte sensível*. **Horizonte visual.** *Astr.* Linha segundo a qual a superfície cônica que tem por vértice o olho do observador tangencia a Terra, considerada como uma esfera perfeita. [Independe da existência ou não de montanhas, etc.]

horizontes [Pl. de *horizonte*.] *S. m. pl. Fig.* Horizonte (3). ~ V. *horizonte*.

horizontinense *Adj. 2 g.* **1.** De, ou pertencente ou relativo a Horizontina (RS).● *S. 2 g.* **2.** O natural ou habitante de Horizontina.

horizontino *Adj.* **1.** De, ou pertencente ou relativo a Horizonte (CE).● *S. m.* **2.** O natural ou habitante de Horizonte.

▲ **hormo-** [Do gr. *hórmos*, *ou*.] *El. comp.* = 'que serve para ligar'; 'cadeia': *hormocisto*, *hormogônio*.

hormocisto [De *hormo-* + *-cisto*.] *S. m. Bot.* Fragmento de filamento, de várias algas cianofíceas, encerrado em uma bainha fechada, o qual atravessa um período de repouso antes de as suas células entrarem em divisão. É um órgão que assegura a manutenção das respectivas espécies em épocas desfavoráveis à atividade vital.

hormogónea *S. f. Bot.* V. *hormogônea*. [Uso freq. em P.]

hormogônea [Adapt. do tax. *Hormogoneae*.] *S. f. Bot.* Espécime das hormogôneas, classe de cianofíceas em que as células estão reunidas em filamentos, podendo encerrar hormogônios e heterocistos.

hormogónio *S. m. Bot.* V. *hormogônio*. [Uso freq. em P.]

hormogônio [De *hormo-* + *-gon(o)-*[2] + *-io*[3].] *S. m. Bot.* Fragmento do longo filamento de células de certas algas, e que reproduz a alga-mãe.

hormona *S. f. Lus. Biol.* V. *hormônio*.

hormonal [De *hormônio* + *-al*[1].] *Adj. 2 g.* Relativo a hormônio.

hormónio *S. m. Biol.* V. *hormônio*. [Uso freq. em P.]

hormônio [Do gr. *hórmon*, part. pres. do v. *hormân*, 'pôr em movimento'; 'excitar', + *-io*[3]; ingl. *hormone*.] *S. m. Biol.* Substância química produzida no organismo, e que tem efeito específico sobre a atividade de certo órgão ou estrutura. [Além dos hormônios produzidos nas glândulas de secreção interna (glândula tireóidea, hipófise, etc.), há os elaborados em células especializadas, sem estrutura glandular, chamados *hormônios teciduais*.] ◆ **Hormônio juvenil.** *Bioquím.* Designação de diversas substâncias, ger. sesquiterpenoides, produzidas por certa glândula dos insetos, e cuja ação os retém na fase juvenil de seu desenvolvimento; hormônio juvenilizante. **Hormônio juvenilizante.** *Bioquím.* Hormônio juvenil. **Hormônio tecidual.** V. *hormônio*.

hormonoterapia [Do V.C.I. *hormono-* (< *hormônio*) + *-terapia*.] *S. f. Terap.* Tratamento com hormônio(s).

hormonoterápico [De *hormonoterapia* + *-ico*[2].] *Adj.* Relativo a hormonoterapia.

hornblenda [Do al. *Hornblende*.] *S. f. Min.* Mineral monoclínico, do grupo dos anfibólios, mistura isomorfa de silicatos de cálcio, magnésio, ferro, alumínio, e às vezes também de sódio.

hornfel [Do al. *Hornfels*.] *S. m. Geol.* Cornubianito. [Pl.: *hornféis*.]

horografia [Do gr. *horographía*, 'redação de anais'.] *S. f.* Técnica de construir quadrantes. [Cf. *orografia*.]

horográfico [De *horografia* + *-ico*[2].] *Adj.* Concernente à horografia. [Cf. *orográfico*.]

horógrafo [Do gr. *horográphos*, 'redator de anais'.] *S. m.* Construtor de quadrantes. [Cf. *orógrafo*.]

horologial [Do lat. *horologium*, 'relógio', + *-al*[1].] *Adj. 2 g.* Relativo a relógio.

horómetro *S. m. Cronol.* V. *horômetro*. [Uso freq. em P.]

horômetro [Do gr. *horo-* (< gr. *hóra*, 'período de tempo') + *-metro*.] *S. m. Cronol.* Antigo instrumento astronômico us., durante a noite, para medir o tempo.

horoscopar [De *horóscopo* + *-ar*[2].] *V. int.* Tirar o horóscopo; horoscopizar. [Pres. ind.: *horoscopo*, etc. Cf. *horóscopo*.]

horoscópio [Do gr. *horoskopeîon*, pelo lat. *horoscopiu*.] *S. m.* Horóscopo.

horoscopista [De *horóscopo* + *-ista*.] *S. 2 g.* Pessoa que horoscopa ou horoscopiza.

horoscopizar [De *horóscopo* + *-izar*.] *V. int.* Horoscopar.

horóscopo [Do gr. *horóskopos*, pelo lat. *horoscopu*.] *S. m.* **1.** Prognóstico acerca da vida de uma pessoa, tirado, segundo pretendem os astrólogos, da situação de certos astros na hora do nascimento dessa pessoa. **2.** *Fig.* Predição, por mera conjetura, acerca de uma pessoa ou coisa. [F. paral.: *horoscópio*. Cf. *horoscopo*, do v. *horoscopar*.]

horrendo [Do lat. *horrendu*.] *Adj.* **1.** Que causa horror; horrente, hórrido, horrífero, horrífico, horripilante, horrípilo, horrível, horrorífico, horroroso. **2.** Feiíssimo, medonho, horrível, horroroso: *Suas feições são horrendas.* **3.** Malvado, cruel, horrível, horroroso.

horrente [Do lat. *horrente*, part. pres. de *horrere*, 'ser hediondo', 'ter horror', 'temer'.] *Adj. 2 g.* **1.** V. *horrendo* (1). **2.** Que tem medo.

→ **horribile dictu** [hoʀ'ribeļe 'dikto] [Lat.] Horrível de se dizer, de ser referido. [Sempre é us. interjetivamente.]

horribilidade [De *horrível* + *-(i)dade*, seg. o padrão erudito.] *S. f.* Qualidade de horrível.

horribilíssimo *Adj.* Superl. abs. sint. de *horrível*.

hórrido [Do lat. *horridu*.] *Adj.* V. *horrendo* (1).

horrífero [Do lat. *horriferu*.] *Adj.* V. *horrendo* (1).

horrífico [Do lat. *horrificu*.] *Adj.* V. *horrendo* (1).

horripilação [Do lat. *horripilatione*.] *S. f.* **1.** Ato ou efeito de horripilar(-se); arrepio. **2.** Calafrio que antecede a febre.

horripilante [Do lat. *horripilante*.] *Adj. 2 g.* **1.** Que horripila. **2.** V. *horrendo* (1). [Sin., ger. (bras.): *horrípilo*.]

horripilar [Do lat. *horripilare*.] *V. t. d.* **1.** Causar arrepios a. **2.** Horrorizar, apavorar, aterrar: *A visão tenebrosa horripilou-a.* *Int.* **3.** Causar arrepio: "Pensas que a aragem glacial tão frequente na Pauliceia, principalmente à tarde, aragem que horripila e caustica, esfria-se ao passar por entre os ramos daquelas casuarinas da Consolação." (Raul Pompeia, *Crônicas 4*, p. 14.) *P.* **4.** Sentir arrepios; arrepiar-se. **5.** Horrorizar-se, apavorar-se, aterrar-se, aterrorizar-se. [Pres. ind.: *horripilo*, etc. Cf. *horrípilo*.]

horrípilo *Adj. Bras.* Horripilante (q. v.). [Cf. *horripilo*, do v. *horripilar*.]

horríssono [Do lat. *horrisonu*.] *Adj.* Que produz um som aterrorizador: "As bombardas horríssonas bramavam" (Luís de Camões, *Os Lusíadas*, II, 100); "as vozes estrugindo em burburinho horríssono" (Coelho Neto, *Rei Negro*, p. 110).

horrível [Do lat. *horribile*.] *Adj. 2 g.* **1.** V. *horrendo*. **2.** Péssimo, malíssimo, horroroso: *uma estrada horrível; Verão horrível, o do ano passado.* [Superl. abs. sint.: *horribilíssimo*.]

horror (ô) [Do lat. *horrore*.] *S. m.* **1.** Sensação arrepiante de medo: *O horror paralisou a criança.* **2.** Receio, medo, temor, pavor: *Tem horror à solidão.* **3.** Repulsão, repulsa, aversão, ódio: "Agora não há gente no Brasil que tenha mais horror aos livros ou aos bons livros do que o homem público." (Antônio de Alcântara Machado, *Cavaquinho e Saxofone*, p. 87.) **4.** Aquilo que inspira horror: *A guerra atômica é um horror.* **5.** *Pop.* Padecimento atroz. **6.** Crime bárbaro. **7.** *Pop.* V. *quantidade* (3). "Não sei conseguir da Aparecida que pare com a mania de ligar a mangueira todo santo dia, lavando o que está limpo, gastando um horror de água" (Adélia Prado, *Os Componentes da Banda*, p. 92). ~ V. *horrores*. ◆ **Santo horror.** Temor respeitoso em face de coisas religiosas.

horrores (ô) [Pl. de *horror*.] *S. m. pl.* **1.** Coisas insultuosas, ofensivas, injuriosas, horrorosas: *Disse, em presença de todos, horrores do marido; Foi expulso da aula porque fez horrores.* **2.** Grande quantidade: *Compra horrores de livros.* **3.** Quantia vultosa, uma fortuna: "Eu já estava numa depressão de Pinel quando meu colega .... afirmou que a turma fatura horrores o ano inteiro, em cima dessas sandices." (Marisa Raja Gabaglia, *Milho pra Galinha, Mariquinha*, p. 51.) ~ V. *horror*.

horrorífico [De *horror* + *-i-* + *-fico*.] *Adj.* V. *horrendo* (1).

horrorizar [De *horror* + *-izar*.] *V. t. d.* **1.** Causar horror a; encher de pavor; horripilar; amedrontar: "A asa negra das moscas o horroriza." (Augusto dos Anjos, *Eu*, p. 9.) *Int.* **2.** Causar horror: "Hienas de horrorizar, ictiossáurios disformes, / Esfaimados, frendendo as dentuças enormes" (Martins Fontes, *Nos Jardins de Augusto Comte*, p. 100). *P.* **3.** Encher-se de horror, de pavor; horripilar-se: "foi tirando a roupa, até ficar nua. As mulheres se horrorizaram, os homens se encantaram." (Elias José, *Inquieta Viagem ao Fundo do Poço*, p. 23).

horroroso (ô) [De *horror* + *-oso*.] *Adj.* **1.** V. *horrendo*. **2.** Horrível (2).

horsa [Do ingl. *horse*.] *S. f.* Cavalo ou égua inglesa, de grande estatura.

→ **hors-concours** [ɔʁ kɔ̃'kuʁ] [Fr., 'fora de concurso'.] *Adj.* Apresentado em exposição ou concurso, porém sem concorrer a prêmios, seja por não enquadrar-se nas regras respectivas, seja pela flagrante superioridade em relação aos demais concorrentes.

→ **hors-d'œuvre** [ɔʁ'dœvʁ] [Fr.] *S. m.* Alimentos, em geral picantes ou condimentados (como, p. ex., rabanetes, azeitonas, picles), que se ingerem como aperitivos antes do almoço ou do jantar. [Sin., lus.: *acepipes*. Cf. *salgadinhos*.]

→ **horsepower** ['hɔ:spæwɚ] [Ingl.] *S. m. 2 n.* **1.** Unidade de medida de potência igual a 746 W. **2.** Unidade de medida de potência igual a 735,499 W para o HP métrico [símb.: *HP*].

→ **hors-ligne** [ɔʁ 'liɲ] [Fr., 'fora da linha'.] *Adj.* De qualidade muito superior; excepcional; fora de série.

horta [Do lat. med. *horta*.] *S. f.* Terreno onde se cultivam hortaliças, legumes, etc. [Cf. *Orta*, sobrenome de afamado botânico português, Garcia de Orta (c. 1490-1568).]

hortaliça [Do esp. *hortaliza*.] *S. f. Bot.* Designação vulgar de plantas leguminosas ou de plantas herbáceas, comestíveis sob a forma de saladas, ensopados, guisados, condimentos, etc., e que geralmente se cultivam nas hortas; verdura, erva.

hortaliceiro [De *hortaliça* + *-eiro*.] *S. m.* Vendedor de hortaliças.

hortar [De *horta* + *-ar*[2].] *V. t. d.* **1.** Transformar em hortas. **2.** Preparar (um terreno) para a produção de hortaliças. *Int.* **3.** *Bras.* Tratar de horta: "O mais do tempo é gasto em hortar, jardinar e ler" (Machado de Assis, *Dom Casmurro*, p. 5). [Pres. ind.: *horto*, *hortas*, *horta*, etc. Cf. *horto* (ô), *orto* e o antr. *Orta* (v. *horta*).]

hortativo [Do lat. *hortativu*.] *Adj.* **1.** Que exorta. **2.** Próprio para exortar.

hortelã [Do lat. tard. *hortulana*, com dissimilação.] *S. f. Bot.* **1.** Erva lamiácea (*Mentha viridis*) rasteira, cujas morfologia e propriedades se assemelham às da hortelã-pimenta (q. v.). **2.** V. *levante*[2] (3).

hortelã-brava [De *hortelã* + o f. de *bravo*[1].] *S. f. Bras. Bot.* V. *mentastro* (1). [Pl.: *hortelãs-bravas*.]

hortelã-do-brasil [De *hortelã* + *do*[1] + o top. *Brasil*.] *S. f. Bras. Bot.* V. *mentastro* (1). [Pl.: *hortelãs-do-brasil*.]

hortelã-do-campo *S. f. Bras. Bot.* Erva lamiácea (*Peltodon longipes*) que lembra o mentastro, porém é dotada de pedúnculos mais longos. [Pl.: *hortelãs-do-campo*.]

hortelã-do-mato *S. f. Bras. Bot.* V. *mentastro* (1). [Pl.: *hortelãs-do-mato*.]

hortelã-francesa [De *hortelã* + o f. de *francês*.] *S. f. Bot.* V. *hortelã-romana*.

hortelão [Do lat. tard. *hortulanu*, pelo esp. *hortelano*.] *S. m.* Aquele que trata de horta; horteleiro: "Quando o hortelão ia vender os legumes ao mercado, era o Piloto [um cão] o guarda da carroça" (Guerra Junqueiro, *Contos para a Infância*, p. 24). [Fem.: *horteloa*; pl.: *hortelãos* e *hortelões*.]

hortelã-pimenta [Do lat. *hortulana mentha*, por etimologia popular.] *S. f. Bot.* Erva lamiácea (*Mentha piperita*) rastejante, muito cultivada para a extração de um óleo rico em mentol, de folhas moles, dentadas e fortemente aromáticas, e flores pequeninas. [Pl.: *hortelãs-pimentas* e *hortelãs-pimenta.*]

hortelã-romana [De *hortelã* + o f. de *romano.*] *S. f. Bot.* Erva asterácea (*Tanacetum balsamita*) vivaz, nativa da Europa à Ásia central, de caule piloso, folhas denteadas, lanceoladas, e flores em capítulos globosos; é aromática, tem uso medicinal e é tb. consumida em saladas. [Sin.: *hortelã-francesa, balsamita.* Pl.: *hortelãs-romanas.*]

horteleiro [De *hortelão* + *-eiro*, com desnasalação] *S. m. Bras. S.* Hortelão.

horteloa (ô) *S. f.* **1.** Mulher de hortelão. **2.** Mulher que trata de horta.

hortense [Do lat. *hortense.*] *Adj. 2 g.* **1.** Relativo a horta; hortícola. **2.** Próprio de horta ou de jardim: *variedade hortense.*

hortênsia [Do fr. *hortensia* < antr. *Hortense (Lepaute)*, dama a quem o naturalista Commerson (1727-1773) dedicou esta planta.] *S. f. Bot.* Nome comum a várias hidrangeáceas do gênero *Hydrangea* (v. *hidrângea*) originárias do Extremo Oriente, como, p. ex., a *Hydrangea hortensia* e a *H. macrophylla*; são, todas elas, cultivadas pelas suas belas flores azuis, brancas ou róseas, dispostas em grandes cimeiras. [Sin.: *novelo-da-china, rosa-do-japão.*]

hortensiense *Adj. 2 g.* **1.** De, ou pertencente ou relativo a São José do Hortênsio (RS). • *S. 2 g.* **2.** O natural ou habitante de São José do Hortênsio.

▲ **horti-** [Do lat. *hortus, i.*] *El. comp.* = 'horta': *horticultor, hortifrutícola.*

hortícola [Do lat. tard. *horticola.*] *Adj. 2 g.* **1.** Hortense (1). **2.** Referente a horticultura, ou a horta.

horticultor (ô) [De *horti-* + *-cultor.*] *S. m.* Pessoa que se dedica à horticultura; jardineiro.

horticultura [De *horti-* + *-cultura.*] *S. f.* Arte de cultivar hortas e jardins.

hortifrutícola [De *horti-* + *-frut(i)-* + *-cola*[1].] *Adj. 2 g. S. 2 g. Bras.* Diz-se dos, ou os produtos de hortas e pomares.

hortifrutigranjeiro [De *horti-* + *-frut(i)-* + *granjeiro.*] *Adj. S. m. Bras.* Diz-se dos, ou os produtos de hortas, pomares e granjas.

hortigranjeiro [De *hort(i)-* + *granjeiro.*] *Adj. S. m. Bras.* Diz-se dos, ou os produtos de hortas e granjas.

horto (ô) [Do lat. *hortu*, 'jardim'.] *S. m.* **1.** Pequena horta: "o horto do José Cosme, ... todo mimoso de frutas e hortaliças" (Trindade Coelho, *Os Meus Amores*, p. 91). **2.** Espaço de terreno onde se cultivam plantas de jardim; jardim. **3.** Estabelecimento de horticultura. **4.** Lugar de tormento. [Esta acepç. vem do *Horto das Oliveiras*, onde Jesus padeceu.] [Pl.: *hortos* (ô). Cf. *horto*, do v. *hortar*, e *orto.*] ◆ **Horto florestal.** Estabelecimento onde se estudam e multiplicam espécimes florestais.

hortolandense *Adj. 2 g.* **1.** De, ou pertencente ou relativo a Hortolândia (SP). • *S. 2 g.* **2.** O natural ou habitante de Hortolândia.

hortomercado [De *horto* + *mercado.*] *S. m.* Mercado (1) onde se comerciam produtos hortenses.

hosana [Do lat. ecles. *hosanna*, transcrição, por intermédio do gr. *hosanna*, do hebr. *hoshi'ah-nna*, 'salve-nos, por favor'.] *S. m.* **1.** Hino eclesiástico que se canta em domingo de Ramos: "Um vasto murmúrio, como um hosana imenso, elevava-se para as alturas" (Rocha Pombo, *No Hospício*, p. 91). **2.** Ramo bento distribuído aos fiéis nesse domingo. **3.** *Fig.* Saudação, aclamação, louvor: "recitava eu, de novo, — 'A Cavalaria', quando .... uma aclamação estuante incendiou o teatro, em hosana ao Mestre." (Martins Fontes, *Terras de Fantasia*, p. 205). • *Interj.* **4.** Salve.

hosco (ô) [Do esp. plat. *hosco.*] *Adj. Bras. RS* Diz-se do gado vacum de pelo de cor escura, com o lombo tostado. [Pl.: *hoscos* (ô). Cf. *osco.*]

hóspeda [Do lat. *hospita.*] *S. f.* **1.** Mulher a quem se dá hospedagem. **2.** *Desus.* Mulher que hospeda. [Cf. *hospeda*, do v. *hospedar*. V. *hóspede.*]

hospedador (ô) [De *hospedar* + *-dor.*] *Adj.* **1.** Que hospeda ou dá hospedagem. **2.** *Biol.* Hospedeiro (3). • *S. m.* **3.** Aquele que hospeda ou dá hospedagem. **4.** *Biol.* Hospedeiro (7).

hospedagem [De *hospedar* + *-agem*[2].] *S. f.* **1.** Hospitalidade (1). **2.** V. *hospedaria*. **3.** *P. ext.* Hospitalidade, gasalhado.

hospedança [De *hospedar* + *-ança.*] *S. f. Bras.* Reunião ou grupo de hóspedes.

hospedar [Do lat. **hospitare*, por *hospitari.*] *V. t. d.* **1.** Dar hospedagem a; receber como hóspede. **2.** Abrigar, alojar: *Aquelas terras hospedaram diferentes povos em suas peregrinações. P.* **3.** Instalar-se como hóspede; alojar-se: "É um prédio atual, ... onde se hospedam hoje pessoas ilustres" (Graciliano Ramos, *Viagem*, p. 21). **4.** Tornar-se hóspede; alojar-se. [Pres. ind.: *hospedo, hospedas, hospeda*, etc.; pres. subj.: *hospede*, etc. Cf. *hóspeda*, s. f., e *hóspede*, s. m. e adj. 2 g.]

hospedaria [De *hóspede* + *-aria.*] *S. f.* Casa onde se recebem hóspedes, especialmente mediante remuneração; albergaria, albergue, estalagem, hospedagem.

hospedável [De *hospedar* + *-vel.*] *Adj. 2 g.* Que pode hospedar ou ser hospedado.

hóspede [Do lat. *hospite*, 'hospedeiro' e 'hospedado'.] *S. m.* **1.** Aquele que se aloja temporariamente em casa alheia, hotel, etc. **2.** *Desus.* Hospedeiro (4): "graças à sua boa compleição, e aos extremosos cuidados e desvelado tratamento, que lhe dispensavam seus hóspedes, restabelecia-se com rapidez" (Bernardo Guimarães, *História e Tradições da Província de Minas Gerais*, p. 59). **3.** Indivíduo estranho, alheio; peregrino. [Fem.: *hóspeda*. Contudo, não faltam exemplos de *hóspede* como s. f.; vejam-se estes: "a deusa indômita e falaz / Ser-me-á hóspede amiga" (Machado de Assis, *Poesias Completas*, p. 108); "todas as princesas hóspedes se tinham revoltado vendo-se preteridas por Letícia." (José Régio, *O Príncipe com Orelhas de Burro*, p. 291).] • *Adj. 2 g.* **4.** Estranho, alheio. **5.** *Fig.* Ignorante de alguma coisa; leigo: "O acordo .... daquelas duas simpatias foi celebrado com tanta rapidez, que Montenegro, completamente hóspede na arte de namorar, chegou a perguntar a si mesmo se não era tudo aquilo o efeito de uma alucinação." (Artur Azevedo, *Contos Efêmeros*, p. 7.) [Cf. *hospede*, do v. *hospedar.*]

hospedeira do ar *S. f. Lus.* Comissária de bordo: "Estava no sétimo ano e ia talvez tirar um curso superior. Ou seria hospedeira do ar?" (Maria Judite de Carvalho, *Os Armários Vazios*, p. 29.) [Pl.: *hospedeiras do ar.*] ☑

hospedeiro [De *hóspede* + *-eiro.*] *Adj.* **1.** Que hospeda: "— Por que .... o estrangeiro abandona a cabana hospedeira sem levar o presente da volta?" (José de Alencar, *Iracema*, p. 56.) **2.** *P. ext.* Afável, acolhedor, obsequiador: "um sorriso hospedeiro, que ilumina tudo como sol" (Antônio Feliciano de Castilho, *Amor e Melancolia*, p. 265). **3.** *Biol.* Diz-se de organismo, animal ou vegetal, que abriga e/ou nutre outro, parasita ou não; hospedador. • *S. m.* **4.** Aquele que dá hospedagem. [Sin., desus.: *hóspede.*] **5.** Dono de hospedaria. **6.** *Biol.* Organismo hospedeiro (3); hospedador. **7.** *Cir.* Organismo que recebe órgão, ou tecido, proveniente de outro organismo.

hospício [Do lat. *hospitiu.*] *S. m.* **1.** Casa onde se hospedam e/ou tratam pessoas pobres ou doentes, sem retribuição; asilo. **2.** Asilo de loucos, com retribuição ou sem ela; manicômio. **3.** Lugar onde se recolhem e tratam animais abandonados.

hospital [Do lat. tard. *hospitale*, 'hospedaria'.] *S. m.* **1.** Estabelecimento onde se tratam doentes, pessoas acidentadas, etc., internados ou não; nosocômio. • *Adj. 2 g.* **2.** *P. us.* Que pratica a hospitalidade; caridoso, benévolo. ◆ **Hospital de sangue.** *Obsol.* Hospital ambulante e provisório onde se tratam os feridos de guerra. **Baixar ao hospital.** Internar-se em hospital para tratamento.

hospitalar[1] [De *hospital* + *-ar*[1].] *Adj. 2 g.* Referente a, ou próprio de hospital ou de hospício: "quantas outras criaturas teriam sido salvas, se as condições hospitalares e de saúde da sua terra fossem melhores... quantas?" (Nélson de Faria, *Cabeça-Torta*, p. 236).

hospitalar[2] [De *hospital* + *-ar*[2].] *V. t. d.* V. *hospitalizar.*

hospitalário [Do lat. med. *hospitalariu.*] *S. m.* Cavaleiro da Ordem do Hospital ou de Malta: "A melhor lança dos hospitalários portugueses morria vítima da violência das rudes e encontradas paixões" (Arnaldo Gama, *O Balio de Leça*, p. 190).

hospitaleira [De *hospital* + *-eira.*] *S. f.* Mulher religiosa que, em obediência à regra da sua comunidade, trata de doentes, sem remuneração.

hospitaleiro [De *hospital* + *-eiro.*] *Adj.* **1.** Que dá hospedagem por bondade ou caridade. **2.** Que acolhe com satisfação (os hóspedes); gasalhoso. • *S. m.* **3.** Aquele que dá hospedagem por bondade ou caridade. **4.** *Desus.* Frade loio. **5.** *Maç.* Um dos oficiais de uma loja (4).

hospitália [Do lat. tard. *hospitalia.*] *S. f. Teatr.* Cada uma das duas portas que ladeavam a porta real (q. v.), na cena dos teatros gregos e romanos, destinadas às entradas e saídas das personagens secundárias.

hospitalidade [Do lat. *hospitalitate.*] *S. f.* **1.** Ato de hospedar; hospedagem. **2.** Qualidade de hospitaleiro. **3.** *P. ext.* Acolhimento afetuoso.

hospitalismo [De *hospital* + *-ismo.*] *S. m.* **1.** *Med.* Designação genérica de infecções contraídas em hospital. **2.** *Psiq.* Denominação genérica de problemas somáticos e psíquicos provocados em pacientes, esp. em doentes mentais, pela permanência prolongada em asilo, hospital, etc.

hospitalização [De *hospitalizar* + *-ção.*] *S. f.* Ato ou efeito de hospitalizar.

hospitalizar [De *hospital* + *-izar.*] *V. t. d.* **1.** Internar em hospital. **2.** Converter em hospital. [Sin., p. us.: *hospitalar.*] *P.* **3.** Internar-se em hospital: *Hospitalizou-se para exames.*

hospodar [Do romeno *hospodár* < russo *gospodár.*] *S. m.* Antigo título de certos príncipes vassalos do sultão de Constantinopla, sobretudo na Moldávia e na Valáquia.

hospodarato [De *hospodar* + *-ato*[1].] *S. m.* Cargo ou dignidade de hospodar.

➔**host** [hɒwst] [Ingl.] *S. m.* V. *anfitrião.*

hoste [Do lat. *hoste*, 'inimigo'.] *S. m.* **1.** *Ant.* Inimigo. • *S. f.* **2.** Tropa; exército: "Os soldados de Cristo já recuam / Pelas imigas hostes esmagados" (Casimiro de Abreu, *Obras*, p. 24). **3.** *Fig.* Bandos, chusma; multidão: "Os ascensores .... eram assaltados, tomados à força pelos hóspedes aflitos e uma hoste de salvadores desconhecidos." (José Rodrigues Miguéis, *Onde a Noite Se Acaba*, p. 157.)

➔**hostess** ['howstes] [Ingl.] *S. f.* V. *anfitrioa.*

hóstia [Do lat. *hostia*, 'vítima'.] *S. f.* **1.** *Rel.* Vítima oferecida em sacrifício à divindade. **2.** *Lit.* Partícula circular de massa de pão ázimo (*obreia*), que é consagrada na missa (1). **3.** Pasta de obreia branca, usada para envolver medicamentos. [Cf. *Óstia*, top.]

hostiário [De *hóstia* + *-ário.*] *S. m.* Caixa para hóstias ainda não consagradas. [Cf. *ostiário.*]

hostil (i) [Do lat. *hostile.*] *Adj. 2 g.* **1.** Contrário, adverso, inimigo: "Tudo a repelia, tudo lhe era hostil" (Coelho Neto, *Treva*, p. 268). **2.** Agressivo; provocante.

hostilidade [Do lat. tard. *hostilitate.*] *S. f.* **1.** Qualidade de hostil. **2.** Ato ou efeito de hostilizar(-se).

hostilizar [De *hostil* + *-izar.*] *V. t. d.* **1.** Tratar hostilmente; tratar como a um inimigo: *Hostilizou, à primeira vista, a nova funcionária.* **2.** Ter sentimento hostil contra: *hostilizar uma instituição.* **3.** Mover guerra contra; guerrear. **4.** Causar dano a; prejudicar. *P.* **5.** Tratar-se com hostilidade; agredir-se mutuamente.

➔**hot** [hɑt] [Ingl.] *Adj.* Diz-se do *jazz* praticado pelos grandes improvisadores negros, entre 1925 e 1930, que empregavam a escala de vibratos, os portamentos [v. *portamento* (1)], etc., para dar colorido ao som.

➔**hot dog** ['hɑt,dɔg] [Ingl.] *S. m.* V. *cachorro-quente.*

hotel [Do fr. *hôtel* < b.-lat. *hospitale* (*cubiculum*).] *S. m.* Estabelecimento onde se alugam quartos e apartamentos mobiliados, com refeições ou sem elas. [Pl.: *hotéis.*] ◆ **Hotel de alta rotatividade.** *Bras.* Aquele em que se alugam quartos para encontros amorosos; motel.

hotelaria [De *hotel* + *-aria.*] *S. f.* **1.** O conjunto dos hotéis de uma região, de um país, etc. **2.** Arte e a técnica de dirigir e/ou administrar hotéis: *Ela tem curso de hotelaria.*

hoteleiro [De *hotel* + *-eiro.*] *S. m.* **1.** Dono ou administrador de hotel. • *Adj.* **2.** Relativo a hotéis: *comércio hoteleiro.*

hotelaria *S. f.* V. *hotelaria*: "retomara o prédio, após oito anos de aluguel, para explorar por sua conta o comércio de hotelaria que havia sido desenvolvido no local pelo arrendatário." (Gilberto Amado, *Depois da Política*, p. 210).

hotelzinho [De *hotel* + *-zinho.*] *S. m.* Veterinária ou *pet shop* que tem serviço de hospedagem de animais (esp. cães e gatos): "Na data marcada, retirei Uno do hotelzinho." (Walcyr Carrasco, *Anjo de Quatro Patas*, p. 101.)

hotentote *S. 2 g.* **1.** *Etnôn.* Indivíduo dos hotentotes, povo da África do Sul. • *S. m.* **2.** *Gloss.* A língua dos hotentotes, caracterizada por possuir cliques entre as consoantes. • *Adj. 2 g.* **3.** Pertencente ou relativo aos hotentotes ou à sua língua.

hotentotismo [De *hotentote* + *-ismo.*] *S. m.* Pronúncia viciosa, semelhante à dos hotentotes, e que consiste em articulações confusas.

➔**hot money** [hɑt 'mʌnij] [Ingl.] *Econ.* **1.** Recursos financeiros que se deslocam entre países para aplicações de curto prazo, atraídos por diferenças nas taxas de juros e alterações nas taxas de câmbio. **2.** Empréstimo bancário de curtíssimo prazo.

➔**hotspot** ['hɑtspɑt] [Ingl.] *S. m. Inform.* Local onde há disponibilidade de conexão à Internet sem fio.

houaissiano [Do antr. *(Antônio) Houaiss* + *-iano.*] *Adj.* **1.** Relativo ou pertencente ao filólogo e lexicógrafo brasileiro Antônio Houaiss (1915-1999). **2.** Que é seu admirador e/ou profundo conhecedor de sua obra. • *S. m.* **3.** Admirador e/ou profundo conhecedor da obra de Antônio Houaiss.

➔**house organ** [hæws 'ɔɹgən] [Ingl.] Designação genérica para periódicos editados por empresas privadas ou públicas, dirigidos para o público interno e/ou segmentos do público externo; jornal de empresa.

howlita [Do antr. *(Henry) How* (-1879), mineralogista canadense, + *-lita.*] ***S. f. Min.*** Mineral monoclínico, silicoborato básico de cálcio.

■ **HP** Símb. de *horse-power.*

■ **HQ** Abrev. de *História em Quadrinhos.*

■ **Hs** Símb. do *hássio.*

■ **HSPE** Sigla de *Hospital do Servidor Público Estadual.*

■ **HSPM** Sigla de *Hospital do Servidor Público Municipal.*

■ **HTLV** [Sigla da expressão inglesa *Human T-cell leukemia/lymphoma virus.*] Designa família de retrovírus (q. v.) que inclui um tipo (HIV) que é o causador da síndrome de imunodeficiência adquirida (AIDS), ao produzir grande depressão do sistema imunitário. [Esta sigla é us., muitas vezes, com algarismo, romano ou arábico, para indicar o sorotipo (q. v.).]

■ **HTML** [Acrôn. do ingl. *hypertext markup language,* 'linguagem de marcação de hipertexto'.] *Inform.* Sigla que designa uma linguagem padrão para a escrita e formatação de documentos em hipertexto, us. na *web* da Internet.

■ **HTTP** [Abrev. do ingl. *Hyper Text Transfer Protocol,* 'protocolo de transferência de hipertextos'.] *Inform.* Protocolo de transmissão de informações no formato HTML.

huamoi *Bras.* ***S. 2 g.*** **1.** *Etnôn.* Indivíduo dos huamois, povo indígena extinto que habitava a região próxima ao rio Panema, S. de AL. • ***Adj. 2 g.*** **2.** Pertencente ou relativo a esse povo. [Tb. us. como *s. 2 g. e 2 n.* (com cap.) e *adj. 2 g. e 2 n.*]

huanhame ***S. 2 g. Adj. 2 g.*** *Bras.* V. *pavunva.* [Tb. us. como *s. 2 g. e 2 n.* (com cap.) e *adj. 2 g. e 2 n.*]

huari *Bras.* ***S. 2 g.*** **1.** *Etnôn.* Indivíduo dos huaris, povo indígena extinto de língua isolada, que habitava a região entre os rios Meques e Pimenta Bueno (RO). • ***Adj. 2 g.*** **2.** Pertencente ou relativo a esse povo. [Tb. us. como *s. 2 g. e 2 n.* (com cap.) e *adj. 2 g. e 2 n.*]

hübnerita [Do antr. *(Adolph) Hübner* (séc. XIX), mineralogista alemão, + *-ita*³.] ***S. f. Min.*** Mineral monoclínico, tungstato natural de manganês.

hugoano [De *Hugo* + *-ano*¹.] ***Adj.*** **1.** Relativo ou pertencente a Vítor Hugo (1802-1885), escritor francês, ou próprio dele. **2.** Que é seu admirador e/ou profundo conhecedor de sua obra. • ***S. m.*** **3.** Admirador e/ou conhecedor profundo da obra de Vítor Hugo.

hugo-napoleonense ***Adj. 2 g.*** **1.** De, ou pertencente ou relativo a Hugo Napoleão (PI). • ***S. 2 g.*** **2.** O natural ou habitante de Hugo Napoleão. [Pl. *hugo-napoleonenses.*]

huguenote [Do fr. *huguenot.*] ***Adj. 2 g.*** **1.** Relativo aos huguenotes. **2.** *Restr.* V. *calvinista* (3). • ***S. 2 g.*** **3.** Designação depreciativa que os católicos franceses deram aos protestantes, especialmente aos calvinistas, e que estes adotaram. **4.** *P. ext.* Protestante (6).

hui [Do lat. *hui.*] ***Interj.*** Exprime dor, susto, surpresa, repugnância.

huitoto ***S. 2 g. S. m. Adj. 2 g.*** *Bras.* V. *uitoto.* [Tb. us. como *s. 2 g. e 2 n.* (com cap.) e *adj. 2 g. e 2 n.*]

→ **hula-hula** ['hula 'hula] [Havaiano.] ***S. m.*** Dança havaiana, com seis passos básicos acompanhados de meneios do corpo e dos braços.

hulha [Do fr. *houille.*] ***S. f.*** V. *carvão* (1).

hulha-azul ***S. f.*** Designação comum às marés, consideradas como fontes potenciais para a produção de energia elétrica. [Pl.: *hulhas-azuis.*]

hulha-branca ***S. f.*** Designação comum às cachoeiras ou quedas-d'água como potenciais hidráulicos para produção de energia elétrica. [Pl.: *hulhas-brancas.*]

hulha-negrense ***Adj. 2 g.*** **1.** De, ou pertencente ou relativo a Hulha Negra (RS). • ***S. 2 g.*** **2.** O natural ou habitante de Hulha Negra. [Pl.: *hulha-negrenses.*]

hulheira [De *hulha* + *-eira.*] ***S. f.*** Mina ou jazigo de hulha.

hulhífero [De *hulha* + *-ífero.*] ***Adj.*** Que tem ou produz hulha.

hum ***Interj.*** Exprime dúvida, desconfiança, ou impaciência: 📖 "— Vocês pensavam que Campos morreu? Hum, Campos está vivo." (José Carlos Cavalcanti Borges, *O Assassino,* p. 37.) [Cf. *um.*]

humaitaense ***Adj. 2 g.*** **1.** De, ou pertencente ou relativo a Humaitá (AM e RS). • ***S. 2 g.*** **2.** O natural ou habitante de Humaitá.

humanado [Part. de *humanar.*] ***Adj.*** Humanizado.

humanal [De *humano* + *-al*¹.] ***Adj. 2 g.*** **1.** *P. us.* Humano (1): 📖 "Orgulho humanal e triste!" (João Ribeiro, *Floresta de Exemplos,* p. 221.) **2.** *Tip.* Diz-se do tipo de obra inspirado na capital epigráfica romana, normalmente claro, sem apreciável contraste de finos e grossos, dotado de versais quadrangulares, letras de caixa-baixa largas e serifas triangulares encorpadas. [Sin. tradicional: *veneziano,* por haver esse tipo surgido em *Veneza* (Itália).] • ***S. m.*** **3.** *Tip.* Esse tipo; veneziano.

humanar [Do lat. **humanare,* por *humanari.*] ***V. t. d. P.*** V. *humanizar* (1, 2 e 5).

humanidade [Do lat. *humanitate.*] ***S. f.*** **1.** A natureza humana. **2.** O gênero humano. **3.** Benevolência, clemência; compaixão. ~ V. *humanidades.*

humanidades [Pl. de *humanidade.*] ***S. f. pl.*** O estudo das letras clássicas. ~ V. *humanidade.*

humanismo [Do al. *Humanismus,* pelo fr. *humanisme.*] ***S. m.*** **1.** *Filos.* Doutrina ou atitude que se situa expressamente numa perspectiva antropocêntrica, em domínios e níveis diversos, assumindo, com maior ou menor radicalismo, as consequências daí decorrentes. Manifesta-se o humanismo no domínio lógico e no ético. No primeiro, aplica-se às doutrinas que afirmam que a verdade ou a falsidade dum conhecimento se definem em função da sua fecundidade e eficácia relativamente à ação humana; no segundo, aplica-se àquelas doutrinas que afirmam ser o homem o criador dos valores morais, que se definem a partir das exigências concretas, psicológicas, históricas, econômicas e sociais que condicionam a vida humana. [Cf. *ativismo* (2), *naturalismo* (5) e *pragmatismo.*] **2.** Doutrina e movimento dos humanistas da Renascença, que ressuscitaram o culto das línguas e literaturas greco-latinas. **3.** Formação do espírito humano pela cultura literária ou científica.

humanista [Do fr. *humaniste.*] ***S. 2 g.*** **1.** Pessoa versada no estudo de humanidades. **2.** Partidário do humanismo filosófico. • ***Adj. 2 g.*** **3.** Humanístico (1).

humanístico [De *humanista* + *-ico*².] ***Adj.*** **1.** Concernente ao humanismo, ou aos humanistas; humanista. **2.** Próprio de humanista; humanista. ~ V. *letra —a* e *letra —a cursiva.*

humanitário [Do fr. *humanitaire.*] ***Adj.*** **1.** Que visa ao bem-estar da humanidade. **2.** Que ama os seus semelhantes; bondoso, benfeitor, humano. ~ V. *intervenção —a.* • ***S. m.*** **3.** Aquele que deseja e trabalha para o bem da humanidade, considerada coletivamente; filantropo.

humanitarismo [De *humanitár(io)* + *-ismo.*] ***S. m.*** **1.** Doutrina filosófica e política que visa a eliminar as injustiças reinantes no mundo a fim de se alcançar a felicidade humana. **2.** Amor à humanidade; filantropia.

humanitarista [De *humanitarismo* + *-ista.*] ***Adj. 2 g.*** **1.** Relativo ao humanitarismo. **2.** Que é adepto e/ou praticante do humanitarismo. • ***S. 2 g.*** **3.** Adepto e/ou praticante dele.

humanização [De *humanizar* + *-ção.*] ***S. f.*** Ato ou efeito de humanizar(-se).

humanizado [Part. de *humanizar.*] ***Adj.*** Que se humanizou; humanado.

humanizar [De *humano* + *-izar.*] ***V. t. d.*** **1.** Tornar humano; dar condição humana a; humanar. **2.** Tornar benévolo, afável, tratável; humanar. **3.** Fazer adquirir hábitos sociais polidos; civilizar. **4.** *Bras. CE* Amansar (animais). ***P.*** **5.** Tornar-se humano; humanar-se.

humano [Do lat. *humanu.*] ***Adj.*** **1.** Pertencente ou relativo ao homem: *natureza humana; gênero humano.* **2.** Bondoso, humanitário. ~ V. *calor —, capital —, ciências —as, comunicação —a, formigueiro —, gênero —, geografia —a, litologia —a, natureza —a, paleontologia —a, recursos —s, relíquias —as, respeito —* e *humanos.*

humanoide (ói) [De *humano* + *-oide.*] ***Adj. 2 g. S. 2 g.*** Diz-se de, ou robô, etc., com aparência e outras características humanas. ❖

humanos [Pl. subst. do adj. *humano.*] ***S. m. pl.*** Os homens. ~ V. *humano.*

humato [De *humo* + *-ato*².] ***S. m. Quím.*** Sal ou combinação de cátion metálico com ácido húmico.

humbertuense ***Adj. 2 g.*** **1.** De, ou pertencente ou relativo a Humberto de Campos (MA). • ***S. 2 g.*** **2.** O natural ou habitante de Humberto de Campos.

humboldtita [Do antr. *(Alexander von) Humboldt* (1769-1859), naturalista alemão, + *-ita*³.] ***S. f. Min.*** Mineral ortorrômbico, silicato de alumínio e ferro, pertencente ao grupo da melilita.

humectação ***S. f.*** V. *umectação.* [Uso próprio de P.]

humectante ***Adj. 2 g.*** V. *umectante.* [Uso próprio de P.]

humectativo ***Adj.*** V. *umectativo.* [Uso próprio de P.]

humedecimento ***S. m.*** V. *umedecimento.* [Uso próprio de P.]

humente ***Adj. 2 g.*** *Poét.* V. *umente.* [Uso próprio de P.]

humiano [Do antr. *(David) Hume* (1711-1776), filósofo, historiador e economista escocês, + *-iano.*] ***Adj.*** Pertencente ou relativo a David Hume, ou a suas ideias, esp. seu ceticismo de base empirista, que teve grande influência em desenvolvimentos posteriores da teoria do conhecimento.

húmico [De *humo* + *-ico*².] ***Adj. Quím.*** Relativo a humo. ~ V. *ácido —.*

humícola [Do lat. *humus, i* + *-cola*¹.] ***Adj. 2 g. Biol.*** Que habita o húmus.

humidade ***S. f.*** V. *umidade.* [Uso próprio de P.]

húmido ***Adj.*** V. *úmido.* [Uso próprio de P.]

humífero [Do lat. *humiferu.*] ***Adj.*** **1.** Que contém humo. **2.** Rico em humo. ~ V. *camada —a.*

humificação [De *humificar* + *-ção.*] ***S. f.*** Transformação em humo.

humificar [Do lat. tard. *humificare,* 'umedecer'.] ***V. t. d. P.*** Transformar(-se) em húmus.

humifuso [Do lat. *humi,* gen. de *humus,* 'terra, solo', + lat. *fusu,* 'derramado', 'espalhado'.] ***Adj. Bot.*** Aplicado sobre o solo, rasteiro: *erva humifusa.*

húmil [Do lat. *humile.*] ***Adj. 2 g. Poét.*** V. *húmile.* [Super. abs. sint.: *humílimo* e *humilíssimo.*]

humildação [De *humildar* + *-ção.*] ***S. f. P. us.*** Humilhação.

humildade [Do lat. *humilitate.*] ***S. f.*** **1.** Virtude que nos dá o sentimento da nossa fraqueza. **2.** Modéstia, pobreza. **3.** Respeito, reverência; submissão: 📖 "as velhotas curvaram-se para beijar-lhe [ao vigário] a ponta dos dedos numa humildade que o enterneceu." (Reginaldo Guimarães, *Uma Blusa no Cais,* p. 19).

humildar [Do lat. *humilitare.*] ***P. us. V. t. d.*** **1.** Tornar humilde; humilhar. **2.** Submeter, sujeitar: *humildar os insubordinados.* ***T. d. e i.*** **3.** Humildar (2): *Malvado, humildou os pobres homens a satisfazer os seus caprichos.* ***P.*** **4.** Tornar-se humilde; humilhar-se: 📖 "Curve-se, pois, meu amigo, humilde-se" (Francisco Ribeiro Sampaio, *Renembranças,* p. 204). **5.** Submeter-se, sujeitar-se.

humilde [Alter. de *húmile,* com infl. de seu sinônimo *humildoso.*] ***Adj. 2 g.*** **1.** Que tem ou aparenta humildade. **2.** Singelo, simples, modesto, pobre: 📖 "Todas as casas sertanejas são humildes" (Gustavo Barroso, *Terra de Sol,* p. 191). **3.** Respeitoso, acatador; submisso: *Suas atitudes ante o patrão são sempre humildes.* [Sin. ger.: *humildoso* (p. us.) e *húmile* (poét.). Superl. abs. sint.: *humildíssimo.* Cf. *humílimo.*] • ***S. 2 g.*** **4.** Pessoa pobre, de condição modesta. [Nesta acepç., é m. us. no pl.]

humildíssimo ***Adj.*** Superl. abs. sint. de *humilde.*

humildoso (ô) [De **humildadoso (humildade + -oso),* com haplologia.] ***Adj. P. us.*** Humilde (q. v.): 📖 "Com a voz humildosa de um pobre de pedir, perguntei à rapariga se queria que eu lhe deitasse uma mãozinha ao caneco para lho pôr à cabeça." (João de Araújo Correia, *Cinza do Lar,* p. 109.)

húmile [Do lat. *humile.*] ***Adj. 2 g. Poét.*** Humilde (q. v.). [Var.: *húmil.* Superl. abs. sint.: *humílimo* e *humilíssimo.*]

humilhação [Do lat. tard. *humiliatione.*] ***S. f.*** **1.** Ato ou efeito de humilhar(-se). **2.** Rebaixamento moral. **3.** Vexame, afronta, ultraje. [Sin. ger., p. us.: *humildação.*]

humilhado [Part. de *humilhar.*] ***Adj. S. m.*** Que, ou aquele que sofre ou sofreu humilhação.

humilhante [De *humilhar* + *-nte.*] ***Adj. 2 g.*** Que humilha; que desdoura; vergonhoso, vexatório.

humilhar [Do lat. tard. *humiliare.*] ***V. t. d.*** **1.** Tornar humilde; humildar. **2.** Vexar, rebaixar; oprimir, abater: *Sem motivo aparente, humilhou o velho empregado.* **3.** Referir-se com menosprezo a; tratar desdenhosamente, com soberba. ***T. d. e i.*** **4.** Submeter, sujeitar: *Humilhou-o a executar o encargo desonroso.* ***Int.*** **5.** Ser humilhante: 📖 "Era um sorrir de compaixão que humilhava." (Machado de Assis, *Helena,* p. 258.) ***P.*** **6.** Tornar-se ou mostrar-se humilde; render-se à discrição; humildar-se. **7.** Aviltar-se, rebaixar-se; menosprezar-se.

humílimo [Do lat. *humillimu.*] ***Adj.*** Superl. abs. sint. de *húmile;* humilíssimo: 📖 "Ordenado, o padrezinho foi ser vigário de uma freguesia humilde, humílima, vilarejo à beira-mar habitado de pescadores" (Raquel de Queirós, *100 Crônicas Escolhidas,* p. 174). [Cf. *humildíssimo.*]

humilíssimo ***Adj.*** Humílimo.

humina [De *humo* + *-ina*³.] ***S. f. Quím.*** Uma das porções do humo (q. v.), de cor negra e insolúvel, seja em meio aquoso ácido ou básico.

humiriácea [Do tax. *Humiria* (alter. do port. *umiri* [q. v.] + lat. cient. *-ia*) + *-ácea;* tax. *Humiriaceae.*] ***S. f. Bot.*** Espécime das humiriáceas, família de plantas da ordem das linales, durante muito tempo unida às lináceas, das quais difere pelo hábito lenhoso, ovário circundado por um disco e fruto drupáceo magno. Outra diferença reside na distribuição geográfica: as humiriáceas são essencialmente as dos trópicos do Novo Mundo, enquanto as lináceas preferem as zonas temperadas e subtropicais. No Brasil, abundam sobretudo na Amazônia.

humiriáceo [De *humiriácea,* com var. suf. (v. *-áceo*).] ***Adj. Bot.*** Pertencente ou relativo às humiriáceas.

humita [Do antr. *(Abraham) Hume* (-1838), colecionador inglês, + *-ita*³.] ***S. f. Min.*** Mineral ortorrômbico, silicato de magnésio com flúor.

humo [Do lat. *humu.*] ***S. m. Ecol.*** O produto da decomposição parcial dos restos vegetais que se acumulam no solo florestal, aos quais se juntam restos animais em menor escala. Em razão de suas propriedades coloidais, tem grande importância na constituição do solo, no qual é a fonte de matéria orgânica para a nutrição vegetal. Favorece a estrutura do solo e retém água energicamente. [A f. de maior uso é *húmus*.]

humor (ô) [Do lat. *humor, oris*.] ***S. m.*** **1.** *Fisiol.* Substância orgânica líquida ou semilíquida. **2.** *Anat.* Designação comum a certas matérias líquidas existentes no organismo. **3.** *Hist. Nat.* Cada um de quatro tipos de matéria líquida ou semilíquida que existiriam no organismo humano e que, no indivíduo sadio, se encontrariam em equilíbrio e lhe caracterizariam o temperamento; a ruptura de tal equilíbrio determinaria o aparecimento de doença. Eram eles: o *sangue*, a *fleuma*, a *bílis amarela* e a *bílis negra*. [V. *humoralismo*.] **4.** Disposição de espírito: *Dependendo de seu humor, irá ou não conosco ao passeio; Está de mau humor.* **5.** Veia cômica; graça, espírito: *Todos riem de suas histórias: conta-as sempre com muito humor.* **6.** Capacidade de perceber, apreciar ou expressar o que é cômico ou divertido. ◆ **Humor aquoso.** *Anat.* Líquido produzido no olho, e que ocupa as câmaras anterior e posterior, difundindo-se para o sangue. **Humor negro.** Humor (6) que choca pelo emprego de elementos mórbidos e/ou macabros em situações cômicas, ou vice-versa. **Humor vítreo.** *Anat.* Massa transparente, avascular, de consistência gelatinosa, que ocupa todo o espaço existente entre o cristalino e a retina. **Quatro humores.** *Hist. Filos.* Segundo Galeno (v. *galenismo*), o sangue, a bílis negra, a fleuma e a bílis amarela, substâncias de cujo equilíbrio depende a saúde do corpo.

humorado [De *humor* + *-ado*[1].] ***Adj.*** *Fisiol.* Que tem humores; humoroso. [Cf. *bem-humorado* e *mal-humorado*.]

humoral [De *humor* + *-al*[1].] ***Adj. 2 g.*** Respeitante ao humor. ~ V. *imunidade* —.

humoralismo [De *humoral* + *-ismo*.] ***S. m.*** *Hist. Med.* Doutrina segundo a qual a doença surgiria como consequência do rompimento do equilíbrio normalmente existente entre os humores [v. *humor* (3)].

humorismo [De *humor* + *-ismo*.] ***S. m.*** **1.** Sistema dos que atribuem todas as doenças à alteração de humores. **2.** Qualidade ou caráter de humorista ou dos escritos humorísticos.

humorista [De *humorismo* + *-ista*.] ***S. 2 g.*** **1.** Pessoa que fala ou escreve com espírito ou com feição irônica. **2.** Sectário do humorismo (1).

humorístico [De *humorista* + *-ico*[2].] ***Adj.*** **1.** Em que há graça, espírito ou feição irônica: *desenho humorístico.* **2.** Relativo a humor.

humoroso (ô) [Do lat. tard. *humorosu*.] ***Adj.*** **1.** *Fisiol.* Humorado. **2.** Que tem humor ou umidade.

humoso (ô) [De *humo* + *-oso*.] ***Adj.*** Que tem humo: "A Planície, desde a charneca rala do Sado, até às humosas terras do Carregueiro, ... é uma dor." (Antunes da Silva, *Gaimirra*, p. 161.)

➔**humour** ['hjumɚ] [Ingl.] ***S. m.*** V. *humor* (6).

humulano [Do tax. *Humulus* (v. *húmulo*) + *-ano*[2].] ***S. m.*** *Quím.* Hidrocarboneto cíclico sesquiterpenoide saturado que contém anel de onze átomos [fórm.: $C_{15}H_{30}$].

humuleno [Do tax. *Humulus* (v. *húmulo*) + *-eno*[2].] ***S. m.*** *Quím.* Sesquiterpeno cíclico que contém três ligações duplas, e cujo esqueleto é como o do humulano e que ocorre no lúpulo [fórm.: $C_{15}H_{24}$].

húmulo [Do tax. *Humulus*.] ***S. m.*** *Bot.* **1.** Gênero de videiras urticáceas, herbáceas de folhas palmadas e flores pistiladas e racemosas, que lembram cones. **2.** Qualquer espécime desse gênero.

húmus ***S. m.*** *Ecol.* V. *humo*.

➔**hunan** [hu'naɪn] [Do top. *Hunan* (S. da China).] ***S. m.*** *Gloss.* Dialeto do chinês (3), falado na província de Hunan.

hungarês [De *húngaro* + *-ês*.] ***Adj. S. m.*** *Bras. SP* V. *húngaro* (1 e 2). [Flex.: *hungaresa* (ê), *hungareses* (ê), *hungaresas* (ê).]

húngaro [Do lat. med. *hungarus*.] ***Adj.*** **1.** Da, ou pertencente ou relativo à Hungria (Europa). ● ***S. m.*** **2.** O natural ou habitante da Hungria. [Sin., nessas acepçs.: *magiar* e (em SP) *hungarês*.] **3.** *Gloss.* Língua uraliana do ramo ugro-finês falada na Hungria; magiar. [Cf. *uraliano* (3).]

huno [Adapt. do lat. med. *Hunni*.] ***S. m.*** **1.** Indivíduo dos hunos, povo bárbaro da Ásia central, que invadiu a Europa, sob a chefia de Átila, nos meados do séc. V. ● ***Adj.*** **2.** Pertencente ou relativo a esse povo. [Cf. *uno*, do v. *unir* e adj.]

hura [Do tax. *Hura*.] ***S. f.*** *Bot.* **1.** Gênero de grandes árvores tropicais euforbiáceas, nativas da América, dotadas de folhas alternas, pecioladas, flores avermelhadas, monécias, fruto capsular esférico e látex leitoso. **2.** Qualquer espécie desse gênero, como, p. ex., a *Hura crepitans* (v. *açacu*). **3.** Qualquer espécime desse gênero.

hurealita [Do top. *Hureaux* (França) + *-lita*.] ***S. f.*** *Min.* Mineral monoclínico, fosfato ácido hidratado de manganês.

huri [Do ár. *ḥūr*, pl. de *ḥuwiryya(t)*, 'mulher bela, ninfa'.] ***S. f.*** **1.** Cada uma das virgens extremamente belas que, segundo o Alcorão, hão de desposar, no Paraíso, os fiéis muçulmanos: "o paraíso maometano, com todas as huris do profeta, não sorria mais delicioso à mente sonhadora do beduíno errante!" (Lúcio de Mendonça, *Esboços e Perfis*, p. 109). **2.** Mulher de beleza prodigiosa.

huroniano [Do top. *Huron* + *-iano*.] ***S. m.*** **1.** Indivíduo dos huronianos, povo indígena que pertencia à confederação de povos ligada à família iroquesa, e que habitava a região entre os lagos Huron, Erie e Ontário (América do Norte). ● ***Adj.*** **2.** Pertencente ou relativo aos huronianos, ou ao lago Huron (E.U.A.).

hurra [Do ingl. *hurrah*.] ***Interj. S. m.*** **1.** Exclamação de saudação ou de entusiasmo, sobretudo em brindes. [Us., em geral, antecedida de *hip*.] ● ***S. m.*** **2.** Essa exclamação: "no meio da explosão entusiástica, ... inaudita, dos vivas, dos bravos, dos hurras de um povo inteiro." (Ramalho Ortigão, *As Farpas*, II, p. 130). **3.** Grito de guerra dos russos. **4.** Grito de saudação dos marinheiros, especialmente ingleses. [Cf. *urra*, do v. *urrar*.]

➔**husky** ['hʌskij] [Ingl.] ***S. m.*** *Cinol.* Raça de cão de pelagem densa, originário da região ártica do No vo Mundo. ◆ **Husky siberiano.** *Cinol.* Raça de cão desenvolvida para puxar trenó, no N.E. da Sibéria. Constitui-se de animais de porte médio, pelagem densa, em duas camadas, branca, cinza ou preta, ou, por vezes, malhada com esses três tons.

hússar [Do húng. *huszár*, pelo it. *ussaro*.] ***S. m.*** Hussardo. [Pl.: *hússares*.]

hussardo [Do húng. *huszá*, pelo al. *Husar* e pelo fr. *hussard*.] ***S. m.*** **1.** Cavaleiro húngaro. **2.** Gentil-homem polaco, na Idade Média. **3.** Soldado de cavalaria ligeira, na França e na Alemanha. [F. paral.: *hússar*.]

husserliano [Do antr. *Husserl* + *-iano*.] ***Adj.*** Pertencente ou relativo a Edmund Husserl (1859-1938), filósofo alemão, ou próprio dele.

hussita ***S. 2 g.*** **1.** Adepto da doutrina de Jan Huss (1369-1415), reformista tcheco, pela qual as boas obras eram indiferentes para a salvação eterna. ● ***Adj. 2 g.*** **2.** Referente aos hussitas ou à sua doutrina.

hutu ***S. 2 g.*** **1.** *Etnôn.* Indivíduo dos hutus, grupo agrícola que compartilha com os tútsis o Burundi e Ruanda (África). ● ***Adj. 2 g.*** **2.** Relativo ou pertencente aos hutus.

➔**hýbris** ['ibris] [Gr., 'excesso', 'descomedimento'.] ***S. f.*** *Teatr.* Na tragédia grega, o orgulho, a arrogância do herói, responsáveis por sua queda. [Us. tb. a f. *híbris*.]

➔**hyperlink** ['hajpɚlɪŋk] [Ingl.; de *hyper(text)*, 'hipertexto', + *link*, 'elo, vínculo'.] ***S. m.*** *Inform.* Elo (4) de hipertexto. [F. red.: *link*.]

■ **Hz** *Fís.* Símb. de *hertz*.

Minúscula Moderna | Maiúscula Moderna | Minúscula Carolíngia | Romano | Romano | Etrusco | Grego | Grego | Fenício

No jantar de comemoração pelos seus 50 anos de vida, recebeu os parabéns do amigo Jorge Amado.

Nessa época, escrevia a seção *Enriqueça o Seu Vocabulário* para uma revista, mais tarde reunida em livro.

i[1] *S. m.* **1.** A 9ª letra do nosso alfabeto. [Representa a vogal alta anterior fechada (como em *ilha*, *fita*), nasalizada quando seguida de *m* ou *n* (como em *sim*, *interior*).] **2.** A figura dessa letra, ou qualquer representação sua: *Bordou um i no lenço.* **3.** O som representado por essa letra. ● *Num.* **4.** Nono[2] (1), numa série ordenada ou hierárquica cujos elementos são designados ou representados pelas letras do alfabeto: *linha i* (ou *linha I*). [Pl., nas acepç. 1 a 3: *is* (tb. indicado, graficamente, pela duplicação da letra: *ii*). Cf. *ih*.] ◆ **I grego.** V. *i latino.* **I latino.** O *i* propriamente dito, por oposição ao *y* ou *i grego*: "Aquele Manuel do Rego / É rapaz de tanto tino, / Que em *lírio* põe sempre *y* grego, / E em *lyra* põe i latino!" (João de Deus, *Campo de Flores*, II, p. 64).

i[2] *Adv. Ant.* F. aferética de *aí*[2]: "E o Vento vai por i fora, / No seu cavalo, a ventar..." (Antônio Nobre, *Só*, p. 100). [Cf. *ih*.]

■ **i** *Mat.* Símb. de *unidade imaginária.*

■ **I** **1.** No sistema romano de numeração, símb. do número 1. **2.** *Eletr.* Símb. de *corrente elétrica.* **3.** *Fís.* Símb. de *momento de inércia.* **4.** *Lóg.* Símb. de *proposição particular afirmativa.* **5.** *Quím.* Símb. de *iodo.*

▲ **i-**[1] V. *em-*[2].

▲ **i-**[2] V. *in-*[2].

▲ **i-**[3] *Quím.* F. red. de *is(o)-* (q. v.). [Sempre us. com hífen posposto.]

▲ **-i-** Vogal de ligação proveniente do latim, preferível à helênica *-o-* (q. v.), quando entre elementos latinos ou quando o segundo elemento é latino; ocorre, tb., entre elementos híbridos e, excepcionalmente, entre elementos gregos: *carrapaticida*, *dasiterapia.*

▲ **-í** [Do tupi.] *El. comp.* = 'pequeno': *inhambuí*, *tamanduaí.*

▲ **-ia**[1] [Do gr. *-ía* e *-(e)ía*.] *Suf. nom.* tônico que ocorre em subst. eruditos ou semieruditos, já existentes no grego, ou formados no vernáculo, com as noções de: 'qualidade'; 'condição'; 'estado (físico ou moral)'; 'afecção', 'moléstia', 'deformidade física'; 'propriedade'; 'dignidade'; 'profissão', 'cargo'; 'lugar onde'; 'nome de ciência'; 'doutrina'; 'coleção'; 'conjunto'; 'arte ou ação de fazer algo': *alegria, cortesia; abasia, ablastia; ablefaria, ablepsia, abraquia, mioplegia; algesia; andadoria, chefia; diretoria; monandria, diandria, triandria, tetrandria, pentandria, hexandria, heptandria; correria, flebotomia*, etc. [V. *-bulia, -cracia, -emia, -filia, -fobia, -genia, -gnosia, -grafia, -logia, -mancia, -mania, -maquia, -metria, -mnesia, -opia, -opsia, -patia, -pedia, -ragia, -sofia, -taxia, -trofia, -urgia, -uria*, todos, formados no grego, com este sufixo. Veja, tb., *-iatria, -malacia* e *-terapia*. Cf. *-ia*[2].]

▲ **-ia**[2] [Do lat. (cient.) *-ĭa* (fem. de *-ĭus*); do lat. *-ĭa* < gr. *-ía* (v. *-ia*[1]); e adapt. do lat. (cient.) *-ia* (neutro plural).] *Suf. nom.* átono, formador de subst. eruditos, ger. da terminologia da botânica e da zoologia, ou de nomes de 'tropos ou figuras de linguagem', 'coisas', antropônimos e topônimos: *begônia, magnólia, actínia; astéria; metonímia* (< lat. < gr.), *toponímia.* [São representantes do lat. (cient.) *-ia* (neutro plural), dentre outros, os voc.: *monândria, diândria, triândria, tetrândria, pentândria, hexândria, heptândria*, todos do sistema de Lineu (v. *lineano*). Note-se a ocorrência deste suf. átono, com a noção de 'conjunto', 'grupo', em *marginália*[2], voc. formado no vernáculo por analogia com *marginália*[1]. V. *-ância* e *-ência*.]

iá *Interj. Bras.* Exclamação de asco, desprezo ou pouco-caso, pronunciada de maneira cantada e lenta, e seguida quase sempre de outra — *axi!*

■ **IAB** Sigla de *Instituto dos Advogados Brasileiros.*

iabá [Do ior.] *S. f. Bras. Rel.* **1.** No candomblé e noutros cultos afins, cada um dos orixás femininos das águas, objeto de cultos hidrolátricos (como, p. ex., Oxum, Nanã, Iemanjá, etc.). **2.** No candomblé nagô, título atribuído a iabecê (q. v.). **3.** No xangô (2), acólita correspondente à *equede* dos candomblés.

iabanhi (ià) [Do ior.] *Bras. Rel. S. f.* **1.** Qualidade (11) de Iemanjá dos candomblés nagôs. [Com cap.] ● *Adj. 2 g.* **2.** Diz-se dessa qualidade.

iabassê [Do ior.] *S. f. Bras.* Filha de santo que cozinha para os orixás.

iabecê (ià) [Do ior.] *S. f. Bras. Rel.* **1.** Filha de santo, das mais antigas da casa, responsável pelos rituais de preparação dos alimentos e bebidas votivos dos orixás, que depositam no peji e/ou são comidos cerimonialmente pelos crentes; iabá. **2.** Posto hierárquico dessa filha de santo no candomblé.

iaca *S. f. Bras.* V. *inhaca*[2].

iacaiacá [Do tupi.] *S. f. Bras. Bot.* Cedrorana (1).

iacanguense *Adj. 2 g.* **1.** De, ou pertencente ou relativo a Iacanga (SP). ● *S. 2 g.* **2.** O natural ou habitante de Iacanga.

iacaninã [Do tupi.] *S. f. Bras. AM MT Zool.* V. *caninana* (1).

▲ **-iácea** [De *-i-* + *-ácea*.] V. *-ácea.*

▲ **-iáceo** [De *-i-* + *-áceo*.] V. *-áceo.*

iaciarense *Adj. 2 g.* **1.** De, ou pertencente ou relativo a Iaciara (GO). ● *S. 2 g.* **2.** O natural ou habitante de Iaciara.

▲ **-íaco** [Do lat. *-(i)acus, a, um* < gr. *-(i)akós*.] *Suf. nom.* = 'origem'; 'relativo a'; 'próprio de': *austríaco; demoníaco* (< lat. < gr.).

iacriano *Adj.* **1.** De, ou pertencente ou relativo a Iacri (SP). ● *S. m.* **2.** O natural ou habitante de Iacri.

iaçuense *Adj. 2 g.* **1.** De, ou pertencente ou relativo a Iaçu (BA). ● *S. 2 g.* **2.** O natural ou habitante de Iaçu.

iacuto *Adj.* **1.** Da, ou pertencente ou relativo à Iacútia (república autônoma da Federação Russa [Rússia]). **2.** Pertencente ou relativo à língua iacuta. ● *S. m.* **3.** O natural ou habitante da Iacútia. **4.** *Gloss.* Língua altaica falada pelos iacutos. [Cf., nesta acepç., *altaico*.]

▲ **-iada** [De *-i-* + *-ada*[1].] V. *-ada*[1].

iadagã (ià) [Do ior.] *S. f. Bras. Rel.* V. *dagã.*

▲ **-iado** [De *-i-* + *-ado*[1].] V. *-ado*[1].

■ **IAE** Sigla de *Instituto de Atividades Espaciais.*

iago [Do ficción. *Iago*, da tragédia *Otelo*, de Shakespeare (v. *shakespeariano*).] *S. m.* Indivíduo astuto, intrigante, falso, velhaco.

iaguarataí [Do tupi.] *S. m. Bras. Bot.* V. *camboatã-de-folha-grande.*

iaiá (ià-iá) [De *sinhá*.] *S. f. Bras. Fam.* Tratamento dado às meninas e às moças, de largo uso no tempo da escravidão e hoje quase abolido; nhanhá, nhanhã, nanã.

▲ **-ial** [De *-i-* + *-al*[1].] V. *-al*[1].

ialaxé (ià) [Do ior.] *S. f. Bras. Rel.* **1.** Ialorixá ou ebômim que zela pelos axés [v. *axé* (1 e 2)] e pela organização da casa de culto. **2.** Cargo honorífico exercido por essa zeladora no candomblé e noutros cultos afins. [F. paral.: *ialaxê*.]

ialaxê (ià) *S. f. Bras. Rel.* V. *ialaxé.*

ialorixá [Do ior.] *S. f. Bras. Rel.* No candomblé, denominação da mãe de santo (q. v.): "quando, toda vestida de branco, saia rodada e bata de rendas, de joelhos, pedia a bênção à ialorixá da Bahia" (Jorge Amado, *Teresa Batista Cansada de Guerra*, dedicatória).

iamacê (ià) [Do ior.] *S. f. Bras. Rel.* No candomblé nagô, qualidade (11) de Iemanjá considerada mãe de Xangô. [Com cap.]

iamamadi *S. 2 g. Adj. 2 g. Bras.* V. *jamamadi.*

iâmbico [Do gr. *iambikós*, pelo lat. *iambicu*.] *Adj.* **1.** Composto de iambos. **2.** Relativo ao iambo. **3.** *Bras.* Irônico, sarcástico, satírico. [Var.: *jâmbico*.]

iambo [Do gr. *íambos*, pelo lat. *iambu*.] *S. m. Arte Poét.* **1.** Na poesia grega e na latina, pé de verso constituído de uma sílaba breve e outra longa. **2.** O verso composto desses pés. [Var.: *jambo*.] ~ V. *iambos.*

iambos [Pl. de *iambo*.] *S. m. pl. Arte Poét.* Na poesia francesa, sátira acerba e violenta, escrita em versos alexandrinos alternados com octossílabos. ~ V. *iambo.*

▲ **iamo-** [Do gr. *íama, atos*.] *El. comp.* = 'remédio', 'medicamento': *iamologia, iamotecnia.*

iamologia [De *iamo-* + *-logia*.] *S. f. Med.* Farmacologia.

iamológico [De *iamologia* + *-ico*[2].] *Adj.* Respeitante à iamologia; farmacológico.

iamorô (ià) [Do ior.] *S. f. Bras. Rel.* **1.** Filha de santo que, nos candomblés nagôs, faz de adjunta ou auxiliar da mãe de santo. **2.** Cargo dessa adjunta dentro da hierarquia do candomblé.

iamotecnia [De *iamo-* + *-tecn(o)-* + *-ia*[1].] *S. f. Farmac.* Arte de preparar medicamentos.

iamotécnico [De *iamotecnia* + *-ico*[2].] *Adj. Farmac.* Referente à iamotecnia.

iandibacaba [De or. tupi.] *S. m. Bras. Bot.* Bacaba-de-azeite.

▲**-iano** [De *-i-* + *-ano*[1].] V. *-ão*[2].

ianomã *Bras. S. 2 g.* **1.** *Etnôn.* Indivíduo dos ianomãs [ou (etnôn. bras.) *Yanomám], povo indígena da família linguística ianomâmi que habita o N. de RR e do AM, e a Venezuela. ● *Adj. 2 g.* **2.** Pertencente ou relativo a esse povo.

ianomâmi *Bras. S. 2 g.* **1.** *Etnôn.* Indivíduo dos ianomâmis [ou (etnôn. bras.) *Yanomami, *Yanomâmi], povo indígena da família linguística ianomâmi, que habita o extremo N. de RR e do AM, e a Venezuela. ● *S. m.* **2.** *Gloss.* Família linguística à qual pertencem os povos indígenas sanumá, ninã, ianomã, ianomâmi, entre outros. ● *Adj. 2 g.* **3.** Pertencente ou relativo a ianomâmi ou aos ianomâmis.

ianque [Do ingl. *yankee*.] *Adj. 2 g.* **1.** De New England (E.U.A.), região cultural e linguística constituída pelos estados de Connecticut, Maine, Massachusetts, New Hampshire, Rhode Island e Vermont. **2.** *P. ext.* V. *norte-americano* (1). ● *S. 2 g.* **3.** V. *norte-americano* (2).

ianquista [De *ianque* + *-ista*.] *S. 2 g.* Americanista (1 e 2): 🕮 "Keyserling (v. *keyserlinguiano*) mostra .... um dos pontos de contraste entre a psicologia profunda do norte-americano, e a do sul-americano, inclusive o brasileiro, que os nossos ianquistas teimam em não querer ver" (Alceu Amoroso Lima, *O Espírito e o Mundo*, p. 374).

iansã [Do ior.] *S. f. Bras. Rel.* Orixá feminino cuja epifania são os ventos, raios e tempestades; sincretizado com Santa Bárbara, é o único orixá que enfrenta e domina os *eguns*. [Seu nome foi poss. criado no Brasil, com elementos iorubas, para designar Oiá (q. v.). Com cap.]

iantra [Do sânscr., 'mecanismo'.] *S. m. Filos.* No tantrismo (q. v.), diagrama mágico, composto principalmente de triângulos, círculos e semicírculos, que evocam as pétalas do loto e são suporte da meditação.

iao [Desta língua.] *S. m. Gloss.* Língua do miao-iao, falada na China, Vietnã, Laos e Tailândia; mã.

iaô [Do ior.] *S. f. Bras. Rel.* Filha de santo. [M. us. em candomblés nagôs.]

ião *S. m. Lus. Fís.-Quím.* V. *íon*. [Pl.: *iões*.]

iapana *S. f. Bras. Bot.* V. *aiapana* (2).

iapiruara [Do tupi = 'gente do sertão'.] *S. m. Bras.* Designação dada pelos índios da região do baixo rio Tapajós àqueles que habitam a região superior.

iapuçá *S. m. Bras. Zool.* V. *sauá*.

iapuense *Adj. 2 g.* **1.** De, ou pertencente ou relativo a Iapu (MG). ● *S. 2 g.* **2.** O natural ou habitante de Iapu.

iapunaque-uaupê [De or. tupi.] *S. m. Bras. Bot.* V. *vitória-régia*. [Pl.: *iapunaque-uaupês*.]

iaque [Do tibetano *gyak*, pelo ingl. *yak*.] *S. m. Zool.* Boi selvagem (*Bos grunniens*) das regiões glaciais e desérticas do Tibete, com os chifres de 0,80m a 0,90m de comprimento e encurvados lateralmente e para trás. É facilmente domesticável, sua carne é us. como alimento e os excrementos, como combustível.

iaquererê (ià) [Do ior.] *S. f. Bras. Rel.* **1.** Segunda e eventual substituta da mãe de santo, ou do pai de santo, na casa de culto; supervisiona as filhas de santo nas danças cerimoniais e pode assistir ritos de iniciação. **2.** No candomblé, cargo e dignidade dessa sacerdotisa. [Sin. ger.: *mãe-pequena, jibonã, ajibonã*.]

▲**-iar** [Do lat. *-iare*.] *Suf. verb.* = 'ação', 'transformação': *abreviar* (< lat.), *acumpliciar*.

iara [F. contrata do tupi *u'yara*, 'senhora'.] *S. f.* **1.** *Bras.* V. *mãe-d'água* (1). **2.** *Bras. RO* Designação dada pelos índios suruís, do parque indígena do Aripuanã, ao homem branco, ao civilizado. **3.** *Zool.* V. *boto-branco*.

iarauara *S. 2 g. Adj. 2 g. Bras.* V. *jarauara*.

▲**-iário** [De *-i-* + *-ário*.] V. *-ário*.

iarumá *Bras. S. 2 g.* **1.** *Etnôn.* Indivíduo dos iarumás [ou (etnôn. bras.) *Yarumá], povo indígena extinto, da família linguística caraíba, que habitava o L. do rio Culuene (MT). ● *Adj. 2 g.* **2.** Pertencente ou relativo a esse povo. [Var.: *arumá* e *jarumá*.]

▲**-íase** [Do gr. *-íasis*.] *Suf.* = 'grande quantidade'; 'infestação', 'afecções patológicas': *helmintíase, pogoníase*.

iatagã [Do turco *yatagan*, pelo fr. *yatagan*.] *S. m.* Sabre, arma de combate e de execução, us. por turcos e árabes: 🕮 "Teus longos iatagãs, alfanjes, cimitarras, / Florejados punhais e recurvas guitarras." (Martins Fontes, *Verão*, p. 69.)

iataí [Var. de *jataí*.] *S. m. Bras. Bot.* **1.** V. *jataí* (3). **2.** V. *butiá-verdadeiro*.

iate [Do ingl. *yatch* < hol. *jacht*.] *S. m.* **1.** *Ant.* Navio à vela, de mastreação constituída de gurupés e dois mastros, em geral inteiriços, com velas latinas quadrangulares e gafetopes. **2.** Embarcação à vela ou a motor, destinada a recreio ou regata. **3.** *P. ext.* Embarcação luxuosa, para transporte de pessoas. **4.** *Bras. PA* Grande embarcação à vela ou a motor, utilizada para transportar gado da ilha de Marajó para Belém.

iatê *S. m. Bras. Gloss.* Fulniô (2).

iatebexé (ià) *S. f. Bras. Rel.* V. *iatebexê*.

iatebexê (ià) *S. f. Bras. Rel.* **1.** Ebômim encarregada do solo das cantigas, ou pontos, nas festas públicas do culto. **2.** Cargo hierárquico dessa filha de santo no candomblé. [F. paral.: *iatebexé*.]

iatiense *Adj. 2 g.* **1.** De, ou pertencente ou relativo a Iati (PE). ● *S. 2 g.* **2.** O natural ou habitante de Iati.

iatismo [De *iate* + *-ismo*.] *S. m. Bras.* **1.** Arte de navegar em iate. **2.** Esporte de corridas de iate.

iatista [De *iate* + *-ista*.] *S. 2 g. Bras.* Pessoa que se dedica ao iatismo, que o pratica.

▲**-iat(o)-** [Do gr. *iatós, é, ón*.] *El. comp.* = 'curável'; 'cura': *pitiático, pitiatismo*.

▲**-iatr(a)-** V. *iatro-*.

▲**-iatra** V. *iatro-*.

iatralipta [Do gr. *iatraleíptes* (< gr. *aleíphein*, 'untar'), pelo lat. *iatralipta*.] *S. 2 g. Terap.* Médico que trata os doentes pela iatralíptica, com unturas e fricções.

iatralíptica [Do gr. *iatraleiptiké*, i. e., *téchne iatraleiptiké*, 'arte iatralíptica', pelo lat. *iatraliptice*.] *S. f. Terap.* Processo de curar doenças por meio de fricções de unguentos, linimentos.

iatralíptico [Do gr. *iatraleiptikós*.] *Adj.* Relativo à iatralíptica.

▲**-iatria** [Do fr. *-iatrie* < gr. *iatreía, as*.] *El. comp.* = 'tratamento': *pediatria, psiquiatria*. [V. *-ia*[1].]

iátrica [Do gr. *iatriké*.] *S. f.* A arte clínica.

iátrico [Do gr. *iatrikós*.] *Adj.* Referente ao médico ou à medicina, à iátrica.

▲**-iátrico** [Do gr. *iatrikós, é, ón*.] *El. comp.* = 'relativo aos médicos ou à medicina'; 'médico', 'tratamento médico': *psiquiátrico*.

▲**iatro-** [Do gr. *iatro-* < gr. *iatrós, oû*.] *El. comp.* = 'médico'; 'medicina'; 'tratamento'; 'remédio: *iatrogenia, iatroquímica*. [Equiv.: *-iatr(a)-, -iatra, -iatro*: *quimiátrico, pediatra; hipniatro*.]

▲**-iatro** V. *iatro-*.

iatrofísica [De *iatro-* + *física*.] *S. f.* **1.** Escola italiana de pensamento médico, saliente no século XVII, e que preconizava bases físicas, notadamente mecânicas, para a teoria e prática médicas. **2.** Conjunto de bases físicas da teoria e prática médicas. [Cf. *iatroquímica*.]

iatrofísico [De *iatrofísica*, com var. suf. (v. *-ico*[2]).] *Adj.* **1.** Relativo à iatrofísica. ● *S. m.* **2.** Adepto da escola iatrofísica. **3.** Especialista em iatrofísica.

iatrogenia [De *iatro-* + *-genia*.] *S. f. Med.* Alteração patológica provocada no paciente por tratamento de qualquer tipo.

iatrogênico *Adj. Med.* V. *iatrogênico*. [Uso freq. em P.]

iatrogênico [De *iatrogenia* + *-ico*[2].] *Adj. Med.* Relativo à iatrogenia.

iatroquímica [De *iatro-* + *química*.] *S. f.* Doutrina médica, reinante no século XVII, que pretendia explicar todos os fenômenos da economia animal pela química rudimentar da época; quimiatria. [Cf. *iatrofísica*.]

iatroquímico [De *iatroquímica*, com var. suf. (v. *-ico*[2]).] *Adj.* **1.** Referente à iatroquímica. ● *S. m.* **2.** *Ant.* Aquele que exercia a iatroquímica.

iauácano [De or. indígena, poss.] *S. m. Bras. Bot.* Árvore cesalpiniácea (*Eperua leucantha*) de folhas glabras, inflorescências com flores brancas, em racemos curtos ou em fascículos, e frutos leguminosos com até 25cm; habita as matas amazônicas próximas ao Rio Negro. [F. paral.: *jauácano*.]

iaualapiti *Bras. S. 2 g.* **1.** *Etnôn.* Indivíduo dos iaualapitis [ou (etnôn. bras.) *Yawalapiti], povo indígena da família linguística aruaque, que habita a região dos formadores do rio Xingu (MT). ● *Adj. 2 g.* **2.** Pertencente ou relativo a esse povo.

iauanauá *Bras. S. 2 g.* **1.** *Etnôn.* Indivíduo dos iauanauás [ou (etnôn. bras.) *Yawanawa], povo indígena da família linguística pano que habita o Acre. ● *Adj. 2 g.* **2.** Pertencente ou relativo a esse povo.

iauaretê-tapuia *Bras. S. 2 g.* **1.** *Etnôn.* Indivíduo dos iauaretês-tapuias [ou (etnôn. bras.) *Yawareté-tapuya], povo indígena extinto, da família linguística aruaque, que habitava a margem direita do rio Içana, alto rio Negro (AM). ● *Adj. 2 g.* **2.** Pertencente ou relativo a esse povo. [Pl.: *iauaretês-tapuias*.]

iaupê-jaçanã [Do tupi.] *S. m. Bras. Bot.* V. *vitória-régia*. [Pl.: *iaupês-jaçanãs*.]

■ **ib** Abrev. de *ibidem*.

▲**iba-** [Do tupi *ïwa*.] *El. comp.* = 'árvore'; 'fruto': *ibabiraba*. [Equiv.: *-iba*: *aningaíba*].

▲**-íba** Equiv. de *iba-*.

ibabiraba [Do tupi.] *S. f. Bras. Bot.* Árvore mirtácea (*Britoa triflora*) ocorrente no PA, de flores aromáticas e flores minutas e alvacentas, e cujas bagas, comestíveis e pardacentas, têm polpa doce.

ibacurupari [Var. de *bacupari*.] *S. m. Bras. Bot.* V. *bacuri*[1] (1).

ibadã [Do ior.] *S. 2 g.* **1.** *Etnôn.* Indivíduo dos ibadãs, povo de língua e cultura iorubanas, do S.O. da Nigéria (África). ● *Adj. 2 g.* **2.** Pertencente ou relativo aos ibadãs.

ibaiariba [Do tupi.] *S. f. Bras. Bot.* V. *angelim-doce* (2).

ibairiba [Do tupi.] *S. f. Bras. Bot.* V. *angelim-doce* (2). [Var.: *ibaiariba*.]

ibaitiense *Adj. 2 g.* **1.** De, ou pertencente ou relativo a Ibaiti (PR). ● *S. 2 g.* **2.** O natural ou habitante de Ibaiti.

■ **Ibama** Sigla de *Instituto Brasileiro do Meio Ambiente e dos Recursos Naturais Renováveis*.

ibametara [De or. obsc.] *S. f. Bras. Bot.* V. *cajazeira*.

ibanoma *Bras. S. 2 g.* **1.** *Etnôn.* Indivíduo dos ibanomas, povo indígena extinto, que habitava a margem direita do rio Solimões, na região situada entre os rios Aruá e Catuá (AM). ● *Adj. 2 g.* **2.** Pertencente ou relativo a esse povo. [Tb. us. como *s. 2 g.* e *2 n.* (com cap.) e *adj. 2 g.* e *2 n.*]

ibapocaba [Do tupi.] *S. f. Bras. Bot.* **1.** *Acapociba* (1). **2.** V. *alamanda-rosa*.

ibaramense *Adj. 2 g.* **1.** De, ou pertencente ou relativo a Ibarama (RS). ● *S. 2 g.* **2.** O natural ou habitante de Ibarama.

ibaretamense *Adj. 2 g.* **1.** De, ou pertencente ou relativo a Ibaretama (CE). ● *S. 2 g.* **2.** O natural ou habitante de Ibaretama.

ibateense (êèn) *Adj. 2 g.* **1.** De, ou pertencente ou relativo a Ibaté (SP). ● *S. 2 g.* **2.** O natural ou habitante de Ibaté.

ibateguarense *Adj. 2 g.* **1.** De, ou pertencente ou relativo a Ibateguara (AL). ● *S. 2 g.* **2.** O natural ou habitante de Ibateguara.

ibatibense *Adj. 2 g.* **1.** De, ou pertencente ou relativo a Ibatiba (ES). ● *S. 2 g.* **2.** O natural ou habitante de Ibatiba.

ibatimô [De or. incerta.] *S. m. Bras. Bot.* V. *barbatimão* (2).

■ **IBC** Sigla de *Instituto Brasileiro do Café*.

ibeji *S. m. Bras. Rel.* V. *ibêji*. [Com cap.]

ibêji [Do ior.] *S. m. Bras. Rel.* Entidade (6) dúplice que, no Brasil, provém de convergência de costumes africanos e crenças europeias, e representa o princípio da dualidade; são considerados orixás em algumas casas de culto e estão sincretizados com os santos católicos Cosme e Damião: 🕮 "Encantado, lembra-se da festa dos gêmeos, os ibêjis Cosme e Damião" (Antônio Olinto, *Copacabana*, p. 36). [Sin.: *babaço, baje, beje, bejinho, mabaça, mabaço*. Cf. *Alabá*[1] e *Doú*.] [Ger. com cap.]

ibemense *Adj. 2 g.* **1.** De, ou pertencente ou relativo a Ibema (PR). ● *S. 2 g.* **2.** O natural ou habitante de Ibema.

ibericismo [De *ibérico* + *-ismo*.] *S. m.* Iberismo.

ibérico [Do lat. *ibericu*.] *Adj.* **1.** Pertencente ou relativo à Ibéria, antigo nome da Espanha, ou aos iberos. **2.** Relativo ou pertencente à Península Ibérica, constituída por Espanha e Portugal; ibero. ● *S. m.* **3.** Ibero (2). **4.** Partidário da união ibérica.

iberismo [De *ibero* + *-ismo*.] *S. m.* Partido daqueles que preconizam a união política dos países ibéricos, Portugal com Espanha; ibericismo.

iberista [De *iberismo* + *-ista*.] *Adj. 2 g.* **1.** Relativo ao, ou que é partidário do iberismo. ● *S. 2 g.* **2.** Partidário do iberismo.

iberização [De *iberizar* + *-ção*.] *S. f.* Ação ou efeito de iberizar.

iberizar [De *ibero* + *-izar*.] *V. t. d. P.* Dar(-se) modos, feição, espírito ibérico (a); tornar(-se) como que ibérico.

ibero (bé) [Do lat. *iberu*.] *Adj.* **1.** Ibérico (2): 🕮 "Das iberas regiões peninsulares / Toda a luz, sob um céu de seda e linho." (Alphonsus de Guimaraens, *Obra Completa*, p. 284.) ● *S. m.* **2.** Indivíduo dos iberos, antigos habitantes da Ibéria; ibérico. **3.** *Gloss.* Língua falada pelos antigos iberos.

ibero-americano *Adj.* **1.** Pertencente ou relativo aos povos americanos colonizados por cada um dos países da Península Ibérica. ● *S. m.* **2.** Indivíduo ibero-americano. [Flex.: *ibero-americana, ibero-americanos, ibero-americanas*. Cf. *latino-americano*.]

ibero-românico ***Adj. S. m. Gloss.*** **1.** Diz-se de, ou o conjunto de variedades linguísticas que se constituíam numa evolução do latim vulgar e que foi falado entre os séculos V e IX na Península Ibérica. **2.** Diz-se de, ou o conjunto formado pelo catalão, pelo espanhol e pelo português. [V. *balcano-românico, galo-românico, ítalo-românico, reto-românico*. Flex.: *ibero-românica, ibero-românicos, ibero-românicas*.]

ibertiogano ***Adj.*** **1.** De, ou pertencente ou relativo a Ibertioga (MG). ● ***S. m.*** **2.** O natural ou habitante de Ibertioga.

íbex (cs) [Do tax. (*Capra*) *ibex*.] ***S. m. 2 n. Zool.*** Cabra-selvagem (q. v.).

■ **IBGE** Sigla de *Fundação Instituto Brasileiro de Geografia e Estatística*.

ibiaçaense ***Adj. 2 g.*** **1.** De, ou pertencente ou relativo a Ibiaçá (RS). ● ***S. 2 g.*** **2.** O natural ou habitante de Ibiaçá.

ibiaçuceense (êen) ***Adj. 2 g.*** **1.** De, ou pertencente ou relativo a Ibiaçucê (BA). ● ***S. 2 g.*** **2.** O natural ou habitante de Ibiaçucê.

ibiaense ***Adj. 2 g.*** **1.** De, ou pertencente ou relativo a Ibiá (MG). ● ***S. 2 g.*** **2.** O natural ou habitante de Ibiá.

ibiaiense (a-i) ***Adj. 2 g.*** **1.** De, ou pertencente ou relativo a Ibiaí (MG). ● ***S. 2 g.*** **2.** O natural ou habitante de Ibiaí.

ibiapinense ***Adj. 2 g.*** **1.** De, ou pertencente ou relativo a Ibiapina (CE). ● ***S. 2 g.*** **2.** O natural ou habitante de Ibiapina.

ibiarense ***Adj. 2 g.*** **1.** De, ou pertencente ou relativo a Ibiara (PB). ● ***S. 2 g.*** **2.** O natural ou habitante de Ibiara.

ibiboboca [Do tupi.] ***S. f. Bras. Zool.*** **1.** V. *cobra-coral-venenosa*. **2.** Ibiboca (1).

ibiboca [Do tupi.] ***S. f. Bras. Zool.*** **1.** Reptil ofídio, colubrídeo (*Atractus elaps*), das regiões N. e centro-ocidental do Brasil, cujo aspecto geral é semelhante ao das corais; ibiboboca. **2.** V. *cobra-coral-venenosa*.

ibicara [Do tupi.] ***S. m. Bras. Zool.*** V. *cobra-de-duas-cabeças*.

ibicaraiense (a-i) ***Adj. 2 g.*** **1.** De, ou pertencente ou relativo a Ibicaraí (BA). ● ***S. 2 g.*** **2.** O natural ou habitante de Ibicaraí.

ibicareense (êen) ***Adj. 2 g.*** **1.** De, ou pertencente ou relativo a Ibicaré (SC). ● ***S. 2 g.*** **2.** O natural ou habitante de Ibicaré.

ibicoarense ***Adj. 2 g.*** **1.** De, ou pertencente ou relativo a Ibicoara (BA). ● ***S. 2 g.*** **2.** O natural ou habitante de Ibicoara.

ibicuíba ***S. f. Bras. Bot.*** V. *bicuíba*.

ibicuiense (u-i) ***Adj. 2 g.*** **1.** De, ou pertencente ou relativo a Ibicuí (BA). ● ***S. 2 g.*** **2.** O natural ou habitante de Ibicuí.

ibicuitinguense ***Adj. 2 g.*** **1.** De, ou pertencente ou relativo a Ibicuitinga (CE). ● ***S. 2 g.*** **2.** O natural ou habitante de Ibicuitinga.

➔**ibidem** [ẹˈbidɛ(m)] [Lat.] ***Adv.*** **1.** Aí mesmo; no mesmo lugar. **2.** Na mesma obra, capítulo ou página. [Emprega-se em citações. Abrev.: *ib*.]

ibidídeo [Do lat. *ibis, ibidis* + *-ídeo*¹; tax. *Ibididae*.] ***S. m. Adj. Zool.*** V. *tresquiornitídeo*.

ibijara [Do tupi.] ***S. f. Bras. Zool.*** V. *cobra-de-duas-cabeças*.

ibijaú [Do tupi.] ***S. m. Bras. Zool.*** V. *bacurau* (1).

ibijaú-guaçu [De *ibijaú* + *-guaçu*.] ***S. m. Bras. Zool.*** V. *urutau*. [Pl.: *ibijaús-guaçus*.]

ibim [Do ior.] ***S. m. Bras.*** Caracol (1), muito usado em algumas comidas de origem africana; igbim.

ibimiriense ***Adj. 2 g.*** **1.** De, ou pertencente ou relativo a Ibimirim (PE). ● ***S. 2 g.*** **2.** O natural ou habitante de Ibimirim.

ibioca [Do tupi.] ***S. f. Bras. Zool.*** V. *cobra-coral-venenosa*.

ibipebense ***Adj. 2 g.*** **1.** De, ou pertencente ou relativo a Ibipeba (BA). ● ***S. 2 g.*** **2.** O natural ou habitante de Ibipeba.

ibipitanga [Do tupi.] ***S. f. Bras. Bot.*** V. *pitangueira* (1).

ibipitanguense ***Adj. 2 g.*** **1.** De, ou pertencente ou relativo a Ibipitanga (BA). ● ***S. 2 g.*** **2.** O natural ou habitante de Ibipitanga.

ibiporãense ***Adj. 2 g.*** **1.** De, ou pertencente ou relativo a Ibiporã (PR). ● ***S. 2 g.*** **2.** O natural ou habitante de Ibiporã.

ibiquerense ***Adj. 2 g.*** **1.** De, ou pertencente ou relativo a Ibiquera (BA). ● ***S. 2 g.*** **2.** O natural ou habitante de Ibiquera.

ibira [Var. de *embira*] ***S. f. Bras. Bot.*** **1.** V. *coajerucu*. **2.** V. *embira* (5).

ibiraciense ***Adj. 2 g.*** **1.** De, ou pertencente ou relativo a Ibiraci (MG). ● ***S. 2 g.*** **2.** O natural ou habitante de Ibiraci.

ibiraçuense ***Adj. 2 g.*** **1.** De, ou pertencente ou relativo a Ibiraçu (ES). ● ***S. 2 g.*** **2.** O natural ou habitante de Ibiraçu.

ibiraense ***Adj. 2 g.*** **1.** De, ou pertencente ou relativo a Ibirá (SP). ● ***S. 2 g.*** **2.** O natural ou habitante de Ibirá.

ibiraiarense ***Adj. 2 g.*** **1.** De, ou pertencente ou relativo a Ibiraiaras (RS). ● ***S. 2 g.*** **2.** O natural ou habitante de Ibiraiaras.

ibirajubense ***Adj. 2 g.*** **1.** De, ou pertencente ou relativo a Ibirajuba (PE). ● ***S. 2 g.*** **2.** O natural ou habitante de Ibirajuba.

ibiramense ***Adj. 2 g.*** **1.** De, ou pertencente ou relativo a Ibirama (SC). ● ***S. 2 g.*** **2.** O natural ou habitante de Ibirama.

ibiranhirá [Do tupi.] ***S. f. Bras. Bot.*** Árvore sapotácea (*Bumelia obtusifolia* ou *B. rotundifolia*) muito comum na restinga, de madeira muito dura, mas sem uso, folhas alternas e obovadas, flores esverdeadas, mínimas, e cujo fruto é uma pequena baga, tendo o tronco inúmeros espinhos longuíssimos.

ibirapiroca [Do tupi.] ***S. f. Bras. Bot.*** **1.** Sete-casacas (1). **2.** V. *guabiroba-de-são-paulo*.

ibirapitanga [Do tupi.] ***S. f. Bras. Bot.*** V. *pau-brasil*.

ibirapitanguense ***Adj. 2 g.*** **1.** De, ou pertencente ou relativo a Ibirapitanga (BA). ● ***S. 2 g.*** **2.** O natural ou habitante de Ibirapitanga.

ibirapuense ***Adj. 2 g.*** **1.** De, ou pertencente ou relativo a Ibirapuã (BA). ● ***S. 2 g.*** **2.** O natural ou habitante de Ibirapuã.

ibirapuitense ***Adj. 2 g.*** **1.** De, ou pertencente ou relativo a Ibirapuitã (RS). ● ***S. 2 g.*** **2.** O natural ou habitante de Ibirapuitã.

ibirarema [Do tupi.] ***S. f. Bras. Bot.*** **1.** V. *pau-d'alho* (1). **2.** V. *cipó-d'alho* (2).

ibiraremense ***Adj. 2 g.*** **1.** De, ou pertencente ou relativo a Ibirarema (SP). ● ***S. 2 g.*** **2.** O natural ou habitante de Ibirarema.

ibirataense ***Adj. 2 g.*** **1.** De, ou pertencente ou relativo a Ibirataia (BA). ● ***S. 2 g.*** **2.** O natural ou habitante de Ibirataia.

ibirataí [Do tupi.] ***S. f. Bras. Bot.*** V. *jaborandi* (3).

ibirataíba [Do tupi.] ***S. f. Bras. Bot.*** V. *jaborandi* (3).

ibiratinga [Do tupi.] ***S. f. Bras. Bot.*** Embira-branca (3).

ibiri [Do ior.] ***S. m. Bras. Rel.*** Insígnia do orixá Nanã, feito de um feixe de nervuras de palmeira, cuja extremidade superior é presa para formar uma espécie de alça. [Var.: *ebiri*.]

ibiriteense (êen) ***Adj. 2 g.*** **1.** De, ou pertencente ou relativo a Ibirité (MG). ● ***S. 2 g.*** **2.** O natural ou habitante de Ibirité.

ibirubense ***Adj. 2 g.*** **1.** De, ou pertencente ou relativo a Ibirubá (RS). ● ***S. 2 g.*** **2.** O natural ou habitante de Ibirubá.

íbis [Do tax. *Ibis* < lat. *ibis* (nom.) < gr. *îbis* < egípcio *hīb*.] ***S. f. e m. 2 n. Zool.*** **1.** Gênero de aves pernaltas, ciconiiformes, com várias espécies espalhadas pelas regiões quentes da Europa e N. da África. [Sin.: *tresquiórnis*.] **2.** Espécie ou espécime desse gênero: 📖 "E quando Onofre reabriu lentamente os olhos, a manhã clara enchia o céu, ... e os íbis esvoaçavam pelos ramos das mimosas." (Eça de Queirós, *Últimas Páginas*, p. 319.)

íbis-branca ***S. f. Zool.*** Íbis-sagrada. [Pl.: *íbis-brancas*.]

íbis-sagrada ***S. f. Zool.*** Ave ciconiiforme (*Ibis religiosa*), objeto de culto entre os antigos egípcios; íbis-branca. [Pl.: *íbis-sagradas*.]

ibitiarense ***Adj. 2 g.*** **1.** De, ou pertencente ou relativo a Ibitiara (BA). ● ***S. 2 g.*** **2.** O natural ou habitante de Ibitiara.

ibitiguaçuano ***Adj.*** **1.** De, ou pertencente ou relativo a Ibitiguaçu (RJ). ● ***S. m.*** **2.** O natural ou habitante de Ibitiguaçu.

ibitinguense ***Adj. 2 g.*** **1.** De, ou pertencente ou relativo a Ibitinga (SP). ● ***S. 2 g.*** **2.** O natural ou habitante de Ibitinga.

ibitiramense ***Adj. 2 g.*** **1.** De, ou pertencente ou relativo a Ibitirama (ES). ● ***S. 2 g.*** **2.** O natural ou habitante de Ibitirama.

ibititaense ***Adj. 2 g.*** **1.** De, ou pertencente ou relativo a Ibititá (BA). ● ***S. 2 g.*** **2.** O natural ou habitante de Ibititá.

ibitiurense (i-u) ***Adj. 2 g.*** **1.** De, ou pertencente ou relativo a Ibitiúra de Minas (MG). ● ***S. 2 g.*** **2.** O natural ou habitante de Ibitiúra de Minas.

ibiturunense ***Adj. 2 g.*** **1.** De, ou pertencente ou relativo a Ibituruna (MG). ● ***S. 2 g.*** **2.** O natural ou habitante de Ibituruna.

ibiunense (i-u) ***Adj. 2 g.*** **1.** De, ou pertencente ou relativo a Ibiúna (SP). ● ***S. 2 g.*** **2.** O natural ou habitante de Ibiúna.

ibixuma [Do tupi.] ***S. f. Bras. Bot.*** V. *fedegoso-verdadeiro*. [Var.: *ibixuna*.]

ibixuna ***S. f. Bras. Bot.*** V. *fedegoso-verdadeiro*.

ibo ***S. 2 g.*** **1.** *Etnôn.* Indivíduo dos ibos, povo do S.E. da Nigéria (C.O. da África). ● ***S. m.*** **2.** *Gloss.* A língua falada pelos ibos; igbo. ● ***Adj. 2 g.*** **3.** Pertencente ou relativo aos ibos ou à sua língua. [Var.: *ibô*.]

ibô ***S. 2 g. S. m. Adj. 2 g. Bras. BA*** V. *ibo*.

ibope [De Ibope, *Instituto Brasileiro de Opinião Pública e Estatística*.] ***S. m. Bras.*** **1.** Número-índice (q. v.) obtido mediante pesquisas de opinião pública, com a primordial finalidade de orientar a propaganda e a moderna técnica de vendas, preparar estudos de mercado e fazer sondagens sobre preferências do público. **2.** *Restr.* Índice de audiência (4): *Este programa dará ibope: enfoca importantes questões sociais*. **3.** *P. ext.* Prestígio (4): *Convidar fulano dá ibope*.

■ **Ibope** Sigla de *Instituto Brasileiro de Opinião Pública e Estatística*. ◆ **Dar ibope. 1.** Ter alto índice de aprovação ou de audiência. **2.** Ser bem-visto, benquisto ou aceito de modo favorável por muitas pessoas. [Nesta loc., como substantivo, a sigla tem uso corrente no linguajar informal.]

ibotiramense ***Adj. 2 g.*** **1.** De, ou pertencente ou relativo a Ibotirama (BA). ● ***S. 2 g.*** **2.** O natural ou habitante de Ibotirama.

■ **IBPI** Sigla de *Instituto Brasileiro de Pesquisa em Informática*.

■ **IBRAC** Sigla de *Instituto Brasileiro de Estudos das Relações de Concorrência e de Consumo*.

ibseniano [De *Ibsen* + *-iano*.] ***Adj.*** **1.** Relativo ou pertencente a Henrik Johan Ibsen (1828-1906), poeta e dramaturgo norueguês, ou próprio dele. **2.** Que é seu seguidor ou profundo conhecedor de sua obra. ● ***S. m.*** **3.** Admirador e/ou profundo conhecedor da obra de Henrik Johan Ibsen.

ibualama [Do ior.] ***S. m. Bras. Rel.*** Forma de Oxoce que vive num rio com Oxum Pandá e, quando baixa nos candomblés nagôs, dança fustigando-se com dois amparos (v. *amparo*²); Inlé, Inlê. [Com cap.]

ibuprofeno [Voc. farmac.] ***S. m. Quím.*** Ácido carboxílico aromático, heterocíclico, us. como medicamento anti-inflamatório [fórm.: $C_{13}H_{18}O_2$].

■ **IBV** Sigla de *Índice da Bolsa de Valores*.

ica [Do tupi.] ***S. f. Bras. MT Etnogr.*** Trombeta com ressoador, dos índios bororos, a qual produz um som cavernoso e grave, que serve para acompanhar os ritos religiosos e as cerimônias fúnebres.

▲**-ica** [Do gr. *-ikḗ* (f. subst. de *-ikós*), pelo lat. *-ica*. V. *-ico*².] ***Suf.*** átono, formador de substantivos eruditos = 'técnica', 'arte', 'ciência': *balística, cinegética* (< gr.), *crítica* (< gr.), *gramática* (< gr.), *macrobiótica*.

icá [Do ior.] ***S. m. Bras. Rel.*** Reverência especial que faz a filha de santo diante do peji, do chefe do terreiro, dos orixás incorporados ou de visitantes graduados, quando seu orixá pessoal é do sexo masculino. [Cf. *dobale* e *gicá*.]

▲**-íça** Equiv. de *-ícia*.

içá [Do tupi.] ***S. m. e f. Bras.*** V. *tanajura* (1): 📖 "Formigueiros inconcebíveis, como os nossos formigueiros de saúva em dia de saída de içá." (Monteiro Lobato, *América*, p. 70.)

içabitu [Do tupi = 'formiga' + o tupi = 'vento'.] ***S. m. Bras. Zool.*** V. *bitu*¹.

icacinácea [Do tax. *Icacina* + *-ácea*; tax. *Icacinaceae*.] ***S. f. Bot.*** Espécime das icacináceas, família de plantas floríferas, da ordem das sapindales, composta de árvores e lianas de folhas alternas, flores ger. hermafroditas, pentâmeras ou tetrâmeras, gineceu tricarpelar, com ovário unilocular e biovulado, e óvulos pêndulos. Compreende cerca de 120 espécies, próprias dos países quentes; no Brasil, é comum o gênero *Villaresia*.

icacináceo [De *icacinácea*, com var. suf. (v. *-áceo*).] ***Adj. Bot.*** Pertencente ou relativo às icacináceas.

icaco [Do aruaque ou de or. haitiana.] ***S. m. Bot.*** V. *guajuru* (1).

icacoré-catinga [De or. tupi.] ***S. f. Bras. Bot.*** Arvoreta ou arbusto mirsináceo (*Ardisia semicrenata*) das matas amazônicas, de flores pequeninas, com pontos glandulares rubros, em densas panículas, e fruto drupáceo, muito pequeno. [Pl.: *icacorés-catingas* e *icacorés-catinga*.]

içamento [De *içar* + *-mento*.] ***S. m.*** Ato de içar.

icanga [De provável or. tupi.] ***S. f. Bras. Zool.*** V. *peixe-cachorro* (2).

▲**-ição** [De *-i-* + *-ção*.] V. *-ão*³.

icapirira ***S. f. Bras. MT Etnogr.*** Flauta de Pã dos índios bororos, com cinco tubos de bambu.

icapuiense (u-i) ***Adj. 2 g.*** **1.** De, ou pertencente ou relativo a Icapuí (CE). ● ***S. 2 g.*** **2.** O natural ou habitante de Icapuí.

▲**-icar** [Do lat. *-icāre*.] ***Suf. verb.*** = 'ação frequentativa', 'ação diminutiva': *bebericar, adocicar*. [V. *-iscar*.]

içar [Do fr. *hisser*.] ***V. t. d. P.*** Erguer(-se), alçar(-se), levantar(-se): *içar velas*; 📖 "Apenas o vapor começou a enfrentar o Feliz, este içou a bandeira brasileira, saudando-o." (Virgílio Várzea, *Nas Ondas*, p. 150); "Luís Bernardo içou-se para cima da árvore" (Miguel Sousa Tavares, *Equador*, p. 502). [Conjug.: v. *laçar*. Pres. ind.: *iço*, etc.; pret. perf.: *icei*,

I

etc.; pres. subj.: *ice*, ... *icem*. Cf. *isso, issei*, o top. *Icém*, e o v. *inçar*.]

▲**-içar** ***Suf. verb.***, de formação incerta: *esganiçar, ganiçar*.

icaraimense (a-i) ***Adj. 2 g.*** **1.** De, ou pertencente ou relativo a Icaraíma (PR). ● ***S. 2 g.*** **2.** O natural ou habitante de Icaraíma.

içarense ***Adj. 2 g.*** **1.** De, ou pertencente ou relativo a Içara (SC). ● ***S. 2 g.*** **2.** O natural ou habitante de Içara.

ícaro [De *Ícaro*, personagem da mitologia grega, que fugiu do labirinto de Creta servindo-se de asas pregadas com cera, as quais se derreteram à aproximação do Sol, donde lhe resultou cair no mar.] ***S. m.*** Indivíduo a quem foram funestas as suas pretensões ou ambições muito elevadas.

icaronícteris [Do tax. *Icaronycteris*.] ***S. m. 2 n.*** *Paleont.* **1.** Gênero de morcegos cujos vestígios, encontrados na França, indicam terem vivido no eoceno; eram plenamente desenvolvidos, com esqueleto leve e grandes asas formadas de pele esticada sobre os dedos longos e estreitos. Há evidência de que, como os morcegos atuais, tinham a capacidade de ecolocalização (q. v.). **2.** Espécie ou espécime desse gênero.

▲**-icas** V. *-eco*[1].

icástico [Do gr. *eikastikós* < gr. *eikázein*, der. de *eikón*, 'imagem'.] ***Adj.*** **1.** Que representa nitidamente uma ideia ou um objeto. **2.** Sem artifícios ou adornos. [Sin. ger.: *icônico*.]

icatuense ***Adj. 2 g.*** **1.** De, ou pertencente ou relativo a Icatu (MA). ● ***S. 2 g.*** **2.** O natural ou habitante de Icatu.

▲**-ice** Equiv. de *-ície*.

icé *Bras.* ***S. 2 g.*** **1.** *Etnôn.* Indivíduo dos icés [ou (etnôn. bras.) *Issé], povo indígena que habita o AM. ● ***Adj. 2 g.*** **2.** Pertencente ou relativo a esse povo.

➔**iceberg** ['ajsbərg][Ingl.] ***S. m.*** Grande massa de gelo flutuante que se desprendeu de glaciar ou de plataforma de gelo continental, e que anda à deriva nos mares árticos e antárticos, ou, às vezes, encalha junto à costa. [A parte imersa é, em média, sete vezes mais alta que a emersa.] [Cf. *banquisa*.]

icemense ***Adj. 2 g.*** **1.** De, ou pertencente ou relativo a Icém (SP). ● ***S. 2 g.*** **2.** O natural ou habitante de Icém.

icéria [Do tax. *Icerya*.] ***S. f.*** *Zool.* **1.** Gênero de insetos homópteros, coccídeos, que parasitam, esp., plantas cítricas. **2.** Espécie desse gênero, a *Icerya purchasi* ou *I. brasiliensis*, vulgarmente conhecida como cochonilha-branca. **3.** Qualquer espécime desse gênero.

▲**-icha** V. *-acho*.

▲**-icho** V. *-acho*.

ichó [Do lat. *ostioculu*, 'portinha'.] ***S. m. e f.*** Armadilha com o feitio de alçapão, com que se apanham coelhos e perdizes.

ichu *Bras.* ***S. 2 g.*** **1.** *Etnôn.* Indivíduo dos ichus, povo indígena extinto que habitava o O. de PE. ● ***Adj. 2 g.*** **2.** Pertencente ou relativo a esse povo. [Tb. us. como *s. 2 g. e 2 n.* (com cap.) e *adj. 2 g. e 2 n.*]

ichuense ***Adj. 2 g.*** **1.** De, ou pertencente ou relativo a Ichu (BA). ● ***S. 2 g.*** **2.** O natural ou habitante de Ichu.

▲**-ícia** [Do lat. *-itĭa*, por via semierudita.] ***Suf. nom.*** = 'qualidade', 'propriedade': *malícia* (< lat.). [Equiv.: *-iça*: *justiça* (< lat.). V. *-eza* e *-ez*.]

icica [Do tupi.] ***S. f.*** *Bras.* **1.** *Bot.* Árvore burserácea (*Protium icicariba*) nativa da Amaz. a MG e SP, fonte de breu vegetal, de madeira branco-avermelhada, útil, folhas penadas, com folíolos oblongos e acuminados, pequeninas flores alvacentas, frutos drupáceos coriáceos, verdes com polpa branca, edules, e sementes oleaginosas; almécega, almecegueira, almecegueira-verdadeira, elemi, elemieira, árvore-de-incenso, breu, breu-jauaricica, breu-branco, icicariba, buricica, jauaricica, ubiracica. **2.** V. *breu* (2).

icicariba [Do tupi.] ***S. f.*** *Bras. Bot.* V. *icica* (1).

▲**-ície** [Do lat. *-itĭe*, por via semierudita.] ***Suf. nom.*** = 'qualidade', 'propriedade', 'estado', 'modo de ser': *calvície* (< lat.). [Equiv.: *-ice*: *doidice, velhice*. V. *-ez*.]

▲**-ício** [Do lat. *-itĭu*, por via semierudita.] ***Suf. nom.*** = 'relação', 'referência': *ab-reptício, natalício* (< lat.).

icipó [Do tupi.] ***S. m.*** *Bras. Bot.* Cipó[1] (1) (q. v.).

■ **ICM** Abrev. de *Imposto sobre Circulação de Mercadorias*.

■ **ICMS** Sigla de *imposto sobre circulação de mercadorias e serviços*.

icnêumon [Do lat. *ichneumon* (nom.) < gr. *ichneúmon*, 'mangusto'; 'certo tipo de vespa' < gr. *ichneúein*, 'seguir o rasto de', pela crença antiga de que o mangusto seguia o rasto dos crocodilos para comer-lhes os ovos, e a vespa, por comer ovos de aranha.] ***S. m.*** *Zool.* **1.** Mangusto. **2.** *Restr.* Mangusto do N. da África (*Herpetes ichneumon*).

icneumonídeo [Do lat. *ichneumon* (v. *icnêumon*) + *-ídeo*[1]; tax. *Ichneumonidae*.] *Zool.* ***S. m.*** **1.** Espécime dos icneumonídeos; importante família de insetos apócritos, icneumonóideos, que reúne grande variedade de vespas que parasitam larvas e pupas de determinados grupos de insetos, ou os ovopositores de aranhas e escorpiões, constituindo importante fator de controle ambiental. Têm um longo ovopositor com o qual injetam os seus ovos nos parasitados, sendo estes, em seguida, devorados internamente pelas larvas. ● ***Adj.*** **2.** Pertencente ou relativo a eles.

icneumonóideo [Do tax. *Ichneumon* + *-óideo*; tax. *Ichneumonoidea*.] *Zool.* ***S. m.*** **1.** Espécime dos icneumonóideos, superfamília de clitogastros que reúne as vespas icneumonídeas. ● ***Adj.*** **2.** Pertencente ou relativo a eles.

▲ **icno-** [Do gr. *íchnos, eos-ous*.] ***El. comp.*** = 'pegada', 'vestígio': *icnografia, icnógrafo*.

icnografia [Do gr. *ichnographía*.] ***S. f.*** **1.** Planta de um edifício. **2.** A arte de traçar essas plantas. [Cf. *iconografia*.]

icnográfico [De *icnografia* + *-ico*[2].] ***Adj.*** Referente à icnografia. [Cf. *iconográfico*.]

icnógrafo [De *icno-* + *-grafo*.] ***S. m.*** Aquele que faz plantas ou planos de edifícios, que é versado em icnografia. [Cf. *iconógrafo*.]

▲ **-ic(o)-** Equiv. de *-ico*[1].

▲ **-ico**[1] [Do lat. *-ĭc(c)u*.] ***Suf. nom.*** tônico, formador de diminutivos: *burrico* (< lat.), *namorico*. [Equiv.: *-ic(o)-*: *barbicacho*.]

▲ **-ico**[2] [Do gr. *-ikós, ḗ, ón*, pelo lat. *-ĭcus, a, um*.] ***Suf. nom.*** átono que forma adjetivos e substantivos eruditos = 'pertinência', 'relação', 'referência'; 'participação': *dendrológico, quimérico*. [Em *Quím.*: 1. Indica os oxiácidos em que o elemento tem a maior de duas valências: *fosfórico, sulfúrico*. 2. Significa: 'relacionado a', ou 'que contém' (*alcoólico*), esp. em nomes de ácidos e compostos que se relacionam: *bórico, oleico*. V. *-ica, -ático, -ético, -ítico* e *-ótico*.]

icó[1] [De or. tapuia, poss.] ***S. m.*** *Bras. Bot.* Pequena e copada árvore caparidácea (*Capparis yco*, muito característica da caatinga nordestina, de folhas coriáceas, ovado-elípticas, flores de três a cinco centímetros, com longos estames e pétalas citrinas, e cujo fruto é uma baga de três a quatro centímetros de diâmetro, com polpa e muitas sementes; icozeiro, icó-preto.

icó[2] *Bras.* ***S. 2 g.*** **1.** *Etnôn.* Indivíduo dos icós, povo indígena extinto que habitava o S.E. do RN. ● ***Adj. 2 g.*** **2.** Pertencente ou relativo a esse povo. [Tb. us. como *s. 2 g. e 2 n.* (com cap.) e *adj. 2 g. e 2 n.*]

▲ **-iço** Equiv. de *-io*[2].

icodidé ***S. m.*** *Bras. Rel.* V. *ecodidé*.

icoense (òên) ***Adj. 2 g.*** **1.** De, ou pertencente ou relativo a Icó (CE). ● ***S. 2 g.*** **2.** O natural ou habitante de Icó.

ícone [Do gr. *eikón, ónos*, 'imagem', pelo lat. *icone*.] ***S. m.*** **1.** Na Igreja russa e na grega, representação em superfície plana da figura de Cristo, da Virgem ou de um santo: "À bancada fronteira subiram .... os bispos gregos, embrulhados em pluviais de oiro coloridos de ícones bizantinos" (Júlio Dantas, *Pátria Portuguesa*, p. 118). [Cf. *imagem* (2) e *ídolo* (1).] **2.** Coisa, fato, pessoa, etc., que evoca fortemente certas qualidades ou características de algo, ou que é muito representativo dele: *A queda do muro de Berlim é um ícone dos anos 1980.* **3.** *Inform.* Numa interface gráfica (q. v.), figura apresentada na tela, ger. clicável, us. para identificar e/ou acionar um programa ou um recurso de programa (9). **4.** *Semiol.* Signo que apresenta relação de semelhança ou analogia com o referente (3) (fotografia, diagrama, mapa, etc.), e que é percebido instantaneamente.

iconhense ***Adj. 2 g.*** **1.** De, ou pertencente ou relativo a Iconha (ES). ● ***S. 2 g.*** **2.** O natural ou habitante de Iconha.

iconicidade [De *icônico* + *-(i)dade*.] ***S. f.*** **1.** *E. Ling.* Propriedade que têm certos elementos linguísticos de representar, por semelhança, o mundo real, ou de ser a imagem de um objeto real, como ocorre, p. ex., nas onomatopeias. [Cf. *arbitrariedade* (3).] **2.** *Semiol.* Propriedade que tem o signo (5) de representar, por semelhança, o mundo real, ou de ser a imagem de um objeto real; o grau de iconicidade de um signo é uma grandeza inversa de seu grau de abstração ou esquematização.

icónico ***Adj.*** V. *icônico*. [Uso freq. em P.]

icônico [Do gr. *eikonikós*, pelo lat. *iconicu*.] ***Adj.*** **1.** Pertencente ou relativo ao ícone. **2.** V. *icástico*. ~ V. *estátua —a* e *modelo —*.

iconista [De *icon(o)-* + *-ista*.] ***S. 2 g.*** Autor de ícones.

▲ **icon(o)-** [Do gr. *eikṓn, ónos*.] ***El. comp.*** = 'imagem': *iconólatra, iconoteca*. [Equiv.: *-icon(o)-*: *anisiconia*.]

▲ **-icon(o)-** Equiv. de *icon(o)-*.

iconoclasmo [De *icon(o)-* + gr. *klasmós*, 'ação de quebrar'; fr. *iconoclasme*.] ***S. m.*** Doutrina dos iconoclastas.

iconoclasta [Do gr. *eikonoklástes*.] ***Adj. 2 g.*** **1.** Diz-se de quem destrói imagens ou ídolos e, p. ext., obras de arte. **2.** Diz-se de pessoa que não respeita as tradições, a quem nada parece digno de culto ou reverência. ● ***S. 2 g.*** **3.** Indivíduo iconoclasta. **4.** *Rel.* Partidário da luta contra as imagens sagradas desencadeada no séc. VIII por Leão Isáurico (Leão II, 675-741). [Sin. ger.: *iconômaco*.]

iconoclastia [De *iconoclasta* + *-ia*[1].] ***S. f.*** Ação, dito ou procedimento de iconoclasta; iconoclastismo.

iconoclástico [De *iconoclasta* + *-ico*[2].] ***Adj.*** **1.** Relativo a iconoclastia, ou a iconoclasta. **2.** Que denota iconoclastia; próprio de iconoclasta: *procedimento iconoclástico*.

iconoclastismo [De *iconoclasta* + *-ismo*.] ***S. m.*** Iconoclastia: "Recalcado pelo catolicismo, o protesto [de Oswald de Andrade] estruge em Vinte e Dois, com o iconoclastismo da Semana [Semana de Arte Moderna]" (Antônio Cândido, *Brigada Ligeira*, p. 21).

iconofilia [De *icon(o)-* + *-filia*.] ***S. f.*** Arte de colecionar imagens, principalmente estampas.

iconofílico [De *iconofilia* + *-ico*[2].] ***Adj.*** Relativo à iconofilia.

iconófilo [De *icon(o)-* + *-filo*[2].] ***Adj. S. m.*** **1.** Que, ou aquele que é dado à iconofilia. **2.** Que, ou aquele que gosta muito da pintura, que é amigo dessa arte: "um pobre amigo da pintura, um modesto iconófilo, como eu, ... pode verdadeiramente amar a pintura, porque, não possuindo galeria sua, não tem egoísmo e preferências de posse e vaidade, e é capaz de, com igual amor, amar todas as admiráveis telas..." (Olavo Bilac, *Últimas Conferências e Discursos*, pp. 346-347).

iconografia [Do gr. *eikonographía*, pelo lat. *iconographia*.] ***S. f.*** **1.** Arte de representar por meio da imagem. **2.** Conhecimento e descrição de imagens (gravuras, fotografias, etc.). **3.** Documentação visual que constitui ou completa obra de referência e/ou de caráter biográfico, histórico, geográfico, etc. **4.** *P. ext.* Seção (8) encarregada da iconografia (3). [V. *documentação* (2). Cf. *icnografia*.]

iconográfico [De *iconografia* + *-ico*[2].] ***Adj.*** Relativo à iconografia. [Cf. *icnográfico*.]

iconógrafo [Do gr. *eikonográphos*.] ***S. m.*** Especialista em iconografia. [Cf. *icnógrafo*.]

iconólatra [De *icon(o)-* + *-latra*.] ***S. 2 g.*** Praticante da iconolatria.

iconolatria [De *icon(o)-* + *-latria*.] ***S. f.*** Adoração das imagens.

iconolátrico [De *iconolatria* + *-ico*[2].] ***Adj.*** Relativo à iconolatria.

iconologia [Do gr. *eikonología*.] ***S. f.*** **1.** Representação alegórica ou emblemática de entidades morais. **2.** Explicação de imagens ou monumentos antigos. **3.** Explicação das figuras alegóricas e seus atributos. **4.** Parte da história das belas-artes que estuda o tratamento dos assuntos em diversos artistas e épocas.

iconológico [De *iconologia* + *-ico*[2].] ***Adj.*** Relativo à iconologia.

iconologista [De *iconologia* + *-ista*.] ***S. 2 g.*** Iconólogo.

iconólogo [De *icon(o)-* + *-logo*.] ***S. m.*** Especialista em iconologia; iconologista.

iconómaco ***Adj. S. m.*** V. *iconômaco*. [Uso freq. em P.]

iconômaco [Do gr. *eikonómachos*.] ***Adj. S. m.*** V. *iconoclasta*.

iconomania [De *icon(o)-* + *-mania*.] ***S. f.*** Paixão por imagens ou quadros.

iconomaníaco [De *iconomania* + *-íaco*.] ***Adj.*** **1.** Relativo a iconomania. **2.** Que tem iconomania; iconômano. ● ***S. m.*** **3.** Aquele que tem iconomania; iconômano.

iconômano [De *icon(o)-* + *-mano*[1].] ***Adj. S. m.*** Iconomaníaco (2 e 3).

iconoscópio [De *icon(o)-* + *-scópio*.] ***S. m.*** *Eletrôn.* Tubo de raios catódicos utilizado em televisão, no qual se converte uma imagem óptica numa sequência de impulsos elétricos.

iconoteca [De *icon(o)-* + *-teca*.] ***S. f.*** **1.** Coleção iconográfica sistematizada. **2.** Local, em museus e bibliotecas, onde se guardam essas coleções.

icó-preto ***S. m.*** *Bras. Bot.* V. *icó*[1]. [Pl.: *icós-pretos*.]

icor (ô) [Do gr. *ichór*.] ***S. m.*** *Med. Obsol.* Sânie (1).

▲ **icos(a)-** [Do gr. *eikos-, eikosa-* < gr. *eíkosi*.] ***El. comp.*** = 'vinte': *icosandro*.

icosaédrico [De *icosaedro* + *-ico*[2].] ***Adj.*** Relativo a, ou que tem forma de icosaedro.

icosaedro [Do gr. *eikosáedron*, pelo lat. tard. *icosahedru*.] ***S. m.*** *Geom.* Poliedro de 20 faces.

icosagonal [De *icoságono* + *-al*[1].] ***Adj. 2 g.*** Relativo a icoságono.

icoságono [Do gr. *eikoságonos*.] ***S. m.*** *Geom.* Polígono de 20 lados. [A pronúncia correta seria *icosagono*, v. *-gono*.]

icosandria [De *icosandro* + *-ia*[1].] ***S. f.*** *Bot.* **1.** Qualidade de icosandro ou icosândrico. **2.** Antiga classe de plantas que têm 20 ou mais estames, no sistema de Lineu (v. *lineano*).

icosândrico [De *icosandro* + *-ico*².] *Adj. Bot.* Diz-se dos vegetais que têm 20 ou mais estames inseridos no cálice; icosandro.

icosandro [De *icos(a)-* + *-andro*.] *Adj. Bot.* Icosândrico.

icosânico [De *icosano* + *-ico*².] *Adj. Quím.* **1.** De, ou referente a icosano. ~ V. *ácido* —.

icosano [De *icos(a)-* + *-ano*².] *S. m. Quím.* Qualquer alcano com vinte átomos de carbono, esp. o linear [fórm.: $C_{20}H_{42}$].

icosanoide (ói) [De *icos(a)-* + *-an(o)-* + *-oide*.] *Bioquím. S. m.* **1.** Cada uma de um grupo de substâncias fosfolipídicas, derivadas do ácido araquidônico, grupo este que compreende as prostaglandinas e os leucotrienos. ● *Adj. 2 g.* **2.** Diz-se de icosanoide (1). ❖

icosteídeo [Adapt. do tax. *Icosteidae*.] *Zool. S. m.* **1.** Espécime dos icosteídeos, família de peixes perciformes, com um gênero e uma única espécie, a *Icosteus aenigmaticus* (v. *peixe-pano*). ● *Adj.* Pertencente ou relativo a eles.

icozeiro (cò) [De *icó*¹ + *-zeiro*.] *S. m. Bras. Bot.* V. *icó*¹.

icozinhos (cò) *Bras. S. 2 g. e 2 n.* **1.** *Etnôn.* Indivíduo dos icozinhos, povo indígena extinto que habitava o S.E. do Ceará. [Tb. us. com cap.] ● *Adj. 2 g. e 2 n.* **2.** Pertencente ou relativo a esse povo.

▲ **-icte** V. *icti(o)-*.

icterícia [Do lat. *icterus* (< gr. *íkteros*) + *-ícia*.] *S. f. Med.* Síndrome caracterizada por excesso de bilirrubina no sangue e deposição de pigmento biliar na pele e membranas mucosas, do que resulta a coloração amarela apresentada pelo paciente. [Var.: *iterícia*; sin., pop.: *triz*.]

ictérico [Do gr. *ikterikós*, pelo lat. *ictericu*.] *Med. Adj.* **1.** Relativo a, ou que apresenta icterícia. ● *S. m.* **2.** Indivíduo ictérico. [Var.: *itérico*.]

icterídeo [Do tax. *Icterus* (do gr. *íkteros*, 'certo pássaro amarelo-esverdeado') + *-ídeo*¹; tax. *Icteridae*.] *Zool. S. m.* **1.** Espécime dos icterídeos, família de aves passeriformes que, em modernas classificações, é considerada como a subfamília icterínea dos emberizídeos. ● *Adj.* **2.** Pertencente ou relativo a eles.

icteríneo [Adapt. do tax. *Icterinae*.] *Zool. S. m.* **1.** Espécime dos icteríneos, subfamília de aves emberizídeas, canoras, com plumagem de cores variadas, bico ou pequeno e forte, ou longo e cônico, asas ger. longas e pontudas, e cauda de tamanho variável. São sociais, ger. onívoras, sendo frugívoras as de maior porte. Habitam a América do Norte, Central e do Sul, e as Índias Ocidentais. São os japus, japins, graúnas e chupins. ● *Adj.* **2.** Pertencente ou relativo a eles.

▲ **icter(o)-** [Do gr. *íkteros, ou*, 'icterícia'; 'certo pássaro amarelo-esverdeado'.] *El. comp.* = 'icterícia'; 'amarelo': *icterocéfalo*; *icteroide*. [Equiv.: *-icter(o)-*: *anictérico*.]

▲ **-icter(o)-** Equiv. de *icter(o)-*.

icterocéfalo (ic) [De *icter(o)-* + *-céfalo*.] *Adj. Zool.* Que tem cabeça amarela.

icteroide (ói) [De *icter(o)-* + *-oide*.] *Adj. 2 g.* Semelhante à icterícia. ~ V. *tifo* —. ❖

icteromela (ic) [De *icter(o)-* + *-mela*.] *Adj. 2 g.* Que tem mistura de amarelo e negro.

▲ **ict(i)-** V. *icti(o)-*.

ictíco [Do gr. *ichthyikós*.] *Adj.* Relativo a, ou próprio de peixe.

ictilina [De *icti(o)-* + *(globu)lina*.] *S. f. Bioquím.* V. *ictulina*.

ictina [De *icti(o)-* + *(globul)ina*.] *S. f. Bioquím.* V. *ictulina*.

▲ **icti(o)-** [Do gr. *ichthýs, ýos* (ÿ nos casos dissílabos).] *El. comp.* = 'peixe': *ictiol*, *ictiologia*. [Equiv.: *ict(i)-*, *-icte*: *ictulina*, *malacicte*, *condricte*, *osteícte*.]

ictiobatráquio (ic) [De *icti(o)-* + *batráquio*.] *Adj. S. m. Zool.* Diz-se de, ou anfíbio ictiomorfo, *i. e.*, que tem caracteres de peixe ainda presentes, e que constitui forma de transição entre peixes e anfíbios.

ictiocola (ic) [Do gr. *ichthyókolla*, pelo lat. *ichthyocolla*.] *S. f.* Cola fabricada com a bexiga natatória de vários peixes cartilaginosos, sobretudo o esturjão.

ictiodonte (ic) [De *icti(o)-* + *-odonte*.] *S. m. Paleont.* Dente fossilizado de peixe.

ictiodorilite (ic) [De *icti(o)-* + gr. *dóry*, 'lança', + *-lite*.] *S. m. Paleont.* Substância fóssil, cônica e alongada, que se admite serem espinhos das barbatanas de certos peixes cartilaginosos; ictiodorilito.

ictiodorilito (ic) [De *icti(o)-* + gr. *dóry*, 'lança', + *-lito*.] *S. m. Paleont.* Ictiodorilite.

ictiofagia (ic) [Do gr. *ichthyophagía*.] *S. f.* Sistema alimentar em que o peixe é o principal elemento.

ictiofágico (ic) [De *ictiofagia* + *-ico*².] *Adj.* Referente à ictiofagia.

ictiófago [Do gr. *ichthyophágos*.] *Adj. S. m.* Que, ou aquele que pratica a ictiofagia.

ictiofauna [De *icti(o)-* + *fauna*.] *S. f. Zool.* O conjunto dos peixes de uma região.

ictiofaunístico [De *icti(o)-* + *faunístico*.] *Adj. Zool.* Da, relativo ou pertencente à ictiofauna.

ictiofiídeo (ic) [Adapt. do tax. *Ichthyophiidae*.] *Zool. S. m.* **1.** Espécime dos ictiofiídeos, família de anfíbios, terrestres na fase adulta, de hábitos noturnos, e que reúne 43 espécies distribuídas nos trópicos do Novo Mundo, S. da Ásia e Austrália. ● *Adj.* **2.** Pertencente ou relativo a eles.

ictiofobia (ic) [De *icti(o)-* + *-fobia*.] *S. f. Psiq.* Aversão patológica a peixes.

ictiofóbico (ic) [De *ictiofobia* + *-ico*².] *Psiq. Adj.* **1.** Relativo a ictiofobia. **2.** Que sofre de ictiofobia; ictiófobo. ● *S. m.* **3.** Aquele que sofre de ictiofobia; ictiófobo.

ictiófobo [De *icti(o)-* + *-fobo*.] *Adj. S. m. Psiq.* Ictiofóbico (2 e 3).

ictiografia (ic) [De *icti(o)-* + *-grafia*.] *S. f.* Descrição dos peixes; tratado sobre eles.

ictiográfico (ic) [De *ictiografia* + *-ico*².] *Adj.* Referente à ictiografia.

ictiógrafo [De *icti(o)-* + *-grafo*.] *S. m.* Especialista em ictiografia.

ictioide (ói) [Do gr. *ichthyoeidés*.] *Adj. 2 g.* Semelhante a um peixe; ictioídeo. ❖

ictioídeo [De *Ictioide* + *-eo*.] *Adj.* Ictioide.

ictiol [De *icti(o)-* + *-ol*³.] *S. m. Quím.* Substância orgânica, à base de betume natural sulfurado destilado e amônia, e que é usada no tratamento das moléstias da pele. [Pl.: *ictióis*.]

ictiólito [De *icti(o)-* + *-lito*; fr. *ichthyolithe*.] *S. m. Paleont.* Concreção calcária, ou arenítica, do cretáceo, e que contém peixe, ou fragmento de peixe fossilizado.

ictiologia (ic) [De *icti(o)-* + *-logia*.] *S. f.* Parte da zoologia que trata dos peixes.

ictiológico (ic) [De *ictiologia* + *-ico*².] *Adj.* Relativo à ictiologia.

ictiólogo [De *icti(o)-* + *-logo*.] *S. m.* Especialista em ictiologia.

ictiomorfo¹ (ic) [De *icti(o)-* + *-morfo*.] *Adj.* Que tem forma ou qualquer outra característica de peixe.

ictiomorfo² (ic) [Adap. do tax. *Ichthyomorpha*.] *S. m. Adj. Zool.* V. *caudado*².

ictiopsídeo (ic) [De *icti(o)-* + *-ops(i)-* + *-ídeo*¹; tax. *Ichthyopsida*.] *Zool. S. m.* **1.** Espécime dos ictiopsídeos, grupo de vertebrados que inclui os ágnatos, os peixes e os anfíbios. ● *Adj.* **2.** Pertencente ou relativo a eles.

ictiopsofose (ic) [De *icti(o)-* + gr. *psóphos*, 'ruído', + *-ose*¹.] *S. f.* Rumor produzido pelos peixes debaixo da água, e que parece resultar da vibração dos músculos da vesícula pulmonar.

ictiopterígio¹ (ic) [De *icti(o)-* + *-ptérigio*; lat. cient. *ichthyopterigium*.] *S. m. Zool.* **1.** Membro de vertebrado semelhante a nadadeira (1), seja em sua forma definitiva, seja no curso do desenvolvimento individual ou evolucionário da espécie. **2.** Cada uma das nadadeiras pares dos peixes.

ictiopterígio² (ic) [Adapt. do tax. *Ichthyopterygia*.] *Paleont. S. m.* **1.** Espécime dos ictiopterígios, subclasse de reptis que incluía uma única ordem, a dos ictiossauros. ● *Adj.* **2.** Pertencente ou relativo a eles.

ictiórnis [Do tax. *Ichthyornis*.] *S. f. 2 n. Paleont.* Ave neórnite, ictiornitídea, ictiorniforme, do tamanho de uma gaivota, e que se assemelhava a ela. Viveu no cretáceo da América do Norte, e constituía, ainda, uma forma primitiva, já que era dotada de dentes.

ictiornitídeo (ic) [Do lat. cient. *Ichthyornith-* (do tax. *Ichthyornis*; v. *ictiórnis*) + *-ídeo*; tax. *Ichthyornithidae*.] *Paleont. S. m.* **1.** Espécime dos ictiornitídeos, família de aves ictiorniformes do cretáceo superior. [V. *ictiórnis*.] ● *Adj.* **2.** Pertencente ou relativo a eles.

ictiornitiforme (ic... ni) [Do lat. cient. *Ichthyornith-* (v. *ictiornitídeo*) + *-iforme*; tax. *Ichthyornithiformes*.] *Paleont. S. m.* **1.** Espécime dos ictiornitiformes, ordem de aves primitivas, dotadas de dentes, e que pertencia à superordem das odontógnatas. ● *Adj. 2 g.* **2.** Pertencente ou relativo a eles.

ictiose [De *icti(o)-* + *-ose*¹.] *S. f. Derm.* Dermatose caracterizada pela secura e aspereza da pele, a qual, por hipertrofia de sua camada córnea, se torna escamosa como a dos peixes.

ictiossauro (ic) [De *icti(o)-* + *-sauro*, tax. *Ichthyosauria*.] *Paleont. S. m.* **1.** Espécime dos ictiossauros, ordem de reptis perfeitamente adaptados ao meio aquático, com forma de peixe, nadadeiras derivadas dos membros anteriores, nadadeira caudal semelhante à dos cetáceos, e olhos muito grandes e circulares. Viveram na Europa e mediam de 4,5m até 12m. ● *Adj.* **2.** Pertencente ou relativo a eles.

ictiostega [Do tax. *Ichthyostega*.] *S. m. Paleont.* **1.** Gênero de anfíbios ictiostegídeos, o mais antigo e mais claramente identificado vertebrado terrestre de que se tem notícia, ancestral de todos os anfíbios, reptis, aves e mamíferos. Vestígios dele foram encontrados na Groenlândia, onde viveu no devoniano; tinha quatro patas, mas mantinha ainda algumas características dos peixes: o final da cauda era dotado de uma nadadeira caudal, e a cabeça era achatada e afusada como ger. é a dos animais que nadam; poss., mexiam-se lentamente, em terra. **2.** Espécie ou espécime desse gênero.

ictiostegídeo (ic) [Do tax. *Ichthyostega* + *-ídeo*¹; tax. *Ichthyostegidae*.] *Paleont. S. m.* **1.** Espécime dos ictiostegídeos, família de anfíbios fósseis, labirintodontes, com características semelhantes às dos peixes crossopterígios. Viveram no devoniano da Groenlândia e são ancestrais prováveis dos vertebrados terrestres. ● *Adj.* **2.** Pertencente ou relativo a eles.

icto [Do lat. *ictu*.] *S. m.* **1.** *E. Ling.* Numa unidade métrica, a sílaba acentuada. **2.** *Med.* V. *íctus*. (2) **3.** *Mús.* Acentuação do tempo forte de determinados compassos (ger. o primeiro e o último) compreendidos dentro de um desenho temático, de um ritmo ou de uma frase musical.

ictulina [De *ict(i)-* + *(glob)ulina*.] *S. f. Bioquím.* Proteína conjugada que contém ferro e fósforo, encontrada em ovos de peixes. [Sin.: *ictilina*, *ictina*.]

íctus [Do lat. *ictus* (nom.), 'marcação de compasso'.] *S. m. 2 n.* **1.** V. *icto*. **2.** *Med.* Choque (12), golpe, acesso, ou ataque súbito.

■ **I.C.V.** Sigla de *índice do custo de vida*.

id [Do lat. *id*, 'isso'.] *S. m. Psican.* A parte mais profunda da psique, receptáculo dos impulsos instintivos, dominados pelo princípio do prazer e pelo desejo impulsivo. [Cf. *ide*, do v. *ir*.]

■ **id** Abrev. de *idem*.

ida [F. subst. de *ido*².] *S. f.* **1.** Ato ou movimento de ir(-se); partida. **2.** Jornada de ida: *A ida do Rio a Resende levou três horas.* **3.** Bilhete de viagem só de ida: *Comprei apenas a ida — a volta você compra lá.* [Cf. *Ida*, antr. e top.]

I

▲ **-ida**¹ [Adapt. do lat. cient. *-ida*, neutro pl. do lat. cient. *-ides*.] *Suf. nom.* átono, da terminologia científica, com o sentido, em Zool., de 'espécime de ordem (26), classe (16), ou família de animais', e, em Astr., 'meteoro oriundo de chuva proveniente duma determinada constelação', alternando-se, em ambos os casos, por vezes, com *-ídeo*¹ (q. v.): *monactinélida*; *picnogônida*; *bradipódida*, *carângida*, *dasiátida*, *prociônida*; *cefeida*.

▲ **-ida**² V. *-oide*.

▲ **-ida**³ [Subst. do f. de *-ido*, do part. (v. *-ido*¹).] *Suf. nom.* tônico = 'ação' ou 'resultado de ação enérgica (ou ligeira)': *acolhida*, *acometida*, *batida*, *despedida*, *escapulida*, *fugida*.

▲ **-ida**⁴ V. *-ídeo*².

▲ **-ida**⁵ [Do lat. *-ides*, formador de patronímicos.] *Suf. nom. átono* = 'filho de'; 'que descende de'; 'natural de': *abácida*, *abádida*, *abraâmida*, *fatímida*, *selêucida*; *amazônida*.

idade [Do lat. *aetate*.] *S. f.* **1.** Número de anos de alguém ou de algo: *Tem 25 anos de idade.* [Sin. (bras., pop.): *era*.] **2.** Duração ordinária da vida: *A idade do cachorro é, em média, de uns oito anos.* **3.** Época da vida: *Foi feliz em todas as idades.* **4.** Estádio da existência; fase: *A adolescência é a idade das ilusões.* **5.** Velhice (1): *São achaques da idade.* **6.** Tempo, época: *Está na idade de estudar.* **7.** Qualquer época da civilização que apresenta determinadas características culturais ou sociais; era: *a idade pastoril; a idade industrial; a idade atômica.* **8.** Período histórico ou pré-histórico: *a idade dos descobrimentos; a idade da pedra; a idade dos metais.* **9.** *Astr.* Tempo de existência de um corpo celeste. **10.** *Impr.* Designação de eras, épocas e períodos geológicos, ocasionada por sua relação com as idades pré-históricas. ◆ **Idade da maré.** *Ocean.* Intervalo de tempo entre a lua cheia ou a lua nova e seu efeito máximo sobre a amplitude da maré ou a corrente de maré; idade de desigualdade de fase. **Idade da onda.** *Ocean.* Relação entre a celeridade da onda e a velocidade do vento que a está gerando. [É um índice do grau de desenvolvimento da onda.] **Idade da pedra lascada.** Período paleolítico. **Idade da pedra polida.** Período neolítico. **Idade de Cristo.** A idade de 33 anos: *O poeta Antônio Nobre morreu com a idade de Cristo.* **Idade de desigualdade de fase.** *Ocean.* Idade da maré. **Idade do gelo.** *Geol.* **1.** Intervalo de tempo em que continentes estão cobertos pelo gelo. [As idades do gelo perduram por dezenas de milhões de anos, com intervalos de 150 milhões de anos entre elas.] **2.** *Restr.* O período de tempo em que a maior parte da Europa e da América do Norte se encontrava coberta pelo gelo. [Com cap., nesta acepç.] **Idade do Universo.** *Cosm.* Intervalo de tempo decorrido desde a singularidade prevista na teoria da grande explosão (v. *bigue-bangue*) e os tempos atuais. [O valor estimado pode variar entre sete e 20 bilhões de anos.] **Idade hipotérmica.** *Geol.* Intervalo de tempo pós-glacial (os últimos 2.600 anos) caracterizado por moderado decréscimo de temperatura, algumas expansões glaciais restritas e abaixamento do nível marinho. **Idade Média.** Período histórico da Europa, compreendido entre o começo do séc. V e meados do séc. XV, marcado esp. pelo feudalismo. **Idade maçônica.** *Maç.* Contagem do número de anos de um maçom a partir da data da sua iniciação. **Idade pós-glacial.** *Geol.* Intervalo de tempo subsequente ao último período glacial plistocênico, correlacionável ao holoceno. **De idade.** Idoso (pessoa): *um senhor de idade.*

▲ -(i)dade [Do lat. *-(i)tate.*] ***Suf.*** formador de substantivos a partir de adjetivos = 'qualidade'; 'caráter', 'atributo'; 'o que é próprio de', 'modo de ser'; 'estado'; 'admiração', 'apreço', 'amor': *pluralidade* (< lat.), *latinidade* (< lat.), *normalidade, orfandade* (< lat.), *crueldade* (< lat.), *imparcialidade, americanidade, germanidade.* [Nos adjetivos em *-vel* (q. v.), quando acrescidos do suf. *-(i)dade*, ocorre a reconstituição natural da forma latina *-bil-* (lat. *amabĭlis*, 'amável', + lat. *-(ĭ)tas, ātis*> *amabilĭtas, atis*, 'amabilidade'), gerando, portanto, no padrão erudito, termos em *-bilidade*, tais como: *incompatibilidade* (*incompatível* + *-(i)dade*), *inflexibilidade, plausibilidade, negociabilidade, solubilidade.*] [Equiv.: *-edade* (q. v.) e *-eidade* (q. v.). As formas em *-ndade* advêm de formas latinas em que se verifica a síncope da vogal posterior à consoante nasal (*bondade, orfandade, virgindade*), resultando na nasalação da vogal anterior, ou de formas vernáculas analógicas (*leviandade*).]

idálico [De *idálio* + *-ico*².] ***Adj.*** Idálio.

idálio [Do lat. *idaliu.*] ***Adj.*** **1.** Referente a Idálio, cidade e monte consagrados a Vênus, na ilha de Chipre (mar Mediterrâneo). **2.** Respeitante a Vênus. [F. paral.: *idálico.*]

▲-idão [Do lat. *-(i)tudine*, por via pop.] ***Suf. nom.*** V. *-(t)ude.*

▲-idas V. *-ídeo*¹.

iddingsita [Do antr. (*Joseph P.*) *Iddings* (-1920), geólogo norte-americano, + *-ita*³.] ***S. f. Min.*** Mineral ortorrômbico, mistura de silicatos de ferro, magnésio e cálcio, produzida por alteração da olivina.

▲-ide¹ V. *-ídeo*¹.

▲-ide² V. *-ídeo*².

▲-ide³ [Do lat. *-id-.*] ***Suf. nom.*** = 'estrutura', 'corpo', 'elemento': *cromátide, omátide.*

ideação [De *idear* + *-ção*; ingl. *ideation.*] ***S. f.*** Formação da ideia; concepção: "teoricamente, ... parece-me tal noção perfeitamente clara, facilmente concebível, de ideação distinta" (Antônio Sérgio, *Cartas do Terceiro Homem*, p. 67).

ideal [Do lat. tard. *ideale.*] ***Adj. 2 g.*** **1.** Que existe somente na ideia; imaginário, fantástico: *O sonhador não abre mão de sua riqueza ideal.* **2.** Que é a síntese de tudo a que aspiramos, de toda a perfeição que concebemos ou se pode conceber: "Vi a criança mais ideal, mais pura / Que os olhos meus têm visto!" (Guerra Junqueiro, *A Morte de D. João*, p. 244); "Pode rugir a carne... Embora! Dela acima / Paira o espírito ideal que a purifica e anima" (Olavo Bilac, *Poesias*, p. 139). ~ V. *fluido —, gás —, líquido —, parte —, pêndulo —, plano —, ponto —, reta —, solução —* e *valor —.* ● ***S. m.*** **3.** Aquilo que é objeto da nossa mais alta aspiração intelectual, estética, espiritual, afetiva, ou de ordem prática: *ideal de cultura;* "O meu ideal de beleza estava nas donzelas finas, desbotadas, louras" (Graciliano Ramos, *Infância*, p. 242). **4.** O modelo sonhado ou ideado pela fantasia de um artista, de um poeta. **5.** *Álg.* Subconjunto *I* de um anel *R*, estável sob adição, e que contém qualquer elemento *cx* ou *xc*, desde que *c* pertença a *R*, e *x*, a *I*.

idealidade [De *ideal* + *-(i)dade.*] ***S. f.*** **1.** Qualidade de ideal. **2.** Propensão ou inclinação do espírito para o ideal; idealismo.

idealismo [De *ideal* + *-ismo.*] ***S. m.*** **1.** Idealidade (2). **2.** *Filos.* Tendência, atitude ou doutrina que, em graus e sentidos diversos, reduz o ser ao pensamento ou a alguma entidade de ordem subjetiva, considerando que o espírito, ou a consciência, ou as ideias, ou a vontade, etc., são o dado primário com base no qual se há de resolver os problemas filosóficos. [Imensa é a contribuição das escolas idealistas ao progresso científico e cultural, sobretudo pela conquista de métodos lógicos rigorosos, que, em grande parte, são fruto da reflexão sobre o pensamento empreendida pelos idealistas de todas as épocas, e pela sua confiança no valor e no poder da atividade racional. Contudo, no tocante a situações sociais e econômicas, o idealismo tem servido, em razão da menor importância que atribui como orientação geral aos fatos objetivos, de instrumento de ocultação das origens e condicionamentos materiais daquelas situações, atribuindo-lhes origens abstratas e servindo, assim, a grupos ou classes que se interessam pela manutenção de tais situações.] [Cf., nesta acepç., *materialismo* (2).] **3.** *Estét.* Doutrina segundo a qual a finalidade da arte é a representação fictícia de algo que será mais satisfatório para o espírito do que a realidade objetiva. ◆ **Idealismo absoluto.** *Hist. Filos.* V. *hegelianismo.* **Idealismo crítico.** *Hist. Filos.* Idealismo transcendental. **Idealismo objetivo.** *Filos.* Idealismo que reduz o ser a um espírito, ou consciência ou vontade supraindividual. **Idealismo subjetivo.** *Filos.* Idealismo que reduz o ser à sensação, à representação ou às ideias do indivíduo, como, p. ex., o imaterialismo de Berkeley. [Cf. *solipsismo* (1) e *subjetivismo* (2 e 3).] **Idealismo transcendental.** *Hist. Filos.* Doutrina própria do kantismo (q. v.), em que se consideram os fenômenos, sem exceção, como simples representações, e não como coisas em si; idealismo crítico.

idealista [De *ideal* + *-ista.*] ***Adj. 2 g.*** **1.** Respeitante ao, ou próprio do idealismo; idealístico. **2.** Que é sectário do idealismo. ● ***S. 2 g.*** **3.** Sectário dele. **4.** Sonhador, devaneador.

idealistamente [De *idealista* + *-mente.*] ***Adv.*** Idealisticamente.

idealisticamente (ìs) [Do f. de *idealístico* + *-mente.*] ***Adv.*** De modo idealístico; idealistamente: "já não estamos em tempo, nem em disposição, de tratar do problema [da filologia] idealisticamente e sim realisticamente." (Tristão de Ataíde, *Estudos*, 3.ª série, I, p. 240).

idealístico [De *idealista* + *-ico*².] ***Adj.*** Idealista (1).

idealização [De *idealizar* + *-ção.*] ***S. f.*** Ato, efeito ou faculdade de idealizar(-se).

idealizador (ô) [De *idealizar* + *-dor.*] ***Adj. S. m.*** Que, ou aquele que idealiza.

idealizar [De *ideal* + *-izar.*] ***V. t. d.*** **1.** Dar caráter ideal a; tornar ideal: *Os poetas românticos idealizaram a mulher;* "O romantismo idealizava tudo." (Tristão de Ataíde, *Afonso Arinos*, p. 159). **2.** Criar na imaginação; imaginar, fantasiar. **3.** Projetar, planear, planejar, programar: *Oscar Niemeyer idealizou o Palácio da Alvorada.* ***P.*** **4.** Imaginar-se de maneira ideal.

idealizável [De *idealizar* + *-vel.*] ***Adj. 2 g.*** Que pode ser idealizado.

idear [De *ideia* + *-ar*², seg. o padrão erudito.] ***V. t. d.*** **1.** Criar na ideia, na imaginação; imaginar, fantasiar, idealizar: "Ideou então o canto esponsalício e quis compô-lo; mas a inspiração não pôde sair." (Machado de Assis, *Histórias sem Data*, pp. 41-42); "Quem ideou os símbolos políticos do Brasil independente foi o imortal Patriarca [José Bonifácio de Andrada e Silva]" (Basílio de Magalhães, *O Café*, p. 172). **2.** Projetar, planejar, planear, delinear, programar: *idear uma grande viagem.* **3.** Dar a ideia de. [Pres. ind.: *ideio, ideias, ideia, ideamos, ideais, ideiam;* pres. subj.: *ideie, ideies, ideie, ideemos, ideeis, ideiem.*]

ideário [De *ideia* + *-ário.*] ***S. m.*** Conjunto ou sistema de ideias políticas, sociais, econômicas, etc.: *o ideário da Revolução Francesa.*

ideativo [De *idear* + *-tivo.*] ***Adj.*** Relativo a ideia ou ideias: "Eu considero .... as Américas, a Índia, a China, o Japão e a Rússia como os atores principais no futuro drama da nascente cultura integral ou ideativa." (Fidelino de Figueiredo, *Entre Dois Universos*, p. 198).

ideável [De *idear* + *-vel.*] ***Adj. 2 g.*** Que se pode idear.

ideia (éi) [Do gr. *idéa*, do v. gr. *ideîn*, infinitivo aoristo de *horân*, 'ver'; lat. *idea.*] ***S. f.*** **1.** Representação mental de uma coisa concreta ou abstrata; imagem: *Faz uma ideia falsa do simbolismo.* **2.** Elaboração intelectual; concepção: *A ideia do livro fora sua.* **3.** *P. ext.* Projeto, plano: *Tenho ideia de viajar.* **4.** Invenção, criação: *Que feliz ideia, a de* Guerra e Paz, *de Tolstoi!* **5.** Maneira particular de ver as coisas; opinião, conceito, juízo: *Não tenho ideia formada sobre o assunto.* **6.** Visão imaginária, irreal; imaginação, quimera, sonho: *Isto não passa de ideia: a realidade é outra.* **7.** Mente, pensamento: *O caso não me sai da ideia; Tenho na ideia não voltar mais.* **8.** Conhecimento, memória, lembrança: *Com a idade, perdeu a ideia das coisas.* **9.** Noção, informação: *Não tinha ideia do que foi a briga.* **10.** Tino, juízo. **11.** *Filos.* O que é, nos seres, objeto de pensamento. **12.** *Filos.* Os objetos de pensamento enquanto pensados; representação. [Cf., nesta acepç., *conceito* (1) e *essência* (6).] **13.** *Hist. Filos.* Segundo Platão (v. *platonismo*), modelo das coisas sensíveis, eterno e imutável, objeto de contemplação pelo pensamento; forma. **14.** *Bras. Pop.* V. *cabeça* (1): *Levou uma pancada na ideia e caiu duro.* **15.** *Bras. Gír.* Comunicação; entendimento: "– Estava na praia, quando um guarda municipal me acusou de roubo. Expliquei que, se eu tivesse feito algo, não ia ficar ali. Mas não teve ideia. Fui para a delegacia e, de lá, para o Padre Severino." (*O Globo*, 05.12.2007.) [Cf. *edeia.*] ~ V. *ideias.* ◆ **Ideia adventícia.** *Hist. Filos.* Segundo Descartes (v. *cartesianismo*), ideia que, através dos sentidos, provém de coisa exterior ao espírito. **Ideia delirante.** *Psiq.* Ideia errada ou falsa, tida como verdadeira pelo que delira. **Ideia factícia.** *Hist. Filos.* Segundo Descartes (v. *cartesianismo*), ideia construída arbitrariamente pelo espírito. **Ideia fixa.** *Psiq.* Obsessão (2). **Ideia geral.** *Lóg.* Ideia resultante de generalização. **Ideia inata.** *Hist. Filos.* Segundo Descartes (v. *cartesianismo*), ideia que se concebe em razão da própria natureza do espírito. **Ideia transcendental.** *Hist. Filos.* Segundo Kant (v. *kantismo*), ideia que não deriva nem dos sentidos nem do entendimento, mas que é necessariamente concebida pela razão. Distinguem-se a ideia da alma (correspondente à unidade absoluta do sujeito pensante), a ideia de mundo (correspondente à sistematização completa dos fenômenos) e a ideia de Deus (correspondente à unidade de todas as existências). **Alertar as ideias.** *Bras. Pop.* V. *embriagar* (4). **Trocar uma ideia.** *Bras. Gír.* V. *bater papo.* ❖

ideias (éi) [Pl. de *ideia.*] ***S. f. pl.*** Conjunto dos pensamentos ou concepções de um indivíduo ou de um grupo social em qualquer domínio; teoria, doutrina, filosofia; ponto de vista; opinião: *Cada um tem suas ideias; Há entre eles perfeita comunhão de ideias.* ~ V. *ideia.* ❖

➔idem ['ide(m)] [Lat., 'o mesmo'.] ***Pron.*** **1.** A mesma coisa. **2.** O mesmo autor. **3.** Da mesma forma, etc. [Us. para evitar repetições. Abrev.: *id.*]

idempotente [De *idem* + *potente.*] ***S. m.*** **1.** *Álg.* Elemento idempotente. ● ***Adj. 2 g.*** **2.** ~ V. *elemento —* e *operação —.*

idêntico [Do lat. med. *identicu.*] ***Adj.*** **1.** Perfeitamente igual. **2.** *P. ext.* Semelhante, análogo: "O sertão do Norte oferecia então aos ricos fazendeiros uma ocupação idêntica à das correrias de lobos e outros animais daninhos, em que se empregava a atividade dos nobres no reino." (José de Alencar, *O Sertanejo*, p. 197.) ~ V. *polinômios —s.*

identidade [Do lat. tard. *identitate.*] ***S. f.*** **1.** Qualidade de idêntico: *Há entre as concepções dos dois perfeita identidade.* **2.** Conjunto de caracteres próprios e exclusivos de uma pessoa: nome, idade, estado, profissão, sexo, defeitos físicos, impressões digitais, etc. **3.** O aspecto coletivo de um conjunto de características pelas quais algo é definitivamente reconhecível, ou conhecido: *estabelecer a identidade de peças tombadas.* **4.** Cédula de identidade. **5.** *Álg.* Elemento identidade. **6.** *Filos.* Qualidade do que é o mesmo (q. v.). [Cf., nesta acepç., *alteridade.*] **7.** *Mat.* Relação de igualdade válida para todos os valores das variáveis envolvidas. ◆ **Identidade visual.** **1.** Personalidade visual de empresa, resultante do efeito iterativo das características comuns de suas imagens visuais. **2.** Conjunto de elementos gráfico-visuais padronizados (logotipo, uniformes, embalagens, papéis de correspondência, etc.) que estabelece essa personalidade.

identificabilidade [De *identificável* (*identificabil-*) + *-(i)dade*, seg. o padrão erudito.] ***S. f.*** Qualidade de identificável.

identificação [De *identificar* + *-ção.*] ***S. f.*** **1.** Ato ou efeito de identificar(-se). **2.** Reconhecimento duma coisa ou dum indivíduo como os próprios. **3.** Documento ou crachá que identifica alguém.

identificador (ô) [De *identificar* + *-dor.*] ***Adj.*** **1.** Que identifica ou serve para identificar. ● ***S. m.*** **2.** Aquele ou aquilo que identifica. **3.** *Inform.* Em um programa-fonte, qualquer um dos nomes definidos pelo programador (2) para referir-se aos elementos do programa (como variáveis, rotinas, etc.).

identificar [Do lat. med. *identificare.*] ***V. t. d.*** **1.** Tornar idêntico, igual: *A individualidade é tão forte que é impossível identificar duas pessoas.* **2.** Determinar a identidade (2 e 3) de. **3.** Determinar a origem, a natureza, as características de. **4.** Determinar a classificação taxonômica de (organismo). **5.** Fazer de (várias coisas) uma só: *Um raciocínio rigoroso não pode identificar categorias diferentes.* **6.** Reconhecer (algo ou alguém) como o mesmo que fora previamente mencionado, visto, etc.: *Não foi difícil para a testemunha identificar o criminoso.* ***T. d. e i.*** **7.** Tornar idêntico: *Sua atuação o identifica aos desonestos.* ***P.*** **8.** Tomar o caráter de. **9.** Compenetrar-se do que outrem sente ou pensa. **10.** Compartilhar sentimentos ou ideias com uma pessoa, ou um grupo: *Identificou-se muito com o novo colega de turma.* **11.** Afazer-se, ajustar-se. **12.** Apresentar dados ou documentos, etc., para a própria identificação: *Muitas pessoas não se identificam à entrada da fábrica.* [Conjug.: v. *trancar.*]

identificável [De *identificar* + *-vel.*] ***Adj. 2 g.*** Que pode ser identificado.

identitário [De *identidade* (sob o rad. lat. *identit-*) + *-ário.*] ***Adj.*** Relativo à identidade de um indivíduo, grupo, etc., ou dela próprio.

▲ideo- [Do gr. *idéa, as*.] *El. comp.* = 'aparência'; 'princípio', 'ideia': *ideograma; ideofrenia, ideologia*. [Equiv.: *-ide(o)-: monoideísmo*.]

▲-ide(o)- Equiv. de *ideo-*.

▲-ídeo[1] [Adapt. do lat. cient. *-idae*, pl. do lat. *-ides* < gr. *-ides*, 'filho de'.] *El. comp.* que designa, em Zool., ger. 'espécime de (família de)', e, no pl., 'família de (animais)' (v. *-ida*[1]); em Astr., designa 'meteoro oriundo de chuva proveniente duma determinada constelação': *equídeo, anelídeos; quadrantídeo*. [Equiv.: *-ida*[1], *-idas, -ide*[1], *-ídio*[1], *-ido*[3]: *gádida; équidas; acócli de; bielídio, equeneido*.]

▲-ídeo[2] *Quím. Suf.* us. para formar nomes de compostos derivados de, ou relacionados a uma classe de substâncias, e que é acrescentado à raiz da palavra ou a uma f. red. dela (*lipídeo, peptídeo*). [Pode alternar com *-ida*[4] (*anilida*), *-ide*[2] (*lípide*), *-ídio*[2] (lipídio), *-ido*[2] (*glicosido*).]

▲-ídeo[3] V. *-oide*.

ideofobia (id) [De *ideo-* + *-fobia*.] *S. f. Psiq.* **1.** Medo mórbido de perder a razão. **2.** Medo ou desconfiança de ideia(s).

ideofóbico (id) [De *ideofobia* + *-ico*[2].] *Adj.* **1.** Relativo à ideofobia. **2.** Que tem ideofobia; ideófobo. ● *S. m.* **3.** Aquele que tem ideofobia; ideófobo.

ideófobo [De *ideo-* + *-fobo*.] *Adj. S. m.* Ideofóbico (2 e 3).

ideofrenia (id) [De *ideo-* + *-fren(o)-* + *-ia*[1]; termo proposto por Joseph Guislain (1797-1860).] *S. f. Psiq.* Distúrbio (3) caracterizado pela presença de ideias delirantes.

ideofrénico (id) *Adj. Psiq.* V. *ideofrênico*. [Uso freq. em P.]

ideofrênico (id) [De *ideofrenia* + *-ico*[2].] *Adj. Psiq.* Relativo à ideofrenia.

ideogenia (id) [De *ideo-* + *-genia*.] *S. f.* Ciência que trata da origem das ideias.

ideogénico (id) *Adj.* V. *ideogênico*. [Uso freq. em P.]

ideogênico (id) [De *ideogenia* + *-ico*[2].] *Adj.* Referente à ideogenia.

ideografe (id) *S. m. E. Ling.* Ideograma.

ideografia (id) [De *ideo-* + *-grafia*.] *S. f.* **1.** Representação das ideias por meio de sinais que reproduzem objetos concretos. **2.** Sistema de sinais constitutivos de escrita analítica.

ideográfico (id) [De *ideografia* + *-ico*[2].] *Adj.* Respeitante à ideografia. ~ V. *escrita —a*.

ideografismo (id) [De *ideo-* + *-graf(o)-* + *-ismo*.] *S. m.* Aplicação do sistema ideográfico.

ideógrafo [De *ideo-* + *-grafo*.] *S. m.* **1.** Aquele que se ocupa com a ideografia. **2.** *E. Ling.* Manuscrito não autógrafo, mas escrito sob controle direto do autor. [Cf. *idiógrafo*.]

ideograma (id) [De *ideo-* + *-grama*.] *S. m. E. Ling.* Cada um dos elementos de uma escrita ideográfica (q. v.); ideografe.

ideogramático (id) [De *ideograma* + *-ático*.] *Adj.* Relativo a, ou próprio de ideograma; ideogrâmico.

ideogrâmico (id) [De *ideograma* + *-ico*[2].] *Adj.* Ideogramático: 📖 "Verifica-se, aí, o passo inventivo mais ousado de Francisco Xavier da Silva, que atribui à letra I valor ideogrâmico na representação visual do báculo ou símbolo do poder do bispo." (Afonso Ávila, *Resíduos Seiscentistas em Minas*, I, p. 48.)

ideologia (id) [De *ideo-* + *-logia*.] *S. f.* **1.** Ciência da formação das ideias; tratado das ideias em abstrato; sistema de ideias. **2.** *Filos.* Conjunto articulado de ideias, valores, opiniões, crenças, etc., que expressam e reforçam as relações que conferem unidade a determinado grupo social (classe, partido político, seita religiosa, etc.) seja qual for o grau de consciência que disso tenham seus portadores. **3.** *Polít.* Sistema de ideias dogmaticamente organizado como um instrumento de luta política. **4.** Conjunto de ideias próprias de um grupo, de uma época, e que traduzem uma situação histórica: 🖹 *ideologia burguesa*. [Cf. *edeologia*.]

ideologicamente (id...lò) [Do f. de *ideológico* + *-mente*.] *Adv.* De modo ideológico: 📖 "Cada qual votou num mito: uns votaram nos seus chefes ideologicamente inexistentes" (Mário de Andrade, *Os Filhos da Candinha*, p. 110).

ideológico (id) [De *ideologia* + *-ico*[2].] *Adj.* Relativo à ideologia. ~ V. *falsidade —a* e *família —a*. [Cf. *edeológico*.]

ideologizar [De *ideologia* + *-izar*.] *V. t. d.* Dar caráter ideológico a.

ideólogo [De *ideo-* + *-logo*.] *S. m.* Aquele que se ocupa da ideologia (1), ou é versado nela: 📖 "Todos os ideólogos, os filósofos, os homens de altos sistemas sociais" (Eça de Queirós, *Ecos de Paris*, p. 103).

▲-ídeos V. *-ídeo*[1].

ideosfera (id) [De *ideo-* + *-sfera*.] *S. f. Geogr.* Antroposfera.

➔id est [id ɛst] [Lat.] Isto é. [Abrev.: *i. e.*]

■ **IDH** Abrev. de *índice de desenvolvimento humano*: 📖 "Eu [Nélson Savioli] nasci .... em São Caetano do Sul, que atualmente tem o melhor IDH do país" (Luís Moura, *Jeito Carioca na Gestão de Pessoas*, p. 349).

ídiche *S. m.* V. *iídiche*.

idieléctrico *Adj.* V. *idielétrico*.

idielétrico [De *idi(o)-* + *elétrico*.] *Adj.* Diz-se das substâncias que se eletrizam por fricção: isolantes, coibentes, maus condutores.

idílico [De *idílio* + *-ico*[2].] *Adj.* **1.** Relativo a idílio. **2.** Que lembra o idílio, pelo ambiente campestre e pelo amor suave e terno; próprio de idílio: 🖹 *um cenário idílico*. [Cf. *edílico*.]

idílio [Do gr. *eidýllion*, pelo lat. *idylliu*.] *S. m.* **1.** *Arte Poét.* Pequena composição poética de caráter campestre ou pastoril. **2.** Amor poético e suave: 📖 "Como Laforgue, o poeta [Mário Pederneiras] vivia contente, não pedindo mais que continuar o seu idílio com aquela que lhe fixara a ventura" (Tristão da Cunha, *Cousas do Tempo*, p. 199). **3.** Entretenimento amoroso; galanteio. **4.** Fantasia, sonho, devaneio.

idilismo [De *idílio* + *-ismo*.] *S. m.* Tendência e/ou gosto para transformar em idílio (4).

idilista [De *idílio* + *-ista*.] *S. 2 g.* Pessoa que compõe idílios.

idilizar [De *idílio* + *-izar*.] *V. int.* Fazer idílio (3): 📖 "Mesurado, donairosíssimo, diserto, dameja, corteja, galanteia, idiliza" (Martins Fontes, *A Dança*, p. 53).

▲-idina *Quím. Suf.* Indica composto químico relacionado em sua origem, ou estrutura, a outro composto químico, esp. o que é deste derivado por hidrogenação: *imidazolidina*.

▲idi(o)- [Do gr. *idio-* < gr. *ídios, a* ou *os, on*.] *El. comp.* = 'próprio', 'peculiar': *idiocrômico, idiólatra*.

▲-ídio[1] V. *-ídeo*[1].

▲-ídio[2] V. *-ídeo*[2].

▲-ídio[3] V. *-oide*.

▲-ídio[4] [Do lat. cient. *-idium*.] *Suf. nom.* = 'estrutura', 'corpo', 'elemento': *omatídio*.

idioadaptação [De *idi(o)-* + *adaptação*.] *S. f. Ecol.* No processo evolutivo de uma espécie, modificação com especialização progressiva, e que resulta em perfeita adaptação dos indivíduos a um determinado meio, restringindo-lhes a distribuição.

idiobiologia [De *idi(o)-* + *biologia*.] *S. f.* Ramo da biologia que se ocupa do estudo de organismos como indivíduos.

idiobiologista [De *idiobiologia* + *-ista*.] *S. 2 g.* Especialista em idiobiologia.

idioblástico [De *idioblasto* + *-ico*[2].] *Adj.* Pertencente ou relativo ao idioblasto.

idioblasto [De *idi(o)-* + *-blasto*.] *S. m. Bot.* Célula diferente das demais, em forma, dimensão, espessura de parede, conteúdo e funções, e que pode estar isolada ou apresentar-se em grupo. Ex.: a esclereide.

idiocromático [De *idi(o)-* + *cromático*.] *Adj. Min.* Idiocrômico.

idiocrómico *Adj. Min.* V. *idiocrômico*. [Uso freq. em P.]

idiocrômico [De *idi(o)-* + *-crom(o)-* + *-ico*[2].] *Adj. Min.* Diz-se do mineral cuja cor é constante e não provém de impurezas; idiocromático.

idiocromossomo [De *idi(o)-* + *cromossomo*.] *S. m. Biol.* V. *cromossomo sexual*.

idioeléctrico *Adj.* V. *idielétrico*.

idiofone [De *idi(o)-* + *-fone*.] *S. m. Mús.* Instrumento idiófono (q. v.). Ex.: xilofone, sino, castanhola.

idiofónico *Adj. Mús.* V. *idiofônico*. [Uso freq. em P.]

idiofônico [De *idiofone* + *-ico*[2].] *Adj. Mús.* Relativo a idiofone.

idiófono [De *idi(o)-* + *-fono*.] *Adj. Mús.* Na classificação organológica de Curt Sacks (1881-1959), diz-se de qualquer instrumento (5) cujo som é produzido pelo próprio material de que é constituído; autófono. [Cf. *aerófono, cordófono, eletrófono* e *membranófono*. V. *organologia*.]

idiógino [De *idi(o)-* + *-gino*.] *Adj. Bot. P. us.* Diz-se das plantas cujo pistilo está em flores diferentes das que contêm estames.

idiográfico *Adj.* ~ V. *método —*.

idiógrafo [De *idi(o)-* + *-grafo*.] *S. m. E. Ling.* Escrita particular de um copista. [Cf. *ideógrafo*.]

idiolalia [De *idi(o)-* + *-lal(o)-* + *-ia*[1].] *S. f. Psiq.* Criação de uma linguagem própria, comum em crianças com afasia auditiva.

idiólatra [De *idi(o)-* + *-latra*.] *S. 2 g.* Pessoa que se adora a si mesma. [Cf. *idólatra* e *hidrólatra*.]

idiolatria [De *idi(o)-* + *-latria*.] *S. f.* Adoração de si mesmo. [Cf. *idolatria* e *hidrolatria*.]

idiolátrico [De *idiolatria* + *-ico*[2].] *Adj.* Relativo à idiolatria. [Cf. *idolátrico* e *hidrolátrico*.]

idioleto [De *idi(o)-* + *-leto*.] *S. m. E. Ling.* A fala de um único indivíduo, que pode conter mais de um leto[2].

idioma [Do gr. *idíoma*, 'caráter próprio de alguém', 'particularidade de estilo', pelo lat. tard. *idioma*, 'idiotismo' em gramática.] *S. m.* **1.** Língua (4) de uma nação. **2.** Língua (4) peculiar a uma região.

idiomático [Do gr. *idiomatikós*, 'particular', 'especial'.] *Adj.* Relativo a, ou próprio de um idioma. ~ V. *expressão —a*.

idiomatismo [De *idiomat(o)-* + *-ismo*.] *S. m. E. Ling.* V. *expressão idiomática*.

▲idiomat(o)- [Do gr. *idíōma, atos*.] *El. comp.* = 'forma peculiar'; 'linguagem', 'idioma': *idiomático* (< gr.), *idiomatismo*. [Equiv.: *idiomo-: idiomografia*.]

idiometrite [De *idi(o)-* + *metrite*.] *S. f. Gin.* Inflamação do parênquima do útero.

▲idiomo- Equiv. de *idiomat(o)-*.

idiomografia (ôm) [De *idiomo-* + *-grafia*.] *S. f.* Ciência que descreve e classifica os idiomas.

idiomográfico (ôm) [De *idiomografia* + *-ico*[2].] *Adj.* Referente à idiomografia.

idiomórfico [De *idi(o)-* + *-morf(o)-* + *-ico*[2].] *Adj. Min.* Diz-se do mineral que se apresenta na rocha com as suas formas próprias.

idiopatia [Do gr. *idiopátheia*.] *S. f.* **1.** *Med.* Doença de origem desconhecida. **2.** Predileção ou simpatia por alguma coisa.

idiopático [De *idiopatia* + *-ico*[2].] *Adj.* **1.** Referente a idiopatia. **2.** *Med.* Essencial (6).

idiossincrasia [Do gr. *idiossynkrasía*.] *S. f.* **1.** Disposição do temperamento do indivíduo, que o faz reagir de maneira muito pessoal à ação dos agentes externos. **2.** Maneira de ver, sentir, reagir, própria de cada pessoa. **3.** *Med.* Sensibilidade anormal, peculiar a um indivíduo, a uma droga, proteína ou outro agente.

idiossincrasicamente [Do f. de *idiossincrásico* + *-mente*.] *Adv.* De modo idiossincrásico.

idiossincrásico [De *idiossincrasia* + *-ico*[2].] *Adj.* Relativo a idiossincrasia; idiossincrático: 📖 "a dispneia apareceu provocada por droga a que eu era idiossincrásico." (Pedro Nava, *Beira-Mar*, p. 383.)

idiossincrático [De *idiossincrasia* + *-ático*, seg. o padrão erudito, a exemplo do gr. *sýnkrasis* > *synkratikós*.] *Adj.* Idiossincrásico.

idiossomo [De *idi(o)-* + *-somo*.] *S. m. Biol.* Num espermatócito, o conjunto formado por centrossomo, complexo golgiense e mitocôndrias.

idiota [Do gr. *idiótes*, 'homem privado (em oposição a homem de Estado)'; 'ignorante em algum ofício'; 'homem sem educação', 'ignorante', pelo lat. *idiota*.] *Adj. 2 g.* **1.** Pouco inteligente; estúpido, ignorante, imbecil. **2.** V. *tolo* (1 a 3). **3.** Pretensioso, afetado. **4.** *Psiq.* Que sofre de idiotia (2). **5.** *P. ext.* Próprio de idiota; estúpido, amalucado, imbecil: 🖹 *sorriso idiota; pensamento idiota*; 📖 "A um canto, a barba crescida, um ar idiota, a fisionomia parada, ... seu Rafael parecia não enxergar o povo que invadia a sua casa" (Cordeiro de Andrade, *Anjo Negro*, p. 112). ● *S. 2 g.* **6.** Pessoa idiota. V. *tolo* (8). **7.** *Psiq.* Indivíduo que sofre de idiotia (2).

idiotar [De *idiota* + *-ar*[2].] *Bras. V. t. d.* **1.** Tornar idiota; idiotizar. *Int. P.* **2.** Tornar-se idiota; idiotizar-se. **3.** Estar alheio; distrair-se, descuidar-se.

idiotia [De *idiota* + *-ia*[1].] *S. f.* **1.** V. *idiotice*. **2.** *Psiq.* Retardo mental profundo, caracterizado por ausência de linguagem e nível mental inferior ao da idade normal de três anos, e muitas vezes acompanhado de malformações físicas.

idiotice [De *idiota* + *-ice*.] *S. f.* Qualidade, modos ou dito de idiota; idiotia, idiotismo.

idiótico [Do gr. *idiotikós*, pelo lat. tard. *idioticu*.] *Adj.* Relativo a idiota, ou a idiotismo.

idiotismo [Do gr. tard. *idiotismós*, 'gênero de vida', 'hábito', 'linguagem corrente ou vulgar', pelo lat. *idiotismu*, 'expressão própria de uma língua'.] *S. m.* **1.** V. *idiotice*. **2.** *E. Ling.* V. *expressão idiomática*.

idiotizar [De *idiota* + *-izar*.] *V. t. d. P.* Tornar(-se) idiota; idiotar(-se).

ido[1] [Do esperanto *ido*, 'derivado de'.] *S. m. Gloss.* Língua auxiliar de comunicação (q. v.), criada em 1907 por Louis de Beaufront e que consiste numa versão modificada do esperanto. ~ V. *idos*.

ido[2] [Do lat. *itu*, part. pass. de *ire*.] *Adj.* Que foi ou se foi; passado: 📖 "Recordo sem angústia / os tempos idos." (João José Cochofel, *Os Dias Íntimos*, p. 29); "Que eu, se tenho nos olhos malferidos / Pensamentos de vida formulados, / São pensamentos idos e vividos." (Machado de Assis, *Relíquias de Casa Velha*). ~ V. *idos*.

▲ido- [Do gr. *eido-* < gr. *eídos, eos-ous*.] *El. comp.* = 'imagem', 'forma': *idocrásio*. [Equiv.: *-id(o)-*[1]: *calidoscópio*.]

▲-id(o)-[1] Equiv. de *ido-*.

▲-id(o)-[2] Equiv. de *-ide*[1].

▲-ido[1] [Da adjetivação (e subst.) do suf. de part. pass. dos verbos da 2ª e da 3ª conjugações port.] V. *-ado*[1]. [Equiv.: *-id(o)-*[2]: *fixidez*.]

▲-ido[2] *Quím. Suf.* F. alternativa de *-ídeo*[2].

I

▲**-ido**[3] [Adapt., ger., do lat. cient. *-ida* (v. *-ida*[1]).] V. *-ídeo*[1].

idocrásio [De *ido-* + *-cras(i)-* + *-io*[3].] ***S. m. Min.*** Mineral tetragonal, de composição complexa e variada, na qual predomina o silicato de cálcio e alumínio, e que contém flúor e oxidrila; vesuvianita.

idólatra [Do gr. *eidololátres*, pelo lat. tard. *idololatra*, com haplologia.] ***Adj. 2 g.*** **1.** Respeitante à, ou próprio da idolatria. **2.** Que adora ídolos. **3.** Idolátrico (2): "É velho, toma conta do templo desde rapaz e tem por ele um amor idólatra." (Raquel de Queirós, *100 Crônicas Escolhidas*, p. 57). • ***S. 2 g.*** **4.** Pessoa que adora ídolos. **5.** Admirador exaltado; adorador: "Idólatra do belo e admiradora desinvejosa de todos os que o cultivam, nunca perdoou [Augustine Brohan].... ao talento de Dumas a sua ingratidão leviana." (Ramalho Ortigão, *Em Paris*, p. 192). [Cf. *idolatra*, do v. *idolatrar*, e *idiólatra*, *hidrólatra*.]

idolatrar [De *idólatra* + *-ar*[2].] ***V. t. d.*** **1.** Prestar idolatria (1) a; amar com idolatria (1); adorar, venerar: *Há povos que idolatram animais.* **2.** Amar com idolatria (2), com excesso, cegamente: "Eu tive pais extremosos, / Irmãos que me idolatraram" (Gonçalves Dias, *Obras Poéticas*, II, p. 103); "E amou-a, idolatrou-a com a alma ajoelhada" (Aluísio Azevedo, *O Coruja*, p. 147). ***Int.*** **3.** Adorar ídolos; praticar a idolatria (1). [Pres. ind.: *idolatro*, *idolatras*, *idolatra*, etc. Cf. *idólatra*.]

idolatria [Do gr. *eidololatreía*, pelo lat. tard. *idololatria*, e pela var. haplológica lat. ecles. *idolatria*.] ***S. f.*** **1.** Culto prestado a ídolos. **2.** Amor ou paixão exagerada, excessiva: "O que eu sinto por ti de dia em dia / (Tu mesma o vês porque tu mesma o sentes) / É mais que o amor: é cega idolatria." (Alberto de Oliveira, *Poesias*, 2.ª série, p. 129). [Cf. *idiolatria* e *hidrolatria*.]

idolátrico [De *idolatria* + *-ico*[2].] ***Adj.*** **1.** Relativo a idolatria. **2.** Que tem caráter de idolatria; idólatra: *paixão idolátrica*. [Cf. *idiolátrico* e *hidrolátrico*.]

ídolo [Do gr. *eídolon*, pelo lat. *idolu* (com *o* longo); a acentuação grega prevaleceu.] ***S. m.*** **1.** Estátua ou simples objeto cultuado como deus ou deusa. [Cf. *imagem* (2) e *ícone* (1).] **2.** Objeto no qual se julga habitar um espírito, e por isso venerado. **3.** *Fig.* Pessoa a quem se tributa respeito ou afeto excessivo. ~ V. *ídolos*. ◆ **Ídolo de pés de barro.** Aquilo que, embora aparentemente forte e indestrutível, pode ser destruído ou derrotado com facilidade.

ídolos [Pl. de *ídolo*.] ***S. m. pl. Hist. Filos.*** Segundo Demócrito, imagens materiais, formadas por átomos, emitidas pelos objetos, e que afetam ou os órgãos dos sentidos, ou a alma, ou o pensamento. ~ V. *ídolo*. (v. *democritiano*) e Epicuro (v. *epicurismo*) ◆ **Ídolos da caverna.** *Hist. Filos.* Ídolos de Bacon decorrentes de características de ordem individual (educação, ambiente, hábitos): cada indivíduo procede como se tivesse encerrado em uma caverna sua própria personalidade. **Ídolos da tribo.** *Hist. Filos.* Ídolos de Bacon decorrentes da natureza mesma do homem. Ex.: a tendência para emprestar realidade a coisas que simplesmente se imaginam ou desejam. **Ídolos de Bacon.** *Hist. Filos.* Segundo Bacon (v. *baconiano*), falsas representações, profundamente enraizadas no espírito humano, que impedem seja seguido o verdadeiro caminho da ciência. [Podem ser de quatro espécies: *ídolos da caverna*, *ídolos do teatro*, *ídolos da tribo* e *ídolos do mercado*.] **Ídolos do foro.** *Hist. Filos.* Ídolos do mercado. **Ídolos do mercado.** *Hist. Filos.* Ídolos de Bacon originados em deficiências de linguagem corrente; ídolos do foro. **Ídolos do teatro.** *Hist. Filos.* Ídolos de Bacon originados em dogmas ou em sistemas filosóficos, comparados estes a cenários que representam mundos fictícios. Tais ídolos resultam quer de raciocínios sofísticos (p. ex.: o aristotelismo), quer de generalizações apressadas (p. ex.: a alquimia), quer, finalmente, de respeito cego à tradição ou à autoridade (p. ex.: o pitagorismo).

idoma ***S. 2 g.*** **1.** *Etnôn.* Indivíduo dos idomas, povo do S.E. da Nigéria (C.O. da África), que vive ao S. do rio Benué. • ***S. m.*** **2.** *Gloss.* A língua falada pelos idomas. • ***Adj. 2 g.*** **3.** Pertencente ou relativo aos idomas ou à sua língua.

idoneidade [Do b.-lat. *idoneitate*.] ***S. f.*** Qualidade de idôneo (2); aptidão, capacidade, competência.

idóneo ***Adj.*** V. *idôneo*. [Uso freq. em P.]

idôneo [Do lat. *idoneu*.] ***Adj.*** **1.** Próprio para alguma coisa; conveniente, adequado: "desenterraria os ossos do dito cachorro, quando fosse tempo idôneo" (Machado de Assis, *Quincas Borba*, p. 25); "Não atinava com resposta idônea" (Id., *Relíquias de Casa Velha*, p. 65). **2.** Que tem condições para desempenhar certos cargos ou realizar certas obras. **3.** *P. ext.* Que é muito correto no seu modo de agir; honesto.

idos[1] [Do lat. *idus*, s. f. pl., de origem etrusca, poss.] ***S. m. pl.*** No antigo calendário romano, o dia 15 de março, maio, julho e outubro, e o dia 13 dos outros meses: "Mas, nos idos de março, ante o Senado, a Glória, / Filha da Morte, dá-lhe [a César] a extrema-unção fraterna" (Martins Fontes, *Verão*, p. 26). ~ V. *ido*.

idos[2] [Subst. do pl. de *ido*[2].] ***S. m. pl.*** Os tempos, os dias idos, passados, decorridos: "Os nomes que hoje andam mais em voga, um Eliot, um Rilke, um Fernando Pessoa, um Jean Cocteau, um Max Jacob, um Apollinaire (pra citar apenas seis que me impressionaram lá pelos idos de 1935), não deixam de estar presentes à minha atual concepção de poesia." (Cassiano Ricardo, *Viagem no Tempo e no Espaço*, p. 226.) ~ V. *ido*.

idose [Do lat. *id(em)*, 'o mesmo', + *(gul)ose*.] ***S. f. Quím.*** Uma das aldoexoses, epímero da gulose [fórm.: $C_6H_{12}O_6$].

idoso (ô) [De *idadoso* (< *idade* + *-oso*), com haplologia.] ***Adj.*** **1.** Que tem bastante idade; velho. • ***S. m.*** **2.** Indivíduo idoso (1).

▲ **-idr(o)-** V. *hidr(o)-*[1].

▲ **-idro** V. *hidr(o)-*[1].

idumeu [Do hebr., pelo gr. *idoumaîos* e pelo lat. *idumaeu*.] ***Adj.*** **1.** Da, ou pertencente ou relativo à Idumeia, antiga região ao S. do Mar Morto. • ***S. m.*** **2.** O natural ou habitante da Idumeia. [Fem.: *idumeia*.]

■ **i. e.** [Abrev. do lat. *id est*.] V. *isto é*.

iebaro [De or. tupi.] ***S. m. Bras. Bot.*** V. *jebaru*.

iecuana *Bras.* ***S. 2 g.*** **1.** *Etnôn.* Indivíduo dos iecuanas [ou (etnôn. bras.) *Yekwana, *Ye'kuana, *Mayongóng, *Makiritare], povo indígena da família linguística caraíba, que habita o extremo N. de RR e a Venezuela. • ***Adj. 2 g.*** **2.** Pertencente ou relativo a esse povo.

ielmo-marinhense ***Adj. 2 g.*** **1.** De, ou pertencente ou relativo a Ielmo Marinho (RN). • ***S. 2 g.*** **2.** O natural ou habitante de Ielmo Marinho. [Pl.: *ielmo-marinhenses*.]

iemanjá [Do ior.] ***S. f. Bras. Rel.*** Iabá fluvial iorubana, que, no Brasil, se sincretizou com a sereia europeia e com alguns mitos hídricos ameríndios (p. ex., a iara, a ipupiara, etc.), ganhando cauda pisciforme e longos cabelos; sua epifania são as águas, esp. as salgadas. [Com cap. Sin.: *Inaê*, *Janaína*, *Princesa do Arocá*, *Princesa do Mar*, *Rainha do Arocá*, *Rainha do Mar*. Var.: *imanjá*. Cf. *mãe-d'água*.]

iemenita ***Adj. 2 g.*** **1.** Da, ou pertencente ou relativo à República do Iêmen (Oriente Médio). • ***S. 2 g.*** **2.** O natural ou habitante desse país.

iene [Adapt. do ingl. *yen* < jap. *yen* < chinês *yüan*, 'círculo'.] ***S. m.*** Unidade monetária, e moeda, do Japão.

iepense ***Adj. 2 g.*** **1.** De, ou pertencente ou relativo a Iepê (SP). • ***S. 2 g.*** **2.** O natural ou habitante de Iepê.

ieramá ***Adv. Ant.*** V. *eramá*.

ifá [Do ior.] ***S. m.*** **1.** *Rel.* Sistema sagrado de adivinhação dos iorubas, ligado à divindade Orumila. [No Brasil, utilizam-se búzios; na África, caroços de dendê ou uma cadeia metálica a que se prendem cauris ou as sementes de certa oleaginosa.] **2.** *Bras. Rel.* Em certos terreiros do Brasil e de Cuba, o Orixá que preside a adivinhação com búzios. [Com cap.]

ifé ***S. 2 g.*** **1.** *Etnôn.* Indivíduo dos ifés, povo de língua e cultura iorubana, do S.O. da Nigéria (África). • ***Adj. 2 g.*** **2.** Pertencente ou relativo a esse povo.

▲**-ífera** V. *-fera*.

▲**-(í)fer(o)-** V. *-fero*.

▲**-ífero** V. *-fero*.

▲**-ificar** V. *-ficar*.

▲**-iflora** V. *flor(i)-*.

▲**-ifloro** V. *flor(i)-*.

▲**-iforme** [Do lat. *-(i)fōrmis*.] Equiv. de *-forme*.

■ **IFR** [Sigla do ingl. *instrument flight rules*, 'normas de voo por instrumento'.] Sigla us. na expr. *voo IFR* (q. v.).

ifrite [Do ár. *ʿifrīt*.] ***S. m.*** Na tradição popular árabe, demônio ou diabo.

■ **IgA** ***S. f. Imun.*** V. *imunoglobulina*. ◆ **IgA secretora.** *Imun.* Imunoglobulina predominante em secreções (oral, nasal, intestinal, etc.), formada por duas moléculas de IgA, unidas por uma cadeia J (q. v.), e por componente secretor (q. v.).

igaçaba [Do tupi.] ***S. f. Bras. Etnogr.*** **1.** Pote de barro, ger. de boca larga, para água e outros líquidos, ou para guardar farinha e outros gêneros; quiçaba: "A um lado, enfileiravam-se igaçabas e cuiambucas com bebidas fermentadas, ... mel e manteiga de tartaruga" (Gastão Cruls, *4 Romances*, p. 66). **2.** Urna funerária dos indígenas; camotim: "As urnas funerárias de barro (igaçabas), lisas, de forma globular assentada em fundo cônico, de paredes grossas de um dedo, sem ornamentação gravada ou pintada, arrumadas e enterradas em linhas paralelas no terreno raso, marcavam, na face do solo, inúmeros círculos." (Raimundo Morais, *País das Pedras Verdes*, p. 282.) [Var.: *gaçaba*.]

igaci [De or. indígena.] ***S. m. Bras.*** Entre os índios tembés, o canal principal de um rio.

igaciense ***Adj. 2 g.*** **1.** De, ou pertencente ou relativo a Igaci (AL). • ***S. 2 g.*** **2.** O natural ou habitante de Igaci.

igala ***S. 2 g.*** **1.** *Etnôn.* Indivíduo dos igalas, povo que controlava a confluência dos rios Níger e Benué, na Nigéria (C.O. da África). • ***S. m.*** **2.** *Gloss.* Língua falada pelos igalas. • ***Adj. 2 g.*** **3.** Pertencente ou relativo aos igalas ou à sua língua.

igapará [Do tupi.] ***S. m. Bras. Amaz.*** **1.** Canal largo. **2.** Braço largo de rio.

igapirense ***Adj. 2 g.*** **1.** De, ou pertencente ou relativo a Álvares Florence (SP). • ***S. 2 g.*** **2.** O natural ou habitante de Álvares Florence.

igapó [Do tupi.] ***S. m. Bras. Amaz.*** Mata cheia de água, *i. e.*, trecho de floresta onde a água, após a enchente dos rios, fica por algum tempo estagnada: "Brotando em qualquer orla de rio, beira de lago, fímbria de igapó, a elegante palmeira [o açaizeiro] não alegra somente a vista — espalha a fartura também." (Raimundo Morais, *País das Pedras Verdes*, p. 103.) [Var.: *gapó*.]

igaporãense (ãên) ***Adj. 2 g.*** **1.** De, ou pertencente ou relativo a Igaporã (BA). • ***S. 2 g.*** **2.** O natural ou habitante de Igaporã. [Sin. ger.: *igaporense*.]

igaporense ***Adj. 2 g. S. 2 g.*** V. *igaporãense*.

igapozal (pò) [De *igapó* + *-zal*.] ***S. m. Bras. Amaz.*** Sucessão de igapós.

igapuitariiara *Bras.* ***S. 2 g.*** **1.** *Etnôn.* Indivíduo dos igapuitariiaras [ou (etnôn. bras.) *Igapuitariyara], povo indígena extinto que habitava a região da cabeceira do rio Urupadi, divisa do AM com o PA. • ***Adj. 2 g.*** **2.** Pertencente ou relativo a esse povo.

igara [Do tupi = 'senhor da água, que domina a água'.] ***S. f. Bras.*** **1.** Espécie de canoa leve e rasa, escavada em um único tronco de árvore, com forma aproximadamente elíptica, fundo chato e soerguida na popa. **2.** *P. ext.* Qualquer embarcação.

igaraciense ***Adj. 2 g.*** **1.** De, ou pertencente ou relativo a Igaraci (PB). • ***S. 2 g.*** **2.** O natural ou habitante de Igaraci.

igaraçuano ***Adj.*** **1.** De, ou pertencente ou relativo a Igaraçu (PE). • ***S. m.*** **2.** O natural ou habitante de Igaraçu. [Sin. ger.: *igaraçuense*[1].]

igaraçuense[1] ***Adj. 2 g. S. 2 g.*** V. *igaraçuano*.

igaraçuense[2] ***Adj. 2 g.*** **1.** De, ou pertencente ou relativo a Igaraçu do Tietê (SP). • ***S. 2 g.*** **2.** O natural ou habitante de Igaraçu do Tietê.

igarapavense ***Adj. 2 g.*** **1.** De, ou pertencente ou relativo a Igarapava (SP). • ***S. 2 g.*** **2.** O natural ou habitante de Igarapava.

igarapé [Do tupi.] ***S. m. Bras. Amaz. MS*** Rio pequeno que tem as mesmas características dos grandes e que é ger. navegável; os maiores denominam-se *igarapés-açus* e os menores, *igarapés-mirins*.

igarapé-açu [De *igarapé* + *-açu*.] ***S. m. Bras. Amaz. MS*** V. *igarapé*. [Pl.: *igarapés-açus*.]

igarapé-açuense ***Adj. 2 g.*** **1.** De, ou pertencente ou relativo a Igarapé-Açu (PA). • ***S. 2 g.*** **2.** O natural ou habitante de Igarapé-Açu. [Pl.: *igarapé-açuenses*.]

igarapeense (èên) ***Adj. 2 g.*** **1.** De, ou pertencente ou relativo a Igarapé (MG). • ***S. 2 g.*** **2.** O natural ou habitante de Igarapé.

igarapé-grandense ***Adj. 2 g.*** **1.** De, ou pertencente ou relativo a Igarapé Grande (MA). • ***S. 2 g.*** **2.** O natural ou habitante de Igarapé Grande. [Pl.: *igarapé-grandenses*.]

igarapé-miriense ***Adj. 2 g.*** **1.** De, ou pertencente ou relativo a Igarapé-Miri (PA). • ***S. 2 g.*** **2.** O natural ou habitante de Igarapé-Miri. [Pl.: *igarapé-mirienses*.]

igarapé-mirim ***S. m. Bras. Amaz. MS*** V. *igarapé*. [Pl.: *igarapés-mirins* e *igarapés-mirim*.]

igaratense ***Adj. 2 g.*** **1.** De, ou pertencente ou relativo a Igaratá (SP). • ***S. 2 g.*** **2.** O natural ou habitante de Igaratá.

igaratim [Do tupi.] ***S. m. Bras. Etnogr.*** Entre os índios tupis, a canoa em que iam os chefes.

igaratinguense ***Adj. 2 g.*** **1.** De, ou pertencente ou relativo a Igaratinga (MG). • ***S. 2 g.*** **2.** O natural ou habitante de Igaratinga.

igarçu [Do tupi.] ***S. m. Bot.*** V. *fava-de-santo-inácio-falsa* (1).

igarité [Do tupi.] ***S. f.*** **1.** *Bras. Amaz.* Embarcação de tamanho entre montaria[2] (6) e galeota (3), capacidade de carga de 1 a 2 toneladas, impulsionada a remo, varejão, sirga ou motor: "Canoa havia, uma bela igarité grande, com tolda de japá, fixa e cômoda" (Inglês de Sousa, *O Missionário*, p. 194). **2.** *Bras. MT GO* Espécie de chata (1).

igariteiro [De *igarit(é)* + *-eiro*.] ***S. m. Bras. Amaz.*** V. *canoeiro*[1] (1).

igaruana[1] [Do tupi.] ***S. m. Bras. Amaz.*** V. *canoeiro*[1] (1).

igaruana[2] *Bras.* ***S. 2 g.*** **1.** *Etnôn.* Indivíduo dos igaruanas, povo indígena extinto que habitava o N. do MA. • ***Adj. 2 g.*** **2.** Pertencente ou relativo a esse povo. [Tb. us. como *s. 2 g. e 2 n.* (com cap.) e *adj. 2 g. e 2 n.*]

igaruçu [Do tupi.] *S. f. Bras. Etnogr.* Grande canoa, entre os tupis.

igbim [Do ior.] *S. m. Bras. BA* Ibim.

igbira *S. 2 g. S. m. Adj. 2 g.* V. *ebira.*

igbo *S. m. Gloss.* Ibo (2).

igbonã *S. m. Bras. Rel.* V. *Airá.* [Com cap.]

■ **IgD** *S. f. Imun.* V. *imunoglobulina.*

■ **IgE** *S. f. Imun.* V. *imunoglobulina.*

▲**-ígero** V. *-gero.*

■ **IgG** *S. f. Imun.* V. *imunoglobulina.*

iglu [Do esquimó *iglu, idglu,* 'habitação', pelo ingl. *igloo.*] *S. m.* Abrigo construído com blocos de gelo ou de neve dispostos em forma de cúpula.

■ **IgM** *S. f. Imun.* V. *imunoglobulina.*

ignaro [Do lat. *ignaru.*] *Adj.* Falto de instrução; ignorante, bronco, rude: 📖 "Crucifica-o! — Vozeia o povo ignaro / Apinhado no pátio e nas calçadas." (Fagundes Varela, *Poesias Completas,* III, p. 294.)

ignávia [Do lat. *ignavia.*] *S. f.* **1.** Qualidade de ignavo; indolência, inércia, preguiça. **2.** Fraqueza de ânimo, de caráter; covardia.

ignavo [Do lat. *ignavu.*] *Adj.* **1.** Indolente, ocioso, preguiçoso. **2.** Covarde, fraco, pusilânime: 📖 "Não vil, não ignavo, / Mas forte, mas bravo, / Serei vosso escravo: / Aqui virei ter." (Gonçalves Dias, *Obras Poéticas,* II, p. 25.)

igneidade [De *ígn(eo)* + *-eidade.*] *S. f.* Qualidade ou propriedade de ígneo.

ígneo [Do lat. *igneu.*] *Adj.* **1.** Respeitante ao fogo. **2.** Da natureza e/ou cor do fogo: 📖 "Comburentes, flamívomas bombardas, / Ígnea selva de canos de espingardas" (Raimundo Correia, *Poesias,* p. 15). **3.** Diz-se dessa cor: 📖 "Chamas-me a ver os céus de outros países, / Também claros, azuis ou de ígneas cores" (Alberto de Oliveira, *Poesias,* 4.ª série, p. 42). **4.** Que é do fogo. **5.** Muito ardente, muito apaixonado; inflamado, arrebatado: 📖 "Minha alma juvenil, ígnea, meridional, / Num longo sorvo hauriu o pérfido e letal / Filtro do vosso escuro e perigoso encanto!" (Raimundo Correia, *Poesias,* p. 152.) ~ V. *erupção —a* e *rocha —a.*

ignescência [Do lat. *ignescentia.*] *S. f.* Estado de ignescente; ignição.

ignescente [Do lat. *ignescente.*] *Adj. 2 g.* Que está em fogo; que se inflama: 📖 "A natureza adormecida e tocada de relance pelo feixe ignescente dos faróis [do automóvel] é outra." (Aquilino Ribeiro, *Caminhos Errados,* p. 295.)

▲**igni-** [Do lat. *ignis, is.*] *El. comp.* = 'fogo': *ignívoro, ignícola.*

ignição [Do lat. tard. *ignire,* 'queimar', + *-ção;* fr. *ignition.*] *S. f.* **1.** Estado dos corpos em combustão; ignescência. **2.** Dispositivo com que se dá início ao funcionamento de um motor de explosão ou de combustão interna.

ignícola [De *igni-* + *-cola*[1].] *Adj. 2 g. S. 2 g.* Que, ou quem adora o fogo.

ignífero [Do lat. *igniferu.*] *Adj.* Que traz, ou que deita, ou em que há fogo; ignígero.

ignificação [De *ignificar* + *-ção.*] *S. f.* Inflamação, combustão; ignição.

ignificar [De *igni-* + *-ficar.*] *V. t. d. P.* Inflamar(-se), abrasar(-se).

ignifugação [De *ignifugar* + *-ção.*] *S. f.* Ato ou efeito de ignifugar.

ignifugar [De *ignífugo* + *-ar*[2].] *V. t. d.* Tornar ininflamável. [Conjug.: v. *largar.*]

ignífugo [De *igni-* + *-fugo*[2].] *Adj. Quím.* Diz-se de substância que dificulta ou obsta a combustão de materiais que recobre, como, p. ex., certos fosfatos e boratos.

ignígeno [De *igni-* + *-geno.*] *Adj.* **1.** Que nasceu no fogo. **2.** Que gera ou produz fogo.

ignígero [De *igni-* + *-gero.*] *Adj.* Ignífero.

ignípede [Do lat. *ignipede.*] *Adj. 2 g. Poét.* **1.** Que tem pés de fogo. **2.** Diz-se de cavalos cujos pés, ferindo o solo, produzem fogo.

ignipotente [Do lat. *ignipotente.*] *Adj. 2 g. Poét.* Senhor do fogo (falando-se de Vulcano).

ignívomo [Do lat. *ignivomu.*] *Adj. Poét.* Que vomita fogo; que larga fogo de si; que expele chamas.

ignívoro [De *igni-* + *-voro.*] *Adj.* Que engole ou parece engolir fogo.

ignizar-se [De *igni-* + *-izar* + *se*[1].] *V. p.* Transformar-se em fogo; abrasar-se, inflamar-se.

ignóbil [Do lat. *ignobile.*] *Adj. 2 g.* Que não tem nobreza; baixo, desprezível, vil, abjeto: 📖 "não se dando que por graça especial tenhamos de abrir a alma para a fé espontaneamente, seria ignóbil forçar nossa natureza pela ideia das vantagens que uma disciplina religiosa pode oferecer." (Nestor Vítor, *Folhas Que Ficam,* p. 163). [Pl.: *ignóbeis.*]

ignobilidade [Do lat. *ignobilitate.*] *S. f.* Qualidade de ignóbil.

ignomínia [Do lat. *ignominia.*] *S. f.* Grande desonra; opróbrio, infâmia: 📖 "Então os desprezos, as ignomínias, os maus-tratos ...., caíam sobre a sua cabeça humilhada cerrados como granizo" (Alexandre Herculano, *O Bobo,* p. 32). [Cf. *ignominia,* do v. *ignominiar.*]

ignominiar [De *ignomínia* + *-ar*[2].] *V. t. d.* Tratar com ignomínia; encher de opróbrio; desonrar, infamar. [Pres. ind.: *ignominio, ignominias, ignominia,* etc. Cf. *ignomínia.*]

ignominioso (ô) [Do lat. *ignominiosu.*] *Adj.* Que provoca ignomínia; que merece repulsão; oprobrioso, infame: 📖 "Portugal cruzava os braços diante da vergonha ignominiosa de que eram teatro as suas possessões" (Ramalho Ortigão, *As Farpas,* IV, p. 262).

ignorado [Part. de *ignorar.*] *Adj.* **1.** Não sabido; desconhecido. **2.** Obscuro, humilde. [Sin. ger.: *ignoto.*]

ignorância [Do lat. *ignorantia.*] *S. f.* **1.** Condição de quem não é instruído: *O menino vive na ignorância.* **2.** Falta de saber; ausência de conhecimentos: *Vende-se por homem culto, mas sua ignorância é notória.* **3.** Estado de quem ignora ou desconhece alguma coisa, não tem conhecimento dela: *Está na ignorância dos tristes sucessos da manhã de hoje.* **4.** *P. ext. Bras. Pop.* Falta de educação; estupidez, grosseria. ◆ **Apelar para a ignorância.** *Bras. Gír.* V. *apelar* (6): 📖 "Quase apelando para a ignorância, ainda se conteve" (Adovaldo Fernandes Sampaio, *O Sol na Rede,* p. 23). **Partir para a ignorância.** *Bras. Gír.* V. *apelar* (6).

ignorantão [De *ignorante* + *-ão*[1].] *Adj. S. m.* Diz-se de, ou indivíduo muito ignorante, mas pretensioso; leigaço. [Fem.: *ignorantona.*]

ignorante [Do lat. *ignorante.*] *Adj. 2 g. S. 2 g.* **1.** Diz-se de, ou pessoa que ignora, que não tem conhecimento de determinada coisa. **2.** Diz-se de, ou pessoa que não tem instrução, que não sabe nada: *Como pode ocupar esse cargo, se é tão ignorante?* **3.** *P. ext. Bras. Pop.* Falto de educação, ou aquele que não a tem; estúpido, grosseiro.

ignorantim [De *ignorante* + *-im.*] *S. 2 g.* Um tanto ignorante: 📖 "ignorantes, ignorantins, ignorantões" (Aquilino Ribeiro, *Caminhos Errados,* p. 121).

ignorantinho [De *ignorante* + *-inho*[1].] *S. m.* **1.** Nome que tomavam, por humildade, os religiosos de S. João de Deus, que cuidavam dos pobres. ● *Adj.* **2.** Referente a esses religiosos, ou à sua ordem.

ignorantismo [De *ignorante* + *-ismo.*] *S. m.* **1.** Sistema daqueles que preconizam as vantagens da ignorância, sustentando que o saber é prejudicial ao homem. **2.** Estado de ignorância.

ignorantista [De *ignorante* + *-ista.*] *Adj. 2 g.* **1.** Relativo ao, ou que é partidário do ignorantismo. ● *S. 2 g.* **2.** Partidário do ignorantismo.

ignorantona [De *ignorante* + *-ona*[1].] *S. f.* Fem. de *ignorantão* (q. v.).

ignorar [Do lat. *ignorare.*] *V. t. d.* **1.** Não ter conhecimento de; não saber; desconhecer: 📖 "Não sei o nome do homem, nem o da rua; ignoro o próprio nome da freguesia." (Machado de Assis, *A Semana,* II, p. 19); "Alceu ignorou o alfabeto até entrar para o Ginásio Nacional, em 1903." (Antônio Carlos Vilaça, *O Desafio da Liberdade,* p. 24). **2.** Ser incapaz de; não usar de; não praticar: *Ignora a bajulação.* **3.** *Pop.* Reparar em; estranhar, censurar, criticar: *Não ignore a pobreza da nossa casinha.* **4.** Não tomar conhecimento de (pessoa ou fato), por desprezo ou indiferença. *P.* **5.** Desconhecer-se a si mesmo. **6.** Ignorar (4) mutuamente. [Var.: *inorar.*]

ignorável [De *ignorar* + *-vel.*] *Adj. 2 g.* Que se pode ou deve ignorar. ~ V. *coordenada —.*

ignoto [Do lat. *ignotu.*] *Adj.* V. *ignorado:* 📖 "a espessura da floresta ocultava a solidão ignota do deserto amazonense." (Inglês de Sousa, *O Missionário,* p. 214).

■ **IGP** Sigla de *Índice Geral de Preços.*

■ **IGPM** *Econ.* Abrev. de *Índice Geral de Preços de Mercado.*

igrapiunense (i-u) *Adj. 2 g.* **1.** De, ou pertencente ou relativo a Igrapiúna (BA). ● *S. 2 g.* **2.** O natural ou habitante de Igrapiúna.

igreja (ê) [Do gr. *Ekklesía,* 'assembleia de cidadãos', 'assembleia de fiéis', pelo lat. *ecclesia,* por via pop.] *S. f.* **1.** Templo cristão. [Dim. irreg.: *igrejola, igrejório.*] **2.** Autoridade eclesiástica. **3.** A comunidade dos cristãos. **4.** O conjunto dos fiéis ligados pela mesma fé e sujeitos aos mesmos chefes espirituais. **5.** *Restr.* O catolicismo: 📖 "Foi ele [o catolicismo]que produziu S. Tomás, ... o Aristóteles do cristianismo — como lhe chamou Michelet —, o mais poderoso cérebro da Igreja." (Ramalho Ortigão, *As Farpas,* II, p. 82). ◆ **Igreja Católica.** Igreja (3) que segue o catolicismo. **Igreja Católica Apostólica Romana.** Igreja Católica sediada em Roma; Igreja Romana. **Igreja matriz.** A que tem jurisdição sobre outras igrejas ou capelas de uma dada circunscrição: 📖 "saí à Praça do Duque de Caxias (vulgarmente Largo do Machado) e comecei a passear defronte da igreja matriz da Glória." (Machado de Assis, *A Semana,* I, p. 157). [Diz-se, em geral, apenas *matriz.* Cf. *catedral* (3).] **Igreja do Oriente.** *Rel.* V. *ortodoxo* (4). **Igreja Ortodoxa.** *Rel.* V. *ortodoxo* (4). **Igreja Romana.** Igreja Católica Apostólica Romana. **Casado na igreja verde.** *Bras.* Amasiado, amigado, amancebado. **Casar na igreja.** *Pop.* Casar(-se) eclesiasticamente; casar no padre.

igreja-novense *Adj. 2 g.* **1.** De, ou pertencente ou relativo a Igreja Nova (AL). ● *S. 2 g.* **2.** O natural ou habitante de Igreja Nova. [Pl.: *igreja-novenses.*]

igrejário [De *igreja* + *-ário.*] *S. m.* **1.** *Ant.* Igreja pequena; ermida. **2.** *Ecles.* Conjunto de igrejas duma circunscrição eclesiástica.

igrejeiro [De *igreja* + *-eiro.*] *Adj.* **1.** Referente a, ou próprio de igrejas. **2.** Que é frequentador de igrejas; beato, carola.

igrejica [De *igreja* + f. de *-ico*[1].] *S. f. Bras.* V. *igrejinha* (1).

igrejinha [De *igreja* + *-inha.*] *S. f.* **1.** Igreja pequena; igrejola, igrejório, igrejica. **2.** *Fig.* V. *panelinha* (1 a 4): 📖 "Os que hoje clamam .... contra as chamadas igrejinhas literárias, como se se tratasse de um fato novo e anormal, ... estão mas é cometendo um erro." (Valdemar Cavalcanti, *Jornal Literário,* p. 3.)

igrejinhense *Adj. 2 g.* **1.** De, ou pertencente ou relativo a Igrejinha (RS). ● *S. 2 g.* **2.** O natural ou habitante de Igrejinha.

igrejola [De *igreja* + *-ola*[1].] *S. f.* V. *igrejinha* (1).

igrejório [De *igreja* + *-ório.*] *S. m.* V. *igrejinha* (1).

iguaçuano *Adj.* **1.** De, ou pertencente ou relativo a Nova Iguaçu (RJ). ● *S. m.* **2.** O natural ou habitante de Nova Iguaçu.

iguaçuense *Adj. 2 g.* **1.** De, ou pertencente ou relativo a Foz do Iguaçu (PR). ● *S. 2 g.* **2.** O natural ou habitante de Foz do Iguaçu.

iguaiense (a-i) *Adj. 2 g.* **1.** De, ou pertencente ou relativo a Iguaí (BA). ● *S. 2 g.* **2.** O natural ou habitante de Iguaí.

igual [Do lat. *aequale.*] *Adj. 2 g.* **1.** Que tem a mesma aparência, estrutura ou proporção; idêntico, análogo: *Esta casa é igual àquela.* **2.** Que tem o mesmo nível; liso, plano: *superfície igual.* **3.** Que tem a mesma grandeza, valor, quantidade, quantia ou número; equivalente: *Dividiu o dinheiro em partes iguais.* **4.** Que tem a mesma condição ou categoria: *Todos são iguais perante a lei.* **5.** Que tem a mesma natureza, qualidade, medida ou grau: *A lei é igual para todos.* **6.** Uniforme, imperturbável, inalterável: *gênio igual.* **7.** *Bras.* Diz-se de pessoa que trata os outros de maneira igualmente cordial, solidariamente afetuosa. ~ V. *temperamento —.* ● *S. 2 g.* **8.** Pessoa da mesma condição ou categoria: 📖 "Quem ama, ama só a igual, porque o faz igual com amá-lo." (Fernando Pessoa, *Páginas de Doutrina Estética,* p. 117.) ● *Conj.* **9.** Como, feito, tal qual: 📖 "Virgem Santa, / Que a fome era tanta, / Que até parecia / Que mesmo xaxando / Meu corpo subia / Igual se estivesse / Querendo voar." (Carlos Lira e Vinícius de Morais, na canção *Pau de Arara.*) ◆ **De igual a igual.** De igual para igual (1). **De igual para igual. 1.** Como se fosse da mesma condição social; de igual a igual: *Trata com o Presidente de igual para igual.* **2.** Em pé de igualdade: *A luta empatou, lutaram de igual para igual.* **Por igual.** De modo igual; com igualdade; igualmente: 📖 "houve um pequeno lamento, um som breve que se foi repetindo por igual." (José Cardoso Pires, *Jogos de Azar,* p. 179).

igualação [De *igualar* + *-ção.*] *S. f.* Ato ou efeito de igualar(-se); igualamento.

igualador (ô) [De *igualar* + *-dor.*] *Adj. S. m.* Que, ou aquele que iguala.

igualamento [De *igualar* + *-mento.*] *S. m.* **1.** Igualação. **2.** Qualidade de igual.

igualar [De *igual* + *-ar*[2].] *V. t. d.* **1.** Tornar ou fazer igual; nivelar: *O dinheiro iguala de algum modo os indivíduos.* **2.** Tornar plano ou liso; aplainar, nivelar: *igualar os paralelepípedos da rua.* **3.** Ser ou tornar-se igual a: 📖 "Não há riqueza no mundo, / Que iguale a sabedoria" (José Elói Ottoni, *ap.* Sérgio Buarque de Holanda, *Antologia dos Poetas Brasileiros da Fase Colonial,* II, p. 207). *T. d. e i.* **4.** Tornar igual: *igualar a bondade à inteligência; igualar a simpatia com a beleza;* 📖 "Para os igualar na adversidade, como os irmanara no estro, não faltou a fortuna a Cervantes nem a Camões com as acusações de má gerência e de infidelidade no desempenho dos seus ofícios." (Latino Coelho, *Cervantes,* p. 104). **5.** Nivelar, aplainar. **6.** Adaptar, harmonizar, proporcionar: *igualar o conteúdo com o continente.* *T. i.* **7.** Ser igual: *Nosso vinho quase iguala ao europeu.* **8.** Estar ou ficar no mesmo nível de altura: *As águas do rio igualaram com as suas margens.* *P.* **9.** Fazer-se,

I

tornar-se ou supor-se igual: *Em virtude, igualou-se ao pai.*

igualável [De *igualar* + *-vel*.] *Adj. 2 g.* Que se pode igualar.

igualdade [Do lat. *aequalitate*.] *S. f.* **1.** Qualidade ou estado de igual; paridade. **2.** Uniformidade, identidade. **3.** Equidade, justiça. **4.** *Mat.* Propriedade de ser igual. **5.** *Mat.* Expressão de uma relação entre seres matemáticos iguais. ◆ **Igualdade formal.** *Ét.* Relação de igualdade entre indivíduos e/ou grupos sociais, que se estabelece por meio de categorias abstratas (humanidade, dignidade, cidadania, etc.), e que ger. se define por leis que prescrevem direitos e deveres. **Igualdade material.** *Ét.* Relação de igualdade entre indivíduos e grupos sociais, e que se estabelece pela mediação de condições concretas, assim como as que asseguram a cada indivíduo a plena satisfação das suas necessidades. **Igualdade moral.** *Ét.* Relação entre os indivíduos em virtude da qual todos eles são portadores dos mesmos direitos fundamentais que provêm da humanidade e definem a dignidade da pessoa humana.

igualha [De *igual* + *-alha*, por analogia com *gentalha*.] *S. f.* **1.** Identidade ou igualdade de posição social. **2.** Identidade de feitio, na maneira de sentir e/ou de pensar: "quisera eu que estas páginas .... só fossem entendidas e queridas por gente da minha igualha no sentir português" (Antero de Figueiredo, *Jornadas em Portugal*, p. 15).

igualitariamente (tà) [Do f. de *igualitário* + *-mente*.] *Adv.* De modo igualitário: "o estigma as reduzia a unidades díspares, ... ao mesmo tempo que as integrava igualitariamente, ... em cada grupo que representavam" (Herberto Sales, *O Fruto do Vosso Ventre*, p. 75).

igualitário [Adapt. do fr. *égalitaire*.] *Adj.* **1.** Relativo ao, ou que é partidário do igualitarismo. ● *S. m.* **2.** Partidário do igualitarismo.

igualitarismo [Adapt. do fr. *égalitarisme*.] *S. m.* Sistema que preconiza a igualdade de condições para todos os membros da sociedade.

igualitarista [De *igualitário* + *-ista*.] *Adj. 2 g. S. 2 g.* Que, ou aquele que é partidário do igualitarismo.

igualização [De *igualizar* + *-ção*.] *S. f.* Ato ou efeito de igualizar; igualação.

igualizar [De *igual* + *-izar*.] *V. t. d. P. P. us.* Tornar(-se) ou fazer(-se) igual; igualar(-se).

igualmente [De *igual* + *-mente*.] *Adv.* **1.** De modo igual ou igualitário; com igualdade: *Dividiu o pedaço de bolo igualmente entre os irmãos.* **2.** De maneira igual, semelhante; do mesmo modo: *Foi igualmente indelicado com o tio, como fora com o irmão.* **3.** No mesmo grau, medida ou nível (cada um): *As duas eram igualmente generosas.*

iguana [Do aruaque *iwana*, pelo esp. *iguana*; tax. *Iguana*.] *S. m. e f. Zool.* **1.** Gênero de reptis sáurios iguanídeos, de grande porte, distribuídos na região neotropical, e que são caracterizados por uma crista que vai da nuca até a cauda, garganta com saco dilatável, patas de cinco dedos com unhas fortes e pontudas, e cauda com faixas transversais escuras. **2.** Qualquer espécie desse gênero, como, p. ex., a *Iguana iguana*, ou iguana comum, que tem até 1,8m de comprimento e é, principalmente, herbívora. [Var., nesta acepç.: *iguano*. Sin.: *sinimbu*. Cf. *camaleão* (2).] **3.** Qualquer espécime desse gênero.

iguanara *S. f. Bras. Zool.* V. *mão-pelada*.

iguanídeo [Do tax. *Iguana* (v. *iguana*) + *-ídeo*^{1}; tax. *Iguanidae*.] *Zool. S. m.* **1.** Espécime dos iguanídeos, família de reptis lacertílios, escamados, em que se classificam lagartos com membros locomotores bem desenvolvidos e língua grossa; são os terrestres, ou arborícolas, ou escavadores, ou semimarinhos, e habitam o Novo Mundo. ● *Adj.* **2.** Pertencente ou relativo a eles.

iguano *S. m. Zool.* V. *iguana* (2).

iguanodonte [Do lat. cient. *Iguan(o)-* (< tax. *Iguana*) + *-odonte*; tax. *Iguanodon*.] *S. m. Paleont.* **1.** Gênero de reptis ornitísquios, ornitópodes, iguanodontídeos, herbívoros, que atingiam até 10m de comprimento. Tinham cabeça achatada e alongada, e numerosos dentes espatulados e serrilhados. Viveram do jurássico ao cretáceo, na Europa, Ásia e África. **2.** Espécime ou espécie desse gênero.

iguanodontídeo [De *iguanodonte* (q. v.) + *-ídeo*^{1}; tax. *Iguanodontidae*.] *Paleont. S. m.* **1.** Espécime dos iguanodontídeos, família de dinossauros bípedes, do jurássico e do cretáceo, na qual figura o iguanodonte (q. v.). ● *Adj.* **2.** Pertencente ou relativo a eles.

iguapense *Adj. 2 g.* **1.** De, ou pertencente ou relativo a Iguape (SP). ● *S. 2 g.* **2.** O natural ou habitante de Iguape.

iguaraciense *Adj. 2 g.* **1.** De, ou pertencente ou relativo a Iguaraci (PE). ● *S. 2 g.* **2.** O natural ou habitante de Iguaraci.

iguaraçuano *Adj. S. m.* V. *iguaraçuense*.

iguaraçuense *Adj. 2 g.* **1.** De, ou pertencente ou relativo a Iguaraçu (PR). ● *S. 2 g.* **2.** O natural ou habitante de Iguaraçu. [Sin. ger.: *iguaraçuano*.]

iguaria [De or. incerta.] *S. f.* **1.** Comida fina, delicada e/ou apetitosa; acepipe: "E preparou um belo, um suntuoso banquete, com iguarias de príncipe e vinhos custosos." (Lima Júnior, *Alguns Homens do Meu Tempo*, p. 30.) [Sin. (bras., S.): *bijungarias*.] **2.** *P. ext.* Qualquer comida preparada.

iguatamense *Adj. 2 g.* **1.** De, ou pertencente ou relativo a Iguatama (MG). ● *S. 2 g.* **2.** O natural ou habitante de Iguatama.

iguatemiense *Adj. 2 g.* **1.** De, ou pertencente ou relativo a Iguatemi (MS). ● *S. 2 g.* **2.** O natural ou habitante de Iguatemi.

iguatuense *Adj. 2 g.* **1.** De, ou pertencente ou relativo a Iguatu (CE). ● *S. 2 g.* **2.** O natural ou habitante de Iguatu.

igupá [Do tupi.] *S. m. Bras. N.E.* Brejo ou lagoeiro produzido pelas águas pluviais.

ih *Interj.* Designa admiração, espanto, ironia, ou impressão de perigo próximo: "Noite de Natal muito fria. Ih! como chovia lá fora!" (D. João da Câmara, *Contos*, p. 137.) [Cf. *I* e *i*.]

■ **IHS** Símb. cristão de *Jesus*.

➔ **iiar** [i'jar] [Hebr.] *S. m. Cronol.* O oitavo mês do calendário judaico, que recai entre os meses de abril e maio dos calendários juliano e gregoriano.

iídiche [Do al. *jüdisch-deutsch*, 'judeo-alemão'.] *Adj. S. m.* **1.** *Gloss.* Diz-se de, ou língua germânica falada por judeus, especialmente na Europa central e oriental; judeo-alemão. [Trata-se, basicamente, de introdução, no alemão, de vocabulário hebraico e, em muito menor grau, eslavo. Usam-se, na escrita, caracteres hebraicos.] **2.** *E. Ling.* Diz-se de, ou vocábulo dessa língua. [Var.: *ídiche*. Sin. ger.: *judeo-alemão, judeu-alemão*.]

iini-baré *Bras. S. 2 g.* **1.** *Etnôn.* Indivíduo dos iinis-barés [ou (etnôn. bras.) *Ihini-Baré], povo indígena extinto da família linguística aruaque que habitava a região do alto rio Negro, conhecida como Boca do Cachorro, a N.O. do AM. ● *Adj. 2 g.* **2.** Pertencente ou relativo a esse povo. [Pl.: *iinis-barés*.]

ijaciense *Adj. 2 g.* **1.** De, ou pertencente ou relativo a Ijaci (MG). ● *S. 2 g.* **2.** O natural ou habitante de Ijaci.

ijebu [Do ior.] *S. 2 g.* **1.** *Etnôn.* Indivíduo dos ijebus, povo de língua e cultura iorubana, do S.O. da Nigéria (África): "Os ijebus vivem a sudoeste de Ifé, numa região que era coberta, no passado, por densa floresta pluvial e que se estendia até a grande lagoa costeira, em uma de cujas bocas fica hoje a cidade de Lagos." (Alberto da Costa e Silva, *A Enxada e a Lança*, p. 564.) ● *Adj. 2 g.* **2.** Pertencente ou relativo a esse povo.

ijexá [Do ior.] *S. 2 g.* **1.** *Etnôn.* Indivíduo dos ijexás, povo de língua e cultura iorubana, do S.O. da Nigéria (África). ● *Adj. 2 g.* **2.** Pertencente ou relativo a esse povo.

ijó *S. 2 g.* **1.** *Etnôn.* Indivíduo dos ijós, povo que habita o delta do rio Níger, na Nigéria (C.O. da África): "o que viria a chamar-se o império do Benim contaria, entre súditos e vassalos, com iorubas, ibos e ijós." (Alberto da Costa e Silva, *A Enxada e a Lança*, p. 545); "Os ijós .... tinham, como unidade política, ... a aldeia." (Id., *ib.*, p. 613). ● *S. m.* **2.** *Gloss.* Língua cuá falada pelos ijós. ● *Adj. 2 g.* **3.** Pertencente ou relativo aos ijós ou à sua língua: "Distinta seria a situação dos grupos ijós que se deslocaram .... desses territórios." (Id., *ib.*, p. 614.).

ijuiense (u-i) *Adj. 2 g.* **1.** De, ou pertencente ou relativo a Ijuí (RS). ● *S. 2 g.* **2.** O natural ou habitante de Ijuí.

▲**-il-** V. *-il*^{2}.

▲**-il**^{1} [Do lat. *-ile*.] *Suf. nom.* = 'referência', 'relação'; 'lugar onde': *senhoril, redil*.

▲**-il**^{2} *Suf. Quím.* F. alternativa de *-ila*^{2}: *metil-; hexil-; pentil-*. [Ocorre, tb., como infixo: *sulfoxílico*.]

▲**-ila**^{1} [Do lat. *-ila*.] *Quím. Suf.* Indica substância relacionada a algo específico: *nitrila*.

▲**-ila**^{2} [Do gr. *hýle*, 'madeira'; *p. ext.*, 'substância', v. *hil(e)-*.] *Quím. Suf.* que designa grupamentos derivados de dada substância: *hexila* (< hexano).

ilação [Do lat. *illatione*.] *S. f.* **1.** Aquilo que se conclui de certos fatos; dedução, conclusão: "Cismou algum tempo no caso; mas, como não atinava a deduzir daí uma ilação razoável, não pensou mais nisso." (Alexandre Herculano, *O Monge de Cister*, II, p. 141.) **2.** *Lóg.* Inferência (2). [Cf. *elação*.]

ilacerável [Do lat. *illacerabile*.] *Adj. 2 g.* Que não se pode lacerar.

ilacrimável [Do lat. *illacrimabile*.] *Adj. 2 g.* Que não se comove ante as lágrimas; implacável, inexorável.

ilangue-ilangue [Do tagalo *ilang-ilang*.] *S. m. Bot.* Planta anonácea (*Cananga odorata*) de cujas flores se extrai uma essência utilizada em perfumaria. [Pl.: *ilangue-ilangues*.]

ilapso [Do lat. *illapsu*.] *S. m. Rel.* Influência de Deus na alma das pessoas, segundo os crentes.

ilaquear [Do lat. *illaqueare*.] *V. t. d.* **1.** Fazer cair em logro; enganar, lograr, embair, embaçar. **2.** Quebrar ou desfazer a influência de. *T. d. e i.* **3.** Enredar, enlaçar, enlear, prender: "A Democracia não gosta de ilaquear as suas teorias abstratas nas redes da pequena história, feita das malhas dos argumentos cediços." (Camilo Castelo Branco, *Perfil do Marquês de Pombal*, p. IX.) *Int. P.* **4.** Cair em laço ou em logro. **5.** Deixar-se tentar; cair em tentação. [Conjug.: v. *frear*.]

ilativa [F. subst. de *ilativo*.] *S. f. E. Ling.* Conjunção ilativa.

ilativo [Do lat. *illatus*, part. pres. de *inferre*, 'levar ou trazer para', + *-ivo*.] *E. Ling. Adj.* **1.** Relativo a ilativo (2). ~ V. *caso — e conjugação —a*. ● *S. m.* **2.** Caso ilativo (q. v.).

▲ **il(e)-** Equiv. de *íle(o)-*.

ilê [Do ior.] *S. m. Bras. Rel.* Casa de candomblé; terreiro.

ileáceo [Do lat. *ilex, icis*, 'azevinho', + *-áceo*^{1}.] *Adj.* Relativo ou semelhante ao azevinho.

ileal [De *íle(o)-* + *-al*^{1}.] *Adj. 2 g. Anat.* Pertencente ou relativo ao íleo^{2}. ~ V. *papila —*.

ilécebras [Do lat. *illecebras*.] *S. f. pl. P. us.* Tudo quanto se faz para atrair: blandícias, seduções, carícias, etc.

ilectomia [De *il(e)-* + *-ectom-* + *-ia*^{1}.] *S. f. Cir.* Extirpação total ou parcial do íleo.

ilegal [Do lat. med. *illegale*.] *Adj. 2 g.* Contrário à lei; ilegítimo, extralegal, extrajurídico.

ilegalidade [De *ilegal* + *-(i)dade*.] *S. f.* **1.** Qualidade de ilegal. **2.** Procedimento ilegal. **3.** Situação ilegal.

ilegalizar [De *ilegal* + *-izar*.] *V. t. d.* Tornar ou declarar ilegal.

ilegibilidade [De *ilegível* + *-(i)dade*, seg. o padrão erudito.] *S. f.* Qualidade ou caráter de ilegível. [Cf. *elegibilidade*.]

ilegitimável [De *ilegitimar* + *-vel*.] *Adj. 2 g.* Que não pode ser legitimado.

ilegitimidade [De *ilegítimo* + *-(i)dade*.] *S. f.* **1.** Qualidade ou caráter de ilegítimo. **2.** Falta das qualidades necessárias para que algo seja considerado legalmente válido.

ilegítimo [Do lat. *illegitimu*.] *Adj.* **1.** Não legítimo; que não atende aos requisitos legais. **2.** Desarrazoado, injusto. ~ V. *filho —*.

ilegível [Do lat. **illegibile*.] *Adj. 2 g.* Não legível; que não se pode ler. [Cf. *elegível*.]

ileíte [De *il(e)-* + *-ite*^{1}.] *S. f. Patol.* Inflamação do íleo^{2}.

▲**-ileno** *Quím. Suf.* Indica **1.** grupo divalente (*metileno*); **2.** composto insaturado (*etileno, piperileno, perileno*). [Para alcenos simples, prefere-se o suf. *-eno*^{2}: *eteno*, em vez de *etileno*.]

▲**íle(o)-** [De *íleo*^{2}.] *El. comp.* = 'íleo^{2}': *ileostomia*. [Equiv.: *il(e)-*: *ilectomia, ileíte*.]

íleo^{1} [Do gr. *eileós* < v. gr. *eilein*, 'torcer'.] *S. m. Patol.* Síndrome de parada de trânsito intestinal, devida à ausência de peristaltismo (*íleo adinâmico*) ou a obstáculo mecânico (*íleo dinâmico*). [Cf. *ílio*.] ◆ **Íleo adinâmico.** *Patol.* V. *íleo*. **Íleo dinâmico.** *Patol.* V. *íleo*.

íleo^{2} [Do v. gr. *eilein*, 'enrolar', pelo lat. cient. *ileum*.] *S. m. Anat.* A terceira e última porção do intestino delgado, a qual se estende do final do jejuno à papila ileal, descrevendo, em seu trajeto, numerosas circunvoluções. [Cf. *ílio*.]

ileocecal (i) [De *íle(o)-* + *-cec(o)-* + *-al*^{1}.] *Adj. 2 g.* Pertencente ou relativo ao íleo^{2} e ao ceco. ~ V. *apêndice —, valva — e válvula —*.

ileostomia (i) [De *íle(o)-* + *-stom(o)-* + *-ia*^{1}.] *S. f. Cir.* Comunicação, construída cirurgicamente, do íleo^{2} com a parede abdominal anterior, e que permite a evacuação do conteúdo intestinal.

ileostómico (i) *Adj.* V. *ileostômico*. [Uso freq. em P.]

ileostômico (i) [De *ileostomia* + *-ico*^{2}.] *Adj.* Relativo a ileostomia.

ileso [Do lat. *illaesu*.] *Adj.* Que não está leso; são e salvo; incólume: *Do acidente só duas pessoas saíram ilesas.* [Atenção: é aberto o e.]

iletrado [Do lat. *illiteratu*.] *Adj. S. m.* **1.** Que, ou aquele que não tem conhecimentos literários; iliterato: "Quantos pregadores iletrados, quantos padres sem estudos clássicos .... viveram no Brasil e em Portugal, no século XVII?" (Olavo Bilac, *Últimas Conferências e Discursos*, p. 23). **2.** Analfabeto ou quase analfabeto.

ílex [Do tax. *Ilex* (do lat. *ilex, ilicis*, 'azevinho').] *S. m. 2 n. Bot.* **1.** Gênero de árvores e arbustos aquifoliáceos dotados de folhas coriáceas, ger. sempre-verdes, flores quase sempre tetrâmeras, e fruto drupáceo. **2.** Qualquer espécie desse gênero, como, p. ex., a *Ilex aquifolium* (v. *azevinho*) e a *I. paraguariensis* (v.

mate[2]). **3.** Qualquer espécime desse gênero. [Sin. ger.: *aquifólio*.]

ilha [Do lat. *insula*.] ***S. f.*** **1.** *Geogr.* Terra menos extensa que os continentes e cercada de água por todos os lados. [Sin.: *ínsula* e (bras., AM) *ipuã*. Dim. irreg.: *ilhota, ilhéu, ilheta*.] **2.** *P. ext.* Aquilo que por estar isolado lembra uma ilha: *Mora numa ilha de verdura.* **3.** *Telev.* V. *ilha de edição*. **4.** *Bras.* Espécie de calçada, de nível mais alto que o da rua, erguida no meio desta a fim de separar as mãos de direção e servir como proteção aos pedestres. **5.** *Bras. PA MA MT* Grupo espesso de altas árvores, em meio aos campos. **6.** *Bras. Constr. Nav.* Em um navio-aeródromo, parte da superestrutura que se eleva acima do convés de voo, a boreste, e onde ficam as instalações de comando e de comunicações do navio. ◆ **Ilha de casca.** *Bras.* V. *sambaqui*. **Ilha de edição.** *Telev.* Unidade composta de equipamentos e recursos próprios para edição eletrônica (q. v.). [Tb. se diz apenas *ilha*.] **Ilha de mato.** *Bras. AM* V. *capão*[2].

▲ **-ilha** [Do lat. *-icŭla*.] V. *-ilho*.

ilhabelense ***Adj. 2 g.*** **1.** De, ou pertencente ou relativo a Ilhabela (SP). ● ***S. 2 g.*** **2.** O natural ou habitante de Ilhabela.

ilha-florense ***Adj. 2 g.*** **1.** De, ou pertencente ou relativo a Ilha das Flores (SE). ● ***S. 2 g.*** **2.** O natural ou habitante de Ilha das Flores. [Pl.: *ilha-florenses*.]

ilhal [De **ilha*, do lat. *ilia*, 'ilhargas', 'vazio', + *-al*[1].] ***S. m.*** **1.** Cada uma das depressões laterais por baixo do lombo do cavalo; ilharga: "Quis enterrar os acicates nos ilhais do cavalo" (Pinheiro Chagas, *A Varanda de Julieta*, p. 137). **2.** Cada uma das duas partes entre a última costela, a ponta da alcatra e o lombo da rês: "Os ilhais da fera [touro] arfam de fadiga, a espuma franja-lhe a boca, as pernas vergam e resvalam, e os olhos amortecem de cansaço" (Rebelo da Silva, *Contos e Lendas*, p. 183). **3.** *P. ext.* V. *flanco* (3).

▲ **-ilhão** [De *(m)ilhão*.] ***Suf.*** = 'mil'; '(x) potência de dez': *decilhão, octilhão, quintilhão, setilhão, sextilhão, trilhão*. [Equiv.: *-ilião*: *decilião, octilião, setilião, sextilião, trilião*.]

ilhapa [Do quíchua *yapa*, pelo esp. plat. *llapa*.] ***S. f.*** *Bras. RS* A parte mais grossa do laço de pealar, a qual tem cerca de 1m, estando a ela presa a argola.

ilhar [De *ilha* + *-ar*[2].] ***V. t. d.*** **1.** Tornar isolado, incomunicável, como uma ilha; isolar, insular: *A enchente ilhou o povoado*. ***P.*** **2.** Tornar-se incomunicável; apartar-se, isolar-se, insular-se: "ilham-se os morros" (Euclides da Cunha, *Os Sertões*, p. 75). [Pret. imperf. ind.: *ilhava, ilhavas*, etc. Cf. *ílhava*, s. f.]

▲ **-ilhar** ***Suf. verb.*** = 'ação frequentativa', 'ação diminutiva': *cuspilhar, fervilhar*. [Alterna-se, às vezes, com a f. *-inhar*: *cuspilhar, cuspinhar*.]

ilharga [Do lat. **iliarica*, der. de *ilia*.] ***S. f.*** **1.** Cada uma das partes laterais e inferiores do baixo-ventre: "da ilharga esquerda pendia-lhe um grosso e pesado facão" (Afonso Arinos, *Pelo Sertão*, pp. 68-69). **2.** Ilhal (1). **3.** *P. ext.* V. *flanco* (3). **4.** *Arquit.* Face lateral de um recinto, ou de uma edificação. ~ V. *ilhargas*.

ilhargas [Pl. de *ilharga*.] ***S. f. pl.*** Conselheiros íntimos; protetores, confidentes. ~ V. *ilharga*.

ílhava ***S. f.*** Certo barco de pesca português. [Cf. *ilhava*, do v. *ilhar*.]

ilhense ***Adj. 2 g.*** **1.** De, ou pertencente ou relativo a Ilha Solteira (SP). ● ***S. 2 g.*** **2.** O natural ou habitante de Ilha Solteira.

ilheta (ê) [De *ilha* + *-eta* (ê).] ***S. f.*** V. *ilha* (1).

ilhéu ***Adj.*** **1.** De, ou pertencente ou relativo a ilha; insulano (q. v.). ● ***S. m.*** **2.** O natural ou habitante de uma ilha; insulano (q. v.). [Fem.: *ilhoa*.] **3.** V. *ilha* (1). **4.** Rochedo no meio do mar.

ilheuense (èu) ***Adj. 2 g.*** **1.** De, ou pertencente ou relativo a Ilhéus (BA). ● ***S. 2 g.*** **2.** O natural ou habitante de Ilhéus.

▲ **-ilh(o)-** V. *-ilho*.

▲ **-ilho** [Do lat. *-icŭlu*, por via pop.] ***Suf. nom.*** = 'diminuição': *espartilho, sequilho*. [Equiv.: *-ilha, -ilh(o)-*: *almofadilha; armilheiro*.] [V. *-culo*.]

ilhó [Do lat. **oculiolu*, dim. de *oculus*, 'olho', com dissimilação ou infl. de *palatal*.] ***S. m. e f.*** **1.** Orifício por onde se enfia uma fita ou um cordão. **2.** Aro de metal, de plástico ou de outro material, para debruar um ilhó; anilho. [Var.: *ilhós*.]

ilhoa (ô) [Fem. de *ilhéu*.] ***S. f.*** Mulher natural de ilha.

ilhós ***S. m. e f.*** V. *ilhó*. [Pl.: *ilhoses*.]

ilhota [De *ilha* + *-ota*[1].] ***S. f.*** **1.** V. *ilha* (1): "Joel apontava à sua doce amiga os outeiros ilhados, ilhotas rasas, praias brancas como tabuleiros de salina" (Xavier Marques, *Jana e Joel*, p. 38). **2.** *Histol.* Grupo de células, com função determinada, que se localiza em certos órgãos. ◆ **Ilhota de Langherans.** *Histol.* Ilhota (2) com arranjo esférico, ricamente vascularizada, que constitui o pâncreas endócrino, responsável pela produção de diferentes hormônios, entre eles a insulina e o glucagon.

ilhotense ***Adj. 2 g.*** **1.** De, ou pertencente ou relativo a Ilhota (SC). ● ***S. 2 g.*** **2.** O natural ou habitante de Ilhota.

ilíaco[1] [Do fr. *iliaque* < b.-lat. *iliacus*.] *Anat.* ***S. m.*** **1.** V. *osso do quadril*. ● ***Adj.*** **2.** Pertencente à bacia (12): *região ilíaca*.

ilíaco[2] [Do gr. *iliakós*.] ***Adj.*** **1.** Relativo a Ílion ou Troia [v. *troiano* (1)]: "Ali as cruéis Parcas lhe mostraram / As ilíacas roupas, que pendentes / Do tálamo dourado descobriam / O lustroso pavês, a teucra espada." (Correia Garção, *Obras Poéticas e Oratórias*, p. 383.) ● ***S. m.*** **2.** V. *troiano* (2).

ilíada [Do bibl. *Ilíada*, poema épico de Homero (v. *homérico*), que celebra o cerco e a tomada de Troia (Ílion) pelos gregos.] ***S. f.*** Série de aventuras ou de feitos heroicos.

▲ **-ilião** [De *(b)ilião*.] Equiv. de *-ilhão*.

ilibação [De *ilibar* + *-ção*.] ***S. f.*** Ato ou efeito de ilibar.

ilibado [Do lat. *illibatu*.] ***Adj.*** **1.** Não tocado; sem mancha; puro, incorrupto. **2.** Restituído à estima pública e/ou particular; reabilitado; justificado.

ilibar [Do lat. **illibare*, deduzido de *illibatus*, 'ilibado'.] ***V. t. d.*** **1.** Tornar puro, sem mancha; purificar, depurar. **2.** Reabilitar, justificar: "perguntarei se a opinião pública ilibou o conde denegrido pela calúnia." (Camilo Castelo Branco, *Boêmia do Espírito*, p. 68).

iliberal [Do lat. *illiberale*.] ***Adj. 2 g.*** **1.** Que não é amigo de dar; mesquinho, avaro, avarento, somítico. **2.** Contrário à liberdade.

iliberalidade [Do lat. *illiberalitate*.] ***S. f.*** Qualidade ou ação de quem é iliberal.

iliberalismo [De *i-*[2] + *liberalismo*.] ***S. m.*** Sistema, opinião ou sentimento contrário ao liberalismo político.

ilibração ***S. f.*** *Rel.* Crença muçulmana segundo a qual Deus está incorporado em um livro, que é o Corão.

iliçador (ô) [De *iliçar* + *-dor*.] ***S. m.*** Aquele que iliça.

ilição [Do lat. tard. *illitione* < lat. *illinere*, 'untar'.] ***S. f.*** *P. us.* Fomentação; untura.

iliçar [Do lat. **illiciare* < lat. *illicere*.] ***V. t. d.*** **1.** Enganar, lograr, burlar, embair. **2.** Dispor, como se fossem seus, de bens que não lhe pertencem. [Conjug.: v. *laçar*.]

iliciácea [Do tax. *Illicium* (v. *ilício*) + *-ácea*; tax. *Illiciaceae*.] ***S. f.*** *Bot.* Espécime das iliciáceas, família da ordem das iliciales que compreende apenas o gênero *Illicium* (v. *ilício*).

iliciáceo [De *iliciácea*, com var. suf. (v. *-áceo*).] ***Adj.*** *Bot.* Pertencente ou relativo às iliciáceas.

ilicial [Do tax. *Illicium* (v. *ilício*) + *-al*[1].] ***Adj. 2 g.*** *Bot.* Pertencente ou relativo às iliciales.

iliciale [Do tax. *Illicium* (v. *ilício*) + *-ale*; tax. *Illiciale*.] ***S. f.*** *Bot.* Espécime das iliciales, ordem de dicotiledôneas que compreende as famílias das iliciáceas, esquisandráceas e winteráceas.

ilicineaense ***Adj. 2 g.*** **1.** De, ou pertencente ou relativo a Ilicínea (MG). ● ***S. 2 g.*** **2.** O natural ou habitante de Ilicínea.

ilício[1] [Do lat. *illiciu*.] ***S. m.*** Ato ou crime de iliçar.

ilício[2] [Do tax. *Illicium* (do lat. *illicium*, 'encanto', 'atrativo').] ***S. m.*** *Bot.* **1.** Gênero de árvores e arbustos iliciáceos, com cerca de 42 espécies perenes, de folhas simples, íntegras, espiraladas, pequenas flores solitárias, geminadas ou trigeminadas, frutos que são folículos monospérmicos, aromáticos, comestíveis, e us. na fabricação de licores. **2.** Qualquer espécie desse gênero, como, p. ex., o *Illicium anisatum* (v. *anis-estrelado*). **3.** Qualquer espécime desse gênero, ou a sua flor.

ilícito [Do lat. *illicitu*.] ***Adj.*** **1.** Não lícito; proibido pela lei; injurídico, ilegítimo. **2.** Contrário à moral e/ou ao direito. ● ***S. m.*** **3.** Ato ilícito; ilicitude. [Cf. *elícito*.]

ilicitude [De *ilícito* + *-(t)ude*.] ***S. f.*** **1.** Qualidade de ilícito; injuridicidade, ilegalidade. **2.** Ilícito (3).

▲ **-ilideno** *Quím.* ***Suf.*** Indica grupo divalente capaz de se unir duplamente pelo mesmo carbono: *etilideno*.

ilídimo [De *i-*[2] + *lídimo*.] ***Adj.*** Que não é lídimo; ilegítimo, ilícito.

ilídio ***S. m.*** *Quím.* Designação genérica de certos compostos orgânicos que são íons dipolares que contêm átomo de carbono com carga negativa ligado diretamente a heteroátomo (p. ex., nitrogênio, fósforo ou enxofre) com carga positiva.

ilidir [Do lat. *illidere*.] ***V. t. d.*** Rebater, contestar, refutar: *Prontamente ilidiu as acusações de que foi alvo*; "Aurelino Leal, se não ilidia essa culpabilidade da Marquesa, mostrava-se bastante céptico ao increpamento" (Alberto Rangel, *Dom Pedro Primeiro e a Marquesa de Santos*, p. 331). [Cf. *elidir*.]

ilidível [De *ilidir* + *-vel*.] ***Adj. 2 g.*** Que se pode ilidir. [Cf. *elidível*.]

iligar [Do lat. *illigare*.] ***V. t. d.*** Prender, atar, ligar. [Conjug.: v. *largar*.]

ilimitabilidade [De *ilimitável* (*ilimitabil-*) + *-(i)dade*, seg. o padrão erudito.] ***S. f.*** Condição ou caráter do que não tem limite.

ilimitado [Do lat. *illimitatu*.] ***Adj.*** Sem limites; imenso, indefinido: "os poetas [no sânscrito] têm o direito de formar palavras de comprimento ilimitado, que podem ter sentidos diferentes" (Paulo Rónai, *Escola de Tradutores*, p. 70). ~ V. *função —a*.

ilimitar [De *i-*[2] + *limite* + *-ar*[2].] ***V. t. d.*** Desfazer os limites de; tornar ilimitado: "em todos os tempos houve quem .... se torturasse .... na febre .... de ilimitar o mundo que qualquer espécie de código artístico, ... intelectual e metafísico não consegue senão fechar." (José Régio, ap. João Gaspar Simões, *Novos Temas*, p. 96).

ilimitável [De *i-*[2] + *limitável*.] ***Adj. 2 g.*** Que não se pode limitar; indefinido, imenso.

ilimite [De *i-*[2] + *limite*.] ***S. m.*** Ausência de limite(s): "Ao ilimite do gênio dos homens, opõe-se o limite da paciência dos deuses." (Miguel Torga, *Diário*, VII, p. 44.)

▲ **ilio-** [Do lat. cient. *ilium* < lat. *ilĭa, ĭum*.] ***El. comp.*** = 'ílio', 'ilíaco': *iliocostal*. [É seguido de hífen quando anteposto a palavra iniciada por *h* ou *o*: *ilio-hipogástrico*; é grafado com *r* ou *s* duplicados quando anteposto a palavra iniciada por *r* ou *s*: *iliorrotuliano, iliossacro*.]

ílio [Do fr. *ilion* < lat. *ilium*, 'parte superior do osso do quadril'.] ***S. m.*** *Anat.* A maior das três partes do osso do quadril. [Cf. *íleo*.]

▲ **-ílio** [De *-il-* + *-io*[3].] *Quím.* ***Suf.*** Indica cátion orgânico: *acílio, tropílio*.

iliófago [Do tax. *Ilyo(phis)* + *-fago*; tax. *Ilyophagus*.] ***Adj.*** *Zool.* Diz-se de animal aquático que se nutre de crustáceos e de suas larvas nos fundos lamacentos.

Ílion ***S. m.*** *Anat.* V. *ílio*.

iliquidez (qui ou qüi...ê) [De *ilíquido* + *-ez*.] ***S. f.*** **1.** Qualidade ou estado de ilíquido. **2.** *Econ.* Situação de uma empresa com escassez de ativos líquidos (*i. e.*, de ativo circulante) em relação a suas obrigações de curto prazo.

ilíquido (qui ou qüi) [De *i-*[2] + *líquido*.] ***Adj.*** **1.** Que não é ou não está líquido; confuso, embrulhado. **2.** Global, bruto (rendimento). **3.** Indeterminado quanto à espécie e à quantidade. **4.** *Econ.* Que não tem liquidez (3); que não é facilmente conversível em dinheiro: *ativo ilíquido*.

ilírico [Do gr. *illyrikós*, pelo lat. *illyricu*.] ***Adj.*** **1.** De, pertencente ou relativo a Ilíria, antiga região montanhosa da costa setentrional do Adriático. ● ***S. m.*** **2.** O natural ou habitante da Ilíria. **3.** *Gloss.* Grupo de línguas indo-europeias antigas, pouco conhecidas, do N.O. da península balcânica. [Sin. ger.: *ilírio*.]

ilírio [Do lat. *Illyriu*.] ***Adj. S. m.*** V. *ilírico*.

ilita ***S. f.*** *Min.* Mineral monoclínico, aluminossilicato básico hidratado de potássio com ferro e magnésio, do grupo dos minerais argilosos.

iliteracia (ci) [De *iliterato* + *-ia*[1]; ingl. *illiteracy*.] ***S. f.*** *Lus.* Condição ou estado de iliterato ou iletrado: "A iliteracia não é só um mal característico dos países subdesenvolvidos, mas um verdadeiro mal dos tempos." (*Grande Reportagem*, Lisboa, novembro 1997, nº 80 - 2ª série.)

iliterato [Do lat. *illiteratu*, por via erudita.] ***Adj. S. m.*** Iletrado; analfabeto: "Era um Zola iliterato, incapaz da propaganda de vocabulários sulfídricos para uso das famílias orientadas" (Camilo Castelo Branco, *Vulcões de Lama*, pp. 192-193).

ilmenita [Do top. *Ilmen* (Rússia) + *-ita*[2]; fr. *ilmenite*.] ***S. f.*** *Min.* Mineral romboédrico, titanato ferroso, usado na fabricação de aços especiais.

■ **Ilmo** Abrev. de *ilustríssimo*.

▲ **-ilo** [Do gr. *hýlē*, 'madeira'; 'substância', v. *hil(e)-*.] *Quím.* ***Suf.*** F. alternativa de *-ila*[2]: *cacodilo*.

ilocável [Do lat. *illocabile*.] ***Adj. 2 g.*** **1.** Que não ocupa lugar. **2.** Que não se pode colocar ou localizar: "representações anteriores podem vir à luz, e imagens sem data, esculpidas numa camada arcaica, ilocável no Tempo, soem aflorar à lembrança." (Ciro dos Anjos, *A Menina do Sobrado*, p. 13). [Pl.: *ilocáveis*.]

ilogicidade [De *ilógico* + *-(i)dade*.] ***S. f.*** Qualidade de ilógico.

ilógico [De *i-*[2] + *lógico*.] ***Adj.*** **1.** Que não tem lógica; absurdo, incoerente. **2.** *Filos.* Diz-se do que encerra contradição, seja na ordem do pensamento, seja na ordem da ação. [Cf., nesta acepç., *alógico* (2) e *lógico* (1 e 2).] **3.** *Lóg.* Diz-se do que, seja por privação [v. *alógico* (2)], seja por oposição [v. *antilógico* (2)], escapa a qualquer determinação lógica.

ilogismo [De *ilógico* + *-ismo*, seg. o padrão erudito.] ***S. m.*** **1.** Falta de lógica: "As incorreções que, porventura, apresente [a poesia de Cruz e Sousa], as obscuridades, os ilogismos, ... são amplamente compensados pela agudeza da sua emoção, pela honestidade da sua queixa imensa de humilhado"

I

(Ronald de Carvalho, *Pequena História da Literatura Brasileira*, p. 348). 2. Coisa ilógica, absurda.

ilopolitano *Adj.* 1. De, ou pertencente ou relativo a Ilópolis (RS). • *S. m.* 2. O natural ou habitante de Ilópolis.

iloricado [De *i-*^{2} + *loricado.*] *Adj. Zool.* Desprovido de lorica (2).

ilu [Do ior.] *S. m. Bras.* 1. *Mús.* Atabaque (3). 2. *Rel.* Rum^2. 3. *Rel.* No candomblé de rito ijexá, tambor de duas peles, presas por cordas.

iludente [Do lat. *illudente.*] *Adj. 2 g.* Que ilude; ilusor.

iludibriável [De *i-*^{2} + *ludibriável.*] *Adj. 2 g.* Que não se consegue, ou pode, ludibriar.

iludição [De *iludir* + *-ção.*] *S. f. Bras.* Aquilo que ilude, engana, logra, burla: "Agora, viver desinquietando as famílias, comprando iludição pras mulheres toda vez que vai na cidade — isso ele sabe." (Raquel de Queirós, *O Brasileiro Perplexo*, p. 11.)

iludido [Part. de *iludir.*] *Adj.* 1. Que se iludiu. 2. Ludibriado, enganado, logrado. 3. Que tem ou vive de ilusões. 4. Crédulo, ingênuo.

iludir [Do lat. *illudere*, com mudança de conjug.] *V. t. d.* 1. Produzir ilusão em; enganar, lograr; burlar. 2. Frustrar, baldar, defraudar: *O criminoso iludiu a vigilância da polícia e fugiu.* 3. Usar de subterfúgios para não cumprir; zombar de: *iludir a lei.* 4. Tornar menos doloroso, menos amargo; dissimular, disfarçar, enganar: "Para iludir minha desgraça, estudo." (Augusto dos Anjos, *Eu*, p. 108.) *P.* 5. Cair ou viver em ilusão ou em erro: "Perdendo as ilusões, também perdeste a vida, / Pois deixar de iludir-se é deixar de viver." (Raimundo Correia, *Poesia*, p. 241.) [Cf. *eludir.*]

iludível [De *iludir* + *-vel.*] *Adj. 2 g.* 1. Que pode ser iludido; que se pode induzir em erro. 2. Em que pode haver ilusão.

iluminação [Do lat. tard. *illuminatione.*] *S. f.* 1. Ato ou efeito de iluminar(-se); iluminamento. 2. Arte e técnica de iluminar recintos. 3. *P. ext.* O conjunto das luzes que iluminam um ambiente, parte dele, ou um objeto. 4. *Fig.* Ilustração, saber. 5. *Fig.* Luz súbita no espírito. 6. *Hist. Filos.* Segundo Santo Agostinho (v. *agostinismo*), comunicação da luz divina à alma, pelo que a inteligência se torna capaz de atingir um conhecimento verdadeiro. ◆ **Iluminação indireta.** Iluminação de ambiente feita por fluxo luminoso refletido no teto ou em uma parede. **Iluminação natural.** Iluminação de ambiente em que a fonte de luz é o próprio Sol. **Iluminação zenital.** *Arquit.* Iluminação natural de um recinto, feita mediante claraboias abertas em sua cobertura.

iluminado [Part. de *iluminar.*] *Adj.* 1. Que recebe luz ou iluminação. 2. Que tem iluminuras: "armas com tauxiados de madrepérola e marfim, baús de coiro, livros iluminados, medalhas, retábulos primitivos" (Aquilino Ribeiro, *Alemanha Ensanguentada*, p. 184). 3. *Fig.* Ilustrado, esclarecido, instruído. ~ V. *bordo —*. • *S. m.* 4. Indivíduo que se julga inspirado. 5. Aquele que manifesta iluminação (5). 6. Visionário; vidente.

iluminador (ô) [Do lat. tard. *illuminatore.*] *Adj.* 1. Que ilumina, aclara; iluminante. 2. Que ilumina ou faz iluminuras. • *S. m.* 3. Aquele que iluminava os antigos manuscritos; rubricador, miniaturista. 4. *Teatr.* Aquele que concebe e planeja a colocação das luzes de um espetáculo.

iluminamento [De *iluminar* + *-mento.*] *S. m.* 1. Iluminação (1). 2. *Fotom.* Fluxo luminoso incidente por unidade de área de uma superfície iluminada; iluminância.

iluminância [De *iluminar* + *-ância.*] *S. f. Fotom.* Iluminamento (2).

iluminante [Do lat. *illuminante.*] *Adj. 2 g.* Que ilumina ou alumia; iluminador, iluminativo, alumiador: "Jorros seguidos de fogo d'ouro abriam-se logo, em iluminantes cascatas de fagulhas" (Virgílio Várzea, *Histórias Rústicas*, p. 97).

iluminar [Do lat. *illuminare.*] *V. t. d.* 1. Derramar ou irradiar luz sobre; tornar claro; alumiar: "Pela porta aberta, vinha de lá um tênue luar verde que iluminava vagamente os objetos em volta" (Domingos Monteiro, *Enfermaria, Prisão e Casa Mortuária*, pp. 133-134); "A estrela-d'alva iluminava o céu." (Alberto de Oliveira, *Poesias*, I, p. 236). 2. Realçar com iluminação; abrilhantar: *As casas comerciais devem iluminar suas vitrinas.* 3. Esclarecer, ilustrar: *Os verdadeiros gênios iluminam sua época.* 4. Inspirar, aconselhar, orientar: *Deus o ilumine.* 5. Infundir ânimo ou contentamento em; alegrar: *A notícia iluminou-lhe o semblante.* 6. Ornar com iluminuras. 7. Deixar transparecer; tornar patente: *As contrações do seu rosto iluminavam o ódio do coração.* *P.* 8. Encher-se de luz; alumiar-se, acender-se: "Em frente estava a tela, onde visões se iluminavam e se apagavam, fugidias e sedutoras." (Carlos Paurílio, *Solidão*, p. 79.) 9. Entender claramente; estar com a inteligência viva e apurada. 10. Manifestar contentamento; alegrar-se.

iluminativo [De *iluminar* + *-tivo.*] *Adj.* 1. V. *iluminante.* 2. Instrutivo, esclarecedor.

iluminatório [De *iluminar* + *-tório.*] *Adj.* Iluminador, iluminante: "o poste da Light, que ali se alteia, falhava a seu destino iluminatório." (Carlos Drummond de Andrade, *Fala, Amendoeira*, p. 45).

iluminismo [Do fr. *illuminisme* ou do it. *illuminismo.*] *S. m.* 1. A mística dos iluminados [v. *iluminado* (5)]. 2. *Filos.* V. *filosofia das luzes.*

iluminista [Do fr. *illuministe* ou do it. *illuminista.*] *S. 2 g.* 1. Partidário do iluminismo (2): "O iluminista Montesquieu, no século XVIII, falava no Espírito das Leis sobrepondo-se à Letra das Leis." (Alberto Dines, em *Jornal do Brasil*, 12.12.1998.) • *Adj. 2 g.* 2. Pertencente, ou relativo ao iluminismo (2), ou que dele é próprio: "O século que era para ser o da realização dos ideais iluministas pela ciência e pela razão acaba como o século dos fundamentalismos em guerra." (Luís Fernando Veríssimo, em *O Globo*, 02.05.1999.)

iluminístico [De *iluminista* + *-ico*^{2}.] *Adj.* De, ou relativo a iluminismo ou a iluminista (1).

iluminura [Do fr. *enluminure.*] *S. f. Bibliol.* 1. Arte que, nos antigos manuscritos e em certo número de incunábulos, alia a ilustração e a ornamentação, por meio de pintura em cores vivas, ouro e prata, de letras iniciais, flores, folhagens, figuras e cenas, em combinações variadas, ocupando parte do espaço comumente reservado ao texto e estendendo-se pelas margens, em barras, molduras e ramagens: *a iluminura pré-carolíngia;* "a estatuária dos mausoléus, a imaginária dos altares, a iluminura dos missais, ..., a talha dos retábulos subordinavam-se a um pensamento comum" (Ramalho Ortigão, *O Culto da Arte em Portugal*, pp. 7-8). 2. A pintura assim realizada: "o seu espectro [da morte] .... percorreu .... todos os domínios da arte, das páginas de Manzoni, às rosáceas rendilhadas das catedrais, às iluminuras dos livros de horas dos crentes e ao caprichoso cinzelado dos copos das espadas gloriosas..." (Euclides da Cunha, *Contrastes e Confrontos*, p. 75). [Sin. ger., p. us.: *miniatura.*]

iluminurado [De *iluminura* + *-ado*^{1}.] *Adj.* Pintado ou ornado de iluminuras; iluminado: "O Eminentíssimo Inquisidor-Geral .... começou a ler um rolo de pergaminho iluminurado." (Alberto Rangel, *Quando o Brasil Amanhecia*, p. 262.)

ilundu [Do quimb. *ilundu*, pl. de *kilundu*, 'espírito'.] *S. m. Angol.* Calundu (2): "saltou com força do ilundu que lhe subiu na cabeça" (Domingos Van-Dúnem, *Dibundu*, p. 68).

ilusão [Do lat. *illusione.*] *S. f.* 1. Engano dos sentidos ou da mente, que faz que se tome uma coisa por outra, que se interprete erroneamente um fato ou uma sensação; falsa aparência: *ilusão de óptica; ilusão auditiva;* "Que ilusão, viajar! Todo o Planeta é zero." (Antônio Nobre, *Só*, p. 92). 2. Sonho, devaneio, quimera. 3. Coisa efêmera, passageira. 4. Logro, burla, engano. 5. *Psiq. Psic.* Percepção deformada de objeto (3). ◆ **Ilusão epiléptica.** *Neur. Psiq.* Alteração de percepção que constitui o fenômeno essencial, muitas vezes inicial e, por vezes, único, de crise epiléptica parcial (q. v.). **Ilusão monetária.** *Econ.* Confusão entre valores monetários nominais e reais: *Aquele que se julga mais rico quando seu salário sobe 30%, enquanto os preços aumentam 50%, sofre de ilusão monetária.*

ilusionismo [De *ilusão* + *-ismo*, seg. o padrão erudito; fr. *illusionisme.*] *S. m.* V. *prestidigitação.*

ilusionista [De *ilusão* + *-ista*, seg. o padrão erudito; fr. *illusioniste.*] *S. 2 g.* V. *prestidigitador.*

ilusionístico [De *ilusionista* + *-ico*^{2}.] *Adj.* 1. Que produz ilusão; ilusivo, ilusório. 2. *Teatr.* Relativo a efeitos técnicos de cenário que levam à ilusão visual: "adotou [o teatro inglês]a perspectiva ilusionística só na segunda metade do século XVII" (Oto Maria Carpeaux, *História da Literatura Ocidental*, III, p. 479).

ilusivo [De *iluso* + *-ivo.*] *Adj.* V. *ilusório.* [Cf. *elusivo.*]

iluso [Do lat. *illusu*, part. pass. de *illudere.*] *Adj.* Iludido; enganado.

ilusor (ô) [Do lat. *illusore.*] *Adj.* 1. Que ilude; iludente. • *S. m.* 2. Aquele que ilude.

ilusório [Do lat. tard. *illusoriu.*] *Adj.* 1. Que produz ilusão; enganoso. 2. Falso, vão. [Sin. ger.: *ilusivo.*]

ilustração [Do lat. imp. *illustratione.*] *S. f.* 1. Ato ou efeito de ilustrar(-se). 2. Conjunto de conhecimentos; saber: *homem de notável ilustração.* 3. *Bibliol.* Imagem ou figura de qualquer natureza com que se orna ou elucida o texto de livros, folhetos e periódicos. 4. *Filos.* V. *filosofia das luzes.*

ilustrado [Do lat. *illustratu*, part. pass. de *illustrare.*] *Adj.* 1. Que tem muita ilustração; instruído: "Era o protetor e o conselheiro afetuoso e ilustrado dos nossos artistas." (Ramalho Ortigão, *As Farpas*, II, p. 107.) 2. Que tem gravuras ou ilustrações.

ilustrador (ô) [Do lat. tard. *illustratore.*] *Adj.* 1. Que ilustra. • *S. m.* 2. Aquele que ilustra; desenhista de ilustrações.

ilustradoramente [Do f. de *ilustrador* + *-mente.*] *Adv.* 1. De modo ilustrador. 2. Que é próprio para explicar, para fazer compreender: "Nada revela mais ilustradoramente a importância nula que em nosso conceito e hábitos se atribuía a direitos políticos." (Gilberto Amado, *Depois da Política*, p. 106.)

ilustrar [Do lat. *illustrare.*] *V. t. d.* 1. Tornar ilustre; glorificar: *A cultura ilustra um país.* 2. Esclarecer, elucidar, comentar, explicar: *Usava gravuras para ilustrar a exposição.* 3. Transmitir conhecimentos a; instruir: *A leitura sempre nos ilustra.* 4. Servir como exemplo para; exemplificar: "Benjamin Constant ilustra, talvez, um caso único na história: o de uma revolução política dirigida por um professor de matemática." (Vicente Licínio Cardoso, *Pensamentos Brasileiros*, p. 273.) 5. Ornar (um trabalho impresso ou destinado à imprensa) com gravura ou ilustração (3). *P.* 6. Adquirir lustre, glória, celebridade. 7. Adquirir conhecimentos; instruir-se.

ilustrativo [De *ilustrar* + *-tivo.*] *Adj.* Que serve para ilustrar; destinado a ilustrar: *desenho ilustrativo; exemplo ilustrativo da doutrina.*

ilustre [Do lat. *illustre.*] *Adj. 2 g.* 1. Que se distingue por qualidades dignas de louvor; eminente, insigne: *Na sua profissão é figura ilustre.* 2. Célebre, notável, famigerado. 3. Nobre, fidalgo: *Descende de uma casa ilustre.* [Superl. abs. sint.: *ilustríssimo.*] ~ V. *— desconhecido.*

ilustríssimo [Do lat. *illustrissimu.*] *Adj.* Superl. abs. sint. de *ilustre* [Abrev.: *Il.mo*]. [Tratamento dado a pessoas a quem nos dirigimos por escrito, e àquelas de quem falamos na ausência. Implicando, a princípio, a atribuição de certa dignidade a essas pessoas, veio esse tratamento, pela frequência do uso, a banalizar-se, reduzindo-se a mera fórmula.]

ilutação [De *ilutar* + *-ção*; lat. cient. *illutatione.*] *S. f.* Ato ou efeito de ilutar.

ilutar [Do lat. *illutare.*] *V. t. d.* Banhar (o corpo) em lama ou lodo medicinal; tratar com banhos de lama.

iluviação [Do fr. *illuviation*, der. do lat. *illuvies*, 'imundície'.] *S. f. Pedol.* Concentração de argilas, sesquióxidos, carbonatos, etc., em uma certa camada do solo. [Antôn.: *eluviação.*]

ilvaíta [Do top. lat. *Ilva*, 'ilha de Elba', + *-ita*^{3}.] *S. f. Min.* Mineral ortorrômbico, silicato básico de cálcio e ferro.

▲**im-**^{1} V. *em-*^{2}.

▲**im-**^{2} V. *in-*^{2}.

▲**-im** V. *-inho*^{1}.

imã^1 *S. m.* V. *imame.* [Cf. *ímã.*]

imã^2 *S. m. Bras.* Jaculatória da liturgia da macumba. [Cf. *ímã.*]

ímã [Do fr. *aimant* < lat. vulg. **adimas* < lat. *adamos*, *antis* < gr. *adámas, antos.*] *S. m.* 1. *Fís.* Corpo de material ferromagnético com imantação permanente; magneto. 2. Ferradura, barra ou agulha imantada. 3. *Fig.* Coisa que atrai. [Cf. *imã.*]

imaculabilidade [De *imaculável* + *-(i)dade*, seg. o padrão erudito.] *S. f.* Qualidade de imaculável.

imaculada [F. subst. de *imaculado.*] *S. f.* 1. *Rel.* Epíteto com que se designa a Virgem Maria, isenta da mácula do pecado original. [Com cap.] 2. *Bras. N.E. Pop.* V. *cachaça* (1): "Mendigou pelos caminhos, enamorada da mais repelente criatura que levasse debaixo do braço uma garrafa cheia de imaculada." (Francisco Julião, *Cachaça*, p. 60.)

imaculadense *Adj. 2 g.* 1. De, ou pertencente ou relativo a Imaculada (PB). • *S. 2 g.* 2. O natural ou habitante de Imaculada.

imaculado [Do lat. *immaculatu.*] *Adj.* 1. Que não tem mácula ou mancha de pecado. 2. Puro, inocente, cândido. 3. Que não tem mácula; limpo: "Estava claríssima a sala do comendador, com o tecto e as paredes bem caiadas, reluzindo numa brancura imaculada." (Conde de Ficalho, *Uma Eleição Perdida*, p. 49.) [Sin. ger., p. us.: *imáculo.*]

imaculatismo [Do lat. *immaculatus*, 'sem mancha', + *-ismo.*] *S. m. Rel.* Doutrina religiosa da imaculada Conceição [v. *Imaculada* (1)].

imaculável [Do lat. tard. *immaculabile.*] *Adj. 2 g.* Não suscetível de mácula; impecável: "Não era .... um puro, ou puritano, ... daqueles que assim se julgam, ou são apontados e aparecem aos olhos de nós outros nas suas figuras imaculáveis" (Carlos de Gusmão, *Boca da Grota*, p. 489).

imáculo [Deriv. regress. de *imaculado*, poss.] *Adj. P. us.* V. *imaculado:* "O padre tem um ar tão místico, / ar de cilício, de desgosto / tem qualquer coisa de eucarístico / na alvura imácula do rosto." (A. S. de Mendonça Júnior, *Poemas fora da Moda*, p. 110.)

imagem [Do lat. *imagine.*] *S. f.* **1.** Representação gráfica, plástica ou fotográfica de ser ou de objeto. **2.** *Restr.* Representação plástica da Divindade, de um santo, etc.: “Trouxeram uma pequena mesa que puseram ao lado do leito com uma grande imagem de Cristo” (L. Lavenère, *O Padre Cornélio*, p. 95). [Cf., nesta acepç., *ídolo* (1) e *ícone* (1).] **3.** *Restr.* Estampa, ger. pequena, que representa um assunto ou motivo religioso. **4.** *Fig.* Pessoa muito formosa. **5.** Reprodução invertida, de pessoa ou de objeto, numa superfície refletora ou refletidora: *Passou alguns minutos olhando a própria imagem nas águas do lago.* **6.** Representação dinâmica, cinematográfica ou televisionada, de pessoa, animal, objeto, cena, etc. **7.** Representação exata ou analógica de um ser, de uma coisa; cópia: *O pequeno é a imagem do pai; A nova cidade era uma imagem exata da outra, destruída pelo terremoto.* **8.** Aquilo que evoca uma determinada coisa, por ter com ela semelhança ou relação simbólica; símbolo: *Para aquele moralista, a transformação dos costumes é a imagem da decadência; Dizem que o azul é a imagem da tranquilidade.* **9.** Representação mental de um objeto, de uma impressão, etc.; lembrança, recordação: *imagens do passado.* **10.** Produto da imaginação, consciente ou inconsciente; visão: *Eram seus sonhos povoados de imagens aterradoras.* **11.** Manifestação sensível do abstrato ou do invisível: *Em “O Alienista”, Machado de Assis nos dá boa imagem de sua mordacidade.* **12.** Metáfora: *imagem gasta, banal.* **13.** *Álg.* Ponto de um conjunto que corresponde a um ponto de outro numa aplicação deste sobre aquele. **14.** *Inform.* Cópia exata do conteúdo de um segmento contínuo de memória (principal ou secundária) ou de arquivo: *gravar a imagem de um disquete em outro.* **15.** *Ópt.* Conjunto de pontos no espaço, para onde convergem, ou de onde divergem, os raios luminosos que, originados de um objeto luminoso ou iluminado, passam através de um sistema óptico. **16.** *Rel. Públ.* Conceito genérico resultante de todas as experiências, impressões, posições e sentimentos que as pessoas apresentam em relação a uma empresa, produto, personalidade, etc. ◆ **Imagem matricial.** *Inform.* Aquela que é representada, processada e armazenada na forma de uma série ordenada de unidades individuais (v. *pixel*), dispostas contiguamente em linhas e colunas, cada uma com cor, brilho, etc., definidos. [Cf. *imagem vetorial.*] **Imagem real.** *Ópt.* A que é formada pelos raios luminosos que convergem depois de atravessarem um sistema óptico. **Imagem vetorial.** *Inform.* Aquela que é representada e armazenada na forma de instruções para a sua produção por um dispositivo de saída (p. ex., tela do computador, impressora), que a reproduz à medida que essas instruções são processadas. [Cf. *imagem matricial.*] **Imagem virtual.** *Ópt.* A que é formada pelos raios luminosos que divergem depois de atravessarem um sistema óptico.

imageria [Do ingl. *imagery* ou do fr. *imagerie.*] *S. f.* Meio expressivo, ger. individual, concreto ou figurado, us. por um escritor em certos trechos onde deseja obter um efeito específico (como recurso emocional especial, ou cadeia de associações intelectuais).

imagético [De *imag(em)* + *-ético.*] *Adj.* Que encerra imagem, ou revela imaginação: *Seus poemas são profundamente imagéticos.*

imaginação [Do lat. *imaginatione.*] *S. f.* **1.** Faculdade que tem o espírito de representar imagens; fantasia. **2.** Faculdade de evocar imagens de objetos que já foram percebidos; imaginação reprodutora. **3.** Faculdade de formar imagens de objetos que não foram percebidos, ou de realizar novas combinações de imagens: *imaginação criadora.* **4.** Faculdade de criar mediante a combinação de ideias: *escritor de muita imaginação.* **5.** A coisa imaginada. **6.** Criação, invenção. **7.** Cisma, fantasia, devaneio: *Ficava horas calado, entregue às suas imaginações.* **8.** Crença fantástica; crendice; superstição: *O lobisomem é uma imaginação popular.* **9.** *Liter. Arte* Invenção ou criação construtiva, organizada (por oposição a *fantasia*, invenção arbitrária). ◆ **Imaginação reprodutora.** Imaginação (2).

imaginador (ô) [De *imaginar* + *-dor.*] *Adj.* **1.** Que imagina; imaginante. ● *S. m.* **2.** Aquele que imagina.

imaginante [Do lat. *imaginante.*] *Adj. 2 g.* Imaginador (1).

imaginar [Do lat. *imaginare.*] *V. t. d.* **1.** Construir ou conceber na imaginação; fantasiar, idear, inventar: *imaginar personagens, situações.* **2.** Ter ou fazer ideia de; representar na imaginação: *Impossível imaginar as atrocidades então cometidas.* **3.** Supor, presumir, conjeturar: “Quando estás vestida, / Ninguém imagina / Os mundos que escondes / Sob as tuas roupas.” (Manuel Bandeira, *Estrela da Vida Inteira*, p. 252); *Ao ver aquelas nuvens, logo imaginou que iria chover.* **4.** Relembrar, recordar: “para lá dos montes altos imaginava a sua terra de luz, ... sonolenta e calma naquele adormecer do dia.” (Natércia Freire, *A Alma da Velha Casa*, p. 112). **5.** Conjecturar sobre; idealizar: *Ficava horas imaginando sua filha em Paris.* ***Transobj.*** **6.** Julgar, supor, presumir: “Vês o morto e logo o imaginas distante, disforme, um estranho” (Raquel de Queirós, *100 Crônicas Escolhidas*, p. 67). ***T. i.*** **7.** Pensar; cismar: “Quando o Sol encoberto vai mostrando / ao mundo a luz quieta e duvidosa, / ao longo de ua praia deleitosa, / vou na minha inimiga imaginando.” (Luís de Camões, *Rimas*, p. 141); “imaginava no modo como descobriria se eram falsas ou verdadeiras essas novas de mau-pecado.” (Alexandre Herculano, *Lendas e Narrativas*, II, p. 25). ***Int.*** **8.** Pensar, matutar, cismar: “À tarde do outro dia, enterrou-se seu Teófilo. .... À boca da noite, Dona Júlia se assentou na soleira da porta da cozinha e ficou imaginando.” (Mário Matos, *Casa das Três Meninas*, p. 130). ***P.*** **9.** Julgar-se, supor-se: “Imaginei-me artista, e incontinenti o escopro / Empunho” (Guimarães Passos, *Horas Mortas*, p. 75). **10.** Prefigurar-se, afigurar-se. [Fut. pret.: *imaginaria*, etc. Cf. *imaginária*, s. f. e fem. de *imaginário*, adj. e s. m.]

imaginária [F. subst. do adj. *imaginário.*] *S. f.* Figura humana bordada ou pintada. [Cf. *imaginaria*, do v. *imaginar.*]

imaginário [Do lat. *imaginariu.*] *Adj.* **1.** Que só existe na imaginação; ilusório; fantástico: “Arrancava dos dedos pedacinhos de pele imaginários” (Machado de Assis, *Várias Histórias*, p. 44). ~ V. *curinga* — e *número* —. ● *S. m.* **2.** Aquele que faz estátuas ou imagens de santos; santeiro, imagineiro: “Notável é a sua [de Lélia Coelho Frota] reflexão sobre imaginários, a cidade de Tiradentes, mestre Vitelino, a pintura de Maria Leontina” (Maria Luísa Penna, *Discurso de Posse*, p. 30). **3.** Aquilo que é obra da imaginação. **4.** O conjunto de símbolos e atributos de um povo, ou de determinado grupo social: “Sebastiane .... já antecipava as características do polêmico cineasta [Derek Jarman]: falado em latim, o filme está impregnado do imaginário *gay*.” (Carlos Heli de Almeida, em *Jornal do Brasil*, 13.05.1992.) **5.** *Mat.* Número imaginário. [Fem.: *imaginária*. Cf. *imaginaria*, do v. *imaginar.*] ◆ **Imaginário conjugado.** *Mat.* Complexo conjugado.

imaginativa [F. subst. de *imaginativo.*] *S. f.* Faculdade de imaginar: “e a imaginativa esgota-se acompanhando o desmedido de um arrancado voo de leviatãs” (Euclides da Cunha, *Contrastes e Confrontos*, p. 271).

imaginativamente [Do f. de *imaginativo* + *-mente.*] *Adv.* De modo imaginativo; pela imaginação: “o olho habituado a ver e a deformar imaginativamente a realidade” (João Gaspar Simões, *Novos Temas*, p. 251).

imaginatividade [De *imaginativo* + *-(i)dade.*] *S. f.* Qualidade ou atributo de imaginativo.

imaginativo [Do lat. *imaginativu.*] *Adj.* **1.** Que imagina facilmente; que tem imaginação fértil. **2.** Sonhador, cismático, cismativo. ● *S. m.* **3.** Indivíduo imaginativo.

imaginável [De *imaginar* + *-vel.*] *Adj. 2 g.* Que se pode imaginar: “a baixeza de caráter do ex-feitor excedia todos os limites imagináveis.” (José do Patrocínio, *Mota Coqueiro*, p. 108).

imagineiro [De *imaginar* + *-eiro.*] *S. m.* V. *imaginário* (2).

imaginoso (ô) [Do lat. *imaginosu.*] *Adj.* **1.** Dotado de imaginação fértil. **2.** Fantástico, fabuloso, imaginário.

imagismo [Do ingl. *imagism* < ingl. *image*, ‘imagem’, + ingl. *-ism* (v. *-ismo*).] *S. m. Liter.* Movimento literário da poesia inglesa e norte-americana, surgido na década de 1910 como reação ao simbolismo, propondo temas modernos e o uso de imagens poéticas claras, expressas em linguagem concreta e verso livre.

imagista [De *imagismo* + *-ista*; ingl. *imagist.*] *Adj. 2 g.* **1.** Relativo ao, ou próprio do imagismo. ● *S. 2 g.* **2.** Adepto ou seguidor do imagismo.

imagística *S. f.* Faculdade ou poder de imaginação, de invenção, de fantasia.

imagístico *Adj.* Relativo à imagística.

imago [Do lat. *imago.*] *S. f.* **1.** *Zool.* A forma definitiva do inseto, após as suas metamorfoses, e na qual se lhe define o sexo. **2.** *Psic.* Lembrança, fantasia ou idealização de uma pessoa querida, formada na infância e que se conserva sem modificação na vida adulta.

imaleabilidade [De *imaleável* + *-(i)dade*, seg. o padrão erudito.] *S. f.* Qualidade de imaleável.

imaleável [De *i-*^{2} + *maleável.*] *Adj. 2 g.* Não maleável.

imame [Do ár. *imām*, ‘aquele que vai à frente’, ‘chefe religioso’.] *S. m.* **1.** *Rel.* Sacerdote que dirige as preces, que preside a reunião ritual da comunidade islâmica, nas mesquitas. **2.** Título atribuído a certos califas. [Var.: *imã*, *imamo.*]

imamo *S. m. Lus.* V. *imame.*

íman *S. m. Lus.* V. *ímã.*

imanar [De *ímã* + *-ar*^{2}.] *V. t. d.* V. *imanizar.* [Cf. *emanar.*]

imane [Do lat. *immane.*] *Adj. 2 g.* **1.** Muito grande; desmedido, enorme. **2.** *Fig.* Feroz, cruel, atroz. [Cf. *emane*, do v. *emanar.*]

imanência [Do lat. tard. *immanentia* (acus. pl. neutro do part. pres. de *immanere*, ‘ficar, deter-se em’), tomado como fem.] *S. f.* Qualidade de imanente.

imanente [Do lat. *immanente*, part. pres. de *immanere.*] *Adj. 2 g.* **1.** Que existe sempre em um dado objeto e inseparável dele: “Noutra passagem das églogas ele [Camões] se serviu se não da própria imagem da morte pelo menos da alusão a um fenômeno equivalente para exprimir em termos de arte o niilismo imanente a todas as experiências de amor.” (Cristiano Martins, *Camões*, p. 64.) **2.** *Filos.* Que está contido em ou que provém de um ou mais seres, independentemente de ação exterior. [Opõe-se a *transcendente* (5).] **3.** *Filos.* Diz-se daquilo de que um ser participa, ou a que um ser tende, ainda que por intervenção de outro ser. ~ V. *ação* — e *finalidade* —.

imanentismo [De *imanente* + *-ismo.*] *S. m. Teol.* Doutrina que sustenta ser a fé uma exigência de profundas necessidades do íntimo do ser e não uma graça provinda de Deus.

imanidade [Do lat. *immanitate.*] *S. f.* Qualidade de imane.

imanização [De *imanizar* + *-ção.*] *S. f.* Ato ou efeito de imanizar.

imanizar [De *ímã* + *-izar.*] *V. t. d.* Comunicar a (um metal) a propriedade do ímã; magnetizar; imanar, imantar.

imanjá *S. f. Bras.* V. *iemanjá.* [Com cap.]

imantação [De *imantar* + *-ção.*] *S. f. Fís.* V. *magnetização* (2 e 3).

imantar [Do fr. *aimanter.*] *V. t. d.* V. *imanizar.* [Cf. *emantar.*]

imantógrafo *S. m.* Quadro magnético (q. v.).

imarcescibilidade [De *imarcescível* + *-(i)dade*, seg. o padrão erudito.] *S. f.* Qualidade de imarcescível.

imarcescível [Do lat. *immarcescibile.*] *Adj. 2 g.* **1.** Que não murcha: “Que muito, ó Musas, pois, que em fausto agouro / Cresçam do pátrio rio à margem fria / A imarcescível hera, o verde louro!” (Cláudio Manuel da Costa, *Obras*, I, p. 152.) **2.** Incorruptível, inalterável.

imarginado [De *i-*^{2} + *marginado.*] *Adj.* Que não tem margens ou bordos.

imaruiense (u-i) *Adj. 2 g.* **1.** De, ou pertencente ou relativo a Imaruí (SC). ● *S. 2 g.* **2.** O natural ou habitante de Imaruí.

imaterial [Do lat. ecles. *immateriale.*] *Adj. 2 g.* **1.** Que não tem a natureza da matéria; não material; impalpável: “Esta luz prodigiosa da manhã .... dava, ao grande panorama, já planetário, uma transfigurada aparência, dum colorido imaterial” (Teixeira de Pascoais, *Verbo Escuro*, p. 170). ● *S. m.* **2.** Aquilo que é imaterial.

imaterialidade [De *imaterial* + *-(i)dade.*] *S. f.* Qualidade ou condição de imaterial.

imaterialismo [De *imaterial* + *-ismo.*] *S. m. Hist. Filos.* Segundo Berkeley (v. *berkelianismo*), a sua própria doutrina, que afirma só existirem espíritos, não tendo a matéria outra existência que não a de ser percebida, e se resume na afirmação de que ser é perceber ou ser percebido.

imaterialista [De *imaterial* + *-ista.*] *Adj. 2 g.* **1.** Relativo ao, ou que é sectário do imaterialismo. ● *S. 2 g.* **2.** Sectário do imaterialismo.

imaterializar [De *imaterial* + *-izar.*] *V. t. d. P.* Tornar(-se) imaterial; espiritualizar(-se): “queria imaterializar o corpo, dominando-lhe os apetites com o estoicismo de S. Vicente de Paula ou de Santo Efrém” (Inglês de Sousa, *O Missionário*, p. 67); “é a sacrossanta beleza da mulher bela na velhice, uma beleza, que parece imaterializar-se, espiritualizar-se sob a névoa dos cabelos brancos...” (Olavo Bilac, *Últimas Conferências e Discursos*, p. 298).

imaturidade [Do lat. *immaturitate.*] *S. f.* Qualidade ou condição de imaturo.

imaturo [Do lat. *immaturu.*] *Adj.* **1.** Que não é ou não está maduro^{2} (1). **2.** Prematuro, precoce, antecipado. **3.** Que não tem maturidade.

imba *S. m.* **1.** *Bras. MG* V. *papão*^{1} (1). **2.** *Bras. RS* Buraco feito no chão, e em que, no jogo do gude, deve entrar a bola; boco.

imbaíba [Var. de *ambaíba.*] *S. f. Bras. Bot.* V. *umbaúba* (1 e 2).

imbaibal (a-i) [De *imbaíba* + *-al*^{1}; var. de *ambaibal.*] *S. m. Bras.* V. *umbaubal.*

imbambas [Do quimb. *imbamba*, pl. de *kimbamba*, ‘carga’.] *S. f. pl. Angol.* Bagagem com os pertences (2): “Com aquele pano, ela devia estar de viagem e não levava imbambas para não despertar suspeitas nos guardas.” (Artur Queirós, *Mukandano*, p. 54.)

imbatível [De *im-*[2] + *batível (< *bater* + *-ível*).] ***Adj. 2 g.*** Que não pode ser batido ou vencido; invencível: "As húngaras — mulheres belas — todo o mundo sabe disso. .... Delas, ganhará apenas a mulher italiana, mas porque esta é imbatível." (João Guimarães Rosa, *em* Paulo Rónai, *Antologia do Conto Húngaro*, p. XVII.)

imbaúba [Var. de *ambaíba*.] ***S. f. Bras. Bot.*** V. *umbaúba* (1 e 2).

imbaúba-de-cheiro ***S. f. Bras. Bot.*** V. *mapati*. [Pl.: *imbaúbas-de-cheiro*.]

imbaubal (a-u) ***S. m. Bras.*** V. *umbaubal*.

imbaubapuruma (a-u) [Do tupi.] ***S. f. Bras. Bot.*** Designação comum a três árvores moráceas: *Pouroma acuminata*, *P. bicolor* e *P. cecropiaefolia*.

imbé [Do tupi.] ***S. m. Bras. Bot.*** Designação comum às plantas trepadeiras aráceas pertencentes ao gênero *Philodendron*, de folhas enormes, flores mínimas agrupadas em espigas bracteadas, e cujo caule tem raízes aéreas que fornecem fibras para um tipo de barbante ou corda; imbezeiro.

imbecil (cíl) [Do lat. *imbecille*.] ***Adj. 2 g.*** **1.** V. *idiota* (1). **2.** V. *tolo* (1 a 3). **3.** *Fig.* Covarde, pusilânime. **4.** *Psiq.* Que sofre de imbecilidade (3). **5.** *P. ext.* Próprio de imbecil; estúpido, idiota: *cara imbecil; palavras imbecis.* ● ***S. 2 g.*** **6.** Pessoa imbecil. V. *tolo* (8). **7.** *Psiq.* Indivíduo que sofre de imbecilidade (3).

imbecilidade [Do lat. *imbecillitate*.] ***S. f.*** **1.** Qualidade ou estado de imbecil: "Não sabe a gente se há de achar este livro um começo de imbecilidade senil ou um resto amável de candura infantil." (Eça de Queirós, *Crônicas de Londres*, p. 12.) **2.** Ato ou dito imbecil. **3.** *Psiq.* Retardo mental situado entre a debilidade mental e a idiotia, que se caracteriza pela incapacidade intelectual do indivíduo de utilizar e compreender a linguagem escrita, e de prover ao seu sustento, situando-se-lhe o nível intelectual entre o de três e o de sete anos, nos testes de inteligência.

imbecilização [De *imbecilizar* + *-ção*.] ***S. f.*** Ato ou efeito de imbecilizar(-se).

imbecilizar [De *imbecil* + *-izar*.] ***V. t. d. P.*** Tornar(-se) imbecil.

imbé-da-praia ***S. m. Bras. Bot.*** V. *aningaúba*. [Pl.: *imbés-da-praia*.]

imbé-de-comer ***S. m. Bras. Bot.*** V. *cipó-de-imbé*. [Pl.: *imbés-de-comer*.]

imbeense (èen) ***Adj. 2 g.*** **1.** De, ou pertencente ou relativo a Imbé (RS). ● ***S. 2 g.*** **2.** O natural ou habitante de Imbé.

imbé-furado ***S. m. Bras. Bot.*** V. *dragão-fedorento*. [Pl.: *imbés-furados*.]

imbele [Do lat. *imbelle*.] ***Adj. 2 g.*** **1.** Que não é belicoso: "É teu filho imbele e fraco!" (Gonçalves Dias, *Obras Poéticas*, II, p. 30.) **2.** *Fig.* Fraco, tímido, covarde.

imberana (bè) [De *imbé* + *-rana*.] ***S. f. Bras. Bot.*** V. *aningaúba*.

imberbe [Do lat. *imberbe*.] ***Adj. 2 g.*** **1.** Sem barba; desbarbado, lampinho: "de manhã, ao contrário dos adultos que acordam escuros e barbados, ele despertava cada vez mais imberbe." (Clarice Lispector, *Laços de Família*, p. 125). **2.** Jovem, moço.

imbetiba [Do tupi.] ***S. f. Bras.*** Qualquer praia alta. [Var.: *imbituba*.]

imbezeiro (bè) [De *imbé* + *-zeiro*.] ***S. m. Bot.*** Imbé: "A pedra lhe dava na altura do peito, e as folhas do imbezeiro ocultavam-lhe a cabeça." (Herberto Sales, *Histórias Ordinárias*, p. 195.)

imbicar [De *embicar*.] ***V. t. d.*** **1.** Abicar, aportar, abeirar. **2.** Encaminhar, dirigir. **3.** Conduzir (negócios) a bom termo. ***T. d. e c.*** **4.** Imbicar (1 e 2). [Conjug.: v. *trancar*. Cf. *embicar*.]

imbiruçu [Do tupi.] ***S. m. Bras. Bot.*** V. *mamorana*.

imbituba ***S. f. Bras.*** V. *imbetiba*.

imbitubense ***Adj. 2 g.*** **1.** De, ou pertencente ou relativo a Imbituba (SC). ● ***S. 2 g.*** **2.** O natural ou habitante de Imbituba.

imbituvense ***Adj. 2 g.*** **1.** De, ou pertencente ou relativo a Imbituva (PR). ● ***S. 2 g.*** **2.** O natural ou habitante de Imbituva.

imbondeiro [Do quimb. *mbondo* + *-eiro*.] ***S. m.*** *Angol. Cabo-verd. Guin. Lus. Moç. Santom. Bot.* V. *baobá*: "Catete / oh terra quente / de beiços de imbondeiro / e barbas de milho" (Arlindo Barbeitos, *Angola Angolê Angolema*, p. 24). [Var.: *embondeiro*.]

imboré *Bras.* ***S. 2 g.*** **1.** *Etnôn.* Indivíduo dos imborés, povo indígena extinto que habitava o S. da BA. ● ***Adj. 2 g.*** **2.** Pertencente ou relativo a esse povo. [Tb. us. como *s. 2 g. e 2 n.* (com cap.) e *adj. 2 g. e 2 n.*]

imbricação [De *imbricar* + *-ção*.] ***S. f.*** Disposição que apresentam certos objetos quando se sobrepõem parcialmente uns aos outros, como as telhas de um telhado ou as escamas do peixe.

imbricado [Part. de *imbricar*.] ***Adj.*** **1.** Que apresenta imbricação. **2.** *Bot.* Diz-se do órgão ou parte vegetal que, estando muito próximo dos vizinhos, é parcialmente coberto pelo anterior e cobre o subsequente; imbricativo: *folha imbricada; pétala imbricada.*

imbricar [Do lat. *imbricare*; fr. *imbriquer*.] ***V. t. d. T. d. e i.*** **1.** Dispor (coisas) de maneira que só em parte se sobreponham umas às outras, como as telhas do telhado ou as escamas do peixe. ***P.*** **2.** Dispor-se (coisas) dessa maneira: "dengosa e lírica senhora, esculpida em toucinho, numa sucessão de roscas que se sobrepunham e imbricavam para todos os lados... as do seio sobre as do ventre, as do ventre sobre as das coxas" (Fialho d'Almeida, *Pasquinadas*, p. 58). [Conjug.: v. *trancar*.]

imbricativo [De *imbricar* + *-tivo*.] ***Adj. Bot.*** Imbricado (2).

imbrífero [Do lat. *imbriferu*.] ***Adj.*** Que traz chuvas; inundante. [Antôn.: *imbrífugo*.]

imbrífugo [Do lat. *imbri-* (< lat. *imber, imbri*) + *-fugo*[2].] ***Adj.*** Que livra da chuva. [Antôn.: *imbrífero*.]

imbróglio [Do it. *imbroglio*.] ***S. m.*** **1.** Trapalhada, confusão, mixórdia, embrulhada: "O Dr. Cláudio conduzia os trabalhos com verdadeira perícia de automedonte, esclarecia os imbróglios" (Raul Pompeia, *O Ateneu*, p. 124). **2.** *Teatr. Deprec.* Dramalhão de enredo confuso, complicado e mal-elaborado: "Só lá dentro soubemos que o drama em execução era *O Crime ou Vinte Anos de Remorso*. / Tínhamos uma vaga notícia desta cousa — .... sabíamos que era um imbróglio" (Camilo Castelo Branco, *Dispersos*, I, p. 469).

imbu [Do tupi.] ***S. m. Bras. Bot.*** **1.** O fruto do imbuzeiro. [Var.: *umbu*.] **2.** Umbu (2 e 3).

imbucuru [Do tupi.] ***S. m. Bras. SP Zool.*** V. *rato-de-espinho*.

imbuia [Do tupi.] ***S. f. Bras. Bot.*** Árvore laurácea (*Ocotea porosa*), de flores insignificantes, tronco grosso e curto, e cujo fruto é uma baga com pequena cúpula basal. Ocorre nas matas paranaenses e produz excelente madeira de lei, rica em desenhos, e que está ameaçada de extinção. [Var.: *umbuia*. Cf. *imbuía*, do v. *imbuir*.]

imbuiense ***Adj. 2 g.*** **1.** De, ou pertencente ou relativo a Imbuia (SC). ● ***S. 2 g.*** **2.** O natural ou habitante de Imbuia.

imbuir [Do lat. *imbuere*, com mudança de conjug.] ***V. t. d. e i.*** **1.** Meter num líquido; embeber, impregnar: *Imbuiu a toalha em água quente.* **2.** Infundir, insinuar, incutir; impregnar: *Imbuíram-no de preconceitos perniciosos.* **3.** Fazer penetrar; embeber, entranhar, insinuar: "Não era boca para embeber-se na delícia de um beijo ardente, com a ânsia da paixão que imbui uma alma na outra, fundindo-as em delíquios de amor." (José de Alencar, *Guerra dos Mascates*, pp. 43-44.) ***P.*** **4.** Deixar-se penetrar; impregnar-se: *Imbuiu-se de forças para vencer a disputa.* [Conjug.: v. *atribuir*. Pres. ind.: *imbuo, imbuis, imbui*, etc.; imperf.: *imbuía*, etc. Cf. *imbuí*, 1ª pess. sing. do pret. perf., *Imbuí*, top., e *imbuia*, s. f.]

imburana [De *imbu* + *-rana*.] ***S. f. Bras. Bot.*** Pequena árvore burserácea (*Bursera leptophleos*) da caatinga, muito esgalhada, de folhas penadas, com folíolos aromáticos, flores muito pequenas, fruto oleífero, comestível quando bem maduro, e madeira branca e dura, utilizável em carpintaria e construção; imburana-vaqueira. [Var.: *umburana*.]

imburana-de-cheiro ***S. f. Bras. Bot.*** **1.** Árvore fabácea (*Torresia acreana*) de folhas penadas, com 17 a 25 folíolos, flores alvas com corola papilionada, e fruto leguminoso. Possui cumarina em todas as suas partes, sobretudo nas sementes, que são extremamente aromáticas, e ocorre nas matas, no AC. **2.** V. *cumaru-do-ceará*. [Pl.: *imburanas-de-cheiro*.]

imburana-vaqueira ***S. f. Bras. Bot.*** Imburana. [Pl.: *imburanas-vaqueiras*.]

imburi [Var. de *buri*.] ***S. m. Bras. Bot.*** **1.** V. *ariri* (1). **2.** V. *buri-da-praia*.

imburizal [De *imburi* + *-zal*.] ***S. m.*** **1.** *Bras.* Quantidade mais ou menos considerável de imburis dispostos proximamente entre si. **2.** Área ocupada por imburizal (1).

imburocratizável [De *im-*[2] + *burocratizável*.] ***Adj. 2 g.*** Que não se pode burocratizar.

imbuzada [De *imbu* + *-zada*.] ***S. f. Bras. N. Cul.*** Iguaria que se faz com o imbu cozido e passado na peneira, com leite e açúcar. [Var.: *umbuzada*.]

imbuzal [De *imbu* + *-zal*.] ***S. m.*** **1.** *Bras.* Quantidade mais ou menos considerável de imbuzeiros dispostos proximamente entre si. **2.** Área ocupada por imbuzal (1). [Var.: *umbuzal*.]

imbuzeiro [De *imbu* + *-zeiro*.] ***S. m. Bras. Bot.*** **1.** Arvoreta anacardiácea (Spondias tuberosa) muito copada, própria da caatinga, de folhas penadas, flores minutas, e cujas raízes têm grandes tubérculos reservadores de água, sendo os frutos (imbus) bagas comestíveis, bastante apreciadas; jique. **2.** V. *cajazeira*. [Var.: *umbuzeiro*.]

■ **IME** Sigla de *Instituto Militar de Engenharia*.

imediação [Do v. *imediar (< *i-*[2] + *médio*, 'meio', + *-ar*[2]) + *-ção*.] ***S. f.*** O fato de ser ou estar imediato. ~ V. *imediações*.

imediações [Pl. de *imediação*.] ***S. f. pl.*** Vizinhanças, circunvizinhanças, cercanias, arredores. ~ V. *imediação*.

imediatamente [Do f. de *imediato* + *-mente*.] ***Adv.*** **1.** De imediato; sem demora: *Decidiu casar-se imediatamente.* **2.** Em proximidade no espaço ou no tempo: *Sentou-se imediatamente à esquerda de seu pai.* **3.** De forma direta, imediata: *Eles não seriam imediatamente afetados, mas outros seriam.*

imediatar [De *imediato* + *-ar*[2].] ***V. t. d. Int.*** Servir em (um navio) como imediato.

imediatice [De *imediato* + *-ice*.] ***S. f. Bras. Mar.*** O cargo de imediato (8).

imediatidade [De *imediato* + *-(i)dade*.] ***S. f.*** Qualidade ou caráter de imediato.

imediatismo [De *imediato* + *-ismo*.] ***S. m.*** **1.** Sistema de atuar dispensando mediações e rodeios. **2.** Filosofia e prática daqueles que cuidam absorventemente do que dá vantagem imediata.

imediatista [De *imediato* + *-ista*.] ***Adj. 2 g.*** **1.** Relativo ao, ou que é partidário ou praticante do imediatismo. ● ***S. 2 g.*** **2.** Partidário ou praticante do imediatismo.

imediato [Do lat. tard. *immediatu*.] ***Adj.*** **1.** Que não tem nada de permeio; próximo: "Imediato à sala, com uma janela igual àquelas outras, havia um gabinete" (Aluísio Azevedo, *Casa de Pensão*, p. 87). **2.** Rápido, instantâneo: *remédio de efeito imediato.* **3.** Que (se) segue; seguinte: "E como se aquilo tivesse sido um vaticínio, logo na semana imediata a vida plácida do operariado sergipano estremeceu, convulsionou-se de repente." (Amando Fontes, *Os Corumbas*, p. 60.) **4.** Direto (3). [Opõe-se a *mediato* (1).] **5.** *Filos.* Diz-se de objeto de conhecimento que se oferece como um dado último e primitivo, que não pode ser nem lógica nem objetivamente contestado. [Cf., nesta acepç., *dado*[2] (9).] **6.** Intuitivo (3). ~ V. *inferência —a*, *percussão —a* e *realismo —*. ● ***S. m.*** **7.** Funcionário de categoria logo abaixo da do chefe, e que substitui este em suas faltas: "Tine, depois dum momento, a campainha do chefe de secção, o imediato do diretor." (Dionélio Machado, *Os Ratos*, p. 23.) **8.** *Mar.* Oficial que se segue ao comandante, na cadeia de comando de um navio, e o substitui na sua ausência ou nos seus impedimentos. ◆ **De imediato.** Sem detença; imediatamente: "E tempo não teve de lhe perguntar nada, porque ela lhe disse de imediato, apontando no rumo da porteira: — Aquela peste da Júlia fugiu por ali." (Herberto Sales, *O Lobisomem*, p. 135.)

imedicável [Do lat. *immedicabile*.] ***Adj. 2 g.*** Que não pode ser medicado: "às vezes há males, que são imedicáveis." (Fr. Francisco de S. Carlos, *A Assunção*, p. II).

imemorado [Do lat. *immemoratu*.] ***Adj.*** **1.** Que não foi memorado; esquecido. **2.** Ainda não contado.

imemorável [Do lat. *immemorabile*.] ***Adj. 2 g.*** V. *imemorial* (1).

imémore ***Adj. 2 g.*** *Poét.* V. *imêmore*. [Uso freq. em P.]

imêmore [Do lat. *immemore*.] ***Adj. 2 g.*** *Poét.* Que não se recorda; esquecido.

imemorial [De *i-*[2] + *memorial*.] ***Adj. 2 g.*** **1.** De que não pode haver ou não há memória; imemorável. **2.** De que não há memória por causa de sua extraordinária antiguidade; antiquíssimo. [Sin. ger.: *imemoriável*.]

imemoriável [De *i-*[2] + *memoriável*.] ***Adj. 2 g.*** V. *imemorial*.

imene ***S. m. Bras. Bot.*** Butua-catinguenta.

imensidade [Do lat. *immensitate*.] ***S. f.*** **1.** Extensão ilimitada: "o oceano que rumoreja resguardado da vista por imensidade de pinheirais." (Antônio Feliciano de Castilho, *Amor e Melancolia*, p. 243). **2.** O espaço imenso; o infinito: "Fiquei de frente para a imensidade, / Vendo o que o olhar não chega a compreender." (Dante Milano, *Poesias*, p. 48.) **3.** Quantidade grande, imensa: *Trouxe consigo uma imensidade de problemas.* [Sin. ger.: *imensidão*.]

imensidão [De *imenso* + *-idão*.] ***S. f.*** V. *imensidade*.

imenso [Do lat. *immensu*.] ***Adj.*** **1.** Que não tem medida, não se pode medir; incomensurável, ilimitado. **2.** Muito grande; enorme: *país imenso; amor imenso.* **3.** Inúmero, inumerável: *Mandei-lhe imensos abraços*; "caretas, muitas caretas, imensas caretas!" (José Gomes Ferreira, *O Mundo dos Outros*, p. 63); "Havia imensas mulheres completamente destinadas pelo que depois se chamou falta de diálogo." (Agustina Bessa-Luís, *Memórias Laurentinas*, p. 11). ● ***Adv.*** **4.** Muitíssimo, imensamente: "Quero-te muito, ó Dor, amo-te imenso" (Eugênio de Castro, *Obras Poéticas*, V, p. 52).

imensurabilidade [De *imensurável* + *-(i)dade,* seg. o padrão erudito.] *S. f.* Qualidade de imensurável; incomensurabilidade.

imensurável [Do lat. tard. *immensurabile.*] *Adj. 2 g.* Que não pode ser medido; não mensurável; incomensurável, desmensurável: "o mar é grande, mas o mar não tem / a <u>imensurável</u> dimensão dos sonhos." (A. S. de Mendonça Júnior, *Poemas fora da Moda,* p. 29).

▲**-imento** Equiv. de *-mento.*

imerecido [De *i-*^{2} + *merecido.*] *Adj.* Não merecido; imérito: "Aceitar o castigo <u>imerecido</u>, / Não por fraqueza, mas por altivez" (Manuel Bandeira, *Estrela da Vida Inteira,* p. 161).

imergência [Do lat. *immergentia* (acus. pl. neutro do part. pres. de *immergere*), tomado como fem.] *S. f.* Imersão (1). [Cf. *emergência.*]

imergente [Do lat. *immergente,* part. pres. de *immergere.*] *Adj. 2 g.* Que imerge. [Antôn.: *emergente.*]

imergir [Do lat. *immergere,* com mudança de conjug.] *V. t. d. e c.* **1.** Fazer submergir; mergulhar, afundar: *Nalgumas seitas o batismo consiste em <u>imergir</u> o crente na água. T. d. e i.* **2.** Engolfar; lançar: *A história sempre condena aqueles que <u>imergem</u> os povos na guerra. T. c.* **3.** Entrar, penetrar, introduzir-se: *O animal <u>imergiu</u> na floresta.* **4.** Engolfar-se, abismar-se, absorver-se: "Ao retornar à 'sua', <u>imergia</u> no trabalho, em leituras noturnas, esportes." (Vasconcelos Maia, *O Leque de Oxum,* p. 44.) *P.* **5.** Mergulhar, entrar, adentrar-se, introduzir-se. **6.** Desaparecer, sumir(-se). **7.** Engolfar-se, abismar-se, absorver-se. [Antôn.: *emergir.* Conjug.: v. *emergir.* Part.: *imergido* e *imerso.*]

imérito [Do lat. *immeritu.*] *Adj.* Imerecido. [Cf. *emérito.*]

imersão [Do lat. *immersione.*] *S. f.* **1.** Ato de imergir(-se); imergência. [Antôn.: *emersão.*] **2.** *Astr.* Fase inicial de um eclipse. **3.** Tipo de treinamento em que o indivíduo se dedica intensivamente a determinada disciplina ou assunto, durante certo período de tempo: *Em Londres há cursos de <u>imersão</u> em inglês.*

imersibilidade [De *imersível* (*imersibil-*) + *-(i)dade,* seg. o padrão erudito.] *S. f.* Qualidade ou condição daquilo que é imersível.

imersível [Do lat. *immersus,* part. pass. de *immergere,* + *-ível.*] *Adj. 2 g.* Que pode imergir ou mergulhar.

imersivo [De *imerso* + *-ivo.*] *Adj.* **1.** Que faz imergir; próprio para imergir. **2.** Realizado por imersão.

imerso [Do lat. *immersu,* part. pass. de *immergere.*] *Adj.* **1.** Mergulhado, afundado, submerso: *O corpo estava <u>imerso</u>, apenas a cabeça fora da água.* **2.** Mergulhado, abismado: *<u>imerso</u> em funda tristeza.* [Antôn.: *emerso.*]

imersor (ô) [De *imerso* + *-or.*] *Adj. S. m.* Que, ou aquele que faz imergir.

imetodicamente (ò) [Do f. de *imetódico* + *-mente.*] *Adv.* De modo imetódico ou ametódico; desordenadamente.

imetódico [De *i-*^{2} + *metódico.*] *Adj.* V. *ametódico.*

imexível [De *i-*^{2} + *mexível*] *Adj. 2 g.* No qual não se pode ou não se deve mexer.

imida [Alter. de *amida.*] *S. f. Quím.* Designação genérica de compostos que têm o grupo funcional $(RCO)_2N$- ligado a hidrogênio ou grupamento hidrocarbônico, e que se podem considerar derivados de amônia, ou de amina primária, por substituição de dois átomos de hidrogênio por dois grupos acila.

▲**-imida** *Quím. El. comp.* Indica a presença de função imida: *ftalimida.*

imidato [De *imida* + *-ato*^{2}.] *S. m. Quím.* Qualquer éster de ácido imídico.

imidazol [De *imid(o)-* + *-az(o)-* + *-ol*^{2}.] *S. m. Quím.* **1.** Substância cristalina, insaturada, cujas moléculas têm anel de cinco átomos, três de carbono e dois de nitrogênio (sendo estes dois não adjacentes) [fórm.: $C_3H_4N_2$]. **2.** Qualquer derivado do imidazol. [Pl.: *imidazóis.*]

imidazolidina *S. f. Quím.* Substância heterocíclica saturada derivada do imidazol por hidrogenação [fórm.: $C_3H_8N_2$].

imidazolina [De *imidazol* + *-ina*^{3}.] *S. f. Quím.* Qualquer de três substâncias heterocíclicas, derivadas do imidazol por hidrogenação parcial [fórm.: $C_3H_6N_2$].

imídico *Adj. Quím.* ~ V. *ácido —.*

▲**imid(o)-** *Quím. El. comp. Quím.* Indica 'que contém o grupo bivalente =NH ligado a grupos retiradores de elétrons, como nas imidas': *ácido imídico.*

imigo *Adj. S. m. Obsol.* F. sincopada de *inimigo* (q. v.). [A palavra ainda aparece modernamente na poesia; p. ex.: "Os soldados de Cristo já recuam / Pelas <u>imigas</u> hostes esmagados" (Casimiro de Abreu, *Obras,* p. 24); "Quem tantos <u>imigos</u> / Em guerra preou?" (Gonçalves Dias, *Obras Poéticas,* I, p. 24).]

imigração [De *imigrar* + *-ção.*] *S. f.* Ato de imigrar. [Cf. *emigração* e *migração.*]

imigrado [Do lat. *immigratu,* part. pass. de *immigrare.*] *Adj. S. m.* Que, ou aquele que imigrou. [Cf. *emigrado* e *migrado.*]

imigrante [Do lat. *immigrante.*] *Adj. 2 g. S. 2 g.* Que ou pessoa que imigra. [Cf. *emigrante* e *migrante.*]

imigrantense *Adj. 2 g.* **1.** De, ou pertencente ou relativo a Imigrante (RS). • *S. 2 g.* **2.** O natural ou habitante de Imigrante.

imigrantista [De *imigrante* + *-ista.*] *S. 2 g.* Propagandista da imigração.

imigrar [Do lat. *immigrare.*] *V. int.* Entrar (num país estranho) para nele viver. [Cf. *emigrar* e *migrar.*]

imigratório [De *imigrar* + *-tório.*] *Adj.* Respeitante a imigração, ou a imigrantes.

imina [Alter. de *amina.*] *S. f. Quím.* Classe de compostos orgânicos que contêm o grupo HN=, com o átomo de nitrogênio unido por ligação dupla a um átomo de carbono.

iminência [Do lat. tard. *imminentia.*] *S. f.* Qualidade do que está iminente. [Cf. *eminência.*]

iminente [Do lat. *imminate,* part. pass. de *imminere.*] *Adj. 2 g.* Que ameaça acontecer breve; que está sobranceiro; que está em via de efetivação imediata; impendente: "O momento era supremo, o perigo <u>iminente</u> e já inevitável..." (Almeida Garrett, *Viagens na Minha Terra,* p. 195.) [Cf. *eminente.*]

imino *S. m. Quím.* O grupamento divalente NH=.

▲**imin(o)-** *Quím. El. comp.* Indica grupo imina.

imipramina [Voc. farmac.] *S. f. Quím.* Amina terciária, heterocíclica e tricíclica, aromática, us. como medicamento antidepressivo [fórm.: $C_{20}H_{24}N_2$].

imisção [Do lat. tard. *immixtione.*] *S. f.* Ação de misturar-se ou intrometer-se; mistura, intromissão, ingerência: "o horror dos democratas a qualquer <u>imisção</u> dele, mesmo remota, nos negócios republicanos da França" (Eça de Queirós, *Ecos de Paris,* p. 119). [Cf. *imissão* e *emissão.*]

imiscibilidade [De *imiscível* + *-(i)dade,* seg. o padrão erudito.] *S. f.* Qualidade de imiscível.

imiscível [Do lat. **immiscibile.*] *Adj. 2 g.* Que não é miscível; imisturável.

imiscuição (u-i) [De *imiscuir(-se)* + *-ção.*] *S. f.* Ato ou efeito de imiscuir-se, intrometer-se; intrometimento.

imiscuir-se [Do lat. tard. *immiscuere,* formado do *perfectum* do v. lat. *immiscere,* 'imiscuir-se'.] *V. p.* **1.** Intrometer-se, ingerir-se: *É dado a <u>imiscuir-se</u> na vida alheia.* **2.** Tomar parte em algo.

imisericórdia [Do lat. tard. *immisericordia.*] *S. f.* Falta de misericórdia.

imisericordioso (ô) [De *i-*^{2} + *misericordioso.*] *Adj.* Não misericordioso; impiedoso, desumano, cruel.

imissão [Do lat. *immissione.*] *S. f.* Ato ou efeito de imitir. [Antôn.: *emissão.* Cf. *imisção.*]

imisso [Do lat. *immissu,* part. pass. de *immittere.*] *Adj.* Que se cruza pelo meio. [Aplica-se aos braços da cruz.]

imisturável [De *i-*^{2} + *misturável.*] *Adj. 2 g.* Imiscível: "Eu gostava .... de distinguir do alto da cátedra, no recinto cheio, as diversas raças de que gloriosamente se mesticiza o Brasil, ali representadas, e as que se mantêm <u>imisturáveis</u>, indissolúveis" (Gilberto Amado, *Depois da Política,* pp. 168-169).

imitabilidade [De *imitável* + *-(i)dade,* seg. o padrão erudito.] *S. f.* Qualidade de imitável.

imitação [Do lat. *imitatione.*] *S. f.* **1.** Ato ou efeito de imitar. **2.** *Mús.* Processo de composição baseado na repetição de um curto motivo musical por uma voz (o *consequente*) diversa daquela que o apresentou pela primeira vez (o *antecedente*). É a base do cânone e da fuga.

imitador (ô) [Do lat. *imitatore.*] *Adj.* **1.** Que imita; imitante, imitativo, imitatório. **2.** Que sabe imitar. • *S. m.* **3.** Aquele que imita.

imitância *S. f. Eletrôn.* Designação genérica de admitância ou de impedância. [Cf. *emitância.*]

imitante [Do lat. *imitante.*] *Adj. 2 g.* **1.** V. *imitador* (1). **2.** Parecido, semelhante, análogo: "Grande era ele, ... com seus braços e pernas <u>imitantes</u> a troncos" (José Régio, *O Príncipe com Orelhas de Burro,* p. 25); "Um silvo agudo, <u>imitante</u> do canto do urutaí, arrancou-a a estas reflexões" (Inglês de Sousa, *Contos Amazônicos,* p. 163).

imitar [Do lat. *imitare.*] *V. t. d.* **1.** Fazer exatamente (o que faz uma pessoa ou animal); reproduzir à semelhança de: *Os antigos romanos <u>imitaram</u> a arte grega.* **2.** Ter por modelo ou norma: *É próprio da criança <u>imitar</u> os adultos.* **3.** Tentar reproduzir o estilo ou a maneira de (um artista): *É dado a <u>imitar</u> Camões.* **4.** Arremedar, repetir, reproduzir, copiar: *A arte não <u>imita</u> o real: recria-o.* **5.** Falsificar, contrafazer: *<u>imitar</u> uma assinatura.* **6.** Ser semelhante a. **7.** Apresentar falsa aparência com: *O folheado do relógio <u>imita</u> prata.*

imitativo [Do lat. *imitativu.*] *Adj.* V. *imitador* (1). ~ V. *harmonia —a, magia —a* e *verbo —.*

imitatório [Do lat. tard. *imitatoriu.*] *Adj.* V. *imitador* (1).

imitável [Do lat. *imitabile.*] *Adj. 2 g.* Que se pode ou deve imitar.

imitir [Do lat. *imittere,* com mudança de conjug.] *V. t. d.* **1.** Fazer entrar; pôr para dentro; meter. **2.** Investir em. [Cf. *emitir.*]

imizade *S. f. Ant.* F. contrata de *inimizade* (q. v.).

■ **IML** Sigla de *Instituto Médico Legal.*

imo [Do lat. *imu.*] *Adj.* **1.** Que está no lugar mais fundo; íntimo: "Mas tu, cruel, que és meu rival, numa hora / Em que ela só julgar-se, hás de escutar-lhe / Um quebrado suspiro do <u>imo</u> peito" (Gonçalves Dias, *Obras Poéticas,* I, p. 94). • *S. m.* **2.** O âmago, o íntimo: *o <u>imo</u> da alma, do peito.*

■ **IMO** Sigla do ingl. *International Maritime Organization* = *Organização Marítima Internacional.*

▲**-imo** [De or. incerta; poss. alter. do lat. *-itus* (como no port. arc. *empréstido*), com infl. pré-romana.] *Suf. nom.* = 'ato ou efeito de'; 'o resultado da ação': *acréscimo, créscimo, empréstimo* e *préstimo.*

imobiliária [F. subst. de *imobiliário.*] *S. f. Bras.* Empresa que se dedica à indústria da construção de edifícios e/ou ao comércio de lotes e casas.

imobiliário [De *imóvel* + *-iário,* seg. o padrão erudito.] *Adj.* **1.** Pertencente ou relativo a imóvel ou edificações; predial. **2.** Diz-se dos bens que são imóveis por natureza ou por disposição de lei. ~ V. *especulador* — e *letra —a.*

imobiliarista [De *imobiliária* + *-ista.*] *S. 2 g.* Corretor^{2} (1) que trabalha no mercado imobiliário.

imobilidade [Do lat. imp. *immobilitate.*] *S. f.* **1.** Qualidade ou estado do que é imóvel. **2.** Estabilidade, fixidez. **3.** Impossibilidade, imperturbabilidade.

imobilismo [Do fr. *immobilisme.*] *S. m.* **1.** Predileção pelas coisas antigas e/ou aversão ao progresso. **2.** Política contemporizadora de certos governos de coalizão.

imobilista [Do fr. *immobiliste.*] *Adj. 2 g.* **1.** Referente ao, ou que é sectário do imobilismo. • *S. 2 g.* **2.** Sectário dele.

imobilização [De *imobilizar* + *-ção.*] *S. f.* Ato ou efeito de imobilizar(-se).

imobilizado [Part. de *imobilizar.*] *Adj.* **1.** Privado de movimento(s); imóvel. **2.** *Econ.* Diz-se do conjunto de recursos de uma empresa que sofreu imobilização [v. *imobilizar* (5)].

imobilizador (ô) [De *imobilizar* + *-dor.*] *Adj.* Que imobiliza; imobilizante.

imobilizante [De *imobilizar* + *-nte.*] *Adj. 2 g.* Imobilizador.

imobilizar [Do lat. *immobile,* 'imóvel', + *-izar;* fr. *immobiliser.*] *V. t. d.* **1.** Tornar imóvel; tirar os movimentos a: "Nenhum [dos espectadores] ousa desviar a vista de cima da praça. A imensidade da catástrofe <u>imobiliza</u> todos." (Rebelo da Silva, *Contos e Lendas,* p. 183.) **2.** Privar dos meios para exercer a ação. **3.** Prejudicar o desenvolvimento ou o progresso de: *A guerra civil <u>imobiliza</u> a economia de um país.* **4.** Estancar o curso de; reter: *A falta de transportes <u>imobilizava</u> a circulação das mercadorias.* **5.** *Econ.* Aplicar (recursos) em bens móveis ou imóveis, tais como terrenos, edifícios, material industrial, meios de transporte, privilégios, etc., para servirem de modo permanente à exploração comercial ou industrial de uma empresa. **6.** Empregar (dinheiro) em operações de mútuo a longo prazo. *P.* **7.** Tornar-se imóvel. **8.** Não progredir; estacionar.

imoderação [Do lat. *immoderatione.*] *S. f.* Falta de moderação; excesso, descomedimento.

imoderado [Do lat. *immoderatu.*] *Adj.* Que não é moderado; excessivo, exagerado, descomedido: "O uso <u>imoderado</u> do álcool não tardaria a se manifestar de modo desastroso na saúde de Lima Barreto." (Francisco de Assis Barbosa, *Lima Barreto,* p. 215.)

imodéstia [Do lat. *immodestia.*] *S. f.* **1.** Falta de modéstia. **2.** *P. ext.* Orgulho, arrogância, presunção. **3.** Despudor, impudor.

imodesto [Do lat. *immodestu.*] *Adj.* **1.** Não modesto. **2.** Desenvolto, presumido, arrogante. **3.** Impudico, indecente.

imodicidade [De *imódico* + *-(i)dade.*] *S. f.* Qualidade de imódico.

imódico [Do lat. *immodicu.*] *Adj.* **1.** Exorbitante, excessivo. **2.** Diz-se de preço elevado, alto.

imodificável [De *i-*^{2} + *modificável.*] *Adj. 2 g.* Não modificável.

imolação [Do lat. *immolatione.*] *S. f.* **1.** Ato ou efeito de imolar. **2.** Sacrifício cruento.

imolado [Part. de *imolar.*] *Adj.* **1.** Que sofreu imolação. **2.** Sacrificado, prejudicado.

imolador (ô) [Do lat. *immolatore.*] *Adj.* **1.** Que imola; imolante. • *S. m.* **2.** Aquele que imola.

imolando [Do lat. *immolandu.*] *Adj.* Que tem de ser imolado; destinado para vítima.

imolante [Do lat. *immolante.*] *Adj. 2 g.* Imolador (1).

imolar [Do lat. *immolare.*] *V. t. d.* 1. Matar em sacrifício; sacrificar. 2. Matar como vingança ou desforra. 3. Assassinar, matar. 4. Causar dano a; prejudicar: *Estava disposto a imolar qualquer coisa para atingir seu objeto. T. d. e i.* 5. Oferecer em sacrifício; sacrificar: *Imolavam animais aos deuses.* 6. Abrir mão de algo, ou perdê-lo em troca de outra coisa; sacrificar: "à satisfação desse gosto imolam brios e melindres." (José Veríssimo, *História da Literatura Brasileira*, p. 42). *T. i.* 7. Realizar sacrifício: *Os antigos gregos imolavam aos deuses do Olimpo. P.* 8. Sacrificar-se; prejudicar-se.

imoral [De *i-*[2] + *moral.*] *Adj. 2 g.* 1. Contrário à moral; desonesto; libertino. [Cf. *antimoral.*] 2. *Filos.* Diz-se de conduta ou doutrina que contraria regra moral prescrita para um dado tempo e lugar. ● *S. 2 g.* 3. Pessoa sem moral. [Cf. *amoral.*]

imoralidade [De *imoral* + *-(i)dade.*] *S. f.* 1. Falta de moralidade; indecência. 2. Prática de maus costumes; desregramento. [Cf. *amoralidade.*]

imoralismo [De *imoral* + *-ismo.*] *S. m. Ét.* Doutrina que propõe sistema de regras morais contrário a determinado sistema moral. [Cf. *amoralismo.*]

imoralista [De *imoralismo* + *-ista.*] *Adj. 2 g.* 1. Relativo ao, ou em que há imoralismo. 2. Que é partidário ou simpatizante dele. ● *S. 2 g.* 3. Partidário ou simpatizante do imoralismo.

imorigerado [De *i-*[2] + *morigerado.*] *Adj.* Que não é bem morigerado; libertino, devasso.

imorredoiro [Do lat. *immorituru*, com infl. de *morrer.*] *Adj.* Imorredouro (q. v.).

imorredouro [Do lat. *immorituru*, com infl. de *morrer*; var. de *imorredoiro.*] *Adj.* V. *imortal* (1): "sabia que dali a poucas léguas existiam índios selvagens e ferozes; e que evangelizando-os expiaria os seus pecados conquistando fama imorredoura" (Inglês de Sousa, *O Missionário*, p. 179).

imortais [Pl. de *imortal.*] *S. m. pl.* Os deuses do paganismo. ~ V. *imortal.*

imortal [Do lat. *immortale.*] *Adj. 2 g.* 1. Que não morre; eterno, imorredoiro, imorredouro. 2. Que nunca terá fim; infindo. 3. Que jamais será esquecido; inesquecível. ● *S. m.* 4. Membro da Academia Francesa ou da Academia Brasileira de Letras. ~ V. *imortais.*

imortalidade [Do lat. *immortalitate.*] *S. f.* 1. Qualidade ou condição de imortal. 2. Duração perpétua; eternidade. ◆ **Imortalidade da alma.** *Filos.* Qualidade atribuída à alma humana, pela qual esta sobrevive indefinidamente à morte, conservando suas características individuais.

imortalismo [De *imortal* + *-ismo.*] *S. m.* Doutrina filosófica que tem por base a imortalidade da alma individual.

imortalização [De *imortalizar* + *-ção.*] *S. f.* Ato ou efeito de imortalizar(-se).

imortalizador (ô) [De *imortalizar* + *-dor.*] *Adj. S. m.* Que, ou aquele que imortaliza.

imortalizar [De *imortal* + *-izar.*] *V. t. d.* 1. Tornar imortal; eternizar: *O alquimista procurava descobrir uma substância que o imortalizasse.* 2. Eternizar na memória dos homens; celebrizar: *A obra imortaliza o artista. P.* 3. Tornar-se imortal; eternizar-se na memória dos homens: "Mas Shakespeare imortalizou-se, universalizando-se" (Euclides da Cunha, *Contrastes e Confrontos*, p. 257); "O aroma dessa flor, que o teu martírio encerra, / Se imortalizará, pelas almas disperso" (Olavo Bilac, *Poesias*, p. 144).

imortalizável [De *imortalizar* + *-vel.*] *Adj. 2 g.* Que se pode imortalizar.

imoscapo [Do it. *imoscapo* (do lat. *imus*, 'parte inferior', + lat. *scapus, i*, 'fuste de coluna').] *S. m. Arquit.* Extremidade inferior do fuste de uma coluna.

imotar [De *imoto* + *-ar*[2].] *V. t. d. P.* Tornar(-se) imoto; imobilizar.

imotivado [De *i-*[2] + *motivado.*] *Adj.* Sem motivo ou fundamento; que não tem razão de ser; não motivado: "há um esforço imotivado, puramente espontâneo, que existe de si mesmo e por si mesmo?" (Tobias Barreto, *Questões Vigentes*, p. 38). ~ V. *signo —.*

imoto [Do lat. *immotu.*] *Adj.* V. *imóvel* (1): "Quedava imoto o coqueiral tranquilo..." (Olavo Bilac, *Poesias*, p. 83).

imóvel [Do lat. *immobile.*] *Adj. 2 g.* 1. Sem movimento; parado, imoto. 2. *Fig.* Não mudado; imutável, não mutável. ~ V. *bens imóveis, festa — e motor —.* ● *S. m.* 3. Bem que não é móvel, como terras, casas, etc. 4. *P. ext.* Prédio, edifício, casa.

impacção [Do lat. imp. *impactione.*] *S. f.* 1. V. *impacto*[1] (2 e 3). 2. *Med.* Condição de matéria que está firmemente alojada no interior de um órgão oco: *impacção fecal* (coleção de fezes endurecidas no reto).

impáciem [Adapt. do tax. *Impatiens.*] *S. f. e m. Bot.* V. *impátiens.*

impaciência [Do lat. *impatientia.*] *S. f.* 1. Falta de paciência. 2. Pressa, sofreguidão. 3. Irritação, agastamento; ira.

impáciens [Adapt. (parcial) do tax. *Impatiens.*] *S. f. e m. 2 n. Bot.* V. *impátiens.*

impacientar [De *impaciente* + *-ar*[2].] *V. t. d.* 1. Tirar a paciência de; tornar impaciente; importunar, irritar, agastar: *A imprecisão impacienta-o. P.* 2. Perder a paciência; não poder conter-se; enfadar-se, aborrecer-se, irritar-se, agastar-se.

impaciente [Do lat. *impatiente.*] *Adj. 2 g.* 1. Que não tem paciência: *doente impaciente.* 2. Desesperado, inconformado: *Assistia impaciente à traição do marido.* 3. Apressado, sôfrego, precipitado. 4. Inquieto, agitado, nervoso: *Seus filhos são crianças impacientes.* 5. Impertinente, rabugento: *É um velho impaciente com todos.* 6. Próprio de quem é impaciente; que revela impaciência: *Permaneceu numa espera impaciente e ruidosa.* ● *S. 2 g.* 7. Pessoa impaciente.

impactado[1] [Part. de *impactar*[1].] *Adj.* 1. Que sofreu choque, impacto. 2. Abalado emocionalmente.

impactado[2] [Part. de *impactar*[2].] *Adj. Odont.* Diz-se de dente que, devido a distúrbio no processo de erupção, é incapaz de emergir totalmente das gengivas.

impactante [De *impactar* + *-nte.*] *Adj. 2 g.* Que causa impacto[2]; impressionante, chocante.

impactar[1] [De *impacto* + *-ar*[2].] *V. t. d.* 1. Exercer forte efeito sobre (pessoa ou coisa). 2. Chocar violentamente contra: *O meteorito impactou a superfície terrestre. Int.* 3. Causar impacto[2].

impactar[2] [Do lat. *impact(ione)* + *-ar*[2].] *V. t. d. T. d. e c. Med.* Formar impacção (2) em.

impacte[1] [Do lat. *impactu* (v. *impacto*[1] [1]).] *S. m.* V. *impacto*[1] (2 e 3).

impacte[2] [Do lat. *impactu*, pelo fr. *impact.*] *S. m.* V. *impacto*[2] (1 a 4).

impactito [Do lat. *impactus* + *-ito*[2].] *S. m. Geol.* Massa de pequenas rochas fundidas, resultante do impacto de meteoros, e que pode ser encontrada nas proximidades das crateras meteóricas.

impacto[1] [Do lat. *impactu*, part. pass. de *impingere*, 'pôr à força'; 'ir de encontro a'.] *Adj.* 1. Metido à força; impelido. ● *S. m.* 2. Encontro de projetil, míssil, bomba ou torpedo, com o alvo; choque, colisão. 3. Colisão de dois ou vários corpos. [Sin., nas acepç. 2 e 3: *impacção*; f. paral., m. us. em Portugal: *impacte.*]

impacto[2] [Do lat. *impactu* (v. *impacto*[1] [1]), pelo fr. *impact.*] *S. m.* 1. Abalo moral causado por acontecimento chocante ou emocionante. 2. Impressão muito forte, muito profunda, causada por motivos diversos: *A propaganda do produto causa fortíssimo impacto; Extraordinário foi o impacto resultante da decisão da Suprema Corte norte-americana.* 3. Forte efeito, que impede ou que força mudança: *A entrevista do ministro causou forte impacto na bolsa, que fechou em baixa.* 4. *P. ext.* Efeito, consequência. [F. paral., m. us. em Portugal: *impacte.*] ◆ **Impacto ambiental.** *Ecol.* Qualquer alteração do meio ambiente causada por atividades humanas, e que afeta direta ou indiretamente o bem-estar da população, suas atividades, a biota, as condições estéticas, sanitárias e a qualidade dos recursos ambientais: *Critica-se o impacto ambiental da construção de rodovias na Amazônia.* [Tb. us., menos frequentemente, para alterações causadas pela natureza no meio ambiente.] **De alto impacto.** *Esport.* Diz-se de exercício aeróbico que provoca grande desgaste físico, esp. das articulações. **De baixo impacto.** *Esport.* Diz-se de exercício aeróbico que provoca menor desgaste físico, esp. das articulações.

impagável [De *im-*[2] + *pagável.*] *Adj. 2 g.* 1. Que não se pode ou não se deve pagar. 2. Inestimável; precioso: "São vestuários impagáveis, disse consigo o sultão; graças a eles, saberei distinguir os inteligentes dos tolos, e reconhecer a capacidade dos ministros." (Guerra Junqueiro, *Contos para a Infância*, p. 106.) 3. Muito engraçado; hilariante: *palhaço impagável*; "Às vezes, Botelho levava consigo duas irmãs freiras. Bernarda, uma delas, fazia caretas impagáveis" (Vitorino Nemésio, *A Mocidade de Herculano*, I, p. 282). 4. Cômico, excêntrico, ridículo.

impala [Do zulu, pelo ingl. *impala.*] *S. f. e m. Zool.* Antílope de chifres em forma de lira (*Aepyceros melampus*), que vive em bandos nas savanas africanas: "Uma gota de água .... veio estilhaçar-se cá em baixo, no focinho da impala, meio adormecida no seu verde e macio leito de ervas." (Nuno Bermudes, *Eu, Caçador, Tu, Impala*, p. 9.)

impalpabilidade [De *impalpável* + *-(i)dade*, seg. o padrão erudito.] *S. f.* Qualidade ou estado de impalpável.

impalpável [De *im-*[2] + *palpável.*] *Adj. 2 g.* Que não se pode palpar ou apalpar; imaterial: "Tanto simbolistas como decadentistas se deixam submergir neste fundo impalpável e abstrato da música" (João Gaspar Simões, *O Mistério da Poesia*, p. 34).

impaludação [De *impaludar* + *-ção.*] *S. f.* Ação ou efeito de impaludar(-se).

impaludado [Part. de *impaludar.*] *Adj. S. m.* Diz-se de, ou indivíduo atacado de impaludismo.

impaludar [De *im-*[2] + *-palud(i)-* + *-ar*[2].] *V. t. d. P.* Transmitir infecção por agente etiológico de impaludismo, ou adquirir essa infecção.

impaludismo [De *im-*[2] + *-palud(i)-* + *-ismo.*] *S. m.* V. *malária.*

impar [Do esp. *hipar.*] *V. int.* 1. Respirar a custo; arfar, ofegar; soluçar. 2. Empanturrar-se com comida e/ou bebida. 3. Mostrar-se soberbo, desdenhoso: "Eu gozava todo aquele espetáculo, impando de orgulho" (Lia Correia Dutra, *Navio sem Porto*, p. 63). *T. d.* 4. Fazer soluçar. 5. Abafar, sufocar: "A velha empalideceu de sagrado horror, benzeu-se, e desafogou das ânsias, que a impavam, em rios de lágrimas." (Camilo Castelo Branco, *Mistérios de Fafe*, p. 31.) [Inf. pess.: *impar, impares*, etc. Cf. *ímpar*, pl. *ímpares*, e *empar.*]

ímpar [Do lat. *impare.*] *Adj. 2 g.* 1. Não par: *número ímpar.* 2. Que não tem par; sem-par; sem igual; único: *Tem um caráter sem jaça, ímpar; É figura ímpar de nossas letras.* ~ V. *função —, número — e paridade —.* ● *S. m.* 3. *Mat.* Número ímpar. [Pl.: *ímpares.* Cf. *impar*, v., e a f. *impares*, desse v.]

imparagonável [Do it. *imparagonabile.*] *Adj. 2 g.* Incomparável.

imparcial [De *im-*[2] + *parcial.*] *Adj. 2 g.* 1. Que julga desapaixonadamente; reto, justo. 2. Que não sacrifica a sua opinião à própria conveniência, nem às de outrem. ~ V. *estimador —.*

imparcialidade [De *imparcial* + *-(i)dade.*] *S. f.* Qualidade de imparcial.

imparcializar [De *imparcial* + *-izar.*] *V. t. d.* Tornar imparcial.

imparidade [De *ímpar* + *-(i)dade.*] *S. f.* 1. Qualidade de ímpar. 2. Desigualdade.

imparinervado (ìm) [De *ímpar* + *-i-* + *nervado.*] *Adj. Bot.* Que tem número ímpar de nervuras.

imparipenado (ìm) [De *ímpar* + *-i-* + *penado.*] *Adj.* ~ V. *folha — a.*

imparissilábico (ìm) [De *imparissílabo* + *-ico*[2].] *Adj. E. Ling.* Imparissílabo.

imparissilabismo (ìm) [De *imparissílabo* + *-ismo.*] *S. m. E. Ling.* Qualidade ou caráter de imparissílabo.

imparissílabo (ìm) [De *im-*[2] + *parissílabo.*] *Adj. E. Ling.* Diz-se de vocábulo que tem número ímpar de sílabas; imparissilábico.

impartilhável [De *im-*[2] + *partilhável.*] *Adj. 2 g.* Não partilhável.

impartível [De *im-*[2] + *partível.*] *Adj. 2 g.* Não partível; indivisível.

impasse [Do fr. *impasse.*] *S. m. Gal.* 1. Situação difícil de que parece impossível uma saída favorável. 2. Embaraço, estorvo, empecilho.

impassibilidade [Do lat. tard. *impassibilitate.*] *S. f.* 1. Qualidade de impassível. 2. Indiferença à dor ou aos desgostos.

impassibilizar [De *impassível* + *-izar*, seg. o padrão erudito.] *V. t. d. P.* Tornar(-se) impassível.

impassível [Do lat. *impassibile.*] *Adj. 2 g.* 1. Não sujeito a padecer. 2. Indiferente à dor, às alegrias ou aos desgostos; imune às paixões; sereno: "Menino de Asas sofria, comunicava seu desespero e solidão aos céus impassíveis." (Homero Homem, *Menino de Asas*, p. 57.)

impátiens [Do tax. *Impatiens* (do lat. *impatiens*, 'impaciente', pelo fato de as vagens maduras se abrirem, espalhando as sementes ao mais leve toque).] *S. f. e m. 2 n. Bot.* 1. Grande gênero de ervas balsamináceas, anuais ou perenes, de consistência suculenta, flores guarnecidas de esporas, e frutos capsulares, deiscentes. 2. Qualquer espécie desse gênero, como, p. ex., a *Impatiens sultani* (v. *maria-sem-vergonha*). 3. Qualquer espécime desse gênero.

impatriótico [De *im-*[2] + *patriótico.*] *Adj.* 1. Que não tem patriotismo. 2. Que revela falta de patriotismo: *procedimento impatriótico.*

impavidez (ê) [De *im-*[2] + *pavidez.*] *S. f.* Qualidade de impávido; intrepidez, denodo.

impávido [Do lat. *impavidu.*] *Adj.* Que não tem pavor; destemido, afoito, intrépido, denodado: "Gigante pela própria natureza, / És belo, és forte, impávido colosso" (Osório Duque-Estrada, em *Hino Nacional Brasileiro*).

➔**impeachment** [m'pi:tʃmɪnt] [Ingl.] *S. m.* No regime presidencialista, ato pelo qual se destituiu, mediante deliberação do legislativo, o ocupante de cargo governamental que pratica crime de responsabilidade; impedimento: "Dois *impeachments* selaram o destino equatoriano nos anos 90 .... como remédio contra as tentações totalitárias e a corrupção." (*Jornal do Brasil*, 12.03.1999.)

impecabilidade [De *impecável* + *-(i)dade*, seg. o padrão erudito.] *S. f.* Qualidade de impecável.

impecável [Do lat. imp. *impeccabile.*] *Adj. 2 g.* **1.** Não sujeito a pecar; imaculável. **2.** Feito com toda a segurança e/ou correção: *trabalho impecável.* **3.** Sem falha ou defeito; perfeito, correto, irreprochável: *um cavalheiro impecável; elegância impecável;* "os sobretudos de impecável corte inglês" (José Rodrigues Miguéis, *Gente da Terceira Classe*, p. 155).

impecavelmente (à) [De *impecável* + *-mente.*] *Adv.* De modo impecável; com apuro e distinção.

impedância [Do ingl. *impedance* < (*to*) *impede*, 'impedir', + ingl. *-ance* (v. *-ância*).] *S. f. Eng. Elétr.* Quociente entre a amplitude de uma tensão alternada e a amplitude da corrente que ela provoca em um circuito [símb.: *Z*]. ◆ **Impedância de entrada.** *Eng. Elétr.* Aquela apresentada nos terminais de entrada de um circuito, dispositivo ou equipamento, e cujo valor é determinado como a razão entre a tensão externa aplicada a esses terminais e a corrente que os percorre. **Impedância de saída.** *Eng. Elétr.* Aquela apresentada nos terminais de saída de um circuito, dispositivo ou equipamento, cujo valor é determinado como a razão entre a tensão externa que for aplicada a esses terminais e a corrente que os percorre, sob a condição de excitação (5) nula.

impedição [Do lat. *impeditione.*] *S. f.* V. *impedimento* (1 e 2).

impedido [Part. de *impedir.*] *Adj.* **1.** Que sofreu impedimento. **2.** *Bras. Fut.* Diz-se do jogador que se encontra em situação de impedimento (4). [Corresponde, nesta acepç., ao ingl. *offside.*] ● *S. m.* **3.** Soldado que está ao serviço particular de um oficial. **4.** *Bras.* Soldado que não se pode ausentar do quartel.

impedidor (ô) [Do lat. imp. *impeditore.*] *Adj.* **1.** V. *impediente* (1). ● *S. m.* **2.** Aquele que impede.

impediência [Do lat. *impedientia* (acus. neutro pl. de *impediens, entis*, v. *impediente*), tomado como fem.] *S. f.* Qualidade de impediente.

impediente [Do lat. *impediente*, part. pres. de *impedire* (v. *impedir*).] *Adj. 2 g.* **1.** Que impede; impedidor, impeditivo. **2.** *Dir. Civ.* Diz-se das razões ou circunstâncias proibitivas do matrimônio que, infringidas, não acarretam a nulidade do ato, porém só a imposição de uma pena civil. [Cf. *dirimente* (3).]

→**impedimenta** [ẽpedẽ'menta] [Lat.] *S. m. pl.* **1.** Bagagens de um exército. **2.** Bestas de carga para transportar essas bagagens: "Não havia ali vanguarda nem retaguarda, nem vélites nem *impedimenta*." (Mário de Carvalho, *Um Deus Passeando pela Brisa da Tarde*, p. 204.)

impedimento [Do lat. *impedimentu.*] *S. m.* **1.** Ato ou efeito de impedir; impedição. **2.** Obstáculo, embaraço, estorvo, impedição: "Não havia impedimentos à expansão do indivíduo" (Barreto Filho, *Introdução a Machado de Assis*, p. 27). **3.** Estado de quem, por doença, licença ou por outra causa, se acha impedido de exercer as suas funções: "Macário tomara a si substituir a S. Rev.ma nos seus impedimentos" (Inglês de Sousa, *O Missionário*, p. 104). **4.** *Fut.* Infração que consiste em o jogador estar mais próximo da linha de fundo do que a bola que lhe é lançada de trás, sem ter, pelo menos, um adversário ao seu lado e um à sua frente. [Sin.: *banheira;* (lus.) *deslocação, fora de jogo;* e (ingl.) *offside.*] **5.** *Bras.* Impeachment. ◆ **Impedimento estérico.** *Quím.* Obstáculo a aproximação entre reagentes, ou a movimento molecular, causado pelo volume espacial ocupado por átomo (ou grupo de átomos) de uma molécula, e que resulta em dificuldade ou interdição de reação ou de processo químico.

impedir [Do lat. *impedire.*] *V. t. d.* **1.** Impossibilitar a execução ou o prosseguimento de; servir de obstáculo a; embaraçar, estorvar: *A tempestade impediu o avanço das tropas.* **2.** Interromper, obstruir: *O desabamento impediu a estrada.* **3.** Opor-se a; não consentir: *O pai impediu que saísse.* **4.** Tornar impraticável: *A ausência de liberdade impede a paz.* **5.** Prender pelos pés; pear. *T. d. e i.* **6.** Estorvar, tolher, embaraçar: *A pobreza impede-lhe a realização de viagens;* "O peso da comprida sobrecasaca de lustrina .... impedia-lhe a liberdade dos movimentos" (Inglês de Sousa, *O Missionário*, p. 100). **7.** Não permitir; proibir, coibir: *O avô impediu-a de sair;* "uma extrema fraqueza a impedia de levantar-se sozinha" (José do Patrocínio, *Mota Coqueiro*, p. 99); "O fato de ter chegado a uma fase de cristalização completa, com o vocabulário fixo e inteiramente definido, impede-o [ao francês] de se adaptar às sinuosidades do pensamento concebido em qualquer outra língua." (Paulo Rónai, *Escola de Tradutores*, p. 35). [Irreg. Conjug.: v. *pedir*. Pres. ind.: *impeço, impedes*, etc.; pres. subj.: *impeça, impeças, impeça, impeçamos, impeçais, impeçam*. Cf. *empeço* (ê), do v. *empecer* e s. m.; *empeça* (ê), *empeças* (ê), *empeça* (ê), *empeçamos, empeçais, empeçam* (ê), do v. *empecer*; e *empeço, empeças, empeça, empeçamos, empeçais, empeçam*, do v. *empeçar*.]

impeditivo [De *impedir* + *-tivo.*] *Adj.* V. *impediente* (1).

impedor (ô) [Do ingl. *impedor.*] *S. m. Eletrôn.* **1.** Componente que tem a função principal de introduzir num circuito uma impedância desejada. **2.** Qualquer componente elétrico ou eletrônico que tem impedância.

impelente [De *impelir* + *-ente.*] *Adj. 2 g.* Que impele; impelidor.

impelidor (ô) [De *impelir* + *-dor.*] *Adj.* Impelente.

impelir [Do lat. *impellere*, com mudança de conjug.] *V. t. d.* **1.** Fazer mover, mediante força propulsora; impulsionar, impulsar, propulsar: *Uma pequena locomotiva impelia o trenzinho;* "Que somos nós? Formas sem força que uma Força impele." (Eça de Queirós, *Contos*, p. 115). **2.** Incitar, estimular; açular: *O ódio impeliu-o. T. d. e c.* **3.** V. *impelir* (1): *Os guerreiros impeliam o aríete contra as portas da cidade. T. d. e i.* **4.** V. *impelir* (2): *A resposta ofensiva impeliu-o a revidar energicamente.* **5.** Obrigar, constranger, coagir: *A ânsia de conhecimento o impele ao estudo;* "O grande amor nos impele, quando o perdemos, para o grande ódio, ou ressentimento amargo, sombrio." (Antônio Carlos Vilaça, *O Nariz do Morto*, p. 76). [Irreg. Conjug.: v. *aderir*.]

impendente [Do lat. *impendente*, part. pres. de *impendere*, 'pender', 'estar iminente'.] *Adj. 2 g.* Que está a ponto de cair, de sobrevir; iminente.

impender [Do lat. *impendere.*] *V. t. i.* **1.** Estar impendente ou iminente, prestes a cair ou a acontecer. **2.** Caber, competir, tocar: "Aos nossos estrategistas não impenderá a tarefa relativamente fácil de bater o inimigo — mas a empresa, talvez insuperável, de lobrigar o inimigo." (Euclides da Cunha, *Contrastes e Confrontos*, p. 151.) *Int.* **3.** Ser preciso; cumprir: *Impende resolver o caso sem demora.*

impene [De *im-*[2] + *-pene.*] *Adj. 2 g.* Sem penas ou plumas.

impenetrabilidade [De *impenetrável* + *-(i)dade*, seg. o padrão erudito.] *S. f.* Qualidade de impenetrável.

impenetrado [De *im-*[2] + *penetrado*, part. de *penetrar.*] *Adj.* **1.** Que não foi penetrado; em que não se entrou. **2.** Diz-se de mar nunca navegado.

impenetrável [Do lat. imp. *impenetrabile.*] *Adj. 2 g.* **1.** Que não se pode penetrar; que não dá acesso; inacessível: *floresta impenetrável.* **2.** Que não se pode explicar, adivinhar, compreender; incompreensível, indecifrável: *mistério impenetrável.* **3.** Que não mostra o que sente ou pensa; fechado: *É homem calado, misterioso, impenetrável.* **4.** Incapaz de sentir, de aceitar, de compreender, de deixar penetrar-se ou compenetrar-se; impermeável, insensível: "Imaginar uma sociedade impenetrável às transformações das épocas é imaginar um corpo sem porosidade..." (Joaquim Nabuco, *Escritos e Discursos Literários*, p. 138.)

impenhorabilidade [De *impenhorável* + *-(i)dade*, seg. o padrão erudito.] *S. f.* Qualidade ou caráter de impenhorável.

impenhorável [De *im-*[2] + *penhorável.*] *Adj. 2 g.* Não penhorável.

impenitência [Do lat. *impaenitentia.*] *S. f.* **1.** Qualidade ou estado de impenitente. **2.** Falta de penitência ou de arrependimento; obstinação no erro.

impenitente [Do lat. tard. *impaenitente.*] *Adj. 2 g.* Que persiste no erro ou no crime; relapso, contumaz: "Idealistas impenitentes, perdida a fé no seu velho ideal, não souberam voltar-se para a realidade" (Oliveira Viana, *O Ocaso do Império*, p. 97).

impensado [De *im-*[2] + *pensado.*] *Adj.* **1.** Não pensado; em que não houve cálculo. **2.** Em que não se pensava; com que não se contava; imprevisto, inopinado: *um acontecimento impensado.*

impensável [De *im-*[2] + *pensável.*] *Adj. 2 g.* Não pensável: "Era impensável para ela [Luísa] viver noutro país" (Antônio Silva Graça, *Viagem ao Fim da História*, p. 111).

imperador (ô) [Do lat. *imperatore.*] *S. m.* **1.** Aquele que impera, que rege um império (3). **2.** Designação dada aos soberanos de algumas nações. [Fem., nessas acepç.: *imperatriz.*] **3.** *Bras. Zool.* V. *agripina.*

imperadorice [De *imperador* + *-ice.*] *S. f. Bras. Burl.* Condição ou posição de imperador: "O imperador, com toda a sua imperadorice, gurniu fome!" (J. Simões Lopes Neto, *Contos Gauchescos e Lendas do Sul*, p. 174.)

imperante [Do lat. *imperante*, part. pres. de *imperare* (v. *imperar*).] *Adj. 2 g. S. 2 g.* Que, ou aquele que impera.

imperar [Do lat. *imperare.*] *V. int.* **1.** Exercer o mando supremo; reinar: *Na época da Abolição imperava D. Pedro II.* **2.** Dominar, prevalecer: *Em nossa legislação ainda imperam certas normas antiquadas.* **3.** Exercer grande influência ou domínio; dominar. *T. d.* **4.** *P. us.* Governar como soberano; reger ou dirigir com autoridade suprema: *imperar uma região.* **5.** *P. us.* Ordenar com supremacia; mandar de modo absoluto; predominar. *T. c.* **6.** Exercer grande influência ou domínio: *Antônio Conselheiro imperou sobre extensa região.*

imperatividade [De *imperativo* + *-(i)dade.*] *S. f.* Qualidade ou caráter de imperativo.

imperativo [Do lat. tard. *imperativu.*] *Adj.* **1.** Que ordena, ou exprime uma ordem; autoritário: *tom imperativo;* "Uma voz de ilhéu — voz forte, carregada, imperativa — maltrata uma mulher" (Ribeiro Couto, *A Cidade do Vício e da Graça*, p. 162). **2.** Que governa. **3.** *E. Ling.* Diz-se do imperativo (6). ~ V. *mandato* — e *modo* —. ● *S. m.* **4.** Imposição, ditame; dever: "Atendia, embora contrariado — porque considerava um imperativo de honra —, os casos de partos, naturais, simples" (Nélson de Faria, *Cabeça-Torta*, p. 98). **5.** Necessidade imperiosa; imposição das circunstâncias; injunção: "O imperativo de reforçar a noção de poder absoluto e apoiar em bases sólidas uma política centralizadora e coercitiva .... levou-o [a Cunha Meneses] a organizar um amplo esquema militar" (Afonso Ávila, *Resíduos Seiscentistas em Minas*, I, p. 68). **6.** *E. Ling.* Modo imperativo (q. v.). **7.** *Filos.* Proposição que tem a forma de uma ordem. ◆ **Imperativo categórico.** *Filos.* Proposição que expressa uma ordem absoluta, *i. e.*, uma ordem que deve ser cumprida sem condição. Ex.: "Não matarás." **Imperativo hipotético.** *Filos.* Imperativo que expressa uma ordem que está subordinada à consecução de um fim determinado. Ex.: Estuda, se quiseres ser aprovado.

imperatório [Do lat. *imperatoriu.*] *Adj.* **1.** Relativo ou pertencente ao imperador (1 e 2). **2.** Terminante, imperativo.

imperatriz [Do lat. *imperatrice.*] *S. f.* **1.** Esposa do imperador. **2.** Soberana de um império (3).

imperatriz-do-brasil *S. f. Bras. Bot.* V. *flor-da-imperatriz.* [Pl.: *imperatrizes-do-brasil.*]

imperatrizense *Adj. 2 g.* **1.** De, ou pertencente ou relativo à Imperatriz (MA). ● *S. 2 g.* **2.** O natural ou habitante de Imperatriz.

impercebido [De *im-*[2] + *percebido*, part. de *perceber.*] *Adj.* V. *despercebido* (1): "O passo lerdo, a graça consumida, / são imagens de mágoas e de penas / em seu cansado luto; e, neste, apenas / o olhar é vaga chama, impercebida." (Valdemar Lopes, *Sonetos de Portugal*, p. 29); "Eu queria / captar o impercebido / nos momentos mínimos do espaço / nu e cheio." (Ana Cristina César, *Inéditos e Dispersos*, p. 41).

impercebível [De *im-*[2] + *percebível.*] *Adj. 2 g. P. us.* V. *imperceptível.*

imperceção *S. f.* V. *impercepção.* [Uso próprio de P.] ⊙

impercepção [De *im-*[2] + *percepção.*] *S. f.* Falta de percepção.

imperceptibilidade [De *imperceptível* + *-(i)dade*, seg. o padrão erudito.] *S. f.* Qualidade de imperceptível.

imperceptível [De *im-*[2] + *perceptível.*] *Adj. 2 g.* **1.** Que não se percebe, que não se pode distinguir; não perceptível. **2.** Insignificante, pequenino, diminuto. [Sin. ger. (p. us.): *impercebível.*]

impercetibilidade *S. f.* V. *imperceptibilidade.* [Uso próprio de P.] ⊙

impercetível *Adj. 2 g.* V. *imperceptível.* [Uso próprio de P.] ⊙

imperdível [De *im-*[2] + *perdível.*] *Adj. 2 g.* **1.** Que não se pode perder: *oferta imperdível; filme imperdível.* **2.** Em que se tem a vitória como certa: *questão imperdível; eleição imperdível.*

imperdoável [De *im-*[2] + *perdoável.*] *Adj. 2 g.* Que não tem perdão; não perdoável.

imperecedoiro [De *im-*[2] + *perecedoiro.*] *Adj.* Imperecedouro (q. v.).

imperecedouro [De *im-*[2] + *perecedouro.*] *Adj.* V. *imperecível.* [F. paral.: *imperecedoiro.*]

imperecibilidade [De *imperecível* + *-(i)dade*, seg. o padrão erudito.] *S. f.* Qualidade ou caráter de imperecível.

imperecível [De *im-*[2] + *perecível.*] *Adj. 2 g.* Que não há de perecer; que não pode perecer; perdurável, imorredouro, imperecedouro, eterno: "O *Novum Organum* [de Francis Bacon] é um dos monumentos imperecíveis da cultura e do progresso da ciência." (Austregésilo de Ataíde, *Conversas na Barbearia Sol*, p. 27.)

imperfectibilidade [De *imperfectível* + *-(i)dade*, seg. o padrão erudito.] *S. f.* Qualidade de imperfectível.

I

imperfectível [De *im-*[2] + *perfectível.*] ***Adj. 2 g.*** Que não se pode aperfeiçoar; não perfectível.
imperfectivo [De *im-*[2] + *perfectivo.*] *E. Ling.* ***Adj.*** **1.** V. *aspecto —.* • ***S. m.*** **2.** Aspecto imperfectivo (q. v.).
imperfeição [Do lat. *imperfectione.*] ***S. f.*** **1.** Qualidade de imperfeito; defeito, incorreção. **2.** Falta de primor, de perfeição.
imperfeiçoar [De *im-*[2] + *perfeiçoar.*] ***V. t. d.*** Tirar a perfeição a; tornar imperfeito. [Conjug.: v. *coroar.*]
imperfeito [Do lat. *imperfectu.*] ***Adj.*** **1.** Não perfeito; não completo; inacabado, incompleto: *São famosas as capelas imperfeitas do mosteiro da Batalha, em Portugal.* **2.** Sem primor; incorreto, defeituoso. ~ V. *concorrência —a* e *homógrafo —.* • ***S. m.*** **3.** *E. Ling.* Tempo[1] (8) que indica ação incompleta, especialmente no passado; pretérito imperfeito. Ex.: falava, comia, saía.
imperfuração [De *im-*[2] + *perfuração.*] ***S. f.*** *Med.* Oclusão inata e anormal de um conduto.
imperfurado[1] [De *im-*[2] + *perfurado.*] ***Adj.*** **1.** Não perfurado. **2.** *Med.* Não aberto quando o deveria ser.
imperfurado[2] [Adapt. do tax. *Imperforata.*] *Zool.* ***S. m.*** **1.** Espécime dos imperfurados, em algumas classificações, divisão de protozoários foraminíferos que apresentam carapaça com um só orifício (forame) para permitir a saída dos pseudópodes. • ***Adj.*** **2.** Relativo ou pertencente a eles.
imperfurável [De *im-*[2] + *perfurar* + *-vel.*] ***Adj. 2 g.*** Que não se pode perfurar.
imperial [Do lat. *imperiale.*] ***Adj. 2 g.*** **1.** Referente ao império ou ao imperador. **2.** Imperioso, arrogante, autoritário. ~ V. *galão —.*
imperialismo [De *imperial* + *-ismo*; ingl. *imperialism.*] ***S. m.*** **1.** Forma de governo em que a nação é um império (3). **2.** Política de expansão e domínio territorial e/ou econômico de uma nação sobre outras. **3.** *Bras.* Designação que davam os liberais, no Segundo Reinado, à ação pessoal de D. Pedro II no exercício do poder moderador.
imperialista [De *imperial* + *-ista*; ingl. *imperialist.*] ***Adj. 2 g.*** **1.** Referente ao, ou que é partidário do imperialismo (1 e 2). • ***S. 2 g.*** **2.** Partidário do imperialismo (1 e 2).
imperícia [Do lat. *imperitia.*] ***S. f.*** Qualidade ou ato de imperito; incompetência, inexperiência, inabilidade.
império [Do lat. *imperiu.*] ***S. m.*** **1.** Autoridade, comando, domínio. **2.** Influência dominadora; predomínio, preponderância: *Portugal, na época das descobertas, tinha império sobre os mares;* "Nem o frio Demóstenes altivo / Lhe foge o império: dos encantos dela [Laís] / Curva-se o próprio Diógenes cativo." (Olavo Bilac, *Poesias,* p. 133); "A subordinação da nossa inteligência à pressão das forças elementares será um fenômeno .... explicável e talvez obedeça ao império de fatores legítimos." (Moisés Velinho, *Machado de Assis,* p. 17). **3.** Monarquia cujo soberano tem o título de imperador ou imperatriz. **4.** *P. ext.* O território desse Estado. **5.** Estado muito importante ou muito vasto, em geral de caráter compósito: *o Império Romano.* **6.** Empresa econômica de grandes proporções e um único proprietário: *Seu império editorial crescia sempre.* **7.** *Bras. Pop.* Coreto armado ao lado das igrejas por ocasião das festas do Espírito Santo. • ***Adj. 2 g. e 2 n.*** **8.** Próprio ou característico do Primeiro Império Francês, de Napoleão Bonaparte (v. *napoleônico*): *estilo império.* ◆ **O Celeste Império.** O antigo Império Chinês. **O Império do Sol Nascente.** O Japão.
imperiosidade [De *imperioso* + *-(i)dade.*] ***S. f.*** **1.** Qualidade de imperioso. **2.** Tom imperioso.
imperioso (ô) [Do lat. *imperiosu.*] ***Adj.*** **1.** Que manda com império; dominador: "Prazeres era .... uma mulher caprichosa e imperiosa, e sabia prender um homem por laços de ferro." (Machado de Assis, *Relíquias de Casa Velha,* p. 30.) **2.** Soberbo, altivo, arrogante: "o nosso subjetivismo, tão imperioso por vezes que faz o escritor um minúsculo epítome do universo, capaz de o interpretar *a priori*" (Euclides da Cunha, *Contrastes e Confrontos,* p. 268). **3.** Impreterível, inevitável, irresistível, instante: *necessidade imperiosa.*
imperito [Do lat. *imperitu.*] ***Adj.*** **1.** Não perito; inábil. **2.** Que não tem experiência; inexperiente. **3.** Que não sabe; ignorante: *imperito em coisas de letras.* **4.** Que é imperfeito no que faz.
impermanência [De *im-*[2] + *permanência.*] ***S. f.*** Qualidade de impermanente.
impermanente [De *im-*[2] + *permanente.*] ***Adj. 2 g.*** Não permanente; instável, mutável, inconstante.
impermeabilidade [De *impermeável* + *-(i)dade,* seg. o padrão erudito.] ***S. f.*** Qualidade ou estado de impermeável.
impermeabilização [De *impermeabilizar* + *-ção.*] ***S. f.*** **1.** Ato ou efeito de impermeabilizar. **2.** Processo pelo qual se torna impermeável um papel, um revestimento, etc. **3.** *Tec. Têx.* Beneficiamento final, por meios físicos e químicos, a que são submetidos alguns tecidos para não se deixarem atravessar pela água e pelo ar.
impermeabilizado [Part. de *impermeabilizar.*] ***Adj.*** Que sofreu impermeabilização; tornado impermeável; impermeável.
impermeabilizante [De *impermeabilizar* + *-nte.*] ***Adj. 2 g. S. m.*** Que, ou aquilo que impermeabiliza.
impermeabilizar [De *impermeável* + *-izar,* seg. o padrão erudito.] ***V. t. d.*** Tornar impermeável; submeter à impermeabilização; impermear.
impermear [De *im-*[2] + *permear.*] ***V. t. d.*** Impermeabilizar. [Conjug.: v. *frear.*]
impermeável [De *im-*[2] + *permeável.*] ***Adj. 2 g.*** **1.** Que não se deixa atravessar por fluidos, especialmente pela água: *O vidro é impermeável; Aquele terreno é impermeável.* **2.** Impermeabilizado: *tecido impermeável.* **3.** Que não se deixa penetrar, atravessar, atingir: *É de uma burrice impermeável; Tem o coração impermeável ao amor.* **4.** Que não se deixa submeter; refratário: "Se a orla marítima estava pacificada, o interior era tido como impermeável a qualquer tutela." (Aquilino Ribeiro, *Os Avós dos Nossos Avós,* p. 109.) • ***S. m.*** **5.** *Vest.* Capa de chuva, feita de tecido ou qualquer outro material impermeável. V. *gabardina* (2).
impermisto [Do lat. *impermixtu.*] ***Adj.*** Não misturado com outra coisa.
impermutabilidade [De *impermutável* + *-(i)dade,* seg. o padrão erudito.] ***S. f.*** Qualidade de impermutável.
impermutável [Do lat. *impermutabile.*] ***Adj. 2 g.*** Não permutável.
imperscrutável [Do lat. *imperscrutabile.*] ***Adj. 2 g.*** Não perscrutável.
impersistente [De *im-*[2] + *persistente.*] ***Adj. 2 g.*** Não persistente; inconstante.
impersonalidade [De *im-*[2] + *personalidade* (1).] ***S. f.*** V. *impessoalidade.*
impersonalização [De *impersonalizar* + *-ção.*] ***S. f.*** Impessoalização.
impersonalizar [De *im-*[2] + *personalizar.*] ***V. t. d.*** Impessoalizar.
impertérrito [Do lat. *imperterritu.*] ***Adj.*** Que não se aterra; destemido, impávido.
impertinência [De *impertinente* + *-ia*[2], seg. o padrão analógico.] ***S. f.*** **1.** Qualidade de impertinente: *a impertinência do seu procedimento, das suas perguntas, das suas visitas.* **2.** Ato, modos ou dito de pessoa impertinente.
impertinente [Do lat. tard. *impertinente.*] ***Adj. 2 g.*** **1.** Não pertinente; que não vem a propósito; estranho ao assunto de que se trata; descabido; inoportuno: *pergunta impertinente; palavras impertinentes.* **2.** Que fala ou age de maneira ofensiva, inconveniente; importuno. **3.** Insolente, irreverente. **4.** V. *rabugento* (2).
imperturbabilidade [De *imperturbável* + *-(i)dade,* seg. o padrão erudito.] ***S. f.*** **1.** Qualidade ou estado de imperturbável: "Teófilo Braga conserva sempre a frieza didática, de uma imperturbabilidade trágica." (Ramalho Ortigão, *Figuras e Questões Literárias,* II, p. 1951.) **2.** Tranquilidade, serenidade.
imperturbado [Do lat. *imperturbatu.*] ***Adj.*** Que não se perturba.
imperturbável [Do lat. tard. *imperturbabile.*] ***Adj. 2 g.*** Que não se pode perturbar ou não se perturba; inalterável, impassível, inabalável.
impérvio [Do lat. *imperviu.*] ***Adj.*** **1.** Intransitável, impenetrável, ínvio: *caminhos impérvios.* **2.** Que não se deixa penetrar, atingir, influenciar; impenetrável; refratário: "Que as esperanças sejam como os ninhos / Neste atro coração impérvio à calma" (Luís Murat, *Ondas,* II, p. 176). **3.** *Zool.* Diz-se de narina cujo septo é completo, imperfurado. • ***S. m.*** **4.** Lugar onde não há caminhos.
impessoal [Do lat. *impersonale.*] ***Adj. 2 g.*** **1.** Que não se refere ou não se dirige a uma pessoa em particular, mas às pessoas em geral: *A lei é impessoal.* **2.** Independente de, ou sobranceiro a qualquer circunstância ou particularidade: *julgamento impessoal.* **3.** Pouco original; incaracterístico: *estilo impessoal.* ~ V. *infinitivo —, micrômetro —* e *verbo —.*
impessoalidade [De *impessoal* + *-(i)dade.*] ***S. f.*** **1.** Qualidade ou caráter de impessoal; impessoalismo, impersonalidade. **2.** *Adm.* Princípio da administração pública que repudia discriminações, benéficas ou prejudiciais, no exercício da função administrativa, uma vez que os atos da administração pública devem ser imputados ao Estado e não à figura do agente.
impessoalismo [De *impessoal* + *-ismo.*] ***S. m.*** V. *impessoalidade.*
impessoalização [De *impessoalizar* + *-ção.*] ***S. f.*** Ato ou efeito de impessoalizar; impersonalização.
impessoalizar [De *impessoal* + *-izar.*] ***V. t. d.*** Dar feição impessoal a; tornar impessoal; impersonalizar.
impetar [De *ímpeto* + *-ar*[2].] ***V. t. d.*** *P. us.* **1.** Dar impetuosamente em; atirar com ímpeto; arremessar. **2.** Fazer impetuosamente. [Pres. ind.: *impeto, impetas,* etc. Cf. *ímpeto.*]
impeticar [Do rad. de *impetar* + *-icar.*] ***V. t. i.*** Contender, implicar. [Conjug.: v. *trancar.* Cf. *empeiticar.*]
impetigem [Do lat. *impetigine.*] ***S. f.*** *Derm.* V. *impetigo.*
impetiginoso (ô) [Do lat. *impetiginosu.*] ***Adj.*** *Derm.* **1.** Relativo a impetigem ou impetigo. **2.** Que tem a natureza da impetigem ou impetigo.
impetigo [Do lat. *impetigo* (nom.).] ***S. m.*** *Derm.* Afecção cutânea inflamatória causada pelas bactérias *Staphylococcus aureus* ou *Streptococcus pyogenes,* e caracterizada pelo aparecimento de vesicopústulas. [Sin.: *impetigem* e (pop.) *salsugem.*]
ímpeto [Do lat. *impetu.*] ***S. m.*** **1.** Movimento arrebatado; arrebatamento: *Levantou-se num ímpeto.* **2.** Manifestação súbita e violenta; impulso, ataque: *um ímpeto de cólera; o ímpeto das paixões.* **3.** Pressa irrefletida; precipitação: *Não pondera bem os fatos, age com ímpeto.* **4.** Fúria, furor: *Difícil foi aos bombeiros conterem o ímpeto das chamas.* **5.** *Geol.* V. *ímpetus.* [Cf. *impeto,* do v. *impetar.*]
impetra [Dev. de *impetrar.*] ***S. f.*** **1.** Súplica feita a superior; rogo. **2.** *Ecles.* Consecução de um benefício eclesiástico concedido pelo Papa.
impetrabilidade [De *impetrável* + *-(i)dade,* seg. o padrão erudito.] ***S. f.*** Qualidade de impetrável.
impetração [Do lat. *impetratione.*] ***S. f.*** Ato ou efeito de impetrar.
impetrante [Do lat. *impetrante,* part. pres. do v. *impetrare.*] ***Adj. 2 g. S. 2 g.*** Que, ou quem impetra.
impetrar [Do lat. *impetrare.*] ***V. t. d.*** **1.** Interpor (recurso). **2.** Rogar, suplicar, pedir, requerer. **3.** Obter mediante súplicas. ***T. d. e i.*** **4.** Impetrar (1): *O Sindicato impetrou mandado de segurança contra a União.* **5.** Procurar obter mediante súplicas; rogar, suplicar, pedir, requerer: "enquanto impetrava do Pontífice autorização para submeter ao juízo secular os jesuítas que complicara no atentado de setembro, Carvalho [Sebastião José de Carvalho, Marquês de Pombal] ia pondo em ação a máquina terrível do Santo Ofício." (J. Lúcio d'Azevedo, *O Marquês de Pombal e Sua Época,* p. 199). **6.** Obter mediante súplicas.
impetrativo [Do lat. *impetrativu.*] ***Adj.*** Próprio para impetrar; impetratório.
impetratório [De *impetrar* + *-tório.*] ***Adj.*** Impetrativo.
impetrável [Do lat. *impetrabile.*] ***Adj. 2 g.*** Que se pode ou deve impetrar.
impetuosidade [De *impetuoso* + *-(i)dade.*] ***S. f.*** Qualidade de impetuoso.
impetuoso (ô) [Do lat. *impetuosu.*] ***Adj.*** **1.** Que se move com ímpeto: *rio impetuoso.* **2.** Arrebatado, veemente, fogoso: *homem impetuoso.*
ímpetus [Do lat. *impetus.*] ***S. m. 2 n.*** *Geol.* Início súbito de um impulso sísmico; ímpeto.
impiedade [Do lat. *impietate.*] ***S. f.*** **1.** Falta de piedade; desumanidade, crueldade. **2.** Ação ímpia. **3.** Qualidade ou caráter de ímpio. **4.** Ação, dito, procedimento ou modo de vida de ímpio.
impiedoso (ô) [De *im-*[2] + *piedoso.*] ***Adj.*** **1.** Que não tem piedade: *homem impiedoso.* **2.** Que revela impiedade: *ações impiedosas.*
impigem [Do lat. *impetigine.*] ***S. f.*** **1.** *Derm.* Designação imprecisa, comum a várias dermatoses. **2.** *Fig. Fam.* Grande comilão. [Var.: *impingem.*]
impiíssimo ***Adj.*** Superl. abs. sint. de *ímpio.*
impingem ***S. f.*** V. *impigem.*
impingidela [De *impingir* + *-dela.*] ***S. f.*** Ato ou efeito de impingir.
impingimento [De *impingir* + *-mento.*] ***S. m.*** **1.** Ato ou efeito de impingir. **2.** *Metal.* Tipo de corrosão e ou erosão ocasionado por fluxo turbulento de um líquido, ou por choque direto deste líquido em certas áreas.
impingir [Do lat. *impingere,* com mudança de conjug.] ***V. t. d. e i.*** **1.** Dar violentamente; pespegar, vibrar, aplicar: *Impingiu-lhe um cachação.* **2.** Levar (ou tentar levar) a acreditar, iludindo; pregar: *O conferencista impingiu lorotas aos ouvintes.* **3.** Obrigar a aceitar: *Impingiram-lhe o cargo.* **4.** Fazer passar uma coisa por outra. **5.** Vender por mais do que o justo valor: *Impinge aos clientes artigos fora da moda.* **6.** Obrigar a ouvir; submeter a: *Impingiu-lhe duas horas de falação.* ***T. d.*** **7.** Levar (ou tentar levar) a acreditar, iludindo: *Impinge mentiras a torto e a direito.* **8.** Vender por mais do que o justo valor: *Desonesto, o comerciante impinge os seus produtos.* [Conjug.: v. *dirigir.*]
impio [De *im-*[2] + *pio*[3].] ***Adj. S. m.*** *Impr.* V. *ímpio.*

ímpio [Do lat. *impiu*.] *Adj*. **1.** Que não tem fé; incrédulo, herege. **2.** Que denota ou envolve impiedade: *guerra ímpia; procedimento ímpio*. ● *S. m.* **3.** Indivíduo ímpio; incrédulo, herege, herético: "— Herética! Ímpia! Vá à igreja benzer-se. O diabo vive no seu corpo." (Geraldo França de Lima, *Branca Bela*, p. 53.) [Var. pros. impr.: *impio*.]

implacabilidade [Do lat. tard. *implacabilitate*.] *S. f.* Qualidade de implacável.

implacável [Do lat. *implacabile*.] *Adj. 2 g.* **1.** Que não se pode aplacar ou abrandar: *A implacável doença acabou matando-o*. **2.** Que não perdoa; inexorável, insensível: "Os filhos são os mais implacáveis e incorruptíveis juízes do procedimento dos pais." (Ramalho Ortigão, *Em Paris*, p. 184); "o romano do período áureo, ... frio e duro, implacável com o inimigo e cruel com os fracos" (Aquilino Ribeiro, *Os Avós dos Nossos Avós*, p. 84).

implacidez (ê) [De *im-*[2] + *placidez*.] *S. f.* Falta de placidez.

implantação [De *implantar* + *-ção*.] *S. f.* **1.** Ato de implantar(-se); implante. **2.** Inserção de medicamento sólido sob a pele; implante. **3.** *Arquit. Urb.* A distribuição dos vários edifícios em área a ser urbanizada. **4.** Locação (5). **5.** *Embr.* Nidação.

implantar [De *im-*[1] + *plantar*[2].] *V. t. d. e c.* **1.** Introduzir; inaugurar; estabelecer: *Os colonizadores sempre tentaram implantar seus costumes nas terras conquistadas*. **2.** Inserir (uma coisa) em outra; plantar, arraigar, fixar: *A árvore implanta suas raízes na terra*. *T. d.* **3.** Hastear, desfraldar, içar: *implantar uma bandeira*. **4.** Implantar (1). **5.** *Arquit.* Demarcar no terreno as fundações de (a obra que será construída). **6.** *Cir.* Fazer implante (2) de. *P.* **7.** Plantar-se, arraigar-se. **8.** Fixar-se, estabelecer-se.

implantável [De *implantar* + *-vel*.] *Adj. 2 g.* Que se pode implantar.

implante [Dev. de *implantar*.] *S. m.* **1.** Implantação (1 e 2). **2.** *Cir.* Matéria que é, de propósito, inserida ou implantada no hospedeiro (7), e que pode ser orgânica (p. ex., rim, dente, etc.), ou inorgânica (p. ex., válvula cardíaca, pequeno recipiente que contém rádio[2], etc.). **3.** *Patol.* Fragmento tecidual que, patologicamente, migra de sua sede de origem para outro órgão ou estrutura, dentro do próprio organismo.

implantodontia [De *implante* + *-(o)dont(o)-* + *-ia*[1].] *S. f.* *Odont.* Conjunto de técnicas empregadas para implantar ou reimplantar dentes.

implantodontista [De *implantodontia* + *-ista*.] *S. 2 g.* *Odont.* Especialista em implantodontia.

implantologia [De *implante* + *-o-* + *-logia*.] *S. f. Med.* Estudo dos fenômenos, procedimentos técnicos, etc., referentes a implantes. [V. *implante* (2).]

implantológico [De *implantologia* + *-ico*[2].] *Adj.* Referente à implantologia.

implausibilidade [De *implausível* (*implausibil-*) + *-(i)dade*, seg. o padrão erudito.] *S. f.* Condição ou caráter de implausível.

implausível [De *im-*[2] + *plausível*.] *Adj. 2 g.* Não plausível.

implementação [De *implementar* + *-ção*.] *S. f.* Ato ou efeito de implementar.

implementado [Part. de *implementar*.] *Adj.* A que se deu implemento.

implementar [De *implemento* + *-ar*[2].] *V. t. d.* **1.** Dar execução a (um plano, programa ou projeto). **2.** Levar à prática por meio de providências concretas. **3.** Prover de implemento(s). **4.** *Inform.* Programar (3).

implemento [Do ingl. *implement*.] *S. m.* **1.** Aquilo que é indispensável para executar alguma coisa; apresto, petrecho: *implementos agrícolas*. **2.** Cumprimento, execução.

implexo (cs) [Do lat. *implexu*, part. pass. de *implectere*, 'entrelaçar'.] *Adj.* **1.** Emaranhado, entrelaçado; enredado: "Dessas pedras verás algumas sob implexas / Ramas de bosque" (Alberto de Oliveira, *Poesias*, 3ª série, p. 99). **2.** Envolvido, enredado. **3.** Complexo, complicado.

implicação [Do lat. *implicatione*.] *S. f.* **1.** Ato ou efeito de implicar(-se); implicância. **2.** Aquilo que fica implicado ou subentendido; subentendido: *Além do que significa ao primeiro exame, sua declaração envolve certas implicações*. **3.** *Fam.* V. *implicância* (2). **4.** *Lóg.* Relação entre objetos pela qual um deles não pode estar dado sem que o outro também o esteja. **5.** *Lóg.* Relação entre proposições ligadas pelo termo lógico "se... então". [Cf., nesta acepç., *juízo hipotético*.] **6.** *Lóg.* Sistema de proposições relacionadas por implicação; proposição hipotética. ◆ **Implicação estrita.** *Lóg.* V. *implicação formal*. **Implicação formal.** *Lóg.* A que se faz preceder do sinal de universalidade e cujo valor de verdade se constata empiricamente; implicação geral, implicação estrita. **Implicação geral.** *Lóg.* V. *implicação formal*. **Implicação individual.** *Lóg.* Implicação material. **Implicação material.** *Lóg.* Implicação (6) que só é falsa no caso de ser verdadeiro o antecedente e falso o consequente; implicação individual.

implicado [Part. de *implicar*.] *Adj.* **1.** Enredado, embaraçado, enleado. **2.** Entrelaçado, implexo. **3.** Envolvido, comprometido. ● *S. m.* **4.** Indivíduo implicado (em processo): *Foi lida a relação dos implicados*.

implicância [De *implicar* + *-ância*.] *S. f.* **1.** Implicação (1). **2.** *Fam.* Má vontade; quizila, embirração, birra, implicação: "aquele ciúme, implicância desnecessária; qualquer coisinha, ele emburra feito menino dengoso." (Manuel Lobato, *Os Outros São Diferentes*, p. 57). **3.** V. *amolação* (4).

implicante [Do lat. *implicante*, part. pres. de *implicare*.] *Adj. 2 g. S. 2 g.* Que, ou quem implica.

implicar [Do lat. *implicare*.] *V. t. d.* **1.** Tornar confuso; enredar, embaraçar, enlear: *As nuanças implicam a mente*. **2.** Dar a entender; fazer supor; pressupor: "O diálogo com o mundo, que iniciamos naquelas horas felizes, implicava simultaneamente uma obstinação impulsora e um frêmito afetivo." (Miguel Torga, *Diário*, IX, p. 38); "Monopólio, por si só, implica limitação, é medida coercitiva." (Cosme Ferreira Filho, *Amazônia em Novas Dimensões*, p. 152). **3.** Trazer como consequência; envolver, importar: *A supressão da liberdade implica, não raro, a violência*. **4.** Tornar indispensável; demandar, requerer: *A criação artística implica muita dedicação*. *T. d. e i.* **5.** Comprometer, envolver: *Implicaram-no em crime de furto*. **6.** Ser a causa de; originar: *O desenvolvimento da ciência implica muitos benefícios para a humanidade*. *T. i.* **7.** Ser incompatível, inconciliável; não se harmonizar: *Uma opinião não implicava com a outra*. **8.** Demonstrar antipatia; mostrar-se impaciente; antipatizar: *Implicava com os colegas*; "Quando ele ficou meninote vivia implicando comigo por causa daqueles cabelos que eu devia ter cortado." (Laura Oliveira Rodrigo Otávio, *Elos de uma Corrente*, p. 165). **9.** Causar pequeno aborrecimento ou zanga a; chatear. **10.** Provocar, amolar, enticar. **11.** Fazer supor; importar: "O fato de ser revolucionária não implica em que a organização político-jurídica da sociedade e do Estado não seja preliminar à reforma econômico-social." (Afonso Arinos de Melo Franco, *A Alma do Tempo*, p. 400.) *Int.* **12.** Ser inconciliável, incompatível; não se harmonizar. *P.* **13.** Enredar-se, meter-se, comprometer-se. **14.** Intrometer-se, contender. [Conjug.: v. *trancar*.]

implicativo [De *implicar* + *-tivo*.] *Adj.* **1.** Que implica. **2.** Que produz implicação. [Sin. ger.: *implicatório*.]

implicatório [De *implicar* + *-tório*.] *Adj.* V. *implicativo*.

implícito [Do lat. *implicitu*, part. pass. de *implicare*.] *Adj.* Que está envolvido, mas não de modo claro; tácito, subentendido. [Antôn.: *explícito*.] ~ V. *função* — *a*.

implodir [Do ingl. (*to*) *implode*.] *V. t. d.* **1.** Provocar a implosão (1) de. *Int.* **2.** Sofrer o efeito da implosão. [Defect., não conjugável na 1ª pess. sing. do pres. ind. nem, portanto, no pres. subj.]

imploração [Do lat. *imploratione*.] *S. f.* Ato de implorar; súplica.

implorador (ô) [De *implorar* + *-dor*.] *Adj. S. m.* Implorante.

implorante [Do lat. *implorante*, part. pres. de *implorare*.] *Adj. 2 g. S. 2 g.* Que, ou quem implora; implorador: "E suas mãos implorantes [da aleijadinha], cor de barro cozido, / Parecem flores pisadas..." (Eugênio de Castro, *Obras Poéticas*, I, pp. 188-189.)

implorar [Do lat. *implorare*.] *V. t. d.* **1.** Pedir com lágrimas, ou em tom de súplica chorosa: *implorar perdão*. **2.** Solicitar com insistência; pedir encarecidamente; suplicar, rogar: *implorar esmola*; "Cuido dizer-lhe o amor que me tortura. / O amor que a exalta e a pede e a chama e a implora..." (Manuel Bandeira, *Estrela da Vida Inteira*, p. 13). **3.** Dizer em tom implorativo: "um pequeno maltrapilho se aproximava de alguém mais bem trajado, e .... implorava: — Moço, me dá dois tostões pra uma corrida..." (Amando Fontes, *Os Curumbas*, p. 48). **4.** Pedir humildemente a ajuda de; chamar em auxílio chorando; suplicar: *implorar a Providência*. *T. d. e i.* **5.** Pedir humildemente; suplicar, rogar: "vergando os joelhos, ansiadas, imploravam socorro ao céu." (Gustavo Barroso, *Terra de Sol*, p. 133); "rogou à alma da bem-aventurada Fastrada que .... por eles implorasse de Deus um milagre que os tirasse daquela incômoda situação." (Id., *Livro dos Milagres*, p. 96). *Int.* **6.** Fazer pedidos com ansiedade e insistência: "Imploram, gemem, fingem-se doentes, / Têm artimanhas e expedientes" (Conde de Monsaraz, *Musa Alentejana*, p. 149). **7.** Implorar perdão ou piedade: "Implorou, porém implorou debalde! O Celerado meteu-lhe em pleno peito as duas balas, com que trazia atacada a carabina!" (Bulhão Pato, *Memórias*, II, p. 145).

implorativo [De *implorar* + *-tivo*.] *Adj.* **1.** Que envolve ou denota imploração ou súplica: "Olhou-a com uns olhos súplices, a fisionomia implorativa das crianças torturadas pela posse de um brinquedo." (Amando Fontes, *Os Curumbas*, p. 100.) **2.** Que tem o modo, o ar de quem implora.

implorável [Do lat. *implorabile*.] *Adj. 2 g.* Que se pode implorar.

implosão [Do ingl. *implosion*.] *S. f.* **1.** Conjunto de explosões que se combinam de tal maneira que seus efeitos tendem para um ponto central. **2.** *Fís.* Fenômeno, em geral violento, que ocorre quando as paredes dum recipiente cedem a uma pressão que é maior no exterior do que no interior. **3.** *E. Ling.* V. *articulação* (5). ◆ **Grande implosão.** *Cosm.* Modelo de evolução cósmica segundo o qual à fase atual de expansão do universo seguirá outra fase de contração, que levará a condições de temperatura e de densidade muito elevadas.

implosiva [F. subst. de *implosivo*.] *S. f. E. Ling.* Consoante implosiva (q. v.).

implosivo [Do ingl. *implosive*.] *Adj. E. Ling.* Diz-se de fonema oclusivo cuja articulação (5) (q. v.) se limita à primeira fase. Ex.: / p / em *reptil, apto, captar*, etc. ~ V. *consoante* — *a*.

implume [Do lat. *implume*.] *Adj. 2 g.* Que ainda não tem penas ou plumas; nuelo.

implúvio [Do lat. *impluviu*.] *S. m.* Cisterna quadrada, no centro do átrio das antigas casas romanas, para recolher a água da chuva que passava pelo complúvio (q. v.): "O holandês teve a atenção imediatamente voltada para a varanda que havia em frente de cada casa, e para o implúvio entre seus quartos." (Alberto da Costa e Silva, *A Enxada e a Lança*, p. 545.)

impoético [De *im-*[2] + *poético*.] *Adj.* Apoético (3).

impolarizável [De *im-*[2] + *polarizável*.] *Adj. 2 g.* Não polarizável.

impolidez (ê) [De *impolido* + *-ez*.] *S. f.* Qualidade de impolido; falta de polidez, de delicadeza, de cortesia. [Sin., p. us.: *despolidez*.]

impolido [Do lat. *impolitu*.] *Adj.* **1.** Sem polimento; não polido: *diamante impolido*. **2.** Descortês, incivil, indelicado. **3.** Rude, grosseiro, rústico.

impolítica [De *im-*[2] + *política*.] *S. f.* Falta de política ou de cortesia.

impolítico [De *im-*[2] + *político*.] *Adj.* **1.** Que não é político. **2.** Contrário à boa política. **3.** *Fig.* Descortês, incivil, impolido.

impoluível [De *im-*[2] + *poluível*.] *Adj. 2 g.* Que não pode ser poluído; imaculável.

impoluto [Do lat. *impollutu*.] *Adj.* **1.** Não poluído; imaculado. **2.** Puro, virtuoso: "Meu tio e padrinho Quintino de Miranda, magistrado impoluto ...., mandou-me um dia um rico presente" (Oliveira Lima, *Memórias*, p. 13).

imponderabilidade [De *imponderável* + *-(i)dade*, seg. o padrão erudito.] *S. f.* Qualidade de imponderável.

imponderação [De *im-*[2] + *ponderação*.] *S. f.* Falta de ponderação; desponderação.

imponderado [De *im-*[2] + *ponderado*.] *Adj.* Inconsiderado, irrefletido, precipitado; desponderado.

imponderável [De *im-*[2] + *ponderável*.] *Adj. 2 g.* **1.** Que não se pode pesar. **2.** Que não tem peso apreciável. **3.** *Fig.* Que não se pode avaliar; que não é digno de ponderação: *Não convenceu a plateia porque seus argumentos eram imponderáveis*. ● *S. m.* **4.** *Fig.* Elemento ou circunstância indefinível que influi em determinada matéria ou assunto: "tudo quanto se quer dizer, ainda mesmo que seja o imponderável, o inatingível, o sobrenatural" (Martins Fontes, *A Dança*, p. 95). [Tb. us. no pl.]

imponência [Do lat. *imponentia* (acus. neutro pl. de *imponens, entis*, part. pres. de *imponere*, tomado como fem.).] *S. f.* **1.** Qualidade de imponente; majestade. **2.** Arrogância, altivez, sobranceria.

imponente [Do lat. *imponente*, part. pres. de *imponere*.] *Adj. 2 g.* **1.** Que impõe admiração; majestoso, magnificente. **2.** Arrogante, altivo, sobranceiro.

imponível [Do rad. do lat. *imponere* + *-ível*.] *Adj. 2 g.* **1.** Tributável. **2.** *Dir. Tribut.* Diz-se do fato gerador de imposto. [Cf. *impunível*.]

impontual [De *im-*[2] + *pontual*.] *Adj. 2 g. S. 2 g.* Que, ou quem não é pontual.

impontualidade [De *impontual* + *-(i)dade*.] *S. f.* Qualidade de impontual; falta de pontualidade.

impopular [De *im-*[2] + *popular*.] *Adj. 2 g.* **1.** Que não agrada, não tem popularidade: *artista impopular*. **2.** Que não é conforme aos desejos, aos interesses de uma grande parte da população: *lei impopular*. **3.** Que não tem o favor da população: *ministro impopular*.

impopularidade [De *impopular* + *-(i)dade*.] *S. f.* Qualidade de impopular; falta de popularidade.

impopularizado [Part. de *impopularizar.*] ***Adj.*** Que se impopularizou; tornado impopular: "ideias e instituições impopularizadas nos meios intelectuais" (Alceu Amoroso Lima, *O Espírito e o Mundo*, p. 126).

impopularizar [De *impopular* + *-izar.*] ***V. t. d. P.*** Tornar(-se) impopular; despopularizar(-se).

impor [Do lat. *imponere.*] ***V. t. d.*** **1.** Tornar obrigatório ou indispensável; forçar a observar ou a tomar: *impor normas*; "Tal situação impunha providências radicais que tiveram de ser tomadas pela administração pública." (Vivaldo Coaraci, *Paquetá*, p. 111); "A negra veio chegando, dedo na boca, impondo silêncio." (Nélio Reis, *Subúrbio*, p. 50). **2.** Inspirar, infundir: *Sua figura impõe respeito.* **3.** Enganar, iludir, embair. **4.** Instituir, estabelecer, fixar: *impor pesadas taxas.* **5.** *Tip.* Enramar (a composição paginada) obedecendo a certo deitado, de modo que, impressa e dobrada a folha, formando o caderno, possam as páginas do texto ser lidas na devida ordem. ***T. d. e c.*** **6.** Pôr em cima ou por cima; sobrepor: *Impôs a coroa na cabeça do novo rei.* ***T. d. e i.*** **7.** Conferir, atribuir, dar, pôr: *Impôs-lhe o nome de Mateus.* **8.** Lançar ou instituir (tributo). **9.** Estabelecer, determinar, fixar: *O chefe impôs à firma uma programação rígida.* **10.** Obrigar a aceitar; forçar a observar: "Debalde o Diabo tentou proferir alguma coisa mais. Deus impusera-lhe silêncio" (Machado de Assis, *Histórias sem Data*, p. 5); "Impor silêncio ao coração é exigir dele um sacrifício hediondo." (Artur Azevedo, *Contos Possíveis*, p. 6). **11.** Infligir, cominar: *Impuseram-lhe castigos absurdos.* **12.** Assacar, imputar: *A polícia impôs-lhe o planejamento do crime.* **13.** Infundir, inspirar: "Eu quis protestar contra aquele riso e impor à menina respeito pelo meu luto." (Rodrigo M. F. de Andrade, *Velórios*, p. 50.) ***T. i.*** **14.** Tentar aparentar talento ou qualidades que não possui; pretender passar: *É um poetastro, e impõe de grande poeta.* ***Transobj.*** **15.** Fazer com que se aceite; forçar a aceitação de: *As circunstâncias impuseram-no como presidente.* ***Int.*** **16.** Enganar com boas maneiras; iludir. **17.** *Bras. CE* Assistir ao bota-fora de alguém. ***P.*** **18.** Fazer-se aceitar por suas qualidades, ou por constrangimento: "Não escreveu .... livro algum; não se distinguiu violentamente, nem se impôs na vida." (Augusto Frederico Schmidt, *O Galo Branco*, pp. 71-72); "O gosto pelos estudos fê-lo impor-se aos colegas, merecendo a estima dos mestres e admiração da classe." (J. F. da Costa Filho, *As Facetas do Diabo*, p. 11). **19.** Fazer que o recebam. **20.** Arrogar a si qualidades que não possui. **21.** Determinar a si mesmo: *Impus-me as responsabilidades mais duras.* [Irreg. Conjug.: v. *pôr*. Imperf. ind.: *impunha, impunhas, impunha, impúnhamos, impúnheis, impunham*. Cf. o pres. ind. do v. *empunhar*.]

importação [De *importar* + *-ção*; ingl. *importation.*] ***S. f.*** **1.** Ato de importar. **2.** Aquilo que se importou. **3.** Introdução em um país, estado ou município de mercadorias procedentes de outro; introdução.

importado [Part. de *importar.*] ***Adj.*** Que se importou, que veio de outro país ou região: *No passado, o avanço tecnológico era fruto da cultura importada.* ~ V. *importados*.

importador (ô) [De *importar* + *-dor*; ingl. *importer.*] ***Adj. S. m.*** Que, ou aquele que importa.

importadora (ô) [F. subst. do adj. *importador.*] ***S. f. Bras.*** Firma ou empresa importadora.

importados ***S. m. pl.*** Mercadorias importadas: *As lojas estão abarrotadas de importados.* ~ V. *importado*.

importância [De *importar* + *-ância.*] ***S. f.*** **1.** Valor, mérito, interesse: *Que importância tem o seu trabalho?* **2.** Autoridade, prestígio, influência, crédito: *Que importância tem ele para falar em nome dos outros?* **3.** Conceito elevado ou lisonjeiro; deferência, consideração: *Dão-lhe muita importância porque ocupa um alto cargo.* **4.** Quantia em dinheiro: *Com que importância conta você para a viagem?* **5.** Valor em dinheiro; custo: *Qual a importância total das obras que vais mandar fazer?* **6.** *Bras. Irôn.* Ares que alguém assume de pessoa importante, prestigiosa, influente, poderosa, rica; fatuidade, soberba, arrogância.

importante [Do lat. *importante*, part. pres. de *importare.*] ***Adj. 2 g.*** **1.** Que tem importância, mérito; meritório, essencial: *um trabalho importante; livro importante.* **2.** Que merece consideração, apreço: *indivíduo importante.* **3.** Que importa; necessário; interessante: *É importante saber a sua opinião.* **4.** *Bras. Irôn.* Que se dá importância (6); arrogante, soberbo, fátuo: *Depois que subiu, ficou muito importante; Mal cumprimenta as pessoas, é muito importante.* • ***S. m.*** **5.** O que é essencial ou mais interessa: *Continue lutando: o importante é não desistir;* "o importante não é ter ou fazer amigo – é ser amigo." (Pedro Nava, *Beira-Mar*, p. 137).

importar [Do lat. *importare.*] ***V. t. d.*** **1.** Fazer vir de outro país, estado ou município; trazer para dentro: *importar petróleo.* **2.** Ter como consequência ou resultado; causar, produzir, originar, implicar: *As loucuras do filho importaram a ruína do velho.* **3.** Trazer em si; envolver, encerrar, implicar: "A justiça, importando o discernimento do bom e do mau, pressupõe a ciência" (Ramalho Ortigão, *Primeiras Prosas*, p. 284). ***T. d. e i.*** **4.** Causar, produzir, trazer: *A seca importava grandes prejuízos ao país.* **5.** Trazer, carrear; introduzir: *A moderna tecnologia importa muitos vocábulos para a língua.* ***T. c.*** **6.** Atingir (certo preço ou custo); montar: *As compras importam em 400 reais.* ***T. i.*** **7.** Dar em resultado; ter como consequência; resultar, redundar: "Toda reforma precipitada era tempo perdido, podia importar em um desvio considerável do verdadeiro rumo." (Joaquim Nabuco, *Escritos e Discursos Literários*, p. 61); "apesar de todo o meu exame não descobri nada que importasse a diminuir-lhe o renome." (Mário de Alencar, *Contos e Impressões*, p. 104). **8.** Ser necessário; convir, interessar: *Importa-lhe estudar muito.* **9.** Aproveitar, servir, valer: *Não importam ao justo as calúnias.* ***Int.*** **10.** Ser útil ou proveitoso; interessar: *Só o trabalho importa.* **11.** Ter importância, interesse; significar: "Vão me jogar pedras. Pouco importa." (Clarice Lispector, *A Via-Crúcis do Corpo*, p. 10.) ***P.*** **12.** Fazer caso; ligar importância; ter consideração: *Não se importa com os invejosos.*

importável [De *importar* + *-vel.*] ***Adj. 2 g.*** Que pode ser importado: *mercadorias importáveis.*

importe [Dev. de *importar.*] ***S. m.*** **1.** Soma total; importância: *o importe duma despesa.* **2.** Preço, custo: *o importe de uma mercadoria.*

importunação [De *importunar* + *-ção.*] ***S. f.*** **1.** Ato ou efeito de importunar. **2.** Aborrecimento, impertinência.

importunado [Part. de *importunar.*] ***Adj.*** Que se importunou, que foi vítima de importunação.

importunador (ô) [De *importunar* + *-dor.*] ***Adj. S. m.*** Que, ou aquele que importuna; importuno.

importunar [Do lat. med. *importunare.*] ***V. t. d.*** **1.** Incomodar com súplicas repetidas; aborrecer com pedidos insistentes. **2.** V. *apoquentar*: *O falatório importunava-o.* **3.** Provocar, com a sua presença, transtorno a; embaraçar; estorvar, interromper: *O visitante importunava-o.* ***P.*** **4.** V. *apoquentar*.

importunice [De *importuno* + *-ice.*] ***S. f.*** Qualidade ou caráter de importuno: "Se o Serapião continuava a viver só, agia, porém, como se o rodeasse a importunice de uma convivência sob o mesmo teto." (Alberto Rangel, *Sombras n'Água*, p. 129.)

importunidade [Do lat. *importunitate.*] ***S. f.*** Qualidade, ato ou modos de importuno: "– Que besta essa! exclamou Carlos ...., desabafando sobre a literatura política do marido a cólera que lhe davam as importunidades amorosas da mulher." (Eça de Queirós, *Os Maias*, II, p. 28.)

importuno [Do lat. *importunu.*] ***Adj.*** **1.** Que importuna, incomoda; incomodativo, maçador, impertinente, insuportável. **2.** Inoportuno, intempestivo. • ***S. m.*** **3.** Indivíduo importuno (1): *O importuno continuou insistindo, mesmo depois de notar que não o queríamos receber.*

imposição [Do lat. *impositione.*] ***S. f.*** **1.** Ação de impor, de estabelecer, de obrigar, de infligir, de deferir. **2.** Determinação, ordem, injunção. **3.** A coisa imposta: *O jantar a rigor foi imposição dele.* **4.** Colocação de insígnias: *A imposição do colar no novo acadêmico foi feita por seu melhor amigo.* **5.** *Tip.* Ato ou efeito de impor (5). [V. *deitado* (2).] ◆ **Imposição de mãos** *Rel.* Gesto de bênção ou de consagração, cerimônia us. já no Antigo Testamento, e na qual o sacerdote estende as mãos, pondo-as sobre a cabeça do agraciado.

impositivo [Do lat. *impositivu.*] ***Adj.*** Que impõe ou se impõe; que tem o caráter de imposição: *medida impositiva;* "no tempo de absoluto domínio do espírito francês, aliciante, envolvente, impositivo, a orientar nossa vida intelectual" (Melo Nóbrega, *Arredores da Poesia*, p. 10).

impositor (ô) [Do lat. *impositore*, 'o que dá nome a (alguma coisa)'; ingl. *impostor.*] ***S. m. Tip.*** O gráfico encarregado do trabalho de impor (5).

impossibilidade [Do lat. tard. *impossibilitate.*] ***S. f.*** **1.** Qualidade ou caráter de impossível. **2.** *Fig.* Coisa impossível.

impossibilitar [Do lat. *impossibilitate* + *-ar*[2], com haplologia.] ***V. t. d.*** **1.** Tirar qualquer possibilidade de; tornar impossível ou irrealizável: *A violência impossibilita o exercício da liberdade.* **2.** Mostrar como impossível. **3.** Fazer perder as forças ou a aptidão para. ***T. d. e i.*** **4.** Privar de fazer alguma coisa: *A doença impossibilita-o de viajar; A compleição doentia impossibilita-lhe o trabalho aturado.* ***P.*** **5.** Perder as forças, a aptidão, a capacidade: *Impossibilitou-se para o exercício das funções.*

impossíveis ***S. m. pl.*** Trechos de terra inaproveitáveis, na linguagem jurídica de certas zonas. ~ V. *impossível*.

impossível [Do lat. *impossibile.*] ***Adj. 2 g.*** **1.** Que não tem possibilidade; irrealizável: *Foi-lhe impossível viajar este ano.* **2.** Muito difícil: *Parece-lhe impossível ser aprovado.* **3.** Incrível, extraordinário: *Para ser aceito no grupo fez coisas impossíveis.* **4.** Extravagante, esquisito, excêntrico: "Não tardou .... que arrebique de mau gosto, fitas velhas, rendas amareladas, chapéus impossíveis, viessem contrastar com a elegância do vestido." (Guerra Junqueiro, *Contos para a Infância*, pp. 150-151.) **5.** Insuportável, intolerável: *Depois de senador, está impossível.* **6.** *Bras.* Rebelde, traquinas, travesso, levado: *criança impossível;* "O menino impossível / que destruiu até / os soldados de chumbo de Moscou / e furou os olhos de um Papai Noel, / brinca com sabugos de milho, / caixas vazias, / tacos de pau, / pedrinhas brancas do rio..." (Jorge de Lima, *Obra Completa*, I, p. 226). • ***S. m.*** **7.** Aquilo que não é possível, ou que apresenta extraordinária dificuldade. **8.** *Filos.* O que implica contradição. **9.** *Filos.* O que é, de fato, irrealizável. ~ V. *impossíveis*.

imposta [Do it. *imposta*, f. subst. de *imposto*, 'colocado sobre', part. pass. de *imporre*, 'colocar sobre' (< lat. *imponere*).] ***S. f. Arquit.*** Cornija assente sobre a ombreira de uma porta ou o pilar de uma arcada, e que serve de base ao dintel ou arco. [Cf. *emposta*, s. f.]

impostação [Do it. *impostazione.*] ***S. f.*** **1.** Ato ou efeito de impostar. **2.** *Teatr.* Determinado estilo, espírito ou linha diretriz do espetáculo teatral (em relação ao encenador). **3.** *Cin. Rád. Teatr. Telev.* Forma ou estilo de representação que o ator dá ao seu papel. **4.** *Cin. Rád. Teatr. Telev.* Colocação e projeção da voz (pelo cantor, pelo ator).

impostado [Part. de *impostar.*] ***Adj.*** Diz-se da voz que é emitida corretamente.

impostar [Do it. *impostare.*] ***V. t. d.*** **1.** Emitir corretamente (a voz). **2.** *Teatr.* Dar (ao espetáculo ou ao desempenho de um papel) determinada linha ou estilo de representação: *O diretor impostou a peça dentro do estilo naturalista.* [Pres. ind.: *imposto, impostas, imposta*, etc. Cf. *imposto* (ô), adj. e s. m., e *emposta*, s. f.]

impostergável [De *in-*[2] + *postergável.*] ***Adj. 2 g.*** Não postergável.

imposto (ô) [Do lat. med. *impositu*, subst. do lat. *impositu*, part. pass. de *imponere.*] ***Adj.*** **1.** Feito aceitar ou realizar à força. [Flex.: *imposta* (ó), *impostos* (ó), *impostas* (ó). Cf. *imposto*, do v. *impostar*, e *emposta*, s. f.] • ***S. m.*** **2.** *Econ.* Transferência compulsória de dinheiro ao governo (no passado, também de mercadorias e serviços), por parte de indivíduos ou instituições; tributo. **3.** *Dir. Tribut.* Tributo exigido do contribuinte pelo Estado, de forma desvinculada de uma correspondente prestação de serviços específicos. [Opõe-se, nesta acepç., a *taxa* (2).] ◆ **Imposto de exportação.** *Econ.* O que é cobrado pela União sobre o valor de produtos nacionais vendidos para o exterior. **Imposto de importação.** *Econ.* O que é cobrado pela União sobre o valor de produtos estrangeiros importados; tarifa, tarifa alfandegária, tarifa de importação. **Imposto de renda.** *Econ.* O que é cobrado pela União sobre os rendimentos de pessoas físicas e jurídicas [sigla: *IR*]. **Imposto de sangue.** *Fig.* A obrigação de prestar serviço militar. **Imposto de transmissão *causa mortis* e doação.** *Econ.* O que é cobrado pelos Estados e Distrito Federal sobre heranças e doações [sigla: *ITD*]. **Imposto de transmissão *intervivos*.** *Econ.* O que é cobrado pelos Municípios e Distrito Federal sobre vendas de imóveis. **Imposto direto.** *Econ.* O que incide sobre a renda ou o patrimônio de pessoas ou empresas, como o imposto de renda. **Imposto indireto.** *Econ.* O que incide sobre transações, como o imposto sobre produtos industrializados. **Imposto inflacionário.** *Econ.* Perda de valor real da base monetária (q. v.), causada pela inflação (a reposição desse valor, pela emissão adicional de dinheiro, provoca transferência de recursos da sociedade para o governo, equivalente a um imposto). **Imposto predial e territorial urbano.** *Econ.* O que é cobrado pelos Municípios sobre o valor de imóveis urbanos [sigla: *IPTU*]. **Imposto progressivo.** *Econ.* O que incide em maior proporção sobre rendas mais altas. **Imposto regressivo.** *Econ.* O que incide em menor proporção sobre rendas mais altas. **Imposto sobre circulação de mercadorias e serviços.** *Econ.* O que é cobrado pelos Estados e Distrito Federal sobre o valor de venda de mercadorias, deduzida a importância paga nas etapas anteriores de comercialização, e sobre serviços de transporte e comunicação [sigla: *ICMS*]. **Imposto sobre operações financeiras.** *Econ.* O que é cobrado pela União sobre operações de crédito, câmbio, seguros e transações com títulos [sigla: *IOF*]. **Imposto sobre produtos industrializados.** *Econ.* O que é cobrado pela União sobre o preço de mercadorias industrializadas, deduzida a importância paga nas etapas anteriores de transformação [sigla: *IPI*]. **Imposto sobre propriedade de veículos automotores.** *Econ.* O que é cobrado pelos Estados e Distrito Federal sobre o valor de veículos [sigla: *IPVA*]. **Imposto sobre propriedade territorial rural.** *Econ.* O que é cobrado pela União sobre o valor de imóveis rurais [sigla: *IPTR*]. **Imposto sobre serviços.** *Econ.* O que é cobrado pelos Municípios sobre serviços, exceto os de transporte e comunicação [sigla: *ISS*]. **Imposto sobre vendas a varejo de combustíveis.** *Econ.* O que é cobrado pelos Municípios sobre vendas de combustíveis líquidos e gasosos, exceto óleo *diesel* [sigla: *IVV*].

impostor (ô) [De lat. tard. *impostore.*] ***Adj. S. m.*** Que, ou aquele que tem ou pratica impostura; embusteiro.

impostura [Do lat. tard. *impostura.*] ***S. f.*** **1.** Artifício para iludir; embuste, intrujice. **2.** Hipocrisia, fingimento. **3.** Vaidade ou presunção extrema; falsa superioridade. [Sin., (bras.), nesta acepç.: *imposturia.*] **4.** Farrapo que se prende ao anzol para engodar os peixes. **5.** V. *paparrotada* (1).

imposturar [De *impostura* + *-ar²*.] ***V. int.*** Proceder com impostura; fazer impostura.

imposturia [De *impostura* + *-ia¹*.] ***S. f. Bras.*** V. *impostura* (3): "— É moço que dá para o trabalho. Doutor sem imposturias. Corre as plantações, ... pega até na enxada!" (Mário Sete, *Senhora de Engenho*, p. 114.)

impotabilidade [De *impotável* + *-(i)dade*, seg. o padrão erudito.] ***S. f.*** Qualidade de impotável. [Cf. *imputabilidade.*]

impotável [De *im-²* + *potável.*] ***Adj. 2 g.*** Não potável.

impotência [Do lat. *impotentia.*] ***S. f.*** **1.** Qualidade de impotente (1). **2.** Incapacidade masculina para a cópula; fraqueza genesíaca.

impotente [Do lat. *impotente.*] ***Adj. 2 g.*** **1.** Que não pode; fraco, débil. **2.** Que tem impotência (2). • ***S. m.*** **3.** Indivíduo impotente.

impraticabilidade [De *impraticável* + *-(i)dade*, seg. o padrão erudito.] ***S. f.*** Qualidade de impraticável.

impraticável [De *im-²* + *praticável.*] ***Adj. 2 g.*** **1.** Que não se pode praticar ou executar; inexequível, inexecutável, infactível. **2.** Impossível, dificílimo. **3.** Diz-se de caminho, rua, estrada, rio, por onde não se pode transitar; intransitável.

imprecação [Do lat. *imprecatione.*] ***S. f.*** **1.** Ato de imprecar. **2.** Rogo, súplica. **3.** Praga, maldição. [Cf. *imprecaução.*]

imprecar [Do lat. **imprecare*, por *imprecari.*] ***V. t. d. e i.*** **1.** Pedir (a Deus ou a poder superior) que envie sobre alguém (males ou bens): "balando sempre, a pobre cabra imprecava ao céu a vida do filho" (Trindade Coelho, *Os Meus Amores*, p. 202). **2.** Pedir ou rogar com instância: *Imprecou-lhe o perdão, que não foi concedido.* ***Int.*** **3.** Rogar pragas a alguém. **4.** Dizer pragas: "Isto é a vida; não há planger, nem imprecar, mas aceitar as cousas integralmente" (Machado de Assis, *Papéis Avulsos*, p. 88). [Conjug.: v. *trancar.*]

imprecatado [De *im-²* + *precatado.*] ***Adj.*** Não precatado; desprevenido, desacautelado, incauto.

imprecativo [De *imprecar* + *-tivo.*] ***Adj.*** Que encerra imprecação.

imprecatório [De *imprecar* + *-tório.*] ***Adj.*** Que tem o caráter de imprecação.

imprecaução [De *im-²* + *precaução.*] ***S. f.*** Falta de precaução; imprevidência. [Cf. *imprecação.*]

imprecavido [De *im-²* + *precavido.*] ***Adj.*** Não precavido; imprudente.

imprecisão [De *im-²* + *precisão.*] ***S. f.*** Falta de precisão, de rigor.

imprecisar [De *impreciso* + *-ar²*.] ***V. t. d.*** Tornar impreciso, falto de precisão.

impreciso [De *im-²* + *preciso.*] ***Adj.*** **1.** Falto de precisão, de rigor; indeterminado, vago. **2.** *Lóg.* Difuso (3).

impreenchível [De *im-²* + *preenchível.*] ***Adj. 2 g.*** Não preenchível.

impregnação [De *impregnar* + *-ção.*] ***S. f.*** Ato ou efeito de impregnar(-se).

impregnar [Do lat. tard. *impregnare.*] ***V. t. d.*** **1.** Infiltrar-se em; penetrar, repassar, imbuir: "A fumaça do incenso invadiu a capela-mor, espalhou-se pela nave, impregnou a igreja." (Oto Lara Resende, *Boca do Inferno*, p. 22); "O cheiro a mosto impregnava o ar" (Domingos Monteiro, *Histórias das Horas Vagas*, p. 139). ***T. d. e i.*** **2.** Fazer que uma substância penetre em (um corpo): *Impregnou a pele de bálsamos medicinais.* **3.** Penetrar, repassar, imbuir: *As flores impregnaram o ambiente de um aroma adocicado;* / "Os meus olhos, de tanto a olharem [à estátua], / Impregnaram-na da minha humanidade irônica de tísico." (Manuel Bandeira, *Estrela da Vida Inteira*, p. 95). **4.** Embeber, ensopar, encharcar: *Impregnou as vestes de álcool.* **5.** Imbuir, infundir, incutir: *Impregnaram sua mente de ideias absurdas.* ***P.*** **6.** Penetrar, repassar-se: "seus pulmões serão corroídos pela poeira de sílica que se impregna neles e os sufoca no calor infernal." (Antônio Celso, *A Porta de Jerusalém*, p. 20). **7.** Embeber-se, ensopar-se, encharcar-se. **8.** Assenhorear-se, compenetrar-se (de assunto, ideia, etc.).

impregnável [De *impregnar* + *-vel.*] ***Adj. 2 g.*** Que se pode impregnar.

impremeditação [De *im-²* + *premeditação.*] ***S. f.*** Falta de premeditação.

impremeditado [De *im-²* + *premeditado.*] ***Adj.*** Em que não houve ou não há premeditação; impensado.

imprensa [De *im-¹* + esp. *prensa* (< cat. *prensa*), poss.] ***S. f.*** **1.** Máquina com que se imprime ou estampa. **2.** A arte da tipografia: *A imprensa chegou oficialmente ao Brasil em 1808, em consequência da vinda de D. João VI.* [Cf., nesta acepç., *tipografia* (1).] **3.** O conjunto dos jornais e publicações congêneres; imprensa escrita: *a imprensa carioca; a imprensa internacional.* **4.** *P. ext.* Qualquer meio de comunicação de massa: *a imprensa falada* (*i. e.*, a radiodifusão), *a imprensa televisionada* (*i. e.*, a televisão). **5.** *Fig.* Os jornalistas, repórteres, etc.: *A imprensa compareceu à cerimônia.* ◆ **Imprensa alternativa.** Órgão de imprensa que se caracteriza por uma posição editorial renovadora, independente e polêmica. **Imprensa escrita.** Imprensa (3). **Imprensa falada.** V. *imprensa* (4). **Imprensa marrom.** A que explora o sensacionalismo, dando larga cobertura a crimes, fatos escabrosos e anomalias sociais. **Imprensa nanica.** *Jorn.* Tipo de imprensa alternativa (q. v.) com estrutura empresarial modesta e poucos recursos financeiros. **Imprensa televisionada.** V. *imprensa* (4). **Grande imprensa.** *Jorn.* Designação dada usualmente ao conjunto de jornais e revistas de grande tiragem, editados por empresas tradicionais de comunicação.

imprensado [Part. de *imprensar.*] ***Adj.*** Que sofreu imprensadura. ~ V. *dia —.*

imprensador (ô) [De *imprensar* + *-dor.*] ***Adj. S. m.*** Que, ou aquele que imprensa.

imprensadura [De *imprensar* + *-dura.*] ***S. f.*** Ato ou efeito de imprensar.

imprensar [De *imprensa* + *-ar²*.] ***V. t. d.*** **1.** Apertar no prelo. **2.** Apertar à maneira de uma prensa; apertar muito. **3.** *Bras.* V. *pôr a faca no peito de*: *Imprensei o homem, e ele acabou contando tudo.*

imprenta [Do cat. *imprenta*, pelo esp. *emprenta.*] ***S. f. Edit.*** Conjunto de informações identificando a casa editora, sua localização (cidade) e a data de edição de um livro (ano); deve ser impresso no pé da frente da folha de rosto. [Cf. *colofão.*]

imprensciência [Do lat. *impraescientia.*] ***S. f.*** Falta de presciência.

imprescindibilidade [De *imprescindível* + *-(i)dade*, seg. o padrão erudito.] ***S. f.*** Qualidade de imprescindível.

imprescindível [De *im-²* + *prescindível.*] ***Adj. 2 g.*** Não prescindível.

imprescritibilidade [De *imprescritível* + *-(i)dade*, seg. o padrão erudito.] ***S. f.*** Qualidade de imprescritível: "a imprescritibilidade dos crimes contra a Humanidade" (Dalmo de Abreu Dallari e Consuelo de Castro, em *O Globo*, 07.11.1998).

imprescritível [De *im-²* + *prescritível.*] ***Adj. 2 g.*** Que não prescreve; não prescritível (q. v.).

impressão [Do lat. *impressione.*] ***S. f.*** **1.** Ato ou efeito de imprimir(-se). **2.** Encontro ou contato de um corpo com outro: *Sentiu a impressão do braço que se lhe apoiava no ombro.* **3.** Marca ou sinal deixado pela pressão de um corpo sobre outro: *Na areia ficou a impressão de suas pegadas.* **4.** Estado físico ou psicológico resultante da atuação de elementos ou situações exteriores sobre os órgãos dos sentidos, por intermédio deles ou sobre o corpo ou sobre a mente; sensação: *A caminhada provocou desagradável impressão de calor; Ao olhar para baixo, teve a impressão de que ia despencar.* **5.** Influência que um ser, um acontecimento ou uma situação exerce em alguém, repercutindo-lhe no ânimo, no moral, no humor, etc.: *O seu procedimento causou-me boa impressão;* "acredito não ter nunca transposto o limite das minhas quatro ou cinco primeiras impressões .... Os primeiros oito anos da vida foram assim, em certo sentido, os de minha formação instintiva, ou moral, definitiva ...." (Joaquim Nabuco, *Minha Formação*, pp. 210-211). **6.** Opinião mais ou menos vaga, sem maior fundamento; noção, ideia: *Não o conheço, mas tenho a impressão de que é digno; Tive a impressão de que ia chover.* **7.** *P. us.* Impressos. **8.** *Art. Gráf.* Arte ou processo de fixar texto ou imagem em papel, cartão, etc., para multiplicação, mediante pressão de elementos moldados, gravados ou fotogravados e em relevo, a entalhe ou em plano, adaptados a prensas de diferentes sistemas de pressão e entintamento, ou sem entintamento. **9.** *Art. Gráf. Inform. P. ext.* Técnica ou processo (p. ex., químico, eletrostático, térmico, etc.) de fixação da tinta, e ger. realizado por meio de equipamento computadorizado. **10.** *Art. Gráf.* A reprodução obtida por essa arte ou processo. **11.** *Art. Gráf.* Seção ou local da oficina onde se executam os trabalhos de impressão. ~ V. *impressões.* ◆ **Impressão anastática.** *Art. Gráf.* Sistema obsoleto de fac-similar estampas, desenhos e textos manuscritos ou impressos, para isso quimicamente impregnados e transportados por processo litográfico para pedra ou placa de zinco, onde eram mordaçados com pequeno relevo, para subsequente tiragem em prensa manual. [Cf. *homeografia.*] **Impressão a seco.** *Art. Gráf.* A que se faz sem tinta, deixando apenas a marca da fôrma utilizada. [Cf. *estampagem* (3), *gofragem* e *timbragem.*] **Impressão calcográfica.** *Art. Gráf.* Impressão de entalhe (q. v.). **Impressão de entalhe.** *Art. Gráf.* A que se realiza mediante fôrma gravada ou fotogravada a entalhe, *i. e.*, em que a fôrma toma a tinta nas partes entalhadas de sua superfície, como na rotogravura e no talho-doce; impressão calcográfica. [V. *calcografia.* Cf. *fotogravura a entalhe* e *gravura a entalhe.*] **Impressão de plano.** *Art. Gráf.* A que se faz mediante fôrma gravada química ou fotoquimicamente em plano, *i. e.*, em que a fôrma toma a tinta nas partes que a atraem, sem diferenças na superfície, como no ofsete e na litografia; impressão planográfica. [V. *planografia.* Cf. *fotogravura em plano*, *gravura em plano* e *impressão plana.*] **Impressão de relevo.** *Art. Gráf.* A que se faz mediante fôrma moldada, gravada ou fotogravada em relevo, *i. e.*, em que a fôrma toma a tinta nas partes relevadas de sua superfície, como na tipografia e na xilogravura; impressão tipográfica. [Cf. *fotogravura em relevo*, *gravura em relevo* e *impressão em relevo.*] **Impressão digital.** **1.** *Med. Leg.* Impressão (3) da qual resulta reproduzirem-se numa superfície lisa as dobras cutâneas das polpas de quirodáctilo(s), e pela qual, mediante o emprego de processos dactiloscópicos (v. *dactiloscopia*), se torna possível a identificação de um indivíduo; dactilograma. **2.** *Edit.* Impressão de livros, revistas, apostilas, etc., feita diretamente a partir de arquivo digital, mediante equipamento eletrônico específico, dispensando utilização de fotolito, chapa, clichê, etc. **Impressão direta.** *Art. Gráf.* A que se faz pelo contato direto da fôrma impressora com o suporte de impressão. **Impressão em relevo.** *Art. Gráf.* A que produz no suporte (papel, cartão, etc.) letras ou desenhos em relevo. [Cf. *impressão de relevo.* V. *termografia* (1) e *timbragem.*] **Impressão indireta.** *Art. Gráf.* A que utiliza um elemento plástico intermediário, que entra em contato com a fôrma e transfere a impressão ao suporte; impressão ofsete (v. *ofsete*). **Impressão irisada.** *Art. Gráf.* Impressão simultânea com tintas de várias cores, formando faixas paralelas, que se confundem nas orlas, como no arco-íris. **Impressão ofsete.** *Art. Gráf.* Impressão indireta (q. v.). **Impressão plana.** *Art. Gráf.* **1.** A que se realiza mediante pressão de duas superfícies planas: a que constitui a fôrma e a que conduz o suporte. [Cf. *impressão de plano.* V. *prensa plana.*] **2.** Plani-impressão. **Impressão plano-cilíndrica.** *Art. Gráf.* A que se faz mediante pressão entre uma superfície plana, que constitui a fôrma, e outra cilíndrica, que conduz o suporte. [V. *prensa plano-cilíndrica.*] **Impressão planográfica.** *Art. Gráf.* Impressão de plano (q. v.). **Impressão rotativa.** *Art. Gráf.* Aquela que se realiza mediante pressão entre duas superfícies cilíndricas: a que constitui a fôrma e a que conduz o suporte; rotoimpressão. [V. *prensa rotativa.*] **Impressão sem contato.** *Art. Gráf.* Aquela em que a tinta, líquida ou em pó, é atraída para o suporte por meio de circuito elétrico. **Impressão tipográfica.** *Art. Gráf.* **1.** Tipografia (3). **2.** Impressão de relevo. **Dar a impressão de.** Aparentar, parecer: "Volta ao lugar onde esteve, dando a impressão de não ter saído dali." (Silviano Santiago, *Keith Jarrett no Blue Note*, p. 74.)

impressentido [De *im-²* + *pressentido.*] ***Adj.*** **1.** Não pressentido; não percebido: "Só tu mesma ouvirás o que aos outros não ouso / Contar do meu tormento obscuro e impressentido." (Manuel Bandeira, *Estrela da Vida Inteira*, p. 73.) **2.** Imprevisto, inesperado.

impressionabilidade [De *impressionável* + *-(i)dade*, seg. o padrão erudito.] ***S. f.*** Qualidade de impressionável. [Sin., p. us.: *impressionismo.*]

impressionador (ô) [De *impressionar* + *-dor.*] ***Adj.*** Impressionante (1): "superpôs ao tumulto o seu meio-sorriso mecânico e o seu impressionador mutismo." (Euclides da Cunha, *Contrastes e Confrontos*, pp. 18-19.)

impressionamento [De *impressionar* + *-mento*.] *S. m. Fot. Fís.* Ato ou efeito de impressionar (3 e 4).

impressionante [De *impressionar* + *-nte*.] *Adj. 2 g.* **1.** Que impressiona, produz sensação de estranheza, chama a atenção, abala, toca; impressionador: "Meu pai, ruivo e forte, tinha uma beleza viril, impressionante." (Antônio Patrício, *Serão Inquieto*, p. 105.) **2.** Comovente, enternecedor.

impressionar [De *impressão* + *-ar*^{2}, seg. o padrão erudito.] *V. t. d.* **1.** Produzir impressão moral em; comover, abalar: *A má notícia impressionou-o a ponto de fazê-lo desfalecer.* **2.** Produzir impressão material em: *A tinta impressionou demais o papel.* **3.** *Fot.* Fazer incidir luz sobre (chapa fotográfica). **4.** *Fís.* Fazer agir um campo magnético sobre (fita magnética) para obter uma gravação magnética. *Int.* **5.** Produzir impressão material em alguém: "As charutarias [de Hamburgo] impressionam pela riqueza, solidez e variedade." (Augusto Meyer, *A Chave e a Máscara*, p. 214.) *P.* **6.** Receber uma impressão moral; sentir-se abalado; comover-se: *Impressionou-se com o sofrimento do amigo.*

impressionável [De *impressionar* + *-vel*.] *Adj. 2 g.* **1.** Que se impressiona facilmente. **2.** Que pode receber impressões.

impressionismo [Do fr. *impressionnisme*.] *S. m.* **1.** *P. us.* Impressionabilidade. **2.** *Art. Plást.* Escola de pintura surgida na França por volta de 1870, que visava a captar, em princípio, a impressão visual produzida por cenas e formas derivadas da natureza, e as variações nelas ocasionadas pela incidência da luz, e que se baseava especialmente no emprego das cores e de suas relações e contrastes, a fim de obter efeitos plasticamente dinâmicos e objetivos. [Esta escola, por suas inovações, influiu marcantemente a pintura do séc. XX.] **3.** *P. ext.* Estilo literário e musical que se caracteriza por expressar de maneira vaga, fluida e delicada, impressões subjetivas e/ou sensoriais.

impressionista [Do fr. *impressionniste*, termo us. pejorativamente pelo crítico Louis Leroy em 1874 a propósito do quadro *Impression: soleil levant*, de Claude Monet.] *Adj. 2 g.* **1.** *P. us.* Impressionável. **2.** Relativo ao, ou próprio do impressionismo (2 e 3). **3.** Que é adepto ou seguidor do impressionismo (2 e 3). **4.** Que se funda em impressões pessoais ou por elas se caracteriza: *crítica impressionista; ensaio impressionista.* • *S. 2 g.* **5.** Adepto ou seguidor do impressionismo (2 e 3).

impressividade [De *impressivo* + *-(i)dade*.] *S. f.* Qualidade ou caráter de impressivo: "Uma distintíssima mulher, que por .... caráter, impressividade de alma .... paira numa região superior de espírito e de nobreza." (Fialho d'Almeida, *Pasquinadas*, p. 306.)

impressivo [Do ingl. *impressive*.] *Adj.* **1.** Que impressiona. **2.** Que imprime. **3.** Que tem influência moral.

impresso [Do lat. *impressu*, part. pass. de *imprimere*, 'imprimir' (q. v.).] *Adj.* **1.** Que se imprimiu. ~ V. *circuito* — e *mídia* —*a*. • *S. m.* **2.** Produto das artes ou indústrias gráficas. **3.** Papel impresso para uso em correspondência, serviços administrativos, etc.: *impresso para telegrama; impresso para matrícula.*

impressões [Pl. de *impressão*.] *S. f. pl.* Escrito literário de caráter crítico e subjetivo acerca de um assunto qualquer. [Tb. us. (menos) no sing.] ~ V. *impressão*.

impressor (ô) [De *impresso* (1) + *-or*.] *Adj.* **1.** Que imprime; que serve para imprimir. ~ V. *máquina* —*a*. • *S. m.* **2.** Aquele que imprime. **3.** Operário que impulsiona a prensa manual, ou faz funcionar a prensa mecânica e atende ao trabalho dela; prensista. **4.** Proprietário de oficina gráfica. [Cf., nas aceps. 3 e 4, *tipógrafo*.]

impressora (ô) [F. subst. de *impressor*.] *S. m.* **1.** *Art. Gráf.* V. *prensa* (2). **2.** *Inform.* Aparelho que reproduz os dados de saída de um computador e os registra com tinta ou pigmento sobre papel ou outro suporte similar. ◆ **Impressora a *laser*.** *Inform.* Impressora de alta resolução, cujo princípio de funcionamento é a transferência e fusão de pigmento (v. *toner*) sobre o papel (ou suporte similar), a partir de uma imagem eletrostática desenhada por um feixe de *laser* sobre um cilindro fotossensível. [A incidência do *laser* sobre pontos a receberem a tinta torna-os eletricamente carregados, atraindo grãos de *toner*, que têm carga elétrica inversa; o *toner* assim disposto é em seguida transferido ao papel (tb. eletricamente carregado) e aquecido para induzir a fusão e impregnação do pigmento.] **Impressora de agulhas.** *Inform.* V. *impressora matricial*. **Impressora de impacto.** *Inform.* Impressora (2) em que a aplicação da tinta se dá por meio da pressão de determinados elementos mecânicos (como tipos ou agulhas), que comprimem uma fita entintada contra o suporte (papel, etc.). [Cf. *impressora matricial, impressora de linha, impressora de margarida*.] **Impressora de jato de tinta.** *Inform.* Impressora (2) em que a tinta é aplicada sobre o papel por meio de pequenos jatos. **Impressora de linha.** *Inform.* Impressora de impacto (q. v.) que imprime uma linha inteira de caracteres de cada vez. **Impressora de margarida.** *Inform.* Impressora de impacto (q. v.) que trabalha com um conjunto predeterminado de caracteres imprimíveis, empregando uma matriz de tipos dispostos radialmente em um disco [v. *margarida*^{2} (4)]. **Impressora matricial.** *Inform.* **1.** Qualquer impressora cujo elemento de impressão é formado por uma grade (ou matriz) de pequenos pontos. **2.** *Restr.* Impressora de impacto (q. v.) que usa um conjunto de agulhas para produzir marcas pontuais cuja combinação permite formar caracteres ou imagens gráficas de baixa resolução; impressora de agulhas. [Os termos *impressora matricial* e *impressora de agulhas* não são estritamente sinônimos, mas são usualmente empregados como equivalentes, uma vez que a impressora de agulhas foi por vários anos o tipo mais difundido de impressora matricial.] **Impressora *postscript*.** *Inform.* Impressora (ger. do tipo *laser*) capaz de interpretar um arquivo gerado na linguagem *postscript* (q. v.) e imprimir corretamente a(s) página(s) por ele descrita(s). **Impressora serial.** *Inform.* Aquela em que os caracteres selecionados são impressos uns após os outros, e de um em um, em cada linha a ser impressa.

impressório [Do lat. *impressus*, part. pass. de *imprimere*, 'imprimir' (q. v.), + *-ório*.] *Adj.* Relativo à arte de imprimir.

imprestabilidade [De *imprestável* + *-(i)dade*, seg. o padrão erudito.] *S. f.* Qualidade ou estado de imprestável.

imprestabilizado [Part. de *imprestabilizar*.] *Adj.* Tornado imprestável, inútil: "Metido com médiuns e em sessões, acabas mediúnico, astral, sideral e imprestabilizado para a literatura." (Monteiro Lobato, *A Barca de Gleyre*, p. 164.)

imprestabilizar [De *imprestável* + *-izar*, seg. o padrão erudito.] *V. t. d. P.* Tornar(-se) imprestável, inútil; inutilizar(-se).

imprestável [Do lat. tard. *imprestabile*.] *Adj. 2 g.* **1.** Que não presta; inútil: "Meu avô sabia o valor das coisas imprestáveis." (Manuel de Barros, *Livro sobre Nada*, p. 27.) **2.** Diz-se de pessoa sem prestimosidade. • *S. 2 g.* **3.** *Pop.* Pessoa sem prestimosidade.

impresumível [De *im*-^{2} + *presumível*.] *Adj. 2 g.* Não presumível.

impretérito [De *im*-^{2} + *pretérito*.] *Adj.* Não pretérito; que não passou nem passará.

impreterível [De *im*-^{2} + *preterível*.] *Adj. 2 g.* **1.** Que não se pode preterir ou deixar de fazer; indeclinável: "Napier via a necessidade impreterível de intervir." (Oliveira Martins, *Portugal Contemporâneo*, I, p. 387.) **2.** Que não se pode preterir ou ultrapassar: *prazo impreterível*.

imprevidência [De *im*-^{2} + *previdência*.] *S. f.* Falta de previdência; desprevenção. [Cf. *improvidência*.]

imprevidente [De *im*-^{2} + *previdente*.] *Adj. 2 g.* **1.** Que não é previdente. **2.** Desacautelado, descuidado, imprudente. • *S. 2 g.* **3.** Indivíduo imprevidente. [Cf. *improvidente*.]

imprevisão [De *im*-^{2} + *previsão*.] *S. f.* **1.** Falta de previsão. **2.** Desmazelo, desleixo, negligência.

imprevisibilidade [De *imprevisível* + *-(i)dade*, seg. o padrão erudito.] *S. f.* Qualidade de imprevisível.

imprevisível [De *im*-^{2} + *previsível*.] *Adj. 2 g.* Não previsível.

imprevistamente [Do f. de *imprevisto* + *-mente*.] *Adv.* De maneira imprevista; de súbito, de supetão.

imprevisto [De *im*-^{2} + *previsto*.] *Adj.* **1.** Que não é previsto; súbito, inesperado, inopinado. • *S. m.* **2.** Aquilo que não se prevê.

imprimação [De *imprimar* + *-ção*.] *S. f. Art. Plást.* Imprimadura.

imprimadura [De *imprimir* + *-dura*.] *S. f. Art. Plást.* Ato ou efeito de imprimar; imprimação.

imprimar [Do fr. *imprimer*.] *V. t. d. Art. Plást.* Preparar (tela, madeira, etc.) com a primeira demão de tinta, sobre a qual se pintarão os motivos.

imprimátur [Do lat. *imprimatur*, 'imprima-se'.] *S. m.* Permissão de autoridade religiosa para imprimir texto que foi submetido à sua censura. [Pl.: *imprimátures*.]

imprimibilidade [De *imprimível* + *-(i)dade*, seg. o padrão erudito.] *S. f.* Qualidade de imprimível.

imprimido [Part. de *imprimir*.] *Adj.* Que se imprimiu; impresso.

imprimir [Do lat. *imprimere*, com mudança de conjug.] *V. t. d.* **1.** *Art. Gráf.* Fazer a impressão (8) de; tirar, estampar: "No Natal de 1927, a Litografia Trigueiros, estabelecimento gráfico de Maceió, imprimiu a edição inicial dos *Poemas*, de Jorge de Lima" (Moacir Medeiros de Sant'Ana, *História do Modernismo em Alagoas*, p. 103). **2.** Representar ou reproduzir (texto, figura, etc.) com sinais gráficos sobre papel ou outro material, por meio da arte, técnica ou processo de impressão (8 e 9): *imprimir panfletos; imprimir gravuras.* **3.** Produzir (cópia ou cópias de texto, imagens, etc., ou de publicação), por meio de impressão (8 e 9): *Imprimiram-se 2 mil exemplares do romance; Imprimirão os cartazes em papel acetinado.* *T. d. e c.* **4.** Fixar (marca, sinal, etc.) por meio de pressão: *Imprimiu com sinete, em todas as páginas do livro, as suas iniciais.* **5.** *Inform.* Reproduzir (dados ou arquivos de computador) em papel, ou suporte similar, por meio de periférico de saída, como impressora ou *plotter*. **6.** Imprimir (2): *Esta máquina imprime 200 páginas por minuto.* *T. d. e i.* **7.** Deixar marcado, estampado; incutir, gravar: *Segundo a religião católica, o batismo imprime na alma a graça divina;* "O tio Gaudêncio .... imprimia nas palavras, que lhe saíam lentas e solenes, um tom profundo de convicção e de verdade." (Artur Azevedo, *Contos Possíveis*, p. 158); "por vezes o cinzel do rude escultor soube imprimir às fisionomias uma expressão digna dos profetas." (Bernardo Guimarães, *O Seminarista*, p. 37); "Camilo Pessanha imprimiu estilo estritamente pessoal à sua obra de alto nível, jamais acomodatícia, fútil ou supérflua, embora extravagante às vezes." (Henriqueta Lisboa, *Vigília Poética*, p. 123). **8.** Infundir, inspirar, insinuar: *A austeridade da sua fisionomia imprime respeito em toda a gente.* **9.** Produzir, originar; comunicar, transmitir: *A alta posição paterna imprimiu naquele jovem a paixão do mando;* "imprimindo ao talhe um movimento gracioso e ondulado, ... colocou-se diante de seu cavalheiro e entregou-lhe a cintura mimosa." (José de Alencar, *Senhora*, p. 341). *P.* **10.** Deixar sinal por meio de pressão; ficar marcado. [Part.: *imprimido* e *impresso*.] ◆ **Imprimir em arquivo.** *Inform.* Imprimir em disco (q. v.). **Imprimir em disco.** *Inform.* Gravar em um arquivo a imagem (14) da saída de impressão gerada por um aplicativo para uma impressora específica; imprimir em arquivo. [O arquivo assim produzido pode ser posteriormente enviado diretamente à impressora para produzir cópia em papel.]

imprimível [De *imprimir* + *-vel*.] *Adj. 2 g.* **1.** Que se pode imprimir. **2.** Digno de ser impresso. **3.** Em que se pode imprimir mais ou menos bem; que se presta a receber impressão: *papel imprimível*.

improbabilidade [De *improvável* + *-(i)dade*, seg. o padrão erudito.] *S. f.* **1.** Qualidade de improvável. **2.** Incerteza, dúvida.

improbar *V. t. d. P. us.* V. *improvar*. [Pres. ind.: *improbo*, etc. Cf. *ímprobo*.]

improbidade [Do lat. *improbitate*.] *S. f.* **1.** Falta de probidade; mau caráter; desonestidade. **2.** Maldade, perversidade.

ímprobo [Do lat. *improbu*.] *Adj.* **1.** Que não tem probidade; desonesto. **2.** Árduo, fatigante, exaustivo: "Podeis rasgar-lhe o seio [da terra], fecundá-la / Com ímprobo trabalho" (Gonçalves Dias, *Obras Poéticas*, II, p. 433). [Cf. *improbo*, do v. *improbar*.]

→**improbus administrator** [ẹm'probos admẹnẹs'tratɔr̄] [Lat.] Administrador desonesto.

→**improbus litigator** [ẹm'probos lẹtẹ'gatɔr̄] [Lat.] *Jur.* Aquele que demanda em juízo sem direito, mas apenas por malícia ou emulação (5); litigante de má-fé.

improcedência [De *im*-^{2} + *procedência*.] *S. f.* Qualidade de improcedente.

improcedente [De *im*-^{2} + *procedente* ou de *improceder* + *-nte*.] *Adj. 2 g.* **1.** Que não é procedente; que não se justifica. **2.** Incoerente, ilógico.

improceder [De *im*-^{2} + *proceder*.] *V. int.* Não ser procedente.

improducente [De *im*-^{2} + *producente*.] *Adj. 2 g.* V. *improdutivo*.

improdutibilidade [De *improdutível* + *-(i)dade*, seg. o padrão erudito.] *S. f.* Qualidade de improdutível.

improdutível [De *im*-^{2} + *produtível*.] *Adj. 2 g.* Não produtível.

improdutividade [De *improdutivo* + *-(i)dade*.] *S. f.* Qualidade de improdutivo.

improdutivo [De *im*-^{2} + *produtivo*.] *Adj.* **1.** V. *estéril* (1): *solo improdutivo.* **2.** Não rendoso; inútil: *negócio improdutivo.* **3.** Frustrado; baldado, vão: *esforço improdutivo.* [Sin. ger.: *improducente*.]

improferível [De *im*-^{2} + *proferível*.] *Adj. 2 g.* **1.** Que não se pode proferir: *palavras improferíveis.* **2.** Que não se profere: *consoante improferível.*

improficiência [De *im*-^{2} + *proficiência*.] *S. f.* Qualidade de improficiente.

improficiente [De *im*-^{2} + *proficiente*.] *Adj. 2 g.* **1.** Não proficiente; improfícuo. **2.** Que não trabalha bem.

improficuamente (ùc) [Do f. de *improfícuo* + *-mente*.] *Adv.* De modo improfícuo; debalde, em vão, inutilmente.

improficuidade (u-i) [De *improfícuo* + *-(i)dade*.] ***S. f.*** Qualidade de improfícuo.

improfícuo [Do lat. tard. *improficuu*.] ***Adj.*** **1.** Não profícuo; que não dá proveito. **2.** Baldado, vão, inútil: "Sobre histórias de amor o interrogar-me / É vão, é inútil, é improfícuo, em suma" (Augusto dos Anjos, *Eu*, p. 116).

improgressivo [De *im-*[2] + *progressivo*.] ***Adj.*** **1.** Que não é progressivo. **2.** Que não progride, não se desenvolve.

improlífero [De *im-*[2] + *prolífero*.] ***Adj.*** V. *estéril* (1).

improlífico [De *im-*[2] + *prolífico*.] ***Adj.*** V. *estéril* (1).

improlongável [De *im-*[2] + *prolongável*.] ***Adj. 2 g.*** Não prolongável: "Estava decidida a travar sozinha a sua batalha. Mas a situação era improlongável. Estava por um fio." (Orígenes Lessa, *A Desintegração da Morte*, p. 233.)

→**impromptu** [ɛ̃pʀɔ̃p'ty] [Fr., do lat. *in promptu*, 'sob os olhos, sob a mão'.] ***S. m. Mús.*** Composição com caráter de improviso (3).

impronúncia [De *im-*[2] + *pronúncia*.] ***S. f. Bras. Dir. Proc. Penal*** **1.** Ato de impronunciar. **2.** Sentença em que a autoridade judicial impronuncia o acusado. [Cf. *impronuncia*, do v. *impronunciar*.]

impronunciar [De *im-*[2] + *pronunciar*.] ***V. t. d. Bras. Dir. Proc. Penal*** Julgar improcedente a denúncia ou queixa contra (o acusado), evitando seja ele submetido ao julgamento do Tribunal do Júri: "O juiz de direito Martins Torres aceitou a versão da defesa, impronunciando Lima e Silva." (R. Magalhães Júnior, *Artur Azevedo e Sua Época*, p. 43.) [Pres. ind.: *impronuncio, impronuncias, impronuncia*, etc. Cf. *impronúncia*, s. f., e *desindiciar*, v.]

impronunciável [De *impronunciar* + *-vel*.] ***Adj. 2 g.*** Não pronunciável.

improperar [Do lat. *improperare*.] ***V. t. d.*** **1.** Dirigir impropérios a; injuriar, afrontar, vituperar: *Improperou desabridamente os inimigos políticos.* **2.** Lançar em rosto; censurar, criticar: *Improperou o mau proceder de seu advogado.*

impropério [Do lat. tard. *improperiu*.] ***S. m.*** **1.** Ato ou palavra repreensível, ofensiva, vergonhosa; vitupério: "começaram a vazar pelas bocas malditas todas as infâmias e impropérios que a raiva e a paixão e a perversa natureza lhes ensinava" (Fr. Luís de Sousa, *Vida de D. Fr. Bertolameu dos Mártires*, II, p. 34). **2.** Repreensão injuriosa; doesto, afronta.

improporcional [De *im-*[2] + *proporcional*.] ***Adj. 2 g.*** Não proporcional.

impropriamente (ò) [Do f. de *impróprio* + *-mente*.] ***Adv.*** De maneira imprópria; tortamente, tortuosamente.

impropriar [De *impróprio* + *-ar*[2].] ***V. t. d.*** **1.** Tornar impróprio. **2.** Aplicar mal ou impropriamente. ***T. d. e i.*** **3.** Tornar impróprio: "o matagal desaparecera, as alamedas foram desobstruídas da vegetação rasteira e daninha que as impropriava aos passeios e aos encontros de namorados" (Viana Moog, *Toia*, p. 36). ***P.*** **4.** Tornar-se impróprio. [Pres. ind.: *improprio*, etc. Cf. *impróprio*.]

impropriedade [Do lat. imp. *improprietate*.] ***S. f.*** **1.** Qualidade de impróprio. **2.** Inconveniência, inoportunidade. **3.** Incoerência, absurdo. **4.** Deslize, lapso; incorreção: *Sua linguagem se ressente de muitas impropriedades.*

impróprio [Do lat. imp. *impropriu*.] ***Adj.*** **1.** Que não é próprio; inadequado: *trajo impróprio; tempero impróprio para carne.* **2.** Que não é justo; inexato: *termo impróprio; expressão imprópria.* **3.** Inoportuno, inconveniente; inadequado: *ocasião imprópria.* **4.** Indecoroso, indecente: *conduta imprópria.* [Cf. *improprio*, do v. *impropriar*.] ~ V. *derivação —a, integral —a, plano —, ponto — e fração —a.*

improrrogabilidade [De *improrrogável* + *-(i)dade*, seg. o padrão erudito.] ***S. f.*** Qualidade de improrrogável.

improrrogável [De *im-*[2] + *prorrogável*.] ***Adj. 2 g.*** Não prorrogável.

impróspero [Do lat. imp. *improsperu*.] ***Adj.*** Que não é próspero.

improvado [Part. de *improvar*.] ***Adj.*** Censurado, reprovado.

improvar [Do lat. *improbare*.] ***V. t. d.*** Desaprovar, censurar, reprovar. [F. paral., p. us.: *improbar*.]

improvável [Do lat. imp. *improbabile*.] ***Adj. 2 g.*** Que não é provável.

improvidência [Do lat. tard. *improvidentia*.] ***S. f.*** Qualidade de improvidente. [Cf. *imprevidência*.]

improvidente [De *im-*[2] + *providente*.] ***Adj. 2 g.*** **1.** Que não é providente. **2.** Desleixado, desmazelado, negligente. **3.** *P. ext.* Desgovernado, dissipador. [Sin. ger.: *impróvido*. Cf. *imprevidente*.]

impróvido [Do lat. *improvidu*.] ***Adj.*** V. *improvidente*. [Superl. abs. sint.: *improvidentíssimo*.]

improvisação [De *improvisar* + *-ção*.] ***S. f.*** **1.** Ato ou efeito de improvisar(-se). **2.** *Teatr.* Conjunto de diálogos, movimentos e cenas de atores, bem como de efeitos cênicos, realizados sem prévio ensaio, e destinados ao aprimoramento, pesquisa e enriquecimento da ação ou da técnica do ator, ou à obtenção de determinados resultados dramáticos. **3.** *Teatr.* Experiência aberta, durante os ensaios, e que visa à fixação da forma final do espetáculo.

improvisador (ô) [De *improvisar* + *-dor*.] ***Adj. S. m.*** Que, ou aquele que improvisa.

improvisar [De *improviso* + *-ar*[2].] ***V. t. d.*** **1.** Fazer, arranjar, inventar ou preparar às pressas, de repente: *improvisar uma fantasia; improvisar uma mentira.* **2.** Falar, escrever, compor, sem preparação, de improviso: *improvisar um discurso.* **3.** Citar falsamente; falsear (aquilo que não existe): *improvisar um documento, uma lei.* ***Int.*** **4.** Discursar ou versejar de improviso: "atravessando lentamente com as minhas *sebentas* na algibeira o Largo da Feira, avistei sobre as escadarias da Sé Nova, romanticamente batidas pela lua, ... um homem, de pé, que improvisava." (Eça de Queirós, *Notas Contemporâneas*, p. 367.) **5.** Mentir levemente. ***P.*** **6.** Adotar dolosamente, ou por necessidade eventual, uma profissão, uma qualidade; arvorar-se em: "Uma passageira loura e magra improvisou-se em enfermeira e dirige os curativos." (Érico Veríssimo, *México*, p. 30.)

improvisatório [De *improvisar* + *-tório*.] ***Adj.*** Relativo a, ou em que há improvisação.

improviso [Do lat. *improvisu*.] ***Adj.*** **1.** Repentino, súbito, inopinado, improvisado. ● ***S. m.*** **2.** Produto intelectual inspirado na própria ocasião e feito de repente, sem preparo. **3.** *Mús.* Gênero musical surgido na época romântica e usado sobretudo no repertório pianístico. **4.** *Mús.* Execução musical livre baseada na estrutura rítmica, formal e/ou harmônica de uma peça musical, comum, p. ex., no *jazz*. ◆ **De improviso. 1.** De repente; de súbito; inopinadamente, imprevistamente: "ergueu-se de improviso, abraçou-se com a ossada" (Coelho Neto, *Sertão*, p. 61). **2.** Sem preparação prévia: *falar de improviso.*

imprudência [Do lat. *imprudentia*.] ***S. f.*** **1.** Qualidade de imprudente; inconveniência. **2.** Ato ou dito contrário à prudência.

imprudente [Do lat. *imprudente*.] ***Adj. 2 g.*** **1.** Que não tem, ou em que não há prudência. ● ***S. 2 g.*** **2.** Pessoa imprudente.

impuberdade [De *im-*[2] + *puberdade*.] ***S. f.*** Idade de impúbere; impubescência.

impúbere [Do lat. *impubere*.] ***Adj. 2 g. S. 2 g.*** **1.** Que ou pessoa que ainda não chegou à puberdade. **2.** Diz-se de, ou menor que tem absoluta incapacidade civil. [Sin. ger.: *impubescente*.]

impubescência [De *impubescente* + *-ia*[2], seg. o padrão analógico.] ***S. f.*** **1.** Impuberdade. **2.** O começo da puberdade.

impubescente [Do lat. imp. *impubescente*.] ***Adj. 2 g. S. 2 g.*** V. *impúbere*.

impublicável [De *im-*[2] + *publicável*.] ***Adj. 2 g.*** Que pelo seu conteúdo não convém, ou não pode ser publicado.

impudência [Do lat. *impudentia*.] ***S. f.*** **1.** V. *impudor*. **2.** Ato ou dito impudente.

impudente [Do lat. *impudente*.] ***Adj. 2 g.*** **1.** Que não tem pudor; cínico, sem-vergonha, despudorado, descarado, impudico. **2.** Que denota impudência: *atitude impudente.* ● ***S. 2 g.*** **3.** Pessoa impudente.

impudícia ***S. f.*** V. *impudicícia*.

impudicícia [Do lat. *impudicitia*.] ***S. f.*** **1.** Falta de pudicícia. **2.** Ato ou expressão impudica. [Var. haplológica: *impudícia*.]

impudicidade [De *impudico* + *-(i)dade*.] ***S. f.*** Qualidade ou caráter de impudico (v. *impudicícia*).

impudico (dí) [Do lat. *impudicu*.] ***Adj.*** **1.** V. *impudente* (1). **2.** Que revela ou sugere impudor: "Os beiços entreabertos e vermelhos tinham uma intimidade feminina, quase impudica." (José Rodrigues Miguéis, *Gente da Terceira Classe*, p. 101.) **3.** Lascivo, sensual: *sorriso impudico; olhar impudico.* ● ***S. m.*** **4.** Indivíduo impudico.

impúdico ***Adj. Lus.*** V. *impudico*: "Cada vez cabriolavam mais folgazões e impúdicos os grandes gabirus." (Aquilino Ribeiro, *Andam Faunos pelos Bosques*, p. 277.)

impudor (ô) [De *im-*[2] + *pudor*.] ***S. m.*** Falta de pudor, de pejo; descaro, cinismo, impureza, impudência, despudor.

impueira ***S. f. Bras.*** V. *ipueira*.

impugnação [Do lat. *impugnatione*.] ***S. f.*** **1.** Ato ou efeito de impugnar; contestação. **2.** Conjunto de argumentos com que se impugna.

impugnador (ô) [Do lat. tard. *impugnatore*.] ***Adj. S. m.*** Que, ou aquele que impugna; adversário, contraditor, impugnante.

impugnante [Do lat. *impugnante*, part. pres. de *impugnare*.] ***Adj. 2 g. S. 2 g.*** V. *impugnador*.

impugnar [Do lat. *impugnare*.] ***V. t. d.*** **1.** Contrariar com razões; refutar, contestar. **2.** Pugnar contra; opor-se a; resistir.

impugnativo [De *impugnar* + *-tivo*.] ***Adj.*** **1.** Que impugna ou serve para impugnar: *argumentos impugnativos.* **2.** Próprio de quem impugna: *Falou em tom impugnativo.* [Sin. ger.: *impugnatório*.]

impugnatório [De *impugnar* + *-tório*.] ***Adj.*** V. *impugnativo*.

impugnável [De *impugnar* + *-vel*.] ***Adj. 2 g.*** Que pode ou deve ser impugnado.

impulsação [De *impulsar* + *-ção*.] ***S. f.*** Ato ou efeito de impulsar; impulsão, impulso, impulsionamento: "a obra de Marnix na impulsação da Holanda para a guerra e para a vitória da sua independência" (Ramalho Ortigão, *A Holanda*, p. 10).

impulsão [Do lat. *impulsione*.] ***S. f.*** **1.** V. *impulso* (1). **2.** *Fís.* Integral sobre o tempo de uma força que atua num corpo; impulso. **3.** *Mús.* O início de qualquer som emitido por instrumento musical eletrônico, e que é causado pela transformação da energia elétrica em energia sonora. ◆ **Impulsão angular.** *Fís.* Integral de um momento de força que atua sobre um corpo estendido ao intervalo de tempo da atuação dessa força. **Impulsão específica.** *Astron.* V. *impulso específico*.

impulsar [De *impulso* + *-ar*[2]; ingl. *(to) impulse*.] ***V. t. d.*** **1.** V. *impelir* (1). **2.** V. *impulsar* (2). ***T. d. e i.*** **3.** V. *impulsionar* (2): "A humana vontade de poder impulsava-o ao desapoderado afã de maravilhar o mundo com a sua opulência." (Eduardo Frieiro, *Feijão, Angu e Couve*, p. 110.)

impulsionador (ô) [De *impulsionar* + *-dor*.] ***Adj.*** **1.** Que impulsiona; impulsionante, impulsor. ● ***S. m.*** **2.** Aquele ou aquilo que impulsiona; impulsor.

impulsionamento [De *impulsionar* + *-mento*.] ***S. m.*** V. *impulsação*.

impulsionante [De *impulsionar* + *-nte*.] ***Adj. 2 g.*** V. *impulsionador* (1).

impulsionar [De *impulsão* + *-ar*[2], seg. o padrão erudito.] ***V. t. d.*** **1.** V. *impelir* (1): *Impulsionou a pedra, que foi rolando morro abaixo.* **2.** Dar impulso moral; estimular, excitar, incitar, impulsar: *O amor o impulsiona.* ***T. d. e i.*** **3.** V. *impulsionar* (2): *Impulsionou-o a estudar e seguir carreira.* [Sin. ger.: *impulsar*.]

impulsividade [De *impulsivo* + *-(i)dade*.] ***S. f.*** Qualidade de impulsivo.

impulsivismo [De *impulsivo* + *-ismo*.] ***S. m.*** Disposição de espírito das pessoas impulsivas; tendência para agir irrefletidamente.

impulsivo [De *impulso* + *-ivo*.] ***Adj.*** **1.** Que dá impulso. **2.** Que age irrefletidamente, obedecendo ao impulso do momento. **3.** Que facilmente se excita ou enfurece. ~ V. *força —a*. ● ***S. m.*** **4.** Indivíduo impulsivo.

impulso [Do lat. *impulsu*.] ***S. m.*** **1.** Ato de impelir; impulsão, impulsação. **2.** V. *ímpeto* (2). **3.** Abalo, estremeção. **4.** *Fig.* Estímulo, incitamento, instigação. **5.** *Eletrôn.* Pulso (4). **6.** *Fís.* V. *momento*[1] (6). **7.** *Fís.* Impulsão (2). ◆ **Impulso específico.** *Astron.* Grandeza que indica o comportamento de um combustível de um foguete, e que é igual ao empuxo dividido pela quantidade de combustível consumido por segundo; impulsão específica, empuxo específico. **Impulso nervoso.** *Fisiol.* Onda de despolarização que percorre neurofibra. **Impulso nervoso celulífugo.** *Fisiol.* O que se transmite a partir de corpo celular. **Impulso nervoso celulípeto.** *Fisiol.* O que se transmite em direção a corpo celular.

impulsor (ô) [Do lat. *impulsore*.] ***Adj.*** **1.** V. *impulsionador* (1): "O diálogo com o mundo .... implicava simultaneamente uma obstinação impulsora e um frêmito afetivo." (Miguel Torga, *Diário*, IX, p. 38.) ● ***S. m.*** **2.** Impulsionador (2). ◆ **Impulsor auxiliar.** *Astron.* V. *reforçador* (3).

impune [Do lat. imp. *impune*.] ***Adj. 2 g.*** Que escapa ou escapou à punição; que não é ou não foi castigado; impunido.

impunibilidade [De *impunível* (*impunibil-*) + *-(i)dade*, seg. o padrão erudito.] ***S. f.*** Condição ou caráter de impunível.

impunidade [Do lat. *impunitate*.] ***S. f.*** Estado de impune.

impunido [Do lat. *impunitu*.] ***Adj.*** Não punido; impune: "A tragicomédia da soberania dos Estados, dos impostos interestaduais e intermunicipais, dos exércitos sob os disfarçados títulos de brigadas provincianas, ... das roubalheiras descentralizantes e impunidas, ... que é o federalismo oligárquico da atualidade nacional deve acabar, ou ela matará o Brasil." (Sílvio Romero, *Provocações e Debates*, p. 333.)

impunível [De *im-*[2] + *punível*.] ***Adj. 2 g.*** Que não pode ou não deve ser castigado; não punível. [Cf. *imponível*.]

impureira ***S. f. Bras. MG*** V. *ipueira*.

impureza (ê) [Do lat. *impuritia*.] *S. f.* **1.** Qualidade ou estado de impuro. [Sin., p. us.: *impuridade*.] **2.** Aquilo que, misturado com uma substância, a polui ou adultera. **3.** Coisa impura. **4.** V. *impudor*. **5.** *Fís.* Substância que, adicionada em pequeníssima quantidade a um semicondutor, lhe altera os níveis de energia e determina a formação de buracos ou liberta elétrons. ◆ **Impureza aceitadora.** *Eletrôn.* Átomo que, introduzido na estrutura cristalina de um semicondutor, tem um elétron de valência a menos do que o necessário para completar uma ligação covalente com átomos vizinhos, aceitando qualquer elétron disponível na estrutura para completar a ligação; átomo aceitador. **Impureza doadora.** *Eletrôn.* Átomo que, introduzido na estrutura cristalina de um semicondutor, tem um elétron de valência a mais do que o necessário para completar uma ligação covalente com átomos vizinhos, liberando-o para a banda de condução; átomo doador.

impuridade [Do lat. *impuritate*.] *S. f. P. us.* Impureza (1): "os outros .... endeusaram o celibato, escoltado de escândalos, e o amor material com todas as suas impuridades." (Camilo Castelo Branco, *Doze Casamentos Felizes*, p. 242.)

impurificado [Part. de *impurificar*.] *Adj.* Que não foi submetido à purificação.

impurificante [De *impurificar* + *-nte*.] *Adj. 2 g.* Que impurifica.

impurificar [Do lat. *impurus*, 'impuro', + *-ificar*.] *V. t. d.* Alterar o estado de pureza de. [Conjug.: v. *trancar*.]

impuro [Do lat. *impuru*.] *Adj.* **1.** Que não tem pureza. **2.** Contaminado, infetado: *águas impuras*. **3.** Que contém impureza(s): *vinho impuro*. **4.** Lúbrico, sensual, impudico. **5.** Sórdido, torpe, imundo. **6.** *E. Ling.* Que não é vernáculo (falando-se de linguagem). ● *S. m.* **7.** Indivíduo impuro.

imputabilidade [De *imputável* + *-(i)dade*, seg. o padrão erudito.] *S. f.* Qualidade de imputável; responsabilidade. [Cf. *impotabilidade*.]

imputação [Do lat. tard. *imputatione*.] *S. f.* **1.** Ato ou efeito de imputar. **2.** Responsabilidade pessoal. **3.** Inculpação com fundamento ou sem ele. **4.** Aquilo que é imputado.

imputador (ô) [Do lat. imp. *imputatore*.] *Adj. S. m.* Que, ou aquele que imputa.

imputar [Do lat. imp. *imputare*.] *V. t. d. e i.* **1.** Atribuir (a alguém) a responsabilidade de; assacar: *Imputam-lhe a morte do amigo;* "a maior calúnia que se pode assacar a um Ente Perfeito é imputar-lhe a criação do homem." (Camilo Castelo Branco, *Perfil do Marquês de Pombal*, p. 49). **2.** Atribuir, conferir, dar: "A contabilidade nacional procura imputar valores a serviços não monetários [como os correspondentes a pagamentos *in natura* a empregados], o que, obviamente, só pode ser feito com boa margem de tolerância aos erros." (Mário Henrique Simonsen e Rubens P. Cysne, *Macroeconomia*, p. 119.) ***Transobj.*** **3.** Caracterizar ou qualificar: *Imputaram sua afirmativa de mentirosa.* **4.** *P. us.* Qualificar de erro ou crime.

imputável [De *imputar* + *-vel*.] *Adj. 2 g.* Suscetível de se imputar.

impute [Por *imputa*, f. red. de *imputar*.] *S. m. Bras.* V. *imputação*: "Na forca purgou pra mais de cento e cinquenta mortes; botou uma fala, pedindo perdão, ... mas não fez impute a ninguém!" (Cardoso de Oliveira, *Dois Metros e Cinco*, p. 271.)

imputrescibilidade [De *imputrescível* + *-(i)dade*, seg. o padrão erudito.] *S. f.* Qualidade de imputrescível.

imputrescível [De *im-*[2] + *putrescível*.] *Adj. 2 g.* Que não está sujeito a apodrecer; não putrescível.

imudável [Do lat. *immutabile*, por via semierudita.] *Adj. 2 g.* Imutável.

imundice *S. f.* V. *imundície*: "capaz [Sarah Bernhardt] de revolver todos os esplendores e todas as imundices, o que há de mais belo e o que há de mais torpe, sem que coisa alguma a contamine, a perverta, a diminua." (Ramalho Ortigão, *Farpas Esquecidas*, II, p. 202.)

imundícia [Do lat. *immunditia*.] *S. f.* **1.** Falta de asseio. **2.** Porcaria, lixo, sujidade, sujeira. **3.** *Bras. Pop.* V. *quantidade* (3). **4.** *Bras. PA* Os insetos e ácaros que flagelam o gado. [F. paral.: *imundície*.]

imundície [Do lat. tard. *immunditie*.] *S. f.* **1.** V. *imundícia*. **2.** *Bras.* Caça miúda de pelo. [Var.: *imundice*.]

imundo [Do lat. *immundu*.] *Adj.* **1.** Sujo, emporcalhado, porco. **2.** V. *impuro* (5). **3.** Indecente, obsceno, imoral.

imune [Do lat. *immune*.] *Adj. 2 g.* **1.** Não atreito, não sujeito; isento, livre: "Eu por mim creio nas amazonas fingidas ou verdadeiras e crê-lo-ia ainda que fosse imune do pecado da mentira" (João Ribeiro, *Colmeia*, p. 58). **2.** *Imun.* Que tem imunidade (2). ~ V. *papel* –.

imunematologia [Do *imun(o)-* + *-(h)emat(o)-* + *-logia*.] *S. f. Imun.* Estudo das propriedades antigênicas das células sanguíneas, dos diferentes anticorpos presentes no soro sanguíneo, e das manifestações patológicas resultantes da reação destes anticorpos com aqueles antígenos.

imunidade [Do lat. *immunitate*.] *S. f.* **1.** Condição de não ser sujeito a algum ônus ou encargo; isenção. **2.** *Imun.* Resistência natural ou adquirida de um organismo vivo a um agente infeccioso ou tóxico. **3.** *Jur.* Direitos, privilégios ou vantagens pessoais de que alguém desfruta por causa do cargo ou função que exerce. ◆ **Imunidade adquirida.** *Imun.* Aquela que, tendo em vista determinada infecção, resulta da formação de anticorpos, sejam estes decorrentes de infecção natural ou de vacinação (imunidade ativa), sejam da transferência de anticorpos ou de linfócitos de um doador já imunizado (imunidade passiva), como é o caso de soros específicos, como, p. ex., o soro antitetânico. **Imunidade ativa.** *Imun.* V. *imunidade adquirida*. **Imunidade celular.** *Imun.* Aquela que é mediada por linfócitos T (v. *linfócito T*); hipersensibilidade tardia. **Imunidade fiscal.** *Econ.* Proibição da incidência de impostos, em casos determinados pela Constituição federal. [Cf. *isenção fiscal*.] **Imunidade humoral.** *Imun.* Aquela que é mediada por anticorpos. **Imunidade passiva.** *Imun.* V. *imunidade adquirida*. [Sin.: *orroimunidade*.]

imunitário [Do fr. *immunitaire*.] *Adj.* Imunológico. ~ V. *sistema* –.

imunização [De *imunizar* + *-ção*.] *S. f.* Ato ou efeito de imunizar.

imunizado [Part. de *imunizar*.] *Adj.* Tornado imune; que se imunizou.

imunizador (ô) [De *imunizar* + *-dor*.] *Adj. S. m.* Que, ou aquilo que imuniza; imunizante.

imunizante [De *imunizar* + *-nte*.] *Adj. 2 g. S. 2 g.* Imunizador.

imunizar [De *imune* + *-izar*; ingl. (*to*) *immunize*.] *V. t. d.* **1.** *Imun.* Tornar imune ou refratário a determinada(s) moléstia(s): *Imunizaram todas as pessoas hospitalizadas.* ***T. d. e i.*** **2.** Tornar imune ou refratário a determinada moléstia, veneno, etc.: *Imunizaram-no contra o tifo;* "Além de imunizar qualquer sujeito à dentada da jararaca, da cascavel, da surucucu, ... ele [o pajé]trata ferida com a folha de aninga" (Raimundo Morais, *País das Pedras Verdes*, p. 227). **3.** Tornar imune, não atreito, não sujeito; defender: *A pena que sofreu imunizou-o contra a prática de novos crimes.*

▲ **imun(o)-** [Do lat. *immūnis, e*.] ***El. comp.*** = 'livre de', 'isento', 'imune'; *p. ext.* 'imunidade': *imunogênico, imunodeprimido*.

imunoblasto [De *imun(o)-* + *-blasto*.] *S. m. Histol.* V. *linfoblasto*.

imunocompetência [De *imun(o)-* + *competência*; ingl. *immunocompetence*.] *S. f. Imun.* Poder de gerar resposta imunológica diante de exposição a antígeno. [Cf. *imunodeficiência*.]

imunocompetente [De *imun(o)-* + *competente*.] *Adj. 2 g. Imun.* Relativo a imunocompetência.

imunodeficiência [De *imun(o)-* + *deficiência*.] *S. f. Imun.* Deficiência de meios de defesa imunológica, específicos ou inespecíficos. [Cf. *imunocompetência*.]

imunodeficiente [De *imun(o)-* + *deficiente*.] *Adj. 2 g. S. 2 g.* Diz-se de, ou aquele que sofre de imunodeficiência.

imunodepressão [De *imun(o)-* + *depressão*.] *S. f. Imun.* Imunossupressão.

imunodepressor (ô) [De *imun(o)-* + *depressor*; fr. *immunodépresseur*.] *Adj. Med.* Imunossupressor.

imunodeprimido [De *imun(o)-* + *deprimido*.] *Adj. S. m. Imun.* Que, ou aquele que apresenta baixa imunidade (2).

imunoenzimologia [De *imun(o)-* + *enzima* + *-o-* + *-logia*.] *S. f. Imun.* Ramo da imunologia em que a pesquisa e a dosagem dos antígenos e dos anticorpos são efetuadas mediante o emprego de enzimas.

imunofixação (cs) [De *imun(o)-* + *fixação*.] *S. f. Imun.* Processo de identificação de imunoglobulinas monoclonais, mediante o estudo da coloração de precipitado decorrente de interação de antígenos fracionados por eletroforese em agarose, e presentes em soro a ser examinado, e de um antissoro em que haja anticorpos específicos.

imunofluorescência [De *imun(o)-* + *fluorescência*; ingl. *immunofluorescence*.] *S. f. Imun.* Processo imunoquímico em que se dá fixação de corante fluorescente em um anticorpo específico, o que permite que esse anticorpo seja assinalado em um complexo antígeno-anticorpo, mediante exame por microscópio de luz ultravioleta.

imunogénico *Adj.* V. *imunogênico*. [Uso freq. em P.]

imunogênico [De *imun(o)-* + *-gen(o)-* + *-ico*[2]; ingl. *immunogenic*.] *Adj.* Que torna imune, produz imunidade.

imunoglobulina [De *imun(o)-* + *globulina*; fr. *immunoglobuline*.] *S. f. Imun.* Grupo de proteínas de origem animal, que são gamaglobulinas, de que há várias classes, e que são produzidas por linfócitos e por plasmócitos, e capazes, reconhecidamente, de agir como anticorpos específicos, e sendo responsáveis pela imunidade humoral. [São chamadas de *imunoglobulinas* aquelas que têm atividade de anticorpos e outras que com elas têm relação antigênica. Há cinco classes de imunoglobulina com função de anticorpo: IgA, IgD, IgE, IgG e IgM.] ◆ **Imunoglobulina monoclonal.** *Imun.* A que é segregada por um só clone de plasmócito, originado de uma só célula, pelo que exibe perfeita homogeneidade molecular.

imunologia [De *imun(o)-* + *-logia*.] *S. f.* Ramo da medicina que estuda os mecanismos pelos quais o organismo responde a antígeno(s), reconhece a si e o que é estranho a si, e se ocupa, ainda, dos aspectos biológicos (observados *in vivo*), sorológicos (observados *in vitro*) e físico-químicos dos fenômenos imunológicos.

imunológico [De *imunologia* + *-ico*[2].] *Adj.* Relativo à imunologia; imunitário. ~ V. *resposta – a* e *sistema* –.

imunologista [De *imunologia* + *-ista*.] *S. 2 g.* Especialista em imunologia.

imunomodulação [De *imun(o)-* + *modulação*.] *S. f. Imun.* Condição de imunomodulador.

imunomodulador[1] (ô) [De *imun(o)-* + *modulador*.] *Adj. S. m.* Diz-se de, ou qualquer agente que, de modo específico ou não, regula reações imunológicas, inibindo-as ou estimulando-as.

imunomodulador[2] (ô) [De *imun(o)-* + *modulador*.] *Adj. S. m. Imun.* Diz-se de, ou substância que age sobre o sistema imunológico.

imunoparalisia [De *imun(o)-* + *paralisia*.] *S. f. Imun.* V. *tolerância* (6).

imunoparasitologia [De *imun(o)-* + *parasitologia*.] *S. f. Imun.* Ramo da parasitologia que usa conhecimentos de imunologia no estudo das interações de parasito e hospedeiro.

imunoparasitológico [De *imunoparasitologia* + *-ico*[2].] *Adj. Imun.* Relativo a imunoparasitologia.

imunopatologia [De *imun(o)-* + *patologia*.] *S. f. Patol.* Ramo da patologia que estuda as reações imunológicas a doenças, e as doenças cuja etiologia e patogenia tenham base imunológica.

imunopatológico [De *imunopatologia* + *-ico*[2].] *Adj.* Relativo à imunopatologia.

imunopatologista [De *imun(o)-* + *patologista*.] *S. 2 g.* Especialista em imunopatologia.

imunoquímica [De *imun(o)-* + *química*.] *S. f. Imun.* **1.** Estudo da composição química de antígenos e de anticorpos. **2.** Estudo químico das reações imunológicas.

imunoquímico [De *imunoquímica*, com var. suf. (v. *-ico*[2]).] *Adj. Imun.* Relativo a imunoquímica.

imunorreação [De *imun(o)-* + *reação*.] *S. f. Imun.* Reação resultante da ação entre um antígeno e o seu anticorpo.

imunossupressão [De *imun(o)-* + *supressão*; fr. *immunossupression*.] *S. f. Imun.* Diminuição, de grau variável, proposital ou não, e obtida mediante recursos artificiais (irradiação, substâncias diversas), de resposta imunológica (q. v.); imunodepressão. [Embora muito menos us., é preferível o termo *imunodepressão*.]

imunossupressor (ô) [De *imun(o)-* + *supressor*; fr. *immunossupresseur*.] *Adj. Med.* Que provoca imunossupressão (q. v.); imunodepressor.

imunoterapia [De *imun(o)-* + *-terapia*; ingl. *immunotherapy*.] *S. f. Terap.* Tipo de imunização de um indivíduo (homem ou outro animal) mediante a administração de anticorpos pré-formados produzidos ativamente em outro indivíduo.

imunoterápico [De *imunoterapia* + *-ico*[2].] *Adj. Terap.* Relativo à imunoterapia.

imutabilidade [Do lat. *immutabilitate*.] *S. f.* Qualidade de imutável.

imutação [Do lat. *immutatione*.] *S. f. P. us.* Ato de imutar.

imutar [Do lat. *immutare*.] *V. t. d. P. us.* Alterar, transformar, mudar.

imutável [Do lat. *immutabile*.] *Adj. 2 g.* Não sujeito a mudança; imudável: "cravou no interlocutor os olhos desvairados, em que reluzia o fulgor concentrado dum pensamento imutável." (Rebelo da Silva, *Contos e Lendas*, p. 181.)

➔**in**[1] [in] [Ingl.] *Adv.* Na moda. [Opõe-se a *out* (2).]

➔**in**[2] [ẽn] [Lat., 'em'.] *Prep.* Us., em bibliografia, antes de título de obra que serve de fonte a uma citação. Ex.: Figueiredo, Fidelino de. "Romantismo". *In*: *História Literária de Portugal* (Séc. XII-XX). Coimbra, Nobel, 1944, pp. 414-415. [Tb. se pode substituir essa indicação por *em seu* ou *em sua*.]

■ **in**[1] Símb. de *polegada quadrada*.
■ **in**[2] [Do ingl. *in(ch)*.] Abrev. de *polegada* (2).
■ **in**[3] Símb. de *polegada cúbica*.
■ **In** *Quím.* Símb. do *índio*[1].
▲ **in-**[1] V. *em-*[2].
▲ **in-**[2] [Do lat. *in*.] *Pref.* = 'negação', 'privação': *inigualável*. [Equiv.: *i-*[2], *im-*[2], *ir-*[2]: *ilimitável*; *impalpável*; *irredutível*.] [É sempre grafado sem hífen, mesmo quando o 2º el. começa por *h*: *inábil*, *inumano*.]
▲ **-ina**[1] V. *-ino*[1].
▲ **-ina**[2] [Fem. de *-ino*[2].] V. *-inho*[1].
▲ **-ina**[3] [Do fr. *-ine*, poss. do lat. *-ina*, f. de *-inus, a, um* (v. *-ino*[1]).] *Quím. Suf.* Us. com a noção geral de 'produto ou extrato proveniente de', ou 'substância química', esp. nitrogenada, como aminas (*anilina*), alcaloides (*quinina*), aminoácidos (*glicina*), etc.
inã *S. f. Rel.* Irmã de criação da sacerdotisa, no culto dos ibêjis, que executa as suas ordens.
inabalável [De *in-*[2] + *abalável*.] *Adj. 2 g.* **1.** Que não pode ser abalado. **2.** Firme, fixo, arraigado, constante: *crença inabalável; opinião inabalável*. **3.** *Fig.* Inquebrantável, inflexível: *caráter inabalável*. **4.** Inexorável, implacável. **5.** Intrépido, audaz: *ânimo inabalável*.
inabdicável [De *in-*[2] + *abdicável*.] *Adj. 2 g.* Não abdicável; irrenunciável.
inábil [Do lat. imp. *inhabile*.] *Adj. 2 g.* **1.** Que não é hábil; sem destreza ou competência; desajeitado, inapto. **2.** *Jur.* Incapaz (4). [Pl.: *inábeis*.]
inabilidade [De *inábil* + *-(i)dade*.] *S. f.* **1.** Qualidade de inábil. **2.** Procedimento inábil.
inabilidoso (ô) [De *in-*[2] + *habilidoso*.] *Adj.* Não habilidoso; sem habilidade: "Porque eu sei que sou mesmo incompetente e inabilidoso, nunca mulher alguma teve verdadeiro prazer comigo." (Autran Dourado, *As Imaginações Pecaminosas*, p. 63.)
inabilitação [De *in-*[2] + *habilitação*.] *S. f.* Falta de habilitação.
inabilitar [De *in-*[2] + *habilitar*.] *V. t. d.* **1.** Tornar inábil, física ou moralmente; incapacitar: *A enfermidade inabilitou-o para sempre*. **2.** Tirar a faculdade ou certos meios a; impedir. **3.** Reprovar em concurso ou exame: *Inabilitaram-no por seu mau preparo físico*. *T. d. e i.* **4.** Tornar inábil; incapacitar: *O espírito de diletantismo inabilita-o para o estudo apurado e paciente*. *P.* **5.** Tornar-se inábil; impossibilitar-se física ou moralmente.
inabitabilidade [De *inabitável* + *-(i)dade*, seg. o padrão erudito.] *S. f.* Qualidade de inabitável.
inabitado [Do lat. *inhabitatu*.] *Adj.* Onde ninguém habita; desabitado.
inabitável [Do lat. *inhabitabile*.] *Adj. 2 g.* **1.** Que não se pode habitar. **2.** Que não apresenta condições de habitabilidade.
inabitual [De *in-*[2] + *habitual*.] *Adj. 2 g.* Não habitual; desacostumado, insólito.
inabordável [De *in-*[2] + *abordável*.] *Adj. 2 g.* Que não pode ser abordado.
➔ **in absentia** [ẹn ap'sentẹa] [Lat., 'na ausência'.] *Loc. adj. Jur.* Diz-se do julgamento a que o réu não se acha presente.
inacabado [De *in-*[2] + *acabado*.] *Adj.* Que não foi acabado; incompleto: "Naquela ladeira da Floresta, havia uma igreja enorme .... e inacabada, que centralizava a vida do bairro." (Maria Julieta Drummond de Andrade, *O Valor da Vida*, p. 38.)
inacabamento [De *in-*[2] + *acabamento*.] *S. m.* Estado ou condição daquilo que está inacabado (por estar incompleto, não terminado ou em construção ou desenvolvimento): *Em psicanálise, fala-se muito em inacabamento*.
inacabável [De *in-*[2] + *acabável*.] *Adj. 2 g.* Que não se pode acabar; infindo, interminável, infinito.
inação [De *in-*[2] + *ação*.] *S. f.* **1.** Falta de ação; inércia. **2.** Irresolução, indecisão. **3.** Frouxidão de caráter; moleza. [Cf. *enação*.]
inaccessibilidade *S. f.* V. *inacessibilidade*.
inaccessível *Adj. 2 g.* V. *inacessível*.
inaceitabilidade [De *inaceitável* + *-(i)dade*, seg. o padrão erudito.] *S. f.* Qualidade de inaceitável.
inaceitável [De *in-*[2] + *aceitável*.] *Adj. 2 g.* Não aceitável; inadmissível.
inacentuado [De *in-*[2] + *acentuado*.] *Adj.* Não acentuado (1).
inacessibilidade [Do lat. tard. *inaccessibilitate*.] *S. f.* Qualidade de inacessível.
inacessível [Do lat. tard. *inaccessibile*.] *Adj. 2 g.* **1.** Que não dá acesso; a que não se pode chegar, ou onde não se pode entrar: "A pequena península onde está Galípoli .... pode ser em poucos dias convertida num campo entrincheirado, inacessível por terra, inexpugnável por mar" (Eça de Queirós, *Crônicas de Londres*, p. 81). **2.** Intratável, insociável. **3.** Incompreensível, impenetrável. **4.** Não sujeito; imune, isento, refratário: "Beldade assim composta não é só perfeita, — é inacessível aos estragos do tempo" (Antônio Feliciano de Castilho, *Amor e Melancolia*, p. 401). [Sin., poét.: *inacesso*.]
inacesso [Do lat. *inaccessu*.] *Adj. Poét.* V. *inacessível*.
inácia[1] [Do antr. fem. *Inácia*, poss.] *S. f. Bras. Mar. G.* Norma de serviço; regulamento. ◆ **Cumprir a inácia.** *Mar. G.* Observar as prescrições legais e regulamentares. **Estar fora da inácia.** *Mar. G.* Deixar de respeitar as prescrições legais e regulamentares. **Ser da inácia.** *Mar. G.* Ter por hábito respeitar as prescrições legais e regulamentares.
inácia[2] [Adapt. do lat. cient. *Ignatia* (f. lat. do hag. [*Santo*] *Inácio*, v. *inaciano*).] *S. f. Bot.* V. *noz-vômica* (2).
inaciana [F. subst. de *inaciano*.] *S. f. Bot.* **1.** V. *castanha-mineira* (1). **2.** V. *noz-vômica* (2).
inaciano [Do antr. *Inácio* (*de Loiola*) (1491-1556) + *-ano*[1].] *Adj.* **1.** Jesuítico (1).● *S. m.* **2.** V. *jesuíta*.
inaclimável [De *in-*[2] + *aclimável*.] *Adj. 2 g.* Não aclimável.
inacomodado [De *in-*[2] + *acomodado*.] *Adj.* Que não se acomoda ou acomodou; inadaptado, inconformado: "Espírito inacomodado, idealista agressivo, todo nervos e precisão, a sua influência [de Samuel Butler] logo se fez sentir." (Temístocles Linhares, *Introdução ao Mundo do Romance*, p. 208.)
inacomodável [De *in-*[2] + *acomodável*.] *Adj. 2 g.* Não acomodável.
inacompanhável [De *in-*[2] + *acompanhável*.] *Adj. 2 g.* Que não pode ser acompanhado: "O esoterismo que realmente parece ter inspirado Joyce (v. *joyciano*) em muitos aspectos de sua obra não vai ao ponto, porém, de torná-lo incompreensível ou inacompanhável." (Temístocles Linhares, *Introdução ao Mundo do Romance*, p. 221.)
inacreditável [De *in-*[2] + *acreditável*.] *Adj. 2 g.* Que não é acreditável; incrível.
➔ **in actu** [ẹn 'akto] [Lat.] *Filos.* Em ato (q. v.).
inacumulação [De *in-*[2] + *acumulação*.] *S. f.* Ausência ou falta de acumulação.
inacusativo *E. Ling. Adj.* **1.** ~ V. *verbo* —.● *S. m.* **2.** Verbo inacusativo (q. v.).
inacusável [De *in-*[2] + *acusável*.] *Adj. 2 g.* Não acusável.
inadaptabilidade [De *inadaptável* + *-(i)dade*, seg. o padrão erudito.] *S. f.* Qualidade de inadaptável; ausência ou falta de adaptabilidade.
inadaptação [De *in-*[2] + *adaptação*.] *S. f.* Falta ou incapacidade de adaptação.
inadaptado [De *in-*[2] + *adaptado*.] *Adj. S. m.* Que, ou aquele que não se adaptou ou não se adapta a um determinado meio, situação, etc.
inadaptar [De *in-*[2] + *adaptar*.] *V. t. d. P.* Não adaptar(-se).
inadaptável [De *in-*[2] + *adaptável*.] *Adj. 2 g.* Não adaptável.
inadequabilidade [De *inadequável* + *-(i)dade*, seg. o padrão erudito.] *S. f.* Qualidade de inadequável.
inadequação [De *in-*[2] + *adequação*.] *S. f.* Falta de adequação; qualidade de inadequado.
inadequado [De *in-*[2] + *adequado*.] *Adj.* Não adequado; impróprio.
inadequável [De *in-*[2] + *adequável*.] *Adj. 2 g.* Não adequável.
inaderente [De *in-*[2] + *aderente*.] *Adj. 2 g.* Não aderente.
inadestrado [De *in-*[2] + *adestrado*.] *Adj.* Não adestrado.
inadestrar [De *in-*[2] + *adestrar*.] *V. t. d.* Não adestrar.
inadiabilidade [De *inadiável* + *-(i)dade*, seg. o padrão erudito.] *S. f.* Qualidade de inadiável.
inadiável [De *in-*[2] + *adiável*.] *Adj. 2 g.* Que não se pode adiar; improrrogável, impreterível.
inadimplemento [De *in-*[2] + *adimplemento*.] *S. m. Jur.* Falta de cumprimento de uma obrigação ou de cláusulas relativas a deveres acessórios de um contrato; descumprimento, inadimplência.
inadimplência [De *in-*[2] + *adimplência*.] *S. f.* V. *inadimplemento*.
inadimplente [De *in-*[2] + *adimplente*.] *Adj. 2 g. Jur.* Diz-se do devedor que inadimple, que não cumpre no termo convencionado as suas obrigações contratuais; descumpridor.
inadimplir [De *in-*[2] + *adimplir*.] *V. t. d. Jur.* Deixar de cumprir no termo, de forma e lugar convencionado (prestação a que se obrigou o devedor); descumprir.
inadministrável [De *in-*[2] + *administrável*.] *Adj. 2 g.* Não administrável.
inadmissão [De *in-*[2] + *admissão*.] *S. f.* Ato ou efeito de não admitir.
inadmissibilidade [De *inadmissível* + *-(i)dade*, seg. o padrão erudito.] *S. f.* Qualidade de inadmissível.
inadmissível [De *in-*[2] + *admissível*.] *Adj. 2 g.* Que não pode ou não deve ser admitido.
inadotável [De *in-*[2] + *adotável*.] *Adj. 2 g.* Não adotável: "A verdade é que o *Método Repentino* [de Antônio Feliciano de Castilho] é inadotável nas escolas" (Ramalho Ortigão, *Figuras e Questões Literárias*, I, p. 27).
inadquirível [De *in-*[2] + *adquirível*.] *Adj. 2 g.* Não adquirível.
inadvertência [Do lat. med. *inadvertentia*.] *S. f.* **1.** Falta de advertência; imprevidência, descuido, negligência. **2.** Irreflexão, imprudência.
inadvertidamente [Do f. de *inadvertido* + *-mente*.] *Adv.* Sem advertência; de modo inadvertido.
inadvertido [De *in-*[2] + *advertido*.] *Adj.* Feito sem reflexão; desadvertido.
inaê [Alt. de *Janaína*, poss.] *S. f. Bras. Rel.* V. *Iemanjá*. [Com cap.]
➔ **in aeternum** [ẹn aj'tẹrno(m)] [Lat.] Eternamente; para sempre.
inaferível [De *in-*[2] + *aferível*.] *Adj. 2 g.* Que não pode ser aferido. [Cf. *inauferível*.]
inafetivo [De *in-*[2] + *afetivo*.] *Adj.* Em que não há afeto ou carinho; não afetivo: "O tom com que estou recordando o enterro do Ferraz parece inafetivo, seco, sarcástico, como se não me tivessem chegado ao coração as lágrimas da viúva." (Gustavo Corção, *Lições de Abismo*, p. 49.)
inafiançabilidade [De *inafiançável* + *-(i)dade*, seg. o padrão erudito.] *S. f.* Qualidade de inafiançável.
inafiançável [De *in-*[2] + *afiançável*.] *Adj. 2 g.* Não afiançável.
inafrontável [De *in-*[2] + *afrontável*.] *Adj. 2 g.* Que não se pode afrontar.
inafugentável [De *in-*[2] + *afugentável*.] *Adj. 2 g.* Que não se pode afugentar.
inaiá [Var. de *inajá*.] *S. m. e f. Bras. Bot.* **1.** V. *indaiá*. **2.** V. *inajá* (1).
inajá [Do tupi.] *S. m. e f. Bras. Bot.* **1.** Palmeira arecácea (*Maximiliana maripa*) nativa da Amaz., de estipe anelado, folhas dispostas em cinco direções, inflorescências interfoliares, frutos edules, com polpa suculenta, e de cuja amêndoa se extrai óleo; o palmito é de ótima qualidade. [Sin.: *aritá, maripá, inajazeiro*.] **2.** V. *indaiá*. [Var.: *anaiá, anajá, inaiá, najá*.]
inajaense *Adj. 2 g.* **1.** De, ou pertencente ou relativo a Inajá (PE e PR).● *S. 2 g.* **2.** O natural ou habitante de Inajá.
inajazeiro [De *inajá* + *-zeiro*.] *S. m. Bras. Bot.* V. *inajá* (1).
inajé *S. m. Bras. Zool.* V. *gavião-carijó*.
inalação [Do lat. tard. *inhalatione*.] *S. f.* **1.** Ato ou efeito de inalar. **2.** *Anest. Med.* Introdução, em pulmão ou pulmões, de ar, de substâncias medicamentosas (como agentes anestésicos ou outras drogas), ou de agentes patogênicos (como o bacilo da tuberculose, fragmentos de carvão de pedra, etc.).
inalado[1] [De *in-*[2] + *alado*.] *Adj.* Sem asas.
inalado[2] [Part. de *inalar*.] *Adj.* Que se inalou.
inalador (ô) [De *inalar* + *-dor*.] *Adj. S. m.* Que, ou aquilo que serve para fazer inalações.
inalante [Do lat. *inhalante*.] *Adj. 2 g.* **1.** Que é absorvido por inalação (2).● *S. m.* **2.** *Med.* Substância própria para inalação.
inalar [Do lat. *inhalare*.] *V. t. d.* **1.** Absorver com o hálito; aspirar: "Para o autor de *The White Goddess* [Robert Graves], os poetas também se inspiravam ou inalando fumaça ou ouvindo o vento." (Péricles Eugênio da Silva Ramos, *O Amador de Poemas*, p. 46.) **2.** *Fig.* Receber absorvendo; assimilar: *inalar conhecimentos*.
➔ **in albis** [ẹn 'albẹs] [Lat., 'em branco'.] Sem noção alguma daquilo que deveria saber; sem a menor sombra de conhecimentos: *estar, ficar in albis*.
inalbuminado [De *in-*[2] + *albuminado*.] *Adj.* Que não tem albumina; exalbuminado.
inalcançado [De *in-*[2] + *alcançado*.] *Adj.* Que não se alcançou; não alcançado: "O poema que eu te houvera consagrado, / Ó luz de meu ideal inalcançado!" (Austro-Costa, *Mulheres e Rosas*, p. 40.)
inalcançável [De *in-*[2] + *alcançável*.] *Adj. 2 g.* Que não se pode alcançar; não alcançável.
inaliável [De *in-*[2] + *aliável*.] *Adj. 2 g.* Que não se pode aliar; não aliável.
inalienabilidade [De *inalienável* + *-(i)dade*, seg. o padrão erudito.] *S. f.* Qualidade de inalienável.
inalienação [De *in-*[2] + *alienação*.] *S. f.* Estado daquilo que não se alienou.
inalienado [De *in-*[2] + *alienado*.] *Adj.* Que não foi alienado.
inalienável [De *in-*[2] + *alienável*.] *Adj. 2 g.* **1.** Não alienável; intransferível: "Nele [no rei], como nos padres, o ofício imprime caráter pessoal e é inalienável do indivíduo." (Ramalho Ortigão, *As Farpas*, IX, p. 32.) **2.** *E. Ling.* Diz-se da indicação gramatical de que uma relação de posse expressa no nome é indispensável ou permanente. [Nas línguas em que há essa marca gramatical, os nomes afetados são, em geral, os que indicam partes do corpo e parentes próximos.]
➔ **in alio** [ẹn 'aleọ] [Lat.] *Filos.* Em outro (q. v.).

inalisável [De *in-*^{2} + *alisável*.] ***Adj. 2 g.*** Que não se pode abrandar, amaciar: "Era a textura mesmo do tronco vigoroso. Washington Luís nascera daquele modo e nele se manteve, inalisável, indeformável, irredutível." (Gilberto Amado, *Depois da Política*, p. 8.)

inalterabilidade [De *inalterável* + *-(i)dade*, seg. o padrão erudito.] ***S. f.*** Qualidade de inalterável.

inalterado [De *in-*^{2} + *alterado*.] ***Adj.*** **1.** Não alterado; não modificado. **2.** Imperturbado, sereno.

inalterável [De *in-*^{2} + *alterável*.] ***Adj. 2 g.*** **1.** Que não se pode alterar. **2.** V. *imperturbável*.

inamável [Do lat. *inamabile*.] ***Adj. 2 g.*** **1.** Que não é amável; descortês, indelicado, desamável. **2.** Que não inspira amor ou afeto.

inambu [Do tupi.] ***S. m. e f.*** *Bras. Zool.* V. *inhambu*: "E vem dos capoeirões onde anoitece / O trilo vesperal dos inambus." (Ricardo Gonçalves, *Ipês*, p. 45.)

inambuaçu ***S. m.*** *Bras. Zool.* V. *inhambuaçu*.

inambuanhanga ***S. m.*** *Bras. Zool.* V. *inhambuanhanga*.

inambucuá ***S. m.*** *Bras. Zool.* V. *inhambucuá*.

inambu-grande ***S. m.*** *Bras. Zool.* V. *inhambu-grande*. [Pl.: *inambus-grandes*.]

inambuguaçu ***S. m.*** *Bras. Zool.* V. *inhambuguaçu*.

inambulação [Do lat. *inambulatione*.] ***S. f.*** Ação de passear; passeio.

inambulante [De *inambular* + *-nte*.] ***Adj. 2 g.*** Que inambula, anda de um lado para outro.

inambular [Do lat. *inambulare*.] ***V. t. d.*** Passear de um lado para outro.

inambumirim ***S. m.*** *Bras. Zool.* V. *inhambumirim*.

inambupixuna ***S. m.*** *Bras. Zool.* V. *inhambupixuna*.

inambu-preto (ê) ***S. m.*** *Bras. Zool.* V. *inhambu-preto*. [Pl.: *inambus-pretos*.]

inambuquiá ***S. m.*** *Bras. Zool.* V. *inhambuquiá*.

inambuquiçaua [Do tupi.] ***S. m.*** *Bras. Bot.* **1.** Árvore clusiácea (*Caraipa insidiosa*) da região do rio Negro (AM), de folhas lanceoladas, acuminadas e coriáceas, flores e frutos desconhecidos, e cuja madeira tem utilidade em carpintaria. **2.** V. *ajará*.

inambu-relógio ***S. m.*** *Bras. Zool.* V. *inhambu-relógio*. [Pl.: *inambus-relógios* e *inambus-relógio*.]

inambu-saracuíra ***S. m.*** *Bras. Zool.* V. *inhambu-saracuíra*. [Pl.: *inambus-saracuíras* e *inambus-saracuíra*.]

inambu-sujo ***S. m.*** *Bras. Zool.* V. *inhambu-sujo*. [Pl.: *inambus-sujos*.]

inambuu ***S. m.*** *Bras. Zool.* V. *inhambuu*.

inambuxintã ***S. m.*** *Bras. Zool.* V. *inhambuxintã*.

inambuxororó ***S. m.*** *Bras. Zool.* V. *inhambuxororó*.

inamerceável [De *in-*^{2} + *amerceável*.] ***Adj. 2 g.*** Que não se move à compaixão, à piedade; não amerceável: "A Mamã era uma fera inamerceável e prometia viver cem anos, porque, aos setenta, ... não sabia que coisa era uma dor e tinha os dentes todos." (João de Araújo Correia, *Cinza do Lar*, p. 73.)

inamissibilidade [De *inamissível* + *-(i)dade*, seg. o padrão erudito.] ***S. f.*** Qualidade de inamissível.

inamissível [Do lat. tard. *inamissibile*.] ***Adj. 2 g.*** Não sujeito a perder-se; não amissível.

inamistoso (ô) [De *in-*^{2} + *amistoso*.] ***Adj.*** Que não é próprio de amigo; inimigo, hostil: *Tiveram recepção inamistosa*.

inamolgável [De *in-*^{2} + *amolgável*.] ***Adj. 2 g.*** Não amolgável.

inamovibilidade [De *inamovível* + *-(i)dade*, seg. o padrão erudito.] ***S. f.*** **1.** Qualidade de inamovível. **2.** *Jur.* Prerrogativa, de que gozam os magistrados e certa categoria de funcionários públicos, de não serem removidos, salvo a seu próprio pedido ou por motivo de interesse público, mediante formalidades rigorosas.

inamovível [De *in-*^{2} + *amovível*.] ***Adj. 2 g.*** **1.** Que não pode ser destituído do seu posto por via administrativa. **2.** Que não pode ser removido. **3.** De que não se pode destituir.

■ **Inamps** Sigla de *Instituto Nacional de Assistência Médica da Previdência Social*.

inamu ***S. m.*** *Bras. Zool.* V. *inhambu*.

inamuaçu (mù) ***S. m.*** *Bras. Zool.* V. *inhambuaçu*.

inamuanhanga (ù) ***S. m.*** *Bras. Zool.* V. *inhambuanhanga*.

inamucuá (ù) ***S. m.*** *Bras. Zool.* V. *inhambucuá*.

inamu-grande ***S. m.*** *Bras. Zool.* V. *inhambu-grande*. [Pl.: *inamus-grandes*.]

inamuguaçu (mù) ***S. m.*** *Bras. Zool.* V. *inhambuguaçu*.

inamumirim (ù) ***S. m.*** *Bras. Zool.* V. *inhambumirim*.

inamupixuna (mù) ***S. m.*** *Bras. Zool.* V. *inhambupixuna*.

inamu-preto (ê) ***S. m.*** *Bras. Zool.* V. *inhambu-preto*. [Pl.: *inamus-pretos*.]

inamuquiá (mù) ***S. m.*** *Bras. Zool.* V. *inhambuquiá*.

inamu-relógio ***S. m.*** *Bras. Zool.* V. *inhambu-relógio*. [Pl.: *inamus-relógios* e *inamus-relógio*.]

inamu-saracuíra ***S. m.*** *Bras. Zool.* V. *inhambu-saracuíra*. [Pl.: *inamus-saracuíras* e *inamus-saracuíra*.]

inamu-sujo ***S. m.*** *Bras. Zool.* V. *inhambu-sujo*. [Pl.: *inamus-sujos*.]

inamuu ***S. m.*** *Bras. Zool.* V. *inhambuu*.

inamuxintã (ù) ***S. m.*** *Bras. Zool.* V. *inhambuxintã*.

inamuxororó (ù) ***S. m.*** *Bras. Zool.* V. *inhambuxororó*.

inana [Do nome de uma mulher que trabalhava num espetáculo de ilusionismo, flutuando no espaço.] ***S. f.*** *Bras. Gír.* **1.** Situação ou acontecimento desagradável; discussão, briga, conflito, pancadaria. **2.** Aborrecimento, amolação, caceteação: "Ela queria cinza-cinza, o pintor cinza-azulado, e a parede não queria cinza nenhum! A neta reclamava, o pintor pintava, a parede embolava, o pintor raspava, e a inana toda recomeçava." (Malu de Ouro Preto, *Siri na Noite sem Lua*, p. 40.)

inane [Do lat. *inane*.] ***Adj. 2 g.*** **1.** Vazio, oco: "As características dominantes em vários desses professores eram a palavra copiosa, ... o intumescimento inane da ideia" (Homero Pires, *Junqueira Freire*, p. 192). **2.** Fútil, frívolo, vão. **3.** *P. us.* Inanido: "Um dia a Virgem desconhecida / Da velha torre quadrangular / Morreu inane, desfalecida" (Manuel Bandeira, *Estrela da Vida Inteira*, pp. 70-71).

inânia [Adapt. do lat. *inaniae, arum* (*pluralia tantum*).] ***S. f.*** **1.** Inanição (1). **2.** Futilidade, vanidade. [Cf. *inania*, do v. *inanir*.] ~ V. *inânias*.

inânias [Pl. de *inânia*.] ***S. f. pl.*** Ninharias, bagatelas. V. *ninharia*. ~ V. *inânia*. [Cf. *inanias*, do v. *inanir*.]

inanição [Do lat. med. *inanitione*.] ***S. f.*** **1.** Estado de inane; inânia. **2.** Enfraquecimento extremo por falta de alimentação.

inanidade [Do lat. *inanitate*.] ***S. f.*** Qualidade de inane.

inanido [Part. de *inanir*.] ***Adj.*** Em estado de inanição; extenuado, exausto, fraco, inane: "Fraca das constantes vigílias, inanida, mal podia caminhar ao sol" (Coelho Neto, *Sertão*, p. 362).

inanimado [Do lat. med. *inanimatu*.] ***Adj.*** **1.** Sem ânimo; morto. **2.** Sem sentidos; desfalecido: "E ajoelhando, arredou devagar os panos da face do homem [um acidentado], que jazia inanimado." (Eça de Queirós, *Últimas Páginas*, p. 298.) **3.** Sem alma. **4.** Sem vivacidade ou animação. [Sin. ger.: *inânime*.]

→ **in anima nobili** [ẹn 'anẹma'nobẹlẹ] [Lat.] Num ser nobre. [Diz-se de experiência feita num homem.]

inanimar-se [De *inânime* + *-ar*^{2} + *se*^{1}.] ***V. p.*** Tornar-se inânime ou inanimado: "O que quer que é de fremente se passava na alma do poeta .... mas todo esse frêmito se condensou, se resfriou, se inanimou." (João Gaspar Simões, *Novos Temas*, p. 83.)

→ **in anima vili** [ẹn 'anẹma'vilẹ] [Lat.] Num ser vil, *i. e.*, num animal.

inânime [Do lat. imper. *inanime*.] ***Adj. 2 g.*** V. *inanimado*.

inanir [Do lat. *inanire*.] ***V. t. d.*** **1.** Reduzir ao estado de inanição; extenuar. ***P.*** **2.** Cair em inanição; debilitar-se por falta de alimentação. [Defect. Só se conjuga nas f. em que ao *n* da raiz se segue *e* ou *i*. Pret. imperf. ind.: *inania, inanias*, etc. Cf. *inânia* e *inânias*.]

inanistiável [De *in-*^{2} + *anistiável*.] ***Adj. 2 g.*** Que não se pode anistiar; não anistiável.

inantéreo [De *in-*^{2} + *antera* + *-eo*.] ***Adj.*** *Bot. P. us.* Que não tem anteras.

inapacanim ***S. m.*** *Bras. Zool.* V. *apacanim*.

inapagado [De *in-*^{2} + *apagado*.] ***Adj.*** Que não se apaga, não se extingue: "a chama inapagada, a eterna chama / que anima essa defunta infanta ungida / e bem-amada e para sempre santa." (Jorge de Lima, *Obra Completa*, I, p. 602).

inapagável [De *in-*^{2} + *apagável*.] ***Adj. 2 g.*** Que não se pode apagar, extinguir.

inaparente [De *in-*^{2} + *aparente*.] ***Adj. 2 g.*** Não aparente.

inapelabilidade [De *inapelável* + *-(i)dade*, seg. o padrão erudito.] ***S. f.*** Qualidade de inapelável.

inapelável [De *in-*^{2} + *apelável*.] ***Adj. 2 g.*** De que não se pode apelar; de que não há apelação.

inapendiculado [De *in-*^{2} + *apendiculado*.] ***Adj.*** Desprovido de apêndices.

inaperto [Do lat. imp. *inapertu*.] ***Adj.*** *Bot.* **1.** Não aberto; que não tem fenda. **2.** Oco, vazio.

inaperturado [De *in-*^{2} + lat. *apertura*, 'abertura', + *-ado*^{1}.] ***Adj.*** *Bot.* Diz-se do grão de pólen destituído de poros germinativos.

inapetência [De *in-*^{2} + *apetência*.] ***S. f.*** Falta de apetite; anorexia. [Antôn.: *apetência*.]

inapetente [De *in-*^{2} + *apetente*.] ***Adj. 2 g.*** Que não apetece, não tem apetite, não deseja. [Antôn.: *apetente*.]

inaplicabilidade [De *inaplicável* + *-(i)dade*, seg. o padrão erudito.] ***S. f.*** Qualidade ou estado de inaplicável.

inaplicado [De *in-*^{2} + *aplicado*.] ***Adj.*** **1.** Que não tem ou não teve aplicação. **2.** V. *vadio* (4). **3.** Desatento, distraído.

inaplicável [De *in-*^{2} + *aplicável*.] ***Adj. 2 g.*** Que não é aplicável.

inapreciável [De *in-*^{2} + *apreciável*.] ***Adj. 2 g.*** **1.** Que não pode ser apreciado ou avaliado, dada sua extrema pequenez. **2.** Tão precioso que parece estar acima de toda a estima que se lhe possa ter.

inapreensível [De *in-*^{2} + *apreensível*.] ***Adj. 2 g.*** Que não se pode apreender; não apreensível.

inapresentável [De *in-*^{2} + *apresentável*.] ***Adj. 2 g.*** Não apresentável.

inapropriado [De *in-*^{2} + *apropriado*.] ***Adj.*** Não apropriado.

inaproveitado [De *in-*^{2} + *aproveitado*.] ***Adj.*** Que não se aproveitou; não aproveitado: "Braços para a lida, voz para a *Rosa Tirana* sobre o berço, as ancas serão fecundas a alimentar esta pobre, malfadada, inaproveitada raça do planalto!" (Aquilino Ribeiro, *Aldeia*, p. 189.)

inaproveitável [De *in-*^{2} + *aproveitável*.] ***Adj. 2 g.*** Não aproveitável.

inaptidão [De *in-*^{2} + *aptidão*.] ***S. f.*** **1.** Falta de aptidão; inabilidade, incapacidade: "Reconhecendo sua inaptidão para alguma das carreiras literárias, Emília lembrara-se de encaminhá-lo à vida mercantil." (José de Alencar, *Senhora*, p. 190.) **2.** Falta de inteligência; estupidez. [Cf. *ineptidão*.]

inapto [De *in-*^{2} + *apto*.] ***Adj.*** Não apto; não capacitado ou habilitado; inábil, incapaz: "tem o cérebro atrofiado, ... o corpo trêmulo, os braços pendentes. Está inapto para tudo por espaço de alguns dias." (Ramalho Ortigão, *As Farpas*, VIII, pp. 108-109); "Minha revolta .... em nada se prendia a interesse politiqueiro. Resultou .... da ideia de entregar-se o Estado a pessoa absolutamente inapta ao cargo." (Gilberto Amado, *Depois da Política*, p. 118.) [Cf. *inepto*.]

inaquídeo [Adapt. do tax. *Inachidae*.] *Zool.* ***S. m.*** **1.** Espécime dos inaquídeos, família de crustáceos decápodes dotados de olhos não retráteis e, ger., de carapaça subtriangular. • ***Adj.*** **2.** Pertencente ou relativo a eles.

▲ **-inar** ***Suf. verb.*** = 'ação frequentativa'; 'noção expressiva': *baratinar, embuzinar, encanzinar*.

inarabizado [De *in-*^{2} + *arabizado*.] ***Adj.*** Não arabizado: "Na parte inarabizada da Península, o Norte, o cristismo fanático dos inquisidores nunca pegou." (Fernando Pessoa, *Páginas Íntimas e de Autointerpretação*, p. 258.)

inarmonia [De *in-*^{2} + *harmonia*.] ***S. f.*** Falta de harmonia. [Cf. *enarmonia*.]

inarmónico ***Adj.*** V. *inarmônico*. [Uso freq. em P.]

inarmônico [De *in-*^{2} + *harmônico*.] ***Adj.*** Sem harmonia; inarmonioso, anarmônico: "Assimétrico, inarmônico, impertinente, desafinado, o monóculo é um assobio." (Martins Fontes, *Terras da Fantasia*, p. 112.) [Cf. *enarmônico*.]

inarmonioso (ô) [De *in-*^{2} + *harmonioso*.] ***Adj.*** V. *inarmônico*.

inarrável [De *in-*^{2} + *narrável*.] ***Adj. 2 g.*** Que não se pode narrar; indizível; inenarrável.

inarrecadável [De *in-*^{2} + *arrecadável*.] ***Adj. 2 g.*** Que não pode ser arrecadado.

inarredável [De *in-*^{2} + *arredável*.] ***Adj. 2 g.*** *Bras.* De que não é possível arredar-se ou afastar-se; a que se está firmemente preso; a que não se pode fugir; firme, inabalável: *convicções inarredáveis; decisão inarredável*.

inarticulado[1] [De *in-*^{2} + *articulado*.] ***Adj.*** **1.** Que não é articulado ou pronunciado, ou que o é com dificuldade: "O homem fazia esforços para falar, mas da sua boca saíam apenas sons inarticulados, esboços de palavras sem sentido" (Domingos Monteiro, *Enfermaria, Prisão e Casa Mortuária*, p. 140). **2.** Mal ou indistintamente pronunciado. **3.** Que não chegou a ser articulado ou pronunciado: "O menino ainda despertou de sua prostração, olhou-me com angústia e esboçou uma palavra que ficou inarticulada." (Oto Lara Resende, *O Retrato na Gaveta*, p. 52.)

inarticulado[2] [Adapt. do tax. *Inarticulata* (do lat. *inarticulata*, pl. n. de *inarticulatus*).] *Zool.* ***S. m.*** **1.** Espécime dos inarticulados, classe de metazoários braquiópodes desprovidos de articulação e com as duas valvas quase idênticas, constituídas por material quitinoso, provido de espículas calcárias. Ânus presente. • ***Adj.*** **2.** Pertencente ou relativo a eles. [Sin. ger.: *ecárdine*.]

inarticulável [De *in-*^{2} + *articulável*.] ***Adj. 2 g.*** Que não se pode articular ou pronunciar; não articulável: "começaram a reaprender as palavras, que se transformaram em letras separadas, sem significado e inarticuláveis, em estranhos vocábulos de sons belíssimos e com um sentido próprio" (Salim Miguel, *Alguma Gente*, p. 70).

→ **in articulo mortis** [ẹn ar̃'ticolɔ'mor̃tẹs] [Lat.] Em artigo de morte, i. e., no momento de morrer.

inartificial [Do lat. imp. *inartificiale*.] ***Adj. 2 g.*** Que não é artificial.

inartificioso (ô) [De *in-*^{2} + *artificioso*.] ***Adj.*** Não artificioso.

inartístico [De *in-*[2] + *artístico.*] ***Adj.*** Não artístico; feito sem arte.

inascível [Do lat. tard. *innascibile.*] ***Adj. 2 g.*** Que não pode nascer.

inassiduidade (u-i) [De *in-*[2] + *assiduidade.*] ***S. f.*** Falta de assiduidade; qualidade de inassíduo.

inassíduo [De *in-*[2] + *assíduo.*] ***Adj.*** Que não é assíduo.

inassimilado [De *in-*[2] + *assimilado.*] ***Adj.*** Não assimilado.

inassimilável [De *in-*[2] + *assimilável.*] ***Adj. 2 g.*** Não assimilável.

inassinável [De *in-*[2] + *assinável.*] ***Adj. 2 g.*** 1. Não assinável. 2. Que não se pode marcar ou assinalar.

inassistido [De *in-*[2] + *assistido.*] ***Adj.*** A que não se deu assistência; não assistido, não socorrido: "Os desmandibulados tocadores, / da terceira agonia inassistida" (Jorge de Lima, *Obra Completa*, I, p. 842).

inatacabilidade [De *inatacável* + *-(i)dade*, seg. o padrão erudito.] ***S. f.*** Qualidade de inatacável.

inatacável [De *in-*[2] + *atacável.*] ***Adj. 2 g.*** 1. Que não se pode atacar ou contestar; incontestável. 2. Que não se pode atacar ou censurar; incensurável, irrepreensível, irreprochável: *juiz inatacável; procedimento inatacável.*

inatenção [De *in-*[2] + *atenção.*] ***S. f.*** Falta de atenção; desatenção: "E entre a sombra e a luz / Que oscila no chão / Meu sonho conduz / Minha inatenção." (Fernando Pessoa, *Obra Poética*, p. 149.)

inatendível [De *in-*[2] + *atendível.*] ***Adj. 2 g.*** Que não pode ou não merece ser atendido.

inatingido [De *in-*[2] + *atingido*, part. de *atingir.*] ***Adj.*** Que não foi atingido; não atingido: "passam a vida a grimpar despenhadeiros à procura de picos inatingidos." (Gilberto Amado, *Minha Formação no Recife*, p. 176); "E P.ᵉ Saulo envelhecerá com a lembrança da noiva impossível, da noiva inatingida" (Geraldo França de Lima, *Branca Bela*, p. 279).

inatingível [De *in-*[2] + *atingível.*] ***Adj. 2 g.*** 1. Não atingível: "— Desejo de subir a inatingíveis cimos" (Hermes-Fontes, *Gênese*, p. 69). • ***S. m.*** 2. Aquele ou aquilo que não se pode atingir: "tudo quanto se quer dizer, ainda mesmo que seja o imponderável, o inatingível, o sobrenatural" (Martins Fontes, *A Dança*, p. 95).

inatismo [De *inato*[1] + *-ismo.*] ***S. m. Filos.*** Doutrina que admite a existência de ideias inatas (v. *ideia inata*).

inativar [De *inativo* + *-ar*[2].] ***V. t. d.*** Tornar inativo.

inatividade [De *inativo* + *-(i)dade.*] ***S. f.*** 1. Qualidade de inativo; inércia. 2. Situação de funcionários enquanto retirados do serviço ativo por disposição superior. [Cf., nesta acepç., *aposentadoria* (3), *reforma* (4) e *em atividade* (1).]

inativo [De *in-*[2] + *ativo.*] ***Adj.*** 1. Que não está em exercício; inerte. 2. Aposentado ou reformado (falando-se de funcionários ou empregados). 3. Paralisado; paralítico. ~ V. *verbo —*. • ***S. m.*** 4. Funcionário ou empregado inativo.

inato[1] [Do lat. *innatu*, part. pass. de *innasci*, 'nascer em'.] ***Adj.*** 1. Que nasce com o indivíduo; congênito, conato: "é inata ao homem esta tendência a fazer perguntas" (Eça de Queirós, *Ecos de Paris*, p. 225); "A linguagem não é uma coisa inata, não é um dom natural, mas um aprendizado." (Pedro Bloch, *Essas Crianças de Hoje!*, p. 11). 2. *Filos.* Que pertence à natureza do ser. ~ V. *ideia —a.*

inato[2] [Do lat. tard. *innatus* < lat. *in-* (v. *-in*[2]) + lat. *natus.*] ***Adj.*** Não nascido.

inatual [De *in-*[2] + *atual.*] ***Adj. 2 g.*** 1. Que não está atualizado; que não tem atualidade; sem interesse atual: *obra inatual.* 2. Que está fora do seu tempo, da sua época; volvido para o passado: *É um indivíduo antiquado, inatual.*

inatualidade [De *inatual* + *-(i)dade.*] ***S. f.*** Caráter de inatual: "com a releitura das suas obras [de Fialho de Almeida], a verificação .... da sua atualidade ou da sua inatualidade, dos valores que a constituem" (Luís Forjaz Trigueiros, *Perspectivas*, I, p. 55).

inatural [De *in-*[2] + *natural.*] ***Adj. 2 g.*** Que não é natural.

inaturalidade [De *inatural* + *-(i)dade.*] ***S. f.*** Qualidade de inatural; falta de naturalidade.

inaturável [De *in-*[2] + *aturável.*] ***Adj. 2 g.*** Não aturável; insuportável, intolerável.

inauditismo [De *inaudito* + *-ismo.*] ***S. m.*** Qualidade de inaudito.

inaudito (dí) [Do lat. *inauditu*, 'não ouvido'.] ***Adj.*** 1. Que nunca se ouviu dizer; de que não há exemplo; extraordinário: "Encarou a mulher, com um susto, como se ambos houvessem .... presenciado uma catástrofe inaudita." (José Geraldo Vieira, *A Mulher Que Fugiu de Sodoma*, p. 13.) 2. Fantástico, inacreditável, incrível.

inaudível [Do lat. tard. *inaudibile.*] ***Adj. 2 g.*** Que não se pode ouvir; não audível: "Duas pancadas quase inaudíveis na porta e a sua voz de comando: 'Entre!'" (Austregésilo de Ataíde, *Conversas na Barbearia Sol*, p. 11.)

inauferível [De *in-*[2] + *auferível.*] ***Adj. 2 g.*** 1. Que não pode ser auferido. 2. De que não se pode privar alguém. 3. Inerente, peculiar: "as tão provadas qualidades essenciais e inauferíveis da puerícia" (Antônio Feliciano de Castilho, *Outono*, p. XXVI). [Cf. *inaferível.*]

inauguração [Do lat. tard. *inauguratione.*] ***S. f.*** 1. Ato de inaugurar(-se). 2. Solenidade com que se inaugura estabelecimento, instituição, edifício. 3. Fundação, implantação.

inaugurador (ô) [De *inaugurar* + *-dor.*] ***Adj. S. m.*** Que, ou aquele que inaugura.

inaugural [De *inaugurar* + *-al*[1].] ***Adj. 2 g.*** 1. Referente a inauguração. 2. Que inaugura ou inicia; inicial: *sessão inaugural.* ~ V. *aula —.*

inaugurar [Do lat. *inaugurare.*] ***V. t. d.*** 1. Expor pela primeira vez à vista ou ao uso do público: *inaugurar uma exposição; inaugurar um museu.* 2. Introduzir o uso de; estabelecer pela primeira vez; começar, principiar, encetar: *O século XX inaugurou muitas ideias e costumes.* 3. Iniciar o funcionamento de: *Inaugurou o teatro com uma peça moderna.* ***T. d. e i.*** 4. Consagrar, dedicar: *Inauguram hoje uma estátua à ciência.* ***P.*** 5. Começar, principiar, encetar-se, iniciar-se: "O jornalismo se inaugurou em Pernambuco em 1821." (Arnoldo Jambo, *Diário de Pernambuco*, p. 75.)

inaugurativo [De *inaugurar* + *-tivo.*] ***Adj.*** Que serve para inaugurar, com que se inaugura; inauguratório.

inauguratório [De *inaugurar* + *-tório.*] ***Adj.*** Inaugurativo.

inaumentável [De *in-*[2] + *aumentável.*] ***Adj. 2 g.*** 1. Que não se pode aumentar; não aumentável. • ***S. m.*** 2. O que não é aumentável: "Eu tinha ido preparado para reagir contra toda sensação ditada por D'Annunzio (v. *d'annunziano*) — mas o poeta em nada influíra para aumentar o inaumentável." (Gilberto Amado, *Mocidade no Rio e Primeira Viagem à Europa*, p. 350.)

inautenticidade [De *in-*[2] + *autenticidade.*] ***S. f.*** Falta de autenticidade.

inautêntico [De *in-*[2] + *autêntico.*] ***Adj.*** Não autêntico.

inavegabilidade [De *inavegável* + *-(i)dade*, seg. o padrão erudito.] ***S. f.*** Qualidade de inavegável.

inavegado [De *in-*[2] + *navegado.*] ***Adj.*** Não navegado: "Mares inavegados e bravios" (Ricardo Gonçalves, *Ipês*, p. 81).

inavegável [Do lat. imp. *innavigabile.*] ***Adj. 2 g.*** Que não pode ser navegado.

inaveriguabilidade [De *inaveriguável* + *-(i)dade*, seg. o padrão erudito.] ***S. f.*** Qualidade de inaveriguável.

inaveriguável [De *in-*[2] + *averiguável.*] ***Adj. 2 g.*** Não averiguável.

inavistável [De *in-*[2] + *avistável.*] ***Adj. 2 g.*** Não avistável.

inca [Do quíchua *inca*, pelo esp. *inca.*] ***S. 2 g.*** 1. Membro de uma dinastia reinante no Peru na época da conquista espanhola. 2. Título dos soberanos dessa dinastia. 3. *P. ext.* Indivíduo dos incas, povo indígena quíchua submetido à dominação da dinastia incaica. • ***Adj. 2 g.*** 4. Incaico.

incabal [De *in-*[2] + *cabal.*] ***Adj. 2 g.*** Que não é bastante; não cabal: "Incontáveis são os [termos] incabais de designarem apropriadamente um objeto sem o apêndice de segundo termo; daí a frequência das circunloquções." (José Oiticica, *Manual de Estilo*, p. 15.)

incabível [De *in-*[2] + *cabível.*] ***Adj. 2 g.*** Que não tem cabimento; não cabível.

incaico [De *inca* + *-aico.*] ***Adj.*** Relativo ou pertencente aos incas; inca.

incalcinável [De *in-*[2] + *calcinável.*] ***Adj. 2 g.*** Não calcinável.

incalculável [De *in-*[2] + *calculável.*] ***Adj. 2 g.*** 1. Não calculável: *grandeza incalculável; número incalculável.* 2. Muitíssimo numeroso; inumerável, incontável: "Via-me prodigiosamente rico: tinha palácios, pertenciam-me o tesouro público, os cofres de todos os usurários, possuía riquezas incalculáveis" (Joaquim Manuel de Macedo, *Os Romances da Semana*, p. 70).

incaluniável [De *in-*[2] + *caluniável.*] ***Adj. 2 g.*** Não caluniável.

incameração [De *incamerar* + *-ção.*] ***S. f.*** Ato de o Estado apossar-se dos bens da Igreja.

incancelável [De *in-*[2] + *cancelável.*] ***Adj. 2 g.*** Que não se pode cancelar; não cancelável.

incandescência [De *incandescer* + *-ência*; fr. *incandescent.*] ***S. f.*** 1. Estado de incandescente. 2. *Fís.* Emissão de radiação luminosa por parte de um corpo aquecido. [Cf., nesta acepç., *fluorescência.*]

incandescente [De *incandescer* + *-nte*; fr. *incandescent.*] ***Adj. 2 g.*** 1. Que está em brasa; ardente, candente: "é .... a hora em que chega a brisa do mar e derrama por essa atmosfera incandescente como uma fornalha, a sua frescura, consoladora." (José de Alencar, *O Sertanejo*, p. 32.) 2. *Fig.* Exaltado, arrebatado, ardente, fogoso: *alma incandescente*; "nos últimos lustros do Império, aquela província [o Ceará] tornara-se causa de intermináveis, esterilizadoras, incandescentes e insuportáveis discussões" (Visconde de Taunay, *Reminiscências*, p. 147).

incandescer [Do lat. *incandescere.*] ***V. t. d.*** 1. Tornar candente; pôr em brasa; escandescer. ***Int.*** 2. Tornar-se candente; escandescer. [Conjug.: v. *crescer.*]

incano [Do lat. *incanu.*] ***Adj. Bot.*** ~ V. *folha —a.* [Cf. *encano*, do v. *encanar.*]

incansabilidade [De *incansável* + *-(i)dade*, seg. o padrão erudito.] ***S. f.*** Qualidade de incansável.

incansado [De *in-*[2] + *cansado.*] ***Adj.*** Que não se cansa, ou não se cansou; não cansado: "à Deusa Imortal, que, sobre o leito de pedras preciosas, ... encontrou incansada e pronta a força daqueles braços que tinham abatido vinte troncos!" (Eça de Queirós, *Contos*, p. 336).

incansável [De *in-*[2] + *cansável.*] ***Adj. 2 g.*** 1. Que não se cansa. 2. Assíduo, constante. 3. Ativo, laborioso: "Aos 97 anos Chagall é um trabalhador incansável." (*Jornal do Brasil*, 15.08.1984.)

incapacidade [De *in-*[2] + *capacidade.*] ***S. f.*** Falta de capacidade; inaptidão.

incapacíssimo [Do lat. *incapacissimu.*] ***Adj.*** Superl. abs. sint. de *incapaz.*

incapacitação [De *incapacitar* + *-ção.*] ***S. f.*** Ação ou efeito de incapacitar(-se).

incapacitado [Part. de *incapacitar.*] ***Adj. S. m.*** Diz-se de, ou indivíduo que, por incapacidade física ou psíquica, não tem a faculdade de realizar determinadas tarefas: *reeducação de incapacitados.*

incapacitante [De *incapacitar* + *-nte.*] ***Adj. 2 g.*** Que incapacita.

incapacitar [De *in-*[2] + *capacitar.*] ***V. t. d. T. d. e i.*** 1. Tornar incapaz; inabilitar: *Quer trabalhar, mas o seu estado de saúde incapacita-o; Sua doença incapacita-o para o serviço público.* ***P.*** 2. Tornar-se incapaz; inabilitar-se.

incapacitável [De *in-*[2] + *capacitável.*] ***Adj. 2 g.*** Que não se pode capacitar.

incapaz [Do lat. tard. *incapace.*] ***Adj. 2 g.*** 1. Que não é capaz. 2. Impossibilitado; inabilitado. 3. Inábil, ignorante. [Superl. abs. sint.: *incapacíssimo.*] 4. *Jur.* Que não tem capacidade legal; inábil. [Diz-se daquele que não tem capacidade de fato para o exercício pessoal de seus direitos ou de determinadas funções em razão da idade ou de outra limitação prevista em lei.] • ***S. 2 g.*** 5. Pessoa incapaz.

incaptável [De *in-*[2] + *captável.*] ***Adj. 2 g.*** Que não se pode captar; inapreensível: "Coisa por demais sabida é que as intenções dos poetas são frequentemente incaptáveis em todo o seu valor" (Péricles Eugênio da Silva Ramos, *O Amador de Poemas*, p. 63).

inçar [Do lat. **indiciare.*] ***V. t. d.*** 1. Povoar de prole copiosa (de animais, em especial insetos ou parasitos): *As formigas inçaram as plantações.* 2. Tomar conta de; espalhar-se pela superfície de; tomar; cobrir: *Os parasitos inçaram o corpo da criança; A erva-de-passarinho inçou a plantação.* 3. Alastrar-se ou espalhar-se por: *Depois da enchente uma epidemia inçou a região alagada.* 4. Aparecer em grande quantidade; encher: *Erros crassos inçavam o discurso.* ***T. d. e i.*** 5. Encher, cobrir (de parasitos animais): *A falta de higiene inçou-lhe a cabeça de piolhos.* ***P.*** 6. Encher-se; cobrir-se. 7. Contaminar-se, contagiar-se. [Conjug.: v. *laçar.* Cf. *içar.*]

incaracterístico [De *in-*[2] + *característico.*] ***Adj.*** 1. Não característico. 2. Que não tem traços característicos; confundível; vulgar: "uma estação de estrada de ferro incaracterística e triste, e umas casas poucas e modestas." (Augusto Frederico Schmidt, *O Galo Branco*, p. 156.) [Var.: *incaraterístico.*]

incaracterizar [De *incaracter(ístico)* + *-izar.*] ***V. t. d. P.*** Tornar(-se) incaracterístico; descaracterizar(-se).

incaraterístico ***Adj.*** V. *incaracterístico*: "Eram sujeitos lineares, por assim dizer, almas incaraterísticas" (João Alphonsus, *Eis a Noite!*, p. 81).

incardinar [Do it. *incardinare.*] ***V. t. d. Rel.*** Admitir (clérigo) numa diocese.

incásico [Do fr. *incasique.*] ***Adj.*** Relativo ou pertencente à dinastia dos incas.

incasto [De *in-*[2] + *casto.*] ***Adj.*** Que não é casto; impudico; desonesto, impuro: "Ah! viver pelo amor, sem que, contudo, / Dentro do peito, para sempre mudo, / Um pensamento incasto desabroche!" (Martins Fontes, *Verão*, p. 148.)

incausado [De *in-*[2] + *causado.*] ***Adj.*** Sem causa; sem motivo: "Com o tempo e por experiência própria, aprendi que essa melancolia incausada, que nos rói de mansinho, não vem das coisas de fora, nem mesmo das de dentro." (Ciro dos Anjos, *A Menina do Sobrado*, p. 34.)

incauto [Do lat. *incautu.*] *Adj.* **1.** Não acautelado; imprudente. **2.** Crédulo, ingênuo. ● *S. m.* **3.** Indivíduo incauto.

■ **INCC** Sigla de *Índice Nacional da Construção Civil.*

incelência *S. f. Bras. N.E. Pop.* V. *excelência* (3).

incender [Do lat. *incendere.*] *V. t. d.* **1.** Fazer arder ou como que fazer arder; pôr fogo a; inflamar: "O Sol incende as águas da barragem." (Valdemar Lopes, *Sonetos de Portugal*, p. 41.) **2.** Fazer corar; afoguear, avermelhar, ruborizar: *O amor incendeu-lhe as faces.* **3.** *Fig.* Estimular, entusiasmar; excitar, incitar: *O relato aventuroso incendeu seu ânimo.* **4.** Excitar, despertar, provocar, suscitar: "soprar fagulhas de fé, incender vislumbres de esperança" (Capistrano de Abreu, *Ensaios e Estudos*, 1.ª série, p. 56). *P.* **5.** Arder; inflamar-se, acender-se. **6.** Afoguear-se, abrasar-se, ruborizar-se. **7.** Estimular-se, entusiasmar-se, excitar-se, incitar-se.

incendiar [De *incêndio* + *-ar*[2].] *V. t. d.* **1.** Pôr, atear fogo a; fazer arder; queimar: "comprou duas latas de querosene, derramou-as em dois vagões da linha, incendiou-os" (Osmã Lins, *Nove, Novena*, p. 99). **2.** Afoguear, avermelhar, abrasar, como que num incêndio: "Lá fora o sol incendiava as pedras de ferro da calçada, e as janelas bordavam-se de fios de ouro reluzente." (Cornélio Pena, *Fronteira*, p. 26.) **3.** Excitar, inflamar, abrasar: "pintava-se o insulto do inglês com cores carregadas e os agentes oficiosos .... procuravam incendiar os ânimos" (Inglês de Sousa, *Contos Amazônicos*, pp. 100-101). *P.* **4.** Queimar, arder; abrasar-se, inflamar-se. **5.** Inflamar-se, excitar-se, exaltar-se: *Incendiou-se em fúria impotente.* [Irreg. Conjug.: v. *odiar.* Fut. pret.: *incendiaria*, etc. Cf. *incendiária*, fem. de *incendiário.*]

incendiário [Do lat. imp. *incendiariu.*] *Adj.* **1.** Que comunica fogo a alguma coisa. **2.** Que é próprio para incêndio. **3.** *Fig.* Excitante, animador. ~ V. *bomba —a.* ● *S. m.* **4.** Aquele que incendeia. **5.** *Fig.* Revolucionário (3) exaltado. [Fem.: *incendiária.* Cf. *incendiaria*, do v. *incendiar.*]

incendido [Part. de *incender.*] *Adj.* **1.** Aceso, ardente, inflamado. **2.** Da cor do fogo; vermelho como brasa; afogueado, rubro.

incendimento [De *incender* + *-imento.*] *S. m.* Ato ou efeito de incender(-se).

incêndio [Do lat. *incendiu.*] *S. m.* **1.** Ato ou efeito de incendiar. **2.** Fogo que lavra com intensidade, destruindo e, às vezes, causando prejuízos: *incêndio na mata, num edifício.* **3.** *Fig.* Grande estrago ou destruição; calamidade. **4.** *Fig.* Conflagração, guerra. **5.** *Fig.* Entusiasmo, ardor.

incendioso (ô) [De *incêndio* + *-oso.*] *Adj.* Respeitante a incêndio.

incensação [De *incensar* + *-ção.*] *S. f.* Ato ou efeito de incensar; incensamento, incensadela.

incensadela [De *incensar* + *-dela.*] *S. f.* **1.** Ato de incensar de leve. **2.** V. *incensação.*

incensador (ô) [De *incensar* + *-dor.*] *Adj. S. m.* **1.** Que, ou aquele que incensa. **2.** V. *bajulador* (1 e 2).

incensamento [De *incensar* + *-mento.*] *S. m.* V. *incensação.*

incensar [Do lat. tard. *incensare.*] *V. t. d.* **1.** Defumar ou perfumar com incenso; turibular. **2.** *Fig.* Fazer elogios excessivos a; adular, bajular, turibular: *Vive a incensar os poderosos.* **3.** Iludir com lisonjas. *Int.* **4.** Fazer bajulações; proceder como bajulador.

incensário [De *incenso* + *-ário.*] *S. m. Lit.* V. *turíbulo*: "vários / Quentes incensos índicos queimando, / Oscilavam de leve os incensários." (Olavo Bilac, *Poesias*, p. 135).

incenso [Do lat. tard. *incensu.*] *S. m.* **1.** Resina extraída de árvores burseráceas, estiracáceas e anacardiáceas, ou preparação contendo tais resinas e essências naturais aromáticas, que se queima para perfumar o ambiente. [É amplamente us. em celebrações litúrgicas e designava, originalmente, a resina extraída do olíbano (3).] **2.** *Bot.* Árvore burserácea (*Boswellia serrata*) nativa da Índia, de folhas imparipenadas, flores esbranquiçadas, em cachos, e frutos capsulares, sendo cultivada pela resina aromática e pela madeira. **3.** *Bot.* Arbusto pitosporáceo (*Pittosporum tennuifolium*) de folhas ovadas ou elípticas, inflorescências aromáticas e frutos globosos, nativo da Nova Zelândia; é cultivado como ornamental. **4.** *Fig.* Lisonja, adulação, bajulação.

incenso de caiena *S. m. Bras.* Resina do aruru, de propriedades antiblenorrágicas e diuréticas; chispa. [Pl.: *incensos de caiena.*] ☑

incensório [Do lat. med. *incensoriu.*] *S. m. Lit.* V. *turíbulo*: "Lá estava ele [o padre], lançando fumo do incensório, ou lá como se chamava aquela chaleira estilo samovar russo, sobre as ruínas e escombros." (Pepetela, *O Desejo de Kianda*, p. 44.)

incensurável [De *in-*[2] + *censurável.*] *Adj. 2 g.* **1.** Não censurável. **2.** Correto, virtuoso, impoluto.

incentivador (ô) [De *incentivar* + *-dor.*] *Adj.* **1.** Que incentiva. ● *S. m.* **2.** Aquele ou aquilo que incentiva.

incentivar [De *incentivo* + *-ar*[2].] *V. t. d. T. d. e i.* Dar incentivo a; estimular, incitar.

incentivo [Do lat. *incentivu.*] *Adj.* **1.** Que incentiva; que incita ou excita. ● *S. m.* **2.** Aquilo que incentiva, que incita ou excita; estímulo. ◆ **Incentivo fiscal.** *Econ.* Isenção ou redução de impostos estabelecida em lei para estimular gastos privados em certas áreas ou programas: *A industrialização do Nordeste foi favorecida por incentivos fiscais.*

incentor (ô) [Do lat. tard. *incentore.*] *S. m.* Aquele que incita, excita, estimula.

incerimonioso (ô) [De *in-*[2] + *cerimonioso.*] *Adj.* Não cerimonioso; avesso a cerimônias.

incerta [F. subst. do adj. *incerto.*] *El. s. f.* Us. na loc. v. *dar uma incerta.* ◆ **Dar uma incerta.** *Bras.* **1.** *Gír. Mil.* Passar revista de surpresa, sem aviso prévio. **2.** *P. ext.* Ir a um lugar, ou fazer alguma coisa, sem combinação ou decisão ou determinação prévia, ou de modo inesperado.

incertar [De *incerto* + *-ar*[2].] *V. t. d. P. us.* Tornar incerto, duvidoso. [Pres. ind.: *incerto*, etc. Cf. *inserto.*]

incerteza (ê) [De *in-*[2] + *certeza.*] (ê) *S. f.* Falta de certeza; hesitação; indecisão, perplexidade, dúvida.

incerto [Do lat. *incertu.*] *Adj.* **1.** Não certo; indeterminado, impreciso: *data incerta.* **2.** Duvidoso, hipotético, problemático, contingente, aleatório: *resultado incerto; futuro incerto.* **3.** Ambíguo, equívoco, vago: *olhar incerto.* **4.** Pouco nítido; indistinto, indeciso: *cor incerta; forma incerta.* **5.** Pouco firme; inseguro, vacilante: *passos incertos.* **6.** Inconstante, variável, mudável: *tempo incerto.* **7.** Indeciso, irresoluto, vacilante, hesitante: *Estou incerto quanto à ida a Teresópolis.* ● *S. m.* **8.** Aquilo que não é certo: *O incerto não me atrai: gosto das coisas positivas.* **9.** Quantidade variável nas relações cambiais. [Cf. *inserto.*]

incessante [De *in-*[2] + *cessante.*] *Adj. 2 g.* **1.** Que não cessa; repetido, contínuo. **2.** Constante, assíduo.

incessibilidade [De *incessível* + *-(i)dade*, seg. o padrão erudito.] *S. f.* Qualidade de incessível.

incessível [De *in-*[2] + *cessível.*] *Adj. 2 g.* Que não se pode ceder.

incestar [Do lat. *incestare.*] *V. t. d.* **1.** Poluir ou desonrar com incesto. *Int.* **2.** Cometer incesto. [Cf. *encestar.*]

incesto (é) [Do lat. *incestu.*] *S. m.* **1.** União sexual ilícita entre parentes consanguíneos, afins ou adotivos. ● *Adj.* **2.** *Ant.* Torpe, incasto, incestuoso. [Cf. *encesto*, do v. *encestar.*]

incestuoso (ô) [Do lat. tard. *incestuoso.*] *Adj.* **1.** Referente a incesto. **2.** Que praticou incesto. **3.** Que provém de união incestuosa. ~ V. *filho —.* ● *S. m.* **4.** Indivíduo incestuoso.

incha [Dev. de *inchar*, poss.] *S. f. Pop.* Aversão, ódio, rancor.

inchação [Do lat. *inflatione.*] *S. f.* **1.** Ato ou efeito de inchar; inchamento. **2.** Tumor, anasarca. [Sin. (pop.): *inchaço, inchume* e (bras., N.E.) *mondrongo.*] **3.** *Fam.* Arrogância, presunção, vaidade.

inchaço [De *inchar* + *-aço.*] *S. m. Pop.* V. *inchação* (2).

inchado [Part. de *inchar.*] *Adj.* **1.** Que tem inchação. **2.** *Fig.* Cheio de si; enfatuado, empolado, afetado. **3.** *Fig.* Pando, enfunado: "Galerno e fresco o vento sussurrava / Pelas inchadas velas." (Almeida Garrett, *Camões*, I, 7.) **4.** *Bras.* Diz-se do fruto que ainda não amadureceu bem.

inchamento [De *inchar* + *-mento.*] *S. m.* Inchação (1).

inchar [Do lat. *inflare.*] *V. t. d.* **1.** Tornar túmido; intumescer. **2.** Aumentar o volume de; dilatar: *Ingeriu uma papa de farinha com água que lhe inchou o ventre.* **3.** Aumentar o volume de; engrossar: *As enchentes incharam os cursos de água.* **4.** V. *enfunar* (1): "Os ventos brandamente respiravam, / Das naus as velas côncavas inchando" (Luís de Camões, *Os Lusíadas*, I, 19). **5.** Tornar vaidoso; ensoberbecer, enfatuar: *O elogio do mestre inchou o aluno.* **6.** Tornar empolado (o estilo). *Int. P.* **7.** Tornar-se tumefato; intumescer-se. **8.** Aumentar de volume; dilatar-se; engrossar: "Os aguaçais inchavam, subiam rubros, reluzindo, e transbordavam" (Coelho Neto, *Treva*, p. 368). **9.** Encher-se de vaidade e orgulho; ensoberbecer-se. **10.** Encher-se de raiva; irar-se, enfurecer-se.

inchume [De *inchar* + *-ume.*] *S. m. Bras. Pop.* V. *inchação* (2).

incicatrizável [De *in-*[2] + *cicatrizável.*] *Adj. 2 g.* Não cicatrizável: "fístulas d'escrófula, incicatrizáveis chagas" (Fialho d'Almeida, *Os Gatos*, V, p. 173).

incidência [Do lat. med. *incidentia.*] *S. f.* **1.** Qualidade do que é incidente. **2.** Ação de incidir. **3.** *Dir. Tribut.* Fenômeno fiscal caracterizado pela situação em que o tributo se torna devido pelo contribuinte por ter ocorrido o seu fato gerador; determinação do contribuinte ao pagamento do imposto. [Cf., nesta acepç., *percussão* (3).]

incidentado [De *incidente* + *-ado*[1].] *Adj.* Cortado de incidentes.

incidental [De *incidente* + *-al*[1].] *Adj. 2 g.* Respeitante a, ou que tem caráter de incidente (3). ~ V. *música —.*

incidente [Do lat. *incidente*, part. pres. de *incidere.*] *Adj. 2 g.* **1.** Que incide, ocorre, sobrevém [v. *incidir*[1] (6)]; superveniente. **2.** *E. Ling.* Diz-se da oração acessória que se liga por pronome relativo a uma das palavras da oração principal a fim de completar-lhe a significação. ● *S. m.* **3.** Circunstância acidental; episódio; aventura, peripécia: "O marido é sempre para a mulher uma garantia do presente e uma garantia do futuro; o amante é nada mais do que um incidente arriscado." (Aluísio Azevedo, *Livro de uma Sogra*, p. 42.) **4.** *Jur.* Questão acessória por decidir, surgida no curso da demanda principal.

incidir[1] [Do lat. *incidere* (< lat. *in-* [v. *in-*[1]] + lat. *cadere*, 'cair', com apofonia).] *V. t. i.* **1.** Recair; pesar: *As correções incidiam sobre erros leves.* **2.** Cair, incorrer: "Curioso notar que Rui, não querendo incidir em contradição com sua teoria, considerou logo a seguir que, para conjurar aquele risco, a praxe havia restringido a reeleição do presidente dos Estados Unidos a uma única vez." (João Neves da Fontoura, *Memórias*, I, p. 15.) **3.** Coincidir (1). **4.** Acometer, atacar: *A tuberculose incide altamente em indivíduos malnutridos.* *T. c.* **5.** Recair; refletir-se: "A luz do Sol incidia fracamente sobre a mancha branca e alongada do areão distante." (Herberto Sales, *Cascalho*, p. 289.) *Int.* **6.** Acontecer, ocorrer, sobrevir: *Incidiu um contratempo, e a viagem foi cancelada.* [Pret. imperf. ind.: *incidia, incidias, incidia, incidíamos, incidíeis, incidiam.* Cf. *incindir*, o pres. ind. de *insidiar* e o s. f. *insídia.*]

incidir[2] [Do lat. *incidere* (< lat. *in-* [v. *in-*[1]] + lat. *caedere*, 'cortar', com apofonia).] *V. t. d. Med. Ant.* Atenuar, atalhar. [Pret. imperf. ind.: *incidia, incidias, incidia, incidíamos, incidíeis, incidiam.* Cf. *incindir*, o pres. ind. de *insidiar* e o s. f. *insídia.*]

incindir [Do lat. tard. *inscindere.*] *V. t. d. Desus.* Dividir, separar. [Pret. imperf. ind.: *incindia, incindias*, etc. Cf. *incidir*, e o pres. ind. de *insidiar.*]

incindível [De *incindir* + *-vel.*] *Adj. 2 g.* Que pode ser incindido.

incineração [Do lat. med. *incineratione.*] *S. f.* Ato ou efeito de incinerar.

incinerador (ô) [De *incinerar* + *-dor.*] *Adj. S. m.* Diz-se de, ou aparelho onde se incinera.

incinerar [Do lat. med. *incinerare.*] *V. t. d.* **1.** Queimar até reduzir a cinzas: *Incinerou vários papéis velhos;* "Não discutiremos .... a opinião de que o fogo destrói sementes de capim ou incinera raízes de plantas forrageiras, porque já foi .... demonstrada a inconsequência desse modo de ver." (M. Cavalcanti Proença, *No Termo de Cuiabá*, p. 63.) *P.* **2.** Perder o ardor, o fogo. [Sin. ger.: *cinerar.*]

incinerável [De *incinerar* + *-vel.*] *Adj. 2 g.* Que pode ser incinerado.

incipiência [De *incipiente* + *-ia*[2], seg. o padrão anal.] *S. f.* **1.** Qualidade ou característica de incipiente. **2.** *Fig.* Inexperiência.

incipiente [Do lat. *incipiente*, part. pres. de *incipere*, 'começar'.] *Adj. 2 g.* Que está no começo; principiante: "Esse mato baixo sustenta a indispensável camada de húmus, resguarda e entretém a vida incipiente das árvores destinadas à máxima expansão." (Amadeu Amaral, *O Elogio da Mediocridade*, p. 11.) [Cf. *insipiente.*]

➔**incipit** [en'kipet] [Lat., subst. da 3.ª pess. do sing. do pres. do ind. do v. lat. *incipere*, 'começar'.] *S. m. E. Ling.* Palavra que anuncia o início de um texto. [Cf. *explicit.*]

incircuncidado [De *in-*[2] + *circuncidado.*] *Adj.* Não circuncidado; incircunciso.

incircuncisão [Do lat. tard. *incircumcisione.*] *S. f.* Falta ou ausência de circuncisão; estado de incircunciso.

incircunciso [Do lat. tard. *incircumcisu.*] *Adj.* **1.** Que não é circunciso; incircuncidado. ● *S. m.* **2.** Aquele que não é circunciso.

incircunscritível [De *in-*[2] + lat. *circumscriptus*, part. pass. de *circumscribere*, + *-ível.*] *Adj. 2 g.* Que não se pode circunscrever.

incircunscrito [Do lat. tard. *incircumscriptu.*] *Adj.* Que não é circunscrito.

incircunstancial [De *in-*[2] + *circunstancial.*] *Adj. 2 g.* Que não é determinado por circunstância; não dependente de circunstância; não circunstancial: "frustrada .... essa íntima aliança do surto lírico incircunstancial com um tipo de composição intensiva e coerente, resta aos poetas inteiros a solicitação metafísica" (Vitorino Nemésio, *Conhecimento de Poesia*, p. 163).

incisa [F. subst. de *inciso.*] *S. f. Mús.* V. *inciso* (5).

incisal [De *incis(ivo)* + *-al*[1].] *Adj. 2 g. Odont.* Diz-se da borda dos dentes incisivos e caninos próxima à área de contato com os dentes da arcada oposta.

incisão [Do lat. *incisione.*] ***S. f.*** **1.** Corte, talho, golpe, incisura. **2.** *Cir.* Abertura da pele ou de parte(s) mole(s) feita com instrumento cortante.

incisar [De *inciso* + *-ar*^{2}.] ***V. t. d.*** Fazer incisão em: “as moças tomavam de um canivetinho, com que incisavam a delgada película das esferas translúcidas” (Melo Morais Filho, *Festas e Tradições Populares do Brasil*, p. 126).

incisional [De *incisão* + *-al*^{1}, seg. o padrão erudito.] ***Adj. 2 g.*** Relativo ou consequente a incisão. ~ V. *hérnia* —.

incisividade [De *incisivo* + *-(i)dade.*] ***S. f.*** Qualidade de incisivo: “Para dizer que alguém usa linguagem aguda e certa, tem o inglês *incisiveness.* Nossos dicionários traduzem ‘qualidade de incisivo’. Eu uso incisividade.” (Gilberto Amado, *Depois da Política*, p. 196.)

incisivo [Do lat. med. *incisivu.*] ***Adj.*** **1.** Que corta ou é próprio para cortar. **2.** *Fig.* Decisivo, pronto, direto, sem rodeios: “Resoluto e incisivo, proibiu que o jornal .... me apresentasse como um peculatário.” (Lima Júnior, *Alguns Homens do Meu Tempo*, p. 41.) **3.** *Fig.* Cortante, agudo, penetrante. ~ V. *dente* —. • ***S. m.*** **4.** *Anat.* V. *dente* (1).

inciso [Do lat. *incisu.*] ***Adj.*** **1.** Ferido com o gume de objeto cortante; cortado. **2.** *Bot.* Que exibe recortes marginais mais ou menos profundos e irregulares: *folha incisa; pétala incisa.* **3.** *Tip.* Diz-se do tipo de obra de aspecto lapidar e cujas serifas, triangulares e originalmente em forma de espessamento das hastes, se projetam em ponta mais ou menos aguda. [V. *letra latina.*] ~ V. *ferida —a.* • ***S. m.*** **4.** Frase que corta outra, interrompendo-lhe o sentido. **5.** *Mús.* Cada um dos membros de uma frase musical. [No Brasil é m. us. a f. fem. *incisa.*] **6.** V. *alínea* (2). **7.** *Tip.* Tipo inciso.

incisor (ô) [Do lat. tard. *incisore.*] ***Adj.*** **1.** V. *incisório.* • ***S. m.*** **2.** Aquele ou aquilo que corta.

incisório [De *incisor* + *-io*^{3}.] ***Adj.*** Que corta; incisivo, incisor.

incisura [Do lat. imp. *incisura.*] ***S. f.*** **1.** V. *incisão* (1). **2.** *Anat.* Designação genérica de depressão ou chanfradura, tal como ocorre, p. ex., em certos ossos.

incitabilidade [De *incitável* + *-(i)dade*, seg. o padrão erudito.] ***S. f.*** Qualidade de incitável.

incitação [Do lat. *incitatione.*] ***S. f.*** **1.** Ato ou efeito de incitar(-se); incitamento. **2.** Aquilo que incita, impele à ação; incentivo, estímulo; incitamento: *Seu discurso foi uma incitação veemente à revolta.* **3.** *Fisiol.* Estímulo vindo dos centros nervosos para a periferia.

incitador (ô) [Do lat. tard. *incitatore.*] ***Adj.*** **1.** V. *incitante.* • ***S. m.*** **2.** Aquele que incita. [Sin. ger.: *concitador.*]

incitamento [Do lat. *incitamentu.*] ***S. m.*** V. *incitação* (1 e 2). [Cf. *encetamento.*]

incitante [De *incitar* + *-nte.*] ***Adj. 2 g.*** Que incita; incitador, incitativo.

incitar [Do lat. *incitare.*] ***V. t. d.*** **1.** Instigar, impelir, mover: *A ambição do poder incitara-o desde a infância.* **2.** Estimular, instigar, excitar: *A música muito alegre incitara os ânimos dos dançarinos.* **3.** Provocar, suscitar, ocasionar: *Sua atitude de superioridade incitou o revide.* **4.** Açular, instigar (um animal): “Incitava os cães: Isca! isca!” (Coelho Neto, *Sertão*, p. 361). ***T. d. e i.*** **5.** Instigar, mover, compelir: “Seu olhar [de Leonor Teles] umedecido de prazer vivíssimo, incitava o rei à desafronta, à morte.” (Antero de Figueiredo, *Leonor Teles*, p. 123); *Incitei-o a publicar o livro.* ***P.*** **6.** Estimular-se, excitar-se. **7.** Irritar-se, encolerizar-se, enfurecer-se. [Pres. ind.: *incito*, etc. Cf. *ínsito*, adj., e *encetar*, v.]

incitativo [De *incitar* + *-tivo.*] ***Adj.*** V. *incitante.*

incitável [Do lat. *incitabile.*] ***Adj. 2 g.*** **1.** Que pode ser incitado. **2.** Que facilmente se incita.

incivil [Do lat. imp. *incivile.*] ***Adj. 2 g.*** **1.** Não civil; descortês, grosseiro. **2.** Contrário ao direito civil, ou não admitido por ele.

incivilidade [Do lat. tard. *incivilitate.*] ***S. f.*** **1.** Ato ou expressão incivil; grosseria, descortesia, indelicadeza. **2.** Qualidade ou caráter de incivil.

incivilizado [De *in-*^{2} + *civilizado.*] ***Adj.*** Que não é civilizado; inculto, rústico, selvagem.

incivilizável [De *in-*^{2} + *civilizável.*] ***Adj. 2 g.*** Não civilizável.

inclassificável [De *in-*^{2} + *classificável.*] ***Adj. 2 g.*** **1.** Que não pode ser classificado. **2.** Que está em confusão; confuso, desordenado: “E entraram numa grande sala baralhada, inclassificável!” (Abel Botelho, *Próspero Fortuna*, p. 203.) **3.** *Fig.* Digno de censura ou reprovação; inqualificável: *procedimento feio, inclassificável.*

inclemência [Do lat. *inclementia.*] ***S. f.*** **1.** Qualidade ou caráter de inclemente; falta de clemência. **2.** *Fig.* Dureza, rigor, aspereza, severidade: *A inclemência da sorte o levou à mendicância;* “exposto às inclemências de noite invernosa” (Alexandre Herculano, *Lendas e Narrativas*, II, p. 138).

inclemente [Do lat. *inclemente.*] ***Adj. 2 g.*** **1.** Que não é clemente. **2.** *Fig.* Duro, áspero, severo, rigoroso: *inverno inclemente;* “Sob inclemente céu, por árido caminho, / Entre abrolhos e pó, não se perdeu sozinho” (Alberto de Oliveira, *Poesias*, 3ª série, p. 12).

inclinação [Do lat. *inclinatione.*] ***S. f.*** **1.** Ato ou efeito de inclinar(-se). **2.** *Fig.* Disposição, tendência, propensão, pendor: *Tem inclinação para as coisas do espírito; É grande a sua inclinação ao mal.* **3.** *Fig.* Disposição simpática; simpatia, atração: “Quando moça, D. Emília Lemos teve inclinação por um estudante de medicina, que dela se apaixonara.” (José de Alencar, *Senhora*, p. 183.) **4.** *P. ext.* O objeto da estima ou do amor; pessoa amada ou estimada. **5.** *Arquit. Constr.* O ângulo formado por um plano, ou por uma reta, com um plano ou com uma reta em nível (2). **6.** *Fís.* V. *inclinação magnética.* **7.** *Geol.* Ângulo que faz com o horizonte o plano das camadas; mergulho **8.** *Geom.* Ângulo de uma direção com outra que se toma como referência. ◆ **Inclinação do telhado.** *Arquit. Constr.* O ângulo interno que uma água de telhado forma com o plano horizontal nivelado das paredes sobre o qual ele se apoia. **Inclinação magnética.** *Fís.* Ângulo que uma agulha magnética, em suspensão livre, faz com o plano do horizonte local. [Tb. se diz apenas *inclinação.*]

inclinado [Do lat. *inclinatu.*] ***Adj.*** **1.** Desviado da linha vertical. **2.** *Fig.* Propenso, tendente: *É homem inclinado ao bem.* ~ V. *plano* —.

inclinar [Do lat. *inclinare.*] ***V. t. d.*** **1.** Desviar da linha reta. **2.** Colocar obliquamente com relação a um plano ou a uma direção, principalmente ao horizonte; dar obliquidade ou declive a. **3.** Fazer pender; curvar para baixo; dobrar, abaixar: *Cumprimentou-a cerimoniosamente, apenas inclinando a cabeça.* **4.** Guiar ou dirigir fazendo ângulo ou curva. **5.** Diminuir, abater; declinar: *inclinar a majestade.* **6.** Ceder; declinar: *Depois de muitas instâncias, inclinou os anteriores desígnios.* **7.** Tornar propenso; predispor, preparar: *Inclinou a conversa de maneira que pudesse encaixar o pedido.* ***T. d. e i.*** **8.** Tornar propenso; predispor: *Inclinou o ânimo dos presentes a ajudá-lo na dura tarefa; Inclinou aquela alma ao perdão.* ***T. d. e c.*** **9.** Deixar pender; descair: *Inclinou a cabeça ao ombro da amiga e chorou.* **10.** Inclinar (2): *Inclinou o quadro para a direita para endireitá-lo.* ***T. i.*** **11.** Ter ou demonstrar propensão, disposição, tendência; tender, propender: “Positivamente, inclino também para a ideia de Lord Beaconsfield: a originalidade viva do Universo está em Paris e em Londres” (Eça de Queirós, *Ecos de Paris*, pp. 9-10); “Nada inclina mais ao delírio do que a longa contemplação da natureza.” (Carlos Lacerda, *A Casa do Meu Avô*, p. 27). **12.** Mostrar-se favorável; tender, propender: *A vitória inclinava aos aliados.* ***Int.*** **13.** Perder a posição horizontal ou vertical; ter declive ou obliquidade; descair: “Larga inda há pouco a estrada, agora estreita, / Sobe, inclina depois” (Alberto de Oliveira, *Poesias*, 3ª série, p. 241). ***P.*** **14.** Desviar-se da linha reta, vertical ou horizontal: “os joelhos fugiam-lhe trêmulos, e a elevada estatura inclinou-se vergando ao peso da mágoa excruciante.” (Rebelo da Silva, *Contos e Lendas*, p. 180). **15.** Dirigir-se, desviando para a direita ou para a esquerda, ou fazendo curva. **16.** Dobrar o corpo; abaixar-se, curvar-se: *Inclinou-se para beijar a criança.* **17.** Dobrar o corpo, a cabeça, em sinal de respeito ou submissão. **18.** Mostrar preferência; ter propensão: “Inclino-me a pensar que Rita Medeiros fosse maranhense e de Caxias.” (Leonardo Mota, *Sertão Alegre*, p. 228.) **19.** Concordar, anuir; ceder: *Visto que a maioria optara por aquela solução, inclinou-se.*

inclinatura [De *inclinar* + *-tura.*] ***S. f.*** Inclinação, declive: “Dois pavimentos apenas, o térreo, e um superior, cujas janelas parte interceptam .... a inclinatura pronunciada do telhado.” (Fialho d'Almeida, *Vida Errante*, p. 44.)

inclinável [Do lat. imp. *inclinabile.*] ***Adj. 2 g.*** Suscetível de se inclinar; flexível.

inclinómetro ***S. m.*** *Fís.* V. *inclinômetro.* [Uso freq. em P.]

inclinômetro [Do ingl. *inclinometer.*] ***S. m.*** *Fís.* Instrumento destinado a determinar a intensidade da inclinação magnética (q. v.).

ínclito [Do lat. *inclitu.*] ***Adj.*** Egrégio, celebrado, ilustre, insigne: “Ínclita geração, altos Infantes.” (Luís de Camões, *Os Lusíadas*, IV, 50.)

incluir [Do lat. *includere*, com mudança de conjug.] ***V. t. d.*** **1.** Compreender, abranger: *O livro inclui numerosos contos e crônicas.* **2.** Conter em si; envolver, implicar: *Aquele dito incluía rude sarcasmo.* **3.** Pôr dentro de carta, bilhete, memorando, etc.: *Escreveu-me há poucos dias e incluiu um bilhete para o primo; O banco enviou-me um memorando e incluiu a minha conta corrente.* **4.** Fazer constar de uma lista, de uma série, de uma enumeração; relacionar, arrolar: *Fiz longa lista de convidados, e não o incluí; Mencionou várias frutas deliciosas, sem incluir o abacaxi.* ***T. d. e i.*** **5.** Inserir, intercalar, introduzir: *Incluiu no contrato uma cláusula difícil de ser cumprida; Incluiu vários poemas seus entre os escolhidos para a antologia.* ***P.*** **6.** Pôr ou fazer pôr o seu próprio nome, a sua pessoa, numa lista, série, enumeração: *Enumerando os sábios de seu país, tranquilamente se incluiu entre eles.* **7.** Estar incluído ou compreendido; fazer parte; figurar, entre outro(s); pertencer, juntamente com outro(s): “Sócrates .... pelas suas feições intelectuais inclui-se naturalmente no ciclo dos sofistas contemporâneos.” (Latino Coelho, *A Oração da Coroa*, p. CCXIII.) **8.** Fechar-se, encerrar-se. [Part.: *incluído* e *incluso.*]

incluível [De *incluir* + *-vel.*] ***Adj. 2 g.*** Que pode ou deve ser incluído: “Será Antônio Boto incluível em qualquer das duas [categorias de artistas]?” (João Gaspar Simões, *O Mistério da Poesia*, p. 200.)

inclusa ***S. f.*** Certa moeda holandesa antiga.

inclusão [Do lat. *inclusione.*] ***S. f.*** **1.** Ato ou efeito de incluir. [Antôn.: *exclusão.*] **2.** Processo da técnica microscópica pelo qual o objeto que vai ser estudado é antes envolvido por uma massa facilmente secionável, que o imobiliza. **3.** *Citol. Patol.* Constituinte temporário encontrado em citoplasma ou em vacúolo, e que é constituído, ger., por acúmulo de pigmentos, lipídios, proteínas, glicídios, etc. **4.** *Educ.* Ato, processo ou efeito de incluir indistintamente todas as pessoas no processo educativo ou social. **5.** *Educ.* Na educação especial, a inclusão (4) de pessoas portadoras de necessidades especiais no processo educacional, laboral, de lazer, etc., bem como em atividades comunitárias e domésticas. **6.** *Lóg.* Relação existente entre a classe que é espécie e a classe que é gênero. **7.** *Lóg.* Relação entre dois termos, um dos quais faz parte ou da compreensão ou da extensão do outro. [Cf., nesta acepç., *inerência* (2).] **8.** *Mat.* Ato pelo qual um conjunto contém ou inclui outro. **9.** *Petr.* Cristais microscópicos ou substâncias vítreas, líquidas ou gasosas, que se acham disseminadas nos cristais ou nas rochas. ◆ **Inclusão citomegálica.** *Patol.* Cada inclusão intranuclear encontrada em grandes células características, produzidas por infecção por citomegalovírus em homens e em outros animais (macacos e roedores). **Inclusão virótica.** *Microbiol.* Designação genérica de agregado de partículas de vírus maduro que forma corpúsculo, e que se situa em citoplasma ou em núcleo celular.

inclusiva [F. subst. do adj. *inclusivo.*] ***S. f.*** Ação de admitir no conclave um cardeal que chegou depois de findo o prazo.

inclusive [Do lat. ecles. *inclusive.*] ***Adv.*** **1.** De modo inclusivo; com inclusão. **2.** Até; até mesmo. [Antôn.: *exclusive.*]

inclusivo [Do lat. med. *inclusivu.*] ***Adj.*** **1.** Que inclui, encerra, abrange. **2.** *E. Ling.* Diz-se da 1ª pessoa do plural, que inclui o falante e o ouvinte. [Cf., nesta acepç., *exclusivo* (3).] ~ V. *disjunção —a* e *educação —a.*

incluso [Do lat. *inclusu.*] ***Adj.*** **1.** Incluído, compreendido. **2.** *Educ.* Relativo à educação inclusiva. ~ V. *dente* —.

inço [Dev. de *inçar.*] ***S. m.*** *Bras. S. Bot.* Erva que medra entre plantas cultivadas: “E recomeçaram o trabalho .... — a capina do inço, das línguas-de-vaca, ... dos carrapichos e mais ervas” (Telmo Vergara, *Contos da Vida Breve*, p. 244).

incoação [Do lat. tard. *inchoatione.*] ***S. f.*** *P. us.* Começo, princípio.

incoado [Do lat. *inchoatu.*] ***Adj.*** *P. us.* Começado, principiado.

incoadunabilidade [De *incoadunável* + *-(i)dade*, seg. o padrão erudito.] ***S. f.*** Qualidade ou caráter de incoadunável.

incoadunável [De *in-*^{2} + *coadunável.*] ***Adj. 2 g.*** Não coadunável.

incoagulável [De *in-*^{2} + *coagulável.*] ***Adj. 2 g.*** Não coagulável.

incoar [Do lat. *inchoare.*] ***V. t. d.*** *P. us.* Começar, principiar. [Conjug.: v. *coroar.*]

incoativo [Do lat. tard. *inchoativu.*] ***Adj.*** Que incoa ou começa. ~ V. *verbo* —.

incobrável [De *in-*^{2} + *cobrável.*] ***Adj. 2 g.*** Não cobrável: “quiseram ver os livros, verificar os balanços; obter explicações pormenorizadas a respeito dos débitos incobráveis” (João da Silva Correia, *Farândola*, p. 116). [Pl. *incobráveis.*]

incõe [Do tupi.] ***Adj. 2 g.*** *Bras.* V. *inconho.*

incoerção [De *in-*^{2} + *coerção.*] ***S. f.*** Ausência de coerção.

incoercibilidade [De *incoercível* + *-(i)dade*, seg. o padrão erudito.] *S. f.* Qualidade de incoercível.

incoercível [De *in-*[2] + *coercível.*] *Adj. 2 g.* **1.** Que não pode ser coagido. **2.** Que não se pode coibir; irreprimível: *choro incoercível*; "Enterrei a cabeça na varanda da rede e soluçava num desengano incoercível." (José Lins do Rego, *Meus Verdes Anos*, p. 348).

incoerência [De *in-*[2] + *coerência.*] *S. f.* **1.** Qualidade de incoerente; falta de coerência: "Conhecia a vida de Elisiário, os dias perdidos, as noitadas, a incoerência e o desarranjo de uma existência que ameaçava acabar na inutilidade." (Machado de Assis, *Páginas Recolhidas*, pp. 51-52.) **2.** Ação ou atitude própria de pessoa incoerente. **3.** *Fís.* Propriedade duma sequência de trens de onda cujas fases não guardam relações constantes no tempo. **4.** *Lóg.* Desacordo do pensamento consigo mesmo (dos princípios com as consequências, dos axiomas com os teoremas, etc.); incompatibilidade, inconsistência.

incoerente [De *in-*[2] + *coerente.*] *Adj. 2 g.* **1.** Sem coerência. **2.** Desarmônico, discordante, desconexo. **3.** Disparatado, ilógico, contraditório. • *S. 2 g.* **4.** Pessoa incoerente.

incoesão [De *in-*[2] + *coesão.*] *S. f.* Falta de coesão.

incoeso [De *in-*[2] + *coeso.*] *Adj.* Em que não há coesão; não coeso.

incoexistência (z) [De *in-*[2] + *coexistência.*] *S. f.* Ausência ou falta de coexistência.

incoexistente (z) [De *in-*[2] + *coexistente.*] *Adj. 2 g.* Não coexistente.

incogitado [Do lat. *incogitatu.*] *Adj.* Que não é cogitado ou previsto; impensado.

incogitável [Do lat. *incogitabile.*] *Adj. 2 g.* Não cogitável, incalculável.

incógnita [F. subst. do adj. *incógnito.*] *S. f.* **1.** *Mat.* Grandeza por determinar [símb. *x*]. [Tb. se usam os símb. *y* e *z* para indicar, respectivamente, uma segunda e uma terceira incógnitas.] **2.** Aquilo que é desconhecido e se procura saber.

incógnito [Do lat. *incognitu.*] *Adj.* **1.** Que é desconhecido; ignorado, ignoto. • *Adv.* **2.** Sob nome suposto; secretamente. • *S. m.* **3.** Aquilo que é desconhecido, secreto, enigmático. **4.** Estado de quem não quer dar-se a conhecer.

incognoscibilidade [De *incognoscível* + *-(i)dade*, seg. o padrão erudito.] *S. f.* Qualidade de incognoscível.

incognoscível [De *in-*[2] + *cognoscível.*] *Adj. 2 g.* Que não pode ser conhecido.

incoincidência (o-in) [De *in-*[2] + *coincidência.*] *S. f.* Falta de coincidência entre duas ou mais coisas.

incoincidente (o-in) [De *in-*[2] + *coincidente.*] *Adj. 2 g.* Que não coincide; não coincidente.

íncola [Do lat. *incola.*] *S. 2 g.* Habitante, morador: "Os missionários, arremessados à costa e devorados pelos caboclos, legaram nome à plaga de tão insidiosas águas e desumanos íncolas" (Xavier Marques, *Jana e Joel*, p. 5).

incolor (ôr) [Do lat. tard. *incolore.*] *Adj. 2 g.* **1.** Sem cor; descolorido. **2.** Sem relevo ou vigor: *estilo, prosa incolor*. **3.** Sem interesse ou atrativo; insípido: *romance incolor*; "Já dezessete anos antes de morrer, havia D. Maria Doroteia [a Marília de Dirceu] feito testamento. E esse documento assinado pelo seu punho é frio, seco, incolor." (Olavo Bilac, *Crítica e Fantasia*, p. 21). **4.** Indeciso, vago, dúbio: *atitude incolor; procedimento incolor*. **5.** Sem opinião determinada; sem cor política: *um jornal incolor*.

incólume [Do lat. *incolume.*] *Adj. 2 g.* **1.** Livre de perigo; são e salvo; intato, ileso: "Das pequenas nacionalidades, erigidas na Meia-Idade, só Portugal consegue atravessar incólume as épocas de transformação social e de reconstituição política da Europa" (Latino Coelho, *Fernão de Magalhães*, pp. 107-108). **2.** Bem conservado.

incolumemente (ò) [De *incólume* + *-mente.*] *Adv.* Permanecendo incólume, livre de perigo; a são e salvo, são e salvo.

incolumidade [Do lat. *incolumitate.*] *S. f.* Qualidade ou estado de incólume.

incombinável [De *in-*[2] + *combinável.*] *Adj. 2 g.* Não combinável.

incombustibilidade [De *incombustível* + *-(i)dade*, seg. o padrão erudito.] *S. f.* Qualidade de incombustível.

incombustível [De *in-*[2] + *combustível.*] *Adj. 2 g.* Que não pode arder nem queimar-se; não combustível; acausto.

incombusto [De *in-*[2] + *combusto.*] *Adj.* Não combusto, não queimado.

incomensurabilidade [De *incomensurável* + *-(i)dade*, seg. o padrão erudito.] *S. f.* Qualidade de incomensurável; imensurabilidade.

incomensural [De *in-*[2] + *comensural.*] *Adj. 2 g.* Incomensurável, imensurável: "O seu espírito latino, incomensural e vasto como o mar" (Cruz e Sousa, *Obra Completa*, p. 696).

incomensurável [Do lat. tard. *incommensurabile.*] *Adj. 2 g.* **1.** Não comensurável; desmensurável, descomensurável, imensurável. **2.** Que não tem medida comum com outra grandeza. **3.** Enorme, imenso, desmedido: "o primeiro relâmpago varreu as nuvens eriçadas e tumultuosas, rasgou profundidades incomensuráveis no céu." (José Rodrigues Miguéis, *Gente da Terceira Classe*, p. 97).

incomestível [De *in-*[2] + *comestível.*] *Adj. 2 g.* Incomível.

incomível [De *in-*[2] + *comível.*] *Adj. 2 g.* Que não se pode comer; incomestível.

incomodado [Part. de *incomodar.*] *Adj.* **1.** Que sofre incômodo ou sente incomodidade. **2.** Molestado, importunado. **3.** Levemente indisposto; adoentado. **4.** *Bras.* Menstruado (diz-se de mulher).

incomodador (ô) [De *incomodar* + *-dor.*] *Adj.* **1.** *P. us.* V. *incômodo* (1 a 5). • *S. m.* **2.** Aquele que incomoda.

incomodante [Do lat. med. *incommodante.*] *Adj. 2 g.* *P. us.* V. *incômodo* (1 a 5).

incomodar [Do lat. *incommodare.*] *V. t. d.* **1.** Causar incômodo a; trazer estorvo a; importunar, molestar, enfadar, embaraçar, perturbar: *As visitas incomodavam-no*; "Era meu avô o tipo do sujeito que não gosta de se incomodar e a minha avó o incomodava com obrigações sociais, conveniências sociais" (Antônio Carlos Vilaça, *O Nariz do Morto*, p. 19). **2.** Desgostar, descontentar; irritar: *A impertinência incomodava-o*. *Int.* **3.** Causar incômodo; molestar, perturbar: "O ar, parado, incomoda, angustia..." (Manuel Bandeira, *Estrela da Vida Inteira*, p. 45.) *P.* **4.** Prestar-se a incômodo; molestar-se; cansar-se. **5.** Apoquentar-se, indispor-se, zangar-se. [Pres. ind.: *incomodo*, etc. Cf. *incômodo*.]

incomodativo [De *incomodar* + *-tivo.*] *Adj.* V. *incômodo* (1 a 5).

incomodidade [Do lat. *incommoditate.*] *S. f.* Qualidade ou situação de incômodo; falta de comodidade.

incômodo *Adj.* V. *incômodo*. [Uso freq. em P.]

incômodo [Do lat. *incommodu.*] *Adj.* **1.** Que não oferece comodidade: *cadeira incômoda*. **2.** Que incomoda; que é desagradável, desconfortável: *posição, postura incômoda*. **3.** Que enfada, aborrece; enfadonho, molesto: *presença incômoda*. **4.** Que causa transtorno, maçada; importuno. **5.** Que embaraça, que traz dificuldades: *situação incômoda*. [Sin. ger.: *incomodativo* e (p. us.) *incomodador, incomodante*.] • *S. m.* **6.** Doença ligeira; indisposição. **7.** Fluxo menstrual. V. *menstruação* (1). **8.** Trabalho, fadiga, canseira. **9.** Transtorno, perturbação, importunação, maçada. **10.** Estorvo, dificuldade, embaraço. [Cf. *incomodo*, do v. *incomodar*.]

incomovibilidade [De *incomovível* + *-(i)dade*, seg. o padrão erudito.] *S. f.* Qualidade ou caráter de incomovível: "Um helenismo todo de cultura, de preferência e de afetada incomovibilidade." (Vitorino Nemésio, *Conhecimento de Poesia*, p. 316.)

incomovível [De *in-*[2] + *comovível.*] *Adj. 2 g.* Que não se comove ou não se deixa comover.

incomovivelmente (vì) [De *incomovível* + *-mente.*] *Adv.* De modo incomovível.

incomparabilidade [Do lat. med. *incomparabilitate.*] *S. f.* Qualidade de incomparável.

incomparável [Do lat. imp. *incomparabile.*] *Adj. 2 g.* **1.** Que não admite comparação; não comparável: *grandezas incomparáveis; valores incomparáveis*. **2.** Que está acima de qualquer comparação; extraordinário, insigne, admirável, prodigioso: "Tudo ali era grande, majestoso, incomparável, obra direta dum ser onipotente." (Inglês de Sousa, *O Missionário*, p. 190.)

incompassível [Do lat. tard. *incompassibile.*] *Adj. 2 g.* Que não tem compaixão; implacável, inexorável, desapiedado, incompassivo.

incompassivo [De *in-*[2] + *compassivo.*] *Adj.* V. *incompassível*.

incompatibilidade [De *incompatível* + *-(i)dade*, seg. o padrão erudito.] *S. f.* **1.** Qualidade ou situação de incompatível. **2.** *Lóg.* Disjunção que só é falsa quando são verdadeiras as duas disjuntivas. [Cf., nesta acepç., *disjunção* (5) e *contrariedade* (5).] **3.** *Lóg.* V. *incoerência* (4). ◆ **Incompatibilidade medicamentosa.** *Med. Farmac.* Conjunto de fenômenos, de natureza física e/ou química, que se desenrolam, *in vitro*, entre dois ou mais medicamentos, modificando-os e às suas ações. [Cf. *interação medicamentosa*.]

incompatibilizar [De *incompatível* + *-izar*, seg. o padrão erudito.] *V. t. d. e i.* **1.** Tornar incompatível: *Suas maneiras ásperas o incompatibilizam com quase todos*; "concebeu [Leonor Teles], com volúpia, grave intriga, que trouxesse desgraça a D. João, o afastasse da corte, o incompatibilizasse com os grandes." (Antero de Figueiredo, *Leonor Teles*, p. 165). *P.* **2.** Tornar-se incompatível, irreconciliável: *Incompatibilizou-se até com velhos amigos*.

incompatível [De *in-*[2] + *compatível.*] *Adj. 2 g.* **1.** Que não pode harmonizar-se; inconciliável, incombinável: *gênios incompatíveis*; "Os Estados Unidos beneficiariam da evolução que já se processara na Europa contra os preconceitos aristocráticos da Nobreza, que consideravam as profissões econômicas e os trabalhos manuais como incompatíveis com o sangue limpo..." (Alceu Amoroso Lima, *A Realidade Americana*, p. 93). **2.** Diz-se de cargos, funções, que não podem ser exercidos simultaneamente pela mesma pessoa, que não podem ser acumulados.

incompensação [De *in-*[2] + *compensação.*] *S. f.* Não compensação; ausência de compensação.

incompensado [De *in-*[2] + *compensado.*] *Adj.* Não compensado.

incompensável [De *in-*[2] + *compensável.*] *Adj. 2 g.* **1.** Que não se pode compensar. **2.** Que não se pode indenizar ou pagar; impagável.

incompetência [De *in-*[2] + *competência.*] *S. f.* **1.** Falta de competência. **2.** Falta de autoridade ou dos conhecimentos necessários para o julgamento de alguma coisa. **3.** *Fig.* Inabilidade, inaptidão.

incompetente [Do lat. tard. *incompetente.*] *Adj. 2 g.* **1.** Que não é competente; inábil. **2.** Sem idoneidade. • *S. 2 g.* **3.** Pessoa incompetente.

incomplacência [De *in-*[2] + *complacência.*] *S. f.* Falta de complacência.

incomplacente [De *in-*[2] + *complacente.*] *Adj. 2 g.* Não complacente.

incompletação [De *in-*[2] + *completação.*] *S. f.* Falta de completação, ou de acabamento.

incompleto [Do lat. tard. *incompletu.*] *Adj.* Não completo; não acabado; truncado; imperfeito; mutilado. ~ V. *indução* —.

incompletude [De *incompleto* + *-(t)ude.*] *S. f.* Caráter do que é, ou está incompleto.

incomplexidade (cs) [De *incomplexo* + *-(i)dade.*] *S. f.* Qualidade de incomplexo.

incomplexo (cs) [Do lat. tard. *incomplexu.*] *Adj.* **1.** Não complexo; simples. **2.** Que abrange uma coisa só. **3.** Que só envolve uma ideia.

incomportável [De *in-*[2] + *comportável.*] *Adj. 2 g.* **1.** Não comportável. **2.** Que não se pode sofrer; insuportável, intolerável.

incompossível [De *in-*[2] + *compossível.*] *Adj. 2 g.* Incompatível, inconciliável, incoconcordável: "Para Holtz, a arte é a vocação de revocar a natureza, mas não com o fito de criar uma identidade, muito menos alterar ou aumentá-la — cousas impossíveis e incompossíveis com a fraqueza humana." (João Ribeiro, *Páginas de Estética*, p. 37.)

incompreender [De *in-*[2] + *compreender.*] *V. t. d.* Não atinar com; não perceber, não compreender: *Incompreendeu minha revolta, por não saber da traição de que eu fora vítima*.

incompreendido [De *in-*[2] + *compreendido.*] *Adj. S. m.* Que, ou aquele que não é compreendido, que não é bem avaliado ou julgado: "E de súbito n'alma incompreendida / Esta mágoa, esta pena, esta agonia" (Manuel Bandeira, *Estrela da Vida Inteira*, p. 169); *É um ser estranho, um incompreendido*; "Almas doudas de amor, martirizadas, / Almas errantes dos incompreendidos" (Da Costa e Silva, *Sangue*, p. 28).

incompreensão [De *in-*[2] + *compreensão.*] *S. f.* Falta de compreensão.

incompreensibilidade [De *incompreensível* + *-(i)dade*, seg. o padrão erudito.] *S. f.* Qualidade de incompreensível.

incompreensível [Do lat. imp. *incomprehensibile.*] *Adj. 2 g.* **1.** Que não se pode compreender. **2.** Que é muito difícil de compreender ou explicar. **3.** Enigmático, misterioso. [Cf. *incompreensivo*.] • *S. m.* **4.** Aquilo que não se pode compreender.

incompreensivo [De *in-*[2] + *compreensivo.*] *Adj.* **1.** Incapaz de compreender, entender, perceber: "Morgan [Charles Morgan], a despeito de certos críticos apressados ou incompreensivos, não é escritor friamente intelectualizado" (Euclides Marques Andrade, *Lendo Charles Morgan*, p. 10). **2.** Incapaz de compreensão para com outrem, de sentir-lhe os problemas, aceitar-lhe as atitudes, etc.: *O feitio tradicionalista do velho torna-o vivamente incompreensivo com relação ao filho*. **3.** Que não é compreensivo; que não tem compreensão ou tolerância para as faltas alheias. [Cf. *incompreensível*.]

incompressibilidade [De *incompressível* + *-(i)dade*, seg. o padrão erudito.] *S. f.* Qualidade de incompressível.

incompressível [De *in-*[2] + *compressível.*] *Adj. 2 g.* **1.** Que não se pode comprimir. **2.** *Fig.* Que não se pode reprimir ou coagir; irreprimível, incoercível: "Muito fácil apontar nesses autores as 'páginas de antologia', de puro acento pessoal, em que a matéria regionalista é tratada como .... pretexto para uma incompressível expansão do temperamento." (Augusto Meyer, *Prosa dos Pagos*, p. 150.)

incomprimido [De *in-*^{2} + *comprimido.*] *Adj.* Que não é comprimido.

incomprimível [De *in-*^{2} + *comprimível.*] *Adj. 2 g.* Que não pode, ou não deve ser comprimido.

incompto [Do lat. *incomptu.*] *Adj.* **1.** Falto de artifício ou de adorno; desornado. **2.** Feito sem arte; tosco, rude.

incomputável [De *in-*^{2} + *computável.*] *Adj. 2 g.* Não computável.

incomum [Do lat. tard. *incommune.*] *Adj. 2 g.* Não comum; fora do comum.

incomunicabilidade [De *incomunicável* + *-(i)dade*, seg. o padrão erudito.] *S. f.* Qualidade, estado ou sistema de incomunicável.

incomunicação [De *in-*^{2} + *comunicação.*] *S. f.* Ausência ou falta de comunicação.

incomunicante [De *in-*^{2} + *comunicante.*] *Adj. 2 g.* Que não comunica.

incomunicativo [De *in-*^{2} + *comunicativo.*] *Adj.* Não comunicativo.

incomunicável [Do lat. *incommunicabile.*] *Adj. 2 g.* **1.** Que não tem ou não apresenta comunicação. **2.** Que não é comunicável. **3.** Que não pode comunicar-se; privado de comunicação: *preso incomunicável.* **4.** *Fig.* Intratável, insociável, misantropo. ~ V. *bens incomunicáveis.*

incomutabilidade [De *incomutável* + *-(i)dade*, seg. o padrão erudito.] *S. f.* Qualidade de incomutável.

incomutável [Do lat. *incommutabile.*] *Adj. 2 g.* Não comutável.

inconcebibilidade [De *inconcebível* + *-(i)dade*, seg. o padrão erudito.] *S. f.* Qualidade ou caráter de inconcebível. [Var. haplológica: *inconcebilidade.*]

inconcebilidade *S. f.* V. *inconcebibilidade.*

inconcebível [De *in-*^{2} + *concebível.*] *Adj. 2 g.* **1.** Que não se pode conceber, perceber ou explicar. **2.** Surpreendente, pasmoso, incrível, inacreditável, extraordinário. [Sin. ger. (poét.): *inconcepto.*]

inconcepto [De *in-*^{2} + lat. *conceptu*, 'concebido'.] *Adj. Poét.* V. *inconcebível.*

inconcessibilidade [De *inconcessível* + *-(i)dade*, seg. o padrão erudito.] *S. f.* Qualidade de inconcessível.

inconcessível [Do lat. tard. *inconcessibile.*] *Adj. 2 g.* Que não pode ou não deve ser concedido.

inconcesso [Do lat. *inconcessu.*] *Adj.* Não concedido; defeso, proibido, vedado: "Um inconcesso amor desatinado" (Luís de Camões, *Os Lusíadas*, III, 141); "O uso da aguardente .... era delito sério ..... Conta-se que de uma feita alguns tropeiros inexpertos .... foram ter a Canudos, levando alguns barris do líquido inconcesso." (Euclides da Cunha, *Os Sertões*, p. 193).

inconceto *Adj.* V. *inconcepto.* [Uso próprio de P.] ⊙

inconciliabilidade [De *inconciliável* + *-(i)dade*, seg. o padrão erudito.] *S. f.* Qualidade ou estado de inconciliável.

inconciliação [De *in-*^{2}+ *conciliação.*] *S. f.* Falta de conciliação.

inconciliante [De *in-*^{2}+ *conciliante.*] *Adj. 2 g.* Não conciliante.

inconciliável [De *in-*^{2} + *conciliável*; fr. *inconciliable.*] *Adj. 2 g.* Que não se pode conciliar; incompatível, inconcordável, incompossível.

inconcludente [De *in-*^{2} + *concludente.*] *Adj. 2 g.* Não concludente; ilógico.

inconclusivo [De *in-*^{2} + *conclusivo.*] *Adj.* **1.** Sem conclusão: *final inconclusivo.* **2.** Que não chega a uma conclusão, a uma decisão: *A reunião entre patrão e empregados foi inconclusiva.* **3.** Que não conclui, não esclarece: "Fatos, provas inconclusivas, eu ruminava tudo aquilo" (Patrícia Melo, *Valsa Negra*, p. 237).

inconcluso [De *in-*^{2} + *concluso.*] *Adj.* Não concluído; inacabado.

inconcordável [De *in-*^{2} + *concordável.*] *Adj. 2 g.* V. *inconciliável.*

inconcretizado [De *in-*^{2} + *concretizado.*] *Adj.* Não concretizado; que não se concretizou.

inconcusso [Do lat. imp. *inconcussu.*] *Adj.* **1.** Firme, estável, inabalável: "E no féretro de montes, / Inconcusso, imóvel, fito, / Escurece os horizontes / O gigante de granito." (Gonçalves Dias, *Obras Poéticas*, II, p. 12.) **2.** Incontestável, irrecusável, irrefragável: *direito inconcusso*; "a todos os contribuintes é hoje dado contemplar a ilibada e inconcussa pureza de cada um dos ministros" (Ramalho Ortigão, *Últimas Farpas*, pp. 75-76). **3.** Austero, incorruptível: *magistrado inconcusso.*

incondensável [De *in-*^{2} + *condensável.*] *Adj. 2 g.* Não condensável.

incondicionado [De *in-*^{2} + *condicionado.*] *Adj.* **1.** V. *incondicional* (1). ● *S. m.* **2.** O absoluto, o infinito.

incondicional [De *in-*^{2} + *condicional.*] *Adj. 2 g.* **1.** Não sujeito a condições; total, absoluto, irrestrito, integral; incondicionado: *amizade incondicional.* **2.** Que não estabelece condições ou restrições: *admirador incondicional; amigo incondicional.*

incondicionalidade [De *incondicional* + *-(i)dade.*] *S. f.* Qualidade de incondicional.

incondicionalismo [De *incondicional* + *-ismo.*] *S. m.* Sistema de submissão incondicional a outrem.

incôndito [Do lat. *inconditu.*] *Adj.* Não organizado; desordenado, confuso.

inconexão (cs) [Do lat. tard. *inconnexione*, 'assíndeto'.] *S. f.* Falta de conexão; desconexão.

inconexo (cs) [Do lat. tard. *inconnexu.*] *Adj.* **1.** Que não tem, ou em que não há conexão; desconexo. ● *S. m.* **2.** Aquilo que é inconexo, que não tem nexo ou coerência: "Sei que fazer o inconexo aclara loucuras" (Manuel de Barros, *Livro sobre Nada*, p. 41).

inconfessado [De *in-*^{2} + *confessado.*] *Adj.* Que não se confessou; que se ocultou ou que se dissimulou; inconfesso: "Os que voltam trazem em geral uma inconfessada mágoa no coração" (Ferreira Gullar, *Cidades Inventadas*, p. 9).

inconfessável [De *in-*^{2} + *confessável.*] *Adj. 2 g.* Que não se pode ou não se deve confessar.

inconfesso [Do lat. *inconfessu.*] *Adj.* **1.** Que não é confesso; que não confessou. **2.** Inconfessado: "humilhações, cóleras mudas, ímpetos contidos, sonhos inconfessos." (Maria Julieta Drummond de Andrade, *O Valor da Vida*, p. 42.)

inconfiável [De *in-*^{2} + *confiável.*] *Adj. 2 g.* Não confiável; em que não se pode ou em que não se deve confiar.

inconfidência [De *in-*^{2} + *confidência.*] *S. f.* **1.** Falta de fidelidade para com alguém, particularmente para com o soberano ou o Estado. **2.** Abuso de confiança; deslealdade, infidelidade. **3.** Revelação de segredo confiado. ◆ **Inconfidência Mineira.** *Hist. Impr.* V. *Conjuração Mineira.*

inconfidencista *Adj. 2 g.* **1.** De, ou pertencente ou relativo a Inconfidência (RJ). ● *S. 2 g.* **2.** O natural ou habitante de Inconfidência.

inconfidente [De *in-*^{2} + *confidente.*] *Adj. 2 g.* **1.** Que está envolvido em inconfidência. **2.** V. *infiel* (1). **3.** Que divulga os segredos que lhe confiaram. ● *S. m.* **4.** Indivíduo inconfidente (1).

inconfidentense *Adj. 2 g.* **1.** De, ou pertencente ou relativo a Inconfidentes (MG). ● *S. 2 g.* **2.** O natural ou habitante de Inconfidentes.

inconformação [De *in-*^{2} + *conformação.*] *S. f.* Falta de conformação ou resignação.

inconformado [De *in-*^{2} + *conformado.*] *Adj. S. m.* Que, ou aquele que não se conforma ou não se conformou; não resignado: "Graciliano [Graciliano Ramos] era áspero e delicado, como os tímidos de seu tipo, o dos moralistas inconformados, exigentes." (Antônio Carlos Vilaça, *O Nariz do Morto*, p. 189.)

inconforme [De *in-*^{2} + *conforme.*] *Adj. 2 g.* Não conforme.

inconformidade [De *in-*^{2} + *conformidade.*] *S. f.* **1.** Falta ou ausência de conformidade. **2.** *Geol.* Discordância angular.

inconformismo [De *in-*^{2} + *conformismo.*] *S. m.* Procedimento ou modo de ser próprio de quem é inconformado.

inconformista [De *in-*^{2} + *conformista.*] *Adj. 2 g.* **1.** Relativo a, ou que revela inconformismo: *atitude inconformista.* **2.** Que adota o inconformismo. ● *S. 2 g.* **3.** Pessoa que o adota. [Sin. ger.: *não conformista.*]

inconfortar [De *in-*^{2} + *confortar.*] *V. t. d.* V. *desconfortar.*

inconfortável [De *in-*^{2} + *confortável.*] *Adj. 2 g.* Não confortável; desconfortável.

inconfundibilidade [De *inconfundível* + *-(i)dade*, seg. o padrão erudito.] *S. f.* Qualidade de inconfundível: "Reconheci-a logo ao entrar pela inconfundibilidade do seu rosto, branco demais" (Gilberto Amado, *Depois da Política*, p. 206).

inconfundível [De *in-*^{2} + *confundível.*] *Adj. 2 g.* Que não pode ser confundido: *personalidade inconfundível*; "E a caixa de rapé do burgomestre, que era inconfundível e única, multiplicou-se estranhamente" (Mário Quintana, *Sapato Florido*, p. 128); "O Alentejo é inconfundível com outras terras de Portugal." (Almeida Garrett, *Viagens na Minha Terra*, p. 199).

incongelabilidade [De *incongelável* + *-(i)dade*, seg. o padrão erudito.] *S. f.* Qualidade de incongelável.

incongelado [De *in-*^{2} + *congelado.*] *Adj.* Que não se congelou.

incongelável [De *in-*^{2} + *congelável.*] *Adj. 2 g.* Não congelável.

incongruamente (ôn) [Do f. de *incôngruo* + *-mente.*] *Adv.* De maneira incongruente; inconvenientemente.

incongruência [Do lat. tard. *incongruentia.*] *S. f.* **1.** Qualidade de incongruente. **2.** Ato ou dito incongruente.

incongruente [Do lat. *incongruente.*] *Adj. 2 g.* Inconveniente, impróprio, incompatível, incôngruo.

incongruentíssimo *Adj.* Superl. abs. sint. de *incongruente.*

incongruidade (u-i) [Do lat. tard. *incongruitate.*] *S. f.* Qualidade de incôngruo; incongruência.

incôngruo [Do lat. *incongruu.*] *Adj.* V. *incongruente.* [Superl. abs. sint.: *incongruentíssimo.*]

inconho [Do tupi.] *Adj.* **1.** Diz-se do fruto que nasce pegado a outro: "meio risonha / Procura [a moça] se desviar, / Neste empenho os seios ambos / Deixa ver; inconhos jambos / De algum celeste pomar!..." (Tobias Barreto, *Dias e Noites*, pp. 52-53.) [Sin. (bras.): *filipinho* (2).] **2.** *Fig.* Diz-se de coisas muito ligadas entre si: "Na era dos descobrimentos, pouco aproveitava distinguir a lenda da História, uma e outra, inconhas e inseparáveis." (João Ribeiro, *Notas de um Estudante*, p. 24.)

inconivente [Do lat. tard. *inconniventе.*] *Adj. 2 g.* Não conivente.

inconjugável [De *in-*^{2} + *conjugável.*] *Adj. 2 g.* Que não é conjugável.

inconquistabilidade [De *inconquistável* + *-(i)dade*, seg. o padrão erudito.] *S. f.* Qualidade de inconquistável.

inconquistado [De *in-*^{2} + *conquistado.*] *Adj.* **1.** Que não foi conquistado: "a forma anunciada, pressentida, ainda irrevelada, ainda inconquistada." (Osmã Lins, *Nove, Novena*, p. 133.) **2.** *Fig.* Insubmisso, altivo.

inconquistável [De *in-*^{2} + *conquistável.*] *Adj. 2 g.* Não conquistável.

inconsciência [Do lat. tard. *inconscientia.*] *S. f.* **1.** Qualidade ou estado de inconsciente. **2.** Falta de consciência; irresponsabilidade, irreflexão, leviandade: *Sua inconsciência chega às raias da loucura.* **3.** Injustiça, sem-razão: *A atitude do chefe demitindo todos é uma inconsciência.*

inconscienciosо (ô) [De *in-*^{2} + *consciencioso.*] *Adj.* Que não tem consciência; não consciencioso.

inconsciente [De *in-*^{2} + *consciente.*] *Adj. 2 g.* **1.** Não consciente (1); incônscio: *Os vegetais são seres inconscientes.* **2.** *Med.* Que está sem consciência (4): *Há uma semana o enfermo permanece inconsciente.* **3.** Que procede sem consciência (6) ou com desconhecimento do alcance moral daquilo que pratica: *Homens inconscientes levaram a nação ao declínio econômico.* **4.** Leviano, inconsiderado, irresponsável. **5.** Em que se verifica a perda da consciência (4): *A polícia rodoviária encontrou os feridos em estado inconsciente.* **6.** Feito sem consciência (5 e 6): *Pesquisas científicas inconscientes prejudicam toda a humanidade.* **7.** *Psic.* Pertencente ou relativo ao inconsciente (9). ● *S. 2 g.* **8.** Pessoa inconsciente (3 e 4). ● *S. m.* **9.** *Psic.* O conjunto dos processos e fatos psíquicos que atuam sobre a conduta do indivíduo, mas escapam ao âmbito da consciência e não podem a esta ser trazidos por nenhum esforço da vontade ou da memória, aflorando, entretanto, nos sonhos, nos atos falhos, nos estados neuróticos ou psicóticos, *i. e.*, quando a consciência não está vigilante. [Cf., nesta acepç., *subconsciente* (2) e *consciente* (8).] ◆ **Inconsciente coletivo.** *Psic.* Parte do inconsciente individual que procede da experiência ancestral e transparece em certos símbolos encontrados nas lendas e mitologias antigas, constituindo os arquétipos [v. *arquétipo* (3)].

incônscio [Do lat. tard. *inconsciu.*] *Adj.* Inconsciente (1).

inconsequência (qüên) [Do lat. imp. *inconsequentia.*] *S. f.* **1.** Falta de consequência; incongruência, incoerência, contradição: "parece uma inconsequência admirar um poeta na base de cuja inspiração se acaba de descobrir uma falsidade radical." (João Gaspar Simões, *O Mistério da Poesia*, p. 139.) **2.** Inconexão, desconexão. **3.** *Lóg.* Ilação que não se contém nas premissas. ❖

inconsequente (qüen) [Do lat. *inconsequente.*] *Adj. 2 g.* **1.** Em que há inconsequência. **2.** Inconsiderado, imprudente. **3.** Contraditório. ● *S. 2 g.* **4.** Pessoa inconsequente. ❖

inconsideração [Do lat. tard. *inconsideratione.*] *S. f.* **1.** Falta de consideração; desconsideração. **2.** Precipitação, imprudência, leviandade.

inconsideradamente [Do f. de *inconsiderado* + *-mente.*] *Adv.* De maneira inconsiderada.

inconsiderado [Do lat. *inconsideratu.*] *Adj.* **1.** Que não considera, não pondera; imprudente, precipitado. **2.** Temerário, arriscado.

inconsistência [De *in-*^{2} + *consistência.*] *S. f.* **1.** Qualidade ou estado de inconsistente; falta de consistência. **2.** *Lóg.* V. *incoerência* (4).

inconsistente [De *in-*^{2} + *consistente.*] *Adj. 2 g.* **1.** Falta de consistência. **2.** Sem consistência, firmeza ou solidez. **3.** Sem consistência ou estabilidade física ou moral. **4.** Sem consistência ou fundamento; infundado. **5.** Incoerente, incongruente, contraditório.

inconsolabilidade [De *inconsolável* + *-(i)dade*, seg. o padrão erudito.] *S. f.* Qualidade ou estado de inconsolável.

inconsoladamente [Do f. de *inconsolado* + *-mente*.] *Adv.* De maneira inconsolável.

inconsolado [De *in-*^{2} + *consolado*.] *Adj.* Que não tem consolação.

inconsolável [Do lat. *inconsolabile*.] *Adj.* 2 *g.* Não consolável; que não pode ser consolado: *homem inconsolável*; *mágoa inconsolável*.

inconsolidar [De *in-*^{2} + *consolidar*.] *V. t. d. Int. P.* Fazer perder a solidez, a segurança, a condição de consolidado.

inconsonância [Do lat. tard. *inconsonantia*.] *S. f.* Falta de consonância.

inconsonante [Do lat. tard. *inconsonante*.] *Adj.* 2 *g.* Que não tem consonância.

inconspícuo [Do lat. tard. *inconspicuu*.] *Adj.* 1. Dificilmente perceptível; discernível a custo, por ser inaparente, ou quase. 2. *Bot.* Diz-se do órgão ou parte vegetal normal, porém de dimensões muito reduzidas, sendo, pois, inaparente: *estaminódio inconspícuo*.

inconstância [Do lat. *inconstantia*.] *S. f.* 1. Falta de constância; volubilidade. 2. Leviandade, infidelidade.

inconstante [Do lat. *inconstante*.] *Adj.* 2 *g.* 1. Não constante; volúvel. 2. Instável, variável, mudável: *tempo inconstante*. 3. Leviano, infiel. • *S.* 2 *g.* 4. Pessoa volúvel, inconstante.

inconstitucional [De *in-*^{2} + *constitucional*.] *Adj.* 2 *g.* Não constitucional ou que se opõe à constituição do Estado.

inconstitucionalidade [De *inconstitucional* + *-(i)dade*.] *S. f.* Qualidade, condição ou caráter daquilo que é inconstitucional.

inconstitucionalmente [De *inconstitucional* + *-mente*.] *Adv.* De maneira inconstitucional.

inconsultável [De *in-*^{2} + *consultável*.] *Adj.* 2 *g.* Que não pode ou não deve ser consultado.

inconsulto [Do lat. *inconsultu*.] *Adj.* 1. Que não foi consultado. 2. Impensado, irrefletido.

inconsumível [De *in-*^{2} + *consumível*.] *Adj.* 2 *g.* Que não se consome; que não pode ser consumido.

inconsumpto [Do lat. *inconsumptu*.] *Adj.* Não consumido. [Var.: *inconsunto*.]

inconsunto *Adj.* V. *inconsumpto*.

inconsútil [Do lat. tard. *inconsutile*.] *Adj.* 2 *g.* 1. Não consútil; sem costuras (diz-se especialmente da túnica de Cristo): "E ao rabi simples, que a igualdade prega, / Rasga e enlameia a túnica inconsútil" (Raimundo Correia, *Poesias*, p. 229). 2. Feito de uma só peça; inteiriço: "tão solidamente está soldada a pedra de cima ao corpo ou caixão do jazigo, que o todo parece maciço e inconsútil." (Almeida Garrett, *Viagens na Minha Terra*, p. 380.) [Pl.: *inconsúteis*.]

incontaminação [De *in-*^{2} + *contaminação*.] *S. f.* Estado de incontaminado; ausência de contaminação: "Sabia que os homens existem, que viver não é fácil, ... mas nada disso contaminava os meus escritos. E dessa incontaminação brotara, mesmo, certa vaidade." (Carlos Drummond de Andrade, *Confissões de Minas*, p. 204.)

incontaminado [Do lat. *incontaminatu*.] *Adj.* Livre de contaminação.

incontaminável [Do lat. tard. *incontaminabile*.] *Adj.* 2 *g.* Não contaminável; que não pode ou não deve sofrer contaminação.

incontável [De *in-*^{2} + *contável*.] *Adj.* 2 *g.* Impossível de contar; inumerável.

incontemplação [De *in-*^{2} + *contemplação*.] *S. f.* Ausência de contemplação, de complacência: "seu pecado [de João Bermudes] está .... nos gestos de incontemplação que cometeu no intuito de dar cumprimento aos seus encargos." (Aquilino Ribeiro, *Portugueses das Sete Partidas*, p. 21.)

incontentado [De *in-*^{2} + *contentado*, part. de *contentar*.] *Adj.* Não contentado; insatisfeito: "Não tinha [José do Patrocínio] a inquietação da curiosidade incontentada ante os grandes problemas do universo e da vida humana." (Mário de Alencar, *Alguns Escritos*, pp. 6-7.)

incontentável [De *in-*^{2} + *contentável*.] *Adj.* 2 *g.* 1. Não contentável. 2. Difícil de contentar.

incontestabilidade [De *incontestável* + *-(i)dade*, seg. o padrão erudito.] *S. f.* Qualidade de incontestável.

incontestado [De *in-*^{2} + *contestado*.] *Adj.* Não contestado; inconcusso, inconteste.

incontestável [De *in-*^{2} + *contestável*.] *Adj.* 2 *g.* Que não pode sofrer contestação; não contestável; indiscutível.

inconteste^1 [De *in-*^{2} + *conteste*.] *Adj.* 2 *g.* Que não é conteste (1): *testemunhas incontestes*.

inconteste^2 *Adj.* 2 *g.* V. *incontestado*: *afirmação inconteste*.

incontido [De *in-*^{2} + *contido*.] *Adj.* Que não pode ser contido.

incontinência [Do lat. *incontinentia*.] *S. f.* 1. Qualidade de incontinente; falta de continência; descontinência. 2. *Med.* Emissão involuntária de substâncias cuja excreção está, de ordinário, sujeita à vontade. ◆ **Incontinência urinária.** *Med.* Incapacidade de controlar voluntariamente a eliminação de urina, donde constante ou frequente micção involuntária.

incontinente [Do lat. *incontinente*.] *Adj.* 2 *g.* 1. Falto de continência; imoderado, sensual. • *S.* 2 *g.* 2. Pessoa imoderada em sensualidade. [Cf. *incontinênti*.]

incontinênti [Adapt. do lat. tard. *in continenti (tempore)*, 'no tempo imediatamente posterior'.] *Adv.* Sem demora; sem intervalo; sem interrupção; sem detença; imediatamente. [Cf. *incontinente*.]

incontingência [De *in-*^{2} + *contingência*.] *S. f.* Qualidade de incontingente.

incontingente [De *in-*^{2} + *contingente*.] *Adj.* 2 *g.* Não contingente.

incontinuidade (u-i) [De *in-*^{2} + *continuidade*.] *S. f.* Falta de continuidade; descontinuidade.

incontínuo [Do lat. tard. *incontinuu*.] *Adj.* Não contínuo; descontínuo.

incontível [De *in-*^{2} + *contível*.] *Adj.* 2 *g.* Não contível: "sá Nicota a se desapertar na turba incontível, bravia" (Adelino Magalhães, *Obras Completas*, I, p. 371).

incontornável [De *in-*^{2} + *contornável*.] *Adj.* 2 *g.* Que não se pode contornar, ladear ou eludir; que se tem de enfrentar; não contornável.

incontradito [De *in-*^{2} + *contradito*.] *Adj.* Não contradito.

incontrariável [De *in-*^{2} + *contrariável*.] *Adj.* 2 *g.* Que não pode ser contrariado.

incontrastável [De *in-*^{2} + *contrastável*.] *Adj.* 2 *g.* 1. Irrefutável, irrespondível, irrecusável. 2. V. *irrevogável*: "estas últimas palavras foram proferidas com a insolência de uma resolução incontrastável." (Alexandre Herculano, *Lendas e Narrativas*, I, p. 195).

incontrito [Do lat. tard. *incontritu*.] *Adj.* Não contrito; relapso, impenitente.

incontrolabilidade [De *incontrolável* + *-(i)dade*, seg. o padrão erudito.] *S. f.* Qualidade de incontrolável; impossibilidade de controlar(-se).

incontrolado [De *in-*^{2} + *controlado*.] *Adj.* Em que não há controle, ou que o perdeu; descontrolado: "Pousar a mão trêmula, aqueles dedos terrivelmente incontrolados, sobre o aparelho de choque, e aliviar-se." (Moreira Campos, *Os Doze Parafusos*, p. 77.)

incontrolável [De *in-*^{2} + *controlável*.] *Adj.* 2 *g.* Que não se pode controlar; incoercível, irreprimível, irrefreável, insopitável: "Ele se lançou nos meus braços; seus ombros sacudiam-se em soluços incontroláveis" (Guilherme Figueiredo, *História para Se Ouvir de Noite*, p. 41).

incontroverso [De *in-*^{2} + *controverso*.] *Adj.* Incontestável, irrefragável, certíssimo, inconcusso, incontrovertido: "tenho para mim que há exageração em afirmar-se que basta colocar-se uma pessoa à sombra dessa árvore [o coração-de-negro] para ficar com o aspecto de um morfético, conforme afirma, como fato incontroverso, o catálogo da Província do Paraná 1875." (Visconde de Taunay, *Visões do Sertão*, p. 108).

incontrovertido [De *in-*^{2} + *controvertido*.] *Adj.* V. *incontroverso*.

incontrovertível [De *in-*^{2} + *controvertível*.] *Adj.* 2 *g.* Não controvertível.

inconveniência [Do lat. tard. *inconvenientia*.] *S. f.* 1. Qualidade ou estado de inconveniente; falta de conveniência. 2. Ato, palavra ou fato inconveniente; descortesia, incivilidade, grosseria; indiscrição.

inconveniente [Do lat. imp. *inconveniente*.] *Adj.* 2 *g.* 1. Não conveniente; falto de conveniência. 2. Indiscreto, inoportuno, impróprio: *pergunta inconveniente*. 3. Impróprio, inadequado: "os jornalistas, ... ao ouvi-lo, prorromperam em gargalhadas, inconvenientes à majestade do lugar." (Lima Barreto, *Triste Fim de Policarpo Quaresma*, p. 79). 4. Oposto ao decoro, à decência, ao uso da sociedade, às conveniências; grosseiro, indecoroso: *atitude inconveniente*. 5. Que não respeita o decoro, a decência, as conveniências; incorreto, indecente: *indivíduo inconveniente*. • *S. m.* 6. Prejuízo, perigo, risco, desvantagem: *Não há inconveniente em acompanhá-lo*. 7. Obstáculo, incômodo, objeção, estorvo, transtorno, embaraço: *Parecia tudo fácil, mas surgiram inconvenientes incontáveis*.

inconvenientemente [De *inconveniente* + *-mente*.] *Adv.* De maneira inconveniente, indiscreta, imprópria, inadequada, indecorosa ou embaraçosa.

inconversável [De *in-*^{2} + *conversável*.] *Adj.* 2 *g.* V. *desconversável* (1).

inconversibilidade [De *inconversível* + *-(i)dade*, seg. o padrão erudito.] *S. f.* Qualidade de inconversível; inconvertibilidade.

inconversível [Do lat. med. *inconversibile*.] *Adj.* 2 *g.* 1. Que não se pode converter; inconvertível. 2. *Econ.* Diz-se de moeda que não é conversível (2).

inconverso [De *in-*^{2} + *converso*.] *Adj.* Não convertido, não converso; inconvertido.

inconvertibilidade [Do lat. med. *inconvertibilitate*.] *S. f.* Qualidade de inconvertível; inconversibilidade.

inconvertido [De *in-*^{2} + *convertido*.] *Adj.* 1. V. *inconverso*. • *S. m.* 2. Indivíduo inconvertido: "– Sou eu o intolerante, o inconvertido, / ou é que o mundo não tem mais sentido?" (Hermes Fontes, *A Fonte da Mata...*, p. 95.)

inconvertível [De *in-*^{2}+ *convertível*.] *Adj.* 2 *g.* Inconversível (1).

inconvicto [De *in-*^{2} + *convicto*.] *Adj.* Que não está convicto.

inconvincente [De *in-*^{2} + *convincente*.] *Adj.* 2 *g.* Que não convence; não convincente: "A explicação é inconvincente e demasiado simplista." (Eduardo Frieiro, *Os Livros Nossos Amigos*, p. 174.)

incoordenação [De *in-*^{2} + *coordenação*.] *S. f.* Ausência de coordenação.

incoordenado [De *in-*^{2} + *coordenado*.] *Adj.* Não coordenado; sem coordenação: "com a anarquia de um protesto ainda incoordenado" (Antônio Cândido, *Brigada Ligeira*, p. 21).

incorporação [Do lat. tard. *incorporatione*.] *S. f.* 1. Ato ou efeito de incorporar(-se). 2. Agrupamento, inclusão. 3. *E. Ling.* Processo de formação vocabular em que uma palavra, geralmente um verbo, forma uma espécie de composto com seu objeto, ou com um advérbio. [Ex.: *papa-hóstias*.] 4. *Bras.* Edifício que se incorpora [v. *incorporar* (7)]. 5. *Bras. Espir.* Tomada do corpo do médium por um guia ou espírito; descida, transe mediúnico.

incorporado [Part. de *incorporar*.] *Adj.* Que foi objeto de incorporação.

incorporador (ô) [De *incorporar* + *-dor*.] *Adj.* 1. Que incorpora; incorporante, incorporativo. • *S. m.* 2. Aquele que incorpora. 3. *Bras.* Aquele que promove a incorporação de prédio(s) de apartamentos, lojas, etc., em condomínio. 4. *Bras.* Fundador de uma sociedade anônima.

incorporadora (ô) [F. subst. do adj. *incorporador*.] *S. f.* *Bras.* Firma ou empresa que incorpora [v. *incorporar* (7)].

incorporal [Do lat. imp. *incorporale*.] *Adj.* 2 *g.* V. *incorpóreo*.

incorporalidade [Do lat. tard. *incorporalitate*.] *S. f.* Qualidade de incorporal; incorporeidade.

incorporante [De *incorporar* + *-nte*.] *Adj.* 2 *g.* 1. V. *incorporador* (1). 2. *Restr.* Diz-se da sociedade anônima que absorve outras sociedades por meio da incorporação. ~ V. *língua* —.

incorporar [Do lat. *incorporare*.] *V. t. d.* 1. Dar forma corpórea a. 2. Admitir ou receber em corporação. 3. Reunir (diversas companhias mercantis) em uma só. 4. Juntar num só corpo; dar unidade a; reunir: *A Assembleia resolveu incorporar os decretos e leis referentes à matéria*. 5. *Econ.* Acrescentar (fundos de reserva, lucros-distribuídos, etc.) ao capital de uma empresa. 6. *Espir.* Receber (uma entidade [6]) no seu corpo, mediante transe mediúnico. 7. *Bras.* Realizar (o dono, o compromissário ou o titular de opção de venda de um terreno) contrato para construção de (edifício de apartamentos, lojas, etc.), em condomínio, começando logo a vender, ger. em prestações, as futuras unidades. *T. d. e i.* 8. Unir, reunir, juntar, em um só corpo ou em só todo: *Incorporou mais um bem de raiz no seu patrimônio*; *Incorporou mais um título à sua valiosa obra literária*. 9. Introduzir, embeber, imbuir: "*Odor di femina*: eis o que ele aspirava nela, e em volta dela, para incorporá-lo em si próprio." (Machado de Assis, *Várias Histórias*, p. 7.) *Int.* 10. Tomar corpo; encorpar, crescer. *P.* 11. Tomar forma corpórea; materializar-se: *O espiritismo crê que os espíritos se incorporam*. 12. Entrar a fazer parte; ingressar: *incorporar-se numa agremiação*. 13. Reunir-se, juntar-se, congregar-se: *Vários homens do povo incorporaram-se no préstito*; *Transeuntes incorporaram-se à procissão*.

incorporativo [De *incorporar* + *-tivo*.] *Adj.* V. *incorporador* (1).

incorporeidade [De *incorpór(eo)* + *-eidade*.] *S. f.* Qualidade ou estado de incorpóreo; incorporalidade.

incorpóreo [Do lat. tard. *incorporeu*.] *Adj.* Que não tem corpo; imaterial, impalpável; incorporal: "A viração do oceano acariciava o rosto / Como incorpóreas mãos." (Manuel Bandeira, *Estrela da Vida Inteira*, p. 43.)

incorreção [De *in-*^{2} + *correção*.] *S. f.* 1. Falta de correção; erro. 2. Qualidade de incorreto (2). 3. Ação, procedimento, atitude incorreta.

incorrer [Do lat. *incurrere*.] *V. t. i.* 1. Ficar incluído, implicado ou comprometido; incidir: *Incorreu no desagrado do chefe*; "As mulheres que incorriam em heresia .... eram enterradas vivas." (Ramalho Ortigão, *As Farpas*, II, p. 255). 2. Ficar sujeito a. *T. d.*

3. *Ant.* Atrair sobre si; cair em. [Part.: *incorrido* e *incurso*.]

incorrespondente [De *in-*² + *correspondente*.] ***Adj. 2 g.*** Que não é correspondente ou adequado (a outra coisa): "Não rimarei a palavra sono / com a incorrespondente palavra outono." (Carlos Drummond de Andrade, *Poemas*, p. 109.)

incorrespondido [De *in-*² + *correspondido*.] ***Adj.*** Não correspondido, não retribuído: "A cantiga é uma corruptela de várias toadas num tom langoroso, alimentado .... de desejos incontidos, e de lamentações incorrespondidas." (Jorge de Lima, *Obra Completa*, I, p. 358); "Apesar do amor incorrespondido, e até por causa disso, / o poema nasce." (Marco Aurélio Melo Reis, *Monção Lírica*, p. 15).

incorretamente [Do f. de *incorreto* + *-mente*.] ***Adv.*** De maneira incorreta; sem correção.

incorreto [Do lat. *incorrectu*.] ***Adj.*** **1.** Que não está correto, ou não foi corrigido; errado: *texto incorreto; total incorreto.* **2.** Não correto; deselegante, desonesto, indigno: *indivíduo incorreto; procedimento incorreto.* ◆ **Politicamente incorreto. 1.** Diz-se de atitude, comportamento, discurso, etc., que revela a preconceito ou parâmetros de valor tidos como desprestigiantes do ponto de vista social, cultural, econômico, etc. **2.** O pensamento, a atitude, o comportamento, o discurso, etc., politicamente incorreto.

incorrigibilidade [De *incorrigível* + *-(i)dade*, seg. o padrão erudito.] ***S. f.*** Qualidade ou caráter de incorrigível.

incorrigível [Do lat. *incorrigibile*.] ***Adj. 2 g.*** **1.** Impossível de corrigir; incapaz de emenda. **2.** Reincidente no erro, no crime, num hábito; incapaz de emendar-se: "Humorista dos mais espirituosos, boêmio incorrigível, fornecia [Frederico Karinthy] material permanente para o anedotário de todos os jornais" (Paulo Rónai, *Escola de Tradutores*, p. 45).

incorrimento [De *incorrer* + *-imento*.] ***S. m. Ant.*** **1.** Ato de incorrer. **2.** Ataque, incursão.

incorrompido [De *in-*² + *corrompido*.] ***Adj.*** Que não se corrompeu; incorrupto.

incorrosível [De *in-*² + *corrosível*.] ***Adj. 2 g.*** Não corrosível.

incorruptibilidade [Do lat. *incorruptibilitate*.] ***S. f.*** Qualidade ou caráter de incorruptível. [Var.: *incorrutibilidade*.]

incorruptível [Do lat. tard. *incorruptibile*.] ***Adj. 2 g.*** **1.** Não suscetível de corrupção; inalterável. **2.** Que não se deixa subornar. **3.** Íntegro, reto, austero: "Os filhos são os mais implacáveis e incorruptíveis juízes do procedimento dos pais." (Ramalho Ortigão, *Em Paris*, p. 184.) [Var.: *incorrutível*. Sin. ger.: *incorruptivo*.]

incorruptivo [Do lat. tard. *incorruptivu*.] ***Adj.*** V. *incorruptível*. [Var.: *incorrutivo*.]

incorrupto [Do lat. *incorruptu*.] ***Adj.*** **1.** Isento de corrupção. **2.** Que não se corrompeu. [Var.: *incorruto*.]

incorrutibilidade ***S. f.*** V. *incorruptibilidade*.

incorrutível ***Adj. 2 g.*** V. *incorruptível*.

incorrutivo ***Adj.*** V. *incorruptivo*.

incorruto ***Adj.*** V. *incorrupto*.

■ **INCRA** Sigla de *Instituto Nacional de Colonização e Reforma Agrária*.

➔ **incredibile dictu** [enkre'dibele 'dikto] [Lat.] Incrível de se dizer. [Us. quase sempre interjetivamente.]

incredibilidade [Do lat. tard. *incredibilitate*.] ***S. f.*** Qualidade de incredível ou incrível.

incredibilíssimo [Do lat. *incredibilissimu*.] ***Adj.*** Superl. abs. sint. de *incredível* e *incrível*.

incredível [Do lat. *incredibile*.] ***Adj. 2 g. P. us.*** Incrível (q. v.).

incredulamente (èd) [Do f. do adj. *incrédulo* + *-mente*.] ***Adv.*** De maneira incrédula; com incredulidade.

incredulidade [Do lat. tard. *incredulitate*.] ***S. f.*** **1.** Qualidade de incrédulo, descrença. **2.** Falta de fé; irreligião; ateísmo.

incrédulo [Do lat. *incredulu*.] ***Adj.*** **1.** Falto de crença; ímpio; descrente: *indivíduo incrédulo*. **2.** Próprio de quem não crê, de quem está duvidoso: *ar incrédulo; atitude incrédula*. ● ***S. m.*** **3.** Indivíduo sem credulidade; descrente. **4.** Ateu, ímpio, increu.

increia (éi) ***S. f.*** F. de *increu*: "Já por este tempo estava amortecida a fúria dos queimadores da gente increia e dos suspeitos de heresia." (João Ribeiro, *Crítica*, I, p. 58.) ❖

incrementação [De *incrementar* + *-ção*.] ***S. f.*** Ato ou efeito de incrementar.

incrementado [Part. de *incrementar*.] ***Adj.*** **1.** A que se deu incremento; desenvolvido, aumentado: *uma indústria incrementada*. **2.** *Bras. Gír.* Que tem os elementos necessários para provocar animação, excitação, exaltação; quente: *festa incrementada*. **3.** *Bras. Gír.* Muito moderno, ousado, avançado; prafrente; prafrentex; quente: *roupa incrementada*.

incremental [De *incremento* + *-al*¹; ingl. *incremental*.] ***Adj. 2 g.*** **1.** Relativo a incremento. **2.** Que visa a incremento.

incrementar [Do lat. med. *incrementare*.] ***V. t. d.*** **1.** Dar incremento (2) a; desenvolver, aumentar. **2.** Tornar mais apurado, mais elaborado: *Usou um cálice de conhaque para incrementar o assado.* ***T. d. e i.*** **3.** *Mat.* Adicionar dada quantidade a (uma variável). **4.** *Bras. Gír.* Provocar animação, excitação, exaltação, em.

incremento [Do lat. *incrementu*.] ***S. m.*** **1.** Ato de crescer, de aumentar. **2.** Desenvolvimento, aumento, acréscimo: *O governo promoveu o incremento da indústria açucareira*; "a descoberta do ouro e dos diamantes do Brasil, o incremento das exportações de vinhos .... adiam de novo o problema econômico e social" (Antônio José Saraiva e Óscar Lopes, *História da Literatura Portuguesa*, p. 447). **3.** *Mat.* Ato de incrementar uma variável. **4.** *Mat.* A quantidade acrescida a uma variável. [Sin., nas acepç. 3 e 4: *acréscimo*.]

increpação [Do lat. tard. *increpatione*.] ***S. f.*** Ato ou efeito de increpar; increpamento.

increpador (ô) [Do lat. tard. *increpatore*.] ***Adj.*** **1.** Increpante. ● ***S. m.*** **2.** Aquele que increpa.

increpamento [De *increpar* + *-mento*.] ***S. m.*** Increpação.

increpante [De *increpar* + *-nte*.] ***Adj. 2 g.*** Que increpa; increpador.

increpar [Do lat. *increpare*.] ***V. t. d.*** **1.** Repreender asperamente; admoestar com energia. ***T. d. e i.*** **2.** Acusar, censurar, arguir: "Daquela vez me increpava de infidelidade na citação de textos. Hoje me acoima de arvorar a desonestidade em teoria, e legitimá-la em direito." (Rui Barbosa, *Réplica*, p. 59.) ***Transobj.*** **3.** Increpar (2): "Os latinos não conservaram a ficção poética do canto melodioso da cigarra, pois o increpavam de rouco, desagradável" (Alberto Faria, *Acendalhas*, p. 71).

increpável [De *increpar* + *-vel*.] ***Adj. 2 g.*** Que deve ser increpado.

increu [Do lat. *incredulu*.] ***S. m.*** V. *incrédulo* (4): "Embora increu, crescera [Machado de Assis] entre os sinos das nossas igrejas, ... e nunca deixou de sentir uma secreta simpatia pelos padres." (Brito Broca, *Horas de Leitura*, p. 141.) [Fem.: *increia*.]

incriado [Do lat. tard. *increatu*.] ***Adj.*** **1.** Que existe sem ter sido criado; que não teve princípio. ● ***S. m.*** **2.** Coisa não criada, que não teve começo. **3.** Deus. [Com cap., nesta acepç.]

incriável [Do lat. tard. *increabile*.] ***Adj. 2 g.*** Não criável; que não se pode criar.

incriminação [De *incriminar* + *-ção*.] ***S. f.*** Ato ou efeito de incriminar(-se).

incriminar [De *in-*¹ + *criminar*.] ***V. t. d.*** **1.** Declarar ou ter por criminoso; criminar. **2.** Considerar como crime: "Sampaio lamentava .... o desamparo em que ficara o reino pela .... fuga do príncipe regente. Incriminava a cobardia de semelhante desaire para o país dos Pachecos e Albuquerques." (Camilo Castelo Branco, *Carlota Ângela*, p. 106.) **3.** Denunciar, inculpar: *Aquele descuido incriminou-o.* ***T. d. e i.*** **4.** Acusar, culpar: *Incriminaram-no de falcatruas.* ***P.*** **5.** Deixar transparecer a própria culpa; criminar-se.

incriminatório [De *incriminar* + *-tório*.] ***Adj.*** Que incrimina, denuncia, inculpa: "poderia ser alguém da Conservatória Geral que o tivesse seguido até aqui com o fito de surpreendê-lo... e assim poder juntar ao processo disciplinar .... a peça incriminatória irrespondível que lhe faltava ainda." (José Saramago, *Todos os Nomes*, p. 46).

incristalizável [De *in-*² + *cristalizável*.] ***Adj. 2 g.*** Não cristalizável.

incriticável [De *in-*² + *criticável*.] ***Adj. 2 g.*** **1.** Que não é criticável. **2.** Superior a toda a crítica. **3.** Abaixo de qualquer crítica; que não vale a pena de se lhe fazer a crítica.

incrível [Do lat. *incredibile*.] ***Adj. 2 g.*** **1.** Que não se acredita; inacreditável. **2.** Difícil de se acreditar; extraordinário; inexplicável. **3.** Singular, estranho: *É verdadeiramente um tipo incrível, imprevisível.* **4.** Admirável. [F. paral., p. us.: *incredível*. Superl. abs. sint., das duas formas adj.: *incredibilíssimo*.] ● ***S. m.*** **5.** Aquilo em que não se pode crer.

incruentar [De *incruento* + *-ar*².] ***V. t. d.*** Tornar incruento.

incruento [Do lat. *incruentu*.] ***Adj.*** **1.** Em que não houve derramamento de sangue; que não custou sangue: *as incruentas batalhas da ciência*; "duros anos de guerras justas e injustas, de revoluções sangrentas e incruentas" (Fidelino de Figueiredo, *Um Colecionador de Angústias*, p. 266). **2.** *Rel.* Diz-se de certo tipo de oferendas feitas à divindade com frutos naturais ou com produto do trabalho humano, como, p. ex., pão e vinho.

incrustação [Do lat. tard. *incrustatione*.] ***S. f.*** **1.** Ato ou efeito de incrustar(-se). **2.** *Geol.* Depósito de matéria sólida, inicialmente em solução, sobre qualquer matriz.

incrustador (ô) [De *incrustar* + *-dor*.] ***Adj.*** **1.** Que incrusta. ● ***S. m.*** **2.** Aquele que faz incrustações, embutidos.

incrustante [De *incrustar* + *-nte*.] ***Adj. 2 g.*** Que tem a propriedade de cobrir os corpos com uma crosta mineral, formada, ger., de carbonato de cal.

incrustar [Do lat. *incrustare*.] ***V. t. d.*** **1.** Cobrir de crosta. **2.** Adornar com embutidos ou incrustações. ***T. d. e i.*** **3.** Embutir, inserir, embrechar, tauxiar: *Incrustou brilhantes na pulseira de ouro.* **4.** Cobrir, vestir, revestir: *Incrustou o tampo de madeira com uma camada de verniz.* ***P.*** **5.** Prender-se ou agarrar-se fortemente. **6.** Arraigar-se, fixar-se. **7.** Tornar-se insensível; empedernir-se, empedernecer-se.

incrustável [De *incrustar* + *-vel*.] ***Adj. 2 g.*** Que pode ser incrustado.

incubação [Do lat. imp. *incubatione*.] ***S. f.*** **1.** Ato ou efeito de incubar. **2.** *Fig.* Elaboração, preparação. **3.** *Med.* Período de incubação (q. v.). [Cf. *encubação*.]

incubadeira [De *incubar* + *-deira*.] ***S. f.*** Incubadora, chocadeira.

incubador (ô) [De *incubar* + *-dor*.] ***Adj.*** Que serve para incubar.

incubadora (ô) [F. subst. do adj. *incubador*.] ***S. f.*** **1.** Aparelho para incubação artificial de galináceos; chocadeira. **2.** *Biol.* Aparelho destinado a manter temperatura constante e apropriada para o desenvolvimento de ovos e cultura de microrganismos ou de outras células vivas. **3.** *Med.* Aparelho que se destina a manter criança prematura em ambiente de temperatura, oxigenação e umidade apropriadas.

incubar [Do lat. *incubare*.] ***V. t. d.*** **1.** Chocar (ovos). **2.** Possuir em estado latente. **3.** Premeditar, planejar, planear, projetar, predispor: *Durante longo tempo incubou planos fantásticos.* ***Int.*** **4.** Chocar ovos. ***P.*** **5.** Compenetrar-se, convencer-se, persuadir-se. [Pres. ind.: *incubo*, etc. Cf. *íncubo* e *encubar*.]

íncubo [Do lat. tard. *incubu*.] ***Adj.*** **1.** Que se deita sobre algo. **2.** *Bot.* Diz-se das folhas das hepáticas quando o bordo anterior ou superior de uma, cobre o bordo posterior ou inferior da seguinte, de sorte que, ao longo do eixo talino, as folhas de baixo vão recobrindo as de cima. ● ***S. m.*** **3.** *Etnogr.* Demônio masculino que, segundo velha crença popular, vem pela noite copular com uma mulher, perturbando-lhe o sono e causando-lhe pesadelos. [Antôn.: *súcubo*. Cf. *incubo*, do v. *incubar* e *encubo*, do v. *encubar*.]

incude [Do lat. *incude*.] ***S. f.*** Bigorna (1).

▲ **incud(i)-** [Do lat. *Incus, ūdis*.] ***El. comp.*** = 'bigorna (1 e 2)', 'incude': *incudiforme*.

incudiforme [De *incud(i)-* + *-forme*.] ***Adj. 2 g.*** Que tem forma de incude ou bigorna.

inculca [Dev. de *inculcar*.] ***S. f.*** **1.** Ato ou efeito de inculcar. **2.** Pessoa que inculca: "Dei volta ao povo e, como quem não quer a coisa, deitei inculcas para saber quem era aquela moça tão linda." (João de Araújo Correia, *Cinza do Lar*, p. 111.) **3.** *Fig.* Sugestão, busca, pesquisa. ~ V. *inculcas*.

inculcadeira [De *inculcar* + *-deira*.] ***S. f.*** Mulher que inculca; alcoviteira.

inculcador (ô) [Do lat. tard. *inculcatore*.] ***Adj. S. m.*** Que, ou aquele que inculca.

inculcar [Do lat. *inculcare*.] ***V. t. d.*** **1.** Apontar, citar, apregoar: *O livro inculca novos rumos econômicos.* **2.** Demonstrar; aparentar: *As olheiras profundas inculcavam o seu cansaço.* **3.** Dar a entender; demonstrar, indicar, revelar: "Os tetos, cujas vigas lavradas inculcavam a paciência de um artífice do XV século, subiam a grande altura" (Rebelo da Silva, *Contos e Lendas*, p. 57). **4.** Repetir (alguma coisa) com insistência, para frisá-la no espírito; repisar. **5.** Declarar, divulgar, revelar: "Inculcava apenas sessenta anos, mas os vizinhos do seu tempo punham-lhe mais dez anos sem receio de erro, e acertavam." (Id., *ib.*, p. 78.) ***T. d. e i.*** **6.** Recomendar elogiosamente; propor, indicar, aconselhar: *Tentava inculcar-lhe novos métodos*; "Era um místico terrível. Sonhava com Deus e inculcava-o a toda a gente como o sonhava." (João de Araújo Correia, *Cinza do Lar*, p. 117). **7.** Gravar, imprimir, fixar: *Inculcou bons princípios em sua mente, graças à boa educação que lhe deram.* ***P.*** **8.** Dar-se, oferecer-se, apresentar-se, impor-se. **9.** Mostrar-se, insinuar-se. **10.** Descobrir-se, revelar-se. [Conjug.: v. *trancar*.]

inculcas [Pl. de *inculca*.] ***S. f. pl.*** Averiguações; informações: "– .... Deitaram-se muitas inculcas, mas nunca se soube quem era a mãe." (Camilo Castelo Branco, *Novelas do Minho*, VII, p. 54.) ~ V. *inculca*.

inculpabilidade [De *inculpável* + *-(i)dade*, seg. o padrão erudito.] ***S. f.*** Qualidade de inculpável; falta de culpabilidade.

inculpação [Do lat. tard. *inculpatione*.] ***S. f.*** **1.** Ato ou efeito de inculpar(-se). **2.** Estado de quem é inculpado.

inculpado[1] [Do lat. *inculpatu*, 'inocente'.] ***Adj.*** Isento de culpa; inocente: "Nunca deixei de a considerar [à Marquesa de Távora] uma das mais virtuosas, das mais inculpadas vítimas daquele a quem a *Viradeira* implacável havia de chamar um dia – 'o grande leproso'." (Júlio Dantas, *Abelhas Doiradas*, pp. 139-140.)

inculpado[2] [Do lat. *inculpatu*, 'culpado'.] ***Adj.*** **1.** Que é objeto de inculpação (1); incriminado, acusado, culpado. ● ***S. m.*** **2.** Aquele que é objeto de inculpação (1).

inculpar [Do lat. tard. *inculpare*.] ***V. t. d.*** **1.** Atribuir culpa a; censurar, acusar, culpar: *Diz-se inocente, mas todos o inculpam*; "O Memorândum de Vásquez Sagastume é um arrazoado completo contra os que pretendem inculpar-nos levianamente, contra os que apontam o Brasil como potência imperialista, ciumenta do progresso e desenvolvimento do Paraguai." (Ronald de Carvalho, *Estudos Brasileiros*, III, p. 89). ***T. d. e i.*** **2.** Atribuir culpa; censurar, acusar; incriminar: *Inculpam-no do crime de omissão.* ***Transobj.*** **3.** Atribuir culpa; censurar, acusar, incriminar: "Arrasto, como a um fardo, a alma ferida, / e a dor que me crucia, manifesto, / sem jamais inculpar de fementida / aquela que em meu sonho amo, e requesto." (Adelmar Tavares, *Poesias Completas*, p. 44.) ***P.*** **4.** Confessar-se culpado; incriminar-se; comprometer-se.

inculpável [Do lat. tard. *inculpabile*.] ***Adj. 2 g.*** Que não se pode culpar.

inculpe [De *in-*[2] + *culpa*, por anal. com adjetivos como *imberbe* (< lat. *imberbis*), e *inerme* (< lat. *inermis*).] ***Adj. 2 g.*** Sem culpa ou crime; inocente.

inculposo (ô) [De *in-*[2] + *culposo*.] ***Adj.*** Em que não há culpa ou crime; não culposo.

incultivável [De *in-*[2] + *cultivável*.] ***Adj. 2 g.*** Não cultivável; improdutivo.

incultivo [De *in-*[2] + *cultivo*.] ***S. m.*** Falta de cultivo; incultura.

inculto [Do lat. *incultu*.] ***Adj.*** **1.** Não cultivado; sem cultura; rude, agreste, árido: *terreno inculto.* **2.** *Fig.* Sem cultura, instrução, ilustração: *indivíduo inculto; espírito inculto.* **3.** *Fig.* Singelo, tosco, desataviado: *beleza inculta.*

incultura [De *in-*[2] + *cultura*.] ***S. f.*** **1.** Qualidade ou estado de inculto. **2.** *Fig.* Falta de cultura ou ilustração.

incumbência [De *incumbir* + *-ência*.] ***S. f.*** **1.** Ato ou efeito de incumbir(-se); encargo. **2.** Missão ou negócio que se incumbe a alguém.

incumbente [Do lat. *incumbente*.] ***Adj. 2 g.*** **1.** Inclinado para a terra. **2.** *Bot.* Diz-se da radícula que se aplica sobre o dorso dos cotilédones. **3.** *Zool.* Diz-se das asas dos insetos quando os bordos superiores se sobrepõem.

incumbir [Do lat. *incumbere*, com mudança de conjug.] ***V. t. d. e i.*** **1.** Dar comissão, incumbência, encargo; encarregar: "D. Maria Micaela encarregou-o de todos os negócios de sua grande casa, incumbindo-o especialmente de correr com o inventário do casal" (Camilo Castelo Branco, *Noites de Insônia*, I, p. 58); "na hora do recreio, incumbindo a outro o cuidado de levar os meninos a passeio, deixou-se ficar no salão" (Bernardo Guimarães, *O Seminarista*, p. 55). ***T. i.*** **2.** Ser da obrigação, do dever; pertencer, caber, competir: *Incumbe-lhe o recebimento de impostos.* ***P.*** **3.** Tomar encargo; encarregar-se: "Na cômoda a roupa estava arranjada como no tempo em que minha mãe se incumbia desse trabalho." (José de Alencar, *Lucíola*, p. 143.)

incunabular [De *incunábulo* + *-ar*[1].] ***Adj. 2 g.*** Relativo aos incunábulos, ou às oficinas, técnicas, etc., do período a eles concernente: *imprensa incunabular.*

incunábulo [Do lat. **incunabulu*, 'berço', sing. do lat. *incunabula* (*pluralia tantum*).] ***S. m.*** **1.** Começo, origem: "nos seus nebulosos incunábulos a filosofia grega é essencialmente naturalista. É sobre a matéria que ela firma .... os seus primeiros alicerces" (Latino Coelho, *A Oração da Coroa*, pp. LXXXVIII-LXXXIX). **2.** *Bibliol.* Livro impresso nos primórdios da imprensa, *i. e.*, a partir de meados do séc. XV, até o último dia, inclusive, do séc. XVI: "No seu exílio na Inglaterra foi no que principalmente se empenhou o último rei de Portugal: em reconquistar, a alfarrabistas, manuscritos, incunábulos e livros raros portugueses." (Gilberto Freire, *Aventura e Rotina*, p. 161.) **3.** *P. ext.* Impresso produzido nos primórdios de qualquer sistema de gravar, compor ou imprimir: *incunábulo da fotocomposição.* [Cf., nesta acepç., *xilógrafo* (2).] ● ***Adj.*** **4.** Diz-se de incunábulo (2).

incurabilidade [De *incurável* + *-(i)dade*, seg. o padrão erudito.] ***S. f.*** Qualidade ou estado de incurável.

incurável [Do lat. tard. *incurabile*.] ***Adj. 2 g.*** Que não tem cura; irremediável.

incúria [Do lat. *incuria*.] ***S. f.*** **1.** Falta de cuidado; desleixo, negligência: "No sermão de S. Roque abundou o orador [Pe. Antônio Vieira] nas mesmas ideias, e conclui, repreendendo a incúria e indiferença com que se descuidavam dos exercícios da milícia, e fortificação das praças" (João Francisco Lisboa, *Obras*, IV, p. 46). **2.** Inércia, inação.

incurial [De *in-*[2] + *curial*.] ***Adj. 2 g.*** Que não é curial; impróprio, inconveniente.

incurialidade [De *incurial* + *-(i)dade*.] ***S. f.*** Qualidade de incurial.

incuriosidade [Do lat. tard. *incuriositate*.] ***S. f.*** **1.** Falta de curiosidade. **2.** Qualidade de incurioso.

incurioso (ô) [Do lat. imp. *incuriosu*.] ***Adj.*** **1.** Falto de curiosidade; descurioso: "Por mais incurioso que seja o viajante, ao romper aquelas veredas em torcicolos, vai sendo invadido pela tristeza daqueles ermos desolados." (Euclides da Cunha, *Contrastes e Confrontos*, p. 212.) **2.** Negligente, descuidoso, descuidado.

incursão [Do lat. *incursione*.] ***S. f.*** **1.** Invasão militar; correria. **2.** Entrada, penetração: *Fez uma incursão pelas matas.* **3.** *Fig.* Contaminação, contágio.

incursionar [De *incursão* (*incursion-*) + *-ar*[2], seg. o padrão erudito.] ***V. t. c.*** Penetrar em (território, área, etc.).

incurso [Do lat. *incursu*.] ***Adj.*** **1.** Que incorreu. ● ***S. m.*** **2.** Ato de incorrer; incursão, invasão.

incuso [Do lat. *incusu*.] ***Adj.*** Diz-se de moeda, medalha, etc., cunhada de uma só face.

incutir [Do lat. *incutere*, com mudança de conjug.] ***V. t. d.*** **1.** Inspirar, infundir: *A figura do herói incutia respeito.* ***T. d. e i.*** **2.** Infundir no ânimo de; insinuar, sugerir, inspirar, suscitar: "Através dos autos, a catequese se desenvolveu suavemente, incutindo o poeta [José de Anchieta] sentimentos cristãos no silvícola." (Leodegário A. de Azevedo Filho, *Anchieta, a Idade Média e o Barroco*, p. 207); "Sabia [João de Deus].... levar o conforto às dores dos outros, incutindo-lhes a fé" (Silva Ramos, *Pela Vida fora...*, p. 147).

inda ***Adv.*** Ainda: "Inda conserva o pálido semblante / Um não sei quê de magoado, e triste, / Que os corações mais duros enternece." (Basílio da Gama, *O Uraguai*, p. 81); "E caminhando, o viajante inda pensou nas cousas proibidas." (Tristão da Cunha, *Histórias do Bem e do Mal*, p. 105).

indaca [Do quicongo, poss.] ***S. f.*** **1.** *Angol.* Discussão, litígio. [Var.: *ondaca*.] **2.** Confusão, encrenca, barulho: "Eu sou .... caçadeira de chifre na cabeça de cavalo, caçadeira de indaca." (Adélia Prado, *Solte os Cachorros*, p. 54.) **3.** Mentira, invencionice.

indagação [Do lat. *indagatione*.] ***S. f.*** **1.** Ato ou efeito de indagar. **2.** Devassa, busca, inquirição. ◆ **Alta indagação.** *Jur.* Exame profundo de questões, dependente de diligências, documentos, testemunhas, etc., e com largo debate das partes interessadas.

indagador (ô) [Do lat. *indagatore*.] ***Adj. S. m.*** Que, ou aquele que indaga, que pergunta; averiguador.

indagar [Do lat. *indagare*.] ***V. t. d.*** **1.** Procurar saber; tentar descobrir; investigar, pesquisar, averiguar: *Indagou a causa do acidente;* "indaga se o teu silêncio / escuta o silêncio do outro" (José Paulo Moreira da Fonseca, *Tua Morada é a Viagem*, p. 50). **2.** Esquadrinhar, investigar, perscrutar, explorar. ***T. d. e i.*** **3.** Esforçar-se por descobrir; procurar saber; investigar: *Ia indagando dos transeuntes o caminho;* "indaguei de todos os passageiros se a conheciam, e não obtive a menor informação." (José de Alencar, *Cinco Minutos*, p. 22). **4.** Perguntar, inquirir: *Indagou-nos o verdadeiro sentido daquelas palavras.* ***T. i.*** **5.** Fazer indagações ou averiguações: *Tem o hábito de indagar da vida alheia;* "Aguiar indagou da pintura, D. Carmo respondeu-lhe" (Machado de Assis, *Memorial de Aires*, pp. 200-201); "cumpria-lhe velar pela sorte de Helena ...., indagar de seus sentimentos" (Id., *Helena*, p. 104). ***Bit. i.*** **6.** Perguntar, inquirir: "De vez em quando ia visitá-lo, levava-lhe frutas, indagava dos médicos sobre o seu estado." (Fernando Sabino, *O Homem Nu*, p. 168.) [Conjug.: v. *largar*.]

indagativo [De *indagar* + *-tivo*.] ***Adj.*** **1.** Que serve para indagar, para indagação. **2.** Próprio de quem indaga: *Falou-me em tom indagativo.* [Sin. ger.: *indagatório*.]

indagatório [De *indagar* + *-tório*.] ***Adj.*** V. *indagativo*.

indagável [De *indagar* + *-vel*.] ***Adj. 2 g.*** Que se pode indagar; perscrutável.

indaguaçu (dá) ***S. m. Bras. Bot.*** V. *andá-açu*.

indaiá [Do tupi.] ***S. m. Bras. Bot.*** **1.** Nome comum a várias palmeiras arecáceas do gênero *Attalea* (v. *ataleia*). **2.** Palmeira arecácea (*Attalea dubia*) nativa do ES a SC, de folhas penadas, crespas e eretas, inflorescências interfoliares e frutos amarelos, de polpa comestível; coco-de-indaiá, coco-indaiá, palmeira-indaiá, palmito-do-chão. **3.** V. *catulé* (1). [Var.: *inaiá, inajá, indajá, najá*.]

indaiaçu [Do tupi.] ***S. m. Bras. Bot.*** V. *andá-açu*.

indaiá-do-campo ***S. m. Bras. Bot.*** V. *indaiá-rasteiro*. [Pl.: *indaiás-do-campo*.]

indaiaense ***Adj. 2 g.*** **1.** De, ou pertencente ou relativo a Pedra do Indaiá (MG). ● ***S. 2 g.*** **2.** O natural ou habitante de Pedra do Indaiá.

indaialense ***Adj. 2 g.*** **1.** De, ou pertencente ou relativo a Indaial (SC). ● ***S. 2 g.*** **2.** O natural ou habitante de Indaial.

indaiá-mirim ***S. m. Bras. Bot.*** V. *indaiá-rasteiro*. [Pl.: *indaiás-mirins*.]

indaiá-rasteiro ***S. m. Bras. Bot.*** Palmeira arecácea (*Attalea exigua*) nativa de BA, MG e C.O., de estipe curto ou acaule, de frutos alaranjados e sementes oleaginosas, comestíveis e us. na indústria de doces caseiros; indaiá-do-campo, indaiá-mirim. [Pl.: *indaiás-rasteiros*.]

indaiatubano ***Adj.*** **1.** De, ou pertencente ou relativo a Indaiatuba (SP). ● ***S. m.*** **2.** O natural ou habitante de Indaiatuba.

indaié [Do tupi.] ***S. m. Bras. Zool.*** V. *gavião-carijó*.

indajá [Var. de *indaiá*.] ***S. m. Bras. Bot.*** **1.** V. *indaiá*. **2.** V. *catulé* (1).

indano [De *ind(eno)* + *-ano*[2]; ingl. *indane*.] ***S. m. Quím.*** Hidrocarboneto aromático, produto da hidrogenação parcial do indeno com retenção do núcleo benzênico [fórm.: C_8H_{10}].

indantreno ***S. f. Quím.*** Nome comercial de substância pulverulenta, azul, corante de cuba para o algodão [fórm.: $C_{28}H_{14}N_2O_4$].

indébito [Do lat. *indebitu*.] ***Adj.*** **1.** Que não é devido; que não tem razão de ser; improcedente: *queixa indébita.* **2.** Que não é devido; a que não se tem direito; imerecido, imérito: *Prestam-lhe honrarias indébitas.* **3.** Que foi pago sem ser devido: *conta indébita.* ● ***S. m.*** **4.** *Jur.* Pagamento que se recebeu sem ser devido.

indecência [Do lat. imp. *indecentia*.] ***S. f.*** **1.** Falta de decência; indecoro. **2.** Ação, dito ou modos indecentes.

indecente [Do lat. imp. *indecente*.] ***Adj. 2 g.*** **1.** Que não tem decência; indecoroso. **2.** Contrário à decência, à conveniência; inconveniente, obsceno. ● ***S. 2 g.*** **3.** Pessoa indecente.

indecidido [De *in-*[2] + *decidido*.] ***Adj.*** **1.** Não decidido; indeciso, irresoluto. **2.** Não decidido; que está por ser resolvido: *pleito indeciso.*

indecifração [De *in-*[2] + *decifração*.] ***S. f.*** Falta de decifração; não decifração.

indecifrado [De *in-*[2] + *decifrado*.] ***Adj.*** Que não se decifrou ou interpretou; não decifrado: "Tudo o mais ficou, indecifrado, a bailar-me na mente que a estranha imagem perturbara." (Joaquim Paço D'Arcos, *Neve sobre o Mar*, p. 94.)

indecifrável [De *in-*[2] + *decifrável*.] ***Adj. 2 g.*** Que não pode ser decifrado: "E fitam-se, em silêncio indecifrável" (Antero de Quental, *Sonetos*, p. 308).

indecisão [De *in-*[2] + *decisão*.] ***S. f.*** **1.** Estado ou qualidade de indeciso; hesitação, irresolução, perplexidade. **2.** Falta de espírito de decisão, de capacidade de decidir ou resolver de pronto.

indeciso [Do lat. tard. *indecisu*.] ***Adj.*** **1.** Não decidido; duvidoso, hesitante, irresoluto: "Que fazer? A donzela ficou algum tempo indecisa, gelada de terror" (Inglês de Sousa, *Contos Amazônicos*, p. 165). **2.** Indeterminado, indistinto, vago: "As estrelas, já sem contornos, derramavam-se na tinta negra do céu, como indecisas nódoas luminosas" (Aluísio Azevedo, *Pegadas*, p. 121). ● ***S. m.*** **3.** Indivíduo irresoluto, indeciso.

indeclarável [De *in-*[2] + *declarável*.] ***Adj. 2 g.*** Não declarável.

indeclinabilidade [De *indeclinável* + *-(i)dade*, seg. o padrão erudito.] ***S. f.*** Qualidade de indeclinável.

indeclinável [Do lat. tard. *indeclinabile*.] ***Adj. 2 g.*** **1.** De que é impossível declinar, desviar-se, afastar-se; a que não se pode fugir; irrecusável: *honra indeclinável; dever indeclinável;* "as horas .... foram-se-me a uma e uma subtraindo pelo cumprimento de obrigações anteriores e indeclináveis" (Antônio Feliciano de Castilho, *Camões*, I, p. 246). **2.** *E. Ling.* Que não se flexiona; invariável: "Vê-se .... que o *que*, na sua origem pronome relativo ou interrogativo e portanto declinável, invadiu depois a classe das palavras indeclináveis, vindo tomar lugar entre as conjunções." (Dr. J. J. Nunes, *Digressões Lexicológicas*, pp. 233-234.) **3.** *E. Ling.* Que não se flexiona em caso (5).

indecomponível [De *in-*[2] + *decomponível*.] ***Adj. 2 g.*** Que não se pode decompor; não decomponível.

indecoro (ô) [Do lat. *indecoru* (subst.).] ***S. m.*** **1.** Falta de decoro: "D. Afonso VI .... tinha uma amante freira no convento de Odivelas ...., fazendo-lhe contínuas assistências com grande indecoro e geral reprovação de toda a corte." (Conde de Sabugosa, *Embrechados*, p. 21.) **2.** Ação indecorosa. [Sin. ger.: *indecência*. Pl.: *indecoros* (ô). Cf. *indécoro*.]

indécoro [Do lat. *indecoru* (adj.).] *Adj. P. us.* V. *indecoroso.* [Cf. *indecoro.*]

indecorosidade [De *indecoroso* + *-(i)dade.*] *S. f.* Qualidade do que é indecoroso.

indecoroso (ô) [Do lat. imp. *indecorusu.*] *Adj.* Não decoroso; indecente, indigno, vergonhoso; indécoro: "E agora aqui estou só, sem mulher, sem filhos, sem lar, com os meus baixos devaneios e aventuras de amor indecoroso" (José Régio, *Histórias de Mulheres*, p. 52). [Antôn.: *decoroso.*]

indefectibilidade [De *indefectível* + *-(i)dade*, seg. o padrão erudito.] *S. f.* Qualidade de indefectível.

indefectível [De *in-*[2] + *defectível.*] *Adj. 2 g.* **1.** Que não falha; infalível, certo: "Naqueles trágicos episódios, um homem esteve sempre ao lado de Castilhos, como amigo indefectível" (João Neves da Fontoura, *Memórias*, I, p. 9). **2.** Imperecedouro, imperecível; indestrutível.

indefensabilidade [De *indefensável* + *-(i)dade*, seg. o padrão erudito.] *S. f.* Qualidade de indefensável; indefensibilidade.

indefensável [De *in-*[2] + *defensável.*] *Adj. 2 g.* Que não tem defesa; não defensável; indefensível.

indefensibilidade [De *indefensível* + *-(i)dade*, seg. o padrão erudito.] *S. f.* Indefensabilidade.

indefensível [De *in-*[2] + *defensível.*] *Adj. 2 g.* Indefensável.

indefenso [Do lat. tard. *indefensu*, por via erudita.] *Adj.* **1.** Que não é defendido. **2.** Desarmado, fraco. [Sin. ger.: *indefeso.* Cf. *indefesso.*]

indeferido [Part. pass. de *indeferir.*] *Adj.* **1.** Não deferido; desatendido. **2.** Que não teve despacho ou teve despacho contrário ao que se requereu.

indeferimento [De *indeferir* + *-mento.*] *S. m.* Ato ou efeito de indeferir.

indeferir [De *in-*[2] + *deferir.*] *V. t. d.* **1.** Não deferir; desatender: *Ouviu as minhas queixas, e indeferiu-as.* **2.** Não deferir; dar despacho contrário a; despachar desfavoravelmente: *O prefeito indeferiu o requerimento.* [Irreg. Conjug.: v. *ferir.*]

indeferível [De *in-*[2] + *deferível*, ou de *indeferir* + *-vel.*] *Adj. 2 g.* Que não pode ou não deve ser deferido.

indefeso (ê) [Do lat. imp. *indefensu.*] *Adj.* V. *indefenso.* [Cf. *indefesso.*]

indefesso (é) [Do lat. *indefessu.*] *Adj.* Não cansado; incansável: "trabalhar sempre e infatigavelmente, indefesso trabalhador" (Raimundo Correia, *Poesia Completa e Prosa*, p. 496). [Cf. *indefenso* e *indefeso.*]

indefetibilidade *S. m.* V. *indefectibilidade.* [Uso próprio de P.]

indefetível *S. m.* V. *indefectível.* [Uso próprio de P.]

indeficiente [Do lat. tard. *indeficiente.*] *Adj. 2 g.* Não deficiente; bastante.

indefinibilidade [De *indefinível* (*indefinibil-*) + *-(i)dade*, seg. o padrão erudito.] *S. f.* Condição ou caráter de indefinível.

indefinição [De *in-*[2] + *definição.*] *S. f.* Estado ou atitude de quem não se define [v. *definir* (10 e 11)].

indefinido [Do lat. tard. *indefinitu*, por via semierudita.] *Adj.* **1.** Não definido; que não tem limites determinados; incerto, vago, genérico, indefinito. **2.** *Filos.* Diz-se do infinito potencial. **3.** *Bot.* Diz-se do órgão ou parte vegetal cujas peças são numerosas e inconstantes quanto ao número; indeterminado: *estames indefinidos.* ~ V. *artigo —, conceito —, integral —a, juízo —, pronome —* e *vogal —a.* ● *S. m.* **4.** Aquilo que é indefinido.

indefinito [Do lat. tard. *indefinitu*, por via erudita.] *Adj.* V. *indefinido* (1).

indefinível [De *in-*[2] + *definível.*] *Adj. 2 g.* Que não se pode definir.

indeformabilidade [De *indeformável* + *-(i)dade*, seg. o padrão erudito.] *S. f.* Qualidade daquilo que é indeformável.

indeformado [De *in-*[2] + *deformado.*] *Adj.* Que não se deformou; não deformado. ~ V. *amostra —a.*

indeformável [De *in-*[2] + *deformável.*] *Adj. 2 g.* Não sujeito a deformar-se.

indeiscência (e-i) [De *in-*[2] + *deiscência.*] *S. f. Bot.* Propriedade de indeiscente.

indeiscente (e-i) [De *in-*[2] + *deiscente.*] *Adj. 2 g. Bot.* Que não se abre ao atingir a maturidade: *fruto indeiscente.*

indelebilidade [De *indelével* + *-(i)dade*, seg. o padrão erudito.] *S. f.* Qualidade de indelével.

indelebilíssimo *Adj.* Superl. abs. sint. de *indelével.*

indelével [Do lat. *indelebile.*] *Adj. 2 g.* Que não se pode delir; que não se dissipa; indestrutível: *nódoa indelével;* "Desta viagem no velho *Arlanza* até Sou't'n vou guardar uma indelével memória." (José Rodrigues Miguéis, *Gente da Terceira Classe*, p. 9).

indeliberação [De *in-*[2] + *deliberação.*] *S. f.* Falta de deliberação; perplexidade; indecisão.

indeliberado [Do lat. med. *indeliberatu*, por via semierudita.] *Adj.* **1.** Indeciso, irresoluto. **2.** Impremeditado, impensado.

indelicadeza (ê) [De *in-*[2] + *delicadeza.*] *S. f.* **1.** Falta de delicadeza. **2.** Ação ou expressão indelicada.

indelicado [De *in-*[2] + *delicado.*] *Adj.* Não delicado; rude, incivil, grosseiro, inconveniente.

indelimitação [De *in-*[2] + *delimitação.*] *S. f.* Não delimitação; falta de delimitação.

indelineável [De *in-*[2] + *delineável.*] *Adj. 2 g.* Não delineável.

indemarcável [De *in-*[2] + *demarcável.*] *Adj. 2 g.* Não demarcável: "Vender terrenos incognoscíveis, indemarcáveis, que maravilha de negócio!" (Monteiro Lobato, *A Barca de Gleyre*, p. 108.)

indemissibilidade [De *indemissível* + *-(i)dade*, seg. o padrão erudito.] *S. f.* Qualidade ou caráter de indemissível.

indemissível [De *in-*[2] + *demissível.*] *Adj. 2 g.* Não demissível.

indemne *Adj. 2 g.* V. *indene:* "Parecia como que pedir que a guardassem indemne a toda a paixão sensual" (Abel Botelho, *O Livro de Alda*, p. 110). [Uso próprio de P.]

indemnidade *S. f.* V. *indenidade.* [Uso próprio de P.]

indemnização *S. f.* V. *indenização.* [Uso próprio de P.]

indemnizador (ô) *Adj. S. m.* V. *indenizador.* [Uso próprio de P.]

indemnizar *V. t. d. T. d e i. P.* V. *indenizar.* [Uso próprio de P.]

indemnizável *Adj. 2 g.* V. *indenizável.* [Uso próprio de P.]

indemonstrável [Do lat. *indemonstrabile.*] *Adj. 2 g.* Não demonstrável.

indene [Do lat. *indemne*, por via semierudita.] *Adj. 2 g.* Que não sofreu dano ou prejuízo; íntegro, ileso, incólume.

indenidade [Do lat. *indemnitate*, por via semierudita.] *S. f.* **1.** Qualidade ou estado de indene. **2.** Relevamento ou perdão de culpa ou de ato irregular.

indenização [De *indenizar* + *-ção.*] *S. f.* **1.** Ato ou efeito de indenizar(-se). **2.** Quantia com que se indeniza [v. *indenizar* (1 e 2)].

indenizador (ô) [De *indenizar* + *-dor.*] *Adj. S. m.* Que, ou aquele que indeniza.

indenizar [De *indene* + *-izar.*] *V. t. d.* **1.** Dar indenização ou reparação a; compensar: *A justiça mandou que o patrão indenizasse os operários.* *T. d. e i.* **2.** Dar indenização ou reparação; compensar, ressarcir: *Indenizei-o dos gastos feitos por minha ordem.* *P.* **3.** Receber indenização ou compensação.

indenizatório [De *indenizar* + *-tório.*] *Adj.* Que serve para indenizar; que atende a indenização: *A Justiça estabeleceu o valor indenizatório.*

indenizável [De *indenizar* + *-vel.*] *Adj. 2 g.* Que pode ser indenizado.

indeno *S. m. Quím.* Hidrocarboneto aromático cujas moléculas podem ser consideradas como formadas por ciclopentadieno fundido a benzeno [fórm.: C_9H_8].

indentação [Do ingl. *indentation.*] *S. f.* **1.** Ato ou efeito de indentar. **2.** Depressão, ger. pequena, numa superfície, feita por, ou como que por golpe ou pressão. **3.** *Anat.* Depressão, como a que resulta da introdução de dedo em tecido mole.

indentar [Do ingl. (*to*) *indent* < fr. *endenter* (v. *endentar*).] *V. t. d.* **1.** Fazer depressão, ou chanfradura em forma de dente, em. **2.** Espacejar linha, parágrafo, etc. da margem esquerda para a direita em (folha a ser impressa, datilografada, etc.).

indeparável [De *in-*[2] + *deparável.*] *Adj. 2 g.* Com que não se pode deparar.

independência [De *in-*[2] + *dependência.*] *S. f.* **1.** Estado ou condição de quem ou do que é independente, de quem ou do que tem liberdade ou autonomia: *A independência da mulher data do início deste século; O jornal proclama a sua independência; Existe perfeita independência entre os fenômenos consecutivos.* **2.** Bem-estar; fortuna: *O imigrante fez a sua independência trabalhando de sol a sol.* **3.** Caráter de quem rejeita qualquer sujeição: *a independência da juventude.* **4.** Autonomia política: *A ONU garante a independência da maioria dos Estados africanos.* **5.** Restituição ou aquisição dessa autonomia: *As lutas pela independência dos países americanos deram-se no primeiro quartel do séc. XIX; D. Pedro I compôs o Hino da Independência.* ◆ **Independência estatística.** *Estat.* Relação entre duas variáveis aleatórias tais que a probabilidade de ocorrência simultânea de um par de valores dos respectivos domínios é igual ao produto da ocorrência de cada um dos valores isoladamente; independência estocástica. **Independência estocástica.** *Estat.* Independência estatística.

independenciano *Adj.* **1.** De, ou pertencente ou relativo a Independência (CE e RS). ● *S. m.* **2.** O natural ou habitante de Independência. [Sin. ger. para independenciano (CE): *independenciense.*]

independenciense *Adj. 2 g. S. 2 g.* V. *independenciano* (CE).

independente [De *in-*[2] + *dependente.*] *Adj. 2 g.* **1.** Que está livre de qualquer dependência ou sujeição. **2.** Que é ou se tornou livre de qualquer laço ou compromisso afetivo, social, moral, etc.; que é senhor das próprias decisões: *É pessoa independente: não se apega aos valores do passado.* **3.** Que se caracteriza pela autonomia, pelo desassombro; que rejeita a sujeição: *caráter independente; jornal independente.* **4.** Que procura recorrer só aos seus próprios meios; que se basta: *criança independente.* **5.** Diz-se de quem tem fortuna própria, ou meios fartos de subsistência: *É mulher independente.* **6.** Que não está filiado a partido, doutrina, escola: *político independente; artista independente.* **7.** Diz-se do país que se governa por suas próprias leis, que goza de autonomia política. **8.** Diz-se de uma entidade, de um grupo, de uma organização que desfruta de autonomia em relação a seus congêneres: *as unidades independentes de um sistema administrativo; O poder executivo, o legislativo e o judiciário são independentes.* **9.** Diz-se daquilo que garante a alguém a condição de pessoa independente (5): *situação independente; vida independente.* **10.** Diz-se daquilo que, embora sendo parte de um sistema, não tem ligação ou relação direta com outra(s) parte(s) do mesmo sistema: *As matérias do curso são independentes; É um mecanismo de controles independentes.* **11.** Que tem acesso livre: *quarto independente.* ~ V. *fonte —, morfema —, paginação —* e *variável —.* ● *S. 2 g.* **12.** Pessoa politicamente independente: *Os independentes já foram maioria nesta Câmara.*

independentino *Adj.* **1.** De, ou pertencente ou relativo a Nova Independência (SP). ● *S. m.* **2.** O natural ou habitante de Nova Independência.

independentismo [De *independente* + *-ismo.*] *S. m.* Doutrina que prega a independência política dos povos, a não dependência à outra nação.

independentista [De *independência* + *-ista.*] *Adj. 2 g. S. 2 g.* Diz-se de, ou aquele que clama por independência.

independentizar [De *independente* + *-izar.*] *V. t. d. P.* Tornar(-se) independente.

independer [De *in-*[2] + *depender.*] *V. t. i.* Não depender; não estar subordinado: *Há comportamentos e atitudes que independem de leis.*

inderita [Do russo *inderit.*] *S. f. Min.* Mineral triclínico, borato hidratado de magnésio.

indesatável [De *in-*[2] + *desatável.*] *Adj. 2 g.* Que não se pode desatar.

indesbotável [De *in-*[2] + *desbotável.*] *Adj. 2 g.* Que não desbota; não sujeito a desbotar: "Confeccionado [agasalho esportivo] com poliéster e algodão indeformável e muito gostoso de usar. Cores dinâmicas, indesbotáveis." (Anúncio do *Jornal do Brasil*, 26.06.1978.)

indescobrível [De *in-*[2] + *descobrível.*] *Adj. 2 g.* Que não se pode descobrir.

indesconfiável [De *in-*[2] + *desconfiável.*] *Adj. 2 g. Bras.* Diz-se de pessoa que não percebe as coisas, que não tem desconfiômetro (q. v.): *Que homem indesconfiável! Não notou que nos estava amolando.*

indescontado [De *in-*[2] + *descontado*, part. de *descontar.*] *Adj.* Que não foi descontado: "O cheque voltou como foi, indescontado." (Gilberto Amado, *Mocidade no Rio e Primeira Viagem à Europa*, p. 76.)

indescortinável [De *in-*[2] + *descortinável.*] *Adj. 2 g.* Que não se pode avistar ou descortinar.

indescortino [De *in-*[2] + *descortino.*] *S. m.* Falta de descortino.

indescritível [De *in-*[2] + *descritível.*] *Adj. 2 g.* **1.** Que não se pode descrever. **2.** *Fig.* Pasmoso, espantoso, extraordinário.

indescrito [De *in-*[2] + *descrito.*] *Adj.* De que não se fez descrição; não descrito: "Por isso o meu amor atinge esse sentimento indescrito e sem nome que a Planta, se tivesse consciência, sentiria pela Luz." (Eça de Queirós, *A Correspondência de Fradique Mendes*, p. 190.)

indesculpável [De *in-*[2] + *desculpável.*] *Adj. 2 g.* Que não merece desculpa; não desculpável; inescusável.

indesejado [De *in-*[2] + *desejado*, part. de *desejar.*] *Adj.* Não desejado.

indesejável [De *in-*[2] + *desejável.*] *Adj. 2 g.* **1.** Não desejável. ● *S. 2 g.* **2.** Pessoa estrangeira cuja entrada ou permanência no país é julgada inconveniente e por isso proibida: "Querem transformar-nos em indesejáveis, em parasitas e exploradores, mas somos todos homens úteis" (Lia Correia Dutra, *Navio sem Porto*, p. 32).

indesejoso (ô) [De *in-*[2] + *desejoso.*] *Adj.* Sem desejo; não desejoso: "Ah, eu não gostava do desenhista [Cornélio Pena], e este me manteve durante muito tempo indesejoso de ler os seus romances." (Manuel Bandeira, *Poesia e Prosa*, II, pp. 615-616.)

indesfeito [De *in-*^{2} + *desfeito*.] ***Adj.*** Não desfeito, nem alterado; inalterado: "para que se mantenha, íntegra e indesfeita, a decadência, já normal da época." (Fernando Pessoa, *Páginas Íntimas e de Autointerpretação*, pp. 299-300).

indeslindável [De *in-*^{2} + *deslindável*.] ***Adj. 2 g.*** Não deslindável; indestrinçável: "tudo isto me parece criar .... uma confusão indeslindável e insolúvel." (Ramalho Ortigão, *Figuras e Questões Literárias*, II, p. 117)

indesmentível [De *in-* + *desmentir* + *-vel*.] ***Adj. 2 g.*** Que não se pode desmentir: "Redondo: com gravidade indesmentível, um tanto cômica, de sábio germânico, Fechner estabeleceu que a sensibilidade estética prefere as linhas curvas." (Augusto Abelaira, *Bolor*, p. 20.)

indesmontável [De *in-*^{2} + *desmontável*.] ***Adj. 2 g.*** Que não é desmontável.

indestinado [De *in-*^{2} + *destinado*, part. de *destinar*.] ***Adj.*** Sem destino ou objetivo.

indestrinçável [De *in-*^{2} + *destrinçável*.] ***Adj. 2 g.*** Não destrinçável; indeslindável.

indestronável [De *in-*^{2} + *destronável*.] ***Adj. 2 g.*** Que não pode ser destronado; não destronável.

indestrutibilidade [De *indestrutível* + *-(i)dade*, seg. o padrão erudito.] ***S. f.*** Qualidade de indestrutível.

indestrutível [De *in-*^{2} + *destrutível*.] ***Adj. 2 g.*** **1.** Que não é destrutível. **2.** *Fig.* Firme, inabalável, inalterável: "Não vai [Almeida Garrett] dar a melhor prova da mocidade indestrutível do seu espírito publicando as *Folhas Caídas*?" (José Osório de Oliveira, *O Romance de Garrett*, p. 169.)

indesviável [De *in-*^{2} + *desviável*.] ***Adj. 2 g.*** **1.** Que não se desvia ou afasta. **2.** De que não se deve ou pode desviar; incontornável: *Seguia pela estrada, quando deparou com um buraco indesviável.* **3.** Que não pode ou não deve ser desviado: *dinheiro indesviável.*

indeterminabilidade [De *indeterminável* + *-(i)dade*, seg. o padrão erudito.] ***S. f.*** Qualidade de indeterminável.

indeterminação [De *in-*^{2} + *determinação*.] ***S. f.*** **1.** Qualidade de indeterminado. **2.** Falta de determinação; indecisão, perplexidade. **3.** *Filos.* Caráter de fenômeno ou de acontecimento que, em graus e sentidos diversos, não está submetido a determinação; indeterminismo. **4.** *Filos.* Caráter de acontecimento ou fenômeno que encerra contingência. [Cf., nas acepçs. 3 e 4, *determinismo*.]

indeterminado [Do lat. tard. *indeterminatu*.] ***Adj.*** **1.** Que não é determinado ou fixo. **2.** Indefinido, vago, incerto. **3.** Indeciso, irresoluto. **4.** *Bot.* Indefinido (3). **5.** *Jur.* Diz-se daquilo que não está especificado ou não tem certos limites: *prazo indeterminado, obrigação indeterminada.* **6.** *Prop.* Diz-se do anúncio ou do comercial cuja posição no veículo de comunicação não é determinada no ato da compra do espaço (10). [Cf., nesta acepç., *determinado* (4).] ~ V. *sistema* — e *sujeito* —. ● ***S. m.*** **7.** Aquilo que é vago ou indeciso.

indeterminar [De *in-*^{2} + *determinar*.] ***V. t. d. P.*** Tornar(-se) indeterminado: "quando só vejo o céu, céu de todos os lados, / e água a se distender e se indeterminar." (Gilca da Costa Melo Machado, *Poesias*, p. 182).

indeterminável [Do lat. tard. *indeterminabile*.] ***Adj. 2 g.*** Não determinável; indefinível.

indeterminismo [De *in-*^{2} + *determinismo*.] ***S. m.*** *Filos.* **1.** Doutrina que atribui ao homem o livre-arbítrio; libertismo. **2.** Indeterminação (3).

indeterminista [De *in-*^{2} + *determinista*.] ***Adj. 2 g.*** **1.** Relativo ao, ou em que há indeterminismo. **2.** Que é partidário ou simpatizante dele. ● ***S. 2 g.*** **3.** Partidário ou simpatizante do indeterminismo.

indevassável [De *in-*^{2} + *devassável*.] ***Adj. 2 g.*** Que não pode ser devassado; não devassável: "Em toda a parte, pelos cantos da sua existência, estão as paredes intransponíveis, os cofres invioláveis, as cortinas indevassáveis." (Guido Vilmar Sassi, *Piá*, p. 45.)

indevido [De *in-*^{2} + *devido*.] ***Adj.*** **1.** Não devido; imerecido: *castigo indevido.* **2.** Impróprio, inconveniente: *Receitaram-lhe medicamentos indevidos.*

indevoção [Do lat. tard. *indevotione*.] ***S. f.*** Falta de devoção; descrença, impiedade.

indevoto [Do lat. tard. *indevotu*.] ***Adj.*** Que não tem devoção; irreligioso.

índex (cs) [Do lat. *index*.] ***S. m. 2 n.*** **1.** Índice. **2.** Catálogo dos livros cuja leitura era proibida pela Igreja. **3.** V. *dedo indicador*: "assim e assim, deste tamanho (indicava o tamanho abrindo e arredondando o dedo polegar e o índex)" (Machado de Assis, *Quincas Borba*, p. 45). **4.** *Semiol.* V. *indício* (3). ● ***Adj. 2 g. e 2 n.*** **5.** Diz-se do dedo indicador. [Para o plural, a forma mais us. é *índices*, pl. de *índice* (f. paral. de *índex*).] ◆ **Pôr no índex.** Assinalar como perigoso, condenar, excluir.

indexação (cs) [De *indexar* + *-ção*.] ***S. f.*** **1.** Ato ou efeito de indexar: "Uma das regras do Plano Real, fundamental para liquidar o mecanismo da indexação, que reajustava os preços presentes pela inflação passada, foi a proibição de reajustes (preços, salários e tarifas públicas) a intervalo inferior a 12 meses." (*Jornal do Brasil*, 11.04.1999.) **2.** *Bibliogr.* Representação do conteúdo de um documento por descritores ou palavras-chave, que serve tanto para o seu armazenamento quanto para a sua posterior recuperação.

indexador (cs...ô) [De *indexar* + *-dor*.] ***S. m.*** *Econ.* Indicador da variação do poder aquisitivo da moeda, us. para corrigir monetariamente certo valor: *A UFIR é o indexador de débitos fiscais;* "Anunciado o indexador único para a economia." (*Jornal do Brasil*, 21.11.1993.)

indexar (cs) [De *índex* + *-ar*^{2}.] ***V. t. d.*** **1.** Ordenar em forma de índice (palavras, frases, etc.). **2.** Pôr índice em. **3.** *Econ.* Tornar certa importância monetária (depósito de poupança, salário, valor de título governamental, etc.) corrigível automaticamente de acordo com um índice de preços, para compensar o efeito da inflação.

indez (ê) [Do lat. *indicii* (subentende-se *ovum*), 'ovo indicador'.] ***Adj. 2 g. S. m.*** **1.** Diz-se de, ou ovo que se deixa no ninho para servir de chama às galinhas. **2.** *Fig.* Diz-se de, ou pessoa muito suscetível ou delicada. **3.** Diz-se de, ou criança manhosa, chorona. [Var.: *endez*.]

▲ **ind(i)-** [F. red. de *índigo*.] *Quím.* ***El. comp.*** = 'índigo (1)', ou 'que se assemelha ao índigo': *indol*; *indamina*. [Ocorre, tb., como *indo-*^{2}: *indofeína*.]

indiada [De *índio*^{2} + *-ada*^{1}.] ***S. f.*** **1.** *Bras.* Conjunto de índios; indiaria. **2.** *Bras. RS* Grupo de gaúchos; gauchada. **3.** *Bras. RS* Grupo de homens quaisquer.

indianense ***Adj. 2 g.*** **1.** De, ou pertencente ou relativo a Indiana (SP). ● ***S. 2 g.*** **2.** O natural ou habitante de Indiana.

indianismo [De *indiano* + *-ismo*.] ***S. m.*** **1.** Idiotismo próprio dos idiomas hindus. **2.** Vocábulo hindu introduzido noutra língua. **3.** Ciência da língua e da civilização hindus. **4.** *Bras. Liter.* A literatura inspirada em temas da vida dos índios das Américas; no Brasil, predominou no romantismo, no século XIX.

indianista [De *indiano* + *-ista*.] ***Adj. 2 g.*** **1.** *Bras.* Relativo ao indianismo: *literatura indianista; poesia indianista.* **2.** *Obsol.* Relativo ao estudo dos índios. ● ***S. 2 g.*** **3.** Especialista na ciência da língua e da civilização hindus. **4.** *Bras.* Cultor do indianismo (4) literário. **5.** *Bras. Obsol.* Etnólogo, indigenista.

indiano [Do lat. *indianu*.] ***Adj.*** **1.** Da, ou pertencente ou relativo à Índia (Ásia); índio, índico, indiático, hindu. ~ V. *fila* —*a*. ● ***S. m.*** **2.** O natural ou habitante da Índia; índio, hindu.

indianopolense ***Adj. 2 g.*** **1.** De, ou pertencente ou relativo a Indianópolis (MG e PR). ● ***S. 2 g.*** **2.** O natural ou habitante de Indianópolis. [Sin. ger. para indianopolense (PR): *indianopolitano*.]

indianopolitano ***Adj. S. m.*** V. *indianopolense* (PR).

indiaporãense ***Adj. 2 g.*** **1.** De, ou pertencente ou relativo a Indiaporã (SP). ● ***S. 2 g.*** **2.** O natural ou habitante de Indiaporã.

indiarense ***Adj. 2 g.*** **1.** De, ou pertencente ou relativo a Indiara (GO). ● ***S. 2 g.*** **2.** O natural ou habitante de Indiara.

indiaria [De *índio*^{2} + *-aria*.] ***S. f.*** *Bras.* Indiada (1): "Anchieta, autor, ponto e contrarregra dirigia as cenas. E no fim do terceiro ato .... a indiaria embasbacada ...., caía num fervor carnavalesco" (Jorge de Lima, *Obra Completa*, I, pp. 1055-1056).

indiarobense ***Adj. 2 g.*** **1.** De, ou pertencente ou relativo a Indiaroba (SE). ● ***S. 2 g.*** **2.** O natural ou habitante de Indiaroba.

indiático [De *índio*^{2} + *-ático*, poss., com infl. de *asiático*.] ***Adj.*** **1.** V. *indiano* (1). **2.** *Bras. RS* Que tem pele, feições, traços de índio^{2} (4).

indiavaiense (a-i) ***Adj. 2 g.*** **1.** De, ou pertencente ou relativo a Indiavaí (MT). ● ***S. 2 g.*** **2.** O natural ou habitante de Indiavaí.

indicação [Do lat. *indicatione*.] ***S. f.*** Ato ou efeito de indicar.

indicado [Part. de *indicar*.] ***Adj.*** **1.** Que recebeu indicação; designado. **2.** Próprio, apropriado, adequado, conveniente. ● ***S. m.*** **3.** *Jur.* Indicatário.

indicador^{1} (ô) [De *indicar* + *-dor*.] ***Adj.*** **1.** Que indica. ~ V. *dedo* —. ● ***S. m.*** **2.** Designação comum a vários aparelhos que indicam a tensão dos vapores nas máquinas, o trabalho efetuado, etc. **3.** Livro ou caderno de indicações úteis. **4.** *Desus.* Anúncio classificado (q. v.), especialmente de profissões liberais. **5.** *Mat.* O número de primos inferiores a um número dado. **6.** *Quím.* Substância cuja cor em solução se modifica com o *pH*, e que pode servir para a medição da acidez do meio. ◆ **Indicador econômico.** *Econ.* Dado estatístico relativo à situação da economia (crescimento do produto, nível de preços, taxa cambial, etc.). **Indicador social.** Dado estatístico relativo ao nível médio de bem-estar da população, como esperança de vida ao nascer, taxa de mortalidade infantil, taxa de alfabetização, escolaridade média, etc. **Indicadores de desempenho.** *Adm.* Conjunto de indicadores financeiros e não financeiros que auxiliam uma organização na avaliação do seu sucesso empresarial ao longo do tempo.

indicador^{2} (ô) [Do tax. *Indicator* < lat. tard. *indicator*.] ***S. m.*** *Zool.* **1.** Gênero-tipo da família dos indicatorídeos. **2.** Espécie ou espécime desse gênero.

indicador^{3} (ô) ***S. m.*** V. *dedo indicador*.

indicana [De *indic(o)-* + *-ana*^{2}; fr. *indican* ou ingl. *indican*.] ***S. f.*** Substância que se encontra no índigo e também na urina normal.

indicante [Do lat. *indicante*.] ***Adj. 2 g.*** **1.** Que indica; indicador. **2.** Que dá indício.

indicar [Do lat. *indicare*.] ***V. t. d.*** **1.** Tornar patente; demonstrar, revelar, denotar: *Suas feições indicam desgosto.* **2.** Apontar com o dedo, ou por outro sinal, para mostrar; indigitar: *O porteiro indicava a entrada.* **3.** Apontar, designar: *O Presidente indicou um jurista.* **4.** Enunciar, expor, mencionar: *Indicou os meios de que se valeu para resolver o caso.* **5.** Determinar, estabelecer: *Indicou os limites do projeto.* **6.** Esboçar ou delinear levemente. **7.** Mostrar a conveniência de; aconselhar. ***T. d. e i.*** **8.** Apontar ou mostrar com o dedo ou por outro sinal; designar, indigitar: *Indicaram-lhe o caminho.* **9.** Aconselhar, lembrar: *Indiquei-lhe razoável solução para o caso.* ***Transobj.*** **10.** Indicar (3): *A convenção do partido indicou-o candidato à prefeitura.* [Conjug.: v. *trancar*. Pres. ind.: *indico*, etc. Cf. *índico*, adj. e s. m., e *Índico*, top.]

indicatário [De *indicar* + *-tário*.] ***S. m.*** *Jur.* Aquele que, numa letra de câmbio, é indicado subsidiariamente, pelo sacador, endossante ou qualquer outro obrigado regressivo, para, na falta do sacado, aceitar ou pagar o saque; indicado.

indicativo [Do lat. tard. *indicativu*.] **1.** Que indica. **2.** *E. Ling.* Diz-se do indicativo (4). ~ V. *modo* —. ***S. m.*** **3.** Sinal, indicação, indício. **4.** *E. Ling.* Modo indicativo (q. v.).

indicatorídeo [Do tax. *Indicator* (v. *indicador*^{2}) + *-ídeo*^{1}; tax. *Indicatorideae*.] *Zool.* ***S. m.*** **1.** Espécime dos indicatorídeos, família de aves trepadoras da África e Ásia, de plumagem cinzenta e marrom, com manchas esbranquiçadas, que usam ninhos de outras espécies para a postura de seus ovos. ● ***Adj.*** **2.** Pertencente ou relativo a eles.

indicção [Do lat. tard. *indictione*, 'aviso', 'notificação', 'período de quinze anos' (< lat. *indictum*, supino de *indicere*, 'publicar', 'notificar').] ***S. f.*** **1.** *Ecles.* Convocação de assembleia eclesiástica para dia certo. **2.** Preceito, prescrição.

índice [Do lat. *indice*.] ***S. m.*** **1.** *Edit.* Lista detalhada dos assuntos, nomes de pessoas, nomes geográficos, acontecimentos, etc. (entradas), ordenados normalmente por ordem alfabética, com indicação de sua localização na publicação em que aparecem; índice analítico. [Cf. *sumário* (5); dim.: *indículo*.] **2.** *Bibliol.* Lista ordenada de itens (palavras, códigos, datas, etc.) contidos em uma publicação, e que é imprescindível para a localização daquilo que se procura na obra. **3.** O conjunto dos cartões divisórios dum fichário, dotados de orelhas com letras, palavras ou números indicativos. **4.** Tabela, relação, lista. **5.** Relação entre os valores de qualquer medida ou gradação. **6.** V. *dedo indicador*: "Quando o melaço começava na resfriadeira a engrossar, ... ela corria-lhe o índice da mão direita pela superfície quente, tirava uma dedada grande" (Júlio Ribeiro, *A Carne*, p. 38). **7.** Numa divisão ou gradação, objeto móvel que fornece indicação. **8.** Tudo aquilo que indica ou denota alguma qualidade ou característica especial. **9.** *Econ.* Nas bolsas de valores, indicador da cotação média das ações mais negociadas. **10.** *Estat.* V. *número-índice*. **11.** *Mat.* Símbolo numérico ou literal que se associa a outro para caracterizar um novo símbolo. **12.** *Semiol.* V. *indício* (3). ◆ **Índice alfabético.** *Docum.* Aquele em que as entradas são ordenadas por ordem alfabética. **Índice analítico.** *Edit.* Índice (1). **Índice Bovespa.** *Econ.* Índice (9) de ações negociadas na bolsa de valores de São Paulo. **Índice cefálico.** *Antropom.* Índice craniano. **Índice craniano.** *Antropom.* Relação entre o diâmetro longitudinal ou anteroposterior do crânio e o diâmetro transversal, considerado o primeiro igual a 100; índice cefálico. **Índice cronológico.** *Docum.* Aquele em que as entradas são ordenadas cronologicamente por fatos históricos, datas, etc. **Índice cumulativo.** *Docum.* Aquele referente a vários fascículos de uma mesma publicação periódica. **Índice de absorvância.** *Fís.* V. *absortividade*. **Índice de assuntos.** *Bibliol.* Índice remissivo. **Índice de audiência.** *Rád. Telev.* Proporção da audiência de uma emissora de rádio ou de televisão, em relação ao total de receptores ligados, num determinado horário. **Índice de cetana.**

Medida da qualidade de um combustível para motor *diesel*: é igual, numericamente, à percentagem de cetano (índice = 100) em mistura com metilnaftaleno (índice = 0), necessária para produzir, em um motor padrão, o mesmo desempenho que o combustível em questão. [Tb. se diz apenas *cetana*.] **Índice de cor.** *Astr.* Diferença entre as magnitudes fotográfica e fotovisual de uma estrela. **Índice de dedo.** *Edit.* Índice (2) constituído de dedeiras [v. *dedeira* (3)] abertas na parte oposta à lombada, e que permite abrir um dicionário, ou outro livro, à altura exata de uma letra ou de um verbete. **Índice de diversidade.** *Ecol.* Relação entre o número de espécies e o de indivíduos, em uma comunidade (11). **Índice de matéria.** *Bibliol.* V. *sumário* (5). **Índice de modulação.** *Eletrôn.* 1. Na modulação de amplitude, razão entre a máxima variação de amplitude da onda portadora e a amplitude da onda portadora sem modulação. 2. Na modulação de frequência, razão entre o desvio de frequência e a frequência da onda portadora. **Índice de octana.** Medida da qualidade de um combustível para motor a gasolina: é igual, numericamente, à percentagem de 2,2,4-trimetilpentano (índice = 100) em mistura com n-heptano (índice = 0) necessária para produzir, em um motor padrão, o mesmo desempenho que o combustível em questão. [Tb. se diz apenas *octana*.] **Índice de precisão.** *Estat.* 1. Numa distribuição normal, o inverso da raiz quadrada do dobro da variância da distribuição. 2. *P. ext.* O inverso da raiz quadrada do dobro da variância de um conjunto de valores. **Índice de preços.** *Econ.* Número-índice que indica a variação média dos preços de um conjunto de bens, em relação a um período tomado como referência (ao qual se atribui o valor 100). **Índice de preços ao consumidor.** *Econ.* V. *índice do custo de vida.* [Sigla: *I.P.C.*] **Índice de preços por atacado.** *Econ.* Índice de preços de matérias-primas e produtos intermediários. [Sigla: *I.P.A.*] **Índice de refração.** *Ópt.* Quociente entre a velocidade de fase de uma radiação eletromagnética monocromática no vácuo e a velocidade de fase da mesma radiação num meio material [símb.: *n*]. **Índice de riqueza.** *Ecol.* Quantificação do número de espécies em relação ao esforço amostral. **Índice do custo de vida.** *Econ.* Índice de preços dos bens que constituem o dispêndio regular de um consumidor típico, tomando-se como fator de ponderação a importância relativa de cada bem no orçamento do consumidor. [Sigla: *I.C.V.*] **Índice Dow Jones.** *Econ.* Índice (9) de ações negociadas nas bolsas de valores dos Estados Unidos *New York Stock Exchange* e NASDAQ (q. v.). **Índice esquélico.** *Antropom.* Índice antropométrico que representa a razão entre o comprimento de membro inferior e o do tronco, e multiplicada por 100. **Índice facial.** *Antropom.* A relação entre o diâmetro longitudinal e a altura da cabeça, considerado o primeiro igual a 100. **Índice fóssil.** *Geol.* Aquele que indica ou define um determinado horizonte geológico. **Índice geomagnético.** *Geofís.* Caráter geomagnético. **Índice Merval.** *Econ.* Índice (9) de ações negociadas na bolsa de valores de Buenos Aires. **Índice nasal.** *Antropom.* A relação existente entre a altura do nariz e a largura deste na sua base, considerada a primeira igual a 100. **Índice Nikkey.** *Econ.* Índice (9) de ações negociadas na bolsa de valores de Tóquio. **Índice numérico.** *Docum.* Aquele em que as entradas são ordenadas segundo uma sequência numérica. **Índice onomástico.** *Docum.* Aquele em que se enumeram nomes de pessoas. **Índice remissivo.** *Bibliol.* Índice alfabético dos diversos assuntos tratados numa obra, com a respectiva indicação de página, capítulo, etc.; índice de assuntos. **Índice sinóptico.** *Bibliol.* V. *sumário* (5). **Índice sistemático.** *Docum.* Aquele em que as entradas são ordenadas analítica ou sistematicamente, por assunto. **Índice temático.** *E. Ling.* Segmento fônico sem significado que se adjunge ao radical, formando o tema, e ao qual se acrescentam as desinências, como *-a-* em *cant-a-mos*, *fal-a-remos*. [Cf. *atemático*.]

indiciação [De *indiciar* + *-ção*.] *S. f.* Ato ou efeito de indiciar; indiciamento.

indiciado [Part. de *indiciar*.] *Adj.* 1. Notado por indícios. ● *S. m.* 2. Aquele sobre quem recaem indícios de haver perpetrado um delito. 3. Indivíduo submetido a inquérito policial ou administrativo, e que, com a posterior propositura, em juízo, da ação penal, passa a denominar-se *réu*.

indiciador (ô) [De *indiciar* + *-dor*.] *Adj.* 1. Que denuncia por indícios. 2. Que dá indícios; que indica. ● *S. m.* 3. Aquele que dá indícios; acusador. [Sin. ger.: *indiciante*.]

indicial [De *indício* + *-al*[1].] *Adj. 2 g.* Indiciativo.

indiciamento [De *indiciar* + *-mento*.] *S. m.* Indiciação.

indiciante [De *indiciar* + *-nte*.] *Adj. 2 g. S. 2 g.* V. *indiciador*: "no entanto, ah! se conforta, / em meio aos desencontros inditosos, / ao desejo de amar que não encontra / senão em si pegadas indiciantes / de amor" (Marli de Oliveira, *Antologia Poética*, p. 101).

indiciar [De *indício* + *-ar*[2].] *V. t. d.* 1. Dar indício(s) de; demonstrar por indício(s): *A indisciplina das tropas indiciava a próxima derrota.* 2. Denunciar, acusar. 3. Submeter a inquérito policial ou administrativo, que servirá de base à articulação da denúncia pelo Ministério Público. [Pres. ind.: *indicio*, etc.; fut. pret.: *indiciaria*, etc. Cf. *indício*, s. m., e *indiciária*, fem. de *indiciário*.]

indiciário [De *indício* + *-ário*.] *Adj.* Referente a, ou que encerra indício: *prova indiciária.* [Fem.: *indiciária*. Cf. *indiciaria*, do v. *indiciar*.]

indiciativo [De *indiciar* + *-tivo*.] *Adj.* Que indicia ou dá indícios; indicial.

indício [Do lat. *indiciu*.] *S. m.* 1. Sinal, vestígio, indicação. 2. *Jur.* Circunstância conhecida e provada que, relacionando-se com determinado fato, autoriza, por indução, concluir-se a existência de outra(s) circunstância(s); prova circunstancial. [Cf., nesta acepç., *presunção* (4).] 3. *Semiol.* Tipo de signo não convencional que, em oposição simultânea ao ícone e ao símbolo, apresenta uma relação natural causal, ou de contiguidade física, com o referente (p. ex.: uma nuvem negra no céu, indicando chuva; uma pegada, indicando a passagem de alguém). [Sin.: *índice*, *index*, *sinal*.] [Cf. *indicio*, do v. *indiciar*.]

indicionarizado [De *in-*[2] + *dicionarizado*.] *Adj.* Que não está incluído ou registrado em dicionário; não dicionarizado. [Antôn.: *dicionarizado*.]

▲ **indic(o)-** [Do lat. *indĭcum* < gr. *indikón*, neutro de *indikós*, *ḗ*, *ón*, 'indiano'.] ***El. comp.*** = 'índigo': *indicolita*. [Equiv.: *indigo-*: *indigófera*. V. *ind(i)-*.]

índico [Do lat. *indicu*.] *Adj.* 1. V. *indiano* (1). 2. Referente ao oceano Índico. ● *S. m. Gloss.* 3. V. *indo-ariano* (2). [Cf. *indico*, do v. *indicar*.]

indicolita [De *indic(o)-* + *-lita*.] *S. f. Min.* Variedade azul de turmalina.

indículo [Do lat. tard. *indiculu*, por via erudita.] *S. m.* 1. Índice pequeno. 2. Indicação sumária; resenha.

indiferença [Do lat. tard. *indifferentia*, 'estado físico que não apresenta nada de particular'; fr. *indifférence* (1372).] *S. f.* 1. Qualidade de indiferente. 2. Desinteresse: "as estrelas bocejavam dormentes, numa criminosa indiferença por aquela dor suprema de que eram as únicas testemunhas." (Trindade Coelho, *Os Meus Amores*, p. 202). 3. Desprendimento, desdém; desprezo: "em nenhum de nós a resistência ao matrimônio .... significava indiferença pelos encantos femininos." (José Régio, *Histórias de Mulheres*, p. 9). 4. Insensibilidade moral; apatia, insensibilidade, negligência. 5. Inconsciência doentia. ◆ **Indiferença moral.** *Ét.* Estado ou qualidade daquele que é amoral.

indiferençado [De *in-*[2] + *diferençado*.] *Adj.* Em que não há diferença(s), ou em que não se pode determiná-la(s); indiferenciado.

indiferençável [De *in-*[2] + *diferençável*.] *Adj. 2 g.* Que não se pode diferençar; não diferençável; indiferenciável.

indiferenciação [De *in-*[2] + *diferenciação*.] *S. f.* Ausência ou falta de diferenciação.

indiferenciado [De *in-*[2] + *diferenciado*.] *Adj.* 1. Indiferençado: "Com a sua obra de imaginação [de Virgínia Woolf (v. *woolfiano*)], entramos nos domínios da realidade atômica, onde cada ser nem só existe separadamente como em blocos indiferenciados de matéria." (Eugênio Gomes, *Espelho contra Espelho*, p. 249.) 2. *Citol. Histol.* Em que não há diferenciação (4). ~ V. *célula mesenquimatosa —a*.

indiferenciável [De *in-*[2] + *diferenciável*.] *Adj. 2 g.* Indiferençável.

indiferentar-se [De *indiferente* + *-ar*[2] + *se*[1].] *V. p.* Tornar-se indiferente: "Assentou-se na cama e deu para fitar o seu crucifixo, indiferentando-se a tudo mais." (Aluísio Azevedo, *O Homem*, p. 269.)

indiferente [Do lat. *indifferente*.] *Adj. 2 g.* 1. Que demonstra indiferença. 2. Que não é bom nem mau. 3. Que não se importa; apático; insensível. ● *S. 2 g.* 4. Pessoa que não tem amizade nem ódio a outra. 5. Pessoa que esfriou as relações de amizade. 6. Pessoa desinteressada de qualquer religião ou sistema político: "Era assim que falava, ... para excitar o entusiasmo, espertar os indiferentes, congregar, em suma, as multidões ao pé de si." (Machado de Assis, *Histórias sem Data*, p. 6.)

indiferentismo [De *indiferente* + *-ismo*.] *S. m.* Estado de espírito caracterizado pelo desinteresse ou desprendimento quanto à religião, à política, ou a quaisquer acontecimentos ou assuntos.

indiferentista [De *indiferente* + *-ista*.] *Adj. 2 g. S. 2 g.* Que, ou quem mantém atitude de indiferença ou desinteresse em face de ideias e acontecimentos.

indifusível [De *in-*[2] + *difusível*.] *Adj. 2 g.* Não difusível.

indígena [Do lat. *indigena*.] *Adj. 2 g.* 1. Originário de determinado país, região ou localidade; nativo. 2. *Bras.* Relativo ou pertencente a índio[2] (4), ou aos índios [v. *índio*[2] (4)] em geral. ● *S. 2 g.* 3. Pessoa natural do lugar ou do país em que habita; nativo. 4. Índio[2] (4). [Antôn. das acepç. 1 e 3: *alienígena*.]

indigenato [De *indígena* + *-ato*[1]; fr. *indigénat*.] *S. m.* Qualidade ou condição de indígena; indigenismo.

indigência [Do lat. *indigentia*.] *S. f.* 1. Falta do necessário para viver; pobreza extrema; penúria, miséria, inópia: "Em Espanha vi mendigos que davam esmola a outros *pordioseros* situados em graus mais baixos na escala da indigência." (Fidelino de Figueiredo, *Entre Dois Universos*, p. 29.) 2. Os indigentes; a mendicância. 3. *Fig.* Carência, privação, falta: *indigência de recursos; indigência de espírito.*

indigenismo [De *indígena* + *-ismo*.] *S. m.* 1. Indigenato. 2. Doutrina, formulada inicialmente no México como parte do movimento intelectual nacionalista, caracterizada pela defesa e valorização das populações indígenas de um país, região, etc. 3. *Bras.* Conjunto de ideias, ger. propostas por organizações ou indivíduos ligados ao aparato estatal, relativas à situação das populações indígenas brasileiras e aos problemas que se apresentavam quanto à sua incorporação ao Estado-nação. 4. *Bras. P. ext.* Conjunto de práticas ou de políticas (estatais, institucionais, etc.) que derivam dessas ideias.

indigenista [De *indígena* + *-ista*.] *Adj. 2 g.* 1. Relativo ao indigenismo (2 a 4). ● *S. 2 g.* 2. *Bras.* Pessoa que atua junto às populações indígenas, esp. em associação com políticas públicas e no que diz respeito à interação dessas populações com a sociedade mais abrangente.

indigente [Do lat. *indigente*.] *Adj. 2 g.* 1. Paupérrimo, pobríssimo, inopioso: "informando-me sobre quem morava no pobre casebre, soube que era uma família indigente." (Joaquim Manuel de Macedo, *Os Romances da Semana*, p. 11). ● *S. 2 g.* 2. Pessoa indigente; mendigo. [Cf. *indígete*.]

indigerido [De *in-*[2] + *digerido*.] *Adj.* Não digerido.

indigerível [De *in-*[2] + *digerível*.] *Adj. 2 g.* Não digerível.

indigestão [Do lat. tard. *indigestione*.] *S. f.* 1. *Med.* Perturbação nas funções digestivas. [Sin., pop.: *afito*, *afitamento*, *trabuzana*.] 2. Ato ou efeito de fartar-se. 3. *Fig.* Grande quantidade (3).

indigestar [De *indigesto* + *-ar*[2].] *V. int. P. Bras. Pop.* Ter indigestão.

indigesto [Do lat. *indigestu*.] *Adj.* 1. Difícil de ser digerido. 2. Que produz indigestão. 3. *Fig.* Aborrecido, enfadonho, tedioso. 4. *Fig.* Obscuro, confuso, abstruso: *uma crítica indigesta.* ~ V. *parada —a*.

indígete [Do lat. *indigete*.] *S. m.* 1. Homem divinizado. 2. *Fig.* Herói (1). [Cf. *indigente*.]

indigitação [De *indigitar* + *-ção*.] *S. f.* Indigitamento.

indigitado [Part. de *indigitar*.] *Adj.* 1. Apontado, indicado. 2. *Restr.* Que está apontado como (culpado de crime ou de falta): *o indigitado autor do roubo.*

indigitamento [De *indigitar* + *-mento*.] *S. m.* Ato de indigitar; indigitação.

indigitar [Do lat. *indigitare*, 'invocar uma divindade', com influência semântica de *digitus*, 'dedo'.] *V. t. d.* 1. Apontar com o dedo; indicar: "O seu delírio manso agrupa / Atrás dele os maus e os basbaques. / Este o indigita, este outro o apupa..." (Manuel Bandeira, *Estrela da Vida Inteira*, p. 76.) 2. Mostrar, indicar: *O crítico indigita os defeitos do livro.* 3. Meter no dedo. *T. d. e i.* 4. Apontar com o dedo; designar, indicar: *Indigitei-lhe um restaurante.* 5. Mostrar, indicar: "o pai exigiu formalmente dele que se casasse, e indigitou-lhe a pessoa já escolhida. Era a filha de um rico fazendeiro da vizinhança." (José de Alencar, *Senhora*, p. 187). 6. Recomendar, propor, lembrar, designar: *Indigitaram-no para fiscal.* ***Transobj.*** 7. Considerar, ter: *Indigitaram-no como criminoso.*

indignação [Do lat. *indignatione*.] *S. f.* 1. Sentimento de cólera despertado por ação indigna; ódio, raiva. 2. Desprezo, repulsa, aversão.

indignado [Part. de *indignar*.] *Adj.* 1. Que mostra ou sente indignação: *pessoa indignada.* 2. Cheio ou repassado de indignação: *resposta indignada; olhar indignado; ar indignado.*

indignar [Do lat. **indignare*, por *indignari*.] *V. t. d.* 1. Provocar indignação em; encher de indignação; indispor, revoltar, encolerizar: *A injúria indignou-o.* *P.* 2. Sentir indignação; irar-se, revoltar-se, agastar-se: *Indignou-se com a infâmia que lhe assacaram.*

indignativo [Do lat. tard. *indignativu*.] *Adj.* 1. Que revela a indignação. 2. Irascível, colérico.

indignidade [Do lat. *indignitate*.] *S. f.* 1. Falta de dignidade. 2. Ação, procedimento, ideia indigna. 3. Ultraje, afronta, injúria. 4. *Jur.* Situação jurídica do herdeiro legítimo ou testamentário, ou ainda do legatário em razão de ato, previsto em lei, praticado contra o autor da sucessão ou parente seu, capaz de extinguir o efeito das liberalidades do testador e de originar exclusão do herdeiro legítimo.

indigno [Do lat. *indignu*, por via culta.] *Adj.* **1.** Não digno: "Dirão .... que o autor é um cínico, indigno dos homens que confiaram nele" (Machado de Assis, *Páginas Recolhidas*, p. 66); *É indigno de respeito.* **2.** Que praticou indignidade. **3.** Vil, desprezível: *pessoa indigna.* **4.** Torpe, baixo: *ato indigno.* **5.** Inconveniente, impróprio: *conduta indigna.* **6.** *Fig.* Humilde: *O frade orava a Deus, de quem se considerava indigno servo.* ● *S. m.* **7.** Homem indigno.

▲**indigo-** V. *indic(o)-*.

índigo [Do lat. *indicu*, pelo veneziano ou pelo genovês, e pelo fr.] *S. m.* **1.** *Quím.* V. *anil*[3]. **2.** A cor do anil: "Para trás fica a luz fantástica do estaleiro, com os seus holofotes alaranjados sobre o índigo das águas" (João Maria Mendes, *A Mulher do Terrorista*, p. 107).

índigo-do-brasil [De *índigo* + *do*[1] + o top. *Brasil*.] *S. m.* *Bras. Bot.* Arbusto solanáceo (*Solanum indigoferum*) nativo do Brasil, de folhas lanceoladas, acuminadas e membranáceas, flores alvas, dispostas em racemos, estames com anteras porosas, e fruto bacáceo. É cultivado para obtenção de anil[3]. [Pl.: *índigos-do-brasil*.]

indigófera [Do tax *Indigofera*.] *S. f.* *Bot.* **1.** Gênero de ervas e arbustos fabáceos tropicais, dotados de folhas simples ou pinuladas, cálice campanuliforme ou afunilado, e fruto leguminoso. **2.** Qualquer espécie desse gênero, como, p. ex., a *Indigofera anil* (v. *anileira-verdadeira*). **3.** Qualquer espécime desse gênero.

indigoteiro [Adapt. do fr. *indigotier*.] *S. m.* *Bot.* V. *anileira*.

indigotina [Do fr. *indigotine*.] *S. f.* *Quím.* V. *anil*[3].

indigueiro [De *índigo* + *-eiro*.] *S. m.* *Bot.* V. *anileira*.

indiligência [Do lat. *indiligentia*.] *S. f.* Falta de diligência.

indiligente [Do lat. *indiligente*.] *Adj. 2 g.* Que não é diligente; negligente, desleixado.

indiminuído [De *in-*[2] + *diminuído*.] *Adj.* Não diminuído, não reduzido.

indino [Do lat. *indignu*, por via pop.] *Adj. S. m.* *Ant.* Indigno (q. v.): "Então eu lhe direi: — Infame, indino, / obras como costuma o vil humano" (Tomás Antônio Gonzaga, *Marília de Dirceu*, p. 125).

índio[1] [Do lat. cient. *indium*.] *S. m.* *Quím.* Elemento de número atômico 49, metálico, branco, mole, utilizado em ligas especiais [símb.: *In*].

índio[2] [Do top. *Índia*.] *Adj.* **1.** V. *indiano* (1). **2.** *Bras.* De, ou pertencente ou relativo ao índio[2] (4). ● *S. m.* **3.** V. *indiano* (2). **4.** Indivíduo pertencente a qualquer um dos povos aborígines das Américas: "Em 1500 estima-se que havia entre 5 milhões e 6 milhões de índios no Brasil. Atualmente a Funai calcula que a população indígena seja de 325,6 mil" (*Folha de S.Paulo*, 18.04.1999). [Historicamente, designação genérica dada às populações que habitavam a América quando da chegada dos conquistadores europeus; atualmente, aplica-se a qualquer indivíduo que pertence a grupo étnico descendente ou supostamente descendente daquelas populações.] **5.** *Astr.* Constelação austral situada próximo do polo sul celeste, ao S. do Oitante, a L. do Tucano e do Grou, ao N. deste último e do Microscópio, e a O. do Telescópio e do Pavão. [Não é fácil localizá-la, pela ausência de estrelas muito brilhantes na região.] [Com cap., nesta acepç.] **6.** *Bras. N.E. RJ* Certo tipo de papagaio (5): "Adélia se curva, apanha um índio vermelho e caminha para mim, ... o papagaio esvoaçando a breve altura de sua cabeleira, como um pálio" (Osmã Lins, *Nove, Novena*, pp. 67-68). **7.** *Bras. RS* Empregado de estância; peão. **8.** *Bras. RS* V. *valentão* (3).

índio-gigante *S. m.* *Bras.* V. *panará* (1). [Pl.: *índios-gigantes*.]

indireta [F. subst. do adj. *indireto*.] *S. f.* **1.** Eleição indireta (q. v.). **2.** *Bras.* Observação ou alusão disfarçadamente feita, sem alusão explícita à pessoa ou coisa à qual se refere: "as pequeninas perfídias, as maledicências ditas ao ouvido, as indiretas" (Lima Barreto, *Triste Fim de Policarpo Quaresma*, p. 84). [Sin. (bras. N.E.), nesta acepç.: *chincada*.]

indireto [Do lat. med. *indirectu*.] *Adj.* **1.** Não direto. **2.** Disfarçado, dissimulado, encoberto: *olhar indireto.* **3.** Ambíguo, duvidoso, equívoco: *resposta indireta.* **4.** Que não segue caminho ou meio mais curto; oblíquo: *vias indiretas; meios indiretos.* **5.** Que se faz ou recebe por intermédio de outrem; que se exerce com o auxílio de intermediário(s): *pedido indireto; favor indireto.* **6.** *E. Ling.* Dativo (2). **7.** *E. Ling.* Que rege ou é regido por preposição: *transitivo indireto; objeto indireto.* [Cf., nesta acepç., *direto* (10).] ~ V. *caso —, colocação —a, competição —a, complemento —, discurso —, discurso — aparente, discurso — livre, eleição —a, estilo —, estilo — livre, iluminação —a, imposto —, impressão —a, linha —a, modo —, objeto —, tiro —, verbo bitransitivo — e verbo transitivo —*.

indirigível [De *in-*[2] + *dirigível*.] *Adj. 2 g.* Que não se pode dirigir.

indirimível [De *in-*[2] + *dirimível*.] *Adj. 2 g.* Que não se pode ou não se deve dirimir; não dirimível.

indiscernibilidade [De *indiscernível* + *-(i)dade*, seg. o padrão erudito.] *S. f.* Qualidade de indiscernível.

indiscernimento [De *in-*[2] + *discernimento*.] *S. m.* Falta ou ausência de discernimento.

indiscerníveis [Pl. subst. do adj. *indiscernível*.] *S. m. pl.* *Filos.* V. *princípio da identidade dos indiscerníveis*. ~ V. *indiscernível*.

indiscernível [De *in-*[2] + *discernível*.] *Adj. 2 g. S. 2 g.* Que, ou aquilo que não é discernível. ~ V. *indiscerníveis*.

indisciplina [De *in-*[2] + *disciplina*.] *S. f.* Procedimento, ato ou dito contrário à disciplina; desobediência; desordem; rebelião.

indisciplinabilidade [De *indisciplinável* + *-(i)dade*, seg. o padrão erudito.] *S. f.* Qualidade ou caráter de indisciplinável.

indisciplinação [De *indisciplinar* + *-ção*.] *S. f.* Ato ou efeito de indisciplinar(-se).

indisciplinadamente [Do f. de *indisciplinado* + *-mente*.] *Adv.* De maneira indisciplinada: "Fez-se silêncio, vigiliado pela luz azulmente apática dos focos elétricos, dispostos indisciplinadamente diante dos dois espelhos" (Adelino Magalhães, *Obras Completas*, I, p. 495).

indisciplinado [De *in-*[2] + *disciplinado*.] *Adj.* **1.** Que não tem disciplina. **2.** Que se insurge contra a disciplina; rebelde. ● *S. m.* **3.** Indivíduo indisciplinado.

indisciplinar[1] [De *indisciplina* + *-ar*[1].] *Adj. 2 g.* Que revela indisciplina; próprio de pessoa indisciplinada: "Esta atitude indisciplinar de Benjamim [Benjamim Constant] pareceu intolerável a Ouro Preto, irritou-o mesmo." (Oliveira Viana, *O Ocaso do Império*, p. 172.)

indisciplinar[2] [De *in-*[2] + *disciplinar*[2].] *V. t. d.* **1.** Fazer perder a disciplina; tornar indisciplinado; sublevar, revoltar, subverter: *O novo aluno indisciplinou a classe.* **2.** Relaxar, afrouxar; desmoralizar. *P.* **3.** Perder a disciplina; sublevar-se.

indisciplinável [De *in-*[2] + *disciplinável*.] *Adj. 2 g.* Não disciplinável.

indiscreto [Do lat. *indiscretu*.] *Adj.* **1.** Não discreto ou reservado. **2.** Imprudente, inconveniente: *pergunta indiscreta.* **3.** Inconfidente, leviano. **4.** Tagarela, palrador, linguarudo. ● *S. m.* **5.** Indivíduo indiscreto.

indiscrição [De *in-*[2] + *discrição*.] *S. f.* **1.** Ato ou dito indiscreto; falta de discrição. **2.** Qualidade de indiscreto.

indiscriminação [De *in-*[2] + *discriminação*.] *S. f.* Ausência ou falta de discriminação.

indiscriminado [De *in-*[2] + *discriminado*, part. de *discriminar*.] *Adj.* Não discriminado; indistinto, confuso, misturado.

indiscriminador (ô) [De *in-*[2] + *discriminador*.] *Adj.* Não discriminador: "a bondade total, geral, desarmada, indiscriminadora" (Gilberto Amado, *Minha Formação no Recife*, p. 335).

indiscriminável [Do lat. tard. *indiscriminabile*.] *Adj. 2 g.* Não discriminável.

indiscutibilidade [De *indiscutível* + *-(i)dade*, seg. o padrão erudito.] *S. f.* Qualidade ou caráter de indiscutível.

indiscutível [De *in-*[2] + *discutível*.] *Adj. 2 g.* **1.** Não discutível. **2.** Que não admite discussão, por ser evidente, autêntico ou indubitável; incontestável.

indisfarçável [De *in-*[2] + *disfarçável*.] *Adj. 2 g.* Não disfarçável.

indispensabilidade [De *indispensável* + *-(i)dade*, seg. o padrão erudito.] *S. f.* Qualidade ou caráter de indispensável.

indispensável [De *in-*[2] + *dispensável*.] *Adj. 2 g.* **1.** Que não se pode dispensar; imprescindível: *A pontualidade era indispensável ao cargo.* **2.** Que é absolutamente necessário; essencial: *Era-lhe indispensável ter, pelo menos, alguns objetos de primeira necessidade.* ● *S. m.* **3.** Aquilo que é indispensável: *Só tinha sobre o corpo o indispensável para não morrer de frio.* ● *S. f.* **4.** *Desus.* Bolsa feminina.

indisponibilidade [De *indisponível* + *-(i)dade*, seg. o padrão erudito.] *S. f.* Qualidade de indisponível.

indisponível [De *in-*[2] + *disponível*.] *Adj. 2 g.* De que não se pode dispor.

indispor [De *in-*[2] + *dispor*.] *V. t. d.* **1.** Alterar a disposição de; modificar a situação em que algo se encontra: *indispor os móveis de uma sala.* **2.** Perturbar as funções orgânicas de; produzir mal-estar ou doença em. **3.** Fazer zangar-se; irritar, aborrecer. *T. d. e i.* **4.** Inimizar, malquistar: "a sua imaginação [de Leonor Teles] .... concebeu, com volúpia, grave intriga, que trouxesse desgraça a D. João, ... o indispusesse com o povo" (Antero de Figueiredo, *Leonor Teles*, p. 165). *P.* **5.** Enfadar-se, zangar-se. **6.** Atrair a inimizade ou indisposição (de outrem). [Irreg. Conjug.: v. *pôr*.]

indisposição [De *in-*[2] + *disposição*.] *S. f.* **1.** Pequena alteração na saúde; mal-estar, incômodo. **2.** Desavença, zanga, discussão. **3.** Má vontade contra alguém.

indisposto (ô) [Do lat. imp. *indispositu*.] *Adj.* **1.** Que sofre de indisposição, mal-estar; incomodado: *Sentiu-se indisposta pela tarde, e agora está febril.* **2.** Agastado com alguém; zangado.

indisputabilidade [De *indisputável* + *-(i)dade*, seg. o padrão erudito.] *S. f.* Qualidade de indisputável.

indisputadamente [Do f. de *indisputado* + *-mente*.] *Adv.* De modo indisputado, sem disputa ou controvérsia: "E Verlaine, indisputadamente, guarda a coroa da Incoerência." (Eça de Queirós, *Últimas Páginas*, p. 500.)

indisputado [De *in-*[2] + *disputado*.] *Adj.* Que não é disputado; inconcusso.

indisputável [Do lat. tard. *indisputabile*.] *Adj. 2 g.* Que não se pode disputar; não disputável; indiscutível, incontestável: *glória indisputável.*

indissimulável [Do lat. imp. *indissimulabile*.] *Adj. 2 g.* Que não pode ser dissimulado; não dissimulável.

indissociabilidade [De *indissociável* + *-(i)dade*, seg. o padrão erudito.] *S. f.* Qualidade de indissociável.

indissociação [De *in-*[2] + *dissociação*.] *S. f.* Falta ou ausência de dissociação: "O que deve ser pesquisado é o início e as fases sucessivas da emersão da alma humana desde a ancestral indissociação do homem com o universo" (Léu Vaz, *Páginas Vadias*, p. 109).

indissociável [Do lat. tard. *indissociabile*.] *Adj. 2 g.* Não dissociável.

indissolubilidade [De *indissolúvel* + *-(i)dade*, seg. o padrão erudito.] *S. f.* Qualidade de indissolúvel.

indissolução [De *in-*[2] + *dissolução*.] *S. f.* Estado daquilo que não é ou não pode ser dissolvido.

indissoluto [Do lat. *indissolutu*.] *Adj.* Não dissoluto; casto, puro: "Iam bem juntos, iam resolutos, / olhares cúmplices mas não impuros; / andavam devagar, indissolutos, / num vago andar feroz e quase inútil." (Jorge de Lima, *Obra Completa*, I, p. 681.)

indissolúvel [Do lat. *indissolubile*.] *Adj. 2 g.* Que não se pode dissolver; não dissolúvel; indissolvível.

indissolvível [De *in-*[2] + *dissolvível*.] *Adj. 2 g.* Indissolúvel: "Eu gostava .... de distinguir do alto da cátedra, ... as diversas raças de que gloriosamente se mesticiza o Brasil, ... e as que se mantêm imisturáveis, indissolvíveis, como os judeus." (Gilberto Amado, *Depois da Política*, p. 169.)

indistinção [De *in-*[2] + *distinção*.] *S. f.* Qualidade de indistinto; indeterminação; confusão: "Duas [vozes] só .... se destacaram depois, porque as outras como que se perdiam no murmúrio da mata, sem cor nem som, na indistinção e distância." (Albertino Moreira, *Boca-Pio*, p. 84.)

indistinguibilidade [De *indistinguível* + *-(i)dade*, seg. o padrão erudito.] *S. f.* Qualidade de indistinguível.

indistinguível [De *in-*[2] + *distinguível*.] *Adj. 2 g.* Não distinguível.

indistinto [Do lat. *indistinctu*.] *Adj.* **1.** Maldefinido ou pouco definível; indeciso, vago: "A chuva cai. O ar fica mole... / Indistinto... ambarino... gris..." (Manuel Bandeira, *Estrela da Vida Inteira*, p. 36.) **2.** Indeterminado, incerto: *notícias indistintas.* **3.** Confuso; misturado; promíscuo. **4.** Imperceptível, indistinguível: "Não se avistava mais a casaria de São José do Norte senão por minúsculos e quase indistintos fragmentos" (Virgílio Várzea, *Nas Ondas*, p. 10).

inditoso (ô) [De *in-*[2] + *ditoso*.] *Adj. S. m.* V. *desditoso*.

individuação [De *individuar* + *-ção*.] *S. f.* **1.** Ato ou efeito de individuar(-se). **2.** *Filos. Escolást.* Realização da ideia geral em cada indivíduo singular. [Cf., nesta acepç., *princípio de individuação*.]

individuado [Part. de *individuar*.] *Adj.* Que se individuou.

individuador (ô) [De *individuar* + *-dor*.] *Adj. S. m.* Que, ou aquele que individua.

individual [De *indivíduo* + *-al*[1].] *Adj. 2 g.* **1.** Respeitante a indivíduo: *caracteres individuais.* **2.** Que diz respeito ou é peculiar a uma só pessoa: "A percepção da provisoriedade de sua existência individual o induzia a procurar o caminho de possíveis realizações perenes" (Leandro Konder, *A Poesia de Brecht e a História*, p. 45). **3.** Feito, cometido, executado por uma só pessoa: *Via-se que aquela era obra individual; intervenção individual.* **4.** Especial, particular, singular. ~ V. *boletim —, direito —, garantias individuais e implicação —*. ● *S. m.* **5.** Aquilo que é individual; feição individual: *Tende mais para o individual que para o coletivo.* **6.** *Esport.* Treino, ou ensaio, que consta somente de exercícios ginásticos. ● *S. f.* **7.** Mostra ou exposição individual de artista plástico, etc.

individualidade [De *individual* + *-(i)dade*.] *S. f.* **1.** O que constitui o indivíduo. **2.** Caráter especial, particularidade ou originalidade que distingue uma pessoa ou coisa. **3.** Personalidade; vulto: *grandes individualidades das ciências.*

individualismo [De *individual* + *-ismo.*] ***S. m.*** **1.** A existência individual. **2.** *Fig.* Sentimento, conduta, etc., egocêntricos; egocentrismo. **3.** *Filos.* Doutrina ou atitude que considera o indivíduo como a realidade mais essencial ou como o valor mais elevado. **4.** *Filos.* Doutrina que explica os fenômenos históricos ou sociais por meio da ação consciente de indivíduos. **5.** *Filos.* Doutrina segundo a qual a sociedade deve visar, como fim único, ao bem dos indivíduos que a constituem.

individualista [De *individual* + *-ista.*] ***Adj. 2 g.*** **1.** Relativo ao, ou que é sectário do individualismo. **2.** *Fig.* Egoísta, egocêntrico. • ***S. 2 g.*** **3.** Sectário do individualismo. **4.** *Fig.* Pessoa egoísta, egocêntrica.

individualização [De *individualizar* + *-ção.*] ***S. f.*** Ato ou efeito de individualizar(-se).

individualizado [Part. de *individualizar.*] ***Adj.*** Que é ou foi objeto de individualização.

individualizador (ô) [De *individualizar* + *-dor.*] ***Adj.*** Que individualiza ou serve para individualizar; individualizante.

individualizante [De *individualizar* + *-nte.*] ***Adj. 2 g.*** Individualizador.

individualizar [De *individual* + *-izar.*] ***V. t. d.*** **1.** Tornar individual; especializar, particularizar: *Tinha o vício de individualizar questões gerais.* **2.** Caracterizar, distinguir; individuar: *Numerosas são as qualidades que o individualizam como romancista.* ***P.*** **3.** Tornar-se individual; distinguir-se.

individuante [De *individuar* + *-nte.*] ***Adj. 2 g.*** Que individua.

individuar [De *indivíduo* + *-ar*[2].] ***V. t. d.*** **1.** Narrar ou expor minuciosamente; especificar: *individuar as circunstâncias de um fato.* **2.** Distinguir, individualizar. ***P.*** **3.** Distinguir-se, individualizar-se. [Pres. ind.: *individuo*, etc. Cf. *indivíduo*.]

indivíduo [Do lat. *individuu.*] ***Adj.*** **1.** Indiviso (1). • ***S. m.*** **2.** O exemplar de uma espécie qualquer, orgânica ou inorgânica, que constitui uma unidade distinta. **3.** A pessoa humana, considerada quanto às suas características particulares, físicas e psíquicas: "Os móveis têm fisionomias como os indivíduos" (Ramalho Ortigão, *Notas de Viagem*, p. 200). [Opõe-se a *massa* (9).] **4.** *Ét.* A unidade de que se compõem os grupos humanos ou as sociedades. **5.** *Lóg.* Sujeito lógico que admite predicados, não podendo, porém, ele mesmo ser predicado de nenhum outro. **6.** *Lóg.* Cada um dos componentes de uma espécie. [Cf., nesta acepç., *classe* (22).] **7.** *Fam.* Uma pessoa qualquer, cujo nome não se quer dizer; sujeito, cidadão. **8.** *Pop.* V. *Diabo* (2). **9.** *Bras. Açor. Pop. Deprec.* Homem reles, insignificante, desprezível. [Cf. *individuo*, do v. *individuar*.]

indivisão [De *in-*[2] + *divisão.*] ***S. f.*** Qualidade de indiviso; falta de divisão.

indivisibilidade [De *indivisível* + *-(i)dade*, seg. o padrão erudito.] ***S. f.*** Qualidade de indivisível.

indivisível [Do lat. tard. *indivisibile.*] ***Adj. 2 g.*** **1.** Que não pode ser dividido; não divisível; insétil. • ***S. m.*** **2.** Coisa tenuíssima.

indiviso [Do lat. *indivisu.*] ***Adj.*** **1.** Não dividido, não divíduo; indivíduo: "a linha reta e indivisa que a investidura militar traça ao soldado" (Olavo Bilac, *Últimas Conferências e Discursos*, p. 205). **2.** Que pertence ao mesmo tempo a vários indivíduos. **3.** Que possui bens indivisos: *proprietários indivisos.* ~ V. *bens* —*s*.

indizível [De *in-*[2] + *dizível.*] ***Adj. 2 g.*** **1.** Que não se pode dizer; inefável: "Uma angústia indizível apertou-lhe o coração." (Amando Fontes, *Os Curumbas*, p. 154.) **2.** Extraordinário, raro, incomum: "Sofrera muito no Seminário, mas desses tormentos indizíveis .... saíra robustecido na fé e na crença" (Inglês de Sousa, *O Missionário*, p. 69).

indo ***S. m.*** *Gloss.* V. *indo-ariano* (2).

▲ **indo-**[1] ***El. comp.*** = 'indiano', 'hindu'; 'Índia': *indo-britânico, indo-chinês; indologia.*

▲ **indo-**[2] V. *ind(i)-*.

▲ **-indo** [Do lat. *-indu*, desin. de ger. da 3ª conjug.] ***Suf.*** us. na formação de vocábulos derivados de verbo.

indo-ariano [De *indo-*[1] + *ariano.*] ***Adj.*** **1.** Relativo aos indianos e arianos, ou ao indo-ariano (2). • ***S. m.*** **2.** *Gloss.* Na família indo-europeia, um dos dois subgrupos do indo-iraniano (3), e que inclui cerca de 500 línguas da Índia, além do sânscrito e do hindi ou urdu; índico, indo. [Pl.: *indo-arianos.*]

indo-britânico [De *indo-*[1] + *britânico.*] ***Adj.*** **1.** Relativo ou pertencente a hindus e ingleses ou britânicos, ou à antiga Índia inglesa. • ***S. m.*** **2.** Indivíduo indo-britânico. [Sin. ger.: *anglo-indiano*. Pl.: *indo-britânicos.*]

indochinês ***Adj.*** **1.** Pertencente ou relativo à antiga Indochina, atual Vietnã (Sudeste Asiático). • ***S. m.*** **2.** O natural ou habitante da Indochina. [Flex.: *indochinesa* (ê), *indochineses* (ê), *indochinesas* (ê). Cf. *indo-chinês* e *vietnamita.*]

indo-chinês [De *indo-*[1] + *chinês.*] ***Adj.*** De, ou pertencente ou relativo à Índia e à China, ou aos hindus e chineses. [Flex.: *indo-chinesa* (ê), *indo-chineses* (ê), *indo-chinesas* (ê). Cf. *indochinês.*]

indócil [Do lat. *indocile.*] ***Adj. 2 g.*** **1.** Não dócil; pouco meigo ou submisso; rebelde: *criança difícil, indócil;* "depois se debate [o papagaio], que nem louco, indócil aos puxões de Dirceu." (Guido Vilmar Sassi, *Piá*, p. 73). **2.** Insubmisso, insubordinável: "obrigado a viver no aperto dum meio estúpido e banal, indócil à sua ação regeneradora." (Inglês de Sousa, *O Missionário*, p. 169). **3.** Indomável, indomesticável. **4.** Incorrigível, indisciplinável, rebelde. **5.** *Bras.* Impaciente, inquieto, irritado, sôfrego: *Está demorando a sair o jantar, e alguns convidados já estão indóceis.* [Pl.: *indóceis*. Superl. abs. sint.: *indocílimo* e *indocilíssimo.*]

indocilidade [Do lat. imp. *indocilitate.*] ***S. f.*** Qualidade de indócil.

indocílimo ***Adj.*** Superl. abs. sint. de *indócil*; indocilíssimo.

indocilíssimo ***Adj.*** Indocílimo.

indocilizar [De *indócil* + *-izar.*] ***V. t. d.*** **1.** Fazer perder a docilidade; tornar indócil. ***P.*** **2.** Perder a docilidade; tornar-se indócil.

indocumentado [De *in-*[2] + *documentado.*] ***Adj.*** **1.** Desacompanhado ou falto de documentos; não documentado. • ***S. m.*** **2.** Aquele que não tem documentos.

indo-europeu [De *indo-*[1] + *europeu.*] ***S. m.*** **1.** *Gloss.* Língua que teria sido falada por volta de 3000 a. C. e que teria começado a cindir-se em diferentes línguas no milênio subsequente, dando origem à família indo-europeia. [V. *anatólio, armênio, balto-eslavo, celta, germânico, grego, indo-iraniano, itálico, tocariano*. V. tb. *protoindo-europeu.*] **2.** Indivíduo de um povo cuja língua descende do indo-europeu. **3.** Vocábulo indo-europeu (4). • ***Adj.*** **4.** Pertencente ou relativo ao indo-europeu ou às línguas que dele descendem. **5.** Pertencente ou relativo aos indo-europeus [v. *indo-europeu* (2)]. [Flex., nas quatro últimas acepçs.: *indo-europeia, indo-europeus, indo-europeias.*]

indo-gangético ***Adj.*** Relativo aos rios Indo e Ganges (Índia). [Pl.: *indo-gangéticos.*]

indo-germânico [De *indo-*[1] + *germânico.*] ***Adj.*** Termo de uso entre os filólogos alemães como sinônimo de *indo-europeu*. [Pl.: *indo-germânicos.*]

indo-helénico ***Adj.*** V. *indo-helênico*. [Uso freq. em P. Pl.: *indo-helénicos.*]

indo-helênico [De *indo-*[1] + *helênico.*] ***Adj.*** Relativo ou pertencente à Índia e à Grécia. [Pl.: *indo-helênicos.*]

indo-inglês [De *indo-*[1] + *inglês.*] ***Adj. S. m.*** V. *anglo-indiano*. [Flex.: *indo-inglesa* (ê), *indo-ingleses* (ê) e *indo-inglesas* (ê).]

indo-iraniano [De *indo-*[1] + *iraniano.*] ***Adj.*** **1.** Pertencente ou relativo à Índia e ao Irã. **2.** Pertencente ou relativo ao indo-iraniano (3). • ***S. m.*** **3.** *Gloss.* Ramo do indo-europeu que reúne dois subgrupos: o indo-ariano (q. v.) e o iraniano (q. v.). **4.** Vocábulo indo-iraniano (2).

indol [De *ind(i)-* + *-ol*[3].] ***S. m.*** *Quím.* Substância cristalina escamosa, amarelada, com cheiro fecal intenso, encontrada no alcatrão e na essência de flor de laranjeira e na de jasmim, us. em perfumaria, pois em solução diluída tem cheiro agradável [fórm.: C_8H_7N]. [Pl.: *indóis.*]

índole [Do lat. *indole.*] ***S. f.*** **1.** Propensão natural; tendência característica; temperamento: *É bondoso por índole;* "Eugênio era dotado de índole calma e pacata" (Bernardo Guimarães, *O Seminarista*, p. 32). **2.** Feitio, condição, caráter: *De que índole foi a pergunta que lhe fizeram?*

indolência [Do lat. *indolentia.*] ***S. f.*** **1.** Insensibilidade, apatia. **2.** Negligência; desleixo. **3.** Ociosidade, inércia, preguiça: "A sua incrível atividade, que contrastava com a indolência geral, a sua inteligência ...., fizeram-no um industrial progressista" (Inglês de Sousa, *Contos Amazônicos*, p. 110).

indolente [Do lat. tard. *indolente.*] ***Adj. 2 g.*** **1.** Insensível à dor; insensível, apático. **2.** Sem atividade; ocioso, inerte, preguiçoso. **3.** Negligente, lânguido: "a tricana, — a sua elegância flexível e indolente, ... aquela palidez de velho marfim religioso" (Júlio Dantas, *Abelhas Doiradas*, p. 113). **4.** Que denota falta de energia; apático: *voz indolente; gestos indolentes.* • ***S. 2 g.*** **5.** Pessoa indolente.

indólico [De *indol* + *-ico*[2].] ***Adj.*** *Quím.* Próprio de, ou relativo a indol.

indolina [De *indol* + *-ina*[3].] ***S. f.*** *Quím.* Substância heterocíclica, cujas moléculas se podem considerar derivadas do indano por substituição de um dos metilenos adjacentes ao anel benzênico por um grupo NH [fórm.: C_8H_9N].

indologia [De *indo-*[1] + *-logia.*] ***S. f.*** Estudo de coisas referentes à Índia.

indológico [De *indologia* + *-ico*[2].] ***Adj.*** Referente à indologia.

indólogo [De *indo-*[1] + *-logo.*] ***S. m.*** Especialista em indologia.

indolor (ô) [Do lat. tard. *indolore.*] ***Adj. 2 g.*** **1.** Que não provoca dor. **2.** *Fig.* Que se realiza sem grande esforço; suave, brando: *um método indolor para o ensino de línguas.*

indomado [De *in-*[2] + *domado.*] ***Adj.*** Não domado ou domesticado; indômito.

indomável [Do lat. *indomabile.*] ***Adj. 2 g.*** **1.** Impossível de domar; indomesticável. **2.** Invencível, irredutível: *coragem indomável.*

indomesticabilidade [De *indomesticável* + *-(i)dade*, seg. o padrão erudito.] ***S. f.*** Qualidade de indomesticável.

indomesticado [De *in-*[2] + *domesticado.*] ***Adj.*** Não domesticado; bravio.

indomesticável [De *in-*[2] + *domesticável.*] ***Adj. 2 g.*** **1.** Que não se pode domesticar. **2.** Selvagem, bravio; indoméstico.

indoméstico [De *in-*[2] + *doméstico.*] ***Adj.*** V. *indomesticável* (2).

indometacina [Voc. farmac.] ***S. f.*** *Quím.* Ácido carboxílico aromático, derivado do indol, us. como medicamento anti-inflamatório [fórm.: $C_{19}H_{16}ClNO_4$].

indominado [De *in-*[2] + *dominado.*] ***Adj.*** Que não se domina ou dominou.

indómito ***Adj.*** V. *indômito*. [Uso freq. em P.]

indômito [Do lat. *indomitu.*] ***Adj.*** **1.** Indomado. **2.** Não vencido; invencível, indomável: "O orgulho indômito do cavaleiro não cedeu." (Rebelo da Silva, *Contos e Lendas*, p. 166); "o seu espírito indômito .... foi paulatinamente cedendo à influência suave do cultivo e da doutrina dos Padres-Mestres" (Inglês de Sousa, *O Missionário*, p. 55). **3.** *Fig.* Altivo, soberbo, arrogante: *feitio indômito.*

indonésio ***S. m.*** **1.** Indivíduo dos indonésios, povo que habita a República da Indonésia. **2.** Membro de povos anteriores aos malaios da Indonésia e ilhas vizinhas. **3.** *Gloss.* V. *malaio* (3). • ***Adj.*** **4.** Pertencente ou relativo à Indonésia ou aos indonésios. **5.** Relativo ou pertencente ao indonésio (3).

→**indoor** [ɪndɔɪ] [Ingl.] ***Adj. 2 g. e 2 n.*** *Esport.* Diz-se de modalidade esportiva praticada em ambiente fechado: *alpinismo indoor, atletismo indoor.*

indo-pacífico [De *indo-*[1] + *pacífico.*] ***Adj.*** **1.** Relativo aos oceanos Índico e Pacífico, ou à região por eles banhada. **2.** *Gloss.* Diz-se de família de línguas da Nova Guiné (oceano Pacífico); papuano. • ***S. m.*** **3.** *Gloss.* Família de línguas da Nova Guiné; papuano. [Pl.: *indo-pacíficos.*]

indo-português [De *indo-*[1] + *português.*] ***Adj.*** **1.** Relativo à Índia e a Portugal. **2.** Relativo ou pertencente ao indo-português (3). • ***S. m.*** **3.** *Gloss.* Crioulo de base portuguesa falado no Sri Lanka, na região de Korlai (Índia) e em Damão.

indormido [De *in-*[2] + *dormido.*] ***Adj.*** **1.** Que não dormiu; desdormido. **2.** Que não dorme; vigilante.

indostânico ***Adj.*** Hindustânico.

indouto [Do lat. *indoctu.*] ***Adj.*** **1.** Que não é douto. **2.** Que tem pouco saber; inepto, incapaz. • ***S. m.*** **3.** Indivíduo indouto.

indri [Do tax. *Indri* (< malgaxe *indry*, 'veja!', por ter o naturalista francês Pierre Sonnerat [-1814] acreditado tratar-se do nome do animal).] ***S. m.*** *Zool.* **1.** O gênero-tipo dos indriídeos, que reúne primatas lemurianos da ilha de Madagascar (África) que são os maiores prossímios, podendo atingir 1m de comprimento, incluindo a cauda; têm pelagem marrom-clara e preta, e é arborícola de hábitos diurnos, alimentando-se de vegetais, insetos e pequenos lagartos. **2.** Qualquer espécie desse gênero como, p. ex., a *Indri brevicaudatus*, a maior do gênero, e que é dotada de cauda rudimentar. **3.** Qualquer espécime desse gênero.

indubitado [Do lat. *indubitatu.*] ***Adj.*** Sobre que não há dúvida; incontestado.

indubitável [Do lat. *indubitabile.*] ***Adj. 2 g.*** Sobre que não pode haver dúvida; incontestável, irrefragável: "É indubitável .... que, aumentados os nossos recursos, criadas novas indústrias, ... as populações rurais ficarão valorizadas e não mais terão necessidade de emigrar." (Graciliano Ramos, *Linhas Tortas*, p. 133.)

indução [Do lat. *inductione.*] ***S. f.*** **1.** Ato ou efeito de induzir. **2.** *Lóg.* Raciocínio cujas premissas têm caráter menos geral que a conclusão. [V. *indução completa, indução incompleta, indução matemática*; cf. *dedução* (3 e 4) e *generalização* (5).] ◆ **Indução amplificante.**

Lóg. V. *indução científica* (1). **Indução aristotélica.** *Lóg.* V. *indução completa.* **Indução baconiana.** *Lóg.* V. *indução científica* (1). **Indução científica.** *Lóg.* **1.** Na tradição clássica, indução incompleta cuja conclusão, não obstante, é universal e necessária, pois se estabelece por meio de procedimentos metódicos rigorosos, que levam à descoberta de relações constantes entre objetos de uma mesma classe ou de classes diferentes; indução amplificante, indução baconiana. **2.** Na lógica formal contemporânea, indução incompleta caracterizada essencialmente pelo caráter provável da conclusão à qual, não obstante, admite graus rigorosamente determinados de probabilidade mediante os procedimentos metódicos (estatísticos) utilizados. **Indução completa.** *Lóg.* Raciocínio cuja conclusão é uma proposição universal e necessária que se estabelece pelo exame de todos os objetos de uma classe; indução aristotélica, indução formal. **Indução eletromagnética.** *Fís.* Estabelecimento de uma força eletromotriz num circuito por efeito da variação de um fluxo magnético que o atravessa. **Indução eletrostática.** *Eletr.* Estabelecimento de uma distribuição de cargas elétricas em um corpo eletricamente neutro, por influência de outras cargas colocadas na vizinhança dele. **Indução embrionária.** *Embr.* Capacidade que tem um tecido (5) de orientar a diferenciação e o desenvolvimento de outros tecidos próximos. **Indução formal.** *Lóg.* V. *indução completa.* **Indução incompleta.** *Lóg.* Raciocínio pelo qual se estabelece uma proposição universal a partir do exame de alguns dos objetos de uma classe. [V. *indução por enumeração* e *indução científica.*] **Indução magnética.** *Fís.* Grandeza vetorial igual à densidade de fluxo de um campo magnético; densidade de fluxo magnético [símb.: *B*]. **Indução matemática.** *Lóg.* Raciocínio por recorrência (q. v.). **Indução mútua.** *Fís.* Indução eletromagnética entre dois circuitos em que circulam correntes variáveis. **Indução por enumeração.** *Lóg.* Indução incompleta cuja conclusão é apenas provável, pois se estabelece a partir do conhecimento parcial e não controlado (transmitido pela tradição, por crença ou fundado em dados circunstanciais) dos objetos de uma classe. [Cf. *indução científica.*] **Indução remanente.** *Fís.* V. *remanência.*

indúcias [Do lat. *indutias.*] *S. f. pl.* **1.** Tréguas. **2.** *Jur.* Dilação de prazo concedida, na pendência de uma ação judicial, pelo credor ao devedor para que pague o valor que lhe é devido.

indúctil [De *in-*[2] + *dúctil.*] *Adj. 2 g.* Não dúctil. [Pl.: *indúcteis.*]

inductilidade [De *in-*[2] + *ductilidade.*] *S. f.* Qualidade ou propriedade de indúctil; falta de ductilidade.

indulgência [Do lat. *indulgentia.*] *S. f.* **1.** Qualidade de indulgente. **2.** Clemência, misericórdia. **3.** Tolerância, benevolência: *Revela indulgência no julgar.* **4.** Remissão das penas; perdão. [Cf. *indulgencia*, do v. *indulgenciar.*] ◆ **Indulgência plenária.** Remição plena das penas temporais.

indulgenciar [De *indulgência* + *-ar*[2].] *V. t. d.* **1.** Tratar com indulgência. **2.** Anexar indulgência à recitação de (prece, obra pia ou reverência prestada a um objeto sagrado). [Pres. ind.: *indulgencio, indulgencias, indulgencia*, etc. Cf. *indulgência.*]

indulgente [Do lat. *indulgente.*] *Adj. 2 g.* **1.** Pronto a perdoar; tolerante: "Somos excessivamente indulgentes para com as nossas fraquezas e concedemo-nos, no amor, todas as liberdades." (Ciro dos Anjos, *Abdias*, p. 187.) **2.** Benigno, condescendente, complacente. **3.** Que denota ou envolve indulgência: *atitude indulgente; olhar indulgente.*

indultado [Part. de *indultar.*] *Adj. S. m.* Que ou pessoa a quem foi concedido indulto.

indultar [De *indulto* + *-ar*[2].] *V. t. d.* **1.** Dar indulto a. **2.** Suavizar a pena de; perdoar: *O pai acabou indultando o filho. P.* **3.** Desculpar-se, justificar-se. [Fut. pret.: *indultaria*, etc. Cf. *indultária*, fem. de *indultário.*]

indultário [De *indulto* + *-ário.*] *Adj.* Que goza de indulto. [Fem.: *indultária.* Cf. *indultaria*, do v. *indultar.*]

indulto [Do lat. tard. *indultu.*] *S. m.* **1.** Perdão, graça, desculpa: "Despede-se 'bendizendo', e granjeando o indulto do verdugo." (Rui Barbosa, *Ensaios Literários*, p. 43.) **2.** *Constr.* Qualquer substância, pastosa ou líquida, us. no revestimento duma superfície com o fim de proteger elementos da construção, torná-los impermeáveis, ou favorecer a aderência do acabamento. **3.** *Rel.* Dispensa ou comutação de obrigação religiosa, dada pela autoridade competente. **4.** *Jur.* Decreto pelo qual se concede uma graça ou privilégio. **5.** *Jur.* Ato de clemência do poder público (no Brasil, o executivo), de caráter geral e impessoal, concedendo perdão, diminuindo ou comutando a pena de um grupo de condenados por crimes comuns e contravenções; graça coletiva. [Cf. *anistia* (2), *clemência* (1) e *graça* (3).]

indumentária [F. subst. do adj. *indumentário.*] *S. f.* **1.** Arte do vestuário. **2.** História do vestuário; uso do vestuário em relação às épocas ou povos. **3.** *Vest.* V. *roupa* (2): "Enquanto não faz [Almeida Garrett] a *toilette* lê, escreve ou conversa com os amigos íntimos, numa indumentária pitoresca: balandrau branco até aos tornozelos; na cabeça, um grande barrete, também branco" (José Osório de Oliveira, *O Romance de Garrett*, p. 161).

indumentário [De *indumento* + *-ário.*] *Adj.* Referente a vestuário, ou à indumentária.

indumento [Do lat. *indumentu.*] *S. m.* **1.** *Vest.* V. *roupa* (2): "de uma feita, tirando [Castro Lopes] quatro contos de réis na loteria, em vez de ir renovar o indumento no Raunier ou em qualquer outro grande alfaiate do tempo, tratou de comprar um anelão de ouro" (Agripino Grieco, *Recordações de um Mundo Perdido*, p. 212). **2.** *Bot.* Qualquer revestimento dos órgãos ou partes vegetais, que pode ser formado de pelos, escamas, glândulas, etc.

induna [Do zulu, pelo ronga *nduna.*] *S. m. Moç.* Chefe de terras, conselheiro do régulo: "para castigar um induna revolto, o régulo chamou-o à sua cubata." (João Dias, *Godido e Outros Contos*, p. 7).

induplicado [De *in-*[1] + *duplicado.*] *Adj. Bot.* Diz-se do órgão foliáceo cujas margens se apresentam dobradas para dentro: *folha induplicada.*

indúsia *S. f. Bot. Impr.* Indúsio (2).

indúsio [Do lat. *indusiu*, 'camisa de mulher'.] *S. m.* **1.** Túnica que as damas romanas usavam por sob o vestido. **2.** *Bot.* Órgão membraniforme protetor que envolve os esporângios de numerosos pteridófitos e apresenta forma característica nos gêneros onde ocorre. [Sin., desus., nesta acepç.: *perisporângio.*]

indústria [Do lat. *industria*, 'atividade'.] *S. f.* **1.** Destreza ou arte na execução de um trabalho manual; aptidão, perícia. **2.** Profissão mecânica ou mercantil; ofício. **3.** *Fig.* Invenção, astúcia, engenho. **4.** *Econ.* Atividade de produção de mercadorias, especialmente de forma mecanizada e em grande escala, abrangendo a extração de produtos naturais (indústria extrativa) e sua transformação (indústria de transformação). **5.** O conjunto de empresas industriais; setor da economia voltado para a produção industrial: *A indústria brasileira começou a desenvolver-se em fins do século XIX.* **6.** Qualquer dos ramos da indústria: *indústria pesada; a indústria do calçado.* **7.** Usina, manufatura, fábrica: *Tem uma indústria de tapetes; A indústria da laminação de aço começou a funcionar diariamente.* [Cf. *industria*, do v. *industriar.*] ◆ **Indústria cultural.** **1.** Complexo de produção de bens culturais, disseminados através dos meios de comunicação de massa, que impõe formas universalizantes de comportamento e consumo; comunicação de massa que funciona como sistema mercantil e industrial. **2.** *P. ext.* Cultura de massa. **Indústria de base.** *Econ.* Denominação genérica das indústrias de bens de produção (extração e transformação de minérios, produção de máquinas e equipamentos industriais, exploração de recursos energéticos, etc.); indústria pesada. **Indústria de transformação.** *Econ.* A que se dedica à transformação de matérias-primas em produtos intermediários (ex.: lingotes de aço) ou em produtos finais (ex.: roupas, automóveis, máquinas). **Indústria extrativa.** *Econ.* A que se dedica à extração e beneficiamento de produtos vegetais ou minerais. **Indústria leve.** *Econ.* Denominação genérica das indústrias de bens de consumo (alimentos, roupas, utensílios domésticos, etc.) **Indústria pesada.** *Econ.* Indústria de base. **Indústria sem chaminé.** O turismo. **De indústria.** De propósito; de caso pensado; adrede: "Estabeleciam-se teses de amor, muito de indústria trazidas para zombaria da aldeã." (Camilo Castelo Branco, *Doze Casamentos Felizes*, p. 39.) **Pequena indústria.** A que está entre a indústria propriamente dita e o artesanato.

industriador (ô) [De *industriar* + *-dor.*] *Adj. S. m.* Que, ou aquele que industria.

industrial [De *indústria* + *-al*[1].] *Adj. 2 g.* **1.** Referente à, ou produzido pela indústria. **2.** Onde a indústria apresenta sensível desenvolvimento: *centro industrial; cidade industrial.* ~ V. *desenho —, direito —, gases industriais, parque —, psicologia —, química —* e *revolução —.* ● *S. 2 g.* **3.** Pessoa que exerce ou tem uma indústria. [Sin., bras., RS: *industrialista.*]

industrialismo [De *industrial* + *-ismo.*] *S. m.* **1.** Gosto exclusivo pela indústria. **2.** *Econ.* Doutrina que considera a indústria o fim principal da sociedade.

industrialista [De *industrial* + *-ista.*] *Adj. 2 g.* **1.** Relativo ao, ou que é partidário do industrialismo. ● *S. 2 g.* **2.** Partidário dele. **3.** *Bras. RS* Industrial (3).

industrialização [De *industrializar* + *-ção.*] *S. f.* Ato ou efeito de industrializar(-se).

industrializado [Part. de *industrializar.*] *Adj.* Que se industrializou: *país industrializado; produto industrializado.*

industrializador (ô) [De *industrializar* + *-dor.*] *Adj. S. m.* Que, ou aquele que industrializa.

industrializar [De *industrial* + *-izar.*] *V. t. d.* **1.** Promover o desenvolvimento industrial de: *industrializar um país.* **2.** Dar caráter industrial a; tornar industrial: *industrializar a agricultura.* **3.** Aproveitar (algo) como matéria-prima industrial: *industrializar o lixo. P.* **4.** Tornar-se industrial (2 e 3): "o mundo cada vez mais se industrializa." (Mateus de Albuquerque, *Da Arte e do Patriotismo*, p. 167).

industrializável [De *industrializar* + *-vel.*] *Adj. 2 g.* Que pode ser industrializado.

industriar [De *indústria* + *-ar*[2].] *V. t. d.* **1.** Trabalhar artisticamente; utilizar industriosamente. **2.** Instruir de antemão; explicar, ensinar. **3.** Dispor os meios de obter (algo). **4.** Tornar lucrativo ou rendoso por meio da indústria. *T. d. e i.* **5.** Adestrar, amestrar, exercitar: *Industriou o aprendiz no ofício.* **6.** Induzir, instigar, incitar: *Industriava-o criminosamente para a traição. P.* **7.** Adestrar-se; instruir-se, aprender. [Pres. ind.: *industrio, industrias, industria*, etc.; fut. pret.: *industriaria*, etc. Cf. *indústria*, s. f., e *industriária*, fem. de *industriário.*]

industriário [De *indústria* + *-ário.*] *S. m. Bras.* Empregado de empresa industrial; operário. [Fem.: *industriária.* Cf. *industriaria*, do v. *industriar.*]

industriosidade [De *industrioso* + *-(i)dade.*] *S. f.* Qualidade de industrioso; laboriosidade: "Uma turbamulta de passarinhos vulgares sem aptidão musical, sem industriosidade, sem beleza, sem graça" (Antônio Sales, *Aves de Arribação*, p. 114).

industrioso (ô) [Do lat. tard. *industriosu.*] *Adj.* **1.** Dotado de indústria; laborioso: *um jovem industrioso.* **2.** Executado com indústria, com arte. **3.** Esperto, hábil, habilidoso; astuto, sagaz.

indutância [Do ingl. *inductance.*] *S. f. Eletr.* **1.** Propriedade de indução de força eletromotriz em um circuito, por efeito da variação de uma corrente que passa pelo próprio circuito (v. *autoindutância*) ou por um circuito próximo (v. *indutância mútua*). **2.** Medida de autoindutância de um circuito ou de um componente de um circuito [símb.: *L*]. ◆ **Indutância mútua.** *Eletr.* Medida da indução eletromagnética entre dois circuitos, igual ao quociente da força eletromotriz induzida num circuito pelo negativo da derivada, em relação ao tempo, da corrente que percorre outro circuito.

indutar [De *induto* + *-ar*[2].] *V. t. d.* Cobrir, guarnecer, revestir.

indutivo [Do lat. tard. *inductivu*, 'hipotético'.] *Adj.* **1.** Que procede por indução. **2.** Relativo à indução. **3.** Em que há indução. [Cf. *dedutivo.*] ~ V. *acoplamento —, aquecimento —* e *efeito —.*

induto [Do lat. *indutu.*] *S. m. Vest.* V. *roupa* (2).

indutômetro *S. m. Fís.* V. *indutômetro.* [Uso freq. em P.]

indutômetro [De *indut(ância)* + *-o-* + *-metro*; ingl. *inductometer.*] *S. m. Fís.* Instrumento destinado a medir a indutância de um componente ou de um circuito.

indutor (ô) [Do lat. *inductore.*] *Adj.* **1.** Que induz, incita, instiga ou sugere. **2.** Que produz indução. ● *S. m.* **3.** Aquele que induz; incitador, instigador, induzidor. **4.** *Citol. Genét.* Substância que, ligando-se a um repressor, leva a uma mudança de conformação, tornando-o incapaz de unir-se ao gene operador. **5.** *Fís.* Componente passivo de um circuito elétrico, que tem a função de introduzir neste uma indutância. **6.** *Quím.* Substância que favorece a ocorrência de uma reação química, e que é ger. us. em pequena quantidade, e consumida no decurso da reação. ◆ **Indutor terrestre.** *Geofís.* Instrumento geomagnético destinado a medir a inclinação magnética, utilizando a medida da corrente elétrica induzida em uma bobina.

indúvia [Do lat. *induvia*, sing. de *induviae, arum.*] *S. f. Bot.* Indumento, peça ou conjunto de peças florais que persistem em estado seco, com função protetora, em frutos e caules, como se observa, por exemplo, no camapu.

induviado [De *indúvia* + *-ado*[1].] *Adj. Bot.* Que apresenta indúvia(s).

induvial [De *indúvia* + *-al*[1].] *Adj. 2 g. Bot.* Relativo ou pertencente à indúvia.

induvidoso (ô) [De *in-*[2] + *duvidoso.*] *Adj.* Não duvidoso; de que não se pode duvidar: "E comecei a definir, na boca, induvidoso gosto: de urina e merda." (Haroldo Maranhão, *As Peles Frias*, p. 13.)

induzido [Part. de *induzir.*] *Adj.* **1.** Que se induziu. ~ V. *corrente —a, parto —, radioatividade —a* e *transtorno psicótico —.* ● *S. m.* **2.** *Eletr.* Parte de uma máquina elétrica onde é induzida uma força eletromotriz.

induzidor (ô) [De *induzir* + *-dor.*] *Adj. S. m.* Que, ou aquele que induz, incita, instiga; indutor.

induzimento [De *induzir* + *-mento.*] *S. m.* Ato ou efeito de induzir.

induzir [Do lat. *inducere.*] *V. t. d.* **1.** Causar, inspirar, incutir: *induzir medo.* **2.** Inferir, concluir, deduzir: *Analisando diversos fenômenos particulares, o filósofo induz uma proposição geral.* **3.** Revestir, guarnecer, indutar. **4.** Mover, levar, arrastar: *Falava, gritava, dramatizava, para induzir o auditório.* *T. d. e i.* **5.** Instigar, incitar, sugerir, persuadir: *Induziu-os ao crime;* "Mulher .... ele não podia ver, que logo não induzisse a desprevenida a receber a fecundação dele." (Herberto Sales, *O Lobisomem*, p. 104). **6.** Mover, levar, arrastar: *Os conjurados queriam induzir o povo ao levante.* **7.** Fazer cair ou incorrer: "Culpa tivera ela, induzindo em erro tanta gente." (Visconde de Taunay, *Ao Entardecer*, p. 143.) *Int.* **8.** Praticar a indução (2): "não analisamos, não deduzimos, não induzimos, não abstraímos, etc. — somos instinto, somos uma força da natureza." (João Gaspar Simões, *O Mistério da Poesia*, pp. 12-13). [Irreg. Conjug.: v. *aduzir.*]

▲ **-ínea** [Adapt. do lat. cient. *-ineae*, f. pl. de *-inêus, a, um.*] *Suf. nom.* Usado na tax. botânica, para indicar família (4), subordem, ordem (26) ou classe (16): *gramínea, escitamínea, filicínea.*

inebriação [De *inebriar* + *-ção.*] *S. f.* Ato ou efeito de inebriar(-se); inebriamento.

inebriamento [De *inebriar* + *-mento.*] *S. m.* Inebriação.

inebriante [De *inebriar* + *-nte.*] *Adj. 2 g.* Que inebria.

inebriar [Do lat. imp. *inebriare.*] *V. t. d.* **1.** Tornar ébrio; embriagar, embebedar: "Há no seu busto a imagem de uma taça: / bebo-a, nos olhos... Ela me inebria." (Hermes-Fontes, *Miragem do Deserto*, p. 82.) **2.** Causar enlevo a; deliciar, entusiasmar, extasiar: *O perfume inebriava-o.* *Int.* **3.** Causar embriaguez; embebedar: *Até mesmo licor pode inebriar.* *P.* **4.** Tornar-se ébrio; embriagar-se, embebedar-se: "E eles .... tentam afogar a humilhação inebriando-se de má cerveja e música" (José Rodrigues Miguéis, *Gente da Terceira Classe*, p. 19). **5.** Enlevar-se, extasiar-se, arrebatar-se: "O simpático idealista hipnotizava-se, inebriava-se na funda contemplação do grande quadro genial" (Virgílio Várzea, *Nas Ondas*, p. 186).

inédia [Do lat. *inedia.*] *S. f.* Abstinência absoluta de alimento.

ineditismo [De *inédito* + *-ismo.*] *S. m.* Qualidade de inédito.

inédito [Do lat. *ineditu.*] *Adj.* **1.** Não publicado ou não impresso: *livro inédito.* **2.** *Fig.* Nunca visto; original; incomum: "Todos os acepipes raros, todos os vinhos inéditos, todas as esquisitas gulodices" (Fialho d'Almeida, *Pasquinadas*, p. 339). ● *S. m.* **3.** Obra que ainda não foi publicada: *Anunciam-se novos inéditos de Guimarães Rosa.*

ineducável [De *in-*^{2} + *educável.*] *Adj. 2 g.* Não educável.

inefabilidade [Do lat. med. *ineffabilitate.*] *S. f.* Qualidade de inefável.

inefável [Do lat. imp. *ineffabile.*] *Adj. 2 g.* **1.** Que não se pode exprimir por palavras; indizível: "E, parada à porta, ... um sorriso inefável no rosto, a cega parecia acompanhar um sonho místico pelo espaço azul" (Coelho Neto, *Sertão*, p. 195). **2.** *Fig.* Encantador, inebriante.

ineficácia [Do lat. *inefficatia.*] *S. f.* Qualidade de ineficaz; falta de eficácia.

ineficacíssimo [Do lat. *inefficacissimu.*] *Adj.* Superl. abs. sint. de *ineficaz.*

ineficaz [Do lat. *inefficace.*] *Adj. 2 g.* **1.** Não eficaz; inútil. **2.** Impróprio, inconveniente. [Superl. abs. sint.: *ineficacíssimo.*]

ineficiência [De *in-*^{2} + *eficiência.*] *S. f.* Falta de eficiência.

ineficiente [De *in-*^{2} + *eficiente.*] *Adj. 2 g.* Não eficiente; sem eficiência.

inegável [De *i-*^{2} + *negável.*] *Adj. 2 g.* Que não se pode negar; incontestável; claro, evidente.

inegociável [De *i-*^{2} + *negociável.*] *Adj. 2 g.* Não negociável.

inelástico [De *in-*^{2} + *elástico.*] *Adj.* **1.** Que não tem elasticidade; rígido, inflexível. **2.** *Econ.* Diz-se da procura (ou da oferta) que mostra baixa elasticidade-preço ou baixa elasticidade-renda. ~ V. *choque —.*

inelegância [Do lat. tard. *inelegantia.*] *S. f.* Qualidade de inelegante; deselegância.

inelegante [Do lat. *inelegante.*] *Adj. 2 g.* Não elegante; deselegante.

inelegibilidade [De *inelegível* + *-(i)dade*, seg. o padrão erudito.] *S. f.* Qualidade ou caráter de inelegível.

inelegível [De *in-*^{2} + *elegível.*] *Adj. 2 g.* Não elegível.

ineludível [De *in-*^{2} + *eludível.*] *Adj. 2 g.* Que não se pode eludir; inescapável: "É o *ut moreat*, a arte de comover o leitor, ineludível em *Menino Deitado em Alfa* (de Lélia Coelho Frota)" (Maria Luísa Penna, *Discurso de Posse*, p. 29).

inelutável [Do lat. *ineluctabile.*] *Adj. 2 g.* **1.** Com que se luta em vão; invencível, irresistível: "para o seio .... eternal de Deus, força augusta e inelutável" (Virgílio Várzea, *Nas Ondas*, p. 187). **2.** Indiscutível, irrespondível.

inembrionado [De *in-*^{2} + *embrionado.*] *Adj. Bot.* Que não tem embrião.

inemotivo [De *in-*^{2} + *emotivo.*] *Adj. S. m.* Que, ou aquele que não é emotivo: "vezes houve mesmo e não poucas em que o escritor era um inemotivo, um frígido..." (João Ribeiro, *Crítica*, IV, p. 144).

inenarrável [Do lat. imp. *inenarrabile.*] *Adj. 2 g.* V. *inarrável*: "Desse olhar na expressão infinda e inenarrável / Desabrocha uma dor profunda e inconsolável." (Gonçalves Crespo, *Obras Completas*, p. 265.)

inencontrável [De *in-*^{2} + *encontrável.*] *Adj. 2 g.* Que não pode ser encontrado.

inenrugável [De *in-*^{2} + *enrugável.*] *Adj. 2 g.* Que não enruga.

inentendido [De *in-*^{2} + *entendido.*] *Adj.* Não entendido; incompreendido: "É [Chopin] o Interpretador do Arrulho e do Rugido, / que entende o coração inentendido / de todos os três Reinos Naturais." (Hermes-Fontes, *Miragem do Deserto*, p. 48.)

■ **Inep** Sigla de *Instituto Nacional de Estudos e Pesquisas Educacionais.*

inépcia [Do lat. *ineptia.*] *S. f.* **1.** Falta absoluta de aptidão. **2.** Grande falta de inteligência; idiotismo. **3.** Dito ou afirmação absurda; disparate: "O repertório das inépcias lexicográficas, pacientemente recolhidas .... por Caldas Aulete, nunca tinha fim." (Ramalho Ortigão, *Figuras e Questões Literárias*, II, p. 253.) [Sin. ger.: *ineptidão* (q. v.).]

ineptidão [Do lat. tard. *ineptitudine.*] *S. f.* V. *inépcia.* [Cf. *inaptidão.*]

inepto [Do lat. *ineptu.*] *Adj.* **1.** Sem nenhuma aptidão. **2.** Que revela toleima; bobo, tolo, idiota. [Cf. *inapto.*] **3.** *Dir. Proc.* Diz-se da petição que omite os requisitos legais, ou se mostra demasiado contraditória e obscura, ou em patente conflito com a lei. ● *S. m.* **4.** Indivíduo inepto.

inequação [De *in-*^{2} + *equação.*] *S. f. Mat.* V. *desigualdade* (3).

inequilátero (qüi) [De *in-*^{2} + *equilátero.*] *Adj. Bot.* ~ V. *folha — a.* ❖

inequipalpo [Adapt. do tax. *Inequipalpia.*] *Zool. S. m.* **1.** Espécime dos inequipalpos, subordem de insetos tricópteros que reúne espécies cujos palpos maxilares, dimórficos, têm cinco segmentos nas fêmeas e dois, três ou quatro nos machos; as larvas vivem sempre em casas ou estojos livres. ● *Adj.* **2.** Pertencente ou relativo a eles.

inequivalve (qüi) [De *in-*^{2} + *-equi-* + *-valve.*] *Adj. 2 g. Zool.* Que não tem valvas iguais. ❖

inequívoco [De *in-*^{2} + *equívoco.*] *Adj.* Em que não há equívoco; claro, evidente, manifesto: "uma escrava .... — a quem trata carinhosamente e de quem recebe provas de um afeto inequívoco" (Machado de Assis, *Crítica Teatral*, p. 148).

inércia [Do lat. *inertia.*] *S. f.* **1.** Falta de ação, de atividade; letargia, torpor. **2.** Indolência; preguiça: "Pouco a pouco foi-o tomando um cansaço, uma inércia, uma infinita lassidão da vontade" (Eça de Queirós, *Os Maias*, II, p. 492). **3.** *Fís.* Resistência que todos os corpos materiais opõem à modificação do seu estado de movimento. **4.** *P. ext.* Resistência à mudança: *inércia inflacionária.* **5.** *Desus.* Ignorância de qualquer arte. [Cf. *inercia*, do v. *inerciar.*]

inercial [De *inércia* + *-al*^{1}.] *Adj. 2 g. Fís.* Relativo à inércia. ~ V. *acoplamento —, força —, inflação —, massa —, navegação — e referencial —.*

inerciar [De *inércia* + *-ar*^{2}.] *V. t. d.* Transmitir inércia a; tornar inerte. [Pres. ind.: *inercio, inercias, inercia*, etc. Cf. *inércia.*]

inerência [Do lat. med. *inerentia.*] *S. f.* **1.** Qualidade de inerente. **2.** *Lóg.* Relação entre um sujeito e uma qualidade que lhe é atribuída. [Cf. *inclusão* (6) e *predicação* (3); v. *juízo de atribuição.*]

inerente [Do lat. *inhaerente.*] *Adj. 2 g.* Que está por natureza inseparavelmente ligado a alguma coisa ou pessoa: "o cortejo dos vícios inerentes às grandes aglomerações humanas" (Fialho d'Almeida, *Pasquinadas*, p. 152); "Apressemo-nos a ressalvar .... que o sentimento artístico é espontâneo e inerente nos homens" (J. Matoso Câmara Jr., *Manual de Expressão Oral e Escrita*, p. 9).

inerir [Do lat. *inhaerere*, com mudança de conjug.] *V. t. i.* Estar ligado intimamente; ser inseparável; ser inerente: "A educação, no conceito aberto que Jaeger lhe atribui, impregna todos os fios do tecido social, ao qual passa a inerir indissoluvelmente." (Marcílio Marques Moreira, *Indicações para o Projeto Brasileiro*, p. 15.) [Irreg. Conjug.: v. *aderir.*]

inerme [Do lat. *inerme.*] *Adj. 2 g.* **1.** Não armado; sem meios de defesa: *A população, inerme, não ofereceu resistência aos bandoleiros;* "Qual o membrudo e bárbaro gigante, / Do rei Saul com causa tão temido, / Vendo o pastor inerme estar diante, / Só de pedras e esforço apercebido, / Com palavras soberbas o arrogante / Despreza o fraco moço malvestido" (Luís de Camões, *Os Lusíadas*, III, 111). **2.** *Hist. Nat.* Diz-se de animal desprovido de armas naturais de defesa (ferrão, bico, etc.), ou de planta sem espinhos ou acúleos.

inermidade [De *inerme* + *-(i)dade.*] *S. f.* Qualidade ou condição de inerme, desprovido de meios de defesa: "Vendo-o [a Cordell Hull] irromper, todo outro, irreconhecível, da inermidade de penitente para o áspero combate." (Gilberto Amado, *Depois da Política*, p. 219.)

inerrância [Do lat. *inerrantia* (acus. neutro pl. de *inerrans, antis*), tomado como fem.] *S. f.* Qualidade de inerrante.

inerrante [Do lat. *inerrante.*] *Adj. 2 g.* **1.** Que não pode errar; infalível. **2.** Não errante; fixo.

inertância [Do ingl. *inertance.*] *S. f. Fís.* Num sistema acústico, componente que opõe resistência à variação da velocidade volumar do ar, e que é o equivalente acústico de uma indutância elétrica; massa acústica.

inerte [Do lat. *inerte.*] *Adj. 2 g.* **1.** Que tem inércia; sem atividade: "Abandonado, inerte, os nervos lassos depois daquelas horas de excitação, não reparava bem no que se passava em volta." (Conde de Ficalho, *Uma Eleição Perdida*, p. 138.) **2.** Que produz inércia. ~ V. *gás —.* [Cf. *inerme.*] ● *S. m. Constr.* **3.** Agregado^1 (4).

inervação [De *inervar* + *-ção.*] *S. f.* **1.** *Anat.* Suprimento de qualquer parte do organismo com nervos e suas ramificações. **2.** *Bot.* Conjunto das nervuras da folha. [Cf. *enervação* e *nervação.*]

inervar [De *in-*^{1} + *nervo* + *-ar*^{2}.] *V. t. d.* Prover com nervos e suas ramificações. [Pres. subj.: *inerve*, etc. Cf. *enerve*, do v. *enervar* e adj., e este verbo.]

inérveo [De *i-*^{2} + *nérveo.*] *Adj. Bot.* Que não tem nervura.

inescapável [De *in-*^{2} + *escapável.*] *Adj. 2 g.* Que não pode escapar.

inescrito [De *in-*^{2} + *escrito.*] *Adj.* Não escrito: "Murmura ainda a crônica inescrita e confidencial que muitos muros e portões foram galgados e pulados..." (Augusto Meyer, *No Tempo da Flor*, p. 18.)

inescrupuloso (ô) [De *in-*^{2} + *escrupuloso.*] *Adj.* Não escrupuloso; sem escrúpulos.

inescrutabilidade [De *inescrutável* + *-(i)dade*, seg. o padrão erudito.] *S. f.* Qualidade de inescrutável.

inescrutável [De *in-*^{2} + *escrutável.*] *Adj. 2 g.* Não escrutável; insondável, impenetrável: "de repente ficou olhando muito o dinheiro, parado, olhando os níqueis, perdido em reflexões inescrutáveis." (Mário de Andrade, *Contos Novos*, pp. 100-101).

inesculpido [De *in-*^{2} + *esculpido.*] *Adj.* Que não é, ou não está esculpido; bruto, natural: *Vendem diamantes esculpidos e inesculpidos.*

inescurecível [De *in-*^{2} + *escurecível.*] *Adj. 2 g.* **1.** Que não pode ser escurecido. **2.** Digno de memória; memorável, preclaro.

inescusável [Do lat. *inexcusabile*, por via semierudita.] *Adj. 2 g.* **1.** Que não se pode escusar ou dispensar; indispensável. **2.** Indesculpável.

inesense *Adj. 2 g.* **1.** De, ou pertencente ou relativo a Dona Inês (PB). ● *S. 2 g.* **2.** O natural ou habitante de Dona Inês.

inesgotabilidade [De *inesgotável* + *-(i)dade*, seg. o padrão erudito.] *S. f.* Qualidade de inesgotável.

inesgotável [De *in-*^{2} + *esgotável.*] *Adj. 2 g.* **1.** Que não se pode esgotar. **2.** Superabundante, copiosíssimo. [Sin. ger.: *inexaurível.*]

inesitante [De *in-*^{2} + *hesitante.*] *Adj. 2 g.* Não hesitante; decidido, resoluto.

inespecificidade [De *inespecífico* + *-(i)dade.*] *S. f.* Qualidade do que é inespecífico.

inespecífico [De *in-*^{2} + *específico.*] *Adj.* Sem especificidade; não específico.

inesperabilidade [De *inesperável* + *-(i)dade*, seg. o padrão erudito.] *S. f.* Qualidade do que é inesperável: *A inesperabilidade de seu gesto a todos espantava.*

inesperado [De *in-*^{2} + *esperado.*] *Adj.* **1.** Não esperado; imprevisto, inopinado. ● *S. m.* **2.** Acontecimento inesperado.

inesperável [De *in-*^{2} + *esperável.*] *Adj. 2 g.* Que não se pode esperar.

inesquecido [De *in-*^{2} + *esquecido.*] *Adj.* Não esquecido.

inesquecível [De *in-*^{2} + *esquecível.*] *Adj. 2 g.* Que não pode ser esquecido; inolvidável.

inessivo [Do lat. *inesse*, 'estar em', + *-ivo.*] *E. Ling. Adj.* **1.** Relativo a inessivo (2). ~ V. *caso —.* ● *S. m.* **2.** Caso inessivo (q. v.). [Cf. *locativo.*]

inestancável [De *in-*^{2} + *estancável.*] *Adj. 2 g.* Não estancável.

inestante [De *in-*[2] + *estante* (1).] *Adj. 2 g.* Não estante; inexistente: "somente grosseira superficialidade pode pretender que as relações lógicas, matemáticas, ... e sociais apenas constituam criações imaginárias e inestantes no real." (Pontes de Miranda, *Obras Literárias*, p. 167).

inestendível [De *in-*[2] + *estendível.*] *Adj. 2 g.* Não estendível.

inestético [De *in-*[2] + *estético.*] *Adj.* Contrário à estética, à arte, ao bom gosto.

inestimável [Do lat. *inaestimabile.*] *Adj. 2 g.* **1.** Que não se pode estimar ou avaliar; incalculável, inapreciável. **2.** Que se tem em grande estima ou apreço. **3.** Que tem valor altíssimo, ou cujo valor é altíssimo: *objetos inestimáveis; joias de valor inestimável.*

inestudioso (ô) [De *in-*[2] + *estudioso.*] *Adj.* Não estudioso.

inevidência [De *in-*[2] + *evidência.*] *S. f.* Falta de evidência; qualidade de inevidente.

inevidente [De *in-*[2] + *evidente.*] *Adj. 2 g.* Que não é evidente.

inevitabilidade [De *inevitável* + *-(i)dade*, seg. o padrão erudito.] *S. f.* Qualidade de inevitável.

inevitável [Do lat. *inevitabile.*] *Adj. 2 g.* Não evitável; fatal.

inevitavelmente (à) [De *inevitável* + *-mente.*] *Adv.* De maneira inevitável; fatalmente: "Só uma coisa me apavora / A esta hora, a toda a hora: / É que verei a morte frente a frente / Inevitavelmente." (Fernando Pessoa, *Poemas Dramáticos*, p. 134.)

inexaminável (z) [De *in-*[2] + *examinável.*] *Adj. 2 g.* Que não pode ser examinado.

inexatidão (z) [De *in-*[2] + *exatidão.*] *S. f.* **1.** Qualidade de inexato. **2.** Falta de exatidão; erro. **3.** Coisa inexata.

inexato (z) [De *in-*[2] + *exato.*] *Adj.* Não exato; falto de exatidão: "Diz-se geralmente — Ramalho Ortigão, autor das *Farpas*; não seria inexato dizer — as *Farpas*, autoras de Ramalho Ortigão. A sua obra tem-no criado." (Eça de Queirós, *Notas Contemporâneas*, pp. 27-28.)

inexauribilidade (z) [De *inexaurível* + *-(i)dade*, seg. o padrão erudito.] *S. f.* Qualidade de inexaurível.

inexaurível (z) [De *in-*[2] + *exaurível.*] *Adj. 2 g.* Não exaurível; inesgotável: "Ela tinha sempre uma resposta e um sorriso para cada uma das mil perguntas que lhe fazíamos, e então uma grande paciência inexaurível." (Trindade Coelho, *Os Meus Amores*, p. 162.)

inexausto (z) [Do lat. *inexhaustu.*] *Adj.* Que não está exausto; não exaurido.

inexcedível [De *in-*[2] + *excedível.*] *Adj. 2 g.* Que não pode ser excedido.

inexcitabilidade [De *inexcitável* + *-(i)dade*, seg. o padrão erudito.] *S. f.* Qualidade de inexcitável.

inexcitável [Do lat. imp. *inexcitabile*, 'letárgico'.] *Adj. 2 g.* Que não se excita facilmente; impassível, imperturbável.

inexecução (z) [De *in-*[2] + *execução.*] *S. f.* Falta de execução, de cumprimento; inadimplemento.

inexecutável (z) [De *in-*[2] + *executável.*] *Adj. 2 g.* Não executável; inexequível.

inexequibilidade (z...qüi) [De *inexequível* + *-(i)dade*, seg. o padrão erudito.] *S. f.* Qualidade de inexequível. ❖

inexequível (z...qüí) [De *in-*[2] + *exequível.*] *Adj. 2 g.* Que não se pode executar; inexecutável: *projetos inexequíveis;* "continuou declarando que semelhante exigência, sobre ser quase inexequível, acarretava para ele, Manuel, certa odiosidade." (Aluísio Azevedo, *O Mulato*, p. 120). ❖

inexigibilidade (z) [De *inexigível* + *-(i)dade*, seg. o padrão erudito.] *S. f.* Qualidade ou caráter de inexigível.

inexigível (z) [De *in-*[2] + *exigível.*] *Adj. 2 g.* Que não se pode exigir.

inexistência (z) [De *in-*[2] + *existência.*] *S. f.* Falta de existência; não existência; carência, falta: "Observando-o com atenção, vemos que seus óculos escuros .... têm uma finalidade suspeita: a de ocultar a inexistência do olho esquerdo" (Osmã Lins, *Nove, Novena*, p. 151).

inexistente (z) [De *in-*[2] + *existente.*] *Adj. 2 g.* Não existente.

inexistir (z) [De *in-*[2] + *existir.*] *V. int.* Não existir; não haver: *Criaturas como as que você pinta inexistem; Creio inexistir inimizade entre eles.*

inexorabilidade (z) [Do lat. tard. *inexorabilitate.*] *S. f.* Qualidade de inexorável.

inexorado (z) [Do lat. *inexoratu.*] *Adj.* Que não foi objeto de súplica, rogo.

inexorável (z) [Do lat. *inexorabile.*] *Adj. 2 g.* **1.** Que não se move a rogos; não exorável; implacável, inabalável: "Pois sempre aos pés de inexorável Siva / O fraco é devorado pelo forte!" (Raimundo Correia, *Poesias*, p. 223.) **2.** Austero, reto, rígido.

inexpansivo [De *in-*[2] + *expansivo.*] *Adj.* Não expansivo; discreto, reservado, retraído.

inexpedito [Do lat. tard. *inexpeditu.*] *Adj.* Não expedito; sem desembaraço.

inexperiência [Do lat. tard. *inexperientia.*] *S. f.* **1.** Qualidade de inexperiente; falta de experiência. **2.** Erro devido a inexperiência (1).

inexperiente [Do lat. tard. *inexperiente*, por via erudita.] *Adj. 2 g.* **1.** Sem experiência; bisonho. **2.** Inocente, ingênuo: "Pense na minha amada Emily Brontë, que também morreu rapariga, inexperiente, pura, solitária" (Raquel de Queirós, *100 Crônicas Escolhidas*, p. 36). • *S. 2 g.* **3.** Pessoa inexperiente.

inexperto [Do lat. med. *inexpertu*, por via semierudita.] *Adj.* Inexperiente, imperito: "O uso da aguardente .... era delito sério .... Conta-se que de uma feita alguns tropeiros inexpertos .... foram ter a Canudos, levando alguns barris do líquido inconcesso." (Euclides da Cunha, *Os Sertões*, p. 193.)

inexpiado [Do lat. med. *inexpiatu*, por via semierudita.] *Adj.* Não expiado.

inexpiável [Do lat. *inexpiabile.*] *Adj. 2 g.* Que não pode ser expiado.

inexplicabilidade [De *inexplicável* + *-(i)dade*, seg. o padrão erudito.] *S. f.* Qualidade de inexplicável.

inexplicável [Do lat. *inexplicabile.*] *Adj. 2 g.* **1.** Não explicável; obscuro: *Há fenômenos inexplicáveis.* **2.** Incompreensível, estranho, singular: *atitude inexplicável.*

inexplorado [Do lat. imp. *inexploratu*, por via semierudita.] *Adj.* Não explorado.

inexplorável [De *in-*[2] + *explorável.*] *Adj. 2 g.* Não explorável.

inexpressão [De *in-*[2] + *expressão.*] *S. f.* Ausência ou falta de expressão, de vivacidade, de caráter, de marca própria: *A inexpressão do seu rosto é inquietante.*

inexpressividade [De *inexpressivo* + *-(i)dade.*] *S. f.* Qualidade de inexpressivo.

inexpressivo [De *in-*[2] + *expressivo.*] *Adj.* Que não é expressivo.

inexprimível [De *in-*[2] + *exprimível.*] *Adj. 2 g.* **1.** Que não se pode exprimir; não exprimível: *ideias inexprimíveis.* **2.** Encantador; inefável: *um olhar de doçura inexprimível.*

inexpugnabilidade [De *inexpugnável* + *-(i)dade*, seg. o padrão erudito.] *S. f.* Qualidade de inexpugnável: "essa convicção .... não o libertava do obcecante desvario, que já se lhe implantara no cérebro, com a inexpugnabilidade da ideia fixa." (Godofredo Rangel, *Falange Gloriosa*, p. 99).

inexpugnável [Do lat. *inexpugnabile.*] *Adj. 2 g.* **1.** Que não é expugnável: *fortaleza inexpugnável.* **2.** Invencível, indestrutível, inabalável. **3.** *Fig.* Intrépido, audaz.

inextensão [De *in-*[2] + *extensão.*] *S. f.* Qualidade de inextenso; falta de extensão.

inextensibilidade [De *inextensível* + *-(i)dade*, seg. o padrão erudito.] *S. f.* Qualidade de inextensível.

inextensível [De *in-*[2] + *extensível.*] *Adj. 2 g.* Não extensível.

inextenso [De *in-*[2] + *extenso.*] *Adj.* Sem extensão; não extenso.

→ **in extenso** [en eks'tenso] [Lat.] Na íntegra.

inexterminável [Do lat. tard. *inexterminabile.*] *Adj. 2 g.* Que não pode ser exterminado; não exterminável.

inextinguibilidade [De *inextinguível* + *-(i)dade*, seg. o padrão erudito.] *S. f.* Qualidade de inextinguível.

inextinguível [Do lat. tard. *inex(s)tinguibile.*] *Adj. 2 g.* Não extinguível.

inextinto [Do lat. *inex(s)tinctu.*] *Adj.* Que não se extinguiu; que subsiste ainda: "Dir-se-ia que nos coruchéus, como em círios, brilhavam inextintos morrões" (Aquilino Ribeiro, *Maria Benigna*, p. 245).

inextirpável [Do lat. imp. *inex(s)tirpabile.*] *Adj. 2 g.* Não extirpável.

→ **in extremis** [en eks'tremes] [Lat.] *In articulo mortis.*

inextricabilidade [De *inextricável* + *-(i)dade*, seg. o padrão erudito.] *S. f.* Qualidade de inextricável.

inextricável [Do lat. *inextricabile.*] *Adj. 2 g.* **1.** Que não se pode deslindar; indestrinçável: "Por isso é que o estudo das línguas ameríndias foi sempre um cipoal de enredos inextricáveis." (Eduardo Frieiro, *A Ilusão Literária*, p. 43.) **2.** Emaranhado; enredado, intricado, intrincado. [Var.: *inextrincável.*]

inextrincável *Adj. 2 g.* V. *inextricável*: "sem o emaranhamento complicado e inextrincável das grossas lianas retorcidas como membros torturados" (João Lúcio, *Bom-Viver*, p. 574).

infactível [De *in-*[2] + *factível.*] *Adj. 2 g.* Não factível; irrealizável, inexequível. [Var.: *infatível.*]

infacundo [Do lat. imp. *infacundu.*] *Adj.* Não facundo, não eloquente. [Cf. *infecundo.*]

infalibilidade [De *infalível* + *-(i)dade*, seg. o padrão erudito.] *S. f.* **1.** Qualidade ou caráter de infalível. **2.** *Rel.* Prerrogativa atribuída à Igreja em sua totalidade, ou ao Papa, para os católicos, de não errar em questões pertinentes à fé e aos costumes, quando pretende conferir uma orientação universal e decisiva.

infalível [Do lat. med. *infallibile.*] *Adj. 2 g.* **1.** Que não falha: *método infalível; remédio infalível;* "os seus queixumes .... eram um disfarce para me pedir uma regra infalível na arte de .... não ter filhos." (Fernando Namora, *Retalhos da Vida de um Médico*, p. 132). **2.** Que não pode deixar de ser, de acontecer; inevitável: *sucesso infalível.* **3.** Que nunca se engana ou erra: "não se cansa de afirmar estridentemente .... esta sua ligação espiritual e temporal com Deus, que o torna infalível" (Eça de Queirós, *Ecos de Paris*, p. 47). • *S. f.* **4.** *Bras. Bot.* V. *boi-gordo.*

infalsificável [De *in-*[2] + *falsificável.*] *Adj. 2 g.* Que não é falsificável.

infamação [Do lat. med. *infamatione.*] *S. f.* Ato ou efeito de infamar; descrédito, difamação.

infamado [Do lat. *infamatu*, part. pass. do v. lat. *infamare.*] *Adj.* De má reputação; de má fama: "Os solteiros aceitam, sem biocos de honra, as mulheres infamadas que lhes estimulam o cio ou o interesse." (Camilo Castelo Branco, *Maria da Fonte*, p. 70.)

infamador (ô) [Do lat. med. *infamatore.*] *Adj.* **1.** V. *infamante.* • *S. m.* **2.** Aquele que infama.

infamante [De *infamar* + *-nte.*] *Adj. 2 g.* Que infama; infamador, infamatório.

infamar [Do lat. *infamare.*] *V. t. d.* **1.** Tornar infame, ignominioso, desonrado; ignominiar: *Seus crimes o infamaram para sempre.* **2.** Atribuir infâmias a: *A história acaba redimindo aqueles que os donos do poder infamam injustamente.* **3.** Fazer cair em descrédito; difamar, desacreditar: *Aquela ação o infamava perante os amigos. P.* **4.** Desacreditar-se, desonrar-se.

infamatório [Do lat. *infamatoriu.*] *Adj.* V. *infamante.*

infame [Do lat. *infame.*] *Adj. 2 g.* **1.** Que tem má fama. **2.** Que pratica atos vis, abjetos; torpe, baixo, abjeto. **3.** *P. ext.* Próprio de indivíduo infame; odioso, indigno: *procedimento infame.* **4.** Péssimo, detestável: *versos infames; comida infame.* [Superl. abs. sint.: *infamíssimo* e (fam.) *infamérrimo.*]

infamérrimo *Adj. Fam.* Superl. abs. sint. de *infame*; infamíssimo.

infâmia [Do lat. *infamia.*] *S. f.* **1.** Má fama. **2.** Perda de boa fama. **3.** Dano social ou legal feito à reputação de alguém; desonra, desdouro, ignomínia, labéu. **4.** Caráter daquilo que é infame; torpeza, vileza, abjeção: *A infâmia da acusação suscitou ódio geral.* **5.** Ato ou dito infame.

infamiliar [De *in-*[2] + *familiar.*] *Adj. 2 g.* Que não é familiar: "A claridade batia nas lentes que enviaram sinais agudos. Sem os óculos, seus olhos piscaram claros, quase jovens, infamiliares. (Clarice Lispector, *Laços de Família*, p. 143.)

infamíssimo *Adj.* Infamérrimo.

infanção [Do lat. vulg. hispânico **infantione.*] *S. m.* Antigo título de nobreza, inferior ao de rico-homem: "Ricos-homens, infanções e cavaleiros de Portugal, um dos mais nobres sacramentos que Deus neste mundo ordenou foi o matrimônio" (Alexandre Herculano, *Lendas e Narrativas*, I, p. 168).

infância [Do lat. *infantia.*] *S. f.* **1.** Período de crescimento, no ser humano, que vai do nascimento até a puberdade; meninice, puerícia. **2.** As crianças. **3.** *Fig.* O primeiro período de existência duma instituição, sociedade, arte, etc. **4.** *Psicol.* Período de vida que vai do nascimento à adolescência, extremamente dinâmico e rico, no qual o crescimento se faz, concomitantemente, em todos os domínios, e que, segundo os caracteres anatômicos, fisiológicos e psíquicos, se divide em três estágios: *primeira infância*, de zero a três anos; *segunda infância*, de três a sete anos; e *terceira infância*, de sete anos até a puberdade. **5.** *Bras. Pop.* Ingenuidade, simplicidade: *Aquele senhor é de uma infância!* ◆ **Primeira infância.** *Psicol.* V. *infância* (4). **Segunda infância.** *Psicol.* V. *infância* (4). **Terceira infância.** *Psicol.* V. *infância* (4).

infando [Do lat. *infandu.*] *Adj.* V. *nefando*: "Viam os padres .... diante dos seus olhos aquela infanda carniçaria nos terreiros, e as festas e solenidades com que, sacrificadas as vítimas, retalhavam e repartiam as carnes como em açougue" (João Francisco Lisboa, *Obras*, II, p. 375).

infanta [Fem. de *infante*[2] (3).] *S. f.* **1.** Filha dos reis de Portugal ou da Espanha, mas que não é a herdeira da coroa. **2.** Esposa do infante[2] (3).

infantado [De *infante*[2] (3) + *-ado*[2].] *S. m.* Terras ou rendas pertencentes a um infante.

infantaria [De *infante*[1] + *-aria.*] *S. f.* Tropa militar que faz serviço a pé, excetuados os caçadores. [F. paral.: *infanteria.*] ◆ **Infantaria de batalha.** *Exérc.* V. *infantaria pesada.* **Infantaria hoplítica.** *Exérc.* V. *infantaria pesada.* **Infantaria motorizada.** *Mil.* A que tem meios para transportar todo o seu pessoal e material em veículos a motor. **Infantaria pesada.**

Exérc. Modalidade de infantaria de linha cujas características iniciais consistiam em serem os seus soldados armados de piques [v. *pique*[1](1)] e a sua organização constituir-se de uma pluralidade de batalhões; infantaria de batalha, infantaria hoplítica.

infantário [De *infante*[2] + *-ário*.] *S. m. Lus.* Escola maternal (q. v.).

infante[1] [Do it. *fante*, com influência de *infante*[2].] *S. m.* Soldado de infantaria; peão.

infante[2] [Do lat. *infante*, 'que não fala', 'incapaz de falar', 'criança'.] *Adj. 2 g.* **1.** Que está na infância (1); infantil. ● *S. m.* **2.** Criança (1): 📖 "São [seus olhos] meigos <u>infantes</u>, brincando, saltando / Em jogo infantil, / Inquietos, travessos" (Gonçalves Dias, *Obras Poéticas*, I, p. 67). **3.** Filho dos reis de Portugal ou da Espanha, porém não herdeiro da coroa: 📖 "É sabido como o nosso <u>infante</u> D. Pedro, um dos grandes trovadores .... que em seu tempo havia entre príncipes, se compraz no engenho de João de Mena" (Latino Coelho, *Cervantes*, p. 87).

infanteria [De *infante*[1] + *-eria*.] *S. f.* Infantaria (q. v.).

infanticida [Do lat. tard. *infanticida*.] *Adj. 2 g. S. 2 g.* Que, ou quem praticou infanticídio.

infanticídio [Do lat. tard. *infanticidiu*.] *S. m.* **1.** Assassínio de recém-nascido. **2.** Morte dada voluntariamente a uma criança. **3.** *Dir. Penal* Ato de matar o próprio filho, sob a influência do estado puerperal, durante o parto ou logo depois.

infantil [Do lat. *infantile*.] *Adj. 2 g.* **1.** Da, ou relativo à, ou próprio da infância; de crianças. **2.** Próprio para crianças: 📄 *contos <u>infantis</u>.* **3.** Ingênuo, simples, tolo. ~ V. *educação —, marasmo —, música —, paralisia —* e *parque —*.

infantilidade [De *infantil* + *-(i)dade*.] *S. f.* **1.** Qualidade de infantil. **2.** Ação, modos ou dito próprios de crianças; puerilidade.

infantilismo [De *infantil* + *-ismo*.] *S. m. Med.* Persistência, anormal, dos caracteres da infância na idade adulta.

infantilista [De *infantil* + *-ista*.] *Adj. 2 g.* Respeitante à infância, à criança: 📖 "É .... a poesia <u>infantilista</u> de *Song of Innocence* [de William Blake (v. *blakiano*)] que mais me seduz nesse poeta" (Eugênio Gomes, *Espelho contra Espelho*, p. 170).

infantilização [De *infantilizar* + *-ção*.] *S. f.* Ação ou efeito de infantilizar(-se).

infantilizado [Part. de *infantilizar*.] *Adj.* Que se infantilizou, se tornou infantil.

infantilizar [De *infantil* + *-izar*.] *V. t. d.* **1.** Tornar infantil. **2.** Dar aspecto infantil a. *P.* **3.** Tornar-se infantil; praticar atos próprios da infância.

▲ **infanto-** [Do lat. *infans, ăntis* + *-o-*.] *El. comp.* = 'menino', 'infante': *infantojuvenil*.

infantojuvenil [De *infanto-* + *juvenil*.] *Adj. 2 g.* Relativo à infância e à juventude, ou próprio delas. ❖

infarto [Do lat. *infartu*, part. pass. de *infarcire*, var. de *infercire*.] *S. m. Card.* Fenômeno patológico em que se produz zona de necrose consequente à hipóxia, na maioria dos casos por trombo(s) ou êmbolo(s); enfarto, enfarte.

infatigabilidade [De *infatigável* + *-(i)dade*, seg. o padrão erudito.] *S. f.* Qualidade de infatigável.

infatigável [Do lat. *infatigabile*.] *Adj. 2 g.* **1.** Que não se fadiga; incansável. **2.** Zeloso, extremoso, desvelado.

infatível *Adj. 2 g.* V. *infactível*.

infauna [De *in-*[1] + *fauna*; lat. cient. *infauna*.] *S. f. Ecol.* Endofauna.

infausto [Do lat. *infaustu*.] *Adj.* **1.** Que não é fausto, não é feliz ou próspero; infeliz, desgraçado, mau: 📄 *destino <u>infausto</u>.* **2.** Agourento, aziago: 📖 "Dizem os psicofisiologistas que tristeza é uma degeneração do temperamento, moléstia de origem física, quando não se trata de vento <u>infausto</u> da fortuna." (Aquilino Ribeiro, *Arcas Encoiradas*, p. 112.)

infeção *S. f.* V. *infecção*.

infecção [Do lat. tard. *infectione*.] *S. f.* **1.** Ato ou efeito de infeccionar(-se). **2.** Qualidade ou estado daquilo que está infeccionado. **3.** Contaminação, corrupção: 📄 *<u>infecção</u> do ar.* **4.** *Inform.* Presença, transferência ou instalação de cópia de um vírus (2) em computador, rede de computadores, disco ou arquivo. **5.** *Patol.* Penetração, desenvolvimento e multiplicação de seres inferiores no organismo de hospedeiro, de que podem resultar, para este, consequências variadas, habitualmente nocivas, em grau maior ou menor. [Var.: *infeção*. Sin. ger.: *inficionação*.] ◆ **Infecção oportunista.** *Med.* V. *infecção oportunística*. **Infecção oportunística.** *Med.* Infecção, habitualmente não patológica, produzida por germe que se torna virulento em situações especiais.

infeccionado [Part. de *infeccionar*.] *Adj.* Que sofreu infecção; contagiado, infectado. [Var.: *infecionado* e *inficionado*.]

infeccionar [De *infecção* + *-ar*[2], seg. o padrão erudito.] *V. t. d.* **1.** Contaminar, contagiar, viciar: 📄 *Odores fétidos <u>infeccionavam</u> a atmosfera.* **2.** Causar infecção (5) a: 📄 *a poeira <u>infeccionou</u> a ferida.* **3.** Perverter, corromper, depravar: 📄 *As más companhias <u>infeccionam</u> o caráter.* *Int.* **4.** Ficar infeccionado. *P.* **5.** Receber uma infecção por contágio; contaminar-se. **6.** Corromper-se, perverter-se. [Var.: *infecionar* e *inficionar*. Sin. ger.: *infectar*.]

infecciosidade [De *infeccioso* + *-(i)dade*.] *S. f.* Qualidade de infeccioso. [Var.: *infeciosidade*.]

infeccioso (ô) [Do fr. *infectieux*.] *Adj.* **1.** Resultante de infecção. **2.** Que produz infecção. [Var.: *infecioso*. Sin. ger. *infectuoso*. Flex.: *infecciosos* (ó), *infecciosa(s)* (ó).] ~ V. *doença —a* e *mononucleose —a*.

infecionado *Adj.* V. *infeccionado*.

infecionar *V. t. d. Int. P.* V. *infeccionar*.

infeciosidade *S. f.* V. *infecciosidade*.

infecioso (ô) *Adj.* V. *infeccioso*.

infectado [Part. de *infectar*.] *Adj.* **1.** V. *infeccionado*. **2.** *Inform.* Diz-se de computador, rede de computadores, arquivo, disco, etc., em que há presença de vírus (2). [Var.: *infetado*.]

infectante [De *infectar* + *-nte*.] *Adj. 2 g.* Que infecta. [Var.: *infetante*.]

infectar [De *infecto* + *-ar*[2].] *V. t. d.* **1.** V. *infeccionar* (1, 2 e 3). **2.** *Inform.* Causar infecção (4) em (computador, arquivo, etc.). *Int.* **3.** V. *infeccionar* (4). *P.* **4.** V. *infeccionar* (5 e 6). [Var.: *infetar*.]

infecto [Do lat. *infectu*, part. pass. de *inficere*.] *Adj.* **1.** Que tem infecção. **2.** Que lança mau cheiro; mefítico, pestilento, pestilencial. **3.** *Fig.* Muito ruim; muito ordinário; reles. **4.** *Fig.* Repugnante quanto à moral. [Var.: *infeto*.] ~ V. *dano —*.

infectocontagioso (ô) [De *infecto-* + *contagioso*.] *Adj.* Que produz infecção e se propaga por contágio. ~ V. *doença —a*. [Var.: *infetocontagioso*. Flex.: *infectocontagiosos* (ó), *infectocontagiosa(s)* (ó).] ❖

infectologia [De *infecto* + *-logia*.] *S. f.* Ramo da medicina que se ocupa do estudo das doenças infecciosas.

infectológico [De *infectologia* + *-ico*[2].] *Adj.* Relativo à infectologia.

infectologista [De *infectologia* + *-ista*.] *S. 2 g.* Especialista em infectologia.

infectuoso (ô) [De *infecto* + *-uoso*.] *Adj.* V. *infeccioso*. [Var.: *infetuoso*.]

infecundado[1] [De *in-*[2] + *fecundado*.] *Adj.* Que não foi fecundado.

infecundado[2] [Part. de *infecundar*.] *Adj.* Tornado infecundo; castrado, capado.

infecundar [De *infecundo* + *-ar*[2].] *V. t. d.* Tornar infecundo; castrar, capar.

infecundidade [Do lat. imp. *infecunditate*.] *S. f.* Qualidade ou estado de infecundo; esterilidade.

infecundo [Do lat. imp. *infecundu*.] *Adj.* V. *estéril* (1). [Cf. *infecundo*.]

infelice [Do lat. *infelice*, por via erudita.] *Adj. 2 g. Ant.* Infeliz (q. v.).

infelicidade [Do lat. *infelicitate*.] *S. f.* **1.** Qualidade ou estado de infeliz. **2.** Desgraça, desdita, infortúnio. **3.** Lance infeliz: 📄 *Foi uma <u>infelicidade</u> não ter esperado o momento oportuno de agir.*

infelicíssimo [Do lat. *infelicissimu*.] *Adj.* Superl. abs. sint. de *infeliz*.

infelicitação [De *infelicitar* + *-ção*.] *S. f.* Ato ou efeito de infelicitar(-se).

infelicitador (ô) [De *infelicitar* + *-dor*.] *Adj. S. m.* Que, ou aquele que infelicita.

infelicitar [De *infelicit-*, como no lat. *infelicitate*, 'infelicidade', + *-ar*[2].] *V. t. d.* **1.** Causar a infelicidade de; tornar infeliz, desditoso: 📖 "Não cismar, — e é o cismar que mata os homens. Não sonhar — e é o sonho que os <u>infelicita</u>." (Albino Forjaz de Sampaio, *Crônicas Imorais*, p. 181.) **2.** *Bras. Pop.* Desvirginar, deflorar. *P.* **3.** Fazer-se ou tornar-se infeliz.

infeliz [Do lat. *infelice*, por via pop.] *Adj. 2 g.* **1.** Não feliz; desventurado, desditoso, desafortunado, desgraçado. **2.** Desacertado, despropositado, desastrado: 📄 *ideia <u>infeliz</u>; A medida com que tentou resolver a situação foi <u>infeliz</u>; Foi <u>infeliz</u> no discurso.* **3.** Funesto, infausto: 📄 *acontecimento <u>infeliz</u>.* **4.** Feito ou realizado com imperfeição; mal-inspirado; de pouco mérito: 📄 *Embora grande autor, acaba de lançar um livro <u>infeliz</u>.* **5.** *Bras. N.E. Pop.* Diz-se de pessoa extraordinária, excepcional (pela inteligência, beleza, preparo, e até pela felicidade): 📄 *Que pequena <u>infeliz</u> de bonita!; Que sujeito <u>infeliz</u> para ter sorte!* [Superl. abs. sint.: *infelicíssimo*.] ● *S. 2 g.* **6.** Indivíduo infeliz (1 e 5). ◆ **Como um infeliz.** *Bras. N.E. Pop.* Muito, espantosamente: 📄 *Corre <u>como um infeliz</u>.*

infelizmente [De *infeliz* + *-mente*.] *Adv.* **1.** De maneira infeliz; com infelicidade. **2.** Desgraçadamente; lamentavelmente.

infenso [Do lat. *infensu*.] *Adj.* **1.** Inimigo, contrário, adverso: 📖 "Parece .... que a tradição portuguesa se mostrou sempre <u>infensa</u> às restituições, e pelo *uti possidetis*, que foi um princípio das colônias americanas." (João Ribeiro, *O Folclore*, pp. 219-220.) **2.** Irritado, irado, encarniçado.

inferaxilar (cs) [De *infer(o)-* + *axilar*.] *Adj. 2 g. Bot.* Diz-se dos órgãos vegetais que estão por baixo das axilas das folhas; subaxilar. [F. preferível a *infra-axilar*.]

inferência [Do lat. med. *inferentia*.] *S. f.* **1.** Ato ou efeito de inferir; indução, conclusão, ilação. **2.** *Lóg.* Passagem da premissa à conclusão; ilação. ◆ **Inferência imediata.** *Lóg.* Passagem de uma proposição a outra que dela deriva sem mediação. [São tipos de inferência imediata a *contraposição*, a *conversão*, a *obversão*, a *oposição*.]

inferencial [De *inferência* + *-al*[1]; ingl. *inferential*.] *Adj. 2 g.* Relativo a, ou que estabelece inferência ou ilação: 📖 "Tresleria o poema quem atribuísse à locução [assim como] a finalidade de estabelecer um nexo rigorosamente <u>inferencial</u>, de acordo com as normas da técnica dedutiva." (Osvaldino Marques, *A Seta e o Alvo*, p. 200.)

inferior (ô) [Do lat. *inferiore*.] *Adj. 2 g.* **1.** Que está abaixo, por baixo ou mais baixo; ínfero: 📄 *a parte <u>inferior</u> do rosto; os membros <u>inferiores</u>.* **2.** Que está abaixo de outro(s) em qualidade, condição, importância, mérito, valor: 📄 *Este quadro é <u>inferior</u> ao outro; Esta fazenda é mais barata, mas de qualidade <u>inferior</u>.* **3.** *Bras. Ant. Mil.* Dizia-se de militar de hierarquia inferior à de oficial. **4.** *Zool.* Que ocupa lugar muito baixo, ou o mais baixo, na escala zoológica. **5.** De pouca nobreza, ou sem nobreza ou elevação; mesquinho: 📄 *homem <u>inferior</u>; procedimento <u>inferior</u>.* ~ V. *alheta —, animal —, colículo —, conjunção —, corte —, costelas inferiores, curso —, extremo —, manto —, membro —, músculo oblíquo —, passagem —, passagem meridiana —, pente —, planeta —,* e *veia cava —*. ● *S. m.* **6.** Aquele que está abaixo de outro em categoria, dignidade, etc. **7.** *Bras. Ant. Mil.* Militar de hierarquia inferior à de oficial.

inferioridade [De *inferior* + *-(i)dade*.] *S. f.* **1.** Qualidade, condição ou posição de inferior. **2.** Atitude ou procedimento inferior, que denota falta de elevação, de nobreza.

inferiorização [De *inferiorizar* + *-ção*.] *S. f.* Ação ou efeito de inferiorizar(-se).

inferiorizar [De *inferior* + *-izar*.] *V. t. d. P.* Tornar(-se) ou considerar(-se) inferior; diminuir(-se), abater(-se), apoucar(-se): 📖 "Este realismo de *Os Lusíadas*, ainda há pouco foi posto em evidência pelo Prof. Jirmounsky .... É o que o <u>inferioriza</u>, sob certos aspectos, como obra de imaginação, de pensamento, de penetração psicológica" (Hernâni Cidade, *Lições de Cultura e Literatura Portuguesa*, I, p. 194).

inferir [Do lat. **inferere*, por *inferre*.] *V. t. d. T. d. e i.* Tirar por conclusão; deduzir pelo raciocínio: 📄 *Faltam-me elementos para <u>inferir</u> a sua honestidade*; 📖 "S. Boaventura dá como averiguada a estância infernal nas entranhas do globo terráqueo, <u>inferindo</u> concludentes testemunhos das irrupções vulcânicas e terramotos." (Camilo Castelo Branco, *Quatro Horas Inocentes*, p. 101). [Irreg. Conjug.: v. *aderir*.]

infermentescibilidade [De *infermentescível* + *-(i)dade*, seg. o padrão erudito.] *S. f.* Qualidade ou estado de infermentescível.

infermentescível [De *in-*[2] + *fermentescível*.] *Adj. 2 g.* Que não é suscetível de fermentar; não fermentescível.

infernação [De *infernar* + *-ção*.] *S. f. Bras.* Aborrecimento, impertinência, importunação, apoquentação.

infernado [Part. de *infernar*.] *Adj.* Que está como que no Inferno; torturado; infernizado.

infernal [Do lat. tard. *infernale*.] *Adj. 2 g.* **1.** Respeitante ao Inferno; leteu. **2.** Próprio do, ou que lembra o Inferno: 📄 *calor <u>infernal</u>.* **3.** *P. ext.* Demoníaco, diabólico: 📄 *máquina <u>infernal</u>; maldade <u>infernal</u>.* **4.** *Fig.* Insuportável, atroz, medonho, horrendo, terrível: 📄 *dores <u>infernais</u>*; 📖 "Alarido <u>infernal</u> atroa as selvas" (Bernardo Guimarães, *Poesias Completas*, p. 25). **5.** *Bras. Gír.* Diz-se de pessoa ou coisa excelente, extraordinária, excepcional; bacana: 📄 *É uma pequena <u>infernal</u>!; A festa estava <u>infernal</u>.* ~ V. *lápis —* e *serpente —*.

infernalidade [De *infernal* + *-(i)dade*.] *S. f.* Qualidade de infernal: 📖 "e certo que é grande confusão ver esta <u>infernalidade</u> em uma terra rodeada de inimigos, que nos desejam beber o sangue" (Diogo do Couto, *Soldado Prático*, p. 105).

infernar [De *inferno* + *-ar*[2].] *V. t. d.* **1.** Meter no Inferno. **2.** Atormentar, afligir, apoquentar, desesperar, infernizar: 📄 *A incompreensão <u>infernou</u>-lhe a existência.* **3.** Tornar muito incômodo, insuportável; transformar num suplício, num inferno: 📖 "tornaram-se manhosos e birrentos, <u>infernando</u> a vida da desconsolada mãe" (Godofredo Rangel, *Falange Gloriosa*, p. 217). *P.* **4.** Meter-se no Inferno. **5.** Afligir-se, desesperar-se, atormentar-se.

I

inferneira [De *inferno* + *-eira*.] *S. f.* **1.** Grande barulho; algazarra, alarido, vozearia, vozeria, vozerio. **2.** Tumulto, desordem, confusão. **3.** *Bras.* Coisa que exige muito trabalho, esforço, ou sofrimento: *Foi uma inferneira conseguir os atestados.*

inferninho [De *inferno* + *-inho*¹.] *S. m. Bras.* Boate em recinto pequeno, com música muito barulhenta.

infernizado [Part. de *infernizar*.] *Adj.* V. *infernado*: "Cara miniaturizada e balofa, infernizada pela dor, intranquila" (Silviano Santiago, *Keith Jarret no Blue Note*, p. 122).

infernizar [De *inferno* + *-izar*.] *V. t. d.* **1.** V. *infernar* (2): "tem .... de pôr uma máscara de comédia em cima das tragédias íntimas que o consomem, infernizam e matam!" (Antero de Figueiredo, *Leonor Teles*, p. 56). **2.** Enfrenesiar, arreliar, encolerizar.

inferno [Do lat. cristão *infernu*.] *S. m.* **1.** *Mit.* Lugar subterrâneo, onde estão as almas dos mortos. **2.** *Rel.* Segundo o cristianismo, lugar ou situação pessoal em que se encontram os que morreram em estado de pecado, expressão simbólica de reprovação divina e privação definitiva da comunhão com Deus: "Eis o estertor da morte, / Eis o martírio eterno, / Eis o ranger de dentes, / Eis o penar do inferno!" (Junqueira Freire, *Obras Póstumas*, II, p. 80.) [Ger. com cap., nessas acepçs.] **3.** *Bibliol.* Parte de uma biblioteca onde se segregam os livros licenciosos. **4.** *Fig.* Tormento, martírio: *Sua vida é um inferno; Aquilo é um inferno: mal se pode respirar, de tanto calor.* **5.** Grande desordem; confusão, balbúrdia, inferneira. **6.** Vazadouro de água que passa pelo monjolo. ◆ **Inferno Verde.** Denominação literária da Amazônia, da grande baixada que vai dos arredores de Nauta, no Peru, até às plagas do Atlântico. **Ser o inferno em vida.** Ser um grande tormento, verdadeiro martírio.

▲ **infer(o)-** [Do lat. *inferus, a, um*.] *El. comp.* = 'que está abaixo', 'inferior', 'ínfero': *inferoanterior; inferovariado*.

ínfero [Do lat. *inferu*.] *Adj.* **1.** Inferior (1). **2.** *Bot.* Diz-se do ovário concrescente com o receptáculo, situação em que ele se acha abaixo dos demais órgãos florais. [Antôn.: *súpero*.] ● *S. m.* **3.** O Inferno.

inferoanterior [De *infer(o)-* + *anterior*.] *Adj. 2 g.* Situado abaixo e na parte anterior. ❇ nota 1

inferobrânquio [De *infer(o)-* + *-brânquio*.] *Adj. Zool.* Diz-se de molusco gastrópode cujas brânquias se situam nos bordos do manto. ❇ nota 1

inferoexterior [De *infer(o)-* + *exterior*.] *Adj. 2 g.* Situado abaixo e na parte exterior. ❇ nota 1

inferointerior [De *infer(o)-* + *interior*.] *Adj. 2 g.* Situado abaixo e na parte interior. ❇ nota 1

inferolateral [De *infer(o)-* + *lateral*.] *Adj. 2 g.* Situado abaixo e na parte lateral. ❇ nota 1

ínfero-ovariado [De *infer(o)-* + *ovário* + *-ado*¹.] *Adj. Bot.* Que apresenta ovário ínfero: *planta ínfero-ovariada.* [Var.: *inferovariado*.]

inferoposterior [De *infer(o)-* + *posterior*.] *Adj. 2 g.* Situado abaixo e na parte posterior. ❇ nota 1

inferovariado *Adj. Bot.* V. *ínfero-ovariado*.

infértil [Do lat. tard. *infertile*.] *Adj. 2 g.* **1.** Que não é fértil; estéril, infecundo. **2.** Nada ou pouco produtivo. [Pl.: *inférteis*.]

infertilidade [Do lat. tard. *infertilitate*.] *S. f.* Qualidade de infértil.

infertilizar [De *infértil* + *-izar*.] *V. t. d. P.* Tornar(-se) infértil; esterilizar(-se).

infertilizável [De *in-*² + *fertilizável*.] *Adj. 2 g.* Não fertilizável.

infestação [Do lat. tard. *infestatione*.] *S. f.* **1.** Ato ou efeito de infestar. **2.** *Med.* Alojamento, desenvolvimento e reprodução de artrópodes na superfície do corpo e nas vestes. [Cf. *enfestação*.]

infestado [Part. de *infestar*.] *Adj.* **1.** Em que há ou onde se produziu infestação. **2.** Diz-se de objeto ou local que aloja ou abriga animais, sobretudo artrópodes e roedores. [Cf. *enfestado*.]

infestador (ô) [Do lat. *infestatore*.] *Adj.* **1.** Infestante. ● *S. m.* **2.** Aquele que infesta. [Cf. *enfestador*.]

infestante [De *infestar* + *-nte*.] *Adj. 2 g.* Que infesta; infestador.

infestar [Do lat. *infestare*.] *V. t. d.* **1.** Percorrer, devastando; assolar, invadir: "terríveis bandidos que infestaram as regiões banhadas pelos rios Urucuia, Sono e Preto." (Afonso Arinos, *Pelo Sertão*, p. 69). **2.** Percorrer (os mares) como corsário: "Castigou o Canajá, inimigo poderoso que infestava os mares" (Camilo Castelo Branco, *Perfil do Marquês de Pombal*, p. 13). **3.** Causar grandes estragos, sérios danos, a: "O que o parlamentar devia ter feito era mostrar em que consiste a praga do pulgão, como ela infesta as plantações" (Brito Broca, *Horas de Leitura*, p. 27). **4.** Existir em grande quantidade em; pulular em; abundar em: *Os ratos infestavam a casa.* **5.** *Med.* Produzir infestação (2) em. [Pres. ind.: *infesto, infestas, infesta*, etc.; part.: *infestado*. Cf. *enfestar*, v., *enfesta*, deste v. e s. f., *enfestado*, adj., e *enfesto* (ê), adj., e as flex. *enfesta* (ê), *enfestas* (ê).]

infesto [Do lat. *infestu*.] *Adj.* **1.** Molesto, contrário, adverso, inimigo, hostil: "Eu só com meus vassalos e com esta / (E dizendo isto arranca meia espada) / Defenderei da força dura infesta / A terra nunca de outrem sojugada" (Luís de Camões, *Os Lusíadas*, IV, 19). **2.** Pernicioso, nocivo, nocente, danoso: "Tornai à terra o seu oiro, / os seus infestos diamantes" (Antônio Feliciano de Castilho, *Amor e Melancolia*, p. 135). ● *S. m.* **3.** Aquilo que é infesto. [Fem.: *infesta*. Cf. *enfesto*, do v. *enfestar*, e *enfesta*, deste v. e s. f., e *enfesto* (ê), adj., e as flex. *enfesta* (ê), *enfestos* (ê), *enfestas* (ê).]

infetado [Part. de *infetar*; var. de *infectado*.] *Adj.* V. *infeccionado*.

infetante *Adj. 2 g.* V. *infectante*.

infetar [Var. de *infectar*.] *V. t. d. Int. P.* V. *infeccionar*.

infeto *Adj.* V. *infecto*.

infetocontagioso (ô) *Adj.* V. *infectocontagioso*. ✥

infetologia *S. f.* V. *infectologia*. [Uso próprio de P.] ⊙

infetológico *Adj.* V. *infectológico*. [Uso próprio de P.] ⊙

infetologista *S. 2 g.* V. *infectologista*. [Uso próprio de P.] ⊙

infetuoso (ô) [Var. de *infectuoso*.] *Adj.* Infeccioso (2) (q. v.).

infibulação [De *infibular* + *-ção*.] *S. f. Cir.* Sutura ou introdução de anel ou colchete nos órgãos genitais, ainda praticada, ao que parece, particularmente em donzelas de algumas regiões africanas, para tornar impossível o coito; fibulação.

infibulador (ô) [De *infibular* + *-dor*.] *Adj.* **1.** Que serve para a infibulação, ou que a pratica. ● *S. m.* **2.** Aquele que a pratica.

infibular [Do lat. tard. *infibulare*.] *V. t. d.* **1.** Afivelar, acolchetar, colchetar. **2.** Praticar a infibulação em.

inficionação [De *inficionar* + *-ção*.] *S. f.* V. *infecção*.

inficionado [Part. de *inficionar*.] *Adj.* V. *infeccionado*.

inficionar *V. t. d. Int. P.* V. *infeccionar*.

infidelidade [Do lat. *infidelitate*, por via semierudita.] *S. f.* **1.** Qualidade ou caráter de infiel. **2.** Procedimento de infiel; deslealdade, traição, perfídia. **3.** *Rel.* Resistência consciente à fé. **4.** *Ant. Rel.* A coletividade dos infiéis [v. *infiel* (5)].

infidelíssimo [Do lat. *infidelissimu*.] *Adj.* Superl. abs. sint. de *infiel*.

infido [Do lat. *infidu*.] *Adj. Poét.* Infiel.

infiel [Do lat. *infidele*.] *Adj. 2 g.* **1.** Falto de fidelidade; desleal, inconfidente, pérfido, traiçoeiro. **2.** Que não cumpre aquilo a que se obrigou ou se obriga; impontual. **3.** Que não é fiel; inexato, inverídico: *texto infiel; resultado infiel.* [Superl. abs. sint.: *infidelíssimo*.] ● *S. 2 g.* **4.** Indivíduo infiel. **5.** *Rel.* Pessoa que não tem a fé considerada a verdadeira; gentio, pagão.

➔ **in fieri** [ĩn fi'eri] [Lat.] Em via de nascer; em ato de tornar-se.

infilosófico [De *in-*² + *filosófico*.] *Adj.* Não filosófico; adverso ou alheio à filosofia.

infiltração [De *infiltrar* + *-ção*.] *S. f.* **1.** Ato ou efeito de infiltrar(-se). **2.** Ação do fluido que se embebe nos interstícios de corpos sólidos. **3.** *Fig.* Introdução e/ou difusão de ideias ou doutrinas. **4.** *Patol.* Acúmulo ou difusão, em células ou em tecido, de substâncias estranhas a eles, ou em quantidades excessivas. **5.** *Patol.* Acúmulo ou difusão, em células ou em tecido(s), de células estranhas a eles. **6.** *Terap.* Método de administração de anestésico local, ou de outra substância medicamentosa, mediante injeção que, mais ou menos profundamente, pode ser realizada em locais os mais diversos do organismo (gengivas, articulações, etc.), e que tem finalidades também diferentes (intervenções cirúrgicas, tratamento de doenças reumáticas, dores rebeldes a outros tratamentos, etc.).

infiltrado [Part. de *infiltrar*.] *Adj.* **1.** Que se infiltrou. **2.** Que se infiltra numa organização inimiga: "Mas talvez Kafka estivesse ali como elemento infiltrado" (Moacir Scliar, *Os Leopardos de Kafka*, p. 45). ● *S. m.* **3.** Aglomerado de material de natureza diversa, que se introduz em um meio, ou em um órgão, ao qual é estranho, ger. em decorrência de uma reação patológica. **4.** Aquele que se infiltrou em organização inimiga.

infiltrador (ô) [De *infiltrar* + *-dor*.] *Adj.* Que infiltra. [Cf. *infiltrativo*.]

infiltramento [De *infiltrar* + *-mento*.] *S. m.* Ação ou efeito de infiltrar(-se); infiltração: "Trauma da eletrocussão, infiltramento da idiossincrasia maternal, ou simbiose dos dois?" (Marques Rebelo, *O Trapicheiro*, p. 430.)

infiltrar [De *in-*¹ + *filtrar*.] *V. t. d.* **1.** Penetrar como em filtro; introduzir-se pelos interstícios de: *A umidade infiltrou o paredão.* **2.** Fazer penetrar; embeber, impregnar. **3.** Introduzir lentamente; insinuar. *T. d. e i.* **4.** Fazer penetrar; introduzir: *Infiltrou o querosene na estante infestada de cupins.* **5.** Introduzir lentamente; insinuar: "A luz crepuscular / Infiltra-nos na alma dolorida / Um misticismo heroico e salutar." (Guerra Junqueiro, *A Velhice do Padre Eterno*, p. 161.) **6.** Incutir, inspirar: *Infiltrou nos filhos a dignidade. P.* **7.** Penetrar através de. **8.** Introduzir-se a pouco e pouco; insinuar-se.

infiltrativo [De *infiltrar* + *-tivo*.] *Adj.* Que se infiltra. [Cf. *infiltrador*.]

infiltrável [De *infiltrar* + *-vel*.] *Adj. 2 g.* Que se pode infiltrar.

ínfimo [Do lat. *infimu*, superl. de *inferus*.] *Adj.* **1.** Que é o mais baixo de todos: *É uma classificação ínfima para pessoa tão notável.* **2.** Que está no último lugar; inferior: "Papel áspero e amarelado, de categoria ínfima." (Macedo Miranda, *As Três Chaves*, p. 91.) [Antôn.: *supremo* e *sumo*.] ● *S. m.* **3.** O mais baixo de todos: "eu devo dizer que nunca tive nem terei jamais a mais leve ideia de ensinar a mínima coisa ao ínfimo dos viventes" (Ramalho Ortigão, *Em Paris*, p. 6). **4.** Aquilo que está ou vem em último lugar, que é menos importante ou é o menor de todos: "É no ínfimo que eu vejo a exuberância." (Manuel de Barros, *Livro sobre Nada*, p. 55.) **5.** *Mat.* O maior dos limites inferiores de um conjunto de números reais; extremo inferior.

infindável [De *in-*² + *findável*.] *Adj. 2 g.* Que não finda; permanente.

infindo [De *in-* + *findo*.] *Adj.* Infinito (1).

➔ **in fine** [ĩn 'fine] [Lat.] No fim. [Loc. us. sobretudo na bibliografia, em citações.]

infingir [Do lat. tard. *infingere*, com mudança de conjug.] *V. t. d. Int. P. Ant. Pop.* Fingir. [Conjug.: v. *dirigir*.]

infinidade [Do lat. *infinitate*.] *S. f.* **1.** Qualidade de infinito. **2.** Grande porção: "A imaginação .... apontou-me logo uma infinidade de recursos" (Machado de Assis, *Páginas Recolhidas*, p. 59). **3.** *Mat.* Conjunto com um número infinito de elementos. ◆ **Infinidade numerável.** *Mat.* A que pode ser posta em correspondência biunívoca com os números naturais.

infinitésima [F. subst. do adj. *infinitésimo*.] *S. f.* Parte infinitamente pequena.

infinitesimal [De *infinitésimo* + *-al*¹.] *Adj. 2 g.* Relativo às quantidades infinitamente pequenas, infinitésimas. ~ V. *análise — e cálculo —*.

infinitésimo [Do lat. cient. *infinitesimus*, formado do lat. *infinitus* e suf. lat. *-esimus*, dos ordinais das dezenas.] *Adj.* **1.** Infinitamente pequeno. ● *S. m.* **2.** *Mat.* Grandeza cujo módulo é arbitrariamente pequeno.

infinitivo [Do lat. imp. *infinitivu*.] *S. m. E. Ling.* Forma infinita do verbo, a qual, em muitas línguas, é tomada como sua forma de citação. ◆ **Infinitivo impessoal.** *E. Ling.* V. *formas nominais do verbo*. **Infinitivo pessoal.** *E. Ling.* V. *formas nominais do verbo*.

infinitizar-se [De *infinito* + *-izar* + *se*¹.] *V. p.* Tornar-se infinito: "Voltará, na América, a ser o Deus-amigo, o Deus-aliado, para que — com a evolução — se nutra de raciocínio, de noções científicas, e se infinitize." (Pontes de Miranda, *Obras Literárias*, p. 240.)

infinito [Do lat. *infinitu*.] *Adj.* **1.** Não finito; sem fim, termo ou limite; infindo: *o espaço infinito; a infinita paciência de Jó.* **2.** De duração, extensão ou intensidade extremas; imenso: *beleza infinita; cuidados infinitos; saudade infinita.* **3.** Inumerável, incalculável, incontável: *Passou um número infinito de anos a estudar;* "Mas ele não fazia outra coisa senão tocar nos infinitos pianos de meia cauda que guarneciam as salas." (Agustina Bessa-Luís, *Memórias Laurentinas*, p. 111.) **4.** *E. Ling.* Diz-se da forma não flexionada em tempo, modo [cf. *finito* (2)]. ~ V. *conjunto —, descontinuidade —a, determinante —, função —a*, loop —, *melodia —a, movimento —, ponto —, produto —, sequência —a, série —a* e *sonofletor —*. ● *S. m.* **5.** *Mat.* Grandeza cujo módulo é arbitrariamente grande [símb.: ∞]. **6.** *E. Ling.* V. *infinitivo*. **7.** *Filos.* O que é atualmente menor ou maior do que qualquer outro de mesma natureza; infinito atual. **8.** *Filos.* O que, sendo finito, pode tornar-se maior ou menor do que qualquer outro de mesma natureza; infinito potencial. **9.** *Teatr.* V. *ciclorama*. ◆ **Infinito atual.** *Filos.* Infinito (7). **Infinito negativo.** *Mat.* Grandeza negativa cujo módulo é arbitrariamente grande [símb.: −∞]. **Infinito positivo.** *Mat.* Grandeza positiva cujo módulo é arbitrariamente grande [símb.: +∞]. **Infinito potencial.** *Filos.* Infinito (8).

infinitude [De *infinito* + *-(t)ude*; fr. *infinitude*.] *S. f.* **1.** Qualidade ou caráter do que é infinito: *a infinitude do universo;* "Era como se o firmamento se refletisse num espelho de ônix de facetas conjugadas para a infinitude da imagem." (Mário de Alencar, *Contos e Impressões*, p. 184.) **2.** Caráter do que é muitíssimo grande: *a infinitude do amor.*

infirmação [Do lat. *infirmatione*.] *S. f.* **1.** Ato ou efeito de infirmar ou anular; invalidação, anulação. **2.** *Jur.* Perda da força, firmeza ou validade de um ato jurídico.

infirmar [Do lat. *infirmare*.] *V. t. d.* **1.** Privar da força ou da firmeza; enfraquecer. **2.** Tornar nulo; anular, invalidar, revogar: *infirmar um contrato.*

infirmativo [De *infirmar* + *-tivo*.] *Adj.* Que infirma; que tem o poder, a força de infirmar.

infirme [Do lat. tard. *infirme*.] *Adj. 2 g.* Sem firmeza; não firme: "caminhando horas ao longo da praia, ... vacilando sobre a areia branca e infirme que entontece, ela cantava ao mar em fúria a canção .... da sua pena sem fim." (Domício da Gama, *Histórias Curtas*, pp. 123-124).

infixidez (cs...ê) [De *in-*[2] + *fixidez*.] *S. f.* **1.** Falta de fixidez. **2.** Inconsistência, inconstância.

infixo (cs) [Do lat. *infixu*, 'fixado em', por anal. com *afixo*, *prefixo*, *sufixo*.] *S. m. E. Ling. Obsol.* Afixo no interior da palavra. Ex.: o *l* de *chaleira*, o *n* de *motorneiro*.

inflação [Do lat. *inflatione*.] *S. f.* **1.** Ato ou efeito de inflar(-se). **2.** *Fig.* Vaidade, soberba, presunção. **3.** *Cosm.* Fase de expansão do universo extremamente rápida que teria ocorrido entre o intervalo de tempo de 10^{-35} segundos e 10^{-32} segundos depois da Grande Explosão. **4.** *Econ.* Aumento geral de preços (em geral acompanhado por um aumento na quantidade de meios de pagamento), com consequente perda do poder aquisitivo do dinheiro. [Antôn., nesta acepç.: *deflação*.] ◆ **Inflação de custos.** *Econ.* A que se origina de uma elevação autônoma nos custos de produção (como um aumento nas taxas de juros). **Inflação de demanda.** *Econ.* A que se origina de uma elevação na demanda por mercadorias e serviços, sem correspondente aumento da oferta. **Inflação inercial.** *Econ.* A que se origina da repetição dos aumentos passados de preços, pela ação dos mecanismos de indexação.

inflacionado [Part. de *inflacionar*.] *Adj.* Em que se promoveu ou produziu a inflação (4): "Não, não telefone, inverta antes os inflacionados cruzeiros desse telefonema numa ceia com os amigos." (Elsie Lessa, *A Dama da Noite*, p. 80.)

inflacionamento [De *inflacionar* + *-mento*.] *S. m. Econ.* Ato ou efeito de inflacionar.

inflacionante [De *inflacionar* + *-nte*.] *Adj. 2 g. Econ.* Que produz inflação.

inflacionar [De *inflação* + *-ar*[2], seg. o padrão erudito.] *V. t. d. Bras. Econ.* **1.** Produzir inflação (4): *inflacionar a economia de um país; inflacionar o meio circulante* (*i. e.*, aumentá-lo, fazendo subir a demanda e os preços). **2.** Provocar a desvalorização de (moeda) por efeito de sua emissão em excesso. **3.** Tornar a oferta de mão de obra maior que a procura em: *inflacionar o mercado de trabalho.* [Fut. pret.: *inflacionaria*, etc. Cf. *inflacionária*, fem. de *inflacionário*, adj.]

inflacionário [De *inflação* + *-ário*, seg. o padrão erudito; ingl. *inflationary*.] *Adj.* **1.** Relativo à, ou caracterizado pela inflação (3 e 4). **2.** Em que há inflação (4). ~ V. *espiral —a* e *imposto —*. [Fem.: *inflacionária*. Cf. *inflacionaria*, do v. *inflacionar*.]

inflacionável [De *inflacionar* + *-vel*.] *Adj. 2 g. Bras.* Que pode ser inflacionado. [Antôn.: *deflacionável*.]

inflacionismo [De *inflação* + *-ismo*, seg. o padrão erudito; ingl. *inflationism*.] *S. m.* Prática da inflação, ou teoria favorável a ela.

inflacionista [De *inflação* + *-ista*, seg. o padrão erudito.] *Adj. 2 g.* **1.** Relativo à inflação, ou que a provoca: *política inflacionista.* **2.** Que é partidário da inflação, ou do inflacionismo; papelista. ● *S. 2 g.* **3.** Partidário da inflação, ou do inflacionismo; papelista. [Antôn.: *deflacionista*.]

inflado [Do lat. *inflatu*.] *Adj.* **1.** Inchado, intumescido. **2.** *Fig.* Soberbo, vaidoso.

inflador (ô) [De *inflar* + *-dor*.] *S. m. Bras. RS* Bomba manual para inflar ou encher pneumáticos.

inflamabilidade [Do lat. med. *inflammabilitate*, por via semierudita.] *S. f.* Qualidade ou estado de inflamável.

inflamação [Do lat. *inflammatione*.] *S. f.* **1.** Ato ou efeito de inflamar(-se). **2.** Ardor ou rubor intenso; incendimento. **3.** *Med.* Reação protetora, localizada, produzida por tipos diferentes de agressão (física, química, alérgica, microbiana), e que se destina a destruir, diluir ou isolar tanto o agente agressor quanto o(s) tecido(s) lesado(s); flegmasia, flogose.

inflamado [Part. de *inflamar*.] *Adj.* **1.** Que tem inflamação (3). **2.** Cheio de ardor, de exaltação; exaltado, excitado: *orador inflamado*; "Tudo quanto Chateaubriand conta a respeito de cobras cascavéis .... é fruto da sua inflamada e poética imaginação." (Visconde de Taunay, *Visões do Sertão*, p. 38). **3.** Cheio de rubor; esbraseado, afogueado: *Tinha as faces inflamadas, tamanha lhe era a excitação.* **4.** Irritado, exaltado. **5.** *Bras. Gír.* Cheio, repleto, lotado.

inflamador (ô) [De *inflamar* + *-dor*.] *Adj. S. m.* Que ou o que inflama.

inflamar [Do lat. *inflammare*.] *V. t. d.* **1.** Converter em chamas; fazer arder; acender: *inflamar a lenha.* **2.** Excitar, estimular: *Os aplausos frequentes inflamavam o orador.* **3.** Esbrasear, afoguear, avermelhar: *O sol intenso inflamou sua pele; Aquelas palavras inflamaram-lhe o rosto.* **4.** Causar inflamação (3) a. **5.** Encher de voluptuosidade; tornar sensual. *T. d. e i.* **6.** Inflamar (2): *A paixão inflamou-o a pedir a jovem em casamento.* *Int.* **7.** Sofrer inflamação (3): *O abscesso inflamou e foi preciso abri-lo.* **8.** *Bras. Gír.* Ficar cheio, repleto, lotado: *A partir das 23 horas este bar inflama.* *P.* **9.** Converter-se em chamas; acender-se: "De uma feita, ... aconteceu inflamar-se uma porção de pólvora, e queimá-lo." (Artur Azevedo, *Contos Possíveis*, p. 22.) **10.** Tornar-se caloroso; exaltar-se: "Possuía ele um desses temperamentos .... tão prontos a zombar dos grandes perigos, como a inflamar-se à menor palavra que de longe lhe tocasse em pontos de honra." (Aluísio Azevedo, *O Coruja*, p. 33.) **11.** Ruborizar-se, avermelhar-se. **12.** Ficar inflamado (1).

inflamativo [De *inflamar* + *-tivo*.] *Adj.* Que inflama; inflamatório.

inflamatório [De *inflamar* + *-tório*.] *Adj.* **1.** Inflamativo. **2.** Referente a inflamação; flogístico.

inflamável [De *inflamar* + *-vel*.] *Adj. 2 g.* **1.** Que se pode inflamar. **2.** Que se inflama com facilidade: *material inflamável*; "sabiam quanto são de cera branda os corações e inflamável a carne juvenil." (Aquilino Ribeiro, *Caminhos Errados*, p. 165). ● *S. m.* **3.** Substância inflamável.

inflar [Do lat. *inflare*.] *V. t. d.* **1.** Tornar pando; enfunar, intumescer, inchar: *O vento inflou a vela da embarcação.* **2.** Encher de ar por meio de sopro ou acionando bomba (7): "Cabo Adonias, impondo a autoridade do cargo, inflou as bochechas, estufou o peito, berrou" (Nélson de Faria, *Bazé*, p. 36). **3.** Tornar vaidoso; encher de soberba; envaidecer, envaidar. **4.** Tornar rebuscado; empolar: *inflar o estilo.* *Int. P.* **5.** Enfunar-se, intumescer(-se), inchar(-se). **6.** Encher-se de orgulho; ensoberbecer-se, enfatuar-se.

inflatório [De *inflar* + *-tório*.] *Adj.* Que produz inflação.

inflável [De *inflar* + *-vel*.] *Adj. 2 g.* Que se pode inflar.

inflectir [Do lat. *inflectere*, com mudança de conjug.] *V. t. d.* **1.** Dobrar, curvar, inclinar. **2.** Modificar (a voz). **3.** *E. Ling.* Flexionar. *T. c.* **4.** Incidir, recair: *A luz inflectia sobre a mesa.* **5.** Mudar de direção, de rumo; dobrar, virar: "Da ermidazinha da Piedade, ... a marcha inflecte para a esquerda e sobe .... para o adrozinho de Sant'Ana." (Afonso Arinos, *Histórias e Paisagens*, p. 92.) [Var.: *infletir*. Defect. Conjug.: v. *genuflectir*.]

inflecto [Do lat. tard. *inflectu* < lat. *inflexu*.] *Adj.* Dobrado, curvado; inflexo.

infletir *V. t. d. T. c.* V. *inflectir*. [Defect. Conjug.: v. *genuflectir*.]

inflexão (cs) [Do lat. *inflexione*.] *S. f.* **1.** Ato ou efeito de inflectir(-se) ou curvar(-se); curvatura, flexão. **2.** Inclinação de uma linha; desvio. **3.** Tom de voz; modulação: "Ele se despira e — antes de vestir o pijama — indagara com inflexão autoritária: — Você tirou a dentadura?" (Manuel Lobato, *Os Outros São Diferentes*, p. 45.) **4.** *Mat.* Numa curva, ponto em que a concavidade à direita tem sinal diferente do da concavidade à esquerda; ponto de inflexão. **5.** *E. Ling.* V. *flexão* (4).

inflexibilidade (cs) [De *inflexível* + *-(i)dade*, seg. o padrão erudito.] *S. f.* Qualidade ou procedimento de inflexível.

inflexível (cs) [Do lat. *inflexibile*.] *Adj. 2 g.* **1.** Que não é flexível (1). **2.** *Fig.* Inexorável, implacável, impassível: *Foi inflexível na repressão ao crime.* **3.** Indiferente, insensível, impassível.

inflexivo (cs) [De *in-*[2] + *flexivo*.] *Adj.* E Ling. Que apresenta flexões; flexivo: *língua inflexiva.*

inflexo (cs) [Do lat. *inflexu*.] *Adj.* **1.** Que se inflectiu; inclinado. **2.** *Bot.* Recurvado para dentro: *pétala inflexa.*

inflição *S. f.* V. *inflicção*.

inflicção [Do lat. tard. *inflictione*.] *S. f.* Ato ou efeito de infligir. [Var.: *inflição*.]

infligidor (ô) [De *infligir* + *-dor*.] *Adj. S. m.* Que, ou aquele que inflige.

infligir [Do lat. *infligere*, com mudança de conjug.] *V. t. d. e i.* **1.** Cominar, ou aplicar (pena, castigo, repreensão): *Infligiu duras penas aos revolucionários.* **2.** Causar, ou produzir (dano, incômodo, prejuízo): *A forte geada infligiu grandes prejuízos à lavoura.* *T. c. e i.* **3.** Infligir (1): "Praguejei contra ti, contra o fado severo / Que, depois de me dar vinte anos de alegria, / Vinte anos me infligiu de cruciante agonia!" (Eugênio de Castro, *Obras Poéticas*, VIII, p. 99.) [Cf. *infringir*. Conjug.: v. *dirigir*.]

inflorescência [Do lat. cient. *inflorescentia*, formado por Lineu (1770) seg. o modelo de *efflorescentia*, a partir do lat. *inflorescere*.] *S. f. Bot.* Estrutura floral em que há mais de uma flor num pedúnculo. ◆ **Inflorescência antoide.** *Bot.* Capítulo (5) que parece uma flor única.

influência [Do lat. med. *influentia*.] *S. f.* **1.** Ato ou efeito de influir(-se). **2.** Ação que uma pessoa ou coisa exerce sobre outra: *Sob sua influência a região prosperou*; "Sofro... / A influência má dos signos do zodíaco." (Augusto dos Anjos, *Eu*, p. 14). [Sin., nessas acepç.: *influição*, *influxo*.] **3.** Entusiasmo, animação: *Tem muita influência pela pintura.* **4.** Prestígio, crédito: *Goza de influência no governo.* **5.** Ascendência, predomínio, poder: *Tem influência grande sobre o amigo.* **6.** *Bras. BA GO MT* Lugar onde se descobrem minas de diamantes e carbonados, o que dá ocasião a serviço intensivo e produtivo. [Cf. *influencia*, do v. *influenciar*.]

influenciação [De *influenciar* + *-ção*.] *S. f.* Ato ou efeito de influenciar(-se).

influenciado [Part. de *influenciar*.] *Adj. S. m.* Que, ou quem se deixa influenciar: "As influências literárias participam da natureza imprevisível da germinação, conforme as virtualidades do influenciado" (Augusto Meyer, *Preto & Branco*, p. 43).

influenciador (ô) [De *influenciar* + *-dor*.] *Adj. S. m.* Que, ou aquele que influencia.

influenciar [De *influência* + *-ar*[2].] *V. t. d.* **1.** Exercer influência em: *O cinema influenciou a literatura do nosso século.* *P.* **2.** Receber influência. [Pres. ind.: *influencio*, *influencias*, *influencia*, etc. Cf. *influência*, s. f.]

influenciável [De *influenciar* + *-vel*.] *Adj. 2 g.* Que se pode ou se deixa influenciar; suscetível de influência.

influente [Do lat. *influente*.] *Adj. 2 g. S. 2 g.* Que, ou quem influi ou exerce influência.

influenza [Do it. *influenza*, *i. e.*, *influenza della stagione* ('influência da estação [o frio do inverno]').] *S. f. Med.* V. *gripe*.

influição (u-i) [De *influir* + *-ção*.] *S. f.* V. *influência* (1 e 2): "Mas a santa voltou na graça do milagre. / E por influição de seu gesto silente / Abriram rosas" (Manuel Bandeira, *Estrela da Vida Inteira*, p. 42).

influído [Part. de *influir*.] *Adj. Bras.* **1.** Entusiasmado, excitado, animado: "Eu vim com os meninos, que andam pelo pátio influídos por terem de sair na procissão, de tarde." (Mário Sete, *Senhora de Engenho*, p. 11.) **2.** *Pop.* Namorador (1).

influidor (u-i... ô) [De *influir* + *-dor*.] *Adj. S. m.* Que, ou aquele que influi.

influir [Do lat. *influere*, com mudança de conjug.] *V. t. d.* **1.** Fazer fluir para dentro de. **2.** Inspirar, sugerir: *O drama da escravidão influi numerosos poemas de Castro Alves.* **3.** Incutir; transmitir; insuflar: "O ar, pesado e aromático, influi esquecimento e volúpia." (José Vieira, *Sol de Portugal*, p. 106); "Tudo influi encantamento. Até o horizonte é um filtro..." (Mário de Sá-Carneiro, *A Confissão de Lúcio*, p. 91). **4.** Excitar, entusiasmar, animar: *Os amigos influíram-no muito.* *T. d. e i.* **5.** Comunicar, inspirar, incutir: *Aos educadores cabe influir nos moços confiança no futuro*; "Era Pã, que os armentos tutelava, / que influía aos corcéis a força, os brios" (Antônio Feliciano de Castilho, *Os Fastos*, I, p. 107). *T. i.* **6.** Ter influxo; exercer influência: "Cada um com o seu jeito. Nenhum influía em nenhum. Gabriel d'Annunzio influía em todos." (Rodrigo Otávio [filho], *Simbolismo e Penumbrismo*, p. 113); *Não me agrada influir nas decisões alheias.* *Int.* **7.** Ter importância, significação; exercer influência; importar: "— Mas eu tenho idade de ser seu pai... / — A idade não influi. A gente, quando gosta, gosta mesmo e está pronto." (Lucilo Varejão, *Visitação do Amor*, p. 77); "Bem sei que uma grande obra vale e influi, mesmo sem ser integralmente compreendida." (San Tiago Dantas, *D. Quixote*, p. 16). *P.* **8.** Enlevar-se, entusiasmar-se. **9.** Entregar-se ou aplicar-se com ardor. [Conjug.: v. *fluir*.]

influxo (cs) [Do lat. tard. *influxu*.] *S. m.* **1.** V. *influência* (1 e 2): "Ninguém duvida do influxo fecundo do latim e do grego sobre a inteligência" (Fidelino de Figueiredo, *Música e Pensamento*, p. 41). **2.** Afluência, convergência. **3.** Maré-cheia, preamar.

infografia [De *info-*, f. red. de *informação*, + *-grafia*.] *S. f. Edit.* Técnica de criação de infográficos [v. *infográfico* (2)].

infográfico [De *infografia* + *-ico*[2].] *Edit. Adj.* **1.** Pertencente ou relativo à infografia. ● *S. m.* **2.** Combinação de desenhos, fotos, gráficos, etc., para a apresentação visual dramatizada de dados e informações.

I

infografista [De *infografia* + *-ista*.] *S. 2 g. Edit.* Profissional responsável pela criação de infográficos [v. *infográfico* (2)].

in-fólio [Do lat. *in folio*, 'na folha'.] *Edit. Adj.* 1. V. *formato* —. • *S. m.* 2. Livro desse formato.

informação [Do lat. *informatione*.] *S. f.* 1. Ato ou efeito de informar(-se); informe. 2. Dados [v. *dado*[2] (8)] acerca de alguém ou de algo: *Consultou o boletim de informações da Bolsa de Valores; Recebi a informação sobre a nova empregada.* 3. Conhecimento, participação: *Teve informação da viagem a tempo?* 4. Comunicação ou notícia trazida ao conhecimento de uma pessoa ou do público: *A televisão deu, ontem, a informação oficial do caso.* 5. Instrução, direção: *Neste papel encontrará você as informações para a execução do trabalho.* 6. *Adm.* Parecer dado em processo, nas repartições públicas. 7. *Jur.* Fase inicial do processo de falência, na qual se apuram o ativo e o passivo. [Cf. *liquidação* (5).] 8. *Bras. Mil.* Conhecimento amplo e bem fundamentado, resultante da análise e combinação de vários informes [v. *informe*[1] (2)]; informações. 9. *Inform.* Coleção de fatos ou de outros dados fornecidos à máquina, a fim de se objetivar um processamento. 10. Segundo a teoria da informação (q. v.), medida da redução da incerteza, sobre um determinado estado de coisas, por intermédio de uma mensagem. [Neste sentido, *informação* não deve ser confundida com *significado* e apresenta-se como função direta do grau de originalidade, imprevisibilidade ou valor-surpresa da mensagem, sendo quantificada em *bits* de informação.] 11. *Bibliogr.* Elemento referencial contido em um documento. 12. *Bras.* Denúncia da existência de diamantes ou de outras quaisquer pedras preciosas, pelos seus satélites, chamados, quanto à forma e constituição, *pingo-d'água, bosta de barata, ferrajão*, etc. [Cf. *enformação*.] ~ V. *informações*.
◆ **Informação genética.** *Genét.* Mensagem contida no ácido desoxirribonucleico através da sequência dos seus nucleotídios, e que se expressa pela síntese de proteínas.

informações *S. f. pl. Bras. Mil.* Informação (8).

informado [Do lat. *informatu*.] *Adj.* Que se informou; esclarecido, instruído: *É rapaz muito informado em assuntos de arte.*

informador (ô) [Do lat. tard. *informatore*.] *Adj. S. m.* V. *informante*. [Cf. *enformador*.]

informal [Do ingl. *informal*.] *Adj. 2 g.* 1. Que não apresenta forma(s) definida(s): *arte informal.* 2. *Bras.* Destituído de formalidade (2): *conversa informal.* ~ V. *arte* —, *economia* — e *setor* —.

informalidade [De *in-*[2] + *formalidade*.] *S. f.* 1. *Bras.* Falta de formalidade. 2. Atividade comercial sem regulamentação: "Eu desafio qualquer político nos últimos 20 anos do Rio que tenha .... combatido mais a informalidade que eu" (Eduardo Pais, em *O Globo*, 31.10.2008).

informalismo [De *informal* + *-ismo*.] *S. m.* Qualidade de informal.

informante [De *informar* + *-nte*.] *Adj. 2 g.* 1. Diz-se da pessoa que informa; informador. ~ V. *testemunha* —. • *S. 2 g.* 2. Pessoa que informa; informador.

informar [Do lat. *informare*.] *V. t. d.* 1. Dar informe ou parecer sobre. 2. Instruir, ensinar: *O livro pretendia informar os leitores.* 3. Confirmar, corroborar, apoiar. 4. Tornar existente ou real. *T. d. e i.* 5. Dar notícia ou informação a; avisar, cientificar: *Informaram-no do ocorrido*; "Se o homem lesse gazetas, informaria os seus vizinhos do desastre de seu amo" (Camilo Castelo Branco, *Noites de Insônia*, II, p. 29). 6. Comunicar, participar: "Em todas as povoações o informavam de que o duque passara duas horas antes" (Camilo Castelo Branco, *Livro Negro de Padre Dinis*, p. 218); *Informou ao chefe o que se passara. T. i.* 7. Dar notícia ou informação; avisar, cientificar: "Os rapazes novos que tinham espreitado os toiros encurralados vinham informar da sua ferocidade." (Conde de Sabugosa, *Embrechados*, p. 27.) *Int.* 8. Dar informações, notícias; ser informativo: *O objetivo do jornal é informar. P.* 9. Tomar ciência ou notícia; inteirar-se: "No dia seguinte, mandei de Sintra o criado a casa, informar-se dos sucessos decorridos..." (Camilo Castelo Branco, *Amor de Salvação*, p. 203); "informando-me sobre quem morava no pobre casebre, soube que era uma família indigente." (Joaquim Manuel de Macedo, *Os Romances da Semana*, p. 11). [Cf. *enformar*.]

informática [Do fr. *informatique*, voc. criado por Philippe Dreyfus, em 1962, a partir do rad. do v. fr. *informer*, por anal. com *mathématique, électronique*, etc.] *S. f.* Ciência que visa ao tratamento da informação através do uso de equipamentos e procedimentos da área de processamento de dados (q. v.).

informático [De *informática*, com var. suf. (v. *-ico*[2]).] *Adj.* Da informática, ou relativo a ela.

informativo [De *informar* + *-tivo*.] *Adj.* 1. Destinado a informar ou noticiar. • *S. m.* 2. Publicação periódica de caráter predominantemente informativo; boletim.

informatização [De *informatizar* + *-ção*.] *S. f.* Ato ou efeito de informatizar.

informatizado [Part. de *informatizar*.] *Adj.* Que se informatizou: *biblioteca informatizada.*

informatizar [De *informática* + *-izar*, seg. o padrão erudito.] *V. t. d.* 1. Adaptar (métodos tradicionais de trabalho ou atividade) ao uso de sistemas computadorizados: *informatizar a contabilidade de uma firma.* 2. Equipar (uma instituição, uma empresa, etc.) com sistemas de computador: *Usou a verba para informatizar a biblioteca.* [Cf. *computadorizar*.]

informe[1] [Dev. de *informar*.] *S. m.* 1. Informação (1): "De uma feita, descobri nas costas da folhinha o seguinte preciso informe: | 'O açúcar de beterraba foi descoberto em 1747 por Margraff.'" (Mário Quintana, *Sapato Florido*, p. 106.) 2. *Bras. Mil.* Qualquer documento, fotografia, mapa, relatório ou observação, relativos ao inimigo ou a uma conjuntura complexa, e que pode contribuir para esclarecer a situação dele ou dela. [Cf., nesta acepç., *informação* (8). Cf. *enforme*, do v. *enformar*.]

informe[2] [Do lat. *informe*.] *Adj. 2 g.* 1. Sem forma ou feitio: "a imagem deste corpo inviolado, estendido embaixo sobre as lajes, reduzido a uma massa informe, ensanguentada e repugnante" (Eugênio de Castro, *Obras Poéticas*, II, p. 77). 2. Tosco, grosseiro, rude. 3. Grande, monstruoso, disforme. [Cf. *enforme*, do v. *enformar*.]

informidade [Do lat. tard. *informitate*.] *S. f.* 1. Estado do que é informe[2]; deformidade. 2. *Jur.* Falta de formalidade (3).

informulável [De *in-*[2] + *formulável*.] *Adj. 2 g.* Que não pode formular-se ou formar-se, tomar forma: "Um sonho mau contribuiu para que ele próprio fosse aos poucos se sentindo afundar irresistivelmente, não encontrando .... senão imagens, senão fragmentos de lembranças informuláveis" (Temístocles Linhares, *Introdução ao Mundo do Romance*, p. 372).

infortificável [De *in-*[2] + *fortificável*.] *Adj. 2 g.* Que não se pode fortificar.

infortuna [De *in-*[2] + *fortuna*.] *S. f.* 1. V. *infortúnio*. 2. Aparição de um astro a que se atribuía desgraça.

infortunado [Do lat. *infortunatu*.] *Adj.* Sem fortuna (4); desditoso, desventurado, desgraçado, infeliz.

infortunar [De *infortuna* + *-ar*[2].] *V. t. d.* Causar infortúnio a; tornar infortunado; infelicitar.

infortúnio [Do lat. *infortuniu*.] *S. m.* Infelicidade, desventura, desdita, desgraça, infortuna.

infortunística [De *infortúnio* + *-ist(a)-* + *-ica*.] *S. f.* Ramo da medicina e do direito em que se estudam os acidentes de trabalho e suas consequências, as doenças ditas profissionais; ergasiotiquerologia.

infortunoso (ô) [De *in-*[2] + *fortunoso*.] *Adj.* Não fortunoso; desafortunado, desventurado.

infoteca [De *info-* (como em *informática* e *informatizar*) + *(biblio)teca*.] *S. f.* Biblioteca informatizada, cujo conteúdo encontra-se disponibilizado, na Internet, a sócios, conveniados, etc.

→ **infra** ['infra] [Lat.] (Citado ou mencionado) abaixo ou posteriormente. [Antôn.: *supra*.]

▲ **infra-** [Do lat. *infra*.] *Pref.* = 'posição abaixo', 'inferioridade': *infracomum, infraestrutura.* [É seguido de hífen quando anteposto a palavra iniciada por *a* ou *h*: *infra-assinado, infra-hióideo* (em tais casos, apenas o 2.º el. é flexionado na formação do plural); é grafado com *r* ou *s* duplicados quando anteposto a palavra iniciada por *r* ou *s*: *infrarrenal, infrassom*.]

infra-assinado [De *infra-* + *assinado*.] *Adj.* 1. Assinado abaixo daquilo de que se está tratando. • *S. m.* 2. Aquele que assina abaixo.

infra-axilar [De *infra-* + *axilar*.] *Adj. 2 g. Bot.* V. *inferaxilar*.

infrabasilar [De *infra-* + *basilar*.] *Adj. 2 g.* ~ V. *placa* —.

infração [Do lat. tard. *infractione*, 'ação de quebrar', por via semierudita.] *S. f.* 1. Ato ou efeito de infringir; violação de uma lei, ordem, tratado, etc.: "Tocar buzina de automóvel sem estrita necessidade é nos E.U.A. infração grave" (Dario de Almeida Magalhães, *Páginas Avulsas*, p. 16). 2. *Esport.* Falta (9 e 10).

infracção *S. f.* V. *infração*.

infracitado [De *infra-* + *citado*.] *Adj.* Citado ou mencionado abaixo, ou posteriormente; inframencionado.

infraclasse [De *infra-* + *classe*.] *S. f. Biol.* Categoria taxonômica situada logo abaixo da subclasse.

infracolocado [De *infra-* + *colocado*, part. de *colocar*.] *Adj.* Colocado ou situado abaixo.

infracomum [De *infra-* + *comum*.] *Adj.* Que está abaixo daquilo ou daquele que é comum.

infraconstitucional [De *infra-* + *constitucional*.] *Adj. 2 g.* Diz-se de lei ou conjunto de leis que se encontram, em termos de legalidade, abaixo da Constituição.

■ **Infraero** Sigla de *Empresa Brasileira de Infraestrutura Aeroportuária.*

infraescrito [De *infra-* + *escrito*.] *Adj.* Escrito abaixo daquilo de que se está tratando. ❖

infraestrutura [De *infra-* + *estrutura*.] *S. f.* 1. Parte inferior de uma estrutura. 2. Base (1) material ou econômica de uma sociedade ou de uma organização. 3. *Filos.* Conjunto de ações inconscientes que possibilitam ou determinam um ato consciente. 4. *Filos.* Conjunto de relações sociais e econômicas que determinam as ideologias. 5. *Urb.* Numa cidade, o conjunto das instalações necessárias às atividades humanas, como rede de esgotos e de abastecimento de água, energia elétrica, coleta de águas pluviais, rede telefônica e gás canalizado. ❖

infraestrutural [De *infraestrutura* + *-al*[1].] *Adj. 2 g.* Relativo ou pertencente a infraestrutura. ❖

infraglótico [De *infra-* + *glótico*.] *Adj. Anat.* Que está abaixo da glote.

infra-hepático [De *infra-* + *hepático*.] *Adj. Anat.* Que está abaixo do fígado.

infra-hióideo [De *infra-* + *hióideo*.] *Adj. 2 g. Anat.* Que está abaixo do hioide.

infralitoral [De *infra-* + *litoral*.] *Adj. 2 g. S. f.* Diz-se de, ou região costeira banhada pelo mar, situada abaixo da mais baixa linha de maré. [Sin.: *inframaré*. Pl.: *-rais*.]

inframaré [De *infra-* + *maré*.] *Adj. 2 g. S. f.* Infralitoral.

inframédio [De *infra-* + *médio*.] *Adj.* Abaixo da média: *salário inframédio.*

inframedíocre [De *infra-* + *medíocre*.] *Adj. 2 g.* Abaixo de medíocre.

inframencionado [De *infra-* + *mencionado*.] *Adj.* Infracitado.

infrangibilidade [De *infrangível* + *-(i)dade*, seg. o padrão erudito.] *S. f.* Qualidade de infrangível.

infrangível [De *in-*[2] + *frangível*.] *Adj. 2 g.* Que não se pode quebrar; não frangível: "O bloco da língua [portuguesa] permanece intacto na sua unidade infrangível tal qual saiu da forja do colosso [o P.º Antônio Vieira] e só aqui e ali mordido da ação do tempo." (Alberto Ramos, *Prosas de Ariel*, p. 88.)

infranqueável [De *in-*[2] + *franqueável*.] *Adj. 2 g.* Não franqueável: "barreira infranqueável." (Temístocles Linhares, *Interrogações*, p. 239).

infraoitava [De *infra-* + *oitava*.] *S. f.* Dias compreendidos entre o dia de uma festa religiosa e a sua oitava. ❖

infraorbitário [De *infra-* + *orbitário*.] *Adj. Anat.* Diz-se do que está situado sob uma órbita (2); suborbitário. ❖

→ **infra petita** ['infra pe'tita] [Lat., 'abaixo do pedido'.] *Citra petita* (q. v.).

infrarrenal [De *infra-* + *renal*.] *Adj. 2 g. Anat.* Diz-se do que está situado sob o rim. ❖

infrassom [De *infra-* + *som*[1].] *S. m. Fís.* Onda acústica cuja frequência é inferior, inaudível aos seres humanos. [Cf. *ultrassom*.] ❖

infratemporal [De *infra-* + *têmpora* + *-al*[1].] *Adj. 2 g.* Situado na parte inferior das têmporas.

infrato [Do lat. *infractu*.] *Adj.* Quebrado, alquebrado, quebrantado, abatido.

infrator (ô) [Var. de *infractore*.] *S. m.* Aquele que infringe.

→ **in fraudem legis** [ẽn 'frawdẽ'leges] [Lat.] *Jur.* Fraudando a lei.

infravermelho (ê) [De *infra-* + *vermelho*.] *Fís. S. m.* 1. Radiação eletromagnética com comprimento de onda superior ao da radiação visível e inferior ao das micro-ondas. • *Adj.* 2. Diz-se dessa radiação. 3. Relativo à parte do espectro situada antes do vermelho, da qual os comprimentos das radiações são maiores que 0,76 do mícron. ~ V. *filme* —, *luz* —*a* e *radiação* —*a*.

infraversão [De *infra-* + *versão*.] *S. f. Odont.* Posicionamento anormal de dentes quando estes não atingem a linha de oclusão com a arcada antagonista.

infrene [Do lat. *infrene*.] *Adj. 2 g.* Sem freio; desenfreado, desordenado, descomedido: "uma dessas paixões infrenes e fogosas da juventude" (Machado de Assis, *Histórias Românticas*, p. 147); "No dia de anos de Irene, / Depois de tarde sombria, / Chuva grossa e vento infrene, / Luar mágico aparecia." (Alberto de Oliveira, *Poesias*, 4.ª série, p. 67).

infrequência (qüên) [Do lat. *infrequentia*.] *S. f.* Falta de frequência. ❖

infrequentado (qüen) [Do lat. tard. *infrequentatu*.] *Adj.* Não frequentado. ❖

infrequente (qüen) [Do lat. *infrequente*.] *Adj. 2 g.* Não frequente. ❖

infringente [Do lat. *infringente*.] *Adj. 2 g.* Que infringe.

infringir [Do lat. *infringere*, com mudança de conjug.] *V. t. d.* Violar, quebrantar, transgredir, postergar; desrespeitar: *O funcionário infringiu o regulamento*; "Lei cruel! Dura lei! Quem, sobre-humano, / Teus artigos de ferro e fogo infringe?!" (Raimundo

Correia, *Poesias*, p. 225); "Senhorinha renunciou à virtude, infringiu a moral, curvou-se à lei do instinto." (Graciliano Ramos, *Infância*, pp. 38-39). [Conjug.: v. *dirigir*. Cf. *infligir*.]

infringível [De *infringir* + *-vel*.] *Adj. 2 g.* Que pode ser infringido.

infrutescência [De *in-*[1] + *frutescência*, por anal. com *inflorescência*.] *S. f. Bot.* Frutificação em massa de uma inflorescência, com soldadura de todas as partes florais contíguas, e cujo resultado é um fruto composto íntegro, como o abacaxi, a jaca, etc.

infrutífero [Do lat. med. *infructiferu*.] *Adj.* **1.** V. *estéril* (1). **2.** *Fig.* Que não dá resultado; baldado, inútil, infrutuoso.

infrutuosidade [De *infrutuoso* + *-(i)dade*.] *S. f.* Qualidade de infrutuoso.

infrutuoso (ô) [Do lat. *infructuosu*.] *Adj.* **1.** V. *estéril* (1). **2.** *Fig.* V. *infrutífero* (2).

infuca [De or. express., poss.] *S. f. Bras. Pop.* **1.** Enredo, fuxico, intriga. **2.** Questão complicada. **3.** Tentativa, experiência.

infuleimado [Part. de *infuleimar*.] *Adj. Bras. N.E. Pop.* Inflamado.

infuleimar *V. t. d. Int. Bras. N.E. Pop.* V. *inflamar* (4 e 7).

infulminável [De *in-*[2] + *fulminável*.] *Adj. 2 g.* Que não pode ser fulminado.

infumável [De *in-*[2] + *fumável*.] *Adj. 2 g.* Não fumável.

infundado [De *in-*[2] + *fundado*.] *Adj.* **1.** Que não tem fundamento, alicerce, base. **2.** Que não tem fundamento ou motivo; sem razão de ser; desmotivado (q. v.).

infundibuliforme [Do lat. *infundibulum*, 'funil', + *-iforme*.] *Adj. 2 g.* V. *afunilado*.

infundíbulo [Do lat. *infundibulu*.] *S. m.* **1.** V. *funil* (1). **2.** *Anat.* Designação genérica de estrutura (11), ou de parte de órgão, em forma de funil. **3.** *Zool.* Nos moluscos cefalópodes, o sifão.

infundiça *S. f.* Infundice (q. v.).

infundice [De *infundir* + *-ice*.] *S. f.* Barrela de urina, na qual se põe de molho a roupa muito suja, para depois se lavar mais facilmente; infundiça. [Cf. *infundisse*, do v. *infundir*.]

infundir [Do lat. *infundere*, com mudança de conjug.] *V. t. d.* **1.** Pôr de molho em infundice. **2.** Pôr de infusão. **3.** Incutir, inspirar: "A presença e a voz do filho de Afonso IV infundiam terror." (Rebelo da Silva, *Contos e Lendas*, p. 167.) *T. d. e i.* **4.** Entornar, derramar, verter: *infundir vinho em frascos*. **5.** Insuflar, insinuar, incutir: *Bom romancista, sabe como poucos infundir vida em suas personagens*; "Deus infundiu-lhe [no homem e na mulher] a alma, com um sopro" (Machado de Assis, *Várias Histórias*, p. 140). **6.** Insinuar, inspirar, incutir: *Infunde em todos o maior respeito*; "narravam .... as façanhas desses fanáticos caboclos, ... e o faziam com tal exagero que infundia terror aos mais destemidos." (Inglês de Sousa, *Contos Amazônicos*, p. 199). *P.* **7.** Introduzir-se, penetrar. [Imperf. subj.: *infundisse*, *infundisses*, etc.; cf. *infundice*, s. f.]

infungível [De *in-*[2] + *fungível*.] *Adj. 2 g.* Que não é fungível. ~ V. *obrigação —*.

infunicar [De or. express., poss.] *V. t. d. Chulo* Desfigurar; mascarar: *infunicar o rosto*. [Conjug.: v. *trancar*.]

infusa [F. subst. do adj. lat. *infusus*, *a*, *um*, 'derramado, vertido'.] *S. f.* Espécie de bilha: "um tarro com mel ou uma pequena infusa com leite" (Brito Camacho, *Quadros Alentejanos*, p. 23).

infusação [De *infusar* + *-ção*.] *S. f. Bras. Pop.* Estado de quem empobreceu ou se endividou muito.

infusado [Part. de *infusar*.] *Adj. S. m.* **1.** *Bras. Pop.* Empobrecido, ou endividado. **2.** *Bras. BA* Diz-se de, ou garimpeiro que há muito tempo não encontra diamantes.

infusão [Do lat. *infusione*.] *S. f.* **1.** Ato ou efeito de infundir(-se). **2.** Operação que consiste em infundir substâncias por tempo variável, a fim de extrair-lhes os princípios solúveis. **3.** *Farm.* Maceração farmacêutica. **4.** V. *cozimento* (2).

infusar *V. int. Bras. Pop.* **1.** Tornar-se pobre; empobrecer(-se). **2.** Contrair muitas dívidas; encher-se de dívidas. [Cf. *enfusar*.]

infusibilidade [De *infusível* + *-(i)dade*, seg. o padrão erudito.] *S. f.* Qualidade de infusível.

infusível [De *in-*[2] + *fusível*.] *Adj. 2 g.* Que não se pode fundir ou derreter; não fusível.

infuso [Do lat. *infusu*, part. pass. de *infundere*.] *S. m.* **1.** O produto da infusão (2). ● *Adj.* **2.** Posto em infusão. **3.** Posto de infusão. **4.** *Fig.* Diz-se dos conhecimentos ou virtudes que alguém tem de natureza, sem haver trabalhado para adquiri-los. ~ V. *ciência —a*.

infusório [Adapt. do tax. *Infusoria*.] *S. m. Adj. Obsol. Zool.* V. *ciliado*[2].

infustamento *S. m.* Cheiro característico das vasilhas do vinho.

infusura [De *infuso* + *-ura*.] *S. f. Veter.* V. *laminite*.

ingá [Do tupi; tax. *Inga*.] *S. m. e f.* **1.** Gênero de árvores e arbustos mimosáceos de folhas penadas, flores densas, brancas ou vermelhas, dotadas de longos estames, e frutos capsulares, que se caracterizam por terem sementes embebidas numa massa carnosa, não raro comestível; ocorrem em todo o Brasil. **2.** Qualquer espécie desse gênero, como, p. ex., a *Inga edulis* (v. *ingá-cipó*). **3.** Qualquer espécime desse gênero, ou o fruto dele: "Dava-lhe [ao caminho] o doce ingá, rachado ao sol, o cheiro" (Alberto de Oliveira, *Poesias*, 4.ª série, p. 223); "Iaiá ferra no sono, / pende a cabeça, abre-se a rede, / como uma ingá." (Jorge de Lima, *Obra Completa*, I, p. 299). [Var. (MG): *angá*.]

ingá-açu [De *ingá* + *-açu*.] *S. m. Bras. Bot.* Árvore mimosácea (*Inga cinnamomea*) nativa da Amaz., e cujo fruto, o ingá, é muito apreciado. [Pl.: *ingás-açus*.]

ingá-cipó *S. m. Bras. Bot.* Árvore mimosácea (*Inga edulis*) da Amaz., de casca tanífera, e cujo fruto, o ingá, é comestível, porém não muito doce. [Pl.: *ingás-cipós* e *ingás-cipó*.]

ingá-cururu *S. m. Bras. Bot.* Arvoreta mimosácea (*Inga fagifolia*) muito dispersa na zona litorânea, e cujo fruto não é utilizável. [Pl.: *ingás-cururus* e *ingás-cururu*.]

ingá-de-fogo *S. m. Bras. Bot.* Arbusto mimosáceo (*Inga velutina*) de madeira dura e útil, e cujo fruto não é aproveitável como alimento para o homem. Ocorre no PA e PI. [Pl.: *ingás-de-fogo*.]

ingá-doce *S. m. Bras. Bot.* Árvore mimosácea (*Inga affinis*) de casca tanífera, e cujo fruto, o ingá, gera polpa doce e edule. Habita as margens dos rios. [Pl.: *ingás-doces*.]

ingaense *Adj. 2 g.* **1.** Do, ou pertencente ou relativo a Ingá (PB). ● *S. 2 g.* **2.** O natural ou habitante de Ingá.

ingá-ferradura *S. m. Bras. Bot.* Árvore mimosácea (*Inga sessilis*) cujo fruto, o ingá, é muito espesso e recurvado, e cuja madeira serve para o carvão. Habita a floresta atlântica, do RJ ao RS. [Pl.: *ingás-ferraduras* e *ingás-ferradura*.]

ingaiense (a-i) *Adj. 2 g.* **1.** De, ou pertencente ou relativo a Ingaí (MG). ● *S. 2 g.* **2.** O natural ou habitante de Ingaí.

ingá-mirim [De *ingá* + *-mirim*.] *S. m. Bras. Bot.* Árvore mimosácea (*Inga marginata*), de origem amazônica, cujo fruto, o ingá, tem polpa agradável, e cuja madeira é utilizável em carpintaria e obras internas. [Pl.: *ingás-mirins*.]

ingapeba (gà) [De *ingá* + *-peba*.] *S. m. Bras. Bot.* Arbusto mimosáceo (*Inga ruiziana*) que habita a Amazônia.

ingarana (gà) [De *ingá* + *-rana*.] *S. f. Bras. Bot.* **1.** Nome comum a diversas árvores fabáceas dos gêneros *Marmaroxylon* e *Pithecellobium* (v. *pitecelóbio*). **2.** Árvore fabácea (*Marmaroxylon racemosum*) nativa do Suriname, Guiana Francesa e Brasil, esp. do PA, de madeira de qualidade, de cor amarelo-parda, e flores amareladas; angelim-rajado, angelim-pintado. **3.** V. *ararandéua*.

ingareia (éi) *S. f. Bras.* Coisa complicada. ❖

ingaricó *Bras. S. 2 g.* **1.** *Etnôn.* Indivíduo dos ingaricós [ou (etnôn. bras.) *Ingarikó, *Akawaio, *Kapon], povo indígena da família linguística caribe que habita o N. de RR na fronteira com a Guiana. ● *Adj. 2 g.* **2.** Pertencente ou relativo a esse povo.

ingá-verde *S. m. Bras. Bot.* Árvore mimosácea (*Inga virescens*), de flores melíferas, fruto sem valor alimentar, e madeira pouco útil. [Pl.: *ingás-verdes*.]

ingaxixi (gà) [Do tupi.] *S. m. Bras. Bot.* **1.** Arbusto mimosáceo (*Inga alba*) nativo da Amaz. e Guianas, cuja casca tem uso medicinal, como emético, e cuja madeira é us. em carpintaria e marcenaria. **2.** Arbusto mimosáceo (*Inga sertulifera*) tb. nativo da Amaz. e Guianas, de folhas quadrifoliadas, flores em umbelas e frutos leguminiformes, tomentosos. **3.** O fruto dessas árvores.

ingazeira (gà) [De *ingá* + *-zeira*.] *S. f. Bras. Bot.* Árvore mimosácea (*Inga capuchoi*) com flores vermelhas e brancas, que vive na região do rio Tapajós (PA). [F. paral.: *ingazeiro*.]

ingazeirense (gà) *Adj. 2 g.* **1.** De, ou pertencente ou relativo a Ingazeira (PE). ● *S. 2 g.* **2.** O natural ou habitante de Ingazeira.

ingazeiro (gà) [De *ingá* + *-zeiro*.] *S. m. Bras. Bot.* Ingazeira.

ingénito *Adj.* V. *ingênito*. [Uso freq. em P.]

ingênito [Do lat. *ingenitu*.] *Adj.* De nascença; inato, congênito: *delicadeza ingênita*; "uma tendência ingênita, orgânica, ... para as cavalarias e para as aventuras" (Ramalho Ortigão, *Figuras e Questões Literárias*, I, pp. 166-167).

ingente [Do lat. *ingente*.] *Adj. 2 g.* **1.** Muito grande; enorme, desmedido: "mais e mais inferior à sua tarefa ingente, vê [a centralização] recrescerem os perigos na razão da sua debilidade." (Tavares Bastos, *A Província*, p. 23). **2.** Estrondoso, retumbante.

ingénua *S. f.* V. *ingênua*. [Uso freq. em P.]

ingênua [F. subst. do adj. *ingênuo*.] *S. f.* **1.** Personagem-tipo que representa a jovem bela, meiga e inexperiente, em teatro, cinema, novela de rádio ou de televisão, etc. **2.** Atriz que desempenha esse papel.

ingenuidade (u-i) [Do lat. *ingenuitate*.] *S. f.* **1.** Qualidade de ingênuo; simplicidade, singeleza. **2.** Ação própria de pessoa ingênua.

ingénuo *Adj. S. m.* V. *ingênuo*. [Uso freq. em P.]

ingênuo [Do lat. *ingenuu*.] *Adj.* **1.** Em que não há malícia; simples, franco. **2.** Puro, inocente, singelo. ~ V. *realismo —*. ● *S. m.* **3.** Indivíduo ingênuo. **4.** *Bras.* Filho de escravo nascido após a lei da emancipação: "Estou já daqui ouvindo os vagidos nas senzalas... São os primeiros ingênuos." (Xavier Marques, *As Voltas da Estrada*, p. 123.)

ingerência [Do lat. *ingerentia* (neutro pl. de *ingerens*, *entis*, part. pres. de *ingerere*), tomado como fem.] *S. f.* Ato ou efeito de ingerir(-se); intervenção, influência: "A população do pequeno domínio, inteiramente fechado a qualquer ingerência de fora, ... compunha-se de escravos .... e de rendeiros" (Joaquim Nabuco, *Minha Formação*, p. 211).

ingerir [Do lat. *ingerere*, com mudança de conjug.] *V. t. d.* **1.** Meter no estômago; engolir. *T. d. e i.* **2.** Fazer penetrar; introduzir, intrometer: *Ingeriram certas suspeitas em ânimo confiante*; "O padre que ingere nos deveres com Deus os deveres com a família, não simplifica o rigor dos seus encargos, complica-os" (Ramalho Ortigão, *As Farpas*, V, p. 41). *P.* **3.** Intervir, intrometer-se: *ingerir-se em negócios alheios*. [Conjug.: v. *aderir*. Part.: *ingerido*. Cf. *enjerido* e *enjerir-se*.]

ingestão [Do lat. tard. *ingestione*.] *S. f.* Ato de ingerir; deglutição.

inglês [Do fr. ant. *angleis* < *Angles*, 'anglos', < b. *Angli*, povo germânico que se estabeleceu na Grã-Bretanha nos séc. V-VI d. C.] *Adj.* **1.** Da, ou pertencente ou relativo à Inglaterra (Europa); ânglico, anglo. ~ V. *altura —a*, *aspas —as*, *bilhar —*, *bordado —*, *chave —a*, *dracma —a*, *filete —*, *guitarra —a*, *letra —a*, *molho —*, *pontualidade —a*, *semana —a*, *solo —*, *soneto —* e *tonelada —a*. ● *S. m.* **2.** O natural ou habitante da Inglaterra; anglo. **3.** *Gloss.* Língua germânica oficial da Inglaterra, E.U.A., Austrália, Nova Zelândia e, simultaneamente com o francês, do Canadá, a qual, levada para as Ilhas Britânicas durante os sécs. V e VI pelos conquistadores anglos e saxões, e implantada sobre um substrato celta, já no séc. XIV se fixava em sua forma moderna. **4.** Vocábulo dessa língua. [Flex.: *inglesa* (ê), *ingleses* (ê), *inglesas* (ê). Cf. *inglesa*, *inglesas* e *ingleses*, do v. *inglesar*.] ◆ **Inglês antigo.** *Gloss.* **1.** Língua germânica dos anglo-saxões, falada na Inglaterra entre c. 400 e 1100, e que compreendia o saxão ocidental, o kentiano, o nortúmbrio e o mércio; anglo-saxão. **2.** Vocábulo dessa língua. **Inglês médio.** *Gloss.* **1.** O inglês do período compreendido entre c. de 1100 e 1500, e que se caracterizou pela grande quantidade de empréstimos do francês e do latim, pela perda das marcas flexionais de gênero que existiam no inglês antigo, e pelo surgimento de uma ordem mais rígida de palavras. **2.** Vocábulo dessa língua. **Inglês moderno.** *Gloss.* **1.** O inglês falado a partir do século XVI. **2.** Vocábulo dessa língua.

inglesa (ê) [F. subst. do adj. *inglês*.] *S. f. Tip.* V. *letra inglesa*. ~ V. *inglesas*.

inglesada [De *inglês* + *-ada*[1].] *S. f. Bras.* **1.** Grupo ou conjunto de ingleses. **2.** Os ingleses.

inglesado [Part. de *inglesar*.] *Adj.* **1.** Que tem modos e/ou aparência de inglês, ou que os afeta. **2.** Que é próprio de inglês.

inglesar [De *inglês* + *-ar*[2].] *V. t. d.* **1.** Dar feição inglesa a. *P.* **2.** Tomar feição inglesa; adquirir hábitos ou costumes ingleses. [Pres. ind.: *ingleso*, *inglesas*, *inglesa*, etc.; pres. subj.: *inglese*, *ingleses*, etc. Cf. *inglesa* (ê), *inglesas* (ê) e *ingleses* (ê), flex. de *inglês*.]

inglesas (ê) [Pl. de *inglesa*.] *S. f. pl.* Longos cachos de cabelo que pendem, enrolados em espiral, à frente das orelhas: "A mais idosa das senhoras consertava a todo momento as longas inglesas que lhe caíam de cada lado do rosto" (Cornélio Pena, *A Menina Morta*, p. 15). ~ V. *inglesa*.

inglório [Do lat. *ingloriu*.] *Adj.* **1.** Em que não há glória: "Foi-lhe a existência neste inglório mundo / Uma aflição em meio de agonias" (Luís Guimarães, *Sonetos e Rimas*, p. 114). **2.** *P. ext.* Obscuro, modesto. [Sin. ger.: *inglorioso*.]

inglorioso (ô) [Do lat. *ingloriosu*.] *Adj.* V. *inglório*.

ingluvial [De *inglúvio* + *-al*[1].] *Adj. 2 g. Zool.* **1.** Relativo ou pertencente ao inglúvio. **2.** Diz-se da indigestão, peculiar a certas aves, que se manifesta pela dilatação e dureza do inglúvio.

inglúvias [Do lat. *ingluvies*, com mudança de declinação.] *S. f. pl. Zool.* Região entre os ramos da maxila e a laringe, nos mamíferos.

ingluvina [De *inglúvi(as)* + *-ina*[3].] *S. f. Bioquím.* Fermento digestivo da moela de algumas aves, esp. pombas e galinhas.

inglúvio *S. m. Zool.* Dilatação do esôfago nas aves, onde os alimentos são temporariamente armazenados e umedecidos, antes de passarem à moela; papo (denom. ant.).

ingluvioso (ô) [Do lat. med. *ingluviosu.*] *Adj.* Voraz (2).

ingomba *S. m. Mús. Rel.* V. *ingono.*

ingome *S. m. Bras. PE Mús. Rel.* V. *ingono.* [Cf. *engome,* do v. *engomar.*]

ingono *S. m. Bras. N. N.E. Mús. Rel.* Nos xangôs, designação comum aos tambores grandes, com o couro numa só extremidade, e percutidos com ambas as mãos; ingome, ingomba.

ingorôci [De uma língua banta.] *S. m. Bras. Rel.* Reza, esp. a de saudação com cânticos, dirigida aos deuses pelos filhos de santo nos candomblés angola.

ingovernabilidade [De *ingovernável* + *-(i)dade,* seg. o padrão erudito.] *S. f.* Qualidade de ingovernável: "Nas democracias campeia uma 'cultura da desconfiança' e cresce a ingovernabilidade." (José Pacheco Pereira, *O Nome e a Coisa,* p. 199.)

ingovernável [De *in-*[2] + *governável.*] *Adj. 2 g.* **1.** Que não se pode governar. **2.** Insubmisso, indisciplinável. **3.** Irreprimível, irrefreável, insopitável: "Capitu, se traiu o marido, foi culpada — ou obedeceu a impulsos e hereditariedades ingovernáveis?" (Lúcia Miguel Pereira, *Machado de Assis,* p. 237.)

ingranzéu *S. m.* V. *ingresia* (2).

ingratão [De *ingrato* + *-ão*[1].] *S. m.* Homem muito ingrato; ingratatão, ingratalhão. [Fem.: *ingratona.*]

ingratatão *S. m.* V. *ingratão.* [Fem.: *ingratatona.*]

ingratatona *S. f.* V. *ingratona.*

ingratidão [Do lat. tard. *ingratudine.*] *S. f.* Qualidade ou ação de ingrato; falta de gratidão.

ingrato [Do lat. *ingratu.*] *Adj.* **1.** Que não é grato; que não reconhece os benefícios que recebeu; desagradecido: "não somente sois ingrato a el-rei de Portugal, que vos repôs no trono, como .... o sois para com Jesus Cristo, que desacatais na minha pessoa" (Aquilino Ribeiro, *Portugueses das Sete Partidas,* p. 149). **2.** *Fig.* Estéril, infecundo, improdutivo: "Terra ingrata, onde a urze a custo desabrocha" (Guerra Junqueiro, em Agostinho de Campos, *Junqueiro,* p. 174). **3.** Não aprazível; desagradável; molesto: *tarefa ingrata;* "Viver! Eu sei que a alma chora / E a vida é só dor ingrata" (Raimundo Correia, *Poesias,* p. 7); "no mais ingrato instante das horas de desânimo, a presença de minha filha era sempre uma consolação e um repouso" (Aluísio Azevedo, *Livro de uma Sogra,* p. 18). • *S. m.* **4.** Indivíduo desagradecido. [Aum.: *ingratatão* e *ingratão.*]

ingratona [De *ingrato* + *-ona*[1].] *S. f.* Fem. de *ingratão;* ingratatona, ingratalhona.

ingrediente [Do lat. *ingrediente,* part. pres. do v. depoente *ingridi,* 'entrar em'.] *S. m.* **1.** Aquilo que entra na preparação de um medicamento, um prato, etc.: "o curare, ... feito do cipó uiarari com vários ingredientes botânicos e letais adicionados" (Raimundo Morais, *País das Pedras Verdes,* p. 226). **2.** Elemento próprio ou característico de determinada coisa: "O encontro com Alba reproduzia a cena prototípica juvenil com todos os ingredientes" (Luís Alfredo Garcia-Rosa, *O Silêncio da Chuva,* p. 168). **3.** Aquilo que passa a compor algo e a contribuir para certo resultado: "Instilou-se em meu espírito um ingrediente que trouxe hipocondria e inquietude" (Ciro dos Anjos, *Abdias,* p. 81).

íngreme [De or. controversa.] *Adj. 2 g.* **1.** Difícil de subir; que tem forte declive; ab-rupto, escarpado, alcantilado: "Na frente deles, a estrada erguia-se, numa ribanceira íngreme, como um inimigo" (Mário Dionísio, *O Dia Cinzento,* p. 185). **2.** Árduo, custoso, difícil: "eles não tardam a deitar os bofes com as íngremes escaladas e desfiladeiros difíceis." (Aquilino Ribeiro, *O Homem da Nave,* p. 23).

ingremidade [De *íngreme* + *-(i)dade.*] *S. f.* Qualidade de íngreme. [Sin., p. us.: *ingremidez.*]

ingremidez (ê) [De *íngreme* + *-ez,* com infl. de *ingremidade,* poss.] *S. f. P. us.* Ingremidade.

ingrês *Adj. S. m. Pop.* V. *inglês.* [Flex.: *ingresa* (ê), *ingreses* (ê), *ingresas* (ê).]

ingresia [De *ingrês* + *-ia*[1].] *S. f.* **1.** Linguagem arrevesada e ininteligível. **2.** Barulho, berreiro, balbúrdia, confusão; ingranzéu.

ingressar [De *ingresso* + *-ar*[2].] *V. t. c.* Fazer ingresso; dar entrada; entrar: "O costume de ingressar em irmandades era mais que centenário, do tempo dos vice-reis" (Miécio Tati, *O Mundo de Machado de Assis,* p. 171).

ingressivo [De *ingresso* + *-ivo.*] *Adj.* **1.** Que entra, que se aproxima. **2.** *E. Ling.* Diz-se de som produzido com fluxo de ar inspiratório.

ingresso [Do lat. *ingressu.*] *S. m.* **1.** Ato de ingressar ou entrar. **2.** Introdução, admissão: *Não conseguiu ingresso no colégio.* **3.** Início, princípio, introito. **4.** *Bras.* Bilhete de entrada em teatro, cinema, etc.

ingriba *S. f. Bras. RS Pop.* Questão, disputa, contenda.

íngua [Do lat. med. *inguina.*] *S. f.* **1.** *Patol.* Ingurgitamento de linfonodo inguinal. **2.** *P. ext. Pop.* Ingurgitamento dos gânglios da virilha, das axilas, do pescoço, etc. [Sin. ger.: *bubão, bubo* e *encórdio.*]

inguche *Adj. 2 g.* **1.** Da, ou pertencente, ou relativo à Inguchétia, república da Federação Russa, situada ao N. do Cáucaso. • *S. 2 g.* **2.** O natural ou habitante desse país.

inguento (güen) *S. m. Ant. Pop.* V. *unguento.* ❖

inguinal [Do lat. *inguinale.*] *Adj. 2 g. Anat.* Relativo ou pertencente à virilha. ~ V. *linfogranuloma* —.

▲ **inguin(i)-** [Do lat. *inguĕn, ĭnis.*] ***El. comp.*** = 'virilha': *inguinodinia.*

ingurgitação [Do lat. tard. *ingurgitatione.*] *S. f.* **1.** Ato ou efeito de ingurgitar(-se). **2.** *Med.* Excesso de sangue ou de outro líquido, fisiológico ou patológico, em tecido, órgão ou conduto qualquer. [Sin. ger.: *ingurgitamento.*]

ingurgitamento [De *ingurgitar* + *-mento.*] *S. m.* V. *ingurgitação.*

ingurgitar [Do lat. *ingurgitare.*] *V. t. d.* **1.** Engolir avidamente; devorar: "ajudava piedosamente seu genro e consócio, ... a ingurgitar copiosas libações de um vinho, que escaldaria outras goelas menos estanhadas." (Rebelo da Silva, *Contos e Lendas,* p. 77). **2.** Obstruir, entupir, enfartar. **3.** *Fig.* Ler, procurar conhecer, com avidez: "Havia no amarelado in-fólio literatura e gravura de variado quilate e mérito, que eu indistintamente ingurgitava" (Léu Vaz, *Páginas Vadias,* p. 200). ***Int.*** **4.** Sofrer de ingurgitação (2). **5.** Aumentar de volume; inchar-se, intumescer-se, tumescer-se, ingurgitar-se. ***P.*** **6.** V. *ingurgitar* (5): "O rosto, maculado, ingurgitou-se, tomando um aspecto duro, túrgido." (Virgílio Várzea, *Contos de Amor,* p. 167.) **7.** Empanturrar-se, abarrotar-se, enfartar-se: "Sobre uma crista de rocha estava um corvo, ... cujos olhos corriam o mar à busca de sustento, e cujos lentos meneios traíam, na extrema prudência, a sagacidade cruel dos pássaros cobardes, a quem a luta repugna, e que se ingurgitam só de podridão." (Fialho d'Almeida, *O País das Uvas,* p. 203.) **8.** Atolar-se, atascar-se (em vícios ou paixões).

ingurunga [De or. indígena, poss.] *S. f. Bras. BA* Terreno acidentado em demasia, com subidas e descidas íngremes; gurunga, gurungumba.

▲ **-inha** Fem. de *-inho*[1].

inhá [F. aferética de *sinhá.*] *S. f. Bras. Pop.* Iaiá, senhora: "Viúva moça .... Inhá Luísa começou logo a ser rondada." (Pedro Nava, *Baú de Ossos,* p. 164.)

inhabento [De or. obsc.] *S. m. Bras. Bot.* Planta cactácea (*Peireskia bahiensis*) de alto caule provido de espinhos, e de folhas um tanto suculentas, flores róseas e fruto bacáceo.

inhaca[1] [De or. afric.] *S. m.* Senhor supremo; rei.

inhaca[2] [Do tupi.] *S. f.* **1.** *Bras. Pop.* V. *bodum* (2): "E cresce a festa, poeira levantando, o cheiro de corpo, a inhaca dos homens" (José Sarney, *Norte das Águas,* p. 25). [Var., nesta acepç.: *aca.*] **2.** V. *morrinha* (5). **3.** *Bras. MG SP Pop.* V. *caiporismo.* [Var.: *iaca.*]

inhaçanã *S. f. Bras. Zool.* V. *saracura-sanã.*

inhaçanhã *S. f. Bras. Zool.* V. *saracura-sanã.*

inhacoraense *Adj. 2 g.* **1.** De, ou pertencente ou relativo a São José do Inhacorá (RS). • *S. 2 g.* **2.** O natural ou habitante de São José do Inhacorá.

inhacorense *Adj. 2 g.* **1.** De, ou pertencente ou relativo a Inhacorá (RS). • *S. 2 g.* **2.** O natural ou habitante de Inhacorá.

inhacurutu *S. m. Bras. Zool.* V. *jacurutu.*

inhaíba [Do tupi.] *S. f. Bras. Bot.* Grande árvore lecitidácea (*Eschwilera rhodogonoclada*) ocorrente na floresta do S. da BA, de folhas coriáceas e elípticas, flores vistosas, e cujo fruto é pixídio, sendo a madeira, pardo-amarelada e incorruptível, usada em construção naval; inhaíba-de-rego.

inhaíba-de-rego *S. f. Bras. Bot.* Inhaíba. [Pl.: *inhaíbas-de-rego.*]

inhambu [Do tupi.] *S. m. Bras. Zool.* Designação comum às aves tinamiformes tinamídeas, gêneros *Tinamus* e *Crypturellus,* características da região neotrópica, e desprovidas completa ou quase completamente de cauda: "Piava inhambu por tudo quanto é lado" (Carmo Bernardes, *Jurubatuba,* p. 45). [Var.: *inambu, nambu, nhambu, inamu, lambu.*]

inhambuaçu [De *inhambu* + *-açu.*] *S. m. Bras. AM Zool.* Designação comum a aves passeriformes tinamídeas, que abrange várias espécies, entre as quais o *Tinamus tao,* de dorso preto-azulado, o *T. major,* pardo-oliváceo com o alto da cabeça pardo-avermelhado, e o *T. serratus,* de coloração geral pardo-olivácea. [Var.: *inambuaçu, nambuaçu, nhambuaçu, inamuaçu.* Sin.: *inhambuu, inhambu-grande.*]

inhambuanhanga [De *inhambu* + tupi = 'diabo'.] *S. m. Bras. Zool.* Ave tinamiforme, tinamídea (*Crypturellus variegatus*), de coloração pardo-enegrecida na cabeça, de um tom ferrugíneo vivo na nuca, na garganta e no peito, dorso preto listrado de ferrugíneo, e barriga branco-amarelada. Ocorre do AM ao ES. [Var.: *inambuanhanga, nambuanhanga, nhambuanhanga, inamuanhanga.* Sin.: *inhambu-saracuíra, chororão, poranga, saracuíra.*]

inhambuapé [Do tupi.] *S. m. e f. Bras. N.E. Zool.* V. *perdiz.*

inhambucuá [Do tupi.] *S. m. Bras.* V. *inhambu-preto.* [Var.: *inambucuá, nambucuá, nhambucuá, inamucuá.*]

inhambu-grande *S. m. Bras. Zool.* V. *inhambuaçu.* [Var.: *inambu-grande, nambu-grande, nhambu-grande, inamu-grande.* Pl.: *inhambus-grandes.*]

inhambuguaçu [De *inhambu* + *-guaçu.*] *S. m. Bras. Zool.* Ave tinamiforme, tinamídea (*Crypturellus obsoletus*), distribuída da Amaz. ao RS, de coloração bruno-avermelhada no dorso, cabeça e pescoço escuros, garganta cinzenta, peito castanho-escuro, abdome amarelado com largas faixas pretas na parte posterior. Vive nas matas virgens, alimentando-se de frutos, bagas, sementes e artrópodes. [Var.: *inambuguaçu, nambuguaçu, nhambuguaçu, inamuguaçu.*]

inhambuí [De *inhambu* + *-í.*] *S. m. Bras. Zool.* V. *codorna.*

inhambumirim [De *inhambu* + *-mirim.*] *S. m. Bras. Zool.* V. *inhambuxintã.* [Var.: *inambumirim, nambumirim, nhambumirim, inamumirim.*]

inhambupense *Adj. 2 g.* **1.** De, ou pertencente ou relativo a Inhambupe (BA). • *S. 2 g.* **2.** O natural ou habitante de Inhambupe.

inhambupixuna [De *inhambu* + o tupi = 'negro'.] *S. m. Bras. AM Zool.* V. *inhambu-preto.* [Var.: *inambupixuna, nambupixuna, nhambupixuna, inamupixuna.*]

inhambu-preto (ê) *S. m. Bras. Zool.* Ave tinamiforme, tinamídea (*Crypturellus cinereus*), da Amaz., de coloração cinzenta uniforme, tirante ao oliváceo no dorso; inhambu-sujo, inhambupixuna, inhambucuá, inhambuquiá. [Var.: *inambu-preto, nambu-preto, nhambu-preto, inamu-preto.* Pl.: *inhambus-pretos.*]

inhambuquiá [De or. tupi.] *S. m. Bras. Zool.* V. *inhambu-preto.* [Var.: *inambuquiá, nambuquiá, nhambuquiá, inamuquiá.*]

inhambuquiçaua [De or. tupi.] *S. f. Bras. Bot.* V. *ajará.*

inhambu-relógio *S. m. Bras. Amaz. Zool.* Ave tinamiforme, tinamídea (*Crypturellus strigulosus*), da Amaz., de coloração dorsal pardo-avermelhada escura finamente pintada, asas e dorso inferior listrados de amarelo-claro, garganta de tom que varia do ferrugíneo-vivo ao avermelhado. O nome vulgar provém do fato de piar em intervalos regulares. [Var.: *inambu-relógio, nambu-relógio, nhambu-relógio, inamu-relógio.* Pl.: *inhambus-relógios* e *inhambus-relógio.*]

inhambu-saracuíra *S. m. Bras. AM Zool.* V. *inhambuanhanga.* [Var.: *inambu-saracuíra, nambu-saracuíra, nhambu-saracuíra, inamu-saracuíra.* Pl.: *inhambus-saracuíras* e *inhambus-saracuíra.*]

inhambu-sujo *S. m. Bras. AM Zool.* V. *inhambu-preto.* [Var.: *inambu-sujo, nambu-sujo, nhambu-sujo, inamu-sujo.* Pl.: *inhambus-sujos.*]

inhambuu *S. m. Bras. Amaz. Zool.* V. *inhambuaçu.* [Var.: *inambuu, nambuu, nhambuu, inamuu.*]

inhambuxintã [De or. tupi.] *S. m. Bras. Zool.* Ave tinamiforme, tinamídea (*Crypturellus tataupa*), que ocorre da BA até o RS, de dorso bruno-castanho, cabeça e pescoço cinzento-escuros, garganta e meio do abdome brancos, sendo o resto do lado inferior cinzento, lados da barriga e coberteiras inferiores da cauda pretas com largas orlas brancacentas, bico vermelho, e pernas roxo-avermelhadas. Frequenta as matas, alimentando-se de sementes, pequenos frutos, insetos e vermes. [Var.: *inambuxintã, nambuxintã, nhambuxintã, inamuxintã.* Sin.: *inhambumirim* e *nambuzinho.*]

inhambuxororó (ù) [De *inhambu* + tupi = 'sussurrante'.] *S. m. Bras. Zool.* Ave tinamiforme, tinamídea (*Crypturellus parvirostris*), que ocorre do S. do AM até os pinheirais do S. Tem a cabeça, o pescoço e o peito anterior cinzentos, abdome esbranquiçado, e flancos pretos, pintados de branco. [Var.: *inambuxororó, nambuxororó, nhambuxororó, inamuxororó.* Sin.: *pé-encarnado, sururina.*]

inhame [Do ioruba *iyã,* ou do mandinga *iyambi.*] *S. m.* **1.** *Bras. Bot.* Designação comum a ervas aráceas, pertencentes a várias espécies dos gêneros *Alocasia* e *Colocasia,* e às ervas dioscoreáceas, do gênero Dioscorea, que se caracterizam por produzir tubérculos nutritivos e saborosos. **2.** O rizoma dessa erva.

inhame-branco *S. m. Bras. Bot.* Erva arácea (*Colocasia antiquorum*) originária da Índia, mas cultivada nos trópicos em geral, de folhas amplas, moles e escavadas na base, e flores em espigas compactas e com grande bráctea. Os tubérculos e as folhas, cozidos, são muito apreciados como alimento. [Sin.: *inhame-taioba, taioba*. Pl.: *inhames-brancos*.]

inhame-cará *S. m. Bras. Bot.* V. *caratinga*[1] (1). [Pl.: *inhames-carás e inhames-cará*.]

inhame-da-china [De *inhame* + *da*[1] + o top. *China*.] *S. m. Bras. Bot.* Erva dioscoreácea (*Dioscorea batata*) trepadeira, muitíssimo utilizada como alimento, de folhas cordiformes, flores pequeninas dispostas em espiga, e cujas raízes são grandes tubérculos ricos em amido; cará. [Pl.: *inhames-da-china*.]

inhame-de-são-tomé [De *inhame* + *de* + o top. *São Tomé (e Príncipe)*.] *S. m. Bras. Bot.* Erva dioscoreácea (*Dioscorea esculenta*) de caule volúvel, folhas cordadas e acuminadas, flores insignificantes, dispostas em espiga, e muito cultivada, pelos tubérculos, na Índia, no Vietnã, etc. [Pl.: *inhames-de-são-tomé*.]

inhame-nambu *S. m. Bras. Bot.* Caranambu (1) (q. v.). [Pl.: *inhames-nambus e inhames-nambu*.]

inhame-taioba *S. m. Bras. Bot.* V. *inhame-branco*. [Pl.: *inhames-taiobas e inhames-taioba*.]

inhanduvá [De or. indígena.] *S. f. Bras. Bot.* V. *coentrilho* (1).

inhangapiense *Adj. 2 g.* **1.** De, ou pertencente ou relativo a Inhangapi (PA). • *S. 2 g.* **2.** O natural ou habitante de Inhangapi.

inhanti [De or. tupi.] *S. m. Bras. Zool.* V. *jataí* (3).

inhapa [Do quíchua *yapa*, pelo esp. plat. *yapa*.] *S. f. Bras. S.* **1.** Aquilo que o vendedor dá de presente ao comprador. **2.** Aquilo que se ganha além do combinado. **3.** V. *gorjeta*[1] (2). [Var.: *anhapa, japa*.]

inhapiense *Adj. 2 g.* **1.** De, ou pertencente ou relativo a Inhapi (AL). • *S. 2 g.* **2.** O natural ou habitante de Inhapi.

inhapim [De or. tupi.] *S. m. Bras. Zool.* **1.** V. *encontro* (11). **2.** V. *soldado* (9).

inhapinhense *Adj. 2 g.* **1.** De, ou pertencente ou relativo a Inhapim (MG). • *S. 2 g.* **2.** O natural ou habitante de Inhapim.

inhapupê [Do tupi.] *S. m. Bras. Zool.* V. *perdiz*.

▲ **-inhar** *Suf. verb.* = 'ação frequentativa', 'ação diminutiva': *cuspinhar*. [Pode ter sentido pejorativo: *escrevinhar*. V. *-ilhar*.]

inhato [Var. protética de *nhato* < esp. platino *ñato*.] *Adj. Bras. RS* **1.** Que tem nariz arrebitado e curto. **2.** Diz-se de animal de nariz chato. [Cf. *nhato*.]

inhaúma *S. f. Bras. Zool.* V. *anhima* (2).

inhaumense (a-u) *Adj. 2 g.* **1.** De, ou pertencente ou relativo a Inhaúma (MG). • *S. 2 g.* **2.** O natural ou habitante de Inhaúma.

inhengo *Adj. S. m. Bras. PR* V. *inhenho*.

inhenho [Do lat. *ingenuu*.] *Adj. S. m.* **1.** Diz-se de, ou indivíduo muito acanhado, palerma, imbecil, pateta. **2.** *Ant.* Decrépito. [Var., no PR: *inhengo*.]

▲ **-inh(o)-** V. *-ino*[1].

▲ **-inho**[1] [Do lat. *-inu*, por via pop.] *Suf. nom.* formador de diminutivos (ex.: *barquinho, cãozinho*, etc.), que, além da natural afetividade inerente aos diminutivos, ou do seu traço eufêmico ou, por vezes, irônico, pode expressar, dentre outras, as noções de: 'que é muito ou totalmente (algo)' (velhinho); '(algo) em menor escala, ou de menor intensidade, ou força' (*pilequinho*); 'que é semelhante a (algo)' (*robalinho, socozinho, urubuzinho*); 'tipo ou variedade de (algo)' (*cravinho*[2], *ensopadinho, machadinho, paninho, terninho*). [Embora essencialmente nominal, o suf. *-inho*[1] pode formar vocábulos adverbiais (às vezes com valor de superlativo: *pertinho, agorinha*), com noções de: 'de modo' (*mansinho*); 'de modo exato, total', 'totalmente (algo)' (*assinzinho, direitinho, escritinho*); 'intensidade', 'muito' (*baixinho, levezinho, longinho*); 'iteração' (*seguidinho*). Equiv. formadores de subst. e adjetivos: *-im, -ino*[2], *-zinho* (este, tb. de adv.): *espadim; pequenino, boizinho*. Fem.: *-ina*[2], *-inha*, (este, tb. adv.: *agorinha*), *-zinha*: *cravina; casinha; florzinha*]

▲ **-inho**[2] Equiv. de *-ino*[1].

inhor (ô) *El. s. m.* V. *nhor*. ◆ **Inhor não.** *Bras. Pop.* V. *nhor não*: "— Você está bom? Alguma novidade por aí? | — Inhor não. Só vancê chegando." (Rui Santos, *Teixeira Moleque*, p. 192.) **Inhor sim.** *Bras. Pop.* V. *nhor sim*.

inhuma *S. f. Bras. Zool.* V. *anhima* (2).

inhumapoca [Var. de *anhumapoca*.] *S. f. Bras. Zool.* V. *tachã*.

inhumense[1] *Adj. 2 g.* **1.** De, ou pertencente ou relativo a Inhuma (PI). • *S. 2 g.* **2.** O natural ou habitante de Inhuma.

inhumense[2] *Adj. 2 g.* **1.** De, ou pertencente ou relativo a Inhumas (GO). • *S. 2 g.* **2.** O natural ou habitante de Inhumas.

inibição [Do lat. *inhibitione*, 'ação de remar em sentido do contrário'.] *S. f.* **1.** Ato ou efeito de inibir(-se). **2.** Estado ou condição de pessoa inibida. **3.** *Fisiol. Med.* Parada ou limitação de função ou de reação orgânica. **4.** *Psicol.* Resistência psicológica íntima a certos sentimentos ou atos: "A minha frieza corta-lhe o desejo que ainda tem de mim. E nem sequer o ajudo. Crio-lhe inibições. Humilho-o." (Urbano Tavares Rodrigues, *A Noite Roxa*, p. 240.)

inibido [Part. de *inibir*.] *Adj. S. m.* Que, ou aquele que sofre de inibição (2, 3 e 4).

inibidor (ô) [De *inibir* + *-dor*.] *S. m.* **1.** Aquele ou aquilo que inibe. **2.** *Bioquím.* Qualquer substância que interfere no crescimento, ou noutra atividade biológica. **3.** *Quím.* Substância que impede ou dificulta determinado processo ou ação química, seja por proteção do substrato, seja por modificação de um dos reagentes ou catalisadores, anulando sua ação. • *Adj.* **4.** V. *inibitório*: "A conjugada ação de mil forças inibidoras invalida a instintiva ânsia reveladora do sofrimento." (Miguel Torga, *Diário*, IX, p. 56.) **5.** Diz-se de inibidor (2). ◆ **Inibidor de corrosão.** *Quím.* Substância que, aplicada a uma superfície metálica, diretamente ou como constituinte de uma tinta, a protege da corrosão. **Inibidor de protease.** *Quím.* Substância que se combina com o sítio ativo de uma protease (p. ex., a do vírus causador da AIDS), tornando-a incapaz de ligar-se a seu substrato e impedindo ou dificultando o desenvolvimento do organismo que a utiliza.

inibir [Do lat. *inhibere*, com mudança de conjug.] *V. t. d.* **1.** Impedir, embaraçar, estorvar: "Quisera exprimir as impressões .... que me deixou a grande pintura. Mas inibe-me sempre o receio .... de martelar inconscientemente no que li de impressões alheias .... sobre a pintura da Renascença italiana" (José Maria Belo, *Memórias*, p. 133). *T. d. e i.* **2.** Impedir, impossibilitar: "A qualidade de autor .... inibia-o [a Camões] de ser o revedor capaz da própria obra" (Aquilino Ribeiro, *Luís de Camões*, II, p. 210). **3.** Proibir, vedar. *P.* **4.** Ficar inibido, tolhido, embaraçado; embaraçar-se: "Muito real talento hoje se perde, muita vocação verdadeira e promissora se inibe e afinal desvia para outros vulgares ou inadequados rumos" (Léu Vaz, *Páginas Vadias*, p. 44).

inibitivo [De *inibir* + *-tivo*.] *Adj.* V. *inibitório*.

inibitória [F. subst. do adj. *inibitório*.] *S. f.* Dificuldade, embaraço, estorvo.

inibitório [De *inibir* + *-tório*.] *Adj.* Que inibe; inibitivo, inibidor: "Esta dúvida .... era a mais inibitória incerteza entre tantas outras que nos manietavam." (Euclides da Cunha, *Contrastes e Confrontos*, p. 13.)

iniciação [Do lat. *initiatione*.] *S. f.* **1.** Ato ou efeito de iniciar(-se). **2.** Ato de começar qualquer coisa; início. **3.** Introdução ao conhecimento de coisas misteriosas ou desconhecidas. **4.** Admissão em uma sociedade secreta ou reservada, como, p. ex., a maçonaria. **5.** Preparação pela qual se inicia alguém nos mistérios de alguma religião ou doutrina e a cerimônia dela decorrente. **6.** Recebimento das primeiras noções relativas a uma ciência, uma arte, uma prática: *iniciação musical; iniciação no jogo do bridge*. **7.** *Antrop.* Processo, ou série de processos de natureza ritual, que efetivam e marcam a promoção de indivíduos a novas posições sociais (como, p. ex., sua passagem às diferentes fases do ciclo de vida e, em particular, sua incorporação à comunidade dos adultos) ou o acesso a determinadas funções religiosas ou políticas. **8.** *Inform.* Processo pelo qual um computador ou periférico é preparado para uso, e que compreende rotinas automáticas de teste dos seus componentes, carga do sistema operacional e, por vezes, a identificação do usuário e a restauração dos parâmetros de sua configuração personalizada. [Corresponde ao ingl. *boot*.] **9.** *Inform.* Ato ou efeito de iniciar (4). **10.** *Inform.* Atribuição de um valor inicial a uma variável de programa. [Sin., nas acepç. 8 a 10: *inicialização*.] **11.** *Rel.* Catecumenato (2).

iniciado [Part. de *iniciar*.] *Adj.* **1.** Principiado, começado, encetado. **2.** Instruído em (conhecimento, arte, etc.). • *S. m.* **3.** Neófito de qualquer seita ou ordem.

iniciador (ô) [Do lat. tard. *initiatore*.] *Adj.* **1.** Que inicia. **2.** *Quím.* Diz-se de indutor, esp. o que atua mediante geração de radicais livres. • *S. m.* **3.** Aquele que inicia. **4.** *Bioquím.* Segmento de ácido nucleico, ger. ARN, necessário para que ocorra o início da duplicação do ADN; *primer*. **5.** *Quím.* Indutor iniciador (2).

inicial [Do lat. imp. *initiale*, 'primitivo', 'primordial'.] *Adj. 2 g.* **1.** Que inicia, que está no começo, no princípio; iniciativo: *letra inicial; vogal inicial*. **2.** Primeiro, primitivo: "No Natal de 1927, a Litografia Trigueiros, estabelecimento gráfico de Maceió, imprimiu a edição inicial dos *Poemas* de Jorge de Lima" (Moacir Medeiros de Sant'Ana, *História do Modernismo em Alagoas*, p. 103). ~ V. *condição — e letra —*. • *S. f.* **3.** A primeira letra de uma palavra; letra inicial: "Surgiu então .... a minha roupa de cama (lençóis, fronhas, colchas), tudo marcado com as iniciais do meu nome" (Herberto Sales, *Dados Biográficos do Finado Marcelino*, pp. 45-46). **4.** *Jur.* Petição por meio da qual se propõe a ação em juízo. **5.** *Tip.* V. *letra capitular*.

inicialização [De *inicializar* + *-ção*; ingl. *initialization*.] *S. f. Angl. Inform.* V. *iniciação* (8 a 10).

inicializar [De *inicial* + *-izar*; ingl. *(to) initialize*.] *V. t. d. Angl. Inform.* V. *iniciar* (3 a 5).

inicialmente [De *inicial* + *-mente*.] *Adv.* No início, no começo; no momento inicial; num primeiro momento: *Ficou confuso inicialmente, depois tranquilizou-se.*

iniciando [De *iniciar* + *-ando*.] *S. m.* Aquele que está em processo de iniciação (3 a 6); iniciante.

iniciante [De *iniciar* + *-nte*.] *Adj. 2 g.* **1.** Que inicia. • *S. 2 g.* **2.** Iniciando. **3.** Aquele que se inicia; principiante, neófito, novato.

iniciar [Do lat. *initiare*.] *V. t. d.* **1.** Dar princípio a; começar, principiar, encetar: "Um dos maiores encantos das viagens é iniciar o regresso." (Daniel de Carvalho, *De Outros Tempos*, p. 191.) **2.** Instruir em conhecimento, ciência, arte, etc.: *Não dispõe de tempo para iniciar os seus auxiliares.* **3.** *Inform.* Preparar (computador ou periférico) para uso, executando uma sequência mais ou menos padronizada de operações (como: ligá-lo, aguardar as rotinas de autoteste, a carga do sistema operacional e a configuração do ambiente do usuário), até o momento em que o equipamento passa a estar disponível a entradas do usuário; inicializar, dar *boot*. [Cf. *reiniciar*.] **4.** *Inform.* Carregar ou abrir (programa). **5.** *Inform.* Atribuir valor inicial e *default* a (variável de programa). *T. d. e i.* **6.** Ministrar as primeiras noções; informar, inteirar, enfronhar: *Não sabe quem iniciou o filho em tais práticas.* **7.** Preparar ou admitir aos mistérios e cerimônias (de ordem ou seita). *Int.* **8.** *Inform.* Passar (um computador, sistema, etc.) por processo de iniciação (8). *P.* **9.** Ser admitido; introduzir-se. **10.** Dar os primeiros passos; principiar: *iniciar-se na política.* [Pres. ind.: *inicio*, etc. Cf. *início*.]

iniciático *Adj.* Pertencente ou relativo a iniciação.

iniciativa [F. subst. do adj. *iniciativo*.] *S. f.* **1.** Ação daquele que é o primeiro a propor e/ou empreender uma coisa: *Tomou a si a iniciativa da obra.* **2.** *P. ext.* Ação, empreendimento: *homem de grandes iniciativas; Sempre apoiou as grandes iniciativas.* **3.** Qualidade daquele que sabe agir, que está disposto a empreender, ousar: *É homem de iniciativa; Tem espírito de iniciativa.*

iniciativo [De *iniciar* + *-tivo*.] *Adj.* Inicial (1).

iniciatório [De *iniciar* + *-tório*.] *Adj.* Referente à iniciação.

início [Do lat. *initiu*.] *S. m.* **1.** Princípio, começo: *A empresa, hoje poderosa, no início enfrentou sérias dificuldades;* "falar bem é início de escrever bem" (Aires da Mata Machado Filho, *Falar, Ler e Escrever*, p. 20). **2.** Inauguração, fundação. **3.** Exórdio, preâmbulo. [Cf. *inicio*, do v. *iniciar*.]

inidentificável [De *in-*[2] + *identificável*.] *Adj. 2 g.* Não identificável.

inidoneidade [De *in-*[2] + *idoneidade*.] *S. f.* Qualidade de inidôneo; falta de idoneidade.

inidóneo *Adj.* V. *inidôneo*. [Uso freq. em P.]

inidôneo [De *in-*[2] + *idôneo*.] *Adj.* Não idôneo.

iniencefalia [Do gr. *iní(on)*, 'protuberância occipital externa', + *encefalia*; fr. *iniencéphalie*.] *S. f. Ter.* Anomalia caracterizada pela presença de cérebro parcialmente fora do crânio, saindo por abertura no ínio.

iniencéfalo [Do gr. *iní(on)*, 'protuberância occipital externa', + *encéfalo*; fr. *iniencéphale*.] *Adj. S. m. Ter.* Diz-se de, ou feto que apresenta iniencefalia.

inigualável [De *in-*[2] + *igualável*.] *Adj. 2 g.* Não igualável.

iniídeo [Do tax. *Inia* + *-ídeo*[1]; tax. *Iniidae*.] *Zool. S. m.* **1.** Espécime dos iniídeos, família monotípica de cetáceos de água doce, com focinho em forma de bico, longo e estreito, decorrente da forma da sínfise mandibular; têm dentes numerosos e pontiagudos. [V. *boto-branco*.] • *Adj.* **2.** Pertencente ou relativo a eles.

iniludível [De *in-*[2] + *iludível*.] *Adj. 2 g.* **1.** Que não admite dúvidas: "Há uma medida iniludível para a capacidade individual e para a benevolência dos deuses." (Mário de Alencar, *Contos e Impressões*, p. 180.) **2.** Que não se pode iludir.

inimaginável [De *in-*[2] + *imaginável*.] *Adj. 2 g.* Não imaginável; impensável: "Passei e repassei no espírito .... todas as hipóteses imagináveis e mesmo inimagináveis." (Gilberto Amado, *Depois da Política*, p. 138.)

inimbó [Do tupi.] *S. m. Bras. Bot.* V. *bonduque*.

inimícia [Do lat. *inimicitia*.] *S. f. P. us.* Inimizade.

inimicíssimo [Do lat. *inimicissimu*.] *Adj.* Superl. abs. sint. de *inimigo*.

inimigo [Do lat. *inimicu*.] ***Adj.*** **1.** Hostil, adverso, contrário: *pessoas inimigas*. **2.** De, ou pertencente a grupo, facção ou partido oposto; hostil: *tropas inimigas*. **3.** Que prejudica, ou causa dano; nocivo. [Superl. abs. sint.: *inimicíssimo*.] ● ***S. m.*** **4.** Aquele que odeia ou detesta alguém ou algo. **5.** Grupo, facção ou partido hostil. **6.** *P. ext.* Membro ou unidade de grupo, facção ou partido dessa natureza. **7.** Coisa prejudicial, nociva, destrutiva: *O álcool é grande inimigo do homem*. **8.** V. *diabo* (2). ◆ **Inimigo alugado.** *Bras. CE* Pessoa a quem se mata por ordem de outrem. **Inimigo jurado.** Inimigo declarado, manifesto. **Inimigo público.** Indivíduo perigoso à ordem social.

inimistar [Do esp. *enemistar*.] ***V. t. d. T. d. e i.*** V. *inimizar* (1).

inimitável [Do lat. *inimitabile*.] ***Adj. 2 g.*** Não imitável.

inimizade [Do lat. vulg. **inimicitate*.] ***S. f.*** Falta de amizade; aversão, malquerença. [Sin. p. us.: *inimicícia*.]

inimizar [Do rad. de *inimizade* + *-ar*²] ***V. t. d. T. d. e i.*** **1.** Tornar inimigo; malquistar; indispor, inimistar. ***Int.*** **2.** Provocar inimizade(s). ***P.*** **3.** Tornar-se inimigo; indispor-se; malquistar-se: "O tigre inimizou-se com João Brandão. A pouco trecho eram figadais inimigos." (Bulhão Pato, *Memórias*, II, p. 145.)

inimputabilidade [De *inimputável* + *-(i)dade*, seg. o padrão erudito.] ***S. f.*** Qualidade de inimputável.

inimputável [De *in*-² + *imputável*.] ***Adj. 2 g.*** Não imputável; irresponsável.

inimutabense ***Adj. 2 g.*** **1.** De, ou pertencente ou relativo a Inimutaba (MG). ● ***S. 2 g.*** **2.** O natural ou habitante de Inimutaba.

ininflamável [De *in*-² + *inflamável*.] ***Adj. 2 g.*** Não inflamável.

implicit ininfluenciável [De *in*-² + *influenciável*.] ***Adj. 2 g.*** Não influenciável.

ininteligência [De *in*-² + *inteligência*.] ***S. f.*** Falta de inteligência, de compreensão.

ininteligente [De *in*-² + *inteligente*.] ***Adj. 2 g.*** Que tem ou revela ininteligência; não inteligente.

ininteligibilidade [De *ininteligível* + *-(i)dade*, seg. o padrão erudito.] ***S. f.*** Qualidade de ininteligível.

ininteligível [Do lat. tard. *inintelligibile*.] ***Adj. 2 g.*** Não inteligível; incompreensível, obscuro, confuso: "Tartamudeou algumas palavras ininteligíveis" (Adalberon Cavalcanti Lins, *Curral Novo*, pp. 244-245).

implicit292 outroininterrompido [De *in*-² + *interrompido*.] ***Adj.*** V. *ininterrupto*.

ininterrupção [De *in*-² + *interrupção*.] ***S. f.*** Falta de interrupção; continuidade, sequência.

ininterrupto [De *in*-² + *interrupto*.] ***Adj.*** Não interrompido; constante, incessante, contínuo, ininterrompido: *lida ininterrupta*; "Nova e mais tesa rajada / Zune, zune, ininterrupta" (Alberto de Oliveira, *Poesias*, 3ª série, p. 116).

implicit ininvestigável [Do lat. tard. *ininvestigabile*.] ***Adj. 2 g.*** Que não se pode investigar; imperscrutável.

▲ **inio-** [Do gr. *iníon, ou*.] ***El. comp.*** = 'nuca': *iniódimo*.

ínio [Do gr. *iníon*.] ***S. m. Anat.*** O ponto mais alto da protuberância externa do osso occipital.

iniodimia [De *iniódimo* + *-ia*¹.] ***S. f. Ter.*** Condição de iniódimo.

iniódimo [De *inio-* + *dídimo*, com haplologia.] ***Adj. S. m. Ter.*** Diz-se de, ou feto gêmeos unidos pelo ínio.

inioíta (ni-o-í) ***S. f. Min.*** Mineral monoclínico, borato hidratado de cálcio.

ínion [Do gr. *iníon*.] ***S. m. Anat.*** V. *ínio*. [Pl.: *ínions* e (menos us.) *íniones*.]

iniquidade (qüi) [Do lat. *iniquitate*.] ***S. f.*** **1.** Falta de equidade. **2.** Qualidade de iníquo. **3.** Ação ou coisa iníqua. ✥

iníquo [Do lat. *iniquu*.] ***Adj.*** **1.** Contrário à equidade. **2.** Perverso, malévolo; extremamente injusto: *sentença iníqua*; "Assim como é justa a vaidade de um rei justo, também é iníqua a vaidade de um tirano" (Matias Aires, *Reflexões sobre a Vaidade dos Homens*, p. 60).

injeção [Do lat. *injectione*.] ***S. f.*** **1.** Ato ou efeito de injetar. **2.** Aquilo que se injeta. **3.** *Fig.* Aquilo que estimula, anima, ativa: *A Bolsa de Valores ativou-se graças a injeções proporcionadas pelos incentivos fiscais.* **4.** *Eletrôn.* Introdução de um sinal em um circuito elétrico. **5.** *Fís. Nucl.* Introdução de um feixe de partículas num acelerador. **6.** *Geol.* Processo pelo qual o magma ou soluções derivadas dele se infiltram ao longo dos planos de menos resistência duma rocha preexistente. **7.** *Mat.* Correspondência biunívoca de um conjunto em outro; função injetora. **8.** *Med.* Introdução, em tecido, órgão ou formação patológica, de líquido, geralmente medicamentoso, por meio de seringa e agulha. [Sin., lus. (nesta acepç.): *pica*.] **9.** *Bras. Fam.* Pessoa desagradável, enfadonha, tediosa, chata. [V. *purgante* (3).]

injetar [Do lat. imp. *injectare*.] ***V. t. d.*** **1.** Introduzir (líquido) sob pressão em um corpo: "Encheu a seringa, molhou algodão em álcool, injetou o líquido." (Nélson de Faria, *Cabeça-Torta*, p. 201.) **2.** Tornar corado ou vermelho pelo afluxo do sangue: "O sarampo encaroçou-lhe o corpo todo, injetou-lhe os olhos, deu-lhe febre." (Id., *Tiziu e Outras Estórias*, p. 178.) **3.** Introduzir (certos líquidos) na madeira a fim de corá-la e torná-la mais resistente. **4.** *Bras.* Aborrecer, maçar, cacetear, chatear. **5.** *Eletrôn.* Introduzir (sinal) num circuito. ***T. d. e c. T. d. e i.*** **6.** Aplicar, investir, como reforço: *Injetou 3 bilhões no empreendimento; injetar recursos no mercado.* ***P.*** **7.** Encher-se (de fluido injetado). **8.** Receber excessivo afluxo de sangue.

injetável [De *injetar* + *-vel*.] ***Adj. 2 g.*** Próprio para ser injetado.

injetor (ô) [Do lat. *injectum*, supino de *injicere*, 'lançar em', + *-or*; fr. *injecteur*.] ***Adj.*** **1.** Que injeta. ~ V. *bomba —a* e *função —a*. ● ***S. m.*** **2.** Aparelho com que se injeta um fluido em algum órgão mecânico. **3.** Aparelho destinado à sulfuração das vinhas. **4.** Aparelho usado para a aplicação de inseticidas no solo.

injucundo [Do lat. *injucundu*.] ***Adj.*** Não jucundo; sem graça.

injudicioso (ô) [De *in*-² + *judicioso*.] ***Adj.*** Não judicioso; insensato.

injunção [Do lat. tard. *injunctione*.] ***S. f.*** **1.** Ordem formal; imposição: "Em janeiro de 1822 partia José Bonifácio para o Rio de Janeiro, levando a célebre representação da junta paulista. Pedia ao Príncipe Regente que ficasse no Brasil, desobedecendo à injunção das Cortes." (Afonso d'E. Taunay, *Grandes Vultos da Independência Brasileira*, p. 59.) **2.** Pressão das circunstâncias: *Teve de ceder às injunções políticas*; "é mais difícil a defesa da consciência do jornalista ante as injunções patronais." (Fidelino de Figueiredo, *O Medo da História*, p. 49). **3.** Imposição; exigência: "A morte era .... a libertação das injunções da carne." (Orígenes Lessa, *João Simões Continua*, p. 120.)

injungir [Do lat. *injungere*, 'unir', 'aplicar em', com mudança de conjug.] ***V. t. d.*** **1.** Impor obrigação a; obrigar, forçar: *Veio por gosto, não a injungi.* ***T. d. e i.*** **2.** Impor obrigação; obrigar, constranger: *Injungimo-lo a uma deliberação; Injungiram-no a demitir-se.* [Defect. Faltam-lhe as f. em que ao *g* da raiz, trocando em *j*, se seguiriam as vogais *o* e *a*.]

injuntivo [Do lat. *injunctus*, part. pass. de *injungere* (v. *injungir*), + *-ivo*.] ***Adj.*** **1.** Obrigatório, imperativo. **2.** *E. Ling.* Relativo ou pertencente a injuntivo (2). ~ V. *modo —*. ● ***S. m.*** **3.** *E. Ling.* Modo injuntivo (q. v.).

injúria [Do lat. *injuria*, 'injustiça', 'afronta', 'dano', 'lesão'.] ***S. f.*** **1.** Ato ou efeito de injuriar. **2.** Aquilo que é injusto. **3.** Ato ou dito ofensivo a alguém; agravo, insulto. **4.** *Jur.* Ofensa à dignidade ou decoro de alguém. **5.** *Traum.* Traumatismo, em geral, produzido por força externa. [Cf. *injuria*, do v. *injuriar*.]

injuriado [Part. de *injuriar*.] ***Adj.*** **1.** Que sofreu injúria. **2.** *Bras. Pop.* Zangado, irritado.

injuriador (ô) [De *injuriar* + *-dor*.] ***Adj.*** **1.** Que injuria; injuriante. ● ***S. m.*** **2.** Aquele que injuria.

injuriante [De *injuriar* + *-nte*.] ***Adj. 2 g.*** Injuriador (1).

injuriar [Do lat. tard. *injuriare*.] ***V. t. d.*** **1.** Ofender por ação ou dito infamante; dirigir injúria ou insulto a; difamar, insultar. **2.** Desonrar, infamar: *injuriar a memória dos mortos.* **3.** Causar dano ou estrago a. ***P.*** **4.** Ter desdouro; dedignar-se, afrontar-se. **5.** *Bras. Pop.* Zangar-se, irritar-se, encolerizar-se: *Injuriou-se comigo à toa: não lhe fiz nenhum mal.* [Pres. ind.: *injurio, injurias, injuria*, etc. Cf. *injúria*.]

injuricidade ***S. f.*** V. *injuridicidade*.

injuridicidade [De *in*-² + *juridicidade*.] ***S. f.*** V. *antijuridicidade*.

injurídico [De *in*-² + *jurídico*.] ***Adj.*** V. *antijurídico*.

injurioso (ô) [Do lat. *injuriosu*.] ***Adj.*** Em que há injúria; ofensivo, afrontoso, infamante.

injustiça [Do lat. *injustitia*.] ***S. f.*** **1.** Falta de justiça. **2.** Ação ou coisa injusta.

injustiçado [De *in*-² + *justiça* + *-ado*¹.] ***Adj. S. m.*** Que, ou aquele que não teve justiça, a quem não se fez justiça.

injustiçoso (ô) [De *in*-² + *justiçoso*.] ***Adj.*** Que perpetra injustiças; iníquo.

injustificável [De *in*-² + *justificável*.] ***Adj. 2 g.*** Não justificável.

injusto [Do lat. *injustu*.] ***Adj.*** **1.** Falto de justiça; contrário à justiça; iníquo. **2.** Sem fundamento; infundado. ● ***S. m.*** **3.** Aquele que não é justo.

■ **INL** Sigla de *Instituto Nacional do Livro*.

inlé [Do ior., poss.] ***S. m. Bras. Rel.*** V. *Ibualama*. [Com cap.]

inlê ***S. m. Bras. Rel.*** V. *Ibualama*. [Com cap.]

→ **in limine** [ẽn 'limene] [Lat.] Desde logo, no início.

→ **in loco** [ẽn 'lɔcʊ] [Lat.] No lugar; *in situ*.

→ **in memoriam** [ẽn me'mɔrja(m)] [Lat.] Em lembrança de.

■ **Inmet** Sigla de *Instituto Nacional de Meteorologia*.

■ **Inmetro** Sigla de *Instituto Nacional de Metrologia, Normalização e Qualidade Industrial*.

→ **in natura** [ẽn na'tura] [Lat.] No estado natural, *i. e.*, isento de processamento industrial: "O programa .... prevê também a regulamentação .... de produtos *in natura* para uma posterior exportação do material industrializado." (*Jornal do Brasil*, 15.02.1992.)

→ **inner stage** ['inɚ stejdʒ] [Ingl., 'palco interior'.] *Teatr.* O espaço coberto e situado ao fundo do palco elisabetano (q. v.), no local equivalente aos bastidores dos teatros modernos, ficando separado do *outer stage* por um cortinado, que se abria para as representações das cenas de interior, e era encimado por um ou dois pavimentos, em forma de balcão, também destinados às representações. [Sin.: *alcova, gabinete* e *palco interior*. Cf. *outer stage*.]

→ **inning** ['ɪnɪŋ] [Ingl.] ***S. m.*** *Esport.* Um dos nove tempos de uma partida de beisebol ou de críquete.

▲ **in(o)-** [Do gr. *ís, inós*.] ***El. comp.*** = 'músculo'; 'nervo'; 'tendão', 'fibra muscular', 'fibrina', 'fibra': *inotropismo*. [Equiv.: *-in(o)-*¹: *hipinose*.]

▲ **-in(o)-**¹ Equiv. de *in(o)-*.

▲ **-in(o)-**² Equiv. de *-ino*¹.

▲ **-in(o)-**³ Equiv. de *-ino*³.

▲ **-ino**¹ [Do lat. *-īnus, a, um*.] ***Suf. nom.*** = 'semelhança', 'relação', 'origem', 'natureza'; 'ação'; 'lugar de': *diamantino, londrino*. [Equiv.: *-ina*¹, *-in(o)-*², *-inho*²: *sabatina; jogatina, estudantina, cantina; glucínio; reminhol; campesinho*. É tb. us. no lat. científico.]

▲ **-ino**² V. *-inho*¹.

▲ **-ino**³ [Adapt. do lat. cient. *-ina*, neutro pl. do lat. (cient.) *-inus*, ou do lat. cient. *-inae*, fem. pl. do lat. (cient.) *-inus*, ou do lat. cient. *-ini*, masc. pl. do lat. (cient.) *-inus*. V. *ino*¹.] ***Suf.*** us. em tax. ger. de biologia e de zoologia = 'relativo a, ou espécime ger. de (família, superfamília, subordem, ordem)': *bdelonemertino, euglenoidino, hipermastigino, parnopino, polimastigino, protomonadino*. [Equiv.: *-in(o)-*³: *sarcodíneo*.]

▲ **-ino**⁴ ***Suf. Quím.*** Designa a presença de uma ligação tripla entre dois átomos de carbono, característica dos alcinos: *etino*.

inobediência [Do lat. tard. *inobedientia*.] ***S. f.*** Desobediência.

inobediente [Do lat. tard. *inobediente*.] ***Adj. 2 g.*** Desobediente (1).

inobjetividade [De *in*-² + *objetividade*.] ***S. f.*** Falta de objetividade: "Espantoso testemunho da incrível inobjetividade das nossas elites" (Gilberto Amado, *Minha Formação no Recife*, p. 123).

inobliterável [Do lat. tard. *inobliterabile*.] ***Adj. 2 g.*** Que não pode ser obliterado.

inobscurecível [De *in*-² + *obscurecível*.] ***Adj. 2 g.*** Que não pode ser obscurecido ou escondido: *São inobscurecíveis os seus méritos.*

inobservado [Do lat. *inobservatu*.] ***Adj.*** Não observado; nunca visto.

inobservância [Do lat. *inobservantia*.] ***S. f.*** **1.** Falta de observância. **2.** Qualidade de inobservante.

inobservante [Do lat. tard. *inobservante*.] ***Adj. 2 g.*** Que não observa; que não cumpre.

inobservável [Do lat. tard. *inobservabile*.] ***Adj. 2 g.*** Que não pode ser observado ou cumprido.

inocência [Do lat. *innocentia*.] ***S. f.*** **1.** Qualidade de inocente. **2.** Falta de culpa; inculpabilidade. **3.** Candura, pureza. **4.** Simplicidade, ingenuidade.

inocentar [De *inocente* + *-ar*²] ***V. t. d.*** **1.** Considerar ou tornar inocente. **2.** Desculpar, absolver. ***P.*** **3.** Ser considerado inocente: *Pelo seu bom comportamento, inocentou-se no consenso geral.*

inocente [Do lat. *innocente*.] ***Adj. 2 g.*** **1.** Inofensivo, inócuo. **2.** Sem culpa. **3.** Isento de malícia. **4.** Singelo, cândido, puro. **5.** Simples, ingênuo. **6.** *P. ext.* Idiota, imbecil. ● ***S. 2 g.*** **7.** Pessoa inocente. **8.** Criança de tenra idade. ◆ **Inocente útil.** *Bras.* Pessoa que serve aos interesses e objetivos de uma causa sem estar vinculada à organização política ou à ideologia dela.

inocentino¹ ***Adj.*** **1.** De, ou pertencente ou relativo a Dom Inocêncio (PI). ● ***S. m.*** **2.** O natural ou habitante de Dom Inocêncio.

inocentino² ***Adj.*** **1.** De, ou pertencente ou relativo a Inocência (MS). ● ***S. m.*** **2.** O natural ou habitante de Inocência.

→ **in octavo** [ẽn ɔk'tavʊ] [Lat.] ***Adj. S. m.*** *Bibliol.* V. *in-oitavo*.

inocuidade (u-i) [De *inócuo* + *-(i)dade*.] ***S. f.*** Qualidade de inócuo.

inoculabilidade [De *inoculável* + *-(i)dade*, seg. o padrão erudito.] ***S. f.*** Qualidade de inoculável.

inoculação [Do lat. tard. *inoculatione*.] ***S. f.*** Ato ou efeito de inocular.

inocular [De lat. *inoculare*, 'enxertar de borbulha', 'enxertar'; 'gravar no espírito', 'incultar'.] *V. t. d. e i.* **1.** Enxertar, inserir, introduzir. **2.** *Med.* Transmitir uma doença inserindo seu agente etiológico em um organismo. **3.** *Microbiol.* Implantar microrganismos ou material infectado em meio de cultura (13). **4.** *Fig.* Transmitir, propagar, espalhar, difundir, disseminar: *A nova filosofia inoculou ideias consideradas, até então, como tabus.* ***P.*** **5.** Transmitir-se, propagar-se, por contágio. **6.** Penetrar insensivelmente; aprofundar-se, arraigar-se. [Pres. ind.: *inoculo*, etc. Cf. *inóculo*, s. m.]

inoculável [De *inocular* + *-vel*.] ***Adj. 2 g.*** Que pode ser inoculado.

inóculo [Do lat. cient. *inoculum*.] ***S. m.*** A substância empregada na inoculação. [Cf. *inoculo*, do v. *inocular*.]

inocultável [De *in-*² + *ocultável*.] ***Adj. 2 g.*** Que é impossível ocultar ou dissimular; não ocultável: "o qualificativo vai se fixando no papel e no espírito, diante da presença inocultável do escritor" (Temístocles Linhares, *Interrogações*, p. 241).

inócuo [Do lat. *innocuu*.] ***Adj.*** Que não faz dano; inocente, inofensivo, inóxio: "Por que acostumar as crianças a matar .... as rãs que são inócuos bichos e até preciosos devoradores de larvas de mosquitos?" (E. Roquete-Pinto, *Seixos Rolados*, p. 36.)

inocupação [De *in-*² + *ocupação*.] ***S. f.*** Desocupação (2).

inodoro (dó) [Do lat. *inodoru*.] ***Adj.*** Que não tem odor; sem cheiro: *A água é um líquido inodoro*; "Pois que tudo acabou, mando-te agora / os passaportes dessa despedida: / — uma pálida rosa ressequida, / uma sombra de flor, murcha e inodora..." (Hermes-Fontes, *Miragem do Deserto*, p. 113).

inofensivo [De *in-*² + *ofensivo*.] ***Adj.*** Não ofensivo; que não faz mal; inocente.

inoficial [De *in-*² + *oficial* (1 a 5).] ***Adj. 2 g.*** Não oficial.

inoficiosidade [De *inoficioso* + *-(i)dade*.] ***S. f.*** Qualidade de inoficioso.

inoficioso (ô) [Do lat. *inofficiosu*.] ***Adj.*** **1.** Não oficioso. **2.** Que prejudica, sem razão conhecida; nocivo. ~ V. *doação —a* e *dote —*.

in-oitavo [Do lat. *in-* (v. *in-*¹) + lat. *octavo* (v. *in octavo*).] *Bibliol.* ***Adj.*** **1.** Diz-se de livro, ou formato de livro, em que cada folha (3), dobrada três vezes, é composta de 16 páginas, *i. e.*, oito de cada lado. ● ***S. m.*** **2.** Livro nesse formato. [Tb. se usa o lat. *in octavo*.]

inolente [Do lat. *inolente*.] ***Adj. 2 g.*** Não olente; sem cheiro; inodoro.

inolvidável [De *in-* + *olvidável*.] ***Adj. 2 g.*** Não olvidável, inesquecível: "Aí vai o lenço onde, orvalhada aurora, / Choraste, uma manhã, quando eu partia, / E a mecha de cabelos, luzidia, / Dada em risonha, inolvidável hora." (Eugênio de Castro, *Obras Poéticas*, V, p. 146.)

inominado [Do lat. tard. *innominatu*.] ***Adj.*** **1.** Que não tem nome: "Autores há incontestes ou facilmente identificáveis atrás de pseudônimos; outros, porém, enconchados em modéstia ou timidez, se conservam inominados." (Paulino Santiago, *Temas e Processos do Cancioneiro de Alagoas*, p. 73.) **2.** Não designado. ● ***S. m.*** **3.** O que é inominado; aquilo que não tem nome: "E eram rudos Titães, filhos de deuses! / E em seus possantes músculos fremia / Iradamente a dor de cem feridas, / Em que no inominado do Universo / Andava retalhada a alma das cousas!" (Alberto de Oliveira, *Poesias*, 3ª série, p. 218.)

inominável [Do lat. tard. *innominabile*.] ***Adj. 2 g.*** **1.** *P. us.* Que não se pode designar por um nome. **2.** *Fig.* Vil; intolerável; revoltante: *atentado inominável*; "Despertando, deu-se conta o religioso da inominável afronta que sofrera." (Eduardo Frieiro, *O Mameluco Boaventura*, p. 49).

inomogeneidade [De *in-*² + *homogeneidade*.] ***S. f.*** *Fís.* Característica de um corpo que não tem as mesmas propriedades em todos os pontos.

inoperância [De *inoperante* + *-ia*², seg. o padrão analógico.] ***S. f.*** **1.** Qualidade de inoperante. **2.** Inatividade, inércia: "O Congresso, invariavelmente, joga a culpa de sua inoperância no Executivo" (Ilimar Franco, em *O Globo*, 29.08.2008).

inoperante [De *in-*² + *operante*.] ***Adj. 2 g.*** Que não opera; que não concorre para um resultado ou um juízo; que não produz o efeito necessário: *medidas inoperantes*.

inoperável [De *in-*² + *operável*.] ***Adj. 2 g.*** Que não pode ser operado.

inoperosidade [De *in-*² + *operosidade*.] ***S. f.*** Falta de operosidade; ineficácia.

inópia [Do lat. *inopia*.] ***S. f.*** **1.** Grande pobreza; indigência, penúria: "Padecendo de tudo extrema inópia" (Luís de Camões, *Os Lusíadas*, V, 6). **2.** Falta, escassez; insuficiência, defeito.

inopinado [Do lat. *inopinatu*.] ***Adj.*** **1.** Não esperado; imprevisto: *acontecimento inopinado*; "A fragilidade dos meios de resistência de um povo acorda nos vizinhos mais benévolos veleidades inopinadas, converte contra ele os desinteressados em ambiciosos, os fracos em fortes, os mansos em agressivos." (Rui Barbosa, *Cartas de Inglaterra*, p. 203). **2.** Extraordinário, singular. [Sin. ger.: *inopino*.]

inopinável [Do lat. imp. *inopinabile*.] ***Adj. 2 g.*** **1.** Que não se pode esperar ou prever. **2.** Que não se pode apreciar.

inopino [Do lat. *inopinu*.] ***Adj.*** V. *inopinado*. ◆ **De inopino.** De repente; de súbito; inopinadamente: "Beijou-o, deixou-se beijar sem olhá-lo e partiu de inopino." (Lêdo Ivo, *A Cidade e os Dias*, p. 157.)

inopioso (ô) [Do lat. *inopiosu*.] ***Adj.*** Que tem inópia; pobríssimo, paupérrimo.

inoportunidade [De *inoportuno* + *-(i)dade*.] ***S. f.*** Qualidade de inoportuno; falta de oportunidade.

inoportuno [Do lat. tard. *inopportunu*.] ***Adj.*** **1.** Que não é oportuno; intempestivo. **2.** Que vem, se faz ou sucede fora de tempo ou de ocasião conveniente. [Sin. ger.: *desoportuno*.]

inoprimido [De *in-*² + *oprimido*.] ***Adj.*** Não oprimido; desoprimido.

inorar *V. t. d. P. Ant.* V. *ignorar*.

inorgânico [De *in-*² + *orgânico*.] ***Adj.*** **1.** Que não tem órgãos; que não é orgânico; anorgânico. **2.** Que não tem vida; anorgânico. **3.** *Quím.* Relativo aos, ou próprio dos compostos de qualquer elemento, exceto os de carbono. [Contrapõe-se a *orgânico* (6).] ~ V. *química —a*.

inorganização [De *in-*² + *organização*.] ***S. f.*** Falta ou ausência de organização.

inorganizado [De *in-*² + *organizado*.] ***Adj.*** Que não tem organização, ou não chegou a organizar-se.

inortodoxo (cs) [De *in-*² + *ortodoxo*.] ***Adj.*** Infenso à ortodoxia; não ortodoxo: "Um poema de Schiller é o texto dos *soli* e coros que formam, de maneira inesperada e inortodoxa, o último movimento da IX Sinfonia, a primeira sinfonia com a colaboração de vozes humanas." (Oto Maria Carpeaux, *Uma Nova História da Música*, p. 143.)

inosculação [De *in-*¹ + *osculação*; ingl. *inosculation*.] ***S. f.*** *Cir.* Estabelecimento de comunicação por meio de pequenas aberturas ou anastomoses [v. *anastomose*] que se destina, em especial, a comunicar, entre si, vasos sanguíneos já existentes ou outras formações tubulares que venham a entrar em contato.

inositol [Do ingl. *inositol* (do gr. *inós*, 'tendão', + [*glyc*]*os*[*is*] + *-ite* + *-ol*).] ***S. m.*** *Quím.* Hexaidroxicicloexano (*i. e.*, cicloexano com uma hidroxila em cada carbono) de que existem nove isômeros, alguns presentes em organismos vivos, onde têm papel importante no crescimento [fórm.: $C_6H_{12}O_6$]. [Pl.: *inositóis*.]

inospitaleiro [De *in-*² + *hospitaleiro*.] ***Adj.*** **1.** Não hospitaleiro. **2.** Que é desfavorável a estrangeiros, ou não os recebe: "a terra bárbara e inospitaleira em que arrastara [Cervantes] cinco anos os ferros da servidão" (Latino Coelho, *Cervantes*, p. 74).

inospitalidade [Do lat. *inhospitalitate*.] ***S. f.*** **1.** Falta de hospitalidade. **2.** Recusa de receber estrangeiros.

inóspito [Do lat. *inhospitu*.] ***Adj.*** **1.** Que não pratica a hospitalidade. **2.** Que não é apto para hospedar; que não tem condições para agasalhar. **3.** Em que não se pode viver: "Com a seca abrasadora essa região, que nunca fora amena, ... estava inóspita, árida, cruel." (Franklin Távora, *O Cabeleira*, p. 218.)

inotrópico [De *in(o)-* + *-trop(o)-* + *-ico*².] ***Adj.*** Diz-se de fator capaz de influenciar a força de contração muscular.

inotropismo [De *in(o)-* + *-trop(o)-* + *-ismo*.] ***S. m.*** Poder de influenciar a força de contração muscular.

inovação [Do lat. tard. *innovatione*.] ***S. f.*** **1.** Ato ou efeito de inovar. **2.** *P. ext.* Novidade (2). **3.** *E. Ling.* Forma resultante de mudança linguística. **4.** *E. Ling.* Processo de mudança linguística que conduz ao aparecimento de novas formas na língua. **5.** *E. Ling.* Cada um dos erros e inferências conscientes de um copista.

inovador (ô) [Do lat. tard. *innovatore*.] ***Adj.*** ***S. m.*** Que, ou aquele que inova; novador.

inovar [Do lat. *innovare*.] ***V. t. d.*** **1.** Tornar novo; renovar. **2.** Introduzir novidade em.

inox [Marca registrada; f. red. de *inoxidável*.] ***S. m. 2 n.*** Aço inoxidável. [Tb. us. como apositivo: *geladeira inox*.]

inoxidável (cs) [De *in-*² + *oxidável*.] ***Adj. 2 g.*** Não oxidável. ~ V. *aço —*.

inóxio (cs) [Do lat. *innoxiu*.] ***Adj.*** V. *inócuo*.

➔ **in partibus** [ẽn 'partebus] [Lat.] *In partibus infidelium*.

➔ **in partibus infidelium** [ẽn 'partebus ẽnfe'deleo(m)] [Lat., 'nas partes do mundo ocupadas pelos infiéis'.] ***Loc. s.*** **1.** Circunlóquio que indica o caráter honorífico de um título de bispo. **2.** *P. ext.* Indica o caráter honorífico, ou não efetivo, de algo.

■ **INPC** Sigla de *Índice Nacional de Preços ao Consumidor*.

■ **Inpe** Sigla de *Instituto Nacional de Pesquisas Espaciais*.

➔ **in petto** [in 'petto] [It.] No peito, *i. e.*, intimamente, secretamente: "Tomásia não sabia que ele erguia os olhos para a cadeira da presidência, e às vezes para a galeria das senhoras, in petto." (Camilo Castelo Branco, *Novelas do Minho*, V, p. 33.)

■ **INPI** Sigla de *Instituto Nacional de Propriedade Industrial*.

➔ **in plano** [ẽn plano] [Lat., do lat. *in* (v. *in-*¹) + *plano*, ablat. do lat. *planus*.] *Edit.* ~ V. *formato —*.

➔ **input** ['input] [Ingl.] ***S. m.*** **1.** *Econ.* Insumo. **2.** *Inform.* Entrada (16 a 18). [Cf. *output*.]

inqualificável [De *in-*² + *qualificável*.] ***Adj. 2 g.*** **1.** Que não se pode qualificar. **2.** Que, de tão abjeto, grosseiro ou inconveniente, não merece qualificação.

➔ **in quarto** [ẽn 'kwarto] [Lat., do lat. *in* (v. *in-*¹) + *quarto*, ablat. do lat. *quartus, a, um*, 'quarto'.] *Edit.* ~ V. *formato —*.

inquebrantabilidade [De *inquebrantável* + *-(i)dade*, seg. o padrão erudito.] ***S. f.*** Qualidade de inquebrantável.

inquebrantável [De *in-*² + *quebrantável*.] ***Adj. 2 g.*** **1.** Que não se pode quebrantar; rijo, sólido; inflexível: *amizade inquebrantável*; "adquiria uma certeza inquebrantável de que eu era realmente Maria" (Maria Julieta Drummond de Andrade, *A Busca*, p. 96). **2.** Indefesso, incansável, infatigável.

inquerição [De *inquerir* + *-ção*.] ***S. f.*** Ato de inquerir. [Cf. *inquirição*.]

inquerideira [De *inquerir* + *-deira*.] ***S. f.*** Corda que suspende a carga aos cabeçotes da cangalha; látego.

inquerir ***V. t. d.*** **1.** Apertar com inquerideira a carga de (animais). **2.** Apertar com corda: "apenas se viu inerme, foi subjugado por cem braços e inquerido (é o termo) com cordas de caroá" (José Américo de Almeida, *A Bagaceira*, p. 98). [Cf. *inquirir*.]

inquérito (ké) [Dev. do lat. **inquaeritare*.] ***S. m.*** **1.** Ato ou efeito de inquirir. **2.** Conjunto de atos e diligências com que se visa a apurar alguma coisa; sindicância. ◆ **Inquérito administrativo.** O que se realiza por ordem de autoridade administrativa, para apurar irregularidade no serviço público. **Inquérito judicial.** O que se efetua no juízo da falência, com base no relatório do síndico, a fim de apurar a existência de possíveis crimes falimentares e quais os seus autores. **Inquérito Policial-Militar.** *Mil.* Processo sumário pelo qual a autoridade militar investiga a procedência ou não de uma transgressão disciplinar ou de um crime. [Sigla: *I.P.M.*]

inquestionável (kes) [De *in-*² + *questionável*.] ***Adj. 2 g.*** Não questionável; indiscutível.

inquice [Do quimb.] ***S. m.*** **1.** *Bras. BA Rel.* O equivalente aos Orixás, nos candomblés de Angola e do Congo. **2.** *Rel.* Na África, o fetiche ou receptáculo das forças sobrenaturais; pode ser um monte de terra, um saquinho de pedras, penas, conchas e ervas, ou uma estatueta de madeira.

inquietação [Do lat. imp. *inquietatione*.] ***S. f.*** **1.** Falta de quietação; falta de sossego: "Caminhava lentamente, preocupado, sentindo no coração uma inquietação vaga." (Inglês de Sousa, *O Missionário*, p. 189.) **2.** Excitação, agitação: *Que inquietação a deste menino!* [Sin. ger.: *inquietude*.]

inquietador (ô) [Do lat. tard. *inquietatore*.] ***Adj.*** **1.** Que causa inquietação; inquietante. ● ***S. m.*** **2.** Aquele que causa inquietação.

inquietante [De *inquietar* + *-nte*.] ***Adj. 2 g.*** Inquietador (1).

inquietar [Do lat. *inquietare*.] ***V. t. d.*** **1.** Pôr inquieto; causar inquietação ou desassossego a; perturbar, desassossegar, desinquietar, desquietar. **2.** Apoquentar, amofinar; excitar, alvorotar. **3.** Amotinar, sublevar; alvorotar: *inquietar a população*. ***P.*** **4.** Ter cuidados; desassossegar-se. **5.** Apoquentar-se, amofinar-se.

inquieto [Do lat. *inquietu*.] ***Adj.*** **1.** Não quieto; desassossegado, desinquieto. **2.** Turbulento, excitado, agitado, desinquieto: "E as vagas após ele [o luar] correm... cansam / Como turba de infantes inquieta." (Castro Alves, *Poesias Escolhidas*, p. 325.) **3.** Apreensivo, ansioso, aflito. ● ***S. m.*** **4.** Indivíduo inquieto.

inquietude [Do lat. tard. *inquietudine*.] ***S. f.*** V. *inquietação*.

inquilinato [Do lat. tard. *inquilinatu*.] ***S. m.*** **1.** Estado de quem reside em casa alugada. **2.** Os inquilinos.

inquilinismo [De *inquilino* (2) + *-ismo*.] ***S. m.*** *Ecol.* Vida de um ser no corpo de outro sem causar-lhe dano, como, p. ex., no caso das orquídeas em outros vegetais.

inquilino [Do lat. *inquilinu*.] ***S. m.*** Indivíduo residente em casa que tomou de aluguel; locatário, alugatário.

inquinação [Do lat. tard. *inquinatione*.] *S. f.* Ato de inquinar; inquinamento.

inquinamento [Do lat. imp. *inquinamentu*.] *S. m.* Inquinação.

inquinar [Do lat. *inquinare*.] *V. t. d.* 1. Cobrir de manchas; manchar, sujar. 2. Poluir, corromper; infectar. 3. Perturbar a pureza de; corromper: "Gregório de Matos inquinara o lar doméstico e rira-se à custa da divindade." (Araripe Júnior, *Gregório de Matos*, p. 16.) ***Transobj.*** 4. Tachar, qualificar, notar: *Inquinou de errônea a concordância usada pelo escritor.*

inquirição [De *inquirir* + *-ção*.] *S. f.* 1. Inquérito, sindicância, inquisição. 2. Averiguação, indagação, inquisição. 3. *Jur.* O ato de a autoridade competente indagar do depoente, indiciado, réu, autor ou testemunha o que sabe acerca de determinado fato. [Sin. ger.: *inquirimento*. Cf. *inquerição*.]

inquirido [Part. de *inquirir*.] *Adj. S. m.* Que, ou aquele que é interrogado num inquérito.

inquiridor (ô) [De *inquirir* + *-dor*.] *Adj.* 1. Que inquire. • *S. m.* 2. Aquele que inquire. 3. *Ant.* Oficial de justiça que inquiria testemunhas.

inquirimento [De *inquirir* + *-mento*.] *S. m.* V. *inquirição*.

inquirir [Do lat. *inquirere*, com mudança de conjug.] *V. t. d.* 1. Procurar informações acerca de; indagar; investigar; pesquisar: *Inquiriu as razões do procedimento do chefe.* 2. Fazer perguntas a; perguntar, interrogar: *Inquiriu a causa daquela mudança.* 3. Interrogar judicialmente: *inquirir testemunhas.* ***T. d. e i.*** 4. Perguntar, interrogar: "Limitei-me a inquirir do agregado quando é que iria a casa ver minha mãe." (Machado de Assis, *Dom Casmurro*, p. 187.) ***T. i.*** 5. Fazer indagações; informar-se: "Cuidou então Ptolomeu de inquirir da causa de semelhante flagelo" (João Ribeiro, *Floresta de Exemplos*, p. 62). ***Int.*** 6. Fazer perguntas, indagações; procurar informar-se: *Inquiriu, sem obter respostas satisfatórias.* 7. Fazer indagações, investigações, pesquisas, perquirições, de natureza filosófica ou científica; investigar, indagar, pesquisar, esquadrinhar: "Estudando, inquirindo, e meditando" (Gonçalves Dias, *Obras Poéticas*, II, p. 105). [Cf. *inquerir*.]

inquisição [Do lat. *inquisitione*.] *S. f.* 1. Inquirição (1 e 2). 2. Antigo tribunal eclesiástico instituído com o fim de investigar e punir crimes contra a fé católica; Santo Ofício. [Com cap., nesta acepç.]

inquisidor (ô) [Do lat. *inquisitore*.] *S. m.* Juiz do tribunal da Inquisição.

inquisitivo [Do lat. tard. *inquisitivu*.] *Adj.* Relativo a, ou que envolve inquisição; interrogativo.

inquisitorial [De *inquisitório* + *-al*[1].] *Adj. 2 g.* 1. Respeitante a inquisição. 2. Que tem caráter de exame vexatório. 3. Muito severo; desumano; terrível. [Sin. ger.: *inquisitório*.]

inquisitório [Do lat. *inquisitus*, part. pass. de *inquirere*, 'interrogar', + *-ório*.] *Adj.* V. *inquisitorial*.

insabido [De *in-*[2] + *sabido*.] *Adj.* Não sabido; desconhecido: "Preciso de uma palavra. / Em que dia ou em que noite / Estará essa, que almejo, ideal palavra insabida, / A única, a exclusiva, a só?" (Abgar Renault, *A Outra Face da Lua*, p. 30.)

insaciabilidade [Do lat. tard. *insatiabilitate*.] *S. f.* Qualidade ou estado de insaciável.

insaciado [Do lat. tard. *insatiatu*.] *Adj.* Não saciado: "numa mudez d'estátua, em que os olhos úmidos, trespassando-se, continuavam o beijo insaciado que morrera nos seus lábios cansados." (Eça de Queirós, *Os Maias*, II, p. 173).

insaciável [Do lat. *insatiabile*.] *Adj. 2 g.* Não saciável; que não se farta; ávido, sôfrego, avaro, insaturável: "Sei de uma criatura antiga e formidável, / Que a si mesma devora os membros e as entranhas, / Com a sofreguidão da fome insaciável." (Machado de Assis, *Poesias Completas*, p. 293.)

→ **in saecula saeculorum** [en 'sajkola sajko'loro(m)] [Lat.] Nos séculos dos séculos; eternamente.

insalivação [De *insalivar* + *-ção*.] *S. f.* Ato de insalivar.

insalivar [De *in-*[2] + *salivar*.] *V. t. d.* Impregnar (alimento) de saliva.

insalubérrimo [Do lat. *insaluberrimu*.] *Adj.* Superl. abs. sint. de *insalubre*.

insalubre [Do lat. *insalubre*.] *Adj. 2 g.* 1. Não salubre. 2. Que origina doença; doentio. [Cf. *morbífico*. Sin. ger.: *insalutífero*. Superl. abs. sint.: *insalubérrimo*, *insalubríssimo*.]

insalubridade [De *insalubre* + *-(i)dade*.] *S. f.* 1. Qualidade de insalubre. 2. *Dir. Trab.* Condição da(s) atividade(s) ou operação/operações que, por sua natureza, circunstâncias ou métodos, exponha o(s) empregado(s) a agente(s) nocivo(s) à saúde, acima dos limites de tolerância fixados em razão da natureza e da intensidade desse(s) agente(s) e do tempo de exposição ao(s) seu(s) efeito(s), assegurando àquele(s), em razão do fato, pagamento adicional.

insalutífero [De *in-*[2] + *salutífero*.] *Adj.* Insalubre (q. v.).

insanabilidade [De *insanável* + *-(i)dade*, seg. o padrão erudito.] *S. f.* Qualidade de insanável.

insanável [Do lat. *insanabile*.] *Adj. 2 g.* 1. Que não pode ser sanado; incurável. 2. Sem remédio. 3. Insuprível, irremediável: "Mesmo no balancear com segurança os únicos perigos reais que nos assoberbam, não se distinguiriam males insanáveis" (Euclides da Cunha, *Contrastes e Confrontos*, p. 187).

insânia [Do lat. *insania*.] *S. f.* Falta de juízo; loucura, demência: "A sua frágil consciência oscilava em torno dessa posição média, expressa pela linha ideal que Maudsley lamenta não se poder traçar entre o bom senso e a insânia." (Euclides da Cunha, *Os Sertões*, pp. 152-153.)

insanidade [Do lat. *insanitate*.] *S. f.* 1. Qualidade de insano. 2. Falta de senso. 3. Demência, loucura.

insano [Do lat. *insanu*.] *Adj.* 1. Insensato, demente: "Daqui me parto irado e quase insano / Da mágoa e da desonra ali passada" (Luís de Camões, *Os Lusíadas*, V, 57); "todas as profecias esdrúxulas de messias insanos" (Euclides da Cunha, *Os Sertões*, p. 140). 2. *Fig.* Excessivo, árduo, custoso: *labor insano*; "E ele nos contou as lutas terríveis e o trabalho insano dos diamanteiros do Andaraí, ... no sertão da Bahia" (Félix Lima Júnior, *Mapirunga*, p. 63). • *S. m.* 3. Indivíduo insano, demente.

insaponificável [De *in-*[2] + *saponificável*.] *Adj. 2 g. Quím.* Que não pode sofrer saponificação.

insatisfação [De *in-*[2] + *satisfação*.] *S. f.* Falta de satisfação, de contentamento; desagrado, desprazimento.

insatisfatório [De *in-*[2] + *satisfatório*.] *Adj.* Que não satisfaz; não satisfatório.

insatisfazível [De *in-*[2] + *satisfazível*.] *Adj. 2 g.* Que não pode ser satisfeito; não satisfazível: "Eu ficava observando aquele fenômeno, aquela acomodação cósmica de interesses — o excesso de produção de farinha do céu e a fome insatisfazível do consumidor." (Gilberto Amado, *Minha Formação no Recife*, p. 270.) [Pl.: *insatisfazíveis*.]

insatisfeito [De *in-*[2] + *satisfeito*.] *Adj. S. m.* Que, ou aquele que não está satisfeito, que não está saciado ou contente; descontente, desagradado.

insaturação [De *in-*[2] + *saturação*.] *S. f. Quím.* Ligação dupla ou tripla, esp. em substâncias orgânicas.

insaturado [De *in-*[2] + *saturado*.] *Adj. Quím.* Diz-se dos compostos orgânicos que apresentam ao menos uma ligação dupla ou tripla. [Quando qualifica substância já intrinsecamente insaturada, indica a presença de insaturação adicional, ger. ligação dupla entre átomos de carbono: *ácido graxo insaturado*.] ~ V. *gordura —a*.

insaturável [Do lat. *insaturabile*.] *Adj. 2 g.* 1. Não saturável. 2. Insaciável.

insciência [Do lat. *inscientia*.] *S. f.* 1. Falta de saber, ignorância. 2. Inaptidão, imperícia.

insciente [Do lat. *insciente*.] *Adj. 2 g.* 1. Não ciente; ignorante. 2. Inapto, inábil, imperito. [Sin. poét.: *íncio*.]

íncio [Do lat. *insciu*.] *Adj. Poét.* V. *insciente*: "E saberás que a pouco e pouco / Me fui deixando ir na corrente / Destes amores, íncio e louco..." (Alberto de Oliveira, *Poesias*, 4ª série, p. 149.)

inscrever [Do lat. *inscribere*.] *V. t. d.* 1. Escrever, insculpindo, entalhando ou gravando: *Morto o pai, compôs e inscreveu um comovente epitáfio.* 2. *P. ext.* Pôr por escrito; escrever. 3. Efetuar a inscrição (3) de; assentar em registro; escrever: *O funcionário inscreveu o candidato.* ***T. d. e i.*** 4. Inscrever (1): *Inscreveu belo epitáfio no túmulo do marido.* 5. Inscrever (2): "Peço licença para inscrever o seu nome na primeira página deste livro." (Camilo Castelo Branco, *Amor de Salvação*, p. 5.) 6. Perpetuar, eternizar: *A Divina Comédia inscreveu o nome de Dante na história.* ***Transobj.*** 7. Apresentar ou registrar a candidatura: *Inscreveram-no como candidato a senador.* ***P.*** 8. Efetuar a inscrição (3) de si mesmo; escrever-se. 9. Perpetuar-se, eternizar-se: *Tiradentes inscreveu-se na história do Brasil.* [Part. irreg.: *inscrito*.]

inscrição [Do lat. *inscriptione*.] *S. f.* 1. Ato ou efeito de inscrever(-se). 2. Caracteres ou palavras escritas ou gravadas em monumentos, medalhas, etc.; epígrafe: *inscrição tumular; O tempo quase apagara de todo a inscrição gravada ao pé da estátua.* 3. Ato ou efeito de inscrever alguém ou algo em um registro, lista, etc.; assentamento, lançamento: *Já era fato comum a inscrição de seu nome no quadro de honra.* 4. Matrícula (3): *Já foi paga a taxa de inscrição para os exames.* 5. *Jur.* Averbação de certos atos (hipotecas, penhoras, doações, etc.) em livros próprios, a fim de que produzam efeitos legais. [Cf., nesta acepç., *registro* (2).] ◆ **Inscrição rupestre.** *Arqueol.* Arte rupestre (q. v.).

inscritível [De *inscrito* (q. v.) + *-ível*.] *Adj. 2 g.* Que pode inscrever-se ou ser inscrito.

inscrito [Do lat. *inscriptu*, part. pass. de *inscribere*.] *Adj.* 1. Traçado dentro. 2. Registrado, assentado. 3. Incluído (em lista). ~ V. *ângulo —*, *círculo —* e *dívida —a*.

insculpir [Do lat. *insculpere*.] *V. t. d.* 1. Entalhar (1). 2. Gravar em material duro; gravar. ***T. d. e i.*** 3. *Fig.* Gravar[1] (1): *Esse ato de bravura insculpiu seu nome entre os dos heróis pátrios.* ***P.*** 4. Gravar[1] (12). [Defect., não conjugável nas f. em que ao *p* da raiz se seguiria *o* ou *a*, *i. e.*, na 1ª pess. sing. do pres. ind. e, derivado desta, todo o pres. subj.]

insculptor (ô) [Do lat. *insculptum*, supino do v. *insculpere* (v. *insculpir*), + *-or*.] *S. m.* Aquele que insculpe.

insculptura [Do lat. *insculptum*, supino do v. *insculpere* (v. *insculpir*), + *-ura*.] *S. f.* 1. Arte de insculptor. 2. Obra de insculptor: "Nos tetos, ao invés de heráldicos estuques, / insculturas de heróis, ou brasões de arquiduques, / há frisos de ouro." (Hermes Fontes, *A Fonte da Mata*..., p. 131.)

→ **in se** [en se] [Lat.] *Filos.* Em si (4).

insecável[1] [Do lat. tard. *insiccabile*.] *Adj. 2 g.* Que não se pode secar; que não se seca.

insecável[2] [Do lat. imp. *insecabile*.] *Adj. 2 g.* Que não se pode cortar; indivisível.

insecticida *Adj. 2 g. S. m.* V. *inseticida*.

insecticídio *S. m.* V. *inseticídio*.

insectífero *Adj.* V. *insetífero*.

insectífugo *Adj.* V. *insetífugo*.

insétil [De *in-*[2] + *sétil*.] *Adj. 2 g.* V. *insétil*. [Pl.: *insécteis*.]

insectívoro *Adj. S. m.* V. *insetívoro*.

insecto *S. m.* V. *inseto*.

insectologia *S. f.* V. *insetologia*.

insectológico *Adj.* V. *insetológico*.

insectologista *S. 2 g.* V. *insetologista*.

inseduzível [De *in-*[2] + *seduzível*.] *Adj. 2 g.* Não seduzível.

insegurança [De *in-*[2] + *segurança*.] *S. f.* Falta de segurança. [Sin., p. us.: *inseguridade*.]

inseguridade [De *in-*[2] + *seguridade*.] *S. f. P. us.* Insegurança.

inseguro [De *in-*[2] + *seguro*.] *Adj.* Não seguro.

inseminação [De *inseminar* + *-ção*.] *S. f. Biol.* 1. Fecundação do óvulo. 2. Introdução do sêmen na cavidade uterina. [Sin. ger.: *seminação*.] ◆ **Inseminação artificial.** *Med.* Processo de fecundação, que consiste na introdução, por meio de recursos artificiais, de esperma na via genital feminina.

inseminar [Do lat. *inseminare*.] *V. t. d.* Fazer a inseminação em.

insensatez (ê) [De *insensato* + *-ez* (ê), ou de *in-*[2] + *sensatez*.] *S. f.* Qualidade, ato ou dito de insensato.

insensato [Do lat. tard. *insensatu*.] *Adj.* 1. Falto de senso ou razão; demente, louco; descocado: "Insensato aquele que busca / O amor na fúria dionisíaca!" (Manuel Bandeira, *Estrela da Vida Inteira*, p. 63.) 2. Que não revela bom senso: "remergulhou nos lençóis. Mas espertara inteiramente, com uma ideia estranha, insensata, que o assaltara sem motivo" (Eça de Queirós, *Os Maias*, II, p. 482). • *S. m.* 3. Indivíduo insensato.

insensibilidade [Do lat. tard. *insensibilitate*.] *S. f.* 1. Falta de sensibilidade. 2. Apatia, indiferença, impassibilidade.

insensibilização [De *insensibilizar* + *-ção*.] *S. f.* Ato ou efeito de insensibilizar(-se).

insensibilizar [De *insensível* + *-izar*, seg. o padrão erudito.] *V. t. d. P.* Tornar(-se) insensível; dessensibilizar(-se): "A alta frialdade me insensibiliza" (Augusto dos Anjos, *Eu*, p. 125).

insensitivo [De *in-*[2] + *sensitivo*.] *Adj.* Não sensitivo.

insensível [Do lat. tard. *insensibile*.] *Adj. 2 g.* 1. Não sensível; apático, indiferente, impassível: *indivíduo insensível à dor, às repreensões.* 2. Sem sensibilidade (3): *Tinha os dedos insensíveis.* 3. Duro, impiedoso; inexorável: *coração insensível.* 4. Que não se percebe ou aprecia pelos sentidos; imperceptível. • *S. m.* 5. Pessoa insensível.

inseparabilidade [Do lat. tard. *inseparabilitate*.] *S. f.* Qualidade de inseparável.

inseparável [Do lat. *inseparabile*.] *Adj. 2 g.* 1. Não separável: "Na minha inocência, eu já sabia por instinto o que viria a ficar tão claro mais tarde: que a obsessão da permanência é inseparável da criação." (Lígia Fagundes Teles, *A Disciplina do Amor*, p. 121.) 2. Que existe sempre junto com outro.

insepulto [Do lat. *insepultu*.] *Adj.* Não sepultado; dessepultado. [Opõe-se a *sepulto*.]

inserção [Do lat. tard. *insertione*.] *S. f.* 1. Ato de inserir: "A índole eminentemente revolucionária .... deste discurso, a inserção dele num grande jornal, ... provam bem exuberantemente que não são portugueses que operam" (Ramalho Ortigão, *As Farpas*, VIII, p. 100). 2. *Inform.* Em processamento de texto (q. v.), modo de operação em que os caracteres digitados são inseridos [v. *inserir* (3)] no texto anterior, e não sobrescritos [v. *sobrescrever* (1).] 3. *Astr.* Conjunto de operações que permitem colocar em órbita um engenho espacial. 4. *Bot.* Modo de união das folhas com o nó caulinar. (Quanto à inserção, as folhas podem ser *alternas, opostas* ou *verticiladas*.)

inserir [Do lat. *inserere*, com mudança de conjug.] *V. t. d. e c.* 1. Colocar; introduzir, intercalar; incluir: *Não quis inserir em seu discurso a citação longa;* "Insere-me no rol dos privilegiados, me arrasta à copa, me serve uísque." (Macedo Miranda, *As Três Chaves*, p. 69). 2. Pôr, meter; entranhar: *Inseriu o veneno na comida do animal.* 3. *Inform.* Em processamento de textos (q. v.), adicionar (texto, caracteres, marcas de edição, etc.) em qualquer ponto de um texto já existente, sem perda ou apagamento das demais informações, que são deslocadas de modo a abrir espaço para os acréscimos recém-digitados. [Cf. *sobrescrever*.] *P.* 4. Fixar-se, implantar-se: "A Monarquia não teve .... oportunidade de inserir-se na vida nacional como instituição indispensável" (Hermes Lima, *Tobias Barreto*, p. 67). [Sin. ger.: *interserir*. Irreg. Conjug.: v. *aderir*, mas tem dois part.: *inserido* e *inserto*. Pres. ind.: *insiro, inseres, insere, ... inserem*. Cf. *encere, enceres, encerem*, do v. *encerar*.]

inserto [Do lat. *insertu*.] *Adj.* 1. Introduzido, inserido. 2. Publicado entre outras coisas. [Cf. *incerto*, do v. *incertar*, adj. e s. m.]

inservível [De *in-*² + *servível*.] *Adj. 2 g.* Que não serve, não presta serviço; sem utilidade; imprestável.

insessor (ô) [Adapt. do tax. *Insessores*.] *Zool. S. m.* 1. Espécime dos insessores, em antigas classificações, ordem de aves cujas patas se adaptam a poleiro. ● *Adj.* 2. Pertencente ou relativo a eles.

insessorial *Adj. 2 g. Zool.* Que se adapta a poleiro (diz-se de pata de ave).

insetário [De *inseto* + *-ário*.] *S. m.* Viveiro de insetos destinados a estudo, ou a reprodução em cativeiro.

insetarrão [De *inseto* + *-arrão*.] *S. m.* Aum. de *inseto*.

▲ **inseti-** [Do lat. *insectus*, 'cortado', 'segmentado'; pl. *insecta* (*animalia*), 'insetos'.] *El. comp.* = 'inseto': *inseticida; insetívoro*. [Equiv.: *inset(o)-*, *-inset(o)-*: *insetologia; desinsetizar*.]

inseticida [De *inseti-* + *-cida*.] *Adj. 2 g.* 1. Que mata insetos; que pratica inseticídio. ● *S. m.* 2. Produto próprio para matar insetos.

inseticídio [De *inseti-* + *-cídio*.] *S. m.* Morte que se dá a um inseto.

insetífero [De *inseti-* + *-fero*.] *Adj.* Que tem ou produz insetos.

insetífugo [De *inseti-* + *-fugo*².] *Adj.* Que afugenta os insetos.

insétil [Var. de *inséctil*.] *Adj. 2 g.* Indivisível (1). [Pl.: *inséteis*.]

insetivoria [De *insetívoro*¹ + *-ia*¹.] *S. f. Bot.* Modalidade de nutrição dos vegetais insetívoros [v. *insetívoro*¹]. [Os aparelhos de captura desses vegetais variam muito; a drósera, p. ex., é dotada de tentáculos providos de glândulas apicais que se dobram sobre o inseto, prendendo-o, e em seguida segrega líquido digestivo.]

insetívoro¹ [De *inseti-* + *-voro*.] *Adj. S. m.* Que, ou aquele que come insetos.

insetívoro² [Adapt. do tax. *Insectivora*.] *Zool. S. m.* 1. Espécime dos insetívoros, ordem de mamíferos de pequeno porte, com a boca em forma de focinho longo e afilado, dentes pontudos, pés com cinco dedos, com unhas, polegar não oponível, e pelos às vezes espinheos. Alimentam-se de insetos e vermes. São o porco-espinho e a talpa. ● *Adj.* 2. Pertencente ou relativo a eles.

inseto [Adapt. do lat. *Insecta* < lat. (*animale*) *insectum*, '(animal) segmentado'.] *S. m.* 1. *Zool.* Espécime dos insetos, classe de artrópodes cujo corpo é dividido em cabeça, com um par de antenas, e tórax, com três pares de patas. Asas ausentes, ou em número de duas ou de quatro; respiração por meio de traqueias. São, na maioria, terrestres. [Sin. desus.: *hexápode*.] [Aum.: *insetarrão*.] 2. *Fig.* Pessoa insignificante ou desprezível. [Cf. *enceto*, do v. *encetar*.]

▲**inset(o)-** V. *inseti-*.

▲**-inset(o)-** V. *inseti-*.

insetologia [De *inset(o)-* + *-logia*.] *S. f.* Entomologia.

insetológico [De *insetologia* + *-ico*².] *Adj.* Relativo à insetologia; entomológico.

insetologista [De *insetologia* + *-ista*.] *S. 2 g.* Especialista em insetologia; entomologista.

insexuado (cs) [De *in-*² + *sexuado*.] *Adj.* V. *assexuado* (1 e 3): "Era uma adolescente de rosto ingênuo e doce, e tão insexuada que diríeis um efebo." (Tristão da Cunha, *Histórias do Bem e do Mal*, p. 151.)

insexual (cs) [De *in-*² + *sexual*.] *Adj. 2 g.* Avesso ou alheio às tendências naturais do sexo: "Seca o pranto feliz sobre os meus olhos castos.... / Ampara a minha fronte, e que a minha ternura / Se torne insexual, mais do que humana" (Manuel Bandeira, *Estrela da Vida Inteira*, p. 44).

insexualidade (cs) [De *insexual* + *-(i)dade*.] *S. f.* Qualidade de insexual.

insídia [Do lat. *insidia*, sing. de *insidiae, arum* (*pluralia tantum*).] *S. f.* 1. Emboscada, cilada: "Os nossos antigos poetas, como os pioneiros do antigo Brasil, queixavam-se da tristeza da terra, das insídias do sertão inculto, da aspereza das brenhas e da ferocidade das gentes selvagens e bravias." (João Ribeiro, *Cartas Devolvidas*, p. 114.) 2. Estratagema, perfídia. [Cf. *insidia*, do v. *insidiar*, e *incidia*, do v. *incidir*.]

insidiador (ô) [Do lat. *insidiatore*.] *Adj. S. m.* Que, ou aquele que insidia.

insidiar [Do lat. tard. *insidiare*.] *V. t. d.* 1. Armar insídias a; preparar ciladas a. 2. Procurar ou tentar corromper. [Pres. ind.: *insidio, insidias, insidia, insidiamos, insidiais, insidiam*. Cf. *insídia*, s. f., e o imperf. ind. dos v. *incidir* e *incindir*.]

insidioso (ô) [Do lat. *insidiosu*.] *Adj.* 1. Que é dado a armar insídias. 2. Traiçoeiro, pérfido: "Esse corpo sem luz como uma alma com frio / Me chama e por entre a água enganosa do rio / Se insinua a insidiosa ideia do suicídio." (Dante Milano, *Poesias*, p. 97.)

→**insight** ['insajt] [Ingl.] *S. m. Psicol.* Compreensão repentina, em geral intuitiva, de suas próprias atitudes e comportamentos, de um problema, de uma situação.

insigne [Do lat. *insigne*.] *Adj. 2 g.* Muito distinto; notável, célebre, assinalado: *varão insigne; feitos insignes;* "Nasceu Miguel de Cervantes Saavedra na cidade de Alcalá de Henares, célebre pela insigne universidade que ali floresceu por tanto tempo" (Latino Coelho, *Cervantes*, p. 51).

insígnia [Do lat. *insignia*, acus. pl. neutro de *insignis, e*.] *S. f.* 1. Sinal distintivo de uma função, de dignidade, de posto, de comando, de poder, de nobreza, etc.; símbolo, emblema, divisa: *Via-se na mão do almirante o bastão, insígnia de comando;* "ele só via a insígnia imperial, pesada de ouro, rútila de brilhantes e outras pedras preciosas." (Machado de Assis, *Quincas Borba*, p. 359). 2. Sinal distintivo dos membros de uma associação, irmandade, grupo, etc.: *A medalha do santo era a insígnia da irmandade de S. João.* 3. *Dir. Com.* Designação, nominativa ou emblemática, dum estabelecimento industrial ou comercial, capaz de o distinguir de outros, do mesmo gênero ou não. 4. *Maç.* Cada uma das fitas, faixas, colares, joias e outros paramentos maçônicos, para uso nos diversos graus.

insignificância [De *insignificante* + *-ia*², seg. padrão analógico; fr. *insignifiance*.] *S. f.* 1. Qualidade de insignificante. 2. Coisa de pouco valor, de escassa ou nenhuma importância; ninharia: *Desavieram-se por uma insignificância.*

insignificante [De *in-*² + *significante*; fr. *insignifiant*.] *Adj. 2 g.* 1. Que não tem valor; sem importância; reles. 2. Muito pequeno; diminuto. ● *S. 2 g.* 3. Pessoa sem importância.

insignificativo [De *in-*² + *significativo*.] *Adj.* Não significativo: "Um cego de nascença colhe, da beleza natural, apenas alguns cantos de pássaro .... e certos rumores quase insignificativos .... quando separados da contemplação visual." (José Oiticica, *Curso de Literatura*, p. 46.)

insimulação [Do lat. *insimulatione*.] *S. f.* Ato ou efeito de insimular.

insimular [Do lat. *insimulare*.] *V. t. d.* 1. Atribuir crime a; denunciar. *T. d. e i.* 2. Acusar falsa ou injustamente: *Insimularam-no de participante do roubo.*

insinceridade [De *in-*² + *sinceridade*.] *S. f.* Falta de sinceridade.

insincero [Do lat. *insinceru*.] *Adj.* Não sincero: *amigo insincero; atitude insincera.*

insinuação [Do lat. *insinuatione*.] *S. f.* 1. Ato de insinuar(-se). 2. Aquilo que se insinua, que se dá a entender de modo hábil, sutil. 3. Sugestão, lembrança. 4. Advertência direta ou disfarçada. 5. *Obsol. Jur.* Confirmação ou aprovação de circunstância ou de cláusula em documento público.

insinuador (ô) [Do lat. tard. *insinuatore*.] *Adj. S. m.* Que, ou aquele que insinua ou se insinua.

insinuância [De *insinuar* + *-ância*.] *S. f.* Qualidade de insinuante.

insinuante [De *insinuar* + *-nte*.] *Adj. 2 g.* 1. Que insinua; próprio para insinuar. 2. Que tem o dom, a habilidade de se insinuar, de captar a simpatia: "ambicioso de glória e de mando; .... insinuante nas maneiras e na figura." (Bulhão Pato, *Memórias*, II, p. 7). [Sin. ger.: *insinuativo*.]

insinuar [Do lat. *insinuare*.] *V. t. d.* 1. Introduzir, fazer penetrar, no ânimo, no coração; persuadir: *insinuar uma boa ação.* 2. Dar a entender de modo sutil ou indireto: *Não disse propriamente que não, mas insinuou uma negativa.* 3. Incutir o conhecimento de; pretender provar. 4. Registrar em escritura pública. *T. d. e i.* 5. Introduzir, fazer penetrar, no ânimo, no coração: "basta esse trecho para dar ideia do seu modo de insinuar nos espíritos uma direção nova, um rumo diverso do que se lhe levando." (Joaquim Nabuco, *Minha Formação*, p. 185). 6. Introduzir sutilmente ou destramente: *Insinuou-lhe no bolso uma nota de 100 reais.* 7. Dar a entender de maneira sutil ou indireta: *Insinuou ao chefe que fora mal remunerado.* *Int.* 8. Dar a entender algo de modo sutil ou indireto: *Em vez de ser franco, de afirmar, insinua.* *P.* 9. Introduzir-se sutilmente, com habilidade ou dissimulação: "insinuando-se jeitosamente pelas casas, esquadrinhando todos os recantos do arraial" (Euclides da Cunha, *Os Sertões*, p. 202); "A imagem de Glorinha se insinuou mansamente no meu espírito" (Nélson de Faria, *Tiziu e Outras Estórias*, p. 95). 10. Penetrar nos interstícios, ou por eles: "Um raio de sol, insinuando-se por uma frincha da janela, ... descia em diagonal sobre o pelego onde jaziam as sandálias." (Coelho Neto, *Obra Seleta*, I, p. 343); "A brisa se insinuava entre as flores." (Clarice Lispector, *Laços de Família*, p. 29). 11. Captar a amizade ou a benevolência de alguém.

insinuativa [F. subst. do adj. *insinuativo*.] *S. f.* Faculdade ou arte de se tornar insinuante.

insinuativo [De *insinuar* + *-tivo*.] *Adj.* V. *insinuante*: "Se o senhor quiser, continuou ela com certo tom insinuativo, tudo se há de arranjar." (Machado de Assis, *Páginas Recolhidas*, p. 8.)

insipidez (ê) [De *insípido* + *-ez*.] *S. f.* Qualidade de insípido.

insípido [Do lat. tard. *insipidu*.] *Adj.* 1. Que não tem sabor; que não é sápido. 2. *Fig.* Desagradável; tedioso; monótono: *conversa insípida;* "Que dia insípido e enfadonho!" (Olegário Mariano, *Toda uma Vida de Poesia*, I, p. 215); "Começava a solene oração coral, insípida, monótona, como paisagem gaúcha." (Antônio Carlos Vilaça, *O Nariz do Morto*, p. 97). ~ V. *diabetes — e diabetes — a*.

insipiência [Do lat. *insipientia*.] *S. f.* Qualidade de insipiente.

insipiente [Do lat. *insipiente*.] *Adj. 2 g.* 1. Não sapiente; ignorante: "Mas cem, mas mil, mas dez mil clérigos maus ou insipientes, ainda que os fundam e os acrisolem, chegarão .... a produzir o equivalente de um homem de alguma inteligência e de alguma honestidade?" (Alexandre Herculano, *Opúsculos*, III, p. 41.) 2. Desassisado, insensato. 3. Sem cautela; imprudente. [Cf. *incipiente*.]

insistência [De *insistir* + *-ência*.] *S. f.* Ato ou efeito de insistir; teima persistente; obstinação, contumácia.

insistente [Do lat. *insistente*.] *Adj. 2 g.* 1. Que insiste; teimoso, obstinado, perseverante. 2. Importuno, maçador. 3. Em que há insistência; feito com insistência; instante: *chamado insistente; apelo insistente.*

insistir [Do lat. *insistere*, com mudança de conjug.] *V. t. i.* 1. Perseverar no que diz ou pede; persistir na afirmativa ou no pedido; instar: *Insistiu na pergunta que julgava capital;* "Ver é o supremo bem. Eu insisto em cismar / Se a alma será, talvez, uma função do olhar..." (Vicente de Carvalho, *Poemas e Canções*, p. 103); "Quase todos os teoristas do conto insistem em que só podem escrever boas histórias os que realmente têm o que contar." (R. Magalhães Júnior, *A Arte do Conto*, p. 21); "Não devo insistir sobre os efeitos psíquicos e fisiológicos da música" (Mário de Andrade, *Namoros com a Medicina*, p. 13); "Os três filhos de Bastos Leite .... insistiram por que o pai lhes consentisse irem ao encontro de Joanito Ribeiro" (Xavier Marques, *As Voltas da Estrada*, p. 73); "Roberto insistia que não havia contágio senão ao pé de doentes ou tocando-se nas roupas infectadas." (Vitorino Nemésio, *Mau Tempo no Canal*, p. 144). [Note-se nesta abonação a elipse da prep. *em*.] 2. Teimar, obstinar-se; porfiar: *Insistiu em manter o sigilo, fossem quais fossem as ameaças;* "Suas mãos finas e dessangradas .... agitam-se como pássaros, espantando as moscas que insistem em pousar nos rostos dos pacientes." (Érico Veríssimo, *México*, p. 30). *Bit. i.* 3. Pedir com insistência; instar. *Int.* 4. Perseverar no que diz, ou faz; persistir numa afirmativa ou atitude; prosseguir, continuar: *Insista, não desista.* 5. Teimar, obstinar-se, porfiar em resolução ou intento.

ínsito [Do lat. *insitu*.] *Adj.* 1. Inserido, introduzido. 2. Congênito, inato: "Os nossos verdadeiros problemas, os que são verdadeiramente nossos, porque são ínsitos à nossa condição de ibero-americanos, estes permanecem despercebidos ou ignorados." (Oliveira Viana, *O Idealismo da Constituição*, p. 145.) [Cf. *incito*, do v. *incitar*.]

→**in situ** [en 'situ] [Lat.] *In loco*.

insituável [De *in-*² + *situável*.] *Adj. 2 g.* Não situável.

insobriedade [De *in-*² + *sobriedade*.] *S. f.* Qualidade de insóbrio; falta de sobriedade.

insóbrio [De *in-*[2] + *sóbrio.*] *Adj.* Falto de sobriedade: "o largo sacudir de braços amigos, a socialidade explosiva e insóbria" (Oliveira Viana, *Pequenos Estudos de Psicologia Social*, p. 37).

insociabilidade [De *insociável* + *-(i)dade*, seg. o padrão erudito.] *S. f.* Qualidade de insociável.

insocial [Do lat. *insociale.*] *Adj. 2 g.* Não social; estranho à vida da sociedade. [Cf. *insociável.*]

insociável [Do lat. *insociabile.*] *Adj. 2 g.* **1.** Não sociável; misantropo. **2.** Que não é lhano; pouco amável; intratável. [Sin. ger.: *dessociável*. Cf. *insocial.*]

insocorrível [De *in-*[2] + *socorrível.*] *Adj. 2 g.* A que não se pode socorrer.

insofismável [De *in-*[2] + *sofismável.*] *Adj. 2 g.* **1.** Que não se pode deturpar com sofismas. **2.** Que por ser claro, evidente, não pode ser posto em dúvida, em discussão: "Seu crime [do Ladrão de Galinha] é sempre claro e indiscutível: ele rouba galinhas. .... Nada mais insofismável." (Luís Fernando Veríssimo, em *O Globo*, 10.07.2008.)

insofreável [De *in-*[2] + sofreável.] *Adj. 2 g.* Não sofreável.

insofreguidão [De *in-*[1] + *sofreguidão.*] *S. f.* Sofreguidão: "Tinha chegado. O coração pulava-lhe na insofreguidão de ver a filha." (Alberto Rangel, *Lume e Cinza*, p. 144.)

insofrido [De *in-*[2] + *sofrido.*] *Adj.* **1.** Que não é sofredor, ou que o é pouco. **2.** Pouco paciente para sofrer. **3.** Impaciente, sôfrego, indomável, desinsofrido: *moço insofrido; paixão insofrida.*

insofrimento [De *in-*[2] + *sofrimento.*] *S. m.* Estado de insofrido.

insofrível [De *in-*[2] + *sofrível.*] *Adj. 2 g.* Que não se pode sofrer; não sofrível; insuportável.

insolação [Do lat. *insolatione.*] *S. f.* **1.** *Med.* Exposição ao sol como meio terapêutico. V. *intermação*. **2.** *Met.* A quantidade de radiação solar recebida pela superfície terrestre por uma unidade de área. Varia de acordo com a estação, a latitude, a transparência da atmosfera, o aspecto e/ou a declividade do solo, etc. **3.** *Med.* Resultado mórbido da exposição ao sol; heliose. [Cf. *insulação.*]

insolar [Do lat. imp. *insolare.*] *V. t. d.* **1.** Submeter à insolação; expor ao sol. *Int.* **2.** Ficar doente pela ação do sol. [Cf. *insular.*]

insolência [Do lat. *insolentia.*] *S. f.* **1.** Qualidade ou caráter de insolente. **2.** Ato ou palavra insolente; atrevimento, desaforo, ousadia. **3.** Maneira insólita de proceder; inconveniência. **4.** Coisa fora do comum, insólita: *Sua beleza é uma insolência.*

insolente [Do lat. *insolente.*] *Adj. 2 g.* **1.** Que é ofensivamente desrespeitoso em atos ou palavras; atrevido, desaforado, ousado. **2.** Grosseiro, malcriado. **3.** Desdenhoso, altivo, arrogante. **4.** Impudente, inconveniente. **5.** Que, por seu caráter fora do comum, é como uma provocação, um desafio à condição humana; inacreditável, incrível, insólito. ● *S. 2 g.* **6.** Pessoa insolente.

insolidariedade [De *in-*[2] + *solidariedade.*] *S. f.* Falta de solidariedade.

insólito [Do lat. *insolitu.*] *Adj.* **1.** Não sólito; desusado; contrário ao costume, ao uso, às regras; inabitual: *procedimento insólito; vestes insólitas.* **2.** Anormal; incomum; extraordinário: "Do sapateiro Antônio Pequeno .... foram os sapatos de duraque, dum tamanho insólito, muito esparramados" (Camilo Castelo Branco, *Sentimentalismo e História*, p. 241).

insolubilidade [Do lat. tard. *insolubilitate.*] *S. f.* Qualidade de insolúvel.

insolúvel [Do lat. imp. *insolubile.*] *Adj. 2 g.* **1.** Que não é solúvel. **2.** Que não se desata: *vínculo insolúvel.* **3.** Que não se pode pagar ou cobrar. **4.** Que não se pode resolver: "tudo isto me parece criar .... uma confusão indeslindável e insolúvel" (Ramalho Ortigão, *Figuras e Questões Literárias*, II, p. 117).

insolvabilidade [De *insolvável* + *-(i)dade*, seg. o padrão erudito; fr. *insolvabilité.*] *S. f.* V. *insolvência*.

insolvável [Do fr. *insolvable.*] *Adj. 2 g.* V. *insolvente*.

insolvência [De *in-*[2] + *solvência.*] *S. f.* Qualidade ou situação de insolvente. [F. preferível a *insolvabilidade.*] ◆ **Insolvência empresarial.** *Dir. Com.* V. *falência* (3).

insolvente [De *in-*[2] + *solvente.*] *Adj. 2 g. S. 2 g.* Que, ou quem não pode pagar o que deve: "devedor para sempre insolvente." (Euclides da Cunha, *À margem da História*, p. 58). [F. preferível a *insolvável.*]

insolvibilidade [De *insolvível* + *-(i)dade*, seg. o padrão erudito.] *S. f.* Qualidade ou caráter de insolvível.

insolvível [De *in-*[2] + *solvível.*] *Adj. 2 g.* Que não pode ser pago.

insondabilidade [De *insondável* + *-(i)dade*, seg. o padrão erudito.] *S. f.* Qualidade de insondável.

insondado [De *in-*[2] + *sondado.*] *Adj.* **1.** Que não está sondado. **2.** Não estudado; desconhecido.

insondável [De *in-*[2] + *sondável.*] *Adj. 2 g.* **1.** Não sondável; de que não se pode encontrar o fundo: *abismo insondável*. **2.** *Fig.* Inexplicável, incompreensível: *problema insondável; mistérios insondáveis.*

insone [Do lat. *insomne.*] *Adj. 2 g.* **1.** Que tem insônias; que não dorme: "Insone há várias noites, vê nascer o sol pela sombra do edifício na Pedra, e sente um aperto na garganta." (Chico Buarque, *Benjamim*, p. 57). **2.** Em que não se dorme; passado em claro: *noite insone.* ● *S. 2 g.* **3.** Aquele que tem insônia: "digamos que estou como o insone que achou o lugar certo da almofada e vai poder, enfim, adormecer" (José Saramago, *O Ano da Morte de Ricardo Reis*, p. 94).

insonhável [De *in-*[2] + *sonhável.*] *Adj. 2 g.* Não sonhável; inimaginável.

insónia *S. f. Med.* V. *insônia*. [Uso freq. em P.]

insônia [Do lat. *insomnia.*] *S. f. Med.* Incapacidade, decorrente de causas diversas, de conciliar o sono; agripnia, anipnia, vigília, espertina, insonolência. [Cf. *insonia*, do v. *insoniar.*]

insoniar [De *insônia* + *-ar*[2].] *V. int.* Ter insônia(s). [Pres. ind.: *insonio, insonias, insonia*, etc. Cf. *insônia.*]

insonioso (ô) [Do lat. *insomniosu.*] *Adj.* Que tem insônia; sujeito a insônias.

insonolência [De *in-*[2] + *sonolência.*] *S. f.* V. *insônia*.

insonoridade [De *in-*[2] + *sonoridade.*] *S. f.* Falta de sonoridade.

insonoro (nó) [De *in-*[2] + *sonoro.*] *Adj.* **1.** Que não soa. **2.** Que não tem sonoridade.

insonte [Do lat. *insonte.*] *Adj. 2 g.* Sem culpa; inocente: "Lascivos pombos, rolas meiguiceiras / sem escrúpulo amavam-se, defronte / das celas monacais, na sua insonte / simpleza" (Carlos Magalhães de Azeredo, *Vida e Sonho*, p. 112). [M. us. na poesia que na prosa.]

insopesável [De *in-*[2] + *sopesável.*] *Adj. 2 g.* Não sopesável.

insopitado [De *in-*[2] + *sopitado.*] *Adj.* Não sopitado: "o brado da volúpia insopitada, a fúria / do prazer latejando em uivos de luxúria!" (Menotti del Picchia, *As Máscaras*, p. LIII).

insopitável [De *in-*[2] + *sopitável.*] *Adj. 2 g.* Não sopitável.

insossar [De *insosso* + *-ar*[2].] *V. t. d.* Tornar insosso. [Pres. ind.: *insosso, insossas, insossa*, etc. Cf. *insosso* (ô) e as flex. *insossa* (ô), *insossas* (ô).]

insosso (ô) [Do lat. *insulsu*, por via pop.] *Adj.* **1.** Sem o sal preciso; insulso. **2.** Sem tempero; enjoativo. **3.** Diz-se da alvenaria assentada sem argamassa: "Sua direção aparente era o muro insosso, ... levantado em volta do terreiro." (José de Alencar, *O Sertanejo*, p. 178.) ~ V. *alvenaria —a* e *pedra —a*. ● *S. m.* **4.** Us. na loc. verb. *comer insosso e beber salgado*. [Flex.: *insossa* (ô), *insossos* (ô), *insossas* (ô). Cf. *insosso, insossas, insossa*, do v. *insossar.*] ◆ **Comer insosso e beber salgado.** *Bras. N.E. Pop.* V. *comer da banda podre*.

inspeção [Do lat. *inspectione.*] *S. f.* **1.** Ato de observar, de inspecionar; vistoria. [Sin., p. us.: *inspecionamento.*] **2.** Fiscalização, vistoria. **3.** Exame feito por inspetor ou por junta inspetora. **4.** Cargo de inspetor; inspetoria. **5.** Repartição ou junta encarregada de inspecionar; inspetoria.

inspecionamento [De *inspecionar* + *-mento.*] *S. m. P. us.* V. *inspeção* (1).

inspecionar [De *inspeção* + *-ar*[2], seg. o padrão erudito.] *V. t. d.* **1.** Examinar ou fiscalizar como inspetor: *inspecionar uma obra; inspecionar um colégio.* **2.** Examinar, revistar; vistoriar: *inspecionar uma tropa.* **3.** Examinar ou observar com grande atenção: "Parecia gozar o seu embaraço e a sua angústia, inspecionando-lhe o rosto sem cor como se lhe estivesse lendo todos os pensamentos." (José Régio, *O Príncipe com Orelhas de Burro*, p. 163.)

insperado [Do lat. *insperatu.*] *Adj. Desus.* Inesperado (q. v.): "E uma vez, muda e calma, / Insperada e enganosa, / Ervado ferro me embebeste n'alma!" (Alberto de Oliveira, *Poesias*, 1ª série, p. 230.) [Cf. *inspirado.*]

inspetar [Do lat. *inspectare.*] *V. t. d. P. us.* Examinar com muita atenção; revistar; vigiar, inspecionar.

inspetor (ô) [Do lat. *inspectore.*] *S. m.* **1.** Encarregado de fazer a inspeção. **2.** Aquele que vê, observa e fiscaliza. **3.** *Bras.* Chefe de repartição aduaneira; inspetor da alfândega. ◆ **Inspetor da alfândega.** *Bras.* V. *inspetor* (3). **Inspetor escolar.** Fiscal de ensino.

inspetoria [De *inspetor* + *-ia*[1].] *S. f. Bras.* Inspeção (4 e 5).

inspiração [Do lat. tard. *inspiratione.*] *S. f.* **1.** Ação ou efeito de inspirar(-se) ou de ser inspirado. **2.** *Fisiol.* Ato de introduzir o ar nos pulmões, de inspirar (1 e 6). **3.** Qualquer estímulo ao pensamento ou à atividade criadora. **4.** *P. ext.* O resultado de uma atividade inspiradora. **5.** Pessoa ou coisa que inspira; inspirador. **6.** V. *estro*[1] (1). **7.** *Teol.* Moção divina que, segundo a crença cristã, teria dirigido os autores dos livros da Bíblia.

inspirado [Part. de *inspirar.*] *Adj.* **1.** Que procede sob o influxo de uma inspiração mística ou poética. **2.** Que tem ou revela inspiração (6), verdadeira inspiração: *poeta inspirado; um poema inspirado; discurso inspirado.* **3.** *Teol.* Diz-se de cada um dos autores dos livros canônicos da Bíblia, que foram guiados pelo sopro divino. **4.** Em grande momento, em muito boa fase (como que sob a influência divina): *A seleção brasileira estava inspirada no último jogo.* **5.** Diz-se de momento muito feliz ou criativo: *Estávamos numa noite inspirada.* ● *S. m.* **6.** *Teol.* Cada um desses autores. **7.** Aquele que revela inspiração (7). [Cf. *insperado.*]

inspirador (ô) [Do lat. tard. *inspiratore.*] *Adj.* **1.** Que inspira; inspirativo. **2.** Que faz recordar; que lembra. **3.** Que entusiasma, arrebata; inspirativo. ● *S. m.* **4.** Pessoa ou coisa que inspira; inspiração.

inspirar [Do lat. *inspirare.*] *V. t. d.* **1.** Introduzir (ar) nos pulmões; aflar. **2.** Fazer com que (ideia, concepção, etc.) se apresente; sugerir: *A presença da bela moça inspirou um poema.* **3.** Fazer sentir; incutir; infundir: "Aquela cara também inspira respeito" (Dionélio Machado, *Os Ratos*, p. 9); "George Sand inspirou muitas paixões violentas" (Ramalho Ortigão, *Em Paris*, p. 183). *T. d. e i.* **4.** Inspirar (2): *O grande acontecimento inspirou-lhe uma canção;* "Outro bambual... / O que inspirou a meu irmão o seu único poema" (Manuel Bandeira, *Estrela da Vida Inteira*, p. 204); "A paternidade inspirou tais estrofes. O amor inspira-lhe outras" (Machado de Assis, *Crítica*, p. 150). **5.** Inspirar (3): "A febre e suores noturnos chegaram a inspirar ao médico receios de lesão pulmonar." (Camilo Castelo Branco, *A Mulher Fatal*, p. 53); "Que a minha dor nem a um amigo / Inspire dó..." (Olavo Bilac, *Poesias*, p. 5). *Int.* **6.** Introduzir o ar nos pulmões: "Inspirou com violência à procura de calma, e entreabriu as pálpebras já com boa dose de orgulho necessário a seu controle." (Samuel Rawet, *Os Sete Sonhos*, p. 57.) *P.* **7.** Receber inspiração. **8.** Entusiasmar-se, influenciar-se.

inspirativo [De *inspirar* + *-tivo.*] *Adj.* Que inspira; inspirador.

inspiratório [De *inspirar* + *-tório.*] *Adj.* **1.** Próprio para inspirar. **2.** Que leva o ar aos pulmões. **3.** Relativo à inspiração.

inspirável [De *inspirar* + *-vel.*] *Adj. 2 g.* Que pode inspirar-se.

inspissação [De *inspissar* + *-ção.*] *S. f.* Ato ou efeito de inspissar(-se).

inspissar [Do lat. tard. *inspissare.*] *V. t. d. P.* Tornar(-se) espesso; condensar(-se).

■ **INSS** Sigla de *Instituto Nacional de Seguro Social.*

instabilidade [Do lat. *instabilitate.*] *S. f.* **1.** Falta de estabilidade. **2.** Inconstância, volubilidade.

instalação [Do lat. med. *installatione*, pelo fr. *installation.*] *S. f.* **1.** Ato ou efeito de instalar(-se). **2.** Conjunto de aparelhos ou de peças que compõem uma determinada utilidade (instalação elétrica, instalação hidráulica, etc.). **3.** *Art. Plást.* Na arte contemporânea, obra tridimensional concebida e montada para ocupar uma área num determinado recinto, e cujos diversos elementos ou dispositivos agem sobre o imaginário do espectador. Sua exposição é temporária e a obra, desmontada, subsiste apenas através de registros fotográficos. **4.** *Maç.* Cerimônia especial para instalar no cargo os veneráveis mestres eleitos, ou para regularizar loja recém-fundada, dando-lhe caráter de loja regular. ◆ **Instalação completa.** *Inform.* Em alguns programas, instalação que transfere para o disco rígido de um sistema todo o conjunto de arquivos do programa requeridos para a sua execução. **Instalação parcial.** *Inform.* Aquela que transfere para o disco rígido de um sistema apenas alguns arquivos essenciais à execução do programa, mas que ou veta alguns dos seus recursos mais elaborados, ou requer o disco original de instalação quando se tenta usar alguns destes recursos não incluídos.

instalado [Part. de *instalar.*] *Adj.* Que se instalou. ~ V. *capacidade —a*.

instalador (ô) [De *instalar* + *-dor.*] *Adj. S. m.* Que, ou aquele que instala.

instaladora (ô) [F. subst. do adj. *instalador.*] *S. f. Bras.* Empresa que se encarrega de fazer instalações elétricas e/ou outras.

instalar [Do lat. med. *installare*, pelo fr. *installer.*] *V. t. d.* **1.** Colocar (aparelho, equipamento, etc.) em lugar e condições próprias para uso. **2.** Dispor para funcionar; preparar (serviço, negócio, etc.) para estar em atividade ou em operação; estabelecer. **3.** Dar hospedagem a; alojar, abrigar. **4.** *Inform.* Preparar computador ou sistema operacional para a utilização, pelo usuário, de (determinado recurso de *software* ou de *hardware*). *T. d. e c.* **5.** Instalar (1). **6.** Instalar

(2): *Instalou um hotel no velho casarão.* **7.** Instalar (3): *Viu-se na obrigação de instalar em sua casa o amigo que o acompanhava.* **8.** Pôr em lugar cômodo; acomodar: *Instalou o bebê no berço.* ***T. d. e i.*** **9.** Dar posse de um cargo ou dignidade; investir: *O governador instalou-o na direção do trânsito.* **10.** *Fig.* Introduzir, inserir: *Seu estranho comportamento instalou a dúvida no espírito do amigo.* ***P.*** **11.** Hospedar-se; alojar-se: "Gonçalves e Gomes de Amorim tudo preparam cuidadosamente para que Garrett se possa instalar na casa que é o seu sonho há quase um ano." (José Osório de Oliveira, *O Romance de Garrett*, p. 177.) **12.** Pôr-se a cômodo; acomodar-se: "instalando-se no sofá, explicou .... a Leopoldina a sua resolução." (Eça de Queirós, *O Primo Basílio*, p. 510). **13.** Tomar posse: *Instalou-se no cargo de tesoureiro.*

instância [Do lat. *instantia*.] ***S. f.*** **1.** Qualidade do que é instante. **2.** Pedido ou solicitação instante, insistente: "Uma vez satisfeitas as instâncias da carne ou o orgulho pessoal, chega a saciedade." (João Gaspar Simões, *O Mistério da Poesia*, p. 230.) **3.** Pedido urgente e repetido. **4.** *Inform.* Cada um dos objetos [v. *objeto* (11)] criados durante a execução de programa (9). **5.** *Inform.* Cada uma das execuções de um programa, realizadas durante uma mesma seção do sistema operacional. **6.** *Jur.* Foro (ô) competente para conhecer de uma demanda. **7.** *Jur.* Conjunto de atos dum processo, desde a sua apresentação a um juiz ou tribunal até a sentença decisória. **8.** *Jur.* Ordem ou grau da hierarquia judiciária. **9.** *Psican.* Segundo Freud (v. *freudiano*), cada uma das diferentes partes do psiquismo considerado como elemento dinâmico. [V. *id*, *ego* e *superego*.] ◆ **Em última instância.** Como último recurso; em último caso.

instantaneidade [De *instantân(eo)* + *-eidade*.] ***S. f.*** Qualidade de instantâneo.

instantâneo [Do lat. med. *instantaneu*.] ***Adj.*** **1.** Que se dá num instante; momentâneo, rápido; súbito. ~ V. *aceleração —a*, *centro —* e *eixo —*. ● ***S. m.*** **2.** *Fot.* Fotografia com tempo de exposição muito curto.

instante [Do lat. *instante*.] ***Adj. 2 g.*** **1.** Que está para acontecer, para vir; iminente: *desgraça instante*. **2.** Pertinaz, insistente: *súplicas instantes; pedido instante*. **3.** Urgente, inadiável, indispensável. ● ***S. m.*** **4.** Momento[1] (1): *Estarei aí num instante.* **5.** Ocasião, hora: *Irei no instante em que me chamarem, não antes.*

instar[1] [Do lat. cient. *instar* < lat. *instar*, 'valor'; 'figura', 'conformação'.] ***S. m.*** *Zool.* No desenvolvimento larvar de um inseto, estágio entre duas mudas.

instar[2] [Do lat. *instare*.] ***V. t. d.*** **1.** Pedir, solicitar, com instância: *A carta instava que atendesse o pedido da visita.* ***T. d. e i.*** **2.** Pedir, solicitar, com instância; insistir: *Instei-o a que me acompanhasse.* ***T. i.*** **3.** Pedir com insistência; solicitar reiteradamente; insistir: *Só consentiu em comparecer depois de muito lhe instarem*; "Na oficina o fato causou alvoroço ....: instavam em que ele narrasse as peripécias." (Mário de Alencar, *Contos e Impressões*, p. 119); "Tinha [Ladislau Neto] amigos influentes e poderosos na política de sua terra natal, que instavam sempre pela sua adesão." (Abelardo Duarte, *Ladislau Neto*, p. 187). **4.** Pôr ou fazer instância, argumentando; questionar: *Instou violentamente contra a resposta que lhe deram.* ***Bit. i.*** **5.** Pedir com insistência; solicitar reiteradamente; insistir: "De novembro em diante insta [Renan] com a irmã para que volte da Polônia." (Machado de Assis, *Páginas Recolhidas*, p. 153.) ***Int.*** **6.** Estar iminente, próximo a suceder, a ocorrer: *Sabia que um grande perigo instava.* **7.** Persistir, insistir: *Perante a resposta negativa, não instou.* **8.** Ser necessário ou urgente; urgir: *Insta que partamos.* **9.** Solicitar, insistir: *Não pretendia aceitar o convite, porém ele instou, e terminei acedendo.*

➔ **in statu quo ante** [en 'stato kwo 'ante] [Lat., 'no estado em que se encontrava anteriormente'.] V. *status quo*.

instauração [Do lat. *instauratione*.] ***S. f.*** Ato ou efeito de instaurar.

instaurador (ô) [Do lat. tard. *instauratore*.] ***Adj. S. m.*** Que, ou aquele que instaura, que funda, que estabelece.

instaurar [Do lat. *instaurare*.] ***V. t. d.*** **1.** Começar, iniciar, estabelecer; formar; promover: *instaurar um inquérito.* **2.** Fundar, inaugurar, organizar, formar: *instaurar uma revista, um jornal.* **3.** Renovar, restaurar.

instável [Do lat. *instabile*.] ***Adj. 2 g.*** **1.** Não estável; inconstante, mudável, mutável: *tempo instável.* **2.** Volúvel, inconstante: *gênio instável.* **3.** Móvel, movediço. [Opõe-se a estável.]

instigação [Do lat. imp. *instigatione*.] ***S. f.*** Ato ou efeito de instigar; incitação, sugestão, estímulo.

instigador (ô) [Do lat. imp. *instigatore*.] ***Adj. S. m.*** Que, ou aquele que instiga, que incita; instigante.

instigante [De *instigar* + *-nte*.] ***Adj. 2 g. S. 2 g.*** Instigador: "As perguntas sempre instigantes, ele [Joãozinho Trinta] responde com um desembaraço e um verdor de inteligência que lhe definem a personalidade." (Carlos Drummond de Andrade, em *Jornal do Brasil*, 08.02.1983.)

instigar [Do lat. *instigare*.] ***V. t. d.*** **1.** Incitar; estimular: *Não pretendia tomar partido, mas o amigo instigou-o.* **2.** Açular, provocar (animais). ***T. d. e i.*** **3.** Incitar, induzir, mover, estimular, açular, acirrar: "ficou-se [o Conde de Andeiro] algum tempo na corte de Portugal, ... instigando Leonor e D. Fernando contra D. Henrique II." (Antero de Figueiredo, *Leonor Teles*, p. 183). **4.** Procurar persuadir; aconselhar: *Instiguei-o a viajar.* [Conjug.: v. *largar*.]

instilação [Do lat. *instillatione*.] ***S. f.*** Ato ou efeito de instilar(-se).

instilar [Do lat. *instillare*.] ***V. t. d.*** **1.** Introduzir gota a gota; deitar às gotas: "o mundo misterioso dos insetos e infusórios zumbe, canta, voeja, destila mel ou instila o veneno." (Afonso Arinos, *Histórias e Paisagens*, p. 164). ***T. d. e i.*** **2.** Insuflar; insinuar: *Deliberou instilar a vingança no ânimo do irmão*; "A serenidade do crepúsculo instilava nos espíritos a poesia dos momentos emotivos." (Antero de Figueiredo, *Miradouro*, p. 89). **3.** Induzir, persuadir. ***P.*** **4.** Insinuar-se, infiltrar-se: "Instilou-se em meu espírito um ingrediente que trouxe hipocondria e inquietude" (Ciro dos Anjos, *Abdias*, p. 81).

instintividade [De *instintivo* + *-(i)dade*.] ***S. f.*** Qualidade de instintivo.

instintivo [De *instinto* + *-ivo*.] ***Adj.*** **1.** Relativo ao instinto; instintual. **2.** Automático, maquinal; natural: *reação instintiva.* **3.** Que age guiado apenas pelo instinto; primário: *um ser instintivo.*

instinto [Do lat. *instinctu*.] ***S. m.*** **1.** Fator inato do comportamento dos animais, variável segundo a espécie, e que se caracteriza, em determinadas condições, por atividades elementares e automáticas: *o instinto migratório de certas aves; o instinto de sucção dos mamíferos.* **2.** Forças de origem biológica inerentes ao homem e aos animais superiores, e que atuam, em geral, de modo inconsciente, mas com finalidade precisa, e independentemente de qualquer aprendizado: *instinto gregário; instinto sexual; instinto maternal.* **3.** Tendência natural; aptidão inata. *Possui instinto musical; É conciliador por instinto.* **4.** Impulso espontâneo e alheio à razão; intuição: *Escolheu, por instinto, a pessoa indicada para o cargo; Seu instinto o levou a cancelar a viagem.* ◆ **Instinto de conservação.** Conjunto de reações instintivas que levam o indivíduo a manter-se vivo.

instintual [De *instinto* + *-ual*.] ***Adj. 2 g.*** Instintivo (1).

instítor (ô) [Do lat. *institore*.] ***S. m.*** Aquele que dirige ou administra negócios ou indústria, por escolha do proprietário da empresa; preposto.

institório [Do lat. imp. *institoriu*.] ***Adj.*** Referente a instítor.

institucional [Do lat. *institutione* + *-al*[1].] ***Adj. 2 g.*** **1.** Relativo a instituição, ou a instituições (1). **2.** Pertencente ou relativo a, ou próprio de uma instituição. ~ V. *ato —* e *marketing —*.

institucionalização [De *institucionalizar* + *-ção*.] ***S. f.*** Ato ou efeito de institucionalizar(-se).

institucionalizado [Part. de *institucionalizar*.] ***Adj.*** Tornado institucional.

institucionalizar [De *institucional* + *-izar*.] ***V. t. d.*** **1.** Dar caráter de instituição a; tornar institucional. ***P.*** **2.** Adquirir o caráter de instituição; tornar-se institucional.

instituição (u-i) [Do lat. *institutione*.] ***S. f.*** **1.** Ato de instituir; criação, estabelecimento. **2.** A coisa instituída ou estabelecida; instituto: *instituições legais.* **3.** Associação ou organização de caráter social, educacional, religioso, filantrópico, etc.: *A ONU é uma instituição internacional.* **4.** *Antrop.* Conjunto de normas, valores ou códigos que, em dado grupo social, tomam a forma de um dispositivo organizado, visando o funcionamento ou a reprodução deste grupo e envolvendo a expectativa de uma adesão à sua legitimidade suposta. **5.** *Jur.* Nomeação (de herdeiro). **6.** *Sociol.* Estrutura decorrente de necessidades sociais básicas, com caráter de relativa permanência, e identificável pelo valor de seus códigos de conduta, alguns deles expressos em leis; instituto. **7.** *Fig.* Pessoa ou coisa que, por sua eficiência, antiguidade, etc., como que representa uma instituição (6). ~ V. *instituições*. ◆ **Instituição canônica.** *Ecles.* Imposição dos poderes espirituais próprios de um cargo eclesiástico, feita por um superior hierárquico.

instituições (u-i) [Pl. de *instituição*.] ***S. f. pl.*** **1.** Leis fundamentais que regem uma sociedade política; regime. **2.** O conjunto de estruturas sociais estabelecidas pela tradição, especialmente as relacionadas com a coisa pública: *um povo apegado a suas instituições.* ~ V. *instituição*.

instituído [Part. de *instituir*.] ***Adj.*** *Jur.* Diz-se daquele em favor de quem se institui um benefício ou direito.

instituidor (u-i... ô) [De *instituir* + *-dor*.] ***Adj. S. m.*** Que, ou aquele que institui.

instituir [Do lat. *instituere*.] ***V. t. d.*** **1.** Dar começo a; estabelecer, criar, fundar: *Os missionários instituíram ritos apropriados para os indígenas.* **2.** Adestrar, disciplinar. **3.** Marcar, assinalar; aprazar, atempar: *instituir uma data de pagamento.* ***T. d. e i.*** **4.** Educar, instruir, formar: *Os pais o instituíram no culto do trabalho.* ***Transobj.*** **5.** Nomear, declarar por herdeiro: *O avô instituíra o rapaz seu herdeiro único; Instituiu a sobrinha como sua herdeira.* [Conjug.: v. *atribuir*.]

institutas [De lat. *instituta*, 'instituição'.] ***S. f. pl.*** As obras elementares que encerram os princípios do direito, e especialmente o código mandado redigir por Justiniano, imperador do Oriente (533).

instituto [Do lat. *institutu*, 'instituído'.] ***S. m.*** **1.** Regime particular de uma instituição ou de uma entidade; regra; regulamento; estatuto: *O secular instituto dos beneditinos foi reorganizado pelo Papa Leão XIII.* **2.** Instituição (2 e 6): *o instituto do matriarcado; o instituto do júri.* **3.** Organização de alto nível cultural dedicada ao estudo ou a pesquisas de caráter especializado: *instituto de física; instituto de história.* **4.** Designação comum a certas agremiações de caráter cultural, artístico, etc.: *Instituto da Ordem dos Advogados.* **5.** Designação comum a certos estabelecimentos de ensino médio e superior: *Instituto de Educação; Estudou no antigo Instituto Nacional de Música.* **6.** Designação comum a certos estabelecimentos de natureza diversa, mas com objetivo preciso: *instituto de cultura física.* **7.** *P. ext.* Título de organização parestatal criada para fins de previdência social, aposentadoria, pensões, etc. **8.** O local onde funciona um instituto (3 a 7). **9.** Entidade jurídica instituída e regulamentada por um conjunto orgânico de normas de direito positivo: *o instituto do pátrio poder, do fideicomisso, da posse.* ◆ **Instituto de beleza.** V. *salão de beleza*. **Instituto secular.** *Rel.* Forma de vida religiosa sem os três votos de obediência, pobreza e castidade, e às vezes sem vida em comum.

instrução [Do lat. *instructione*.] ***S. f.*** **1.** Ato ou efeito de instruir(-se). **2.** Ensino (1): *instrução primária; instrução militar.* **3.** Conhecimentos adquiridos; cultura, saber, erudição: *homem de grande instrução.* **4.** Explicação dada para um determinado fim: *O aparelho vem acompanhado de um manual de instruções.* **5.** Esclarecimento ou ordem dada a pessoa encarregada de alguma negociação ou algum empreendimento. [Nesta acepç. é us., por via de regra, no pl.] **6.** *Inform.* Numa linguagem de programação, representação elementar da ação computacional, que determina cada passo da execução de um programa. ◆ **Instrução criminal.** *Jur.* V. *formação de culpa*. **Instrução de máquina.** *Inform.* Instrução (6) que pode ser diretamente executada por um processador, dispensando compilação intermediária. **Instrução processual.** *Dir. Proc.* Fase do processo em que se produzem as provas. **Instrução programada.** Método de ensino em que o conteúdo é apresentado através de uma série de quadros, cada um incluindo uma informação ao aluno, uma exigência de resposta baseada nesta informação e uma retroalimentação relativa à correção ou adequação da resposta.

instrucional [De *instrução* + *-al*[1], seg. o padrão erudito.] ***Adj. 2 g.*** De, ou pertencente ou relativo à instrução, ao ensino: *método instrucional.*

instruendo [De *instruir* + *-endo*.] ***S. m.*** Aquele que está recebendo instrução, sendo instruído.

instruído [Part. de *instruir*.] ***Adj.*** Que se instruiu; culto, letrado.

instruir [Do lat. *instruere*.] ***V. t. d.*** **1.** Transmitir conhecimentos a; ensinar. **2.** Adestrar, habilitar: *instruir um recruta.* **3.** Adestrar, exercitar, domesticar: *instruir animais.* **4.** Transmitir instruções, informar: *Não pôde elucidar a questão porque não o instruíram devidamente.* **5.** *Jur.* Pôr (um processo, uma causa, etc.) em estado de ser julgado: "O Senado, impressionado com o crime, nomeou os cônsules que haviam de instruir e julgar o processo" (Aquilino Ribeiro, *Os Avós dos Nossos Avós*, pp. 312-313). **6.** *Jur.* Anexar a (uma petição apresentada em juízo) documentos comprobatórios de alegações ne-la feitas: "tirou certidões de diversos documentos de sua representação .... e com elas instrui a petição inicial da ação ordinária." (Macedo Miranda, *As Três Chaves*, p. 75). ***T. d. e i.*** **7.** Esclarecer, informar, cientificar: *Instruí-o das ocorrências; Precisava que o instruíssem a respeito do acontecimento.* ***Int.*** **8.** Educar, ensinar: *À escola cumpre instruir.* ***P.*** **9.** Receber instrução; adquirir conhecimentos. [Conjug.: v. *atribuir*.]

instrumentação [De *instrumentar* + *-ção*.] ***S. f.*** **1.** Ato ou efeito de instrumentar. **2.** *Mús.* A arte de adequar, a qualquer composição popular ou erudita, o emprego combinado de diferentes instrumentos musicais para execução em conjunto, o que implica o estudo do funcionamento de cada instrumento, dos seus recursos técnicos, de suas qualidades sonoras de timbre e colorido, bem como do número de elementos selecionados. [Cf., nesta acepç., *orquestração* (1).] **3.** Na teoria de controle de processos, interpretação de controles automáticos de processos industriais.

instrumentador (ô) [De *instrumentar* + *-dor*.] ***S. m.*** *Cir.* Profissional que instrumenta [v. *instrumentar* (3)]. [Fem.: *instrumentadora*.]

instrumentadora (ô) [De *instrumentar* + *-dora*.] ***S. f.*** *Cir.* Fem. de *instrumentador*.

instrumental [De *instrumento* + *-al*^{1}.] ***Adj. 2 g.*** **1.** Que serve de instrumento. **2.** Relativo a instrumentos. **3.** *E. Ling.* Relativo ao instrumental (5 e 6). ~ *V. astronomia —, caso —, fonética —, música — e recitativo —.* ● ***S. m.*** **4.** O conjunto de instrumentos. **5.** *E. Ling.* Caso instrumental. **6.** *E. Ling.* Categoria gramatical que exprime meio ou instrumento.

instrumentalismo [Do ingl. *instrumentalism*.] ***S. m.*** *Filos.* Doutrina de John Dewey, filósofo e educador norte-americano (1859-1952), que constitui uma variedade do pragmatismo, e cujo traço característico é a admissão de que toda teoria é um instrumento para a ação e para a transformação da experiência.

instrumentalista^{1} [De *instrumental* + *-ista*.] ***S. 2 g.*** *Bras. Rád. Telev.* Instrumentista.

instrumentalista^{2} [Do ingl. *instrumentalist*.] ***Adj. 2 g.*** **1.** Relativo ao, ou que é adepto do instrumentalismo. ● ***S. 2 g.*** **2.** Adepto do instrumentalismo.

instrumentalização [De *instrumentalizar* + *-ção*.] ***S. f.*** Ato ou efeito de instrumentalizar(-se).

instrumentalizar [De *instrumental* + *-izar*.] ***V. t. d. P.*** Dotar(-se) dos meios ou dos instrumentos necessários, adequados.

instrumentar [De *instrumento* + *-ar*^{2}.] ***V. t. d.*** **1.** Escrever para cada instrumento (a parte da peça musical que lhe pertence, numa execução em conjunto): "uma orquestra de famosos rabequistas que tocavam partituras de missas por eles mesmos instrumentadas." (Xavier Marques, *As Voltas da Estrada*, p. 14). **2.** *Bras. Cir.* Fornecer a (o cirurgião e auxiliares) o material diretamente us. em ato operatório. ***Int.*** **3.** *Bras. Cir.* Fornecer ao cirurgião e auxiliares o material diretamente utilizado no ato operatório. [Fut. pret.: *instrumentaria*, etc. Cf. *instrumentária*, fem. de *instrumentário*.]

instrumentário [De *instrumento* + *-ário*.] ***Adj.*** ~ V. *testemunha —a*. [Fem.: *instrumentária*. Cf. *instrumentaria*, do v. *instrumentar*.]

instrumentista [De *instrumento* + *-ista*.] ***S. 2 g.*** *Mús.* **1.** Pessoa que toca algum instrumento. **2.** Compositor de música instrumental. [Sin. (bras.): *instrumentalista*.]

instrumento [Do lat. *instrumentu*.] ***S. m.*** **1.** Objeto, em geral mais simples do que o aparelho, e que serve de agente mecânico na execução de qualquer trabalho: *instrumentos cirúrgicos; instrumentos de astronomia.* **2.** *P. ext.* Qualquer objeto considerado em sua função ou utilidade: *Os dentes e garras são os instrumentos de luta das feras.* **3.** Recurso empregado para se alcançar um objetivo, conseguir um resultado; meio: *O apelo aos instrumentos constitucionais caracteriza as democracias.* **4.** *Fig.* Pessoa que serve de intermediário: *Os profetas diziam-se instrumentos de Deus entre os homens.* **5.** Objeto que produz sons musicais. *Mús.* **6.** *Jur.* Documento no qual se reduz a termo ato jurídico, em forma apropriada, para que se constitua prova autêntica de sua realização, sendo oponível, em certos casos, inclusive em face de terceiros. ◆ **Instrumento de cordas.** *Mús.* Instrumento (5) dotado de cordas dedilháveis ou puxáveis (harpa, violão, cravo, etc.), friccionáveis (violino, violoncelo, etc.), ou percutíveis (piano). **Instrumento de percussão.** *Mús.* Instrumento (5) percutido com as mãos, com baquetas, etc., e que pode ter sons determinados (tímpano, xilofone, etc.) ou indeterminados (tambor, pandeiro, etc.). **Instrumento derivado.** *Econ.* Uma das várias formas de operação financeira baseadas em expectativas quanto ao comportamento futuro de certos valores (taxa de juros, preços de ações, taxa de câmbio, etc.), como as operações de *swap* (2) e do mercado de opções [v. *opção* (3 e 4)]; derivativo; instrumento derivativo. [Tb. se diz apenas *derivado*. M. us. no pl.] **Instrumento derivativo.** *Econ.* V. *instrumento derivado*: "[O grande movimento de compra de ações] é explicado pela volatilidade dos chamados instrumentos derivativos, que englobam complexas operações envolvendo os mercados cambial, de capitais e financeiro, além do de *commodities*." (*Gazeta Mercantil*, 20.04.1994, p. 4). [Tb. se diz apenas *derivativo*. M. us. no pl.] **Instrumento de sopro.** *Mús.* Instrumento (5) dotado de um tubo cilíndrico reto ou recurvado (flauta, oboé, trombone, etc.), ou de mais de um tubo (siringe, órgão, etc.), e cujo som é produzido pela vibração do ar dentro do(s) tubos(s). **Instrumento de zero.** *Fís.* Qualquer instrumento que, num dispositivo de medida, indica leitura zero quando o dispositivo está equilibrado. **Instrumento eletrodinâmico.** *Eletr.* Instrumento de medida elétrica em que há interação entre dois campos magnéticos, um dos quais provocado por uma corrente numa bobina fixa e o segundo gerado por outra corrente numa bobina móvel. **Instrumento particular.** O que é feito entre as partes, sem intervenência de tabelião. **Instrumento preparado.** *Mús. Concr.* Técnica utilizada pela primeira vez em 1948, por Pierre Schaeffer (1910-1995), e que consiste na revisão e transformação dos sons originais, produzidos por instrumentos tradicionais ou exóticos, e gravados em fita magnética. Essa transformação se faz mediante a manipulação da fita, de modo que torna irreconhecíveis os sons nela gravados. **Instrumento público.** O que é lavrado por tabelião, dentro de seu distrito, com observância das formalidades legais e nos limites de suas atribuições. **Instrumentos de produção.** *Econ.* Em economia marxista, os instrumentos como ferramentas, máquinas, etc., que permitem ao homem atuar sobre a natureza, na atividade produtiva. **Tocar sete instrumentos.** Dedicar-se ao mesmo tempo a diversas atividades, ou artísticas, ou culturais, etc.

instrutivo [Do lat. *instructus*, part. pass. de *instruere* (v. *instruir*), + *-ivo*.] ***Adj.*** Que instrui, que é próprio para instruir: *leitura instrutiva; conversação instrutiva.*

instrutor (ô) [Do lat. *instructore*.] ***Adj. S. m.*** Que, ou aquele que instrui, que ensina, que adestra.

instrutoria [De *instrutor* + *-ia*^{1}.] ***S. f.*** Curso que prepara instrutores.

instrutura [Do lat. imp. *instructura*.] ***S. f.*** Construção mecânica de um edifício.

ínsua [Do lat. *insula*, por via pop.] ***S. f.*** Pequena ilha formada por algum rio.

insuave [Do lat. *insuave*.] ***Adj. 2 g.*** Não suave.

insuavidade [Do lat. tard. *insuavitate*.] ***S. f.*** Qualidade de insuave; falta de suavidade.

insubjugável [De *in-*^{2} + *subjugável*.] ***Adj. 2 g.*** Que não pode ser subjugado: "e agora me surgia outra vez misteriosa e insubjugável." (José Gomes Ferreira, *O Mundo dos Outros*, p. 143).

insubjugavelmente (à) [De *insubjugável* + *-mente*.] ***Adv.*** De modo insubjugável.

insubmergibilidade [De *insubmergível* + *-(i)dade*, seg. o padrão erudito.] ***S. f.*** Qualidade de insubmergível.

insubmergível [De *in-*^{2} + *submergível*.] ***Adj. 2 g.*** Que não se pode submergir; insubmersível.

insubmersibilidade [De *insubmersível* + *-(i)dade*, seg. o padrão erudito.] ***S. f.*** Qualidade de insubmersível.

insubmersível [De *in-*^{2} + *submersível*.] ***Adj. 2 g.*** Insubmergível: "Os diques submersíveis ou insubmersíveis destinados a salvarem as povoações .... — tinham em geral a duração efêmera dos seis meses de estiagem" (Euclides da Cunha, *À margem da História*, p. 43).

insubmissão [De *in-*^{2} + *submissão*.] ***S. f.*** Falta de submissão; caráter de insubmisso.

insubmisso [De *in-*^{2} + *submisso*.] ***Adj.*** **1.** Não submisso; altivo, independente: "Ficará na vida sem sistematização alguma, livre como um passarinho a esvoaçar para onde lhe agrada, levado apenas pelas suas intuições, insubmisso a fórmulas e autoridades." (Edgard Cavalheiro, *Monteiro Lobato*, I, pp. 105-106.) ● ***S. m.*** **2.** *Bras.* Cidadão que foi convocado para o serviço militar e não se apresentou às autoridades.

insubordinação [De *in-*^{2} + *subordinação*.] ***S. f.*** **1.** Falta de subordinação. **2.** Rebelião, revolta. **3.** Indisciplina; rebeldia. **4.** Descumprimento pelo empregado de ordem direta por ele recebida do empregador, dos prepostos ou chefia que, a depender das circunstâncias, caracterizará falta grave, que dá ensejo à dispensa por justa causa.

insubordinado [Part. de *insubordinar*.] ***Adj.*** **1.** Que se insubordinou: *A tropa insubordinada terminou rendendo-se.* **2.** Que tem espírito de insubordinação; indisciplinado, insubordinável: *É um menino insubordinado, ninguém o aguenta.* ● ***S. m.*** **3.** Indivíduo insubordinado.

insubordinar [De *in-*^{2} + *subordinar*.] ***V. t. d.*** **1.** Causar insubordinação em; tornar insubordinado; revoltar, sublevar, amotinar: *insubordinar uma tripulação.* ***P.*** **2.** Cometer ato de insubordinação; sublevar-se.

insubordinável [De *in-*^{2} + *subordinável*.] ***Adj. 2 g.*** Incapaz de subordinar-se; rebelde, indócil, incorrigível.

insubornável [De *in-*^{2} + *subornável*.] ***Adj. 2 g.*** Incapaz de ser subornado; incorruptível; íntegro.

insubsistência (sis) [De *in-*^{2} + *subsistência*.] ***S. f.*** Qualidade de insubsistente.

insubsistente (sis) [De *in-*^{2} + *subsistente*.] ***Adj. 2 g.*** Que não pode subsistir; não subsistente: "O mais profundo pensamento / É sempre insubsistente e aéreo, / Porque a todo o momento / — Se perde no mistério..." (Augusto Gil, *Luar de Janeiro*, p. 108.)

insubstância [De *in-*^{2} + *substância*.] ***S. f.*** Ausência ou falta de substância.

insubstancial [De *in-*^{2} + *substancial*.] ***Adj. 2 g.*** Não substancial.

insubstancialidade [De *insubstancial* + *-(i)dade*.] ***S. f.*** Qualidade ou estado de insubstancial; espiritualidade.

insubstituível [De *in-*^{2} + *substituível*.] ***Adj. 2 g.*** Que não pode ser substituído.

insucessível [De *in-*^{2} + *sucessível*.] ***Adj. 2 g.*** *Jur.* Que não é sucessível.

insucesso [De *in-*^{2} + *sucesso*.] ***S. m.*** Mau resultado; falta de bom êxito; malogro, fracasso.

insueto (é) [Do lat. *insuetu*.] ***Adj.*** **1.** V. *desusado*. **2.** Desabituado, desacostumado.

insuetude [Do lat. tard. *insuetudine*.] ***S. f.*** Qualidade de insueto.

insuficiência [Do lat. tard. *insufficientia*.] ***S. f.*** **1.** Qualidade ou estado de insuficiente: *O projeto falhou pela insuficiência de meios para ocorrer às despesas.* **2.** Incompetência, incapacidade: *Sua insuficiência foi largamente comprovada.* **3.** *Med.* Incapacidade, maior ou menor, de um órgão para executar a função que lhe cabe; deficiência: *insuficiência cardíaca.*

insuficiente [Do lat. tard. *insufficiente*.] ***Adj. 2 g.*** **1.** Não suficiente ou bastante. **2.** Incompetente; incapaz. **3.** Intelectualmente fraco; medíocre.

insuflação [Do lat. tard. *insufflatione*.] ***S. f.*** Ato de insuflar.

insuflador (ô) [De *insuflar* + *-dor*.] ***Adj.*** **1.** Que insufla. ● ***S. m.*** **2.** Aquele ou aquilo que insufla. **3.** Aparelho próprio para insuflar.

insuflar [Do lat. tard. *insufflare*.] ***V. t. d.*** **1.** Encher de ar, gás ou vapor, por meio de sopro. **2.** Encher de ar, soprando; tornar túrgido: *Não teve fôlego para insuflar todos os balões.* **3.** Soprar, assoprar; bafejar. **4.** *Fig.* Insinuar, inspirar, sugerir: *Seu comportamento covarde não insuflou coragem.* ***T. d. e i.*** **5.** Administrar sob pressão (corpos pulverizados ou gases) em superfícies ou cavidades: *Para salvá-lo, insuflou-lhe ar nos pulmões.* **6.** *Fig.* Insuflar (4): "a minha simpatia está com os .... que me insuflam coragem e infundem a confiança que me falta" (Domício da Gama, *Histórias Curtas*, p. 3).

ínsula [Do lat. *insula*, por via erudita.] ***S. f.*** V. *ilha* (1). [Cf. *insula*, do v. *insular*.]

insulação [De *insular*^{2} + *-ção*.] ***S. f.*** Insulamento. [Cf. *isolação*.]

insulado [Part. de *insular*^{2}.] ***Adj.*** Separado, ilhado, isolado.

insulamento [De *insular*^{2} + *-mento*.] ***S. m.*** **1.** Ato ou efeito de insular(-se). **2.** Estado do que vive insulado. [Sin. ger.: *insulação*.]

insulano [Do lat. tard. *insulanu*.] ***Adj.*** **1.** De, ou pertencente ou relativo a ínsula. ● ***S. m.*** **2.** Habitante ou natural de uma ínsula. [Sin. ger.: *insular, islenho, ilhéu*.]

insular^{1} [Do lat. tard. *insulare*.] ***Adj. 2 g. S. 2 g.*** V. *insulano*. [Cf. *insolar*.]

insular^{2} [De *ínsula* + *-ar*^{2}.] ***V. t. d.*** **1.** V. *ilhar* (1). **2.** Tornar solitário; isolar. **3.** Tornar incomunicável; separar da sociedade: *insular um doente contagioso.* **4.** Pôr (um corpo) em condições de não deixar passar a eletricidade que tem. ***T. d. e i.*** **5.** Isolar (4): *Insularam-no da família.* ***P.*** **6.** V. *ilhar* (2). [Pres. ind.: *insulo, insulas, insula*, etc. Cf. *ínsula* e *insolar*.]

insularidade [De *insular*^{1} + *-(i)dade*.] ***S. f.*** Qualidade de insular^{1}.

insulcado [De *in-*^{2} + *sulcado*.] ***Adj.*** **1.** Não sulcado. **2.** *Fig.* Ainda não navegado.

insulina [Do fr. *insuline*, der. do lat. *insula*, 'ilha', + fr. *-ine* (v. *-ina*^{3}).] ***S. f.*** *Quím.* Hormônio secretado pelo pâncreas, com importante função no metabolismo dos açúcares pelo organismo.

insulinase [De *insulina* + *-ase*; ingl. *insulinase*.] ***S. f.*** *Bioquím.* Enzima que catalisa a hidrólise da insulina.

insulínico [De *insulina* + *-ico*^{2}.] ***Adj.*** Relativo à insulina, ou por ela provocado: *choque insulínico.*

insulinoterapia [De *insulina* + *-o-* + *-terapia*.] ***S. f.*** *Terap.* Tratamento pela insulina.

insulinoterápico [De *insulinoterapia* + *-ico*^{2}.] ***Adj.*** Referente à insulinoterapia.

insulso [Do lat. *insulsu*, por via erudita.] ***Adj.*** **1.** Que não tem sal; insosso. **2.** *P. ext.* Que não tem sabor; insípido. **3.** *Fig.* Sem graça; desenxabido, insípido: "A natureza real tinha cedido o passo a esta natureza de convenção, natureza pálida, insulsa, insípida, monótona e absurda" (Latino Coelho, *Cervantes*, p. 83).

insultado [Part. de *insultar*.] ***Adj. S. m.*** Que, ou aquele que recebeu insulto.

insultador (ô) [Do lat. tard. *insultatore*, por via semierudita.] ***Adj.*** **1.** Que insulta; insultante. • ***S. m.*** **2.** Aquele que tem o hábito de insultar. **3.** Autor de um insulto.

insultante [De *insultar* + *-nte*.] ***Adj. 2 g.*** Diz-se de pessoa que insulta, ou que é dada a insultar. [Cf. *insultuoso*.]

insultar [Do lat. *insultare*.] ***V. t. d.*** **1.** Afrontar violentamente por obras ou palavras; ultrajar, injuriar. **2.** Atacar, investir, acometer.

insulto [Do lat. med. *insultu*.] ***S. m.*** **1.** Injúria, ultraje, afronta, ofensa. **2.** *Med.* Ataque (4).

insultuoso (ô) [De *insulto* + *-uoso*.] ***Adj.*** Que envolve ou encerra insulto: *atitude insultuosa*; *gesto insultuoso*. [Cf. *insultante*.]

insumo [Trad. do ingl. *input*, por analogia com *consumo*.] ***S. m.*** *Econ.* Elemento que entra no processo de produção de mercadorias ou serviços: máquinas e equipamentos, trabalho humano, etc.; fator de produção. [Sin., ingl.: *input*.]

insumo-produto [Trad. do inglês *input-output*.] *Econ.* ***El. s. m.*** Us. nas locuções *análise de insumo-produto* e *tabela de insumo-produto*. [Pl.: *insumos-produtos*.]

insuperabilidade [De *insuperável* + *-(i)dade*, seg. o padrão erudito.] ***S. f.*** Qualidade de insuperável.

insuperável [Do lat. *insuperabile*.] ***Adj. 2 g.*** **1.** Que não pode ser superado, excedido, ultrapassado: "amar é uma aventura heroica e insuperável" (Raquel de Queirós, *100 Crônicas Escolhidas*, p. 41). **2.** Que não se pode superar ou vencer; invencível: "A tarefa dos futuros legisladores será .... inçada de dificuldades, talvez insuperáveis." (Euclides da Cunha, *Contrastes e Confrontos*, p. 225.)

insuplantável [De *in-*² + *suplantável*.] ***Adj. 2 g.*** Que não pode ser suplantado.

insuportável [De *in-*² + *suportável*.] ***Adj. 2 g.*** **1.** Não suportável; intolerável; *dor insuportável*; *criança insuportável*. **2.** Incômodo, molesto: *situação insuportável*.

insuprível [De *in-*² + *suprível*.] ***Adj. 2 g.*** Não suprível.

insurgência [De *insurgir* + *-ência*.] ***S. f.*** **1.** Qualidade ou condição de insurgente. **2.** Rebelião; insurreição.

insurgente [De *insurgir* + *-ente*.] ***Adj. 2 g.*** **1.** Que se insurge ou insurgiu; insurrecionado. • ***S. 2 g.*** **2.** Pessoa que se acha em insurreição; rebelde, revoltoso; insurrecionado.

insurgir [Do lat. *insurgere*, com mudança de conjug.] ***V. t. d.*** **1.** Sublevar, revolucionar, revoltar, rebelar, insubordinar; insurrecionar. ***T. i.*** **2.** Sair, emergir, surgir: *Seu vulto insurgia das trevas.* ***P.*** **3.** Sublevar-se, insubordinar-se, revoltar-se, rebelar-se, insurrecionar-se: "Insurgia-se [José Veríssimo] contra os exageros do purismo, contra o rebuscado e o artifício do vocabulário" (Barbosa Lima Sobrinho, *A Língua Portuguesa e a Unidade do Brasil*, p. 128). [M. us. como p. Conjug.: v. *dirigir*.]

insurrecionado [Part. de *insurrecionar*.] ***Adj. S. m.*** V. *insurgente*.

insurrecional [Do lat. tard. *insurrectione* + *-al*¹.] ***Adj. 2 g.*** Respeitante a, ou que tem o caráter de insurreição.

insurrecionar [Do lat. tard. *insurrectione* + *-ar*².] ***V. t. d. P.*** V. *insurgir* (1 e 3): "dá razão às províncias que se insurrecionam" (Eça de Queirós, *Crônicas de Londres*, p. 2).

insurrecto [Do lat. *insurrectu*, part. pass. de *insurgere* (v. *insurgir*).] ***Adj. S. m.*** Insurreto (q. v.).

insurreição [Do lat. tard. *insurrectione*.] ***S. f.*** **1.** Rebelião, revolta, sublevação. **2.** *Fig.* Oposição violenta ou veemente.

insurreto [Var. de *insurrecto*.] ***Adj. S. m.*** Que, ou aquele que se insurgiu.

insusceptível [De *in-*² + *susceptível*.] ***Adj. 2 g.*** V. *insuscetível*.

insuscetível [De *in-*² + *suscetível*; var. de *insusceptível*.] ***Adj. 2 g.*** Não suscetível (1); incapaz: *É um juiz insuscetível de corrupção.*

insuspeição [De *in-*² + *suspeição*.] ***S. f.*** Falta de suspeição.

insuspeitado [De *in-*² + *suspeitado*.] ***Adj.*** De que não se tem suspeita; não suspeitado: "Peguei o livro na Livraria Ramiro Costa, por acaso. Achei-me, ao folheá-lo, em teatro totalmente novo. Fui avançando, de página em página, por estradas insuspeitadas." (Gilberto Amado, *Minha Formação no Recife*, p. 251.)

insuspeito [De *in-*² + *suspeito*.] ***Adj.*** **1.** Não suspeito ou previsto: "Apertou-me a mão com insuspeitas forças." (Mia Couto, *Terra Sonâmbula*, p. 132.) **2.** De quem não se pode, ou deve, suspeitar.

insustável [De *in-*² + *sustável*.] ***Adj. 2 g.*** Que não se pode sustar; não sustável: "ficar na muda, inexplicável ânsia, / no insustável desejo de chorar" (Gilca da Costa Melo Machado, *Mulher Nua*, p. 113).

insustentável [Do lat. tard. *insustentabile*.] ***Adj. 2 g.*** **1.** Que não se pode sustentar: *situação insustentável*. **2.** Sem fundamento; insubsistente: *argumentação insustentável*.

intã ***S. f.*** *Bras.* V. *itã*.

intáctil [Do lat. *intactile*.] ***Adj. 2 g.*** Intátil (q. v.). [Pl.: *intácteis*.]

intactilidade [De *intáctil* + *-(i)dade*.] ***S. f.*** Intatilidade (q. v.).

intacto [Do lat. *intactu*.] ***Adj.*** V. *intato*.

intaipaba ***S. f.*** *Bras.* V. *itaipava* (1).

intaipava ***S. f.*** *Bras.* V. *itaipava* (1).

intangibilidade [De *intangível* + *-(i)dade*, seg. o padrão erudito.] ***S. f.*** Qualidade de intangível.

intangível [De *in-*² + *tangível*.] ***Adj. 2 g.*** **1.** Em que não se pode tocar; impalpável, intátil, intocável: "'Flor de altura' lhe chamavam [a Leonor Teles] os poetas de então — flor que mora no cimo, sobranceira a tudo, intangível como o céu." (Antero de Figueiredo, *Leonor Teles*, p. 40.) **2.** Em cuja reputação não se pode tocar; inatacável, ilibado, intocável: *magistrado intangível*. **3.** *Econ.* Diz-se de bens que não têm existência física, como, p. ex., patentes ou marcas registradas. [Opõe-se, nesta acepç., a *tangível* (2).]

intanha [Do tupi; onom. do barulho feito por este sapo.] ***S. f.*** *Bras. Zool.* **1.** Animal anfíbio, anuro (*Ceratophrys ornata*), do tamanho de um punho, corpo esparramado, verde com listras simétricas de cor chocolate escuro. De grande voracidade, consegue deglutir até pintos de um dia; quando irritado, costuma inchar, empinando dois apêndices corniformes cefálicos, o que lhe empresta um aspecto ameaçador. [Sin.: *sapo-boi*, *sapo-cornudo*, *sapo-de-chifre*, *sapo-intanha*, *untanha*.] **2.** *P. ext. Pop.* Indivíduo gordo, glutão.

intátil [Var. de *intáctil*.] ***Adj. 2 g.*** V. *intangível*. [Pl.: *intáteis*.]

intatilidade [De *intátil* + *-(i)dade*; var. de *intactilidade*.] ***S. f.*** Qualidade de intátil.

intato [Var. de *intacto*.] ***Adj.*** **1.** Não tocado. **2.** Ileso, incólume. **3.** *Fig.* Puro, impoluto, intocado.

inté ***Prep.*** *Ant. Pop.* Até: "Inté veludos e crinolinas, sutaches e aljofres eram encontradiços nas vendas" (Nélson de Faria, *Cabeça-Torta*, p. 8).

integérrimo [Do lat. *integerrimu*.] ***Adj.*** Superl. abs. sint. de íntegro; integríssimo. ~ V. *folha —a*.

íntegra [F. subst. do adj. *íntegro*.] ***S. f.*** **1.** Totalidade. **2.** Contexto completo de lei, etc. [Cf. *integra*, do v. *integrar*.] ◆ **Na íntegra.** Integralmente; sem faltar uma palavra.

integrabilidade [De *integrável* + *-(i)dade*, seg. o padrão erudito.] ***S. f.*** Qualidade do que é integrável.

integração [Do lat. *integratione*.] ***S. f.*** **1.** Ato ou efeito de integrar(-se). **2.** Ação ou política que visa integrar em um grupo as minorias raciais, religiosas, sociais, etc. **3.** *Mat.* Ato de calcular uma integral. **4.** *Econ.* V. *integração horizontal*. **5.** *Econ.* V. *integração vertical*. **6.** *Eletrôn.* Processo de fabricação de circuitos integrados. ◆ **Integração econômica.** *Econ.* Associação entre países para estimular o comércio recíproco, com redução ou eliminação de tarifas alfandegárias nas vendas entre os participantes e harmonização de suas políticas econômicas. **Integração em larga escala.** *Eletrôn.* Integração, numa única pastilha de silício, de circuitos contendo entre 100 e 1.000 portas lógicas, utilizando tecnologia *MOS* (q. v.). [Mais us. a sigla (ingl.) *LSI*.] **Integração em média escala.** *Eletrôn.* Integração, numa única pastilha de silício, de circuitos contendo entre 13 e 99 portas lógicas, utilizando tecnologia bipolar (q. v.). [Mais us. a sigla (ingl.) *MSI*.] **Integração em muito larga escala.** *Eletrôn.* Integração, numa única pastilha de silício, de circuitos contendo mais de 1.000 portas lógicas, utilizando tecnologia *MOS* (q. v.). [Mais us. a sigla (ingl.) *VLSI*.] **Integração em pequena escala.** *Eletrôn.* Integração, numa única pastilha de silício, de circuitos contendo um máximo de doze portas lógicas, utilizando tecnologia bipolar (q. v.). [Mais us. a sigla (ingl.) *SSI*.] **Integração horizontal.** *Econ.* Fusão de empresas do mesmo ramo de atividade. [Tb. se diz apenas *integração*.] **Integração racial.** Política que objetiva integrar no seio de uma sociedade as minorias raciais. [Cf. *segregação racial*.] **Integração vertical.** **1.** *Econ.* Ampliação dos negócios de uma empresa para abranger outra(s) etapa(s) de um mesmo processo de produção (ex.: empresa de refino de petróleo que abre uma rede de postos de gasolina). **2.** O resultado desse processo: *A Petrobras tem alto grau de integração vertical.* [Tb. se diz apenas *integração*. Sin. ger.: *verticalização*.]

integracionista [Do ingl. *integrationist*.] ***Adj. 2 g.*** **1.** Relativo à integração racial, ou que é partidário dela. • ***S. 2 g.*** **2.** Partidário da integração racial.

integrado [Part. de *integrar*.] ***Adj.*** **1.** Que foi objeto de integração; que se integrou. **2.** Diz-se de cada uma das partes de um todo que se completam ou complementam: *unidades integradas*. ~ V. *bem —* e *circuito —*.

integrador (ô) [Do lat. tard. *integratore*.] ***Adj.*** **1.** Que integra ou faz integração. **2.** *Eletrôn.* Diz-se do circuito cuja tensão de saída é diretamente proporcional à integral, no tempo, da tensão de entrada. • ***S. m.*** **3.** Aquilo ou aquele que integra ou faz integração. **4.** *Eletrôn.* Circuito integrador (2). **5.** *Inform.* Empresa que monta computadores.

intégrafo [Do lat. *inte(gratus)*, 'integrado', + *-grafo*.] ***S. m.*** *Mat.* Instrumento mecânico para realizar uma integração (3).

integral [Do lat. med. *integrale*.] ***Adj. 2 g.*** **1.** Total, inteiro, global. **2.** Diz-se de cereal que não sofreu beneficiamento, ou que foi apenas descascado, conservando-se-lhe a película: *trigo integral*; *arroz integral*. **3.** *P. ext.* Diz-se de alimento preparado com cereal integral: *pão integral*. ~ V. *cálculo diferencial e —*, *edição —*, *equação —*, *equação — homogênea*, *subsidiária —* e *tempo —*. • ***S. f.*** **4.** *Mat.* Designação corrente da integral definida ou de uma integral indefinida. ◆ **Integral convergente.** *Mat.* A integral imprópria que tem um valor finito. **Integral curvilínea.** *Mat.* Integral de uma função tomada sobre uma curva; integral de linha. **Integral de área.** *Mat.* Integral de superfície. **Integral de fase.** *Fís.* A integral múltipla do produto de p pelo diferencial de q, onde p é o momento generalizado associado à coordenada generalizada q de um sistema, estendida ao domínio completo de todas as coordenadas generalizadas. **Integral definida.** *Mat.* Diferença entre os dois valores que assume uma integral indefinida em dois pontos especificados do seu domínio. [Tb. se diz apenas *integral*.] **Integral de linha.** *Mat.* Integral curvilínea. **Integral de movimento.** *Fís.* Função das coordenadas generalizadas de um sistema em movimento, a qual é constante e independente da variável tempo. **Integral de permuta.** *Fís.* Na expressão matemática da interação de duas partículas subatômicas, integral que provém formalmente da degeneração de permuta e traduz a existência de possíveis forças de permuta entre as duas. **Integral de superfície.** *Mat.* A integral dupla de uma função sobre uma superfície; integral de área. **Integral de volume.** *Mat.* A integral tripla de uma função de três variáveis estendida a um volume. **Integral divergente.** *Mat.* A integral imprópria cujo valor, em módulo, é infinito. **Integral geral.** *Mat.* Solução geral. **Integral imprópria.** *Mat.* Integral definida em que o intervalo de integração é infinito, ou em que o integrando se torna infinito para pelo menos um ponto do intervalo. **Integral indefinida.** *Mat.* Função cuja derivada é igual ao integrando; função do limite superior de uma integral definida cujo limite inferior é arbitrário. [Tb. se diz apenas *integral*. Sin.: *primitiva* e *antiderivada*.] **Integral particular.** *Mat.* Solução particular. **Integral singular.** *Mat.* Solução singular.

integralidade [Do lat. med. *integralitate*.] ***S. f.*** Qualidade, condição, ou atributo do que é integral; totalidade.

integralismo [De *integral* + *-ismo*.] ***S. m.*** **1.** Aplicação integral de uma doutrina ou sistema. **2.** *Bras.* Movimento político brasileiro de extrema-direita baseado nos moldes fascistas (v. *fascismo*), fundado em 1932 e extinto em 1937.

integralista [De *integralismo* + *-ista*.] ***Adj. 2 g.*** **1.** Referente ao, ou que é partidário do integralismo (2). • ***S. 2 g.*** **2.** Partidário do integralismo (2). [Sin.: *camisa-verde* ou apenas *verde* e (deprec.) *galinha-verde* ou apenas *galinha* e *pinguço*.]

integralização [De *integralizar* + *-ção*.] ***S. f.*** Ato ou efeito de integralizar.

integralizado [Part. de *integralizar*.] ***Adj.*** Que está completo, inteiro. ~ V. *capital —*.

integralizar [De *integral* + *-izar*.] ***V. t. d.*** **1.** V. *integrar* (1). **2.** *Econ.* Completar o pagamento (de uma subscrição de capital ou de compra de debêntures).

integralizável [De *integralizar* + *-vel*.] ***Adj. 2 g.*** Que pode ser integralizado.

integrando [Subst. do ger. de *integrar*.] ***S. m.*** *Mat.* Função submetida à operação de integração; função integranda.

integrante [De *integrar* + *-nte*.] ***Adj. 2 g.*** **1.** Que integra; que completa. ~ V. *conjunção —*, *fator —* e *termo —*. • ***S. 2 g.*** **2.** *E. Ling.* Conjunção integrante (q. v.).

integrar [Do lat. *integrare*.] ***V. t. d.*** **1.** Tornar inteiro: completar, inteirar, integralizar: "Lutero é o mais germânico de todos os gênios germânicos. Ele integra, como nenhum outro, todas as qualidades e todos os defeitos do espírito de sua raça." (Vicente Licínio Cardoso, *Pensamentos Brasileiros*, p. 29.) **2.** *Mat.* Determinar, de forma explícita, a integral de (uma função). *T. d. e i.* 3. Juntar, incorporar: *Integrou o baixista à orquestra. P.* 4. Inteirar-se, completar-se: "O seu talento literário e o seu nacionalismo [de Afonso Arinos] combinavam-se, integravam-se, completavam-se." (Olavo Bilac, *Últimas Conferências e Discursos*, p. 31.) 5. Juntar-se, tornando-se parte integrante; reunir-se, incorporar-se: "A forma da fêmea integrou-se no corpo do macho, / Ambos uma só pedra" (Dante Milano, *Poesias*, p. 62). 6. Adaptar-se, acomodar-se: "Alceu [Amoroso Lima], embora nervoso, inquieto, impaciente, apressado, se integrou muito bem na vida, foi desde rapazinho um ser gregário" (Antônio Carlos Vilaça, *O Desafio da Liberdade*, p. 20). [Pres. ind.: *integro, integras, integra*, etc. Cf. *íntegro*, adj. e *íntegra*, s. f.]

integrativo [De *integrar* + *-tivo*.] ***Adj.*** Capaz de integrar; integrador, integrante.

integrável [De *integrar* + *-vel*.] ***Adj. 2 g.*** Que pode ser integrado. ~ V. *equação diferencial —*.

▲ **integri-** [Do lat. *intĕger, gra, grum*.] ***El. comp.*** = 'completo', 'inteiro', 'íntegro': *integrifólio*.

integricípito[1] [De *integri-* + lat. *(oc)cipitu*.] ***Adj. Zool.*** Diz-se de inseto cujo occipício é inteiriço.

integricípito[2] [Adapt. do tax. *Integricipita*.] *Zool.* ***S. m.*** 1. Espécime dos integricípitos, subordem de insetos sifonápteros cuja fronte é contínua com o occipício, sem sulco ou fratura entre os dois. ● ***Adj.*** 2. Pertencente ou relativo a eles.

integridade [Do lat. *integritate*.] ***S. f.*** 1. Qualidade de íntegro; inteireza. 2. *Fig.* Retidão, imparcialidade. 3. *Fig.* Inocência, pureza, castidade.

integrifólio [De *integri-* + *-fólio*.] ***Adj. Bot.*** Que tem folhas inteiras.

integripaliado [Adapt. do tax. *Integripalliata*.] *Zool. Desus.* ***S. m.*** 1. Espécime dos integripaliados, antiga designação de subordem de moluscos, pelecípodes, eulamelibrânquios, que têm a linha palial inteira, sem formar seio. ● ***Adj.*** 2. Pertencente ou relativo a eles.

integrismo [De *íntegro* + *-ismo*.] ***S. m.*** *Teol.* Atitude mental de pessoas conservadoras com respeito a sua religião, que se traduz no apego mais a fórmulas que à investigação e solução dos novos problemas que se apresentam à fé.

integríssimo ***Adj.*** Integérrimo.

integrista [De *integrismo* + *-ista*.] ***Adj. 2 g.*** 1. Referente ao integrismo ou adepto dele. ● ***S. 2 g.*** 2. Adepto do integrismo: "Basta um intelectual muçulmano colocar em questão a primazia da religião, ... que ele se transforma em alvo dos integristas." (*Jornal do Brasil*, 04.03.1989.).

íntegro [Do lat. *integru*, por via erudita.] ***Adj.*** 1. Inteiro, completo. 2. Perfeito, exato. 3. Reto, imparcial, inatacável. 4. Brioso, pundonoroso. [Superl. abs. sint.: *integérrimo, integríssimo*. Cf. *integro*, do v. *integrar*.] ~ V. *folha —a*.

integumento [De *in-*[1] + *tegumento*.] ***S. m. Bot.*** Tegumento (3).

inteira [F. subst. do adj. *inteiro*.] ***S. f. Encad.*** Encadernação inteira (q. v.): *livro com inteira de couro.*

inteiração [De *inteirar* + *-ção*.] ***S. f.*** Ato de inteirar(-se). [Cf. *interação*.]

inteirado [Part. de *inteirar*.] ***Adj.*** 1. Que se inteirou, completou, perfez. 2. *Bras.* Completo, cabal, rematado; absoluto: *É um louco inteirado; É um sujeito bem inteirado.*

inteiramente [Do f. de *inteiro* + *-mente*.] ***Adv.*** 1. De modo integral; totalmente, exclusivamente: *Dedica-se inteiramente aos filhos.* 2. De modo completo; na totalidade; totalmente, integralmente: *Sua história não era inteiramente verdadeira.*

inteirar [De *inteiro* + *-ar*[2].] ***V. t. d.*** 1. Tornar inteiro ou completo; completar; perfazer; preencher: *Necessita dinheiro para inteirar a quantia da passagem.* 2. Completar, terminar: *Pretendia inteirar os seus estudos no ano próximo.* 3. Completar; perfazer: *Sua permanência aqui já inteirou seis meses.* 4. Completar (quantia): *Inteirou os dez reais que faltavam à conta. T. d. e i.* 5. Dar notícia completa; informar bem; fazer ciente; cientificar: *A tudo estive atento, para inteirar o chefe do que se passava. P.* 6. Formar-se ou constituir-se num todo; integrar-se. 7. Informar-se bem; fazer-se ciente; cientificar-se: *Inteirou-se do conteúdo da carta, e logo depois respondeu a ela.*

inteireza (ê) [De *inteiro* + *-eza*.] ***S. f.*** 1. Qualidade ou estado daquilo que é inteiro. 2. Integridade física ou moral: "Constância, lealdade, inteireza, eis o que respira da prosa estirada mas sincera de D. Duarte." (Vitorino Nemésio, *Ondas Médias*, p. 31.)

inteiriçado [Part. de *inteiriçar*.] ***Adj.*** Hirto, teso.

inteiriçamento [De *inteiriçar* + *-mento*.] ***S. m.*** Ato ou efeito de inteiriçar(-se): "A grande maioria obscura .... é calma na aparência, mas não são raros os que ocultam sob o inteiriçamento exterior recalques tormentosos." (Gilberto Amado, *Minha Formação no Recife*, p. 176.)

inteiriçar [Cruz. do port. ant. *enterir*, 'ficar transido de frio, sem movimento', com *inteiro*.] ***V. t. d.*** 1. Tornar inteiriço ou hirto; entesar: *O frio inteiriçava os pés da criança. P.* 2. Ficar hirto; entesar-se: "o corpo inteiriçou-se no supremo arranco..." (João Alphonsus, *Pesca da Baleia*, p. 34); "inteiriçara-se com o frio e a umidade dos serenos, nos descampados das gerais" (Nélson de Faria, *Tiziu e Outras Estórias*, p. 123). [Conjug.: v. *laçar*.]

inteiriço ***Adj.*** 1. De uma só peça: *Traga um pedaço inteiriço de pano: em duas partes não serve;* "não se lhe via uma joia no corpo, nem uma só fita no vestido inteiriço, de cambraia" (Aluísio Azevedo, *O Coruja*, p. 209). 2. *Fig.* Inflexível, rígido: *caráter inteiriço.* ~ V. *mastro —*.

inteiro [Do lat. *integru*, por via pop.] ***Adj.*** 1. Em toda a sua extensão; todo, completo: *Usou a peça inteira de renda; A rua inteira foi atingida pela enchente.* 2. Na sua totalidade: *O país inteiro vibrou com a notícia.* 3. Que tem todas as suas partes; a que não falta nada: *A estátua, apesar do tempo, acha-se inteira;* "Está inteira / E boa a cigarreira. / Ele é que já não serve." (Fernando Pessoa, *Poesias de Fernando Pessoa*, p. 220). 4. Ileso, incólume: *Apesar da batida violenta, ele saiu do carro inteiro.* 5. Não deteriorado, quebrado ou rachado: *O vaso é antigo, mas está inteiro.* 6. Que não diminuiu. 7. Constituído de uma só peça; inteiriço: *vestido inteiro.* 8. Diz-se do animal não castrado. 9. Ilimitado, absoluto, irrestrito: *Tenho nela inteira confiança; Goza de inteira liberdade.* 10. *Fig.* Reto, íntegro, incorruptível: *um caráter inteiro.* ~ V. *encadernação —a, equação algébrica racional —a, estaca —a, função —a, múltiplo —, o mundo —, número —, polinômio —, série —a, solução —a e verso —*. ● ***S. m.*** 11. *Mat.* Número inteiro. ◆ **Inteiro negativo.** *Mat.* Qualquer dos números -1, -2, -3, ... **Inteiro positivo.** *Mat.* Qualquer dos números 1, 2, 3, ...

intelecção [Do lat. tard. *intellectione*, 'sentido', 'significação'; 'sinédoque'; a acepç. vernácula deve-se à influência de *intelecto*.] ***S. f.*** Ato de entender, conceber, compreender.

intelectivo [Do lat. tard. *intellectivu*.] ***Adj.*** Relativo ao intelecto; do entendimento.

intelecto [Do lat. *intellectu*.] ***S. m.*** V. *inteligência*[1] (1). ◆ **Intelecto agente.** *Hist. Filos.* Intelecto ativo. **Intelecto ativo.** *Hist. Filos.* Na tradição aristotélico-tomista, a faculdade cognitiva pela qual as impressões recebidas pelos sentidos se tornam inteligíveis, *i. e.*, apropriadas ao intelecto passivo; intelecto agente. **Intelecto passivo.** *Hist. Filos.* Na tradição aristotélico-tomista, a faculdade cognitiva pela qual as impressões dos sentidos, já espiritualizadas pelo intelecto ativo (q. v.), são plenamente conhecidas.

intelectual [Do lat. tard. *intellectuale*.] ***Adj. 2 g.*** 1. Relativo ao intelecto: "A infanta D. Maria era uma mulher espirituosa, de grande cultura intelectual" (Ramalho Ortigão, *Figuras e Questões Literárias*, I, p. 154). 2. Que possui dotes de espírito, de inteligência. ~ V. *competência —, falsidade —, obra — e propriedade —*. ● ***S. 2 g.*** 3. Pessoa que tem gosto predominante ou inclinação pelas coisas do espírito, da inteligência.

intelectualidade [Do lat. tard. *intellectualitate*.] ***S. f.*** 1. V. *inteligência*[1] (1). 2. As faculdades intelectuais. 3. Conjunto de intelectuais. 4. A classe dos intelectuais.

intelectualismo [De *intelectual* + *-ismo*; ingl. *intellectualism*.] ***S. m.*** 1. Predomínio, num sistema ou num tipo de cultura, dos elementos racionais, *i. e.*, da inteligência e da razão. 2. *Filos.* Racionalismo (3). [Cf., nesta acepç., *idealismo* (2).] 3. *Ét.* Doutrina que pretende justificar pela razão os fins últimos do homem. [Cf., nesta acepç., *voluntarismo*.]

intelectualista [De *intelectualismo* + *-ista*; ingl. *intellectualist*.] ***Adj. 2 g.*** 1. Relativo ao intelectualismo. 2. Que é adepto das formas culturais ou sistemas de valores em que os elementos racionais preponderam sobre os afetivos ou volitivos. ● ***S. 2 g.*** 3. Adepto dessas formas culturais ou sistemas de valores.

intelectualização [De *intelectualizar* + *-ção*.] ***S. f.*** Ação ou efeito de intelectualizar(-se).

intelectualizado [Part. de *intelectualizar*.] ***Adj.*** Que se intelectualizou.

intelectualizar [De *intelectual* + *-izar*.] ***V. t. d.*** 1. Tornar intelectual (3). 2. Elevar à classe das coisas intelectuais. *P.* 3. Tornar-se intelectual (3).

inteligência[1] [Do lat. *intelligentia*.] ***S. f.*** 1. Faculdade de aprender, apreender ou compreender; percepção, apreensão, intelecto, intelectualidade. 2. Qualidade ou capacidade de compreender e adaptar-se facilmente; capacidade, penetração, agudeza, perspicácia. 3. Maneira de entender ou interpretar; interpretação: *a boa inteligência de um texto; É vária a inteligência daquele artigo do Código Civil;* "Fala-me só coo revolver dos olhos. / Tenho-me afeito à inteligência deles." (Junqueira Freire, *Contradições Poéticas*, p. 192). 4. Acordo, harmonia, entendimento recíproco: *Vivem em boa inteligência.* 5. Relações ou entendimentos secretos; conluio, maquinação, trama. 6. Destreza mental; habilidade: *Resolveu o problema com a sua inteligência habitual.* 7. *Psicol.* Capacidade de resolver situações problemáticas novas mediante reestruturação dos dados perceptivos. 8. Pessoa inteligente: *Grandes inteligências do país estavam ali reunidas.* ◆ **Inteligência artificial.** *Inform.* Ramo da ciência da computação dedicado a desenvolver equivalentes computacionais de processos peculiares à cognição humana, como, p. ex., a produção de inferências lógicas, o aprendizado, a compreensão de linguagem natural e reconhecimento de padrões. **Inteligência de peru novo.** Inteligência escassa, ou nenhuma: "Bom homem .... muito ingênuo .... inteligência de peru novo, besta como aruá." (Graciliano Ramos, *São Bernardo*, p. 54.)

inteligência[2] [Do ingl. *intelligence*.] ***S. f.*** *Angl.* V. *serviço de informações*.

inteligente [Do lat. *intelligente*.] ***Adj. 2 g.*** 1. Que tem ou revela inteligência[1]: *indivíduo inteligente; resolução inteligente; resposta inteligente.* ● ***S. m.*** 2. *Lus.* Diretor de touradas.

inteligibilidade [De *inteligível* + *-(i)dade*, seg. o padrão erudito.] ***S. f.*** Qualidade de inteligível.

inteligível [Do lat. *intelligibile*.] ***Adj. 2 g.*** 1. Que se compreende bem. 2. Relativo à inteligência[1]. 3. *Filos.* Que se conhece pela inteligência ou pela razão. [Opõe-se, nesta acepç., a *sensível* (12).] 4. *Filos.* Inserido em um sistema de significações ou relações lógicas já conhecidas. ~ V. *mundo —*.

intelijumência [De *intelijumento* + *-ência*, com infl. de *inteligência*.] ***S. f.*** *Bras. N. N.E. Pop.* Qualidade de intelijumento.

intelijumento [Cruz. de *inteligente* com *jumento*.] ***Adj.*** *Bras. Pop.* Curto de inteligência[1]; bronco, estúpido, burro.

➔**intelligentsia** [inteli'gentsia\inteli'dʒentsia] [Rus. = *intelligentsiya*, do lat. *intelligentia*.] ***S. f.*** Os intelectuais considerados como classe ou grupo, ou, em especial, como uma elite artística, social ou política. [Tb. se grafa *intelligentzia*.]

➔**intelligentzia** [inteli'gentsia] ***S. f.*** V. *intelligentsia*.

intemente [De *in-*[2] + *temente*.] ***Adj. 2 g.*** Que não teme; não temente: *mulher intemente a Deus.*

intemerato [Do lat. *intemeratu*.] ***Adj.*** Íntegro, puro, incorrupto: "Ela lá estava no seu posto, altiva, serena, intemerata, reta como um exemplo..." (Trindade Coelho, *Os Meus Amores*, p. 157.) [Cf. *intimorato*.]

intemperado [Do lat. *intemperatu*.] ***Adj.*** Sem temperança; dissoluto, descomedido, imoderado.

intemperança [Do lat. *intemperantia*.] ***S. f.*** 1. Falta de temperança. 2. Costume de beber e comer em excesso; glutonaria. [Sin. ger.: *destemperança*.]

intemperante [Do lat. *intemperante*.] ***Adj. 2 g.*** 1. Que não é sóbrio. 2. Dissoluto, descomedido, imoderado. ● ***S. 2 g.*** 3. Pessoa intemperante.

intempérico [De *intempérie* + *-ico*[2].] ***Adj.*** Referente a, ou resultante de intempérie.

intempérie [Do lat. *intemperie*.] ***S. f.*** 1. Os rigores das variações das condições atmosféricas (temperatura, chuvas, ventos, umidade). 2. Mau tempo: "E o herói caiçara do Itapanhaú, tremendo de frio e de terror sob a intempérie, apressava o passo em direção à cidade distante" (Ribeiro Couto, *Conversa Inocente*, p. 147).

intemperismo [De *intempérie* + *-ismo*.] ***S. m.*** *Geol.* Conjunto de processos devidos à ação de agentes atmosféricos e biológicos que geram a destruição física e a decomposição química dos minerais das rochas.

intempestividade [Do lat. tard. *intempestivitate*.] ***S. f.*** Qualidade ou caráter de intempestivo.

intempestivo [Do lat. *intempestivu*.] ***Adj.*** 1. Fora do tempo próprio; inoportuno. 2. Súbito, imprevisto, inopinado.

intemporal [De *in-*[2] + *temporal*.] ***Adj. 2 g.*** 1. Não temporal ou transitório; eterno, perene. 2. Não temporal ou profano; espiritual.

intemporalidade [Do lat. tard. *intemporalitate*.] ***S. f.*** Qualidade de intemporal; ausência de temporalidade: "O tempo cronológico perde a razão de ser ante a intemporalidade da ação [no romance *Perto do Coração Selvagem*, de Clarice Lispector], que foge dele num ritmo caprichoso de duração interior." (Antônio Cândido, *Brigada Ligeira*, p. 106); "Borges confere à arte o papel de renovar e fixar o passado, que nos é restituído em sua intemporalidade." (Bella Jozef, *Jorge Luis Borges*, p. 69).

intenção [Do lat. *intentione*.] *S. f.* **1.** Ato de tender; intento, tenção. **2.** Vontade, desejo, pensamento. **3.** Propósito, plano, deliberação: *Minha intenção era sair logo que terminasse o trabalho.* **4.** *Liter.* O conjunto dos motivos do autor ao escrever uma obra, em oposição à obra realizada. [Cf. *intensão*.] ◆ **Segunda intenção.** Pensamento ou intenção que se oculta enquanto se expressa outra por gesto(s) ou palavra(s). [Corresponde ao fr. *arrière-pensée*.]

intencionado [Part. de *intencionar*.] *Adj.* Feito com intenção.

intencional [Do lat. med. *intentionale*.] *Adj. 2 g.* **1.** Em que há, ou que revela intenção. **2.** Relativo a intenção. [Sin., p. us.: *intencionável*.] ~ V. *análise — e amostragem —*.

intencionalidade [Do lat. med. *intentionalitate*.] *S. f.* Qualidade ou caráter de intencional. ◆ **Intencionalidade da consciência.** *Filos.* Caráter próprio da consciência pelo qual a cada ato de consciência corresponde um conteúdo de consciência, *i. e.*, toda "consciência" é "consciência de...".

intencionar [De *intenção* + *-ar*[2], seg. o padrão erudito.] *V. t. d.* Ter a intenção de; tencionar.

intencionável [De *intencionar* + *-vel*.] *Adj. 2 g. P. us.* Intencional.

intencionista [De *intenção* + *-ista*, seg. o padrão erudito.] *Adj. 2 g. S. 2 g.* Diz-se de, ou sectário da opinião de que nenhum ato é válido se não é feito com intenção.

intendência [Adapt. do fr. *intendance*.] *S. f.* **1.** Cargo ou direção de intendente. **2.** Edifício ou repartição onde o intendente exerce as suas funções.

intendente [Do fr. *intendant*.] *S. 2 g.* **1.** Pessoa que dirige ou administra alguma coisa. ● *S. m.* **2.** *Bras.* Designação que até o primeiro quartel do século XX se deu aos chefes do poder executivo municipal, hoje prefeitos. **3.** *Bras. Mil.* Oficial integrante de um quadro ou categoria especial, ao qual incumbe a execução dos serviços financeiros e de abastecimento das organizações militares.

intender [Do lat. *intendere*.] *V. t. d.* **1.** Exercer vigilância e direção sobre; dirigir, superintender. *P.* **2.** Tornar-se mais intenso. [Cf. *entender*.]

intensão [Do lat. *intensione*.] *S. f.* **1.** Veemência, intensidade. **2.** Aumento de tensão. **3.** *E. Ling.* V. *articulação* (5). **4.** *Lóg.* V. *compreensão* (3). [Cf. *intenção*.]

intensar [De *intenso* + *-ar*[2].] *V. t. d. P.* Intensificar(-se): "O rumor dos bailes intensava a emoção da música" (Alcides Maia, *Tapera*, p. 38).

intensidade [De *intenso* + *-(i)dade*.] *S. f.* **1.** Qualidade de intenso. **2.** Grau muito elevado. **3.** *E. Ling.* O maior grau de força expiratória com que o som da fala é proferido, força que se manifesta acusticamente na maior ou menor amplitude de vibrações. [O acento característico da língua portuguesa é o *acento de intensidade*, e a vogal ou sílaba sobre a qual recai denomina-se *tônica*, sendo *átona* a vogal ou sílaba inacentuada. São sete as vogais tônicas orais (*a, é, ê, i, ó, ô, u*) e cinco as vogais tônicas nasais (*ã, ẽ, ĩ, õ, ũ*). Cinco são as vogais átonas orais (*a, ê, i, ô, u*) e cinco as vogais átonas nasais (*ã, ẽ, ĩ, õ, ũ*). A sílaba imediatamente anterior à tônica denomina-se *sílaba pretônica*, e a sílaba imediatamente posterior à tônica, *sílaba postônica*. Ex.: na palavra *te-a-tro*, *a* é a sílaba tônica, *te* a pretônica e *tro* a postônica.] ◆ **Intensidade de radiação.** *Fís.* V. *irradiância*. **Intensidade do campo elétrico.** *Eletr.* Num campo elétrico, força que age num ponto, sobre uma unidade de carga elétrica positiva ali colocada; intensidade elétrica [símb.: *E*]. **Intensidade do campo magnético.** *Fís.* Num campo magnético, força que age, num ponto do campo, sobre uma unidade de polo magnético ali colocada; num campo magnético, força que age sobre uma unidade de carga elétrica unitária que se move com velocidade também unitária em direção perpendicular às linhas de força do campo [símb.: *H*]. **Intensidade elétrica.** *Eletr.* Intensidade do campo elétrico. **Intensidade energética.** *Fís.* Fluxo de energia emitido por uma fonte pontual, numa direção e por unidade de ângulo sólido; intensidade radiante. **Intensidade luminosa.** *Fotom.* Fluxo de energia luminosa emitido, em uma dada direção e por unidade de ângulo sólido, por uma fonte pontual. **Intensidade radiante.** *Fís.* Intensidade energética. **Intensidade sonora.** *Fís.* Fluxo de energia sonora através de uma superfície normal à direção de propagação da onda.

intensificação [De *intensificar* + *-ção*.] *S. f.* Ato ou efeito de intensificar(-se).

intensificador (ô) [De *intensificar* + *-dor*.] *Adj.* **1.** Que intensifica. ● *S. m.* **2.** Aquilo que intensifica. **3.** *E. Ling.* Advérbio de intensidade, como, p. ex., *muito, pouco, demais, assaz*.

intensificar [De *intenso* + *-ificar*; fr. *intensifier*.] *V. t. d. P.* Tornar(-se) intenso ou mais intenso; intensar(-se). [Conjug.: v. *trancar*.]

intensivo [Do lat. med. *intensivu*.] *Adj.* **1.** Que dá intensão. **2.** Que tem intensidade; ativo, veemente; intenso: "Do interior das fazendas coloniais nos vem, através das páginas de Antonil, uma impressão de operosidade intensiva." (Oliveira Viana, *Populações Meridionais do Brasil*, p. 69.) **3.** Que se faz com aplicação intensa, compensando com ela, em geral, a brevidade do prazo disponível: *estudo intensivo; curso intensivo* **4.** *Econ.* Diz-se de produção agrícola em área reduzida, com técnicas avançadas e alta produtividade. [Opõe-se, nesta acepç., a *extensivo* (4).] **5.** *Econ.* Diz-se de processo produtivo que usa proporcionalmente muito de um dado fator de produção. [V. *intensivo em capital* e *intensivo em trabalho*.] **6.** *E. Ling.* Que reforça ou intensifica a ideia da ação: *partícula intensiva*. ~ V. *grandeza — a, propriedade — a* e *verbo —*.

intenso [Do lat. tard. *intensu*.] *Adj.* **1.** Ativo, energético, forte, impetuoso, veemente: *amor intenso; dedicação intensa*. **2.** Duro, árduo, penoso, aturado, absorvente: *trabalho intenso*. **3.** Forte, violento, rude, excessivo: "Meio-dia. Calor intenso, sufocante." (Amando Fontes, *Os Corumbas*, p. 146.) **4.** Muito ativo; animado ou movimentado em alto grau: "A vida social era intensa; reuniões, festas e chás movimentavam as classes altas." (Manuel Diegues Júnior, *Regiões Culturais do Brasil*, p. 251.)

intentar [Do lat. *intentare*.] *V. t. d.* **1.** Tentar, tencionar, planear; projetar: *Intentou grandes obras*. **2.** Esforçar-se por; diligenciar, tentar: "Leonor deixara a mãe falar, sem intentar qualquer desculpa, sem nada mais dizer em sua defesa." (Guido Vilmar Sassi, *São Miguel*, p. 173.) **3.** Empreender, cometer. **4.** *Jur.* Propor em juízo: *intentar uma ação*.

intentável [De *intentar* + *-vel*.] *Adj. 2 g.* Que pode ser intentado.

➔ **intentio legis** [en'tenteo 'leges] [Lat.] *Jur.* A finalidade da lei.

➔ **intentio litis** [en'tenteo 'lites] [Lat.] *Jur.* O fim a que visa o autor da lide.

intento [Do lat. *intentu*.] *S. m.* **1.** Plano, desígnio, projeto, intenção. ● *Adj.* **2.** Aplicado, atento.

intentona [Do esp. *intentona*.] *S. f.* **1.** Intento louco; plano insensato. **2.** Conluio e/ou tentativa de motim ou revolta.

▲ **inter-** [Do lat. *inter*.] *Pref.* = 'posição intermediária'; 'reciprocidade': *intercostal; interação, interseção*. [Equiv.: *entr(e)-*.] [É seguido de hífen quando anteposto a palavra iniciada por *h* ou *r* (em tais casos, apenas o 2.º el. é flexionado na formação do plural: *inter-helênico*: *inter-helênicos*; *inter-relação*: *inter-relações*).]

interacadêmico *Adj.* V. *interacadêmico*. [Uso freq. em P.]

interacadêmico [De *inter-* + *acadêmico*.] *Adj.* Que se realiza entre academias: *acordo interacadêmico*.

interação [De *inter-* + *ação*.] *S. f.* **1.** Ação que se exerce mutuamente entre duas ou mais coisas, ou duas ou mais pessoas; ação recíproca: "Nesse fenômeno de interação de linguagem popular e linguagem poética o fato que nos parece mais curioso é o do aproveitamento, no curso da vida de cada um, ... de expressões usadas por poetas" (Valdemar Cavalcanti, *Jornal Literário*, p. 199); "É evidente que a obra de arte resulta da interação de fatores subjetivos e objetivos, veiculados através do meio social." (Euríalo Canabrava, *Estética da Crítica*, p. 29). **2.** *Fís.* Ação mútua entre duas partículas ou dois corpos. **3.** *Fís.* Força que duas partículas exercem uma sobre a outra, quando estão suficientemente próximas. [Cf. *inteiração*.] ◆ **Interação de van der Waals.** *Quím.* Força de van der Waals (q. v.). **Interação dipolo-dipolo.** *Quím.* Interação entre moléculas devido aos momentos dipolares destas, especialmente quando atrativa. **Interação eletromagnética** *Fís. Part.* Tipo de força de longo alcance que atua entre partículas ou corpos que têm carga elétrica, e é mediada por fótons (q. v.). **Interação forte.** *Fís. Nucl.* Tipo de força muito intensa, de alcance da ordem de 10^{-15}m, que atua entre *quarks* e glúons, e é responsável pela estabilidade dos núcleos atômicos. **Interação fraca.** *Fís. Nucl.* Tipo de força de curto alcance que atua nos *quarks* e léptons, mediada pelos bósons W e Z-zero, responsável pelo decaimento de muitas partículas elementares, tais como o nêutron, o múon e o *káon*, e pela desintegração radioativa de núcleos atômicos. **Interação gravitacional.** *Fís. Part.* Tipo de força de longo alcance, que atua sobre os corpos com massa ou energia, e que gera uma atração mútua entre eles. V. *gravitação*. **Interação intermolecular.** *Quím.* Atração entre moléculas, que não corresponde a uma ligação química, iônica ou covalente. **Interação medicamentosa.** *Farmac.* Conjunto de fenômenos pelo qual os efeitos habituais de um medicamento, *in vivo*, são modificados ou pela administração, prévia ou conjunta, de outro(s) medicamento(s), ou por substâncias químicas do organismo do próprio doente, ou por constituintes de alimentos, ou por substâncias encontradas no ambiente; um medicamento pode, ainda, modificar o efeito habitual de substâncias químicas empregadas em investigações laboratoriais num paciente que o esteja recebendo. [Cf. *incompatibilidade medicamentosa*.] **Interações fundamentais.** *Fís. Part.* Os quatro tipos de força que se conhece, e que descrevem todos os fenômenos da natureza. [V. *interação forte, interação fraca, interação eletromagnética* e *interação gravitacional*.]

interacionismo [De *interação* (*interacion-*) + *-ismo*, seg. o padrão erudito.] *S. m. Psiq.* Teoria segundo a qual o conhecimento resulta da interação social entre duas ou mais pessoas; ação recíproca.

interagente [De *interagir* + *-ente*.] *Adj. 2 g.* Que interage; em que há interação.

interagir [De *inter-* + *agir*.] *V. int.* Agir mutuamente (dois ou mais objetos, duas ou mais coisas); interatuar, exercer interação. [Conjug.: v. *dirigir*.]

interaliado [De *inter-* + *aliado*.] *Adj. Mil.* Diz-se de operação ou de órgão que emprega forças ou elementos ponderáveis de dois ou mais governos aliados, sob comando único, para o cumprimento de uma missão comum.

interalveolar [De *inter-* + *alveolar*.] *Adj. 2 g. Anat.* Situado entre alvéolos.

interambulacral [De *interambulacro* + *-al*[1].] *Adj. 2 g. Zool.* Interambulacrário.

interambulacrário [De *interambulacro* + *-ário*.] *Adj. Zool.* Situado em interambulacro; interambulacral.

interambulacro [De *inter-* + *ambulacro*.] *S. m. Zool.* Nos equinodermos, cada uma das áreas entre dois ambulacros.

interamericano [De *inter-* + *americano*[1].] *Adj.* Relativo às, ou que se efetua entre as Américas.

interamne [De *inter-* + lat. *amnis, is*, 'rio'.] *Adj. 2 g.* Situado entre rios.

interamnense [Do lat. *interamnense*.] *Adj. 2 g.* **1.** Que vive entre rios. **2.** *Restr.* Pertencente ou relativo à região de Entre Douro e Minho (Portugal). ● *S. 2 g.* **3.** O natural ou habitante dessa região.

interanular [De *inter-* + *anular*[1].] *Adj. 2 g.* Situado entre anéis.

interárabe [De *inter-* + *árabe*.] *Adj. 2 g.* Relativo aos, ou que se efetua entre os Estados árabes.

interarticular [De *inter-* + *articular*[1].] *Adj. 2 g.* Situado entre articulações.

interatividade [De *interativo* + *-(i)dade*.] *S. f.* **1.** Caráter ou condição de interativo. **2.** Capacidade (de um equipamento, sistema de comunicação ou de computação, etc.) de interagir ou permitir interação.

interativo [De *inter-* + *ativo*.] *Adj.* **1.** Relativo a, ou em que há interação. **2.** *Inform.* De, ou relativo a sistemas ou procedimentos computacionais, programas, etc. em que o usuário pode (e, por vezes, necessita) continuamente intervir e controlar o curso das atividades do computador, fornecendo novas entradas (de dados ou comandos) à medida que observa os efeitos das anteriores. [Cf., nesta acepç., *processamento em lote*.] **3.** *P. ext. Comun.* Diz-se do meio de comunicação que permite ao destinatário interagir, de forma dinâmica, com a fonte ou o emissor: *mídia interativa, programa interativo de TV; videoconferência interativa*.

interatômico [De *inter-* + *atômico*.] *Adj. Fís.-Quím.* Que ocorre entre átomos: *ligação interatômica*.

interatrial [De *inter-* + *átrio* + *-al*[1].] *Adj. 2 g. Anat.* Situado entre átrios. ~ V. *septo —*.

interatuar [De *inter-* + *atuar*[1].] *V. int.* V. *interagir*.

interauricular [De *inter-* + *auricular*.] *Adj. 2 g. Anat.* Que está situado, ou ocorre entre aurículas. ~ V. *septo —*.

interbancário [De *inter-* + *bancário*.] *Adj.* Que se observa ou se realiza entre bancos: *As taxas de juros do mercado interbancário sofreram novo aumento.*

intercadência [De *inter-* + *cadência*.] *S. f.* **1.** Falta de continuidade; interrupção: "o amor apaixonado, por mais perfeito que o queiram pintar, tem sempre intercadência de desalento e de tédio que assassinam a felicidade." (Ramalho Ortigão, *Em Paris*, p. 23). **2.** Intercorrência (falando-se do tempo). **3.** *Patol.* Movimento desordenado do pulso, caracterizado por frouxidão intermitente das pulsações arteriais.

intercadente [De *inter-* + *cadente*.] *Adj. 2 g.* Não contínuo; intermitente, interrompido, interrupto, descontinuado: "o ouvir no ar em ecos intercadentes uma multidão de soluços e suspiros" (Matias Aires, *Reflexões sobre a Vaidade dos Homens*, p. 117).

intercalação [Do lat. *intercalatione*.] *S. f.* **1.** Ato ou efeito de intercalar(-se). **2.** *Art. Gráf.* V. *acréscimo* (5).

I

3. *Art. Gráf.* Sinal, palavra ou grupo de palavras em tipo diferente, numa composição. 4. *Art. Gráf.* Folha de papel com que se permeiam folhas impressas, para evitar repintes; entrefolha. 5. *Quím.* Associação entre uma molécula, ger. com forma plana, e uma outra, que tem em sua estrutura uma fenda entre dois anéis insaturados, na qual a primeira penetra. [Este fenômeno ocorre, p. ex., entre certas substâncias aromáticas e ácidos nucleicos, e pode originar mutações.]

intercalado [Part. de *intercalar*².] ***Adj.*** Entremeado, interposto. ~ V. *charada —a*.

intercalante [De *intercalar* + *-nte*.] ***Adj. 2 g.*** *Quím.* Capaz de intercalação (q. v.), esp. em ácidos nucleicos.

intercalar¹ [Do adj. lat. *intercalare*.] ***Adj. 2 g.*** Que se intercala, que se acha intercalado. ~ V. disco —.

intercalar² [Do v. lat. *intercalare*.] ***V. t. d.*** 1. Pôr de permeio; interpor; inserir: "É [teu nome] o verso de ouro que regula o metro / De um poema de orfeônicos arpejos, / Que, de hora em hora, trêmulo, soletro / Intercalando sílabas de beijos." (Humberto de Campos, *Poesias Completas*, p. 33.) 2. *Art. Gráf.* Encasar² (2). ***T. d. e c.*** 3. Intercalar (1): "Nas mãos de cera, finas e mimosas, / Postas em cruz, intercalou-lhe as rosas" (Conde de Monsaraz, *Musa Alentejana*, p. 250). ***P.*** 4. Misturar-se; entremear-se.

intercalável [De *intercalar*² + *-vel*.] ***Adj. 2 g.*** Que pode ser intercalado.

intercambiador (ô) [De *intercambiar* + *-dor*.] ***Adj. S. m.*** Que, ou aquele que intercambia.

intercambiamento [De *intercambiar* + *-mento*.] ***S. m.*** Ato ou efeito de intercambiar.

intercambiar [De *intercâmbio* + *-ar*².] ***V. t. d. T. d. e i.*** 1. Fazer ou praticar o intercâmbio de: *intercambiar produtos; intercambiar relações; Intercambiou mercadorias com outros países.* 2. Permutar, trocar. [Pres. ind.: *intercambio*, etc. Cf. *intercâmbio*, s. m.]

intercambiável [De *intercambiar* + *-vel*.] ***Adj. 2 g.*** Que se pode intercambiar.

intercâmbio [De *inter-* + *câmbio*.] ***S. m.*** 1. Troca, permuta. 2. Relações de comércio ou intelectuais de nação a nação. [Cf. *intercambio*, do v. *intercambiar*.] ◆ **Intercâmbio eletrônico de dados.** *Inform.* Troca computadorizada de informações (como entre instituições, empresas, etc.), ger. em caráter frequente ou regular, como meio de automatização de determinadas operações ou procedimentos (p. ex., solicitações de serviços, materiais, pagamentos, ordens bancárias, etc.). [Sigla (ingl.): *EDI*.]

interceção ***S. f.*** V. *intercepção*. [Uso próprio de P.] ⊙

interceder [Do lat. *intercedere*.] ***V. t. i. Bit. i.*** Pedir, rogar, suplicar (por outrem); intervir (a favor de alguém ou de algo): *Vendo que o amigo sofrera injustiça, intercedeu por ele;* "Conta-se que .... intercedeu [Charles Nodier], junto do pai, em favor de uma senhora acusada de traição" (Melo Nóbrega, *O Soneto de Arvers*, p. 10).

intercelular [De *inter-* + *celular*.] ***Adj. 2 g.*** *Citol.* Localizado entre as células. ~ V. *cemento — e ponte —*.

intercepção [Do lat. *interceptione*.] ***S. f.*** Interceptação (1).

interceptação [De *interceptar* + *-ção*.] ***S. f.*** 1. Ato ou efeito de interceptar; intercepção. 2. *Mil.* Ação de levar navio, força (19) ou aeronave ao encontro de outro navio, força ou aeronave, com o propósito de identificá-lo(s) e/ou atacá-lo(s).

interceptador (ô) [De *interceptar* + *-dor*.] ***Adj.*** 1. Que intercepta; interceptante, interceptor. ● ***S. m.*** 2. Aquele ou aquilo que intercepta; interceptor. 3. Avião de caça, muito veloz e bem armado, que tem por função interceptar, pelo ataque, as incursões aéreas inimigas.

interceptante [De *interceptar* + *-nte*.] ***Adj. 2 g.*** V. *interceptador* (1).

interceptar [De *intercepto* + *-ar*².] ***V. t. d.*** 1. Interromper no seu curso; deter ou impedir na passagem: *interceptar raios de luz.* 2. Cortar, interromper: *interceptar comunicações telefônicas.* 3. Reter, deter, empolgar (o que era destinado a outrem). 4. Servir de, ou constituir obstáculo a: "haveria [Gonçalves Dias].... de sofrer da humildade da mãe, que era como uma barreira a interceptar-lhe as comunicações." (Lúcia Miguel Pereira, *A Vida de Gonçalves Dias*, p. 156).

intercepto [Do lat. *interceptu*.] ***Adj.*** Que se interceptou; interrompido.

interceptor (ô) [Do lat. *interceptore*.] ***Adj. S. m.*** Que, aquele ou aquilo que intercepta. ◆ **Interceptor oceânico.** *Bras.* Galeria que se destina a recolher os esgotos sanitários e/ou pluviais, impedindo que sejam lançados em pontos inadequados da orla marítima.

intercervical [De *inter-* + *cervical*.] ***Adj. 2 g.*** *Anat.* Localizado entre as vértebras cervicais.

intercessão [Do lat. *intercessione*.] ***S. f.*** Ato de interceder; intervenção: "peçamo-la [a graça divina] primeiro ao Espírito Santo por intercessão da Senhora." (Pe. Antônio Vieira, *Sermões*, XII, pp. 56-57.) [Cf. *interseção*.]

intercessor (ô) [Do lat. *intercessore*.] ***Adj. S. m.*** Que, ou aquele que intercede.

intercetação ***S. f.*** V. *interceptação*. [Uso próprio de P.] ⊙

intercetador (ô) ***Adj. S. m.*** V. *interceptador*. [Uso próprio de P.] ⊙

intercetante ***Adj. 2 g.*** V. *interceptante*. [Uso próprio de P.] ⊙

intercetar ***V. t. d.*** V. *interceptar*. [Uso próprio de P.] ⊙

interceto ***Adj.*** V. *intercepto*. [Uso próprio de P.] ⊙

intercetor (ô) ***Adj. S. m.*** V. *interceptor*. [Uso próprio de P.] ⊙

intercílio [Do lat. med. *interciliu*.] ***S. m.*** *Anat.* Espaço situado entre as sobrancelhas.

interciso [Do lat. *intercisu*.] ***Adj.*** 1. Cortado ao meio. 2. Retalhado; truncado.

interclavicular [De *inter-* + *clavicular*.] ***Adj. 2 g.*** *Anat.* Situado entre as clavículas.

interclube [De *inter-* + *clube*.] ***Adj. 2 g.*** *Bras.* Que se realiza ou se disputa entre dois ou mais clubes: *campeonato interclube.*

intercolegial [De *inter-* + *colegial*.] ***Adj. 2 g.*** Que se efetua entre dois ou mais colégios: *concurso intercolegial.*

intercolonial [De *inter-* + *colonial*.] ***Adj. 2 g.*** Que se faz de colônia para colônia.

intercolunar [De *inter-* + *colunar*¹.] ***Adj. 2 g.*** Relativo a intercolúnio.

intercolúnio [Do lat. *intercolumniu*.] ***S. m.*** Espaço entre colunas: "levanta-a .... nos braços e senta-a num intercolúnio do pórtico" (Eugênio de Castro, *Obras Poéticas*, VI, p. 62).

intercombinação [De *inter-* + *combinação*.] ***S. f.*** *Fís.* Transição de um átomo de um estado para outro de multiplicidade diferente. [Em geral é uma transição proibida, mas ocorre nos átomos de elementos pesados.]

intercomunicação [De *inter-* + *comunicação*.] ***S. f.*** Ato ou efeito de intercomunicar-se; comunicação recíproca.

intercomunicar-se [De *inter-* + *comunicar* + *se*¹.] ***V. p.*** Comunicar-se reciprocamente. [Conjug.: v. *trancar*.]

intercomunitário [De *inter-* + *comunitário*.] ***Adj.*** Que existe ou se efetua entre comunidades.

intercondiliano [De *inter-* + *côndilo* + *-iano*.] ***Adj.*** *Anat.* Situado entre dois côndilos; intercondiloide.

intercondiloide (ói) [De *inter-* + *côndilo* + *-oide*.] ***Adj. 2 g.*** *Anat.* Intercondiliano. ❖

intercondral [De *inter-* + *-condr(o)-* + *-al*¹.] ***Adj. 2 g.*** *Anat.* Situado entre cartilagens.

interconectado [Part. de *interconectar*.] ***Adj.*** Em que há interconexão.

interconectar [De *inter-* + *conectar*.] ***V. t. d. P.*** Conectar(-se) entre si (dois ou mais processos, equipamentos, ideias, etc.).

interconexão (cs) [De *inter-* + *conexão*.] ***S. f.*** Conexão entre dois processos, equipamentos, ideias, etc.

intercontinental [De *inter-* + *continental*.] ***Adj. 2 g.*** 1. Relativo a dois ou mais continentes. 2. Situado entre continentes. 3. Que se faz de continente para continente: *comércio intercontinental.*

intercorrência [Do lat. *intercurrentia* (acus. neutro pl. do part. pres. do v. lat. *intercurrere*), tomado como feminino.] ***S. f.*** 1. Qualidade de intercorrente. 2. Alternativa, variação.

intercorrente [Do lat. *intercurrente*.] ***Adj. 2 g.*** 1. Que se mete de permeio. 2. Que sobrevém enquanto outra coisa dura: "para curá-la tanto de sua loucura como da atual moléstia intercorrente, lançara mão de todos os recursos" (Lima Barreto, *Triste Fim de Policarpo Quaresma*, p. 245).

intercostal [De *inter-* + *-cost-* + *-al*¹.] ***Adj. 2 g.*** *Anat.* Situado entre costelas.

intercrescimento [De *inter-* + *crescimento*.] ***S. m.*** *Geol.* Disposição interligada de dois minerais, que se deve, normalmente, à cristalização simultânea de duas fases ou à exsolução de uma fase em outra.

intercurso [Do lat. *intercursu*.] ***S. m.*** 1. Comunicação, trato. 2. Relacionamento: "Versátil no intercurso sexual, não desdenharia [D. Pedro I] as mulheres aparentemente menos dotadas" (Otávio Tarquínio de Sousa, *A Vida de D. Pedro I*, I, pp. 106-107).

interdental [De *inter-* + *-dent(i)-* + *-al*¹.] ***Adj. 2 g.*** 1. Interdentário. 2. *E. Ling.* Relativo a interdental (3). ● ***S. f.*** 3. *E. Ling.* Consoante interdental (q. v.).

interdentário [De *inter-* + *dentário*.] ***Adj.*** Que está entre os dentes, interdental: *espaço interdentário.*

interdepartamental [De *inter-* + *departamento* + *-al*¹.] ***Adj. 2 g.*** Que existe ou se efetua entre dois ou mais departamentos.

interdependência [De *inter-* + *dependência*.] ***S. f.*** Dependência recíproca.

interdependente [De *inter-* + *dependente*.] ***Adj. 2 g.*** Que interdepende.

interdepender [De *inter-* + *depender*.] ***V. int.*** Depender reciprocamente.

interdição [Do lat. *interdictione*.] ***S. f.*** 1. Ato de interdizer (1); proibição, impedimento. 2. Privação judicial de alguém reger sua pessoa e bens. 3. Suspensão de funções ou de funcionamento: *A interdição do cinema da minha rua terminou ontem.* 4. *Dir. Civ.* Privação total ou parcial do gozo ou do exercício de certos direitos, em virtude de decisão judicial para proteção do próprio interditado ou de terceiros; interdito.

interdigitação [Do ingl. *interdigitation*.] ***S. f.*** *Citol.* Cada uma das saliências e reentrâncias de membrana celular que se encaixam em estruturas semelhantes, mas complementares, de células vizinhas, com elas estabelecendo união.

interdigital [De *inter-* + *digital*.] ***Adj. 2 g.*** *Anat.* Situado entre os dedos.

interdisciplinar [De *inter-* + *disciplinar*.] ***Adj. 2 g.*** Comum a duas ou mais disciplinas ou ramos de conhecimento.

interdisciplinaridade [De *interdisciplinar* + *-(i)dade*.] ***S. f.*** *Pedag.* 1. Qualidade ou caráter do que é interdisciplinar. 2. Integração e/ou utilização de duas ou mais disciplinas para a compressão um fato. 3. Estudo feito a partir da interação de elementos diversos ou de diversos campos disciplinares inter-relacionados.

interditado [Part. de *interditar*.] ***Adj. S. m.*** *Jur.* Que, ou aquele que sofreu interdição.

interditar [De *interdito* + *-ar*².] ***V. t. d.*** 1. Declarar interdito (1 e 2). 2. *Mil.* Impedir ou dificultar a utilização pelo inimigo de (determinada área ou itinerário).

interditável [De *interditar* + *-vel*.] ***Adj. 2 g.*** Que pode ser interditado.

interdito [Do lat. *interdictu*.] ***Adj.*** 1. Que está sob interdição; interditado. 2. Privado de reger a sua pessoa e bens. ● ***S. m.*** 3. Aquele que foi privado judicialmente de reger sua pessoa ou bens. 4. *Jur.* Interdição (4). 5. *Jur.* Ação intentada com o fim de proteger a posse, e que se caracteriza por uma ordem judicial de manutenção (contra turbações), de reintegração (contra esbulhos), ou por preceito proibitório (contra violência iminente). 6. *Rel.* Pena eclesiástica que proíbe a alguém o uso e fruição de alguns bens eclesiásticos, ou que impede o acesso a lugares sagrados, como igrejas, capelas, etc.

interdizer [Do lat. *interdicere*.] ***V. t. d.*** 1. Proibir, impedir, estorvar, vedar: "O tabu é uma instituição religiosa que atribui caráter sagrado a determinada pessoa ou coisa, interdizendo qualquer contato com elas." (Ângela Vaz Leão, *História de Palavras*, p. 35.) 2. Privar (alguém) da administração da sua pessoa e bens. 3. Proibir eclesiasticamente (certas celebrações). ***T. d. e i.*** 4. Interdizer (1): "os olhos [de Machado de Assis] estavam doentes, interdizendo-lhe as leituras e o trabalho." (Lúcia Miguel Pereira, *Machado de Assis*, p. 172). [Irreg. Conjug.: v. *dizer*.]

intereletródico [De *inter-* + *eletrodo* + *-ico*².] ***Adj.*** *Eletrôn.* Diz-se de fenômeno que ocorre entre dois ou mais eletrodos.

interescolar [De *inter-* + *escolar*.] ***Adj. 2 g.*** Que se realiza entre escolas.

interespacejamento [De *interespacejar* + *-mento*.] ***S. m.*** *Tip.* Ato ou efeito de interespacejar.

interespacejar [De *inter-* + *espacejar*.] ***V. t. d.*** *Art. Gráf.* Colocar espaços entre (letras de uma palavra). [Conjug.: v. *pelejar*. Cf. *espacejar*.]

interespecífico [De *inter-* + *específico*.] ***Adj.*** *Ecol.* Que ocorre entre indivíduos de espécies diferentes. ~ V. *competição —a*.

interessado [Part. de *interessar*.] ***Adj.*** 1. Que tem interesse em algo. 2. Que tem por base, ou é inspirado em interesses pessoais: *amizade interessada.* 3. Diz-se do empregado que é coparticipante dos lucros de uma firma. ● ***S. m.*** 4. Indivíduo interessado.

interessante [De *interessar* + *-nte*.] ***Adj. 2 g.*** 1. Que interessa; importante: "animais mais úteis ao gênero humano que o camelo, e mais interessantes à ciência que o mastodonte." (Ramalho Ortigão, *Primeiras Prosas*, p. 236). 2. Que prende a atenção, a curiosidade, ou cativa o espírito: *livro interessante.* 3. Atraente, simpático: *pessoa interessante.* 4. Estranho, curioso: *Interessante a preocupação dele em não a contrariar!* ~ V. *estado —*. ● ***S. m.*** 5. Aquilo que é interessante (4): *O interessante é que ela, mesmo sendo feia, é muito atraente.*

interessar [De *interesse* + *-ar*².] ***V. t. d.*** 1. Ser do interesse de; ser proveitoso a: *A nova lei interessa as empresas particulares;* "O restabelecimento das relações entre D. Emília e o irmão interessava Aurélia mui intimamente." (José de Alencar, *Senhora*,

p. 195). **2.** Dizer respeito a. **3.** Cativar o espírito, a atenção, a curiosidade de: “A novidade do caso interessou grandemente o nosso poeta” (Machado de Assis, *Páginas Recolhidas*, p. 49). **4.** Captar o favor, a benevolência de. **5.** Mover em seu favor, captar, granjear: *Por mais que fizesse, não interessou a benevolência do chefe.* **6.** Alcançar; ferir, ofender: *A cutilada interessou-lhe as entranhas.* ***T. d. e i.*** **7.** Dar (a alguém) parte (em algum negócio); dar parte no lucro: *Ajudou o irmão, interessando-o na sua empresa.* **8.** Atrair ou provocar o interesse, a atenção, a curiosidade: “O continuado estrépito foi chamando o povo à praça e interessando-o .... naquelas carreiras desatinadas.” (Xavier Marques, *As Voltas da Estrada*, p. 128.) ***T. i.*** **9.** Dizer respeito; ser proveitoso; importar: *Suas palavras interessavam a todos os presentes.* **10.** Ser interessante, útil, proveitoso, importante: *O acordo interessava igualmente aos dois países.* **11.** Ter interesse; tirar, auferir utilidade, lucro. **12.** Cativar o espírito, a atenção, a curiosidade: “Não sei se poderá interessar ao leitor de hoje a vida corrente de uma cidade do interior, no fim do século passado, através das impressões de uma menina” (Helena Morley, *Minha Vida de Menina*, nota introdutória). ***Int.*** **13.** Ter ou despertar interesse: *Vamos aos fatos: palavreado não interessa; Não insistiu, pois notou que o negócio não interessava; Não foi além da décima página: o romance não interessa.* ***P.*** **14.** Tomar interesse; empenhar-se. [Pres. subj.: *interesse, interesses*, etc. Cf. *interesse* (ê) e pl. *interesses* (ê).]

interesse (ê) [Subst. do v. lat. *interesse*, ‘estar entre, no meio’; ‘participar’.] ***S. m.*** **1.** Lucro material ou pecuniário; ganho. **2.** Parte ou participação que alguém tem nalguma coisa: *Qual o seu interesse na firma?* **3.** Vantagem, proveito; benefício: *Só age em seu próprio interesse.* **4.** Aquilo que convém, que importa, seja em que domínio for. **5.** Sentimento de cobiça; avidez. **6.** Procura de vantagem pessoal, de proveito. **7.** Sentimento de zelo, simpatia, preocupação ou curiosidade por alguém ou alguma coisa: *Demonstra interesse pela menina; Tem interesse por assuntos científicos.* **8.** Empenho: *Não tenho interesse na resolução do caso.* **9.** Curiosidade: *O assunto da peça não despertou o menor interesse.* **10.** Qualidade de interessante (2): *história cheia de interesse.* **11.** Relação de reciprocidade entre um indivíduo e um objeto que corresponde a uma determinada necessidade daquele. **12.** V. *juro* (2). **13.** *Jur.* Pretensão juridicamente protegida porque fundada em direito aparentemente existente. [Pl.: *interesses* (ê). Cf. *interesse* e *interesses*, do v. *interessar*. É corrente a pronúncia *interesse* (com *e* aberto).]

interesseiro [De *interesse* + *-eiro*.] ***Adj.*** **1.** Que só atende ao seu interesse; egoísta. **2.** Inspirado pelo interesse: *procedimento interesseiro.* **3.** Feito por interesse: *elogio interesseiro.* • ***S. m.*** **4.** Indivíduo interesseiro.

interestadual [De *inter-* + *estadual*.] ***Adj. 2 g.*** Que se efetua entre dois ou mais estados da mesma união política; entre-estadual: *Tal luta interestadual sempre existiu.* [Cf. *interestatal*.]

interestatal [De *inter-* + *estatal*.] ***Adj. 2 g.*** Que se realiza entre dois ou mais Estados, duas ou mais nações: *acordo interestatal.* [Cf. *interestadual*.]

interestelar [De *inter-* + *estelar*.] ***Adj. 2 g.*** *Astr.* V. *interstelar*.

interétnico [De *inter-* + *étnico*.] ***Adj.*** Que ocorre entre indivíduos de etnias diferentes. ~ V. *fricção –a*.

intereuropeu [De *inter-* + *europeu*.] ***Adj.*** Que existe entre países da Europa ou se refere a eles: *política intereuropeia.* [Fem.: *intereuropeia*.]

interface [De *inter-* + *face*; ingl. *interface*.] ***S. f.*** **1.** Dispositivo físico ou lógico que faz a adaptação entre dois sistemas. **2.** Conjunto de elementos comuns entre duas ou mais áreas de conhecimento, de interesse, etc.: *A interface entre a física e a química.* **3.** *Comun.* Meio que promove a comunicação ou interação entre dois ou mais grupos: *O departamento de Relações Públicas funciona como interface entre a empresa e seus diversos públicos-alvos.* **4.** *Ecol.* Área de fronteira entre regiões adjacentes, e que constitui ponto em que interagem sistemas independentes de diversos grupos. **5.** *Fís.* Superfície que separa duas fases de um sistema. **6.** *Inform.* Interconexão entre dois equipamentos que possuem diferentes funções e que não se poderiam conectar diretamente, como, p. ex., o *modem* (q. v.). ◆ **Interface com o usuário.** *Inform.* Em um sistema computacional, conjunto de elementos de *hardware* e *software* destinados a possibilitar a interação com o usuário. [Cf. *interface gráfica, linha de comando* e *menu*.] **Interface de linha de comando.** *Inform.* Tipo de interface com o usuário (q. v.) baseada exclusivamente na troca de mensagens escritas, em que o usuário deve digitar comandos a cada vez que o sistema apresenta o *prompt* (q. v.). **Interface de menus.** *Inform.* Tipo de interface com o usuário (q. v.) em que os comandos disponíveis são apresentados na tela do computador na forma de uma lista de itens, dentre os quais se escolhe uma opção, por meio de cliques do *mouse* ou de combinação de teclas. [Cf. *barras de menu*.] **Interface gráfica.** *Inform.* Tipo de interface com o usuário (q. v.), em que a interação está baseada no amplo emprego de imagens, e não restrita apenas a textos ou caracteres, e que faz uso de um conjunto de ferramentas que inclui janelas, ícones, botões, e um meio de apontamento e seleção, como o *mouse*. **Interface paralela.** *Inform.* Interface (3) que apresenta mais de uma linha de comunicação de dados, para o envio simultâneo de vários *bits*. [Tb. se diz apenas *paralela*. Cf. *interface serial* e *porta paralela*.] **Interface serial.** *Inform.* Interface (3) que apresenta uma única linha para a comunicação de dados, permitindo a transmissão de apenas um *bit* de cada vez. [Tb. se diz apenas *serial*. Cf. *interface paralela* e *porta serial*.]

interfacial [De *interface* + *-ial*.] ***Adj. 2 g.*** Referente a interface. ~ V. *tensão –*.

interfalangiano [De *inter-* + *falangiano*.] ***Adj.*** *Anat.* Situado entre falanges.

interfase [De *inter-* + *-fase*^{2}.] ***S. f.*** *Citol.* Período que ocorre entre as divisões de célula eucariótica, quando se dá intensa atividade biossintética; período intermitótico.

interfásico [De *interfase* + *-ico*^{2}.] ***Adj.*** De, ou relativo à interfase.

interfemínio [Do lat. imp. *interfeminiu*.] ***S. m.*** *Anat.* **1.** O lugar onde se unem as coxas femininas. **2.** As partes pudendas da mulher.

interferência [Do fr. *interférence* < ingl. *interference*.] ***S. f.*** **1.** Intervenção (1). **2.** *E. Ling.* No processo de aquisição de segunda língua, manutenção de padrão da língua nativa que resulta em padrão inapropriado na língua-alvo. [V. *interlíngua*^{1}.] **3.** *Fís.* Superposição de dois ou mais trens de onda, de frequência igual, com relações de fases constantes no tempo, e que provoca a distribuição da energia das ondas ao longo de superfícies ou linhas preferenciais e fixas no espaço. **4.** *Telec.* Sinais espúrios que, durante o percurso de transmissão de um sinal de telecomunicações, a este se superpõem, perturbando ou mascarando o seu entendimento.

interferente [Do fr. *interférent* < ingl. *interferent*.] ***Adj. 2 g.*** Que interfere.

interferir [Do fr. *interférer* < ingl. (*to*) *interfere* < lat. *inter* (v. *inter-*) + v. lat. *ferire*, ‘ferir’.] ***V. t. i.*** **1.** Ter interferência, intervenção; intervir: *Está sempre a interferir nos negócios alheios.* **2.** *Fís.* Produzir interferência (2). [Irreg. Conjug.: v. *aderir*.]

interferometria [Do ingl. *interferometry*.] ***S. f.*** *Ópt.* Conjunto de processos de medição de comprimentos e de índices de refração, ou de análise de superfícies ópticas, baseado na interferência da luz.

interferométrico [Do ingl. *interferometric*.] ***Adj.*** ~ V. *radiotelescópio –*.

interferómetro ***S. m.*** *Ópt.* V. *interferômetro*. [Uso freq. em P.]

interferômetro [Do ingl. *interferometer*.] ***S. m.*** *Ópt.* Instrumento em que ocorre interferência de luz ou de ondas eletromagnéticas, utilizado em medições de alta precisão. ◆ **Interferômetro de base muito longa.** *Astr.* Conjunto de radiotelescópios com diversos componentes separados entre si por muitas centenas de quilômetros, e que permite medir, com extrema precisão, as estruturas angulares das fontes de rádio (v. *fonte de rádio*). **Interferômetro radioelétrico.** *Astr.* Sistema de alto poder resolvente, constituído pelo agrupamento, ao longo de uma linha, de uma série de radiotelescópios destinados a medir pequenas distâncias angulares (da ordem de um minuto de arco) e estudar as distribuições da intensidade radiante das radioestrelas. [Sin.: *radiotelescópio interferométrico, radiointerferômetro*.]

interferon [Do ingl.] ***S. m.*** *Bioquím.* Qualquer de certas citosinas, glicoproteínas, secretadas por linfócitos e macrófagos, que aumentam a resistência das células a infecções virais.

interfibrilar [De *inter-* + *fibrilar*.] ***Adj. 2 g.*** *Histol.* Que está entre fibrilas.

interfixo (cs) [De *inter-* + *-fixo*.] ***Adj.*** V. *alavanca –a*.

interfolha (ô) [De *inter-* + *folha*.] ***Adj. 2 g.*** ~ V. *toalha –*.

interfoliação [De *interfoliar*^{2} + *-ção*.] ***S. f.*** Ato ou efeito de interfoliar^{2}.

interfoliáceo [De *inter-* + *foliáceo*.] ***Adj.*** *Bot.* Diz-se dos órgãos que nascem entre duas folhas do mesmo nó.

interfoliado [Part. de *interfoliar*^{2}.] ***Adj.*** Que tem entrefolhas; entrefolhado.

interfoliar^{1} [De *inter-* + *foliar*^{1}.] ***Adj. 2 g.*** *Bot.* Diz-se do órgão situado entre duas folhas, especialmente da parte do caule entre duas folhas consecutivas.

interfoliar^{2} [De *inter-* + *-foli-* + *-ar*^{2}.] ***V. t. d.*** Pôr entrefolhas em (livro); entrefolhar.

interfonada [De *interfonar* + *-ada*^{1}.] ***S. f.*** Interfonema.

interfonar [De *interfone* + *-ar*^{2}.] ***V. int.*** **1.** Fazer uso de interfone. ***T. i.*** **2.** Fazer comunicação por interfone. ***T. d. e i.*** **3.** Comunicar por meio de interfone. ***T. d.*** **4.** Comunicar pelo interfone.

interfone [De *inter-* + *fone*.] ***S. m.*** Aparelho eletracústico utilizado para a comunicação entre salas, escritórios, a portaria de um prédio e os respectivos apartamentos, etc., e que consta de microfone e pequeno alto-falante.

interfonema [De *interfone*, com a term. de *telefonema*.] ***S. m.*** Chamada por meio de interfone; interfonada.

interfónico ***Adj.*** V. *interfônico*. [Uso freq. em P.]

interfônico [De *interfone* + *-ico*^{2}.] ***Adj.*** **1.** De, ou relativo a interfone. **2.** Feito por meio de interfone: *chamada interfônica.*

intergaláctico [De *inter-* + *galáctico*.] ***Adj.*** *Astr.* Que está ou ocorre entre as galáxias. ~ V. *absorção –a* e *espaço –*.

interganglionar [De *inter-* + *ganglionar*.] ***Adj. 2 g.*** *Anat. Zool.* Que está entre gânglios.

intergeracional [De *inter-* + *geração* + *-al*^{1}; seg. o padrão erudito.] ***Adj. 2 g.*** Diz-se do que ocorre entre diferentes gerações.

interginasial [De *inter-* + *ginásio* + *-al*^{1}.] ***Adj. 2 g.*** Que se realiza entre ginásios; intercolegial: *jogo interginasial; concurso interginasial.*

intergiversável [De *in-*^{2} + *tergiversável*.] ***Adj. 2 g.*** Não tergiversável.

interglacial [De *inter-* + *glacial*.] ***Adj. 2 g.*** Interglaciário.

interglaciário [De *inter-* + *glaciário*.] ***Adj.*** *Geol.* Que fica entre dois períodos glaciários; interglacial.

interglobular [De *inter-* + *globular*.] ***Adj. 2 g.*** *Histol.* Que fica entre glóbulos.

interglossa [De *inter(nacional)* + *-glossa*.] ***S. f.*** *Gloss.* Plano de língua internacional, publicado em 1943 (em livro com aquele título) pelo biologista inglês Lancelot Hogben.

interglúteo [De *inter-* + *glúteo*.] ***Adj.*** *Anat.* Situado entre as nádegas.

intergovernamental [De *inter-* + *governamental*.] ***Adj. 2 g.*** Que se efetua entre dois ou mais governos ou governadores: *acordo intergovernamental; reunião intergovernamental.*

intergranular [De *inter-* + *granular*.] ***Adj. 2 g.*** ~ V. *corrosão –*.

inter-helénico ***Adj.*** V. *inter-helênico*. [Uso freq. em P.]

inter-helênico [De *inter-* + *helênico*.] ***Adj.*** Que se dá, se verifica, entre os Estados da Grécia antiga, entre os helenos.

inter-hemálico ***Adj.*** *Zool.* Nos peixes, diz-se de osso situado entre as apófises inferiores das vértebras.

inter-hemisférico [De *inter-* + *hemisférico*.] ***Adj.*** Situado entre dois hemisférios.

inter-humano [De *inter-* + *humano*.] ***Adj.*** Que se verifica ou se realiza entre homens: *relações inter-humanas.*

ínterim [Do lat. *interim*.] ***S. m.*** Estado interino. ◆ **Neste ínterim.** Entrementes, entretanto; neste comenos.

interinado [De *interino* + *-ado*^{2}.] ***S. m.*** Interinidade (2).

interinar [De *interino* + *-ar*^{2}.] ***V. int.*** *P. us.* Exercer cargo ou função interinamente.

interindependência [De *inter-* + *independência*.] ***S. f.*** Independência mútua; estado ou condição de interdependente.

interindependente [De *inter-* + *independente*.] ***Adj. 2 g.*** Independente, com reciprocidade.

interindividual [De *inter-* + *individual*.] ***Adj. 2 g.*** Que ocorre entre indivíduos.

interindustrial [De *inter-* + *industrial*.] ***Adj. 2 g.*** Que se efetua entre duas ou mais indústrias.

interinfluência [De *inter-* + *influência*.] ***S. f.*** Influência mútua.

interinidade [De *interino* + *-(i)dade*.] ***S. f.*** **1.** Qualidade ou estado de interino. **2.** Exercício de um cargo em caráter interino; interinado: “Já maduro, andara, em longas interinidades, a tapar as vagas de governos de distrito, ... sem que jamais suas canseiras e zelo fossem premiados com a nomeação efetiva para um dos postos que ocupava” (Joaquim Paço d’Arcos, *Carnaval e Outros Contos*, pp. 53-54).

interino [Do it. *interino*.] ***Adj.*** **1.** Provisório, temporário. **2.** Que exerce funções só durante o tempo de impedimento de outrem.

interinsular [De *inter-* + *insular*^{1}.] ***Adj. 2 g.*** **1.** Que se efetua de ilha para ilha, ou entre diversas ilhas. **2.** Relativo às relações entre várias ilhas, particularmente quando não são do mesmo arquipélago.

interior (ô) [Do lat. *interiore*.] ***Adj. 2 g.*** **1.** Que está dentro; interno. [Antôn.: *exterior*.] **2.** Que se passa no âmago, no mais íntimo da alma: *vida interior.* ~ V. *mar –, navegação –, palco –, planeta –* e *ponto –*. • ***S. m.*** **3.** Aquilo que está dentro; parte interna.

[Antôn.: *exterior*.] **4.** Seio, coração. **5.** Índole, caráter. **6.** Em país litorâneo, a região situada costa adentro. **7.** Toda a região de um estado, com exclusão da sua capital: *Com a expansão dos meios de comunicação, o povo do interior fala e se veste como o da capital.* **8.** *Mat.* Conjunto dos pontos interiores a um conjunto.

interiorano [De *interior* + *-ano*[1].] *Adj. Bras.* **1.** Relativo ao interior do País: "Repara o viajante [o naturalista alemão Freireyss] num hábito interiorano já observado pelo Dr. Pohl" (Eduardo Frieiro, *Feijão, Angu e Couve*, p. 90). **2.** Que é do interior.

interioridade [De *interior* + *-(i)dade*.] *S. f.* Qualidade ou estado do que é interior.

interiorização [De *interiorizar* + *-ção*.] *S. f.* Ação ou efeito de interiorizar.

interiorizar [De *interior* + *-izar*.] *V. t. d.* **1.** Trazer para dentro de si, incorporar ao seu mundo interior (aquilo que é exterior): "Já aos primeiros meses de vida, a criança interioriza o objeto que reconhece como bom; sente-o como um ser que lhe habitasse o ser; vota-lhe, mesmo, um culto rudimentar." (Ciro dos Anjos, *A Menina do Sobrado*, p. 262.) *T. d. e i.* **2.** Introduzir; infundir: *Interiorizou nos alunos o amor à literatura.*

interjacente [Do lat. *interjacente*.] *Adj. 2 g.* Que está entre outras coisas; interposto.

interjeccional [Do lat. *interjectione*, 'interjeição', + *-al*[1].] *Adj. 2 g.* Interjecional.

interjecional [Var. de *interjeccional*.] *Adj. 2 g.* **1.** Referente à interjeição. **2.** Que tem forma de interjeição.

interjectivo [Var. de *interjectivu*.] *Adj.* Interjetivo.

interjeição [Do lat. *interjectione*.] *S. f. E. Ling.* Palavra ou locução com que se exprime um sentimento de dor, de alegria, de admiração, de aplauso, de irritação, etc.

interjetivo [Var. de *interjectivo*.] *Adj.* **1.** Expresso por interjeição. **2.** Da natureza da interjeição: *locução interjetiva.*

interlaçar [De *inter-* + *laçar*.] *V. t. d. T. d. e i. P. P. us.* V. *entrelaçar*. [Conjug.: v. *laçar*.]

interleucina [De *inter-* + *leu(cócito)* + *-cina*; ingl. *interleukin*.] *S. f. Bioquím.* Qualquer de certas citosinas, secretadas por linfócitos, monócitos e macrófagos, que agem sobre os leucócitos, controlando a ação imunológica destes.

interligação [De *interligar* + *-ção*.] *S. f.* Ação ou efeito de interligar(-se).

interligado [Part. de *interligar*.] *Adj.* Em que há interligação: "uma vida ativa, interligada, comunicante, bem diversa daquela, fragmentária, isolada e pasmada que eu observava nas cidades caducas que cercam Belo Horizonte" (Afonso Arinos de Melo Franco, *A Alma do Tempo*, p. 74).

interligador (ô) [De *interligar* + *-dor*.] *Adj. S. m.* Que aquele ou aquilo que interliga.

interligar [De *inter-* + *ligar*; lat. imp. *interligare*.] *V. t. d. P.* Ligar(-se) entre si (duas ou mais coisas, etc.): "Podemos notar .... que os dois planos ou grupos de imagens se interligam por meio de outra correlação" (Othon Moacir Garcia, *Esfinge Clara*, p. 24). [Conjug.: v. *largar*.]

interlineal [De *inter-* + *lineal*.] *Adj. 2 g.* ~ V. *composição* —.

interlinear [De *inter-* + *linear*.] *Adj. 2 g.* **1.** Que está entre linhas, ou nas entrelinhas: "Ao lermos estas páginas impiedosas, pressentimos o dardo de uma alusão ferina. Ali está, latente, um comentário interlinear" (Euclides da Cunha, *Contrastes e Confrontos*, p. 177). **2.** Relativo a entrelinhas.

interlíngua[1] [De *inter-* + *língua*; ingl. *interlanguage*.] *S. f. E. Ling.* No processo de aquisição de uma segunda língua (q. v.), cada um dos sistemas (ou versões da língua-alvo) que o aprendiz constrói com base em estratégias de aprendizado linguístico, tais como generalização, simplificação e interferência.

interlíngua[2] [Do it. *interlingua*.] *S. f. Gloss.* **1.** Língua auxiliar de comunicação criada em 1903 por Giuseppe Piano, também conhecida como *Latino Sine Flexione*, que toma o latim, retiradas as flexões, como base da gramática e do vocabulário. **2.** Língua auxiliar de comunicação criada em 1951 pela *International Auxiliary Language Association*, cuja gramática toma por base as línguas românicas, e o vocabulário, as línguas da Europa ocidental.

interlinguista (güís) [De *interlinguíst(ica)* + *-ista*.] *S. 2 g. E. Ling.* Pessoa versada em interlinguística. ❖

interlinguística (güís) [Do fr. *interlinguistique*, que figura no título *Précis d'interlinguistique générale et spéciale* (1960), obra de M. Monnerat-Dumaine.] *S. f. E. Ling.* Estudo comparativo das línguas internacionais ou universais, tais como o esperanto, o ido, a interlíngua, etc. ❖

interlinguístico (güís) [De *interlinguística*, com var. suf. (v. *-ico*[2]).] *Adj. E. Ling.* Relativo à interlinguística. ❖

interlobular [De *inter-* + *lobular*.] *Adj. 2 g. Histol.* Que está entre lóbulos.

interlocução [Do lat. *interlocutione*.] *S. f.* **1.** Conversação entre duas ou mais pessoas. **2.** Interrupção do discurso pela fala de novos interlocutores.

interlocutor (ô) [Do lat. *interlocutus*, part. pass. de *interloqui*, 'interromper'; 'intervir num debate', + *-or*.] *S. m.* **1.** Aquele que fala com outro; colocutor. **2.** Aquele que fala em nome de outro.

interlocutória [F. subst. do adj. *interlocutório*.] *S. f. Dir. Proc.* Decisão ou despacho proferidos pelo juiz no curso do processo, antes da sentença ou acórdão; interlocutório.

interlocutório [De *inter-* + *locutório*.] *Adj.* **1.** Proferido no decurso de um pleito: "tirou certidões de diversos documentos de sua representação, dos pareceres, dos despachos interlocutórios, etc." (Macedo Miranda, *As Três Chaves*, p. 75). ~ V. *despacho* —. ● *S. m.* **2.** *Dir. Proc.* Interlocutória.

interlope [Adapt. do ingl. *interloper*, 'intruso'.] *S. m.* Entrelopo.

interlúdio [Adapt. do ingl. *interlude* < lat. med. *interludium*.] *S. m.* **1.** *Mús.* Trecho de música instrumental que se intercala entre as várias partes de uma longa composição, do tipo ópera, missa, cantata, etc.; intermédio. **2.** *Teatr.* V. *entreato* (2).

interlunar [De *interlún(io)* + *-ar*[1].] *Adj. 2 g.* Relativo ao interlúnio.

interlúnio [Do lat. *interluniu*.] *S. m.* Tempo em que a Lua não é visível, e que principia um pouco antes e acaba um pouco depois do novilúnio.

intermação [De *in-*[2] + *-term(o)-* + *ação*.] *S. f. Med.* Estado mórbido produzido pelo calor, sem exposição direta aos raios solares; termoplegia, calentura.

intermaxilar (cs) [De *inter-* + *maxilar*.] *Adj. 2 g. Anat.* Localizado entre os ossos maxilares.

intermear [De *inter-* + *mear*.] *V. t. d. T. d. e i. Int. P. P. us.* V. *entremear*. [Conjug.: v. *frear*.]

intermediação [De *intermediar* + *-ção*.] *S. f.* Ação ou efeito de intermediar (3).

intermediar [De *intermédio* + *-ar*[2].] *V. t. d. T. d. e i.* **1.** Entremear. *Int.* **2.** Estar de permeio; entremear. **3.** Intervir, interceder: *Solicitado pelo amigo, não se dispôs a intermediar.* [Conjug.: v. *mediar*. Fut. pret.: *intermediaria*, etc. Cf. *intermediária*, fem. de *intermediário*.]

intermediário [De *intermédio* + *-ário*.] *Adj.* **1.** Que está de permeio; interposto, intermédio. ~ V. *bóson* —, *estaca* —*a*, *frequência* —*a*, *oficial* — e *linha* —*a*. ● *S. m.* **2.** V. *mediador*. **3.** Agente de negócios; corretor. **4.** Negociante que exerce suas atividades colocando-se entre o produtor e o consumidor; atravessador. **5.** *Quím.* Produto intermediário (q. v.). [Fem.: *intermediária*. Cf. *intermediaria*, do v. *intermediar*.] ◆ **Intermediário financeiro.** *Econ.* Instituição (banco, companhia de seguros, financeira, fundo de aposentadoria, etc.) que recebe somas em dinheiro de pessoas ou empresas e as aplica em empréstimos ou investimentos.

intermediário-chave *S. m. Quím.* Produto intermediário (q. v.) essencial à realização de várias das rotas sintéticas disponíveis para a preparação de uma dada substância. [Pl.: *intermediários-chaves* e *intermediários-chave*.]

intermédio [Do lat. *intermediu*.] *Adj.* **1.** Intermediário (1). ● *S. m.* **2.** V. *mediador*. **3.** Entremeio (1). **4.** Intervenção, interposição, mediação. **5.** *Teatr. Mús.* V. *entreato* (2). **6.** *Mús.* Na música instrumental, interlúdio.

intermetálico [De *inter-* + *metálico*.] *Adj. Quím.* Diz-se de substância constituída pela combinação de dois metais em proporções definidas.

intermeter [Do lat. *intermittere*, por via semierudita.] *V. t. d. T. d. e i.* **1.** Meter de permeio; entremear, entremeter. *T. d. e c.* **2.** Intrometer (1).

→**intermezzo** [inter'medzo] [It.] *S. m. Teatr.* V. *entreato* (2).

interminável [Do lat. tard. *interminabile*.] *Adj. 2 g.* **1.** Que não tem termo; infinito, desmedido, enorme. **2.** Prolongado, demorado. [Sin. ger.: *intérmino*.]

interministerial [De *inter-* + *ministerial*.] *Adj. 2 g.* Que se realiza entre ministérios ou ministros: *reunião interministerial.*

intérmino [Do lat. tard. *interminu*.] *Adj.* V. *interminável*: "A noite se arrastou, intérmina, com uma pachorra de lesma." (Guido Vilmar Sassi, *Piá*, p. 19.)

intermissão [Do lat. *intermissione*.] *S. f.* Ato ou efeito de intermitir; interrupção, intervalo.

intermisturar-se [De *inter-* + *misturar* + *se*[1].] *V. p.* Misturar-se mutuamente; amalgamar-se.

intermitência [De *intermitir* + *-ência*.] *S. f.* **1.** Interrupção momentânea; intervalo. **2.** *Acúst.* Modulação de frequência (maior do que 10 hertz), ocasionada por uma variação indesejada de velocidade durante os processos de gravação, duplicação ou reprodução, e que se traduz por distorções que lembram trinados e desafinações. [Sin., nesta acepç.: *trêmulo* e (ingl.) *flutter*. Cf. *wow*.]

intermitente [Do lat. *intermittente*.] *Adj. 2 g.* Que apresenta interrupções ou suspensões; não contínuo: "Outros parentes e alguns íntimos não merecem a pena ser citados; não tivemos uma vida comum, mas intermitente, com grandes claros de separação." (Machado de Assis, *Memórias Póstumas de Brás Cubas*, p. 37.) ~ V. *claudicação* — e *febre* —.

intermitir [Do lat. *intermittere*, com mudança de conjug.] *V. int.* **1.** Cessar por algum tempo; interromper. **2.** Manifestar-se por acessos irregulares.

intermitótico *Adj.* ~ V. *período* —.

intermodal [De *inter-* + *modo* + *-al*[1].] *Adj. 2 g.* ~ V. *transporte* —.

intermodulação [De *inter-* + *modulação*.] *S. f. Eletrôn.* Modulação em frequência de cada componente de uma onda complexa pelos outros.

intermolecular [De *inter-* + *molécula* + *-ar*[1].] *Adj. 2 g. Quím.* Que está ou ocorre entre moléculas: *atração intermolecular.* ~ V. *interação* —.

intermundial [De *inter-* + *mundial*.] *Adj. 2 g.* Que se realiza entre dois mundos, dois ou mais continentes: *comércio intermundial.*

intermúndio [Do lat. *intermundiu*.] *S. m.* **1.** Espaço entre os corpos celestes ou entre os mundos. **2.** *Fig.* Solidão; ermo.

intermunicipal [De *inter-* + *municipal*.] *Adj. 2 g.* Que se efetua entre dois ou mais municípios.

intermural [Do lat. *intermurale*.] *Adj. 2 g.* Que está entre muros.

intermuscular [De *inter-* + *músculo* + *-ar*[1].] *Adj. 2 g. Anat.* Situado entre músculos.

internação [De *internar* + *-ção*.] *S. f.* Ato ou efeito de internar(-se); internamento.

internacional[1] [De *inter-* + *nação* + *-al*[1], seg. o padrão erudito; ingl. *international*.] *Adj. 2 g.* **1.** Que se realiza entre nações. **2.** Relativo às relações entre nações. **3.** Que se espalha por diversas nações: *escritor de fama internacional.* **4.** Cujo renome se estende a diversas nações: *escritor internacional.* **5.** Que atua em vários países: *ladrão internacional.* **6.** Que vai de nação a nação: *ponte internacional; rodovia internacional.* ~ V. *agência* —, *alfabeto fonético* —, ampère —, *caloria* —, *correspondente* —, *direito* —, *direito* — *privado*, *direito* — *público*, *formato* —, *língua* —, *mandato* —, *reservas internacionais* e *temperatura* —. ● *S. f.* **7.** Associação internacional dos socialistas. [Com cap., nesta acepç.]

internacional[2] [De (*Esporte Clube*) *Internacional* (RS).] *S. 2 g. Bras.* Colorado (6).

internacionalidade [De *internacional*[1] + *-(i)dade*.] *S. f.* Qualidade de internacional[1].

internacionalismo [De *internacional*[1] + *-ismo*.] *S. m.* **1.** Sistema de política internacional. **2.** Doutrina política daqueles que pregam a aliança internacional das classes sociais, por oposição ao nacionalismo, que cultiva de preferência o sentimento de pátria.

internacionalista [De *internacional*[1] + *-ista*.] *Adj. 2 g.* **1.** Relativo ao, ou que é partidário do internacionalismo. ● *S. 2 g.* **2.** Partidário do internacionalismo. **3.** Jurisconsulto especialista em direito internacional.

internacionalização [De *internacionalizar* + *-ção*.] *S. f.* Ato ou efeito de internacionalizar(-se).

internacionalizar [De *internacional*[1] + *-izar*.] *V. t. d. P.* Tornar(-se) internacional.

internado[1] [De *internar* + *-ado*[2]; var. de *internato*.] *S. m. P. us.* V. *internato* (1).

internado[2] [Part. de *internar*.] *Adj.* **1.** Diz-se de quem é obrigado a residir em certa localidade do interior, ou num edifício, donde não pode sair. ● *S. m.* **2.** Indivíduo internado.

internalização [De *internalizar* + *-ção*.] *S. f.* Ato ou efeito de internalizar.

internalizar [Do ingl. *(to) internalize*.] *V. t. d. Angl.* Tornar interno; interiorizar: *Leu atentamente, para melhor internalizar o pensamento do autor.*

internamento [De *internar* + *-mento*.] *S. m.* Internação.

internar [De *interno* + *-ar*[2].] *V. t. d.* **1.** Pôr ou colocar dentro; introduzir. **2.** Pôr em colégio, asilo, hospital, etc.: *internar um aluno; internar um doente.* **3.** Obrigar ou forçar a residir no interior de um país com a proibição de sair dali. *P.* **4.** Meter-se; introduzir-se; entranhar-se; engolfar-se: "As tropas internam-se no sertão" (Ramalho Ortigão, *As Farpas*, V, p. 252); "Na floresta dos sonhos, dia a dia, / Se interna meu dorido pensamento" (Antero de Quental, *Sonetos*, p. 206). **5.** Pôr-se em hospital, asilo, etc.: *Internou-se para tratamento de saúde.*

internato [Do fr. *internat*.] *S. m.* **1.** Escola ou instituição de assistência onde os alunos residem, fazem as refeições e recebem educação e instrução; pensionato. [Var. (p. us.): *internado*. Cf. *externato* e *semi-internato*.] **2.** O conjunto dos alunos internos.

internauta [De *inter(net)* + *-nauta*.] *S. 2 g. Inform.* **1.** Usuário da Internet, rede mundial de computadores. **2.** *Restr.* Usuário intensivo da rede Internet, que ocupa grande parte de seu tempo explorando os recursos por ela oferecidos.

internegativo [De *inter-* + *negativo*.] *S. m. Fot.* Negativo resultante da cópia de um original em cores ou de um cromo; é utilizado normalmente para uma cópia de um filme positivo.

internet *S. f. Inform.* Qualquer conjunto de redes de computadores ligadas entre si por roteadores e *gateways*, como, p. ex., aquela de âmbito mundial, descentralizada e de acesso público, cujos principais serviços oferecidos são o correio eletrônico (q. v.), o *chat* (q. v.) e a *Web* (q. v.), e que é constituída por um conjunto de redes de computadores interconectadas por roteadores que utilizam o protocolo de transmissão TCP/IP. [F. red.: *net*. Tb. se diz *rede*.]

internético [De *Internet* + *-ico*[2].] *Adj.* **1.** Da, referente à ou próprio da Internet: "É justamente a Enciclopédia de Diderot que volta a incomodar o coro dos conformistas em tempo de censura internética e intolerância." (Antônio Gonçalves Filho, em *O Estado de São Paulo*, 31.01.2010.) **2.** Que ocorre ou se dá pela Internet: *paixões internéticas*.

internista [Do ingl. *internist*.] *S. 2 g.* V. *generalista* (2).

interno [Do lat. *internu*.] *Adj.* **1.** Que está dentro; interior: "Entram enfim na mais remota e interna / Parte de antigo bosque, escuro e negro" (Basílio da Gama, *O Uraguai*, p. 78). [Superl. abs. sint.: *íntimo*.] **2.** Diz-se de aluno que mora no colégio onde estuda. **3.** *Terap.* Diz-se do uso de medicamentos que se administram por via oral ou retal: *remédio de uso interno*. ~ V. *absorvente —, ângulo —, artéria carótida —a, banzo —, benchmarking —, cliente —, conversão —a, dívida —a, energia —a, espaço —, finalidade —a, fornecedor —, marketing —, medicina —a, meio —, memória —a, orelha —a, ouvido —, pressão —a, produto —, produto — bruto, produto — líquido, protuberância occipital —a, público —, razão —a, reconstrução —a, regimento —, sal —, secreção —a* e *veia safena —a*. ● *S. m.* **4.** Aluno que reside no colégio. **5.** Estudante de medicina que auxilia, num hospital, o corpo médico: "Chamou-se o professor F., de quem eu era então um dos internos na clínica hospitalar." (Júlio Dantas, *Abelhas Doiradas*, p. 66.) [Antôn.: *externo*.]

internódio [Do lat. *internodiu*.] *S. m. Bot.* V. *entrenó*.

internúncio [Do lat. *internuntiu*.] *S. m.* **1.** Agente diplomático do Vaticano, cujas atribuições correspondem às de ministro plenipotenciário. **2.** V. *mensageiro* (3): "O Padre Cabral recebera na véspera um recado do internúncio; foi ter com ele, e soube que .... acabava de ser nomeado protonotário apostólico." (Machado de Assis, *Dom Casmurro*, p. 106.)

▲**intero-** [Do lat. *interus*(lat. *interior*, comparativo), p. anal. com *êxtero-* (q. v.).] *El. comp.* = 'que está no interior': *interoanterior, interoinferior*.

interoanterior [De *intero-* + *anterior*.] *Adj. 2 g.* Que está dentro e na parte anterior. ❇ nota 1

interoceânico [De *inter-* + *oceânico*.] *Adj.* Que está entre oceanos; que liga oceanos.

interocular [De *inter-* + *ocular*[2].] *Adj. 2 g. Anat.* Que está entre os olhos.

interoinferior [De *intero-* + *inferior*.] *Adj. 2 g.* Situado dentro e na parte inferior. ❇ nota 1

interoposição [De *inter-* + *oposição*.] *S. f.* O estado dos objetos entrelaçados e mutuamente opostos.

interoposterior [De *intero-* + *posterior*.] *Adj. 2 g.* Que está dentro e na parte posterior. ❇ nota 1

interósseo [De *inter-* + *ósseo*.] *Adj. Anat.* Que está entre ossos.

interossuperior [De *intero-* + *superior*.] *Adj. 2 g.* Que está dentro e na parte superior. ❇ nota 1

interparietal [De *inter-* + *parietal*.] *Adj. 2 g. Anat.* Localizado entre os ossos parietais.

interparlamentar [De *inter-* + *parlamentar*[1].] *Adj. 2 g.* Constituído por membros de dois ou mais parlamentos: *comissão interparlamentar; delegação interparlamentar*.

interpartidário [De *inter-* + *partidário*.] *Adj. Bras.* Que se efetua entre partidos: *convenção interpartidária*.

interpeciolar [De *inter-* + *peciolar*.] *Adj. 2 g. Bot.* Nascido entre folhas opostas.

interpelação [Do lat. *interpellatione*.] *S. f.* **1.** Ato ou efeito de interpelar. **2.** *Jur.* Aviso ou advertência, judicial ou extrajudicial, que o credor faz ao devedor a fim de que este cumpra obrigação a ele imposta, sob pena de ser constituído em mora, ou para outros efeitos que a lei faz depender dessa medida.

interpelado [Part. de *interpelar*.] *Adj. S. m.* Que, ou aquele que recebe interpelação.

interpelador (ô) [Do lat. *interpellatore*.] *Adj. S. m.* Interpelante.

interpelante [Do lat. *interpellante*.] *Adj. 2 g. S. 2 g.* Que, ou quem interpela; interpelador.

interpelar [Do lat. *interpellare*.] *V. t. d.* **1.** Dirigir a palavra a (alguém) para perguntar alguma coisa. **2.** Dirigir a palavra a, demandando explicações. **3.** *Jur.* Promover a interpelação de. [Cf. *citar* (4), *notificar* (5) e *intimar* (1).]

interpenetração [De *interpenetrar* + *-ção*.] *S. f.* Ação de interpenetrar-se; penetração recíproca.

interpenetrar-se [De *inter-* + *penetrar* + *se*[1].] *V. p.* Penetrar-se reciprocamente: "Um dos pontos mais interessantes da filosofia de Gabriel Marcel .... é mostrar a diferença entre os momentos em que o pensamento e a vida se encontram, se interpenetram, e aqueles em que se dissociam." (Alceu Amoroso Lima, *O Espírito e o Mundo*, p. 231.)

interpeninsular [De *inter-* + *peninsular*.] *Adj. 2 g.* Situado entre penínsulas.

interpessoal [De *inter-* + *pessoal*.] *Adj. 2 g.* Que existe ou se efetua entre duas ou mais pessoas. ~ V. *comunicação —*.

interplanetário [De *inter-* + *planetário*.] *Adj.* **1.** Que está entre planetas. **2.** Que se efetua entre planetas: *viagem interplanetária*. ~ V. *espaço —*.

■ **Interpol** Sigla de *Polícia Internacional*.

interpolação [Do lat. *interpolatione*.] *S. f.* **1.** Ato de interpolar. **2.** *E. Ling.* Numa cópia, inserção deliberada de elemento(s) que não constava(m) do original. **3.** *Mat.* Processo em que se determina o valor duma função num ponto interno dum intervalo a partir dos valores da função nas fronteiras desse intervalo. [Cf., nesta acepç., *extrapolação* (1).] **4.** *Mat.* Ajustamento (8). ◆ **Interpolação linear.** *Mat.* A que se faz admitindo-se ser linear a variação da função.

interpolado [Part. de *interpolar*[2].] *Adj.* ~ V. *rimas —as*.

interpolador (ô) [Do lat. imp. *interpolatore*.] *Adj. S. m.* Que, ou aquele que interpola. [Fem.: *interpoladora* e *interpolatriz*.]

interpolar[1] [De *inter-* + *polo*[1] + *-ar*[1].] *Adj. 2 g. Fís.* Situado entre os polos de qualquer sistema que os apresente.

interpolar[2] [Do lat. *interpolare*.] *V. t. d.* **1.** Alterar, completar ou esclarecer (um texto), nele intercalando palavras ou frases que lhe são estranhas. **2.** Introduzir, intercalar, inserir, interserir. **3.** Interromper, suspender. **4.** Pôr de permeio; alternar, entremear. *T. d. e i.* **5.** Pôr de permeio; alternar, entremear. **6.** *Mat.* Ajustar (8). [Cf., nesta acepç., *extrapolar* (1).]

interpolatriz [Do lat. tard. *interpolatrice*.] *Adj.* (*f.*) **1.** ~ V. *função —*. ● *S. f.* **2.** Função interpolatriz (q. v.).

interpontuação [De *inter-* + *pontuação*.] *S. f.* Série de pontos que, em um discurso, indicam reticência ou supressão de uma parte do texto.

interpor [Do lat. *interponere*, por via erudita.] *V. t. d. T. d. e i.* **1.** Pôr de permeio, entremeter: *Abriu a porta e interpôs metade do corpo; Interpôs a razão entre o amor e a paixão.* **2.** Fazer intervir; expor: *Foi obrigado a interpor a sua autoridade.* **3.** Opor, contrapor. **4.** *Jur.* Entrar em juízo com (um recurso). **5.** Fazer intervir; expor. **6.** Opor, contrapor: *Interpôs embargos à execução da sentença. T. d. e c.* **7.** Interpor (1): *Interpôs o livro entre dois outros. P.* **8.** Colocar-se entre; meter-se de permeio: *Aquelas lembranças interpunham-se entre uma infância feliz e uma juventude atormentada.* **9.** Intervir como medianeiro: "Mitigou o sofrimento dos escravos, interpondo-se entre eles e seus senhores" (Carlos de Laet, *O Frade Estrangeiro e Outros Escritos*, p. 28). **10.** Surgir com o caráter de obstáculo, ou como se o fosse: *Sua intransigência interpunha-se ao perdão;* "Entre mim e o carnaval, ... os mascarados, os seres mascarados se interpunham como uma proibição, um motivo de sofrimento, angústia." (Antônio Carlos Vilaça, *O Nariz do Morto*, p. 29). [F. paral.: *entrepor*. Irreg. Conjug.: v. *pôr*.]

interporto (ô) [De *inter-* + *porto*.] *S. m.* Porto entre o de procedência e o de destino duma embarcação. [Pl.: *interportos* (ó).]

interposição [Do lat. *interpositione*.] *S. f.* **1.** Posição entre duas coisas. **2.** *Fig.* Interrupção, intervenção. **3.** *Jur.* Ato de interpor (um recurso). ◆ **Interposição de pessoa.** *Jur.* Simulação que consiste em ocultar o verdadeiro interessado num ato jurídico, fazendo aparecer um terceiro em seu lugar.

interpositiva [F. subst. do adj. *interpositivo*.] *S. f. E. Ling.* A vogal média de um tritongo. [Ex.: o *a* no tritongo *uai*, de *Uruguai*.]

interpositivo [Do lat. *interpositus*, part. pass. de *interponere*, 'interpor', + *-ivo*.] *Adj.* Que se interpõe; que está interposto.

interposto (ô) [Do lat. *interpositu*, por via semierudita.] *Adj.* **1.** Que se interpôs. **2.** *Fig.* V. *pessoa —a*. ● *S. m.* **3.** V. *entreposto*.

interpotente [De *inter-* + *potente*.] *Adj. 2 g.* V. *alavanca —*.

interprender *V. t. d.* **1.** V. *empreender*. **2.** Acometer; assaltar.

interpresa (ê) [Do fr. *entreprise*.] *S. f.* **1.** Empreendimento, entrepresa. **2.** Assalto imprevisto. [Pl.: *interpresas* (ê). Cf. *interpresa* e *interpresas*, do v. *interpresar*.]

interpresar [De *interpresa* + *-ar*[2].] *V. t. d.* V. *empreender*. [Pres. ind.: *interpreso, interpresas, interpresa*, etc. Cf. *interpresa* (ê) e pl. *interpresas* (ê).]

interpretação [Do lat. *interpretatione*.] *S. f.* **1.** Ato ou efeito de interpretar. **2.** Explicação, comentário: *interpretação de uma lei*. **3.** Arte e técnica de interpretar (5); representação, desempenho. ◆ **Interpretação simultânea.** A que é feita oral e imediatamente de um idioma para outro; tradução simultânea.

interpretador (ô) [Do lat. tard. *interpretatore*.] *Adj.* **1.** Que interpreta; interpretante. ● *S. m.* **2.** Aquele que interpreta; interpretante. **3.** *Inform.* Programa que executa outros, escritos em linguagem de alto nível (q. v.), convertendo cada linha do programa-fonte em instruções de código de máquina (q. v.) à medida que estas vão sendo executadas. [Cf. *compilador*.] [Nesta acepç., trad. do ingl. *interpreter*, 'intérprete, tradutor (simultâneo)'.]

interpretante [De *interpretar* + *-nte*.] *Adj. 2 g. S. 2 g.* Interpretador (1).

interpretar [Do lat. **interpretare*, por *interpretari*.] *V. t. d.* **1.** Ajuizar a intenção, o sentido de: *Não pôde interpretar o desejo da namorada.* **2.** Explicar, explanar ou aclarar o sentido de (palavra, texto, lei, etc.) **3.** Tirar de (sonho, visão, etc.) indução ou presságio: *A oniromancia é a arte de interpretar os sonhos.* **4.** Traduzir ou verter de língua estrangeira ou antiga. **5.** Representar (3) (no teatro, cinema, televisão, etc.): *Este ator interpretou bem o papel. T. d.* **6.** *Inform.* Executar (programa), convertendo suas instruções em código de máquina ao longo do processo. [Cf., nesta acepç., *compilar*. Nesta acepç., der. de *interpretador* (3).] *Transobj.* **7.** Julgar, considerar, reputar: *Interpretou o seu silêncio como assentimento.* [Pres. subj.: *interprete*, etc. Cf. *intérprete*, s. 2 g.]

interpretativo [De *interpretar* + *-tivo*.] *Adj.* **1.** Suscetível de interpretação. **2.** Que encerra elementos para a interpretação de algo. ~ V. *edição —a*.

interpretável [Do lat. tard. *interpretabile*.] *Adj. 2 g.* Que pode ser interpretado.

intérprete [Do lat. *interprete*.] *S. 2 g.* **1.** Pessoa que interpreta. **2.** Pessoa que serve de tradutor ou de intermediário para fazer compreender indivíduos que falam idiomas diferentes. **3.** Comentarista, exegeta, hermeneuta. [Cf. *interprete*, do v. *interpretar*.]

interproximal [De *inter-* + *proximal*.] *Adj. 2 g. Odont.* Diz-se do espaço localizado entre dois dentes adjacentes na mesma arcada.

interquartil [De *inter-* + *quartil*.] *Adj. 2 g. Estat.* Referente a propriedades dos quartis de uma distribuição. ~ V. *amplitude —*.

inter-racial [De *inter-* + *racial*.] *Adj. 2 g.* Que se realiza ou se observa entre raças: *cruzamento inter-racial; relações inter-raciais*.

inter-radial [De *inter-* + *radial*.] *Adj. 2 g.* Situado entre raios [v. *raio* (10 e 11)].

inter-regional [De *inter-* + *regional*.] *Adj. 2 g.* Que se observa ou se realiza entre duas ou mais regiões.

interregno [Do lat. *interregnu*.] *S. m.* **1.** Tempo que medeia entre dois reinados: "Muito amado entre fidalgos e mais gente portuguesa, havia probabilidades de ser [o infante D. João], num interregno, levantado rei de Portugal" (Antero de Figueiredo, *Leonor Teles*, pp. 164-165). **2.** Interrupção, intervalo: "Apenas alguma sede, um ou outro assopro aos moscardos que os perseguem, e olhadelas ao Sol para indagar se a meia hora de descanso do almoço estará longe. Esse plácido interregno, porém, por pouco alcança" (Fialho d'Almeida, *A Esquina*, p. 68).

inter-rei [De *inter-* + *rei*.] *S. m.* **1.** Na antiga monarquia romana, espécie de regente que exercia as funções do rei falecido até que se aclamasse outro rei. **2.** No tempo da república romana, magistrado que fazia as vezes dos cônsules, na ausência ou impedimento destes.

inter-relação [De *inter-* + *relação*.] *S. f.* Relação mútua: "falar sobre o Brasil, não pela história externa das instituições, mas pelo estudo das condições do meio, raça, costumes, inter-relações dos fenômenos sociais entre si – por método indutivo." (Gilberto Amado, *Minha Formação no Recife*, p. 125).

inter-relacionado [Part. de *inter-relacionar*.] *Adj.* Que se inter-relaciona.

inter-relacionamento [De *inter-relacionar* + *-mento*.] *S. m.* Ação ou efeito de inter-relacionar-se.

inter-relacionar [De *inter-* + *relacionar*.] *V. t. d. T. d. e i.* **1.** Estabelecer inter-relações: *A história inter-relaciona causa e consequência; Inter-relacionou feudalismo com Idade Média. P.* **2.** Ter inter-relação.

inter-relativo [De *inter-* + *relativo*.] ***Adj.*** Em que há inter-relação.

inter-resistente [De *inter-* + *resistente*.] ***Adj. 2 g.*** ~ V. *alavanca —*.

intérrito [Do lat. *interritu*.] ***Adj.*** Que não tem medo ou terror; destemido, intrépido.

interrogação [Do lat. *interrogatione*.] ***S. f.*** **1.** Ato ou efeito de interrogar(-se); interrogatório. **2.** Ponto de interrogação. **3.** *E. Ling.* Uma das quatro classes em que se dividem as sentenças simples, cuja função é exprimir a falta de informação sobre determinado tópico, a qual é pedida ao ouvinte, e que se caracteriza pela presença de pelo menos um dos seguintes fatores: (a) entonação interrogativa; (b) presença de um pronome interrogativo. Ex.: Quem *disse tal coisa?*; (c) inversão da ordem sujeito-verbo. Ex.: *Conseguirá nosso herói libertar-se?* [Cf., nesta acepç.: *afirmação* (8), *comando* (4) e *exclamação* (2)].] ◆ **Interrogação exclamativa.** *E. Ling.* Sentença que é formalmente uma interrogação, mas que, como a exclamação, funciona para a expressão de sentimentos. Ex.: *Não é este um filme maravilhoso?* **Interrogação retórica.** *E. Ling.* Sentença que é formalmente uma interrogação, mas que funciona como uma afirmação. Ex.: *Que diferença isto faz?* (= 'Isto não faz diferença').

interrogado [Part. de *interrogar*.] ***Adj. S. m.*** **1.** Que, ou aquele a quem se interrogou. **2.** Que, ou aquele que, em processo ou inquérito, foi submetido a interrogatório.

interrogador (ô) [Do lat. tard. *interrogatore*.] ***Adj. S. m.*** Que, ou aquele que interroga; interrogante.

interrogando [Do lat. *interrogandu*, gerundivo de *interrogare*.] ***Adj. S. m.*** Que, ou aquele que, em processo ou inquérito, está sendo interrogado.

interrogante [De *interrogar* + *-nte*.] ***Adj. 2 g. S. 2 g.*** Interrogador.

interrogar [Do lat. *interrogare*.] ***V. t. d.*** **1.** Fazer perguntas; inquirir, perguntar: *A polícia interrogou todas as pessoas da casa.* **2.** Dirigir a (alguém) um gesto, um olhar, como a perguntar-lhe alguma coisa: "chamou a mulher para tocar um trecho do noturno; não lhe disse o que era nem de quem era. De repente, parando, interrogou-a com os olhos." (Machado de Assis, *Várias Histórias*, p. 73). **3.** Propor questões a; examinar: *O professor interrogou a turma com severidade.* **4.** Olhar atentamente; examinar bem; observar: "Não era certamente a Marcela de 1822; mas a beleza de outro tempo valia uma terça parte dos meus sacrifícios? Era o que eu buscava saber, interrogando o rosto de Marcela." (Machado de Assis, *Memórias Póstumas de Brás Cubas*, p. 118.) **5.** Investigar, sindicar: *interrogar as causas de um delito.* **6.** Procurar conhecer; investigar, sondar; inquirir: *interrogar os enigmas universais.* **7.** *Jur.* Proceder ao interrogatório (2) de; inquirir. ***T. d. e i.*** **8.** Inquirir, perguntar: *Interrogaram-no acerca do crime.* ***Int.*** **9.** Fazer perguntas, indagações, interrogações: "Viajar é interrogar. O homem interroga-se a si próprio e interroga a Natureza" (Antero de Figueiredo, *Espanha*, p. 14). ***P.*** **10.** Dirigir indagações a si mesmo; consultar-se, examinar-se: "O homem interroga-se a si próprio e interroga a Natureza" (Id., *ib.*, p. 14). [Conjug.: v. *largar*.]

interrogativo [Do lat. tard. *interrogativu*.] ***Adj.*** **1.** Próprio para interrogar; interrogatório. **2.** Que encerra interrogação: *oração interrogativa.* ~ V. *pronome —*.

interrogatório [Do lat. tard. *interrogatoriu*.] ***S. m.*** **1.** Ato ou efeito de interrogar. **2.** *Dir. Proc. Penal* Ato, praticado pela autoridade competente, de submeter a uma série de perguntas o indiciado ou réu, reduzindo a termo as respostas dadas. ● ***Adj.*** **3.** Interrogativo (1).

interromper [Do lat. *interrumpere*.] ***V. t. d.*** **1.** Fazer parar por algum tempo; romper ou suspender a continuidade de: "às vezes interrompo o meu trabalho para tomar-lhe as mãos, assentá-la um instante sobre os meus joelhos" (Aluísio Azevedo, *Livro de uma Sogra*, p. 34). **2.** Fazer cessar; destruir, extinguir: *Aquele clarão interrompeu, por um instante, a treva.* **3.** Deixar de fazer temporariamente: *interromper um curso.* **4.** Cortar o discurso a: *O chefe interrompeu-o com palavras de censura.* **5.** Estorvar, embaraçar; entrecortar: *Os soluços interrompiam-lhe a fala.* ***P.*** **6.** Cessar o que vinha fazendo. **7.** Parar momentaneamente de falar.

interrupção [Do lat. imp. *interruptione*.] ***S. f.*** **1.** Ato ou efeito de interromper(-se); suspensão. **2.** Aquilo que faz cessar um ato ou estado. **3.** *Inform.* Sinal que, originado por programa ou dispositivo, requer prioridade de processamento. **4.** *E. Ling.* Suspensão, reticência.

interruptivo [De *interrupto* + *-ivo*.] ***Adj.*** Interruptor (1).

interrupto [Do lat. *interruptu*.] ***Adj.*** Interrompido; suspenso.

interruptor (ô) [Do lat. tard. *interruptore*.] ***Adj.*** **1.** Que interrompe; interruptivo. ● ***S. m.*** **2.** Aquele ou aquilo que interrompe. **3.** *Fís.* Dispositivo que pode interromper ou restabelecer a continuidade num circuito elétrico, ou numa parte dele; comutador. [Cf. *disjuntor*.]

interseção [Var. de *intersecção* < lat. *intersectione*.] ***S. f.*** **1.** Ato de cortar; corte; cruzamento: "Todo bom chofer de praça deve saber que, em algumas interseções de ruas, existem sinais semafóricos destinados a controlar o tráfego." (Millor Fernandes, *Lições de um Ignorante*, p. 75.) **2.** *Mat.* V. *produto* (10). **3.** *Mat.* Operação por meio da qual se forma o conjunto de todos os elementos que pertencem simultaneamente a dois ou mais conjuntos; produto. [Cf. *intercessão*.]

intersecção ***S. f.*** Interseção (q. v.).

interseccional [De *intersecção* + *-al*[1], seg. o padrão erudito.] ***Adj. 2 g.*** Intersecional (q. v.).

intersecional [Var. de *interseccional*.] ***Adj. 2 g.*** Referente à interseção.

interserir [Do lat. *interserere*, com mudança de conjug.] ***V. t. d. e c. P.*** V. *inserir*. [Irreg. Conjug.: v. *inserir*, mas não tem, como este, um part. irreg. ao lado do regular.]

intersexuado (cs) [De *inter-* + *sexo* + *-uado*.] ***Adj.*** Intersexual (2).

intersexual (cs) [De *inter-* + *sexual*.] ***Adj. 2 g.*** **1.** Que existe ou ocorre entre os dois sexos: *A competividade intersexual do mercado de trabalho.* **2.** *Biol.* Que apresenta intersexualidade; intersexuado.

intersexualidade (cs) [De *inter-* + *sexualidade*.] ***S. f.*** *Biol.* Qualidade de indivíduo que tem características de ambos os sexos.

intersexualismo (cs) [De *intersexual* + *-ismo*.] ***S. m.*** *Biol.* Condição de indivíduo intersexual (2).

intersideral [De *inter-* + *sideral*.] ***Adj. 2 g.*** *Astr.* Que está situado ou se realiza entre astros: "Mas eu resvalava nas amplidões intersiderais, e entrava a devassar o nada infindo" (Cândido Jucá [filho], *Noite Insone*, p. 48).

intersindical [De *inter-* + *sindical*.] ***Adj. 2 g.*** **1.** Que se observa ou realiza entre sindicatos. **2.** Comum a dois ou mais sindicatos.

intersístole [De *inter-* + *sístole*.] ***S. f.*** *Fisiol.* Intervalo entre o fim da sístole auricular e o começo da sístole ventricular.

intersocial [De *inter-* + *social*.] ***Adj. 2 g.*** Que ocorre entre sociedades, ou entre as várias camadas sociais.

intersoldado [De *inter-* + *soldado*.] ***Adj.*** Diz-se de peças, etc., soldadas entre si: "a parede do fundo inteiramente coberta por um mapa luminoso da Ilha, montado em cinco grandes placas intersoldadas" (Herberto Sales, *O Fruto do Nosso Ventre*, p. 23).

interstelar [De *inter-* + *estelar*.] ***Adj. 2 g.*** Que está situado, ou que se realiza, entre estrelas. ~ V. *absorção —*, *espaço —* e *matéria —*.

intersticial [De *interstício* + *-al*[1].] ***Adj. 2 g.*** **1.** Relativo ou pertencente a interstícios. **2.** Que ocupa os interstícios. ~ V. *espaço —*, *fluido —*, *líquido —*, *plasma —* e *substância —*.

interstício [Do lat. tard. *interstitiu*.] ***S. m.*** **1.** Pequeno intervalo entre as partes de um todo; intervalo. **2.** Fenda, frincha: "A luz que entrava pelos interstícios das pedras sobrepostas das paredes .... tinha a frouxidão duma alâmpada." (Júlio Brandão, *Contos Escolhidos*, p. 32.) **3.** *Histol. Anat.* Pequeno intervalo, espaço ou fenda em tecido (5) ou em estrutura (12). **4.** *Rel.* Lapso de tempo prescrito entre a recepção de uma ordem sacra e a da seguinte. **5.** *Bras. Mil.* Tempo mínimo que um militar deve permanecer num posto[1] (4) ou graduação (4) antes de poder ser lembrado para promoção.

intersubjetividade [De *intersubjetivo* + *-(i)dade*.] ***S. f.*** **1.** Caráter de intersubjetivo (1). **2.** *Filos.* O domínio das relações intersubjetivas.

intersubjetivo [De *inter-* + *subjetivo*.] ***Adj.*** **1.** Que se passa entre sujeitos diversos. **2.** *Filos.* Relativo a fenômenos individuais e subjetivos que são socialmente produzidos através do autorreconhecimento de cada sujeito em cada um dos outros, como ocorre, por exemplo, na criação de identidades culturais.

intertecer [De *inter-* + *tecer*.] ***V. t. d. T. d. e i. P.*** V. *entretecer*. [Conjug.: v. *aquecer*.]

intertemporal [De *inter-* + *temporal*.] ***Adj. 2 g.*** ~ V. *direito —*.

intertexto (ês) [De *inter-* + *texto*.] ***S. m.*** *Liter.* Texto literário preexistente a outro texto.

intertextual (ês) [De *intertexto* + *-ual*.] ***Adj. 2 g.*** *Liter.* Relativo ou pertencente a intertexto.

intertextualidade (ês) [De *inter-* + *textualidade*.] ***S. f.*** *Liter.* **1.** Superposição de um texto a outro. **2.** Na elaboração dum texto literário, a absorção e transformação de uma multiplicidade de outros textos.

intertipo [Do ingl. *intertype*, marca registrada.] ***S. f.*** *Tip.* Máquina compositora de linhas-blocos, semelhante à linotipo, e que apresenta a possibilidade de adição progressiva de magazines e moldes, à proporção das necessidades do usuário.

intertítulo [De *inter-* + *título*.] ***S. m.*** *Jorn.* V. *entretítulo*.

intertribal [De *inter-* + *tribal*.] ***Adj. 2 g.*** Que se dá ou se observa entre tribos; relativo à relação entre tribos ou sociedades de tipo tribal.

intertrigem [Do lat. *intertrigine*, 'escoriação'.] ***S. f.*** *Derm.* Inflamação eritematosa cutânea, em área(s) em que ocorre(m) atrito(s). [F. paral.: *intertrigo*. Sin. (pop.): *assadura*, *assado*.]

intertriginoso (ô) [Do lat. tard. *intertriginosu*.] ***Adj.*** Relativo à, ou da natureza da intertrigem.

intertrigo [Do fr. *intertrigo* ou do ingl. *intertrigo* < lat. *intertrigo* (nom.).] ***S. m.*** *Derm.* Intertrigem (q. v.).

intertropical [De *inter-* + *tropical*.] ***Adj. 2 g.*** **1.** Que habita as terras localizadas entre os dois trópicos. **2.** Relativo ou pertencente à zona tórrida.

interurbano [De *inter-* + *urbano*.] ***Adj.*** **1.** Que se faz ou se verifica entre cidades ou outras aglomerações populacionais: *telefonema interurbano.* **2.** Relativo a movimentos ou contatos que se efetuam dentro dos limites de uma mesma cidade. ● ***S. m.*** **3.** *Bras.* Comunicação telefônica entre duas cidades.

intervalado [Do lat. tard. *intervalattu*.] ***Adj.*** Em que há intervalo(s); entremeado.

intervalar[1] [De *intervalo* + *-ar*[1].] ***Adj. 2 g.*** Situado num intervalo.

intervalar[2] [Do lat. tard. *intervallare*.] ***V. t. d.*** **1.** Dispor com intervalos. ***T. d. e i.*** **2.** Entremear; alternar: *intervalar amabilidades com descortesias; Intervalava de acessos de tosse o longo discurso.* ***P.*** **3.** Separar-se com intervalos; estar disposto por intervalos.

intervalo [Do lat. *intervallu*.] ***S. m.*** **1.** Espaço entre dois pontos. [Cf. *vão* (9).] **2.** Intermitência (1). **3.** Espaço de tempo entre dois fatos, duas épocas. **4.** Espaço entre duas linhas da pauta musical. **5.** *Mat.* Conjunto dos números reais compreendidos entre dois outros. **6.** *Astrofís.* No espaço-tempo, distância entre dois eventos v. *evento* (5). **7.** *Fís.* Razão entre as frequências de duas oscilações acústicas. **8.** *Mús.* Distância que separa dois sons. [Na música tonal ocidental, é medida em tons e semitons.] **9.** *Teatr.* Entreato (1 e 2). **10.** *Teatr.* Entrecena (1). ◆ **Intervalo aberto.** *Mat.* Intervalo de que os extremos não fazem parte. **Intervalo centil.** *Estat.* Intervalo percentil. **Intervalo consonante.** *Mús.* Intervalo de razão simples, agradável ao ouvido. **Intervalo de confiança.** *Estat.* Intervalo não nulo no domínio de um parâmetro de uma distribuição, em geral dependente de uma estimativa deste parâmetro, ao qual está associada uma probabilidade de a ele pertencer o parâmetro. **Intervalo dissonante.** *Mús.* Intervalo de razão complexa, frequentemente desagradável ao ouvido. **Intervalo fechado.** *Mat.* Intervalo de que os extremos fazem parte. **Intervalo percentil.** *Estat.* Qualquer dos intervalos limitados por dois percentis consecutivos; intervalo centil. **A intervalos.** De espaço a espaço; a espaços; intervaladamente: "no terrado da Estação, a intervalos, tocava uma banda de música." (Alcides Maia, *Tapera*, p. 97).

intervenção [Do lat. tard. *interventione*.] ***S. f.*** **1.** Ato de intervir; interferência: *Graças à sábia intervenção dele, tudo se resolveu bem;* "devemos .... evitar as [medidas] que .... abram a mais estreita frincha à intervenção triunfante do estrangeiro na esfera superior dos nossos destinos." (Euclides da Cunha, *Contrastes e Confrontos*, p. 225). **2.** *Jur.* Ato pelo qual, no protesto de um título cambiário por falta de aceite ou pagamento, um terceiro declara que o aceita ou resgata por honra ou conta do sacador, do aceitante, ou de um dos endossatários. **3.** *Jur.* Ato de um Estado de intervir nos negócios internos de outro(s). [Cf. *não intervenção*.] **4.** *Bras.* Nos regimes federativos, ato do poder central destinado a impor medidas necessárias a manter a integridade da União, quando algum dos seus membros está submetido a anormalidade grave e que prejudique o funcionamento da Federação. **5.** *Cir.* Intervenção cirúrgica. **6.** *Bras.* Interferência do poder central em qualquer unidade da Federação, que se manifesta na substituição de seu governador, prefeito, etc., ou na cassação de representante do poder legislativo estadual, municipal, etc. ◆ **Intervenção cirúrgica.** *Med.* Operação (4). [Tb. se diz apenas *intervenção*.] **Intervenção de terceiro.** *Jur.* **1.** A daquele que, embora não seja parte, tem legítimo interesse em intervir no processo, ou é obrigado a isto por lei e chamamento de um dos litigantes. [Cf. *assistência* (7).] **2.** Violação da independência dum Estado, em virtude da intromissão indébita de outro nos seus negócios internos ou externos. **Intervenção didática.** *Educ.* Ato pelo qual o professor interfere no processo de aprendizagem visando o bem ensinar. **Intervenção humanitária.** *Jur.* Princípio de direito internacional que aceita a intervenção duma comunidade de Estados nos negócios internos ou externos de outro, para evitar morticínios dos próprios nacionais do país sujeito a essa medida.

intervencionismo [De *intervenção* + *-ismo*, seg. o padrão erudito.] ***S. m.*** Doutrina ou prática de intervenção (3, 4 e 6).

intervencionista [De *intervenção* + *-ista*, seg. o padrão erudito.] ***Adj. 2 g.*** **1.** Relativo ao, ou próprio do intervencionismo. **2.** Que é partidário do intervencionismo. ● ***S. 2 g.*** **3.** Partidário dele.

interveniência [Adapt. do ingl. *intervenience*.] ***S. f.*** Intervenção, interferência, mediação: "Ao solicitar que a seguisse até o palácio, Scherezade confiara em que a sagaz interveniência da irmã a impediria de vestir-se com a mortalha em vez dos trajes de núpcias." (Nélida Piñon, *Vozes do Deserto*, p. 62.)

interveniente [Do lat. *interveniente*.] ***Adj. 2 g.*** **1.** Que intervém; interventor. **2.** *Jur.* Que pratica intervenção (cambiária, processual). ● ***S. 2 g.*** **3.** Pessoa que pratica intervenção (cambiária, processual): "no processo houvera diversos intervenientes, desde funcionários subalternos até o presidente da República." (Macedo Miranda, *As Três Chaves*, p. 75).

interventivo [De *interventus*, part. pass. de *intervenire*, + *-ivo*.] ***Adj.*** Respeitante a, ou em que há intervenção.

interventor (ô) [Do lat. *interventore*.] ***Adj.*** **1.** Interveniente (1). ● ***S. m.*** **2.** *Bras.* Aquele que o Presidente da República delega para assumir provisoriamente o governo dum estado-membro sujeito ao regime de intervenção.

interventricular [De *inter-* + *ventricular*.] ***Adj. 2 g.*** *Anat.* Que está situado, ou ocorre, entre ventrículos. ~ V. *septo —*.

interver [De *inter-* + *ver*.] ***V. t. d.*** *P. P. us.* V. *entrever*: "O perfume que dali se exala, já anuncia a deusa. Intervejo-a" (Antônio Feliciano de Castilho, *Amor e Melancolia*, pp. 400-40). [Irreg. Conjug.: v. *ver*.]

interversão [Do lat. tard. *interversione*.] ***S. f.*** Ato de interverter; alteração da ordem natural ou habitual.

intervertebral [De *inter-* + *vertebral*.] ***Adj. 2 g.*** *Anat.* Situado entre vértebras.

interverter [Do lat. *intervertere*.] ***V. t. d.*** V. *inverter* (1).

→**interview** ['ɪntə·vjuw] [Ingl.] ***S. m.*** *Jorn.* Entrevista.

intervindo [Ger. de *intervir*.] ***Adj.*** Que interveio.

intervir [Do lat. *intervenire*.] ***V. t. i.*** **1.** Tomar parte voluntariamente; meter-se de permeio, vir ou colocar-se entre, por iniciativa própria; ingerir-se: "Sofia não interveio .... na conversa" (Machado de Assis, *Quincas Borba*, p. 35). **2.** Interpor a sua autoridade, ou os seus bons ofícios, ou a sua diligência: *O Governo Federal foi obrigado a intervir nos negócios estaduais.* **3.** Ser ou estar presente; assistir. ***Int.*** **4.** Ocorrer incidentemente; sobrevir: *Intervieram acontecimentos imprevistos que retardaram a chegada.* **5.** Tomar parte voluntariamente, meter-se de permeio, em discussão, conflito, etc.: "Grande altercação. Intervim. Intervieram os vizinhos, e tudo acabou em paz." (Artur Azevedo, *Contos Possíveis*, p. 40.) [Irreg. Conjug.: v. *vir*.]

→**inter vivos** ['intɛr 'vivɔs] [Lat.] *Jur.* Diz-se do negócio jurídico realizado entre vivos.

intervizinho [De *inter-* + *vizinho*.] ***Adj.*** Que se realiza ou se dá entre vizinhos.

intervocálico [De *inter-* + *vocálico*.] ***Adj.*** *E. Ling.* Que está entre vogais.

intestado [Do lat. *intestatu*.] ***Adj.*** *Dir. Civ.* Que morreu sem fazer testamento, ou cujo testamento é nulo e ilegal.

intestável [Do lat. tard. *intestabile*; em lat. láss. significava 'maldito', 'infame', 'abominável'.] ***Adj. 2 g.*** Que não pode testar[1] (1), fazer testamento.

intestinal [De *intestino* + *-al*[1].] ***Adj. 2 g.*** Relativo ou pertencente a intestino. ~ V. *obstrução —*, *oclusão —* e *tuberculose —*.

intestino [Do lat. *intestinu*.] ***Adj.*** **1.** Interno, íntimo: "Um fogo intestino devorava-me." (Inglês de Sousa, *Contos Amazônicos*, p. 231.) **2.** Nacional, civil: *guerra intestina*; "Uma situação política prenhe de comoções intestinas e de guerras europeias." (Latino Coelho, *Cervantes*, p. 41). ~ V. *guerra —a*. ● ***S. m.*** **3.** *Anat.* Víscera integrante do tubo digestivo, e que se estende do estômago ao ânus, admitindo duas grandes divisões: o intestino delgado e o intestino grosso. [Tb. us. no pl.] **4.** *Zool.* Ênteron. ◆ **Intestino delgado.** *Anat.* Porção do tubo digestivo que se estende desde o final do piloro até a papila ileal. **Intestino grosso.** *Anat.* Porção do tubo digestivo que se estende desde a papila ileal até o ânus. **Intestino primitivo.** *Embr.* Porção da vesícula vitelínica que fica aprisionada no corpo do embrião e da qual se origina o tubo digestivo.

intestinos ***S. m. pl.*** *Anat.* V. *intestino* (3).

intexto (ês) [Do lat. *intextu*.] ***Adj.*** Entremeado, entrelaçado, entretecido.

intifada [Do ár. *intifāḍ*, 'agitação'; 'levante'.] ***S. f.*** Movimento insurrecional palestino contra a ocupação israelense da Cisjordânia e da Faixa de Gaza: "Em alguns lugares houve violentos choques .... em cenas que lembravam a Intifada, o levante palestino da década de 80." (*O Globo*, 15.05.2000.) [Ger. com cap.]

intile ***S. m.*** *Bras. Rel.* V. *Airá*. [Com cap.]

íntima[1] [F. subst. do adj. *íntimo*.] ***S. f.*** *Zool.* **1.** Membrana interna da traqueia dos insetos. **2.** Denominação genérica de diversas membranas internas. [Cf. *intima*, do v. *intimar*.]

íntima[2] ***S. f.*** *Anat. Histol.* V. *túnica íntima*. [Cf. *intima*, do v. *intimar*.]

intimação [Do lat. tard. *intimatione*.] ***S. f.*** **1.** Ato de intimar ou ser intimado. **2.** *Jur.* Ciência de um ato judicial legalmente dada a alguém; notificação judicial. [Cf. *citação* (4) e *notificação* (2 e 3).] **3.** *Bras. S. Pop.* Ostentação, bazófia.

intimador (ô) [Do lat. tard. *intimatore*.] ***Adj. S. m.*** Que, ou aquele que intima.

intimar [Do lat. tard. *intimare*.] ***V. t. d.*** **1.** *Jur.* Fazer intimação (2) a. [Cf. *interpelar* (3), *notificar* (5) e *citar* (4).] **2.** *Pop.* Chamar (alguém) perante a autoridade policial. **3.** *Bras. N.* Desafiar (alguém) para lutar. **4.** *Bras. N. N.E.* Insultar, ofender, afrontar, ultrajar. ***T. d. e i.*** **5.** Ordenar ou determinar de modo impositivo, vivamente autoritário: *Intimou-os a comparecer*; "Pegou do braço ao piloto e ao praticante e, intimando-os ao cumprimento do dever, colocou-os logo ao leme." (Virgílio Várzea, *Nas Ondas*, p. 64); "— .... O vulto desarmou o pai de Cecília e intimou-lhe a retirada" (Machado de Assis, *Contos Avulsos*, p. 161). **6.** Inculcar, denotar, significar, dar a entender, com força. ***T. i.*** **7.** *Bras. N.E.* Provocar para a luta; insultar; desafiar: *O rapazinho intimou com o colega.* **8.** *Bras. Pop.* Insistir, teimar: "Capitão, você não intime / Em querer ser bom piloto" (*de um auto popular*). ***Int.*** **9.** Empregar intimativa; falar com arrogância. [Pres. ind.: *intimo*, *intimas*, *intima*, etc. Cf. *íntimo*, *íntima*, e pl. *íntimas*.]

intimativa [F. subst. do adj. *intimativo*.] ***S. f.*** **1.** Frase ou gesto com força de intimação; afirmação enérgica. **2.** Energia, arrogância, no mandar.

intimativo [De *intimar* + *-tivo*.] ***Adj.*** **1.** Que serve para intimar. **2.** Enérgico, severo.

intimidação [De *intimidar* + *-ção*.] ***S. f.*** Ato ou efeito de intimidar(-se).

intimidade [De *íntimo* + *-(i)dade*.] ***S. f.*** **1.** Qualidade de íntimo. **2.** Vida (10) íntima; vida particular: *Indiscreto, quer penetrar na minha intimidade.* **3.** Trato íntimo: "O sulco trágico que assim se acentuava não lhe frustrou porém as alegrias dos morros nativos, a intimidade com os pássaros e com as árvores" (Barreto Filho, *Introdução a Machado de Assis*, p. 12); *É pessoa da minha intimidade.*

intimidador (ô) [De *intimidar* + *-dor*.] ***Adj.*** **1.** Que intimida; intimidante, intimidativo. ● ***S. m.*** **2.** Aquele que intimida.

intimidante [De *intimidar* + *-nte*.] ***Adj. 2 g.*** V. *intimidador* (1).

intimidar [De *in-*[1] + *tímido* + *-ar*[2].] ***V. t. d.*** **1.** Tornar tímido, temeroso, receoso: "Os analfabetos invejam a instrução para si .... Se a não procuram, ... é porque os intimida a demora, a dificuldade, e o tédio de aprender." (Antônio Feliciano de Castilho, *Outono*, p. XI.) **2.** Causar medo, pavor ou apreensão a; amedrontar, assustar; apavorar: "Não dizia palavra, mas havia em todo ele uma impertinência subjacente que irritava os desconhecidos e intimidava os servidores." (Domingos Monteiro, *O Primeiro Crime de Simão Bolandas*, p. 11.) ***Int.*** **3.** Causar medo, pavor ou apreensão: "Além desse aviso imponderável, que obrigava a alma a tremer, manifestavam-se cousas positivas, que intimidavam e traziam o esmorecimento." (Raimundo Morais, *País das Pedras Verdes*, p. 131.) ***P.*** **4.** Tornar-se tímido, temeroso, receoso; atemorizar-se, assustar-se: "O guarda, vendo que os operários não se intimidavam com a presença dele, resolveu fazer uma demonstração de autoridade." (Mário de Andrade, *Contos Novos*, p. 139.)

intimidativo [De *intimidar* + *-tivo*.] ***Adj.*** V. *intimidador* (1).

intimismo [De *íntimo* + *-ismo*; fr. *intimisme*.] ***S. m.*** *Arte Poét.* Gênero poético avesso à grandiloquência, e em que se procura exprimir sentimentos íntimos e, por outro lado, o sentido das coisas simples.

intimista [De *íntimo* + *-ista*; fr. *intimiste*.] ***Adj. 2 g.*** **1.** Relativo ou pertencente ao intimismo. **2.** Diz-se do poeta que o pratica, e da respectiva poesia. ● ***S. 2 g.*** **3.** Poeta intimista.

íntimo [Do lat. *intimu*.] ***Adj.*** **1.** Que está muito dentro. **2.** Que atua no interior. **3.** Muito cordial ou afetuoso; entranhável. **4.** Estreitamente ligado por afeição e confiança: *amigo íntimo.* **5.** Que se passa ou efetua no interior da família, ou entre pessoas muito chegadas entre si: *festa íntima*. ~ V. *foro* (ô)*—* e *túnica —a*. ● ***S. m.*** **6.** Âmago, imo: *o íntimo da alma.* **7.** Amigo íntimo: "Era já então crença geral que ele dera os tiros, e os íntimos provavelmente o felicitavam pela sua coragem." (J. Lúcio d'Azevedo, *O Marquês de Pombal e Sua Época*, pp. 190-191.) [Cf. *intimo*, do v. *intimar*.]

intimorato [De *in-*[2] + *timorato*.] ***Adj.*** Sem temor; destemido: "Para, conquistador intimorato e forte!" (Olavo Bilac, *Poesias*, p. 241.) [Cf. *intemerato*.]

intina [De *int(u)-* + *-ina*[1].] ***S. f.*** *Bot.* Membrana interna do grão de pólen, que é delgada, hialina e rica em pectina. [Opõe-se a *exina*.]

intinção [Do lat. tard. *intinctione*.] ***S. f.*** *Lit.* Mistura que o sacerdote faz, antes da comunhão, de uma fração da hóstia com o vinho consagrado.

intitulação [De *intitular* + *-ção*.] ***S. f.*** Ato de intitular; designação de um título.

intitular [Do lat. tard. *intitulare*.] ***V. t. d.*** **1.** Dar título a: *Tem dificuldade em intitular seus contos.* ***Transobj.*** **2.** Denominar, chamar: *Intitularam-no de chefe.* ***P.*** **3.** Tomar ou ter por denominação ou título; denominar-se: "decorrido um ano, Zurita, que .... se intitulava professor de ginástica, ... deliberou passar-se a Madri" (Camilo Castelo Branco, *A Enjeitada*, p. 130).

intocabilidade [De *intocável* + *-(i)dade*, seg. o padrão erudito.] ***S. f.*** Qualidade ou caráter de intocável.

intocado [De *in-*[2] + *tocado*.] ***Adj.*** V. *intato*: "plácida, límpida, intocada / essência que jazias / no não ser mais abstrato." (Marli de Oliveira, *Ausência*, p. 32).

intocável [De *in-*[2] + *tocável*.] ***Adj. 2 g.*** **1.** Em que não se pode tocar; intangível. **2.** Inatacável, ilibado. ● ***S. 2 g.*** **3.** Indivíduo intocável. **4.** V. *monstro sagrado* (2).

intolerância [Do lat. *intolerantia*.] ***S. f.*** **1.** Qualidade de intolerante; falta de tolerância. **2.** Intransigência (1).

intolerante [Do lat. *intolerante*.] ***Adj. 2 g.*** **1.** Que não é tolerante. **2.** Que é partidário do intolerantismo. ● ***S. m.*** **3.** Partidário do intolerantismo.

intolerantismo [De *intolerante* + *-ismo*.] ***S. m.*** **1.** Doutrina que tem por princípio a intolerância religiosa. **2.** Sistema daqueles que não admitem opiniões divergentes das suas, em questões sociais, políticas ou religiosas.

intolerável [Do lat. *intolerabile*.] ***Adj. 2 g.*** Não tolerável. [Pl.: *intoleráveis*.]

intonso [Do lat. *intonsu*.] ***Adj.*** **1.** Não tosquiado. **2.** Hirsuto, emaranhado: "alto, magro, de intonsa barba branca, áspera como uma velha parasita ressecada num tronco" (Coelho Neto, *Sertão*, p. 201). **3.** Diz-se de livro não aparado.

intorcível [De *in-*[2] + *torcível*.] ***Adj. 2 g.*** Que não se pode torcer, alterar, distorcer; não torcível: "a pertinácia, a vontade obstinada, a energia intorcível de um prodigioso artífice." (Augusto Meyer, *A Forma Secreta*, p. 103).

→**in totum** [ɛn 'toto(m)] [Lat.] No todo; totalmente.

intoxicação (cs) [De *intoxicar* + *-ção*.] ***S. f.*** Ato de intoxicar; envenenamento.

intoxicar (cs) [De *in-*[1] + *tóxico* + *-ar*[2].] ***V. t. d.*** **1.** Envenenar, toxicar. ***Int.*** **2.** Causar intoxicação; toxicar: *Alimentos deteriorados intoxicam.* ***P.*** **3.** Envenenar (8). **4.** *P. ext.* Ingerir ou absorver droga (4), ou qualquer substância nociva ao organismo. [Sin. ger.: *toxicar*. Conjug.: v. *trancar*.]

▲ **intra-** [Do lat. *intra*.] ***Pref.*** = 'posição interior': *intraocular, intrapulmonar, intrauterino.* [É seguido de hífen quando anteposto a palavra iniciada por *a* ou *h*: *intra-abdominal, intra-hepático* (em tais casos, apenas o 2º el. é flexionado na formação do plural); é grafado com *r* ou *s* duplicados quando anteposto a palavra iniciada por *r* ou *s*: *intrarregional, intrassistêmico*.]

intra-abdominal [De *intra-* + *abdominal*.] ***Adj. 2 g.*** *Anat.* Que está, ou ocorre dentro do abdome.

intra-arterial [De *intra-* + *arterial*.] ***Adj. 2 g.*** *Anat.* Que se situa ou ocorre no interior das artérias.

intra-articular [De *intra-* + *articular*.] ***Adj. 2 g.*** *Anat.* **1.** Relativo ao interior de articulação. **2.** Que aí se encontra ou se realiza.

intracavitário [De *intra-* + *cavitário*.] ***Adj.*** Situado no interior de cavidade.

intracelular [De *intra-* + *celular*.] ***Adj. 2 g.*** *Citol.* Relativo ao interior de célula (1 a 3), ou ali situado. ~ V. *espaço —*, *fluido —* e *líquido —*.

intracraniano [De *intra-* + *craniano*.] ***Adj.*** *Anat.* **1.** Relativo ao interior do crânio, ou ali situado. **2.** Que se situa ou ocorre dentro do crânio. ~ V. *hipertensão —a*.

intradérmico [De *intra-* + *dérmico*.] ***Adj.*** *Anat.* Relativo à espessura da pele, ou ali situado.

intradilatado [De *intra-* + *dilatado*.] ***Adj.*** *Bot.* Dilatado por dentro.

I

intradorso (ô) [De *intra-* + *dorso*.] *S. m. Arquit.* Superfície côncava interior de um arco ou de uma abóbada. [Pl.: *intradorsos* (ô). Cf. *extradorso* (ô).]

intraduzível [De *in-*² + *traduzível*.] *Adj. 2 g.* **1.** Que não se pode traduzir, verter ou trasladar: *Na obra de Guimarães Rosa há passagens intraduzíveis.* **2.** Que não se pode traduzir ou exprimir; inexprimível: "Mortal e intraduzível desgosto foi .... o do velho e fiel Damião." (Abel Botelho, *Amanhã*, p. 478.)

intraembrionário [De *intra-* + *embrionário*.] *Adj. Embr.* Diz-se de formação anatômica situada em interior de embrião. ~ V. *celoma — e mesoderma —*. ❖

intraepidérmico [De *intra-* + *epidérmico*.] *Adj. Anat.* Relativo ao interior da epiderme, ou ali situado. ❖

intraespecífico [De *intra-* + *específico*.] *Adj. Ecol.* Que ocorre em um grupo de indivíduos da mesma espécie. ~ V. *competição —a*. ❖

intrafegável [De *in-*² + *trafegável*.] *Adj. 2 g.* Que não apresenta condições para ser trafegado; intransitável.

intragável [De *in-*² + *tragável*.] *Adj. 2 g.* Que não se pode tragar; insuportável. [Pl.: *intragáveis*.]

intra-hepático [De *intra-* + *hepático*.] *Adj. Ant.* Relativo ao interior do fígado, ou ali situado.

intramarginal [De *intra-* + *marginal*.] *Adj. 2 g. Bot.* Que está entre os bordos (falando-se das nervuras das folhas e das flores).

intramedular [De *intra-* + *medular*.] *Adj. 2 g. Anat.* Relativo ao interior da medula, ou ali situado.

intramuros [Do lat. *intra muros*, 'dentro dos muros'.] *Adv.* Dentro do recinto de uma cidade. [Antôn.: *extramuros*.]

intramuscular [De *intra-* + *muscular*.] *Adj. 2 g. Anat.* **1.** Relativo ao interior de músculo, ou ali situado. **2.** Que se ministra em músculo: *injeção intramuscular.*

intranasal [De *intra-* + *nasal*.] *Adj. 2 g. Anat.* Relativo ao interior do nariz, ou ali situado.

→**intranet** ['intɹɑ,net] [Ingl.] *S. f. Inform.* Rede de computadores de acesso privado, porém ligada à Internet. [Mais us. com cap.]

intranquilidade (qüi) [De *in-*² + *tranquilidade*.] *S. f.* Falta de tranquilidade. ❖

intranquilizador (qüi...ô) [De *intranquilizar* + *-dor*.] *Adj.* Que intranquiliza; inquietante, inquietador. ❖

intranquilizar (qüi) [De *intranquilo* + *-izar*.] *V. t. d. P.* Tornar(-se) inquieto, aflito, intranquilo; desassossegar(-se), afligir(-se), inquietar(-se). ❖

intranquilo (qüi) [De *in-*² + *tranquilo*.] *Adj.* Que não é, ou não está tranquilo: "Cara miniaturizada e balofa, infernizada pela dor, intranquila" (Silviano Santiago, *Keith Jarret no Blue Note*, p. 122). ❖

intransferência [De *in-*² + *transferência*.] *S. f.* **1.** Qualidade de intransferível. **2.** Inalienabilidade.

intransferível [De *in-*² + *transferível*.] *Adj. 2 g.* Que não é transferível; inalienável.

intransigência (zi) [De *in-*² + *transigência*.] *S. f.* **1.** Falta de transigência; intolerância. **2.** *Fig.* Austeridade de caráter; severidade, rigidez.

intransigente (zi) [De *in-*² + *transigente*.] *Adj. 2 g. S. 2 g.* **1.** Que, ou pessoa que não transige; intolerante. **2.** *Fig.* Austero, severo, rígido, ríspido.

intransitabilidade (zi) [De *intransitável* + *-(i)dade*, seg. o padrão erudito.] *S. f.* Qualidade de intransitável.

intransitado (zi) [De *in-*² + *transitado*.] *Adj.* Não transitado; por onde não se transita.

intransitável (zi) [De *in-*² + *transitável*.] *Adj. 2 g.* **1.** Que não apresenta condições para ser transitado. **2.** Cujo trânsito é proibido. **3.** *Fig.* Intratável, impraticável.

intransitivar (zi) [De *intransitivo* + *-ar*².] *V. t. d.* Tornar intransitivo (um verbo).

intransitividade (zi) [De *intransitivo* + *-(i)dade*.] *S. f. E. Ling.* Propriedade que têm alguns verbos, como *existir*, *dormir*, de não admitir complemento(s). [Cf. *transitividade* (2).]

intransitivo (zi) [Do lat. tard. *intransitivu*.] *Adj.* Intransmissível (1). ~ V. *verbo —*.

intransmissibilidade [De *intransmissível* + *-(i)dade*, seg. o padrão erudito.] *S. f.* Qualidade de intransmissível.

intransmissível [De *in-*² + *transmissível*.] *Adj. 2 g.* **1.** Não transmissível; intransitivo. **2.** Que não se pode transmitir a outrem.

intransmutável [De *in-*² + *transmutável*.] *Adj. 2 g.* Não transmutável.

intransplantável [De *in-* + *transplantável*.] *Adj. 2 g.* Que não pode ser transplantado.

intransponível [De *in-*² + *transponível*.] *Adj. 2 g.* Não transponível.

intransportável [De *in-*² + *transportável*.] *Adj. 2 g.* Que não se pode transportar.

intranuclear [De *intra-* + *nuclear*.] *Adj. 2 g. Citol.* Relativo ao interior de núcleo, ou ali situado.

intraocular [De *intra-* + *ocular*.] *Adj. 2 g. Anat.* Relativo ao interior de olho, ou ali situado. ❖

intraoral [De *intra-* + *oral*.] *Adj. 2 g. Anat.* Relativo ao interior da boca¹ (1), ou ali situado. ❖

intraósseo [De *intra-* + *ósseo*.] *Adj. Anat.* Relativo ao interior de osso, ou ali situado. ❖

intraparenquimatoso (ô) [De *intra-* + *parenquimatoso*.] *Adj.* Situado, ou formado, dentro de parênquima.

intrapeciolar [De *intra-* + *peciolar*.] *Adj. 2 g. Bot.* Situado dentro de pecíolo.

intrapulmonar [De *intra-* + *pulmonar*.] *Adj. 2 g. Anat.* Relativo ao interior de pulmão, ou ali situado.

intrapulpar [De *intra-* + *pulpa* + *-ar*¹.] *Adj. 2 g. Odont.* **1.** Que se localiza no interior da polpa dentária. **2.** Diz-se da técnica que se caracteriza pela introdução de anestésico diretamente na polpa dentária.

intrário [Do lat. *intra* + *-ário*.] *Adj. Bot.* Diz-se do embrião que se curva para dentro do albume.

intratabilidade [De *intratável* + *-(i)dade*, seg. o padrão erudito.] *S. f.* Qualidade ou estado de intratável.

intratado [Do lat. *intractatu*.] *Adj.* **1.** Não tratado. **2.** Que não se experimentou; evitado.

intratável [Do lat. *intractabile*.] *Adj. 2 g.* **1.** Que não é tratável. **2.** Que não se presta à convivência; insociável: "Foi Afonso de Teive para Lisboa. Como ia desgostoso e intratável, rejeitou a aposentadoria em casa do tio desembargador." (Camilo Castelo Branco, *Amor de Salvação*, p. 131.) **3.** *Fig.* Intransitável (3): *caminho intratável; matagal intratável.*

intratextual (ês) [De *intra-* + *textual*.] *Adj. 2 g.* Que está contido na composição das páginas de um livro. [Cf. *fora do texto*.]

intratorácico [De *intra-* + *torácico*.] *Adj. Anat.* Relativo ao interior do tórax, ou ali situado.

intrauterino [De *intra-* + *uterino*.] *Adj. Anat.* Relativo ao interior do útero, ou ali situado. ❖

intravascular [De *intra-* + *vascular*.] *Adj. 2 g. Anat.* Relativo ao interior de vaso¹ (6), ou ali situado. ~ V. *coagulação — disseminada e espaço —*.

intravenoso (ô) [De *intra-* + *venoso*.] *Adj. Anat.* **1.** Relativo ao interior de veia, ou ali situado. **2.** Que se aplica no interior de veia: *injeção intravenosa.* ~ V. *pielografia —a*. [F. preferível a *endovenoso*.]

intravitelino [De *intra-* + *vitelo*² + *-ino*¹.] *Adj. Embr.* Que está, ou que ocorre dentro de vitelo².

intrêmulo *Adj.* V. *intrêmulo*. [Uso freq. em P.]

intrêmulo [Do lat. tard. *intremulu*.] *Adj.* **1.** Que não é trêmulo. **2.** *Fig.* Destemido, audaz, intrépido: "Valentes ainda ofegantes de recontros em que entravam intrêmulos, estremeciam, por fim, ante o assovio daqueles projetis esparsos" (Euclides da Cunha, *Os Sertões*, p. 438).

intrepidez (ê) [De *intrépido* + *-ez*.] *S. f.* Qualidade de intrépido; ausência de temor, de medo; coragem, ousadia, ânimo, valor, denodo.

intrépido [Do lat. imp. *intrepidu*.] *Adj. S. m.* **1.** Que, ou aquele que não trepida; audaz, denodado, corajoso: "A esse tempo já o marquês pisava a praça, firme e intrépido como os antigos romanos diante da morte." (Rebelo da Silva, *Contos e Lendas*, p. 182.) **2.** Que não tem medo; destemido, firme.

intributável [De *in-*² + *tributável*.] *Adj. 2 g.* Não tributável.

intricado [Do lat. *intricatu*.] *Adj.* **1.** Obscuro, confuso. **2.** Enredado, emaranhado. **3.** Custoso de perceber. ● *S. m.* **4.** Aquilo que é intricado: "a sombra fugidia / O intricado rompeu da mata escura" (Alberto de Oliveira, *Poesias*, 1.ª série, p. 223). [Var.: *intrincado*.]

intricar [Do lat. *intricare*.] *V. t. d.* **1.** Enredar, emaranhar, embaraçar. **2.** Tornar obscuro; confundir, complicar: *intricar um problema.* *P.* **3.** Enredar-se, embaraçar-se. **4.** Complicar-se, confundir-se. [Var.: *intrincar*. Conjug.: v. *trancar*.]

intrico [Dev. de *intricar*.] *S. m. Bras. PE Pop.* Coisa difícil de entender, complicada, confusa, intricada.

intriga [Do fr. *intrigue* < it. *intriga*, der. regress. do v. it. *intrigare* (v. *intrigar*).] *S. f.* **1.** Enredo, bisbilhotice, mexerico. **2.** Cilada, insídia, perfídia, traição. [Dim. irreg.: *intriguelha*.] **3.** V. *enredo* (5). **4.** *Teatr.* Na estrutura dramática (q. v.) de uma peça, elemento que se segue à *exposição* e culmina no *clímax* e no *desenlace*, e durante o qual se desenvolvem os caracteres e incidentes imaginados pelo autor; enredo, trama.

intrigado [Part. de *intrigar*.] *Adj.* **1.** Em que há intriga. **2.** Cheio de curiosidade, preocupação ou desconfiança com algo. ● *S. m.* **3.** *Bras.* Inimigo, desafeto: *F. é meu velho intrigado.*

intrigalhada [De *intriga* + *-alhada*.] *S. f.* Conjunto de intrigas.

intrigalhar [De *intriga* + *-alhar*.] *V. int.* Armar intrigalhada.

intrigante [Do fr. *intrigant* < it. *intrigante*.] *Adj. 2 g.* **1.** Que intriga; intriguista. ● *S. 2 g.* **2.** Pessoa intrigante; intriguista. V. *leva e traz*.

intrigar [Do fr. *intriguer* < it. *intrigare* < lat. *intricare*.] *V. t. d.* **1.** Inimizar com intrigas; mexericar, indispor, malquistar. **2.** Excitar a curiosidade de; tornar perplexo; pôr em confusão; enlear: *Aquelas palavras intrigaram-no.* *T. d. e i.* **3.** Malquistar com intrigas; enredar: *Intrigou-o com os amigos.* *Int.* **4.** Excitar a curiosidade. **5.** Armar intrigas ou enredos. *P.* **6.** Inimizar-se, indispor-se, desavir-se, malquistar-se. **7.** Ficar cheio de curiosidade, ou preocupação, ou desconfiança: "— Ainda ontem .... andava uma discussão danada aqui, a seu respeito, sabe? | — A meu respeito? | Oliveira intrigou-se: | — A meu respeito, por quê?" (Lucilo Varejão, *Visitação do Amor*, p. 89.) [Conjug.: v. *largar*.]

intriguelha (ê) [De *intriga* + *-elha*.] *S. f.* Pequena intriga.

intriguista [De *intriga* + *-ista*.] *Adj. 2 g. S. 2 g.* V. *intrigante*.

intrincado *Adj.* V. *intricado*.

intrincar *V. t. d. P.* V. *intricar*. [Conjug.: v. *trancar*.]

intrínseco (s) [Do lat. *intrinsecu*.] *Adj.* **1.** Que está dentro de uma coisa ou pessoa e lhe é próprio; interior, íntimo: *amor intrínseco.* **2.** Que está inseparavelmente ligado a uma pessoa ou coisa; inerente; peculiar: "A unidade intrínseca ao verdadeiro romance é de fato o grande obstáculo a qualquer tentativa para refazer criticamente a sua leitura." (Adolfo Casais Monteiro, *O Romance*, p. 37.) ~ V. *condução —a, coordenadas —as, semicondutor —, valor — e viscosidade —a*. [Antôn.: *extrínseco*.]

▲ **intro-** [Do lat. *intro*.] *Pref.* = 'movimento para dentro': *introduzir* (< lat.), *introverter-se*.

introdução [Do lat. *introductione*.] *S. f.* **1.** Ato ou efeito de introduzir(-se). **2.** Admissão em um lugar. **3.** Importação (3). **4.** V. *prefácio* (1). **5.** Artigo, estudo, e principalmente livro, que serve de preparação para o estudo de uma matéria: *introdução à ciência do direito; É notável a sua introdução à física nuclear.*
◆ **Introdução parenteral.** *Med.* A que utiliza outra via que não a digestiva.

introdutivo [Do lat. *introductus*, part. pass. de *introducere* (v. *introduzir*), + *-ivo*.] *Adj.* Introdutório.

introdutor (ô) [Do lat. tard. *introductore*.] *Adj. S. m.* Que, ou aquele que introduz.

introdutório [Do lat. tard. *introductoriu*.] *Adj.* Que serve de introdução, começo, abertura; introdutivo: *A obra tem uma nota introdutória do editor.*

introduzir [Do lat. *introducere*.] *V. t. d.* **1.** Fazer entrar; levar para dentro. **2.** Fazer entrar em um país. **3.** Fazer ser adotado; pôr em voga: *introduzir uma moda.* **4.** Encabeçar, começar, iniciar: *As conjunções integrantes introduzem as orações substantivas.* *T. d. e c.* **5.** Fazer entrar; levar para dentro: "atravessando uma pequena casa de espera, introduziu-o na sala." (Conde de Ficalho, *Uma Eleição Perdida*, p. 49). **6.** Fazer penetrar, meter: *Introduziu um prego na parede.* **7.** Fazer adotar; estabelecer. *T. d. e i.* **8.** Fazer admitir: *Introduziu-o em seu círculo de amigos.* **9.** Incluir, incorporar: *Introduzira modificações no texto.* **10.** Iniciar; enfronhar: *Maestro, introduziu-o na música clássica.* *P.* **11.** Fazer-se receber ou admitir; entrar, penetrar. **12.** Fixar-se, arraigar-se. [Irreg. Conjug.: v. *aduzir*.]

introito (ói) [Do lat. *introitu*.] *S. m.* **1.** Começo, entrada, princípio: "você gosta de situações definidas, arranjadinhas, certas, limpinhas, aparadas. Introito, desenvolvimento, epílogo." (Afrânio Peixoto, *Fruta do Mato*, p. 291). **2.** *Lit.* Oração com que principia a missa católica. ❖

introjeção [Do ingl. *introjection*.] *S. f. Psican.* Mecanismo psicológico pelo qual um indivíduo, inconscientemente, se apossa de um fato, ou de uma característica alheia, tornando-o(s) parte de si mesmo, ou volta contra si mesmo a hostilidade sentida por outrem.

introjetar [Do fr. *introjeter*.] *V. t. d. Psican.* Fazer introjeção de.

intrometer [Do lat. *intromittere*, com mudança de conjug.] *V. t. d. e c.* **1.** Fazer entrar; introduzir; intercalar, intermeter, entremeter, entressachar: *Intrometeu os apontamentos entre folhas do livro.* *P.* **2.** Tomar parte; ingerir-se, imiscuir-se. **3.** Contender, implicar.

intrometida [F. subst. do adj. *intrometido*.] *S. f. Bras. Pop.* Uma das estrelas que formam o Cruzeiro do Sul; intrusa.

intrometidiço *Adj.* V. *intrometido* (2).

intrometido [Part. de *intrometer*.] *Adj.* **1.** Metido para dentro; introduzido. **2.** Que se mete no que não lhe diz respeito; metediço, metido, adiantado, indiscreto; abelhudo, intrometidiço. ● *S. m.* **3.** Indivíduo intrometido (2).

intrometimento [De *intrometer* + *-imento*.] *S. m.* **1.** Ato de intrometer(-se). **2.** Modos ou ação de intrometido (2).

intromissão [Do lat. med. *intromissione*.] *S. f.* Ato de intrometer(-se); intrometimento.

íntron [Do ingl. *intron*.] *S. m. Bioquím. Genét.* Qualquer de certas sequências de nucleotídeos em ADN ou

ARN de um organismo, que são transcritas, mas não chegam a ser traduzidas, sendo removidas do ARN mensageiro antes que isto ocorra. [A função de tais sequências ainda é controversa.]

introrsar [De *introrso* + *-ar*[2].] ***V. t. d. P.*** Tornar(-se) introrso.

introrso [Do lat. *introrsu.*] ***Adj.*** Voltado para dentro. [Antôn.: *extrorso.*]

introsca ***S. 2 g.*** *Bras. Pop.* Pessoa intrusa, intrometida.

introspeção ***S. f.*** V. *introspecção.*

introspecção [Do ingl. *introspection.*] ***S. f.*** Observação da vida interior pelo próprio sujeito; exame que alguém faz dos próprios pensamentos e sentimentos. [Var.: *introspeção.*]

introspectividade [De *introspectivo* + *-(i)dade.*] ***S. f.*** Qualidade de introspectivo. [Var.: *introspetividade.*]

introspectivo [Do ingl. *introspective.*] ***Adj.*** **1.** Relativo ou pertencente à introspecção. **2.** Em que há introspecção. [Var.: *introspetivo.*]

introspetividade ***S. f.*** V. *introspectividade.*

introspetivo ***Adj.*** V. *introspectivo.*

introversão [De *introverso* + *-ão*[3].] ***S. f.*** **1.** Qualidade ou estado de introvertido. **2.** Exame íntimo da consciência: "Saía triste, muito pensativo, numa introversão dolorosa" (Camilo Castelo Branco, *Vulcões de Lama*, p. 258). **3.** Volta ou desvio para dentro.

introverso [Do lat. *introversu.*] ***Adj.*** V. *introvertido.*

introverter-se [De *intro-* + lat. *vertere*, 'virar', 'voltar', + *se*[1].] ***V. p.*** Voltar-se para dentro; recolher-se, concentrar-se: "Insular, o metropolitano, que durante a colonização ficou em Portugal, introverteu-se; continental o que se radicou no Brasil, extroverteu-se." (Miguel Torga, *Diário*, IX, p. 29.) [Antôn.: *extroverter-se.* Conjug.: v. *verter.*]

introvertido [Part. de *introverter.*] ***Adj.*** **1.** Voltado para dentro. **2.** Metido consigo. **3.** Absorto, concentrado. [Sin., nessas acepçs.: *introverso.*] • ***S. m.*** **4.** Indivíduo introvertido: "O resultado foi que .... me voltei para o universo interior, abismado na contemplação do meu próprio ser, o que me tornou se não misantropo, pelo menos um introvertido sem remédio." (Macedo Miranda, *Pequeno Mundo Outrora*, p. 9.) [Antôn.: *extrovertido.*]

intrudir [Do lat. *intrudere*, com mudança de conjug.] ***V. t. d.*** Introduzir com força (uma massa em outra preexistente). [Conjug.: v. *aludir.*]

intrujão [De *intrujar* + *-ão*[1].] ***Adj.*** **1.** Que intruja. • ***S. m.*** **2.** Indivíduo intrujão. **3.** *Bras.* Receptador de objetos furtados. [Fem.: *intrujona.*]

intrujar ***V. t. d.*** **1.** Imiscuir-se com outras pessoas para explorá-las; lograr. **2.** Intrujir, perceber. ***Int.*** **3.** Contar patranhas. ***P.*** **4.** Fazer intrujices; enganar-se mutuamente; lograr-se.

intrujice ***S. f.*** Ato de intrujar(-se).

intrujir ***V. t. d.*** *Gír.* Perceber, compreender; intrujar.

intrujona ***S. f.*** Fem. de *intrujão.*

intrusa [F. subst. do adj. *intruso.*] ***S. f.*** *Bras. Pop.* Intrometida.

intrusão [Do lat. med. *intrusione.*] ***S. f.*** **1.** Ação ou efeito de introduzir-se, contra o direito ou as formalidades, de proceder como intruso: "era um mistério a intrusão do Cotrim neste negócio" (Machado de Assis, *Memórias Póstumas de Brás Cubas*, p. 359). [Antôn.: *extrusão.*] **2.** Posse violenta. **3.** *Odont.* Deslocamento de um dente para dentro do alvéolo, devido a trauma violento ou por movimentação ortodôntica.

intrusivo [De *intruso* + *-ivo.*] ***Adj.*** V. *rocha —a.*

intruso [Do lat. med. *intrusu.*] ***Adj.*** **1.** Que se introduz em lugar, cargo, dignidade, etc., sem qualidade para tal; metediço. **2.** Ilegalmente empossado. • ***S. m.*** **3.** Indivíduo intruso. **4.** *Bras. BA Pop.* O jaspe cinzento. **5.** *Inform.* Usuário (ou programa) não autorizado, que obtém, por meios escusos, acesso aos recursos de um sistema de computador, ger. por intermédio de uma conexão de rede.

▲ **int(u)-** Equiv. de *intu(s)-*.

intubação [De *intubar* + *-ção.*] ***S. f.*** Ato de intubar. [Cf. *entubação.*]

intubar [De *in-*[1] + *tubo* + *-ar*[2].] ***V. t. d.*** **1.** Introduzir um tubo em (uma cavidade). **2.** *Med.* Introduzir cânula na traqueia de. [Cf. *entubar.*]

intuição (u-i) [Do lat. tard. *intuitione*, 'imagem refletida por um espelho', com sentido filosófico em lat. escolástico.] ***S. f.*** **1.** Ato de ver, perceber, discernir; percepção clara e imediata; discernimento instantâneo; visão. **2.** Ato ou capacidade de pressentir; pressentimento: *Tenho a intuição de que vai chover hoje*; "mil coisas que ela não percebia, mas começava a adivinhar na sua intuição subtil de mulher já namorada." (Conde de Ficalho, *Uma Eleição Perdida*, p. 65). **3.** *Filos.* Conhecimento imediato de um objeto na plenitude da sua realidade, seja este objeto de ordem material ou espiritual. **4.** *Filos.* Apreensão direta, imediata e atual de um objeto na sua realidade individual. **5.** A faculdade intuitiva.

intuicionante (u-i) [De *intuicionar* + *-nte.*] ***Adj. 2 g.*** Que intuiciona.

intuicionar (u-i) [De *intuição* + *-ar*[2], seg. o padrão erudito.] ***V. t. d. Int.*** Intuir.

intuicionismo (u-i) [De *intuição* + *-ismo*, seg. o padrão erudito; fr. *intuicionnisme.*] ***S. m.*** *Filos.* Concepção fundamental de L. Brouwer (v. *brouweriano*) que afirma serem as entidades da Lógica Matemática livres criações do pensamento, independendo de origens empíricas, e sustentadas pela clareza que lhes confere seu caráter intuitivo. [Cf. *formalismo* e *logicismo.*]

intuir [Do lat. tard. *intuere*, com mudança de conjug.] ***V. t. d. Int.*** Deduzir ou concluir por intuição; intuicionar: "Como é [Carlos Drummond de Andrade] fazendeiro do ar, / O obscuro enigma dos astros / Intui, capta em claro enigma." (Manuel Bandeira, *Estrela da Vida Inteira*, p. 266); "Um verso 'quer' ser verso, em todas as latitudes. Intuir-lhe a essência, a poesia, demanda experiências." (Rosário Fusco, *Introdução à Experiência Estética*, p. 48.) [Conjug.: v. *atribuir.*]

intuitivismo (u-i) [De *intuitivo* + *-ismo*; fr. *intuitivisme.*] ***S. m.*** *Filos.* Doutrina segundo a qual os conhecimentos humanos se fundam em intuições. [Cf. *intuicionismo.*]

intuitivo (tùi) [Do lat. med. *intuitivu.*] ***Adj.*** **1.** Respeitante à, ou próprio da, ou fundado na intuição: "a sua inteligência [de Mário de Sá-Carneiro] era um dos aspectos que tomava, em certos momentos, o seu poder intuitivo de compreensão das coisas e de le próprio." (João Gaspar Simões, *O Mistério da Poesia*, p. 148). **2.** Dotado de intuição. **3.** Que se percebe por intuição; claro, manifesto, evidente, imediato: "tão intuitiva, tão evidente era para elas tal necessidade." (José Régio, *Histórias de Mulheres*, p. 300).

intuito (túi) [Do lat. *intuitu.*] ***S. m.*** **1.** Objeto que se tem em vista; intento, plano. **2.** Fim, escopo.

➔**intuitu personae** [ẹn'tuẹto pe͡r'sonaj] [Lat.] *Jur.* Em consideração à pessoa.

intumescência [De *intumescer* + *-ência.*] ***S. f.*** Estado de intumescente; intumescimento, tumescência.

intumescente [De *intumescer* + *-nte.*] ***Adj. 2 g.*** Que intumesceu; túmido, inchado, tumescente.

intumescer [Do lat. *intumescere.*] ***V. t. d.*** **1.** Tornar túmido; tumefazer, inchar: *A doença intumesceu-lhe as feições.* **2.** *Fig.* Encrespar, encapelar, encarneirar: "Lufadas agrestes intumesciam o mar, que rebentava e espumava." (Virgílio Várzea, *Nas Ondas*, p. 214.) ***Int. P.*** **3.** Tornar-se túmido; aumentar de volume; tumefazer-se, inchar. **4.** Enfatuar-se, envaidecer-se, empavonar-se. [F. paral.: *tumescer.* Conjug.: v. *crescer.*]

intumescido [Part. de *intumescer.*] ***Adj.*** Que intumesceu; tumefacto, túmido, inchado.

intumescimento [De *intumescer* + *-imento.*] ***S. m.*** V. *intumescência.*

inturgescência [De *inturgescer* + *-ência.*] ***S. f.*** Qualidade ou estado de inturgescente; turgescência.

inturgescente [De *inturgescer* + *-nte.*] ***Adj. 2 g.*** Que se inturgesce; turgescente, túrgido.

inturgescer [Do lat. tard. *inturgescere.*] ***V. t. d.*** **1.** Tornar túrgido ou inchado; inchar, intumescer, turgescer. ***Int. P.*** **2.** Tornar-se túrgido ou inchado; inchar-se, intumescer-se, turgescer-se: "Seu seio nevado de amor se intumesce" (Casimiro de Abreu, *Obras*, p. 157). [Conjug.: v. *crescer.*]

▲ **intu(s)-** [Do lat. *intus.*] ***Pref.*** = 'movimento para dentro', 'posição interior': *intuspectivo.* [Equiv.: *int(u)-*: *intina.*]

intuspeção ***S. f.*** V. *intuspecção.*

intuspecção [De *intu(s)-* + lat. *spectione*, 'observação'.] ***S. f.*** Observação interna do próprio observador; conhecimento de si mesmo: "A intuspecção a que algumas vezes nos leva a tristeza, a saudade, ou a mágoa, essa concentração, esse íntimo exame de nós mesmos" (Ramalho Ortigão, *Em Paris*, p. 11). [Var.: *intuspeção.*]

intuspectivo [De *intu(s)-* + *-spect-* + *-ivo.*] ***Adj.*** Relativo à, ou próprio da intuspecção: "Não se cinge [Fernão Mendes Pinto] a anotar os fatos adstritos ao campo visual, mas os sentimentos e os estados de ânimo, o que se explica como atos de natureza intuspectiva" (Aquilino Ribeiro, *Portugueses das Sete Partidas*, p. 269). [Var.: *intuspetivo.*]

intuspetivo ***Adj.*** V. *intuspectivo.*

intussusceção ***S. f.*** *Biol. Med.* V. *intussuscepção.* [Uso próprio de P.] ⊙

intussuscepção [De *intu(s)-* + lat. *susceptione*, 'ação de receber'; fr. *intussusception.*] ***S. f.*** **1.** *Biol.* Modo de crescimento dos organismos vivos, por transformação e incorporação dos elementos formadores, em contraste com o crescimento por aposição, que se observa nos minerais. **2.** *Med.* Invaginação de qualquer porção do tubo gastrintestinal em outra porção adjacente, inclusive após intervenção cirúrgica que modifique a continuidade do tubo gastrintestinal. [Cf., nesta acepç., *invaginação* (2).]

inube [Do lat. imp. *innube.*] ***Adj. 2 g.*** Sem nuvens; não nublado; claro, sereno. [Var.: *inubo.*]

inubense ***Adj. 2 g.*** **1.** De, ou pertencente ou relativo a Inúbia Paulista (SP). • ***S. 2 g.*** **2.** O natural ou habitante de Inúbia Paulista.

inúbia [De or. incerta.] ***S. f.*** Designação dada por poetas ao membitarará: "Celebraste [refere-se a Gonçalves Dias] o domínio soberano / Das grandes tribos, o tropel frementе / Da guerra bruta, o entrechocar insano / Dos tacapes vibrados rijamente, / O maracá e as flechas, o estridente / Troar da inúbia, e o canitar indiano..." (Olavo Bilac, *Poesias*, p. 15.) [Cf. *membi.*]

inúbil [De *in-*[2] + *núbil.*] ***Adj. 2 g.*** Que não é núbil; que ainda não está em idade de casar. [Pl.: *inúbeis.*]

inubo ***Adj.*** V. *inube.* [Cf. *ínubo.*]

ínubo [Do lat. *innubu.*] ***Adj.*** V. *inupto.* [Cf. *inubo.*]

inuíte [Do inuíte (2).] ***S. 2 g.*** **1.** Indivíduo dos inuítes, povo esquimó da região ártica, do Alasca à Groenlândia. • ***S. m.*** **2.** *Gloss.* A língua desse povo. • ***Adj. 2 g.*** **3.** Pertencente ou relativo aos inuítes ou à sua língua.

ínula [Do tax. *Inula.*] ***S. f.*** *Bot.* **1.** Gênero de plantas asteráceas, herbáceas, perenes ou, raramente, arbustivas, dotadas de grandes capítulos cujas anteras são caudadas na base. Ricas em alcaloides, algumas delas têm propriedades medicinais (contra a bronquite e a asma, e da qual se extrai óleo essencial antisséptico), e outras são consideradas ornamentais. **2.** Qualquer espécie desse gênero, como, p. ex., a *Inula helenium* (v. *elecampana*); ênula. **3.** Qualquer espécime desse gênero; ênula.

inulina [Do tax. *Inula* (v. *ínula*) + *-ina*[3]; fr. *inuline.*] ***S. f.*** *Quím.* Substância orgânica de composição semelhante à do amido, encontrada nos tubérculos de muitas plantas, em especial da família das asteráceas.

inulto [Do lat. *inultu.*] ***Adj.*** **1.** Que não se vingou. **2.** Que não teve desforra; impune, invingado.

inultrapassável [De *in-*[2] + *ultrapassável.*] ***Adj. 2 g.*** Que não pode ser ultrapassado; intransponível: "a mole imensa assentava como uma barreira inultrapassável na linha do horizonte" (Aquilino Ribeiro, *Os Avós dos Nossos Avós*, p. 134).

inumação [De *inumar* + *-ção.*] ***S. f.*** Ato de inumar; enterramento, enterro, sepultamento.

inumanidade [Do lat. *inhumanitate.*] ***S. f.*** Qualidade ou procedimento de inumano; falta de humanidade; desumanidade: "Até nos desvanecemos da mesma barbaridade, chamamos à compaixão franqueza, e à inumanidade valor." (Matias Aires, *Reflexões sobre a Vaidade dos Homens*, p. 83.)

inumano [Do lat. *inhumanu.*] ***Adj.*** **1.** Alheio ao sentimento de humanidade. **2.** Desumano; cruel, atroz: "O *weekend*, para resumir, também é uma fuga desesperada da vida intensiva, deprimente e inumana da grande cidade [Nova Iorque]" (Fernando Sabino, *Medo em Nova Iorque. A Cidade Vazia*, p. 95).

inumar [Do lat. *inhumare.*] ***V. t. d.*** Sepultar, enterrar: "Antigamente inumavam-se os mortos nas igrejas, aonde eram conduzidos, em procissões de lúgubre aspecto." (Estêvão Pinto, *Muxarabis & Balcões*, p. 309.) [Antôn.: *exumar.*]

inumatório [De *inumar* + *-tório.*] ***Adj.*** Em que se fazem inumações; próprio para inumar.

inumerabilidade [Do lat. *innumerabilitate.*] ***S. f.*** Qualidade de inumerável.

inumerável [Do lat. *innumerabile.*] ***Adj. 2 g.*** **1.** Que não se pode numerar ou contar; não numerável; incontável. **2.** Infinito em número; extraordinariamente numeroso. [Sin. ger.: *inúmero*, *inumeroso* e *sobrenumerável*. Cf. *enumerável.*]

inumeravelmente (à) [De *inumerável* + *-mente.*] ***Adv.*** De modo inumerável.

inúmero [Do lat. *innumeru.*] ***Adj.*** V. *inumerável.*

inumeroso (ô) [Do lat. tard. *innumerosu.*] ***Adj.*** V. *inumerável.*

inundação [Do lat. *inundatione.*] ***S. f.*** **1.** Ato ou efeito de inundar(-se). **2.** Alagamento, enchente, cheia. **3.** *Fig.* Grande número de pessoas; invasão. [Sin. ger. menos us.: *inundamento.*]

inundado [Part. de *inundar.*] ***Adj.*** **1.** Que se inundou; alagado. • ***S. m.*** **2.** Pessoa que teve a casa, as propriedades destruídas por inundação.

inundamento [De *inundar* + *-mento.*] ***S. m.*** Inundação: "o rio ideal do Sentimento, / Que sinto fluir nas minhas veias, / Vive, / Num doce inundamento" (Da Costa e Silva, *Poesias Completas*, p. 48).

inundante [De *inundar* + *-nte.*] ***Adj. 2 g.*** Que inunda.

inundar [Do lat. *inundare.*] ***V. t. d.*** **1.** Cobrir de água; submergir, alagar: *A enchente do rio inundou a cidade.* **2.** Encher de água ou doutra substância líquida: "e a saliva inundou a boca do vagabundo." (José Rodrigues Miguéis, *Gente da Terceira Classe*,

p. 103). **3.** Umedecer, molhar, banhar: *As lágrimas inundavam-lhe o rosto.* **4.** Invadir em tumulto: *Os invasores inundaram o país.* **5.** Aclarar, clarear, iluminar: "Quando o sol inundou os fundos de Cassanje, a voz cava dos tambores encerrou a feira." (Castro Soromenho, *Rajada e Outras Histórias*, p. 125.) **6.** Encher completamente; repletar: "quando .... os finos vinhos capitosos entraram a inundar as largas taças de cristal, o velho Sebastião Vinhas ergueu-se" (Virgílio Várzea, *Nas Ondas*, p. 155). **7.** Derramar, espargir, esparzir. *Int.* **8.** Transbordar, trasbordar, extravasar: *Todos os anos, o Nilo inunda.* *P.* **9.** Cobrir-se de água. **10.** Umedecer-se, molhar-se.

inundável [De *inundar* + *-vel*.] *Adj. 2 g.* Que se pode inundar; sujeito a inundação.

inupto [Do lat. *inuptu*.] *Adj.* Que não é casado ou matrimoniado; solteiro, celibatário, ínubo. [É m. us. com relação a mulheres.]

inusitado [Do lat. *inusitatu*.] *Adj.* Não usado; não usual; incomum, estranho: "dedicara-se com inusitado entusiasmo ao problema da alfabetização de adultos" (Jorge Amado, *Teresa Batista Cansada de Guerra*, p. 55). [Antôn.: *usual*.]

inusual [De *in-*[2] + *usual*.] *Adj. 2 g.* Não usual; desusado.

inútil [Do lat. *inutile*.] *Adj. 2 g.* **1.** Não útil; sem préstimo: *pessoa, coisa inútil.* **2.** Desnecessário, escusado: *É inútil você ir.* **3.** Baldado, vão, estéril: *esforço inútil.* [Sin. ger., p. us.: *desútil*.] ● *S. 2 g.* **4.** Pessoa inútil. [Pl.: *inúteis*.]

inutilidade [Do lat. *inutilitate*.] *S. f.* **1.** Falta de utilidade; desnecessidade. **2.** Coisa ou pessoa sem préstimo, inútil.

inutilização [De *inutilizar* + *-ção*.] *S. f.* Ato ou efeito de inutilizar.

inutilizar [De *inútil* + *-izar*.] *V. t. d.* **1.** Tornar inútil ou imprestável; invalidar: "E o rio sempre traiçoeiro e ruim. Quando não matava, inutilizava um vivente para o resto da vida." (Guido Vilmar Sassi, *São Miguel*, p. 101.) **2.** Destruir, danificar, quebrar: *A umidade inutilizou o relógio.* **3.** Frustrar, baldar: *A oposição inutilizou os esforços do governo.* *P.* **4.** Tornar-se inútil ou incapaz para algum mister.

inutilizável[1] [De *in-*[2] + *utilizável*.] *Adj. 2 g.* Que não é possível utilizar; não utilizável.

inutilizável[2] [De *inutilizar* + *-vel*.] *Adj. 2 g.* Que se pode ou deve inutilizar.

→**in utroque jure** [ɪn oˈtrokwe ˈjuɾe] [Lat.] Em ambos os direitos, *i. e.*, no civil e no canônico.

invacilante [De *in-*[2] + *vacilante*.] *Adj. 2 g.* Não vacilante.

invadeável [De *in-*[2] + *vadeável*.] *Adj. 2 g.* Que não se pode passar a vau; não vadeável: "uma série de pântanos invadeáveis" (Visconde de Taunay, *Reminiscências*, p. 119).

invadir [Do lat. *invadere*, com mudança de conjug.] *V. t. d.* **1.** Entrar à força ou hostilmente em; ocupar à força; conquistar: *No século V, os bárbaros invadiram o Império Romano.* **2.** Difundir-se em; alastrar-se por; espalhar-se: *A água invadiu as ruas.* **3.** Dominar, tomar: "Foi aí que uma saudade absurda o invadiu: a saudade do que não acontecera." (Macedo Miranda, *As Três Chaves*, p. 97.) **4.** Apoderar-se violentamente de; usurpar: *O poder executivo invadiu a competência do judiciário.*

invaginação [De *invaginar* + *-ção*.] *S. f.* **1.** *Bot.* Formação de uma bainha (4 e 5). **2.** *Med.* Designação genérica de penetração de parte de um órgão em outro, ou nele mesmo. [Costuma ser us., nesta acepç., como sin. de *intussuscepção* (q. v.), mas apenas o é quando seguido de adjetivo que designa a parte do tubo digestivo envolvida.] **3.** *Cir.* Manobra que consiste em inverter, parcial ou totalmente, setor de órgão(s) em que se esteja realizando sutura.

invaginado [De *in-*[1] + *-vagin(i)-* + *-ado*[1].] *Adj.* **1.** *Bot.* Que apresenta invaginação (1). **2.** *Patol.* Que sofre de invaginação (2). **3.** *Cir.* Em que foi feita invaginação (3).

invaginante [De *invaginar* + *-nte*.] *Adj. 2 g.* Que se invagina. ~ V. *folha —*.

invaginar [De *in-*[1] + *-vagin(i)-* + *-ar*[2].] *V. t. d.* **1.** Ligar por meio de invaginação. **2.** *Cir.* Efetuar invaginação (3) em.

invalescer [Do lat. *invalescere*.] *V. int. P. us.* Tornar-se forte; adquirir forças; robustecer-se. [Conjug.: v. *crescer*.]

invalidação [De *invalidar* + *-ção*.] *S. f.* Ato ou efeito de invalidar(-se); anulação.

invalidade [De *in-*[2] + *validade*.] *S. f.* Falta de validade; nulidade.

invalidado [Part. de *invalidar*.] *Adj.* Tornado inválido (1).

invalidar [De *inválido* + *-ar*[2].] *V. t. d.* **1.** Tornar inválido; tirar o valor a; invalidar; anular: *Aquele testemunho invalidava as provas;* "A conjugada ação de mil forças inibidoras invalida a instintiva ânsia reveladora do sofrimento. Cada palavra diz outra coisa, cada queixume vem mascarado." (Miguel Torga, *Diário*, IX, p. 56.) **2.** Tornar imprestável para o desempenho de alguma função; inutilizar: *A doença invalidou-o.* **3.** Fazer perder o crédito; desacreditar. *P.* **4.** Tornar-se inválido: *O documento invalidou-se; Com os numerosos males, o homem invalidou-se.* [Sin. ger.: *desvalidar*. Pres. ind.: *invalido*, etc. Cf. *inválido*.]

invalidez (ê) [De *inválido* + *-ez*.] *S. f.* Qualidade ou estado de inválido.

inválido [Do lat. *invalidu*.] *Adj.* **1.** Que não vale; nulo, írrito: *Este documento é inválido.* **2.** Que perdeu o vigor; enfermo, débil, fraco, incapaz. **3.** Mutilado ou paralítico; inutilizado. ● *S. m.* **4.** Indivíduo impossibilitado de trabalhar, por velhice, doença física ou mental, mutilação ou paralisia. [Cf. *invalido*, do v. *invalidar*.]

invar [Marca registrada.] *S. m. Fís.* Liga de aço e níquel, cuja dilatação é quase nula.

invariabilidade [De *invariável* + *-(i)dade*, seg. padrão erudito.] *S. f.* Qualidade de invariável.

invariância [De *in-*[2] + *variância*.] *S. f. Fís.* Propriedade que tem uma grandeza ou uma variável de um sistema de manter-se constante quando o sistema se transforma ou quando se modifica a descrição dele.

invariante [De *in-*[2] + *variante*.] *Adj. 2 g.* **1.** Que não varia. ● *S. 2 g.* **2.** *Fís.* Grandeza ou variável que, numa transformação de um sistema, se mantém constante.

invariável [De *in-*[2] + *variável*.] *Adj. 2 g.* **1.** Que não varia; imutável. **2.** Constante; firme. **3.** *E. Ling.* Que não se flexiona. ~ V. *plano —*.

invasão [Do lat. *invasione*.] *S. f.* **1.** Ato ou efeito de invadir. **2.** *Microbiol.* Processo pelo qual bactérias, vírus, fungos, protozoários ou parasitos animais penetram e se propagam em células ou tecidos orgânicos do hospedeiro. **3.** *Bras.* Local ocupado ilegalmente por habitações populares.

invasividade [De *invasivo* + *-(i)dade*.] *S. f.* **1.** Qualidade de invasivo. **2.** *Micol.* Propriedade que têm certos agentes microbianos, ou parasitos, de penetrar nos tecidos ou células do organismo hospedeiro. **3.** *Patol.* Capacidade característica dos tumores malignos de invadir os tecidos normais adjacentes.

invasivo [Do lat. med. *invasivu*.] *Adj.* Que tem o caráter de invasão; em que há invasão; agressivo, hostil: *planos invasivos; ataque invasivo.*

invasor (ô) [Do lat. tard. *invasore*.] *Adj. S. m.* Que, ou aquele que invade.

invectiva [F. subst. do adj. *invectivo*.] *S. f.* Ato ou efeito de invectivar; doesto, injúria, insulto.

invectivado [Part. de *invectivar*.] *Adj.* Que foi objeto de invectiva.

invectivador (ô) [De *invectivar* + *-dor*.] *Adj. S. m.* Que, ou aquele que invectiva; invectivista.

invectivar [De *invectiva* + *-ar*[2]; fr. *invectiver*.] *V. t. d.* **1.** Dirigir invectiva(s) a; atacar com violência; censurar com acrimônia; increpar; injuriar: *Furioso, invectivava os covardes;* "Descendente dos nobres Corday d'Armans, não esposava a inauguração da soberania nacional, e invectivava apaixonadamente Mirabeau, que atraiçoava a causa dos nobres" (Camilo Castelo Branco, *Livro Negro de Padre Dinis*, p. 48). *T. i.* **2.** *Rel.* Dizer ou lançar invectiva(s): *Invectivou contra os opressores.*

invectivista [De *invectiv-*, como em *invectivo* e *invectivar*, + *-ista*.] *Adj. 2 g. S. 2 g.* Invectivador.

invectivo [Do lat. tard. *invectivu*.] *Adj.* Que tem caráter de invectiva; injurioso, insultuoso.

invedável [De *in-*[2] + *vedável*.] *Adj. 2 g.* Não vedável.

inveja [Do lat. *invidia*.] *S. f.* **1.** Desgosto ou pesar pelo bem ou pela felicidade de outrem. **2.** Desejo violento de possuir o bem alheio. **3.** *P. ext.* O objeto da inveja: *Era ele a inveja dos outros passistas, pela agilidade e elegância dos gestos.* ◆ **Matar de inveja.** Causar grande inveja a.

invejado [Part. de *invejar*.] *Adj.* Que é objeto de inveja: "Invejado! a invejar os invejosos" (Castro Alves, *Poesias Escolhidas*, p. 33).

invejando [De *invejar* + *-ando*.] *Adj.* V. *invejável* (1).

invejar [De *inveja* + *-ar*[2].] *V. t. d.* **1.** Ter inveja de; olhar invejosamente: *O homem sempre invejou os pássaros;* "Invejado! a invejar os invejosos" (Castro Alves, *Poesias Escolhidas*, p. 33). **2.** Desejar vivamente; apetecer, cobiçar (o que é de outrem): *Invejava o sucesso do amigo.* *Int.* **3.** Ter ou sentir inveja: "Nunca [Ramalho Ortigão] odiou. Quase inútil é dizer que nunca invejou." (Eça de Queirós, *Notas Contemporâneas*, p. 35.) [Tem (ao contrário da quase totalidade dos verbos em *-ejar*) o e aberto nas formas rizotônicas: *invejo* (é), *invejas* (é), *invejam* (é); *inveje* (é), *invejes* (é), *invejem* (é), etc.]

invejável [De *invejar* + *-vel*.] *Adj. 2 g.* **1.** Que se pode invejar; digno de inveja; invejando. **2.** De muito valor; apreciável.

invejoso (ô) [Do lat. *invidiosu*.] *Adj.* **1.** Que tem inveja: *pessoa invejosa.* **2.** Que denota ou revela inveja: *olhar invejoso.* ● *S. m.* **3.** Indivíduo invejoso: "Invejado! a invejar os invejosos" (Castro Alves, *Poesias Escolhidas*, p. 33).

invenal [Do lat. *invenale*.] *Adj. 2 g.* **1.** Que não se pode vender; invendável. **2.** Que não se vende, não se deixa subornar; incorrutível, incorruto, insubornável.

invenção [Do lat. *inventione*.] *S. f.* **1.** Ato ou efeito de inventar, de criar, de engendrar. **2.** Coisa nova criada ou concebida no campo da ciência, da tecnologia ou das artes: *a invenção do motor de explosão; a invenção de um logotipo.* **3.** Coisa imaginada ou inventada com astúcia ou má-fé; invencionice, maquinação, fábula, mentira: *Esta história é invenção das más línguas.* **4.** Faculdade ou poder inventivo; engenho, criatividade, inventividade, inventiva. **5.** Novo meio ou expediente para alcançar um fim; criação, descoberta. **6.** O que não pertence ao mundo real; imaginação, fábula, ficção, engano. **7.** V. *descoberta* (3 e 4). **8.** *Mús.* Composição musical em estilo contrapontístico. **9.** *Jur.* Achado de coisa alheia, perdida pelo dono ou possuidor. **10.** Descobrimento, achado (especialmente de relíquias): *a invenção da Santa Cruz.*

invencibilidade [De *invencível* + *-(i)dade*, seg. o padrão erudito.] *S. f.* Qualidade de invencível.

invencionar [De *invenção* + *-ar*[2], seg. o padrão erudito.] *V. t. d.* Adornar com artifício.

invencioneiro [De *invenção* + *-eiro*, seg. o padrão erudito.] *Adj.* **1.** Que inventa mentiras; embusteiro, mentiroso, astucioso. **2.** Extravagante, esquisito. ● *S. m.* **3.** Indivíduo invencioneiro.

invencionice [De *invenção* + *-ice*, seg. o padrão erudito.] *S. f.* **1.** Ação ou dito de invencioneiro. **2.** Embuste, enredo, mentira: "a Tia Maria saiu-se com quatro pedras na mão. Tudo aquilo não passava de invencionices .... Era mentira." (José Lins do Rego, *Meus Verdes Anos*, p. 182).

invencível [Do lat. tard. *invincibile*.] *Adj. 2 g.* Que não pode ser vencido; irresistível, invicto.

invendável [De *in-*[2] + *vendável*.] *Adj. 2 g.* Não vendável. [V. *vendável*.]

invendível [Do lat. *invendibile*.] *Adj. 2 g.* Não vendível. [V. *vendável*.]

inventar [De *invento* + *-ar*[2].] *V. t. d.* **1.** Ser o primeiro a ter a ideia de: *Thomas Edison inventou a lâmpada incandescente.* **2.** Criar na imaginação; imaginar, idear: *inventar uma história;* "Quem ama inventa as penas em que vive" (Olavo Bilac, *Poesias*, p. 44). **3.** Contar falsamente; tramar, urdir: *inventar injúrias.* **4.** Descobrir, achar: *Não conseguia inventar uma denominação adequada.* *T. i.* **5.** Meter na cabeça; cismar; resolver: "Pois não é que o danado do garoto inventou de ir ao programa de César de Alencar?" (Maria Julieta Drummond de Andrade, *O Valor da Vida*, p. 162.) *Int.* **6.** *Bras. Pop.* Imaginar explicações ou argumentos falsos.

inventariação [De *inventariar* + *-ção*.] *S. f.* **1.** Ato de inventariar. **2.** *Jur.* Descrição no inventário.

inventariado [Part. de *inventariar*.] *Adj.* **1.** Que é objeto de inventário. ● *S. m.* **2.** Aquele cujos bens são dados a inventário.

inventariança [De *inventariar* + *-ança*.] *S. f. Jur.* O cargo e a função do inventariante.

inventariante [De *inventariar* + *-nte*.] *Adj. 2 g.* **1.** Que inventaria ou faz o rol dos bens inventariados. ● *S. 2 g.* **2.** Pessoa que inventaria ou faz o rol dos bens inventariados. **3.** *Jur.* Pessoa que o juiz nomeia para arrolar, administrar e partilhar uma herança, representando-a ativa e passivamente enquanto indivisa.

inventariar [De *inventário* + *-ar*[2].] *V. t. d.* **1.** Fazer o inventário de; arrolar. **2.** Descrever minuciosamente. **3.** Registrar, relacionar, catalogar. [Pres. ind.: *inventario*, etc. Cf. *inventário*, s. m.]

inventariável [De *inventariar* + *-vel*.] *Adj. 2 g.* Que se pode inventariar.

inventário [Do lat. tard. *inventariu*.] *S. m.* **1.** Relação dos bens deixados por alguém que morreu. **2.** *P. ext.* O documento ou papel em que se acham relacionados tais bens. **3.** Lista discriminada, registro, relação, rol de mercadorias, bens, etc. **4.** Descrição ou enumeração minuciosa. **5.** *Com.* Levantamento individuado e completo dos bens e valores ativos e passivos duma sociedade mercantil ou de qualquer entidade econômica. **6.** *Jur.* Processo, formado em juízo competente, com o fim de legalizar a transferência do patrimônio do defunto a seus herdeiros e sucessores na proporção exata de seus direitos mediante a partilha. V. *benefício de inventário*. [Cf. *inventario*, do v. *inventariar*.] ◆ **Inventário cultural.** Levantamento sistemático dos bens culturais (v. *bem cultural*), visando ao conhecimento e à proteção do acervo (3) de uma determinada cultura.

inventável [De *inventar* + *-vel*.] *Adj. 2 g.* Que pode ser inventado.

→**inventio** [en'ventɕo] [Lat., 'invenção'.] *S. f. E. Ling.* V. *retórica* (2).

inventiva [F. subst. do adj. *inventivo*.] *S. f.* 1. V. *invenção* (1 e 4). 2. V. *inventividade*. 3. *Desus.* Invenção (2).

inventividade [De *inventivo* + *-(i)dade*.] *S. f.* Qualidade ou faculdade de inventar, de criar, de inovar; talento inventivo; criatividade, inventiva: "Se hoje os Estados Unidos são o centro mais importante da tecnologia de todo o mundo .... — é que a tendência ao concreto e a imaginação convertida em inventividade aumentaram de modo considerável a herança recebida da revolução industrial inglesa." (Alceu Amoroso Lima, *A Realidade Americana*, p. 91.)

inventivo [De *invento* + *-ivo*.] *Adj.* 1. Inventor (1). 2. Em que há invenção ou engenho. 3. De imaginação viva.

invento [Do lat. *inventu*.] *S. m.* V. *invenção* (2).

inventor (ô) [Do lat. *inventore*.] *Adj.* 1. Que inventa; inventivo. • *S. m.* 2. Aquele que inventa; autor. 3. Aquele que acha coisa alheia perdida. 4. Aquele que fez uma descoberta ou criou coisa nova, industrializável.

→**in verbis** [en 'verbes] [Lat.] Nestas palavras; textualmente.

inverdade [De *in-*[2] + *verdade*.] *S. f.* Falta de verdade; mentira: "Dizem, e não é inverdade, que a sua fantasia [de Castro Alves] era opulenta, e riquíssima em tintas violentas a sua paisagem." (Constâncio Alves, *Figuras*, p. 84.)

inverdadeiro [De *in-*[2] + *verdadeiro*.] *Adj.* Que encerra inverdade(s); não verdadeiro.

inverídico [De *in-*[2] + *verídico*.] *Adj.* Não verídico; inexato.

inverificável [De *in-*[2] + *verificar* + *-vel*.] *Adj. 2 g.* Que não pode ser verificado: "Do remoto passado da cidade contavam-se histórias fabulosas, inverificáveis" (Mário Cesariny, *Titânia*, p. 22). [Pl.: *inverificáveis*.]

invernação [Do lat. tard. *hibernatione*, por via pop.] *S. f. Bras. S.* Ação de invernar (6); invernagem.

invernáculo [Do lat. imp. *hibernaculu*, por via semierudita.] *S. m.* V. *hibernáculo* (2).

invernada[1] [F. subst. de *invernado*, part. de *invernar*.] *S. f.* 1. Inverno rigoroso; invernia. 2. Duração do tempo invernoso. 3. *Bras.* Chuvas prolongadas durante a estação que denominam inverno, conquanto essas chuvas, no hemisfério austral, ocorram no estio e no outono.

invernada[2] [Do esp. plat. *invernada*.] *S. f. Bras.* Designação comum a certas pastagens rodeadas de obstáculos, naturais ou artificiais, onde se guardam equídeos, muares e bovinos, para repousarem e recobrarem as forças. [Nas estâncias gaúchas, a invernada também serve para, durante o inverno, engordar os novilhos, e às vezes fazer-se alguma criação especial, como cruzamentos, etc.]

invernadoiro [De *invernar* + *-doiro*[2].] *S. m.* Invernadouro (q. v.).

invernador (ô) [Do esp. plat. *invernador*.] *S. m. Bras. S.* Aquele que se dedica à engorda de animais para o talho; invernista.

invernadouro [De *invernar* + *-douro*[2]; var. de *invernadoiro*.] *S. m.* 1. Lugar apropriado para passar o inverno. 2. V. *hibernáculo* (2).

invernagem [De *invernar* + *-agem*[2].] *S. f. Bras. S.* Invernação.

invernal [De *inverno* + *-al*.] *Adj. 2 g.* V. *hibernal*: "o céu sempre cor de chumbo, as névoas glaciais, a lama, a tristeza invernal." (Eça de Queirós, *Cartas Familiares e Bilhetes de Paris*, p. 113).

invernar [Do lat. *hibernare*, por via pop.] *V. t. c.* 1. Passar o inverno: *Certos pássaros invernam nos trópicos.* 2. *Bras. S. Fig.* Ir a algum lugar e lá demorar-se além do devido. *Bit. c.* 3. Invernar (1): *Invernou dois meses em Petrópolis. Int.* 4. Fazer mau tempo; hibernar. 5. *Bras. S.* Dedicar-se à profissão de invernador. *T. d.* 6. *Bras. S.* Dispor (o gado) na invernada.

inverneira [De *inverno* + *-eira*.] *S. f.* Invernia (1): "Tento escrever este capítulo em dia de frigidíssima inverneira." (Camilo Castelo Branco, *A Mulher Fatal*, p. 19.)

invernia [De *inverno* + *-ia*[1].] *S. f.* 1. Inverno rigoroso; inverneira: "fazer rosto ao frio, à neve, à chuva, ao vento, nesses dias de invernia agreste" (Antero de Figueiredo, *Toledo*, p. 96). 2. Tempo de inverno; inverno: "Vai-se o sol a afundar. Agora, na invernia, / Logo que o sol se põe, desaparece o dia." (Bulhão Pato, *Livro do Monte*, p. 80.)

invernista [De *invern-*, como em *invernador* e *invernar*, + *-ista*.] *S. 2 g. Bras. S.* Invernador.

inverno [Do lat. *hibernu*, *i. e.*, *tempus hibernum*, 'tempo hibernal'.] *S. m.* 1. Estação do ano que sucede ao outono e antecede a primavera. [No hemisfério sul, principia quando o Sol alcança o solstício de junho (dia 21) e termina quando ele atinge o equinócio de setembro (dia 21); no hemisfério norte, principia quando o Sol alcança o solstício de dezembro (dia 21) e finda quando ele atinge o equinócio de março (dia 20).] 2. *P. ext.* Tempo frio. 3. *Bras. N. N.E.* Estação das chuvas. 4. *Fig.* Velhice (1).

invernoso (ô) [De *inverno* + *-oso*.] *Adj.* V. *hibernal*: "exposto às inclemências de noite invernosa" (Alexandre Herculano, *Lendas e Narrativas*, II, p. 138).

inverosímil *Adj. 2 g.* Inverossímil. [Uso próprio de P.]

inverosimilhança *S. f.* Inverossimilhança. [Uso próprio de P.]

inverosimílimo *Adj.* Inverossimílimo. [Uso próprio de P.]

inverossímil [De *in-*[2] + *verossímil*.] *Adj. 2 g.* 1. Sem verossimilhança; que não parece, não tem visos de verdadeiro; inacreditável: "A Sra. Agassiz, que era quem registrava os aspectos sociológicos da jornada, teceu as mais inverossímeis anedotas a respeito da família mameluca da Amazônia." (Raimundo Morais, *País das Pedras Verdes*, p. 292.) • *S. m.* 2. Aquilo que é inverossímil. [Pl.: *inverossímeis*.]

inverossimilhança [De *in-*[2] + *verossimilhança*.] *S. f.* Falta de verossimilhança.

inverossimílimo *Adj.* Superl. abs. sint. de *inverossímil*.

inversa [F. subst. do adj. *inverso*.] *S. f.* Proposição de termos invertidos.

inversão [Do lat. *inversione*.] *S. f.* 1. Ato ou efeito de inverter(-se); contraversão. 2. *Econ.* V. *investimento* (2 a 4). 3. Homossexualidade. 4. *E. Ling.* Anástrofe (q. v.). 5. *E. Ling.* Mudança na ordem mais comum na construção da sentença. Ex.: *Foi Maria à feira.* 6. *Met.* V. *inversão térmica*. ◆ **Inversão brasileira.** *Hist. Bras.* Período em que a família real portuguesa se instalou no Brasil (1808-1821), o qual se tornou sede da monarquia portuguesa, invertendo-se, pois, as relações entre colônia e metrópole. **Inversão térmica.** *Met.* Aumento brusco do gradiente vertical de temperatura na atmosfera. [Tb. se diz apenas *inversão*.]

inversionista [De *inversão* + *-ista*, seg. o padrão erudito.] *S. 2 g. Econ.* Investidor (3).

inversivo [De *inverso* + *-ivo*.] *Adj.* 1. Que inverte; inversor. 2. Em que há inversão.

inverso [Do lat. *inversu*.] *Adj.* 1. Que segue sentido, ordem, etc., contrário ao sentido ou ordem natural; invertido. 2. Oposto, contrário. ~ V. *cossecante hiperbólica —a*, *cossecante —a*, *cosseno hiperbólico —*, *cosseno —*, *cotangente hiperbólica —a*, *cotangente —a*, *função circular —a*, *função —a*, *função trigonométrica —a*, *matriz —a*, *operação —a*, *polarização —a*, *ponto —*, *razão —a*, *secante hiperbólica —a*, *secante —a*, *seno hiperbólico —*, *seno —*, *sentido —*, *tangente hiperbólica —a*, *tangente —a* e *tensão —a*. • *S. m.* 3. O contrário; o oposto. 4. *Mat.* Elemento que, operado a outro, dá como resultado o elemento identidade para essa operação. ◆ **Inverso aditivo.** *Mat.* Inverso para a operação soma; simétrico.

inversor (ô) [De *inverso* + *-or*.] *Adj.* 1. Que inverte; inversivo. ~ V. *camada —a*. • *S. m.* 2. O que inverte. 3. *Eletr.* Qualquer aparelho que converte corrente contínua em alternada. 4. *Eletrôn.* Amplificador que inverte a polaridade do sinal de entrada.

invertase [Do fr. *invertase*.] *S. f. Bioquím.* Enzima produzida por bactérias responsáveis pela fermentação alcoólica, e que atua na hidrólise da sacarose, provocando a formação de glicose e frutose. [O nome vem da inversão de sinal da atividade óptica: a sacarose é dextrogira, e a mistura de glicose e frutose, levogira.]

invértase *S. f.* V. *invertase*.

invertebrado [Do lat. cient. *invertebratus*.] *Adj.* 1. Diz-se de animal desprovido de coluna vertebral; acordado. 2. *Fig.* Sem traços, caráter ou estrutura definida; incaracterístico. • *S. m.* 3. *Zool.* Animal invertebrado; acordado.

inverter [Do lat. *invertere*.] *V. t. d.* 1. Voltar ou virar em sentido contrário ao natural; colocar às avessas; contraverter, interverter: *inverter os termos de uma proposição.* 2. Trocar a ordem em que estão colocados (termos de fração, etc.). 3. Alterar, mudar, trocar: *Inverteu a disposição dos móveis. Int.* 4. Entre charadistas e cruzadistas, colecionar verbetes pelas suas significações, ao contrário do que normalmente se faz nos dicionários, onde se parte das palavras para os significados. *P.* 5. Virar-se em sentido contrário; voltar-se. 6. Tornar-se o contrário do que era.

invertido [Part. de *inverter*.] *Adj.* 1. Inverso (1). 2. Homossexual (2). ~ V. *charada —a*, *negativa —a* e *viga —a*. • *S. m.* 3. Homossexual (3).

invertina [De *invert(er)* + *-ina*[1].] *S. f. Quím.* Invertase.

invertível [De *inverter* + *-ível*.] *Adj. 2 g.* Que se pode inverter; que pode sofrer inversão. ~ V. *contraponto —*.

invés [Alter. de *inverso*, resultante do emprego proclítico dessa palavra em loc. adv.] *S. m.* Lado oposto; avesso. ◆ **Ao invés.** Ao contrário; ao revés. **Ao invés de.** Ao contrário de; ao revés de: *Ao invés de muito triste, é um ser intensamente alegre.* [Cf. *em vez de*.]

investida [De *investir* + *-ida*[3].] *S. f.* 1. Ato ou efeito de investir. 2. Tentativa, ensaio. 3. Insinuação indireta; remoque.

investidor (ô) [De *investir* + *-dor*.] *Adj.* 1. Que investe. • *S. m.* 2. Aquele que investe. 3. *Econ.* Pessoa, ou instituição, que aplica dinheiro (em ações, no mercado financeiro, em propriedades, etc.) buscando lucro.

investidura [De *investir* + *-dura*.] *S. f.* 1. Ato de investir ou dar posse. 2. *P. ext.* A cerimônia da posse ou provimento em algum cargo.

investigação [Do lat. *investigatione*.] *S. f.* 1. Ato ou efeito de investigar; busca, pesquisa. 2. Indagação minuciosa; indagação, inquirição.

investigado [Part. de *investigar*.] *Adj.* 1. Que é objeto de investigação. 2. *Jur.* Que está sujeito a investigação. • *S. m.* 3. *Jur.* Aquele que está sujeito a investigação.

investigador (ô) [Do lat. *investigatore*.] *Adj.* 1. Que investiga; investigante, investigativo, investigatório. • *S. m.* 2. Aquele que investiga. 3. *Bras.* Agente de polícia.

investigante [De *investigar* + *-nte*.] *Adj. 2 g.* 1. Investigador (1). • *S. m.* 2. *Jur.* Autor de investigação de paternidade ou de maternidade.

investigar [Do lat. *investigare*.] *V. t. d.* 1. Seguir os vestígios de. 2. Fazer diligências para achar; pesquisar, indagar, inquirir: *investigar as causas de um fato.* 3. Examinar com atenção; esquadrinhar: "examina receoso a consciência, investiga, trépido, o futuro" (Capistrano de Abreu, *Ensaios e Estudos*, 1ª série, p. 57). [Conjug.: v. *largar*.]

investigativo [De *investigar* + *-tivo*.] *Adj.* Investigatório, investigador.

investigatório [De *investigar* + *-tório*.] *Adj.* Relativo a investigação, ou que a ela se destina; investigador.

investigável [Do lat. tard. *investigabile*.] *Adj. 2 g.* Que pode ser investigado.

investimento [De *investir* + *-mento*.] *S. m.* 1. Ato ou efeito de investir(-se). 2. *Econ.* Aplicação de dinheiro (em títulos, ações, imóveis, etc.), com o propósito de obter ganho: *A caderneta de poupança é um investimento seguro.* 3. *Econ.* O resultado de tal aplicação. 4. *Econ.* Dispêndio destinado a aumento de capacidade produtiva: *Os lucros foram aplicados em investimentos, tendo-se ampliado a fábrica.* 5. O total de dispêndios aplicados, na economia como um todo, ao aumento ou manutenção do estoque de capital (9); formação de capital: *Nos últimos anos, o investimento bruto tem sido de 20% do PIB.* ◆ **Investimento bruto.** *Econ.* Total de gastos em máquinas, equipamentos e instalações produtivas numa economia, num dado período. **Investimento líquido.** *Econ.* Investimento bruto deduzida a reposição de máquinas e equipamentos desgastados pelo uso.

investir [Do lat. *investire*, 'revestir', 'guarnecer', 'cingir bem', que se especializou no lat. med.] *V. t. d.* 1. Atacar, acometer: "O touro arremete contra ele... Uma e muitas vezes o investe cego e irado" (Rebelo da Silva, *Contos e Lendas*, p. 183). *T. d. e i.* 2. Revestir; emprestar: *A farda investia-o de autoridade.* 3. *Econ.* Aplicar dinheiro em títulos, imóveis, etc., em geral para obter ganho: *investir uma bolada em ações. Transobj.* 4. Eleger, nomear, considerar: *Investiram-no chefe.* 5. Dar, formalmente, posse ou investidura a; fazer entrar de posse; empossar: "Investindo-me no cargo de presidente, quisestes começar a Academia Brasileira de Letras pela consagração da idade." (Machado de Assis, *Outras Relíquias*, p. 93.) *T. i.* 6. Arremeter, atacar, acometer: "Investindo depois com o touro, ... rodeou-o estreitando em volta dele os círculos até chegar quase a pôr-lhe a mão na anca." (Rebelo da Silva, *Contos e Lendas*, p. 178); "Investiria contra a própria Divindade, se ela pudesse ter uma representação individual no mundo contingente" (Virgílio Várzea, *Nas Ondas*, p. 15); "'Não, miserável! não! tu não me fugirás!' bradava José Maria investindo para ele." (Machado de Assis, *Histórias sem Data*, p. 166); "as vagas estrugiam investindo ao ilhéu" (Coelho Neto, *Banzo*, p. 172). *T. c. Int.* 7. Atirar-se com ímpeto; atirar-se, arremessar-se: "Maria Augusta, que se debatia entre as mulheres, libertou-se e investiu impetuosamente, com regougos, desgrenhada." (Coelho Neto, *Obra Seleta* I, p. 35); *Investiu pela sala adentro.* 8. *Econ.* Aumentar o estoque de máquinas e equipamentos, fazendo aumentar a capacidade de produção. 9. *Bras. Mar.* Dirigir-se (a embarcação) para uma barra, porto, canal, etc., depois de avistá-los. *P.* 10. Entrar na posse. 11. Atacar, acometer: *Recuou, mas em breve se investiu com maior fúria.* 12. Tomar encargo; encarregar-se. 13. Armar-se; prover-se; revestir-se: *Investiu-se de muita* *coragem para vencer o adversário.* [Irreg. Conjug.: v. *vestir*.]

inveterado [Do lat. *inveteratu*.] *Adj.* **1.** Muito antigo; de velha data: *São inimigos inveterados*; "inveterado atirador de perdizes e codornas, matador apaixonado de pobres e incautos veados-catingueiros" (Nélson de Faria, *Tiziu e Outras Estórias*, p. 102). **2.** Radicado profundamente; entranhado, arraigado: *erro inveterado*; "É um preconceito inveterado e falsamente legitimado por escritores respeitáveis" (Camilo Castelo Branco, *Curso de Literatura Portuguesa*, p. 7).

inveterar [Do lat. *inveterare*.] *V. t. d.* **1.** Tornar velho, antigo. *T. d. e i.* **2.** Fixar com o tempo; introduzir, habituar, entranhar, arraigar. *P.* **3.** Arraigar-se com o tempo.

invetiva *S. f.* V. *invectiva*. [Uso próprio de P.]

invetivo *Adj.* V. *invectivo*. [Uso próprio de P.]

inviabilidade [De *inviável* + *-(i)dade*, seg. o padrão erudito.] *S. f.* Qualidade de inviável; inexequibilidade.

inviabilizar [De *in-*[2] + *viabilizar*, ou de *inviável* + *-izar*, seg. o padrão erudito.] *V. t. d.* Tornar inviável, inexequível.

inviável [De *in-*[2] + *viável*[1].] *Adj. 2 g.* Não viável; inexequível: "um sem-número de hipóteses, todas até hoje inviáveis e vacilantes" (Euclides da Cunha, *À margem da História*, p. 317). [Pl.: *inviáveis*.]

invicto [Do lat. *invictu*.] *Adj.* **1.** Não vencido; que nunca sofreu derrota. **2.** Invencível. [Cf. *invito*, do v. *invitar* e adj.]

invídia [Do lat. *invidia*, por via culta.] *S. f. Poét.* Inveja.

ínvido [Do lat. *invidu*.] *Adj. Poét.* Invejoso.

invigilância [Do lat. *invigilantia*.] *S. f.* Falta de vigilância; desmazelo, descuido.

invigilante [Do lat. *invigilante*, part. pres. de *invigilare*.] *Adj. 2 g.* Não vigilante; descuidado.

invingado [De *in-*[2] + *vingado*.] *Adj. Bras.* Que não se vingou; inulto.

ínvio [Do lat. *inviu*.] *Adj.* **1.** Em que não há caminho; intransitável, impérvio: *matagal ínvio*; "Fugireis procurando um asilo, / Triste asilo por ínvio sertão" (Gonçalves Dias, *Obras Poéticas*, I, p. 31). **2.** Intransitável (caminho, estrada): "Nós ambos, mesquinhos, / Por ínvios caminhos, / Cobertos d'espinhos / Chegamos aqui!" (Id., *ib.*, p. 24.)

inviolabilidade [De *inviolável* (*inviolabil-*) + *-(i)dade*, seg. o padrão erudito.] *S. f.* **1.** Qualidade de inviolável. **2.** *Jur.* Prerrogativa pela qual certas pessoas (parlamentares, agentes diplomáticos estrangeiros) e certos lugares, observados os requisitos legais, ficam imunes à ação de autoridades; imunidade.

inviolado [Do lat. *inviolatu*.] *Adj.* Não violado; íntegro, intato: "Inês, a loura como os girassóis, / Lírio puro, inviolado, / Vai, à sombra, fiando os cândidos lençóis / Do seu noivado." (Eugênio de Castro, *Obras Poéticas*, I, p. 154.)

inviolável [Do lat. *inviolabile*.] *Adj. 2 g.* **1.** Que não se pode ou deve violar. "Em toda a parte, pelos cantos da sua existência, estão as paredes intransponíveis, os cofres invioláveis" (Guido Vilmar Sassi, *Piá*, p. 45). **2.** *Jur.* Que está legalmente protegido contra qualquer violência ou turbação e imune à ação de autoridades.

inviolentado [De *in-*[2] + *violentado*.] *Adj.* Não violentado; que procede voluntariamente.

invíril [De *in-*[2] + *viril*[2].] *Adj. 2 g.* Não viril; afeminado, efeminado.

invirilidade [De *invíril* + *-(i)dade*.] *S. f.* Qualidade ou condição de invíril; ausência de virilidade.

invirtuoso (ô) [De *in-*[2] + *virtuoso*.] *Adj.* Desvirtuoso.

invisceração [De *inviscerar* + *-ção*.] *S. f.* Ato ou efeito de inviscerar.

inviscerar [Do lat. tard. *inviscerare*.] *V. t. d.* Introduzir nas vísceras; entranhar.

invisibilidade [Do lat. tard. *invisibilitate*.] *S. f.* Qualidade de invisível.

invisibilizar [De *invisível* + *-izar*, seg. o padrão erudito.] *V. t. d. P.* Tornar(-se) invisível.

invisíveis *S. m. pl. Econ.* No balanço de pagamentos, o conjunto de itens (pagamento de juros, prêmios de seguros, gastos de turistas, etc.) relativos a transações internacionais sem deslocamento físico de mercadorias. ~ V. *invisível*.

invisível [Do lat. tard. *invisibile*.] *Adj. 2 g.* **1.** Que não se vê, não se pode ver. **2.** De que não se tem conhecimento: *perigo invisível*; *ameaça invisível*. **3.** *Fig.* Que se esconde, não se deixa ver; que se recusa a receber qualquer (ou determinada) pessoa: *Naquele dia, o ministro estava invisível.* **4.** Diz-se de um determinado grampinho muito fino, ou de linha de rede finíssima, us. para prender os cabelos. [No *N.* e *N.E.* é us. como s. m.] ~ V. *economia —*. • *S. m.* **5.** Aquilo que é invisível: "O invisível não é irreal: é o real que não é visto." (Murilo Mendes, *O Discípulo de Emaús*, p. 14.) **6.** *Bras. N. N.E.* Aquilo que é invisível (4). ~ V. *invisíveis*.

inviso [Do lat. *invisu*.] *Adj. Poét.* **1.** Não visto; nunca vistos dantes: "A onda de mar e céu, redonda, / durou nos ares um sorriso. / Nenhum poder claro ou inviso / deteve no ar a débil onda." (Abgar Renault, *A Outra Face da Lua*, p. 26.) **2.** Aborrecido, odiado, detestado.

invitação [Do lat. *invitatione*.] *S. f.* Invitamento.

invitamento [Do lat. *invitamentu*.] *S. m.* Ato ou efeito de invitar; invitação.

invitar [Do lat. *invitare*.] *V. t. d.* **1.** V. *convidar* (1). **2.** Convocar (1). [Pres. ind.: *invito*, etc. Cf. *invicto*.]

invitatório [Do lat. *invitatoriu*.] *Adj.* **1.** Que serve para fazer convites. • *S. m.* **2.** *Lit.* Antífona que se diz no princípio das matinas. **3.** *Poét.* Invocação (2). **4.** *Arte Poét.* Invocação (4).

invite [Dev. de *invitar*.] *S. m.* **1.** V. *convite* (1): "não saberemos se foi dela [daquela palavra] que se serviu a doutora Maria Sara para responder ao invite do director literário" (José Saramago, *História do Cerco de Lisboa*, p. 113); "e lapas na ribeira, e sombras de penedos, / contra as calmas abrigo e invite a sonos quedos." (Antônio Feliciano de Castilho, *As Geórgicas*, p. 161). **2.** Ato de dobrar a parada no jogo. ♦ **De invite.** Por desafio.

invito [Do lat. *invitu*.] *Adj.* **1.** Que procede contra a própria vontade. **2.** Involuntário. **3.** Forçado, contrariado, constrangido. [Cf. *invicto*.]

invitrescível [De *in-*[2] + *vitrescível*.] *Adj. 2 g.* Que não é vitrescível ou vitrificável.

➔ **in vitro** [ẹn ˈvitrɔ] [Lat.] *Med.* Diz-se de processo biológico que ocorre, ou que se observa, fora do organismo vivo, ger. em laboratório, esp. num tubo de ensaio; em meio artificial.

invivido [De *in-*[2] + *vivido*.] *Adj.* Não vivido: "Por ti, minh'Alma! ó dedos entendidos / Com que me ponho, às vezes, a apalpar / A Ideia, o Tempo, os Astros, o luar / De outros místicos mundos invividos" (Antônio Correia d'Oliveira, *Líricas*, I, p. 110).

➔ **in vivo** [ẹn ˈvivɔ] [Lat.] *Med.* Que ocorre, ou que se observa em organismo vivo.

invocação [Do lat. *invocatione*.] *S. f.* **1.** Ato ou efeito de invocar; invocatória. **2.** Pedido de proteção divina para a fundação duma igreja ou de qualquer instituição. [Sin., poét., nesta acepç.: *invitatório*.] **3.** Nome do santo ou da pessoa divina cuja proteção se pediu para tal fim, e que serve de título à igreja ou instituição. **4.** *Arte Poét.* Uma das partes da epopeia, aquela em que o poeta invoca a proteção de uma divindade ou das musas; invitatório. [As outras partes chamam-se: *proposição* (cf. *proposição* [5]), aquela em que o poeta declara o que se propõe cantar, celebrar no seu poema, e *narração* (cf. *narração* [2]), de sentido óbvio.]

invocado [Part. de *invocar*.] *Adj.* **1.** Que se invocou, que foi objeto de invocação. **2.** *Bras. Gír.* V. *cismado*.

invocador (ô) [Do lat. *invocatore*.] *Adj.* *S. m.* Que, ou aquele que invoca.

invocar [Do lat. *invocare*.] *V. t. d.* **1.** Implorar a proteção ou auxílio de; fazer súplicas a; chamar em seu socorro: *invocar os santos*; "Debalde invoca Deus, que o não escuta" (Conde de Monsaraz, *Musa Alentejana*, p. 185). **2.** Pedir, rogar, suplicar: *invocar a proteção divina.* **3.** Alegar em seu favor; recorrer a: *Juridicamente ninguém pode invocar o desconhecimento da lei.* **4.** Evocar, conjurar. **5.** *Bras. Gír.* Irritar (alguém) repetindo com insistência algo que lhe desagrade. **6.** *Bras. Gír.* Impressionar ou preocupar vivamente: "As três mulheres do sabonete Araxá me invocam .... me hipnotizam." (Manuel Bandeira, *Estrela da Vida Inteira*, p. 135.) *T. i.* **7.** *Bras. Gír.* Antipatizar, embirrar, implicar: *Invocou comigo, e procura prejudicar-me.* [Conjug.: v. *trancar*.]

invocativo [Do lat. *invocativu*.] *Adj.* **1.** Que invoca, ou é próprio para invocar. **2.** Que encerra invocação. [Sin. ger.: *invocatório*.]

invocatória [F. subst. de *invocatório*.] *S. f.* Invocação (1).

invocatório [De *invocar* + *-tório*.] *Adj.* Invocativo.

invocável [De *invocar* + *-vel*.] *Adj. 2 g.* Que pode ser invocado.

involução [Do lat. *involutione*.] *S. f.* **1.** Processo inverso ao da evolução (1). **2.** Movimento regressivo. [Antôn., nesta acepç.: *evolução* (2).] **3.** *Mat.* Transformação que é idêntica à sua inversa.

involuceIado [De *involucelo* + *-ado*[1].] *Adj. Bot.* Que é provido de involucelo.

involucelo [Do lat. cient. *involucellum*.] *S. m. Bot.* Invólucro parcial de cada flor ou de cada grupo de flores.

involucrado [De *invólucro* + *-ado*[1].] *Adj. Bot.* Dotado de invólucro: *umbela involucrada*.

involucral [De *invólucro* + *-al*[1].] *Adj. 2 g. Bot.* Referente a invólucro (2).

involucriforme [De *invólucro* + *-iforme*.] *Adj. 2 g. Bot.* Semelhante a invólucro (2).

invólucro [Do lat. *involucru*, parox., com recuo do acento.] *S. m.* **1.** Tudo quanto serve para envolver; envoltório, involutório. **2.** *Bot.* Conjunto de brácteas que cobre, circunda e envolve total ou parcialmente flor(es), ou racemo, ou umbela, etc.

involuir [De *in-*[2] + *-voluir* (como em *evoluir*), deduz. de *involução*.] *V. int.* Sofrer involução: "O país vem gradativamente involuindo quando comparado com os emergentes asiáticos." (Roberto Nicolsky e André Korottchenko de Oliveira, em *Folha de S.Paulo*, 29.07.2008.) [Conjug.: v. *atribuir*.]

involuntário [Do lat. *involuntariu*.] *Adj.* Não voluntário; contrário à vontade ou independente dela; desintencional, invito.

involuta [Do lat. *involuta*, f. subst. de *involutus*, 'enroscado', 'enrolado'.] *S. f. Mat.* Evolvente (2).

involuto [Do lat. *involutu*, 'enroscado', 'enrolado'.] *Adj. Bot.* Diz-se de folha, prefoliação ou prefloração em que as duas margens se mostram enroladas para dentro, sobre a face interna ou superior.

involutório [Do lat. *involutus*, part. pass. de *involvere*, 'enrolar', 'envolver', + *-ório*.] *S. m.* V. *invólucro* (1).

invulgar [De *in-*[2] + *vulgar*[1].] *Adj. 2 g.* Não vulgar; incomum.

invulnerabilidade [De *invulnerável* + *-(i)dade*, seg. o padrão erudito.] *S. f.* Qualidade de invulnerável.

invulnerado [Do lat. *invulneratu*.] *Adj.* **1.** Que não está ferido. **2.** *Fig.* Intato, ileso.

invulnerável [Do lat. *invulnerabile*.] *Adj. 2 g.* **1.** Não vulnerável. **2.** Que não tem por onde possa ser atacado; inatacável, irrespondível. **3.** Imaculado, puro. [Pl.: *invulneráveis*.]

inzona *S. f. Bras. Pop.* Embuste; intriga.

inzonar [De *inzona* + *-ar*[2].] *V. t. d. Bras. Pop.* Intrigar, enredar, mexericar.

inzoneiro [De *inzona* + *-eiro*.] *Adj. Bras. Pop.* **1.** Mexeriqueiro, intrigante; mentiroso. **2.** Sonso; manhoso.

io [Do gr. *Io*.] *S. m. Astr.* O primeiro satélite de Júpiter descoberto por Galileu (v. *galileano*), em 1610. [Com cap.]

▲**io-** [Do gr. *iós, ioû*.] *El. comp.* = 'veneno': *iofobia, iófobo*.

▲**-io-** Equiv. de *-io*[3].

▲**-io**[1] *Suf. nom.* tônico = 'coleção', 'reunião': *gentio, mulherio, rapazio*.

▲**-io**[2] *Suf. nom.* tônico = 'ação', 'referência'; 'modo de ser', 'tendência'; 'aproximação'; 'semelhança': *lavradio; doentio*. [Equiv.: *-dio, -(d)iço*[2]: *escorregadio, enfermiço, fugidiço*. Alternam-se entre si, às vezes, as formas *-dio* e *-(d)iço*[2]: *escorregadio, escorregadiço; fugidio, fugidiço*.]

▲**-io**[3] [Do gr. *-ion* e/ou do lat. (cient.) *-ius* ou *-ium*. = *Suf. nom.* átono, comum à terminologia científica, ou a vocábulos de formação erudita: *arquespório, entrópio, ptério, amônio, cádmio, crúzio*. [Equiv.: *-io-*: *talassiofito*.]

iodado [De *iodo* + *-ado*[1].] *Adj. Quím.* Diz-se de sal a que se adicionou iodo.

iodar [De *iodo* + *-ar*[2].] *V. t. d.* **1.** Cobrir ou misturar com iodo. **2.** *Quím.* Incorporar iodo a (uma substância). *P.* **3.** *Quím.* Reagir com iodo. [Pres. ind.: *iodo*, etc. Cf. *iodo* (ô).]

iodato [De *iod(o)-* + *-ato*[2].] *S. m. Quím.* Qualquer sal do ácido iódico.

iode [Do hebr. *yod*.] *S. m. E. Ling.* O *i* semivocálico, *i. e.*, dos ditongos crescentes e decrescentes. Ex.: *primário, pai, caí, iaiá, conclui, Rui*.

iodeto (ê) [De *iod(o)-* + *-eto*[2].] *S. m. Quím.* Qualquer sal do ácido iodídrico.

▲**iodi-** V. *iod(o)-*.

iódico [De *iod(o)-* + *-ico*[2].] *Adj. Quím.* ~ V. *ácido —*.

iodídrico (i-o) [De *iod(o)-* + *-(h)idr(o)-* + *-ico*[2].] *Adj. Quím.* ~ V. *ácido — e gás —*.

iodimetria [De *iodi-* + *-metria*.] *S. f. Quím.* Método de análise volumétrica baseado na reação de redução do iodo a iodeto.

iodimétrico [De *iodimetria* + *-ico*[2].] *Adj.* Relativo à iodimetria.

iodismo [De *iod(o)-* + *-ismo*.] *S. m. Med.* Intoxicação pelo iodo ou composto de iodo; caracteriza-se por coriza, sialorreia, cefaleia, perda de peso, fraqueza, erupções cutâneas.

iodo (ô) [Do gr. *iódes*.] *S. m. Quím.* **1.** Elemento de número atômico 53, pertencente aos halogênios [símb.: *I*]. **2.** Sólido, cristalino, com brilho metálico, violeta-escuro, venenoso e que é a forma usual do oxigênio elementar [fórm.: I^2]. [Pl.: *iodos* (ô). Cf. *iodo*, do v. *iodar*.]

▲**iod(o)-** [De *iodo*.] *Quím. El. comp.* = 'iodo, ou o que o contém': *iodato, iodeto, iodismo, iodofórmio*. [Ocorre, tb., como: *iodi-* (*iodimetria*), e, tb., como infixo.]

iodoalcano [De *iod(o)-* + *(halo)alcano*.] *S. m. Quím.* Haloalcano no qual o halogênio é o iodo.

iodofórmio [Voc. farmac.] *S. m. Quím.* Substância orgânica, metano tri-iodado, empregada como anestésico local e como antisséptico [fórm.: CHI_3].

■ **IOF** Sigla de *Imposto sobre Operações Financeiras.*

iofobia [De *io-* + *-fobia.*] *S. f. Psiq.* Medo patológico de venenos.

iofóbico [De *iofobia* + *-ico*².] *Psiq. Adj.* **1.** Relativo à iofobia. **2.** Que sofre de iofobia; iófobo. ● *S. m.* **3.** Aquele que sofre de iofobia; iófobo.

iófobo [De *io-* + *-fobo.*] *Adj. S. m. Psiq.* Iofóbico (2 e 3).

ioga [Do sânscr. *yoga.*] *S. f.* **1.** Sistema ortodoxo de filosofia da Índia, que constitui o lado prático do sistema sânquia para atingir o *mocsa*, e no qual são expostos os meios fisiológicos e psíquicos que vieram a se desenvolver nos métodos de treinamento que caracterizam cada uma de suas partes: a *bacti-ioga* (na devoção), a *carmaioga* (no trabalho), a *adiana-ioga* (na meditação), a *hataioga* (nas posturas e exercícios respiratórios) e a *japa-ioga* (na disciplina). **2.** *P. ext.* V. *hataioga.* [Cf. *iogue.*]

iogacara [Do sânscr.] *S. m.* Escola de pensamento budista que procura transpor a técnica da ioga para o plano intelectual.

iogue [Do sânscr. *yogê.*] *Adj. 2 g.* **1.** Referente à, ou próprio da ioga; ioguista. ● *S. 2 g.* **2.** Asceta indiano. **3.** Pessoa que pratica a ioga.

ioguista [De *ioga* + *-ista.*] *Adj. 2 g.* Iogue (1): 📖 "E ali fiquei embriagado numa plenitude de ensimesmamento, de quietude ioguista" (Pe. Antônio Vieira, *Sertão Brabo*, p. 35).

iogurte [Do turco *yōghurt.*] *S. m.* Espécie de coalhada, em geral industrializada, preparada sob a ação de fermentos lácteos.

ioimbina (o-im) *S. f. Quím.* Alcaloide encontrado no quebracho e em certas plantas africanas, cristalino, incolor, venenoso, usado em medicina [fórm.: $C_{21}H_{26}O_3N_2$].

ioiô¹ [Do ingl. *yoyo*, marca registrada.] *S. m.* Brinquedo constituído de dois discos unidos no centro por um pequeno cilindro no qual se prende um cordão. Deixando-se cair o ioiô, de certo modo ele sobe com o impulso, e o cordão se enrola; deverá outra vez cair e subir, sucessivamente, até que termine o impulso inicial.

ioiô² [De *sinhô* < *senhor.*] *S. m. Bras.* Tratamento que os escravos davam aos senhores; nhonhô, nhô. [Fem.: *iaiá.*]

ioioca [De or. indígena, poss.] *S. f. Bras. Bot.* Trepadeira combretácea (*Cacoucia coccinea*) da Amaz. e da África tropical, de folhas opostas e ovais, e flores violáceas, muito ornamentais, arrumadas em espigas terminais muitíssimo vistosas.

iole [Do nor. *jolle*, 'barca'.] *S. f.* Canoa estreita, leve e rápida, de uso nos esportes náuticos. [Cf., *íole*, antr.]

➔**iom kipur** [jom ki'pur] [Hebr., 'dia de expiação'.] *S. m. Rel.* A festa mais sagrada do calendário judaico, e que recai no décimo dia de *Tishrei*, sétimo mês do calendário civil judaico. [Com cap.]

▲**io(n)-** [Do gr. *íon, iónou.*] *El. comp.* = 'violeta': *ionona.*

íon [Do gr. *íon*, de *íemi*, 'ir'.] *S. m. Fís.-Quím.* Átomo ou grupamento de átomos com excesso ou com falta de carga elétrica negativa; iônio, ionte, ião. ◆ **Íon carbênio.** *Quím.* Qualquer cátion orgânico, ger. instável, de vida curta, muito reativo, em cuja estrutura existe um átomo de carbono trivalente que porta a carga positiva; carbênio. [Sin. ant.: *íon carbônio.*] **Íon carbônio.** *Quím.* **1.** Qualquer cátion orgânico, ger. instável, de vida curta, muito reativo, em cuja estrutura existe um átomo de carbono pentavalente; carbônio. **2.** *Ant.* Íon carbênio. **Íon dipolar.** *Quím.* Substância que contém, separadas, uma carga positiva e uma negativa; zwitteríon, sal interno.

iónico¹ *Adj. S. m.* V. *iônico*¹. [Uso freq. em P.]

iónico² *Adj.* V. *iônico*². [Uso freq. em P.]

iônico¹ *Adj. S. m.* V. *jônico.*

iônico² [De *íon* + *-ico*².] *Adj.* Relativo a íon. ~ V. *canhão —, composto —, foguete —, ligação —a, mobilidade —a* e *substância —a.*

iónio¹ *Adj. S. m.* V. *iônio*¹. [Uso freq. em P.]

iónio² *Adj. S. m.* V. *iônio*². [Uso freq. em P.]

iônio¹ [De *íon* + *-io*³.] *S. m. Fís.-Quím.* V. *íon.*

iônio² *Adj. S. m.* Jônio: 📖 "Os marinheiros Helenos, / Que a vaga iônia criou" (Castro Alves, *Poesias Escolhidas*, p. 329).

ionização [De *ionizar* + *-ção.*] *S. f.* **1.** *Fís.* Processo de produzir íons mediante a perda ou o ganho, por molécula ou átomo, de um ou mais elétrons. **2.** *Med.* Iontoforese.

ionizado [Part. de *ionizar.*] *Adj. Fís.-Quím.* Em que se produziu ionização.

ionizante [De *ionizar* + *-nte.*] *Adj. 2 g. Fís.* Capaz de provocar ionização (1). ~ V. *radiação —.*

ionizar [De *íon* + *-izar.*] *V. t. d. Fís.* Formar íons em.

ionizável [De *ionizar* + *-vel.*] *Adj. 2 g. Fís.-Quím.* Que pode ser ionizado.

ionóforo [De *íon* + *-o-* + *-foro.*] *S. m. Quím.* Substância que se liga reversivelmente a um ou mais cátions inorgânicos e pode, assim, carregá-los através de membranas biológicas.

ionomérico [De *ionômero* + *-ico*².] *Adj. Quím.* De, ou relativo a ionômero.

ionômero [De *iôn(ico)*² + *-o-*¹ + *(poli)mero.*] *S. m. Quím.* Polímero que contém porções ionizadas repetidas.

ionona [De *íon* + *-ona*².] *S. f. Quím.* Qualquer de duas substâncias líquidas (α-ionona e β-ionona), ou uma mistura destas, encontradas em certas plantas, ou preparadas sinteticamente; são cetonas terpenoides com uma ligação dupla conjugada e um anel hexagonal com uma segunda ligação dupla [fórm.: $C_{13}H_{20}O$]. [As iononas são us. em perfumaria, e a *β-ionona* é um intermediário-chave na síntese comercial da vitamina A.]

ionosfera [De *íon* + *-o-* + *-sfera.*] *S. f. Geofís.* Região altamente ionizada da atmosfera terrestre, e que tem aproximadamente de 40km a 700km de altitude.

ionte *S. m. P. us. Fís.-Quím.* V. *íon.*

▲**ionto-** [Do V.C.I. *ionto-* < gr. *iōn, iont-*, part. pres. do gr. *ienai*, 'ir'.] *El. comp.* = 'íon', 'ionte': *iontoforese.*

iontoforese [De *ionto-* + *-forese.*] *S. f. Terap.* Introdução nos tecidos, com fim terapêutico e por meio de corrente galvânica, de iontes de sais solúveis; ionização.

iorojá *S. m. Bras. Rel.* V. *alujá.*

ioruba [Dessa língua.] *S. 2 g.* **1.** Indivíduo dos iorubas, povo negro do grupo sudanês da África Ocidental, que vive no S.O. da Nigéria, em Benim e em Togo; nagô. ● *S. m.* **2.** *Gloss.* Língua cua do S.E. da Nigéria, e também falada em Benim e Togo (África). **3.** Vocábulo dessa língua. ● *Adj. 2 g.* **4.** Pertencente ou relativo aos iorubas, ou ao ioruba (2); nagô. [F. paral.: *iorubá.* Sin. ger.: *iorubano.*]

iorubá *S. 2 g. S. m. Adj. 2 g.* V. *ioruba.*

iorubano [De *ioruba* + *-ano*¹.] *Adj. S. m.* V. *ioruba.*

iose [Do rad. do gr. *íon*, 'violeta', + *-ose*¹.] *S. f. Alq.* Rubedo.

iota [Do gr. *iōta*, pelo lat. *iota.*] *S. m.* A 9ª letra do alfabeto grego (Ι, ι), correspondente ao nosso *I.*

iotacismo [Do gr. *iotakismós*, pelo lat. *iotacismu.*] *S. m. E. Ling.* Evolução de um som para a vogal /i/, ou para a semivogal correspondente.

■ **IPA** Sigla de *Índice de Preços no Atacado.*

ipadu [Do tupi.] *S. m.* **1.** *Bras. AM Bot.* Arbusto ou arvoreta eritroxilácea (*Erythroxylum cataractum*) de folhas oblongas pequenas, flores pequeninas, citrinas, e fruto drupáceo rubro, e com as mesmas propriedades da coca, embora menos intensas, sendo cultivado pelos índios do alto Amazonas. **2.** *Cul.* Mingau feito com pouca água. [Var.: *padu.*]

ipamerino *Adj.* **1.** De, ou pertencente ou relativo a Ipameri (GO). ● *S. m.* **2.** O natural ou habitante de Ipameri.

ipanemense¹ *Adj. 2 g.* **1.** De, ou pertencente ou relativo a Ipanema (MG). ● *S. 2 g.* **2.** O natural ou habitante de Ipanema.

ipanemense² *Adj. 2 g.* **1.** De, ou pertencente ou relativo a Conceição de Ipanema (MG). ● *S. 2 g.* **2.** O natural ou habitante de Conceição de Ipanema.

ipanguaçuense *Adj. 2 g.* **1.** De, ou pertencente ou relativo a Ipanguaçu (RN). ● *S. 2 g.* **2.** O natural ou habitante de Ipanguaçu.

ipaporanguense *Adj. 2 g.* **1.** De, ou pertencente ou relativo a Ipaporanga (CE). ● *S. 2 g.* **2.** O natural ou habitante de Ipaporanga.

ipatinguense *Adj. 2 g.* **1.** De, ou pertencente ou relativo a Ipatinga (MG). ● *S. 2 g.* **2.** O natural ou habitante de Ipatinga.

ipauçuense (a-u) *Adj. 2 g.* **1.** De, ou pertencente ou relativo a Ipauçu (SP). ● *S. 2 g.* **2.** O natural ou habitante de Ipauçu.

ipaumirinense *Adj. 2 g.* **1.** De, ou pertencente ou relativo a Ipaumirim (CE). ● *S. 2 g.* **2.** O natural ou habitante de Ipaumirim.

■ **I.P.C.** Sigla de *Índice de Preços ao Consumidor.*

■ **I.P.C.A.** Sigla de *Índice Nacional de Preços ao Consumidor Amplo.*

ipé *S. m. Bras. Bot.* V. *ipê*: 📖 "Fibras do gravatá vergam sem custo / Do ipé e da braúna os arcos duros" (Gonçalves Dias, *Obras Poéticas*, II, p. 434); "abriu a seguinte inscrição no tronco de um ipé" (Artur Azevedo, *Contos Efêmeros*, p. 144); "a mata verde e ruidosa, enfeitada aqui e ali de flores de ipé" (Afrânio Peixoto, *A Esfinge*, p. 48); "Achava-se .... à sombra de um ipé" (Xavier Marques, *As Voltas da Estrada*, p. 90). [Da f. *ipé*, que não figura na grande maioria dos dicionários, há muitos outros exemplos.]

ipê [Do tupi = 'árvore cascuda'.] *S. m. Bras.* **1.** *Bot.* Nome comum a árvores bignoniáceas, do gênero *Tabebuia* (v. *tabebuia*), com flores de cores branca, amarela ou rosa, muito ornamentais pela floração belíssima, dotadas de lenho nobre, muitíssimo resistente à putrefação. Um dos ipês-amarelos, a *Tabebuia alba* ou *T. crysotricha*, é a árvore símbolo nacional. [Var. pros. (menos us.): *ipé* (q. v.). Sin.: *pau-d'arco* e *peúva.*] **2.** V. *peroba-de-campos.*

■ **Ipea** Sigla de *Instituto de Pesquisa Econômica Aplicada.*

ipê-amarelo *S. m. Bras.* **1.** *Bot.* Árvore bignoniácea (Tabebuia alba ou Tabebuia crysotricha) de até 30m, tronco com 40 a 60cm de diâmetro, folhas compostas com 5 a 7 folíolos que, quando adultos, são glabros na página superior e tomentosos e prateados na inferior, e flores vistosas, amarelas, reunidas em corimbos. Fornece madeira pesada, dura, de longa durabilidade, apropriada para obras externas e de marcenaria e carpintaria em geral. [Sin.: *ipê-da-serra, ipê-amarelo-da-serra, ipê-mamono, ipê-tabaco.*] **2.** V. *pau-d'arco-amarelo.* [Pl.: *ipês-amarelos.*]

ipê-amarelo-da-serra *S. m. Bras. Bot.* V. *ipê-amarelo* (1). [Pl.: *ipês-amarelos-da-serra.*]

ipê-amarelo-do-cerrado *S. m. Bras. Bot.* V. *caraíba*² (1). [Pl.: *ipês-amarelos-do-cerrado.*]

ipê-batata *S. m. Bras. Bot.* V. *caroba-branca.* [Pl.: *ipês-batatas* e *ipês-batata.*]

ipê-boia (ói) [De *ipê* + *boia.*] *S. m. Bras. Bot.* V. *caroba-branca.* [Pl.: *ipês-boias* e *ipês-boia.*] ❖

ipê-branco *S. m. Bot.* **1.** Árvore bignoniácea (*Tabebuia roseo-alba*) ornamental, de flores alvas, que ocorre em MG e no RJ. **2.** V. *caroba-branca.* **3.** V. *faveiro* (1). [Pl.: *ipês-brancos.*]

ipeca *S. f. Bras.* V. *ipecacuanha.*

ipê-caboclo *S. m. Bot.* Árvore bignoniácea (*Tabebuia insignis*) de flores amarelas. [Pl.: *ipês-caboclos.*]

ipecacuanha [Do tupi = 'pênis de pato'.] *S. f. Bras. Bot.* Erva rubiácea (*Cephaelis ipecacuanha*) humilde, de longas raízes grossas e nodulosas, que fornece a emetina, e cujas pequenas flores se reúnem em capítulos. Vive no solo das florestas pluviais da BA e de MT. [F. red.: *ipeca.* Sin.: *cagosanga, poaia, raiz-do-brasil.*]

ipecacuanha-branca [De *ipecacuanha* + o f. de *branco.*] *S. f. Bras. Bot.* Erva violácea (*Hybanthus ipecacuanha*) pilosa, de flores vistosas, muito difundida na América tropical, e que, embora usada como a ipecacuanha, não contém emetina. [Pl.: *ipecacuanhas-brancas.*]

ipecacuanha-falsa [De *ipecacuanha* + o f. de *falso.*] *S. f. Bras. Bot.* V. *agarra-pinto.* [Pl.: *ipecacuanhas-falsas.*]

ipecacuanha-preta [De *ipecacuanha* + o f. de *preto.*] *S. f. Bras. Bot.* Subarbusto rutáceo (*Psychotria emetica*) de uns 30cm de altura, folhas opostas, com estípulas, flores pequenas e alvas, e usado como substituto da ipecacuanha. [Pl.: *ipecacuanhas-pretas.*]

ipecaetense *Adj. 2 g.* **1.** De, ou pertencente ou relativo a Ipecaetá (BA). ● *S. 2 g.* **2.** O natural ou habitante de Ipecaetá.

ipeca-tapuia *Bras. S. 2 g.* **1.** *Etnôn.* Indivíduo dos ipecas-tapuias [ou (etnôn. bras.) *Ipéka-Tapuya], povo indígena extinto da família linguística aruaque que habitava a margem direita do rio Içana, a N.O. do AM. ● *Adj. 2 g.* **2.** Pertencente ou relativo a esse povo. [Pl.: *ipecas-tapuias.*]

ipê-contra-sarna *S. m. Bras. Bot.* V. *ipê-roxo* (2). [Pl.: *ipês-contra-sarna.*]

ipecu [Do tupi.] *S. m. Bras. Amaz. Zool.* V. *pica-pau* (1).

ipecuacamirá [Do tupi = 'pato de cabeça vermelha'.] *S. m. Bras. Amaz. Zool.* Ave piciforme, picídea (*Ceophloeus lineatus*), de coloração preta, abdome listrado de branco, a cabeça dos dois sexos e estria malar do macho encarnadas, garganta branca raiada de preto, e uma estria branca do ângulo do bico até o ombro.

ipecuati [Do tupi = 'pato de cabeça branca'.] *S. m. Bras. Zool.* V. *pica-pau-de-cabeça-amarela.*

ipecumirim [Do tupi = 'pato pequeno'.] *S. m. Bras. Amaz. Zool.* Ave piciforme, picídea (*Melanerpes cruentatus*), de coloração preta, fronte e vértice do macho encarnados e da fêmea pretos, sobrancelha branca prolongada em fita nucal amarela, dorso inferior branco, meio do peito e do abdome encarnados, e flancos, parte das rêmiges e retrizes médias pretas listrados de branco.

ipecupará [Do tupi = 'pato variegado (de cores)'.] *S. m. Bras. Zool.* Ave pícida (*Veniliornis spilogaster*).

ipecupinima [Do tupi = 'pato pintado'.] *S. m. Bras. Zool.* Ave pícida (*Celeus undatus*).

ipecutauá [Do tupi = 'pato amarelo'.] *S. m. Bras. Zool.* Pica-pau-amarelo.

ipê-da-serra *S. m. Bras. Bot.* V. *ipê-amarelo* (1). [Pl.: *ipês-da-serra.*]

ipê-de-impingem *S. m. Bras. Bot.* V. *ipê-roxo* (2). [Pl.: *ipês-de-impingem.*]

ipeense (êen) *Adj. 2 g.* **1.** De, ou pertencente ou relativo a Ipê (RS). ● *S. 2 g.* **2.** O natural ou habitante de Ipê.

■ **IPEM** Sigla de *Instituto de Pesos e Medidas.*

I

ipê-mamono *S. m. Bras. Bot.* V. *ipê-amarelo* (1). [Pl.: *ipês-mamonos* e *ipês-mamono*.]

■ **Ipen** Sigla de *Instituto de Pesquisa Energética e Nuclear*.

ipê-preto *S. m. Bras. Bot.* 1. V. *ipê-roxo* (2). 2. V. *ipê-rosa* (2). [Pl.: *ipês-pretos*.]

ipequi [Do tupi = 'pato pequeno'.] *S. m. Bras. Zool.* Ave gruiforme, heliornitídea (*Heliornis fulica*), distribuída do S. do México até a Argentina, de dorso oliváceo, alto da cabeça e pescoço pretos, sobrancelhas brancas alongando-se no pescoço, e lados da cabeça vermelho-amarelados. Os filhotes são protegidos pela mãe até se empenarem. [Var.: *pequi*. Sin.: *marrequinho, mergulhador, mergulhão, patinho--d'água, patinho-de-igapó, pecapara* ou *picapara, pecaparra*.]

iperita [Do fr. *ypérite* (do top. *Ypres*, na Bélgica).] *S. f. Mil.* Líquido incolor, oleoso, com ligeiro odor a alho, vesicante e venenoso, usado como gás de guerra; gás de mostarda [fórm.: $C_4H_8Cl_2S$].

iperoense (òen) *Adj. 2 g.* 1. De, ou pertencente ou relativo a Iperó (SP). ● *S. 2 g.* 2. O natural ou habitante de Iperó.

ipê-rosa *S. m. Bras. Bot.* 1. V. *ipê-roxo* (1). 2. Árvore bignoniácea (*Tabebuia avellanedae*) de folhas digitadas, flores róseas, paniculadas, e frutos capsulares, glabros e roliços; as folhas e a casca têm uso medicinal. [Sin.: *ipê-preto, ipê-roxo, ipê-tabaco, peúva-roxa*.] [Pl.: *ipês-rosas*.]

ipê-roxo *S. m. Bras. Bot.* 1. Árvore bignoniácea (*Tabebuia heptaphylla*) nativa da BA ao RS, de folhas digitadas, flores róseo-purpúreas, e folíolos glabros, membranáceos; a madeira é própria para obras externas. [Sin.: *ipê-rosa, pau-d'arco*.] 2. Árvore bignoniácea (*Tabebuia impetiginosa*) de casca amarga, mucilaginosa, com propriedades adstringentes, folhas umbelíferas, e frutos capsulares compridos; a madeira, de boa qualidade, é us. em construção civil e em marcenaria. [Sin.: *ipê-contra--sarna, ipê-de-impingem, ipê-preto, pau-cachorro, pau-d'arco-roxo, peúva-roxa, piúna*.] 3. V. *ipê-rosa* (2). [Pl.: *ipês-roxos*.]

iperu *S. m. Zool. Bras.* V. *tubarão-branco*.

ipê-tabaco *S. m. Bras. Bot.* 1. V. *ipê-amarelo* (1). 2. V. *ipê-rosa* (2). [Pl.: *ipês-tabacos* e *ipês-tabaco*.]

ipetê [Do ior.] *S. m. Bras. Rel.* Iguaria feita com inhame cozido, dendê, cebola e camarão seco, muito semelhante ao bobó, comida votiva do orixá Oxum.

ipeuí *Bras. S. 2 g.* 1. Indivíduo dos ipeuís, denominação dada pelos índios canibais a um povo que habita na região do rio Teles Pires, imediações do Peixoto de Azevedo, alto Xingu. ● *Adj. 2 g.* 2. Pertencente ou relativo aos ipeuís.

ipeúna [De *ipê* + tupi = 'preto'.] *S. f. Bras. Bot.* Árvore bignoniácea (*Jacaranda curialis*) do RJ, de folhas bipenadas e vistosas flores dispostas em racemo terminal.

ipeunense (e-u) *Adj. 2 g.* 1. De, ou pertencente ou relativo a Ipeúna (SP). ● *S. 2 g.* 2. O natural ou habitante de Ipeúna.

■ **Iphan** Sigla de *Instituto do Patrimônio Histórico e Artístico Nacional*.

■ **I.P.I.** Sigla de *Imposto sobre Produtos Industrializados*.

ipiaçuense *Adj. 2 g.* 1. De, ou pertencente ou relativo a Ipiaçu (MG). ● *S. 2 g.* 2. O natural ou habitante de Ipiaçu.

ipiauense (a-u) *Adj. 2 g.* 1. De, ou pertencente ou relativo a Ipiaú. (BA). ● *S. 2 g.* 2. O natural ou habitante de Ipiaú.

ipíneo [Do lat. cient. *Ip-* (do tax. *Ips*, gênero-tipo) + *-in(o)-*[3] + *-eo*; tax. *Ipinae*.] *Zool. S. m.* 1. Espécime dos ipíneos, subfamília de insetos coleópteros, escotilídeos, que escavam galerias dentro do cerne das árvores e se alimentam de fungos que ali cultivam, causando danos. Ex.: a broca-do-café. ● *Adj.* 2. Pertencente ou relativo a eles.

ipiraense (àen) *Adj. 2 g.* 1. De, ou pertencente ou relativo a Ipirá (BA). ● *S. 2 g.* 2. O natural ou habitante de Ipirá.

ipiranguense[1] *Adj. 2 g.* 1. De, ou pertencente ou relativo a Ipiranga (PR). ● *S. 2 g.* 2. O natural ou habitante de Ipiranga.

ipiranguense[2] *Adj. 2 g.* 1. De, ou pertencente ou relativo a Ipiranga do Piauí (PI). ● *S. 2 g.* 2. O natural ou habitante de Ipiranga do Piauí.

ipiranguense[3] *Adj. 2 g.* 1. De, ou pertencente ou relativo a Ipiranga do Sul (RS). ● *S. 2 g.* 2. O natural ou habitante de Ipiranga do Sul.

ipirense *Adj. 2 g.* 1. De, ou pertencente ou relativo a Ipira (SC). ● *S. 2 g.* 2. O natural ou habitante de Ipira.

ipixunense[1] *Adj. 2 g.* 1. De, ou pertencente ou relativo a Ipixuna (AM). ● *S. 2 g.* 2. O natural ou habitante de Ipixuna.

ipixunense[2] *Adj. 2 g.* 1. De, ou pertencente ou relativo a Ipixuna do Pará (PA). ● *S. 2 g.* 2. O natural ou habitante de Ipixuna do Pará.

■ **IPM** Sigla de *Inquérito Policial Militar*.

ipojucano *Adj. S. m.* V. *ipojuquense*.

ipojuquense *Adj. 2 g.* 1. De, ou pertencente ou relativo a Ipojuca (PE). ● *S. 2 g.* 2. O natural ou habitante de Ipojuca. [Sin. ger.: *ipojucano*.]

ipomeia (éi) [Do gr. *ips, ipós*, 'certo verme que rói a madeira', + gr. *hómoia*, 'semelhante'; tax. *Ipomoea*.] *S. f. Bot.* 1. Gênero de trepadeiras convolvuláceas, herbáceas, dotadas de exuberantes flores ou brancas, ou purpúreas, ou violáceas, campanuliformes ou infundibiliformes, e de estigmas capitatos. 2. Qualquer espécie desse gênero, como, p. ex., a *Ipomoea learii* (v. *glória-da-manhã*). 3. Qualquer espécime desse gênero, ou a flor dele: "Como um cheiro do céu, na muda noite / Errava da ipomeia da montanha / A peregrina essência delicada" (Alberto de Oliveira, *Poesias*, 3ª série, p. 77). ❖

iporaense *Adj. 2 g.* 1. De, ou pertencente ou relativo a Iporá (GO). ● *S. 2 g.* 2. O natural ou habitante de Iporá.

iporãense *Adj. 2 g.* 1. De, ou pertencente ou relativo a Iporã (PR). ● *S. 2 g.* 2. O natural ou habitante de Iporã.

iporangueiro *Adj. S. m.* V. *iporanguense*.

iporanguense *Adj. 2 g.* 1. De, ou pertencente ou relativo a Iporanga (SP). ● *S. 2 g.* 2. O natural ou habitante de Iporanga. [Sin. ger.: *iporangueiro*.]

iporã-oestino *Adj.* 1. De, ou pertencente ou relativo a Iporã do Oeste (SC). ● *S. m.* 2. O natural ou habitante de Iporã do Oeste. [Pl.: *iporã-oestinos*.]

ipoteuate *Bras. S. 2 g.* 1. *Etnôn.* Indivíduo dos ipoteuates [ou (etnôn. bras.) *Ipotwat], povo indígena extinto da família linguística tupi-guarani, tronco tupi, que habitava as margens do rio Apedia (RO). ● *Adj. 2 g.* 2. Pertencente ou relativo a esse povo.

■ **IPR** Sigla de *Instituto de Pesquisas Radioativas*.

ipseidade [Do lat. med. *ipseitate*.] *S. f. Filos.* V. *hecceidade*.

ipsilão *S. m.* V. *ípsilon*.

ipsilateral [Do lat. *ipse, a, um*, 'mesmo', + *-later(o)-* + *-al*[1].] *Adj. 2 g.* V. *homolateral*.

ipsilo *S. m.* V. *ípsilon*.

ipsiloide (ói) [De *ipsilo* + *-oide*.] *Adj. 2 g.* Que tem a forma do ipsilo. [Var. impr.: *hipsiloide*.] ❖

ípsilon [Do gr. *ỹpsilón* (com iota longo), 'y simples ou sem aspiração'.] *S. m.* A 20ª letra do alfabeto grego (Y,υ). [F. paral.: *ipsilão, ipsilo*. Var.: *hipsilo* (impr.), *ipsilone* (bras., pop.) A forma corrente é *ípsilon* (var. pros. impr.). Pl.: *ípsilons* (ou graficamente *yy*).]

ipsilon *S. m.* V. *ípsilon*.

ipsilone *S. m. Bras. Pop.* V. *ípsilon*. ◆ **Cheio de ipsilones.** *Bras. Pop.* V. *cheio de nove-horas* (2).

➔ **ipsis litteris** ['ipsęs 'litterę̄s] [Lat.] Textualmente; pelas mesmas letras.

➔ **ipsis verbis** ['ipsęs 'verbęs] [Lat.] Pelas mesmas palavras; textualmente.

➔ **ipso facto** ['ipsɔ 'faktɔ] [Lat.] Por isso mesmo.

➔ **ipso jure** ['ipsɔ 'jurę] [Lat.] *Jur.* Pelo próprio direito, de acordo com o direito.

■ **IPT** Sigla de *Instituto de Pesquisas Tecnológicas*.

■ **I.P.T.R.** Sigla de *Imposto sobre Propriedade Territorial Rural*.

■ **IPTU** Sigla de *Imposto Predial e Territorial Urbano*.

ipu [Do tupi = 'alagadiço'.] *S. m. Bras.* 1. Terreno úmido, adjacente a pequenos montes, e que forma várzeas ou vales por onde correm as águas que dos montes derivam: "Nós guardamos as serras, donde manam os córregos, com os frescos ipus onde cresce a maniva e o algodão" (José de Alencar, *Iracema*, p. 57). 2. Arame com que se envolve o anzol junto à linha, a fim de que esta não seja facilmente cortada. 3. *Zool.* Espécie de abelha meliponínea que nidifica no chão.

ipuã [Do tupi = 'água redonda (ao redor)'.] *S. f. Bras. AM* Ilha (1).

ipuaçu [De *ipu* + *-açu*.] *S. m. Bras.* Ipu de grande extensão.

ipuada *S. f. Bras. BA* V. *cabana*.

ipuanense *Adj. 2 g. S. 2 g.* V. *ipuãnense*.

ipuãnense *Adj. 2 g.* 1. De, ou pertencente ou relativo a Ipuã (SP). ● *S. 2 g.* 2. O natural ou habitante de Ipuã.

ipubiense *Adj. 2 g.* 1. De, ou pertencente ou relativo a Ipubi (PE). ● *S. 2 g.* 2. O natural ou habitante de Ipubi.

ipuca [Do tupi = 'água arrebentada'.] *S. f. Bras. Amaz.* Furo no igapó.

ipueira [Var. de *ipuera*.] *S. f.* 1. *Bras.* Lagoeiro formado nos lugares baixos pelo transbordamento dos rios, e onde as águas, em geral piscosas, se conservam meses a fio. 2. *Bras. MA* Qualquer paul. 3. *Bras. GO* Lagoa pequena. [Var.: *ipuera, impueira, impureira, puera*.]

ipueirense[1] *Adj. 2 g.* 1. De, ou pertencente ou relativo a Ipueira (RN). ● *S. 2 g.* 2. O natural ou habitante de Ipueira.

ipueirense[2] *Adj. 2 g.* 1. De, ou pertencente ou relativo a Ipueiras (CE). ● *S. 2 g.* 2. O natural ou habitante de Ipueiras.

ipuense *Adj. 2 g.* 1. De, ou pertencente ou relativo a Ipu (CE). ● *S. 2 g.* 2. O natural ou habitante de Ipu.

ipuera (ê) [Do tupi = 'água passada, que já não corre'.] *S. f. Bras.* V. *ipueira*.

ipuiunense (ui-u) *Adj. 2 g.* 1. De, ou pertencente ou relativo a Ipuiúna (MG). ● *S. 2 g.* 2. O natural ou habitante de Ipuiúna.

ipumiriense *Adj. 2 g.* 1. De, ou pertencente ou relativo a Ipumirim (SC). ● *S. 2 g.* 2. O natural ou habitante de Ipumirim.

ipupiara [Do tupi.] *S. f. Bras. Folcl.* Monstro marinho de formas antropoides.

ipupiarense *Adj. 2 g.* 1. De, ou pertencente ou relativo a Ipupiara (BA). ● *S. 2 g.* 2. O natural ou habitante de Ipupiara.

ipuruna [De or. tupi, poss.] *S. f. Bras.* Fécula extraída do tecido do tronco do murici (1).

■ **IPVA** Sigla de *Imposto sobre a Propriedade de Veículos Automotores*.

iquebana *S. f.* Arte japonesa de arranjo de flores com regras tradicionais.

iquice [De uma língua banta.] *S. m. Bras. Rel.* V. *inquice*.

ir [Do lat. *ire*.] *V. int.* 1. Passar, mover-se ou deslocar-se de um lugar para outro, por movimento próprio, impulso imprimido, qualquer mecanismo, ou com auxílio de transporte ou veículo: *Carlos viaja, e eu vou também; O criado foi com o patrão, transportando as bagagens; O barco ia velozmente.* 2. Correr, vogar: *Após a enchente, as águas do rio iam em rebuliço.* 3. Ir-se embora; retirar-se; partir; ir-se: *Foram cedo porque tinham outro compromisso.* 4. Ser mandado ou remetido: *O seu recado já foi; A carta acaba de ir.* 5. Ser mencionado ou referido (logo depois, ou em anexo): *Vai, logo adiante, a lista dos convidados; Vai abaixo a relação dos livros que me interessam; Vão aqui os principais fatos ocorridos.* 6. Chegar a determinado resultado (favorável ou não); sair-se: *Foi muito bem no concurso.* 7. Progredir, continuar, achar-se; ir andando (em certo grau de adiantamento, em certa fase, de certo modo, etc.): *Como vão as obras do novo hospital?; Soube que as coisas não vão bem.* 8. Estar, passar, achar-se (de saúde): *— Como vai seu irmão?* 9. Desvanecer-se, dissipar-se, extinguir-se, ir-se: *Lá foram as suas esperanças.* 10. V. *morrer* (1): *Foi primeiro que a mulher, embora bem mais novo.* **T. c.** 11. Ir (1): *Fui a São Paulo; Vou para Brasília.* 12. Ser levado ou transportado, voluntária ou involuntariamente: *Estava agonizante quando foi para o hospital; A jovem ia nos braços do noivo.* 13. Comparecer, apresentar-se: *Desde a morte da mulher não vai a parte alguma.* 14. Proporcionar acesso; seguir (até algum lugar): *O caminho vai ao cimo da montanha.* 15. Andar por; percorrer, seguir: *Iam pela estrada em busca de abrigo.* 16. Suceder, ocorrer, passar(-se): *Não se sabe o que vai por aquelas redondezas; Não imaginei que tal tristeza lhe ia na alma.* 17. Ter decorrido; haver, fazer: *Vai em dois anos que não o vejo.* 18. Estender-se, prolongar-se, durar: *A conversa foi pela noite adentro.* 19. Levar, conduzir: *Este caminho vai até o rio.* 20. Ter pouco mais ou menos, estar a perfazer (certa idade); orçar; andar (por certa idade): *Já vai nos 90 anos, e ainda está lúcido;* "Iria pelos seus sete anos" (Pedro Nava, *Balão Cativo*, p. 5). 21. Ter decorrido (fato) há um período aproximado de tempo, há mais ou menos um certo período: "Vai por cinquenta anos / Que lhes dei a norma" (Manuel Bandeira, *Estrela da Vida Inteira*, p. 51). 22. Estar mais ou menos prestes a completar-se certo período de tempo decorrido sobre (um fato): "Ia para um mês que Menino de Asas se entregara às mãos do Dr. Pacheco Fernandes." (Homero Homem, *Menino de Asas*, p. 79.) **Bit. c.** 23. Distar: *Do Rio a São Paulo vão 402 quilômetros.* 24. Estender-se, prolongar-se: *Este varal vai da varanda até o portão.* **T. i.** 25. Dar princípio; começar, iniciar, encetar: *— Já é hora: vamos ao jogo.* 26. Tratar, ocupar-se (de um assunto): *Vamos agora ao que importa.* 27. Achar-se numa determinada situação, em dados termos: *A discussão ia no auge, quando a chegada do chefe a interrompeu.* 28. Mostrar ou demonstrar tendência; tender, propender: *A resposta demonstra que o rapaz vai mais para parvo.* 29. Simpatizar; topar; ir com a cara de: "Desde o primeiro dia não fomos um com o outro. Éramos antagônicos por dentro." (Antônio Carlos Vilaça, *O Nariz do Morto*, p. 155); *Vai com o novo auxiliar?* 30. Harmonizar-se, combinar, condizer: *Este tom de verde não vai com o amarelo.* 31. Importar; interessar: *Para mim, pouco vai nisso; o assunto não me interessa.* **32.** Avançar, investir, atirar-se: *Amedrontado, o touro foi contra a plateia.* **33.** Chegar, atingir, alcançar: *Felizmente a revolta não foi até a luta armada.* **34.** Ter relações sexuais com; copular. ***Bit. i.*** **35.** Passar gradualmente, por transição: *Seus pensamentos iam da mais funda tristeza a uma alegria esfuziante.* ***T. d.*** **36.** Andar por; percorrer, seguir: "O nosso filósofo .... ia todo o caminho provando a si mesmo que não há diabos no mundo, nem almas, nem, talvez, Deus" (Alexandre Herculano, *Lendas e Narrativas*, II, p. 141); "O cabreiro ia seu caminho, mais devagar" (Conde de Ficalho, *Uma Eleição Perdida*, p. 214). **37.** Seguir, fazer: "Adeus, que vou viagem de finados..." (Laurindo Rabelo, *Poesias Completas de Laurindo Rabelo*, p. 73). ***Pred.*** **38.** Estar, passar, achar-se (de saúde): *Há cerca de dois meses que não vai bem.* **39.** Transcorrer, decorrer: *A noite vai alta.* ***P.*** **40.** Andar, dirigir-se, caminhar, encaminhar-se: *Foi-se naquela direção.* **41.** Ir-se embora; partir, retirar-se; ir: "Foi-se, rua abaixo." (Coelho Neto, *Turbilhão*, p. 256); "E mais não disseram nesse dia, indo-se cada um aos seus negócios." (Tristão da Cunha, *Histórias do Bem e do Mal*, p. 100); *Foi-se logo que caiu a noite.* **42.** Desvanecer-se, dissipar-se, extinguir-se; ir: *Foram-se-lhe as esperanças!*; "Do café do mercado a esse outro café, foi-se-lhe boa parte da prudência" (Dionélio Machado, *Os Ratos*, p. 16). **43.** Estragar-se, avariar-se, danificar-se: *Sentou-se em cima de um prego, e foi-se a sua saia.* **44.** V. *morrer* (1): "— A pobre da velha é que se foi, coitada! | — Ora, antes assim. Está com Deus." (Coelho Neto, *Turbilhão*, p. 344). **45.** Seguido de verbo no infinitivo, exprime tempo futuro: *O conferencista vai falar sobre Machado de Assis.* **46.** Seguido de verbo no infinitivo, equivale a 'concorrer para': *O remédio vai fazer com que ela melhore.* **47.** Seguido de verbo no infinitivo, significa 'estar prestes a', 'estar em vésperas de': *Vai receber um prêmio por seu último romance.* **48.** Seguido de verbo no infinitivo, significa 'dispor-se ou preparar-se para; tencionar; propor-se': *Vamos vestir-nos para sair.* **49.** Seguido da prep. *para*, significa 'seguir uma carreira': "Eu não sei como ainda há quem vá para padre." (Manuel Ribeiro, *A Planície Heroica*, p. 47.) [Irreg. Pres. ind.: *vou, vais, vai, vamos* (ou *imos*), *ides, vão*; imperf.: *ia, ias*, etc.; perf.: *fui, foste* (ô), etc.; m.-q.-perf.: *fora* (ô), *foras* (ô), etc.; fut. pres.: *irei, irás*, etc.; imperat.: *vá, vai, ide, vão*; pres. subj.: *vá, vás*, etc.; imperf.: *fosse* (ô), *fosses* (ô), etc.; fut.: *for* (ô), *fores* (ô), etc.; inf. pess.: *ir, ires*, etc.; ger.: *indo*; part.: *ido*. Cf. *foste* e pl. *fostes*; *fora* e *foras*; *for*; o pres. subj. do v. *fossar*; *fósseis*, pl. de *fóssil*; *id*, s. m.; *íris*, s. f. e s. m.; *Íris*, top., mit. e antr., e *Vaz*, antr. Da f. *imos*, equiv. de *vamos*, registre-se este exemplo de autor moderno: "Nós imos todas contigo / À busca dele se queres." (João de Deus, *Campos de Flores*, II, p. 127.)] ◆ **Ir atrás de.** Acreditar ou confiar em; ir na conversa de: "Eu, feito um idiota, fui atrás da conversa de minha noiva..." (Adalberon Cavalcanti Lins, *Curral Novo*, p. 300). **Ir bugiar.** V. *ir às favas*. **Ir chegando.** *Fam.* Ir-se embora; ir-se; partir: *Já é tarde, eu vou chegando.* **Ir embora.** Partir, retirar; ir-se embora. [Sin., pop.: *tirar o time, tirar o time de campo*.] **Ir fora.** Ir para o lixo: "Esta pilha aqui é das minhas coisas, esta pilha é das suas coisas, esta caixa é para as coisas que vão fora." (Luís Fernando Veríssimo, *Comédias da Vida Privada*, p. 61.) **Ir indo. 1.** Ir passando ou vivendo mais ou menos bem, sem novidade. **2.** Conduzir-se passavelmente, sem grande êxito nem grande insucesso, mais ou menos mediocremente, em seus negócios, ou em qualquer atividade: "Nem ótimo, nem péssimo [Venceslau Brás na presidência do Brasil.] Vai indo." (Emílio de Meneses, *Mortalhas*, p. 21.) **Ir levando.** *Bras. Pop.* Ir no vai da valsa. **Ir longe. 1.** Fazer progressos. **2.** Tornar-se rico, abastado; enriquecer. **3.** Prometer muito de si. **4.** Ter (um fato) ocorrido há muito tempo. **Ir muito longe.** Exceder-se. **Ir navegando.** Ir vivendo; ir levando a vida como Deus quer. **Ir para cima.** Subir, ascender (sobretudo socialmente): "— O Evaristo vai para cima, hem? | — O Evaristo? Ignoro, respondi. De que se trata? | — Secretário do interior. Creio que vão fazer dele secretário." (Graciliano Ramos, *Caetés*, pp. 215-216.) **Ir para o Acre.** *Bras.* V. *morrer* (1). **Ir para trás.** Regredir, retroceder. **Ir por diante. 1.** Continuar, prosseguir. **2.** Não se frustrar. **Ir-se desta para melhor.** V. *morrer* (1). **Ir-se embora.** V. *ir embora*. **Ir ter à. 1.** Chegar (3): *Caminhando, caminhando, foi ter à cidade.* **2.** Chegar até; comunicar(-se) com: *A Avenida Rio Branco vai ter à Avenida Presidente Wilson.* **Ir ter com.** Ir ao encontro de, dirigir-se a (alguém): "temia que o anônimo fosse ter com Vilela" (Machado de Assis, *Várias Histórias*, p. 9). **Ir unido.** *Ant. Tip.* Espacejar o mínimo possível as palavras de uma composição, para ganhar linhas. **Foi, não foi.** Vai, não vai: *Foi, não foi, está metido em brigas.* **Não ir com.** Não simpatizar com; não gostar de; não ir com a cara de; não ir com os cornos de: *Acha que não foi promovido porque o chefe não vai com ele.* **Ou vai, ou racha.** *Fam.* Expr. que designa algo que se quer levar até ao fim, custe o que custar. **Vá lá.** Exclamação de consentimento, concordância, tolerância, condescendência ou perdão: "tudo achaques segundos da atrabile, que essa, sim, é a doença de el-rei, vá lá que não sofre das partes pudendas, apesar dos excessos amatórios" (José Saramago, *Memorial do Convento*, [8.ª ed.] p. 113). **Vai, não vai.** Volta e meia; frequentemente; foi, não foi: *Vai, não vai, nos encontramos no cinema.* **Vamos e venhamos.** Convenhamos, admitamos: "Vamos e venhamos: a viúva gostava um pouco do Brandão" (Machado de Assis, *Contos sem Data*, p. 78).

■ **Ir** *Quím.* Símb. de *irídio*.

■ **IR** Sigla de *Imposto de Renda*.

▲ **ir-**[1] V. *em-*[2].

▲ **ir-**[2] V. *in-*[2].

▲ **-ir** Desin. do inf. dos v. de tema em *-i*, do lat. *-ere* ou do lat. *-ire*, ou, por analogia, de formação vernácula: *repetir* (< lat.) *dormir* (< lat.) *zunir* (t. onom), *colorir*. [Alguns destes v. de formação latina apresentam em port. duas formas: *exceler* e *excelir* (< lat.); *premer* e *premir* (< lat.).]

ira [Do lat. *ira*.] ***S. f.*** **1.** Cólera, raiva, indignação. **2.** Desejo de vingança.

irá [Do tupi = 'abelha'.] ***S. m. Bras. Zool.*** V. *abelha-da-terra*.

irã [Do bijagó, pelo criol.] ***S. m. Guin.*** **1.** Entidade divina, espírito dos antepassados: "Há na mata sagrada um irã que dá riqueza aos homens... Esse irã vivia nessa mata mas nunca foi visto pelos homens." (Manuel da Costa, *A Força da Vontade*, p. 61.) **2.** Objeto ao qual se atribui poder sobrenatural e se presta culto [v. *fetiche* (1)]: "Cada indivíduo, como cada morança e cada povoação, tem também o seu Irã particular, o seu feitiço colocado num canto da casa, que o acompanha desde a mais tenra idade." (Fernando Rogado Quintino, em *A Habitação Indígena*, p. 220.)

iracemapolense ***Adj. 2 g.*** **1.** De, ou pertencente ou relativo a Iracemápolis (SP). • ***S. 2 g.*** **2.** O natural ou habitante de Iracemápolis.

iracemense ***Adj. 2 g.*** **1.** De, ou pertencente ou relativo a Iracema (CE). • ***S. 2 g.*** **2.** O natural ou habitante de Iracema.

iraceminhense ***Adj. 2 g.*** **1.** De, ou pertencente ou relativo a Iraceminha (SC). • ***S. 2 g.*** **2.** O natural ou habitante de Iraceminha.

iracúndia [Do lat. *iracundia*.] ***S. f.*** Qualidade de iracundo.

iracundo [Do lat. *iracundu*.] ***Adj.*** **1.** Propenso à ira; irascível. **2.** Irado, colérico, enfurecido: "Nas bancadas houve hilaridade geral. O mestre teve de intervir, iracundo: | — Caluda, sua canalha!" (Trindade Coelho, *Os Meus Amores*, p. 170.)

irado [Do lat. *iratu*.] ***Adj.*** **1.** Enraivecido, colérico, assanhado. **2.** *Bras. Gír.* Legal, bacana: *Fui a uma festa irada.*

iraí [De or. tupi.] ***S. m. Bras. Zool.*** Camuengo.

iraiense[1] (a-i) ***Adj. 2 g.*** **1.** De, ou pertencente ou relativo a Iraí (RS). • ***S. 2 g.*** **2.** O natural ou habitante de Iraí.

iraiense[2] (a-i) ***Adj. 2 g.*** **1.** De, ou pertencente ou relativo a Iraí de Minas (MG). • ***S. 2 g.*** **2.** O natural ou habitante de Iraí de Minas.

irajubense ***Adj. 2 g.*** **1.** De, ou pertencente ou relativo a Irajuba (BA). • ***S. 2 g.*** **2.** O natural ou habitante de Irajuba.

iramaense ***Adj. 2 g.*** **1.** De, ou pertencente ou relativo a Iramaia (BA) • ***S. 2 g.*** **2.** O natural ou habitante de Iramaia.

▲ **-irana** *Quím.* ***El. comp.*** Indica um composto heterocíclico saturado com três átomos no anel, sendo dois de carbono e não sendo o terceiro nitrogênio: *oxirana*.

irandubense ***Adj. 2 g.*** **1.** De, ou pertencente ou relativo a Iranduba (AM). • ***S. 2 g.*** **2.** O natural ou habitante de Iranduba.

iraniano ***Adj.*** **1.** De, ou pertencente ou relativo ao Irã (Ásia); irânico. • ***S. m.*** **2.** O natural ou habitante do Irã; irânico. **3.** *Gloss.* V. *indo-iraniano* (3).

irânico ***Adj. S. m.*** Iraniano (1 e 2).

iraniense ***Adj. 2 g.*** **1.** De, ou pertencente ou relativo a Irani (SC). • ***S. 2 g.*** **2.** O natural ou habitante de Irani.

iranxe *Bras.* ***S. 2 g.*** **1.** *Etnôn.* Indivíduo dos iranxes [ou (etnôn. bras.) *Irantxe, *Menky, *Menki, *Munku, *Myky], povo indígena de língua isolada que habita o MT. • ***Adj. 2 g.*** **2.** Pertencente ou relativo a esse povo.

iraponga ***S. f. Bras. Zool.*** V. *araponga* (1).

irapuá [Var. de *irapuã*.] ***S. m. Bras. Zool.*** Abelha meliponínea (*Trigona spinipes*), preta, reluzente, com pernas ocre-escuras, asas escuras com reflexos violáceos na base e mais claras nas pontas. É agressiva, daninha para certas plantas, mas ótima polinizadora, e constrói o ninho dependurado nas árvores. [Var.: *arapuá, arapuã, irapuã*. Sin.: *abelha-cachorro, abelha-de-cachorro, enrola-cabelo, guaxupé, mel-de-cachorro, torce-cabelo*.]

irapuã [Do tupi.] ***S. m. Bras. Zool.*** **1.** V. *irapuá*. **2.** V. *torce-cabelo* (1).

irapuense[1] ***Adj. 2 g.*** **1.** De, ou pertencente ou relativo a Irapuã (SP). • ***S. 2 g.*** **2.** O natural ou habitante de Irapuã.

irapuense[2] ***Adj. 2 g.*** **1.** De, ou pertencente ou relativo a Deputado Irapuã Pinheiro (CE). • ***S. 2 g.*** **2.** O natural ou habitante de Deputado Irapuã Pinheiro.

irapurá ***S. m. Bras. Zool.*** V. *uirapuru* (1).

irapuru ***S. m. Bras. Zool.*** **1.** V. *uirapuru* (1). **2.** V. *uirapuru-verdadeiro*.

irapuruense ***Adj. 2 g.*** **1.** De, ou pertencente ou relativo a Irapuru (SP). • ***S. 2 g.*** **2.** O natural ou habitante de Irapuru.

iraquarense ***Adj. 2 g.*** **1.** De, ou pertencente ou relativo a Iraquara (BA). • ***S. 2 g.*** **2.** O natural ou habitante de Iraquara.

iraquiano ***Adj.*** **1.** De, ou pertencente ou relativo ao Iraque (Ásia). • ***S. m.*** **2.** O natural ou habitante do Iraque. **3.** *Gloss.* Dialeto árabe falado no Iraque.

irar [De *ira* + *-ar*[2].] ***V. t. d.*** **1.** Causar ira a; irritar, agastar, encolerizar, enfurecer: *As calúnias iraram-no.* ***P.*** **2.** Irritar-se, agastar-se, encolerizar-se, enfurecer-se.

irara [Do tupi = 'mel', + o tupi = 'tomar'.] ***S. f. Bras. Zool.*** Animal carnívoro mustelídeo (*Tayra barbara*); jaguapé, papa-mel.

iraraense ***Adj. 2 g.*** **1.** De, ou pertencente ou relativo a Irará (BA). • ***S. 2 g.*** **2.** O natural ou habitante de Irará.

irascibilidade [De *irascível* + *-(i)dade*, seg. o padrão erudito.] ***S. f.*** Qualidade de irascível; iracúndia.

irascível [Do lat. *irascibile*.] ***Adj. 2 g.*** Que se ira com facilidade; iracundo, irritável: "Marcos Fragoso era de ânimo generoso, ornado de prendas de cavalheiro; mas tinha o gênio arrebatado e irascível." (José de Alencar, *O Sertanejo*, p. 249.)

ira-tapuia *Bras.* ***S. 2 g.*** **1.** *Etnôn.* Indivíduo dos iras-tapuias [ou (etnôn. bras.) *Ira-Tapuya], povo indígena extinto da família linguística aruaque que habitava a margem direita do rio Içana, a N.O. do AM. • ***Adj. 2 g.*** **2.** Pertencente ou relativo a esse povo. [Pl.: *iras-tapuias*.]

iratauá [Do tupi = 'ave amarela'.] ***S. m.*** **1.** *Bras. Zool.* Ave emberizídea icterínea (*Gymnomystax mexicanus*) da Amazônia, com cerca de 30cm de comprimento, coloração amarela, cauda, asas, mancha ao redor dos olhos e dorso pretos; iratauá-grande. **2.** Ave emberizídea icterínea (*Agelaius icterocephalus*) da Colômbia, Venezuela e Guianas até o rio Amazonas, com cerca de 17cm de comprimento, coloração preta, cabeça e garganta amarelo-vivo. A fêmea é parda, tem a parte inferior mais clara, e garganta amarelada; iratauá-pequeno. [Var.: *aratauá, aratanā, uiratauá*.]

iratauá-grande ***S. m. Bras. Zool.*** V. *iratauá* (1). [Pl.: *iratauás-grandes*.]

iratauá-pequeno ***S. m. Bras. Zool.*** V. *iratauá* (2). [Pl.: *iratauás-pequenos*.]

iratiense ***Adj. 2 g.*** **1.** De, ou pertencente ou relativo a Irati (PR). • ***S. 2 g.*** **2.** O natural ou habitante de Irati.

iratim [Do tupi.] ***S. m. Bras. Zool.*** V. *iraxim*.

irauçubense ***Adj. 2 g.*** **1.** De, ou pertencente ou relativo a Irauçuba (CE). • ***S. 2 g.*** **2.** O natural ou habitante de Irauçuba.

iraúna ***S. m. Bras. Zool.*** V. *graúna*.

iraxim [Var. de *iratim*.] ***S. f. Bras. Zool.*** Abelha meliponínea (*Lestrimelitta limao*), amplamente distribuída no Brasil, que constrói colméia, com entrada tubiforme, presa entre os galhos das árvores. Produz mel tóxico, costuma saquear outras colônias de abelhas, e exala cheiro de limão. [Var. e sin.: *aratim, arancim, iratim, abelha-limão, limão, limão-canudo, canudo*.]

ireceense (êên) ***Adj. 2 g.*** **1.** De, ou pertencente ou relativo a Irecê (BA). • ***S. 2 g.*** **2.** O natural ou habitante de Irecê.

irenarca [Do gr. *eirenárches*, pelo lat. *irenarcha*.] ***S. m.*** Magistrado do Império Romano com funções de policiamento em várias cidades do Egito e da Ásia Menor.

irenismo [Do gr. *eiréne*, 'paz', + *-ismo*.] ***S. m. Rel.*** Atitude conciliadora e compreensiva entre crentes de diferentes credos religiosos, particularmente entre igrejas cristãs de origem diversa. [Cf. *ecumenismo*.]

irenista [De *irenismo* + *-ista*.] ***Adj. 2 g.*** **1.** Relativo ao, ou que é adepto do irenismo. ● ***S. 2 g.*** **2.** Adepto do irenismo.

irerê [Do tupi (onom.)] ***S. m. e f.*** *Bras. Zool.* Ave anseriforme, anatídea (*Dendrocygna viduata*), dos rios e lagoas da África tropical, Antilhas e América do Sul. A parte anterior da cabeça e a garganta são de cor branca; o occipício é preto; dorso superior amarelado, raiado de escuro; dorso inferior, cauda, rêmiges, meio do peito e barriga, pretos; coxas e flancos listrados de branco. Sua voz repete as sílabas do seu nome popular. [Sin.: *assobiadeira*, *chega-e-vira*, *marreca-apaí*, *apaí*, *marreca-do-pará*, *marreca-piadeira*, *piadeira*, *marreca-viúva*.]

iretamense ***Adj. 2 g.*** **1.** De, ou pertencente ou relativo a Iretama (PR). ● ***S. 2 g.*** **2.** O natural ou habitante de Iretama.

ir e vir ***S. m.*** O ato de andar, de viajar, para lá e para cá: "Sua vida seria sempre um ir e vir sem parar." (Pedro Nava, *Beira-Mar*, p. 13.) [Pl.: *ires e vires*.] ☑

iri ***S. f.*** *Bras.* V. *airi*.

iriado [Part. de *iriar*.] ***Adj.*** Que tem as cores do arco-íris; matizado, irisado: "Círculos iriados dilatavam-se brilhando e desfaziam-se" (Coelho Neto, *Turbilhão*, p. 120); "por entre as folhas iriadas das begônias" (Bernardo Pinheiro Pindela, *Azulejos*, p. 96).

irial [De *íri(s)* (2) + *-al*[1].] ***Adj. 2 g.*** **1.** Pertencente ou relativo a íris. **2.** Brilhante, cintilante, iriante: "uma ampla corola eritrina, sulfurina, sandicina, purpurizada, irial, que, onímoda, onicolor, ... se cobaltiza, se ambreia, se acobreia" (Martins Fontes, *A Dança*, p. 64).

iriante [De *iriar* + *-nte*.] ***Adj. 2 g.*** Que iria; brilhante, cintilante, irisante: "Depois do abraço afetuoso e a gentileza das frases iriantes do escritor cearense, ... os conceitos quase entusiásticos do crítico fluminense" (Xavier Marques, *Vida de Castro Alves*, p. 121).

iriar ***V. t. d.*** **1.** Dar as cores do arco-íris a; abrilhantar, matizar: "por entre as ramas mal coava um ou outro raio de luar, iriando, como pérolas transparentes, as gotas d'água" (D. João da Câmara, *Contos*, p. 116). ***Int. P.*** **2.** Revestir-se das cores do arco-íris; matizar-se, irisar-se. [F. paral.: *irisar*.]

iriceca [De or. indígena.] ***S. f.*** *Bras. Zool.* **1.** V. *bagre-amarelo* (1). **2.** V. *guarijuba*.

iriçurana [Do tupi.] ***S. f.*** *Bras. Bot.* **1.** V. *folha-redonda*. **2.** Árvore euforbiácea (*Alchornea sidaefolia*) nativa do Brasil, de folhas elípticas e inflorescências axilares, cuja madeira branca é utilizada em tabuado e vigas em obras internas; tapiá, tapiá-mirim, urucurana.

iricuri ***S. m.*** *Bras. Bot.* V. *aricuri*.

iridácea [Do lat. cient. *Irid-* (do tax. *Iris*, do lat. *iris*, *idis*) + *-ácea*; tax. *Iridaceae*.] ***S. f.*** *Bot.* Espécime das iridáceas, família de plantas monocotiledôneas, da ordem das liliifloras, providas de rizomas, bulbos ou tubérculos. Perianto de seis peças corolinas, actinomorfo ou zigomorfo; estames em número de três, com anteras extrorsas; ovário ínfero, multiovulado; fruto capsular, trilocular ou unilocular, abrindo-se pelos lóculos. Há mais de 1.000 espécies, sobretudo nos países temperados, poucas das quais brasileiras. Muitíssimas são ornamentais e comuns nos jardins, como a palma-de-santa-rita.

iridáceo [De *iridácea*, com var. suf. (v. *-áceo*).] ***Adj.*** *Bot.* Pertencente ou relativo às iridáceas.

irideca [F. errônea, talvez, por *iriceca*.] ***S. f.*** *Bras. Zool.* V. *bagre-amarelo* (1).

iridectomia [De *irid(o)-* + *-ectom-* + *-ia*[1].] ***S. f.*** *Oftalm.* Operação em que se faz a excisão de parte de íris.

iridectómico ***Adj.*** V. *iridectômico*. [Uso freq. em P.]

iridectômico [De *iridectomia* + *-ico*[2].] ***Adj.*** Respeitante à iridectomia.

iridectopia [De *irid(o)-* + *-ectop-* + *-ia*[1].] ***S. f.*** *Oftalm.* Posição anômala de íris.

iridectópico [De *iridectopia* + *-ico*[2].] ***Adj.*** *Oftalm.* Relativo à iridectopia.

iridemia [De *irid(o)-* + *-emia*.] ***S. f.*** *Patol.* Hemorragia irial.

iridémico ***Adj.*** V. *iridêmico*. [Uso freq. em P.]

iridêmico [De *iridemia* + *-ico*[2].] ***Adj.*** *Patol.* Relativo à iridemia.

irideremia [De *irid(o)-* + gr. *eremía*, 'privação de'.] ***S. f.*** *Oftalm.* Anomalia congênita que consiste em ausência de íris.

iridescente [Do fr. *iridescent*.] ***Adj. 2 g.*** Que apresenta ou reflete as cores do arco-íris: "Frederico fitou os olhos na coroa do rio onde o Sol agora mergulhava a sua luz iridescente." (Eduardo Campos, *O Chão dos Mortos*, p. 181.)

irídico [De *irídio* + *-ico*[2].] ***Adj.*** Relativo ao irídio.

iridífero [De *irídio* + *-fero*.] ***Adj.*** Que contém irídio.

irídio [Do lat. cient. *iridium*.] ***S. m.*** *Quím.* Elemento de número atômico 77, metálico, duro, brilhante, muito denso, utilizado em ligas especiais [símb.: *Ir*].

iridite [De *irid(o)-* + *-ite*[1].] ***S. f.*** *Oftalm.* Irite.

▲**irid(o)-** [Do gr. *íris*, *íridos*, ou do tax. *Iris* (< gr.).] ***El. comp.*** = 'íris': *iridescente* (< fr.); *iridoplegia*. [Em *Quím.*, como antepositivo, significa 'relativo a iridácea': *iridina*.] [Equiv.: *-irid(o)-*: *aniridia*.]

▲**-irid(o)-** Equiv. de *irid(o)-*.

iridocinesia [De *irid(o)-* + *-cines(i)-* + *-ia*[1].] ***S. f.*** *Oftalm.* Movimentos de contração e expansão irial.

iridócito [De *irid(o)-* + *-cito*.] ***S. m.*** *Zool.* Célula que ocorre, esp., na pele de peixes e reptis, e que tem iridescência esverdeada devido à presença de guanina.

iridoide (ói) [De *irid(o)-* + *-oide*.] *Quím.* ***S. m.*** **1.** Designação genérica de certos monoterpenoides cujas estruturas têm anel de ciclopentano ger. fundido a anel heterocíclico oxigenado ● ***Adj. 2 g.*** **2.** Relativo ou próprio de iridoide. ❖

iridoncose [De *irid(o)-* + *-oncose*.] ***S. f.*** *Oftalm.* Tumor irial.

iridoplegia [De *irid(o)-* + *-pleg-* + *-ia*[1].] ***S. f.*** *Oftalm.* Paralisia irial.

iridoplégico [De *iridioplegia* + *-ico*[2].] ***Adj.*** *Oftalm.* Relativo à iridoplegia.

iridotomia [De *irid(o)-* + *-tom(o)-* + *-ia*[1].] ***S. f.*** *Oftalm.* Incisão irial.

iridotómico ***Adj.*** V. *iridotômico*. [Uso freq. em P.]

iridotômico [De *iridiotomia* + *-ico*[2].] ***Adj.*** *Oftalm.* Relativo à iridotomia.

irimirim ***S. f.*** *Bras. Bot.* Airimirim.

irineopolitano (e-o) ***Adj.*** **1.** De, ou pertencente ou relativo a Irineópolis (SC). ● ***S. m.*** **2.** O natural ou habitante de Irineópolis.

iriribá ***S. m.*** *Bras. Bot.* V. *araribá*.

iriribá-amarelo ***S. m.*** *Bras. Bot.* V. *araribá*. [Pl.: *iriribás-amarelos*.]

iriribá-rosa ***S. m.*** *Bras. Bot.* V. *araribá-rosa*. [Pl.: *iriribás-rosas*.]

íris[1] [Do lat. *iris*.] ***S. f. e m. 2 n.*** **1.** O espectro solar: "as cores do íris vão-se espalhando pelo céu até o afogarem num pélago de tintas gloriosas" (Afonso Arinos, *Notas do Dia*, p. 12). **2.** Certa pedra preciosa, quartzo irisado: "e um íris de mil matizes / na breve cinta apertado" (Tomás Ribeiro, *D. Jaime*, p. 8). **3.** *Anat.* Cada uma das duas membranas circulares e pigmentadas, presentes em cada olho, em cujo centro se encontra um orifício dito *pupila*, e situada posteriormente a cada córnea. **4.** *Ópt.* Diafragma íris. **5.** *Fig.* Paz, bonança. [Cf. *ires*, do v. *ir*, e *iriz*, s. f.]

íris[2] [Do tax. *Iris*.] ***S. f. 2 n.*** *Bot.* **1.** Gênero-tipo da família das iridáceas, que compreende plantas herbáceas perenes que se desenvolvem a partir de rizomas ou bulbos, têm folhas lineares ou ensiformes, ger. basilares, caules eretos dos quais brotam flores de cores vivas, que são, quase sempre, efêmeras. **2.** Espécie ou espécime desse gênero, ou a flor dele. [Cf. *ires*, do v. *ir*, e *iriz*, s. f.]

irisação [De *irisar* + *-ção*.] ***S. f.*** **1.** Ato ou efeito de irisar(-se). **2.** Propriedade que têm certos corpos de produzir raios coloridos, como o arco-íris. **3.** Os reflexos assim produzidos.

irisado [Part. de *irisar*.] ***Adj.*** **1.** Iriado: "A luz multiplicava-se no seio do cristal em centos de imagens fulgentes e irisadas" (Fialho d'Almeida, *Contos*, p. 63). **2.** Diz-se do efeito furta-cor que aparece em tecido sob incidência de luz. ~ V. *impressão —a*.

irisante [De *irisar* + *-nte*.] ***Adj. 2 g.*** V. *iriante*: "As primeiras coisas vivas e irisantes / Que Noé viu / Quando as águas desceram e o cimo dos montes / Verde e alagado surgiu" (Fernando Pessoa, *Poemas de Alberto Caeiro*, p. 43).

irisar [De *íris* + *-ar*[2].] ***V. t. d. Int. P.*** V. *iriar*: "a luz velada .... refletia-se-lhe no corpo, irisando-lhe o peito e o ventre de tons adamascados" (Urbano Tavares Rodrigues, *Vida Perigosa*, pp. 143-144); "os poetas do Brasil quando descrevem a natureza, julgam-se, em geral, obrigados a irisar as frases e a falar em tom solene." (E. Roquete-Pinto, *Seixos Rolados*, p. 309); "forma humana impalpável exalando uma emanação de oiro fluido, e cintilando, flamejando, irisando-se em todas as cores do espectro solar." (Júlio Dantas, *Espadas e Rosas*, p. 100). [Cf. *irizar*.]

➔**irish coffee** ['ajɹɪʃ 'kɔfij] [Ingl.] ***S. m.*** Café (2) com uísque e creme de leite.

irisopsia [De *íris* + *-opsia*.] ***S. f.*** *Oftalm.* Perturbação da visão, de que resulta serem os objetos vistos com contornos irisados.

iritataca ***S. f.*** *Bras. Zool.* V. *jaritataca*.

irite [De *íris* + *-ite*[1].] ***S. f.*** *Oftalm.* Inflamação irial; iridite.

iritinga [De or. tupi.] ***S. f.*** *Bras. Amaz. Zool.* V. *bagre-branco* (1).

irituiense ***Adj. 2 g.*** **1.** De, ou pertencente ou relativo a Irituia (PA). ● ***S. 2 g.*** **2.** O natural ou habitante de Irituia.

iriz ***S. f.*** *Bras. RJ* Certa doença que dá no cafeeiro. [Cf. *íris*, s. f. e s. m., e *Íris*, mit., antr. e top.]

irizar [De *iriz* + *-ar*[2].] ***V. int.*** *Bras. RJ* Ser (o cafeeiro) atacado de iriz. [Cf. *irisar*.]

irlandês ***Adj.*** **1.** Da, ou pertencente ou relativo à Irlanda (Europa). ● ***S. m.*** **2.** O natural ou habitante da Irlanda. **3.** *Gloss.* Gaélico-irlandês. [Flex.: *irlandesa* (ê), *irlandeses* (ê), *irlandesas* (ê).]

irmã ***S. f.*** Fem. de *irmão*. ◆ **Irmã de caridade.** Religiosa que se dedica ao tratamento de enfermos; irmã hospitaleira. **Irmã hospitaleira.** Irmã de caridade. **Irmã Paula. 1.** Mulher extremamente caridosa. **2.** *P. ext.* Qualquer pessoa caridosa em extremo. **As nove irmãs.** *Poét.* As musas.

irmanação [De *irmanar* + *-ção*.] ***S. f.*** Ato ou efeito de irmanar(-se).

irmanar [De *irmão* + *-ar*[2].] ***V. t. d. T. d. e i.*** **1.** Tornar irmão; unir por laços fraternais: "e agora podeis sorrir, vendo o trabalho irmanar pretos e brancos" (Olavo Bilac, *Crítica e Fantasia*, p. 281). **2.** Igualar, unir, emparelhar: "Para os igualar na adversidade, como os irmanara no estro, não faltou a fortuna a Cervantes nem a Camões com as acusações de má gerência e de infidelidade no desempenho dos seus ofícios." (Latino Coelho, *Cervantes*, p. 104); *A verdadeira justiça irmana o pobre ao rico.* ***P.*** **3.** Unir-se, ajuntar-se, igualar-se.

irmandade [Do lat. *germanitate*.] ***S. f.*** **1.** Parentesco entre irmãos. **2.** Associação de caráter religioso; confraria. **3.** União ou intimidade fraternal; confraternidade.

irmão [Do lat. *germanu*.] ***S. m.*** **1.** Filho do mesmo pai e da mesma mãe, ou só do mesmo pai (irmão consanguíneo) ou só da mesma mãe (irmão uterino), em relação a outro(s) filho(s). **2.** Membro de confraria ou de irmandade. **3.** Correligionário, confrade, camarada. **4.** Frade ou religioso que não recebe as ordens sacras, embora tenha emitido os votos. **5.** *Maç.* Membro da maçonaria. **6.** Frade que não exerce cargos superiores: "Os franciscanos guardam estes lugares santos. Um irmão espanhol nos fala das descobertas .... dos sábios sobre as origens da velha Basílica." (José Lins do Rego, *Gregos e Troianos*, p. 152.) **7.** *Fig.* Coisa semelhante a outra na forma, disposição, origem, etc.: *Minha fazenda é irmã da sua: repare no estampado.* **8.** *Fig.* Um dos componentes de um par (animal, objeto): *Conseguiste no antiquário um belo castiçal, e acho que o irmão dele está lá em casa.* **9.** *Gír.* Companheiro; camarada; meu chapa. [Us. em geral no vocativo: *Vê se serve logo esta mesa, irmão!*] ● ***Adj.*** **10.** Diz-se de objetos que se emparelham, que são semelhantes entre si: *almas irmãs.* [Flex.: *irmã*, *irmãos*, *irmãs*.] ~ V. *primos —*. ◆ **Falso irmão.** *Maç.* Irmão que trai seus juramentos. **Irmãos colaços.** Pessoas amamentadas pela mesma mulher, embora filhas de mães diferentes; irmãos de leite. **Irmãos consanguíneos.** V. *irmão* (1). **Irmãos de armas.** Camaradas de guerra. **Irmãos de criação.** Pessoas criadas juntas sem serem irmãs. V. *irmão* (1). **Irmãos de leite.** Irmãos colaços. **Irmãos morávios.** Grupo cristão dissidente precursor da reforma protestante, constituído na Morávia em 1457, e que veio a florescer em 1722 em Herrnhut (v. *hernuto*). **Irmãos siameses.** Pessoas que são inseparáveis (por alusão aos irmãos gêmeos Chang e Eng, nascidos em 1811 na Tailândia e mortos em Nova Iorque em 1874, ligados entre si por uma membrana situada à altura do peito). [V. *xifópago*.] **Irmãos uterinos.** 1. V. *irmão* (1).

irmão da opa ***S. m.*** *Pop.* V. *ébrio* (8): "Um qualquer irmão da opa empanturrou-se de bebidas e cambaleando, ... *cercando frango*, foi escorar-se numa esquina." (Leonardo Mota, *No Tempo de Lampião*, p. 106.) [Pl.: *irmãos da opa*.] ☑

iroco (ô) [Do ior.] ***S. m.*** **1.** *Afric. Bot.* V. *gameleira-branca*. **2.** *Afric. Bot.* Árvore urticácea (*Clorophora excelsa*) nativa da África tropical: "Como se já não houvesse sombra sob o iroco, uma outra sombra ainda mais escura" (Ana Maria Gonçalves, *Um Defeito de Cor*, p. 22). **3.** *Rel.* Orixá nagô cuja morada e epifania é, na África, o iroco (2), e, no Brasil, a gameleira-branca, árvores que se usa adornar com laços de pano e que recebe oferendas de alimentos em suas raízes. [Com cap., nesta acepç.; cf. *Loco*.]

➔ **iron** ['ajɚn] [Ingl.] ***S. m.*** *Esport.* No golfe, taco de cabeça estreita, de aço, e que é numerado de um a nove, de acordo com sua inclinação.

irona [De *ír(is)*[2] + *-ona*[2].] ***S. f.*** *Quím.* Qualquer de três substâncias terpenoides líquidas (α-irona, β-irona e γ-irona), das quais a primeira é o constituinte principal do perfume da violeta, e a última, da íris[2] (1), e cujas estruturas são semelhantes às das iononas, contendo, porém, uma metila adicional [fórm.: $C_{14}H_{22}O$].

ironia [Do gr. *eironeía*, 'interrogação', 'dissimulação', pelo lat. *ironia*.] ***S. f.*** **1.** Modo de exprimir-se que consiste em dizer o contrário daquilo que se está pensando ou sentindo, ou por pudor em relação a si próprio ou com intenção depreciativa e sarcástica em relação a outrem: *Voltaire foi um mestre da ironia.* 2. Contraste fortuito que parece um escárnio: *ironia do destino.* 3. Sarcasmo, zombaria. ◆ **Ironia socrática.** *Filos.* Modo de interrogar pelo qual Sócrates (v. *socratismo*) levava o interlocutor ao reconhecimento da sua própria ignorância.

irónico *Adj.* V. *irônico*: "antipatizou (Maria Maximina) com o marido, a quem .... dedicava uma atenção levemente irónica" (Agustina Bessa-Luís, *Memórias Laurentinas*, p. 9). [Uso freq. em P.]

irônico [Do gr. *eironikós*, pelo lat. tard. *ironicu.*] *Adj.* 1. Em que há ironia. 2. Sarcástico, zombeteiro. [Var. pros., lus.: *irónico.*]

ironismo [De *ironia* + *-ismo.*] *S. m.* Pendor para o emprego da ironia.

ironista [De *ironia* + *-ista.*] *S. 2 g.* Escritor, orador ou pessoa qualquer que emprega a ironia com frequência.

ironizar [De *ironia* + *-izar.*] *V. t. d.* 1. Manifestar-se com ironia a respeito de; fazer ironia sobre: *Ironizou a autossuficiência do medalhão; Apraz-lhe ironizar a tolice humana.* 2. Fazer ironia com: "O ser que é ser transforma tudo em flores... / E para ironizar as próprias dores / Canta por entre as águas do Dilúvio!" (Cruz e Sousa, *Últimos Sonetos*, p. 180.) 3. Dizer ou escrever com ironia: "Como mais tarde com o Brasil, Palmerston não admitia protestos e ironizava que Portugal poderia declarar guerra, o que facilitaria sua ação." (José Honório Rodrigues, *Vida e História*, p. 166.) *Int.* 4. Fazer ironia; troçar, zombar.

iroquês [Do algonquino *irinakoiw*, 'verdadeiras víboras', pelo fr. *iroquois.*] *S. m.* 1. Indivíduo dos iroqueses, família indígena norte-americana. 2. Uma das seis tribos pertencentes a essa família. 3. Confederação guerreira dessas seis tribos, estabelecida na região dos lagos Eriê e Ontário. 4. *Gloss.* Grupo de línguas indígenas da América do Norte que inclui o cheroqui e o oneida. ● *Adj.* 5. Relativo ou pertencente aos iroqueses. [Flex.: *iroquesa* (ê), *iroqueses* (ê), *iroquesas* (ê).]

iroso (ô) [De *ira* + *-oso.*] *Adj.* 1. Cheio de ira; irascível. 2. *Fig.* Tempestuoso, proceloso.

irra *Interj.* Exprime raiva, repulsa, desaprovação, desprezo; ápage, apre, fora.

irraciocinado [De *ir-*[2] + *raciocinado.*] *Adj.* Que se faz ou gera sem raciocínio ou reflexão; não raciocinado: "Nem ciúmes irraciocinados nem momentos de mau humor" (Domingos Monteiro, *Enfermaria, Prisão e Casa Mortuária*, p. 27).

irracional [Do lat. *irrationale.*] *Adj. 2 g.* 1. Não racional; onde a razão não intervém. 2. Que não raciocina. 3. Contrário à razão; irracionável, irrazoável. ~ V. *animal —, equação —, equação algébrica — e número —.* ● *S. m.* 4. Animal desprovido de raciocínio. 5. *Mat.* Número irracional.

irracionalidade [De *irracional* + *-(i)dade.*] *S. f.* 1. Qualidade de irracional. 2. Falta de raciocínio ou de razão.

irracionalismo [De *irracional* + *-ismo.*] *S. m. Filos.* Doutrina que nega à razão e à ciência o poder de conhecer a verdade e de resolver os problemas do homem, atribuindo esse poder a outros princípios não racionais, como, p. ex., a vontade, a intuição, os instintos, a sensibilidade, etc. [Sin., p. us.: *anti-intelectualismo.* Cf. *intuicionismo, voluntarismo, filosofias da vida.*]

irracionalizar [De *irracional* + *-izar.*] *V. t. d.* Tornar irracional.

irracionável [Do lat. tard. *irrationabile.*] *Adj. 2 g.* Irracional (3).

irradiação [Do lat. tard. *irradiatione.*] *S. f.* 1. Ato ou efeito de irradiar(-se). 2. *Fís. Nucl.* Bombardeio duma substância por um feixe de partículas. 3. *Terap.* Tratamento feito mediante o uso de raios X ou de outra forma de radiatividade. 4. V. *irradiância.*

irradiador (ô) [De *irradiar* + *-dor.*] *Adj.* Irradiante (1).

irradiância [De *irradiar* + *-ância.*] *S. f. Fís.* Quantidade de energia solar incidente, por unidade de tempo, numa superfície unitária, ger. medida em watt/m². [Sin.: *irradiação e intensidade de radiação.*]

irradiante [Do lat. tard. *irradiante.*] *Adj. 2 g.* 1. Que irradia; irradiador. 2. Que projeta em diversas direções raios ou coisas comparáveis a raios. 3. *Fig.* V. *esfuziante* (2 e 3).

irradiar [Do lat. tard. *irradiare.*] *V. t. d.* 1. Lançar de si, emitir, expedir (raios luminosos, caloríficos, etc.), em sentido centrífugo: *O Sol irradia a luz que permite a vida.* 2. Espalhar, propagar, difundir: "A obra de Balzac, à medida que foi crescendo, começou a irradiar influência no sentido da observação dos costumes" (Alberto Pimentel, *O Romance do Romancista*, p. 232). 3. Transmitir por meio de radiodifusora: *A emissora oficial irradiará o discurso do Presidente.* 4. *Fís. Nucl.* Submeter (substância) à ação de feixes de partículas ou de raios X. *T. i.* 5. Propagar-se, difundir-se: *Um forte calor humano irradiava de seus olhos.* *Int.* 6. Expedir raios luminosos: "O sol irradia sobre a extensão infinita da paisagem" (Olavo Bilac, *Crítica e Fantasia*, p. 34). 7. Desenvolver-se a partir de um ponto para as partes circundantes. *P.* 8. Difundir-se, espalhar-se, propagar-se. 9. Transmitir-se por meio de aparelhos radiofônicos.

irrazoável [De *ir-*[2] + *razoável.*] *Adj. 2 g.* V. *irracional* (3): "Juntava irrazoáveis razões para acusar Carolinda." (Mia Couto, *Terra Sonâmbula*, p. 207.)

irré *S. f. Bras. Zool.* V. *maria-cavaleira.*

irreajustabilidade [De *irreajustável* + *-(i)dade*, seg. o padrão erudito.] *S. f.* Qualidade de irreajustável.

irreajustável [De *ir-*[2] + *reajustável.*] *Adj. 2 g.* Não reajustável: *preço irreajustável.*

irreal [De *ir-*[2] + *real*[2].] *Adj. 2 g.* 1. Não real; imaginário: "tudo se passava com uma lentidão de sonho, com uma doçura quase irreal." (José-Augusto França, *Despedida Breve*, p. 189). 2. *E. Ling.* Diz-se do irreal (3). ~ V. *modo —.* ● *S. m.* 3. *E. Ling.* Modo irreal (q. v.).

irrealidade [De *irreal* + *-(i)dade.*] *S. f.* Qualidade, estado ou condição daquilo que é irreal.

irrealismo [De *irreal* + *-ismo.*] *S. m.* Qualidade ou estado do que é irreal.

irrealizabilidade [De *irrealizável* + *-(i)dade*, seg. o padrão erudito.] *S. f.* Qualidade de irrealizável.

irrealizado [De *ir-*[2] + *realizado.*] *Adj.* 1. Que não se tornou realidade, não se realizou ou efetivou; malogrado, frustrado: *sonhos irrealizados.* 2. Que não se realizou, não realizou o seu desejo, a sua aspiração, a sua vocação; malogrado, frustrado: "E um artista irrealizado, esse homem difícil, nervoso, à procura" (Antônio Carlos Vilaça, *O Nariz do Morto*, p. 162).

irrealizável [De *ir-*[2] + *realizável.*] *Adj. 2 g.* Não realizável.

irrebatível [De *ir-*[2] + *rebatível.*] *Adj. 2 g.* Não rebatível. [Pl.: *irrebatíveis.*]

irreclamabilidade [De *irreclamável* + *-(i)dade*, seg. o padrão erudito.] *S. f.* Qualidade de irreclamável.

irreclamável [De *ir-*[2] + *reclamável.*] *Adj. 2 g.* Que não pode ou não deve ser reclamado.

irreclinável [De *ir-*[2] + *reclinável.*] *Adj. 2 g.* Que não se pode reclinar: *cadeira irreclinável.*

irrecobrabilidade *S. f.* Qualidade de irrecobrável; irrecuperabilidade.

irrecobrável [De *ir-*[2] + *recobrável.*] *Adj. 2 g.* Não recobrável; irrecuperável.

irreconciliabilidade [De *irreconciliável* + *-(i)dade*, seg. o padrão erudito.] *S. f.* Qualidade de irreconciliável.

irreconciliado [De *ir-*[2] + *reconciliado.*] *Adj.* Não reconciliado.

irreconciliável [Do lat. tard. *irreconciliabile.*] *Adj. 2 g.* Que não se pode reconciliar: "Partidos irreconciliáveis, partidários que se detestam, conciliam-se e amam-se, por um minuto ao menos." (Machado de Assis, *A Semana*, II, pp. 135-136.)

irreconhecibilidade [De *irreconhecível* + *-(i)dade*, seg. o padrão erudito.] *S. f.* Qualidade de irreconhecível.

irreconhecível [De *ir-*[2] + *reconhecível.*] *Adj. 2 g.* Não reconhecível.

irrecorribilidade [De *irrecorrível* + *-(i)dade*, seg. o padrão erudito.] *S. f.* Qualidade de irrecorrível.

irrecorrível [De *ir-*[2] + *recorrível.*] *Adj. 2 g.* De que não se pode recorrer: *sentença irrecorrível.*

irrecuperabilidade [De *irrecuperável* + *-(i)dade*, seg. o padrão erudito.] *S. f.* Qualidade de irrecuperável; irrecobrabilidade.

irrecuperável [Do lat. tard. *irrecuperabile.*] *Adj. 2 g.* Não recuperável; irrecobrável.

irrecusabilidade [De *irrecusável* + *-(i)dade*, seg. o padrão erudito.] *S. f.* Qualidade de irrecusável.

irrecusável [Do lat. tard. *irrecusabile.*] *Adj. 2 g.* 1. Que não se pode recusar. 2. Incontestável, inegável, irrefragável: *prova irrecusável*; "um testemunho irrecusável [as cãs dos velhos] de que viram e viveram muito" (Rebelo da Silva, *Contos e Lendas*, p. 76).

irredentismo [Do it. *irredentismo.*] *S. m.* 1. Movimento italiano de reivindicação, depois de 1870, dos territórios que tinham permanecido como possessões austríacas. 2. Política de libertar de poder estranho povos com afinidades étnicas, culturais, etc.

irredentista [Do it. *irredentista.*] *Adj. 2 g.* 1. Relativo ao, ou que é partidário do irredentismo. ● *S. 2 g.* 2. Partidário do irredentismo.

irredento [Do it. *irredento.*] *Adj.* Não redimido.

irredimível [De *ir-*[2] + *redimível.*] *Adj. 2 g.* Irremível.

irredutibilidade [De *irredutível* + *-(i)dade*, seg. o padrão erudito.] *S. f.* Qualidade de irredutível.

irredutível [De *ir-*[2] + *redutível.*] *Adj. 2 g.* 1. Que não se pode reduzir. 2. Indomável; invencível. 3. Indecomponível. [F. paral.: *irreduzível.*] ~ V. *hérnia — e raiz —.*

irreduzível [De *ir-*[2] + *reduzível.*] *Adj. 2 g.* V. *irredutível.*

irreelegibilidade [De *irreelegível* + *-(i)dade*, seg. o padrão erudito.] *S. f.* Qualidade de irreelegível.

irreelegível [De *ir-*[2] + *reelegível.*] *Adj. 2 g.* Que não pode ser reeleito; não reelegível.

irrefletidamente [Do f. de *irrefletido* + *-mente.*] *Adv.* De modo irrefletido; sem reflexão.

irrefletido [De *ir-*[2] + *refletido.*] *Adj.* Que não reflete; impensado, inconsiderado; irreflexivo, irreflexo.

irreflexão (cs) [De *ir-*[2] + *reflexão.*] *S. f.* 1. Falta de reflexão. 2. Precipitação, imprudência.

irreflexivo (cs) [De *ir-*[2] + *reflexivo.*] *Adj.* V. *irrefletido.*

irreflexo (cs) [Do lat. tard. *irreflexu.*] *Adj.* 1. Que não faz reflexo. 2. V. *irrefletido.*

irreformabilidade [De *irreformável* + *-(i)dade*, seg. o padrão erudito.] *S. f.* Qualidade de irreformável.

irreformável [Do lat. tard. *irreformabile.*] *Adj. 2 g.* Não reformável.

irrefragabilidade [De *irrefragável* + *-(i)dade*, seg. o padrão erudito.] *S. f.* Qualidade de irrefragável.

irrefragável [Do lat. tard. *irrefragabile.*] *Adj. 2 g.* Incontestável, irrecusável, irrefutável: "E para que um discurso tão importante e tão grave vá assentado sobre fundamentos sólidos e irrefragáveis, suponho primeiramente que sem restituição do alheio não pode haver salvação." (Pe. Antônio Vieira, *Sermões*, III, p. 319.)

irrefrangível [De *ir-*[2] + *refrangível.*] *Adj. 2 g.* Que não sofre refração; não refrangível.

irrefreável [Do lat. tard. *irrefrenabile.*] *Adj. 2 g.* Que não pode ser refreado; irreprimível.

irrefreavelmente (à) [De *irrefreável* + *-mente.*] *Adv.* De maneira irrefreável; irreprimivelmente.

irrefutabilidade [De *irrefutável* + *-(i)dade*, seg. o padrão erudito.] *S. f.* Qualidade de irrefutável.

irrefutado [De *ir-*[2] + *refutado.*] *Adj.* Não refutado; incontestado.

irrefutável [Do lat. tard. *irrefutabile.*] *Adj. 2 g.* Que não se pode refutar; evidente, irrecusável, incontestável.

irregenerado [De *ir-*[2] + *regenerado.*] *Adj.* Não regenerado; impenitente, relapso.

irregenerável [De *ir-*[2] + *regenerável.*] *Adj. 2 g.* Que não se pode regenerar; incorrigível.

irregressível [Do lat. tard. *irregressibile.*] *Adj. 2 g.* 1. Que não pode regressar. 2. Donde não pode haver regresso.

irregular[1] [Do lat. tard. *irregulare.*] *Adj. 2 g.* 1. Não regular; anormal: *vida irregular; conduta irregular; feições irregulares; formato irregular; aluno irregular.* 2. Inconstante, vário, desigual: *gênio irregular; caráter irregular.* 3. De tamanho variável; desigual: "Ao longo das pedras irregulares do calçamento passam ventando umas pobres folhas amarelas em pânico" (Mário Quintana, *Sapato Florido*, p. 70). 4. Contrário à lei ou à justiça: *prisão irregular.* 5. *E. Ling.* Que não segue um paradigma ou regra: *verbo irregular; plural irregular.* 6. *Maç.* Diz-se de loja maçônica clandestina, ou de quem nela é iniciado. 7. *Mil.* Diz-se de tropa não pertencente ao exército de linha, dita *regular*. ~ V. *verbo —.* ● *S. 2 g.* 8. *Rel.* Pessoa que incorreu em irregularidade canônica. ~ V. *irregulares.*

irregular[2] [Adapt. do tax. *Irregularia.*] *Zool.* *S. m.* 1. Espécime dos irregulares, subclasse de metazoários, equinodermos, equinoides, que têm o ânus marginal, na superfície oral ou aboral; presença de leve simetria bilateral secundária. ● *Adj. 2 g.* 2. Pertencente ou relativo a eles. [Sin. ger.: *exociclo, exociclóideo.*]

irregularidade [De *irregular*[1] + *-(i)dade.*] *S. f.* 1. Qualidade de irregular. 2. Falta de regularidade: *A irregularidade na entrega da revista fê-la perder muitos assinantes.* 3. Procedimento, ação ou situação irregular.

irreiterabilidade [De *irreiterável* + *-(i)dade*, seg. o padrão erudito.] *S. f.* Qualidade de irreiterável.

irreiterável [De *ir-*[2] + *reiterável.*] *Adj. 2 g.* Não reiterável. [Pl.: *irreiteráveis.*]

irrelevância [De *ir-*[2] + *relevância.*] *S. f.* 1. Falta de relevância. 2. Coisa irrelevante: "Se possível, esqueçamos, por um momento, as novelas, as partidas de futebol, as revistas de fofoca, os programas de auditório apelativos, toda a miríade, enfim, de irrelevâncias com que nos 'brinda' a mídia onipresente" (Cláudio Guimarães dos Santos, em *Folha de S.Paulo*, 25.04.2008).

irrelevante [De *ir-*[2] + *relevante.*] *Adj. 2 g.* 1. Não relevante. 2. De pouca ou nenhuma importância; irrisório.

irreligião [Do lat. tard. *irreligione.*] *S. f.* 1. Falta de religião. 2. Ateísmo, incredulidade, impiedade.

irreligiosidade [Do lat. tard. *irreligiositate.*] *S. f.* Qualidade de irreligioso; falta de religião; irreligião: "Quando disparo a falar, justificando a minha irreligiosidade, ele entristece: não .... pelo que digo, mas porque percebe que não captei o toque de Deus." (Geraldo França de Lima, *Branca Bela*, p. 17.)

irreligioso (ô) [Do lat. *irreligiosu.*] *Adj.* **1.** Não religioso. **2.** Ateu, ímpio.

irremeável [Do lat. *irremeabile.*] *Adj. 2 g. Poét.* Por onde não se pode tornar a passar; irregressível.

irremediabilidade [De *irremediável* + *-(i)dade,* seg. o padrão erudito.] *S. f.* Qualidade de irremediável.

irremediável [Do lat. *irremediabile.*] *Adj. 2 g.* **1.** Não remediável; sem remédio. **2.** Infalível, fatal, inevitável.

irremissibilidade [De *irremissível* + *-(i)dade,* seg. o padrão erudito.] *S. f.* Qualidade de irremissível.

irremissível [Do lat. tard. *irremissibile.*] *Adj. 2 g.* **1.** Que não se pode remitir ou perdoar. **2.** Irremediável, inevitável: "penso no que seria o desespero, a irremissível catástrofe deste homem, sem família, sem noiva, sem amigos, ... se viesse .... a convencer-se de que era uma loucura essa quimera onde fechou o futuro a sete chaves." (Antônio Patrício, *Serão Inquieto,* p. 102).

irremitente [De *ir-*^{2} + *remitente.*] *Adj. 2 g.* Não remitente; que não remite ou diminui.

irremível [De *ir-*^{2} + *remível.*] *Adj. 2 g.* Que não pode ser remido; irredimível.

irremovibilidade [De *irremovível* + *-(i)dade,* seg. o padrão erudito.] *S. f.* Qualidade de irremovível.

irremovível [De *ir-*^{2} + *removível.*] *Adj. 2 g.* Que não pode ser removido ou evitado; não removível: *obstáculo irremovível;* "É claro que não me assistia o dever irremovível de tomar conhecimento de todas as manifestações da vida ouro-pretana naquele dia" (Carlos Drummond de Andrade, *Passeios na Ilha,* p. 69). ~ V. *descontinuidade* —.

irremunerabilidade [De *irremunerável* + *-(i)dade,* seg. o padrão erudito.] *S. f.* Qualidade de irremunerável.

irremunerado [Do lat. tard. *irremuneratu.*] *Adj.* Não remunerado; sem recompensa.

irremunerável [Do lat. tard. *irremunerabile.*] *Adj. 2 g.* Que não pode ser remunerado; impagável.

irrenunciabilidade [De *irrenunciável* + *-(i)dade,* seg. o padrão erudito.] *S. f.* Qualidade de irrenunciável.

irrenunciável [De *ir-*^{2} + *renunciável.*] *Adj. 2 g.* Que não se pode renunciar; inabdicável. [Pl.: *irrenunciáveis.*]

irreparabilidade [De *irreparável* + *-(i)dade,* seg. o padrão erudito.] *S. f.* Qualidade ou caráter de irreparável.

irreparável [Do lat. *irreparabile.*] *Adj. 2 g.* Que não se pode reparar, recuperar ou suprir: *dano irreparável; perda irreparável.*

irrepartível [De *ir-*^{2} + *repartível.*] *Adj. 2 g.* Que não pode ser repartido; indivisível.

irreplegível [Do lat. **irreplegibile.*] *Adj. 2 g.* **1.** Que não se pode encher. **2.** Que não pode encher-se ou fartar-se; insaciável.

irreplicável [De *ir-*^{2} + *replicável.*] *Adj. 2 g.* A que não se pode replicar; irrespondível.

irrepreensibilidade [De *irrepreensível* + *-(i)dade,* seg. o padrão erudito.] *S. f.* Qualidade de irrepreensível.

irrepreensível [Do lat. tard. *irreprehensibile.*] *Adj. 2 g.* Que não merece repreensão; não repreensível; perfeito, correto: "Irrepreensível nas maneiras, tinha [Zacarias de Góis e Vasconcelos] simpatia pelas pessoas de boa educação" (Constâncio Alves, *Figuras,* p. 36).

irrepresentabilidade [De *irrepresentável* + *-(i)dade,* seg. o padrão erudito.] *S. f.* Qualidade de irrepresentável.

irrepresentatividade [De *irrepresentativo* + *-(i)dade.*] *S. f.* Qualidade de irrepresentativo; falta de representatividade.

irrepresentativo [De *ir-*^{2} + *representativo.*] *Adj.* Não representativo.

irrepresentável [De *ir-*^{2} + *representável.*] *Adj. 2 g.* **1.** Que não pode ser representado. **2.** Que não pode ter representante.

irreprimibilidade [De *irreprimível* + *-(i)dade,* seg. o padrão erudito.] *S. f.* Qualidade de irreprimível.

irreprimido [De *ir-*^{2} + *reprimido.*] *Adj.* Que não se reprimiu; incontido: "Nos olhos ressequidos a sombria / Fonte de pranto, quente e irreprimida." (Manuel Bandeira, *Estrela da Vida Inteira,* p. 169.)

irreprimível [De *ir-*^{2} + *reprimível.*] *Adj. 2 g.* Que não se pode reprimir; insopitável: "Ria e esfregava as mãos, num contentamento irreprimível e transbordante." (Amando Fontes, *Os Curumbas,* p. 102.)

irreprochabilidade [De *irreprochável* + *-(i)dade,* seg. o padrão erudito.] *S. f.* Qualidade de irreprochável.

irreprochável [De *ir-*^{2} + *reprochável.*] *Adj. 2 g.* Que não merece reproche ou censura; impecável.

irreproduzível [De *ir-*^{2} + *reproduzível.*] *Adj. 2 g.* Não reproduzível: *fotografia irreproduzível; Disse palavras feias, irreproduzíveis.*

irrequietação *S. f.* Qualidade ou estado de irrequieto; irrequietude.

irrequieto [Do lat. *irrequietu.*] *Adj.* **1.** Que nunca está sossegado; que não para nunca. **2.** Buliçoso, turbulento. **3.** Próprio de quem é irrequieto; que revela irrequietação: "a combatividade irrequieta, a bravura astuciosa e a ferocidade não raro sulcada de inexplicáveis lances generosos." (Euclides da Cunha, *Contrastes e Confrontos,* p. 4).

irrequietude [De *irrequieto* + *-(t)ude.*] *S. f.* Irrequietação.

irrescindibilidade [De *irrescindível* + *-(i)dade,* seg. o padrão erudito.] *S. f.* Qualidade de irrescindível.

irrescindível [De *ir-*^{2} + *rescindível.*] *Adj. 2 g.* Não rescindível.

irresgatabilidade [De *irresgatável* + *-(i)dade,* seg. o padrão erudito.] *S. f.* Qualidade de irresgatável.

irresgatável [De *ir-*^{2} + *resgatável.*] *Adj. 2 g.* Não resgatável.

irresignabilidade [De *irresignável* + *-(i)dade,* seg. o padrão erudito.] *S. f.* Qualidade de irresignável.

irresignável [De *ir-*^{2} + *resignável.*] *Adj. 2 g.* Que não pode resignar-se ou conformar-se: *Mostrou-se irresignável à perda do neto.*

irresilível [De *ir-*^{2} + *resilível.*] *Adj. 2 g.* Não resilível; irresgatável.

irresistência [De *ir-*^{2} + *resistência.*] *S. f.* Qualidade de irresistente.

irresistente [De *ir-*^{2} + *resistente.*] *Adj. 2 g.* Que não resiste, não tem resistência; não resistente.

irresistibilidade [De *irresistível* + *-(i)dade,* seg. o padrão erudito.] *S. f.* Qualidade de irresistível: "O amor daquele homem .... parecia-lhe como a afirmação gloriosa .... da irresistibilidade da sua sedução." (Eça de Queirós, *O Primo Basílio,* p. 225.)

irresistível [De *ir-*^{2} + *resistível.*] *Adj. 2 g.* **1.** A que não se pode resistir. **2.** Que encanta, seduz; sedutor, fascinante: "a boca .... tinha o sorriso cativante, irresistível" (Domício da Gama, *Histórias Curtas,* pp. 233-234). **3.** Invencível, insuperável. **4.** Necessário, fatal.

irresolução [De *ir-*^{2} + *resolução.*] *S. f.* Qualidade de irresoluto; indecisão, indeterminação, hesitação.

irresoluto [Do lat. *irresolutu.*] *Adj.* **1.** Não resoluto; hesitante, indeciso. **2.** Que não teve resolução; não resolvido: *problema irresoluto.* • *S. m.* **3.** Indivíduo irresoluto.

irresolúvel [Do lat. tard. *irresolubile.*] *Adj. 2 g.* Que não se pode resolver; insolúvel: "problema sereno no campo das ideias ou mesmo resolvido e problema tempestuoso ou mesmo irresolúvel no campo da ação" (Fidelino de Figueiredo, *Entre Dois Universos,* p. 63).

irrespeitabilidade [De *irrespeitável* + *-(i)dade,* seg. o padrão erudito.] *S. f.* Qualidade de irrespeitável.

irrespeitável [De *ir-*^{2} + *respeitável.*] *Adj. 2 g.* Indigno de respeito; não respeitável.

irrespirabilidade [De *irrespirável* + *-(i)dade,* seg. o padrão erudito.] *S. f.* Qualidade de irrespirável.

irrespirável [Do lat. tard. *irrespirabile.*] *Adj. 2 g.* **1.** Que não se pode respirar. **2.** Onde não se pode respirar: *A sala está irrespirável: vamos embora.*

irrespondível [De *ir-*^{2} + *respondível.*] *Adj. 2 g.* A que não se pode responder; irretorquível, irreplicável, irrefutável.

irresponsabilidade [De *irresponsável* + *-(i)dade,* seg. o padrão erudito.] *S. f.* Qualidade de irresponsável; falta de responsabilidade.

irresponsabilizar [De *irresponsável* + *-izar,* seg. o padrão erudito.] *V. t. d. P.* Tornar(-se) irresponsável.

irresponsável [De *ir-*^{2} + *responsável.*] *Adj. 2 g.* **1.** Que não pode ser responsabilizado pelos atos que pratica; não responsável. **2.** Que revela irresponsabilidade; próprio de quem é irresponsável: "É que a desgraçada, desde os quinze anos, ainda no irresponsável arrebatamento do primeiro amor, havia eleito já o homem a quem sua alma teria de pertencer por toda a vida." (Aluísio Azevedo, *O Mulato,* pp. 15-16.) • *S. 2 g.* **3.** Pessoa irresponsável.

irrestringibilidade [De *irrestringível* + *-(i)dade,* seg. o padrão erudito.] *S. f.* Qualidade de irrestringível.

irrestringível [De *ir-*^{2} + *restringível.*] *Adj. 2 g.* Que não se pode restringir.

irrestrito [De *ir-*^{2} + *restrito.*] *Adj.* Não restrito; amplo, ilimitado: *solidariedade irrestrita.*

irretocável [De *ir-*^{2} + *retocável.*] *Adj. 2 g.* Que não necessita de retoque; acabado, perfeito.

irretorquível [De *ir-*^{2} + *retorquível.*] *Adj. 2 g.* Que não se pode retorquir; irrespondível.

irretratabilidade [De *irretratável* + *-(i)dade,* seg. o padrão erudito.] *S. f.* Qualidade de irretratável.

irretratável [Do lat. tard. *irretractabile.*] *Adj. 2 g.* Que não se pode retratar; irrevogável, imutável.

irretroatividade [De *irretroativo* + *-(i)dade.*] *S. f.* Qualidade do que não tem efeito retroativo, do que é irretroativo.

irretroativo [De *ir-*^{2} + *retroativo.*] *Adj.* Que não retroage; não retroativo.

irrevelado [De *ir-*^{2} + *revelado.*] *Adj.* Que não se revelou, não se fez conhecer; não revelado: "Tenho muitas reservas de amor em mim, tenho muitas coisas irreveladas." (Augusto Frederico Schmidt, *O Galo Branco,* p. 77.) [Cf. *irrevelável.*]

irrevelável [De *ir-*^{2} + *revelável.*] *Adj. 2 g.* Que não se pode revelar ou dar a conhecer: *segredo irrevelável;* "Para experiência do teu contentamento, / crio formas que vistam meus pensamentos irreveláveis." (Cecília Meireles, *Obra Poética,* p. 85). [Cf. *irrevelado.*]

irreverência [Do lat. *irreverentia.*] *S. f.* Falta de reverência; desacato; qualidade de irreverente: "Desobedecendo e revoltando-se com uma irreverência heroica, funda [Lutero] a liberdade do pensamento" (Ramalho Ortigão, *Figuras e Questões Literárias,* I, p. 127).

irreverenciosamente [Do f. de *irreverencioso* + *-mente.*] *Adv.* Irreverentemente.

irreverencioso (ô) [De *ir-*^{2} + *reverencioso.*] *Adj.* V. *irreverente* (1).

irreverente [Do lat. *irreverente.*] *Adj. 2 g.* **1.** Falto de reverência; desatencioso, incivil; irreverencioso. • *S. 2 g.* **2.** Pessoa irreverente.

irreverentemente [De *irreverente* + *-mente.*] *Adv.* De maneira irreverente; com irreverência; irreverenciosamente.

irreversibilidade [De *irreversível* + *-(i)dade,* seg. o padrão erudito.] *S. f.* **1.** Qualidade de irreversível. **2.** *Fís.* Característica de um processo de transformação de um sistema em que o arrevesamento do tempo não provoca a inversão da transformação.

irreversível [De *ir-*^{2} + *reversível.*] *Adj. 2 g.* Que não pode voltar ao estado anterior; não reversível: *situação irreversível.* ~ V. *processo* —.

irrevocabilidade [De *irrevocável* + *-(i)dade,* seg. o padrão erudito.] *S. f.* Irrevogabilidade.

irrevocável [Do lat. *irrevocabile,* por via semierudita.] *Adj. 2 g.* V. *irrevogável:* "Desce por fim sobre o meu coração / O olvido irrevocável. Absoluto." (Camilo Pessanha, *Clepsidra e Outros Poemas,* p. 171.)

irrevogabilidade [De *irrevogável* + *-(i)dade,* seg. o padrão erudito.] *S. f.* Qualidade de irrevogável; irrevocabilidade.

irrevogável [Do lat. *irrevocabile,* por via pop.] *Adj. 2 g.* Que não se pode revogar; não revogável; incontrastável: "Foi por uma tarde .... que meu pai suavemente murmurou uma daquelas suas decisões irrevogáveis: 'É preciso cortar os cabelos desse menino'." (Mário de Andrade, *Contos Novos,* p. 142.) [F. paral.: *irrevocável.*]

irrigação [Do lat. *irrigatione.*] *S. f.* **1.** Rega, banho. **2.** *Agr.* Rega artificial das terras por meio de canais, canos, levadas, etc., convenientemente distribuídos pelo terreno. **3.** *Terap.* Aplicação de jato de água (geralmente fria), ou de líquido medicinal, sobre a parte enferma.

irrigador (ô) [Do lat. tard. *irrigatore.*] *Adj.* **1.** Que irriga. • *S. m.* **2.** Vaso para regar; regador. **3.** Instrumento para irrigações medicinais.

irrigar [Do lat. *irrigare.*] *V. t. d.* **1.** Molhar por meio de irrigação (2); regar. **2.** Aplicar irrigação (3) em. [Conjug.: v. *largar.*]

irrigatório [De *irrigar* + *-tório.*] *Adj.* Próprio para irrigar.

irrigável [De *irrigar* + *-vel.*] *Adj. 2 g.* Que pode ser irrigado.

irrisão [Do lat. *irrisione.*] *S. f.* **1.** Zombaria, mofa, motejo, escárnio: "se nos tempos do feudalismo um castelão se lembrara de agarrar em um homem do povo e de expô-lo horas e horas à irrisão dos sandeus, ... esse déspota, julgado pelo critério democrático, despertaria as mais enérgicas indignações." (Carlos de Laet, *O Frade Estrangeiro e Outros Escritos,* p. 84). **2.** *P. ext.* O que é objeto ou alvo de irrisão. **3.** *P. ext.* Caso ou situação irrisória [v. *irrisório* (2)], em que parece haver uma ironia do destino: "Amarga irrisão! reflete: / Quando eu gozar-te pudera, / Mártir quis ser, cuidei qu'era... / E um louco fui, nada mais!" (Gonçalves Dias, *Obras Poéticas,* I, p. 347.)

irrisor (ô) [Do lat. *irrisore.*] *Adj. S. m.* Que, ou aquele que escarnece; escarnecedor.

irrisório [Do lat. tard. *irrisoriu.*] *Adj.* **1.** Em que há irrisão (1). **2.** Que provoca ou pode provocar irrisão (1). **3.** *Fam.* Irrelevante (2): *quantia irrisória.*

irritabilidade [Do lat. tard. *irritabilitate.*] *S. f.* **1.** Qualidade ou estado de irritável: "A velha, com o sumiço de Macambira, tornou-se de uma irritabilidade frenética." (Coelho Neto, *Rei Negro,* p. 269.) **2.** *Fisiol.* Capacidade que tem um órgão de reagir a estímulo(s).

irritação [Do lat. *irritatione.*] *S. f.* **1.** Ato ou efeito de irritar(-se) (v. *irritar*^{1}). **2.** Estado de quem se acha irritado. **3.** Exasperação, agastamento, irritabilidade; excitação, exaltação. **4.** *Derm. Impr.* Lesão de natureza inflamatória, localizada em pele ou mucosa. **5.** *Med.* Estado de indevida sensibilidade física e/ou psíquica, e que pode decorrer de causas variadas. [Sin. ger., p. us.: *irritamento.*]

irritadiço *Adj.* V. *irritável*^{1}.

irritado [Part. de *irritar*.] *Adj.* **1.** Encolerizado, exasperado, agastado. **2.** Que denota ou revela irritação, agastamento, exasperação: 📖 "Do quarto próximo, chega a voz irritada da arrumadeira: — Meu Deus! a gente mal estende a cama e já vem esse cachorro deitar em cima!" (Mário Quintana, *Sapato Florido*, p. 72.) **3.** Que apresenta irritação (4): 🗎 *Está com o lábio inferior irritado.*

irritador (ô) [Do lat. *irritatore*.] *Adj.* **1.** Que irrita; irritante, irritativo. ● *S. m.* **2.** Aquele que irrita.

irritamento [De *irritar* + *-mento*.] *S. m. P. us.* V. *irritação*.

irritante[1] [Do lat. *irritante*.] *Adj. 2 g.* **1.** V. *irritador* (1). **2.** Que provoca irritação; estimulante, excitante, irritativo. ● *S. m.* **3.** Substância estimulante, excitante.

irritante[2] [De *irritar*[2] + *-nte*.] *Adj. 2 g. Jur. P. us.* Que anula ou irrita; que torna nulo ou írrito.

irritar[1] [Do lat. *irritare*, 'encolerizar'.] *V. t. d.* **1.** Produzir irritação (3) em; tornar colérico; encolerizar, exasperar, agastar; exaltar: 📖 "Eu era positivamente feia, e isso me irritava." (Maria Julieta Drummond de Andrade, *A Busca*, p. 71.) **2.** Excitar, espicaçar, provocar: 🗎 *Não lhe irritem o ânimo: seu estado de saúde não é nada bom* 📖 "Triste ironia atroz que o senso humano irrita: / Ele que doira a noite e ilumina a cidade, / Talvez não tenha luz na choupana em que habita." (Jorge de Lima, *Obra Completa*, I, p. 208). **3.** Impacientar; importunar. **4.** Produzir irritação (4) em. **5.** Produzir sensação acre, picante, irritante, em; picar: 📖 "Toda a área tem um cheiro amoniacal, acre e forte, que irrita as narinas." (Dionélio Machado, *Os Ratos*, p. 69.) *P.* **6.** Encolerizar-se, irar-se, enfurecer-se: 🗎 *Irritou-se com a proposta absurda, e saiu precipitadamente.* **7.** Aborrecer-se, zangar-se. [Pres. ind.: *irrito*, etc. Cf. *írrito*, adj.]

irritar[2] [Do lat. tard. *irritare*, 'anular'.] *V. t. d. Jur. P. us.* Tornar nulo ou írrito (documento, etc.). [Pres. ind.: *irrito*, etc. Cf. *írrito*, adj.]

irritativo [De *irritar*[1] + *-tivo*] *Adj.* **1.** V. *irritador* (1). **2.** V. *irritante*[1] (2).

irritável[1] [Do lat. *irritabile*.] *Adj. 2 g.* **1.** Que se irrita facilmente. [Sin.: *irascível, irritadiço* e (bras., AM) *peludo*.] **2.** *Med.* Que apresenta irritabilidade (2).

irritável[2] [De *irritar*[2] + *-vel*.] *Adj. 2 g. Jur. P. us.* Que pode ser irritado ou anulado.

írrito [Do lat. *irritu*.] *Adj.* Que ficou sem efeito; nulo, vão: 📖 "bem lhe podemos chamar contrato írrito, porque não costuma produzir efeitos." (P.e Manuel Bernardes, *Nova Floresta*, II, pp. 172-173). [Na linguagem jurídica é us., em geral, a expr. pleonástica *írrito e nulo*. Cf. *irrito*, do v. *irritar*.]

irrivalizável [De *ir-*[2] + *rivalizável*.] *Adj. 2 g.* Que não pode ter rival; não rivalizável; inigualável.

irrogação [Do lat. *irrogatione*.] *S. f.* Ato ou efeito de irrogar.

irrogar [Do lat. *irrogare*.] *V. t. d. e i.* **1.** Impor, infligir: 🗎 *Não lhe irrogaremos nenhum desacato*; 📖 "e como entendeu D. Antônio Ferreira Viçoso ser necessário cortar a ocasião dos graves desacatos irrogados à Divina Majestade nos lugares destinados a honrá-la, mandou ordem terminante para que não se praticassem funções em tempo noturno" (P.e Silvério Gomes Pimenta, *Vida de D. Antônio Ferreira Viçoso*, p. 233). **2.** Fazer recair (sobre alguém ou algo); imputar, atribuir: 🗎 *Irrogaram a Pedro a responsabilidade da greve*; 📖 "No ensino primário, a instrução científica generalizada não elevou o nível da moralidade, que pelo contrário baixou. Não irrogando às ciências este resultado, o filósofo tem por certo que o seu estudo, quando separado da educação moral, desenvolve nos jovens a presunção que tende a fazê-los *déclassés*." (Antônio Sérgio, *Ensaios*, I, p. 133). [Conjug.: v. *largar*.]

irromper [Do lat. *irrumpere*.] *V. int.* **1.** Entrar, surgir, brotar, com ímpeto, com violência; precipitar-se; arrojar-se: 🗎 *De repente irrompeu de arma em punho o enorme homem.* **2.** Mostrar-se, ou fazer-se ouvir, de repente; brotar, romper: 📖 "Pouco depois, irromperam línguas de fogo por algumas janelas do mosteiro." (Camilo Castelo Branco, *A Enjeitada*, p. 10); "olho o extraordinário Pico irrompendo de entre nuvens magnéticas." (Raul Brandão, *As Ilhas Desconhecidas*, p. 121); "sente-se tremer um ramo. Irrompe um gorjeio. É o rouxinol." (José Vieira, *Sol de Portugal*, p. 38). **3.** Intervir; sobrevir: 🗎 *Ia tudo bem, mas o destino irrompeu, transformando-lhe a existência.*

irrompimento [De *irromper* + *-imento*.] *S. m.* Ato ou efeito de irromper: 📖 "sentia-se nas pontas altas [das árvores], ... o irrompimento das folhas, prenunciando o milagre anual da seiva renascida." (Afonso Arinos de Melo Franco, *A Alma do Tempo*, p. 270).

irrompível [De *ir-*[2] + *rompível*.] *Adj. 2 g.* Que não se pode romper.

irroração [Do lat. tard. *irroratione*.] *S. f.* Ato ou efeito de irrorar.

irrorar [Do lat. *irrorare*.] *V. t. d.* **1.** Aspergir ou borrifar com orvalho. **2.** Umedecer, molhar: 📖 "o pranto os meus olhos irrora..." (Gilca da Costa Melo Machado, *Mulher Nua*, p. 175).

irrotacional [De *ir-*[2] + *rotacional*.] *Adj. 2 g.* ~ V. *campo — e vetor —.*

irrupção [Do lat. *irruptione*.] *S. f.* **1.** Ato de irromper. **2.** Invasão súbita e impetuosa. [Cf. *erupção*.]

irruptivo [Do lat. *irruptus*, 'não rompido', + *-ivo*.] *Adj.* Que causa irrupção. [Cf. *eruptivo*.]

iru *S. m. Bras.* Fava us. na culinária afro-brasileira.

iruçu [Do tupi.] *S. m. Bras. Zool.* **1.** V. *abelha-mulata*. **2.** V. *uruçu*.

iruçu-do-chão *S. m. Bras. Zool.* V. *abelha-mulata*. [Pl.: *iruçus-do-chão*.]

iruçu-mineiro *S. m. Bras. Zool.* V. *abelha-mulata*. [Pl.: *iruçus-mineiros*.]

iruexim [Do ior.] *S. m. Bras. Rel.* Cetro com ponta de rabo de cavalo, atributo (2) cerimonial de Iansã, com o qual ela enfrenta os eguns. [Var.: *eruexim*.]

iruquerê [Do ior.] *S. m. Bras. Rel.* Espécie de enxota-moscas feito de rabo de boi ou vaca preso num cabo, us. como insígnia de Oxoce em seu traje cerimonial; eiru. [Var.: *eruquerê* e *iruquerê*.]

iruquerê *S. m. Bras. Rel.* V. *iruquerê*.

iruri *Bras. S. 2 g.* **1.** *Etnôn.* Indivíduo dos iruris, povo indígena extinto que habitava a região situada nas margens do rio Matauá, afluente da margem esquerda do rio Madeira (AM). ● *Adj. 2 g.* **2.** Pertencente ou relativo a esse povo. [Tb. us. como *s. 2g. e 2 n.* (com cap.) e *adj. 2 g. e 2 n.*]

▲**-isa** *Suf. nom.* formador de feminino: *episcopisa, poetisa.*

isabel[1] [Do antr. *Isabel*, de Isabel Gibs, que introduziu na Europa, em 1816, esta videira.] *S. f. Bot.* Variedade de videira muito vulgar nos Açores e no RS. [Pl.: *isabéis*.]

isabel[2] [Do antr. *Isabel*, de Isabel, a Católica, ou da infanta Isabel, mulher do arquiduque Alberto da Áustria, poss.] *Adj. 2 g.* **1.** Diz-se de animal cavalar que tem a cor entre branca e amarela. **2.** Da cor da camurça. **3.** Marrom-amarelado tirante ao claro (diz-se, esp., de pelagem de cavalos). [Pl.: *isabéis*.]

isabelense[1] *Adj. 2 g.* **1.** De, ou pertencente ou relativo a Santa Isabel (SP). ● *S. 2 g.* **2.** O natural ou habitante de Santa Isabel.

isabelense[2] *Adj. 2 g. S. 2 g.* V. *santa-isabelense*[2].

isabelense[3] *Adj. 2 g. S. 2 g.* V. *santa-isabelense*[3].

isabelense[4] *Adj. 2 g.* **1.** De, ou pertencente ou relativo a Santa Isabel do Pará (PA). ● *S. 2 g.* **2.** O natural ou habitante de Santa Isabel do Pará.

isabelino[1] *Adj.* V. *elisabetano*.

isabelino[2] [De *isabel*[2] + *-ino*[1].] *Adj.* Diz-se de animal de coloração isabel[2] (3), como, p. ex., os que habitam os desertos.

isagoge [Do gr. *eisagogé*, pelo lat. tard. *isagoge*.] *S. f. P. us.* Introdução, preliminares, rudimentos.

isagógico [Do gr. *eisagogikós*, pelo lat. *isagogicu*.] *Adj. P. us.* Respeitante a isagoge.

isaiense (a-i) *Adj. 2 g.* **1.** De, ou pertencente ou relativo a Isaías Coelho (PI). ● *S. 2 g.* **2.** O natural ou habitante de Isaías Coelho.

isard [Do fr.] *S. m. Zool.* Mamífero ungulado (*Rupicapra pyrenaica*), artiodáctilo, ruminante, cervídeo, exótico, semelhante à camurça, que habita os Pireneus.

ísate [Do gr. *ísatis*, pelo lat. tard. *isate*.] *S. f. Bot.* V. *ísatis* (2 e 3).

ísatis [Do tax. *Isatis* (do lat. tard. *isatis* < gr. *ísatis*).] *S. f. 2 n. Bot.* **1.** Grande gênero de ervas brassicáceas, de pequenas folhas íntegras e flores alvas que a recobrem inteiramente. **2.** Qualquer espécie desse gênero, como, p. ex., a *Isatis tinctoria*. **3.** Qualquer espécime desse gênero. [F. paral., nas acepçs. 2 e 3: *ísate*.]

isbá [Do russo *izbá*, 'casa rural', pelo fr. *isba*.] *S. f.* Habitação de madeira (ordinariamente pinho) peculiar a vários povos do N. da Europa e da Ásia, e que consiste em duas cabanas contíguas a um pátio coberto.

■ **ISBN** [Ingl.; sigla de *International Standard Book Number*.] *Bibliot. Docum.* Indicativo numérico utilizado internacionalmente para identificação de livros.

isca[1] [Do lat. *esca*, 'alimento'.] *S. f.* **1.** Engodo que se põe no anzol para pescar. [Sin. (no RS): *carnada*.] **2.** Combustível que recebe as faíscas do fuzil para comunicar fogo. **3.** Pedaço de febra de bacalhau. **4.** *Cul.* Tira de fígado, temperada e frita, e servida com molho. **5.** *Fig.* Chamariz, engodo, negaça. **6.** A mecha que se põe no isqueiro. **7.** *Bras. MG Zool.* V. *minhoca* (1). ◆ **Comer a isca e cagar no anzol.** *Bras. Chulo* Receber um favor e pagá-lo com ingratidão; desaparecer sem agradecimento, depois de servido. **Morder a isca.** Deixar-se lograr ou seduzir.

isca[2] *Interj. Bras.* Serve para incitar cães: 📖 "Incitava os cães: Isca! Isca!" (Coelho Neto, *Sertão*, p. 361.)

▲**-isca** Equiv. de *-isco*[1].

iscar [De *isca*[1] + *-ar*[2].] *V. t. d.* **1.** Pôr isca em; cevar. **2.** *Fig.* Enganar com engodo; engodar. **3.** Contaminar, eivar. **4.** *Bras.* Açular (cães). *T. d. e i.* **5.** Untar; besuntar: 🗎 *Iscou a madeira da porta com breu.* *P.* **6.** Contaminar-se, eivar-se. [Conjug.: v. *trancar*.]

▲**-iscar** *Suf. verb.* = 'ação frequentativa', 'ação diminutiva': *lambiscar*. [Alterna-se, às vezes, com a f. *-icar*: *mordicar, mordiscar*.]

▲ **iscno-** [Do gr. *ischno-* < gr. *ischnós, é, ón*.] *El. comp.* = 'seco'; 'magro'; 'fraco': *iscnócero, iscnofonia* (< gr.).

iscnócero [De *iscno-* + *-cero*; tax. *Ischnocera*.] *Zool. S. m.* **1.** Espécime dos iscnóceros, subordem de insetos malófagos desprovidos de palpos maxilares, e com antenas ger. filiformes e sempre expostas. Compreende 5 famílias, que encerram parasitas de mamíferos eutérios e de aves. Alimentam-se de penas, pele, exsudatos sebáceos e sangue. ● *Adj.* **2.** Pertencente ou relativo a eles.

iscnofonia [Do gr. *ischnophonía*.] *S. f. Fonoaud.* Fraqueza da voz.

iscnofónico *Adj.* V. *iscnofônico*. [Uso freq. em P.]

iscnofônico [De *iscnofonia* + *-ico*[2].] *Adj.* Relativo à iscnofonia.

▲**isc(o)-** [Do gr. *ischō*, 1.ª pess. do sing. de *íschein*.] *El. comp.* = 'reter', 'suspender', 'deter': *iscoblenia, iscomenia, iscúria*. [Equiv.: *-isqu(i)-*: *galactisquia*.]

▲**-isc(o)-** V. *-isco*[1].

▲**-isco**[1] *Suf. nom.* = 'diminuição': *chuvisco, marisco*. [Equiv.: *-isca, -isc(o)-, -usca*[1], *-usco*[1]: *talisca; anegriscado; chamusca; negrusco*.]

▲**-isco**[2] Equiv. de *-esco*.

iscoblenia [De *isc(o)-* + *-blen(o)-* + *-ia*[1].] *S. f. Patol.* Suspensão ou retenção de fluxo, de muco.

iscoblénico *Adj.* V. *iscoblênico*. [Uso freq. em P.]

iscoblênico [De *iscoblenia* + *-ico*[2].] *Adj.* Referente à iscoblenia.

iscomenia [De *isc(o)-* + *-men(o)-* + *-ia*[1].] *S. f. Gin.* Suspensão ou retenção do mênstruo.

iscoménico *Adj.* V. *iscomênico*. [Uso freq. em P.]

iscomênico [De *iscomenia* + *-ico*[2].] *Adj. Gin.* Relativo à iscomenia.

iscurético [De *iscúria* + *-ético*.] *Adj.* **1.** *Med.* Relativo à iscúria; iscúrico. **2.** *Terap.* Diz-se do medicamento empregado contra a iscúria.

iscuria [Do gr. *ischouría*.] *S. f. Med.* V. *iscúria*.

iscúria [Do lat. tard. *ischuria* < gr. *ischouría*.] *S. f. Med.* Retenção da urina. [F. paral.: *iscuria*.]

iscúrico [De *iscuria* + *-ico*[2].] *Adj. Med.* Iscurético (1).

isenção [Do lat. *exemptione*.] *S. f.* **1.** Ato ou efeito de eximir(-se) ou isentar(-se). **2.** Independência de caráter; desinteresse, abnegação. **3.** Imparcialidade; neutralidade: 🗎 *Ponhamos de parte a amizade, busquemos agir com isenção.* **4.** *Fig.* Esquivança, desdém, desamor. **5.** *Econ.* Isenção fiscal. **6.** *Rel.* Privilégio de algumas comunidades religiosas com respeito à jurisdição do bispo local. ◆ **Isenção fiscal.** *Econ.* Dispensa do pagamento de um tributo, em casos determinados em lei. [Tb. se diz apenas *isenção*. Cf. *imunidade fiscal*.]

isenergética [De *is(o)-* + o f. subst. de *energético*.] *S. f. Fís.* Qualquer transformação em que a energia interna é conservada.

isenergético [De *isenergética*, com var. suf.] *Adj. Fís.* Relativo a, ou próprio de isenergética.

isenérgica [De *is(o)-* + *enérgica*, fem. de *enérgico*.] *S. f. Fís.* Qualquer transformação em que se mantém constante a energia interna de um sistema.

isenérgico [De *isenérgica*, com var. suf. (v. *-ico*[2]).] *Adj. Fís.* Relativo a, ou próprio de isenérgica.

isentálpica *S. f. Fís.* V. *transformação isentálpica*.

isentálpico [De *is(o)-* + *entalpia* + *-ico*[2].] *Adj. Fís.* Diz-se de fenômeno em que a entalpia se mantém constante. ~ V. *transformação —a*.

isentar [De *isento* + *-ar*[2].] *V. t. d. e i.* **1.** Tornar isento; livrar; dispensar; desobrigar, eximir: 🗎 *A lei isenta-o do serviço militar por invalidez.* **2.** Fazer que fique isento; tornar livre: 🗎 *Acolheu-o com a esperança de isentá-lo de punição.* *P.* **3.** Livrar-se, desobrigar-se; eximir-se.

isentivo [De *isento* + *-ivo*.] *Adj.* **1.** Que isenta, exime. **2.** *Jur.* Dirimente (4). ~ V. *circunstância —a*.

isento [Do lat. *exemptu*.] *Adj.* **1.** Desobrigado, dispensado, eximido. **2.** Desembaraçado, livre, limpo: 📖 "Padre Marcelino .... limitava-se a aconselhar que atirasse a primeira pedra aquele que se julgasse isento de pecado..." (Cândido Jucá [filho], *Noite Insone*, p. 121.) **3.** Imparcial, desapaixonado, neutro: 📖 "E a sua palavra, conciliadora das duas oposições, ... dava a impressão de que nascia de um espírito limpo e isento" (Mário de Alencar, *Contos e Impressões*, p. 103). **4.** Que não tem; desprovido, sem: 📖 "Não se

I

metia nas conversas, parecia um roceiro tosco, isento de opiniões." (Graciliano Ramos, *Viagem*, p. 15.)

isentrópica *S. f. Fís.* V. *transformação isentrópica*.

isentrópico [De *is(o)-* + *entropia* + *-ico²*.] *Adj. Fís.* Diz-se de fenômeno em que a entropia se mantém constante. ~ V. *transformação —a*.

isídio [Do lat. cient. *isidium*.] *S. m. Bot.* Excrescência pequenina, provida de córtex, que surge sobre o talo de muitos liquens e que pode desprender-se, propagando o líquen vegetativamente.

isidora [Do antr. *Isidora*, poss.] *S. f. Bras. N.E. Pop.* Cama de varas; jirau. [Em PE, *isidoro*.]

isidorense *Adj. 2 g.* **1.** De, ou pertencente ou relativo a Major Isidoro (AL). ● *S. 2 g.* **2.** O natural ou habitante de Major Isidoro.

isidoro *S. m. Bras. PE Pop.* V. *isidora*.

islã [Var. de *islame* < fr. *islam* < ár. *islām*, lit., 'resignação, subjugação (a Deus)', do v. *salama*, 'estar em paz, em segurança ou em liberdade'.] *S. m.* **1.** O mundo do muçulmano; o conjunto dos povos de civilização islâmica, que professam o islamismo; islã, islão. **2.** Islamismo.

islame *S. m.* V. *islã*.

islâmico [De *islame* + *-ico²*.] *Adj.* Islamítico.

islamismo [De *islame* + *-ismo*.] *S. m.* A religião maometana (v. *maometano*).

islamita [De *islame* + *-ita²*.] *S. 2 g.* Sectário do islamismo; maometano.

islamítico [De *islamita* + *-ico²*.] *Adj.* Relativo aos islamitas ou ao islamismo; islâmico.

islamização [De *islamizar* + *-ção*.] *S. f.* Ato ou efeito de islamizar(-se).

islamizado [Part. de *islamizar*.] *Adj.* **1.** Integrado no Islã. **2.** Que adquiriu modos ou aspectos islâmicos.

islamizar [De *islame* + *-izar*.] *V. t. d.* **1.** Difundir a religião e a civilização islâmicas: *Na Idade Média, os árabes islamizaram parte da Península Ibérica.* **2.** Dar caráter ou maneiras islâmicas a. *P.* **3.** Integrar-se no Islã. **4.** Adquirir maneiras ou modos próprios dos islamitas.

islandês *Adj.* **1.** Da, ou pertencente ou relativo à Islândia (Europa). ● *S. m.* **2.** O natural ou habitante da Islândia. **3.** *Gloss.* Língua indo-europeia do grupo germânico falada na Islândia. [Cf., nesta acepç., *nórdico*. Flex.: *islandesa* (ê), *islandeses* (ê), *islandesas* (ê).]

islão *S. m.* V. *islã*.

islenho [Do esp. *isleño*.] *Adj. S. m.* V. *insulano*.

ismaeliano [Do antr. *Ismael* + *-iano*.] *Adj. S. m.* Ismailita.

ismaelismo [Do antr. *Ismael* (< ár. *ismāʿīl*) + *-ismo*.] *S. m.* Ismailismo.

ismaelita¹ [Do antr. *Ismael* (hebr. bíblico *ishmaʿel*) + *-ita²*.] *S. 2 g.* **1.** Indivíduo dos ismaelitas, designação dada aos descendentes de Ismael, fruto da união entre Abraão e a escrava Agar, e que viviam, segundo a Bíblia, numa confederação de tribos no deserto da Arábia. ● *Adj. 2 g.* **2.** Pertencente ou relativo aos ismaelitas.

ismaelita² [Do antr. *Ismael* (< ár. *ismāʿīl*) + *-ita²*.] *Adj. 2 g. S. 2 g.* Ismailita.

ismaelítico [De *ismaelita²* + *-ico²*.] *Adj.* Ismailítico.

ismailismo [Do antr. ár. *ismāʿīl* (Ismael) + *-ismo*.] *S. m. Rel. Hist.* Movimento político-religioso dos ismailitas que ocorreu no séc. VIII, ou o culto religioso dele derivado; ismaelismo.

ismailita [Do antr. ár. *ismāʿīl* + *-ita²*.] *S. 2 g.* **1.** *Rel. Hist.* Indivíduo de uma seita muçulmana xiita, surgida no século VIII entre os partidários de Ismail (filho de Jafar al-Sadiq, considerado pelos xiitas o sexto imame legítimo), e que a partir do século IX passou a reconhecer Maomé (Muhamad), filho de Ismail, como sétimo e último imame legítimo, cujo retorno se dará no Juízo Final. ● *Adj. 2 g.* **2.** Relativo ou pertencente a essa seita. [Sin.: *ismaeliano*. Var.: *ismaelita*.]

ismailítico [De *ismailita* + *-ico²*.] *Adj.* Relativo aos ismailitas, ou ao ismailismo; ismaelítico.

ismo *S. m.* O suf. *-ismo* (q. v.): *Leva o tempo a falar em futurismo, modernismo, dadaísmo e outros ismos.* [Us., geralmente, em tom jocoso, ou depreciativo.]

▲**-ismo** [Do gr. *ismós*, ou.] *Suf. nom.* = 'doutrina, escola, teoria ou princípio artístico, filosófico, político ou religioso'; 'ato, prática ou resultado de'; 'peculiaridade de'; 'ação, conduta, hábito, ou qualidade característica de'; 'afecção', 'quadro mórbido', 'condição patológica (causada por)'; 'conjunto das características comuns a certo povo, ou civilização'; 'expressão, ou palavra própria de determinada língua, ou região, ou povo'; 'proteção, patronato'; 'modalidade ou prática esportiva': *classicismo, positivismo, socialismo, terrorismo, mineirismo, anglicismo, heroísmo, aporismo, botulismo, alcoolismo, meteorismo, americanismo, arabismo, brasileirismo, latinismo, afilhadismo, clientelismo, nepotismo, aeromodelismo, ciclismo, iatismo*.

■ **ISO** [Marca registrada (do gr. *ísos*, 'igual'), de uso internacional, para designar a organização sediada na Suíça que trata de normalização, e que é denominada, em inglês, *International Organization for Standardization*, e, em fr., *Organisation Internationale de Normalisation*.] F. red. do nome da *Organização Internacional de Normalização*.

▲ **is(o)-** [Do gr. *ísos*, *ē*, *on*.] *El. comp.* = 'igual': *isóbata, isodáctilo, isúria*. [É seguido de hífen quando anteposto a palavra iniciada por *h* ou *o*: *iso-hipsa/isoípsa*; é grafado com *r* ou *s* duplicados quando anteposto a palavra iniciada por *r* ou *s*: *isorrítmico, isossilábico*.] [Em *Quím.*, indica: 1. presença, numa extremidade da cadeia de molécula orgânica, de duas metilas ligadas a um carbono: *isobutano* (f. red.: *i-*³.); 2. isômero de substância, que pode ger. ser considerado como resultante da simples troca entre dois átomos da cadeia: *isoxazol*.] [Us. tb. em quím. como interpositivo: *-iso-*: *metilisoborneol*.]

▲**-iso-** V. *is(o)-*.

isoalina [De *is(o)-* + *-(h)al(o)-* + *-ina¹*.] *S. f.* Linha que liga os pontos da superfície marítima da Terra que apresentam a mesma salinidade.

isoamílico [Do ingl. *isoamylic* (de *isoamyl*, v. *is(o)-* e *-amil-*).] *Adj. Quím.* ~ V. *álcool —*.

isoaxe (cs) [De *is(o)-* + lat. *axe*, 'eixo'.] *Adj. 2 g. Min.* Diz-se dos cristais que têm eixos iguais.

isobafia [De *is(o)-* + gr. *baphé*, 'tintura', + *-ia¹*.] *S. f.* Estado de um corpo que só reflete uma cor.

isobáfico [De *isobafia* + *-ico²*.] *Adj.* Referente à isobafia.

isóbara [Do fr. *isobare* (*s. f.*), v. *isóbare*.] *S. f.* V. *curva isobárica*.

isóbare [Do fr. *isobare* (*adj., s. f.* [e *s. m.*]; v. *isóbaro*) < gr. *isobarés, és, és*, (*ă*), 'de igual peso'.] *Adj. 2 g.* **1.** De igual pressão atmosférica; isobárico, isóbaro. ● *S. f.* **2.** V. *curva isobárica*. [F. paral., nesta acepç.: *isóbara*.]

isobárica¹ *S. f. Fís.* V. *transformação isobárica*.

isobárica² *S. f.* V. *curva isobárica*.

isobárico [Do fr. *isobarique*.] *Adj. Fís.* **1.** V. *isóbare* (1). **2.** Diz-se de fenômeno em que se mantém constante a pressão do sistema. ~ V. *curva —a, spin —* e *transformação —a*.

isóbaro *Adj.* V. *isóbare* (1). ~ V. *nuclídeos —s*.

isóbaros *S. m. pl. Fís. Nucl.* Nuclídeos isóbaros (q. v.).

isóbata [De *is(o)-* + *-bata²*.] *S. f.* Linha que, nas cartas hidrográficas, liga pontos de igual profundidade.

isobático [De *isóbata* + *-ico²*.] *Adj.* **1.** Relativo ou pertencente a isóbata. **2.** De profundidade constante, invariável.

isoborneol [De *is(o)-* + *borneol*.] *S. m. Quím.* Álcool monoterpênico isômero do borneol [fórm.: $C_{10}H_{18}O$]. [Pl.: *isoborneóis*.]

isobrial [Do lat. cient. *Isobry-* (v. *isobriale*) + *-al¹*.] *Adj. 2 g. Bot.* Pertencente ou relativo às isobriales.

isobriale [Adapt. do tax. *Isobryales*.] *S. f. Bot.* Espécime das isobriales, ordem, vastamente distribuída, da classe dos músci (q. v.), que compreende musgos dotados de gametóforos ramificados, trepadores, em que as folhas se apresentam de tal forma entrelaçadas que parecem estar em duas fileiras, e, ger., de esporófitos pleurocarpos com cápsula ereta e perístoma duplo.

isobutano [De *is(o)-* + *butano*.] *S. m. Quím.* Substância gasosa, o metilpropano, alcano ramificado com quatro átomos de carbono [fórm.: C_4H_{10}].

isobuteno [De *is(o)-* + *buteno*.] *S. m. Quím.* Substância gasosa, o metilpropeno, alceno com quatro átomos de carbono, us. em petroquímica e na produção de polímeros; isobutileno [fórm.: C_4H_8].

isobutileno [De *is(o)-* + *butileno*.] *S. m. Quím.* Isobuteno.

isobutirato [De *isobutir(o)-* + *-ato²*.] *S. m. Quím.* Sal ou éster do ácido isobutírico.

isobutírico [De *is(o)-* + *butírico*.] *Adj. Quím.* ~ V. *ácido —*.

▲ **isobutir(o)-** *Quím. El. comp.* = 'relativo a ácido isobutírico': *isobutironitrila*.

isobutironitrila [De *isobutir(o)-* + *nitrila*.] *S. f. Quím.* Substância líquida, nitrila cujas moléculas contêm isopropila ligada ao grupo nitrila [fórm.: C_4H_7N].

isocanfano [De *is(o)-* + *canfano*.] *S. m. Quím.* Hidrocarboneto monoterpenoide saturado, bicíclico, em ponte, produzido sinteticamente, isômero do canfano [fórm.: $C_{10}H_{18}$].

isocariofileno (cà) [De *is(o)-* + *cariofileno*.] *S. m. Quím.* Sesquiterpeno bicíclico com duas ligações duplas e um anel de nove átomos fundidos [v. *fundido* (2)] a um tetragonal, e que é isômero do cariofileno [fórm.: $C_{15}H_{24}$].

isocarpo [De *is(o)-* + *-carpo*.] *Adj. Bot.* Que tem os frutos todos iguais. [Opõe-se a *anomocarpo*.]

isocianato [De *is(o)-* + *cianato*.] *S. m. Quím.* Designação genérica de ésteres de fórmula geral R-NCO (onde R é um grupo hidrocarbônico). ◆ **Isocianato de metila.** *Quím.* Líquido incolor, de baixo ponto de ebulição, muito volátil, inflamável, tóxico poderoso, usado como intermediário na fabricação de defensivos agrícolas. [Agente de grande desastre industrial, com milhares de mortes, na Índia, em dezembro de 1984.]

isocíclico [De *is(o)-* + *-cicl(o)-* + *-ico²*.] *Adj. Bot.* Diz-se da flor cujos verticilos têm todos o mesmo número de elementos.

isóclina [F. subst. de *isóclino*.] *S. f. Geol.* Linha isóclina (q. v.).

isoclinal [De *is(o)-* + *-clin(o)-²* + *-al¹*.] *Adj. 2 g. Geol.* Diz-se do tipo de dobra cujos flancos mergulham com ângulos iguais e com a mesma direção.

isoclínica [F. subst. de *isoclínico*.] *S. f. Geol.* Linha isoclínica (q. v.).

isoclínico [De *is(o)-* + *-clin(o)-²* + *-ico²*.] *Adj.* Isóclino. ~ V. *linha —a*.

isoclino *Adj.* V. *isóclino*.

isóclino [De *is(o)-* + *-clino²*.] *Adj.* Que tem a mesma inclinação magnética; isoclínico. [Var. pros.: *isoclino*.] ~ V. *linha —a*.

isócolo [Do gr. *isokôlon*, pelo lat. *isocolon*.] *Adj. E. Ling.* Diz-se do período constituído de membros iguais.

isocólon *Adj. E. Ling.* V. *isócolo*.

isócora *S. f. Fís.* V. *transformação isócora*.

isocórica [F. red. de *transformação isocórica*.] *S. f. Fís.* V. *transformação isócora*.

isocórico [De *is(o)-* + *-cor(o)-¹* + *-ico²*.] *Adj. Fís.* Diz-se de fenômeno em que o volume se mantém constante; isócoro, isométrico, isovolumar, isovolumétrico. ~ V. *transformação —a*.

isócoro *Adj. Fís.* **1.** Relativo a dois volumes iguais; isovolumar. **2.** V. *isocórico*. ~ V. *transformação —a*.

isocotilia [De *is(o)-* + *-cotil(o)-* + *-ia¹*.] *S. f. Bot.* Ocorrência de cotilédones iguais. [Opõe-se a *anisocotilia*. Cf. *heterofilia*.]

isocromático [De *is(o)-* + *cromático*.] *Adj.* Isocrômico (1).

isocromia [De *is(o)-* + *-crom(o)-* + *-ia¹*.] *S. f.* **1.** Litocromia. **2.** Imagem transparente, impregnada de verniz, por detrás da qual se aplicaram cores a óleo em camadas espessas e iguais.

isocrómico *Adj.* V. *isocrômico*. [Uso freq. em P.]

isocrômico [De *is(o)-* + *-crom(o)-* + *-ico²*.] *Adj.* **1.** Que tem coloração uniforme; isocromático. **2.** Relativo à isocromia; litocrômico.

isocronismo [De *isócrono* + *-ismo*.] *S. m.* Qualidade de isócrono.

isócrono [Do gr. *isóchronos*.] *Adj.* **1.** Que se realiza com intervalos iguais, ou ao mesmo tempo: *movimentos isócronos*. **2.** Cujos movimentos se efetuam com intervalos iguais, ou simultaneamente: "E a história continuava a dois, sempre na rede, onde eles se balançavam isócronos como dois ponteiros de metrônomo" (Monteiro Lobato, *Urupês, Outros Contos e Coisas*, p. 433); "um coração pulsava, talvez a essa mesma hora, isócrono com o seu" (José de Mesquita, *No Tempo da Cadeirinha*, p. 124). **3.** Que tem período independente de amplitude.

isoctano *S. m. Quím.* V. *iso-octano*.

isocusto *S. m. Econ.* Us. na expressão *linha de isocusto* (q. v.).

isodáctilo [De *is(o)-* + *-dá(c)tilo*.] *Adj. Zool.* Que tem dedos iguais. [Var.: *isodátilo*.]

isodátilo *Adj. Zool.* V. *isodáctilo*.

isodiáfero *Adj.* ~ V. *nuclídeos —s*.

isodiáferos *S. m. pl. Fís. Nucl.* Nuclídeos isodiáferos (q. v.).

isodiamétrico [De *is(o)-* + *diâmetro* + *-ico²*.] *Adj.* Que tem o mesmo diâmetro (que outra coisa).

isodinamia [De *is(o)-* + *-dinam(o)-* + *-ia¹*.] *S. f. Med.* Possibilidade de substituir uma substância alimentícia por outra equivalente do ponto de vista energético.

isodinâmico [De *isodinamia* + *-ico²*.] *Adj.* Relativo à isodinamia.

isodonte [De *is(o)-* + *-odonte*.] *Adj. 2 g. Zool.* Que tem todos os dentes iguais ou semelhantes.

isoédrico [De *is(o)-* + *-edr(o)-* + *-ico²*.] *Adj. Min.* Que tem faces iguais ou semelhantes.

isoeléctrico *Adj.* V. *isoelétrico*.

isoelétrico [De *is(o)-* + *elétrico*.] *Adj.* ~ V. *ponto —*.

isoenzima [De *is(o)-* + *enzima*.] *S. f. Bioquím.* Isozima.

isoetácea [Do tax. *Isoetes* (v. *isóete*) + *-ácea*; tax. *Isoetaceae*.] *S. f. Bot.* Espécime das isoetáceas, pequena família de pteridófitos, formada apenas do gênero Isoetes, o qual contém umas 50 espécies, sobretudo das zonas temperadas. São plantas com caule bolbiforme e folhas rosuladas, raras no Brasil.

isoetáceo [De *isoetácea*, com var. suf. (v. *-áceo*).] *Adj. Bot.* Pertencente ou relativo às isoetáceas.

isoetal [Do tax. *Isoetes* (v. *isóete*) + *-al¹*.] *Adj. 2 g. Bot.* Pertencente ou relativo às isoetales.

isoetale [Do tax. *Isoetes* (v. *isóete*) + *-ale*; tax. *Isoetales*.] *S. f. Bot.* Espécime das isoetales, ordem da classe das licópsidas que compreende apenas as isoetáceas.

isóete [Do tax. *Isoetes* (do lat. *isoetes*).] *S. f. Bot.* **1.** O único gênero das isoetáceas, que compreende cerca de 150 espécies de zonas tropicais e temperadas. **2.** Qualquer espécie desse gênero, como, p. ex., a *Isoetes martii* (v. *batatinha-d'água*). **3.** Qualquer espécime desse gênero.

isofilia [De *is(o)-* + *-fil(o)-*[1] + *-ia*[1].] *S. f. Bot.* Igualdade das folhas dum ramo. [Opõe-se a *anisofilia*. Cf. *heterofilia*.]

isofílico [De *is(o)-* + *-fil(o)-*[1] + *-ico*[2].] *Adj. Bot.* Relativo a isofilia, ou a isofilo.

isofilo [De *is(o)-* + *-filo*[1].] *Adj. S. m. Bot.* Diz-se de, ou vegetal cujas folhas são iguais.

isofono [De *is(o)-* + *-fono*.] *Adj.* Isófono.

isófono [Var. pros. de *isofono*.] *Adj.* Que tem voz análoga, ou igual timbre de voz.

isoforona [De *is(o)-* + *forona*.] *S. f. Quím.* Cetona cíclica insaturada, us. como solvente [fórm.: $C_9H_{14}O$].

isofoto [De *is(o)-* + *-foto*[1].] *S. m.* **1.** Conjunto de pontos de igual luminância sobre uma superfície brilhante. ● *Adj.* **2.** Relativo a isofoto. ~ V. *carta —a*.

isógama [De *is(o)-* + *gama*[1]; ingl. *isogam*.] *S. f.* Linha isógama (q. v.).

isogameta (ê) [De *is(o)-* + *-gameta*.] *S. m. Biol.* Gameta que não difere de outro em formato, tamanho ou comportamento, e ao qual é capaz de unir-se para formar um zigoto.

isogametia [De *isogameta* + *-ia*.] *S. f. Biol.* Isogamia (3).

isogamia [De *is(o)-* + *-gam(o)-* + *-ia*[1].] *S. f.* **1.** *Antrop.* Casamento entre indivíduos de mesmo *status* social, econômico ou religioso. **2.** *Antrop.* O costume, ou a prática socialmente regulamentada desse tipo de casamento. [Cf., nessas acepçs., *hipergamia*, *hipogamia*.] **3.** *Biol.* Fusão de células sexuais iguais; isogametia. [Cf. *anisogamia*.]

isogâmico [De *is(o)-* + *-gam(o)-* + *-ico*[2].] *Adj.* Isógamo (1 e 2).

isógamo [De *is(o)-* + *-gamo*.] *Adj.* **1.** Relativo à isogamia, ou caracterizado por ela; isogâmico. **2.** Diz-se daquele que casa com alguém de posição social semelhante à sua; isogâmico. ~ V. *linha —a*. ● *S. m.* **3.** Indivíduo isógamo. [Cf. *anisógamo*.]

isogénico *Adj. Genét.* V. *isogênico*. [Uso freq. em P.]

isogênico [De *is(o)-* + *-gen(o)-* + *-ico*[2].] *Adj. Genét.* Diz-se de um conjunto de indivíduos geneticamente uniformes.

isogeoterma *S. f.* V. *linha isogeoterma*.

isogeotérmica *S. f.* V. *linha isogeotérmica*.

isogeotérmico [De *is(o)-* + *-ge(o)-* + *-term(o)-* + *-ico*[2].] *Adj.* Isogeotermo. ~ V. *linha —a*.

isogeotermo [De *is(o)-* + *-ge(o)-* + *-termo*.] *Adj.* Diz-se de cada um dos pontos do interior do globo terrestre que têm a mesma temperatura; isogeotérmico. ~ V. *linha —a*.

isógino [De *is(o)-* + *-gino*.] *Adj. Bot.* Que tem carpelos e sépalas em números iguais. [Antôn.: *anisógeno*.]

isoglossa [Do al. *Isogloss* (v. *is(o)-* e *-glossa*).] *S. f. E. Ling.* Num mapa, linha que demarca a fronteira de um traço linguístico.

isoglóssico [De *isoglossa* + *-ico*[2].] *Adj.* Isoglótico.

isoglótico *Adj.* Relativo à isoglossa; isoglóssico.

isógona *S. f.* V. *linha isógona*.

isogónica *S. f.* V. *isogônica*. [Uso freq. em P.]

isogônica *S. f.* V. *linha isógona*.

isogónico *Adj.* V. *isogônico*. [Uso freq. em P.]

isogônico [De *is(o)-* + *-gon(o)-*[1] + *-ico*[2].] *Adj.* Diz-se de linha ou curva que liga, em carta geográfica, pontos de igual declinação magnética; isógono. ~ V. *curva —a* e *linha —a*.

isógono [De *is(o)-* + *-gono*.] *Adj.* **1.** Que tem ângulos iguais. **2.** Isogônico. ~ V. *curva —a* e *linha —a*. [A pronúncia correta seria *isogono*, v. *-gono*.]

isografia [De *is(o)-* + *-grafia*.] *S. f.* Reprodução exata da letra manuscrita.

isográfico [De *isografia* + *-ico*[2].] *Adj.* Referente à isografia.

iso-hipsa [De *iso-* + gr. *hýpsos*, 'altura'.] *S. f. Topogr.* Curva de nível. [Pl.: *iso-hipsas*.] ❖

isoieta [Do fr. *isohyète* (*s. f.*).] *S. f.* Em carta geográfica, curva ou linha que liga, na superfície terrestre, os pontos com o mesmo índice de pluviosidade média anual.

isoiético [De *isoieta* + *-ico*[2].] *Adj.* **1.** Relativo ou pertencente à isoieta. **2.** De igual pluviosidade média anual.

isoindolina [De *is(o)-* + *indolina*.] *S. f. Quím.* Substância heterocíclica, isômero da indolina [fórm.: C_8H_9N].

isolação [De *isolar* + *-ção*.] *S. f.* Isolamento (2): "Donzelas até, quantas .... não se estorceriam no leito ...., desvairadas pela isolação?" (Aluísio Azevedo, *Casa de Pensão*, p. 168.)

isolacionismo [Do ingl. *isolationism*.] *S. m.* **1.** Modo de pensar ou postura de partido político, país, etc., que recusa parcerias ou alianças com outros partidos políticos ou países. **2.** *P. ext.* Caráter ou postura de indivíduo que procura o isolamento.

isolacionista [Do ingl. *isolationist*.] *Adj. 2 g.* **1.** Do, ou relativo ao isolacionismo. ● *S. 2 g.* **2.** Adepto ou partidário do isolacionismo.

isolado [Part. de *isolar*.] *Adj.* **1.** Separado: "entravam no Grêmio, fumavam um charuto nalguma sala isolada, falando da vizinha" (Eça de Queirós, *Os Maias*, II, p. 48). **2.** Só, solitário. **3.** Pouco frequentado. **4.** Individual, sem relação com pessoas ou coisas da mesma espécie. **5.** Que não tem contato com um corpo bom condutor de eletricidade. **6.** Diz-se de grupo indígena que não teve, ou evita, contato com não índios e até com outros grupos indígenas: "A Funai estima que haja no país 69 grupos isolados, espalhados principalmente pelos estados da Amazônia Legal" (*Folha de S.Paulo*, 02.06.2008). ~ V. *conjunto —*, *fio —*, *fundação —a*, *língua —a*, *mar —*, *ponto —*, *singularidade —a* e *sistema —*.

isolador (ô) [De *isolar* + *-dor*.] *Adj.* **1.** Que isola; isolante. ~ V. *circuito —*. ● *S. m.* **2.** *Eletr.* Componente de um circuito elétrico ou eletrônico que tem a função de o isolar eletricamente do exterior.

isolamento [De *isolar* + *-mento*.] *S. m.* **1.** Ato ou efeito de isolar(-se). **2.** Estado de pessoa isolada; isolação. **3.** Separação feita entre um corpo eletrizado e os corpos que o rodeiam. **4.** *Constr.* Utilização de isolante (2) numa edificação, ou em seus ambientes. **5.** *Med.* Edifício ou pavilhão destinado aos doentes acometidos de moléstias infectocontagiosas, ou àqueles que se acham em observação por suspeita desse tipo de doença.

isolante [De *isolar* + *-nte*.] *Adj. 2 g.* **1.** Isolador: *fita isolante*. ~ V. *língua —*. ● *S. m.* **2.** *Eletr.* Substância que conduz muito pouca ou nenhuma corrente elétrica; substância de elevada resistividade.

isolar [Do fr. *isoler*.] *V. t. d.* **1.** Tornar solitário; deixar só; separar ou estremar de qualquer comunicação: *Isolaram-no ao saber que sua doença era infectocontagiosa.* **2.** *Fís.* Aplicar o isolador ou o isolante a. **3.** *Bras. Pop.* Lançar (bola ou qualquer outro objeto) para muito longe. *T. d. e i.* **4.** Separar ou estremar de qualquer comunicação: "nunca percebera de modo tão perfeito o peso de quatro paredes isolando-o do mundo" (Lúcio Cardoso, *O Desconhecido*, p. 8). *Int.* **5.** Afastar mau agouro: *Falando em F. ? Xi! Aquele sujeito dá azar. Isola!* [Us., em geral, fazendo-se acompanhar as palavras com um toque em objeto de madeira. Sin.: *bater na madeira*, *tocar na madeira*, *bater no pau*.] *P.* **6.** Pôr-se em isolamento; separar-se: "Os estudantes isolam-se nas repúblicas." (Raul Pompeia, *Crônicas 4*, p. 14.) **7.** Retirar-se da sociedade; afastar-se do convívio social: "O fato é que, escapando ao castigo, o homem se isolara voluntariamente num retiro mais solitário do que o mais escondido calabouço" (Raquel de Queirós, *Crônicas Escolhidas*, p. 5).

isolateral [De *is(o)-* + *lateral*.] *Adj. 2 g. Bot.* Que apresenta ambas as faces com igual estrutura: *folha isolateral*.

isolável [De *isolar* + *-vel*.] *Adj. 2 g.* Que pode ser isolado; separável.

isoleto [Do ingl. *isolect*.] *S. m. E. Ling.* Conjunto de regras do qual estão excluídas quaisquer regras alternativas que reflitam variáveis contemporâneas; leto[2] (2).

isoleucina [De *is(o)-* + *leucina*.] *S. f. Quím.* Aminoácido natural, essencial [fórm.: $C_6H_{13}NO_2$].

isolinha *S. f.* Isopleta.

isólogo [De *is(o)-* + *-logo*.] *Adj.* Que tem composição análoga.

isomerase [De *isômero* + *-ase*.] *S. f. Bioquím.* Designação genérica de enzimas que catalisam reações de isomerização no substrato.

isómere *Adj. 2 g.* V. *isômere*. [Uso freq. em P.]

isômere [Do gr. *isomerés*.] *Adj. 2 g.* **1.** Formado de partes semelhantes; metâmero. **2.** *Bot.* Que tem o mesmo número de peças em cada verticilo.

isomeria [De *isômere* ou *isômero* + *-ia*[1].] *S. f.* **1.** *Quím.* Fenômeno apresentado por duas ou mais substâncias que têm os mesmos átomos na molécula, mas com diferentes disposições espaciais ou com diferentes ligações; isomerismo: "misteriosa isomeria, mercê da qual corpos identicamente constituídos, com os mesmos átomos num arranjo semelhante, apresentam todavia propriedades diversíssimas." (Euclides da Cunha, *Os Sertões*, p. 618). **2.** *Fís. Nucl.* Isomeria nuclear. ◆ **Isomeria de cadeia** *Quím.* Aquela em que os isômeros diferem no arranjo da cadeia, mantendo-se os mesmos grupos funcionais, p. ex.: ácidos butírico e isobutírico. **Isomeria de função.** *Quím.* Aquela em que os isômeros diferem nos grupos funcionais, p. ex.: propanona e aldeído propiônico. **Isomeria de posição.** *Quím.* Aquela em que os isômeros diferem na posição dos grupos funcionais, mantendo-se o arranjo da cadeia, p. ex.: butanol normal (1-butanol) e butanol secundário (2-butanol). **Isomeria cis-trans.** *Quím.* **1.** Aquela presente em um par de estereoisômeros que se diferenciam somente por ter, um deles, configuração *cis* (q. v.) e, o outro, configuração *trans* (q. v.); p. ex.: *cis*-2-buteno e *trans*-2-buteno. [É um caso restrito de *isomeria E-Z*.] **2.** *P. ext.* Isomeria E-Z. **Isomeria E-Z.** *Quím.* Aquela presente em um par de estereoisômeros que se diferenciam somente por ter, um deles, configuração *Z* (q. v.) e, o outro, configuração *E* (q. v.); p. ex.: Z-2-buteno e *E*-2-buteno; isomeria cis-trans. **Isomeria espacial.** *Quím.* V. *estereoisomeria*. **Isomeria geométrica.** *Quím.* V. *isomeria E-Z*. **Isomeria nuclear.** *Fís. Nucl.* Fenômeno apresentado por nuclídeos que têm o mesmo número de massa e o mesmo número atômico, mas energia diferente, ou seja, que são idênticos, mas estão em diferentes níveis de excitação. [Tb. se diz apenas *isomeria*.] **Isomeria óptica.** *Fís.-Quím.* Fenômeno apresentado por duas substâncias isômeras enantiomorfas; isomerismo óptico. [É uma forma de estereoisomeria e origina isômeros R e S, ou D e L. A atividade óptica dessas substâncias é igual em módulo, porém com sinais opostos.]

isomérico [De *isomeria* + *-ico*[2].] *Adj.* Relativo à isomeria. ~ V. *transição —a*.

isomerismo [De *isômere* + *-ismo*.] *S. m.* **1.** Qualidade de isômere. **2.** *Quím.* Isomeria (1). ◆ **Isomerismo óptico.** *Fís.-Quím.* Isomeria óptica.

isómero *Adj. S. m.* V. *isômero*. [Uso freq. em P.]

isômero [Do gr. *isomerés*.] *Adj.* **1.** *Fís.-Quím.* Diz-se de molécula que contém as mesmas espécies e o mesmo número de átomos que outra, mas difere dessa outra na estrutura. **2.** *Fig.* Constituído pelos mesmos elementos, porém com características diferentes: "Encontraríamos perfeito símile nessa misteriosa isomeria, mercê da qual corpos identicamente constituídos, com os mesmos átomos num arranjo semelhante, apresentam todavia propriedades diversíssimas. Assim pensando .... eu vejo, e todos podem ver, no *jagunço* um corpo isômero do *sertanejo*." (Euclides da Cunha, *Os Sertões*, p. 618.) ~ V. *nuclídeos —s*. ● *S. m.* **3.** *Fís.-Quím.* Qualquer molécula isômera [v. *isômero* (1)] de outra. **4.** Parte ou segmento homólogo de outro. ~ V. *isômeros*. ◆ **Isômero óptico.** *Quím.* V. *enantiômero*.

isômeros [Pl. de *isômero*.] *S. m. pl.* **1.** *Fís. Nucl.* Núcleos ou nuclídeos que têm o mesmo número atômico e o mesmo número de massa, mas energias diferentes. **2.** *Quím.* Dois ou mais compostos que têm isomeria. ~ V. *isômero*.

isometria [De *is(o)-* + *-metria*.] *S. f. Álg.* Transformação biunívoca que preserva distâncias.

isométrica [De *is(o)-* + *-metr(o)-*[2] + *-ica*.] *S. f.* V. *transformação isócora*.

isométrico [De *is(o)-* + *-metr(o)-*[2] + *-ico*[2].] *Adj.* **1.** Que tem as mesmas dimensões. **2.** *Fís.* V. *isocórico*. ~ V. *sistema —* e *transformação —a*.

isometropia [De *is(o)-* + *-metr(o)-*[2] + *-opia*.] *S. f. Oftalm.* Condições iguais de refração nos dois olhos.

isometrópico [De *isometropia* + *-ico*[2].] *Adj.* Relativo à isometropia.

isomórfico [De *is(o)-* + *-morf(o)-* + *-ico*[2].] *Adj.* Isomorfo. ~ V. *domínios —s*.

isomorfismo [De *isomorfo* + *-ismo*.] *S. m.* **1.** *Álg.* Correspondência biunívoca entre os elementos de dois grupos que preserva as operações de ambos. **2.** *Quím.* Fenômeno apresentado por substâncias diferentes que cristalizam no mesmo sistema com a mesma disposição e orientação dos átomos, das moléculas ou dos íons. **3.** *Zool.* Condição em que indivíduos de espécies ou raças diferentes têm forma e aparência similar.

isomorfo [De *is(o)-* + *-morfo*.] *Adj.* Que apresenta isomorfismo; isomórfico.

isoniazida [De *isoni(cotínico)* + *(hidr)azida*.] *S. f. Quím.* Hidrazida do ácido isonicotínico, us. no tratamento da tuberculose [fórm.: $C_6H_7N_3O$].

isonicotínico [De *is(o)-* + *nicotínico*.] *Adj. Quím.* V. *ácido —*.

isonitrila [De *is(o)-* + *nitrila*.] *S. f. Quím.* Classe de compostos orgânicos, isômeros das nitrilas, caracterizados pelo grupo funcional monovalente R-NC (onde R é um grupo hidrocarbônico).

isonomia [Do gr. *isonomía*.] *S. f.* **1.** Estado daqueles que são governados pelas mesmas leis. **2.** *Jur.* Igualdade de todos perante a lei, assegurada como princípio constitucional.

isonómico *Adj.* V. *isonômico*. [Uso freq. em P.]

isonômico [De *isonomia* + *-ico*[2].] *Adj.* Referente à isonomia.

iso-octano [De *is(o)-* + *octano*.] *S. m. Quím.* **1.** Alcano líquido, o 2-metil-heptano [fórm.: C_8H_{18}]. **2.** Designação imprópria, porém corrente, do 2,2,4-trimetilpentano, us. como referência (valor = 100) para a determinação de índice de octana [fórm.: C_8H_{18}]. ❖

I

isoparamétrico [De *is(o)-* + *paramétrico.*] ***Adj. Geom.*** Que tem o mesmo parâmetro.

isopata [Var. pros. de *isópata.*] ***S. 2 g. Med.*** Pessoa que exerce a isopatia.

isópata [De *is(o)-* + *-pata* (q. v.).] ***S. 2 g. Med.*** Isopata (q. v.).

isopatia [De *is(o)-* + *-patia.*] ***S. f. Terap.*** Sistema de tratamento que emprega os produtos de uma doença ou do órgão afetado, como, p. ex., tratando varíola com quantidade mínima de matéria variólica, doenças do fígado com extrato hepático, etc. [Cf. *homeopatia* e *alopatia.*]

isopático [De *isopatia* + *-ico*[2].] ***Adj.*** Respeitante à isopatia.

isopétalo [De *is(o)-* + *-pétalo.*] ***Adj. Bot.*** Cujas pétalas são iguais.

isopia [De *is(o)-* + *-opia.*] ***S. f. Oftalm.*** Igualdade de visão em ambos os globos oculares.

isopícnica [F. subst. de *isopícnico.*] ***S. f.*** Em carta geográfica, linha que une, na superfície terrestre, os pontos em que a densidade da água, ou do ar, etc., é a mesma.

isopícnico [De *is(o)-* + *-picn(o)-* + *-ico*[2].] ***Adj.*** **1.** De igual densidade. **2.** Relativo ou pertencente a isopícnica (q. v.).

isopleta [Do fr. *isoplèthes* (*adj.* e *s. f.*) < gr. *isoplethés, és, és,* 'igual em número'.] ***S. f.*** Num gráfico, curva sobre a qual fica constante um certo parâmetro, como, p. ex., as isóbaras, as isotermas, as isentrópicas; isolinha.

isópode[1] [De *is(o)-* + *-pode.*] ***Adj. 2 g. Zool.*** Que tem patas iguais ou semelhantes.

isópode[2] [Adapt. do tax. *Isopoda.*] ***Zool. S. m.*** **1.** Espécime dos isópodes, ordem de artrópodes, crustáceos, malacostráceos, peracarídeos, desprovidos de carapaça, com o corpo achatado, apêndices do sexto segmento abdominal bem desenvolvidos e patas ambulatórias semelhantes; vivem em água doce ou salgada, com algumas espécies terrestres, de vida livre ou parasitos em crustáceos e peixes. • ***Adj. 2 g.*** **2.** Pertencente ou relativo a eles.

isopoliácido ***S. m. Quím.*** Ácido complexo constituído por dois ou mais resíduos ácidos idênticos.

isopor (ô) [Nome comercial.] ***S. m.*** **1.** *Quím.* Nome vulgar do poliestireno celular rígido. **2.** Artefato feito com esse material.

isópora ***S. f.*** V. *linha isopórica.*

isopórica [De *is(o)-* + *-por(o)-* + *-ica.*] ***S. f. Geol.*** V. *linha isopórica.*

isopórico [De *isópora* + *-ico*[2].] ***Adj.*** Relativo ou pertencente a isópora. ~ V. *linha —a.*

isopreno [De *is(o)-* + *pr(opil-)* + *-eno*[2].] ***S. m. Quím.*** Líquido incolor, de cheiro penetrante, o 2-metilbutadieno conjugado, do qual a borracha natural é um polímero e cujos dímeros, trímeros, etc., mais ou menos modificados, são os terpenos [v. *terpeno* (1)] [fórm.: C_5H_8].

▲ **isopropil-** ***El. comp. Quím.*** Indica a presença de grupo isopropila: *isopropilbenzeno.*

isopropila [De *is(o)-* + *propila.*] ***S. f. Quím.*** O grupo $(CH_3)_2CH$-, derivado do propano.

isopropilbenzeno [De *isopropil-* + *benzeno.*] ***S. m. Quím.*** Cumeno.

isóptero[1] [De *is(o)-* + *-ptero.*] ***Adj.*** Que tem asas iguais.

isóptero[2] [Adapt. do tax. *Isoptera.*] ***Zool. S. m.*** **1.** Espécime dos isópteros, ordem de artrópodes, da classe dos insetos, pterigotos, com sistema bucal mastigador, quatro asas membranosas iguais, com linhas transversais de sutura para a quebra espontânea. São sociais, com várias castas; os soldados e os operários são ápteros desde o início da vida. São os cupins. • ***Adj.*** **2.** Pertencente ou relativo a eles.

isóptica [F. subst. de *isóptico.*] ***S. f. Mat.*** Curva isóptica.

isóptico [De *is(o)-* + *-óptico.*] ***Adj.*** ~ V. *curva —a.*

isoptrofobia [Do gr. *eísoptron,* 'espelho', + *-fobia*; ingl. *eisoptrophobia.*] ***S. f. Psiq.*** Medo patológico de espelhos. [F. menos pref.: *eisoptrofobia.*]

isoptrofóbico [De *isoptrofobia* + *-ico*[2].] *Psiq.* ***Adj.*** **1.** Relativo a isoptrofobia. **2.** Que sofre de isoptrofobia; isoptrófobo. • ***S. m.*** **3.** Aquele que sofre de isoptrofobia; isoptrófobo. [F. menos pref.: *eisoptrofóbico.*]

isoptrófobo [Do gr. *eísoptron,* 'espelho', + *-fobo.*] ***Adj. S. m. Psiq.*** Isoptrofóbico (2 e 3). [F. menos pref.: *eisoptrófobo.*]

isopulegona [De *is(o)-* + *pulegona.*] ***S. f. Quím.*** Cetona insaturada, monoterpênica, natural, que é isômero da pulegona [fórm.: $C_{10}H_{16}O$].

isoquanta ***S. f. Econ.*** Representação gráfica das diferentes combinações de fatores de produção que geram uma mesma quantidade de produto.

isoquímena [Do fr. *isochimène* (*s. f.* [e *adj.* V. *isoquímeno*]).] ***S. f. Met.*** V. *linha isoquímena.*

isoquiménico ***Adj.*** V. *isoquimênico.* [Uso freq. em P.]

isoquimênico [De *isoquímena* + *-ico*[2].] ***Adj.*** Relativo ou pertencente a isoquímena.

isoquímeno [Do fr. *isochimène* (*adj.*) < gr. *ísos* (v. *is(o)-*) + gr. *cheimaínein,* 'fazer mau tempo'.] ***Adj. Met.*** De igual temperatura média no inverno. ~ V. *linha —a.*

isoquinolina [De *is(o)-* + *quinolina.*] ***S. f. Quím.*** Substância líquida, incolor, com caráter aromático, isômero da quinolina [fórm.: C_9H_7N].

isorientado [De *is(o)-* + *orientado.*] ***Adj. Geol.*** Diz-se dos elementos magnetizáveis pelo campo terrestre orientados segundo este campo, e dos fenocristais, vesículas, etc., orientados segundo o fluxo magmático.

isóscele ***Adj. 2 g.*** ~ V. *trapézio —* e *triângulo —.* [Var. de *isósceles.*]

isósceles [Do gr. *isoskelés,* pelo lat. tard. *isosceles* (nom.).] ***Adj. 2 g. e 2 n.*** Isóscele.

isoscelia [De *isóscele* + *-ia*[1].] ***S. f. Geom.*** Caráter do triângulo ou do trapézio isóscele.

isosférico [De *is(o)-* + *esférico.*] ***Adj.*** Que tem esferas iguais.

isosmia [De *is(o)-* + *-osm(o)-*[1] + *-ia*[1].] ***S. f. Med.*** Confusão olfativa decorrente de percepção igual de cheiros diferentes.

isósmico [De *isosmia* + *-ico*[2].] ***Adj.*** Relativo à isosmia.

isosmose [De *is(o)-* + *osmose.*] ***S. f. Fís.-Quím.*** Equilíbrio de soluções do mesmo número de moléculas, com a mesma pressão osmótica.

isosmóticas ***S. f. pl. Fís.-Quím.*** Isotônicas.

➔**isospin** ['aɪsəspɪn] [Ingl., de *iso(topic) spin.*] ***S. m. Fís. Part.*** Spin isotópico (q. v.).

isosporado [De *is(o)-* + *-spor(o)-* + *-ado*[1].] ***Adj. Bot.*** Que tem os esporos iguais. [Cf. *homosporado* e *heterosporado.*]

isosporíase [Do tax. *Isospora* + *-íase.*] ***S. f. Med.*** Infecção por esporozoário do gênero *Isospora.*

isossilábico [De *is(o)-* + *silábico.*] ***Adj.*** Diz-se de palavras ou de versos que têm o mesmo número de sílabas.

isossista [Do fr. *isosiste* (*s. f.* e *adj.*; v. *isossisto*).] ***S. f.*** Em carta geográfica, linha que une, na superfície terrestre, os pontos de igual intensidade sísmica, na propagação de um terremoto.

isossisto [Do fr. *isosiste* (*adj.* [e *s. f.*]; v. *isossista*), var. de *isoséiste* < gr. *iso-* (v. *is(o)-*) + gr. *seistós, é, ón,* 'sacudido', 'agitado'.] ***Adj.*** De, ou que apresenta, ou que indica igual intensidade sísmica.

isossorbida [Voc. farmac.] ***S. f. Quím.*** Diol heterocíclico, bicíclico, us. como diurético [fórm.: $C_6H_{10}O_4$].

isostasia [De *is(o)-* + *-(e)stas(i)-* + *-ia*[1].] ***S. f. Geol.*** Equilíbrio geral da crosta terrestre ao flutuar sobre o substrato fluido.

isostático [De *isost(asia)-* + *-ático.*] ***Adj. Geol.*** Referente à isostasia. ~ V. *estrutura —a.*

isostémone ***Adj. 2 g. Bot.*** V. *isostêmone.* [Uso freq. em P.]

isostêmone [De *is(o)-* + *-stêmone.*] ***Adj. 2 g. Bot.*** Diz-se do androceu cujos estames são em número igual ao de sépalas ou pétalas. [Opõe-se a *anisostêmone.*]

isosterismo [De *isóstero* + *-ismo.*] ***S. f. Quím.*** Semelhança de propriedades entre espécies químicas diferentes (elementos, íons ou moléculas), mas que têm o mesmo número total de elétrons de valência, como, p. ex., CO_2 e N_2O, C e Si.

isóstero [De *is(o)-* + gr. *-stere* (do gr. *stereós,* 'sólido'); ingl. *isostere.*] ***Adj. Quím.*** Que mostra isosterismo.

isotáctico [De *is(o)-* + *-tá(c)tico.*] ***Adj. Quím.*** ~ V. *polímero —.* [Var.: *isotático.*]

isotalantosa ***S. f.*** Linha imaginária que, em um mapa, une os pontos de igual amplitude anual média.

isotático ***Adj. Quím.*** V. *isotáctico.*

isoterma[1] [Do fr. *isotherme* (*s. f.* [e *adj.*]; v. *isotermo*).] ***S. f.*** V. *linha isoterma.*

isoterma[2] [F. red. de *transformação isoterma.*] ***S. f. Fís.*** V. *transformação isotérmica.*

isotérmica ***S. f. Fís.*** V. *transformação isotérmica.*

isotérmico [De *is(o)-* + *-term(o)-* + *-ico*[2].] ***Adj.*** Que tem a mesma temperatura; homotermal. ~ V. *transformação —.*

isotermo [Do fr. *isotherme* (adj. [e s. f.]; v. *isoterma*) < gr. *iso-* (v. *is(o)-*) + gr. *thermós* (v. *term(o)-*).] ***Adj.*** V. *isotérmico.* ~ V. *transformação —a.*

isotiazol [De *is(o)-* + *tiazol.*] ***S. m. Quím.*** Substância líquida incolor, aromática e heterocíclica, isômero do tiazol [fórm.: C_3H_3NS]. [Pl.: *isotiazóis.*]

isótipo [De *is(o)-* + *-tipo.*] ***S. m. Biol.*** Espécime do mesmo indivíduo que forneceu o tipo e que leva o mesmo número de campo.

isotonia [Do gr. *isótonos,* 'igualmente tenso', + *-ia*[1].] ***S. f. Fís.-Quím.*** Igualdade de pressão osmótica de duas soluções.

isotónico ***Adj.*** V. *isotônico.* [Uso freq. em P.]

isotônico [De *isotonia* + *-ico*[2].] ***Adj.*** **1.** Relativo à isotonia. **2.** Que apresenta isotonia: *soluções isotônicas.*

isótono [De *is(o)-* + *-tono.*] ***Adj. Fís. Nucl.*** ~ V. *nuclídeos —s.*

isótonos ***S. m. pl. Fís. Nucl.*** Nuclídeos isótonos (q. v.).

isotopia [De *isótopo* + *-ia*[1].] ***S. f. Fís. Nucl.*** Fenômeno apresentado por nuclídeos que têm o mesmo número atômico, mas números de massa diferentes.

isotópico [De *isótopo* + *-ico*[2].] ***Adj.*** Próprio ou relativo a isótopo. ~ V. *spin —.*

isótopo [De *is(o)-* + *-topo.*] ***Adj.*** **1.** ~ V. *nuclídeos —s.* • ***S. m.*** *Fís. Nucl.* **2.** Qualquer dos nuclídeos isotópicos de um mesmo elemento.

isotropia [De *is(o)-* + *-trop(o)-* + *-ia*[1]] ***S. f.*** Qualidade ou estado de isótropo ou isotrópico. [Opõe-se a *anisotropia.*]

isotrópico [De *is(o)-* + *-trop(o)-* + *-ico*[2].] ***Adj.*** Que apresenta as mesmas propriedades físicas em todas as direções; isótropo. [Opõe-se a *anisotrópico.*]

isótropo [Do gr. *isótropos.*] ***Adj.*** Isotrópico. ~ V. *vetor —.*

isovolumar [De *is(o)-* + *volume* + *-ar*[1].] ***Adj. 2 g.*** V. *isócoro* (1 e 2). ~ V. *transformação —.*

isovolumétrico [De *is(o)-* + *volu(me)* + *-metr(o)-* + *-ico*[2].] ***Adj. Fís.*** V. *isocórico.* ~ V. *transformação —a.*

isoxazol (cs) [De *is(o)-* + *oxazol.*] ***S. m. Quím.*** Substância heterocíclica insaturada, cujo anel tem três átomos de carbono, um de oxigênio e um de nitrogênio, sendo os dois últimos átomos adjacentes [fórm.: C_3H_3NO]. [Pl.: *isoxazóis.*]

isoxazolidina (cs) [De *isoxazol* + *-idina.*] ***S. f. Quím.*** Substância líquida, resultante da hidrogenação total do isoxazol [fórm.: C_3H_7NO].

isoxazolina (cs) [De *isoxazol* + *-ina*[3].] ***S. f. Quím.*** Qualquer de três substâncias isômeras, resultantes da hidrogenação parcial do isoxazol [fórm.: C_3H_5NO].

isozima [De *is(o)-* + *(en)zima.*] ***S. f. Quím.*** Qualquer de certas enzimas semelhantes, que catalisam a mesma reação, mas que podem diferir nos detalhes de sua ação; isoenzima.

isqueiro [De *isca* + *-eiro,* poss.] ***S. m.*** Pequeno aparelho munido de uma torcida embebida de gasolina, ou de um reservatório de gás, que, inflamando-se, serve para acender cigarros e para outros fins; acendedor: "Premiu a mola do isqueiro, acendeu o cigarro na chama amarelada" (Nélson de Faria, *Tiziu e Outras Estórias,* p. 74). [Sin. (bras., pop. RN e BA): *artifício.*]

isquemia [Do gr. *íschaimos,* 'que pode deter o sangue', + *-ia*[1].] ***S. f. Patol.*** Insuficiência localizada de irrigação sanguínea, devida a constrição ou a obstrução arterial, e que pode ocorrer em maior ou menor grau.

isquémico ***Adj.*** V. *isquêmico.* [Uso freq. em P.]

isquêmico [De *isquemia* + *-ico*[2].] ***Adj. Med.*** **1.** Referente à isquemia. **2.** Que susta a circulação de parte do sangue arterial.

▲**-isqu(i)-** V. *isc(o)-.*

isquíaco ***Adj. Anat.*** V. *isquiático.*

isquiagra [De *isqui(o)-* + *-agra.*] ***S. f. Med.*** Dor fixa em quadril ou nos quadris; isquialgia.

isquial [De *isqui(o)-* + *-al*[1].] ***Adj. 2 g.*** V. *isquiático.*

isquialgia [De *isqui(o)-* + *-alg(o)-*[2] + *-ia*[1].] ***S. f. Med.*** Isquiagra.

isquiático [Do lat. tard. *ischiaticu,* alter. do lat. *ischiadicu.*] ***Adj. Anat.*** Relativo ou pertencente a ísquio ou a quadril; isquial, isquíaco, ciático.

isquidrose [De *isqui(o)-* + *hidrose.*] ***S. f. Med.*** Supressão do suor.

▲ **isqui(o)-** [Do gr. *ischíon, ou.*] ***El. comp.*** = 'bacia', 'quadril', 'ísquio': *isquiagra, isquiocele.*

ísquio [Do gr. *ischíon,* 'anca' (no lat. tard. *ischia, orum*).] ***S. m. Anat.*** A porção dorsal inferior de cada osso do quadril, e que, no período fetal, constitui osso individualizado.

isquiocavernoso (is... ô) [De *isqui(o)-* + *cavernoso.*] ***Adj.*** V. *músculo —.*

isquiocele [De *isqui(o)-* + *-cele*[1].] ***S. f. Cir.*** Hérnia que se processa através de chanfradura sacrociática.

ísquion ***S. m. Anat.*** V. *ísquio.*

isquiopagia (is) [De *isqui(o)-* + *-pag(o)-* + *-ia*[1].] ***S. f. Ter.*** Anomalia congênita que consiste na união de dois gêmeos, entre si, pela área isquiática: cada um dos dois corpos apresenta seu maior eixo em linha reta e em direção oposta à de seu homólogo do outro corpo.

isquiopágico (is) [De *isquiopagia* + *-ico*[2].] ***Adj.*** Relativo à isquiopagia.

isquiópago ***Adj. Ter.*** Diz-se de, ou ser que apresenta isquiopagia.

israel [Do antr. *Israel,* do patriarca dos judeus.] ***S. m.*** Designação coletiva dos israelitas; hebreu. [Pl.: *israéis.*]

israelandense ***Adj. 2 g.*** **1.** De, ou pertencente ou relativo a Israelândia (GO). • ***S. 2 g.*** **2.** O natural ou habitante de Israelândia.

israelense ***Adj. 2 g.*** **1.** De, ou pertencente ou relativo ao Estado de Israel. • ***S. 2 g.*** **2.** O natural ou habitante do Estado de Israel. [Sin. ger.: *israeliano.* Cf. *israelita.*]

israeliano ***Adj. S. m.*** Israelense (q. v.).

israelita [Do lat. ecles. *israelita*.] *S. 2 g.* **1.** Indivíduo do povo de Israel, dos israelitas. **2.** Judeu (3). ● *Adj. 2 g.* **3.** Pertencente ou relativo ao povo de Israel, aos israelitas. **4.** Judeu (6). [Cf. *israelense*.] ~ V. *calendário* —.

israelítico [De *israelita* + *-ico*².] *Adj.* Israelita (3).

■ **I.S.S.** Sigla de *imposto sobre serviços*.

issé *S. 2 g. e 2 n. Adj. 2 g. e 2 n. Bras.* V. *icé*.

issei *S. 2 g.* Japonês que emigra para a América. [Cf. *icei*, do v. *içar*, e *nissei*.]

■ **ISSN** [Ingl.; sigla de *International Standard Serial Number*.] *Bibliot. Docum.* Indicativo numérico utilizado internacionalmente para identificação de publicações seriadas, como revistas, jornais, etc.

isso [Do lat. *ipsu*.] ***Pron. dem.*** **1.** Essa(s) coisa(s). **2.** *Deprec. Fam.* Essa pessoa: 📄 *Isso é um tipo imprestável; Alô, meu velho! como vai isso?* ● ***Interj.*** **3.** Muito bem! está certo: 📖 "— Viúva de um médico, não é? | — Isso" (Machado de Assis, *Memorial de Aires*, p. 7). [Cf. *iço*, do v. *içar*.] ◆ **Nem por isso.** Nem tanto como se diz ou afirma. **Por isso.** Em vista disso; por esse motivo: 📖 "Alguns anos vivi em Itabira. / Principalmente nasci em Itabira. / Por isso sou triste, orgulhoso: de ferro." (Carlos Drummond de Andrade, *Reunião*, p. 45.)

▲ **-ist(a)-** Equiv. de *-ista*.

▲ **-ista** [Do gr. *-istés*, *oû*.] ***Suf. nom.*** = 'partidário ou sectário de doutrina, escola, seita, teoria ou princípio artístico, filosófico, político ou religioso'; 'que pratica certo ofício', 'que tem certa ocupação'; 'especialista'; 'que toca certo instrumento musical (ger. com talento e/ou dedicação)'; 'que pratica determinada modalidade ou atividade esportiva'; 'que pratica certo tipo de ação, ou que tem certo hábito, ou conduta'; 'aluno (de determinado ano escolar)'; 'nomes gentílicos': *budista, classicista, socialista, moralista, balconista, cinegrafista, eletricista, alergista, pneumologista, organista, violinista, boxista, enxadrista, blefista, calculista, cigarrista, primeiranista, terceiranista, paulista, sulista.* [Equiv.: *-ist(a)-*: *imagística*.]

istioforídeo [Do tax. *Istiophorus* + *-ídeo*¹; tax. *Istiophoridae*.] *Zool. S. m.* **1.** Espécime dos istioforídeos, família de peixes marinhos, de corpo fusiforme, que se caracterizam pela maxila alongada, e pela primeira nadadeira dorsal muito grande. São peixes de aproveitamento comercial, distribuídos por mares tropicais e subtropicais. Ex.: agulhão-bandeira. ● *Adj.* **2.** Pertencente ou relativo a eles.

ístmico [Do gr. *isthmikós*, pelo lat. *isthmicu*.] *Adj.* **1.** Relativo ou semelhante a istmo (1). **2.** Do, pertencente ou relativo ao istmo de Corinto. [Cf. *jogos ístmicos*.]

istmo [Do gr. *isthmós*, 'lugar por onde se vai', pelo lat. *isthmu*.] *S. m.* **1.** Faixa de terra que liga uma península a um continente. **2.** Objeto de configuração análoga à dessa faixa. **3.** *Anat.* Formação estreita que promove a união entre duas outras maiores. **4.** *Anat. P. ext.* Estrutura ou região que promove união. ◆ **Istmo das fauces.** *Anat.* Passagem estreita situada entre a cavidade oral e a faringe. **Istmo da tireoide.** *Anat.* Porção estreita, nem sempre existente, que une o lobo direito da glândula tireóidea ao esquerdo.

istmoplegia [Do gr. *isthmós*, 'istmo (das fauces)', + *-pleg-* + *-ia*¹.] *S. f. Neur.* Paralisia do istmo das fauces.

istmoplégico [De *istmoplegia* + *-ico*².] *Adj.* Referente à istmoplegia.

isto [Do lat. *istu(d)*.] ***Pron. dem.*** **1.** Esta(s) coisa(s): 📖 "Ibiapina foi realmente isto: uma enorme força moral a serviço da Igreja e do Brasil." (Gilberto Freire, *Pessoas, Coisas e Animais*, p. 20.) **2.** *Deprec. Fam.* Esta pessoa: 📄 *Isto é um cabra muito do ordinário; Isto é um grande companheiro, isto vale ouro.* ● *S. m.* **3.** Us. na loc. *um isto*. ● ***Interj.*** **4.** Exprime apoio, concordância, aplauso: 📖 "— Ponha a alavanca em ponto morto. Isto! Ligue a máquina..." (Herberto Sales, *Histórias Ordinárias*, p. 86.) ◆ **Isto é.** Loc. que liga duas palavras ou duas frases, a segunda das quais explica ou retifica a anterior; quer dizer; ou seja: 📖 "Os seus olhos eram cinzentos: isto é, nem cinzentos nem de outra cor, eram um misto de cinza e verde" (João Gaspar Simões, *A Unha Quebrada*, p. 197). **Um isto.** Nem um pouco; coisa nenhuma; nada: 📄 *Não me deu um isto de auxílio; Não entende um isto do assunto.* [A expr. é acompanhada, geralmente, pelo gesto de encostar o polegar perto da extremidade do indicador.]

isuria [De *is(o)-* + *-uria*.] *S. f. Med.* V. *isúria*.

isúria [De *is(o)-* + *-úria*.] *S. f. Med.* Emissão de urina em volume normal. [F. paral.: *isuria*.]

isurídeo [Do tax. *Isurus* + *-ídeo*¹; tax. *Isuridae*.] *Zool. S. m.* **1.** Espécime dos isurídeos, família de peixes elasmobrânquios, pleurotremados. Possuem focinho pontudo, não têm cúspides nos dentes, e a nadadeira dorsal é bem posterior. São extremamente vorazes e perigosos. Ex.: o anequim, o tubarão-sombreiro. ● *Adj.* **2.** Pertencente ou relativo a eles.

➔ **it** [ɪt] [Ingl., gír.] *S. m.* Magnetismo pessoal; encanto, fascínio, atração, charme.

▲ **-it-** V. *-ita*².

ita [Das sílabas iniciais dos navios da antiga Companhia Nacional de Navegação Costeira: 'Itaquatiara', 'Itanajé', 'Itapajé', 'Itapé', 'Itaquicé', 'Itassucé'.] *S. m. Bras.* Navio misto de cabotagem que fazia o percurso entre o N. e o S. do País: 📖 "Peguei um ita no Norte / pra vir pro Rio morar" (Dorival Caymmi, na canção *Tomei um Ita no Norte*); "Bahia, / eu te olho e te ouço / de bordo do meu itazinho pulador" (Jorge de Lima, *Obra Poética*, p. 232).

■ **ITA** Sigla de *Instituto Tecnológico de Aeronáutica*.

▲ **ita-** [Do tupi.] *El. comp.* = 'pedra': *itaberaba*.

▲ **-ita**¹ Fem. de *-ito*¹ (q. v.).

▲ **-ita**² [Do lat. *-ita* < gr. *-ítēs*.] ***Suf. nom.*** = 'origem', 'pertinência': *israelita, jesuíta*. [Us. em *Quím.* com o sentido geral de 'caracterizado por' (*termita*), 'produzido por' (*adamsita*), 'proveniente de ou que contém' (*barita*). Ocorre, tb., como infixo: *-it-*: *carnitina, ferritina*.]

▲ **-ita**³ V. *-ite*².

itá¹ *S. f.* Palavra tupi-guarani que entra na composição de muitos termos brasileiros e significa 'pedra', 'metal', etc.

itá² *S. m. Bras.* Meteorito que serve de fetiche natural de Xangô; pedra de raio.

itã [Do tupi.] *S. f. Bras.* **1.** Designação comum a certos ornatos de pedra polida que se encontram nas urnas funerárias de antigos povos aborígines. **2.** V. *concha* (2). [Var.: *intã*.]

itabaianense *Adj. 2 g.* **1.** De, ou pertencente ou relativo a Itabaiana (PB e SE). ● *S. 2 g.* **2.** O natural ou habitante de Itabaiana.

itabaianinhense *Adj. 2 g.* **1.** De, ou pertencente ou relativo a Itabaianinha (SE). ● *S. 2 g.* **2.** O natural ou habitante de Itabaianinha.

itabapuanense *Adj. 2 g.* **1.** De, ou pertencente ou relativo a Itabapuana (RJ). ● *S. 2 g.* **2.** O natural ou habitante de Itabapuana.

itabelense *Adj. 2 g.* **1.** De, ou pertencente ou relativo a Itabela (BA). ● *S. 2 g.* **2.** O natural ou habitante de Itabela.

itaberaba [Do tupi.] *S. f. Bras.* Palavra com que, no tempo das bandeiras, os sertanistas designavam as minas fabulosas que lhes acendiam a cobiça.

itaberabense *Adj. 2 g.* **1.** De, ou pertencente ou relativo a Itaberaba (BA). ● *S. 2 g.* **2.** O natural ou habitante de Itaberaba.

itaberense *Adj. 2 g.* **1.** De, ou pertencente ou relativo a Itaberá (SP). ● *S. 2 g.* **2.** O natural ou habitante de Itaberá.

itaberino *Adj.* **1.** De, ou pertencente ou relativo a Itaberaí (GO). ● *S. m.* **2.** O natural ou habitante de Itaberaí.

itabiense *Adj. 2 g.* **1.** De, ou pertencente ou relativo a Itabi (SE). ● *S. 2 g.* **2.** O natural ou habitante de Itabi.

itabirano *Adj.* **1.** De, ou pertencente ou relativo a Itabira (MG). ● *S. m.* **2.** O natural ou habitante de Itabira.

itabirense *Adj. 2 g.* **1.** De, ou pertencente ou relativo a Itabirinha de Mantena (MG). ● *S. 2 g.* **2.** O natural ou habitante de Itabirinha de Mantena.

itabiritense *Adj. 2 g.* **1.** De, ou pertencente ou relativo a Itabirito (MG). ● *S. 2 g.* **2.** O natural ou habitante de Itabirito.

itabirito [Do top. *Itabira* + *-ito*².] *S. m. Geol.* Rocha metamórfica, xistosa, composta essencialmente de grãos de quartzo e de lamelas de hematita micácea, minério de ferro.

itaboraiense (a-i) *Adj. 2 g.* **1.** De, ou pertencente ou relativo a Itaboraí (RJ). ● *S. 2 g.* **2.** O natural ou habitante de Itaboraí.

itabunense *Adj. 2 g.* **1.** De, ou pertencente ou relativo a Itabuna (BA). ● *S. 2 g.* **2.** O natural ou habitante de Itabuna.

itacajaense *Adj. 2 g.* **1.** De, ou pertencente ou relativo a Itacajá (TO). ● *S. 2 g.* **2.** O natural ou habitante de Itacajá.

itacambirense *Adj.* **1.** De, ou pertencente ou relativo a Itacambira (MG). ● *S. m.* **2.** O natural ou habitante de Itacambira.

itacarambiense *Adj. 2 g.* **1.** De, ou pertencente ou relativo a Itacarambi (MG). ● *S. 2 g.* **2.** O natural ou habitante de Itacarambi.

itacareense (êen) *Adj. 2 g.* **1.** De, ou pertencente ou relativo a Itacaré (BA). ● *S. 2 g.* **2.** O natural ou habitante de Itacaré.

itacolomiense *Adj. 2 g.* **1.** De, ou pertencente ou relativo a Novo Itacolomi (PR). ● *S. 2 g.* **2.** O natural ou habitante de Novo Itacolomi.

itacolomito [Do top. *Itacolomi* + *-ito*².] *S. m. Geol.* Rocha metamórfica, variedade flexível de quartzito.

itacuã [Do tupi = 'cascalho'.] *S. m. Bras.* Pedra amarelada com que se alisa a louça de barro feita à mão.

itacuru [Do tupi.] *S. m. Bras.* V. *cupim* (2).

itacurua *S. f. Bras.* V. *tacuruba*.

itacuruba [Do tupi = 'pedaços de pedra'.] *S. f. Bras.* Lugar cheio de pedregulhos e seixos miúdos; itacurumbi.

itacurubá *S. m. Bras.* V. *cupim* (2).

itacurubense *Adj. 2 g.* **1.** De, ou pertencente ou relativo a Itacuruba (PE). ● *S. 2 g.* **2.** O natural ou habitante de Itacuruba.

itacurubiense *Adj. 2 g.* **1.** De, ou pertencente ou relativo a Itacurubi (RS). ● *S. 2 g.* **2.** O natural ou habitante de Itacurubi.

itacuruçaense *Adj. 2 g.* **1.** De, ou pertencente ou relativo a Itacuruçá (RJ). ● *S. 2 g.* **2.** O natural ou habitante de Itacuruçá.

itacurumbi [Do tupi.] *S. m. Bras.* V. *itacuruba*.

itaenguense *Adj. 2 g.* **1.** De, ou pertencente ou relativo a Lagoa do Itaenga (PE). ● *S. 2 g.* **2.** O natural ou habitante de Lagoa do Itaenga.

itaense *Adj. 2 g.* **1.** De, ou pertencente ou relativo a Itá (SC). ● *S. 2 g.* **2.** O natural ou habitante de Itá.

itaeteense (êen) *Adj. 2 g.* **1.** De, ou pertencente ou relativo a Itaeté (BA). ● *S. 2 g.* **2.** O natural ou habitante de Itaeté.

itagibaense *Adj. 2 g. S. 2 g.* V. *itajibaense*.

itagiense *Adj. 2 g. S. 2 g.* V. *itajiense*.

itagimiriense *Adj. 2 g. S. 2 g.* V. *itajimiriense*.

itagimirinense *Adj. 2 g. S. 2 g.* V. *itajimirinense*.

itaguaçuense¹ *Adj. 2 g.* **1.** De, ou pertencente ou relativo a Itaguaçu (ES). ● *S. 2 g.* **2.** O natural ou habitante de Itaguaçu.

itaguaçuense² *Adj. 2 g.* **1.** De, ou pertencente ou relativo a Itaguaçu da Bahia (BA). ● *S. 2 g.* **2.** O natural ou habitante de Itaguaçu da Bahia.

itaguaiense (a-i) *Adj. 2 g.* **1.** De, ou pertencente ou relativo a Itaguaí (RJ). ● *S. 2 g.* **2.** O natural ou habitante de Itaguaí.

itaguajeense (êen) *Adj. 2 g.* **1.** De, ou pertencente ou relativo a Itaguajé (PR). ● *S. 2 g.* **2.** O natural ou habitante de Itaguajé.

itaguarense *Adj. 2 g.* **1.** De, ou pertencente ou relativo a Itaguara (MG). ● *S. 2 g.* **2.** O natural ou habitante de Itaguara.

itaguarino *Adj.* **1.** De, ou pertencente ou relativo a Itaguari (GO). ● *S. m.* **2.** O natural ou habitante de Itaguari.

itaguaruense *Adj. 2 g.* **1.** De, ou pertencente ou relativo a Itaguaru (GO). ● *S. 2 g.* **2.** O natural ou habitante de Itaguaru.

itaguatinense *Adj. 2 g.* **1.** De, ou pertencente ou relativo a Itaguatins (TO). ● *S. 2 g.* **2.** O natural ou habitante de Itaguatins.

itaibense (a-i) *Adj. 2 g.* **1.** De, ou pertencente ou relativo a Itaíba (PE). ● *S. 2 g.* **2.** O natural ou habitante de Itaíba.

itaiçabense *Adj. 2 g.* **1.** De, ou pertencente ou relativo a Itaiçaba (CE). ● *S. 2 g.* **2.** O natural ou habitante de Itaiçaba.

itaiense (a-i) *Adj. 2 g.* **1.** De, ou pertencente ou relativo a Itaí (SP). ● *S. 2 g.* **2.** O natural ou habitante de Itaí.

itaimbé (a-im) [Do tupi.] *S. m. S. MT* **1.** Monte agudo e escarpado. **2.** Precipício, despenhadeiro. [Var.: *itambé, taimbé*.]

itainopolense *Adj. 2 g.* **1.** De, ou pertencente ou relativo a Itainópolis (PI). ● *S. 2 g.* **2.** O natural ou habitante de Itainópolis.

itaiopolense *Adj. 2 g.* **1.** De, ou pertencente ou relativo a Itaiópolis (SC). ● *S. 2 g.* **2.** O natural ou habitante de Itaiópolis.

itaipaba *S. f. Bras.* V. *itaipava*.

itaipava [Var. de *itaipaba*.] *S. f.* **1.** *Bras.* Recife de pedra que atravessa um rio de margem a margem, causando o desnivelamento da corrente. [Outras var.: *intaipaba, intaipava*.] **2.** *Bras. MT* V. *itupava*.

itaipavense *Adj. 2 g.* **1.** De, ou pertencente ou relativo a Itaipava (RJ). ● *S. 2 g.* **2.** O natural ou habitante de Itaipava.

itaipeense (êen) *Adj. 2 g.* **1.** De, ou pertencente ou relativo a Itaipé (MG). ● *S. 2 g.* **2.** O natural ou habitante de Itaipé.

itaitinguense *Adj. 2 g.* **1.** De, ou pertencente ou relativo a Itaitinga (CE). ● *S. 2 g.* **2.** O natural ou habitante de Itaitinga.

itaitubense *Adj. 2 g.* **1.** De, ou pertencente ou relativo a Itaituba (PA). ● *S. 2 g.* **2.** O natural ou habitante de Itaituba.

itajaense *Adj. 2 g.* **1.** De, ou pertencente ou relativo a Itajá (GO e RN). ● *S. 2 g.* **2.** O natural ou habitante de Itajá.

itajaiense (a-i) *Adj. 2 g.* **1.** De, ou pertencente ou relativo a Itajaí (SC). ● *S. 2 g.* **2.** O natural ou habitante de Itajaí.

itajibaense *Adj. 2 g.* **1.** De, ou pertencente ou relativo a Itajibá (BA). ● *S. 2 g.* **2.** O natural ou habitante de Itajibá. [Forma correta, embora menos us. que *itagibense*.]

I

itajiense *Adj. 2 g.* **1.** De, ou pertencente ou relativo a Itaji (BA). ● *S. 2 g.* **2.** O natural ou habitante de Itaji. [Forma correta, embora menos us. que *itagiense*.]

itajimiriense *Adj. 2 g.* **1.** De, ou pertencente ou relativo a Itajimirim (BA). ● *S. 2 g.* **2.** O natural ou habitante de Itajimirim. [Forma correta, embora menos us. que *itagimiriense*. Sin. ger.: *itajimirinense*.]

itajimirinense *Adj. 2 g. S. 2 g.* V. *itajimiriense*.

itajobiense *Adj. 2 g.* **1.** De, ou pertencente ou relativo a Itajobi (SP). ● *S. 2 g.* **2.** O natural ou habitante de Itajobi.

itajuba [Var. de *itaúba*.] *S. f. Bras. Bot.* Moreira (2).

itajubense *Adj. 2 g.* **1.** De, ou pertencente ou relativo a Itajubá (MG). ● *S. 2 g.* **2.** O natural ou habitante de Itajubá.

itajuense[1] *Adj. 2 g.* **1.** De, ou pertencente ou relativo a Itaju (SP). ● *S. 2 g.* **2.** O natural ou habitante de Itaju.

itajuense[2] *Adj. 2 g.* **1.** De, ou pertencente ou relativo a Itaju do Colônia (BA). ● *S. 2 g.* **2.** O natural ou habitante de Itaju do Colônia.

itajuipense (u-i) *Adj. 2 g.* **1.** De, ou pertencente ou relativo a Itajuípe (BA). ● *S. 2 g.* **2.** O natural ou habitante de Itajuípe.

■ **ITAL** Sigla de *Instituto de Tecnologia de Alimentos*.

italiana *S. f. Tip.* Letra italiana.

italianada [De *italiano* + *-ada*[1].] *S. f. Bras.* **1.** Reunião de italianos. **2.** Os italianos.

italianidade [De *italiano* + *-(i)dade*.] *S. f.* Qualidade ou condição de italiano.

italianismo [De *italiano* + *-ismo*.] *S. m.* **1.** Imitação da língua e/ou dos costumes italianos. **2.** Palavra ou locução italiana usada em outra língua.

italianização [De *italianizar* + *-ção*.] *S. f.* Ação ou processo de italianizar(-se).

italianizar [De *italiano* + *-izar*.] *V. t. d.* **1.** Dar caráter, aspecto, hábitos, sentimentos italianos, a. *P.* **2.** Adquirir hábitos e costumes italianos.

italiano [Do it. *italiano*.] *Adj.* **1.** Da, ou pertencente ou relativo à Itália (Europa); itálico. ~ V. *bica —a*, *comédia —a*, *cortina —a*, *formato —*, *janela —a*, *letra —a*, *palco —* e *soneto —*. ● *S. m.* **2.** O natural ou habitante da Itália. **3.** *Gloss.* Língua oficial da Itália, românica, falada também na Suíça italiana e em São Marinho (Europa meridional). [É a continuação histórica do dialeto toscano medieval convertido em língua literária no séc. XIII.]

italianofilia [De *italiano* + *-filia*.] *S. f.* Qualidade, caráter ou sentimento de italianófilo.

italianofílico [De *italianofilia* + *-ico*[2].] *Adj.* Relativo a italianofilia, ou a italianófilo.

italianófilo [De *italiano* + *-filo*[2].] *Adj. S. m.* **1.** Amigo da Itália. **2.** Simpatizante dos italianos e de seus costumes.

itálico [Do gr. *italikós*, pelo lat. *italicu*.] *Adj.* **1.** Italiano (1). **2.** Relativo ou pertencente à Itália antiga. **3.** *Art. Gráf.* Diz-se do tipo de realce inclinado para a direita, cujo primeiro desenho foi calcado na letra chanceleresca cursiva; grifo. **4.** *Hist. Filos.* Pertencente ou relativo aos itálicos [v. *itálico* (9)], ou às suas doutrinas. **5.** *Restr.* Pitagórico (1). **6.** Pertencente ou relativo ao itálico (11). ~ V. *escola —a* e *letra —a*. ● *S. m.* **7.** *Art. Gráf.* Tipo itálico (3); grifo, letra grifica, letra itálica. **8.** *P. ext.* Qualquer tipo de talhe inclinado representativo de variante que, para fins de realce, habitualmente acompanha uma fonte de desenho vertical; grifo. **9.** *Hist. Filos.* Segundo o historiador grego Diógenes Laércio (séc. III), cada um dos pensadores que desenvolveram sua atividade filosófica na Magna Grécia: Ferécides, os pitagóricos, Xenófanes, os eleatas, os atomistas e os epicuristas. [Opõe-se a *jônico* (q. v.).] **10.** *Restr.* Pitagórico (3). **11.** *Gloss.* Ramo do indo-europeu falado na Península Itálica e que se divide em dois subgrupos: o osco-úmbrio e o latino.

italiota [Do gr. *italiótes*.] *S. 2 g.* **1.** Indivíduo dos italiotas, designação comum às populações primitivas da Itália central: latinos, úmbrios, samnitas, etc. ● *Adj. 2 g.* **2.** Pertencente ou relativo aos italiotas.

▲ **italo-** Equiv. de *ítalo-*.

ítalo [Do gr. *italós*, pelo lat. *italu*.] *Adj.* **1.** Relativo à Itália. **2.** Italiano, romano, latino. ● *S. m.* **3.** Habitante da Itália.

▲ **ítalo-** [De *ítalo*.] *El. comp.* = 'ítalo': *ítalo-brasileiro*. [Equiv.: *italo-*: *italófono*.]

ítalo-brasileiro [De *ítalo-* + *brasileiro*.] *Adj.* **1.** Relativo ou pertencente à Itália e ao Brasil, a italianos e brasileiros: 📖 "A tão celebrada harmonia ítalo-brasileira já tem passado pedaços desagradáveis" (Antônio de Alcântara Machado, *Cavaquinho e Saxofone*, p. 79). **2.** Que tem ascendentes desses dois povos. ● *S. m.* **3.** Aquele que tem ascendentes italianos e brasileiros. [Flex.: *ítalo-brasileira*, *ítalo-brasileiros*, *ítalo-brasileiras*.]

italófono [De *italo-* + *-fono*.] *Adj. S. m.* Diz-se de, ou país, ou povo, ou indivíduo, etc. que fala italiano, ou que tem o italiano como língua (4).

ítalo-românico *Adj. S. m. Gloss.* **1.** Diz-se de, ou o conjunto de variedades linguísticas que se constituíam numa evolução do latim vulgar e que foi falado entre os sécs. V e IX na Península Itálica. **2.** Diz-se de, ou o conjunto formado pelo italiano e pelo sardo. [V. *balcano-românico*, *galo-românico*, *ibero-românico*, *reto-românico*. Flex.: *ítalo-românica*, *ítalo-românicos*, *ítalo-românicas*.]

italvense *Adj. 2 g.* **1.** De, ou pertencente ou relativo a Italva (RJ). ● *S. 2 g.* **2.** O natural ou habitante de Italva.

itamaca *S. f. Bras.* Rede (2) usada por indígenas do alto Amazonas.

itamaracaense *Adj. 2 g.* **1.** De, ou pertencente ou relativo a Itamaracá (PE). ● *S. 2 g.* **2.** O natural ou habitante de Itamaracá.

itamarajuense *Adj. 2 g.* **1.** De, ou pertencente ou relativo a Itamaraju (BA). ● *S. 2 g.* **2.** O natural ou habitante de Itamaraju.

itamarandibano *Adj.* **1.** De, ou pertencente ou relativo a Itamarandiba (MG). ● *S. m.* **2.** O natural ou habitante de Itamarandiba.

itamaratiense[1] *Adj. 2 g.* **1.** De, ou pertencente ou relativo a Itamarati (AM). ● *S. 2 g.* **2.** O natural ou habitante de Itamarati.

itamaratiense[2] *Adj. 2 g.* **1.** De, ou pertencente ou relativo a Itamarati de Minas (MG). ● *S. 2 g.* **2.** O natural ou habitante de Itamarati de Minas.

itamariense *Adj. 2 g.* **1.** De, ou pertencente ou relativo a Itamari (BA). ● *S. 2 g.* **2.** O natural ou habitante de Itamari.

itambacuriense *Adj. 2 g.* **1.** De, ou pertencente ou relativo a Itambacuri (MG). ● *S. 2 g.* **2.** O natural ou habitante de Itambacuri.

itambaracaense *Adj. 2 g.* **1.** De, ou pertencente ou relativo a Itambaracá (PR). ● *S. 2 g.* **2.** O natural ou habitante de Itambaracá.

itambé *S. m. Bras. S. MT* V. *itaimbé*.

itambeano (è) *Adj.* **1.** De, ou pertencente ou relativo a Santo Antônio do Itambé (MG). ● *S. m.* **2.** O natural ou habitante de Santo Antônio do Itambé.

itambeense[1] (êen) *Adj. 2 g.* **1.** De, ou pertencente ou relativo a Itambé (BA e PE). ● *S. 2 g.* **2.** O natural ou habitante de Itambé.

itambeense[2] (êen) *Adj. 2 g.* **1.** De, ou pertencente ou relativo a Itambé do Mato Dentro (MG). ● *S. 2 g.* **2.** O natural ou habitante de Itambé do Mato Dentro.

itambenense *Adj. 2 g.* **1.** De, ou pertencente ou relativo a Itambé (PR). ● *S. 2 g.* **2.** O natural ou habitante de Itambé.

itamontense *Adj. 2 g.* **1.** De, ou pertencente ou relativo a Itamonte (MG). ● *S. 2 g.* **2.** O natural ou habitante de Itamonte.

itanagrense *Adj. 2 g.* **1.** De, ou pertencente ou relativo a Itanagra (BA). ● *S. 2 g.* **2.** O natural ou habitante de Itanagra.

itanhaense *Adj. 2 g.* **1.** De, ou pertencente ou relativo a Itanhaém (SP). ● *S. 2 g.* **2.** O natural ou habitante de Itanhaém.

itanhamum *Bras. S. 2 g.* **1.** *Etnôn.* Indivíduo dos itanhamuns, povo indígena extinto que habitava a margem esquerda do rio Jaguaribe (CE). ● *Adj. 2 g.* **2.** Pertencente ou relativo a esse povo. [Tb. us. como *s. 2 g. e 2 n.* (com cap.) e *adj. 2 g. e 2 n.*]

itanhanduense *Adj. 2 g.* **1.** De, ou pertencente ou relativo a Itanhandu (MG). ● *S. 2 g.* **2.** O natural ou habitante de Itanhandu.

itanhense *Adj. 2 g.* **1.** De, ou pertencente ou relativo a Itanhém (BA). ● *S. 2 g.* **2.** O natural ou habitante de Itanhém.

itanhomiense *Adj. 2 g.* **1.** De, ou pertencente ou relativo a Itanhomi (MG). ● *S. 2 g.* **2.** O natural ou habitante de Itanhomi.

itaobinense *Adj. 2 g.* **1.** De, ou pertencente ou relativo a Itaobim (MG). ● *S. 2 g.* **2.** O natural ou habitante de Itaobim. [F. paral.: *itaobinhense*.]

itaobinhense *Adj. 2 g. S. 2 g.* V. *itaobinense*.

itaoca [Do tupi = 'casa de pedra'.] *S. f. Bras.* Caverna, furna, lapa.

itaocarense *Adj. 2 g.* **1.** De, ou pertencente ou relativo a Itaocara (RJ). ● *S. 2 g.* **2.** O natural ou habitante de Itaocara.

itaoquense *Adj. 2 g.* **1.** De, ou pertencente ou relativo a Itaoca (SP). ● *S. 2 g.* **2.** O natural ou habitante de Itaoca.

itapacino *Adj.* **1.** De, ou pertencente ou relativo a Itapaci (GO). ● *S. m.* **2.** O natural ou habitante de Itapaci.

itapajeense (êen) *Adj. 2 g.* **1.** De, ou pertencente ou relativo a Itapajé (CE). ● *S. 2 g.* **2.** O natural ou habitante de Itapajé.

itapajipense *Adj. 2 g.* **1.** De, ou pertencente ou relativo a Itapajipe (MG). ● *S. 2 g.* **2.** O natural ou habitante de Itapajipe.

itapanhoacanga *S. f. Bras. MG* V. *canga*[3].

itaparicano *Adj.* **1.** Da, ou pertencente ou relativo à ilha de Itaparica (BA). ● *S. m.* **2.** O natural ou habitante de Itaparica.

itapeba [Do tupi = 'pedra chata'.] *S. f. Bras. N.* Recife de pedra que corre paralelamente à margem de rio. [Var.: *itapeva*.]

itapebiense *Adj. 2 g.* **1.** De, ou pertencente ou relativo a Itapebi (BA). ● *S. 2 g.* **2.** O natural ou habitante de Itapebi.

itapecerica [Do tupi.] *S. f. Bras. S.* Monte granítico, de encostas lisas e escorregadias.

itapecericano[1] *Adj.* **1.** De, ou pertencente ou relativo a Itapecerica (MG). ● *S. m.* **2.** O natural ou habitante de Itapecerica.

itapecericano[2] *Adj.* **1.** De, ou pertencente ou relativo a Itapecerica da Serra (SP). ● *S. m.* **2.** O natural ou habitante de Itapecerica da Serra.

itapecuim (u-ím) *S. m. Bras.* V. *cupim* (2).

itapecuruense *Adj. 2 g.* **1.** De, ou pertencente ou relativo a Itapecurumirim (MA). ● *S. 2 g.* **2.** O natural ou habitante de Itapecurumirim. [Cf. *itapicuruense*.]

itapeense (êen) *Adj. 2 g.* **1.** De, ou pertencente ou relativo a Itapé (BA). ● *S. 2 g.* **2.** O natural ou habitante de Itapé.

itapejarense *Adj. 2 g.* **1.** De, ou pertencente ou relativo a Itapejara d'Oeste (PR). ● *S. 2 g.* **2.** O natural ou habitante de Itapejara d'Oeste.

itapema [De *tapema*, com *i* protético.] *S. f. Bras. AM Zool.* V. *gavião-tesoura*.

itapemense *Adj. 2 g.* **1.** De, ou pertencente ou relativo a Itapema (SC). ● *S. 2 g.* **2.** O natural ou habitante de Itapema.

itapemirinense *Adj. 2 g.* **1.** De, ou pertencente ou relativo a Itapemirim (ES). ● *S. 2 g.* **2.** O natural ou habitante de Itapemirim.

itaperuçuense *Adj. 2 g.* **1.** De, ou pertencente ou relativo a Itaperuçu (PR). ● *S. 2 g.* **2.** O natural ou habitante de Itaperuçu.

itaperunense *Adj. 2 g.* **1.** De, ou pertencente ou relativo a Itaperuna (RJ). ● *S. 2 g.* **2.** O natural ou habitante de Itaperuna.

itapetinense *Adj. 2 g.* **1.** De, ou pertencente ou relativo a Itapetim (PE). ● *S. 2 g.* **2.** O natural ou habitante de Itapetim.

itapetinguense *Adj. 2 g.* **1.** De, ou pertencente ou relativo a Itapetinga (BA). ● *S. 2 g.* **2.** O natural ou habitante de Itapetinga.

itapetiningano *Adj.* **1.** De, ou pertencente ou relativo a Itapetininga (SP). ● *S. m.* **2.** O natural ou habitante de Itapetininga.

itapeuá [Do tupi.] *S. m. Bras. Bot.* Arvoreta mirtácea (*Eugenia flavescens*) peculiar à caatinga baiana, de folhas ovado-acuminadas, coriáceas, flores pequenas, com quatro pétalas e muitos estames, e fruto bacáceo; marfim, mocuguê.

itapeva *S. f. Bras. N.* V. *itapeba*.

itapevense *Adj. 2 g.* **1.** De, ou pertencente ou relativo a Itapeva (MG e SP). ● *S. 2 g.* **2.** O natural ou habitante de Itapeva.

itapeviense *Adj. 2 g.* **1.** De, ou pertencente ou relativo a Itapevi (SP). ● *S. 2 g.* **2.** O natural ou habitante de Itapevi.

itapicuim (u-ím) [Do tupi.] *S. m. Bras. Amaz. Zool.* Cupim (1).

itapiçumense *Adj. 2 g.* **1.** De, ou pertencente ou relativo a Itapiçuma (PE). ● *S. 2 g.* **2.** O natural ou habitante de Itapiçuma.

itapicura *S. f. Bras. Bot.* V. *itapicuru* (1).

itapicuru [Do tupi.] *S. m.* **1.** *Bras. Bot.* Árvore cesalpiniácea (Goniorrhachis marginata) de até 18m, de folhas com dois pares de folíolos, flores alvas, espiciformes, frutos leguminiformes deiscentes e madeira roxa, de boa qualidade. [Var.: *itapicura*. Sin.: *guarabu*, *guarabu-amarelo*, *guarabu-branco*, *guarabu-batata*, *guarabu-preto*, *guarabu-roxo*, *guaribu*.] **2.** V. *itapiúna*.

itapicuruense *Adj. 2 g.* **1.** De, ou pertencente ou relativo a Itapicuru (BA). ● *S. 2 g.* **2.** O natural ou habitante de Itapicuru. [Cf. *itapecuruense*.]

itapipoquense *Adj. 2 g.* **1.** De, ou pertencente ou relativo a Itapipoca (CE). ● *S. 2 g.* **2.** O natural ou habitante de Itapipoca.

itapiranga [Do tupi.] *S. m. Bras. SP* Designação comum às conchas róseas.

itapiranguense *Adj. 2 g.* **1.** De, ou pertencente ou relativo a Itapiranga (AM e SC). ● *S. 2 g.* **2.** O natural ou habitante de Itapiranga.

itapirapuano *Adj.* **1.** De, ou pertencente ou relativo a Itapirapuã (GO). ● *S. m.* **2.** O natural ou habitante de Itapirapuã.

itapirapuense *Adj. 2 g.* **1.** De, ou pertencente ou relativo a Itapirapuã Paulista (SP). ● *S. 2 g.* **2.** O natural ou habitante de Itapirapuã Paulista.

itapirense *Adj. 2 g.* **1.** De, ou pertencente ou relativo a Itapira (SP). ● *S. 2 g.* **2.** O natural ou habitante de Itapira.

itapiri *S. m. Bras. Amaz.* V. *tapiri.*

itapitanguense *Adj. 2 g.* **1.** De, ou pertencente ou relativo a Itapitanga (BA). ● *S. 2 g.* **2.** O natural ou habitante de Itapitanga

itapiúna [Do tupi.] *S. f. Bras. Bot.* Árvore voquisiácea (*Callisthene major*) comum nos cerrados e matas secas do Brasil, de boa madeira, própria para carvão, casca com uso medicinal, e da qual se obtém, tb., corante amarelo, folhas pequenas e aproximadas, pequenas flores com uma única pétala, e fruto capsular. [Sin.: *itapicuru, pau-terra-do-mato.*]

itapiunense (i-u) *Adj. 2 g.* **1.** De, ou pertencente ou relativo a Itapiúna (CE). ● *S. 2 g.* **2.** O natural ou habitante de Itapiúna.

itapoaense (poà) *Adj. 2 g.* **1.** De, ou pertencente ou relativo a Itapoá (SC). ● *S. 2 g.* **2.** O natural ou habitante de Itapoá.

itapolitano *Adj.* **1.** De, ou pertencente ou relativo a Itápolis (SP). ● *S. m.* **2.** O natural ou habitante de Itápolis.

itaporanense[1] *Adj. 2 g.* **1.** De, ou pertencente ou relativo a Itaporã (MS). ● *S. 2 g.* **2.** O natural ou habitante de Itaporã.

itaporanense[2] *Adj. 2 g.* **1.** De, ou pertencente ou relativo a Itaporã do Tocantins (TO). ● *S. 2 g.* **2.** O natural ou habitante de Itaporã do Tocantins.

itaporanguense[1] *Adj. 2 g.* **1.** De, ou pertencente ou relativo a Itaporanga (PB e SP). ● *S. 2 g.* **2.** O natural ou habitante de Itaporanga. [Cf. *itapuranguense.*]

itaporanguense[2] *Adj. 2 g.* **1.** De, ou pertencente ou relativo a Itaporanga d' Ajuda (SE). ● *S. 2 g.* **2.** O natural ou habitante de Itaporanga d' Ajuda. [Cf. *itapuranguense.*]

itapororoquense *Adj. 2 g.* **1.** De, ou pertencente ou relativo a Itapororoca (PB). ● *S. 2 g.* **2.** O natural ou habitante de Itapororoca.

itapu [Var. de *atapu.*] *S. m. Bras. BA* V. *búzio* (1).

itapuá [Do tupi.] *S. m. Bras. AM* Arpão curto, com ponta de ferro, usado na pesca da tartaruga, do pirarucu, etc. [Var. pros.: *itapuã.*]

itapuã *S. m. Bras. AM* V. *itapuá.*

itapuiense (u-i) *Adj. 2 g.* **1.** De, ou pertencente ou relativo a Itapuí (SP). ● *S. 2 g.* **2.** O natural ou habitante de Itapuí.

itapuranguense *Adj. 2 g.* **1.** De, ou pertencente ou relativo a Itapuranga (GO). ● *S. 2 g.* **2.** O natural ou habitante de Itapuranga. [Cf. *itaporanguense.*]

itapurense *Adj. 2 g.* **1.** De, ou pertencente ou relativo a Itapura (SP). ● *S. 2 g.* **2.** O natural ou habitante de Itapura.

itaquaquecetubano *Adj.* **1.** De, ou pertencente ou relativo a Itaquaquecetuba (SP). ● *S. m.* **2.** O natural ou habitante de Itaquaquecetuba.

itaquarense *Adj. 2 g.* **1.** De, ou pertencente ou relativo a Itaquara (BA). ● *S. 2 g.* **2.** O natural ou habitante de Itaquara.

itaquatiara [Do tupi = 'pedra riscada'.] *S. f. Bras. N. N.E.* Inscrição de rochedos e paredes de caverna; inscrição rupestre.

itaquatiarense *Adj. 2 g.* **1.** De, ou pertencente ou relativo a Itaquatiara (AM). ● *S. 2 g.* **2.** O natural ou habitante de Itaquatiara.

itaquiense *Adj. 2 g.* **1.** De, ou pertencente ou relativo a Itaqui (RS). ● *S. 2 g.* **2.** O natural ou habitante de Itaqui.

itaquirense *Adj. 2 g.* **1.** De, ou pertencente ou relativo a Itaquiraí (MS). ● *S. 2 g.* **2.** O natural ou habitante de Itaquiraí.

itaquitinguense *Adj. 2 g.* **1.** De, ou pertencente ou relativo a Itaquitinga (PE). ● *S. 2 g.* **2.** O natural ou habitante de Itaquitinga.

▲ **-itar** [Do lat. *-(i)tāre.*] *Suf. verb.* = 'ação frequentativa', 'ação diminutiva': *manquitar.*

itaranense *Adj. 2 g.* **1.** De, ou pertencente ou relativo a Itarana (ES). ● *S. 2 g.* **2.** O natural ou habitante de Itarana.

itarantinense *Adj. 2 g.* **1.** De, ou pertencente ou relativo a Itarantim (BA). ● *S. 2 g.* **2.** O natural ou habitante de Itarantim.

itararé [Do tupi = 'pedra escavada'.] *S. m. Bras. S.* Curso subterrâneo das águas dum rio através de rochas calcárias. [Sin., nas regiões de MG e GO: *sumidouro.* Cf. *grunado.*]

itarareense (èên) *Adj. 2 g.* **1.** De, ou pertencente ou relativo a Itararé (SP). ● *S. 2 g.* **2.** O natural ou habitante de Itararé.

itaremense *Adj. 2 g.* **1.** De, ou pertencente ou relativo a Itarema (CE). ● *S. 2 g.* **2.** O natural ou habitante de Itarema.

itaririense *Adj. 2 g.* **1.** De, ou pertencente ou relativo a Itariri (SP). ● *S. 2 g.* **2.** O natural ou habitante de Itariri.

itarumãense *Adj. 2 g.* **1.** De, pertencente ou relativo a Itarumã (GO). ● *S. 2 g.* **2.** O natural ou habitante de Itarumã.

itatiaiense *Adj. 2 g.* **1.** De, ou pertencente ou relativo a Itatiaia (RJ). ● *S. 2 g.* **2.** O natural ou habitante de Itatiaia.

itatiaiuçuense *Adj. 2 g.* **1.** De, ou pertencente ou relativo a Itatiaiuçu (MG). ● *S. 2 g.* **2.** O natural ou habitante de Itatiaiuçu.

itatibense[1] *Adj. 2 g.* **1.** De, ou pertencente ou relativo a Itatiba (SP). ● *S. 2 g.* **2.** O natural ou habitante de Itatiba.

itatibense[2] *Adj. 2 g.* **1.** De, ou pertencente ou relativo a Itatiba do Sul (RS). ● *S. 2 g.* **2.** O natural ou habitante de Itatiba do Sul.

itatinense *Adj. 2 g.* **1.** De, ou pertencente ou relativo a Itatim (BA). ● *S. 2 g.* **2.** O natural ou habitante de Itatim.

itatinguense *Adj. 2 g.* **1.** De, ou pertencente ou relativo a Itatinga (SP). ● *S. 2 g.* **2.** O natural ou habitante de Itatinga.

itatirense *Adj. 2 g.* **1.** De, ou pertencente ou relativo a Itatira (CE). ● *S. 2 g.* **2.** O natural ou habitante de Itatira.

itatubense *Adj. 2 g.* **1.** De, ou pertencente ou relativo a Itatuba (PB). ● *S. 2 g.* **2.** O natural ou habitante de Itatuba.

itauá *S. m. Bras. Bot.* V. *ituá* (1).

itauaçu *S. m. Bras. Amaz. Bot.* V. *uacu.*

itaúba [Do tupi = 'pedra-árvore'.] *S. f. Bras. Bot.* Árvore laurácea (*Mezilaurus itauba*) da Amaz. e MT, de folhas espessas e obovado-oblongas, flores insignificantes, e cujos frutos são bagas negras, sendo a madeira, amarela, das mais resistentes, usada sobretudo em construção naval; itaúba-vermelha.

itaubarana (a-u) [De *itaúba* + *-rana.*] *S. f. Bras. Bot.* Arvoreta fabácea (*Sweetia nitens*) da Amaz., de flores pequenas e racemosas, madeira dura, mas escassa, e cujas folhas têm sete a nove folíolos, oblongos e coriáceos, sendo o fruto um legume grosso.

itaúba-vermelha *S. f. Bot.* Itaúba. [Pl.: *itaúbas-vermelhas.*]

itaubense (a-u) *Adj. 2 g.* **1.** De, ou pertencente ou relativo a Itaúba (MT). ● *S. 2 g.* **2.** O natural ou habitante de Itaúba.

itauçuense (a-u) *Adj. 2 g.* **1.** De, ou pertencente ou relativo a Itauçu (GO). ● *S. 2 g.* **2.** O natural ou habitante de Itauçu.

itaueirense *Adj. 2 g.* **1.** De, ou pertencente ou relativo a Itaueira (PI). ● *S. 2 g.* **2.** O natural ou habitante de Itaueira.

itauense[1] (a-u) *Adj. 2 g.* **1.** De, ou pertencente ou relativo a Itaú (RN). ● *S. 2 g.* **2.** O natural ou habitante de Itaú.

itauense[2] (a-u) *Adj. 2 g.* **1.** De, ou pertencente ou relativo a Itaú de Minas (MG). ● *S. 2 g.* **2.** O natural ou habitante de Itaú de Minas.

itaúna [Do tupi = 'pedra preta'.] *S. f. Bras.* Designação comum a várias rochas negras, como o basalto, o diabásio, o diorito, etc.

itaunense[1] (a-u) *Adj. 2 g.* **1.** De, ou pertencente ou relativo a Itaúna (MG). ● *S. 2 g.* **2.** O natural ou habitante de Itaúna.

itaunense[2] (a-u) *Adj. 2 g.* **1.** De, ou pertencente ou relativo a Itaúna do Sul (PR). ● *S. 2 g.* **2.** O natural ou habitante de Itaúna do Sul.

itaveravense *Adj. 2 g.* **1.** De, ou pertencente ou relativo a Itaverava (MG). ● *S. 2 g.* **2.** O natural ou habitante de Itaverava.

■ **I.T.D.** Sigla de *imposto de transmissão* causa mortis *e doação.*

▲ **-ite**[1] [Do gr. *îtis*, pelo lat. *-ite.*] *Suf.* designativo de doença inflamatória do órgão, tecido, etc., a que se refere o radical: *adenite, amigdalite, bronquite.* [Note-se a ocorrência informal desse suf., com valor irônico e/ou pejorativo, no port. do Brasil, indicando caráter transitório, ou pouco importante: *paixonite, reformite.*]

▲ **-ite**[2] [Do gr. *-ites.*] *Suf.* us. na formação de termos de mineralogia: *dendrite* (< gr.), *grafite.* [Equiv.: *-ita*[3], *-it(o)-*[1], *-ito*[2]: *pirita; hialopilítico; arenito.*]

ité [Do tupi = 'diferente', 'diverso'; 'feio', 'repelente'.] *Adj. 2 g. Bras. SP* Sem gosto; insípido.

item [Do lat. *item.*] *Adv.* **1.** Da mesma forma; também. [Us. em contas e numerações.] ● *S. m.* **2.** Cada um dos artigos ou incisos duma exposição escrita, dum regulamento, dum contrato, etc. ◆ **Item lexical.** *E. Ling.* Palavra (2).

iteração [Do lat. *iteratione.*] *S. f.* **1.** Ato de iterar; repetição. **2.** *Álg. Inform.* Processo de resolução (de uma equação, de um problema) mediante uma sequência finita de operações em que o objeto de cada uma é o resultado da que a precede.

iterado [Part. de *iterar.*] *Adj.* Em que houve iteração; repetido.

iterar [Do lat. *iterare.*] *V. t. d.* **1.** Tornar a fazer ou a dizer; repetir, reiterar. **2.** *Álg. Inform.* Fazer uso de iteração (2).

iteratividade [De *iterativo* + *-(i)dade.*] *S. f.* Caráter ou condição de iterativo.

iterativo [Do lat. tard. *iterativu.*] *Adj.* **1.** Relativo a, ou em que há iteração. **2.** Repetido, reiterado. **3.** Que serve para iterar. **4.** *Álg. Inform.* Diz-se de procedimento (como algoritmo, programa, etc.) que se baseia no uso ou aplicação da iteração (2). **5.** *E. Ling.* Relativo a iterativo (6). ~ V. *aspecto — e verbo —.* ● *S. m.* **6.** *E. Ling.* Aspecto iterativo (q. v.).

iterável [Do lat. tard. *iterabile.*] *Adj. 2 g.* Que pode ou deve ser iterado.

itérbio [Do lat. cient. *Ytterbium* < top. *Ytterby.*] *S. m. Quím.* Elemento de número atômico 70, pertencente aos lantanídeos [símb.: *Yb*].

➔ **iter criminis** ['itẹr 'krimẹnẹs] [Lat., 'caminho do crime'.] *Dir. Penal* O conjunto dos atos preparatórios e executórios dum crime.

iterícia *S. f. Patol.* V. *icterícia.*

itérico *Adj. S. m. Med.* V. *ictérico.*

▲ **iti-** [Do gr. *ithýs, eîa, ý.*] *El. comp.* = 'reto', 'ereto': *itifálico.*

▲ **-ítico** [Do gr. *-itikós* ou do lat. *-iticu.*] *Suf. nom.* formador de voc. eruditos e semieruditos: 'de, próprio de, ou relativo a': *apossinclítico, bacteriolítico, epicrítico, fluorítico.* [V. *-ico*[2] e *-ótico.*]

itifálico [Do gr. *ithyphallikós*, pelo lat. tard. *ithyphallicu.*] *Adj.* Referente ou relativo a itifalo.

itifalo [Do gr. *ithýphallos.*] *S. m.* Na Grécia antiga, grande falo ereto que se conduzia em procissão nas festas em honra de Dioniso ou Baco.

itinerante [Do lat. tard. *itinerante.*] *Adj. 2 g.* **1.** Que viaja, que percorre itinerários. ~ V. *agricultura —.* ● *S. 2 g.* **2.** Pessoa itinerante.

itinerário [Do lat. tard. *itinerariu.*] *Adj.* **1.** Concernente ou relativo a caminhos. ● *S. m.* **2.** Descrição de viagem; roteiro. **3.** Caminho que se vai percorrer, ou se percorreu: *Qual o seu itinerário na França?* **4.** Caminho, trajeto, percurso: *Percorreu longo itinerário até chegar à alta posição atual.*

itinguense *Adj. 2 g.* **1.** De, ou pertencente ou relativo a Itinga (MG). ● *S. 2 g.* **2.** O natural ou habitante de Itinga.

itipuna *Bras. S. 2 g.* **1.** *Etnôn.* Indivíduo dos itipunas, povo indígena extinto que habitava a região situada na margem direita do rio Solimões, entre os rios Juruá e Jutaí (AM). ● *Adj. 2 g.* **2.** Pertencente ou relativo a esse povo. [Tb. us. como *s. 2 g.* e *2 n.* (com cap.) e *adj. 2 g. 2 n.*]

itiquirano *Adj. S. m.* V. *itiquirense.*

itiquirense *Adj. 2 g.* **1.** De, ou pertencente ou relativo a Itiquira (MT). ● *S. 2 g.* **2.** O natural ou habitante de Itiquira. [Sin. ger.: *itiquirano.*]

itirapinense *Adj. 2 g.* **1.** De, ou pertencente ou relativo a Itirapina (SP). ● *S. 2 g.* **2.** O natural ou habitante de Itirapina.

itirapuanense *Adj. 2 g. S. 2 g.* V. *itirapuãense.*

itirapuãense *Adj. 2 g.* **1.** De, ou pertencente ou relativo a Itirapuã (SP). ● *S. 2 g.* **2.** O natural ou habitante de Itirapuã.

itiruçuense *Adj. 2 g.* **1.** De, ou pertencente ou relativo a Itiruçu (BA). ● *S. 2 g.* **2.** O natural ou habitante de Itiruçu.

itiubense (i-u) *Adj. 2 g.* **1.** De, ou pertencente ou relativo a Itiúba (BA). ● *S. 2 g.* **2.** O natural ou habitante de Itiúba.

▲ **-it(o)-**[1] V. *-ite*[2].

▲ **-it(o)-**[2] V. *-ito*[3].

▲ **-ito**[1] [Do lat. *-ittu.*] *Suf. nom.* = 'diminuição': *pequenito.* [Equiv.: *-eta, -ete, -eto*[1], *-ita*[1], *-zita, -zito*: *saleta; lembrete; churrasqueto; manita; florzita; jardinzito.*]

▲ **-ito**[2] Equiv. de *-ite*[2].

▲ **-ito**[3] *Quím. Suf.* Indica ânion (ou sal deste ânion) derivado de oxiácido de elemento que está em um de seus estados de oxidação mais baixos. [Em geral, de um ácido com suf. *-oso*, como o *sulfuroso* ou o *cloroso*, vem o ânion com o suf. *-ito*[3], como o *sulfito* e o *clorito.*]

itobiano *Adj.* **1.** De, ou pertencente ou relativo a Itobi (SP). ● *S. m.* **2.** O natural ou habitante de Itobi.

itogapuque *Bras. S. 2 g.* **1.** *Etnôn.* Indivíduo dos itogapuques [ou (etnôn. bras.) *Itogapuk], povo indígena extinto da família linguística tupi-guarani, tronco tupi, que habitava a região situada na cabeceira do rio Madeirinha a N.O. de MT. ● *Adj. 2 g.* **2.** Pertencente ou relativo a esse povo.

▲ **-itol** *Quím. Suf.* Indica substância poli-hidroxilada resultante da redução de uma ose: *alditol.*

itomiídeo *Zool.* [Adapt. do tax. *Ithomiidae.*] *S. m.* **1.** Espécime dos itomiídeo, família de insetos lepidópteros; borboletas de asas transparentes, com nervuras levemente coloridas. As lagartas atacam a folha do manacá. ● *Adj.* **2.** Pertencente or relativo a eles.

itororó [Do tupi = 'água sussurrante'.] *S. m. Bras. MT* Pequena cachoeira ou salto.

itororoense (ôen) *Adj. 2 g.* **1.** De, ou pertencente ou relativo a Itororó (BA). ● *S. 2 g.* **2.** O natural ou habitante de Itororó.

ítria *S. f. Quím.* Óxido de ítrio, pulverulento, cristalino, amarelado [fórm.: Y_2O_3].

ítrio [De *itérbio*.] *S. m. Quím.* Elemento de número atômico 39, metálico, branco-acinzentado, leve [símb. *Y*].

itsequiri *S. 2 g.* **1.** *Etnôn.* Indivíduo dos itsequiris, povo que vive na foz do rio Benim, no S.O. da Nigéria (África). ● *S. m.* **2.** *Gloss.* A língua falada por esse povo. ● *Adj. 2 g.* **3.** Pertencente ou relativo aos itsequiris ou à sua língua. [Var.: *itsequire*.]

itu [Do tupi.] *S. m. Bras. Bot.* Árvore cesalpiniácea (*Dialium divaricatum* ou *D. guianense*), natural das Guianas e do Brasil (AM à BA), de folhas com folíolos ovados e acuminados, minutas flores paniculadas, frutos piriformes, com polpa edule, e madeira duríssima e pesada. [Sin.: *capororoca, jitaí, jitaipeba, jitaipeva, jutaí, jutaibeba, jutaipeva, jutaí-pororoca, pororoca, quebra-machado*.]

■ **ITU** Sigl. do ingl. *International Telecommunication Union.* = *União Internacional de Telecomunicações.*

ituá [Do tupi.] *S. m.* **1.** *Bras. Bot.* Liana gnetácea (*Gnetum nodiflorum*) nativa das Guianas, de ramos cilíndricos, folhas membranosas e flores nodiformes. [Var.: *itauá, utuá*.] **2.** Arvoreta sapindácea (*Matayba purgans*) nativa do Brasil e do Peru, de folhas penadas, flores alvas, paniculadas, e frutos triangulares, cujas sementes são purgativas.

ituá-açu [De *ituá* + *-açu*.] *S. m. Bras. Bot.* Planta gnetácea (*Gnetum urens*) de caule trepador, amplas folhas coriáceas, flores de sexos separados, dispostas em espigas, e fruto capsular, cuja amêndoa é comestível depois de assada. Ocorre na floresta amazônica. [Pl.: *ituás-açus*.]

ituaçuense *Adj. 2 g.* **1.** De, ou pertencente ou relativo a Ituaçu (BA). ● *S. 2 g.* **2.** O natural ou habitante de Ituaçu.

ituano *Adj.* **1.** De, ou pertencente ou relativo a Itu (SP). ● *S. m.* **2.** O natural ou habitante de Itu.

ituberense *Adj. 2 g.* **1.** De, ou pertencente ou relativo a Ituberá (BA). ● *S. 2 g.* **2.** O natural ou habitante de Ituberá.

▲**-itude** [Do lat. *-itudine*, por via semierudita.] V. *-(i)ude*.

ituetano *Adj.* **1.** De, ou pertencente ou relativo a Itueta (MG). ● *S. m.* **2.** O natural ou habitante de Itueta.

ituí [Do tupi.] *S. m. Bras. Amaz. Zool.* V. *carapó*.

ituí-cavalo *S. m. Bras. Zool.* Peixe teleósteo, caraciforme, ginotídeo (*Apteronotus albifrons*), do AM e Paraguai, de coloração pardo-escura. É um dos maiores representantes da família. [Pl.: *ituís-cavalos* e *ituís-cavalo*.]

ituí-pinima (u-i) [Do tupi.] *S. m. Bras. Zool.* V. *carapó*. [Pl.: *ituís-pinima* e *ituís-pinimas*.] ❖

ituí-terçado *S. m. Bras. Amaz. Zool.* V. *carapó*. [Pl.: *ituís-terçados* e *ituís-terçado*.]

ituituí (u-it) [Do tupi.] *S. m. Bras. Zool.* **1.** V. *maçarico* (4). **2.** V. *maçarico-de-coleira*.

ituiutabano (ui-u) *Adj.* **1.** De, ou pertencente ou relativo a Ituiutaba (MG). ● *S. m.* **2.** O natural ou habitante de Ituiutaba.

itumbiarense *Adj. 2 g.* **1.** De, ou pertencente ou relativo a Itumbiara (GO). ● *S. 2 g.* **2.** O natural ou habitante de Itumbiara.

itumirinense *Adj. 2 g.* **1.** De, ou pertencente ou relativo a Itumirim (MG). ● *S. 2 g.* **2.** O natural ou habitante de Itumirim.

itupava [De *itupeva* < tupi = 'cachoeira chata', com infl. de *itaipava*.] *S. f. Bras. S.* Pequena queda-d'água; itaipava, itupeba, entaipaba.

itupeba *S. f. Bras.* V. *itupava*.

itupeva *S. f. Bras. S.* V. *itupava*.

itupevense *Adj. 2 g.* **1.** De, ou pertencente ou relativo a Itupeva (SP). ● *S. 2 g.* **2.** O natural ou habitante de Itupeva.

itupiranguense *Adj. 2 g.* **1.** De, ou pertencente ou relativo a Itupiranga (PA). ● *S. 2 g.* **2.** O natural ou habitante de Itupiranga.

ituporanguense *Adj. 2 g.* **1.** De, ou pertencente ou relativo a Ituporanga (SC). ● *S. 2 g.* **2.** O natural ou habitante de Ituporanga.

ituramense *Adj. 2 g.* **1.** De, ou pertencente ou relativo a Iturama (MG). ● *S. 2 g.* **2.** O natural ou habitante de Iturama.

itutã *Bras. S. 2 g.* **1.** *Etnôn.* Indivíduo dos itutãs [ou (etnôn. bras.) *Itutan], povo indígena extinto que habitava a região próxima à cabeceira do rio Caciporé (AP). ● *Adj. 2 g.* **2.** Pertencente ou relativo a esse povo.

itutinguense *Adj. 2 g.* **1.** De, ou pertencente ou relativo a Itutinga (MG). ● *S. 2 g.* **2.** O natural ou habitante de Itutinga.

ituveravense *Adj. 2 g.* **1.** De, ou pertencente ou relativo a Ituverava (SP). ● *S. 2 g.* **2.** O natural ou habitante de Ituverava.

iuá *S. f. Bras.* Ubá[1].

iualapiti (i-u) *S. 2 g. Adj. 2 g. Bras.* V. *iaualapiti*.

iuane *S. m.* Unidade monetária, e moeda, da China, dividida em 100 sens.

iuberi *Bras. S. 2 g.* **1.** *Etnôn.* Indivíduo dos iuberis [ou (etnôn. bras.) *Yuberí], povo indígena extinto, da família linguística aruaque, que habitava a margem esquerda do rio Tapauá (AM). ● *Adj. 2 g.* **2.** Pertencente ou relativo a esse povo.

iuçá (i-u) [Do tupi = 'comer'.] *S. m. Bras.* **1.** V. *prurido* (1). **2.** V. *coceira*.

iúca [Do tax. *Yucca* (do esp. *yuca*).] *S. f. Bot.* **1.** Gênero de plantas agaváceas com cerca de 30 espécies lenhosas, acaules ou paquicaules, com grandes folhas rígidas, ensiformes, flores brancacentas, paniculadas; originam-se das regiões subtropicais da América do Norte e da América Central, sendo cultivadas como ornamentais, e para extração de fibras e das partes comestíveis. **2.** Qualquer espécie desse gênero, como, p. ex., a *Yucca baccata* (v. *baioneta-espanhola*). **3.** Qualquer espécime desse gênero.

iúca-elefante *S. f. Bras. Bot.* Arbusto agaváveo (*Yucca elephantipes*) semilenhoso, originário do México e da Guatemala, ereto, de 4 a 6m, pouco ramificado, com folhas alongadas, destituídas de espinho, que formam rosetas, e flores brancas, em inflorescências densas e altas. [Sin.: *iúca-mansa*, pita. Pl.: *iúcas-elefantes* e *iúcas-elefante*.]

iúca-mansa [De *iúca* + o f. de *manso*.] *S. f. Bras. Bot.* V. *iúca-elefante*. [Pl.: *iúcas-mansas*.]

iuçara (i-u) [Do tupi; v. *juçara*.] *S. f. Bras. Bot.* V. *açaí* (1).

iucatano (i-u) *Adj. S. m.* V. *iucatego*.

iucatego (i-u) [Do esp. *yucatego*.] *Adj.* **1.** Do, ou pertencente ou relativo ao Iucatã (México). ● *S. m.* **2.** O natural ou habitante do Iucatã. [Sin.: *iucatano, iucateque*.]

iucateque (i-u) *Adj. 2 g. S. 2 g.* **1.** V. *iucatego*. ● *S. m.* **2.** *Gloss.* Maia[2] (2).

iugoslavo (i-u) [Do servo-croata *Jusgoslaven*, 'eslavo do Sul'.] *Adj.* **1.** Da, ou pertencente ou relativo à antiga Iugoslávia (Europa). ● *S. m.* **2.** O natural ou habitante da antiga Iugoslávia. [Sin. ger.: *jugoslavo*.]

iú-iú (i-u) *S. m. Bras. GO Zool.* V. *cuiú-cuiú* (1 e 2). [Pl.: *iú-iús*.] ❇

iuiuense (iù-iuèn) *Adj. 2 g.* **1.** De, ou pertencente ou relativo a Iuiú (BA). ● *S. 2 g.* **2.** O natural ou habitante de Iuiú.

iúna *S. f. Bras. Cap.* **1.** Certo tipo de toque de berimbau. **2.** Jogo de capoeira em que o ritmo do berimbau exige dos capoeiristas um alto nível técnico.

iunense (i-u) *Adj. 2 g.* **1.** De, ou pertencente ou relativo a Iúna (ES). ● *S. 2 g.* **2.** O natural ou habitante de Iúna.

iúpique *S. m. Gloss.* Dialeto do esquimó (2) falado no Alasca e na Sibéria.

iuquicé (i-u) [Do tupi.] *S. m.* Vinho feito com a polpa do fruto da bacabaçu (q. v.).

iurará (i-u) [Do tupi.] *S. f. Bras. Amaz. Zool.* V. *tartaruga-do-amazonas*.

iuraracangaçu (i-u) *S. f. Bras. Zool.* Cabeçuda (1).

iuri *Bras. S. 2 g.* **1.** *Etnôn.* Indivíduo dos iuris [ou (etnôn. bras.) *Yuri)], povo indígena extinto, de língua isolada, que habitava a margem esquerda do alto rio Solimões (AM) e a Colômbia. ● *Adj. 2 g.* **2.** Pertencente ou relativo a esse povo.

iurimaua *Bras. S. 2 g.* **1.** *Etnôn.* Indivíduo dos iurimauas [ou (etnôn. bras.) *Yurimawa], povo indígena extinto, da família linguística tucano, que habitava as margens dos rios Aiari e Uaupés, na região do alto rio Negro (AM). ● *Adj. 2 g.* **2.** Pertencente ou relativo a esse povo.

iurta [Do mongol *yurt*, pelo russo *yurta* e pelo fr. *iourte*.] *S. f.* Espécie de tenda, de forma cilíndrica e cupular, utilizada pelos povos nômades das regiões árticas e da Ásia central.

iurumi (i-u) [Do tupi.] *S. m. Bras. Zool.* V. *tamanduá-bandeira*.

iva [Do fr. *ive*.] *S. f. Bot.* V. *iva-moscada*.

■ **IVA** Sigla de *Imposto sobre o Valor Agregado*.

ivaiense[1] (a-i) *Adj. 2 g.* **1.** De, ou pertencente ou relativo a Ivaí (PR). ● *S. 2 g.* **2.** O natural ou habitante de Ivaí.

ivaiense[2] (a-i) *Adj. 2 g.* **1.** De, ou pertencente ou relativo a Nova Aliança do Ivaí (PR). ● *S. 2 g.* **2.** O natural ou habitante de Nova Aliança do Ivaí.

ivaiense[3] (a-i) *Adj. 2 g.* **1.** De, ou pertencente ou relativo a São Pedro do Ivaí (PR). ● *S. 2 g.* **2.** O natural ou habitante de São Pedro do Ivaí. [Sin. ger.: *são-pedrense*[4].]

ivaiporãense *Adj. 2 g.* **1.** De, ou pertencente ou relativo a Ivaiporã (PR). ● *S. 2 g.* **2.** O natural ou habitante de Ivaiporã.

iva-moscada [De *iva* + o f. de *moscado*, para trad. o fr. *ivemusquée*.] *S. f. Bot.* Erva lamiácea (*Ajuga iva*) europeia, de caule herbáceo e piloso, folhas opostas, que exalam agradável cheiro semelhante ao do limão; tem propriedades medicinais. [Tb. se diz apenas *iva*. Sin.: *ajuga, erva-crina*. Pl.: *ivas-moscadas*.]

ivantiji [De or. indígena, poss.] *S. m. Bras. Bot.* V. *açoita-cavalo* (2).

ivatense *Adj. 2 g.* **1.** De, ou pertencente ou relativo a Ivaté (PR). ● *S. 2 g.* **2.** O natural ou habitante de Ivaté.

ivatubense *Adj. 2 g.* **1.** De, ou pertencente ou relativo a Ivatuba (PR). ● *S. 2 g.* **2.** O natural ou habitante de Ivatuba.

▲**-ível** Equiv. de *-vel*.

ivinhemense *Adj. 2 g.* **1.** De, ou pertencente ou relativo a Ivinhema (MS). ● *S. 2 g.* **2.** O natural ou habitante de Ivinhema.

ivirapema [Do tupi = 'pau trançado'.] *S. m. Bras.* V. *tacape*.

ivirapeme *S. m. Bras.* V. *tacape*: 📖 "Durava esta festa pelo menos dois dias e de ordinário três. No primeiro atam ao pescoço do prisioneiro a maçarana, que é feita de algodão ou de embira, e pintam a maça, tangapema, como escrevem alguns, ou ivirapeme, como escrevem outros, com a qual deverá ser sacrificado." (Gonçalves Dias, *O Brasil e a Oceania*, p. 131.)

ivitinga [Do tupi.] *S. f.* **1.** *Bot.* V. *açoita-cavalo* (2). **2.** V. *tapeacuaçu*.

▲**-ivo** [Do lat. *-ivus, a, um*.] *Suf. nom.* = 'modo de ser'; 'que é próprio (de/para)'; 'que apresenta (certa qualidade ou característica)'; 'relativo a': *abrasivo, abstersivo, atentivo, caritativo, compromissivo, condutivo, conectivo, erosivo*. [Equiv.: *-tivo* (q. v.).]

ivolandense *Adj. 2 g.* **1.** De, ou pertencente ou relativo a Ivolândia (GO). ● *S. 2 g.* **2.** O natural ou habitante de Ivolândia.

ivorense *Adj. 2 g.* **1.** De, ou pertencente ou relativo a Ivorá (RS). ● *S. 2 g.* **2.** O natural ou habitante de Ivorá.

ivotiense *Adj. 2 g.* **1.** De, ou pertencente ou relativo a Ivoti (RS). ● *S. 2 g.* **2.** O natural ou habitante de Ivoti.

ivuranhê *S. m. Bras. Bot.* V. *buranhém* (1).

■ **I.V.V.** Sigla de *imposto sobre vendas a varejo* de combustíveis.

ixe *Interj. Bras.* Exclamação irônica, ou de desprezo: 📖 "Que magreza é essa! .... Ixe! Você precisa tomar cuidado." (Coelho Neto, *Treva*, p. 81.)

ixiolita (cs) *S. f. Min.* Mineral ortorrômbico, óxido de tântalo, nióbio, ferro, estanho e manganês.

▲ **ixo-** (cs) [Do gr. *ixýs, ýos*. = ***El. comp.*** = 'lombo': *ixocifose, ixomielite*.

ixocifose (cs) [De *ixo-* + *cifose*.] *S. f. Med.* Cifose lombar.

ixodídeo (cs) [Do tax. *Ixodes* + *-ídeo*'; tax. *Ixodidae*.] *Zool. S. m.* **1.** Espécime dos ixodídeos, família de carrapatos hematófagos, acarinos. Parasitam a pele nas regiões mais vascularizadas. Ex.: o carrapato-estrela. ● *Adj.* **2.** Pertencente ou relativo a eles.

ixomielite (cs) [De *ixo-* + *mielite*.] *S. f. Med.* Inflamação do segmento lombar da medula espinhal.

ixora (cs) [Do tax. *Ixora* (do sânscr. *Ishvara*, divindade hindu).] *S. f. Bot.* **1.** Grande gênero de arvoretas e arbustos rubiáceos, de flores pequenas, brancas ou vermelhas, reunidas em inflorescências maciças. **2.** Espécie ou espécime desse gênero, ou a flor dele(s).

ixu *Bras. S. 2 g.* **1.** *Etnôn.* Indivíduo dos ixus [ou (etnôn. bras.) *Ichu], povo indígena extinto que habitava o O. de PE. ● *Adj. 2 g.* **2.** Pertencente ou relativo a esse povo.

izaquente [Do forro[2] *zequentchi*.] *S. 2 g. Santom.* **1.** *Bot.* Árvore morácea (*Treculia africana*) de porte médio a grande, de folhagem persistente, abundante e ornamental: 📖 "O mato dá ainda outros produtos como os frutos da jaqueira, da izaquente" (Francisco José Tenreiro, *A Ilha de São Tomé (Estudo Geográfico)*, p. 129). **2.** O fruto dessa árvore, esférico e grande, chegando a atingir 30cm de diâmetro e a pesar mais de 10kg quando maduro: 📖 "O estrépito provocado pela queda de um izaquente fê-lo despertar das meditações em que mergulhara." (Albertino Bragança, *Rosa do Riboque e Outros Contos*, p. 70.)

▲**-izar** [Do lat. *-(i)zare* < gr. *-ízein*.] *Suf. verb.* = 'ação factitiva': *catequizar* (< lat. < gr.), *fertilizar, realizar*.

Minúscula Moderna	Maiúscula Moderna	Minúscula Carolíngia	Romano	Romano´	Etrusco	Grego	Grego	Fenício
j	J	ɩ	I	I	I	I	⟨	ʅ

Em 4 de maio de 1961, foi eleito membro da Academia Brasileira de Letras. Recebeu a notícia, em casa, dos acadêmicos Cassiano Ricardo, Jorge Amado e Rodrigo Otávio Filho.

j (jota) *S. m.* **1.** A 10ª letra do nosso alfabeto. [Representa a consoante fricativa palatoalveolar sonora.] **2.** A figura dessa letra, ou qualquer representação sua: 📄 *Em sua caligrafia, o j é quase idêntico ao f.* **3.** Som representado por essa letra. ● *Num.* **4.** Décimo (1), numa série ordenada ou hierárquica cujos elementos são designados ou representados pelas letras do alfabeto: 📄 *fascículo j* (ou *fascículo J*). [Pl. (nas acepçs. 1 a 3) indicado graficamente pela duplicação da letra: *jj*.]

■ **J** Símb. de *joule*.

▲ **-j-** Consoante de ligação: 📄 *pegajento, pegajoso.*

já [Do lat. *jam*.] *Adv.* **1.** Neste momento; agora: 📄 *Já chegam os convivas, já principia a festa*; 🕮 "Anoiteceu. O passarinho já não canta." (Carlos Lacerda, *A Casa do Meu Avô*, p. 13). **2.** Sem demora, sem detença; agora mesmo; logo, imediatamente: 🕮 "Aqui vos trago provisões: tomai-as, / As vossas forças restaurai perdidas, / E a caminho, e já!" (Gonçalves Dias, *Obras Poéticas*, II, p. 27.) **3.** Nesse tempo; então. **4.** Em algum ou qualquer tempo passado: 🕮 "Já viste, minha Marília, / avezinhas que não façam / os seus ninhos no verão?" (Tomás Antônio Gonzaga, *Marília de Dirceu*, p. 19.) **5.** Antecipadamente; de antemão: 📄 *Espero que, ao chegar, já me aches pronto.* **6.** Em todo caso; até mesmo; até: 📄 *Não creio que isto seja verdade, porém já admito que seja.* ● *Conj.* **7.** Ora: 🕮 "Já raivosa, já em mavioso soluçar, contou Teodora o que ouvira ao mestre-escola." (Camilo Castelo Branco, *A Queda dum Anjo*, p. 230.) [Us. em orações alternativas.] ◆ **Já, já.** Logo, logo: 📄 *Quero que você vá já, já.* **Já que.** Visto que; uma vez que; dado que: 🕮 "As três graças atenienses têm nomes amáveis, já que, na Grécia, tudo é jovem e jucundo" (Martins Fontes, *A Dança*, p. 12); "já que aqui está, / Não nos recuse a honra que dará à nossa mesa..." (Domingos Carvalho da Silva, *Liberdade embora tarde*, p. 22). **De já hoje.** Desde muito. **Desde já.** Desde este momento; a partir de agora: 📄 *Desde já lhe agradecemos tudo o que fizer por nós.*

➔ **jab** [dʒæb] [Ingl.] *S. m. Esport.* No pugilismo, soco direto e rápido desferido contra a cabeça do antagonista.

jabá[1] [De or. tupi, poss.] *S. m. e f. Bras.* V. *charque*: 🕮 "— O que é que vocês têm pra comer hoje? Farofa com jabá?" (Amando Fontes, *Os Corumbas*, p. 106); "Quem sustenta a casa, compra a farinha, o feijão, o jabá, ... é ela, Filipa" (Jorge Amado, *Teresa Batista Cansada de Guerra*, p. 68); "Há dias já que o zum-zum-zum cresce a bordo pela constância da jabá à mesa, sob todas as formas" (Lauro Palhano, *O Gororoba*, p. 184).

jabá[2] *S. m. Bras. Gír.* V. *jabaculê*.

jabaana *Bras. S. 2 g.* **1.** *Etnôn.* Indivíduo dos jabaanas [ou (etnôn. bras.) *Yabaána], povo indígena extinto, da família linguística aruaque, que habitava a cabeceira do rio Marauiá, afluente da margem esquerda do rio Negro (AM). ● *Adj. 2 g.* **2.** Pertencente ou relativo a esse povo.

jabaculê *S. m. Bras. Gír.* **1.** V. *gorjeta*[1] (2). **2.** V. *dinheiro* (5). **3.** *Gír.* Dinheiro usado para subornar alguém; peita. [F. red.: *jabá*.]

jabara *S. f. Bras.* V. *jaribara*.

jabarandaia [De or. tupi, poss.] *S. f. Bras. GO* V. *mandachuva*.

jabebiretê [Do tupi = 'arraia', + o tupi = 'verdadeira'.] *S. f. Bras. Zool.* Raia-lixa.

jabiraca *S. f.* **1.** *Bras.* Bruxa (2). **2.** *Bras. N.E.* Roupa velha e/ou malfeita.

jabiru *S. m. Bras. Zool.* **1.** V. *jaburu*. **2.** V. *tuiuiú*.

jabô [Do fr. *jabot*.] *S. m.* **1.** Folho preso ao decote de blusa, camisa, etc., e que se estende até o peito. **2.** Espécie de jabô, ger. branco, us. com a beca (1).

jaboatonense *Adj. 2 g.* **1.** De, ou pertencente ou relativo a Jaboatão dos Guararapes (PE). ● *S. 2 g.* **2.** O natural ou habitante de Jaboatão dos Guararapes.

jaboraense *Adj. 2 g.* **1.** De, ou pertencente ou relativo a Joborá (SC). ● *S. 2 g.* **2.** O natural ou habitante de Jaborá.

jaborandi [Do tupi.] *S. m. Bras. Bot.* **1.** Nome comum a várias rutáceas do gênero *Pilocarpus* (v. *pilocarpo*) e a piperáceas do gênero *Piper* (v. *píper*), dotadas de propriedades medicinais. **2.** Arvoreta rutácea (*Pilocarpus jaborandi*) de flores minutas, em racemos espiciformes, fruto capsular, e de cujas folhas, providas de glândulas translúcidas, se extrai a pilocarpina. **3.** Arbusto rutáceo (*Pilocarpus pennatifollius*) natural da Argentina e do Brasil, de folhas imparipenadas, grandes folíolos coriáceos, flores roxas, racemosas, e frutos capsulares; cutia, ibirataí, ibirataíba. **4.** V. *bétis*.

jaborandi-do-mato *S. m. Bras. Bot.* V. *aperta-ruão* (2). [Pl.: *jaborandis-do-mato*.]

jaborandi-do-rio *S. m. Bras. Bot.* V. *fruto-de-morcego*. [Pl.: *jaborandis-do-rio*.]

jaborandiense *Adj. 2 g.* **1.** De, ou pertencente ou relativo a Jaborandi (BA e SP). ● *S. 2 g.* **2.** O natural ou habitante de Jaborandi.

jaborandina [De *jaborandi* + *-ina*[3].] *S. f. Quím.* Pilocarpina.

jabota *S. f. Bras. Zool.* A fêmea do jabuti[1] (1).

jaboti *S. m. Bras. Zool.* V. *jabuti*.

jaboticaba *S. f. Bras.* V. *jabuticaba*.

jaboticabalense *Adj. 2 g. S. 2 g.* V. *jabuticabalense*.

jaboticabense *Adj. 2 g. S. 2 g.* V. *jabuticabense*.

jaboticatubense *Adj. 2 g. S. 2 g.* V. *jabuticatubense*.

jabotiense *Adj. 2 g. S. 2 g.* V. *jabutiense*.

jabotifede *S. 2 g. Adj. 2 g.* V. *jabutifede*.

jaboti-xixi *S. 2 g. Adj. 2 g. Bras.* V. *jabuti-xixi*. [Pl.: *jabotis-xixis*.]

jabre *S. m. Bras. CE Gír.* Grande rombo ou buraco.

jaburu [Var. de *jabiru*.] *S. m. Bras.* **1.** *Zool.* Designação comum às aves ciconiiformes, de grande porte, ciconiídeas, gêneros *Mycteria* e *Jabiru*, as quais frequentam grandes rios ou lagoas, preferindo os pantanais, se alimentam de peixes e outros animais aquáticos, vivem em bandos, e constroem ninhos coletivos; jabiru, tapucaja. **2.** *Zool.* V. *tuiuiú*. **3.** Pessoa esquisita, desajeitada, mal-amanhada, feiosa. **4.** Pequena roleta cujos números têm figuras de bichos: 🕮 "Vemos jogos de toda a natureza, inclusive uma versão americana e estilizada do nosso jaburu. Roletas da mais variada espécie." (Érico Veríssimo, *A Volta do Gato Preto*, p. 38.)

jaburu-moleque *S. m. Bras. Zool.* Ave ciconiiforme, ciconiídea (*Mycteria americana*), das zonas temperadas e tropicais das duas Américas, de coloração branca, rêmiges e cauda pretas, pele da cabeça e do pescoço nua, cinzento-enegrecida; passarão, cabeça-seca, trepa-moleque, cabeça-de-pedra. [Pl.: *jaburus-moleques*.]

jabutá [Do tupi.] *S. m. Bras. Bot.* **1.** V. *castanha-mineira* (1). **2.** V. *fava-de-santo-inácio-falsa* (1)

jabutapitá [Do tupi.] *S. m. Bras. Bot.* V. *batiputá*.

jabutá-verdadeiro *S. m. Bras. Bot.* V. *castanha-mineira* (1). [Pl.: *jabutás-verdadeiros*.]

jabuti[1] [Do tupi.] *S. m.* **1.** *Bras. Zool.* Reptil quelônio, testudíneo (*Testudo tabulata*), comum nas matas brasileiras, desde a Amaz. ao ES, MG e MT. Tem carapaça alta, provida de escudos poligonais, de centro amarelo e com desenhos em relevo, cabeça retrátil, coberta por escudos amarelos e negros; comprimento: até 70cm. Alimenta-se de frutos em geral. A fêmea, chamada *jabota*, é maior que o macho, chamado *carumbé* ou *jabuti-carumbé*, tendendo ao avermelhado, e com plastrão convexo, e não côncavo como no macho; alimenta-se de frutos em geral. [Sin.: *jabutipiranga, jabutitinga*.] **2.** *Bras. N. N.E.* Engenho rudimentar para descaroçamento de algodão. [Var.: *jabutim*.]

jabuti[2] [F. red. de *cachimbo-de-jabuti*.] *S. m. Bras. Bot.* Cachimbo-de-jabuti.

jabuti[3] *Bras. S. 2 g.* **1.** *Etnôn.* Indivíduo dos jabutis [ou (etnôn. bras.) *Yabuti], povo indígena de língua isolada, e que habitava a margem esquerda do rio Branco (RO). ● *Adj. 2 g.* **2.** Pertencente ou relativo a esse povo.

jabuti-aperema *S. m. Bras. Amaz. Zool.* V. *aperema.* [Pl.: *jabutis-aperemas* e *jabutis-aperema.*]

jabutiboia (ói) [De *jabuti* + o tupi = 'cobra'.] *S. f. Bras. Zool.* Reptil ofídio, colubrídeo (*Leimadophis reginae*), da região tropical, de L. a O. do País, de coloração olivácea ou esverdeada na região superior, ger. com escamas marginadas de negro, formando um esquema reticular, e cauda com faixa escura de cada lado, lábio superior amarelo, e abdome amarelado com pontos escuros; boipeba, goipeba. ❖

jabuticaba [Do tupi = 'frutas em botão'.] *S. f. Bras.* O fruto da jabuticabeira. [Sin. pop. (em SP): *fruita.*]

jabuticaba-de-cipó *S. f. Bras. Bot.* V. *abutua-grande.* [Pl.: *jabuticabas-de-cipó.*]

jabuticabal [De *jabuticaba* + *-al*[1].] *S. m. Bras.* **1.** Quantidade mais ou menos considerável de jabuticabeiras dispostas proximamente entre si. **2.** Área ocupada por jabuticabal (1).

jabuticabalense *Adj. 2 g.* **1.** De, ou pertencente ou relativo a Jabuticabal (SP). ● *S. 2 g.* **2.** O natural ou habitante de Jabuticabal. [Forma correta, embora menos us. que *jaboticabalense.*]

jabuticabeira [De *jabuticaba* + *-eira.*] *S. f. Bras. Bot.* Árvore mirtácea (*Plinia trunciflora*) nativa e muito cultivada, de flores alvas e com muitos estames, folhas pequenas, com glândulas translúcidas, e sobre cujo tronco, liso, aparecem os frutos, bagas suculentas.

jabuticabeira-branca [De *jabuticabeira* + o f. de *branco.*] *S. f. Bras. Bot.* Arvoreta ou arbusto mirtáceo (*Gomidesia reticulata*) ornamental, cultivado em parques, de folhas oblongas e agudas, flores pequenas e cimosas, e bagas alvacentas e ovadas; jabuticabeira-peluda. [Pl.: *jabuticabeiras-brancas.*]

jabuticabeira-do-mato *S. f. Bras. Bot.* Árvore mirtácea (*Myrciaria jaboticaba*), nativa do Brasil, muito semelhante à jabuticabeira. [Pl.: *jabuticabeiras-do-mato.*]

jabuticabeira-peluda *S. f. Bras. Bot.* Jabuticabeira-branca. [Pl.: *jabuticabeiras-peludas.*]

jabuticabense *Adj. 2 g.* **1.** De, ou pertencente ou relativo a Jabuticaba (RS). ● *S. m.* **2.** O natural ou habitante de Jabuticaba. [Forma correta, embora menos us. que *jaboticabense.*]

jabuti-carumbé *S. m. Bras. Amaz. Zool.* V. *carumbé* (2). [Pl.: *jabutis-carumbés* e *jabutis-carumbé.*]

jabuticatubense *Adj. 2 g.* **1.** De, ou pertencente ou relativo a Jabuticatubas (MG). ● *S. 2 g.* **2.** O natural ou habitante de Jabuticatubas. [Forma correta, embora menos us. que *jaboticatubense.*]

jabutiense *Adj. 2 g.* **1.** De, ou pertencente ou relativo a Jabuti (PR). ● *S. 2 g.* **2.** O natural ou habitante de Jabuti. [Forma correta, embora menos us. que *jabotiense.*]

jabutifede *Bras. S. 2 g.* **1.** *Etnôn.* Indivíduo dos jabutifedes [ou (etnôn. bras., *Yabutiféd, *Yabotiféd], povo indígena extinto, do tronco linguístico tupi, que habitava a região da margem direita do rio Barão de Melgaço (RO). ● *Adj. 2 g.* **2.** Pertencente ou relativo a esse povo.

jabutim *S. m. Bras.* V. *jabuti*[1].

jabuti-machado *S. m. Bras. Zool.* Reptil quelônio, quelídeo (*Platemys platycephala*), que ocorre na Amaz., de coloração parda com mancha preta quadrangular na região distal da carapaça, lado superior do pescoço provido de tubérculos grandes e agudos, e comprimento de até 30cm. Vive em regiões alagadiças e lagoas. [Sin.: *machadinha.* Pl.: *jabutis-machados* e *jabutis-machado.*]

jabutipiranga [De *jabuti*[1] + *-piranga.*] *S. m. Bras. Zool.* V. *jabuti*[1].

jabutitinga [De *jabuti*[1] + *-tinga.*] *S. m. Bras. Zool.* V. *jabuti*[1].

jabuti-xixi *Bras. S. 2 g.* **1.** *Etnôn.* Indivíduo dos jabutis-xixis [ou (etnôn. bras.) *Yabuti-xixi], povo indígena extinto, que habitava a região próxima às cabeceiras do rio Muqui (RO). ● *Adj. 2 g.* **2.** Pertencente ou relativo a esse povo. [Pl.: *jabutis-xixis.*]

jaca[1] [Do malaiala *chakha.*] *S. f.* **1.** O fruto da jaqueira (1). **2.** *Bras.* V. *cartola* (2). **3.** *Bras. Gír.* Tolerância nos exames escolares; jaqueira. [Cf. *bica* (4).] **4.** *Bras. AL* V. *bunda*[1] (1). ◆ **Cortar jaca.** *Bras. PE AL Gír.* Adular, lisonjear, bajular.

jaca[2] *S. m.* Chefe superior de vários tribos africanas; régulo de régulos.

jacá [Do tupi.] *S. m. Bras.* Espécie de cesto feito de taquara ou de cipó, e de forma variável, para conduzir carga, em geral de comestíveis, às costas de animais: 📖 "berços de cipó e balaios de taquara; jacás sem fundo" (Euclides da Cunha, *Os Sertões*, p. 581).

jaça[1] [De or. obscura.] *S. f.* **1.** Substância heterogênea em pedra preciosa: 📖 "o preconcebido desejo de encontrar muitas jaças nos diamantes, muita areia no ouro" (Olavo Bilac, *Últimas Conferências e Discursos*, p. 10). **2.** *Fig.* Mancha, falha: *caráter sem jaça.*

jaça[2] [Do lat. *jacere*, 'jazer'.] *S. f. Pop.* **1.** Prisão, calabouço. **2.** Cama (1).

jacaçu [De or. tupi, poss.] *S. m. Bras. Zool.* V. *pomba-trocaz.*

jaca-de-pobre *S. f. Bras. Bot.* **1.** V. *biribá-verdadeiro.* **2.** V. *graviola.* [Pl.: *jacas-de-pobre.*]

jaca-do-pará *S. f. Bras. Bot.* V. *graviola.* [Pl.: *jacas-do-pará.*]

jacaió [De or. tupi, poss.] *S. m. Bras. Zool.* V. *ariramba-da-mata-virgem.*

jacama *S. f. Bras. N. Bot.* V. *coração-de-boi* (1).

jacamacira [Do tupi.] *S. m. Bras. Zool.* V. *bico-de-agulha.*

jacamaici [Do tupi.] *S. m. Bras. Zool.* V. *ariramba-da-mata-virgem.*

jacamar [Do tupi, poss.] *S. m. Bras. Zool.* V. *ariramba-da-mata-virgem.*

jacamarici [Do tupi.] *S. m. Bras. Zool.* V. *ariramba-da-mata-virgem.*

jacami [Do tupi.] *S. m. Bras. Bot.* Jacamim (q. v.).

jacamim [Var. nasalada de *jacami.*] *S. m. Bras.* **1.** *Bot.* Árvore apocinácea (*Aspidosperma inundatum*) nativa na floresta inundável da Amaz., de folhas agregadas na ponta dos ramos, oblongas e acuminadas, flores dispostas em curtas cimeiras, tomentosas e tubulosas, e cujo fruto é um amplo folículo lenhoso, sendo a madeira compacta, dura, lisa e amarela. **2.** *Zool.* Designação comum a várias aves gruiformes, da família dos psofiídeos, gênero *Psophia* da região Amaz., com as penas da cabeça curtas e eretas. Das sete espécies descritas para o gênero, seis ocorrem no Brasil. Adaptam-se muito bem ao cativeiro, tornando-se autênticos vigias de terreiro ou de habitações de caboclos.

jacamim-copejuba (pè) *S. m. Bras. Amaz. Zool.* Ave gruiforme, psofiídea (*Psophia leucopter ochroptera*), da região setentrional da Amaz., de coloração preta, dorso lavado de pardo, rêmiges do braço e parte interior das coberteiras da asa superior ocráceos. Vive na mata virgem, e alimenta-se de frutas, sementes e pequenos animais. [Pl.: *jacamins-copejubas* e *jacamins-copejuba.*]

jacamim-copetinga (pè) *S. m. Bras. Zool.* Jacamim-de-costas-brancas. [Pl.: *jacamins-copetingas* e *jacamins-copetinga.*]

jacamim-de-costas-brancas *S. m. Bras. Zool.* Ave gruiforme, psofiídea (*Psophia leucoptera*), da margem direita do rio Solimões e margem esquerda do Madeira, de coloração preta, dorso pardacento, coberteiras das asas e peito anterior com brilho metálico verde-azulado, rêmiges do braço e parte das coberteiras superiores da asa brancas. Alimentam-se de frutas, sementes, insetos e vegetais. [Sin.: *jacamim-copetinga.* Pl.: *jacamins-de-costas-brancas.*]

jacamim-de-costas-escuras *S. m. Bras. Zool.* Ave gruiforme, psofiídea (*Psophia viridis obscura*), da margem direita do baixo Amazonas, de coloração preta, com o alto do dorso, coberteiras superiores das asas e rêmiges do braço pardo-escuras com brilho esverdeado, e tarso escuro. [Sin.: *jacamim-preto, jacamim-una, jacamim-de-costas-pretas.* Pl.: *jacamins-de-costas-escuras.*]

jacamim-de-costas-pretas *S. m. Bras. Zool.* V. *jacamim-de-costas-escuras.* [Pl.: *jacamins-de-costas-pretas.*]

jacamim-de-costas-verdes *S. m. Bras. Zool.* Ave gruiforme, psofiída (*Psophia viridis viridis*); ocorre do rio Madeira ao PA, MA e MT (N.), margem esquerda do rio Tapajós. Manto verde, parte terminal das coberteiras superiores das asas azul brilhante, bico e pés amarelados; jacamim-verde. [Pl.: *jacamins-de-costas-verdes.*]

jacamim-preto *S. m. Bras. Zool.* V. *jacamim-de-costas-escuras.* [Pl.: *jacamins-pretos.*]

jacamim-una *S. m. Bras. Zool.* V. *jacamim-de-costas-escuras.* [Pl.: *jacamins-unas.*]

jacamim-verde *S. m. Bras. Zool.* Jacamim-de-costas-verdes. [Pl.: *jacamins-verdes.*]

jacamincá [De *jacamim* + *-cá*, com apócope.] *S. f. Bras. Bot.* Erva comelinácea (*Commelina serrulata*) cultivada como ornamental.

jaçanã [Do tupi.] *S. f. Bras.* **1.** *Zool.* Ave caradriiforme, jacanídea (*Jacana spinosa jacana*), distribuída por todo o Brasil, de dorso vermelho-castanho vivo, uropígio e cauda mais escuros, rêmiges da mão verde-claras com pontas pretas, e cabeça, nuca e parte inferior pretas; nhaçanã, nhançanã, nhanjaçanã, piaçoca, piaçó, japiaçoca, japiaçó, cafezinho, marrequinha, ferrão. **2.** *Bot.* V. *vitória-régia.*

jaçanãense *Adj. 2 g.* **1.** De, ou pertencente ou relativo a Jaçanã (RN). ● *S. 2 g.* **2.** O natural ou habitante de Jaçanã.

jacanarana [Do tupi.] *S. f. Bras. MT Zool.* V. *cururuboia.*

jacanídeo [Do tax. *Jacana*, gênero-tipo, + *-ídeo*[1]; tax. *Jacanidae.*] *Zool. S. m.* **1.** Espécime dos jacanídeos, família de aves caradriiformes caracterizadas pelo bico alongado e fino, com menos de 2cm na base, e pela unha do dedo posterior extraordinariamente alongada, permitindo-lhes caminhar sobre folhas de plantas aquáticas. Alimentam-se de vermes e artrópodes e habitam as Américas Central e do Sul, a África e a Australásia. São as piaçocas e as jaçanãs. ● *Adj.* **2.** Pertencente ou relativo a eles. [Sin. ger.: *parrídeo.*]

jacapá [Do tupi.] *S. m. Bras. Zool.* V. *pipira* (1).

jacapani *S. m. Bras. Amaz. Zool.* V. *japacanim* (2).

jacapanim *S. m. Bras. Amaz. Zool.* V. *japacanim* (2).

jacapé [Do tupi.] *S. m. Bras. Bot.* Capim-de-cheiro.

jacapu [Do tupi.] *S. m. Bras. Zool.* Ave traupídea (*Compsothraupis loricata*).

jacaraciense *Adj. 2 g.* **1.** De, ou pertencente ou relativo a Jacaraci (BA). ● *S. 2 g.* **2.** O natural ou habitante de Jacaraci.

jacaranda [Do tax. *Jacaranda* (do tupi).] *S. f. Bot.* **1.** Gênero de árvores bignoniáceas que reúne 34 espécies nativas do Brasil, dotadas de folhas com numerosos folíolos minutos e delicados, flores com vistosa corola azul-arroxeada, de quatro estames e um estaminódio, e fruto capsular lenhoso, com inúmeras sementes aladas. [Cf. *jacarandá.*] **2.** Qualquer espécie desse gênero, como, p. ex., a *Jacaranda mimosaefolia* (v. *jacarandá-mimoso*). **3.** Qualquer espécime desse gênero.

jacarandá [Do tupi.] *S. m. Bras. Bot.* **1.** Árvore fabácea (*Machaerium villosum*) comum no Brasil, de folhas penadas, flores pequeninas, violáceas, legume alado e lenhoso, e que fornece madeira de lei, de cor escura e desenhos variados, que imita o verdadeiro jacarandá-da-baía; jacarandá-paulista. **2.** V. *cipó-violeta.* **3.** V. *faveiro* (1). [Cf. *jacaranda.*]

jacarandá-bico-de-pato *S. m. Bras. Bot.* Árvore fabácea (*Machaerium angustifolium* ou *M. aculeatum*) espinhosa, de até 12m de altura, folhas compostas imparipenadas, flores violáceas, minutas, em panículas axilares, e cujo fruto é uma sâmara com asa coriácea; fornece madeira aproveitável, porém sem importância econômica. [Tb. se diz apenas *bico-de-pato, cambotá-mosquiteiro, mosquiteiro.* Pl.: *jacarandás-bico-de-pato.*]

jacarandá-branco *S. m. Bras. Bot.* V. *faveiro* (1). [Pl.: *jacarandás-brancos.*]

jacarandá-cabiúna *S. m. Bras. Bot.* **1.** Árvore fabácea (*Dalbergia violacea*) largamente dispersa nos cerrados, e cujo lenho é muito semelhante ao do jacarandá-da-baía, sendo os folíolos, no entanto, pequeninos, e a casca da árvore notavelmente espessa e suberosa. **2.** V. *cabiúna* (1). **3.** V. *cabiúna-do-campo.* [Pl.: *jacarandás-cabiúnas* e *jacarandás-cabiúna.*]

jacarandá-caroba *S. m. Bras. Bot.* V. *carobinha* (1). [Pl.: *jacarandás-carobas* e *jacarandás-caroba.*]

jacarandá-da-baía *S. m. Bras. Bot.* Árvore fabácea (*Dalbergia nigra*) de folhas penadas, com folíolos pequenos, flores pequeninas, legume com asa circular, monospermo, e cuja madeira, a mais bela e valiosa do Brasil, hoje só encontrada no S. da BA, é negra, rica em desenhos variados, resistente, fácil de trabalhar, indicada particularmente para móveis finos e objetos de adorno. [Pl.: *jacarandás-da-baía.*]

jacarandá-de-espinho *S. m. Bras. Bot.* Árvore fabácea (*Machaerium leucopterum*) de tronco tortuoso, ramos com espinhos estipulares, folhas penadas, pubescentes, flores minutas, racemosas, legume alado e tomentoso, e cuja madeira se pode usar em marcenaria e carpintaria. Ocorre no S. do Brasil. [Pl.: *jacarandás-de-espinho.*]

jacarandá-do-pará [De *jacarandá* + *do*[1] + o top. *Pará.*] *S. m. Bras. Bot.* Árvore fabácea (*Dalbergia spruceana*) muito semelhante ao legítimo jacarandá-da-baía, inclusive pela madeira, igualmente apreciada, mas com folíolos maiores e agudos, e que habita certas matas da Amaz. [Pl.: *jacarandás-do-pará.*]

jacarandá-mimoso *S. m. Bras. Bot.* Árvore bignoniácea (*Jacaranda mimosifolia*) ornamental, de belas flores azuis, folhas penadas, com folíolos minutos, fruto capsular, com sementes aladas, e us. na arborização de ruas. [Pl.: *jacarandás-mimosos.*]

jacarandá-paulista *S. m. Bras. Bot.* Jacarandá (1). [Pl.: *jacarandás-paulistas.*]

jacarandá-preto (ê) *S. m. Bras. Bot.* V. *caroba* (2). [Pl.: *jacarandás-pretos.*]

jacarandá-roxo (ô) *S. m. Bras. Bot.* Árvore fabácea (*Machaerium firmum*) de madeira violáceo-escura com listas amarelas, apreciada para mobiliário fino. Ocorre em MG e no RJ. [Pl.: *jacarandás-roxos.*]

jacarandatã [De *jacarandá* + o tupi = 'duro'.] *S. m. Bras. Bot.* Árvore fabácea (*Machaerium ledicellatum*) de folíolos glabros e obtusos, flores pequeninas e paniculadas, legume provido de longa asa coriácea, e cuja madeira é pouco importante economicamente, embora de boa qualidade. Ocorre em MG e no RJ.

jacaratiá [Do tupi.] *S. m. e f. Bras. Bot.* V. *jacarátia*.

jacarátia [Do tax. *Jacaratia* (do tupi).] *S. m. e f. Bot.* **1.** Gênero de árvores caricáceas lactescentes, dioicas e espinhentas, de até 20m, folhas compostas palmatilobadas, frutos comestíveis, e madeira leve, mole, de baixíssima durabilidade. **2.** Qualquer espécie desse gênero, como, p. ex., a *Jacaratia spinoza* (v. *mamoeiro-bravo*). **3.** Qualquer espécime desse gênero. [Var., nas acepç. 2 e 3: *jacaratiá, jaracatiá, jaracátia*.]

jacarauense (a-u) *Adj. 2 g.* **1.** De, ou pertencente ou relativo a Jacaraú (PB).● *S. 2 g.* **2.** O natural ou habitante de Jacaraú.

jacaré [Do tupi.] *S. m.* **1.** *Bras. Zool.* Designação comum aos reptis crocodilianos aligatorídeos, especialmente o *Caiman yacare*, restrito à bacia do Paraguai, que atinge até 2,40m de comprimento. [Cf. *jacaretinga*.] **2.** *Bras.* Iguaria feita com jacaré (1). **3.** Alcoolatura de almíscar. **4.** Aparelho com que, nas farmácias, se apertam rolhas; lagarto. **5.** *Constr.* Espécie de colher de pedreiro com que se introduz argamassa nas juntas das alvenarias. **6.** *Bras. Bot.* Árvore fabácea (*Ptadenia goanacantha* ou *Acacia goanacantha*) nativa da Argentina e do Brasil, de ramos armados, folhas bipenadas, flores alvas espiciformes, e frutos que são vagens achatadas; a casca é tanífera. [Sin.: *angico-branco, monjoleiro, monjolo*.] **7.** *Eletr.* Terminal elétrico, cuja forma lembra a cabeça de um crocodilo e que se utiliza para realizar ligações rápidas e não permanentes. **8.** *Mar. Bras. Gír.* Material furtado à corporação, ou ao navio; gato. **9.** *Bras.* No jogo do bicho (q. v.), o 15º grupo (14), que abrange as dezenas 57, 58, 59 e 60, e corresponde ao número 15. **10.** *Bras.* Esporte aquático que consiste em deslizar na crista da onda, no sentido do seu deslocamento, avançando com ela em direção à praia. **11.** *Bras. AM PA* Designação comum a arenitos ou conglomerados cimentados por limonita, que, nos rios, têm aspecto de jacaré; cabeça de jacaré, pedra do pará. **12.** *Bras. BA* Espécie de facão sertanejo. **13.** *Bras.* Peça fixa para desvio dos trilhos ferroviários. **14.** *Bras. SP* Espécie de candeeiro de querosene. **15.** *Gír.* Indivíduo que fica à porta das igrejas esperando a passagem da namorada. ◆ **Pegar jacaré.** *Pop.* Praticar o jacaré (10). [Sin. lus.: *fazer carreira*.]

jacareacanguense (è) *Adj. 2 g.* **1.** De, ou pertencente ou relativo a Jacareacanga (PA).● *S. 2 g.* **2.** O natural ou habitante de Jacareacanga.

jacaré-açu [De *jacaré* + *-açu*.] *S. m. Bras. Zool.* Reptil crocodiliano, aligatorídeo (*Melanosuchus niger*), restrito à Amaz., corpo preto com faixas amarelas transversais estreitas e espaçadas, e manchas pretas nas mandíbulas. É a maior espécie brasileira, podendo atingir até 5m de comprimento. [Pl.: *jacarés-açus*.]

jacaré-aru (è) [Do tupi.] *S. m. Bras. Bot.* V. *raiz-de-jacaré-açu*. [Pl.: *jacarés-arus*.]

jacaré-copaíba *S. m. Bras. Bot.* Árvore cesalpiniácea (*Eperua oleifera*) de folíolos ovais e coriáceos, flores com duas bractéolas, legume amplo e espesso, e cujo tronco fornece resina escura, us. na fabricação de verniz. [Pl.: *jacarés-copaíbas* e *jacarés-copaíba*.]

jacaré-coroa *S. m. Bras. Zool.* Designação comum aos reptis crocodilianos aligatorídeos, gênero *Paleosuchus*, com duas espécies: *P. trigonatus*, de focinho comprido e estreito, restrita à Amaz., Guianas e Venezuela, e a *P. palpebrosus*, de focinho curto e largo, e que não atinge 2m de comprimento. É o jacaré de maior distribuição no Brasil. [Var.: *jacaré-curuá*. Sin.: *curulana*. Pl.: *jacarés-coroas* e *jacarés-coroa*.]

jacaré-curuá *S. m. Bras. Zool.* V. *jacaré-coroa*. [Pl.: *jacarés-curuás* e *jacarés-curuá*.]

jacaré-de-óculos *S. m. Bras. Zool.* Jacaretinga. [Pl.: *jacarés-de-óculos*.]

jacaré-de-papo-amarelo *S. m. Bras. Zool.* Reptil crocodiliano, aligatorídeo (*Caiman latirostris*), do litoral do RN ao RS, e bacias dos rios São Francisco, Doce, Paraíba, Paraná e Paraguai, cujo comprimento vai até 2,10m. Diferencia-se dos demais por ter apenas três séries transversais de grandes escudos nucais e focinho quase tão largo quanto comprido. [Sin.: *ururau, arurá*. Pl.: *jacarés-de-papo-amarelo*.]

jacaré-do-mato *S. m. Bras. Bot.* Arbusto mirsináceo (*Cybianthus detergens*) amplamente distribuído no Brasil, de flores com pontoações rubras e dispostas em cachos alongados, folhas coriáceas e acuminadas, e fruto drupáceo, pequenino e esférico; farinha-seca. [Pl.: *jacarés-do-mato*.]

jacareense (èen) *Adj. 2 g. S. 2 g.* V. *jacarezeiro*.

jacaregoá (è) *Bras. S. 2 g.* **1.** *Etnôn.* Indivíduo dos jacaregoás, povo indígena extinto, que habitava as margens do rio Aripuanã, afluente da margem direita do Madeira (AM).● *Adj. 2 g.* **2.** Pertencente ou relativo a esse povo. [Tb. us. como *s. 2 g. e 2 n.* (com cap.) e *adj. 2 g. e 2 n.*]

jacareiense (è-i) *Adj. 2 g.* **1.** De, ou pertencente ou relativo a Jacareí (SP).● *S. 2 g.* **2.** O natural ou habitante de Jacareí.

jacarerana (è) [De *jacaré* + *-rana*.] *S. m. Bras. Amaz. Zool.* Reptil lacertílio, teiídeo (*Crocodilurus lacertinus*), de hábitos aquáticos, dorso pardo pintado de preto, dedos com anéis pretos, e barriga amarela com pintas negras esparsas. [A presença de quilha caudal motivou a designação genérica.]

jacaretinga (è) [De *jacaré* + *-tinga*.] *S. m. Bras. Zool.* Reptil crocodiliano, aligatorídeo (*Caiman crocodilus*), restrito às bacias do Amazonas e do Parnaíba, e cujo comprimento é de até 2,20m. Diferencia-se do jacaré (1) (q. v.) por possuir o focinho mais comprido que largo, e ter a mandíbula com máculas pretas. [Sin.: *jacaré-de-óculos*.]

jacareúba (è) [De *jacaré* + o tupi = 'árvore'.] *S. f. Bras. Bot.* Árvore clusiácea (*Calophylum brasiliense*) de ampla distribuição no Brasil, com folhas oblongas, coriáceas e dotadas de nervuras apertadas, flores alvas, com numerosos estames, fruto pequeno e esférico, e madeira forte e útil. [Var.: *jacareúva*. Sin.: *guanandi, landi, lanti, lantim, olandi*.]

jacareúva (è) *S. f. Bras. Bot.* V. *jacareúba*.

jacarezeiro (è) *Adj.* **1.** De, ou pertencente ou relativo a Jacaré dos Homens (AL).● *S. m.* **2.** O natural ou habitante de Jacaré dos Homens.

jacarezinhense (carè) *Adj. 2 g.* **1.** De, ou pertencente ou relativo a Jacarezinho (PR).● *S. 2 g.* **2.** O natural ou habitante de Jacarezinho.

jacariá *Bras. S. 2 g.* **1.** *Etnôn.* Indivíduo dos jacariás, povo indígena extinto, da família linguística pano, que habitava o O. de RO.● *Adj. 2 g.* **2.** Pertencente ou relativo a esse povo. [Tb. us. como *s. 2 g. e 2 n.* (com cap.) e *adj. 2 g. e 2 n.*]

jacarina [Do tupi.] *S. f. Bras. Zool.* V. *tiziu*.

jacatirão [Do tupi.] *S. m. Bras. Bot.* **1.** Árvore melastomatácea (*Miconia cinnamomifolia*) de até 22m, que ocorre, na floresta pluvial, da BA até SC; tem folhas simples, coriáceas, glabras, flores tomentosas, densamente paniculadas, frutos capsulares, e a madeira é us. na construção civil e para feitura de obras externas. [Sin.: *jacatirão-açu*.] **2.** Lacre-branco.

jacatirão-açu [De *jacatirão* + *-açu*.] *S. m. Bras. Bot.* Jacatirão (1). [Pl.: *jacatirões-açus*.]

jacatirica *S. f. Bras. Zool.* V. *jaguatirica*.

jacatupé [Do tupi.] *S. m. Bras. Bot.* Trepadeira fabácea (*Pachyrhizus tuberosus*) de folhas forrageiras com três folíolos amplos e romboides, flores alvas e vistosas, legume linear e achatado, sementes avermelhadas, tidas como tóxicas, e cujas raízes, tuberosas, são feculentas e alimentícias. Ocorre na América tropical. [Var.: *jacutupé, jocotupé*.]

jacazinho (cà) [De *jacá* + *zinho*.] *S. m. Bras. SP* Pequeno cesto que se enterra no chão com a muda de café nele plantada.

jacente [Do lat. *jacente*.] *Adj. 2 g.* **1.** Que jaz; que está situado. **2.** Imóvel, estacionário. [F. paral., us. nessas acepç.: *jazente*.] ~ V. *estátua — e herança —*.● *S. m.* **3.** Viga longitudinal das pontes, sobre a qual se fixam as travessas do tabuleiro. ~ V. *jacentes*.

jacentes [Pl. subst. do adj. *jacente*.] *S. m. pl.* Baixios, recifes. ~ V. *jacente*.

jaci [Do tupi.] *S. m. Bras. Bot.* **1.** Palmeira arecácea (*Scheelea wallisii*) de 6 a 13m de altura, folhas com 10m, pecíolo muito curto e com mais de 200 segmentos, espata com cerca de 2m, noz de uns 5cm de diâmetro, e cuja polpa é mole. Ocorre na Amaz. **2.** *Etnogr.* Comprido colar de conchas e ossos us. pelos tupinambás.

jaciarense *Adj. 2 g.* **1.** De, ou pertencente ou relativo a Jaciara (MT).● *S. 2 g.* **2.** O natural ou habitante de Jaciara.

jaciense *Adj. 2 g.* **1.** De, ou pertencente ou relativo a Jaci (SP).● *S. 2 g.* **2.** O natural ou habitante de Jaci.

jacina [Do tupi.] *S. f. Bras. Zool.* V. *libélula* (3).

jacinta *S. f. Bras. AM Zool.* V. *libélula* (3).

jacintense *Adj. 2 g.* **1.** De, ou pertencente ou relativo a Jacinto (MG).● *S. 2 g.* **2.** O natural ou habitante de Jacinto.

jacintino [Do gr. *hyakínthinos*, pelo lat. *hyacinthinu* (i breve), com mudança de acentuação.] *Adj.* **1.** Relativo ao jacinto. **2.** Da cor do jacinto.

jacinto [Do lat. *hyacinthu*; tax. *Hyacinthus*.] *S. m. Bot.* **1.** Gênero de ervas liliáceas, bulbíferas, cujas flores são dispostas em racemos terminais compactos e têm corola campaniforme. **2.** *Restr.* Espécie (*Hyacintus orientalis*) desse gênero, universalmente afamada pela beleza das flores, dispostas em inflorescências maciças, com corola azul, branca ou rósea, muito perfumada, e cujas folhas são lineares, compridas, sendo o fruto uma cápsula globosa. É muito cultivada nas cidades serranas do Brasil. **3.** A flor dessa planta.

jacinto-machadense *Adj. 2 g.* **1.** De, ou pertencente ou relativo a Jacinto Machado (SC).● *S. 2 g.* **2.** O natural ou habitante de Jacinto Machado. [Pl.: *jacinto-machadenses*.]

jacitara [Do tupi.] *S. f. Bras. Bot.* Designação comum a várias espécies de palmeiras arecáceas do gênero *Desmoncus*, ricas em acúleos pungentes e compridos, e de caule delgado, alongado e escandente; urubamba, titara.

jacobeia[1] (éi) [Do tax. *Jacobaea*.] *S. f. Bot.* Planta asterácea (*Senecio jacobaea*) de folhas recortadas e flores amarelo-ouro grupadas em corimbos.❖

jacobeia[2] (éi) [De *(escada) jacobeia*, escada em que se reuniam os sectários jacobeus, por lembrar a misteriosa escada que o patriarca Jacó vira em sonho.] *S. f.* A seita dos jacobeus.❖

jacobeu [De *jacobeia[2]*.] *S. m.* **1.** Partidário de uma seita político-religiosa de fanáticos, que teve início em tempos de D. João V (séc. XVIII), em Portugal.● *Adj.* **2.** Diz-se de jacobeu (1). **3.** *Deprec.* Falso, hipócrita. [Fem.: *jacobeia*.]

jacobeu-carolíngio *Adj.* Pertencente ou relativo aos reinados, na Inglaterra, de Jaime I (1603-1625) e Carlos I (1625-1649), ou próprio da época desses reinados. [Pl.: *jacobeus-carolíngios*.]

jacobiano [Do antr. (*Karl Gustav Jacob*) *Jacobi* (1804-1851), matemático alemão, + *-ano[1]*.] *S. m. Mat.* Determinante funcional que contém as derivadas parciais primeiras de *n* funções de *n* variáveis.

jacobice [De *jacobeu* + *-ice*.] *S. f.* Ação ou dito próprio de jacobeu (2); hipocrisia, fingimento, falsidade.

jacobina [Do tupi.] *S. f. Bras. BA* Terreno impróprio para a lavoura, revestido de mato baixo, comumente cerrado e espinhoso.

jacobinense *Adj. 2 g.* **1.** De, ou pertencente ou relativo a Jacobina (BA).● *S. 2 g.* **2.** O natural ou habitante de Jacobina.

jacobinice [De *jacobino* + *-ice*.] *S. f.* Ação ou dito próprio de jacobino (2 e 3).

jacobinismo [Do fr. *jacobinisme*.] *S. m.* **1.** Partido, doutrina ou ideias dos jacobinos. **2.** *P. ext.* Opiniões revolucionárias ou exaltadas; radicalismo.

jacobinizar [De *jacobino* + *-izar*.] *V. t. d. P.* Tornar(-se) jacobino.

jacobino [Do fr. *jacobin*.] *S. m.* **1.** Membro de um clube político revolucionário fundado em Paris em 1789. **2.** *P. ext.* Partidário exaltado da democracia. **3.** *Bras.* Inimigo de estrangeiros; nacionalista estreito; xenófobo. **4.** *P. ext.* Nacionalista extremado: 📖 "Brasil... Muitas vezes me senti jacobino ao defender meu país no exterior. Ao recusar as críticas, não raro justas, feitas num tom amigo .... não sei por quê, nunca as tolerei." (Oscar Niemeyer, *As Curvas do Tempo*, p. 203.)● *Adj.* **5.** Pertencente ou relativo a, ou próprio de jacobino.

jacobita[1] [Do lat. med. *jacobita*, do antr. *Jacob*, do monge Jacob Baradai.] *S. 2 g.* Membro de uma seita religiosa que teve por chefe o bispo de Edessa (antiga cidade da Mesopotâmia), Jacob, no séc. VI.

jacobita[2] [Do ingl. *jacobite* < lat. *Jacobus*, 'Jaime'.] *S. 2 g.* Designação comum na Inglaterra, após a revolução de 1688, aos partidários de Jaime II e da casa dos Stuarts.

jacobsita [Do fr. *jacobiste* (< top. *Jakobsberg*, Suécia, + fr. *-ite* [v. *-ita[3]*]).] *S. f. Min.* Mineral isométrico, espinélio de manganês e ferro.

já-começa *S. f. 2 n. Bras. Pop.* **1.** V. *cachaça* (1). **2.** V. *prurido* (1). **3.** V. *coceira*. **4.** V. *escabiose*.

➔**jacquard** [ʒaˈkaʀ] [Fr., do antr. (*Joseph-Marie*) *Jacquard* (1752-1834), inventor do método de tecelagem que tem esse nome.] *S. m. Tec. Têx.* Tecido encorpado, muito us. em estofados, feito pelo método de tecelagem *jacquard*, em que os fios da trama passam por uma trajetória determinada que forma desenhos.

jacruaru *S. m. Bras. Amaz. Zool.* V. *jacuraru*.

jactação [Do lat. *jactatione*.] *S. f. Med. Ant.* Agitação desordenada de membros, originária de perturbação nervosa. [Var.: *jatação*.]

jactância [Do lat. *jactantia*.] *S. f.* **1.** Vaidade, ostentação, gabo. **2.** Orgulho, arrogância; altivez. **3.** V. *fanfarrice* (2). [Var.: *jatância*.]

jactanciar-se [De *jactância* + *-ar[2]* + *se[1]*.] *V. p.* V. *jactar-se*.

jactanciosidade [De *jactancioso* + *-(i)dade*.] *S. f.* Qualidade de jactancioso. [Var.: *jatanciosidade*.]

jactancioso (ô) [De *jactância* + *-oso*.] *Adj.* **1.** Que tem ou revela jactância. **2.** V. *fanfarrão* (1). [Var.: *jatancioso*. Sin. ger.: *jactante*.]

jactante [Do lat. *jactante*.] *Adj. 2 g.* **1.** *Ant.* Que padece de jactação. **2.** V. *jactancioso*. [Var.: *jatante*.]

jactar-se [Do lat. *jactare* + *se[1]*.] *V. p.* Ter jactância, gabar-se, ufanar-se, gloriar-se, vangloriar-se, bla-

J

sonar, bazofiar; jactanciar-se: 📖 "A fortuna me fez o engenho frio, / Do qual já não me jacto, nem me abono" (Luís de Camões, *Os Lusíadas*, X, 9). [Var.: *jatar-se*.]

jacto *S. m.* V. *jato*. ◆ **Jato coronal.** *Astr.* V. *jato coronal*.

jacu [Do tupi.] *S. m. Bras.* **1.** *Zool.* Designação comum a várias aves galiformes, cracídeas, gênero *Penelope*, frequentes nas matas primitivas do Brasil. Alimentam-se, sobretudo, de frutas e folhas. **2.** V. *caipira* (1). ● *Adj. 2 g.* **3.** V. *caipira* (3).

jacuabina *S. f. Bras.* Antiga designação dada ao sertão aurífero da BA.

jacuacanga [Do tupi = 'cabeça de jacu'.] *S. f. Bras. Bot.* V. *cana-de-macaco* (1 e 2).

jacuaçu [De *jacu* + *-açu*.] *S. m. Bras. Zool.* **1.** *AM* Ave cracídea (*Penelope jacquacu*), da bacia amazônica, de coloração parda com as coberteiras da asa e do peito marginadas de branco, sobrancelha preta seguida de uma estria branca, pernas avermelhadas e barbela vermelha. **2.** Jacuguaçu.

jacuanga [Do tupi.] *S. f. Bras. Bot.* V. *cana-de-macaco* (2).

jacuapeti [Do tupi.] *S. m. Bras. Zool.* V. *jacutinga* (1).

jacuaru *S. m. Bras. Zool.* V. *jacuraru*.

jacuba *S. f.* **1.** *Bras.* Refresco ou pirão feito com água, farinha de mandioca, e açúcar ou mel, e por vezes temperado com cachaça. [Sin., no AM, *chibé*; no PA e MA, *tiquara*, *chibé*; em PE, *gonguinha*; em vários estados do N.E., *sebereba*.] **2.** *Bras. PE AL* V. *garapa* (1).

jacucaca [Do tupi.] *S. m. Bras. Zool.* V. *jacupemba*.

jacucanga [Do tupi.] *S. m. Bras. Bot.* Erva boraginácea (*Heliotropium indicum*) ruderal, originária da Ásia, de folhas amplas e ásperas, flores minutas, azuladas e ordenadas em espigas compridas, e cujo fruto é uma noz pequenina.

jacu-cigano *S. m. Bras. GO Zool.* V. *cigana* (2). [Pl.: *jacus-ciganos*.]

jacu-estalo [Do tupi = 'ave porco-do-mato'.] *S. m. Bras. Zool.* Ave cuculídea (*Neomorphus geoffroyi*) terrícola, que ocorre da América Central à Bolívia e C. do Brasil. Há duas subspécies que se diferenciam na coloração; ambas têm topete azul escuro e mancha triangular azul atrás do olho, mas a *N. g. geoffroy* tem o dorso verde-oliváceo e abdome acinzentado e a *N. g. dulcis* o dorso azulado e abdome pardo-avermelhado. É capaz de produzir forte estalo quando inquieta. [Sin.: *acanati*, *acanatique*, *acunati*, *aracuão*, *jacu-molambo*, *jacu-porco*, *mãe-de-porco*, *taiaçuíra*, *tajaçuíra*. Pl.: *jacus-estalos*.]

jacuguaçu [De *jacu* + *-guaçu*.] *S. m. Bras. Zool.* Ave cracídea (*Penelope obscura*) do S.E. e S. do Brasil, Uruguai, Paraguai, Argentina e Bolívia, de coloração escura com tons avermelhados no dorso e abdome, e penas do peito, do dorso e das coberteiras das asas orladas de branco, e pescoço de cor uniforme. Comprimento: até 74cm; jacuaçu.

jacuí [De *jacu* + *-í*.] *S. m. Bras. Zool.* Jacu (1) pequeno.

jacuiense (u-i) *Adj. 2 g.* **1.** De, ou pertencente ou relativo a Jacuí (MG). ● *S. 2 g.* **2.** O natural ou habitante de Jacuí.

jacuipense¹ (u-i) *Adj. 2 g.* **1.** De, ou pertencente ou relativo a Jacuípe (AL). ● *S. 2 g.* **2.** O natural ou habitante de Jacuípe.

jacuipense² (u-i) *Adj. 2 g.* **1.** De, ou pertencente ou relativo a Riachão do Jacuípe (BA). ● *S. 2 g.* **2.** O natural ou habitante de Riachão do Jacuípe.

jacuipense³ (u-i) *Adj. 2 g.* **1.** De, ou pertencente ou relativo a São José do Jacuípe (BA). ● *S. 2 g.* **2.** O natural ou habitante de São José do Jacuípe.

jaculação [Do lat. *jaculatione*.] *S. f. Ant.* **1.** Tiro (1) de artilharia; tiro. **2.** O espaço percorrido pelo tiro.

jaculador (ô) [Do lat. *jaculatore*.] *Adj. S. m.* Que, ou aquele que atira, arremessa ou lança arma ofensiva.

jacular [Do lat. *jaculare*.] *V. t. d.* **1.** V. *ejacular* (1). **2.** Lançar, arremessar. **3.** Ferir com arma de arremesso. *Int.* **4.** *Restr.* Ejacular (5).

jaculatória [F. subst. de *jaculatório*.] *S. f.* Oração curta e fervorosa: 📖 "Alguma pessoa tinha ensinado a ele rezar jaculatória e fazer o pelo-sinal." (João Guimarães Rosa, *Corpo de Baile*, I, p. 371.)

jaculatório [Do lat. tard. *jaculatoriu*.] *Adj.* **1.** Que expede jatos. **2.** Próprio para arremessar.

jacumã [Do tupi.] *S. m.* **1.** *Bras. Amaz.* Remo indígena, em forma de pá. **2.** *Bras. Amaz.* Governo de uma canoa com um remo de mão em uma de suas extremidades: 📖 "Sentado ao jacumã, dava grandes remadas espaçadas" (José Veríssimo, *Cenas da Vida Amazônica*, p. 118). **3.** *Bras. PE* Andaime feito de três paus conjugados a dois terços de altura, empregado na construção dos currais de peixe.

jacumaíba [Do tupi.] *S. m. Bras. PA MA* Piloto de canoa em pontos onde é arriscada a navegação. [Var.: *jacumaúba*.]

jacumaúba *S. m. Bras. PA MA* V. *jacumaíba*: 📖 "aos doze anos .... sabia governar um escaler ou uma canoa, ... e meu remo não se deixava bater facilmente pelo remo de pá de qualquer jacumaúba pescador de piabas." (Aluísio Azevedo, *Pegadas*, p. 84).

jacu-molambo *S. m. Bras. MG Zool.* V. *jacu-estalo*. [Pl.: *jacus-molambos* e *jacus-molambo*.]

jacundá¹ [Do tupi.] *S. m. Bras.* **1.** *Zool.* Designação comum a várias espécies de peixes teleósteos, perciformes, ciclídeos, gênero *Crenicichla*, de aspecto semelhante ao da traíra, e cuja nadadeira dorsal é dividida em uma parte espinhosa e outra ramosa, unidas, que ocupam quase todo o dorso, tendo muitas espécies um ocelo típico na cauda; nhacundá, guenza. **2.** *Zool.* Mariquita (2). **3.** *Bot.* Erva marantácea (*Calathea ornata*) oriunda das matas úmidas, de alto valor ornamental pelas grandes folhas verdes com riscas brancas, róseas ou purpúreas na face inferior, e largamente cultivada. **4.** *Bras. AM Etnogr.* Dança de roda, indígena, propiciatória da pesca do jacundá (1), e que deu origem a outras variações coreográficas mestiças sem caráter religioso.

jacundá² *Bras. S. 2 g.* **1.** *Etnôn.* Indivíduo dos jacundás, povo indígena extinto, que habitava a margem direita do baixo rio Tocantins (PA). ● *Adj. 2 g.* **2.** Pertencente ou relativo a esse povo. [Tb. us. como *s. 2 g. e 2 n.* (com cap.) e *adj. 2 g. e 2 n.*]

jacundá-açu [De *jacundá¹* + *-açu*.] *S. m. Bras. Zool.* V. *jacundá-branco*. [Pl.: *jacundás-açus*.]

jacundá-branco *S. m. Bras. Zool.* Peixe teleósteo, perciforme, ciclídeo (*Crenicichla johanna*), da Amaz. e Paraguai, de coloração geral clara, nadadeiras dorsal e caudal escuras, sem máculas, com uma faixa clara em toda a extensão, e base das peitorais e regiões dos olhos mais escuras; *joana-guenza*, *jacundá-açu*, *jacundatotó*, *jacundá-piranga*, *jacundá-cabeçudo*, *guenza-branca*. [Pl.: *jacundás-brancos*.]

jacundá-cabeçudo *S. m. Bras. Zool.* V. *jacundá-branco*. [Pl.: *jacundás-cabeçudos*.]

jacundá-coroa *S. m. Bras. Zool.* Peixe teleósteo, perciforme, ciclídeo (*Crenicichla saxatalis*), da Amaz. e Paraguai, de coloração geral olivácea, mácula na base da nadadeira caudal e outra na dorsal, e uma faixa escura longitudinal da altura dos olhos até a extremidade da peitoral. Alimenta-se de outros peixes. [Pl.: *jacundás-coroas* e *jacundás-coroa*.]

jacundaense *Adj. 2 g.* **1.** De, ou pertencente ou relativo a Jacundá (PA). ● *S. 2 g.* **2.** O natural ou habitante de Jacundá.

jacundá-piranga [De *jacundá* + *piranga²* (2).] *S. m. Bras. Zool.* V. *jacundá-branco*. [Pl.: *jacundás-pirangas*.]

jacundatotó (dá) *S. m. Bras. Zool.* V. *jacundá-branco*.

jacundá-verde *S. m. Bras. Zool.* Peixe teleósteo perciforme, ciclídeo (*Crenicichla lepidota*), do S. do Brasil e países limítrofes, de coloração verde-cinza com manchas escuras transversais, mácula negra pós-opercular e outra na base da nadadeira caudal; guenza-verde. [Pl.: *jacundás-verdes*.]

jacupará *S. f. Bras. Zool.* V. *jacutinga* (1).

jacupeba [De *jacu* + *-peba*.] *S. m. Bras. Zool.* V. *jacupemba*.

jacupema *S. m. Bras. Zool.* V. *jacupemba*.

jacupemba [Do tupi.] *S. m. Bras. Zool.* Ave cracídea (*Penelope superciliaris*) que ocorre do S. do rio Amazonas pelo Brasil central e N. E. até o Rio Grande do Sul e Paraguai, em matas, capões de mata do cerrado e na caatinga. Tem cerca de 55cm de comprimento, o dorso pardo-escuro, com as bordas das asas ferrugíneas, o abdome vermelho-escuro, o peito com desenhos esbranquiçados e barbela vermelha; jacucaca, jacupema, jacupeba, jacu-velho.

jacupiranguense *Adj. 2 g.* **1.** De, ou pertencente ou relativo a Jacupiranga (SP). ● *S. 2 g.* **2.** O natural ou habitante de Jacupiranga.

jacupiranguito [Do top. *Jacupiranga* + *-ito²*.] *S. m. Petr.* Rocha magmática intrusiva, composta essencialmente de magnetita e augita, e que pode conter também nefelina.

jacu-porco (ô) *S. m. Bras. BA Zool.* V. *jacu-estalo*. [Pl.: *jacus-porcos*.]

jacuraru [Var. de *jacuruaru*.] *S. m. Bras. Amaz. Zool.* Designação comum aos reptis lacertílios do gênero *Tupinambis* e *Teius*, especialmente o *Tupinambis nigropunctatus*, da Amaz., de coloração geral verde-olivácea com manchas e faixas pretas no dorso e flanco, lado inferior amarelado, e cuja pele tem valor comercial na região. Seus hábitos são os mesmos do teiú. [Var.: *jacuaru*, *jacuruaru*, *jacruaru*, *caruaru*.]

jacuriense *Adj. 2 g.* **1.** De, ou pertencente ou relativo a São José do Jacuri (MG). ● *S. 2 g.* **2.** O natural ou habitante de São José do Jacuri.

jacuru [Do tupi.] *S. m. Bras. Zool.* V. *joão-bobo*.

jacuruaru *S. m. Bras. Amaz. Zool.* V. *jacuraru*.

jacurutu [Do tupi.] *S. m. Bras. Zool.* Ave estrigiforme, estrigídea (*Bubo virginianus nacurutu*), da região cisandina, de coloração amarelada no dorso com numerosas pintas e faixas estreitas castanho-escuras, rêmiges e retrizes com faixas mais largas, garganta e pescoço anterior brancos. Tem penacho desenvolvido acima dos olhos, e pertence ao grupo das corujas ou dos mochos-orelhudos. Vive nas matas e capoeiras, saindo à noite em busca de alimentação, constituída sobretudo de pequenos mamíferos. [Var.: *inhacurutu*. Sin.: *coruja-orelhuda*, *corujão-orelhudo*, *mocho-orelhudo*.]

jacuruxi [Do tupi.] *S. m. Bras. Amaz. Zool.* Reptil lacertílio, teiídeo (*Dracaena guianensis*), da Amaz., de coloração geral verde-pardacenta tendendo ao ferruginoso, e amarelo-avermelhada da nuca para a cabeça. As escamas do corpo formam escudos, dando ao animal aspecto de jacaré; tem até 80cm de comprimento, vive nos igapós, possui hábitos arborícolas, alimenta-se de aruás, e é capaz de passar longas horas dentro da água.

jacu-taquara *S. m. Bras. Zool.* V. *juruva*. [Pl.: *jacus-taquaras* e *jacus-taquara*.]

jacutinga [De *jacu* + *-tinga*.] *S. f. Bras.* **1.** *Zool.* Designação comum às aves galiformes, cracídeas, gênero *Pipile*, que ocorrem no C.O. e S.E. do Brasil, esp. a *P. jacutinga*, que se diferencia das demais espécies por ter a região entre o bico e os olhos azul, a parte nua da garganta vermelha, plumagem preta com brilho azul, e alto da cabeça, barbas externas das coberteiras das asas e orlas das penas do peito brancas. Ocorre nas matas virgens, é arborícola, raramente descendo ao chão; alimenta-se de toda sorte de pequenos frutos e bagas, não desprezando outros alimentos. [Sin.: *jacuapeti*, *jacupará*, *peru-do-mato*.] **2.** Minério de ferro hematítico, pulverulento, friável e, em geral, aurífero.

jacutinguense *Adj. 2 g.* **1.** De, ou pertencente ou relativo a Jacutinga (MG e RS). ● *S. 2 g.* **2.** O natural ou habitante de Jacutinga.

jacutupé *S. m. Bras. Bot.* V. *jacatupé*.

jacu-velho *S. m. Bras. Zool.* V. *jacupemba*. [Pl.: *jacus-velhos*.]

➔ **jacuzzi** [ja'kud.dzi] [It., marca registrada.] *S. f.* Pequeno tanque de banho, no qual jatos de água são lançados sob pressão, de modo a gerar redemoinhos, que causam certo relaxamento àquele que estiver dentro d'água. [Com cap.]

jade [Do fr. *jade* < esp. *piedra de la ijada*, 'pedra do flanco'.] *S. m. Min.* Designação comum a diversos minerais duros, compactos e esverdeados, ger. empregados em objetos de adorno, em estatuetas, etc., entre os quais a jadeíta.

jadeíta [De *jade* + *-ita³*.] *S. f. Min.* Mineral monoclínico, esverdeado, do grupo dos piroxênios, silicato de alumínio e sódio, empregado em objetos de adorno, em estatuetas, etc.

jã de la foice *S. m. Bras. N.E. SE* V. *fogo-fátuo* (1). [Pl.: *jãs de la foice*.] ☑

jaez (ê) [Do ár. *gahāz*.] *S. m.* **1.** Aparelho e adorno para bestas: 📖 "Inda corcéis, de nítidos jaezes, / contra o vasto clarão trotam rinchando / dos longes do arredor" (Antônio Feliciano de Castilho, *A Noite do Castelo*, p. 25). **2.** *Fig.* Qualidade, espécie, sorte, laia. 📖 "Antes .... de Bento Teixeira e de versejadores de igual jaez, ... versejaram também padres jesuítas" (José Veríssimo, *História da Literatura Brasileira*, p. 45). [Pl.: *jaezes* (ê). Cf. *jaezes*, do v. *jaezar*.]

jaezar *V. t. d.* P. V. *ajaezar*. [Pres. subj.: *jaeze*, *jaezes*, etc. Cf. *jaezes* (ê), pl. de *jaez*.]

jafético *Adj.* De, ou descendente de Jafet, filho de Noé.

jagodes [De or. *incerta*.] *S. m. 2 n.* **1.** *Pop.* Homem ordinário, que não merece crédito; indivíduo importuno, apalermado. **2.** Pessoa malconformada; estafermo. **3.** *Bras.* Grande boneco de louça que representa um chinês ventrudo cuja boca é o orifício de uma caixa de cartas, etc.

jagoirana [Do tupi, poss.] *S. f. Bras. Bot.* V. *fava-de-bolota* (1 e 2).

jaguacacaca [Do tupi.] *S. f. Zool.* **1.** *Zool.* V. *jaritataca*. **2.** V. *lontra* (2).

jaguacinim [Var. de *guaxinim*.] *S. m. Bras. Zool.* V. *mão-pelada*.

jaguacininga [Do tupi.] *S. f. Bras. Zool.* V. *cachorro-do-mato-vinagre*.

jaguamitinga [Do tupi.] *S. f. Bras. Zool.* V. *raposa-do-campo*.

jaguana *Bras. S. 2 g.* **1.** *Etnôn.* Indivíduo dos jaguanas [ou (etnôn. bras.) *Yaguana], povo indígena extinto que habitava a margem esquerda do rio Amazonas, na confluência com o rio Japurá (AM). ● *Adj. 2 g.* **2.** Pertencente ou relativo a esse povo.

jaguané¹ [Alter. de *jaguaré*.] *S. m. Bras. Zool.* Cãozinho selvagem com riscas no pelo.

jaguané² *Bras. RS Zool. Adj. 2 g.* **1.** Diz-se de animal vacum que tem o fio do lombo e a barriga brancos, e o lado das costelas preto (jaguané-preto) ou vermelho (jaguané-vermelho). 2. *Fig.* Diz-se do jogo de cartas ou de víspora quando feito errado, por inadvertência ou má-fé. • *S. m.* 3. Esse jogo.

jaguané-preto *S. m. Bras. RS Zool.* V. *jaguané*[2] (1). [Pl.: *jaguanés-pretos.*]

jaguané-vermelho *S. m. Bras. RS Zool.* V. *jaguané*[2] (1). [Pl.: *jaguanés-vermelhos.*]

jaguapé [Do tupi.] *S. m. Bras. Zool.* V. *irara.*

jaguapeba [Do tupi = 'cão' + *-peba.*] *S. m. Bras.* Variedade de cães domésticos de pernas curtas. [Var.: *jaguapeva.*]

jaguapeva *S. m. Bras.* 1. V. *jaguapeba.* • *Adj. 2 g.* 2. *Bras. SP* Diz-se de animais e de indivíduos desbriados.

jaguapitãense *Adj. 2 g.* 1. De, ou pertencente ou relativo a Jaguapitã (PR). • *S. 2 g.* 2. O natural ou habitante de Jaguapitã.

jaguapitanga [Do tupi.] *S. f. Bras. Zool.* V. *raposa-do-campo.*

jaguapoca [Do tupi = 'cão'; é incerta a origem do 2º elemento.] *S. m. Bras. SP Zool.* Vira-lata (1).

jaguaquarense *Adj. 2 g.* 1. De, ou pertencente ou relativo a Jaguaquara (BA). • *S. 2 g.* 2. O natural ou habitante de Jaguaquara.

jaguar [Do tupi-guar. *ya'wara,* designação genérica dos animais do gênero *Felis.*] *S. m. Zool.* Carnívoro fissípede, felídeo (*Panthera* [*Jaguarius*]*onca*), de coloração amarelo-avermelhada, com manchas pretas arredondadas ou irregulares, porém simétricas, em todo o corpo, encontrado (salvo no Chile e nos Andes) em toda a América, desde o S.E. dos E.U.A. Tem cerca de 1,50m de comprimento, afora a cauda, que tem 60cm, e 80cm de altura. É considerado a fera mais terrível da América, e alimenta-se da caça e da pesca de animais, preferindo grandes peças. [Sin.: *jaguarapinima, jaguaretê, canguçu, acanguçu, onça, onça-pintada, pintada.* Cf. *jaguara.*]

jaguara [Do tupi-guar.] *S. m.* 1. *Bras. PR RS* Vira-lata (1). 2. *Bras. PR* Pessoa ordinária, de mau caráter. 3. *Bras. N.E. Zool.* V. *tintureira* (3). [Cf. *jaguar.*]

jaguaraçá *S. m. Bras. Zool.* V. *jaguaruçá.*

jaguaracambé [Do tupi.] *S. m. Bras. S. Zool.* V. *cachorro-do-mato-vinagre.*

jaguaraçuense *Adj. 2 g.* 1. De, ou pertencente ou relativo a Jaguaraçu (MG). • *S. 2 g.* 2. O natural ou habitante de Jaguaraçu.

jaguaraíva [Do tupi = 'cão' + o tupi = 'ruim', 'mau'.] *S. m. Bras. Zool.* Cachorro que não serve para a caça.

jaguaramuru [Do tupi, poss.] *S. m. Bras. Bot.* 1. V. *babosa-branca.* 2. V. *grão-de-galo* (1). 3. V. *grão-de-porco* (1).

jaguarana [Do tupi, poss.] *S. f. Bras. Bot.* 1. Nome comum a diversas árvores mimosáceas, esp. dos gêneros *Pithecelobium* (v. *pitecelóbio*) e *Inga* (v. *ingá*). 2. V. *fava-de-bolota* (1).

jaguarapinima [Do tupi = 'onça' + *-pinima.*] *S. m. Bras. Zool.* V. *jaguar.*

jaguarariense *Adj. 2 g.* 1. De, ou pertencente ou relativo a Jaguarari (BA). • *S. 2 g.* 2. O natural ou habitante de Jaguarari.

jaguaré [Do tupi.] *S. m. Bras. Zool.* Jaguané[1].

jaguareçá [Do tupi.] *S. m. Bras. Zool.* V. *jaguaruçá.*

jaguarembense *Adj. 2 g.* 1. De, ou pertencente ou relativo a Jaguarembé (RJ). • *S. 2 g.* 2. O natural ou habitante de Jaguarembé.

jaguarense[1] *Adj. 2 g.* 1. De, ou pertencente ou relativo a Jaguarão (RS). • *S. 2 g.* 2. O natural ou habitante de Jaguarão.

jaguarense[2] *Adj. 2 g.* 1. De, ou pertencente ou relativo a Jaguaré (ES). • *S. 2 g.* 2. O natural ou habitante de Jaguaré.

jaguaretamense *Adj. 2 g.* 1. De, ou pertencente ou relativo a Jaguaretama (CE). • *S. 2 g.* 2. O natural ou habitante de Jaguaretama.

jaguaretê [Do tupi = 'onça verdadeira'.] *S. m. Bras. Zool.* V. *jaguar.*

jaguariaivense (a-i) *Adj. 2 g.* 1. De, ou pertencente ou relativo a Jaguariaíva (PR). • *S. 2 g.* 2. O natural ou habitante de Jaguariaíva.

jaguaribano *Adj.* 1. De, ou pertencente ou relativo a Jaguaribe (CE). • *S. m.* 2. O natural ou habitante de Jaguaribe.

jaguaribara *Bras. S. 2 g.* 1. *Etnôn.* Indivíduo dos jaguaribaras, povo indígena extinto, que habitava as margens do rio Jaguaribe, próximo à costa do CE. • *Adj. 2 g.* 2. Pertencente ou relativo a esse povo. [Tb. us. como *s. 2 g. e 2 n.* (com cap.) e *adj. 2 g. e 2 n.*]

jaguaribarense *Adj. 2 g.* 1. De, ou pertencente ou relativo a Jaguaribara (CE). • *S. 2 g.* 2. O natural ou habitante de Jaguaribara.

jaguaribense *Adj. 2 g.* 1. De, ou pertencente ou relativo a São João do Jaguaribe (CE). • *S. 2 g.* 2. O natural ou habitante de São João do Jaguaribe.

jaguariçá *S. m. Bras. Zool.* V. *jaguaruçá.*

jaguariense *Adj. 2 g.* 1. De, ou pertencente ou relativo a Jaguari (RS). • *S. 2 g.* 2. O natural ou habitante de Jaguari.

jaguaripense *Adj. 2 g.* 1. De, ou pertencente ou relativo a Jaguaripe (BA). • *S. 2 g.* 2. O natural ou habitante de Jaguaripe.

jaguaritaca *S. m. Bras. Zool.* V. *jaritataca.*

jaguariunense (i-u) *Adj. 2 g.* 1. De, ou pertencente ou relativo a Jaguariúna (SP). • *S. 2 g.* 2. O natural ou habitante de Jaguariúna.

jaguaruana *Bras. S. 2 g.* 1. Indivíduo dos jaguaruanas, povo indígena extinto, que habitava a margem direita do rio Acaraú (CE). • *Adj. 2 g.* 2. Pertencente ou relativo a esse povo. [Tb. us. como *s. 2 g. e 2 n.* (com cap.) e *adj. 2 g. e 2 n.*]

jaguaruanense *Adj. 2 g.* 1. De, ou pertencente ou relativo a Jaguaruana (CE). • *S. 2 g.* 2. O natural ou habitante de Jaguaruana.

jaguaruçá [Var. de *jaguareçá.*] *S. m. Bras. Zool.* Peixe teleósteo, bericomorfo, holocentrídeo (*Holocentrus adscensionis*), do Atlântico, de dorso vermelho, abdome róseo-esbranquiçado, flancos com faixas amarelas, e nadadeiras amarelas e vermelhas. É pescado em alto-mar, e seu comprimento atinge 24cm. [Outras var.: *jaguaraçá; jaguareçá, jaguariçá, jaguriçá* e *juguriçá.* Sin.: *joão-cachaça.*]

jaguaruna [De *jaguar* + *-una.*] *S. f. Bras. Zool.* V. *suçuarana* (1).

jaguarundi [Do tupi.] *S. m. Bras. Zool.* V. *gato-mourisco.*

jaguarunense *Adj. 2 g.* 1. De, ou pertencente ou relativo a Jaguaruna (SC). • *S. 2 g.* 2. O natural ou habitante de Jaguaruna.

jaguatirica [Do tupi.] *S. f. Bras. Zool.* Mamífero carnívoro, fissípede, felídeo (*Pantera* [*Jaguarius*] *pardalis*), que atinge cerca de 85cm de comprimento e 40cm de altura. Cor ruivo-amarelada, com manchas redondas orladas de preto; na nuca apresenta cinco ou seis estrias pretas. Ocorre em todo o Brasil e América meridional; vive em matas e banhados, e alimenta-se de aves e pequenos mamíferos. [Var.: *jacatirica.* Sin.: *bracaiá, maracajá, gato-do-mato-grande, gato-açu.*]

jagudi [Do criol. *djagudi.*] *S. m. Guin. Zool.* Ave de rapina (*Necrosyrtes monachus*), diurna, semelhante ao urubu, e que pode ultrapassar um metro de envergadura; djagudi: "Nas cidades, os jagudis formam verdadeiras brigadas de limpeza de quintais, de praias e de ruas, sendo por isso protegidos pelas leis dos Homens." (Viriato Augusto Tadeu, *Contos do Caramô*, p. 108.)

jagunçada [De *jagunço* + *-ada*[1].] *S. f. Bras.* Conjunto ou grupo de jagunços; jagunçaria.

jagunçaria [De *jagunço* + *-aria.*] *S. f. Bras.* Jagunçada.

jagunceiro [De *jagunço* + *-eiro.*] *Adj.* De, ou próprio de jagunço: "estava sempre a relatar as suas façanhas jagunceiras nos sertões" (Manuel Bandeira, *Poesia e Prosa*, II, p. 528).

jagunço [De *zaguncho* (q. v.), poss.] *S. m.* 1. *Bras.* V. *capanga* (4). 2. *Bras. PE AL* Chuço (1). 3. *Bras. BA* Indivíduo do grupo de fanáticos e revolucionários de Antônio Conselheiro (1828-1897), na campanha de Canudos (1896-1897).

jaguriçá *S. m. Bras. Zool.* V. *jaguaruçá.*

jaibara *S. f. Bras. BA* V. *jaribara.*

jaibradeira *S. f. Bras.* Ferramenta com que os tanoeiros abrem o jaibro das aduelas, semelhante a um graminho, e que tem, em vez do ponteiro, uma lâmina curva com três dentes de serra.

jaibro [Alter. de *javre* (q. v.).] *S. m. Bras.* 1. Depressão longitudinal das ombreiras das portas e janelas, na qual estas se alojam. 2. Sulco próximo às extremidades das aduelas dos barris, das pipas, etc., no qual se encaixa o testo. 3. Rombo, sulco.

jaicó *Bras. S. 2 g.* 1. *Etnôn.* Indivíduo dos jaicós, povo indígena extinto, da família linguística jê, tronco macro-jê, que habitava o PI. • *Adj. 2 g.* 2. Pertencente ou relativo a esse povo. [Outra forma: *jeicó.* Tb. us. como *s. 2 g. e 2 n.* (com cap.) e *adj. 2 g. e 2 n.*]

jaicoense (ò) *Adj. 2 g.* 1. De, ou pertencente ou relativo a Jaicós (PI). • *S. 2 g.* 2. O natural ou habitante de Jaicós.

jainismo [Do sânscr., pelo ingl. *jainism.*] *S. m. Filos.* Escola heterodoxa da Índia, fundada por Maavira no séc. VI a.C., e caracterizada principalmente pela aceitação das doutrinas do carma e do ainsa, que levam a moral ascética extremamente severa, e pela oposição ao sistema de castas do bramanismo. [V. *darsana.*]

jainista [De *janismo* + *-ista.*] *Adj. 2 g.* 1. Pertencente ou relativo ao, ou que é partidário do jainismo. • *S. 2 g.* 2. Partidário dele.

jalão *S. m. Bras.* V. *jamelão.*

jalapa [Do top. *Jalapa* (México).] *S. f. Bot.* Designação comum a diversas plantas convolvuláceas e apocináceas, cujas partes aéreas são trepadeiras, sendo as flores vistosas e coloridas, e com tubérculos subterrâneos tidos popularmente como purgativos.

jalapão [De *jalapa* + *-ão*[1].] *S. m. Bras. Bot.* 1. Planta convolvulácea (*Operculina macrocarpa*) trepadeira, de folhas membranáceas e magnas, flores vistosas, afuniladas e raiadas, e cujo fruto é uma cápsula com sementes globosas, sendo o tubérculo purgativo; batata-de-purga. 2. V. *gafanhoto* (4).

jalapa-verdadeira *S. f. Bot.* V. *maravilha* (5). [Pl.: *jalapas-verdadeiras.*]

jalapeiro *S. m. Bras. Gír.* V. *curandeiro* (2).

jalapinha [De *jalapa* + *-inha.*] *S. f. Bras. Bot.* 1. Planta convolvulácea (*Ipomoea sinuata*) muito semelhante ao jalapão (1). 2. Espirradeira-do-campo.

jalde [Do fr. ant. *jalne* (atualmente *jaune*), pelo esp. *jalde.*] *Adj. 2 g.* V. *jalne*: "Como se fora um grande bando de borboletas jaldes, pondo uma nota desesperada de amarelo-vivo no escuro daquela terra" (Belmiro Braga, *Cantos e Contos*, p. 29).

jaldinino *Adj.* Que tem a cor jalde. V. *jalne.*

jaleca [De *jaleco.*] *S. f.* Jaqueta (1): "Uma camisola de lã crua vestia-lhe o tronco, com jaleca de saragoça por cima" (Fialho d'Almeida, *O País das Uvas*, p. 188).

jaleco [Do esp. *jaleco* < turco *jelek.*] *S. m.* 1. Casaco curto, semelhante à jaqueta: "Ao tirá-lo [o maço de papel]do bolso do jaleco, refranziu jocosamente a cara para Aurélia" (José de Alencar, *Senhora*, p. 221). 2. Fardeta. 3. *Bras.* Alcunha de português. V. *galego* (4). 4. *Bras. Zool.* V. *tamanduá-colete.*

jalesense *Adj. 2 g.* 1. De, ou pertencente ou relativo a Jales (SP). • *S. 2 g.* 2. O natural ou habitante de Jales.

jalne [Do fr. ant. *jalne* (atual *jaune*).] *Adj. 2 g.* Amarelo vivo, da cor do ouro: "O monumento do Ipiranga guardou entre seus muros um bacio de prata e um móvel apócrifo em memória de quem, conta a lenda, fora aquela que, ao pé do Príncipe e rebelde, se lembrara de arrancar uma folha verde e jalne ao ervaçal da colina da Independência, para lhe fazer das cores o símbolo da Pátria libertada e autônoma." (Alberto Rangel, *Dom Pedro Primeiro e a Marquesa de Santos*, p. XIV.) [F. paral.: *jalde.* Sin.: *jaldinino, gualdo.*]

jalofo (ô) *S. m.* 1. Indivíduo dos jalofos, povo que vive no Senegal e na Gâmbia (África). 2. *Gloss.* A língua falada pelos jalofos. • *Adj.* 3. Pertencente ou relativo aos jalofos ou à sua língua: "eram [reinos] formados predominantemente por populações da etnia jalofa" (Alberto da Costa e Silva, *A Enxada e a Lança*, p. 612). 4. Rude, boçal, bárbaro: "E tocam tudo ao realejo, / Jalofos, pobres fadistas" (Luís Delfino, *Esboço da Epopeia Americana*, p. 148).

jamacaí [Do tupi.] *S. m. Bras. Zool.* Pássaro que destrói as lagartas, como o japu.

jamacaru [Do tupi.] *S. m. Bras. Bot.* V. *mandacaru.*

jamaicano *Adj.* 1. Da, ou pertencente ou relativo à Jamaica (Antilhas). • *S. m.* 2. O natural ou habitante da Jamaica.

jamaiquinho [Do top. *Jamaica*, poss.] *S. m. Bras. SP Zool.* Galináceo da raça garnisé.

jamais [Do lat. *jam magis* < *jam*, 'já', + *magis*, 'mais'.] *Adv.* 1. Em tempo nenhum; nunca: "— Jamais esquecerei o olhar que me volveste, / Cecília, à hora da partida..." (Eugênio de Castro, *Obras Poéticas*, III, p. 134.) 2. Em algum ou qualquer tempo passado; já: "Ó gente temerosa, não te espantes, / que este dia deitou ao mundo a vida / mais desgraçada que jamais se viu!" (Luís de Camões, *Rimas*, p. 198); "conheceis vós o povo?! o que o povo padece / ouviram-no jamais os ouvidos dos reis?" (Antônio Feliciano de Castilho, *O Outono*, p. 48). 3. Principalmente, sobretudo: "O pai falava tantas vezes no Sr. Júlio, jamais agora, sabendo que o esperavam" (Conde de Ficalho, *Uma Eleição Perdida*, p. 38).

➔ **jamais entendu** [ʒa'me ɑ̃tɑ̃'dy] [Fr., 'nunca ouvido'.] 1. *Neur.* Ilusão epiléptica (q. v.) que representa manifestação epiléptica crítica, e durante a qual o paciente interpreta mal sensação ou sensações sonora(s) que percebe bem, já não a(s) reconhecendo, embora lhe seja(m) familiar(es). 2. *Psiq.* Sensação ou convicção errônea, onde não se reconhecem sons já escutados anteriormente. [Cf. *déjà entendu.*]

➔ **jamais vécu** [ʒa'me ve'ky] [Fr., 'nunca vivido'.] 1. *Neur.* Ilusão epiléptica (q. v.) que representa manifestação epiléptica crítica, e durante a qual o indivíduo deixa de reconhecer fatos e situações por ele vividos. 2. *Psiq.* Sensação ou convicção errônea, onde não se reconhecem situações já vivenciadas anteriormente. [Cf. *déjà vécu.*]

➔ **jamais vu** [ʒa'me vy] [Fr., 'nunca visto'.] 1. *Neur.* Ilusão epiléptica (q. v.) que representa manifestação epiléptica crítica, e durante a qual o indivíduo não reconhece objeto(s) que percebe bem, embora lhe seja(m) familiar(es). 2. *Psiq.* Sensação ou convicção errônea, onde não se reconhecem objetos já vistos anteriormente. [Cf. *déjà vu.*]

J

jamamadi *Bras. S. 2 g.* **1.** *Etnôn.* Indivíduo dos jamamadis [ou (etnôn. bras.) *Yamamadi], povo indígena da família linguística arauá que habita a margem esquerda do rio Purus (AM). ● *Adj. 2 g.* **2.** Pertencente ou relativo a esse povo. [Outra f.: *iamamadi.*]

jamanta[1] [De or. obsc.] *S. f. Zool. Bras.* Raia miliobatídea (*Manta birostris*), dos mares tropicais, de dorso marrom a cinzento-escuro e ventre branco, cabeça com dois lóbulos ou "chifres", dentes somente na mandíbula, e que chega a atingir 7 metros de envergadura e quase duas toneladas de peso. Alimenta-se de plâncton. [Sin.: *diabo-do-mar, morcego-do-mar, peixe-diabo* e *raia-jamanta.*]

jamanta[2] *S. m.* **1.** *Bras.* Indivíduo mal-amanhado. **2.** *Bras. Gír.* Indivíduo grande, pesado e desajeitado. **3.** *Bras.* Certo calçado caseiro. **4.** *Bras. MA* Grande papagaio (5) de talas de madeira, que se empina com linha reforçada. **5.** *Bras.* Caminhão grande, tipo reboque, com carroceria ger. separada da cabine; carreta: 📖 "O caminhão ganha em tamanho, ficando '<u>jamanta</u>', nome do autocarga com extensa carroceria separada da cabina." (Marcos Vinícios Vilaça, *Em Torno da Sociologia do Caminhão*, p. 18.)

jamaracaú [Do tupi.] *S. m. Bras. Bot.* Espécie de mandacaru.

jamaru [Do tupi.] *S. m. Bras. AM Bot.* Planta cucurbitácea (*Cucurbita idolatrica*) cujo fruto, de casca espessa e forte, é utilizado, segundo a maneira por que o cortam, ou como alguidar, ou como caixa ou canastra para guardar objetos.

jamaxim [Do tupi.] *S. m. Bras. Etnol.* Cesto para transporte de cargas, feito ger. de trançado hexagonal, com três lados e fundo plano, provido de alça para ser carregado às costas, preso aos ombros ou à testa; panacum.

jamba [Do esp. *jamba* < fr. *jambe*, poss.] *S. f.* Cada uma das duas partes iguais de que se compõe uma porta ou uma janela, quando aparelhadas em colunas.

jambacoce *S. m. Guin.* V. *jambacosse.*

jambacoindade *S. f. Guin.* Jambacossindade.

jambacosse [Do criol.] *S. m. Guin.* Indivíduo que exerce as funções de curandeiro, adivinho e exorcista: 📖 "Vi nelas tudo o que não podia explicar dos medos que me restavam após as cerimônias feiticistas presididas pelos <u>jambacosses</u>." (João Ferreira, *Uaná: Narrativa Africana*, p. 16.)

jambacossindade [Do criol.] *S. f. Guin.* Modo de vida do jambacosse, tudo aquilo que o cerca.

jambé *S. m. Bras.* Iguaria feita com o caruru.

jambeado [De *jambo* + *-eado.*] *Adj.* Da cor do jambo[2]; moreno-claro tirante a róseo ou a avermelhado: 📖 "o moreno <u>jambeado</u> daquele colo de sultana" (Afonso Arinos, *Pelo Sertão*, p. 50).

jambeirense[1] *Adj. 2 g.* **1.** De, ou pertencente ou relativo a Jambeiro (SP). ● *S. 2 g.* **2.** O natural ou habitante de Jambeiro.

jambeirense[2] *Adj. 2 g.* **1.** De, ou pertencente ou relativo a Rafael Jambeiro (BA). ● *S. 2 g.* **2.** O natural ou habitante de Rafael Jambeiro.

jambeiro [De *jambo*[2] + *-eiro.*] *S. m. Bot.* Árvore mirtácea (*Eugenia malaccensis*) originária da Índia e bastante cultivada no Brasil, de folhas amplas, brilhantes e oblongas, flores vistosas, vermelhas e com numerosos estames, e frutos rubros, grandes e saborosos; jambo-rosa, jambo-vermelho.

jambete [De *jambo* + *-ete.*] *S. f. Bras.* Mulata clara, de pele tirante a róseo ou avermelhado.

jâmbico *Adj.* V. *iâmbico.*

jambire [Do macua *shampiri*, com sonorização.] *S. m. Bot.* Árvore fabácea (*Milletia Stuhlmanii*) de pequeno porte, nativa do S.E. da África, de madeira escura, resistente, utilizada principalmente para obras de marcenaria, e na decoração de interiores: 📖 "foi então a volúpia de .... possuir uma casa com sumptuosas mobílias de <u>jambire</u>" (Lília Momplé, *Neighbours*, p. 57). [Sin.: *panga-panga.*]

jambo[1] *S. m.* V. *iambo.* ~ V. *jambos.*

jambo[2] [Do sânscr. *jambū*, pelo hindi.] *S. m.* O fruto do jambeiro.

jambo-branco *S. m. Bot.* **1.** Arvoreta mirtácea (*Eugenia aquae*) originária de Java, semelhante ao jambeiro, mas com frutos menores e apenas rosados, que contêm muita água. É bem menos difundida no Brasil do que o jambeiro. **2.** O fruto dessa arvoreta. [Pl.: *jambos-brancos.*]

jambolão [Do concani *jambulam.*] *S. m. Bras. Bot.* V. *jamelão.*

➔ **jamboree** [dʒæmbəˈriːj] [Ingl.] *S. m.* Congresso internacional de escoteiros.

jambo-rosa *S. m. Bot.* V. *jambeiro.* [Pl.: *jambos-rosas* e *jambos-rosa.*]

jambos [Pl. de *jambo*[1].] *S. m. pl.* V. *iambos.* ~ V. *jambo*[1].

jamboso (ô) [De *jambo* + *-oso.*] *Adj.* Semelhante ao jambo, pela cor: 📖 "E a tua epiderme, macia, <u>jambosa</u>, com a penugem veludínea do pêssego, ... dá irritabilidades espasmódicas." (Cruz e Sousa, *Obra Completa*, p. 667.)

jambo-vermelho *S. m. Bot.* V. *jambeiro.* [Pl.: *jambos-vermelhos.*]

jambu [Do tupi.] *S. m. Bot.* **1.** Erva asterácea (*Wulffia stenoglossa*), amplamente distribuída no Brasil, de folhas oblongas e ásperas, flores em capítulos áureos, e cujos frutos são aquênios relativamente grandes, procurados pelos pássaros. **2.** *Bras. Amaz. Bot.* V. *agrião-do-pará.* **3.** V. *nhambu* (2).

jamburana [Do tupi = 'semelhante ao jambu'.] *S. f. Bras. Bot.* Arbusto piperáceo (*Piper tuberculatum*) tido popularmente por medicinal, de folhas lanceoladas, acuminadas, e glabras superiormente, flores inconspícuas e ordenadas em espigas compactas, mais curtas que as folhas. Ocorre do MA ao CE.

jamegão *S. m. Pop.* Assinatura, firma, rubrica: 📖 "O dinheiro .... rodava sem questão desde as manápulas calejadas até a gaveta dos comerciantes. Caíam cheques do céu com o <u>jamegão</u> de Nosso Senhor." (João de Araújo Correia, *Sem Método*, p. 51.)

jamelão [Var. de *jambolão* < concani *jambulam.*] *S. m.* **1.** *Bras. Bot.* Árvore mirtácea (*Eugenia jambolana*) originária da Ásia e muito vulgar entre nós, de folhas oblongas e coriáceas, flores com numerosos estames, e cujo fruto, comestível, é uma baga que expele um corante violáceo; jambolão, jalão. **2.** O seu fruto.

jamesiano[1] [Do antr. (*William*) *James* + *-iano.*] *Adj.* **1.** Pertencente, relativo ou próprio do filósofo e psicólogo norte-americano William James (1842-1910), ou de seus ensinamentos, como o pragmatismo ou o empirismo radical. **2.** Que é adepto das concepções de William James, ou profundo conhecedor de sua obra. ● *S. m.* **3.** Seguidor de suas concepções ou profundo conhecedor de sua obra.

jamesiano[2] [Do antr. (*Henry*) *James* + *-iano.*] *Adj.* **1.** Relativo ou pertencente ao escritor norte-americano, naturalizado inglês, Henry James (1843-1916), ou próprio dele. **2.** Que é seu admirador e/ou profundo conhecedor de sua obra. ● *S. m.* **3.** Admirador e/ou profundo conhecedor da obra de Henry James.

jamesonita [Do antr. (*Robert*) *Jameson* (1774-1854), mineralogista escocês, + *-ita*[2].] *S. f. Min.* Mineral monoclínico, sulfeto de antimônio, ferro e chumbo.

jaminaua *Bras. S. 2 g.* **1.** *Etnôn.* Indivíduo dos jaminauas [ou (etnôn. bras.) *Yaminawa], povo indígena da família linguística pano, habitante da margem direita do rio Embira, na região do alto rio Juruá (AM). ● *Adj. 2 g.* **2.** Pertencente ou relativo a esse povo.

➔ **jam session** [dʒæm ˈsɛʃin] [Ingl.] *S. m. Mús.* **1.** Reunião de músicos de *jazz* que improvisam livremente. **2.** Qualquer concerto de jazz.

jamundá *Bras. S. 2 g.* **1.** *Etnôn.* Indivíduo dos jamundás, povo indígena extinto que habitava a margem esquerda do rio Nhamundá (PA). ● *Adj. 2 g.* **2.** Pertencente ou relativo a esse povo. [Tb. us. como *s. 2 g. e 2 n.* (com cap.) e *adj. 2 g. e 2 n.*]

janaína [Do ior., poss.] *S. f. Bras. Rel.* V. *Iemanjá.* [Com cap. Tb. se diz *Dona Janaína.*]

jananaíra [Do tupi.] *S. m. Bras. Etnogr.* Certa figura da mitologia amazônica. [Var.: *janauira.*]

janatuba [De or. tupi, poss.] *S. f. Bras. Bot.* Árvore meliácea (*Guarea pendula*) nativa no Brasil, de folhas penadas, com folíolos oblíquos, flores pequeninas ordenadas em cachos compostos, e fruto capsular.

janaú *S. m. Bras. PA Etnogr.* Animal encantado que anda em bando pelas florestas embriagando as vítimas com o seu fartum para depois devorá-las.

janaúba [De or. tupi] *S. f.* **1.** *Bras. Bot.* Arbusto apocináceo (*Plumeria bracteata*) nativo da BA, de folhas obovadas, oblongas e acuminadas, flores alvas, corimbiformes, e folículos corniculados que contêm sementes aladas; angélica-da-mata, banana-de-papagaio. **2.** Arbusto apocináceo (*Plumeria drastica* ou *Himathantus drastica*) nativo do PA à BA e a MG, de folhas lanceoladas, flores campanuladas brancas, fruto capsular, e cuja casca, venenosa, é tida como febrífuga.

janaubense (a-u) *Adj. 2 g.* **1.** De, ou pertencente ou relativo a Janaúba (MG). ● *S. 2 g.* **2.** O natural ou habitante de Janaúba.

janauira (au-í) *S. m. Bras. Zool.* **1.** Jananaíra. **2.** V. *cachorro-do-mato-vinagre.* ✣

jandaia [Do tupi.] *S. f. Bras. Zool.* **1.** Designação comum às espécies de aves psitaciformes, psitacídeas, gênero Aratinga, comuns em todo o Brasil. **2.** Ave psitaciforme, psitacídea (*A. jantaya*) de coloração amarela, dorso verde, asas azuladas, cauda do verde ao azul, com ponta escura. Vive em bandos e se adapta bem ao cativeiro. Os jovens são quase totalmente verdes. [Sin. nessas acepç. (S. e S.E.): *maritaca, nhandaia, nandaia, periquito-rei.*] **3.** Peixe quetodontídeo (*Chaetodon ocellatus*) do Atlântico ocidental, desde a Flórida ao Brasil, e que alcança até 20cm de comprimento. Tem coloração branca, com uma faixa negra, transversal, na direção do olho, e as nadadeiras são amarelas ou transparentes. [Sin.: *bicudinha, bicudo, borboleta-jandaia, caco-de-prato, namorado, paru-bicudo, paru-amarelo, saberê, viuvinha.*]

jandaia-de-cabeça-azul *S. f. Bras. Zool.* Ave psitaciforme, psitacídea (*Aratinga acuticauda*), comum no Brasil, de coloração geral verde, com mancha azulada no alto da cabeça; periquitão. [Pl.: *jandaias-de-cabeça-azul.*]

jandaia-de-cabeça-azulada *S. f. Zool.* Ave psitacídea (*Aratinga weddelli*), comum nas florestas de várzeas e matas alagadas da Amaz., e tb. na Colômbia, Peru, Bolívia e Equador; guirri, periquito-de-cabeça-suja. [Pl.: *jandaias-de-cabeça-azulada.*]

jandaiense[1] *Adj. 2 g.* **1.** De, ou pertencente ou relativo a Jandaia (GO). ● *S. 2 g.* **2.** O natural ou habitante de Jandaia.

jandaiense[2] *Adj. 2 g. S. 2 g.* V. *jandaiense-do-sul.*

jandaiense-do-sul *Adj. 2 g.* **1.** De, ou pertencente ou relativo a Jandaia do Sul (PR). ● *S. 2 g.* **2.** O natural ou habitante de Jandaia do Sul. [Sin. ger.: *jandaiense*[2].] [Pl.: *jandaienses-do-sul.*]

jandaíra [Do tupi.] *S. f.* **1.** *Bras. Zool.* Abelha meliponínea (*Melipona subnitida*), mansa, típica do sertão nordestino, que nidifica em ocos de árvore e produz mel muito apreciado. **2.** V. *tujuba.*

jandairense (a-i) *Adj. 2 g.* **1.** De, ou pertencente ou relativo a Jandaíra (BA e RN). ● *S. 2 g.* **2.** O natural ou habitante de Jandaíra.

jandiá [Do tupi.] *S. m. Bras. Zool.* **1.** V. *jundiá* (1). **2.** V. *mandi-chorão* (2).

jandiparaíba [Do tupi.] *S. m. Bot.* Árvore leticidácea (*Gustavia brasiliensis*) de folhas coriáceas, flores amplas e vistosas, e cujos frutos são pixídios, sendo a madeira muito resistente à putrefação e utilizada para obras externas. [Sin.: *janiparindiba* e *jenipaparana-da-mata.*]

jandirense *Adj. 2 g.* **1.** De, ou pertencente ou relativo a Jandira (SP). ● *S. 2 g.* **2.** O natural ou habitante de Jandira.

jandiroba [Do tupi; var. de *andiroba.*] *S. f. Bras. Bot.* V. *fava-de-santo-inácio-falsa* (1). [Var.: *jendiroba.*]

janduiense (u-i) *Adj. 2 g.* **1.** De, ou pertencente ou relativo a Janduís (RN). ● *S. 2 g.* **2.** O natural ou habitante de Janduís.

janeira [De *janeiro.*] *S. f. Bras. Zool.* V. *azulão* (6). ~ V. *janeiras.*

janeiras [De *janeiro.*] *S. f. pl. Lus.* **1.** Cantigas populares do dia de ano-bom: 📖 "Crianças, de porta em porta, / Sob as goteiras, / Geladas, — que desatino! — / Andam cantando as <u>janeiras</u>, / Em louvor do Deus menino." (Conde de Monsaraz, *Musa Alentejana*, p. 175.) **2.** Boas-festas. **3.** Presentes de ano-bom. ~ V. *janeira.*

janeireiro[1] [De *janeiro* + *-eiro.*] *Adj.* **1.** Relativo ao mês de janeiro; janeirinho. **2.** Nascido nesse mês. **3.** Que só nesse mês aparece ou se cria.

janeireiro[2] [De *janeiras* + *-eiro.*] *S. m. Lus.* Cantador de janeiras (1).

janeirinho [De *janeiro* + *-inho*[2].] *Adj.* Janeireiro[1] (1).

janeiro [Do lat. *Januariu.*] *S. m.* O primeiro mês dos calendários juliano e gregoriano, com 31 dias. ~ V. *janeiros.*

janeiros [Pl. de *janeiro.*] *S. m. pl.* Anos de idade: *Chegou aos noventa <u>janeiros</u> com plena lucidez.* ~ V. *janeiro.*

janela [Do lat. vulg. **januella*, dim. de *janua*, 'porta'.] *S. f.* **1.** *Arquit.* Abertura na parede dum edifício para deixar que nele entrem a luz e o ar. **2.** Claro que fica num documento e corresponde a uma palavra que faltou e se deve escrever. [Cf. (nesta acepç.) *abertas.*] **3.** *Anat.* Designação genérica de abertura ou área aberta. **4.** *Art. Gráf.* Abertura feita em folha de papel, cartão, etc., protegida ou não por material transparente, para deixar ver o que lhe fica por baixo, como no chamado *envelope de janela.* **5.** *Astr.* Melhor período para a realização de órbita de transferência (q. v.), com gasto mínimo de energia. **6.** *Fís. Nucl.* Num dispositivo de detecção de partículas, parte da sua envoltória que é suficientemente delgada para permitir a passagem das partículas. **7.** *Inform.* Em interfaces gráficas, região retangular na tela do computador delimitada pela representação de uma moldura, destinada a exibir as informações de um processo em execução. [O uso de várias janelas simultaneamente abertas, que podem ser reposicionadas, redimensionadas e sobrepostas umas às outras, permite ao usuário acompanhar e intervir separadamente nas diferentes tarefas em execução.] **8.** *Geol.* Abertura produzida pela erosão, e que deixa descoberto o substrato de camadas mais antigas. **9.** *Pop.* Qualquer buraco, abertura ou rasgão. **10.** *Prop.* Em gravação de comercial de rádio ou televisão, espaço para inserção ou modificação de áudio e/ou vídeo, sem que seja necessário refazer o resto da gravação. **11.** *Tip.* Furo em fôrma tipográfica, causado por tipo caído ou retirado; broca. **12.** *Bras.* Período de tempo livre no horário de trabalho de um professor ou no horário de aulas de um aluno. ~ V. *janelas*. ◆ **Janela ativa.** *Inform.* Dentre as janelas [v. *janela* (7)]abertas, a que se encontra selecionada pelo usuário. **Janela atmosférica.** *Astr.* Faixa de frequências eletromagnéticas, pela qual as radiações externas ao nosso planeta chegam ao solo. [V. *janela de rádio* e *janela óptica*.] **Janela aximez.** *Arquit.* V. *aximez* (2). **Janela basculante.** *Arquit.* Janela (1) com batentes móveis, movidos por básculo (2), proporcionando a entrada de ar e luz sem devassar o interior. [Tb. se diz apenas *basculante*.] **Janela camarão.** *Arquit.* V. *janela sanfona*. **Janela corrediça.** *Arquit.* Janela de guilhotina. **Janela de correr.** *Arquit.* Janela cujas folhas deslizam horizontalmente ao longo de seu vão. **Janela de guilhotina.** *Arquit.* Janela cujos batentes ficam em planos verticais diferentes para que um deles, ou ambos, deslizem, subindo e descendo; janela corrediça: 📖 "E as duas velhas, as cabeças grisalhas e de coque repuxado, quase iguais na moldura ainda mais velha da janela de guilhotina, enxergam a cena insólita" (Telmo Vergara, *Contos da Vida Breve*, p. 172). **Janela de lançamento.** *Astr.* Período durante o qual um lançamento (9), em certas condições, é possível ou mais favorável. **Janela de peito.** *Arquit.* Janela (1) com peitoril ou parapeito um pouco acima do pavimento. **Janela de rádio.** *Astr.* Janela atmosférica que abrange a faixa de radiações radielétricas. **Janela de sacada.** *Arquit.* Porta-janela (q. v.) que se abre sobre sacada1 (5). **Janela francesa.** *Arquit.* Porta-janela. **Janela galáctica.** *Astr.* Região do céu onde são raros os objetos do nosso sistema galáctico, e que por isso permite ver com facilidade as galáxias externas. **Janela girante** *Arquit.* Janela pivotante. **Janela inglesa.** *Arquit.* Aquela que tem dois ou mais batentes que abrem para fora por rotação em torno de um eixo vertical. **Janela italiana.** *Arquit.* Janela com verga arqueada e cujo vão é subdividido em três partes por pequenas colunas. **Janela óptica.** *Astr.* Janela atmosférica que abrange a faixa das radiações visíveis. **Janela oval.** *Anat.* Janela vestibular. **Janela pivotante.** *Arquit.* Aquela formada por uma ou várias folhas que giram em torno de eixo vertical; janela girante. **Janela rasgada.** *Arquit.* Em antigas construções, janela cujo vão é aberto até o nível do piso. **Janela sanfona.** *Arquit.* Aquela formada por duas ou mais folhas articuladas entre si que, ao se abrirem, dobram uma sobre a outra(s), por deslizamento horizontal ou vertical de seus eixos de rotação; janela camarão, janela sanfonada. **Janela sanfonada.** *Arquit.* V. *janela sanfona*. **Janela vestibular.** *Anat.* Abertura oval em orelha interna, fechada pela base do estribo (3); janela oval. **Entrar pela janela.** Ingressar em escola, universidade, emprego público, etc., sem a prestação de concurso normalmente obrigatório ou valendo-se de expedientes escusos. **Saltar a janela.** *Angol. Pop.* Engravidar uma mulher, antes de desposá-la.

janela-guilhotina *S. f. Arquit.* Janela de guilhotina (q. v.): 📖 "A janela-guilhotina estava levantada, a luz apagada." (Caio Fernando Abreu, *Os Dragões não Conhecem o Paraíso*, p. 130); "A neblina do anoitecer embaça os vidros coloridos das velhas janelas-guilhotina." (Antônio Celso, *A porta de Jerusalém*, p. 11.) [F. red.: *guilhotina*. Pl.: *janelas-guilhotinas* e *janelas-guilhotina*.]

janelão [De *janela* + *-ão*1.] *S. m.* Janela (1) muito grande.

janelar [De *janela* + *-ar*2.] *V. int.* Estar ou ficar à janela.

janelas [Pl. de *janela*.] *S. f. pl. Pop.* Os olhos. ~ V. *janela*.

janeleiro [De *janela* + *-eiro*.] *Adj.* **1.** Que gosta de estar à janela: 📖 "Por último, dera para janeleiro o triste sujeito... Era de ver-se, ... com os cotovelos enterrados numa almofada vermelha, engolfado em alheado cismar" (Cândido Jucá [filho], *Noite Insone*, p. 167). **2.** Que gosta de namorar (diz-se ger. de mulher). ● *S. m.* **3.** Aquele que costuma estar à janela.

jangada [Do malaiala *changadam*, de or. sânscr.] *S. f.* **1.** Armação feita com as madeiras de um navio para salvamento de náufragos. **2.** Conjunto de pequenas embarcações ligadas umas às outras. **3.** Construção ligeira, em forma de grade, para transportes sobre água; caranguejola. **4.** *Bras. N.E.* Embarcação típica, us. para pescaria, com linha constituída de seis paus roliços de jangadeira, unidos por três ou quatro cavilhas de madeira dura, que atravessam os quatro paus do centro, sendo os dois de fora mais grossos, encavilhados nos que lhes ficam imediatamente juntos, de modo a situarem-se em plano ligeiramente superior ao deles. Os dois paus do centro chamam-se *meios*; os dois seguintes, *mimburas*; e os dois de fora, *bordos*. Sobre essa estrutura erguem-se dois bancos, constituídos, cada um, de quatro hastes de madeira dura presas verticalmente às mimburas, e sobre as quais se fixa horizontalmente uma tábua: o mais de vante, o *banco de mastro*, serve de apoio do mastro da jangada; e o mais de ré, o *banco do mestre*, serve de apoio a quem dirige a jangada por meio dum remo que se encaixa entre a mimbura e o meio de boreste. Entre os dois meios, a ré, há uma fenda, pela qual se enfia verticalmente a *tábua de bolina*, uma prancha de madeira dura, comprida e estreita, destinada a reduzir o caimento da jangada quando navega à bolina. A vela é de baioneta, com retranca ou sem ela. ◆ **Jangada do alto.** *Bras. N.E.* Jangada própria para navegação em alto-mar.

jangada-brava [De *jangada* + o f. de *bravo*1.] *S. f. Bras. Bot.* Árvore tiliácea (*Heliocarpus americanus*) amplamente dispersa na América tropical, de folhas amplas, serrilhadas e acuminadas, flores com sexos separados, e cujo fruto é cápsula com longos pelos, sendo a madeira leve e mole. Atinge 6 a 15m de altura. [Pl.: *jangadas-bravas*.]

jangada-do-campo *S. f. Bras. Bot.* V. *babosa-branca*. [Pl.: *jangadas-do-campo*.]

jangadeira [De *jangada* + *-eira*.] *S. f. Bras. Bot.* Pau-de-jangada (2).

jangadeiro [De *jangada* + *-eiro*.] *S. m. Bras.* Dono ou patrão de jangada.

jangadense *Adj. 2 g.* **1.** De, ou pertencente ou relativo a Jangada (MT). ● *S. 2 g.* **2.** O natural ou habitante de Jangada.

jângal [Do ingl. *jungle* < hindi *jangal* < sânscr. *jangala*.] *S. m.* Floresta, selva, mata. [F. paral.: *jângala*. Pl.: *jângales*.]

jângala [Do sânscr. *jangala*.] *S. m.* Jângal.

jangalamarte [De or. incerta.] *S. m. Bras. PE* V. *gangorra*1 (1). [F. paral.: *jangalamaste*, *joão-galamarte*.]

jangalamaste *S. m. Bras. PE* V. *jangalamarte*.

jango [Do umb.] *S. m. Angol.* Abrigo circular que serve de lugar de reunião, nas sociedades tradicionais: 📖 "No jango, a roda do fumo era dos últimos velhos e algumas crianças sós, que ouviam atentamente falas antigas, que os antigos tinham escutado já num outro jango distante." (Costa Andrade, *Estórias de Contratados*, p. 30.)

janguismo [Do antr. *Jango* + *-ismo*.] *Bras. S. m.* **1.** Pensamento ou ação política de João Goulart (1918-1976), dito Jango, presidente da República de 1961 a 1964, quando foi deposto. **2.** Adesão ao janguismo (1), ou simpatia por ele.

janguista [De *janguismo* + *-ista*.] *Bras. Adj. 2 g.* **1.** Relativo ao, ou próprio do janguismo. **2.** Que é partidário do janguismo (1). ● *S. 2 g.* **3.** Partidário dele.

janhar *S. m. Bras. RJ Etnogr.* Velório dos ciganos, em que se mostravam, entre lamentações, as virtudes e os objetos de uso do morto, e a esposa, de rastos, só se erguia quando o caixão ia para o cemitério.

janicefalia [De *janicéfalo* + *-ia*1.] *S. f. Ter.* Condição de janicéfalo.

janicefálico [De *janicéfalo* + *-ico*2.] *Adj. Ter.* Relativo à janicefalia, ou ao janicéfalo.

janicéfalo [Do mit. *Jano*, deus romano de duas faces, + *-i-* + *-céfalo*.] *Adj. S. m. Ter.* Diz-se de, ou feto que tem uma cabeça e duas faces, uma em oposição à outra; janicípite. ◆ **Janicéfalo assimétrico.** *Ter.* Aquele que tem uma face perfeita e outra quase perfeita. **Janicéfalo parasito.** *Ter.* O que tem duplicação parcial da cabeça no plano frontal.

janicípite [Do mit. *Jano*, deus romano de duas faces, + *-i-* + *-cípite*, como em *bicípite* e *precípite*, latinismos formados a partir de *caput*, *itis*, 'cabeça' (v. *capit(i)-*).] *Adj. S. m. Ter.* Janicéfalo.

jã-ninguém [Alter. de *joão-ninguém*.] *S. m.* João-ninguém; jagodes. [Pl.: *jãs-ninguém*.]

janiopolitano *Adj.* **1.** De, ou pertencente ou relativo a Janiópolis (PR). ● *S. m.* **2.** O natural ou habitante de Janiópolis.

janiparindiba [De or. tupi, poss.] *S. f. Bras. Bot.* V. *jandiparaíba*.

janismo [Do antr. *Jânio* + *-ismo*.] *Bras. S. m.* **1.** Pensamento ou ação política de Jânio Quadros (1917-1991), presidente da República de 31 de janeiro de 1961 a agosto do mesmo ano, quando renunciou ao cargo. **2.** Adesão ao janismo ou simpatia por ele.

janista [De *janismo* + *-ista*.] *Bras. Adj. 2 g.* **1.** Relativo ao, ou próprio do janismo. **2.** Que é partidário do janismo (1). ● *S. 2 g.* **3.** Partidário dele.

janistroques *S. m. 2 n. Pop.* V. *joão-ninguém*.

janitá [De or. tupi, poss.] *S. f. Bras. Bot.* Designação comum a algumas árvores moráceas, dos gêneros *Clarisia* e *Sahagunia*, de folhas coriáceas, duras, lactescentes, madeira avermelhada, dura e aproveitável, e frutos bacáceos, comestíveis.

janízaro [Do it. *giannizzaro*, *giannizzero* < turco *jeñixari*, *jeñixeri*, 'nova tropa'.] *S. m.* **1.** Antigamente, soldado turco de infantaria, da guarda do sultão. **2.** *Fig.* Satélite de um tirano. **3.** *P. ext.* Tropa ou guarda empregada violentamente contra o povo.

janota [Do fr. *janot*, 'tolo'.] *Adj. S. m.* Diz-se de, ou indivíduo vestido com apuro exagerado; garrido, elegante, peralta: 📖 "Quando vejo algum pretenso janota de fraque e chapéu de coco, penso logo num grande sacrifício para aplacar os manes do Beau Brummel" (Santo-Tirso, *De rebus pluribus*, p. 179).

janotada [De *janota* + *-ada*1.] *S. f.* **1.** Conjunto ou grupo de janotas. **2.** V. *janotice* (2). **3.** V. *gamenhice*. [Sin. ger.: *janotaria*.]

janotar [De *janota* + *-ar*2.] *V. int.* Trajar com excesso de apuro, como um janota; luxar, pompear, galear, janotear.

janotaria [De *janota* + *-aria*.] *S. f.* V. *janotada*.

janotear [De *janota* + *-ear*2.] *V. int.* V. *janotar*. [Conjug.: v. *frear*.]

janotice [De *janota* + *-ice*.] *S. f.* **1.** Qualidade, hábitos ou modos de janota; janotismo. **2.** Tafularia, garridice, janotada. **3.** V. *gamenhice*.

janotismo [De *janota* + *-ismo*.] *S. m.* **1.** Apuro exagerado no trajar: 📖 "Já não tinha o mesmo tipo mal-ajeitado ....; agora, um terno de casimira cinzenta .... dava-lhe ares domingueiros de janotismo." (Aluísio Azevedo, *Casa de Pensão*, p. 94.) **2.** Janotice (1).

jansenismo [Do fr. *jansénisme*.] *S. m.* Doutrina de Jansênio (1585-1638), teólogo holandês e bispo de Ypres, sobre a graça e a predestinação e sobre a capacidade moral do homem presente, e que foi adotada na abadia de Port-Royal por várias correntes espirituais com tendência ao rigorismo moral.

jansenista [Do fr. *janséniste*.] *Adj. 2 g.* **1.** Relativo ao, ou que é sectário do jansenismo. **2.** *P. ext.* Rigorista (2). ● *S. 2 g.* **3.** Sectário do jansenismo.

janta [Dev. de *jantar*.] *S. f. Pop.* Jantar (4 e 5): 📖 "acabara de jantar a janta modesta de um pobre artista" (Rui Santos, *Teixeira Moleque*, p. 108).

jantar [Do lat. imp. *jantare*.] *V. int.* **1.** Tomar o jantar (4 e 5): 📖 "Almoçou com prazer, ... deu um grande passeio a pé, jantou" (Júlio Ribeiro, *A Carne*, p. 68). *T. d.* **2.** Comer as iguarias do jantar (4): *Jantou um bife com fritas*; 📖 "Joaquim acabara de jantar a janta modesta de um pobre artista" (Rui Santos, *Teixeira Moleque*, p. 108). **3.** *Gír.* Passar para trás; suplantar: *Jantou o adversário, antes que este o afrontasse.* ● *S. m.* **4.** Uma das refeições do dia, na parte da noite. **5.** A comida que constitui essa refeição: *O jantar está pronto.* [Sin. pop. nas acepçs. 4 e 5: *janta*.]

jantarada [De *ajantarado* (2), com aférese e mudança de gênero.] *S. f.* V. *ajantarado* (2): *Uma jantarada foi servida aos que partiam.*

jantarão [De *jantar* (4) + *-ão*1.] *S. m.* Jantar opíparo; banquete.

jantarola [De *jantar* (4) + *-ola*1.] *S. f. Bras. S.* Jantar festivo, muito animado: 📖 "A jantarola e o resto do festo iam ser no dia seguinte — que foi o do caso." (Simões Lopes Neto, *Contos Gauchescos e Lendas do Sul*, p. 142.)

jante *S. f.* Aro da roda dos veículos automóveis. ◆ **Na jante.** *Bras. AL Pop.* Muito mal de vida; em situação lastimável; na última lona.

januaíra (u-a-í) [Do tupi.] *S. m. Bras. Amaz. Zool.* V. *cachorro-do-mato-vinagre*.

januarense1 *Adj. 2 g.* **1.** De, ou pertencente ou relativo a Januária (MG). ● *S. 2 g.* **2.** O natural ou habitante de Januária.

januarense2 *Adj. 2 g.* **1.** De, ou pertencente ou relativo a Januário Cicco (RN). ● *S. 2 g.* **2.** O natural ou habitante de Januário Cicco.

januária [Do top. *Januária* (MG), onde a princípio era fabricada.] *S. f. Bras. MG Pop.* V. *cachaça* (1).

jaó [Voc. onom.] *S. m.* e *f. Bras. Zool.* Designação comum a várias espécies de aves tinamídeas do gênero *Crypturellus*, especialmente às duas seguintes: *C. undulatus* e as suas subespécies, do Brasil central, de coloração escura com listras transversais brancas, largas e estreitas, e a *C. noctivagus* [esta com o sin. de *zabelê*], do PI ao RS, de coloração mais ou menos semelhante à da primeira, coberteiras das asas pretas com faixas amarelas, peito castanho, barriga amarelada, nuca e pescoço posterior avermelhado, e cujo piado nostálgico é emitido ger. ao escurecer, sob a forma de quatro notas características. Como alimento, é dos mais procurados, e sua caça faz-se com o auxílio de um pio especial, de espera. [Var.: *juó*. Sin.: *macucau*, *macucauá*.]

japa [Var. de *inhapa*.] *S. f. Bras. S.* V. *gorjeta*1 (2).

japá [Do tupi.] *S. m. Bras. AM* Espécie de esteira feita de palmas de várias palmeiras, us. em pequenas toldas de embarcações e para cobrir os interstícios de cumeeira nas barracas, substituindo nestas, por vezes, a madeira para as portas e janelas: "a chuva recrudescia de violência, ... caindo em cheio sobre o Padre e o sacristão que se foram meter sob o japá da canoa" (Inglês de Sousa, *O Missionário*, p. 260).

japacani [Do tupi.] *S. m. Bras.* **1.** *Bot.* V. *araratucupi* **2.** *Zool.* V. *japacanim* (2).

japacanim [Do tupi.] *S. m. Bras.* **1.** *Zool.* Ave falconiforme, acipitrídea (*Rupornis magnirostris*), do L. da Venezuela, Guianas e N.O. do Brasil, de dorso pardo-acinzentado, garganta cinzenta, peito vermelho-claro, abdome vermelho-claro listrado de branco, parte das rêmiges pardas com tons amarelados, outra parte pardo-escura listrada de vermelho, cauda cinzenta listrada de preto. Alimenta-se doutras aves e também de artrópodes de maior porte. [Sin.: *gavião-pega-pinto*.] **2.** *Zool.* Ave passeriforme, mimídea (*Donacobius atricapillus*), de larga distribuição geográfica, de coloração dorsal parda, cabeça mais escura, com o vértice e os lados pretos, abdome amarelo-ocráceo listrado de preto nos flancos, e ponta das rêmiges e espelho brancos. Alimenta-se de insetos. [Sin., nesta acepç.: *japacanim-do-brejo, jacapani, jacapanim, agami, agaú, angaú, angu, assobia-cachorro, assobiador, batuquira, casaca-de-coiro, casaca-de-couro, pássaro-angu, pintassilgo-do-brejo, sabiá-cachorro, sabiá-do-brejo, sabiá-do-piri, sabiá-guaçu, uirá-angu, viola*.] **3.** *Bot.* V. *araratucupi*.

japacanim-do-brejo *S. m. Bras. Zool.* V. *japacanim* (2). [Pl.: *japacanins-do-brejo*.]

japana [Do tupi.] *S. f. Bras. Bot.* V. *aiapana* (2 e 3).

japani [Var. de *japanim*.] *S. m. Bras. Bot.* V. *araratucupi*.

japanim [Do tupi.] *S. m. Bras. Bot.* V. *araratucupi*.

japão *Adj.* **1.** *Desus.* V. *japonês* (1). • *S. m.* **2.** *Desus.* V. *japonês* (2): "Um casal de borboletas, — que os japões têm por símbolo da fidelidade, por observarem que, se pousam de flor em flor, andam quase sempre aos pares, — um casal delas acompanhou por muito tempo o passo do cavalo" (Machado de Assis, *Quincas Borba*, pp. 239-240). [Fem.: *japoa*.] **3.** *Ind. Pap.* Papel do Japão (q. v.): "no doirado as aparas ao alto das páginas das edições preciosas, impressas em holanda, china ou japão." (Afrânio Peixoto, *Poeira da Estrada*, p. 111).

japara [De or. tupi, poss.] *S. f. Bras. BA* Opaba.

japaraibano (a-i) *Adj.* **1.** De, ou pertencente ou relativo a Japaraíba (MG). • *S. m.* **2.** O natural ou habitante de Japaraíba.

japaratinguense *Adj. 2 g.* **1.** De, ou pertencente ou relativo a Japaratinga (AL). • *S. 2 g.* **2.** O natural ou habitante de Japaratinga.

japaratubense *Adj. 2 g.* **1.** De, ou pertencente ou relativo a Japaratuba (SE). • *S. 2 g.* **2.** O natural ou habitante de Japaratuba.

japecanga [Do tupi.] *S. f. Bras. Bot.* V. *salsaparrilha*.

japeraçaba [De or. tupi] *S. f. Bras. Bot.* V. *piaçaba* (1).

japeriense *Adj. 2 g.* **1.** De, ou pertencente ou relativo a Japeri (RJ). • *S. 2 g.* **2.** O natural ou habitante de Japeri.

japi *S. m. Zool.* V. *japim*.

japiaçó [Var. de *japiaçoca*.] *S. m. Bras. MA Zool.* V. *jaçanã* (1).

japiaçoca [Do tupi.] *S. f. Bras. MA Zool.* V. *jaçanã* (1).

japicaí [Do tupi.] *S. m. Bras.* Preparação de certas folhas vegetais com a qual se atordoam os peixes para pescá-los.

japicuru [Do tupi.] *S. m. Bras. Bot.* V. *bacupari-do-campo*.

japiense *Adj. 2 g.* **1.** De, ou pertencente ou relativo a Japi (RN). • *S. 2 g.* **2.** O natural ou habitante de Japi.

japiim *S. m. Bras. Amaz. Zool.* V. *japim*.

japim [Var. de *japi* < tupi.] *S. m. Bras. Zool.* Ave emberizídea icterínea (*Cacicus cela*), distribuída do Panamá ao Brasil central, de coloração negra, dorso inferior, uropígio, crisso e parte basal da cauda amarelo-vivos e bico claro. Constroem ninhos suspensos, próximos uns dos outros, e vivem na orla de florestas e matas. [Var.: *japi, japiim*. Sin.: *baguá, bom-é, joão-conguinho, xexéu*.]

japim-da-mata-encarnado *S. m. Bras. Zool.* V. *guaxe* (1). [Pl.: *japins-da-mata-encarnados*.]

japim-de-costa-vermelha [De *japim* + *de* + *costa* + o f. de *vermelho*[1].] *S. m. Bras. Zool.* V. *guaxe* (1). [Pl.: *japins-de-costa-vermelha*.]

japim-do-mato *S. m. Bras. Zool.* V. *guaxe* (1). [Pl.: *japins-do-mato*.]

japim-soldado *S. m. Zool.* V. *soldado* (9). [Pl.: *japins-soldados*.]

japira [F. red. de *japuíra*, poss.] *S. m. Bras. BA Zool.* V. *guaxe* (1).

japirense *Adj. 2 g.* **1.** De, ou pertencente ou relativo a Japira (PR). • *S. 2 g.* **2.** O natural ou habitante de Japira.

japoa (ô) *Adj. (f.) S. f.* Fem. de japão (1 e 2): "Há .... obras-primas sobre a vida japoa e mais coisas relativas aos japões." (Luís Guimarães, *Samurais e Mandarins*, p. 13.).

japoatãnense *Adj. 2 g.* **1.** De, ou pertencente ou relativo a Japoatã (SE). • *S. 2 g.* **2.** O natural ou habitante de Japoatã.

japona[1] [Subst. de *japona*, fem. ant. de *japão* (o moderno é *japoa* — q. v.).] *S. f.* **1.** *Mar.* Abrigo de frio, curto, espécie de jaquetão em geral de pano azul-ferrete, us. por oficiais e praças por cima do uniforme: "Moços e marinheiros, ... encolhidos e trêmulos de frio, nas suas já alagadas japonas d'oleado, ... cantavam pressagamente" (Virgílio Várzea, *Nas Ondas*, p. 16). **2.** Casaco esportivo, de lã grossa, inspirado no modelo da japona (1), e adotado na indumentária masculina e feminina. **3.** *Bot.* V. *nespereira* (1). **4.** *Bras.* Alcunha dada aos portugueses. V. *galego* (4).

japona[2] [Der. regress. de *japonês*.] *S. 2 g. Bras.* Alcunha dada aos japoneses.

japonês *Adj.* **1.** Do, ou pertencente ou relativo ao Japão (Ásia); japão, japônico, nipônico. ~ V. *balão — e manga — a.* • *S. m.* **2.** O natural ou habitante do Japão; japão, nipônico. [Flex.: *japonesa* (ê), *japonesas* (ê), *japoneses* (ê). Cf. *japonesa, japonesas* e *japoneses*, do v. *japonesar*.] **3.** *Gloss.* Língua de filiação obscura, poss. da família altaica, falada no Japão.

japonesar [De *japonês* + *-ar*[2].] *V. t. d.* Dar caráter ou feição japonesa a; japonizar. [Pres. ind.: *japoneso, japonesas, japonesa*, etc.; pres. subj.: *japonese, japoneses*, etc. Cf. *japonesa* (ê), *japoneses* (ê), *japonesas* (ê), flex. de *japonês*.]

japônia [Do top. *Japão* (*Japon-*) + *-ia*[2], seg. o padrão erudito.] *S. f. Bot.* V. *nespereira* (1).

japónico *Adj.* V. *japônico*. [Uso freq. em P.]

japônico [Do top. *Japão* (v. *japonês*) + *-ico*[2], seg. o padrão erudito.] *Adj.* V. *japonês* (1).

japonismo [Do top. *Japão* (v. *japonês*) + *-ismo*, seg. o padrão erudito.] *S. m.* **1.** A maneira de ser dos japoneses. **2.** Imitação dessa maneira de ser. **3.** Gosto ou paixão de tudo que se refere ao Japão — língua, costumes, arte, etc.: "Os irmãos Goncourts gabam-se de terem sido na Europa os inventores do japonismo." (Machado de Assis, *A Semana*, II, p. 340.)

japonizar [Do top. *Japão* (v. *japonês*) + *-izar*, seg. o padrão erudito.] *V. t. d.* **1.** Japonesar. **2.** Dar nova cozedura a (louça de porcelana) a fim de torná-la semelhante à porcelana do Japão.

japorãense *Adj. 2 g.* **1.** De, ou pertencente ou relativo a Japorã (MS). • *S. 2 g.* **2.** O natural ou habitante de Japorã.

japoroque *Bras. S. 2 g.* **1.** *Etnôn.* Indivíduo dos japoroques [ou (etnôn. bras.) *Yaporok], povo indígena extinto, da família linguística botocudo, que habitava a margem direita do rio Jequitinhonha (MG). • *Adj. 2 g.* **2.** Pertencente ou relativo a esse povo.

japu [Do tupi.] *S. m. Bras. Zool.* **1.** Designação comum a aves emberizídeas icteríneas, do gênero *Psarocolius*, que têm a cauda longa, amarela no todo ou em parte, e o bico forte. [Sin.: *sapu, rubixá*.] **2.** V. *joão-congo* (1).

japuaçu [De *japu* + *-açu*.] *S. m. Bras. Zool.* **1.** Ave emberizídea, icterínea (*Psarocolius bifasciatus*), da Amaz., que tem asas e dorso castanhos, cabeça, nuca, garganta e peito oliváceos, bico preto com a ponta vermelho-alaranjada, e parte inferior da cauda amarela. O macho tem cerca de 50cm e a fêmea 37cm de comprimento; acaeraisaua, japu-do-bico-encarnado, japuguaçu, japu-grande, japu-gamela, japu-preto, joão-congo e rei-congo. **2.** V. *joão-congo* (1).

japuçá [De or. tupi, poss.] *S. m. Bras. Zool.* V. *sauá*.

japuçá-de-coleira *S. m. Bras. Zool.* Espécie de macaco (*Callicebus torquatus*). [Pl.: *japuçás-de-coleira*.]

japucanimpium [Do tupi.] *S. m. Bras. Amaz. Zool.* V. *cancã*[2] (3).

japu-do-bico-encarnado *S. m. Bras. Zool.* V. *japuaçu* (1). [Pl.: *japus-do-bico-encarnado*.]

japu-gamela *S. m. Bras. BA Zool.* **1.** V. *joão-congo* (1). **2.** V. *japuaçu* (1). [Pl.: *japus-gamelas* e *japus-gamela*.]

japu-grande *S. m. Bras. Zool.* V. *japuaçu* (1). [Pl.: *japus-grandes*.]

japuguaçu [De *japu* + *-guaçu*.] *S. m. Bras. Zool.* **1.** V. *japuaçu* (1). **2.** V. *joão-congo* (1).

japuí [De *japu* + *-í*.] *S. m. Bras. Zool.* V. *guaxe* (1).

japuíra [Do tupi.] *S. m. Zool.* **1.** *Bras. MT* V. *joão-congo* (1). **2.** *Bras. SP* V. *guaxe* (1).

japujuba [De *japu* + *-juba*.] *S. f. Bras. Zool.* V. *guaxe* (1).

japu-preto *S. m. Bras. Zool.* V. *japuaçu* (1). [Pl.: *japus-pretos*.]

japurá *S. m. Bras. Zool.* V. *jupará*.

japuraense *Adj. 2 g.* **1.** De, ou pertencente ou relativo a Japurá (AM e PR). • *S. 2 g.* **2.** O natural ou habitante de Japurá.

japuruxitá [Do tupi.] *S. m. Bras. Amaz. Zool.* Espécime de molusco gastrópode, cujo nome comum ainda não está bem correlacionado com o científico.

japu-verde *S. m. Bras. Zool.* Ave emberizídea icterínea (*Psarocolius viridis*), da Amaz., de coloração geral olivácea-clara, ventre e crisso castanhos, cauda amarela, com as retrizes médias enegrecidas, e bico amarelo-pálido com a ponta encarnada; joão-congo. [Pl.: *japus-verdes*.]

jaque [Do ingl. *jack*.] *S. m. Lus. Mar.* V. *jeque* (2).

jaqueira [De *jaca* + *-eira*.] *S. f.* **1.** *Bot.* Grande árvore morácea (*Artocarpus integra*) originária da Ásia e extremamente difundida no Brasil, de flores femininas e masculinas no mesmo espécime, dispostas em espigas compactas, folhas oblongas e coriáceas, frutos bacáceos, muito apreciados, e madeira amarela, aproveitável. **2.** Jaca[1] (3).

jaqueiral [De *jaqueira* + *-al*[1].] *S. m.* **1.** Quantidade mais ou menos considerável de jaqueiras dispostas proximamente entre si. **2.** Área ocupada por jaqueiral (1).

jaqueta (ê) [Do fr. *jaquette*.] *S. f.* **1.** *Vest.* Casaco curto, que chega só até a cintura ou mal a ultrapassa; jaleca: "saía de casa vestido .... de calças e jaqueta de veludo verde" (Ramalho Ortigão, *Em Paris*, p. 126). [Cf. *véstia*.] **2.** *Vest.* Blusão (2). **3.** *Encad.* Sobrecapa (1). **4.** *Odont.* Revestimento protético completo de coroa dentária, para reforçá-la, reconstruí-la ou com fins estéticos. • *S. m.* **5.** *Bras.* Indivíduo emperrado em hábitos e modos de vida antigos.

jaquetão [De *jaqueta* + *-ão*[1].] *S. m.* Paletó trespassado na frente, em geral com quatro ou seis botões: "O Coronel Javali não comparecia aos Leões senão de terno escuro, jaquetão de oito botões" (José Sarney, *Norte das Águas*, p. 160).

jaquiranaboia (ói) [De or. tupi.] *S. f. Bras. Zool.* V. *jequitiranaboia*. ❖

jaquiranense *Adj. 2 g.* **1.** De, ou pertencente ou relativo a Jaquirana (RS). • *S. 2 g.* **2.** O natural ou habitante de Jaquirana.

jará [Do tupi.] *S. f. e m. Bras. Bot.* Palmeira arecácea (*Leopoldinia pulchra*) da região amazônica, de folhas com 1,5 a 2m, bainhas desfiadas como uma rede, espatas pequenas, com espigas unissexuais e noz globosa. Atinge até 4m de altura. [Sin.: *jaraiuba* ou *jaraiuva*.]

jaracambeva [De or. tupi.] *S. f. Bras. Zool.* Certa cobra (*Xendon merremii*).

jaracatiá [Do tupi.] *S. m. Bras. Bot.* V. *jacarátia*.

jaracátia *S. m. e f. Bot.* V. *jacarátia*.

jaraguá[1] [Do tupi.] *S. m. Bras. Folcl.* **1.** Personagem fantástica do bumba meu boi (q. v.), a qual pode apresentar as mais diversas formas e comportamentos. **2.** *Bras. RJ Folcl.* Peça principal dos folguedos do Natal e de S. João: um homem com caveira de cavalo na cabeça e camisolão até os pés, guiado pelo dono, e que dá passos e arremetidas à frente dos músicos. **3.** *Bras. RJ Folcl.* Esse folguedo.

jaraguá[2] [F. red. de *capim-jaraguá*.] *S. m. Bras. Bot.* Capim-jaraguá.

jaraguaense *Adj. 2 g.* **1.** De, ou pertencente ou relativo a Jaraguá do Sul (SC). • *S. 2 g.* **2.** O natural ou habitante de Jaraguá do Sul. [Cf. *jaraguense*.]

jaraguamuru [De or. tupi, poss.] *S. m. Bras. Bot.* **1.** V. *babosa-branca* **2.** V. *grão-de-porco* (1).

jaraguariano *Adj. S. m.* V. *jaraguariense*.

jaraguariense *Adj. 2 g.* **1.** De, ou pertencente ou relativo a Jaraguari (MS). • *S. 2 g.* **2.** O natural ou habitante de Jaraguari. [Sin. ger.: *jaraguariano*.]

jaraguense (güen) *Adj. 2 g.* **1.** De, ou pertencente ou relativo a Jaraguá (GO). • *S. 2 g.* **2.** O natural ou habitante de Jaraguá. [Cf. *jaraguaense*.] ❖

jaraiuba (ai-ú) [Do tupi = 'jará' + o tupi = 'árvore'.] *S. f. Bras. Bot.* V. *jará*. [Var.: *jaraiuva*.] ❖

jaraiuva (ai-ú) [Var. de *jaraiuba*.] *S. f. Bras. Bot.* V. *jará*. ❖

jaramacaru *S. m. Bras. Bot.* V. *mandacaru*.

jaramataia [De or. tupi, poss.] *S. f. Bot.* Árvore aviceniácea (Avicennia africana) de folhas oblongas, flores paniculadas e frutos capsulares; é nativa das margens do rio Níger (África), e foi introduzida no Brasil.

jaramataiense *Adj. 2 g.* **1.** De, ou pertencente ou relativo a Jaramataia (AL). • *S. 2 g.* **2.** O natural ou habitante de Jaramataia.

jarana [De or. tupi, poss.] *S. f. Bras. Bot.* Árvore lecitidácea (*Holopyxidium jarana*) da mata amazônica, de folhas lanceoladas e coriáceas, flores vistosas, sésseis e alvas, e cujo fruto é cápsula circuncisa, sendo a madeira dura e resistente.

jarandeua [De or. tupi, poss.] *S. f. Bras. Bot.* Árvore mimosácea (*Pithecellobium latifolium*), de folhas com três a cinco folíolos amplos e acuminados, flores pequenas, róseas e em capítulos, legume coriáceo e curvo, e cuja madeira é boa para construções. Ocorre na América tropical.

jarandéua [De or. tupi.] *S. f. Bot.* V. *ararandéua*.

jaranganha [De or. tupi, poss.] *S. f. Bras. Bot.* Erva amarilidácea (*Bomarea edulis*) difundida pela América do Sul, de folhas lanceoladas, alongadas, flores vistosas, paniculadas, fruto capsular, e de cujo rizoma parte o caule trepador, tendo as raízes tubérculos comestíveis.

jará-oluá [Do ior.] *S. m. Bras. BA* O santuário do candomblé. [Pl.: *jarás-oluás*.]

jará-orixá [Do ior.] *S. m. Bras. BA* O quarto dos santos. [Pl.: *jarás-orixás*.]

jaraqui [Do tupi.] *S. m. Bras.* **1.** *Zool.* Peixe proquilodontídeo (*Semaprochilodus brama*), da Amaz., muito comum em Manaus, e cujo corpo apresenta listras negras horizontais na parte de cima da linha lateral, mais acentuadas na parte posterior. [Var.: *jeraqui*.] **2.** Bebida feita do suco da mandioca.

jararaca [Do tupi.] *S. f.* **1.** *Bras. Zool.* Designação comum a várias espécies de reptis ofídios, crotalídeos, gênero *Bothrops*, que ocorrem em todo o Brasil, e têm presas anteriores solenóglifas, cauda afilada bruscamente, sem guizo, cabeça triangular e revestida de escamas. Embora venenosas, são cobras mansas; vivem ger. isoladas, e alimentam-se de roedores e outros animais de pequeno porte; medem 1m a 1,50m de comprimento. A espécie mais comum no Brasil é a *Bothrops jararaca*, a *jararaca-verdadeira* (q. v.). **2.** *Bras. Pop.* Pessoa de mau gênio. **3.** *Bras. CE* Roupa escura, em especial de casimira.

jararaca-da-mata *S. f. Bras. Zool.* V. *jararaca-verdadeira*. [Pl.: *jararacas-da-mata*.]

jararaca-da-praia *S. f. Bras. RS Zool.* Reptil ofídio, colubrídeo (*Lystrophis dorbygnyi*), do S. do Brasil e países vizinhos, de coloração cinzenta, manchada de castanho no dorso, e parte ventral vermelha com manchas azuladas. Comprimento: até 60cm; vive nas dunas, alimentando-se de pequenos sáurios. [Sin.: *cobra-nariguda*, ou apenas *nariguda*. Pl.: *jararacas-da-praia*.]

jararaca-da-seca *S. f. Bras. Zool.* Reptil ofídio, crotalídeo (*Bothrops erythromelas*), do CE à BA, de dorso pardo e avermelhado, com longas manchas laterais escuras, triangulares, próximas entre si, e cabeça com faixa clara terminal sobre o focinho. [Pl.: *jararacas-da-seca*.]

jararaca-de-barriga-vermelha *S. f. Bras. Zool.* V. *jararaquinha-do-campo* (1). [Pl.: *jararacas-de-barriga-vermelha*.]

jararaca-do-banhado *S. f. Bras. S. Zool.* V. *jararacuçu-do-brejo*. [Pl.: *jararacas-do-banhado*.]

jararaca-do-campo *S. f. Bras. Zool.* V. *jararaca-verdadeira*. [Pl.: *jararacas-do-campo*.]

jararaca-do-cerrado *S. f. Bras. Zool.* V. *jararaca-verdadeira*. [Pl.: *jararacas-do-cerrado*.]

jararaca-do-rabo-branco *S. f. Bras. Zool.* V. *jararaca-pintada*. [Pl.: *jararacas-do-rabo-branco*.]

jararaca-dormideira *S. f. Bras. Zool.* V. *jararaca-verdadeira*. [Pl.: *jararacas-dormideiras*.]

jararaca-do-tabuleiro *S. f. Bras. N.E. Zool.* V. *cobra-lisa*. [Pl.: *jararacas-do-tabuleiro*.]

jararacambeva *S. f. Bras. MG Zool.* V. *boipeva*.

jararaca-pintada *S. f. Bras. Zool.* Reptil ofídio, crotalídeo (*Bothrops neuwieddi*), distribuído por todo o Brasil, com cerca de 10 subespécies, de coloração geral pardo-arruivada, com manchas pardo-escuras orladas de branco, parte ventral amarelada, e quatro manchas escuras sobre a cabeça. Comprimento: até 90cm. [Sin.: *tirapeia, jararaca-do-rabo-branco, boca-de-sapo, rabo-de-osso*. Pl.: *jararacas-pintadas*.]

jararaca-preguiçosa *S. f. Bras. Zool.* V. *jararaca-verdadeira*. [Pl.: *jararacas-preguiçosas*.]

jararaca-preta *S. f. Bras. Zool.* V. *cotiara*[1] (1). [Pl.: *jararacas-pretas*.]

jararaca-verdadeira *S. f. Bras. Zool.* Reptil ofídio, crotalídeo (*Bothrops jararaca*), conhecido da BA para o S., de dorso oliváceo em estreitas manchas laterais, irregulares ou triangulares, com vértices confluentes. É responsável pela maioria dos acidentes ofídicos no Brasil, contribuindo com cerca de 50% dos acidentes comprovados pelo Instituto Butantã. Comprimento: até 1,60m. Alimenta-se de roedores e outros pequenos animais. [Sin.: *jararaca-do-campo, jararaca-do-cerrado, jararaca-dormideira, jararaca-preguiçosa, jararaca-da-mata*. Pl.: *jararacas-verdadeiras*. Cf. *jararaca*.]

jararaca-verde *S. f. Bras. Zool.* Reptil ofídio, crotalídeo (*Bothrops bilineata*), comum desde a BA até o extremo N. do Brasil, de dorso verde com uma série de pintas amarelo-avermelhadas de cada lado da linha vertebral e uma listra punctiforme, amarela, de cada lado do ventre. Habita as matas, preferindo abrigar-se em palmeiras; comprimento: até 1m. [Sin.: *juricana, paraamboia, patioba, cobra-papagaio, surucucu-pindoba, surucucu-de-patioba, surucucu-pinta-de-ouro, ouricana, uricana, surucucu-de-pindoba*. Pl.: *jararacas-verdes*.]

jararacuçu [De *jararaca* + *-uçu*.] *S. f. e m. Bras. Zool.* Reptil ofídio, crotalídeo (*Bothrops jararacussu*), comum nas regiões baixas e alagadiças desde o litoral S. e L. até a região C.O. do Brasil, de dorso amarelo-escuro com largas manchas laterais levemente unidas ou confluentes; comprimento: até 2,20m. [Sin.: *jararacuçu-verdadeira, jararacuçu-verdadeiro, surucucu, surucucu-dourada, surucucu-tapete, urutu-dourado, urutu-estrela, patrona*.]

jararacuçu-do-brejo *S. f. e m. Bras. Zool.* Reptil ofídio, colubrídeo (*Eudryas bifossatus*), de coloração básica amarelo-carregada, com manchas acastanhadas, linhas longitudinais amarelas no terço anterior, e parte ventral branco-amarelada com manchas. Comprimento: até 2m. Vive próximo de rios e banhados, alimentando-se sobretudo de rãs. Embora não seja venenosa, costuma picar com frequência, sendo espécie agressiva. [Sin.: *biru, cobra-nova, jararaca-do-banhado*. Pl.: *jararacuçus-do-brejo*.]

jararacuçu-tipiti *S. f. e m. Bras. Zool.* V. *boipeva*. [Pl.: *jararacuçus-tipitis* e *jararacuçus-tipiti*.]

jararacuçu-verdadeira *S. f. Bras. Zool.* V. *jararacuçu*. [Pl.: *jararacuçus-verdadeiras*.]

jararacuçu-verdadeiro *S. f. e m. Bras. Zool.* V. *jararacuçu*. [Pl.: *jararacuçus-verdadeiros*.]

jararaquinha-do-campo *S. f. Bras. S. Zool.* **1.** Reptil ofídio, colubrídeo (*Leimadophis almadensis*), do N., C. e E. do Brasil, de coloração dorsal castanho-escura com manchas acentuadas dos lados, bem visíveis próximo da cabeça, uma estria verde lateral da cabeça à cauda, e abdome vermelho com manchas cinzento-azuladas. Comprimento: até 1m. São fugidias e alimentam-se de anuros de pequeno porte. [Sin.: *cobra-espada, jararaca-de-barriga-vermelha*.] **2.** Reptil ofídio, colubrídeo (*Liophis jaegeri*), da região central e S. do Brasil. [Pl.: *jararaquinhas-do-campo*.]

jaratacaca *S. f. Bras. Zool.* V. *jaritataca*.

jaratataca *S. f. Bras. Zool.* V. *jaritataca*.

jarauara *Bras. S. 2 g.* **1.** *Etnôn.* Indivíduo dos jarauaras [ou (etnôn. bras.) *Jarawara], povo indígena da família linguística arauá, que habita uma região do AM. ● *Adj. 2 g.* **2.** Pertencente ou relativo a esse povo.

jarazal [De *jará* + *-zal*.] *S. m.* **1.** *Bras. Amaz.* Quantidade mais ou menos considerável de jarás dispostos proximamente entre si. **2.** Área ocupada por jarazal (1).

jarda [Do ingl. *yard*.] *S. f.* Unidade fundamental de comprimento, do sistema inglês, equivalente a 3 pés ou 0,9144m [símb.: *yd*]: 📖 "Três palmos de carabina e seis jardas de chão liso nos separavam um do outro." (Geir Campos, *O Vestíbulo*, p. 27.)

jardim [Do fr. *jardin*, de or. frância.] *S. m.* **1.** Terreno, em geral com alamedas, onde se cultivam plantas ornamentais, úteis, ou para estudo. **2.** *Fig.* País fértil em culturas variadas. **3.** Jardim de infância. ◆ **Jardim botânico.** Local no qual se cultivam e se expõem espécimes botânicos. **Jardim de popa.** *Constr. Nav.* Espécie de sacada, na popa de antigos navios de guerra de grande porte, que se comunica por meio de portas com as acomodações do comandante. **Jardim suspenso.** *Arquit.* Aquele feito em coberturas planas, ger. constituídas por lajes impermeabilizadas; terraço-jardim. **Jardim zoológico.** Local, ger. nas grandes cidades, destinado à exposição permanente de espécimes mais ou menos raros de animais. [Tb. se diz apenas *zoológico* e *zoo*.] **Jardins de Armida.** Palácio de Armida.

jardim-alegrense *Adj. 2 g.* **1.** De, ou pertencente ou relativo a Jardim Alegre (PR). ● *S. 2 g.* **2.** O natural ou habitante de Jardim Alegre. [Sin. ger.: *jardinense*. Pl.: *jardim-alegrenses*.]

jardim-angicanense *Adj. 2 g.* **1.** De, ou pertencente ou relativo a Jardim de Angicos (RN). ● *S. 2 g.* **2.** O natural ou habitante de Jardim de Angicos. [Pl.: *jardim-angicanenses*.]

jardim de infância *S. m.* **1.** Escola para crianças menores de seis anos: 📖 "Minha primeira escola foi o Instituto de Educação Infantil, um jardim de infância que ficava na Rua Figueiredo Magalhães" (Afonso Arinos Filho, *Primo Canto*, p. 23). **2.** Na pré-escola, período letivo que antecede a alfabetização, e no qual a criança recebe, ger. de forma lúdica, as primeiras noções de língua e matemática. [Tb. se diz apenas *jardim*. Sin. (lus.): *jardim-infantil*. Pl.: *jardins de infância*. Cf. *escola maternal* e *pré-escola*.] ☑

jardim de inverno *S. m. Arquit.* Área de estar de uma casa, envidraçada e com fartura de luz, e onde, em geral, se cultivam plantas. [Pl.: *jardins de inverno*.] ☑

jardim-infantil *S. m. Lus.* Jardim de infância. [Pl.: *jardins-infantis*.]

jardinagem [De *jardim* + *-agem*[2], seg. o padrão erudito.] *S. f.* **1.** Cultura de jardins. **2.** A arte de cultivar jardins: 📖 "tinham nascido flores singelas para frutificarem vulgarmente; uma jardinagem milagrosa as convertеu .... em flores dobradas, mais fragrantes" (Antônio Feliciano de Castilho, *Amor e Melancolia*, p. 263). **3.** Processo de silvicultura que consiste em cortar em diversos pontos da mata ou floresta, salteadamente, as árvores em idade de serem aproveitadas na indústria.

jardinar [De *jardim* + *-ar*[2], seg. o padrão erudito.] *V. t. d.* **1.** Cultivar (um jardim). *Int.* **2.** Cultivar um jardim. **3.** Tratar de um jardim como recreação: 📖 "O mais do tempo é gasto em hortar, jardinar e ler" (Machado de Assis, *Dom Casmurro*, p. 5).

jardinaria [De *jardim* + *-aria*, seg. o padrão erudito.] *S. f.* A arte de projetar e cultivar jardins; a arte do paisagista, do jardinista: 📖 "O apuizeiro, de tamanho reduzido, ... assemelha-se a .... obra ornamental e decorativa da jardinaria japonesa." (Raimundo Morais, *Na Planície Amazônica*, pp. 107-108.)

jardineira [De *jardim* + *-eira*, seg. o padrão erudito.] *S. f.* **1.** Mulher que trata de jardins. **2.** Móvel de sala ou varanda onde se colocam plantas. **3.** *P. ext. Desus.* Mesa onde se põem flores e outros objetos de adorno: 📖 "Não havia um quadro, uma flor, um ornato, um livro — apenas sobre a jardineira uma estatueta de Napoleão I" (Eça de Queirós, *Os Maias*, I, p. 221). **4.** Caixa onde se plantam flores ou pequenos arbustos. **5.** *Cul.* Maneira de apresentar certos pratos, rodeando-os de legumes de várias qualidades. **6.** Calça, *short* ou saia com peitilho quadrado costurado na cintura, e com alças que se cruzam e prendem atrás. **7.** *Bras.* Grande carro de transporte coletivo, ger. ônibus (q. v.), com bancos paralelos. **8.** *Bras.* V. *ônibus*: 📖 "Do avião saltamos para a jardineira, a caminho da cidade." (Carlos Drummond de Andrade, *A Bolsa & a Vida*, p. 63.) **9.** *Bras.* Professora de jardim de infância. **10.** *Bras. RS* Carro de quatro rodas, puxado a cavalo, de uso nas estâncias. **11.** *Bras. PR SC Folcl.* V. *balainha*.

jardineiro [De *jardim* + *-eiro*, seg. o padrão erudito.] *S. m.* Aquele que trata de jardins e/ou sabe jardinagem.

jardinense[1] *Adj. 2 g.* **1.** De, ou pertencente ou relativo a Jardim (CE e MS). ● *S. 2 g.* **2.** O natural ou habitante de Jardim.

jardinense[2] *Adj. 2 g. S. 2 g.* V. *jardim-alegrense*.

jardinense[3] *Adj. 2 g. S. 2 g.* V. *piranhense*[2].

jardinense[4] *Adj. 2 g.* **1.** De, ou pertencente ou relativo a Jardim do Seridó (RN). ● *S. 2 g.* **2.** O natural ou habitante de Jardim do Seridó.

jardinense[5] *Adj. 2 g.* **1.** De, ou pertencente ou relativo a Santo Antônio do Jardim (SP). ● *S. 2 g.* **2.** O natural ou habitante de Santo Antônio do Jardim.

jardinete (ê) [Do fr. *jardinet*.] *S. m.* Pequeno jardim: 📖 "modesta residência, cercada de um jardinete" (Afonso Arinos de Melo Franco, *A Alma do Tempo*, p. 374).

jardinista [De *jardim* + *-ista*, seg. o padrão erudito.] *S. 2 g.* **1.** Pessoa que gosta muito de jardins. **2.** Paisagista (3).

jardinolindense *Adj. 2 g.* **1.** De, ou pertencente ou relativo a Jardim Olinda (PR). ● *S. 2 g.* **2.** O natural ou habitante de Jardim Olinda.

jardinopolense *Adj. 2 g.* **1.** De, ou pertencente ou relativo a Jardinópolis (SP). ● *S. 2 g.* **2.** O natural ou habitante de Jardinópolis.

jardinzeco [De *jardim* + *-z-* + *-eco*[1], seg. o padrão erudito.] *S. m.* Jardim pequeno ou insignificante: 📖 "E com mil cuidados, ... para não espantar a vítima .... arrastei-a para um banco dum jardinzeco próximo" (José Gomes Ferreira, *O Mundo dos Outros*, p. 112).

jardinzito [De *jardim* + *-zito*, seg. o padrão erudito.] *S. m.* Pequeno jardim.

jarê [De or. afr., poss.] *S. m. Bras.* Dança fetichista negra da BA, sobretudo da região de Lençóis.

jareré[1] *S. m. Bras.* V. *jereré*[1].

jareré[2] *S. m. Bras. SP* V. *jereré*[2].

jareuá [Do tupi.] *S. f. Bras. Bot.* V. *pupunharana*.

jargão[1] [Do fr. *jargon*.] *S. m. E. Ling.* **1.** Linguagem corrompida. **2.** Língua estrangeira que não se compreende. **3.** Gíria profissional: 📖 "Para eles [os doutores javaneses] é boa literatura a que é constituída por vastas compilações de cousas de sua profissão, escritas laboriosamente em um jargão enfadonho com fingimento de língua arcaica." (Lima Barreto, *Histórias e Sonhos*, p. 55.) **4.** Fase mais rudimentar de um pídgin em que predominam as soluções individuais para os problemas levantados pela comunicação entre falantes de línguas diferentes; pré-pídgin. **5.** No desenvolvimento da linguagem infantil, enunciados ininteligíveis, embora com padrão entonacional de sentença, que marcam o final da fase de balbucio. [V. *aquisição* (4).] **6.** Enunciação de palavras ininteligíveis que caracteriza certos tipos de desordens da linguagem, como a afasia. [Pl.: *jargões.*]

jargão[2] *S. m. Min.* Variedade hialina ou enfumaçada de zirconita.

jargonofasia [Do fr. *jargonaphasie* (do fr. *jargon*, 'jargão', + *aphasie*, 'afasia').] *S. f. Psiq.* Distúrbio, característico da afasia sensorial e da esquizofrenia, em que a fala é emitida de forma rápida, caótica e incoerente.

jaribara [De or. tupi, poss.] *S. f.* **1.** *Bras.* Galhada de árvores abatidas que ficam presas às ramagens de outras e cobertas de trepadeiras e epífitas. **2.** *Bras. GO* Trecho de vegetação arbustiva ou herbácea, à margem de um rio. [Var.: *jaibara, jabara, jebara.*]

jarilense *Adj. 2 g. S. 2 g.* V. *laranjalense*[2].

jarina [Do tupi.] *S. f. Bras. Bot.* Palmeira arecácea (*Phytelephas macrocarpa*) baixa e de estipe grosso, da Amaz., de flores odoríferas, e cujas sementes, grandes e extremamente duras, se empregam no fabrico de botões. Cada cacho fornece de seis a sete frutos. [Sin.: *marfim-vegetal.*]

jarinuense *Adj. 2 g.* **1.** De, ou pertencente ou relativo a Jarinu (SP). • *S. 2 g.* **2.** O natural ou habitante de Jarinu.

jaritacaca [Do tupi.] *S. f. Bras. Zool.* V. *jaritataca.*

jaritataca [Var. de *jaratacaca.*] *S. f. Bras. Zool.* Mamífero carnívoro, mustelídeo (*Conepatus chilensis amazonicus*), amplamente distribuído no N. do Brasil, de coloração preta, com uma faixa branca dorsal dividida longitudinalmente ao meio por uma linha preta. Mede 50cm além da cauda, que só tem 15cm e é muito pilosa, branca e empenachada; é provido de uma glândula anal que segrega e faz projetar, como defesa, um líquido fétido, irritante e nauseante. Ofiófago, não é sensível aos venenos das cobras peçonhentas. [Var.: *jaguacacaca, jaguaritaca, jaratataca, jaritacaca, jeritataca, iritataca, maratataca.* Sin.: *maritafede, cangambá.*]

jarivá [Var. de *jerivá*, com dissimilação.] *S. m. Bras. Bot.* **1.** Palmeira arecácea (*Astrocaryum campestre*), silvestre, das caatingas do rio Negro, desprovida de estipe, com folhas de cerca de 3m, pecíolo aculeado e escamoso, flores ordenadas em espigas longamente pedunculadas, e nozes edules com 2cm de diâmetro. **2.** V. *tucumãí.*

jaroba [Do tupi.] *S. f. Bras. Bot.* Arbusto bignoniáceo (*Tanaecium albiflorum*) escandente, oriundo da Jamaica e cultivado no S. do Brasil, de folhas com três folíolos (o do meio transformado em gavinhas), flores amplas, vistosas e racemosas, e fruto capsular que contém sementes aladas.

jarosita [Do top. (*Barranco*) *Jaroso* (Almeria, Espanha) + *-ita*[3]; al. *Jarosit.*] *S. f. Min.* Mineral hexagonal, sulfato básico de potássio e ferro.

jarovização [De **jarovizar* (< rus. *yarovoe*, 'grão ou trigo de primavera', + *-izar*) + *-ção.*] *S. f. Bot.* Vernalização.

jarra [Do ár. *ğarra(t).*] *S. f.* **1.** Vaso para água ou para flores; jarro: 📖 "Coloca-a [a rosa]em água numa jarra antiga" (Augusto Gil, *Versos*, p. 85). **2.** *Fig.* Jarreta (1). **3.** *Ant. Mar.* Tanque de ferro, munido de um chupadouro ou de uma torneira, donde a marinhagem tirava água para beber.

jarrão [De *jarra* + *-ão*[1].] *S. m.* **1.** Jarra (1) grande, que adorna salões, etc. **2.** *Fam.* Mulher de certa idade, que, não querendo ou não sendo tirada para dançar, fica sempre sentada, enquanto os outros dançam.

jarreta (ê) [De *jarra* + *-eta* (ê).] *S. 2 g.* **1.** Pessoa que se veste mal, ou à antiga; jarra. **2.** Pessoa ridícula. **3.** *Desus.* V. *ébrio* (8). [Pl.: *jarretas* (ê). Cf. *jarreta* e *jarretas*, do v. *jarretar.*]

jarretar [De *jarrete* + *-ar*[2].] *V. t. d.* **1.** Cortar os jarretes a. **2.** Cortar (algum membro); amputar, decepar. **3.** Suprimir, eliminar, cortar: 📄 *Jarretou vários capítulos dos originais do romance.* **4.** Destruir, aniquilar. **5.** Inutilizar, impossibilitar: 📄 *O governo, com a medida que tomou, jarretou os meus planos.* [Pres. ind.: *jarreto, jarretas, jarreta*, etc.; pres. subj.: *jarrete, jarretes*, etc. Cf. *jarreta* (ê), pl. *jarretas* (ê), e *jarrete* (ê), pl. *jarretes* (ê).]

jarrete (ê) [Do fr. *jarret*, de or. gaulesa.] *S. m. Anat.* **1.** A parte da perna situada atrás da articulação do joelho. **2.** Nervo ou tendão da perna dos quadrúpedes; curvejão; curvilhão: 📖 "tinha o boi as pernas delgadas e o jarrete nervoso dos grandes corredores." (José de Alencar, *O Sertanejo*, p. 219.) [Sin. ger. (bras. pop.): *rejeito.* Pl.: *jarretes* (ê). Cf. *jarrete* e *jarretes*, do v. *jarretar.*]

jarreteira [Do fr. *jarretière.*] *S. f.* **1.** *Ant.* Liga[1] (6). **2.** Ordem de cavalaria instituída na Inglaterra por Eduardo III (1327-1377).

jarrilho [De *jarro*[2] + *-ilho.*] *S. m. Ant. Bot.* Salsaparrilha.

jarrinha [De *jarra* + *-inha.*] *S. f. Bras. Bot.* **1.** Cipó-de-cobra (1). **2.** V. *cipó-mil-homens* (1).

jarrinha-arraia *S. f. Bras. Bot.* V. *cipó-mil-homens* (1). [Pl.: *jarrinhas-arraias* e *jarrinhas-arraia.*]

jarrinha-preta *S. f. Bras. Bot.* V. *cipó-mil-homens* (1). [Pl.: *jarrinhas-pretas.*]

jarro[1] [De *jarra* (q. v.).] *S. m.* Vaso alto e bojudo, com asa e bico, próprio para água, e us., em geral, para deitar água às mãos ou na bacia onde se lavam as mãos; jarra. [Cf. *gomil.*]

jarro[2] [Do esp. *jaro*, var. do esp. *aro* (< lat. *arum*, 'aro[2]').] *S. m. Bot.* V. *taioba* (1).

jaru *Bras. S. 2 g.* **1.** *Etnôn.* Indivíduo dos jarus, povo indígena extinto da família linguística xapacura, que habitava a margem esquerda do rio Jaru (RO). • *Adj. 2 g.* **2.** Pertencente ou relativo a esse povo. [Tb. us. como *s. 2 g. e 2 n.* (com cap.) e *adj. 2 g. e 2 n.*]

jaruense *Adj. 2 g.* **1.** De, ou pertencente ou relativo a Jaru (RO). • *S. 2 g.* **2.** O natural ou habitante de Jaru.

jarumá *S. 2 g. Adj. 2 g. Bras.* V. *iarumá.*

jaruva [De or. tupi, poss.] *S. f. Bras. S. Bot.* V. *espinho-de-cristo* (1).

jasmim [Do ár. *yāsmīn* (< persa *yas(i)min, yasman*), poss. pelo fr. *jasmin* ou pelo cat. *gesmir, gessamí.*] *S. m. Bot.* **1.** Designação comum a várias espécies oleáceas, do gênero *Jasminum*, arbustos escandentes ou trepadeiras cujas flores, tubulosas e alvas, emitem forte perfume. Originário da Ásia, acha-se muito difundido no Brasil. [Sin.: *jasmineiro.*] **2.** A flor do jasmim (1).

jasmim-amarelo *S. m. Bot.* Arbusto gelsemiáceo (*Gelseminum sempervirens*) de folhas sempre-verdes e flores amarelas, fragrantes, com corola afunilada, de cuja raiz se obtém a gelsemina; jasmim-da-virgínia. [Pl.: *jasmins-amarelos.*]

jasmim-azul *S. m. Bot.* **1.** V. *cinamomo* (4). **2.** V. *bela-emília.* [Pl.: *jasmins-azuis.*]

jasmim-da-beirada *S. m. Bras. Bot.* Cipó hipocrateáceo (*Salacia serrata*) das matas atlânticas, de folhas oblongas e crassas, flores mínimas, trímeras e ordenadas em cimeiras axilares, e fruto elipsoide, com sementes avantajadas. [Pl.: *jasmins-da-beirada.*]

jasmim-da-itália *S. m. Bras. SP Bot.* V. *arrebenta-boi* (1). [Pl.: *jasmins-da-itália.*]

jasmim-da-noite *S. m. Bot.* V. *dama-da-noite.* [Pl.: *jasmins-da-noite.*]

jasmim-da-virgínia [De *jasmim* + *da*[1] + o top. *Virgínia.*] *S. m. Bot.* Jasmim-amarelo. [Pl.: *jasmins-da-virgínia.*]

jasmim de cachorro *S. m. Bras. SP* Dejeto de cão, seco, em geral de cor clara, que se usava outrora para curar sarampo; jasmim do campo. [Pl.: *jasmins de cachorro.*] ☑

jasmim-de-soldado *S. m. Bot.* V. *cinamomo* (4). [Pl.: *jasmins-de-soldado.*]

jasmim-de-veneza [De *jasmim* + *de* + o top. *Veneza.*] *S. m. Bot.* Trepadeira bignoniácea (*Campsis radicans*) ornamental, oriunda da América do Norte, de folhas penadas com folíolos ovados, acuminados, serreados, pubescentes na face inferior, flores tubulosas e afuniladas, cistosas, amarelas e com limbo escarlate, em cachos; cápsula com duas valvas e um septo provido de sementes, e cujos ramos se prendem por meio de raízes em forma de grampos. [Pl.: *jasmins-de-veneza.*]

jasmim-do-cabo *S. m. Bot.* **1.** Arbusto rubiáceo (*Gardenia grandiflora*) de flores alvas, muito aromáticas, solitárias, axilares e terminais, e cujo fruto é baga oblonga, glabra, amarela, com sementes envoltas em polpa vermelha. **2.** V. *bela-emília.* [Pl.: *jasmins-do-cabo.*]

jasmim do campo *S. m. Bras. N.E. MG* Jasmim de cachorro. [Pl.: *jasmins do campo.*] ☑

jasmim-do-imperador *S. m. Bras. Bot.* Flor-do-imperador. [Pl.: *jasmins-do-imperador.*]

jasmim-do-mato *S. m. Bras. Bot.* **1.** Arvoreta apocinácea (*Peschiera latiflora*) da região amazônica, de folhas nítidas, pequenas, flores alvas, tubulosas e arrumadas em cimeiras, e cujo fruto é um folículo com as sementes envolvidas em arilo vermelho. Todas as suas partes são lactescentes. **2.** V. *bacupariaçu.* [Pl.: *jasmins-do-mato.*]

jasmim-laranja *S. m. Bras. Bot.* Arvoreta rutácea (*Murraya exotica*) ornamental, originária da Ásia, de folhas penadas, escuras e aromáticas, flores pequeninas e cimosas, muito perfumadas, e cujo fruto é uma baga ovoide; baga ovoide; murta-de-cheiro. [Pl.: *jasmins-laranjas* e *jasmins-laranja.*]

jasmim-manga [De *jasmim* + *manga*[3].] *S. m. Bras. Bot.* Arvoreta apocinácea (*Plumeria rubra*) muitíssimo cultivada nos jardins brasileiros, de tronco mole e lactescente, folhas compridas, oblongas e agudas, e flores vistosas, alvas ou rubras, perfumadas e afuniladas. [Pl.: *jasmins-mangas* e *jasmins-manga.*]

jasmim-porcelana *S. m. Bras. Bot.* Arbusto apocináceo (*Peschiera coronaria*) ornamental, semelhante ao jasmim-do-mato (1). [Pl.: *jasmins-porcelanas* e *jasmins-porcelana.*]

jasmim-verde *S. m. Bot.* V. *dama-da-noite.* [Pl.: *jasmins-verdes.*]

jasmim-vermelho *S. m. Bras. Bot.* Flor-de-coral (3). [Pl.: *jasmins-vermelhos.*]

jasmináceo [De *jasmim* + *-áceo*, seg. o padrão erudito.] *Adj.* Relativo a jasmim; jasmíneo, jasminal.

jasminal [De *jasmim* + *-al*[1], seg. o padrão erudito.] *Adj. 2 g.* V. *jasmináceo.*

jasmineiro [De *jasmim* + *-eiro*, seg. o padrão erudito.] *S. m. Bot.* Jasmim (1).

jasmíneo [De *jasmim* + *-eo*, seg. o padrão erudito.] *Adj.* Jasmináceo.

jasmino [Do tax. *Jasminum* (do fr. *jasmin* [v. *jasmim*] + lat. cient. *-inum*).] *S. m. Bot.* **1.** Grande gênero de trepadeiras e arbustos oleáceos, lenhosos, originários de regiões tropicais, esp. da Índia Oriental, e que têm, ger., folhas penadas e flores de corola assalvada. **2.** Qualquer espécie desse gênero, como, p. ex., a *Jasminum sambac* (v. *bogari*). **3.** Qualquer espécime desse gênero, ou a flor dele.

jaspe [Do lat. *iaspis* (nom.), 'pedra preciosa semelhante à ágata', < gr. *íaspis.*] *S. m. Min.* Variedade semicristalina de quartzo opaco, de cores diversas, sendo a cor mais comum a vermelha.

jaspeado [De *jaspe* + *-ado*[1].] *Adj.* Semelhante ao jaspe na cor, nos matizes ou nos veios: 📖 "Um lenço posto no liso / Dos teus ombros jaspeados, / Os cabelos destrançados..." (Gonçalves Crespo, *Obras Completas*, p. 316.)

jaspear [De *jaspe* + *-ar*[2].] *V. t. d.* Dar a cor, a aparência de jaspe, a: 📖 "Quando terminou [de ler a carta], jaspeava-lhe a fisionomia essa lividez marmórea, que tantas vezes depois a empanava" (José de Alencar, *Senhora*, p. 196); "Que mortal palidez o teu rosto jaspeia!" (Eugênio de Castro, *Obras Poéticas*, IV, p. 118.) [Conjug.: v. *frear.*]

jáspeo [De *jaspe* + *-eo.*] *Adj.* Da cor do jaspe: 📖 "Saberia o que vinham eles lhe anunciar, despejadas assim das grades de ferro, no tonto movimento de um banco escapadiço e jáspeo de mariposas funestas?" (Alberto Rangel, *Sombras n'Água*, p. 668.)

jaspe-sanguíneo (guí ou güí) *S. m. Min.* Heliotrópio[1] (3). [Pl.: *jaspes-sanguíneos.*]

jáspico [De *jaspe* + *-ico*[2].] *Adj.* Referente ao jaspe.

jassídeo [Do tax. *Jassus*, gênero-tipo, + *-ídeo*[1]; tax. *Jassidae.*] *S. m. Adj. Zool.* V. *cicadelídeo.*

jatação *S. f.* V. *jactação.*

jataí [Do tupi.] *Bras. S. m.* **1.** *Bot.* V. *jatobá* (2). **2.** *Bot.* V. *butiá-verdadeiro.* • *S. f.* **3.** *Zool.* Abelha meliponínea (*Tetragonisca angustula*), de cabeça e tórax pretos, abdome escuro com o primeiro segmento amarelo, e pernas escuras com tons amarelados. Produz mel escasso, de excelente qualidade, e nidifica em árvores ocas, nos interstícios de pedras, em rochas e muros; a entrada do ninho é um tubo semelhante a um dedo de luva, ger. ramificado, o que originou as designações *sete-portas* e *três-portas.* [Sin.: *inhanti, jati, mosquitinho, sete-portas, três-portas.*] **4.** *Zool.* V. *abelha-mosquito.*

jataí-açu [De *jataí* + *-açu.*] *S. m. e f. Bras. Bot.* V. *jatobá* (2). [Pl.: *jataís-açus.*]

jataíba [Do tupi.] *S. f. Bras. Bot.* V. *bagaceira*[2]. [Var.: *jataúba.*]

jataicica [Do tupi.] *S. m. e f. Bras. Bot.* V. *jatobá* (1).

jataí-da-terra *S. f. Bras. Zool.* Abelha meliponínea (*Melipona subnuda*), muito mansa, que nidifica em ninhos desativados de saúva, e que costuma fechar a entrada, um tubo estreito feito de cerume, à noite; mirim-sem-brilho. [Pl.: *jataís-da-terra.*]

jataiense (a-i) *Adj. 2 g.* **1.** De, ou pertencente ou relativo a Jataí (GO). • *S. 2 g.* **2.** O natural ou habitante de Jataí.

jataí-grande *S. m. e f. Bras. Bot.* V. *jatobá* (2). [Pl.: *jataís-grandes.*]

jataí-mondé *S. m. Bras. Bot.* V. *jatobá* (2). [Pl.: *jataís-mondés* e *jataís-mondé.*]

jataí-mosquito *S. f. Bras. Zool.* V. *abelha-mosquito.* [Pl.: *jataís-mosquitos* e *jataís-mosquito.*]

jatainhense (a-i) *Adj. 2 g.* **1.** De, ou pertencente ou relativo a Jataizinho (PR). • *S. 2 g.* **2.** O natural ou habitante de Jataizinho. [Sin. ger.: *jataizinhense.*]

jataipeva (a-i) [De *jataí* + *-peva.*] *S. m. Bras. Bot.* V. *itu.*

jataí-preta (ê) *S. f. Bras. Zool.* V. *abelha-mosquito.* [Pl.: *jataís-pretas.*]

jataizão [De *jataí* + *-zão.*] *S. m. Bras. Zool.* V. *borá*[2] (1).

jataizinhense (a-i) *Adj. 2 g. S. 2 g.* V. *jatainhense.*

jatância *S. f.* V. *jactância.*

jatanciosidade *S. f.* V. *jactanciosidade.*

jatancioso (ô) *Adj.* V. *jactancioso.*

jatante *Adj. 2 g.* V. *jactante.*

jatar-se *V. p.* V. *jactar-se.*

jataúba [Var. de *jataíba.*] *S. f.* V. *bagaceira*[2].

jataubense (a-u) *Adj. 2 g.* **1.** De, ou pertencente ou relativo a Jataúba (PE). • *S. 2 g.* **2.** O natural ou habitante de Jataúba.

jateamento [De *jatear* + *-mento*.] *S. m. Metal.* Tratamento no qual peças são submetidas a jato de água ou ar carregado de material abrasivo, para limpeza ou preparação da superfície para pintura, etc.

jatear [De *jato* + *-ear*[2].] *V. t. d.* Lançar em jato (uma substância). [Conjug.: v. *frear*.]

jatecuba [De or. tupi, poss.] *S. m. Bras. Zool.* V. *bicho-do-pé*.

jateiense (ê-i) *Adj. 2 g.* **1.** De, ou pertencente ou relativo a Jateí (MS). ● *S. 2 g.* **2.** O natural ou habitante de Jateí.

jati [F. sincopada de *jataí*.] *S. f. Bras. Zool.* **1.** *CE* V. *abelha-mosquito*. **2.** V. *jataí* (3).

jatica [Var. de *jetica*.] *S. f. Bras. Bot.* V. *batata-doce*.

jaticá [Do tupi.] *S. m. Bras. AM* Arpão de haste longa, com o qual se arpoa a tartaruga.

jatiense *Adj. 2 g.* **1.** De, ou pertencente ou relativo a Jati (CE). ● *S. 2 g.* **2.** O natural ou habitante de Jati.

jato [Do lat. *jactu*.] *S. m.* **1.** Ímpeto, impulso. **2.** Saída impetuosa de um líquido ou de um gás. **3.** *P. ext.* V. *golfada* (2). **4.** *Fís. Part.* Feixe de partículas elementares resultantes da hadronização de um *quark* ou de um glúon. **5.** *Bras.* Avião a jato. [Var.: *jacto*.] ◆ **Jato auxiliar de decolagem.** V. *reforçador* (3). **Jato coronal.** *Astr.* Estrutura especial da coroa solar, formada por prolongamentos radiais que partem da região inferior desta. **Jato de areia.** *Metal.* Equipamento destinado a lançar areia, em alta velocidade, sobre superfície metálica ou vítrea, etc., ou para obter acabamento artístico, ou para remover pintura, ferrugem, etc. **Jato de luz.** Feixe luminoso que se manifesta subitamente. **A jato.** A toda a pressa; com extraordinária velocidade. **De um jato.** De uma só vez.

jatobá [Do tupi.] *S. m. Bras. Bot.* **1.** Nome comum a árvores cesalpiniáceas do gênero *Hymenaea* (v. *himeneia*), de frutos comestíveis, e das quais se extrai o copal (1). [Sin.: *jataí, jataicica, jetaí, jetaíba, jitaí, jutaí, jutaipeba* ou *jutaipeva, jutaicica*.] **2.** Árvore cesalpiniácea (*Hymenaea courbaril*) nativa do México ao Brasil, de até 20m, folhas compostas, com dois folíolos coriáceos brilhantes, pequenas flores brancas, em cimeiras terminais, e frutos que são legumes indeiscentes, com sementes envoltas em polpa amarela e cheiro forte, edules; é a principal fonte para a produção do copal (1). [Sin.: *abati, abati-timbaí, algarobo, copal, jataí, jataí-açu, jataí-grande, jataí-mondé, jetaí, jetaíba, jetaí-de-pernambuco, jupati, jutaí, jutaí-açu, jutaipeba* ou *jutaipeva, jutaí-do-campo, olho-de-boi, pão-de-ló-de-mico, quebra-machado*.] **3.** Árvore cesalpiniácea (*Hymenaea courbaril* var. *stilbocarpa*) nativa do Piauí ao N. do Paraná, muito semelhante ao jatobá (2), e tb. importante para a produção de copal; jatobá-da-caatinga, jatobá-mirim, jatobazinho, jetaí-do-piauí, jutaí-mirim, quebra-facão. **4.** A madeira dessas árvores, de tom róseo-avermelhado. [Outros sin. e var., nas acepç. 1 a 4: *árvore-copal, castanha-de-bugre, courbaril, curbaril, jetaíba, jetaipeba, jutaí-pororoca, jutaí-roxo*.]

jatobá-da-caatinga *S. m. Bras. Bot.* V. *jatobá* (3). [Pl.: *jatobás-da-caatinga*.]

jatobá-do-campo *S. m. Bras. Bot.* Arvoreta cesalpiniácea (*Hymenaea stigonocarpa*) abundante nos cerrados, de folhas com dois folíolos amplos e espessos, flores vistosas, magnas e amarelas, e fruto comestível, sendo muito apreciada a massa doce que envolve as sementes. [Pl.: *jatobás-do-campo*.]

jatobaense *Adj. 2 g.* **1.** De, ou pertencente ou relativo a Jatobá (PB). ● *S. 2 g.* **2.** O natural ou habitante de Jatobá.

jatobá-mirim [Do tupi (v. *jatobá* e *-mirim*).] *S. m. Bras. Bot.* **1.** Árvore cesalpinioídea (*Copaifera trichiofficinalis*), de folhas penadas, flores minutas e ordenadas em cachos, e cujo fruto é um legume pequeno e monospermo. O tronco produz um óleo tido pelo povo como medicinal. [Pl.: *jatobás-mirins*.] **2.** V. *jatobá* (3). [Pl.: *jatobás-mirins*.]

jatobazinho [De *jatobá* + *-zinho*.] *S. m. Bras. Bot.* V. *jatobá* (3).

jator (ô) *S. m. Mar.* Lanterna elétrica portátil, de pilhas.

játrofa [Do tax. *Jatropha* (do gr. *iatrós*, 'médico', + gr. *trophé*, 'alimento').] *S. f. Bot.* **1.** Gênero de euforbiáceas caracterizado pela riqueza em glândulas e pelas sementes fortemente purgativas. **2.** Qualquer espécie desse gênero, como, p. ex., a *Jatropha podagrica* ou *Euphorbia lathyris* (v. *tártago*). **3.** Qualquer espécime desse gênero.

jatuarana [De or. tupi.] *S. f. Bras. Amaz. Zool.* **1.** Peixe hemiodontídeo (*Hemiodus microlepis*) da bacia amazônica, de até 25cm de comprimento, coloração clara com mácula negra sobre a linha lateral ao nível da porção posterior da nadadeira dorsal. **2.** V. *ubari*.

jatuaúba [Do tupi.] *S. f. Bras. Bot.* **1.** Árvore meliácea (*Guarea kunthiana*) de até 25m, de folhas compostas, penadas, inflorescências ger. axilares, paniculadas, e frutos capsulares, glabros, deiscentes; jutuaúba. **2.** V. *camboatá-branca*.

jatuaúba-branca [De *jatuaúba* + o f. de *branco*.] *S. f. Bras. Bot.* Árvore meliácea (*Guarea trichilioides*) muito comum no RJ, de tronco grosso e curto, folhas penadas, com folíolos oblíquos, flores pequeninas, em racemos alongados e compostos, fruto capsular e madeira sem préstimo; marinheiro. [Pl.: *jatuaúbas-brancas*.]

jatuaúba-preta (ê) [De *jatuaúba* + o f. de *preto*.] *S. f. Bras. Bot.* Árvore meliácea (*Guarea costulata*) nativa na região amazônica e semelhante à jatuaúba-branca (q. v.). [Pl.: *jatuaúbas-pretas*.]

jaturana [Do tupi.] *S. f. Bras. Bot.* Arvoreta meliácea (*Trichilia singularis*) de caracteres idênticos aos da jatuaúba-branca (q. v.).

jau [Do mal. *jau*.] *Adj. S. m.* Javanês. [Cf. *jaú*, s. m., e *Jaú*, top.]

jaú[1] [Do tupi.] *S. m. Bras. Zool.* Peixe pimelodídeo (*Paulicea luetkeni*) das bacias dos rios Amazonas e Paraná, de coloração parda, com manchas escuras e abdome branco, sendo os jovens exemplares chamados *jaupocas*, amarelados, com manchas violáceas. Mede até 2m de comprimento e pesa até 120kg; é um dos maiores peixes de água doce brasileiros. [Sin.: *jundiá-da-lagoa, manguriú*. Cf. *jau*.]

jaú[2] *S. m. Bras.* Espécie de andaime móvel, provido de roldanas e preso por cordas ao teto de um edifício, e utilizado para serviços de pintura e reparos externos. [Cf. *bailéu* (1).]

jauá *S. m. Bras. Zool.* V. *xauá*.

jauácano *S. m. Bras. Bot.* V. *iauácano*.

jauanaua *Bras. S. 2 g.* **1.** *Etnôn.* Indivíduo dos jauanauas [ou (etnôn. bras.) *Yawanawa], povo indígena da família linguística pano, que habita as margens do rio Taraucá (AC). ● *Adj. 2 g.* **2.** Pertencente ou relativo a esse povo.

jauaperi *Bras. S. 2 g.* **1.** *Etnôn.* Indivíduo dos jauaperis [ou (etnôn. bras.) *Yauaperí], povo indígena da família linguística pano, que habita as margens do rio Taraucá (AC). ● *Adj. 2 g.* **2.** Pertencente ou relativo a esse povo.

jauaraicica (a-u... a-i) [Do tupi = 'resina de cão'.] *S. f. Bras.* Espécie de resina escura, de cheiro ativo e acre sabor, empregada como breu ou betume.

jauarana (a-u) [Do tupi = 'semelhante a cão'.] *S. m. Bras. AM Zool.* O peixe-cachorro quando bem desenvolvido.

jauaré *Bras. S. 2 g.* **1.** *Etnôn.* Indivíduo dos jauarés, povo indígena extinto que habitava a margem esquerda do rio Araguaia (PA). ● *Adj. 2 g.* **2.** Pertencente ou relativo a esse povo. [Tb. us. como *s. 2 g. e 2 n.* (com cap.) e *adj. 2 g. e 2 n.*]

jauari[1] [Do tupi.] *S. m. Bras. Bot.* Palmeira arecácea (*Astrocaryum jauari*) de estipe alto, delgado, ger. múltiplo, formando grandes agrupamentos; folhas de uns 3m, acumuladas na ponta do caule, fornecedoras de fibras, e flores de sexos separados, nozes, sem sabor, de 3 a 5cm de comprimento. Vive ao longo de muitos rios da Amazônia. [Var.: *javari*.]

jauari[2] *Bras. S. 2 g.* **1.** *Etnôn.* Indivíduo dos jauaris [ou (etnôn. bras.) *Yauari], povo indígena extinto, da família linguística ianomâmi, que habitava a margem direita do rio Catrimani (RR). ● *Adj. 2 g.* **2.** Pertencente ou relativo a esse povo.

jauaricica [Do tupi.] *S. f.* V. *icica* (1).

jauarizal [De *jauari* + *-zal*.] *S. m. Bras.* Bosque de jauaris (v. *jauari*[1]).

jauavó *Bras. S. 2 g.* **1.** *Etnôn.* Indivíduo dos jauavós [ou (etnôn. bras.) *Yauavó], povo indígena extinto, da família linguística pano, que habitava as margens do alto rio Juruá (AC). ● *Adj. 2 g.* **2.** Pertencente ou relativo a esse povo.

jauei *Bras. S. 2 g.* **1.** *Etnôn.* Indivíduo dos jaueis [ou (etnôn. bras.) *Yauei], povo indígena extinto, que habitava as margens do rio Igapó-Açu, afluente da margem esquerda do rio Madeira (AM). ● *Adj. 2 g.* **2.** Pertencente ou relativo a esse povo.

jauense (a-u) *Adj. 2 g.* **1.** De, ou pertencente ou relativo a Jaú (SP). ● *S. 2 g.* **2.** O natural ou habitante de Jaú.

jaula [Do fr. ant. *jaole, jaiole* (atual *geôle*) < lat. tard. *caveola*, dim. de *cavea*, 'jaula'.] *S. f.* Prisão para feras; gaiola.

jaupacino (a-u) *Adj.* **1.** De, ou pertencente ou relativo a Jaupaci (GO). ● *S. m.* **2.** O natural ou habitante de Jaupaci (GO).

jaupoca (a-u) [De *jaú*[1] + o tupi = *poka*, 'barulhento'.] *S. m. Bras. Zool.* V. *jaú*[1].

jauruense (a-u) *Adj. 2 g.* **1.** De, ou pertencente ou relativo a Jauru (MT). ● *S. 2 g.* **2.** O natural ou habitante de Jauru.

java [Do ingl. *java*.] *S. m. Inform.* Linguagem de programação orientada a objetos desenvolvida nos anos 90.

javaé *Bras. S. 2 g.* **1.** *Etnôn.* Indivíduo dos javaés [ou (etnôn. bras.) *Yavahé], povo indígena da família linguística carajá, tronco macro-jê, que habita a margem direita do rio Araguaia, Ilha do Bananal (TO). ● *Adj. 2 g.* **2.** Pertencente ou relativo a esse povo.

javali [Do ár. *ǧabalī*, 'montês' (*i. e.*, 'porco-montês').] *S. m.* **1.** *Zool.* Animal mamífero (*Sus scrofa*), artiodáctilo, suiforme, suídeo. É a mais conhecida e a principal das espécies de porcos selvagens; distribui-se desde a Europa até a Ásia central, e do Báltico até o N. da África. Há uma subespécie hindu (*Sus scrofa cristatus*) que habita a Índia e o Sri Lanka. Todas as variedades de porcos domésticos são originárias dessas duas formas. O javali passa grande parte do dia fossando a terra em busca de plantas e animais, e torna-se furioso quando perturbado. Os adultos têm pelo cinza-claro uniforme, indo até o negro; os filhotes apresentam cor de terra clara com listras negras. [Sin.: *javardo, porco-bravo, porco-montês*. Fem.: *javalina* e *gironda*[1] (q. v.).] **2.** *Cul.* Iguaria feita com javali (1).

javalina [De *javali* + *-ina*[1].] *S. f. Zool.* A fêmea do javali. [Cf. *gironda*[1].]

javanês [Do fr. *javanais*.] *Adj.* **1.** De, ou pertencente ou relativo a Java (Indonésia). ● *S. m.* **2.** O natural ou habitante de Java. **3.** *Gloss.* Língua austronésia falada em Java. [Sin.: *jau*. Flex.: *javanesa* (ê), *javaneses* (ê), *javanesas* (ê).]

javanesa (ê) [F. subst. do adj. *javanês*.] *S. f. Tec. Têx.* Nome comercial do tecido produzido com fio de filamento de viscose na urdidura e fio de viscose fiado na trama; tem toque macio e é levemente brilhante.

javantropo [Do tax. *Javanthropus* < top. *Java* (Oceania) + gr. *ánthropos*.] *S. m. Paleont.* Em algumas classificações, gênero de hominídeos; estágio pitecantropoide do desenvolvimento humano, descoberto em Java, próximo ao rio Solo, em 1933.

J

javardice [De *javardo*[1] + *-ice*.] *S. f.* **1.** Imundície, porcaria. **2.** Ação de javardo[1] (2).

javardo[1] [De *jav(ali)* + *-ardo*.] *S. m.* **1.** *Zool.* V. *javali* (1): 📖 "soldados em grupos, ... disparando à toa as carabinas, num fanfarrear irritante e numa alacridade feroz de monteiro no último lance de uma batida a javardos." (Euclides da Cunha, *Os Sertões*, p. 273). **2.** *Fig.* Homem grosseiro, brutal; brutamontes. ● *Adj.* **3.** Nojento, porco, imundo.

javardo[2] *Adj.* Diz-se de certa variedade de trigo rijo.

javari [Var. de *jauari*.] *S. m. Bras. Bot.* V. *jauari*[1].

javé *S. m.* Jeová (q. v.). [Com cap.]

javevó *Adj. 2 g. Bras. SP* Diz-se de pessoa de aspecto desagradável, maltrajada, feia.

já vi ontem *S. m. 2 n. Bras. Pop.* Comida que sobrou do dia anterior e que é servida sem alteração ou transformada em outro prato. ☑

javira [Do tupi, poss.] *S. f. Bras. Bot.* V. *tucumãí*.

javradeira [De *javrar* + *-deira*.] *S. f.* Ferramenta usada para javrar.

javrar [De *javre* + *-ar*[2].] *V. t. d.* Abrir javres em.

javre [Do fr. *jable*.] *S. m.* Encaixe na extremidade das aduelas dos tonéis, no qual se embutem os tampos.

jazente [De *jazer* + *-nte*.] *Adj. 2 g.* **1.** Jacente (1 e 2). ● *S. f.* **2.** *Constr. Nav.* Peça de ferro fundido, ou armação reforçada de chapas ou cantoneiras, e sobre a qual se apoia uma torre, canhão, máquina ou aparelho. **3.** *Constr. Nav.* Cada uma das grossas vigas de madeira encastoadas na cantaria das carreiras de construção naval, e sobre as quais assentam os picadeiros ou o berço que sustém a embarcação.

jazer [Do lat. *jacere*.] *V. int.* **1.** Estar deitado, estendido, no chão ou em leito, etc.: 📖 "de tanta angústia se tomou, que os maus humores se lhe extravasaram, E .... jazeu uma semana no seu vasto leito, entregue às drogas do Mestre Álvaro Porcalho" (Eça de Queirós, *Últimas Páginas*, p. 350); 🗎 *O doente jazia no quarto.* **2.** Estar morto, ou como morto: 📖 "Alexandre Herculano não jaz: existe em nós" (Rui Barbosa, *Ensaios Literários*, p. 17); "Rezaram por alma de Esmeralda, que jazia no esquife branco, de palmito cruzado nas mãos frias." (José Cardoso Pires, *Jogos de Azar*, p. 131). **3.** Estar sepultado, inumado: 🗎 *Ao pé daquele monumento jazem os heróis da pátria.* **4.** Estar imóvel, sereno, quieto, tranquilo. *T. c.* **5.** Estar situado, colocado; ficar: 🗎 *A fazenda jaz entre duas colinas.* **6.** Habitar, morar, viver: 📖 "A infância não morre. O anjo que somos, nos primeiros anos, jaz, como enterrado, em nossa memória." (Teixeira de Pascoais, *Obras Completas*, VII, p. 120.) *T. i.* **7.** Apoiar-se, assentar: 🗎 *Todas as suas esperanças jaziam naquela promessa. Pred.* **8.** Permanecer, continuar: 📖 "as semanas passavam, e todo esse belo material de experimentação, sob a luz branca da claraboia, jazia virgem e ocioso." (Eça de Queirós, *Últimas Páginas*, p. 193). **9.** Permanecer, estar, encontrar-se; jazer-se: 📖 "Há no meu peito uma porta / A bater continuamente; / Dentro a esperança jaz morta / E o coração jaz doente." (José Albano, *Rimas*, p. 20.) *P.* **10.** V. *jazer* (9). [Pres. ind.: *jazo*, etc.; pret. perf.: *jazi*, *jazeste*, etc. Conjuga-se em todas as formas.]

jazida [De *jazer* + *-ida*[3].] *S. f.* **1.** Ato de jazer(-se). **2.** Lugar onde alguém jaz. **3.** *Fig.* Quietude, serenidade, calma. **4.** *Bras.* Depósito natural de uma ou mais substâncias úteis, inclusive os combustíveis naturais. [Sin.: *jazimento* e (lus.) *jazigo*.] **5.** *Med. P. us.* Posição, postura, atitude. ◆ **Jazida arqueológica.** Sítio arqueológico. **Jazida de impregnação.** Emanações minerais que se difundem em camadas permeáveis, impregnando-lhes os poros. **Jazida paleontológica.** Sítio paleontológico.

jazido [Part. de *jazer*.] *Adj.* Que jaz: "o corpo jazido e ensanguentado" (Haroldo Maranhão, *As Peles Frias*, p. 157).

jazigo [De *jazer*, com term. de difícil explicação.] *S. m.* **1.** V. *sepultura* (1): "E no dia seguinte, à hora da visita ao cemitério, o jazigo de Feliciano de Medeiros era todo ele .... um caprichoso arranjo dos mais belos crisântemos" (José Régio, *Histórias de Mulheres*, p. 336). **2.** *P. ext.* Pequena edificação, nos cemitérios, destinada ao sepultamento de várias pessoas: *O jazigo dos aviadores é no cemitério S. João Batista; Foi enterrado no jazigo da família.* **3.** Monumento funerário. **4.** *Lus.* V. *jazida* (4). **5.** *Fig.* Depósito, reservatório. **6.** *Fig.* Abrigo; refúgio.

jazimento [De *jazer* + *-imento*.] *S. m.* **1.** Ato ou efeito de jazer. **2.** V. *jazida* (4).

jazitura *S. f. Geom. Projet.* Propriedade comum a uma família de planos paralelos.

➔ **jazz** [dʒæz] [Ingl.] *S. m. Mús.* Música profana, vocal ou instrumental, dos negros norte-americanos, que se tornou progressivamente, depois da I Guerra Mundial, uma forma de expressão quase universal. [Pl.: *jazzes*.]

➔ **jazz-band** [ˈdʒæzbænd] [Do ingl. *jazz band*.] *S. m. Mús.* Conjunto de *jazz* no qual predominam os instrumentos de sopro. [Pl.: *jazz-bands*.]

jazzista [Do ingl. *jazz* + *-ista*.] *S. 2 g. Bras. Mús.* Compositor, intérprete, conhecedor e/ou grande admirador do *jazz*.

jazzístico [De *jazz* + *-ist(a)-* + *-ico*[2].] *Adj. Mús.* Pertencente ou relativo ao *jazz*.

jazzófilo [De *jazz* + *-o-*[1] + *-filo*[2].] *Adj. S. m. Mús.* Que, ou aquele que é aficionado ou estudioso de *jazz*.

jé *S. 2 g. Adj. 2 g. Bras.* V. *jê*.

jê *S. m. Bras.* **1.** Família linguística do tronco macro-jê, que reúne diversas línguas faladas por povos indígenas do Brasil central. ● *Adj. 2 g.* **2.** Pertencente ou relativo a jê. [Var. pros.: *jé*. Cf. *gê*.]

➔ **jeans** [dʒijnz] [Ingl., do fr. *Gênes*, 'Genova', porto na Itália.] *S. m. 2 n.* **1.** *Tec. Têx.* Sarja de algodão, ger. tingida com anil; *blue jeans*. **2.** *Vest.* Peça de roupa feita com esse tecido, esp. calças: *O jeans tornou-se um item de moda a partir do final dos anos 40.*

jeba *S. f. Bras. S. Chulo* O pênis. [Cf. *geba* (ê), s. f., e *geba*, do v. *gebar*.]

jebara *S. f. Bras.* V. *jaribara*.

jebaru [De or. tupi, poss.] *S. m. Bras. Bot.* Árvore cesalpiniácea (*Eperua purpurea*) de até 30m, de flores em racemos e vagens achatadas, que habita a região amazônica e tem bela copa purpúrea; tem propriedades medicinais. [Var.: *iebaro*. Sin.: *copaibarana*.]

jebimba *S. f. Bras.* Tavolagem (1) de ínfima ordem.

jebu [Voc. onom.] *S. m. Bras. PE* Chabu.

jeca [F. red. de *jeca-tatu*.] *Bras. S. 2 g.* **1.** V. *caipira* (1). ● *Adj. 2 g.* **2.** V. *caipira* (3 a 5). **3.** *P. ext.* V. *cafona* (1).

jeca-tatu [Do ficcion. *Jeca Tatu*, do conto "Urupês", da obra homônima de Monteiro Lobato (v. *lobatiano*).] *S. m. Bras.* Nome e símbolo do caboclo do interior do Brasil. [F. red.: *jeca* (q. v.). Pl.: *jecas-tatus*.]

jeceabano *Adj. S. m.* V. *jeceabense*.

jeceabense *Adj. 2 g.* **1.** De, ou pertencente ou relativo a Jeceaba (MG). ● *S. 2 g.* **2.** O natural ou habitante de Jeceaba. [Sin. ger.: *jeceabano*.]

jecoral [Do lat. tard. *jecorale*.] *Adj. 2 g.* V. *hepático* (1).

jecorário [Do lat. **jecorariu*.] *Adj.* V. *hepático* (1).

jeffersonita [Do antr. (*Thomas*) *Jefferson* (1743-1826), estadista norte-americano que foi presidente da República, + *-ita*[3].] *S. f. Min.* Mineral monoclínico, silicato de cálcio, manganês, zinco e ferro, do grupo dos espinélios.

jegue [Do ingl. *jackass*.] *S. m. Bras. N. N.E. C.O.* **1.** *Zool.* V. *jumento* (1): "Imaginava-se tangendo o jegue na estrada, com os caçuás entupidos." (Jorge Medauar, *Água Preta*, p. 33.) **2.** *Fig.* V. *burro* (8).

jeguedê [De or. afr.] *S. m. Bras. S.* **1.** Instrumento de percussão, de origem africana. **2.** Dança ao som desse instrumento.

jeicó *S. 2 g. Adj. 2 g. Bras.* V. *jaicó*.

jeira [Do lat. *diaria* (*opera*), 'trabalhos diários'.] *S. f.* **1.** Jugada (1). **2.** Antiga unidade de medida de área de superfície agrária, equivalente a 400 braças quadradas, ou seja, 0,2 hectare: "fez-lhe a doação de uma quinta com trinta jeiras de terra." (Guerra Junqueiro, *Contos para a Infância*, p. 64). **3.** Serviço de um jornaleiro[1] (1) em cada dia, e o respectivo salário. ◆ **À jeira.** À jorna.

jeitão [De *jeito* + *-ão*[1].] *S. m. Bras. Fam.* **1.** Aspecto, aparência, feição, jeito. **2.** Jeito, modo de ser, de agir, muito pessoal, bem peculiar: "gritava com aquele jeitão presunçoso: | — Ó, psiu, ocê mesmo, marmanjo de preto... ! Me traz duas espumantes e qualquer tira-gosto!" (Antônio Celso Alves Pereira, *Rua do Quenta-Sol*, p. 37).

jeitinho [De *jeito* + *-inho*[1].] *S. m. Pop.* **1.** Modo especial de fazer ou resolver algo, com habilidade, inteligência ou praticidade. **2.** Modo carinhoso de tratar alguém: *Tratar um amigo com jeitinho.* ◆ **Dar um jeitinho a.** Dar um jeito a. **Dar um jeitinho em.** Dar um jeito em.

jeito [Do lat. *jactu*.] *S. m.* **1.** Modo, maneira: "Mirou-a por tanto tempo e de tal jeito, que ela se sentiu incomodada" (Amando Fontes, *Os Curumbas*, p. 83). **2.** Feição, feitio, aspecto: *Tem o jeito de uma pera.* **3.** Disposição de espírito; índole, caráter, feição, feitio: "Tinha Tavares Bastos o jeito grave dos que amadurecem cedo demais." (Valdemar Cavalcanti, *Jornal Literário*, p. 194.) **4.** Propensão, pendor: *Não tem jeito para a música;* "não parava em emprego nenhum, não obedecia aos patrões, não tinha perseverança, não tinha jeito mesmo para o trabalho." (Mário Matos, *Casa das Três Meninas*, p. 117). **5.** Habilidade, capacidade; arte: "Ninguém sabia histórias mais bonitas que a velha Tidu. Nem tinha mais jeito para as contar." (Reginaldo Guimarães, *Uma Blusa no Cais*, p. 46.) **6.** Torcedura (2): *Dei um jeito no pé, e não estou podendo andar.* **7.** Arrumação, arranjo: *Dê um jeito nesta sala, que está toda desarrumada.* **8.** *Bras. Fam.* Jeito ou modo de proceder próprio de pessoas bem-educadas; boas maneiras, bons modos; modos: *— Tenha jeito, menino: não ande gritando pela rua;* "Um marmanjão do seu tamanho, não tem jeito, não tem vergonha, sempre dando incômodos." (Guido Vilmar Sassi, *Piá*, p. 90). ◆ **A jeito.** De molde; a calhar; convenientemente, oportunamente. **Ao jeito de.** Ao modo de; à maneira de: *Escreveu um romance ao jeito de Zola.* **Com jeito.** Com habilidade; com perfeição. **Dar jeito.** *Lus.* Ser útil, conveniente, adequado. **Dar um jeito a.** *Bras.* Encontrar uma solução ou saída para (determinada situação); dar um jeitinho a. **Dar um jeito em.** *Bras.* **1.** Fazer com que se comporte convenientemente; submeter à disciplina. **2.** Consertar, reparar, compor: *Dei um jeito na televisão.* [Sin. ger.: *dar um jeitinho em*.] **Daquele jeito.** *Bras. Fam.* Expr. com que se traduzem numerosas ideias, em geral pejorativas: *Saiu e deixou o quarto daquele jeito* (em desordem); *Você bem sabe que F. trabalha daquele jeito* (mal, sem vontade, ou pouco); *Portou-se daquele jeito* (mal, de modo inconveniente). **Desculpar o mau jeito.** Expr. muitas vezes irônica (us. em geral no imperativo), com que se inicia uma crítica, uma restrição, ou se pede desculpa de incômodo que se vai causar a outrem: *Desculpe o mau jeito, mas acho que você não agiu certo; Pedi-lhe que desculpasse o mau jeito, mas eu tinha de lhe desarrumar os papéis.* **Fazer jeito.** Ser conveniente, útil; convir. **Levar jeito para.** Ter jeito, aptidão, queda, para: *Ele não leva jeito para desenhar, mas leva muito jeito para música.* **Sem jeito.** Acanhado, embaraçado, atado: *Queria falar, mas estava sem jeito.* **Ser de jeito.** Ser possível; dar certo: "Gosto muito de crianças: / Não tive um filho de meu. / Um filho!... Não foi de jeito..." (Manuel Bandeira, *Estrela da Vida Inteira*, p. 173.)

jeitoso (ô) [De *jeito* + *-oso*.] *Adj.* **1.** Que tem jeito; hábil. **2.** De boa aparência; elegante, airoso: *Não é bonita, mas é bem jeitosa.* **3.** Conveniente, apropriado, adequado: *Sempre encontra soluções jeitosas para as dificuldades.*

jejá [Do tupi, poss.] *S. f. Bras. CE Zool.* Inseto himenóptero, formicídeo (*Camponotus abdominalis*), de coloração escura com o abdome amarelado ou pardo-claro. Como as demais espécies do gênero, procura substâncias açucaradas. [Cf. *formiga-açucareira*.]

jeje (ê) [Do ior. *ajeji*, 'estrangeiro', ou do fom *Dje-dje*, nome de uma cidade do vale do Ouemé, Benim (África).] *S. 2 g.* **1.** *Etnôn.* Indivíduo dos jejes, ou guns, povo do S.E. da República do Benim. **2.** *P. ext.* Nome que se dá no Brasil, esp. na Bahia, a indivíduo não ioruba, originário da antiga Costa dos Escravos, seja fom, maí, gum ou de outra nação. ● *S. m.* **3.** *Gloss.* V. *fom* (2). ● *Adj. 2 g.* **4.** Pertencente ou relativo a jeje (1 a 3).

jejé *S. m. Bras. Gír.* V. *cadeia* (3). [Cf. *jejê*.]

jejê [De or. incerta.] *Adj. 2 g. Bras. BA* Diz-se do bovino que tem certa cor de pelo. [Cf. *jejé*.]

jeje-nagô *Adj. 2 g. Bras. Rel.* Que tem características jejes e nagôs fundidas: *candomblé jeje-nagô, rito jeje-nagô.* [Pl.: *jejes-nagôs*.]

jeju [Do tupi.] *S. m. Bras. Zool.* Peixe eritrinídeo (*Hoplerythrinus unitaeniatus*) das bacias dos rios Amazonas, Paraná, Paraguai e São Francisco, de coloração semelhante à da traíra, com faixa preta ao longo da linha lateral, e comprimento de até 40cm. É carnívoro e pode resistir por longo tempo fora d'água. [Var.: *jiju*. Sin.: *traíra-pixuna*, *traíra-pixúria*.]

jejuador (ô) [Do lat. tard. *jejunatore*.] *Adj. S. m.* **1.** Que, ou aquele que jejua. **2.** Que, ou aquele que gosta de jejuar ou costuma fazê-lo. [Sin. ger.: *jejuante*.]

jejuante [De *jejuar* + *-nte*.] *Adj. 2 g. S. 2 g.* V. *jejuador*.

jejuar [Do lat. tard. *jejunare*.] *V. int.* **1.** Praticar o jejum (1); abster-se de comer: *Devem os católicos jejuar na sexta-feira santa;* "Confessa-se, jejua e assiste às missas" (Conde de Monsaraz, *Musa Alentejana*, p. 225). **2.** Abster-se de algo. **3.** Continuar na ignorância de algo. *T. i.* **4.** Ser ignorante; ignorar.

jejuíra [De or. tupi, poss.] *S. f. Bras. Bot.* V. *gonçalo-alves*.

jejum [Do lat. *jejunu*, adj., que tomou o lugar do subst. *jejuniu*.] *S. m.* **1.** Abstinência ou abstenção total ou parcial de alimentação em determinados dias, por penitência ou prescrição religiosa ou médica. **2.** Estado de quem não come desde o dia anterior. **3.** *Fig.* Privação ou abstenção ou falta de alguma coisa: *jejum de sexo, jejum de gols.* **4.** *Fam.* Desconhecimento de determinado assunto. ◆ **Quebrar o jejum.** **1.** Comer ou beber tendo estado até então em jejum. **2.** Ingerir alimentos antes do tempo estabelecido para terminar o jejum. [Sin. (no N.E.): *quebrar o cuspe*.] **3.** *Esport.* Voltar a marcar ou a ganhar depois de longo tempo sem marcar ou sem ganhar (jogo, competição, etc.): "[Com a vitória de Entre Muros] a França quebrou um jejum de duas décadas sem vencer a Palma de Ouro] (Amir Labaki, em *Folha de S.Paulo*, 26.05.2008).

jejunal [De *jejuno*[2] + *-al*[1].] *Adj. 2 g. Anat.* Relativo ou pertencente ao jejuno[2].

jejunectomia [De *jejuno*[2] + *-ectom-* + *-ia*[1].] *S. f. Cir.* Excisão de jejuno[2], ou de parte dele.

jejunite [De *jejuno*[2] + *-ite*[1].] *S. f. Patol.* Inflamação do jejuno[2].

jejuno[1] [Do lat. *jejunu*.] *Adj.* **1.** Que está em jejum. **2.** Ignorante, insipiente: *É jejuno em literatura.*

jejuno[2] [Do lat. *jejunum* (*intestinum*).] *S. m. Anat.* Parte do intestino delgado entre o duodeno e o íleo.

jejunostomia [De *jejuno* + *-stom(o)-* + *-ia*[1].] *S. f. Cir.* Comunicação do jejuno[2] com o meio exterior, construída cirurgicamente com o objetivo de alimentar um paciente.

jejunostómico *Adj.* V. *jejunostômico*. [Uso freq. em P.]

jejunostômico [De *jejunostomia* + *-ico*[2].] *Adj.* Relativo a jejunostomia.

jembê [Do quimb. *ji-bembé*, 'beldroega'.] *S. m. Bras. MG Cul.* Certo guisado de quiabo, com ervas, lombo de porco salgado e angu.

jembezeiro (bê) [De *jembê* + *-zeiro*.] *S. m. Bras. MG* Aquele que é perito no preparo do jembê.

jendiroba [Var. de *jandiroba*.] *S. f. Bras. Bot.* V. *fava-de-santo-inácio-falsa* (1).

jeneúna [Do tupi.] *S. f. Bras. Bot.* Árvore cesalpiniácea (*Cassia leiandra*) ornamental, de grandes flores amarelas reunidas em inflorescências amplas, fruto capsular, e que fornece madeira para construção. Ocorre no AM, N.E., e no C.O. [Sin: *marimari*, *seruaia*.]

jenipapada [De *jenipapo* + *-ada*[1].] *S. f. Bras. N. N.E. Cul.* Doce feito de jenipapo cortado em pedacinhos e misturado com açúcar, sem ir ao fogo: "serviam-nos umbuzada, uma delícia, melhor do que jenipapada" (Gilberto Amado, *História da Minha Infância*, p. 268).

jenipaparana [De *jenipapo* + *-a-*[1] + *-rana*.] *S. f. Bras. Bot.* Árvore lecitidácea (*Gustavia augusta*) de flor grande, alva e rósea, e cuja madeira, branca e flexível, é us. em marcenaria.

jenipaparana-da-mata *S. f. Bras. Bot.* V. *jandiparaíba*. [Pl.: *jenipaparanas-da-mata*.]

jenipapeiro [De *jenipapo* + *-eiro*.] *S. m. Bras. Bot.* Árvore rubiácea (*Genipa americana*) de folhas oblongas e agudas, flores longas, tubulosas e alvas, e cujo fruto, o jenipapo, é uma baga fortemente aromática e muito apreciada para licores, sendo a madeira, clara, utilizada no fabrico de coronhas e raquetes. Ocorre em todo o Brasil.

jenipapim [De *jenipapo* + *-im*.] *S. m. Bras. Bot.* Arbusto rubiáceo (*Tocoyena formosa*) que ocorre na restinga e no cerrado, de folhas amplas e rugosas, flores muito compridas, tubulosas, amarelas, e cujo fruto é uma baga dura com numerosas sementes; jenipapo-do-campo.

jenipapo[1] [Do tupi.] *S. m. Bras.* **1.** Fruto do jenipapeiro, cujo suco é usado por certos indígenas para escurecer a pele, e do qual se faz um licor muito popular no N. e N.E. do Brasil. **2.** Mancha escura na parte inferior da região dorsal dos recém-nascidos, considerada como sinal de mestiçagem.

jenipapo[2] *Bras. S. 2 g.* **1.** *Etnôn.* Indivíduo dos jenipapos, povo indígena extinto que habitava a região central do CE, próximo à nascente do rio Choró. • *Adj. 2 g.* **2.** Pertencente ou relativo a esse povo. [Tb. us. como *s. 2 g. e 2 n.* (com cap.) e *adj. 2 g. e 2 n.*]

jenipapo-canindé *Bras. S. 2 g.* **1.** *Etnôn.* Indivíduo dos jenipapos-canindés [ou (etnôn. bras.) *Jenipapo-Kanindé], povo indígena que habita o CE. • *Adj. 2 g.* **2.** Pertencente ou relativo a esse povo. [Pl.: *jenipapos-canindés.*]

jenipapo-do-campo *S. m. Bras. Bot.* Jenipapim. [Pl.: *jenipapos-do-campo.*]

jenneriano [Do antr. (*Edward*) *Jenner* + *-iano.*] *Adj.* **1.** Pertencente ou relativo a Edward Jenner, médico inglês (1749-1823), o descobridor da vacina antivariólica, ou próprio dele. **2.** Diz-se da vacinação antivariólica.

jennerização [Do antr. *Jenner* + *-izar-* + *-ção.*] *S. f. Med.* Produção de imunidade a uma doença pela inoculação de uma forma atenuada do agente causador dessa doença.

jenolim *S. m.* Cor amarelada, de uso na pintura.

jeová [Do hebr. *Jehovah*, transliteração das quatro letras (IHVH, JHVH, JHWH, YHVH ou YHWH) que designavam Deus, cujo nome era tido por sacratíssimo, não podendo ser pronunciado em voz alta.] *S. m.* Designação de Deus no Antigo Testamento; Javé. [Com cap.]

jeovismo [De *Jeová* + *-ismo.*] *S. m.* **1.** A tradição religiosa dos hebreus, tal como é descrita nos livros do Antigo Testamento em que Deus é denominado *Jeová*. **2.** A época histórica correspondente a essa tradição.

jeovista [De *jeovismo* + *-ista.*] *Adj. 2 g.* **1.** Referente ao jeovismo. **2.** Que é adepto do jeovismo. **3.** Diz-se de alguns textos do Pentateuco nos quais Deus recebe o nome de *Jeová*, e que certos críticos distinguem dos textos eloístas quanto à época e origem; jeovístico. • *S. 2 g.* **4.** Adepto do jeovismo.

jeovístico [De *jeovista* + *-ico*[2].] *Adj.* Jeovista (3).

jeque [De or. *incerta.*] *S. m.* **1.** *Bras. PE* Peça componente dos desvios nas estradas de ferro. **2.** *Bras. Mar. G.* V. *bandeira da proa.* [Sin., lus., nesta acepç.: *jaque.*]

jequeriense *Adj. 2 g.* **1.** De, ou pertencente ou relativo a Jequeri (MG). • *S. 2 g.* **2.** O natural ou habitante de Jequeri.

jequi [Do tupi.] *S. m.* **1.** *Bras. N.E.* Cesto para pesca, muito oblongo, afunilado, feito de varas finas e flexíveis; cacuri. • *Adj. 2 g.* **2.** *Bras. Amaz. N.E.* Justo, apertado; jequito: *Esta blusa não dá mais para a menina usar: está muito jequi.* ◆ **Botar num jequi.** *Bras. AL Fig.* Deixar em situação difícil, em apuros.

jequiá [Do tupi.] *S. m. Bras.* Cesto aberto.

jequice [De *jeca* + *-ice.*] *S. f. Bras.* **1.** Ato ou maneiras próprias de jeca. **2.** *P. ext.* Cafonice, miquelinice.

jequieense (èen) *Adj. 2 g.* **1.** De, ou pertencente ou relativo a Jequié (BA). • *S. 2 g.* **2.** O natural ou habitante de Jequié.

jequirioba [Do tupi.] *S. f. Bras. Bot.* **1.** Arbusto solanáceo (*Solanum jequirioba*) de amplas folhas membranáceas, flores cimosas, afuniladas, com estames amarelos e anteras poricidas, e cujo fruto é uma baga. **2.** V. *jucíri.*

jequiriti [Do tupi.] *S. m. Bras. Bot.* Trepadeira fabácea (*Abrus precatorius*) comum nas regiões tropicais, de folhas com numerosos folíolos pequenos e oblongos, flores pequenas, vermelhas ou róseas, legume curto, com quatro a seis sementes, vermelhas com mancha negra, e que encerram uma toxialbumina, a *abrina* (q. v.). [Var.: *jiquiriti, juqueriti.* Sin.: *alcaçuz-da-américa, açacumirim, olho-de-cabra, olho-de-pombo, piriquiti, piriquitá, tento.*]

jequitá [Do tupi.] *S. m. Bras. Bot.* Palmeira arecácea (*Desmoncus rudentum*) de até 20m de altura e apenas 2cm de diâmetro, a qual ascende pelo tronco das árvores, e cujas folhas são providas de acúleos negros, servindo as hastes para a fabricação de bengalas. Ocorre no C.O. do Brasil.

jequitaiense (a-i) *Adj. 2 g.* **1.** De, ou pertencente ou relativo a Jequitaí (MG). • *S. 2 g.* **2.** O natural ou habitante de Jequitaí.

jequitibá [Do tupi.] *S. m. Bras. Bot.* **1.** Nome comum a grandes árvores lecitidáceas do gênero *Cariniana* (v. *cariniana*). **2.** Árvore lecitidácea (*Cariniana estrellensis*) nativa de várias regiões do Brasil, cujo tronco tem mais de 1m de diâmetro; folhas serreadas, pequenas flores alvo-amareladas, paniculadas, frutos que são longos pixídios, e madeira e casca úteis. [Sin.: *jequitibá-branco, jequitibá-rosa, jequitibá-vermelho, pau-caixão, pau-carga, pau-de-cachimbo.*] **3.** V. *jequitibá-rosa* (2). **4.** Jequitibá-vermelho (3). [Var.: *jequitivá, jiquitibá.*]

jequitibá-branco *S. m. Bras. Bot.* **1.** V. *jequitibá* (2). **2.** V. *jequitibá-rosa* (2). [Pl.: *jequitibás-brancos.*]

jequitibá-cedro *S. m. Bras. Bot.* V. *jequitibá-rosa* (2). [Pl.: *jequitibás-cedros* e *jequitibás-cedro.*]

jequitibaense[1] (bà) *Adj. 2 g.* **1.** De, ou pertencente ou relativo a Alto Jequitibá (MG). • *S. 2 g.* **2.** O natural ou habitante de Alto Jequitibá.

jequitibaense[2] (bà) *Adj. 2 g.* **1.** De, ou pertencente ou relativo a Jequitibá (MG). • *S. 2 g.* **2.** O natural ou habitante de Jequitibá.

jequitibá-rosa *S. m. Bras. Bot.* **1.** V. *jequitibá* (2). **2.** Árvore lecitidácea (*Cariniana legalis*) de até 50m e cerca de 1m de diâmetro, uma das maiores árvores brasileiras, de madeira de lei vermelho-rosada, casca útil, folhas membranáceas, diminutas flores alvas, paniculadas, e frutos que são pixídios pequenos porém longos [Sin.: *jequitibá, jequitibá-branco, jequitibá-cedro, jequitibá-vermelho, pau-caixão, pau-carga, pau-de-carga.*] [Pl.: *jequitibás-rosas.*]

jequitibá-vermelho *S. m. Bras. Bot.* **1.** V. *jequitibá* (2). **2.** V. *jequitibá-rosa* (2). **3.** Árvore lecitidácea (*Cariniana rubra*) nativa do C.O. do Brasil, de madeira clara, útil, folhas alternas, diminutas flores vermelhas, paniculadas, e frutos que são pixídios lenhosos; jequitibá. [Pl.: *jequitibás-vermelhos.*]

jequitiguaçu [Do tupi.] *S. m. Bot.* V. *saboeiro* (3).

jequitinhonhense *Adj. 2 g.* **1.** De, ou pertencente ou relativo a Jequitinhonha (MG). • *S. 2 g.* **2.** O natural ou habitante de Jequitinhonha.

jequitirana [Do tupi.] *S. f. Bras. Bot.* V. *falso-oró.*

jequitiranaboia (ói) [Do tupi.] *S. f. Bras. Zool.* Inseto homóptero fulgorídeo, caracterizado por ter a região anal das asas posteriores reticulada, com muitas nervuras transversais; a cabeça, cujo aspecto lembra a do sáurio, torna-o muito temido pelo povo. É inofensivo, embora seja voz corrente que sua picada pode secar uma árvore ou matar um homem. [Sin., e alguns deles var.: *jaquiranaboia, jitiranaboia, jiquitiramboia, cigarra-cobra, cobra-de-asa, cobra-do-ar.*] ❖

jequitivá *S. m. Bras. Bot.* V. *jequitibá.*

jequito *Adj. Bras. Amaz.* V. *jequi* (2).

jeraqui *S. m. Bras. TO* V. *jaraqui* (1).

jerarquia *S. f.* Hierarquia (q. v.): "as mulheres de todas as jerarquias, exceto as que pertencem a essa classe de contrabando a que se chama o *demimonde.*" (Ramalho Ortigão, *Em Paris*, p. 210.)

jerárquico *Adj.* V. *hierárquico.*

jerarquismo *S. m.* V. *hierarquismo.*

jerarquização *S. f.* V. *hierarquização.*

jerarquizado *Adj.* V. *hierarquizado.*

jerarquizar *V. t. d.* V. *hierarquizar.*

jerarquizável *Adj. 2 g.* V. *hierarquizável.*

jeratataca [F. dissimilada de *jeratacaca.*] *S. f. Bras. Bot.* V. *manacá* (2).

jereba [Do tupi = 'o que se revira'.] *S. m. Bras.* **1.** Animal ruim de montaria, magro e/ou fraco. **2.** Arreios. **3.** Indivíduo desajeitado ou desleixado, lambuzão. **4.** *Bras. Zool.* V. *urubu-de-cabeça-vermelha.* • *S. f.* **5.** *Bras. SP Pop. Deprec.* Meretriz. **6.** *Bras. GO Pop.* V. *escabiose.* **7.** *Bras. BA Zool.* Espécie de raia[2] (1) grande.

jeremataia [Do tupi = 'jurema' + o tupi = 'picante'.] *S. f. Bras. Bot.* Jirimate.

jeremiada [Do fr. *jérémiade.*] *S. f.* Lamúria ou queixa importuna e vã: "Altamirano lançou os *Poemas ao Portador*, mirrada reunião de lamentos, gemidos, jeremiadas, ... sombras cemiteriais e anseios de morte." (Marques Rebelo, *A Mudança*, p. 234.)

jeremiar [Do antr. *Jeremias*, profeta bíblico autor do livro das *Lamentações* + *-ar*[2].] *V. t. d.* **1.** Dizer ou proferir entre lamúrias. *Int.* **2.** Choramingar, lastimar-se, lamuriar(-se).

jeremoabense *Adj. 2 g.* **1.** De, ou pertencente ou relativo a Jeremoabo (BA). • *S. 2 g.* **2.** O natural ou habitante de Jeremoabo.

jereré[1] [Do tupi.] *S. m. Bras.* Espécie de rede em formato cônico, presa a um semicírculo de madeira provido de um cabo longo, us. para a pesca de camarões, siris, pitus e peixes miúdos; landuá. [Var.: *jareré.* Cf. *puçá.*]

jereré[2] [De or. obscura.] *S. m. Bras. SP* V. *escabiose.* [Var.: *jareré.*]

jereré[3] [T. onom., poss.] *S. m. Bras. BA* V. *garoa*[1] (3).

jererê *S. m. Bras.* V. *baseado*[1].

jereziano[1] *Adj.* **1.** De, ou pertencente ou relativo a Jerez (México). • *S. m.* **2.** O natural ou habitante de Jerez.

jereziano[2] *Adj.* **1.** De, ou pertencente ou relativo a Jerez de la Frontera (Espanha). • *S. m.* **2.** O natural ou habitante de Jerez de la Frontera.

jerezino[1] *Adj. S. m.* V. *jereziano*[1].

jerezino[2] *Adj. S. m.* V. *jereziano*[2].

jeribá [Do tupi.] *S. m. Bras. Bot.* V. *jerivá* (1).

jeribazeiro (bà) [De *jeribá* + *-zeiro.*] *S. m. Bras. Bot.* V. *jerivá* (1).

jeribita [De or. afr., poss.] *S. f. Bras. Pop.* V. *cachaça* (1): "— Que é da jeribita? Um trago é bom para cortar algum ar que a gente apanhe." (Afonso Arinos, *Pelo Sertão*, p. 32.)

jericada [De *jerico* + *-ada*[1].] *S. f.* **1.** Bando de jericos. **2.** V. *asneira* (1).

jerico [De or. controversa.] *S. m.* **1.** V. *jumento* (1): "A família veio por aí acima, entregue ao passo conformado daqueles heroicos jericos de Monsanto" (Fernando Namora, *Retalhos da Vida de um Médico*, p. 11). **2.** *Fig.* V. *burro* (8).

jericó [De *rosa-de-jericó* (seca sem morrer, como esta).] *S. m. Bras. Bot.* Erva selaginelácea (*Selaginella convoluta*) que ocorre na caatinga nordestina, e cujas folhas gozam da propriedade de, durante a estação seca, enrolar-se em bola, abrindo-se de novo ao chegarem as chuvas. Não produz flores, reproduzindo-se por meio de esporos situados em esporângios.

jericoense (òen) *Adj. 2 g.* **1.** De, ou pertencente ou relativo a Jericó (PB). • *S. 2 g.* **2.** O natural ou habitante de Jericó.

jericuntino *Adj.* **1.** De, ou pertencente ou relativo a Jericó, antiga cidade palestina. • *S. m.* **2.** O natural ou habitante de Jericó.

jerimbamba *S. f. Bras. MG Pop.* Briga de que resulta morte. [Cf. *turumbamba.*]

jerimu [Do tupi.] *S. m. Bras. N. N.E. Bot.* V. *jerimum.*

jerimum [Var. de *jerimu.*] *S. m. Bras. N. N.E. Bot.* **1.** V. *abóbora* (1). **2.** V. *aboboreira.* **3.** V. *abóbora-moganga.*

jerimunzeiro [De *jerimum* + *-zeiro.*] *S. m. Bras. N. N.E. Bot.* V. *aboboreira.*

jerimuzeiro [De *jerimu* + *-zeiro.*] *S. m. Bras. N. N.E.* **1.** *Bot.* V. *aboboreira.* **2.** *Fig.* V. *jerivá sem folha.*

jeripancó *Bras. S. 2 g.* **1.** *Etnôn.* Indivíduo dos jeripancós, povo indígena que habita AL. • *Adj. 2 g.* **2.** Pertencente ou relativo a esse povo. [Outra forma: *jiripancó.* Tb. us. como *s. 2 g. e 2 n.* (com cap.) e *adj. 2 g. e 2 n.*]

jeriquarense *Adj. 2 g.* **1.** De, ou pertencente ou relativo a Jeriquara (SP). • *S. 2 g.* **2.** O natural ou habitante de Jeriquara.

jeritataca *S. f. Bras. Bot.* V. *jaritataca.*

jerivá [Do tupi = 'tipo de palmeira'.] *S. m. Bras.* **1.** *Bot.* Palmeira arecácea (*Syagrus romanzzofiana*) solitária de até 15m, nativa do Paraguai, Argentina e Brasil, de estipe ereto, cilíndrico, folhas penadas, crespas, us. como cobertura, inflorescências amarelas em cacho, frutos drupáceos glabros, edules, e palmito de sabor amargo, tb. edule. [Var.: *jeribá.* Sin.: *baba-de-boi, coquinho, datil, jerivazeiro* ou *jeribazeiro, guariroba, tâmara-da-terra.*] **2.** *Bot.* V. *coqueiro-catulé.* **3.** *Fig.* V. *jerivá sem folha.*

jerivá sem folha *S. m. Bras. RS* Pessoa alta e magra; jerivá. [Tb. se diz apenas *jerivá*; sin.: *jerimuzeiro.* Pl.: *jerivás sem folha.*] ☑

jerivazal (và) [De *jerivá* + *-zal.*] *S. m. Bras. S.* Quantidade mais ou menos considerável de jerivás ou jeribazeiros dispostos proximamente entre si. **2.** Área ocupada por jerivazal (1).

jerivazeiro (và) [De *jerivá* + *-zeiro*; var. de *jeribazeiro.*] *S. m. Bras. Bot.* V. *jerivá* (1).

jeriza [De *ojeriza*, com aférese.] *S. f. Bras. Ant.* Raiva, ira, ódio, ojeriza.

jero *S. m. Bot.* V. *cola*[2] (2). [Cf. *gero*, do v. *gerar.*]

jeroboão [Do antr. *Jeroboão*, personagem bíblico, rei de Israel; ingl. *jeroboam* ou fr. *jéroboam.*] *S. m.* Garrafa de vinho que contém o equivalente a quatro garrafas normais.

jeroglífico *Adj.* V. *hieroglífico.*

jeróglifo *S. m.* V. *hieróglifo.*

jeronimense[1] *Adj. 2 g.* **1.** De, ou pertencente ou relativo a São Jerônimo (RS). • *S. 2 g.* **2.** O natural ou habitante de São Jerônimo.

jeronimense[2] *Adj. 2 g.* **1.** De, ou pertencente ou relativo a São Jerônimo da Serra (PR). • *S. 2 g.* **2.** O natural ou habitante de São Jerônimo da Serra.

jeropari *S. m. Bras. Zool.* V. *jurupari* (3).

jeropiga [Poss. de *xaropiga, de *xarope* (é adocicada).] *S. f.* **1.** Bebida feita de mosto, aguardente e açúcar: "ordenou que lhe servissem a mais forte das jeropigas disponíveis" (João Ubaldo Ribeiro, *O Feitiço da Ilha do Pavão*, p. 245). **2.** Vinho cuja fermentação foi suspensa, com aguardente na proporção de 20 a 25 por cento. [Cf. (nesta acepç.) *vinho abafado.*] **3.** Vinho ordinário; zurrapa.

jerosolimita *Adj. 2 g. S. 2 g.* V. *hierosolimita.*

jerosolimitano *Adj. S. m.* V. *hierosolimita*: "Chegamos a Jerusalém num anoitecer de violeta e ouro... Celebrava-se então a festa dos Tabernáculos, e todos os jerosolimitanos haviam saído de suas casas" (Eugênio de Castro, *Obras Poéticas*, II, 152).

jerra [Do esp. plat. *yerra*.] *S. f. Bras. RS* Piquenique.

jérsei [Do top. ingl. *Jersey*, ilha do canal da Mancha.] *S. m. Tec. Têx.* Tecido de tricô muito fino, feito à máquina em ponto de meia (q. v.), com linha de algodão, lã ou seda, natural ou sintética, e que se vende em peças ou em roupas confeccionadas. [Cf. *malha*[1] (2).]

jeru [De *ajeru*, com aférese.] *S. m. Bras. Zool.* **1.** V. *papagaio* (1). **2.** V. *moleiro* (3).

jeruense *Adj. 2 g.* **1.** De, ou pertencente ou relativo a Tomar do Jeru (SE). ● *S. 2 g.* **2.** O natural ou habitante de Tomar do Jeru.

jerumba *El. s. f. Bras. N.E. Pop.* Us. na loc. *comer jerumba*. ◆ **Comer jerumba.** V. *comer da banda podre*.

jerumenhense *Adj. 2 g.* **1.** De, ou pertencente ou relativo a Jerumenha (PI). ● *S. 2 g.* **2.** O natural ou habitante de Jerumenha.

jerupoca *S. m. Bras. Zool.* V. *jurupoca* (1).

jeruti [Var. de *juruti*.] *S. f. Bras. Zool.* V. *juriti*.

jeruva *S. f. Bras. Zool.* V. *juruva*.

jesuanense *Adj. 2 g.* **1.** De, ou pertencente ou relativo a Jesuânia (MG). ● *S. 2 g.* **2.** O natural ou habitante de Jesuânia.

jesuense *Adj. 2 g.* **1.** De, ou pertencente ou relativo a Bom Jesus dos Perdões (SP). ● *S. 2 g.* **2.** O natural ou habitante de Bom Jesus dos Perdões.

jesuíta [Do lat. mod. *jesuita*.] *S. m.* **1.** Membro da Sociedade de Jesus ou Companhia de Jesus, ordem religiosa fundada por Inácio de Loyola (1491-1556); loyolista. **2.** *Fig. Deprec.* Indivíduo dissimulado, astucioso, fingido, hipócrita. [Sin. ger.: *inaciano* e (deprec.) *loyola*.]

jesuitense (u-i) *Adj. 2 g.* **1.** De, ou pertencente ou relativo a Jesuítas (PR). ● *S. 2 g.* **2.** O natural ou habitante de Jesuítas.

jesuítico [De *jesuíta* + *-ico*[2].] *Adj.* **1.** Pertencente ou relativo aos jesuítas [v. *jesuíta* (1)], ou próprio deles; inaciano. **2.** Diz-se do estilo arquitetônico das igrejas construídas na Europa no séc. XVI, e depois na América Latina. **3.** *Fig. Deprec.* Dissimulado, astucioso. **4.** *Fig. Deprec.* Fanático, faccioso.

jesuitismo (u-i) [De *jesuíta* + *-ismo*.] *S. m.* **1.** Sistema, caráter, moral jesuítica. **2.** *Fig. Pej.* Falta de franqueza; dissimulação. **3.** *Fig. Pej.* Fanatismo, facciosismo.

jesuitização (u-i) [De *jesuitizar-se* + *-ção*.] *S. f.* Ato ou efeito de jesuitizar-se.

jesuitizado (u-i) [Part. de *jesuitizar-se*.] *Adj.* **1.** Que se jesuitizou. **2.** Influenciado pelos jesuítas [v. *jesuíta* (1)]; amoldado ao jesuitismo.

jesuitizar-se (u-i) [De *jesuíta* + *-izar* + *se*[1].] *V. p.* **1.** Tornar-se membro da Companhia de Jesus. **2.** *Deprec.* Tornar-se jesuíta (2).

jesus [Do hier. *Jesus*, de *Jesus Cristo*.] ***Interj.*** Indica espanto, dor, surpresa, admiração: 📖 "Mulher e filhos! A Mulherzinha / Tão loira e alegre, Jesus, Jesus!" (Antônio Nobre, *Só*, p. 46.) [Com cap.]

jesus-meu-deus *S. m. 2 n. Bras. BA Zool.* V. *tico-tico-do-mato* (1).

jetaí [Var. de *jataí*.] *S. m. Bot.* V. *jatobá* (1 e 2).

jetaíba [Var. de *jetaíba*.] *S. f. Bras. Bot.* V. *jatobá* (1 e 2).

jetaicica (a-i) [Do tupi = 'resina do jataí'.] *S. f. Bras.* V. *anime*.

jetaí-de-pernambuco [De *jetaí* + *de* + o top. *Pernambuco*.] *S. m. Bras. Bot.* V. *jatobá* (2). [Pl.: *jetaís-de-pernambuco*.]

jetaí-do-piauí [De *jetaí* + *de* + o top. *Piauí*.] *S. m. Bras. Bot.* V. *jatobá* (3). [Pl.: *jetaís-do-piauí*.]

jetaipeba [De *jetaí* + *-peba*.] *S. m. Bras. Bot.* V. *jatobá* (1 a 4).

jetatura [Do it. *gettatura*.] *S. f.* **1.** V. *mau-olhado*. **2.** V. *caiporismo*.

jetica [Do tupi.] *S. f. Bras. Bot.* V. *batata-doce*. [Var.: *jatica*.]

jeticarana [De *jetica* + *-rana*.] *S. f. Bras. Bot.* V. *batata-de-caboclo*.

jeticuçu [Do tupi.] *S. m. Bras. Bot.* Trepadeira convolvulácea (*Ipomoea hederacea*) ornamental, originária da Ásia, de folhas cordiformes e membranáceas, flores vistosas, azuis e com tubo corolino branco, fruto capsular, e raiz tuberosa, purgativa.

jê-timbira *S. m. Adj. 2 g.* V. *timbira*. [Pl.: *jês-timbiras*.]

jetirana [Do tupi = 'falsa batata'.] *S. f. Bras. Bot.* **1.** Trepadeira convolvulácea (*Ipomoea coccinea*) ornamental, de flores amplas, afuniladas, alvas ou rubras, e fruto capsular, globoso. **2.** Trepadeira convolvulácea (*Merremia pentaphyla*) herbácea, anual, de folhas cordiformes, flores vermelhas e cápsulas globosas. [Var.: *jitirana*.]

➔ **jet lag** [dʒɛt læg] [Ingl.] *S. m. Med.* Desorientação mental provocada pela utilização de meio de transporte que propicie rápidas mudanças de fusos horários, como certos aviões, e veículos espaciais: 📖 "Os médicos culpam o *jet lag* por gafes cometidas pelo presidente [George Bush] durante suas últimas viagens" (*Jornal do Brasil*, 27.12.1990).

jetom [Do fr. *jeton*.] *S. m.* **1.** Em jogos, ficha, tento. **2.** Pequena ficha que se entrega a cada um dos membros presentes de certas corporações, e que lhes serve para cobrarem determinada remuneração. **3.** Remuneração recebida por membros de órgãos colegiados (parlamentos, conselhos diretores, academias de letras, etc.) pelo comparecimento às suas sessões ou reuniões.

➔ **jet set** [dʒɛt sɛt] [Ingl.] *Loc. S.* O grupo das pessoas que frequentam, habitualmente, lugares da moda, eventos elegantes, exclusivos.

➔ **jeu de mots** [ʒø də mo] [Fr.] *S. m.* Trocadilho, calembur.

ji *S. m. Bras. AL SE BA* Jota[1] (1). [Pl.: *jis*. Cf. *giz*.]

■ **Ji** Símb. de *joliótio*.

jia [De or. tupi.] *S. f.* **1.** *Bras. Zool.* Designação comum aos anuros leptodactilídeos, gênero *Leptodactilus*, também chamados *rãs*, por terem a pele nua, viverem sempre junto à água e serem comestíveis. [Cf. *rã*.] **2.** *Bras. PE AL Pop.* Produto de roubo; furto.

jiboia (ói) [De or. tupi.] *S. f. Bras. Zool.* **1.** Réptil ofídio, boídeo (*Constrictor constrictor*), comum em todo o Brasil, de coloração geral cinzenta tirante a violáceo, com faixas de cor escura no dorso e desenhos laterais ovoides ou rômbicos. Vive nas florestas ou campos, é arborícola, e alimenta-se de roedores e aves; comprimento: até 4m. Apesar de não ser venenosa, sua mordedura dói e pode causar infecção. A pele é largamente us. na confecção de artefatos de couro. **2.** *Bras. Bot.* Trepadeira arácea (*Philodendron oxycardium* ou *P. cordatum*) de raízes adventícias, folhas cordiformes, nativa da América Central e das Antilhas. [Sin., nesta acepç.: *folha-da-fonte*, *guimberana*.] ❖

jiboiaçu (òi) [De *jiboia* + *-açu*.] *S. f. Bras. Zool.* Grande serpente de rio.

jiboiar [De *jiboia* + *-ar*[2].] *Bras. V. int.* **1.** Digerir em repouso uma refeição farta: *Comeu, comeu, e está jiboiando.* *T. d.* **2.** Digerir em repouso (uma refeição farta): 📖 "é difícil encontrá-los em estado de pijama, jiboiando o jantar, em imaginárias cadeiras na calçada" (Haroldo Maranhão, *A Estranha Xícara*, p. 175). [Pres. ind.: *jiboio*, *jiboias*, *jiboia*, *jiboiamos*, *jiboiais*, *jiboiam*.]

jiboia-verde *S. f. Bras. Zool.* V. *araramboia*. [Pl.: *jiboias-verdes*.] ❖

jiboia-vermelha *S. f. Bras. Zool.* V. *salamanta*. [Pl.: *jiboias-vermelhas*.] ❖

jibonã [Do ior.] *S. f. Bras. Rel.* V. *iaquererê*. [Var.: *ajibonã*.]

jibungo [Do quimb.] *S. m. Bras. Gír.* V. *dinheiro* (5).

jiçara *S. f. Bras. Bot.* V. *juçara*.

jiçuí [De or. tupi, poss.] *Adj. 2 g. Bras. N.E. Pop.* Arrepiado (falando-se da epiderme).

jiga[1] [Do ingl. *jig*.] *S. f.* V. *giga*[2] (2).

jiga[2] [Do ingl. *jigg*.] *S. f. Teatr.* No séc. XVII, espécie de farsa que se representava entre os atos das peças maiores.

jiga-joga [De or. obscura.] *S. f.* **1.** Antigo jogo de cartas. **2.** Jogo de cabra-cega. **3.** Coisa transitória, passageira. **4.** Ludíbrio, escárnio, jogo. **5.** V. *jogo* (14): 📖 "podia ser um trunfo apreciável na jiga-joga pública." (Aquilino Ribeiro, *As Três Mulheres de Sansão*, p. 155). [Pl.: *jiga-jogas*.] ❇

jigoga [De or. obsc.] *S. f. Bras. Bot.* **1.** V. *aguapé-branco*. **2.** V. *gólfão* (2).

jigue [Do ingl. *jig*.] *S. m. Tec.* Equipamento para separar materiais de densidades diferentes (minérios, carvões, p. ex.) mediante o movimento alternado, vertical, de uma corrente de líquido (água, em geral), que faz sobrenadar o material mais leve e submergir o mais pesado.

➔ **jihad** [dʒi'ha:d] [Do ár. *ǧihād*, lit., 'luta', 'esforço', traduzido, no Ocidente, por 'guerra santa'.] *S. m. Rel.* O combate contra os obstáculos à fé muçulmana, ou contra os infiéis e os inimigos da ordem islâmica, considerado pelo Corão e pela tradição maometana como obrigação religiosa. [A doutrina menciona quatro formas de *jihad*: pelo coração, evitando os maus sentimentos; pela boca, difundindo a mensagem do Islã; pelas mãos, praticando boas ações; e pela espada, lutando contra os infiéis.]

jiju *S. m. Bras. Zool.* V. *jeju*.

jila *S. m. Guin.* V. *djila*: 📖 "Um dia passou ali um jila com a sua cabra e sentou-se a descansar um pouco" (Teresa Montenegro e Carlos de Morais, *Uori: Stórias de Lama e Philosophia*, p. 61).

jiló [Do quimb.] *S. m. Bras.* Fruto do jiloeiro.

jiloeiro (lò) [De *jiló* + *-eiro*.] *S. m. Bras. Bot.* Erva solanácea (*Solanum gilo*) anual, muito cultivada no Brasil, de folhas oblongas e agudas, flores alvas e racemosas, com estames porosos, e cujos frutos, bagas vermelhas, comestíveis, têm acentuado sabor amargo.

jimbanda [De or. banta.] *S. m. Afric.* Homossexual masculino: 📖 "A Esméria me explicou que jimbanda, em língua de preto de Angola, era homem que gostava de homem em vez de gostar de mulher." (Ana Maria Gonçalves, *Um Defeito de Cor*, p. 97.)

jimbelê [Do or. afr., poss.] *S. m. Bras.* V. *canjica* (1).

jimbo [Do quimb.] *S. m.* **1.** *Bras. Gír.* V. *dinheiro* (5): 📖 "tem o seu punhado de ações; tem o jimbo cá na casa, onde por bem dizer é sócio comanditário" (Aluísio Azevedo, *O Mulato*, p. 31). **2.** *Zool.* V. *orictéropo*.

jimboa [Do quimb. *jimboa*, pl. de *mboa*.] *S. f. Angol. Bot.* Erva amarantácea (*Amaranthus caudatus*) cujas folhas são muito utilizadas na culinária tradicional: 📖 "conferia as folhinhas dos molhos de jimboa e perguntava o preço." (Arnaldo Santos, *O Cesto de Katandu e Outros Contos*, p. 89).

jimbongo [Do quimb., poss.] *S. m. Bras. Gír.* V. *dinheiro* (5).

jimbra *S. f. Bras. Gír.* V. *dinheiro* (5).

jindungo [Do quimb. *jindungu*, pl. de *ndungu*, 'malagueta'.] *S. m. Angol.* V. *pimenta-malagueta*: 📖 "sentiu o sangue a correr depressa, quente e picante como jindungo" (José Luandino Vieira, *Vidas Novas*, p. 38).

jinga [Do quimb.] *S. 2 g.* **1.** *Etnôn.* Indivíduo dos jingas, povo de Angola (África). ● *Adj. 2 g.* **2.** Pertencente ou relativo a esse povo. [Cf. *ginga*, do v. *gingar* e s. f.]

jingimo *S. m. Angol. Bot.* V. *guajuru* (1).

➔ **jingle** ['dʒɪŋgəl] [Ingl.] *S. m. Comun.* Curta mensagem musicada de propaganda. [Cf. *assinatura musical*.]

jingo [Voc. afr.] *S. m.* Cachimbo (1). [Cf. *gingo*, do v. *gingar* e s. m.]

jingoísmo [Do ingl. *jingoism* < *jingo*, 'partidário de guerra imediata contra a Rússia, em 1878', + *-ismo*.] *S. m.* Chauvinismo arrogante e belicoso.

jingoísta [De *jingoísmo* + *-ista*, seg. o padrão erudito.] *Adj. 2 g.* **1.** Relativo ao, ou próprio do jingoísmo. ● *S. 2 g.* **2.** Partidário do jingoísmo.

jingoto (ô) [De or. obscura.] *S. m.* Vara delgada e flexível para açoitar; açoite.

jinguba [Do quimb. *jinguba*, pl. de *nguba*.] *S. f. Angol.* V. *amendoim* (2): 📖 "era dono de vários daqueles carros de mão que andam pelas ruas a vender suspiros, bolos de arroz, feijão, coco, jinguba." (Antônio Cardoso, *A Casa de Mãezinha*, p. 43).

jinjibirra *S. f. Bras.* V. *gengibirra*.

jinriquixá [Do jap. *jinrikisha*, 'homem-força-carro'.] *S. m.* Carrinho de duas rodas puxado por homem, de uso no Oriente.

jinsão [Adapt. do chinês.] *S. m. Bot.* V. *pânax* (2). [Var. ortograf.: *ginsão*. Cf. *ginseng*.]

jipão [De *jipe* + *-ão*[1].] *S. m. Bras.* Viatura militar, espécie de jipe de grandes proporções.

ji-paranaense *Adj. 2 g.* **1.** De, ou pertencente ou relativo a Ji-Paraná (RO). ● *S. 2 g.* **2.** O natural ou habitante de Ji-Paraná.

jipe [Do ingl. *jeep*.] *S. m.* Pequeno automóvel dotado de tração nas quatro rodas, para transporte de reduzido número de pessoas, fabricado, por ocasião da II Guerra Mundial, para fins militares, e atualmente usado sobretudo em serviços rurais.

jipi [Do tupi amazonense, poss.] *S. m. Bras. Amaz. Bot.* Designação comum a árvores sapotáceas do gênero *Sideroxylon*, de madeira forte e resistente à putrefação.

jipijapá [Do esp. *jipijapa*, do top. *Jipijapa*, pequena cidade equatoriana.] *S. m. Bras. Bot.* Bombonaça.

jipioca [De or. tupi, poss.] *S. f. Bras. Bot.* Grande cipó mimosáceo (*Entada polyphylla*) comum nas margens dos rios amazônicos, de folhas bipenadas, com folíolos pequenos e numerosos, flores amareladas, reunidas em espigas cilíndricas, e legume achatado e longo, rico em sementes. [Var.: *jipooca*.]

jipooca *S. f. Bras. Bot.* V. *jipioca*.

jiporoque *Bras. S. 2 g.* **1.** *Etnôn.* Indivíduo dos jiporoques [ou (etnôn. bras.) *Yiporok], povo indígena extinto, da família linguística botocudo, que habitava a margem direita do rio Jequitinhonha (MG). ● *Adj. 2 g.* **2.** Pertencente ou relativo a esse povo.

jipoúba [Do tupi.] *S. f. Bras. Bot.* Manopé-da-praia.

jique [De or. obsc.] *S. m. Bras. Bot.* Imbuzeiro (1).

jiquipanga [De or. expressiva.] *S. f. Bras. N.* Divertimento, pagodeira, pândega.

jiquiriçaense *Adj. 2 g.* **1.** De, ou pertencente ou relativo a Jiquiriçá (BA). ● *S. 2 g.* **2.** O natural ou habitante de Jiquiriçá.

jiquiriti *S. m. Bras. Bot.* V. *jequiriti*.

jiquitaia [Do tupi = 'sal picante'.] *S. f. Bras.* **1.** Pimenta-malagueta seca e reduzida a pó. **2.** Molho (ô) de pimenta. **3.** Qualquer molho ou caldo picante. **4.** *Zool.* V. *formiga-lava-pé*.

jiquitibá *S. m. Bras. Bot.* V. *jequitibá*.

jiquitiranaboia (ói) [Cruz. de *jequiranaboia* com *jiquitirana*.] *S. f. Bras. Zool.* V. *jequitiranaboia*. ❖

jira *S. f. Bras. Rel.* V. *gira.* [F. pref., porém menos us.]

jirabana [De or. tupi, poss.] *S. f. Bras. SC* Certo tipo de pesca.

jirau [Do tupi.] *S. m. Bras.* **1.** Estrado de varas sobre forquilhas cravadas no chão, us. para guardar panelas, pratos, legumes, etc.: "Em frente, ou no chão, ou sobre um jirau de madeira, vasos, paneiros, pedaços de panelas, restos de potes, cheios de flores." (José Veríssimo, *Cenas da Vida Amazônica*, pp. 342-343.) **2.** Armação de madeira sobre a qual se edificam as casas a fim de evitar a água e a umidade. **3.** *P. ext.* Qualquer armação de madeira em forma de estrado ou palanque. **4.** Cama de varas: "quedou imóvel, em aparente tranquilidade, sobre o jirau soerguido do solo por quatro espeques toscos" (Coelho Neto, *Sertão*, p. 20). **5.** *Arquit.* No interior de um compartimento, piso (3) a meia altura que cobre, apenas parcialmente, a sua área. [Cf. *pódio* (4).] **6.** *Bras.* V. *sobreloja.*

jiriba *S. f. Bras. Zool.* V. *juruva.*

jiribana [Var. de *xeripana* < tupi.] *S. f. Bras. AM* Corda de laçar, trançada de finos relhos.

jiribanda [Alter. de *sarabanda* (q. v.), poss.] *S. f.* Admoestação violenta [v. *descompostura* (2)]: *A mãe da pequena passou-lhe uma jiribanda séria.*

jirigote [De or. obscura, talvez express.] *S. m. Pop.* Velhaco, trapaceiro, estradeiro, trampolineiro.

jirimate [Do tupi. Cf. *jeremataia.*] *S. m. Bras. Bot.* Arvoreta verbenácea (*Vitex garneriana*) própria do RJ, toda recoberta de pelos alvacentos, dotada de folhas simples, coriáceas e lanceoladas, flores em cimeiras axilares, lanuginosas, e fruto drupáceo, mais ou menos carnoso e envolvido pelo cálice ampliado; jeremataia (q. v.).

jiripancó *S. 2 g. Adj. 2 g. Bras.* V. *jeripancó.*

jiripoca *S. f. Bras. Zool.* V. *jurupoca* (1).

jiriquiti *S. m. Bras. ES Zool.* V. *galhudo* (4).

jiritana *S. f. Bras.* Variedade de feijão.

jirote *S. m. Gír.* Malandro, vadio.

jitaí [Var. de *jataí.*] *S. m. Bras. Bot.* **1.** V. *itu.* **2.** V. *jatobá* (1).

jitaipeba [De *jitaí* + *-peba.*] *S. m. Bras. Bot.* **1.** V. *itu.*

jitaipeva [De *jitaí* + *-peva.*] *S. m. Bras. Bot.* V. *itu.*

ji-tapuia *Bras. S. 2 g.* **1.** *Etnôn.* Indivíduo dos jis-tapuias [ou (etnôn. bras.) *Yi-tapuya], povo indígena extinto, da família linguística tucano, que habitava as margens do rio Uaupés, alto rio Negro (AM). ● *Adj. 2 g.* **2.** Pertencente ou relativo a esse povo. [Pl.: *jis-tapuias.*]

jitaunense (a-u) *Adj. 2 g.* **1.** De, ou pertencente ou relativo a Jitaúna (BA). ● *S. 2 g.* **2.** O natural ou habitante de Jitaúna.

jitirana [Do tupi = 'falsa batata'.] *S. f. Bras. Bot.* V. *jetirana.*

jitiranabola (ói) [F. red. de *jequitiranaboia.*] *S. f. Bras. Zool.* V. *jequitiranaboia.* ❖

jitirana-de-leite *S. f. Bot.* Arbusto asclepiadáceo (*Ganolobus gangliosus*) caracterizado pela presença de látex em todas as suas partes e pelo pólen congregado em polínios. [Pl.: *jitiranas-de-leite.*]

jito[1] *S. m.* Cano que conduz o metal derretido para o molde por encher.

jito[2] *Adj. Bras. Amaz. Pop.* Pequenino, miúdo.

jitó [De or. indígena, poss.] *S. m. Bras. Bot.* V. *ataúba.*

➔ **jitter** ['dʒɪtə˞] [Ingl.] *S. m. Eletr.* Tremulação, instabilidade.

jiu-jítsu [Do jap. *jujutsu*, 'dez astúcias', pelo ingl. *jiu-jitsu.*] *S. m.* Sistema de luta corporal em que se procura imobilizar o adversário mediante golpes de destreza aplicados a pontos sensíveis do corpo; jujútsu.

joaçabense *Adj. 2 g.* **1.** De, ou pertencente ou relativo a Joaçaba (SC). ● *S. 2 g.* **2.** O natural ou habitante de Joaçaba.

joaimense (a-i) *Adj. 2 g.* **1.** De, ou pertencente ou relativo a Joaíma (MG). ● *S. 2 g.* **2.** O natural ou habitante de Joaíma.

joalharia *S. f.* Joalheria (q. v.).

joalheiro [Adapt. do fr. *joaillier.*] *S. m.* **1.** Fabricante e/ou vendedor de joias. **2.** Engastador de pedras preciosas. ● *Adj.* **3.** Relativo a joia; de joia: *indústria joalheira.*

joalheria [Adapt. do fr. *joaillerie.*] *S. f.* Estabelecimento de comércio de joias; joalharia.

joana-guenza *S. f. Bras. Zool.* V. *jacundá-branco.* [Pl.: *joanas-guenzas.*]

joane *Bras. S. 2 g.* **1.** *Etnôn.* Indivíduo dos joanes, povo indígena extinto que habitava a contracosta da ilha de Marajó (PA). ● *Adj. 2 g.* **2.** Pertencente ou relativo a esse povo. [Tb. us. como *s. 2 g. e 2 n.* (com cap.) e *adj. 2 g. e 2 n.*]

joanense *Adj. 2 g.* **1.** De, ou pertencente ou relativo a Joanésia (MG). ● *S. 2 g.* **2.** O natural ou habitante de Joanésia.

joanete (ê) [Do esp. *juanete*, com infl. do antr. *João.*] *S. m.* **1.** *Marinh.* Cada um dos mastaréus que espigam dos mastaréus de gávea por entre as aberturas das pegas de joanete [a partir de vante, denominam-se *joanete de proa* (no mastro do traquete), *joanete grande* (no mastro grande) e *sobregata* (no mastro da gata)]: "um belo patacho de Pernambuco, ... com a mastreação airosa e artística um tanto curva e puxando um pouco pelos estais dos mastaréus grandes e do joanete" (Virgílio Várzea, *Nas Ondas*, p. 2). **2.** *Marinh.* Vergas que cruzam nos mastaréus de joanete. **3.** *Marinh.* Velas que se largam nas vergas de joanete; denominam-se, a partir de vante, *joanete de proa, joanete grande* e *sobregata.* **4.** *Ort.* Deformação crônica em articulação do primeiro metatarsiano com a falange correspondente do primeiro pododáctilo, do que resulta desvio da linha média do primeiro pododáctilo, que se afasta da linha média do corpo ou em direção aos outros pododáctilos.

joaninha *S. f. Bras.* **1.** *Zool.* Designação comum aos insetos coleópteros coccinelídeos, de corpo ger. oval ou hemisférico, cabeça escondida pelo protórax, e élitros cobrindo o abdome de cores vistosas e desenhos variados. Vivem sob plantas, e algumas espécies alimentam-se de pulgões e cochonilhas, sendo, assim, úteis à lavoura. **2.** *Zool.* Peixe teleósteo, perciforme, ciclídeo (*Crenicichla lacustris*), das regiões L. e S. do Brasil, de coloração pardo-acinzentada, com numerosos pontos negros sobre o corpo, mácula negra na base da nadadeira caudal e outra oblíqua abaixo do olho, nadadeira dorsal contínua, ocupando quase todo o dorso, e comprimento de até 25cm. [Sin. nesta acepç.: *maria-guenza, michola, cabeça-amarga, joaninha-guenza, mixorne.*] **3.** V. *alfinete de segurança.* **4.** *Bras. Desus.* Fusca (q. v.), pintado de azul e branco, e provido de sirena, usado pela polícia militar.

joaninha-guenza *S. f. Bras. Zool.* V. *joaninha* (2). [Pl.: *joaninhas-guenzas.*]

joanino[1] *Adj.* **1.** Relativo a João ou Joana. **2.** Respeitante aos reis de nome João, e esp. a D. João III, de Portugal.

joanino[2] *Adj.* **1.** De, ou pertencente ou relativo a São João Batista (MA). ● *S. m.* **2.** O natural ou habitante de São João Batista.

joanino[3] *Adj.* **1.** De, ou pertencente ou relativo a São João d'Aliança (GO). ● *S. m.* **2.** O natural ou habitante de São João d'Aliança.

joanopolense *Adj. 2 g.* **1.** De, ou pertencente ou relativo a Joanópolis (SP). ● *S. 2 g.* **2.** O natural ou habitante de Joanópolis. [Sin. ger.: *joanopolitano.*]

joanopolitano *Adj. S. m.* V. *joanopolense.*

joão [Do antr. *João*, poss.] *S. m.* **1.** *Bras. Bot.* V. *fruta-de-manteiga.* **2.** *Bras. Fut.* Denominação dada por Garrincha (Manuel Francisco dos Santos) aos seus marcadores. **3.** *Bras. Fut. P. ext.* Jogador que é driblado com facilidade. ◆ **Dar uma de joão sem braço.** **1.** Fugir ao trabalho ou a qualquer outra obrigação. **2.** *P. ext.* Fazer-se de desentendido para conseguir algo.

joão-balão *S. m. Bras.* Balalão. [Pl.: *joão-balões, joões-balões* e *joões-balão.*]

joão-barbudo *S. m. Bras. Zool.* Ave bucconídea (*Malacoptila striata*), do S.E. do Brasil, de coloração castanha com estrias longitudinais amarelas na cabeça e no dorso, peito com faixa branca orlada de preto por baixo. Alimenta-se de insetos, tendo especial predileção por borboletas, e seu nome provém das vibrissas ou filoplumas na base do bico. [Sin.: *joão-doido, jururu.* Pl.: *joões-barbudos.*]

joão-barreiro *S. m. Bras. S. Zool.* V. *joão-de-barro.* [Pl.: *joões-barreiros.*]

joão-bobo *S. m. Bras. Zool.* Ave piciforme, bucconídea (*Nystalus chacuru*), das zonas campestres de quase todo o Brasil, de dorso pardo-avermelhado, com faixas pretas transversais, faces pretas com manchas brancas, abdome branco, e coleira branca no pescoço. Nidifica em galerias, na terra, de preferência em barrancos, e se alimenta de insetos. Sua grande distribuição geográfica lhe granjeou numerosos nomes populares. [Sin.: *joão-tolo, paulo-pires, rapazinho-dos-velhos, chacuru, chicolerê, dormião, fevereiro, jacuru* ou *jucuru, macuru, sucuru, pedreiro.* Pl.: *joões-bobos.*]

joão-cachaça *S. m. Bras. ES Zool.* V. *jaguaruçá.* [Pl.: *joões-cachaças* e *joão-cachaças.*]

joão-congo *S. m. Bras. Zool.* **1.** Ave emberizídea, icterínea (*Psarocolius decumanus*), com cerca de 45cm de comprimento (o macho), com ampla distribuição no Brasil, de coloração preta, com dorso posterior, uropígio e crisso vermelhos, cauda amarela com as duas retrizes medianas pretas, e bico amarelado; nidifica em colônias, e alimenta-se de insetos, frutas e outros produtos da mata: "o laranjal pejado, cuja grimpa era de momento a momento assaltada por densas revoadas de guaxos e joões-congos" (Hugo de Carvalho Ramos, *Tropas e Boiadas*, p. 17). [Sin.: *fura-banana, japu, rei-congo, japuaçu, japuguaçu, japu-gamela, japuíra, guaxe* ou *guaxo.*] **2.** V. *japuaçu* (1). **3.** Japu-verde. [Var.: *joncongo.* Pl.: *joões-congos* e *joão-congos.*]

joão-conguinho *S. m. Bras. GO Zool.* V. *japim.* [Pl.: *joões-conguinhos* e *joão-conguinhos.*]

joão-correia [Do antr. *João Correia.*] *S. m. Bras. Bot.* V. *perobinha* (1). [Pl.: *joões-correias* e *joões-correia.*]

joão-corta-pau [T. onom.] *S. m. Bras. Zool.* V. *bacurau* (1). [Pl.: *joões-corta-pau.*]

joão-da-costa *S. m. Bras. Bot.* V. *cipó-capador.* [Pl.: *joões-da-costa.*]

joão-de-barro *S. m. Bras. Zool.* Designação comum a várias aves passeriformes furnariídeas (*Furnarius rufus, F. leucopus, F. minor, F. figulus* e *F. r. badius*). A espécie mais comum é a *F. r. badius*, do S.E. do Brasil, de peito cuja cor varia do vermelho ao branco, e corpo cor de canela. [Sin.: *joão-barreiro, barreiro, amassa-barro, maria-de-barro, oleiro, forneiro, pedreiro.* Pl.: *joões-de-barro.*]

joão-de-cristo *S. m. Bras. Zool.* V. *caga-sebo* (1). [Pl.: *joões-de-cristo.*]

joão-deitado *S. m. Bras. MG* Cobu[2]. [Pl.: *joões-deitados.*]

joão-de-leite *S. m. Bras. Bot.* V. *fruta-de-manteiga.* [Pl.: *joões-de-leite.*]

joão-de-pau *S. m. Zool. Bras.* Ave passeriforme furnariídea (*Phacellodomus rufifrons*), do L., N.E. e S.O. do Brasil, de dorso marrom-claro, e fronte castanho-avermelhada; constrói o ninho com gravetos, pendurado em galhos de árvore sem utilizar as forquilhas; alimenta-se de insetos. [Sin.: *carrega-madeira.*] [Pl.: *joões-de-pau.*]

joão de pau *S. m. Bras. Amaz.* Remo de mão amarrado na popa de uma montaria, tripulada por um só pescador, que rema da proa, pronto para arpoar: "A metade de um remo, fixa à popa, chamado joão de pau, não a deixava [a canoa] desviar-se da linha reta, nem guinar." (José Veríssimo, *Cenas da Vida Amazônica*, p. 90.) [Pl.: *joões de pau.*] ☑ notas 1 e 2

joão-dias *S. m. Bras. Zool.* V. *sebastião* (1). [Pl.: *joões-dias* e *joão-dias.*]

joão-diense *Adj. 2 g.* **1.** De, ou pertencente ou relativo a João Dias (RN). ● *S. 2 g.* **2.** O natural ou habitante de João Dias. [Pl.: *joão-dienses.*]

joão-doido *S. m. Bras. Zool.* V. *joão-barbudo.* [Pl.: *joões-doidos.*]

joão-do-mato *S. m. Bras. Zool.* Ave piciforme, bucconídea (*Notharchus swainsoni*), do S.E. do Brasil, de dorso preto, fronte, coleira, pescoço anterior, garganta e face brancos, peito negro, abdome amarelado, e base da maxila com pelos em forma de bigodes; capitão-do-mato, capitão-de-bigode. [Pl.: *joões-do-mato.*]

joão-douradense *Adj. 2 g.* **1.** De, ou pertencente ou relativo a João Dourado (BA). ● *S. 2 g.* **2.** O natural ou habitante de João Dourado. [Pl.: *joão-douradenses.*]

joão-fernandes *S. m.* **1.** V. *joão-ninguém.* **2.** *Bras. RS* Variante do fandango. [Pl.: *joões-fernandes.*]

joão-galafoice [De or. obscura.] *S. m. Bras. AL* V. *fogo-fátuo* (1). [Pl.: *joões-galafoices.*]

joão-galamarte [De or. obscura.] *S. m. Bras.* V. *gangorra*[1] (1): "Fiquei outro, ninguém viu-me / Mais o meu pião jogar, / E nem o joão-galamarte / No terreiro ao bom luar" (Juvenal Galeno, *Lendas e Canções Populares*, p. 241). [Pl.: *joão-galamartes.*]

joão-gomes *S. m. Bras. Bot.* V. *maria-gomes.* [Pl.: *joões-gomes* e *joão-gomes.*]

joão-grande [Do antr. *João* + *grande.*] *S. m.* **1.** *Bras. SP Zool.* V. *alcatraz*[1]. **2.** *Bras. RS* Indivíduo alto. [Pl.: *joões-grandes.*]

joão-graveto *S. m. Bras. MG Zool.* V. *cochicho*[2] (1). [Pl.: *joões-gravetos.*]

joão-lisboense *Adj. 2 g.* **1.** De, ou pertencente ou relativo a João Lisboa (MS). ● *S. 2 g.* **2.** O natural ou habitante de João Lisboa. [Pl.: *joão-lisboenses.*]

joão-magro *S. m. Bras. Zool.* V. *bicho-pau* (1). [Pl.: *joões-magros.*]

joão-mede-léguas *S. m. Bras. Zool.* V. *bacurau* (1). [Pl.: *joões-mede-léguas.*]

joão-mole [Do antr. *João* + *mole*[2].] *S. m. Bras. Bot.* Arbusto nictagináceo (*Pisonia tomentosa*) ocorrente da Amaz. a MG e GO, de folhas oblongas e tomentosas, flores insignificantes, alvacentas e cimosas, e cuja madeira serve para cabos de ferramentas. [Pl.: *joões-moles.*]

joão-neivense *Adj. 2 g.* **1.** De, ou pertencente ou relativo a João Neiva (ES). ● *S. 2 g.* **2.** O natural ou habitante de João Neiva. [Pl.: *joão-neivenses.*]

joão-ninguém *S. m.* Indivíduo insignificante, sem importância; sujeito à toa. [Sin.: *joão-fernandes, badameco, badana, bangalafumenga, beldroegas, berdamerda, beré-beré, bicho-careta, borra-botas,* brochote, bunda, bunda-suja, fabiano, fubica, futrica, gato-pingado, janistroques, lagalhé ou leguelhé, lheguelhé, maenga, mequetrefe, ningres-ningres, zé dos anzóis, zé dos anzóis carapuça, zé da véstia, zé-prequeté. Pl.: joões-ninguém.]

joão-paulino *S. m. Bras.* V. *joão-teimoso*. [Pl.: *joões-paulinos*.]

joão-pestana *S. m. Pop.* O sono. [Pl.: *joões-pestanas* e *joão-pestanas*.]

joão-pinto [Do. antr. *João Pinto*, poss.] *S. m. Bras. Zool.* V. *corrupião* (2). [Pl.: *joões-pintos* e *joão-pintos*.]

joão-pinto-do-brejo *S. m. Zool.* V. *capitão* (13). [Pl.: *joões-pintos-do-brejo*.]

joão-pobre *S. m. Bras. Zool.* Ave passeriforme, tiranídea (*Serpophaga nigricans*), distribuída desde SP, MT e MG até a Argentina e o Paraguai, de dorso cinzento-azulado, topete negro com penas brancas, asas escuras com faixas cinzentas, e abdome branco. Frequenta matas e alimenta-se de insetos. [Pl.: *joões-pobres*.]

joão-ramalhense *Adj. 2 g.* **1.** De, ou pertencente ou relativo a João Ramalho (SP). ● *S. 2 g.* **2.** O natural ou habitante de João Ramalho. [Pl.: *joão-ramalhenses*.]

joão-redondo *S. m. Bras. PB* V. *mamulengo* (2). [Pl.: *joões-redondos*.]

joão-saense *Adj. 2 g.* **1.** De, ou pertencente ou relativo a Coronel João Sá (BA). ● *S. 2 g.* **2.** O natural ou habitante de Coronel João Sá. [Pl.: *joão-saenses*.]

joão-santarém *S. m. Vitic. Enol.* V. *periquita*[2]. [Pl.: *joões-santaréns*.]

joão-sulense *Adj. 2 g.* **1.** De, ou pertencente ou relativo a São João do Sul (SC). ● *S. 2 g.* **2.** O natural ou habitante de São João do Sul. [Pl.: *joão-sulenses*.]

joão-teimoso (ô) *S. m.* Boneco que se ergue sobre uma base semiesférica, na qual se concentra a maior parte de seu peso, e que por isso retorna à posição vertical quando tentam derrubá-lo; teimoso, joão-paulino. [Pl.: *joões-teimosos* (ó).]

joão-tenenén *S. m. Bras. Zool.* Ave passeriforme, furnariídea, gênero *Synallaxis*, com 11 espécies distribuídas pelo Brasil, de coloração geral pardo-olivácea, ou cor de canela, variando a cauda do pardo ao vermelho ou preto. [Sin.: *joão-tiriri, bentererê, pichororé, turucué*. Pl.: *joões-tenenéns* e *joão-tenenéns*. Cf. *curutié*.]

joão-tiriri *S. m. Bras. Zool.* V. *joão-tenenén*. [Pl.: *joões-tiriris* e *joão-tiriris*.]

joão-tolo (ô) *S. m. Bras. Zool.* V. *joão-bobo*. [Pl.: *joões-tolos* (ô).]

joão-torrão *S. m. Bras. Zool.* A larva terrestre dos mirmeliônidas. [Pl.: *joões-torrões* e *joão-torrões*.]

joão-torresmo (ê) *S. m. Bras. Zool.* V. *pão-de-galinha*. [Pl.: *joões-torresmo* e *joão-torresmos* (ê).]

joão-velho *S. m. Bras. Zool.* V. *pica-pau-de-cabeça-amarela*. [Pl.: *joões-velhos*.]

joaquimismo [Do antr. de *Joaquim (de Fiore)* (1132-1202), 'religioso fundador da abadia de Fiore (ou de Flora)', + *-ismo*.] *S. m. Rel.* Doutrina ou ideário religioso de Joaquim de Fiore (ou de Flora), na qual a história se divide em três grandes eras: a *Era do Pai* (antes de Cristo), a *Era do Filho* (de Jesus a 1260), a *Era do Espírito Santo* (a partir de 1260).

joaquimista [De *joaquimismo* + *-ista*.] *Adj. 2 g. S. 2 g. Rel.* Diz-se de, ou adepto ou seguidor do joaquimismo.

joaquim-pirense *Adj. 2 g.* **1.** De, ou pertencente ou relativo a Joaquim Pires (AL). ● *S. 2 g.* **2.** O natural ou habitante de Joaquim Pires. [Pl.: *joaquim-pirenses*.]

joaquinense[1] *Adj. 2 g. S. 2 g.* V. *juruquense*.

joaquinense[2] *Adj. 2 g.* **1.** De, ou pertencente ou relativo a São Joaquim (SC). ● *S. 2 g.* **2.** O natural ou habitante de São Joaquim.

joaquinense[3] *Adj. 2 g.* **1.** De, ou pertencente ou relativo a São Joaquim da Barra (SP). ● *S. 2 g.* **2.** O natural ou habitante de São Joaquim da Barra.

→ **job** [dʒəb] [Ingl., 'tarefa', 'serviço', 'ocupação', 'emprego'.] *S. m. Inform.* Conjunto de operações [frequentemente, de impressão (9)]que devem ser executadas em conjunto.

joça [Do prov. minhoto e alentejano *jouça*, 'bosta', ou do prov. da Beira Alta *joiça*, 'excremento'.] *S. f. Bras. Gír.* Coisa complicada, ou ruim, ou sem valia, esquisita ou desconhecida: *Afinal de contas, o que é essa joça?*; "Só gosto de Taguató porque ele fala bem, e é capaz de endireitar esta joça." (M. Cavalcanti Proença, *Manuscrito Holandês*, p. 160).

joçal *S. m. Bras. O. de SP* A felpa da cana-de-açúcar.

joco-sério [De *joco(so)* + *sério*.] *Adj.* Meio jocoso, meio sério; sério-cômico. [Pl.: *joco-sérios*.]

jocosidade [De *jocoso* + *-(i)dade*.] *S. f.* Qualidade de jocoso; graça; gracejo, facécia, chiste.

jocoso (ô) [Do lat. *jocosu*.] *Adj.* Que provoca o riso; chistoso, faceto, alegre.

jocotupé *S. m. Bras. Bot.* V. *jacatupé*.

joeira[1] [De *joio* + *-eira*, com dissimilação do primeiro *i*.] *S. f.* Peneira com que se separa o trigo do joio; crivo.

joeira[2] [Dev. de *joeirar*.] *S. f.* Joeiramento.

joeiradora (ô) [De *joeirar* + *-dora*.] *S. f.* Máquina que serve para joeirar os grãos.

joeiramento [De *joeirar* + *-mento*.] *S. m.* Ato de joeirar; joeira.

joeiranense *Adj. 2 g.* **1.** De, ou pertencente ou relativo a Joeirana (ES). ● *S. 2 g.* **2.** O natural ou habitante de Joeirana.

joeirar [De *joeira* + *-ar*[2].] *V. t. d.* **1.** Passar (o trigo) pela joeira[1]: "Nos terraços, rodeados de balaustradas, mulheres diligentes sacudiam os tapetes, joeiravam o trigo" (Eça de Queirós, *A Relíquia*, pp. 199-200). **2.** Passar pela joeira ou pelo crivo; cirandar, peneirar. **3.** Examinar ou averiguar minuciosamente. **4.** Escolher, separando com cuidado; selecionar criteriosamente: "Eu não podia atender ninguém na minha sala no Tribunal. Ali eu joeirava aquilo que tinha de ir para a minha casa." (Evandro Lins e Silva, *O Salão dos Passos Perdidos — Depoimento ao CPDOC*, p. 384.) [Var. protética: *ajoeirar*. Sin. ger.: *outar* e *utar*.]

joeireiro[1] [De *joeira*[1] + *-eiro*.] *S. m.* Aquele que faz joeiras; peneireiro.

joeireiro[2] [De *joeira*[2] + *-eiro*.] *S. m.* Aquele que joeira, que faz joeira[2].

joelhaço [De *joelho* + *-aço*.] *S. m.* Joelhada (1): "Seus métodos são certamente pouco ortodoxos, embora ele mesmo se descreva como 'freudiano barbaridade'. E parece que dão certo, pois sua clientela aumenta. Foi ele que desenvolveu a terapia do joelhaço." (Luís Fernando Veríssimo, *O Analista de Bajé*, p. 23.)

joelhada [De *joelho* + *-ada*[1].] *S. f.* **1.** Pancada com o joelho; joelhaço. **2.** *Bras. Cap.* Golpe traumatizante em que o capoeirista se aproveita de um descuido do adversário para atingi-lo com o joelho.

joelheira [De *joelho* + *-eira*.] *S. f.* **1.** A parte da armadura correspondente ao joelho. **2.** Peça de couro para proteger os joelhos das bestas. **3.** Peça de malha elástica, ou de lã, às vezes acolchoada, com que se protegem os joelhos contra o frio, distensão, durante a prática de certos esportes, etc. **4.** A parte das calças correspondente ao joelho: *Rasgou, numa queda, a joelheira das calças*. **5.** Deformação das calças no lugar dessa parte: "As calças .... tinham duas fortes joelheiras, enquanto as bainhas eram roídas pelo tacão de um botim sem misericórdia nem graxa." (Machado de Assis, *Memórias Póstumas de Brás Cubas*, p. 105.) **6.** Ferimento nos joelhos das bestas. **7.** Peça de madeira em que se assentam os joelhos durante certos trabalhos domésticos, como, p. ex., lavar assoalho: "Havendo sol, vêm mulheres lavar roupa. Arrimam-se às joelheiras, as pernas nuas fora da saia sungada" (José Vieira, *Sol de Portugal*, p. 36).

joelheiro [De *joelho* + *-eiro*.] *Adj.* Que chega até o joelho.

joelho (ê) [Do lat. vulg. *genuculu*, dim. de *genu*, pela f. arc. *geolho*, com metátese.] *S. m.* **1.** *Anat.* Segmento de membro inferior que compreende a articulação de coxa com perna e todas as partes moles que a circundam. **2.** *Anat.* Designação genérica de formação anatômica encurvada como um joelho (1). **3.** *P. ext.* A parte da veste correspondente ao joelho: *Tirou o pesado facão que lhe pendia do cinto e limpou-o no joelho da calça*. **4.** Aparelho que prende os instrumentos topográficos aos respectivos tripés. **5.** Articulação especial entre várias peças móveis de aparelhos ou de máquinas. **6.** *Pop.* V. *joelho de porco*. ◆ **Joelho do corpo caloso.** *Anat.* Curvatura na extremidade anterior do corpo caloso. **Ajuntar joelhos.** *Bras. BA MG Pop.* Na região são-franciscana, estar inativo, sem trabalho. **De joelhos. 1.** Em atitude submissa; humilhado, subjugado: "Eu lhe peço, eu lhe peço, é uma súplica que eu lhe faço, lhe peço de joelhos!" (João Ubaldo Ribeiro, *O Sorriso do Lagarto*, p. 261.) **2.** Admirado, encantado, deslumbrado: "que se fosse um homem livre seria um marido tão bom! Amorável, dedicado, dengueiro, sempre de joelhos, todo d'adorações!" (Eça de Queirós, *O Crime do Padre Amaro*, pp. 138-139). **Dobrar os joelhos. 1.** Ajoelhar-se. **2.** *Fig.* Humilhar-se, rebaixar-se: *Nunca dobrarei os joelhos diante de alguém que não merece respeito*.

joelho de porco *S. m. Pop.* **1.** Espécie de salgadinho com massa de pão e recheio de presunto e queijo. [Tb. se diz apenas *joelho*.] **2.** Prato feito com joelho de porco defumado, batatas e chucrute.

joelhudo [De *joelho* + *-udo*.] *Adj.* Que tem joelhos grossos.

joemamai *Bras. S. 2 g.* **1.** *Etnôn.* Indivíduo dos joemamais [ou (etnôn. bras.) *Yoemamay], povo indígena extinto que habitava a margem direita do alto rio Solimões (AM). ● *Adj. 2 g.* **2.** Pertencente ou relativo a esse povo.

jogaço [De *jogo* + *-aço*.] *S. m.* Partida de futebol, vôlei, basquete, etc., que tem tudo para ser, ou é, excelente; jogão: "[Mário Filho] Foi o primeiro a sacar que, se havia um jogaço de futebol no domingo, por que não falar dele desde a segunda-feira anterior?" (Rui Castro, em *Folha de S.Paulo*, 04.06.2008.)

jogada [De *jogar* + *-ada*[1].] *S. f.* **1.** Ato ou efeito de jogar. **2.** Lanço (10). **3.** V. *jogo* (14). **4.** *Bras.* Esquema de negócio, prévia e engenhosamente arquitetado, com vista a determinado fim, em geral lucrativo ou vantajoso: *Ganhou muito dinheiro naquela jogada da importação*. **5.** *P. ext.* Qualquer negócio tramado, e elaborado por meio de ardis, maquiavelicamente. [Cf. *jugada*.] ◆ **Morar na jogada.** *Bras. Gír.* Entender, compreender uma explicação, uma situação, etc. **Tirar da jogada.** Liquidar, eliminar.

jogadeira [De *jogar* + *-deira*.] *S. f.* Na sinuca, a bola branca ou amarela, que, impelida com o taco, deve acertar as outras; tacadeira.

jogado [Part. de *jogar*.] *Adj.* **1.** Que se jogou; arriscado ao jogo. **2.** *Bras.* Caído, prostrado, inerte. **3.** *Bras.* Abandonado, desamparado: *Pobre e doente, vive por aí, esquecido, jogado*. [Cf. *jugado*.]

jogador (ô) [De *jogar* + *-dor*.] *Adj.* **1.** Que joga por hábito, profissão ou vício. ● *S. m.* **2.** Aquele que joga por hábito, profissão ou vício. **3.** Aquele que sabe jogar. [Cf. *jugador*.]

jogão [De *jogo* + *-ão*[1].] *S. m.* Jogaço.

jogar [Do lat. *jocare*.] *V. t. d.* **1.** Entregar-se ao, ou tomar parte no jogo de; executar as diversas combinações de (um jogo): "fumar, beber cerveja e jogar o xadrez" (Ramalho Ortigão, *A Holanda*, p. 208); "Entraram na delegacia, os quatro soldados jogando bozó em cima do banco." (José Bezerra Filho, *Fogo!*, p. 51). **2.** Aventurar ou arriscar ao jogo; perder no jogo: *Jogou a roupa do corpo*. **3.** Manejar com destreza ou habilmente. **4.** Pôr em risco; arriscar, aventurar: *Os pilotos de prova jogam a vida constantemente*. **5.** Lançar em alguma direção; arremessar, atirar: *As crianças jogavam pedras*. **6.** Dizer ou fazer brincadeira. *T. d. e i.* **7.** *Pop.* V. *atacar*[1] (11): *Jogou a mão no braço do punguista*. **8.** Arriscar temerariamente; aventurar: *Jogar a vida com um facínora*. **9.** Lançar em alguma direção; arremessar, atirar, dar: *Jogaram-lhe pedras*. **10.** Dizer ou fazer por brincadeira. **11.** Instigar, açular: *Jogou a torcida contra o juiz*. *T. i.* **12.** Jogar (1): *A seleção brasileira jogou contra a do Chile*. **13.** Combinar, condizer, harmonizar-se. **14.** Fazer apostas em jogo: *Jogar em corridas de cavalos*. **15.** Basear-se, fundar-se, estribar-se: *Defendeu bem a tese, jogando com excelentes autores*. *T. c. e i.* **16.** Jogar (14): *Jogou vinte reais no bicho, e perdeu*. *Int.* **17.** Entregar-se ao jogo; ter hábito ou vício do jogo: "Já se jogava no tempo da Escritura; lançaram-se dados sobre a túnica de Jesus Cristo." (Machado de Assis, *A Semana*, II, p. 162.) **18.** Brincar, divertir-se, folgar. **19.** Oscilar, balançar(-se): "O silêncio noturno da ruazinha de arrabalde é cortado .... pelo bonde, que passa, ruidoso e jogando, na rua principal" (Telmo Vergara, *Contos da Vida Breve*, p. 21). *P.* **20.** Atirar-se, lançar-se, arremessar-se, despenhar-se, precipitar-se: "E eu me lembro .... dessa pobre mulher que se jogou do andar de um prédio alto para morrer." (João Clímaco Bezerra, *O Homem e Seu Cachorro*, p. 46.) [Conjug.: v. *largar*. Pres. ind.: *jogo*, etc. Cf. *jogo* (ô) e *jugar*.] ◆ **Jogar fora. 1.** Desfazer-se de; botar fora: *A criança, enfastiada, jogou fora o brinquedo*. **2.** *Fig.* Desperdiçar, não aproveitar: *Jogou fora a oportunidade de continuar estudando*.

jogata [De *jogar* + *-ata*.] *S. f.* **1.** Partida de jogo. **2.** Jogatina (1).

jogatina [Do it. *giocatina*.] *S. f.* **1.** Exercício continuado, o hábito ou vício do jogo; jogata: *Vive na jogatina*. **2.** O jogo, sobretudo o jogo de azar: *Aquela casa é um antro de jogatina*.

→ **jogging** ['dʒagɪŋ] [Ingl.] *S. m.* **1.** Ação de correr lentamente ou andar, em passos ritmados, com fins higiênicos. **2.** Vestuário esportivo, composto de calça e blusão, em geral do mesmo tecido e cor, us. sobretudo para fazer *jogging* (1).

jogo (ô) [Do lat. *jocu*, 'gracejo', 'zombaria', que tardiamente tomou o lugar de *ludus*.] *S. m.* **1.** Atividade física ou mental organizada por um sistema de regras que definem a perda ou o ganho: *jogo de damas*; *jogo de futebol*. **2.** Brinquedo, passatempo, divertimento: *jogo de armar*; *jogos de salão*. **3.** Passatempo ou loteria sujeito a regras e no qual, às vezes, se arrisca dinheiro: *jogo de cartas*; *jogo do bicho*. **4.** Regras que devem ser observadas quando se joga. **5.** Jogo de azar. **6.** O vício de jogar: *É dado ao jogo*. **7.** Maneira de jogar: *O jogo dele é muito perigoso*. **8.** Série de coisas que forma um todo ou uma coleção: "Da sacra vestimenta avultam na brancura / De pistolas um jogo e a forma de um punhal." (Gonçalves Crespo, *Obras Completas*, p. 337.)

9. Conjugação harmoniosa de peças mecânicas com o fim de movimentar um maquinismo: *um jogo de manivelas.* **10.** Mecanismo de direção de um veículo: *o jogo dianteiro de um carro.* **11.** Balanço transversal (q. v.): *Enjoou muito com o jogo do navio.* **12.** Escárnio, ludíbrio, jiga-joga. **13.** Manha, astúcia, ardil. **14.** Vicissitudes, alternativas, vaivéns; jogada, jiga-joga: *o jogo político.* **15.** Aposta (1). **16.** Comportamento ou atitude de alguém que visa a obter vantagens de outrem: *jogo franco; jogo dissimulado.* **17.** *Mús.* Na técnica instrumental, a maneira como cada artista se serve dos recursos técnicos próprios ao seu instrumento. **18.** *Mús.* Conjunto de registros do órgão ou do harmônio. **19.** *Psicol.* Jogo (1 e 2) empregado como meio de investigação ou tratamento psicológico. **20.** *Teatr.* Uma das mais antigas composições dramáticas da Idade Média, principalmente na Alemanha, França e Espanha, constituída de breves diálogos, cenas ou recitações e representações em praça pública de trovadores e jograis. [Pl.: *jogos* (ó). Cf. *jogo*, do v. *jogar*.] ◆ **Jogo cênico.** No espetáculo teatral, o conjunto orgânico das marcações dos atores, diálogos, jogos de luz, movimentações de cenários, divisões em cenas, atos e intervalos, ritmo, atmosfera, etc.; jogo de cena, jogo dramático. **Jogo da pela.** Jogo muito praticado outrora, que consistia em atirar uma bola (a pela) de um lado para o outro, com a mão ou com o auxílio de um instrumento (raquete, bastão, pandeiro, etc.), em local aparelhado para esse fim. [Tb. se diz apenas *pela*.] **Jogo das escondidas.** V. *esconde-esconde.* **Jogo da verdade.** Jogo de salão (q. v.) em que cada um dos participantes se propõe responder com sinceridade a tudo quanto lhe for perguntado. **Jogo da vermelhinha.** Certo jogo de azar em que há só três cartas, duas de naipe preto e uma de naipe vermelho, com as quais o banqueiro faz uma espécie de prestidigitação, deixando-as voltadas para baixo. O parceiro ganha se acerta qual delas é a vermelha. [Tb. se diz apenas *vermelhinha*.] **Jogo de azar.** Aquele em que a perda ou o ganho dependem mais da sorte que do cálculo, ou somente da sorte, como, p. ex., o jogo da roleta e do monte. **Jogo de bolsa.** Especulação (contrato aleatório) em operações de compra e venda (títulos, mercadorias) que não obriga à entrega do objeto negociado, resolvendo-se apenas com o pagamento da diferença dos preços de cada transação. **Jogo de botão.** Futebol de botão. **Jogo de cena.** *Teatr.* V. *jogo cênico.* **Jogo de damas.** V. *damas.* **Jogo de empurra.** Ato de atribuir alguém uma incumbência, responsabilidade, etc., a outrem, que por sua vez a(s) atribui a um terceiro, e assim por diante. **Jogo de fios.** O ato de produzir figuras estendendo fios entre os dedos das mãos e, algumas vezes, também pelos pés. **Jogo de mímica.** V. *jogo de salão.* **Jogo de palitinhos.** *Bras.* V. *porrinha.* **Jogo de salão.** Passatempo organizado em reuniões sociais, que consta de adivinhações, sorteios, etc., com objetivo puramente lúdico, como, por ex., o jogo de mímica, o de prendas, o da verdade. **Jogo do bicho.** *Bras.* Tipo de loteria na qual se joga sobre os finais 0000 a 9999, cujas dezenas correspondem a 25 grupos [v. *grupo* (14)], cada um com o nome de um animal, a saber: avestruz, águia, burro, borboleta, cachorro, cabra, carneiro, camelo, cobra, coelho, cavalo, elefante, galo, gato, jacaré, leão, macaco, porco, pavão, peru, touro, tigre, urso, veado, vaca. [Tb. se diz apenas *bicho*.] **Jogo do osso.** *Bras. RS* Tava (2). **Jogo dramático.** *Teatr.* V. *jogo cênico.* **Jogo eletrônico.** Jogo, provido de memória (15), que opera através dum sistema de circuitos eletrônicos. **Jogo limpo. 1.** Jogo (1 e 2) leal, que respeita as regras. **2.** *Fig.* Capacidade de aceitar com serenidade e elegância situação difícil ou adversa. [Corresponde, nesta acepç., ao ingl. *fair-play*.] **Jogos de linguagem.** *Filos.* Segundo L. Wittgenstein (v. *wittgensteiniano*), expressão que indica que as palavras só ganham sentido no seu uso efetivo, quando se aproximam por semelhanças, compondo fragmentos linguísticos (relatos, cantigas, saudações, diálogos, etc.) e nos quais funcionam, como nos jogos, com regras próprias que determinam as práticas dos jogadores. **Jogos de prendas.** Jogos em que quem perde entrega um objeto ou prenda ao ganhador, o qual escolherá a pena que o perdedor tem de cumprir. **Jogos equírios.** Corridas de cavalo com que em Roma se festejava Marte. [Tb. se diz apenas *equírios*.] **Jogos florais.** Antigos jogos que se celebravam em honra de Flora, deusa das flores e dos jardins, e que ainda hoje são celebrados nalgumas cidades. [Tb. se diz apenas *florais*.] **Jogos ístmicos.** Competições esportivas que se disputavam no istmo de Corinto, de dois em dois anos, no meio da primavera, em honra de Posídon. **Jogos malabares.** Jogos de posições e movimentos difíceis e extravagantes, com pelotiças, prestidigitações, pantomimas e habilidades manuais. **Jogos nemeus.** Competições esportivas que se disputavam na antiga cidade grega de Nêmea, de dois em dois anos, em julho. **Jogos olímpicos. 1.** Competições esportivas que, de quatro em quatro anos, se disputavam na antiga cidade de Olímpia, em honra de Zeus, sempre no mês de julho. **2.** Competições esportivas internacionais que se realizam de quatro em quatro anos, em país previamente escolhido. **Jogos píticos.** Competições esportivas que se disputavam na antiga cidade grega de Delfos, no terceiro ano de cada Olimpíada, em honra de Apolo. **Abrir o jogo.** Falar com toda a franqueza. **Esconder o jogo.** *Bras. Gír.* Ocultar as verdadeiras intenções de um comportamento, de uma atitude, etc. **Fazer o jogo de.** Colaborar com o(s) objetivo(s) de, atuando com dissimulação ou sem consciência do que faz. **Ter jogo de cintura.** Ter muito jeito, muita habilidade, para sair de situações difíceis. **Virar o jogo.** Tornar favorável situação adversa: *Atrás nas pesquisas, o candidato ainda acha possível virar o jogo.*

jogo da bola *S. m.* Jogo em que se fazem rolar bolas a fim de derrubar certo número de paus eretos. [Pl.: *jogos da bola*. Cf. *boliche* (1).]

jogo da glória *S. m.* V. *glória* (10). [Pl.: *jogos da glória*.]

jogo da velha *S. m. Bras.* Jogo em que dois parceiros desenham, num papel, linhas paralelas, duas horizontais e duas verticais, em cruz, formando nove casas, nas quais se assinalam os pontos, ganhando o que primeiro consegue unir três pontos em linha reta, diagonal ou perpendicular. [Pl.: *jogos da velha*.]

jogo do galo *S. m. Lus.* Jogo da velha. [Pl.: *jogos do galo*.]

jogo do homem *S. m. Lus.* V. *amarelinha*². [Pl.: *jogos do homem*.]

jogo-treino *S. m. Esport.* Aquele que antecede a uma partida ou competição oficial e tem como objetivos principais o entrosamento e o aprimoramento técnico do(s) time(s). [Pl.: *jogos-treinos* e *jogos-treino*.]

jogral [Do provenç. *joglar*, com metátese.] *S. m.* **1.** Na Idade Média, trovador ou intérprete de poemas e canções de caráter épico, romântico ou dramático: "Acima do bobo ou maninelo, mas confundido às vezes com ele, estava o jogral. O jogral era conjuntamente instrumentista, bailarino, cantor e, até, improvisador." (Alexandre Herculano, *O Monge de Cister*, II, p. 256.) **2.** *Teatr.* Aquele que interpreta poemas ou canções; recitador, declamador, trovador. **3.** Farsista, truão, chocarreiro, histrião. [Fem.: *jogralesa*.]

jogralesa (ê) *S. f.* Fem. de *jogral*. [Sin. do fem. da acepç. 1 de jogral: *pela*.]

jogralesca (ê) [F. subst. de *jogralesco*.] *S. f.* Cantiga de jogral.

jogralesco (ê) [De *jogral* + *-esco*.] *Adj.* Relativo a, ou próprio de jogral.

jogralidade [De *jogral* + *-(i)dade*.] *S. f.* Ato ou dito de jogral (3); truanice, chocarrice.

jogue *Adj. 2 g. S. 2 g.* V. *iogue*.

joguetar [De *joguete* + *-ar*².] *V. int.* V. *joguetear*. [Pres. subj.: *joguete*, *joguetes*, etc. Cf. *joguete* (ê) e pl. *joguetes* (ê).]

joguete (ê) [De *jogo* + *-ete* (ê), ou do esp. *juguete*.] *S. m.* **1.** Mofa, brinquedo, ludíbrio, zombaria. **2.** Pessoa ou coisa que é alvo de ludíbrio ou mofa. [Pl.: *joguetes* (ê). Cf. *joguete* e *joguetes*, do v. *joguetar*.]

joguetear [De *joguete* + *-ear*².] *V. int.* **1.** Brincar com ditos; gracejar, joguetar. **2.** Esgrimir, por brincadeira; joguetar. [Conjug.: v. *frear*.]

→ **john bull** [dʒɑn bʊl] [Ingl., 'João Touro'.] *S. m.* Personagem caricatural que simboliza o povo inglês, sobretudo no que ele tem de firme e obstinado. [Com cap.]

joia (ói) [Do fr. ant. *joie*, 'joia' (regress. do fr. ant. *joiel*, *joel* < lat. **jocalis*, 'o que dá prazer'), que convém não confundir com o atual *joie*, 'alegria'.] *S. f.* **1.** Artefato de matéria preciosa, de metal ou de pedrarias e que se usa como adorno, como anéis, colares, tiaras, brincos, broches, etc. [Sin., no RS.: *memória*, *prenda*.] **2.** *Fig.* Pessoa ou coisa de grande valor, ou muito boa, ou de aspecto agradável: "Era uma joia de rapaz; lembra-se dele, pois não lembra...?" (Aquilino Ribeiro, *Alemanha Ensanguentada*, p. 187); *Este quadro é uma joia; A casa estava uma joia.* **3.** *Maç.* Insígnia distintiva de um cargo ou função. **4.** *Mar.* Engrossamento existente na parte externa da boca de algumas bocas de fogo, destinado a melhor resistir às violentas pressões que aí se exercem quando o projetil deixa a boca de fogo. **5.** *Bras.* Quantia paga, em geral de uma só vez, pelos que são admitidos ao quadro de sócios de certas associações, clubes, etc. [Sin. lus., nesta acepç.: *propina*.] ● *Adj. 2 g.* **6.** *Bras. Gír.* Muito bom ou bonito; excelente: *A festa estava joia; Comprou um vestido joia.*

joiense (òiên) *Adj. 2 g.* **1.** De, ou pertencente ou relativo a Joia (RS). ● *S. 2 g.* **2.** O natural ou habitante de Joia.

→ **joint venture** [dʒɔjnt ˈventʃɚ] [Ingl.] Associação de empresas, não definitiva, para explorar determinado(s) negócio(s), sem que nenhuma delas perca sua personalidade jurídica.

joinvilense (o-in) *Adj. 2 g.* **1.** De, ou pertencente ou relativo a Joinvile (SC). ● *S. 2 g.* **2.** O natural ou habitante de Joinvile.

joio (ôi) [Do lat. *loliu*, poss. por uma f. **joju*.] *S. m.* **1.** *Bot.* Erva poácea (*Lolium temulentum*) anual, que cresce caracteristicamente nas plantações de trigo, e chega a atingir 80cm de altura. É cespitosa, de folhas lineares e ásperas, flores mínimas, associadas em espiguetas que formam espigas, e tem um princípio tóxico: "E, quando caia [o trigo]na mó da azenha, / Não seja o caso que às vezes tenha / Joio ou mistura de grãos de aveia." (Conde de Monsaraz, *Musa Alentejana*, p. 16.) [Sin.: *cizânia*, *larica*.] **2.** A semente dessa planta. **3.** *Fig.* Coisa daninha, ruim, que surge entre as boas e as corrompe. ◆ **Separar o joio do trigo.** Tirar ou separar o que é ruim do que é bom.

joio-castelhano *S. m. Bras. Bot.* V. *azevém*. [Pl.: *joios-castelhanos*.]

jojoba [Do esp. do México *jojoba*.] *S. f. Bot.* Planta buxácea (*Simmondsia chinensis*) arbustiva, originária do S.O. dos Estados Unidos e N.O. do México, cuja semente produz 50% de óleo de ampla utilidade e 50% de torta com cerca de 32% de proteína que contém aminoácidos essenciais, como a lisina e a metionina. Pelo seu elevado teor de proteína bruta, essa torta supera a do babaçu e a do trigo, aproximando-se das mais nobres, como a do algodão, a da soja e a do girassol. Serve para o fabrico de rações, é ótimo fertilizante e é tb. us. na indústria de cosméticos. As folhas constituem excelente forragem para caprinos e coelhos. A jojoba vegeta bem nas terras brasileiras do N.E. e do N. de MG e GO.

joldra *S. f.* V. *choldra*: "De golpe ergue-se o Cura, e à joldra amotinada / Voa, dá ordens, clama" (Gonçalves Crespo, *Obras Completas*, p. 340).

joliótio [Do antr. (*Frédéric*) *Joliot* (1900-1958), físico francês, + *-io*³.] *S. m. Quím. Desus.* Dúbnio [símb.: *Jl*].

joliz [Do fr. *joli*, poss.] *Adj. 2 g. Ant.* Alegre, amável.

jomirim *S. m. Bras. Bot.* Var. de *juá-mirim*.

joncongo [F. contrata de *joão-congo*.] *S. m. Bras. Zool.* V. *joão-congo*.

jonçu [De or. afr.] *S. m. Bras. Rel.* **1.** Qualidade (11) de Omolu. ● *Adj. 2 g.* **2.** Diz-se dessa qualidade. [Com cap.]

jongar [De *jongo* + *-ar*².] *V. int. Bras.* Dançar o jongo. [Conjug.: v. *largar*.]

jongo [Do quimb. *jihungu*.] *S. m. Bras. ES RS SP MG* Dança de roda, espécie de samba, que se movimenta em sentido anti-horário, acompanhado por tambores ditos de jongo, como, p. ex., o candongueiro³, o caxambu, mas sua coreografia difere em cada localidade; só é dançado à noite.

jongueiro [De *jongo* + *-eiro*.] *S. m. Bras.* Dançador ou cantador de jongo.

jónico *Adj.* V. *jônico*. [Uso freq. em P.]

jônico [Do gr. *ionikós*, pelo lat. *ionicu*.] *Adj.* **1.** Pertencente ou relativo à antiga Jônia, ou aos jônios, ou ao mar Jônio. **2.** *Gloss.* Relativo a jônico (4). **3.** *Hist. Filos.* Diz-se de jônico (5). ~ V. *coluna —a* e *ordem —a*. ● *S. m.* **4.** *Gloss.* Grego jônico (q. v.). **5.** *Hist. Filos.* Qualquer dos filósofos pré-socráticos oriundos da Jônia, a saber, os milésios e Heráclito de Éfeso [v. *heraclitismo*]. [F. paral.: *iônico*. Sin. ger.: *jônio*.]

jónio *Adj. S. m.* V. *jônio*. [Uso freq. em P.]

jônio [Do gr. *íonios*, pelo lat. *ioniu*.] *S. m.* **1.** Indivíduo dos jônios, povos gregos que habitaram a Jônia. **2.** V. *jônico* (4 e 5). ● *Adj.* **3.** V. *jônico* (1 a 3). [F. paral.: *iônio*.]

jóquei [Do ingl. *jockey*.] *S. m. Turfe* **1.** Clube de reuniões de corridas de cavalos; jóquei-clube. **2.** O cavaleiro que monta nessas corridas; ginete, redeador, montaria.

jóquei-clube *S. m.* Jóquei (1). [Pl.: *jóqueis-clubes* e *jóqueis-clube*.]

joqueta (ê) [De *jóquei* + *-eta* (ê).] *S. f. Bras.* Fem. de *jóquei* (2).

jordanense¹ *Adj. 2 g.* **1.** De, ou pertencente ou relativo a Campos do Jordão. ● *S. 2 g.* **2.** O natural ou habitante de Campos do Jordão.

jordanense² *Adj. 2 g.* **1.** De, ou pertencente ou relativo a Jordânia (MG). ● *S. 2 g.* **2.** O natural ou habitante de Jordânia.

jordaniano¹ *Adj.* **1.** Da, ou pertencente ou relativo à Jordânia (Ásia). ● *S. m.* **2.** O natural ou habitante da Jordânia.

jordaniano[2] [Do antr. *Jordan* (v. *jordanion*) + *-iano*.] ***Adj.*** ~ V. *espécie —a.*

jordânico [Do top. *Jordão* + *-ico*[2], seg. o padrão erudito.] ***Adj.*** Relativo ou pertencente ao rio Jordão (Ásia).

jordanion [Do antr. (*David S. Jordan*) (1851-1931), naturalista norte-americano, + *-i-* + gr. *-on*.] ***S. m. Biol.*** Categoria taxonômica inferior à espécie, definida por suas características morfológicas distintas, porém constantes. [Sin.: *jordanon, espécie jordaniana.*]

jordanon [Do ingl. *jordanon*.] ***S. m. Biol.*** V. *jordanion.*

jorge-grande ***S. m. Bras. Bot.*** Variedade de tabaco (1). [Pl.: *jorges-grandes.*]

jorgense[1] ***Adj. 2 g. S. 2 g.*** V. *são-jorgense*[1].

jorgense[2] ***Adj. 2 g. S. 2 g.*** V. *são-jorgense*[2].

jorge-pequeno ***S. m. Bras. Bot.*** Variedade de tabaco (1). [Pl.: *jorges-pequenos.*]

jorge-teixeirense ***Adj. 2 g.*** **1.** De, ou pertencente ou relativo a Governador Jorge Teixeira (RO). ● ***S. 2 g.*** **2.** O natural ou habitante de Governador Jorge Teixeira. [Pl.: *jorge-teixeirenses.*]

jorna [Der. regress. de *jornal*[1] (1).] ***S. f.*** **1.** Salário diário; jornal: "Recebem contentes ao sábado as jornas, / E vão derretê-las à boca das dornas, / De noite, nas tascas, à luz da candeia." (Conde de Monsaraz, *Musa Alentejana*, 161.) **2.** *Bras. S.* V. *bebedeira* (1). ◆ **À jorna.** Por salário diário; como diarista; à jeira: "Soube depois que se sujeitara a trabalhar à jorna." (Fernando Namora, *Retalhos da Vida de um Médico*, p. 258.) **Tomar uma jorna.** *Bras. S.* V. *embriagar* (4).

jornada [Do provenç. *jornada*.] ***S. f.*** **1.** Marcha ou caminho que se faz num dia: "em cinquenta e seis dias de duras jornadas venceu trezentas e trinta e duas léguas de caminhos aspérrimos" (Antero de Figueiredo, *Jornadas em Portugal*, p. 190). **2.** Viagem por terra: "Eu viajo nas minhas recordações e relembro bocados de jornadas que fiz na nossa terra" (Id., *ib.*, p. 14). **3.** Ação ou expedição militar. **4.** Duração do trabalho diário: "Na América Latina a jornada legal de trabalho é de 8 horas" (Clóvis Caldeira, *Menores no Meio Rural*, p. 60). **5.** *Teatr.* Cada ato de uma peça, no antigo teatro espanhol e português: "foi também ele [Torres Naharro] que inventou os *introitos* ou prólogos e que deu aos atos a denominação de jornadas, seguida depois constantemente pelos autores espanhóis nas divisões dos seus dramas." (Alexandre Herculano, *Opúsculos*, IX, p. 121.) **6.** *Bras. N.E. Folcl.* Cena cantada diante do presepe, nos pastoris. ◆ **Jornada de trabalho.** *Dir. Trab.* Período de tempo em que o empregado realiza suas atividades ou encontra-se à disposição do empregador, sendo que, por norma constitucional brasileira, a jornada máxima é de oito horas diárias e quarenta e quatro semanais.

jornadear [De *jornada* + *-ear*[2].] ***V. int.*** **1.** Fazer jornada(s); andar de jornada: "O prudente arcebispo .... jornadeava vagarosamente, na sua mula romana" (Antero de Figueiredo, *Jornadas em Portugal*, p. 198). ***T. c. Bit. c.*** **2.** Encaminhar-se em jornada (2): *Jornadeou para o sertão*; "Jornadeando do país de Betemaniane para a citada terra, não se esqueceu de sacudir à saída o pó das alpargatas." (Aquilino Ribeiro, *Portugueses das Sete Partidas*, p. 163). ***T. d.*** **3.** Fazer (jornada): "E jornadeio em fantasia / Essas jornadas que eu fazia / Ao velho Douro, mais meu Pai." (Antônio Nobre, *Só*, p. 61.) [Conjug.: v. *frear.*]

jornal[1] [Do lat. *diurnale*, 'diário', *i. e.*, salário por um dia de trabalho.] ***S. m.*** Paga de cada dia de trabalho; salário, jorna.

jornal[2] [Do it. *giornale*.] ***S. m. Jorn.*** **1.** Periódico (4), ger. de folhas soltas encasadas, no qual se publicam notícias, entrevistas, comentários, anúncios, informações úteis para o público, etc.; gazeta. **2.** *P. ext.* Qualquer noticiário, acompanhado ou não de comentários, dado a público através de rádio, televisão, cinema, ou de quadro mural, etc. [Cf., nesta acepç., *cinejornal, radiojornal* e *telejornal*.] **3.** Jornal *on-line*. ◆ **Jornal da tela.** *Jorn.* Cinejornal. **Jornal de empresa.** *Jorn. House organ* (q. v.). **Jornal mural.** *Jorn.* Informativo composto de folhas afixadas em quadro-mural (q. v.), com matérias noticiosas. **Jornal *on-line*.** *Jorn.* Jornal (1) editado em mídia digital. [Tb. se diz apenas *jornal.*]

jornaleca [De *jornal* + *-eca*.] ***S. m. Deprec.*** Jornaleco.

jornaleco [De *jornal*[2] + *-eco*[1].] ***S. m. Deprec.*** Jornal[2] (1) insignificante ou malredigido.

jornaleiro[1] [De *jornal*[1] + *-eiro*.] ***S. m.*** **1.** Operário a quem se paga jornal[1] (1); ganhador, ganha-dinheiro: "Lá voltam do trabalho os jornaleiros / Cantando atrás dos bois" (Conde de Monsaraz, *Musa Alentejana*, p. 185). ● ***Adj.*** **2.** Que é feito seguidamente; diário: "a labutação jornaleira começava ali ainda com o escuro." (José de Alencar, *O Sertanejo*, p. 195.)

jornaleiro[2] [De *jornal*[2] + *-eiro*.] ***S. m. Bras.*** Vendedor ou entregador de jornais; gazeteiro: "jornaleiros anunciavam o lançamento de uma bomba atômica no Pacífico" (Lêdo Ivo, *O Flautim*, p. 61).

jornalismo [De *jornal*[2] + *-ismo*.] ***S. m.*** **1.** Atividade profissional da área de Comunicação Social (q. v.) que visa à elaboração de notícias para publicação em jornal, revista, rádio, televisão, etc., acompanhadas ou não de comentários. **2.** Os conhecimentos relativos ao jornalismo (1). **3.** Os jornalistas: *O jornalismo em peso compareceu à festa.* **4.** A imprensa jornalística. ◆ **Jornalismo digital.** Jornalismo que utiliza mídia digital (q. v.); jornalismo *on-line*. **Jornalismo eletrônico.** Jornalismo que utiliza a mídia eletrônica (q. v.). **Jornalismo impresso.** Jornalismo que utiliza a mídia impressa (q. v.). **Jornalismo *on-line*.** Jornalismo digital.

jornalista [De *jornalismo* + *-ista*.] ***S. 2 g. Jorn.*** Pessoa que exerce atividade jornalística como redator, repórter, fotógrafo, editor, etc.

jornalístico [De *jornal*[2] + *-ist(a)-* + *-ico*[2].] ***Adj.*** Relativo a jornal[2], a jornalista ou ao jornalismo.

jórnea ***S. f. Ant.*** Certo vestuário: manto largo, aberto aos lados e sem mangas: "as jórneas decotadas, deixando entrever as golas" (Alexandre Herculano, *O Monge de Císter*, II, p. 254).

jorra (ô) ***S. f.*** **1.** Breu com que se besuntam por dentro talhas e outras vasilhas de barro. **2.** As escórias de ferro que se separam nas forjas. [Pl.: *jorras* (ô). Cf. *jorra* e *jorras*, do v. *jorrar.*]

jorramento [De *jorrar* + *-mento*.] ***S. m.*** **1.** Jorro (1). **2.** Inclinação que se dá ao paramento de um muro ou de uma parede.

jorrante [De *jorrar* + *-nte*.] ***Adj. 2 g.*** Que jorra ou borbotoa; borbotoante.

jorrão [De *zorra*[1] + *-ão*[1], com palatalização.] ***S. m.*** Utensílio para apanhar a terra ou para arrastar fardos, semelhante a um leito de carro, sem rodas.

jorrar[1] [De *jorro* + *-ar*[2].] ***V. int.*** **1.** Brotar, correr, rebentar, irromper em jorro ou com ímpeto; rebentar: *Perfuraram o solo, e o petróleo jorrou.* ***T. c.*** **2.** Jorrar (1): "agarrado ao estai da bujarrona e firme como uma estátua, sob o aguaceiro contínuo jorrando do céu" (Virgílio Várzea, *Nas Ondas*, pp. 33-34). ***T. i.*** **3.** *Fig.* Sair ou brotar com muita fluência, facilidade; manar: "há escritores de cujas penas privilegiadas jorram crônicas e artigos" (Aires da Mata Machado Filho, *Falar, Ler e Escrever*, p. 34). ***T. d.*** **4.** Fazer sair em jorro; lançar com ímpeto: *O poço jorrou petróleo.* **5.** Lançar de si; emitir: *Palmeava, gritava, jorrava entusiasmo.* [Pres. ind.: *jorro, jorras, jorra*, etc. Cf. *jorro* (ô), s. m., *jorra* (ô), s. f. e pl. *jorras* (ô).] [F. paral.: *chorrar.*]

jorrar[2] [De *jorra* (1) + *-ar*[2].] ***V. t. d.*** Besuntar com jorra (1). [Pres. ind.: *jorro, jorras, jorra*, etc. Cf. *jorro* (ô), s. m., *jorra* (ô), s. f. e pl. *jorras* (ô).]

jorro (ô) [T. onom.] ***S. m.*** **1.** Saída impetuosa de um líquido; jorramento. **2.** *P. ext.* V. *golfada* (2): "Um jorro de sangue vivo esguichava do chão" (Fernando Sabino, *O Homem Nu*, p. 64). [F. paral.: *chorro*. Pl.: *jorros* (ô). Cf. *jorro*, do v. *jorrar.*]

jorro-jorro (ô) ***S. m. Bras. Bot.*** V. *chapéu-de-napoleão*. [Pl.: *jorros-jorros* e *jorro-jorros.*]

➔ **jôruri** [dʒoruri] [Jap.] ***S. m. Teatr.*** V. *bunraku*.

josé-boitense (boa) ***Adj. 2 g.*** **1.** De, ou pertencente ou relativo a José Boiteux (SC). ● ***S. 2 g.*** **2.** O natural ou habitante de José Boiteux. [Pl.: *josé-boitenses.*]

joseense (èen) ***Adj. 2 g.*** **1.** De, ou pertencente ou relativo a São José dos Campos (SP). ● ***S. 2 g.*** **2.** O natural ou habitante de São José dos Campos.

josefense (josè) ***Adj. 2 g.*** **1.** De, ou pertencente ou relativo a São José (SC). ● ***S. 2 g.*** **2.** O natural ou habitante de São José.

joselandense ***Adj. 2 g.*** **1.** De, ou pertencente ou relativo a Joselândia (MA). ● ***S. 2 g.*** **2.** O natural ou habitante de Joselândia.

josé-mole [Do antr. *José* + *mole*[2].] ***S. m. Bras. Zool.*** V. *opilião* (2). [Pl.: *josés-moles.*]

josé-penhense ***Adj. 2 g.*** **1.** De, ou pertencente ou relativo a José da Penha (RN). ● ***S. 2 g.*** **2.** O natural ou habitante de José da Penha. [Pl.: *josé-penhenses.*]

josezinho (è) [De *Josezinho*, hipocorístico de *José*.] ***S. m. Ant.*** Capote sem mangas, com cabeção e pouca roda: "Sabe lá o visco que eram as raparigas da cidade, nas madrugadas frescas desse Rossio, aí por 1830, todas embrulhadas nos seus josezinhos de baetão vermelho!" (Júlio Dantas, *Figuras de ontem e de hoje*, p. 35.)

jota[1] [Do lat. *iota* < gr. *iôta*.] ***S. m.*** **1.** A letra *j*. [Sin., em AL, SE e BA: *ji*.] **2.** *Ant.* Pouca coisa; coisa nenhuma; nada.

jota[2] [Do esp. *jota*.] ***S. f.*** **1.** *Mús.* Canção e dança popular espanhola, em andamento rápido e compasso ternário, que é uma espécie de valsa, porém mais livre, dançada por pares que se defrontam e ocasionalmente se dispõem em círculos, e acompanhada de guitarra, bandurras, castanholas, pandeiro, címbalos, triângulo, etc.: "Somem-se os últimos ecos / Duma jota aragonesa." (Antônio Boto, *As Canções*, p. 94.) **2.** *Mús.* Música que acompanha essa dança.

joule [Do antr. (*James Prescott*) *Joule* (1818-1889), físico inglês.] ***S. m. Fís.*** Unidade de medida de energia no Sistema Internacional, igual ao trabalho realizado por uma força constante de um newton, cujo ponto de aplicação se desloca da distância de um metro na direção da força; a energia transportada por segundo em um condutor percorrido por uma corrente elétrica invariável de um ampère, sob uma diferença de potencial constante igual a um volt [símb.: *J*].

➔ **journée des dupes** [ʒuʁ'ne de dyp] [Fr., 'Dia dos Logrados'.] Alusão à data de 11 de novembro de 1630, assim chamada por terem sido desiludidos em sua expectativa de derrubar o Cardeal de Richelieu, primeiro-ministro da França, os inimigos deste, esp. Maria de Médicis e Ana de Áustria.

jovem [Do lat. *juvene*.] ***Adj. 2 g.*** **1.** Que é moço, que está na idade juvenil; juvenil. **2.** Produzido ou criado pelos jovens, pela juventude: *música jovem; teatro jovem.* **3.** Diz-se do animal de tenra idade. [Superl. abs. sint.: *juveníssimo*.] ~ V. *poder —*. ● ***S. 2 g.*** **4.** Pessoa moça.

jovial [Do lat. tard. *joviale*, 'de Jove ou Júpiter' e, daí, 'feliz', 'alegre'.] ***Adj. 2 g.*** **1.** Alegre, prazenteiro, folgazão. **2.** *P. ext.* Cujo canto, voz, etc. transmite alegria: "O melro, eu conheci-o: / Era negro, vibrante, luzidio, / Madrugador, jovial" (Guerra Junqueiro, *A Velhice do Padre Eterno*, p. 153). **3.** Engraçado, espirituoso, chistoso: "A sua vida flui constantemente nova, / Fazem-no rir os joviais anões tafuis..." (Eugênio de Castro, *Obras Poéticas*, III, p. 142.)

jovialidade [De *jovial* + *-(i)dade*.] ***S. f.*** **1.** Qualidade de jovial. **2.** Dito jovial, alegre. **3.** Bom humor; facécia.

jovializante [De *jovializar* + *-nte*.] ***Adj. 2 g.*** Que jovializa, que alegra: "no ar, jovializante, juvenilizante, cheio de sons, de cores e faiscâncias e bandeiras desfraldadas, revoejavam pássaros de asas pandas" (Martins Fontes, *A Alegria*, p. 45).

jovializar [De *jovial* + *-izar*.] ***V. t. d.*** **1.** Tornar jovial; animar com graças; alegrar: "Subam, jovializando o ar, canções suaves" (Vicente de Carvalho, *Poemas e Canções*, p. 224). ***Int.*** **2.** Mostrar-se jovial, prazenteiro.

jovianiense ***Adj. 2 g.*** **1.** De, ou pertencente ou relativo a Joviânia (GO). ● ***S. 2 g.*** **2.** O natural ou habitante de Joviânia.

joviano [Do fr. *jovien*.] ***Adj.*** Jupiteriano (1). ~ V. *planeta —*.

joyciano ***Adj.*** **1.** Relativo ou pertencente ao escritor irlandês James Joyce (1882-1941). **2.** Que é seu admirador e/ou profundo conhecedor de sua obra. ● ***S. m.*** **3.** Admirador e/ou conhecedor da obra de James Joyce.

➔ **joystick** ['dʒɔjstɪk] [Ingl.] ***S. m. Inform.*** Dispositivo de entrada, ger. us. para jogos de computador, que permite ao usuário indicar direções e intensidades por meio de uma alavanca e selecionar ações por meio de botões.

■ **JPEG** [Abrev. do ingl. *Joint Photographic Experts Group* 'Grupo Unido de Experts Fotográficos'.] *Inform.* Padrão para compressão de imagens.

■ **J/psi** ***S. m. Fís. Part.*** Méson de massa 3.096,88MeV/c^2, *isospin* zero, *spin* 1, paridade negativa e carga elétrica nula, composto de um *quark* e de um *antiquark* charme [símb.: *J/Ψ*]. [Sua descoberta, em 1974, foi um marco importante para a física, pois veio a confirmar a teoria da unificação das interações eletromagnéticas e fracas propostas por Salem-Weinberg, a qual previa a existência de partículas que continham esse tipo de *quark*. Tb. se diz apenas *psi*.]

juá [Do tupi.] ***S. m. Bras. Bot.*** **1.** O fruto do juazeiro. **2.** *Bot.* V. *arrebenta-cavalo* (1). **3.** *Bot.* V. *juciri*. **4.** *Bot.* Juazeiro (1). [Pl.: *juás*. Cf. *Joás*, antr.]

juá-arrebenta-cavalo ***S. m. Bot.*** V. *arrebenta-cavalo* (1). [Pl.: *juás-arrebenta-cavalo.*]

juá-bravo ***S. m. Bras. Bot.*** V. *arrebenta-cavalo* (1). [Pl.: *juás-bravos.*]

juaçabense ***Adj. 2 g.*** **1.** De, ou pertencente ou relativo a Juaçaba (SC). ● ***S. 2 g.*** **2.** O natural ou habitante de Juaçaba.

juá-de-capote [De *juá* + *de* + *capote*[1] (poss.).] ***S. m. Bot.*** V. *camapu* (1). [Pl.: *juás-de-capote.*]

juá-mirim [De *juá* + *mirim*.] ***S. m. Bras. Bot.*** V. *grão-de-galo* (7). [Var.: *jomirim*. Pl.: *juás-mirins.*]

juá-miúdo ***S. m. Bras. Bot.*** V. *grão-de-galo* (6). [Pl.: *juás-miúdos.*]

juapoca [Do tupi.] ***S. m. e f. Bras. Bot.*** V. *camapu* (1).

juarana [Do tupi; v. *juá* e *-rana*.] ***S. f. Bras. Bot.*** V. *fava-de-bolota* (1).

juarense *Adj. 2 g.* **1.** De, ou pertencente ou relativo a Juara (MT). ● *S. 2 g.* **2.** O natural ou habitante de Juara.

juati [Do tupi.] *S. m. Bras. Bot.* V. *arrebenta-cavalo* (1).

juazeirense[1] (à) *Adj. 2 g.* **1.** De, ou pertencente ou relativo a Juazeiro (BA). ● *S. 2 g.* **2.** O natural ou habitante de Juazeiro.

juazeirense[2] (à) *Adj. 2 g.* **1.** De, ou pertencente ou relativo a Juazeiro do Norte (CE). ● *S. 2 g.* **2.** O natural ou habitante de Juazeiro do Norte.

juazeirinhense *Adj. 2 g.* **1.** De, ou pertencente ou relativo a Juazeirinho (PB). ● *S. 2 g.* **2.** O natural ou habitante de Juazeirinho.

juazeiro (à) [De *juá* + *-zeiro.*] *S. m. Bras. Bot.* **1.** Árvore ramnácea (*Ziziphus joazeiro*) nativa do Brasil, do PI a MG, de folhas trinérveas, flores pequeninas, fruto drupáceo, amarelo, com polpa edule, e cuja casca é rica em saponina e serve como sabão e dentifrício. Fornece ao gado sombra e alimento, não perdendo a folhagem durante a seca; juá. **2.** V. *grão-de-galo* (7).

juba [Do lat. *juba.*] *S. f.* Crina de leão.

▲ **-juba** [Do tupi *yuba.*] *El. comp.* = 'amarelo': *ararajuba, camarajuba.*

jubacanga [De or. indígena.] *S. f. Bras. Zool.* Ave psitaciforme, psitacídea (*Aratinga auricapilla*), distribuída da BA para o S. Coloração verde na nuca, bochechas, pescoço, região dorsal superior, coberteiras das asas e parte basilar da barba externa das rêmiges maiores; cabeça e fronte amarelas; tórax e abdome rubescentes. [Sin.: *ajurujubacanga.*]

jubado [Do lat. *jubatu.*] *Adj.* Que tem juba.

jubaí [Do tupi.] *S. m. Bras. Bot.* V. *tamarindo* (2).

jubarte [De or. incerta.] *S. f. Zool.* V. *baleia-jubarte.*

jubeba [Var. de *jurubeba,* por síncope.] *S. f. Bras. Bot.* Jurubeba-grande. [Cf. *jumbeba.*]

jubeu [Do fr. *jubé,* poss.] *S. m.* Espécie de tribuna ou galeria entre a nave e o coro de certas igrejas

jubilação [Do lat. *jubilatione,* ou de *jubilar*[2] + *-ção.*] *S. f.* **1.** Ato ou efeito de jubilar[2] ou jubilar-se, de encher(-se) de júbilo; grande alegria; contentamento: 📖 "Tornava o filho pródigo à paterna / Casa, e não via em nada a antiga e terna / Jubilação da instante cotovia." (Manuel Bandeira, *Estrela da Vida Inteira,* p. 236.) **2.** Aposentadoria (honrosa, por via de regra) de professor. **3.** Desligamento ou afastamento de aluno de um curso, esp. superior, por descumprimento de normas curriculares, como, p. ex., ter ultrapassado o prazo máximo permitido para a conclusão do curso, ter sido reprovado sucessivas vezes numa mesma disciplina, etc.

jubilado [Part. de *jubilar*[2].] *Adj.* **1.** Que obteve jubilação (2); emérito: *professor jubilado.* **2.** Diz-se de aluno que sofreu jubilação (3).

jubilar[1] [De *jubileu* + *-ar*[1].] *Adj. 2 g.* Concernente a jubileu ou a aniversário solene.

jubilar[2] [Do lat. *jubilare.*] *V. t. d.* **1.** Encher de júbilo, de contentamento; alegrar muito. **2.** Conceder jubilação (2) a; aposentar (com honra, por via de regra). **3.** Impor jubilação (3) a. *Int.* **4.** Encher-se de júbilo: 📖 "O Cantalício .... presenteava-me sempre com alguns fogos: e era com esses que eu mais jubilava porque eram meus, só meus, e podia queimá-los, quando me aprouvesse" (Virgílio Várzea, *Histórias Rústicas,* pp. 94-95). **5.** Sofrer jubilação (3). *P.* **6.** Encher-se de júbilo. **7.** Obter a jubilação (2). [Pres. ind.: *jubilo,* etc. Cf. *júbilo.*]

jubileu [Do lat. tard. *jubilaeu* < hebr. *jobel,* 'trombeta que de 50 em 50 anos anunciava o ano festivo'.] *S. m.* **1.** Indulgência plenária concedida pelo Papa em várias solenidades: 📖 "No ano de 1517 mandou o Papa Leão Décimo promulgar jubileu e larguíssimas indulgências a todos os que concorressem com certa esmola para a guerra contra os turcos, e fábrica do Templo Vaticano de S. Pedro." (Pº Antônio Vieira, *Sermões,* VII, p. 181.) **2.** Solenidade em que se recebe tal indulgência. **3.** Entre os antigos hebreus, remição de servidão, dívidas e culpas de 50 em 50 anos. **4.** O quinquagésimo aniversário de casamento, de exercício de uma função, de uma instituição, de um estabelecimento comercial ou industrial, etc. **5.** *P. ext.* Data aniversária de uma instituição, de um estabelecimento, etc. ◆ **Jubileu de coral.** Jubileu (5) que comemora o 35º aniversário. **Jubileu de prata.** Jubileu (5) que comemora o 25º aniversário. [Cf. *bodas* (ô).]

júbilo [Do lat. tard. *jubilu.*] *S. m.* Grande contentamento; alegria intensa: 📖 "No dia seguinte o doutor Sepúlveda, nadando em júbilo, foi ter com o general e contou-lhe tudo." (Artur Azevedo, *Contos fora de Moda,* p. 30.) [Cf. *jubilo,* do v. *jubilar.*]

jubiloso (ô) [De *júbilo* + *-oso.*] *Adj.* Cheio de júbilo ou alegria; muito alegre; contentíssimo.

jucá[1] [Do tupi = 'matar' (sua madeira, duríssima, era usada para tacapes).] *S. m. Bras. Bot.* Pau-ferro.

jucá[2] *Bras. S. 2 g.* **1.** *Etnôn.* Indivíduo dos jucás, povo indígena extinto da família linguística xapacura, que habitava a margem direita do rio Jaguaribe (CE). ● *Adj. 2 g.* **2.** Pertencente ou relativo a esse povo. [Tb. us. como *s. 2 g. e 2 n.* (com cap.) e *adj. 2 g. e 2 n.*]

jucaense *Adj. 2 g.* **1.** De, ou pertencente ou relativo a Jucás (CE). ● *S. 2 g.* **2.** O natural ou habitante de Jucás.

juçana [Do tupi.] *S. f. Bras.* Armadilha ou laço para apanhar passarinhos.

juçana-bipiiara *S. f. Bras.* Certa armadilha para apanhar pássaros pelos pés. [Pl.: *juçanas-bipiiaras* e *juçanas-bipiiara.*]

juçana-juripiiara *S. f. Bras.* Certa armadilha para apanhar pássaros pelo pescoço. [Pl.: *juçanas-juripiiaras* e *juçanas-juripiiara.*]

juçana-pitereba *S. f. Bras.* Certa armadilha para apanhar pássaros pelo meio do corpo. [Pl.: *juçanas-piterebas* e *juçanas-pitereba.*]

juçapé *S. m. Bras. Bot.* V. *capim-sapé.*

juçara [Do tupi.] *S. f. Bras.* **1.** *Bot.* Palmeira arecácea (*Euterpe edulis*), própria da floresta atlântica, de folhas longas e penadas, flores em espigas, frutos pequeninos, drupáceos; palmito-juçara, açaí. [O interior do segmento terminal do caule, resultante do imbricamento de folhas e inflorescências, constitui o palmito comestível. Ameaçada de extinção devido ao grande extrativismo.] **2.** *Bot.* V. *açaí-do-alto-amazonas.* **3.** V. *açaí* (1 a 3). [Var.: *jiçara.*]

juçaraense *Adj. 2 g.* **1.** De, ou pertencente ou relativo a Juçara (BA). ● *S. 2 g.* **2.** O natural ou habitante de Juçara.

juçaral [De *juçara* + *-al*[1].] *S. m.* **1.** *Bras.* Quantidade mais ou menos considerável de juçaras dispostas proximamente entre si: 📖 "Pelas nascentes, juçarais e buritis." (José Sarney, *Norte das Águas,* p. 162.) **2.** Área ocupada por juçaral (1).

juçarense *Adj. 2 g.* **1.** De, ou pertencente ou relativo a Juçara (PR). ● *S. 2 g.* **2.** O natural ou habitante de Juçara.

juçariano *Adj.* **1.** De, ou pertencente ou relativo a Juçara (GO). ● *S. m.* **2.** O natural ou habitante de Juçara.

juçariense *Adj. 2 g.* **1.** De, ou pertencente ou relativo a Juçari (BA). ● *S. 2 g.* **2.** O natural ou habitante de Juçari.

juciapense *Adj. 2 g.* **1.** De, ou pertencente ou relativo a Juciape (BA). ● *S. 2 g.* **2.** O natural ou habitante de Juciape.

juciri [Do tupi.] *S. m. Bras. Bot.* Erva solanácea (*Solanum juciri*) mais ou menos trepadeira, nativa no RJ e em SP, de folhas penadas, lanceoladas e membranáceas, flores alvas, vistosas e racemosas, e cujo fruto é uma baga globosa pequena, com cerca de 1cm de diâmetro, sendo as raízes e folhas consideradas calmantes; jequirioba, juquiri, juá, caruru-de-espinho.

juciri-de-comer (ê) [De *juciri* + *de* + o v. *comer.*] *S. m. Bras. Bot.* Planta solanácea (*Solanum balbisii*) semelhante ao juciri, porém com frutos vermelhos que atingem 25mm de diâmetro. [Pl.: *juciris-de-comer.*]

jucu [De or. obscura.] *S. m. Bras. Bot.* Espécie de canela[1] (1).

jucubaúba *S. m. Bras.* O homem que vai ao leme, nas canoas. [Cf. *jacumaúba.*]

jucundidade [Do lat. *jucunditate.*] *S. f.* Qualidade de jucundo.

jucundo [Do lat. *jucundu.*] *Adj.* Alegre, aprazível, prazenteiro, jovial: 📖 "Herodias sorri com seu sorrir jucundo" (Eugênio de Castro, *Obras Poéticas,* IV, p. 20).

jucuri [Do tupi, poss.] *S. m. Bras. Bot.* V. *juquiri.*

jucuru [De or. tupi.] *S. m. Bras. Zool.* V. *joão-bobo.*

jucuruçuense *Adj. 2 g.* **1.** De, ou pertencente ou relativo a Jucuruçu (BA). ● *S. 2 g.* **2.** O natural ou habitante de Jucuruçu.

jucurutu [De or. tupi.] *S. m. Bras. Zool.* Ave bubonídea (*Bubo magellanicus*).

jucurutuense *Adj. 2 g.* **1.** De, ou pertencente ou relativo a Jucurutu (RN). ● *S. 2 g.* **2.** O natural ou habitante de Jucurutu.

judaico [Do lat. *judaicu.*] *Adj.* Pertencente ou relativo a judeus; judeu. ~ V. *calendário* —.

judaísmo [Do lat. tard. *judaismu.*] *S. m.* **1.** Ambiente social, cultural, político e religioso do povo hebreu, formado a partir da volta do exílio babilônico (538 a. C.), e no qual se formou o cristianismo. **2.** Os judeus. ◆ **Judaísmo alexandrino.** *Rel.* Tipo de judaísmo profundamente influenciado pelo pensamento grego.

judaizante (a-i) [Do lat. *judaizante.*] *Adj. 2 g. S. 2 g.* Que, ou quem judaíza.

judaizar (a-i) [Do lat. tard. *judaizare.*] *V. int.* **1.** Observar os ritos e leis dos judeus. *T. d.* **2.** Converter ao judaísmo. **3.** *Deprec.* Emprestar com usura.

judas [Do antr. *Judas,* personagem do Novo Testamento.] *S. m. 2 n.* **1.** *Fig.* Amigo falso; traidor. **2.** Boneco ou estafermo que se costuma queimar no sábado de aleluia. **3.** *Bras.* Indivíduo maltrajado. ◆ **Onde judas perdeu as botas.** Em lugar muito distante, remoto.

judeo-alemão *Adj. S. m. Gloss. E. Ling.* V. *iídiche.* [Flex. do adj.: *judeo-alemã, judeo-alemães, judeo-alemãs.*]

judeo-cristão *Adj.* **1.** Relativo, simultaneamente, aos judeus e aos cristãos. ● *S. m.* **2.** Judeu que aderiu ao cristianismo. [Flex.: *judeo-cristã, judeo-cristãos, judeo-cristãs.*]

judeo-cristianismo *S. m. Rel.* **1.** Fase histórica do cristianismo em que este era um movimento religioso dentro do judaísmo. **2.** A doutrina correspondente a essa fase do cristianismo. **3.** Tradição e meio religioso-cultural do cristianismo primitivo. [Pl.: *judeo-cristianismos.* No Volp. sem hífen e com espaço, o que não condiz com o acordo.]

judeo-eslávico *S. m. Gloss.* **1.** Língua eslava, extinta desde a Idade Média, que era us. entre judeus na região equivalente à antiga Checoslováquia; canaânico. **2.** Termo dessa língua. [Pl.: *judeo-eslavos.*]

judeo-espanhol *S. m. Gloss.* V. *ladino* (10). [Pl.: *judeo-espanhóis.*]

judeo-francês *S. m. Gloss.* **1.** Língua românica, hoje extinta, que era us. entre judeus na França. **2.** Termo dessa língua. [Pl.: *judeo-franceses.*]

judeo-italiano *S. m. Gloss.* **1.** Língua românica, hoje extinta, que era us. entre judeus na Itália. **2.** Termo dessa língua. [Pl.: *judeo-italianos.*]

judeo-provençal *S. m. Gloss.* **1.** Língua românica us. entre judeus na região de Avinhão (França), extinta desde 1977, embora seja ainda us. em cantos fúnebres. **2.** Termo dessa língua. [Pl.: *judeo-provençais.*]

judeu [Do lat. *judaeu* < gr. *ioudaîos* < hebr. *Iehudi,* 'descendente de Iehudá', < antr. hebr. *Iehudá,* um dos doze filhos de Israel; tribo desse filho que deu origem ao reino de Judá.] *Adj.* **1.** Da, ou pertencente ou relativo à Judeia, antiga região da Ásia. **2.** Judaico. **3.** Diz-se de indivíduo que pertence ao povo, à comunidade judaica; israelita. ● *S. m.* **4.** O natural ou habitante da Judeia. **5.** Aquele que segue a religião judaica. **6.** Indivíduo que pertence ao povo, à comunidade dos judeus; israelita. **7.** *Deprec.* Indivíduo avaro, usurário. **8.** *Bras.* Espécie de virado ou tutu de feijão. **9.** *Bras.* Espécie de bolo de milho. **10.** *Bras. Pop.* V. *turco* (7). **11.** *Bras. MG* Ceia (1): 📖 "As negras fazem para nós um judeu de frangos de molho pardo, lombo de porco, arroz e angu." (Helena Morley, *Minha Vida de Menina,* p. 32.) **12.** *Bras. SC* Alcunha que os conservadores, ditos *cristãos,* davam aos liberais. **13.** *Bras. Zool.* V. *papa-terra* (3). [Fem. (nas acepç. 1 a 7 e, bras., 10 e 12): *judia.*] ◆ **Judeu errante.** Indivíduo que está sempre viajando.

judeu-alemão *Adj. S. m. Gloss. E. Ling.* V. *iídiche.* [Flex. do adj.: *judeu-alemã, judeu-alemães, judeu-alemãs.*]

judeu-cristão *Adj. S. m.* V. *judeo-cristão.* [Pl.: *judeu-cristã, judeu-cristãos, judeu-cristãs.*]

judeu-cristianismo *S. m. Rel.* V. *judeo-cristianismo.* [Pl.: *judeu-cristianismos.*]

judeu-eslavo *S. m. Gloss.* V. *judeo-eslavo.* [Pl.: *judeu-eslavos.*]

judeu-espanhol *S. m. Gloss.* V. *judeo-espanhol.* [Pl.: *judeu-espanhóis.*]

judeu-francês *S. m. Gloss.* V. *judeo-francês.* [Pl.: *judeu-franceses.*]

judeu-italiano *S. m. Gloss.* V. *judeo-italiano.* [Pl.: *judeu-italianos.*]

judeu-provençal *S. m. Gloss.* V. *judeo-provençal.* [Pl.: *judeu-provençais.*]

judia [Do lat. *judaea.*] *S. f.* **1.** Fem. de *judeu* (q. v.). **2.** Capa curta e enfeitada, usada até o fim do séc. XIX. **3.** *Lus.* Certo peixe.

judiação [De *judiar* + *-ção.*] *S. f. Bras. Deprec.* Ato de judiar; judiaria: 📖 "Pedro disse: — Não fico / (...) / Tu já tiraste o couro / Do lombo do meu irmão, / Eu vim somente vingar / Esta tua judiação." (Tadeu de Serpa Martins, em *Câmara Cascudo, Ensaios de Etnografia Brasileira,* p. 58.)

judiado [Part. de *judiar.*] *Adj. S. m.* Que, ou aquele que é objeto de judiação: 📖 "muitos acenderam velas e rezaram o padre-nosso pela alma do judiado." (J. Simões Lopes Neto, *Contos Gauchescos e Lendas do Sul,* p. 335).

judiar [De *judeu* + *-iar,* com síncope.] *V. t. i. Deprec.* **1.** Escarnecer, mofar, zombar: *judiar com alguém.* **2.** Fazer sofrer; atormentar, fazer judiaria[2]; fazer sofrer; atormentar, maltratar: *judiar dos animais;* 📖 "Frio, muito e muito frio, judiando da gente pobre." (Guido Vilmar Sassi, *Piá,* p. 13); "Agora ele não judiava só com os animais ...., ele saqueava povoações e matava gente" (Franklin Távora, *O Cabeleira,* p. 110). [Pres. ind.: *judio, judias, judia,* etc.]

judiaria[1] [De *judi-,* como em *judia,* f. de *judeu,* + *-aria.*] *S. f.* **1.** Grande porção de judeus. **2.** Bairro destinado aos judeus.

judiaria[2] [De *judiar* + *-ia*[1].] *S. f. Deprec.* Judiação.

J

judicante [Do lat. *judicante.*] *Adj. 2 g.* **1.** Que julga; judicativo. **2.** Que exerce as funções de juiz.

judicativo [De *judicar* + *-tivo.*] *Adj.* **1.** Judicante. **2.** Que tem a faculdade de julgar. **3.** Que sentencia.

judicatório [Do lat. tard. *judicatoriu.*] *Adj.* **1.** Próprio para julgar. **2.** Relativo a julgamento.

judicatura [Do lat. med. *judicatura.*] *S. f.* **1.** Poder de julgar. **2.** Estado, função, cargo ou dignidade de juiz; magistratura. **3.** *P. ext. Bras.* O poder judiciário de um estado.

judicial [Do lat. *judiciale.*] *Adj. 2 g.* **1.** Que tem origem no poder judiciário ou perante ele se realiza. **2.** Respeitante a juiz, a tribunais ou à justiça; forense. [Sin. ger.: *judiciário.*] ~ V. *dia — e inquérito —.*

judiciar [Do lat. *judicium,* 'juízo', + *-ar*[2].] *V. int.* Decidir judicialmente. [Fut. pret.: *judiciaria,* etc. Cf. *judiciária,* fem. de *judiciário.*]

judiciário [Do lat. *judiciariu.*] *Adj.* **1.** Relativo ao direito processual ou à organização da justiça; judicial. [Fem.: *judiciária.* Cf. *judiciaria,* do v. *judiciar.*] ~ V. *decreto —, direito — e poder —.* ● *S. m.* **2.** O poder judiciário.

judicioso (ô) [Do lat. *judicium,* 'juízo', + *-oso.*] *Adj.* **1.** Que julga com acerto; avisado, sensato, prudente: *homem judicioso.* **2.** Que revela acerto, juízo; acertado: *orientação judiciosa;* "O fato é que, classificado dos Augusto dos Anjos durante certo período como simbolista, ... os teóricos, subsequentemente, principiaram a impugnar o critério, ... — quando, em tratamento mais judicioso, não há como deixar de reconhecer-lhe a cabida dentro do simbolismo" (Antônio Houaiss, *Seis Poetas e Um Problema,* p. 43). **3.** *Fig.* Sentencioso: *tom judicioso.*

judo *S. m. Lus.* Judô.

judô [Do jap. *jūdō,* de *jū,* 'delicadeza', e *dō,* 'doutrina'.] *S. m.* Jogo esportivo de combate e defesa, que se baseia na agilidade e flexibilidade do jogador, e inspirado nas técnicas do antigo jiu-jítsu. [Var. (lus.): *judo.*]

judoca [Do jap. *judoka.*] *S. 2 g. Bras.* Jogador de judô; judoísta.

judoísta [De *judô* + *-ista.*] *S. 2 g. Bras.* Judoca.

jufina *Bras. S. 2 g.* **1.** *Etnôn.* Indivíduo dos jufinas [ou (etnôn. bras.) *Yufina], povo indígena extinto, que habitava a margem direita do rio Japurá (AM). ● *Adj. 2 g.* **2.** Pertencente ou relativo a esse povo.

jugada [De *jugo* + *-ada*[1].] *S. f.* **1.** Terra que uma junta de bois pode lavrar em um dia; jeira. **2.** *Ant.* Tributo que recaía em terras lavradas, por vezes pago em pão (1). [Cf. *jogada,* do v. *jogar* e s. f.]

jugadar [De *jugada* (2) + *-ar*[2].] *V. t. d.* Medir [o pão da jugada (2)]. [Pres. ind.: *jugado, jugadas, jugada,* etc. Cf. *jogada,* do v. *jogar* e s. f.]

jugadeiro [De *jugada* + *-eiro.*] *Adj.* **1.** Referente a jugada. ● *S. m.* **2.** Cultivador ou dono de jugada (1).

jugado [Adapt. do tax. *Jugatae* (do lat. *jugatus,* 'unido', 'ligado').] *Zool. S. m.* **1.** Espécime dos jugados, subordem de insetos lepidópteros, desprovidos de espirotrompa; asas com veias iguais nos dois pares e as anteriores com jugo (7) na margem posterior. ● *Adj.* **2.** Pertencente ou relativo a eles. [Cf. *jogado.*]

jugador (ô) [De *jugar* + *-dor.*] *S. m.* Instrumento de ferro com que se abatem carneiros no matadouro. [Cf. *jogador.*]

jugal [Do lat. *jugale.*] *Adj. 2 g.* **1.** Concernente ao casamento; matrimonial, conjugal. **2.** *Anat.* Pertencente ou relativo à bochecha. ● *S. m.* **3.** *Zool.* Cada um de um par de ossos encontrados nos mamíferos roedores e que, soldado ao lacrimal e ao frontal, forma a cavidade orbitária.

jugar [De *jugo* (lugar onde assenta o jugo) + *-ar*[2].] *V. t. d.* Abater (reses) pela seção da medula espinhal. [Conjug.: v. *largar.* Cf. *jogar.*]

juglandácea [Do lat. cient. *Jugland-* (tax. *Juglans*) + *-ácea;* tax. *Juglandaceae.*] *S. f. Bot.* Espécime das juglandáceas, família de plantas da ordem das juglandales, composta de árvores e arbustos de folhas penadas e sem estípulas alternas, flores inconspícuas dispostas em espigas anemófilas e fruto em forma de drupa ou noz rodeado de uma cúpula. A nogueira (q. v.) é desta família.

juglandáceo [De *juglandácea,* com var. suf. (v. *-áceo*).] *Adj. Bot.* Pertencente ou relativo às juglandáceas.

juglandal [Do lat. cient. *Jugland-* (v. *juglandale*) + *-al*[1].] *Adj. 2 g. Bot.* Pertencente ou relativo às juglandales.

juglandale [Do lat. cient. *Jugland-* (do tax. *Juglans*) + *-ale;* tax. *Juglandales.*] *S. f. Bot.* Espécime das juglandales, ordem de dicotiledôneas arquiclamídeas de flores nuas ou de perigônio simples, unissexuais; as masculinas têm dois a 40 estames, e as femininas dois carpelos concrescentes em um ovário unilocular. Compreende apenas as juglandáceas.

jugo [Do lat. *jugu.*] *S. m.* **1.** Canga[1] (1). **2.** *P. ext.* A junta de bois. **3.** *Fig.* Opressão, sujeição. **4.** *Fig.* Submissão, obediência. **5.** *Fig.* Autoridade, domínio. **6.** *Bot.* Par de folíolos de folha composta, desde que fiquem opostos no raque. **7.** *Zool.* Pequeno lobo basal na margem posterior das asas anteriores dos jugados (q. v.), que mantém as asas juntas durante o voo.

jugoslavo *Adj. S. m.* Iugoslavo.

jugular[1] [Do lat. *jugulum* ou *jugulus,* 'garganta', 'pescoço', + *-ar*[1].] *Adj. 2 g.* **1.** *Anat.* Relativo ou pertencente à garganta ou ao pescoço. ~ V. *veia —.* ● *S. f.* **2.** *Anat.* V. *veia jugular.*

jugular[2] [Do lat. *jugulare.*] *V. t. d.* **1.** Debelar, extinguir, sufocar: *jugular uma epidemia;* "havendo-se insurgido na alta Itália os povos da margem do Pó, as tropas foram distraídas para esse lado, de um modo que, jugula que não jugula a revolta, a expedição só tarde se pôs de rumo ao primeiro destino." (Aquilino Ribeiro, *Os Avós dos Nossos Avós,* pp. 128-129). **2.** Dominar, subjugar; vencer: "Os denodados lapuzes sempre conseguiram jugular o adversário" (Id., *Aldeia,* p. 289). **3.** Decapitar, degolar. **4.** *P. ext.* Assassinar, matar.

juguriçá *S. m. Bras. Zool.* V. *jaguaruçá.*

juinense (u-i) *Adj. 2 g.* **1.** De, ou pertencente ou relativo a Juína (MT). ● *S. 2 g.* **2.** O natural ou habitante de Juína.

juiponga (u-i) [Do tupi = 'rã' + o tupi = 'batedora'.] *S. f. Bras. Zool.* V. *sapo-ferreiro.*

juiz (u-í) [Do lat. vulg. **judice,* por *judice.*] *S. m.* **1.** Aquele que tem o poder de julgar. **2.** Aquele que julga; julgador. **3.** Membro de um júri. **4.** Árbitro (3). **5.** Membro do Poder Judiciário. **6.** Diretor de uma festa ou solenidade. [Fem.: *juíza,* pl.: *juízes.*] ◆ **Juiz de casamento.** *Bras.* Autoridade não pertencente à magistratura togada, que processa e julga as habilitações dos nubentes e perante a qual se efetua a solenidade do casamento. **Juiz de Direito.** *Jur.* **1.** Magistrado judicial que, em cada comarca, julga segundo a prova dos autos e segundo o direito. [Por oposição a *juiz de fato* ou *jurado* (membro do tribunal do júri), que julga segundo a sua consciência, sem fundamentar a sua decisão.] **2.** Magistrado da primeira instância, em oposição a *desembargador,* que é magistrado da instância superior; juiz togado. **Juiz de fato.** *Jur.* V. *juiz de direito* (1). **Juiz de fora.** Magistrado brasileiro do tempo colonial. **Juiz de linha.** *Fut.* V. *bandeirinha* (1). **Juiz de paz.** Antiga autoridade incumbida de conciliar partes desavindas, processar e julgar cobranças de pouco valor, e praticar outros atos civis ou criminais de sua alçada, inclusive a realização de casamentos. **Juiz togado.** *Jur.* V. *juiz de direito* (2). **Casar no juiz.** *Bras. Pop.* Casar-se civilmente: "— Lá na pensão tu vais dizer .... que tu casas comigo no juiz e no padre." (Josué Montelo, *Cais da Sagração,* p. 20.)

juíza [Fem. de *juiz.*] *S. f.* **1.** Mulher que exerce as funções de juiz. **2.** Mulher que dirige certas festividades de igreja.

juizado (u-i) [De *juiz* + *-ado*[2].] *S. m.* **1.** Cargo de juiz (5). **2.** O local onde o juiz exerce suas funções. ◆ **Juizado de menores.** *Obsol.* V. *vara da infância e da juventude.* **Juizados de pequenas causas.** *Jur. Obsol.* Juizados especiais. **Juizados especiais.** *Jur.* Aqueles que, na esfera cível, recebem demandas de menor complexidade e valor e na esfera penal ações relativas a crimes de baixo poder ofensivo. [Sin., obsol.: *juizados de pequenas causas.*]

juiz-de-forano *Adj. S. m.* V. *juiz-forano:* "Em sua casa moravam o supracitado Romeu .... o juiz-de-forano Hamílton de Paula" (Pedro Nava, *Beira-Mar,* p. 85). [Pl.: *juiz-de-foranos.*]

juiz-do-mato *S. m. Bras. Zool.* V. *bico-de-brasa.* [Pl.: *juízes-do-mato.*]

juiz-forano *Adj.* **1.** De, ou pertencente ou relativo a Juiz de Fora (MG). ● *S. m.* **2.** O natural ou habitante de Juiz de Fora: "ele escreveu o caso ao juiz-forano Antônio Nogueira Penido" (Pedro Nava, *Beira-Mar,* p. 14). [Sin. ger.: *juiz-de-forano* e *juiz-forense.* Pl.: *juiz-foranos.*]

juiz-forense *Adj. 2 g. S. 2 g.* V. *juiz-forano.* [Pl.: *juiz-forenses.*]

juízo [Do lat. *judiciu.*] *S. m.* **1.** Ato de julgar; julgamento. **2.** Conceito, parecer, opinião: "todos .... tinham contado quaisquer aventuras amorosas, ... expandindo os seus juízos gerais sobre mulheres." (José Régio, *Histórias de Mulheres,* p. 9). **3.** Tino, circunspeção, ponderação, siso: "em tempo de mais juízo, mais sensatez, maior messe de ensinamentos domésticos" (Mário Sete, *Senhora de Engenho,* p. 15). **4.** Foro ou tribunal onde se processam e julgam os pleitos, se administra justiça. **5.** *Lóg.* Estabelecimento de uma relação determinada entre dois ou mais termos (sujeito e predicado), relação que pode assumir o caráter de ser verdadeira ou falsa. [Cf., nesta acepç., *proposição* (6) e *implicação* (4).] **6.** *Pop.* Mente, pensamento, cabeça: *Não me sai do juízo aquela cena triste;* "E, lá de longe, nos socavões daquelas matas, eu não tirava o juízo daquela filha" (Viriato Correia, *Novelas Doidas,* p. 127). **7.** *Jur.* Órgão do poder judiciário (constituído pelo juiz singular ou colegiado) encarregado de prestar tutela jurisdicional na esfera de sua competência. ◆ **Juízo administrativo.** *Jur.* Órgão da administração pública, investido de função judicante em assuntos a ela atinentes. **Juízo *ad quem.*** *Jur.* Aquele para o qual sobe o processo, em grau de recurso. **Juízo analítico.** *Filos.* Segundo Kant (v. *kantismo*), juízo de atribuição no qual o predicado está contido no sujeito. Ex.: Todos os corpos são extensos. [Cf. *juízo sintético.*] **Juízo apodíctico.** *Filos.* Segundo Kant (v. *kantismo*), juízo cuja afirmação ou negação é considerada como necessária. Ex.: A alma humana é necessariamente imortal. [Cf. *juízo assertórico* e *juízo problemático.*] **Juízo *a quo.*** *Jur.* Aquele donde o recurso procede. **Juízo arbitral.** *Jur.* Aquele que se cria e se instaura em virtude da vontade das partes que estão em contenda, mediante compromisso por elas firmado, pelo qual se obrigam previamente a aceitar e cumprir a sentença arbitral. **Juízo assertórico.** *Filos.* Segundo Kant (v. *kantismo*), juízo cuja afirmação ou negação é considerada como real. Ex.: A alma humana é mortal. [Cf. *juízo apodíctico* e *juízo problemático.*] **Juízo categórico.** *Lóg.* Juízo cuja afirmação ou negação não admite condição ou alternativa. Ex.: O dinheiro traz felicidade. [Os juízos de atribuição são os mais simples juízos categóricos.] **Juízo coletivo.** *Jur.* V. *juízo singular.* **Juízo condicional.** *Lóg.* Juízo hipotético. **Juízo de atribuição.** *Lóg.* Juízo em que se afirma ou se nega uma qualidade de um sujeito que é considerado como um ser ou como um conjunto de seres portadores dessa qualidade, que só neles subsiste. [Sin.: *juízo de inerência, juízo de predicação.* Cf. *juízo de relação.*] **Juízo de delibação.** *Jur.* Processo e julgamento de competência do Supremo Tribunal Federal, com o fim de se verificar se uma sentença estrangeira pode ser homologada e executada no território nacional. [Cf. *homologação* (4).] **Juízo de Deus.** Prova judiciária pelo fogo, por ferro em brasa, água fervendo, duelo, etc., pela qual se decidia, na Idade Média, da inocência ou culpabilidade dum acusado; ordálio. **Juízo de inclusão.** *Filos.* Aquele em que a relação entre os termos é a relação existente entre uma classe que é gênero e outra que é espécie. Ex.: Pedreiros são operários. **Juízo de inerência.** *Lóg.* V. *juízo de atribuição.* **Juízo de menores.** *Jur. Obsol.* V. *vara da infância e da juventude.* **Juízo de predicação.** *Lóg.* V. *juízo de atribuição.* [Tb. se diz apenas *predicação.*] **Juízo de realidade.** *Filos.* O que enuncia um fato ou uma relação entre fatos. [Opõe-se a *juízo de valor.*] **Juízo de relação.** *Lóg.* Juízo em que entre o predicado e o sujeito se estabelece uma relação pela qual a cada um deles se atribui um caráter que subsiste, e só subsiste, em função dessa relação. Ex.: Paulo é filho de José. [Cf. *juízo de atribuição.*] **Juízo de Salomão.** O que se baseia mais no bom senso que na letra da lei. **Juízo de valor.** *Filos.* O que enuncia uma apreciação. [Opõe-se a *juízo de realidade.*] **Juízo Final.** *Rel.* Segundo a doutrina da Igreja, aquele pelo qual, no fim do mundo, Deus há de julgar os bons e os maus. **Juízo hipotético.** *Lóg.* Juízo que afirma ou nega uma relação de implicação. Ex.: Se estudares, passarás nos exames; juízo condicional. [Cf. *implicação* (5).] **Juízo indefinido.** *Lóg.* **1.** Juízo em que o sujeito é indeterminado quanto à quantidade. Ex.: O trabalho não traz riqueza. **2.** Segundo Kant (v. *kantismo*), juízo afirmativo em que o predicado é negativo. Ex.: A alma é não mortal. **Juízo problemático.** *Filos.* Segundo Kant (v. *kantismo*), juízo cuja afirmação ou negação é considerada como possível. Ex.: É possível que a alma humana seja imortal. [Cf. *juízo apodíctico* e *juízo assertórico.*] **Juízo singular.** *Jur.* Aquele em que funciona um só juiz. [Por oposição a *juízo coletivo* ou *tribunal.*] **Juízo sintético.** *Filos.* Segundo Kant (v. *kantismo*), juízo de atribuição em que o predicado está fora do conceito do sujeito, embora ligado a ele de maneira determinada. Ex.: Os corpos são pesados. [Cf. *juízo analítico.*] **Juízo universal.** *Jur.* Aquele em que, no interesse de certas situações jurídicas objetivas criadas pela lei, devem ser processadas e julgadas todas as ações e pretensões que de qualquer maneira lhes digam respeito, como, p. ex., o juízo da falência, o da testamentaria, o do concurso de credores, etc. **Criar juízo.** Tomar juízo. **Perder o juízo.** Enlouquecer. **Tomar juízo.** Pensar e agir de modo sensato, amadurecido; criar juízo: "Você tem que tomar juízo, Uno!" (Walcyr Carrasco, *Anjo de Quatro Patas,* p. 103.)

jujuba [Do lat. med. *jujuba,* alter. do lat. *zizyphum* < gr. *zízyphon.* V. *zízifo.*] *S. f.* **1.** *Bot.* Árvore ramnácea

(*Zizyphus jujuba*) originária da Índia, mas subespontânea no Brasil, semelhante ao juazeiro, porém menor, e que ocorre da BA a SP; açofeifa, açofeifeira, açufeifa, acufeifeira, alçofeifa, anáfega, jujubeira, macieira-de-anáfega. **2.** O fruto drupáceo, edule, dessa árvore; açofeifa, açufeifa, alçofeifa, maçã-de-anáfega. **3.** O suco ou a massa desse fruto. **4.** Bala[1] (3) feita de jujuba (3).

jujubeira [De *jujuba* + *-eira*.] *S. f. Bot.* V. *jujuba* (1).

jujútsu *S. m. Jiu-jítsu.*

➔ **juke-box** ['dʒuwkbaks] [Ingl.] *S. f.* Máquina acionada por meio de moeda, ou de ficha, e que apresenta uma coleção de discos fonográficos, cujas faixas [v. *faixa* (6)] podem ser selecionadas através de botões, e postas a tocar.

julata *S. f. Bras. MT Etnogr.* V. *aijulata*.

julavento [Do it. *giulavento*, 'sob o vento'.] *S. m.* V. *sota-vento*.

julepe [Do fr. *julep* ou do esp. *julepe*, ambos do ár. *ǵulāb* (ár. vulg. *ǵuleb*), de or. persa.] *S. m.* Julepo (q. v.).

julepo [Do ár. *ǵulāb* (ár. vulg. *ǵuleb*), or. persa.] *S. m.* Bebida calmante, aromatizada, que tem por base um xarope, e à qual se podem acrescentar medicamentos. [F. paral.: *julepe*.]

julgado [Part. de *julgar*.] *Adj.* **1.** Que foi objeto de julgamento. **2.** Imaginado, pensado. ~ V. *coisa —a*. ● *S. m.* **3.** Território de jurisdição de alguns juízes. **4.** Cargo desses juízes. **5.** *Jur.* Matéria decidida em sentença ou acórdão; decisão judicial, sentença: 📖 "grande entre os grandes [Vítor Nunes Leal], sua coleção de julgados no Supremo brilhará sempre como uma estrela na jurisprudência daquele Tribunal." (Leda Boechat Rodrigues, *A Corte de Warren*, dedicatória). **6.** *Lus.* Território de jurisdição dos juízes municipais. **7.** *Lus.* O cargo desses juízes. ◆ **Passar em julgado.** *Jur.* **1.** Tornar-se (uma sentença) irrecorrível, visto haver decorrido o prazo estabelecido para a interposição do recurso. **2.** *P. ext.* Liquidar-se definitivamente (qualquer assunto), de modo que a respeito dele não reste dúvida.

julgador (ô) [De *julgar* + *-dor*.] *Adj.* **1.** Que julga. ● *S. m.* **2.** Aquele que julga; juiz, árbitro.

julgamento [De *julgar* + *-mento*.] *S. m.* **1.** Ato ou efeito de julgar. **2.** Sentença, decisão. **3.** Apreciação, exame. **4.** Audiência (6). ◆ **Julgamento prejudicial.** *Bras. Jur.* No processo civil, julgamento prévio da ação penal, capaz de afetar o desfecho da ação reparatória do dano resultante do crime. [Tb. se diz apenas *prejudicial*.]

julgar [Do lat. *judicare*.] *V. t. d.* **1.** Decidir como juiz ou árbitro: *julgar uma pendência.* **2.** Dar sentença, sentenciar. **3.** Supor, imaginar, conjeturar: *Os tiranos julgam que o mundo é imutável.* **4.** Formar opinião sobre; avaliar: *Não se deve julgar o que não se conhece. T. d. e i.* **5.** *P. us.* Dar, adjudicar: *julgar bens a um parente.* **6.** *P. us.* Sentenciar, condenar: *julgar alguém à morte. Transobj.* **7.** Ter na conta de; reputar, considerar: 📖 "Vendo-o acessível e branco, ... observadores de argúcia contestável julgaram-no demasiado tolerante e condescendente." (Graciliano Ramos, *Linhas Tortas*, p. 91); "Ambiente provinciano que julga ousadia a verdade e irreverência a franqueza." (Antônio de Alcântara Machado, *Cavaquinho e Saxofone*, p. 10). *T. i.* **8.** Formar juízo crítico; avaliar, apreciar, ajuizar: *Inculto, pretende julgar do merecimento de um sábio. Int.* **9.** Pronunciar sentença; sentenciar, decidir. *P.* **10.** Ter-se por; considerar-se: 📖 "cada um, desanimado, / Já se julga bem feliz / Com ser menos desgraçado." (Raimundo Correia, *Poesias*, p. 194.) [Conjug.: v. *largar*.]

julgável [De *julgar* + *-vel*.] *Adj. 2 g.* Que pode ser julgado.

julho [Do lat. *juliu*.] *S. m. Cronol.* O sétimo mês dos calendários juliano e gregoriano, com 31 dias.

juliana[1] *S. f. Zool.* Peixe gadídeo (*Molua elongata*).

juliana[2] [Do fr. *julienne*.] *Adj. (f.) S. f.* Diz-se de, ou sopa feita com várias espécies de ervas e legumes picados: 📖 "Jantar: sopa, podendo ser de legumes, juliana, de carne com farinha de milho, de cará ou inhame" (Eduardo Frieiro, *Feijão, Angu e Couve*, p. 212).

julianácea *S. f. Bot.* V. *julianiácea*.

julianáceo *Adj. Bot.* V. *julianiáceo*.

julianal *Adj. 2 g. Bot.* V. *julianial*.

julianale *S. f. Bot.* V. *julianiale*.

julianense *Adj. 2 g.* **1.** De, ou pertencente ou relativo a São Julião (PI). ● *S. 2 g.* **2.** O natural ou habitante de São Julião.

julianiácea [Do tax. *Juliania* + *-ácea*; tax. *Julianiaceae*.] *S. f. Bot.* Espécime das julianiáceas, família de dicotiledôneas arquiclamídeas que forma a ordem das julianales. Engloba plantas lenhosas dioicas, com folhas alternas e penadas, flores masculinas em panículas e as femininas solitárias ou em cimeiras. Há poucas espécies dos climas frios. [Sin.: *julianácea*.]

julianiáceo [De *julianiácea*, com var. suf. (v. *-áceo*).] *Adj. Bot.* Pertencente ou relativo às julianiáceas; julianáceo.

julianial [Do lat. cient. *Juliani-* (v. *julianiale*) + *-al*[1].] *Adj. 2 g. Bot.* Pertencente ou relativo às julianiales; julianal.

julianiale [Do tax. *Juliania* + *-ale*; tax. *Julianiales*.] *S. f. Bot.* Espécime das julianiales, ordem de plantas floríferas que encerra somente a família das julianiáceas. Caracteriza-se pelas flores unissexuais, sendo as masculinas isostêmones e haploclamídeas; as femininas são nuas e com ovário unilocular. [Sin.: *julianale*.]

juliano [Do lat. *julianu*.] *Adj.* Relativo à reforma cronológica de Júlio César [v. *cesáreo*[1] (1)]. ~ V. *calendário — e correção —a*.

julião [De or. obscura.] *S. m. Bras. MG Zool.* Larva de insetos sialídeos.

júlida [Do tax. *Julus*, gênero-tipo, + *-ida*[1].] *S. m. Adj. 2 g. Zool.* V. *julídeo*.

julídeo [Do tax. *Julus*, gênero-tipo, + *-ídeo*[1].] *Zool. S. m.* **1.** Espécime dos julídeos, família de artrópodes miriápodes, diplópodes, vegetarianos, cilíndricos com cerca de 30 a 90 somitos, cada somito com dois pares de pernas. Ex.: o embuá. ● *Adj.* **2.** Pertencente ou relativo a eles. [Sin. ger.: *júlida*.]

juliforme [Do tax. *Julus*, gênero-tipo, + *-iforme*.] *Zool. S. m.* **1.** Espécime dos juliformes, ordem de artrópodes miriápodes, diplópodes, cujo corpo tem 30 ou mais somitos; são desprovidos de glândulas sericígenas na extremidade do corpo e os machos têm gonópodes formados pelo primeiro ou pelos dois pares de pernas do sétimo somito. ● *Adj. 2 g.* **2.** Pertencente ou relativo a eles.

júlio *Adj.* V. *cesáreo*[1] (1): *Lei Júlia.*

júlio-mesquitense *Adj. 2 g.* **1.** De, ou pertencente ou relativo a Júlio Mesquita (SP). ● *S. 2 g.* **2.** O natural ou habitante de Júlio Mesquita. [Pl.: *júlio-mesquitenses*.]

juma *Bras. S. 2 g.* **1.** *Etnôn.* Indivíduo dos jumas [ou (etnôn. bras.) *Yúma], povo indígena da família linguística tupi-guarani, tronco tupi, que habitava o AM. ● *Adj. 2 g.* **2.** Pertencente ou relativo a esse povo.

jumada [Do ár.] *S. m.* **1.** O quinto mês do calendário muçulmano, de 30 dias (tb. designado *jumada I*). **2.** O sexto mês do calendário muçulmano, de 29 dias (tb. designado *jumada II*).

jumana *Bras. S. 2 g.* **1.** *Etnôn.* Indivíduo dos jumanas [ou (etnôn. bras.) *Yumána], povo indígena extinto da família linguística aruaque, que habitava a margem direita do rio Japurá (AM). ● *Adj. 2 g.* **2.** Pertencente ou relativo a esse povo.

jumbai *S. m. Guin.* V. *djumbai*.

jumbar *V. int. Guin.* V. *djumbair*.

jumbanaua *Bras. S. 2 g.* **1.** *Etnôn.* Indivíduo dos jumbanauas [ou (etnôn. bras.) *Yumbanawa], povo indígena extinto, da família linguística pano, que habitava a região da cabeceira dos rios Tarauacá, Muru e Embira (AC). ● *Adj. 2 g.* **2.** Pertencente ou relativo a esse povo.

jumbeba [Do tupi = 'espinho' + o tupi = 'chato'.] *S. f. Bras. Bot.* Cactácea (*Opuntia brasiliensis*) arborescente, de caule estipiforme, cilíndrico e espinhoso, e cujos cladódios se assemelham a raquetes cheias de espinhos e suculentas, sendo os frutos bagas moles. Vive no litoral, de N. a S. do Brasil. [F. paral.: *jurumbeba*. Sin.: *xiquexique-do-sertão*. Cf. *jubeba*.]

jumenta [Fem. de *jumento*.] *S. f. Zool.* A fêmea do jumento (q. v.).

jumentada [De *jumento* (1) + *-ada*[1].] *S. f. Fig.* Asneira, asnice, tolice, parvoíce.

jumental [Do lat. tard. *jumentale*.] *Adj. 2 g.* Pertencente ou relativo ao jumento.

jumento [Do lat. *jumentu*.] *S. m.* **1.** *Zool.* Animal mamífero perissodáctilo (*Equus asinus*), facilmente domesticável, muito difundido no mundo, e utilizado desde tempos imemoriais como animal de tração e carga. É ungulado e tem pelo duro, de coloração extremamente variada, indo do castanho-fulvo ao cinza-escuro. [Sin. pop.: *asno, burro, burrico, jerico* (q. v.) e (bras.) *jegue*.] **2.** V. *burro* (8). **3.** *Fig.* Indivíduo muito bruto, muito grosseiro; cavalo. **4.** *Fig.* Indivíduo de grande potência sexual.

➔ **jump cut** [dʒʌmp kʌt] *S. m. Cin. Telev.* Corte de uma imagem em movimento para outra que mostra a mesma ação com distância espaço-temporal muito pequena.

➔ **jumping** ['dʒʌmpiŋ] [Ingl.] *S. m. Basq.* Arremesso realizado por um jogador, a partir do ponto mais alto de um salto.

junça [Do lat. *juncea* (*planta*), 'planta de junco'.] *S. f.* **1.** *Bras. Bot.* Erva ciperácea (*Cyperus esculentus*) estolonífera, cosmopolita, de folhas lineares e muito agudas, flores mínimas, reunidas em pequenas espigas secas, e rizoma tuberoso e comestível. **2.** *Bras. AL Pop.* V. *cachaça* (1).

juncácea [Do tax. *Juncus* + *-ácea*; tax. *Juncaceae*.] *S. f. Bot.* Espécime das juncáceas, família de monocotiledôneas da ordem das juncales, que compreende plantas graminiformes dos lugares úmidos. Flores hermafroditas e actinomorfas; ovário súpero, unilocular ou trilocular. Fruto: cápsula loculicida. Contém cerca de 350 espécies, dos países temperados e frios.

juncáceo [De *juncácea*, com var. suf. (v. *-áceo*).] *Adj. Bot.* Pertencente ou relativo às juncáceas.

juncada [De *junco*[1] + *-ada*[1].] *S. f.* **1.** Grande porção de juncos. **2.** Pancada com junco.

juncal[1] [Do tax. *Juncus* + *-al*[1].] *Adj. 2 g.* Pertencente ou relativo às juncales.

juncal[2] [De *junco*[1] + *-al*[2].] *S. m.* **1.** Quantidade mais ou menos considerável de juncos, dispostos proximamente entre si; junqueira. **2.** Área ocupada por juncal (1).

juncale [Do tax. *Juncus* + *-ale*; tax. *Juncales*.] *S. f. Bot.* Espécime das juncales, ordem de plantas monocotiledôneas com flores mínimas e frutos capsulares, que reúne a família das juncáceas e a família das thurniáceas.

junção [Do lat. *junctione*.] *S. f.* **1.** Ato de juntar(-se). **2.** Ponto no qual duas ou mais coisas se unem ou se juntam; confluência; reunião, junta, juntura. **3.** *Inform.* No uso e manipulação de bancos de dados, operação que consiste em reunir ou associar informações, segundo determinado critério, baseado na existência de atributos comuns. ◆ **Junção aderencial.** *Citol.* Cada diferenciação (4) de membrana celular e relacionada a aderência mecânica a outra(s) célula(s). **Junção comunicante.** *Citol.* Cada diferenciação (4) de membrana celular e que está relacionada a interações celulares; nexo. **Junção mioneural.** *Histol. Fisiol.* Cada terminação nervosa motora em miócito, e que conduz impulso nervoso que desencadeia nesta última o mecanismo de contração; placa motora. **Junção PN.** *Eletrôn.* Limite entre duas regiões de um semicondutor que têm, respectivamente, dopagem tipo P (q. v.) e dopagem tipo N (q. v.). [Sin.: *estrutura PN*.]

juncar [De *junco*[1] + *-ar*[2].] *V. t. d.* **1.** Cobrir de juncos. **2.** *P. ext.* Cobrir de folhas ou flores: 📖 "Panos vistosos nas janelas, flores e folhas juncando o chão." (Graciliano Ramos, *Caetés*, p. 215.) **3.** Encher, cobrir: 📖 "daí a pouco .... tapetes juncavam o chão, e os homens sentados em roda passavam de mão em mão um pichel de vinho." (Eça de Queirós, *Últimas Páginas*, p. 58). *T. d. e i.* **4.** Cobrir (de folhas, flores, ramos): *Juncaram o chão de cravos e rosas.* **5.** Alastrar, cobrir. [Conjug.: v. *trancar*.]

juncional [De *junção* (*juncion-*) + *-al*[1], seg. o padrão erudito.] *Adj. 2 g.* De, ou relativo a junção. ~ V. *complexo —*.

junco[1] [Do lat. *juncu*; tax. *Juncus*.] *S. m.* **1.** *Bot.* Designação comum a numerosas plantas herbáceas ciperáceas e juncáceas, lisas, delgadas e flexíveis, de folhas graminiformes, flores inconspícuas, que habitam lugares úmidos, e das quais nem todas as espécies são nativas; escirpo. **2.** Bengala de junco. **3.** Chibata (1).

junco[2] [Do malaio *jung*.] *S. m.* **1.** *Ant.* Navio de guerra chinês da época dos descobrimentos portugueses, com dois ou três mastros, e velas distendidas por meio de fasquias insertas em bainhas próprias. [Alguns juncos tinham o costado protegido com várias camadas de tabuado, que as balas da época não conseguiam varar.] **2.** *Ant.* Navio mercante chinês, semelhante ao junco de guerra, com os castelos menos alterosos. **3.** Designação genérica dada pelos europeus a diversas embarcações chinesas de grande boca, elevada borda-livre, popa alterosa e lançada, aparelhadas com dois ou três mastros inteiriços, e velas de pendão distendidas por meio de várias fasquias, em geral de bambu.

junco-agreste [De *junco*[1] + *agreste*.] *S. m. Bras. Bot.* Erva ciperácea (*Heleocharis flavescens*) dispersa pela América tropical, de rizoma filiforme, hastes com uns 30cm de altura, folhas estreitas, flores mínimas, reunidas em espigas pequenas, e que serve como forragem de qualidade inferior. Ocorre de preferência em lugares úmidos. [Pl.: *juncos-agrestes*.]

junco-ananico [De *junco*[1] + *ananico*.] *S. m. Bras. Bot.* Erva ciperácea (*Heleocharis geniculata*) vulgar na América tropical e semelhante ao junco-agreste (q. v.); junco-popoca. [Pl.: *juncos-ananicos*.]

junco-bravo [De *junco*[1] + *bravo*[1].] *S. m. Bras. Bot.* Erva ciperácea (*Cyperus articulatus*) habitante de lugares úmidos, na BA, de colmo cilíndrico e septado, sem folhas, raiz tuberosa, e empregada no fabrico de

J

esteiras, podendo servir como forragem, de pouco valor. [Pl.: *juncos-bravos*.]

junco-da-praia [De *junco*[1] + *da*[1] + *praia*.] *S. m. Bras. Bot.* Erva ciperácea (*Cyperus schoenomorphus*) semelhante ao junco-bravo. [Pl.: *juncos-da-praia*.]

junco-de-três-quinas [De *junco*[1] + *de* + *três* + o pl. de *quina*[3].] *S. m. Bras. Bot.* Erva ciperácea (*Rhynchospora cyperoides*) nativa da África e da América tropical de caule trígono, de até 1m de altura, folhas pouco numerosas, lineares, flores inconspícuas, congregadas em espiguetas, e que fornece forragem de baixa qualidade. Ocorre em terrenos arenosos. [Pl.: *juncos-de-três-quinas*.]

junco-do-banhado [De *junco*[1] + *do*[1] + *banhado*.] *S. m. Bras. Bot.* Erva juncácea (*Juncus microcephalus*) nativa no México, Argentina e Brasil, de caule até 1m de altura, achatado, folhas lineares, longas, flores trímeras com pétalas agudas e avermelhadas, e fruto largo e obovoide. [Pl.: *juncos-do-banhado*.]

juncoense[1] *Adj. 2 g.* **1.** De, ou pertencente ou relativo a Junco do Seridó (PB). ● *S. 2 g.* **2.** O natural ou habitante de Junco do Seridó.

juncoense[2] *Adj. 2 g.* **1.** De, ou pertencente ou relativo a Lago do Junco (MA). ● *S. 2 g.* **2.** O natural ou habitante de Lago do Junco.

junco-florido [De *junco*[1] + *florido*.] *S. m. Bras. Bot.* Planta butomácea (*Butomus umbellatus*) de folhas amplas e coriáceas, flores alvas ou violáceas, com estames amarelos, dispostas em umbelas pedunculadas. [Pl.: *juncos-floridos*.]

junco-manso [De *junco*[1] + *manso*.] *S. m. Bras. Bot.* Erva ciperácea (*Heleocharis mutata*) comum no PA, em lugares brejosos, de caule triangular, com folhas lineares, e que se usa em esteiras e obras trançadas. [Pl.: *juncos-mansos*.]

junco-miúdo [De *junco*[1] + *miúdo*.] *S. m. Bras. Bot.* Erva ciperácea (*Cyperus gracilescens*) semelhante ao junco-bravo. [Pl.: *juncos-miúdos*.]

junco-popoca *S. m. Bras. Bot.* Junco-ananico. [Pl.: *juncos-popocas* e *juncos-popoca*.]

jundiá [Do tupi.] *S. m. Bras.* **1.** *Zool.* Designação genérica de peixes dos bagres [v. *bagre* (1)]. [Var.: *nhandiá*, *jandiá*.] **2.** *Zool.* V. *mandi-chorão* (2). **3.** *Bot.* V. *hortelã-do-brasil*.

jundiá-da-lagoa *S. m. Bras. Amaz. Zool.* V. *jaú*[1]. [Pl.: *jundiás-da-lagoa*.]

jundiaense (à) *Adj. 2 g.* **1.** De, ou pertencente ou relativo a Jundiá (AL). ● *S. 2 g.* **2.** O natural ou habitante de Jundiá.

jundiaí *Bras. S. 2 g.* **1.** *Etnôn.* Indivíduo dos jundiaís [ou (etnôn. bras.) *Jundiahy], povo indígena extinto, que habitava a margem esquerda do rio Tocantins (PA). ● *Adj. 2 g.* **2.** Pertencente ou relativo a esse povo.

jundiaiense[1] (a-i) *Adj. 2 g.* **1.** De, ou pertencente ou relativo a Jundiaí (SP). ● *S. 2 g.* **2.** O natural ou habitante de Jundiaí.

jundiaiense[2] (a-i) *Adj. 2 g. S. 2 g.* V. *jundiaiense-do-sul*.

jundiaiense-do-sul (a-i) *Adj. 2 g.* **1.** De, ou pertencente ou relativo a Jundiaí do Sul (PR). ● *S. 2 g.* **2.** O natural ou habitante de Jundiaí do Sul. [Sin. ger.: *jundiaiense*[2].] [Pl.: *jundiaienses-do-sul*.]

jundu [Do tupi.] *S. m. Bras.* Vegetação adjacente às dunas ou às praias, caracterizada pela frequência de formas xerofíticas: 📖 "para o fundo da extensa baía, destacando na verdura do jundu, fulgia ao sol faiscante um lençol estendido a prumo entre duas estacas" (Vicente de Carvalho, *Luisinha*, p. 8). [Var.: *nhundu*.]

junevê [De or. obsc.] *S. m. Bras. Bot.* V. *tamanqueira* (1).

jungermannial [Do lat. cient. *Jungermanni-* (v. *jungermanniale*) + *-al*[1].] *Adj. 2 g. Bot.* Pertencente ou relativo às jungermanniales.

jungermanniale [Do tax. *Jungermannia* + *-ale*; tax. *Jungermanniales*.] *S. f. Bot.* Espécime das jungermanniales, ordem de hepáticas que habitam, esp., regiões tropicais; reúne mais de 40 famílias, 180 gêneros e cerca de 7.500 espécies e são, em sua maioria, dotadas de talos folhosos.

jungir [Do lat. *jungere*.] *V. t. d.* **1.** Ligar por jugo; emparelhar, juntar: 🗎 *jungir os bois*; 📖 "foi ele Éricton, o inventor da quadriga, o audaz que ousou primeiro / jungir quatro corcéis, e impávido e altaneiro / deixar-se arrebatar das rodas na vertigem." (António Feliciano de Castilho, *As Geórgicas*, p. 155). **2.** Unir, atar, ligar, prender. **3.** Submeter, subjugar: 🗎 *jungir um povo*. *T. d. e i.* **4.** Ligar, prender ou atar a veículo ou máquina agrícola: 🗎 *jungir os animais ao arado*. **5.** Submeter, sujeitar. [Defect. Não se conjuga na 1ª pess. do sing. do pres. ind. nem, portanto, no pres. subj. É, em geral, m. us. nas 3ªs pess.]

junguiano *Adj.* **1.** Pertencente, relativo a, ou próprio de Carl Gustav Jung (1875-1961), psicólogo e psiquiatra suíço, um dos mais próximos discípulos de Freud (v. *freudiano*), de quem depois se afastou. **2.** Que é adepto das teorias de Jung ou profundo conhecedor de sua obra. ● *S. m.* **3.** Seguidor de suas concepções ou profundo conhecedor de sua obra.

junho [Do lat. *juniu*.] *S. m. Cronol.* O sexto mês dos calendários juliano e gregoriano, com 30 dias.

junino [Do lat. *juniu*, 'junho', + *-ino*[1].] *Adj. Bras.* Relativo ao, ou que se realiza no mês de junho: 📖 "Há qualquer coisa de melancólico nestas festas juninas, nesses fogos, nessa insistência em conservar-se a tradição dos dias dedicados aos barulhentos São João, Santo Antônio e São Pedro." (Augusto Frederico Schmidt, *O Galo Branco*, p. 146.)

júnior [Do lat. *junior* (nom.), por via erudita.] *Adj.* **1.** O mais jovem (de dois). Emprega-se (às vezes abreviadamente) após o nome de uma pessoa para indicar que é a mais jovem da família que tem aquele nome: 🗎 *Raimundo Magalhães Júnior*; *Carlos Araújo, Jr.* **2.** Diz-se de profissional iniciante no quadro de uma empresa em determinada função: 🗎 *advogado júnior*; *economista júnior*; *assessor júnior*. ● *S. m.* **3.** *Esport.* Designação dada aos que fazem parte da turma de concorrentes mais moços. [Pl.: *juniores* (ô). Antôn.: *sênior*.]

juniperáceo [De *junípero* + *-áceo*.] *Adj. Bot.* Relativo ou semelhante ao junípero.

junípero [Do lat. *juniperu*, 'zimbro'; tax. *Juniperus*.] *S. m. Bot.* **1.** Gênero de cupressáceas que reúne árvores e arbustos sempre-verdes de folhas escamiformes, achatadas ou, esp. quando jovens, acerosas, diminutas flores terminais, solitárias, a que se seguem pequeninos estróbilos. **2.** Qualquer espécie desse gênero, como, p. ex., a *Juniperus horizontalis* (v. *pinheiro-rasteiro*) e a *J. communis* (v. *zimbro*[1]). **3.** Qualquer espécime desse gênero.

junqueira[1] [De *junco*[1] + *-eira*.] *S. f.* Juncal.

junqueira[2] [Do antr. *Junqueira*, sobrenome de um criador de gado.] *S. f. Bras.* Variedade de gado vacum, corpulenta e forte, proveniente do N. de MG. [Cf. *junqueiro*.]

junqueirense *Adj. 2 g.* **1.** De, ou pertencente ou relativo a Junqueiro (AL). ● *S. 2 g.* **2.** O natural ou habitante de Junqueiro.

junqueiro *Adj. Bras. Zool.* Diz-se de certo tipo bovino resultante de seleção feita no gado caracu. [Cf. *junqueira*[2].]

junqueiropolense *Adj. 2 g.* **1.** De, ou pertencente ou relativo a Junqueirópolis (SP). ● *S. 2 g.* **2.** O natural ou habitante de Junqueirópolis.

junquilho [Do esp. *junquillo*.] *S. m. Bot.* **1.** Erva amarilidácea (*Narcisus jonquilla*) ornamental, originária das terras temperadas, de flores douradas e perfumadas, bolbo pequeno, folhas estreitas, canaliculadas, com 30 a 35cm, e cujo escapo sustenta duas a cinco flores amplas. **2.** A flor dessa planta.

junta [F. subst. do adj. *junto* (q. v.).] *S. f.* **1.** Ponto de junção e reunião; juntura, junção. **2.** Articulação, juntura: 📖 "retorcia-se, ... rilhando os dentes; .... as suas juntas estalavam como em deslocamento." (Coelho Neto, *Obra Seleta*, I, p. 789). **3.** Ponto ou superfície em que aderem dois objetos. **4.** Par, parelha: 📖 "Comprou a olhos fechados uma junta de bois fulvos como dois leões." (João de Araújo Correia, *Cinza do Lar*, p. 16.) **5.** Reunião de pessoas convocadas para determinado fim; comissão. **6.** Conferência de médicos junto a um enfermo, um dos quais ger. o assiste. **7.** *Constr.* Intervalo entre dois tijolos, ou duas pedras justapostas, em uma alvenaria. **8.** *Constr. Nav.* Ligação de duas peças fixas, feita por aparafusamento de superfícies planas às quais se interpõe, por via de regra, uma substância vedante, como borracha, amianto, etc. **9.** *Constr. Nav.* Essa substância vedante. **10.** *Geol.* Superfície mais ou menos nítida que corta a rocha independentemente dos planos de estratificação que porventura existam. **11.** *Bras. PE* V. *mutirão* (1). ◆ **Junta comercial.** *Bras.* Órgão administrativo ao qual incumbe efetuar o registro público do comércio, matrícula do comerciante, registro dos seus contratos, e outras funções correlatas. **Junta de bois.** Parelha de bois ajoujados para trabalharem: 📖 "Os carros tirados por juntas de bois avançavam nas estradas trazendo festivos matutos." (Melo Morais Filho, *Festas e Tradições Populares do Brasil*, p. 151.) **Junta de conciliação e julgamento.** *Dir. Trab. Bras.* Antigo órgão judicante de primeira instância da Justiça do Trabalho, constituído por um juiz-presidente e dois vogais, um destes representante dos empregadores, e outro dos empregados. **Junta de dilatação.** *Constr.* Pequeno espaço livre que se deixa entre partes de uma estrutura, ou de um elemento construtivo, para o livre curso da dilatação térmica de certos componentes e/ou para se evitarem trincas provenientes das forças de dilatação. [Sin., pop.: *folga*.] **Cortar na junta.** *Bras.* Chegar à hora exata da refeição.

juntada [De *juntar* + *-ada*[1].] *S. f.* **1.** Ato de juntar ou anexar (peças em um processo). **2.** Termo de junção, em processo forense.

junta-de-cobra *S. f. Bras. Bot.* Pequeno arbusto acantáceo (*Ruellia nodosa*) cujas flores têm corola afunilada e coloração violáceo-pálida. [Pl.: *juntas-de-cobra*.]

junta-mole *S. f. Bras. Bot.* Erva amarantácea (*Amaranthus sarmentosus*) de flores insignificantes, de aparência seca. [Pl.: *juntas-moles*.]

juntamon [Do cabo-verd.] *S. m. Cabo-verd.* Ajuda mútua, esp. para trabalhos agrícolas, espécie de mutirão: 📖 "Se, numa cadeia de ajuda, nos juntássemos todos, não seria esta a nossa obrigação? Numa espécie de juntamon?" (Nuno de Miranda, *Cais de Pedra*, p. 67.)

juntar [F. aferética de *ajuntar*, ou de *junto* + *-ar*[2].] *V. t. d.* **1.** Ajuntar (q. v.). **2.** *Bras. MG RJ Pop.* Agredir, subjugando; bater em; atacar. *T. d. e i. Int. P.* **3.** Ajuntar(-se): 📖 "Perto, uma bica de água murmurante / Juntava o seu murmúrio ao dos pinhais..." (Augusto Gil, *Luar de Janeiro*, p. 74); "Aguardava serenamente a hora de se ir juntar à companheira desaparecida." (José Régio, *O Príncipe com Orelhas de Burro*, p. 35); "As alegrias juntam-se as tristezas" (Augusto dos Anjos, *Eu*, p. 78).

junteira [De *junta* + *-eira*.] *S. f.* **1.** Plaina pequena, utilizada para abrir juntas à beira das tábuas; juntoura. **2.** *Bot.* Planta comelinácea (*Cartonema anomala*) nativa das regiões tropicais da Austrália; juntoura. **3.** *Constr.* V. *juntoura* (2).

junto[1] [Subst. do adj. *junto*.] *S. m.* Junta (3) das aduelas.

junto[2] [Do lat. *junctu*.] *Adj.* **1.** Unido, anexo, pegado. **2.** Próximo, chegado. ● *Adv.* **3.** Juntamente. **4.** Ao pé; ao lado; perto. ◆ **Por junto.** **1.** De uma vez; ao mesmo tempo. **2.** Em grosso; por atacado: 📖 "Este objeto .... vale milhões e milhões de contos, tanto como os Jerónimos aqui ao lado, a Torre de Belém, o palácio do presidente, os coches por junto e atacado, provavelmente toda a cidade de Lisboa." (José Saramago, *Viagem a Portugal*, p. 176.)

juntoira *S. f.* V. *juntoura*.

juntoura [De *junta* + *-oura*.] *S. f.* **1.** Junteira (1). **2.** *Constr.* Nas antigas construções, pedra que vai de uma face da parede à outra, como elemento de amarração (2); junteira, ajuntoura. [Var.: *juntoira*.]

juntouro [De *juntoura*.] *S. m. Pop.* Aglomeração de gente.

juntura [Do lat. *junctura*.] *S. f.* **1.** Junção, reunião, junta. **2.** *Anat.* Articulação, junta. **3.** Ponto onde duas peças se juntam; linha de união ou de junção: 📖 "Opulentos galeões, pelas junturas rotas, / Vertem ouro, troféus inúteis, vis monturos" (Vicente de Carvalho, *Poemas e Canções*, p. 242). **4.** *E. Ling.* Cada um dos traços fonéticos (como a pausa, o acento, o tom) que ocorrem na fronteira entre os elementos gramaticais em sequência, tais como morfemas, palavras ou orações. [Cf., nesta acepç., *sândi*.]

juó [Voc. onom.] *S. m. Bras.* V. *jaó*.

jupará [Do tupi.] *S. m. Bras. Zool.* Carnívoro procionídeo (*Potus flavus*); japurá, jurupará, macaco-da-meia-noite.

juparaba [Do tupi = 'pintado de amarelo'.] *S. f. Bras. Zool.* V. *periquito-de-asa-branca*.

jupati [Do tupi.] *S. m. Bras.* **1.** *Bot.* Palmeira arecácea (*Raphia taedigera*) de estipe anelado, folhas largas, penatissectas e crespas, flores unissexuais, e cuja noz é do tamanho de um ovo. Atinge uns 3m de altura, e habita praias na região amazônica, onde é us. na construção de casas rústicas. **2.** *Bot.* V. *jatobá* (2). **3.** *Zool.* V. *cuíca* (1).

jupiá [De or. tupi, poss.] *S. m. Bras. Amaz. MT* Redemoinho ou voragem no meio dos rios.

jupiense *Adj. 2 g.* **1.** De, ou pertencente ou relativo a Jupi (PE). ● *S. 2 g.* **2.** O natural ou habitante de Jupi.

jupindá [De or. tupi, poss.] *S. m. Bras. Bot.* Erva caparidácea (*Cleome psoralaefolia*) disseminada pela América tropical, aculeada e glanduloso-pilosa, de folhas com três a cinco segmentos oblongos, lanceolados, acuminados, serrados e ciliados, flores vistosas, róseas, dispostas em inflorescências terminais compactas, e cujo fruto é uma síliqua cilíndrica, glandulosa, inserida em longo estipe e dotada de numerosas sementes.

júpiter [Do lat. *Jupiter* (nom.).] *S. m.* **1.** *Astr.* O maior planeta do sistema solar, com um diâmetro 11 vezes maior que o da Terra e uma massa 318 vezes superior. É visível à vista desarmada como uma estrela de magnitude -2,5 no momento de máximo brilho, e, observado ao telescópio, apresenta a forma de um disco achatado e atravessado por faixas escuras paralelas ao equador, que delimitam entre si zonas mais claras. No interior de tais faixas se observam marcas superficiais de formas irregulares e coloração particular; duas dessas formações se distinguem das restantes:

a *Mancha Vermelha* e a *Perturbação Austral*. [Júpiter possui 63 satélites conhecidos, quatro deles particularmente notáveis: *Io*, *Europa*, *Ganimedes* e *Calisto*.] **2.** *Mit.* O pai dos deuses entre os romanos, correspondente ao Zeus dos gregos. [Com cap.]

jupiteriano [De *Júpiter* + *-iano*[1].] *Adj.* **1.** Relativo ou pertencente ao planeta Júpiter; joviano. **2.** *Fig.* Que tem caráter dominador. **3.** *Fig.* Muito altivo; imperioso, arrogante.

juqueriti *S. m. Bras. Bot.* V. *jequiriti*.

juquiá [Var. de *jequiá*.] *S. m. Bras.* Cuvu.

juquiaense *Adj. 2 g.* **1.** De, ou pertencente ou relativo a Juquiá (SP). ● *S. 2 g.* **2.** O natural ou habitante de Juquiá.

juquiraí [Do tupi = 'sal' + *-í*.] *S. m. Bras.* Pimenta moída com sal, condimento indígena.

juquiri [Do tupi.] *S. m. Bras. Bot.* **1.** Nome comum a várias mimosáceas do gênero *Mimosa* (v. *mimosa*[1]). **2.** Arbusto mimosáceo (*Mimosa myriadena*) escandente, nativo das Guianas e do Brasil, de folíolos lineares, flores alvas, perfumadas e frutos leguminiformes. **3.** Arbusto fabáceo (*Machaerium ferox*) escandente, de folhas dotadas de folíolos oblongos, emarginados no ápice, flores pequeninas, paniculadas e pubescentes, legume coriáceo, alado, e madeira dura e escura. **4.** V. *juciri*. [Var.: *jucuri*.]

juquiriaçu [De *juquiri* + *-açu*.] *S. m. Bras. Bot.* Árvore fabácea do gênero *Machaerium* (v. *maquério*), e que se assemelha ao juquiri.

juquiri-bravo *S. m. Bras.* Arbusto mimosoídeo (*Mimosa duckei*), habitante da região amazônica, de folhas bipenadas, com numerosos folíolos pequeninos, flores insignificantes em densas inflorescências, e cujo fruto é legume articulado e coriáceo. [Pl.: *juquiris-bravos*.]

juquiri-carrasco *S. m. Bras. Bot.* Arbusto mimosáceo (*Schrankia leptocarpa*) prostrado, ou algo escandente, distribuído da Amaz. até o RJ, de folhas bipenadas, com numerosos folíolos membranáceos, flores minutas, dispostas em glomérulos, e legume fino e cilíndrico, apreciado para cercas vivas. [Pl.: *juquiris-carrascos* e *juquiris-carrasco*.]

juquiri-grande *S. m. Bras. Bot.* Arbusto mimosáceo (*Mimosa asperata*) mais ou menos prostrado, que ocorre da Amaz. a SP, de ramos e folhas avermelhados e densamente pilosos, flores inconspícuas, alvas e arrumadas em glomérulos, e legume achatado e com pelos rijos, sendo us. como forragem. [Pl.: *juquiris-grandes*.]

juquiri-manso *S. m. Bras. Bot.* Erva mimosácea (*Neptunia oleracea*) aquática, que ocorre em ilhas flutuantes do rio Amazonas, de folhas bipenadas, com folíolos lineares, flores pequeninas, amarelas, ordenadas em glomérulos, e que constitui alimento para o gado e para o homem. [Sin.: *malícia-d'água*. Pl.: *juquiris-mansos*.]

juquiri-rasteiro *S. m. Bras. Bot.* V. *dormideira* (2). [Pl.: *juquiris-rasteiros*.]

juquirizinho [De *juquiri* + *-zinho*.] *S. m. Bras. Bot.* Arbusto mimosáceo (*Mimosa orthocarpa*) ereto e aculeado, próprio do PA, de folhas dotadas de glândulas e muitos folíolos lineares, flores minutas agregadas em glomérulos, e legume curto, membranáceo e coberto de pelos glandulosos esparsos.

juquitibano *Adj. S. m.* V. *juquitibense*.

juquitibense *Adj. 2 g.* **1.** De, ou pertencente ou relativo a Juquitiba (SP). ● *S. 2 g.* **2.** O natural ou habitante de Juquitiba. [Sin. ger.: *juquitibano*.]

jura[1] [Dev. de *jurar*.] *S. f.* **1.** Ato de jurar; juramento. **2.** V. *praga* (1).

jura[2] [F. red. de *jurubita* (q. v.).] *S. f. Pop.* V. *cachaça* (1).

jurado [Part. de *jurar*.] *Adj.* **1.** Solenemente declarado. **2.** Protestado com juramento. **3.** *Bras.* Ameaçado (de agressão ou morte). ~ V. *inimigo* —. ● *S. m.* **4.** Cada um dos cidadãos que compõem o tribunal do júri; juiz de fato.

jurador (ô) [Do lat. *juratore*, ou de *jurar* + *-dor*.] *Adj. S. m.* Que, ou aquele que jura ou tem por hábito jurar.

juramentado [Part. de *juramentar*.] *Adj.* Ajuramentado: "— Veja o que é a vida, comentava o Alípio, escrevente juramentado do cartório" (Mário Matos, *Casa das Três Meninas*, p. 121). ~ V. *escrevente* —.

juramentar [De *juramento* + *-ar*[2].] *V. t. d. P.* Ajuramentar.

juramentense *Adj. 2 g.* **1.** De, ou pertencente ou relativo a Juramento (MG). ● *S. 2 g.* **2.** O natural ou habitante de Juramento.

juramento [Do lat. tard. *juramentu*.] *S. m.* **1.** Ato de jurar; jura. **2.** Afirmação ou promessa solene, em que se toma por testemunha uma coisa que se tem como sagrada. ◆ **Juramento de sangue.** Pacto de sangue. **Juramento hipocrático.** Código de deontologia médica, atribuído a Hipócrates, e que o médico, ao formar-se, jura cumprir.

jurandense *Adj. 2 g.* **1.** De, ou pertencente ou relativo a Juranda (PR). ● *S. 2 g.* **2.** O natural ou habitante de Juranda.

jurão [De *jurau*, var. de *jirau*, + *-ão*[1], poss.] *S. m. Bras.* Casa erguida sobre estacaria, para resistir às inundações.

jurar [Do lat. *jurare*.] *V. t. d.* **1.** Declarar ou prometer solenemente; afirmar sob juramento: *A testemunha jurou dizer a verdade.* **2.** Invocar, chamar: *Jurar o nome de Deus.* **3.** Afirmar categoricamente; afiançar: *Jurou que se vingaria.* *T. d. e i.* **4.** Declarar ou afirmar sob juramento: *Jurou-lhe amor eterno.* **5.** Prometer formalmente; afirmar, afiançar. *Transobj.* **6.** Reconhecer através de juramento: *O povo jurou-a por sua rainha.* *T. i.* **7.** Fazer juramento: *Jurou pela felicidade de seus filhos.* **8.** Fazer juramento; imbuir-se do propósito; tomar a resolução: *Jurou de vingá-lo.* **9.** Proferir imprecações; praguejar. *Int.* **10.** Prestar ou proferir juramento. [Pres. subj.: *jure*, etc. Cf. *júri*.]

jurará [Do tupi.] *S. m. Bras. MA Zool.* V. *tartaruga-do-amazonas*: "Veem-se enormes trouxas de doce seco, corações unidos de cocada, ... jurarás doirados, ... pombos cheios de fitas" (Aluísio Azevedo, *O Mulato*, p. 96).

jurássico [Do fr. *jurassique*.] *S. m. Geol.* **1.** Período jurássico. ● *Adj.* **2.** ~ V. *período* —.

➔ **jure et facto** ['jure et'fakto] [Lat.] De direito e de fato.

jurema [Do tupi.] *S. f. Bras. Bot.* **1.** Arbusto ou arvoreta mimosácea (*Pithecellobium tortum*) armada de espinhos, muito difundida no litoral brasileiro, de ramos em zigue-zague e muito duros, folhas com numerosos folíolos pequenos, flores alvacentas ou esverdeadas, agregadas em pequenos glomérulos, legume recurvado como alça intestinal, grosso e rígido, sendo a madeira dura, é pouco utilizável. [Sin.: *vinhático-de-espinho*, *angico-branco*.] **2.** *Bras.* Bebida feita com a casca, raízes ou frutos dessa planta, com propriedades alucinógenas. **3.** *Bras. SP Pop.* Trabalho ou tarefa difícil, árdua.

jurema-branca [De *jurema* + o f. de *branco*.] *S. f. Bras. Bot.* Arvoreta mimosácea (*Pithecellobium diversifolium*) muito espinhosa, vulgar nas caatingas nordestinas, de folhas com folíolos pequenos e lineares, flores minutas, organizadas em espigas cilíndricas, e legume linear e quase séssil. [Pl.: *juremas-brancas*.]

juremação [De **juremar* (*jurema* + *-ar*[2]) + *-ção*.] *S. f. Bras. N.E. Rel.* Iniciação nos catimbós, quando o iniciando cai em transe sob a ação do suco de jurema [v. *jurema* (2)].

jurema-da-pedra *S. f. Bras. Bot.* Trepadeira fabácea (*Camptosema ulei*) própria de lugares secos, de folhas com poucos folíolos coriáceos, flores vistosas, em inflorescências compactas, e cujo fruto é um legume coriáceo. [Pl.: *juremas-da-pedra*.]

juremal [De *jurema* + *-al*[1].] *S. m.* **1.** *Bras.* Quantidade mais ou menos considerável de juremas [v. *jurema* (1)] dispostas proximamente entre si. **2.** Área ocupada por juremal (1).

jurema-mirim [De *jurema* + *mirim*.] *S. f. Bras. Bot.* Arbusto mimosáceo (*Mimosa ophthalmocentra*), esparsamente difundido no PA e PI, de folhas sésseis, com folíolos numerosos, pequeninos, lineares e brilhantes, flores insignificantes, ordenadas em espigas cilíndricas, e legume subséssil e glabro, com seis a 12 artículos. [Pl.: *juremas-mirins*.]

jurema-preta (ê) [De *jurema* + o f. de *preto*.] *S. f. Bras. Bot.* Arbusto fabáceo (*Acacia tenuiflora*) rico em acúleos e pelos glandulosos; as folhas têm numerosos folíolos pequenos e oblongos, as flores, mínimas, têm quatro pétalas e estames, e são congregadas em espigas cilíndricas, sendo o legume quase séssil, curto, e recoberto de pelos viscosos. [Pl.: *juremas-pretas*.]

juremeiro [De *jurema* (2) + *-eiro*.] *S. m. Bras. Rel.* **1.** Homem que utiliza o transe provocado pela jurema (2) em práticas de bruxarias (2). [V. *mago* (3).] **2.** Encantado (6) cuja epifania e morada é a jurema-preta.

juremense *Adj. 2 g.* **1.** De, ou pertencente ou relativo a Jurema (PE). ● *S. 2 g.* **2.** O natural ou habitante de Jurema.

jureminha [De *jurema* + *-inha*.] *S. f. Bras. Bot.* Arbusto mimosáceo (*Mimosa malacocentra*), semelhante à jurema-preta.

▲ **juri-** Equiv. de *jus-*.

júri [Do ingl. *jury*.] *S. m.* **1.** Tribunal judiciário constituído por um juiz de direito, que é o seu presidente, e certo número de cidadãos (*jurados*), entre os quais se sorteiam os que formarão, como *juízes de fato*, o conselho de sentença, para julgar os crimes de sua exclusiva competência; tribunal do júri: "O Dr. Camacho estava em Vassouras defendendo um réu no júri." (Machado de Assis, *Quincas Borba*, p. 162.) **2.** Comissão incumbida de examinar ou avaliar o mérito de pessoas ou coisas: *O resultado apresentado pelo júri do concurso de contos foi acertadíssimo.* [Cf. *jure*, do v. *jurar*.]

juricana [Do tupi, poss.] *S. f. Bras. BA Zool.* V. *jararaca-verde*.

juricidade *S. f.* V. *juridicidade*.

juridicidade [De *jurídico* + *-(i)dade*.] *S. f.* **1.** Qualidade ou caráter de jurídico. **2.** Conformação ao direito; legalidade, licitude. [Var.: *juricidade*]

jurídico [Do lat. *juridicu*.] *Adj.* **1.** Relativo ou pertencente ao direito. **2.** Conforme aos princípios do direito; lícito, legal. ~ V. *abreviaturas -as*, *ato* —, *fato* —, *negócio* —, *ordem* —*a*, *personalidade* —*a* e *pessoa* —*a*.

jurígeno [De *juri-* + *-geno*.] *Adj.* Que produz ou cria um direito.

jurimágua *Bras. S. 2 g.* **1.** *Etnôn.* Indivíduo dos jurimáguas [ou (etnôn. bras.) *Yurimagua], povo indígena extinto do tronco linguístico tupi que habitava as margens do rio Solimões (AM). ● *Adj. 2 g.* **2.** Pertencente ou relativo a esse povo.

juripiranguense *Adj. 2 g.* **1.** De, ou pertencente ou relativo a Juripiranga (PB). ● *S. 2 g.* **2.** O natural ou habitante de Juripiranga.

jurisconsulto [Do lat. *jurisconsultu*.] *S. m.* Homem versado na ciência do direito e que faz profissão de dar pareceres acerca de questões jurídicas; jurisperito, jurisprudente, jurista: "Além de legislador e de mestre, Clóvis Beviláqua projetou-se como escritor e jurisconsulto. Seus livros ainda hoje gozam de primazia .... e seus pareceres alcançaram excepcional autoridade" (San Tiago Dantas, *Figuras do Direito*, p. 81).

jurisdição [Do lat. *jurisdictione*.] *S. f.* **1.** Poder atribuído a uma autoridade para fazer cumprir determinada categoria de leis e punir quem as infrinja em determinada área. **2.** Área territorial dentro da qual se exerce esse poder; vara. **3.** Alçada, competência. **4.** *Fig.* Poder, influência. **5.** *Jur.* Poder que detém o Estado para aplicar o direito ao caso concreto, com o objetivo de solucionar os conflitos de interesses, resguardar a ordem jurídica e o interesse social, sendo tal poder em regra conferido ao judiciário. **6.** *Rel.* Faculdade concedida a um clérigo para exercer as suas ordens numa determinada diocese. **7.** *Bras. CE* Responsabilidade do vaqueiro em uma fazenda. ◆ **Jurisdição contenciosa.** *Jur.* A que admite a discussão e a controvérsia jurídica, facultando-se às partes o exercício do contraditório e da ampla defesa, em oposição à voluntária ou graciosa. **Jurisdição graciosa.** *Jur.* Jurisdição voluntária. **Jurisdição voluntária.** *Jur.* A que não admite discussões de alta indagação, consistindo em exercício de atos de natureza administrativa, realizados pelo judiciário para o atendimento de interesse privado, visando a completar, aprovar ou dar eficácia a certos atos; jurisdição graciosa.

jurisdicionado [Part. de *jurisdicionar*.] *S. m.* **1.** Aquele que está sob a jurisdição de um juiz de direito. **2.** *Rel.* Aquele que recebeu jurisdição (5).

jurisdicional [De *jurisdição* + *-al*[1], seg. o padrão erudito.] *Adj. 2 g.* Pertencente ou respeitante à jurisdição. ~ V. *mar* —.

jurisdicionar [De *jurisdição* + *-ar*[2], seg. o padrão erudito.] *V. t. d.* Submeter à jurisdição de.

➔ **juris et de jure** ['juręs et de 'jurę] [Lat., 'de direito e por direito'.] *Jur.* **1.** Estabelecido por lei como verdade. **2.** Diz-se da presunção legal que não admite prova em contrário.

jurisperícia [Do lat. *jurisperitia*.] *S. f.* Qualidade ou ato de jurisperito.

jurisperito [Do lat. *jurisperitu*.] *S. m.* V. *jurisconsulto*.

jurisprudência [Do lat. tard. *jurisprudentia*.] *S. f.* **1.** Ciência do direito [v. *direito* (13)] e das leis. **2.** Conjunto de soluções dadas às questões de direito pelos tribunais superiores. **3.** Interpretação reiterada que os tribunais dão à lei, nos casos concretos submetidos ao seu julgamento.

jurisprudencial [De *jurisprudência* + *-al*[1].] *Adj. 2 g.* Relativo à jurisprudência.

jurisprudente [Do lat. tard. *jurisprudente*.] *S. 2 g.* V. *jurisconsulto*.

jurista[1] [Do lat. med. *jurista*.] *S. 2 g.* V. *jurisconsulto*.

jurista[2] [De *juro* + *-ista*.] *S. 2 g.* **1.** Pessoa que empresta dinheiro a juros. **2.** Possuidor de títulos da dívida pública.

➔ **juris tantum** ['juręs 'tantọ(m)] [Lat.] *Jur.* **1.** Que pertence só ao direito. **2.** Resultante do próprio direito. **3.** Diz-se da presunção legal que prevalece até prova em contrário.

juriti [Var. dissimilada de *juruti*.] *S. f. Bras. Zool.* Designação comum a várias espécies de aves columbiformes, columbídeas, gêneros *Leptoptila* e *Oreopeleia*, distribuídas por todo o Brasil, de coloração geral parda, com tons avermelhados, oliváceos

J

ou brancacentos. Frequentam o fundo dos quintais e as roças nas fazendas do interior e têm canto agradável e nostálgico. [Outra var.: *jeruti*.]

juriti-azul *S. f. Bras. Zool.* V. *rola-azul*. [Pl.: *juritis-azuis*.]

juriti-da-mata-virgem *S. f. Bras. Zool.* V. *juriti-verdadeira*. [Pl.: *juritis-da-mata-virgem*.]

juriti-grande *S. f. Bras. Zool.* V. *juriti-verdadeira*. [Pl.: *juritis-grandes*.]

juritipiranga [De *juruti* + *-piranga*.] *S. f. Bras. Zool.* V. *juriti-vermelha*.

juritiubim (i-u) [De *juriti* + *ubim*.] *S. f. Bras. Bot.* Palmeira arecácea (*Geonoma camana*) de reduzido porte, e muito elegante, ocorrente na Amaz., flores unissexuais, ordenadas em curtas e finas espigas, e nozes globosas, de pequenas dimensões; açairana.

juriti-verdadeira *S. f. Bras. Zool.* Ave columbiforme, columbídea (*Leptoptila rufaxilla*), com quatro subespécies em todo o Brasil, e que se distingue das demais por ter a fronte e o vértice cinzento-azulados claros, nuca vinácea, dorso pardo-oliváceo, e coberteiras inferiores da cauda brancas; juriti-da-mata-virgem, juriti-grande. [Pl.: *juritis-verdadeiras*.]

juriti-vermelha *S. f. Bras. Zool.* **1.** Ave columbiforme, columbídea (*Oreopeleia violacea*), do N.E. e L. do Brasil, de coloração dorsal purpúrea com brilho metálico, dorso inferior pardacento, peito vináceo, barriga branca, tendo a fêmea dorso pardo-oliváceo. **2.** Ave columbiforme, columbídea (*Oreopeleia montana*), distribuída do S. do México até o Paraguai e quase todo o Brasil. Macho de dorso e peito purpúreo-avermelhados, e barriga amarelo-ocre; fêmea com dorso bronze-oliváceo. [Sin. ger.: *juritipiranga, pariri, pomba-cabocla, rola-gemedeira*. Pl.: *juritis-vermelhas*.]

juro [Do lat. *jure*.] *S. m.* **1.** *Econ.* Importância cobrada, por unidade de tempo, pelo empréstimo de dinheiro, ger. expressa como porcentagem da soma emprestada: *juro de 12% ao ano*. **2.** *Ant. Econ.* Rendimento de capital investido; interesse. [M. us. no pl.] **3.** *Fam.* Recompensa (2). ◆ **Juro composto.** *Econ.* O que se adiciona em cada período à importância do empréstimo, para cálculo do juro devido no período subsequente. **Juro de mora.** *Econ.* O que é cobrado em acréscimo ao juro normal, como multa pelo atraso de pagamento. **Juro simples.** *Econ.* O que não se adiciona em cada período à importância do empréstimo, para cálculo do juro devido no período subsequente. **Pagar com juros.** *Bras. Pop.* Pagar caro.

juros [Pl. de *juros*.] *S. m. pl. Econ.* V. *juro* (1 e 2).

juru [De *ajuru*, com aférese.] *S. m. Bras. Zool.* **1.** Designação tupi de *papagaio* (1). **2.** V. *moleiro* (3).

juruaçu [De *juru* + *-açu*.] *S. m. Bras. Zool.* V. *moleiro* (3).

juruaense *Adj. 2 g.* **1.** De, ou pertencente ou relativo a Juruá (AM). ● *S. 2 g.* **2.** O natural ou habitante de Juruá.

juruaiense *Adj. 2 g.* **1.** De, ou pertencente ou relativo a Juruaia (MG). ● *S. 2 g.* **2.** O natural ou habitante de Juruaia.

jurubeba [Do tupi.] *S. f. Bras. Bot.* Designação comum a várias espécies solanáceas do gênero *Solanum*, tidas popularmente por medicinais, de folhas moles, podendo ter acúleos, flores vistosas, alvas, com estames amarelos e porosos, e fruto bacáceo, sendo muitos deles ruderais. [Cf. *jurumbeba*.]

jurubeba-brava [De *jurubeba* + o f. de *bravo*[1].] *S. f. Bras. Bot.* Arbusto solanáceo (*Solanum juripeba*) aculeado e piloso, bastante difundido no Brasil, de folhas geminadas, oblongas e acuminadas, flores violáceas, pubescentes e vistosas, e cujo fruto é uma baga globosa e glabra, tida por medicinal; jurubeba-menor, jurupetinga, juuna. [Pl.: *jurubebas-bravas*.]

jurubeba-grande *S. f. Bras. Bot.* Arvoreta ou arbusto solanáceo (*Solanum grandiflorum*) aculeado, amplamente distribuído no interior do Brasil, de folhas variáveis, moles, flores grandes, vistosas, violáceo-pálidas, e cujo fruto, do mesmo nome, é uma baga amarela adocicada, aromática, comestível, que serve para fazer geleia; jubeba. [Pl.: *jurubebas-grandes*.]

jurubebal [De *jurubeba* + *-al*[1].] *S. m.* **1.** *Bras.* Quantidade mais ou menos considerável de jurubebas dispostas proximamente entre si. **2.** Área ocupada por jurubebal (1).

jurubeba-menor *S. f. Bras. Bot.* V. *jurubeba-brava*. [Pl.: *jurubebas-menores*.]

jurubita [Var. de *jeribita*.] *S. f. Bras. Pop.* V. *cachaça* (1).

jurueba [De or. tupi, poss.] *S. f. Bras. Zool.* V. *papagaio-do-peito-roxo*.

juruena *Bras. S. 2 g.* **1.** *Etnôn.* Indivíduo dos juruenas, povo indígena extinto, que habitava a margem esquerda do rio Juruena (MT). ● *Adj. 2 g.* **2.** Pertencente ou relativo a esse povo. [Tb. us. como *s. 2 g. e 2 n.* (com cap.) e *adj. 2 g. e 2 n.*]

juruenense *Adj. 2 g.* **1.** De, ou pertencente ou relativo a Juruena (MT). ● *S. 2 g.* **2.** O natural ou habitante de Juruena.

juruense *Adj. 2 g.* **1.** De, ou pertencente ou relativo a Juru (PB). ● *S. 2 g.* **2.** O natural ou habitante de Juru.

jurujuba [Do tupi = 'pescoço amarelo'.] *S. f. Bras. Bot.* Erva verbenácea (*Verbena chamaedryfolia*) humilde, largamente distribuída no Brasil, de folhas membranáceas, globosas; verberão, camaradinha.

jurumbeba [Do tupi = 'espinho de folha chata'.] *S. f. Bras. Bot.* Jumbeba (q. v.). [Cf. *jurubeba*.]

jurumim [Do tupi.] *S. m. Bras. Zool.* V. *tamanduá-bandeira*.

juruna *Bras. S. 2 g.* **1.** *Etnôn.* Indivíduo dos jurunas [ou (etnôn. bras.) *Yuruna, *Yudjá], povo indígena do tronco linguístico tupi que habita o alto rio Xingu (MT) e a margem direita do baixo rio Xingu (PA). ● *S. m.* **2.** *Gloss.* Família linguística do tronco tupi a qual pertencem as línguas dos jurunas e dos xipaias ● *Adj. 2 g.* **3.** Pertencente ou relativo aos jurunas ou a juruna (2).

jurupará *S. m. Bras. Zool.* V. *jupará*. [Cf. *jurupará*.]

juruparã [De or. tupi.] *S. f. Bras. MT* Seta ervada. [Cf. *jurupará*.]

jurupari [Do tupi.] *S. m. Bras. Etnogr.* **1.** Um demônio dos tupis. **2.** Entre missionários, o diabo cristão. **3.** *Zool.* Peixe de rio, ciclídeo (*Geophagus daemon*). [Var., nesta acepç.: *jeropari*.] **4.** *Bras. Zool.* V. *macaco-de-cheiro*. **5.** *Bot.* Planta cesalpiniácea (*Eperua grandiflora*) nativa da Amaz., de folíolos coriáceos, flores purpúreas e vagens achatadas.

juruparipindá [Do tupi = 'anzol do diabo'.] *S. m. Bras. Amaz. Zool.* Acará-chibante.

jurupari-tapuia *Bras. S. 2 g.* **1.** *Etnôn.* Indivíduo dos juruparis-tapuias [ou (etnôn. bras.) *Yurupari-tapuya], povo indígena extinto, da família linguística aruaque, que habitava as margens dos rios Içana e Uaupés (AM). ● *Adj. 2 g.* **2.** Pertencente ou relativo a esse povo. [Pl.: *juruparis-tapuias*.]

jurupari-tapuio *Bras. S. m.* **1.** Indivíduo dos juruparis-tapuios, povo indígena de subgrupo tariana, da família linguística aruaque que habita a parte superior do rio Juareté. ● *Adj.* **2.** Pertencente ou relativo a esse povo. [Pl.: *juruparis-tapuios*.]

jurupema *S. f. Bras.* V. *urupema*.

jurupensém [Do tupi, poss.] *S. m. Bras. Zool.* Bagre pimelodídeo (*Sorubim lima*) carnívoro, das bacias do Amazonas, Araguaia-Tocantins, Parnaíba e Prata, com até 60cm de comprimento, boca larga, com a maxila maior do que a mandíbula; tem o dorso pardo, uma faixa escura longitudinal no meio do corpo, o ventre claro e as nadadeiras avermelhadas. [Sin.: *bico-de-pato, jurupoca, surubim-lima*.]

jurupetinga [De or. tupi.] *S. f. Bras. Bot.* V. *jurubeba-brava*.

jurupiranga [Do tupi = 'boca' + *-piranga*.] *S. f. Bras. PA Zool.* V. *guarijuba*.

jurupixuna [Do tupi = 'boca' + o tupi = 'preto'.] *S. m. Bras. Zool.* V. *macaco-de-cheiro*.

jurupoca [Do tupi = 'boca' + o tupi = 'arrebentar'.] *S. f. Bras. Zool.* **1.** Bagre pimelodídeo (*Hemisorubin platyrhynchos*) da bacia dos rios Amazonas, Orinoco e Paraná, de coloração geral escura, com manchas amareladas, comprimento de até cerca de 50cm, boca com prognatismo acentuado, e cabeça pequena em relação ao corpo. [Var.: *jerupoca, jiripoca*. Sin.: *boca-de-colher*.] **2.** V. *jurupensém*.

juruquense *Adj. 2 g.* **1.** De, ou pertencente ou relativo a Joaquim Gomes (AL). ● *S. 2 g.* **2.** O natural ou habitante de Joaquim Gomes. [Sin. ger.: *joaquinense*.]

jurará [Do tupi.] *S. f. Bras.* **1.** *Bot.* V. *maria-rosa*. **2.** *Zool.* V. *tartaruga-do-amazonas*.

jururu [Do tupi = 'estar tristonho'.] *Adj. 2 g. Bras.* **1.** Triste, melancólico. V. *tristonho* (1): "a ouvir o arrulho jururu dos pombos no sapé" (Coelho Neto, *Sertão*, p. 29). **2.** Acabrunhado, abatido, cururu: "Nem fique aí para um canto, todo jururu, a pensar que .... nunca ninguém no mundo sofreu tão grande e amarga injustiça." (Vivaldo Coaraci, *Cata-Vento*, p. 207.) ● *S. m.* **3.** *Bras. Zool.* V. *joão-barbudo*.

jurutau *S. m. Bras. Amaz. Zool.* V. *urutau*.

juruté [De or. tupi, poss.] *S. m. Bras. Bot.* Árvore boraginácea (*Cordia sellowiana*) de casca grossa, folhas alternas, rugosas no verso, inflorescências paniculadas, e frutos amarelos, mucilaginosos. [Sin.: *mata-fome*.]

juruti [Do tupi.] *S. f. Bras. Zool.* Juriti (q. v.).

jurutiense *Adj. 2 g.* **1.** De, ou pertencente ou relativo a Juruti (PA). ● *S. 2 g.* **2.** O natural ou habitante de Juruti.

juruva [De or. tupi, poss.] *S. f. Bras. Zool.* Ave trogoniforme da mata virgem, momotídea, gêneros *Baryphthengus* e *Momotus*, o primeiro com duas espécies e o segundo com uma só, formando cinco subespécies em território brasileiro. Cantam ao amanhecer e ao anoitecer; duas das penas medianas da cauda são longas, com porção subapical desprovida de barbas, cortadas pela própria ave, que assim se enfeita; dorso verde ou oliváceo, com outros matizes no corpo; alimentam-se de insetos. [Var.: *jeruva, jiriba*. Sin.: *pirapuia, pururu, taquara, jacu-taquara, siriú, siriúva, udu, uritutu, formigão*.]

juruviara [De or. tupi, poss.] *S. f. Bras. Zool.* Ave passeriforme, vireonídea (*Vireo chivi*), distribuída por todo o Brasil, de coloração verde, o alto da cabeça cinzento-escuro marginado de preto, sobrancelha branca, parte inferior branca e esverdeada, flancos amarelados, e crisso amarelo-claro.

juruvoca [De or. tupi, poss.] *S. f. Bras. Bot.* Arbusto teáceo (*Laplacea semiserrata*) amplamente disperso no Brasil, de folhas grossas, coriáceas, flores vistosas, amplas, alvas e com muitos estames, e fruto capsular.

jus [Do lat. *jus*.] *S. m.* Direito (11): "o Diabo vinha, lamentando-se de que a Esperança começasse de entrar no coração dos homens; que ele Diabo tinha jus antiquíssimo de desesperar toda a gente" (Alexandre Herculano, *Lendas e Narrativas*, I, p. 260); "Receavam talvez igual destino / Ao do fero ouvidor, se em algum tempo / Que há muito trazem com o grande Almada / O jus do povo defender quiserem" (Machado de Assis, *Outras Relíquias*, p. 175). ◆ **Fazer jus a. 1.** Tratar de merecer (algo). **2.** Ser merecedor de; merecer: "Boa Conceição! Chamavam-lhe 'a santa', e fazia jus ao título, tão facilmente suportava os esquecimentos do marido." (Id., *Páginas Recolhidas*, p. 78.)

▲ **jus-** [Do lat. *jus, juris*.] *El. comp.* = 'Justiça'; 'Direito': *jusfilosofia, jusfilósofo*. [Equiv.: *juri-*: *jurígeno*.]

➔ **jus agendi** ['jus a'gendẹ] [Lat.] *Jur.* Direito de agir.

jusante [Do fr. ant. *jusant*, 'maré baixa'.] *S. f.* **1.** *Desus.* Vazante da maré. [Antôn.: *montante*.] **2.** O sentido em que correm as águas de uma corrente fluvial. ◆ **A jusante.** Para o lado em que vaza a maré, ou um curso de água: "brigas de morte porque a mulher de um lavou roupa a montante do córrego, a outra querendo beber água a jusante." (Josué Guimarães, *A ferro e fogo*, p. 31). [Antôn.: *a montante*.]

juscelandense *Adj. 2 g.* **1.** De, ou pertencente ou relativo a Juscelândia (GO e MS). ● *S. 2 g.* **2.** O natural ou habitante de Juscelândia.

juscelinense *Adj. 2 g.* **1.** De, ou pertencente ou relativo a Presidente Juscelino (MA, MG e SC). ● *S. 2 g.* **2.** O natural ou habitante de Presidente Juscelino.

juscelinismo [Do antr. *Juscelino* + *-ismo*.] *Bras. S. m.* **1.** Pensamento ou ação política de Juscelino Kubitschek de Oliveira (1902-1976), presidente da República de 1956 a 1961. **2.** Adesão ao juscelinismo (1), ou simpatia por ele.

juscelinista [De *juscelinismo* + *-ista*.] *Bras. Adj. 2 g.* **1.** Relativo ao, ou próprio do juscelinismo. **2.** Que é partidário do juscelinismo (1) ● *S. 2 g.* **3.** Partidário dele.

juscimeirense *Adj. 2 g.* **1.** De, ou pertencente ou relativo a Juscimeira (MT). ● *S. 2 g.* **2.** O natural ou habitante de Juscimeira.

➔ **jus condendum** [jus kɔn'dendo(m)] [Lat.] *Jur.* Direito por constituir; direito futuro.

➔ **jus conditum** [jus 'kondẹto(m)] [Lat.] *Jur.* Direito constituído; direito vigente.

➔ **jus eundi** [jus 'jundẹ] [Lat.] *Jur.* Direito de ir e vir.

jusfilosofia [De *jus-* + *filosofia*.] *S. f. Jur.* Parte da ciência jurídica que estuda e analisa os princípios ou fundamentos filosóficos do Direito.

jusfilosófico [De *jusfilosofia* + *-ico*[2].] *Adj. Jur.* Relativo ou pertencente à jusfilosofia.

jusfilósofo [De *jus-* + *filósofo*.] *S. m. Jur.* Especialista em jusfilosofia.

➔ **jus sanguinis** [jus 'saŋgwẹnẹs] [Lat., 'direito de sangue'.] *Jur.* Princípio que só reconhece como nacional a pessoa nascida de pais nacionais.

jussaraense *Adj. 2 g. S. 2 g.* V. *juçaraense*.

jussarense *Adj. 2 g. S. 2 g.* V. *juçarense*.

jussariano *Adj. S. m.* V. *juçariano*.

jussariense *Adj. 2 g. S. 2 g.* V. *juçariense*.

jussiapense *Adj. 2 g. S. 2 g.* V. *juciapense*.

jussivo [Do lat. *jussus*, part. pass. de *jubere*, 'ordenar', + *-ivo*.] *E. Ling. Adj.* **1.** ~ V. *modo* —. ● *S. m.* **2.** Modo jussivo (q. v.).

➔ **jus soli** [jus 'solẹ] [Lat., 'direito do solo'.] *Jur.* Princípio segundo o qual a pessoa tem a nacionalidade do país onde nasce.

justa[1] [Dev. de *justar*[1].] *S. f.* **1.** Combate entre dois cavaleiros armados de lança, na Idade Média; torneio. **2.** *P. ext.* Luta, combate, pugna, contenda: "Era um austríaco, que se fazia passar por belga, loiro, delgado, ... incansável nas justas amorosas, sempre bem-disposto." (Urbano Tavares Rodrigues, *A Noite Roxa*, p. 100.) **3.** *P. ext.* Questão, pendência.

justa[2] [De *justo*.] *S. f. Ant.* Vaso ou taça em que se punha o vinho para cada conviva.

justa³ [Der. regress. de *justiça*.] *S. f. Bras. Gír.* A polícia.
justa⁴ [Fem. de *justo*.] *El. s. f.* Us. na loc. adv. *à justa*. ◆ **À justa.** Nem mais nem menos; precisamente, exatamente.
▲ **justa-** [Do lat. *juxta*, adv. e prep.] *Pref.* = 'posição ao lado': *justafluvial*, *justapor*.
justador (ô) [De *justar*¹ + *-dor*.] *Adj. S. m.* **1.** Que, ou aquele que justa, que entra em justa ou ajuste. **2.** *Fig.* Rival, competidor.
justafluvial [De *justa-* + *fluvial*.] *Adj. 2 g.* Que está nas margens de um rio; ribeirinho.
justalinear [De *justa-* + *linear*.] *Adj. 2 g.* ~ V. *tradução* —.
justamarítimo [De *justa-* + *marítimo*.] *Adj.* Que está ao lado do mar.
justamente [Do f. de *justo* + *-mente*.] *Adv.* **1.** De (um) modo justo; com justiça. **2.** Com exatidão ou precisão: *Pegou justamente no lugar em que doía.* **3.** No momento exato em que algo se dá: *Chegou justamente na hora do café.* **4.** Em razão: *Foi justamente por isso que não fomos viajar.* **5.** Us. para concordar com.
justapor [De *justa-* + *pôr*.] *V. t. d. T. d. e i.* **1.** Pôr ao lado; pôr junto; aproximar: *justapor pedras*; *justapor uma pedra a outra*. *P.* **2.** Pôr-se em contiguidade; juntar-se: "É a família um conjunto novo, cuja existência se justapõe à de cada um dos seus membros." (Alceu Amoroso Lima, *A Realidade Americana*, p. 232.) [Irreg. Conjug.: v. *pôr*.]
justaposição [De *justa-* + *posição*.] *S. f.* **1.** Ato ou efeito de justapor(-se): "convém advertir que pela simples justaposição da história das técnicas, das ciências e da economia não se chega à integração do complexo da história." (Fidelino de Figueiredo, *Entre Dois Universos*, p. 72). **2.** Situação de contiguidade; aposição. **3.** *Biol.* Modo de crescimento, nos corpos inorgânicos, que consiste na agregação sucessiva de novas moléculas ao núcleo primitivo. **4.** *E. Ling.* V. *composição* (7). **5.** *E. Ling.* Parataxe (2). **6.** *E. Ling.* Processo sintático em que orações, colocadas lado a lado, sem conjunção, funcionam ou como adjunto adverbial (*Saí* há duas horas), ou como objeto direto (*Observou a testemunha*: Foi uma loucura!), aposto (*Fiz de tudo*: telefonei-lhe; mandei-lhe telegramas; fui lá pessoalmente), ou como um parêntese (*A mãe* [quem diria?!]*voltou para sua terra natal*). [Cf., nesta acepç., *coordenação* (3), *correlação* (5) e *subordinação* (3).] **7.** *Filos.* Agregação (4).
justapositivo [De *justa-* + lat. *positivu*.] *Adj.* Relativo a, ou em que há justaposição.
justaposto (ô) [De *justa-* + *posto*.] *Adj.* Que está junto, unido, ou em contiguidade; sobreposto. ~ V. *charada* —*a* e *oração* —*a*.
justar¹ [Do lat. vulg. **juxtare*, 'pôr junto' (< *juxta*, 'junto'), pelo cat. *justar*.] *V. int.* **1.** Participar de justa¹; combater, competir: "Sou mancebo de alta laia: / Não trabalho e sei justar." (Manuel Bandeira, *Estrela da Vida Inteira*, p. 26.) *T. d. T. d. e i.* **2.** Esgrimir, jogar.
justar² [De *justo* + *-ar*².] *V. t. d.* **1.** V. *ajustar* (1 a 7). **2.** Assoldadar, assalariar. *T. d. e i. T. i. Int.* **3.** V. *ajustar* (9 a 11).
➔ **juste-milieu** [ʒyst mi'ljø] [Fr.] *S. m.* **1.** Modo de proceder igualmente distante de dois extremos opostos. **2.** Método de governo que consiste em se manter igualmente afastado dos partidos extremos da direita e da esquerda.
justeza (ê) [Do lat. *justitia*, por via pop.] *S. f.* **1.** Qualidade daquilo que é justo; exatidão, precisão, certeza. **2.** *Fís.* Propriedade duma balança analítica que permanece equilibrada quando pesos iguais são colocados em seus pratos.
justiça [Do lat. *justitia*, por via semierudita.] *S. f.* **1.** Conformidade com o direito; a virtude de dar a cada um aquilo que é seu. **2.** A faculdade de julgar segundo o direito e melhor consciência. **3.** Conjunto de magistrados judiciais e pessoas que servem junto deles. **4.** O pessoal dum tribunal. **5.** *P. ext.* O poder judiciário (q. v.). **6.** *Fig.* Magistratura (2). ◆ **Justiça do trabalho.** *Jur.* A que tem competência para conciliar e julgar os dissídios individuais e coletivos entre empregados e empregadores, e as demais controvérsias oriundas de relações de trabalho. **Justiça eleitoral.** *Jur.* A que é especializada na resolução de controvérsias atinentes ao alistamento eleitoral, eleições, partidos políticos e crimes eleitorais. **Justiça federal.** *Jur.* A que tem competência para conhecer e julgar as causas em que figura como parte a União, autarquias e outros entes federais. **Justiça gratuita.** *Jur.* A que isenta do pagamento de custas, emolumentos e honorários aqueles que declaram não possuir recursos para ajuizamento de demanda. **Justiça militar.** *Jur.* A que tem competência para julgar os crimes militares. **Distribuir justiça.** Exercer o ofício de juiz, julgar; administrar ou aplicar a justiça: "Uma parte do dinheiro que lhe trazia o jogo do bicho era entregue às autoridades, talvez servisse para pagar aos desembargadores que distribuíam justiça ou às professoras que desasnavam crianças." (Lêdo Ivo, *Ninho de Cobras*, p. 78.) **Fazer justiça.** Punir (aquele ou aquilo que deve ser punido) ou premiar ou louvar (aquele ou aquilo que deve ser premiado ou louvado). **Fazer justiça a. 1.** Reconhecer o mérito, o valor ou a razão de alguém, ou fazer valer o que lhe é de direito. **2.** Referir-se a, ou representar dada qualidade, característica ou atributo de alguém de modo justo, exato: *Os elogios lhe fizeram justiça*; *A foto não lhe fizera justiça.* **Fazer justiça pelas próprias mãos.** Vingar-se pessoalmente de mal cuja punição caberia à justiça.
justiçado [Part. de *justiçar*.] *Adj. S. m.* Que, ou aquele que foi supliciado ou punido com a morte.
justiçamento [De *justiçar* + *-mento*.] *S. m.* Ato ou efeito de justiçar.
justiçar [De *justiça* + *-ar*².] *V. t. d.* **1.** Punir com a morte ou com suplício; supliciar: "para isso haveriam de o perseguir como um rebelde, de o torturar como um criminoso, de o justiçar como um bandido" (Ramalho Ortigão, *As Farpas*, I, p. 88). **2.** *Ant.* Aplicar severa justiça a. [Conjug.: v. *laçar*.]
justiceiro [De *justiça* + *-eiro*.] *Adj.* **1.** Amante da justiça. **2.** Rigoroso na aplicação da lei; imparcial, inflexível, severo, justiçoso. ● *S. m.* **3.** Aquele que faz justiça pelas próprias mãos. **4.** *Restr.* Indivíduo que, por sua própria iniciativa ou por solicitação de outrem, e independentemente da lei ou dos poderes constituídos, supostamente repara um mal, esp. por meio de vingança.
justícia [Do tax. *Justicia* (do antr. [*James*] *Justice* [séc. XVIII], horticultor escocês, + lat. cient. *-ia*, v. *-ia*²).] *S. f. Bot.* **1.** Gênero de ervas e arbustos acantáceos, perenes, naturais de lugares úmidos, dotados de folhas íntegras e inflorescências espiciformes, ou capítulos axilares. **2.** Qualquer espécie desse gênero, como, p. ex., a *Justicia brandegeana* [v. *camarão* (6)]. **3.** Qualquer espécime desse gênero, ou a flor dele.
justicialismo [Do esp. *justicialismo*.] *S. m.* Peronismo (q. v.) [neologismo criado por Juan Domingo Perón para caracterizar sua concepção política]: "Se ela [Isabelita Perón] é herdeira do justicialismo, a ela caberá erguer a bandeira dos descamisados e marchar à frente do povo." (José Carlos Oliveira, em *Jornal do Brasil*, 09.01.1981.)
justicialista [Do esp. *justicialista*.] *Adj. 2 g.* **1.** Pertencente ou relativo ao, ou partidário do justicialismo. ● *S. 2 g.* **2.** Partidário dele. [Sin. ger.: *peronista*.]
justiçoso (ô) [De *justiça* + *-oso*.] *Adj.* V. *justiceiro* (2).
justificação [Do lat. tard. *justificatione*.] *S. f.* **1.** Ação ou efeito de justificar(-se). **2.** Razão, causa; desculpa. **3.** Prova judicial. **4.** *Art. Gráf.* Alinhamento vertical das linhas escritas de uma página. **5.** *Jur.* Comprovação judicial de algum fato, mediante documentos e testemunhas, a fim de servir de prova para obtenção liminar de antecipação de tutela ou de medida cautelar ou ainda para servir de prova em outro processo. **6.** *Teol.* Passagem, sob o influxo da graça divina, do estado de pecado para o estado de graça, ou estado de justiça.
justificado [Part. de *justificar*.] *Adj.* **1.** Que teve ou tem justificação. **2.** *Art. Gráf.* Diz-se da composição, do texto ou da coluna, em que todas as linhas estão alinhadas à direita e à esquerda. ● *S. m.* **3.** *Jur.* Aquele que é citado para a justificação (3), como parte. **4.** *Teol.* O cristão em estado de graça ou de justiça.
justificador (ô) [Do lat. tard. *justificatore*.] *Adj.* **1.** Que justifica: "revelara-lhe mesmo miudamente a história dela, dolorosa e justificadora" (Eça de Queirós, *Os Maias*, II, p. 262). ~ V. *martelo* —. ● *S. m.* **2.** Aquele que justifica. **3.** *Tip.* Aparelho do fundidor de tipos, munido de réguas ajustáveis, entre as quais se colocava uma fila de caracteres para acabamento por meio de plaina especial (normalização da altura, abertura do canal, etc.). [Cf. *tipômetro* (1).] **4.** *Tip.* Peça corrediça do componedor tipográfico, por meio da qual se estabelece a medida. **5.** *Tip.* Aparelho que justifica as linhas de matrizes nas máquinas compositoras.
justificante [Do lat. tard. *justificante*.] *Adj. 2 g.* **1.** Que justifica ou pretende justificar. ● *S. 2 g.* **2.** *Jur.* Pessoa que promove, em juízo, uma justificação.
justificar [Do lat. tard. *justificare*.] *V. t. d.* **1.** Demonstrar ou provar a inocência de: *Os depoimentos o justificavam.* **2.** Tornar justo; reabilitar. **3.** Provar em juízo. **4.** Legitimar, desculpar: *Nenhum argumento pode justificar a opressão*; "Embora escrito [o drama *Beatriz Cenci* de Gonçalves Dias] .... justamente quando o romantismo estava em seu esplendor, a justificar todas as audácias, o poeta tomara por base um tema cuja transposição para a cena exigia muito tato." (Eugênio Gomes, *Espelho contra Espelho*, p. 132). **5.** Dar razão a; fundamentar. **6.** Demonstrar, provar. **7.** *Tip.* Fazer aumentar ou diminuir de tamanho (a linha), modificando o espacejamento, a coluna, a página, o número de linhas ou o entrelinhamento, para que obedeçam à medida; blocar. [Cf., nesta acepç., *alinhar* (4).] **8.** Fazer passar do pecado à graça. *P.* **9.** Provar a sua inocência ou a boa razão de seu procedimento. **10.** Demonstrar ou provar que é ou tem direito a ser considerado. [Conjug.: v. *trancar*.]
justificativa [F. subst. de *justificativo*.] *S. f.* Causa, prova ou documento que comprova a realidade dum fato ou a veracidade duma proposição. [Cf. *dirimente*.]
justificativo [De *justificar* + *-tivo*.] *Adj.* Que serve para justificar.
justificatório [De *justificar* + *-tório*.] *Adj.* **1.** De, ou relativo a justificativa. **2.** Que serve para justificar.
justificável [De *justificar* + *-vel*.] *Adj. 2 g.* Que pode ser justificado.
justilho [Do esp. *justillo*.] *S. m.* Espécime de colete muito justo: "Um justilho preto, curto e chanfrado, cerrava-lhe a cintura mimosa" (José de Alencar, *Guerra dos Mascates*, p. 55).
➔ **justizmord** [ju'stitsmɔrt] [Al.] *S. m.* Condenação de um inocente à morte. [Com cap.]
justo [Do lat. *justu*.] *Adj.* **1.** Conforme à justiça, à equidade, à razão: *motivo justo*; *pena justa*. **2.** Imparcial, reto; íntegro: *homem justo*. **3.** Exato, preciso: *Apareceu no momento justo*. **4.** Legítimo, fundado: *pretensão justa*. **5.** Que se ajusta ou se adapta perfeitamente; ajustado: *O assunto é delicado, e cumpre saber a maneira justa de o tratar.* **6.** *P. ext.* Apertado, estreito: "o vestido ...., de cetim branco, mangas compridas, muito justo, a acompanhar as linhas do seu corpo benfeito." (Josué Montelo, *Cais da Sagração*, p. 15). **7.** *Mús.* Diz-se de alguns intervalos: a oitava, a quinta, a quarta. ~ V. —*a causa*, —*as núpcias*, — *preço* e — *título*. ● *Adv.* **8.** Exatamente, precisamente. ● *S. m.* **9.** Homem virtuoso. ◆ **Pagar o justo pelo pecador. 1.** Ser castigado ou repreendido aquele que não tem culpa, ficando impune o culpado. **2.** Sofrer uma parte inocente de um grupo o mesmo castigo que atingiu a parte culpada, por ser impossível identificar os responsáveis.
justura [De *justo* + *-ura*.] *S. f.* **1.** Ato de justar ou ajustar. **2.** Forma que o ferrador dá à ferradura, dobrando-a de baixo para cima na parte anterior.
juta [Do ingl. *jute* < bengali *jhuto*.] *S. f.* **1.** *Bot.* Erva tiliácea (*Corchorus capsularis*) sublenhosa, anual, originária da Índia, e cultivada intensamente na Amaz., para obtenção de suas valiosas fibras têxteis. Folhas serreadas e acuminadas; flores lúteas, pequenas e cimosas; o fruto é uma cápsula com cinco valvas, chegando a 5m, o caule, macerado em água, libera as fibras. **2.** *Tec. Têx.* O tecido feito com esta fibra.
jutaí [Do tupi.] *S. m. Bras. Bot.* **1.** V. *jatobá* (1 e 2). **2.** V. *itu*.
jutaí-açu [De *jutaí* + *açu*.] *S. m. Bras. Bot.* V. *jatobá* (2). [Pl.: *jutaís-açus*.]
jutaicica [De or. tupi.] *S. f. Bras. Bot.* V. *jatobá* (1).
jutaí-do-campo *S. m. Bras. Bot.* V. *jatobá* (2). [Pl.: *jutaís-do-campo*.]
jutaiense (a-i) *Adj. 2 g.* **1.** De, ou pertencente ou relativo a Jutaí (AM). ● *S. 2 g.* **2.** O natural ou habitante de Jutaí.
jutaí-mirim [De *jutaí* + *mirim*.] *S. m. Bras. Bot.* V. *jatobá* (3). [Pl.: *jutaís-mirins*.]
jutaipeba (a-i) [De *jutaí* + *-peba*.] *S. m. Bras. Bot.* **1.** V. *jatobá* (1 e 2). **2.** V. *itu*.
jutaipeva [De *jutaí* + *-peva*.] *S. m. Bras. Bot.* **1.** V. *jatobá* (1 e 2). **2.** V. *itu*.
jutaí-pororoca *S. m. Bras. Bot.* **1.** V. *jatobá* (1 a 4). **2.** V. *itu*. [Pl.: *jutaís-pororocas* e *jutaís-pororoca*.]
jutairana (a-i) [De *jutaí* + *-rana*.] *S. f. Bras. Bot.* Árvore cesalpiniácea (*Crudia parivoa*) de folhas com três folíolos ovais e acuminados, flores com 10 estames e ovário hirsuto, e cuja madeira, rija e escura, é indicada para marcenaria. Ocorre na floresta amazônica.
jutaí-roxo *S. m. Bras. Bot.* V. *jatobá* (1 a 4). [Pl.: *jutaís-roxos*.]
juta-paulista *S. f. Bras. Bot.* Arbusto malváceo (*Hibiscus kitaibelifolius*) ornamental, de folhas lobadas, e cúpreas muitas vezes, flores enormes, vistosas, afuniladas, com estames congregados em um tubo central, fruto capsular, e cultivado no País para a indústria têxtil. [Pl.: *jutas-paulistas*.]
jutiense *Adj. 2 g.* **1.** De, ou pertencente ou relativo a Juti (MS). ● *S. 2 g.* **2.** O natural ou habitante de Juti.
juto [Do sing. do lat. med. *Juti*.] *S. m.* **1.** Indivíduo dos jutos, povo germânico que habitava a Jutlândia (atual Dinamarca). ● *Adj.* **2.** Pertencente ou relativo aos jutos.
jutuaúba [De or. tupi.] *S. f. Bras. Bot.* Jatuaúba (1).

J

jutubarana [De or. tupi.] *S. f. Bras. N.E. Zool.* V. *tubarana* (1).

juuna [Do tupi = 'espinho' + *-una*.] *S. f. Bras. Bot.* V. *jurubeba-brava*.

juva [De or. obsc.] *S. f. Bras. Bot.* V. *tamanqueira* (1).

juvá *S. m. Bras. RS Zool.* V. *palombeta*.

juvenais [Do lat. *juvenalia*.] *S. m. pl.* Jogos romanos em honra da juventude, instituídos por Nero (v. *neroniano*).

juvenalesco (ê) *Adj.* Pertencente ou relativo a Juvenal, poeta satírico latino, nascido em c. 60 d. C. e morto por volta do ano 130, ou próprio dele ou de seu estilo; juvenaliano.

juvenaliano *Adj.* Juvenalesco.

juvenato [Do lat. *juvenis*, 'jovem', + *-ato*[1].] *S. m.* **1.** Em certas ordens, centro de formação para quem se destina à vida religiosa. **2.** Nestas ordens, estágio antes ou depois do noviciado.

juvenê [De or. obsc.] *S. m. Bras. Bot.* V. *tamanqueira* (1).

júvene [Do lat. *juvene*, por via erudita.] *Adj.* Jovem.

juvenescer [Do lat. *juvenescere*.] *V. t. d. P.* Tornar(-se) jovem; rejuvenescer. [Conjug.: v. *crescer*.]

juvenescimento [De *juvenescer* + *-imento*.] *S. m.* Ação ou efeito de juvenescer(-se); rejuvenescimento.

juvenil [Do lat. *juvenile*.] *Adj. 2 g.* **1.** Da, relativo à, ou próprio da juventude: *ardor juvenil; anos juvenis.* **2.** *P. ext.* Jovem (1): *um ar juvenil.* **3.** *Bras.* Diz-se de departamento, torneio, equipe, etc., de clube esportivo, constituído apenas de adolescentes. ● *S. m.* **4.** *Bras.* Clube ou torneio esportivo apenas de adolescentes.

juvenília [Do lat. *juvenilia*, neutro; pl. de *juvenilis, e*, 'juvenil', 'relativo à juventude'.] *S. f.* As obras ou escritos da mocidade de um autor.

juvenilidade [Do lat. *juvenilitate*.] *S. f.* **1.** Qualidade de juvenil; juventude, mocidade: "conservando [Ferdinand Denis] na mais adiantada idade, alegre, ridente, cheia de vegetação e de seiva a juvenilidade do seu espírito" (Ramalho Ortigão, *Em Paris*, p. 69). **2.** Idade juvenil, idade moça; juventude, mocidade; "uma figura de homem, belo e forte, em plena juvenilidade, caído por terra" (Martins Fontes, *Terras da Fantasia*, p. 41).

juvenilizante [De *juvenilizar* + *-nte*.] *Adj. 2 g.* Que reanima, remoça, rejuvenesce: "No ar, jovializante, juvenilizante, cheio de sons, de cores, e faiscâncias ...., revoejavam pássaros de asas pandas" (Martins Fontes, *A Alegria*, p. 45).

juveníssimo *Adj.* Superl. abs. sint. de *jovem*.

juventa [Do lat. *juventa*.] *S. f.* Juventude (1).

juventude [Do lat. *juventute*.] *S. f.* **1.** Idade moça; mocidade, adolescência, juventa: "os sítios onde passara a sua infância e lhe corriam felizes os anos da juventude." (José de Alencar, *O Sertanejo*, p. 33). **2.** A gente moça; mocidade: *Toda a juventude compareceu ao festival.* **3.** Fase do ciclo de um lago na qual este recebe mais água do que perde e por isso tem maior duração.

juvevê [De or. obsc.] *S. m. Bras. Bot.* V. *tamanqueira* (1).

juvira [De or. obscura.] *S. m. Bras. Zool.* V. *carapó*.

Minúscula Moderna	Maiúscula Moderna	Romano	Romano	Etrusco	Grego	Grego	Fenício

Na cerimônia de posse na Academia Brasileira de Letras, Aurélio foi recepcionado por familiares, amigos e acadêmicos. Em primeiro plano, na foto, o filho, Aurélio Baird Buarque Ferreira; a escritora Lúcia Benedetti; a cunhada, Mary Baird, e as senhoras Heloísa Ramos Lins e Maria José Athayde.

k (cá ou capa) *S. m.* **1.** A 11ª letra do nosso alfabeto, utilizada em nomes próprios estrangeiros e seus derivados, ou em símbolos e abreviaturas de uso internacional, ou ainda em empréstimos cuja grafia aportuguesada é a menos us. ou não foi devidamente estabelecida. [Nos vocábulos do vernáculo, a consoante oclusiva velar surda, que o *k* representa, é grafada com *c* (antes de *a, o* e *u*) ou com *qu* (antes de *e* e *i*).] **2.** A figura dessa letra, ou qualquer representação sua. **3.** O som representado por essa letra. ● *Num.* **4.** Undécimo (1), numa série ordenada ou hierárquica cujos elementos são designados ou representados pelas letras do alfabeto. [Pl. (nas acepçs. 1 a 3) indicado graficamente pela duplicação da letra: *kk*.]

■ **k 1.** Símb. de *quil(o)-*[3] (q. v.). **2.** Símb. de *quilate* (1 e 2) e de *quilate métrico*. [Do ingl. *karat*, var. de *carat*, 'quilate'.] **3.** *Fís.* Símb. de *constante de Boltzmann*.

■ **K 1.** *Fís.* Símb. de *kelvin*. **2.** *Fís. Nucl.* Símb. de *káon*. **3.** *Quím.* Símb. de *potássio*. [Do lat. cient. *kalium*, nome desse elemento químico, formado a partir do mesmo étimo de *álcali*.]

➔ **kabuqui** [kabuki] [Jap.] *S. m. Teatr.* V. *cabúqui*.

➔ **kadish** [ka'diʃ] [Aramaico, 'santo'.] *S. m.* **1.** Oração judaica, em aramaico, entoada em diversos momentos do culto religioso pelo *kantor* ou por um órfão ou parente enlutado, ou pela congregação religiosa. **2.** Prece entoada em público por um órfão, em memória de seus pais.

kafkiano [Do antr. *Kafka* + *-iano*.] *Adj.* **1.** Pertencente ou relativo a Franz Kafka (1883-1924), escritor judeu de língua alemã, nascido em Praga, na Checoslováquia, ou próprio desse autor, ou que o lembra: 🕮 "Recolhi-me ao meu mundo interior — como a personagem de *A Metamorfose*, de Kafka. É verdade: quando li a descrição kafkiana, eu me disse com angústia — esse homem sou eu.... Em que espécie de bicho se terá transformado o homem kafkiano?" (Antônio Carlos Vilaça, *O Nariz do Morto*, p. 50.) ● *S. m.* **2.** Grande admirador de Kafka e/ou profundo conhecedor de sua obra.

➔ **kaiser** ['kajzeʀ] [Al.] *S. m.* V. *cáiser*.

kaloreense (êên) *Adj. 2 g.* **1.** De, ou pertencente ou relativo a Kaloré (PR). ● *S. 2 g.* **2.** O natural ou habitante de Kaloré.

➔ **kamikaze** [kamikaze] [Jap.] *S. m. Adj.* V. *camicase*.

➔ **kana** [kana] [Jap., 'silabário'.] *S. m. Graf.* No moderno sistema de escrita japonês, cada um dos dois silabários de 48 elementos, *hiragana* e *katakana*, desenvolvidos para complementação dos caracteres de origem chinesa, ou *kanji*. [As raízes são, ger., grafadas em *kanji*. Os símbolos do *hiragana* são us. nas formas nativas japonesas para a expressão de distinções gramaticais; os do *katakana*, nos empréstimos de línguas que não o chinês.]

kanga *S. f.* V. *canga*[4].

➔ **kani-kama** [kani : ka'ma :] [Jap.] *S. m. Cul.* Espécie de rolinho prensado que imita o sabor de carne de caranguejo e é feita com peixe, fécula de batata, sal e açúcar.

➔ **kanji** [kandʒi] [Jap. *kan*, 'chinês', + jap. *ji*, 'ideógrafo'.] *S. m. Graf.* Conjunto de caracteres chineses us. no sistema de escrita japonês.

➔ **kansa** ['kansa] *S. m. Gloss.* Língua siuana falada em Oklahoma (E.U.A.), atualmente quase extinta. [Contava com 19 falantes, segundo o censo de 1990.]

kantiano [Do antr. (*Immanuel*) *Kant* (1724-1804), filósofo alemão, (v. *kantismo*).] *Adj. S. m.* Kantista.

kantismo [Do antr. *Kant* + *-ismo*.] *S. m. Hist. Filos.* Doutrina de Immanuel Kant (1724-1804), filósofo alemão, caracterizada pelo criticismo (q. v.) que exclui da possibilidade do conhecimento racional os objetos da metafísica e da religião, e leva à necessidade de fundamentar a moral em imperativos categóricos gerados pela razão prática. [V. *idealismo transcendental*.]

kantista [De *kantismo* + *-ista*.] *Adj. 2 g.* **1.** Pertencente ou relativo ao kantismo (q. v.) ou a Kant. **2.** Que é partidário do kantismo. ● *S. 2 g.* **3.** Partidário dele. [Sin. ger.: *kantiano*.]

kaon *S. m. Lus. Fís. Nucl.* V. *káon*.

káon *S. m. Fís. Nucl.* Designação genérica de mésons de massa aproximadamente igual à metade da massa do próton e que contêm um *quark* ou um antiquark estranho [símb.: *K*].

kaon-curto *S. m. Fís. Nucl.* V. *káon-curto*. [Pl.: *kaons-curtos*.]

káon-curto *S. m. Fís. Nucl.* Káon neutro com vida média de 0,89 x 10^{10}s, e que pode ser representado como um sistema káon-zero mais antikáon-zero [símb.: K_s^0]. [Pl.: *káons-curtos*.]

kaon-longo *S. m. Fís. Nucl.* V. *káon-longo*. [Pl.: *kaons-longos*.]

káon-longo *S. m. Fís. Nucl.* Káon neutro com vida média de 5,17 x 10^{8}s, e que pode ser representado como um sistema káon-zero menos antikáon-zero [símb.: K_L^0]. [Pl.: *káons-longos*.]

kaon-mais *S. m. Lus. Fís. Nucl.* V. *káon-mais*. [Pl.: *kaons-mais*.]

káon-mais *S. m. Fís. Nucl.* Méson de massa 493,67 MeV/c^2, *isospin* 1/2, *spin* zero+, paridade negativa, carga elétrica igual à do próton, e estranheza +1, composto de um *quark u* e de um antiquark *s* [símb.: *K*+]. [Pl.: *káons-mais*.]

kaon-menos *S. m. Lus. Fís. Nucl.* V. *káon-menos*. [Pl.: *kaons-menos*.]

káon-menos *S. m. Fís. Nucl.* Antipartícula do káon-mais (q. v.) [símb.: *K*-]. [Pl.: *káons-menos*.]

kaon-zero *S. m. Lus. Fís. Nucl.* V. *káon-zero*. [Pl.: *kaons-zero*.]

káon-zero *S. m. Fís. Nucl.* Méson de massa 497,67 MeV/c^2, *isospin* 1/2, *spin* zero, paridade negativa, carga elétrica nula, e estranheza +1, composto de um *quark d* e de um antiquark *s* [símb.: K^0]. [Pl.: *káons-zero*.]

➔ **karaoke** [karaoke] [Jap., 'espaço vazio'.] *S. m.* Em reunião, festa, casa noturna, etc., divertimento em que alguém do público canta ao microfone, acompanhado ou não de *playback*. [Ger. grafado *karaokê*.]

kardecismo [Do antr. *Kardec* + *-ismo*.] *S. m.* Doutrina religiosa de Allan Kardec (1804-1869), pensador espírita francês.

kardecista [De *kardecismo* + *-ista*.] *Adj. 2 g.* **1.** Pertencente ou relativo a Allan Kardec, ou ao kardecismo. **2.** Que é adepto do kardecismo. ● *S. 2 g.* **3.** Adepto dessa doutrina.

➔ **kart** [kaʀt] [Ingl.] *S. m. Autom.* Pequeno veículo automóvel dotado de quatro rodas, embreagem automática, sem carroceria, nem caixa de mudanças, nem suspensão.

➔ **karting** ['kaʀtɪŋ] [Ingl.] *S. m. Autom.* Corrida de *karts*; kartismo.

kartismo [De *kart* + *-ismo*.] *S. m.* Karting. [Cf. *cartismo*.]

kartista [De *kart* + *-ista*.] *S. 2 g. Autom.* Pessoa que pratica o kartismo. [Cf. *cartista*.]

kartódromo [De *kart* + *-o-* + *-dromo*.] *S. m.* Pista para corridas de *karts*.

➔ **katakana** [katakana] [Jap. *kata*, 'forma', + jap. *kana*, 'silabário'.] *S. m. Graf.* V. *kana*.

■ **kb** *Inform.* Símb. de *kilobit*.

■ **kB** *Inform.* Símb. de *kilobyte*.

■ **kc** *Desus.* Símb. de *quilociclo*.

■ **kcal** *Fís.* Símb. de *quilocaloria*.

➔ **kelper** ['kelpɚ] [Ingl.] *S. 2 g.* O natural ou habitante das ilhas Falklands ou Malvinas (América do Sul) (v. *malvinense*): 🕮 "Os ilhéus se intitulam kelpers, nome que deriva de uma alga marrom abundante na região" (*Jornal do Brasil*, 13.04.1982).

➔ **kelvin** ['kelvin] [V.C.I. do antr. *Kelvin*, de William Thomson, lorde Kelvin, físico inglês (1824-1907).] *S. m. Fís.* Intervalo unitário de temperatura na escala absoluta de temperatura [símb.: *K*]. [Denominava-se *grau Kelvin* ou *grau absoluto*.]

kennediense *Adj. 2 g.* **1.** De, ou pertencente ou relativo a Presidente Kennedy (ES e TO). ● *S. 2 g.* **2.** O natural ou habitante de Presidente Kennedy.

kentiano [Do top. *Kent* (Inglaterra) + *-iano*.] *Adj.* **1.** Relativo ao condado de Kent (S.E. da Inglaterra) ou aos seus habitantes. ● *S. m.* **2.** *Gloss.* Dialeto falado no antigo reino anglo-saxão de Kent (séc. VI-IX). [V. *inglês antigo*].

kepleriano [Do antr. *Kepler* + *-iano*.] ***Adj.*** Pertencente ou relativo ao astrônomo alemão Johann Kepler (1571-1638), ou próprio dele. ~ V. *sistema* –.

➔**kerning** ['kɚnɪŋ] [Ingl.] ***S. m.*** *Edit. Eletrôn.* Ajustamento automático do espacejamento entre pares de caracteres, e que visa a obtenção de efeito óptico agradável.

kernita [Do top. *Kern* (Califórnia, E.U.A.) + *-ita*^{3}.] ***S. f.*** *Min.* Mineral monoclínico, incolor a branco, borato de sódio hidratado.

➔**ketchup** ['kɛtʃəp] [Ingl.] ***S. m.*** Molho consistente de tomate em conserva e outros condimentos, levemente adocicado.

■ **keV** ***S. m.*** *Fís. Nucl.* Unidade de medida de energia igual a 1.000 elétrons-volt e equivalente a 1,602 x 10^{-16} J.

keynesianismo [De *keynesiano* (q. v.) + *-ismo*.] ***S. m.*** *Econ.* Teoria derivada do pensamento do economista John Maynard Keynes (1883-1946), que enfatiza a importância da demanda agregada (q. v.) na determinação do nível de produto e de emprego da economia, e a consequente necessidade de políticas governamentais de estímulo à demanda, em situações de recessão.

keynesiano ***Adj.*** **1.** Pertencente ou relativo ao economista britânico John Maynard Keynes (1883-1946), ou próprio dele. **2.** Que é adepto da doutrina desse economista. • ***S. m.*** **3.** Adepto dessa doutrina.

keyserlinguiano (cai) ***Adj.*** **1.** Pertencente ou relativo a Alexander Hermann Keyserling (1880-1946), filósofo e escritor alemão. **2.** Que é seguidor e/ou grande admirador da sua obra. • ***S. m.*** **3.** Seguidor e/ou grande admirador desse autor.

■ **kg** *Fís.* Símb. de *quilograma*^{1}.

■ **kgf** *Fís.* Símb. de *quilograma-força*.

■ **kgfm** Símb. de *quilogrâmetro*.

➔**khmer** [χmer] [Termo nativo.] ***S. 2 g. S. m. Adj. 2 g.*** V. *cambojano* (1, 3 e 4).

■ **kHz** Símb. de *quilo-hertz*.

➔**ki** [ki] [Jap.] ***S. m.*** *Teatr.* Nô (q. v.) cujas personagens principais são demônios e espíritos malignos.

➔**kibutz** [ki'buts] [Hebr., lit., 'reunião, agrupamento'.] ***S. m.*** Fazenda coletiva, em Israel. [Pl.: *kibutzim*. Cf. *colcós*.]

➔**kickbox** ['kɪkbɑks] [Ingl.] ***S. m.*** *Esport.* Arte marcial na qual são permitidos golpes com os punhos e as pernas.

➔**kickboxing** ['kɪkbɑksɪŋ] [Ingl.] ***S. m.*** *Esport.* V. *kickbox*.

kierkegaardiano (quir) [Do antr. *Kierkegaard* + *-iano*.] ***Adj.*** *Filos.* **1.** Pertencente ou relativo ao filósofo existencial e teólogo dinamarquês Sören Aabye Kierkegaard (1813-1855), ou à sua doutrina. **2.** Que é partidário dessa doutrina. [V. *filosofias existenciais*.] • ***S. m.*** **3.** Partidário dela.

kieserita [Do antr. (*D. G.*) *Kieser* (1779-1862), físico alemão, + *-ita*^{3}.] ***S. f.*** *Min.* Mineral monoclínico, sulfato hidratado de magnésio.

➔**kilobit** ['kɪlowbɪt] [Ingl.] ***S. m.*** *Inform.* 2^{10} (*i. e.*, 1.024) *bits* [símb.: *kb*]. [Por vezes, us. como equivalente a um mil *bits*.]

➔**kilobyte** ['kɪlowbajt] [Ingl.] ***S. m.*** *Inform.* 2^{10} (*i. e.*, 1.024) *bytes* [símb.: *kB*]. [Por vezes, us. como equivalente a um mil *bytes*.]

➔**kilt** [kɪlt] [Ingl.] ***S. m.*** **1.** Saiote pregueado e parcialmente trespassado, que vai da cintura até os joelhos, feito de lã quadriculada em cores correspondentes aos diversos clãs, e que faz parte do traje típico masculino escocês. **2.** *Moda* Saia feminina semelhante ao *kilt* (1), porém de diversos comprimentos.

kimberlito ***S. m.*** *Geol.* Rocha magmática vulcânica brechada, essencialmente composta de olivina alternada, flogopita, piroxênios e piropo. É a rocha matriz do diamante, e ocorre sob a forma de chaminés ou diques.

➔**king** [kɪŋ] [Ingl.] ***S. m.*** Jogo do *bridge* (q. v.) simplificado.

➔**king-size** [kɪŋ sajz] [Ingl.] ***Adj. 2 g. 2 n.*** Diz-se de cama, colchão, roupa de cama, etc., maior ou bem maior que o comum.

kiribati [Do top. *Kiribati* < ingl. *Gilbert*, antigo nome de um dos arquipélagos que formam o país e onde se concentra a maior parte da população.] ***S. m.*** *Gloss.* V. *quiribati*.

➔**kirsch** [kiʁʃ] [Al., 'cereja'.] ***S. m.*** Aguardente de cereja. [Com cap.]

➔**kislev** [kis'lev] [Hebr.] ***S. m.*** *Cronol.* O terceiro mês do calendário judaico, que recai entre os meses de novembro e dezembro dos calendários juliano e gregoriano.

➔**kit** [kɪt] [Ingl.] ***S. m.*** **1.** Estojo com conjunto de utensílios. **2.** *Comun.* Conjunto de informações sobre determinada empresa, produto, artista, etc., selecionadas com objetivo específico, como, p. ex., para lançamento de produto, ou realização de entrevista coletiva.

kitasato [Do antr. (*S.*) *Kitasato* (1852-1931), biólogo japonês.] ***S. m.*** *Quím.* V. *frasco de Kitasato*.

➔**kitchenette** [kɪtʃənɛt] [Ingl.] ***S. f.*** Cozinha pequena ou reduzida, ou parte de um compartimento ou armário dispostos como cozinha, característica dos apartamentos de quarto e sala ou conjugados.

➔**kitsch** [kɪtʃ] [Al.] ***Adj. 2 g. e 2 n. S. m. 2 n.*** Diz-se de, ou estilo, ou material artístico, literário, etc., considerado como de má qualidade, em geral de cunho sensacionalista ou imediatista, e produzido com o especial propósito de apelar para o gosto popular: 🕮 "O Kitsch é a estética do digestivo, do 'culinário', do agradável-que-não-reclama-raciocínio." (José Guilherme Merquior, *Formalismo e Tradição Moderna*, pp. 13-14.) [Com cap. quando s. m.]

➔**kiwi** ['kijwij] [Ingl.] ***S. m.*** **1.** *Bot.* V. *quivi* (1). **2.** *Zool.* V. *quivi* (2).

➔**kjökkenmödding** [xœkən'mœdiŋ] [Din.] ***S. m.*** Sambaqui. [Com cap.]

■ **kl** Símb. de *quilolitro*.

➔**klaxon** ['klæksən] [Ingl.] ***S. m.*** Buzina de automóvel.

■ **km** Símb. de *quilômetro*.

■ **km/h** Símb. de *quilômetro por hora*.

kneippismo (cnai) ***S. m.*** *Terap.* Sistema terapêutico de Sebastian Kneipp (1821-1897), religioso alemão que preconiza certas formas de hidroterapia.

kneippista (cnai) ***Adj. 2 g.*** **1.** Pertencente ou relativo a Sebastian Kneipp, ou ao kneippismo (q. v.). **2.** Que é adepto do kneippismo; que o preconiza. • ***S. 2 g.*** **3.** Adepto do kneippismo.

➔**knob** [nạb] [Ingl.] ***S. m.*** *Radiotéc.* V. *botão* (16).

➔**knock-out** ['nakæwt] [Ingl.] ***S. m.*** V. *nocaute*. [Abrev.: *K.O.*]

➔**know-how** ['nowhæw] [Ingl.] ***S. m.*** Designa os conhecimentos técnicos, culturais e administrativos.

■ **K.O.** Abrev. de *nocaute* (1).

➔**kobo** ['kobo] ***S. m.*** Moeda divisionária que representa a centésima parte da naira (2).

kombi [Marca registrada.] ***S. f.*** *Autom.* **1.** Automóvel de porte médio, de carroceria alta e linear, us. esp. para transporte de carga ou de passageiros. **2.** *Bras. P. ext.* Esse automóvel ou outro que faça transporte coletivo, lícita ou ilicitamente, esp. nos grandes centros.

➔**kóre** ['kore] [Gr., 'menina', 'moça'.] ***S. f.*** *Arqueol.* O equivalente feminino de *koûros* (q. v.), mas que, ao contrário deste, era representado vestido. [Pl. gr.: *kórai*.]

kostovita [Do antr. (*Ivã*) *Kostov* (1913), mineralogista búlgaro, + *-ita*^{3}.] ***S. f.*** *Min.* Telureto de cobre e ouro.

➔**koûros** [kow'ros] [Gr., 'menino', 'rapaz'.] ***S. m.*** *Arqueol.* Estátua de rapaz, em pé e nu, figura típica dominante da escultura em todo o período arcaico grego. [Pl. gr.: *koûroi*.]

■ **Kr** *Quím.* Símb. de *criptônio*.

➔**krach** [kʁaχ] [Al.] ***S. m.*** Quebra financeira. [Com cap.]

kraepeliniano ***Adj.*** **1.** Pertencente ou relativo a Emil Kraepelin (1855-1926), psiquiatra alemão. **2.** Que é seguidor e/ou admirador de suas ideias, e/ou de sua obra. • ***S. m.*** **3.** Seguidor e/ou admirador dele, ou de sua obra.

krameriácea [Do tax. *Krameria* (do antr. [*John Georg Heinrich*] *Kramer* [séc. XVIII], botânico austríaco) + *-ácea*; tax. *Krameriaceae*.] ***S. f.*** *Bot.* Espécime das krameriáceas, família que compreende somente o gênero *Krameria*, que reúne cerca de quinze espécies semiparasitas, arbóreas, arbustivas ou herbáceas, nativa desde o S.O. dos EUA até o Chile e a Argentina.

krameriáceo [De krameriácea, com var. suf. (v. -áceo).] ***Adj.*** *Bot.* Pertencente ou relativo às krameriáceas.

krennerita [Do antr. (*Joseph S.*) *Krenner* (1839-1920), mineralogista húngaro, + *-ita*^{3}.] ***S. f.*** *Min.* Telureto natural de ouro e prata, minério de ouro.

➔**krill** [kril] [Ingl., do nor. 'kril', 'peixe pequeno'.] ***S. m. 2 n.*** Nome comum a pequenos crustáceos eufasiáceos, planctônicos, e suas formas larvais.

krishnamurtiano (chna) [Do antr. (*Jiddu*) *Krishnamurti* + *-ano*^{1}.] ***Adj.*** Pertencente ou relativo ao pensador indiano Jiddu Krishnamurti (1895-1986), ou próprio dele.

➔**kristang** [kris'taŋ] [Cristão.] ***S. m.*** *Gloss.* V. *cristão* (5).

■ **Ku** Símb. de *kurchatóvio*.

kubitschekiano ***Adj.*** **1.** De, ou pertencente ou relativo a Presidente Kubitschek (MG). • ***S. m.*** **2.** O natural ou habitante de Presidente Kubitschek.

kuduro [Do quimb., poss.] ***S. m.*** Gênero de dança e de música (cantada ger. em português) de Angola, exportado para Lisboa (Portugal), Salvador e Rio de Janeiro: 🕮 "Na terceira noite achei-me, sem saber como, no meio de uma animadíssima festa .... a dançar kuduro." (José Eduardo Agualusa, *As Mulheres do meu Pai*, p. 269.)

kuhniano ***Adj.*** **1.** Pertencente ou relativo ao filósofo da ciência norte-americano Thomas Samuel Kuhn (1922-1996), ou próprio dele. **2.** Diz-se de grande admirador e/ou profundo conhecedor de sua obra. • ***S. m.*** **3.** Grande admirador, seguidor e/ou profundo conhecedor da obra de Kuhn.

➔**kümmel** ['kyməl] [Al.] ***S. m.*** Licor alcoólico aromatizado com cominho, fabricado sobretudo na Alemanha e na Rússia. [Com cap.]

➔**kung fu** [kʌŋ fu] [Chin.] ***S. m.*** *Esport.* Arte marcial chinesa semelhante ao caratê, que se popularizou no Ocidente com os filmes do ator norte-americano Bruce Lee (1941-1973), na década de 1970.

kunzita [Do antr. (*G. F.*) *Kunz* (1856-1932), gemólogo norte-americano, + *-ita*^{3}.] ***S. f.*** *Min.* Mineral monoclínico, variedade rósea de espodumênio, encontrada sob a forma de cristais prismáticos.

kurchatóvio [Do antr. (*I. V.*) *Kurchatov* (1903-1960), físico russo, + *-io*^{3}.] ***S. m.*** *Quím. Desus.* Rutherfórdio [símb.: *Ku*].

kuwaitiano ***Adj. S. m.*** V. *coveitiano*.

■ **kVA** Símb. de *quilovolt-ampère*.

■ **kW** Símb. de *quilowatt*.

kwacha ***S. f.*** V. *cuacha*.

■ **kwh** Símb. de *quilowatt-hora*.

➔**kyogen** ['kajowdʒen] [Jap.] ***S. m.*** *Teatr.* Pequena farsa ou entremez cômico do teatro japonês, cujos temas se baseiam nas lendas e nos contos populares.

➔**kyrie** ['kyr̄jɛ] [Lat. ecles. (< loc. gr. *Kýrie, eléēson*, 'Senhor, tende piedade', na qual o ē(eta) é pronunciado como *i*, à maneira bizantina.] ***S. m. 2 n.*** *Lit.* Parte da missa (1) que se inicia com esta invocação, recitada ou cantada. [V. *liturgia da missa*. Cf. *ordinário* (10).]

Minúscula Moderna | Maiúscula Moderna | Minúscula Carolíngia | Romano | Romano | Etrusco | Grego | Grego | Fenício

"A palavra, pois, não é tão só o veículo do pensamento, senão também a própria matéria dele. Desse prazer de interrogar o mistério e da ânsia de esclarecê-lo me há de ter vindo o interesse por um novo mundo – o mundo vocabular. Entrei a amar as palavras, ferramenta dos ofícios das ideias"
Aurélio

l (éle ou lê) *S. m.* **1.** A 12ª letra do nosso alfabeto. [É pronunciado, em início de sílaba, como consoante lateral alveolar (como em *laranja* e em *falar*); em final de sílaba, pode receber essa pronúncia, ou a da semivogal *w* (p. ex.: *jornal*; *soldado*). Seguido de *h*, forma dígrafo que representa a consoante lateral palatal (*alho*, *lhama*).] **2.** A figura dessa letra, ou qualquer representação sua: *O l foi grifado para não ser confundido com o algarismo 1.* **3.** A forma dessa letra (maiúscula), com dois segmentos aproximadamente perpendiculares: *uma sala em L.* **4.** *P. ext.* Aquilo que tem essa forma: *o edifício é um grande L.* **5.** O som representado por essa letra. • *Num.* **6.** Undécimo (1), numa série ordenada ou hierárquica cujos elementos são designados ou representados pelas letras do alfabeto, sem considerar o k como 11º elemento: *turma l* (ou *turma L*). **7.** Duodécimo (1), nas séries ordenadas em que a letra *k* designa o 11º elemento. [Pl. (nas acepçs. 1 a 5) indicado graficamente pela duplicação da letra: *ll*.]

■ **l 1.** Abrev. de *linha*. [Duplicado, é por vezes us. como abrev. do pl. *linhas*.] **2.** Símb. de *litro*. **3.** Abrev. de *libra* (1). **4.** *Quím.* Abrev. de *levogiro*.

■ **L 1.** No sistema romano de numeração, símb. do número 50. **2.** *Fís.* Símb. de *indutância*. **3.** *Fís.* Símb. de *constante de Avogadro* [outra f.: N_A]. **4.** *Geogr.* Abrev. de *leste*. [Tb. se usa *E* (abrev. de *este*).] **5.** *Quím.* Designa, dentre um par de enantiômeros, aquele (ou sua configuração absoluta) cuja estrutura pode ser correlacionada à do gliceraldeído levogiro, segundo uma convenção us. principalmente para açúcares e aminoácidos. [Tb. us. com valor de adj., quando posposto a outro substantivo: *enantiômero L.*] [Cf., nesta acepç., *D* (7).] [Nas acepçs. 2 a 4, com cap.]

▲ **L-** *Quím. El. comp.* Forma nomes de compostos que são enantiômeros do tipo L [v. *L* (4)]. [Tb. us. entre parênteses.]

▲ **-l-** Consoante de ligação: *sacalão* (q. v.).

la [Do lat. *illa*.] F. arc. de *a*², ou seja, do art. def. fem. *a* e do pron. pess. oblíquo da 3ª pess., fem., *a*, este ainda hoje us. depois de formas verbais terminadas em *r*, *s*, ou *z*, depois dos pronomes *nos* e *vos* e depois do advérbio *eis*. [Cf. *lá*.]

■ **La** *Quím.* Símb. de *lantânio*. [Cf. *lá*.]

lá¹ [F. red. de *labii*; v. *ut*.] *S. m. Mús.* **1.** Nota correspondente ao sexto grau da escala natural do modo maior (q. v.). [Corresponde a *A*, na notação alfabética; cf. *ut*.] **2.** O sinal que representa essa nota, na pauta. [Cf. *la*.]

lá² [Do lat. *ad illac*, pelo arc. *alá*.] *Adv.* **1.** Naquele lugar; ali: *Lá, bem longe da cidade, vive ele.* **2.** Àquele lugar; ali: *Cheguei de Curitiba, e não sei quando voltarei lá.* **3.** Adiante, além: *Queria ir só até Florianópolis, mas foi para lá.* **4.** Entre eles; naquela terra; algures: *Cá e lá, é tudo a mesma coisa.* **5.** Nesse tempo (futuro); então: *Até lá já se terá resolvido o caso.* **6.** Partícula de realce, reforço, que, anteposta ou posposta a um verbo, lhe imprime a ideia de começo imediato de ação: *Lá vou eu!*, ou que se usa, não raro com valor afetivo, após o pronome oblíquo referente à pessoa com quem se fala: *Conte-me lá como foi a festa*; *Diga-nos lá o que sabe do caso*; ou que, conforme a entonação que se lhe dê, assume, pelo menos aproximadamente, o valor de um advérbio de negação: *Sei lá!*, *Lá inventar potocas, isso ele não faz*; *Mas isso é lá possível*; "Graciliano podia lá viver numa cidade assim!" (Artur Azevedo, *Contos Possíveis*, p. 171); "Tenho lá cara de general!" (Fernando Sabino, *A Falta Que Ela Me Faz*, p. 52); "– Eleição?... cortou ab-ruptamente o Jango. Lá quero saber disso!" (Vieira Pires, *Querência*, p. 49). [Se o verbo antecedente ou seguinte ao *lá* estiver na 1ª pess., é preferível (mas p. us. no Brasil) o *cá*: *Sei cá!*] **7.** Usa-se antes de advérbios de lugar: "Em Toledo. Lá fora, a vida tumultua / E canta." (Olavo Bilac, *Poesias*, p. 240.) [Cf. *la*.] ◆ **Lá de dentro.** *Bras. RS* Assim dizem os habitantes da fronteira quando se referem ao N. do Estado e à região do litoral (os habitantes dessas zonas são *lá de dentro*). **Lá de fora.** *Bras. RS* Dizem assim os habitantes da campanha com relação à fronteira. [São *lá de fora* os habitantes dessa região.] **Meio lá, meio cá. 1.** Em estado de indecisão; sem saber o que faça ou o que diga. **2.** Um tanto indisposto. **Para lá de.** Mais do que: *Possui para lá de um bilhão*; "Eduarda era para lá de linda." (Fontes Ibiapina, *Congresso de Duendes*, p. 73); "Você é pra lá de boa, Maria!" (Miroel Silveira, *Bonecos de Engonço*, p. 64).

lã [Do lat. *lana*.] *S. f.* **1.** Pelo que cobre o corpo de certos animais. **2.** *Tec. Têx.* Tecido muito quente, feito com esse pelo, cujas células externas repelem água e as internas absorvem umidade. **3.** Lanugem de certas plantas. **4.** V. *carapinha* (1). **5.** *Bras. N.E.* O algodão em rama, no sertão de PE e dos estados vizinhos. ◆ **Lã de escória.** Fibra que se obtém pela ação de um sopro de ar sobre escória fundida, e us. na fabricação de isolantes térmicos e acústicos. **Lã de rocha** A que é feita a partir de fibras de rochas vulcânicas, como, p. ex., o basalto, e é us. na fabricação de isolantes térmicos e acústicos; lã mineral. **Lã de vidro.** Isolante térmico constituído de finas fibras de vidro, que se obtém com forte sopro de ar sobre vidro em fusão. **Lã mineral.** Lã de rocha. **Ir buscar lã e sair tosquiado. 1.** Tentar lograr e sair logrado. **2.** Pretender pregar uma peça e sair troçado. [Sin. ger.: *ir buscar lã e vir tosquiado*.] **Ir buscar lã e vir tosquiado.** Ir buscar lã e sair tosquiado.

labá [Do ior.] *S. f. Rel. Bras.* Sacola que contém os preceitos de Xangô.

labaça¹ [Do lat. *lapathia*, neutro pl. de *lapathium*, tomado como fem.] *S. f. Bras. Bot.* Erva poligonácea (*Rumex crispus*) de folhas oblongas, crespas, e flores inconspícuas, originária da Europa e introduzida no Brasil.

labaça² [De or. obscura.] *S. f. Bras.* Suplemento de madeira que se prega nas faces das cavernas dos barcos e dos navios para receber o tabuado que nessas peças se deve colocar.

labaçal [De *labaça*¹ + *-al*¹.] *S. m.* **1.** *Bras.* Quantidade mais ou menos considerável de labaças (v. *labaça*¹) dispostas proximamente entre si. **2.** Área ocupada por labaçal (1).

labaçol *S. m.* Variedade de labaça¹. [Pl.: *labaçóis*.]

laba-laba [De or. obsc.] *S. f. Bras. Bot.* Árvore voquisiácea (*Qualea rosea*) da floresta amazônica, de folhas ovadas, acuminadas e coriáceas, flores amplas, alvas por fora e róseas por dentro, com uma grande pétala, e cujo fruto é uma cápsula longa e lenhosa, com sementes aladas, sendo a madeira indicada para construção e tabuado. [Pl.: *labas-labas* e *laba-labas*.]

labão *S. m.* Antigo militar chinês; loção².

labareda (ê) [De or. obscura.] *S. f.* **1.** Grande chama; língua de fogo. **2.** *Fig.* Vivacidade, ardor, impetuosidade. • *S. m.* **3.** Homem azafamado. [Var.: *lavareda*.]

lábaro [Do lat. tard. *labaru*.] *S. m.* **1.** Estandarte dos exércitos romanos. **2.** V. *bandeira* (1): "Brasil, de amor eterno seja símbolo / O lábaro que ostentas estrelado" (Osório Duque-Estrada, *Hino Nacional Brasileiro*).

labatu *S. m. Bras. BA Etnogr.* Negro velho, meio doido, que causa assombrações durante o dia.

labelado [De *labelo* + *-ado*¹.] *Adj.* Que tem feitio de lábio; labiado.

→ **la belle époque** [la bɛl e'pɔk] [Fr., 'a bela época'.] Os primeiros anos do séc. XX, considerados como uma época de vida agradável e fácil. [V. *belle époque*.]

labelo [Do lat. *labellu*.] *S. m.* **1.** Pequeno lábio. **2.** *Bot.* A pétala média, maior e de forma e coloração distinta das demais, que se encontra comumente nas flores das orquídeas e que serve de plataforma para insetos polinizadores. **3.** *Bot.* Plataforma formada pela pétala inferior ou grupo de pétalas fundidas, presente, p. ex., nas flores das lamiáceas, escrofulariáceas, zingiberáceas e fabales. **4.** *Zool.* Bordo revirado de certas conchas.

labéu [De or. obscura.] *S. m.* **1.** Nota infame ou infamante. **2.** Mancha na reputação; desdouro, desonra.

lábia[1] [Do lat. *labia*, neutro pl. de *labium* (v. *lábio*).] ***S. f.*** **1.** Astúcia, manha; solércia. **2.** Falas melífluas com que se procura iludir alguém ou captar agrado ou favores: "Entre o caçador que mata setenta tatus em um dia e o comerciante que tem lábias para convencer o freguês de que o gato é lebre — que distância enorme!" (Graciliano Ramos, *Linhas Tortas*, p. 55.) [Sin., bras., gír. (nesta acepç.): *papa*.] **3.** V. *palavreado* (2).

lábia[2] [Do lat. cient. *labia*, pl. de *labium*.] ***S. f. Anat.*** Os grandes lábios (q. v.) e os pequenos lábios (q. v.).

labiada [De *lábio* + *-ada*[2]; tax. *Labiatae*.] ***S. f. Bot.*** V. *lamiácea*.

labiado[1] [De *lábio* + *-ado*[1].] ***Adj.*** **1.** Labelado. **2.** *Bot.* Diz-se da planta de corola simpétala, de cinco pétalas, duas das quais, soldadas, formam uma porção superior oposta à porção inferior constituída por três pétalas, também soldadas, e que apresentam o aspecto de um lábio. **3.** *Zool.* Diz-se de animal de lábios alongados, grossos, ou de cor diversa da do resto do corpo.

labiado[2] [De *labiada*, com var. suf. (v. *-ado*[1]).] ***Adj. Bot.*** V. *lamiáceo*.

labial [Do lat. med. *labiale*.] ***Adj. 2 g.*** **1.** Relativo ou pertencente aos lábios. ~ V. *consoante* —. ● ***S. f. E. Ling.*** **2.** Consoante labial (q. v.).

labialismo [De *labial* + *-ismo*.] ***S. m. Fonoaud.*** Falar defeituoso por excessivo emprego de sons labiais.

labialização [De *labializar* + *-ção*.] ***S. f. E. Ling.*** **1.** Ato de labializar. **2.** Articulação secundária (q. v.) que envolve arredondamento dos lábios, como ocorre, p. ex., na primeira consoante de *coentro*.

labializado [Part. de *labializar*.] ***Adj. E. Ling.*** Diz-se do som produzido com labialização.

labializar [De *labial* + *-izar*.] ***V. t. d.*** **1.** Tornar labial. **2.** *E. Ling.* Tornar labializado.

▲ **labid(o)-** [Do gr. *labís, ídos*.] ***El. comp.*** = 'pinça': *labidógnata*.

labidógnata [Adapt. do tax. *Labidognatha*.] ***S. f. Zool.*** V. *araneomorfa*.

labidógnato [De *labid(o)-* + *-gnato*] ***Adj. Zool.*** V. *araneomorfo*.

lábil [Do lat. tard. *labile*.] ***Adj. 2 g.*** **1.** Sujeito a escorregar, a cair. **2.** Variável, instável: *pressão lábil*. **3.** Passageiro, transitório. **4.** *Geol.* Diz-se de terreno ou de rocha instável. [Pl.: *lábeis*.]

labilidade [De *lábil* + *-(i)dade*.] ***S. f.*** **1.** Qualidade de lábil. **2.** *Psiq.* Instabilidade emocional: tendência a demonstrar mudanças rápidas e aparentemente imotivadas de humor.

lábio [Do lat. *labiu*.] ***S. m.*** **1.** *Anat.* Borda ou margem carnuda e vermelha. [Cf. *beiço*.] **2.** *Anat.* Cada um dos lábios [v. *lábio* (1)], um superior e outro inferior, que constituem o contorno da fenda bucal. [Sin., nesta acepç.: *beiço*.] **3.** Parte ou objeto semelhante ao lábio: *os lábios de uma ferida*. **4.** *Bot.* Parte em que se divide a corola bilabiada. [Dim. irreg. (nas 1 e 4 acepçs.): *labelo*. Cf., na última, *labíolo*.] ◆ **Lábio leporino.** *Patol.* Deformidade que, em seu grau máximo, se constitui de fenda unilateral ou bilateral, e de que participam o lábio superior, a reborda alveolar, a abóbada palatina e o véu do paladar; lagoquilia. **Grande lábio.** *Anat.* Cada uma das duas bordas vulvares. **Pequeno lábio.** *Anat.* Cada uma das duas pequenas pregas de pele situadas, uma de cada lado, entre o grande lábio e o orifício da vagina.

labiodental [De *lábio* + *dental*.] *E. Ling.* ***Adj. 2 g.*** **1.** Relativo aos lábios e aos dentes. ~ V. *consoante* —. ● ***S. f.*** **2.** Consoante labiodental (q. v.).

labíolo [Dim. irreg. de *lábio*.] ***S. m. Bot.*** Lábio inferior da corola bilabiada; barba. [Cf. *lábio* (4).]

labiopalatal (là) [De *lábio* + *palatal*.] ***Adj. 2 g. Anat.*** Relativo ao lábio e ao palato: "anomalias labiopalatais" (*USP Informações*, SP, n.º 47).

labiosidade [De *labioso* + *-(i)dade*.] ***S. f.*** Qualidade ou maneiras de labioso[2].

labioso[1] (ô) [Do lat. *labiosu*.] ***Adj.*** Que tem lábios grandes.

labioso[2] (ô) [De *lábia*[1] + *-oso*.] ***Adj.*** Que tem, ou em que há lábia[1]: "Não se vá ainda... pedia labioso o deputado pela Bahia." (Aluísio Azevedo, *A Condessa Vésper*, p. 296.)

labirinteira [De *labirinto* + *-eira*.] ***S. f. Bras. N.E.*** Mulher que faz labirinto (9): "Em qualquer recanto, em qualquer palhoça, tinha labirinteiras e rendeiras" (Moreira Campos, *Os Doze Parafusos*, p. 28).

labiovelar [De *lábio* + *velar*.] ***Adj. 2g. E. Ling.*** Diz-se de fonema produzido com o estreitamento total ou parcial do palato mole e o dorso posterior da língua e o arredondamento dos lábios.

labiríntico [Do lat. tard. *labyrinthicu*.] ***Adj.*** **1.** Relativo a labirinto. **2.** Tortuoso, sinuoso: "Andamos a Rua D. Manuel e outras, que a cruzam, labirínticas." (Ribeiro Couto, *A Cidade do Vício e da Graça*, p. 110.) **3.** *Fig.* Confuso, enredado, emaranhado.

labirintiforme [De *labirinto* + *-iforme*.] ***Adj. 2 g.*** **1.** Que tem forma de labirinto. **2.** *Zool.* Diz-se de dentes em que o esmalte se deposita em lâminas que se sobrepõem, e que com a abrasão mostram linhas sinuosas contínuas. **3.** *Paleont.* Diz-se de dente característico dos labirintodontes, cuja dentina é pregueada em padrões complexos.

labirintite [De *labirinto* + *-ite*[1].] ***S. f. Patol.*** Inflamação de labirinto (6, 7).

labirinto [Do gr. *labýrinthos*, pelo lat. *labyrinthu*.] ***S. m.*** **1.** Edifício composto de grande número de divisões, corredores, galerias, etc., e de feitio tão complicado que só a muito custo se lhe acerta com a saída. **2.** Jardim cortado por numerosas ruas entrelaçadas e intrincadas. **3.** Desenho ou traçado formado de linhas sinuosas, à imitação de um labirinto. **4.** *Fig.* Disposição irregular e confusa; dédalo: *As ruas de Alfama e da Mouraria, em Lisboa, são um labirinto.* **5.** *Fig.* Coisa complicada, confusa, obscura: "De ano para ano as contas iam-se enredando, complicando-se em misteriosos labirintos de juros de juros." (Conde de Ficalho, *Uma Eleição Perdida*, p. 195.) **6.** *Anat.* Sistema de cavidades ou canais intercomunicantes. [Encontram-se labirintos em diversas partes do corpo humano: *osso etmoide, orelhas internas, rins*.] **7.** *Anat. Restr.* Orelha interna. **8.** *Zool.* Órgão especializado de certos peixes que permite a utilização do oxigênio do ar e possibilita a sobrevivência em águas com pouca oxigenação. **9.** *Bras. N. N.E. MG Bord.* V. *crivo* (7). ◆ **Labirinto membranoso.** *Anat.* Em cada orelha interna, sistema de labirintos [v. *labirinto* (6)] membranosos no interior do labirinto ósseo, o qual contém a endolinfa. **Labirinto ósseo.** *Anat.* Formação óssea existente em cada orelha interna, e que se compõe de canais semicirculares, vestíbulo e cóclea, que contém a perilinfa (q. v.).

labirintodonte [Do gr. *labýrinthos*, 'labirinto', + *-odonte*; tax. *Labyrinthodontia*.] ***Paleont. S. m.*** **1.** Espécime dos labirintodontes, superordem de anfíbios dotados de vértebras aspidospôndilas, e dentes labirintiformes, e que variavam na forma e no tamanho, podendo atingir até 5m, mas que, ger., lembravam salamandras ou crocodilos corpulentos, com o crânio totalmente revestido de placas ósseas. ● ***Adj. 2 g.*** **2.** Pertencente ou relativo a eles.

labirintoso (ô) [De *labirinto* + *-oso*.] ***Adj.*** Em que há, ou que forma labirinto (1).

lablabe [Do ár.] ***S. f. Bot.*** **1.** Nome comum a várias trepadeiras fabáceas do gênero *Dolichos* (v. *dólico*). **2.** Cumandatiá.

labor (ô) [Do lat. *labore*.] ***S. m.*** Trabalho, faina, lavor. [Pl.: *labores* (ô). Cf. *labores*, do v. *laborar*.]

laboração [Do lat. tard. *laboratione*.] ***S. f.*** **1.** Ato ou efeito de laborar; elaboração: "O mar é um cérebro em laboração" (Gilca da Costa Melo Machado, *Poesias*, p. 275). **2.** Atividade, exercício, trabalho.

laboral [De *labor* + *-al*[1].] ***Adj. 2 g.*** **1.** Do, ou relativo ao labor, ao trabalho: "O serviço na Conservatória se tem acumulado a tal ponto .... que tivemos de passar a um regime laboral de horas extraordinárias permanentes" (José Saramago, *Todos os Nomes*, p. 250). **2.** *P. ext.* Trabalhista (2): "Falam [várias organizações de sindicais de professores] de instabilidade laboral, de escolas sobrelotadas" (Maria João Martins, em *Jornal de Letras/Educação*, 10.09.1997). [Sin. ger.: *laborativo*.]

laborão [De *labor* + *-ão*[1].] ***S. m. Bras. N.E.*** Grande labor; trabalho intenso.

laborar [Do lat. *laborare*.] ***V. int.*** **1.** Exercer o seu mister; entrar em função; funcionar: *Na luta contra o inimigo a artilharia aérea laborou com pleno êxito.* **2.** Trabalhar, labutar, lidar: *Para terminar a obra na data marcada, os operários laboravam noite e dia.* **3.** *Marinh.* Trabalhar (um cabo) em gornes. ***T. d.*** **4.** Fazer, trabalhar, realizar. **5.** Amanhar, cultivar (as terras); lavrar. ***T. i.*** **6.** Trabalhar, labutar, lidar: "Dentro dos seus muros, só os escravos laboram na faina dos açúcares." (Oliveira Viana, *Populações Meridionais do Brasil*, p. 96.) **7.** Cair, incidir, incorrer (em erro, engano, equívoco), trabalhando, lidando, pesquisando: "Desde que Seabra .... disse, erradamente, que João Penha nasceu em 29 de abril de 1839, todos os biógrafos do poeta .... laboram no mesmo engano." (Campos de Figueiredo, *in* João Gaspar Simões, *Perspectiva da Literatura Portuguesa do Século XIX*, I, p. 427.) [Pres. ind.: *laboro*, etc.; pres. subj.: *labore, labores*, etc. Cf. *laboro* (ô), s. m. e *labores* (ô), pl. de *labor*.]

laborativo [De *laborar* + *-tivo*.] ***Adj.*** Laboral.

laboratorial [De *laboratório* + *-al*[1].] ***Adj. 2 g.*** De, ou relativo a laboratório: *exame laboratorial*.

laboratório [Do lat. med. *laboratoriu*; fr. *laboratoire*.] ***S. m.*** **1.** Lugar destinado ao estudo experimental de qualquer ramo da ciência, ou à aplicação dos conhecimentos científicos com objetivo prático (exame e/ou preparo de medicamentos, fabricação de explosivos, exame de líquidos e tecidos do organismo, etc.) **2.** Lugar onde se efetuam trabalhos fotográficos ou cinematográficos, como, p. ex., revelação, ampliações, montagem de filmes. **3.** Parte de um forno de revérbero onde se põe a matéria sobre a qual atua o combustível. **4.** *Fig.* Teatro de notáveis operações ou transformações.

laboratorista [De *laboratório* + *-ista*.] ***S. 2 g. Bras.*** **1.** Técnico de laboratório (1). **2.** Médico que se dedica a fazer análises clínicas.

laboriosidade [De *laborioso* + *-(i)dade*; lat. tard. *laboriositate*.] ***S. f.*** **1.** Qualidade de laborioso (1). **2.** Zelo, diligência, esforço.

laborioso (ô) [Do lat. *laboriosu*.] ***Adj.*** **1.** Amigo de trabalhar; trabalhador: "no meio dum povo laborioso e enérgico, em cujo seio floresciam as roças, abundavam as pescarias, constatavam-se as lutas com o inimigo." (Raimundo Morais, *País das Pedras Verdes*, p. 293.) **2.** Trabalhoso, difícil, custoso, árduo: "Laboriosa foi a organização do núcleo de países confederados militarmente pelo tratado de Paris." (Fidelino de Figueiredo, *Entre Dois Universos*, p. 86); "Enquanto trabalhava, levada pelo hábito de sua vida laboriosa, tirara um fuso da cintura, e .... começara a fiar as pastas de algodão que estavam dentro de uma cabaça" (José de Alencar, *O Sertanejo*, p. 102).

laborismo [De *labor* + *-ismo*.] ***S. m.*** V. *trabalhismo* (2).

laborista [Do ingl. *laborist*.] ***Adj. 2 g.*** **1.** Pertencente ou relativo ao partido inglês *Labour Party* (Partido Trabalhista). ● ***S. 2 g.*** **2.** Membro desse partido.

laboro (ô) [Dev. de *laborar*.] ***S. m. Bras. Pop.*** Labor. [Pl.: *laboros* (ô). Cf. *laboro*, do v. *laborar*.]

laborterapia [De *labor* + *-terapia*.] ***S. f.*** **1.** *Psiq.* V. *terapia ocupacional*. **2.** Nas penitenciárias, atividade semelhante à terapia ocupacional e que objetiva a reintegração social do condenado.

laborterápico [De *laborterapia* + *-ico*[2].] ***Adj.*** Relativo à laborterapia.

labrador (ô) [Do top. *Labrador* (Canadá).] ***S. m. Cinol.*** Cão de grande porte, podendo o macho chegar a 36kg; de pelo curto e espesso, tem na pelagem amarela, preta ou chocolate o padrão da raça. [Muitos são adestrados para servir como cão-guia (q. v.).]

labradorita [Do top. *Labrador* (Canadá) + *-ita*[3].] ***S. f. Min.*** Mineral triclínico, do grupo dos feldspatos (plagioclásio), mistura isomorfa de albita e anortita, variando esta última de 50 a 70 por cento. [Var.: *lavradorita*.]

labreado [Part. de *labrear*.] ***Adj. Bras. N.E.*** Sujo, emporcalhado, breado, lambrecado.

labrear [V. *brear*.] ***V. t. d. Bras. N.E.*** Emporcalhar, brear, lambrecar, lambregar. V. *sujar* (1). [Conjug.: v. *frear*.]

labrego (ê) [Do lat. *laborare* (> port. *lavrar*, esp. *labrar*), como o esp. *labriego*.] ***Adj.*** **1.** V. *lapuz*. **2.** *Fig.* Malcriado, grosseiro. ● ***S. m.*** **3.** V. *lapuz*: "Riamo-nos dos labregos, dos lapuzes, dos labrostes da falsa aristocracia." (Agripino Grieco, *Zeros à Esquerda*, p. 193.) **4.** Arado provido de varredouro para limpar da terra as raízes. **5.** *Bras. Desus.* Alcunha de portugueses. V. *galego* (4). **6.** *Bras. BA* Designação vulgar do falso topázio ou citrina.

labrense ***Adj. 2 g.*** **1.** De, ou pertencente ou relativo a Lábrea (AM). ● ***S. 2 g.*** **2.** O natural ou habitante de Lábrea.

labrete (ê) [Do lat. *labrum*, 'lábio', + *-ete* (ê).] ***S. m. Etnol.*** Entre os índios brasileiros, tipo de adorno que se prende a um furo no lábio inferior, feito de materiais diversos (ossos, conchas, resina endurecida, madeira) e com formatos variáveis, porém distinto do tembetá (q. v.) e do botoque (q. v.).

labrídeo [Do tax. *Labrus* + *-ídeo*[1]; tax. *Labridae*.] ***Zool. S. m.*** **1.** Espécime dos labrídeos, família de peixes perciformes, carnívoros, relacionada à família escarídea, com cerca de 60 gêneros e 500 espécies, dos mares temperados e tropicais, de forma e tamanho diversos, e muitos dos quais de coloração viva, brilhante; lábios grossos e protrusos, dentes assemelhados a caninos, que lhes dão um aspecto característico. Em muitas espécies as fêmeas, à medida que crescem, transformam-se em machos. ● ***Adj.*** **2.** Pertencente ou relativo a eles.

labro [Do lat. cient. *labrum* < lat. *labrum*.] ***S. m. Zool.*** **1.** Lábio superior que entra na formação das peças bucais de insetos. **2.** O lábio superior dos mamíferos.

labroso (ô) [De *labro* + *-oso*.] ***Adj. Zool.*** Diz-se de concha univalve que tem a extremidade externa grossa e revirada.

labrosta [De or. incerta.] ***Adj. S. m.*** V. *lapuz*. [Var.: *labroste*.]

labroste ***Adj. S. m.*** V. *labrosta*: "Com .... o terno remendado e limpinho de labroste serrano, tio Marto veio à fala" (Vitorino Nemésio, *O Retrato do Semeador*, p. 135).

labróstico [De *labroste* + *-ico*[2].] ***Adj.*** **1.** De, ou próprio de labroste. **2.** Rústico, simples: "e logo os bons rurais labrósticos e feios, malhando milho nas eiras, cortando lenha nas matas" (Fialho d'Almeida, *Estâncias d'Arte e de Saudade*, p. 86).

labrusca [Do lat. *labrusca*, 'vinha selvagem'.] ***S. f.*** Casta de uva portuguesa.

labrusco [Do lat. *labruscu*, 'fruto da labrusca', poss.] *Adj.* **1.** Rude, tosco, inculto, agreste, montês. ● *S. m.* **2.** Indivíduo labrusco.
labugante [Alter. de *lavagante*.] *S. m. Zool. Lus.* V. *lavagante*.
laburno [Do lat. *laburnu*.] *S. m. Bot.* Arbusto fabáceo (*Cytisus laburnum*), ornamental, europeu, de profusas flores amarelas, arrumadas em racemos terminais pêndulos, folhas com três folíolos, e legume comprido e linear.
labuta [Dev. de *labutar*.] *S. f.* Trabalho, lida, labor; labutação.
labutação [De *labutar* + *-ção*] *S. f.* **1.** V. *labuta*. **2.** Ato ou efeito de labutar.
labutador (ô) [De *labutar* + *-dor*] *Adj. S. m.* Que, ou aquele que labuta.
labutar [De *labor*, poss.] *V. int.* **1.** Trabalhar duramente e com perseverança; lidar, laborar: *Muito labutou para conseguir a posição que hoje tem.* **2.** Esforçar-se, empenhar-se: *Labutou com afinco para arrancar as raízes da árvore.* *T. d.* **3.** Levar, suportar, viver: *Labutou uma vida penosa, e não teve qualquer recompensa.*
labuzar *V. t. d. P.* V. *lambuzar*.
laca [Do ár. *lakk* < persa *lak*, afim do sânscr. *lākshae* hisdustani *lākh*.] *S. f.* **1.** Resina vermelha extraída de várias plantas; goma-laca. **2.** Combinação de uma substância corante com um mordente e diversas outras substâncias. **3.** Espécie de verniz que se obtém pela precipitação de um corante orgânico sobre uma base inorgânica e que é us. na pintura de automóveis. **4.** *Zool.* Substância resinosa segregada pela fêmea de insetos lacciferídeos, principalmente pelo inseto-laca (*Laccifer lacca*), espécies que ocorrem no Sudeste Asiático. ◆ **Laca para cabelo.** *Lus.* Laquê.
laçaço [Do esp. plat. *lazazo*.] *S. m. Bras. RS* Golpe dado com o laço (6). [Cf. *lançaço*.]
laçada [De *laçar* + *-ada*[1].] *S. f.* **1.** Nó corredio. **2.** Nó que se desata facilmente, e que apresenta uma alça. [Cf., nesta acepç., *laço* (1).] **3.** No tricô ou crochê, alça feita com o fio que se passa na agulha sem executar o ponto. [Cf. *lassada*, fem. do part. de *lassar*.]
lacado [De *laca* + *-ado*[1].] *Adj.* Diz-se de objeto tratado com laca: "As artes populares — filigranas de ouro e prata, rendas de Peniche .... mobílias lacadas do Alentejo, ..., documentam a delicadeza e a fina sensibilidade de um povo" (Fidelino de Figueiredo, *Últimas Aventuras*, pp. 130-131).
laçador (ô) [De *laçar* + *-dor*.] *S. m. Bras. RS* Homem destro no exercício de laçar, no manejo do laço (6).
lacaiada [De *lacaio* + *-ada*[1].] *S. f.* **1.** Dito ou ato próprio de lacaio. **2.** Grupo ou grande número de lacaios.
lacaiagem [De *lacaio* + *-agem*[2].] *S. f.* Procedimento próprio de lacaio; subserviência; lacaiada (q. v.).
lacaiar [De *lacaio* + *-ar*[2].] *V. t. d. Bras.* Servir de lacaio (1 e 2) a.
lacaiesco (ê) [De *lacaio* + *-esco*.] *Adj.* Relativo a, ou próprio de lacaio (1 e 2).
lacaio [Do esp. *lacayo*, de or. controversa.] *S. m.* **1.** Criado de libré, que acompanha o amo em passeio ou jornada. **2.** *Fig.* Homem sem dignidade, desprezível; sabujo; amouco. **3.** *Bras. BA* O quartzo cor de fumaça.
lacambeche [De or. obscura.] *S. m. Bras. CE* Antiga espingarda de pederneira: "O sertanejo abaixa-se ligeiro qual um maracajá e puxa o gatilho do lacambeche" (Gustavo Barroso, *Heróis e Bandidos*, p. 140).
lacaniano [Do antr. *Lacan* + *-iano*.] *Adj.* **1.** Pertencente, relativo ou próprio de Jacques Lacan (1901-1981), psicanalista francês que reinterpretou Freud à luz de categorias da linguística estruturalista. **2.** Que é adepto das concepções de Jacques Lacan ou profundo conhecedor de sua obra. ● *S. m.* **3.** Seguidor de suas concepções ou profundo conhecedor de sua obra.
lacão *S. m. Ant. Prov. port.* V. *presunto* (1).
lação [De *laço* + *-ão*[1].] *S. m.* Laço (1) grande.
laçar [De *laço* + *-ar*[2].] *V. t. d.* **1.** Prender com laços; atar; enlaçar. **2.** *Bras.* Prender (um homem, um cavalo ou um boi) por meio do laço. **3.** Atar, apertar. *P.* **4.** Prender-se por laço. **5.** Enforcar-se. [O *ç* transforma-se em *c* antes de *e*: *lace, laces, lace, lacei*, etc. Pres. ind.: *laço*, etc. Fut. do pret.: *laçaria*. Cf. *lasso*, adj., e *lassaria*, do v. *lassar*.]
laçarada [De *laço* + *-arada*.] *S. f.* Conjunto de laços para enfeite.
laçaria [De *laço* + *-aria*.] *S. f.* **1.** Ornatos em forma de laço (1). **2.** Ornatos em pedra ou talha: "Na vasta quadra aparelhada para o festim ...., o vento geme por entre frisos e laçarias dos delgados colunelos." (Rebelo da Silva, *Contos e Lendas*, pp. 37-38.) **3.** Porção de laços. **4.** Fitas enlaçadas. [Cf. *lassaria*, do v. *lassar*.]
laçarote *S. m.* Laço (1) grande e vistoso.
laçarrão [De *laço* + *-arrão*.] *S. m.* Aum. de *laço* (1) (q. v.).
lacciferídeo [Do tax. *Laccifer*, 'gênero-tipo', + *-ídeo*[1]; tax. *Lacciferidae*.] *Zool. S. m.* **1.** Espécime dos lacciferídeos, família de insetos hemípteros, relacionados aos coccídeos, e nos quais as fêmeas não têm pernas, e cujas antenas são extremamente reduzidas. ● *Adj.* **2.** Pertencente ou relativo a eles.
lacedemônio *Adj. S. m.* V. *lacedemônio*. [Uso freq. em P.]
lacedemônio [Do lat. *lacedaemoniu*.] *Adj.* **1.** De, ou pertencente ou relativo à Lacedemônia, à Lacônia ou a Esparta (Grécia antiga). ● *S. m.* **2.** O natural ou habitante da Lacedemônia. [Sin. ger.: *lacônio, espartano*.]
laceira [De *laço* + *-eira*.] *S. f. Bras. S.* Rama de cipós entrelaçados.
laceração [Do lat. *laceratione*.] *S. f.* **1.** Ato ou efeito de lacerar. **2.** *Biol.* Processo de reprodução agâmica em que um organismo se fragmenta em dois pedaços, por distensão forçada, como ocorre, p. ex., nas planárias.
lacerante [Do lat. tard. *lacerante*.] *Adj. 2 g.* V. *dilacerante*: "uma ideia ia-o atravessando, lacerante, angustiosa" (Eça de Queirós, *Os Maias*, II, p. 206).
lacerar [Do lat. *lacerare*.] *V. t. d. P.* Dilacerar: "quase lhe queria mal por ela não reter essas lágrimas infindáveis que laceravam o seu coração." (Eça de Queirós, *Os Maias*, II, p. 155).
lacerável [Do lat. tard. *lacerabile*.] *Adj. 2 g.* Que se pode lacerar.
lacerdense *Adj. 2 g.* **1.** De, ou pertencente ou relativo a Pontes e Lacerda (MT). ● *S. 2 g.* **2.** O natural ou habitante de Pontes e Lacerda.
lacerdinha [Do antr. *Lacerda* (v. *lacerdismo*) + *-inha*.] *S. m. Bras. Zool.* Inseto tisanóptero, fleotripídeo (*Gynaikothrips ficorum*), introduzido no Brasil em 1961, originário da Ásia Oriental. É praga, entre nós, de *Ficus retusa* var. *nitida* Thunb; os adultos têm olhos vermelhos; comprimento: de 2 a 2,5mm. [Sin.: *amintinha, barbudinho, azucrinol*.]
lacerdismo [Do antr. *Lacerda* + *-ismo*.] *Bras. S. m.* **1.** Pensamento ou ação política de Carlos Lacerda (1914-1977), ex-governador do antigo Estado da Guanabara. **2.** Adesão ao lacerdismo (1), ou simpatia por ele.
lacerdista [De *lacerdismo* + *-ista*.] *Bras. Adj. 2 g.* **1.** Relativo ao, ou próprio do lacerdismo. **2.** Que é partidário do lacerdismo (1). ● *S. 2 g.* **3.** Partidário do lacerdismo (1).
lacerta [Do tax. *Lacerta*.] *S. f. Zool.* **1.** O gênero-tipo dos lacertídeos, que reunia quase todos os lagartos que se conhecem, mas que, atualmente, restringe-se a certas espécies típicas do Velho Mundo. **2.** Qualquer espécie desse gênero, como, p. ex., a *Lacerta viridis* e a *L. lepida*, ambas europeias. **3.** Qualquer espécime desse gênero.
▲ **lacerti-** [Do lat. *lacertus, i*.] *El. comp.* = 'lagarto': *lacertiforme*.
lacertídeo [Adapt. do tax. *Lacertidae*.] *Zool. S. m.* **1.** Espécime dos lacertídeos, família de lagartos pequenos e ágeis, todos eles dotados de patas curtas com unhas pontudas, que permitem locomoção rápida e reptante, longa cauda que, caso necessário, pode ser rompida, e que depois se reconstitui, língua protrátil e bífida, e pálpebras móveis; alimentam-se, ger., de insetos. ● *Adj.* **2.** Pertencente ou relativo a eles.
lacertiforme [De *lacerti-* + *-forme*.] *Adj. 2 g.* Semelhante ao lagarto.
lacertílio [Adapt. do tax. *Lacertilia* (do tax. *Lacerta*, gênero-tipo, + lat. cient. *-ilia*).] *S. m. Adj. Zool.* V. *sáurio*.
lacete (ê) [De *laço* + *-ete* (ê).] *S. m.* **1.** Laço (1) pequeno. **2.** Parte da fechadura por onde passa o fecho. **3.** Curva e contracurva de estrada. **4.** Marcha coleante do trem de ferro. **5.** Empedrado feito em estrada macadamizada a fim de que as enxurradas não a descarnem.
lacha [Do cruz. de *acha*[1] com *lasca*, poss.] *S. f. Bras. N.E. Pop.* Acha[1]. [Cf. *laxa* do v. *laxar*.]
laché [Do fr. *laché*.] *S. m. Aer.* O primeiro voo solo de um piloto.
lacífero [De *laca* + *-ífero*.] *Adj.* Que produz laca (1).
lacínia [Do lat. *lacinia*, 'floco de lã', 'franja', 'orla'.] *S. f. Bot.* Segmento de qualquer órgão foliáceo, profundo, estreito e agudo no ápice. [Aplica-se muito ao cálice e à corola. Var.: *lacínio*.]
laciniado [Do lat. *laciniatu*, part. pass. de *laciniare*, 'dividir', 'recortar em partes'.] *Adj. Bot.* Recortado em tiras irregulares, formando filamentos.
laciniforme [Do lat. *lacinia*, 'fragmento', 'recorte', + *-forme*.] *Adj. 2 g.* Recortado em forma de franja: *pétalas laciniformes*.
lacínio *S. m. Bot.* V. *lacínia*.
▲ **laco-**[1] [Do gr. *láchos, eos-ous*.] *El. comp.* = 'sorte', 'acaso': *lacomancia*.
▲ **laco-**[2] [Do gr. *lákkos, ou*.] *El. comp.* = 'cavidade'; 'cisterna', 'poço'; 'lago': *lacólito*; *lacossuco*.
laço [Do lat. vulg. **laciu*, por *laqueu*.] *S. m.* **1.** Nó que se desata sem esforço, e que apresenta uma, duas ou mais alças: *O enfeite do vestido era um laço de fita*; "João Ribeiro não sabe dar laço de gravata." (Joaquim Ribeiro, *9 Mil Dias com João Ribeiro*, p. 35). [Cf. *laçada* (2). Aum.: *lação, laçarrão*. Dim. irreg.: *lacete*.] **2.** Armadilha de caça. **3.** *Fig.* Estratagema, ardil; traição. **4.** Aliança, vínculo, união: *unir-se pelos laços do matrimônio*. **5.** *Mat.* Numa curva que tem um ponto nodal, qualquer segmento da curva que limita uma região fechada; alça. **6.** *Bras.* Arma de apreensão: corda de couro trançado, de 15 a 25m de comprimento, com um nó corredio numa das extremidades. [Cf. *lasso*, do v. *lassar* e adj.] ◆ **Laços dos ofícios.** *Lus. Etnogr.* Dança em que os brincantes, usando mímica e empunhando pauzinhos com laços vistosos, imitam o barbeiro, o carpinteiro, o sapateiro e outros oficiais em função, sem perderem o ritmo coreográfico; dança dos paulitos. **Em cima do laço.** *Bras. Pop.* Sem demora. **Pegado a laço.** *Bras.* Muito bronco; bem pouco inteligente.
lacobricense *Adj. 2 g. S. 2 g.* Lacobrigense.
lacobrigense [Do lat. *lacobrigense*.] *Adj. 2 g.* **1.** De, ou pertencente ou relativo à cidade de Lagos (Portugal). ● *S. 2 g.* **2.** O natural ou habitante dessa cidade. [F. paral.: *lacobricense*.]
laço-de-amor *S. m. Bras. Bot.* Planta gesneriácea (*Episcia cupreata*), nativa das Américas; de folhas ovoides, verde-cobreadas, com rajadas brancas ao centro, e flores tubiformes vermelhas. [Pl.: *laços-de-amor*.]
lacolito *S. m.* V. *lacólito*.
lacólito [De *laco-*[2] + *-lito*.] *S. m. Geol.* Intrusão de massa de rocha eruptiva, em forma de lentilha ou de campânula, em terrenos sedimentares ou metamórficos, de tal maneira que as camadas superiores à massa magmática se encurvam, acomodando-se a ela.
lacomancia (cí) [De *laco-*[1] + *-mancia*.] *S. f.* Adivinhação por meio de dados.
lacomante [De *laco-*[1] + *-mante*.] *S. 2 g.* Pessoa que pratica a lacomancia.
lacomântico *Adj.* Respeitante a lacomancia, ou a lacomante.
lacónico *Adj.* V. *lacônico*. [Uso freq. em P.]
lacônico [Do gr. *lakonikós*, pelo lat. *laconicu*.] *Adj.* Conciso, breve, resumido: *estilo lacônico*; *exposição lacônica*.
lacónio *Adj. S. m.* V. *lacônio*. [Uso freq. em P.]
lacônio [Do top. gr. *Lákon, onos*, 'Lacônia', + *-io*[2].] *Adj. S. m.* V. *lacedemônio*.
laconismo [Do gr. *lakonismós*, 'imitação das maneiras ou da linguagem dos lacônios'.] *S. m.* Modo breve, conciso, lacônico, de falar ou de escrever.
laconizar [Do gr. *lakonízein*.] *V. t. d.* **1.** Tornar lacônico, conciso; resumir; sintetizar: *laconizar uma narração*. *Int.* **2.** Falar pouco e por poucas palavras.
laco-paco [De or. obscura.] *S. m. Bras. AL* Bebida feita com aguardente, maracujá e açúcar. [Pl.: *laco-pacos*.]
laços-espanhóis [Do pl. de *laço* + o pl. de *espanhol*.] *S. m. pl. Bot.* Erva asterácea (*Gaillardia picta*) anual, oriunda dos E.U.A., ornamental, de folhas denteadas e lanceoladas, e flores vermelhas dispostas em grandes capítulos.
lacossuco [De *laco-*[2] + gr. *soûchos*, 'crocodilo'; tax. *Lacosuchus*.] *S. m. Paleont.* **1.** Gênero de pequenos dinossauros arcossauros, tecodontes, insetívoros, que habitaram os alagadiços da Argentina, no triásico. **2.** Espécie ou espécime desse gênero.
lacração [De *lacrar* + *-ção*.] *S. f.* Ato ou efeito de lacrar; lacramento.
lacraia [De *lacrau*, com formação obscura.] *S. f. Bras. Zool.* Designação comum aos artrópodes miriápodes, quilópodes, com cerca de 200 espécies no Brasil. Têm apenas um par de patas em cada segmento do corpo, sendo o primeiro par provido de quelíceras para inoculação de peçonha. Embora muito temidos, causam acidentes de pequena monta. [Var.: *alacraia*. Sin.: *centopeia, escolopendra, rabo-de-tesoura*.] ◆ **Ter lacraia no bolso.** *Bras. Fam.* Ser pouco amigo de gastar; ser avarento.
lacrainha (a-í) [De *lacraia* + *-inha*.] *S. f. Bras. Zool.* Designação comum aos insetos dermápteros, que se caracterizam por ter na extremidade do abdome uma pinça córnea. São terrestres, noturnos, inofensivos, e esvoaçam em torno de focos de iluminação. [Sin.: *tesoura, tesourinha* e (lus.) *bicha-cadela*.]
lacramento [De *lacrar* + *-mento*.] *S. m.* Lacração.
lacranar [Do esp. plat. *alacranear*, com aférese.] *V. t. d. Bras. RS* Lacerar, dilacerar.
lacrar [De *lacre* + *-ar*[2].] *V. t. d.* Pôr lacre (1) em; selar ou fechar com lacre (1).
lacrau [Do ár. *al-ᶜaqrab*.] *S. m. Bras. Zool.* V. *escorpião* (1). [Var.: *alacrã, alacral, alacrão* (ant.), *alacrau*.]
lacre[1] [De **lácar* (< *laca*, com *r* paragógico), pela forma *lacra* (séc. XV).] *S. m.* **1.** Mistura de substância resinosa com qualquer matéria corante, empregada para fechar garrafas, selar e fechar cartas, etc. **2.** *Bras.* V. *satélite* (7). **3.** *Bras. N.E.* Capoeira de mato xerófilo, ralo, alto, do tipo dos agrestes. **4.** *Bras. MG Pop.* O jaspe vermelho.

lacre² [F. red. de *pau-de-lacre*.] *S. f. Bras. Bot.* Arvoreta clusiácea (*Vismia cayennensis*) das Antilhas e do alto Amazonas, de folhas elípticas, inflorescências em cimeiras e semente cilíndrica; pau-de-lacre.

lacreada [F. subst. de *lacreado*, part. de *lacrear*.] *S. f.* Ornato esmaltado feito de laca ou de lacre.

lacrear [De *lacre* + *-ear*².] *V. t. d.* **1.** Ornar com lacre. **2.** Dar cor de lacre (4) a. [Conjug.: v. *frear*.]

lacre-branco *S. m. Bras. Bot.* Arvoreta melastomatácea (*Miconia minutiflora*) de folhas oblongo-lanceoladas, longamente acuminadas e com três nervuras longitudinais, flores mínimas, dispostas em panículas, e fruto bacáceo. Ocorre do México ao S. do Brasil, e atinge 3 a 4 m de altura. [Sin.: *jacatirão*. Pl.: *lacres-brancos*.]

lacrecanha [De *lacraia*, poss.] *S. f. Bras.* Mulher velha e desdentada.

▲ **lacrim-** [Do lat. *lacrĭma, ae* + *-o-*.] *El. comp.* = 'lágrima': *lacrimal, lacrimogêneo*.

lacrimação [Do lat. *lacrimatione*, por via semierudita.] *S. f.* Derramamento de lágrimas. [F. paral.: *lagrimação*.]

➔ **lacrima Christi** ['lakrẹma 'kʰriste] [Lat., 'lágrima de Cristo'.] Certo vinho moscatel proveniente das vinhas cultivadas nas faldas do Vesúvio.

lacrimal [De *lacrim-* + *-al*¹.] *Adj. 2 g.* **1.** Relativo às lágrimas. **2.** Diz-se do aparelho (6) que segrega e conduz as lágrimas. ● *S. m.* **3.** *Anat.* Pequeno osso, em número de dois, situado, cada um, anteriormente, na parede medial de cada órbita. **4.** *Arquit.* Face vertical de uma cornija, terminada por pequeno sulco ou pingadeira, e que se destina a impedir que a água da chuva escorra pelo entablamento. **5.** *Bras.* V. *olho-d'água*: 📖 "o defluir do lacrimal onde o passaredo beberica" (Afonso Arinos, *Histórias e Paisagens*, p. 60). [F. paral.: *lagrimal*.]

lacrimante [Do lat. *lacrimante*, por via erudita.] *Adj. 2 g.* V. *lacrimoso* (2): 📖 "Não és Ofélia, a virgem lacrimante, / Que ao luar nos jardins vaga e delira" (Gonçalves Crespo, *Obras Completas*, p. 92). [F. paral.: *lagrimante*.]

lacrimar [Do lat. *lacrimare*, por via erudita.] *V. int.* Deitar lágrimas; chorar; lagrimar.

lacrimatório [Do lat. tard. *lacrimatoriu*, por via erudita.] *Adj.* **1.** Relativo a lágrimas. ● *S. m.* **2.** Vaso que se depositava nas sepulturas romanas e, ao que se supunha, guardava lágrimas dos visitantes: 📖 "Lembra-se daquele pequeno bronze em forma de lacrimatório, com um gênio chorando à borda?" (Domício da Gama, *Histórias Curtas*, p. 2.)

lacrimável [Do lat. *lacrimabile*, por via semierudita.] *Adj. 2 g. P. us.* Digno de dó; lamentável, lastimável.

lacrimejamento [De *lacrimejar* + *-mento*.] *S. m.* **1.** Ação de lacrimejar; lacrimejo. **2.** Corrimento de lágrimas ou de gotas líquidas. [F. paral.: *lagrimejamento*.]

lacrimejante [De *lacrimejar* + *-nte*.] *Adj. 2 g.* Que lacrimeja. [F. paral.: *lagrimejante*.]

lacrimejar [De *lacrim(o)-* + *-ejar*.] *V. int.* **1.** Deitar algumas lágrimas: 📖 "Ele a segura com as mãos, o rosto afogueado, os olhos lacrimejando." (Guido Vilmar Sassi, *Piá*, p. 63.) **2.** Chorar; choramingar. **3.** Deitar lágrimas por irritação. *T. d.* **4.** Chorar, prantear: 📄 *Muito lacrimejou a morte do amigo*. [F. paral.: *lagrimejar*. Conjug.: v. *pelejar*.]

lacrimejo (ê) [Dev. de *lacrimejar*.] *S. m.* Lacrimejamento (1).

lacrimogéneo *Adj. S. m.* V. *lacrimogêneo*. [Uso freq. em P.]

lacrimogêneo [De *lacrim-* + *-o-* + *-gen(o)-* + *-eo*; fr. *lacrymogène*.] *Adj. S. m.* **1.** Diz-se do, ou o que provoca ou produz lágrimas: 📄 *gases lacrimogêneos*. **2.** Diz-se do, ou o que faz chorar, prantear.

lacrimoso (ô) [Do lat. *lacrimosu*, por via erudita.] *Adj.* **1.** Que chora; choroso: 📖 "Olhei de um lado, de outro, procurando .... um jeito de fugir daquela ordem, muito aflito. Preferi o instinto e fixei os olhos já lacrimosos em mamãe." (Mário de Andrade, *Contos Novos*, pp. 142-143.) **2.** Aflito, lastimoso, lacrimante: 📖 "rojou-se-lhe aos pés, agarrou-lhe as mãos, lacrimosa, desesperada" (Machado de Assis, *Histórias sem Data*, p. 51). **3.** Que provoca lágrimas; aflitivo, torturante: 📖 "Mergulha-se em angústias lacrimosas / Nos ermos dum castelo abandonado" (Cesário Verde, *Obra Completa*, p. 49). [F. paral.: *lagrimoso*.] ~ V. *drama* —.

lacrimotomia [De *lacrim(o)-* + *-tom(o)-* + *-ia*¹.] *S. f. Oftalm.* Incisão de saco lacrimal ou de canalículo lacrimal.

lacrimotómico *Adj.* V. *lacrimotômico*. [Uso freq. em P.]

lacrimotômico [De *lacrimotomia* + *-ico*².] *Adj.* Relativo à lacrimotomia.

lactação [Do lat. tard. *lactatione*.] *S. f.* **1.** Formação, secreção e excreção do leite. **2.** Ato ou efeito de amamentar.

lactalbumina [De *lact(i)-* + *albumina*.] *S. f. Quím.* Albumina presente no leite, us. em adesivos e vernizes.

lactama [De *lact(ona)* + *am(id)a*.] *S. f. Quím.* Qualquer amida cíclica. [As lactamas podem ser consideradas resultantes de desidratação de aminoácidos acíclicos.]

lactância [De *lactar* + *-ância*.] *S. f.* **1.** Alimentação da criança por meio de leite, no período de mama. **2.** Quadra da vida em que a criança mama.

lactante [Do lat. *lactante*.] *Adj. 2 g.* **1.** Que produz leite. **2.** Que lacta. ● *S. f.* **3.** Mulher que aleita, que amamenta. [Cf. *lactente*.]

lactar [Do lat. *lactare*.] *V. t. d.* **1.** Amamentar; aleitar. *Int.* **2.** Mamar (7). [Fut. pret.: *lactaria*, etc. Cf. *lactária*, fem. de *lactário*.]

lactário [Do lat. *lactariu*, 'que tem relação com o leite'.] *Adj.* **1.** Que segrega suco leitoso. [Fem.: *lactária*; cf. *lactaria*, do v. *lactar*.] ● *S. m.* **2.** Estabelecimento de assistência ao lactente.

lactase [De *lact(i)-* + *-ase*.] *S. f.* Enzima que catalisa o desdobramento da lactose em glicose e galactose.

lactato [De *lact(i)-* + *-ato*².] *S. m. Quím.* Designação comum aos sais e ésteres dos ácidos lácticos.

lactente [Do lat. *lactente*.] *Adj. 2 g. S. 2 g.* Diz-se de, ou ser que ainda mama, que depende do leite como fonte principal para o seu desenvolvimento. [Cf. *lactante* e *latente*.]

lácteo [Do lat. *lacteu*.] *Adj.* **1.** Relativo ou semelhante ao, ou próprio do leite. **2.** Da cor do leite; lactescente: 📖 "Virgens de lácteo colo" (Eugênio de Castro, *Obras Poéticas*, II, p. 19). [Var.: *láteo*. Sin. ger.: *leitento, leitoso*.] ~ V. *Via* —*a*.

lactescência [De *lactescente* + *-ia*², seg. o padrão analógico.] *S. f.* Qualidade de lactescente. [Var.: *latescência*.]

lactescente [Do lat. *lactescente*, part. pres. de *lactescere*, 'transformar-se em leite', 'começar a ter leite'.] *Adj. 2 g.* **1.** Que tem a cor e/ou a consistência do leite; leitoso, lácteo, lacticinoso. **2.** *Bot.* Provido de látex. [Var.: *latescente*.]

▲ **lact(i)-** [Do lat. *lac, lăctis*.] *El. comp.* = 'leite': *láctico, lactífugo*. [Equiv.: *lacto-*: *lactômetro*.]

lacticemia [De *(ácido)* + *láctico* + *-emia*.] *S. f. Med.* Teor de ácido láctico no sangue.

lacticémico *Adj.* V. *lacticêmico*. [Uso freq. em P.]

lacticêmico [De *lacticemia* + *-ico*².] *Adj.* Relativo a lacticemia.

lacticínio *S. m.* V. *laticínio*.

lacticinoso (ô) [De *lacticínio* + *-oso*.] *Adj.* V. *lactescente* (1). [Var.: *laticinoso*.]

láctico [De *lact(i)-* + *-ico*².] *Adj.* Relativo ao leite. ~ V. *ácido* —. [Var.: *lático*.]

lacticolor (ô) [Do lat. tard. *lacticolore*.] *Adj. 2 g.* Branco como o leite; lácteo: 📄 *pele lacticolor*.

lacticultor (ô) [De *lact(i)-* + *-cultor*.] *S. m.* Aquele que explora a lacticultura.

lacticultura [De *lact(i)-* + *-cultura*.] *S. f.* Produção industrial do leite.

lactífago [De *lact(i)* + *-fago*.] *Adj.* Que se nutre de leite; lactívoro.

lactífero [Do lat. tard. *lactiferu*, por via erudita.] *Adj.* **1.** Que produz ou conduz leite ou suco lactiforme. **2.** *Anat.* Diz-se de cada um dos canais que conduzem leite até o(s) mamilo(s).

lactiforme [De *lact(i)-* + *-forme*.] *Adj. 2 g.* Semelhante ao leite.

lactífugo [De *lact(i)-* + *-fugo*².] *Adj.* **1.** Que faz estancar a produção do leite. ● *S. m.* **2.** Medicamento lactífugo.

lactígeno [De *lact(i)-* + *-geno*.] *Adj.* Que aumenta a produção do leite.

lactirróseo [De *lact(i)-* + *róseo*.] *Adj.* Que é, ao mesmo tempo, lacticolor e cor-de-rosa.

lactívoro [De *lact(i)-* + *-voro*.] *Adj.* Lactífago.

▲ **lacto-** [De *lact(i)-* + *-o-*.] Equiv. de *lact(i)-*.

lactobacilo [Do tax. *Lactobacillus* (v. *lact(o)-* e *bacilo*).] *S. m. Microbiol.* **1.** Gênero de bactérias gram-positivas, com espécies us., comercialmente, na produção de queijos, iogurtes, etc., bem como na fabricação de conservas, bebidas, etc. Tb. fazem parte da microbiota humana e de outros animais. **2.** Espécie, ou espécime desse gênero.

lactodensimetria [De *lactodensímetro* + *-ia*¹.] *S. f.* Emprego do lactodensímetro.

lactodensimétrico [De *lactodensímetro* + *-ico*².] *Adj.* Relativo à lactodensimetria, ou ao lactodensímetro.

lactodensímetro [De *lacto-* + *densímetro*.] *S. m.* Instrumento com que se determina a densidade do leite.

lactómetro *S. m.* V. *lactômetro*. [Uso freq. em P.]

lactômetro [De *lacto-* + *-metro*.] *S. m.* Instrumento que permite avaliar a pureza e a densidade do leite; galactômetro, pesa-leite.

lactona [De *lact(i)-* + *-ona*².] *S. f. Quím.* Qualquer éster cíclico. [Lactonas podem ser consideradas resultantes de desidratação de hidroxiácidos acíclicos.]

lactoridácea [Do lat. cient. *Lactorid-* (do tax. *Lactoris*) + *-ácea*; tax. *Lactoridaceae*.] *S. f. Bot.* Espécime das lactoridáceas, família de dicotiledôneas, da ordem das ranales, composta apenas da Lactoris fernandeziana, da ilha Juan Fernández. Folhas com glândulas translúcidas; flores trímeras, com dois verticilos estaminais e um carpelar.

lactoridáceo [De *lactoridácea*, com var. suf. (v. *-áceo*).] *Adj. Bot.* Pertencente ou relativo às lactoridáceas.

lactosado [De *lactose* + *-ado*¹.] *Adj.* Que contém lactose.

lactose [De *lact(o)-* + *ose*².] *S. f. Quím.* Açúcar encontrado no leite dos mamíferos, branco, pulverulento, cristalino; cerebrose [fórm.: $C_{12}H_{22}O_{11}$].

lactosuria [De *lactose* + *-uria*.] *S. f. Med.* V. *lactosúria*.

lactosúria [De *lactose* + *-úria*.] *S. f. Med.* Presença de lactose na urina, de ocorrência frequente durante a amamentação. [F. paral.: *lactosuria*.]

lactucário [De *lactuc(i)-* + *-ário*.] *S. m.* Suco extraído da alface, e que se usa como sucedâneo fraco do ópio.

▲ **lactuc(i)-** [Do lat. *lactūca, ae*.] *El. comp.* = 'alface': *lactucário*.

lacuna [Do lat. *lacuna*, por via erudita.] *S. f.* **1.** V. *vácuo* (2). **2.** Falha, falta, omissão. **3.** *Astr.* Falha no sistema de asteroides. **4.** *Astr.* Divisão, ou falha, entre os anéis de Saturno, caracterizada pela ausência de poeira. **5.** *Biol.* Cavidade intercelular. **6.** *E. Ling.* Num testemunho (5), porção de texto ilegível, ou em razão de estar materialmente danificada, ou por ter sido deliberadamente suprimida. **7.** *Fís.* Num cristal, defeito pontual constituído por uma vacância na rede cristalina. **8.** *Fís.* V. *buraco* (19). ◆ **Lacuna coronal.** *Astr.* V. *buraco coronal*.

lacunar [De *lacuna* + *-ar*¹.] *Adj. 2 g.* Que apresenta lacunas; lacunoso. [Pl.: *lacunares*.]

lacunari *S. m. Bras. Amaz. Zool.* V. *tucunaré* (1). [Pl.: *lacunaris*. Cf. *lacunares*, pl. de *lacunar*.]

lacunário [Do lat. *lacunariu*.] *S. m. Arquit.* **1.** Espaço entre vigas. **2.** Ornato nos intercolúnios das arquitraves.

lacunosidade [De *lacunoso* + *-(i)dade*.] *S. f.* Qualidade ou estado de lacunoso.

lacunoso (ô) [Do lat. *lacunosu*.] *Adj.* **1.** Lacunar. **2.** Que tem falhas, ou em que falta alguma coisa.

lacustre [Do fr. *lacustre*.] *Adj. 2 g.* **1.** Relativo a lago (1). **2.** Que está às margens de um lago ou sobre ele: 📄 *cidade lacustre*. **3.** Que vive nos lagos: 📄 *plantas lacustres*. ~ V. *águas* —*s*, *cidade* —, *corrente* —, *emissário* —, *maré* —, *navegação* — e *lacustres*.

lacustres [Pl. subst. de *lacustre*.] *S. m. pl.* Os povos que habitavam as cidades lacustres. ~ V. *lacustre*.

lacuteio [De or. express., poss.] *S. m. Bras. N.E. Pop.* Grande agitação; barulho, barafunda.

lada¹ [De *lado*.] *S. f.* **1.** Faixa navegável de rio, paralela à margem. **2.** Corrente de água.

lada² [Do lat. *lada*.] *S. f. Bot.* Estevão¹.

ladainha (a-í) [Do gr. *litaneía*, pelo lat. tard. *litania*.] *S. f.* **1.** Oração formada por uma série de invocações curtas e respostas repetidas. **2.** *Fig.* Relação, narração, ou conversa longa e fastidiosa; lenga-lenga, cantilena. **3.** *Bras. Cap.* Canto do ritual de abertura de uma roda de capoeira. [Sin. (ant.), nesta acepç.: *reza da capoeira*.]

ladainhense (a-i) *Adj. 2 g.* **1.** De, ou pertencente ou relativo a Ladainha (MG). ● *S. 2 g.* **2.** O natural ou habitante de Ladainha.

ladairo [Var. de *ladário* < lat. *litanariu*.] *S. m.* Procissão de penitência, por voto a algum santuário. [Cf. *círio* (2).] ~ V. *ladairos*.

ladairos [Pl. de *ladairo*.] *S. m. pl.* Preces públicas por ocasião de alguma calamidade. ~ V. *ladairo*.

ladane *S. m. Bras. BA* Acólito do chefe supremo dos malês nas cerimônias religiosas e nas mandingas. [F. paral.: *ladano*.]

ladanífero [De *ládano* + *-ífero*.] *Adj.* Que produz ládano.

ladano *S. m.* V. *ladane*. [Cf. *ládano*.]

ládano [Do lat. *ladanu* < gr. dórico *ládanon*.] *S. m.* Goma-resina que se extrai, sobretudo, da esteva¹ (*Cistus*). [Cf. *ladano*.]

ladarense *Adj. 2 g.* **1.** De, ou pertencente ou relativo a Ladário (MS). ● *S. 2 g.* **2.** O natural ou habitante de Ladário.

ladariense *Adj. 2 g. S. 2 g.* V. *ladarense*.

ladário *S. m.* Ladairo (q. v.). ~ V. *ladários*.

ladários *S. m. pl.* V. *ladairos*. ~ V. *ladário*.

ladeamento [De *ladear* + *-mento*.] *S. m.* Ato ou efeito de ladear.

ladear [De *lado* + *-ear*².] *V. t. d.* **1.** Acompanhar indo ao lado: 📖 "Alas de tropa ladeavam o préstito." (Camilo Castelo Branco, *Perfil do Marquês de Pombal*, p. 15); 📄 *Dois soldados ladeavam o assaltante*. **2.** Estar situado ao lado de: 📄 *Duas guaritas ladeiam o portão do palácio*. **3.** Correr paralelamente a, ou ao lado de: 📄 *O rio ladeia o vale*. **4.** Atacar de lado; flanquear. **5.** Não tratar diretamente de; esquivar-se a enfrentar; usar de subterfúgios com relação a; subterfugir; contornar: 📄 *ladear um problema*; 📖 "Como era sagaz de entendimento, ladeou quantos empeços, encontros, dificuldades se lhe pospuseram na jornada" (Aquilino Ribeiro, *Portugueses das Sete Partidas*, p. 163). **6.** *Fig.* Contornar (4). *Int.* **7.** Andar (a cavalgadura) para os lados, de través: "Uma das rodas ficara entalada numa fossa, o animal ladeava esforçando-se, e o cocheiro, a fustigá-lo, cacarejava sacudindo as rédeas." (Coelho Neto, *Turbilhão*, p. 33.) [Conjug.: v. *frear*.]

lã de camelo *S. f.* Gingerlina. [Pl.: *lãs de camelo*.] ☑

ladeira [De *lado* + *-eira*.] *S. f.* **1.** Inclinação mais ou menos acentuada de terreno; rampa. **2.** Rua mais ou menos íngreme. [Sin. (lus.): *calçada*.] **3.** V. *vertente* (3). ◆ **Ladeira de subida.** *Bras.* Designação comum às depressões situadas na escarpa oriental da serra de Ibiapaba (CE).

ladeirame [De *ladeira* + *-ame*.] *S. m.* **1.** Série de ladeiras. **2.** Ladeiramento (1).

ladeiramento [De **ladeirar* (< *ladeira* + *-ar*[2]) + *-mento*.] *S. m.* **1.** Ladeira extensa e íngreme; ladeirame. **2.** Terreno em aclive, em ladeira.

ladeirento [De *ladeira* + *-ento*.] *Adj.* Disposto em ladeira; inclinado, declivoso; ladeiroso: "velha rua mal-empedrada, ladeirenta" (Eça de Queirós, *A Ilustre Casa de Ramires*, p. 123).

ladeiro [De *lado* + *-eiro*.] *Adj.* **1.** Que está ao lado. **2.** Que pende para o lado: "Uma rapariguita .... débil, ruço o cabelo, os ombros ladeiros, o peito raso" (Abel Botelho, *Amanhã*, p. 13).

ladeiroso (ô) [De *ladeira* + *-oso*.] *Adj.* V. *ladeirento*.

ladeza (ê) [De *lado* + *-eza*.] *S. f. Náut. Ant.* Latitude (3).

ladinagem [De *ladino* + *-agem*[2].] *S. f.* V. *ladinice*.

ladineza (ê) [De *ladino* + *-eza*.] *S. f. Bras.* Ladinice.

ladinice [De *ladino* + *-ice*.] *S. f.* Qualidade, modos ou ato de ladino; ladinagem. [Sin. bras.: *ladineza*.]

ladinização [De **ladinizar* (< *ladino* + *-izar*) + *-ção*.] *S. f.* Processo de tornar ladino (4): *No século XVIII, São Tiago de Cabo Verde tornara-se um centro de ladinização.*

ladino [Do lat. *latinu*.] *Adj.* **1.** Intelectualmente fino. **2.** Astuto, manhoso, esperto; finório: "apareceu no Bairro um tal Pedro, falador, ladino, ... prometendo mundos e fundos aos jornaleiros que quisessem ir com ele trabalhar no sertão de São Paulo." (Amadeu de Queirós, *Os Casos do Carimbamba*, p. 74). **3.** Nos séculos XVII e XVIII, dizia-se de estrangeiros e de negros que falavam bem o português. **4.** Dizia-se do escravo que falava português e que, por essa razão, alcançava alto preço nas vendas para o Brasil, Índias Ocidentais e Orientais: "Acresce ainda ressaltar que o intercâmbio se fazia também em sentido contrário, já que Santiago se tornara um centro formador de 'ladinos'" (Celso Cunha, *Língua, Nação e Alienação*, p. 46). **5.** Quando da ocupação da Península Ibérica pelo Império Romano, dizia-se daqueles que aprendiam melhor o latim. **6.** *Gloss.* V. *rético* (2). **7.** Relativo a ladino (10). ● *S. m.* **8.** Indivíduo ladino (2). **9.** *Gloss.* V. *rético* (4). **10.** *Gloss.* Qualquer dos dialetos sefarditas falados na Grécia, Turquia, Palestina, Israel e N. da África; judeo-espanhol. ~ V. *ladinos*.

ladinos *S. m. pl.* População rética da região alpina central e oriental (Suíça, Áustria e Itália). ~ V. *ladino*.

lado [Do lat. *latus, (eris)* (neutro) > *lados* > *lado*.] *S. m.* **1.** Região lateral de qualquer corpo. **2.** Lugar situado à direita ou à esquerda de alguém ou de algo: *Voltou a cabeça para o lado.* **3.** Parte oposta a outra: *o outro lado do rio.* **4.** Qualquer face de um objeto, em relação às outras que o compõem: *os lados de uma caixa.* **5.** Direção, rumo: *Foi para este lado.* **6.** Lugar, sítio, parte, banda: *Vivia pelos lados do São Francisco.* **7.** Partido, facção, grupo; banda: *Houve inúmeras baixas no lado inimigo.* **8.** Face, aspecto, ângulo, feição: "Daí as nossas diligências, que, se perdem pelo lado estético, lucram pelo lado moral." (Machado de Assis, *A Semana*, II, p. 164.) **9.** Costado de embarcação. **10.** Linha de parentesco: *É meu primo pelo lado materno.* **11.** *Geom.* Qualquer dos segmentos de reta que constituem um polígono. ● *Adj.* **12.** *Ant.* Largo[1]. ◆ **Lado a lado.** Juntamente; a par; em par; ombro a ombro: *Lado a lado trabalharam muitos anos para o sustento dos filhos*; "Tantas horas passamos lado a lado." (Mário da Silva Brito, *O Fantasma sem Castelo*, p. 390). **Lado da Epístola.** Epístola (5). **Lado de laçar.** *Bras. RS* O lado direito do cavalo, que é o lado onde se conduz o laço. **Lado de montar.** *Bras. RS* O lado esquerdo do cavalo. **Lado do Evangelho.** O lado esquerdo do altar, em relação aos assistentes, onde se leem os dois Evangelhos, na missa (oposto ao *lado da Epístola*). **Ao lado de.** **1.** A favor de; favoravelmente a: *Esteve sempre ao lado do amigo, nas questões que este travou*; *Na briga, fiquei ao lado dele.* **2.** De acordo com o parecer, a opinião de; a favor de: *Em relação à autoria de* As Cartas Chilenas, *estou ao lado de Afonso Arinos e Rodrigues Lapa: são de Tomás Antônio Gonzaga.* **3.** Ligado ou pertencente ao mesmo partido, facção ou grupo que: *Estava ao lado da oposição e passou-se para o governo.* [Sin. ger.: *do lado de*.] **Cortar pelos dois lados.** *Bras. Pop.* **1.** Ser bissexual (5). **2.** Adotar, na cópula homossexual, tanto a posição de ativo como a de passivo. **De lado.** **1.** Obliquamente; de través: *olhar de lado*; *A escoliose o faz andar de lado.* **2.** De ilharga; sobre o flanco: *dormir de lado.* **De lado a lado.** De um extremo ao outro; de lés a lés: *O trio alcançou-o de lado a lado*; "os calceteiros, / Com lentidão, terrosos e grosseiros, / Calçam de lado a lado a longa rua." (Cesário Verde, *Obra Completa*, p. 98). **Do lado de.** Ao lado de. **Olhar de lado.** Olhar (para alguém) com desprezo; desdenhosamente; olhar de lado para. **Olhar de lado para.** Olhar de lado. **Pôr de lado.** **1.** Não levar em conta, em consideração; desprezar: *Pôs de lado vários argumentos, por haver muitos outros de maior peso.* **2.** Deixar (alguma coisa) para exame ou cogitação ulterior. **3.** Abandonar, desprezar, desamparar: *Por causa da amante pôs de lado a mulher.* [Sin. ger.: *pôr de parte*.] **Ver de que lado sopra o vento.** Ficar na expectativa, aguardando a evolução dos acontecimentos, para depois decidir que atitude, ou comportamento, adotar.

ladra [Fem. de *ladro*[3].] *Adj.* (*f.*) **1.** Diz-se de mulher que furta ou rouba. ● *S. f.* **2.** Mulher ladra. [Sin., nessas acepç.: *ladrona, ladroa*.] **3.** Vara para apanhar frutas. [Cf., nesta acepç., *cambo*[1].] ~ V. *ladras*.

ladradela [De *ladrar* + *-dela*.] *S. f. Pop.* V. *latido* (1).

ladrado [Do lat. *latratu*.] *S. m. Pop.* **1.** V. *latido* (1). **2.** *Fig.* V. *maledicência* (2).

ladrador (ô) [Do lat. *latratore*.] *Adj.* Que ladra ou late; ladrante, ladrejante.

ladrante [Do lat. *latrante*.] *Adj. 2 g.* **1.** V. *ladrador*. **2.** Que se assemelha a ladrido.

ladrão [Do lat. *latrone*.] *Adj.* **1.** Que furta; ladro. **2.** *P. ext.* Que resulta de roubo, de furto: "as mulheres não usavam brilhantes antes dos trinta, para que se não dissesse que a fortuna rápida era ladrona." (Agustina Bessa-Luís, *Memórias Laurentinas*, p. 24). ● *S. m.* **3.** Aquele que furta ou rouba; gatuno, ladro, larápio, rato, amigo do alheio. [Fem.: *ladra, ladrona, ladroa*; aum.: *ladravaz, ladravão, ladroaço, ladronaço*.] **4.** *Fig.* Homem sem consciência; biltre. **5.** *Fam.* Brejeiro, maganão. **6.** *Bot.* Broto que surge da base do tronco ou de raízes, na planta com cavalo[1] (3); gomeleira, ladroeiro, chupão. [Cf. *rebentão* (1).] **7.** Tubo de descarga posto nos depósitos de água, banheiras, pias, etc., para escoamento automático do excesso de líquido: "Um encanamento ao longo da Praia de Itanhangá conduzia o líquido para a residência. A escravos destacados para esse serviço cumpria manobrar a bomba e manter cheia a caixa, cujas sobras, por um 'ladrão', alimentavam um tanque construído junto ao poço." (Vivaldo Coaraci, *Paquetá*, p. 42.) **8.** Vaso onde se recolhe o líquido que excede de um recipiente. **9.** *Tip.* Fragmento ou dobra de papel que intercepta a impressão, produzindo frade[1] (6). ◆ **Botar pelo ladrão.** *Bras. MA* V. *vomitar* (11). **Sair pelo ladrão.** *Bras.* Ser em grande abundância (dinheiro, bens): *Está riquíssimo, o dinheiro lhe sai pelo ladrão.*

ladrar [Do lat. *latrare*.] *V. int.* **1.** Dar ladridos ou latidos; latir, balsar: "o cão ladrou fortemente" (Inglês de Sousa, *Contos Amazônicos*, p. 153). **2.** Gritar à toa; esganiçar-se. *T. d.* **3.** Proferir com violência: *ladrar impropérios.* **4.** Soltar, fazer ouvir, ladrando: "os cães da manada ladravam terríveis coros d'alarme, pondo os ganhões de sobreaviso." (Fialho d'Almeida, *O País das Uvas*, p. 198). *T. d. e i.* **5.** Ladrar (3): *Encolerizado, ladrou ofensas a todos.* [Normalmente não é us. nas 1ªs pessoas.] ● *S. m.* **6.** Ladrido, latido: "ouviu o ladrar, compassado e grave, de dois rafeiros." (Conde de Ficalho, *Uma Eleição Perdida*, p. 209).

ladraria [Do fr. *ladrerie*.] *S. f.* Cisticercose do porco, devida à infestação de seus músculos, de suas vísceras, pelas ladras (q. v.).

ladras *S. f. pl. Zool.* Larvas de *Taenia solium*. [Cf. *solitária* (1).] ~ V. *ladra*.

ladravão *S. m.* V. *ladravaz*.

ladravaz *S. m.* Grande ladrão. [Sin.: *ladroaço, ladravão* e (bras.) *ladronaço*.]

ladrejante [De *ladrejar* + *-nte*.] *Adj. 2 g.* V. *ladrador*.

ladrejar [De *ladr(ar)* + *-ejar*.] *V. int. T. d.* Ladrar amiúde. [Conjug. v. *pelejar*.]

ladriço [De or. obscura.] *S. m.* Corda que prende ao travão o pé do cavalo.

ladrido [De *ladrar*, com infl. de *latido*.] *S. m.* V. *latido* (1): "bramia [o cão] o seu ladrido soturno que reboava contínuo pelas pastagens silenciosas." (Amadeu de Queirós, *Os Casos do Carimbamba*, p. 37).

ladrilhado [Part. de *ladrilhar*.] *Adj.* Coberto ou revestido de ladrilhos.

ladrilhador (ô) [De *ladrilhar* + *-dor*.] *Adj. S. m.* Que, ou aquele que ladrilha.

ladrilhagem [De *ladrilhar* + *-agem*[2].] *S. f.* Ato ou operação de ladrilhar.

ladrilhar [De *ladrilho* + *-ar*[2].] *V. t. d.* **1.** Cobrir ou revestir (uma parede ou o solo) com ladrilhos: "Ladrilharam, rebocaram e caiaram o prédio" (Graciliano Ramos, *Infância*, p. 224). **2.** *Fig.* Cobrir, juncar: "o generalíssimo de uma guerra fratricida que, poucos meses depois, ladrilhava com duzentos cadáveres as ruas de Braga." (Camilo Castelo Branco, *Maria da Fonte*, p. 98). *Int.* **3.** Exercer o mister de ladrilhador.

ladrilharia [De *ladrilho* + *-aria*.] *S. f.* A arte e a indústria da fabricação de ladrilhos: "há na Misericórdia revestimentos de Manuel Borges (1716) competindo em beleza e colorido com os espécimens melhores de ladrilharia italiana e espanhola que Évora tem." (Fialho d'Almeida, *Estâncias d'Arte e de Saudade*, p. 163).

ladrilheiro [De *ladrilho* + *-eiro*.] *S. m.* Fabricante ou assentador de ladrilhos; azulejador, azulejeiro.

ladrilho [Do esp. *ladrillo*, 'tijolo'.] *S. m.* **1.** Peça, em geral quadrada ou retangular, de cerâmica, de barro cozido ou de cimento, empregada no revestimento de paredes ou de pavimentos. **2.** Tijolo (1) para forrar o chão. **3.** Pavimento ou chão ladrilhado: *Não pise no ladrilho.* **4.** Doce em pasta, bastante sólido, e que se apresenta em pequenos blocos regulares: "São rosários de pinhões, / Ladrilhos de marmelada, / Uma seirinha com figos / E um copo de limonada." (Eugênio de Castro, *Obras Poéticas*, IX, p. 45.) [Cf., nesta acepç., *tijolo* (3).] ◆ **Ladrilho cerâmico.** *Constr.* Ladrilho de barro cozido, prensado, altamente resistente, de grande dureza e textura pouco porosa. **Ladrilho de cimento.** *Constr.* Ladrilho hidráulico. **Ladrilho hidráulico.** *Constr.* Ladrilho de cimento, feito em prensa hidráulica; ladrilho de cimento. **Ladrilho marselhês.** *Constr.* Ladrilho feito de terracota.

ladrinchar [De *ladricho* (< *ladro* + *-icho*, com nasalação) + *-ar*[2].] *V. int.* Dar pequenos ladros ou latidos; ladrar à maneira dos cães de pequeno porte; ladrinhar: "Sentavam-se [os molossos] como esfinges, diante das quais ladrinchavam os lulus cor de pérola, interrogando-as..." (João de Araújo Correia, *Cinza do Lar*, p. 63.)

ladrinhar [De *ladrinho* (< *ladro*[1] + *-inho*[1]) + *-ar*[2].] *V. int.* Ladrinchar.

ladro[1] [Dev. de *ladrar*.] *S. m.* V. *latido* (1): "De repente, o cão pôs-se em pé e arremeteu, com um grande ladro." (Alexandre Herculano, *Lendas e Narrativas*, II, p. 36.)

ladro[2] [Do lat. *latu*, 'largo', 'chato', com epêntese.] *S. m.* V. *chato* (5). [Tb. us. como adj., no comp. *piolho-ladro*.]

ladro[3] [Do lat. *latro* (nom.).] *Adj.* **1.** Ladrão (1). **2.** Próprio de ladrões: *gíria ladra.* ● *S. m.* **3.** V. *ladrão* (3).

ladroa (ô) *Adj.* (*f.*) *S. f.* V. *ladra* (1 e 2).

ladroaço [De *ladro*[3] + *-aço*.] *S. m.* V. *ladravaz*.

ladroagem [De *ladrão* + *-agem*[2], com desnasalação.] *S. f.* **1.** V. *ladroeira*. **2.** A classe dos ladrões.

ladroar [De *ladrão* + *-oar*, com desnasalação.] *V. t. d.* Roubar, furtar. [Conjug.: v. *coroar*.]

ladroeira [De *ladrão* + *-eira*, com desnasalação.] *S. f.* **1.** Roubo, furto. **2.** Descaminho continuado de valores. [Sin. ger.: *ladroagem* e *ladroíce*.]

ladroeirar [De *ladroeira* + *-ar*[2].] *V. int.* Praticar ladroeira(s).

ladroeiro [De *ladrão* + *-eiro*, com desnasalação.] *S. m. Bot.* V. *ladrão* (6).

ladroíce [De *ladrão* + *-ice*, com desnasalação.] *S. f.* V. *ladroeira*.

ladroísmo [De *ladrão* + *-ismo*, com desnasalação.] *S. m.* O costume ou prática da ladroíce.

ladrona [Fem. de *ladrão* (q. v.).] *Adj.* (*f.*) *S. f.* V. *ladra* (1 e 2).

ladronaço [De *ladrão* + *-aço*, seg. o padrão erudito.] *S. m. Bras. RS* V. *ladravaz*.

➔ **lady** ['lejdij] [Ingl.] *S. f.* **1.** Título que na Inglaterra se dá às senhoras da nobreza. **2.** Tratamento dado às senhoras de elevada posição social e/ou de maneiras refinadas.

lafaietense[1] *Adj. 2 g.* **1.** De, ou pertencente ou relativo a Conselheiro Lafaiete (MG). ● *S. 2 g.* **2.** O natural ou habitante de Conselheiro Lafaiete.

lafaietense[2] *Adj. 2 g.* **1.** De, ou pertencente ou relativo a Lafaiete Coutinho (BA). ● *S. 2 g.* **2.** O natural ou habitante de Lafaiete Coutinho.

lagaia [Do forro[2].] *S. f. Santom. Zool.* Felino de pequeno porte, semelhante à raposa: "saltam envoltos em panos / pulando como lagaias." (Fernando de Macedo, *Anguéné*, p. 23).

lagalhé [De or. incerta.] *S. m.* V. *joão-ninguém*: "o José Antônio Pereira, aquele lagalhé que o Fonseca tirara da lama das estradas, ... imparia de bazófia" (Inglês de Sousa, *O Missionário*, p. 288). [F. paral.: *leguelhé, lheguelhé*.]

lagamal [Alter. de *lagamar*.] *S. m. Bras. BA* **1.** Trecho do curso de um rio onde as águas se remansam por ocasião das enchentes. **2.** Clareira (1) espaçosa, entre mangues. [Cf. *lagamar*.]

lagamar [De *lago* + *mar*[1], poss.] *S. m.* **1.** Cova no fundo do mar ou de um rio; pego. **2.** Baía ou golfo abrigado, no interior de um rio ou de uma enseada; alagamar. **3.** Lagoa de água salgada. **4.** *Bras. MG* Inundação pluvial pelas margens dos rios. [Cf. *lagamal*.]

lagamarense ***Adj. 2 g.*** **1.** De, ou pertencente ou relativo a Lagamar (MG). • ***S. 2 g.*** **2.** O natural ou habitante de Lagamar.

lagão [Do birmanês, poss.] ***S. m.*** Embarcação asiática, semelhante à galé (1); lagoa.

lagar [Do lat. med. *lacare.*] ***S. m.*** **1.** Espécie de tanque onde se espremem e se reduzem a líquido certos frutos, esp. as uvas: 🕮 "as mós dos moinhos, as galgas do azeite e os fusos dos lagares do vinho" (Antônio Feliciano de Castilho, *Amor e Melancolia*, p. 342). **2.** Estabelecimento ou local onde se acha esse tanque ou outras instalações afins: 🕮 "Bem-vindos pés lavados que o calcastes [ao vinho], enquanto gemiam cantigas sensuais, no tanque do lagar." (José Vieira, *Sol de Portugal*, p. 162.) [Dim. irreg.: *lagariça*.]

lagarada [De *lagar* + *-ada*[1].] ***S. f.*** **1.** Porção de frutos que se lança de cada vez no lagar. **2.** Resultado da lagarada.

lagaragem [De *lagar* + *-agem*[2].] ***S. f.*** **1.** Conjunto de trabalhos feitos no lagar para a produção de vinho ou de azeite. **2.** Paga que se dá, em gêneros, ao lagareiro (1).

lagareiro [De *lagar* + *-eiro*.] ***S. m.*** **1.** Dono de lagar. **2.** Aquele que trabalha em lagares: 🕮 "Pela vindima, obrigava os lagareiros a lavar as pernas antes de esmagar as uvas." (João de Araújo Correia, *Terra Ingrata*, p. 149.)

lagariça [De *lagar* + *-iça*.] ***S. f.*** **1.** Pequeno lagar. **2.** *Lus.* Líquido entornado ou espalhado pelo solo.

lagariço ***Adj.*** **1.** Próprio de lagar. • ***S. m.*** **2.** *Bras.* Vaso de madeira, de ferro ou de louça, onde se espremem frutos.

lágaro [Do gr. *lagaròs* (*stíchos*).] ***S. m.*** Hexâmetro em que figura uma sílaba breve em vez de longa.

lagarta [Do lat. **lacarta,* por *lacerta.*] ***S. f.*** **1.** *Zool.* Designação comum às larvas dos insetos lepidópteros, cujo tipo é eruciforme. São polípodes, e têm o corpo vermicular alongado e mole, três pares de patas verdadeiras no tórax, e pernas abdominais do tipo reduzido, sob a forma de protuberâncias. **2.** *Zool.* A primeira fase da vida das borboletas até à metamorfose em crisálida. **3.** *Mec.* Dispositivo que facilita a circulação das rodas dos tratores ou dos tanques, fazendo que se movam em terrenos inacessíveis a viaturas comuns.

lagarta-aranha ***S. f.*** *Bras. Zool.* Designação da forma jovem do inseto lepidóptero, eucleídeo (*Phobetron hipparchis*), praga da laranjeira e de várias outras plantas cultivadas e silvestres e que, à primeira vista, se confunde com uma aranha. A coloração geral é cor de vinho clara. [Sin.: *sauí*. Pl.: *lagartas-aranhas* e *lagartas-aranha*.]

lagarta-cabeluda ***S. f.*** *Bras. Zool.* V. *tatarana*. [Pl.: *lagartas-cabeludas*.]

lagarta-de-fogo ***S. f.*** *Bras. Zool.* V. *tatarana*. [Pl.: *lagartas-de-fogo*.]

lagarta-de-vidro ***S. f.*** *Bras. Zool.* Nome comum às larvas das mariposas dalcerídeas, translúcidas, de coloração amarela ou verde-clara brilhante, com o aspecto de massas de gelatina, em que se destacam tubérculos intumescentes. [Pl.: *lagartas-de-vidro*.]

lagarta-dos-coqueiros ***S. f.*** *Bras. Zool.* Designação comum às lagartas dos insetos lepidópteros, brassolídeos, gênero *Brassolis*, de hábitos noturnos; os adultos aparecem nos meses de setembro e outubro; as espécies mais comuns, *B. sophorae* e *B. astyra*, destroem completamente as folhas de coqueiros e palmeiras. [Pl.: *lagartas-dos-coqueiros*.]

lagarta-lesma ***S. f.*** *Zool.* Forma larvar que ocorre em algumas famílias de lepidópteros, caracterizada por um aspecto gelatinoso semelhante ao das *lesmas*. [Pl.: *lagartas-lesmas* e *lagartas-lesma*.]

lagarta-mede-palmos ***S. f.*** *Bras. Zool.* Designação comum às larvas dos insetos lepidópteros geometrídeos. O tipo de locomoção, característico, dá a impressão de que o inseto está medindo a superfície de deslocamento, donde o nome. São comuns as formas dicromáticas. [Tb. se diz apenas *mede-palmos*. Sin.: *geômetra* e *medideira*. Pl.: *lagartas-mede-palmos*.]

lagarta-rosada ***S. f.*** *Bras. Zool.* A larva do lepidóptero *Platyedra gossypiella*, gelequiídeo, praga terrível da semente do algodoeiro. [Pl.: *lagartas-rosadas*.]

lagarta-rosca ***S. f.*** *Bras. Zool.* V. *rosca* (5). [Pl.: *lagartas-roscas* e *lagartas-rosca*.]

lagarteado [Part. de *lagartear*.] ***Adj.*** Que se lagarteou [v. *lagartear* (2)]: 🕮 "Pelos salões vazios, ... cujo estuque, lagarteado de fendas, esboroa à força de goteiras, paira o bafio da morte." (Monteiro Lobato, *Urupês, Outros Contos e Coisas*, p. 137.)

lagartear [De *lagarto* + *-ear*[2].] ***V. int.*** *Bras.* **1.** Expor-se ao sol para se aquecer, à maneira do lagarto. **2.** Rachar, fender em zigue-zague. [Conjug.: v. *frear*.]

lagarteira [De *lagarto* + *-eira*.] ***S. f.*** Buraco ou toca onde se recolhem os lagartos.

lagarteiro [De *lagarto* + *-eiro*.] ***Adj.*** Manhoso, ardiloso, astuto.

lagartense ***Adj. 2 g.*** **1.** De, ou pertencente ou relativo a Lagarto (SE). • ***S. 2 g.*** **2.** O natural ou habitante de Lagarto.

lagartixa [Do esp. *lagartija*.] ***S. f.*** **1.** *Zool.* Designação comum a várias espécies de reptis lacertílios, de pequeno porte, esp. geconídeos, com dedos providos de lâminas transversais, adesivas, que lhes permitem subir em paredes lisas, pedreiras ou troncos escorregadios. Cerca de 15 espécies ocorrem no Brasil. [Sin.: *osga* (bras., AM, PA e MA), *catenga* (N.E.), *briba* (PB), *víbora* e *sardanisca* ou *sardanita*.] **2.** Antiga peça, pequena, de artilharia. **3.** *Bras.* Mulher magra e de talhe flexível. **4.** *Bras. RJ PR Gír.* Alpinista, excursionista, montanhista.

lagartixa-das-dunas ***S. f.*** *Zool. Bras.* Reptil lacertílio, iguanídeo (*Liolaemus occipitalis*), das praias arenosas do S. do País, de coloração cinzento-esbranquiçada, comprimento de até 12cm, e cauda curta. [Pl.: *lagartixas-das-dunas*.]

lagarto [Do lat. **lacartu*, por *lacertu*.] ***S. m.*** **1.** *Bras. Zool.* Designação comum a várias espécies de lacertílios, teiídeos, de porte médio a grande, esp. os do gênero *Tupinambis* e *Teius*. Têm língua bífida e protraível; o grupo é representado no Brasil por umas 40 espécies. [Sin.: *teiú*.] **2.** *Pop.* O bíceps. **3.** Jacaré (4). **4.** *Bras. S.* Carne dura do bovino, entre a chã de dentro e a chã de fora, us., ger., para assar. [Sin., nesta acepç.: *lombo-paulista* (PB), *paulista* (AL, SE e BA) e *tatu* (RS).]

lagarto-do-mar ***S. m.*** *Bras. Zool.* V. *peixe-lagarto*. [Pl.: *lagartos-do-mar*.]

lagarto-monitor ***S. m.*** *Zool.* Designação comum a várias espécies varanídeas, que reúne lagartos grandes, ágeis, predadores, de cabeça pontuda, pescoço longo e delgado, corpo robusto, membros dotados de garras poderosas e cauda comprida e espessa, e que, ger., são bons trepadores e nadadores. [Tb. se diz, apenas, *monitor*. Pl.: *lagartos-monitores*.]

lagena [Do lat. *lagena*.] ***S. f.*** **1.** Vaso de barro com asas. **2.** Antigo vaso lageniforme, de colo estreito. [Dim. irreg.: *lagênula*.]

lagenária [Do tax. *Lagenaria*.] ***S. f.*** *Bot.* **1.** Gênero de cucurbitáceas de grandes flores monoicas, pedunculadas, com cálice campanulado, corola rotiforme, e fruto peponídeo, volumoso, com sementes marginadas. **2.** Qualquer espécie desse gênero, como, p. ex., a *Lagenaria vulgaris* (v. *abóbora-d'água*). **3.** Qualquer espécime desse gênero.

▲ **lagen(i)-** [Do lat. *lagēna, ae*.] ***El. comp.*** = 'vaso de colo estreito', 'garrafa': *lageniforme*.

lageniforme [De *lagen(i)-* + *-forme*.] ***Adj. 2 g.*** Semelhante a uma garrafa.

lagênula [De *lagen(i)-* + *-ula*.] ***S. f.*** Pequena lagena.

lagneuomania [Do gr. *lagneúein*, 'copular', 'ser libertino', + *-o-*[1] + *-mania*.] ***S. f.*** *Psiq.* Sadismo em homens.

lagneuomaníaco [De *lagneuoman(ia)* + *-íaco*.] ***Adj.*** **1.** Relativo a lagneuomania. **2.** Que tem lagneuomania; lagneuômano. • ***S. m.*** **3.** Aquele que tem lagneuomania; lagneuômano.

lagneuômano [Do gr. *lagneúein*, 'copular', 'ser libertino', + *-o-*[1] + *-mania*.] ***Adj. S. m.*** Lagneuomaníaco (2 e 3).

▲ **-lagnia** [Do gr. *lagneía, as*.] ***El. comp.*** = 'coito[1]', 'lubricidade'; 'prazer': *algolagnia, coprolagnia, zoolagnia*.

lago [Do lat. *lacu*.] ***S. m.*** **1.** Extensão de água cercada de terras. [Sin., no AM: *água-redonda*.] **2.** *P. ext.* Tanque irregular de jardim. **3.** Grande porção de líquido derramado ou empoçado, em geral no chão: *Em um lago de sangue jazia o homem assassinado.* ◆ **Lago coberto.** *Bras. MA* Brejo coberto de buritis. **Lago de barragem.** Lago formado em áreas onde as águas são represadas por aluviões pluviais, restingas, detritos de origem vulcânica e morainas. **Lago de cratera.** Cratera-lago. **Lago de depressão.** O resultante de acumulação de águas de rios e de chuvas numa depressão fechada. **Lago de erosão.** O que se forma em áreas escavadas pela ação destrutiva das águas correntes (*erosão fluvial*) e das geleiras (*erosão glacial*). **Lago de origem mista.** Lago, em geral profundo, originário de mais de um fator (erosão fluvial, tectonismo, etc.). **Lago eutrófico.** *Ecol.* Lago pouco profundo, rico em nutrientes, com grande quantidade de algas. **Lago oligotrófico.** *Ecol.* Lago profundo, pobre em nutrientes. **Lago residual.** Lago correspondente a antigos mares cujas águas se evaporaram parcialmente. **Lago tectônico.** Lago resultante do tectonismo, que se forma em trechos fraturados ou desabados da superfície terrestre. **Lago vulcânico.** O que se forma, ger., em antiga cratera de vulcão.

▲ **lag(o)-** [Do gr. *lagō-* < gr. *lagṓs, ṓ*.] ***El. comp.*** = 'lebre': *lagocéfalo, lagoftalmo* (< gr.).

lagoa[1] (ô) [Do lat. **lacona* (em vez de *lacuna*).] ***S. f.*** **1.** Lago pouco extenso. [No Brasil é corrente chamar *lagoa* a qualquer lago (1).] [Var.: *alagoa*. Aum.: *lagoão* (q. v.). Dim.: *lagoacho*.] **2.** Porção de água estagnada; charco.

lagoa[2] (ô) ***S. f.*** Lagão.

lagoacho [De *lagoa*[1] + *-acho*.] ***S. m.*** Lagoa[1] (1) pequena; lagoinha, lagoazinha.

lagoa-dantense ***Adj. 2 g. S. 2 g.*** V. *lagoa-d'antense*.

lagoa-d'antense ***Adj. 2 g.*** **1.** De, ou pertencente ou relativo a Lagoa d'Anta (RN). • ***S. 2 g.*** **2.** O natural ou habitante de Lagoa d'Anta. [Pl.: *lagoa-d'antenses*.]

lagoa-dentrense ***Adj. 2 g.*** **1.** De, ou pertencente ou relativo a Lagoa de Dentro (PB). • ***S. 2 g.*** **2.** O natural ou habitante de Lagoa de Dentro. [Pl.: *lagoa-dentrenses*.]

lagoa-grandense ***Adj. 2 g.*** **1.** De, ou pertencente ou relativo a Lagoa Grande (MG). • ***S. 2 g.*** **2.** O natural ou habitante de Lagoa Grande. [Pl.: *lagoa-grandenses*.]

lagoano ***Adj. 2 g. S. m.*** V. *lagoense*[3].

lagoa-novense ***Adj. 2 g.*** **1.** De, ou pertencente ou relativo a Lagoa Nova (RN). • ***S. 2 g.*** **2.** O natural ou habitante de Lagoa Nova. [Pl.: *lagoa-novenses*.]

lagoão [De *lagoa*[1] + *-ão*[1].] ***S. m.*** *Bras. RS* Lagoa[1] (1) grande e funda que se forma no curso dos arroios e das sangas.

lagoa-ourense ***Adj. 2 g.*** **1.** De, ou pertencente ou relativo a Lagoa do Ouro (PE). • ***S. 2 g.*** **2.** O natural ou habitante de Lagoa do Ouro. [Pl.: *lagoa-ourenses*.]

lagoa-patense ***Adj. 2 g.*** **1.** De, ou pertencente ou relativo a Lagoa dos Patos (MG). • ***S. 2 g.*** **2.** O natural ou habitante de Lagoa dos Patos. [Pl.: *lagoa-patenses*.]

lagoa-pedrense ***Adj. 2 g.*** **1.** De, ou pertencente ou relativo a Lagoa de Pedras (RN). • ***S. 2 g.*** **2.** O natural ou habitante de Lagoa de Pedras. [Pl.: *lagoa-pedrenses*.]

lagoa-realense ***Adj. 2 g.*** **1.** De, ou pertencente ou relativo a Lagoa Real (BA). • ***S. 2 g.*** **2.** O natural ou habitante de Lagoa Real. [Pl.: *lagoa-realenses*.]

lagoa-salgadense ***Adj. 2 g.*** **1.** De, ou pertencente ou relativo a Lagoa Salgada (RN). • ***S. 2 g.*** **2.** O natural ou habitante de Lagoa Salgada. [Pl.: *lagoa-salgadenses*.]

lagoa-santense ***Adj. 2 g.*** **1.** De, ou pertencente ou relativo a Lagoa Santa (MG). • ***S. 2 g.*** **2.** O natural ou habitante de Lagoa Santa. [Pl.: *lagoa-santenses*.]

lagoa-sequense ***Adj. 2 g.*** **1.** De, ou pertencente ou relativo a Lagoa Seca (PB). • ***S. 2 g.*** **2.** O natural ou habitante de Lagoa Seca. [Pl.: *lagoa-sequenses*.]

lagoa-velhense ***Adj. 2 g.*** **1.** De, ou pertencente ou relativo a Lagoa de Velhos (RN). • ***S. 2 g.*** **2.** O natural ou habitante de Lagoa de Velhos. [Pl.: *lagoa-velhenses*.]

lagocéfalo [De *lag(o)-* + *-céfalo*.] ***Adj.*** *Zool.* Cuja cabeça é semelhante à da lebre, *i. e.*, cujo lábio superior é fendido.

lagoeiro [De *lago* + *-eiro*.] ***S. m.*** **1.** Depósito de água de chuva. **2.** Lugar alagado.

lagoense[1] ***Adj. 2 g.*** **1.** De, ou pertencente ou relativo a Lagoa (PB). • ***S. 2 g.*** **2.** O natural ou habitante de Lagoa.

lagoense[2] ***Adj. 2 g.*** **1.** De, ou pertencente ou relativo a Lagoa da Confusão (TO). • ***S. 2 g.*** **2.** O natural ou habitante de Lagoa da Confusão.

lagoense[3] ***Adj. 2 g.*** **1.** De, ou pertencente ou relativo a Lagoa dos Gatos (PE). • ***S. 2 g.*** **2.** O natural ou habitante de Lagoa dos Gatos. [Sin. ger.: *lagoano*.]

lagoense[4] ***Adj. 2 g.*** **1.** De, ou pertencente ou relativo a Lagoa Dourada (MG). • ***S. 2 g.*** **2.** O natural ou habitante de Lagoa Dourada.

lagoense[5] ***Adj. 2 g.*** **1.** De, ou pertencente ou relativo a Lagoa Formosa (MG). • ***S. 2 g.*** **2.** O natural ou habitante de Lagoa Formosa.

lagoense[6] ***Adj. 2 g.*** **1.** De, ou pertencente ou relativo a Lagoa Vermelha (RS). • ***S. 2 g.*** **2.** O natural ou habitante de Lagoa Vermelha.

lagoense[7] ***Adj. 2 g.*** **1.** De, ou pertencente ou relativo a São Sebastião de Lagoa de Roça (PB). • ***S. 2 g.*** **2.** O natural ou habitante de São Sebastião de Lagoa de Roça.

lagoense-do-carro ***Adj. 2 g.*** **1.** De, ou pertencente ou relativo a Lagoa do Carro (PE). • ***S. 2 g.*** **2.** O natural ou habitante de Lagoa do Carro. [Pl.: *lagoenses-do-carro*.]

lagoftalmo [Do gr. *lagóphthalmos*, pelo lat. *lagophthalmu*.] ***S. m.*** *Patol.* Estado mórbido em que não há oclusão completa das pálpebras.

lagoinhense (o-i) ***Adj. 2 g.*** **1.** De, ou pertencente ou relativo a Lagoinha (SP). • ***S. 2 g.*** **2.** O natural ou habitante de Lagoinha.

lago-mar [De *lago* + *mar*[1].] ***S. m.*** *Ocean.* V. *mar fechado*. [Pl.: *lagos-mares*.]

lagomorfo [De *lag(o)-* + *-morfo*; tax. *Lagomorpha*.] *Zool.* ***S. m.*** **1.** Espécime dos lagomorfos, ordem de mamíferos que se caracteriza por terem os indivíduos crescimento contínuo dos dentes incisivos, que são em número de quatro na maxila e apenas dois no maxilar inferior; não têm dentes caninos, e a cauda é curta e grossa. São os coelhos, lebres e tapitis. ● *Adj.* 2. Pertencente ou relativo a eles.

lagonense *Adj. 2 g.* 1. De, ou pertencente ou relativo a Lagoão (RS). ● *S. 2 g.* 2. O natural ou habitante de Lagoão.

lago-pedrense *Adj. 2 g.* 1. De, ou pertencente ou relativo a Lago da Pedra. (MA) ● *S. 2 g.* 2. O natural ou habitante de Lago da Pedra. [Pl.: *lago-pedrenses.*]

lagópode [Do gr. *lagópous, odos,* pelo lat. *lagopode.*] *Adj. 2 g.* 1. *Zool.* Que tem patas semelhantes às da lebre. 2. *Bot.* Que tem rizomas recobertos de cotão ou de pelos, lembrando a pata da lebre. ● *S. m.* 3. *Bras. Zool.* Animal lagópode.

lago-pratense *Adj. 2 g.* 1. De, ou pertencente ou relativo a Lagoa da Prata (MG). ● *S. 2 g.* 2. O natural ou habitante de Lagoa da Prata. [Pl.: *lago-pratenses.*]

lagoquilia [De *lago-* + *-quil(o)-*[2] + *-ia*[1].] *S. f. Patol.* Lábio leporino.

lagosta (ô) [Do lat. **lacusta,* por *locusta.*] *S. f.* 1. *Zool.* Designação comum aos crustáceos decápodes, macruros, palinurídeos, cujo corpo, robusto, é revestido de espessa carapaça provida de tubérculos e espinhos, e pode, nalgumas espécies, atingir até 50cm de comprimento, e cujas antenas são extremamente longas. Vivem no fundo do mar, longe da costa e a grande profundidade, e são utilizados aos milhares, anualmente, para alimentação do homem. Sua pesca se faz com redes e armadilhas. 2. *Cul.* Prato feito com ela. 3. *Fig.* Pessoa de tez muito avermelhada.

lagosta-comum *S. f. Bras. Zool.* Crustáceo decápode, macruro, palinurídeo (*Palinurus argus*), com os pedúnculos das antênulas do mesmo comprimento dos das antenas, abdome com manchas claras maiores destacando-se das outras, na parte superior, e segmentos com sulcos transversais pilíferos. Ocorre desde a Carolina do Norte (E.U.A.) até SP, com maior densidade no CE e em PE; é a espécie mais utilizada comercialmente no Brasil. [Pl.: *lagostas-comuns.*]

lagosta-gafanhoto *S. f. Zool.* V. *tamburutaca.* [Pl.: *lagostas-gafanhotos* e *lagostas-gafanhoto.*]

lagosteiro [De *lagosta* + *-eiro.*] *Adj.* 1. Relativo a lagosta: 📄 *indústria lagosteira.* 2. *Que pesca lagosta:* 📄 *barco lagosteiro.* ● *S. m.* 3. Pescador ou vendedor de lagosta.

lagostim [De *lagosta* + *-im.*] *S. m. Zool.* Designação comum às espécies de crustáceos decápodes, macruros, cilarídeos, parecidas com a lagosta, porém facilmente reconhecíveis pela ausência de longas antenas. A espécie *Scyllarides brasiliensis* tem coloração vermelho-arroxeada muito viva, medindo de 12 a 27cm de comprimento. Vive no fundo do mar.

lagostinha [De *lagosta* + *-inha.*] *S. f. Bras. Zool.* Espécie de crustáceo decápode, macruro (*Nephrops rubellus*), do Atlântico e Pacífico, de coloração geral rósea, com a base dos espinhos do cefalotórax e quelípodes rubros, sendo a extremidade branca, e comprimento de até 15cm.

lago-verdense *Adj. 2 g.* 1. De, ou pertencente ou relativo a Lago Verde (MA). ● *S. 2 g.* 2. O natural ou habitante de Lago Verde. [Pl.: *lago-verdenses.*]

lagrangiana [Do antr. (*Joseph Louis*) *Lagrange* (1736-1831), matemático e astrônomo francês, + *-i-* + *-ana*[1].] *S. f. Fís.* Função das coordenadas generalizadas de um sistema, igual à diferença entre a energia cinética e a energia potencial, ambas expressas em termos daquelas coordenadas.

lágrima [Do lat. *lacrima.*] *S. f.* 1. *Fisiol.* Secreção aquosa límpida, levemente alcalina, de glândula lacrimal, e que serve para umidificar a conjuntiva. 2. Pingo de qualquer líquido; gota. 3. Objeto que tem forma de lágrima. 4. Suco destilado por diversos vegetais. 5. *Pop.* Um tudo-nada; um pouquinho. [Cf. *lagrima,* do v. *lagrimar.*] ~ V. *lágrimas.* ◆ **Lágrima sabeia.** O incenso (1). **Chorar lágrimas de sangue.** 1. Verter sentido pranto. 2. Sentir dor ou arrependimento profundo.

lagrimação [De *lagrimar* + *-ção.*] *S. f.* V. *lacrimação.*

lágrima-de-moça *S. f. Bras. Bot.* V. *lírio-do-brejo.* [Pl.: *lágrimas-de-moça.*]

lágrima-de-nossa-senhora *S. f. Bras. Bot.* V. *biurá:* 📖 "Chocalhavam-lhe no pescoço as contas escuras de 'lágrimas-de-nossa-senhora'" (Afonso Arinos, *Histórias e Paisagens,* pp. 37-38). [Pl.: *lágrimas-de-nossa-senhora.*]

lágrima-de-santa-maria *S. f. Bras. Bot.* V. *biurá.* [Pl.: *lágrimas-de-santa-maria.*]

lagrimal [De *lágrima* + *-al*[1].] *Adj. 2 g. S. m.* V. *lacrimal.*

lagrimante [De *lagrimar* + *-nte.*] *Adj. 2 g.* V. *lacrimante.*

lagrimar [De *lágrima* + *-ar*[2].] *V. int.* V. *lacrimar:* 📖 "Levanta as mãos, como ele levantava; / E vendo-o lagrimar, também chorava." (Santa Rita Durão, *Caramuru,* p. 52); "— Lagrimava primeiro; dava o exemplo da sensibilidade" (Camilo Castelo Branco, *Vulcões de Lama,* p. 135). [Pres. ind.: *lagrimo, lagrimas, lagrima,* etc. Cf. *lágrima* e *lágrimas.*]

lágrimas [Pl. de *lágrima.*] *S. f. pl.* 1. Choro; pranto. 2. *Enol.* Marcas transparentes deixadas por vinho, conhaque, etc. nas paredes da taça após agitação, e cuja intensidade está ligada ao teor alcoólico. [Cf. *lagrimas,* do v. *lagrimar.*] ~ V. *lágrima.* ◆ **Lágrimas de crocodilo.** As que não vêm da alma; as que não são sinceras; choro fingido.

lagrimejamento [De *lagrimejar* + *-mento.*] *S. m.* V. *lacrimejamento.*

lagrimejante [De *lagrimejar* + *-nte.*] *Adj. 2 g.* V. *lacrimejante.*

lagrimejar [De *lágrima* + *-ejar.*] *V. t. d. Int.* V. *lacrimejar.* [Conjug.: V. *pelejar.*]

lagrimoso (ô) [De *lágrima* + *-oso.*] *Adj.* Lacrimoso: 📖 "A criança ia lagrimosa e carecida de meiguices e consolações" (Camilo Castelo Branco, *Amor de Salvação,* p. 59).

laguna [Do lat. *lacuna,* por via semierudita.] *S. f.* 1. Lago de barragem, formado de águas salgadas, e proveniente do trabalho de acumulação das águas do mar. [Sin., lus.: *albufeira.*] 2. Lago de águas salgadas que se forma no interior dum recife coralígeno. 3. Braço de mar pouco profundo, entre bancos de areia ou ilhas, na embocadura de certos rios. 4. *Bras. Amaz.* Baixada inundada, à margem de um rio. 5. *Ant.* Pequena cavidade ou fossa (v. *fossas*); fosseta.

lagunar [De *laguna* + *-ar*[1].] *Adj. 2 g.* Relativo a laguna.

lagunense[1] *Adj. 2 g.* 1. De, ou pertencente ou relativo a Guia Lopes da Laguna (MS). ● *S. 2 g.* 2. O natural ou habitante de Guia Lopes da Laguna.

lagunense[2] *Adj. 2 g.* 1. De, ou pertencente ou relativo a Laguna (SC). ● *S. 2 g.* 2. O natural ou habitante de Laguna.

lagunense[3] *Adj. 2 g.* 1. De, ou pertencente ou relativo a Laguna Carapã (MS). ● *S. 2 g.* 2. O natural ou habitante de Laguna Carapã.

lai [Do fr. *lai,* de or. celta, poss.] *S. m. Arte Poét.* Pequeno poema narrativo ou lírico, em versos octossílabos, que os jograis da Idade Média cantavam, com acompanhamento de harpa. [Pl.: *lais.* Cf. *Laís,* antr., f. menos boa, porém usual, de *Lais.*]

laia[1] [De or. obscura.] *S. f.* Qualidade; jaez; casta; feitio; estofa: 📄 *Não se meta com indivíduos desta laia;* 📖 "Sou mancebo de alta laia: / Não trabalho e sei justar." (Manuel Bandeira, *Estrela da Vida Inteira,* p. 26). ◆ **À laia de.** À moda de; à maneira de; à feição de; à guisa de: 📖 "Deixa-me contar a história à laia de novela" (Machado de Assis, *Páginas Recolhidas,* p. 25).

laia[2] *S. f. Gír.* Prata (1).

laiana *Bras. S. 2 g.* 1. Indivíduo dos laianas, povo aruaque sul-mato-grossense. ● *Adj. 2 g.* 2. Pertencente ou relativo a esse povo. [Tb. us. como *s. 2 g.* e *2 n.* (com cap.) e *adj. 2 g.* e *2 n.*]

laical [De *laico* + *-al*[1].] *Adj. 2 g.* 1. V. *leigo* (1). 2. Referente a, ou próprio de leigo; leigal.

laicalismo [De *laical* + *-ismo.*] *S. m.* 1. Procedimento laical. 2. Atribuições estranhas ao poder eclesiástico.

laicato [De *laico* + *-ato*[1].] *S. m.* Laicismo (1).

laicidade [De *laico* + *-(i)dade.*] *S. f.* Qualidade de laico ou leigo.

laicificar [De *laico* + *-ificar.*] *V. t. d.* Laicizar. [Conjug.: v. *trancar.*]

laicismo [De *laico* + *-ismo.*] *S. m.* 1. Estado ou caráter de laico; laicato. 2. Doutrina que proclama a laicidade absoluta das instituições sociopolíticas e da cultura, ou que pelo menos reclama para estas autonomia em face da religião.

laicista [De *laicismo* + *-ista.*] *Adj. 2 g.* 1. De, pertencente ou relativo ao laicismo. 2. Que é adepto ou seguidor dessa doutrina. ● *S. 2 g.* 3. Adepto ou seguidor do laicismo.

laicização [De *laicizar* + *-ção.*] *S. f.* Ato, processo ou efeito de laicizar.

laicizador (ô) [De *laicizar* + *-dor.*] *Adj.* Laicizante (1).

laicizante [De *laicizar* + *-nte.*] *Adj. 2 g.* 1. Que laiciza; laicizador. 2. Que simpatiza com o laicismo, ou tende para ele: 📖 "rebates heterodoxos e laicizantes na questão religiosa" (Vitorino Nemésio, *Conhecimento de Poesia,* p. 105).

laicizar [De *laico* + *-izar.*] *V. t. d.* Tornar laico ou leigo; excluir o elemento religioso ou eclesiástico de (organização estatal, ensino, etc.); laicificar.

laico [Do lat. ecles. *laicu* (< gr. *laïkós,* 'do povo'), por via erudita.] *Adj.* 1. V. *leigo* (1). 2. Que vive no, ou é próprio do mundo, do século; secular (por oposição a *eclesiástico*): 📖 "As crianças .... reclamam em comício público que o ensino seja laico; as igrejas, nas horas de celebração, ficam desertas." (Aquilino Ribeiro, *Alemanha Ensanguentada,* p. 41.)

lais [De or. obscura.] *S. m. Marinh.* 1. Cada uma das extremidades de uma verga: 📖 "Os [marinheiros] que ofereciam resistência nas abordagens ou davam combate, eram içados, depois, no lais das vergas" (Virgílio Várzea, *Mares e Campos,* p. 103). 2. Extremidade oposta ao pé, num pau de surriola. [Pl.: *laises.* Cf. *Laís,* antr., f. menos boa, porém usual, de *Lais.*] ◆ **Lais de guia.** *Marinh.* Nó que se dá no chicote de um cabo, formando uma alça ou balso, e serve para encapelá-lo ou para fazer um laço de correr.

➔ **laise** [lɛz] [Fr.] *S. m. Tec. Têx.* V. *lese.*

➔ **laisser-aller** [le'se a'le] [Fr., 'deixar ir'.] *S. m.* Abandono, displicência.

➔ **laisser-faire** [le'se fɛʀ] [Fr., 'deixar fazer'.] *S. m.* 1. Não intervenção no que fazem os outros. 2. *Econ.* Expressão indicativa da doutrina ou prática de não interferência do Estado nas ações individuais, esp. no domínio econômico.

laitu [De or. obsc.] *S. m. Bras. Zool.* V. *pirarara.*

laivar [De *laivo* + *-ar*[2].] *V. t. d.* Pôr laivos em; sujar, manchar.

laivo [De or. obscura.] *S. m.* Mancha, nódoa: 📖 "O céu se cobre de arroxeados laivos" (Afonso Schmidt, *Mocidade,* p. 55). ~ V. *laivos.*

laivos [Pl. de *laivo.*] *S. m. pl.* 1. Noções elementares superficiais; rudimentos, tinta(s), tintura(s), fumaça(s). 2. Vestígios, mostras, indícios, traços: 📖 "Recorrer à graça forçada, mesmo quando tenha, aqui e além, laivos de oportunidade ou de ironia, é sacrificar o que há de mais belo ao cômico" (Luís Forjaz Trigueiros, *Pátio das Comédias,* p. 121). [Tb. us. (porém menos) no sing.] 3. Marca, ferrete. ~ V. *laivo.*

➔ **laize** [lɛz] [Fr.] *S. m. Tec. Têx.* V. *lese.*

laja *S. f.* V. *laje:* 📖 "entre dormir a sesta numa alfombra tapetada de folhas e numa laja à torreira, prefere [a cabra] a laja" (Aquilino Ribeiro, *Luís de Camões,* II, p. 88).

lajão [De *laje* + *-ão*[1].] *S. m.* Grande laje.

laje [De or. incerta.] *S. f.* 1. Pedra de superfície plana ger. quadrada ou retangular; lousa: 📖 "eu fazia a volta dentro do pátio revestido de lajes" (Osmã Lins, *Nove, Novena,* p. 156). 2. *Constr.* Obra contínua de concreto armado, a qual constitui sobrado, teto de um compartimento, ou piso. [F. paral.: *laja* e *lájea.* Var.: *lajem.* Dim. irreg.: *lajota.*] ◆ **Laje maciça.** *Constr.* Laje que não apresenta viga. **Laje nervurada.** *Constr.* Aquela que tem nervuras [v. *nervura* (3)], em geral na parte inferior. **Laje pré-moldada.** *Constr.* Aquela produzida por processo industrial. **Laje protendida.** *Constr.* Laje que utiliza reforço de cabos de aço tensionados em sua estrutura.

lájea *S. f.* V. *laje:* 📖 "Sem pão, sem abrigo, por noites geladas / Pousei minha fronte nas lájeas do chão." (Soares de Passos, *Poesias,* p. 119); "Lá dormia descansado / Sob a lájea tumular." (Id., *ib.,* p. 97).

lajeadense *Adj. 2 g.* 1. De, ou pertencente ou relativo a Lajeado (RS e TO). ● *S. 2 g.* 2. O natural ou habitante de Lajeado.

lajeado [Part. de *lajear.*] *Adj.* 1. Revestido de lajes. ● *S. m.* 2. Pavimento lajeado; lajedo, lajeiro, lajeamento. 3. *Bras.* Arroio ou regato cujo leito é de rocha. 4. *Bras. RS* Trecho do campo coberto de pedras grandes. 5. *Bras. PE AL BA* V. *lajeiro* (1).

lajeado-bugrense *Adj. 2 g.* 1. De, ou pertencente ou relativo a Lajeado do Bugre (RS). ● *S. 2 g.* 2. O natural ou habitante de Lajeado do Bugre. [Pl.: *lajeado-bugrenses.*]

lajeador (ô) [De *lajear* + *-dor.*] *S. m.* Aquele que lajeia, que assenta lajes.

lajeamento [De *lajear* + *-mento.*] *S. m.* 1. Ação de lajear. 2. V. *lajeado* (2).

lajear [De *laje* + *-ear*[2].] *V. t. d.* 1. Assentar lajes em; cobrir de lajes. *P.* 2. Cobrir-se de lajes. [Conjug.: v. *frear.*]

lajedaense *Adj. 2 g. S. 2 g.* V. *lajedãoense.*

lajedãoense *Adj. 2 g.* 1. De, ou pertencente ou relativo a Lajedão (BA). ● *S. 2 g.* 2. O natural ou habitante de Lajedão. [É menos boa a grafia oficial, *lajedaense.*]

lajedense[1] *Adj. 2 g.* 1. De, ou pertencente ou relativo a Lajedo (PE). ● *S. 2 g.* 2. O natural ou habitante de Lajedo.

lajedense[2] *Adj. 2 g.* 1. De, ou pertencente ou relativo a Lajedo do Tabocal (BA). ● *S. 2 g.* 2. O natural ou habitante de Lajedo do Tabocal.

lajedinhense *Adj. 2 g.* 1. De, ou pertencente ou relativo a Lajedinho (BA). ● *S. 2 g.* 2. O natural ou habitante de Lajedinho.

lajedo (ê) [De *laje* + *-edo.*] *S. m.* 1. V. *lajeado* (2). 2. V. *lajeiro* (1): 📖 "O ângulo do rio Capibaribe interna-se na direção do sul por entre uns lajedos alcantilados que se sumiam dentro de um capão de mato." (Franklin Távora, *O Cabeleira,* p. 63.)

lajeiro [De *laje* + *-eiro.*] *S. m.* 1. *Bras.* Vasto afloramento de rocha, mais ou menos plano. [Sin. (PE, AL e BA): *lajeado, lajedo.*] 2. V. *lajeado* (2).

lajem *S. f.* 1. V. *laje:* 📖 "A égua vinha chouteando pelo atalho pedregoso, estacando de quando em quando, ao topar uma lajem mais escorregadia." (Alberto Braga, *Novos Contos,* p. 6.) 2. *Bras. N.* Grande porção de pedras que obstruem um trecho de rio.

lajense[1] *Adj. 2 g.* 1. De, ou pertencente ou relativo a Lajes (RN). ● *S. 2 g.* 2. O natural ou habitante de Lajes.

lajense[2] *Adj. 2 g.* 1. De, ou pertencente ou relativo a São José da Laje (AL). ● *S. 2 g.* 2. O natural ou habitante de São José da Laje.

lajes-pintadense *Adj. 2 g.* 1. De, ou pertencente ou relativo a Lajes Pintadas (RN). ● *S. 2 g.* 2. O natural ou habitante de Lajes Pintadas. [Pl.: *lajes-pintadenses.*]

lajiano[1] *Adj.* 1. De, ou pertencente ou relativo a Laje do Muriaé (RJ). ● *S. m.* 2. O natural ou habitante de Laje do Muriaé.

lajiano[2] *Adj.* 1. De, ou pertencente ou relativo a Lajes (SC). ● *S. m.* 2. O natural ou habitante de Lajes.

lajinhense *Adj. 2 g.* 1. De, ou pertencente ou relativo a Lajinha (MG). ● *S. 2 g.* 2. O natural ou habitante de Lajinha.

lajista *Adj. 2 g.* 1. De, ou pertencente ou relativo a Laje (BA). ● *S. 2 g.* 2. O natural ou habitante de Laje.

lajota [De *laje* + *-ota*[1].] *S. f.* 1. Pequena laje: "Fronteou o terreiro de secar café, ... formado por lajotas de arenito rosa, rejuntadas, que propiciavam excelente secagem." (Francisco Marins, ... *e a Porteira Bateu!*, p. 159.) 2. *Constr.* Placa cerâmica usada em revestimento de paredes e pisos.

lajoteiro [De *lajota* + *-eiro.*] *S. m.* Assentador de lajotas.

lala [Do criol.] *S. f. Guin.* Savana onde cresce o capim com que se cobrem as casas: "A vida em Woyowayan mudou .... Depois foi a vida das tabancas vizinhas. Era como o fogo numa lala na estação seca." (Abdulai Sila, *Eterna Paixão*, p. 130.)

lalau [De *ladrão*, poss.] *S. m. Bras. Gír.* V. *descuidista.*

▲ **lal(o)-** [Do v. gr. *laleîn.*] *El. comp.* = 'falar', 'tagarelar': *lalomania*; *laloplegia.* [Equiv.: *-lal(o)-*: *aculálio, dislalia.*]

▲ **-lal(o)-** Equiv. de *lal(o)-.*

lalofobia [De *lal(o)-* + *-fobia.*] *S. f. Psiq.* Medo mórbido de falar, decorrente, por vezes, de gagueira; logofobia.

lalofóbico [De *lalofobia* + *-ico*[2].] *Psiq. Adj.* 1. Relativo a lalofobia. 2. Que sofre de lalofobia; lalófobo, logófobo ● *S. m.* 3. Aquele que sofre de lalofobia; lalófobo, logófobo. [Sin. ger.: *logofóbico.*]

lalófobo [De *lal(o)-* + *-fobo.*] *Adj. S. m. Psiq.* V. *lalofóbico* (2 e 3).

lalomania [De *lal(o)-* + *-mania.*] *S. f. Psiq.* Loquacidade mórbida; tendência exagerada para a oratória.

lalomaníaco [De *lalomania* + *-íaco.*] *Psiq. Adj.* 1. Relativo a lalomania. 2. Que tem lalomania; lalômano. ● *S. m.* 3. Aquele que tem lalomania; lalômano.

lalómano *Adj. S. m. Psiq.* V. *lalômano.*

lalômano [De *lal(o)-* + *-mano*[1].] *Adj. S. m. Psiq.* Lalomaníaco (2 e 3).

laloplegia [De *lal(o)-* + *-pleg-* + *-ia*[1].] *S. f. Med.* Paralisia dos órgãos da linguagem.

laloplégico [De *laloplegia* + *-ico*[2].] *Adj. Med.* 1. Referente a, ou que sofre de laloplegia. ● *S. m.* 2. Aquele que sofre de laloplegia.

lama[1] [Do lat. *lama.*] *S. f.* 1. Lodo (ô) (1). 2. *Fig.* V. *lodo* (ô) (2): *Vive na lama; Tirou o pobre-diabo da lama.* ◆ **Lama vermelha.** *Ecol.* Resíduo poluente, proveniente do processamento de bauxita.

lama[2] [Do tibetano *blama*, 'mestre'.] *S. m.* Sacerdote budista, entre os mongóis e os tibetanos: "O Tibete é uma vasta Tebaida misteriosa. Um terço de sua população é de lamas — monges miseráveis e repulsivos" (Euclides da Cunha, *Contrastes e Confrontos*, p. 112).

lama[3] [Do tax. *Lama* (< esp. *llama*).] *S. f. Zool.* 1. Gênero de mamíferos camelídeos, ruminantes, que habitam a região andina da América do Sul, todos eles dotados de pesada pelagem lanígera. 2. Qualquer das espécies desse gênero: a *Lama glama* (v. *lhama*[2]), a *Lama guanicoe* (v. *guanaco*), a *Lama vicugna* (v. *vicunha*) e a *Lama pacos* (v. *alpaca*). 3. Qualquer espécime desse gênero.

lamaçal [De *lama*[1] + *-açal.*] *S. m.* 1. Lugar onde há muita lama[1]; atoleiro, lamaceira, lamaceiro, lamedo, lameira, lameiro, lodeira, lodeiro, ludreiro, enxurdeiro. 2. V. *pântano* (2).

lamação [De *lama* + *-aç(a)-* + *-ão*[1].] *S. m.* Lamarão (1): "Distraem-nos a mancha da paisagem e as paixões das almas primitivas, criaturas doloridas e situações de angústia, desabrochadas, entrevistas e colhidas no lamação selvático..." (Alberto Rangel, *Sombras n'Água*, p. 39.)

lamaceira [De *lama*[1] + *-aç(a)-* + *-eira.*] *S. f.* V. *lamaçal* (1).

lamaceiro [De *lama*[1] + *-aç(a)-* + *-eiro.*] *S. m.* 1. V. *lamaçal* (1). 2. V. *pântano* (2).

lamacento [De *lama*[1] + *-aç(a)-* + *-ento.*] *Adj.* 1. Cheio ou coberto de lama[1]; enlameado, lamoso: *estradas lamacentas*; "É um bafo quente de infância que me vem da beira lamacenta do Paraíba" (Carlos Lacerda, *A Casa do Meu Avô*, p. 14). 2. Semelhante a lama[1]; lamoso.

lamaico [De *lama*[2] + *-aico.*] *Adj.* Referente ao lamaísmo.

lamaísmo [De *lama*[2] + *-ismo.*] *S. m.* Religião dominante do Tibete, originada, no séc. VII, do budismo maaiana, associado aos cultos mágicos locais e ao tantrismo, e cujo chefe supremo é o Dalai-Lama.

lamaísta [De *lamaísmo* + *-ista.*] *Adj. 2 g. S. 2 g.* Diz-se de, ou sectário do lamaísmo.

lamane *S. m. Bras.* V. *lemano.*

lamarão [De *lama*[1] + *-arão.*] *S. m.* 1. Grande lamaçal; lamação. 2. Lodo que fica descoberto quando a maré vaza. 3. *Bras. PB PE* Lagoa formada nas depressões do terreno em tempo de chuvas.

lamarckianismo [De *lamarckiano* + *-ismo.*] *S. m. Biol.* Lamarckismo.

lamarckiano [Do antr. (v. *lamarckismo*) *Lamarck* + *-iano.*] *Adj. S. m.* Lamarckista.

lamarckismo [Do antr. *Lamarck* + *-ismo.*] *S. m. Biol.* Doutrina evolucionista de Lamarck (v. *lamarckista*), que sustenta a transmissão hereditária dos caracteres adquiridos por ação do ambiente; lamarckianismo.

lamarckista *Adj. 2 g.* 1. Pertencente ou relativo a Jean-Baptiste de Lamarck (1744-1829), naturalista francês, ou próprio dele ou de sua doutrina. 2. Que é partidário desta. ● *S. 2 g.* 3. Partidário do lamarckismo. [Sin. ger.: *lamarckiano.*]

lamaronense *Adj. 2 g.* 1. De, ou pertencente ou relativo a Lamarão (BA). ● *S. 2 g.* 2. O natural ou habitante de Lamarão.

lamartiniano [Do antr. *Lamartine* + *-iano.*] *Adj.* 1. Pertencente ou relativo a Alphonse de Lamartine (1790-1869), poeta romântico francês, ou próprio dele. 2. Que é seu admirador e/ou conhecedor profundo de sua obra. ● *S. m.* 3. Grande admirador e/ou profundo conhecedor da obra de Lamartine. [Sin. ger.: *lamartinista.*]

lamartinista [Do antr. *Lamartine* + *-ista.*] *Adj. 2 g. S. 2 g.* V. *lamartiniano.*

lamaseria [Do fr. *lamaserie.*] *S. f.* Convento budista, local onde habitam lamas (v. *lama*[2]).

lamba [Do quimb. *lamba.*] *El. s. m.* Us. na loc. *passar lamba.* ◆ **Passar lamba.** *Bras.* Levar vida de cachorro; passar mal.

lambada [Var. de *lombada*, com assimilação.] *S. f.* 1. Paulada, cacetada. 2. *Fig.* V. *descompostura* (2). 3. *Bras.* Golpe de chicote, tabica ou rebenque; lapada, lamborada. 4. *Bras.* Pedaço alongado tirado de alguma coisa. 5. *Bras. Gír.* V. *bicada*[1] (5). [Sin., nas acepç. 1 a 5, no N. e N.E.: *lapada.*] 6. Dança popular cantada, cujos participantes executam variações coreográficas muito próximas do samba, sem a primitiva disposição de roda. 7. A música que acompanha essa dança, em compasso binário, andamento vivo e animado, ritmo acentuadamente sincopado, reveladores de uma possível origem africana.

lambadeiro [De *lambada* + *-eiro.*] *S. m.* 1. Exímio dançarino de lambada (6). 2. Compositor ou cantor de lambada (7).

lambaio [De *lamber*, poss.] *S. m. Bras.* 1. Vassoura, ordinariamente feita de panos velhos ou de estopa, e que, presa à extremidade de uma vara, serve para lavar os fornos de padaria. 2. Vassoura de embira (ger. vermelha) com que se limpa, nos engenhos de banguê, a espuma do açúcar nas bordas da tacha de cozer. 3. Vassoura de aniagem, us. na lavagem de tachos e alguidares: "Limpava, com lambaio de aniagem, as bordas do tacho grande de fazer sabão de decoada" (Nélson de Faria, *Tiziu e Outras Estórias*, p. 180). 4. Servente ou criado de baixa condição.

lambamba [De *lamber*, poss.] *S. m. Adj. Bras. SE MG Pop.* Beberrão de cachaça: "uns restinhos de pinga aqui, outros acolá, somavam-se aos milhões de sobras que formam o rio caudaloso onde se dessedentam e afogam mágoas as almas de todos os lambambas deste mundo." (Nélson de Faria, *Tiziu e Outras Estórias*, p. 166).

lambança [De *lamber* + *-ança* (por *-ença*).] *S. f.* 1. Coisa que se pode lamber ou comer. 2. *Fig.* Tumulto, barulheira, algazarra. 3. *Bras.* Gabolice, bazófia, jactância. 4. *Bras.* Censura, repreensão, recriminação. 5. *Bras.* Enredo, mexerico, intriga. 6. *Bras.* Enredo, embuste, embrulho. 7. *Bras.* Trapaça no jogo. 8. *Bras. P. ext.* Roubo, ladroeira. 9. *Bras.* Conversa fiada; mentira, patranha, peta. 10. *Bras.* Vadiagem, preguiça, inércia. 11. *Bras.* Agrado fingido; adulação. 12. *Bras.* Desordem em consequência de muito falatório. 13. *Bras.* Serviço malfeito. 14. *Bras.* Sujeira, porcaria.

lambanceador (ô) [De *lambancear* + *-dor.*] *Adj. S. m. Bras. RS* Lambanceiro.

lambancear [De *lambança* + *-ear*[2].] *V. int. Bras.* 1. Fazer lambança (5); intrigar, enredar. 2. Conversar demais. [Conjug.: v. *frear.*]

lambanceiro [De *lambança* + *-eiro.*] *Adj. S. m. Bras.* Diz-se de, ou aquele que faz lambança ou gosta de lambança. [Sin. (no RS): *lambanceador.*]

lambão [De *lamb-*, como em *lamber* e *lambança*, + *-ão*[1].] *Adj. S. m.* 1. Que, ou aquele que é lambareiro (1). 2. Que, ou aquele que se lambuza ao comer. 3. Que, ou aquele que não sabe lidar com as coisas sem sujar-se; lambuzão, lambarão. 4. *Fig.* Que, ou aquele que faz mal o seu serviço ou a sua arte; matão. 5. Tolo, palerma, parvo. [Fem.: *lambona.*]

lambar [De *lamb(ada)* + *-ar*[2].] *V. t. d. Bras.* Dar lambadas em; chicotear; vergastar. [Fut. pres.: *lambarei, lambarás*, etc. Cf. *lambaraz.*]

lambarão [De *lamb-*, como em *lamber* e em *lambança*, + *-arão.*] *Adj. S. m. Bras.* 1. V. *lambão* (3). 2. V. *lambuzão.* [Fem.: *lambarona.*]

lambarar *V. int.* Comer, gostar de lambarices [v. *lambarice* (2)]; ser lambareiro; lambujar.

lambaraz *Adj. 2 g. S. 2 g.* V. *lambareiro* (1 e 3). [Cf. *lambarás*, do v. *lambar.*]

lambareiro [De *lamber*, poss.] *Adj.* 1. Que é guloso, amigo de lambarices; lambão, lambaraz, lambaz, lambeiro, lambisqueiro, lambujeiro: "Os mineiros foram sempre muito lambareiros, amigos de doces e quitandas" (Eduardo Frieiro, *Feijão, Angu e Couve*, p. 213). 2. Mexeriqueiro, bisbilhoteiro, intrigante, chocalheiro. ● *S. m.* 3. Aquele que é guloso; lambão, lambaraz, lambaz, lambeiro, lambisqueiro, lambujeiro. 4. Mexeriqueiro, bisbilhoteiro, intrigante, chocalheiro. 5. *Ant. Marinh.* Gato (7) de grande tamanho, ligado a um cabo com mão e sapatilho no chicote, que servia para levar a âncora à posição horizontal de descanso, quando a embarcação estivesse navegando. [Cf., nesta acepç., *turco do lambareiro.*]

lambari [Var. de *alambari* < tupi.] *Bras. S. m.* 1. *Zool.* Designação comum a numerosas espécies de peixes caraciformes, caracídeos. São pequenos, nutrem-se de invertebrados aquáticos, sementes, restos de animais, etc., e muito apreciados para alimentação no interior do Brasil. [Var. (bras., N.E.): *alambari.* Sin.: *piaba, matupiri.*] 2. Serrote de lâmina muito estreita.

lambarice [De *lambar-*, como em *lambareiro*, + *-ice.*] *S. f.* 1. Qualidade de lambareiro. 2. Guloseima, gulodice, gulosice; lambujem.

lambari-do-rabo-vermelho *S. m. Bras. Zool.* Lambariguaçu. [Pl.: *lambaris-do-rabo-vermelho.*]

lambariense *Adj. 2 g.* 1. De, ou pertencente ou relativo a Lambari (MG). ● *S. 2 g.* 2. O natural ou habitante de Lambari.

lambariguaçu [De *lambari* + *-guaçu.*] *S. m. Bras. Zool.* Peixe caracídeo (*Astyanax fasciatus*) comum em rios da América Central e do Sul, de dorso cinza-escuro, passando a prateado no abdome, nadadeira caudal e círculo em torno dos olhos vermelhos, e comprimento de até 18cm; lambari-do-rabo-vermelho.

lambari-pintado *S. m. Bras. Zool.* V. *tambiú.* [Pl.: *lambaris-pintados.*]

lambari-piquira *S. m. Bras. SP Zool.* V. *piquira* (6). [Pl.: *lambaris-piquiras.*]

lambari-prata *S. m. Bras. Zool.* Peixe caracídeo (*Hyphessobrycon reticulatus*) do S.E. e S. do Brasil e tb. da Argentina, com até 5cm de comprimento, de coloração prateada com uma mácula escura atrás do opérculo e outra na base da nadadeira caudal. [Pl.: *lambaris-pratas* e *lambaris-prata.*]

lambarizinho [De *lambari* + *-zinho.*] *S. m. Bras. Zool.* Designação comum às espécies menores do gênero *Astyanax* (v. *lambariguaçu*) e afins.

lambarona *S. f.* Fem. de *lambarão* (q. v.).

lambateria *S. f.* Estabelecimento onde se dança, sobretudo, lambada (6): "Não existe uma lambateria no Rio, mas muitas casas já apostam no ritmo." ("Programa" em *Jornal do Brasil*, 10.12.1989.)

lambaz [De *lamber*, poss.] *Adj. 2 g.* 1. V. *lambareiro* (1). ● *S. m.* 2. V. *lambareiro* (3). 3. *Marinh.* Molho de fios de carreta, formando uma espécie de vassoura, que se empregava a bordo para enxugar os conveses, as anteparas, etc.: "Marinheiros vassoiravam o convés, enquanto outros iam passando o lambaz onde já não havia água." (Adolfo Caminha, *Bom-Crioulo*, p. 47.)

lambazar [De *lambaz* + *-ar*[2].] *V. t. d.* Enxugar ou varrer com o lambaz (3).

lambda [Do gr. *lámbda*, pelo lat. *lambda.*] *S. m.* 1. A 11.ª letra do alfabeto grego (Λ, λ), correspondente ao nosso *l*. 2. *Anat.* A parte do crânio onde se unem as suturas sagitais com a lambdoide.

lambda-b *S. m. Fís. Part.* Bárion de massa igual a 5.641,0 MeV/c^2, *isospin* zero, *spin* 1/2, paridade positiva, carga elétrica nula, beleza -1, composto de *quarks*, *u*, *d* e *b* [símb.: λb]. [Seu *isospin*, *spin* e paridade, predições do modelo de *quarks*, necessitam de confirmação experimental.] [Pl.: *lambdas-b.*]

lambda-c *S. m. Fís. Part.* Lambda-c-mais. [Pl.: *lambdas-c.*]

lambdacismo [Do gr. *lambdakismós*, pelo lat. tard. *lambdacismu.*] *S. m. E. Ling.* Pronúncia viciosa da letra *l*, que consiste em dobrá-la, repeti-la muito, ou articulá-la em lugar do *r*. Ex.: *colda* em vez de *corda.*

lambda-c-mais *S. m. Fís. Part.* Bárion de massa igual a 2.285,1 MeV/c^2, *isospin* zero, *spin* 1/2, paridade positiva, carga elétrica igual à do próton, charme +1, composto de *quarks u, d* e *c* [símb.: λc+]. [Tb. se diz apenas *lambda-c*.] [Pl.: *lambdas-c-mais*.]

lambda-zero *S. m. Fís. Part.* Bárion que, no estado fundamental, tem massa igual a 1.115,68 MeV/c^2, *isospin* zero, *spin* 1/2, paridade positiva, carga elétrica nula, e estranheza -1, composto de *quarks u, d* e *s* [símb.: λ0]. [Pl.: *lambdas-zero*.]

lambdoide (ói) [Do gr. *lambdoeidés*.] *Adj. 2 g.* **1.** Que tem forma de lambda. ~ V. *sutura* —. ● *S. f.* **2.** *Anat.* Sutura lambdoide. ❖

lambdotério [De *lambdó(ide)* + *-tério*; tax. *Lambdotherium*.] *S. m. Paleont.* **1.** Gênero de pequenos mamíferos perissodáctilos, de características muito primitivas, que viveram no oligoceno da América do Norte e são considerados animais de transição entre os brontotérios e os perissodáctilos atuais. **2.** Espécie ou espécime desse gênero.

lambe-botas [De *lamber* + o pl. de *bota*[1].] *S. 2 g. e 2 n.* V. *bajulador* (2).

lambeção [De *lamber* + *-ção*.] *S. f.* V. *lambição*.

lambe-cu [De *lamber* + *cu*.] *S. 2 g.* V. *bajulador* (2). [Pl.: *lambe-cus*.]

lambedeira [De *lamber* + *-deira*.] *Adj.* **1.** Fem. de *lambedor*. ● *S. f.* **2.** Fem. de *lambedor* (4 e 5). **3.** *Bras. Pop.* Faca estreita e comprida; faca de ponta; bicuda, cotruco, espinho, espinho de santo antônio, lapiana, pajeú, parnaíba, pernambucana, tijubina.

lambedela *S. f.* V. *lambidela* (1).

lambedor (ô) [De *lamber* + *-dor*.] *Adj.* **1.** Que lambe. **2.** *Bras.* V. *bajulador* (2). ● *S. m.* **3.** *Bras.* Aquele que lambe. **4.** *Bras.* Indivíduo lambedor (2), bajulador. [Fem. (nessas acepç.): *lambedeira*.] **5.** Loque (2): "o velho Ingá referiu-se às virtudes medicinais daquela árvore — jataí —, de cujo entrecasco os curandeiros fazem um '*lambedor*' — espécie de xarope — ótimo para limpar os brônquios." (Ulisses Lins de Albuquerque, *Um Sertanejo e o Sertão*, pp. 234-235). **6.** *Bras. BA* Terreno salgado e alagadiço.

lambedoria [De *lambedor* + *-ia*[1].] *S. f.* Ação de lamber repetidamente: "olhos na toalha em que se arrastavam moscas sonolentas, pesadas da lambedoria dos pratos." (Aquilino Ribeiro, *Caminhos Errados*, p. 142).

lambedura [De *lamber* + *-dura*.] *S. f.* V. *lambidela* (1).

lambe-esporas [De *lamber* + o pl. de *espora*.] *S. 2 g. e 2 n.* **1.** *Bras.* V. *leva e traz*. **2.** *Bras. RS* V. *bajulador* (2).

lambeiro *Adj. S. m.* V. *lambareiro* (1 e 3).

lambel[1] *S. m.* V. *alambel*.

lambel[2] [Do fr. *lambel*.] *S. m. Heráld.* Cotica que atravessa horizontalmente a parte superior de um brasão, ger. distintiva de ramo não primogênito. [Pl.: *lambéis*. Cf. *lambeis*, do v. *lamber*.]

lambe-lambe [Da 3ª pess. sing. do pres. ind. de *lamber*, repetida.] *S. m. Bras. RJ Pop.* **1.** Fotógrafo ambulante. **2.** A primeira fila dos teatros de revistas. [Pl.: *lambe-lambes* e *lambes-lambes*.]

lambente [De *lamber* + *-nte*.] *Adj. 2 g.* Que lambe; lambedor.

lambe-olhos [De *lamber* + o pl. de *olho*.] *S. f. 2 n. Bras. Zool.* **1.** A menor das abelhas meliponíneas (*Trigona duckei*), com cerca de 2mm de comprimento. Nidifica em tronco de árvores, e tem o hábito de penetrar nos olhos dos indivíduos que a molestam; lambe-papo. **2.** *Frecheira*[2].

lambeossauro (âm) [Do tax. *Lambeosaurus* < antr. *Lambe*, de um paleontologista canadense, + *-o-* + lat. cient. *-saurus* (v. *-sauro*).] *S. m. Paleont.* **1.** Gênero de dinossauros dotados de focinho semelhante a um bico de pato e crista óssea no alto do crânio, apontando para a frente, e espinha dorsal saliente, ao longo do corpo; em algumas espécies, a crista era maior que o crânio. Tinha cerca de 15m de comprimento e ossatura compacta, e era capaz de postura bipedal; viveu no cretáceo da América do Norte. **2.** Espécie ou espécime desse gênero.

lambe-papo [De *lamber* + *papo*.] *S. f. Bras. Zool.* Lambe-olhos (1). [Pl.: *lambe-papos*.]

lambe-pratos [De *lamber* + o pl. de *prato*.] *S. 2 g. e 2 n. Fam.* Limpa-pratos.

lamber [Do lat. *lambere*.] *V. t. d.* **1.** Passar a língua sobre: *O cão lambia, contente, o seu dono.* **2.** Ingerir, lambendo: "Teu cavalo nitrindo na savana / lambe as úmidas gramas em meus dedos." (Castro Alves, *Poesias Escolhidas*, p. 441.) **3.** Comer com sofreguidão; devorar; engolir: *Lambeu tudo o que lhe puseram à frente na mesa.* **4.** Tocar de leve; atingir de passagem; roçar: "não conseguia mais o pouco de calma que a princípio sentira, quando as ondas vinham lamber-lhe os pés" (Autran Dourado, *Nove Histórias em Grupos de Três*, p. 22); "Os flocos [de neve] voltam a dançar alegres ao ritmo do vento. Lambem a vidraça." (Silviano Santiago, *Keith Jarrett no Blue Note*, p. 68). **5.** Estender-se por cima de, ao longo de, destruindo, devastando: "E as chamas começaram a lamber o negro costado da escuna, crepitando com o derreter de alcatrão" (Galpi, *Narrativas Brasileiras*, p. 81). **6.** Aperfeiçoar com requinte; apurar demais; polir: *Lambe os seus escritos, antes de publicá-los.* **7.** Corroer, desgastar. **8.** Correr por; banhar: *Naquela região o mar lambe suavemente as brancas areias.* **9.** *Bras. Pop.* Adular, bajular: *Vive lambendo os poderosos.* ***Int.*** **10.** *Bras. RJ* Pegar fogo, incendiar-se (o balão). ***P.*** **11.** Passar a língua sobre si mesmo. **12.** Dar sinais de alegria; demonstrar satisfação: "Boi solto lambe-se todo" (prov.). [Pres. ind.: *lambo, lambes, lambe, lambemos, lambeis, lambem*. Cf. *lambéis*, pl. de *lambel*.]

→ **lambert** ['læmbɑːt] [V.C.I., do antr. (*Johann H.*) *Lambert* (1728-1777), físico alemão.] *S. m. Fotom.* Unidade de medida de luminância, igual a $10^4/\pi$ candelas por metro quadrado.

lambe-sujo [De *lamber* + *sujo*.] *S. m. Bras. SE Etnogr.* Folguedo popular, de caráter dramático, que lembra a luta contra os quilombos. [Pl.: *lambe-sujos*.]

lambeta (ê) [De *lamber* + *-eta* (ê).] *Adj. 2 g. S. 2 g. Bras. RS* **1.** Intrigante, mexeriqueiro, lambanceiro, lambeteiro. **2.** V. *bajulador* (1 e 2). [Sin. ger.: *lambeteiro*.]

lambetear [De *lambeta* + *-ear*[2].] *V. int. Bras. S.* Proceder como lambeta; fazer adulações ou mexericos. [Conjug.: v. *frear*.]

lambeteiro [De *lambeta* + *-eiro*.] *Adj. S. m. Bras. S.* **1.** V. *lambeta* (1). **2.** V. *bajulador* (1 e 2).

lambi *Bras. S. 2 g.* **1.** *Etnôn.* Indivíduo dos lambis, povo indígena extinto que habitava a margem direita do rio Branco (RO). ● *Adj. 2 g.* **2.** Pertencente ou relativo a esse povo. [Tb. us. como *s. 2 g. e 2 n.* (com cap.) e *adj. 2 g. e 2 n.*]

lambição [De *lamber* + *-ição*.] *S. f. Bras. Pop.* Adulação, bajulação.

lambida [De *lamber* + *-ida*[3].] *S. f.* V. *lambidela* (1).

lambidela [De *lambida* + *-ela*.] *S. f.* **1.** Ato ou efeito de lamber; lambedela, lambedura, lambida. **2.** *Fig.* Lisonja, adulação, bajulação. **3.** V. *gorjeta*[1] (2).

lambido [Part. de *lamber*.] *Adj.* **1.** Que se lambeu. **2.** Diz-se da obra de arte (pintura, poesia, etc.) demasiado polida, suave em excesso. **3.** *Bras.* Desgracioso, desenxabido. **4.** *Bras.* Afetado, presumido, delambido. **5.** *Lus. Fam.* Apurado no vestir; bem-posto.

lambiscada [De *lambiscar* + *-ada*[1].] *S. f.* Ato ou efeito de lambiscar uma vez.

lambiscador (ô) [De *lambiscar* + *-dor*.] *Adj. S. m. Bras.* Diz-se de, ou indivíduo que gosta de lambiscar petiscos; guloso.

lambiscar [De *lamber* + *-iscar*.] *V. t. d.* **1.** Comer pouco; debicar: "Tudinha estava com enjoos, lambiscando uma que outra guloseima, sem querer se alimentar e dormir direito." (Nélson de Faria, *Tiziu e Outras Estórias*, pp. 150-151.) ***Int.*** **2.** Comer pouco; debicar. **3.** Comer com frequência, mas pouco de cada vez, da mesma comida ou, sobretudo, de várias; paparicar: "o gargalhar de dous ou três gastrônomos obstinados, que lambiscavam ainda a um canto da mesa, teimosos em disputarem sobre a superioridade deste ou daquele prato" (Afonso Arinos, *Pelo Sertão*, p. 138). [Conjug.: v. *trancar*.]

lambiscaria [De *lambiscar* + *-aria*.] *S. f.* **1.** Ação de lambiscar. **2.** *Bras.* V. *gulodice* (2).

lambisco [Dev. de *lambiscar*.] *S. m.* **1.** Pequena porção de comida. **2.** Pouca coisa.

lambisgoia (ói) [De *lamber*.] *S. f.* **1.** Mulher delambida. **2.** Pessoa intrometida, metediça, atrevida. **3.** Pessoa magra, desenxabida, antipática. ❖

lambisgoice [De *lambisgo(ia)* + *-ice*.] *S. f.* **1.** Qualidade, ato, dito ou procedimento de lambisgoia. **2.** Atrevimento, intrometimento: "com um estupefaciente prefácio de Afrânio Peixoto, primor da lambisgoice pseudoliterária" (Marques Rebelo, *O Trapicheiro*, p. 215).

lambisqueiro [De *lambisco* + *-eiro*.] *Adj. S. m.* V. *lambareiro* (1 e 3).

lambona *S. f.* Fem. de *lambão* (q. v.).

lamborada [De or. obscura.] *S. f. Bras.* V. *lambada* (3).

lambrecado [Part. de *lambrecar*.] *Adj.* V. *labreado*.

lambrecar *V. t. d. Bras.* V. *labrear*. [Conjug.: v. *trancar*.]

lambregar *V. t. d. Bras. N.* V. *labrear*. [Conjug.: v. *regar*.]

lambrequim [Do fr. *lambrequin*, do rad. de *lambeau*, 'pedaço de tecido', com o suf. dim. neerl. *-quin*.] *S. m.* Lambrequins.

lambrequinado [De *lambrequim* + *-ado*[1].] *Adj.* Ornado de lambrequins.

lambrequins *S. m. pl.* **1.** Ornatos que pendem do elmo sobre o escudo ou que o circundam. **2.** Ornatos de recortes de madeira ou de lâmina metálica para beiras de telhados, cortinas, cantoneiras, etc.: "Alguns proprietários, poupando a platibanda e os lambrequins, não esquecem de dar ao telhado do edifício o jeito característico e de rematar as duas extremidades da cumeeira com as flechas características." (Lima Barreto, *Vida e Morte de M. J. Gonzaga de Sá*, p. 114.) [Tb. é us. no sing.]

lambreta (ê) [Do it. *lambretta*, nome comercial, do top. *Lambrate*, localidade perto de Milão.] *S. f. Bras.* V. *motoneta*.

lambreteiro [De *lambreta* + *-eiro*.] *S. m.* Lambretista.

lambretista [De *lambreta* + *-ista*.] *S. 2 g.* Indivíduo que habitualmente se transporta em lambreta; lambreteiro.

lambri [Do fr. *lambris*.] *S. m.* V. *lambris*: "O Coronel Andrade .... entrava preso no grande salão de audiências, de decoração pesada e lustroso lambri negro." (Carlos Drummond de Andrade, *A Bolsa & a Vida*, p. 38.)

lambril *S. m.* V. *lambris*.

lambrim *S. m. Pop.* V. *lambris*.

lambris [Do fr. *lambris*, tomado como pl.] *S. m. pl. Arquit.* Revestimento de madeira, azulejos, mármore, etc., aplicado até certa altura das paredes internas de peça dum edifício; alizar. [Tb. us. no sing., com as f. *lambril* e *lambri*. Var. pop.: *lambrim*.]

lambrisamento [De *lambrisar* + *-mento*.] *S. m. Bras.* Ato ou efeito de lambrisar.

lambrisar [De *lambris* + *-ar*[2].] *V. t. d. Bras.* Guarnecer (uma parede) de lambris.

lambu *S. m. e f. Bras. PB Zool.* V. *inhambu*: "Também falam da caipora que pegou um sujeito na estrada, um tal de Pepé, caçador de lambu." (José Lins do Rego, *Fogo Morto*, p. 63.)

lambuçar *V. t. d. P. P. us.* V. *lambuzar*. [Conjug.: v. *laçar*.]

lambuja [Dev. de *lambujar*.] *S. f. Bras.* **1.** Lambujem (5 e 6). **2.** V. *gorjeta*[1] (2).

lambujar [De *lambuj(em)* + *-ar*[2].] *V. int.* Andar à lambujem; lambarar.

lambujeiro [De *lambujar* + *-eiro*.] *Adj. S. m.* Que, ou aquele que lambuja; guloso, lambareiro.

lambujem [De *lamber*, poss.] *S. f.* **1.** Ato de comer gulodices. **2.** V. *lambarice* (1). **3.** Resto de comida que fica no prato. **4.** *Fig.* Pequeno lucro com que se seduz alguém. **5.** *Bras.* Vantagem que um jogador concede ao parceiro; lambuja. **6.** *Bras.* O que se ganha ou se dá além do combinado; quebra, inhapa; lambuja. **7.** *Bras.* V. *gorjeta*[1] (2).

lambuzação [De *lambuzar* + *-ção*.] *S. f.* Ato ou efeito de lambuzar.

lambuzada [De *lambuzar* + *-ada*[1].] *S. f. Pop.* **1.** Ato ou efeito de lambuzar(-se). **2.** Coisa que suja. **3.** Mancha, nódoa ou vestígio de substância gordurosa ou pastosa; besuntadela, lambuzadela.

lambuzadamente [Do f. de *lambuzado* + *-mente*.] *Adv.* De maneira lambuzada; sujamente, porcamente: "laranjas que chupavam às talhadas chuchurreando lambuzadamente." (Coelho Neto, *Rei Negro*, p. 101).

lambuzadela [De *lambuzar* + *-dela*.] *S. f.* **1.** Ato ou efeito de lambuzar(-se) levemente. **2.** V. *lambuzada* (3). **3.** Pintura ligeira. **4.** *Fig.* Leves noções; rudimentos: *Tem apenas umas lambuzadelas de psicologia.*

lambuzado [Part. de *lambuzar*.] *Adj.* Sujo, emporcalhado.

lambuzão *Adj. S. m. Bras.* **1.** Diz-se de, ou aquele cujo vestuário é pouco asseado, desleixado ou negligente. **2.** V. *lambão* (2). [Sin. ger.: *lambarão*. Fem.: *lambuzona*.]

lambuzar [De *lamber*, poss.] *V. t. d.* **1.** Sujar, emporcalhar; besuntar, principalmente de comida. **2.** Pôr nódoas de gordura em. ***P.*** **3.** Sujar-se, emporcalhar-se (principalmente de comida): "Quem nunca comeu mel, quando come se lambuza" (prov.); "Vivia nos salões de beleza, lambuzando-se de cremes." (Gilvã Lemos, *Jutaí Menino*, p. 192). [F. paral.: *enlambuzar*, *labuzar* e (p. us.) *lambuçar*.]

lambuzeira [De *lambuzar* + *-eira*.] *S. f.* V. *meleira* (1).

lambuzona *S. f.* Fem. de *lambuzão* (q. v.).

lamê [Do fr. *lamé*, der. de *lame*, 'lâmina'.] *Adj. 2 g. S. m. Tec. Têx.* Diz-se de, ou tecido brilhante fabricado com fios de seda, ou sintéticos, em que se entremeiam fios metálicos: *o vestido era de tecido lamê; usava uma saia de lamê.*

lamecense [Do lat. *lamecense*.] *Adj. 2 g.* **1.** De, ou pertencente ou relativo a Lamego (Portugal). ● *S. 2 g.* **2.** O natural ou habitante de Lamego.

lamecha [De or. incerta.] *Adj. 2 g. S. 2 g.* Que, ou aquele que está ridícula ou tolamente enamorado; baboso, bajoujo, coió.

lamecharia [De *lamecha* + *-aria*.] *S. f.* V. *lamechice*.

lamechice [De *lamecha* + *-ice*.] *S. f.* Qualidade, ato, modos ou dito de lamecha; lamechismo, lamecharia.

lamechismo [De *lamecha* + *-ismo*.] *S. m.* V. *lamechice*.

lamedo (ê) [De *lama*[1] + *-edo*.] *S. m. Bras.* V. *lamaçal* (1): "O lamedo dera-lhe, no vau do Anicuns, um trabalhão" (Hugo de Carvalho Ramos, *Tropas e Boiadas*, p. 4).

lamego (ê) [Do top. lus. *Lamego*, poss.] *S. m. Bras. SP* Pãozinho coberto com creme de ovos.

lameira [De *lama*[1] + *-eira*.] *S. f.* **1.** V. *lamaçal* (1). **2.** V. *lameiro* (2).

L

lameirão [De *lameiro* + *-ão*[1].] ***S. m.*** **1.** Grande lameiro. **2.** V. *pântano* (2).

lameiro [De *lama*[1] + *-eiro*.] ***S. m.*** **1.** V. *lamaçal* (1). **2.** Terra alagadiça que produz muito pasto; lameira. **3.** Terras que surgem com a vazante dos rios e são aproveitadas para cultivo. **4.** *Mar.* Embarcação de ferro, com caixas de ar nas extremidades e portas no fundo, destinada a transportar lama proveniente de dragagem do porto. ● ***Adj.*** **5.** *Turfe Gír.* Diz-se do cavalo que corre melhor em pista molhada.

lamela [Do lat. *lamella*.] ***S. f.*** **1.** Placa ou lâmina muito delgada. **2.** Folha (1) delgada. **3.** *Zool.* Escama, placa ou camada, sempre muito finas, que ocorrem, p. ex., nas brânquias de moluscos pelecípodes. ◆ **Lamela média.** *Bot.* Camada intercelular, rica em compostos pécticos, que une as paredes primárias de duas células adjacentes. **Lamela óssea.** *Histol.* Lâmina de fibras colágenas paralelas entre si, ou distribuídas em camadas concêntricas.

lamelação [De *lamelar*[2] + *-ção*.] ***S. f.*** Disposição ou divisão em lamelas.

lamelado [Part. de *lamelar*[2].] ***Adj.*** **1.** Que tem lamelas: 📖 "Os xistos lamelados e as cristas de ardósia limpam o longo itinerário das grandes nuvens de pó que a caminho de Ouro Preto e de Mariana desabam no transeunte." (Vitorino Nemésio, *O Segredo de Ouro Preto*, p. 335.) **2.** Disposto em, ou composto de lâminas.

lamelar[1] [De *lamela* + *-ar*[1].] ***Adj. 2 g.*** V. *lameloso*.

lamelar[2] [De *lamela* + *-ar*[2].] ***V. t. d.*** **1.** Guarnecer com lâminas ou lamelas. **2.** Dividir em lâminas; laminar.

▲ **lameli-** [Do lat. *lamĕlla, ae*.] ***El. comp.*** = 'pequena lâmina': *lamelibrânquio, lameliforme*.

lamelibrânquio [De *lameli-* + *-brânquio*; tax. *Lamellibranchia*.] ***S. m. Adj.*** *Zool.* V. *pelecípode*.

lamelicórneo[1] [De *lameli-* + *-corn(i)-* + *-eo*.] ***Adj.*** *Bras. Zool.* Diz-se de antena que termina em massa folhosa.

lamelicórneo[2] [Adapt. do tax. *Lamellicornia*.] *Zool.* ***S. m.*** **1.** Espécime de lamelicórneos, divisão de insetos coleópteros pentâmeros. ● ***Adj.*** **2.** Pertencente ou relativo a eles.

lamelífero [De *lameli-* + *-fero*.] ***Adj.*** V. *lameloso*.

lameliforme [De *lameli-* + *-forme*.] ***Adj. 2 g.*** Que tem forma de lâmina. ~ V. *sáculo* —.

lamelípede [De *lameli-* + *-pede*.] ***Adj. 2 g.*** *Zool.* Que tem pés achatados.

lamelirrostro[1] [De *lameli-* + *-rostro*.] ***Adj.*** *Zool.* Cujo bico é guarnecido de lâminas.

lamelirrostro[2] [Adapt. do tax. *Lamellirostres*.] *Zool. Desus.* ***S. m.*** **1.** Espécime de lamelirrostros, designação comum às aves anseriformes e fenicopterídeas. ● ***Adj.*** **2.** Pertencente ou relativo a eles.

lameloso (ô) [De *lamela* + *-oso*.] ***Adj.*** Que tem lâminas; laminoso, lamelífero, lamelar, laminar.

lamentação [Do lat. *lamentatione*.] ***S. f.*** **1.** Ato ou efeito de lamentar(-se). **2.** Queixa acompanhada de gemidos e gritos; lamento, lamúria. **3.** Manifestação, por meio de palavras, de sofrimento moral; lamúria, lamento; gemido; queixa. **4.** *P. ext.* Canto fúnebre; elegia, nênia.

lamentador (ô) [Do lat. tard. *lamentatore*.] ***Adj. S. m.*** Que, ou aquele que lamenta ou se lamenta.

lamentante [De *lamentar* + *-nte*.] ***Adj. 2 g.*** Em que há lamento.

lamentar [Do lat. tard. *lamentare*.] ***V. t. d.*** **1.** Chorar ou prantear com gemidos, gritos ou lamentação. **2.** Lastimar, deplorar, lamuriar: 📖 "O rapaz .... descreveu a morte, toda a agonia da infeliz, lamentando a grande perda" (Coelho Neto, *Turbilhão*, p. 333). **3.** Afligir-se, magoar-se, por causa de: 🗎 *Não lamente o que se passou e não pode ser corrigido.* **4.** Pronunciar como em lamentação (2). ***P.*** **5.** Manifestar mágoa; queixar-se, lastimar-se, lamuriar-se, carpir-se. [Pret. imperf. ind.: *lamentava*, ... *lamentáveis*, *lamentavam*. Cf. *lamentáveis*, pl. de *lamentável*.]

lamentável [Do lat. *lamentabile*.] ***Adj. 2 g.*** **1.** Digno de ser lamentado; digno de dó, de compaixão; lastimoso, lastimável, deplorável, lamentoso: 📖 "Como o socorro não descia do céu, cada manhã ele recomeçava desesperadamente .... as suas súplicas lamentáveis" (Eça de Queirós, *Últimas Páginas*, pp. 294-295). **2.** Digno de ser censurado; censurável, deplorável: 🗎 *Não sei como desculpar-me pelo incidente lamentável de ontem, na festa.* [Pl.: *lamentáveis*. Cf. *lamentáveis*, do v. *lamentar*.]

lamento [Do lat. tard. *lamentu*.] ***S. m.*** **1.** V. *lamentação* (2 e 3). **2.** Pranto, choro. **3.** *Mús.* Nas óperas dos sécs. XVII e XVIII, episódio lírico-dramático, para canto ou recitativo, que antecedia o desfecho.

lamentoso (ô) [Do lat. tard. *lamentosu*.] ***Adj.*** **1.** Que tem caráter de lamentação ou lamento: 📖 "Pouco a pouco foram esmaecendo os murmúrios e os latidos lamentosos, como nênias em longínquo campo-santo." (Fidelino de Figueiredo, *Entre Dois Universos*, p. 238); 🗎 *Irrita-me a sua voz sempre lamentosa.* **2.** V. *lamentável* (1): 📖 "Havia um fato, um triste, lamentoso fato, que tudo explicava" (Herberto Sales, *Dados Biográficos do Finado Marcelino*, p. 201). **3.** Plangente, lastimoso, triste: 🗎 *O cantador tirava de sua viola sons lamentosos, que a todos comoviam.*

lâmia [Do lat. *lamia* < gr. *lamía*.] ***S. f.*** Entre os antigos, monstro fabuloso que, segundo a crendice popular, aparecia sob forma feminina para chupar o sangue das crianças e praticar outros malefícios.

lamiácea [Do tax. *Lamium* + *-ácea*; tax. *Lamiaceae*.] ***S. f.*** *Bot.* Espécime das lamiáceas, família da ordem das lamiales, incluída, por vezes, entre as verbenáceas, que engloba ervas e subarbustos, raramente árvores. Folhas opostas; flores vistosas, coloridas, zigomorfas; corola labiada; estames didínamos; gineceu com dois carpelos biovulados; ovário com quatro lóculos, e o estilete ginobásico. Fruto: cocos monospérmicos. Todos os órgãos encerram óleos essenciais. Há perto de 3.000 dessas espécies em clima temperado e tropical, muitas no Brasil, várias delas ornamentais e medicinais. [Sin.: *labiada*.]

lamiáceo [De *lamiácea*, com var. suf. (v. *-áceo*).] ***Adj.*** *Bot.* Pertencente ou relativo às lamiáceas; labiado.

lamial [Do tax. *Lamium* + *-al*[1].] ***Adj. 2 g.*** *Bot.* Pertencente ou relativo às lamiales.

lamiale [Do tax. *Lamium* + *-ale*; tax. *Lamiales*.] ***S. f.*** *Bot.* Espécie das lamiales, ordem de dicotiledôneas que reúne as famílias das lennoáceas, boragináceas, verbenáceas, aviceniáceas, cicloquiláceas, das estilbáceas, frimáceas e lamiáceas.

lâmina [Do lat. *lamina*.] ***S. f.*** **1.** Chapa delgada de metal, ou de outro material. **2.** Fragmento chato e delgado de qualquer substância; lasca. **3.** Pequena placa de vidro, que serve de porta-objeto em microscopia. **4.** Folha de instrumento cortante. **5.** *Veter.* Parte do cravo que entra no casco da cavalgadura, e que termina em ponta. **6.** *Anat.* Faixa delgada de qualquer tecido (5). [Dim. irreg.: *lamela, lamínula*. Cf. *lamina*, do v. *laminar*.] ◆ **Lâmina basal.** *Histol.* Estrutura encontrada na superfície de contato de epitélio com tecido conjuntivo. **Lâmina bimetálica.** *Fís.* Lâmina feita de dois metais diferentes e soldados, us. para abrir e fechar contatos em termostatos e em chaves térmicas de retardo. **Lâmina da língua.** *Anat.* Porção da língua situada entre a ponta e o dorso. **Lâmina de pagamento.** *Bras.* Impresso (3) emitido por instituição financeira, empresa, etc., próprio para registro e efetuação de pagamento de compromisso (3). **Lâmina nuclear.** *Citol.* Rede de filamentos proteicos associada à membrana interna do envoltório nuclear. **Lâmina pré-secante.** *Odont.* Lâmina de broca odontológica, de forma esférica, e que é responsável pelo corte em profundidade do tecido dentário. **Lâmina vertebral.** *Anat.* Cada uma de duas peças chatas existentes em vértebra e que, em seu aspecto posteromedial, se fundem, completando o buraco vertebral.

laminação [De *laminar*[2] + *-ção*.] ***S. f.*** **1.** Ato ou efeito de laminar[2]; laminagem. **2.** *Ind. Pap.* Processo de conversão do papel ou do cartão, por meio da junção de folha(s) com lâmina(s) de plástico, alumínio ou outro material.

lâmina-d'água ***S. f.*** Distância entre a superfície e o fundo de um corpo-d'água: 📖 "O poço [de Guará, no qual a Petrobras encontrou petróleo] está localizado no bloco BM-S-9, em lâmina-d'água .... de 2.141 metros." (*O Globo*, 09.09.2009.) [Pl.: *lâminas-d'água*.]

laminado[1] [De *lâmina* + *-ado*[2].] ***Adj.*** Que tem feitio de lâmina.

laminado[2] [Part. de *laminar*[2].] ***Adj.*** **1.** Composto ou feito de lâminas. **2.** *Metal.* Diz-se de chapa de metal que se obtém por laminação. ~ V. *papel* —. ● ***S. m.*** **3.** *Metal.* Produto siderúrgico obtido mediante passagem no laminador (3).

laminador (ô) [De *laminar*[2] + *-dor*.] ***Adj.*** **1.** Que lamina. ● ***S. m.*** **2.** Aquele que lamina. **3.** *Metal.* Máquina com que se fazem lâminas ou se reduz a espessura das peças de metal. **4.** *Eng. Ind.* Máquina constituída de cilindros de pressão, com abertura variável, entre os quais se faz passar material que deve ser adelgaçado.

laminagem [De *laminar*[2] + *-agem*[2].] ***S. f.*** **1.** Laminação (1). **2.** *Geol.* Adelgaçamento das camadas resultante de dobramentos.

laminar[1] [De *lâmina* + *-ar*[2].] ***V. t. d.*** **1.** Reduzir a lâminas; chapear; lamelar. **2.** Proteger (estampas, livros, etc.), fazendo aderir a ambas as faces das folhas estragadas um papel transparente especial. [Cf., nesta acepç., *telar*.] **3.** *Ind. Pap.* Preparar (papel ou cartão) pelo processo de laminação. [Pres. ind.: *lamino, laminas, lamina*, etc. Cf. *lâmina*, s. f.]

laminar[2] [De *lâmina* + *-ar*[1].] ***Adj. 2 g.*** **1.** V. *lameloso*. **2.** *Anat.* De, ou relativo à lâmina (5). ~ V. *consoante* —, *escoamento* — e *movimento* —. ● ***S. f.*** **3.** Consoante laminar (q. v.).

laminável [De *laminar*[2] + *-vel*.] ***Adj. 2 g.*** Que pode ser laminado.

laminectomia [Do lat. *lamina*, 'lâmina', + *-ectom-* + *-ia*[1].] ***S. f.*** *Cir.* Resseção de lâmina vertebral.

laminectômico ***Adj.*** V. *laminectômico*. [Uso freq. em P.]

laminectômico [De *laminectomia* + *-ico*[2].] ***Adj.*** Relativo a laminectomia.

laminense ***Adj. 2 g.*** **1.** De, ou pertencente ou relativo a Lamim (MG). ● ***S. 2 g.*** **2.** O natural ou habitante de Lamim.

laminite [De *lâmina* + *-ite*[1].] ***S. f.*** *Veter.* Inflamação das partes sensíveis dos cascos dos equídeos. [Sin.: *infusura, aguamento*.]

laminoso (ô) [Do lat. tard. *laminosu*.] ***Adj.*** V. *lameloso*.

lamínula [De *lâmina* + *-ula*.] ***S. f.*** **1.** Lâmina de pequena espessura. **2.** *Ópt.* Pequena lâmina com que se recobrem preparações para observação ao microscópio. ◆ **Lamínula de fase.** *Ópt.* Na observação microscópica, por contraste de fase, lamínula que intercepta os raios luminosos e determina as diferenças de fase que tornam conspícuas as características do objeto examinado. **Lamínula de meia-onda.** *Ópt.* Placa plano-paralela, birrefringente, que produz uma diferença de marcha de meio comprimento de onda entre o raio ordinário e o extraordinário em que se divide uma radiação monocrômica que a atravessa. **Lamínula de onda.** *Ópt.* Placa plano-paralela, birrefringente, que produz uma diferença de caminho óptico de um comprimento de onda entre o raio ordinário e o extraordinário em que se divide uma radiação monocromática que a atravessa.

lamiré [Das notas musicais *lá*, *mi* e *ré*, a primeira das quais serve para afinação de instrumentos.] ***S. m.*** **1.** *Mús. Ant.* A nota *lá*, que, no sistema medieval das mutações [v. *mutação* (4)], passava a ser chamada *mi* e *ré*. **2.** *Mús.* V. *diapasão* (5). **3.** *Pop.* V. *repreensão* (1). [Var.: *alamiré*.] ◆ **Dar o lamiré.** *Fig.* **1.** Dar a primeira voz, o sinal de começo: 📖 "Como um maestro que dá o lamiré para iniciar o coro das vozes, ... Raul Brandão, para escrever, tem de conquistar esse espaço da alma onde o mundo não é como é, senão como ele o absorve e deforma." (João Gaspar Simões, *O Mistério da Poesia*, p. 98.) **2.** Dar o tom, a nota, o caráter. **Dar um lamiré.** Dar pequenas indicações que espertem a lembrança ou a memória.

lamnídeo [Do tax. *Lamna*, 'gênero-tipo', + *-ídeo*[1]; tax. *Lamnidae*.] *Zool.* ***S. m.*** **1.** Espécime dos lamnídeos, família de peixes lamniformes, de corpo aerodinâmico, com focinho pontudo, olhos negros e longas fendas branquiais. A primeira nadadeira dorsal é grande e situa-se ao meio das costas, já a segunda, muito pequena, fica próxima à nadadeira caudal, cujos lobos são quase simétricos. O anequim e o tubarão-branco são dois dos membros dessa família. ● ***Adj.*** **2.** Pertencente ou relativo a eles.

lamniforme [Adapt. do tax. *Lamniformes*.] *Zool.* ***S. m.*** **1.** Espécime dos lamniformes, ordem de peixes elasmobrânquios, marinhos, distribuídos em dez gêneros e oito famílias, que têm cinco fendas branquiais, nadadeiras dorsais sem espinhos, nadadeira anal e olhos sem membranas nictitantes. ● ***Adj. 2 g.*** **2.** Pertencente ou relativo a eles.

lamoja [De *lama*[1].] ***S. f.*** Barrela de água e barro.

lamoso (ô) [De *lama*[1] + *-oso*.] ***Adj.*** V. *lamacento*.

lampa[1] ***S. f.*** Certa seda da China.

lampa[2] [F. subst. de *lampo*.] ***S. m.*** **1.** Fruto lampo apanhado na noite de S. João. **2.** *Bot.* Variedade de figueira.

lampa[3] ***S. f.*** *Pop.* Lâmpada. ◆ **Levar as lampas a.** Levar vantagem a; mostrar-se superior a; vencer: 📖 "Os espanhóis gozam, desde remotos tempos, créditos de espertos e ambidestros no manusear de cartas, e em todos os ardis da tavolagem. Graças ao seu professorado em Portugal, hoje não havemos medo que nos levem as lampas em manhas e cavilações" (Camilo Castelo Branco, *As Três Irmãs*, p. 75).

lâmpada [Do gr. *lampás, ádos*, 'archote', pelo lat. tard. *lampada*.] ***S. f.*** **1.** Vaso com uma torcida e líquido combustível, para alumiar. **2.** *P. ext.* Qualquer aparelho destinado a iluminar. **3.** Pequeno recipiente que contém álcool ou essência mineral e serve para aquecer. **4.** *Fís.* Fonte de radiação eletromagnética visível, infravermelha ou ultravioleta. **5.** *Fís.* V. *lâmpada de incandescência*. ◆ **Lâmpada Carcel.** *Fotom.* Padrão de intensidade luminosa utilizado no séc. XIX, e equivalente a uma lâmpada que queimava óleo de colza em condições estandardizadas. V. *carcel* (2). **Lâmpada de arco.** *Art. Gráf.* Arco (9) us. na produção de chapas para ofsete. [Tb. se diz apenas *arco*.] **Lâmpada de incandescência.** *Fís.* Fonte luminosa constituída por um filamento metálico levado à incandescência, numa atmosfera inerte, por uma corrente elétrica; lâmpada elétrica. [Tb. se diz apenas *lâmpada*.] **Lâmpada de mercúrio.** *Ópt.* Lâmpada em que ocorre uma descarga elétrica em vapor de mercúrio. **Lâmpada de segurança.** Aquela em que a chama está cercada por uma rede de arame, de malhas muito finas, que permite entrar impunemente numa atmosfera carregada de grisu, sem perigo de explosão. **Lâmpada de sódio.** *Ópt.* Lâmpada espectral a vapor de sódio. **Lâmpada dicroica.** *Impr.* Foco (13) dotado de refletor dicroico. **Lâmpada elétrica.** *Fís.* V. *lâmpada de incandescência*. **Lâmpada espectral.** *Ópt.* Fonte luminosa cujo espectro de emissão é rico em raias. **Lâmpada fluorescente.** *Ópt.* Fonte luminosa que emite luz produzida por fluorescência. **Lâmpada halógena.** Lâmpada que utiliza um halogênio, ger. o iodo, para produzir luz.

lampadário [Do lat. tard. *lampadariu.*] *S. m.* **1.** Suporte vertical para uma ou mais lâmpadas; candelabro, lucerna, lumeeira. **2.** Peça destinada a iluminação, presa ao teto ou a um braço, em geral por meio de correntes, de onde pendem dispositivos para um ou mais focos de luz. [Var. protética: *alampadário*.]

lampadedromia [Do gr. *lampadedromía.*] *S. f.* Na Grécia antiga, corrida de archotes; lampadodromia, lampadeforia.

lampadeforia [Do gr. *lampadephoría.*] *S. f.* V. *lampadedromia*.

lampadéforo [Do gr. *lampadephóros.*] *S. m.* Aquele que levava o archote em uma lampadedromia; lampadóforo.

lampadeiro [De *lâmpada* + *-eiro.*] *S. m.* **1.** Fabricante de lâmpadas. **2.** Haste de suporte de lâmpada.

lampadejar [De *lâmpada* + *-ejar.*] *V. int.* **1.** Emitir luz; brilhar, fulgir. **2.** Tremeluzir, bruxulear. [Conjug.: v. *pelejar*. Norm. é defect., conjugável só nas 3as pess.]

▲ **lampado-** [Do gr. *lampás, ádos.*] *El. comp.* = 'archote': *lampadomancia; lampadomante.*

lâmpado [F. aferética de *relâmpado*, poss.] *S. m. Ant.* Relâmpago (q. v.).

lampadodromia (âm) [Do gr. *lampadodromía.*] *S. f.* V. *lampadedromia*.

lampadóforo [Do gr. *lampadophóros.*] *S. m.* V. *lampadéforo*.

lampadomancia (âm... cí) [De *lampado-* + *-mancia.*] *S. f.* Adivinhação que os antigos faziam observando as variações da chama duma lâmpada ou de um archote.

lampadomante (âm) [De *lampado-* + *-mante.*] *S. 2 g.* Pessoa que praticava a lampadomancia.

lampadomântico (âm) *Adj.* Relativo a lampadomancia, ou a lampadomante.

lampana [De or. obscura.] *S. f.* **1.** V. *mentira* (1). **2.** V. *bofetada* (1).

lamparão [De or. obscura.] *S. m. Patol.* Forma cutânea ulcerativa do mormo; laparão.

lamparina [Do esp. *lamparilla.*] *S. f.* **1.** Pequena lâmpada. **2.** Pequeno recipiente com um líquido iluminante (óleo, querosene, etc.) no qual se mergulha um pequeno disco de madeira, de cortiça ou de metal traspassado por um pavio que, aceso, fornece luz atenuada; luminária: "no pequenino oratório florido, a lamparina de azeite coava a sua luz longínqua para um crucifixo doloroso" (Eneias Ferraz, *Adolescência Tropical*, p. 15). [Cf. *candeia*[1] (1).] **3.** O pequeno disco da lamparina. **4.** Maçarico de gasolina para soldar. **5.** *Pop.* Bofetada na orelha. ◆ **Acender a lamparina.** *Bras. Pop.* V. *embriagar* (4).

lampascópio *S. m.* Lanterna mágica (q. v.).

lampeiro [De *lampo*[2] + *-eiro.*] *Adj.* **1.** V. *lampo*[2]. **2.** Serelepe, buliçoso, espevitado. **3.** Apressado, lesto.

lampejamento [De *lampejar* + *-mento.*] *S. m.* Ato ou efeito de lampejar.

lampejante [De *lampejar* + *-nte.*] *Adj. 2 g.* Que lampeja: "A que um dia fora aclamada, / envolta em vestes lampejantes, / onde o que não fosse ouro e prata / era de flores de brilhantes..." (Cecília Meireles, *Obra Poética*, p. 852.)

lampejar [De *lampo*[1] + *-ejar.*] *V. int.* **1.** Emitir lampejo (1); brilhar momentaneamente. **2.** Emitir lampejo (2); faiscar, cintilar, relampaguear: "Desde maio as enxadas e as fouces dos escravos lampejavam ao sol" (Melo Morais Filho, *Festas e Tradições Populares do Brasil*, p. 292); "tomou de cima de uma cadeira o guarda-chuva em cujo punho lampejava uma grande cabeça de cão de prata maciça" (Júlio Dantas, *Espadas e Rosas*, pp. 124-125). *T. d.* **3.** Emitir, irradiar: *A estrela lampejava clarões azulados.* [Conjug.: v. *pelejar*.]

lampejo (ê) [Dev. de *lampejar.*] *S. m.* **1.** Clarão ou brilho repentino. **2.** Faísca, fagulha, centelha, chispa. **3.** *Fig.* Manifestação rápida e/ou brilhante duma ideia.

lampião [Do it. *lampione.*] *S. m.* **1.** Tipo de lanterna de grandes dimensões, elétrica ou com reservatório para combustível, portátil ou fixa em um teto, esquina ou parede. [Sin.: (bras., gír.) *lúzio* e (lus.) *candeeiro*.] **2.** *P. ext.* Poste de iluminação das ruas.

lampinho [De or. incerta.] *Adj.* Que não tem barba; desbarbado, imberbe.

lampíride [Do gr. *lampyrís, ídos*, pelo lat. *lampyride.*] *S. f. Zool.* V. *pirilampo*: "são vaga-lumes, são lampírides candentes, / Lucilando, a bailar, pelo bosque sombrio" (Martins Fontes, *Verão*, p. 40).

lampirídeo [Do lat. *lampyrís*, 'vaga-lume', + *-ídeo*[1]; tax. *Lampyridae.*] *Zool. S. m.* **1.** Espécime dos lampirídeos, família de insetos coleópteros em que a porção apical do abdome é luminescente. Ex.: os pirilampos. ● *Adj.* **2.** Pertencente ou relativo a eles.

lampírio *S. m. Zool.* V. *pirilampo*.

lampíris [Do lat. *lampyris* (< gr. *lampyrís, ídos*); tax. *Lampyris.*] *S. m. Zool.* **1.** O gênero-tipo dos lampirídeos. **2.** Espécie ou espécime desse gênero.

lampiro *S. m. Zool.* V. *pirilampo*.

lampo[1] *S. m. Prov. port.* Relâmpago (q. v.).

lampo[2] [De or. obscura.] *Adj.* Diz-se do fruto que vem fora de tempo, esp. os de uma casta de figo; temporão, lampeiro.

lampreia (êi ou éi) [Do lat. tard. *lampreda.*] *S. f. Zool.* Peixe ciclóstomo (*Petromyzon marinus*), marinho, que ocorre nas regiões temperadas e subárticas do Velho Mundo, e que é muito saboroso e apreciado. ❖

lampreia-dos-rios *S. f. Zool.* Peixe fluvial (*Petromyzon fluviatilis*). [Pl.: *lampreias-dos-rios*.]

lampridídeo [Adapt. do tax. *Lampridídae.*] *Zool. S. m.* **1.** Espécime dos lampridídeos, família de peixes lampriformes, marinhos, com apenas um gênero e duas espécies. ● *Adj.* **2.** Pertencente ou relativo a eles. [V. *peixe-papagaio*.]

lampridiforme [Adapt. do tax. *Lampridiformes.*] *Zool. S. m.* **1.** Espécime dos lampridiformes, ordem de peixes teleósteos, marinhos, multiformes, multicoloridos, de corpo comprimido, distribuídos em 7 famílias, 12 gêneros e 21 espécies. ● *Adj. 2 g.* **2.** Pertencente ou relativo a eles. [Sin. ger.: *alotriógnato*.]

▲ **lampro-** [Do gr. *lamprós, á, ón.*] *El. comp.* = 'brilhante': *lamprófiro, lamprômetro.*

lamprófiro [De *lampro-* + *(pór)firo*; al. *Lamprophyr.*] *S. m. Petr.* Designação comum a rochas magmáticas melanocráticas, em geral porfiríticas, que ocorrem sob a forma de diques.

lamprómetro *S. m. Fís.* V. *lamprômetro*. [Uso freq. em P.]

lamprômetro [De *lampro-* + *-metro.*] *S. m. Fís.* Instrumento com que se mede a intensidade da luz.

lampsana [Do lat. *lampsana*, alter. de *lápsana*; tax. *Lapsana.*] *S. f. Bot.* V. *lápsana* (2).

lamúria [Do lat. *lemuria*, 'festas em honra dos lêmures', nas quais naturalmente havia lamentações.] *S. f.* **1.** Lamentação (2 e 3). **2.** Lenga-lenga de desgraças, para se alcançar o que se pede; choradeira. [Cf. *lamuria*, do v. *lamuriar*.]

lamuriante [De *lamuriar* + *-nte.*] *Adj. 2 g.* **1.** Que faz lamúria, que lamuria; queixumeiro, lamuriento, lamurioso. **2.** Que tem caráter de lamúria; que envolve lamúria; lamuriento: *voz lamuriante; pedido lamuriante.*

lamuriar [De *lamúria* + *-ar*[2].] *V. int. P.* **1.** Fazer lamúria; prantear-se; lamentar-se, lastimar-se: "O pai prossegue, nas recriminações, ajudado agora pela mãe, que se lamuria...: — É uma barbaridade... filhos... Dão trabalho quando são pequenos... mais ainda depois de grandes..." (Guido Vilmar Sassi, *Piá*, p. 91.) *T. d. T. d. e i.* **2.** Dizer entre lamúrias, ou em tom de lamúria: "o estranho mendigo puxou a sacola para debaixo dos joelhos, lamuriou: — Uma esmolinha por amor de Deus!" (José Régio, *O Príncipe com Orelhas de Burro*, p. 147); *Lamuriava queixas infindas contra o amigo.* [Var. nasalada: *lamurinhar*. Pres. ind.: *lamurio, lamurias, lamuria*, etc. Cf. *lamúria*.]

lamuriento [De *lamúria* + *-ento.*] *Adj.* V. *lamuriante*.

lamurinhar *V. t. d. T. d. e i. Int. P.* V. *lamuriar*: "Fui vexado, ... e com vontade trêmula de começar também a lamurinhar .... — Ai! que triste vida a minha!" (José Gomes Ferreira, *O Mundo dos Outros*, p. 40.)

lamuriosamente [Do f. de *lamurioso* + *-mente.*] *Adv.* De forma lamuriosa; com lamúria.

lamurioso (ô) [De *lamúria* + *-oso.*] *Adj.* V. *lamuriante* (1).

➔ **lan** [læn] [Ingl.] *S. f. Inform.* V. *lan house*.

lana-caprina [Do lat. *lana*, 'lã', + lat. *caprina*, 'de cabra'.] *El. s. f.* Us. na loc. *de lana-caprina*. ◆ **De lana-caprina.** Insignificante; de pouca monta; de nonada: "Mas estamos a perder um tempo precioso com uma questão de lana-caprina." (Aquilino Ribeiro, *Quando ao Gavião Cai a Pena*, p. 226.)

lanada [Do lat. *lanata*, fem. de *lanatus.*] *S. f.* Haste envolvida em lã numa das extremidades, usada para limpar o interior das peças de artilharia.

lanar [Do lat. tard. *lanare*, por via erudita.] *Adj. 2 g.* Referente à lã.

lanarquita [Do top. *Lanark* (Escócia) + *-ita*[3]; ingl. *lanarkite.*] *S. f. Min.* Mineral monoclínico, sulfato básico de chumbo.

lança [De uma língua pré-romana, talvez o celtibero, pelo lat. *lancea.*] *S. f.* **1.** Arma ofensiva ou de arremesso; haste de madeira terminada por ferro pontiagudo. **2.** Soldado armado de lança. **3.** Varal de carruagem. **4.** *Constr. Nav.* Pau de carga (1). **5.** *Bras. Gír.* Punga[1] (4). **6.** *Bras. N.E.* Alavanca (de bonde). ● *S. m.* **7.** *Bras. Gír.* V. *punguista*. ◆ **Meter uma lança em África.** Realizar empresa dificílima; conseguir grande vantagem. **Quebrar lanças por.** Lutar, lidar, disputar-se, por: *Quebra lanças por seus amigos.*

lança-chamas [De *lançar* + o pl. de *chama*[1].] *S. m. 2 n. Mil.* Arma portátil ou motorizada que projeta e inflama combustível gelatinoso para incendiar.

lançaço [Do esp. plat. *lanzazo.*] *S. m. Bras.* Lançada. [Cf. *laçaço*.]

lançada [De *lança* + *-ada*[1].] *S. f.* **1.** Ferimento produzido por lança. **2.** Golpe de lança. [Sin., bras.: *lançaço*.]

lançadeira [De *lançar* + *-deira.*] *S. f.* **1.** Peça de tear, que contém um cilindro ou canela por onde passa o fio da tecelagem. **2.** Peça semelhante, nas máquinas de costura: "Suas mãos iam e vinham estirando o pano, endireitando a lançadeira, cortando fios, formando pregas." (Reginaldo Guimarães, *Uma Blusa no Cais*, p. 45.) **3.** *Pop.* Pessoa inquieta, buliçosa, agitada, que está sempre a andar de um lado para outro. **4.** *Astron.* V. *lançadeira espacial*. ◆ **Lançadeira espacial** *Astron.* Veículo espacial recuperável, us. para efetuar viagens entre a Terra e uma órbita terrestre; naveta, nave recuperável. [Tb. se diz apenas *lançadeira*.]

lançadiço [De *lançar* + *-(d)iço*[1].] *Adj.* Próprio para se jogar fora; desprezível.

lançado [Part. de *lançar*.] *Adj.* **1.** Que se lançou. **2.** Posto na praça (3): *Seu último livro lançado teve boa crítica.* **3.** Posto em voga. **4.** Que foi escriturado. **5.** Que foi registrado na repartição fiscal para efeitos de tributação. **6.** *Jur.* Que sofreu lançamento (15). ● *S. m.* **7.** Coisa vomitada; vômito. **8.** Do séc. XVI ao séc. XVIII, colonizador português que, embora vivendo na África, permanecia com os hábitos de sua terra. [Cf., nesta acepç., *tangomau* (1).]

lançador[1] (ô) [Por *lanceador* (q. v.), poss.] *S. m. Ant.* Guerreiro armado de lança.

lançador[2] (ô) [De *lançar* + *-dor.*] *Adj.* **1.** Que lança. **2.** *Bras.* Diz-se de cinema que exibe filmes em primeira mão. ● *S. m.* **3.** Aquele que lança. **4.** Aquele que lança ou oferece lanços nos leilões. **5.** Funcionário público encarregado de fazer o lançamento dos contribuintes. **6.** *Econ.* Nas bolsas de valores, o vendedor de opção (4).

lançadura [De *lançar* + *-dura.*] *S. f.* Ato ou efeito de lançar(-se).

lançamento [De *lançar* + *-mento.*] *S. m.* **1.** Ato de lançar(-se); lanço, lance. **2.** Ato de dar a conhecer ao público, pôr à venda ou exibir alguma coisa ou pessoa: *lançamento de um filme, de um livro, de um novo produto de beleza, de ações no mercado; lançamento de um autor.* **3.** Livro, filme ou qualquer produto de que se fez o lançamento (2): *um novo lançamento da Livraria do Paço.* **4.** Ato de lançar à água uma embarcação. **5.** Distribuição das contribuições. **6.** *Cont.* Escrituração em livro comercial. **7.** *Cont.* Registro de informações contábeis em um sistema informatizado. **8.** *Aer.* Decolagem de aviões ou helicópteros de um navio-aeródromo. **9.** *Astr.* Envio de um engenho (satélite, astronave, etc.) ao espaço por meio de um dispositivo de propulsão. **10.** *Bot.* Rebento das árvores; broto, gomo. **11.** *Constr.* V. *assentamento* (3). **12.** *Econ.* Ato administrativo que formaliza a obrigação do contribuinte de pagar determinado tributo, e fixa o montante deste. **13.** *Fut.* Passe (6) de longa distância. **14.** *Jur.* Ato pelo qual, em certos casos, o juiz afasta da ação penal pública o acusador privado (*querelante*), por não haver ele apresentado o libelo no devido prazo, declarando-a perempta ou devolvendo-a ao Ministério Público. **15.** *Adm.* Ato administrativo-fiscal que consiste em inscrever em livros próprios os contribuintes de impostos diretos e de taxas, constituindo-os devedores da Fazenda Pública pelas importâncias lançadas. **16.** *Prop.* Período inicial de uma campanha publicitária, e que ger. se distingue da fase posterior, de sustentação, pela intensidade de inserção de anúncio na mídia. **17.** *Veter.* Ato de cobrição. ◆ **Lançamento de dardos.** *Atlet.* Prova em que o atleta arremessa, com uma das mãos, um dardo que deve tocar o solo dentro de determinada área. **Lançamento de disco.** *Atlet.* Prova em que o atleta, colocado num círculo, ali toma impulso para o arremesso, realizando uma rotação de 180°. **Lançamento de martelo.** *Atlet.* Prova exclusivamente para homens em que o lançador arremessa o martelo (8). **Lançamento de peso.** *Atlet.* Prova que consiste em lançar, com uma das mãos, à maior distância possível, uma bola de bronze ou de ferro com determinadas especificações.

lançante [De *lançar* + *-nte.*] *Adj. 2 g.* **1.** Que lança. ● *S. m.* **2.** *Bras. Marinh.* Espia[2] (1) dirigida para vante na proa ou para ré na popa, e que constitui parte da amarração de uma embarcação ao cais ou a outra embarcação. [Cf., nesta acepç., *espringue* e *través*

L

(5).] **3.** *Bras. SP a RS* V. *vertente* (3). **4.** *Bras. MG RS MT* Declive forte num cerro ou numa coxilha: “Que disparada! Por tacuruzais e buracama de tuco-tuco, ... por lançantes de coxilhas e moles das canhadas” (Simões Lopes Neto, *Contos Gauchescos e Lendas do Sul*, p. 227).

lança-perfume [De *lançar* + *perfume*.] ***S. m. Bras.*** **1.** Recipiente cilíndrico, de vidro ou de metal, que contém cloreto de etila perfumado mantido sob pressão e lançado em jato, e que se usa esp. durante o carnaval. **2.** O líquido do lança-perfume (1). [V. *rodó*. Pl.: *lança-perfumes*.]

lançar [Do lat. tard. *lanceare*, ‘manejar ou atirar a lança’.] ***V. t. d.*** **1.** Atirar com força; arremessar, arrojar: *lançar pedras*; *lançar discos*. **2.** Jogar, arremessar, estendendo, estirando: *lançar redes*. **3.** Despejar, entornar: *Lançou o vinho do tonel*. **4.** Verter, derramar: *Desesperada, lançava lágrimas abundantes*. **5.** Deitar pela boca; vomitar. **6.** Exalar, espargir, esparzir: *As flores lançavam suave perfume*. **7.** Emitir, expedir: *O objeto lança fortíssimo jato de luz*. **8.** Dar, soltar: *lançar gritos*. **9.** Fazer brotar; fazer germinar: *As árvores começam a lançar rebentos*. **10.** Dizer em tom alto e claro; proferir: *lançar pregões*. **11.** Apresentar, levantar, lembrar; sugerir, propor: *lançar uma candidatura*. **12.** Pôr em voga: *lançar uma moda*. **13.** Pôr à venda, depois de editado: *lançar um livro*. **14.** Exibir (novo filme). **15.** Fazer o lançamento (4) de. **16.** Fazer o lançamento (5) de. ***T. d. e c.*** **17.** Lançar (1): *Lançou a moeda na fonte, e fez um pedido*. **18.** Despejar, vazar: *O rio Amazonas lança suas águas no oceano Atlântico*. **19.** Atirar (2): *Lançou o arrastão ao mar*. **20.** Expelir, deitar: *O doente lançava sangue pela boca*. ***T. d. e i.*** **21.** Lançar (1): *Lançava pedras ao cão raivoso*. **22.** Atribuir, imputar: *Lançou ao mais velho dos irmãos a responsabilidade da falta*. **23.** Dirigir, volver: “Lançou um olhar enternecido à filha” (Coelho Neto, *Treva*, p. 266). ***T. c. e i.*** **24.** Oferecer como lanço, em leilão: *Lançou 30 mil reais na antiga mesa holandesa*. ***Int.*** **25.** Vomitar (12): “Uma vontade de cuspir, de lançar apertava-me a glote” (João do Rio, *Dentro da Noite*, p. 163). ***P.*** **26.** Atirar-se, arremessar-se; precipitar-se, arrojar-se: *Lançou-se, em pranto, sobre o divã*. **27.** Abalançar(-se), arriscar-se, aventurar-se, arrojar-se: *lançar-se a grandes empreendimentos*. **28.** Vazar as suas águas; precipitar-se; desaguar (correntes fluviais). **29.** Pôr-se; deitar: *Lançou-se a correr na direção da casa*. **30.** Entregar-se inteiramente: *Lançou-se no vício*. **31.** Desaguar; desembocar: *O Madeira lança-se no Amazonas*. [Conjug.: v. *laçar*.]

lançarote [De or. controversa.] ***S. m.*** Aquele que auxilia o cavalo no ato da padreação.

lancastriano ***Adj.*** **1.** De, ou pertencente ou relativo a Lancastre (Inglaterra). • ***S. m.*** **2.** O natural ou habitante de Lancastre. **3.** Partidário da Casa de Lancastre, dinastia inglesa (1399-1461) que deu origem, com sua rival, a Casa de Iorque, em 1422, à Guerra das Duas Rosas.

lançaté de vovô ***S. m. Bras. BA Rel.*** A igreja do Bonfim, como a morada de Oxalá. [Pl.: *lançatés de vovô*.] ☑

lança-torpedos [De *lançar* + o pl. de *torpedo*[1].] ***S. m. 2 n.*** Aparelho a bordo de navio de guerra, para lançar torpedos.

lance [Dev. de *lançar*.] ***S. m.*** **1.** Ato ou efeito de lançar; lançamento, lanço. **2.** Proposta ou oferta de preço, em leilões ou em venda; lanço, monta. **3.** Acontecimento, fato: *Foram televisionados os melhores lances do jogo*. **4.** Situação, ocorrência: *Sua viagem foi cheia de lances maravilhosos; Enfrentou lances terríveis para alcançar a vitória*. **5.** Caso ou situação difícil; conjuntura: *Em que lance se meteu!* **6.** V. *vicissitude*: *os lances da sorte*. **7.** Aventura; risco, perigo: *Viajou de dia: temia os lances que poderia ter de enfrentar*. **8.** Impulso, rasgo: *Num lance de bravura, pôs-se à frente dos rebeldes*. **9.** Etapa, fase. **10.** Jogada (1). **11.** *Arquit.* Parte da escada formada por uma sequência de degraus. **12.** *Pesc.* Operação que vai desde o lançamento de um apetrecho de pesca ao mar até o seu recolhimento. **13.** *Teatr.* Situação ou movimento dramático de uma peça; lance dramático. [Cf. *lanço*.] ◆ **Lance de casas.** Sequência de casas contíguas; lanço de casas, quarteirão, correnteza. **Lance de olhos. 1.** Relance, olhadela. **2.** *Fig.* Análise superficial. **Lance dramático.** *Teatr.* Lance (13). **Lance extremo.** Momento ou perigo máximo. **Lance livre.** *Basq.* Arremesso livre da cabeça do garrafão. [É a cobrança da falta (9), da falta dupla ou da falta técnica.] **De um lance.** De uma só vez; sem interrupção. **Em cima do lance.** V. *na bucha*. **Errar o lance.** Não acertar; dar em falso; falhar.

lanceação [De *lancear*[2] + *-ção*.] ***S. f. Bras. PA*** Lanceada[2]: “Missunga prepara-se para assistir a tarrafeação, a lanceação, o encontro do peixe no rio.” (Dalcídio Jurandir, *Marajó*, p. 190.)

lanceada[1] [De *lancear*[1] + *-ada*[1].] ***S. f. Bras. MA*** Luta entre papagaios de papel.

lanceada[2] [De *lancear*[2] + *-ada*[1].] ***S. f. Bras. PA*** Pescaria com rede de arrasto; lanceação.

lanceador (ô) [De *lancear*[1] + *-dor*.] ***Adj. S. m.*** Que, ou aquele que lanceia ou alanceia.

lancear[1] [Do lat. tard. *lanceare*, ‘manejar ou atirar a lança’.] ***V. t. d.*** **1.** Ferir com lança; alancear. **2.** *Fig.* Afligir; angustiar. [Conjug.: v. *frear*.]

lancear[2] [De *lanço* + *-ear*[2].] ***V. int. Bras.*** Pescar com rede. [Conjug.: v. *frear*.]

lanceiro [De *lança* + *-eiro*; cf. lat. tard. *lancearius*.] ***S. m.*** **1.** Soldado armado de lança. **2.** Cabide de lanças. **3.** Fabricante de lanças. **4.** *Bras. Gír.* V. *punguista*. ~ V. *lanceiros*.

lanceiros [Pl. de *lanceiro*.] ***S. m. pl.*** Variante inglesa da quadrilha dançante: “Havia muitos amadores de piano, que executavam de ouvido valsas, polcas, quadrilhas francesas, lanceiros, mazurcas e *schottisches*” (Eduardo Frieiro, *Feijão, Angu e Couve*, p. 208). ~ V. *lanceiro*.

lanceolado [Do lat. *lanceolatu*, por via semierudita.] ***Adj.*** Cujo feitio é semelhante ao da lança; lanceolar: “E há em corpo o viço e a tenaz fibra / Dos vegetais dos trópicos, lustrosos, / Lanceolados, ríspidos e agudos...” (Raimundo Correia, *Poesias*, p. 75.) [Cf. *hastiforme*.]

lanceolar [Do lat. *lanceola*, ‘lança pequena’, + *-ar*[1].] ***Adj. 2 g.*** Lanceolado: “os pés calçam balugas pontiagudas, ornadas e armadas de acicates lanceolares.” (Júlio Dantas, *Abelhas Doiradas*, p. 210).

lanceta[1] (ê) [Do fr. *lancette*.] ***S. f.*** **1.** Instrumento cirúrgico de dois gumes. **2.** Cutelo pequeno com que se abatem reses no matadouro. **3.** *Bras. Zool.* V. *cavalinha* (3). [Pl.: *lancetas* (ê). Cf. *lanceta* e *lancetas*, do v. *lancetar*.]

lanceta[2] (ê) [F. red. de *erva-lanceta*.] ***S. f. Bras. Bot.*** **1.** V. *buí*. **2.** Erva asterácea (*Solidago chilensis*) perene, rizomatosa, de caule ereto, não ramificado; é us. como vulnerária e cultivada como ornamental. [Sin.: *arnica-silvestre*.]

lancetada [De *lanceta* + *-ada*[1].] ***S. f.*** Golpe de lanceta (1 e 2).

lancetar [De *lanceta* + *-ar*[2].] ***V. t. d.*** Cortar ou abrir com lanceta (1): *lancetar um abscesso*. [F. paral.: *lancetear*. Pres. ind.: *lanceto, lancetas, lanceta*, etc. Cf. *lanceta* (ê) e pl. *lancetas* (ê).]

lancetear [De *lanceta* + *-ear*[2].] ***V. t. d.*** V. *lancetar*: “quando o clínico procurava lancetear a nádega do cliente matuto, notou que este encolhia as traseiras, num irreprimível nervosismo.” (Leonardo Mota, *Violeiros do Norte*, p. 253). [Pres. ind.: *lanceteio, lanceteias, lanceteia, lanceteamos, lanceteais, lanceteiam*.]

lanceteira [De *lanceta* + *-eira*.] ***S. f.*** Instrumento semelhante à lima[1], us. pelos serralheiros e espingardeiros.

lancha [Do malaio *lánčăr*, ‘rápido’, ‘ágil’.] ***S. f.*** **1.** Embarcação a vela, a remo ou a motor, para navegação costeira, para transporte ou para outro serviço dentro dos portos: *Os passageiros embarcaram numa lancha que os levou até o grande navio*. **2.** *Lus.* Embarcação miúda empregada nos serviços de bordo, com forma de escaler, propulsão a remo, vela ou motor, e us. para transportar objetos ou pessoal, auxiliar a realização de certas fainas, etc. [Nos primitivos navios à vela, andava a reboque na popa.] **3.** *Bras. Mar. G.* Qualquer das embarcações miúdas cuja propulsão normal é a motor. **4.** *Bras.* Pequena embarcação a vapor ou a motor, com cobertura permanente para proteção dos passageiros. **5.** *Bras. Amaz.* Embarcação de convés corrido, máquina possante, empregada como rebocador dos batelões de gado do baixo Amazonas e do rio Branco. **6.** *Bras. BA* Embarcação semelhante ao barco baiano, mas que dele difere em ter a popa fechada. **7.** *Bras. Fam.* Calçado muito grande e/ou deformado pelo uso. **8.** *Bras. Fam.* Pé grande espalmado; prancha.

lancha-canhoneira ***S. f. Ant.*** Lancha menor do que a canhoneira e provida de canhão. [Pl.: *lanchas-canhoneiras*.]

lanchada [De *lancha* + *-ada*[1].] ***S. f.*** A carga de uma lancha.

lanchão [De *lancha* + *-ão*[1].] ***S. m. Mar.*** Lancha aberta, de grande porte; boi.

lanchar [De *lanche* + *-ar*[2].] ***V. int.*** **1.** Comer lanche; fazer lanche: *Tinha fome, saiu para lanchar*; “Por que não ia com ela ver as obras? Era só lanchar um pouco, e partiriam imediatamente.” (Machado de Assis, *Quincas Borba*, p. 350). ***T. d.*** **2.** Comer como lanche: *Lanchou umas torradas e café com leite*.

lancha-torpedeira ***S. f. Mar. G.*** Pequeno barco de guerra, a motor, velocíssimo, equipado de tubos lança-torpedos. [Pl.: *lanchas-torpedeiras*.]

lanche [Do ingl. *lunch*, ‘almoço’.] ***S. m.*** **1.** Merenda (1). **2.** *P. ext.* Refeição pequena.

lancheira [De *lanche* + *-eira*.] ***S. f.*** Maleta onde se leva lanche; merendeira.

lancheiro[1] [De *lancha* + *-eiro*.] ***S. m.*** **1.** *Bras.* Tripulante de baleeira. **2.** *Bras. S.* Patrão de lancha.

lancheiro[2] [De *lanche* + *-eiro*.] ***S. m. Bras.*** Empregado de bar, botequim ou lanchonete encarregado sobretudo da preparação de lanches.

lanchonete [Do ingl. *luncheonette*.] ***S. f. Bras.*** Estabelecimento especializado no preparo de refeições ligeiras, servidas ger. no balcão.

lanciforme [De *lança* + *-iforme*.] ***Adj. 2 g.*** Que tem forma de lança.

lancil [De or. obscura.] ***S. m.*** **1.** Laje de cantaria, longa e delgada, utilizada sobretudo em pavimentações, resguardos de estradas e vergas de janelas. **2.** Meio-fio (1).

lancinante [Do lat. *lancinante*.] ***Adj. 2 g.*** **1.** Que lancina ou golpeia. **2.** Que se faz sentir por fisgadas: *dor lancinante*. **3.** Muito doloroso; pungente, aflitivo: “Soltou um grito lancinante e começou a soluçar” (Domingos Monteiro, *Enfermaria, Prisão e Casa Mortuária*, p. 128); “E é isto o que por vezes sentimos com lancinante certeza na obra de Machado de Assis — a delícia do absurdo, a eloquência da contradição, a voluptuosidade do nada.” (Augusto Meyer, *À Sombra da Estante*, p. 99).

lancinar [Do *lat. lancinare*.] ***V. t. d.*** **1.** Picar, golpear; pungir. **2.** Atormentar, afligir, torturar; pungir: “Doem-lhe as lágrimas que lhe encharcam a alma, e o espanto que a lancina” (Patrícia Joyce, *Anúncio de Casamento*, p. 95).

lanço [Dev. de *lançar*.] ***S. m.*** **1.** Ato ou efeito de lançar; arremesso, tiro, jato, lance, lançamento. **2.** *Pop.* V. *vômito*. **3.** V. *lance* (2): “anunciou-se a venda da quinta de Real de Oleiros ...., a requerimento dos credores. José Maria Guimarães cobriu todos os lanços.” (Camilo Castelo Branco, *Noites de Insônia*, IV, p. 26). **4.** O peixe apanhado na rede. **5.** V. *lance de casas*. **6.** Lado de uma rua, de um corredor. **7.** Seção de uma estrada, de um muro. **8.** Parte duma escada compreendida entre dois patamares: “A cada lanço de escadaria vencido, alargava o panorama as suas riquezas de paisagem” (Fialho d’Almeida, *O País das Uvas*, p. 75). **9.** Movimento de volta da lançadeira (1). **10.** Em certos jogos, ação de lançar sobre a mesa os dados, as cartas ou outros elementos de jogo; jogada. **11.** Os pontos marcados pelos dados, cada vez que são lançados. **12.** *Arquit. Constr.* Porção ou extensão de parede, muro, fachada, piso, etc., ger. contida entre elementos arquitetônicos de referência, como pilastras e cantos. [Cf., nesta acepç., *pano* (6).] **13.** *Fig.* Sorte, fortuna, casualidade. **14.** *Bras.* Posição, postura. [Cf. *lance*.] ◆ **Lanço de casas.** V. *lance de casas*. **A lanço.** V. *a talho de foice*. **A poucos lanços.** A pouca distância; perto, próximo.

lançol [Do lat. *linkolu*.] ***S. m. Ant. Pop.*** Lençol. [Pl.: *lançóis*.]

landa [Do celta, pelo fr. *lande*.] ***S. f.*** Descampado onde apenas medram ervas silvestres: “uma ruiva planície imensa em abandono, / a landa mais queimada e estéril que ainda vi” (Carlos Magalhães de Azeredo, *Vida e Sonho*, p. 231). [Cf. *lande*[2].]

landau [Do top. al. *Landau*, poss. pelo fr. *landau*.] ***S. m.*** Carruagem de quatro rodas, com dupla capota que se levanta e abaixa: “Voltavam landaus e vitórias das grandes noites no Lírico.” (E. di Cavalcanti, *Viagem da Minha Vida*, I, p. 30.) [F. paral.: *landô* e *landó*.]

lande[1] [Do lat. *glande*.] ***S. f. Bot.*** Glande do carvalho, do sobreiro, etc.

lande[2] [Do fr. *lande*.] ***S. m.*** Designação comum a vastas charnecas da França. [Cf. *landa*.]

landeira [De *lande*[1] + *-eira*.] ***S. f. Lus.*** Montado de sobreiros.

landgrave [Do médio alto-al. *Landgrave*, ‘conde (cf. al. *graf*) do país (*Land*)’.] ***S. m.*** Título ou dignidade dalguns príncipes alemães. [Fem.: *landgravina*.]

landgraviado [De *landgrave* + *-i-* + *-ado*[2].] ***S. m.*** Landgraviato.

landgraviato [De *landgrave* + *-i-* + *-ato*[1].] ***S. m.*** Dignidade, cargo ou funções de landgrave; landgraviado.

landgravina [De *landgrave* + *-ina*[1]; ingl. *landgravine*.] ***S. f.*** Fem. de *landgrave*.

landi [De **nandi* < *guanandi*, com dissimilação.] ***S. m. Bras. Bot.*** V. *jacareúba*.

▲ **-lândia** [Do ingl. *-land* (este comum a várias línguas anglo-saxãs) + *-ia*[2].] ***El. comp.*** ‘terra ou lugar de’ (tb. us. pop.): Groenlândia, cracolândia.

landim *Moç.* ***S. 2 g.*** **1.** *Etnôn.* Indivíduo dos landins (designação que se deu, na época da colonização, aos rongas e, p. ext., aos indivíduos do S. de Moçambique): “lança o alerta disparando e gritando ‘São landins, são landins’.” (Teodato Hunguana, *Nwamatibjana*, p. 38). • ***S. m.*** **2.** V. *ronga* (2): “Eu não percebo o teu português, / patrão, mas sei o meu landim, / que é uma língua tão bela / e tão digna como a tua, patrão...”

(Noêmia de Sousa, em Rodrigues Júnior, *Para uma Cultura Moçambicana*, p. 197.) **3.** Vocábulo dessa língua. • *Adj. 2 g.* **4.** Pertencente ou relativo aos landins, ou à sua língua: "Esta canção .... é de muitos anos anterior à invasão landim sob a égide do Gungunhana." (Belo Marques, *Música Negra*, p. 12).

landirana [De *landi* + *-rana*.] *S. f. Bras. Bot.* V. *bacuri*[1] (1 e 2).

landó [Do fr. *landau*.] *S. m.* Landau (q. v.): "o Dr. Luís da Rosa, de leiteiro, apeara-se de um landó do Pintado, para não dar nas vistas." (Vitorino Nemésio, *Mau Tempo no Canal*, p. 132).

landô [Do fr. *landau*.] *S. m.* Landau (q. v.): "O landô, outro carro de luxo — carruagem de quatro rodas, com dupla capota que se erguia e abaixava —, serviria de desembarque da família Batista, no Cais Pharoux" (Miécio Tati, *O Mundo de Machado de Assis*, p. 69).

lândrias *S. f. pl. Chulo* V. *nádegas*.

landri-salesiano *Adj.* **1.** De, ou pertencente ou relativo a Landri Sales (PI). • *S. m.* **2.** O natural ou habitante de Landri Sales. [Pl.: *landri-salesianos*.]

landuá [De or. obscura.] *S. m.* **1.** *Bras. N.E.* V. *jereré*[1]. **2.** *Bras. PE* Boato falso; mentira.

→ **landwehr** ['lantveʀ] [Al.] *S. f.* Na Alemanha, na Áustria e na Suíça, a primeira reserva do exército, formada de uma parte da população armada. [Com cap.]

lanfranhudo [De or. express.] *Adj. S. m. Bras. Gír.* **1.** V. *valentão* (1 e 3). **2.** Desajeitado, mal-amanhado, mocorongo.

langabote [Do ingl. *long-boat*.] *S. m. Ant.* Embarcação miúda, em geral movida a remo, usada no Oriente.

langanho [De or. controversa; poss. alusão ao corpo gelatinoso e pegajoso da *hidromedusa*.] *S. m.* **1.** *Bras.* Carne de qualidade má. **2.** *Bras. Fig.* Coisa mole, viscosa, repugnante. **3.** *Bras. N.E. Zool.* Cnidário hidrozoário, temidíssimo pelos pescadores das lagoas em razão da causticidade dos seus filamentos. V. *caravela* (3). [Cf. *langonha*.]

→ **langley** ['læŋlij] [Ingl.] *S. m. Fís.* Unidade de energia us. na medida da radiação solar, e que é igual a uma caloria por centímetro quadrado.

lango [Dessa língua.] *S. m. Gloss.* **1.** Língua nilótica falada em Uganda. [V. *nilo-saariano*.] **2.** Vocábulo dessa língua.

langonha *S. f. Chulo* V. *esperma*. [Cf. *langanho*.]

langor (ô) [Do lat. *languore*.] *S. m.* V. *languidez*: "Do Espanhol as cantilenas / Requebradas de langor, / Lembram as moças morenas, / As andaluzas em flor." (Castro Alves, *Poesias Escolhidas*, p. 328.)

langorosidade [De *langoroso* + *-(i)dade*.] *S. f.* Qualidade de langoroso.

langoroso (ô) [De *langor* + *-oso*.] *Adj.* **1.** V. *lânguido* (1). **2.** V. *lânguido* (3): "Olhos negros e langorosos, cerrando as pálpebras com preguiça ou como amortecidos por insônias." (Gonzaga Duque, *ap.* Melo Nóbrega, *Evocação de B. Lopes*, p. 41.)

langua (ú) [De or. afr.] *S. f. Geol.* Planície geologicamente moderna, constituída por sedimentações e aluviões, e às vezes, até, ainda periodicamente inundada pelas águas do mar.

lângua [Do ronga *lhângua*, 'depressão (3)', poss.] *S. f. Moç.* Terreno alagadiço na estação das chuvas: "fugi das lânguas / tapetes estalados / sequei todo o suor e / já não caço / os bichos espantados." (Júlio Carrilho, *Dentro de Mim Outra Ilha*, p. 42).

→ **langue** [lãg] [Fr., 'língua'.] *S. f. E. Ling.* V. *língua* (7).

langue [De *languir*; f. verbal erroneamente tomada por adjetivo, em vez de *lânguido*.] *Adj. 2 g.* V. *lânguido*: "E inclinou-se, langue e desfalecida." (José de Alencar, *Lucíola*, p. 128); "Quem é aquela criaturinha langue / De longas mãos liriais e olhos de louca?" (Austro-Costa, *Mulheres e Rosas*, p. 24); "Tua voz quente e langue / tem lascivo sabor de pecado e de sangue." (Menotti del Picchia, *As Máscaras*, p. LIII).

→ **languedoc** [lɑ̃gə'dɔk] [Fr., 'língua d'oc'.] *S. f. E. Ling.* V. *língua d'oc*.

languenhento [De *languinhento*, com assimilação.] *Adj.* Languinhento.

languenho [De *langanho*.] *S. m. Bras. N. N.E.* **1.** Carne escurecida. **2.** Fragmentos de carne.

languente [Do lat. *languente*.] *Adj. 2 g.* V. *lânguido*. [Cf. *languento*.]

languento [Alt. de *languente*.] *Adj. Pop.* **1.** Doentio, enfermiço, achacadiço, achacoso. **2.** V. *niquento* (3). [Cf. *languente*.]

languescência [De *languescer* + *-ência*.] *S. f.* V. *languidez*.

languescente [Do lat. *languescente*.] *Adj. 2 g.* Que languesce.

languescer [Do lat. *languescere*.] *V. int.* **1.** Tornar-se lânguido; perder as forças; enfraquecer(-se), debilitar-se, definhar(-se). **2.** Diminuir de zelo e atividade. [Sin.: *alanguidar-se, elanguescer, enlanguescer, languir*. Conjug.: v. *crescer*.]

languidez (ê) [De *lânguido* + *-ez*.] *S. f.* Estado ou qualidade de lânguido; langor.

lânguido (gui ou güi) [Do lat. *languidu*.] *Adj.* **1.** Sem forças; sem energia; frouxo, fraco, abatido, debilitado, extenuado, langoroso. **2.** Mórbido, doentio. **3.** Voluptuoso, sensual, langoroso: *olhares lânguidos*. [Sin.: *langue, languente*.]

languinhento [De *languinh-*, por *langanho*, com infl. de *languir*, + *-ento*.] *Adj.* **1.** Que não tem firmeza; sem vigor. **2.** Fraco, debilitado, abatido. **3.** Viscoso, pegajoso. **4.** Mole e úmido. **5.** Que come pouco, que tem fastio.

languir [Do lat. *languere*, com mudança de conjug.] *V. int.* V. *languescer*: "O sol a pino dardeja raios de fogo sobre as areias natais; as aves emudecem; as plantas languem." (José de Alencar, *Iracema*, p. 45.) [Defect., não conjugável nas f. em que ao *g* da raiz se seguiria *o* ou *a*. V. *extinguir*.]

lanhado [Part. de *lanhar*.] *Adj.* **1.** Que se lanhou; golpeado, cortado; cheio de lanhos; ferido: "a escravatura, todas as noites com as mãos inchadas pelos bolos, ou as costas lanhadas pelo chicote, entoava súplicas à Virgem Santíssima, mãe dos infelizes." (Aluísio Azevedo, *O Mulato*, p. 37). **2.** *Fig.* Amargurado, magoado.

lanhamento [De *lanhar* + *-mento*.] *S. m.* Ato ou efeito de lanhar(-se).

lanhão [De *lanhar* + *-ão*[3].] *S. m.* V. *lanho* (2).

lanhar [Do lat. *laniare*.] *V. t. d.* **1.** Dar golpes em; ferir; maltratar. **2.** Golpear para salgar (o peixe). **3.** Mortificar, afligir; espezinhar, oprimir. **4.** Deturpar, alterar, estropiar: *Ignorante e falto de autocrítica, é mestre em lanhar línguas estrangeiras*. *P.* **5.** Ferir-se, machucar-se, alanhar-se: *Lanhou-se na cerca de arame farpado*. [Var. us. nas 3 primeiras acepçs.: *alanhar*.]

lanho [Dev. de *lanhar*.] *S. m.* **1.** Golpe de instrumento cortante: "uns barbeiros falavam com toda a gente na loja, menos comigo, ... dando-me tesouradas irremediáveis na trunfa, ou lanhos indeléveis na cara" (José Rodrigues Miguéis, *Léah*, pp. 132-133). **2.** Ferimento na pele provocado por arranhadura, instrumento cortante ou pontiagudo, etc.; lanhão, alanhão. **3.** Marca de chicotada. **4.** Talho feito no peixe para salgá-lo ou secá-lo. **5.** *Fig.* Abertura ou fenda em superfície. **6.** Tira de couro ou de pele.

→ **lan house** [læn haws] [Ingl., do acrôn. ingl. *lan* (*local area network*) + *house*.] *S. f. Inform.* Estabelecimento comercial em que, mediante pagamento, as pessoas têm acesso à Internet e a jogos numa rede local. [No Brasil, tb. se usa apenas *lan*.]

▲ **lan(i)-** [Do lat. *lani-* < lat. *lāna, ae*.] *El. comp.* = 'lã': *lanífero* (< lat.), *lanifício* (< lat.), *lanígero* (< lat.).

laniádeo *Adj.* Semelhante à pega parda.

lanífero [Do lat. tard. *laniferu*.] *Adj.* Lanígero (q. v.).

lanificial [De *lanifício* + *-al*[1].] *Adj. 2 g.* Referente a lanifício.

lanifício [Do lat. *lanificiu*.] *S. m.* **1.** Obra ou tecido de lã. **2.** Manufatura de lã. [Cf. *linifício*.]

lanígero [Do lat. *lanigeru*.] *Adj.* **1.** Que tem lã. **2.** Que produz ou cria lã: *gado lanígero*. **3.** Diz-se de todo ser coberto de pelos semelhantes à lã ou à lanugem: *planta lanígera*. [Sin. ger.: *lanífero*. Cf. *linígero*.]

lanista [Do lat. *lanista*.] *S. m.* Proprietário e treinador de gladiadores na Roma antiga: "Desde o nascer do sol, ..., mataram-se naquela arena homens e animais, à fantasia dos lanistas e dos organizadores dos jogos." (Mário de Carvalho, *Um Deus Passeando pela Brisa da Tarde*, p. 160-161).

▲ **lano-** [F. red. de *lanolina* (< lat. *lana*, 'lã').] *El. comp.* = 'lanolina': *lanosterol*.

lanolina [De *lan(i)-* + *-ol-*[2]+ *-ina*[3].] *S. f. Quím.* Mistura de colesterol e seus ésteres, obtida da gordura da lã, e us. como base de pomadas e cosméticos.

lanosidade [Do lat. tard. *lanositate*, por via erudita.] *S. f.* Qualidade de lanoso.

lanoso (ô) [Do lat. *lanosu*, por via erudita.] *Adj.* **1.** Relativo à lã. **2.** Que tem lã. **3.** Semelhante à lã: *o cabelo crespo e lanoso dos negros*. [Sin., nessas acepçs.: *lanudo, lanzudo*.] **4.** *Bot.* Coberto de pelos longos, crespos e suaves, que recordam a lã: *folha lanosa*.

lanosterol [De *lano-* + *-sterol*.] *S. m. Quím.* Substância cristalina incolor, álcool triterpênico tetracíclico encontrado na lã de carneiro, esterol do qual se consideram derivar, através de processos biossintéticos, todos os esteroides [fórm.: $C_{30}H_{50}O$]. [Pl.: *lanosteróis*.]

lansquenê [Do médio alto-al. *Landsknecht*, 'servidor do país', pelo fr. *lansquenet*.] *S. m.* **1.** Designação comum, nos sécs. XV, XVI e XVII, aos mercenários de infantaria alemães. **2.** Jogo de cartas, semelhante ao trinta e um. [F. paral.: *lansquenete*. Sin. bras., na 2ª acepç.: *mereré*.]

lansquenete (ê) *S. m.* V. *lansquenê*.

lantanídeos [De *lantânio*.] *S. m. pl. Quím.* Grupo de elementos, de número atômico entre 57 e 71, de propriedades metálicas muito parecidas, e que compreende: lantânio, cério, praseodímio, neodímio, promécio, samário, európio, gadolínio, térbio, disprósio, hólmio, érbio, túlio, itérbio e lutécio; lantanídios, lantanoides, terras-raras.

lantanídios *S. m. pl. Quím.* V. *lantanídeos*.

lantânio [Do gr. *lanthan-*, raiz de *lanthánein*, 'esconder', + *-io*[3].] *S. m. Quím.* Elemento de número atômico 57, pertencente aos lantanídeos, de que é um dos mais abundantes [símb.: *La*].

lantanita [De *lantânio* + *-ita*[3].] *S. f. Min.* Mineral ortorrômbico, carbonato hidratado de lantânio e cério, podendo conter pequenas quantidades de ítrio e outros metais de terras-raras.

lantanoides (ói) *S. m. pl. Quím.* V. *lantanídeos*. ❖

lantejoila *S. f.* V. *lentejoula*.

lantejoilamento [De *lantejoilar* + *-mento*.] *S. m.* V. *lentejoulamento*.

lantejoilante [De *lantejoilar* + *-nte*.] *Adj. 2 g.* V. *lentejoulante*.

lantejoilar *V. t. d.* V. *lentejoular*.

lantejoula *S. f.* V. *lentejoula*: "As túnicas, de cetim alvíssimo, iam até os pés. Umas terminavam em bordados de lantejoulas ou em imitação de arminho" (Maria Julieta Drummond de Andrade, *O Valor da Vida*, p. 27).

lantejoulamento [De *lantejoular* + *-mento*.] *S. m.* V. *lentejoulamento*: "Tudo [na poesia condoreira].... era apresentado em confusão deplorável, ... brilhando aos olhos do vulgo com o seu lantejoulamento sublime e trivial." (Andrade Murici, *O Suave Convívio*, p. 19.)

lantejoulante [De *lantejoular* + *-nte*.] *Adj. 2 g.* V. *lentejoulante*: "Depois observou que à frente das multidões caminhavam seres de escol, semideuses lantejoulantes, vestidos fantasiosamente." (Monteiro Lobato, *Urupês*, pp. 352-353.)

lantejoular *V. t. d.* V. *lentejoular*.

lanterna [Do lat. *lanterna* < gr. *lamptér*.] *S. f.* **1.** Utensílio feito ou guarnecido de matéria transparente, como o vidro, no qual se põe uma luz protegida contra o vento. **2.** Lâmpada elétrica portátil alimentada por pilhas. **3.** Dispositivo de iluminação colocado à frente, ou de sinalização, colocado atrás ou ao lado, de automóveis, locomotivas, etc. **4.** Parte superior do farol onde se encontra o foco luminoso. **5.** Claraboia numa cúpula ou num zimbório. **6.** Fresta por onde entra luz ou claridade. • *S. 2 g.* **7.** Lanterninha (1 e 2). [Us. tb., nesta acepç., como *s. 2 g.*] [Var. protética: *alanterna*.] ◆ **Lanterna furta-fogo.** Lanterna provida de um dispositivo especial que lhe permite não iluminar quem a traz. **Lanterna mágica.** Aparelho óptico que reflete e amplia imagens a distância; lampascópio.

lanterna de aristóteles *S. f. Zool.* Sistema mastigatório, protrátil, dos eleuterozoários equinoides composto de 40 peças calcárias, cinco das quais correspondem a fortes dentes. [Pl.: *lanternas de aristóteles*.] ☑

lanternagem [De *lanterna* + *-agem*[2]; antigamente se amolgavam com frequência, em choque com outras viaturas, as lanternas das seges.] *S. f. Bras.* **1.** Operação de desamolgar carrocerias ou peças de carroceria de automóveis; trabalho de lanterneiro (5). **2.** Parte das oficinas de automóveis onde se faz a lanternagem (1).

lanternar [De *lanterna* + *-ar*[2].] *V. t. d. Bras. P. us.* Fazer a lanternagem (1) de.

lanterneiro [De *lanterna* + *-eiro*.] *S. m.* **1.** Fabricante de lanternas. **2.** Aquele que limpa, acende e apaga lanternas ou lampiões públicos. **3.** Faroleiro[1]. **4.** Condutor de lanternas em procissão. **5.** *Bras.* Operário especializado em lanternagem (1).

lanterneta (ê) [De *lanterna* + *-eta* (ê).] *S. f. Artilh. Ant.* Projetil cilíndrico, metálico, cheio de fragmentos de ferro, chumbo, etc., outrora empregado para tiro de metralha.

lanternim [Do it. *lanternino*.] *S. m.* **1.** Telhado sobreposto nas cumeeiras, que permite a ventilação de grandes salas, oficinas, etc. **2.** Carreta onde engrena a roda dentada movida pelas velas de um moinho.

lanterninha [Dim. de *lanterna* (em alusão às pequenas lanternas traseiras das composições ferroviárias).] *S. f. e m. Bras.* **1.** Clube esportivo que nas competições tira o último lugar; lanterna. **2.** *P. ext.* O último colocado em qualquer competição; lanterna. • *S. 2 g.* **3.** Vaga-lume (2): *Empregou-se como lanterninha do novo cinema*.

lanti [Alter. de *landi*.] *S. m. Bras. Bot.* V. *jacareúba*.

lantim [Alter. de *landi*.] *S. m. Bras. Bot.* V. *jacareúba*.

lantor (ô) [De *lontar*, com metátese.] *S. m. Bot.* V. *palmira*.

lantuna [Do cabo-verd., alter. do tax. *Lantana*.] *S. f. Cabo-verd. Bot.* V. *camará* (1): "alimentava com lantuna seca a fogueira" (João Lopes Filho, *Estória, Estória... Contos Cabo-Verdianos*, p. 53).

lanudo [De *lan(i)-* + *-udo*.] *Adj.* V. *lanoso* (1 a 3).

lanugem [Do lat. *lanugine.*] *S. f.* **1.** Pelo fino que antecede a barba [v. *buço* (1)]: "uma lanugem em vez de bigode, cabelo castanho riçado" (Xavier Marques, *Jana e Joel*, p. 139). **2.** *P. ext.* Pelo fino, aveludado; penugem. **3.** *Bot.* Pelo macio que cobre algumas folhas ou frutos. **4.** *Embr.* Conjunto de pelos finos que cobre totalmente o corpo do feto[1] a partir de vinte semanas.

lanugento [De *lanugem* + *-ento.*] *Adj.* Que tem lanugem; lanuginoso.

lanuginoso (ô) [Do lat. *lanuginosu.*] *Adj.* **1.** Que é da natureza da lã. **2.** Lanugento. **3.** *Bot.* Coberto de lanugem (3): *pétala lanuginosa.*

lanzudo [De *lã* + *-zudo.*] *Adj.* **1.** V. *lanoso* (1 a 3). **2.** V. *lapuz.* **3.** *Bras.* V. *sortudo* (1). ● *S. m.* **4.** Indivíduo lanzudo (2 e 3).

lao *S. m. Gloss.* Laosiano (3).

laociano (a-o) *Adj. S. m.* V. *laosiano* (1 e 2).

laosense (a-o) *Adj. 2 g. S. m.* V. *laosiano* (1 e 2).

laosiano (a-o) *Adj.* **1.** Da, ou pertencente ou relativo à República Democrática do Laos (S.O. da Ásia). ● *S. m.* **2.** O natural ou habitante da República Democrática do Laos. [Sin., nessas acepç.: *laociano* e *laosense.*] **3.** *Gloss.* A língua oficial do Laos, tb. falada na Tailândia; lao. [Cf., nesta acepç., *tai* (2).] **4.** Vocábulo dessa língua.

lapa[1] [Do voc. pré-céltico *lappa*, 'pedra', poss.] *S. f.* **1.** Grande pedra ou laje que forma um abrigo: "Longe, as feras carniceiras / Uivam nas lapas." (Olavo Bilac, *Poesias*, p. 266.) **2.** *Lus. Zool.* Molusco, gastrópode, patelídeo (*Patella vulgata*), do Adriático, Mediterrâneo e Atlântico, de coloração externa castanho-amarelada e interna branco-esverdeada ou alaranjada, e comprimento de 4 a 5cm. **3.** *Lus. Zool.* Molusco gastrópode, patelídeo (*P. athletica*), de coloração externa cinzento-acastanhada, e interna esbranquiçada com zonas radiais um pouco escuras. **4.** *Bras.* Chão de uma mina em exploração. [O teto chama-se *capa* e as partes laterais, *pés-direitos.*] **5.** *Bras. N. N.E.* V. *lapo* (4).

lapa[2] *S. f. Lus. Pop.* V. *bofetada* (1).

lapachol [Do esp. *lapacho*, 'ipê', + *-ol*[2].] *S. m. Quím.* Substância cristalina amarela, presente na madeira do ipê, que é uma naftoquinona (2) hidroxilada e com ação terapêutica [fórm.: $C_{15}H_{14}O_3$]. [Pl.: *lapachóis.*]

lapachona [De *lapach(ol)* + *-ona*[2].] *S. f. Quím.* **1.** Qualquer de duas naftoquinonas (α–lapachona e ß–lapachona) isômeras do lapachol (e que deste podem ser obtidas, apesar de tb. presentes, em pequenas quantidades, no ipê), dotadas de variadas e importantes propriedades farmacológicas [fórm.: $C_{15}H_{14}O_3$].

lapada [De *lapo* + *-ada*[1].] *S. f.* **1.** *Bras. N. N.E.* V. *lambada* (1 a 5). **2.** *Lus. Pop.* V. *bofetada* (1). **3.** *Lus. Pop.* Pedrada (1 e 2).

lapalissada [Do fr. *lapalissade*, do antr. *La Palice* ou *La Palisse*, capitão celebrado numa canção cheia de verdades evidentes.] *S. f.* Truísmo de uma evidência formal simplória ou ridícula.

lapanã [De or. afr.] *S. m. Bras. Rel.* **1.** Qualidade (11) de Omulu. ● *Adj.* **2.** Diz-se dessa qualidade. [Com cap.]

lapantana [De or. obscura.] *Adj. 2 g. S. 2 g.* Simplório; bobo.

lapão[1] [De *lapa*[1] + *-ão*[1].] *S. m.* **1.** Grande lapa[1] (1). **2.** Lasca de pedra em parede de alvenaria.

lapão[2] [De *lapa*[1] + *-ão*[2].] *Adj. S. m. Deprec.* V. *lapuz.*

lapão[3] *Adj.* **1.** Da, ou pertencente ou relativo à Lapônia, região setentrional da Finlândia (Europa); lapônio. ● *S. m.* **2.** O natural ou habitante da Lapônia; lapônio. **3.** *Gloss.* O idioma ugro-finês falado pelos lapões. V. *uraliano* (3). **4.** Vocábulo desse idioma.

laparão[1] [De or. obscura.] *S. m. Patol.* **1.** Lamparão. **2.** Intumescência ganglionar e dos vasos linfáticos, nas pessoas atacadas de mormo.

laparão[2] [De *lapa*[1] + *-arão.*] *S. m. Lus.* Grande lapa[1] (2).

▲ **laparo-** [Do gr. *lapárē, ēs.*] *El. comp.* = 'ventre'; p. ext. 'abdome', 'cavidade abdominal': *laparocele, laparotomia.*

láparo [Da raiz ibero-românica **lapp.*] *S. m. Zool.* **1.** Filhote de coelho. **2.** O macho da lebre ainda novo.

laparocele [De *laparo-* + *-cele.*[1]] *S. f. Cir.* **1.** *Desus.* Hérnia lombar. **2.** Hérnia ventral.

laparoscopia [De *laparo-* + *-scop-* + *-ia.*[1]] *S. f. Med.* Visualização do interior da cavidade abdominal mediante o uso do laparoscópio, que é introduzido através da parede abdominal anterior; abdominoscopia.

laparoscópico [De *laparoscopia* + *-ico*[2].] *Adj. Med.* Relativo a laparoscopia.

laparoscópio [De *laparo-* + *-scópio.*] *S. m. Med.* Endoscópio com que se pratica a laparoscopia.

laparostomia [De *laparo-* + *stom(o)-* + *-ia*[1].] *S. f. Cir.* Processo destinado a participar, por vezes, do tratamento de graves peritonites, e que consiste em deixar aberta intencionalmente, e protegida por tela de material especial, a cavidade abdominal, após intervenção cirúrgica. [Cf. *laparotomia.*]

laparostómico *Adj.* V. *laparostômico.* [Uso freq. em P.]

laparostômico [De *laparostomia* + *-ico*[2].] *Adj.* Relativo a laparostomia. [Cf. *laparotômico.*]

laparotomia [De *laparo-* + *-tom(o)-* + *-ia*[1].] *S. f. Cir.* **1.** *Obsol.* Incisão em flanco, para tratamento de hérnia lombar. **2.** Qualquer incisão destinada a abrir a cavidade abdominal. [Cf. *laparostomia.*]

laparotómico *Adj.* V. *laparotômico.* [Uso freq. em P.]

laparotômico [De *laparotomia* + *-ico*[2].] *Adj.* Referente a laparotomia. [Cf. *laparostômico.*]

lapear[1] [De *lapo* + *-ear*[2].] *V. t. d. Bras. N. N.E.* Cortar com o chicote ou lapo; chicotear, vergastar. [Conjug.: v. *frear.*]

lapear[2] [De or. obscura.] *V. int. Bras. N.E. Pop.* Andar a pé. [Conjug.: v. *frear.*]

lapedo (ê) [De *lapa*[1] (1) + *-edo.*] *S. m.* Lugar onde há muitas lapas [v. *lapa*[1] (1)]: "De atros covões o aranhol / Enliça-se a cada arbusto; / Sobre o lapedo cascatas / Espumam, fervendo ao sol." (Alberto de Oliveira, *Poesias*, 2.ª série, p. 253.)

lapela [De or. obsc.] *S. f. Vest.* Parte anterior e superior de um casaco voltada para fora; rebuço. ◆ **Lapela militar.** *Vest.* Pedaço de tecido costurado sobre os ombros de jaquetas militares ou similares, abotoada em um dos lados.

lapelense *Adj. 2 g.* **1.** De, ou pertencente ou relativo a Lapela (MA). ● *S. 2 g.* **2.** O natural ou habitante de Lapela.

lapense *Adj. 2 g.* **1.** De, ou pertencente ou relativo a Bom Jesus da Lapa (BA). ● *S. 2 g.* **2.** O natural ou habitante de Bom Jesus da Lapa.

lapiana [De *lapo* (3), poss.] *S. f. Bras. Pop.* V. *lambedeira* (3).

lapiano *Adj.* **1.** De, ou pertencente ou relativo a Lapa (PR). ● *S. m.* **2.** O natural ou habitante de Lapa.

lápida *S. f.* V. *lápide*: "Um irmão dele .... fez-lhe exéquias, e, numa capela da família, lhe pôs em uma lápida de mármore branco .... um epitáfio que espero vejam todos quantos aqui sois." (Camilo Castelo Branco, *Mosaico e Silva de Curiosidades*, p. 133.) [Cf. *lapida*, do v. *lapidar.*]

lapidação [Do lat. *lapidatione.*] *S. f.* **1.** Ato ou efeito de lapidar; lapidagem. **2.** Oficina em que se lapidam pedras preciosas. **3.** *Ant.* Suplício que consistia em apedrejar o criminoso. **4.** *Fig.* Educação, aperfeiçoamento.

lapidador (ô) [Do lat. *lapidatore.*] *Adj. S. m.* Que, ou aquele que lapida.

lapidagem [De *lapidar*[2] + *-agem*[2].] *S. f.* Lapidação (1).

lapidar[1] [Do adj. lat. *lapidare*, 'de pedra'.] *Adj. 2 g.* **1.** Relativo a lápide. **2.** Gravado em pedra: *inscrição lapidar.* **3.** Breve, conciso; preciso: *estilo lapidar;* "Lembramo-nos .... da simplicidade lapidar daquela definição de Santo Tomás de Aquino: 'O belo é o que agrada à vista'." (Willy Lewin, *Ensaios de Circunstância*, p. 5). **4.** Artístico, primoroso, perfeito: *Seu livro tem páginas lapidares;* "Maria da Cunha, temperamento lírico de primeira grandeza, ... foi, acima de tudo, uma sonetista lapidar." (Júlio Dantas, *Abelhas Doiradas*, p. 177). ~ V. *letra —.*

lapidar[2] [Do v. lat. *lapidare*, 'apedrejar'.] *V. t. d.* **1.** Maltratar ou matar com pedradas; apedrejar: "não haverá, então, da Lorena à Pomerânia, pedras bastantes para lapidar o Moisés fraudulento." (Eça de Queirós, *Ecos de Paris*, p. 51). **2.** Talhar, polir, lavrar, aperfeiçoar (pedra preciosa). **3.** Dar educação a; polir, aperfeiçoar; cultivar, educar: *Lapidou o seu rude irmão antes de apresentá-lo à sociedade.* **4.** Aperfeiçoar, polir: *Enviou o filho à Europa para lapidar-lhe a educação.* [Pres. ind.: *lapido, lapidas, lapida*, etc.; pres. subj.: *lapide*, etc.; fut. pret.: *lapidaria*, etc. Cf. *lápida* e *lapide*, s. f., e *lapidária*, fem. de *lapidário* e s. f.]

lapidaria [De *lapidar*[2] + *-ia*[1].] *S. f.* **1.** Arte de lapidar[2]. **2.** Estabelecimento ou oficina de lapidário. [Cf. *lapidária*, fem. de *lapidário* e s. f., e *lapidaria*, do v. *lapidar.*]

lapidária [F. subst. do adj. *lapidário.*] *S. f. P. us.* Epigrafia. [Cf. *lapidaria*, do v. *lapidar* e s. f.]

lapidário [Do lat. *lapidariu.*] *Adj.* **1.** Referente a, ou próprio de inscrições lapidares: "encontrara um sinete emblemático com a palavra *Amabo* em letras lapidárias entre uma rosa e um crânio." (Domício da Gama, *Histórias Curtas*, p. 217). ● *S. m.* **2.** Aquele que lapida pedras preciosas: "Prometo .... escrever a favor .... dos tintureiros, dos lapidários, dos cambistas" (Machado de Assis, *Crônicas*, I, pp. 235-236). **3.** Instrumento para polir pedras preciosas, para trabalhar nas peças de relojoaria, etc. [Fem.: *lapidária.* Cf. *lapidaria*, do v. *lapidar.*]

lápide [Do lat. *lapide.*] *S. f.* **1.** Pedra com qualquer inscrição comemorativa: "Ao fundo da sala, uma grande lápide, onde está insculpido *in extenso* o termo da fundação da abadia." (Afonso Arinos, *Histórias e Paisagens*, p. 204.) **2.** Laje tumular. [Var.: *lápida.* Cf. *lapide* e *lapida*, do v. *lapidar.*]

lapídeo [Do lat. *lapideu.*] *Adj.* Que tem a dureza da pedra; lapidoso, pedroso.

lapidescência [De *lapidescente* + *-ia*[2], seg. o padrão analógico.] *S. f.* Qualidade de lapidescente.

lapidescente [Do lat. *lapidescente.*] *Adj. 2 g.* Que se lapidifica ou petrifica.

▲ **lapidi-** [Do lat. *lapidi-* < lat. *lapis, ĭdis.*] *El. comp.* = 'pedra': *lapidícola, lapidificar.*

lapidícola [De *lapidi-* + *-cola*[1].] *Adj. 2 g.* Diz-se dos animais que habitam ou nidificam entre pedras, ou nas fendas dos rochedos.

lapidificação [De *lapidificar* + *-ção.*] *S. f.* Ato ou efeito de lapidificar(-se).

lapidificar [De *lapidi-* + *-ficar.*] *V. t. d.* **1.** Tornar em pedra; petrificar. *P.* **2.** Adquirir a consistência de pedra; petrificar-se. [Conjug.: v. *trancar.* Pres. ind.: *lapidifico*, etc. Cf. *lapidífico.*]

lapidífico [De *lapidi-* + *-fico.*] *Adj.* Próprio para a formação de pedras. [Cf. *lapidifico*, do v. *lapidificar.*]

lapidoso (ô) [Do lat. *lapidosu.*] *Adj.* **1.** V. *pedregoso.* **2.** V. *lapídeo.*

lapiga [De or. obscura.] *S. m. Bras.* Garrote magro.

lapijar *V. int.* Fazer traços ou riscos com o lápis. [Cf. *lapisar.*]

lapíli [Do it. *lapilli*, pl. de *lapillo*, 'pedrinha'.] *S. m. pl. Geol.* Fragmentos sólidos de pequeno tamanho (c. de 2mm a c. de 70mm), provenientes de erupção vulcânica.

lapiloso (ô) [Do lat. *lapillus*, 'pedrinha', + *-oso.*] *Adj. Bot.* Diz-se do fruto que apresenta corpos muito duros no mesocarpo, como, p. ex., as peras.

lapinha [Dim. de *lapa*[1].] *S. f.* **1.** Certa representação popular antiga. **2.** *Bras. N.E.* Nicho ou presépio que se forma pelas festas de Natal e Reis. **3.** *Bras. N.E. Folcl.* O pastoril (4), sem a inclusão de danças e cantos estranhos aos assuntos natalinos.

lapinhense *Adj. 2 g.* **1.** De, ou pertencente ou relativo a Lapinha (MG). ● *S. 2 g.* **2.** O natural ou habitante de Lapinha.

lápis [Do it. *lapis* < lat. *lapis, idis*, 'pedra'.] *S. m. 2 n.* **1.** Estilete de grafita envolvido em madeira, cilíndrico ou oitavado, para escrever ou desenhar. **2.** Pedaço de qualquer substância com que se escreve, risca ou desenha. **3.** Qualquer objeto com o feitio de cilindro longo e fino, semelhante ao lápis (1). **4.** Desenho a lápis. ◆ **Lápis cajal.** Aquele que é feito de cajal (q. v.). **Lápis dermográfico.** Lápis especial, us. em medicina para marcações na pele. **Lápis hemostático.** Bastão de alume, us. para estancar pequenos sangramentos. **Lápis infernal.** Nitrato de prata fundido em forma de cilindro. **Lápis litográfico.** Lápis composto de cera, sabão, sebo, etc., e pigmento, para desenho no processo litográfico. [V. *tinta litográfica.*] **Lápis para (os) olhos.** Lápis com substância cosmética, próprio para realçar e delinear o contorno dos olhos.

lapisada [De *lápis* + *-ada*[1].] *S. f.* Traço a lápis.

lapisar [De *lápis* + *-ar*[2].] *V. t. d.* Desenhar ou escrever a lápis. [Cf. *lapijar.*]

lapiseira [De *lápis* + *-eira.*] *S. f.* **1.** Tubo de metal, matéria plástica, etc., onde se encaixa um estilete de grafita, e que é usado como lápis. **2.** Caixa onde se guardam lápis. [Sin. ger.: *porta-lápis* (1).]

lápis-lazúli [Do it. *lapislazzuli*, do lat. *lapis* e do ár. *lāzaward.*] *S. m.* Lazurita. [Pl.: *lápis-lazúlis.*]

lápis-tinta *S. m.* Lápis cuja mina[1] (9), feita de matéria especial, dá um traço indelével, e que tem os mesmos empregos que a tinta de cópia: "Em um exemplar d' 'Os Timbiras' [de Gonçalves Dias], edição de Leipzig, ... alguém escreveu a lápis-tinta: 'Versos duros, malferindo os ouvidos'." (Carlos Drummond de Andrade, *Confissões de Minas*, p. 36.) [Pl.: *lápis-tintas* e *lápis-tinta.*]

laplaciano [Do antr. *Laplace* + *-iano.*] *Adj.* **1.** Pertencente ou relativo a Pierre Simon Laplace (1749-1827), astrônomo e matemático francês, ou próprio dele. ~ V. *operador —.* ● *S. m.* **2.** Seguidor das teorias de Laplace. **3.** *Mat.* Escalar[1] (2) ou vetor que se obtém quando se multiplica o quadrado do operador nabla por uma função escalar ou vetorial, respectivamente.

laplatassauro [Do top. *La Plata* (Argentina) + *-sauro*; tax. *Laplatasauria.*] *S. m. Paleont.* **1.** Gênero de dinossauros saurópodes, saurísquios, herbívoros, que habitavam charcos e pântanos no cretáceo superior da América do Sul, Índia e Madagascar; mediam 21m e pesavam até 20t. **2.** Espécie ou espécime desse gênero.

laplatense *Adj. 2 g.* **1.** De, ou pertencente ou relativo à cidade de La Plata (República Argentina). ● *S. 2 g.* **2.** O natural ou habitante dessa cidade.

lapo [T. onom.] *S. m. Bras. N. N.E.* **1.** Tira de sola que se põe na ponta dos relhos e chicotes. **2.** Lambada, lapada, chicotada. **3.** Golpe dado com faca. **4.** Naco, pedaço; fragmento; lapa: "Os espinhos de rasga-

-beiço tiraram-lhe um lapo do rosto" (Adalberon Cavalcanti Lins, *Curral Novo*, p. 62).

lapoense *Adj. 2 g.* **1.** De, ou pertencente ou relativo a Lapão (BA). ● *S. 2 g.* **2.** O natural ou habitante de Lapão.

lapônio[1] *Adj. S. m.* V. *lapônio*[1]. [Uso freq. em P.]

lapónio[2] *Adj. S. m.* V. *lapônio*[2]. [Uso freq. em P.]

lapônio[1] *Adj. S. m.* V. *lapão*[3] (1 e 2).

lapônio[2] [De *lapa*[1], poss.] *Adj. S. m.* V. *lapuz*.

lápsana [Do tax. *Lapsana*.] *S. f. Bot.* **1.** Gênero de plantas asteráceas, herbáceas, dotadas de folhas penatífidas e flores raiadas de amarelo. **2.** Qualquer espécie desse gênero, como, p. ex., a *Lapsana communis* ou lampsana. **3.** Qualquer espécime desse gênero.

lapso [Do lat. *lapsu*.] *S. m.* **1.** Espaço de tempo: 📖 "Espantou-se de o ver tão acabado no lapso de quatro anos" (Camilo Castelo Branco, *A Enjeitada*, p. 140). **2.** Erro cometido por descuido, distração, ou esquecimento; engano involuntário: 📖 "dando e recebendo todos os trocos sem um só esquecimento, sem o menor equívoco, sem um único lapso." (Ramalho Ortigão, *Em Paris*, p. 165). **3.** Falta, privação, falha: 📖 "— Há uma doença especial, ... um lapso da memória; o Tomé Gonçalves perdeu inteiramente a noção de pagar." (Machado de Assis, *Histórias sem Data*, p. 19.) **4.** Deslize, escorregadela, culpa. ● *Adj.* **5.** Incurso em erro, culpa ou pecado.

➔ **lapsus linguae** ['lapsos 'liŋgwaj] [Lat.] Erro involuntário na conversação; lapso.

➔ **laptop** [læptạt] [Ingl., lit., 'sobre o colo', por analogia com *desktop* (q. v.).] *S. m. Inform.* Microcomputador portátil, dotado de bateria e com monitor plano e teclado acoplados a um gabinete compacto, próprio para uso em situações de locomoção, como durante viagens. [Cf. *desktop* e *notebook*.]

lapuz [De *lapa*[1].] *Adj. 2 g. S. m.* Diz-se de, ou indivíduo grosseiro, rude, tosco; labrosta, labroste, lanzudo, labrego, lapônio, lapão: 📖 "O provinciano mais lapuz, depois de concluir o seu jantar com um cálice de tócai e um creme gelado ...., compreende .... o consolo .... de pôr brilhantina no bigode e conversar de cousas delicadas." (Ramalho Ortigão, *Em Paris*, pp. 95-96); "Ríamo-nos dos labregos, dos lapuzes, dos labrostes da falsa aristocracia." (Agripino Grieco, *Zeros à Esquerda*, p. 193).

lapuzice [De *lapuz* + *-ice*.] *S. f.* Qualidade, ato ou modos de lapuz.

laquê [Do fr. *laqué*.] *S. m.* Produto com que se vaporizam os cabelos a fim de fixar o penteado. [Sin. (lus.): *laca para cabelo*.]

laqueação[1] [De *laquear*[2] + *-ção*.] *S. f. Cir.* Ação ou efeito de laquear[2].

laqueação[2] [De *laquear*[3] + *-ção*.] *S. f.* Ato ou efeito de laquear[3].

laqueado [Part. de *laquear*[3].] *Adj.* Coberto ou pintado com laca: 📖 "Ele está imóvel na cama laqueada, o cabelo enorme, a barba castanha maior ainda" (Cordeiro de Andrade, *Anjo Negro*, p. 135).

laqueador (ô) [De *laquear*[3] + *-dor*.] *S. m.* Aquele que trabalha em laquear móveis, em laqueação[2]: 📖 "Sem hesitar chamou estofador, laqueador, o homem dos tapetes e o dos espelhos..." (Malu de Ouro Preto, *Siri na Noite sem Lua*, p. 40.)

laqueadura [De *laquear*[2] + *-dura*.] *S. f. Cir. P. us.* Ligadura (3).

laquear[1] [Do lat. tard. *laquear*.] *S. m.* Dossel de leito; sobrecéu.

laquear[2] [Do lat. tard. *laqueare*, 'apertar', 'enlaçar'.] *V. t. d. Cir.* Ligar[2] (11). [Conjug.: v. *frear*.]

laquear[3] [De *laca* + *-ear*[2].] *V. t. d. Bras.* **1.** Cobrir com laca. **2.** Pintar (móveis) com tinta de esmalte. [Conjug.: v. *frear*.]

laquear[4] [De *laquê* + *-ear*[2].] *V. t. d. Bras.* Vaporizar (os cabelos) com laquê. [Conjug.: v. *frear*.]

laqueário [Do lat. *laqueariu*.] *S. m.* Gladiador que tolhia os movimentos do adversário arremessando-lhe uma corda com nó corredio.

laqueca *S. f.* V. *alaqueca*.

laquedivo *Adj.* **1.** Das, ou pertencente ou relativo às ilhas Laquedivas (oceano Índico). ● *S. m.* **2.** O natural ou habitante dessas ilhas.

láquese [Do tax. *Lachesis* < mit. gr. *Láchesis*, uma das três Parcas.] *S. f. Zool.* **1.** Gênero de serpente crotalídea. **2.** Qualquer espécie desse gênero, como, p. ex., a *Lachesis muta*, conhecida popularmente como *surucutinga*. **3.** Qualquer espécime desse gênero.

lar [Do lat. *lare*.] *S. m.* **1.** A parte da cozinha onde se acende o fogo. **2.** Lareira (1): 📖 "Foi então, no silêncio da noite, enquanto o azinho seco ardia no lar, que eu ouvi a história dessa encantadora mulher" (Júlio Dantas, *Abelhas Doiradas*, pp. 197-198). **3.** *Fig.* A casa de habitação. **4.** *Fig.* A família (1): 📖 "Eis meu lar, minha casa, meus amores" (Casimiro de Abreu, *Obras*, p. 108). **5.** *Fig.* O torrão natal; a pátria: 📖 "— Flor dos trópicos — cá na Europa fria / Eu definho, chorando noite e dia / Saudades do meu lar." (Id., *ib.*, p. 90.) **6.** Ninho ou toca de animal. ~ V. *lares*. ◆ **Lar da prensa.** Superfície da prensa onde assenta o vinhaço. **Lar do pão.** A parte do pão que assenta sobre o lar do forno. **Do lar.** De prendas domésticas (q. v.).

laracha [De or. obsc.] *S. f.* **1.** Chalaça, gracejo, motejo. **2.** *Bras. Gír.* Impostura, embuste, logro; mentira. **3.** *Lus.* V. *bate-papo*. ● *S. m.* **4.** Aquele que diz facécias ou pretende ser gracioso.

larachear [De *laracha* + *-ear*[2].] *V. int.* Dizer larachas. [Conjug.: v. *frear*.]

larada [De *lar* + *-ada*[1].] *S. f.* **1.** Cinza ou borralho do lar. **2.** Nódoa de líquido entornado.

larafi *S. m. Bras. Rel.* Purgatório dos malês [v. *malê* (1)].

laranja [Do ár. *nāranǧa(t)* < persa *nārang*, poss. de or. indiana, assim como o fruto.] *S. f.* **1.** O fruto da laranjeira. **2.** Pessoa, ingênua, simples ou sem importância. ● *S. m.* **3.** Alaranjado (4 e 5): 📘 *O laranja assenta-lhe muito bem*. **4.** *Gír.* Agente intermediário, esp. no mercado financeiro, que efetua, por ordem de terceiros, transações ger. irregulares ou fraudulentas, ficando oculta a identidade do verdadeiro comprador, ou vendedor: 📖 "Ao depor na CPI .... admitiu que sua empresa havia tido participação nas admissões irregulares, porém na condição de laranja." (*Gazeta Mercantil*, 21.02.1997). ● *Adj. 2 g. e 2 n.* **5.** Alaranjado (2): 📖 "camisa laranja" (Davi Antunes, *Briguela*, p. 135); "Negro e laranja, o japiim, sendo o pássaro mais esquivo, ... foi o primeiro alado que se aproximou do selvagem." (Raimundo Morais, *País das Pedras Verdes*, p. 47). **6.** Diz-se da cor laranja: 📘 *terno de cor laranja*. ◆ **A outra metade da laranja.** Pessoa que é tida como o par ideal de alguém; alma gêmea.

laranja-amarga *S. f. Bras. Bot.* V. *laranja-da-terra*. [Pl.: *laranjas-amargas*.]

laranja-aperu [De *laranja* + voc. incerto.] *S. f. Bras. Bot.* V. *café-do-mato* (2). [Pl.: *laranjas-aperus* e *laranjas-aperu*.]

laranja-azeda *S. f. Bras. Bot.* V. *laranja-da-terra*. [Pl.: *laranjas-azedas*.]

laranja-cravo *S. f. Bras.* **1.** V. *tangerina*. **2.** *Bot.* V. *tangerineira*. [Pl.: *laranjas-cravos* e *laranjas-cravo*.]

laranjada [De *laranja* + *-ada*[1].] *S. f.* **1.** Bebida feita com o sumo da laranja, açúcar e água. **2.** Porção de laranjas. **3.** Arremesso de laranjas.

laranja-da-baía *S. f. Bras. Bot.* **1.** Variedade de laranjeira (*Citrus aurantium* var. *brasiliensis*) obtida por enxerto, e cujo fruto apresenta no cimo um segundo verticilo, saliente, de carpelos menores. **2.** O fruto dessa árvore. [Sin. ger.: *laranja-de-umbigo*. Pl.: *laranjas-da-baía*.]

laranja-da-china [De *laranja* + *da*[1] + o top. *China*.] *S. f. Bras. Bot.* **1.** Variedade de laranjeira (*Citrus aurantium* var. sinensis). **2.** O fruto dessa árvore. [Pl.: *laranjas-da-china*.]

laranja-da-terra *S. f. Bras. Bot.* **1.** Variedade de laranjeira (*Citrus aurantium* var. *amara*) cujos frutos têm sabor amargo. **2.** O fruto dessa árvore. [Sin. ger.: *laranja-amarga, laranja-azeda*. Pl.: *laranjas-da-terra*.]

laranja-de-macaco *S. f. Bras. Bot.* V. *açucena-do-mato*. [Pl.: *laranjas-de-macaco*.]

laranja-de-mico [De *laranja* + *de* + *mico*[1].] *S. f. Bras. Bot.* V. *açucena-do-mato*. [Pl.: *laranjas-de-mico*.]

laranja-de-umbigo *S. f. Bras. Bot.* Laranja-da-baía. [Pl.: *laranjas-de-umbigo*.]

laranjal [De *laranja* + *-al*[1].] *S. m.* **1.** Quantidade mais ou menos considerável de laranjeiras dispostas proximamente entre si. **2.** Área ocupada por laranjal (1).

laranjalense[1] *Adj. 2 g.* **1.** De, ou pertencente ou relativo a Laranjal (MG e PR). ● *S. 2 g.* **2.** O natural ou habitante de Laranjal.

laranjalense[2] *Adj. 2 g.* **1.** De, ou pertencente ou relativo a Laranjal do Jari (AP). ● *S. 2 g.* **2.** O natural ou habitante de Laranjal do Jari. [Sin. ger.: *jarilense*.]

laranjalense[3] *Adj. 2 g.* **1.** De, ou pertencente ou relativo a Laranjal Paulista (SP). ● *S. 2 g.* **2.** O natural ou habitante de Laranjal Paulista.

laranja-lima [De *laranja* + *lima*[3].] *S. f. Bot.* **1.** Variedade de laranjeira (*Citrus aurantium* var. *lumia*) de frutos pequenos e de sabor destituído de acidez. **2.** O fruto da laranja-lima. [Pl.: *laranjas-limas* e *laranjas-lima*.]

laranja-mimosa *S. f. Bras. S. de SP PR N. de SC* **1.** V. *tangerina*. **2.** *Bot.* V. *tangerineira*. [Pl.: *laranjas-mimosas*.]

laranjão [De *laranjo* + *-ão*[1].] *S. m. Bras.* Certa raça bovina do PI.

laranja-ouro *Adj. 2 g. e 2 n.* **1.** De uma tonalidade alaranjada, tirante a ouro: 📖 "mostra-me os seus livros: entre eles avisto, com orgulho, a capa laranja-ouro dum folheto meu" (José Rodrigues Miguéis, *Gente da Terceira Classe*, p. 55). ● *S. m.* **2.** Essa tonalidade. [Pl. do s. m.: *laranjas-ouros* e *laranjas-ouro*.]

laranja-pera (ê) [De *laranja* + *pera* (ê).] *S. f. Bras. Bot.* **1.** Variedade de laranjeira (*Citrus sinensis*) de frutos doces, sumarentos, cuja forma alongada lembra a de uma pera. **2.** O fruto dessa árvore. [Pl.: *laranjas-peras* (ê) e *laranjas-pera*.] ❖

laranjarana [De *laranja* + *-rana*.] *S. f. Bras. Bot.* Árvore rizoforácea (*Cassipourea guianensis*) que habita os mangues da região amazônica, de folhas coriáceas, luzidias, flores pequenas, e cujo tronco se sustenta sobre características raízes aéreas, que servem de escora à árvore toda.

laranja-seleta *S. f. Bot.* **1.** Variedade de laranja-da-china (q. v.). **2.** O fruto da laranja-seleta. [Pl.: *laranjas-seletas*.]

laranjeira [De *laranja* + *-eira*.] *S. f.* **1.** Nome comum a diversas árvores rutáceas do gênero *Citrus* (v. *citrus*). **2.** *Bot.* Árvore rutácea (*Citrus aurantium* ou *C. sinensis*) de porte pequeno ou médio, armada de espinhos, copa densa, flores alvas e nectaríferas, folhas compostas, muito aromáticas, e cujo fruto, a laranja, é uma grande baga, muito apreciada como alimento. Originária da Ásia, cultiva-se na maior parte do globo, e apresenta inúmeras variedades, às vezes bem diferentes da espécie original.

laranjeira-do-mato *S. f. Bras. Bot.* V. *cataguá*[1]. [Pl.: *laranjeiras-do-mato*.]

laranjeirense *Adj. 2 g.* **1.** De, ou pertencente ou relativo a Laranjeiras (SE). ● *S. 2 g.* **2.** O natural ou habitante de Laranjeiras.

laranjeirense-do-sul *Adj. 2 g.* **1.** De, ou pertencente ou relativo a Laranjeiras do Sul (PR). ● *S. 2 g.* **2.** O natural ou habitante de Laranjeiras do Sul. [Pl.: *laranjeirenses-do-sul*.]

laranjeiro [De *laranja* + *-eiro*.] *S. m.* **1.** *Bras.* Vendedor de laranjas. **2.** *Bras. RJ SP* Plantador de laranjas.

laranjense *Adj. 2 g.* **1.** De, ou pertencente ou relativo a Laranja da Terra (ES). ● *S. 2 g.* **2.** O natural ou habitante de Laranja da Terra.

laranjinha [De *laranja* + *-inha*.] *S. f.* **1.** *Bras. Bot.* V. *espinho-de-vintém*. **2.** *Bras.* Aguardente de cana perfumada com casca de laranja: 📖 "Os copos não demoravam vazios, e Paulo já começava a sentir-se atordoado quando, ao fim do jantar, Mamede foi .... buscar a laranjinha." (Coelho Neto, *Turbilhão*, pp. 130-131.) **3.** *Bras. N.E.* V. *limão de cheiro*.

laranjinha-do-campo *S. f. Bras. Bot.* V. *bacupari-do-campo*. [Pl.: *laranjinhas-do-campo*.]

laranjinha-do-mato *S. f. Bras. Bot.* Árvore rutácea (*Fagara monogyna*) nativa do ES, de folhas com três folíolos arredondados e providos de glândulas, flores unissexuais, organizadas em panículas, tronco sem acúleos, e cujo fruto é um pequeno folículo com sementes globosas, sendo a madeira amarela, lisa e aproveitável para mobiliário. [Pl.: *laranjinhas-do-mato*.]

laranjo [De *laranja* (com adjetivação).] *Bras. Adj.* **1.** Diz-se de animal vacum que tem o pelo de cor tirante à da laranja: 📖 "vinham eles .... a cavalo e em carros puxados por juntas de dez bois, formada cada junta, a capricho, de animais de pelo igual: ou todos pretos, ou alvações, laranjos, malhados, bragados, caraças." (Xavier Marques, *As Voltas da Estrada*, p. 16). ● *S. m.* **2.** Esse animal.

laranjo-queimado *Adj.* **1.** Laranjo cujo pelo é tirante a marrom. ● *S. m.* **2.** O tom do laranjo-queimado: 📖 "esse garrote cresceu nédio e lindo, mudando com a castração a cor avermelhada pelo laranjo-queimado do fio do lombo." (Alberto Deodato, *Canaviais*, pp. 67-68). [Pl.: *laranjos-queimados*.]

larapiar [De *larápio* + *-ar*[2].] *V. t. d.* Furtar, surrupiar, abafar. [Pres. ind.: *larapio*, etc. Cf. *larápio*.]

larápio [De or. obscura.] *S. m.* V. *ladrão* (3). [Cf. *larapio*, do v. *larapiar*.]

larário [Do lat. tard. *larariu*, por via erudita.] *S. m.* Capelinha dos deuses lares, entre os antigos romanos e os etruscos.

lardeadeira [De *lardear* + *-deira*.] *S. f.* Agulha para lardear.

lardear [De *lardo* + *-ear*[2].] *V. t. d.* **1.** Entremear (uma peça de carne) com fatias de lardo (1). **2.** *Fig.* Fincar, crivar, cravar. *T. d. e i.* **3.** Entressachar, entremear; intercalar. [Sin.: *alardar*. Conjug.: v. *frear*.]

▲ **lardi-** [Do lat. *lārdum*, *i*.] *El. comp.* = 'toucinho': *lardiforme, lardívoro*.

lardiforme [De *lardi-* + *-forme*.] *Adj. 2 g.* Que tem forma de lardo.

lardívoro [De *lardi-* + *-voro*.] *Adj.* Que se alimenta de lardo: 📘 *vermes lardívoros*.

lardizabalácea [Do tax. *Lardizabalia* (do antr. [*Miguel*] *Lardizabal* [*y Uribe*], naturalista espanhol), + *-ácea*; tax. *Lardizabalaceae*.] *S. f. Bot.* Espécime das lardizabaláceas, família de dicotiledôneas da ordem das ranales, composta de lianas com folhas palmadas ou penadas e flores solitárias ou racemosas. Há umas 15 espécies, exclusivas da zona temperada.

lardizabaláceo [De *lardizabalácea*, com var. suf. (v. *-áceo*).] *Adj. Bot.* Pertencente ou relativo às lardizabaláceas.

lardo [Do lat. *lardu*.] *S. m.* **1.** Toicinho, sobretudo toicinho em tiras ou talhadinhas para entremear peças de carne. **2.** *Fig.* Condimento; enfeite, ornato: "Assim reflexiona, com lardo de latim do Gênesis, o Sr. Padre Casimiro Vieira, o generalíssimo de uma guerra fratricida que, poucos meses depois, ladrilhava com duzentos cadáveres as ruas de Braga." (Camilo Castelo Branco, *Maria da Fonte*, p. 98.) **3.** *Fig.* Recheio (4): "Tudo isto era expendido na tréplica de José Hipólito com grande lardo de zombarias e sarcasmos em estilo picaresco." (Id., *Novelas do Minho*, IV, p. 83.) **4.** *Bras.* Lanho (2).

laré [De or. incerta.] *El. s. m.* Us. na loc. *andar ao laré*. ◆ **Andar ao laré. 1.** Passar a vida ociosamente; vadiar. **2.** Andar fora dos eixos; funcionar irregularmente. **3.** Andar em situação precária.

lareira [F. subst. de *lareiro*.] *S. f.* **1.** A laje do lar (1), em que se acende o fogo; lar. **2.** Fornalha onde se faz fogo para aquecimento de interiores; fogão, chaminé: "sentia-me confortavelmente ali, junto daquela grave lareira antiga onde um fogo carinhoso crepitava." (Júlio Dantas, *Abelhas Doiradas*, p. 196).

lareiro [De *lar* + *-eiro*.] *Adj.* Relativo ou pertencente a lar, ou a lareira.

lares [Do lat. *lares*.] *S. m. pl.* Deuses domésticos, entre os etruscos e os romanos. ~ V. *lar*.

larga[1] [Dev. de *largar*.] *S. f.* Ato ou efeito de largar.

larga[2] [F. subst. do adj. *largo* (*largo*[2]).] *S. f.* **1.** *Fig.* Largueza, liberdade; folga: *Ontem, entre amigos, deu largas à sua veia humorística.* **2.** Aumento, ampliação, desenvolvimento. **3.** *Bras.* Campo sem divisas. ◆ **À larga. 1.** Com largueza; com abundância; à grande: "continuava a viver à larga, à grande, gastando, dando, esbanjando." (Antero de Figueiredo, *Jornadas em Portugal*, p. 388). **2.** À vontade; a gosto; comodamente; à tripa forra: "sentou-se na cadeira em que estivera antes, e respirou à larga." (Machado de Assis, *Casa Velha*, p. 86). **Criar na larga.** *Bras.* Criar sem cercas divisórias, na plena comunidade da terra. **Dar largas a.** V. *dar asas a*: "Deu largas à sua alma, e contou-me tudo, como quem precisava dum confidente." (Camilo Castelo Branco, *A Mulher Fatal*, p. 95); "Só poderia extasiar-se, dar largas à sua imaginação, sem ser interrompido" (Coelho Neto, *Treva*, p. 104).

largação [De *largar* + *-ção*.] *S. f. Bras. MG* Separação de fato de um casal, *i. e.*, sem ser por desquite ou divórcio.

largada [De *largar* + *-ada*[1].] *S. f.* **1.** Ato de largar. **2.** Partida de um lugar. **3.** Chiste; piada. **4.** *Bras.* Ação de começar a correr, abrindo competição ou corrida de cavalos, automóveis, etc. **5.** *Bras. RS* Façanha, proeza. **6.** *Bras.* Vôlei Ataque (7) que consiste num leve toque na bola, de modo que esta caia na quadra adversária, próximo à rede.

largadamente [Do f. de *largado* + *-mente*.] *Adv.* De modo largado [v. *largado* (8)]: "um barco chega, trazendo à proa um velho com o braço pendido largadamente sobre uma lira" (Monteiro Lobato, *A Barca de Gleyre*, p. 47).

largadão [De *largado* + *-ão*[1].] *Adj.* Completamente à vontade: "eu gostava assim, ver a mulher como se ela estivesse mesmo a sós, largadona, distraída" (Hilda Hilst, *Estar Sendo, Ter Sido*, p. 73).

largado [Part. de *largar*.] *Adj.* **1.** Que se largou. **2.** *Bras.* Abandonado; desprezado. **3.** *Bras.* Diz-se do cavalo de que ninguém mais cuida, por ser indomável, e daquele que, sendo manso, há muito tempo não é montado. **4.** *Bras.* Desmaiado, desfalecido. **5.** *Bras. Fig.* Turbulento, irrequieto; incorrigível. **6.** *Bras.* V. *valentão* (1). **7.** *Bras.* Que se abandona, que não cuida de si; muito displicente no trajar, nas maneiras. **8.** *Bras.* Como que abandonado, tomado de cansaço, fadiga, ou preguiça: *Sentou-se, exausta, o braço largado sobre a mesa.*

largar [De *largo* + *-ar*[2].] *V. t. d.* **1.** Soltar (o que se segura): *Não largava a pasta em que estavam os documentos; Não largou por um instante o braço da mulher.* **2.** Deixar cair: *O cão largou o bocado que tinha entre os dentes.* **3.** Pôr em liberdade; deixar fugir: *Apanhou o pássaro, mas logo depois o largou.* **4.** Perder de vista; desviar-se ou afastar-se de: *Seus olhos não largavam a namorada.* **5.** Pôr de parte; deixar, abandonar: *largar as armas.* **6.** Deixar, abandonar, desamparando: *Largou a mulher e cinco filhos.* **7.** Tornar lasso ou pendente; deixar livre; soltar; alargar: *Largou as rédeas, deixando o cavalo galopar.* **8.** Desferir, desfraldar: *largar as velas.* **9.** Emitir, soltar; dar: *Largou uma boa gargalhada.* **10.** *Pop.* Dizer, proferir; soltar: *Largou uma boa piada*; "Um sujeito chega, atenta .... naqueles desconhecidos .... Outro larga uma opinião à toa." (Graciliano Ramos, *Angústia*, p. 5). ***T. d. e i.*** **11.** Lançar, impelir: *Largou o cão contra o assaltante.* **12.** Passar; ceder: *Largou a chefia ao seu sucessor.* **13.** Conceder, dar, doar: *Largou ao irmão boa parte da herança.* ***T. i.*** **14.** Deixar, cessar: *Largue de ser tolo!* **15.** Separar-se, apartar-se: "Larguei do Laerte e andei zanzando, batendo pernas uns dois dias" (Nélson de Faria, *Tiziu e Outras Estórias*, p. 18). **16.** Desprender-se, soltar-se: *A ferrugem não larga do tecido.* ***Int.*** **17.** Partir, ir-se: *Já era noite quando largaram.* **18.** Fazer-se ao largo; ir-se: *A embarcação largou pela madrugada.* **19.** *Bras. Pop.* Perder a viveza; esvaecer(-se), desbotar: *A cor desta chita não larga.* ***P.*** **20.** Separar-se; afastar-se. **21.** Escapar-se, soltar-se, desprender-se: "Jana largou-se dos braços do irmão Cosme, e cruzando os seus na testa, encostou-se a um portal, soluçando." (Xavier Marques, *Jana e Joel*, p. 137.) **22.** Ir-se, partir, sem demora e/ou com precipitação: "Liquidou o negócio que o marido mantinha na Corte e largou-se para Porto das Caixas" (Barbosa Lima Sobrinho, *Presença de Alberto Torres*, p. 14). **23.** Pôr-se, deitar-se, ficar-se: *Largou-se a dormir durante o expediente.* **24.** *Chulo* Soltar ventosidades; peidar. [Muda o *g* em *gu* antes de *e*: *larguei, largue, larguemos, larguem*, etc.]

largífluo [Do lat. *largifluu*.] *Adj. Poét.* Que corre abundantemente.

largo[1] [Do it. *largo*.] *Mús. S. m.* **1.** Andamento largo, pausado, lento. **2.** Trecho ou peça musical nesse andamento. ● *Adv.* **3.** Em largo[1] (1).

largo[2] [Do lat. *largu*, 'copioso', 'abundante', 'liberal, generoso', 'que abunda em, rico'.] *Adj.* **1.** Que tem grande extensão transversal. **2.** Amplo, grande, extenso; vasto: "jovem herdeiro de largas propriedades lá para bandas de Póvoa e Meadas." (José Régio, *Histórias de Mulheres*, p. 101). **3.** Que não é estreito ou apertado; folgado: *vestido largo.* **4.** Longo, demorado: *Tiveram larga conversa a respeito do apartamento.* **5.** Importante, considerável. **6.** Generoso, dadivoso; liberal: *Não mede gastos para nada; é homem largo.* **7.** Copioso, abundante: *Saboreavam com delícia a larga ceia de Natal.* **8.** *Tip.* Diz-se de largo (13). **9.** *Bras. Pop.* Aberto (26). ~ V. *banda —a*, *bitola —a*, *mar —*, *vento —* e *voga —a*. ● *S. m.* **10.** V. *largura* (1). **11.** Praça (1). **12.** V. *alto-mar* (1). **13.** *Tip.* Variante do traçado dos tipos de uma família (14), que parecem mais achatados, ocupando mais espaço lateralmente do que um tipo normal (6). [Cf., nesta acepç., *estreito* (13), *meio-largo*.] ● *Adv.* **14.** Com largueza; largamente: "gastava largo e dava muitas esmolas." (Machado de Assis, *Esaú e Jacó*, p. 15); "O sorriso era instantâneo, mas também folgado e largo." (Id., *Dom Casmurro*, p. 169). ◆ **Ao largo. 1.** Com pormenores; minuciosamente, particularizadamente. **2.** Guardando distância; sem dar intimidade: "Essa gente se trata ao largo. Pouca intimidade." (José Sarney, *Norte das Águas*, p. 94.) **Ao largo de.** Longe de; a distância; afastadamente: *Passar ao largo da costa.* **Fazer-se ao largo. 1.** *Mar.* Navegar para o largo; afastar-se da costa: "Quando se fez ao largo a nave escura / Na praia essa mulher ficou chorando, / No doloroso aspecto figurando / A lacrimosa estátua da amargura." (Gonçalves Crespo, *Obras Completas*, p. 331.) **2.** Mudar de lugar; sair; andar. **Passar ao largo.** *Mar.* Passar longe; passar de largo. **Passar de largo.** V. *passar ao largo*. **Prometer largo e dar estreito.** Fazer promessa(s) de vulto e dar muito menos que o prometido.

largueador (ô) [De *larguear* + *-dor*.] *Adj. S. m.* Que, ou aquele que largueia.

larguear [De *largo*[2] + *-ear*[2].] *V. t. d.* **1.** Despender largamente; prodigalizar, prodigar. **2.** Alargar (1). *Int.* **3.** Gastar largamente; ser pródigo. [Conjug.: v. *frear*.]

largueirão [De *largo* + *-eirão*.] *Adj. Pop.* Muito largo[2] (3). [Fem.: *largueirona*.]

largueto (ê) [Do it. *larghetto*.] *S. m. Mús.* **1.** Andamento menos vagaroso que o largo[2] (1). **2.** Trecho ou peça musical nesse andamento.

largueza (ê) [De *largo* + *-eza*.] *S. f.* **1.** V. *largura* (1). **2.** *Fig.* Generosidade; liberalidade. **3.** Desafogo, folga, abastança: *Vive bem, com muita largueza.* **4.** Desregramento, esbanjamento, desperdício, dissipação.

largura [De *largo*[2] + *-ura*.] *S. f.* **1.** Qualidade de largo; largueza, largo, anchura. **2.** A menor dimensão de uma superfície plana horizontal, em contraposição a *comprimento*. **3.** *Tip.* Medida de linha de uma página, coluna, etc., expressa tipometricamente. **4.** *Tip.* Distância entre as duas faces laterais do tipo (11). ◆ **Largura de banda.** *Eletrôn.* **1.** V. *faixa de passagem*. **2.** *Telec.* Em um sistema de comunicação analógico, a diferença (medida em Hertz) entre as frequências máxima e mínima suportadas pelo canal. [A largura de banda é um dos fatores que determinam a capacidade ou a qualidade de transmissão de um sistema.] **3.** *Inform.* Em um sistema de comunicação digital, a capacidade de transmissão de dados (medida ger. em *bps*). **Largura de nível.** *Fís. Nucl.* Em um nível excitado de um núcleo atômico, incerteza existente na sua energia, inversamente proporcional à vida média do nível. **Largura de pulso.** *Eng. Elétr.* A duração de um pulso (4).

lari *S. m.* Unidade monetária, e moeda, da Geórgia (S.E. da Europa).

▲ **lar(i)-** [Do lat. *larus, i*, 'gaivota', < gr. *láros, ou*.] *El. comp.* = 'gaivota': *lariforme*.

larica [De or. obsc.] *S. f.* **1.** *Bot.* Joio (1). **2.** *Fam.* Fome (1). **3.** *Restr.* Fome, sobretudo a que atinge quem se encontra sob o efeito da maconha.

lárice [Do lat. *larice*.] *S. m. Bot.* V. *lárix*.

larício [Do lat. **lariciu* (do lat. *larix, icis*).] *S. m. Bot.* V. *alerce* (2).

lariço [Var. de *larício*.] *S. m. Bot.* V. *alerce* (2).

laridão [F. aferética de **alaridão*.] *S. m. Bras.* Alarido intenso de cães perseguindo a caça.

larídeo [Do tax. *Larus* + *-ídeo*[1], tax. *Laridae*.] *Zool. S. m.* **1.** Espécime dos larídeos, família de aves lariformes que vivem no mar, frequentando as costas e os grandes rios; alimentam-se de peixes e detritos orgânicos, e nidificam em colônias. São as gaivotas, as andorinhas-do-mar, os trinta-réis, etc. ● *Adj.* **2.** Pertencente ou relativo a eles.

larifo [De or. incerta.] *Adj. S. m. Lus. Gír.* Diz-se de, ou indivíduo aproveitador, espertalhão.

lariforme[1] [De *lar(i)-* + *-forme*.] *Adj. 2 g.* Semelhante à gaivota.

lariforme[2] [Do tax. *Larus* + *-iforme*.] *Zool. S. m.* **1.** Espécime dos lariformes, ordem de aves neórnites, neógnatas. Têm os três dedos anteriores reunidos por membrana, pernas mais curtas que o corpo, excluído o pescoço, bico com ponta aguda e ventas ordinárias, não prolongadas em tubo. São as gaivotas. ● *Adj. 2 g.* **2.** Pertencente ou relativo a eles.

laringal [De *laringe* + *-al*[1].] *Adj. 2 g. Anat.* V. *laríngeo*.

laringalgia [De *laring(o)-* + *-alg(o)-*[2] + *-ia*[1].] *S. f. Patol.* Dor laríngea.

laringálgico [De *laringalgia* + *-ico*[2].] *Adj.* Relativo à laringalgia.

laringalização [De **laringalizar* (< *laringal* + *-izar*) + *-ção*.] *S. f. E. Ling.* Tipo de fonação em que as pregas vocais vibram muito lentamente, apenas num dos extremos, devido à posição fechada das aritenoides.

laringalizado [Part. de **laringalizar* (v. *laringalização*).] *Adj. E. Ling.* Diz-se de som produzido com laringalização.

laringe [Do gr. *lárynx, yngos*.] *S. f. e m. Anat.* Conduto musculocartilaginoso, com revestimento interno mucoso, situado imediatamente acima da traqueia, comunicando-se, na parte superior, com a faringe, e que tem por função, entre outras, intervir no mecanismo da fonação e evitar a penetração de alimento na traqueia.

laríngeo [De *laring(o)-* + *-eo*.] *Adj. Anat.* Relativo ou pertencente a laringe; laringal, laringiano. ~ V. *difteria —a* e *proeminência —a*.

laringiano [De *laring(o)-* + *-iano*.] *Adj. Anat.* V. *laríngeo*.

laringismo [De *laring(o)-* + *-ismo*.] *S. m. Patol.* Espasmo laríngeo.

laringite [De *laring(o)-* + *-ite*[1].] *S. f. Med.* Inflamação laríngea.

▲ **laring(o)-** [Do gr. *laryngo-* < gr. *lárynx, yngos* (ă).] *El. comp.* = 'laringe'; 'garganta': *laringalgia, laringografia; laringotomia* (< gr.). [Equiv.: *-laring(o)-*: *otorrinolaringologia*.]

▲ **-laring(o)-** Equiv. de *laring(o)-*.

laringocele [De *laring(o)-* + *-cele*[1].] *S. f. Med.* Anormalidade constituída por saco aéreo que se comunica com a cavidade laríngea e, principalmente durante a tosse, produz no pescoço uma visível tumoração.

laringofissura [De *laring(o)-* + *fissura*.] *S. f. Cir.* Laringotomia mediana.

laringografia [De *laring(o)-* + *-grafia*.] *S. f.* **1.** Descrição do laringe. **2.** Estudo radiológico do laringe após instilação, neste órgão, de substância de contraste.

laringográfico [De *laringografia* + *-ico*[2].] *Adj.* Referente à laringografia.

laringologia [De *laring(o)-* + *-logia*.] *S. f.* Ramo da medicina que estuda o laringe em todos os seus aspectos.

laringológico [De *laringologia* + *-ico*[2].] *Adj.* Relativo à laringologia.

laringologista [De *laringologia* + *-ista*.] *S. 2 g.* Especialista em laringologia.

laringoplegia [De *laring(o)-* + *-pleg-* + *-ia*[1].] *S. f. Patol.* Paralisia do laringe.

laringoplégico [De *laringoplegia* + *-ico*[2].] *Adj.* Relativo à laringoplegia.

laringoscopia [De *laring(o)-* + *-scop-* + *-ia*[1].] *S. f. Med.* Inspeção do interior do laringe, por meio de laringoscópio (observação direta) ou de espelho laríngeo (observação indireta).

laringoscópio [De *laring(o)-* + *-scópio*.] *S. m.* Instrumento com que se realiza a observação direta do interior do laringe.

laringóstomo [De *laring(o)-* + *-stomo*.] *Adj. Zool.* Diz-se de animal articulado cuja boca é uma espécie de tromba, formada pelo esôfago.

laringotomia [Do gr. *laryngotomía*.] *S. f. Cir.* Incisão no laringe, que pode ser realizada em níveis diversos do órgão e variar em extensão.

laringotraqueal [De *laring(o)-* + *-traque(o)-* + *-al*[1].] *Adj. 2 g.* ~ V. *difteria* —.

larissa [Do mit. gr. *Larissa*.] *S. f. Astr.* Um dos satélites de Netuno, com forma alongada (um eixo de 210km e outro perpendicular de 190km) e órbita quase circular de 73.600km, em sentido direto, no plano equatorial. [Foi descoberto em 2.7.1989 pela sonda espacial norte-americana *Voyager 2*.] [Com cap.]

lárix (s) [Do tax. *Larix* (do lat. *larix* < gr. *lárix, ikos*).] *S. m. 2 n. Bot.* **1.** Gênero de árvores pináceas nativas das regiões frias do hemisfério norte, de folhas decíduas, e ger. cultivadas ou exploradas para extração de madeira, tanino e terebintina. **2.** Qualquer espécie desse gênero, como, p. ex., a *Larix decidua* [v. *alerce* (2)]. **3.** Qualquer espécime desse gênero. [F. paral.: *lárice*.]

laroiê [Do ior.] *S. m. Bras. BA Rel.* Saudação especial a Exu.

laroz [De or. obscura.] *S. m.* Barrote que sustenta a tacaniça; larva.

larsenita [Do antr. (*Esper S.*) *Larsen* (1879-1961), geólogo norte-americano, + *-ita*[3].] *S. f. Min.* Mineral ortorrômbico, silicato de chumbo e zinco.

larva [Do lat. *larva*, 'fantasma', 'espectro'; 'máscara de fantasma'.] *S. f.* **1.** *Zool.* O primeiro estado dos insetos, depois de saírem do ovo: "No segredo da larva delicada / A borboleta mora, / Antes que veja a luz, que estenda as asas, / Que surja fora!" (Gonçalves Dias, *Obras Poéticas*, II, p. 152.) **2.** Laroz. **3.** Entre os antigos romanos, espírito malfazejo de um morto que vagueava entre os vivos para os aterrorizar. ◆ **Larva *migrans* cutânea.** *Med.* Dermatopatia caracterizada por linhas de erupção pruritica, eritematosa, serpiginosa, papular ou vesicular, que correspondem aos movimentos de larvas sob a pele; na maioria dos casos, é causada por larvas de parasitos de cão ou de gato. **Larva *migrans* ocular.** *Med.* Infecção ocular devida a larvas de nematódeos de cão ou de gato, e que pode situar-se na coroide, ou na retina, e mesmo propagar-se para o humor vítreo. **Larva *migrans* visceral.** *Med.* Doença devida à migração, por tempo prolongado, de larvas de nematódeos, em órgãos que não a pele, e que se caracteriza por contínua hipereosinofilia, hepatomegalia e, frequentemente, por pneumonite; é causada, ger., por *Toxocara canis* ou por *T. catis*, que não completam o seu ciclo vital no homem. **Larvas neotênicas.** *Zool.* Larvas que conservam, quando adultos, caracteres juvenis.

larváceo [De *larv(i)-* + *-áceo*; tax. *Larvacea*.] *S. m. Adj. Zool.* V. *apendiculário*.

larvado [Do lat. *larvatu*.] *Adj.* **1.** Insidioso, disfarçado; atípico. **2.** *Med.* Diz-se de moléstia ou sintoma ainda não aparente, ou que se manifesta de modo incompleto: *epilepsia larvada*. **3.** *Fig.* Desequilibrado, mas com intervalos de lucidez.

larval [Do lat. *larvale*.] *Adj. 2 g.* **1.** Relativo a larva; larvar, larvário. **2.** *Poét.* Relativo a fantasma [v. *larva* (3)];medonho, horrível, assustador.

larvar [De *larv(i)-* + *-ar*[1].] *Adj. 2 g.* V. *larval* (1).

larvário [De *larv(i)-* + *-ário*.] *Adj.* V. *larval* (1).

larvejante [De *larvejar* + *-nte*.] *Adj. 2 g.* Que larveja, fervilha; pululante: "No Teatro São Pedro, ... noite de carnaval, ele .... mirava a sala onde, como num buraco de podridões, remexia-se sem cessar a multidão larvejante." (Domício da Gama, *Histórias Curtas*, p. 18.)

larvejar [De *larva* + *-ejar*.] *V. int.* **1.** Mover-se como larva. **2.** *Fig.* Pulular, fervilhar, como um monte de larvas.

▲ **larv(i)-** [Do lat. *lārva, ae*, 'fantasma', 'espectro'; 'máscara de fantasma'.] *El. comp.* = 'larva', 'forma animal imatura': *larvar, larvário, larvicida*. [Equiv.: *larvo-*: *larvófago*.]

larvicida [De *larv(i)-* + *-cida*.] *Adj. 2 g. S. m.* Diz-se de, ou agente que destrói larvas.

▲ **larvo-** Equiv. de *larv(i)-*.

larvófago [De *larvo-* + *-fago*.] *S. m.* Animal que se nutre de larvas: *peixe larvófago*.

lasanha [Do it. *lasagna*.] *S. f.* **1.** Massa alimentícia cortada em tiras relativamente largas. **2.** *Cul.* Iguaria preparada com essa massa em camadas entremeadas de recheio de carne, molho branco e mozarela.

lasca [De or. incerta.] *S. f.* **1.** Fragmento de madeira, pedra ou metal. [Sin.: *estilhaço* e (bras., N.E., pop.) *laxa*.] **2.** Fragmento fino e longo; fatia, talhada: *uma lasca de queijo*. **3.** Espécie de jogo de azar. **4.** *Bras. Chulo* A vulva.

lascado [Part. de *lascar*.] *Adj.* **1.** Rachado ou quebrado em lascas; mutilado. **2.** *Bras. CE* Adoidado; estabanado. **3.** *Bras. CE* Pobríssimo, paupérrimo. **4.** *Bras. Gír.* A toda a pressa; em disparada, à disparada: *Veio de Petrópolis lascado.*

lascagem [De *lascar* + *-agem*[2].] *S. m.* Lascamento.

lascamento [De *lascar* + *-mento*.] *S. m.* Ato ou efeito de lascar; lascagem.

lasca-peito [De *lascar* + *peito*.] *S. m. Bras. Pop.* Cigarro muito forte, e/ou ordinário, que contém alta dosagem de nicotina e alcatrão; mata-rato, mata-ratos, arranca-peito, arromba-peito, arrebenta-peito. [Pl.: *lasca-peitos*.]

lascar [De *lasca* + *-ar*[2].] *V. t. d.* **1.** Partir ou fazer lascas em; rachar. **2.** Tirar lascas de. **3.** Partir, quebrar. **4.** *Bras. Fam.* Fazer, produzir, etc., por efeito ou como por efeito de uma resolução súbita, ou por um ímpeto: *Amolei-me com aquilo, e lasquei um protesto; Amanhã eu lasco uma carta ao Governador; Jogou querosene na roupa da mulher, que estava dormindo, e lascou fósforo*; "O rapaz se queimou e lascou em árabe bem castiço um palavrão" (Adovaldo Fernandes Sampaio, *O Sol na Rede*, pp. 23-24). *Int.* **5.** Fazer-se em lascas; fender-se, estilhaçar-se. *P.* **6.** Lascar (5). **7.** *Pop.* Dar-se mal; prejudicar-se; lesar-se: *Não estudou e lascou-se no exame.* [Conjug.: v. *trancar*.] ◆ **De lascar.** *Bras. Fam.* Profundamente desagradável, ou irritante, ou decepcionante, etc.; dos diabos: *É uma ingratidão de lascar!*; *Fez-me uma de lascar*; "Na lombada da serra o sol é de lascar .... / Nem uma folha só fazendo movimento." (Ascenso Ferreira, *Catimbó e Outros Poemas*, p. 125); "no Maracanã, os sanitários são de lascar." (João Saldanha, em *Jornal do Brasil*, 16.02.1982).

lascívia [Do lat. *lascivia*.] *S. f.* **1.** Qualidade ou modos de lascivo. **2.** Luxúria, libidinagem, sensualidade, cabritismo.

lascivo [Do lat. *lascivu*.] *Adj.* **1.** *Desus.* Brincalhão; travesso: "Está o lascivo e doce passarinho / com o biquinho as penas ordenando" (Luís de Camões, *Rimas*, p. 139). **2.** Sensual, libidinoso, lúbrico; desregrado: "foi ladrão pérfido, sacrílego, e vanglorioso, e tão lascivo, que ordenou que em dia de Páscoa as mulheres lhe cantassem hinos no meio da igreja, tão profanos, que os ouvidos pios tinham horror de admiti-los." (P.ᵉ Manuel Bernardes, *Nova Floresta*, II, p. 290). **3.** Em que há ou como que há lascívia; sensual, libidinoso, lúbrico: *movimentos lascivos; a ondulação lasciva do seu corpo.* ● *S. m.* **4.** Indivíduo sensual, libidinoso, lascivo: "Grande lascivo, espera-te a voluptuosidade do nada." (Machado de Assis, *Memórias Póstumas de Brás Cubas*, p. 22.)

➔ **laser** ['lejzə'] [Ingl., das iniciais de *light amplification by stimulated emission of radiation*.] *S. m. Fís.-Quím.* Fonte de luz monocromática, muito intensa, coerente e colimada, na qual um campo externo provoca um acúmulo de estados excitados nas partículas da substância emissora da radiação, que sofrem decaimento autoestimulado, acompanhado pela emissão. [As aplicações são variadas e crescentes na ciência, na indústria, na engenharia e na medicina.] ◆ ***Laser* a corante.** *Fís.-Quím. Laser* em que a radiação é emitida por um corante orgânico em solução e que ger. permite variação, dentro de uma faixa, do comprimento de onda da emissão. ***Laser* a cristal.** *Fís.-Quím. Laser* em que a radiação é emitida por um cristal, como, p. ex., rubi ou granada de alumínio e ítrio. [É o laser *YAG*, de *yttrium aluminum garnet*.] ***Laser* a gás.** *Fís.-Quím. Laser* em que a radiação é emitida por um gás, como, p. ex., o neônio, ou mistura de hélio e neônio. ***Laser* a líquido** *Tec. Laser* em que a radiação é emitida por um líquido, como, p. ex. solventes corantes. ***Laser* a semicondutor** *Tec. Laser* em que a radiação é emitida por um material semicondutor, como, p. ex., arsenieto de gálio.

laserterapeuta [De *laser* + *terapeuta*.] *S. 2 g. Med.* Profissional que se dedica à laserterapia.

laserterapêutico [De *laserterapeuta* + *-ico*[2].] *Adj. Med.* De, ou relativo a laserterapia ou a laserterapeuta.

laserterapia [De *laser* + *-terapia*.] *S. f. Med.* Terapia realizada mediante a aplicação de *laser*.

▲ **lasi(o)-** [Do gr. *lasio-* < gr. *lásios, a, on*.] *El. comp.* = 'peludo', 'cabeludo'; 'coberto de árvores': *lasiúro*.

lasiúro [De *lasi(o)-* + *-uro*; tax. *Lasiurus*.] *S. m. Zool.* **1.** Gênero de morcegos insetívoros, vespertilionídeos. **2.** Espécie ou espécime desse gênero.

lasqueado *Adj. Bras. RS* A quem não se pode dar crédito; que não é sério; leviano.

lassancense *Adj. 2 g.* **1.** De, ou pertencente ou relativo a Lassance (MG). ● *S. 2 g.* **2.** O natural ou habitante de Lassance.

lassar [Do lat. *lassare*.] *V. t. d.* Tornar lasso: "Margarida sorriu; mas mostrou-se reservada, lassou um pouco as rédeas do bridão e compôs o cabelo." (Vitorino Nemésio, *Mau Tempo no Canal*, p. 121.) [Pres. ind.: *lasso*, etc.; fut. do pret.: *lassaria*, etc.; part.: *lassado*, fem. *lassada*. Cf. *laço*, s. m., *laçaria*, s. f., *laçada*, s. f., e *laçar*, v.]

lassear [De *lasso* + *-ear*[2].] *V. int. Bras. MG* Tornar-se lasso, frouxo; afrouxar. [Conjug.: v. *frear*.]

lassidão [Do lat. *lassitudine*, por via pop.] *S. f.* **1.** Qualidade ou estado de lasso. **2.** Prostração de forças; prostração, cansaço, fadiga: "Pouco a pouco foi-o tomando um cansaço, uma inércia, uma infinita lassidão da vontade" (Eça de Queirós, *Os Maias*, II, p. 492). **3.** Tédio, fastio, enfastiamento. [Sin.: *lassitude* e *laxidão*.]

lassitude [Do lat. *lassitudine*, por via semierudita.] *S. f.* V. *lassidão*: "Mas Jacinto não podia erguer-se do divã, ao qual aderia toda a sua lassitude." (Urbano Tavares Rodrigues, *A Noite Roxa*, p. 95.)

lasso [Do lat. *lassu*.] *Adj.* **1.** Cansado, fatigado, enervado: "Acolhe-me a lassa fronte, / ó meu Travesseiro amigo" (Antônio Feliciano de Castilho, *Amor e Melancolia*, p. 125). **2.** Frouxo, bambo, relaxado, laxo. **3.** Gasto, laxo: *trinco lasso*. **4.** Devasso, dissoluto. [Pl.: *lassos*. Cf. *laços*, s. m., e *Laços*, top.]

➔ **last but not least** [læst bʌt nat lijst] [Ingl.] O último, mas não o menos importante.

lastex [Marca registrada.] *S. m. 2 n. Tec. Têx.* **1.** Fibra elástica feita de fios de borracha recobertos por outros fios, de algodão, seda ou náilon, muito us. para produzir efeito franzido e elástico. **2.** Tecido fabricado com essa fibra.

lástima [Dev. de *lastimar*.] *S. f.* **1.** Compaixão, pena, piedade, dó, comiseração: *Causa lástima o estado do velho casarão senhorial.* **2.** Tristeza, miséria, desgraça, infortúnio: "Minha paz, minha alegria, / Minha coragem, roubaste-mas... / E hoje a minh'alma sombria / É como um poço de lástimas..." (Manuel Bandeira, *Estrela da Vida Inteira*, p. 54.) **3.** Aquilo que merece ser lastimado; mal, dano: *Sossegue: à sua filha não acontecerá a menor lástima.* **4.** Queixa, pranto, lamento, lamentação: "Sobe aos céus a lástima solene do cantochão dos ofícios dos defuntos" (Antero de Figueiredo, *Toledo*, p. 161). **5.** *Deprec.* Coisa ou pessoa inútil. [Cf. *lastima*, do v. *lastimar*.]

lastimado[1] [Part. de *lastimar*[1].] *Adj.* Deplorado, lamentado, pranteado.

lastimado[2] [Part. de *lastimar*[2].] *Adj. Bras. RS* Machucado, ferido.

lastimador (ô) [De *lastimar*[1] + *-dor*.] *Adj. S. m.* Que, ou aquele que lastima.

lastimadura [Do esp. plat. *lastimadura* (v. *lastimar*[2]).] *S. f. Bras. RS* Machucadura; ferimento.

lastimar[1] [Do gr. *blasphemeîn*, 'ferir com palavras', pelo lat. vulg. *blastemare*, alter. do lat. tard. *blasphemare*, com a acepç. de 'ferir fisicamente, machucar'.] *V. t. d.* **1.** Deplorar, lamentar, compadecer: *Lastimou profundamente a perda do amigo.* **2.** Causar dor a; afligir, angustiar: *Lastimava-os a tristeza do ambiente.* **3.** Ter pena de; apiedar-se, compadecer-se, condoer-se de: "O que eu adoro em ti — lastima-me e consola-me! / O que eu adoro em ti, é a vida." (Manuel Bandeira, *Estrela da Vida Inteira*, p. 90.) *P.* **4.** Queixar-se, lamentar-se: "Lastimam-se alguns indivíduos por sentirem pesado o fardo da vida. Mas nem por isso deixam de correr com ele." (Pontes de Miranda, *Obras Literárias*, p. 51.) **5.** Afligir-se, angustiar-se. [Pres. ind.: *lastimo, lastimas, lastima*, etc. Cf. *lástima*, s. f.]

lastimar[2] [Do esp. plat. *lastimar*.] *V. t. d. Bras. S.* Machucar, ferir: *Na queda, lastimou a perna.* [Pres. ind.: *lastimo, lastimas, lastima*, etc. Cf. *lástima*, s. f.]

lastimável [De *lastimar*[1] + *-vel*.] *Adj. 2 g.* V. *lamentável* (1): "Atira-se às águas; num grito medonho / A mãe lastimável — 'Meu filho!' bradou" (Gonçalves Dias, *Obras Poéticas*, II, p. 55).

lastimeira [De *lástima* + *-eira*.] *S. f.* **1.** Hábito de lastimar-se. **2.** Muitas lástimas ou queixas; lamúria excessiva.

lastimoso (ô) [De *lástima* + *-oso*.] *Adj.* **1.** V. *lamentável* (1): *Está numa situação lastimosa.* **2.** Próprio de quem se lastima; choroso, triste, plangente: *Aborrece a todos com sua voz sempre lastimosa.*

lastração [De *lastrar* + *-ção*.] *S. f.* Ato ou efeito de lastrar; lastramento.

lastrador (ô) [De *lastrar* + *-dor*.] *Adj. S. m.* Que, ou aquele que lastra.

lastragem [De *lastrar* + *-agem*[2].] *S. f. Bras.* Ato de pôr lastro no leito das vias férreas; lastramento, lastreamento.

lastramento [De *lastrar* + *-mento*.] *S. m.* **1.** Lastração. **2.** V. *lastragem*.

lastrar [De *lastro*[1] + *-ar*[2].] *V. t. d.* **1.** Carregar com lastro[1], deitar ou pôr lastro[1] em; lastrear. **2.** Tornar mais firme, aumentando o peso; lastrear. **3.** Espalhar-se ou alastrar-se por; cobrir, juncar: "Uma forte lufada .... levantou as folhas secas que lastravam o solo" (Inglês de Sousa, *O Missionário*, p. 259). *Int.* **4.** Alastrar(-se), propagar-se.

lastreamento [De *lastrear* + *-mento*.] *S. m. Bras.* V. *lastragem*.

lastrear [De *lastro* + *-ear*[2].] *V. t. d.* Lastrar (1 e 2). [Conjug.: v. *frear*.]

lastrense *Adj. 2 g.* 1. De, ou pertencente ou relativo a Lastro (PB). ● *S. 2 g.* 2. O natural ou habitante de Lastro.

lastro[1] [Do hol. *last*, 'carga', pelo fr. ant. *last* (atual *lest*).] *S. m.* 1. Tudo quanto se mete no porão do navio para lhe dar estabilidade. 2. Areia que vai na barquinha do aeróstato. 3. Depósito em ouro que serve de garantia ao papel-moeda. 4. *Fig.* Assento, base, firmeza. 5. *Fam.* Qualquer alimento com que se prepara o estômago para melhores comidas, ou para beber. 6. Peça que se coloca nos tratores e nas máquinas agrícolas para proporcionar maior estabilidade e penetração no solo; contrapeso. 7. *Bras. N.E.* O conjunto de paus que formam o corpo das jangadas. 8. *Bras. MG* Locomotiva us. nos trabalhos de manobras do material rodante das estradas de ferro, ou nos de socorro. ◆ **Em lastro.** *Mar. Merc.* Diz-se de embarcação que não conduz carga e por isso navega lastrada.

lastro[2] [De *balastro*, por aférese.] *S. m. Bras.* Camada resistente e permeável, ger. de pedra britada ou de outro material semelhante, colocada sob os dormentes de uma via férrea para suportar e distribuir à plataforma os esforços por eles transmitidos; balastro.

■ **l.at.** *Fís.* Símb. de *atmosfera litro.*

lata [Do b.-lat. ant. *latta*, de or. céltica ou germânica, e com o sentido de 'vara longa' (v., logo adiante, a acepç. 1).] *S. f.* 1. *Lus.* Cada cana ou vara transversal de parreira. 2. Folha de flandres. 3. Recipiente feito desse material. 4. *Cin.* Embalagem metálica ou plástica, de forma circular, para rolo de filme. 5. *Constr. Nav.* Cada uma das vigas de madeira de menor seção que os vaus, e que se intercalam entre eles, apoiadas nos dormentes para reforçar a estrutura sobre a qual se apoia o pavimento. 6. *Bras. Pop.* V. *calhambeque* (2). 7. *Pop.* Rosto, cara: *Meteu a mão na lata do pobre-diabo.* 8. *Bras. Pop.* Recusa amorosa: *Deu a lata ao namorado.* 9. *Lus.* Atrevimento, descaramento. ◆ **Na lata.** Sem rodeios; inopinadamente: "Na última sessão, quando já descia a escada para terminar o número, sentiu uma língua úmida no ouvido. Era do Cara de Padre, que perguntou na lata: 'Onde é que você vai passar o Natal, baiana?'" (Naum Alves de Souza, "Strippers", *Contos para um Natal Brasileiro*, p. 94.)

latacho [De or. obscura.] *S. m. Bras.* V. *carcamano* (1).

latada [De *lata* + *-ada*[1].] *S. f.* 1. Grade de varas ou de canas, para sustentar parreiras ou qualquer outra planta sarmentosa [v. *lata* (1)]: "extensas latadas vergavam ao peso das abóboras .... e dos maracujás de diversos tamanhos" (Aluísio Azevedo, *O Mulato*, p. 147). 2. Pancada com lata. 3. Assuada feita a noivos, na noite do casamento, com barulho de latas e panelas. 4. *Pop.* V. *bofetada* (1). 5. *Bras. N. N.E.* Cobertura improvisada (em geral de folhas de coqueiro) para abrigar alguém ou alguma coisa.

lata de lixo *S. m. Bras. RJ Pop.* Pé-sujo. [Pl.: *latas de lixo*.]

lata de sardinha *S. f. Pop. Fig.* Local ou veículo muitíssimo lotado. [Pl.: *latas de sardinha*.]

latagão [De or. obscura.] *S. m.* Homem robusto e de grande estatura: "o Balbino, um latagão ruivo, robusto, entroncado" (Virgílio Várzea, *Mares e Campos*, p. 150). [Fem.: *latagona*.]

latagona *S. f.* Fem. de *latagão*.

latamente [Do f. de *lato* + *-mente*.] *Adv.* No sentido lato, amplo: "um Portugal que há muito perdera a certeza e mesmo o sentimento de ser uma nação importante, quer no plano político quer no latamente 'cultural'" (Eduardo Lourenço, em *Jornal de Letras*, 08.10.1997).

latâneo [Do rad. *lat-* (< lat. *latus, eris*) + *-âneo*.] *Adj. Ant.* Que fica ao lado; lateral (q. v.).

latanhado [Part. de *latanhar*.] *Adj. Bras. AL Pop.* Ferido, lanhado.

latanhar *V. t. d. P. Bras. AL Pop.* Ferir(-se), arranhar(-se), lanhar(-se): "Saí me arrastando, me latanhando todo nas pedras e nos espinhos" (Adalberon Cavalcanti Lins, *Curral Novo*, p. 166).

latão [Do turco, pelo ár. *latun* e pelo ant. fr. *laton* (atual *laiton*).] *S. m.* 1. *Metal.* Liga de cobre e zinco. 2. *Bras.* Vasilha de zinco, estanhada por dentro, própria para transportar leite. ◆ **Latão almirantado.** *Metal.* Latão com, aproximadamente, 77% de cobre, 22% de zinco e 1% de estanho, muito resistente à corrosão, e usado em peças e equipamentos navais. **Latão amarelo.** *Metal.* O que tem teor de cobre entre 63% e 66%, amarelado, dúctil, resistente, com boa processabilidade a frio. **Latão vermelho.** *Metal.* O que contém 85% de cobre e tem coloração avermelhada, sendo muito resistente à corrosão.

lataria [De *lata* + *-aria*.] *S. f. Bras.* 1. Grande porção de latas. 2. *P. ext.* Produtos alimentares enlatados. 3. *Pop.* A carroceria do automóvel (por oposição ao chassi e ao motor): *Foi uma batida ligeira, só amassou a lataria.*

lata-velha [De *lata* + o f. de *velho*.] *S. f.* Veículo ou eletrodoméstico muito velho e/ou muito malconservado. [Pl.: *latas-velhas*.]

latear [De *lata* + *-ear*[2].] *V. t. d.* Enfeitar ou guarnecer com ornatos de lata (2) ou latão. [Conjug.: v. *frear*.]

lategaço [De *látego* + *-aço*.] *S. m.* Lategada.

lategada [De *látego* + *-ada*[1].] *S. f.* Pancada ou açoite com látego; lategaço.

látego [Do gótico *laittug, poss.] *S. m.* 1. Açoite de correia ou de corda; azorrague [v. *chicote* (1)]: "Aos ríspidos estalos / Do impaciente látego, os cavalos / Correm veloz, larga e fogosamente..." (Raimundo Correia, *Poesias*, p. 17.) 2. *Fig.* Castigo, flagelo. 3. V. *inquerideira*. 4. *Bras. RS* Tira de couro cru com a qual se apertam os arreios, e que faz parte da cincha.

latejamento [De *latejar* + *-mento*.] *S. m.* V. *latejo* (1).

latejante [De *latejar* + *-nte*.] *Adj. 2 g.* Que lateja.

latejar [De *lat-*, como em *latir* (3), + *-ejar*.] *V. int.* 1. Pulsar, palpitar: "um fogo subiu-lhe à cabeça; latejaram-lhe as fontes" (Aluísio Azevedo, *O Mulato*, p. 137); *O ferimento doía e latejava.* 2. Arquejar, arfar. [Sin. p. us.: *later* e *latir*. Conjug.: v. *pelejar*.]

latejo (ê) [Dev. de *latejar*.] *S. m.* 1. Ato de latejar; pulsação, latejamento. 2. *Bras. AL Pop.* Grande pressa ou agitação; azáfama, lufa-lufa. 3. *Bras. AL Pop.* Confusão de vozes, zoada.

latência [De *later*[2] + *-ência*; fr. *latence*.] *S. f.* 1. Qualidade ou estado de latente. 2. *Fisiol.* Período de inatividade entre um estímulo e a resposta por ele provocada. 3. *Fisiol.* Período de latência (q. v.). 4. *Psic.* Presença de elementos psíquicos esquecidos na esfera subliminar da consciência, donde podem ressurgir.

latente [Do lat. *latente*.] *Adj. 2 g.* 1. Que permanece escondido; que não se manifesta; oculto. 2. *Fig.* Subentendido. 3. Disfarçado, dissimulado: "E tivemos de enfrentar disciplina redobrada, que encontrava animosidade latente, esbarrava contra sessenta corpos irrequietos, barulhentos, de reflexos inesperados." (Ricardo Ramos, *Tempo de Espera*, p. 54.) ~ V. *calor —, raiz —* e *vida —*. [Cf. *lactente*.]

láteo *Adj.* V. *lácteo*.

later[1] *V. int. P. us.* V. *latejar*. [Defect., só conjugável nas 3as pess.]

later[2] [Do lat. *latere*.] *V. int. Desus.* Estar oculto ou latente. [Defect., unipess.]

lateral [Do lat. *laterale*.] *Adj. 2 g.* 1. Relativo ao lado. 2. Que está ao lado: *porta lateral*. 3. Que está ao lado, à margem de algo: *questão lateral*. ~ V. *cadeia —, consoante —, corte —, fachada —, faixa —, grampo —, linha —, músculo reto —* e *ramificação —*. ● *S. f.* 4. *E. Ling.* Consoante lateral (q. v.). 5. *Bras. Fut.* Linha (11) que vai de córner a córner, sem passar pelo gol, e que representa o comprimento do campo, quadra, etc.; linha de lado; linha lateral. ● *S. m.* 6. *Bras. Fut.* Infração que consiste em lançar a bola fora do campo, por essa linha. 7. *Bras. Fut.* Reposição da bola em jogo, mediante arremesso manual. ● *S. 2 g.* 8. *Bras. Fut.* Jogador cujo campo de ação é próximo à lateral (5).

lateral-direito *S. m. Esport.* Jogador de defesa, do lado direito do campo (em relação à posição do seu time), que auxilia no ataque, realizando cruzamentos para a área adversária. [Pl.: *laterais-direitos*. Fem.: *lateral-direita*.]

lateral-esquerdo *S. m. Esport.* Jogador de defesa, do lado esquerdo do campo (em relação à posição do seu time), que auxilia no ataque, realizando cruzamentos para a área adversária. [Pl.: *laterais-esquerdos*. Fem.: *lateral-esquerda*.]

lateralidade [De *lateral* + *-(i)dade*.] *S. f.* Qualidade ou estado de lateral.

lateranense [Do lat. tard. *lateranense*.] *Adj. 2 g.* De, ou pertencente ou relativo a Latrão, palácio romano que durante 10 anos foi residência dos Papas, ou a qualquer das quatro basílicas maiores de Roma (S. João de Latrão), onde se realizaram cinco concílios ecumênicos, chamados por isso *lateranenses*.

▲ **later(i)-[1]** [Do lat. *later, ĕris*.] *El. comp.* = 'tijolo': *laterita, laterização*[1].

▲ **later(i)-[2]** [Do lat. *latus, ĕris*.] *El. comp.* = 'lado': *laterização*[2]. [Equiv.: *latero-, -later(o)-, -látero*: *laterolateral, homolateral, ambilátero*.]

laterício [Do lat. *lateritiu*.] *Adj.* 1. De tijolo (1). 2. De cor avermelhada como o tijolo.

laterita [De *later(i)-*[1] + *-ita*[3].] *S. f. Geol.* Designação comum aos solos vermelhos das zonas úmidas e quentes. [Cientificamente é o solo cujos elementos principais são o hidróxido de alumínio e o de ferro, tendo as águas pluviais lixiviado a sílica e diversos cátions. Sendo a rocha rica em alumina, a laterita que dela se provier terá o nome de *bauxita*, o principal minério de alumínio.]

laterítico [De *laterita* + *-ico*[2].] *Adj.* 1. Relativo à laterita. 2. Formado de laterita, ou que a contém.

laterização[1] [De *laterizar (< *later(i)-*[1] + *-izar*) + *-ção*.] *S. f. Geol.* Processo de intemperismo próprio dos climas quentes e úmidos, pelo qual se forma a laterita.

laterização[2] [De *laterizar (< *later(i)-*[2] + *-izar*) + *-ção*.] *S. f. Med.* Desenvolvimento de um dos hemisférios [v. *hemisfério* (4)] no exercício de uma função corporal.

▲ **latero-** V. *later(i)-*[2].

▲ **-later(o)-** V. *later(i)-*[2].

▲ **-látero** V. *later(i)-*[2].

laterolateral (làtero) [De *latero-* + *lateral*.] *Adj. 2 g. Cir.* Relativo à implantação de parede lateral de um órgão em parede lateral de outro órgão.

lateropulsão (là) [De *latero-* + *pulsão*.] *S. f.* 1. Dificuldade de parkinsonianos em se manterem em equilíbrio após um passo dado lateralmente. 2. Tendência para se desviar lateralmente, durante a marcha, ou para pender de lado, observada nas lesões do labirinto da orelha interna.

latescência *S. f.* V. *lactescência*.

latescente *Adj. 2 g.* V. *lactescente*.

látex (cs) [Do lat. cient. *latex* (do lat. *latex, icis*, 'água nascente', 'líquido').] *S. m. 2 n. Bot.* Líquido espesso, quase sempre alvo ou incolor, raramente amarelo ou rubro, que dimana de muitas plantas mediante ferimento. É uma emulsão cujos componentes mais importantes são resinas, borracha, inclusive amido (como na espécie euforbiácea conhecida como *coroa-de-cristo*). [F. paral.: *látice*.]

▲ **lati-** [Do lat. *lātus, a, um*.] *El. comp.* = 'largo', 'amplo': *latifloro, latílabro*.

latíbulo [Do lat. *latibulu*.] *S. m.* 1. Lugar oculto; esconderijo: "como fez um malvado homem, que punha à janela de umas damas, de cujo torpe lucro participava ...., uma sagrada Imagem da Virgem das Virgens, que havia furtado para atrair com sua formosura os que passavam, e afreguesar aquele infame latíbulo de pecados." (P.e Manuel Bernardes, *Nova Floresta*, II, p. 225). 2. *Poét.* Morada dos deuses; céu.

látice [Do lat. *latice*.] *S. m. Bot.* V. *látex*.

laticífero [De *látice* + *-ífero*.] *Adj.* Que produz látex.

laticínio [Do lat. tard. *lacticiniu*, por via erudita.] *S. m.* 1. Preparado comestível feito com leite, ou em que ele entra como principal elemento. 2. Qualquer produto da indústria do leite. [Var.: *lacticínio*.]

laticinista [De *laticín(io)* + *-ista*.] *Adj. 2 g. S. 2 g.* Diz-se de, ou fabricante (indivíduo ou indústria) de laticínios.

laticinoso (ô) *Adj.* V. *lacticinoso*.

laticlávio [Do lat. *laticlaviu*.] *S. m.* Aquele que usava o laticlavo.

laticlavo [Do lat. *laticlavu*.] *S. m.* 1. Na Roma antiga, larga orla de púrpura que guarnecia a túnica de senadores e patrícios eminentes, como insígnia de dignidade. 2. A própria túnica do senador romano.

lático *Adj.* V. *láctico*.

laticolo [De *lati-* + *-colo*.] *Adj. Zool.* Que tem pescoço largo.

laticórneo [De *lati-* + *-corn(i)-* + *-eo*.] *Adj. Zool.* Que tem antenas ou cornos largos.

latido [Part. de *latir*.] *S. m.* 1. Ação de latir ou ladrar; a voz do cão; ladrido, ladrado, ladro, ladradela: "Dentro em pouco os latidos dos cães anunciavam a descoberta da caça" (Joaquim Manuel de Macedo, *Os Romances da Semana*, p. 157). 2. *Fig.* Remorso: *latidos da consciência*. 3. *Fig.* Palavras tolas.

latifloro [De *lati-* + *-floro*.] *Adj. Bot.* Dotado de flores largas.

latifoliado [De lati- + -foli- + -ado1.] *Adj. Bot.* Latifólio (q. v.).

latifólio [Do lat. *latifoliu*.] *Adj. Bot.* Dotado de folhas largas; latifoliado. [Opõe-se a *angustifólio*.]

latifundiado [De *latifúndio* + *-ado*[1].] *Adj.* Em que há latifúndios.

latifundiário [De *latifúndio* + *-ário*.] *Adj.* 1. Relativo a latifúndio: *economia latifundiária*. ● *S. m.* 2. Dono de latifúndio. [Opõe-se a *minifundiário*.]

latifúndio [Do lat. *latifundiu*.] *S. m.* 1. Na Roma antiga, grande domínio privado da aristocracia. 2. Grande propriedade rural, esp. a que tem grande proporção de terras não cultivadas e é explorada com técnicas de baixa produtividade. [Opõe-se a *minifúndio*.]

latílabro [De *lati-* + *labro*.] *Adj. Zool.* Que tem lábios grossos.

latim [Do lat. *latine*, 'em língua latina'.] *S. m.* 1. Língua indo-europeia do grupo itálico, primitivamente falada no Lácio, antiga região da Itália, e, paulatinamente, em todo o Império Romano, e cuja existência está documentada desde o séc. VI a. C. [V. *itálico* (11).] 2. Vocábulo dessa língua. 3. *Fig.* Coisa difícil de compreender. ◆ **Latim arcaico.** *Gloss.* Aquele que se documenta, desde cerca de 600 a. C., com a gravação em fíbula de ouro encontrada em Preneste (cidade do Lácio [v. *latino* (7)]), até o início do séc. I a. C.; nele escreveram Lívio Andronico (c. 280-204 a. C.), Ênio (239-170 a. C.), Plauto (v. *plautino*) e Terêncio

(c. 195-159 a. C.). **Latim bárbaro.** *Gloss.* Conjunto de fórmulas latinas mais ou menos corretas, de mistura com vocabulário de outras línguas sob forma alatinada ou não, que nos foi legado pelos documentos notariais da Idade Média. **Latim científico.** *Gloss.* Conjunto de terminologias adotadas, sobretudo a partir do séc. XVIII, por médicos, botânicos, zoólogos, químicos, etc., com base na latinização de elementos de formação gregos ou de outras línguas, para facilitar o entendimento e a comunicação entre cientistas e estudiosos em geral. **Latim clássico.** *Gloss.* O latim literário de prosadores, como César (v. *cesáreo*[1]) e Cícero (v. *ciceroniano*), e de poetas, como Virgílio (v. *virgiliano*) e Horácio (v. *horaciano*), e que se estende do fim do latim arcaico à morte do imperador Otávio Augusto (14 d. C.) **Latim cristão.** *Gloss.* Aquele empregado pelos autores cristãos após o séc. II d. C. **Latim de cozinha.** *Pop.* Mau latim. **Latim de missa.** Latim fácil de ler e interpretar. **Latim eclesiástico.** *Gloss.* Aquele que, desde o início do cristianismo, passou a constituir a língua oficial da Igreja (3). **Latim escolástico.** *Gloss.* O latim escrito pelos escolásticos [v. *escolástico* (6)]. **Latim imperial.** *Gloss.* O latim literário escrito, *grosso modo*, nos dois primeiros séculos da era cristã (após a morte de Otávio Augusto em 14 d. C.); é o latim de Tácito (c. 55 - c. 120 d. C.), Sêneca (c. 4 a. C. - 65 d. C.), Plínio, o Jovem (61 - c. 113 d. C.), Marcial (c. 40 - c. 104 d. C.), Juvenal (v. *juvenalesco*) e Quintiliano (c. 35 - c. 96 d. C.). **Latim macarrônico.** Linguagem vulgar com desinências latinas: "Faz discursos em latim macarrônico ou em inglês de farsa" (Ramalho Ortigão, *As Farpas*, I, p. 253). **Latim medieval.** *Gloss.* O latim falado e escrito durante a Idade Média, ou seja, no período compreendido entre a queda do Império Romano (séc. V) e o Renascimento. **Latim tardio.** *Gloss.* **1.** O latim literário dos séc. III a V da era cristã e que, por vezes, alcança os séculos VI e VII. **2.** Baixo-latim (q. v.). **Latim vulgar.** *Gloss.* A língua realmente falada pelo povo romano e que, evolvendo de modo divergente nas diversas províncias do império, foi aquela que propriamente deu origem às chamadas línguas românicas ou neolatinas. **Perder o seu latim.** Fazer alguma coisa em vão: *Perdi o meu latim aconselhando-o a que estudasse.*

latímano [De *lati-* + *-mano*[2].] *Adj. Zool.* Que tem mãos largas.

latimeriídeo [Do tax. *Latimeria* (do antr. [*Marjorie E. D. Court-*] *Latimer*, museóloga sul-africana), gênero-tipo, + *-ídeo*[1]; tax. *Latimeriidae.*] *Paleont. Zool. S. m.* **1.** Espécime dos latimeriídeos, família de peixes crossopterígios, de grande porte, com uma única espécie existante, o celacanto (q. v.). ● *Adj.* **2.** Pertencente ou relativo a eles.

latina *S. f. Tip.* Letra latina.

latinada [De *latim* + *-ada*[1], seg. o padrão erudito.] *S. f.* **1.** Erro contra as regras do latim, na sintaxe, na grafia ou na pronúncia. **2.** Discurso em latim.

latinar [Do lat. tard. *latinare.*] *V. int.* **1.** Falar, escrever ou traduzir latim. *T. d.* **2.** Escrever em latim. **3.** Traduzir do latim.

latinaria [De *latim* + *-aria*, seg. o padrão erudito.] *S. f.* Conhecimento de latim.

latinice [De *latim* + *-ice*, seg. o padrão erudito.] *S. f.* Uso indevido ou presumido do latim.

latínico [De latim (*latin-*) + *-ico*[2], seg. o padrão erudito.] *Adj.* Latino (1 e 2).

latinidade [Do lat. *latinitate.*] *S. f.* **1.** A língua latina; o latim. **2.** Regras para falar e escrever latim: "Fez seus estudos de latinidade no seminário bracarense o filho único do morgado da Agra de Freimas" (Camilo Castelo Branco, *A Queda dum Anjo*, pp. 9-10). **3.** Rigorosa composição em latim. **4.** Estudo dos principais e mais difíceis clássicos latinos. **5.** O conjunto dos povos latinos. **6.** Condição ou caráter latino.

latiniparla [De *latino* + *-i-* + *parlar.*] *S. 2 g. Deprec.* Pessoa que alardeia latinaria, que se dá por sabedora do latim.

latinismo [De *latim* + *-ismo*, seg. o padrão erudito; fr. *latinisme.*] *S. m. E. Ling.* **1.** Locução peculiar à língua latina. **2.** Construção gramatical própria do latim.

latinista [De *latim* + *-ista*, seg. o padrão erudito; fr. *latiniste.*] *S. 2 g.* Grande conhecedor da língua e literatura latinas. [Sin. p. us.: *latino.*]

latinização [De *latinizar* + *-ção.*] *S. f.* **1.** Ato ou efeito de latinizar. **2.** Palavra ou construção latinizada.

latinizado [Part. de *latinizar.*] *Adj.* A que se deu forma ou inflexão latina; adaptado ao latim; alatinado.

latinizador (ô) [De *latinizar* + *-dor.*] *Adj. S. m.* Que, ou aquele que latiniza ou alatina.

latinizante [Do lat. tard. *latinizante.*] *Adj. 2 g.* **1.** Que latiniza. **2.** *Rel.* Diz-se de quem, vivendo em país onde se pratica o rito grego, cultua a Igreja católica de Roma, que tem no latim a sua língua oficial.

latinizar [Do lat. tard. *latinizare.*] *V. t. d.* **1.** Tornar latino; alatinar. **2.** Dar inflexão latina a. *Int.* **3.** Falar latim, ou empregar expressões latinas.

latino [Do lat. *latinu.*] *Adj.* **1.** Relativo ao latim; latínico. **2.** Dito ou escrito em latim; latínico. **3.** De, ou pertencente ou referente aos povos de origem latina: *mundo latino; línguas latinas.* **4.** Diz-se de um dos subgrupos do itálico (11). **5.** Relativo à Igreja de Roma. **6.** *Mar.* Diz-se do navio que arma velas latinas. ~ V. *alfabeto —, cruz —a, i —, letra —a, vela —a* e *verga —a.* ● *S. m.* **7.** O natural ou habitante do Lácio (Itália central). **8.** Descendente dos antigos romanos. **9.** O subgrupo linguístico latino. **10.** *P. us.* Latinista.

▲ **latino-** [Do lat. *latīnus, a, um.*] *El. comp.* = 'latim', 'latino', 'neolatino': *latino-americano, latino-clássico.*

latino-americano [De *latino-* + *americano.*] *Adj.* **1.** Pertencente ou relativo aos países americanos de línguas neolatinas, inclusive o Canadá (francês): *romancista latino-americano; a civilização latino-americana.* ● *S. m.* **2.** Indivíduo latino-americano. [Pl.: *latino-americanos.* Cf. *ibero-americano.*]

latino-clássico [De *latino-* + *clássico.*] *Adj.* Relativo ou pertencente ao latim clássico. [Pl.: *latino-clássicos.*]

latinório [De *latim* + *-ório*, seg. o padrão erudito.] *S. m. Fam.* **1.** Mau latim. **2.** Trecho de latim mal traduzido ou mal aplicado. **3.** Latim eclesiástico: "Já se imaginava .... carregando o missal de um lado do altar para outro, com mesuras graciosas e latinórios difíceis, balançando o turíbulo cheio de sufocante incenso queimado" (Inglês de Sousa, *O Missionário*, p. 384).

latipá [Do ior.] *S. m. Bras. Rel.* Iguaria feita com folhas de mostardeira, comida votiva do orixá Omolu.

latípede [Do lat. tard. *latipede.*] *Adj. 2 g. Zool.* Que tem pés largos.

latipene [De *lati-* + *-pene.*] *Adj. 2 g. Zool.* Que tem penas largas.

latir [Do lat. *glattire*, 'dar latidos agudos'.] *V. int.* **1.** Dar ou soltar latidos; ladrar: "um cão latiu, outros responderam" (Josué Montelo, *Noite sobre Alcântara*, p. 90). **2.** *Fig.* Gritar (1). **3.** *P. us.* V. *latejar*: "com o coração a latir, não de cansaço, mas ao ritmo de uma velha e teimosa esperança." (Domingos Monteiro, *Contos de Natal*, p. 51). [Defect., normalmente só conjugável nas 3as pess.; e nunca se usa nas f. em que ao *t* da raiz se seguiria *o* ou *a.*]

latirina [Do tax. *Lathyrus* + *-ina*[3].] *S. f.* Substância tóxica extraída de plantas do gênero *Lathyrus* (v. *látiro*). [V. *latirismo.*]

latirismo [Do tax. *Lathyrus* (< gr. *láthyros*, 'grão-de-bico') + *-ismo.*] *S. m. Med.* Intoxicação resultante do uso de farinha feita com grãos de plantas do gênero *Lathyrus*, e que se caracteriza por paraplegia espástica, dor, hiperestesia e parestesia.

látiro [Do tax. *Lathyrus* (do gr. *láthyros*, 'ervilha', 'grão-de-bico').] *S. m. Bot.* **1.** Gênero de ervas fabáceas, escandentes, dotadas de um ou dois pares de folíolos em cada folha, e estilete achatado, piloso na parte superior. **2.** Qualquer espécie desse gênero, como, p. ex., a *Lathyrus odoratus* (v. *ervilha-de-cheiro*). **3.** Qualquer espécime desse gênero, ou a flor dele.

latirrostro [De *lati-* + *-rostro.*] *Adj. Zool.* Que tem bico largo.

latitude [Do lat. *latitudine.*] *S. f.* **1.** Qualidade de lato; largueza, largura. **2.** Liberdade de ação: *Deu-lhe toda a latitude para organizar seus esquemas de trabalho.* **3.** Na esfera terrestre, ângulo que faz com o plano do equador terrestre o raio que passa por determinado observador ou determinada localidade; arco do meridiano compreendido entre determinado observador ou determinada localidade e o equador terrestre; latitude terrestre. **4.** Clima; região: *Consegue viver nas latitudes mais diversas.* **5.** *Fot.* Propriedade que tem uma emulsão fotográfica de tolerar afastamentos mais ou menos acentuados da exposição correta e ainda assim produzir fotografias perfeitas. ◆ **Latitude areocêntrica.** *Astr.* Latitude de um astro, ou de um ponto da superfície do planeta Marte, referida ao centro desse planeta. **Latitude areográfica.** *Astr.* Latitude de um ponto na superfície do planeta Marte, em relação ao seu disco aparente. **Latitude celeste.** *Astr.* Latitude eclíptica. **Latitude crescida.** *Náut.* Distância em minutos do equador, medida entre o equador e um dado paralelo, na projeção de Mercator. **Latitude eclíptica.** *Astr.* Ângulo da direção de um ponto da esfera celeste com o plano da eclíptica; latitude celeste. **Latitude eclíptica geocêntrica.** *Astr.* Latitude eclíptica de um ponto da esfera celeste, referida ao centro da Terra. **Latitude eclíptica heliocêntrica.** *Astr.* Latitude eclíptica de um ponto da esfera celeste, referida ao centro do Sol. [Tb. se diz apenas *latitude heliocêntrica.*] **Latitude galáctica.** *Astr.* Ângulo da direção de um ponto da esfera celeste com o plano galáctico. **Latitude geocêntrica.** *Astr.* Ângulo que a reta que une o centro da Terra a um dado ponto de sua superfície faz com o plano do equador. **Latitude geográfica.** *Astr.* Ângulo que a vertical em um ponto da superfície da Terra faz com o plano do equador. **Latitude heliocêntrica.** *Astr.* **1.** Latitude de um astro referida ao centro do Sol. **2.** Latitude eclíptica heliocêntrica. **Latitude heliográfica.** *Astr.* Latitude de um ponto da superfície do Sol, referida ao seu disco aparente. **Latitude norte.** *Geogr.* A latitude (3) contada a partir do equador em direção ao polo norte. **Latitude planetocêntrica.** *Astr.* Latitude de um astro, ou de um ponto na superfície de um planeta, em relação ao centro desse planeta. **Latitude planetográfica.** *Astr.* Latitude de um ponto na superfície de um planeta, em relação a um sistema de coordenadas ligado ao seu disco aparente. **Latitude selenocêntrica.** *Astr.* Latitude de um astro, ou de um ponto da superfície lunar, em relação ao centro da Lua. **Latitude selenográfica.** *Astr.* A latitude de um ponto da superfície lunar, em relação ao disco aparente da Lua. **Latitude sul.** *Geogr.* A latitude (3) contada a partir do equador em direção ao polo sul. **Latitude terrestre.** Latitude (3).

latitudinal [De *latitude* + *-al*[1], seg. o padrão erudito.] *Adj. 2 g.* Relativo a latitude.

latitudinário [De *latitude* + *-ário*, seg. o padrão erudito.] *Adj.* **1.** Largo; dilatado; extensivo. **2.** De interpretação arbitrária. **3.** Que é moralmente indiferente.

lato [Do lat. *latu.*] *Adj.* Largo, amplo, dilatado, extenso: *o sentido lato e o sentido restrito de uma palavra.*

latoaria [De *latão* + *-aria*, com desnasalação.] *S. f.* Oficina ou ofício de latoeiro.

latoeiro [De *latão* + *-eiro*, com desnasalação.] *S. m. P. us.* **1.** Fabricante ou vendedor de lata (2) e/ou de latão. **2.** V. *funileiro* (2).

latomia[1] [De or. obscura.] *S. f. Bras. N.E. MG GO Pop.* **1.** Assuada, ruído, barulho: "Era certo que os homens tinham muito cachorro na tapera, a latomia que eles faziam não deixava dúvida" (José J. Veiga, *A Hora dos Ruminantes*, p. 34). **2.** Choro alto. **3.** *Bras. S.* Conversa fiada.

latomia[2] [Do gr. *latomía.*] *S. f.* Entre os gregos antigos, pedreira, com gruta aproveitada como prisão: "Na costa, a algumas dezenas de metros da ilha Ortígia, encontram-se outras reminiscências da Siracusa pretérita, sobretudo as célebres 'Latomias'. Antiquíssimas pedreiras, de onde, há mais de dois mil e quinhentos anos, foi extraída a esbranquiçada pedra que se usou nos monumentos gregos de Siracusa, essas enormes cavidades serviram, posteriormente, de enxovias do Estado." (Ferreira de Castro, *Obra Completa*, 3.º vol., p. 366.)

➔ **lato sensu** ['lato 'senso] [Lat.] Em sentido lato. [Antôn.: *stricto sensu.*]

▲ **-latra** [Do gr. *-látrēs* < gr. *latreúein.*] *El. comp.* = 'que cultua', 'que adora': *alcoólatra, autólatra.*

latria [Do lat. tard. *latria* < gr. *latreía.*] *S. f.* **1.** Adoração devida a Deus. [Cf. *dulia.*] **2.** *Fig.* Adoração, culto.

▲ **-latria** [Do gr. *-latreía* < gr. *latreía, as.*] *El. comp.* = 'culto', 'adoração': *iconolatria, idiolatria.*

latrina [Do lat. *latrina.*] *S. f.* **1.** Recinto ou dependência de casa com vaso ou escavação no solo para dejeções. [Sin. (muitos deles pop. ou bras., e o último lus.): *privada, sentina, cloaca, reservado, retrete* ou *retreta, casa-comum, comua, banco, cagatório, casinha, secreta, aparelho, banheiro, cafoto, cambrone, dejetório, gabinete, patente, quartinho* e *necessária.*] **2.** V. *vaso sanitário.* **3.** *Ant.* Lugar onde se fazem dejeções; cloaca.

latrinário [De *latrina* + *-ário.*] *Adj.* **1.** Relativo a latrina. **2.** Que vive em latrina (3). **3.** *Fig.* Sórdido, imundo, repugnante, cloacal.

latrineiro [De *latrina* + *-eiro.*] *S. m.* Guardador e/ou limpador de latrinas.

▲ **latro-** [Do gr. *lathr(o)-* < adv. gr. *láthrai* (com iota subscrito).] *El. comp.* = 'às ocultas', 'em segredo': *latrodecto.*

latrocida [Voc. formado irreg. a partir de *latro(cínio)* + *-cida* (q. v.).] *Adj. 2 g. S. 2 g. Jur.* Diz-se de, ou aquele ou aquela que comete latrocínio (2).

latrocinar [Do lat. **latrocinare*, por *latrocinari.*] *V. t. d.* Cometer latrocínio contra; roubar com violência.

latrocínio [Do lat. *latrociniu.*] *S. m.* **1.** Roubo ou extorsão violenta, à mão armada. **2.** Crime contra o patrimônio que consiste em apossar-se de coisa alheia mediante violência que resulta na morte da vítima: "Os atuais assaltantes de estradas, ou mais adequadamente de caminhões carregados, usam várias 'táticas' para consumar os latrocínios." (Mauro Mota, *Geografia Literária*, p. 89.)

latrodectismo [Do tax. *Latrodectus* + *-ismo.*] *S. m.* Intoxicação produzida por veneno de aranha do gênero *Latrodectus* (v. *latrodecto*).

latrodecto [Do tax. *Latrodectus.*] *S. m.* **1.** Gênero de aracnídeos dipneumones muito venenosos que inclui a viúva-negra (*Latrodectus mactans*). **2.** Espécie ou espécime desse gênero.

lauda[1] [De or. incerta.] *S. f.* **1.** Página de livro. **2.** Cada lado de uma folha de papel. **3.** *Edit.* Cada uma das folhas de um original (10), escritas de um só lado. **4.** *Edit. Jorn.* Impresso padronizado us. por empresas jornalísticas e casas editoras, com espaço delimitado para a entrada de texto de matéria ou de original (10), de forma a facilitar o processo de edição, paginação, apresentação, etc.

lauda[2] [Do it. *lauda* < lat. *laus, laudis*, 'louvor', 'elogio'.] *S. f.* **1.** Cada um dos cantos religiosos (em geral de oito versos de 11 sílabas cada um), na literatura medieval italiana. **2.** *Teatr.* Na Itália do séc. XIII, representação dramática ligada ao rito litúrgico católico: 📖 "Durante a Quaresma, em que eram diárias as representações, as laudas ilustravam o Evangelho do dia" (Sábato Magaldi, *O Texto no Teatro*, p. 73).

laudabilidade [Do lat. tard. *laudabilitate*.] *S. f.* Qualidade de laudável; louvabilidade.

laudabilíssimo *Adj.* Superl. abs. sint. de *louvável*.

laudanina [De *láudano* + *-ina*[3].] *S. f. Quím.* Alcaloide do ópio, cristalino, incolor [fórm.: $C_{20}H_{25}O_4N$].

laudanizado [Part. de *laudanizar*.] *Adj.* Que contém láudano.

laudanizar [De *láudano* + *-izar*.] *V. t. d.* Preparar ou misturar com láudano; deitar láudano em.

láudano [Do lat. cient. *laudanum*, do lat. *ladanum*.] *S. m. Terap.* Medicamento cuja base é o ópio, ligado a outros ingredientes.

laudanosina [Do al. *Laudanosin*, f. irreg. a partir de *Laudanin*, 'laudanina'.] *S. f. Quím.* Alcaloide encontrado no ópio [fórm.: $C_{21}H_{27}NO_4$].

laudatício [Do lat. *laudaticiu*.] *Adj.* V. *laudatório*.

laudativo [Do lat. *laudativu*.] *Adj.* V. *laudatório*.

laudatório [Do lat. tard. *laudatoriu*.] *Adj.* **1.** Relativo a louvor. **2.** Que encerra louvor: ▣ *discurso laudatório.* [Sin. ger.: *laudatício, laudativo, panegirical*.]

laudável [Do lat. *laudabile*.] *Adj. 2 g.* V. *louvável*.

laúde *S. m.* V. *alaúde*.

laudel [De or. obscura.] *S. m.* Antiga vestidura militar própria para defender contra as espadas: 📖 "Uns vinham defendidos com armaduras e cotas de malha de aço, outros com laudéis, que eram mantos de algodão acolchoado, onde todos os golpes morriam perdidos." (Oliveira Martins, *História de Portugal*, I, p. 278.) [Pl.: *laudéis*.]

laudémio *S. m.* V. *laudêmio*. [Uso freq. em P.]

laudêmio [Do lat. med. *laudemiu*, pelo it. *laudemio*.] *S. m. Econ.* Pagamento devido ao senhorio direto, quando da alienação de propriedade imobiliária usufruída em regime de enfiteuse.

laudes [Do lat. *laudes*, 'louvores'.] *S. f. pl. Lit.* Na liturgia católica, hora canônica [v. *horas canônicas* (1)] rezada após as matinas, e constituída sobretudo de salmos de louvor. [Cf. *lauda*[2] e *laúdes*, pl. de *laúde*.]

laudéu *Bras. S. 2 g.* **1.** *Etnôn.* Indivíduo dos laudéus, povo indígena extinto que habitava o MT. ● *Adj. 2 g.* **2.** Pertencente ou relativo a esse povo. [Tb. us. como *s. 2 g. e 2 n.* (com cap.) e *adj. 2 g. e 2 n.*]

laudo [Do lat. *laudo*, 'eu louvo' (*i. e.*, 'aprovo').] *S. m.* **1.** Parecer do louvado ou árbitro; louvação, louvamento. **2.** Peça escrita, fundamentada, na qual os peritos expõem as observações e estudos que fizeram e registram as conclusões da perícia.

laué *S. m. Bras. S. da BA Zool.* V. *cação* (1).

laulau *S. m. Bras. Zool.* V. *mapará* (2).

laumontita [Do antr. (*Gillet de*) *Laumont* (1747-1834), mineralogista francês, + *-ita*[3].] *S. f. Min.* Mineral monoclínico, silicato hidratado de alumínio e cálcio, do grupo das zeólitas.

launim *S. m.* Canção de amor cantada pelas bailarinas indianas.

laura [Do gr. mod. *laúra*, 'mosteiro'.] *S. f. P. us.* Cada uma das celas ou covas que vários anacoretas ocupavam no mesmo ermo: 📖 "Simeão por si mesmo escolheu o deserto que lhe convinha, nas terras sagradas da Palestina, ao longe de Jerusalém. Ali a princípio habitou uma laura, como lhe chamavam, espécie de aldeia de monges e ascetas separados em cabanas esparsas como ilhas de desolação e de morte." (João Ribeiro, *Floresta de Exemplos*, pp. 33-34.)

laurácea [Do tax. *Laurus* (v. *lauro*) + *-ácea*; tax. *Lauraceae*.] *S. f. Bot.* Espécime das lauráceas, família da ordem das magnoliales composta de árvores e arbustos de folhas alternas e flores inconspícuas, flores diclamídeas, trímeras, em geral hermafroditas, androceu com três a quatro verticilos (que por via de regra contêm estaminódios), anteras deiscentes mediante válvulas, e ovário súpero, unilocular e uniovulado. Fruto baciforme ou drupáceo, muitas vezes cupulado. Há umas 1.000 espécies, sendo a maioria tropicais. No Brasil ocorrem vários representantes dessa família, muitos dos quais fornecem excelentes madeiras.

lauráceo [De *laurácea*, com var. suf. (v. *-áceo*).] *Adj. Bot.* Pertencente ou relativo às lauráceas.

láurea [Do lat. *laurea*, 'coroa de louro'.] *S. f.* Laurel (1 e 2). ◆ **Láurea de doutor.** A borla[1] (2) doutoral.

laureado [Do lat. *laureatu*.] *Adj.* **1.** Que recebeu láurea ou laurel. **2.** Festejado; aplaudido, louvado: ▣ *prosador laureado; jogador laureado.* ● *S. m.* **3.** Aquele que recebeu láurea ou laurel: ▣ *Os laureados sentiram-se muito honrados com a distinção.*

laurear[1] [Do lat. tard. *laureare*.] *V. t. d.* **1.** Coroar ou cingir de louros. **2.** Premiar por mérito literário, artístico, etc.; galardoar, premiar. **3.** Aplaudir, festejar. **4.** Enfeitar, adornar, exornar. [Conjug.: v. *frear*.]

laurear[2] *V. int.* Andar em vagabundagem atrás de mulheres. [Conjug.: v. *frear*.]

laurel [Do provenç. ant. *laurier*, pelo esp. *laurel*.] *S. m.* **1.** Coroa de louros; láurea, lauréola. **2.** *Fig.* Galardão, prêmio, láurea, lauréola. **3.** *Fig.* Preito, homenagem. [Pl.: *lauréis*.]

laurência [Do tax. *Laurentia* (do ant. *Laurenti*, botânico italiano, + lat. cient. *-ia*, v. *-ia*[2]).] *S. f. Bot.* **1.** Gênero de plantas campanuláceas, herbáceas, anuais, naturais do litoral mediterrâneo. **2.** Espécie ou espécime, desse gênero, ou a flor dele.

laurenciano [Do antr. lat. *Laurentius* + *-ano*[1].] *Adj.* **1.** Relativo ao rio São Lourenço (E.U.A.). **2.** *Geol.* Diz-se do mais antigo dos ciclos orogenéticos da era proterozoica. [Cf. *lourenciano*.]

laurêncio [Do antr. *Lawrence*, físico norte-americano, em sua f. latinizada, + *-io*[3].] *S. m. Quím.* Elemento transférmico (q. v.), de número atômico 103; unítrio [símb.: *Lr*].

laurentinense *Adj. 2 g.* **1.** De, ou pertencente ou relativo a Laurentino (SC). ● *S. 2 g.* **2.** O natural ou habitante de Laurentino.

laurentino *Adj.* V. *láureo*.

láureo [Do lat. *laureu*.] *Adj.* **1.** Relativo a louro[1]. **2.** Feito de louro[1]. [Sin. ger.: *laurentino, laurino*.]

lauréola [Do lat. *laureola*, dim. do lat. *laurea*, 'folha de loureiro'.] *S. f.* **1.** V. *laurel* (1 e 2). **2.** *Bot.* Designação comum a alguns arbustos das timeleáceas, que lembram as lauráceas. Ex.: o mezereão.

▲ **laur(i)-** [Do lat. *laurus, i* ou *us*.] *El. comp.* = 'loureiro': *lauricomo* (< lat.), *laurífero* (< lat.), *laurifólio*.

láurico [De *laur(i)-* + *-ico*[2].] *Adj. Quím.* ~ V. *ácido* — e *álcool* —.

lauricomo [Do lat. *lauricomu*.] *Adj. Poét.* Coroado ou coberto de louros.

laurífero [Do lat. *lauriferu*.] *Adj.* **1.** Coroado de louros. **2.** Que tem ou produz louros. [Sin. ger.: *laurígero*.]

laurifólio [De *laur(i)-* + *-fólio*.] *Adj. Bot.* Que tem folhas semelhantes às do loureiro.

laurígero [Do lat. *laurigeru*.] *Adj.* Laurífero.

▲ **lauril-** *Quím. El. comp.* Indica a presença do grupo laurila: *laurilsulfato*.

laurila [De *laur(i)-* + *-ila*.] *S. f. Quím.* Grupo dodecila linear em que a substituição se dá em um dos carbonos terminais.

laurílico [Do ingl. *laurylic* (de *lauryl*).] *Adj. Quím.* ~ V. *ácido* — e *álcool* —.

laurilsulfato [Do rad. *laurilsulf-* (< *laurilsulfúrico*) + *-ato*[2].] *S. m. Quím.* Qualquer sal do ácido laurilsulfúrico.

laurilsulfúrico *Adj. Quím.* V. *ácido* —.

laurino [Do lat. *laurinu*.] *Adj.* V. *láureo*.

lauro [Do tax. *Laurus* (do lat. *laurus, i* ou *us*, 'louro').] *S. m. Bot.* **1.** Gênero de árvores e arbustos lauráceos, de folhas alternas e pequeninas flores tretrâmeras, a que sucedem frutos bacáceos ovoides. **2.** Qualquer espécie desse gênero, como, p. ex., a *Laurus nobilis* (v. *loureiro*). **3.** Qualquer espécime desse gênero.

lauro-freitense *Adj. 2 g.* **1.** De, ou pertencente ou relativo a Lauro de Freitas (BA). ● *S. 2 g.* **2.** O natural ou habitante de Lauro de Freitas. [Pl.: *lauro-freitenses*.]

lauro-müllense (milên) *Adj. 2 g.* **1.** De, ou pertencente ou relativo a Lauro Müller (SC). ● *S. 2 g.* **2.** O natural ou habitante de Lauro Müller. [Pl.: *lauro-müllenses*.]

➔ **laus Deo** [laws 'deo] [Lat., 'louvado seja Deus'.] Expressão que alguns autores, em geral religiosos, põem, às vezes, no fim de um livro, em sinal de gratidão.

lausenita [Do antr. (*Carl*) *Lausen*, engenheiro de minas norte-americano, + *-ita*[3].] *S. f. Min.* Mineral ortorrômbico, sulfato hidratado de ferro.

lausperene [Do lat. *laus*, 'louvor', + lat. *perenne*, 'perene'.] *S. m.* Adoração permanente do Santíssimo Sacramento nas igrejas duma cidade: 📖 "mestre-cantante em lausperenes, jubileus e todas as missas do Pontifical." (Aquilino Ribeiro, *Dom Frei Bertolameu*, p. 72).

lauto [Do lat. *lautu*.] *Adj.* Suntuoso, magnificente; abundante; opíparo: 📖 "tomaram de comum a lauta refeição com que, era costume, se fortaleciam para o jejum da Expiação." (João Ribeiro, *Crepúsculo dos Deuses*, p. 90).

laúza *S. f. Bras. Gír.* Barulho, algazarra, desordem, bagunça. [F. paral.: *alaúza*.]

lava [Do napolitano *lava*, 'torrente que lava o solo'.] *S. f.* **1.** *Petr.* Rocha magmática natural que se derrama, ou se derramou outrora, na superfície da Terra. **2.** *Petr.* Magma que se encontra ainda na cratera do vulcão. **3.** *Fig.* Língua de fogo; chama. **4.** *P. ext.* Aquilo que abrasa ou como que abrasa, consome, devora; ardor, chama: 📖 "apaixonado e ardente, devorado pela lava incandescente duma paixão súbita e mortal" (Inglês de Sousa, *O Missionário*, p. 301). **5.** *Fig.* Torrente, enxurrada. ◆ **Lava aglomerada.** *Geofís.* Fragmentos de material lávico cimentados entre si. **Lava almofadada.** *Geofís.* Lava cordada (q. v.) que, no fundo dos oceanos, se consolida, devido a seu rápido resfriamento, e que toma forma semelhante à de almofadas. **Lava cordada.** *Geofís.* Lava com aspecto semelhante ao de uma corda; lava em corda. **Lava em bloco.** *Geofís.* Lava parcialmente cristalizada da qual escapam gases em explosões súbitas. [Os blocos surgem quando a região superficial, já solidificada, se fragmenta durante a movimentação do interior, ainda líquido.] **Lava em corda.** *Geofís.* Lava cordada.

lavabo [Subst. do lat. *lavabo*, 'lavarei', a primeira palavra do *lavabo* (2).] *S. m.* **1.** Ato de o sacerdote cristão lavar os dedos ao celebrar a missa. **2.** Oração que ele reza nessa ocasião. **3.** Quadro onde está impressa esta oração. **4.** Pano com que, na missa, o sacerdote enxuga os dedos depois de os lavar. **5.** Nos claustros, fonte de abluções para uso dos monges. **6.** Reservatório de água, com torneira, à entrada de uma sacristia, de um refeitório, etc.; pia, lavatório. **7.** Lavanda (4). **8.** *Bras.* Lavatório (5).

lava-bunda [De *lavar* + *bunda*[1].] *S. m. Bras. Zool.* V. *libélula* (3). [Pl.: *lava-bundas*.]

lava-cabelos [De *lavar* + o pl. de *cabelo*.] *S. m. 2 n. Bras. Bot.* Árvore cesalpiniácea (*Poeppigia procera*) ornamental, de folhas com muitos folíolos pequenos e oblongos, flores amarelas, com pilosidade ferrugínea e arrumada em cimeiras, e legume estipitado, com poucas sementes. Ocorre de Cuba ao RJ.

lavação [Do lat. *lavatione*.] *S. f.* Ato ou efeito de lavar(-se); lavagem.

lava-cu [De *lavar* + *cu*.] *S. m. Bras. SE Zool.* Besouro preto, de asas transparentes. [Pl.: *lava-cus*.]

lavada [F. subst. de *lavado*.] *S. f.* **1.** Espécie de rede de pescar. **2.** V. *lavagem* (1).

lavadaria *S. f.* V. *lavanderia*.

lavadeira [De *lavar* + *-deira*.] *S. f.* **1.** Mulher que lava roupa; lavandeira: 📖 "os negros cantando no pomar ou na horta, as lavadeiras batendo roupa no córrego." (Coelho Neto, *Treva*, p. 39). **2.** Máquina para lavagens de lãs nas fábricas de lanifícios. **3.** Lavadora. **4.** *Bras. Zool.* Lavandeira (2 e 3). **5.** *Zool.* V. *libélula* (3). **6.** *Bras. BA* Nas lavras diamantinas, o tanque onde se lava o cascalho por meio de bateias.

lavadeira-de-nossa-senhora *S. f. Bras. Amaz. Zool.* V. *viuvinha* (1). [Pl.: *lavadeiras-de-nossa-senhora*.]

lavadeiro [De *lavar* + *-deiro*.] *S. m.* **1.** Homem que lava roupa profissionalmente. **2.** Cesto com que nalgumas praias se mede a sardinha. **3.** Fossa para depósito de águas pluviais.

lavadela [De *lavar* + *-dela*.] *S. f.* Lavagem ligeira.

lava-dente [De *lavar* + *dente*.] *S. m. Pop.* Beberete. [Pl.: *lava-dentes*.]

lavado [Part. de *lavar*.] *Adj.* **1.** Que se lavou; que passou por lavagem (1). **2.** Asseado, limpo. **3.** Claro, límpido, puro: 📖 "Os sinos tocam a noivado, / No Ar lavado!" (Antônio Nobre, *Só*, p. 68.) **4.** *Art. Gráf. Fot.* Diz-se de imagem ou fotografia sem contrastes, e de tons esmaecidos. **5.** *Patol.* Líquido que, introduzido em órgão cavitário e dele aspirado, pode conter células cujas características contribuam para a feitura de diagnóstico.

lavadoiro [Do lat. tard. *lavatoriu*.] *S. m.* Lavadouro (q. v.).

lavador (ô) [Do lat. tard. *lavatore*.] *Adj.* **1.** Que lava. ● *S. m.* **2.** Aquele que lava. **3.** Instrumento com que se prepara o alimento vegetal para a ração dos animais. **4.** *Bras. SP* No terreiro de café, grande calha com água corrente para limpar os grãos das impurezas que escaparam do joeiramento.

lavadora (ô) [De *lavar* + *-dora*.] *S. f. Bras.* Máquina de lavar roupa, automática, de uso caseiro ou não; lavadeira.

lavadouro [Do lat. tard. *lavatoriu*; var. de *lavadoiro*.] *S. m.* **1.** Local ou tanque onde se lava roupa: 📖 "Tenho chacarinha, flores, legume, uma casuarina, um poço e lavadouro." (Machado de Assis, *Dom Casmurro*, p. 4.) **2.** Pedra sobre a qual as lavadeiras passam sabão na roupa.

lavadura [De *lavar* + *-dura*.] *S. f.* **1.** V. *lavagem* (1). **2.** A água na qual se lavou a louça de comer.

lavagante [De or. obscura] *S. m. Zool. Lus.* Crustáceo decápode, macruro (*Homarus vulgaris*), espécie de lagosta azul-esverdeada, com manchas brancas ou brique. Habita do mar Adriático ao Atlântico norte e é comum em Portugal; navegante. [Sin.: *labugante*.]

lavagem [De *lavar* + *-agem*[2].] *S. f.* **1.** Ato ou efeito de lavar(-se); lavadura, lavação, lavada, lavamento. **2.** Retribuição do trabalho de lavar. **3.** Separação por meio de água das partes úteis de um minério. **4.** Restos de comida que se dão aos porcos; paparrotada, paparrotagem. 5. *Fot.* Última etapa do processo de revelação, após a fixação, em que o filme é submetido a banho em água corrente para remoção de resíduos químicos. 6. *Med.* Irrigação de órgão, como o estômago, o intestino, a vagina, etc., com o fim de remover corpos estranhos, substâncias nocivas, etc. 7. *Bras.* V. *clister*. 8. *Bras.* V. *descompostura* (2). 9. *Bras.* V. *repreensão* (1). 10. *Bras.* V. *lavagem de dinheiro*. 11. *Bras. Gír. Esport.* Vitória folgada. 12. *Bras. BA* Nas lavras diamantinas, cascalho já revolvido, que se encontra em garimpos mal trabalhados. ◆ **Lavagem a seco.** Processo de limpeza de roupas por meio de produtos químicos. **Lavagem cerebral.** Método pelo qual, por meio de cansaço sistematicamente produzido, de agentes químicos, persuasão e doutrinação, se procura converter pessoas, privadas de livre determinação de sua vontade, a um credo, em geral político, que não abraçariam se estivessem em liberdade; lavagem de cérebro. **Lavagem da cabeça.** *Bras.* Prática religiosa afro-brasileira em que se prepara a cabeça dos médiuns para expurgar do paciente o mal e protegê-lo contra possível ameaça, feita com suco de ervas diluído, acompanhado de palavras mágicas e preces. **Lavagem das contas.** *Bras.* Lavagem das contas [v. *conta* (12)] e búzios, feita pelo babalaô em vaso de barro, com sabão da costa e sucos de certas folhas, conforme o santo, e que as pessoas usarão ao pescoço como proteção. **Lavagem de cérebro.** Lavagem cerebral. **Lavagem de dinheiro.** Qualquer operação financeira, negócio, etc., que tem o objetivo de legalizar ganhos ilegais. [Sin. lus.: *branqueamento*. Tb. se diz apenas *lavagem*.]

lava-loiça [De *lavar* + *loiça*.] *S. m. Lus.* V. *lava-loiças*.

lava-loiças *S. m. 2 n. Lus.* Pia (3) de cozinha. [Var.: *lava-loiça, lava-louça, lava-louças*.]

lava-louça [De *lavar* + *louça*.] *S. f. e m.* 1. Máquina de lavar pratos, talheres, copos, etc.; lava-louças. ● *S. m.* 2. *Lus.* V. *lava-loiças*. [Pl.: *lava-louças*.]

lava-louças [De *lavar* + o pl. de *louça*.] *S. f. e m. 2 n.* 1. V. *lava-louça* (1). ● *S. m. 2 n.* 2. V. *lava-loiças*.

lavamento [Do lat. tard. *lavamentu*.] *S. m.* V. *lavagem* (1).

lavanca *S. f. Pop.* F. aferética de *alavanca* (1): "O trem arranca. / O maquinista baixou a lavanca a 4 pontos." (Jorge de Lima, *Obra Completa*, I, p. 248.)

lavanco [De *alavanco*, com aférese.] *S. m. Pop. Zool.* V. *adem*.

lavanda [Do it. *lavanda* < lat. *lavanda*, gerundivo subst. de *lavare*, 'lavar', e que significa 'roupas que devem ser lavadas'.] *S. f.* 1. *Bot.* Alfazema (2). 2. *Bot.* V. *lavândula* (2). 3. Água-de-colônia feita com a essência dessas plantas. 4. Pequena taça com água, que se põe na mesa para se lavarem os dedos, durante as refeições, ou no fim delas; lavabo. [Cf. *purificador* (4).]

lavandaria *S. f.* V. *lavanderia*.

lavandeira *S. f.* 1. Lavadeira (1). 2. *Bras. Zool.* Ave passeriforme, tiranídea (*Xolmis dominicana*), do S. do Brasil, de coloração branca com a coroa da cabeça pardo-avermelhada, dorso pardo-escuro, cauda e faixa na asa pretas e que frequenta os campos nos pampas; lavadeira. [Cf. *pombinha-das-almas*.] 3. *Bras. Zool.* Ave passeriforme, tiranídea (*Fluvicola climazura*), que ocorre do MA à BA, de dorso cinzento-claro, abdome branco, asa escura com espelho branco, uma lista preta da comissura do bico até a nuca, e que se alimenta de insetos e frequenta as proximidades das habitações humanas. [Sin., nesta acepç.: *lavadeira* e (lus.) *boieira*.] 4. *Zool.* V. *libélula* (3).

lavandeira-de-nossa-senhora *S. f. Bras. Zool.* V. *viuvinha* (1). [Pl.: *lavandeiras-de-nossa-senhora*.]

lavanderia [Do lat. tard. *lavandaria*, moldado em *lavanda* (v. *lavanda*); fr. *lavanderie*.] *S. f.* 1. Estabelecimento onde se lavam e passam a ferro peças quaisquer de vestuário; tinturaria: "montava uma grande lavanderia, limpava os ternos com muito cuidado e mandava vendê-los nas portas" (Cordeiro de Andrade, *Anjo Negro*, p. 46). 2. Parte da casa, hotel, caserna, etc., onde a roupa é lavada e passada a ferro. [F. paral.: *lavandaria* (p. us. no Brasil) e *lavandaria* (desus. no Brasil).]

lavândula [Do tax. *Lavandula* (do lat. med. *lavandula, lavendula*).] *S. f. Bot.* 1. Gênero de plantas lamiáceas, herbáceas e arbustivas, eurasianas, de pequenas flores tubiformes, em espículas. 2. Qualquer espécie desse gênero, como, p. ex., a *Lavandula officinalis*, vastamente cultivada pelas folhas e flores aromáticas que, secas, são us. em sachês, a *L. stoechas* (v. *rosmaninho*), e a *L. angustifolia* [v. *alfazema* (2)]; todas elas têm uso em perfumaria. 3. Qualquer espécime desse gênero, ou a sua flor.

lavandulol [Do tax. *Lavandula*, (v. *lavândula*), + *-ol*[2].] *S. m. Quím.* Álcool primário monoterpenoide acíclico, com duas insaturações e estrutura molecular atípica, e que ocorre no óleo essencial de lavanda [fórm.: $C_{10}H_{18}O$]. [Pl.: *lavandulóis*.]

lava-pé [De *lavar* + *pé*.] *S. m. Bras. Zool.* V. *formiga-lava-pé*. [Pl.: *lava-pés*.]

lava-pés [De *lavar* + o pl. de *pé*.] *S. m. 2 n.* 1. Cerimônia litúrgica, em quinta-feira santa, na qual se celebra o haver Jesus lavado os pés aos seus discípulos. 2. *Bras.* Últimos repiquetes que se produzem quando, em fins de abril e durante maio, se acentua a vazante nos rios da bacia amazônica. 3. *Bras. Zool.* V. *formiga-lava-pé*. [Nesta acepç., tb. se diz *lava-pé*.]

lava-pratos [De *lavar* + o pl. de *prato*[1].] *S. m. 2 n. Bras. Bot.* 1. Arbusto cesalpiniáceo (*Senna sclerocarpa*) comum em todo o Brasil, de folhas com dois pares de folíolos oblongos e um tanto pilosos, flores lúteas, vistosas e ordenadas em racemos, e legume comprido e lenhoso. 2. V. *fedegoso-verdadeiro*. 3. V. *fedegoso-grande*.

lavar [Do lat. *lavare*.] *V. t. d.* 1. Limpar banhando; tirar com água as impurezas de; banhar, abluir. 2. Correr (rio, mar, etc.) junto de; regar, banhar: *As águas puras do riacho lavavam a planície*. 3. Tornar puro; purificar, mundificar, expurgar: *Seu procedimento correto nos últimos tempos lavou sua culpa*. *Int.* 4. Trabalhar como lavadeira; exercer a profissão de lavadeira: "é ela, a bem dizer, quem sustenta a casa com o que faz lavando e engomando." (Coelho Neto, *Turbilhão*, p. 305). 5. Saber lavar; ser capaz de: *É ótima dona de casa: se necessário, lava, cozinha, faz todo o serviço*. *P.* 6. Banhar-se (7): "desceu ao banheiro, lavou-se, mudou de roupa" (Aluísio Azevedo, *O Coruja*, p. 138). 7. Justificar-se; reabilitar-se.

lavareda (ê) *S. f.* V. *labareda*: "rompeu um incêndio no bairro .... — e em breve, foi por todo o casario .... uma imensa lavareda." (Eça de Queirós, *Últimas Páginas*, p. 288).

lavarinto [Alter. de *labirinto*.] *S. m.* 1. *Bras. N. N.E. Bord.* V. *crivo* (7). 2. *Bras. S.* da *BA* Cabo empregado na pesca da baleia.

lava-roupa [De *lavar* + *roupa*.] *S. f. e m.* Máquina de lavar roupa (que pode ter ou não a função de centrifugar roupa); lava-roupas. [Pl.: *lava-roupas*.]

lava-roupas [De *lavar* + o pl. *roupa*.] *S. f. e m. 2 n.* V. *lava-roupa*.

lavático [Do lat. *lavatus*, 'lavado', + *-ico*[2].] *Adj.* Que serve para clister; lavativo.

lavativo [De *lavar* + *-tivo*.] *Adj.* Lavático.

lavatório [Do lat. tard. *lavatoriu*, por via erudita.] *S. m.* 1. Utensílio ou móvel com os apetrechos necessários para lavar as mãos e o rosto. 2. Ato de lavar. 3. *Fig.* Purificação, expurgação. 4. *Bras.* Pia com água corrente e escoamento, us. para o mesmo fim. 5. *Bras. P. ext.* Banheiro (2), em geral com lavatório (4); lavabo. 6. *Bras. AM* Poça ou pequeno lago onde os animais costumam banhar-se.

lavável [De *lavar* + *-vel*.] *Adj. 2 g.* Que pode ser lavado sem inconveniente: *seda lavável; pratos de papel laváveis*.

lávico [De *lava* + *-ico*[2].] *Adj.* De lava, relativo a ela, ou que a contém.

lavinense *Adj. 2 g.* 1. De, ou pertencente ou relativo a Lavínia (SP). ● *S. 2 g.* 2. O natural ou habitante de Lavínia.

lavoira *S. f.* V. *lavoura*.

lavor (ô) [Do lat. *labore*.] *S. m.* 1. V. *trabalho* (10). 2. Qualquer trabalho manual. 3. Lavor (2) de caráter artístico ou artesanal, executado com cuidado e habilidade: *os lavores de mosaico da basílica de S. Marcos*. 4. Lavor (2) ornado de desenhos, entalhes, etc.; lavrado. 5. Obra de agulha feita por desenho; lavrado. 6. Ornato em relevo, lavrado: "Espaçoso é o salão: jarras a cada canto; / Admira-se o lavor do tecto de pau-santo." (Gonçalves Crespo, *Obras Completas*, p. 264.) 7. Cristalização superficial nas salinas. [Pl.: *lavores* (ô). Cf. *lavores*, do v. *lavorar*.]

lavorar [Do lat. *laborare*.] *V. t. d.* Fazer lavores em; lavrar. [Pres. subj.: *lavore, lavores*, etc. Cf. *lavores* (ô), pl. de *lavor*.]

lavoso (ô) [De *lava* + *-oso*.] *Adj.* 1. Referente a lava (1 e 2). 2. Que é da natureza da lava (1 e 2): *solo lavoso*.

lavoura [Dev. do ant. *lavorar* < lat. *laborare*, 'trabalhar'.] *S. f.* 1. Preparação do terreno para a sementeira ou plantação; lavra. 2. Amanho e/ou cultivo da terra; lavra, lavradio, lavragem, lavramento; agricultura. [Sin. (angol.) nesta acepç.: *tonga*.] 3. Terreno lavrado e cultivado; lavra, lavrada. 4. *Bras.* Trabalho habitual ou profissão. [Var.: *lavoira*.]

lavra[1] [Dev. de *lavrar*.] *S. f.* 1. Ato de lavrar. 2. V. *lavoura* (1 a 3): "Elas ficariam a tomar conta da casa e dos filhos e a trabalhar nas lavras." (Castro Soromenho, *Terra Morta*, p. 86.) 3. *Bras.* Terreno de mineração; lugar onde se extrai ouro ou diamante. 4. *Bras. RS* Lavoura de algodão. ◆ **Ser da lavra de.** Ser da fabricação, da execução, da autoria, da criação de: *Esta bandeja é da lavra de um prateiro inglês; Os versos são da minha lavra*.

lavra[2] [Do gr. mod. *laúra*.] *S. f.* Mosteiro cujos habitantes viviam em celas separadas, dentro de um só muro.

lavrada [De *lavrar* + *-ada*[1].] *S. f.* V. *lavoura* (3).

lavradeira [De *lavrar* + *-deira*.] *S. f.* 1. Mulher de lavrador. 2. Mulher que trabalha na lavoura ou lavra; camponesa. 3. Mulher que faz rendas ou lavores de agulha. 4. *Bras. BA Zool.* V. *saúva*.

lavradeiro [De *lavrar* + *-deiro*.] *Adj.* Diz-se de animal que se utiliza na lavoura.

lavradeirona [De *lavradeira* + *-ona*[1].] *S. f.* Lavradeira corpulenta: "— Ó José Fernandes, quem é esta lavradeirona tão rechonchuda?" (Eça de Queirós, *A Cidade e as Serras*, p. 173.)

lavradio [De *lavrado* + *-io*[2].] *Adj.* 1. Próprio para ser lavrado; arável: "Da varanda alpendrada a vista abrangia um raio amplo e exuberante de terras lavradias" (Coelho Neto, *Rei Negro*, p. 7). ● *S. m.* 2. V. *lavoura* (2): *terras de lavradio*.

lavrado [Part. de *lavrar*.] *Adj.* 1. Que se lavrou; arado, cultivado: *grande extensão de terra lavrada*. 2. Ornado de lavores [v. *lavor* (5 e 6)] 3. Escrito em atas, livros de registro, etc.; registrado: *escritura lavrada em cartório*. ~ V. *pedra —a*. ● *S. m.* 4. Lavor (4 a 6): "Fino artista chinês, enamorado, / Nele [no vaso] pusera o coração doentio / Em rubras flores de um sutil lavrado" (Alberto de Oliveira, *Poesias*, 1ª série, p. 177). 5. Terra lavrada. 6. *Bras. PA* Campo a perder de vista, sem árvores nem arbustos. 7. *Bras. MG* Território ou região onde se lavrou ou trabalhou em lavra de ouro ou diamante. 8. *Bras. MT* Joia de ouro maciço. 9. *Bras. RO* Savana de gramíneas.

lavrador (ô) [Do lat. tard. *laboratore*.] *Adj.* 1. Que lavra a terra, ou que serve para lavrar (1): *povo lavrador, animal lavrador*. ● *S. m.* 2. Aquele que trabalha na lavoura; agricultor. 3. Aquele que possui propriedades lavradias; agricultor. 4. *Marn.* Proprietário de salinas. 5. *Bras. N.E.* Indivíduo a quem um senhor de engenho concede uma casa e um trato de terreno de sua propriedade, sob a condição de plantar um mínimo de cana-de-açúcar, partilhando o produto.

lavradoragem [De *lavrador* + *-agem*[2].] *S. f.* 1. Grande porção de lavradores. 2. Os lavradores.

lavradorita *S. f. Min.* V. *labradorita*.

lavraense *Adj. 2 g. S. 2 g.* V. *lavrense*[2].

lavragem [De *lavrar* + *-agem*[2].] *S. f.* 1. Ato ou efeito de lavrar; lavramento. 2. V. *lavoura* (2): "a alta classe colonial volta-se .... para a lavragem das terras." (Oliveira Viana, *Populações Meridionais do Brasil*, p. 66). 3. Lavor das madeiras.

lavra-mão [De *lavrar* + *mão*[1].] *S. m. Bras. RS Bot.* Arbusto asteráceo (*Chuquiraga paniculata*), nativo do Brasil, com até 7m de altura. [Pl.: *lavra-mãos*.]

lavramento [De *lavrar* + *-mento*.] *S. m.* 1. V. *lavoura* (2). 2. Feitio ou cunhagem das moedas.

lavrante [De *lavrar* + *-nte*.] *Adj. 2 g.* 1. Que lavra. ● *S. 2 g.* 2. Artista que trabalha em ouro e prata.

lavrar [Do lat. *laborare*, 'trabalhar'.] *V. t. d.* 1. Sulcar (a terra) com arado ou charrua; arar, amanhar, cultivar. 2. Fazer ou abrir ornatos ou lavores em; lavorar. 3. *Bord.* Desenhar em bordado. 4. Aplainar, preparar (a madeira, a pedra). 5. Explorar (minas). 6. Lapidar[2] (2): *lavrar um diamante*. 7. Cunhar (moeda). 8. Gastar, desgastar; corroer; sulcar: *As águas lavraram as rochas*. 9. Exarar por escrito; escrever, redigir: "Esses versos foram compostos quando Arvers lavrava escrituras no cartório de Guyet-Desfontaines." (Melo Nóbrega, *O Soneto de Arvers*, p. 23); *lavrar uma sentença; lavrar uma ata*. 10. Emitir; expressar: *Lavraram na sepultura um belo epitáfio*. *Int.* 11. Alastrar-se, propagar-se, grassar: "Lavravam as febres, afugentando os bugres ribeirinhos." (Cornélio Pires, *Quem Conta um Conto...*, p. 204); "posto que o seu ânimo de ferro lhe não consentisse o soltar um só queixume, o incêndio lavrava lá dentro" (Alexandre Herculano, *Lendas e Narrativas*, II, p. 325).

lavratura [De *lavrar* + *-tura*.] *S. f. Bras.* Ato de lavrar (escritura, documento): *A lavratura do contrato será feita amanhã*.

lavrense[1] *Adj. 2 g.* 1. De, ou pertencente ou relativo a Lavras (MG). ● *S. 2 g.* 2. O natural ou habitante de Lavras.

lavrense[2] *Adj. 2 g.* 1. De, ou pertencente ou relativo a Lavras da Mangabeira (CE). ● *S. 2 g.* 2. O natural ou habitante de Lavras da Mangabeira. [Sin. ger.: *lavraense*.]

lavrense[3] *Adj. 2 g.* 1. De, ou pertencente ou relativo a Lavras do Sul (RS). ● *S. 2 g.* 2. O natural ou habitante de Lavras do Sul.

lavrinhense *Adj. 2 g.* 1. De, ou pertencente ou relativo a Lavrinhas (SP). ● *S. 2 g.* 2. O natural ou habitante de Lavrinhas.

lavrita [De *lavra*[1] + *-ita*[2].] *S. f. Bras.* Carbonado (2).

lawrêncio [Do antr. (*Ernest O.*) *Lawrence* (1901-1958), físico norte-americano, + *-io*[3].] *S. m. Quím.* V. *laurêncio*.

L

lawsonita [Do antr. (*Andrew C.*) *Lawson* (1861-1952), geólogo norte-americano, + *-ita*[3].] *S. f. Min.* Mineral ortorrômbico, aluminossilicato básico hidratado de cálcio, da família das zeólitas.

laxa *S. f. Bras. N.E. Pop.* V. *lasca* (1).

laxação [Do lat. *laxatione*, por via semierudita.] *S. f.* **1.** Ato ou efeito de laxar. **2.** Lassidão, frouxidão.

laxante [Do lat. *laxante*, part. pres. do v. lat. *laxare*, 'laxar' (q. v.).] *Adj. 2 g.* **1.** Que laxa. **2.** Que afrouxa, que relaxa. ● *S. m.* **3.** *Med.* Purgante de efeito brando e que induz evacuação de fezes moles; minorativo, laxativo.

laxar [Do lat. *laxare.*] *V. t. d.* **1.** Tornar frouxo; relaxar, afrouxar. **2.** Alargar, dilatar. **3.** Tornar livre; desimpedir. **4.** Atenuar, aliviar. [Pres. ind.: *laxo, laxas, laxa,* etc. Cf. *lacha*.]

laxativo [Do lat. tard. *laxativu.*] *Adj. S. m. Med.* V. *laxante* (3).

▲ **lax(i)-** [Do lat. *lāxus, a, um.*] *El. comp.* = 'frouxo', 'solto': *laxifloro, laxismo.*

laxidão [De *laxo* + *-idão.*] *S. f.* V. *lassidão.*

laxifloro (cs) [De *lax(i)-* + *-floro.*] *Adj. Bot.* Cujas flores são muito afastadas umas das outras.

laxismo (cs) [De *lax(i)-* + *-ismo*; fr. *laxisme.*] *S. m.* **1.** Na teologia moral, tendência a fugir ao dever e à lei, com base em razões pouco ou malfundamentadas. **2.** *P. ext.* Sistema filosófico, político, etc., que preconiza ideias pouco severas, amplas e conciliatórias. [Opõe-se a *rigorismo.*]

laxista (cs) [De *laxismo* + *-ista*; fr. *laxiste.*] *Adj. 2 g.* **1.** Pertencente ou relativo ao laxismo. ● *S. 2 g.* **2.** Adepto da aplicação dele.

laxo [Do lat. *laxu.*] *Adj.* Lasso (2 e 3).

➔ **layback** ['lejbæk] [Ingl.] *S. m. Surf.* Manobra em que o surfista joga suas costas para trás, como um contrapeso, no intuito de frear sua prancha.

lazão *Adj. S. m.* V. *alazão:* 📖 "Minha mulher tinha um burrinho lazão" (Ramalho Ortigão, *Contos e Páginas Dispersas*, p. 164); "— Eu ia adiante, esquipando, quando um cavalo bravio .... correu furioso para brigar com o lazão." (José de Alencar, *O Sertanejo*, p. 106). [Fem.: *lazã*. Pl.: *lazães, lazões.*]

lazarado [Part. de *lazarar.*] *Adj.* **1.** V. *leproso* (1). ● *S. m.* **2.** V. *leproso* (5).

lazarar [Do lat. *lacerare*, 'despedaçar', com infl. de *lázaro.*] *V. t. d.* **1.** Tornar lazarento, chaguento. **2.** Transmitir doença ou mal repelente a. [Pres. ind.: *lazaro*, etc. Cf. *lázaro*, s. m., e *Lázaro*, antr.]

lazarento[1] [Do antr. *Lázaro*, o homem coberto de úlceras da parábola do evangelho de S. Lucas, + *-ento.*] *Adj. S. m.* **1.** Que, ou aquele que tem pústulas, chagas; lázaro. **2.** V. *leproso* (1 e 5).

lazarento[2] *Adj.* V. *lazeirento.*

lazareto (ê) [Do it. *lazzaretto.*] *S. m.* **1.** Edifício para quarentena de indivíduos suspeitos de contágio. **2.** *Ant.* V. *leprosário.*

lazaria [De *lázaro* + *-ia*[1].] *S. f. Bras. Prov. port.* Epizootia dos suínos.

lazarina [Do antr. *Lazzarino*, nome de um espingardeiro milanês do séc. XVI.] *S. f.* **1.** Arma de fuzil e de pequeno calibre, de fabricação belga, outrora utilizada pelos negros africanos. **2.** *Bras.* Espingarda de passarinhar, de cano fino e longo; pica-pau: 📖 "A um canto do copiar, cinco ou seis carabinas de caça, de carregar pela boca, lazarinas e clavinotes, rebrilhavam, polidas e limpas." (Gustavo Barroso, *Terra de Sol*, p. 178.)

lazarismo [De *lazarista* + *-ismo*, seg. o padrão erudito.] *S. m.* Qualidade ou missão de lazarista.

lazarista [Do fr. *lazariste.*] *S. 2 g.* Membro da congregação religiosa fundada por S. Vicente de Paulo com o fim de evangelizar a gente pobre do campo. [Como a primeira casa onde funcionou a Congregação tivesse o nome de "Casa de S. Lázaro", em que se cuidava dos leprosos, erroneamente ficaram sendo chamados *lazaristas.*]

lázaro [Do antr. *Lázaro*, do personagem bíblico ressuscitado por Cristo (v. *cristianismo*).] *S. m.* **1.** V. *leproso* (5). **2.** Lazarento[1] (1). [Cf. *lazaro*, do v. *lazarar.*]

lazaroide (ói) [Do antr. *Lázaro*, do personagem bíblico ressuscitado por Cristo (v. *cristianismo*) + *-oide.*] *Adj. 2 g. Med.* Diz-se de medicamento que tem ação tida como dramaticamente reversora de doença muito grave e ameaçadora da vida. ❖

lazarone [Do it. *lazzarone.*] *S. m.* **1.** Mendigo de Nápoles. **2.** *P. ext.* Mendigo, vadio: 📖 "Era um lazarone esfarrapado, que à beira do caminho se abrigava do sol, sob uma árvore." (Fialho d'Almeida, *Pasquinadas*, p. 199.)

lazarônico *Adj.* V. *lazarônico*. [Uso freq. em P.]

lazarônico [De *lazarone* + *-ico*[2].] *Adj.* Referente a, ou próprio de lazarone.

lazeira [Do lat. vulg. **laceria* < lat. *lacerare*, 'despedaçar'.] *S. f.* **1.** Qualquer casta de males; desgraça, miséria: 📖 "ninguém tem pena de ti [burro], que comido de lazeira, e carregado de anos, ... ficas abandonado no caminho" (Olavo Bilac, *Ironia e Piedade*, p. 139). **2.** V. *hanseníase.* **3.** *Pop.* Grande apetite de comer; fome. **4.** *Mar.* Espaço para arrumar uma carga ou outro material, ou para realizar uma manobra. **5.** *Mar.* Espaço que se considera suficiente para a evolução do navio. **6.** *Mar.* Espaço, a bordo, delimitado para a manobra de um cabo ou aparelho de força.

lazeirar [De *lazeira* + *-ar*[2].] *V. int.* Ter lazeira (3); estar afaimado.

lazeirento [De *lazeira* + *-ento.*] *Adj. Pop.* Que tem lazeira; esfomeado, famélico, lazarento.

lazer (ê) [Do lat. *licere*, 'ser lícito', pelo arc. *lezer.*] *S. m.* **1.** Ócio, descanso, folga, vagar: 📖 "'Conversa mole', 'conversa fiada', 'papo' implicam desocupação, lazer, senso do prazer e da volúpia" (Gilberto Amado, *Sabor do Brasil*, p. 31). **2.** Tempo de que se pode livremente dispor, uma vez cumpridos os afazeres habituais. **3.** Atividade praticada nesse tempo; divertimento, entretenimento, distração, recreio.

lãzinha [De *lã* + *-zinha.*] *S. f. Tec. Têx.* Tecido de lã fino e leve.

lãzudo [De *lã* + *-zudo.*] *Adj. Bras. Gír.* Que tem cabelos compridos; cabeludo.

lazulita [De *lápis-lazúli* + *-ita*[3]; fr. *lazulite.*] *S. f. Min.* Mineral monoclínico, azul, fosfato básico de alumínio, ferro e magnésio.

lazurita [Do lat. med. *lazur*, 'lápis-lazúli', + *-ita*[3].] *S. f. Min.* Mineral monométrico, azul-ultramar, silicato de alumínio e sódio e sulfato de sódio, na proporção de três do primeiro para um do segundo, us. como matéria ornamental; lápis-lazúli.

➔ **lazzo** ['latso] [It., 'ato ou dito cômico'.] *S. m. Teatr.* Na *commedia dell'arte* (q. v.), chiste, truanice, gracejo de zombaria. [Pl.: *lazzi.*]

■ **lb** Símb. de *libra* (1).

■ **LBA** Sigla de *Fundação Legião Brasileira de Assistência.*

■ **lcd** [Abrev. de *liquid crystal display.*] *Tec.* Tipo de tela, com uma película de cristal líquido, que muda suas características ópticas quando uma corrente elétrica é aplicada sobre ela. [É us. em relógio digital, calculadora, computador, televisão, etc.]

■ **LDB** *Educ.* Sigla de *Lei de Diretrizes e Bases.* [É aquela que estrutura, sistematiza e organiza a educação nacional.]

■ **LDL** [Abrev. do ingl. *Low Density Lipoprotein*, 'lipoproteína de baixa densidade'.] *Bioquím.* Lipoproteína plasmática em que há baixo percentual de triglicerídios, fosfolipídios e de proteínas em quantidades moderadas, e altos níveis de colesterol. [Concentrações elevadas de LDL estão associadas à deposição de colesterol e aterosclerose: esta condição é chamada vulgarmente de *colesterol ruim.*] [Cf. *HDL.*]

■ **LDO** Sigla de *Lei de Diretrizes Orçamentárias.*

lé *El. s. m.* Us. nas expr. *lé com cré; lé com lé e cré com cré; cré com cré, lé com lé; cré com cré e lé com lé.* [Cf. *lê*, do v. *ler* e s. m.] ◆ **Lé com lé, cré com cré.** V. *cré com cré, lé com lé.* **Lé com lé e cré com cré.** V. *cré com cré, lé com lé:* 📖 "A primeira coisa de que V. Mercê se deve lembrar é que cada um é como cada um; lé com lé e cré com cré: cada qual com os da sua igualha." (Antônio Feliciano de Castilho, *ap.* João da Silva Correia, *A Linguagem da Mulher*, p. 104.)

lê *S. m. Bras. AL SE BA* V. *ele* (é).

➔ **lead** [lijd] [Ingl.] *S. m.* **1.** *Teatr.* O papel ou personagem principal de uma peça. **2.** *Jorn.* V. *lide.* [Cf. *lied.*]

leal [Do lat. *legale.*] *Adj. 2 g.* **1.** Sincero, franco e honesto. **2.** Fiel aos seus compromissos. [Sin. (desus.): *lealdoso.*] ● *S. m.* **3.** Moeda portuguesa que no tempo de D. João I correspondia a dez-réis, e que era o real[2] (2) de boa lei (8), por oposição aos reais de liga muito baixa do reinado anterior. [Pl.: *leais.* Cf. *liais*, do v. *liar*, e *leais*, do v. *ler.*]

lealdação [De *lealdar* + *-ção.*] *S. f.* **1.** Ato ou efeito de lealdar. **2.** Verificação aduaneira. [Sin. ger.: *lealdamento.*]

lealdade [De *leal* + *-(i)dade.*] *S. f.* Qualidade, ação ou procedimento de quem é leal. ◆ **Lealdade à marca** *Adm.* Compromisso de um cliente de recomprar o produto ou serviço de uma empresa, que pode ser aferido pela sua atitude com relação à empresa ou pelo padrão de repetição de compra.

lealdado [Part. de *lealdar.*] *Adj.* **1.** Que se lealdou. **2.** Diz-se do açúcar muito limpo.

lealdador (ô) [De *lealdar* + *-dor.*] *S. m.* Aquele que lealda.

lealdamento [De *lealdar* + *-mento.*] *S. m.* Lealdação.

lealdar [Do lat. **legalitare*, de *legalis*, 'relativo às leis'.] *V. t. d.* Legalizar, dando ao manifesto (v. *dar ao manifesto*) na alfândega; alealdar; registrar, manifestar.

lealdoso (ô) [De **lealdadoso*, com haplologia.] *Adj. Desus.* Leal (1 e 2).

leandrense[1] *Adj. 2 g.* **1.** De, ou pertencente ou relativo a Leandro (MA). ● *S. 2 g.* **2.** O natural ou habitante de Leandro.

leandrense[2] *Adj. 2 g.* **1.** De, ou pertencente ou relativo a Leandro Ferreira (MG). ● *S. 2 g.* **2.** O natural ou habitante de Leandro Ferreira.

leão [Do lat. *leone.*] *S. m.* **1.** *Zool.* Mamífero carnívoro, felídeo (*Panthera leo*), o qual habita as estepes e as savanas densamente cobertas de arbustos. Atualmente restrito à África e ao S. da Ásia, chegou a habitar a Península Balcânica, na Europa. Pode atingir 2,70m de comprimento da cauda à cabeça, e pesar 200 a 250kg; a cor varia do amarelo-laranja ao cinzento-amarelado. Predador, caça nas aguadas, onde surpreende, principalmente, zebras e antílopes. Gestação de três meses, com dois a três filhotes de cada vez. [Fem.: *leoa*. Dim. irreg.: *leãozete, leônculo.*] **2.** *Fig.* Homem valente, corajoso. **3.** *Fig.* Homem de mau gênio, áspero, intratável. **4.** *Fig.* Homem célebre, alvo de todas as atenções: 📖 "era sem dúvida um dos príncipes da moda, um dos leões da Rua do Ouvidor" (José de Alencar, *A Pata da Gazela*, p. 164); "Pessoa de Melo e Osório, os leões da moda, ambos de polainas, ... vão deixando na calçada um rasto de inveja." (Augusto Meyer, *No Tempo da Flor*, p. 14). **5.** *Fig.* Grande conquistador de mulheres. **6.** *Astr.* A quinta constelação do zodíaco, situada no hemisfério norte, a 10h e 30min de ascensão reta e 15º de declinação norte. **7.** O quinto signo do zodíaco, relativo aos que nascem entre 23 de julho e 22 de agosto. [Nas acepç. 6 e 7, com cap.] **8.** Membro da *International Association of Lions Clubs*, associação benemerente de âmbito mundial, fundada na cidade de Dallas (Texas, E.U.A.) em 1917. [Fem., nesta acepç.: *domadora.*] **9.** *Bras.* No jogo do bicho (q. v.), o 16º grupo (14), que abrange as dezenas 61, 62, 63 e 64, e corresponde ao número 16. **10.** *Bras. Irôn.* Órgão arrecadador do imposto de renda: 📖 "um projeto do Senador José Sarney transita pelas mesas do Congresso, propondo que o leão seja menos voraz com as empresas que continuam acreditando na cultura." (Rui Castro, em *Folha de S.Paulo*, 28.09.1983). [Cf. *Lião*, top.] ◆ **Leão do Norte.** O Estado de Pernambuco. **Leão Menor.** *Astr.* Pequena constelação boreal, ao N. do Leão e ao S. da Ursa Maior. [Com cap.]

leão de barca *S. m. Bras. BA Etnogr.* V. *carranca* (5). [Pl.: *leões de barca.*] ☑

leão de chácara *S. m. Bras. Gír.* Guardião de casas de diversões. [Sin. (lus., gír.): *leão de pedra.* Pl.: *leões de chácara.*] ☑

leão de pedra *S. m. Lus. Gír.* V. *leão de chácara.* [Pl.: *leões de pedra.*] ☑

leão do mar *S. m.* Lobo do mar. [Pl.: *leões do mar.*] ☑

leão-marinho *S. m. Zool.* V. *lobo-marinho.* [Pl.: *leões-marinhos.*]

leãozete (ê) [De *leão* + *-z-* + *-ete* (ê).] *S. m.* Dim. de *leão* (1) (q. v.).

➔ **leasing** ['lijsıŋ] [Ingl.] *S. m. Econ.* V. *arrendamento mercantil.*

leba [Do fom *Legba.*] *S. m. Bras. Rel.* Vodum jeje correspondente ao Exu nagô. [Com cap. Var.: *legba.*]

➔ **lebensraum** ['lebənzʁawm] [Al.] *S. m.* Espaço vital. [Com cap.]

lebon-regense *Adj. 2 g.* **1.** De, ou pertencente ou relativo a Lebon Régis (SC). ● *S. 2 g.* **2.** O natural ou habitante de Lebon Régis. [Pl.: *lebon-regenses.*]

lebracho [De *lebre* + *-acho.*] *S. m. Zool.* O macho da lebre (1), ainda novo: 📖 "Haviam abatido nove coelhos e um lebracho" (Aquilino Ribeiro, *Maria Benigna*, p. 136). [Cf. *lebrão.*]

lebrada [De *lebre* + *-ada*[1].] *S. f. Cul.* Guisado de lebre (1).

lebrão [De *lebre* + *-ão*[1].] *S. m. Zool.* O macho da lebre (1). [Cf. *lebracho.*]

lebre [Do lat. *lepore.*] *S. f.* **1.** *Zool.* Mamífero lagomorfo, leporídeo, gênero *Lépus*, com várias espécies espalhadas pelas regiões neártica e paleártica. Compreende animais próximos dos coelhos, porém maiores e mais bem dotados para a corrida, graças à conformação das patas posteriores, dispostas para o salto e muito maiores que as anteriores. Ao contrário dos coelhos, não cavam tocas, e têm os filhos em ninhos sobre o solo. As lebres não ocorrem, em natureza, no Brasil. [Masc.: *lebrão* e *lebracho* (q. v.).] **2.** *Cul.* Iguaria feita de lebre (1). **3.** *Bras. Zool.* V. *tapiti*[1]. **4.** *Marinh.* Poleame semelhante a dois moitões unidos pela base, munido cada um de gorne com a competente roda. É us. para retorno de cabos de manobra, dando passagem a amantilhos, talhas de lais, etc., que nele gurnem. **5.** *Astr.* Constelação austral, ao S. de Órion, ao N. da Columba, a O. do Cão Maior e a E. do Erídano. [Com cap., nesta acepç.]

lebré [De *lebre.*] *S. m.* **1.** Cão de fila. **2.** *Cineg.* V. *lebréu.* [Cf. *libré.*]

lebre-do-mar *S. f. Zool.* Aplísia (2 e 3). [Pl.: *lebres-do-mar.*]

lebreia (éi) [De *nebrina*, poss.] *S. f. Bras. MG Pop.* V. *chuvisco* (1). ❖

lebreiro [De *lebre* + *-eiro.*] *Adj.* Diz-se do cão que caça lebres.

lebrel [De *lebre* + *-el.*] *S. m. Cineg.* V. *lebréu*. [Pl.: *lebréis.*]

lebréu [De *lebre* + *-eu.*] *S. m. Cineg.* Cão amestrado na caça das lebres; lebrel, lebré: "O som das trompas, os latidos dos lebréus, os relinchos dos cavalos" (Rebelo da Silva, *Contos e Lendas*, p. 34). [Cf. *galgo* (1).]

lebroto (ô) [De *lebre* + *-oto*[1].] *S. m.* Filhote de lebre.

lecanicefalóideo [Do tax. *Lecanium* (< gr. *lekanión*, 'pequeno prato ou bacia') + *-cefal(o)-* + *-óideo.*] *Zool. S. m.* **1.** Espécime dos lecanicefalóideos, ordem de animais platelmintos, cestóideos, os quais têm o escólex dividido em duas partes, uma superior, com disco ou ramificações, e outra inferior, com quatro ventosas. São parasitos de elasmobrânquios. • *Adj.* **2.** Pertencente ou relativo a eles.

▲ **lecan(o)-** [Do gr. *lekánē, ēs.*] *El. comp.* = 'bacia', 'tina': *lecanomancia* (< gr.).

lecanomancia (cí) [Do gr. *lekanomanteía.*] *S. f.* Antiga adivinhação, mediante a observação de tanques, lagos, do som ou de fenômenos produzidos por objetos ao cair no fundo de uma bacia cheia de água, etc.

lecanomante [Do gr. *lekanómantis.*] *S. 2 g.* Pessoa que praticava a lecanomancia.

lecanomântico [De *lecanomante* + *-ico*[2].] *Adj.* Relativo a lecanomancia, ou a lecanomante.

lecheguana *S. f. Bras. RS* V. *lechiguana.*

lechetrez (ê) [Do esp. *lechetrezna.*] *S. m.* V. *maleiteira.*

lechia *S. f. Bot.* V. *lichia* (3).

lechiguana [Do quíchua *lachiuana*, pelo esp. plat.] *S. f. Bras. RS Zool.* V. *enxuí*. [Var.: *lecheguana* ou *lichiguana.*] ◆ **Tirar lechiguana.** *Bras. RS* Passar muito frio durante a noite por falta de coberta.

lecionação [De *lecionar* + *-ção.*] *S. f.* Ato ou efeito de lecionar.

lecionando [De *lecionar* + *-ando.*] *Adj.* **1.** Diz-se daquele que recebe lições de alguém. • *S. m.* **2.** Discípulo, aluno.

lecionar [Do rad. lat. *lection-* (< *lectio, onis*, 'lição') + *-ar*[2].] *V. t. d.* **1.** *Educ.* Dar lições de; explicar em modo de lição; ensinar: "Lecionava ciências e história natural e sentia muita falta de exemplares para explicar melhor, para prender a atenção dos alunos." (Autran Dourado, *Nove Histórias em Grupos de Três*, p. 205.) **2.** Instruir, ensinar, doutrinar. ***T. d. e i.*** **3.** Ensinar, explicar: "Lecionou-lhe o grego a Tomás Morus Linacre, que, por sua vez, o aprendera com o professor de Leão X – o famoso Policiano." (Ivã Lins, *Tomás Morus e a Utopia*, p. 4.) ***Int.*** **4.** Dedicar-se ao magistério; exercê-lo; ensinar: "no principal colégio onde eu lecionava, o diretor .... me deu algumas horas extraordinárias." (Autran Dourado, *Nove Histórias em Grupos de Três*, p. 166); *É professora de grande prática: leciona desde os 18 anos.* ***P.*** **5.** *P. us.* Tomar lições; estudar.

lecionário [Do rad. lat. *lection-* (v. *lecionar*) + *-ário.*] *S. m. Lit.* Livro que contém textos bíblicos para uso em celebrações e orações litúrgicas.

lecionável [De *lecionar* + *-vel.*] *Adj. 2 g.* Que pode ser lecionado, ensinado.

lecionista [De *lecionar* + *-ista.*] *S. 2 g.* Pessoa que leciona particularmente: "Raras vezes ia à cidade dar conta ao lecionista dos seus estudos preparatórios." (Camilo Castelo Branco, *O Bem e o Mal*, p. 108.)

lecitidácea [Do tax. *Lecythis*, gênero-tipo, + *-ácea*; tax. *Lecythidaceae.*] *S. f. Bot.* Espécime das lecitidáceas, família de dicotiledôneas, da ordem das mirtales, constituída de árvores com folhas alternas e grandes flores vistosas, hermafroditas, heteroclamídeas, cálice e corola com quatro a seis peças, estames numerosos e soldados pela base, ovário ínfero, com um ou até muitos óvulos. Fruto característico: pixídio. Compreende umas 150 espécies, intertropicais. O Brasil é rico em espécies, distinguindo-se entre elas a castanha-do-pará (*Bertholletia excelsa*) e as sapucaias (*Lecythis*). Produzem também boas madeiras.

lecitidáceo [De *lecitidácea*, com var. suf. (v. *-áceo*).] *Adj. Bot.* Pertencente ou relativo às lecitidáceas.

lecitina [De *lecit(o)-*[1] + *-ina*[3].] *S. f. Bioquím.* Fosfatidilcolina.

▲ **lecit(o)-**[1] [Do gr. *lékithos, ou* (ĭ).] *El. comp.* = 'lécito[1]', 'gema de ovo', 'vitelo': *lecitina*. [Equiv.: *-lécito*: *centrolécito, oligolécito.*]

▲ **lecit(o)-**[2] [Do gr. *lḗkythos, ou* (ȳ).] *El. comp.* = 'lécito[2]', 'vaso': *lecitidácea, lecitidáceo.*

lécito[1] [Do gr. *lékithos*, 'gema de ovo'.] *S. m.* **1.** Gema de ovo. **2.** Vitelo nutritivo do ovo.

lécito[2] [Do gr. *lékythos*, pelo lat. *lecythu.*] *S. m.* Na Grécia e na Roma antigas, pequeno vaso de uma asa e de forma alongada, ger. de uso funerário, para guardar perfumes, óleos, ou unguentos.

▲ **-lécito** Equiv. de *lecit(o)-*[1].

leco[1] *S. m. Ant.* Criado, lacaio.

leco[2] [De or. obscura.] *Adj. Bras. SP Pop.* Fraco, desamparado, ou caipora.

lecre [Alter. de *leque.*] *S. m. Bras. Zool.* Ave passeriforme, tiranídea (*Onychorhynchus coronatus*), da Amaz., de coloração pardo-olivácea, asas finamente pintadas de amarelo, crista alongada na cabeça vermelha, pintada de preto-azulado, e cauda avermelhada; maria-lecre, leque.

▲ **-lé(c)tico** [Do gr. *-lektikós, ḗ, ón* < *léxis, eōs* < v. gr. *légein*, 'dizer', 'falar'.] V. *lexeo-*.

lectícola [Do lat. *lectus*, 'leito', + *-i-* + *-cola*[1].] *Adj. 2 g.* Diz-se dos percevejos que habitam nos leitos ou camas. [Var.: *letícola.*]

lectivo *Adj.* V. *letivo.*

lectocéfalo [Do gr. *lektós*, 'limitado', + *-céfalo.*] *Adj. S. m.* Que ou o que tem cabeça pequena.

■ **led** [lɛd] [Sigla do ingl. *light emitting diode.*] *Eletrôn.* V. *diodo emissor de luz.*

leda [Do mit. gr. *Leda*, pelo lat. *Leda.*] *S. f. Zool.* **1.** Gênero de moluscos bivalves, protobrânquios. **2.** Espécie ou espécime desse gênero. [Pl.: *ledas*. Cf. *leda* (ê) e *ledas* (ê), flex. de *ledo* (ê), e *Leda* (ê), antr., fem. de *Ledo* (ê).]

ledeburita [Do antr. (*Adol*) *Ledebur* (-1906) + *-ita*[3].] *S. f. Metal.* Eutético da austenita e da cementita, com 4% de carbono e 96% de ferro, com fusão a 1.145°C, presente em alguns aços.

ledice [Do arc. *lediça* < lat. *laetitia.*] *S. f.* Qualidade de ledo; alegria, contentamento, prazer. ~ V. *ledices.*

ledices [Pl. de *ledice.*] *S. f. pl.* Galantarias; gracejos, jovialidades, facécias: "Leonor [Leonor Teles] deixou-se cortejar, e de leve .... alimentou-lhe o enleio, com lindas manhas e gentis ledices" (Antero de Figueiredo, *Leonor Teles*, p. 339). ~ V. *ledice.*

ledo (ê) [Do lat. *laetu.*] *Adj.* Risonho, contente, alegre, jubiloso: "Já mimosas as flores desabrocham, / Já mais ledos os pássaros gorjeiam" (Gonçalves Dias, *Obras Poéticas*, II, p. 446). [Flex.: *leda* (ê), *ledos* (ê), *ledas* (ê) Cf. *leda*, s. f., e *Leda*, mit. e antr.]

ledor (ô) [De *ler* + *-dor.*] *Adj. S. m.* Que, ou aquele que lê; leitor.

leeácea [Do tax. *Leea* (v. *leeia*) + *-ácea*; tax. *Leeaceae.*] *S. f. Bot.* Espécime das leeáceas, família da ordem das ramnales, que compreende, apenas, o gênero *Leea* (v. *leeia*).

leeia [Do tax. *Leea* (do antr. [*James*] *Lee* [1715-1795], botânico escocês).] *S. f. Bot.* **1.** Gênero de árvores e arbustos leeáceos que reúne 70 espécies dotadas de folhas penadas ou simples, ger. dispostas em espiral, ou opostas, flores tetrâmeras ou pentâmeras, hermafroditas, em cimeiras ou em umbelas, e frutos bacáceos; distribuem-se por todo o N.E. e L. da Austrália, Nova Guiné, S. e S.E. da Ásia e partes da África. **2.** Qualquer espécie, ou espécime desse gênero.

lega [De *legra*, poss.] *S. f. Bras. BA* Instrumento com que se extrai o látex da maniçoba.

legação [Do lat. *legatione.*] *S. f.* **1.** Ato de legar (1): *O direito de legação é a faculdade que têm os Estados soberanos de receber agentes diplomáticos.* **2.** Exercício de legacia. **3.** O tempo que dura uma legacia. **4.** Qualquer missão destinada a tratar dos interesses de um Estado junto a uma potência estrangeira, por meio de funcionários diplomáticos ou de representantes extraordinários. **5.** *Diplom.* Missão diplomática de caráter permanente, e imediatamente inferior à embaixada, chefiada por ministro plenipotenciário. **6.** *Diplom.* O pessoal que compõe uma legação (5). **7.** *Diplom.* A sede duma legação (5).

legacia *S. f.* Cargo, dignidade ou jurisdição de legado[2]; legação.

legado[1] [Do lat. *legatu*, 'dádiva deixada em testamento'.] *S. m.* **1.** Valor previamente determinado, ou objeto previamente individuado, que alguém deixa a outrem por meio de testamento: "Seria possível que sua mãe tivesse tido coragem de desfazer-se daquela casa, ... único legado do morto?" (Coelho Neto, *Obra Seleta*, I, p. 185.) **2.** *Fig.* Aquilo que alguém transmite a outrem, que uma geração, escola literária, etc., transmite à posteridade, etc.: "– Não tive filhos, não transmiti a nenhuma criatura o legado da nossa miséria." (Machado de Assis, *Memórias Póstumas de Brás Cubas*, p. 382); *É importante o legado do romantismo.*

legado[2] [Do lat. *legatu*, 'embaixador', 'enviado'.] *Adj.* **1.** Diz-se de pessoa que exerce uma legação (4): *funcionário legado; cardeal legado.* • *S. m.* **2.** Na antiga Roma, comissário do Senado encarregado de fiscalizar a administração das províncias. **3.** Pessoa enviada por um governo ou por um chefe de Estado a outro governo para tratar de negócios relativos a uma legação: *O legado do príncipe viajou com grande comitiva.* **4.** Prelado que era outrora encarregado pelo Papa de governar territórios pontifícios. **5.** Núncio pontifício. **6.** Legado *a latere*. ◆ **Legado *a latere*.** Prelado incumbido pelo Papa de uma missão extraordinária, quase sempre transitória. [Tb. se diz apenas *legado.*]

legal [Do lat. *legale*, por via erudita.] *Adj. 2 g.* **1.** Conforme ou relativo à lei. **2.** *P. ext.* V. *jurídico* (2). **3.** *Bras. Pop.* Regular, certo; em ordem: *Não se preocupe: está tudo legal.* **4.** *Bras. Pop.* Palavra-ônibus que exprime numerosas ideias apreciativas: ótimo, perfeito, excelente, leal, digno, etc.: "Mudei de roupa: .... camisa vermelha, um mocassim legal." (Rubem Fonseca, *A Coleira do Cão*, p. 166.) [V. *bacana.*] ~ V. *caução –, depósito –, dia –, entidade –, hora –* e *medicina –*. • *Adv.* **5.** *Bras. Pop.* De modo legal (3).

legalidade [Do lat. med. *legalitate.*] *S. f.* **1.** Qualidade ou estado de legal; conformidade com a lei; legitimidade. **2.** *P. ext.* V. *juridicidade* (2). **3.** Sistema, partido ou grupo dos que estão com a lei, dos legalistas.

legalismo [De *legal* + *-ismo*; fr. *légalisme.*] *S. m.* Caráter de doutrina que, em quaisquer circunstâncias, prescreve a estrita obediência à lei e o respeito às instituições.

legalista [De *legal* + *-ista*; fr. *légaliste.*] *Adj. 2 g.* **1.** Relativo à lei, às normas legais. **2.** Diz-se de quem pugna pelo respeito às leis ou pelo governo legal. • *S. 2 g.* **3.** Pessoa legalista (2).

legalístico [De *legalista* + *-ico*[2].] *Adj.* De, ou relativo a legalismo ou a legalista (3).

legalização [De *legalizar* + *-ção*; fr. *légalisation.*] *S. f.* Ato ou efeito de legalizar.

legalizado [Part. de *legalizar.*] *Adj.* **1.** Tornado legal. **2.** Autenticado; legitimado; justificado.

legalizador (ô) [De *legalizar* + *-dor.*] *Adj. S. m.* Que ou o que legaliza, torna legal.

legalizar [De *legal* + *-izar*; fr. *légaliser.*] *V. t. d.* **1.** Tornar legal; dar força de lei a. **2.** Autenticar; legitimar; justificar.

legar [Do lat. *legare*, der. de *lex, legis*, 'ler'.] *V. t. d.* **1.** Enviar como legado[2] (3), ou como legação (4). ***T. d. e i.*** **2.** Deixar como legado[1] (q. v.); transmitir, transferir: "Dizem-no discípulo de um grande filósofo, que lhe legara imensos bens" (Machado de Assis, *Quincas Borba*, p. 254); "deu então [Joaquim Nabuco] à sua atitude um ar impassível, de uma serenidade olímpica – como se .... quisesse legar à posteridade o modelo ideal da sua própria estátua." (Oliveira Viana, *Pequenos Estudos de Psicologia Social*, pp. 207-208). [Conjug.: v. *regar.*]

legatário [Do lat. tard. *legatariu.*] *S. m.* Aquele a quem se deixou um legado[1].

➔ **legato** [le'gato] [It.] *S. m. Adj.* V. *ligado* (3 e 7).

legatório [Do lat. *legatoriu.*] *Adj.* **1.** Respeitante a legados. **2.** Que envolve legados.

legba [Do fom *Legba.*] *S. m. Bras. Rel.* V. *leba*. [Com cap.]

legenda [Do lat. tard. *legenda*, 'coisas que devem ser lidas', poss. pelo fr. *légende.*] *S. f.* **1.** Relato da vida dos santos. **2.** Lenda (2). **3.** Letreiro, rótulo, inscrição, dístico. **4.** Texto explicativo que acompanha uma ilustração, uma gravura, numa reprodução de obra de arte, em um mapa, etc., e compreende título, explicações, dísticos, etc. **5.** Inscrição gravada em moeda ou medalha. **6.** Divisa inscrita no escudo de armas. **7.** *Cin. Telev.* Texto sobreposto às imagens de filmes ou de vídeos, ao pé da tela, com a tradução das falas dos personagens ou do narrador para outra língua que não a da produção inicial ou da dublagem. [Cf., nesta acepç., *letreiro* (3).]

legendação [De *legendar* + *-ção.*] *S. f. Jorn.* Ato ou efeito de legendar.

legendado [Part. de *legendar.*] *Adj.* Que contém legenda: *filme legendado.*

legendar [De *legenda* + *-ar*[2].] *V. t. d. Int.* Pôr legenda (4 e 7) em: *legendar gravuras; legendar cartazes; No curso de jornalismo aprende-se a legendar.* [Fut. pret.: *legendaria*, etc. Cf. *legendária*, fem. de *legendário.*]

legendário [De *legenda* + *-ário*; fr. *légendaire.*] *Adj.* **1.** Relativo a legendas. **2.** Lendário (1 e 2): "Dejazet, a célebre atriz, cujo tipo se tornou legendário, passou pela mais engraçada criatura que tem tido a Europa." (Ramalho Ortigão, *Em Paris*, p. 189.) • *S. m.* **3.** Coleção de legendas [v. *legenda* (1)]. **4.** Autor de legendas [v. *legenda* (1 e 2)]. [Fem.: *legendária*. Cf. *legendaria*, do v. *legendar.*]

legente [Do lat. *legente.*] *Adj. 2 g.* V. *leitor* (1): "assim pensando, arrisco-me a desmerecer perante o juízo de uma boa parte do público legente." (Tobias Barreto, *Discursos*, p. 118).

➔ **legging** ['lɛgɪŋ] [Ingl.] *S. m.* Calça de malha muito justa.

legião [Do lat. *legione.*] *S. f.* **1.** Corpo do antigo exército romano constituído de infantaria e cavalaria. **2.** Corpo ou divisão de exército: "foi aqui que ficaram sepultadas as legiões dos Faraós, quinze mil homens e mil e duzentos carros." (Eça de Queirós, *Notas Contemporâneas*, p. 21). **3.** *Fig.* Ajuntamento de pessoas, multidão.

legibilidade [De *legível* + *-(i)dade*, seg. o padrão erudito.] *S. f.* **1.** Qualidade de legível. **2.** *Edit. Tip.* Atributo de um texto impresso, resultante da escolha de família tipográfica, corpo, espaçamento, etc., e que afeta a velocidade de leitura.

legibilissimamente (li) [Do f. de. *legibilíssimo* + *-mente*.] *Adv.* De modo legibilíssimo: "eu, quando quero, escrevo legibilissimamente, e você quanto mais capricha pior fica." (Monteiro Lobato, *A Barca de Gleyre*, p. 178).

legibilíssimo *Adj.* Superl. abs. sint. de *legível*.

legiferação [De *legiferar* + *-ção*.] *S. f.* Ato de legiferar.

legiferante [De *legiferar* + *-nte*.] *Adj. 2 g.* Que legifera, que estabelece ou faz leis.

legiferar [Do lat. *legiferu*, 'que estabelece leis', + *-ar*[2].] *V. int.* 1. Legislar (1). *T. i.* 2. Legislar (2).

▲ **-légio** [Do lat. *-legium, ii* < *-lĕgus, a, um* < lat. *legĕre*, 'ajuntar', 'reunir'; 'recolher', 'colher'.] *El. comp.* = 'que reúne'; 'que colhe', 'que recolhe': *espicilégio* (< lat.), *florilégio, sacrilégio* (< lat.).

legionário [Do lat. *legionariu*.] *Adj.* 1. Relativo ou pertencente à legião. ● *S. m.* 2. Soldado legionário.

legislação [Do lat. tard. *legislatione*.] *S. f.* 1. Conjunto de leis acerca de determinada matéria. 2. A ciência das leis. 3. A totalidade das leis dum Estado, ou de determinado ramo do direito.

legislado [Part. de *legislar*.] *Adj.* 1. Convertido em lei. 2. Disciplinado por leis.

legislador (ô) [Do lat. *legislatore*.] *Adj.* 1. Que legisla; legislativo. ● *S. m.* 2. Aquele que legisla. 3. Membro de órgão legislativo.

legislar [Voc. deduz. de *legislador*.] *V. int.* 1. Estabelecer ou fazer leis; legiferar. *T. i.* 2. Fazer impor leis; legiferar. *T. d.* 3. Estabelecer, ordenar, decretar, formular (leis, regras, princípios, etc.): *A Academia Brasileira de Letras legislou regras ortográficas.* 4. Determinar, preceituar.

legislativo [De *legislar* + *-tivo*; fr. *législatif*.] *Adj.* 1. Referente ao poder de legislar, ou à legislação; legislatório. 2. Que legisla; legislador: *assembleia legislativa*. ~ V. *poder* —. ● *S. m.* 3. Poder legislativo.

legislatório [De *legislar* + *-tório*.] *Adj.* 1. Que obriga como lei; que tem força de lei: *medida legislatória*. 2. Legislativo (1).

legislatura [Do ingl. *legislature*, pelo fr. *législature*.] *S. f.* 1. Reunião de deputados e senadores (poder legislativo) em assembleia. 2. Espaço de tempo durante o qual os legisladores exercem os seus poderes: "eleito deputado provincial em 187..., cumpriu o prazo da legislatura e abandonou a carreira." (Machado de Assis, *Relíquias de Casa Velha*, p. 111).

legislável [De *legislar* + *-vel*.] *Adj. 2 g.* Que pode ser legislado ou convertido em lei.

legisperito [Do lat. tard. *legisperitu*.] *S. m.* Aquele que é perito em leis; legista.

legista[1] *S. 2 g.* V. *médico-legista*.

legista[2] [Do lat. med. *legista*.] *Adj. 2 g.* 1. Que conhece ou estuda as leis. ● *S. 2 g.* 2. Pessoa que conhece a fundo as leis; legisperito.

legítima [F. subst. do adj. *legítimo*.] *S. f.* 1. Parte da herança reservada por lei aos herdeiros necessários (descendentes e ascendentes), e da qual, portanto, não se pode dispor livremente: "Mandou-lhe .... entregar a legítima de sua mãe, que era uma quinta a meia légua distante" (Camilo Castelo Branco, *Doze Casamentos Felizes*, p. 205). 2. Certa divisão das salinas. [Cf. *legitima*, do v. *legitimar*.]

legitimação [De *legitimar* + *-ção*.] *S. f.* 1. Ato ou efeito de legitimar. 2. *Jur.* Situação jurídica do possuidor legitimado de um título cambiário.

legitimado [Part. de *legitimar*.] *Adj.* 1. Tornado legítimo. 2. *Jur.* Diz-se, em direito cambiário, daquele que possui o título de modo autorizado ou, ao menos, não contrariado pelas declarações nele escritas. ~ V. *filho* —. ● *S. m.* 3. V. *filho legitimado*.

legitimador (ô) [De *legitimar* + *-dor*.] *Adj. S. m.* Que, ou aquele que legitima.

legitimar [Do lat. med. *legitimare*.] *V. t. d.* 1. Tornar legítimo para todos os efeitos da lei; legalizar: *Legitimou os documentos.* 2. Tornar legítimo (4); autenticar: "Em Faulkner e em Guimarães Rosa, o primitivismo legitima tudo." (Hélio Pólvora, *A Força da Ficção*, p. 24.) 3. Reconhecer como legítimo ou autêntico (quaisquer poderes, títulos, ou posse de algo). 4. Habilitar para o exercício de certos atos ou o gozo de certos direitos, uma vez preenchidos os requisitos legais. 5. *Desus.* Equiparar (o filho ilegítimo) à situação dos legítimos, em consequência do posterior casamento dos pais. [Sin. ger.: *lidimar*. Pres. ind.: *legitimo, legitimas, legitima*, etc.; fut. pret.: *legitimaria*, etc. Cf. *legítimo*, adj., *legítima*, s. f., e *legitimária*, fem. de *legitimário*, adj.]

legitimário [De *legítima* + *-ário*.] *Adj.* Relativo à legítima (1). [Fem.: *legitimária*. Cf. *legitimaria*, do v. *legitimar*.] ~ V. *herdeiro* —.

legitimável [De *legitimar* + *-vel*.] *Adj. 2 g.* Que pode ser legitimado.

legitimidade [De *legítimo* + *-(i)dade*.] *S. f.* 1. Qualidade ou estado de legítimo. 2. Legalidade (1). 3. Em uma monarquia, direito de sucessão por ordem de primogenitura. 4. Doutrina política dos legitimistas.

legitimismo [De *legítimo* + *-ismo*.] *S. m.* Partido, opinião ou sentimento dos legitimistas.

legitimista [De *legítimo* + *-ista*.] *Adj. 2 g.* 1. Relativo a legitimidade. 2. Que defende o princípio da dinastia legítima. ● *S. m.* 3. Em Portugal, defensor das pretensões de D. Miguel de Bragança, ou de seus descendentes, ao trono: "Calisto era legitimista quieto, calado, e incapaz de empecer a roda do progresso" (Camilo Castelo Branco, *A Queda dum Anjo*, p. 13). 4. Na França, sequaz do ramo mais velho dos Bourbons, destronado em 1830.

legítimo [Do lat. *legitimu*, por via erudita.] *Adj.* 1. Conforme à lei; legal. 2. Fundado no direito, na razão ou na justiça. 3. Que tem origem na lei, ou está protegido por ela. 4. Autêntico, genuíno, lídimo: *legítima aguardente de Parati.* 5. Lógico, procedente, concludente. [Cf. *legitimo*, do v. *legitimar*.] ~ V. *baixo* —, *filho* —, *sucessão* —*a* e —*a defesa*.

legível [Do lat. tard. *legibile*.] *Adj. 2 g.* 1. Que se pode ler. 2. Que está escrito em caracteres nítidos.

▲ **lego-** [Do lat. *lex, lēgis* + *-o-*.] *El. comp.* = 'lei': *legografia*.

legografia [De *lego-* + *-grafia*.] *S. f.* Descrição das leis.

legográfico [De *legografia* + *-ico*[2].] *Adj.* Referente à legografia.

legorne [Do top. *Leghorn*, nome ingl. da cidade italiana de *Livorno*.] *Adj. 2 g. Zool.* 1. Diz-se de uma raça de galinha poedeira oriunda do Mediterrâneo, ou de espécime dessa raça: "Tivera o intuito de empolgar uma galinha legorne, poedeira, que soubera existir no quintal do Trancoso..." (Cândido Jucá [filho], *Noite Insone*, p. 87.) ● *S. 2 g.* 2. Espécime dessa raça.

legra [Do lat. *ligula*.] *S. f.* 1. Instrumento com que se examinam as fraturas do crânio. 2. Ferramenta de aço em forma de meia-cana, para limpar, ou alegrar[2], as juntas das alvenarias, quando o material deva ficar aparente. [Cf. *legre*.]

legração [De *legrar* + *-ção*.] *S. f.* Ato ou efeito de legrar; legradura.

legradura [De *legrar* + *-dura*.] *S. f.* 1. Legração. 2. Raspagem ou limpeza de ossos cariados ou fraturados.

legrar [De *legra* + *-ar*[2].] *V. t. d.* Trabalhar com a legra ou examinar com ela.

legre [Altern. de *legra*.] *S. m. Bras. RS* Instrumento de aço, de ponta curvada, com o qual se emparelha o casco do cavalo.

légua [Do lat. tard. *leuca* ou *leuga*, poss. de or. gaulesa.] *S. f.* Antiga unidade brasileira de medida itinerária, equivalente a 3.000 braças, ou seja, 6.600m; légua brasileira. ◆ **Légua brasileira.** V. *légua*. **Légua de beiço.** *Bras.* Indicação vaga de distância, fora da realidade, por homens da roça, com o beiço inferior distendido na direção que se deve percorrer: *Disse-me que dali até a cidade podem ser três léguas, mas não acredito: são léguas de beiço.* **Légua de sesmaria.** *Bras.* Antiga unidade de medida de superfície agrária, equivalente a um quadrado de 3.000 braças de lado, ou seja, 4.356ha. **Légua marítima.** *Náut. Ant.* Medida itinerária cujo valor diferia de nação para nação. [Em Portugal, a correspondência entre a légua marítima e o grau do meridiano terrestre variou: no tempo de João de Lisboa (séc. XVI) era de 16,7 por grau; Duarte Pacheco (séc. XVI) indicava 18 por grau, valor esse que depois foi adotado por Manuel Pimentel (1650-1719); em fins do séc. XV, usava-se a relação 17,5 por grau.] **Às léguas.** A toda a pressa; às sete léguas: *Daquele chato eu fujo às léguas.* **Às sete léguas.** Às léguas. **De légua e meia.** Extraordinariamente grande; muito comprido ou extenso.

leguelhé *S. m. Bras.* V. *lagalhé*.

leguleio [Do lat. *leguleiu*, 'observador exato das formalidades legais'.] *S. m.* 1. Aquele que interpreta à letra e servilmente a lei, sem atender ao espírito e intenção do legislador. 2. *Fig.* Advogado chicaneiro; rábula: "burguesia de acumuladores de empregos, de políticos de honestidade suspeita, de leguleios afreguesados, de médicos milagrosos ou de ricos desavergonhados" (Lima Barreto, *Histórias e Sonhos*, p. 53).

legume [Do lat. *legumen*.] *S. m.* 1. *Bot.* Fruto seco, que se abre por duas fendas, característico das plantas da ordem das fabales e constituído de um só carpelo; vagem. 2. *Bras.* V. *hortaliça*. 3. *Bras. N.E.* Qualquer cereal, no sertão. 4. *Bras. PB Pop.* V. *cachaça* (1). 5. *Bras. RS Pop.* V. *dinheiro* (5).

legumina [De *legume* + *-ina*[1].] *S. f.* Albumina vegetal, substância extraída dos grãos das leguminosas.

leguminário [Do lat. tard. *leguminariu*.] *Adj.* Relativo a legumes.

▲ **legumini-** [Do lat. *legūmen, ĭnis*. = *El. comp.* = 'legume': *leguminiforme, leguminívoro*.

leguminiforme [De *legumini-* + *-forme*.] *Adj. 2 g. Bot.* Diz-se de órgãos vegetais mais ou menos parecidos com legume (1).

leguminívoro [De *legumini-* + *-voro*.] *Adj.* Que se nutre de legumes.

leguminosa [Adapt. do tax. *Leguminosae*.] *S. f. Bot.* Espécime das leguminosas, designação antiga da família de dicotiledôneas da ordem das fabales, atualmente subdividida em 3 famílias: mimosáceas, fabáceas e cesalpiniáceas.

leguminoso (ô) [Do lat. cient. *leguminosus*.] *Adj.* 1. Que frutifica em vagem. 2. *Bot.* Pertencente ou relativo às leguminosas.

legumista [De *legume* + *-ista*.] *S. 2 g.* 1. Especialista em plantas leguminosas. 2. Pessoa que semeia ou cultiva especialmente legumes.

lei [Do lat. *lege*.] *S. f.* 1. Regra de direito ditada pela autoridade estatal e tornada obrigatória para manter, numa comunidade, a ordem e o desenvolvimento. 2. Norma ou conjunto de normas elaboradas e votadas pelo poder legislativo. [Cf., nesta acepç., *decreto-lei*.] 3. Obrigação imposta pela consciência e pela sociedade: *lei da honra*; *lei da hospitalidade*; *lei moral*. 4. Domínio, poder, mando: *Submeteu-se à lei do mais forte.* 5. Norma, preceito, princípio, regra: *lei poética*; *leis gramaticais*. 6. Condição imposta pelas coisas, pelas circunstâncias: *a lei do destino*; *a lei da morte*; *a lei da selva*. 7. Religião, crença: "Que gente será esta, em si diziam, / Que costumes, que lei, que Rei teriam?" (Luís de Camões, *Os Lusíadas*, I, 45.) 8. Título (12) de moeda ou metal: *ouro de lei*; *No governo de D. João I os portugueses cunhavam moeda de boa lei.* 9. *Filos.* Relação necessária entre fenômenos, entre momentos de um processo ou entre estados de um ser, e que lhes expressa a natureza ou a essência. 10. *Filos.* Fórmula geral que enuncia uma relação constante entre fenômenos de uma dada ordem; lei natural: *a lei da gravitação universal*; *a lei da oferta e da procura*. ◆ **Lei adjetiva.** A que constitui o direito adjetivo; lei formal, lei processual. **Lei Afonso Arinos.** A que proíbe a discriminação racial no Brasil, proposta por Afonso Arinos de Melo Franco (1905-1990) e aprovada em 3 de julho de 1951. **Lei Áurea.** A da abolição da escravatura no Brasil, assinada em 13 de maio de 1888 pela Princesa Isabel: "Com a Lei Áurea, os libertos, homens e mulheres, disseminaram-se pela terra do cativeiro" (Silva Guimarães, *Os Borrachos*, p. 51). **Lei básica.** A constituição de um Estado; lei fundamental. **Lei da boa razão.** Antiga lei interpretativa das Ordenações Filipinas. **Lei da oferta e da procura.** *Econ.* O princípio (válido sob certas condições) de que o preço e a quantidade produzida de um bem são determinados não por ações deliberadas dos agentes econômicos, mas pela interação do conjunto de vendedores e compradores no mercado. **Lei da rolha.** *Bras.* Lei de censura à imprensa. **Lei da selva.** O império ou domínio da força bruta (como no tempo em que o homem habitava a selva). **Lei de conservação.** *Fís. Part.* Lei que afirma que o valor total de uma certa grandeza física, como massa, energia ou carga elétrica, se mantém constante em todas as reações, ainda que possa haver troca do valor dessa grandeza entre os componentes do sistema. **Lei de exceção.** Lei que determina uma derrogação nos princípios que regem normalmente o direito de um Estado. **Lei de Hubble.** *Cosm.* Lei segundo a qual a distância das galáxias em relação à Terra é linearmente proporcional ao seu desvio para o vermelho, somente para velocidade de recessão bem inferior à velocidade da luz; lei do desvio para o vermelho. **Lei de luvas.** *Bras.* A que regula as condições e o processo de renovação dos contratos de locação de imóveis destinados a fins comerciais e industriais. **Lei de Lynch.** Justiça sumária feita pelo povo, que se apodera do criminoso e o julga, condena e executa imediatamente. V. *linchar*. **Lei de meios.** *Econ.* 1. Lei que aprova o orçamento (4); lei orçamentária. 2. *Bras.* O orçamento da República. **Lei de Pogson.** *Astr.* Lei estabelecida pelo astrônomo norte-americano Norman Pogson (1809-1891), e segundo a qual a diferença de magnitude entre duas estrelas é igual a 2,5 vezes o logaritmo decimal do inverso da relação de seus brilhos. **Lei de Say.** *Econ.* Lei econômica, atribuída ao economista Jean-Baptiste Say (1767-1832), segundo a qual toda oferta cria sua própria demanda, não havendo possibilidade de crises por insuficiência de gastos. [A negação da Lei de Say é um dos pilares do keynesianismo (q. v.).] **Lei de talião.** V. *pena de talião*. **Lei de Titius-Bode.** *Astr.* Relação empírica que dá aproximadamente as distâncias dos planetas ao Sol, descoberta pelo astrônomo alemão Johann Tietz Titius (1729-1796) e divulgada pelo astrônomo alemão Johann Elert Bode (1747-1826). **Lei do caboclo.** *Bras.* V. *linha do caboclo*. **Lei do desvio para o vermelho.** *Cosm.* Lei de Hubble. **Lei do inquilinato.** *Dir.* Lei federal que regula a locação de imóveis residenciais. **Lei do menor esforço.** Tendência comodista a exercer qualquer atividade da maneira mais fácil e/ou rápida, sem atender à qualidade do resultado final. **Lei dos grandes números.** *Estat.* Teorema que afirma ser a probabilidade de um evento o limite estocástico da frequência relativo da ocorrência do evento. **Lei do ventre livre.** *Bras.* A que declarou livres os filhos de escravos nascidos a partir de 28 de setembro de 1871, data de sua assinatura. [Tb. se diz apenas *ventre livre*.] **Lei extravagante.** Cada uma das que não se achavam inseridas nas ordenações ou códigos portugueses. **Lei formal.** V. *lei adjetiva*. **Lei fundamental.** Lei básica. **Lei maior.** V. *constituição* (3). **Lei marcial.** Lei militar instituída num país em ocasião de perigo, e que provoca a suspensão da lei ordinária. **Lei material.** Lei substantiva. **Lei moral.** *Filos.* Princípio que deve guiar a ação humana com o fim de dotá-la de caráter moral. P. ex.: segundo Kant (v. *kantismo*), há uma única lei moral, que assim se enuncia: 'Atue sempre como se a regra de conduta de cada vez adotada devesse tornar-se um princípio universal válido'. **Lei natural.** *Filos.* Lei (10). **Lei orçamentária.** *Econ.* Lei de meios. **Lei orgânica.** A que serve de fundamento a uma instituição (de direito público ou privado). **Lei pessoal.** **1.** A que regula o estado e a capacidade das pessoas. **2.** A que rege a pessoa, em qualquer lugar estrangeiro onde se encontre. **Lei processual.** V. *lei adjetiva*. **Lei sálica.** Lei dos francos, que excluía do trono as mulheres: "Lá, ... havia uma espécie de lei sálica, que não permitia princesa no trono" (Lima Barreto, *Vida e Morte de M. J. Gonzaga de Sá*, p. 262). **Leis do espírito.** *Filos.* Leis do pensamento. **Leis do pensamento.** *Filos.* Princípios fundamentais que definem as características do pensamento lógico. [Admitem-se tradicionalmente três leis do pensamento: o *princípio de identidade*, o *princípio de contradição* e o *princípio do terceiro excluído*.] **Lei seca.** **1.** Lei que vigorou nos E.U.A., e que proibia a venda de bebidas alcoólicas. **2.** *P. ext.* Proibição de venda ou consumo de bebidas alcoólicas: *Por causa da hepatite o médico submeteu-o à lei seca.* **Lei substantiva.** A que constitui o direito substantivo; lei material. **Lei suntuária.** Lei que, em caráter excepcional, o governo promulga em época de crise, para restringir o luxo e os gastos imoderados. **À lei de.** **1.** Segundo a regra ou o costume de: *Vive à lei de sua terra.* **2.** Ao sabor de; ao capricho de: "Em redor da capela, crescia a erva à lei da Natureza." (João de Araújo Correia, *Terra Ingrata*, p. 187.) **De lei.** *Bras. Rel. Impr.* V. *Delê*. **Sem lei nem grei.** V. *sem lei nem rei*. **Sem lei nem rei.** Sem rumo, sem orientação, sem governo; sem rei nem roque; sem lei, nem rei nem roque; sem lei nem grei: "A Dama Branca que eu encontrei, / Faz tantos anos, / Na minha vida sem lei nem rei, / Sorriu-me em todos os desenganos." (Manuel Bandeira, *Estrela da Vida Inteira*, p. 67.) **Sem lei, nem rei nem roque.** V. *sem lei nem rei*: "Vegetava feliz, sem lei, nem rei nem roque." (Vicente de Carvalho, *Poemas e Canções*, p. 152.)

leiautar [De *leiaute* + *-ar*².] *V. t. d. Bras.* Fazer leiaute de.

leiaute [Do ingl. *layout*.] *S. m. Bras.* **1.** *Pop.* Esboço de anúncio, em que se apresentam ressaltados os seus diversos elementos (título, texto, ilustração, etc.). **2.** *P. ext.* Esboço, projeto, planejamento ou esquema de uma obra, apresentados graficamente. **3.** Distribuição física de elementos num determinado espaço.

leiautista [De *leiaute* + *-ista*.] *S. 2 g.* Pessoa que faz leiaute.

leibniziano (lai) [Do antr. *Leibniz* + *-iano*.] *Adj.* **1.** Pertencente ou relativo a, ou próprio de Gottfried Wilhelm Leibniz (1646-1716), filósofo, matemático e lógico alemão. ● *S. m.* **2.** Adepto e/ou grande admirador de Leibniz.

leicenço [De or. obscura.] *S. m.* V. *furúnculo*.

leigaço [De *leigo* + *-aço*.] *Adj. S. m. Fig.* Ignorantão.

leigal [De *leigo* + *-al*¹.] *Adj. 2 g.* Laical (2).

leigar [De *leigo* + *-ar*².] *V. t. d. P. Ant.* Tornar(-se) leigo; secularizar(-se). [Conjug.: v. *largar*.]

leigo [Do lat. *laicu*, por via pop.] *Adj.* **1.** Que não é clérigo; laical, laico: *ensino leigo*; "Essa é certamente uma das razões que leva grande número de pais, por instinto ou por intuição, a preferir os colégios religiosos aos leigos para a educação dos filhos." (Vivaldo Coaraci, *Todos Contam Sua Vida*, p. 201). **2.** Que pertence ao povo cristão como tal e não à hierarquia eclesiástica. **3.** *Fig.* Que é estranho ou alheio a um assunto; desconhecedor: *É leigo em política.* ● *S. m.* **4.** Indivíduo leigo: "Nos outros dias podeis-vos confessar, se sois leigo, ao confessor aprovado pelo vosso bispo, ou seu vigário; e se sois religioso, ao confessor aprovado pelo vosso prelado, e não a outro" (Pe. Antônio Vieira, *Sermões*, VII, p. 188); "leigos duma enfronhada ignorância são investidos de encargos cujos atritos nem os especialistas, os professos na ciência vingam sempre desbastar." (Camilo Castelo Branco, *Serões de São Miguel de Ceide*, II, p. 55).

leiguice [De *leigo* + *-ice*.] *S. f.* Ato ou dito de leigo.

leilão [Do ár. *al-ī'lān*, 'anúncio'.] *S. m.* **1.** Venda pública de objetos a quem oferecer maior lance; leiloamento, almoeda, arrematação, hasta, praça. **2.** *Bras. Jur.* Hasta pública. [Cf. *licitação*.]

leiloamento [De *leiloar* + *-mento*.] *S. m.* **1.** Ato de leiloar. **2.** V. *leilão* (1). **3.** *Jur.* Contrato com o leiloeiro ou agente de leilões para a venda em público; pregão de mercadorias em geral.

leiloar [De *leilão* + *-ar*², com desnasalação.] *V. t. d.* **1.** Pôr em leilão (1): "Quando voltei, ... informaram-me que a Caixa Econômica havia leiloado o meu relógio. Fiquei perdido no mundo, sem noiva, sem esperança, sem saber que horas eram..." (José Carlos Oliveira, *A Revolução das Bonecas*, p. 54.) **2.** Apregoar em leilão (1). [F. paral.: *aleiloar*. Conjug.: v. *coroar*.]

leiloeiro [De *leilão* + *-eiro*, com desnasalação.] *S. m.* **1.** Pregoeiro em leilões. **2.** Organizador de leilões.

leira [Do b.-lat. *larea*.] *S. f.* **1.** Sulco aberto na terra para receber a semente. **2.** Canteiro entre dois regos, por onde corre água; alfobre, tabuleiro. **3.** Pequeno campo cultivado. **4.** Elevação de terra entre dois sulcos: "Nas leiras, dispostas com simetria agradável, verdejavam .... legumes de todas as castas" (Trindade Coelho, *Os Meus Amores*, p. 92).

leirão [De *leira* + *-ão*¹.] *S. m. Bras. N.E.* Grande leira aberta em terreno úmido e sujeito a inundação, para facilitar o arejamento e drenagem do solo e evitar o apodrecimento dos tubérculos aí plantados.

leirar [De *leira* + *-ar*².] *V. t. d.* Dividir (terreno) em leiras; aleirar.

leiriense *Adj. 2 g.* **1.** De, ou pertencente ou relativo a Leiria (Portugal). ● *S. 2 g.* **2.** O natural ou habitante de Leiria.

leiroto [De *leira* + *-oto*¹.] *S. m. Lus.* Pequena leira (3).

leishmânia [Do antr. (*W. B.*) *Leishman* (1865-1926), bacteriologista escocês, + *-ia*²; tax. *Leishmania*.] *S. f. Zool.* **1.** Gênero de protozoários mastigóforos, zoomastiginos, protomonadinos, com ciclo vital em dois hospedeiros, sendo um deles vertebrado e outro o inseto vetor, e que reúne parasitos do homem e dos animais domésticos. **2.** Espécie desse gênero, como, p. ex., a *L. brasiliensis*, causadora da úlcera de Bauru. **3.** Qualquer espécime desse gênero.

leishmaniose (lich) [De *leishmânia* + *-ose*¹.] *S. f. Med.* Doença causada por protozoários do gênero leishmânia. ◆ **Leishmaniose tegumentar.** *Patol.* Forma cutânea da leishmaniose, causada pela *Leishmania braziliensis*, e que acomete principalmente a pele e a nasofaringe. **Leishmaniose visceral.** *Med.* Calazar.

leita [De *leite*.] *S. f.* Ova leitosa e de consistência mole.

leitado [De *leite* + *-ado*¹.] *Adj.* Que cria suco leitoso.

leitão [De *leite* + *-ão*¹.] *S. m.* **1.** Porco novo; bácoro, bacorinho, porquinho. **2.** *Cul.* Iguaria feita com o leitão (1). [Fem.: *leitoa*.]

leitar¹ [De *leite* + *-ar*¹.] *Adj. 2 g.* **1.** Relativo ao leite. **2.** Que tem a cor do leite; leitoso.

leitar² [De *leite* + *-ar*².] *V. int.* **1.** Criar leite ou suco leitoso. **2.** Fazer sentir o sabor do leite ou suco leitoso que contém: "Com Seu Avelino aprendi a comer castanhas cruas que leitavam na boca deliciosamente" (Francisco Ribeiro Sampaio, *Renembranças*, p. 89).

leitaria [De *leite* + *-aria*.] *S. f.* Leiteria (q. v.).

leitariga [Do lat. tard. *lacterida*, com mudança de suf.] *S. f.* V. *maleiteira*.

leite [Do lat. *lacte*.] *S. m.* **1.** Líquido branco, opaco, segregado pelas glândulas mamárias das fêmeas dos animais mamíferos. **2.** Suco branco de alguns vegetais. **3.** Qualquer líquido leitoso: *leite de coco*; *leite de amêndoa*. ◆ **Leite de cal.** Pasta de cal aérea e água, usada em caiações. **Leite de gado.** *Bras. CE* Leite de vaca. **Leite de magnésia.** Suspensão aquosa de hidróxido de magnésio, empregada como antiácido e laxante. **Leite desnatado.** V. *leitelho*. **Leite magro.** V. *leitelho*. **A leite de pato.** *Bras. Pop.* **1.** Sem receber dinheiro; sem provento, sem remuneração; de graça: *trabalhar a leite de pato.* **2.** Sem apostas a dinheiro; de graça: *jogar a leite de pato*; "Sei que é desagradável, para quem ganha, ver um amigo perder sempre... mesmo a leite de pato, como estamos fazendo." (Nélson de Faria, *Cabeça-Torta*, p. 116). **Dar o leite.** *Bras. PB* Dar informações precisas embora mastigadas. **Esconder o leite.** *Pop.* **1.** *Bras.* Encobrir, fingir, dissimular, ocultar alguma coisa: "Só se aquele homem de pele preta estava escondendo o leite – se era rico, muito rico." (Monteiro Lobato, *Negrinha*, p. 25.) **2.** *Bras.* Negar o que havia prometido. **3.** *Bras. RS Pop.* Mostrar-se medroso. **Tirar leite de pedra.** Fazer ou tentar fazer o impossível. **Tirar leite de vaca morta.** *Bras. RS* Lamentar-se de males para os quais já não há remédio.

leite-creme *S. m. Cul.* Creme quase líquido, feito de leite, farinha de trigo e gemas: "fritos [os filhoses] em banha de porco ou cozidos ao forno e após comidos com mel de cana ou recheados com leite-creme." (Atos Damasceno, *O Carnaval Porto-Alegrense no século XIX*, p. 9). [Pl.: *leites-cremes*.]

leite-de-cachorro *S. m. Bras. Bot.* Designação comum a numerosas espécies de trepadeiras asclepiadáceas do gênero *Oxypetalum*, leitosas, de flores vistosas, pólen congregado em massas, e frutos capsulares, com sementes envoltas em copiosa lã; cipó-de-leite. [Pl.: *leites-de-cachorro*.]

leite de camelo *S. m. Bras. BA* V. *leite de onça*. [Pl.: *leites de camelo*.]

leite de onça *S. m. Bras.* **1.** Batida preparada com cachaça e leite condensado. **2.** Alexânder. **3.** *P. ext.* Dose de leite de onça. [Sin. ger. na BA: *leite de camelo*. Pl.: *leites de onça*.]

leite de soja *S. m.* Alimento derivado da soja us. para substituir o leite. [Pl.: *leites de soja*.]

leitegada *S. f. Pop.* Conjunto dos leitões nascidos de um só parto; leitoada: "as leitegadas reunidas aos cuinchos em volta das porcas de mamas flácidas" (Coelho Neto, *Obra Seleta*, I, p. 443).

leiteira [De *leite* + *-eira*.] *S. f.* **1.** Vaso onde se serve leite à mesa. **2.** Panela onde se ferve o leite. **3.** Vendedora de leite. **4.** *Bras. Bot.* Nome comum a diversas plantas euforbiáceas, lactescentes, dos gêneros *Sapium* (v. *sápio*) e *Euphorbia* (v. *eufórbia*); burra-leiteira, leiteiro. **5.** *Bras. Bot.* V. *aitá*. **6.** *Bras. Zool.* Formiga mirmicínea (*Crematogaster quadriformis*). **7.** *Lus. Pop.* Leiteria (4).

leiteira-de-espinho *S. f. Bot.* V. *mata-olho* (2). [Pl.: *leiteiras-de-espinho*.]

leiteiro [De *leite* + *-eiro*.] *Adj.* **1.** Que produz leite. **2.** Que conduz leite: "— Chico, a que horas passa o trem leiteiro?" (Ézio Pinto Monteiro, *Chico*, p. 13.) **3.** *Bras. Pop.* Que tem muita sorte, esp. no jogo. ● *S. m.* **4.** Vendedor de leite. **5.** *Bras. Bot.* Arbusto apocináceo (*Peschiera affinis*), comum no C.O. e N.E. do Brasil, muito rico em látex pegajoso, de folhas oblongas, flores alvas, vistosas e ordenadas em cimeiras terminais compactas, e cujo fruto é um folículo verrucoso, com sementes envolvidas em arilo rubro e carnoso. **6.** *Bras. Bot.* V. *leiteira* (4). **7.** *Bras. SP Zool.* V. *cascudo-preto*.

leitelho (ê) [De *leite* + *-elho*.] *S. m.* Leite ácido, semidesnatado, portanto pobre em gorduras, resíduo da fabricação da manteiga, muito usado sob a forma de leite em pó; leite desnatado; leite magro.

leitento [De *leite* + *-ento*.] *Adj.* **1.** V. *lácteo*. **2.** Que deita leite. **3.** Que segrega líquido semelhante a leite.

leiteria [De *leite* + *-eria*; fr. *laiterie*.] *S. f.* **1.** Lugar destinado a receber e tratar o leite para consumo ou para produção de seus derivados. **2.** Casa comercial especializada na venda de leite e laticínios. **3.** Estabelecimento especializado no preparo de refeições ligeiras à base de leite e derivados. **4.** *Bras. Pop.* Grande sorte; boa sorte: *Ganhou um milhão. Que leiteria!* [Sin. (lus.), nesta acepç.: *leiteira*.] [F. paral.: *leitaria*.]

→ **leitmotiv** [lajtmo'tif] [Al., 'motivo condutor'.] *S. m.* **1.** *Mús.* Tema associado, no decurso de todo o drama musical, a uma personagem, uma situação, um sentimento, ou um objeto. **2.** *Liter.* Repetição, no decurso de uma obra literária, de determinado tema, a qual envolve uma significação especial. **3.** *P. ext.* Tema ou ideia sobre a qual se insiste com frequência. [Com cap. Tb. se usa o correspondente vernáculo, *motivo condutor*.]

leitnéria [Do tax. *Leitneria* (do antr. [*Edward F.*] *Leitner*, botânico norte-americano do séc. XIX, + lat. cient. *-ia*, v. *-ia*²).] *S. f. Bot.* **1.** Gênero monotípico das leitneriáceas. **2.** A espécie desse gênero, a *L. floridana*, de madeira leve, que lembra a cortiça. **3.** Espécime desse gênero.

leitneriácea [Do tax. *Leitneria* (v. *leitnéria*) + *-ácea*; tax. *Leitneriaceae*.] *S. f. Bot.* Espécime das leitneriáceas, família de dicotiledôneas, da ordem das leitneriales, composta de vegetais lenhosos, dioicos, de folhas alternas, flores em espiga, dialipétalas, e fruto drupáceo. Os poucos representantes habitam zonas temperadas.

leitneriáceo [De *leitneriácea*, com var. suf. (v. *-áceo*).] *Adj. Bot.* Pertencente ou relativo às leitneriáceas.

leitnerial [Do lat. cient. *Leitneri-* (v. *leitneriale*) + *-al*¹.] *Adj. 2 g. Bot.* Pertencente ou relativo às leitneriales.

leitneriale [Do tax. *Leitneria* (v. *leitnéria*) + *-ale*; tax. *Leitneriales*.] *S. f. Bot.* Espécime das leitneriales, ordem de plantas dicotiledôneas, arquiclamídeas, de flores unissexuais, sendo as masculinas nuas e as femininas monoclamídeas, e que compreende unicamente a família das leitneriáceas.

leito [Do lat. *lectu*.] *S. m.* **1.** Armação de madeira, ferro, vime, etc., que sustenta o enxergão e o colchão da cama. **2.** A própria cama: "O pobre leito meu desfeito ainda / A febre aponta da noturna insônia." (Álvares de Azevedo, *Obras Completas*, I, p. 151.) **3.** *P. ext.* Tudo aquilo em que alguém se deita ou se pode deitar como num leito: *leito de palha*; *leito de relva*. **4.** Superfície aplainada de caminho, rua, estrada, etc. **5.** Extensão de terreno mais ou menos profunda, sobre a qual corre um curso de água; álveo. [Cf., nesta acepç., *mãe do rio* (1).] **6.** Camada estratificada:

leito de humo. **7.** Grade de ferro sobre a qual se faziam deitar os condenados a tortura, colocando-lhes chamas por baixo. **8.** Camadas horizontais, juntas, das pedras e tijolos de cantaria ou alvenaria. **9.** Qualquer superfície em que se assenta um revestimento (3 e 4), esp. a superfície regularizada, obtida por terraplenagem, sobre a qual se assenta o pavimento. **10.** *Fig. Jur.* Casamento (1): *filhos do segundo leito.* ◆ **Leito de enchente.** Leito maior. **Leito de estiagem.** Leito menor. **Leito de Procusto. 1.** *Mit.* Leito de ferro onde, segundo a mitologia grega, este famigerado salteador estendia aqueles que capturava, cortando-lhes os pés quando o ultrapassavam e estirando-os quando não lhe alcançavam o tamanho. **2.** *P. ext.* Situação independente da vontade do indivíduo em que este peca e sofre as consequências, quer por excesso, quer for falta. **Leito do vento.** Direção em que o vento sopra. **Leito maior.** A largura máxima do leito de um curso de água; leito de enchente. **Leito médio.** A largura média do leito de um curso de água. **Leito menor.** A largura mínima do leito de um curso de água; leito de estiagem. **Leito ungueal.** *Anat.* Superfície sobre a qual repousa a face profunda de cada unha.

leitoa (ô) *S. f. Zool.* A fêmea do leitão.

leitoada [De *leitão* + *-ada*[1], com desnasalação.] *S. f.* **1.** Leitegada. **2.** Refeição cuja principal iguaria é de leitões.

leitoado [De *leitão* + *-ado*[1], com desnasalação.] *Adj. Fig.* Gordo, anafado, nédio.

leitor (ô) [Do lat. *lectore*.] *Adj.* **1.** Que lê; ledor, legente. ● *S. m.* **2.** Aquele que lê; ledor: "A obra em si mesma é tudo: se te agradar, fino leitor, pago-me da tarefa" (Machado de Assis, *Memórias Póstumas de Brás Cubas*, p. X). **3.** Aquele que, numa casa editora, tem a incumbência de ler e julgar os manuscritos propostos. **4.** Professor comissionado em uma universidade estrangeira para ensino de língua e literatura de seu país. **5.** *Ecles.* Aquele que tem o segundo grau na hierarquia eclesiástica das ordens menores. **6.** Aquele que, nos seminários ou conventos, lê alto durante as refeições. ◆ **Leitor de microfilme.** *Docum. Fot.* Equipamento us. para consulta e leitura de microfilme. [Cf. *leitor-impressor*.] **Leitor primário.** *Jorn.* Aquele que se interessa de tal forma por uma publicação, que é levado a assiná-la ou comprá-la. [Cf. *leitor secundário*.] **Leitor secundário.** *Jorn.* Aquele cujo interesse pela publicação não é suficiente para que ele a assine ou compre. [Cf. *leitor primário*.]

leitora (ô) [Fem. de *leitor*.] *S. f. Eletrôn. Inform.* Qualquer aparelho, ou dispositivo, capaz de movimentar um meio de armazenamento de dados (como fita ou disco magnético, disco óptico, etc.) e captar as informações aí registradas, convertendo-as, a seguir, em algum tipo de sinal a ser processado por outro aparelho ou dispositivo.

leitorado [De *leitor* + *-ado*[2].] *S. m.* **1.** Cargo ou ofício de leitor. **2.** Duração do cargo de leitor (4). **3.** *Rel.* O grau de leitor (5).

leitoral [De *leitor* + *-al*[1].] *Adj. 2 g. P. us.* Referente a leitor.

leitoril [Do b.-lat. *lectorile*, por via erudita.] *S. m.* Atril.

leitor-impressor (ô... ô) *S. m. Docum. Fot.* Leitor de microfilme (q. v.) equipado com dispositivo adicional para a produção de cópias em papel. [Pl.: *leitores-impressores*.]

leitosa [F. subst. de *leitoso*.] *S. f. Bras. Bot.* V. *fruta-de-manteiga*.

leitoso (ô) [Do lat. tard. *lactosu*.] *Adj.* **1.** V. *lácteo*. **2.** V. *lactescente* (1): "uma água infamemente salobra com uns longes cor de ferro, avermelhada algumas vezes, leitosa outras" (Gustavo Barroso, *Terra de Sol*, p. 23).

leitura [Do lat. med. *lectura*.] *S. f.* **1.** Ato ou efeito de ler. **2.** Arte de ler. **3.** Hábito de ler. **4.** Aquilo que se lê: *Não sei qual é a sua leitura.* **5.** O que se lê, considerado em conjunto: *homem de muita leitura.* **6.** Arte ou modo de interpretar e fixar um texto de autor, segundo determinado critério: "com o benefício de algumas décadas, e a substituição do *New Criticism* por outras formas de leitura, fica mais fácil separar a poesia da crítica" (Arthur Nestrovski, *Ironias da Modernidade*, p. 45). **7.** Interpretação: "A imagem lisonjeia o patriotismo lusitano. Mas admite uma leitura diferente: se era assim tão insignificante o primeiro Filipe castelhano, por que foi que o deixamos entrar?" (José Saramago, *Viagem a Portugal*, p. 139.) **8.** *E. Ling.* Forma assumida por um texto em determinado testemunho da tradição (6). **9.** *Fís.* Observação da indicação dum instrumento de medida. **10.** *Fís.* O resultado de uma medição realizada com um instrumento. **11.** *Tec.* Processo complementar ao da gravação de informações, similar ao ato humano de ler (1), e que consiste em percorrer, em determinado suporte físico de armazenamento, as sequências de marcas codificadas que representam informações registradas, e reconvertê-las à forma anterior (como imagens, sons, dados para processamento), reproduzindo o sinal original gravado, ou recuperando os dados armazenados. ◆ **Leitura acelerada.** V. *leitura dinâmica*. **Leitura da fala.** Apreensão, por parte dos surdos, daquilo que lhes dizem, mediante a observação dos movimentos orofaciais. **Leitura dinâmica.** Método de leitura que permite a apreensão sintética e instantânea de um juízo ou raciocínio completo, e não uma sequência linear de ideias, como nos dá a leitura comum; leitura rápida, leitura acelerada, leitura fotográfica. **Leitura dramática.** *Teatr.* Leitura interpretada de uma peça, seja pelos atores, seja pelo diretor ou por apenas um ator diante do público, durante a qual os atores dão todas as inflexões vocais necessárias, mas sem marcações (ou apenas com os movimentos indispensáveis), e cujas rubricas são lidas pelo diretor ou por outro ator. **Leitura fotográfica.** V. *leitura dinâmica*. **Leitura nova. 1.** Conjunto dos documentos legais e administrativos portugueses, copiados por ordem do rei D. Manuel I entre 1504 e 1552 em letra caligráfica cursiva, com o intuito de facilitar sua leitura e evitar a sua perda. **2.** *P. ext.* Transcrição de documentos em letra vigente na época de sua transcrição. **Leitura rápida.** V. *leitura dinâmica*. **Primeira leitura.** *Lit.* Leitura de passagem tirada do Antigo Testamento que faz parte da liturgia da palavra (v. *liturgia da missa*). **Segunda leitura** *Lit.* Leitura de passagem tirada do Novo Testamento que faz parte da liturgia da palavra (v. *liturgia da missa*).

leiturista [De *leitura* + *-ista*.] *S. 2 g.* Funcionário que lê as marcações de consumo de água, eletricidade, gás, etc.

leiva [Do lat. *gleba*, 'torrão de terra', poss. pela f. **glebea*.] *S. f.* **1.** Porção de terra entre dois sulcos. **2.** Sulco do arado. **3.** V. *gleba* (1). **4.** Cada um dos torrões de terra gramada que, transplantados, formam relvados nas praças e jardins.

leixamento [De *leixar* + *-mento*.] *S. m.* **1.** *Ant.* Ato de leixar. **2.** Desamparo, abandono.

leixão *S. m.* Penedo na costa marítima; laje marítima.

leixar [Do lat. *laxare*, 'afrouxar', 'desapertar'.] *V. t. d. T. i. Ant.* Deixar.

→**lek** [lek] [Albanês.] *S. m.* Antiga moeda e unidade monetária oficial da Albânia. ◆ *Lek* **novo.** Unidade monetária, e moeda, da Albânia (Europa).

lelé *Adj. 2 g. S. 2 g. Bras. Gír.* Maluco, doido, gira; lelé da cuca: "Quero ser mico de circo se o nosso Moacir não está meio lelé!" (Nélson Rodrigues, *100 Contos Escolhidos. A Vida como Ela É*, II, p. 43.) [Cf. *lelê*.] ◆ **Lelé da cuca.** *Bras. Gír.* V. *lelé*.

lelê[1] *S. m. Bras. MG Pop.* Confusão, intriga. [Cf. *lelé*.]

lelê[2] [Do ior.] *S. m. Bras. Cul.* Bolo de milho e leite de coco, preparado em tabuleiro. [Cf. *lelé*.]

lelê[3] *S. m. Bras. MA Etnogr.* Dança de remota influência francesa e coreografia variada, com os pares dispostos em filas de homens e de mulheres, dividida em quatro partes: chorado, dança-grande, talavera e cajueiro. [Sin.: *dança do lelê*.]

lelequice [Cruz. de *lelé* com *(malu)quice*.] *S. f. Bras.* Maluquice, doidice, tolice: "O doutor acredita mesmo que saiu esse livro, ou é lelequice dele?" (Carlos Drummond de Andrade, *De Notícias & Não Notícias Faz-se a Crônica*, p. 7.)

lema [Do gr. *lêmma*, pelo lat. *lemma*.] *S. m.* **1.** Proposição que prepara a demonstração de outra. **2.** *Fig.* Preceito escrito; sentença, emblema, divisa: "O mote dos antigos era: *fundar povoações*! Hoje, o lema dos modernos, em relação aos sertões, é grandíloquo: *arrasar tudo*!" (Oliveira Viana, *Pequenos Estudos de Psicologia Social*, p. 167.) **3.** *Med.* Sebo palpebral, secreção da glândula de Meibômio. **4.** *Bot.* Glumela inferior da espícula das poáceas.

▲ **-lema**[1] [Do gr. *lémma, atos* < v. gr. *lépein*, 'pelar', 'descascar'.] *El. comp.* = 'casca', 'invólucro': *neurilema*, *sarcolema*.

▲ **-lema**[2] [Do gr. *lámma, atos* < v. gr. *lambánein*, 'agarrar', 'pegar', 'perceber pelos sentidos'.] *El. comp.* = 'proposição', 'premissa de um silogismo': *analema*, *dilema*.

lemane *S. m. Bras. Rel.* V. *lemano*.

lemano [Do ár. *imām*(v. *imame*).] *S. m. Bras. Rel.* Entre os malês, grão-sacerdote. [F. paral.: *lamane, lemane, limano*.]

lemático [Do gr. *lemmatikós*.] *Adj.* **1.** Pertencente ou relativo a lema. **2.** Que tem o caráter de lema.

lemba [Do quimb.] *S. m. Bras. Rel.* Inquice correspondente ao orixá nagô Oxalá; Lembarenganga. [Com cap. Var.: *Lembá*.]

lembá *S. m. Bras. Rel.* V. *Lemba*. [Com cap.]

lemba-lemba [Do forro[2].] *S. f. Santom. Bot.* Planta sapindácea, trepadeira, de caule delgado e flexível: "as ruínas do engenho .... esboroando-se aos poucos, com os troncos das 'lemba-lemba' — essa hidra vegetal — a penetrar, como serpentes, por entre as pedras" (Fernando Reis, *Histórias da Roça*, p. 37). [Pl.: *lemba-lembas*.]

lembamento [Do quimb. *lemba* (do v. *ku-lemba*, 'dar dote (2) a') + *-mento*.] *S. m. Angol.* V. *alembamento*: "A Guinhas pertencia a um velho colono que pagou grande lembamento por ela: bois, barris de vinho em grande quantidade, caixotes de sabão, panos." (Artur Queirós, *Mukandano*, p. 118.) [Sin. (moç.): *lobolo*.]

lembar [Do quimb. *lemba* (rad. do v. *ku-lemba*, 'dar dote [2] a'), + *-ar*[2].] *V. t. d. Angol.* Desposar à maneira tradicional, entregando o alembamento (q. v.) à família da noiva: "lembei minha primeira mulier e lhe coloquei em casa." (Domingos Van-Dúnem, *Kuluka*, p. 61). [Var.: *alembar*. Sin. (moç.): *lobolar*.]

lembarenganga [Do quimb.] *S. m. Bras. Rel.* V. *Lemba*. [Com cap.]

lembradiço [De *lembrar* + *-(d)iço*[1].] *Adj. S. m.* Diz-se de, ou aquele que tem boa memória.

lembrado [Part. de *lembrar*.] *Adj.* **1.** Que se conservou na memória. **2.** Que deixou de si lembrança; memorável. **3.** Que tem boa memória; lembradiço.

lembrador (ô) [De *lembrar* + *-dor*.] *Adj. S. m.* Que ou o que lembra ou serve para lembrar.

lembramento [De *lembrar* + *-mento*.] *S. m.* Lembrança (1).

lembrança [De *lembrar* + *-ança*.] *S. f.* **1.** Ato ou efeito de lembrar(-se); lembramento. **2.** Coisa que se apresenta em um dado momento na memória. **3.** Coisa própria para ajudar a memória; lembrete. **4.** V. *reminiscência* (1). **5.** Alvitre, inspiração, ideia. **6.** V. *presente* (8). **7.** *Prop.* Atributo de um anúncio, avaliado através de pesquisa mercadológica, que se relaciona à capacidade, dos que o viram ou leram, de lembrar de alguma de suas características. [V. *lembrança da véspera*.] ~ V. *lembranças*. ◆ **Lembrança da véspera.** *Prop.* Pesquisa de lembrança (7), realizada no dia seguinte ao do lançamento de um anúncio.

lembranças [Pl. de *lembrança*.] *S. f. pl.* Cumprimentos; recomendações. ~ V. *lembrança*.

lembrançoso (ô) [De *lembrança* + *-oso*.] *Adj.* Cheio de lembranças: "Vovô compareceu para a escritura, lamuriento e lembrançoso, a boca inflada de nomes de fazendas que pertenceram outrora ao cabedal da família." (Oto Lara Resende, *O Retrato na Gaveta*, p. 147.)

lembrar [Do lat. *memorare*, pelo arc. *nembrar*, com dissimilação.] *V. t. d.* **1.** Trazer à memória, por analogia ou semelhança; fazer recordar; recordar: *A paisagem lembrava a fazenda onde passara a infância*; "Ranchos alegres, mondando as searas, / Que rico assunto para os pintores! Lembram vistosos bandos de araras" (Conde de Monsaraz, *Musa Alentejana*, p. 16); "Do Espanhol as cantilenas / Requebradas de langor / Lembram as moças morenas, / As andaluzas em flor." (Castro Alves, *Poesias Escolhidas*, p. 328). **2.** Dar a ideia de; sugerir; alvitrar, propor: *Lembrou que fossem à cidade mais próxima chamar um médico.* **3.** Ter lembrança de; recordar; lembrar-se ou recordar-se de: "Inda hoje, o livro do passado abrindo, / Lembro-as e punge-me a lembrança delas" (Olavo Bilac, *Poesias*, p. 53). ***T. d. e i.*** **4.** Fazer notar; notar, advertir; recordar: *Lembrou-lhe polidamente que lhe cabia cumprir a promessa.* **5.** Fazer lembrado; recomendar: *Pediu que o lembrassem às demais pessoas da família.* ***T. i.*** **6.** Vir à lembrança; vir à ideia; ocorrer: "como tudo cansa, esta monotonia acabou por exaurir-me também. Quis variar, e lembrou-me escrever um livro." (Machado de Assis, *Dom Casmurro*, p. 5); "Lembram-me pormenores daquela noite da apresentação." (Camilo Castelo Branco, *A Mulher Fatal*, p. 13). ***P.*** **7.** Ter lembrança; recordar-se: "Minha mãe era mui bela, / — Eu me lembro tanto dela, / De tudo quanto era seu!" (Junqueira Freire, *Obras Poéticas*, I, p. 99); *Lembrei-me de que era tarde, e saí*; "Mas ao passar pela Rua do Conde lembrou-se que Madalena lhe dissera morar ali" (Machado de Assis, *Contos Fluminenses*, p. 99). [Do cruzamento, p. ex., da construção *lembro-me de haver falado* com *lembra-me haver falado* resulta uma terceira: *lembra-me de haver falado*. Vejam-se estes exemplos: "Voltei depois que ela entrou em casa, e só muito depois é que me lembrou de ver as horas." (Machado de Assis, *Relíquias de Casa Velha*, p. 25); "Toda a vida me há de lembrar da sua figurinha impassível e tanada." (Fialho d'Almeida, *Pasquinadas*, p. 329).]

lembrável [De *lembrar* + *-vel*.] *Adj. 2 g.* Que é passível de ser lembrado.

lembrete (ê) [De *lembr(ar)* + *-ete* (ê).] *S. m.* **1.** Papel com apontamento. **2.** *P. ext.* Lembrança (3). **3.** *Fam.* V. *repreensão* (1). **4.** *Fam.* Leve castigo.

leme [De or. incerta, poss. do basco *lema*, 'timão', e este do lat. *temo, onis*, de igual sentido.] *S. m.* **1.** *Constr. Nav.* Peça ou dispositivo instalado na popa da embarcação, e que serve para lhe dar direção, para governá-la. **2.** Dispositivo instalado na cauda do avião e que regula a direção do aparelho. **3.** Ferro que se embebe no vão da fêmea e sobre o qual se move a porta ou a janela. **4.** *Fig.* Direção, governo, governança. ◆ **Leme de direção.** *Aer.* Leme que governa o avião no plano horizontal. **Leme de fortuna.** *Marinh.* V. *esparrela* (4). **Leme de ló.** *Marinh.* Posição do leme com sua porta voltada para barlavento. **Leme de profundidade.** *Aer.* Leme que governa o avião no plano vertical. **Leme horizontal.** *Constr. Nav.* Cada um dos lemes que governam o submarino no plano vertical (profundidade). **Leme vertical.** *Constr. Nav.* Cada um dos lemes que governam o submarino no plano horizontal (rumo). **Perder o leme.** Ficar atarantado, sem saber o que fazer; desnortear-se, desorientar-se. **Ter o leme.** Governar, administrar, dirigir.

lemense *Adj. 2 g.* **1.** De, ou pertencente ou relativo a Leme (SP). ● *S. 2 g.* **2.** O natural ou habitante de Leme.

lemingo *S. m. Zool.* V. *lêmingue.*

lemingue *S. m. Zool.* V. *lêmingue.*

lêmingue [Do nor. *lemming*, pelo ingl. *lemming.*] *S. m. Zool.* Designação de diversos roedores dos gêneros *Lemmus* e *Dicrostonyx*, pequenos, de cauda curta, coloração castanho-amarelada, das regiões árticas, que se alimentam de cascas de árvores, musgos, liquens e raízes. A espécie europeia *L. lemmus* é conhecida pela migração em massa, e que, quando chega ao mar, nele se precipita em grande número. [Var.: *lemingue* e *lemingo.*]

lemiste [Do ingl. ant. *lemster* < top. *Lemster*, cidade onde se fabricava este tecido.] *S. m. Tec. Têx.* Tecido de lã, preto e fino: 📖 "De lemiste com forro de cetim azul era a casaca bem trabalhada" (José de Alencar, *Guerra dos Mascates*, p. 59).

lemna [Do tax. *Lemna.*] *S. f. Bot.* **1.** Gênero de diminutas plantas lemnáceas, aquáticas, dotadas de pequenas frondes, flores mínimas, e de uma única raiz. **2.** Qualquer espécie desse gênero, como, p. ex., as vulgarmente conhecidas como *lentilhas-d'água.* **3.** Qualquer espécime desse gênero. [Cf. *lena*, s. f., e *Lena*, antr. e top.]

lemnácea [Do tax. *Lemna*, gênero-tipo, + *-ácea*; tax. *Lemnaceae.*] *S. f. Bot.* Espécime das lemnáceas, família de arales aquáticas, flutuantes, que reúne espécies muito peculiares pelo tamanho mínimo e forma laminar, que têm ou não raízes, não têm folhas, e cujas flores são unissexuais e nuas, com um só estame e carpelo.

lemnáceo[1] [De *lemna*[1] + *-áceo*] *Adj. Bot.* Semelhante à lentilha.

lemnáceo[2] [De *lemnácea*, com var. suf. (v. *-áceo*).] *Adj. Bot.* Pertencente ou relativo às lemnáceas.

lemniscata [Do lat. *lemniscata*, 'ornada de fitas'; a sua forma, um 8, lembra um laço de fitas.] *S. f. Geom.* Lugar geométrico dos pontos de um plano cujas distâncias a dois pontos fixos desse plano são constantes.

lemniscático [De *lemniscata* + *-ico*[2].] *Adj.* Relativo a lemniscata.

lemnisco [Do gr. *lemnískos*, 'fita', pelo lat. *lemniscu.*] *S. m.* **1.** *Ant.* Fita pendente da coroa dos vencedores. **2.** Tira, em geral de seda, que prende os selos aos diplomas, às cartas, etc. **3.** Sinal gráfico formado por um traço entre dois pontos (÷), e que indica uma passagem transcrita da Bíblia, porém não literalmente. **4.** Sinal gráfico formado por um traço com dois pontos em cima (⩪), e que indica transposição de palavra, de períodos. **5.** *Anat.* Designação genérica de feixe de fibras do sistema nervoso central. [Var.: *limnisco.*]

▲ **lemo-** [Do gr. *loimós, oû.*] *El. comp.* = 'peste'; 'doença contagiosa': *lemofobia, lemófobo.*

lemofobia [De *lemo-* + *-fobia.*] *S. f. Psiq.* Horror à peste (1), ou a qualquer doença altamente contagiosa.

lemofóbico [De *lemofobia* + *-ico*[2].] *Psiq. Adj.* **1.** Relativo a lemofobia. **2.** Que sofre de lemofobia; lemófobo. ● *S. m.* **3.** Aquele que sofre de lemofobia; lemófobo.

lemófobo [De *lemo-* + *-fobo.*] *Adj. S. m. Psiq.* Lemofóbico (2 e 3).

lemosi *Adj. 2 g. S. 2 g.* V. *limusino* (1 a 3).

lemosim *Adj. 2 g. S. 2 g.* V. *limusino* (1 a 3).

lempa *S. f. Bras.* Pérola que se pesca em algumas ilhas da costa brasileira.

lempira [Do hisp.-amer. *lempira* < antr. *Lempira*, de um chefe indígena que lutou contra a conquista espanhola.] *S. f.* Unidade monetária, e moeda, de Honduras, que se divide em 100 centavos.

lêmur *S. m. Zool.* V. *lêmure.*

lemural [De *lêmure* + *-al*[1].] *Adj. 2 g.* Relativo a lêmure.

lemure *S. m. Zool.* V. *lêmure.* [Uso freq. em P.]

lêmure [Do tax. *Lemur.*] *S. m. Zool.* **1.** O gênero-tipo dos *lemurídeos.* **2.** Qualquer espécie desse gênero, todas elas constituídas de mamíferos arborícolas, de hábitos noturnos, que habitam, esp., a ilha de Madagascar (África), e que compõem a família dos lemurídeos; assemelham-se aos símios, no aspecto e nos hábitos, mas são dotados de focinho que lembra o da raposa, grandes olhos, pelo lanoso, muito macio, e cauda ger. longa e peluda, nunca preênsil. **3.** Qualquer espécime desse gênero. ~ V. *lêmures.*

lêmures [Do lat. *lemures.*] *S. m. pl.* Espectros, fantasmas, duendes: 📖 "Há larvas, há lêmures / Atrás destas moitas. / Mulas sem cabeça, / Visagens afoitas." (Manuel Bandeira, *Estrela da Vida Inteira*, p. 202.) ~ V. *lêmure.*

lêmure-voador *S. m. Zool.* Mamífero cinocefalídeo, dermóptero, arborícola, herbívoro, de hábitos noturnos, provido de patágios que se estendem da parte lateral do corpo aos pés, e do pescoço à cauda, o que possibilita saltos planados e até pequenos voos. É encontrado nas Filipinas, Malásia, Bornéu, Sumatra, Java e ilhas adjacentes. [Pl.: *lêmures-voadores.*]

lemuriano [De *lêmure* + *-iano.*] *Adj.* Relativo ou semelhante aos lêmures.

lemurídeo [Do tax. *Lemur* (v. *lêmure*) + *-ídeo*[1]; tax. *Lemuridae.*] *S. m. Zool.* **1.** Espécime dos lemurídeos, família de primatas que se assemelham aos ancestrais dos pequenos e grandes macacos e do homem, e cujo cérebro é dotado de pequenos hemisférios e grandes núcleos de nervos olfativos, comparativamente aos de outros primatas. Os olhos se direcionam mais para os lados que os daqueles e são dotados de focinho longo e, ger., grandes orelhas. São arborícolas, herbívoros e têm hábitos sociais; durante o eoceno, distribuíram-se pelas regiões mais quentes, mas atualmente habitam, apenas, a ilha de Madagascar (África), poss. devido a isolamento dessa ilha durante o terciário, não tendo permanecido, ali, animais carnívoros. **2.** Pertencente ou relativo a eles.

lemuróideo [Do tax. *Lemur* + *-óideo*; tax. *Lemuroidea.*] *Zool. S. m.* **1.** Espécime dos lemuróideos, em algumas classificações, superfamília que compreende os lêmures e os lóris; surgiram no eoceno, quando já se assemelhavam, de perto, aos seus atuais descendentes. ● *Adj.* **2.** Pertencente ou relativo a eles.

lêmus [Do tax. *Lemmus.*] *S. m. 2 n. Zool.* **1.** Gênero de animais roedores, miomorfos, que abrange os lêmingues. **2.** Qualquer espécie desse gênero, como, p. ex., o *Lemmus lemmus* (v. *lêmingue*). **3.** Qualquer espécime desse gênero.

lena[1] [Do lat. *lena.*] *S. f.* Alcoviteira (1). [Cf. *lemna.*]

lena[2] [Do lat. *laena.*] *S. f.* **1.** Vestimenta usada pelos flâmines sobre a toga. **2.** Manto de inverno que usavam os romanos de distinção. [Cf. *lemna.*]

lenano *Adj.* Relativo ao rio Lena (Ásia).

lençalho [De *lenço* + *-alho.*] *S. m. Pej.* Lenço grande e ordinário: 📖 "Onde está esse forneiro / Sempre a pingar... não sei quê / No lençalho tabaqueiro, / E a tossir: hhê! hhê! hhê! hhê!?" (João de Deus, *Campo de Flores*, II, p. 117.)

lençaria [De *lenço* + *-aria.*] *S. f.* **1.** Fábrica ou loja de lenços. **2.** Porção de lenços. **3.** Quantidade de toda sorte de peças de pano de linho ou de algodão: ▣ *armário repleto de lençaria branca*; 📖 "regaçou a roupa da cama e espreguiçou-se entre as alvas lençarias." (José de Alencar, *Lucíola*, p. 149). **4.** Negócio de tecidos de linho ou de algodão.

lenço [Do lat. vulg. *lenteu* < lat. *linteu.*] *S. m.* **1.** *Vest.* Pedaço quadrado de tecido que serve para uma pessoa se assoar, ou para ornar e resguardar a cabeça ou o pescoço. **2.** *Ant. Tec. Têx.* Tecido de cambraia, linho, algodão, musselina ou seda. **3.** *Marc.* Cada um dos lados da gaveta.

lenço de papel *S. m.* Lenço descartável produzido industrialmente com papel macio, absorvente e esterilizado; lenço-papel. [Pl.: *lenços de papel.*] ☑

lençoense (ò) *Adj. 2 g.* **1.** De, ou pertencente ou relativo a Lençóis (BA). ● *S. 2 g.* **2.** O natural ou habitante de Lençóis. [Cf. *lençoiense.*]

lençoiense (oi) *Adj. 2 g.* **1.** De, ou pertencente ou relativo a Lençóis Paulista (SP). ● *S. 2 g.* **2.** O natural ou habitante de Lençóis Paulista. [Cf. *lençoense.*]

lençóis [Pl. de *lençol.*] *S. m. pl. Bras. MA* Série de dunas que se prolongam desde o golfo do Maranhão até à foz do Parnaíba. ~ V. *lençol.*

lençol [Do lat. *linteolu.*] *S. m.* **1.** Cada uma das peças de linho, de algodão ou de outro tecido que guarnecem a cama, uma sobre o colchão e a outra para servir de coberta. **2.** Aquilo que cobre ou envolve como um lençol: ▣ *lençol de neve.* **3.** Lençol petrolífero. **4.** *Fut.* Bola passada em balão (15) por sobre o adversário, e retomada em seguida; chapéu, banho de cuia. **5.** *Ant.* Mortalha. [Pl.: *lençóis.*] ~ V. *lençóis.* ◆ **Lençol de água.** V. *lençol freático.* **Lençol de água subterrâneo.** Corrente líquida subterrânea que corre sobre uma camada de terreno impermeável. [Tb. se diz apenas *lençol subterrâneo.*] **Lençol de lava.** Derrame de lava em grande extensão. **Lençol freático.** Lençol de água subterrâneo que se forma em profundidade relativamente pequena; lençol superficial, lençol de água. **Lençol petrolífero.** Jazida de petróleo acumulado em camadas geológicas mais ou menos extensas e profundas. [Tb. se diz apenas *lençol.*] **Lençol profundo.** Lençol de água que se forma a grandes profundidades. **Lençol subterrâneo.** Lençol de água subterrâneo. **Lençol superficial.** V. *lençol freático.* **Em maus lençóis. 1.** Envolvido em situação ou negócio difícil ou arriscado. **2.** Sem meios de defesa contra acusação bem fundada.

lenço-papel *S. m.* Lenço de papel. [Pl.: *lenços-papéis* e *lenços-papel.*]

lenda [Do lat. *legenda*, 'coisas que devem ser lidas'.] *S. f.* **1.** Tradição popular: 📖 "lembrei-lhe eu que, segundo uma antiga lenda, eram sempre fatais aos Maias as paredes do Ramalhete." (Eça de Queirós, *Os Maias*, II, p. 511). **2.** Narração escrita ou oral, de caráter maravilhoso, na qual os fatos históricos são deformados pela imaginação popular ou pela imaginação poética; legenda. **3.** *Fig.* V. *mentira* (1). **4.** Lenga-lenga. ◆ **Lenda urbana.** História fantasiosa, ou sem comprovação científica, que circula de boca em boca.

lendário [De *lenda* + *-ário.*] *Adj.* **1.** Que tem o caráter de lenda. **2.** Relativo a lenda. [Sin., nessas acepç.: *legendário.*] ● *S. m.* **3.** *Bras.* Conjunto de lendas.

lêndea [Do lat. vulg. **lendina* < lat. tard. *lendis, lendinis* (lat. cláss. *lens, lendis*).] *S. f.* **1.** Designação comum aos ovos de piolho, anopluros e malófagos, que em geral se agarram à base dos pelos. **2.** *Bras. N.E.* Pedacinho; insignificância.

lendeaço [De *lêndea* + *-aço.*] *S. m.* Grande porção de lêndeas.

lendeoso (ô) [De *lêndea* + *-oso.*] *Adj.* Que tem lêndeas; cheio delas.

lene [Do lat. *lene.*] *Adj. 2 g.* **1.** *E. Ling.* Diz-se do som produzido com esforço muscular e força respiratória relativamente pequenos. **2.** *Poét.* Brando, suave, doce, macio.

leneanas [Do gr. *Lénaia* + o pl. de *-ana*[1]; fr. *lénéennes.*] *S. f. pl.* Entre os antigos gregos, festas dramáticas celebradas no inverno, em fins de janeiro, e cujo programa compreendia uma procissão e um duplo concurso, trágico e cômico. [F. paral.: *leneias.* V. *dionisíacas urbanas* e *dionisíacas rurais.*]

leneias (éi) [Adapt. do gr. *Lénaia.*] *S. f. pl.* Leneanas (q. v.). ❖

lêneo *Adj.* V. *leneu.*

leneu [Do gr. *lenaîos*, pelo lat. *lenaeu.*] *Adj.* De, ou relativo a Baco; báquico (q. v.). [Var. impr.: *lêneo.*]

lenga-lenga *S. f.* Conversa, narração ou discurso monótono, fastidioso, enfadonho; arenga, ladainha, lenda. [Pl.: *lenga-lengas.*] ❄

lenga-lengar [De *lenga-lenga* + *-ar*[2].] *V. int.* Fazer lenga-lenga. [Conjug.: v. *largar.*]

lenha [Do lat. *ligna*, pl. de *lignum, i.*] *S. f.* **1.** Porção de ramos, achas ou fragmentos de troncos de árvores reservados para servirem de combustível. **2.** *Fig.* Surra, sova, pancadaria. **3.** *Bras. Gír.* Disputa automobilística. **4.** *Bras. Gír.* Coisa difícil, arriscada ou perigosa: 📖 "Foi a maior lenha conseguir atravessar essa fauna e chegar ao toalete para consertar a fachada antes de entrar no ar." (Marisa Raja Gabaglia, *Milho pra Galinha, Mariquinha*, p. 50.) ◆ **Baixar a lenha em.** *Bras. Pop.* V. *espancar* (1). **Deitar lenha na fogueira.** Atiçar uma discórdia; excitar um ressentimento; botar fogo na canjica. **Entrar na lenha.** *Bras.* Ser surrado. **Fazer lenha. 1.** *Autom.* Apostar corrida; lenhar. **2.** *Bras. Mar. G.* Causar estrago(s): ▣ *Ao atracar, fez lenha no cais.* **Meter a lenha em.** *Bras. Pop.* **1.** Surrar, espancar, esbordoar, ripar. **2.** Dizer mal de; criticar, malhar. [Sin. ger.: *baixar a lenha em, baixar o sarrafo em, descer a ripa em, meter a ripa em.*]

lenha-branca [De *lenha* + f. de *branco.*] *S. f. Bras. Bot.* Arbusto ou arvoreta celastrácea (*Maytenus obtusifolia*) comum na restinga, de folhas elípticas, grossas e obtusas, flores minutíssimas, esverdeadas e dispostas em pequenas inflorescências, e fruto capsular, com uma semente envolvida em arilo carnoso e alvo; limãozinho, carne-de-anta, congonha-brava-de-folha-miúda. [Pl.: *lenhas-brancas.*]

lenhada [De *lenhar* (4) + *-ada*[1].] *S. f. Bras. N. Chulo* Cópula, coito.

lenhador (ô) [Do lat. *lignatore.*] *S. m.* **1.** Cortador ou rachador de lenha. [Sin.: *lenheiro, mateiro* e (no S.) *lenhateiro.*] **2.** *Bras. Autom.* Indivíduo que faz lenha [v. *fazer lenha* (1)]. ● *Adj.* **3.** *Bras. Autom.* Diz-se de lenhador (2).

lenhar [De *lenha* + *-ar*[2].] *V. int.* **1.** *P. us.* Cortar lenha para queimar. **2.** *P. us.* Abastecer-se de lenha para o consumo doméstico. **3.** *Bras. Autom.* Fazer lenha (1) (q. v.). **4.** *Bras. N. Chulo* Ter relações sexuais; copular.

lenhateiro [De *lenha* + *-t-* + *-eiro.*] *S. m. Bras. S.* **1.** V. *lenhador* (1). **2.** Lenheiro (2).

lenheira [De *lenha* + *-eira.*] *S. f. Bras. RS* Lugar, no mato, de onde se tira lenha. [Cf. *linheira.*]

L

lenheiro [Do lat. *lignariu*, ou de *lenha* + *-eiro*.] *S. m.* **1.** V. *lenhador* (1). **2.** Negociante de lenha; lenhateiro. **3.** *Bras.* Lugar onde se empilha a lenha cortada. [Cf. *linheiro*.]

lenhificação [De *lenhificar* + *-ção*.] *S. f. Bot.* Lignificação.

lenhificado [Part. de *lenhificar*.] *Adj.* Que se lenhificou; lignificado.

lenhificar [De *lenha* + *-ificar*.] *V. t. d. P.* **1.** Tornar(-se) lenhoso. **2.** Lignificar-se. [Conjug.: v. *trancar*.]

lenhina [De *lenha* + *-ina*[1].] *S. f. Bot.* Lignina.

lenho [Do lat. *lignu*.] *S. m.* **1.** *Bot.* O principal tecido de sustentação e condução da seiva bruta nos caules e raízes, caracterizado pela presença de elementos traqueais; xilema. **2.** Madeiro (1). **3.** *Fig.* Embarcação: "Três entes respiram sobre o frágil lenho que vai singrando veloce, mar em fora." (José de Alencar, *Iracema*, p. 49.) ◆ **Sagrado Lenho.** *Rel.* **Santo Lenho.** [Tb. se pode grafar com iniciais minúsculas.] **Santo Lenho.** *Rel.* A cruz de Cristo; Sagrado Lenho. [Tb. se pode grafar com iniciais minúsculas.]

lenhoso (ô) [Do lat. *lignosu*.] *Adj.* **1.** Que tem a natureza, o aspecto e a consistência do lenho ou madeira; lígneo: "Seus grossos frutos lenhosos [da castanheira] .... encerram cerca de doze castanhas em gomos duros" (Raimundo Morais, *País das Pedras Verdes*, p. 195). **2.** Relativo ao, ou da natureza do lenho (1); xilemático: *parênquima lenhoso*. [Cf. *linhoso*.]

▲ **leni-** [Do lat. *lēnis, e*.] *El. comp.* = 'brando', 'leve': *lenificar* (< lat.).

lenição [De *lenir* + *-ção*; fr. *lénition*, ingl. *lenition* e al. *Lenierung*.] *S. f. E. Ling.* **1.** Lenização (1). **2.** Abrandamento (2 e 3).

lenidade [Do lat. *lenitate*.] *S. f.* Brandura, suavidade, doçura, mansidão; leniência.

leniência [De *leniente* + *-ia*[2], seg. o padrão analógico.] *S. f.* V. *lenidade*.

leniente [Do lat. *leniente*.] *Adj. 2 g.* **1.** Que tem lenidade. **2.** V. *lenitivo* (1).

lenificar [Do lat. tard. *lenificare*.] *V. t. d.* Lenir. [Conjug.: v. *trancar*.]

lenígrafo *S. m.* Instrumento que registra, em função do tempo, os níveis de água.

lenimento [Do lat. *lenimentu*.] *S. m.* **1.** Aquilo que embrandece, suaviza, mitiga. **2.** *Terap.* Remédio para lenir ou suavizar dores. [Sin. ger.: *lenitivo*. Cf. *linimento*.]

leninismo [Do antr. *Lenin* + *-ismo*.] *S. m.* Desenvolvimento teórico e prático do marxismo (q. v.) realizado por Vladimir Ilitch Ulianov, dito Lenin, russo (1870-1924), que se baseia no caráter democrático da tomada de decisões internas, como princípio organizativo do partido comunista, e no estabelecimento do poder absoluto da classe operária como primeira etapa na construção do socialismo.

leninista [Do antr. *Lenin* + *-ista*.] *Adj. 2 g.* **1.** Relativo a, ou próprio de Lenin ou do leninismo. **2.** Que é partidário ou seguidor do leninismo. ● *S. 2 g.* **3.** Partidário ou seguidor dele.

lenir [Do lat. *lenire*.] *V. t. d.* Abrandar, suavizar, aplacar, mitigar; lenificar: "Feliz quem pode a dor lenir cantando" (Gonçalves Dias, *Obras Poéticas*, II, p. 447). [Defect. Só se conjuga nas f. em que ao *n* da raiz se segue um *i*.]

lenitivo [Do lat. med. *lenitivu*.] *Adj.* **1.** Próprio para lenir; leniente, calmante: *remédio lenitivo*. ● *S. m.* **2.** Lenimento: "um dos recantos mais aprazíveis do orbe, em que toda a dor parecia abrandar e ter lenitivo" (Joaquim Paço d'Arcos, *Neve sobre o Mar*, p. 149). **3.** *Fig.* Alívio, conforto, consolação: "Não há dor que não receba da grande Música certo lenitivo" (Fidelino de Figueiredo, *Música e Pensamento*, p. 57).

lenização [De **lenizar* (< *lene* + *-izar*) + *-ção*.] *S. f. E. Ling.* **1.** Relaxamento muscular durante a articulação. **2.** Abrandamento (2 e 3).

lennoácea [Do tax. *Lennoa* + *-ácea*; tax. *Lennoaceae*.] *S. f. Bot.* Espécime das lennoáceas, família de lamiales, por vezes incluída entre as boragináceas, formada de parasitos aclorofilados de raízes, com folhas reduzidas a escamas, flores em címulas, corola com cinco a oito lóbulos, androceu com o mesmo número de estames. Fruto drupáceo. Há apenas umas poucas espécies, norte-americanas.

lennoáceo [De *lennoácea*, com var. suf. (v. *-áceo*).] *Adj. Bot.* Pertencente ou relativo às lennoáceas.

lenocínio [Do lat. *lenociniu*.] *S. m.* Crime contra os costumes, caracterizado sobretudo pelo fato de se prestar assistência à libidinagem alheia, ou dela se tirar proveito, e cujas modalidades são o proxenetismo, o rufianismo e o tráfico de mulheres; alcovitice, alcoviteirice.

lenquência (qüên) [Alter. de *eloquência*.] *S. f. Bras. PE Pop.* Falação, fala, discurso; eloquência. ❖

lentamente [Do f. de *lento* + *-mente*.] *Adv.* **1.** De modo lento; sem pressa; devagar. **2.** Aos poucos; devagar.

lentar [Do lat. *lentare*.] *V. t. d.* **1.** Tornar lento (7); amolentar. **2.** Tornar lento (8); umedecer, lentejar. *Int.* **3.** Tornar-se um pouco úmido; lentejar. **4.** Transpirar um pouco. [Sin. ger.: *lentescer*.]

lente[1] [Do lat. *lente*, 'lentilha'.] *S. f. Ópt.* Corpo transparente, limitado por duas superfícies refratoras, das quais pelo menos uma é curva. [V. *objetiva*. Dim. irreg.: *lentícula*.] ◆ **Lente anastigmática.** *Ópt.* Lente composta que não tem astigmatismo. **Lente anesférica.** *Ópt.* Aquela em que as superfícies refratoras não são esféricas. **Lente aplanética.** *Ópt.* Lente corrigida para aberração cromática e esférica. **Lente apocromática.** *Ópt.* Lente corrigida para aberração cromática em três comprimentos de onda. **Lente azulada.** *Fot.* Lente de objetiva fotográfica, recoberta por uma camada antirrefletora e que tem uma coloração azul quando examinada por reflexão. **Lente bicôncava.** *Ópt.* Lente divergente com as duas superfícies côncavas e a espessura na parte central menor que nas bordas. **Lente biconvexa.** *Ópt.* Lente convergente com as duas superfícies convexas e a espessura na parte central maior que nas bordas. **Lente bifocal.** *Ópt.* Lente com dois focos diferentes. **Lente coletora.** *Ópt.* Lente de campo. **Lente colimadora.** *Ópt.* A que tem a função de colimar um feixe luminoso. [Tb. se diz apenas *colimadora*.] **Lente composta.** *Ópt.* Sistema formado por duas ou mais lentes justapostas ou acopladas. **Lente convergente.** *Ópt.* A que tem potência positiva; a que forma uma imagem real de um objeto no infinito. **Lente de campo.** *Ópt.* Num instrumento óptico, lente que forma a imagem da pupila de entrada na pupila de saída; lente coletora. **Lente de contato.** *Ópt.* Disco de matéria plástica especial, côncavo de um lado e convexo do outro, que se aplica diretamente sobre a córnea a fim de corrigir certos vícios de refração. **Lente delgada.** *Ópt.* A que tem os planos principais coincidentes, e cuja espessura é, portanto, pequena em relação aos raios das superfícies refratoras. **Lente divergente.** *Ópt.* A que tem potência negativa, que forma uma imagem virtual de um objeto no infinito. **Lente eletrônica.** *Eletrôn.* Dispositivo em que campos elétricos e/ou magnéticos, com distribuição apropriada de linhas de força, provocam a deflexão de feixes de elétrons. **Lente eletrostática.** *Eletrôn.* Lente eletrônica construída por um campo elétrico obtido pela aplicação de tensões elétricas entre eletrodos metálicos de diferentes formas. **Lente espessa.** *Ópt.* Aquela em que os planos principais não coincidem, e cuja espessura é grande, portanto, diante dos raios das superfícies refratoras. **Lente gravitacional.** *Astr.* Efeito devido a campo gravitacional muito intenso numa região com grande densidade de matéria e que causa desvio significativo em raios de luz, como uma lente, gerando imagens deformadas de estrelas ou galáxias mais distantes situadas na mesma direção em relação ao observador. **Lente hemissimétrica.** *Ópt.* Lente composta, constituída por duas partes, sendo uma delas uma imagem especular ampliada da outra. **Lente hipercromática.** *Ópt.* Aquela que tem um pequeno cromatismo para as raias F e C, destinado a compensar a aberração cromática em outras regiões do espectro. **Lente holossimétrica.** *Ópt.* Lente hemissimétrica em que a razão de ampliação é igual à unidade. **Lente plano-côncava.** *Ópt.* Lente esférica em que uma superfície é plana e a outra, esférica e com a convexidade voltada para o plano. **Lente plano-convexa.** *Ópt.* Lente esférica em que uma superfície é plana e a outra, esférica e com a concavidade voltada para o plano. **Lente supercromática.** *Ópt.* A que é corrigida para aberração cromática numa faixa relativamente grande do espectro. **Lente toroidal.** *Ópt.* Aquela em que uma das superfícies refratoras é toroidal, e a outra, plana ou esférica.

lente[2] [Do lat. *legente*, 'que lê'.] *Adj. 2 g.* **1.** *Ant.* V. *leitor* (1). ● *S. 2 g.* **2.** *Obsol.* Professor de escola superior ou secundária. **3.** *Ant.* V. *leitor* (2).

lentear [De *lento* (1 a 5) + *-ear*[2].] *V. t. d.* Tornar lento, vagaroso: *lentear o andamento de uma música*. [Conjug.: v. *frear*.]

lenteiro [De *lento* + *-eiro*.] *S. m.* Terra úmida e pantanosa.

lentejar [De *lento* + *-ejar*.] *V. t. d.* **1.** Umedecer; lentar. *Int.* **2.** Tornar-se um tanto úmido; lentar. [Conjug.: v. *pelejar*. É m. us. como defect., só nas 3.as pess.]

lentejoila *S. f.* V. *lentejoula*: "prendeu o lenço na sua cinta bordada de lentejoilas" (Aluísio Azevedo, *Pegadas*, p. 196).

lentejoilamento *S. m.* V. *lentejoulamento*.

lentejoilante *Adj. 2 g.* V. *lentejoulante*.

lentejoilar *V. t. d.* V. *lentejoular*.

lentejoula [Do esp. *lentejuela*, dim. de *lenteja* (< lat. tard. *lenticula*).] *S. f.* Pequena palheta de metal, de madrepérola ou de matéria plástica, circular e furada, que se cose ao tecido para o enfeitar, dando-lhe um aspecto cintilante; paetê. [Var.: *lentejoila, lantejoula, lantejoila*.]

lentejoulamento [De *lentejoular* + *-mento*.] *S. m.* Ato ou efeito de lentejoular. [Var.: *lantejoilamento, lantejoulamento, lentejoilamento*.]

lentejoulante [De *lentejoular* + *-nte*.] *Adj. 2 g.* Que brilha como lentejoula. [Var.: *lantejoilante, lantejoulante, lentejoilante*.]

lentejoular [De *lentejoula* + *-ar*[2].] *V. t. d.* **1.** Enfeitar de lentejoulas. **2.** Brilhar como lentejoula. [Var.: *lantejoular, lantejoilar, lentejoilar*.]

lentescente [Do lat. *lentescente*.] *Adj. 2 g.* Viscoso, pegajoso.

lentescer [Do lat. *lentescere*.] *V. t. d. Int.* V. *lentar*. [Conjug.: v. *crescer*.]

lenteza (ê) [De *lento* + *-eza*.] *S. f. P. us.* V. *lentidão*: "Os nossos clássicos escreviam com lenteza e com vagar é que compunham." (João Ribeiro, *Páginas de Estética*, p. 137.)

▲ **lent(i)-** [Do lat. *lĕntus, a, um*.] *El. comp.* = 'lento', 'calmo', 'vagaroso': *lentígrado*.

lentibulariácea [Do tax. *Lentibularia* + *-ácea*; tax. *Lentibulariaceae*.] *S. f. Bot.* Espécime das lentibulariáceas, família de dicotiledôneas escrofulariales, que abrange delicadas plantas herbáceas próprias das águas doces ou de lugares muito úmidos, raramente dotadas de raízes, e com folhas normais e transformadas em utrículos, flores vistosas, hermafroditas, pentâmeras e zigomorfas, corola bilabiada e calcarada, androceu com dois estames, e fruto capsular. Ocorrem quase 250 espécies nas terras tropicais e temperadas, muitas delas no Brasil.

lentibulariáceo [De *lentibulariácea*, com var. suf. (v. *-áceo*).] *Adj. Bot.* Pertencente ou relativo às lentibulariáceas.

lenticela [Do fr. *lenticelle*.] *S. f. Bot.* Pequena abertura na periderme das plantas lenhosas, cercada de rebordo e bem visível, que permite as trocas gasosas e é constituída de células suberizadas e frouxamente agregadas; lentícula, lentilha.

lenticelado [De *lenticela* + *-ado*[1].] *Adj. Bot.* Que tem lenticelas.

lêntico [De *lento* + *-ico*[2].] *Adj. Ecol.* **1.** Diz-se de ambiente de água parada. **2.** Diz-se de organismo que nele vive. [Opõe-se a *lótico*.]

lentícula [Do lat. tard. *lenticula*, por via erudita.] *S. f.* **1.** Lente[1] pequena. **2.** *Bot.* V. *lenticela*.

lenticular [Do lat. *lenticulare*.] *Adj. 2 g.* **1.** Que tem forma de lente ou de lentilha; lentiforme. ● *S. m.* **2.** Instrumento com que se fura o casco dos animais.

lentidão [Do lat. *lentitudine*.] *S. f.* **1.** Qualidade do que é lento. **2.** Vagar, morosidade, pachorra; demora. **3.** Umidade leve; lentura. [Sin. ger., p. us.: *lenteza* e *lentor*.]

lentiforme [De *lente*[1] + *-iforme*.] *Adj. 2 g.* Lenticular (1). — V. *buril* —.

lentigem [Do lat. *lentigine*.] *S. f.* V. *sarda*[2]: "Sardas, lentigens não escuras, mas também não tão claras" (José Sarney, *Norte das Águas*, p. 31).

lentiginoso (ô) [Do lat. *lentiginosu*.] *Adj.* V. *sardento*.

lentigo [Do lat. *lentigo* (nom.).] *S. m.* V. *sarda*[2].

lentígrado [De *lent(i)-* + *-grado*[1].] *Adj.* Que caminha lentamente. [Sin. (poét.): *tardígrado*. Antôn.: *citígrado*.]

lentilha [Do lat. tard. *lenticula*, por via pop.] *S. f.* **1.** *Bot.* Pequena trepadeira fabácea (*Lens esculenta*) anual, de origem asiática, cultivada universalmente, de folhas penadas, com folíolos minutos, flores pequenas, alvacentas ou algo violáceas, e legume curto, com uma ou duas sementes discoides, muito apreciadas como alimento. **2.** *Bot.* Semente dessa leguminosa. **3.** *Bot.* V. *lenticela*. **4.** *Geol.* Forma que tomam certos depósitos entre camadas estratificadas. **5.** Pellet (2) (q. v.).

lentilha-d'água *S. f. Bot.* Designação comum a várias espécies lemnáceas, do gênero *Lemna*, que vivem flutuando sobre as águas paradas e são as menores plantas floríferas; lemna. [Pl.: *lentilhas-d'água*.]

lentilha-do-campo *S. f. Bras. Bot.* Erva fabácea (*Aeschynomene hystrix*) recoberta de pelos ásperos, que habita regiões campestres, e é dotada de folhas com vários folíolos oblongos, flores pequeninas e ordenadas em cachos, e legume articulado. [Pl.: *lentilhas-do-campo*.]

lentilhoso (ô) [De *lentilha* + *-oso*.] *Adj.* Abundante em lentilhas.

lentiscal [De *lentisco* + *-al*[1].] *S. m. Lus.* Terreno onde crescem lentiscos em abundância; lentisqueira.

lentisco [Do lat. *lentiscu*.] *S. m. Lus. Bot.* Aroeira-da-praia.

lentisqueira [De *lentisco* + *-eira*.] *S. f. Lus.* Lentiscal.

lentivirino [Adapt. do tax. *Lentivirinae*.] *Microbiol. S. m.* **1.** Espécime dos lentivirinos, subfamília de vírus retrovirídeos, que abrange um único gênero, o *lentivírus*. ● *Adj.* **2.** Pertencente ou relativo a eles.

lentivírus [De *lent(i)-* + *vírus*; tax. *Lentivirus*.] *S. m. 2 n. Microbiol.* **1.** Gênero de vírus da subfamília dos lentivirinos. 2. Qualquer das espécies desse gênero, todas elas causadoras de infecção persistente que resulta, caracteristicamente, em doença crônica progressiva e, ger., fatal; abrangem vírus de imunodeficiência humana, imunodeficiência símia, imunodeficiência felina, etc. 3. Qualquer espécime desse gênero.

lento [Do lat. *lentu.*] *Adj.* 1. Vagaroso, moroso, demorado. 2. Vagaroso, pausado, compassado: *O orador causou impressão por seus movimentos lentos mas enérgicos.* [Antôn. (nessas acepçs.): *célere.*] 3. Que se processa com vagar, com lentidão: *morte lenta.* 4. Fraco ou espaçado: *pulso lento.* 5. Pachorrento, ronceiro; preguiçoso. 6. Pouco agitado; brando, manso: *Um vento ora rijo, ora lento, soprou toda a manhã.* 7. Pouco rijo; mole, frouxo. 8. Levemente molhado; úmido: *corpo lento.* ~ V. *câmara —a, cortina —a, explosivo —, fogo — e pano —.* ● *Adv.* 9. *Mús.* Vagarosamente, num andamento entre o largo e o adágio. ● *S. m.* 10. *Mús.* Peça musical executada nesse andamento. ◆ **Lento e lento.** Pouco a pouco; gradualmente; lentamente; lento lento: "E Santa Luzia, deserta, foi emudecendo com um corpo que, lento e lento, esmorece e expira." (Coelho Neto, *Sertão*, p. 98.) **Lento lento.** V. *lento e lento.*

▲ **-lento** [Do lat. *-(l)entu.*] *Suf. nom.* = 'provido ou cheio de'; 'que tem o caráter de': *virulento* (< lat.). [Equiv.: *-ent(o)-, -ento*: *velhentado; gafeirento, pedrento.*]

lentor (ô) [Do lat. *lentore*, 'flexibilidade'.] *S. m. P. us.* V. *lentidão.*

lentura [De *lento* (8) + *-ura.*] *S. f.* 1. Leve umidade; lentidão. 2. Orvalho, relento.

leoa (ô) [Voc. calcado no arc. *leom*, seg. o padrão vernáculo; ou lat. *leaena* não poderia dar *leoa.*] *S. f.* 1. *Zool.* A fêmea do leão (1) (q. v.). 2. *Fig.* Mulher corajosa, valente, ousada.

leoba *S. f. Bras.* Paquete (3).

leobertense *Adj. 2 g.* 1. De, ou pertencente ou relativo a Leoberto Leal (SC). ● *S. 2 g.* 2. O natural ou habitante de Leoberto Leal.

leo-boqueirense *Adj. 2 g.* 1. De, ou pertencente ou relativo a Boqueirão do Leão (RS). ● *S. 2 g.* 2. O natural ou habitante de Boqueirão do Leão. [Pl.: *leo-boqueirenses.*]

leocádio [Do antr. *Leocádio*, poss.] *S. m. Bras. BA* V. *candeeiro* (1). [Cf. *leucádio.*]

leoflorestano [Do lat. *leo*, 'leão', + *floresta* + *-ano*[1].] *Adj.* 1. De, ou pertencente ou relativo a Floresta dos Leões (PE), atual Carpina. ● *S. m.* 2. O natural ou habitante de Floresta dos Leões.

leonado [De *leão* + *-ado*[1], seg. o padrão erudito.] *Adj.* Da cor do leão; fulvo.

leonardesco (ê) [Do antr. *Leonardo (da Vinci)* + *-esco.*] *Adj.* De, ou pertencente ou relativo a Leonardo da Vinci (1452-1519), pintor, arquiteto e engenheiro militar italiano, considerado genial, ou próprio dele, de sua arte, de sua escola: "na [biblioteca] Ambrosiana revi o músico de Da Vinci, a leonardesca 'Beatrice d'Este' do De Predis" (Almeida Faria, *Cavaleiro Andante*, p. 108).

leônculo [De *leão* + *-culo*, seg. o padrão erudito.] *S. m.* Dim. de *leão* (1) (q. v.).

leone [Do lat. *leone*, poss.] *S. m.* Unidade monetária, e moeda, da República da Serra Leoa (África), dividida em 100 cêntimos.

leoneira [De *leão* + *-eira*, seg. o padrão erudito.] *S. f.* 1. Caverna de leões. 2. Jaula para leões.

leonense[1] *Adj. 2 g.* 1. De, ou pertencente ou relativo a Capão do Leão (RS). ● *S. 2 g.* 2. O natural ou habitante de Capão do Leão.

leonense[2] *Adj. 2 g.* 1. De, ou pertencente ou relativo a Minas do Leão (RS). ● *S. 2 g.* 2. O natural ou habitante de Minas do Leão.

leonês[1] [Do esp. *leonés.*] *Adj.* 1. De, pertencente ou relativo ao antigo reino ou à atual província de Leão (Espanha). ● *S. m.* 2. O natural ou habitante desse reino ou dessa província. 3. *Gloss.* Variedade do espanhol (3) falada em Leão. [Flex.: *leonesa* (ê), *leoneses* (ê), *leonesas* (ê). Cf. *lionês.*]

leonês[2] *Adj.* 1. Da, pertencente ou relativo à República da Serra Leoa (O. da África). ● *S. m.* 2. O natural ou habitante dessa república. [Flex.: *leonesa* (ê), *leoneses* (ê), *leonesas* (ê). Cf. *lionês.*]

leónico *Adj.* V. *leônico.* [Uso freq. em P.]

leônico [De *leão* + *-ico*[2], seg. o padrão erudito.] *Adj.* Relativo a leão; leonino.

leônidas-marquesense *Adj. 2 g.* 1. De, ou pertencente ou relativo a Capitão Leônidas Marques (PR). ● *S. 2 g.* 2. O natural ou habitante de Capitão Leônidas Marques. [Sin. ger.: *marquesense.* Pl.: *leônidas-marquesenses.*]

leonino[1] [Do lat. *leoninu.*] *Adj.* 1. Pertencente ou relativo ao leão, ou próprio dele, ou que o lembra: "Bela cabeleira leonina, castanha, ondeada, descendo sobre as orelhas" (Pedro Nava, *Beira-Mar*, p. 87); "Cabrera .... era incontestavelmente um cabo de guerra de mérito superior e de bravura leonina." (Bulhão Pato, *Memórias*, I, p. 21). 2. Desleal, pérfido. 3. Fraudulento, doloso: "A fúria, para consentir nesse casamento, aferrou-se às mais leoninas exigências; impôs condições as mais humilhantes para o futuro genro." (Aluísio Azevedo, *Livro de uma Sogra*, p. 2.) 4. Diz-se de, ou pertencente ou relativo ao indivíduo nascido sob o signo de Leão. ~ V. *contrato —, face —a e verso —.* ● *S. m.* 5. Indivíduo leonino (4).

leonino[2] [Do cognome *Leão* + *-ino*[1], seg. o padrão erudito.] *Adj.* De qualquer dos Papas cognominados Leão.

leonino[3] *Adj.* 1. De, ou pertencente ou relativo a Miguel Leão (PI). ● *S. m.* 2. O natural ou habitante de Miguel Leão.

leonístico [De *leão* + *-ist(a)-* + *-ico*[2], seg. o padrão erudito.] *Adj.* Relativo a leão (8), ou à associação a que pertence.

leontíase [Do gr. *leontíasis.*] *S. f. Med.* Fácies leonina vista na lepra lepromatosa, e que se deve à invasão nodular subcutânea da face, tornando-a semelhante à de leão. ◆ **Leontíase óssea.** *Med.* Hipertrofia óssea bilateral e simétrica, facial e craniana, que dá à cabeça aspecto que lembra a de leão.

leopardiano [Do antr. *Leopardi* + *-iano.*] *Adj.* 1. Relativo ou pertencente ao escritor italiano Giacomo Leopardi (1798-1837), ou próprio dele. 2. Que é seu admirador, seguidor, ou profundo conhecedor de sua obra. ● *S. m.* 3. Admirador, seguidor, ou profundo conhecedor da obra de Giacomo Leopardi.

leopardo [Do lat. tard. *leopardu.*] *S. m.* 1. *Zool.* Animal mamífero (*Panthera pardus*), carnívoro, felídeo, da África e Ásia. Lembra um grande gato doméstico, cabeça redonda, nariz pequeno, cauda fina e longa, garras finas e compridas, corpo amarelado, coberto com manchas pretas, muito variáveis de forma. [Sin., desus.: *pardo.* Cf. *pantera* (2).] 2. *Fig.* A nação inglesa.

leopoldense[1] *Adj. 2 g.* 1. De, ou pertencente ou relativo a São Leopoldo (RS). ● *S. 2 g.* 2. O natural ou habitante de São Leopoldo.

leopoldense[2] *Adj. 2 g.* 1. De, ou pertencente ou relativo a Leopoldo de Bulhões (GO). ● *S. 2 g.* 2. O natural ou habitante de Leopoldo de Bulhões.

leopoldinense[1] *Adj. 2 g.* 1. De, ou pertencente ou relativo a Leopoldina (MG). 2. Relativo à Estrada de Ferro Leopoldina ou à zona por ela servida. ● *S. 2 g.* 3. O natural ou habitante de Leopoldina.

leopoldinense[2] *Adj. 2 g.* 1. De, ou pertencente ou relativo a Colônia Leopoldina (AL). ● *S. 2 g.* 2. O natural ou habitante de Colônia Leopoldina.

leopoldinense[3] *Adj. 2 g.* 1. De, ou pertencente ou relativo a Santa Leopoldina (ES). ● *S. 2 g.* 2. O natural ou habitante de Santa Leopoldina. [Sin. ger.: *cachoeirano*[3].]

leopolense *Adj. 2 g.* 1. De, ou pertencente ou relativo a Leópolis (PR). ● *S. 2 g.* 2. O natural ou habitante de Leópolis.

➔ **le physique du rôle** [lə fi'zik dy ʀol] [Fr.] O físico ou aparência adequada ao papel ou função que desempenha: *Aquele ministro tem le physique du rôle.*

▲ **lepi-** V. *lepid(o)-.*

lepicena [De *lepi-* + *-cena.*] *S. f. Bot.* A gluma exterior das poáceas.

▲ **-lépide** [Do gr. *lepís, ídos*, pelo lat. cient.] V. *lepid(o)-.*

lepidez (ê) [De *lépido* + *-ez.*] *S. f.* Qualidade de lépido.

▲ **lepid(o)-** [Do gr. *lepís, ídos.*] *El. comp.* = 'casca'; 'escama': *lepidocarpo, lepidócero.* [Equiv.: *lepi-, -lépide, -lepid(o)-*: *lepicena, tetralépide; centrolepidácea.*]

▲ **-lepid(o)-** V. *lepid(o)-.*

lépido [Do lat. *lepidu*, 'engraçado', 'jovial'.] *Adj.* 1. Risonho, jovial, alegre: "Também se era preciso, passava muito a gosto a noute em claro: e no dia seguinte estava lépido e bem-disposto, como se não houvera novidade." (Visconde de Taunay, *Histórias Brasileiras*, p. 187.) 2. Gracejador, motejador. 3. Ligeiro, lesto, ágil: "Ginoca, lépida como uma cabrita, descia ao curral e vinha puxando a vaca" (Júlia Lopes de Almeida, *Ânsia Eterna*, p. 68).

lepidocarpo [De *lepid(o)-* + *-carpo.*] *Adj. Bot.* Que tem frutos escamosos.

lepidocentrídeo [Do tax. *Lepidocentrus* + *-ídeo*[1]; tax. *Lepidocentridae.*] *Paleont. S. m.* 1. Espécime dos lepidocentrídeos, família de animais precursores dos ouriços, que habitaram o devoniano e o carbonífero da América do Norte. ● *Adj.* 2. Pertencente ou relativo a eles.

lepidocentroide (ói) [De *lepid(o)-* + *-centr(o)-* + *-oide*; tax. *Lepidocentroidae.*] *Paleont. S. m.* 1. Espécime dos lepidocentroides, ordem de animais equinodermos, equinoides, com 5 até 11 filas de placas ambulacrárias, que habitaram a Europa e a América do Norte no devoniano e carbonífero. ● *Adj. 2 g.* 2. Pertencente ou relativo a eles. ❖

lepidócero [De *lepid(o)-* + *-cero.*] *Adj. Zool.* Que tem pequenas escamas nas antenas.

lepidodendrácea [Do tax. *Lepidodendron* (v. *lepid(o)-* e *-dendro*) + *-ácea*; tax. *Lepidodendraceae.*] *Paleont. S. f.* Espécime das lepidodendráceas, família de pteridófitos que se desenvolveram muito do devoniano até o fim do carbonífero, e que eram fetos de grandes dimensões, com órgãos reprodutores ordenados em estróbilos.

lepidodendráceo [De *lepidodendrácea*, com var. suf. (v. *-áceo*).] *Adj. Paleont.* Pertencente ou relativo às lepidodendráceas.

lepidodendral [Do lat. cient. *Lepidodendr-* (v. *lepidodendrale*) + *-al*[1].] *Adj. 2 g. Paleont.* Pertencente ou relativo às lepidodendrales.

lepidodendrale [Do tax. *Lepidodendron* (v. *lepid(o)-* e *-dendro*) + *-ale*; tax. *Lepidodendrales.*] *Paleont. S. f.* Espécime das lepidodendrales, ordem de plantas arborescentes surgidas no devoniano inferior que se caracterizavam pela ramificação dicotômica tanto na formação da copa, quanto na dos espessos órgãos radiciformes que as sustinham, e que constituíram um elemento conspícuo na flora do carbonífero.

lepidóideo [De *lepid(o)-* + *-óideo.*] *Adj.* Semelhante a escamas.

lepidolita [De *lepid(o)-* + *-lita.*] *S. f. Min.* Mineral monoclínico do grupo das micas, fluossilicato hidratado de alumínio, lítio e potássio, empregado no preparo de compostos de lítio.

lepidóptero [De *lepid(o)-* + *-ptero*; tax. *Lepidoptera.*] *Zool. S. m.* 1. Espécime dos lepidópteros, ordem de artrópodes holometabólicos cujo sistema bucal, no adulto, é formado por uma tromba espiralada. Têm quatro asas membranosas, recobertas de escamas; as larvas, eruciformes, fitófagas, têm sistema bucal mastigador; a pupa é de forma variável, alojada em casulo ou crisálida. São as borboletas e as mariposas. ● *Adj.* 2. Pertencente ou relativo a eles. [Sin. ger.: *glossado.*]

lepidopterologia [De *lepidóptero* + *-logia.*] *S. f.* Parte da zoologia que trata dos insetos lepidópteros.

lepidopterológico [De *lepidopterologia* + *-ico*[2].] *Adj.* Referente à lepidopterologia.

lepidopterologista [De *lepidopterologia* + *-ista.*] *S. 2 g.* Especialista em lepidopterologia; lepidopterólogo.

lepidopterólogo [De *lepidóptero* + *-logo.*] *S. m.* Lepidopterologista.

lepidossáurio [De *lepid(o)-* + *-saur(o)-* + *-io*[3]; tax. *Lepidosauria.*] *Zool. S. m.* 1. Espécime dos lepidossáurios, subclasse de reptis que reúne os ofídios e os sáurios, caracterizados por abertura cloacal situada transversalmente e protegida por placa. ● *Adj.* 2. Pertencente ou relativo a eles.

lepidossirenídeo [Do tax. *Lepidosiren* + *-ídeo*[1]; tax. *Lepidosirenidae.*] *Zool. S. m.* 1. Espécime dos lepidossirenídeos, família de peixes osteíctes, coanictes, dipnoicos, de pulmão duplo, escamas pequenas e nadadeiras filamentosas, e que compreende uma única espécie (v. *piramboia*). ● *Adj.* 2. Pertencente ou relativo a eles. [Sin. ger.: *dipnêumone* e *lepidossirênio.*]

lepidossirénio *S. m. Adj. Zool.* V. *lepidossirênio.* [Uso freq. em P.]

lepidossirênio [Do tax. *Lepidosiren* + *-io*[3].] *S. m. Adj. Zool.* V. *lepidossirenídeo.*

lepidoto [Do gr. *lepidotós*, 'coberto de escamas'.] *Adj.* 1. *Bot.* Escamoso (2). 2. *Zool.* Que é coberto de escamas, ou de pelos peltados, escamiformes.

▲ **-lépis** V. *lepid(o)-.*

lepisma[1] [Do gr. *lépisma*, 'casca (de fruta)', 'córtex'.] *S. m. Bot.* Escama membranosa que ocorre na base do ovário de certas plantas.

lepisma[2] [Do tax. *Lepisma.*] *Zool. S. m.* 1. O gênero-tipo da família dos lepismatídeos. 2. Qualquer espécie desse gênero, como, p. ex., a *Lepisma saccharina* [v. *traça*[1] (1)]. 3. Qualquer espécime desse gênero.

lepismatídeo [Do lat. cient. *Lepismat-* (do tax. *Lepisma* [do gr. *lépisma, atos*, 'casca']) + *-ideo*[1]; tax. *Lepismatidae.*] *Zool. S. m.* 1. Espécime dos lepismatídeos, família de insetos tisanuros, ápteros, que destroem tecidos e papel. São as traças. ● *Adj.* 2. Pertencente ou relativo a eles.

lepisosteídeo [Do tax. *Lepisosteus*, gênero-tipo, + *-ídeo*[1]; tax. *Lepisosteidae.*] *Zool. S. m.* 1. Espécime dos lepisosteídeos, família de peixes semionotiformes, de água doce e salobra, de corpo cilíndrico, nadadeira caudal arredondada, nadadeiras dorsal e anal muito próximas da extremidade posterior do corpo, escamas ganoides, vértebras opistocelas e boca prolongada em focinho longo. ● *Adj.* 2. Pertencente ou relativo a eles.

lepisosteiforme [Do tax. *Lepisosteus* + *-iforme*; tax. *Lepisosteiformes.*] *S. m. Adj. 2 g. Zool.* V. *semionotiforme.*

▲ **lepo-** [Do gr. *lépos, eos-ous*, 'fava'; 'casca'.] *El. comp.* = 'casca', 'escama': *lepisma* (< gr.). [Equiv.: *-lep(o)-*: *alepocéfalo.*]

▲ **-lep(o)-** Equiv. de *lepo-.*

leporídeo [Do lat. cient. *Lepor-* (do lat. *lepus, leporis*, 'lebre') + *-ídeo*[1]; tax. *Leporidae.*] *Zool. S. m.* 1. Espécime dos leporídeos, família de mamíferos roedores, lagomorfos, que têm quatro incisivos superiores e dois inferiores, e à qual pertencem a lebre e o coelho. ● *Adj.* 2. Pertencente ou relativo a eles.

leporino [Do lat. *leporinu*.] *Adj.* Relativo à, ou próprio da lebre. ~ V. *lábio* —.

lepra [Do gr. *lépra*, pelo lat. *lepra*.] *S. f.* 1. *Patol.* V. *hanseníase*. 2. *Pop.* Sarna de cachorro. 3. *Fig.* Vício que se propaga como a lepra. 4. *Bras. S. Fig.* Pessoa ruim, imprestável.

▲ **lepr(o)-** [Do lat. *lepra, ae* (< gr. *lépra, as*) + *-o-*.] *El. comp.* = 'lepra': *leprologia*. [Equiv.: *-lepr(o)-*: *antileprótico*.]

▲ **-lepr(o)-** Equiv. de *lepr(o)-*.

leprologia [De *lepr(o)-* + *-logia*.] *S. f.* Parte da medicina que se ocupa da lepra.

leprológico [De *leprologia* + *-ico*[2].] *Adj.* Referente à leprologia.

leprologista [De *leprologia* + *-ista*.] *S. 2 g.* Especialista em lepra; leprólogo.

leprólogo [De *lepr(o)-* + *-logo*.] *S. m.* Leprologista.

leproma [De *lepr(o)-* + *-oma*[1].] *S. m. Patol.* Nódulo granulomatoso superficial produzido pelo *Mycobacterium leprae*, e que constitui a lesão característica da hanseníase.

leprosaria [De *leproso* + *-aria*.] *S. f.* V. *leprosário*.

leprosário [De *leproso* + *-ário*.] *S. m.* Hospital ou colônia a que eram recolhidos leprosos, para tratamento e isolamento. [Sin.: *gafaria, leprosaria, leprosório* e (ant.) *lazareto*.]

leproso (ô) [Do lat. tard. *leprosu*.] *Adj.* 1. Que tem lepra (1); morfético, garro, hanseniano, lazarento, lazarado e (bras.) camunhengue, maldelazento, macotena, macuteno. 2. Da natureza da lepra: *sarna leprosa*. 3. *P. ext.* Nojento, asqueroso, repugnante. 4. *Fig.* Vicioso, corruto. ● *S. m.* 5. Aquele que tem lepra; morfético, hanseniano, lázaro, lazarento, lazarado e (bras.) camunhengue, maldelazento, macotena, macuteno. 6. Indivíduo leproso (2 e 3).

leprosório [De *leproso* + *-ório*.] *S. m.* V. *leprosário*.

leprótico [Do ingl. *leprotic*.] *Adj.* De, causado por, ou que tem lepra; leproso.

▲ **-lepse** [Do gr. *-lēpsis* < gr. *lēpsis, eōs*.] *El. comp.* = 'ação de agarrar, de receber'; 'ação sobre o organismo'; 'acesso'; 'que prende'; 'que exerce certo efeito sobre o organismo'; 'relativo a (termo em *-lepse*)': *analepse, prolepse, silepse*. [Equiv.: *-leps(i)-*; *-léptico*: *narcolepsia*; *neuroléptico*.]

▲ **-leps(i)-** V. *-lepse*.

leptão *S. m. Fís. Part.* V. *lépton*. [Uso freq. em P. Pl.: *leptões*.]

▲ **-léptico** [Do gr. *lēptikós, ē, ón*.] V. *-lepse*.

leptinito [De *lept(o)-* + *-in(o)-*[1] + *-ito*[2].] *S. m. Petr.* Rocha metamórfica de textura semelhante à do gnaisse, formada de faixas paralelas de composição mineralógica diferente.

leptito [De *lept(o)-* + *-ito*[2].] *S. m. Petr.* Rocha metamórfica finamente granulada, composta essencialmente de quartzo e feldspato, e que pode conter alguns minerais fêmicos e derivar de antigos tufos ou de rochas porfiríticas ácidas.

▲ **lept(o)-** [Do gr. *lepto-* < gr. *leptós, ē, ón*.] *El. comp.* = 'delgado', 'miúdo', 'magro', 'alongado'; 'delicado': *leptofilo* (< gr.), *leptoprosopia*.

leptocárdio [De *lept(o)-* + *-cárdio*; tax. *Leptocardii*.] *Zool. S. m.* 1. Espécime dos leptocárdios, classe de animais cordados, acrânios, cefalocordados, delicados, segmentados. Epiderme com uma camada única, desprovida de escamas; fendas branquiais numerosas. São considerados, por alguns, como pertencentes à mais baixa divisão dos vertebrados. [Cf. *cefalocordado* e *anfioxo*.] ● *Adj.* 2. Pertencente ou relativo a eles.

leptoceratope [Do tax. *Leptoceratops*.] *S. m. Paleont.* 1. Gênero de pequenos dinossauros cujo crânio tinha carapaça córnea com pequena excrescência na parte posterior, e que eram dotados de membros anteriores curtos, e longos membros posteriores, podendo, poss., correr em posição bipedal; tinham de 1,20m a 2,7m de comprimento, e viveram no cretáceo da América do Norte. 2. Espécie ou espécime desse gênero.

leptocúrtico [Do ingl. *leptokurtic*.] *Adj. Estat.* Diz-se da curva de frequência menos achatada que a curva normal ou de Gauss.

leptodactilídeo [Do tax. *Leptodactylus* + *-ídeo*[1]; tax. *Leptodactylidae*.] *Zool. S. m.* 1. Espécime dos leptodactilídeos, família de anfíbios anuros em que figuram rãs arborícolas, de vértebras procélicas, e outras que vivem em locas; de rápida metamorfose e adaptadas a condições áridas, seu organismo retém água. A menor rã que se conhece, que mede cerca de 1cm (*Sminthillus limbatus*), é desta família, que tem tb. espécimes grandes e vorazes. Habitam a Austrália, a América tropical e a África meridional. ● *Adj.* 2. Pertencente ou relativo a eles.

leptodonte [De *lept(o)-* + *-odonte*.] *Adj. 2 g. Zool.* Que tem dentes miúdos.

leptofilo [Do gr. *leptóphyllos*.] *Adj. Bot.* Diz-se da planta que tem folhas delgadas.

leptolepídeo [Do tax. *Leptolepis* (< *lept(o)-* + *-lépis*), gênero-tipo, + *-ídeo*[1]; tax. *Leptolepidae*.] *Paleont. S. m.* 1. Espécime dos leptolepídeos, família de peixes actinopterígios, fisóstomos, de pequeno porte e cujo corpo era coberto de finas escamas ganoides; viveram no jurássico e no cretáceo. ● *Adj.* 2. Pertencente ou relativo a eles.

leptolínida [Do tax. *Leptolinida*.] *S. m. Adj. 2 g. Zool.* V. *hidroide*.

leptologia [Do gr. *leptología*.] *S. f.* 1. *E. Ling.* Discurso delicado, fino, sutil. 2. Estilo minucioso e culto.

leptológico [De *leptologia* + *-ico*[2].] *Adj.* Referente à leptologia.

leptomedusa [De *lept(o)-* + *medusa*; tax. *Leptomedusae*.] *S. f. Zool.* Espécime das leptomedusas, subordem de cnidários hidrozoários, cuja teca forma cálices em torno dos pólipos. Têm urna protetora para os gonóforos. [Sin.: *caliptoblasto, campanulário*.]

leptomedúseo [De *leptomedusa* + *-eo*.] *Adj. Zool.* Pertencente ou relativo às leptomedusas. [Sin.: *caliptoblasto, campanulário*.]

leptomeninge [De *lept(o)-* + *meninge*.] *S. f. Anat.* Denominação dada à aracnoide e à pia-máter reunidas.

leptomeningite [De *leptomeninge* + *-ite*.] *S. f. Patol.* Inflamação da aracnoide e da pia-máter.

leptomórfico [De *lept(o)-* + *-morf(o)-* + *-ico*[2].] *Adj.* ~ V. *cristal* —.

lépton [Do gr. *leptón*, neutro de *leptós, ē, ón*, 'fino, estreito'; ingl. *lepton*.] *S. m. Fís. Part.* Férmion que não sofre interação forte e interage com outras partículas através de interações fracas, eletromagnéticas ou gravitacionais. São léptons: o elétron, o múon, o tau, e os neutrinos associados a cada uma dessas partículas. O número de léptons se conserva nas interações entre partículas. Para cada lépton existe uma antipartícula equivalente.

leptónico *Adj. Fís.* V. *leptônico*. [Uso freq. em P.]

leptônico [De *lépton* + *-ico*[2].] *Adj. Fís. Part.* Referente ao lépton. ~ V. *número* —.

leptoprosopia [De *lept(o)-* + *-prosop(o)-* + *-ia*[1].] *S. f. Antropom.* Conjunto de características faciais que inclui face estreita, órbitas pequenas e redondas, nariz longo, narinas estreitas e boca pequena, sendo o índice facial superior a 90.

leptoprosopo (zô) [De *lept(o)-* + *-prosopo*.] *Adj. S. m. Antropom.* Diz-se de, ou indivíduo que apresenta leptoprosopia.

leptorrinia [De *leptorrino* + *-ia*[1].] *S. f. Antropom.* Qualidade ou estado de leptorrino. [Cf. *platirrinia* e *mesorrinia*.]

leptorrino [De *lept(o)-* + *-rino*.] *Adj. S. m. Antropom.* Diz-se de, ou indivíduo de nariz proeminente, alongado e estreito, cujo índice nasal é inferior a 48. [Os brancos são quase todos leptorrinos. Cf. *platirrino* e *mesorrino*.]

leptospira [Do tax. *Leptospira* (v. *lepto-* e *-spira*).] *S. f. Microbiol.* 1. Gênero de bactérias patogênicas para o homem e outros mamíferos, que ger. ocorrem em roedores que sejam reservatório de infecções. 2. Qualquer espécie desse gênero, como, p. ex., a *L. interrogans*, que é portadora de todas as cepas patogênicas do gênero. 3. Qualquer espécime desse gênero.

leptospirácea [Do tax. *Leptospira* + *-ácea*; tax. *Leptospiraceae*.] *S. f. Microbiol.* Espécime das leptospiráceas, família de bactérias espiroquetales que consistem em células helicoides flexíveis, aeróbicas, que utilizam cadeias longas de ácidos graxos ou álcoois para desenvolvimento; têm um gênero apenas, a leptospira.

leptospiráceo [De *leptospirácea*, com var. suf. (v. *-áceo*).] *Adj. Microbiol.* Pertencente ou relativo às leptospiráceas.

leptospirose [De *leptospira* + *-ose*[1].] *S. f. Patol.* Infecção produzida por sorogrupo da *Leptospira interrogans* [v. *leptospira* (2)].

leptosporangiado [De *lept(o)-* + *esporângio* + *-ado*[1].] *Adj. Bot.* Em que cada esporângio é formado a partir de uma única célula epidérmica.

leptossómico *Adj. S. m.* V. *leptossômico*. [Uso freq. em P.]

leptossômico [De *leptossomo* + *-ico*[2].] *Adj. S. m.* Na classificação biotipológica de Ernst Kretschmer (1888-1964), psiquiatra alemão, diz-se de, ou tipo corporal magro e esbelto, correspondente ao caráter esquizotímico; leptossomo, longilíneo.

leptossomo [De *lept(o)-* + *-somo*.] *Adj. S. m.* V. *leptossômico*.

leptoteno [De *lept(o)-* + *-teno*.] *S. m. Citol. Genét.* Primeiro estágio da prófase da meiose, na qual os cromossomos ainda apresentam pouca condensação e não estão pareados.

leptotério [De *lept(o)-* + *-tério*; tax. *Leptotherium*.] *S. m. Paleont.* 1. Gênero de mamíferos liptoternos encontrados nas cavernas de Lagoa Santa (MG). Eram, poss., ruminantes, e semelhantes ao antílope. 2. Espécie ou espécime desse gênero.

leptotiflopídeo [Do tax. *Leptotyphlops*, gênero-tipo, + *-ídeo*[1]; tax. *Leptotyphlopidae*.] *Zool. S. m.* 1. Espécime dos leptotiflopídeos, família de reptis ofídios que se assemelham aos tiflopídeos e têm os mesmos hábitos que eles, mas que apenas têm dentes na mandíbula, e têm vestígios de membros posteriores por detrás do ânus. Há cerca de 40 espécies, que ocorrem na África e na América tropical, e são vulgarmente conhecidos como cobras-cegas [v. *cobra-cega* (2)]. ● *Adj.* 2. Pertencente ou relativo a eles.

leque [Do top. *Liú Kiú*, ilhas da Ásia, pelo port. ant. *lequio*, *i. e.*, *abano lequio*.] *S. m.* 1. Espécie de abano com varetas cobertas por uma faixa de papel ou pano especial e articuladas por um eixo comum na extremidade inferior, de modo que se pode abrir e fechar com facilidade, para agitar o ar; abanico. 2. Parte da escada onde a linha de piso apresenta curvatura. 3. Qualquer coisa que tem a forma ou a disposição de um leque aberto: "Os pavões abrem leques para o luar..." (Ronald de Carvalho, *Poemas e Sonetos*, p. 164); "Os leques das bananeiras, de novo tomaram formas humanas" (Ascenso Ferreira, *Catimbó e Outros Poemas*, p. 43); *Na sua cara há um leque de rugas*. 4. *Fig.* Conjunto de ideias, planos, sugestões, problemas, etc., que, partindo de um, se desdobram, como que à feição de um leque que se abre. 5. *Art. Gráf.* Defeito de composição, us. por vezes como recurso gráfico, em que uma das margens do texto composto apresenta entrelinhamento maior que a outra, ficando este com forma de leque. 6. *Zool.* Molusco bivalve, pectinídeo (*Chlamys nodosus*), da costa atlântica. A estrutura raiada da concha no sentido longitudinal e as faixas ou linhas semicirculares transversais dão-lhe o aspecto de um leque, motivo de seu nome popular. Nesta espécie, as conchas ou valvas são iguais. O gênero *Pecten*, com 14 espécies no Brasil, tem concha direita ou superior côncava e a esquerda ou inferior plana. Vivem no fundo, não se fixando nas rochas. 7. *Zool.* Molusco bivalve, pectinídeo (*Pecten maximus*), e outras espécies do gênero do Atlântico e Mediterrâneo, de valva direita branca e esquerda vermelha. É us. como alimento. [Sin., nesta acepç.: *pente, vieira*.] 8. V. *lecre*. ◆ **Leque de aluvião.** *Geol.* Cone de aluvião; cone de dejeção.

lequéssia [Alter. de *eloquência*, poss. E neste caso deveria ser grafado com *c* e não *ss*.] *S. f. Bras. GO Pop.* 1. V. *bebedeira* (1). 2. Vadiação, vadiagem, gandaia.

ler [Do lat. *legere*.] *V. t. d.* 1. Percorrer com a vista (o que está escrito) proferindo ou não as palavras, mas conhecendo-as: *Já leu todos os romances de Balzac*; "Leio Luís de Camões, o nosso poeta" (Odilo Costa Filho, *Boca da Noite*, p. 76). 2. Pronunciar em voz alta; recitar (o que está escrito). 3. Ver e estudar (coisa escrita). 4. Perceber (sinais, signos, mensagem) com a vista ou com o tato, compreendendo-lhes o significado: *ler um livro em braile*. 5. Observar (algo, ou certos sinais, características, etc.), percebendo, intuindo ou deduzindo a significação; decifrar ou interpretar o sentido de: *O paleógrafo leu com facilidade as inscrições antigas*; *Ouve mal, mas consegue ler os lábios de seus interlocutores*; *ler as linhas da mão para conhecer o destino*. 6. Adivinhar, predizer dessa maneira: *ler o futuro nas cartas*; *ler a sorte*. 7. Interpretar o aspecto de (radiografia), o resultado de (teste), etc. 8. Reconhecer, perceber; sentir: *Nada ele disse, porém a moça leu amor em seus olhos*. 9. Explicar ou prelecionar como professor: "As primeiras aulas públicas que existiram em Portugal, e nas quais se lia gramática, lógica e teologia, abriram-se no mosteiro de Alcobaça durante o reinado de Afonso III." (Ramalho Ortigão, *As Farpas*, I, p. 237.) 10. Realizar leitura (11) de; captar, em determinado suporte físico (uma sequência de signos aí marcados ou registrados, ou uma série de modificações de um sinal [22]), recuperando ou permitindo recuperar a informação nele armazenada: *A fita está tão velha que o gravador mal consegue lê-la*. 11. *Restr. Inform.* Copiar (informação presente em algum meio de armazenamento) para a memória principal do computador, onde a informação fica disponível para ser processada: *ler dados, arquivo, código, etc.*; *ler um disquete, uma etiqueta de código de barras, etc.* *Int.* 12. Ver as letras do alfabeto e juntá-las em palavras, repetindo-as mentalmente ou em voz alta: *Já está na escola, mas ainda não sabe ler*; "O mais do tempo é gasto em hortar, jardinar e ler" (Machado de Assis, *Dom Casmurro*, p. 5). ◆ **Ler no chumbo.** *Art. Gráf.* Revisar diretamente na composição tipográfica, sem dela tirar prova. [Irreg. Conjug.: v. *crer*. Pres. ind.: *leio, lês, lê*, etc.; imperf. ind.: *lia, lias, lia, líamos, líeis, liam*; perf.: *li, leste* (ê), *leu, lemos, lestes* (ê), *leram* (ê); fut. pret.: *leria*, etc.; pres. subj.: *leia, leias, leia, leiamos, leiais, leiam*. Cf. *lê*, s. m.; *liamos* e *liais*, do v. *liar*; *leste*, pl. *lestes*; *léu*, s. m.; *léria*, s. f.; *Leia*, antr. e top.; *leais*, pl. de *leal*; *Leais*, pl. do antr. *Leal*, e *Lemos*, antr.]

lerca [De or. obscura.] *S. f.* Vaca muito magra. ~ V. *lercas.*

lercas [Pl. de lerca.] *S. f. pl.* Pelancas, pelhancas. ~ V. *lerca.*

lerdaço [De *lerdo* + *-aço.*] *Adj.* V. *lerdo* (2).

lerdeador (ô) [De *lerdear* + *-dor.*] *Adj. S. m. Bras.* Que, ou aquele que lerdeia; vagaroso, descansado, pachorrento.

lerdear [De *lerdo* + *-ear*².] *V. int. Bras.* **1.** Andar devagar, mostrando-se lerdo; demorar-se. **2.** Perder tempo; descuidar-se. [Conjug.: v. *frear.*]

lerdeza (ê) [De *lerdo* + *-eza.*] *S. f. Bras.* Qualidade de lerdo, tardio nos movimentos; lerdice: "Desde manhã esta lerdeza, esta preguiça..." (Telmo Vergara, *Contos da Vida Breve*, p. 215.)

lerdice [De *lerdo* + *-ice.*] *S. f. Bras.* Lerdeza.

lerdo [Do cat. *llord*, pelo esp. *lerdo*, poss.] *Adj.* **1.** Lento ou pesado nos movimentos; pouco diligente; vagaroso. **2.** Tolo, aparvalhado, parvo, estúpido; lerdaço.

lereia (éi) [Alter. de *léria.*] *S. f. Bras.* Conversa vazia, oca.V. *conversa mole* (2). ❖

léria [De or. obscura.] *S. f.* **1.** Fala astuciosa; patranha, falácia, lábia. **2.** V. *conversa mole* (2). ● *S. 2 g.* **3.** Pessoa tagarela, mas sem serventia. [Cf. *leria*, do v. *ler.*]

lero-lero [De or. express.] *S. m. Bras. Gír.* V. *conversa mole* (2). [Pl.: *lero-leros.*]

leruê *S. m. Bras. CE* V. *maneiro-pau.*

lés [Do fr. ant. *lez* ou *les*, 'ao lado de', 'perto de'.] *El. s. m.* Us. nas expr. *de lés a lés* e *lés a lés*. ◆ **De lés a lés.** De um lado a outro; de ponta a ponta; completamente, inteiramente: "A aurora .... tomou o horizonte de lés a lés." (Aquilino Ribeiro, *Estrada de Santiago*, p. 257.) [Tb. se diz simplesmente *lés a lés.*] **Lés a lés.** De lés a lés: "Às vezes as comadres zangam-se e descobrem-se os segredos. Há insultos soezes varando lés a lés o ar pesado da ilha." (Papiniano Carlos, *Terra com Sede*, p. 231.)

lesado [Part. de *lesar.*] *Adj.* **1.** Que sofreu lesão. **2.** Ferido ou prejudicado física ou moralmente; leso. **3.** *Bras.* V. *leso* (3).

lesa-gramática [Do f. de *leso* (1) + *gramática.*] *S. f.* Atentado contra a gramática; violação das normas gramaticais. [Pl.: *lesas-gramáticas.*]

lesa-majestade [Do f. de *leso* (1) + *majestade.*] *S. f.* Crime de lesa-majestade. [Pl.: *lesas-majestades.*]

lesante [De *lesar* + *-nte.*] *Adj. 2 g.* **1.** Que lesa. ● *S. 2 g.* **2.** Pessoa que lesa, prejudica ou danifica.

lesão [Do lat. *laesione.*] *S. f.* **1.** Ato ou efeito de lesar. **2.** Pancada, contusão. **3.** Dano, prejuízo. **4.** Ofensa, injúria, ultraje. **5.** *Jur.* Violação de um direito. **6.** *Med.* Dano produzido em estrutura ou órgão. ◆ **Lesão corporal.** *Jur.* Ofensa à saúde ou à integridade corporal de alguém. **Lesão funcional.** *Med.* Aquela em que há alteração de função, sem que se encontre alteração anatômica. **Lesão orgânica.** *Med.* Aquela que apresenta alteração anatômica.

lesa-ortografia [Do f. de *leso* (1) + *ortografia.*] *S. f.* Atentado contra a ortografia; desrespeito às normas ortográficas. [Pl.: *lesas-ortografias.*]

lesa-pátria [Do f. de *leso* (1) + *pátria.*] *S. f.* Crime de lesa-pátria. [Pl.: *lesas-pátrias.*]

lesar [Do lat. **laesare*, freq. de *laedere*, 'prejudicar'.] *V. t. d.* **1.** Causar lesão a; ofender fisicamente; contundir; ferir: *O motorista lesou um transeunte.* **2.** Ofender, molestar. **3.** Ofender o crédito ou a reputação de. **4.** Violar o direito de. **5.** Prejudicar; desservir: *lesar o fisco.* *Int.* **6.** Mostrar-se leso ou pateta. **7.** Andar sem destino. V. *vaguear*¹ (1 e 2). *P.* **8.** Causar lesão a si mesmo.

lesa-razão [Do f. de *leso* (1) + *razão.*] *S. f.* Crime de lesa-razão. [Pl.: *lesas-razões.*]

lésbia [Fem. de *lésbio* (1).] *S. f.* Lésbica.

lesbíaco [Do lat. *lesbiacu.*] *Adj.* **1.** Lésbico (2 e 3). **2.** V. *lésbio* (1). ● *S. m.* **3.** Lésbio (3).

lesbiana [F. subst. de *lesbiano.*] *S. f.* Lésbica.

lesbianismo [De *lesbiano* + *-ismo.*] *S. m.* Homossexualismo feminino; safismo. [Cf. *tribadismo.*]

lesbiano [Do top. *Lesbos*, ilha grega, + *-iano.*] *Adj.* **1.** Lésbico (2 e 3). **2.** V. *lésbio* (1).

lésbica [F. subst. de *lésbico.*] *S. f.* Mulher homossexual.

lésbico [De *lésbio* + *-ico*².] *Adj.* **1.** V. *lésbio* (1). **2.** Diz-se do amor de uma mulher a outra; lesbíaco, lesbiano, lésbio. **3.** Diz-se da mulher homossexual.

lésbio [Do gr. *lésbios*, pelo lat. *lesbiu.*] *Adj.* **1.** De, ou pertencente ou relativo a Lesbos, ilha grega; lesbíaco, lesbiano, lésbico. **2.** Lésbico (2 e 3). ● *S. m.* **3.** O natural ou habitante de Lesbos; lesbíaco. **4.** *Gloss.* O dialeto grego falado na ilha de Lesbos.

lesco-lesco [De or. express.] *S. m. Bras. Gír.* Trabalho diário e aturado; a lida cotidiana. [Pl.: *lesco-lescos.*]

lese [Do fr. ant. *laise* (atual *laize*).] *S. m. Tec. Têx.* Tecido leve de algodão, com motivos bordados ou vazados, originário da França. [Tb. se usa o fr.: *laise* (grafia ant.), *laize* (atual).]

leseira [De *leso* + *-eira.*] *S. f.* **1.** Falta de disposição; moleza, languidez, preguiça. **2.** *Bras. N. N.E.* Palavra, dito ou ação de indivíduo leso, tolo; tolice, asneira: "Essas mulheres... só têm boca para comer e falar leseiras." (Milton Hatoum, *Cinzas do Norte*, p. 47.) ● *S. 2 g.* **3.** *Bras. N.E.* Pessoa lesa, tola. V. *tolo* (8).

lesena [Do it. *lesena.*] *S. f. Arquit.* Ressalto vertical em fachada, formando uma pilastra lisa, us. como decoração; banda lombarda.

lesim [Do rad. *les-* (< lat. *laesio, onis*, v. *lesão*) + *-im.*] *S. m.* **1.** Veio da madeira. **2.** Pequeno fio ou sulco natural, em algumas pedras e mármores.

lesionar [De *lesão* + *-ar*², seg. o padrão erudito.] *V. t. d. P.* Causar lesão a; lesar: *A queda lesionou-o fortemente.*

lesivo [Do rad. *les-*, como em *lesim*, + *-ivo.*] *Adj.* Que lesa; que causa lesão.

lesma (ê) [Do lat. *limace*, poss. por uma var. dialetal itálica **lemex, icis*, com metátese.] *S. f.* **1.** *Zool.* Designação comum aos moluscos gastrópodes limacídeos, de concha muito reduzida e oculta sob o manto, e dos vaginulídeos, desprovidos de concha. Vivem em lugares úmidos, e alimentam-se exclusivamente de vegetais. [Sin.: *tintureiro-das-pedras* e *cumbé.*] **2.** *Zool.* Planária (3). **3.** *Fig.* Pessoa indolente, mole, vagarosa. **4.** *Fig.* Pessoa sem graça, insípida, desenxabida. [Pl.: *lesmas* (ê). Cf. *lesma* e *lesmas*, do v. *lesmar.*]

lesma-do-coqueiro *S. f. Bras. N.E. Zool.* V. *barata-do-coqueiro.* [Pl.: *lesmas-do-coqueiro.*]

lesma-do-mar *S. f. Zool.* Nome comum a moluscos nudibrânquios, de cores exuberantes. [Pl.: *lesmas-do-mar.*]

lesmar [De *lesma* + *-ar*².] *V. int. Bras.* **1.** Andar ou fazer as coisas com extremo vagar. **2.** Ficar parado sem fazer nada. [Pres. ind.: *lesmo, lesmas, lesma*, etc. Cf. *lesma* (ê) e pl. *lesmas* (ê).]

lesmice [De *lesma* + *-ice.*] *S. f. Fig.* **1.** Lentidão, moleza. **2.** *P. ext.* Preguiça: "Disse algo sobre cavalo arreado, ..., o que ouvi desatento. Pois esse projeto pouco tentava-me a lesmice." (Godofredo Rangel, *Vida Ociosa*, pp. 171-172.)

lés-nordeste [De *lés*, f. red. de *leste*, + *nordeste.*] *S. m.* És-nordeste. [Pl.: *lés-nordestes.*]

leso (é) [Do lat. *laesu.*] *Adj.* **1.** Lesado (2): "Gama, embora ferido, um braço leso de todo, persistia em combater." (Aquilino Ribeiro, *Portugueses das Sete Partidas*, p. 119.) **2.** Tolhido, paralítico: *estar leso de uma perna.* **3.** *Bras.* Idiota, amalucado, lesado [v. *tolo* (1 a 3)]: "Joaquina Maluca, você ficou lesa / não sei por que foi!" (Jorge de Lima, *Obra Completa*, I, p. 303.) ● *S. m.* **4.** Indivíduo leso, idiota. V. *tolo* (8).

leso-patriotismo [De *leso* (1) + *patriotismo.*] *S. m.* Crime de leso-patriotismo. [Pl.: *lesos-patriotismos.*]

lesotense *Adj. 2 g. S. 2 g.* V. *lesoto.*

lesotiano *Adj. 2 g. S. m.* V. *lesoto.*

lesoto (ô) *Adj.* **1.** Do, ou pertencente ou relativo ao Reino de Lesoto (S. da África). ● *S. m.* **2.** O natural ou habitante do Reino de Lesoto. [Sin. ger.: *lesotense* e *lesotiano.*]

lés-sudeste [De *lés*, f. red. de *leste*, + *sudeste.*] *S. m.* V. *és-sudeste.* [Pl.: *lés-sudestes.*]

lés-sueste [De *lés*, f. red. de *leste*, + *sueste.*] *S. m. Adj. 2 g.* V. *és-sudeste.* [Pl.: *lés-suestes.*]

lestada [De *leste* + *-ada*¹.] *S. f.* Vento forte e/ou persistente que sopra de leste: "o mar está sempre inquieto e, no inverno, varrem-no procelas desfeitas, suestadas, lestadas irresistíveis" (Virgílio Várzea, *Nas Ondas*, p. 197).

lestar [De *leste* + *-ar*².] *V. int.* Soprar o vento L.

leste [Do fr. *l'est* (< ingl. *east*).] *Adj. 2 g.* **1.** V. *este* (5 e 6). ● *S. m.* **2.** Região ou regiões situadas a leste. **3.** *Bras. Geogr.* V. *grande região.* [Com cap., nesta acepç.] **4.** *Met.* Vento quente e seco, prolongamento do harmatã, que sopra no sentido leste, na Ilha da Madeira e nas Canárias em todas as estações, exceto no verão. [Na Marinha do Brasil e na de Portugal, a f. us. é exclusivamente *leste*. Abrev.: *L.* Pl.: *lestes.* Cf. *leste* (ê) e *lestes* (ê), do v. *ler.*]

lesto (é) [De or. obscura.] *Adj.* **1.** Presto de movimentos; ágil, ligeiro, lépido: "Depois, lesto, de um salto, o corpo ergueu, / E andou, pesado de melancolia..." (Goulart de Andrade, *Poesias*, p. 73.) **2.** Ativo, diligente, expedito: *tropas lestas.* ● *Adv.* **3.** Rápido, rapidamente; lestamente: *Subiram lesto a escada.*

➔**let** [let] [Ingl.] *S. m. Esport.* No tênis e no tênis de mesa, repetição do serviço quando a bola toca na rede e cai dentro da área permitida, ou bate no recebedor (ou em seu parceiro).

letal [Do lat. *letale.*] *Adj. 2 g.* **1.** Que produz a morte; mortal, mortífero, fatal, letífero, letífico: "Vendo-a negra suar letal peçonha, / Rodar em modo hostil a aguda cauda. / Fugir deixa das mãos sem tino as rédeas" (Antônio Feliciano de Castilho, *As Metamorfoses*, I, p. 76). **2.** Referente à morte; lúgubre.

letalidade [De *letal* + *-(i)dade.*] *S. f.* Qualidade de letal.

letão *Adj.* **1.** Da, ou pertencente, ou relativo à República da Letônia (Europa). **2.** Diz-se da língua falada nessa república. ● *S. m.* **3.** O natural ou habitante dessa república. **4.** *Gloss.* A língua indo-europeia falada na Letônia. V. *báltico* (3). [Sin. ger.: *leto*. Cf. *litão.*]

letargia [Do gr. *lethargía.*] *S. f.* **1.** *Neur.* Estado patológico observado em diversas afecções do sistema nervoso central, como encefalites, tumores, etc., caracterizado por um sono profundo e duradouro do qual só com dificuldade, e temporariamente, pode o paciente despertar. **2.** Estado de insensibilidade característico do transe mediúnico. **3.** *Fig.* Sono profundo. **4.** *Fig.* Desinteresse, indiferença, apatia. **5.** *Fig.* Estado de abatimento moral ou físico; depressão. **6.** Falta de ação; inércia, torpor. **7.** Vida latente. [Sin. ger.: *letargo.*]

letargiar [De *letargia* + *-ar*².] *V. t. d.* Causar letargia a; lançar ou prostrar em letargia.

letárgico [Do gr. *lethargikós*, pelo lat. *lethargicu.*] *Adj.* **1.** Relativo a letargia. **2.** Atacado de letargia. ~ V. *encefalite — a.*

letargo [Do gr. *léthargos*, pelo lat. *lethargu.*] *S. m.* Letargia: "Dormia .... o mancebo com aquele sono cativo dos homens de vontade, que se governam ainda mesmo quando sopitados no letargo dos sentidos" (José de Alencar, *O Sertanejo*, p. 72).

▲**leteo-** [Do gr. *lēthaîos, a, on* < gr. *lḗthē, ēs* (v. *let(o)-*).] *El. comp.* = 'que faz esquecer': *leteomania, leteomaníaco.*

leteomania [De *leteo-* + *-mania.*] *S. f. Psiq.* Uso, ou ingestão excessiva de tranquilizantes.

leteomaníaco [De *leteomania* + *-íaco.*] *Psiq. Adj.* **1.** Relativo a leteomania. **2.** Que faz uso excessivo de tranquilizantes; leteômano. ● *S. m.* **3.** Indivíduo leteomaníaco (2); leteômano.

leteómano *Adj. S. m. Psiq.* v. *leteômano.* [Uso freq. em P.]

leteômano [De *leteo-* + *-mano*¹.] *Adj. S. m. Psiq.* Leteomaníaco (2 e 3).

leteu [Do gr. *lethaîos*, pelo lat. *lethaeu.*] *Adj.* **1.** Do, ou relativo ao Letes, um dos cinco rios do Inferno mitológico. **2.** Infernal (1). [Fem.: *leteia.*]

▲**leti-** [Do lat. *lētum, i.*] *El. comp.* = 'morte': *letissimulação.* [Equiv.: *leto-*; *letomania.*]

letícia [Do lat. *laetitia*, por via semierudita.] *S. f.* **1.** *Poét.* Ledice, alegria. **2.** *Astr.* Asteroide com cerca de 10 km de diâmetro, descoberto em 1856. [Nesta acepç., com cap.]

lético [De *leto*¹ + *-ico*².] *Adj.* **1.** Relativo aos letões ou a sua língua. ● *S. m.* **2.** *Gloss.* V. *báltico* (3).

letícola *Adj. 2 g.* V. *lectícola.*

letífero [Do lat. *letiferu.*] *Adj.* V. *letal* (1).

letificante [Do lat. *laetificante.*] *Adj. 2 g.* Letífico².

letificar [Do lat. *laetificare.*] *V. t. d.* Tornar alegre ou ledo; encher de júbilo; alegrar. [Conjug.: v. *trancar.* Pres. ind.: *letifico*, etc. Cf. *letífico.*]

letífico¹ [De *leti-* + *-fico.*] *Adj.* V. *letal* (1). [Cf. *letifico*, do v. *letificar.*]

letífico² [Do lat. *laetificu.*] *Adj.* Que alegra ou letifica; letificante. [Cf. *letifico*, do v. *letificar.*]

letissimulação [De *leti-* + *simulação.*] *S. f.* Simulação de morte, praticada por certos animais, em geral como autodefesa.

letivo [Do lat. *lectus*, part. de *legere*, 'ler', + *-ivo.*] *Adj.* **1.** Em que há lições ou aulas: *ano, mês, dia letivo.* **2.** Referente a aulas, às atividades escolares: *movimento letivo.* ~ V. *ano — e dia —.*

leto¹ *Adj. S. m.* V. *letão.*

leto² [Do gr. *(diá)lektos*, pelo lat. *(dia)lectos*; ingl. *lect.*] *S. m. E. Ling.* **1.** Conjunto de elementos linguísticos que identifica um grupo no interior de uma comunidade de fala; variedade. **2.** V. *isoleto.*

▲**let(o)-** [Do gr. *lḗthē, ēs*, 'esquecimento', < v. gr. *lanthánein*, 'estar oculto', 'fazer esquecer'.] *El. comp.* = 'que faz esquecer'; 'esquecimento': *letológico.*

▲**leto-** Equiv. de *leti-*.

▲**-leto** [Do gr. *(diá)lektos*, pelo lat. *(dia)lectus*, ou *(dia)lectos.*] *El. comp.* = 'sistema linguístico'; 'variedade (6)': *idioleto.*

leto-lituano *Adj.* Da, ou pertencente ou relativo à Letônia e à Lituânia (Europa). [Pl.: *leto-lituanos.*]

letológico [De *let(o)-* + *-log(o)-* + *-ico*².] *Adj.* Diz-se da afasia caracterizada pelo esquecimento de palavras que se quer empregar, sem comprometimento dos órgãos da fonação e da inteligência.

letomania [De *leto-* + *-mania.*] *S. f. Psiq. Desus.* Monomania de suicídio.

letomaníaco [De *letomania* + *-íaco.*] *Psiq. Desus. Adj.* **1.** Relativo a letomania. **2.** Que sofre de letomania; letômano. ● *S. m.* **3.** Aquele que sofre de letomania; letômano.

letómano *Adj. S. m. Psiq. Desus.* V. *letômano.* [Uso freq. em P.]

letômano [De *leto-* + *-mano*¹.] *Adj. S. m. Psiq. Desus.* Letomaníaco (2 e 3).

letra (ê) [Do lat. *littera.*] ***S. f.*** **1.** Cada um dos sinais gráficos elementares com que se representam os vocábulos na língua escrita. [Há uma relação entre a letra na língua escrita e o fonema na língua oral, mas não há uma correspondência rigorosa entre estes; p. ex., o fonema /s/ pode ser representado pela letra *c* (antes de *e* e *i*), por ç (antes de *a, o* e *u*), por *s, ss* e por *x*. Cf. *consoante* (4), *vogal* (3), *fonema, grafema* e *grafia.*] **2.** Forma de escrevê-los: *letra gótica; letra itálica.* **3.** *Tip.* Tipo (12). **4.** Caligrafia (2): *Sua letra é muito bonita.* **5.** Sentido claramente expresso pela escrita: *seguir à risca a letra da lei.* **6.** *Mús.* Texto em verso de certas músicas, correspondente à parte que deve ser cantada. **7.** *Econ.* V. *letra de câmbio*: "A letra sacada [por Quintanilha] contra Gonçalves tinha o prazo de seis meses." (Machado de Assis, *Relíquias de Casa Velha*, p. 116.) **8.** *Econ.* Título da dívida pública: *Letra do Tesouro Nacional, Letra do Banco Central.* **9.** *Bras. Fut.* Jogada em que se chuta a bola passando um pé por trás do outro. ~ V. *letras.* ◆ **Letra aberta.** Letra vazada. **Letra a letra.** V. *à letra*: *Traduziu letra a letra o artigo do jornal.* **Letra anelada.** *Caligr.* Letra cujo traçado forma um anel, como o *l*, o *h*, etc. **Letra antropomorfa.** Letra ornamental cujos traços são formados pelo desenho de uma ou mais figuras humanas. **Letra ascendente.** *Tip.* Aquela que, como o *d* ou o *b*, tem haste ascendente e ocupa os três quartos superiores do corpo do tipo. [Cf. *letra descendente* e *letra plena*; cf. tb. *ascendente* (5).] **Letra bastarda.** Letra gótica cursiva do séc. XV, com elementos da chanceleresca, descendentes pontudos, ascendentes às vezes com anéis, e da qual derivam os modernos tipos góticos. [V. *fratura* (4) e *Schwabacher*. Cf. *bastarda* e *bastardo* (9).] **Letra binária.** *Tip.* Letra de dois pontos (q. v.). **Letra capital.** *Tip.* **1.** V. *letra de caixa-alta*. **2.** V. *letra capitular*. [Tb. se diz apenas *capital.*] **Letra capitular.** *Tip.* A letra grande que inicia um capítulo, um artigo ou cada item de um impresso; letra capital, capital, letra inicial, inicial. [Tb. se diz apenas *capitular*. Cf. *letra de dois pontos* e *letrina.*] **Letra caudata.** *Tip.* Versal escritural ou itálica, com traços ornamentais em forma de cauda. **Letra chanceleresca.** *Caligr.* Letra humanística cursiva, desenvolvida na Itália no séc. XV, e que se tornou, com suas múltiplas variantes, a escrita normal do Ocidente. [Sin.: *letra de chancelaria, bastarda*. Cf. *letra humanística.*] **Letra chanceleresca cursiva.** *Paleogr.* Versão corrente da letra chanceleresca, adotada na chancelaria papal para uso em breves, e desenvolvida como escrita literária, ligeira e de pequeno módulo, constituindo a origem do tipo itálico; letra humanística cursiva. [Cf. *letra humanística.*] **Letra chanceleresca formada.** *Caligr.* Versão estilizada da letra chanceleresca, adotada na chancelaria papal nos sécs. XV e XVI, para documentos diplomáticos. **Letra cortesã.** *Paleogr.* Letra redonda, cerrada, de pequeno módulo e com ligaturas, us. na Península Ibérica nos sécs. XV e XVI. [V. *letra processual.*] **Letra crenada.** *Tip.* A que tem crena; letra projetada, tipo crenado. **Letra curta.** *Tip.* Letra média. **Letra de caixa-alta.** *Tip.* **1.** Maiúscula tipográfica, assim chamada por ficar situada na parte superior da caixa; capital, letra capital, versal, letra versal. **2.** *P. ext.* Letra maiúscula. [V. *capital, capitular, letra capital, letra capitular, versal, letra versal.*] [Tb. se diz apenas *caixa-alta*. Abrev.: *c.a.*] **Letra de caixa-baixa.** *Tip.* **1.** Minúscula tipográfica, assim chamada por se localizar na parte inferior da caixa. **2.** *P. ext.* Letra minúscula. [Tb. se diz apenas *caixa-baixa*. Abrev.: *c.b.*] **Letra de câmbio.** *Econ.* Título de crédito emitido pelo credor (sacador), sob a forma de ordem ao devedor (sacado) para que pague, ao próprio sacador ou a um terceiro, certa quantia em certa data; letra de comércio. [Tb. se diz apenas *letra.*] **Letra de câmbio marítimo.** O instrumento do contrato de câmbio marítimo ou empréstimo de dinheiro a risco; letra de risco. **Letra de chancelaria.** *Caligr.* V. *letra chanceleresca.* **Letra de comércio.** *Econ.* V. *letra de câmbio.* **Letra de dois pontos.** *Tip.* Letra ornamental ou lisa, us. como inicial e disposta de modo que ocupe a altura de duas linhas do texto; letra binária. [Cf. *letra capitular*. V. *letra montante.*] **Letra de forma.** A mais formal de todas as espécies de letra gótica, muito profunda, geométrica e cerrada, e que serviu de modelo aos primeiros tipos de imprensa. [V. *textura*. Cf. *letra de fôrma.*] **Letra de fôrma.** V. *tipo*[1] (12): "Não era .... a primeira vez que via trabalhos de sua autoria em letra de fôrma." (Pascoal Carlos Magno, *Sol sobre as Palmeiras*, p. 95.) [Cf. *letra de forma.*] **Letra de imprensa.** V. *tipo*[1] (12). **Letra de médico.** Letra muito ruim, mais ou menos ininteligível. **Letra de risco.** Letra de câmbio marítimo. **Letra descendente.** *Tip.* Aquela que, como o *p* ou o *g*, tem haste descendente e ocupa os três quartos inferiores do tipo. [Cf. *letra ascendente* e *letra plena.*] **Letra de soma.** V. *letra gótica.* **Letra dominical.** **1.** Cada uma das sete primeiras letras do alfabeto latino que, no calendário eclesiástico, indicam os dias da semana, assim chamadas porque no curso do ciclo solar os domingos são sucessivamente designados por cada uma delas. **2.** *Cronol.* Uma das sete primeiras letras do alfabeto romano, a qual, posta em correspondência ordenada com um dos sete primeiros dias de um ano, corresponde ao primeiro domingo desse ano. **Letra do tesouro.** Título emitido pelo governo, e que vence juros convencionais; título de dívida pública. **Letra empastelada.** *Tip.* Tipo solto ou matriz de compositora, misturado com os de outra sorte ou fonte. **Letra encravada.** *Tip.* Tipo cujo olho ficou entupido por tinta endurecida, e que borra a impressão. **Letra escolástica.** *Ant.* Letra gótica. **Letra francesa.** *Paleogr.* V. *minúscula carolina.* **Letra garrafal.** Letra grande e perfeitamente legível: "Assim nasceram .... estes *Contos e Lendas*, escritos .... em letra grada, direita, e garrafal" (Rebelo da Silva, *Contos e Lendas*, p. 9). **Letra glífica.** *Ant.* Hieróglifo. **Letra gorda.** Letra grossa e malfeita. **Letra gótica.** *Tip.* Letra angulosa e de linhas quebradas, formada, entre os sécs. XII e XIII, mediante progressivo fraturamento dos traços da minúscula carolina. [A letra gótica perfeita e acabada, chamada *letra de forma*, produziu depois as variantes ditas *letra de soma* e *letra bastarda.*] [Sin. (ant.): *letra escolástica*. V. *alfabeto gótico.*] **Letra grífica.** V. *itálico* (7). **Letra hipotecária.** Título de crédito endossável, nominativo ou ao portador, emitido por banco de crédito real, sob garantia de todo o seu ativo, representado este pelos créditos hipotecários do banco emissor contra terceiros. [Cf. *cédula hipotecária.*] **Letra historiada.** Inicial ornamental que inclui figuras, muitas vezes alusivas ao texto. **Letra humanística.** *Paleogr.* Designação dada no séc. XIX à letra livresca vertical, surgida nos escritórios dos calígrafos florentinos quatrocentistas, como recriação da minúscula carolina, e que serviu de modelo aos primeiros tipos romanos de caixa-baixa. [Cf. *letra chanceleresca, letra chanceleresca cursiva* e *minúscula carolina.*] **Letra humanística cursiva.** *Paleogr.* Letra chanceleresca cursiva (q. v.). **Letra imobiliária.** Título de promessa de pagamento, nominal ou ao portador, emitido por sociedade de crédito imobiliário, e que vence juros e correção monetária. **Letra inglesa.** *Caligr. Tip.* Letra escritural de traços finos e talhe inclinado. [Tb. se diz apenas *inglesa*. Cf. *bastardo* (9) e *rondo.*] **Letra inicial.** *Tip.* V. *letra capitular.* **Letra italiana.** *Tip.* Tipo de ostensão, da classe dos mecanais, caracterizado pelos traços horizontais acentuadamente mais grossos que os verticais. [Tb. se diz apenas *italiana*. Cf. *mecanal.*] **Letra itálica.** V. *itálico* (7). **Letra lapidar.** *Paleogr.* Letra monumental (q. v.). **Letra latina.** *Tip.* Designação dada pelos franceses, no séc. XIX, aos primeiros tipos incisos. [Tb. se diz apenas *latina.*] **Letra livresca.** *Paleogr.* Letra formal, legível, executada à mão pousada e reservada, em qualquer escrita, à cópia de livros. **Letra longa.** *Tip.* Letra plena. **Letra lunar.** Cada uma das 14 letras do alfabeto árabe, cujos fonemas a que correspondem não são assimilados pelo /l/ do artigo definido. [O fonema árabe /q/ é o primeiro da palavra *qamar*, 'lua'.] **Letra maiúscula.** V. *maiúscula.* **Letra média.** *Tip.* Aquela que, como o *a* e o *m*, ocupa cerca da metade do corpo do tipo, na parte média; letra curta. **Letra minúscula.** Minúscula. **Letra moçárabe.** *Paleogr.* Letra toledana (q. v.). **Letra montante.** *Tip.* Inicial que, ao contrário da letra de dois pontos, se projeta acima da linha a que dá começo. [Cf. *montante* (9).] **Letra monumental.** *Paleogr.* A letra reservada às inscrições epigráficas; letra lapidar. **Letra morta.** Preceito escrito que não se cumpriu, ou que já não tem autoridade nem valia. "As boas leis que estabelecem o repatriamento são ainda letra morta, porque, se exceptuarmos Cabinda, nunca se fez o repatriamento dos indígenas de S. Tomé para Angola." (Miguel Sousa Tavares, *Equador*, p. 481.) **Letra plena.** *Tip.* A que, como o *f* e o *j*, tem ao mesmo tempo haste ascendente e descendente, ocupando todo o corpo do tipo; letra longa. [Cf. *letra ascendente* e *letra descendente.*] **Letra processual.** *Paleogr.* Letra us. na Península Ibérica nos sécs. XV, XVI e XVII, variante irregular da letra cortesã (q. v.), de módulo maior, e com grande número de ligaturas, como se vê na carta de Pero Vaz de Caminha. **Letra projetada.** *Tip.* V. *letra crenada.* **Letra ramista.** *E. Ling.* Consoante ramista. **Letra redonda.** *Tip.* V. *tipo*[1] (12): "Claramente que, em matéria de letra redonda, o grande século [o XVI] regista muitos mais prosadores e poetas" (Miguel Torga, *Traço de União*, p. 82). [Cf. *redondo* (8).] **Letras enlaçadas.** *Tip.* As que são ligadas por um traço comum, como os ditongos æ e œ. [Cf. *ligatura* (2) e *logotipo* (1).] **Letras gordas.** Letras grossas e malfeitas. **Letras monogramáticas.** Monograma. **Letra solar.** Cada uma das 14 letras do alfabeto árabe, cujos fonemas a que correspondem são assimilados pelo /l/ do artigo definido. [O fonema árabe representado por / š / é o primeiro da palavra *šams*, 'Sol'.] **Letra sombreada.** *Tip.* A que contém elementos que acrescentam ao seu desenho um contorno de sombra. **Letra superior.** *Paleogr.* Abreviatura que consiste em pequena letra elevada, ger. vogal, e que indica supressão de sílaba média ou terminação de palavra. [Cf. *elevado* (5).] **Letra tabelioa.** *Caligr.* Letra larga, travada e malfeita. **Letra tirada.** *Caligr.* Letra da escrita corrente, inclinada e travada, executada com rapidez e sem levantamento da pena. **Letra toledana.** *Paleogr.* Um dos nomes dados na Península Ibérica à variante local da escrita cursiva latina, por haver sido mais cultivada em Toledo; letra moçárabe. **Letra transferível.** *Art. Gráf.* V. *caractere transferível.* **Letra travada.** *Caligr.* A que é unida a outra por meio de ligatura. **Letra vazada.** *Tip.* A que é formada por linha de contorno, com espaços internos em branco; letra aberta. **Letra versal.** *Tip.* V. *letra de caixa-alta*. [Tb. se diz apenas *versal.*] **À letra.** **1.** Palavra por palavra; literalmente: *Traduziu à letra vários períodos.* **2.** *Fig.* Com rigor; à risca: *Seguiu à letra os conselhos do amigo*; "O seu ardor épico [de Camões] , ... tomado à letra, ... lançou as bases dum patriotismo altissonante." (Miguel Torga, *Traço de União*, p. 129). [Sin. ger.: *letra a letra, ao pé da letra.*] **As sagradas letras.** A Bíblia, ou a Escritura Sagrada. **Com todas as letras.** Com todos os pormenores; explicitamente, claramente. **Com (ou em) letras de fogo.** De modo enérgico, impositivo, agressivo. **De letras gordas.** **1.** Que lê e escreve muito mal. **2.** Sem ilustração; inculto: *É homem poderoso, mas de letras gordas*. **Descontar uma letra** Casar uma filha. **Levantar letra.** *Tip.* V. *compor* (11). **Levantar letras.** *Tip.* V. *compor* (11). **Passar à letra.** *Encad.* Colacionar (3). **Primeiras letras.** Os rudimentos da instrução primária: leitura, escrita, noções de aritmética, etc. **Tirar de letra.** *Bras. Pop.* **1.** Fazer (algo difícil) com grande facilidade ou habilidade: "Esses testes o Estillac tiraria de letra, com sua inteligência que é aguda, abrangente e comparadora." (Pedro Nava, *O Círio Perfeito*, p. 423.) **2.** Passar por algo difícil ou embaraçoso com dignidade, com categoria; superar: "Ele, falando, procura tirar a prisão domiciliar de letra, cariocamente." (João Antônio, *Casa de Loucos*, p. 21.)

letradal [De *letrado* + *-al*[1].] ***Adj. 2 g.*** Referente a, ou próprio de letrado.

letradão [De *letrado* + *-ão*[1].] ***S. m.*** *Irôn.* Letrado (2): "Os alfarrábios ordenam-se em falanges, formam a ala de continência aos sábios e letradões que rompem de sob a cúpula mazarina" (Alberto Rangel, *Livro de Figuras*, p. 287). [Fem.: *letradona.*]

letradete (ê) [De *letrado* + *-ete* (ê).] ***Adj.*** Um tanto letrado.

letradice [De *letrado* + *-ice.*] ***S. f.*** *Deprec.* **1.** Presunção ou prosápia de letrado. **2.** V. *bacharelada.*

letrado [Do lat. *litteratu.*] ***Adj.*** **1.** Versado em letras; erudito. • ***S. m.*** **2.** Indivíduo letrado; literato. **3.** *P. ext.* Jurisconsulto (q. v.). **4.** *E. Ling.* Aquele que utiliza a escrita, como sistema simbólico e tecnológico, de maneira funcional, em contextos específicos e com finalidades definidas.

letra-guia ***S. f.*** *Bibliogr.* Pequena letra escrita ou impressa no espaço em branco que nos manuscritos e incunábulos se reservava à pintura das iniciais. [Pl.: *letras-guias* e *letras-guia.*]

letramento [De *letrar* + *-mento.*] ***S. m.*** **1.** Ato, processo ou efeito de letrar(-se). **2.** *Pedag. E. Ling.* Estado ou condição de indivíduo ou grupo capaz de atualizar-se da leitura e da escrita, ou de exercê-las, como instrumentos de sua realização e de seu desenvolvimento social e cultural: "Letramento é palavra recém-chegada ao vocabulário da Educação e das Ciências Linguísticas" (Magda Soares, *Presença Pedagógica*, de jul./ agosto de 1996). [Nesta acepç. é calque (2) do ingl. *literacy.*] **3.** *Pedag. E. Ling.* O processo educacional que viabiliza este estado ou condição.

letrar [De *letra* + *-ar*[2].] ***V. t. d. P.*** **1.** Tornar(-se) letrado. **2.** Capacitar(-se) ao uso social e cultural da leitura e da escrita.

letras (ê) ***S. f. pl.*** **1.** Carta, missiva, epístola: "Tinha [Henriqueta Renan] soletrado a alma dele [Ernest Renan], à medida que lhe recebia as letras" (Machado de Assis, *Páginas Recolhidas*, p. 150). **2.** O cultivo da literatura e/ou da língua, ou das humanidades: *É dado às letras e pouco interessado nas ciências.* **3.** Conjunto de conhecimentos relativos a elas: *É um pobre homem sem letras.* **4.** Letras apostólicas. ~ V. *letra.* ◆ **Letras apostólicas.** Bulas e outros atos emanados da Santa Sé. [Tb. se diz apenas *letras.*]

letraset [Nome comercial.] ***S. f.*** *Art. Gráf.* V. *caractere transferível.*

letrear [De *letra* + *-ear*[2].] ***V. t. d. Int.*** Deletrear. [Conjug.: v. *frear.*]

letreirista [De *letreiro* + *-ista*.] *S. 2 g.* **1.** Artista gráfico especializado em criar letreiros. **2.** Operário que monta letreiros.

letreiro [De *letra* + *-eiro*.] *S. m.* **1.** Inscrição em tabuleta, com qualquer tipo de informação. **2.** V. *legenda* (3). **3.** *Cin. Telev.* Texto pertencente à edição original de filme ou de vídeo. [Cf., nesta acepç., *legenda* (7).] **4.** *Bras.* No interior do País, designação comum às inscrições mais ou menos curiosas, descobertas em rochas: pinturas, pedras lavradas, pedras riscadas, pedras pintadas ou itaquatiaras.

letria *S. f. Pop.* V. *aletria* (1).

letrilha [Do esp. *letrilla*.] *S. f. Arte Poét. P. us.* Copla (1).

letrina [Do fr. *lettrine*.] *S. f.* Letra grande e ornamental que inicia capítulo de livro. [Cf. *letra capitular*.]

letrista [De *letra* + *-ista*.] *S. 2 g. Bras.* **1.** Artista gráfico especializado no desenho de letras. **2.** Pessoa que pinta letras em fachadas ou tabuletas de lojas. **3.** *Mús.* Autor de letra (6).

letrudo [De *letra* + *-udo*.] *S. m. Pop. Pej.* Sabichão, letrado, erudito.

leu [Do rom. *leu*, 'leão'.] *S. m.* Unidade monetária, e moeda, da Moldávia e da Romênia (Europa). [Pl. (no rom.): *lei*. Cf. *léu*.]

léu [Do provenç. *leu*.] *S. m.* Vagar, ocasião, ensejo: "Por sinal que nas terras onde assistia o dito cacique, a expedição de Orellana esteve mais de uma vez acampada para construir um bergantim, tendo pois léu suficiente para fazer indagações." (Afonso Arinos, *Lendas e Tradições Brasileiras*, p. 42.) [Cf. *leu*, do v. *ler* e s. m.] ◆ **Ao léu.** **1.** À vontade; à toa: "Distraidíssimo, assim, vendo os meus aposentos, / Deixe-me ir, embalado, ao léu, devaneando" (Martins Fontes, *Verão*, p. 146). **2.** A descoberto; à mostra; nu: *cabeça ao léu.* **Ao léu de.** Ao acaso de; ao sabor de; ao capricho de: "E vamos, / Sem rumo e sem destino, / Ao léu do Sonho / E à mercê da Vida." (Mário Pederneiras, *Ao léu do Sonho e à mercê da Vida*, p. 7.)

leucádio [Do lat. *leucadiu*.] *Adj.* **1.** Da, ou pertencente ou relativo à ilha grega de Lêucade, no mar Jônico. • *S. m.* **2.** O natural ou habitante dessa ilha. **3.** Sobrenome de Apolo, que tinha nela um templo. [Cf. *leucádida* e o antr. *Leocádio*.]

leucântemo [Do tax. *Leucanthemum*.] *S. m. Bot.* **1.** Gênero de plantas asteráceas, por vezes incluídas no gênero *Chrysanthemum* [v. *crisântemo* (1)]; reúne cerca de 70 espécies originárias da Europa, África e Ásia, cultivadas como ornamentais. **2.** Qualquer espécie desse gênero, como, p. ex., a *Leucanthemum maximum* [v. *monsenhor* (3)]. **3.** Qualquer espécime desse gênero.

leucanto [De *leuc(o)-* + *-anto*.] *Adj. Bot.* Que tem ou produz flores de cor branca.

leucemia [De *leuc(o)-* + *-emia*; fr. *leucémie*.] *S. f. Hemat.* Doença maligna dos órgãos hematopoéticos, de que há vários tipos, e que tem como característica a proliferação e o desenvolvimento desordenados de leucócitos e de células precursoras deles, no sangue e na medula óssea.

leucémico *Adj. S. m.* V. *leucêmico*. [Uso freq. em P.]

leucêmico [De *leucemia* + *-ico²*.] *Adj.* **1.** Relativo a, ou que tem o caráter de leucemia: *estado leucêmico.* **2.** Atacado de leucemia: *doente leucêmico.* • *S. m.* **3.** Aquele que tem leucemia. [Var.: *leuquêmico*.]

leucina [De *leuc(o)-* + *-ina³*.] *S. f. Quím.* Aminoácido cristalino, essencial, encontrado, sob forma combinada, nas proteínas [fórm.: $C_6H_{13}NO_2$].

leucita [De *leuc(o)-* + *-ita³*.] *S. f. Min.* Mineral pseudomonométrico, de estrutura cristalina monoclínica, silicato de potássio e alumínio, e que se pode usar como fertilizante potássico; anfigênio, leucite.

leucite [De *leuc(o)-* + *-ite²*.] *S. f.* V. *leucita*.

leucito [De *leuc(o)-* + *-ito²*.] *S. m. Bot.* V. *plastídio*.

▲ **leuc(o)-** [Do gr. *leuko-* < gr. *leukós, ḗ, ón*.] *El. comp.* = 'branco': *leucemia, leucorreia*. [Equiv.: *-leuco*: *ocroleuco*.]

▲ **-leuco** Equiv. de *leuc(o)-*.

leucocarpo [Do gr. *leukókarpos*.] *Adj. Bot.* Que dá frutos brancos.

leucocéfalo [De *leuc(o)-* + *-céfalo*.] *Adj. Zool.* Cuja cabeça é branca.

leucocisto [De *leuc(o)-* + *-cisto*.] *S. m. Bot.* Célula aclorofilada, leptodérmica e perfurada, que se encontra nos musgos do gênero *Leucobryum*, e que tem por função armazenar água.

leucocitário [De *leucócito* + *-ário*.] *Adj.* Pertencente ou relativo ao leucócito.

leucócito [De *leuc(o)-* + *-cito*.] *S. m. Histol.* Célula sanguínea incolor, envolvida na defesa orgânica celular e imunitária; glóbulo branco de sangue. [Em função da presença, ou não, de granulações no citoplasma, os leucócitos podem ser classificados em *granulócitos* (neutrófilos, basófilos e acidófilos) ou em *agranulócitos* (linfócitos e monócitos).] ◆ **Leucócito polimorfonuclear.** *Histol.* Granulócito.

leucocitose [De *leucócito* + *-ose¹*.] *S. f. Patol.* Aumento transitório da taxa de leucócitos no sangue.

leucócomo [De *leuc(o)-* + *-como*.] *Adj.* **1.** Que tem cabelos brancos. **2.** *Bot.* Diz-se de plantas de folhas brancas.

leucodermia [De *leuc(o)-* + *-derm(o)-* + *-ia¹*.] *S. f. Med.* Perda localizada de melanina na pele, de caráter adquirido, e que muito se assemelha ao vitiligo (q. v.); leucopatia. [Sin. (desus.): *acromodermia*.]

leucodérmico [De *leucodermia* + *-ico²*.] *Adj.* Relativo à leucodermia.

leucodonte [De *leuc(o)-* + *-odonte*.] *Adj. 2 g. Zool.* Cuja dentadura é branca.

leucoma [Do lat. tard. *leucoma* (< gr. *leúkoma*).] *S. m. Oftalm.* Opacificação branca e densa da córnea.

leucomaína [Do gr. *leúkoma*, 'clara de ovo' (= *albumina*), + *-ina³*.] *S. f. Bioquím.* Designação genérica de diversos produtos nitrogenados resultantes do desdobramento anaeróbico das proteínas nos tecidos animais.

leuconiquia [De *leuc(o)-* + *-oniqu(i)-* + *-ia¹*.] *S. f. Derm.* Ocorrência de manchas brancas nas unhas. [Sin.: *albugem, selenose* e (pop.) *mentira*. Cf. *lúnula* (3).]

leuconoide (ói) [Do tax. *Leuconia* + *-oide*.] *Adj. 2 g. Zool.* Diz-se de esponja cuja estrutura interna é complexa, constituindo-se de diversas câmaras. [Cf. *asconoide*.] ❖

leucopatia [De *leuc(o)-* + *-patia*.] *S. f. Med.* V. *leucodermia*.

leucopático [De *leucopatia* + *-ico²*.] *Adj. Med.* Referente à leucopatia.

leucopenia [De *leuc(o)-* + *-penia*.] *S. f. Patol.* Diminuição do número de leucócitos no sangue.

leucopénico *Adj. Patol.* V. *leucopênico*. [Uso freq. em P.]

leucopênico [De *leucopenia* + *-ico²*.] *Adj. Patol.* Referente à leucopenia.

leucoplasia [De *leuc(o)-* + *-plas(i)-* + *-ia¹*.] *S. f. Patol.* Qualquer tipo de espessamento de epitélios estratificados com o desenvolvimento de placas brancas opacas, e que pode sofrer transformação maligna. [Pode ocorrer em diversos locais do organismo, como, p. ex., a membrana mucosa de bochecha, gengiva, vulva, etc.]

leucoplasta [De *leuc(o)-* + *-plasta*.] *S. m. Bot.* V. *leucoplastídio*.

leucoplastídio [De *leuc(o)-* + *plastídio*.] *S. m. Bot.* Plastídio incolor, encontrado em qualquer tecido vegetal, e que pode transformar os hidratos de carbono solúveis em insolúveis. Ex.: os açúcares em amido. [Sin.: *leucoplasta, leucoplasto*. Cf. *amiloplastídio*.]

leucoplasto [De *leuc(o)-* + *-plasto*.] *S. m. Bot.* V. *leucoplastídio*.

leucorreia (éi) [De *leuc(o)-* + *-reia*.] *S. f. Gin.* Corrimento branco da vagina ou do útero. [Sin., pop.: *flores-brancas*.] ❖

leucorreico (éi) [De *leucor(reia)* + *-reico*.] *Adj.* Relativo à leucorreia. ❖

leucose [De *leuc(o)-* + *-ose¹*.] *S. f.* **1.** *Alq.* Albedo (3). **2.** *Hemat.* Proliferação de tecido formador de leucócito.

leucotomia [De *leuc(o)-* + *-tom(o)-* + *-ia¹*.] *S. f. Neur. Psiq.* Lobotomia frontal.

leucotrieno [De *leucó(cito)* + *-tri-* + *-eno²*.] *S. m. Quím.* Qualquer de certos ácidos carboxílicos poli-insaturados e dotados de vários outros grupos funcionais, que são derivados biossinteticamente do ácido araquidônico e que provocam contração muscular, dificultam a respiração, e estão relacionados à asma e a outras doenças.

leucotriquia [De *leuc(o)-* + *-triqu(i)-* + *-ia¹*.] *S. f. Med.* **1.** Discromia dos cabelos ou dos pelos. **2.** Embranquecimento dos cabelos.

leucovírus [De *leuc(o)-*, por *leucemia*, + *vírus*; tax. *Leukovirus*.] *S. m. 2 n. Microbiol. Desus.* V. *oncovírus*.

leu-encefalina [Do ingl. *leu-enkephalin* (f. reduz. de *leucine-enkephalin*, de *leucine* + *enkephalin* [alter. de *encephal-*, ver *encefal(o)-*]).] *S. f. Bioquím.* Encefalina na qual o aminoácido terminal é a leucina.

leuquemia *S. f. Hemat.* V. *leucemia*.

leuquémico *Adj.* V. *leuquêmico*. [Uso freq. em P.]

leuquêmico *Adj.* V. *leucêmico*.

lev *S. m.* Unidade monetária, e moeda, da Bulgária. [Pl.: *leva*.]

leva [Dev. de *levar*.] *S. f.* **1.** *Ant. Mar.* Ato de levantar âncora para navegar. **2.** Alistamento de tropa; recrutamento. **3.** *P. us.* Condução dum grupo de presos ou de militares: *Várias pessoas assistiram à leva dos prisioneiros.* **4.** Grupo, magote: "As portas e as janelas das ruas por onde passava a nova leva de recrutas estavam apinhadas de gente." (Inglês de Sousa, *Contos Amazônicos*, p. 25.) **5.** *Pop.* V. *andadura* (1).

levada [De *levar* + *-ada¹*.] *S. f.* **1.** Ato de levar. **2.** Corrente de água que se desvia de um rio para regar ou para mover algum engenho: "Por entre as vinhas aparecia em malhas o verde mais fechado das hortas ...., enquanto ao lado sussurrava a levada correndo pelas regueiras." (Rebelo da Silva, *Contos e Lendas*, p. 12.) **3.** Cascata, cachoeira. **4.** Levantamento do cerco de uma praça, de uma cidade; levantamento. **5.** *Bras. N.* Elevação de terreno. **6.** *Bras. CE* Rego que conduz a água destinada à irrigação. **7.** *Bras. BA* Rego que conduz para os tanques águas pluviais. **8.** *Bras. BA* Corte feito nas orelhas das reses para marcá-las.

leva-dente [De *levar* + *dente*.] *S. m. Pop.* **1.** V. *mordedura* (1). **2.** V. *repreensão* (1). [Pl.: *leva-dentes*.]

levadia [De *levar*.] *S. f. Bras. BA* Agitação das ondas do mar.

levadiça [F. subst. de *levadiço*.] *S. f.* Ponte levadiça: "O velho Egas Ramires, fechado na sua Torre, com a levadiça erguida, ... nega acolhida a El-Rei D. Fernando e Leonor Teles" (Eça de Queirós, *A Ilustre Casa de Ramires*, p. 8).

levadice [De *levado²* + *-ice*.] *S. f.* Ação de levado²; traquinice, travessura: "Ninguém podia com as levadices do João." (Álvaro Maia, *Defumadores e Porongas*, p. 169.)

levadiço [De *levar* + *-(d)iço¹*.] *Adj.* **1.** Que se levanta ou baixa facilmente: "O cavaleiro atravessou então, seguido dos seus, a ponte levadiça da cárcova" (Alexandre Herculano, *O Bobo*, pp. 221-222). **2.** Movediço, móvel: *barraca levadiça.* ~ V. *ponte — a*.

levadinho [De *levado²* + *-inho¹*.] *Adj. Pop. Fam.* V. *levado²*.

levadio [De *levado*, part. de *levar*, na acepç. de 'levantar', + *-io²*.] *Adj.* Diz-se do telhado formado de telhas soltas.

levado¹ *S. m. Bras. PA* Sinal que se faz na orelha do gado cortando-lhe uma fina tira na direção do comprimento.

levado² [Part. de *levar*.] *Adj. Pop.* **1.** Travesso, traquina(s), irrequieto. **2.** Indócil, indisciplinado. [Sin. ger.: *levantadiço* (1) e (fam.) *levadinho*.]

levadoira [De *levar* + o f. de *-doiro¹*.] *S. f.* Levadoura (q. v.).

levador (ô) [De *levar* + *-dor*.] *Adj.* **1.** Que leva ou conduz. • *S. m.* **2.** Aquele que conduz ou transporta.

levadoura [De *levar* + o f. de *-douro¹*; var. de *levadoira*.] *S. f.* Embarcação com aparelhos para descarregar navios.

leva e traz [Da 3ª pess. do sing. do pres. ind. de *levar* + a mesma pess. de *trazer*.] *S. 2 g. e 2 n.* **1.** *Bras. Prov. port.* Pessoa intrigante, mexeriqueira; arengueiro, chocalheiro, enredeiro, espoleta, intrigante, intriguista, lambe-esporas, mexeriqueiro, fofoqueiro, mexedor. **2.** Intriga, mexerico: "E através de alguns elementos vezeiros no leva e traz, ..., atirou-lhe a luva do desafio para um debate em praça pública" (Fernando Sabino, *O Grande Mentecapto*, pp. 102-103). ☑

leva-leva [Da 3ª pess. do sing. do pres. ind. de *levar*, repetida.] *S. m.* Grande agitação, rebuliço intenso: "um leva-leva entre os caboclos arranchados sob o alpendre do negócio" (Coelho Neto, *Banzo*, p. 43). [Pl.: *leva-levas* e *levas-levas*.]

levamento [De *levar* + *-mento*.] *S. m. Desus.* **1.** Ato de levar(-se). **2.** Roubo, furto.

levanta-assenta [De *levantar* + *assentar*.] *S. m. 2 n.* Movimento rápido e sucessivo de levantar-se e assentar-se; assenta-levanta: "o encepatado parece que tem o carpinteiro no corpo, não tem atenção. É um vira-mexe, levanta-assenta, ... que eu não sei o que fazer com ele." (Antônio Celso Alves Pereira, *Rua do Quenta-Sol*, p. 163).

levantada [De *levantar* + *-ada¹*.] *S. f.* **1.** Ato de levantar (-se); levantar. **2.** Ato de levantar-se da cama. **3.** A porção de peixe apanhada numa rede ou trazida num barco. **4.** *Vôlei* Levantamento (7).

levantadiço [De *levantar* + *-(d)iço¹*.] *Adj.* **1.** V. *levado²*. **2.** Descuidado, irrefletido. **3.** V. *levantado* (6).

levantado [Part. de *levantar*.] *Adj.* **1.** Posto em pé. **2.** Alto, elevado: *íngremes e levantadas serras.* **3.** Diz-se do mar cavado, picado, áspero. **4.** Sublime, excelso, nobre: *estilo levantado*; "E essas lágrimas derramadas sobre um túmulo, ... são o mais levantado prêmio que pode ansiar o gênio." (Ramalho Ortigão, *Primeiras Prosas*, p. 16). **5.** Insubordinado, insurrecionado, revolucionado: *um povo levantado.* **6.** Doidivanas, levantadiço, estroina. ~ V. *composição —a e tipo —*.

levantador (ô) [De *levantar* + *-dor*.] *Adj.* **1.** Que levanta. **2.** Que amotina; que revolta. • *S. m.* **3.** Instrumento destinado a levantar ou a deslocar para cima formação anatômica, no todo ou em parte. **4.** *Anat.* Músculo que levanta alguma parte do corpo. **5.** *Vôlei* Jogador responsável pelos levantamentos.

levantadura [De *levantar* + *-dura*.] *S. f.* Levantamento (1).

levantamento *S. m.* **1.** Ato ou efeito de levantar(-se); levantadura. **2.** V. *revolta* (2): "Houve um levantamento de mineiros — índios e negros, insuflados por alguns despeitados contra o guarda-mor" (Afonso Arinos, *Pelo Sertão*, p. 93). **3.** Levada (4). **4.**

L

Acréscimo, aumento, elevação. **5.** Arrolamento (1): *o levantamento do estoque de uma casa comercial.* **6.** *Estat.* Conjunto de operações para determinar as características de um fenômeno de massa. **7.** *Vôlei* Jogada que consiste em lançar a bola para o alto, para que um companheiro de equipe possa golpeá-la, mandando-a para a quadra adversária; levantada. ◆ **Levantamento arquitetônico.** *Arquit.* O conjunto das operações de medida de comprimentos, larguras e alturas duma edificação, necessárias à sua representação gráfica em planta baixa, corte ou detalhe construtivo. **Levantamento expedito.** Levantamento topográfico que não exige grande precisão, executado para fins de reconhecimento e de anteprojeto. **Levantamento topográfico.** Conjunto de operações de medida de distâncias, ângulos e alturas, necessárias à preparação de uma planta topográfica.

levantante [De *levantar* + *-nte.*] ***Adj. 2 g.*** *Heráld.* Diz-se de animal representado sobre as patas traseiras e com as dianteiras levantadas; ameaçante.

levanta-pé [De *levantar* + *pé.*] ***S. m.*** Correia que mantém levantado o pé dum animal durante uma operação. [Pl.: *levanta-pés.*]

levantar [Do lat. **levantare,* calcado no lat. *levante,* part. pres. de *levare,* 'erguer'.] ***V. t. d.*** **1.** Pôr ao alto; alçar, erguer: *Levantou a taça, brindando o convidado.* **2.** Pôr em posição ereta; pôr direito; erguer: *levantar a cabeça.* **3.** Ajudar a sair da cama, a levantar-se: *A enfermeira levantou o doente e levou-o ao toalete.* **4.** Dar mais altura a; tornar mais alto: *Levantou o muro para melhor proteger o seu jardim.* **5.** Dirigir (os olhos, o olhar, a vista) para o alto. **6.** Erigir, edificando ou reedificando: *levantar as paredes de uma construção.* **7.** Arvorar, hastear, içar: *levantar a bandeira.* **8.** Erguer do chão, apanhar (o que estava caído). **9.** Aumentar, fazer crescer (o preço de algo); elevar. **10.** Colocar a postos; aparelhar, aprestar: *levantar soldados.* **11.** Aumentar de volume, elevar: *levantar a voz.* **12.** Exaltar, sublimar; enobrecer, engrandecer: *Tais ensinamentos levantam o espírito do homem.* **13.** Provocar, promover, suscitar: "Essa história de confissão, a que o povo não está habituado, ..., levantara uma grande celeuma." (Inglês de Sousa, *O Missionário,* p. 105.) **14.** Entusiasmar, incitar, excitar: *A bebida levantou-lhe o ânimo.* **15.** Remover, afastar: *Só a custo levantou os obstáculos que se opunham ao seu plano.* **16.** Tornar sem efeito; abolir, revogar: "A verdadeira caridade não consiste só em minorar a pena, mas também em levantar a culpa." (Ramalho Ortigão, *Primeiras Prosas,* p. 282.) **17.** Fazer cessar; encerrar: *Levantou a sessão antes do tempo marcado.* **18.** Sugerir, propor; lembrar, lançar: *levantar uma candidatura.* **19.** Alcançar, obter, conquistar: *Com sua obra de ficcionista já levantou vários prêmios; A égua levantou o Grande Prêmio Brasil.* **20.** Fazer o levantamento topográfico de. **21.** Dar realce, vida, a; realçar, avivar: *O vermelho levanta a fisionomia da Laura.* **22.** Arrolar, inventariar, após um trabalho de pesquisa ou investigação; fazer a estatística de: "Precisamos .... de levantar a cartografia linguística das regiões culturais brasileiras" (Celso Cunha, *Língua, Nação, Alienação,* p. 28). **23.** Fazer o levantamento arquitetônico de. **24.** Fazer partir (a caça). **25.** *Tip.* Apanhar (a letra) na caixa para levá-la ao componedor. [Cf., nesta acepç., *compor* (11).] **26.** *Bras. RS* Tirar (o gado) do campo ou de outro lugar onde está. ***T. d. e i.*** **27.** Elevar, erguer, alçar: *levantar o pensamento a Deus.* **28.** Erigir em homenagem: *Mandaram levantar-lhe um túmulo.* ***T. c.*** **29.** Levantar (1): *Levantou 500kg, e venceu a competição.* **30.** Conseguir, obter (dinheiro), por empréstimo ou por outro meio: *Teve de levantar num banco 10.000 reais; Necessitou levantar com urgência dois milhões, e viu-se forçado a vender a casa.* ***T. d. e c.*** **31.** Levantar (28). ***Transobj.*** **32.** Eleger por aclamação; aclamar: *Em meio ao clamor popular levantaram-no por seu rei.* ***Int.*** **33.** Altear-se, erguer-se; levantar-se: *Enormes ondas começavam a levantar.* **34.** Sair da cama; levantar-se: "Piá continua levantando cedo, todos os dias, para ir à vila levar o leite." (Guido Vilmar Sassi, *Piá,* p. 94.) **35.** Subir de preço; aumentar. **36.** Tornar-se alto ou mais alto; crescer. **37.** Fazer que algo realce, adquira vida: *É preciso pintar a sala com uma cor que levante.* **38.** *Bras. Chulo* Ter ereção; ter potência sexual: *Está velhinho, mas ainda levanta.* ***P.*** **39.** Pôr-se de pé; firmar-se nos pés; erguer-se: *Ao ouvirem o Hino Nacional, todos os presentes se levantaram.* **40.** Sair da cama: "Teixeira levantou-se, naquela manhã, ainda mais cedo." (Rui Santos, *Teixeira Moleque,* p. 73.) **41.** Exaltar-se, pronunciar-se, manifestar-se, protestando. **42.** Sublevar-se, rebelar-se. **43.** Desenvolver-se, desencadear-se; surgir: *Grande temporal ameaçava levantar-se.* **44.** Raiar, surgir, aparecer: "Iluminada horizontalmente pelo sol, que se ia apenas levantando, a aldeia parecia acordar" (Conde de Ficalho, *Uma Eleição Perdida,* p. 185). **45.** Reabilitar-se, reerguer-se: *Com este brilhante exame, o candidato levanta-se.* **46.** Recuperar a saúde; convalescer. ● ***S. m.*** **47.** Ato de levantar(-se); levantada.

levante[1] [Do it. *levante.*] ***S. m.*** **1.** *Astr. Geogr.* V. *este* (1 e 2). **2.** *Met.* Vento muito forte, que sopra a oeste, no Mediterrâneo e na costa meridional da França e da Espanha. **3.** Os países do Mediterrâneo oriental.

levante[2] [Dev. de *levantar.*] ***S. m.*** **1.** Ato de levantar(-se); alevante. **2.** V. *revolta* (2). **3.** *Bras. Bot.* Erva lamiácea (*Mentha silvestris*) fortemente aromática, de folhas moles, verde-escuras e crenadas, flores azuladas e pequeníssimas, e atualmente cultivada no Brasil para extração do mentol; hortelã, alevante. ● ***Adj.*** **4.** ~ V. *ponte —.* ◆ **De levante. 1.** Sem reflexão; sem meditação; impensadamente. **2.** Sem persistência; sem constância. **3.** Sem sossego; espalhafatosamente. **4.** Prestes a partir: *estar de levante.*

levântico [De *levante*[1] + *-ico*[2].] ***Adj.*** Levantino (1).

levantino [De *levante*[1] + *-ino*[1].] ***Adj.*** **1.** Dos, ou pertencente ou relativo aos países do Levante[1] (3). [Sin.: *levântico.*] ● ***S. m.*** **2.** O natural ou habitante desses países. [Sin. ger., ant.: *levantisco.*]

levantisco [De *levante*[1] + *-isco*[2].] ***Adj. S. m.*** *Ant.* V. *levantino*: "Sagunto era uma cidade de chatins, compósita, meio levantisca" (Aquilino Ribeiro, *Os Avós dos Nossos Avós,* p. 254).

levanto [Dev. de *levantar.*] ***S. m.*** **1.** Ato de fazer levantar a caça. **2.** O ímpeto com que ela sai da toca.

levar [Do lat. *levare.*] ***V. t. d.*** **1.** Fazer passar de um lugar para outro; transportar. **2.** Portar[1] (1): *Levava consigo uma pasta; Disseram-lhe que, ao sair, levasse os seus pertences.* **3.** Arrastar, puxar: *Os burros levavam a carroça;* "há uma superior formosura, que constitui o belo universal, o belo que prende e leva todos os olhos." (Camilo Castelo Branco, *Amor de Salvação,* p. 65). **4.** Retirar, afastar: *Pediu que levasse dali aquele impostor.* **5.** Conduzir, guiar: "Era rara a noite em que não saía de casa, levando o Paulinho pela mão" (Mário Donato, *A Parábola das 4 Cruzes,* p. 83). **6.** Seguir (direção, caminho): *Saiu daqui levando o rumo do norte.* **7.** Ter; usar: *Leva apenas o nome paterno.* **8.** Ter em seu poder: *Horas depois de chegar, ainda levava as cartas que o embaixador lhe confiara.* **9.** Ter em vista; visar a: *Levava um péssimo intento.* **10.** Ser portador de; transmitir: *Não quis levar a incumbência.* **11.** Sentir (dor, alegria, etc.), ao partir ou ausentar-se: *Saiu de sua terra levando saudades.* **12.** Sofrer, suportar: *Embora inocente, levou toda a culpa; Levou um soco do adversário.* **13.** Lidar ou conviver com, de modo conveniente, hábil: *Sabe levar crianças e velhos.* **14.** Apagar, delir: *As águas da chuva levaram a inscrição.* **15.** Pôr fora; expulsar, repelir: *Levou o assaltante a bordoadas.* **16.** Causar a morte de; matar (2): "Recorda-se quando ela teve aquela pneumonia que a ia levando" (Luís Forjaz Trigueiros, *Ainda Há Estrelas no Céu,* p. 154); "Trouxeram os filhos, um de quatro anos, outro de dois, só o mais velho vingará, porque ao outro hão de levá-lo as bexigas antes de passados três meses." (José Saramago, *Memorial do Convento,* [8ª ed.] p. 105). **17.** Passar (a vida); viver: *Leva uma vida de milionário, sem o ser.* **18.** Prosseguir, continuar: *Leva o trabalho com alegria.* **19.** Obter, receber: *Levou o melhor prêmio.* **20.** Tirar; roubar, furtar: *Levou todo o dinheiro que havia na gaveta; levar as economias do patrão.* **21.** Arrancar; desprender: "Nova e mais tesa rajada / Zune, zune, ininterrupta, / Telhas leva, ramos parte" (Alberto de Oliveira, *Poesias,* 3ª série, p. 116). **22.** Usar como vestuário ou parte do vestuário; trajar, vestir, trazer: "A rainha levava um trajo de brocado cor-de-rosa" (Fialho d'Almeida, *Vida Errante,* p. 286). **23.** Dever ter; precisar, requerer, demandar: *Este documento leva carimbo; Esta carta leva três selos de um real.* **24.** Fazer representar; exibir: *Amanhã este cinema levará um bom filme.* **25.** Ir acompanhado de; ter como séquito ou cortejo; levar após si: *O carro presidencial levava vinte automóveis.* **26.** *Mar.* Suspender, levantar, recolher: *levar âncora; levar a vela.* **27.** *Teatr.* Pôr em cena; encenar: *O Teatro de Arena vai levar uma peça de Shakespeare.* ***T. d. e i.*** **28.** Conduzir; trazer: "Quincas Borba .... sentou-se ofegante. Rubião acudiu, levando-lhe água" (Machado de Assis, *Quincas Borba,* p. 13). **29.** Fazer chegar: *Leva a sua bondade a tal extremo que parece um santo.* **30.** Portar[1] (1) para presentear: *No aniversário do amigo levou-lhe uma gravata.* **31.** Induzir, mover, decidir: *As circunstâncias levaram-no a proceder mal.* ***T. d. e c.*** **32.** Levar (27): *Levar as flores para a igreja.* **33.** Mover em direção a; dirigir: *Levou o dedo aos lábios, pedindo silêncio.* **34.** Fazer chegar; estender: *O governo levou a estrada até o porto.* **35.** Trazer consigo; carregar: *Levava o retrato da amada junto ao coração.* **36.** Levar (20): *Levou 50 reais da carteira do velho, e foi preso.* ***T. c.*** **37.** Ganhar, lucrar: *Levou mil reais.* **38.** Ir ou estar em (grande velocidade): *Levava 150km/h quando foi multado.* **39.** Passar, consumir, tomar (certo período de tempo): *Levou a tarde inteira a chorar.* **40.** Ir ter; conduzir: *Todos os caminhos levam a Roma.* **41.** Ter como paga ou preço: *Traduziu o livro, e levou 3.000 reais.* **42.** Gastar, consumir: *Levou dois anos para concluir todo o processo.* **43.** Ter (dada capacidade); poder, conter: *Esta vasilha leva mais de dois litros.* ***Transobj.*** **44.** Manter, conservar; trazer: *Levava a cabeça erguida.* ***Int.*** **45.** *Fam.* Apanhar pancada; ser castigado fisicamente: *A criança comportou-se mal, e acabou levando.* **46.** Receber castigo. **47.** *Bras.* Levar ou passar o tempo: *Nada faz, e leva a falar dos que trabalham.* ***P.*** **48.** Pôr-se a caminho, partir (a embarcação). **49.** Deixar-se dominar: *Levou-se pela ira e fez um escarcéu.* ◆ **Levar a bem.** Consentir, aprovar. **Levar a mal. 1.** Não consentir; reprovar. **2.** Melindrar-se ou ofender-se com.

leve [Do lat. *leve.*] ***Adj. 2 g.*** **1.** De pouco peso (1): *carga leve;* "Olha agora aquela criança / Perseguindo pela alameda / Uma borboletinha mansa, / Leve como um fio de seda" (Ribeiro Couto, *Poesias Reunidas,* p. 93). **2.** Que recebe ou leva pouco peso ou pressão: *estômago leve; A mala está muito leve.* [Sin. bras. e ant. (nessas acepçs.): *leviano.*] **3.** De pouca densidade: *leve camada de tinta; o alumínio é um metal leve.* **4.** Que se movimenta com desembaraço, agilmente, à solta: *bailarina leve;* "E as breves / Falenas / Vão leves, / Serenas, / Em bando / Girando, / Valsando, /Voando / No ar!..." (Castro Alves, *Obra Completa,* p. 316). **5.** De forma delicada, delgada, graciosa: *Divisavam-se, de longe, as linhas leves das mesquitas.* **6.** Que mal se percebe pelos sentidos; indistinto, tênue, ligeiro, suave, delicado: *leve fragrância; leve rubor; aragem leve.* **7.** Pouco carregado; não muito acentuado; esbatido, ligeiro: *leve maquilagem; traços leves.* **8.** Quase imperceptível; insignificante: *ruído leve.* **9.** Sem importância, sem gravidade; ligeiro: *ferimentos leves; falta leve.* **10.** Aliviado, desoprimido: *consciência leve.* **11.** Que agasalha pouco; pouco espesso; ligeiro: *tecido leve; roupa leve.* **12.** De fácil digestão; ligeiro: *comida leve.* **13.** Parco, sóbrio, frugal: *refeição leve.* ~ V. *indústria —, peso —, quark —, raia —, sono —* e *vinho —.* ● ***Adv.*** **14.** Levemente; de leve: "Batem leve, levemente, / Como quem chama por mim..." (Augusto Gil, *Luar de Janeiro,* p. 27.) ~ V. *leves.* ◆ **Ao de leve.** V. *de leve*: *Passou-lhe a mão pelos cabelos, ao de leve, carinhosa;* "Recebeu-a Aurélia ao de leve surpresa" (José de Alencar, *Senhora,* p. 196). **De leve. 1.** Sem exercer pressão: *escovar a roupa de leve; bater de leve na porta.* **2.** Pela rama; superficialmente: *Conhece o assunto de leve.* [Sin. ger.: *ao de leve, levemente.*]

levedação [De *levedar* + *-ção.*] ***S. f.*** Ato ou efeito de levedar.

levedado [Part. de *levedar.*] ***Adj.*** Que fermentou; lêvedo.

levedar [De *lêvedo* + *-ar*[2].] ***V. t. d.*** **1.** Tornar lêvedo; fazer fermentar. ***Int.*** **2.** Fermentar (a massa); fazer-se lêvedo: "enquanto esperam que na cozinha negra o pão levede na encardida masseira." (Antero de Figueiredo, *Jornadas em Portugal,* p. 144). [F. paral.: *alevedar.* Pres. ind.: *levedo,* etc. Cf. *lêvedo* e *levedo* (ê).]

levedo (ê) ***S. m.*** *Bras.* Lêvedo (1). [Pl.: *levedos* (ê). Cf. *levedo,* do v. *levedar.*]

lêvedo [Do lat. vulg. **levitu,* por *levatu.*] ***S. m.*** **1.** *Micol.* Designação genérica de certos fungos unicelulares, que se reproduzem por brotamento ou divisão binária e são agentes de fermentação, empregados na preparação de bebidas alcoólicas não destiladas e na panificação; levedura. [Alguns lêvedos são patogênicos para o homem, porém outros são úteis, como o *Saccharomyces cerevisiae,* usado na indústria da cerveja. No Brasil, a pronúncia corrente é *levedo* (ê).] ● ***Adj.*** **2.** Levedado: "educava-os a seu modo, punha-os obedientes como pedaços de massa lêveda em mãos de padeira habilidosa." (João de Araújo Correia, *Terra Ingrata,* p. 182). [Cf. *levedo,* do v. *levedar,* e *levedo* (ê), s. m.]

levedura [De *levedo* + *-ura.*] ***S. f.*** **1.** Lêvedo (1). **2.** Fermento (1 e 2).

leveiro [De *leve* + *-eiro.*] ***Adj.*** **1.** Pouco pesado. **2.** Comportável, tolerável. **3.** Leve, ágil, ligeiro. **4.** Que tem pouca força. **5.** *Fig.* Simples, despreocupado.

levemente (lè) [De *leve* + *-mente.*] ***Adv.*** V. *de leve.*

leves [Pl. subst. do adj. *leve.*] ***S. m. pl.*** Pulmões de aves; bofes. ~ V. *leve.*

levez (ê) [De *leve* + *-ez.*] ***S. f.*** V. *leveza.*

leveza (ê) [De *leve* + *-eza*.] *S. f.* **1.** Qualidade de leve. **2.** *Fig.* V. *leviandade.* [F. paral.: *levez.*]

levezinho (lè) [De *leve* + *-zinho.*] *Adv.* Muito de leve: 📖 "Bates-me à porta, levezinho..." (Sebastião da Gama, *Cabo da Boa Esperança*, p. 81.) ◆ **De levezinho.** Muito de leve; levezinho: 📖 "De levezinho, sobre os seus ombros / poisei as mãos." (Id., *ib.*, p. 116.)

leviandade [De *leviano*[2] + *-(i)dade* (q. v.), segundo o padrão analógico.] *S. f.* Qualidade, caráter, conduta ou ato de leviano[2] (1 e 2). [Sin., fig., graças, poss., à indistinção característica em homônimos com significações associáveis (v. *leviano*[1] e *leviano*[2]): *levidão, leveza, ligeirice, ligeireza.*]

leviano[1] [Do lat. vulg. **levianu* (< lat. *levis*, 'leve', 'ligeiro').] *Adj. Bras.* **1.** *Ant.* Que exige pouco esforço; maneiro, leve: 📖 "Exilou-a da sala, onde apenas desempenhava levianos e delicados serviços" (Bernardo Guimarães, *A Escrava Isaura*, p. 35). **2.** Que leva pouca carga.

leviano[2] [Do esp. *leviano.*] *Adj.* **1.** Que julga ou procede irrefletidamente; precipitado, inconsiderado, imprudente. **2.** Sem seriedade; inconstante: *mulher leviana.* ● *S. m.* **3.** Indivíduo leviano[2] (1 e 2).

leviatã [Do hebr. *liwjathan*, 'animal que se enrosca', pelo lat. bíblico *Leviathan.*] *S. m.* Monstro do caos, na mitologia fenícia, identificado, na Bíblia, como um animal aquático ou reptil.

levidade [Do lat. *levitate.*] *S. f.* **1.** Leveza física. [Sin., p. us.: *levidão.*] **2.** *Fig.* Destreza, habilidade.

levidão [De *leve* + *-idão.*] *S. f. P. us.* **1.** Levidade (1). **2.** *Fig.* V. *leviandade.*

levigação [Do lat. tard. *laevigatione.*] *S. f.* Processo de separação dos componentes sólidos de uma mistura pulverulenta, mediante o arraste preferencial das partículas menos densas por um fluido que escoa através do sólido.

levigar [Do lat. *laevigare.*] *V. t. d.* Sujeitar à levigação. [Conjug.: v. *largar.*]

levípede [Do lat. *levipede.*] *Adj. 2 g. Poét.* **1.** Que tem pé leve. **2.** Que anda com presteza: 📖 "bocejando alguns, falando animadamente outros, levípedes, de faces rubras" (Afonso Arinos, *Pelo Sertão*, p. 138).

levirado [Do lat. *levir*, 'cunhado', + *-ado*[2].] *S. m.* V. *levirato.*

levirato [Do lat. *levir*, 'cunhado', + *-ato*[1].] *S. m. Antrop. Hist.* Prática socialmente institucionalizada do casamento de uma viúva com o irmão de seu marido, ou a regra matrimonial que prescreve esse tipo de casamento (mencionado no Antigo Testamento como vigente entre os hebreus). [F. paral.: *levirado.*]

levirrostro [Do lat. *levis* + *-rostro.*] *Adj. Zool.* Que tem bico leve.

levisita [Do antr. (*Winford Lee*) *Lewis* (1878-1943), químico norte-americano, + *-ita*[2].] *S. f. Mil.* Gás de combate, vesicante, com cheiro de gerânio [fórm.: $C_2H_2AsCl_3$].

levístico [Do tax. *Levisticum.*] *S. m. Bot.* **1.** Gênero de plantas apiáceas, herbáceas europeias da família das umbelíferas, dotadas de flores amarelas, de uso medicinal, e frutos tb. us. medicinalmente. **2.** Qualquer espécie desse gênero, como, p. ex., a *Levisticum officinale* (v. *ligústica*). **3.** Qualquer espécime desse gênero.

lévi-straussiano *Adj.* **1.** Pertencente, relativo a, ou próprio de Claude Lévi-Strauss (1908-2009), antropólogo francês. **2.** Que é adepto das teorias de Lévi-Strauss ou profundo conhecedor de sua obra. ● *S. m.* **3.** Seguidor de suas concepções ou profundo conhecedor de sua obra.

levita[1] [Do lat. tard. *levita.*] *S. m.* **1.** Membro da tribo de Levi, entre os hebreus. **2.** Sacerdote da antiga Jerusalém. **3.** *P. ext.* Sacerdote (2): 📖 "— Fala comigo, senhor padre? | — Se lhe serviu a carapuça, menina, a culpa não é minha — respondeu o austero levita" (Camilo Castelo Branco, *Doze Casamentos Felizes*, p. 83).

levita[2] [Do esp. *levita.*] *S. f.* **1.** Longo redingote masculino, anterior à sobrecasaca. **2.** *Irôn.* Sobrecasaca.

levitação [De *levitar* + *-ção*; ingl. *levitation.*] *S. f.* **1.** Ato ou efeito de levitar. **2.** *Fig.* Estado dos santos em êxtase.

levitador (ô) [De *levitar* + *-dor.*] *S. m.* Aquele que levita.

levitante [De *levitar* + *-nte.*] *Adj. 2 g.* Que levita, ergue-se acima do solo: 📖 "este belo e levitante [bailarino] Rabowsky, que neste momento faz reboar de aplausos entusiásticos a plateia do Municipal." (Manuel Bandeira, *Poesia e Prosa*, II, p. 387).

levitar [Do lat. **levitu*, por *levatus*, part. pass. de *levare*, 'levantar', + *-ar*[2].] *V. int. P.* **1.** Erguer-se (pessoa ou coisa) acima do solo, nas experiências mágicas, ou como que em tais experiências, sem que nada visível a sustenha ou suspenda: 📖 "senti-me livre, sutil, incoercível, levitando e fugindo num voo angélico para as altas esferas" (Xavier Marques, *A Cidade Encantada*, pp. 48-49); "Seu corpo cheio de música pareceu levitar-se, escorregar no vácuo, oscilar." (Menotti del Picchia, *O Árbitro*, p. 75). *T. d.* **2.** Erguer, como nessas experiências: 📖 "criando nesse corpo asas morais que pareciam levitá-lo acima do solo, ágil, por esses caminhos fora" (Antero de Figueiredo, *Toledo*, p. 98).

levítico *Adj.* **1.** Pertencente ou relativo aos levitas. ● *S. m.* **2.** O terceiro livro do Pentateuco (q. v.).

▲ **lev(o)-** [Do lat. *laevus, a, um.*] *El. comp.* = 'esquerdo', 'do lado esquerdo': *levogiro, levofobia, levófobo.* [Equiv.: *-levo: ambilevo.*]

▲ **-levo** V. *lev(o)-.*

levodopa [De *lev(o)-* + *dopa(mina).*] *S. f. Quím.* Enantiômero levogiro da di-hidroxifenilalanina us. no tratamento do parkinsonismo e da doença de Parkinson [fórm.: $C_9H_{11}NO_4$].

levofobia [De *lev(o)-* + *-fobia.*] *S. f. Psiq.* Medo mórbido de tudo que se situa do lado esquerdo daquele que sofre de tal fobia.

levofóbico [De *levofobia* + *-ico*[2].] *Psiq. Adj.* **1.** Relativo a levofobia. **2.** Que sofre de levofobia; levófobo. ● *S. m.* **3.** Aquele que sofre de levofobia; levófobo.

levófobo [De *lev(o)-* + *-fobo.*] *Adj. S. m. Psiq.* Levofóbico (2 e 3).

levogiro [De *lev(o)-* + *-giro.*] *Adj. Quím.* Diz-se de substância que desvia para a esquerda o plano de polarização da luz. [Representa-se pelo símbolo *l* ou por um sinal de subtração anteposto ao nome do composto, ger. entre parênteses em ambos os casos.] [Opõe-se a *dextrogiro.*] ~ V. *curva —a.*

levulose [Do lat. *laevus*, 'esquerdo', + *-l-* + *-ose*[2].] *S. f. Quím.* Frutose.

lexema (cs) [De *lex(i)-* + *-ema.*] *S. m. E. Ling.* **1.** Semantema, radical. **2.** Unidade no léxico de uma língua; item lexical; palavra.

lexemático (cs) [De *lexema* + *-ático.*] *Adj. E. Ling.* Relativo a, ou em que há lexema; lexêmico.

lexémico (cs) *Adj.* V. *lexêmico.* [Uso freq. em P.]

lexêmico (cs) [De *lexema* + *-ico*[2].] *Adj.* Lexemático.

▲ **lexeo-** [Do gr. *léxis, eōs.*] *El. comp.* = 'ação de falar'; 'palavra (dita ou escrita)'; 'elocução'; 'relativo a, ou próprio da palavra (dita ou escrita)': *lexeologia, lexeológico.* [Var.: *lexio-: lexiologia, lexiológico.* Equiv.: *lex(i)-, -lex(i)-, -lé(c)tico* (q. v.): *lexema; alexia, barbarolexia, dislexia, ortolexia, paralexia; aléctico, dislético.*]

lexeologia (cs) [De *lexeo-* + *-logia.*] *S. f.* V. *lexicologia.* [Var.: *lexiologia.*]

lexeológico (cs) [De *lexeologia* + *-ico*[2].] *Adj.* V. *lexicológico.* [Var.: *lexiológico.*]

▲ **lex(i)-** V. *lexeo-.*

▲ **-lex(i)-** V. *lexeo-.*

lexia [Do gr. *léxis, eos*, 'palavra'; 'ação de falar'; 'léxico', + *-ia*[1]; pr. *lexie.*] *S. f. E. Ling.* Unidade lexical constituída por uma palavra (*lexia simples*) ou por palavras associadas (*lexias compostas* ou *lexias complexas*). ◆ **Lexia complexa.** *E. Ling.* Aquela que, formada por duas ou mais palavras, constitui uma locução, expressão idiomática, etc. (*água potável, estado de sítio, hino nacional, dar para trás*, etc.). **Lexia composta.** *E. Ling.* A constituída por duas ou mais palavras, integradas ou em vias de integração, que correspondem, *grosso modo*, a uma palavra composta (ex.: *porta-copo, copo-de-leite, pé de moleque*, etc.). **Lexia nominalizada.** *E. Ling.* Aquela que se comporta como um substantivo, sendo compreendida, *grosso modo*, como tal (ex.: *copo-de-leite*). **Lexia simples.** *E. Ling.* Aquela formada por uma palavra (ex.: *copo, pé, porta* [do v. *portar*], etc.).

lexical (cs) [De *léxico* + *-al*[1].] *Adj. 2 g. E. Ling.* Pertencente ou relativo a léxico (5); léxico. ~ V. *difusão —, empréstimo —, fonologia —, item —, palavra —, perífrase —, significado —* e *verbo —.*

▲ **lexico-** [Do gr. *lexikós, ḗ, ón* < gr. *léxis, eōs.*] *El. comp.* = 'que concerne às palavras'; 'léxico': *lexicografia, lexicologia.* [V. *lexeo-.*]

léxico (cs) [Do gr. *lexikós, e, ón.*] *S. m.* **1.** Dicionário de línguas clássicas antigas. **2.** Dicionário dos vocábulos us. por um autor ou por uma escola literária; léxicon. **3.** Dicionário abreviado. **4.** *P. ext.* Dicionário. **5.** *E. Ling.* O vocabulário de uma língua. ● *Adj.* **6.** Lexical: *análise léxica; família léxica.* ~ V. *análise —a* e *família —a.*

lexicogénico (cs) *Adj.* V. *lexicogênico.* [Uso freq. em P.]

lexicogênico (cs) [De *lexico-* + *-gen(o)-* + *-ico*[2].] *Adj.* Que gera vocábulos.

lexicografar (cs) [De *lexicógrafo* + *-ar*[2].] *V. t. d. Int.* V. *dicionarizar.* [Pres. ind.: *lexicografo*, etc. Cf. *lexicógrafo.*]

lexicografia (cs) [De *lexico-* + *-grafia.*] *S. f.* A ciência do lexicógrafo.

lexicográfico (cs) [De *lexicografia* + *-ico*[2].] *Adj.* Respeitante à lexicografia.

lexicógrafo (cs) [Do gr. *lexikográphos.*] *S. m.* Autor de dicionário ou de trabalho a respeito de palavras duma língua; dicionarista; lexicólogo. [Cf. *lexicografo*, do v. *lexicografar.*]

lexicologia (cs) [De *lexico-* + *-logia.*] *S. f. E. Ling.* **1.** Parte da gramática que se ocupa do valor etimológico e das várias acepções das palavras. **2.** Estudo dos elementos de formação das palavras. **3.** Estudo da evolução do léxico (5). [Sin. ger.: *lexeologia, lexiologia.*]

lexicológico (cs) [De *lexicologia* + *-ico*[2].] *Adj.* Respeitante à lexicologia; lexeológico, lexiológico.

lexicólogo (cs) [De *lexico-* + *-logo.*] *S. m.* **1.** Dicionarista, lexicógrafo. **2.** Especialista em lexicologia.

léxicon (cs) [Do gr. *lexikón*, neutro de *lexikós, é, ón.*] *S. m.* Léxico (2): 📖 "O léxicon de Shakespeare, não obstante os seus quinze mil vocábulos, parece não possuir expressões bastantes que frisassem à sua vasta ideologia." (Camilo Castelo Branco, *Otelo, o Mouro de Veneza*, p. 10.)

lexificador (cs...ô) [De **lexificar* (< *lex(i)-* + *-ficar*) + *-dor.*] *Adj. E. Ling.* Nos estudos crioulísticos, diz-se da língua que se constitui em fonte do léxico (5); lexificante. ~ V. *língua —a.*

lexificante (cs) [De **lexificar* (< *lex(i)-* + *-ficar*) + *-nte.*] *Adj. 2 g. E. Ling.* Lexificador. ~ V. *língua —.*

▲ **lexio-** V. *lexeo-.*

lexiogénico (cs) *Adj.* V. *lexiogênico.* [Uso freq. em P.]

lexiogênico (cs) [De *lexio-* + *-gen(o)-* + *-ico*[2].] *Adj.* Respeitante à formação das palavras.

lexiologia (cs) [De *lexio-* + *-logia.*] *S. f.* V. *lexicologia.*

lexiológico (cs) [De *lexiologia* + *-ico*[2].] *Adj.* V. *lexicológico.*

léxis [Do gr. *léxis.*] *S. f. 2 n. Filos.* Enunciado suscetível de ser verdadeiro ou falso, mas que é considerado, independentemente de afirmação ou negação, apenas quanto ao seu conteúdo.

lexovissauro (cs) [Do tax. *Lexovisaurus.*] *S. m. Paleont.* **1.** Gênero de dinossauros ornistíquios da mesma família a que pertenciam os estegossauros, e tb. dotados de placas ósseas dispostas, verticalmente, ao longo da coluna vertebral, até à cauda. Viveu no jurássico europeu, e os seus vestígios foram encontrados na Inglaterra e na França. **2.** Espécie ou espécime desse gênero.

lezardento [Do fr. *lézarde*, 'fenda', 'greta', 'racha', + *-ento.*] *S. m.* Fendimento, rachadura: 📖 "no primeiro plano avulta a casaria de S. Pedro, com os chalés sem gosto, os ocres dos muros, o lezardento dos taludes resvalando de despenhadeiros adivinháveis" (Fialho d'Almeida, *Vida Errante*, p. 42).

lezira *S. f.* V. *lezíria*: 📖 "Vinham os lamarões, as leziras funestas, / De água paralisada e decomposta ao sol" (Olavo Bilac, *Poesias*, p. 264).

lezíria [Do ár. *al-ǧazīra(t)* ou *al-ǧazā'ir*, 'ilha'; 'península'; 'terras de aluvião'.] *S. f.* **1.** Terra plana e alagadiça, nas margens dum rio: 📖 "Todos os dias a paz das lezírias do Ribatejo e das terras transtaganas era alarmada por tropéis de cavaleiros de lanças erguidas" (Antero de Figueiredo, *Leonor Teles*, p. 198). **2.** *P. ext.* Qualquer terra baixa e alagadiça. [Var.: *lezira.*]

■ **LF** [Abrev. do ingl. *Low Frequency*, 'frequência baixa'.] *Fís.* V. *faixa de ondas quilométricas.*

■ **LFT** [Sigla de *Letra Financeira do Tesouro.*] *Econ.* Título da dívida pública federal com rentabilidade pós-fixada.

■ **lg** *Mat.* Símb. de *logaritmo decimal*; log.

■ **LGBT** Abrev. de *Lésbicas, gays, bissexuais, travestis, transexuais e transgêneros.*

L-glicose *S. m. Quím.* O enantiômero da glicose que se correlaciona, em sua configuração, ao enantiômero levogiro do gliceraldeído. [Tb. é usada a f. *(L)-glicose.*] [Pl.: *L-glicoses.*]

lhama[1] [Do esp. *llama*, 'chama'.] *S. f.* Tecido de fio de prata ou de ouro: 📖 "Querubins alados em coxins de lhama / Cuidarão teu corpo com meiguices de ama..." (Luís Fernando [Filho], *Pedras Preciosas*, p. 98); "Hoje, a lua no crescente .... estende o manto de lhama de prata sobre a face levemente crespa das águas." (Alexandre Herculano, *Lendas e Narrativas*, II, p. 115).

lhama[2] [Do quíchua *lhama*, pelo hisp.-amer. *llama.*] *S. f. e m. Zool.* Ruminante sul-americano, camelídeo (*Lama glama*), de pelagem longa e lanosa, e que é tido como uma espécie domesticada do guanaco. [V. *lama*[3] (2).]

lhaneza (ê) [De *lhano* + *-eza.*] *S. f.* **1.** Franqueza, sinceridade, lisura. **2.** Singeleza, candura, simplicidade. **3.** Afabilidade, amabilidade, delicadeza. [Sin. ger.: *lhanura.*]

lhano [Do esp. *llano.*] *Adj.* **1.** Sincero, franco, chão: 📖 "E ela respondia lhana e afável, como era próprio do seu gênio, a toda a gente" (Aquilino Ribeiro, *Estrada de Santiago*, p. 174). **2.** Simples, despretensioso, desafetado: 📖 "Andresa recebeu-nos com a lhana hospitalidade da gente da nossa terra." (Inglês de Sousa, *Contos Amazônicos*, p. 220.) **3.** Afável, amável, delicado. ~ V. *lhanos.*

lhanos [Do esp. *llanos.*] *S. m. pl.* Extensas planícies de vegetação herbácea, na América do Sul. ~ V. *lhano.*

L

lhanura [Do esp. *llanura*.] ***S. f.*** **1.** V. *lhaneza*. **2.** Planura (2) [v. *planalto*]: "O silêncio parecia dilatar as lhanuras, engrandecer as colinas" (Alcides Maia, *Ruínas Vivas*, p. 13).

lhe [Do lat. *illi* (dativo do pron. dem. *ille*).] ***Pron. pess.*** **1.** A ele, a ela (ou a você, ao senhor, a V. Sª., etc.): "já não lhe devo nada, nem o senhor a mim" (Aluísio Azevedo, *O Coruja*, p. 302); "Acontecera-lhe .... vê-lo de relance na rua" (Machado de Assis, *Histórias sem Data*, p. 73); "encontrando a filha sozinha, abriu-lhe o coração." (Id., *ib.*, p. 73); "O passado .... pareceu-lhe melancólico" (Camilo Castelo Branco, *Agulha em Palheiro*, p. 63); *Dou-lhe parabéns, meu amigo.* **2.** Nele, nela (ou em você, no senhor, em V. Sª., etc.): "Amparai-o! insuflai-lhe o amor da vida!" (Alberto de Oliveira, *Poesias*, 3ª série, p. 13); "Eu habituar-me-ia a bater-lhe" (José Régio, *Histórias de Mulheres*, p. 264); "preferia nunca mais lhe pôr a vista em cima!" (Aluísio Azevedo, *O Coruja*, p. 302); *Não lhe acho graça.* **3.** Para ele, para ela (ou para você, para o senhor, para V. Sª., etc.): "Comprou um brinquedo custoso para a criança, comprou-lhe balas" (França Júnior, *Folhetins*, p. 532). **4.** Dele, dela (ou de você, do senhor, de V. Sª., etc.): "O [peixe] do meio trazia uma concha na boca, e lançou-a na areia, mesmo aos pés do rapaz. Quando ele a abriu, achou-lhe dentro o anel de oiro" (Guerra Junqueiro, *Contos para a Infância*, p. 237). **5.** Ante ele; ante ela (ou ante você, ante o senhor, ante V. Sª., etc.); a seus olhos: "O passado .... pareceu-lhe melancólico: a poesia dos impérios pulverizados avultou-lhe como horrenda soledade" (Camilo Castelo Branco, *Agulha em Palheiro*, p. 63). **6.** Por vezes (com elegância para o estilo), vale como possessivo: "A gravata de cetim preto, com um aro de aço por dentro, imobilizava-lhe o pescoço" (Machado de Assis, *Dom Casmurro*, p. 11); "A resina corre-lhe do tronco [do cajueiro]" (Humberto de Campos, *Memórias*, p. 199). **7.** Pode funcionar como dativo ético: *Recomendou ao pequeno que se portasse direito, que não lhe fizesse travessuras na casa do vizinho.* [Pl.: *lhes*. Antigamente era invariável: "As flores, por onde passa, / Se o pé lhe acerta de pôr, / Ficam de inveja sem cor, / E de vergonha com graça" (Francisco Rodrigues Lobo, *Églogas*, p. 246); "Regougavam no cume dos outeiros / Esfaimadas raposas; na floresta / Lhe respondiam mochos agoureiros." (Correia Garção, *Obras Poéticas e Oratórias*, p. 28). Desse uso, comuníssimo até o séc. XVIII, encontram-se exemplos ainda em fins do séc. XIX e no atual: "Eu lhe digo aos senhores" (Almeida Garrett, *Viagens na Minha Terra*, p. 61); "As freiras de Santa Clara, até o ano de 1500, recebiam portagem das mercadorias que passavam pelo rio Douro. Naquele ano foi-lhe cassado o direito" (Camilo Castelo Branco, *Mosaico e Silva de Curiosidades*, p. 41); "Os coelhos devoram tudo. É uma praga. | — Dê-lhe tiros." (Raul Brandão, *Os Pescadores*, p. 227).] [Repare-se no trecho seguinte, onde aparece três vezes o *lhe*, respectivamente com as acepçs. 6, 4 e 2: "Apoiou a cabeça à mão que antes lhe afagava o queixo. Mas o criado punha-lhe o café diante. Ele deitou-lhe açúcar, mexeu-o rapidamente" (Armindo Rodrigues, *A Vida perto de Nós*, pp. 73-74).]

lheguelhé ***S. m.*** V. *joão-ninguém*.

lho^{1} Contr. do pron. pess. *lhe* com o pron. pess. *o* e o pron. dem. neutro *o*: "Pedia um mote, davam-lho, ele glosava-o prontamente" (Machado de Assis, *Memórias Póstumas de Brás Cubas*, p. 40); "— Vou. Quando embarcas? / — Daqui a três dias. / — Vou. / Agradeci-lho de joelhos." (Id., *ib.*, p. 61). [Flex.: *lha, lhos, lhas*.]

lho^{2} *Ant. Pop.* Contr. do pron. pess. *lhe* (= *lhes*) com o pron. pess. *o* e com o pron. dem. neutro *o*: "Oh, passaram hoje pior noite do que eu. Que lho leve Deus em conta e lhes perdoe como eu perdoei já." (Almeida Garrett, *Frei Luís de Sousa*, p. 129). [Flex.: *lha, lhos, lhas*.]

lhufas ***Pron. indef.*** *Bras.* V. *nada* (1): "No reino dos mestres e doutores em letras que entendem (quando entendem) de um autor e de um método, mas não entendem lhufas de literatura" (José Guilherme Merquior, em *Jornal do Brasil*, 10.08.1980).

li^{1} [Do chin. *li*.] ***S. m.*** Medida itinerária chinesa, equivalente a cerca de 576 metros.

li^{2} [Do chin. *le*.] ***S. m.*** Pequena moeda chinesa, de estanho ou de cobre.

li^{3} ***S. m.*** Fórmula de tratamento respeitoso, entre os chineses.

■ **Li** *Quím.* Símb. de *lítio*.

lia [Do fr. *lie* < celta *liga.] ***S. f.*** **1.** V. *borra* (ô) (1): "Já mil vezes provei, e de joelhos, a lia / Do cálix da amargura e da melancolia." (Martins Fontes, *Poesias*, V, p. 113.) **2.** Bagaço de que se faz a aguapé. ~ V. *lias*.

liaça [Do fr. *liasse*, der. do lat. *ligare*.] ***S. f.*** Feixe de palhas no qual se envolvem os vidros para não se quebrarem durante o transporte. [Seria mais acorde com a etimologia a escrita *liassa*.]

liação [De *liar* + *-ção*.] ***S. f.*** Ato ou efeito de liar(-se).

liadoiro [De *liar* + *-doiro*^{2}.] ***S. m.*** Liadouro (q. v.).

liadouro [De *liar* + *-douro*^{2}; var. de *liadoiro*.] ***S. m.*** Pedra que ressai de uma parede e se embute noutra para ligá-la e segurá-la.

liamba [Do quimb. *liamba*.] ***S. f.*** *Bras. Angol. Santom.* V. *maconha*: "Nas cidades os viciados elegantes absorvem o ópio, a cocaína, a morfina; por aqui há pessoas que ainda fumam liamba" (Graciliano Ramos, *Linhas Tortas*, p. 83).

liame (â) [Do lat. *ligamen*.] ***S. m.*** Aquilo que prende ou liga uma coisa a outra; ligação: "E eis que rompendo os liames que o prendem à vida normal, procura, dentro de suas lembranças, faltas veniais, descuidos, coisas sem importância, para arquitetar com essas insignificâncias uma história incoerentemente dramática" (Jorge de Lima, *Guerra dentro do Beco*, p. 21).

liana [Do fr. *liane*.] ***S. f.*** *Bot.* **1.** Designação comum a diversas trepadeiras lenhosas, epífitas que se enrolam nos caules e ramos de árvores e arbustos, onde se fixam por meio de acúleos ou gavinhas, e que abundam nas florestas tropicais. **2.** Cada uma dessas trepadeiras: "Em troncos velhos viçavam lianas e parasitas" (Júlia Lopes de Almeida, *Ânsia Eterna*, p. 97).

liança [De *liar* + *-ança*.] ***S. f.*** *Ant.* **1.** Atadura, ligadura. **2.** Aliança, ligação, união.

liar [Do lat. *ligare*.] ***V. t. d. P.*** Ligar^{2} (1 e 21): "Lia-se além a tudo uma enrediça" (Alberto de Oliveira, *Poesias*, 3ª série, p. 283). [Pres. ind.: *lio, lias, lia, liamos, liais, liam*; pres. subj.: *lie, lies, lie, liemos, lieis, liem*. Cf. *líamos* e *líeis*, do v. *ler*; *leais*, pl. de *leal*; e *Leais*, pl. do antr. *Leal*.]

lias [Do ingl.] ***S. m.*** *Geol.* **1.** O primeiro período do jurássico europeu, dito jurássico inferior. **2.** O conjunto das camadas geológicas, de sedimento cinzento, xistoso e calcário, originalmente lamacento, que correspondem a esse período. **3.** Cada uma dessas camadas. ~ V. *lia*.

liase ***S. f.*** *Bioquím.* Designação genérica das enzimas que catalisam reações (exceto hidrólises ou oxirreduções) em que há eliminação de um agrupamento do substrato.

liássico [De *lias* + *-ico*^{2}.] ***Adj.*** *Geol.* **1.** Relativo a lias (1), ou às camadas de terreno a ele correspondentes. **2.** Em que há lias (2 e 3).

libação [Do lat. *libatione*.] ***S. f.*** **1.** Ato de libar. **2.** Entre os pagãos, ritual religioso que consistia em derramar um líquido de origem orgânica (vinho, óleo, leite, etc.) como oferenda a qualquer divindade. **3.** Ato de libar ou de beber, mais por prazer que por necessidade. ~ V. *libações*.

libações [Pl. de *libação*.] ***S. f. pl.*** Copos de vinho tomados por prazer ou para brindar. ~ V. *libação*.

libambo [Do quimb. *libambo*.] ***S. m.*** *Bras. N. N.E.* **1.** Cadeia de ferro à qual se atava pelo pescoço um lote de condenados, quando tinham de sair das prisões a serviço: "ajoujam-nos [aos escravos] pelo pescoço com a pesada cadeia, o libambo, em caso de rebeldia." (João Ribeiro, *História do Brasil*, p. 206). **2.** Grupo de pessoas; turba, rancho. [Cf. *libombo*.]

libame [Do lat. *libamine*.] ***S. m.*** Nos sacrifícios romanos, oferenda aos deuses.

libanês ***Adj.*** **1.** Do, ou pertencente ou relativo ao Líbano (Ásia). • ***S. m.*** **2.** O natural ou habitante do Líbano. [Flex.: *libanesa* (ê), *libaneses* (ê), *libanesas* (ê).]

libanomancia (cí) [Do gr. *líbanos*, 'incenso', + *-mancia*.] ***S. f.*** Entre os antigos, adivinhação pela direção e forma da fumaça do incenso.

libanomante [Do gr. *líbanos*, 'incenso', + *-mante*.] ***S. 2 g.*** Pessoa que praticava a libanomancia.

libanomântico ***Adj.*** Referente a libanomancia, ou a libanomante.

libar [Do lat. *libare*.] ***V. t. d.*** **1.** Beber, sorver, tragar, delibar. **2.** Tragar o conteúdo de: *Libaram as taças espumantes.* **3.** Chupar, sugar: "as abelhas, / Com jeito leve e brando, / Libam mel nesses lábios entreabertos" (Luís Fernando [Filho], *Pedras Preciosas*, p. 98). **4.** Experimentar; gozar: *libar infinitos prazeres.* ***Int.*** **5.** Fazer libações.

libata [Do umbundo.] ***S. f.*** *Angol.* Aldeia, povoado: "pediam para franquear a porta do cercado da libata." (Raul David, *Escamoteados na Lei*, p. 20).

libelar [De *libelo* + *-ar*^{2}.] ***V. t. i. Int.*** Articular o libelo (2): *Libelou contra o governo*; *Este jornal dedica-se a libelar.*

libelático [Do sing. do lat. tard. *libellaticos*.] ***Adj. S. m.*** Dizia-se do, ou o cristão que, no tempo das perseguições, comprava a certos magistrados um libelo (3) no qual se certificava que ele fazia sacrifícios aos deuses.

libelinha [De *libelulinha*, dim. de *libélula*, com haplologia.] ***S. f.*** *Zool.* V. *libélula*.

libelista [De *libelo* + *-ista*.] ***S. 2 g.*** **1.** Pessoa que faz libelo (2). **2.** Pessoa que formula acusações.

libelo (bé) [Do lat. *libellu*, dim. de *liber*, 'livro'.] ***S. m.*** **1.** *Jur.* Peça formulada pelo promotor de justiça, com exposição articulada daquilo que se pretende provar contra réu, acusado de crime doloso contra a vida, apresentada após a sentença de pronúncia, perante o tribunal do júri. **2.** Artigo ou escrito de caráter satírico ou difamatório; panfleto: "É [o livro *Max Havelaar*, do holandês Multatuli].... um libelo terrível contra o governo holandês e contra a sua política colonial." (Ramalho Ortigão, *A Holanda*, p. 273.) **3.** *Obsol.* Entre os antigos romanos, declaração, atestado, certificado, solicitação, súplica, etc., por escrito.

libélula [Do fr. *libellule* < lat. cient. *libellula* < lat. cláss. *libella*, 'nível', por alusão ao voo planado deste inseto.] ***S. f.*** *Zool.* **1.** Gênero de insetos odonatos, de corpo estreito, dotados de dois pares de asas membranosas, transparentes, em geral brilhantemente coloridas, cujas larvas, carnívoras e voracíssimas, se desenvolvem nas águas correntes, nas estagnadas, ou mesmo no interior de bromeliáceas. **2.** Qualquer espécie desse gênero. **3.** Qualquer espécime desse gênero: "Havia pombos que arrulhavam em redor de Josefina e libélulas que valsavam com seus vestidos de gaze e seus adereços de ametista." (Cecília Meireles, *Obra Poética*, p. 1.002.) [Sin., nesta acepç.: *cambito, canzil, cavalinho-de-judeu, cavalinho-do-diabo, cavalo-de-judeu, cavalo-judeu, donzelinha, jacina, jacinta, lava-bunda, lavadeira, lavandeira, libelinha, odonata, macaquinho-de-bambá, pito, zigue-zigue*.]

libélula-móvel ***S. f.*** *Petr.* Bolha gasosa no interior das inclusões líquidas dos minerais. [Pl.: *libélulas-móveis*.]

libelulóideo [Do lat. cient. *Libellul-* (< tax. *Libellulidae*) + *-óideo*; tax. *Libelluloidea*.] ***S. m. Adj.*** *Zool.* V. *odonato*.

libente [Do lat. *libente*.] ***Adj. 2 g.*** Agradável, afável, amável.

líber [Do lat. *liber*, 'entrecasca (de árvore)'.] ***S. m.*** *Bot.* O tecido condutor da seiva elaborada ou orgânica nos vegetais vasculares. Compõe-se de elementos crivosos, células parenquimatosas, fibras e esclerócitos. Pode ser primário e secundário. Acha-se localizado para fora do lenho. [Sin.: *floema*. Pl.: *líberes*. Cf. *liberes*, do v. *liberar*.]

liberação [Do lat. *liberatione*.] ***S. f.*** **1.** Ato ou efeito de liberar(-se); libertação. **2.** Quitação ou extinção de uma dívida ou obrigação. **3.** Desoneração, exoneração, dispensa. **4.** *Com.* Cancelamento geral das restrições legais ao livre mercado de certas mercadorias. **5.** *Bras. Com.* Ordem em favor do comprador para entrega de certa partida de mercadoria, cuja distribuição se acha eventualmente sujeita à fiscalização oficial. **6.** *Jur.* Libertação de condenado pelo cumprimento da pena ou por outra causa legal.

liberado [Do lat. *liberatu*; part. de *liberar*.] ***Adj.*** **1.** Tornado livre. **2.** Desobrigado, dispensado. **3.** Que se tornou ou está livre de ônus ou restrições. **4.** *Jur.* Que é beneficiário da liberação (6). • ***S. m.*** **5.** *Bras. Jur.* O sentenciado que se acha em livramento condicional.

liberal [Do lat. *liberale*.] ***Adj. 2 g.*** **1.** Amigo de dar; generoso, dadivoso, pródigo. **2.** Que é partidário do liberalismo (1), ou que nele se funda: *político liberal*; *doutrina liberal*. **3.** Que tem ideias ou opiniões avançadas, amplas, tolerantes, livres: *indivíduo liberal*. **4.** Próprio de homem liberal (2): *ideias liberais*. ~ V. *artes liberais* e *profissão* —. • ***S. 2 g.*** **5.** Partidário do liberalismo político e econômico; liberalista. **6.** Pessoa que professa opiniões liberais.

liberalão [De *liberal* + *-ão*^{1}.] ***S. m.*** *Deprec.* Aquele que ridiculamente alardeia liberalismo. [Fem.: *liberalona*.]

liberalengo [De *liberal* + *-engo*.] ***Adj.*** *Deprec.* Liberalesco.

liberalesco (ê) [De *liberal* + *-esco*.] ***Adj.*** Relativo ou pertencente ao partido liberal; liberalengo.

liberalidade [Do lat. *liberalitate*.] ***S. f.*** **1.** Qualidade ou condição de liberal (1); liberalismo. **2.** Donativo feito por indivíduo liberal, generoso: *Sempre vivem das liberalidades de um parente afastado.* **3.** Ato pelo qual se conferem gratuitamente a outrem vantagens, bens e direitos.

liberalismo [De *liberal* + *-ismo*.] ***S. m.*** **1.** O conjunto de ideias e doutrinas que visam a assegurar a liberdade individual no campo da política, da moral, da religião, etc., dentro da sociedade. **2.** Qualidade de liberal (5 e 6). **3.** Liberalidade (1). ◆ **Liberalismo econômico.** *Econ.* Doutrina que enfatiza a iniciativa individual, a concorrência entre agentes econômicos, e a ausência de interferência governamental, como princípios de organização econômica. **Liberalismo político.** Doutrina que visa a estabelecer a liberdade política do indivíduo em relação ao Estado e preconiza oportunidades iguais para todos.

liberalista [De *liberal* + *-ista*.] ***Adj. 2 g.*** **1.** Relativo ao liberalismo (1 e 2). • ***S. 2 g.*** **2.** Liberal (5).

liberalização [De *liberalizar* + *-ção*.] *S. f.* Ato ou efeito de liberalizar(-se).

liberalizante [De *liberalizar* + *-nte*.] *Adj. 2 g.* Que liberaliza; tendente a liberalizar; que promove ou ajuda a liberalização: "O pronunciamento do BIP é importante, na medida em que lembra ao governo o dever de inserir, na pauta das medidas liberalizantes, a plena restituição do direito de informação e de crítica." (Carlos Castelo Branco, em *Jornal do Brasil*, 25.10.1970.)

liberalizar [De *liberal* + *-izar*.] *V. t. d.* **1.** Dar com liberalidade; prodigalizar: *Liberalizar favores.* **2.** Tornar mais liberal (uma atividade econômica, um regime político, etc.). *T. d. e i.* **3.** Liberalizar (1): *Liberalizou-lhe bens e honrarias*; "No tempo do Império, a magnanimidade do soberano, o empenho de dar pompa e luminosidade à coroa, a necessidade de celebrar e perpetuar os fastos da dinastia eram outros tantos incentivos à munificência com que se liberalizavam graças e recompensas a artistas e homens de letras." (Alberto Ramos, *Prosas de Ariel*, p. 37); "Afonso I, liberalizando-lhe [à Ordem do Templo] doações e privilégios, ... confiara quase exclusivamente ao seu valor a guarda e defesa dos territórios conquistados nela." (Rebelo da Silva, *Contos e Lendas*, p. 74). *P.* **4.** Tornar-se liberal, partidário do liberalismo.

liberalona *S. f.* Fem. de *liberalão*.

liberando [De *liberar* + *-ando*.] *S. m. Jur.* O condenado que pleiteia livramento condicional, ou que está em condições de obtê-lo.

liberar [Do lat. *liberare*.] *V. t. d.* **1.** Tornar livre ou quite, desobrigar, de uma obrigação de dívida. **2.** *Bras.* Autorizar, como medida geral, o livre mercado de (certas mercadorias). **3.** *Bras.* Conseguir ou conceder a liberação de (determinada cota de mercadoria, cuja distribuição o Estado controla e fiscaliza em épocas anormais). **4.** Isentar de proibição; permitir: *A maré baixou, e o pai liberou o banho de mar das crianças.* **5.** Conseguir liberação de (documentos, objetos, etc.): *Sem demora, o consulado liberou o visto. T. d. e i.* **6.** Libertar, livrar: *A psicanálise liberou-o de seus complexos.* **7.** Desobrigar, isentar, livrar: *liberou-o do encargo. T. c. e i.* **8.** Conceder a liberação de (verba): *O banco liberou cinco bilhões ao Estado. P.* **9.** Ver-se livre; livrar-se: "Assim também está a sua roupa no momento em que você entra no apartamento aquecido pela calefação e, já na sala, começa a se liberar de luvas, capa de chuva, cachecol" (Silviano Santiago, *Keith Jarrett no Blue Note*, p. 15). [Pres. ind.: *líbero*, etc.; pres. subj.: *libere, liberes*, etc. Cf. *líbero*, s. m., *Líbero*, antr., e *líberes*, pl. de *líber*.]

liberativo [De *liberar* + *-tivo*.] *Adj.* **1.** Que liberta; libertador. **2.** Que desobriga; isentivo.

liberatório [De *liberar* + *-tório*.] *Adj.* **1.** Referente a liberação (2). **2.** Próprio para liberar ou representar valores pecuniários.

liberdade [Do lat. *libertate*.] *S. f.* **1.** Faculdade de cada um se decidir ou agir segundo a própria determinação: *Sua liberdade, ninguém a tolhia.* **2.** Poder de agir, no seio de uma sociedade organizada, segundo a própria determinação, dentro dos limites impostos por normas definidas: *liberdade civil; liberdade de imprensa; liberdade de ensino.* **3.** Faculdade de praticar tudo quanto não é proibido por lei. **4.** Supressão ou ausência de toda a opressão considerada anormal, ilegítima, imoral: *Liberdade não é libertinagem; Liberdade de pensamento é um direito fundamental do homem.* **5.** Estado ou condição de homem livre: *dar liberdade a um prisioneiro, a um escravo.* **6.** Independência, autonomia: *O Brasil conquistou a liberdade política em 1822.* **7.** Facilidade, desembaraço: *liberdade de movimentos.* **8.** Permissão, licença: *Tem liberdade de deixar o país.* **9.** Confiança, familiaridade, intimidade (às vezes abusiva): *Desculpe-me, tomei a liberdade de vir aqui sem telefonar-lhe; Muito comunicativo, toma às vezes certas liberdades que me aborrecem.* **10.** *Bras.* V. *risca* (4): "Trazia os cabelos caprichosamente penteados, com uma abertura ao meio, formando liberdade." (Araújo Costa, *O Menino e o Tempo*, p. 29.) **11.** *Filos.* Caráter ou condição de um ser que não está impedido de expressar, ou que efetivamente expressa, algum aspecto de sua essência ou natureza. [Quanto à liberdade humana, o problema consiste quer na determinação dos limites que sejam garantia de desenvolvimento das potencialidades dos homens no seu conjunto — as leis, a organização política, social e econômica, a moral, etc. —, quer na definição das potencialidades que caracterizam a humanidade na sua essência, concebendo-se a liberdade como o efetivo exercício dessas potencialidades, as quais, concretamente, se manifestam pela capacidade que tenham os homens de reconhecer, com amplitude sempre crescente, os condicionamentos, implicações e consequências das situações concretas em que se encontram, aumentando com esse reconhecimento o poder de conservá-las ou transformá-las em seu próprio benefício.] [Cf., nesta acepç., *autodeterminação* (2) e *autonomia* (5).] ~ V. *liberdades*. ◆ **Liberdade assintótica.** *Fís. Part.* Propriedade da cromodinâmica quântica que diz que as forças entre os *quarks* se tornam cada vez mais fracas à medida que a distância entre eles diminui. **Liberdade condicional.** *Jur.* Livramento condicional (q. v.). **Liberdade de cátedra.** *Jur.* Liberdade de manifestação de pensamento no exercício do magistério: "A concessão de *habeas-corpus* representou um ponto de vista jurídico-político do Tribunal, porque havia alguns ministros que até podiam ser simpáticos ao movimento militar, mas não podiam tolerar que fosse cortada a liberdade de cátedra" (Evandro Lins e Silva, *O Salão dos Passos Perdidos*, p. 387). **Liberdade de imprensa.** Direito concedido a todos de publicar alguma coisa sem necessidade de autorização ou de censura prévia, sob as penas da lei no caso de abuso. **Liberdade de indiferença.** *Filos.* Livre-arbítrio. **Liberdade de linguagem.** **1.** Violação das normas gramaticais. **2.** Linguagem grosseira. **Liberdade de pensamento.** Direito do indivíduo de externar suas opiniões ou crenças. **Liberdade provisória.** *Jur.* Liberdade revogável, concedida ao indiciado, acusado, ou réu, tanto na fase do inquérito como do processo penal, observados os requisitos legais. **Liberdade sob palavra.** *Jur.* Concessão feita a um prisioneiro, mediante compromisso de não se evadir, e que lhe autoriza a locomoção fora do estabelecimento carcerário. **Liberdade vigiada.** *Dir. Proc. Penal* Medida revogável determinada por autoridade judicial, com prescrição de regras de comportamento, destinadas a evitar nova infração da lei penal, impostas à pessoa que permanece sob observação e acompanhamento de conduta.

liberdades [Pl. de *liberdade*.] *S. f. pl.* **1.** Imunidades, franquias, direitos. **2.** Intimidades sensuais: *tomar liberdades com uma mulher.* ~ V. *liberdade*.

liberdoso (ô) [De *liberdade* + *-oso*, com haplologia.] *Adj.* Que permite ou propicia liberdade(s): "a verdade é que os cariocas estão desanimadamente aflitos, limitados assim no seu individualismo liberdoso." (Mário de Andrade, *Os Filhos da Candinha*, p. 114).

libéria [Do top. *Libéria*.] *S. m. Bras.* Certa variedade de café proveniente da Libéria (África).

liberiano[1] [Do top. *Libéria* + *-ano*[1].] *Adj.* **1.** Da, ou pertencente ou relativo à Libéria (África). ● *S. m.* **2.** O natural ou habitante da Libéria.

liberiano[2] [De *líber* + *-iano*.] *Adj. Bot.* Relativo ou pertencente ao líber.

líbero [Do it. *libero*.] *S. m. Bras. Fut.* Zagueiro que atua à frente ou na retaguarda da linha de beques, sem marcar especialmente nenhum adversário, e que tem por função aproveitar as ocasionais sobras de disputas de bola, ou cobrir as eventuais falhas de seus companheiros. [Cf. *libero*, do v. *liberar*.]

liberolenhoso (li... ô) [De *líber* + *-o-*[2] + *lenhoso*.] *Adj.* Relativo ao líber e ao lenho. [Na 5.ª ed. do Volp., com hífen; corrigido em errata.]

libérrimo [Do lat. *liberrimu*.] *Adj.* Superl. abs. sint. de *livre*; livríssimo: "Milton é célebre, porque esqueceu as malquerenças partidárias da sua pátria, para celebrar em rasgos inspirados e libérrimas concepções a queda e a redenção da humanidade." (Latino Coelho, *Cervantes*, pp. 185-186.)

libertação [De *libertar* + *-ção*.] *S. f.* Ato ou efeito de libertar(-se); liberação.

libertador (ô) [De *libertar* + *-dor*.] *Adj.* **1.** Que liberta, que dá liberdade, que torna livre; livrador: *movimento libertador.* **2.** Próprio para libertar, para dar liberdade: *palavras libertadoras.* [Sin. (de 1 e 2): *libertante*.] **3.** *Bras.* Relativo ou pertencente ao Partido Libertador, extinto em 1965. ● *S. m.* **4.** Aquele que liberta; livrador. **5.** Membro do Partido Libertador.

libertante [De *libertar* + *-nte*.] *Adj. 2 g.* V. *libertador* (1 e 2).

libertar [Do lat. *libertas*, 'liberdade', + *-ar*[2], ou do lat. med. *libertare*.] *V. t. d.* **1.** Dar liberdade a; tornar livre; livrar: *A Lei Áurea libertou os escravos.* **2.** Descarregar, desobstruir. **3.** Tornar livre ou quite; liberar. *T. d. e i.* **4.** Tornar livre; liberar, livrar. **5.** Desobrigar, desembaraçar, livrar: *Libertou-o do compromisso. P.* **6.** Pôr-se em liberdade; tornar-se livre; livrar-se, escapar-se: *O preso conseguiu libertar-se.* **7.** Livrar-se da influência de; livrar-se, emancipar-se: "Como observa um crítico norte-americano, na segunda metade do século XVIII a poesia liberta-se do princípio da imitação" (Vítor Manuel de Aguiar e Silva, *Teoria da Literatura*, p. 141); "dizia Sêneca que a única maneira de se libertar da obsessão da morte é enfrentá-la, e pensar constantemente na morte." (Gustavo Corção, *Lições de Abismo*, p. 73). [Fut. pret.: *libertaria*, etc. Cf. *libertária*, fem. de *libertário*.]

libertária *S. f.* Fem. de libertário: "No complexo universo do comunismo encontravam-se a delicada libertária Rosa Luxemburg (1871-1919) e o truculento Béria [L. Béria (1899-1953)]" (Leandro Konder, *A Poesia de Brecht e a História*, pp. 10-11). [Fem.: *libertária*. Cf. *libertaria*, do v. *libertar*.]

libertário [Do fr. *libertaire*.] *Adj.* **1.** Que é partidário da liberdade absoluta. **2.** Anarquista (2). ● *S. m.* **3.** Indivíduo libertário. [Fem.: *libertária*. Cf. *libertaria*, do v. *libertar*.]

libertense *Adj. 2 g.* **1.** De, ou pertencente ou relativo a Liberdade (MG). ● *S. 2 g.* **2.** O natural ou habitante de Liberdade.

▲ **libert(i)-** [Do rad. lat. *libert-* (< lat. *libertas, ātis*, 'liberdade').] *El. comp.* = 'liberdade': *liberticida, libertismo*.

liberticida [De *libert(i)-* + *-cida*.] *Adj. 2 g. S. 2 g.* Que, ou quem destrói ou tenta destruir as liberdades ou imunidades de um país.

liberticídio [De *libert(i)-* + *-cídio*.] *S. m.* Destruição ou tentativa de destruição das liberdades ou imunidades de um país.

libertinado [Part. de **libertinar(-se)*.] *Adj.* Tornado libertino.

libertinagem [De *libertino* + *-agem*[2].] *S. f.* Devassidão, desregramento, licenciosidade, crápula.

libertino [Do fr. *libertin* < lat. *libertinus*, 'liberto', 'filho de liberto'.] *Adj.* **1.** Livre de qualquer peia moral; devasso, dissoluto, depravado, licencioso. **2.** *Ant.* Incrédulo, ímpio. ● *S. m.* **3.** Indivíduo libertino.

libertismo [De *libert(i)-* + *-ismo*.] *S. m. Filos.* Indeterminismo (1).

libertista [De *libert(i)-* + *-ista*.] *Adj. 2 g. e S. 2 g.* Partidário do livre-arbítrio.

liberto [Do lat. *libertu*.] *Adj.* **1.** Diz-se de escravo que passou à condição de livre. **2.** Posto em liberdade; livre, solto. **3.** Livre, salvo. **4.** Isento de preconceitos, de superstições, etc.: *consciência liberta.* ● *S. m.* **5.** Escravo que passou à condição de livre.

líbico [Do gr. *libykós*, pelo lat. *libycu*.] *Adj.* **1.** Líbio (1). ● *S. m.* **2.** Líbio (2). **3.** *Gloss.* Língua camítica falada pelos antigos berberes. **4.** *Gloss. Restr.* O dialeto árabe falado pelos líbios; líbio.

libidibi [De *dividivi*, com dissimilação.] *S. m. Bot.* Dividivi.

libidinagem [Do rad. lat. *libidin-* (< *libido, inis*, 'desejo violento', 'luxúria') + *-agem*[2].] *S. f.* **1.** Vida ou ato de libidinoso. **2.** Lascívia, sensualidade, voluptuosidade.

libidinal [Do rad. lat. *libidin-*, como em *libidinagem* (q. v.), + *-al*[1].] *Adj. 2 g.* Relativo à libido.

libidinosidade [De *libidinoso* + *-(i)dade*.] *S. f.* Qualidade de libidinoso.

libidinoso (ô) [Do lat. *libidinosu*.] *Adj.* **1.** Relativo ao prazer sexual, ou que o sugere; voluptuoso, sensual: *olhar libidinoso.* **2.** Que procura constantemente e sem pudor satisfações sexuais: *um velho libidinoso.* **3.** Lascivo, dissoluto, devasso. ● *S. m.* **4.** Indivíduo libidinoso.

libido (bí) [Do lat. *libido* (nom.), 'desejo violento', 'paixão', 'luxúria'.] *S. f.* **1.** Instinto ou desejo sexual. **2.** *Psican.* Energia motriz dos instintos de vida, *i. e.*, de toda a conduta ativa e criadora do homem. [Cf. *pulsão* (2).]

líbido *S. f. Lus.* V. *libido*: "Há uma inibição da líbido como há das letras." (Agustina Bessa-Luís, *Memórias Laurentinas*, p. 184.)

líbio [Do lat. *libyu*.] *Adj.* **1.** De, ou pertencente ou relativo à Líbia (N. da África); líbico. ● *S. m.* **2.** O natural ou habitante da Líbia; líbico. **3.** *Gloss.* Líbico (4). [Sin. ger.: *líbico*.]

libita [Alter. de *levita*[2].] *S. f. Bras.* Espécie de túnica sem mangas.

libitina [Do mit. lat. *Libitina*, a deusa dos ritos funerais na Roma antiga.] *S. f. Poét.* A morte.

líbito [Do lat. *libitu*, 'vontade', 'gosto', 'prazer'.] *S. m. P. us.* Vontade; arbítrio; talante.

libombo [De *lubambo*, com dissimilação.] *S. m. Bras. PE* Leva de sertanejos que anualmente emigram, em busca de trabalho, para a zona da mata, ou para o Sul, como eles dizem. [Cf. *libambo*.]

■ **libor** [Acrograma de *London Inter-Bank Offered Rate*.] *Econ.* Taxa de juro básica para empréstimos interbancários, no mercado financeiro inglês, frequentemente tomada como referência em contratos internacionais de financiamento.

libra [Do lat. *libra*.] *S. f.* **1.** Unidade de medida de massa, igual a 0,45359237kg, utilizada no sistema inglês de pesos e medidas; libra-massa [símb.: *lb*]. **2.** V. *arrátel*. **3.** Antiga moeda simbólica, que correspondia, originariamente, ao valor de uma libra de ouro ou de prata. **4.** Moeda real cujo valor variou conforme os tempos e os lugares. **5.** Unidade monetária da Grã-Bretanha, dividida em 100 *pence* [símb.: £]. [Até 1971 era dividida em 20 xelins. Foi também a unidade monetária da Irlanda, até ser substituída pelo euro (q. v.)] **6.** Unidade monetária de Chipre, do Egito, do Líbano, do Sudão e da Síria. **7.** O sétimo signo do zodíaco, relativo aos que nascem entre 23 de setembro e 22 de outubro; Balança. **8.** *Astr.* A sétima constelação do Zodíaco, situada no hemisfério sul a 15h30min de ascensão reta e 15° de declinação sul. [Com cap., nas acepç. 7 e 8.] ◆ **Libra esterlina.** A libra (5) do Reino Unido da Grã-Bretanha; soberano.

libração [Do lat. *libratione.*] *S. f.* **1.** Ato ou efeito de librar(-se). **2.** Oscilação regular de um corpo até equilibrar-se. **3.** *Astr.* Movimento oscilatório, real ou aparente, de um corpo celeste. ◆ **Libração aparente.** *Astr.* Deslocamento das manchas lunares em direção ao limbo este e oeste. **Libração diurna.** *Astr.* Libração lunar aparente, produzida pela paralaxe diurna; libração paraláctica. **Libração em latitude.** *Astr.* Libração lunar aparente, que se traduz pela mudança, em latitude, do ponto central do disco lunar. **Libração em longitude.** *Astr.* Libração lunar aparente, que se traduz pela mudança, em longitude, do ponto central do disco lunar. **Libração física.** *Astr.* Libração real de um dos eixos da Lua. **Libração lunar.** Qualquer deslocamento, real ou aparente, dos eixos lunares em relação às suas posições médias. **Libração óptica.** *Astr.* A soma das librações em latitude e em longitude. **Libração paraláctica.** *Astr.* Libração diurna.

libra-massa *S. f.* Libra (1). [Pl.: *libras-massas* e *libras-massa.*]

libra-peso *S. f.* Unidade de peso, igual a 4,448222N ou 0,45359237kgf, us. no sistema inglês de pesos e medidas. [Pl.: *libras-pesos* e *libras-peso.*]

librar [Do lat. *librare.*] *V. t. d.* **1.** Pôr em equilíbrio; equilibrar. **2.** Suster no ar; suspender. *T. d. e i.* **3.** Fundamentar, basear; concentrar: *O réu libra sua esperança de absolvição no depoimento da testemunha.* **4.** Elevar, erguer, suspender: "O Gênio do *Cristianismo* [de Chateaubriand] é uma compendiosa exposição de sublimes lances, que .... librам o pensamento ao êxtase da contemplação pura." (Ramalho Ortigão, *Primeiras Prosas*, p. 28.) *P.* **5.** Suspender-se, sustentar-se (no ar); alar-se: "Para ir ter à grota sobre a qual se libravam os urubus, não era preciso entrar a mata" (Franklin Távora, *O Cabeleira*, p. 141); "paira [um pinhém] um momento no ar; libra-se um pouco nas asas" (Silva Guimarães, *Os Borrachos*, p. 13). **6.** Fundamentar-se, basear-se: *Libraram-se todos em tua afirmação.*

libré [Do fr. *livrée.*] *S. f.* **1.** Uniforme ou fardamento de criado de casas nobres: "Os criados, equipados, de couraça e espada, vestiam librés de seda verde e branca" (Ramalho Ortigão, *O Culto da Arte em Portugal*, p. 156). **2.** *Pop.* Terno, ou farda (1). **3.** *Fig.* Aspecto exterior; aparência. [Cf. *lebré.*]

libretista [De *libreto* + *-ista.*] *S. 2 g.* Pessoa que escreve libreto(s).

libreto (ê) [Do it. *libretto*, 'livrinho'.] *S. m.* Texto ou argumento de uma ópera, opereta ou comédia musicada.

libriano [De *Libra* (8) + *-iano.*] *S. m.* **1.** Indivíduo nascido sob o signo da Libra (8). ● *Adj.* **2.** Diz-se de, ou pertencente ou relativo a libriano (1).

librina [Alter. de *neblina.*] *S. f. Bras. Pop.* V. *chuvisco* (1).

librinar [De *librina* + *-ar*[2].] *V. int. Bras. Pop.* Neblinar; chuviscar.

libuno *Adj. S. m. Bras.* V. *lobuno.*

liburna [Do lat. *liburna.*] *S. f.* Embarcação usada no transporte de trigo do Egito para Roma, no início da era cristã.

liburno [Do lat. *liburnu.*] *S. m.* Na Roma antiga, escravo que transportava a cadeirinha ou liteira de nobres ou ricos.

liça[1] [Do fr. *lice.*] *S. f.* **1.** Lugar destinado a torneios, justas, combates, correrias, etc. **2.** *P. ext.* Luta, briga, combate. **3.** *Fig.* Lugar onde se discutem altas questões. [Var.: *lice.* Cf. *lissa.*]

liça[2] [De *liço.*] *S. f. Bras.* Peça de máquina de tecidos, semelhante a um pente fechado, utilizada para levantar os fios. [Cf. *lissa.*]

liça[3] [Do jeje.] *S. m. Bras. Rel.* Vodum correspondente ao orixá nagô Oxalá. [Com cap. Cf. *lissa.*]

licânia [Do tax. *Licania.*] *S. f. Bot.* **1.** Grande gênero de árvores crisobalanáceas dotadas de folhas simples, alternas e pequenas flores paniculadas. **2.** Qualquer espécie desse gênero, como, p. ex., a *Licania tomentosa* [v. *oiti* (1)]. **3.** Qualquer espécime desse gênero.

licantropia [Do gr. *lykanthropía.*] *S. f.* **1.** *Psiq.* Doença mental em que o enfermo se julga transformado em lobo; licomania. **2.** Suposta metamorfose do homem em lobo: "Essa transformação de uma criatura humana num lobo chama-se 'licantropia'" (Olavo Bilac, *Conferências Literárias*, p. 159).

licantropo (ô) [Do gr. *lykánthropos.*] *S. m.* **1.** *Psiq.* Alienado que sofre de licantropia; licomaníaco. **2.** *P. ext.* Lobisomem.

lição [Do lat. *lectione.*] *S. f.* **1.** Matéria ou tema ensinado ou explicado pelo professor ao aluno. **2.** Aquilo que é aprendido ou assimilado pelo aluno através dos ensinamentos do professor. **3.** Unidade didática no conjunto de cada matéria ou curso, destinada ao ensino e ministrada por meio de explicações em classe ou de textos; aula: *um curso em 10 lições.* **4.** Trabalho escolar preparado pelo aluno para ser apresentado ao professor. **5.** Exposição didática feita pelo professor, aula, preleção. **6.** Leitura litúrgica. **7.** *E. Ling.* Forma particular de um texto, em comparação a outra forma do mesmo texto. **8.** *Fig.* Ensinamento, conselho ou exemplo que serve de orientação à conduta, ao procedimento: *Quem é você para me dar lições?* **9.** *Fig.* Experiência que serve de exemplo ou de aviso, especialmente em caso de falta ou erro: *Que isto lhe sirva de lição.* **10.** *Fig.* V. *repreensão* (1).

liçarol *S. m.* Cada uma das travessas que seguram os liços. [Pl.: *liçaróis.*]

lice *S. f.* V. *liça*[1].

liceal [De *liceu* + *-al*[1].] *Adj. 2 g.* **1.** Relativo a liceu. **2.** Que estuda em liceu.

liceidade [Do fr. *licéité*, poss.] *S. f.* V. *licitude.*

licença [Do lat. *licentia.*] *S. f.* **1.** Consentimento, permissão, autorização. **2.** Autorização, dada a empregado ou funcionário, para não comparecimento ao serviço, ou afastamento temporário de suas funções: *licença de saúde; licença à gestante.* **3.** Permissão outorgada pela autoridade competente para o estabelecimento de uma indústria ou comércio ou para o exercício de uma atividade, em geral mediante o pagamento de uma taxa. **4.** Documento que atesta a concessão de uma licença. **5.** V. *licenciamento.* **6.** *Fig.* Vida ou procedimento dissoluto; desregramento moral: "A multidão infrene, despida de preconceitos e de moral, imergia à rédea solta na licença." (Veiga Miranda, *Pássaros Que Fogem...*, p. 54.) **7.** *Bras. Rel.* V. *agô.* ◆ **Licença de corso.** V. *carta de corso.* **Licença especial.** *Bras.* Licença-prêmio. **Licença poética.** Liberdade que toma o poeta, algumas vezes, de transgredir as normas da poética ou da gramática.

licença-maternidade *S. f.* Licença (2) concedida à mulher a partir do nono mês de gravidez. [Pl.: *licenças-maternidades* e *licenças-maternidade.*]

licença-paternidade *S. f.* Licença (2) concedida ao pai quando do nascimento do filho. [Pl.: *licenças-paternidades* e *licenças-paternidade.*]

licença-prêmio *S. f. Bras.* Licença (2) a que tem direito o funcionário público após cada quinquênio de exercício; licença especial. [Pl.: *licenças-prêmios* e *licenças-prêmio.*]

licenciação [De *licenciar* + *-ção.*] *S. f. P. us.* V. *licenciamento.*

licenciado [Part. de *licenciar.*] *Adj.* **1.** Que tem licença, ou está autorizado por licença. **2.** Que foi dispensado ou despedido. **3.** Que tem licenciatura (2). ● *S. m.* **4.** Aquele que tem a licenciatura (2). **5.** *Bras.* Aquele que exerce profissão liberal devidamente autorizado, embora não haja cursado o ensino superior.

licenciador (ô) [De *licenciar* + *-dor.*] *Adj.* Que concede licença: *órgão licenciador.*

licenciamento [De *licenciar* + *-mento.*] *S. m.* Ato ou efeito de licenciar(-se). [Sin.: *licenciatura, licença* e (p. us.) *licenciação.*]

licenciando [De *licenciar* + *-ando.*] *S. m.* Aquele que é candidato à licenciatura (2).

licenciar [Do lat. med. *licentiare.*] *V. t. d.* **1.** Conceder licença a. **2.** Mandar embora; despedir. **3.** Conceder o grau de licenciatura a: *Esta faculdade licencia grande número de estudantes a cada ano.* **4.** Conseguir ou fornecer autorização (a veículo) para transitar: *comprar um novo carro e imediatamente o licenciar.* *P.* **5.** Tomar licença (2); entrar de licença (2). **6.** Tomar grau de licenciatura (2). [Conjug.: v. *negociar* (no Brasil e em Port.).]

licenciatura [De *licenciar* + *-tura.*] *S. f. Bras.* **1.** V. *licenciamento.* **2.** Grau universitário que dá ao seu portador a faculdade de exercer o magistério do ensino médio. **3.** Ato de conferir esse grau.

licenciosidade [De *licencioso* + *-(i)dade.*] *S. f.* Qualidade ou caráter de licencioso.

licencioso (ô) [Do lat. *licentiosu.*] *Adj.* **1.** Que usa de excessiva licença; indisciplinado, desregrado. **2.** Sensual, libidinoso; libertino. **3.** Próprio de quem é licencioso: *atitudes licenciosas.* ● *S. m.* **4.** Indivíduo licencioso.

licenídeo [Do tax. *Lycaena* + *-ídeo*[1]; tax. *Lycaenidae.*] *Zool. S. m.* **1.** Espécime dos licenídeos, família de insetos lepidópteros, borboletas pequenas, delicadas e brilhantes. Ex.: a bandeirinha, a azulzinha. ● *Adj.* **2.** Pertencente ou relativo a eles.

liceu [Do lat. *Lyceu* < gr. *Lýkeion.*] *S. m.* **1.** *Obsol.* Em Atenas, designação da escola onde Aristóteles (v. *aristotélico*) ensinava filosofia. **2.** Estabelecimento de ensino secundário e/ou profissional: *liceu de artes e ofícios.* **3.** Curso que se faz num desses estabelecimentos: "Terminado o liceu, ... tinha [Lima Barreto] que enfrentar, agora, as bancas dos exames de preparatórios, para depois ingressar no curso superior" (Francisco de Assis Barbosa, *A Vida de Lima Barreto*, p. 59). **4.** *P. ext.* Designação comum a certas agremiações culturais com fins didáticos. **5.** *Bras. MG Pop.* Prostíbulo.

lichi *S. f. Bot.* V. *lichia.*

lichia [Do chin. *li-chi*; tax. *Litchi.*] *S. f. Bot.* **1.** Gênero de árvores sapindáceas, com folhas pinuladas e flores branco-esverdeadas, dispostas em panículas terminais; ocorre nas regiões quentes da Ásia. **2.** Qualquer espécie desse gênero, como, p. ex., a *Litchi cinensis*, cultivada pelos frutos edules. **3.** Qualquer fruto dessas árvores, esp. o da espécie *Litchi cinensis*, de arilo carnoso e branco. [Var., nesta acepç.: *lechia.*] **4.** Qualquer espécime desse gênero.

lichiguana [Var. de *lecheguana.*] *S. f. Bras. S. Zool.* V. *enxuí.*

liciatório [Do lat. *liciatoriu.*] *S. m.* Pente do tear por onde passam os fios da teia ou urdidura.

liciena [De *lic(o)-* + *(h)iena*; tax. *Lycyaena.*] *S. f. Paleont.* **1.** Gênero de mamíferos carnívoros, hienídeos, que habitaram a Europa e o S. da Índia, no período terciário. **2.** Espécie ou espécime desse gênero.

licínio-almeidense *Adj. 2 g.* **1.** De, ou pertencente ou relativo a Licínio de Almeida (BA). ● *S. 2 g.* **2.** O natural ou habitante de Licínio de Almeida. [Pl.: *licínio-almeidenses.*]

lício [Do gr. *lýkion*, pelo lat. *lyciu*; tax. *Lycium.*] *S. m. Bot.* **1.** Gênero de árvores e arbustos solanáceos, dotados de folhas simples e flores campanuliformes. **2.** Qualquer espécie desse gênero, como, p. ex., a *Lycium halimifolium*, natural da Ásia, de flores violetas tirantes à púrpura. **3.** Qualquer espécime desse gênero, ou a flor dele.

licitação [Do lat. *licitatione.*] *S. f.* **1.** Ato ou efeito de licitar; oferta de lanços num leilão ou hasta pública. **2.** *Econ.* Procedimento pelo qual a administração pública seleciona a proposta mais vantajosa, quando compra bens e serviços ou faz outras transações. [V. *concorrência, convite* e *tomada de preços.*] **3.** *Jur.* Ato em que, para possibilitar a partilha, os herdeiros e o cônjuge sobrevivente disputam entre si, por meio de lanços, a adjudicação de bens não susceptíveis de divisão cômoda e que não caibam na parte de um só deles, ficando obrigado o adjudicatário a repor em dinheiro a diferença. [Cf., nesta acepç., *torna*[1] (2).]

licitador (ô) [Do lat. *licitatore.*] *Adj. S. m.* Licitante.

licitante [Do lat. *licitante.*] *Adj. 2 g. S. 2 g.* Que, ou quem licita; licitador.

licitar [Do lat. **licitare*, por *licitari.*] *V. int.* **1.** Oferecer qualquer quantia no ato de arrematação, de adjudicação, hasta pública ou partilha judiciária. *T. d.* **2.** Pôr em almoeda, leilão ou hasta pública: "Nas propriedades agrícolas licitavam-se os produtos, o gado, as alfaias; as terras davam-se de renda." (J. Lúcio d'Azevedo, *O Marquês de Pombal e Sua Época*, p. 198.) **3.** Oferecer lanço sobre. **4.** Promover [a licitação (3)] de, entre os coerdeiros e o cônjuge sobrevivente. [Pres. ind.: *licito*, etc. Cf. *lícito.*]

licitatório [De *licitar* + *-tório.*] *Adj.* Relativo a licitação.

lícito [Do lat. *licitu.*] *Adj.* **1.** Conforme à lei; legal. **2.** *P. ext.* V. *jurídico* (2). **3.** Permitido por lei; legal, justo. **4.** Admissível, permissível; justo: "Antes de vir para a mesa, já a tia Palmira .... devia ter relatado ao tio João do entusiasmo do Júlio no baile, e das esperanças que daí me era lícito acalentar." (Maria Archer, *Nada Lhe Será Perdoado*, p. 100). ● *S. m.* **5.** Aquilo que é justo ou permitido. [Cf. *licito*, do v. *licitar.*]

licitude [De *lícito* + *-(t)ude.*] *S. f.* **1.** Qualidade de lícito. **2.** Conformidade ao direito; juridicidade, legalidade. [Sin. ger.: *liceidade.*]

▲ **licn(o)-** [Do gr. *lýchnos, ou.*] *El. comp.* = 'lâmpada': *licnomancia, licnomante.*

licnóbio [Do gr. *lychnóbios*, pelo lat. *lychnobiu.*] *S. m.* Aquele que vela de noite ou que faz da noite dia.

licnomancia (cí) [Do gr. *lychnomanteía.*] *S. f.* Adivinhação por meio de lâmpadas ou brandões.

licnomante [De *licn(o)-* + *-mante.*] *S. 2 g.* Pessoa que pratica a licnomancia.

licnomântico *Adj.* Relativo a licnomancia ou a licnomante.

licnuco [Do gr. *lychnoûchos*, pelo lat. *lychnuchu.*] *S. m.* Entre os antigos gregos e romanos, tipo de lampadário de vários braços.

▲ **lic(o)-** [Do gr. *lyko-* < gr. *lýkos, ou.*] *El. comp.* = 'lobo (ô)': *licopódio, licorexia.*

liço [Do lat. *liciu*, 'fio', 'trama'.] *S. m. Tec. Têx.* Cada um dos fios, entre dois liçaróis do tear, que sobem e descem para serem atravessados pelos fios da tecelagem.

licomania [De *lic(o)-* + *-mania.*] *S. f. Psiq.* Licantropia (1).

licomaníaco [De *licomania* + *-íaco.*] *Psiq. Adj.* **1.** Relativo a licomania. **2.** Que sofre de licomania; licômano. ● *S. m.* **3.** Aquele que sofre de licomania; licômano.

licómano *Adj. S. m. Psiq.* V. *licômano.* [Uso freq. em P.]

licômano [De *lic(o)-* + *-mano*[1].] ***Adj. S. m. Psiq.*** Licomaníaco (2 e 3).

licopeno [Do lat. cient. *Lycop(ersicon)* (< gr. *lykopérsion*, 'certa planta solanácea egípcia') + *-eno*[2].] ***S. m. Quím.*** Carotenoide acíclico, que é o pigmento vermelho dos tomates [fórm.: $C_{40}H_{56}$].

licopodiácea [Do tax. *Lycopodium* + *-ácea*; tax. *Lycopodiaceae*.] ***S. f. Bot.*** Espécime das licopodiáceas, família de pteridófitos que constitui a ordem das licopodiales. São fetos providos de folhas minutas, parecendo escamosos, e esporofilos em espigas. O gênero básico é *Lycopodium* (v. *licopódio*), com umas 200 espécies, muitas brasileiras, algumas das quais já foram extintas, delas havendo registro fóssil.

licopodiáceo [De *licopodiácea*, com var. suf. (v. *-áceo*).] ***Adj. Bot.*** Pertencente ou relativo às licopodiáceas.

licopodial [Do lat. cient. *Lycopodi-* (v. *licopodiale*) + *-al*[1].] ***Adj. 2 g. Bot.*** Pertencente ou relativo às licopodiales.

licopodiale [Do tax. *Lycopodium* + *-ale*; tax. *Lycopodiales*.] ***S. f. Bot.*** Espécime das licopodiales, ordem de pteridófitos cujos esporângios são isosporados. Prótalo muito desenvolvido; folhas sem lígula. Abarca apenas as licopodiáceas.

licopódio [Do tax. *Lycopodium* (do gr. *lýkos*, 'lobo (ô)', + *poús, podós*, 'pé', + lat. cient. *-ium*, v. *-io*[3]).] ***S. m. Bot.*** **1.** Grande gênero de licopodiáceas, composto de plantas eretas e trepadeiras, dotadas de folhas sempre-verdes, uninérveas. **2.** Qualquer espécie desse gênero, como, p. ex., a *Lycopodium cernuum*, largamente difundida no Brasil e alhures, de caule fino e muito ramificado, folhas minúsculas, escamiformes, e que se reproduz por meio de esporos, os quais constituem um pó fino, hidrófugo, outrora usado em farmácia para isolar pílulas, e ainda hoje para outros fins. **3.** Qualquer espécime desse gênero. **4.** O pó dos esporos do *Lycopodium cernuum*.

licópsida [Do tax. *Lycopsida*.] ***S. f. Bot.*** Espécime das licópsidas, classe de pteridófitos que abrange três famílias, a das licopodiáceas, a das isoetáceas e a das selagineláceas, de ampla distribuição pelo mundo, com esporófitos dotados de raízes, microfilos ger. espiralados, e esporângios com paredes espessas; têm anterozoides biflagelados ou multiflagelados.

licor (ô) [Do lat. *liquore*, 'líquido'.] ***S. m.*** **1.** Bebida aromatizada e doce, obtida pela mistura de álcool ou aguardente com substância ger. de origem vegetal, adicionada de sacarose, glicose ou mel. **2.** Designação comum a vários produtos líquidos (químicos ou farmacêuticos), esp. àqueles em cuja composição entra o álcool. **3.** *Desus.* Humor (1). **4.** Qualquer líquido. **5.** O conteúdo de um cálice de licor (1): *Tomou seis licores, além de outras bebidas.* [Cf. *liquor*.] ◆ **Licor negro.** *Tec.* Na indústria de papel, o líquido resultante do cozimento da polpa celulósica e que contém, em suspensão e em solução, muitas substâncias valiosas (sulfetos, carbonatos, sulfato de sódio, cloreto de sódio, alumina, entre outras) que são recuperadas por tratamento especial; lixívia negra.

licoreira [De *licor* + *-eira*.] ***S. f.*** Licoreiro.

licoreiro [De *licor* + *-eiro*.] ***S. m.*** Utensílio de mesa, que contém garrafa e cálices, ou copinhos para licor; licoreira.

licorexia (cs) [De *lic(o)-* + *-orex-* + *-ia*[1].] ***S. f.*** V. *bulimia* (2).

licorista [De *licor* + *-ista*.] ***S. 2 g.*** Fabricante e/ou vendedor de licores.

licorne [Do lat. *unicorne*, com aférese e dissimilação.] ***S. m.*** **1.** Animal fabuloso, que tem corpo de cavalo e um chifre no meio da testa, símbolo da virgindade, da pureza, nas lendas da Idade Média; unicórnio: "alões, hipogrifos e licornes desataram a morder-lhe nas pernas e a puxá-lo." (Aquilino Ribeiro, *Estrada de Santiago*, p. 313). **2.** *Bras. Zool.* V. *anhima* (2).

licoroso (ô) [De *licor* + *-oso*.] ***Adj.*** Que tem o aroma e o teor alcoólico do licor, e é açucarado como ele. ~ V. *vinho* —.

licorrexia (cs) ***S. f. Med.*** V. *licorexia*.

licosídeo [Do tax. *Lycosa* + *-ídeo*[1]; tax. *Lycosidae*.] *Zool.* ***S. m.*** **1.** Espécime dos licosídeos, família de araneídeos peçonhentos, com mais de 1.000 espécies, das quais a mais comum, a *Lycosa raptoria*, mede de 15 a 30mm no cefalotórax, atingindo cerca de 7cm com as patas distendidas. ● ***Adj.*** **2.** Pertencente ou relativo a eles.

licranço ***S. m.*** *Lus. Zool.* Designação comum a alguns reptis como a cobra-de-vidro (q. v.) e a cobra-de-duas-cabeças (q. v.).

lictor (ô) [Do lat. *lictore*.] ***S. m.*** Oficial que, na antiga Roma, acompanhava os magistrados com um molho de varas e uma machadinha para as execuções da justiça. [Var.: *litor*.]

lictório [Do lat. *lictoriu*.] ***Adj.*** Pertencente ou relativo a lictor. [Var.: *litório*.]

licurana ***S. f.*** *Bras. Bot.* V. *urucurana* (1).

licuri ***S. m.*** *Bras.* F. aferética e dissimilada de *aricuri* (q. v.).

licuriroba ***S. f.*** *Bras. Bot.* V. *aricuriroba*.

licurizal [De *licuri* + *-zal*.] ***S. m.*** **1.** *Bras.* Quantidade mais ou menos considerável de licurizeiros dispostos proximamente entre si. **2.** Área ocupada por licurizal (1).

licurizeiro [De *licuri* + *-zeiro*.] ***S. m.*** *Bras.* V. *aricuri*.

licute ***S. m.*** *Bras. PI* V. *chamego*.

lida[1] [Dev. de *lidar*.] ***S. f.*** **1.** Ato ou efeito de lidar. **2.** V. *trabalho* (8).

lida[2] [De *ler* + *-ida*.] ***S. f.*** *Bras. Fam.* Leitura (1) mais ou menos ligeira: *Deu uma lida no artigo e fez duas emendas.*

lidador (ô) [De *lidar* + *-dor*.] ***Adj. S. m.*** **1.** Que, ou aquele que lida ou peleja; combatente. **2.** Que, ou aquele que lida, luta, labuta; trabalhador, lutador.

lidar [Do lat. *litigare*.] ***V. t. d.*** **1.** Tomar parte em, participar de (combate, lutas): "Andei longes terras, / Lidei cruas guerras" (Gonçalves Dias, *Obras Poéticas*, II, p. 23). **2.** Sofrer, passar (vida de fadiga, trabalho, etc.). **3.** Dar combate a; reptar. **4.** *Taur.* Correr, farpear (touros). ***T. i.*** **5.** Sustentar combate moral; lutar: *O sacerdote lidava, com ardor, com vícios e paixões.* **6.** Trabalhar com afã; esforçar-se, afadigar-se: "lidava deveras [Antônio Vieira] por avantajar-se aos demais seus condiscípulos" (João Francisco Lisboa, *Obras*, IV, p. 10). **7.** Trabalhar, ocupar-se: "Lidou Roquete-Pinto com índios, minerais, plantas, bichos, gravuras, filmes, rendas paraguaias, sambaquis." (Carlos Drummond de Andrade, *Fala, Amendoeira*, p. 243.) ***Int.*** **8.** Pelejar em batalha ou duelo. **9.** Trabalhar; labutar: *Para ganhar a vida, lida noite e dia.* ● ***S. m.*** **10.** Lida[1]: "Não sou soldado / afeito a rude lidar?" (Stella Leonardos, *Romanceiro do Bequimão*, p. 111).

lide[1] [Adapt. do ingl. *lead*.] ***S. m.*** *Jorn.* Parte introdutória de matéria jornalística, na qual se procura dar o fato, objetiva e sinteticamente, com o fim de responder às questões: o quê, quem, quando, onde, como e por quê. [Ger. recebe tratamento gráfico diferenciado. Cf. *nariz de cera* (2).]

lide[2] [Do lat. *lite*.] ***S. f.*** **1.** V. *trabalho* (8): "Nos claustros, nos descampados, em meio das multidões, durante as lides mais pesadas, orava constantemente" (Eça de Queirós, *Contos*, p. 151). **2.** Contenda, combate, luta. **3.** Questão judicial; litígio, pendência. **4.** V. *toureação*.

líder [Do ingl. *leader*.] ***S. 2 g.*** **1.** Indivíduo que chefia, comanda e/ou orienta, em qualquer tipo de ação, empresa ou linha de ideias. **2.** Guia, chefe ou condutor que representa um grupo, uma corrente de opinião, etc. **3.** *Restr.* O representante de uma bancada parlamentar numa assembleia. **4.** Indivíduo, grupo ou agremiação que ocupa a primeira posição em qualquer tipo de competição: *O Flamengo é o líder do campeonato.* **5.** *Aer.* Piloto que comanda uma formação de aeronaves: *líder da esquadrilha da fumaça* ● ***S. m.*** **6.** *Cin.* Tira de plástico ou papel, não gravável, usada no início e no fim da fita, ou no meio de gravações independentes de um mesmo rolo, para facilitar a localização de trechos gravados. [Pl.: *líderes*. Cf. *lideres*, do v. *liderar*.] ◆ **Líder de equipe.** *Adm.* Aquele que coordena as atividades de uma célula de produção ou um grupo de projeto. **Líder de mercado.** *Adm.* Empresa que possui a maior participação em um determinado mercado, ou seja, vende mais que os concorrentes e é, portanto, uma referência para os consumidores e concorrentes.

liderado [Part. de *liderar*.] ***Adj. S. m.*** Que, ou aquele que está sob a liderança de outrem, que obedece a um líder.

liderança [De *liderar* + *-ança*.] ***S. f.*** **1.** Função de líder. **2.** Capacidade de liderar; espírito de chefia. **3.** Forma de dominação baseada no prestígio pessoal e aceita pelos dirigidos. **4.** *Adm.* Capacidade de influenciar outras pessoas ou grupos de modo que eles se envolvam e realizem ações comuns do interesse do líder, sem necessitar, para isso, da autoridade conferida pela hierarquia funcional. ◆ **Liderança de custo.** *Adm.* Vantagem de mercado obtida por uma empresa sobre seus concorrentes em função da sua capacidade de produzir com custos menores, podendo praticar preços menores ou margem de lucro mais ampla. **Liderança de diferenciação.** *Adm.* Vantagem de mercado obtida por uma empresa sobre seus concorrentes em função da sua capacidade de produzir itens que atraem os clientes por serem superiores aos da concorrência em termos de qualidade, versatilidade, durabilidade ou qualquer outro atributo que não o custo.

liderar [De *líder* + *-ar*[2].] ***V. t. d.*** **1.** Dirigir na condição de líder (1 a 3). **2.** Ocupar a posição de líder (4) em (qualquer competição): *Este candidato lidera as pesquisas de opinião pública.* ***Int.*** **3.** Liderar (1): *Percebe-se que a sua tendência é para liderar.* [Pres. ind.: *lidere, lideres*, etc. Cf. *líderes*, pl. de *líder*.]

lidianopolitano ***Adj.*** **1.** De, ou pertencente ou relativo a Lidianópolis (PR). ● ***S. m.*** **2.** O natural ou habitante de Lidianópolis.

lidimar [De *lídimo* + *-ar*[2].] ***V. t. d.*** V. *legitimar*. [Pres. ind.: *lidimo*, etc. Cf. *lídimo*.]

lidimidade [De *lídimo* + *-(i)dade*.] ***S. f.*** Qualidade de lídimo; legitimidade, autenticidade.

lídimo [Do lat. *legitimu*, 'conforme à lei', por via pop.] ***Adj.*** **1.** Legítimo, autêntico: "Conjeturo ser esta a lídima e autêntica heroína com suas intermitências de borrachona e malandra." (Camilo Castelo Branco, *Maria da Fonte*, p. 50.) **2.** Vernáculo, puro, genuíno. [Cf. *lidimo*, do v. *lidimar*.]

lídio [Do gr. *lýdios*, pelo lat. *lydiu*.] ***Adj.*** **1.** Da, ou pertencente ou relativo à Lídia (Ásia Menor). ● ***S. m.*** **2.** O natural ou habitante da Lídia. **3.** *Gloss.* Língua indo-europeia do ramo anatólio que era falada na Lídia. **4.** Vocábulo dessa língua.

lidita [Do top. *Lídia* (antiga região da Ásia Menor) + *-ita*[3].] ***S. f. Min.*** Variedade preta de jaspe, utilizada como pedra de toque; pedra da lídia. [Cf. *lidite*.]

lidite [Do ingl. *lyddite*, do top. *Lydd* (Inglaterra).] ***S. f.*** Explosivo poderoso, que contém ácido pícrico e se usa na fabricação de bombas. [Cf. *lidita*.]

lido[1] [De etim. obscura.] ***S. m.*** Entre os germanos da Idade Média, colono ou servo de categoria superior.

lido[2] [Part. de *ler*.] ***Adj.*** **1.** Que se leu ou se lê: *Pôs fora os jornais lidos; José de Alencar é, ainda, autor muito lido.* **2.** Que tem conhecimentos adquiridos pela leitura; erudito, versado: *homem lido e viajado.*

lidocaína [Voc. farmac.] ***S. f. Quím.*** Substância cristalina, amida aromática que contém um grupo amina terciária, usada como anestésico local; xilocaína [fórm.: $C_{14}H_{22}N_2O$].

liechtensteinense (ein = áin) ***Adj. 2 g.*** **1.** Do, ou pertencente ou relativo ao Principado de Liechtenstein (Europa ocidental). ● ***S. 2 g.*** **2.** O natural ou habitante do Principado de Liechtenstein.

→**lied** [lijt] [Al.] ***S. m.*** **1.** Poema estrófico, ger. sentimental e destinado ao canto. **2.** *Mús.* Canção escrita sobre um desses poemas, e que se caracteriza pela unidade de inspiração entre a música e a poesia. **3.** *Mús.* Na música instrumental, estrutura especial em que ger. se escreve o segundo movimento (lento) da sonata, e que se baseia num tema principal semelhante ao da canção alemã, ou comporta duas, três e até cinco seções. [Com cap. Pl.: *Lieder*. Cf. *lead*.]

lienal [De *lien(o)-* + *-al*[1].] ***Adj. 2 g.*** Esplênico.

lienite [De *lien(o)-* + *-ite*[1].] ***S. f.*** *Patol.* Inflamação do baço.

▲ **lien(o)-** [Do lat. *liēnis, is*, ou *lien, liēnis* + *-o-*.] ***El. comp.*** = 'baço[1]': *lienite, lienocele.* [Equiv.: *-lien(o)-: alienia*.]

▲ **-lien(o)-** Equiv. de *lien(o)-*.

lienocele [De *lien(o)-* + *-cele*[1].] ***S. f.*** *Cir.* Hérnia do baço.

lienteria [Do gr. *leienteria*.] ***S. f.*** *Med.* Diarreia em que as substâncias ingeridas são eliminadas sem que se lhes tenha feito a digestão.

lientérico [Do gr. *leienterikós*, pelo lat. *lientericu*.] ***Adj.*** **1.** Relativo a, ou que sofre de lienteria. ● ***S. m.*** **2.** Aquele que sofre desse mal.

lierne [Do fr. *lierne*.] ***S. m.*** *Arquit.* Nervuras cruzadas, no intradorso de abóbadas ogivais.

→**lifo** ['lajfow] [Ingl., das iniciais de *last in, first out*.] ***S. m.*** *Tec.* Sistema de armazenamento ou estocagem em que a última peça estocada é a primeira a ser retirada do estoque.

liforme [De *uniforme*, com aférese e dissimilação.] ***S. m.*** *Bras. Pop.* Uniforme (5 a 8): "Dinheiro costurado pelo lado de dentro do liforme, arma no quarto, mestre Firmino passou a perna no burro e foi embora" (Juarez Barroso, *Mundinha Panchico e o Resto do Pessoal*, p. 35).

→**lift** [lɪft] [Ingl.] ***S. m.*** *Cir. Plást.* V. *lifting*.

→**lifting** ['lɪftɪŋ] [Ingl.] ***S. m.*** *Cir. Plást.* Intervenção cirúrgica em que se levanta pele a fim de eliminar ruga(s), e que é feita, em especial, na face. [Sin.: *lift* e (impr.) *face-lift, face-lifting*. Cf. *ritidoplastia*.]

liga[1] [Dev. de *ligar*[2].] ***S. f.*** **1.** V. *ligação* (1). **2.** Aliança, união, pacto. **3.** Associação de indivíduos ou de grupos ou partidos para defesa de interesses comuns, ou para alcançar determinados fins, de ordem social, política, filantrópica, cultural, etc.: *liga contra a poluição; A liga dos partidos da direita garantiu a vitória de seu candidato.* **4.** Partido, facção; bando. **5.** Aliança ou confederação de Estados para fins defensivos ou agressivos; coligação. **6.** Tira elástica em forma de anel, que cinge a meia à perna, ou presilha de elástico, unida a um cinto ou a uma cinta, que segura o alto das meias, a fim de conservá-las esticadas nas pernas: "Todas de azul e branco .... desfilando com meia preta e liga roxa no salão de espelhos." (Dalton Trevisan, *O Vampiro de Curitiba*, p. 12.) [Sin., ant., nesta acepç.: *jarreteira*.] **7.** Tira de tecido grosso e entrançado. **8.** Resultado da adição de duas ou mais substâncias que formam uma pasta uniforme de características específicas do fim a que se destina: *Mesmo depois de sovada, a massa deste pastel não fez* *boa* <u>*liga*</u>. **9.** *Metal.* Material metálico constituído por dois ou mais metais, e em certos casos por elementos não metálicos, obtido pela fusão de seus constituintes, e cujas propriedades são satisfatórias para utilizações particulares; liga metálica: "De Cecília os cabelos / Eram novelos / De ouro sem <u>liga</u>" (Eugênio de Castro, *Obras Poéticas*, III, p. 134). • ***S. 2 g.*** **10.** *Bras.* Bom companheiro; amigo inseparável, camarada. ◆ **Liga metálica.** *Metal.* Liga[1] (9).

liga[2] [Do esp. plat. *liga.*] ***S. f. Bras. S.*** Felicidade no jogo, em amores ou em qualquer outra coisa.

ligá ***S. m. Bras. S. C.O.*** Ligal.

ligação [Do lat. tard. *ligatione.*] ***S. f.*** **1.** Ato ou efeito de ligar(-se); ligamento, ligadura, liga. **2.** Junção, união. **3.** Aquilo que liga; ligamento. **4.** Relação, vinculação; conexão: *Seu último livro não tem* <u>*ligação*</u> *com os anteriormente publicados.* **5.** Afinidade de sentimentos; vínculo, amizade, ligamento. **6.** Relação amorosa e sensual. **7.** *E. Ling.* Inserção de consoante ou de *glide* no final de uma palavra, quando a seguinte começa por vogal. [Em algumas regiões de Portugal, p. ex., sequências como *Ah é!* transformam-se em *Ah [j] é!*] **8.** *Bras.* O ato ou efeito de ligar o telefone: *fazer uma* <u>*ligação*</u> *para São Paulo.* ~ V. *ligações.* ◆ **Ligação à massa.** *Eng. Elétr.* Conexão entre um circuito e um corpo, usualmente ligado à terra (17), cujo potencial se toma como o de referência do circuito. **Ligação covalente.** *Fís.-Quím.* Ligação homopolar em que existe um orbital molecular correspondente à combinação dos orbitais de dois elétrons de valência de dois átomos. **Ligação de hidrogênio.** *Quím.* Atração entre um átomo de hidrogênio unido por ligação covalente a um átomo de elemento muito eletronegativo (esp. oxigênio e nitrogênio) e um outro átomo de elemento muito eletronegativo (tb. esp. oxigênio e nitrogênio); ponte de hidrogênio. [É um caso especial de interação dipolo-dipolo. Apesar de a energia associada a uma ligação de hidrogênio ser cerca de vinte vezes menor do que a energia de uma ligação covalente típica, este fenômeno é essencial, p. ex., à existência da água como líquido, e não como gás, às temperaturas usuais.] **Ligação deslocalizada.** *Quím.* Ligação não localizada (q. v.). **Ligação direta.** Conexão elétrica que permite dar partida a veículos automotivos sem o uso da chave de ignição: "Arromba uma porta, faz <u>ligação direta</u>; engata uma primeira e até .... se manda pra Tijuca, na contramão" (Chico Buarque de Holanda, na canção *Pivete*). **Ligação dupla.** *Fís.-Quím.* Ligação covalente entre dois átomos, formada por uma ligação sigma e uma ligação pi. É característica dos alcenos (nestes, o grupo funcional é uma ligação dupla entre átomos de carbono, C=C), mas existe, tb., em outras substâncias, como cetonas e aldeídos (nas quais há ligação dupla entre carbono e oxigênio, C=O), iminas (nestas, a ligação dupla é entre carbono e nitrogênio, C=N), etc. **Ligação em delta.** *Eng. Elétr.* Conexão dos condutores de um circuito trifásico de maneira que formem um triângulo. **Ligação em estrela.** *Eng. Elétr.* Conexão dos condutores de um circuito trifásico de modo que formem uma estrela de três pontas. **Ligação em paralelo.** *Eng. Elétr.* Conexão de dois ou mais componentes de um circuito a um mesmo par de terminais. **Ligação em série.** *Eng. Elétr.* Ligação de dois ou mais componentes de um circuito na qual o terminal de saída de cada um está ligado ao de entrada do que lhe segue. **Ligação fatorial.** *Citol. Genét.* Associação entre dois ou mais genes do mesmo cromossomo, que faz com que as características que eles controlam sejam herdadas juntas. **Ligação fosfodiéster.** *Bioquím.* Aquela resultante da presença de molécula de ácido fosfórico duplamente esterificado. [Existe nos nucleotídeos cíclicos e é como se unem os nucleotídeos nos ácidos nucleicos.] **Ligação heteropolar.** *Fís.-Quím.* Ligação entre dois átomos, que pode ser atribuída, com aproximação bastante boa, às forças eletrostáticas que se exercem entre íons de diferentes sinais; ligação iônica, ligação polar. **Ligação homopolar.** *Fís.-Quím.* Aquela em que a atração eletrostática é nula ou desprezível. **Ligação iônica.** *Fís.-Quím.* V. *ligação heteropolar.* **Ligação metálica.** *Fís.-Quím.* A causada pela energia associada a orbitais que se estendem pela rede cristalina de um metal e possibilitam a formação de grande número de estruturas ressonantes. **Ligação não localizada.** *Fís.-Quím.* A de um orbital que não pode ser localizado em núcleos determinados de uma molécula, e na qual um elétron participa de mais de uma ligação entre os átomos. **Ligação orientada.** *Fís.-Quím.* Aquela a que está associado um orbital molecular que tem uma orientação preferencial no espaço. **Ligação peptídica.** *Bioquím.* Ligação química que ocorre em proteínas e outros peptídeos, por meio da qual dois aminoácidos se unem, e que tem a estrutura do grupo funcional amida. **Ligação pi (π).** *Fís.-Quím.* Tipo de ligação covalente em que os elétrons estão em duas regiões do espaço, dispostas simetricamente em relação ao eixo que passa pelos dois átomos ligados. **Ligação polar.** *Fís.-Quím.* V. *ligação heteropolar.* **Ligação radioelétrica.** *Astron.* Via de transmissão de sinais por meios radioelétricos, os quais sinais podem ser descendentes quando em direção à Terra e ascendentes quando em direção a um engenho espacial. **Ligação sigma (σ).** *Fís.-Quím.* Tipo de ligação covalente em que os elétrons estão simetricamente distribuídos em uma região do espaço, em torno do eixo que passa pelos dois átomos ligados. **Ligação simples.** *Fís.-Quím.* Ligação covalente entre dois átomos, da qual participam dois elétrons; apresenta a simetria de uma ligação sigma. **Ligação tripla.** *Fís.-Quím.* Ligação covalente entre dois átomos, formada por uma ligação sigma e duas ligações pi. É característica dos alcinos (nestes, o grupo funcional é uma ligação tripla entre átomos de carbono, C≡C), mas que existe, tb., em outros grupos funcionais, como nitrila (ligação tripla entre carbono e nitrogênio, C≡N). **Cair a ligação.** *Bras.* Cessar, ger. de modo inesperado, ligação (8): *Estava no meio da conversa quando* <u>*caiu a ligação*</u>.

ligações [Pl. de *ligação.*] ***S. f. pl.*** Curvas traçadas no papel para aprendizagem da escrita. ~ V. *ligação.*

ligada [De *ligar*[2] + *-ada*[1].] ***S. f. Bras. Fam.*** V. *telefonema* (1).

ligado [Part. de *ligar*[2].] ***Adj.*** **1.** Que se ligou; junto, pegado, unido. **2.** Que tem alguma relação; relacionado. **3.** *Mús.* Que é executado sem interrupções. **4.** *Bras. Gír.* Que está sob efeito de droga. **5.** *Bras. Gír.* Absorto, concentrado: *Estava tão* <u>*ligado*</u> *na leitura do livro que não me ouviu chamá-lo.* **6.** *Metal.* Diz-se de metal a que se adicionaram outros metais a fim de conseguir-se uma liga (9). ~ V. *campo* — e *nível* —. • ***S. m.*** **7.** *Mús.* Trecho ligado (3) e que é indicado por uma ligadura (4). [Nas acepçs. 3 e 7, há o correspondente it. *legato.*] ◆ **Estar ligado.** *Gír.* Estar atento: "O sujeito agora tem que <u>estar</u> sempre <u>ligado</u> para não se deixar enredar." (Ana Maria Machado, *Palavra de Honra*, p. 184). [Us. muitas vezes para solicitar a atenção daquele com quem se fala, ou para verificar se o ouvinte está acompanhando ou concordando com aquilo que é dito. V. *ligar*[2] (17).]

ligadura [Do lat. tard. *ligatura*, por via semierudita.] ***S. f.*** **1.** V. *ligação* (1). **2.** Faixa, atadura, atilho, ligamento. [Sin., nessas acepçs.: *ligatura.*] **3.** *Cir.* Ato de ligar ou ocluir, de modo definitivo ou temporário, ger. por meio de fios de natureza variável, estruturas ocas tais como artérias, veias, etc., como parte principal ou secundária de processo cirúrgico, ou curativo, ou paliativo, ou experimental. [Sin. (p. us.): *laqueadura.*] **4.** *Mús.* Linha curva, de dimensão variável, que une duas ou mais notas iguais, juntando o seu valor, ou indica que duas ou mais notas de nomes diferentes devem ser executadas sem interrupção do som.

ligal ***S. m. Bras. S. C.O.*** Couro cru, de boi, com que se recobrem as cargas transportadas por animais, a fim de as proteger contra a chuva; ligá.

ligame [Do lat. *ligamen.*] ***S. m.*** **1.** Ligação, conexão, laço, vínculo. **2.** Impedimento matrimonial.

ligâmen ***S. m.*** V. *ligame.* [Pl.: *ligamens* e, p. us. no Brasil, *ligâmenes.*]

ligamentar [De *ligamento* + *-ar*[1].] ***Adj. 2 g.*** De, ou referente a ligamento (3).

ligamento [Do lat. *ligamentu.*] ***S. m.*** **1.** V. *ligação* (1, 3 e 5). **2.** V. *ligadura* (2). **3.** *Anat.* Estrutura (11) constituída por tecido fibroso, forte, que se insere, pelas extremidades, em ossos ou cartilagens, constituindo, assim, meio de união de articulações ou de partes ósseas ou cartilaginosas. **4.** *Anat.* Prega peritonial que se estende de parede abdominal a víscera abdominal, desde que esta última não pertença ao tubo digestivo. **5.** *Constr.* Material aglutinante us. no assentamento ou no revestimento de alvenarias. **6.** *Tec. Têx.* Tipo de trançado em que o entrelaçamento dos fios da urdidura e da trama permite a realização dos mais diferentes tecidos. [Os ligamentos básicos são a sarja, o cetim e o tafetá, mas existem inúmeras variantes destes.] ◆ **Ligamento periodontal.** *Citol. Odont.* Ligamento que anexa o dente ao alvéolo (6). **Ligamento suspensor do cristalino.** *Anat.* Em cada olho, grupo de fibras [v. *fibra* (1)] que se estende do corpo ciliar ao cristalino (6).

ligamentoso (ô) [De *ligamento* + *-oso.*] ***Adj. Desus.*** Análogo ao ligamento (3).

ligando [Do lat. *ligandu*, gerundivo do v. lat. *ligare*, 'ligar'.] ***S. m. Lus. Quím.*** Ligante (4).

liganete [De *liga* + *-n-* + *-ete.*] ***S. f. Tec. Têx.*** Tecido de malha, de fios sintéticos, fino e arejado, que ao toque dá uma sensação de frio, como ocorre com a seda, e que é us. para vestidos e outras roupas femininas, e para roupas de dormir.

ligante [De *ligar* + *-nte.*] ***Adj. 2 g.*** **1.** *Fís.-Quím.* Diz-se de qualquer elemento, ser ou conceito pertinente a uma ligação química estável. ~ V. *orbital* —. • ***S. m.*** **2.** Aquilo que liga. **3.** *Constr.* V. *aglutinante* (4). **4.** *P. ext. Bioquím.* Substância que se liga a uma biomolécula por interação intermolecular ou ligação iônica. [Sin., nesta acepç. (lus.): *ligando.*] ◆ **Ligante betuminoso.** *Constr.* Betume com acentuadas propriedades aglomerantes.

ligar[1] [Alter. de *ligal.*] ***S. m. Bras. RS*** Ligário.

ligar[2] [Do lat. *ligare.*] ***V. t. d.*** **1.** Apertar, prender, atar com laço ou ligadura; fazer nó ou laço em; prender, fixar; liar: <u>*ligar*</u> *uma meia.* **2.** Juntar novamente (o que está separado, cortado): <u>*Ligou*</u> *os dois fios da instalação.* **3.** Fazer aderir, pegar: *A argamassa* <u>*liga*</u> *os tijolos de uma construção.* **4.** Pôr em comunicação: *O corredor* <u>*liga*</u> *os dois quartos.* **5.** Pôr em contato; unir: *A estrada* <u>*liga*</u> *os dois estados.* **6.** Tornar conexo ou coerente: *Não se expressava bem, não conseguia* <u>*ligar*</u> *as ideias.* **7.** Unir por vínculos morais ou afetivos: *A temporada que passaram juntos* <u>*ligou*</u>*-os para sempre.* **8.** Estabelecer relações entre; aproximar: <u>*ligar*</u> *dois países.* **9.** Combinar, misturar: <u>*ligar*</u> *metais.* **10.** Pôr em funcionamento (sistema elétrico); abrir: <u>*ligar*</u> *a luz*; "abriu a janela, <u>ligou</u> a televisão." (Ricardo Ramos, *Os Inventores Estão Vivos*, p. 29). **11.** *Cir.* Fazer a ligadura (3) de; laquear. **12.** Acionar o motor de (veículo), para que se ponha em marcha: "O pai sentou-se diante do guidão e <u>ligou</u> o carro, esperando que esquentasse." (Autran Dourado, *Nove Histórias em Grupos de Três*, p. 182.) **13.** *Bras.* Fazer girar o disco de (o telefone), para estabelecer ligação. ***T. d. e i.*** **14.** Emulsionar, combinar; misturar: <u>*ligar*</u> *uma substância com outra.* **15.** Unir, prender; vincular: <u>*ligar*</u> *o seu destino ao de outrem.* **16.** Estabelecer relação de causa e efeito entre (duas coisas ou dois fatos); relacionar, associar: "Achei-a um pouco retraída .... Não <u>liguei</u> isto ao casamento" (Machado de Assis, *Relíquias de Casa Velha*, p. 32). ***T. i.*** **17.** Prestar atenção; atender: *Distraído, não* <u>*ligou*</u> *ao que lhe diziam*; "Ninguém <u>ligou</u> ao bêbedo" (Carlos Drummond de Andrade, *Cadeira de Balanço*, p. 78); "Consciente da sua força, não <u>ligava</u> mais para o fato." (Dias da Costa, *Canção do Beco*, p. 80). **18.** *Bras.* Comunicar-se, ou tentar comunicar-se, por telefone; telefonar, tocar: <u>*Liguei*</u> *para o João e falei-lhe sobre o caso;* <u>*Liguei*</u> *para ele, mas sem resultado.* ***Int.*** **19.** Unir, aderir; soldar-se: *metais que não* <u>*ligam*</u>. **20.** *Bras.* Fazer girar o disco do telefone para estabelecer ligação; discar: "Quando não nos chamava o telefone, éramos nós que <u>ligávamos</u> para fora." (Malu de Ouro Preto, *Siri na Noite sem Lua*, p. 127.) **21.** Possibilitar (o telefone) que se faça ligação: *Há dias que o meu telefone não* <u>*liga*</u>. ***P.*** **22.** Unir-se por vínculos morais, afetivos ou carnais; liar-se: "Afastando-se da casa de Charles Nodier, Arvers dedicou-se à literatura teatral, <u>ligando-se</u> às rodas alegres" (Melo Nóbrega, *O Soneto de Arvers*, p. 34). **23.** Ter relação; relacionar-se, prender-se: *Os motivos de sua viagem* <u>*ligavam-se*</u> *à sua saúde*; "aquela zombaria <u>ligava-se</u>, com certeza, à fuga da irmã" (Coelho Neto, *Turbilhão*, p. 227). **24.** Formar aliança; coligar-se: *Na II Guerra Mundial, a Alemanha, Itália e Japão* <u>*ligaram-se*</u> *contra os aliados*; "A pátria é um elo, que <u>se liga</u>, intermediariamente, com estes dous outros elos, a família e a humanidade." (Olavo Bilac, *Últimas Conferências e Discursos*, p. 231). **25.** Unir-se em combinação química; combinar-se. [Conjug.: v. *largar.*]

ligar[3] [Do esp. plat. *ligar.*] ***V. int. Bras. RS*** Ser feliz no jogo ou em qualquer outra coisa; ter sorte; estar de sorte. [Conjug.: v. *largar.*]

ligário [F. paragógica de *ligar*[1].] ***S. m. Bras. RS*** Couro de bezerro tirado de maneira que dele se possa fazer uma carona; ligar.

ligase [De *lig(ação)* + *-ase.*] ***S. f. Bioquím.*** Designação genérica de enzimas que catalisam reações em que ocorre a formação de ligação entre duas moléculas, graças à energia liberada pela hidrólise de trifosfato de adenosina.

ligatura [Do lat. tard. *ligatura*, por via erudita.] ***S. f.*** **1.** Liame entre letras escritas ou impressas. **2.** *Tip.* Reunião, num só tipo, de duas ou mais letras ligadas entre si, por constituírem encontro frequente numa língua. [Cf., nesta acepç., *letras enlaçadas* e *logotipo* (1).] **3.** V. *ligadura* (1 e 2).

ligeídeo [Do lat. cient. *Lygae-* (do tax. *Lygaeus*) + *-ídeo*[1]; tax. *Lygaeidae.*] *Zool.* ***S. m.*** **1.** Espécime dos ligeídeos, família de insetos hemípteros que se alimentam de sementes, madeiras, brotos de gramíneas, etc. A maioria vive na superfície do solo e muitos não voam. • ***Adj.*** **2.** Pertencente ou relativo a eles.

ligeira [F. subst. do adj. *ligeiro.*] ***S. f.*** **1.** Ligeireza, rapidez. **2.** *Bras. Liter. Pop.* Estrofe monorrima em *a* ou *e*, cantada em diálogo, sob a forma de quadra bipartida, da qual o primeiro cantador diz os dois primeiros versos, com o refrão "ai, d-a, dá", e o segundo os dois últimos, com refrão "ai". **3.** *Bras. PA* Corda que os vaqueiros e carreiros passam na laçada que prende a rês bravia pela raiz dos chifres, e com a qual a desfazem e soltam o animal, sem perigo de cornada. **4.** *Bras. CE Pop.* V. *diarreia*. **5.** *Bras. CE PE AL* Cabo de manobra da jangada e da canoa de embono, o qual serve para sustentar a verga no balanço. **6.** *Bras. GO* Desafio entre cantadores. ◆ **À ligeira. 1.** De modo aligeirado; aligeiradamente, apressadamente. **2.** Com roupas leves; à fresca. **3.** Sem aparato ou pompa; sem formalidades: "Vou partir para ver a minha terra; e vou à ligeira, escoteiro, sem malas civilizadas, sem livros instrutivos, sem programas antecipados" (Antero de Figueiredo, *Jornadas em Portugal*, pp. 55-56).

ligeireza (ê) [De *ligeiro* + *-eza*.] ***S. f.* 1.** Qualidade de ligeiro. **2.** Rapidez, velocidade, celeridade. **3.** Presteza de movimentos; agilidade. **4.** *Fig.* V. *leviandade*. **5.** *Bras.* Tratantada, velhacaria.

ligeirias [De *ligeiro* + o pl. de *-ia*[1].] ***S. f. pl.*** *Ant.* Chocarrices, gracejos.

ligeirice [De *ligeiro* + *-ice*.] ***S. f.* 1.** V. *ligeirismo*. **2.** *Fig.* V. *leviandade*.

ligeirismo [De *ligeiro* + *-ismo*.] ***S. m.*** Qualidade de ligeiro ou leviano; ligeireza, ligeirice.

ligeiro [Adapt. do fr. *léger* < lat. vulg. **leviarius* < lat. cláss. *levis*.] ***Adj.* 1.** Leve (6, 7, 9, 11 e 12): "a folhagem nova das faias, fria e trêmula na aragem ligeira." (Conde de Ficalho, *Uma Eleição Perdida*, p. 144); *maquilagem ligeira; tecido ligeiro; comida ligeira.* **2.** Rápido, veloz. **3.** Presto de movimentos; ágil, lesto. **4.** Vivo, irrequieto, buliçoso. **5.** Pouco profundo; superficial: *ferimento ligeiro.* **6.** Pouco sólido; pouco firme: *Construções ligeiras ladeavam a estrada.* **7.** Inconstante, volúvel. **8.** Que denota ligeireza, leviandade: *moça de costumes ligeiros.* **9.** *Mús.* Diz-se da voz que executa com facilidade passagens [v. *passagem* (12)] no registro (16) agudo: *soprano ligeiro; tenor ligeiro.* **10.** *Ant.* Pouco trabalhoso; fácil. **11.** *Bras.* Desonesto em negócios; tratante. ~ V. *peso-mosca* — e *peso meio-médio* —. • ***S. m.* 12.** *Bras. Amaz.* Remador de igarités, montarias, ubás e outras embarcações indígenas. **13.** *Bras. S.* Indivíduo que caminha a pé pelo leito da via férrea. • ***Adv.* 14.** Rapidamente; às pressas, à pressa: *Saltaram ligeiro do trem.*

→**light** [lajt] [Ingl. 'leve'.] ***Adj.* 1.** Diz-se de produto alimentício, ger. industrializado, no qual constituintes como gorduras e açúcares, ricos em calorias, são reduzidos a níveis mais baixos que o usual. [O uso se estende à exclusão ou redução dos teores de substâncias tóxicas ou consideradas deletérias à saúde, não só em alimentos, como em outros produtos de consumo, como, p. ex., cigarros.] **2.** *P. ext.* Simplificado: *Esta é uma versão light de um programa [de computador] complexo.* **3.** *P. ext.* Não radical; moderado: *Fulano é um político light.*

ligiídeo [Do tax. *Ligia* (do mit. gr. *Lígeia*, 'Ligia', uma das sereias) + *-ídeo*[1]; tax. *Ligiidae*.] *Zool.* ***S. m.* 1.** Espécime dos ligiídeos, família de crustáceos isópodes na qual se encontram as espécies terrestres mais bem-sucedidas. Existem em todas as regiões do globo, até mesmo nos polos. • ***Adj.* 2.** Pertencente ou relativo a eles.

lígio [Adapt. do fr. *lige*.] ***Adj. S. m.*** No regime feudal, dizia-se de, ou vassalo que se achava ligado ao seu príncipe para o servir em tudo, ou que, havendo recebido terras do soberano, ficava mais obrigado a servi-lo, na paz e na guerra.

lígneo [Do lat. *ligneu*.] ***Adj.*** Lenhoso (q. v.). [Cf. *líneo*.]

▲ **lign(i)-** [Do lat. *lĭgnum, i*.] ***El. comp.*** = 'madeira', 'lenho': *ligniforme, lignina.*

lignícola [Do lat. tard. *lignicola*.] ***Adj. 2 g.*** Que vive na madeira ou lenho: *insetos lignícolas.*

lignificação [De *lignificar(-se)* + *-ção*.] ***S. f.*** *Bot.* Deposição de lignina nas paredes celulares dos vegetais superiores; lenhificação.

lignificado [Part. de *lignificar-se*.] ***Adj.*** *Bot.* Que se lignificou; lenhificado.

lignificar-se [De *lign(i)-* + *-ficar* + *se*[1].] ***V. p.*** *Bot.* Impregnar-se de lignina; lenhificar-se. [Conjug.: v. *trancar*. Normalmente, é defect., só conjugável nas 3.as pess.]

ligniforme [De *lign(i)-* + *-forme*.] ***Adj. 2 g.*** Que tem a natureza ou a aparência da madeira.

lignina [De *lign(i)-* + *-ina*[3].] ***S. f.*** *Bot.* Substância que se deposita nas paredes das células vegetais, conferindo a estas notável rigidez. É o que dá consistência à madeira, a qual pode conter até 25% de lignina. [Sin.: *lenhina*.]

lignito [De *lign(i)-* + *-ito*[2].] ***S. f.*** Linhito.

lignívoro [De *lign(i)-* + *-voro*.] ***Adj. S. m.*** Xilófago.

lignocérico ***Adj.*** *Quím.* ~ V. *ácido* —.

ligofilia [Do gr. *lyg(aîos)*, 'sombrio', 'obscuro', + *-o-* + *-filia*.] ***S. f.*** *Psiq.* Anseio anormal por lugares escuros, sombrios.

ligofílico [De *ligofilia* + *-ico*[2].] ***Adj.*** *Psiq.* Relativo a ligofilia.

ligófilo [De *ligo-*, como em *ligofilia*, + *-filo*[2].] ***Adj. S. m.*** *Psiq.* Que, ou aquele que sofre de ligofilia.

ligroína [Do ingl. *ligroin* (de or. incerta).] ***S. f.*** *Quím.* Fração de destilação do petróleo, constituída sobretudo por hidrocarbonetos saturados com sete a onze átomos de carbono e faixa de ebulição acima de 90ºC, us. como solvente industrial. [Sin.: *éter de petróleo*.]

lígula[1] [Do lat. *ligula*.] ***S. f.*** Entre os antigos romanos, medida de capacidade para líquidos.

lígula[2] [Do lat. cient. *ligula* (do lat. *ligula*, 'colher'; 'espada pequena').] ***S. f.* 1.** *Bot.* Corola das flores periféricas do capítulo das asteráceas. **2.** *Bot.* Nas folhas das gramíneas, apêndice membranáceo ou piloso localizado entre o limbo e a bainha. **3.** *Zool.* Peça estiliforme do lábio inferior dos insetos.

liguláceo [De *lígula*[2] + *-áceo*.] ***Adj.*** *Bot.* Referente ou semelhante a lígula[2] (1 e 2).

ligulado [De *ligul(i)-* + *-ado*[1].] ***Adj.*** *Bot.* Que tem lígulas [v. *lígula*[2] (1 e 2)]; ligulífero, liguloso. [Cf. *lingulado*.]

ligular [De *lígula*[2] + *-ar*[2].] ***Adj. 2 g.*** Relativo ou semelhante a lígula[2].

▲ **ligul(i)-** [Do lat. *ligŭla, ae*.] ***El. comp.*** = 'lígula[2]': *ligulado, liguliflоro, liguliforme.*

ligulífero [De *ligul(i)-* + *-fero*.] ***Adj.*** *Bot.* V. *ligulado*.

liguliflоro (ìg) [De *ligul(i)-* + *-floro*.] ***Adj.*** *Bot.* Que tem flores liguladas.

liguliforme (ìg) [De *ligul(i)-* + *-forme*.] ***Adj. 2 g.*** *Bot.* Que tem forma de lígula[2] (1 e 2).

liguloso (ô) [De *ligul(i)-* + *-oso*.] ***Adj.*** *Bot.* V. *ligulado*.

ligura [De *ligar*[2].] ***S. f.*** *Bras. N.* Corda que prende o chifre de um boi ao fueiro de um carro, com o objetivo de amansar o animal.

lígure [Do lat. *ligure*.] ***S. 2 g.* 1.** *Etnôn.* Indivíduo dos lígures, povo primitivo que, antes do séc. VI a. C., cobria extenso território do N. da Península Itálica. • ***S. m.* 2.** *Gloss.* Língua galo-românica (também classificada como dialeto), da região da Ligúria (N. da Itália), também falada nas cidades de Carloforte, nas ilhas de São Pedro, e de Calasetta, na ilha de Santo Antíoco, ambas na costa da Sardenha (Itália), em Bonifácio (Córsega) e em Mônaco. • ***Adj. 2 g.* 3.** Pertencente ou relativo à Ligúria, ou aos lígures. [Sin. ger.: *ligúrio*.]

ligúrio [De *lígure* + *-io*[3].] ***S. m. Adj.*** V. *lígure*.

ligústica [Do lat. tard. *ligustica*, neutro pl., tomado como fem.] ***S. f.*** *Bot.* Planta apiácea (*Levisticum officinale*) nativa da Europa meridional e cultivada pelo rizoma edule, us. como hortaliça, pelos talos e folhagem, us. como condimento, e pelos capítulos florais, com que se fabrica óleo aromático us., tb., em perfumaria.

lila [Do top. *Lille* (França).] ***S. f.*** *Tec. Têx.* Antigo tecido de lã, fino e lustroso.

lilá [Do fr. *lilas* (v. *lilás*).] ***S. m. Adj. 2 g.*** Lilás: "Uma piscina enorme, rodeada de trepadeiras lilás." (Laura Oliveira Rodrigo Otávio, *Elos de uma Corrente*, p. 210.)

lilacíneo ***Adj.*** Da cor do lilás.

lilangeni ***S. m.*** Unidade monetária, e moeda, do Reino da Suazilândia (África).

lilás [Do fr. *lilas* < ár. *laylak*, 'a cor violeta clara', < persa.] ***S. m.* 1.** *Bot.* Arbusto lenhoso, ou pequena árvore oleácea (*Syringa vulgaris*) originário da Europa e de parte da Ásia, de folhas opostas, ovaladas ou cordiformes, lisas, decíduas, e pequenas flores dispostas em inflorescências vistosas, perfumadas, arroxeadas, violáceas ou brancas. **2.** A sua flor. **3.** O perfume dessa flor. **4.** A sua cor violeta-claro. [V. *de cor* (3).] • ***Adj. 2 g.* 5.** Da cor arroxeada do lilás (2): "Veste um conjunto lilás, decotado" (Viana Moog, *Um Rio Imita o Reno*, p. 64); "É uma paisagem de serranias lilases" (Antero de Figueiredo, *Jornadas em Portugal*, p. 204). • ***Adj. 2 g. e 2 n.* 6.** Diz-se dessa cor: *blusa de cor lilás.* [F. paral.: *lilá*. Pl.: *lilases*.]

lilás-da-índia [De *lilás* + *da*[1] + o top. *Índia*.] ***S. m.*** *Bot.* V. *cinamomo* (4). [Pl.: *lilases-da-índia*.]

lili ***S. m.*** *Bras. PE Pop.* V. *mau-olhado*.

▲ **lili-** [Do lat. *lilĭum, ĭi*. = ***El. comp.*** = 'lírio': *liliflоro, liliforme.*

liliácea [Do tax. *Lilium*, gênero-tipo, + *-ácea*; tax. *Liliaceae*.] ***S. f.*** *Bot.* Espécime das liliáceas, família de monocotiledôneas, da ordem das liliifloras, muito semelhante às amarilidáceas e iridáceas. Distingue-se pelo ovário súpero e seis estames, e compreende perto de 3.000 espécies, inúmeras ornamentais, outras medicinais, e das quais poucas habitam os trópicos.

liliáceo [Do lat. tard. *liliaceu*.] ***Adj.*** *Bot.* Pertencente ou relativo às liliáceas.

liliflоro (ìli) [De *lili-* + *-floro*.] ***Adj.*** *Bot.* Que tem flores semelhantes às do lírio.

liliforme (ìli) [De *lili-* + *-forme*.] ***Adj. 2 g.*** Que tem a forma de lírio; lirioide. [Cf. *liriforme*.]

liliiflora (ìli-i) [De *lili-* + *-iflora*; tax. *Liliiflorae*.] ***S. f.*** *Bot.* Espécime das liliifloras, ordem de monocotiledôneas caracterizada pelas vistosas flores homoclamídeas ou heteroclamídeas, hexâmeras e hermafroditas, e cujo endosperma é carnoso ou cartilaginoso, com reservas graxas.

liliifloro (ìli-i) [De *liliiflora* (v. *lili-* e *-floro*).] ***Adj.*** *Bot.* Pertencente ou relativo às liliifloras.

lílio [Do tax. *Lilium*.] ***S. m.*** *Bot.* V. *lírio* (1 a 3).

liliputiano [Do ingl. *lilliputian*.] ***Adj.* 1.** De Liliput, país imaginário do romance *Viagens de Gulliver*, do escritor inglês Jonathan Swift (1667-1745), no qual os habitantes tinham apenas seis polegadas de altura. **2.** *P. ext.* Muito pequeno. ~ V. *edição* —*a*. • ***S. m.* 3.** Habitante de Liliput.

lima[1] [Do lat. *lima*.] ***S. f.* 1.** Ferramenta manual, de aço, cuja superfície é lavrada de estrias muito próximas entre si, e utilizada para polir, ou desbastar ou raspar metais ou outros objetos duros. **2.** *P. ext.* Tudo aquilo que corrói ou gasta.

lima[2] [Dev. de *limar*.] ***S. f.*** V. *limadura*.

lima[3] [Do ár. *lima(t)*.] ***S. f.*** Fruto da limeira; lima-da-pérsia.

lima[4] ***S. f.*** *Bras. N.E.* V. *lima de cheiro*.

lima-campense ***Adj. 2 g.* 1.** De, ou pertencente ou relativo a Lima Campos (MA). • ***S. 2 g.* 2.** O natural ou habitante de Lima Campos. [Pl.: *lima-campenses*.]

limácida [Do lat. cient. *Limac-* (< tax. *Limax*) + *-ida*[1].] ***S. m. Adj. 2 g.*** *Zool.* V. *limacídeo*.

limacídeo [Do lat. cient. *Limac-* (do tax. *Limax*, gênero-tipo) + *-ídeo*[1]; tax. *Limacidae*.] *Zool.* ***S. m.* 1.** Espécime dos limacídeos, família de moluscos gastrópodes cujo tipo é a lesma. A concha é muito reduzida e fina, quase imperceptível; são terrestres e alimentam-se de folhas e frutos. A lesma de jardim (*Limax flavus*), como os demais pulmonados da família, apresenta dois pares de tentáculos cefálicos, situando-se os olhos nas extremidades do par posterior. • ***Adj.* 2.** Pertencente ou relativo a eles. [Sin. ger.: *limácida*.]

limaciforme (à) [Do lat. *limaci-* < lat. *limax, cis*, 'lesma', + *-forme*.] *Zool.* ***Adj. 2 g.* 1.** Diz-se do animal que tem aspecto de lesma. • ***S. m.* 2.** Animal limaciforme.

limada [De *lima*[3] + *-ada*[1].] ***S. f.*** *Bras.* Refresco de lima[3].

lima-da-pérsia ***S. f.*** *Bot.* **1.** V. *limeira*. **2.** Lima[3]. [Pl.: *limas-da-pérsia*.]

lima de cheiro ***S. m.*** *Bras. N.E.* V. *limão de cheiro*. [Pl.: *limas de cheiro*.] ☑

limador (ô) [Do lat. tard. *limatore*.] ***Adj. S. m.*** Que, ou aquele que lima.

lima-duartense ***Adj. 2 g.* 1.** De, ou pertencente ou relativo a Lima Duarte (MG). • ***S. 2 g.* 2.** O natural ou habitante de Lima Duarte. [Pl.: *lima-duartenses*.]

limadura [De *limar*[1] + *-dura*.] ***S. f.* 1.** Ato ou efeito de limar[1]. **2.** *Fig.* Aperfeiçoamento, polimento. [Sin. ger.: *lima*[2], *limagem*.]

limagem [De *limar*[1] + *-agem*[2].] ***S. f.*** V. *limadura*.

limalha [Do fr. *limaille*.] ***S. f.* 1.** Pó ou partículas caídas de um metal quando é limado. **2.** *Bras. N.E.* Certo busca-pé grande.

limano ***S. m.*** *Bras. Rel.* V. *lemano*.

limantriídeo [Do tax. *Lymantria*, gênero-tipo, + *-ídeo*[1]; tax. *Lymantriidea*.] *Zool.* ***S. m.* 1.** Espécime dos limantriídeos, família de insetos lepidópteros, mariposas de tamanho médio, que vivem em árvores, cujas larvas são cabeludas. • ***Adj.* 2.** Pertencente ou relativo a eles.

limão [Do ár. *laymūn* < persa *līmūm*.] ***S. m.* 1.** O fruto do limoeiro. **2.** A cor verde-amarelada, ou amarelo-esverdeada, desse fruto. [V. *de cor* (3).] **3.** *Bras. N.E. Zool.* V. *iraxim*. • ***Adj. 2 g. e 2 n.* 4.** Da cor do limão (1): *vestido limão.* **5.** Diz-se dessa cor: *camisa de cor limão.*

limão-bravo ***S. m.*** *Bras. Bot.* V. *fruta-de-cachorro* (1). [Pl.: *limões-bravos*.]

limão-canudo ***S. m.*** *Bras. Zool.* V. *iraxim*. [Pl.: *limões-canudos* e *limões-canudo*.]

limão-cravo ***S. m.*** *Bot.* Arvoreta rutácea (*Citrus bigaradia*) oriunda da Índia, de folhas elípticas, crenadas e ricas em óleo essencial, flores alvas e perfumadas, bagas globosas, avermelhadas e muito ácidas, e cujos frutos são muito usados em culinária e para fazer refrescos. [Pl.: *limões-cravos* e *limões-cravo*.]

limão-de-caiena ***S. m.*** *Bras. Bot.* V. *bilimbi*. [Pl.: *limões-de-caiena*.]

limão de cheiro ***S. m.*** *Bras.* Pequena esfera oca, de cera ou de borracha, cheia de água perfumada, que se usava nos folguedos do entrudo. [Sin. (no N.E.): *lima, lima de cheiro, laranjinha*. Pl.: *limões de cheiro*.] ☑

limão-doce ***S. f.*** *Bras. Pop.* Lima[3]. [Pl.: *limões-doces*.]

limão-do-mato ***S. m.*** *Bras. Bot.* **1.** Arbusto rubiáceo (*Randia spinosa*) trepador, de espinhos fortes, folhas oblongas e membranáceas, flores tubulosas e alvas, e frutos amarelos, semelhantes a um limão pequeno. Ocorre em toda a América tropical. **2.** V. *bacupariaçu*. **3.** V. *fruta-de-cachorro* (1). [Pl.: *limões-do-mato*.]

limão-francês *S. m. Bras. Bot.* Arbusto rutáceo (*Triphasia aurantiola*) ornamental, oriundo da China, de folhas com três folíolos ovados e emarginados, flores alvas, solitárias e com três pétalas, e cujo fruto é uma baga vermelha semelhante ao café, encerrando polpa doce e uma semente; limãozinho-do-jardim. [Pl.: *limões-franceses.*]

limão-galego (ê) *S. m. Bras. Bot.* Arvoreta rutácea (*Citrus limonum*) espinhosa e aromática, originária da Pérsia, de folhas com pecíolo alado, flores alvas e vistosas, em cimeiras, e muito cultivada graças aos frutos. [Pl.: *limões-galegos* (ê).]

limãorana [De *limão* + *-rana.*] *S. m. Bras. Bot.* Árvore morácea (*Chlorophora tinctoria*) de folhas amplas e membranáceas, flores insignificantes, unissexuais e congregadas em espigas alongadas, fruto bacáceo, e madeira amarela, lisa e excelente para confeccionar canoas de tronco inteiro. Ocorre da América Central ao S. do Brasil. [Sin.: *oiticica, tatajuba.*]

limãorana-da-várzea *S. m. Bras. Bot.* Arvoreta ou arbusto rubiáceo (*Chomelia anisomeris*) peculiar à BA e a MG, de ramos com espinhos, folhas escuras, ovadas, barbadas nas axilas das nervuras, flores patentes, tubulosas e pubérulas, e drupa elipsoide, com uns 7mm de comprimento. [Pl.: *limãoranas-da-várzea.*]

limãoranazinho [De *limãorana* + *-zinho.*] *S. m. Bras. Bot.* Arbusto rubiáceo (*Machaonia spinosa*), de ramos espinhosos, folhas lanceoladas ou oblongas, castanhas, flores mínimas arranjadas em címulas que se ordenam em panículas corimbiformes, e fruto dicoco ornado com longos pelos brancos. Mede apenas 1 a 2m de altura, e ocorre da Colômbia ao Brasil central. [Sin.: *limãozinho.*]

limão-siciliano *S. f. Bot.* Cultivar do limoeiro (*Citrus limonum*) amplamente plantado em pomares domésticos e comerciais de todo o Brasil; é uma arvoreta perenifólia, espinescente, com até 6m de altura, sendo os frutos consumidos *in natura* e tb. utilizados para sucos e temperos. [Pl.: *limões-sicilianos.*]

limãozinho [De *limão* + *-zinho.*] *S. m. Bras. Bot.* **1.** Pequeno limão. **2.** Nome comum, popular, de várias espécies diferentes entre si, como, p. ex., *Machaonia spinosa* (v. *limãoranazinho*), *Poiretia angustifolia, Polygala klotschii, Siparuna apiosyce, Siparuna brasiliensis, Maytenus obtusifolia*, etc. **3.** V. *lenha-branca.*

limãozinho-do-jardim *S. m. Bot.* Limão-francês. [Pl.: *limõezinhos-do-jardim.*]

limar[1] [Do lat. *limare.*] ***V. t. d.*** **1.** Desgastar, raspar ou polir com lima[1] (1): "havia uma mesa de pinho, onde Tópsius estudava o mapa da Palestina, enquanto eu .... passeava, limando as unhas." (Eça de Queirós, *A Relíquia*, p. 126). **2.** Polir, corrigir, aperfeiçoar: "Torce [o poeta], aprimora, alteia, lima / A frase" (Olavo Bilac, *Poesias*, p. 2). **3.** Acostumar ao trato social; polir, civilizar. **4.** Corroer, gastar.

limar[2] [De *limão* + *-ar*[2], com desnasalação e síncope.] ***V. t. d.*** Temperar com limão e azeite.

limar[3] ***V. t. d.*** *Bras.* Esfregar (a vela da jangada) com limo de pau e água salgada, para fazê-la mais durável.

limatão [Do esp. *limatón.*] *S. m.* Lima[1] (1) de comprimento grande, com seção circular, as mais comuns podendo ter, também, seção quadrada.

límbico [De *limbo* + *-ico*[2].] ***Adj.*** **1.** Referente ao limbo. **2.** *Anat.* Referente ao limbo (3) de alguma formação anatômica. ~ V. *sistema —.*

limbífero [De *limbo* + *-ífero.*] ***Adj.*** Que tem limbo.

limbo [Do lat. *limbu*, 'orla'.] *S. m.* **1.** Orla, borda, rebordo. **2.** Rebordo do disco de um instrumento de medição, sobre o qual é marcada a graduação angular. **3.** *Anat.* Termo genérico que designa borda de certas formações anatômicas. **4.** *Astr.* Contorno luminoso de um astro. [Cf., nesta acepç., *terminadouro.*] **5.** *Bot.* Porção laminar, ampliada, dos órgãos foliáceos, como a própria folha, as pétalas, sépalas, etc. **6.** *Rel. Desus.* Na Igreja Católica, lugar para onde supostamente ia a alma de uma criança que morria sem ser batizada. **7.** *Fam.* Lugar para onde se atiram as coisas inúteis. **8.** *P. ext.* Olvido, esquecimento: "Se este não fosse um país de desmemoriados, não estaria [Monteiro] Lobato no limbo atual, e nem sendo reabilitado pouco a pouco." (Francisco Costa, em *Cult*, p. 38.)

limburgo [Do top. *Limbourg*, cidade belga.] *S. m. Cul.* Queijo de leite de vaca, de consistência pastosa, sabor picante e cor amarelo-avermelhada, originário da Bélgica.

limeira [De *lima*[3] + *-eira.*] *S. f. Bot.* Árvore rutácea (*Citrus bergamia*) originária da Índia, de ramos com espinhos pequenos, folhas ovadas, verde-brilhantes e denteadas, flores alvas, perfumadas, arrumadas em cachos, baga amarelo-clara e umbilicada, e cujo fruto, a lima, é apreciado; limeira-da-pérsia, lima-da-pérsia.

limeira-da-pérsia *S. f. Bot.* V. *limeira.* [Pl.: *limeiras-da-pérsia.*]

limeirense[1] ***Adj. 2 g.*** **1.** De, ou pertencente ou relativo a Limeira (SP). • ***S. 2 g.*** **2.** O natural ou habitante de Limeira.

limeirense[2] ***Adj. 2 g.*** **1.** De, ou pertencente ou relativo a Rosário da Limeira (MG). • ***S. 2 g.*** **2.** O natural ou habitante de Rosário da Limeira.

limenho [Do esp. *limeño.*] ***Adj.*** **1.** De, ou pertencente ou relativo a Lima, capital do Peru. • ***S. m.*** **2.** O natural ou habitante de Lima.

▲ **lim(i)-** [Do lat. *limus, i.*] ***El. comp.*** = 'lodo', 'lama': *limícola* (< lat.), *limosfera.*

limiar [Do lat. *liminare*, por via pop.] *S. m.* **1.** Soleira da porta: "O limiar daquela porta, ... tinha-o passado sacudindo o pó de seus sapatos" (Almeida Garrett, *Viagens na Minha Terra*, p. 213). **2.** Patamar junto à porta. **3.** *Fig.* Entrada, começo, início: "Tanto é assim que se pode pôr, no limiar do mundo moderno, o princípio da livre discussão" (Mário Casassanta, *Machado de Assis e o Tédio à Controvérsia*, p. 7). [Var., ant. e pop., nessas acepçs.: *lumiar.*] **4.** *Fisiol.* Intensidade mínima abaixo da qual um estímulo deixa de produzir uma determinada resposta. ◆ **Limiar absoluto.** *Fisiol.* A excitação mínima capaz de produzir uma sensação. **Limiar de audibilidade.** *Fís.* A menor intensidade de um som que pode ser percebida pela orelha de um observador. **Limiar diferencial.** *Fisiol.* A quantidade mínima que é necessário aumentar numa excitação para que o ser estimulado perceba uma modificação da sensação. **Limiar fotelétrico.** *Fís.* O maior comprimento de onda de uma radiação eletromagnética que, incidindo sobre uma superfície, é capaz de provocar o efeito fotelétrico.

limícola[1] [Do lat. tard. *limicola*, 'que vive na lama'.] ***Adj. 2 g.*** *Zool.* Diz-se de animal que vive na lama, em terrenos alagadiços ou pantanosos, na vasa (1), ou no fundo do mar.

limícola[2] [Adapt. do tax. *Limicolae.*] ***S. f. Adj. 2 g.*** *Zool.* V. *caradriiforme.*

limiforme (lì) [De *lima*[1] (1) + *-iforme.*] ***Adj. 2 g.*** Áspero como a lima.

liminar [Do lat. *liminare*, 'da soleira', por via erudita.] ***Adj. 2 g.*** **1.** Posto à entrada, à frente. **2.** Que antecede o assunto ou objeto principal; preliminar: *palavras liminares.* **3.** Que está em posição (espacial, temporal ou outra) inicial, limítrofe ou de passagem. **4.** Relativo a, ou que constitui um limiar ou passagem. **5.** *Antrop.* Diz-se da situação de um indivíduo caracterizada por relativa e temporária indefinição, e que antecede ou acompanha sua passagem a uma nova categoria ou posição social. ~ V. *folhas —es.* • ***S. f.*** **6.** *Dir. Proc.* Decisão de magistrado no sentido de antecipar, no todo ou em parte, os efeitos da tutela requerida na petição inicial ou no recurso, desde que obedecidos pressupostos legais. • ***S. m.*** **7.** Aquilo que é liminar.

liminaridade [De *liminar* + *-(i)dade.*] ***S. f.*** **1.** Caráter ou condição do que é liminar. **2.** Posição ou situação liminar.

limitação [Do lat. *limitatione.*] ***S. f.*** **1.** Ato ou efeito de limitar(-se). **2.** Determinação, fixação, delimitação: *executar uma tarefa sem limitação de tempo; limitação de preços.* **3.** Contenção, restrição, diminuição: *limitação da natalidade; limitação de um poder.* **4.** Insuficiência, mediocridade: *limitação intelectual.* **5.** Finitude.

limitado [Part. de *limitar.*] ***Adj.*** **1.** Que apresenta limites ou limitações. **2.** Fixado, estipulado, delimitado: *edição com tiragem limitada; prazo limitado;* "Por este largo mar enfim me alongo / Do conhecido polo de Calisto, / Tendo o término ardente já passado / Onde o meio do mundo é limitado." (Luís de Camões, *Os Lusíadas*, V, 13.) **3.** Restrito, reduzido: *Confiava no rapaz, porém de modo limitado.* **4.** Subordinado, dependente; circunscrito: *O campo de ação do gerente é limitado.* **5.** Finito (1). ~ V. *edição —a, função —a, guerra —a, propriedade —a, sequência —a* e *sociedade —a.*

limitador (ô) [Do lat. tard. *limitatore.*] ***Adj.*** **1.** V. *limitante.* • ***S. m.*** **2.** *Eng. Eletrôn.* Circuito destinado a limitar superiormente a um dado valor a amplitude dum sinal elétrico. **3.** *Ópt.* Diafragma que limita a abertura dum instrumento óptico.

limitante [De *limitar* + *-nte.*] ***Adj. 2 g.*** Que limita, restringe; limitativo, limitador: *horário limitante.*

limitar [Do lat. *limitare*, por via erudita.] ***V. t. d.*** **1.** Determinar os limites de, ou servir de limite a; estremar: *Uma cerca viva limitava o grande pátio;* "umas colinas baixas, vestidas do verde frio dos olivais, limitavam o horizonte" (Conde de Ficalho, *Uma Eleição Perdida*, p. 30). **2.** Reduzir a determinadas proporções; restringir, diminuir: *Limitou as despesas, para não recorrer a empréstimos.* **3.** Fixar, estipular, marcar, designar, escolher: *O ministro limitou os seus dias de audiência.* ***T. d. e i.*** **4.** Ficar restrito; restringir, circunscrever: *Limitou a prova a algumas questões de geometria.* ***T. c.*** **5.** Ter como limite(s); confinar; limitar-se: *O terreno limita com o rio.* ***P.*** **6.** Consistir unicamente; não passar; restringir-se, cingir-se, circunscrever-se: *Seus gastos limitam-se ao mínimo; Seu desjejum limita-se a uma xícara de café.* **7.** Não ir além; não passar; contentar-se, restringir-se, cingir-se: "Padre Marcelino, se o consultavam, limitava-se a aconselhar que atirasse a primeira pedra aquele que se julgasse isento de pecado..." (Cândido Jucá [filho], *Noite Insone*, p. 121.) **8.** Ter como limite(s); confinar: *O Brasil limita-se com todos os países sul-americanos, exceto o Chile e o Equador.*

limitativo [Do lat. med. *limitativu.*] ***Adj.*** **1.** V. *limitante.* **2.** Que serve de limite a alguma coisa.

limite [Do lat. *limite*, por via erudita.] *S. m.* **1.** Linha de demarcação; raia: *A bola caiu bem no limite do campo.* **2.** Linha real ou imaginária que separa dois terrenos ou territórios contíguos; estrema, baliza, divisa, fronteira: *marcar os limites da propriedade; Acidentes geográficos muitas vezes constituem o limite de regiões, de países.* **3.** Parte ou ponto extremo; fim, termo: *Os antigos pensavam que o mar se estendia sem limites; Este assunto não tem limite.* **4.** Extremo longínquo; confim: *Mora nos limites da serra.* **5.** Momento, data, época, etc., que marca o começo e/ou o fim de um espaço de tempo: *os limites de um período; limite de idade.* **6.** Ponto que não se deve ou não se pode ultrapassar; fronteira, raia: *Paciência tem limite; Foi além do limite de suas forças.* [Sin., nas acepçs. 1 a 6: *linde, linda.*] **7.** *Mat.* Elemento L em cuja vizinhança de dimensões arbitrárias estão contidos todos os elementos de uma sequência infinita L(n), a partir de um n_o que é função de] (x). **8.** *Mat.* Elemento L em cuja vizinhança de dimensão x estão contidos todos os pontos do contradomínio de uma função f (x), desde que *x* esteja na vizinhança] (x) de um ponto x_o do domínio da função. ◆ **Limite de confiança.** *Estat.* Qualquer dos dois extremos dum intervalo de confiança. **Limite de elasticidade.** *Fís.* A maior tensão de tração que pode ser aplicada a um sistema elástico.

limítrofe [Do lat. tard. *limitrophus*, pelo fr. *limitrophe.*] ***Adj. 2 g.*** Contíguo à fronteira de uma região; confinante, lindeiro: *países limítrofes.* ~ V. *personalidade —.*

limnantácea [Do tax. *Limnanthes*, gênero-tipo, + *-ácea*; tax. *Limnanthaceae.*] ***S. f.*** *Bot.* Espécime das limnantáceas, família de plantas floríferas, da ordem das sapindales, formada de ervas anuais semelhantes às geraniáceas. Flores solitárias, axilares; carpelos reunidos em ovário plurilocular, separando-se na maturidade. Só há cinco representantes norte-americanos.

limnantáceo [De *limnantácea*, com var. suf. (v. *-áceo*).] ***Adj.*** *Bot.* Pertencente ou relativo às limnantáceas.

limneídeo [Do tax. *Lymnaea*, gênero-tipo, + *-ídeo*[1]; tax. *Lymnaeidae.*] *Zool.* ***S. m.*** **1.** Espécime dos limneídeos, família de moluscos gastrópodes pulmonados, herbívoros, cosmopolitas, de água doce. São hermafroditas e a concha é ovoide, alongada e muito fina. Algumas espécies são hospedeiras intermediárias da *Fasciola hepatica.* • ***Adj.*** **2.** Pertencente ou relativo a eles.

▲ **limni-** Equiv. de *limn(o)-.*

límnico [De *limn(o)-* + *-ico*[2].] ***Adj.*** *Ecol.* Que se origina ou se deposita em lagos ou em pântanos.

limnígrafo [De *liimni-* + *-grafo.*] ***S. m.*** Instrumento que registra as variações do nível de um curso de água ao longo do tempo.

limnigrama [De *limni-* + *-grama.*] ***S. m.*** Gráfico que mostra os registros feitos por um limnígrafo.

limnimetria [De *limni-* + *-metria.*] ***S. f.*** V. *limnometria.*

limnimétrico [De *limnimetria* + *-ico*[2].] ***Adj.*** V. *limnométrico.*

limnímetro [De *limni-* + *-metro.*] ***S. m.*** V. *limnômetro.*

limnisco [Do lat. med. *limniscu.*] ***S. m.*** V. *lemnisco.*

▲ **limn(o)-** [Do gr. *limno-* < gr. *límnē, ēs.*] ***El. comp.*** = 'pântano', 'lago': *limnófilo.* [Equiv.: *limni-*: *limnimetria.*]

limnociclo [De *limn(o)-* + *-ciclo.*] ***S. m.*** *Ecol.* Biociclo (3) das águas doces.

limnófilo [De *limn(o)-* + *-filo*[2].] ***Adj.*** *Ecol.* Que habita nas águas estagnadas.

limnografia [De *limn(o)-* + *-grafia.*] ***S. f.*** V. *limnometria.* [Cf. *linografia.*]

limnográfico [De *limn(o)-* + *-graf(o)-* + *-ico*[2].] ***Adj.*** V. *limnométrico.* [Cf. *linográfico.*]

limnógrafo [De *limn(o)-* + *-grafo.*] ***S. m.*** Aparelho que registra continuamente a variação dos níveis de lagos e cursos de água. [Cf. *linógrafo, limnômetro* e *molinete* (3).]

limnologia [De *limn(o)-* + *-logia*.] *S. f.* Parte da biologia que trata das águas doces e de seus organismos, principalmente do ponto de vista ecológico.

limnológico [De *limnologia* + *-ico*[2].] *Adj.* Referente à limnologia.

limnologista [De *limnologia* + *-ista*.] *S. 2 g.* Especialista em limnologia; limnólogo.

limnólogo [De *limn(o)-* + *-logo*.] *S. m.* Limnologista.

limnomedusa [De *limn(o)-* + *medusa*.] *S. f. Zool.* Animal hidrozoário, medusa de corpo achatado, com quatro a seis canais radiais e numerosos tentáculos marginais.

limnometria [De *limn(o)-* + *-metria*.] *S. f.* Processo de determinação das variações periódicas de nível de lagos, de cursos de água, etc., mediante o emprego do limnômetro; limnimetria, limnografia.

limnométrico [De *limnometria* + *-ico*[2].] *Adj.* Respeitante à limnometria; limnimétrico, limnigráfico.

limnómetro *S. m.* V. *limnômetro*. [Uso freq. em P.]

limnômetro [De *limn(o)-* + *-metro*.] *S. m.* Aparelho de medição dos níveis de lagos e cursos de água. [Cf. *limnógrafo* e *molinete* (3).]

limnoplancto [De *limn(o)-* + *plancto*.] *S. m. Ecol.* V. *limnoplâncton*.

limnoplâncton *S. m. Biol.* V. *plâncton*.

limo [Do lat. *limu*.] *S. m.* **1.** *Bot.* Qualquer alga, filamentosa ou não, que forme massas verdes na água doce. **2.** V. *lodo* (1). **3.** *P. ext.* Sujidade verde nos dentes. **4.** *Fig.* Aquilo que é baixo ou imundo.

limoal [De *limão* + *-al*[1], com desnasalação.] *S. m.* **1.** Quantidade mais ou menos considerável de limoeiros dispostos proximamente entre si. **2.** Área ocupada por limoal (1).

limoctonia [Do gr. *limoktonía*.] *S. f.* Morte por inanição.

limoctónico *Adj.* V. *limoctônico*. [Uso freq. em P.]

limoctônico [De *limoctonia* + *-ico*[2].] *Adj.* Relativo à limoctonia.

limoeirense[1] *Adj. 2 g.* **1.** De, ou pertencente ou relativo a Limoeiro (PE). ● *S. 2 g.* **2.** O natural ou habitante de Limoeiro.

limoeirense[2] *Adj. 2 g.* **1.** De, ou pertencente ou relativo a Limoeiro de Anadia (AL). ● *S. 2 g.* **2.** O natural ou habitante de Limoeiro de Anadia.

limoeirense[3] *Adj. 2 g.* **1.** De, ou pertencente ou relativo a Limoeiro do Norte (CE). ● *S. 2 g.* **2.** O natural ou habitante de Limoeiro do Norte.

limoeiro [De *limão* + *-eiro*, com desnasalação.] *S. m. Bot.* Arvoreta rutácea (*Citrus limonum*) espinhosa e aromática, originária da Índia, de folhas grandes, ovadas, com o pecíolo desprovido de asa, flores solitárias, com a corola ampla, alva externamente, e por dentro purpúrea, e cujo fruto, o limão, bicudo, amarelo e sucoso, globoso ou elipsoide, é muitíssimo utilizado.

limoeiro-bravo *S. m. Bras. Bot.* Arbusto monimiáceo (*Siparuna brasiliensis*) habitante da floresta pluvial atlântica, de folhas opostas, amplas, elípticas e tomentosas, flores pequeninas, apétalas, citrinadas, ordenadas em fascículos, e cujo fruto é um sincarpo bacáceo fortemente aromático quando esmagado, sendo o odor semelhante ao do limão; limoeiro-do-mato. [Pl.: *limoeiros-bravos*.]

limoeiro-do-campo *S. m. Bras. Bot.* V. *benjoeiro* (2). [Pl.: *limoeiros-do-campo*.]

limoeiro-do-mato *S. m. Bras. Bot.* **1.** Limoeiro-bravo. **2.** V. *fruta-de-cachorro* (1). **3.** V. *cataguá*[1]. [Pl.: *limoeiros-do-mato*.]

limogino [Do top. *Limoges*, cidade do C.O. da França, + *-ino*[1].] *Adj.* V. *limusino* (1 a 3): "pequeninas arcas cobertas de esmaltes limoginos e renanos" (Antero de Figueiredo, *Toledo*, p. 68).

limonada [De *limão* + *-ada*[1], seg. o padrão erudito.] *S. f.* **1.** Bebida refrigerante, feita com sumo de limão ou essência desse fruto, água e açúcar. **2.** *P. ext.* Qualquer bebida gasosa ligeiramente açucarada e acidulada. ◆ **Limonada gasosa.** Água saturada de ácido carbônico e perfumada com sumo ou essência de limão. [Tb. se diz apenas *gasosa*.] **Limonada purgativa.** Aquela a que se ajunta um sal purgativo.

limonadeiro [De *limonada* + *-eiro*.] *S. m.* Fabricante e/ou vendedor de limonadas.

limoneno [Do V.C.I. *limon-* (< fr. *limon*, 'limão') + *-eno*[2].] *S. m. Quím.* Monoterpeno cíclico, que contém duas ligações duplas, e que existe sob duas formas enantioméricas: a dextrogira no limão e outras frutas cítricas, a levogira na hortelã-pimenta (a mistura racêmica ocorre na terebintina) [fórm.: $C_{10}H_{16}$].

limonina [Do fr. *limon* + *-ina*[3]; fr. *limonine*.] *S. f. Quím.* Lactona terpenoide, de gosto amargo, encontrada no limão e noutras frutas cítricas [fórm.: $C_{26}H_{30}O_8$].

limonita [Do fr. *limon*, 'lama', + *-ita*[3].] *S. f. Min.* Mineral amorfo, hidróxido de ferro natural, frequentemente concrecionado, estalactítico, compacto ou terroso, de cor castanha ou preta, brilho metálico, us. como pigmento amarelo ou como minério de ferro. [Sin.: *hematita parda* e (bras.) *caboclo-lustroso*.]

limonítico [De *limonita* + *-ico*[2].] *Adj.* Relativo ou pertencente a limonita.

limonoide (ói) [Do V.C.I. *limon-* (< fr. *limon*, 'limão') + *-oide*.] *Adj. 2 g. S. m. Quím.* Diz-se de, ou substância semelhante ou derivada da limonina. ❖

limosidade [De *limoso* + *-(i)dade*.] *S. f.* **1.** Qualidade de limoso. **2.** Conjunto de limos.

limosino *Adj.* V. *limusino*.

limoso (ô) [Do lat. *limosu*.] *Adj.* Que tem limo.

limote [De *lima*[1] + *-ote*[1].] *S. m.* Lima[1] (1) de três quinas, com a forma de um triângulo equilátero.

limpa[1] [Dev. de *limpar*.] *S. f.* **1.** V. *limpamento*. **2.** Alimpa (2). **3.** Clareira estéril, da charneca. **4.** *Bras. Gír.* Saque[2] completo; roubo total; limpeza. **5.** *Bras. N. N.E.* V. *monda* (1).

limpa[2] [F. subst. do adj. *limpo*.] *S. f. Bras. N.E. Pop.* V. *cachaça* (1).

limpa-banco [De *limpar* + *banco*[1] (1).] *S. m. Bras. RS PR SP* Chimarrita (1). [Pl.: *limpa-bancos*.]

limpa-botas [De *limpar* + o pl. de *bota*[1].] *S. m. 2 n. Fam.* Engraxate.

limpa-campo [De *limpar* + *campo*.] *S. m. Bras. Zool.* V. *muçurana* (1). [Pl.: *limpa-campos*.]

limpação [De *limpar* + *-ção*.] *S. f.* **1.** V. *limpamento*. **2.** *Bras. PE* Série de operações finais na edificação de um prédio, tais como ornato, pintura, etc.

limpadeira [De *limpar* + *-deira*.] *S. f.* Colher muito estreita e de cabo comprido, com que se limpam os furos feitos na pedra pela broca.

limpadela [De *limpar* + *-dela*.] *S. f.* **1.** Ato ou efeito de limpar de leve, ou uma vez. **2.** V. *limpamento*.

limpado [Part. de *limpar*.] *S. m. Bras.* Terreno limpo de mato.

limpador (ô) [De *limpar* + *-dor*.] *Adj.* **1.** Que limpa; limpante. ● *S. m.* **2.** Aquele ou aquilo que limpa. **3.** *Agr.* Máquina para joeirar e limpar o trigo. ◆ **Limpador de para-brisas.** Sistema de varetas com lâminas de borracha, adaptado aos para-brisas dos automóveis, ônibus e caminhões, que, executando um movimento ritmado, assegura visibilidade ao motorista em caso de chuva, névoa, etc. [Sin. (lus.): *limpa-vidros*.]

limpadura [De *limpar* + *-dura*.] *S. f.* V. *limpamento*. ~ V. *limpaduras*.

limpaduras [Pl. de *limpadura*.] *S. f. pl.* Os restos de comida que sobejam nos pratos. ~ V. *limpadura*.

limpa-mato [De *limpar* + *mato*.] *S. f. Bras. N.E. Zool.* **1.** V. *salamanta*. **2.** V. *muçurana* (1). [Pl.: *limpa-matos*.]

limpamento [De *limpar* + *-mento*.] *S. m.* Ato ou efeito de limpar(-se); limpação, limpadura, limpadela, limpa, limpeza, alimpa, alimpadura.

limpa-nódoas *S. m. 2 n. Lus.* V. *tira-manchas*.

limpante [De *limpar* + *-nte*.] *Adj. 2 g.* Limpador (1).

limpa-pasto [De *limpar* + *pasto*.] *S. f. Bras. Zool.* V. *muçurana* (1). [Pl.: *limpa-pastos*.]

limpa-penas [De *limpar* + o pl. de *pena*[1].] *S. m. 2 n.* Utensílio de escritório, com que se limpam as penas.

limpa-pés [De *limpar* + o pl. de *pé*.] *S. m. 2 n. Bras.* Grade de ferro horizontal própria para tirar a terra ou qualquer sujidade aderente à sola do calçado.

limpa-plantas [De *limpar* + o pl. de *planta*.] *S. m. 2 n. Bras. Zool.* V. *coridora*.

limpa-pratos [De *limpar* + o pl. de *prato*[1].] *S. m. 2 n.* Comilão, glutão; lambe-pratos.

limpar [De *limpo* + *-ar*[2].] *V. t. d.* **1.** Tornar limpo, asseado; tirar a sujidade a: *Limpou quase todos os cômodos da casa*; "limpava as mãos com as pequenas toalhas quentes e perfumadas que eram distribuídas" (Maria Julieta Drummond de Andrade, *Um Buquê de Alcachofras*, p. 14). **2.** Livrar de impureza(s); purificar: *Limpou o ferimento antes de proceder ao curativo*. [Sin., p. us., nessas acepçs.: *emundar*.] **3.** Enxugar, secar: "Com uma das mãos, ele segurava o trapézio, enquanto com a outra limpava o suor da testa." (Aluísio Azevedo, *Pegadas*, p. 196.) **4.** Tornar limpo, esvaziando o conteúdo de: *Esfaimado, limpou o prato de comida que lhe serviram*. **5.** Tornar sereno e sem nuvens: *A borrasca limpou o firmamento*. **6.** Livrar de matérias estranhas ou prejudiciais; joeirar: *Limpar o arroz, o feijão, o trigo*. **7.** Tirar os ramos inúteis a (uma árvore). **8.** Fazer desaparecer; delir, expungir. **9.** Esfregar para tornar brilhante; polir: *limpar um metal*. **10.** Suprimir, mediante o uso de substância detergente, ou tinta, etc.: *Os pichadores foram obrigados a limpar as pichações*. **11.** Ganhar (tudo) a outrem no jogo. **12.** Furtar, roubar: *Na rua deserta o assaltante limpou o transeunte*. **13.** Deixar inteiramente sem recursos ou sem dinheiro. **14.** Escoimar de maus elementos, vagabundos, delinquentes, marginais: *A polícia está procurando limpar a cidade*. **15.** Suprimir eletronicamente sinais ou ruídos indesejáveis em (uma gravação). *T. d. e i.* **16.** Livrar de impureza(s); purificar: "Vinha pedir-me que lhe limpasse o coração da lepra da luxúria." (Machado de Assis, *Várias Histórias*, pp. 28-29.) *Int.* **17.** Desanuviar-se: *Após o temporal, o céu limpou*. *P.* **18.** Tornar-se limpo; desembaraçar-se de sujidade. **19.** Purificar-se por meio de certas cerimônias ou abluções. **20.** Enxugar as lágrimas. **21.** *Fam.* Assoar-se, esmoncar-se. **22.** Desfazer a má impressão que produziu em alguém, o mau conceito em que é tido, reconquistando-lhe a amizade e/ou o apreço: *Procure limpar-se com o seu chefe, que está irritado com você*. [F. paral., menos us.: *alimpar*.]

limpa-tipos [De *limpar* + o pl. de *tipo*.] *S. m. 2 n.* Massa com que se limpam os tipos das máquinas de escrever.

limpatório [De *limpar* + *-tório*.] *Adj.* Cuja finalidade é a limpeza: "Não é que [Leonor] só se abstivesse de exercer ali a sua fúria limpatória" (Medeiros e Albuquerque, *Contos Escolhidos*, p. 6).

limpa-trilho *S. m. Bras.* V. *limpa-trilhos*. [Pl.: *limpa-trilhos*.]

limpa-trilhos [De *limpar* + o pl. de *trilho*.] *S. m. 2 n. Bras.* Espécie de grade ou chapa de ferro fixada à frente das locomotivas para desviar da linha pedras ou outros corpos que possam constituir riscos à circulação dos trens; grelha, saca-boi, limpa-trilho: "Sentados no limpa-trilhos, os quatro companheiros de viagem .... pudemos observar a paisagem e admirar o excelente estado de conservação da linha." (Afonso Arinos, *Histórias e Paisagens*, p. 161.)

limpável [De *limpar* + *-vel*.] *Adj. 2 g.* Que se pode limpar.

limpa-vidro [De *limpar* + *vidro*.] *S. m. Bras. Zool.* Designação comum aos peixes siluriformes, loricariídeos, esp. os do gênero *Otocinclus*, com cerca de 19 espécies brasileiras. São os cascudos ou acaris, largamente utilizados para limpeza dos aquários; vivem agarrados ao vidro, pedras ou plantas, e alimentam-se de algas e detritos em geral. [Pl.: *limpa-vidros*.]

limpa-vidros [De *limpar* + o pl. de *vidro*.] *S. m. 2 n.* **1.** Substância líquida us. para limpar vidros. **2.** *Lus.* Limpador de para-brisas (q. v.).

limpa-viola [De *limpar* + *viola*.] *S. f. Bras. Bot.* Arbusto asteráceo (*Clibadium rotundifolium*) de folhas ovadas, agudas, denteadas e coriáceas, utilizadas como lixas por serem muito ásperas, flores em capítulos ordenados em panículas corimbiformes, e cujos frutos são pequenos aquênios. Tem cerca de 2m de altura. [Pl.: *limpa-violas*.]

limpeza (ê) [De *limpo* + *-eza*.] *S. f.* **1.** Qualidade de limpo, de asseado. **2.** V. *limpamento*. **3.** Esmero, apuro, aprimoramento: *trabalho feito com toda a limpeza*. **4.** *Fam.* Coisa bem-feita, bem-acabada, caprichada: *Seus cadernos são uma limpeza*. **5.** *Fig.* Correção, decência; pureza: *limpeza da alma*. **6.** *Fig.* Desaparecimento total de qualquer coisa: *O Natal ocasionou uma limpeza nas prateleiras das lojas*. **7.** *Bras. Gír.* Limpa[1] (4). **8.** *Bras. Gír.* Prisão de maus elementos, vagabundos, delinquentes, etc.; prisão em massa: *A polícia está fazendo uma limpeza na cidade*. ◆ **Limpeza de mãos.** Honradez, probidade, decência. **Limpeza pública.** Serviço de remoção do lixo das residências, estabelecimentos comerciais e vias públicas de uma cidade.

limpidez (ê) [De *límpido* + *-ez*.] *S. f.* **1.** Qualidade de límpido. **2.** *Fig.* Ingenuidade, sinceridade, pureza.

límpido [Do lat. *limpidu*, por via erudita.] *Adj.* **1.** Que não é turvo; transparente, translúcido; claro: *água límpida; cristal límpido; olhar límpido*. **2.** Nítido, claro, limpo; puro: "E a cotovia .... / Vai pelo azul um cântico vibrando, / Tão límpido, tão alto, que parece / Que é a estrela do céu que está cantando." (Guerra Junqueiro, *A Morte de D. João*, p. 311); *som límpido*. **3.** Polido, brilhante, luzidio. **4.** Sem nuvens; desanuviado; claro, limpo: "As estrelas, no céu muito límpido, brilhavam, divinamente distantes." (Manuel Bandeira, *Estrela da Vida Inteira*, p. 93.) **5.** Ingênuo, simples, puro: "Cantai! cantai as límpidas cantigas!" (Antônio Nobre, *Só*, p. 120.)

limpo [Do lat. *limpidu*, 'claro', 'transparente', por via pop.] *Adj.* **1.** Sem mancha; asseado, lavado: *vestido limpo*. **2.** Diz-se da terra que foi mondada, joeirada. **3.** Não misturado com substâncias estranhas: *arroz limpo*. **4.** V. *límpido* (2 e 4). **5.** Nitidamente perceptível; visível, claro: *Vê-se ao longe o contorno limpo da serraria*. **6.** Benfeito, bem-acabado, aprimorado, perfeito: *Seus trabalhos são sempre muito limpos*. **7.** Isento, livre: *A vida lhe correu limpa de obstáculos*. **8.** Sem dano ou lesão; são, escorreito: *Saiu limpo do acidente*. **9.** Apurado, correto, escorreito: *linguagem limpa*. **10.** *Fig.* Sem mácula; puro, imaculado: *consciência limpa*. **11.** *Fig.* Honesto, honrado, probo: *homem limpo em negócios*. **12.** Diz-se de atividade, indústria, aparelho, tecnologia, etc., não poluentes. **13.** Que não porta arma ilegalmente, ou droga (4), etc., ou que não está drogado ou bêbado: *Foi revistado, mas como estava limpo pôde prosseguir*. **14.** Livre de descontos ou de gastos quaisquer; líquido: "Poderia chegar ao fim do ano com duzentos mil cruzeiros limpinhos, sem necessidade de se juntar a terceiros. Tudo sozinho, nada de sociedades" (Otávio Issa, *Os Inquietos*, p. 8). **15.** *Fam.* Que desfruta da confiança (de outrem), ou que a merece: *estar, ficar, continuar limpo com alguém.* **16.** *Edit.* Diz-se do original sem rasuras ou emendas. **17.** *Bras. Gír.* V. *pronto* (10). **18.** *Bras. Gír.* Diz-se do dinheiro que sofreu lavagem (10): " 'Eles [os narcotraficantes] precisam do dinheiro limpo, para trazer à América do Sul.'" (*O Globo*, 07.04.2000.) ~ V. *campo —, de fonte —a, jogo — e minuano —.* ● *S. m.* **19.** *Bras.* Faixa de terreno desprovida naturalmente de vegetação: "O pasto seco, porém substancioso e nutritivo, acama-se nos 'limpos', nos prados, nas capoeiras" (Gustavo Barroso, *Terra de Sol*, p. 14). **20.** *Bras.* V. *pronto* (12). ● *Adv.* **21.** Com limpeza; limpamente: *confie nele, trabalha muito limpo.* ◆ **Passar a limpo.** Tornar algo mais apresentável, mais apurado: *Passou a limpo o dever de casa.* **Tirar a limpo.** Investigar para obter esclarecimentos. "A mulher de seu Genésio, que era uma das mais exaltadas, ... voltou-se para o marido aos pescoções, para tirar aquilo a limpo imediatamente." (Fernando Sabino, *O Grande Mentecapto*, p. 48). [Cf. *pôr em pratos limpos.*]

limusine [Do fr. *limousine.*] *S. f.* Tipo de automóvel de passeio, inteiramente fechado e muito espaçoso.

limusino [Do fr. *limousin.*] *Adj.* **1.** De, ou pertencente ou relativo a Limoges ou ao Limusino (França). **2.** Diz-se do verso hendecassílabo empregado pelos poetas provençais da escola de Limoges. ● *S. m.* **3.** O natural ou habitante de Limoges ou do Limusino. [Sin., nas acepç. 1 a 3: *lemosi, lemosim, limogino.*] **4.** *Gloss.* Língua românica (também classificada como dialeto) da província de Limusino (França); occitânico. [Apenas cerca de 10 a 20% da população dessa área é fluente nessa língua.] **5.** Vocábulo dessa língua.

linácea [Do tax. *Linum* + *-ácea*; tax. *Linaceae.*] *S. f. Bot.* Espécime das lináceas, família de ervas, arbustos e árvores da ordem das linales, de flores regulares, pentâmeras ou tetrâmeras, com o mesmo número de sépalas, pétalas e estames, e cujos frutos são cápsulas. São cultivadas pelas flores ornamentais e pelos produtos úteis, como o linho e o óleo de linhaça.

lináceo[1] [De *lin(o)-* + *-áceo.*] *Adj.* Relativo ou semelhante ao linho.

lináceo[2] [De *linácea*, com var. suf. (v. *-áceo*).] *Adj. Bot.* Pertencente ou relativo às lináceas.

linal [Do tax. *Linum* + *-al*[1].] *Adj. 2 g. Bot.* Pertencente ou relativo às linales.

linale [Do tax. *Linum* + *-ale*; tax. *Linales.*] *S. f.* Espécime das linales, ordem de plantas dicotiledôneas que encerra ervas de folhas simples e outras plantas lenhosas de flores hipóginas, regulares, sincárpicas, que têm cinco a inúmeros estames que são concrescentes na base.

linalol [Do esp. mexicano *linál(oe)*, 'aloés', + *-ol*[2].] *S. m. Quím.* Álcool terciário terpenoide acíclico, com duas insaturações, que existe em duas formas enantioméricas: a levogira no óleo essencial de rosas, e a dextrogira no de laranja [fórm.: $C_{10}H_{18}O$]. [Pl.: *linalóis.*]

linamarina [De *lin(o)-* + lat. *amar(us)*, 'amargo', + *-ina*[3].] *S. f. Quím.* Glicosídeo cianogênico, tóxico, encontrado na mandioca, removido ou decomposto pela lavagem e cozimento que esta sofre antes de seu consumo como alimento [fórm.: $C_{10}H_{17}NO_6$].

linária [Do V.C.I. *lin-* (do lat. *linum*, 'linho') + *-ária*; tax. *Linaria.*] *S. f. Bot.* **1.** Gênero de plantas escrofulariáceas, herbáceas e subarbustivas, cujas flores têm corola guarnecida de esporas. **2.** Qualquer espécie desse gênero, como, p. ex., a *Linaria vulgaris*, de exuberantes flores amarelas e alaranjadas. **3.** Qualquer espécime desse gênero.

linarita [Do top. *Linares* (Espanha) + *-ita*[3].] *S. f. Min.* Mineral monoclínico, sulfato básico de chumbo e cobre.

lince [Do gr. *lýnx*, pelo lat. *lynce.*] *S. m. Zool.* Mamífero carnívoro, feliforme, muito ágil, de pelagem cinzenta, com mistura de marrom ou amarelo, pelos muito curtos, orelhas com tufos pilosos. As principais espécies são o lince europeu (*Felis lynx lynx*), o da Espanha (*Felis lynx pardinulus*), o da América do Norte (*Felis lynx canadensis*) e o lince asiático (*Felis lynx isabelina*). [Sin. do lince europeu: *lobo-cerval.*]

linchador (ô) [De *linchar* + *-dor.*] *Adj. S. m.* Que, ou aquele que lincha.

linchagem [De *linchar* + *-agem*[2].] *S. f.* Linchamento: "a massa anda sequiosa de sangue e preparava-se para a linchagem." (Almeida Faria, *Cavaleiro Andante*, p. 36). [P. us. no Brasil.]

linchamento [De *linchar* + *-mento.*] *S. m.* Ato ou efeito de linchar. [Sin. (p. us.) no Brasil: *linchagem.*]

linchar [Do antr. (*William*) *Lynch* (1742-1820), norte-americano, + *-ar*[2].] *V. t. d.* Justiçar ou executar sumariamente, sem qualquer espécie de julgamento legal, segundo as normas instituídas por William Lynch nos E.U.A.

linda [Dev. de *lindar.*] *S. f.* V. *limite* (1 a 6).

lindaço [Do esp. plat. *lindazo.*] *Adj. Bras. RS* Muito lindo: "O cadete tinha uma paixão braba por uma moça lindaça" (Simões Lopes Neto, *Contos Gauchescos e Lendas do Sul*, p. 189).

linda-flor [Do f. de *lindo* + *flor.*] *S. f. Bras. Bot.* Erva asterácea (*Coreopsis tinctoria*) cultivada em jardins, originária da América do Norte, de folhas penatissectas com segmentos lineares, e flores amarelas muito ornamentais, dispostas em capítulos. [Pl.: *lindas-flores.*]

lindane *S. m. Quím.* V. *lindano.*

lindano [Do antr. (*T. van der*) *Lind(en)*, químico holandês (séc. XX), + *-ano*[2].] *S. m. Quím.* Substância cristalina, com leve odor de mofo, que é um derivado clorado do cicloexano, usada no tratamento de pediculose e escabiose, apesar de ser bastante tóxica; BHC [fórm.: $C_6H_6Cl_6$].

lindar [Do lat. *limitare*, por via pop.] *V. t. d.* **1.** Pôr lindas em; limitar, balizar, demarcar: "O caminho era ruim, apenas indicado por velhos muros afogados em silvas e cheios de musgo ...., que lindavam as tapadas." (D. João da Câmara, *Contos*, p. 1.) *T. c.* **2.** Confinar, estremar-se: "E foram-se estendendo e alargando campos sem fim, perdendo o verde no azul das distâncias, e ainda lindando com outras estâncias" (Simões Lopes Neto, *Contos Gauchescos e Lendas do Sul*, p. 298).

linde [Do lat. *limite*, por via pop.] *S. m.* V. *limite* (1 a 6): "Assim passou com este pequeno povo de Portugal: pequeno como Atenas nos lindes estreitos da sua terra, porém grande na pujança insaciável das suas ambições." (Latino Coelho, *Elogio Histórico de José Bonifácio*, p. 179); "um deserto empantanado, a estirar-se sem lindes, para sudoeste" (Euclides da Cunha, *À margem da História*, p. 55).

lindeira [De *linda* + *-eira*, poss.] *S. f.* **1.** Verga superior da porta ou da janela, que firma e une as ombreiras entre si. **2.** Ombreira da porta.

lindeiro [De *linda* + *-eiro.*] *Adj.* **1.** Relativo a linda ou limite. **2.** Limítrofe.

lindeza (ê) [De *lindo* + *-eza.*] *S. f.* **1.** Qualidade ou estado de lindo. **2.** Formosura, beleza. **3.** Primor, perfeição. [Sin. bras., pop.: *lindura.*]

lindinha [De *lindo* + *-inha.*] *S. f. Bras. Pop.* V. *cachaça* (1).

lindo [De or. incerta.] *Adj.* **1.** Agradável à vista ou ao espírito; belo, bonito, formoso: *mulher linda; dia lindo; versos lindos.* **2.** Gracioso, delicado; mimoso: *As lindas borboletas alegram a paisagem; O colar é um lindo trabalho de ourivesaria.* **3.** Bem apresentado; elegante, airoso: *A noiva estava linda.* **4.** Delicado, sensível; distinto; sutil: *um lindo gesto de generosidade.* **5.** Apurado, perfeito, primoroso; puro: *Escreve um lindo português; Tem móveis em lindo estilo D. João V.*

lindo-azul *S. m. Bras. RJ Zool.* V. *sanhaço-frade.* [Pl.: *lindos-azuis* e *lindo-azuis.*]

lindoestense *Adj. 2 g.* **1.** De, ou pertencente ou relativo a Lindoeste (SC). ● *S. 2 g.* **2.** O natural ou habitante de Lindoeste.

lindoiano (ói) *Adj.* **1.** De, ou pertencente ou relativo a Lindoia (SP). ● *S. m.* **2.** O natural ou habitante de Lindoia.

lindoiense[1] (ói) *Adj. 2 g.* **1.** De, ou pertencente ou relativo a Águas de Lindoia (SP). ● *S. 2 g.* **2.** O natural ou habitante de Águas de Lindoia.

lindoiense[2] (ói) *Adj. 2 g.* **1.** De, ou pertencente ou relativo a Lindoia do Sul (SC). ● *S. 2 g.* **2.** O natural ou habitante de Lindoia do Sul.

lindolfo-collorense *Adj. 2 g.* **1.** De, ou pertencente ou relativo a Lindolfo Collor (RS). ● *S. 2 g.* **2.** O natural ou habitante de Lindolfo Collor. [Pl.: *lindolfo-collorenses.*]

lindota *Adj.* (*f.*) Fem. de *lindote.*

lindote [De *lindo* + *-ote*[1].] *Adj.* Um tanto lindo. [Fem.: *lindota.*]

lindura [De *lindo* + *-ura.*] *S. f. Bras. Pop.* V. *lindeza.*

lineal [Do lat. tard. *lineale.*] *Adj. 2 g.* **1.** *P. us.* Linear (q. v.). **2.** *Tip.* Diz-se do tipo de obra de traços de uma só espessura e sem serifas; etrusco, grotesco. ● *S. m.* **3.** *Tip.* Obra lineal; bastão.

lineamento [Do lat. *lineamentu.*] *S. m.* **1.** Traço, linha. **2.** Produção de uma linha. ~ V. *lineamentos.*

lineamentos [Pl. de *lineamento.*] *S. m. pl.* **1.** Traços gerais; esboço, delineamento: "Nascido .... aos 19 de março de 1534, exatamente o ano em que D. João III completava os lineamentos do seu projeto de povoamento do Brasil, segundo o plano das capitanias hereditárias, Anchieta foi recebido pelos jesuítas .... no dia 1 de maio de 1551." (Carlos de Laet, *O Frade Estrangeiro e Outros Escritos*, p. 16.) **2.** Feições fisionômicas, ou linhas do corpo humano. **3.** Primeiras noções; rudimentos. ~ V. *lineamento.*

lineano [Do antr. *Lineu* + *-ano*[1].] *Adj.* **1.** Relativo a Lineu (Carl von Linné), naturalista e médico sueco (1707-1778), ou ao sistema de classificação taxinômica dos seres vivos baseado em caracteres morfológicos e com nomenclatura binomial, por ele estabelecidos. **2.** Diz-se da espécie classificada segundo o sistema lineano.

linear [Do lat. *lineare.*] *Adj. 2 g.* **1.** Relativo ou próprio de linha (11): *medida linear.* **2.** Que apresenta a disposição de linha (11); semelhante a esta ou a um traço: *os sulcos lineares do arado.* **3.** Que se representa por meio de linhas: *desenho linear; perspectiva linear.* **4.** *Fig.* Que dá ideia de seguir uma linha reta; sem desvios, ou complicações, ou complexidade, ou, às vezes, profundeza; claro, simples, direto: *argumento linear; raciocínio linear; romance linear.* **5.** *Antrop.* Diz-se de, ou relativo a parentesco traçado por linha direta, *i. e.*, por uma cadeia de relações sucessivas de filiação. ~ V. *acelerador —, alcano —, álgebra —, amplificador —, coeficiente —, combinação —, correlação —, deformação —, dependência —, equação —, equação diferencial —, equação diferencial — homogênea, equação diferencial ordinária —, equação diferencial parcial —, escrita —, folha —, fotogravura —, função —, interpolação —, operação —, operador —, programação —, regressão —, sistema —, soma — e transformação —.* ● *S. 2 g.* **6.** *Antrop.* Parente linear. [Cf. *colateral.*] [F. paral., p. us.: *lineal.*] **7.** *Quím.* Que não contém ramificação. ◆ **Linear A.** *Graf.* A primeira de duas formas de escrita grega (v. *linear B*) descoberta em Cnossos (Creta) por *Sir* Arthur Evans (1851-1941), entre 1894 e 1901, em menos de 400 tábulas de argila, e vasos de pedra, que datavam de c. 1700 a 1450 a. C. e que permanecem, até os dias atuais, em sua maioria, não decifradas. **Linear B.** *Graf.* A mais recente de duas formas de escrita grega (v. *linear A*) descoberta em Cnossos (Creta) em milhares de tábulas de argila e que registra minúcias da administração palaciana e que data de c. 1400 a 1200 a. C. [Tábulas de argila similares foram encontradas, tb., na Grécia continental, e decifradas, em 1952, pelo arquiteto e criptógrafo inglês Michael Ventris (1922-1956).]

linearidade [De *linear* + *-(i)dade.*] *S. f.* Qualidade do que é linear: "Não se imagina a simultaneidade profusa dos incidentes que formam um episódio como o que narro! Entretanto, para reproduzi-lo na escrita, devo estendê-lo no plano da sucessividade, antecedentes e consequentes, como pontos na linha que o espírito, na sua linearidade, é forçado a seguir." (Gilberto Amado, *Depois da Política*, p. 50.)

linearização [De *linearizar* + *-ção.*] *S. f.* Ato ou efeito de linearizar.

linearizar [De *linear* + *-izar.*] *V. t. d.* Tornar linear.

linense *Adj. 2 g.* **1.** De, ou pertencente ou relativo a Lins (SP). ● *S. 2 g.* **2.** O natural ou habitante de Lins.

líneo [Do lat. *lineu.*] *Adj.* Relativo ao, ou próprio do linho. [Cf. *lígneo.*]

▲ **-líneo** [Do lat. *-lineus, a, um* (< lat. *linĕa*), como em *rectilineus.*] *El. comp.* = 'linha'; 'comprimento': *brevilíneo, curvilíneo, longilíneo, mistilíneo.*

lineolar [Do lat. *lineola*, dim. de *linea*, 'linha', + *-ar*[1].] *Adj. 2 g. Bot.* Diz-se dos órgãos vegetais em que se observam linhas, ou que têm a aparência de uma linha ou traço.

linfa [Do lat. *lympha*, 'água'.] *S. f.* **1.** *Histol.* Líquido transparente, amarelado ou incolor, de reação alcalina, que contém em suspensão glóbulos brancos, principalmente linfócitos e com frequência glóbulos de gordura, e circula no organismo em vasos próprios, chamados *vasos linfáticos.* **2.** Qualquer líquido aquoso semelhante à linfa. **3.** *Poét.* A água: "Vergéis mimosos, encantadas ilhas, / O sol, a neve e as linfas murmurosas..." (Eugênio de Castro, *Obras Poéticas*, II, p. 212).

▲ **-linfa** Equiv. de *linf(o)-.*

linfadenectomia [De *linf(o)-* + *-aden(o)-* + *-ectom-* + *-ia*[1].] *S. f. Cir.* Ressecção cirúrgica de linfonodo.

linfadenectómico *Adj.* V. *linfadenectômico.* [Uso freq. em P.]

linfadenectômico [De *linfadenectomia* + *-ico*[2].] *Adj.* Relativo a linfadenectomia.

linfadenia [De *linf(o)-* + *-aden(o)-* + *-ia*[1].] *S. f. Patol.* Hipertrofia de linfonodo(s).

linfadenite [De *linf(o)-* + *-aden(o)-* + *-ite*[1].] *S. f. Patol.* Adenite.

linfadenoma [De *linf(o)-* + *-aden(o)-* + *-oma*[1].] *S. m. Patol.* Linfoma.

linfadenomegalia [De *linf(o)-* + *-aden(o)-* + *-megal(o)-* + *-ia*[1].] *S. f. Med.* Aumento de linfonodo.

linfadenopatia [De *linf(o)-* + *-aden(o)-* + *-patia.*] *S. f. Patol.* Qualquer doença de linfonodo(s).

linfadenopático [De *linfadenopatia* + *-ico*[2].] *Adj.* **1.** Relativo a linfadenopatia. **2.** Que apresenta linfadenopatia. ~ V. *toxoplasmose —a.*

linfagogo (ô) [De *linf(o)-* + *-agogo*.] *S. m. Farmac.* Substância que aumenta a produção de linfa.

linfangioma [De *linf(o)-* + *angioma*.] *S. m. Patol.* Tumor formado pela proliferação de espaços e de vasos linfáticos.

linfangite [De *linf(o)-* + *-ang-* + *-ite*¹.] *S. f. Patol.* Inflamação de vaso(s) linfático(s).

linfático [Do lat. *lymphaticu*.] *Adj.* **1.** Relativo a linfa. **2.** Que contém linfa: *vasos linfáticos*. **3.** Em que predomina a linfa. **4.** *Fig.* Sem vida, sem vigor, sem energia; apático. ~ V. *circulação —a*, *folículo —*, *gânglio —*, *nodo —* e *nódulo —*.

linfatismo [De *linfát(ico)* + *-ismo*; fr. *lymphatisme*.] *S. m.* **1.** *Med. Desus.* Estado mórbido constituído de apatia física e hipertrofias de linfonodos, das vegetações adenoides, e do timo. **2.** Constituição ou temperamento linfático (4).

linfatizar [De *linfát(ico)* + *-izar*.] *V. t. d.* Tornar linfático.

linfedema [De *linf(o)-* + *edema*.] *S. m. Patol.* Tumefação de tecido subcutâneo causada por drenagem linfática insuficiente, numa ou mais áreas, e que pode ocorrer, p. ex., em obstruções linfáticas por linfangite, filariose, obstrução neoplásica, etc., e constitui edema duro, que não deixa cacifo.

▲ **linf(o)-** [Do lat. cient. *lymph-*, *lympho-* < lat. *lympha, ae*.] ***El. comp.*** = 'água'; 'linfático', 'linfa': *linfogranuloma*, *linfoide*. [Equiv.: *-linfa*: *cariolinfa*.]

linfoblasto [De *linf(o)-* + *-blasto*.] *S. m. Histol.* Célula precursora de linfócito; imunoblasto.

linfocina [De *linf(o)-* + *-cina*; ingl. *lymphokine*.] *S. f. Bioquím.* Qualquer de certas citocinas, segregadas por linfócitos, e que agem sobre as células linfáticas, controlando a atuação imunológica destas.

linfócito [De *linf(o)-* + *-cito*; fr. *lymphocite*.] *S. m. Histol.* Agranulócito mononuclear não fagocitário encontrado no sangue e na linfa, originado na medula óssea, e que ou é célula imunologicamente competente, ou é precursor de uma célula imunologicamente competente. ◆ **Linfócito B.** *Histol. Imun.* Linfócito formado na medula óssea, relacionado com a produção de anticorpos, responsável pela imunidade humoral. **Linfócito T.** *Histol. Imun.* Linfócito que se origina na medula óssea, mas adquire sua forma final no timo, e que é responsável pelas respostas imunitárias de base celular.

linfocitose [De *linfócito* + *-ose*¹.] *S. f. Patol.* Aumento da taxa de linfócitos no sangue.

linfogranuloma [De *linf(o)-* + *granuloma*.] *S. m. Patol.* Granuloma do sistema linfático, e que pode ter, ou não, origem infecciosa. ◆ **Linfogranuloma inguinal.** *Patol.* V. *linfogranuloma venéreo*. **Linfogranuloma maligno.** *Patol.* V. *doença de Hodgkin*. **Linfogranuloma venéreo.** *Patol.* Doença venérea transmitida por uma raça de clamídia e que se manifesta, inicialmente, por lesão ulcerativa primária e transitória de órgãos genitais, seguida de linfadenomegalia regional. Em etapas mais avançadas, pode surgir elefantíase da genitália externa, bem como estenoses retais. [Sin.: *linfogranuloma inguinal*, *doença de Nicolas-Favre* e (obsol.) *quarta-moléstia venérea*, *quinta-doença venérea*.]

linfogranulomatose [Do lat. cient. *lymphogranulomat-* (< lat. cient. *lymphogranuloma*) + *-ose*¹.] *S. f. Patol.* Formação de múltiplos linfogranulomas. ◆ **Linfogranulomatose maligna.** *Patol.* Doença de Hodgkin (q. v.).

linfoide (ói) [De *linf(o)-* + *-oide*.] *Adj. 2 g.* Semelhante a linfa. ✥

linfoma [De *linf(o)-* + *-oma*¹.] *S. m. Med.* Designação genérica de qualquer neoplasia de tecido linfático, e de que são raras as formas benignas.

linfonodo [De *linf(o)-* + *nodo*.] *S. m. Anat.* Cada um de diversos agregados de tecido linfoide, organizados de modo a constituir órgãos definidos cujos diâmetros, normalmente, podem atingir 25mm, que se dispõem ao longo dos trajetos dos vasos linfáticos; são formados por uma camada externa cortical e uma camada interna medular, e, em caso de infecção ou de doença maligna, podem aumentar de volume; gânglio linfático (denom. ant.), nodo linfático (denom. ant.).

linfopatia [De *linf(o)-* + *-patia*.] *S. f. Med.* Qualquer doença do sistema linfático.

linforragia [De *linf(o)-* + *-ragia*.] *S. f. Patol.* Derramamento persistente de linfa, por corte ou ruptura de vaso(s) linfático(s).

linforrágico [De *linforragia* + *-ico*².] *Adj.* Referente a linforragia.

linga¹ [De *eslinga*, com aférese.] *S. f. Marinh.* Aparelho feito de varão de ferro, corrente ou cabo, com que se prendem objetos pesados que se quer içar ou arriar. [Sin., ant.: *eslinga*.]

linga² [Do sânscr. *linga*.] *S. m.* Representação dos órgãos genitais masculinos em diversos emblemas e amuletos fálicos, símbolos do poder genésico, adorados na Índia, no culto do deus Xiva.

lingada [De *linga*¹ + *-ada*¹.] *S. f. Marinh.* A porção de objetos que a linga¹ levanta de uma vez: "fios aéreos de aço, onde correm macacos também, de aço, levando e trazendo lingadas .... de artigos importados e produtos regionais" (Raimundo Morais, *País das Pedras Verdes*, p. 168).

lingão *S. m. Tip.* Bloco de metal ou de madeira que, atingindo até o corpo 144, constitui a peça mais volumosa de uma guarnição (10); quadrilongo.

lingar [De *linga*¹ + *-ar*².] *V. t. d.* **1.** Cingir com linga¹. **2.** Levantar com linga¹. [Sin. (ant.): *eslingar*. Conjug.: v. *largar*.]

➔**lingerie** [lɛ̃ʒ'ʁi] [Fr.] *S. f. Vest.* Roupa de dormir ou roupa de baixo feminina.

lingotamento [De **lingotar* (*lingote* + *-ar*²) + *-mento*.] *S. m. Bras.* Ato ou efeito de transformar em lingotes.

lingote [Do fr. *lingot*.] *S. m.* **1.** Barra de metal fundido. **2.** Projetil cilíndrico. **3.** Tira metálica. **4.** *Tip.* Lâmina de metal-tipo que faz parte da guarnição (10) e cuja força de corpo varia de 6 a 20 pontos. [Cf. *entrelinha* (5).] **5.** *Tip. P. us.* Linha-bloco.

lingoteira [De *lingote* + *-eira*.] *S. f.* Molde onde se formam em lingotes os metais em fusão.

língua [Do lat. *lingua*.] *S. f.* **1.** *Anat.* Órgão muscular alongado, móvel, situado na cavidade oral, a cuja parede inferior está preso pela base, e que serve para a degustação e para a deglutição, e desempenha papel importante na articulação de sons. **2.** Designação comum a diversos objetos que têm semelhança com esse órgão. **3.** Língua esp. de boi ou de porco, para uso na alimentação humana. **4.** O conjunto das palavras e expressões usadas por um povo, por uma nação, e o conjunto de regras da sua gramática; idioma. **5.** A língua vernácula. **6.** Modo de expressão escrita ou verbal de um autor, de uma escola, de uma época; estilo; linguagem: *a língua de Graciliano Ramos*. **7.** *Fig.* A linguagem (5) própria de uma pessoa ou de um grupo: *Naquela família não há conflito de gerações: pai e filho usam a mesma língua*. **8.** *E. Ling.* Sistema de signos [v. *signo* (4)] que permite a comunicação entre os indivíduos de uma comunidade linguística. [Sin., nesta acepç.: *langue* (fr.), *código*, *linguagem articulada*. Cf., nesta acepç., *discurso* (4).] **9.** *E. Ling.* Sistema linguístico que resulta da aquisição (4). [Cf., nesta acepç., *gramática* (6).] **10.** *E. Ling.* Contínuo de variedades linguísticas que, por razões culturais, políticas, históricas, geográficas, é considerado como entidade única que delimita uma comunidade linguística (q. v.). **11.** Qualquer dos sons emitidos por um animal e que imitam a voz humana; fala: *Sempre acha graça na língua do seu papagaio*. ● *S. m.* **12.** *Bras.* Linguará. **13.** *Bras. P. ext.* Intérprete (2): "Era um gosto vê-lo falar inglês com os ingleses, espanhol com os espanhóis, francês com os franceses. Era o língua de bordo." (Peregrino Júnior, *A Mata Submersa e Outras Histórias da Amazônia*, p. 302.) ◆ **Língua afiada.** V. *língua de palmo*. [Cf. *língua-afiada*.] **Língua aglutinante.** *E. Ling.* Língua em que as palavras apresentam sequências de afixos para a expressão de significados gramaticais; língua aglutinativa. [São ex. de língua aglutinante o japonês, o turco e o suaíle.] [Cf. *língua flexional*, *língua isolante* e *língua polissintética*.] **Língua aglutinativa.** *E. Ling.* Língua aglutinante (q. v.). **Língua analfabética.** Cada uma daquelas que não têm alfabeto. **Língua analítica.** *E. Ling.* V. *língua isolante*. **Língua artificial.** *E. Ling.* Língua concebida por um indivíduo ou grupo com o fim de solucionar os problemas de comunicação entre os povos, e que, portanto, não tem falantes nativos, nem surge espontaneamente numa situação bilíngue; língua auxiliar de comunicação; língua não natural. [As mais antigas de que se tem notícia datam do século XVII, época em que o latim começou a perder seu papel de *medium* universal.] [V. *esperanto*, *glossa*, *ido*¹, *interglossa*, *interlíngua*², *novial*, *ocidental* (6), *solressol*, *volapuque*.] **Língua auxiliar de comunicação.** *E. Ling.* **1.** Língua utilizada na comunicação entre comunidades que falam línguas diferentes, como foi o caso do latim na Idade Média e, na atualidade, do inglês; língua franca; língua internacional. **2.** Língua natural (q. v.) escolhida para facilitar a comunicação num âmbito específico. P. ex., o francês é a *língua auxiliar de comunicação* dos serviços postais. **3.** Língua artificial. **Língua azul.** Língua auxiliar de comunicação internacional, elaborada por Léon Bollack, em fins do século passado. [O nome foi adotado por sugestão de *langue verte* (argô ou gíria).] **Língua brasílica.** *Gloss. Desus.* **1.** Nos séculos XVII e XVIII, qualquer língua indígena do Brasil: *língua brasílica da nação quiriri*; *língua brasílica geral*. **2.** *Gloss.* Língua geral (2). **Língua católica.** Língua auxiliar de comunicação internacional, publicada em Paris, em 1892, por Alberto Liptay, médico da marinha chilena. **Língua *centum*.** *E. Ling.* Língua indo-europeia que mantéve a velar /k/ na palavra para *cem*, tomada como paradigma dessa mudança fonética. Ex.: latim [k entum], grego [he k aton]. [Cf. *língua satem*.] **Língua comprida.** V. *língua de palmo*. [Cf. *língua-comprida*.] **Língua da geleira.** Verdadeiro rio gelado que desce do nevado, percorrendo um vale glacial. **Língua da terra.** *Gloss. Desus.* Esp. nos séculos XVI-XVIII, o vernáculo do Novo Mundo. **Língua de Angola.** *Gloss. Desus.* V. *quimbundo* (1). **Língua de badalo.** V. *língua de palmo*. [Cf. *língua de badalo* (s. 2 g.).] **Língua declinativa.** Qualquer das línguas em que há declinação, como, p. ex., o latim, o alemão e o húngaro. **Língua de comércio.** *E. Ling.* V. *pídgin*. **Língua de contato.** *E. Ling.* V. *pídgin*. **Língua de fogo.** Labareda, chama. **Língua de ordem fixa.** *E. Ling.* Língua em que funções como sujeito e objeto dependem fundamentalmente da posição do constituinte na oração. [Em port., em *Pedro matou Paulo* ou *Paulo matou Pedro*, *Pedro* é analisado como sujeito ou objeto, na dependência de estar antes ou depois do verbo.] [Cf. *língua de ordem livre*.] **Língua de ordem livre.** *E. Ling.* Língua em que as funções dos elementos da frase não são depreendidas da posição que ocupam, uma vez que esta pode variar, embora não de modo irrestrito. [Em lat. clássico, p. ex., uma frase como "Pedro matou Paulo" poderia tomar seis diferentes ordenações: *Petrus necauit Paulum*, *Petrus Paulum necauit*, *Paulum necauit Petrus*, *Paulum Petrus necauit*, *Necauit Petrus Paulum*, *Necauit Paulum Petrus*.] [Cf. *língua de ordem fixa*.] **Língua de palmo.** A língua do mexeriqueiro, do indiscreto, do maldizente. [Sin. ger.: *língua afiada*, *língua comprida*, *língua de badalo*, *língua de palmo e meio*, *língua de prata*, *língua de sogra*, *língua de trapo*. Cf. *língua de palmo* (s. 2 g.).] **Língua de palmo e meio.** V. *língua de palmo*. [Cf. *língua de palmo e meio* (s. 2 g.).] **Língua de prata.** V. *língua de palmo*. [Cf. *língua de prata* (s. 2 g.).] **Língua de raízes.** *E. Ling.* V. *língua isolante*. **Língua de sinais.** *E. Ling.* Aquela que se expressa por gestos, em especial das mãos e dos braços, para utilização por deficientes auditivos; língua gestual, linguagem gestual. [Estudos têm demonstrado que a aquisição de uma língua de sinais por crianças deficientes auditivas, filhas de pais igualmente deficientes, segue as mesmas etapas da aquisição de uma língua falada, e que, como esta, as línguas de sinais apresentam morfologia, sintaxe e semântica complexas.] **Língua de sinais americana.** *Gloss.* A língua de sinais (q. v.) mais utilizada nos E.U.A., mas também, em diferentes graus, no Canadá, nas Filipinas, em Singapura e em Hong Kong, além de vários pontos da África, como Gana, Nigéria, Burquina Faso, Gabão, República Democrática do Congo, República Centro-Africana, Costa do Marfim, Mauritânia, Quênia, Madagascar, Benim, Togo, Zimbábue. [Abrev.: *Ameslan*.] **Língua de sinais do Brasil.** *Gloss.* Língua de sinais (q. v.) utilizada em todo o Brasil, com diferenças regionais inteligíveis pelos demais falantes provenientes de outras áreas [sigla: *LSB*]. **Língua de sinais francesa.** *Gloss.* Língua de sinais (q. v.) utilizada na França, e cuja origem remonta ao século XVIII. [Foi a primeira a ser reconhecida como língua, em 1830. Notícias de línguas de sinais na França são anteriores ao séc. XVI.] **Língua de sinais monástica.** *Gloss.* Língua de sinais (q. v.) que tem a característica especial de servir de meio de comunicação no Estado do Vaticano e em comunidades monásticas europeias durante os votos de silêncio. **Língua de sinais sueca.** *Gloss.* Língua de sinais us. na Suécia desde 1800, e que influenciou a língua gestual portuguesa (q. v.). **Língua de sogra.** V. *língua de palmo*. [Cf. *língua de sogra* (s. f. e s. 2 g.).] **Língua de sujeito nulo.** *E. Ling.* Língua que permite a não realização sintática do sujeito, que é depreendido da morfologia verbal. [O português, o espanhol e o italiano (mas não o francês nem o inglês) são línguas de sujeito nulo.] **Língua de trapo.** V. *língua de palmo*. [Cf. *língua de trapo* (s. 2 g.).] **Língua do Brasil.** *Gloss. Desus.* Língua brasílica (1). **Língua d'oc.** *Gloss.* **1.** Na Idade Média, qualquer dos dialetos da Occitânia, entre eles o provençal (4). [Cf. *língua d'oïl*.] **2.** Língua românica (também classificada como dialeto) da província francesa do Languedoc. [Apenas 10% da população da região é fluente nessa língua.] [Sin. ger.: *occitânico*; *languedoc*.] **Língua d'oïl.** *Gloss.* **1.** Na Idade Média, o francês, cuja fronteira meridional era a linha do rio Loire, ao sul da qual começava a língua *d'oc* (q. v.). **2.** O conjunto dos dialetos do N. da França. **Língua dominante.** *E. Ling.* **1.** A língua mais importante numa comunidade plurilíngue. [Cf. *língua minoritária* e *língua morta*. V. *língua nacional*.] **2.** A língua sobre a qual um falante bilíngue tem maior domínio. **Língua do pê.** Tipo de linguagem lúdica resultante da adjunção, a cada sílaba do vocábulo, de uma nova sílaba iniciada por *p* seguido da vogal (ou ditongo decrescente) da sílaba anterior, mais a parte restante dessa sílaba, se houver. Ex.:

demais: *de-pe-mais-pais*; *língua*: *lin-pin-gua-pa*; *Marta*: *mar-par-ta-pa*; *dramático*: *dra-pa-ma-pa--ti-pi-co-po*. **Língua ergativa.** *E. Ling.* A que apresenta o fenômeno da ergatividade (1). **Língua estrangeira.** *E. Ling.* Língua que é objeto de estudo, mas que não é utilizada pelo indivíduo como meio de comunicação com outros membros de sua comunidade linguística; segunda língua, língua-alvo. [Cf. *segunda língua* (1).] **Língua extinta.** Língua inteiramente desaparecida, e da qual não resta nenhum documento. **Língua flexional.** *E. Ling.* Língua em que as relações gramaticais são expressas por mudanças na estrutura interna das palavras, ger. por meio de afixos que sobrepõem vários significados; língua sintética, língua fusionante. [O sânscrito, o latim, o grego e o árabe são os exemplos clássicos.] [Cf. *língua aglutinante*, *língua isolante*, *língua polissintética*.] **Língua franca.** *E. Ling.* **1.** Sabir (1). **2.** Língua auxiliar de comunicação (1). **Língua fusionante.** *E. Ling.* V. *língua flexional*. **Língua geográfica.** *Med.* Língua (1) que apresenta placas com caráter migratório, que resultam do despojamento do epitélio, e em volta das quais há saliências epiteliais espessas. **Língua geral.** *Gloss.* **1.** Denominação dada por portugueses e espanhóis a línguas faladas pelos nativos, em vastas áreas do Novo Mundo: "na América espanhola, o Quêchua já no século XVI foi chamado de 'Língua Geral do Peru' e o Guarani, no início do século XVII, de 'Língua Geral da Província do Paraguai'" (Aryon Rodrigues, *Línguas Brasileiras*, p. 99). **2.** Denominação que se foi firmando ao longo dos séculos XVI e XVII para línguas tupis faladas em grande extensão da costa brasileira, e em parte do sertão; língua brasílica: "Foi a esta missão do Padre Manuel Nunes... mui prático, e eloquente na língua geral da terra" (P.ᵉ Antônio Vieira, *Cópia de uma carta para El Rei N. Senhor*, p. 3). [Nesta acepç., foi tb. designada, em épocas posteriores, de *tupi*, *tupi antigo*, *tupinambá*, *guarani*, *tupi-guarani*.] **3.** Esp. a partir do século XVIII, designação para a língua de contato (q. v.) entre índios de famílias linguísticas diversas, como tb. entre índios e não índios, com vocabulário de base tupi e estrutura um tanto simplificada. **4.** Nheengatu. **Língua geral amazônica.** *Gloss.* Aquela que se desenvolveu inicialmente no Maranhão e no Pará a partir da fala dos índios tupinambás, e que ainda hoje é falada na região amazônica; língua geral do Norte, nheengatu. **Língua geral de Mina.** *Gloss.* V. *mina*[2] (4). **Língua geral do Norte.** *Gloss.* V. *língua geral amazônica.* **Língua geral do Sul.** *Gloss.* Língua geral paulista. **Língua geral paulista.** *Gloss.* Língua geral (3) que teve origem na língua dos tupis de S. Vicente e do alto rio Tietê, e não no tupinambá, e que foi levada para o interior pelos bandeirantes; já no século XVIII, começou a se extinguir. [Sin.: *língua geral do Sul*.] **Língua gestual.** *E. Ling. Lus.* Língua de sinais. **Língua gestual portuguesa.** *Gloss.* Língua de sinais (q. v.) utilizada em Portugal, não derivada do português. [Apresenta dois dialetos, o de Lisboa e o do Porto, e apresenta relação com a língua de sinais sueca (q. v.).] **Língua incorporante.** *E. Ling.* Língua polissintética. **Língua internacional.** Língua auxiliar de comunicação. **Língua isolada.** *E. Ling.* Na classificação das línguas, aquela cujo parentesco com outras não é constatável. **Língua isolante.** *E. Ling.* Língua cujas palavras são invariáveis, depreendendo-se a relação entre elas de sua ordem na frase; língua analítica; língua de raízes. [São exemplos o chinês, o vietnamita e o samoano.] [Cf. *língua aglutinante*, *língua flexional*.] **Língua lexificadora.** *E. Ling.* No estudo de pídgins e crioulos, língua de onde provém a maior parte do léxico. [V. *acroleto*.] [Sin.: *língua-base*, *língua lexificante*, *base*.] **Língua lexificante.** *E. Ling.* V. *língua lexificadora*. **Língua materna.** *E. Ling.* A primeira língua que o indivíduo aprende, ger. ligada ao seu ambiente. [Cf. *língua nativa* e *língua primária*.] **Língua minoritária.** *E. Ling.* Numa comunidade plurilíngue, aquela que conta com o menor número de falantes. [Cf. *língua dominante*.] **Língua morta.** *E. Ling.* **1.** Língua que deixou de ser falada em virtude do falecimento de todos os seus falantes, como o *ofo*, língua indígena norte-americana cujo último falante foi descoberto em 1908, já em idade avançada. **2.** Aquela que deixou de ser falada porque, pertencendo a uma comunidade originalmente bilíngue ou multilíngue, se tornou pouco a pouco língua minoritária (q. v.) até desaparecer, como o *gaélico*, em algumas comunidades da costa leste de Sutherland, Escócia. [Cf., nesta acepç., *semifalante* e *língua dominante*.] **3.** Língua que deixou de ser falada por se transformar em outra(s) língua(s), como o latim em face das línguas neolatinas. **Língua nacional.** *E. Ling.* A mais importante de uma nação. [Em geral, a língua oficial e a língua nacional coincidem. No Brasil, o português é a língua oficial e é a língua nacional: de cerca de 170 milhões de habitantes, apenas 155 mil falam as cerca de 190 línguas indígenas vivas.] [V. *língua dominante*.] **Língua não natural.** *E. Ling.* Língua artificial. **Língua nativa.** *E. Ling.* Língua que identifica o indivíduo com uma cultura ou comunidade, e que ger. coincide com a língua materna (q. v.). [Em sociedades patrilineares, o indivíduo pode considerar sua língua nativa uma língua que, em realidade, desconhece, como ocorre, p. ex., com os descendentes de berberes que vivem em Marrocos, que falam árabe marroquino, mas consideram sua língua nativa alguma das línguas berberes de seus antepassados.] **Língua natural.** *E. Ling.* Qualquer língua humana, por oposição às línguas artificiais [v. *língua artificial* (1)]. **Língua negra.** Extravasamento de esgotos e galerias pluviais que ocorre em praia, esp. depois de temporais. **Língua neocéltica.** *Gloss.* Cada uma das línguas vivas derivadas do celta insular (q. v.). **Língua neolatina.** *Gloss.* V. *língua românica*. **Língua novilatina.** *Gloss.* V. *língua românica*. **Língua oficial.** *E. Ling.* **1.** Aquela utilizada nas situações de domínio público de um país, como as que envolvem a educação, a imprensa, o trato com autoridades. [Há sociedades multilíngues em que a situação é um tanto mais complexa. A Índia, p. ex., tem 13 línguas oficiais. A Nigéria tem no inglês a língua oficial; no entanto, o igbo, o ioruba e o hauçá têm caráter oficial em algumas regiões do país.] [Cf. *língua nacional*.] **2.** Aquela autorizada na participação ativa em órgãos ou reuniões internacionais: *O português é língua oficial da Comunidade Europeia, mas não das Nações Unidas.* **Língua pídgin.** *E. Ling.* V. *pídgin*. **Língua polissintética.** *E. Ling.* Língua que combina características de uma língua flexional e de uma língua aglutinante; língua incorporante. [O exemplo clássico é o náuatle.] [Cf. *língua aglutinante* e *língua flexional*.] **Língua primária.** *E. Ling.* Numa situação bilíngue ou plurilíngue, a mais us. e mais bem dominada pelo falante na sua vida diária, e que pode coincidir, ou não, com a sua língua materna (q. v.). **Língua romance.** *Gloss.* V. *língua românica*. **Língua românica.** *Gloss.* Língua derivada do latim; língua neolatina, língua novilatina, língua romance. [São línguas românicas o português, o catalão, o espanhol, o galego, o francês, o provençal, o franco-provençal, o gascão, o italiano, o romeno, o reto-romano, o sardo e o dalmático.] **Língua *satem*.** *E. Ling.* Língua indo-europeia em que /s/ substituiu /k/ no vocábulo para *cem*, tomado como paradigma dessa mudança fonética. Ex.: avéstico [s atem], sânscrito [ç atam]. [Cf. *língua centum*.] **Língua secreta.** *E. Ling.* Código (12) que existe apenas como segunda língua, e que é partilhado por membros de uma comunidade étnica ou religiosa com o intuito de excluir de suas atividades indivíduos alheios a esse grupo. [São exemplos a *falange*[1] (5) e o *lucúmi*.] **Língua sintética.** *E. Ling.* V. *língua flexional*. **Língua suja.** A do indivíduo obsceno em palavras, desbocado. [Cf. *língua-suja*.] **Língua tonal.** *E. Ling.* Aquela que faz uso fonêmico do tom (10). **Língua veicular.** *E. Ling.* Segunda língua (1): "A posição a que pode aspirar a língua portuguesa em África é naturalmente a de uma segunda língua, língua veicular, de comunicação dessas nações com um mundo maior" (Celso Cunha, *Língua, Nação e Alienação*, p. 86). **Língua vernácula.** *E. Ling.* V. *vernáculo* (4). **Língua vernacular.** *E. Ling.* Língua materna: "não há razão para litígio entre essa língua veicular e as línguas maternas, vernaculares" (Celso Cunha, *Língua, Nação e Alienação*, p. 87). **Língua viperina.** A língua malévola, venenosa, do maldizente. [Cf. *língua-viperina*.] **Língua viva.** A que é comumente falada por um ou mais povos ou nações. **Bater com a língua nos dentes.** V. *dar com a língua nos dentes*. **Com a língua de fora.** Muito cansado; exausto. **Com língua de palmo.** Contra a vontade; a contragosto; malgrado: *Há de pagar com língua de palmo o que fez comigo.* **Cortar língua.** *Bras. Pop.* Falar, exprimir-se, em língua estrangeira. **Dar à língua. 1.** Tagarelar, parolar, taramelar; linguajar; dar de língua, correr o badalo: "E conversavam, enquanto Angelina punha a mesa. Cancela estava satisfeito, loquaz; gostava de dar à língua" (Aluísio Azevedo, *O Mulato*, p. 218). **2.** V. *dar com a língua nos dentes*. **Dar com a língua nos dentes.** Falar indiscretamente; revelar um segredo; bater com a língua nos dentes; dar à língua; dar de língua: "Barnabé podia dar com a língua nos dentes acerca do negócio, nalguma noite em que fosse para a tenda do Agostinho jogar a bisca a vinho" (Alexandre Herculano, *Lendas e Narrativas*, II, p. 240). **Dar de língua. 1.** V. *dar à língua* (1): "— Que é prosearem? | — É conversar, dar de língua, explicou Cirino." (Visconde de Taunay, *Inocência*, p. 184.) **2.** V. *dar com a língua nos dentes*. **De língua passada.** Informado de antemão sobre como proceder ou orientar-se em dado caso. **Desenferrujar a língua.** Falar muito depois de longo tempo de silêncio. **Dobrar a língua. 1.** Emendar o que se acabou de dizer. **2.** *Bras.* Falar com respeito, depois de ser advertido pela pessoa a quem se tratou desrespeitosamente: "Pois Seu Inacinho... | 'Dobre a língua, negro atrevido', pensou Inacinho. 'Eu sou é coronel, 'tá ouvindo? Coronel Inácio de Jesus Vieira'." (Guido Vilmar Sassi, *São Miguel*, p. 158.) **Engolir a língua.** Calar, por conveniência, alguma coisa que estava em ponto de ser dita: "Sempre me deu uma coraçonada para fazer umas perguntas... mas engoli a língua." (Simões Lopes Neto, *Contos Gauchescos e Lendas do Sul*, p. 127.) **Estar com algo debaixo da língua.** Ter debaixo da língua. **Estar com a língua coçando.** Estar com vontade de falar algo que não deva. **Meter a língua no fim do espinhaço.** *Bras. Chulo* Calar-se. **Morder a língua.** *Fig.* Abster-se de crítica, denúncia, comentário picante ou jocoso, etc. **Não falar a mesma língua. 1.** Não se entender, não se harmonizar (com outrem); pensar diferentemente. **2.** Não se entender, pensar diferentemente (duas ou mais pessoas). **3.** Ter interesses diferentes (duas ou mais pessoas). **Pagar pela língua.** *Fam.* Sofrer más consequências, ou castigo, por ser linguarudo: *Fala mal das filhas alheias, e a dele deu um mau passo: pagou pela língua.* **Puxar pela língua de.** Fazer (em geral por meios hábeis ou astuciosos) com que alguém fale, se expanda, se manifeste. **Segunda língua.** *E. Ling.* **1.** Língua amplamente utilizada pelo falante, como, p. ex., na educação e no contato com instituições oficiais, e que não é a sua língua materna (q. v.) ou a sua língua nativa (q. v.); língua veicular. [O português é descrito como segunda língua para a maioria da população dos Palops; o holandês é a segunda língua para o contingente de emigrantes turcos que vivem na Holanda.] [Cf. *língua-alvo*.] **2.** V. *língua estrangeira*. **Solto de língua.** V. *linguareiro* (1). **Ter a língua maior que o corpo.** *Fam.* Ser muito falador, muito indiscreto. **Ter a língua presa.** Cecear: "Falava dum jeito engraçado, ao modo das pessoas que o povo diz que têm a língua presa." (Pedro Nava, *Beira-Mar*, p. 45.) **Ter debaixo da língua.** Estar quase a lembrar-se de algo que momentaneamente esqueceu; estar com algo debaixo da língua: *Um momento, tenho debaixo da língua o nome dessa cidade.* **Trocar língua.** *Bras.* Conversar, bater papo: "Diminuía o falario dos que trocavam língua em roda do Relógio Oficial e dos botequins." (Lêdo Ivo, *Ninho de Cobras*, p. 67.)

língua-afiada *S. 2 g.* V. *língua de palmo*. [Pl.: *línguas-afiadas*. Cf. *língua afiada*, loc.]

língua-alvo [De *língua* + *alvo*, para traduzir o ingl. *target language*.] *S. f. E. Ling.* **1.** Numa situação de aprendizado, a língua que o indivíduo tenta dominar; língua estrangeira. **2.** Numa tradução, a língua para a qual uma outra é vertida. [Cf., nesta acepç., *língua-fonte*.] [Pl.: *línguas-alvos* e *línguas-alvo*.]

língua-base *S. f. E. Ling.* V. *língua lexificadora*. [Pl.: *línguas-bases* e *línguas-base*.]

língua-comprida *S. 2 g.* V. *língua de palmo*. [Pl.: *línguas-compridas*. Cf. *língua comprida*, loc.]

língua de badalo *S. 2 g.* V. *língua de palmo*: "Ó língua de badalo, / ficou lá fora o pobre do cavalo ao sol desta manhã?" (Domingos Carvalho da Silva, *Liberdade embora tarde*, p. 17.) [Pl.: *línguas de badalo*. Cf.: *língua de badalo*, loc.]

língua-de-boi *S. f. Bot.* Erva lamiácea (*Ajuga reptans*) de folhas ovadas ou obovadas, flores brancas, azuis, ou purpúreas, e que é cultivada como forração em áreas sombreadas de jardins. [Sin.: *ajugaíba*, *búgula*, *erva-de-são-lourenço*, *erva-férrea*. Pl.: *línguas-de-boi*.]

língua-de-bugre *S. f. Bras. Bot.* V. *guaçatunga*. [Pl.: *línguas-de-bugre*.]

língua-de-cão *S. f. Bot.* Cinoglossa. [Pl.: *línguas-de-cão*.]

língua de gato *S. f.* **1.** *Grav.* Buril-escopro. **2.** *Bras.* Pequeno biscoito achatado, oblongo, em geral feito de farinha, ovos e manteiga. **3.** *Bras.* Pequeno tablete de chocolate semelhante a esse biscoito. [Pl.: *línguas de gato*.]

língua-de-lagarto *S. f. Bras. Bot.* V. *guaçatunga*. [Pl.: *línguas-de-lagarto*.]

língua-de-mulata *S. f. Bras. Zool.* Peixe teleósteo, heterossomo, cinoglossídeo (*Symphurus plagusia*), da costa brasileira, com cerca de 15cm, e de pequeno valor comercial. Possui a morfologia dos soleídeos [v. *linguado* (5)]; vive no fundo do mar, e alimenta-se de outros peixes de pequeno porte. [Pl.: *línguas-de-mulata*.]

língua de palmo *S. 2 g.* Pessoa mexeriqueira, indiscreta, maldizente. [Sin.: *língua-afiada*, *língua-comprida*, *língua de badalo*, *língua de palmo e meio*, *língua de prata*, *língua de sogra*, *língua de trapo*. Pl.: *línguas de palmo*. Cf.: *língua de palmo*, loc.]

língua de palmo e meio *S. 2 g.* V. *língua de palmo*. [Pl.: *línguas de palmo e meio*. Cf.: *língua de palmo e meio*, loc.]

língua de prata *S. 2 g.* V. *língua de palmo.* [Pl.: *línguas de prata.* Cf. *língua de prata,* loc.] ☑

língua de sogra *S. f.* 1. Brinquedo que consiste em uma tira dupla de papel colado enrolada sobre si mesma e em cuja extremidade há um apito, e que, ao ser soprada, se desenrola, produzindo um assobio; língua de sola. ● *S. 2 g.* 2. V. *língua de palmo.* [Pl.: *línguas de sogra.* Cf. *língua de sogra,* loc.] ☑

língua de sola *S. f. Bras. PB* Língua de sogra (1). [Pl.: *línguas de sola.*] ☑

língua-de-teju *S. f. Bras. Bot.* V. *guaçatunga.* [Pl.: *línguas-de-teju.*]

língua de trapo *S. 2 g.* V. *língua de palmo.* [Pl.: *línguas de trapo.* Cf. *língua de trapo,* loc.] ☑

língua de trapos *S. 2 g.* 1. Criança que ainda não sabe falar corretamente. 2. Pessoa que fala de modo confuso, que articula mal as palavras. [Sin., lus. (nesta acepç.): *boca de favas.* Pl.: *línguas de trapos.* Cf. *língua de trapo.*] ☑

língua-de-tucano *S. f. Bras. Bot.* Erva apiácea (*Eryngium pristis*) da região campestre do S. e C.O. do Brasil, fortemente armada de acúleos pungentes, com folhas lineares, longas e coriáceas, flores inconspícuas, alvacentas, congregadas em amplas panículas terminais, e fruto subdividido em dois, cada um com uma semente. Constitui praga nos pastos sulinos. [Pl.: *línguas-de-tucano.*]

língua-de-vaca *S. f. Bras. Bot.* 1. Pequena erva asterácea (*Chaptalia integerrima*) rosulada e ruderal, de folhas espatuladas, com tomento branco e denso na página inferior, flores alvacentas e minutíssimas em capítulos solitários na ponta de compridos pedúnculos; buglossa. 2. V. *suçuaia.* [Pl.: *línguas-de-vaca.*]

linguado [De *língua* + *-ado*[1].] *S. m.* 1. Lâmina comprida. 2. Barra ou lingote de ferro gusa. 3. Tira de papel na qual se escreve (hoje bem menos que outrora) para a imprensa, sobretudo. 4. *Pop.* Língua (1 e 2) grande. 5. *Zool.* Designação comum a várias espécies de peixes teleósteos, heterossomos, soleídeos, caracterizados pela forma oval e achatada do corpo, com uma única nadadeira dorsal, a nadadeira ventral confluente e a caudal arredondada no ápice, e com os dois olhos e as duas narinas situadas de um lado só da cabeça. Vivem pousados no fundo do mar ou de rios sobre o flanco esquerdo. São coloridos na face superior e sem coloração na inferior; alimentam-se de sardinhas e crustáceos; sua carne é boa. [Sin.: *aramaçá, solha.*] 6. *Zool.* Peixe teleósteo, heterossomo, soleídeo (*Paralichthys brasiliensis*), cujo tamanho pode alcançar 1m, e cujo peso chega a 12kg. É a espécie de linguado mais apreciada no Brasil. [Sin., nesta acepç.: *rodovalho, catraio*].

linguado-da-areia *S. m. Bras. Zool.* Peixe teleósteo, heterossomo, soleídeo (*Syacium papilosum*), da costa brasileira, de morfologia idêntica à dos demais representantes da família. Comprimento: até 35cm. Frequenta praias ou fundos arenosos. [V. *linguado* (5). Pl.: *linguados-da-areia.*]

linguafone [Marca registrada.] *S. m.* Sistema de ensino de línguas vivas por meio de discos ou fitas fonográficas. [Var.: *linguafono.*]

linguafono *S. m.* V. *linguafone.*

língua-fonte [De *língua* + *fonte.*] *S. f. E. Ling.* 1. Língua de que provém um empréstimo (5). 2. Língua a partir da qual uma tradução é feita. [Cf., nesta acepç., *língua-alvo* (2).] [Pl.: *línguas-fontes* e *línguas-fonte.*]

linguagem [Do provenç. *lenguatge.*] *S. f.* 1. O uso da palavra articulada ou escrita como meio de expressão e de comunicação entre pessoas. 2. A forma de expressão pela linguagem (1) própria de um indivíduo, grupo, classe, etc.: *linguagem infantil; linguagem erudita; linguagem de um documento jurídico.* 3. O vocabulário específico us. numa ciência, numa arte, numa profissão, etc.; língua. 4. Vocabulário; palavreado: *linguagem obscena; linguagem pobre.* 5. Tudo quanto serve para expressar ideias, sentimentos, modos de comportamento, etc., e que exclui o uso da linguagem (1): *linguagem musical; a linguagem do olhar.* 6. V. *língua* (5). 7. *E. Ling.* A faculdade humana da fala. [Cf. *faculdade da linguagem*]. 8. *E. Ling.* Todo sistema de signos que serve de meio de comunicação entre indivíduos e pode ser percebido pelos diversos órgãos dos sentidos, o que leva a distinguir-se uma linguagem visual, uma linguagem auditiva, uma linguagem tátil, etc., ou, ainda, outras mais complexas, constituídas, ao mesmo tempo, de elementos diversos. [Cf. *linguajem,* do v. *linguajar.*] ◆ **Linguagem afetiva.** A que exprime sentimentos e emoções que um indivíduo experimenta ou que deseja provocar no ânimo do interlocutor. **Linguagem articulada.** *E. Ling.* V. *língua* (7). [V. *linguagem* (8).] **Linguagem artificial.** Aquela deliberadamente criada por um grupo de especialistas para servir a determinado propósito. [Cf. *linguagem natural.*] **Linguagem *assembly*.** *Inform.* Linguagem de programação de baixo nível (q. v.), que substitui códigos numéricos de máquina por representações simbólicas, os mnemônicos [v. *mnemônico* (5)]. [Tb. us. o voc. ingl. *assembly.*] **Linguagem auditiva.** *E. Ling.* V. *linguagem* (8). **Linguagem cognitiva.** *E. Ling.* V. *linguagem referencial.* **Linguagem corporal.** *Semiol.* Sistema de signos de expressão e de comunicação formado por gestos, posturas físicas, movimentos corporais, etc. **Linguagem de máquina.** *Inform.* O código de máquina (q. v.), considerado como linguagem de programação em que instruções e dados são representados como sequências de dígitos binários. **Linguagem denotativa.** *E. Ling.* V. *linguagem referencial.* **Linguagem de programação.** *Inform.* Conjunto de instruções e regras de composição e encadeamento, por meio do qual se expressam ações executáveis por um computador, seja diretamente, seja por meio de processos de compilação, interpretação ou montagem. **Linguagem de programação de alto nível.** *Inform.* Linguagem de programação (q. v.) cuja estrutura busca aproximar-se do raciocínio humano, e que exige o uso de compilador ou de interpretador para sua execução, facilitando o processo de programação e permitindo maior complexidade desta, se comparada à linguagem de máquina ou à linguagem *assembly.* **Linguagem de programação de baixo nível.** *Inform.* Linguagem de programação (q. v.) em que as estruturas de controle e de dados derivam diretamente da arquitetura do processador, e cujos comandos são, portanto, mais próximos aos da linguagem de máquina (q. v.) e mais distantes da lógica e da linguagem humanas. **Linguagem estruturada.** *Inform.* Linguagem de programação que permite a modularização do programa a ser desenvolvido, dividindo-o em blocos ou procedimentos independentes. **Linguagem falada.** *E. Ling.* A expressão oral de uma língua. [V. *linguagem* (8).] **Linguagem figurada.** *E. Ling.* Maneira de falar ou de escrever em que se utilizam figuras de retórica. **Linguagem gestual.** *E. Ling.* Língua de sinais (q. v.). **Linguagem lúdica.** Uso especial de uma língua feita em geral para crianças ou adolescentes com fim recreativo, como, p. ex., a *língua do pê* (q. v.). **Linguagem natural.** Qualquer linguagem de uso geral, escrita e/ou falada por uma comunidade humana. [Cf. *linguagem artificial.*] **Linguagem orientada a objetos.** *Inform.* Linguagem de programação projetada para facilitar a prática da programação orientada a objetos (v. *orientação a objetos*). **Linguagem *postscript*.** *Inform.* V. *postscript.* **Linguagem referencial.** *E. Ling.* A que encerra uma função referencial (q. v.), *i. e.,* tem como finalidade a comunicação de informações. [Sin.: *linguagem cognitiva, linguagem denotativa*]. **Linguagem simbólica.** *Inform.* Qualquer linguagem de programação (q. v.) que utiliza símbolos (tais como palavras reservadas, variáveis e operadores) para descrever instruções, estruturas de dados e de controle. [Das linguagens de programação, apenas a linguagem de máquina não é simbólica.] **Linguagem visual.** *Semiol.* Sistema de signos de natureza gráfica, objetal ou arquitetônica, us. para expressar e comunicar emoções, ideias, sentimentos, etc.

linguagem-fonte *S. f. Inform.* Formato original de um programa de computador escrito em linguagem simbólica. [Pl.: *linguagens-fontes* e *linguagens-fonte.*]

linguagem-objeto *S. f.* 1. *Inform.* Formato final de um programa de computador após compilação. 2. *Semiol.* A linguagem descrita em metalinguagem. [Pl.: *linguagens-objetos* e *linguagens-objeto.*]

linguagista [De *linguag(em)* + *-ista.*] *S. 2 g.* Linguista (1).

linguajar [De *linguag(em)* + *-ar*[2].] *V. int.* 1. Falar indiscriminadamente; dar à língua; dar de língua; tagarelar. [Pres. subj.: *linguaje, linguajes, linguaje, linguajemos, linguajeis, linguajem.* Cf. *linguagem.*] ● *S. m.* 2. *E. Ling.* Modo de falar; dialeto; fala.

lingual [Do lat. med. *linguale.*] *Adj. 2 g.* 1. Pertencente ou relativo à língua (1). 2. *E. Ling.* Diz-se de som em que a língua é articulador ativo. ~ V. *tonsila* —.

lingualização [De *lingualizar* + *-ção.*] *S. f. Odont.* Movimentação de dente(s) em direção à língua.

lingualizado [Part. de *lingualizar.*] *Adj. Odont.* Diz-se de dente que sofreu lingualização.

lingualizar [De *lingual* + *-izar.*] *V. t. d. Int. P. Odont.* Provocar ou sofrer lingualização.

língua-mãe *S. f.* Língua da qual outra deriva: *A língua-mãe do português é o latim.* [Pl.: *línguas-mães* e *línguas-mãe.*]

língua-padrão *S. f. E. Ling.* V. *padrão*[1] (10). [Pl.: *línguas-padrões* e *línguas-padrão.*]

linguará [De *língua* (3).] *S. 2 g. Bras.* Intérprete dos brancos junto aos povos indígenas, e vice-versa; linguaral, língua. [Pl.: *linguarás.* Cf. *linguaraz.*]

linguarado [De *língua* + *-r-* + *-ado*[1].] *Adj. S. m. P. us.* V. *linguareiro.*

linguaral *S. 2 g. Bras.* V. *linguará.*

linguarão [De *língua* + *-arão.*] *Adj. S. m.* V. *linguareiro.* [Fem.: *linguarona.*]

linguaraz [De *língua* + *-araz.*] *Adj. 2 g. S. 2 g.* V. *linguareiro.* [Cf. *linguarás,* pl. de *linguará.*]

linguareiro [De *língua* + *-r-* + *-eiro.*] *Adj.* 1. Que é falador, mexeriqueiro, maldizente, maledicente; de língua solta; solto de língua: *uma velhinha linguareira;* "afoutamente se pode afirmar que na Europa e na América a imprensa é superficial, linguareira e sectária." (Eça de Queirós, *Ecos de Paris,* p. 204). ● *S. m.* 2. Indivíduo linguareiro: "E fez ...., umas sobre outras, uma porção de perguntas, nas quais se reconhecia o linguareiro desocupado das ruas de Óbidos." (José Veríssimo, *Cenas da Vida Amazônica,* p. 63.) [Sin. ger.: *linguarão, linguaraz, linguarudo* e (p. us.) *linguarado.*]

linguarejar [De *linguar(eiro)* + *-ejar.*] *V. int.* Dar à língua; parolar, tagarelar.

linguarona *S. f.* Fem. de *linguarão* (q. v.).

língua-roxa [De *língua* + o fem. de *roxo.*] *S. f. Zool.* V. *dourado* (8). [Pl.: *línguas-roxas.*]

linguarudo [De *língua* + *-r-* + *-udo.*] *Adj.* 1. V. *linguareiro* (1). ● *S. m.* 2. V. *linguareiro* (2). 3. *Bras. Zool.* Molusco gastrópode, olivídeo (*Lintricula auricularia*), da costa atlântica, e cujo comprimento vai até 4cm. O nome popular resulta de seu pé linguiforme, que ele utiliza para se enterrar na areia quando deposto pela onda no lagamar. [Sin., nesta acepç.: *pavacaré, calorim, betu.*]

língua-suja *S. 2 g.* Pessoa desbocada, dada a usar palavras obscenas. [Pl.: *línguas-sujas.* Cf. *língua suja.*]

linguatúlida [Do tax. *Linguatula* + *-ida*[1]; tax. *Linguatulida.*] *S. m. Adj. 2 g. Zool.* V. *pentastômida.*

língua-viperina *S. 2 g.* Pessoa maldizente, de língua malévola. [Pl.: *línguas-viperinas.* Cf. *língua viperina,* loc.]

▲ **-língue** (güe) [Do lat. *lingua, ae.*] *El. comp.* = 'língua (órgão e idioma)'; 'falante de (idioma [s])': *bilíngue, brevilíngue, trilíngue.* ❖

lingueirão (güei) [De *língua* + *-eirão.*] *S. m.* Língua (1) muito grande. ❖

lingueta (güê) [De *língua* + *-eta* (ê); it. *linguetta.*] *S. f.* 1. *P. us.* Língua (1) pequena. 2. Qualquer objeto pequeno semelhante a uma língua. 3. Fiel da balança. 4. Peça chata e delgada que faz parte dalguns instrumentos de sopro. 5. Peça móvel, de ferro, das fechaduras, que se encaixa, quando movida pela chave, na chapatesta, trancando a porta ou gaveta. 6. Dispositivo móvel para fechar portas sem o auxílio da chave: "constatou [o serralheiro] que nada poderia fazer, desde que a porta do chuveiro não dispunha propriamente de fechadura, mas de uma simples lingueta" (Fernando Sabino, *Medo em Nova Iorque. A Cidade Vazia,* p. 118). 7. Pedaço de couro utilizado como fecho em pastas, valises, malas, etc. 8. Pedaço de couro que, no sapato de atacador, protege o peito do pé. 9. Ladeira ou rampa em cais, junto à qual atracam as embarcações. 10. *Mús.* V. *martinete*[4] (1). 11. *Bras. PE* Rampa natural que se inclina para o mar ou para o rio. 12. *Ant.* Rampa, num cais, para embarque e desembarque de passageiros. ❖

linguiça (güi) [De or. controversa.] *S. f.* 1. Enchido de carne, ger. de porco, em tripa delgada. [Cf. *chouriço* (1).] 2. *Bras. Gír. Jorn.* Grande quantidade de notícias sem interesse; tripa. ◆ **Linguiça calabresa.** Enchido feito com carne de porco magra, toucinho e pimenta-calabresa, e depois defumado durante cerca de três horas. [Tb. se diz apenas *calabresa.*] **Linguiça de padre.** Enchido de carne de porco e temperos, mais fina e longa que o paio. **Encher linguiça.** *Fam.* 1. Dizer ou escrever coisas que não vêm ou mal vêm a propósito da matéria tratada. 2. Ocupar tempo com outra coisa que não a combinada ou esperada. ❖

linguífero (güí) [De *língua* + *-ífero.*] *Adj.* Que tem língua, ou órgãos em forma de língua. ❖

linguiforme (güi) [De *língua* + *-iforme.*] *Adj. 2 g.* Que tem forma de língua. ❖

➔ **linguina** [lin'gwina] [It.] *S. f.* Massa que lembra um espaguete (q. v.) achatado. [Mais us. no pl.: *linguine.*]

linguinha (güi) [De *língua* + *-inha.*] *S. 2 g. Adj. 2 g. Bras. Pop.* V. *gago.* ❖

linguista (güis) [De *língua* + *-ista;* fr. *linguiste.*] *S. 2 g.* 1. Pessoa versada no estudo das línguas; linguagista. 2. Especialista em linguística. ❖

linguística (güis) [Do fr. *linguistique.*] *S. f. E. Ling.* A ciência da linguagem. O estudo da linguagem (8), da gramática das diferentes línguas, de sua história, bem como da aplicação dos resultados obtidos na solução de problemas práticos. ◆ **Linguística aplicada.** *E. Ling.* Ramo da linguística voltado para a solução de problemas, como, p. ex., aqueles que se apresentam no ensino de línguas. **Linguística comparada.** *E. Ling.* Ramo da Linguística que se dedica a estabelecer comparações entre as características de duas ou mais línguas ou entre estádios históricos diferentes de uma língua. **Linguística descritiva.** *E. Ling.* Ramo da linguística que investiga os fatos de línguas particulares. **Linguística educacional.** *E. Ling.* Linguística aplicada ao ensino e à aprendizagem de línguas. **Linguística estrutural.** *E. Ling.* Gramática estrutural. **Linguística geral.** *E. Ling.* Ramo da linguística que procura estabelecer os princípios gerais da linguagem humana e sua realização em línguas particulares. **Linguística histórica.** *E. Ling.* O estudo da evolução das línguas; gramática histórica. **Linguística neurológica.** *E. Ling.* V. *neurolinguística.* **Linguística quantitativa.** *E. Ling.* Ramo da linguística que, com o auxílio de técnicas estatísticas, estuda a frequência e a distribuição de dados, ger. com base num extenso *corpus.* ❖

linguisticamente (güìs) [Do f. de *linguístico* + *-mente.*] ***Adv.*** Em relação à linguística; do ponto de vista linguístico: "O movimento do Norte [dos países ao N. dos Alpes] não levou, como na Itália, linguisticamente mais avançada, à grande arte" (Oto Maria Carpeaux, *História da Literatura Ocidental*, I-A, p. 374). ❖

linguístico (güís) ***Adj.*** *E. Ling.* **1.** Relativo à linguística: *estudos linguísticos.* **2.** Próprio da língua: *fato linguístico.* **3.** Que tem por base a língua: *comunidade linguística; geografia linguística.* ~ V. *área —a, ciências —as, comunidade —a, contato —, família —a, geografia —a, signo —* e *variante —a.* ❖

linguístico-literário (güís) *E. Ling.* ***Adj.*** Respeitante à linguística e à literatura. [Pl.: *linguístico-literários.*] ❖

língula [Do lat. *lingula.*] ***S. f.*** *Anat.* Designação genérica de formação anatômica cujo aspecto se assemelha ao de pequena língua (1). ◆ **Língula pulmonar.** *Anat.* Formação (5) que se origina da porção inferior do lobo superior do pulmão esquerdo.

lingulado [Do lat. tard. *lingulatu.*] ***Adj.*** Que tem forma de pequena língua. [Cf. *ligulado.*]

linguodental (lìn) [De *língua* + *-o-* + *-dent(i)-* + *-al*[1].] ***Adj. 2 g.*** **1.** Pertencente ou relativo à língua e aos dentes. ~ V. *consoante —.* ● ***S. f.*** **2.** *E. Ling.* Consoante linguodental (q. v.).

linguoversão [De *língua* + *-o-*[1] + *versão.*] ***S. f.*** *Odont.* Posição anormal de dente que gira em torno de seu eixo em direção à língua.

linha [Do lat. *linea*, 'fio', 'corda'; 'limite'.] ***S. f.*** **1.** Fio de fibras de linho torcidas usado para coser, bordar, fazer renda, etc. **2.** Qualquer fio de algodão, seda, fibra sintética, etc., usado para os mesmos fins. **3.** Qualquer cordel, guita, ou barbante grosso, utilizado para diversos fins: *O operário estendeu a linha para marcar o meio-fio; O menino deu mais linha ao papagaio.* **4.** Qualquer fio com anzol para pescar. **5.** Sistema de fios ou de cabos que conduzem energia elétrica, ou estabelecem comunicações à distância por meio elétrico: *linhas de alta tensão.* **6.** Sinal elétrico que porta as mensagens enviadas por meio de tal sistema de fios ou cabos, ou contato ou conexão entre aparelhos ligados a tal sistema: *A linha está ocupada; O telefone não está dando linha.* **7.** A comunicação que se estabelece por tal sistema; ligação: *Nossa conversa telefônica foi interrompida quando a linha caiu.* **8.** Serviço regular de telecomunicações, ou direito de uso deste serviço: *Possuía uma linha em seu nome e a transferiu para a irmã.* **9.** O efeito produzido pelo traçado ou pela combinação de linhas [v. *linha* (11)] na forma exterior de alguma coisa: *edifício de linhas sóbrias; A linha da arquitetura gótica tende para a verticalidade.* **10.** *Fig.* Traço, risco, lineamento: *Levantou, em linhas gerais, um excelente perfil do escritor.* **11.** Traço contínuo, visível ou imaginário que separa duas coisas contíguas; limite: *a linha das fronteiras de uma propriedade.* **12.** Cada um dos traços que sulcam a palma das mãos: *a linha da vida; a linha da cabeça.* **13.** Série de indivíduos ou de objetos dispostos numa mesma direção: *árvores plantadas em linha; Ao ser dado o sinal de partida, os cavalos não estavam em linha.* **14.** Série de unidades militares em posições alinhadas: *linha de defesa; linhas de fortificações.* **15.** *P. ext.* Trincheira ou entrincheiramento. **16.** *P. ext. Mil.* Frente de combate. **17.** Série de palavras, em geral formando um sentido, e escritas numa mesma direção de um lado a outro da página: *Rabiscou umas rápidas linhas para o amigo; Uma lauda contém, em geral, de 30 a 35 linhas.* **18.** Traço imaginário em uma determinada direção: *linha de mira; linha de tiro.* **19.** Rumo, direção: *seguir em linha reta.* **20.** Processo; técnica; orientação: *Seus romances seguem todos a mesma linha; Está pintando na mesma linha de antes.* **21.** Orientação teórica adotada por grupo ou indivíduo: *Os psicanalistas de linha freudiana reuniram-se; A linha política deste partido é a conciliação.* **22.** Série de graus de parentesco, em uma família: *descende de sábios em linha direta; primo pela linha materna.* **23.** Correção de maneiras, de procedimento: *andar na linha; manter a linha; perder a linha; Comportou-se no jantar com muita linha.* **24.** Aprumo, gravidade, dignidade, altivez: *Não se perturbou nem atemorizou: portou-se com muita linha.* **25.** Regra de conduta; norma, lei: *a linha do dever.* **26.** Bom gosto; esmero, elegância: *vestir-se com linha.* **27.** Tipo de corte do vestuário: *linha trapézio; linha saco.* **28.** *Bras.* V. *ferrovia:* "comprou duas latas de querosene, derramou-as em dois vagões da linha, incendiou-os" (Osmã Lins, *Nove, Novena*, p. 99). **29.** *Bras.* V. *trilho*[2] (5): *O bonde saiu da linha.* **30.** Serviço regular de transporte entre dois pontos; carreira: *linha férrea; O fim da linha dos ônibus interestaduais fica próximo do centro da cidade.* **31.** Antiga unidade de medida de comprimento, equivalente a um duodécimo de polegada (3), ou seja, 2,29 milímetros. **32.** O equador (1). **33.** *Álg.* Numa matriz, conjunto dos elementos situados na mesma horizontal. **34.** *Art. Gráf. Edit.* Série de caracteres compostos manual, mecânica, fotográfica ou eletronicamente, que perfazem certa medida de largura. **35.** *Constr.* Trave ou barrote horizontal sobre o qual assentam as pernas da tesoura. **36.** *Fís.* V. *maxwell.* **37.** *Fotograv.* Cada uma das raias da retícula, contadas por centímetro ou polegada: *retícula de 60 linhas.* **38.** *Fut. Obsol.* Os cinco jogadores atacantes; linha de ataque. **39.** *Esport.* Lugar imaginário do campo de futebol, na quadra de futebol, na quadra de futsal ou handebol, onde atuam todos os jogadores com exceção do goleiro. **40.** *Mat.* Numa tabela, conjunto de símbolos que se dispõem numa horizontal. **41.** *Mús.* Cada um dos traços horizontais e paralelos que formam a pauta. **42.** *Tip.* Reta ideal que passa pela base das letras curtas, e a que deve obedecer o ordenamento horizontal da composição. **43.** *Geom.* Num espaço, lugar dos pontos que só tem um grau de liberdade; subespaço unidimensional de um espaço com duas ou mais dimensões. **44.** *Bras. Rel.* Conjunto de cerimônias de determinada nação (6) ou de culto religioso: *linha de Angola; linha de umbanda.* **45.** *Bras. Rel.* Na umbanda esotérica, faixa de vibração, correspondente a um elemento da natureza, dominada por determinada potência espiritual cósmica (p. ex., um *orixá*). [Cf. *linhas* (3).] **46.** *Bras. Rel.* Na umbanda popular, conjunto de ritos, símbolos e praxes ligadas a cada orixá ou entidade (6). **47.** *Bras. Rel.* No catimbó, canto com que se invoca e identifica, ao descer (14), cada mestre. **48.** *Bras. BA* Afloramento das rochas auríferas ou diamantíferas; filão. ~ V. *linhas.* ◆ **Linha aérea.** Serviço regular de transportes aéreos entre determinados pontos. **Linha agônica.** *Geofís.* Lugar em que os pontos sobre a superfície terrestre têm a declinação magnética nula, e nos quais a agulha magnética aponta para o N. verdadeiro. Varia com o decorrer do tempo. **Linha auroral.** *Geofís.* Linha espectral observável no espectro de uma aurora polar. **Linha branca. 1.** *Com.* Linha de aparelhos eletrodomésticos de maior tamanho e valor (frequentemente produzidos na cor branca): fogões, fornos, geladeiras, congeladores, lavadoras, secadoras, etc. **2.** *Tip.* Linha de composição tipográfica totalmente formada por material branco (q. v.), e que não produz impressão; linha de branco. **Linha centrada.** *Art. Gráf.* Linha de composição que não ocupa toda a largura da coluna ou da mancha (7), e é disposta no meio desta, com espaço branco distribuído por igual à esquerda e à direita. **Linha cheia.** *Tip.* A que preenche toda a medida. [V. *cheio* (11).] **Linha chinesa.** Linha (21) político-revolucionária fundamentada no maoismo (q. v.). **Linha colateral.** *Jur.* Parentesco entre pessoas de um só tronco, mas que não descendem umas das outras; linha indireta, linha transversal, linha oblíqua. **Linha cotidal.** *Geofís.* Linha de igual fase para as marés das bacias oceânicas. [A rede de linhas cotidais que fornece a variação da programação da maré obtém-se pelo conhecimento da hora da preamar nos pontos da bacia.] **Linha cruzada.** *Telec.* V. *paradiafonia.* **Linha curta. 1.** *Tip.* A que constitui parágrafo completo sem ocupar toda a medida. **2.** *P. ext. Geom.* Linha quebrada. **Linha curva.** *Geom.* Curva (1). **Linha das apsides.** *Astr.* Linha que une o apoastro ao periastro. **Linha de água.** *Ind. Pap.* Linha-d'água (q. v.). **Linha de alta tensão.** *Eng. Elétr.* Linha (5) alimentada com tensão (4) muito elevada, da ordem de milhares de volts; linhão. **Linha de ataque.** *Fut. Obsol.* Os cinco jogadores atacantes. [Tb. se diz apenas *linha.*] **Linha de atraso.** *Eng. Elétr.* Linha de transmissão de impulsos elétricos que produz nestes um retardo. **Linha de batalha.** *Mil.* Disposição adotada pelas diferentes unidades sobre o terreno de batalha. **Linha de branco.** *Tip.* Linha branca (2). **Linha de campo.** *Fís.* Num campo vetorial, linha que em cada ponto é tangente ao vetor do campo. **Linha de comando.** *Inform.* Sequência de caracteres digitada pelo usuário diante do *prompt* e que representa comandos e parâmetros a serem executados pelo sistema computacional. [Cf. *interface de linha de comando.*] **Linha de componedor.** *Tip.* V. *linha de compor.* **Linha de compor.** *Tip.* Lâmina de metal, de medida variável, us. para facilitar o arranjo dos tipos no componedor, auxiliar o esvaziamento deste ou suster a tomada, na distribuição; linha de componedor, linha de medida. **Linha de corrente.** *Fís.* Linha do campo de velocidades de um fluido em movimento; trajetória que uma pequena partícula de um fluido em movimento descreve no interior da massa fluida. **Linha de corso.** *Bras.* Linha de anzóis lançada ao mar para fisgar as cavalas enquanto a jangada corre. **Linha de corte.** *Art. Gráf.* Pequeno traço dado nas margens de uma arte-final, que serve para indicar o formato do impresso, e de guia para o corte no acabamento. **Linha de cota.** Aquela traçada paralelamente ao contorno do desenho mecânico ou arquitetônico, e que indica os limites da cota. **Linha de crédito.** *Econ.* Crédito aberto por instituição financeira e que o favorecido pode utilizar segundo suas necessidades, até o limite de uma quantia preestabelecida, dentro de um prazo determinado; *stand-by credit.* **Linha dedicada.** *Telecom.* Linha telefônica, ger. usada por empresa de grande porte, e que fica permanentemente ligada entre dois pontos. **Linha de emenda.** *Tip.* Linha-bloco com que o linotipista substitui a linha podre. **Linha de flutuação.** *Constr. Nav.* Linha determinada pela interseção do contorno exterior do casco da embarcação com a superfície da água em que esta flutua. [Tb. se diz apenas *flutuação.*] **Linha de força.** *Fís.* Linha de campo de um campo de força. **Linha de fundo.** *Bras. Fut.* Linha que vai de um córner ao outro, passando pelo gol. **Linha de indução.** *Fís.* **1.** Linha de força de um campo magnético. **2.** V. *maxwell.* **Linha de isoamplitude.** *Geogr.* Linhas imaginárias que unem os pontos de uma mesma amplitude térmica anual. **Linha de isocusto.** *Econ.* Representação gráfica das diferentes combinações de fatores de produção que têm o mesmo custo para a empresa. **Linha de lado.** *Fut.* V. *lateral* (5). **Linha de medida.** *Tip.* V. *linha de compor.* **Linha de mira.** Linha imaginária que tem origem no olho do atirador, passa pelos pontos de mira e se prolonga até o alvo. **Linha de montagem.** Instalação organizada para operar em cadeia a fabricação ou montagem de determinado(s) produto(s). **Linha de navegação.** Serviço regular de transporte marítimo entre pontos estabelecidos. **Linha de nota.** *Tip.* V. *risca de nota.* **Linha de parágrafo.** *Tip.* A que dá início a um período, com recolhido (4). **Linha de piso.** *Arquit.* Linha imaginária em uma escada sobre a qual assentam os pés de quem sobe ou desce apoiando-se no corrimão. **Linha de pobreza.** *Econ.* Nível de renda considerado o mínimo necessário para que um indivíduo (ou família) possa satisfazer suas necessidades básicas. **Linha de posição.** *Aer.* Linha calculada para interceptar a posição de uma aeronave. **Linha de prumo.** *Mar.* Linha graduada em metros, braças ou, antigamente, em pés, ligada por uma das extremidades a uma chumbada, com que se medem profundidades no mar. **Linha de quadratim.** *Tip.* Risca de quadratim. **Linha de rumo constante.** *Geom.* Loxodrômia esférica. **Linha de simples aderência.** Sistema de tração por mera aderência. P. ex.: a linha ferroviária, na qual o deslocamento das composições é assegurado pelo simples atrito que se desenvolve e, portanto, sem auxílio de cabos ou cremalheira. **Linha de tiro.** *Bras.* Lugar onde se fazem exercícios com armas de fogo portáteis. **Linha de transmissão.** *Eng. Elétr.* Condutor ou conjunto de condutores elétricos que dirigem a transmissão da energia elétrica ou eletromagnética de um ponto a outro. **Linha de umbanda.** *Bras. Rel.* A prática do culto banto, esp. no RJ. **Linha de universo.** *Fís.* No contínuo espaço-tempo, linha descrita por um ponto cujas coordenadas espaciais são invariáveis. **Linha de Wallace.** *Ecol.* Divisão zoogeográfica representada por linha imaginária traçada entre as ilhas indonésias de Bali e Lombok, e que representa a separação das faunas australianas e oriental, *i. e.*, do S.E. da Ásia. [Divisão proposta por A. R. Wallace (1823-1913), naturalista inglês, ao observar que os mamíferos do S.E. da Ásia haviam atingido etapa de desenvolvimento mais avançada que a dos seus similares australianos.] **Linha direcional.** *Aer.* Linha cuja direção é medida em relação a um eixo de referência. **Linha divisora de águas.** Divisor de águas. **Linha divisória.** *Fut.* A que divide o campo ao meio; linha intermediária. **Linha do caboclo.** *Bras. RJ Rel.* Prática fetichista negra, à qual se misturam entidades da mítica ameríndia; lei do caboclo, religião do caboclo. **Linha do sertão.** *Bras.* Linha dos fundos, nas sesmarias. **Linha dos nodos.** *Astr.* Intersecção do plano da órbita de um astro com um plano fundamental de referência. **Linha dura.** *Bras.* **1.** Política que preconiza a adoção de medidas severas contra a corrupção e a subversão. **2.** O conjunto dos partidários e simpatizantes dessa política. **3.** Aqueles que a orientam, que estão à frente dela. [Cf. *linha-dura*.] **Linha editorial. 1.** *Edit.* Os produtos (segundo o tipo, o público-alvo, a qualidade, o custo, etc.) que uma empresa de comunicação deseja ter no mercado. **2.** *Edit.* A opção que a empresa faz ao adotá-los como os produtos de sua linha. **3.** *Comun.* A diretriz (ideias, conceitos, valores, perspectiva, etc.) e o estilo seguidos por determinado veículo de comunicação. **Linha enforcada.** *Tip.* Aquela cuja composição destoa das normas tipográficas, esp. a linha quebrada que inicia página ou coluna. **Linha espectral.** *Fís.* Raia espectral. **Linha férrea.** V. *ferrovia*. **Linha focal.** *Ópt.* V. *focal* (2). **Linha geodésica.** *Topogr.* V. *geodésica*. **Linha indireta.** *Jur.* V. *linha colateral*. **Linha intermediária.** *Fut.* Linha divisória. **Linha internacional de mudança de data.** *Astr.* Linha convencional, que coincide aproximadamente com o antimeridiano de Greenwich, estabelecida por acordo internacional para o início da contagem de cada dia civil em toda a Terra: à medida que a linha da meia-noite avança para oeste, principia esse dia civil nas sucessivas longitudes, até alcançar novamente a linha internacional de mudança de data, quando começa novo dia. [Um viajante, ao cruzar a linha internacional de mudança de data de leste para oeste, adianta de um dia a sua data; ao cruzá-la de oeste para leste, atrasa a data de um dia.] **Linha isóclina.** *Geol.* Linha que liga os pontos da superfície terrestre de igual inclinação magnética; linha isoclínica. [Tb. se diz apenas *isóclina*.] **Linha isoclínica.** *Geol.* Linha isóclina. [Tb. se diz apenas *isoclínica*.] **Linha isógama.** *Geol.* Em carta geográfica, linha que une, na superfície terrestre, os pontos onde os valores de gravidade são iguais. [Tb. se diz apenas *isógama*.] **Linha isogeoterma.** *Geol.* Em carta geográfica, linha que une, na superfície ou no interior do globo terrestre, os pontos de igual temperatura média; linha isogeotérmica. [Tb. se diz apenas *isogeoterma*.] **Linha isogeotérmica.** *Geol.* V. *linha isogeoterma*. [Tb. se diz apenas *isogeotérmica*.] **Linha isógona.** *Geol.* Em carta geográfica, linha que liga, na superfície terrestre, pontos de igual declinação magnética; curva isógona, linha isogônica. [Tb. se diz apenas *isógona*.] **Linha isogônica.** *Geol.* V. *linha isógona*. [Tb. se diz apenas *isogônica*.] **Linha isopórica.** Na superfície da Terra, linha ao longo da qual é constante a variação do campo magnético terrestre num intervalo de tempo fixo (ger., em um ano); isópora. [Tb. se diz apenas *isopórica*.] **Linha isoquímena.** *Geol.* Em carta geográfica, linha que une, na superfície terrestre, os pontos que apresentam a mesma temperatura média no inverno. [Tb. se diz apenas *isoquímena*.] **Linha isoterma.** *Met.* Linha que, num mapa, liga os pontos que apresentam a mesma temperatura. [Tb. se diz apenas *isoterma*.] **Linha lateral.** *Bras. Fut.* V. *lateral* (5). **Linha média. 1.** *Anat.* Linha vertical imaginária que divide o corpo em duas partes iguais, e que é us. por anatomistas e cirurgiões como referência. **2.** *Fut.* Grupo de jogadores que, mais ou menos em linha, fazem a ligação entre o ataque e a defesa de um time. **Linha mestra.** Linha ou orientação fundamental: *as linhas mestras da psicanálise*. **Linha mista.** *Geom.* A formada de segmentos de reta e arcos e curvas. **Linha oblíqua.** *Jur.* V. *linha colateral*. **Linha podre.** *Tip.* A que está errada, na composição linotípica, e se substitui por linha de emenda. **Linha poligonal.** *Geom.* Conjunto de segmentos de reta que unem os pontos consecutivos de uma sequência de pontos coplanares; linha quebrada. [Tb. se diz apenas *poligonal*.] **Linha primitiva.** *Embr.* Formação (5) que se origina de um espessamento mediano no epiblasto embrionário. **Linha quebrada. 1.** *Geom.* V. *linha poligonal*. **2.** *Tip.* A que não chega ao fim da medida; viúva. **Linha reta. 1.** *Geom.* Reta (3). **2.** *Jur.* Parentesco entre o genitor e os procriados. **Linhas de Fraunhofer.** *Astr.* Raias de Fraunhofer. **Linha suplementar.** *Mús.* Cada um dos fragmentos de linha que servem para a notação dos sons que figuram fora da pauta. **Linha tipográfica.** *Tip.* A que é composta por meios tipográficos. **Linha transversal.** *Jur.* V. *linha colateral*. [Tb. se diz apenas *transversal*.] **Andar na linha.** Proceder de acordo com o esperado ou com o desejado. **Compor à linha certa.** *Tip.* Compor de modo que o granel termine em linha cheia, para que se possa juntar a outro, quando o original é composto por mais de um tipógrafo; compor a dois. **Por linhas transversas.** Indiretamente: *Conta seus pensamentos por linhas transversas*. **Por uma linha.** V. *por um triz* (1). **Saber as linhas com que se cose.** Conhecer as próprias dificuldades, os apertos por que passa. **Sair da linha.** Portar-se mal, em relação a determinada expectativa; sair fora dos trilhos; pisar fora do rego. **Tirar uma linha.** *Bras. Pop.* **1.** *Desus.* Namoricar, namoriscar, flertar. **2.** Observar intencionadamente. **3.** Ver como alguém ou algo se conduz.

linha-bloco *S. f. Tip.* Linha inteiriça de caracteres, fundida em máquina linotipo ou congênere, ou em tituleira. [Sin., p. us.: *lingote*. Pl.: *linhas-blocos* e *linhas-bloco*.]

linhaça [De *linho* + *-aça*.] *S. f.* A semente do linho.

linhada [De *linha* + *-ada*¹.] *S. f. Bras.* **1.** Lance de anzol. **2.** Espiadela, olhada. **3.** Namoro a distância.

linha-d'água *S. f.* **1.** *Constr. Nav.* Faixa pintada ao longo do casco do navio na altura até onde ele mergulha nas condições comuns de carregamento. **2.** *Ind. Pap.* Cada um dos traços, visíveis por transparência, que caracterizam os papéis avergoados, e são produzidos pelos pontusais e vergaturas da fôrma, ou pelo rolo filigranador; linha de água. [Pl.: *linhas-d'água*. Cf. *marca-d'água* e *papel linha-d'água*.]

linha de fé *S. f. Mar.* Traço fixo no interior da cuba de uma agulha, repetidora, etc., destinado a indicar a direção da linha axial da embarcação, como referência para a leitura dos rumos. [Pl.: *linhas de fé*.]

linha do vento *S. f. Mar.* **1.** Direção de onde sopra o vento. **2.** Trajetória do vento. [Pl.: *linhas do vento*.]

linha-dura *Bras. Adj. 2 g. e 2 n.* **1.** Relativo a, ou próprio da linha dura (q. v.). **2.** Que é partidário ou simpatizante da linha dura. • *S. 2 g.* **3.** Partidário ou simpatizante dela. [Pl. do s. 2 g.: *linhas-duras*. Cf. *linha dura*.]

linhagem¹ [De *linha* + *-agem*².] *S. f.* **1.** Genealogia, geração, estirpe, família. **2.** *Fig.* Condição social. **3.** *Antrop.* Unidade social formada por indivíduos ligados a um ancestral comum por laços de descendência demonstráveis (*i. e.*, não míticos). [Há linhagens de diversos tipos: nomeadas ou não, localizadas ou dispersas, exógamas ou não.] [Cf. *clã*.]

linhagem² [De *linho* + *-agem*².] *S. f. Tec. Têx.* Tecido grosso de linho.

linhagista [De *linhagem* + *-ista*.] *S. 2 g.* Pessoa que se consagra a investigações genealógicas; genealogista.

linhal [De *linho* + *-al*¹.] *S. m.* Terreno semeado de linho (1).

linha-novense *Adj. 2 g.* **1.** De, ou pertencente ou relativo a Linha Nova (RS). • *S. 2 g.* **2.** O natural ou habitante de Linha Nova. [Pl.: *linha-novenses*.]

linhão¹ [De *linha* (5) + *-ão*¹.] *S. m.* Linha de alta tensão.

linhão² [De *linho* + *-ão*¹.] *S. m. Tec. Têx.* Tecido semelhante ao linho (2), porém mais encorpado e de trama mais aberta.

linharense *Adj. 2 g.* **1.** De, ou pertencente ou relativo a Linhares (ES). • *S. 2 g.* **2.** O natural ou habitante de Linhares.

linhas [Pl. de *linha*.] *S. f. pl.* **1.** Carta, missiva: *Viajou há cerca de um mês, e ainda não me mandou umas linhas*. **2.** Fortificações: *as linhas de frente do exército aliado*. **3.** *Bras. Rel.* Na umbanda, conjunto de falanges compreendidas numa linha (45). ~ V. *linha*.

linheira¹ [De *linho* + *-eira*.] *S. f.* **1.** Mulher que prepara ou asseda o linho para ser fiado. **2.** Mulher que negocia em linho. [Cf. *lenheira*.]

linheira² [De *linha* + *-eira*.] *S. f. Bras. GO* Caminho estreito; vereda. [Cf. *lenheira*.]

linheiro¹ [De *linho* + *-eiro*.] *S. m.* **1.** Indivíduo que prepara ou asseda o linho para ser fiado. **2.** Aquele que negocia em linho. **3.** *Bot.* V. *linho* (2). [Cf. *lenheiro*.]

linheiro² [De *linha* + *-eiro*.] *S. m.* **1.** Aquele que negocia em fios ou linhas. [Cf. *lenheiro*.] • *Adj.* **2.** Que tem linha; bem-posto, bem-apessoado; elegante. **3.** Que não é torto; reto: "Que fazia ainda Anselmo em pé, ... mirando .... as águas do canal dourado, onde o mimoso barco movia o mastro linheiro e grande ....?" (Xavier Marques, *Jana e Joel*, p. 4).

linhita [Do fr. *lignite*.] *S. f.* V. *linhito*.

linhito [De *linhita*.] *S. m.* Carvão fóssil, da era mesozoica, o qual corresponde a um estágio intermediário entre a turfa e o carvão betuminoso, e pode conservar ainda a estrutura lenhosa e encerrar 57 a 80% de carbono; linhita.

linho [Do lat. *linu*; tax. *Linum*.] *S. m.* **1.** *Bot.* O gênero-tipo das lináceas, que compreende plantas herbáceas anuais ou perenes, de pequenas folhas sésseis, flores em racemos terminais ou axilares, e frutos capsulares. **2.** *Bot.* Qualquer espécie desse gênero, esp. a *Linum usitatissimum*, de folhas pequenas, lanceoladas e trinérveas, flores minutas, azuis e isoladas, fruto capsular, com sementes ricas em mucilagem e óleo secativo, de alto valor em pintura, e cujo caule fornece a fibra de mesmo nome, muito importante na indústria de tecidos; é tb. conhecida como *linheiro*. **3.** *Bot.* Qualquer espécime desse gênero. **4.** *Tec. Têx.* Fio extraído da fibra do linho. **5.** *Tec. Têx.* Tecido feito com essa fibra, pura ou misturada com outras fibras naturais ou sintéticas, com ligamento tela ou cetim: *camisas de excelente linho*; "E bordava o linho para o seu noivado" (Martins Fontes, *Verão*, p. 238).

linhol [Do lat. **liniolu*.] *S. m.* Fio grosso com que os sapateiros cosem o calçado, e us. tb. para coser lona: "Este sapateiro, batendo solas ou cosendo viras, ponto a ponto, com linhol encerado, conversa demoradamente com o povo" (Antero de Figueiredo, *Jornadas em Portugal*, p. 80). [Pl.: *linhóis*.]

linhoso (ô) [De *linho* + *-oso*.] *Adj.* Semelhante ao linho, ou da natureza dele. [Cf. *lenhoso*.]

linhote [De *linha* + *-ote*.] *S. m.* Trave que vai duma parede a outra para segurá-las: "O Terêncio estava falquejando um linhote pra cumeeira do galpão." (Darci Azambuja, *Coxilhas*, p. 51.)

▲ **lin(i)-** [Do lat. *līnum, i*.] *El. comp.* = 'linho': *linária*, *linígero* (< lat.), *linifício*. [Equiv. *lin(o)-*, *-lino*: *linografia*; *traquilino*.]

linifício [De *lin(i)-* + *fic(o)-*¹ + *-io*³.] *S. m.* **1.** Manufatura de linho. **2.** Artefato de linho. [Cf. *lanifício*.]

linígero [Do lat. *linigeru*.] *Adj.* **1.** Que tem linho. **2.** Que anda vestido de linho. [Cf. *lanígero*.]

linimentar [De *linimento* + *-ar*².] *V. t. d.* **1.** Aplicar linimento a; friccionar com linimento. **2.** *Fig.* Abrandar, suavizar, acalmar, aplacar.

linimento [Do lat. tard. *linimentu*.] *S. m.* **1.** *Farm.* Medicamento untuoso, para fricções. **2.** *P. ext.* Tudo o que serve para acalmar, abrandar, suavizar. [Cf. *lenimento*.]

linina [Do V.C.I. *lin-* (< *linum*, 'linho') + *-ina*³; al. *Linin*.] *S. f. Biol. Desus.* Acromatina.

➔ **link** [liŋk] [Ingl.] *S. m. Inform.* V. *hyperlink*.

▲ **lin(o)-** V. *lin(i)-*.

▲ **-lino** V. *lin(i)-*.

linocompositor (ô) [De *lino(tipo)* + *compositor*.] *S. m. P. us.* V. *linotipista*.

linografia [De *lin(o)-* + *-grafia*.] *S. f.* **1.** Qualquer processo de imprimir sobre pano. [Cf. *histotipia*.] **2.** Espécie de oleogravura obtida por ampliação de fotografia sobre tela, depois pintada a óleo. [Cf. *limnografia*.]

linográfico [De *linografia* + *-ico*².] *Adj.* Referente à linografia. [Cf. *limnográfico*.]

linógrafo [De *lino(tipo)* + *-grafo*.] *S. f. Tip.* Compositora (3) de linhas-blocos, menor e mais simples que a linotipo. [Cf. *limnógrafo*.]

linoleato [De (*ácido*) *linole(ico)* + *-ato*².] *S. m. Quím.* Qualquer sal ou éster do ácido linoleico.

linoleico (éi ou êi) [De *lin(o)-* + *oleico*.] *Adj. Quím.* ~ V. *ácido* ~. [A pronúncia aberta *linoleico* (éi) é a correta, porém a pronúncia *linoleico* (êi) é a us. em Portugal, e a mais us. no Brasil.]

linolenato *S. m. Quím.* Qualquer sal ou éster do ácido linolênico.

linolénico *Adj. Quím.* V. *linolênico*. [Uso freq. em P.]

linolênico [De *linole(ico)* + *-n-* + *-ico*².] *Adj. Quím.* V. *ácido* ~.

linóleo [Do ingl. *linoleum*, voc. forjado por F. Walton, inventor desse tecido, em 1863, a partir do lat. *lin(um)*, 'linho', + *oleum*, 'óleo'.] *S. m.* **1.** *Tec. Têx.* Tecido impermeável, feito de juta e untado com óleo de linhaça e cortiça em pó, usado para tapete. **2.** Tapete fabricado desse tecido: "E um linóleo novo cobria o chão, ocultando sabe Deus que buracos no soalho." (Fernando Sabino, *O Medo em Nova Iorque. A Cidade Vazia*, p. 33.)

linoleogravura (nò) [De *linóleo* + *gravura*.] *S. f.* **1.** Gravura em relevo, executada à faca e goiva em placa de linóleo. **2.** Estampa obtida por esse processo. [Sin. ger.: *gravura em linóleo*.]

linómetro *S. m. Tip.* V. *linômetro*. [Uso freq. em P.]

linômetro [Do lat. *lin(ea)*, 'linha', + *-o-* + *-metro*.] *S. m. Tip.* Tipômetro (q. v.) constituído por uma régua de seção triangular ou quadrada, graduada segundo vários corpos, e us. principalmente no cálculo de linhas de composição.

linotipado [Part. de *linotipar*.] *Adj.* Composto em linotipo: "Lembre-me dum erro involuntariamente injurioso, ocasionado pela troca de duas linhas linotipadas, no austero *Minas Gerais*, de Belo Horizonte" (Eduardo Frieiro, *Os Livros, Nossos Amigos*, p. 149).

linotipadora (ô) [De *linotipar* + *-dora*.] *S. f.* V. *linotipo*.

linotipar [De *linotipo* + *-ar*².] *V. t. d.* **1.** Compor em linotipo. **2.** *P. ext.* Compor em máquina congênere da linotipo.

linotipia [De *linotipo* + *-ia*¹.] *S. f. Tip.* **1.** Arte de compor em linotipo. **2.** *P. ext.* Arte de compor em máquina congênere da linotipo. [Cf., nesta acepç., *fotocomposição*, *composição mecânica* e *mecanotipia*.] **3.** Seção ou oficina da composição linotípica.

linotípico [De *linotipo* + *-ico*².] *Adj.* Relativo a linotipo, ou a linotipia.

linotipista [De *linotipo* + *-ista*.] *S. 2 g.* Operador de linotipo. [Sin., p. us.: *linocompositor*, *linotipógrafo*.]

linotipo [Do ingl. *linotype*, voc. forjado pelo inventor Ottmar Mergenthaler (1854-1899), em 1886, a partir da contração de *line of types*, 'linha de caracteres de impressão'.] *S. f. Tip.* **1.** Compositora (3) mecânica provida de teclado mediante o qual se reúnem as

L

matrizes que, dispostas nos canais de um ou mais magazines, são levadas sucessivamente ao componedor, onde formam a linha, ao molde, onde é fundida a linha-bloco, e ao distribuidor, por onde retornam ao magazine. **2.** *P. ext.* Qualquer compositora de linhas-blocos de funcionamento análogo. [Sin. ger.: *linotipadora*.]

linotipógrafo [De *linotipo* + *-grafo*.] ***S. m. P. us.*** V. *linotipista*.

lintel [Do ant. fr. *lintel* (atual *linteau*).] ***S. m. Arquit.*** Dintel (2) (q. v.).

línter [Do ingl. *linter*.] ***S. m.*** Máquina que, após o descaroçamento, retira as fibras restantes dos caroços de algodão.

lio [Dev. de *liar*.] ***S. m.*** **1.** Atilho, liame: 📖 "finas ripas de mororó seguras de lios arrochados" (Gustavo Barroso, *Terra de Sol*, p. 191). **2.** Feixe; molho: 📖 "uma loura de porte fino, que trazia um grande lio de violetas" (Gastão Cruls, *De Pai a Filho*, p. 22).

▲ **lio-**[1] [Do gr. *leîos, a, on*.] ***El. comp.*** = 'liso', 'plano': *liócomo, liodermo*.

▲ **lio-**[2] [Do v. gr. *lýein*.] ***El. comp.*** = 'soltar', 'dissolver', 'solver': *liófilo, liólise*.

liocarpo [De *lio-*[1] + *-carpo*.] ***Adj. Bot.*** Que tem frutos lisos.

liocéfalo [De *lio-*[1] + *-céfalo*.] ***Adj. Zool.*** Que tem cabeça lisa.

liocel [V. *lio-*[2] e *cel(ulose)*.] ***S. m. Tec. Têx.*** Nome comercial de fibra celulósica bastante resistente, porém macia e absorvente, produzida por dissolução de celulose (obtida de polpa de madeira) em um solvente orgânico derivado da morfolina, seguida de extrusão da pasta resultante, formando-se fios, que são lavados com água; tencel.

liócomo [De *lio-*[1] + *-como*.] ***Adj.*** Que tem cabelos lisos ou corredios.

liodermo [De *lio-*[1] + *-dermo*.] ***Adj. Zool.*** **1.** Cuja pele é lisa. **2.** Cujos tegumentos exteriores são nus.

liofilização [De *liofilizar* + *-ção*.] ***S. f. Quím.*** Processo de secagem e de eliminação de substâncias voláteis realizado em temperatura baixa e sob pressão reduzida.

liofilizado [Part. de *liofilizar*.] ***Adj.*** Que foi submetido a liofilização: 📖 "A 'empresa X', especializada na produção de alimentos liofilizados (desidratados por congelamento), entra na corrida como patrocinadora da equipe 'Y'" (*Gazeta Mercantil*, 24.04.2000).

liofilizador (ô) [De *liofilizar* + *-dor*.] ***Adj. S. m.*** Diz-se de, ou aparelho que liofiliza.

liofilizar [De *lio-*[2] + *-fil(o)-*[2] + *-izar*.] ***V. t. d.*** Efetuar a liofilização de.

liófilo [De *lio-*[2] + *-filo*.] ***Fís.-Quím. S. m.*** **1.** Solução coloidal cujas micelas têm forte afinidade pela fase dispersora. ● ***Adj.*** **2.** ~ V. *coloide* —.

liófobo [De *lio-*[2] + *-fobo*.] ***Fís.-Quím. S. m.*** **1.** Sol[4] em que as micelas não têm afinidade pela fase dispersora. ● ***Adj.*** **2.** ~ V. *coloide* —.

liólise [De *lio-*[2] + *-lise*.] ***S. f. Fís.-Quím.*** Solvólise.

liomioma [De *lio-*[1] + *mioma*.] ***S. m. Patol.*** Tumor benigno, originado de tecido muscular não estriado.

lionês [Do fr. *lyonnais*.] ***Adj.*** **1.** De, ou pertencente ou relativo a Lião (França). ● ***S. m.*** **2.** O natural ou habitante de Lião. [Sin. ger.: *lugdunense*. Flex.: *lionesa* (ê), *lioneses* (ê), *lionesas* (ê). Cf. *leonês*.]

lionetiídeo [Do tax. *Lyonetia* (do antr. *[Pierre] Lionet* [-1789], entomologista holandês, + lat. cient. *-ia*) + *-ídeo*[1]; tax. *Lyonetiidae*.] ***Zool. S. m.*** **1.** Espécime dos lionetiídeos, família de insetos lepidópteros; são mariposas pequenas com asas muito estreitas e as larvas são pragas da agricultura e parasitam plantas como o cafeeiro, produzindo manchas ferruginosas. ● ***Adj.*** **2.** Pertencente ou relativo a eles.

liópode [De *lio-*[1] + *-pode*.] ***Adj. 2 g. Zool.*** Cuja planta do pé é lisa.

liospermo [De *lio-*[1] + *-spermo*.] ***Adj. Bot.*** Que tem sementes lisas.

liotironina [De *lio-*[1] + *tironina*.] ***S. f. Quím.*** Aminoácido natural, semelhante à tiroxina, us. no tratamento de certos distúrbios da glândula tireóidea [fórm.: $C_{15}H_{12}I_3NO_4$].

liótrico [De *lio-*[1] + *-trico*.] ***Adj. Zool.*** Que tem o pelo acamado e liso.

lioz [Do fr. ant. *liois* (atual *liais*).] ***Adj. 2 g. S. 2 g.*** Diz-se de, ou pedra calcária branca e dura usada em cantaria, estatuária, etc.

➔ **lip** [lɪp] [Ingl.] ***S. m. Surf.*** A crista da onda.

liparito [Do top. *Lipari* (ilhas Lipárias, Itália) + *-ito*[2].] ***S. m. Geol.*** Riólito.

▲ **lipar(o)-** [Do gr. *liparós, á, ón*.] ***El. comp.*** = 'gorduroso': *liparocele*.

liparocele (é) [De *lipar(o)-* + *-cele*[1].] ***S. f. Patol.*** **1.** V. *lipoma*. **2.** Hérnia de epíploo.

lipase [De *lip(o)-* + *-ase*.] ***S. f. Bioquím.*** Qualquer enzima que catalisa a hidrólise de ésteres da glicerina com ácidos graxos, ou catalisa a formação desses ésteres.

▲ **lipe-** [Do gr. *lýpē, ēs*.] ***El. comp.*** = 'tristeza'; 'aflição': *lipemania, lipemaníaco*.

lipectomia [De *lip(o)-*[1] + *-ectom-* + *-ia*[1].] ***S. f. Cir.*** Excisão de tecido adiposo, como, p. ex., o de parede abdominal anterior; adipectomia.

lipemania [De *lipe-* + *-mania*.] ***S. f. Psiq. Desus.*** Perturbação mental caracterizada por tristeza profunda.

lipemaníaco [De *lipemania* + *-íaco*.] ***Psiq. Desus. Adj.*** **1.** Relativo a lipemania. **2.** Que sofre de lipemania; lipêmano. ● ***S. m.*** **3.** Aquele que sofre de lipemania; lipêmano.

lipêmano [De *lipe-* + *-mano*[1].] ***Adj. S. m. Psiq. Desus.*** Lipemaníaco (2 e 3).

lipemia [De *lip(o)-*[1] + *-emia*.] ***S. f. Med.*** Teor de gordura no sangue; piaremia.

lipémico ***Adj.*** V. *lipêmico*. [Uso freq. em P.]

lipêmico [De *lipemia* + *-ico*[2].] ***Adj.*** Referente a lipemia.

lípide [De *lip(o)-* + *-ide*[2].] ***S. m. Quím.*** V. *lipídio*.

lipídeo [De *lip(o)-* + *-ídeo*[2].] ***S. m. Quím.*** V. *lipídio*.

lipídico [De *lipídio* + *-ico*[2].] ***Adj. Bioquím.*** Relativo a, ou próprio de lipídio.

lipídio [De *lip(o)-*[1] + *-ídio*[2].] ***S. m. Quím.*** Qualquer das substâncias de origem biológica, apolares e insolúveis em água, tais como óleos, gorduras, terpenos e esteroides, muitas das quais, quando hidrolisadas, fornecem ácidos graxos; lípide, lipídeo, carbono. [Sin.: *lípide, lipídeo* e (lus.) *lípido*.]

lípido ***S. m. Quím. Lus.*** V. *lipídio*.

lipidograma (lì) [De *lípide* + *-o-* + *-grama*.] ***S. m. Med.*** Rol das taxas de lipídios no sangue, encontradas mediante exames bioquímicos.

▲ **lip(o)-**[1] [Do gr. *lipo-* < gr. *lípos, eos-ous*.] ***El. comp.*** = 'gordura', 'corpo ou tecido gorduroso': *lipídio, lipoide*. [É seguido de hífen quando anteposto a palavra iniciada por *h* ou *o*: *lipemia / lipoemia / lipo-hemia*; é grafado com *r* ou *s* duplicados quando anteposto a palavra iniciada por *r* ou *s*: *lipossolúvel, lipossucção*.] [Equiv.: *-lip(o)-*: *hiperlipemia*.]

▲ **lip(o)-**[2] [Do gr. *lipo-* < v. gr. *leípein*, 'deixar', 'abandonar'.] ***El. comp.*** = 'falta', 'privação': *lipograma*.

▲ **-lip(o)-** Equiv. de *lip(o)-*[1].

lipoaspiração [De *lip(o)-*[1] + *aspiração*.] ***S. f. Cir. Plást.*** Intervenção cirúrgica em que se aspira(m), manual ou eletricamente, excesso(s) gorduroso(s) do contorno corporal, com objetivo estético. [Sin.: *lipossucção*.]

lipoaspirado [Part. de *lipoaspirar*.] ***Adj. Cir. Plást.*** Que se submeteu à lipoaspiração: ■ *O paciente lipoaspirado recebeu alta.* **2.** Que sofreu lipoaspiração: ■ *O cirurgião utilizou a gordura lipoaspirada em outra região do corpo.*

lipoaspirar [De *lip(o)-*[1] + *aspirar*.] ***V. t. d. Cir. Plást.*** Realizar lipoaspiração em.

lipoato ***S. m. Bioquím.*** Qualquer sal ou éster do ácido lipoico.

lipocromo [De *lip(o)-*[1] + *-cromo*.] ***S. m. Bioquím.*** Luteína.

lipoenxertia [De *lip(o)-*[1] + *enxertia*.] ***S. f. Cir. Plást.*** Introdução cirúrgica, em um indivíduo, de tecido gorduroso dele mesmo, para reparação de sulco(s) ou de depressão ou depressões da superfície corporal. [Sin.: *lipoinjeção*.]

lipoescultura [De *lip(o)-*[1] + *escultura*.] ***S. f. Cir. Plást.*** Escultura da superfície corporal com fim de embelezamento, e em que se realizam, cirurgicamente, ou depressões, ou deposições teciduais, feitas, respectivamente, à custa de retirada(s), ou de deposição ou deposições de tecido gorduroso do próprio indivíduo.

lipofílico [De *lip(o)-*[1] + *-fil(o)-*[3] + *-ico*[2].] ***Adj. Quím.*** Que tem afinidade por gorduras, ou que é facilmente solúvel nelas ou, p. ext., em substâncias apolares.

lipófilo [De *lip(o)-*[1] + *-filo*[2].] ***Adj. Quím.*** V. *lipofílico*.

lipógnato [De *lip(o)-*[2] + *-gnato*; tax. *Lipognatha*.] ***S. m. Adj. Zool.*** V. *anopluro*.

lipograma [De *lip(o)-*[2] + *-grama*.] ***S. m.*** Composição literária feita com o propósito de nela não se empregar(em) determinada(s) letra(s) do alfabeto.

lipogramático [De *lipograma* + *-ático*.] ***Adj.*** Referente a lipograma.

lipogramatista [De *lipogramat-*, por *lipograma* (como em *lipogramático*), + *-ista*.] ***S. 2 g.*** Pessoa que compõe lipogramas.

lipoico (ói) ***Adj. Quím.*** ~ V. *ácido* —. ❖

lipoide (ói) [De *lip(o)-*[1] + *-oide*.] ***Adj. 2 g.*** De aspecto ou consistência semelhante à da gordura. ❖

lipoinjeção (o-in) [De *lip(o)-*[1] + *injeção*.] ***S. f. Cir. Plást.*** Lipoenxertia.

lipólise [De *lip(o)-*[1] + *-lise*.] ***S. f. Bioquím.*** Desdobramento das gorduras em ácidos graxos e seus sais pela ação da bile e do suco pancreático.

lipolítico [De *lipól(ise)* + *-ítico*.] ***Adj.*** Respeitante à lipólise.

lipoma [De *lip(o)-*[1] + *-oma*[1].] ***S. m. Patol.*** Tumor benigno e indolor, formado pela proliferação de células gordurosas; adipoma; liparocele, esteatoma.

lipomatose [De *lip(o)-*[1] + *-omat-* + *-ose*[1].] ***S. f. Patol.*** Condição mórbida caracterizada por acúmulos anormais de gordura em tecidos.

lipomatoso (ô) [De *lip(o)-*[1] + *-omat-* + *-oso*.] ***Adj.*** Da natureza do lipoma.

lipoproteico (éi ou êi) [De *lipoproteína* + *-ico*[2].] ***Adj.*** Relativo à lipoproteína, ou que a contém. ❖

lipoproteína [De *lip(o)-*[1] + *proteína*.] ***S. f. Bioquím.*** Substância que contém em sua estrutura uma parte proteica e outra lipídica.

lipóptero ***S. m. Adj. Zool.*** V. *malófago*.

liposo (ô) [Do lat. **liposu*, moldado em *lippu*, 'remelento'.] ***Adj.*** V. *remeloso*.

lipossolúvel [De *lip(o)-*[1] + *solúvel*.] ***Adj. 2 g.*** Diz-se da substância solúvel nas gorduras.

lipossucção [De *lip(o)-*[1] + *sucção*.] ***S. f. Cir. Plást.*** Lipoaspiração.

lipotimia [Do gr. *lipothymía*.] ***S. f. Med.*** V. *síncope* (1): 📖 "A subida .... foi impossível; tremia, suava, palpitava, parecia ameaçado de lipotimias, e só subiu guiado por mim!" (A. Austregésilo, *Obras Completas*, III, p. 53.)

lipotímico [De *lipotimia* + *-ico*[2].] ***Adj.*** Relativo a lipotimia.

lipuria [De *lip(o)-*[1] + *-uria*.] ***S. f. Med.*** V. *lipúria*.

lipúria [De *lip(o)-*[1] + *-úria*.] ***S. f. Med.*** Teor de gordura na urina; adiposúria. [F. paral.: *lipuria*.]

liquação [Do lat. tard. *liquatione*.] ***S. f.*** **1.** *Fís.* Separação, mediante fusão, dos componentes de uma mistura sólida. **2.** Separação de substâncias heterogêneas liquefeitas.

liquado [Do lat. *liquatu*.] ***Adj.*** Liquefeito: 📖 "Porém a grossa pata esvurma o lodo, / e as pequenas enguias embebeda / em seu fogo liquado" (Jorge de Lima, *Obra Completa*, I, p. 819).

liquefação (que ou qüe) [Do lat. tard. *liquefactione*.] ***S. f.*** **1.** Ato ou efeito de liquefazer(-se), de tornar(-se) líquido. **2.** *Fís.* Passagem de uma substância do estado gasoso ao estado líquido.

liquefacção (que ou qüe) ***S. f.*** V. *liquefação*.

liquefactivo (que ou qüe) ***Adj.*** V. *liquefativo*

liquefactor (que ou qüe...ô) ***S. m. Fís.*** V. *liquefator*.

liquefativo (que ou qüe) ***Adj.*** Que se liquefaz.

liquefator (que ou qüe...ô) ***S. m. Fís.*** Aparelho para liquefazer um gás.

liquefazer (que ou qüe) [Do lat. *liquefacere*.] ***V. t. d.*** **1.** Tornar líquido: 📖 "Lá fora a umidade crescia, liquefazendo a crusta da terra." (Aluísio Azevedo, *Pegadas*, p. 141.) **2.** Fundir; derreter. ***P.*** **3.** Reduzir-se ao estado líquido; liquescer: 📖 "e, como na expansão duma válvula há o vapor que se liquefaz, havia naquela fúria lágrimas disfarçadas" (Coelho Neto, *Turbilhão*, p. 43). **4.** Fundir-se, derreter-se. [Sin. ger.: *liquidificar*. Irreg. Conjug.: v. *fazer*.]

liquefeito (que ou qüe) [Do lat. *liquefactu*.] ***Adj.*** Que se liquefez; tornado líquido; liquado.

liquefícável (que ou qüe) [De **liquefícar* (*lique-*, como em *liquefazer*, + *-ficar*) + *-vel*.] ***Adj. 2 g.*** Que pode ser liquefeito.

líquen [Do gr. *leichén*, pelo lat. *lichen*.] ***S. m.*** **1.** *Bot.* Espécime dos liquens, divisão do reino vegetal que engloba organismos compostos por associação simbiótica de uma alga verde ou azul com um fungo, ger. ascomiceto, ficando as algas dentro do talo (1), onde formam camada verde. [Os liquens vivem em lugares extremamente inóspitos, e até nos polos, comumente sobre rochas e cascas de árvore, e desenvolvem estruturas reprodutivas assexuais especializadas (v., p. ex., *sorédio* e *isídio*); muitos deles são extremamente sensíveis à poluição atmosférica, e têm sido us. como indicadores de poluição (v. *bioindicador*).] **2.** *Med.* Designação comum a diversas espécies de dermatoses papulares em que as lesões, caracteristicamente, são pápulas pequenas e firmes, ger. muito próximas umas das outras, sendo seu tipo específico designado por termo especial. [Pl.: *liquens* e, p. us. no Brasil, *líquenes*.]

liquenáceo [De *líquen* + *-áceo*.] ***Adj.*** Relativo ou semelhante ao líquen.

líquen-da-islândia ***S. m.*** Cetrária. [Pl.: *liquens-da-islândia* e (p. us. no Brasil) *líquenes-da-islândia*.]

liquénico ***Adj. Quím.*** V. *liquênico*. [Uso freq. em P.]

liquênico [De *líquen* + *-ico*[2].] ***Adj. Quím.*** ~ V. *ácido* —.

liquenificação [Do ingl. *lichenification*.] ***S. f. Derm.*** Espessamento epidérmico em que as marcas normais da pele se tornam mais ostensivas, e que é causado por coçaduras, atritos, fricções de intensidade que ultrapassa o que o limiar normal de dor permite.

liquenografia (lì) [De *líquen* + *-o-* + *-grafia*.] ***S. f.*** Parte da botânica que trata dos liquens.

liquenográfico (lì) [De *liquenografia* + *-ico*[2].] ***Adj.*** Relativo à liquenografia.

liquenógrafo [De *líquen* + *-o-* + *-grafo*.] ***S. m.*** Especialista em liquenografia.

liques [De or. obscura.] ***S. m. 2 n.*** **1.** O cinco de ouros no truque[3]. **2.** V. *truque*[3].

liquescência (ques ou qües) [De *liquescente* + *-ia*^{2}, seg. o padrão analógico.] *S. f.* Qualidade ou estado de liquescente.

liquescente (ques ou qües) [Do lat. *liquescente*, part. pres. de *liquescere*, 'liquescer'.] *Adj. 2 g.* Que é ou se tornou, ou tende a tornar-se líquido.

liquescer (ques ou qües) [Do lat. *liquescere.*] *V. int.* Tornar-se líquido; liquefazer-se. [Conjug.: v. *aquecer*. Normalmente, é defect., conjugável só nas 3.as pess.]

liquescido (ques ou qües) [Part. de liquescer.] *Adj.* Que liquesceu; liquefeito.

líquida (qui ou qüi) [F. subst. de *líquido.*] *S. f. E. Ling.* Consoante líquida (q. v.).

liquidação (qui ou qüi) [De *liquidar* + *-ção.*] *S. f.* **1.** Ato ou efeito de liquidar(-se). **2.** Resgate (de um título). **3.** Extinção de obrigações. **4.** Apuramento de contas e pagamento dos respectivos saldos. **5.** Conjunto de atos tendentes a realizar o ativo das sociedades civis ou mercantis em dissolução, assim como o das massas falidas, pagar-lhes o passivo e compartir o saldo que houver, segundo determine a lei ou o contrato em cada caso. [Cf., nesta acepç., *informação* (7).] **6.** Cálculo judicial do imposto de transmissão *causa mortis* nos inventários, com a discriminação das parcelas a cargo de cada um dos beneficiários da partilha: "Regulados os preliminares para a liquidação da herança, Rubião tratou de vir ao Rio de Janeiro" (Machado de Assis, *Quincas Borba*, p. 32). **7.** Ato judicial com que se dá começo à execução, e que visa a determinar o valor, espécie e quantidade das coisas que a parte vencida tem de pagar ou de entregar, e que, na sentença exequenda, ficaram ilíquidas ou indeterminadas. **8.** *Com.* Apuração, em épocas preestabelecidas, das operações realizadas a termo nas bolsas, mediante a entrega das mercadorias e títulos negociados, ou o pagamento da diferença das cotações, ou, ainda, pelo aprazamento das partes; apuramento. **9.** *Com.* Venda de mercadorias a preços abaixo do normal para renovação dos estoques ou extinção do negócio.

liquidador (qui ou qüi...ô) [De *liquidar* + *-dor.*] *Adj.* **1.** Que liquida. **2.** Que liquida ou apura contas; liquidatário, liquidante. ● *S. m.* **3.** Indivíduo liquidador.

liquidâmbar (qui ou qüi) [Do lat. cient. *Liquidambar*, 'âmbar líquido'; tax. *Liquidambar.*] *S. m. Bot.* **1.** Pequeno gênero de árvores e arbustos hamamelidáceos, nativos de áreas temperadas da América do Norte ocidental, da Ásia Menor, da Ásia ocidental, dotados de pequenas flores monécicas e frutos globosos formados de vários carpelos lenhosos. **2.** Qualquer espécie desse gênero, como, p. ex., a *Liquidambar styraciflua*, de folhas palmatilobadas, e que fornece madeira muitíssimo apreciada, e resina us. em farmácia e em perfumaria. **3.** Qualquer espécime desse gênero. **4.** A resina fornecida pela espécie *Liquidambar styraciflua*. [Pl.: *liquidâmbares.*]

liquidando (qui ou qüi) [De *liquidar* + *-ando.*] *Adj.* Que está sendo liquidado; que está em liquidação.

liquidante (qui ou qüi) [De *liquidar* + *-nte.*] *Adj. 2 g.* **1.** V. *liquidador* (2). **2.** Conclusivo, terminante: *argumento liquidante.* ● *S. 2 g.* **3.** Pessoa física ou jurídica encarregada de liquidação duma sociedade civil ou comercial. [Cf. *síndico* (6).]

liquidar (qui ou qüi) [De *líquido* + *-ar*^{2}.] *V. t. d.* **1.** Fazer liquidação de: *liquidar uma herança, uma partida de mercadoria.* **2.** Pagar, resgatar (um título). **3.** Solver (uma obrigação). **4.** *Fig.* Tirar a limpo; averiguar, apurar: *liquidar uma dúvida.* **5.** *Fig.* Arrasar, inutilizar. **6.** *Fig.* Matar (1): "Antônio Silvino liquidara o seu maior inimigo." (José Lins do Rego, *Meus Verdes Anos*, p. 255.) **7.** Pôr termo a (assunto ou questão difícil, desagradável, constrangedora); encerrar. *Int.* **8.** Terminar ou encerrar transações comerciais. *P.* **9.** Acabar-se, destruir-se, aniquilar-se: *Com o abuso do álcool, o rapaz liquidou-se.* [Pres. ind.: *liquido*, etc. Cf. *líquido*, adj. e s. m.]

liquidatário (qui ou qüi) [De *liquidar* + *-tário.*] *Adj.* **1.** V. *liquidador* (2). ● *S. m.* **2.** Liquidante, em especial aquele que promove a liquidação da massa falida, nos regimes em que tal função não cabe ao síndico.

liquidável (qui ou qüi) [De *liquidar* + *-vel.*] *Adj. 2 g.* Que se pode liquidar.

liquidez (qui ou qüi...ê) [De *líquido* + *-ez.*] *S. f.* **1.** Qualidade ou estado de líquido. **2.** *Econ.* Facilidade com que um bem ou título pode ser convertido em dinheiro: *As ações da Vale do Rio Doce têm grande liquidez.* **3.** *Econ.* Disponibilidade de ativos líquidos, esp. em relação aos compromissos de curto prazo: *Esta empresa está com baixa liquidez.* **4.** *Jur.* Caráter ou estado da obrigação que é certa quanto à sua existência e determinada quanto ao seu objeto.

liquidificação (li...qui ou qüi) [De *liquidificar* + *-ção.*] *S. f.* Ato ou efeito de liquidificar(-se).

liquidificador (li...qui ou qüi...ô) [De *liquidificar* + *-dor.*] *Adj.* **1.** Que liquidifica; liquidificante. ● *S. m.* **2.** Aparelho elétrico destinado a misturar ou a triturar determinados alimentos, tais como bebidas, frutas, legumes, etc.

liquidificante (li...qui ou qüi) [De *liquidificar* + *-nte.*] *Adj. 2 g.* Que liquidifica ou promove a liquidificação; liquidificador.

liquidificar (li...qui ou qüi) [De *líquido* + *-i-* + *-ficar.*] *V. t. d. P.* V. *liquefazer*. [Conjug.: v. *trancar.*]

liquidificável (li...qui ou qüi) [De *liquidificar* + *-vel.*] *Adj. 2 g.* Suscetível de liquidificar-se.

líquido (qui ou qüi) [Do lat. *liquidu.*] *Adj.* **1.** Que flui ou corre, tomando sempre a forma dos recipientes em que se encontra: *alimento líquido.* [Opõe-se a *sólido* (2).] **2.** *Econ.* Diz-se do valor que não está sujeito a reduções ou a encargos: *renda líquida; preço líquido.* **3.** Sem inclusão da embalagem ou do vasilhame: *peso líquido.* **4.** *Econ.* Diz-se de ativo em dinheiro, ou facilmente conversível em dinheiro. **5.** *Fig.* Verificado, apurado, final: *Esse é o resultado líquido de seus esforços.* [Cf., nas acepç. 2 e 3, *bruto* (10).] ~ V. *cloro —, consoante —a, cristal —, estado —, lucro —, patrimônio —, produto nacional —, sabão —, tonelagem —a* e *trabalho —*. ● *S. m.* **6.** Substância líquida. **7.** Alimento líquido; bebida. **8.** *Fís.* Fluido incompressível, ou muito pouco compressível, no qual as interações moleculares são relativamente grandes. [Cf. *liquido*, do v. *liquidar.*] ◆ **Líquido amniótico.** *Embr.* Líquido claro, contido em saco amniótico, e que banha e protege o feto. **Líquido cefalorraquiano.** *Anat. Med.* V. *líquido cerebroespinhal.* **Líquido cerebroespinhal.** *Anat. Med.* O que existe nos quatro ventrículos encefálicos, espaço subaracnóideo e canal medular central; liquor cerebrospinal, liquor; líquido cefalorraquidiano (denom. ant.). **Líquido de Dakin.** Solução de hipoclorito de sódio neutralizado por 0,5 por cento de ácido bórico, empregada como antisséptico. [Sin., bras.: *água da guerra.*] **Líquido e certo.** Não passível de dúvida ou contestação: "Você toca a melodia da sedução na clave do amais até o momento em que o amais do parceiro seja dado como líquido e certo." (Silviano Santiago, *Keith Jarrett no Blue Note*, p. 137.) **Líquido extracelular.** *Fisiol. Histol.* **1.** Designação genérica de líquidos corporais que estão fora das células, incluindo o líquido intersticial, o plasma, a linfa, etc. **2.** *Biol.* Líquido produzido no interior das células e que, por mecanismos de tensão superficial ou por osmose, passa para seu exterior, onde pode ser eliminado, como ocorre, p. ex., nas glândulas sudoríparas, ou ser retido em cavidade (2), como, p. ex., o líquido cefalorraquiano (q. v.). **Líquido folicular.** *Embr. Histol.* Líquido que se acumula no interior de folículo vesicular; fluido folicular. **Líquido ideal.** *Fís.* O que tem o coeficiente de viscosidade igual a zero e é incompressível. **Líquido intersticial.** *Histol.* Líquido que provém de capilares e que se difunde na matriz extracelular; fluido intersticial, plasma intersticial. **Líquido intracelular.** *Biol.* O que está contido no interior do citoplasma das células; líquido protoplasmático. **Líquido prostático.** *Biol. Urol.* Secreção produzida pela próstata e que contribui para formar o sêmen. **Líquido protoplasmático.** *Biol.* V. *líquido intracelular.* **Líquido sinovial.** *Histol.* Líquido incolor, transparente e viscoso, segregado pelas células de revestimento das membranas sinoviais, e cuja função é facilitar o deslizamento de superfícies articulares. **O precioso líquido.** A água.

liquor (ô) [Do lat. *liquor, oris.*] *S. m.* **1.** V. *licor* (2). **2.** *Anat. Med.* V. *líquido cefalorraquiano.* [Cf. *licor.*] ◆ **Liquor cerebrospinal.** *Anat. Med.* V. *líquido cefalorraquiano.* [Tb. se diz apenas *liquor.*]

liquórico [De *liquor* + *-ico*^{2}.] *Adj.* Relativo a, ou que contém liquor.

lira^1 [Do gr. *lýra*, pelo lat. *lyra.*] *S. f.* **1.** Instrumento musical de cordas, cuja origem se perde nos tempos mitológicos, us. por todos os povos da Antiguidade, e que tinha a forma de um U cortado no alto por uma barra onde se fixavam as extremidades superiores das cordas. **2.** *Bras. Pop. Mús.* Conjunto musical, ou banda, dirigido por um maestro. **3.** *Bras. Pop. Mús.* Repertório de letras de músicas populares reunidas em volume. **4.** *Bras. N.E. Mús.* Viola, entre os cantadores. **5.** *Fig.* Estro poético. **6.** *Astr.* Constelação boreal, ao S. do Dragão, a O. do Cisne, ao N. da Raposa, e a O. e N. de Hércules. [Com cap., nesta acepç.] **7.** *Zool.* Ave passeriforme menurídea, de grande porte (*Menura novae hollandia*), cujas penas da cauda são longas, e a maioria filamentosa, com as duas externas curvas, lembrando, o conjunto, uma lira (1).

lira^2 [Do it. *lira* < lat. *libra.*] *S. f.* Unidade monetária, e moeda da República de Malta, dividida em 100 centésimos. [Foi também a da Itália, a do Vaticano, e da República de São Marinho, até ser substituída pelo euro (q. v.).]

lirado [De *lir(i)-* + *-ado*^{1}.] *Adj.* ~ V. *folha —a.*

▲ **lir(i)-** [Do lat. *lyra, ae* < gr. *lýra, as.*] *El. comp.* = 'lira^1': *liriforme.*

lirial [De *lírio* + *-al*^{1}.] *Adj. 2 g.* **1.** Que tem a brancura do lírio: "Pede o seio lirial beijos de gladiador." (Eugênio de Castro, *Obras Poéticas*, IV, p. 76); "Quem era aquela criaturinha langue / De longas mãos liriais e olhos de louca?" (Austro-Costa, *Mulheres e Rosas*, p. 24). ● *S. m.* **2.** *Bras.* Quantidade mais ou menos considerável de pés de lírio dispostos proximamente entre si. **3.** Área ocupada por lirial (2).

lírica [F. subst. do adj. *lírico* (2).] *S. f.* **1.** Coleção de poesias líricas. **2.** *Arte Poét.* O gênero lírico da poesia. **3.** *Arte Poét.* Poesia lírica [v. *lírico* (2)]: "dava tratos à Musa escrevendo coriscas e alambicadas líricas" (Coelho Neto, *A Conquista*, p. 72). [Cf. *lirica*, do v. *liricar.*]

liricar [De *lírico* + *-ar*^{2}.] *P. us. V. t. d.* **1.** Tornar lírico. *Int.* **2.** Fazer poesia lírica, versos líricos. [Conjug.: v. *trancar*. Pres. ind.: *lirico, liricas, lirica*, etc. Cf. *lírico* e *lírica.*]

liricizado [Part. de *liricizar.*] *Adj.* Imbuído, impregnado de lirismo: "Pouco a pouco o mais intelectual, o mais cerebralmente liricizado dos poetas, inventará um vocabulário próprio, uma simbólica subjetiva" (Antônio Quadros, *A Existência Literária*, p. 69).

liricizar [De *lírico* + *-izar.*] *V. t. d. P.* Tornar(-se) lírico; imbuir(-se) de lirismo.

lírico [Do gr. *lyrikós*, pelo lat. *lyricu.*] *Adj.* **1.** Relativo a lira^1 (1). **2.** Diz-se do gênero de poesia em que o poeta canta as suas emoções e sentimentos íntimos. **3.** Que tem ou revela lirismo: *prosador lírico.* **4.** *Fig.* Sentimental; sonhador; apaixonado. **5.** Em que se representam óperas [v. *ópera* (1)] *teatro lírico.* ~ V. *cena —a* e *drama —*. ● *S. m.* **6.** Poeta cultor de poesia lírica. [Sin., bras.: *lirista*. Cf. *lirico*, do v. *liricar.*]

lírico-amoroso (ô) [De *lírico* + *amoroso.*] *Adj.* Que cultiva a poesia lírica de feição amorosa: "um Pedro Luís mais íntimo, mais suave, mais embalador, mais lírico-amoroso" (Cassiano Ricardo, *O Homem Cordial*, p. 79). [Flex.: *lírico-amorosa* (ó), *lírico-amorosos* (ó), *lírico-amorosas* (ó).]

lírico-cômico *Adj.* V. *lírico-cômico*. [Uso freq. em P. Flex.: *lírico-cómica, lírico-cómicos, lírico-cómicas.*]

lírico-cômico [De *lírico* + *cômico.*] *Adj.* Que participa do lirismo e da comicidade; lírico e, ao mesmo tempo, cômico: "reabilitando [Pedro Luís] o lírico e até pondo um acento lírico-cômico, mesclado de satírico, em algumas das suas composições." (Cassiano Ricardo, *O Homem Cordial*, p. 78). [Flex.: *lírico-cômica, lírico-cômicos, lírico-cômicas.*]

lírico-épico [De *lírico* + *épico.*] *Adj.* Relativo, simultaneamente, ao lirismo e à epopeia: "a rajada, lírico-épica, formidável e sonora, que agita algumas das páginas eternas dos seus poemas [de Verhaeren (v. *verhaereniano*)], é capaz dos maiores prodígios." (João Pinto da Silva, *Vultos no Meu Caminho*, p. 73). [Flex.: *lírico-épica, lírico-épicos, lírico-épicas.*]

lírico-humorístico [De *lírico* + *humorístico.*] *Adj.* Que participa do lirismo e do humorismo; lírico e, ao mesmo tempo, humorístico: "Estudado em Machado de Assis (v. *machadiano*) o poeta em sua feição .... lírico-humorística das *Crisálidas* e das *Falenas*, ... é indispensável confabular agora com o pessimista" (Sílvio Romero, *Machado de Assis*, p. 256). [Flex.: *lírico-humorística, lírico-humorísticos, lírico-humorísticas.*]

lirídeos *S. m. pl. Astr.* Lirídeos de abril (q. v.). ◆ **Lirídeos de abril.** *Astr.* Chuva de meteoros visível no período de 19 a 24 de abril, com intensidade máxima nas proximidades do dia 21 de abril. [Tb. se diz apenas *lirídeos.*] **Lirídeos de junho.** *Astr.* Chuva de meteoros azuis, visível no período de 10 a 21 de junho, com intensidade máxima no intervalo compreendido entre os dias 15 e 16 de junho.

liriforme [De *lir(i)-* + *-forme.*] *Adj. 2 g.* Que tem forma de lira^1 (1). [Cf. *liliforme.*]

lírio [Do lat. *liliu*, com dissimilação; tax. *Lilium.*] *S. m. Bot.* **1.** O gênero-tipo liliáceas, plantas herbáceas dotadas de bulbo escamoso, folhas verticiladas ou esparsas, flores exuberantes, com perianto de seis segmentos, e fruto capsular. **2.** Qualquer espécie desse gênero, todas elas dotadas de belas flores alvas, e que são cultivadas como ornamentais, como, p. ex., a *Lilium candidum* (v. *açucena-branca*). **3.** *Bot.* Qualquer espécime desse gênero, ou a flor dele; lis. [Sin. de 1 a 3: *lílio.*] **4.** Qualquer de várias outras liliáceas, que são, ger., dotadas de flores exuberantes que lembram as do gênero *lílio*, como, p., ex., o lírio-do-vale (q. v.). **5.** Qualquer de várias plantas de outras famílias (como das amarilidáceas e das iridáceas), e da ordem das liliales, como, p. ex., o lírio-roxo (q. v.).

lírio-africano *S. m. Bot.* Planta liliácea (*Agapanthus africanus*) de folhas sempre-verdes e flores azuis. [Pl.: *lírios-africanos.*]

lírio-amarelo *S. m. Bot.* **1.** Erva liliácea (*Hemerocallis dumortieri* ou *H. hybrida*) de folhas carenadas,

L

lineares, e escapos florais com flores amarelas ou alaranjadas que duram apenas um dia, e que se abrem sucessivamente à medida que as anteriores fenecem. [Sin.: *lírio-de-um-dia*.] **2.** Erva zingiberácea (*Hedychium coronarium*), rizomatosa, ereta, aromática, de folhas coriáceas alongadas e inflorescências terminais com grandes flores amarelas, muito perfumadas; vegetam em brejos. [Sin.: *lírio-amarelo-do-brejo, lírio-amarelo-dos-charcos*.] **3.** Erva iridácea (*Iris pseudocorus*) nativa da Europa e muito cultivada como ornamental; tem folhas lineares, inflorescências ramosas e flores amarelas. [Pl.: *lírios-amarelos*.]

lírio-amarelo-do-brejo *S. m. Bot.* V. *lírio-amarelo* (2). [Pl.: *lírios-amarelos-do-brejo*.]

lírio-amarelo-dos-charcos [De *lírio* + *amarelo* + o pl. de *do*[1] + o pl. de *charco*.] *S. m. Bot.* V. *lírio-amarelo* (2). [Pl.: *lírios-amarelos-dos-charcos*.]

lírio-beladona *S. m. Bot.* Lírio-vermelho. [Pl.: *lírios-beladona*.]

lírio-branco *S. m. Bot.* V. *açucena* (1). [Pl.: *lírios-brancos*.]

lírio-convale *S. m. Bot.* V. *lírio-do-vale* (1). [Pl.: *lírios-convales* e *lírios-convale*.]

lírio-d'água *S. m. Bot.* V. *gólfão* (2). [Pl.: *lírios-d'água*.]

lírio-da-índia [De *lírio* + *da*[1] + o top. *Índia*.] *S. m. Bot.* V. *cinamomo* (4). [Pl.: *lírios-da-índia*.]

lírio-da-paz *S. m. Bot.* Erva arácea (*Spathiphyllum cannaefolium*) perene, acaule, rizomatosa, com 60 a 70cm, e que cresce em touceiras; tem longas folhas ovaladas, brilhantes, e inflorescências espiciformes, odoríferas, envolvidas por espata branca, esverdeada na parte externa. [Pl.: *lírios-da-paz*.]

lírio-das-pedras [De *lírio* + o pl. de *da*[1] + o pl. de *pedra*.] *S. m. Bras. Bot.* Designação comum a diversas espécies velloziáceas, em geral de grande porte, habitantes de rochas no Brasil central, de grandes flores alvas ou azuladas e frutos verrucosos. [Pl.: *lírios-das-pedras*.]

lírio-de-petrópolis *S. m. Bras. Bot.* V. *lírio-do-brejo*. [Pl.: *lírios-de-petrópolis*.]

lírio-de-são-josé [De *lírio* + *de* + o hag. *São José*.] *S. m. Bot.* Erva liliácea (*Hemerocallis flava*) rizomatosa, perene, originária da Europa e da Ásia, de folhas basais, lineares, e inflorescências eretas, de flores amarelas; é cultivada como ornamental. [Pl.: *lírios-de-são-josé*.]

lírio-de-um-dia *S. m. Bot.* Lírio-amarelo (1). [Pl.: *lírios-de-um-dia*.]

lírio-do-amazonas [De *lírio* + *do*[1] + o top. *Amazonas*.] *S. m. Bot.* Erva amarilidácea (*Eucharis grandiflora*) nativa da Colômbia, e dotada de grandes folhas brilhantes e inflorescências com flores terminais brancas, odoríferas. [Pl.: *lírios-do-amazonas*.]

lírio-do-brejo *S. m. Bras. Bot.* Grande erva zingiberácea (*Hedychium flavescens*) rizomatosa, muito comum na zona litorânea em *habitats* úmidos, de folhas enormes, delicadas, e flores belíssimas, com uma pétala maior e um só filete, alvas e depois amareladas, que exalam intenso e agradável perfume: lágrima-de-moça, lírio-de-petrópolis, lírio-do-vale: "A moça foi encontrada .... junto a um riacho meu conhecido, coberto de lírios-do-brejo que embalsamavam noite com seu perfume dolente." (Carlos Lacerda, *A Casa do Meu Avô*, p. 104.) [Pl.: *lírios-do-brejo*.]

lírio-do-mar *S. m. Zool.* Designação comum aos animais equinodermos, crinóideos, com aspecto de vegetais, pedunculados ou sésseis, pés ambulacrários desprovidos de ventosas, madreporito ausente, sem espinhos ou pedicelárias. São conhecidas cerca de 630 espécies vivas e 5.000 fósseis. [Pl.: *lírios-do-mar*.]

lírio-dos-astecas *S. m. Bot.* Flor-tigre. [Pl.: *lírios-dos-astecas*.]

lírio-dos-tintureiros [De *lírio* + o pl. de *do*[1] + o pl. de *tintureiro*.] *S. m. Bot.* Erva resedácea (*Reseda luteola*) alta, de base lenhosa, de origem africana, folhas espatuladas, obtusas, podendo ser mais ou menos recortadas, flores esverdeadas, odoríferas, com numerosos estames e ordenadas em racemos espiciformes, e cápsula que se abre no ápice. Outrora foi empregado em tinturaria como fonte de corante amarelo. [Sin.: *gauda*. Pl.: *lírios-dos-tintureiros*.]

lírio-do-vale *S. m. Bot.* **1.** Planta liliácea (*Convalaria majalis*) de pequenas flores alvas, campaniformes, agrupadas em cachos, muito comum na Europa, onde é objeto de colheita e comércio intensos em primeiro de maio; tem uso industrial, em farmácia e perfumaria. [Tb. se diz apenas *lírio*. Sin.: *lírio-convale, círio-de-nossa-senhora, convalária, flor-de-maio*.] **2.** *Bras.* V. *lírio-do-brejo*. [Pl.: *lírios-do-vale*.]

lirioide (ói) [De *lir(i)-* + *-oide*.] *Adj. 2 g.* Liliforme (q. v.). ❖

lírio-roxo *S. m. Bot.* Pequena erva iridácea (*Cypella longifolia*) nativa do Brasil, de flores azuis muito ornamentais, folhas compridas e ensiformes, fruto capsular, e cujo escapo parte de um bolbo subterrâneo. [Pl.: *lírios-roxos*.]

lírio-roxo-do-campo *S. m. Bras. Bot.* V. *baririçó* (1). [Pl.: *lírios-roxos-do-campo*.]

lírio-trepadeira *S. m. Bras. Bot.* Trepadeira liliácea (*Gloriosa simplex* ou *G. rothschildiana*) herbácea, originária da África, com até 2m, raízes tuberosas, folhas lanceoladas que se alongam em gavinhas, e flores muito vistosas, vermelhas com laivos amarelos; aranha. [Pl.: *lírios-trepadeiras* e *lírios-trepadeira*.]

lírio-verde *S. m. Bot.* Erva colquicácea (*Colchicum autumnale*) nativa da Europa e do N. da África, e de cujas sementes e colmos secos se faz tintura medicamentosa. [Pl.: *lírios-verdes*.]

lírio-vermelho *S. m. Bot.* Erva amarilidácea (*Amaryllis belladona*) perene, originária da África do Sul, de flores caniculadas e flores avermelhadas, odoríferas; é cultivada como ornamental, e os bulbos têm propriedades excitantes e eméticas. [Sin.: *lírio-beladona*. Pl.: *lírios-vermelhos*.]

lirismo [De *lira*[1] + *-ismo*.] *S. m.* **1.** Caráter de poesia lírica. **2.** O conjunto da poesia lírica: *a história do lirismo português.* **3.** Subjetivismo poético: *Sua poesia é de intenso lirismo.* **4.** Modo de exprimir-se em arte que evoca a poesia lírica: *o lirismo de Chopin.* **5.** *Fig.* Maneira apaixonada, poética, de sentir, de viver; entusiasmo, ardor, exaltação. **6.** *Estét.* Segundo o crítico italiano Benedetto Croce (v. *crociano*), símbolo da arte em geral, como expressão de sentimentos.

lirista[1] [Do gr. *lyristés*, pelo lat. *lyristes*.] *S. 2 g.* Tocador de lira[1] (1).

lirista[2] [De *lira*[1] + *-ista*.] *S. 2 g. Bras.* Cultor do gênero lírico; poeta lírico; lírico.

lis [Do fr. *lis*, como voc. heráldico.] *S. m. Bot.* **1.** V. *lírio* (3): "Ao fim de um relvado, em que se balançavam corolas de lises, ... uma cabeça de Pã .... mirava-se na água fria dum tanque." (Gustavo Barroso, *A Ronda dos Séculos*, p. 84.) **2.** Flor de lis (2): "trazei a coroa real, a espada, as esporas, a dalmática azul, as botinas de seda estreladas de lises de ouro" (Ramalho Ortigão, *As Farpas*, XI, pp. 89-90.) [Pl.: *lises*.]

lisa [F. subst. de *liso*.] *S. f.* **1.** *Ind. Pap.* V. *calandra*[1] (1). **2.** *Ind. Pap.* V. *lissa* (2). **3.** *Bras. Pop.* V. *cachaça* (1): "E o Zico, bebendo a lisa, / na boca — a fazer careta — / passa a manga da camisa." (Cornélio Pires, *Cenas e Paisagens da Minha Terra*, p. 48.) [Cf. *liza*, do v. *lizar*.]

lisado [De *lise* + *-ado*[1].] *S. m.* Suspensão que se obtém artificialmente, em meio ácido e sob alta pressão, em geral, com a polpa de órgãos frescos extraídos de animais recentemente abatidos.

lisboano *Adj. S. m.* V. *lisboeta*.

lisboês *Adj. S. m.* V. *lisboeta*. [Flex.: *lisboesa* (ê), *lisboeses* (ê), *lisboesas* (ê).]

lisboeta (ê) *Adj. 2 g.* **1.** De, ou pertencente ou relativo a Lisboa, capital de Portugal. ● *S. 2 g.* **2.** O natural ou habitante de Lisboa. [Sin. ger.: *lisboano, lisboense, lisbonense, lisbonino, lisbonês, lisboês, olisiponense* e (joc.) *alfacinha*.]

lisboetizado [Part. de *lisboetizar*.] *Adj.* Tornado lisboeta; alisboetado: "tudo isto produz uma ideia d'exílio onde o meu espírito lisboetizado destila não sei que vago anseio de morte lenta." (Fialho d'Almeida, *Estâncias d'Arte e de Saudade*, p. 318).

lisboetizar [De *lisboeta* + *-izar*.] *V. t. d.* **1.** Dar modos e/ou costumes de lisboeta a. *P.* **2.** Adquirir modos e/ou costumes de lisboeta.

lisbonense *Adj. 2 g. S. 2 g.* V. *lisboeta*.

lisbonês *Adj. S. m.* V. *lisboeta*. [Flex.: *lisbonesa* (ê), *lisboneses* (ê), *lisbonesas* (ê).]

lisbonino *Adj. S. m.* V. *lisboeta*.

lise [Do gr. *lýsis*.] *S. f.* **1.** *Cir.* Liberação duma estrutura (2), ou dum órgão, de suas aderências. **2.** *Bioquím.* Ruptura ou dissolução de membrana plasmática ou de parede bacteriana, e que leva à morte da célula e à liberação de seu conteúdo. **3.** *Patol.* Destruição, como a que ocorre em células, incluindo bactérias.

▲ **-lise** V. *lis(i)-*.

lisérgico [De *lis(e)-* + *-erg(o)-*[2] + *-ico*[2].] *Adj. Quím.* ~ V. *ácido —*.

➔ **liseuse** [li'zøz] [Fr.] *S. f.* Peça do vestuário feminino, espécie de casaquinho, usada sobre a camisola.

▲ **lis(i)-** [Do gr. *lýsis, eōs* (ŷ).] *El. comp.* = 'dissolução', 'decomposição': *lisérgico, lisímetro, lisina.* [Equiv.: *liso-, -lis(i)-, -liso-, -lise*: *lisogenia, bacteriolisina; citolisossomo; electrólise, plasmólise*.]

▲ **-lis(i)-** V. *lis(i)-*.

lisim *S. m.* V. *lesim*.

lisímetro [De *lis(i)-* + *-metro*.] *S. m.* Aparelho que mede o conteúdo de água no solo, e que permite verificar o grau de evaporação e de consumo de água pela vegetação.

lisina [De *lis(i)-* + *-ina*[3].] *S. f.* **1.** *Imun.* Anticorpo que produz lise de células diversas (tais como células sanguíneas, bactérias, etc.) quando, em presença de complemento (6), reagem com antígeno correspondente. **2.** *Quím.* Aminoácido natural, básico, que contém outro grupo amina, além daquele adjacente à carboxila, e que é essencial ao crescimento normal em crianças e à manutenção do equilíbrio nitrogenado no adulto [fórm.: $C_6H_{14}N_2O_2$].

▲ **-lisina** [De *lisina*.] *El. comp.* Que indica o tipo celular que é objeto da ação lítica: *hemolisina, bacteriolisina.*

lísio [De *lis(e)-* + *-io*[2].] *Adj.* Resultante duma dissolução química.

liso [De or. obscura.] *Adj.* **1.** Cuja superfície é plana ou sem asperezas: *pedra lisa.* **2.** Suave ao tato; macio: *pele muito lisa.* **3.** Diz-se do pelo ou cabelo que não é ondulado ou encaracolado. **4.** Sem pregas ou ornatos: *Vestia uma blusa lisa muito elegante.* **5.** Diz-se de tecido não trabalhado e de uma só cor. **6.** *Fig.* Franco, sincero, lhano, leal: "bom e extremoso pai de família, liso e sincero em seus negócios" (Bernardo Guimarães, *O Seminarista*, p. 15). **7.** *Bras. Pop.* V. *pronto* (10). **8.** *Bras. Pop. Desus.* Diz-se do cigarro sem filtro: *Só fuma Continental liso.* **9.** *Bras. PA* Que ainda não emprenhou (diz-se da vaca). ~ V. *água —a, calandra —a, canto —, córion —, fibra muscular —a, miócito —, músculo —, retículo endoplasmático —, trompa —a* e *trompete —*. ● *S. m.* **10.** Lisura (1): "Um lenço posto no liso / Dos teus ombros jaspeados" (Gonçalves Crespo, *Obras Completas*, p. 316). **11.** Adepto do partido dos lisos (q. v.). **12.** *Bras. Pop.* V. *pronto* (12). **13.** *Bras. N.E.* Rês de pelo de cor clara sem manchas. **14.** *Bras. RS* Gole de cachaça. [Cf. *lizo*, do v. *lizar*.] ~ V. *lisos*. ◆ **Liso, leso e louco.** *Bras. N.E. Pop.* Absolutamente liso (7); em péssima situação financeira; a nenhum.

▲ **liso-** V. *lis(i)-*.

▲ **-liso-** V. *lis(i)-*.

lisogenia [De *liso-* + *-genia*.] *S. f. Genét.* Capacidade de integração de um bacteriófago ao genoma bacteriano.

lisogénico *Adj. Genét.* V. *lisogênico*. [Uso freq. em P.]

lisogênico [De *liso-* + *-gen(o)-* + *-ico*[2].] *Adj. Genét.* Que tem um bacteriófago integrado ao seu cromossomo (diz-se de bactéria).

lisol [De *lis(i)-* + *-ol*[3].] *S. m.* Produto líquido antisséptico, formado pela mistura de cresóis e sabão. [Pl.: *lisóis*.]

lisonja [Do esp. *lisonja*.] *S. f.* **1.** Louvor afetado; adulação, bajulação, louvaminha: "usa de mil lisonjas, mil enganos, / Por conseguir o seu desejo bruto." (Diogo Bernardes, *Obras Completas*, III, p. 121). **2.** *Fig.* Mimo, afago, carícia.

lisonjaria [De *lisonja* + *-aria*.] *S. f.* **1.** Ato ou hábito de lisonjear. **2.** Palavras lisonjeiras: "o jornalista que não exercita uma crítica intrépida dos homens e dos partidos, ou se desfaz em lisonjarias indecorosas" (Euclides da Cunha, *Contrastes e Confrontos*, p. 176).

lisonjeador (ô) [De *lisonjear* + *-dor*.] *Adj.* **1.** Que lisonjeia; lisonjeiro. **2.** Que satisfaz o amor-próprio: *O que dizem dele é bem lisonjeador.* ● *S. m.* **3.** Aquele que lisonjeia.

lisonjear [De *lisonja* + *-ear*[2].] *V. t. d.* **1.** Procurar agradar com lisonjas; elogiar com excesso de afetação; adular, incensar: *Lisonjeia as pessoas ilustres, esperando obter favores.* **2.** Agradar a; satisfazer, deleitar: "uma aliança com os Seabras da Sovereira lisonjeava-lhe todas as vaidades." (Conde de Ficalho, *Uma Eleição Perdida*, p. 196); *Procurava, por todos os modos, lisonjear o chefe.* *P.* **3.** Sentir prazer, deleitar-se, desvanecer-se, recebendo lisonjas. **4.** Sentir orgulho com; orgulhar-se, honrar-se, vangloriar-se, desvanecer-se: "A mocidade .... afasta-se dos princípios que os pais lhe incutiram no berço, lisonjeando-se duma falsa ciência que nada explica" (Inglês de Sousa, *Contos Amazônicos*, p. 37). [Conjug.: v. *frear*.]

lisonjeiro [De *lisonja* + *-eiro*.] *Adj.* **1.** Que lisonjeia; adulador, lisonjeador. **2.** Prometedor; satisfatório: *Seu estado de saúde é lisonjeiro.*

lisonjeria *S. f.* V. *lisonjaria*.

lisos [Pl. subst. de *liso*.] *S. m. pl. Bras.* Partido oposicionista de AL, que fez a revolução de 1844, por oposição a *cabeludos* (q. v.). ~ V. *liso*.

lisossomo [De *liso-* + *-somo*.] *S. m. Citol.* Organela membranosa que contém diversos tipos de enzimas hidrolíticas que têm a função de promover a digestão intracelular. ◆ **Lisossomo primário.** *Citol.* Lisossomo cujas enzimas não estão ativas. **Lisossomo secundário.** *Citol.* Organela resultante da união de lisossomo primário com as vesículas que contêm o material englobado pela célula, e no qual as enzimas estão ativas.

lisozima [De *liso-* + *(en)zima*.] *S. f. Bioquím.* Enzima existente em vários fluidos corpóreos, inclusive saliva e lágrima, e que tem ação antibacteriana.

■ **LISP** [Acrôn. de *list processing*, 'processamento de lista'.] *Inform.* Designação de uma linguagem de programação desenvolvida em 1960, destinada à manipulação de dados não numéricos, baseada no processamento de listas (de dados, de instruções) e que se tornou uma linguagem padrão para pesquisas em inteligência artificial.

lispectoriano [Do antr. *Lispector* + *-iano.*] ***Adj.*** **1.** Relativo ou pertencente à escritora brasileira Clarice Lispector (1925-1977), ou próprio dela: "Quem sabe se [Ana Miranda] tivesse explorado mais a mão queimada e o incêndio (provocado por um cigarro esquecido aceso por Clarice) chegasse a resultados mais lispectorianos" (Régis Bonvicino, em *Folha de S.Paulo,* 30.05.1999). **2.** Que é seu admirador e/ou conhecedor profundo de sua obra. • ***S. m.*** **3.** Admirador e/ou profundo conhecedor da obra de Clarice Lispector.

lissa [De or. obscura.] ***S. f.*** **1.** Cordel vertical no tear ordinário. **2.** *Ind. Pap.* Espécie de calandra[1] (q. v.) para alisar papel em folhas, formada por cilindros de ferro, entre os quais se fazem repetidamente passar grupos de folhas entremeadas com chapas de metal; lissadeira, lisa. [Cf. *liça.*]

lissadeira ***S. f.*** *Ind. Pap.* V. *lissa.*

lissencéfalo [De *liss(o)-*[1] + *-encéfalo.*] ***Adj.*** De cérebro liso (sem circunvoluções).

▲ **liss(o)-**[1] [Do gr. *lissós, ḗ, ón.*] ***El. comp.*** = 'liso': *lissencéfalo, lissótrico.*

▲ **liss(o)-**[2] [Do gr. *lýssa, ēs.*] ***El. comp.*** = 'raiva': *lissofobia, lissófobo.*

lissocarpácea [Do tax. *Lissocarpa* + *-ácea*; tax. *Lissocarpaceae.*] ***S. f. Bot.*** Espécime das lissocarpáceas, família de dicotiledôneas da ordem das ebenales, constituída da espécie única *Lissocarpa benthami,* árvore amazônica de folhas alternas e flores vistosas em cimeiras axilares, com androceu diplostêmone e monadelfo e ovário quadrilocular, cada lóculo biovulado. Fruto indeiscente, monospérmico ou dispérmico.

lissocarpáceo [De *lissocarpácea,* com var. suf. (v. *-áceo*).] ***Adj. Bot.*** Pertencente ou relativo às lissocarpáceas.

lissofobia [De *liss(o)-*[2] + *-fobia.*] ***S. f.*** *Psiq.* Medo mórbido de contrair raiva (1); hidrofobofobia.

lissofóbico [De *lissofobia* + *-ico*[2].] *Psiq.* ***Adj.*** **1.** Relativo a lissofobia. **2.** Que sofre de lissofobia; lissófobo, hidrofobófobo. • ***S. m.*** **3.** Aquele que sofre de lissofobia; lissófobo, hidrofobófobo. [Sin. ger.: *hidrofobofóbico.*]

lissófobo [De *liss(o)-*[2] + *-fobo.*] ***Adj. S. m.*** *Psiq.* V. *lissofóbico* (2 e 3).

lissótrico [De *liss(o)-*[1] + *-trico.*] ***Adj. S. m.*** Que, ou aquele que tem cabelos lisos e corredios. [Cf. *ulótrico, euplócamo* e *eutícomo.*]

lista [Do fr. *liste* < it. *lista* < germ. **lista* (al. mod. *Leiste*).] ***S. f.*** **1.** Relação de nomes de pessoas ou de coisas; relação, rol, listagem. **2.** Tira de pano ou de papel comprida e estreita. **3.** Esteira de embarcação; listão. **4.** V. *listra* (1 e 2): "sob um toldo de seda às listas azuis e brancas, estendia-se um tapete" (Ramalho Ortigão, *Últimas Farpas,* p. 281); "O estranho era perceber tia Lores mais linda que nunca, com novos xales de cores outonais, de listas arco-íris, brancos como nuvens." (Irene Moutinho, *Até agora, Nada,* p. 109). **5.** *Inform.* Estrutura de dados constituída por uma sequência ordenada e finita de itens (os quais podem, inclusive, ser outras listas, ditas *sublistas*), e que pode ser modificada com a inserção, exclusão e reordenamento dos itens. [Cf., nesta acepç., *lista encadeada.*] **6.** *Inform.* Lista de discussão (q. v.). **7.** *Market. Rel. Públ.* Cadastro (7). **8.** *P. us. Bras.* V. *cardápio.* **9.** *Bras. Pop.* No jogo do bicho, a relação das apostas feita pelo bicheiro; lista do bicho. ◆ **Lista civil.** A dotação de um chefe de Estado, ou da família real, paga pela nação. **Lista do bicho.** *Bras.* Lista (9). **Lista de discussão.** *Inform.* **1.** Qualquer grupo de pessoas que se associam para trocar, por meio de correio eletrônico, informações ou opiniões sobre determinado tema ou com propósito específico, inscrevendo-se, para isso, numa lista (5) de usuários (ditos *membros* ou *assinantes*) cujos endereços constam de um programa especial de distribuição de mensagens (v. *servidor de listas*). [Tb. se diz *conferência eletrônica.*] **2.** *Inform.* As mensagens trocadas por um grupo assim constituído, e consideradas como uma espécie de publicação ou foro virtual. **Lista eletrônica.** *Inform.* Lista de discussão (q. v.). **Lista encadeada.** *Inform.* Tipo especial de lista (5) na qual cada elemento, além do item de informação propriamente dito, possui também o endereço de memória em que está armazenado o elemento seguinte, o que permite grande flexibilidade nos processos de inserção ou remoção de elementos. **Lista negra. 1.** Relação de pessoas, firmas comerciais, etc., consideradas prejudiciais aos interesses de um país, de uma sociedade, de um partido, etc., notadamente em tempo de guerra. **2.** *Fig.* Relação de pessoas ou coisas cujo contato se pretende passar a evitar: *Depois do que ele me fez, está na minha lista negra.* **Lista telefônica.** Publicação com a relação de assinantes de sistema telefônico, classificados por ordem alfabética de nome, de endereço ou de atividade e produto. [Cf. *páginas amarelas.*]

listado [De *lista* (4) + *-ado*[1].] ***Adj.*** Listrado: "mal tivera tempo de dar ao pescoço um laço com o lenço listado" (Jaime d'Altavila, *Lógica de um Burro,* p. 9).

listagem [De *lista* + *-agem*[2].] ***S. f.*** **1.** V. *lista* (1). **2.** *Inform.* Cópia impressa de um programa-fonte.

listão [De *lista* + *-ão*[1].] ***S. m.*** **1.** Lista grande. **2.** Risca comprida e larga. **3.** Tira, faixa, cinta. **4.** Lista (3). **5.** Régua de carpinteiro. • ***Adj.*** **6.** Diz-se do touro que apresenta no dorso uma faixa ou lista de cor diversa da do resto do corpo.

listar [De *lista* + *-ar*[2].] ***V. t. d.*** **1.** V. *alistar* (1): *Listou os candidatos ao emprego.* **2.** Fornecer ou enumerar (informações) na forma de lista(s). **3.** *Inform.* Produzir cópia impressa de (programa-fonte). [Pres. subj.: *liste, ... listeis, listem.* Cf. *listéis,* pl. de *listel.*]

listário [De *lista* + *-ário.*] ***S. m.*** *Bras. MG Ant.* Feitor encarregado de registrar o número e peso dos diamantes encontrados.

listel [Do it. *listello,* pelo fr. *listel.*] ***S. m.*** *Arquit.* Moldura que acompanha outra maior que separa as caneluras de uma coluna; filete, mocheta. [Pl.: *listéis.* Cf. *listeis,* do v. *listar.*]

listera [Do tax. *Listera* (< antr. [*Martin*] *Lister* [-1712], médico inglês).] ***S. f. Bot.*** **1.** Gênero de orquídeas de folhas opostas, nativas, ger., de zonas temperadas e árticas, e cujas flores, racemosas, são esverdeadas. **2.** Qualquer espécie desse gênero, como, p. ex., a que é tb. conhecida como *ófris,* e que é natural da região mediterrânea. **3.** Qualquer espécime desse gênero, ou a flor dele.

listra [Var. epentética de *lista.*] ***S. f.*** **1.** Num tecido, linha ou faixa de cor diferente; risca: "brancas as saias às listras pretas, castanhas ou azuis; cinzentas às riscas vermelhas, azuis, castanhas ou brancas" (Ramalho Ortigão, *As Farpas,* I, p. 31). **2.** Risca, traço: *As rodas do velocípede deixaram várias listras no chão.* [Sin. ger. (sobretudo pop.): *lista.*]

listrado [Part. de *listrar.*] ***Adj.*** Que tem listras ou riscas; listado, riscado: *tecido listrado*; "camisas brancas, listradas, de manga curta ou comprida" (Carlos Drummond de Andrade, *Cadeira de Balanço,* p. 75).

listrão [De *listra* + *-ão*[1].] ***S. m.*** Grande listra: "um listrão vermelho, na banda do levante, ... pôs-lhe na cabeça um relevo de batalhador de outras eras" (Afonso Arinos, *Pelo Sertão,* p. 155).

listrar [De *listra* + *-ar*[2].] ***V. t. d. T. d. e i.*** Entremear ou ornar de listras; riscar, listar: "As barras vinham quebrando, como diz o povo, exprimindo com essa imagem as faixas de luz que listram o horizonte ao despontar da aurora" (José de Alencar, *O Sertanejo,* p. 74); "Chapadas de luz listram-lhe de veios claros o veludo do calção" (Maria Archer, *Fauno Sovina,* p. 177).

lisura [De *liso* + *-ura.*] ***S. f.*** **1.** Qualidade de liso; liso. **2.** Suavidade no tato; macieza. **3.** *Fig.* Boa-fé; franqueza, sinceridade; honradez. [Antôn. (nesta acepç.): *deslisura.*]

▲ **-lita** V. *lit(o)-.*

litagogia [De *lit(o)-* + *-agog(o)-* + *-ia*[1].] ***S. f.*** Propriedade ou qualidade de litagogo.

litagogo (ô) [De *lit(o)-* + *-agogo.*] ***Adj. S. m.*** *Terap.* Diz-se de, ou substância a que se atribui a propriedade de expulsar cálculos da bexiga, dos rins, etc.

litania [Do gr. *litaneía,* 'oração', 'súplica', pelo lat. tard. *litania* (īa).] ***S. f.*** V. *ladainha*: "ajoelhada diante do santuário por essa noite fora a rezar litanias" (Camilo Castelo Branco, *Mistérios de Fafe,* p. 30).

litão ***S. m.*** Cação pequeno, seco. [Cf. *letão.*]

litargírio [Do gr. *lithárgyros,* pelo lat. *lithargyrus,* + *-io*[3].] ***S. m.*** *Quím.* Forma dimórfica do monóxido de chumbo, cristalino, amarelo ou vermelho, com estrutrura cristalina tetragonal, us. como pigmento [fórm.: PbO]. [Cf. *massicote.*]

▲ **-lite** V. *lit(o)-.*

liteira[1] [Do fr. *litière.*] ***S. f.*** Espécie de cadeirinha coberta, sustentada por dois longos varais e conduzida por duas bestas ou dois homens, um colocado à frente e outro colocado atrás: "Inês fora acordada do seu dormir febril pela guizalhada dos machos duma liteira, que parara à porta." (Camilo Castelo Branco, *Doze Casamentos Felizes,* p. 81.)

liteira[2] [De or. obscura.] ***S. f.*** *Lus. Tec. Têx.* Tecido de estopa e de lã, tinto de preto, outrora us. no vestuário das camponesas alentejanas.

liteireiro [De *liteira*[1] + *-eiro.*] ***S. m.*** Aquele que conduz ou guia uma liteira[1].

literal [Do lat. tard. *litterale.*] ***Adj. 2 g.*** **1.** Conforme à letra (5) do texto: *citação literal.* **2.** Exato, rigoroso, restrito: "A mentira, às vezes, é mais verdadeira do que a verdade literal." (Nestor Vítor, *Folhas Que Ficam,* p. 14.) **3.** Claro, expresso, formal. ~ V. *tradução —.*

literalidade [De *literal* + *-(i)dade.*] ***S. f.*** Qualidade de literal.

literalismo [De *literal* + *-ismo.*] ***S. m.*** Processo ou prática de interpretação literal.

literalista [De *literalismo* + *-ista.*] ***Adj. 2 g. S. 2 g.*** Que, ou quem, no entendimento dos textos, adota o literalismo; textualista.

literariedade [De *literário* + *-edade.*] ***S. f.*** Qualidade de literário.

literário [Do lat. *litterariu.*] ***Adj.*** Respeitante a letras, à literatura ou a qualquer espécie de cultura adquirida pelo estudo ou pela leitura: *crítica literária; o mundo literário; pendor literário.* ~ V. *bagagem —a e editor —.*

literário-editorial [De *literário* + *editorial.*] ***Adj. 2 g.*** Relativo ou pertencente à edição de obras literárias: "Nem de longe a crise tinha nada que ver com a atividade literário-editorial da época" (Léu Vaz, *Páginas Vadias,* p. 86). [Pl.: *literário-editoriais.*]

literataço [De *literato* + *-aço.*] ***S. m.*** *Deprec.* V. *literatiço* (1).

literatagem [De *literato* + *-agem*[2].] ***S. f.*** *Deprec.* **1.** A classe dos literatos. **2.** Os literatos medíocres.

literateco [De *literato* + *-eco.*] ***S. m.*** *Pej.* Literato pouco expressivo, ou insignificante: "A sua sabedoria superior e o seu título 'acadêmico' não podiam usar da mesma língua .... que esses poetastros e literatecos" (Lima Barreto, *Triste Fim de Policarpo Quaresma,* pp. 219-220).

literateiro [De *literato* + *-eiro.*] ***S. m.*** *Deprec.* V. *literatiço* (1).

literatejar [De *literato* + *-ejar.*] ***V. int.*** Fazer literatura ordinária ou ridícula. [Conjug.: V. *pelejar.*]

literatelho (ê) [De *literato* + *-elho.*] ***S. m.*** *Deprec.* V. *literatiço* (1).

literatice [De *literato* + *-ice.*] ***S. f.*** **1.** Literatura ruim ou ridícula. **2.** Mania ridícula da literatura; literatismo.

literaticho [De *literato* + *-icho.*] ***S. m.*** *Deprec.* V. *literatiço* (1).

literatiço [De *literato* + *-iço.*] ***S. m.*** **1.** *Deprec.* Literato reles, ordinário, de meia-tigela; literataço, literateiro, literatelho, literaticho, literatiqueiro. • ***Adj.*** **2.** Mediocremente letrado.

literatiqueiro ***S. m.*** *Deprec.* V. *literatiço* (1).

literatismo [De *literato* + *-ismo.*] ***S. m.*** Literatice (2).

literato [Do lat. *litteratu.*] ***S. m.*** **1.** Profissional da literatura; escritor. **2.** Homem versado em literatura ou em letras; letrado.

literatura [Do lat. *litteratura.*] ***S. f.*** **1.** Arte de compor ou escrever trabalhos artísticos em prosa ou verso. **2.** O conjunto de trabalhos literários dum país ou duma época. **3.** Os homens de letras: *A literatura brasileira fez-se representar no colóquio de Lisboa.* **4.** A vida literária. **5.** A carreira das letras. **6.** Conjunto de conhecimentos relativos às obras ou aos autores literários: *estudante de literatura brasileira; manual de literatura portuguesa.* **7.** Qualquer dos usos estéticos da linguagem: *literatura oral* (q. v.). **8.** *Fam.* Irrealidade, ficção: *Sonhador, tudo quanto diz é literatura.* **9.** Bibliografia: *Já é bem extensa a literatura da física nuclear.* **10.** Conjunto de escritos de propaganda de um produto industrial. ◆ **Literatura comparada.** Estudo comparado de duas ou mais literaturas ou tipos de literatura, com o fim de se lhes verificarem as influências e inter-relações. **Literatura de cordel.** Romanceiro popular nordestino, em grande parte contido em folhetos pobremente impressos e expostos à venda pendurados em cordel, nas feiras e mercados. **Literatura de ficção.** V. *ficção* (3). *Liter.* **Literatura de vanguarda.** A que se caracteriza pela reação contra os moldes literários muito explorados das gerações imediatamente anteriores. **Literatura oral.** O conjunto das lendas e/ou narrativas transmitidas por tradição. **Literatura popular.** A que abrange, sobretudo, a literatura de cordel e a literatura oral; em geral, é anônima e pode conter elementos folclóricos.

literaturar [De *literatura* + *-ar*[2].] ***V. t. d.*** *P. us.* Dar feição literária a; descrever literariamente.

literomania (lì) [Do lat. *littera,* 'letra', + *-o-*[1] + *mania.*] ***S. f.*** Desejo imoderado de escrever, de querer ser homem de letras.

literomaníaco (lì) [De *literomania* + *-íaco.*] *Psiq.* ***Adj.*** **1.** Relativo a literomania. **2.** Que tem literomania; literômano. • ***S. m.*** **3.** Aquele que tem literomania; literômano.

literómano ***Adj. S. m.*** V. *literômano.* [Uso freq. em P.]

literômano [Do lat. *littera,* 'letra', + *-o-* + *-mano*[1].] ***Adj. S. m.*** Literomaníaco (2 e 3).

literomusical (lì) [Do lat. *littera,* 'letra', + *-o-* + *música* + *-al*[1].] ***Adj. 2 g.*** **1.** Relativo à literatura e à música. **2.** Que participa da natureza de uma e da outra. **3.** *Restr.* Diz-se de espetáculo, ou reunião social em que se leem trechos literários, se declamam poemas, e em que há, tb., apresentações musicais.

litíase [Do gr. *lithíasis*.] *S. f. Patol.* Formação de pedras ou cálculos. ◆ **Litíase biliária.** *Patol.* Colelitíase.

lítico[1] [Do gr. *lithikós*.] *Adj.* Relativo a pedra.

lítico[2] *Adj. Bras. PE* **1.** Puro, verdadeiro, legítimo, lídimo. **2.** Sem mistura.

litigante [Do lat. *litigante*.] *Adj. 2 g.* **1.** Relativo a litígio. **2.** Que litiga. ● *S. 2 g.* **3.** Pessoa que o faz.

litigar [Do lat. *litigare*.] *V. t. d.* **1.** Pleitear ou questionar em juízo. *T. i.* **2.** Ter litígio, demanda ou questão: *Litigavam os dois em matérias religiosas.* **3.** Entrar em luta; pelejar, lidar; contender: *Por mais de sete séculos os habitantes da Península Ibérica litigaram contra os mouros. Int.* **4.** Ter litígio, demanda ou questão. **5.** Pelejar, lidar, contender. [Conjug.: v. *largar*.] [Pret. imperf. ind.: *litigava*, ... *litigáveis*, *litigavam*. Cf. *litigáveis*, pl. de *litigável*.]

litigável [De *litigar* + *-vel*.] *Adj. 2 g.* **1.** Sobre que pode haver litígio ou demanda. **2.** Discutível, contestável. [Sin. ger.: *litigioso*.]

litigiar [De *litígio* + *-ar*[2].] *V. t. d. T. i. Int.* V. *litigar*. [Pres. ind.: *litigio*, etc. Cf. *litígio*.]

litígio [Do lat. *litigiu*.] *S. m.* **1.** Questão judicial; pleito, demanda, pendência. **2.** *Fig.* Disputa, contenda, pendência: "É natural que entre os dois estados do Sul venha ainda a ferver litígio semelhante aos das sete cidades gregas que disputavam a honra de ser berço de Homero" (Lúcio de Mendonça, *Caricaturas Instantâneas*, p. 42). [Cf. *litigio*, do v. *litigiar*.]

litigioso (ô) [Do lat. *litigiosu*.] *Adj.* **1.** Que envolve litígio: *desquite litigioso*. **2.** Que está dependente de sentença. **3.** V. *litigável*. **4.** *P. ext.* Dado a litígios, disputas: "São [os poetas] pessoas litigiosas e que seguem os caminhos da poesia para sequestrar a admiração dos outros." (Agustina Bessa-Luís, *Memórias Laurentinas*, p. 88.) ~ V. *bens —s*.

litina [De *lít(io)* + *-ina*[1].] *S. f. Quím.* Hidróxido de lítio [fórm.: LiOH].

lítio [De *lit(o)-* + *-io*[3].] *S. m. Quím.* Elemento de número atômico 3, metálico, alcalino, branco prateado, pouco denso, muito leve, muito reativo [símb.: *Li*].

▲ **litis-** [Do lat. *lis*, *lītis*.] *El. comp.* = 'processo', 'demanda': *litisconsorte*, *litispendência*.

litisconsórcio [De *litis-* + *consórcio*.] *S. m. Jur.* Situação jurídica processual em que duas ou mais pessoas litigam em conjunto, num mesmo processo, como coautores ou corréus, em razão de haver entre elas comunhão de direitos ou obrigações que sejam objeto da demanda, ou seus direitos ou obrigações derivem do mesmo fundamento de fato e de direito, ou ainda se, entre esses direitos ou obrigações, houver conexão ou afinidade por um ponto comum de fato ou de direito, nos termos da lei.

litisconsorte [De *litis-* + *consorte*.] *S. 2 g. Jur.* Pessoa que demanda ou é demandada juntamente com outrem no mesmo processo, segundo as regras do litisconsórcio; colitigante, comparte.

litiscontestação [De *litis-* + *contestação*.] *S. f. Jur.* Fenômeno processual que ocorre com a contestação expressa ou tácita do réu às pretensões do autor e consiste na inalterabilidade do objeto do litígio e na impossibilidade de o autor desistir do pleito sem anuência do réu.

litispendência [De *litis-* + *pendência*.] *S. f. Jur.* **1.** Situação dum processo que está tramitando em juízo. **2.** Tempo de duração dum processo em juízo. **3.** Existência de demanda ajuizada e pendente de julgamento que impede o conhecimento e julgamento de outra idêntica proposta posteriormente.

litispendente [Voc. deduz. de *litispendência* (v. *litis-* e *pendente*).] *Adj. 2 g.* Relativo a litispendência.

▲ **lit(o)-** [Do gr. *líthos*, *ou* (ĭ).] *El. comp.* = 'pedra'; 'cálculo (4)': *litagogo*, *litagogo*. [Equiv.: *-lit(o)-*; *-lita*; *-lito*; *antracolítico*; *sepiolita*; *ondontólite*; *terálito*.]

▲ **-lit(o)-** V. *lit(o)-*.

▲ **-lito** V. *lit(o)-*.

litobiomorfo [De *lit(o)-* + *-bi(o)-* + *-morfo*; tax. *Lithobiomorpha*.] *Zool. S. m.* **1.** Espécime dos litobiomorfos, ordem de artrópodes miriápodes, quilópodes, de corpo com espiráculos laterais, e 15 pares de pernas. No grupo se incluem os menores quilópodes, ger. com dois a 30 mm de comprimento. ● *Adj.* **2.** Pertencente ou relativo a eles.

litocarpo [De *lit(o)-* + *-carpo*.] *S. m.* Fruta fóssil.

litocenose [De *lit(o)-* + *-cen(o)-*[1] + *-ose*[1].] *S. f. Urol.* Extração de fragmentos de cálculos pela uretra, depois de serem esmagados na bexiga.

litóclase [De *lit(o)-* + *-clase*.] *S. f. Geol.* Qualquer fratura natural que se apresenta nas rochas.

litoclasia [De *lit(o)-* + *-clas(i)-* + *-ia*[1].] *S. f. Urol.* Litoclastia.

litoclastia [De *lit(o)-* + *-clast(o)-* + *-ia*[1].] *S. f. Urol.* Processo de reduzir a fragmentos os cálculos da bexiga; litoclasia.

litoclasto [De *lit(o)-* + *-clasto*.] *S. m. Urol.* Instrumento cirúrgico utilizado na litoclastia.

litocola [Do gr. *lithokólla*.] *S. f.* Betume usado para fixar pedras preciosas.

litocrisografia [De *lit(o)-* + gr. *chrysós* (v. *cris(o)-*) + *-grafia*.] *S. f. Art. Gráf.* Processo de impressão litográfica com tinta de ouro.

litocromia [De *lit(o)-* + *-crom(o)-* + *-ia*[1].] *S. f. P. us.* **1.** Oleogravura. **2.** Cromolitografia.

litocrómico *Adj.* V. *litocrômico*. [Uso freq. em P.]

litocrômico [De *litocromia* + *-ico*[2].] *Adj.* Relativo à litocromia; isocrômico.

litocromista [De *litocromia* + *-ista*.] *S. 2 g.* Pessoa versada em litocromia.

litodiálise [De *lit(o)-* + *-diálise*.] *S. f. Urol.* **1.** Dissolução de cálculos por meio da ação de substâncias químicas; litólise. **2.** Esmagamento de cálculos.

litófago [De *lit(o)-* + *-fago*; tax. *Lithophaga*.] *S. m. Zool.* **1.** Gênero de moluscos bivalves de corpo alongado, da família dos mitilídeos, que vivem e se propagam em rochas calcárias e em corais, nos quais permanecem aderentes. **2.** Espécie ou espécime desse gênero.

litofilo [De *lit(o)-* + *-filo*[1].] *S. m.* Folha fóssil. [Cf. *litófilo*.]

litófilo [De *lit(o)-* + *-filo*[2].] *Adj.* Que cresce ou se desenvolve nos rochedos; rupestre. [Cf. *litofilo*.]

litófito [De *lit(o)-* + *-fito*.] *S. m.* Produção marinha pétrea, de forma arborescente.

litogenesia [De *lit(o)-* + *-genes(i)-* + *-ia*[1].] *S. f. Geol.* Estudo das leis que presidem à formação das pedras.

litogenético [De *litogen(esia)* + *-ético*.] *Adj.* Referente à litogenesia.

litoglifia [Do gr. *lithoglyphía*.] *S. f.* Arte de gravar sobre pedra.

litoglífico [De *litoglifia* + *-ico*[2].] *Adj.* Respeitante à litoglifia.

litóglifo [Do gr. *lithoglýphos*.] *S. m.* **1.** Especialista em litoglifia. **2.** V. *gravura rupestre*.

litografar [De *lit(o)-* + *-graf(o)-* + *-ar*[2].] *V. t. d.* **1.** Gravar ou imprimir pelo processo litográfico. **2.** *Fig.* Fixar, estereotipar. [Pres. ind.: *litografo*, etc. Cf. *litógrafo*.]

litografia [De *lit(o)-* + *-grafia*.] *S. f.* **1.** Processo de gravura em plano, executado sobre pedra calcária, chamada *pedra litográfica*, ou sobre placa de metal (em geral, zinco ou alumínio), granidas, e baseado no fenômeno de repulsão entre as substâncias graxas e a água, usadas na tiragem, o qual impede que a tinta de impressão adira às partes que absorveram a umidade, por não terem sido inicialmente cobertas pelo desenho, feito também a tinta oleosa. **2.** Estampa obtida por esse processo; litogravura: "finquei os olhos numa litografia muito ruim do Visconde de Sepetiba, que já achei pendente de um prego, no meu quarto de pensão" (Machado de Assis, *Páginas Recolhidas*, p. 58). **3.** Oficina litográfica. [V. *autografia* (3), *cromolitografia*, *espargido* (2), *granir* (2), *metalografia* (3), *preparação* (3) e *planografia* (1).]

litográfico [De *litografia* + *-ico*[2].] *Adj.* Relativo à litografia. ~ V. *calcário —*, *lápis —*, *papel —*, *pedra —a* e *tinta —a*.

litógrafo [De *lit(o)-* + *-grafo*.] *S. m.* Aquele que grava, desenha ou imprime pelo processo litográfico. [Cf. *litografo*, do v. *litografar*.]

litogravura [De *lit(o)-* + *gravura*.] *S. f.* Litografia (2): "A sala toda adornada com litogravuras baratas, representando santos." (Guido Vilmar Sassi, *São Miguel*, p. 19.)

litoide (ói) [Do gr. *lithoeidés*.] *Adj. 2 g.* Que tem o aspecto ou a constituição da pedra. ~ V. *brilho —*. ❖

litolábio [Do gr. *lithólabos* + *-io*[3].] *S. m. Cir.* Instrumento destinado a apreender cálculo vesical por ocasião do esmagamento deste.

litólatra [De *lit(o)-* + *-latra*.] *S. 2 g.* Praticante da litolatria.

litolatria [De *lit(o)-* + *-latria*.] *S. f.* Culto ou adoração da pedra.

litolátrico [De *litolatria* + *-ico*[2].] *Adj.* Relativo à litolatria.

litólise [De *lit(o)-* + *-lise*.] *S. f. Urol.* Litodiálise (1).

litologia [De *lit(o)-* + *-logia*.] *S. f.* V. *petrologia*. ◆ **Litologia humana.** Tratado dos cálculos e concreções que se formam no organismo humano. **Litologia submarina.** Ramo da oceanografia física que trata da origem e natureza dos depósitos marinhos.

litológico [De *litologia* + *-ico*[2].] *Adj.* Respeitante à litologia.

litologista [De *litologia* + *-ista*.] *S. 2 g.* Litólogo.

litólogo [De *lit(o)-* + *-logo*.] *S. m.* Especialista em litologia; litologista.

litomalacia (cí) [De *lit(o)-* + *-malacia*.] *S. f. Patol.* Amolecimento espontâneo de certos cálculos.

litomancia (cí) [De *lit(o)-* + *-mancia*.] *S. f.* Adivinhação por meio de pedras.

litomante [De *lit(o)-* + *-mante*.] *S. 2 g.* Pessoa que pratica a litomancia.

litomântico [De *litomante* + *-ico*[2].] *Adj.* Relativo à litomancia, ou a litomante.

litómetro *S. m.* V. *litômetro*. [Uso freq. em P.]

litômetro [De *lit(o)-* + *-metro*.] *S. m.* Instrumento com que se medem pedras.

litopédio [De *lit(o)-* + *-ped(o)-* + *-io*[3].] *S. m. Obst.* Feto morto e calcificado.

litopónio *S. m. Quím.* V. *litopônio*. [Uso freq. em P.]

litopônio [De *lit(o)-* + gr. *pónos*, 'trabalho', + *-io*[3].] *S. m. Quím.* Pigmento branco, constituído pela mistura de sulfato de bário e sulfeto de zinco.

litor (ô) *S. m.* V. *lictor*.

litoral [Do lat. *litorale*, 'da praia'.] *Adj. 2 g.* **1.** Relativo ou pertencente à beira-mar. [Sin.: *litorâneo* e (poét.) *litóreo*.] ~ V. *mar —*. ● *S. m.* **2.** Região banhada pelo mar ou situada à beira-mar; costa. **3.** V. *praia* (1).

litorâneo [Do lat. *litore*, 'litoral', + *-âneo*.] *Adj.* V. *litoral* (1): "longe, fulgiam, as luzes litorâneas de Niterói" (Coelho Neto, *Turbilhão*, p. 154). ~ V. *depósito —* e *região —a*.

litóreo [Do lat. *litoreu*.] *Adj. Poét.* V. *litoral* (1). [Cf. *litório*.]

litorina [Do it. *littorina*, der. de *littorio*, 'de lictor', por datar do período fascista.] *S. f. Bras.* Automotriz.

litorinídeo [Do tax. *Littorina*, gênero-tipo, + *-ídeo*[1]; tax. *Littorinidae*.] *Zool. S. m.* **1.** Espécime dos litorinídeos, família de moluscos gastrópodes, marinhos, frequentemente fixos às rochas, comestíveis. ● *Adj.* **2.** Pertencente ou relativo a eles.

litório *Adj.* V. *lictório*.

litosfera [De *lit(o)-* + *-sfera*.] *S. f. Geofís.* A parte externa consolidada da Terra; crosta da Terra, crosta terrestre, orosfera. [Cf. *hidrosfera*.]

litosférico [De *litosfera* + *-ico*[2].] *Adj.* Relativo à litosfera.

litospermo [De *lit(o)-* + *-spermo*.] *Adj. Bot.* Cujas sementes são duras e pedregosas.

litoteca [De *lit(o)-* + *-teca*.] *S. f. Litogr.* Parte da oficina litográfica onde se armazenam as pedras. [Cf. *zincoteca*.]

lítotes [Do lat. tard. *litotes* (ŏ) < gr. *litótes*, *etos*.] *S. f. 2 n. E. Ling.* Modo de afirmação por meio da negação do contrário. Ex.: *Não é nada tolo* (por 'é muito esperto').

litotomia [Do gr. *lithotomía*.] *S. f. Cir.* Seção de conduto ou de órgão, para remoção de cálculo (4).

litotómico *Adj.* V. *litotômico*. [Uso freq. em P.]

litotômico [De *litotomia* + *-ico*[2].] *Adj.* Relativo à litotomia.

litotrícia [Adapt. do fr. *lithotritie*.] *S. f. Urol.* Litotripsia.

litotripsia [De *lit(o)-* + *-trips-* + *-ia*[1].] *S. f. Urol.* Operação que consiste no esmagamento de cálculos no interior da bexiga, para que os fragmentos possam ser retirados pela uretra; litotricia.

litotríptico [De *litotripsia* + *-ico*[2], seg. o padrão erudito.] *Adj. Urol.* Diz-se de qualquer recurso (físico, químico) que tem a propriedade de fracionar ou dissolver cálculos urinários.

litrácea [Do tax. *Lythrum*, gênero-tipo, + *-ácea*; tax. *Lythraceae*.] *S. f. Bot.* Espécime das litráceas, família de vegetais da ordem das mirtales, que contêm formas herbáceas e lenhosas. Têm folhas opostas, fruto capsular, flores vistosas, heteroclamídeas e hermafroditas, com receptáculo unido ao cálice, androceu diplostêmone, e ovário súpero, com muitos óvulos. Compreende umas 500 espécies, dos países quentes e temperados, havendo boa representação no Brasil. Várias são ornamentais.

litráceo [De *litrácea*, com var. suf. (v. *-áceo*).] *Adj. Bot.* Pertencente ou relativo às litráceas.

litragem [De *litro* + *-agem*[2].] *S. f.* **1.** Quantidade em litros. **2.** Medição aos litros.

litro [Do fr. *litre*.] *S. m.* **1.** Unidade de medida de capacidade, igual a um decímetro cúbico [símb.: *l* ou, excepcionalmente, *L*]. [É permissível o uso do símb. com cap. para evitar confusão com o algarismo 1.] **2.** Garrafa de litro.

→ **litteratim** [lɛtte'rate(m)] [Lat.] *Adv.* Palavra por palavra; textualmente.

lituano *Adj.* **1.** Da, ou pertencente ou relativo à República da Lituânia (Europa). **2.** *Gloss.* Diz-se da, ou relativo à língua falada nessa república. ● *S. m.* **3.** O natural ou habitante da República da Lituânia. **4.** *Gloss.* V. *báltico* (3). **5.** Vocábulo lituano (2).

lituíte [Do tax. *Lituites*.] *S. m. Paleont.* **1.** Gênero de moluscos cefalópodes, tetrabrânquios, nautilídeos, cuja concha era inicialmente espiralada, e depois, reta, e que viveram no ordoviciano. **2.** Espécie ou espécime desse gênero.

litura [Do lat. *litura*.] *S. f.* Rasura (1).

liturgia [Do gr. *leitourgía*, 'função pública', pelo lat. ecles. med. *liturgia*, 'culto divino'.] *S. f. Rel.* O culto público e oficial instituído por uma igreja; ritual: *a liturgia católica*; *a liturgia anglicana*; "nos vastos pátios dos grandes conventos, então em toda a riqueza das suas alfaias, dos seus paramentos, dos seus azulejos, em toda a pompa da liturgia, o acampamento popular à espera da procissão" (Joaquim Nabuco, *Um Estadista* *do Império*, I, p. 3). ◆ **Liturgia da missa.** *Rel.* Culto público e oficial instituído pela Igreja Católica para a missa (1), cujo rito sofreu alterações a partir do Concílio Vaticano II (1962-1965), e que consta das seguintes partes: ritos iniciais (saudação, ato penitencial, *Kyrie* e Glória); liturgia da palavra (duas leituras do Antigo e do Novo Testamento, aleluia, evangelho, homilia, credo ou profissão de fé); liturgia eucarística (oferendas, prefácio, *Sanctus*, *Benedictus*, cânon romano ou introdução à consagração); rito da comunhão (pai-nosso, *Agnus Dei*, comunhão) e ritos finais (oração e bênção final). [V. *missa* (1).]

litúrgico [Do gr. *leitourgikós*.] *Adj.* Relativo à liturgia. ~ V. *ano — e drama —*.

liturgista [De *liturgia* + *-ista*.] *S. 2 g.* Pessoa versada em liturgia; liturgo.

liturgo [Do gr. *leitourgós*, pelo lat. tard. *liturgu*.] *S. m.* Liturgista.

➔ **livarot** [livaˈʀo] [Fr.] *S. m. Cul.* **1.** Queijo de leite de vaca, de consistência macia e casca marrom-avermelhada, originário da Normandia (N. da França).

livel (é) [Do lat. vulg. **libellu*, dim. de *libra*, 'balança'.] *S. m.* **1.** Nível (q. v.). **2.** *Bras. PE Constr.* Vigota que une transversalmente as asnas de uma tesoura (6), mais ou menos a meio comprimento delas.

livelar [De *livel* + *-ar*².] *V. t. d. T. d. e i. T. i. P. P. us.* V. *nivelar*: "a noite cerrou-se; .... o negrume livelara as superfícies" (Alcides Maia, *Ruínas Vivas*, p. 78); "a Revolução Francesa veio livelar as classes sociais." (Pᵉ. Arlindo Ribeiro da Cunha, *A Língua e a Literatura Portuguesa*, p. 416).

lividez (ê) [De *lívido* + *-ez*.] *S. f.* **1.** Qualidade ou estado de lívido; livor: "Pude ver na obscuridade que ele empalidecia até à lividez" (José Rodrigues Miguéis, *Gente da Terceira Classe*, p. 200). **2.** *Med.* Descoramento por gravitação sanguínea. ◆ **Lividez cadavérica.** *Med. Leg.* Descoramento que surge em partes pendentes do corpo após óbito, e que é devido à ausência de circulação, à gravitação e à estagnação sanguíneas. [Sin. (lat.): *livor mortis*.]

livideza (ê) [De *lívido* + *-eza*.] *S. f.* V. *lividez*: "a madrugada tocava de lividezas frias a epiderme corrugosa das águas" (Fialho d'Almeida, *O País das Uvas*, p. 202).

lívido [Do lat. *lividu*.] *Adj.* **1.** De cor entre o branco e o preto, aproximadamente plúmbea. **2.** Azul desmaiado; azulado; tirante a violáceo: "Duas velas ardiam espalhando tremulamente uma lívida claridade funérea." (Coelho Neto, *Treva*, p. 144.) **3.** Diz-se de qualquer dessas cores: *Era um céu de cor lívida; Está macérrimo, com a pele de tom lívido.* [Sin. ger.: *livoroso*.]

➔ **living** [ˈlɪvɪŋ] [Ingl., f. red. de *living room*.] *S. m.* Sala de estar: "Plantado ao meio do living, ... Castrioto correspondeu à efusão do nosso olá com um boa noite quase áspero" (Josué Montelo, *O Baile da Despedida*, p. 346).

livoniano *Adj.* **1.** Da, ou pertencente ou relativo à Livônia, região que compreende parte da Letônia e da Estônia (Europa). ● *S. m.* **2.** O natural ou habitante da Livônia.

livor (ô) [Do lat. *livore*.] *S. m.* **1.** Lividez (1): "Branca, sob o livor do escapulário níveo, / Heloísa ergue as mãos, numa nuvem de incenso..." (Olavo Bilac, *Poesias*, p. 201.) **2.** *Med.* Mancha lívida, de cor azul com orla negra.

➔ **livor mortis** [ˈlivɔr ˈmɔrtes] [Lat.] Lividez cadavérica.

livoroso (ô) [Do lat. med. *livorosu*.] *Adj.* Que tem ou apresenta livor; lívido.

livra [Do imperat. de *livrar*.] *Interj. Bras.* Exprime admiração, ou advertência de perigo, ou desafogo depois que um perigo passou, ou, ainda, repugnância, etc.; safa.

livrador (ô) [Do lat. *liberatore*, por via pop. ou de *livrar* + *-dor*.] *Adj. S. m.* Que, ou aquele que livra; libertador (1 e 4).

livralhada [De *livro* + *-alhada*.] *S. f. Fam.* Porção de livros; livroxada.

livralhão [De *livro* + *-alhão*.] *S. m.* Livrão: "as oficinas esperam dar uma tacada na fabricação de livros em branco — esses livralhões comerciais." (Monteiro Lobato, *A Barca de Gleyre*, p. 446).

livramentano *Adj.* **1.** De, ou pertencente ou relativo a Nossa Senhora do Livramento (MT). ● *S. m.* **2.** O natural ou habitante de Nossa Senhora do Livramento. [Sin. ger.: *livramentense*³.]

livramentense¹ *Adj. 2 g.* **1.** De, ou pertencente ou relativo a Livramento do Brumado (BA). ● *S. 2 g.* **2.** O natural ou habitante de Livramento do Brumado.

livramentense² *Adj. 2 g. S. 2 g.* V. *santanense*¹⁰.

livramentense³ *Adj. 2 g. S. 2 g.* V. *livramentano*.

livramento [Do lat. tard. *liberamentu*, por via pop., ou de *livrar* + *-mento*.] *S. m.* **1.** Ato ou efeito de livrar(-se); livrança. **2.** Soltura de alguém que se achava preso. **3.** Libertação, resgate. **4.** *Med.* Expulsão das secundinas, o que constitui o remate do parto. ◆ **Livramento condicional.** *Jur.* Soltura antecipada, mediante certas condições, do condenado que, uma vez preenchidos os requisitos legais, se presume socialmente recuperado; liberdade condicional. [Cf. *patronato* (5).]

livrança [De *livrar* + *-ança*.] *S. f.* **1.** Livramento (1). **2.** Cédula ou ordem escrita de pagamento.

livrão [De *livro* + *-ão*¹.] *S. m.* Livro grande; livralhão.

livrar [Do lat. *liberare*, por via pop.] *V. t. d.* **1.** Dar a liberdade a; tornar livre; soltar, libertar: *O menino livrou o pássaro preso.* **2.** Isentar de mal ou perigo; salvar; resguardar; defender. **3.** Tirar de embaraço ou posição difícil; salvar: *Entregou-se ao inimigo para livrar os demais companheiros. T. d. e i.* **4.** Tirar de embaraço ou situação difícil; salvar: *Livrei-o da amolação.* **5.** Libertar (4 e 5). **6.** Pôr a salvo de mal ou perigo; salvar; resguardar; defender: *Livrou a família da invasão inimiga enviando-a para lugar seguro. P.* **7.** Tornar-se livre; libertar-se. **8.** Ser absolvido. **9.** Fugir, safar-se, escapar: *livrar-se de um compromisso, de um interrogatório.* ◆ **Livrar-se solto.** Defender-se (o indiciado ou réu) em liberdade, independentemente de fiança.

livraria [De *livro* + *-aria*.] *S. f.* **1.** Loja de livros. **2.** Quantidade mais ou menos considerável de livros.

livre [Do lat. *liber*.] *Adj. 2 g.* **1.** Que pode dispor de sua pessoa; que não está sujeito a algum senhor (por oposição a *servil*, *escravo*): *trabalhadores livres.* **2.** Que não está privado de sua liberdade física; que não está prisioneiro; solto: *É homem livre, e nunca esteve preso.* **3.** Que teve absolvição de crime ou delito: *Apesar de muito inculpado no processo, acabou saindo livre.* **4.** Desprendido, solto: *uma astronave livre no espaço; O cachorro, livre da coleira, mordeu o primeiro passante descuidado.* **5.** Que tem o poder de decidir e de agir por si mesmo; independente: *espírito livre; nação livre.* **6.** Que goza dos seus direitos civis e políticos: *Todo cidadão livre deve votar.* **7.** Cujo funcionamento sem coerção ou discriminação é garantido por lei: *eleições livres.* **8.** Sem formalidade, obstáculos ou proibições; autorizado, permitido: *censura livre; entrada livre.* **9.** Dispensado, desobrigado, isento: *Mercadoria livre de impostos.* **10.** Desprovido, privado, isento: *Homem livre de preconceitos.* **11.** Desembaraçado, disponível, desocupado: *O lugar está livre, pode sentar-se; Aceito o convite para jantar domingo: estou livre.* **12.** Desimpedido, desembaraçado: *Foi rápida a viagem a Petrópolis: a estrada estava livre.* **13.** Que não está casado. **14.** Desregrado, descomedido, licencioso: *vida livre; linguagem livre.* **15.** Espontâneo, natural: *A criança é muito livre, por isso, verdadeira.* **16.** Que não tem limites; imenso, infinito: *A imaginação é totalmente livre.* [Superl. abs. sint.: *libérrimo* e *livríssimo*.] ~ V. *ação —, amor —, associação —, atmosfera —, bem —, bens —s, cálice —, câmbio —, campo —, discurso indireto —, energia —, entalpia —, escoamento —, estilo indireto —, feira —, forma —, lance —, luta —, mar —, mercado —, nado —, oscilação —, porto —, pulso —, radical —, tiro —, tradução —, vão —, variação —, variante —, ventre —, verso —* e *voo —*. ◆ **Livre e desembaraçado.** Fórmula com que se indica estar alguém ou algo isento de dívida ou encargo que o possa onerar ou embaraçar.

livre-alvedrio *S. m. P. us.* Livre-arbítrio. [Pl.: *livres-alvedrios*.]

livre-arbítrio *S. m. Filos.* Possibilidade de exercer um poder sem outro motivo que não a existência mesma desse poder; liberdade de indiferença. [Refere-se o *livre-arbítrio* principalmente às ações e à vontade humana, e pretende significar que o homem é dotado do poder de, em determinadas circunstâncias, agir sem motivos ou finalidades diferentes da própria ação.] [Sin., p. us.: *livre-alvedrio*. Cf. *indeterminismo*. Pl.: *livres-arbítrios*.]

livre-câmbio *S. m. Econ.* Situação em que não existem obstáculos (como tarifas alfandegárias) nem incentivos (como subsídios à exportação) ao comércio internacional de bens e serviços; livre-comércio; livre-troca. [Pl.: *livres-câmbios*.]

livre-cambismo *S. m. Econ.* Doutrina ou prática do livre-câmbio. [Opõe-se a *protecionismo*. Pl.: *livre-cambismos*.]

livre-cambista *Adj. 2 g.* **1.** Relativo ao, ou que é partidário do livre-cambismo. ● *S. 2 g.* **2.** Partidário do livre-cambismo. [Opõe-se a *protecionista*. Pl.: *livre-cambistas*.]

livreco [De *livro* + *-eco*¹.] *S. m. Deprec.* **1.** Pequeno livro. **2.** Livro sem valor; livro reles [v. *livro* (1 a 3)].

livre-comércio *S. m. Econ.* V. *livre-câmbio*. [Pl.: *livres-comércios*.]

livre-cultismo [De *livre-culto* + *-ismo*.] *S. m.* Sistema ou doutrina da liberdade de cultos; livre-culto. [Pl.: *livre-cultismos*.]

livre-cultista [De *livre-cultismo* + *-ista*.] *Adj. 2 g.* **1.** Relativo ao, ou partidário do livre-cultismo. ● *S. 2 g.* **2.** Partidário do livre-cultismo. [Pl.: *livre-cultistas*.]

livre-culto *S. m.* Livre-cultismo. [Pl.: *livres-cultos*.]

livre-docência *S. f. Bras.* Docência-livre. [Pl.: *livres-docências*.]

livre-docente *S. m. S. 2 g. Adj. 2 g.* V. *docente-livre*. [Pl.: *livres-docentes*.]

livre-iniciativa *S. f. Econ.* **1.** Doutrina que defende um sistema econômico baseado na iniciativa individual, sem interferência do governo. **2.** A prática desse sistema. [Pl.: *livres-iniciativas*.]

livreiro [Do lat. *librariu*.] *Adj.* **1.** Relativo à produção de livros; livresco: *comércio livreiro.* [Cf. *bibliográfico* e *biblíaco*.] ● *S. m.* **2.** Comerciante de livros.

livremetrista [De *livre-* + *metrista*.] *S. 2 g.* Que pratica o verso livre (q. v.): "Schopenhauer (v. *schopenhaueriano*) previu admiravelmente o pavoroso advento de futuristas, dadaístas, livremetristas e mais hunos literários" (José Oiticica, *Manual de Estilo*, p. 191).

livre-pensador (ô) *S. m.* Aquele que, em matéria religiosa, pensa livremente, só aceitando as doutrinas que se harmonizam com a sua razão. [Pl.: *livres-pensadores*.]

livresco (ê) [De *livro* + *-esco*.] *Adj.* **1.** Livreiro (1): *indústria livresca.* **2.** Apropriado a livros: *escrita livresca.* **3.** Adquirido por meio de livros, sem experiência própria: *cultura livresca*; "certa erudição livresca, abuso de nomenclatura e alguma preocupação ensinante" (Fidelino de Figueiredo, *Entre Dois Universos*, p. 197). **4.** Dado às leituras, aos livros, ou influenciado por eles: "Era [Fagundes Varela] pouco livresco, embora não tanto como pareceu a Alberto Faria; inculto, é que não." (Melo Nóbrega, *Arredores da Poesia*, p. 10); "Aluísio Branco, livresco até a medula e ameaçado de perigosa intoxicação literária, não fora uma sensibilidade muito fina e muito pura" (Agripino Grieco, *Evolução da Prosa Brasileira*, p. 228). ~ V. *letra —a*.

livreta (ê) [Do esp. plat. *libreta*.] *S. f. Bras.* Livrete (2).

livrete (ê) [Do fr. *livret*, dim. de *livre*, 'livro'.] *S. m.* **1.** Pequeno livro [v. *livro* (1 e 2)] **2.** Caderneta para diversos fins; livreta.

livre-troca *S. f.* V. *livre-câmbio*. [Pl.: *livres-trocas*.]

livrilho [De *livro* + *-ilho*.] *S. m.* **1.** A parte interna da casca dos vegetais. **2.** Livrinho de mortalhas de cigarros.

livríssimo *Adj.* Libérrimo.

livro [Do lat. *libru*.] *S. m.* **1.** Reunião de folhas ou cadernos, cosidos ou por qualquer outra forma presos por um dos lados, e enfeixados ou montados em capa flexível ou rígida. **2.** Obra literária, científica ou artística que compõe, em regra, um volume. [Dim. irreg. (nesta acepç.): *livrete*; deprec.: *livreco*; aum. deprec.: *livrório*.] **3.** Seção do texto de uma obra, contida num tomo, e que pode estar dividida em partes: *o segundo livro da Eneida.* **4.** Registro para certos tipos de anotações, sobretudo comerciais: *livro de contas; livro de despesas.* **5.** *Fig.* Aquilo que instrui como um livro: *o livro da Natureza.* **6.** Coleção de peças diplomáticas relativas a uma questão, publicadas por um governo para conhecimento do público: *livro branco.* **7.** *Zool.* V. *folhoso* (2): "Diziam que havia retirado do livro de um touro tocoió uma maçã, do tamanho de um ovo de sariema" (Nélson de Faria, *Tiziu e Outras Estórias*, p. 205). **8.** *Bibliot. Docum.* Publicação não periódica impressa com, no mínimo, 49 páginas, excluídas as capas. [Cf. *folheto* (1).] ◆ **Livro brochado.** Livro cosido a fio têxtil ou metálico, e coberto com capa de papel ou cartolina; brochura (q. v.). **Livro carcelado.** Álbum para colagem de recortes, fotografias, etc., cujas folhas estão separadas por carcelas, a fim de que não excedam a espessura do dorso. **Livro cartonado.** Livro cujo bloco de cadernos recebe uma capa de cartão revestida de papel, impressa na lombada e, em geral, também nas pastas. [V. *cartonagem* (4).] **Livro comercial.** Cada um dos livros em branco para o registro e contabilização de operações mercantis, com riscado variado, segundo os fins para que servem. **Livro da sabedoria.** Um dos livros do Antigo Testamento. **Livro das Crônicas.** Paralipômenos (1). **Livro de arte.** *Edit.* Livro que se caracteriza pela valorização dos elementos visuais (ilustrações, fotografias, reprodução de quadros, etc.) e esmero da produção e projeto gráficos, confeccionado, ger., em papel de boa qualidade, formato grande e capa dura. **Livro de bolso.** Livro de tamanho reduzido e, em geral, de preço módico. [Correspondente inglês: *pocket-book*.] **Livro de cabeceira.** O livro predileto. **Livro de espiral.** Caderno de espiral. **Livro de horas.** Livro litúrgico, que contém as preces das horas canônicas e outras matérias de culto. **Livro de ouro.** Livro onde se registram nomes ilustres, nomes de pessoas que contribuem para determinado fim altruístico, ou, ainda, em que se inscrevem comentários elogiosos a alguém ou a algum fato. **Livro de ponto.** Livro

L

onde os empregados apõem suas assinaturas para assinalar a presença ao trabalho. [Tb. se diz apenas *ponto*.] **Livro de quarenta folhas.** *Pop.* Baralho de cartas. **Livro de registro.** Aquele em que as bibliotecas, museus, arquivos, etc., fazem o registro (q. v.) dos livros e doutras peças adquiridas; livro de tombo. **Livro de texto.** Livro didático. **Livro de tombo.** Livro de registro (q. v.). **Livro didático.** O destinado ao ensino, e cujo texto deve obedecer aos programas escolares; livro de texto. **Livro dos mortos.** Obra da antiguidade egípcia que objetivava guiar os mortos para o além, mediante orações e exorcismos. **Livro eletrônico.** Versão de um livro publicada em mídia digital, como, p. ex., CD-ROM. **Livro em branco.** Livro encadernado, de páginas pautadas, utilizado para registros diversos em firmas comerciais. **Livro em rolo.** Forma do livro manuscrito anterior ao códice: tira de papiro, e também de pergaminho, onde os antigos escreviam e pintavam ilustrações, ger. em colunas, no sentido da largura, e a qual se conservava enrolada numa vaneta (*umbílico*) e guardada em estojo (*capsa*). [Cf. *códice* (1).] **Livro encadernado.** Aquele cuja capa, em geral de papelão, é forrada de couro, pano, percalina, pergaminho, etc., e cujos cadernos são costurados e bem firmemente presos à cobertura. **Livro fiscal.** Cada um dos livros de escrituração prescritos por lei, que possibilitam o controle do exato cumprimento de obrigações tributárias impostas pelo Estado. **Livro negro.** *Maç.* Registro de candidatos recusados por uma loja maçônica, ou de maçons que, por qualquer motivo, foram, definitivamente, eliminados da ordem. **Livro tabular.** V. *livro xilografado*. **Livro tabulário.** V. *livro xilografado*. **Livro xilografado.** O que, antes da invenção dos tipos móveis e até certo tempo depois, era impresso com pranchas de madeira gravadas, contendo principalmente imagens, que se estampavam de um lado só de cada folha, para colagem à seguinte; livro xilográfico, livro tabular, livro tabulário, xilógrafo. **Livro xilográfico.** V. *livro xilografado*. **Falar como um livro.** Usar de vocabulário escolhido, esmerado. **Paginar a livro aberto.** *Tip.* Paginar atribuindo número às folhas, em vez de às páginas; numerar por folhas; foliar. **Paginar a livro fechado.** *Tip.* Paginar atribuindo número a cada página. **Ser um livro aberto.** Ser do conhecimento de todos; não ser segredo: *Sua vida é um livro aberto.*

livro-cassete *S. m. Edit.* Publicação constituída de gravação em cassete (1) da leitura em voz alta do texto de um livro. [Pl.: *livros-cassetes* e *livros-cassete*.]

livrofobia [De *livro* + *-fobia*.] *S. f. Psiq.* Horror aos livros.

livrófobo [De *livro* + *-fobo*.] *Adj. S. m. Psiq.* Que, ou aquele que tem horror a livros.

livrório [De *livro* + *-ório*.] *S. m. Deprec.* Livro grande e fútil; cartapácio. [V. *livro* (2).]

livro-velheiro [De *livro* + *velho* + *-eiro*.] *S. m.* Aquele que negocia com livros velhos, usados; sebista: "Até há bem poucos anos, o bibliófilo pobre, saindo a curiosear pelos livros-velheiros, topava às vezes algumas obras interessantes, já pouco achadiças." (Eduardo Frieiro, *Os Livros Nossos Amigos*, p. 74.) [Pl.: *livros-velheiros*.]

livroxada *S. f. Deprec.* Livralhada: "acontece frequentemente que estes livros, pela maior parte, não são lidos e nem ao menos abertos. | Essa livroxada vai-se então acumulando a um canto" (Eduardo Frieiro, *Os Livros Nossos Amigos*, p. 119).

lixa [Dev. de *lixar*.] *S. f.* **1.** Papel ao qual se aglutina substância abrasiva, usado para polir metais, madeiras, etc. **2.** *Zool.* Designação comum aos peixes do gênero *Esqualo*, cuja pele serve para polir madeiras ou metais. **3.** A pele de qualquer desses peixes. ● *Adj. 2 g. e 2 n.* **4.** *Bras.* Diz-se do vacum que tem certa cor de pelo. ◆ **Lixa de água.** Lixa (1) muito fina, própria para trabalhos delicados.

lixação [De *lixar* + *-ção*.] *S. f. Bras.* Ação ou operação de lixar (1 e 2); lixamento.

lixadeira [De *lixar* + *-deira*.] *S. f.* Instrumento, máquina ou aparelho próprio para lixar (1 e 2).

lixador (ô) [De *lixar* + *-dor*.] *Adj.* **1.** Que lixa. ● *S. m.* **2.** Aquele que lixa. **3.** *Bras.* Lixadeira de serraria.

lixamento [De *lixar* + *-mento*.] *S. m. Bras.* Lixação.

lixão [De *lixo* + *-ão*[1].] *S. m. Bras.* **1.** V. *lixeira*[2] (2). **2.** V. *aterro sanitário*.

lixar [De or. controversa.] *V. t. d.* **1.** Desgastar ou polir com lixa. **2.** *P. ext.* Polir, brunir. *P.* **3.** Indignar-se, enfurecer-se. **4.** Sofrer contratempo, desengano(s). **5.** Ter mau fim; levar o diabo; arruinar-se. **6.** *Bras. Gír.* Não se incomodar; não dar importância: *Não foi premiado, mas está se lixando com o prêmio; Estou me lixando para o que você pensa.*

lixa-vegetal *S. f. Bot.* V. *cavalinha* (1). [Pl.: *lixas-vegetais*.]

lixeira[1] [De *lixa* + *-eira*.] *S. f. Bras. Bot.* V. *sambaíba-de-minas-gerais*.

lixeira[2] [De *lixo* + *-eira*.] *S. f.* **1.** Monte de lixo; monturo. **2.** Lugar onde se deposita lixo; monturo. **3.** Recipiente para lixo. **4.** *P. ext.* Lugar muito sujo, imundo.

lixeiro [De *lixo* + *-eiro*.] *S. m. Bras.* Carregador de lixo.

lixento [De *lixo* + *-ento*.] *Adj.* V. *lixoso*.

lixívia [Do lat. tard. *lixivia*.] *S. f.* **1.** V. *barrela*. **2.** *Quím.* Solução de carbonato de sódio ou de potássio, usada para lavagem de tecido, remoção de tinta, e com outras aplicações. [Em P. se usa para solução diluída de hipoclorito de sódio (água sanitária).] **3.** *Quím.* Solução ou suspensão de materiais, resultante de uma lixiviação. [Cf. *lixivia*, do v. *lixiviar*.] **4.** *P. ext. Quím.* Resíduos líquidos ou em suspensão, resultantes de um processo industrial. (V. *licor negro*.) [Cf. *lixivia*, do v. *lixiviar*.] ◆ **Lixívia negra.** *Tec.* Licor negro.

lixiviação [De *lixiviar* + *-ção*.] *S. f.* **1.** Ato ou efeito de lixiviar. **2.** *Geol.* Percolação de água através do solo e de rochas, removendo sais e outros materiais solúveis. **3.** *Quím.* Percolação de água através de um massa sólida permeável, ou de um pó, para separar sais e outras substâncias neles contidas.

lixiviador (ô) [De *lixiviar* + *-dor*.] *S. m.* Aparelho para lixiviar.

lixiviar [De *lixívia* + *-ar*[2].] *V. t. d.* **1.** Aplicar lixívia ou barrela a; lavar com lixívia; decoar. **2.** Fazer lixiviações em. [Pres. ind.: *lixivio*, *lixivias*, *lixivia*, etc. Cf. *lixívia*.]

lixo [De or. obscura.] *S. m.* **1.** Aquilo que se varre da casa, do jardim, da rua, e se joga fora; entulho. **2.** *P. ext.* Tudo o que não presta e se joga fora. **3.** Sujidade, sujeira, imundície. **4.** Coisa ou coisas inúteis, velhas, sem valor. **5.** *Restr.* Resíduos que resultam de atividades domésticas, industriais, comerciais, etc. **6.** *Fig.* V. *ralé* (1). ◆ **Lixo atômico.** *Fís. Nucl.* Conjunto de detritos resultantes de fusão nuclear e que, em razão de sua radioatividade, devem ser isolados, longe de regiões povoadas, até que ela venha a cessar; lixo radioativo. **Lixo espacial.** *Astron.* Satélites artificiais desativados e/ou detritos provenientes desses objetos lançados pelo homem ao espaço, e que podem oferecer ameaça aos astronautas e às espaçonaves. **Lixo especial.** Lixo (5) de difícil eliminação, como, p. ex., o resultante de atividades industriais poluentes. **Lixo radioativo.** Lixo atômico.

lixose [F. anagramática de *xilose*.] *S. f. Quím.* Aldopentose, epímero da xilose [fórm.: $C_5H_{10}O_5$].

lixoso (ô) [De *lixo* + *-oso*.] *Adj.* **1.** Cheio de lixo. **2.** Sujo, imundo, porco. [Sin. ger.: *lixento*.]

lizar [De or. obscura.] *V. t. d.* Voltar, revolver (a meada ou tecido que está em banho para tomar cor). [Pres. ind.: *lizo*, *lizas*, *liza*, etc. Cf. *liso*, *lisa*, e o mit. *Lisa*.]

lizardense *Adj. 2 g.* **1.** De, ou pertencente ou relativo a Lizarda (TO). ● *S. 2 g.* **2.** O natural ou habitante de Lizarda.

■ **lm** *Fotom.* Símb. de *lúmen*[1].

■ **ln** *Mat.* Símb. de *logaritmo neperiano*.

lo [Do lat. *illu*.] **1.** F. arc. do art. def. masc., sing. [Flex.: *la*, *los*, *las*. Cf. *lô*.] **2.** F. arc. do pron. pess. oblíquo da 3.ª pess., masc., sing., ainda hoje empregada depois de formas verbais acabadas em *r*, *s* ou *z*, após os pronomes *nos* e *vos*, e após o advérbio *eis*: *Sabe amá-lo, e é incapaz de feri-lo; Fazes boa prosa, e, quanto a versos, tu faze-los admiravelmente; Irado, pega do papel e redu-lo a pedacinhos; Conhecem o fato, e no-lo contaram; Grande mal vos fizeram eles, e fizeram-vo-lo calculadamente; Ei-lo, chegou!*; "Este livro fi-lo sem sentir" (Joaquim Ribeiro, *9 Mil Dias com João Ribeiro*, p. 9); "E ei-la, a morte, e ei-lo, o fim!" (Olavo Bilac, *Poesias*, p. 268). [Flex.: *la*, *los*, *las*. Cf. *lô*.] **3.** F. arc. do pron. dem. da 3.ª pess. (*o*). [Flex.: *la*, *los*, *las*.] **4.** F. arc. do pron. dem. neutro (*o*), ainda hoje usada nos mesmos casos em que o *o* é *lo* (2): *Quer viajar, mas não pode fazê-lo agora; Tu és um misantropo, e confessa-lo; Rompeu com a família, e di-lo a toda a gente; A moça está muito mal, seu próprio irmão no-lo disse; Não posso comparecer, e já vo-lo comuniquei; Como os fatos ocorreram, ei-lo aí, no relato que acabo de fazer.* [Cf. *lô*.]

ló[1] [Do fr. *lof*, poss. do neerl. médio *loef*, 'lado do vento'.] *S. m. Marinh.* **1.** Cada uma das metades da embarcação para um e outro bordo. **2.** O lado da embarcação voltado para barlavento. [Cf. *lo*.] ◆ **De ló.** *Marinh.* Chegado à linha do vento, à bolina.

ló[2] [De or. obscura] *S. m. Tec. Têx.* Tecido fino como escumilha: "Branca trazia um vestido cor de céu de tafetá de Granada, com sobressaia de ló da China e longa cauda" (Júlio Ribeiro, *Padre Belchior de Pontes*, p. 70). [Cf. *lo*.]

loa (ô) [Dev. de *loar*.] *S. f.* **1.** *Teatr.* Nos teatros português e espanhol dos sécs. XVI e XVII, introdução ou prólogo de dramas e comédias, destinado a captar a simpatia e maior participação dos espectadores: "e tão completamente esqueceram as tentativas dramáticas feitas antes dele que o tiveram [a Lope de Rueda] em conta de inventor da divisão em jornadas ou atos, e dos prólogos chamados introitos e depois loas." (Alexandre Herculano, *Opúsculos*, IX, p. 123). **2.** *Fig.* Discurso laudatório; elogio, apologia. ~ V. *loas*. ◆ **Loa sacramental.** *Teatr.* No teatro espanhol do séc. XVI, aquela que antecedia as encenações dos autos sacramentais.

■ **LOA** Sigla de *Lei Orçamentária Anual*.

loandense *Adj. 2 g.* **1.** De, ou pertencente ou relativo a Loanda (PR). ● *S. 2 g.* **2.** O natural ou habitante de Loanda.

loando [Var. de *loango*.] *S. m. Bras. Zool.* V. *surubim*.

loango [De or. controversa.] *S. m. Bras. Zool.* **1.** V. *surubim*. [Var.: *loando*.] **2.** Designação vulgar de uma raça bovina da BA.

loar [Do lat. *laudare*, por via pop.] *V. t. d. P. us.* Fazer loas (1) a; louvar. [Conjug.: v. *coroar*.]

loas (ô) [Pl. de *loa*.] *S. f. pl.* **1.** Cantigas populares em honra dos santos. **2.** Parlapatice. V. *mentira* (1). ~ V. *loa*.

loasácea [Do tax. *Loasa*, gênero-tipo, + *-ácea*; tax. *Loasaceae*.] *S. f. Bot.* Espécime das loasáceas, família de dicotiledôneas violales que abrange 14 gêneros e cerca de 250 espécies nativas das Américas, África e Arábia, de pequenas árvores, arbustos e sobretudo ervas dotadas de pelos urticantes; têm folhas simples, lobadas, opostas ou espiraladas, flores bissexuais, solitárias ou cimosas, e frutos capsulares.

loasáceo [De *loasácea*, com var. suf. (v. *-áceo*).] *Adj. Bot.* Pertencente ou relativo às loasáceas.

➔**lob** [lɐb] [Ingl.] *S. m. Esport.* No tênis, jogada que consiste em lançar a bola tentando encobrir o adversário quando este se encontra próximo à rede.

loba [De or. obscura.] *S. f. Pop.* V. *antecor* (1). [Pl.: *lobas*. Cf. *loba* (ô) e pl. *lobas* (ô).]

loba[1] (ô) [Do lat. *lupa*.] *S. f.* **1.** *Zool.* A fêmea do lobo. **2.** Mulher, ger. aos 40/50 anos, em fase de pleno vigor sexual. **3.** *Desus. Deprec.* Meretriz. **4.** *Bras.* No carteado, jogo que um parceiro recebe inteiramente pronto das mãos do carteador, e que o habilita, de imediato, a bater a parada. [Cf. *relancinho* (1).] [Pl: *lobas* (ô). Cf. *loba* e pl. *lobas*.]

loba[2] (ô) [De or. controversa.] *S. f.* Batina: "enfiado numa casaca preta que parecia uma loba de clérigo" (Júlio Dantas, *O Amor em Portugal no Século XVIII*, p. 349.) [Pl.: *lobas* (ô). Cf. *loba* e pl. *lobas*.]

lobacho [De *lobo* (ô) + *-acho*.] *S. m.* Lobo pequeno; lobato.

lobado[1] [De *lobo* + *-ado*[1].] *Adj.* Dividido em lobos ou lóbulos; lobulado, lobular: *folíolo lobado*. ~ V. *folha* —*a*.

lobado[2] [Adapt. do tax. *Lobata*.] *Zool. S. m.* **1.** Espécime dos lobados, ordem de animais ctenóforos, tentaculados. Têm o corpo comprimido lateralmente, dois grandes lobos orais e tentáculos desprovidos de bainhas. ● *Adj.* **2.** Pertencente ou relativo a eles.

lobal [De *lobo* (ô) + *-al*[1].] *Adj. 2 g.* **1.** Lupino. **2.** *Fig.* Sanguinário, cruel, ferino.

lobão[1] [De *loba* + *-ão*[1].] *S. m. Pop.* V. *antecor* (1).

lobão[2] *S. m.* V. *benjoim* (1).

lobar [De *lobo* + *-ar*[1].] *Adj. 2 g.* Relativo a um ou mais lobos (ó) ou próprio dele(s). ~ V. *pneumonia* —.

lobatense[1] *Adj. 2 g.* **1.** De, ou pertencente ou relativo a Lobato (PR). ● *S. 2 g.* **2.** O natural ou habitante de Lobato.

lobatense[2] *Adj. 2 g.* **1.** De, ou pertencente ou relativo a Monteiro Lobato (SP). ● *S. 2 g.* **2.** O natural ou habitante de Monteiro Lobato. [Cf. *lobatiano*.]

lobatiano [Do antr. *Lobato* + *-iano*.] *Adj.* **1.** Relativo ou pertencente ao escritor brasileiro Monteiro Lobato (1882-1948), ou próprio dele. **2.** Que é seu admirador e/ou profundo conhecedor de sua obra. ● *S. m.* **3.** Admirador e/ou profundo conhecedor da obra de Monteiro Lobato. [Cf. *lobatense*.]

lobato [Dim. de *lobo* (ô).] *S. m.* Lobacho: "ele sabia que era a época em que as lobas deitam as ninhadas e precisam de se alimentar, para darem leite aos lobatos vorazes." (Gustavo Barroso, *Livro dos Milagres*, pp. 121-122).

lobaz [De *lobo* (ô) + *-az*.] *S. m.* Lobo grande.

➔**lobby** ['lɐbij] [Ingl., 'corredor', 'antessala'.] *S. m.* **1.** *Arquit.* Grande salão ou vestíbulo, na entrada de hotel, teatro ou qualquer edificação ampla. **2.** Grupo de pessoas ou organização que tem como atividade profissional buscar influenciar, aberta ou veladamente, decisões do poder público, esp. no legislativo, em favor de determinados interesses privados: *o lobby das empreiteiras*. **3.** A atividade de tal grupo ou organização: *fazer lobby para aprovação de uma lei*.

lobe *S. m. Esport.* V. *lob*.

lobecão [De *lobo* (ô) + *e* + *cão*[1].] *S. m. Zool.* Animal que é cruza de cão e lobo.

lobectomia [De *lob(o)-* + *-ectom-* + *-ia*[1].] *S. f. Cir.* Excisão de lobo (1).

lobectômico *Adj.* V. *lobectômico*. [Uso freq. em P.]

lobectômico [De *lobectomia* + *-ico*[2].] *Adj.* Relativo a lobectomia.

lobeiro[1] [De *lobo* (ô) + *-eiro*.] *Adj.* **1.** Que caça lobos. **2.** Semelhante a lobo, ou a atributo de lobo: *pe-*

lame lobeiro. 3. *P. ext.* Feroz, cruel: "peripécias horrendas, de lobos e homens não menos lobeiros e sangrentos" (Agustina Bessa-Luís, *Memórias Laurentinas*, p. 26). ● *S. m.* 4. Caçador de lobos. 5. Pelame que apresenta variedades de tom, e que lembra o do lobo: amarelo na raiz e preto nas pontas; é designado por *lobeiro claro*, quando predomina o amarelo; *lobeiro escuro*, quando predomina o preto; e *lobeiro comum*, quando as duas cores têm a mesma proporção. 6. *P. ext. Zool.* Cavalo que tem lobeiro (5).

lobeiro[2] *Adj.* Diz-se de uma qualidade de trigo rijo.

lobélia [Do antr. (*Matthias*) *de Lobel* (1538-1616), botânico flamengo, + *-ia*[2], tax. *Lobelia*.] *S. f. Bot.* 1. Gênero de campanuláceas, que abrange plantas herbáceas e arbustos de folhas estreitas, oblongas ou lanceoladas, flores em racemos especiformes, vermelhas e brilhantes, tubulares, com três lobos superiores muito estreitos, e cálice hemisférico; são plantas ornamentais, e por isso cultivadas. 2. Qualquer espécie desse gênero, como, p. ex., a *Lobelia cardinalis*, planta ornamental muito apreciada; algumas outras espécies são venenosas. 3. Qualquer espécime desse gênero, ou a flor dele.

lobelina [Do tax. *Lobelia* + *-ina*[3].] *S. f. Quím.* Alcaloide que se obtém da *Lobelia inflata*, que é um estimulante respiratório [fórm.: $C_{22}H_{27}NO_2$].

lobélio [De or. obscura.] *S. m. Arquit.* Segmento de círculo inscrito em certas ogivas, e que forma festão, ou uma folha, traçada por vários círculos que se interceptam.

lóbi [Do ingl. *lobby*, 'corredor (4)'.] *S. m.* V. *lobby*.

lobinho [De *lobo* + *-inho*[1].] *S. m. Pop.* Cisto sebáceo subcutâneo; lúpia, calombo: "Mulatinho magro, vestido de azul e vermelho, um lobinho saliente atrás da orelha." (M. Cavalcanti Proença, *Manuscrito Holandês*, p. 109.) [Var. (bras., pop.): *lombinho*.]

lobinho (ô) [De *lobo* (ô) + *-inho*[1].] *S. m. Bras.* Aprendiz de escoteiro com menos de 10 anos de idade.

lobisomem [Alter. do lat. *lupus homo*, 'homem lobo'.] *S. m. Folcl.* Homem que, segundo a crendice vulgar, se transforma em lobo e vagueia nas noites de sexta-feira pelas estradas, assustando as pessoas, até encontrar quem, ferindo-o, o desencante.

lobista [De *lóbi* + *-ista*.] *S. 2 g.* Pessoa que se dá à prática do *lobby*.

lobo [Do gr. *lobós*, 'extremidade da orelha'.] *S. m.* 1. *Anat.* Porção de um órgão demarcada com maior ou menor nitidez, como, p. ex., no cérebro, na glândula tireóidea, etc., podendo a demarcação ser estabelecida por fissuras, sulcos, tecido conjuntivo saliente, ou, então, pela forma. [Dim.: *lóbulo*.] 2. Parte convexa de um meandro. 3. Certo jogo popular. 4. *Bot.* Segmento dos órgãos foliáceos que se caracteriza por ser pouco profundo, não alcançando a metade entre a margem e o eixo central. ◆ **Lobo frontal.** *Anat.* Cada um de dois lobos situados na porção anterior de cada hemisfério cerebral. **Lobo occipital.** *Anat.* Cada um de dois lobos situados na porção posterior de cada hemisfério cerebral. **Lobo parietal.** *Anat.* Cada um de dois lobos situados na porção superior e mediana de cada hemisfério cerebral. **Lobo temporal.** *Anat.* Cada um de dois lobos situados lateral e inferiormente a cada hemisfério cerebral. [Pl.: *lobos*. Cf. *lobo* (ô) e pl. *lobos* (ô), e *Lobo* (ô), astr., antr. e top., e *Lobos* (ô), top. pl.]

lobo (ô) [Do lat. *lupu*.] *S. m.* 1. *Zool.* Espécie (*Canis lupus*) do gênero *Canis* (v. *cânis*); mamífero canídeo, carnívoro, que habita grandes regiões da Europa, Ásia e América do Norte. Dele existem muitas subespécies geográficas, que diferem em tamanho, cor e forma; a cor, p. ex., vai desde o castanho-acinzentado dos lobos da Eslováquia até o branco-cinza dos das regiões da tundra; os das estepes são avermelhados e de patas longas. Adultos, pesam de 44 a 55kg, e atingem 1,50m. Dessa espécie descendem o cão doméstico (*C. familiaris*) e o coiote (*C. ladrans*), por exemplo; os espécimes que são us. no Alasca como animal de tração resultam de cruzamento do lobo com o cão. [Aum.: *lobaz*. Dim. irreg.: *lobacho*, *lobato*.] 2. *Zool. Bras. Impr.* V. *guará*[2]. 3. *Fig.* Homem sanguinário, cruel. [Pl.: *lobos* (ô).] 4. *Astr.* Constelação austral, ao S. da Libra, a O. do Escorpião, a E. do Centauro e ao N. da Bússola. [Com cap., nesta acepç.] [Cf. *lobo* e pl. *lobos*.] ◆ **Comer como um lobo.** Comer muito e com avidez. **Entre lobo e cão.** V. *entre o lobo e o cão*: "A Academia das Ciências fará o seu dicionário .... Consultá-lo-emos nas horas de entre lobo e cão, após as fadigas quotidianas" (João Ribeiro, *Cartas Devolvidas*, p. 185). **Entre o lobo e o cão.** À boca da noite, ao escurecer; ao lusco-fusco; entre lobo e cão.

▲ **lob(o)-** [Do gr. *lobós, oû*.] *El. comp.* = 'lobo (1 e 4)': *lobectomia, lobotomia*. [Equiv.: *-lob(o)-*, *-lobo*: *platilobado*; *anisólobo*.]

▲ **-lob(o)-** V. *lob(o)-*.

▲ **-lobo** V. *lob(o)-*.

lobo-cerval (ô) [De *lobo* (ô) + *cerval*.] *S. m. Zool.* O lince de Portugal (*Felis* e *Lynx guardiana*) e o lince europeu (*Felis lynx lynx*). [Pl.: *lobos-cervais*.]

lobo-da-tasmânia (ô) [De *lobo* (ô) + *da*[1] + top. *Tasmânia* (Austrália).] *S. m. Zool.* Mamífero marsupial (*Thylacinus cynocephalus*) semelhante a um cachorro, de pelagem macia, marrom-acinzentada, com listras pretas nos quartos traseiros e na ponta da cauda; tigre-da-tasmânia. [V. *tilacino*. Pl.: *lobos-da-tasmânia*.]

lobo do mar (ô) [De *lobo* (ô) + *do* + *mar*[1].] *S. m.* Marinheiro experimentado, muito amigo da vida marítima; leão do mar. [Pl.: *lobos do mar*.]

lobolar [De *lobolo* + *-ar*[2].] *V. t. d. Moç.* V. *lembar*: "Os homens é que mandam, nós fomos loboladas para satisfazer todos os seus desejos." (Paulina Chiziane, *Ventos do Apocalipse*, p. 69.)

lobolo [Do tsonga.] *S. m. Moç.* 1. V. *alembamento*: "O lobolo compra a mulher, como pretendem alguns? | Ou compra as crianças que ela produzirá como querem outros? | Ou simplesmente indemniza a sua família pela privação de um membro que trabalha?" (Lindo Nhlongo, *2 Peças de Teatro — Os Noivos ou Conferência Dramática sobre o Lobolo*, p. 17.) 2. Casamento tradicional, que se realiza com a entrega do lobolo (1) à família da noiva: "A propósito de lobolo, penso que hoje em dia essa forma de casamento tradicional está quase que totalmente esvaziada do seu sentido primitivo." (Raul Bernardo Honwana, *Memórias*, p. 38.) 3. *P. ext.* Cerimônia de entrega do lobolo (1).

lobolobo (ô) [De or. incerta; poss. de uma língua indígena sul-americana.] *S. m. Bras. Bot.* Arbusto violáceo (*Rinorea physiphora*) nativo do Brasil, de folhas lanceoladas, glandulosas no ápice e serreadas na margem, que podem ser ingeridas como espinafre; flores racemosas, pequeninas, e fruto capsular.

lobo-marinho (ô) [De *lobo* (ô) + *marinho*.] *S. m. Zool.* Designação comum às espécies de mamíferos carnívoros, pinípedes, dos otarídeos, esp. *Otaria flavescens* e *Arctocephalus australis*, do Atlântico e Pacífico sul, de coloração negra e membros locomotores transformados em nadadeiras. Diferenciam-se das focas pela presença de pequenas orelhas. Raramente atingem o RJ. [Sin.: *leão-marinho*, *urso-do-mar*. Pl.: *lobos-marinhos*.]

loboso (ô) [De *lobo* + *-oso*; tax. *Lobosa*.] *S. m.* **Adj.** *Zool.* V. *amebino*.

lobotídeo [Do tax. *Lobotes* + *-ídeo*[1]; tax. *Lobotidae*.] *Zool.* *S. m.* 1. Espécime dos lobotídeos, família de peixes actinopterígios, perciformes, marinhos, de corpo grande e pesado. As nadadeiras dorsal, anal e caudal são de igual tamanho, o que faz com que os peixes pareçam ter uma cauda trilobada. A espécie mais conhecida é a prejereba. ● *Adj.* 2. Pertencente ou relativo a eles.

lobotomia [De *lob(o)-* + *-tom(o)-* + *-ia*[1].] *S. f. Cir.* Incisão em lobo (1). ◆ **Lobotomia frontal.** *Neurocir. Psiq.* Transeção metódica de ou dos lobos frontais, indicada em certas condições mórbidas mentais, como síndromes esquizofrênicas, ou em caso de dores intratáveis de outra forma. [Essa intervenção foi proposta pelo neurologista português Egas Moniz (1874-1955). Tb. se diz lobotomia pré-frontal; sin.: *leucotomia*.] **Lobotomia pré-frontal.** *Neurocir.* V. *lobotomia frontal*.

lobotomizar [De *lobotomia* + *-izar*.] *V. t. d. Cir.* Realizar lobotomia em.

lobregar [De *lôbrego* + *-ar*[2].] *V. t. d.* Tornar lôbrego. [Conjug.: v. *chegar*. Pres. ind.: *lobrego*, etc. Cf. *lôbrego* e *lobrigar*.]

lôbrego [De *lúgubre*, com metátese, poss.] *Adj.* 1. V. *lúgubre* (3): "O polígono de São Julião da Barra, com suas muralhas a prumo e lôbrego casario, foi a triste imagem dum cárcere para quem buscava a amplidão." (Joaquim Paço d'Arcos, *Neve sobre o Mar*, p. 26.) 2. V. *lúgubre* (4). [Cf. *lobrego*, do v. *lobregar*.]

lobreguidão [De *lôbrego* + *-idão*.] *S. f.* Qualidade ou estado de lôbrego.

lobrigador (ô) [De *lobrigar* + *-dor*.] *Adj. S. m.* Que, ou aquele que lobriga.

lobrigar [De or. obscura.] *V. t. d.* 1. Ver a custo; ver indistintamente; entrever; perceber; bispar: "Achei-as [as portas do templo] bem fechadas, mas lobriguei luz por baixo delas." (Machado de Assis, *Várias Histórias*, p. 23.) 2. Ver por acaso. 3. Ver ao longe: "Não! isso é demais para o brasileiro que ainda não saiu das praias e lobriga ainda na orla do horizonte as imagens das caravelas conquistadoras." (João Ribeiro, *Cartas Devolvidas*, pp. 88-89.) 4. Notar, perceber, entender. [Conjug.: v. *largar*. Cf. *lobregar*.]

lobrobrô *S. m. Bras. MG* V. *beldroega-pequena*.

lobulado [De *lóbulo* + *-ado*[1].] *Adj.* 1. V. *lobado*[1] (1). 2. *Arquit.* Diz-se de elemento arquitetônico dividido em segmentos curvos, iguais, dispostos em sequência e ligados pelos pontos extremos.

lobular [De *lóbulo* + *-ar*[1].] *Adj. 2 g.* 1. Que tem a natureza do lóbulo. 2. V. *lobado* (1).

lóbulo [De *lobo* + *-ulo*.] *S. m. Anat.* 1. Designação genérica de pequeno lobo. 2. Cada uma das divisões primárias de um lobo. ◆ **Lóbulo de antena.** *Eng. Elétr.* Porção do diagrama direcional de uma antena limitada por um ou dois cones de nulos.

lobuloso (ô) [De *lóbulo* + *-oso*.] *Adj.* Que apresenta lóbulos ou está dividido em lóbulos.

lobuno [Do esp. plat. *lobuno*.] *Adj. S. m. Bras. MG S. Zool.* Diz-se de, ou animal cavalar ou vacum de pelo escuro, acinzentado: "O corcel lobuno .... sacode vaidosamente a cabeça" (Afonso Arinos, *Pelo Sertão*, p. 62); "E bem montado, vinha, num bagual lobuno rabicano de machinhos altos" (Simões Lopes Neto, *Contos Gauchescos e Lendas do Sul*, pp. 132-133); "O lobuno refugou, bufando." (Id., *ib.*, p. 134). [Var.: *libuno*.]

loca [De or. obscura.] *S. f.* 1. Esconderijo do peixe sob uma laje debaixo da água; toca subaquática. 2. Gruta pequena; lapa, toca, furna: "Um lagarto teiú dorminhoco escorregara duma pedra e sovertera-se numa loca de tatu" (Albertino Moreira, *Boca-Pio*, p. 42).

locação [Do lat. *locatione*.] *S. f.* 1. Ato ou efeito de locar. 2. Aluguel; arrendamento; locanda. 3. A remuneração correspondente à locação (2): *pagar a locação de um imóvel*. 4. Compra de bilhetes horas antes de um espetáculo teatral e por isso onerados com uma percentagem. 5. *Bras.* Conjunto de operações com que se marcam, no terreno, os pontos definidores da posição de uma obra que nele se vai executar. [Sin., nesta acepç.: *implantação*.] 6. *Cin.* Lugar, fora do estúdio cinematográfico, onde se filmam cenas externas ou internas.

locador (ô) [Do lat. *locatore*.] *S. m.* 1. Aquele que no contrato de locação (verbal ou escrito) se obrigou a ceder algo ou a prestar um serviço. 2. Senhorio; arrendador.

locadora (ô) [De *locar* + *-dora*.] *S. f.* Agência comercial que trata de aluguéis de carros, eletrodomésticos, fitas de vídeo, etc.

locago [Do gr. *lochagós*.] *S. m.* Na Grécia antiga, comandante de um loco.

local [Do lat. tard. *locale*.] *Adj.* 1. Relativo ou pertencente a determinado lugar; localista, lugareiro: *tradições locais*. 2. Circunscrito a uma área ou região, limitado a uma parte específica de um todo, ou restrito a um campo ou domínio determinado: *afecção local*; *teoria de alcance local*. 3. *Inform.* Em redes de computadores, relativo ao computador presentemente utilizado pelo usuário, às operações nele processadas ou aos dados neles armazenados. 4. *Inform.* Em uma rede de computadores, que comporta redes menores (v. *internet*), diz-se daquela à qual está diretamente ligado o computador em que o usuário está trabalhando. [Nas acepçs. 3 e 4, opõe-se a *remoto*.] ~ V. *cor —*, *emissora —*, *grupo —*, *hora —*, *meridiano —*, *rede —*, *tempo —* e *via —*. ● *S. m.* 5. Lugar, sítio ou ponto referido a um fato. ● *S. f.* 6. Notícia publicada por um jornal acerca da localidade em que ele se edita. 7. *Bras.* Qualquer notícia de um fato ou acontecimento publicada em um jornal: "quero a notícia feita com talento. É preciso que a local emocione." (Coelho Neto, *A Conquista*, p. 240).

localidade [De *local* + *-(i)dade*, ou do lat. tard. *localitate*.] *S. f.* 1. Lugar determinado. 2. Povoação; lugarejo. ◆ **Localidade clássica.** *Bot.* Localidade geográfica de onde procede o tipo de uma espécie.

localismo [De *local* + *-ismo*.] *S. m.* Defesa sistemática dos interesses locais.

localista [De *local* + *-ista*.] *Bras. Adj. 2 g.* 1. V. *local* (1). ● *S. 2 g.* 2. Redator da seção noticiosa dum jornal. 3. Pessoa que publica as notícias de uma localidade.

localização [De *localizar* + *-ção*.] *S. f.* 1. Ato ou efeito de localizar(-se). 2. *Psic.* Suposta relação entre as faculdades psíquicas e determinadas partes do cérebro.

localizado [Part. de *localizar*.] *Adj.* Que se localizou ou se localiza. ~ V. *guerra —a*.

localizar [De *local* + *-izar*.] *V. t. d.* 1. Determinar o local de; locar. 2. Tornar local; fixar ou limitar a determinado lugar. 3. Inteirar-se do paradeiro de: "pegou o telefone e pediu uma ligação para São Paulo. Fez várias ligações mas não conseguiu localizar o Cavalcante." (Osvaldo França Júnior, *Um Dia no Rio*, p. 10). *T. d. e c.* 4. Fixar, limitar ou estabelecer em determinado lugar: "cogitou de requerer ao Conselho a concessão daquelas terras para ali localizar cinquenta famílias de colonos estrangeiros." (Xavier Marques, *As Voltas da Estrada*, p. 296). 5. Imaginar num determinado ponto. *P.* 6. Fixar-se, colocar-se, estabelecer-se (em certo lugar): *A firma veio a localizar-se na Rua da Alfândega*; "A questão religiosa .... localizou-se durante a época dos banhos no sítio da Ponte de Algés" (Ramalho Ortigão, *As Farpas*, V, p. 47).

localizável [De *localizar* + *-vel*.] *Adj. 2 g.* Que pode ser localizado.

locanda [Do it. *locanda* < lat. *locanda*, gerundivo (fem.) de *locare*, 'alugar'.] *S. f.* 1. V. *taberna* (1 e 2). 2. V. *tenda* (3). 3. V. *locação* (2): "O lugar parecia existir há mil anos .... e servia uma comunidade de lavradores e seus pastores, cães, mulos e padeiros, além de toda a gente de locanda e arrendamento de terras." (Agustina Bessa-Luís, *Memórias Laurentinas*, p. 21.)

locandeiro [Do it. *locandiere*.] *S. m.* 1. Proprietário de locanda. 2. V. *locatário*: "Havia muito tempo, desconfiava o Eduardo que a sua locandeira sentia por ele uma dessas paixões serôdias e abjetas" (Artur Azevedo, *Contos Possíveis*, p. 83).

loção[1] [Do lat. tard. *lotione*.] *S. f.* 1. Lavagem; ablução. 2. *Farm.* Medicamento que é apresentado sob forma de suspensão (2), e que se destina a ser aplicado ao corpo externamente. 3. *Bras.* Líquido perfumado, para a cútis ou para os cabelos. [Cf. *loução*.]

loção[2] *S. m.* Labão. [Cf. *loução*.]

locar [Do lat. *locare*.] *V. t. d.* 1. Dar ou tomar de aluguel ou de arrendamento; alugar. 2. Localizar (1). 3. *Mat.* Marcar, num diagrama ou num gráfico (um ponto de coordenadas conhecidas); plotar. 4. *Bras.* Proceder à locação (5) de. *T. d. e i.* 5. Locar (1): *Locou sua casa a um amigo.* [Conjug.: v. *trancar*. Pres. ind.: *loco*, etc. Cf. *loco* (ô) e *louco*.]

locário [Do lat. tard. *locariu*.] *S. m. Teatr.* Entre os antigos romanos, aquele que se encarregava da venda ou distribuição de lugares nos teatros.

locatário [Do lat. tard. *locatariu*.] *S. m.* Aquele que se obrigou, no contrato de locação (verbal ou escrito), a receber a coisa alugada ou a prestação de serviços; alugador, inquilino; locandeiro. [Cf. *rendeiro*[1].]

locativo [Do fr. *locatif*.] *Adj.* 1. Referente a locação. 2. *E. Ling.* Relativo a locativo (3 e 4). ~ V. *caso — e valor —*. • *S. m.* 3. *E. Ling.* Caso locativo (q. v.). 4. *E. Ling.* Categoria gramatical que exprime lugar.

locaute [Aport. do ingl. *lockout*.] *S. m.* V. *lockout*: "No 20º dia do locaute agropecuário que levou ao desabastecimento de alimentos em toda a Argentina, a presidente Cristina Fernández de Kirchner fez um novo pedido para que os produtores agrícolas liberem as estradas bloqueadas por piquetes há três semanas." (Adriana Küchker, em *Folha de S.Paulo*, 02.04.2008.)

■ **loc.cit.** Abrev. de *loco citato* (q. v.).

locé [De or. incerta.] *El. s. m.* Us. na loc. adv. *a locé*. ◆ **A locé.** *Bras. N.E.* De modo agradável; bem: *ir a locé*; "E o mundo que corresse a locé, até que ela chegasse de volta." (José Lins do Rego, *Banguê*, p. 77.)

locionar [De *loção*[1] + *-ar*[2], seg. o padrão erudito.] *V. t. d.* Aplicar loção[1] (2) a.

➔**lock** [lɑk] [Ingl.] *S. m. Inform.* V. *bloqueio*.

lockiano [Do antr. *Locke* + *-iano*.] *Hist. Filos. Adj.* 1. Pertencente, relativo ou próprio de John Locke (1632-1704), filósofo inglês, que é considerado o representante principal do empirismo naquele país, e ideólogo do liberalismo. 2. Que é adepto das concepções de John Locke ou profundo conhecedor de sua obra. • *S. m.* 3. Seguidor de suas concepções ou profundo conhecedor de sua obra.

➔**lockout** [lakæwt] [Ingl.] *S. m.* 1. *Dir. Trab. Econ.* Paralisação unilateral e intencional das atividades pelo empregador, com o fechamento provisório do estabelecimento, para exercer coação sobre os empregados a fim de que aceitem determinadas condições, sendo tal prática vedada pelo ordenamento jurídico brasileiro. 2. *P. ext.* Qualquer paralisação de um setor ou unidade produtiva determinada pelos proprietários, como instrumento de pressão.

loco [Do gr. *lóchos*.] *S. m.* 1. Na Grécia antiga, tropa de homens armados cujo número variou, segundo a época, entre 100 e 200 componentes. 2. Disposição dos antigos exércitos gregos. [Pl.: *locos*. Cf. *loco* (ô), pl. *locos* (ô), e *louco*, pl. *loucos*.]

loco[1] (ô) [Do jeje, poss.] *S. m. Bras. Rel.* Vodum jeje correspondente ao orixá Iroco. [Com cap.]

loco[2] (ô) [Var. de *locro*.] *S. m. Bras. Cul.* Carne guisada com milho, prato típico dos trabalhadores paraguaios em MT. [Pl.: *locos* (ô). Cf. *loco*, s. m., pl. *locos*; *loco*, do v. *locar*; e *louco*, pl. *loucos*.]

▲ **loco-** [Do lat. *locus, i*.] *El. comp.* = 'lugar': *locomoção, locomover-se*.

➔ **loco citato** ['lɔcɔ 'kɛ'tatɔ] [Lat., 'no trecho citado'.] Remissão, num livro, a um trecho mencionado anteriormente. [Abrev.: loc. cit.]

locomobilidade [De *locomóvel* + *-(i)dade*, seg. o padrão erudito.] *S. f.* Qualidade de locomóvel.

locomoção [Do fr. *locomotion*.] *S. f.* Ato ou efeito de andar ou de transportar-se de um lugar para outro, de locomover-se.

locomotiva [Do ingl. *locomotive*.] *S. f.* 1. Máquina a vapor, elétrica, de motor térmico, etc., que opera a tração dos trens nas estradas de ferro. [Sin., pop., bras.: *balduína*.] 2. *Bras. PE Etnogr.* Passo do frevo em que o dançarino principia com o corpo agachado e os braços abertos para a frente e dá pequenos saltos, encolhendo e estirando alternadamente cada uma das pernas.

locomotividade [De *locomotivo* + *-(i)dade*.] *S. f.* Faculdade de locomoção, inerente aos animais.

locomotivo [De *loco-* + *motivo* (adj.).] *Adj.* Referente à locomoção.

locomotor (ô) [De *loco-* + *motor* (adj.); fr. *locomoteur*.] *Adj.* Que opera a locomoção. [Fem.: *locomotora* e *locomotriz*.] ~ V. *ataxia —a progressiva*.

locomotriz *Adj. (f.)* Fem. de *locomotor* (q. v.).

locomóvel [De *loco-* + *móvel*.] *Adj. 2 g.* 1. Que pode locomover-se. • *S. f.* 2. Máquina de vapor sobre rodas.

locomover-se [De *loco-* + *mover* + *se*[1].] *V. p.* Mudar de lugar; deslocar-se: "Já gravemente atingido pela paralisia, o poeta [Félix Arvers] não podia locomover-se" (Melo Nóbrega, *O Soneto de Arvers*, p. 31).

locotenente [De *loco-* + lat. *tenente*, 'que ocupa', 'ocupante'.] *S. m.* Lugar-tenente: "Depois de distribuir porções de seus territórios a locotenentes e solarengos, ... acabar assim achincalhado e sem vintém!" (Alberto Rangel, *Papéis Pintados*, pp. 222-223.) ❖

locro (ô) [Do esp. plat. *locro* < quíchua *rokkhro*.] *S. m. Bras.* Loco[2].

loctal [Do ingl. *loktal* (marca registrada).] *Adj. 2 g.* Diz-se de válvula com pino central para fixá-la no soquete. ~ V. *base —*.

locução [Do lat. *locutione*.] *S. f.* 1. Modo especial de falar; linguagem: *locução expressiva*. 2. Maneira de dizer; dição, dicção. 3. *Cin. Rád. Telev.* Parte do roteiro ou do filme que contém as falas do locutor. 4. *E. Ling.* Conjunto de duas ou mais palavras que funcionam como uma unidade. 5. Válvula na parte superior do órgão (5). ◆ **Locução estereotipada.** *E. Ling.* V. *expressão idiomática*. **Locução prepositiva.** *E. Ling.* V. *preposição composta*.

locucionar [De *locução* + *-ar*, seg. o padrão erudito.] *V. t. d. P. us.* Dizer, pronunciar, articular, exprimir.

loculado [Do lat. *loculatu*.] *Adj.* Dividido em lóculos.

loculamento [Do lat. *loculamentu*.] *S. m. Bot.* Lóculo (2).

locular [Do lat. tard. *loculare*.] *Adj. 2 g. Bot.* Que tem lóculos separados por septos.

loculicida (ô) [De *lóculo* + *-i-* + *-cida*.] *Adj. 2 g. Bot.* Diz-se da deiscência longitudinal, em que se abre cada lóculo separadamente.

lóculo [Do lat. *loculu*, dim. do lat. *locus*, 'lugar'.] *S. m.* 1. Pequena cavidade. 2. *Bot.* Cavidade do ovário e do pericarpo das plantas; loculamento.

loculoso (ô) [Do lat. *loculosu*.] *Adj.* Que tem lóculos.

locupletação [Do lat. tard. *locupletatione*.] *S. f.* Ato ou efeito de locupletar(-se); locupletamento.

locupletamento [De *locupletar* + *-mento*.] *S. m.* Locupletação.

locupletar [Do lat. *locupletare*.] *V. t. d.* 1. Tornar rico; enriquecer. 2. Encher em demasia; saciar; fartar: *locupletar a boca*. 3. Encher completamente; abarrotar, atestar, repletar: "locupleta, abastece os meus celeiros!..." (Raimundo Correia, *Poesias*, p. 252). *T. d. e i.* 4. Encher completamente; abarrotar, atestar, repletar: "Povo do deserto, era nas cidades recatadas do interior que estabeleciam [os sarracenos] suas cortes e as locupletavam de mimos de arte e esplêndidas joias como as odaliscas." (Aquilino Ribeiro, *Estrada de Santiago*, p. 80.) *P.* 5. Tornar-se rico; enriquecer(-se): *locupletar-se com a miséria alheia*. [Sin., bras., N.E., pop., nesta acepç.: *empapar-se*.] 6. Encher-se em demasia; saciar-se; fartar-se.

locupleto [Do lat. med. *locupletu*.] *Adj.* Farto, repleto: "depois vêm, locupletos de gozo e de preguiça, pregar o desdém das riquezas" (Fialho d'Almeida, *Barbear, Pentear*, p. 210).

lócus [Do lat. *locus*, 'lugar'.] *S. m. 2 n. Genét.* Posição de um determinado gene num cromossomo.

locusta [Do lat. *locusta*.] *S. f.* Espigueta (1).

locustário [Do lat. *locusta*, 'gafanhoto', + *-ário*.] *Adj. Zool.* Semelhante ou relativo ao gafanhoto (q. v.).

locustídeo [Do tax. *Locusta* + *-ídeo*[1]; tax. *Locustidae*.] *Zool. S. m.* 1. Espécime dos locustídeos, família de insetos da ordem dos ortópteros. V. *acrídeo*. • *Adj.* 2. Pertencente ou relativo a eles.

locustódeo [Do tax. *Locusta* + *-ódeo*; tax. *Locustodea*.] *S. m. Adj. Zool.* V. *ensífero*[2].

locutor (ô) [Do lat. tard. *locutore*, 'aquele que fala'.] *S. m.* Profissional encarregado de ler textos, de irradiar ou apresentar programas ao microfone das estações radioemissoras ou televisoras. ◆ **Locutor anunciador.** *Rád. Telev.* Aquele que, nos intervalos comerciais, lê textos, anuncia a sequência da programação, etc. **Locutor apresentador-animador.** *Rád. Telev.* Aquele que apresenta programas, promovendo entrevistas, brincadeiras, competições, etc. **Locutor comentarista.** *Rád. Telev.* Aquele que comenta os eventos transmitidos. **Locutor entrevistador.** *Rád. Telev.* Aquele que expõe e narra fatos, realizando entrevistas pertinentes. **Locutor noticiarista.** *Rád. Telev.* Aquele que lê os textos de noticiário preparados pela redação do programa.

locutório [Do lat. tard. *locutoriu*.] *S. m.* 1. Compartimento separado por grades, donde falam as pessoas recolhidas em conventos com as de fora que as procuram: "Havia no fundo da sala, entre as portas do serviço, duas janelas gradeadas como o locutório dos conventos" (José de Alencar, *O Sertanejo*, p. 151). 2. Compartimento semelhante nas prisões, lazaretos, etc. [Sin. ger.: *palratório, parlatório*.]

lodaça [Alter. de *audácia*.] *S. f.* 1. *Bras. CE Pop.* Audácia. • *S. 2 g.* 2. *Bras. BA* Pessoa muito escura. • *Adj. 2 g.* 3. *Bras. BA* Diz-se de pessoa com tal característica. ~ V. *lodaças*.

lodaçal [De *lodo* (ô) + *-açal*.] *S. m.* 1. Lugar em que há muito lodo. 2. *Fig.* Vida desregrada, de devassidão. 3. *Fig.* Lugar aviltante, imoral.

lodaças [Pl. de *lodaça*.] *S. f. pl. Pop.* Lábias; astúcias; gabolice. ~ V. *lodaça*.

lodacento [De *lodo* (ô) + *-aço* + *-ento*.] *Adj.* V. *lodoso*: "Na zina da secura, atiram-se, perdidos, /À lodacenta vala, aos charcos corrompidos!" (Bulhão Pato, *Livro do Monte*, p. 45.)

lódão [Do lat. *lotu* (do gr. *lotós*) + suf. lat. *-anu*, por via pop.] *S. m. Bot.* Designação comum a diversas ninfeáceas do gênero *Nymphaea* (v. *ninfeia*[2]). [Pl.: *lódãos*.]

lodeira [De *lodo* (ô) + *-eira*.] *S. f.* 1. Lodeiro (1). 2. V. *lamaçal* (1).

lodeiro [De *lodo* (ô) + *-eiro*.] *S. m.* 1. Lugar onde há muito lodo (ô); lodeira. 2. V. *lamaçal* (1).

lodícula [Do lat. *lodicula*.] *S. f. Bot.* Glumélula.

lodo [Do gr. *lotós*, pelo lat. *lotu*.] *S. m.* V. *lotus*. [Pl.: *lodos*. Cf. *lodo* (ô) e pl. *lodos* (ô).]

lodo (ô) [Do lat. *lutu*, por via pop.] *S. m.* 1. Argila muito mole, quase fluida, que contém matéria orgânica; vasa, limo, lama. 2. *Fig.* Ignomínia, baixeza, degradação; lama, sarjeta. [Pl.: *lodos* (ô). Cf. *lodo* e pl. *lodos*.]

lodoso (ô) [Do lat. *lutosu*.] *Adj.* 1. Que tem lodo (ô) ou lama; lamacento. 2. *P. ext.* Sujo, emporcalhado. [Sin. ger.: *lodacento*.]

loellinguita [Do top. *Loelling* (Áustria) + *-ita*[2].] *S. f. Min.* Mineral ortorrômbico, arsenieto de ferro, com certa quantidade de cobalto, níquel, antimônio e enxofre.

loendral [De *loendro* + *-al*[1].] *S. m.* 1. Quantidade mais ou menos considerável de loendros dispostos proximamente entre si. 2. Área ocupada por loendral (1).

loendro [Do lat. *lorandru*, com síncope e dissimilação.] *S. m. Bot.* V. *espirradeira*: "as ribeiras quase secas, orladas de loendros floridos" (Conde de Ficalho, *Uma Eleição Perdida*, p. 22).

loess *S. m. Geol.* V. *loesse*.

loesse [Do al. *Löss*.] *S. m. Geol.* Sedimento eólico amarelado, sem estratificação, constituído essencialmente de finas partículas de quartzo, sempre angulosas, disseminadas em cimento argiloso, colorido de amarelo pelo óxido de ferro, e que por vezes encerra partículas calcárias.

loeste *S. m. Desus.* Oeste.

lofiiforme [Adapt. do tax. *Lophiiformes*.] *Zool. S. m.* Espécime dos lofiiformes, ordem de peixes teleósteos, das profundezas marinhas, de cabeça relativamente grande, boca ampla, corpo globoso e rabo curto, que se caracterizam por apresentar a primeira espícula da nadadeira dorsal transformada em tentáculo móvel, us. para atrair presas. • *Adj. 2 g.* 2. Pertencente ou relativo a eles.

lófio *S. m. Zool.* V. *peixe-pescador*.

▲ **lof(o)-** [Do gr. *lóphos, ou*.] *El. comp.* = 'crista', 'penacho', 'topete': *lofodonte, lofócomo*. [Equiv.: *-lof(o)-*, *-lofo*: *anfolofótrico, dilofossauro; eritrólofo*.]

▲ **-lof(o)-** V. *lof(o)-*.

▲ **-lofo** V. *lof(o)-*.

lofobrânquio[1] [De *lof(o)-* + *-brânquio*.] *Adj. Zool.* Que tem as brânquias em forma de tufos.

lofobrânquio[2] [Adapt. do tax. *Lophobranchii*.] *Zool. S. m.* 1. Espécime dos lofobrânquios, superfamília de peixes teleósteos, que engloba os cavalos-marinhos e os peixes-cachimbos, peixes que têm as brânquias divididas em pequenos tufos. • *Adj.* 2. Pertencente ou relativo a eles.

lofócomo [De *lofo-* + *-como*.] *Adj.* Cujo cabelo é eriçado em forma de penacho.

lofodonte [De *lof(o)-* + *-odonte*.] *Adj. 2 g. Zool.* Diz-se de animais em que os tubérculos primitivos dos dentes se desenvolvem em cristas. [É o que ocorre nos mamíferos artiodáctilos.]

lofóforo [De *lof(o)-* + *-foro*.] *S. m. Zool.* O conjunto dos tentáculos ciliados que circundam, total ou parcialmente, a boca dos briozoários, braquiópodes e alguns outros moluscos marinhos ou de água doce. Têm, às vezes, forma de ferradura e servem para a apreensão de alimentos.

lofópode [De *lof(o)-* + *-pode*; tax. *Lophopoda*.] ***S. m. Adj. 2 g.*** *Zool.* V. *gimnolemado*.

➔ **loft** [lɑft] [Ingl.] ***S. m.*** *Arquit.* Apartamento, etc., sem divisórias, ger. com pé-direito alto e mezanino, onde os ambientes são integrados.

➔ **log** [lag] [Ingl.] *Inform.* Arquivo de registro automático de operações efetuadas num computador, ou que armazena todas as entradas ou saídas de uma sessão de uso (p. ex., guarda todas as mensagens que aparecem na tela durante uma sessão de bate-papo virtual).

■ **log** *Mat.* Símb. de *logaritmo decimal*; lg.

logadectomia [De *logad(o)-* + *-ectom-* + *-ia*[1].] ***S. f.*** *Oftalm.* Excisão parcial da conjuntiva.

logadectómico ***Adj.*** V. *logadectômico*. [Uso freq. em P.]

logadectômico [De *logadectomia* + *-ico*[2].] ***Adj.*** Relativo a logadectomia.

logadite [De *logad(o)-* + *-ite*[1].] ***S. f.*** *Oftalm.* V. *conjuntivite*.

▲ **logad(o)-** [Do gr. *logádes, ōn*.] ***El. comp.*** = 'esclera', 'conjuntiva': *logadectomia, logadite*.

loganiácea [Do tax. *Logania* (do antr. [James] *Logan* [1674-1751], botânico irlandês, + lat. cient. *-ia*) + *-ácea*; tax. *Loganiaceae*.] ***S. f.*** *Bot.* Espécime das loganiáceas, família da ordem das gencianales, composta de plantas ger. lenhosas. Flores cimosas, tetrâmeras ou pentâmeras, e hermafroditas; corola tubulosa; ovário bilocular, com numerosos óvulos. Folhas opostas, com produções estipulares. Fruto: cápsula, baga ou drupa. Conhecem-se umas 600 espécies, dos países intertropicais. São comuns no Brasil, onde o gênero *Strychnos* é importante por ser a base do curare.

loganiáceo [De *loganiácea*, com var. suf. (v. *-áceo*).] ***Adj.*** *Bot.* Pertencente ou relativo às loganiáceas.

loganina [Do tax. *Logan(iaceae)* (v. *loganiácea*) + *-ina*[3].] ***S. f.*** *Quím.* Substância sólida, glicosídeo no qual a aglicona é um iridoide, e que participa na biossíntese de certos alcaloides; ocorre na noz-vômica [fórm.: $C_{17}H_{26}O_{10}$].

logar [De *log(in)* + *-ar*[2].] ***V. t. i.*** ***Int.*** *Inform.* Identificar-se por meio de credenciais para ter acesso a um computador ou a um sistema específico; fazer ou realizar *login* (1). [Conjug.: v. *largar*.]

logarítmico [De *logaritmo* + *-ico*[2].] ***Adj.*** Referente aos logaritmos. ~ V. *decremento — e derivada —a*.

logaritmo [Do lat. cient. *logarithmu*, voc. criado, em 1614, pelo escocês John Napier (1550-1617), em 1614, a partir dos t. gr. *lógos*, 'cálculo', 'razão', e *arithmós*, 'número'.] ***S. m.*** *Mat.* **1.** Expoente a que se deve elevar um número constante para se obter outro número. **2.** V. *logaritmo decimal*. ◆ **Logaritmo binário.** *Mat.* Logaritmo de um número na base dois. **Logaritmo de Briggs.** *Mat.* V. *logaritmo decimal*. **Logaritmo decimal.** *Mat.* O expoente a que se deve elevar o número 10 para se obter outro número [símb.: *lg* e *log*]. [Tb. se diz apenas *logaritmo*; sin.: *logaritmo de Briggs*.] **Logaritmo hiperbólico.** *Mat.* V. *logaritmo neperiano*. **Logaritmo natural.** *Mat.* V. *logaritmo neperiano*. **Logaritmo neperiano.** *Mat.* O expoente a que se deve elevar o número *e* para se obter outro número; logaritmo hiperbólico, logaritmo natural [símb.: *ln*].

logastenia [De *log(o)-* + *astenia*.] ***S. f.*** Dificuldade que tem a criança em aprender a ler e escrever.

logasténico ***Adj.*** V. *logastênico*. [Uso freq. em P.]

logastênico [De *logastenia* + *-ico*[2].] ***Adj.*** Relativo à logastenia.

➔ **loggia** ['lɔdʒa] [It.] ***S. f.*** Galeria ou arcada aberta.

▲ **-logia** [Do gr. *-logía* (do gr. *-logos* [< gr. *lógos*, < v. gr. *légein*] + gr. *-ía*, v. *-ia*[1]).] ***El. comp.*** = 'discurso', 'expressão', 'linguagem'; 'estudo', 'ciência'; 'coleção': *tropologia* (<gr.); *genealogia* (<gr.), *mineralogia*, *oftalmologia*; *antologia* (<gr.), *terminologia*. [V. *log(o)-* e *-ia*[1].]

lógica [Do gr. *logiké (téchne)*, pelo lat. tard. *logica*.] ***S. f.*** **1.** *Filos.* Na tradição clássica, aristotélico-tomista, conjunto de estudos que visam a determinar os processos intelectuais que são condição geral do conhecimento verdadeiro. [Distinguem-se a *lógica formal* e a *lógica material*.] **2.** *Filos.* Conjunto de estudos tendentes a expressar em linguagem matemática as estruturas e operações do pensamento, deduzindo-as de número reduzido de axiomas, com a intenção de criar uma linguagem rigorosa, adequada ao pensamento científico tal como o concebe a tradição empírico-positivista; lógica matemática, lógica simbólica. **3.** *Filos.* Conjunto de estudos, originados no hegelianismo, que têm por fim determinar categorias racionais válidas para a apreensão da realidade concebida como uma totalidade em permanente transformação; lógica dialética. [São categorias dessa lógica a contradição, a totalidade, a ação recíproca, a síntese, etc.] **4.** Tratado ou compêndio de lógica. **5.** Exemplar de um desses tratados ou compêndios. **6.** Coerência de raciocínio, de ideias. **7.** Maneira de raciocinar particular a um indivíduo ou a um grupo: *a lógica da criança*; *a lógica do primitivo*; *a lógica do louco*. **8.** *Fig.* Sequência coerente, regular e necessária de acontecimentos, de coisas. [Cf. *logica*, do v. *logicar*.] **9.** Conjunto de regras e princípios que orientam, implícita ou explicitamente, o desenvolvimento de uma argumentação ou de um raciocínio, a resolução de um problema, etc. **10.** *Inform.* Forma pela qual as assertivas, pressupostos e instruções são organizadas em um algoritmo para implementação de um programa de computador. ◆ **Lógica booliana.** *Mat. Inform.* V. *álgebra booliana*. **Lógica das proposições.** *Filos.* Parte da lógica formal (2) que trata do cálculo proposicional; lógica sentencial. **Lógica das relações.** *Filos.* Parte da lógica formal (2) que trata do cálculo funcional. **Lógica dialética.** *Filos.* Lógica (3). **Lógica difusa.** Extensão da lógica booliana, na qual as variáveis podem adquirir graus intermediários de veracidade ou falsidade, representados por valores fracionários entre 0 e 1; lógica *fuzzy*. [Foi introduzida na década de 1960 como meio de modelar graus de incerteza presentes na linguagem natural; é muito usada no desenvolvimento de sistemas especialistas.] **Lógica formal.** *Filos.* **1.** Na tradição clássica, o estudo das formas (conceitos, juízos e raciocínios) e leis do pensamento. **2.** Na tradição empirista e positivista, o estudo da estrutura das proposições e das operações pelas quais, com base nessa estrutura, se deduzem conclusões válidas. [Distinguem-se a *lógica das proposições* e a *lógica das relações*.] **Lógica *fuzzy*.** Lógica difusa (q. v.). **Lógica matemática.** *Filos.* V. *lógica* (2). **Lógica material.** *Filos.* Estudo da relação entre as formas e leis do pensamento e a verdade, *i. e.*, estudo das operações do pensamento que conduzem a conhecimentos verdadeiros. [Cf. *lógica transcendental*.] **Lógica modal.** A que trata das noções de contingência, possibilidade, e necessidade, em oposição à simples afirmação ou negação. **Lógica polivalente.** Sistema lógico que admite mais de dois valores de verdade. **Lógica sentencial.** *Filos.* Lógica das proposições. **Lógica simbólica.** *Filos.* V. *lógica* (2). **Lógica transcendental.** *Filos.* Segundo Kant (v. *kantismo*), ciência do entendimento puro e do conhecimento racional, pela qual se determinam os conceitos que se relacionam aos objetos independentemente da experiência, e anteriormente a ela. [Cf. *lógica material*.]

logicar [De *lógica* + *-ar*[2].] ***V. int.*** **1.** Discorrer logicamente, com lógica; raciocinar. **2.** Ostentar conhecimentos de lógica. [Conjug.: v. *trancar*. Pres. ind.: *logico, logicas, logica*, etc. Cf. *lógico* e *lógica*.]

logicismo [De *lógica* + *-ismo*.] ***S. m.*** *Filos.* **1.** Doutrina que atribui à lógica autonomia absoluta, não tomando em consideração qualquer problema relativo à sua gênese psicológica ou histórico-social. **2.** Concepção desenvolvida por Gottlob Frege (1848-1925), matemático e filósofo alemão, e Bertrand Russell (v. *russelliano*), que pretende deduzir as relações matemáticas das relações lógicas. [Cf., nesta acepç., *formalismo* e *intuicionismo*.]

logicizar [De *lógico* + *-izar*.] ***V. t. d.*** Tornar conforme às regras da lógica.

lógico [De gr. *logikós*, pelo lat. tard. *logicu*.] ***Adj.*** **1.** Relativo à lógica (1 a 3). **2.** Conforme às regras, às leis da lógica (1 a 3): *dedução lógica*. [Cf., nessas acepçs., *ilógico* (2) e *alógico*[1] (2).] **3.** Conforme à lógica, ao bom senso; coerente, racional: *Seus argumentos, lógicos em extremo, convenceram-me*. **4.** Relativo à inteligência, ou baseado nela: *Razões lógicas cederam às sentimentais*. **5.** Que raciocina com justeza, exatidão, coerência: *indivíduo lógico; espírito lógico*. **6.** Que resulta, natural ou inevitavelmente, de uma dada situação, de um dado, de um fato: *Dirigia bêbedo, e a consequência lógica foi o desastre ocorrido*. **7.** *Fam.* Claro, evidente: *— Vai à festa amanhã? — Lógico que vou*. ~ V. *análise —a, anterioridade —a, circuito — binário, constante —a, divisão —a, empirismo —, função —a, multiplicação —a, nível — alto, nível — baixo, operações —as, operador —, porta —a, positivismo —, soma —a* e *termo —*. ● ***S. m.*** **8.** Indivíduo versado em lógica. [Cf. *logico*, do v. *logicar*.]

lógico-matemático [De *lógico* + *matemático*.] ***Adj.*** Relativo a, ou conforme às regras da lógica matemática. [Pl.: *lógico-matemáticos*.]

➔ **login** ['lagɪn] [Ingl.] ***S. m.*** *Inform.* **1.** Operação ou processo inicial de uma sessão de conexão (7), em que ger. o usuário se identifica, p. ex., fornecendo nome e senha para autenticação pelo sistema computacional. [Opõe-se a (ingl.) *logoff*.] **2.** O nome que identifica um usuário em um sistema de computadores.

logística[1] [Do gr. *logistiké*, fem. de *logistikós, é, ón*, 'relativo ao cálculo'.] ***S. f.*** **1.** Denominação dada pelos gregos à parte da aritmética e da álgebra concernente às quatro operações. **2.** *Filos.* Conjunto de sistemas de algoritmos aplicado à lógica.

logística[2] [Do fr. *logistique*.] ***S. f.*** **1.** Parte da arte da guerra que trata do planejamento e da realização de: a) projeto e desenvolvimento, obtenção, armazenamento, transporte, distribuição, reparação, manutenção e evacuação de material (para fins operativos ou administrativos); b) recrutamento, incorporação, instrução e adestramento, designação, transporte, bem-estar, evacuação, hospitalização e desligamento de pessoal; c) aquisição ou construção, reparação, manutenção e operação de instalações e acessórios destinados a ajudar o desempenho de qualquer função militar; d) contrato ou prestação de serviços. **2.** Conjunto de planejamentos e meios necessários para a realização de um serviço, de uma obra, etc.

logístico [Do gr. *logistikós*.] ***Adj.*** Relativo à logística. ~ V. *regressão —a*.

logo[1] [Do lat. *locu*.] ***S. m.*** *Ant.* **1.** Lugar. **2.** Morada; residência.

logo[2] [Do lat. *loco*, f. red. de *in loco* (abl.), 'no lugar', 'ali mesmo'.] ***Adv.*** **1.** Sem tardança; imediatamente: *Cumpre ir logo chamar o médico*. **2.** Com a maior brevidade: *Espero que me faça logo esta tradução*. **3.** Com algum espaço de tempo; daqui a pouco. **4.** Mais tarde. **5.** Em tempo imediatamente seguinte a outro, numa série; em seguida; após. **6.** Exatamente, justamente. **7.** Ainda por cima; por cúmulo: *Infelizmente adoeceu — e logo naquele mês, quando estava cheio de compromissos!*; "Pois Henriqueta .... não se lembrou de ter um retrato do menino! E logo o retrato de corpo inteiro, aquele da mesa de estudo!" (João Gaspar Simões, *A Unha Quebrada*, p. 203). ● ***Conj.*** **8.** Por conseguinte; portanto. ◆ **Logo, logo.** Com a maior urgência; imediatamente; já, já. **Logo mais.** Dentro em pouco; em breve. **Logo que.** No momento em que; assim que; mal: "Ontem, logo que tive notícia da crise ministerial, recolhi-me a casa para esperar os acontecimentos." (Machado de Assis, *Crônicas de Lélio*, p. 85.) **Até logo.** Cumprimento de despedida que se usa quando se espera rever proximamente o interlocutor; até logo mais, até mais, até mais tarde, até breve. **Até logo mais.** V. *até logo*. **Desde logo.** **1.** Desde aquele momento. **2.** Logo, portanto. **Logo e logo.** V. *logo, logo*: "saia eu daqui suja... e me vou logo e logo pinchar ao rio." (Visconde de Taunay, *Ao Entardecer*, p. 61). **Para logo.** Sem demora; de pronto: "A alma, se o vento lha fizera dobrar, para logo retomou a posição dos outros dias" (Machado de Assis, *Iaiá Garcia*, p. 280). **Tão logo.** Mal, apenas; logo que: "Acendia, tão logo anoitecia, um candeeiro de querosene" (Povina Cavalcanti, *Volta à Infância*, p. 18).

▲ **log(o)-** [Do gr. *lógos*, ou < v. gr. *légein*.] ***El. comp.*** = 'palavra', 'tratado', 'estudo', 'ciência'; 'faculdade de raciocinar', 'razão', 'inteligência', 'entendimento', 'que estuda', 'que trata': *logogrifo, logopedia, logosofia*. [Equiv.: *-logia* (q. v.), *-log(o)-*, *-logo*: *nosológico, autólogo, psicólogo*.]

▲ **-log(o)-** V. *log(o)-*.

▲ **-logo** V. *log(o)-*.

➔ **logoff** ['lagɔf] [Ingl.] ***S. m.*** *Inform.* Operação ou processo de encerramento de sessão de conexão (7). [Opõe-se a (ingl.) *login*.]

logofobia [De *log(o)-* + *-fobia*.] ***S. f.*** *Psiq.* Lalofobia (q. v.).

logofóbico [De *logofobia* + *-ico*[2].] ***Adj. S. m.*** *Psiq.* V. *lalofóbico*.

logófobo [De *log(o)-* + *-fobo*.] ***Adj. S. m.*** *Psiq.* V. *lalofóbico* (2 e 3).

logografia [Do gr. *logographía*.] ***S. f.*** *Graf.* V. *estenografia*.

logográfico [Do gr. *logographikós*.] ***Adj.*** **1.** Relativo a logografia. **2.** Relativo a logógrafo. ~ V. *escrita —a*.

logógrafo [Do gr. *logográphos*, pelo lat. tard. *logographu*.] ***S. m.*** **1.** Designação comum aos primeiros escritores gregos. **2.** Autor de um glossário. **3.** *Taquigr.* V. *estenógrafo*. **4.** *Graf.* Logograma.

logograma [De *log(o)-* + *-grama*; fr. *logogramme*.] ***S. m.*** *Graf.* Símbolo gráfico que representa uma palavra ou morfema; logógrafo (4). [Cf. *fonograma*.]

logogrífico [De *logogrifo* + *-ico*[2].] ***Adj.*** **1.** Relativo a logogrifo. **2.** *Fig.* Enigmático, obscuro: *linguagem logogrífica*.

logogrifo [De *log(o)-* + lat. tard. *griphus* < gr. *grîphos*, 'rede de pescar', 'enigma'.] ***S. m.*** **1.** Modalidade de charada em que as letras da palavra insinuada pelo conceito, parcialmente combinadas, formam outras palavras que é preciso adivinhar para se chegar àquela. **2.** Coisa enigmática, obscura.

logomania [De *log(o)-* + *-mania*.] ***S. f.*** *Psiq.* Loquacidade exagerada que se observa em certos portadores de transtornos mentais.

logomaníaco [De *logomania* + *-íaco*.] ***Adj.*** **1.** Relativo a, ou que tem logomania. ● ***S. m.*** **2.** Aquele que a tem.

logómano ***Adj. S. m.*** *Psiq.* V. *logômano*. [Uso freq. em P.]

L

logômano [De *log(o)-* + *-mano*[1].] *Adj. S. m. Psiq.* Que, ou aquele que tem logomania.

logomaquia [Do gr. *logomachía*, 'luta de palavras'.] *S. f.* **1.** Discussão acerca do sentido ou origem de uma palavra, ou palavras; questão sobre palavras. **2.** Palavreado inútil: "Meu amigo, há nas grandes obras de arte e ciência um pensamento filosófico embutido. Para o exumar da massa de emoção estética e da massa de fatos objetivos torna-se necessário abrir o espírito a linguagens diferentes das logomaquias dos metafísicos" (Fidelino de Figueiredo, *Um Homem na Sua Humanidade*, pp. 85-86).

logomáquico [De *logomaquia* + *-ico*[2].] *Adj.* Que encerra logomaquia: *discurso logomáquico; estilo logomáquico.*

logomarca [De *log(o)-* + *marca*[1].] *S. f. Prop.* **1.** Marca[1] (22) que reúne graficamente letras do nome da empresa e elementos formais puros, abstratos. [Cf. *símbolo-marca.*] **2.** Qualquer representação gráfica padronizada e distintiva utilizada como marca[1] (22); representação visual de uma marca[1] (22). [Sin. ger.: *logotipo*. Cf. *assinatura* (10).]

➔**logon** [lɔg ɔn][Ingl.] *S. m. Inform.* Procedimento que, por meio de identificação de credenciais, permite o usuário ter acesso ao computador ou sistema.

logopedia [De *log(o)-* + *-pedia*.] *S. f.* Ramo da foniatria que se dedica ao estudo e à correção dos defeitos da fala.

logopédico [De *logopedia* + *-ico*[2].] *Adj.* Referente à logopedia.

logopedista [De *logopedia* + *-ista*.] *S. 2 g.* Especialista em logopedia.

logorrar [De *logorr(eia)* + *-ar*[2].] *V. int.* Falar excessivamente; mostrar-se logorreico: "Possidônio continuou a logorrar, mas enfadando já os presentes" (Gilberto Amado, *Mocidade no Rio e Primeira Viagem à Europa*, p. 445).

logorreia (éi) [De *log(o)-* + *-reia*.] *S. f.* **1.** Necessidade incoercível de falar. **2.** Hábito de falar com excesso; verborragia. ❖

logorreico (éi) [De *logor(reia)* + *-reico*.] *Adj.* **1.** Relativo a, ou que sofre de logorreia. ● *S. m.* **2.** Aquele que sofre desse mal. ❖

➔ **lógos** ['lɔγos] [Gr., 'palavra'.] *S. m. Filos.* **1.** O princípio de inteligibilidade; a razão. **2.** Segundo Heráclito (v. *heraclitismo*), o princípio supremo de unificação, portador do ritmo, da justiça e da harmonia que regem o Universo. **3.** Segundo Platão (v. *platonismo*), o princípio de ordem, mediador entre o mundo sensível e o inteligível. [Usa-se tb. a f. *logos*.]

logosofia [De *log(o)-* + *-sofia*.] *S. f.* Doutrina ético-filosófica fundada pelo pensador argentino González Pecotche (1901-1963), e que tem por objeto ensinar o homem a chegar à autotransformação mediante um processo de evolução consciente, libertando assim o pensamento das influências sugestivas.

logosófico [De *logosofia* + *-ico*[2].] *Adj.* Relativo à logosofia.

logósofo [De *log(o)-* + *-sofo*.] *S. m.* Especialista em logosofia.

logotecnia [Do gr. *logotéchnes*, 'artista da palavra', + *-ia*[1].] *S. f.* Ciência da significação e emprego das palavras.

logotécnico [De *logotecnia* + *-ico*[2].] *Adj.* **1.** Referente à logotecnia. ● *S. m.* **2.** Especialista em logotecnia.

logotipia [De *log(o)-* + *-tip(o)-* + *-ia*[1].] *S. f. Tip.* Sistema de composição tipográfica baseada no uso de logotipos.

logotípico [De *logotipia* ou de *logotipo* + *-ico*[2].] *Adj.* Respeitante à logotipia, ou ao logotipo.

logotipo [Do fr. *logotype*.] *S. m.* **1.** *Tip.* Grupo de letras fundidas em um só tipo, formando sigla ou palavra, usualmente representativas de marca comercial ou de fabricação. [Cf. *ligatura* (2) e *letras enlaçadas*.] **2.** *P. ext.* Marca constituída por grupo de letras, sigla ou palavra, especialmente desenhada para uma instituição, empresa, etc. **3.** *Prop.* Logomarca. [Melhor seria *logótipo*.]

logótipo [De *log(o)-* + *-tipo*.] *S. m.* V. *logotipo*.

logração [De *lograr*+ *-ção*, ou do lat. tard. *lucratione*.] *S. f.* **1.** Ato ou efeito de lograr; logramento, logro. **2.** V. *logro* (2).

logradeira [De *lograr* + *-deira*.] *Adj.* (*f.*) *S. f.* Diz-se de, ou mulher que logra outrem, que é trapaceira.

logradoiro[1] [De *lograr* + *-doiro*[1].] *S. m.* Logradouro[1] (q. v.).

logradoiro[2] [De *lograr* + *-doiro*[2].] *S. m.* Logradouro[2] (q. v.).

logrador[1] (ô) [De *lograr* + *-dor*, ou do lat. tard. *lucratore*, por via pop.] *Adj. S. m.* Que, ou aquele que logra; trapaceiro, intrujão.

logrador[2] (ô) [Alter. de *logradouro*.] *S. m. Bras. N.E.* Seção da fazenda de criação em lugar afastado, onde estão situados curral, aguada, etc., e aonde vai o vaqueiro tratar o gado e principalmente dos animais feridos, que ali se restabelecem. [Cf. *logradouro*[2] (2).]

logradouro[1] [De *lograr* + *-douro*[1]; var. de *logradoiro*[1].] *S. m.* O que é ou pode ser logrado ou fruído por alguém.

logradouro[2] [De *lograr* + *-douro*[2]; var. de *logradoiro*[2].] *S. m.* **1.** *Urb.* Espaço livre, inalienável, destinado à circulação pública de veículos e de pedestres, e reconhecido pela municipalidade, que lhe confere denominação oficial. São as ruas, travessas, becos, avenidas, praças, pontes, etc. **2.** Pastagem pública para o gado. [Cf., nesta acepç., *logrador*[2].]

logramento [De *lograr* + *-mento*.] *S. m.* Ato ou efeito de lograr; logração, logro.

logrão [De *lograr* + *-ão*[1].] *S. m.* **1.** Aquele que logra; burlador, logrador, intrujão. **2.** Indivíduo interesseiro, ganancioso, ávido. [Fem.: *logrona*.]

lograr [Do lat. tard. *lucrare*, por via pop.] *V. t. d.* **1.** Gozar; obter; fruir, desfrutar, desfruir: *Apesar de seus esforços, não logrou o cargo a que aspirava.* **2.** Tirar lucro de; aproveitar. **3.** Conseguir, alcançar: *Logrou a felicidade graças a uma sábia filosofia de vida*; "nenhum dos passageiros lograra, até aquele momento, avistar o paquete" (Virgílio Várzea, *Nas Ondas*, p. 149). **4.** Enganar com astúcia; burlar, intrujar, defraudar: *Logrou o companheiro, passando-lhe a nota falsa. Int.* **5.** Fazer o seu efeito; produzir o resultado que se esperava: *O seu dito satírico logrou. P.* **6.** Aproveitar-se, gozar. **7.** Render, aumentar. [Pres. ind.: *logro*, etc. Cf. *logro* (ô).]

logrativo [De *lograr* + *-tivo*, ou do lat. *lucrativu*, por via pop.] *Adj.* Que logra; logrador, trapaceiro.

logro (ô) [Do lat. *lucru*.] *S. m.* **1.** Ato ou efeito de lograr; logramento. **2.** Engano propositado contra alguém; artifício ou manobra ardilosa para iludir. [Sin., nesta acepç.: *batota, burla, burlaria, borla, dolo, fraude, garatusa, logração, manganilha, mofatra, trapaça, trapaçaria, trapalhada, trapalhice, vigarice* e (bras.) *caxixe, embrulho, manta, papironga, trambique*.] **3.** Gozo, fruição. **4.** *Ant.* Lucro, usura. [Pl.: *logros* (ô). Cf. *logro*, do v. *lograr*.]

logrona *S. f.* V. *logrão*.

logudorês *S. m. Gloss.* **1.** Dialeto do sardo[1] (q. v.) falado na região central da Sardenha. [O logudorês é considerado muitíssimo diferente das demais variedades do sardo[1].] **2.** Vocábulo desse dialeto.

logum *Interj. Bras. Rel.* Saudação que se dirige a Logunedé quando este desce [v. *descer* (15)] num terreiro de candomblé.

logunedé [Do ior.] *S. m. Bras. Rel.* Orixá filho de Inelê e Oxum, cuja natureza é ora masculina, como o pai, ora feminina, como a mãe. [Com cap.]

loiça *S. f.* V. *louça*.

loiçaria *S. f.* V. *louçaria*.

loiceira *S. f.* V. *louceira*.

loiceiro *S. m.* V. *louceiro*.

loio (ói) [Do antr. *Elói*, de *Santo Elói*.] *Adj.* Da congregação de São João Evangelista (-c. 100 d. C.), que tinha por padroeiro Santo Elói (c. 588-660), ou relativo a ela. ❖

loira[1] *S. f.* V. *loura*[1].

loira[2] *S. f.* V. *loura*[2].

loiraça *S. 2 g.* V. *louraça*.

loirão *Adj.* V. *lourão*.

loirecer *V. t. d. Int.* V. *lourecer*. [Conjug.: v. *aquecer*.]

loireira *S. f.* V. *loureira*.

loireiral *S. m.* V. *loureiral*.

loireiro *S. m. Bot.* V. *loureiro*.

loirejante *Adj. 2 g.* V. *lourejante*: "fomes de Ugolino que rompe seus ferros, e se defronta com lautos estendais de loirejantes iguarias." (Camilo Castelo Branco, *A Queda dum Anjo*, p. 71).

loirejar *V. int. T. d.* V. *lourejar*. [Conjug.: v. *pelejar*.]

loiro[1] *S. m. Bot.* V. *louro*[1]. ~ V. *loiros*.

loiro[2] *S. m. Zool. Fam.* Louro[2].

loiro[3] *Adj.* Louro[3]: "a vi, como quem vê num vago sonho de ópio, / Uma loira mulher..." (Menotti del Picchia, *As Máscaras*, p. XI).

loiro-abacate *S. m. Bras. Bot.* V. *louro-abacate*. [Pl.: *loiros-abacates* e *loiros-abacate*.]

loiro-amarelo *S. m. Bot.* V. *louro-amarelo*. [Pl.: *loiros-amarelos*.]

loiro-branco *S. m. Bras. Bot.* V. *louro-branco*. [Pl.: *loiros-brancos*.]

loiro-cereja *S. m. Bot.* V. *louro-cereja*. [Pl.: *loiros-cerejas* e *loiros-cereja*.]

loiro-cheiroso (ô) *S. m. Bras. Bot.* V. *louro-cheiroso*. [Pl.: *loiros-cheirosos* (ó).]

loiro-cravo *S. m. Bras. Bot.* V. *louro-cravo*. [Pl.: *loiros-cravos* e *loiros-cravo*.]

loiro-da-beira *S. m. Bras. Bot.* V. *louro-da-beira*. [Pl.: *loiros-da-beira*.]

loiro-da-terra *S. m. Bras. Bot.* V. *louro-da-terra*. [Pl.: *loiros-da-terra*.]

loiro-de-casca-preta *S. m. Bras. Bot.* V. *louro-de-casca-preta*. [Pl.: *loiros-de-casca-preta*.]

loiro-do-igapó *S. m. Bras. Bot.* V. *louro-do-igapó*. [Pl.: *loiros-do-igapó*.]

loiro-inhamuí *S. m. Bras. Bot.* V. *louro-inhamuí*. [Pl.: *loiros-inhamuís* e *loiros-inhamuí*.]

loiro-mamorim *S. m. Bras. Bot.* V. *louro-mamorim*. [Pl.: *loiros-mamorins* e *loiros-mamorim*.]

loiro-pardo *S. m. Bot.* V. *louro-pardo*. [Pl.: *loiros-pardos*.]

loiro-pimenta *S. m. Bras. Bot.* V. *louro-pimenta*. [Pl.: *loiros-pimentas* e *loiros-pimenta*.]

loiro-preto (ê) *S. m. Bras. Bot.* V. *louro-preto*. [Pl.: *loiros-pretos*.]

loiro-rosa *S. m. Bras. Bot.* V. *louro-rosa*. [Pl.: *loiros-rosas* e *loiros-rosa*.]

loiros *S. m. pl.* V. *louros*. ~ V. *loiro*[1].

loiro-tamancão *S. m. Bras. Bot.* V. *louro-tamancão*. [Pl.: *loiros-tamancões* e *loiros-tamancão*.]

loiro-tamanco *S. m. Bras. Bot.* V. *louro-tamanco*. [Pl.: *loiros-tamancos* e *loiros-tamanco*.]

loiro-vermelho *S. m. Bras. Bot.* V. *louro-vermelho*. [Pl.: *loiros-vermelhos*.]

loisa *S. f.* V. *lousa*.

loita [Do arc. *luita*.] *S. f. Ant. Pop.* Luta: "Acabo de ter uma loita com o sovinar do Malaquias" (Jaime d'Altavila, *Lógica de um Burro*, p. 25). [Cf. *luita* e *aloite*.]

loja[1] [Do fr. *loge* < frâncico **laubja*, 'abrigo feito de folhagem ou ramagem de árvores'.] *S. f.* **1.** Casa térrea. **2.** Num edifício, dependência destinada a atividades comerciais, industriais, etc. **3.** *P. ext.* Estabelecimento comercial: *loja de três andares.* [Deprec., nas acepçs. 2 e 3: *lojeca*.] **4.** *Maç.* Loja maçônica. ◆ **Grande Loja.** *Maç.* **1.** Agrupamento de lojas maçônicas que seguem um mesmo rito. **2.** Órgão central e mais elevado na hierarquia maçônica, da mesma forma que um Grande Oriente, mas diferenciado-se deste por características rituais. **Loja de capela.** *Lus.* V. *armarinho*. **Loja de conveniência.** *Bras.* **1.** Loja que permanece aberta por 24 horas, ou por período maior do que o horário comercial, oferecendo seleção limitada de serviços e/ou produtos de uso corrente, como, p. ex., as lojas instaladas em postos de gasolina. **2.** Loja comercial que oferece apenas serviços, com atendimento rápido e preços ger. menores do que nos estabelecimentos tradicionais similares, a exemplo das lojas de conveniência gráfica que produzem tiragens reduzidas de cartões de visita, relatórios, informativos, etc. **Loja de departamentos.** *Bras.* Estabelecimento comercial de grande porte, dividido em seções, cada uma destas com predominância de determinado tipo de produto: *A seção de brinquedos daquela loja de departamentos ocupa dois andares.* [Sin. (lus.): *armazém*.] **Loja de miudezas.** *Bras.* V. *armarinho*. **Loja de secos e molhados.** Armazém de secos e molhados. **Loja de varejo.** A que vende a varejo. **Loja maçônica.** *Maç.* **1.** Agrupamento fundamental da estrutura maçônica sobre o qual repousa toda a hierarquia. **2.** *P. ext.* Templo ou local de reunião da loja maçônica (1): "A loja maçônica Comércio e Artes, que se havia instalado na rua da Pedreira da Glória em casa do Dr. Vahia, em 1815, foi amortecida por perseguições." (A. Melo Morais, *História do Brasil-Reino e Brasil-Império*, p. 79.) [Tb. se diz, nas duas acepçs., apenas *loja*.] **Loja simbólica.** *Maç.* Aquela que trabalha nos três primeiros graus. **Demolir a loja.** *Maç.* Encerrar apressadamente os trabalhos de uma loja (4), devido a desentendimento entre os irmãos.

loja[2] [Alter. de **locula*, por *lóculo* (q. v.), com infl. do fr. *loge*, poss.] *S. f. Bot.* Cada uma das subdivisões da antera ou do ovário.

loja-âncora *S. f. Prom. Vend.* Estabelecimento de grande porte e bem conhecido, ger. uma loja de departamento, que serve como base comercial de um *shopping center*. [Tb. se diz apenas *âncora*. Pl.: *lojas-âncoras* e *lojas-âncora*.]

lojeca [De *loja*[1] + *-eca*.] *S. f. Deprec.* Pequena loja[1] (2 e 3).

lojista [De *loja*[1] + *-ista*.] *S. 2 g.* **1.** Dono ou diretor de loja(s) de comércio. ● *Adj. 2 g.* **2.** Diz-se de quem tem loja de comércio: *comerciante lojista.* **3.** Relativo a esse tipo de loja: *organização lojista; comércio lojista.*

loligídeo [Do lat. *loligo, inis*, 'lula', + *-ídeo*[1].] *Adj. Zool.* Relativo ou semelhante à lula ou ao choco[1] (3).

loliginídeo [Do lat. cient. *Loligin-* (do tax. *Loligo*, gênero-tipo), + *-ídeo*[1]; tax. *Loliginidae*.] *Zool. S. m.* **1.** Espécime dos loliginídeos, família de moluscos que tem como tipo a lula. ● *Adj.* **2.** Pertencente ou relativo a eles.

lólio [Do tax. *Lolium*.] *S. m. Bot.* **1.** Gênero de poáceas que se caracterizam por espículas em que as numerosas flores se dispõem em duas carreiras. **2.** Qualquer espécie desse gênero, como, p. ex., a *Solium temubentum* [v. *joio* (1)]. **3.** Qualquer espécime desse gênero.

loló *S. m. Bras. PB* Cheirinho da loló.

lomba[1] [De *lombo*.] *S. f.* **1.** Crista arredondada de colina, serra ou monte. **2.** Ladeira, declive. **3.** Pequeno monte de terra ou de areia, natural ou formado pela ação do vento. **4.** *Bras. RS* Declividade dos pequenos morros e das coxilhas baixas; lombada: "precipitou-se declive abaixo e só foi parar além dos chorões, onde a lomba terminava" (Érico Veríssimo, *Noite*, p. 10).

lomba[2] [F. red. de *lombeira*, poss.] *S. f. Bras. Prov. port.* Indisposição para o trabalho; preguiça, indolência; lombeira.

lombaço [De *lombo* + *-aço*.] *S. m. Pop.* Lombo, costas: "ela, Deus me perdoe, tem até as costas bem-feitas. Lombaço bonito." (Luís Jardim, *As Confissões do Meu Tio Gonzaga*, p. 36).

lombada[1] [De *lombo* + *-ada[1]*.] *S. f.* **1.** Dorso do boi. **2.** *Bibliol. Bibliot.* Lado do livro onde fica a costura, oposto ao corte da frente; lombo, dorso. **3.** *Encad.* A tira de couro ou de pano que, na meia-encadernação, cobre o lombo e parte dos planos: "Os livros, intactos, mostravam as lombadas: alguns encadernados." (Maria José de Queirós, *Homem de Sete Partidas*, p. 137.)

lombada[2] [De *lomba[1]* + *-ada[1]*.] *S. f.* **1.** Lomba[1] (1) extensa. **2.** *Bras. RS* Lomba[1] (4). **3.** *Bras. S.E. S.* Quebra-molas.

lombalgia [De *lombo* + *-alg(o)-[2]* + *-ia[1]*.] *S. f.* Dor lombar.

lombar [De *lombo* + *-ar[1]*.] *Adj. 2 g. Anat.* Relativo à parte do dorso situada entre o tórax e a bacia.

lombardo[1] [De *lombo* + *pardo*, com síncope, poss.] *Adj. Zool.* Diz-se do touro de pelo preto, acastanhado no lombo.

lombardo[2] [Do lat. *longobardu*, pelo it. *lombardo*.] *Adj.* **1.** Da, ou pertencente ou relativo à Lombardia (Itália). **2.** Diz-se da escola de pintura da Lombardia, e em especial de um meio sorriso irônico e enigmático que normalmente as suas figuras apresentam. ~ V. *banda — a*. ● *S. m.* **3.** O natural ou habitante da Lombardia. **4.** *Gloss.* O dialeto dessa região. **5.** Vocábulo desse dialeto. [Sin. ger.: *longobardo*.]

lomba-verde *S. f. Bras. Bot.* Pequeno arbusto asteráceo (*Tessaria absinthioides*) do extremo S. do Brasil e países vizinhos, de folhas lanceoladas, agudamente serrilhadas, e capítulos com poucas flores, hermafroditas, dispostas em panículas. [Pl.: *lombas-verdes*.]

lombear [De *lombo* + *-ear[2]*.] *V. t. d.* **1.** *Bras. PR* Ferir o lombo de (animal). [Us. com relação à sela.] **2.** *Bras. RS* Torcer o lombo ou a espinha dorsal (cavalo meio arisco, quando montado). **3.** Fazer movimento(s) com o lombo por causa de pancada recebida no corpo, ou de cócega, ou de qualquer dor física; torcer-se, contorcer-se. [Conjug.: v. *frear*. Cf. *lombear-se*.]

lombear-se [De *lomba* + *-ear* + *se[1]*.] *V. p. Bras. RS* **1.** Ter preguiça ou lomba. **2.** Retardar a execução dum trabalho por preguiça ou por medo à responsabilidade. [Conjug.: v. *frear*. Cf. *lombear*.]

lombeira [F. subst. do adj. *lombeiro*.] *S. f. Bras. Prov. port.* **1.** Moleza de corpo; quebrantamento de forças. **2.** V. *sonolência* (2 e 4). **3.** V. *lomba[2]*.

lombeiro [De *lombo* + *-eiro*.] *Adj.* **1.** Lombar. ● *S. m.* **2.** Couro ou pelo do lombo de certos animais.

lombelo (ê) [De *lombo* + *-elo*, ou do lat. *lumbellu*.] *S. m.* Músculo do gado bovino, correspondente ao pequeno psoas no homem.

lombilhar [De *lombilho* + *-ar[2]*.] *V. t. d. Bras. RS* Montar com frequência (um cavalo encilhado, obrigando-o a contínuos trabalhos e exercícios).

lombilharia [De *lombilho* + *-aria*.] *S. f. Bras. S.* Estabelecimento onde se fabricam e/ou vendem lombilhos.

lombilheiro [Adapt. do esp. plat. *lomillero* (v. *lombo* e *-eiro*).] *S. m. Bras. RS* Indivíduo que fabrica e/ou vende lombilhos e, em geral, objetos de montaria.

lombilho [Adapt. do esp. plat. *lomillo* (v. *lombo* e *-ilho*).] *S. m. Bras. S.* **1.** O apero que substitui, nos arreios, a sela comum, o selim e o serigote. **2.** Músculo lombar da rês, muito apreciado para assado no forno.

lombinho[1] [De *lombo* + *-inho[1]*.] *S. m.* **1.** O lombo dos suínos. **2.** *Bras.* Peça muito tenra de carne que se tira da região lombar da rês, do porco, etc. **3.** *Bras.* O assado dessa carne.

lombinho[2] [Dim. de *lobo*, por infl. de *calombo*, ou f. red. deste.] *S. m. Bras. Pop.* V. *lobinho[1]*: "O lombinho, no meio da testa, crescia, interceptando-lhe a luz dos olhos." (Inglês de Sousa, *O Missionário*, p. 239.)

lombo [Do lat. *lumbu*.] *S. m.* **1.** Costas, dorso. **2.** Parte carnosa aos lados da espinha dorsal, nos animais; costaneiro: *lombo de porco*. **3.** *Bibliol.* V. *lombada[1]* (2): "José .... pôs-se a contemplar .... os livros de lombos sujos .... e alguns volumes encadernados." (Lêdo Ivo, *As Alianças*, p. 52.) **4.** *Fig.* Qualquer superfície convexa não esférica. **5.** *Fig.* Elevação, altura, eminência. ◆ **Lombo falso.** *Encad.* V. *falso-dorso*. **Endurecer o lombo.** *Bras. S.* **1.** Tornar-se (o cavalo) de lombo duro, *i. e.*, contrair-se para corcovear. **2.** *Fig.* Rebelar-se contra uma determinação; não ceder; teimar.

lombociatalgia [De *lombo* + (*nervo*) *ciát(ico)* + *-alg(o)-[2]* + *-ia[1]*.] *S. f. Med.* Dor que se manifesta em região lombar e em distribuição de nervo ciático.

lombociatálgico [De *lombo* + (*nervo*) *ciát(ico)* + *-alg(o)-[2]* + *-ico[2]*.] *Adj.* Que apresenta lombociatalgia.

lombo-paulista *S. m. Bras.* V. *lagarto* (4). [Pl.: *lombos-paulistas*.]

lombra *S. f. Bras.* Efeito ou resultado do uso da maconha.

lombrical [De *lombric(i)-* + *-al[1]*.] *Adj. 2 g.* **1.** Relativo a lombrigas; lombricoide, lumbricário. **2.** Semelhante a uma lombriga; lumbricário. **3.** *Anat.* Diz-se de cada um de quatro pequenos músculos que se inserem na terceira falange dos quatro últimos dedos de cada mão e cada pé; lombricoide. [F. paral.: *lumbrical*.]

▲ **lombric(i)-** Equiv. de *lumbric(i)-*.

lombricida [De *lombric(i)-* + *-cida*.] *Adj. S. m.* V. *lumbricida*.

lombricina [De *lombric(i)-* + *-ina[3]*.] *S. f. Bioquím.* Fosfagênio característico de certos anelídeos (minhocas).

lombricito [De *lombric(i)-* + *-ito[2]*.] *S. m.* Petrificação com a forma de lombriga.

lombricoide (ói) [De *lombric(i)-* + *-oide*.] *Adj. 2 g.* **1.** V. *lombrical* (1). **2.** *Anat.* Lombrical (3). ● *S. m.* **3.** V. *lombriga*. ❖

lombriga [Do lat. *lumbricu*, 'minhoca', 'verme intestinal', com mudança de gênero.] *S. f. Zool.* Designação comum aos animais asquelmintos, nematódeos, ascarídeos, esp. *Ascaris lumbricoides*, parasito do intestino do homem. Têm boca com três lábios e esôfago sem ventrículo; comprimento: 15 a 49cm. As larvas passam através do sistema cardiovascular e pulmões para se fixarem definitivamente no intestino; alimentam-se do quimo intestinal. [Sin.: *lombricoide*, *bicha*.]

lombrigueira [De *lombriga* + *-eira*.] *S. f. Bras. Bot.* **1.** V. *fava-de-impigem*. **2.** V. *arapabaca* (2).

lombrigueiro [De *lombriga* + *-eiro*.] *S. m. Bras.* Vermífugo, particularmente o que é veiculado em óleo de rícino.

lombriguento [De *lombriga* + *-ento*.] *Adj.* Que tem lombrigas; cheio de lombrigas: "Mas, também, era o mais perrengue de todos, lombriguento e comedor de terra." (Albertino Moreira, *Boca-Pio*, p. 31.)

lombrosiano *Adj.* **1.** Que tem os traços físicos do criminoso, segundo as teorias de Cesare Lombroso (1836-1909), criminologista italiano: *tipo lombrosiano*. **2.** Que é partidário das teorias de Lombroso. ● *S. m.* **3.** Partidário dessas teorias.

lombudo [De *lombo* + *-udo*.] *Adj.* Que tem grandes lombos.

lomento [Do lat. *lomentu*, 'sabão (de farinha de fava)'.] *S. m. Bot.* Legume articulado, comum nas fabales, indeiscente e subdividido em porções que se separam ao alcançarem a maturidade.

lomué *S. 2 g.* **1.** *Etnôn.* Indivíduo dos lomués, um dos povos que habitam as províncias de Zambézia, Nampula e Niassa (Moçambique). ● *S. m.* **2.** *Gloss.* A língua falada pelos lomués, pertencentes ao grupo banto e aparentada ao macua. **3.** Vocábulo dessa língua. ● *Adj. 2 g.* **4.** Pertencente ou relativo aos lomués ou à sua língua.

lona[1] [Do top. *Olonne*, da cidade francesa onde se fabricava esse tecido.] *S. f.* **1.** *Tec. Têx.* Tecido resistente, de linho grosso, de algodão ou de cânhamo, do qual se fazem sacos, velas, toldos, tendas, etc. **2.** *Tec. Têx.* Tecido que, depois de sofrer tratamento à base de látex, é utilizado na fabricação de pneus, de freios, etc. **3.** *P. ext.* Tenda de circo itinerante. **4.** *Bras.* Na porrinha (q. v.), o total de zero, *i. e.*, a ausência de moedas ou de palitos de fósforos na mão dos jogadores. ◆ **Na lona.** *Pop.* V. *na última lona* (1). **Na última lona.** *Bras. Pop.* **1.** Sem recurso algum, em petição de miséria; na lona: *Não posso pagar seu almoço: estou na última lona.* **2.** Em péssimo estado; quase de todo imprestável: *A roupa do mendigo está na última lona.*

lona[2] *S. f. Burl.* Léria, palavrório.

lonado [De *lona[1]* + *-ado[1]*.] *Adj.* Que tem a consistência ou a natureza da lona[1] (1): *brim lonado*.

lonca [Do esp. plat. *lonja*.] *S. f.* **1.** *Bras. RS* Parte do couro do cavalar ou do muar da região do flanco, desde a base do pescoço até as nádegas, e limitada pelo fio do lombo e por uma linha média que vem do peito até o ânus, passando pela parte inferior da barrigada. **2.** *Bras. MG S.* Tira muito fina que se retira do couro pelado e raspado para fazer trançados: "uma tira de cartilagem, mole e comprida, parecendo lonca fina de couro sem curtir." (Nélson de Faria, *Tiziu e Outras Estórias*, p. 175); "laço de dez braças, de seis loncas finas e bem trançadas." (Id., *ib.*, p. 148). ◆ **Dar a lonca.** *Bras. Pop.* V. *morrer* (1).

londrinense *Adj. 2 g.* **1.** De, ou pertencente ou relativo a Londrina (PR). ● *S. 2 g.* **2.** O natural ou habitante de Londrina.

londrino *Adj.* **1.** De, ou pertencente ou relativo a Londres, capital da Inglaterra (Europa). ● *S. m.* **2.** O natural ou habitante de Londres.

longa[1] [F. subst. do adj. *longo*.] *S. f.* **1.** *Mús.* Figura musical antiga, equivalente a duas breves. **2.** *E. Ling.* Sílaba ou vogal acentuada.

longa[2] *S. m.* V. *longa-metragem*: "Sem convencer, longa romeno reconstitui tempo de ditadura" (Inácio Araújo, em *Folha de S.Paulo*, 25.04.2008).

longada [De *longo* + *-ada[1]*.] *S. f. Desus.* Ato de ir para longe; afastamento; viagem. ◆ **De longada. 1.** Por longo tempo, com delonga; demoradamente. **2.** Para longe; de viagem: "No Norte [de Portugal], o povo ajunta-se em magotes e lá segue de longada, bailando e cantarolando" (Antero de Figueiredo, *Jornadas em Portugal*, p. 29).

longaense (gà) *Adj. 2 g.* **1.** De, ou pertencente ou relativo a Alto Longá (PI). ● *S. 2 g.* **2.** O natural ou habitante de Alto Longá.

longal [De *longo* + *-al[1]*.] *Adj. 2 g.* Dilatado; comprido, longo.

longa-metragem *S. m. Cin.* Filme com a duração média de 100 minutos, ger. de caráter artístico ou recreativo, e que constitui a principal atração de um programa cinematográfico; filme de longa-metragem. [Em Portugal, o voc. é fem.] [Tb. se diz apenas *longa*. Pl.: *longas-metragens*. Cf. *metragem* (3).]

longamira [De *longa* + *mira*.] *S. f.* V. *óculo* (1).

longana [Adapt. do ingl. *longan* < chin. *lung yen*, 'olho de dragão'.] *S. f.* **1.** *Bras. Bot.* Árvore sapindácea (*Nephelium longana*), nativa da China, de bagas comestíveis. **2.** O fruto dessa árvore.

longânime [Do lat. tard. *longanime*.] *Adj. 2 g.* **1.** Bondoso, magnânimo, generoso. **2.** Corajoso, intrépido, bravo. **3.** Paciente, resignado. [Var.: *longânimo*.]

longanimidade [Do lat. tard. *longanimitate*.] *S. f.* **1.** Firmeza de ânimo: "nunca articulou uma acusação contra Flores. Sofria todos os desmandos do marido com resignação e longanimidade." (Lima Barreto, *Clara dos Anjos*, p. 131). **2.** Magnanimidade, generosidade: "Toda a longanimidade do leitor será .... necessária para desculpar as imperfeições da obra." (Oliveira Martins, *História de Portugal*, I, p. X.)

longânimo *Adj.* V. *longânime*.

longarina [Do fr. *longrine*, com epêntese.] *S. f.* **1.** *Constr.* Viga disposta segundo o comprimento de uma estrutura. **2.** *Constr. Nav.* Cada uma das vigas estruturais do casco da embarcação, dispostas no sentido de proa a popa, e que amarram as cavernas entre si; longitudinal. [F. paral.: *longarino*. Cf. *transversina*.]

longarino *S. m.* Longarina (q. v.).

longe [Do lat. *longe*.] *Adv.* **1.** A grande distância, no espaço ou no tempo; distante. ● *Adj. 2 g.* **2.** Distante, remoto, longínquo: "Andei longes terras" (Gonçalves Dias, *Obras Poéticas*, II, p. 23); "P.[e] Paulo fora chamado, às pressas, aos Tocos, lugar longe e inóspito." (Geraldo França de Lima, *Branca Bela*, p. 88). ● *Interj.* **3.** Exprime aversão ou ordem de afastamento. ~ V. *longes*. ◆ **Longe em longe.** V. *de longe em longe*: "Longe em longe, em queixume, um pio d'ave soava." (Coelho Neto, *Banzo*, p. 80.) **De longe. 1.** De grande distância, no tempo ou no espaço: *Acaba de regressar de longe; Sua loucura não é recente: vem de longe.* **2.** Com grande vantagem ou superioridade em relação à(s) outra(s) pessoa(s) ou coisa(s): *Eça de Queirós é, de longe, o maior romancista português; O romance* Fogo Morto *é de longe, segundo muitos, a obra-prima de José Lins do Rego.* **De longe a longe.** V. *de longe em longe*: "Os meus sete anos de serra, só de longe a longe interrompidos por algumas breves excursões a Coimbra, ... contiveram .... ócios para eu pensar em alguma coisa mais duradoira e menos egoísta que as rosas e os amores" (Antônio Feliciano de Castilho, *Amor e Melancolia*, p. 337). **De longe em longe.** Com largos intervalos de tempo ou de espaço; de longe a longe; longe em longe: "Vivi meio recluso, indo de longe em longe a algum baile, ou teatro, ou palestra" (Machado de Assis, *Memórias Póstumas de Brás Cubas*, p. 137); "só de longe em longe despontavam ainda alguns tufos raros de estevas de branca flor e de tojeiras de flor amarela." (Garibaldino de Andrade, *O Sol e a Nuvem*, p. 54).

longerão [Do fr. *longeron*.] *S. m. Bras.* Longarina do estrado das locomotivas.

longes [Pl. subst. do adj. *longe*.] *S. m. pl.* **1.** Objetos representados em tela como distantes. **2.** Leve semelhança; traços vagos; indícios: *Sua fisionomia tem uns longes da de Manuel*; "E havia nessa voz tamanha heroicidade / E uma energia tal, que uns longes de piedade / Cintilaram no olhar do torvo guerrilheiro." (Gonçalves Crespo, *Obras Completas*, p. 339). **3.** Grandes distâncias de tempo ou de espaço: *O nascimento de Dante remonta aos longes de 1265; Acompanhou com a vista o voo da ave, até que ela se perdeu nos longes.* **4.** Impressão vaga; desconfiança; suspeita; pressentimento: "— E tenho meus longes de que, mais dia menos dia, aí o temos pela proa com a Sr.[a] D. Madalena." (Rebelo da Silva, *Contos e Lendas*, p. 84.) ~ V. *longe*.

L

longevidade [Do lat. tard. *longaevitate*.] *S. f.* **1.** Qualidade de longevo. **2.** Vida longa, dilatada: "Autoridades científicas estão de acordo quanto à longevidade dos quelônios. Havia, há poucos anos, e talvez ainda lá esteja hoje, na ilha de Santa Helena, a tartaruga que foi vista pelos olhos de Napoleão." (Eurico Santos, *Histórias, Lendas e Folclore de Nossos Bichos*, p. 148.)

longevo (é) [Do lat. *longaevu*.] *Adj.* **1.** Que tem muita idade; grandevo, idoso; macróbio: "Tagore, ... poeta precoce e longevo, começou a escrever aos 13 anos e manteve, durante cerca de 65, fecunda atividade literária." (Martins Napoleão, *Pequena Antologia de Poemas Alheios*, p. 63.) **2.** *Poét.* Duradouro, vivedouro, vivaz.

▲ **longi-** [Do lat. *longus, a, um*.] *El. comp.* = 'longo', 'extenso': *longicaule*. [Equiv.: *-longo*: *quadrilongo*.]

longicaule [De *longi-* + *-caule*.] *Adj. 2 g. Bot.* Cuja haste é longa.

longicórneo [De *longi-* + *-corn(i)-* + *-eo*; tax. *Longicornia*.] *S. m. Adj. Zool.* V. *cerambicídeo*.

longifoleno [Do tax. (*Pinus*) *longifo(lia)* + *-eno*[2].] *S. m. Quím.* Sesquiterpeno tricíclico, com estrutura em ponte e uma ligação dupla, que ocorre nas resinas de certos pinheiros [fórm.: $C_{15}H_{24}$].

longifólio [De *longi-* + *-fólio*.] *Adj. Bot.* Macrofilo.

longilíneo [De *longi-* + *-líneo*.] *Adj.* **1.** Diz-se de animal que tem o corpo mais longo do que a média da sua raça. **2.** V. *leptossômico*. **3.** *P. ext.* Delgado e alongado: *mãos longilíneas*. ● *S. m.* **4.** V. *leptossômico*. [Antôn.: *brevilíneo*.]

longilobado [De *longi-* + *lobado*.] *Adj.* Dividido em lóbulos alongados.

longímano [Do lat. tard. *longimanu*.] *Adj.* Que tem mãos longas.

longimetria [De *longi-* + *-metria*.] *S. f.* Medição trigonométrica das grandes distâncias.

longimétrico [De *longimetria* + *-ico*[2].] *Adj.* Referente à longimetria.

longinho [De *longe* + *-inho*[1].] *Adv. Fam.* Bastante longe.

longínquo [Do lat. *longinquu*.] *Adj.* **1.** Remoto; afastado, distante: *Da casa, longínqua, mal se percebia o contorno.* **2.** Que de uma grande distância nos chega à vista ou à orelha: *Quebrava o silêncio da tarde uma toada longínqua.* **3.** Que aconteceu há muito tempo; remoto: *Vieram-lhe à memória fatos longínquos e desde muito esquecidos.* **4.** Que há de vir muito tarde; porvindouro, futuro: *Casar, ter sua casa, seus filhos, era para ele plano longínquo.* [Var.: *longíquo* (q. v.).]

longipalpo [De *longi-* + *palpo*.] *Adj. Zool.* Que tem palpos longos.

longípede [Do lat. *longipede*.] *Adj. 2 g.* Que tem pés compridos; mecópode. [Antôn.: *brevípede*.]

longipene [De *longi-* + *-pene*.] *Adj. 2 g. Zool.* Que tem penas longas. [Antôn.: *brevipene*.]

longipétalo [De *longi-* + *-pétalo*.] *Adj. Bot.* Que tem pétalas longas.

longíquo [De *longínquo*, com dissimilação.] *Adj.* V. *longínquo*: "Silêncio!... Mas além, confuso e brando, / O som longíquo vem se aproximando / Do galopar de estranha cavalgada." (Raimundo Correia, *Poesias*, p. 111); "ouvia-se a espaços um mugir e urrar longíquo" (Alexandre Herculano, *O Bobo*, p. 308). [Note-se a expressividade da f. *longíquo*, com o *i* desnasalado, no exemplo de Raimundo Correia, onde o verso em que ela figura é cheio de sons nasais. Há outras ocorrências de *longíquo*, nesses mesmos autores e em numerosos outros, portugueses e brasileiros.]

longirrostro [De *longi-* + *-rostro*.] *Adj. Zool.* Cujo bico é comprido. [Antôn.: *brevirrostro*.]

longistilo [De *longi-* + *-stilo*[1].] *Adj. Bot.* Que tem estilete comprido: *flor longistila*.

longitarso [De *longi-* + *tarso*.] *Adj.* Cujo tarso é longo.

longitroante [De *longi-* + *troante*.] *Adj. 2 g.* **1.** Que troa ao longe. **2.** Que reboa por muito tempo.

longitude [Do lat. *longitudine*.] *S. f.* **1.** Distância, lonjura. **2.** *Astr.* Ângulo polar, em um plano fundamental orientado, contado de uma origem arbitrária até à projeção de um ponto da esfera celeste sobre esse plano. **3.** *Mat.* Num sistema de coordenadas cilíndricas ou esféricas, o ângulo que um plano meridiano faz com o plano inicial. **4.** *Geogr.* Na esfera terrestre, arco do equador terrestre compreendido entre o meridiano que passa pelo observatório astronômico de Greenwich (subúrbio de Londres) e o meridiano que passa pelo observador; longitude terrestre. ◆ **Longitude areocêntrica.** *Astr.* Longitude de um astro, ou de um ponto da superfície de Marte, em relação ao centro desse planeta. **Longitude areográfica.** *Astr.* Longitude de um ponto da superfície de Marte em relação ao disco aparente desse planeta. **Longitude celeste.** *Astron.* Na esfera celeste, arco do equador compreendido entre o ponto vernal e o meridiano celeste que passa por determinado astro. **Longitude do nodo ascendente.** *Astr.* Elemento da órbita de um astro, correspondente à distância angular do ponto vernal medida no plano fundamental (eclíptica ou equador) até o ponto de interseção com o plano da órbita, em que o astro passa do hemisfério sul para o norte. **Longitude do periastro.** *Astr.* Soma do ângulo no plano fundamental, entre o ponto vernal e a linha dos nodos, e do ângulo no plano da órbita, entre a linha dos nodos e a linha dos apsides, medido na direção do movimento do astro na sua órbita. **Longitude eclíptica.** *Astr.* Ângulo diedro entre o plano que contém o eixo perpendicular ao plano da eclíptica mais um dado ponto da esfera celeste, e um plano de referência que passa por aquele eixo. **Longitude eclíptica geocêntrica.** *Astr.* Longitude eclíptica de um ponto da esfera celeste, referida ao centro da Terra. [Tb. se diz apenas *longitude geocêntrica* (q. v.).] **Longitude eclíptica heliocêntrica.** *Astr.* Longitude eclíptica de um ponto da esfera celeste, referida ao centro do Sol. [Tb. se diz apenas *longitude heliocêntrica* (q. v.).] **Longitude geocêntrica.** *Astr.* Longitude eclíptica geocêntrica. **Longitude heliocêntrica.** *Astr.* Longitude eclíptica heliocêntrica. **Longitude hermocêntrica.** *Astr.* Longitude de um astro, ou de um ponto na superfície de Mercúrio, em relação ao centro desse planeta. **Longitude hermográfica.** *Astr.* Longitude de um ponto da superfície de Mercúrio, em relação ao disco aparente desse planeta. **Longitude planetocêntrica.** *Astr.* Longitude de um astro, ou de um ponto da superfície de um planeta, em relação ao centro desse planeta. **Longitude planetográfica.** *Astr.* Longitude de um ponto na superfície de um planeta, em relação a um sistema de coordenadas ligado ao disco aparente desse planeta. **Longitude selenocêntrica.** *Astr.* Longitude de um astro, ou de um ponto da superfície lunar, em relação ao centro da Lua. **Longitude selenográfica.** *Astr.* Longitude de um ponto da superfície lunar, em relação ao disco aparente da Lua. **Longitude terrestre.** *Geogr.* Longitude (4).

longitudinal [Do lat. *longitudine*, 'longitude', + *-al*[1].] *Adj. 2 g.* **1.** Relativo ao comprimento. **2.** Colocado no sentido do comprimento, ao comprido. **3.** Referente a longitude. **4.** Que está na direção do eixo principal de dado órgão. ~ V. *balanço — e onda —*. ● *S. f.* **5.** *Constr. Nav.* Longarina (2).

longo [Do lat. *longu*.] *Adj.* **1.** Que se estende em sentido longitudinal; comprido, extenso: "Quem era aquela criaturinha langue / de longas mãos liriais e olhos de louca?" (Austro-Costa, *Mulheres e Rosas*, p. 24.) **2.** Demorado, duradouro; dilatado: *discurso longo, cansativo.* **3.** Que remonta a muito tempo; que vem ou data de longe: *uma longa amizade.* **4.** *E. Ling.* Em línguas que têm na duração (5) um traço distintivo, diz-se da vogal, consoante ou sílaba cuja realização demora 50% mais do que outra. [Cf., nesta acepç., *breve* (5) e *geminado* (5).] [Aum. irreg.: *longueirão*.] ~ V. *letra —a, —a vida, médio — plano, onda —a, — prazo, sílaba —a* e *tonelada —a*. ● *S. m.* **5.** Comprimento (2): *O tecido mede 50cm de largura por 2m de longo.* **6.** Vestido que atinge a altura do tornozelo, e que ger. se usa à noite, com traje a rigor ou sem ele, ou ainda em cerimônias, como casamentos, etc.: "E o grande espelho do armário refletiu o homem de *smoking* e a mulher de longo abraçados com volúpia." (Marina Colasanti, *A Morada do Ser*, p. 107.) [Cf., nesta acepç., *maxivestido*.] ● *Adv.* **7.** Longamente, demoradamente: "Um tiro que levasse a vida ao meu amigo .... far-me-ia padecer muito e longo" (Machado de Assis, *Casa Velha*, p. 154). ◆ **Ao longo de. 1.** No sentido longitudinal: *Há muitas casas ao longo da estrada; A água lhe escorria ao longo do corpo.* **2.** À margem de; à beira de; junto a: *Sua casa está situada ao longo da estrada.* **De longo a longo.** Em toda a extensão; de fio a pavio: *Leu os manuscritos de longo a longo.*

▲ **-longo** Equiv. de *longi-*.

longo-árido [De *longo* + *árido*.] *Adj.* Longo e árido: "Em torno dele contemplar ansiados / Os que, durante longo-áridos anos, / De lisonjas e afagos o cercaram" (Machado de Assis, *Outras Relíquias*, p. 129). [Pl.: *longo-áridos*.]

longobardo *Adj. S. m.* V. *lombardo*[2].

longor (ô) [De *longo* + *-or*.] *S. m. P. us.* **1.** V. *longuidão* (2). **2.** *Fig.* V. *longura*.

➔ **long-play** [lɔŋ plej] [Ingl.] *S. m. Mús.* Disco fonográfico, de 10 a 12 polegadas, que gira com velocidade angular de 33,33 rotações por minuto, e cuja trilha sonora é gravada em microssulcos. [Sin.: *elepê*. Sigla: *LP*. Cf. *compacto* (5).]

➔ **long-playing** [lɔŋ 'plejɪŋ] [Ingl.] *Adj.* Diz-se de qualquer dispositivo referente a um *long-play*.

longueirão [De *longo* + *-eirão*.] *Adj.* Muito longo.

longuidão [De *longo* + *-idão*.] *S. f.* **1.** Qualidade de longo: "os parentes que a olhavam [a velha] como se a censurassem pela longuidão de sua existência." (Lêdo Ivo, *O Flautim*, p. 106). **2.** Extensão longitudinal; longor, longura.

longura [De *longo* + *-ura*.] *S. f.* **1.** V. *longuidão* (2): "Não os entibiava a longura das viagens, a bravura das tempestades, a perspectiva do martírio" (Latino Coelho, *Cervantes*, p. 179). **2.** *Fig.* Demora, delonga, longor.

lonita [De *lona*[1] + *-ita*[1].] *S. f. Tec. Têx.* Tecido grosso de algodão, menos encorpado que a lona: "Pensou .... na cortina de lonita alegre" (Maria Julieta Drummond de Andrade, *O Valor da Vida*, p. 143).

lonjura [De *longe* + *-ura*.] *S. f.* Grande distância; longitude: "Um barco vislumbrado na lonjura / Negava-se ao destino de ter cais" (Miguel Torga, *Diário*, IX, p. 126); "na largueza daqueles campos, na lonjura daqueles morros" (Albertino Moreira, *Boca-Pio*, pp. 65-66).

lonqueador (ô) [De *lonquear* + *-dor*.] *S. m. Bras. RS* Aquele que lonqueia couros.

lonquear [Do esp. plat. *lonjear*.] *V. t. d. Bras. RS* Preparar (o couro), limpando-o e raspando-o, a fim de o cortar, depois, em tiras finas, para trabalhos de trança, como, p. ex., laços, sogas, rebenques, cabeçadas, rédeas. [Conjug.: v. *frear*.]

lontar [Do mal. *lontar*.] *S. m. Bot.* V. *palmira*.

lontra [Do lat. *lutra*.] *S. f. Zool.* **1.** Qualquer de vários animais semiaquáticos, mamíferos, mustelídeos, piscívoros, esp. os do gênero *lutra*, que é quase cosmopolita. **2.** A lontra brasileira (*Lutra paranaensis*), que tem cerca de 70cm de comprimento e 30cm de cauda, e cujo corpo é revestido de pelos longos, pardo-acinzentados; cachorro-d'água, jaguacacaca.

lontrense[1] *Adj. 2 g.* **1.** De, ou pertencente ou relativo a Lontra (MG). ● *S. 2 g.* **2.** O natural ou habitante de Lontra.

lontrense[2] *Adj. 2 g.* **1.** De, ou pertencente ou relativo a Lontras (SC). ● *S. 2 g.* **2.** O natural ou habitante de Lontras.

➔ **loop** [lup] [Ingl., 'laço', 'laçada'.] *S. m. Inform.* **1.** Trecho de programa (9) executado repetidamente um número definido de vezes, ou até que uma condição seja satisfeita. **2.** A execução repetida dessas instruções; iteração. ◆ **Loop infinito.** *Inform.* Aquele em que não está definida condição para a sua interrupção, sendo executado indefinidamente.

lopé [Do criol.] *S. m. Guin.* Espécie de tanga para encobrir os órgãos sexuais: "Vestia-se como um menino do mato, com lopé sobre o púbis e manilhas nos braços" (João Ferreira, *Uaná: Narrativa Africana*, p. 126).

lopesco (ê) [Do antr. *Lope* + *-esco*.] *Adj.* Pertencente ou relativo ao dramaturgo espanhol Lope de Vega (1562-1635), ou à sua obra.

loquacidade [Do lat. *loquacitate*.] *S. f.* Qualidade de loquaz; verbosidade, verbiagem, tagarelice, loquela.

loquacíssimo [Do lat. *loquacissimu*.] *Adj.* Superl. abs. sint. de *loquaz*.

loquaz [Do lat. *loquace*.] *Adj. 2 g.* **1.** Falador, palrador; palavroso, verboso: "E era como um doido a meter-se no serviço de todos, muito expedito, loquaz, alegre" (Trindade Coelho, *Os Meus Amores*, p. 78). **2.** Facundo, eloquente. [Superl. abs. sint.: *loquacíssimo*.]

loque [Do lat. med. *lohac* < ár. *lu'q*.] *S. m.* **1.** *Farm.* Fórmula farmacêutica xaroposa, na qual entram gomas, óleos e essências, e que é usada em doenças pulmonares, laríngeas e faríngeas; eclegma. **2.** Medicação caseira para o mesmo fim; lambedor.

loquela (qüe) [Do lat. *loquela*.] *S. f.* **1.** Faculdade da fala; fala. **2.** V. *loquacidade*: "A descrição exagerada das experimentações deu rebate à porção sentimental da cidade, e excitou a loquela de alguns sofistas" (Machado de Assis, *Histórias sem Data*, p. 97). ❖

loquete (ê) [Do fr. *loquet*.] *S. m.* Cadeado ou ferrolho: "empurrou a porta de pranchas velhas, que não tinha loquete para ser mais hospitaleira." (Eça de Queirós, *Contos*, p. 144). [Var.: *aloquete*.]

loquial [De *loquio-* + *-al*[1].] *Adj. 2 g.* Relativo aos lóquios.

▲ **loquio-** [De *lóquio(s)*.] *El. comp.* = 'lóquios': *loquiometria, loquiorragia*.

loquiometria (lò) [De *loquio* + *-metria*.] *S. f. Obst.* Retenção dos lóquios no útero, com possível distensão deste.

loquiorragia (lò) [De *loquio* + *-ragia*.] *S. f. Obst.* Evacuação excessiva dos lóquios.

loquiorrágico (lò) [De *loquiorragia* + *-ico*[2].] *Adj. Obst.* Referente à loquiorragia.

lóquios [Adapt. do gr. *lóchia*, neutro pl. de *lóchios, os, on*, 'relativo ao parto'.] *S. m. pl. Obst.* Líquido sanguíneo, serossanguinolento e, finalmente, seroso, de acordo com a data do parto e a fase do puerpério, que escorre dos órgãos genitais femininos.

▲ **-loqu(o)-** Equiv. de *-loquo*.

▲ **-loquo** [Do lat. *-lŏquus, a, um* < lat. *loqui*, 'falar'; 'discursar'.] *El. comp.* = 'que fala'; 'que discursa': *altíloquo, blandíloquo* (< lat.). [Equiv.: *-loqu(o)-*: *pectoriloquia*.]

loraço [Por *louraçolouro*[3] + *-aço*.] *S. m. Bras. MG* Alcunha dos alemães. [Cf. *louraça*.]

lorantácea [Do tax. *Loranthus*, gênero-tipo, + *-ácea*; tax. *Loranthaceae*.] *S. f. Bot.* Espécime das lorantáceas, família de dicotiledôneas parasitas, da ordem das santalales, que vivem sobre outras plantas ou unidas às raízes destas. Folhas, quando presentes, opostas; flores inconspícuas ou muito grandes, vistosas e coloridas; perigônio quase sempre hexâmero; estames isômeros; ovário indiferenciado, unilocular, sem óvulo organizado. Pseudofruto (composto do receptáculo) bacáceo. Há cerca de 1.500 espécies, do mundo inteiro, e são disseminadas no Brasil, onde recebem a designação geral de *erva-de-passarinho*.

lorantáceo [De *lorantácea*, com var. suf. (v. *-áceo*).] *Adj. Bot.* Pertencente ou relativo às lorantáceas.

lorário [Do lat. *lorariu*.] *S. m.* Entre os antigos romanos, aquele que tinha a função de açoitar os escravos: "'Dá-lhe!', 'Degola!', berravam os lorários saltitando em volta dos combatentes de chicote em riste." (Mário de Carvalho, *Um Deus Passeando pela Brisa da Tarde*, p. 162.)

lorcha [De or. controv.; poss. do chinês.] *S. f. Macau* Embarcação pesqueira, à vela: "Marulhos de água nos cascos das lorchas e das sampanas." (Henrique de Sena Fernandes, *Nam Van, Contos de Macau*, p. 3.)

lordaça [De *lorde* + *-aça*.] *S. 2 g. Bras. CE Pop.* V. *estrangeiro* (7). [Cf. *lordaço*.]

lordaço [De *lorde* + *-aço*.] *Adj. S. m. Bras. GO Pop.* Diz-se de, ou indivíduo rico, abastado, opulento. [Sin. do s. m., na BA: *lordeza*. Cf. *lordaça*.]

lordar [De *lorde* + *-ar*[2].] *V. int.* Viver à farta, à larga, gastando como um lorde.

lorde [Do ingl. *lord*.] *S. m.* **1.** Título honorífico inglês. **2.** Título conferido a certos altos funcionários ou a certos ministros ingleses no exercício de suas funções. **3.** Membro da câmara alta do parlamento inglês. **4.** *Pop.* Homem que vive com ostentação. ● *Adj. 2 g.* **5.** Próprio de lorde; rico; caro. **6.** Cheio de exigências, de luxo; luxento.

lordeza (ê) [De *lorde* + *-eza*.] *S. 2 g. Bras. BA* V. *lordaço*.

lordose [Do gr. *lórdosis*, 'ação de curvar'.] *S. f.* **1.** *Anat.* Convexidade anterior, normal, nos segmentos cervical e lombar da coluna vertebral. **2.** *Med.* Curvatura de osso ou de órgão, que dá origem a convexidade anterior. **3.** *Ort.* Curvatura exagerada, de convexidade anterior, da coluna vertebral, e que se pode originar ou como compensação (p. ex., compensação de luxação congênita dos quadris), ou como consequência de paralisia (p. ex., na insuficiência de músculos espinhais ou de músculos abdominais). [Cf., nesta acepç., *escoliose* e *cifose*.]

loré *S. f.* **1.** *Bras. AL* V. *alpercata*. ● *S. m.* **2.** *Bras. N.E.* Taioba (5).

lorenense *Adj. 2 g.* **1.** De, ou pertencente ou relativo a Lorena (SP). ● *S. 2 g.* **2.** O natural ou habitante de Lorena.

loreno *Adj.* **1.** De, ou pertencente ou relativo a Lorena (França). ● *S. m.* **2.** O natural ou habitante de Lorena. **3.** *Gloss.* O dialeto do francês falado nessa região. **4.** Vocábulo desse dialeto.

loretense *Adj. 2 g.* **1.** De, ou pertencente ou relativo a Loreto (MA). ● *S. 2 g.* **2.** O natural ou habitante de Loreto.

→ **lorgnon** [lɔʀˈɲɔ̃] [Fr.] *S. m.* Lornhão.

lorica [Do lat. *lorica*, 'couraça', por via erudita.] *S. f.* **1.** *Bot.* Envoltório especial que se encontra em um grupo raro de algas unicelulares, com a forma de um cone aberto na base, mas invertido. **2.** *Zool.* Carapaça externa protetora dos rotíferos e de certos protozoários. [Cf. *loriga*.]

loricado [Adapt. do tax. *Loricata*.] *Zool. S. m.* **1.** Espécime dos loricados, subordem de metazoários rotíferos, ploimos, de corpo recoberto por lorica. **2.** V. *poliplacóforo* (1) ● *Adj.* **3.** Pertencente ou relativo aos loricados. **4.** V. *poliplacóforo* (2).

loricariídeo [Do tax. *Loricaria*, gênero-tipo, + *-ídeo*[1]; tax. *Loricariidae*.] *Zool. S. m.* **1.** Espécime dos loricariídeos, família de peixes siluriformes, que compreende grande número de espécies de bagres cascudos, com parte do corpo protegida por placas ósseas, e dotados de boca ventral e lábios grossos. São encontrados em rios da América Central e do Sul. Ex.: o acariaçu. ● *Adj.* **2.** Pertencente ou relativo a eles.

loricário [Do lat. tard. *loricariu*.] *Adj.* **1.** Referente a couraça (1). ● *S. m.* **2.** Fabricante de couraça (1).

lorídeo [Do tax. *Lor(is)*, 'gênero-tipo', + *-ídeo*[1].] *Adj. S. m. Zool.* V. *lorisídeo*.

lorifoliado [De *loro* + *-i-* + *-foli-* + *-ado*[1].] *Adj.* Que tem folhas semelhantes a correias; lorifólio.

lorifólio [De *loro* + *-i-* + *-fólio*.] *Adj.* Lorifoliado.

loriga [Do lat. *lorica*, por via pop.] *S. f.* Saio de malha com escamas de metal, usado pelos guerreiros da Idade Média: "um raio de sol, entrando milagrosamente, iluminou em cheio a figura do herói que aparecia armado de loriga e bravoneiras" (Oliveira Martins, *A Vida de Nun'Álvares*, p. 16). [Cf. *lorica*.]

lorigado [Do lat. *loricatu*.] *Adj.* Revestido de loriga.

lorigão [De *loriga* + *-ão*[1].] *S. m.* Saião de malha.

lóris [Do tax. *Loris*.] *S. m. 2 n. Zool.* **1.** Gênero de mamíferos lorisídeos, cinocefalídeos, dermápteros, arborícolas e herbívoros; têm hábitos noturnos, e são dotados de grandes olhos redondos, pequenas orelhas e cauda curta. **2.** Qualquer das duas espécies desse gênero, como, p. ex., a *Loris tardigradus*, natural do S. da Índia. **3.** Qualquer espécime desse gênero.

lorisídeo [Do tax. *Loris*, 'gênero-tipo', + *-ídeo*; tax. *Lorisidae*.] *Zool. S. m.* **1.** Espécime dos lorisídeos, família de primatas prossímios lemuroides, com 36 dentes, nariz sulcado e úmido, pelagem fina e densa. Ex.: o lóris. ● *Adj.* **2.** Pertencente ou relativo a eles. [Sin. ger.: *lorídeo*.]

lornhão [Do fr. *lorgnon*.] *S. m.* Instrumento de óptica, formado de duas lentes engastadas em uma armação sem hastes, com um cabo, e que se põe sobre o nariz: "Assim que me reconheceu, aumentou os bugalhos redondos, soltando o lornhão — que ficou a balançar, preso ao trancelim" (Josué Montelo, *O Baile da Despedida*, p. 36).

loro [Do lat. *loru*.] *S. m.* **1.** Correia dupla afivelada à sela ou selim para sustentar o estribo: "passou revista .... nos arreios do baio e da rosilha, depois nos cascos; e .... foi .... aqui apertando um loro, ali afrouxando uma cilha" (José de Alencar, *Til*, p. 43). **2.** Tira de couro macio destinada a atar ou prender qualquer objeto ou manter preso animal de pequeno porte ou ave. **3.** Parte da cabeça das aves, compreendida entre a base do bico e o olho. ◆ **Aos loros.** Em ziguezagues; serpeando, coleando: *andar aos loros*. **Encurtar os loros.** *Bras. S.* Calar-se.

loroiê [Do ior.] *S. m. Bras. Rel.* Saudação ao orixá Exu.

lorota [De or. obscura.] *S. f. Bras.* **1.** *Pop.* V. *mentira* (1). **2.** Conversa fiada; piada, gabolice, bazófia.

lorotagem [De *lorota* + *-agem*[2].] *S. f. Bras.* **1.** V. *mentira* (1). **2.** Uma porção de lorotas.

lorotar [De *lorota* + *-ar*[2].] *V. int. Bras.* Dizer lorotas; mentir.

loroteiro [De *lorota* + *-eiro*.] *Adj. S. m. Bras.* V. *mentiroso* (1 e 4).

lorpa (ô) [De or. incerta.] *Adj. 2 g. S. 2 g.* **1.** V. *tolo* (1 a 3, e 8). **2.** Grosseiro, boçal: *um sujeito estúpido, lorpa*; "Temos vivido, e com a mais lorpa das inconsciências, a endeusar .... os arautos e fomentadores .... da partilha do Brasil" (Alberto Rangel, *Textos e Pretextos*, pp. 42-43).

lorpice [De *lorpa* + *-ice*.] *S. f.* Qualidade, ato, dito ou modos de lorpa.

lorquiano [Do antr. *Lorca* + *-iano*.] *Adj.* **1.** Pertencente ou relativo a Federico Garcia Lorca (1899-1936), poeta e dramaturgo espanhol: "Os personagens do teatro lorquiano têm muita vida interior" (Euríalo Canabrava, *Estética da Crítica*, p. 224). **2.** Que é admirador e/ou profundo conhecedor de sua obra. ● *S. m.* **3.** Admirador e/ou profundo conhecedor da obra de Federico Garcia Lorca.

lorto (ô) *S. m. Bras. RJ Chulo* V. *nádegas*.

losângico [De *losango* + *-ico*[2].] *Adj.* Que tem forma de losango.

losango [Do fr. *losange*, de or. controversa.] *S. m. Geom.* Quadrilátero plano que tem os lados de igual comprimento; rombo.

losna [Do gr. *aloè oxínes*, 'aloés azedo', pelo lat. *aloxina*, pelo arc. *alosna*, com aférese.] *S. f. Bot.* **1.** Nome comum a diversas plantas asteráceas do gênero *Artemisia* (v. *artemísia*). **2.** V. *absinto* (1).

losna-arbustiva [De *losna* + o f. de *arbustivo*.] *S. f. Bot.* V. *losna-do-algarve*. [Pl.: *losnas-arbustivas*.]

losna-de-dioscórides *S. f. Bot.* V. *absinto* (1). [Pl.: *losnas-de-dioscórides*.]

losna-do-algarve [De *losna* + *do*[1] + o top. *Algarve*.] *S. f. Bot.* Arbusto asteráceo (*Artemisia arborescens*) vulgar nas praias do Algarve (Portugal) e na região mediterrânea; tem folhas argênteas e flores amarelas, e é cultivada como medicinal. [Sin.: *losna-arbustiva, losna-menor, absinto-de-portugal*. Pl.: *losnas-do-algarve*.]

losna-maior *S. f. Bot.* V. *absinto* (1). [Pl.: *losnas-maiores*.]

losna-menor *S. f. Bot.* V. *losna-do-algarve*. [Pl.: *losnas-menores*.]

lota [Dev. de *lotar*.] *S. f.* **1.** Lugar onde se calcula o imposto do pescado. **2.** Lugar onde se vende peixe sobretudo a revendedores: "A chegada do peixe à lota, durante a noite" (Augusto Abelaira, *Enseada Amena*, p. 92). **3.** Porção de peixe que se vende em leilão; lote. **4.** Maneira de vender peixe, em leilão, por lotes.

lotação[1] [De *lotar* + *-ção*.] *S. f.* **1.** Ato ou efeito de lotar. **2.** Cálculo de um rendimento. **3.** *P. ext.* Orçamento (1). **4.** Rendimento de um lugar. **5.** Beneficiação de vinho por meio de misturas. **6.** A capacidade dum veículo, duma sala de espetáculos, etc. **7.** Número de servidores públicos que devem ter exercício em cada repartição, dos homens que devem constituir a tripulação de um navio de guerra, etc.

lotação[2] *S. m. Bras.* F. red., e muito m. us., de *autolotação*.

lotada [De *lote* + *-ada*[1].] *S. f. Bras. RJ* V. *vara*[1] (17).

lotado [Part. de *lotar*.] *Adj.* **1.** Cuja lotação[1] (6) está completa. **2.** Muito cheio: *A praia estava lotada.* **3.** Posto para trabalhar em determinado setor, repartição, etc.: "Na infância, a maior autoridade em seu círculo de relações foi um tio policial, lotado no DOPS." (Elio Gaspari, *A Ditadura Derrotada*, p. 270.)

lotador (ô) [De *lotar* + *-dor*.] *S. m.* Aquele que faz lotes ou lotações.

lotar [De *lote*[1] + *-ar*[2].] *V. t. d.* **1.** Dividir em lotes. **2.** Fixar, determinar o número de. **3.** Determinar a lotação de; calcular, avaliar. **4.** Completar a lotação[1] (6) de; encher: *Os amantes de ópera lotaram o teatro.* **5.** Sortear (1). **6.** Misturar (vinhos). *T. d. e c.* **7.** Colocar funcionário ou empregado em (determinado setor, repartição, etc.): *O Governo lotou vários funcionários na Secretaria de Obras.* *Int.* **8.** Completar a lotação[1] (6): *O cinema ainda não lotou.* [Pres. ind.: *loto*, etc.; pres. subj.: *lote, lotes*, etc. Cf. *loto* (ô), s. m., e *Lótis*, mit.]

lotaria *S. f. Desus. no Brasil*. V. *loteria*.

lote[1] [Do fr. *lot*.] *S. m.* **1.** Quinhão que cabe a alguém numa partilha. **2.** Objeto ou grupo de objetos leiloados de uma vez. **3.** Determinada quantidade de objetos, ger. da mesma natureza. **4.** Magote de pessoas; rancho. **5.** Qualidade de um gênero, de uma mercadoria; padrão. **6.** Qualidade, espécie, laia, jaez: "tinha fama .... de ser uma das sibilas que melhor atinavam com os futuros ..... Rira-me eu sempre de gente desse lote." (Antônio Feliciano de Castilho, *Amor e Melancolia*, p. 321). **7.** *Ant. Mar. G.* Categoria de um navio em função do seu deslocamento, poder ofensivo, etc. **8.** *Econ.* Conjunto de títulos de igual característica. **9.** *Inform.* Conjunto de registros, documentos ou programas, considerado como um único bloco para efeito de processamento por computador. **10.** *Inform.* Conjunto de comandos a serem processados de forma sequencial e automática por computador, sem interação com o usuário. [Tb. us., nas acepç. 8 e 9, o voc. ingl. *batch*; cf. *processamento em lote*.] **11.** *Urb.* Porção de terra, autônoma, que resulta de loteamento (q. v.) ou desmembramento (q. v.), e cuja testada é voltada para logradouro público reconhecido ou projetado. **12.** *Bras.* Área pequena de terreno, urbano ou rural, destinada a construções ou a pequena agricultura. **13.** *Bras.* Cada grupo de animais cargueiros, em geral de sete, com um condutor, em que se dividem as tropas de carga: "Sua tropa de três lotes — cada lote dez burros! — era a melhor que batia o sertão aquém de Jacobina" (Nélson de Faria, *Cabeça-Torta*, p. 7).

lote[2] *S. m.* V. *lota* (3).

loteado [Part. de *lotear*.] *Adj.* Dividido em lotes.

loteamento [De *lotear* + *-mento*.] *S. m. Urb.* **1.** Parcelamento da terra em lotes [v. *lote*[1] (11)], fazendo-se necessária a abertura ou prolongamento de logradouros públicos para os quais tenham testada. **2.** O projeto dessa divisão de terras.

lotear [De *lote*[1] + *-ear*[2].] *V. t. d. Bras.* **1.** Dividir (um terreno) em lotes, para fins de construção ou de cultivo: "resolveu o Dr. Alambari Luz desfazer-se de porções consideráveis das terras, loteando-as." (Vivaldo Coaraci, *Paquetá*, p. 45). **2.** Dividir (um terreno urbano) em lotes e vendê-los para pagamento em prestações. [Us. tb., às vezes, como int. Conjug.: v. *frear*.]

loteca [De *loteria*.] *S. f. Bras. Pop.* V. *loteria esportiva*.

loteria [Do it. *lotteria*.] *S. f.* **1.** Toda espécie de jogo de azar em que se tiram à sorte prêmios aos quais correspondem bilhetes numerados. **2.** *Fig.* Coisa ou negócio aleatório, dependente do acaso, da sorte. **3.** *Turfe* Páreo em que estão inscritos muitos cavalos, ficando muito difícil indicar o provável vencedor. [Var., desus. no Brasil: *lotaria*.] ◆ **Loteria esportiva.** Loteria oficial em que os ganhadores são os que acertam os resultados de determinados jogos de futebol previamente escolhidos. [Sin., pop.: *loteca*.]

lotérico [De *loteria* + *-ico*[2].] *Adj.* **1.** De, ou pertencente ou relativo a loteria: *bilhete lotérico*. **2.** *Turfe* Diz-se do páreo em que o elevado número de competidores dificulta muito um prognóstico sobre seu resultado. ● *S. m. Bras.* **3.** Empregado de estabelecimento de loteria.

lótico [Do lat. *lotus, a, um*, part. do lat. *lavare* (> *lavar*) + *-ico*[2].] *Adj. Ecol.* **1.** Diz-se de ambiente de água corrente. **2.** Diz-se de organismo que nele vive. [Opõe-se a *lêntico*.]

loto[1] [Do tax. *Lotus* < lat. *lotus* < gr. *lotós*.] *S. m. Bot.* V. *lótus*.

loto[2] [F. red. de *loteria*.] *S. f. Bras.* Loteria oficial em que se sorteiam cinco dezenas, ganhando aqueles que acertarem a quina (todas as cinco dezenas — o prêmio maior), a quadra (quatro das cinco dezenas) ou o terno (três das cinco dezenas.) [Pl.: *lotos*. Cf. *loto* (ô) e pl. *lotos* (ô).]

loto[1] (ô) [Do it. *lotto*.] *S. m.* **1.** Jogo de azar em que se empregam cartões, numerados de 1 a 90, que os jogadores vão marcando à medida que esses números, impressos em pedrinhas de madeira ou de outro material qualquer, são tirados, ao acaso, de um saco, ganhando aquele que primeiro preencher os cinco números de uma linha ou, se combinado, o cartão todo; víspora, quino: "Encontrou-as muito abandonadas, ... jogando em volta da mesa um loto desanimado." (Conde de Ficalho, *Uma Eleição Perdida*, pp. 136-137.) **2.** O conjunto de cartões e pedras numeradas com que se joga esse jogo. [Pl.: *lotos* (ô). Cf. *loto*, s. m., pl. *lotos*, e *loto*, do v. *lotar*.]

loto[2] (ô) *S. m. Bras. PB Chulo* V. *ânus*.

lótus [Do lat. *lotu* (< gr. *lotós*), por via erudita.; tax. *Lotus*.] *S. m. 2 n.* **1.** *Bot.* Nome comum a várias ninfeáceas do gênero *Nimphaea* (v. *ninfeia*), dotadas de belas flores brancas, róseas, azuis ou violáceas. **2.** Ninfeácea (*Nimphaea lotus*) de belas folhas orbiculares, denteadas, e grandes flores alvas, com pétalas róseas e estames amarelos, nativa da África, esp. do Egito, cultivada como ornamental e pelos rizomas comestíveis; lótus-sagrado, lótus-sagrado-do-egito, nenúfar, bandeja-d'água. **3.** Nome comum a fabáceas do gênero Lotus, que reúne cerca de 100 espécies nativas do Velho Mundo; são cultivadas como ornamentais ou como forrageiras, embora algumas sejam tóxicas. [Sin. ger.: *loto*[1], *lodo*.]

lótus-amarelo *S. m. Bot.* Ninfeácea (*Nelumbo luteo*) originária do S. da América do Norte, de flores amarelas, e com um círculo amarelado em torno do ponto de inserção do pecíolo na folha. [Pl.: *lótus-amarelos*.]

lótus-azul *S. m. Bot.* Ninfeácea (*Nymphaea coerulea*) originária da África, de flores azuis. [Pl.: *lótus-azuis*.]

lótus-da-índia [De *lótus* + *da*[1] + o top. *Índia*.] *S. m. 2 n. Bot.* Lótus-índico.

lótus-índico *S. m. Bot.* Ninfeácea (*Nelumbo nucifera*) originária da Índia, de flores amarelas e rizomas e sementes comestíveis, ricos em amido. [Sin.: *lótus-da-índia*. Pl.: *lótus-índicos*.]

lótus-sagrado *S. m. Bot.* V. *lótus* (2). [Pl.: *lótus-sagrados*.]

lótus-sagrado-do-egito [De *lótus-sagrado* + *do*[1] + o top. *Egito*.] *S. m. Bot.* V. *lótus* (2). [Pl.: *lótus-sagrados-do-egito*.]

louca [F. subst. do adj. *louco*.] *S. f. Bras. Pop.* Loucura (1). [Ger. só us. em loc., como *dar a louca em* ('enlouquecer'), *estar com a louca* ('estar doido'), etc.] ◆ **Dar a louca em.** V. *louca*. **Estar com a louca.** V. *louca*.

louça [Do lat. *lautia*, 'hóspede'.] *S. f.* **1.** Artefato de barro, porcelana, etc., para uso doméstico, esp. para serviço de mesa. **2.** Conjunto desses artefatos; aparelho: *A louça de jantar está incompleta.* **3.** Qualquer produto cerâmico: *vendedor de louças; seção das louças.* **4.** *Restr.* Conjunto de vasos sanitários que forma a instalação dum banheiro. **5.** Material de que se fazem esses objetos: *cafeteira de louça.* **6.** *Pop.* Coisa excelente, fina; primor, mimo. **7.** *Bras. Pop.* V. *urinol* (1). **8.** *Bras. CE* Café pequeno, cafezinho. [Só se emprega (sobretudo em botequins) ao fazer o pedido: *Rapaz, traga-me aí três louças.*] **9.** *Bras. CE* Xícara em que se serve, nos bares, o cafezinho. [F. paral.: *loiça*.] ◆ **Louça de chacota.** Louça ordinária. **Louça sanitária.** Aparelho sanitário. **Devagar com a louça.** V. *devagar com o andor* (, *que o santo é de barro*)!

louçã *Adj.* (*f.*) Fem. de *loução*: "a frequência daqueles agudos conceitos, ornados de razões pomposas, que tudo vem a ser as plumas mais louçãs de que a Poesia se reveste" (D. Francisco Manuel de Melo, *Apólogos Dialogais*, pp. 309-310).

loucado [De *louco* + *-ado*[1].] *Adj.* Louco, tresloucado: "Ó loucada pergunta esvaída / de sibila enterrada entre templos." (Jorge de Lima, *Obra Completa*, I, p. 777.)

louçainha (a-í) [Var. de *louçania*, com metátese.] *S. f.* **1.** Objeto de luxo no vestuário. **2.** Ornato, adorno, enfeite, gala: "velha presumida e caprichosa, arremedando com remendadas garridices, na decrepidez precoce, as singelas louçainhas da idade juvenil." (Latino Coelho, *Cervantes*, p. 201).

louçainhar (a-i) [De *louçainha* + *-ar*[2].] *V. t. d.* Tornar loução; louçanear.

louçainho (a-í) [De *louçainha*.] *Adj.* Garrido; enfeitado, vistoso, ataviado; loução.

louçanear *V. t. d.* Louçainhar. [Conjug.: v. *frear*.]

louçania [De *loução* + *-ia*[1].] *S. f.* **1.** Qualidade de loução. **2.** Garbo, garridice, elegância.

loução [Do lat. **lautianu*.] *Adj.* **1.** V. *louçainho*. **2.** Gracioso, elegante, gentil: "Os cabelos, densos e louros, ... molduravam-lhe o lindo rosto oval, estético e loução" (Virgílio Várzea, *Nas Ondas*, pp. 23-24). **3.** Viçoso, fresco, vigoroso: *fisionomia louçã; laranjais louçãos.* [Flex.: *louçã* (q. v.), *louçãs*, *louçãos*. Cf. *loção*.]

louçaria [De *louça* + *-aria*.] *S. f.* **1.** Estabelecimento onde se vende louça. **2.** Grande quantidade de louças. [Var.: *loiçaria*.]

louceira [De *louça* + *-eira*.] *S. f.* **1.** Mulher que fabrica ou vende louça. **2.** V. *guarda-louça* (1). [Var.: *loiceira*.]

louceiro [De *louça* + *-eiro*.] *S. m.* **1.** Fabricante ou vendedor de louça. **2.** V. *guarda-louça* (1). [Var.: *loiceiro*.]

louco[1] [F. red. de *erva-de-louco*.] *S. m. Bras. Bot.* V. *caapomonga*.

louco[2] [De or. obscura.] *Adj.* **1.** Que perdeu a razão; alienado, doido, demente: "Rola-me na cabeça o cérebro oco. / Porventura, meu Deus, estarei louco?!" (Augusto dos Anjos, *Eu*, p. 112.) **2.** Que está fora de si; contrário à razão ou ao bom senso; insensato: *A gritaria das crianças o põe louco.* **3.** Dominado por paixão intensa; apaixonado, perdido: *louco de amor; É louco por música.* **4.** Que se porta de maneira pouco sensata, inconveniente; esquisito, excêntrico: *É louco: tranca-se no quarto e não fala com ninguém.* **5.** Imprudente, imoderado, temerário: *Constantemente dirige bêbado: é louco mesmo.* **6.** Estroina, extravagante, doidivanas: *É um louco: em dois meses dissipou a fortuna em farras.* **7.** Travesso, brincalhão, folgazão. **8.** Fora do comum; incomum, enorme, extraordinário: *Seu último livro está fazendo um sucesso louco.* **9.** Diz-se daquilo que revela loucura: *amor louco; Suas aspirações são inteiramente loucas.* ● *S. m.* **10.** Indivíduo louco: "Um dia num alfarrábio / Eu li que um louco vivia, / Toda a noite e todo o dia, / Uma estátua a namorar." (Guimarães Passos, *Versos de um Simples*, p. 35.) [Pl.: *loucos*. Cf. *loco* (ô), s. m., pl. *locos* (ô); *loco*, s. m., pl. *locos*, e *loco*, do v. *locar*.]

loucura [De *louco* + *-ura*.] *S. f.* **1.** Estado ou condição de louco; insanidade mental. [Sin., desus.: *vesânia*.] **2.** Ato próprio de louco. **3.** Falta de discernimento; irreflexão, absurdo, insensatez, doidice, louquice: *Foi uma loucura começar este trabalho.* **4.** Imprudência, temeridade, louquice: *Chove torrencialmente: é loucura sairmos agora.* **5.** Tudo que foge às normas, que é fora do comum; grande extravagância; louquice: *A reunião de ontem foi agitadíssima: uma loucura; O preço do apartamento é uma loucura, baratíssimo.* **6.** Pessoa, animal ou coisa a que se devota grande amor ou entusiasmo: "O menino Lima Barreto adorava a todos esses animais, mas a sua loucura eram os pombos." (Francisco de Assis Barbosa, *A Vida de Lima Barreto*, p. 50.) [Sin. (pop.) de 1 a 5: *doideira, doidice, louquice, maluqueira, maluquice* e (bras.) *malucagem*.] ◆ **Apanhar loucura.** *Moç.* Enlouquecer, endoidecer: "Apanhou loucura, uma perplexidade total" (Orlando Muhlanga, *Diário de Sangue*, p. 34).

louletano *Adj.* **1.** De, ou pertencente ou relativo a Loulé (Portugal). ● *S. m.* **2.** O natural ou habitante de Loulé.

➔ **lounge** [lawndʒ] [Ingl.] *S. m.* Espaço, ger. num restaurante, boate ou hotel, com sofás ou almofadas, onde se ouve música ambiente, se conversa e se bebe: "É que, de uns tempos para cá, a palavra *lounge* virou passaporte para o olimpo da modernidade." (*Jornal do Brasil*, 23.06.2002.)

louquejar [De *louco* + *-ejar*.] *V. int.* **1.** Fazer loucuras; cometer imprudências, tropelias, diabruras. **2.** Brincar, doidejar: "seu hálito infantil / É branda viração a louquejar subtil / No verde laranjal das Hespérides..." (Eugênio de Castro, *Obras Poéticas*, VI, p. 106). [Conjug.: v. *pelejar*.]

louquice [De *louco* + *-ice*.] *S. f.* V. *loucura* (3 a 5).

louquidão [De *louco* + *-idão*.] *S. f.* Loucura, louquice: "a frase além dos lábios, jogos lépidos, / no cerne a louquidão sempre almejada" (Jorge de Lima, *Obra Completa*, I, p. 909).

loura[1] [F. subst. de *louro*[3].] *S. f.* **1.** Mulher de cabelo louro. **2.** *Fam.* Libra esterlina. **3.** *Bras. Gír.* Cerveja: "A gaita anda curta para o *scotch* mas dá para molhar a garganta com uma 'loura'." (Vinícius de Morais, *Para Viver um Grande Amor*, p. 179.) [Var.: *loira*.]

loura[2] *S. f.* V. *lura*.

louraça [De *louro*[3] + *-aça*.] *S. 2 g.* **1.** Pessoa que tem o cabelo de um louro deslavado. **2.** *Fig.* Pessoa simplória, bisonha, ingênua. [Var.: *loiraça*. Cf. *loraço*.]

lourão [De *louro*[3] + *-ão*[1].] *Adj.* Que tem cabelo de um louro muito vivo: "Beirando os cinquenta anos, lourona, com uma pele de rosa rubra" (Gilberto Amado, *Depois da Política*, p. 88). [Fem.: *lourona*. Var.: *loirão*.]

lourdense *Adj. 2 g.* **1.** De, ou pertencente ou relativo a Nossa Senhora de Lourdes (SE). ● *S. 2 g.* **2.** O natural ou habitante de Nossa Senhora de Lourdes.

loureba [De *louro*.] *S. 2 g. Pej.* Indivíduo alourado: "a moça falou qualquer coisa ao *boy* que saiu da sala e logo voltou com dois lourebas fortes, muito parecidos um com o outro." (Raquel de Queirós, *O Brasileiro Perplexo*, p. 134).

lourecer [De *louro*[3] + *-ecer*.] *V. t. d. Int.* V. *lourejar*. [Conjug.: v. *aquecer*. Var.: *loirecer*.]

loureira *Adj.* (*f.*) **1.** Diz-se de mulher provocante, sedutora, que procura agradar a todos. ● *S. f.* **2.** Mulher loureira. **3.** *Deprec. Meretriz*. [Var.: *loireira*.]

loureiral [De *loureiro* + *-al*[1].] *S. m.* **1.** Quantidade mais ou menos considerável de loureiros dispostos proximamente entre si. **2.** Área ocupada por loureiral (1). [Var.: *loireiral*.]

loureirense *Adj. 2 g.* **1.** De, ou pertencente ou relativo a Gramado dos Loureiros (RS). ● *S. 2 g.* **2.** O natural ou habitante de Gramado dos Loureiros.

loureiro [Do b.-lat. *laurariu*.] *S. m. Bot.* Arvoreta laurácea (*Laurus nobilis*) originária do Mediterrâneo, de folhas oblongas, coriáceas, fortemente aromáticas, utilizadas como condimento, flores inconspícuas e umbeladas, e cujo fruto é uma pequena baga escura e amarga. Fornece óleo essencial us. em banhos, e já foi muito cultivada graças a suas folhas, que serviam para cingir os vencedores nos jogos e batalhas. [Var.: *loireiro*; sin.: *louro*[1] (2).]

loureiro-da-índia [De *loureiro* + *da*[1] + o top. *Índia*.] *S. m. Bot.* V. *agáloco* (1). [Pl.: *loureiros-da-índia*.]

lourejante [De *lourejar* + *-nte*.] *Adj. 2 g.* **1.** Que loureja. **2.** Tirante a louro; amarelado: "Era uma profusão magnífica de frondes lourejantes." (Godofredo Rangel, *Andorinhas*, p. 144.) [Var.: *loirejante*.]

lourejar [De *louro*[1] + *-ejar*.] *V. int.* **1.** Tornar-se louro; enlourar, amarelecer, lourecer: "Murcham as flores, e lourejam as messes." (Camilo Castelo Branco, *Doze Casamentos Felizes*, p. 57.) **2.** Apresentar a cor loura; lourecer, amarelejar: "Loureja o ipê com as áureas flores." (Alberto de Oliveira, *Poesias*, 2.ª série, p. 306.) *T. d.* **3.** Tornar louro; lourecer, alourar: "Um homenzinho gordo, de .... pequeno bigode castanho, em parte lourejado pelo fumo." (Aluísio Azevedo, *Casa de Pensão*, p. 110.) ● *S. m.* **4.** Ato de lourejar: "É o lourejar das messes nos roçados." (P.e Antônio Vieira, *Sertão Brabo*, p. 17.) [Var.: *loirejar*. Conjug.: v. *pelejar*. M. us. nas 3.as pess.]

lourencense *Adj. 2 g.* **1.** De, ou pertencente ou relativo a São Lourenço do Oeste (SC). ● *S. 2 g.* **2.** O natural ou habitante de São Lourenço do Oeste. [Sin. ger.: *lourenciano*[2].]

lourenciano[1] *Adj.* **1.** De, ou pertencente ou relativo a São Lourenço do Sul (RS). ● *S. m.* **2.** O natural ou habitante de São Lourenço do Sul. [Cf. *laurenciano*.]

lourenciano[2] *Adj. S. m.* V. *lourencense*. [Cf. *laurenciano*.]

louridão [De *louro*[3] + *-idão*.] *S. f.* Qualidade daquele ou daquilo que é louro[3]: "Mas como foi esse índio? Todos sabem. / Ele mora no vosso olhar já verde, / na vossa louridão, no vosso passo" (Jorge de Lima, *Obra Completa*, I, p. 660).

louro[1] [Do lat. *lauru*.] *S. m. Bot.* **1.** Nome comum a lauráceas do gênero *Laurus* (v. *lauro*). **2.** V. *loureiro*. **3.** V. *claraíba* (1). **4.** Folha de loureiro. [Var.: *loiro*.] ~ V. *louros*. ◆ **Colher os louros.** Receber a fama ou o reconhecimento de um trabalho bem-feito ou de uma ação bem-sucedida: "Extenuado, depois de ter posto o rebanho em fuga pelo vale, Viramundo se deteve, ofegante, e olhou em torno com orgulho, para colher os louros da vitória." (Fernando Sabino, *O Grande Mentecapto*, p. 125.) **Dormir sobre os louros.** Acomodar-se depois de uma vitória, uma conquista, etc., correndo o risco de não alcançar novos sucessos.

louro[2] [Var. de *loiro*[2] < mal. *nori*.] *S. m. Zool. Fam.* V. *papagaio* (1).

louro[3] [De or. controversa.] *Adj.* **1.** Que tem a cor amarelo-tostado, a cor média entre o dourado e o castanho-claro: *fumo louro; cabelos louros.* **2.** Diz-se do cabelo dessa cor. ~ V. *o* — *metal*. ● *S. m.* **3.** Essa cor: "Os cabelos, densos e louros, de um louro seco de feno maduro, molduravam-lhe .... o lindo rosto oval" (Virgílio Várzea, *Nas Ondas*, p. 24). **4.** Indivíduo que tem o cabelo louro. [Var.: *loiro*[3].]

louro-abacate *S. m. Bras. Bot.* **1.** Árvore laurácea (*Pleurothyrium cuneifolium*) de folhas obovadas, coriáceas e tomentosas na página inferior, flores minutas, ferrugíneas e paniculadas, e fruto bacáceo. Fornece madeira parda de pouca duração. [Sin.: *abacaterana*.] **2.** V. *canela-guaicá* (1). [Var.: *loiro-abacate*. Pl.: *louros-abacates* e *louros-abacate*.]

louro-amarelo *S. m. Bot.* Árvore boraginácea (*Cordia alliodora*) de folhas oblongas, amplas e tomentosas na página inferior, flores alvas, vistosas, reunidas em panículas compactas, e cujo fruto é uma pequena drupa com cálice e corola marcescentes, sendo a madeira, clara e leve, utilizada para canoas, móveis e construções. [Var.: *loiro-amarelo*. Sin.: *uruá*. Pl.: *louros-amarelos*.]

louro-aritu *S. m. Bras. Bot.* V. *louro-pardo*. [Pl.: *louros--aritus* e *louros-aritu*.]

louro-batata *S. m. Bras. Bot.* V. *louro-pardo*. [Pl.: *louros--batatas* e *louros-batata*.]

louro-branco *S. m.* **1.** *Bras. Bot.* Árvore laurácea (*Ocotea guianensis*) nativa nas matas da Amaz., de folhas com indumento piloso, alvacento na face inferior, flores muito pequenas, cimosas, e cuja madeira, branca e leve, é utilizada sobretudo no fabrico de pasta de celulose para papel; louro-tamanco. **2.** V. *claraíba* (1). [Var.: *loiro-branco*. Pl.: *louros-brancos*.]

louro-bravo *S. m. Bras. Bot.* V. *caneleira-do-mato*. [Pl.: *louros-bravos*.]

louro-cereja *S. m. Bot.* Arvoreta rosácea (*Prunus laurocerasus*) ornamental, nativa na Europa e Pérsia, de folhas oblongo-obovadas, coriáceas, brilhantes e providas de glândulas, flores minutas, alvas e racemosas, e cujo fruto é uma drupa pequenina e escura. As folhas fornecem, destiladas, a água de louro-cereja. [Var.: *loiro-cereja*. Pl.: *louros-cerejas* e *louros-cereja*.]

louro-cheiroso *S. m. Bras. Bot.* V. *casca-preciosa* (1). [Var.: *loiro-cheiroso*. Pl.: *louros-cheirosos* (ó).]

louro-cravo *S. m. Bras. Bot.* Árvore laurácea (*Dicypellium caryophyllatum*) que recende fortemente a cravo em todas as suas partes, de folhas oblongas, acuminadas e coriáceas, flores pequeninas, unissexuais, ordenadas em racemos curtos, e baga oval. Ocorre da Amaz. à Serra do Mar. [Var.: *loiro-cravo*. Sin.: *cravo-do-maranhão*, *pau-cravo*. Pl.: *louros-cravos* e *louros-cravo*.]

louro-da-beira *S. m. Bras. Bot.* Árvore laurácea (*Ocotea laxiflora*) habitante do PA, de folhas oblongo--lanceoladas, acuminadas, coriáceas, e pilósulas, flores minutas, dispostas em panículas, frouxas e glabras, unissexuais, e madeira sem valor comercial. [Var.: *loiro-da-beira*. Pl.: *louros-da-beira*.]

louro-da-terra *S. m. Bras. Bot.* V. *craveiro-da-terra*. [Var.: *loiro-da-terra*. Pl.: *louros-da-terra*.]

louro-de-casca-preta *S. m. Bras. Bot.* V. *canela-preta--verdadeira*. [Var.: *loiro-de-casca-preta*. Pl.: *louros--de-casca-preta*.]

louro-de-mato-grosso [De *louro*[1] + *de* + o top. *Mato Grosso*.] *S. m. Bras. Bot.* V. *claraíba* (1). [Pl.: *louros--de-mato-grosso*.]

louro-do-igapó *S. m. Bras. Bot.* Árvore laurácea (*Nectandra amazonum*) de folhas oblongo-lanceoladas, grandes e pilosas na página inferior, flores insignificantes, ordenadas em panículas corimbiformes, e cujo fruto é uma pequena baga cupulada, sendo a madeira, pardo-amarelada, utilizada em construções internas. Ocorre das Caraíbas a MG e RJ. [Var.: *loiro-do-igapó*. Pl.: *louros-do-igapó*.]

louro-inhamuí *S. m. Bras. Bot.* Árvore laurácea (*Ocotea barcellensis*) do alto Amazonas e PA, de folhas elípticas, acuminadas e coriáceas, flores pequeninas, dispostas em panículas rufas, baga esférica, com cúpula grossa, e cujo tronco, quando perfurado, deixa escorrer uma espécie de terebintina, de uso local; nhamuí, louro-mamorim. [Var.: *loiro-inhamuí*. Pl.: *louros-inhamuís* e *louros-inhamuí*.]

louro-mamorim *S. m. Bras. Bot.* V. *louro-inhamuí*. [Var.: *loiro-mamorim*. Pl.: *louros-mamorins* e *louros--mamorim*.]

louro-negro *S. m. Bras. Bot.* V. *louro-pardo*. [Pl.: *louros--negros*.]

louro-pardo *S. m. Bras. Bot.* Árvore boraginácea (*Cordia trichotoma*) nativa do Brasil, de folhas ásperas, oblongas, flores alvas, em panículas exuberantes, e pequenos frutos drupáceos; é cultivada como ornamental e por fornecer madeira útil, um tanto pesada. [Var.: *loiro-pardo*. Sin.: *aritu*, *canela-batata*, *freijó*, *frei-jorge*, *grão-de-galo*, *louro*, *louro-aritu*, *louro-batata*, *louro-negro*, *mutamba*, *pau-cachorro*, *peteribi*. Pl.: *louros-pardos*.]

louro-pimenta *S. m. Bras. Bot.* Árvore laurácea (*Ocotea canaliculata*) nativa no N. do Brasil e nas Guianas, de folhas lanceoladas, coriáceas e pilosas na página inferior, flores minutas, ferrugíneo-tomentosas e congregadas em panículas, fruto bacáceo e cupulado, e cuja madeira, pardo-escura, serve em marcenaria. [Var.: *loiro-pimenta*. Pl.: *louros-pimentas* e *louros--pimenta*.]

louro-preto (ê) *S. m. Bras. Bot.* **1.** Árvore laurácea (*Nectandra mollis*) própria das matas pluviais, semelhante ao louro-do-igapó, e cuja madeira é estimada para uma série de usos. **2.** Canela-baraúna (2). **3.** V. *claraíba* (1). [Var.: *loiro-preto*. Pl.: *louros-pretos*.]

louro-rosa *S. m. Bras. Bot.* Árvore laurácea (*Aniba parviflora*) habitante da Amaz., de folhas elípticas, brilhantes em cima e pubescentes embaixo, flores muito pequenas (1mm), congregadas em inflorescências paniculadas minutas, fruto bacáceo, e cuja madeira, amarelo-esverdeada, cheira a rosa e é facilmente trabalhável. [Var.: *loiro-rosa*. Pl.: *louros-rosas* e *louros-rosa*.]

louros [Pl. de *louro*[1].] *S. m. pl. Fig.* Glórias, triunfos, lauréis: *os louros da vitória*. [Var.: *loiros*.] ~ V. *louro*[1].

louro-silvestre *S. m. Bras. Bot.* V. *caneleira-do-mato*. [Pl.: *louros-silvestres*.]

louro-tamancão *S. m. Bras. Bot.* Árvore laurácea (*Ocotea acutangula*) de folhas ovadas, nitidamente verdes na página superior e acinzentadas na inferior, flores unissexuais, arrumadas em panículas multifloras, cinéreas e tomentosas, fruto bacáceo. Ocorre da América Central à BA. [Var.: *loiro-tamancão*. Pl.: *louros-tamancões* e *louros-tamancão*.]

louro-tamanco *S. m. Bras. Bot.* Louro-branco (1). [Var.: *loiro-tamanco*. Pl.: *louros-tamancos* e *louros-tamanco*.]

louro-vermelho *S. m. Bras. Bot.* **1.** Árvore laurácea (*Ocotea rubra*), peculiar à Amaz., de folhas coriáceas, obtusas no ápice, longamente acuminadas, e glabras, flores pequeninas, rubro-tomentosas, ordenadas em panículas, e cujo fruto é uma baga cupulada, sendo a madeira, de coloração vermelha, excelente para mobiliário e construção. **2.** V. *canela-inhaíba*. [Var.: *loiro-vermelho*. Pl.: *louros-vermelhos*.]

lousa [Do pré-romano **lausa*, pelo lat. vulg. *lausia*.] *S. f.* **1.** Laje (1). **2.** Pedra tumular rasa, que assenta sobre a sepultura: "A lousa tumular o corpo fecha e cobre / De sombra e de abandono" (Vicente de Carvalho, *Poemas e Canções*, p. 226). **3.** Lâmina de ardósia enquadrada em madeira para nela se escrever ou desenhar com ponteiros da mesma pedra; ardósia: "Agarrando a maleta de pau, onde se espremiam o velho livro de leitura, a lousa desbeiçada e dois ou três cadernos ...., disparou em direção à escola." (Macedo Miranda, *Pequeno Mundo Outrora*, p. 55.) [Var.: *loisa*.] ◆ **Lousa de maçacote.** *Arquit.* Pavimento revestido com argamassa; piso ou chão cimentado.

louva-a-deus [De *louvar* + *a*[3] + *Deus*.] *S. m. 2 n. Zool.* Inseto mantódeo, mantídeo, predador, com cerca de 400 espécies na região neotrópica, e cujas pernas anteriores são raptoriais. Realiza a postura em grandes ootecas. O nome popular provém do seu porte quando pousado, que lembra uma pessoa ajoelhada em oração. [Sin.: no N.E., *põe-mesa*; em MG, *bendito*.] [Em Portugal o termo é feminino: "Conhecedor profundo da natureza humana, sabia que numa folhagem de caramanchão só nasce e cresce a louva--a-deus modesta, incapaz de conceber as formas da rebelião." (Miguel Torga, *Portugal*, p. 12.)]

louvabilidade [De *louvável* + *-(i)dade*, seg. o padrão erudito.] *S. f.* Qualidade de louvável; laudabilidade.

louvabilíssimo *Adj.* Superl. abs. sint. de *louvável*.

louvação [Do lat. *laudatione*.] *S. f.* **1.** Ato ou efeito de louvar(-se); louvor; louvamento. **2.** Avaliação ou parecer dos louvados; laudo, louvamento. **3.** Escolha de louvados ou peritos. **4.** *Bras.* Composição poética popular, ordinariamente em setissílabos e monorrima, em homenagem a pessoas ou em comemorações de casamentos, nascimentos, batizados, apartações, vaquejadas e outras festas sertanejas.

louvado [Part. de *louvar*.] *Adj.* **1.** Que recebeu louvor. ● *S. m.* **2.** *Jur.* Indivíduo nomeado ou escolhido para avaliar, decidir alguma demanda ou sobre ela apresentar laudo; avaliador, árbitro, perito. ~ V. *Deus* —.

louvador (ô) [Do lat. *laudatore*.] *Adj. S. m.* Que, ou aquele que louva.

louvamento [De *louvar* + *-mento*.] *S. m.* V. *louvação* (1 e 2).

louvaminha [Do occitano *lauza amia*, 'elogio da amiga, da amada'.] *S. f.* V. *lisonja* (1).

louvaminhar [De *louvaminha* + *-ar*[2].] *V. t. d.* Tecer louvaminhas a; lisonjear: "Sempre .... V. Ex.ª é pelos seus discípulos e amigos louvaminhado e turibulado — como o grande homem do Vocabulário, ... restaurador da Ordem gramatical" (Eça de Queirós, *Últimas Páginas*, p. 441).

louvaminheiro [De *louvaminha* + *-eiro*.] *Adj.* **1.** Diz-se daquele que tem por hábito louvaminhar; adulador, bajulador, gabador. **2.** Que envolve ou envolve louvaminha: *palavras louvaminheiras*. ● *S. m.* **3.** Aquele que tem por hábito louvaminhar; adulador, bajulador, gabador.

louvaminhice [De *louvaminha* + *-ice*] *S. f.* Hábito de fazer louvaminhas, de louvaminhar.

louvar [Do lat. *laudare*, pelo arc. *loar*.] *V. t. d.* **1.** Dirigir louvor(es) a; elogiar, gabar: "O Bóris louvou o seu gesto, mostrou a grandeza da sua caridade." (João Clímaco Bezerra, *O Homem e Seu Cachorro*, p. 34); *Comia com apetite, louvando as iguarias que eram servidas*. **2.** Exaltar, enaltecer, glorificar. **3.** Confirmar com elogio; aprovar; aplaudir. **4.** V. *bendizer*: *Em suas orações louva todos os santos*. **5.** Calcular o valor de; avaliar: *louvar bens*. *P.* **6.** Gabar-se, jactar-se, vangloriar-se. [Em Portugal, acentua-se a 1.ª pess. do pl. do pres. do ind. (*louvámos*) para distinguir da forma do pret. perf. do ind. (*louvamos*).] ◆ **Louvar-se em. 1.** Aceitar ou fazer sua a opinião de (alguém); aprovar o parecer de (alguém). **2.** *Jur.* Nomear para seu louvado ou árbitro, em causa dependente de avaliação.

louvável [Do lat. *laudabile*, por via pop.] *Adj. 2 g.* Que se deve louvar; digno de louvor; laudável.

louveira [De or. incerta.] *S. f. Bras. Bot.* Árvore fabácea (*Cyclolobium claussenii*) de folhas quase cordiformes, membranáceas, reticuladas e venosas, flores ferrugíneas, tomentosas e racemosas, e legume orbicular, com valvas aderentes. Ocorre em MG.

louveirense *Adj. 2 g.* **1.** De, ou pertencente ou relativo a Louveira (SP). ● *S. 2 g.* **2.** O natural ou habitante de Louveira.

louvor (ô) [Do arc. *loor loar*, 'louvar'.] *S. m.* **1.** V. *louvação* (1). **2.** Elogio, gabo, encômio. **3.** Glorificação, exaltação: *louvor a Deus*.

lovelace [Do ficcion. *Lovelace*, personagem do romance *Clarisse Harlowe* (publicado em 1749), do inglês Samuel Richardson (1689-1761), poss. pelo fr. *lovelace*.] *S. m.* Namorador inescrupuloso; sedutor.

lovelaciano [De *lovelace* + *-iano*.] *Adj.* Relativo a, ou próprio de lovelace (q. v.).

▲ **lox(o)-** [Do gr. *loxós*, *é*, *ón*.] *El. comp.* = 'oblíquo': *loxodromia*, *loxodromismo*. [Equiv.: *-lox(o)-*: *histeroloxia*.]

▲ **-lox(o)-** Equiv. de *lox(o)-*.

loxodonte[1] (cs) [De *lox(o)-* + *-odonte*.] *S. m. Zool.* Dente molar dos proboscídianos, cujo esmalte se dispõe em camadas oblíquas, formando losangos.

loxodonte[2] (cs) [De *lox(o)-* + *-odonte*; tax. *Loxodonta*.] *S. m. Zool.* **1.** Gênero de elefantídeos. **2.** A espécie existante desse gênero, o elefante africano (*Loxodonta africana*), que pode atingir 3,50m até a cernelha; tem orelhas de abano, defesas maciças e pesadas, com cerca de 70kg cada, e raramente é domesticável. **3.** Qualquer espécime desse gênero.

loxodromia (cs) [De *lox(o)-* + *-drom(o)-* + *-ia*[1].] *S. f. Geom.* Curva reversa que corta um feixe de planos sob um ângulo constante. [Cf. *ortodromia*.] ◆ **Loxodromia esférica.** *Geom. Náut.* Curva esférica que corta os planos meridianos sob um ângulo constante; linha de rumo constante.

loxodrômico (cs) *Adj.* V. *loxodrômico*. [Uso freq. em P.]

loxodrômico (cs) [De *loxodromia* + *-ico*[2].] *Adj.* Referente à loxodromia.

loxodromismo (cs) [De *lox(o)-* + *-drom(o)-* + *-ismo*.] *S. m.* Marcha em direção oblíqua.

loxoma (cs) [De *lox(o)-* + *-oma*[3]; tax. *Loxomma*.] *S. m.* **1.** *Paleont.* Gênero de anfíbios labirintodontes, estegocéfalos, com crânio triangular, dentes pontiagudos, olhos oblíquos, e que atingiam 35cm de comprimento, cujos vestígios foram encontrados em sedimentos carboníferos da Inglaterra e da Boêmia (República Checa). **2.** Espécie ou espécime desse gênero.

loxosomácea (cs) [Do tax. *Loxsoma* (formação imperfeita, por *Loxosoma*), gênero-tipo, + *-ácea*; tax. *Loxsomaceae* (formação imperfeita, por *Loxosomaceae*).] *S. f. Bot.* Espécime das loxsomáceas, família de pteridófitos da ordem das eufilicales, caracterizada pelos esporângios dotados de anel completo e oblíquo, os quais se agrupam em soros localizados num receptáculo marginal. Frondes coriáceas, penadas. Compõe-se apenas de quatro espécies, que habitam a Nova Zelândia.

loxsomáceo (cs) [De *loxsomácea*, com var. suf. (v. *-áceo*).] *Adj. Bot.* Pertencente ou relativo às loxsomáceas.

loyola [Do antr. *Loyola*, de *Santo Inácio de Loyola* (1491-1556), fundador da Companhia de Jesus.] *S. m. Deprec.* V. *jesuíta* (2).

loyolista [De *loyola* + *-ista*.] *S. m.* Jesuíta (1).

■ **LP** Sigla de *long-play* (q. v.).

■ **Lr** Símb. de *laurêncio*.

■ **LSB** *Gloss.* Abrev. de *Língua de Sinais do Brasil* (q. v.).

■ **LSD** [Ingl., sigla de *lysergic acid diethylamide*.] *S. m. Quím.* Substância alucinógena, a amida derivada do ácido lisérgico, substituída com duas etilas; dietilamida do ácido lisérgico [fórm.: $C_{20}H_{25}N_3O$].

■ **LSI** [Abrev. do ingl. *Large Scale Integration*.] *Microeletrôn.* V. *integração em larga escala*.

■ **LTN** [Sigla de *Letra do Tesouro Nacional*.] *Econ.* Título da dívida pública federal com rentabilidade pré-fixada.

■ **Lu** *Quím.* Símb. de *lutécio*[1].

lua [Do lat. *luna*, por via pop.] *S. f.* **1.** *Astr.* Satélite da Terra, cuja evolução em torno desta dura cerca de 27 dias e 8 horas, tempo que igualmente gasta para girar em torno de seu próprio eixo. Por essa razão, a face lunar voltada para nós é sempre a mesma. Não tem luz própria, mas reflete a do Sol, de forma diferente, conforme a posição onde se encontra. Tais variações se denominam *fases*, e podem ser: *lua cheia*, quando o reflexo da luz solar é feito por toda a superfície

L

visível da Lua; *lua nova,* quando o Sol ilumina a face lunar oposta à que se apresenta à Terra, não podendo a Lua, assim, refletir para a Terra a luz solar; *quarto crescente* e *quarto minguante,* quando só uma parte da superfície visível é iluminada. Não tem atmosfera e sua superfície, seca e muito acidentada, apresenta montanhas e crateras. As regiões planas chamam-se, impr., de *mares.* [Com cap.] **2.** Espaço de um mês lunar: "poucas luas tinham passado, quando .... encontrou, sentado pensativamente numa pedra, um homem, um velho" (Eça de Queirós, *Últimas Páginas,* p. 269). **3.** *Astr.* Satélite de um planeta qualquer: *as luas de Saturno e de Júpiter.* **4.** Signa mourisca do crescente (5). **5.** Qualquer objeto semelhante ao disco lunar. **6.** Círculo de ouro ou de prata que os timores trazem ao pescoço como sinal de haverem cortado cabeças de inimigos. **7.** Mau humor, neurastenia, por influência outrora atribuída à Lua: *estar de lua.* **8.** *Pop.* Comportamento estranho, capricho, fantasia: *Não se pode contar com ele; é de lua.* **9.** *Pop.* V. *menstruação* (1). **10.** *Pop.* Aluamento (2). **11.** *Alq.* A prata. **12.** *Bras.* Parte dianteira, arqueada, da sela. ◆ **Lua artificial.** *Astron.* Satélite artificial. **Lua cheia.** *Astr.* V. *lua* (1). [Sin.: *plenilúnio.*] **Lua cinzenta.** *Astr.* Região da Lua que apresenta a luz cinzenta (q. v.). **Lua nova.** *Astr.* V. *lua* (1). [Sin.: *novilúnio.*] **Na lua.** Em estado de alheamento, de abstração; muito distraído: *estar, andar, viver na lua.* "éramos duas crianças, dois tipos românticos, que vivíamos na lua!" (Aluísio Azevedo, *A Condessa Vésper,* p. 276). [Sin.: *no mundo da lua.*]

lũa *S. f. Ant. Pop.* Lua (1): "Cinco vezes a Lũa se esconderа" (Luís de Camões, *Os Lusíadas,* III, 59); "— Num (v. *num*[2]) falei! Num falei que chovia de noite? Agora é chuva até a entrada da lũa nova" (Bernardo Élis, *Veranico de Janeiro,* p. 102). ~ V. *luma.*

lua de mel *S. f.* **1.** O primeiro mês ou os primeiros dias seguintes ao do casamento, em geral aproveitados para maior intimidade entre o casal. [V. *ano de noivos.*] **2.** Os primeiros dias vividos numa situação nova e agradável, lisonjeira, honrosa: *Sua lua de mel com a política, uma vez eleito senador, é notória.* [Pl.: *luas de mel.*]

luado [De *lua* + *-ado*[1].] *Adj.* **1.** Aluado (1): "Inês unida a mim, ... descortina a vida e me dá os signos foragidos, ledices de cantigas luadas" (Jorge de Lima, *Obra Completa,* I, p. 129). **2.** Pálido, como a luz da lua: "deusa, de tez luada, de cabelos avelanados e de olhos verdes, a quem, de mãos postas, se elevam cantos em loas dionisíacas e divinas." (Antero de Figueiredo, *Leonor Teles,* p. 40).

luanda *S. m. Gloss.* V. *quimbundo* (1).

luandense *Adj. 2 g.* **1.** De, ou pertencente ou relativo a Luanda, capital da República de Angola (África). ● *S. 2 g.* **2.** O natural ou habitante de Luanda. [Sin. ger.: *luandês.*]

luandês *Adj. S. m.* V. *luandense.*

luando [Do quimb. *ngandu.*] *S. m. Angol.* Grande esteira: "Na oficina do tio, com telhado de luandos, passava todo o dia." (Uanhenga Xitu, *Manana,* p. 25.)

luane [Do macua.] *S. m. Moç.* Propriedade agrícola: "O 'luane' do Anacleto era como se fosse coisa sua; e a Libória pertencia ao 'luane', ali crescera, ali se fizera" (A. Lopes Marques, *O Feitiço do Branco (Tadúa Muzungo),* p. 155).

luão [De *lua* + *-ão*[1].] *S. m.* A lua cheia, ou quase cheia, em quarto crescente: "— Puxa luão bonito! Só mesmo fazendo uma seresta." (M. Cavalcanti Proença, *Uniforme de Gala,* p. 24.)

luar [Do arc. *lũar* < lat. *lunare* (adj.), com desnasalação.] *S. m.* **1.** Luminosidade refletida pela Lua ao ser iluminada pelo Sol. **2.** O clarão que a Lua espalha sobre a Terra.

luarento [De *luar* + *-ento.*] *Adj.* Diz-se do tempo, da noite, etc., em que há luar; banhado de luar: "da brancura da noite luarenta" (Antero de Figueiredo, *Jornadas em Portugal,* p. 163); "a visão larga do céu estrelado ou luarento." (João de Araújo Correia, *Sem Método,* p. 74).

luau *S. m.* **1.** Festa havaiana com comidas e danças típicas. **2.** *P. ext.* Festa em praia, inspirada no luau (1), com comidas, bebidas, música, e, às vezes, dança.

luba *S. 2 g.* **1.** *Etnôn.* Indivíduo dos lubas, povo do N.E. de Angola e do S.E. da República Democrática do Congo (África). ● *S. m.* **2.** *Gloss.* Idioma banto falado pelos lubas. ● *Adj. 2 g.* **3.** Pertencente ou relativo aos lubas, ou à sua língua. **4.** Vocábulo do luba (2).

lubambeiro [De *lubambo* + *-eiro.*] *Adj. S. m. Bras. Pop.* **1.** Desordeiro, arruaceiro. **2.** Mexeriqueiro, intrigante.

lubambo *S. m. Bras.* **1.** *Pop.* Barulho, algazarra, desordem. **2.** Enredo, mexerico, intriga. **3.** Luta corporal prolongada.

lubricar [Do lat. *lubricare.*] *V. t. d.* **1.** Tornar lúbrico (1 e 2); lubrificar. **2.** *Pop.* Laxar (o ventre) com purgante. [Conjug.: v. *trancar.* Pres. ind.: *lubrico,* etc. Cf. *lúbrico.*]

lubricidade [Do lat. tard. *lubricitate.*] *S. f.* **1.** Qualidade de lúbrico (1 e 2). **2.** *Fig.* Lascívia, sensualidade, cabritismo.

lúbrico [Do lat. *lubricu* (adj.), por via erudita.] *Adj.* **1.** Escorregadio, resvaladiço. **2.** Úmido ou liso a ponto de fazer escorregar. **3.** *Fig.* Lascivo, sensual: *um velho devasso, lúbrico;* "Num frenesi lúbrico agarrou-a, levantou-a nos braços e a sombra dos dois corpos enlaçados tremia nos muros negros da cozinha fuliginosa." (Coelho Neto, *Turbilhão,* p. 304). [Cf. *lubrico,* do v. *lubricar.*]

lubrificação [De *lubrificar* + *-ção.*] *S. f.* Ato ou efeito de lubrificar; lubrificamento.

lubrificado [Part. de *lubrificar.*] *Adj.* Em que se fez lubrificação.

lubrificador (ô) [De *lubrificar* + *-dor.*] *Adj.* Lubrificante (1).

lubrificamento [De *lubrificar* + *-mento.*] *S. m.* Lubrificação.

lubrificante [De *lubrificar* + *-nte.*] *Adj. 2 g.* **1.** Que lubrifica; lubrificador. ~ V. *óleo —.* ● *S. m.* **2.** Substância oleosa que serve para lubrificar.

lubrificar [Adapt. do fr. *lubrifier.*] *V. t. d.* **1.** Tornar lúbrico ou escorregadio; umedecer; lubricar. **2.** Untar com substância oleosa a fim de atenuar o atrito: "o delicado oferecimento da Agência Chevrolet para lubrificar o meu automóvel" (Fernando Sabino, *Medo em Nova Iorque. A Cidade Vazia,* p. 166). *P.* **3.** Tornar-se lúbrico ou escorregadio. [Conjug.: v. *trancar.*]

lubrificável [De *lubrificar* + *-vel.*] *Adj. 2 g.* Que se pode ou deve lubrificar.

lúbrigo [Do lat. *lubricu* (s. m.), por via pop.] *S. m.* **1.** Terreno escorregadio; caminho escorregadio. **2.** *Fig.* Perigo, risco.

lucanário [De or. obscura.] *S. m. Constr.* Intervalo de duas vigas.

lucano [Do lat. *lucanu.*] *S. m.* **1.** Indivíduo dos lucanos, povo montanhês da antiga Itália. [V. *sabelo* (1).] ● *Adj.* **2.** Pertencente ou relativo a esse povo.

lucão [De or. obscura.] *S. m.* Rede de pesca.

lucarna [Do fr. *lucarne.*] *S. f.* **1.** Abertura no teto de uma casa para dar luz. **2.** *P. ext.* Fresta (1): "Outra porta dava para um vestíbulo muito escuro onde ele improvisou, para obter alguma iluminação, uma lucarna que varava a parede e ia dar num respiradouro enviesado por cima da varanda." (Carlos Lacerda, *A Casa do Meu Avô,* p. 80.) [Var.: *lucarno.* Sin. ger.: *luzerna*[1] e *lucerna.*]

lucarno *S. m.* V. *lucarna:* "subitamente pela aberta dos lucarnos o meu olhar abarca o panorama do vale" (Fialho d'Almeida, *Vida Errante,* p. 41). [Cf. *lucano.*]

luceliense (cè) *Adj. 2 g.* **1.** De, ou pertencente ou relativo a Lucélia (SP). ● *S. 2 g.* **2.** O natural ou habitante de Lucélia.

lucenense *Adj. 2 g.* **1.** De, ou pertencente ou relativo a Lucena (PB). ● *S. 2 g.* **2.** O natural ou habitante de Lucena.

lucerna [Do lat. *lucerna.*] *S. f. Ant.* **1.** V. *lucarna.* **2.** V. *lumeeira* (3). **3.** Tipo de lanterna colocada no alto. **4.** V. *lampadário* (1).

lucernárida [Do tax. *Lucernarida.*] *S. f. Adj. 2 g. Zool.* V. *estauromedúsida.*

lucescente [Do lat. *lucescente.*] *Adj. 2 g. Poét.* **1.** Que principia a luzir, a brilhar. **2.** Que se apresenta brilhante.

luchan [Do forro[2].] *S. m. Santom.* Pequena aldeia: "Criança esfarrapada e tímida nasceu num luchan que a cidade depois engoliu na sua ânsia de crescer." (Frederico Gustavo dos Anjos, *Bandeira para um Cadáver,* p. 14.)

luchar *V. t. d. Lus.* Sujar, emporcalhar. [Fut. pret.: *lucharia,* etc. Cf. *luxaria* e *luxar.*]

▲ **luc(i)-** [Do lat. *lux, lūcis.*] *El. comp.* = 'luz': *lucilar, luciluzir, lucímetro.*

lucianopolense *Adj. 2 g.* **1.** De, ou pertencente ou relativo a Lucianópolis (SP) ● *S. 2 g.* **2.** O natural ou habitante de Lucianópolis.

luciarense *Adj. 2 g.* **1.** De, ou pertencente ou relativo a Luciara (MT). ● *S. 2 g.* **2.** O natural ou habitante de Luciara.

lucidar [Do lat. tard. *lucidare,* 'esclarecer'.] *V. t. d.* **1.** Passar (um desenho) para o papel vegetal, deixando transparecer as linhas. **2.** Reproduzir (um desenho) contra a luz e sobre um vidro. [Pres. ind.: *lucido,* etc. Cf. *lúcido.*]

lucidez (ê) [De *lúcido* + *-ez.*] *S. f.* **1.** Qualidade ou estado de lúcido. **2.** *Fig.* Penetração e clareza de inteligência; perspicácia; acuidade. **3.** Funcionamento normal das faculdades mentais: "só naquela manhã recobrara a presença de espírito, a lucidez necessária para relacionar os fatos com as pessoas" (Inglês de Sousa, *O Missionário,* p. 312).

lúcido [Do lat. *lucidu.*] *Adj.* **1.** Que luz; resplandecente; brilhante, luzente: "E nunca as estrelas turvas! / É sempre lúcido o céu!" (Bulhão Pato, *Livro do Monte,* p. 66); "Nunca do amor a resplendente chama / Te fulgurou na lúcida pupila" (João Penha, *Rimas,* p. 31). **2.** Transparente, límpido, diáfano. **3.** Claro, conciso, preciso: *Fez uma exposição lúcida de alguns problemas nacionais.* **4.** *Fig.* Que tem clareza e penetração de inteligência: que mostra uso de razão: *espírito lúcido.* **5.** Diz-se do período em que um louco apresenta lucidez (3): *intervalos lúcidos.* ~ V. *camada —a, câmara —a* e *estrato —.* [Cf. *lucido,* do v. *lucidar.*]

lúcifer [Do lat. ecles. *Lucifer* (v. *diabo* [2]) < lat. *Lucifer,* 'o que leva o archote', 'a estrela da manhã'.] *S. m.* **1.** V. *diabo* (2). **2.** *Astr.* Entre os antigos romanos, o planeta Vênus. [Com cap. Pl.: *Lucíferes.*]

luciferar [De *lucífero* + *-ar*[2].] *V. int.* Luzir, brilhar, fulgir.

luciferário (ù) [Do lat. *Lucifer,* 'o que leva o archote', + *-ário.*] *S. m.* Aquele que leva lanterna em procissões: "Dois luciferários .... erguem nos braços incomensuráveis as lanternas opacas" (Alphonsus de Guimaraens, *Obra Completa,* p. 406).

luciferase (ù) [De *lucifer(ina)* + *-ase.*] *S. f. Biol.* Enzima que catalisa a oxidação de uma luciferina.

luciferianismo (ù) [De *luciferiano* + *-ismo.*] *S. m.* Doutrina herética de Lúcifer, bispo de Cagliari, na Sardenha (séc. IV).

luciferiano[1] (ù) [De *lúcifer* (q. v.) + *-iano.*] *Adj.* V. *luciferino:* "Mas há sobretudo a máscara luciferiana da soberba e portanto uma beleza falsa e destruidora" (Alceu Amoroso Lima, *A Realidade Americana,* p. 152).

luciferiano[2] (ù) [Do antr. *Lúcifer,* bispo de Cagliari, + *-iano.*] *Adj.* **1.** Relativo ao luciferianismo. ● *S. m.* **2.** Adepto ou sectário dessa doutrina.

luciférico (ù) [Do mit. e antr. *Lúcifer* + *-ico*[2].] *Adj.* V. *luciferino.*

luciferina (ù) [Do lat. *lucifer,* 'que dá ou traz luz', + *-ina*[3]; ingl. *luciferin.*] *S. f. Biol.* Qualquer de certas substâncias encontradas nos pirilampos e em alguns crustáceos marinhos, peixes abissais, bactérias e fungos, e que produzem bioluminescência ao sofrerem oxidação catalisada por uma luciferase (q. v.).

luciferino (ù) [De *Lúcifer* (1) + *-ino*[1].] *Adj.* Relativo a, ou próprio de Lúcifer (1); demoníaco, diabólico, luciférico, luciferiano: *espíritos luciferinos; orgulho luciferino.*

luciferismo (ù) [De *Lúcifer* (1) + *-ismo.*] *S. m.* Culto prestado a Lúcifer (1) como verdadeiro Deus.

lucífero [Do lat. *luciferu.*] *Adj. Poét.* Que dá ou traz luz.

lucífluo [Do lat. tard. *lucifluu.*] *Adj.* De onde emana a luz.

lucífugo [Do lat. *lucifugu.*] *Adj.* **1.** Que foge da luz. **2.** *P. ext.* Noctívago.

lucilação [De *lucilar* + *-ção.*] *S. f.* Ato ou efeito de lucilar.

lucilância [De *lucilar* + *-ância.*] *S. f.* Qualidade de lucilante.

lucilante [De *lucilar* + *-nte.*] *Adj. 2 g.* Que lucila.

lucilar [De *luc(i)-,* com o final de *cintilar.*] *V. int.* **1.** Brilhar com pouca intensidade; luzir frouxamente: "Contra a parede lateral da igreja começou a distinguir o vulto dum homem à altura de cujo rosto lucilava a brasa do cigarro." (Érico Veríssimo, *O Tempo e o Vento,* I, p. 5.) **2.** V. *tremeluzir.*

luciluzir (ùc) [De *luc(i)-* + *luzir.*] *V. int.* **1.** Luzir a espaços, como o pirilampo; tremeluzir; lucilar: "Agora ressumantes de mar [as pernas], com gotas suspensas, que luciluziam um momento e se esfiavam, escorriam-lhe ao longo das coxas, empoçando na areia." (Urbano Tavares Rodrigues, *Vida Perigosa,* p. 36.) **2.** Tremeluzir, lucilar (o pirilampo): "Os vaga-lumes erravam luciluzindo como fagulhas d'astros" (Coelho Neto, *Sertão,* p. 142). [Unipess.]

lucímetro [De *luc(i)-* + *-metro.*] *S. m.* Aparelho que serve para comparar o brilho das diferentes regiões do céu.

lucina[1] [Do mit. lat. *Lucina,* da deusa Diana.] *S. f. Poét.* A Lua. [Com cap.]

lucina[2] [Do tax. *Lucina.*] *S. f. Zool.* **1.** O gênero-tipo dos lucinídeos, moluscos bivalves edules que habitam, principalmente, os mares tropicais. **2.** Espécie ou espécime desse gênero.

lucinídeo [Do tax. *Lucina,* gênero-tipo, + *-ideo*[1]; tax. *Lucinidae.*] *Zool. S. m.* **1.** Espécime dos lucinídeos, família de moluscos da classe dos pelecípodes, de concha arredondada, com estrias ou lâminas concêntricas. Encontrados em todos os mares. Gênero-tipo: lucina. ● *Adj.* **2.** Pertencente ou relativo a eles.

lúcio [Do lat. tard. *luciu.*] *S. m. Zool.* Peixe acantopterígio (*Esox lucius*), semelhante à perca, com 1,5m de comprimento, cabeça pontuda, corpo achatado, coloração verde com raias verticais pardas, nadadeiras fortes e cauda triangular. Vive em rios e lagos da Europa, e alimenta-se de outros peixes; sua carne, branca e gordurosa, é muito apreciada.

lucípeta [Do lat. tard. *lucipeta.*] *Adj. 2 g.* Que busca a luz; que para ela se dirige.

lucipotente (lù) [Do lat. *luc(i)-* + *potente.*] *Adj. 2 g. Poét.* Que esparge luz intensa; que ilumina tudo.

lucivelo [De *luc(i)-* + lat. *velu*, 'véu'.] *S. m. Bras.* V. *abajur* (1).

lucivéu [De *luc(i)-* + *véu.*] *S. m. Bras.* V. *abajur* (1).

luco [Do lat. *lucu*, por via erudita.] *S. m. Desus.* Bosque: "os bosques, os vergéis, os lucos das deidades." (Antônio Feliciano de Castilho, *As Geórgicas*, p. 71).

lucrar [Do lat. **lucrare*, por *lucrari.*] *V. t. d.* **1.** Tirar vantagem de; aproveitar: *Lucrou bem a situação privilegiada em que se encontrava.* **2.** Gozar, desfrutar: *Lucrou todas as vantagens dumas férias à beira-mar.* **3.** Conseguir, lograr: *Lucrou sair-se bem na difícil tarefa. T. c. e i.* **4.** Produzir, render: *As ações lucraram trinta milhões para a empresa.* **5.** Obter lucro; ganhar: *Lucrou vinte mil reais naquele negócio. T. d. e i.* **6.** Tirar lucros, vantagens; adquirir proveito: *Nada lucrou com a longa vida de labuta. T. i.* **7.** Lucrar (6): *Lucrou com a venda da casa. Int.* **8.** Auferir lucro: *Vendeu tudo, mas sem lucrar.*

lucratividade [De *lucrativo* + *-(i)dade.*] *S. f.* **1.** Qualidade ou caráter de lucrativo. **2.** Capacidade de gerar lucro: *O agricultor quer aumentar a lucratividade da sua lavoura.*

lucrativo [Do lat. *lucrativu.*] *Adj.* Que dá lucro ou vantagem; vantajoso, útil, lucroso.

lucreciano *Adj.* **1.** De, ou pertencente ou relativo a Lucrécia (RN). ● *S. m.* **2.** O natural ou habitante de Lucrécia.

lucro [Do lat. *lucru*, por via erudita.] *S. m.* **1.** Ganho, vantagem ou benefício que se obtém de alguma coisa, ou com uma atividade qualquer: *lucros da terra; lucros intelectuais e morais; Sabe viver: obtém lucros enormes em tudo quanto faz.* **2.** *P. ext.* Vantagem, proveito, interesse, ganho, utilidade. **3.** *Econ.* Rendimento do capital investido em atividade produtiva. **4.** *Cont.* Resultado contábil alcançado por uma empresa, em que as receitas obtidas foram maiores que as despesas realizadas. ◆ **Lucro bruto.** *Econ.* Diferença entre a receita de vendas de uma empresa e o custo de seu processo de fabricação ou prestação de serviços. **Lucro cessante.** *Jur.* Vantagem econômica presumida que se deixou de auferir em razão de inadimplemento de obrigação ou prática de ato ilícito realizado por outro. [Cf. *dano emergente.*] **Lucro líquido.** *Econ.* Diferença entre a receita de vendas de uma empresa e suas despesas totais. **Lucro não operacional.** *Econ.* Aquele derivado de atividades da empresa fora de seu ramo. **Lucro operacional.** *Econ.* Aquele derivado das operações da empresa em seu ramo normal de atividade.

lucroso (ô) [Do lat. *lucrosu.*] *Adj.* V. *lucrativo.*

lucífero [Do lat. *luctiferu.*] *Adj. Poét.* **1.** Que causa luto[1] (1). **2.** Desastroso, calamitoso, funesto. [Var.: *lutífero.*]

luctíssono [Do lat. *luctisonu.*] *Adj. Poét.* Que tem som lúgubre; que soa lugubremente. [Var.: *lutíssono.*]

lucubração [Do lat. *lucubratione.*] *S. f.* **1.** Trabalho prolongado e paciente feito à noite e à luz. **2.** *P. ext.* Meditação grave; cogitação profunda: "Todos os gêneros de literatura lhe deveram [à Companhia de Jesus] desvelos e carinhos. Toda a erudição sacra e profana, doutas e zelosas lucubrações." (Latino Coelho, *Cervantes*, p. 180.) **3.** *P. ext.* Meditação, cogitação: "não há a leviandade criminosa de aceitar sem exame .... meras convenções de gramáticos e glotólogos, ensimesmados em suas lucubrações claustrais." (João Ribeiro, *Cartas Devolvidas*, p. 35). [F. paral.: *elucubração.*]

lucubrador (ô) [De *lucubrar* + *-dor.*] *Adj.* Que, ou aquele que lucubra (v. *lucubrar*).

lucubrar [Do lat. *lucubrare.*] *V. int.* **1.** Trabalhar de noite e à luz. **2.** Estudar de noite. **3.** *P. ext.* Meditar, refletir, pensar. *T. i.* **4.** Dedicar-se (a longos trabalhos intelectuais): *Passou anos lucubrando na sua portentosa obra. T. d.* **5.** Fazer um trabalho, durante a noite: *Lucubrou pacientemente a sua tese.* **6.** Estudar ou aprender, trabalhando com desvelo.

lúcula [De *luc(i)-* + *-ula.*] *S. f. Astr.* Granulação luminosa que entra na composição da fotosfera do Sol.

luculento [Do lat. *luculentu.*] *Adj. Poét.* **1.** Brilhante, esplêndido. **2.** Ótimo, excelente, magnífico, esplêndido: "durante o almoço, em que se imolaram luculentíssimos acepipes e beberam vinhos velhos da França, ... não se versou outro tema." (Aquilino Ribeiro, *Alemanha Ensanguentada*, p. 175).

lucúleo [Do lat. *luculleu.*] *Adj.* V. *luculiano*: "Os banquetes lucúleos de Ribeirão exigiam farta carnagem e esvaziavam de cada vez uma adega." (Xavier Marques, *As Voltas da Estrada*, p. 23.)

luculiano [Do lat. *luculliann.*] *Adj.* Próprio de Luculo, político e general romano (c. 106-c. 57 a. C.) afamado pelo seu luxo; lucúleo, magnificente, lauto, suntuoso: *ceia luculiana.*

luculo [Do antr. lat. *Lucullus* (v. *luculiano*).] *S. m.* Indivíduo amante de banquetes suntuosos, que os oferece e/ou frequenta.

lúcuma [Do quíchua *lúcuma, lucma*, pelo esp. *lúcuma*; tax. *Lucuma.*] *S. f. Bot.* **1.** Gênero de árvores sapotáceas, nativas, principalmente, das regiões tropicais da América, dotadas de flores em racemos, axilares, e de fruto ger. edule. **2.** Espécie ou espécime desse gênero, ou seu fruto.

lucúmi [Do esp. *lucumí.*] *S. m. Gloss.* Língua secreta (q. v.) us. nos rituais da *santería*, em Cuba.

lucunari *S. m. Bras. Amaz. Zool.* V. *tucunaré* (1).

ludâmbulo [De *lud(i)-* + *-âmbulo.*] *S. m. P. us. Bras.* Turista.

▲ **lud(i)-** [Do lat. *ludus, i.*] *El. comp.* = 'jogo', 'divertimento': *ludâmbulo, lúdico, ludismo*[1].

ludião [Do lat. *ludione*, 'histrião' (o lastro era a miniatura de um histrião).] *S. m. Fís.* Aparelho mergulhador que contém uma pequena bolha de ar e que emerge de, ou imerge em, um líquido, conforme a pressão que sobre este se exerce. [F. paral.: *lúdio.*]

ludibriado [Part. de *ludibriar.*] *Adj.* Que se ludibriou; enganado, iludido, logrado.

ludibriante [De *ludibriar* + *-nte.*] *Adj. 2 g.* Que ludibria; ludibrioso.

ludibriar [De *ludíbrio* + *-ar*[2].] *V. t. d.* **1.** Tratar com ludíbrio; zombar ou troçar de; escarnecer: *Ateu, costuma ludibriar qualquer sentimento religioso.* **2.** Enganar, lograr. *T. i.* **3.** Não fazer caso; desdenhar, zombar: *Rico, ludibria dos pobres.* [Pres. ind.: *ludibrio*, etc. Cf. *ludíbrio*, s. m.]

ludibriável [De *ludibriar* + *-vel.*] *Adj. 2 g.* Que pode ou deve ser ludibriado.

ludíbrio [Do lat. *ludibriu.*] *S. m.* **1.** V. *zombaria*: "nem aos ludíbrios e insolências das guardas, nem aos desprezos do Rei, ... respondeu [Cristo], resistiu, ou mostrou diferente semblante" (P.ᵉ Antônio Vieira, *Sermões*, VII, pp. 267-268). **2.** Objeto de zombaria ou desprezo: "As nações muçulmanas .... anularam-se umas, desapareceram outras, e .... ei-las aí estão as que restam, ludíbrio da humanidade, corruptas, decadentes" (Alexandre Herculano, *Opúsculos*, III, pp. 110-111). **3.** Engano, logro: "Cego daquele ludíbrio, [o touro] tornou a avançar." (Miguel Torga, *Bichos*, p. 80.) [Cf. *ludibrio*, do v. *ludibriar.*]

ludibrioso (ô) [Do lat. tard. *ludibriosu.*] *Adj.* **1.** Que envolve ludíbrio: *situação ludibriosa.* **2.** Ludibriante.

ludicidade [De *lúdico* + *-(i)dade.*] *S. f.* Ludismo[1].

lúdico [De *lud(i)-* + *-ico*[2].] *Adj.* Referente a, ou que tem o caráter de jogos, brinquedos e divertimentos: *a atividade lúdica das crianças*; "Temos entre nós, sentado à mesa da pequena casa lusitana, José Lins do Rego, que na companhia de um punhado de jogadores do Flamengo atravessou o Atlântico. Na adulta consciência de um dos seus maiores escritores, e na destreza lúdica da sua mocidade, visita-nos a descomunal grandeza do Brasil" (Miguel Torga, *Traço de União*, p. 31). ~ V. *linguagem —a.*

lúdicro [Do lat. *ludicru*, 'divertido', 'recreativo'.] *Adj.* **1.** Relativo a jogos, divertimentos, espetáculos públicos. **2.** Que move ao riso; ridículo. [Var. metatética: *lúdrico.*]

lúdio [Do lat. *ludiu.*] *S. m. Fís.* V. *ludião.*

ludismo[1] [De *lud(i)-* + *-ismo.*] *S. m.* Qualidade ou caráter de lúdico; ludicidade.

ludismo[2] [Do ingl. *luddism* < antr. *(Ned) Ludd*, operário inglês.] *S. m.* Luditismo.

ludita [Do ingl. *luddite.*] *S. 2 g.* **1.** Membro de grupo de operários ingleses que, no séc. XIX, destruíram máquinas industriais, temendo o desemprego. **2.** *P. ext.* Indivíduo que se opõe à industrialização intensa ou a novas tecnologias.

luditismo [Do ingl. *ludditism.*] *S. m.* A doutrina adotada pelos luditas; ludismo.

ludo [Do lat. *ludu.*] *S. m.* **1.** Tipo de jogo em que as pedras se movimentam segundo o número de casas indicado pelos dados. **2.** *P. us.* Jogo, brinquedo, divertimento.

ludopédio [De *lud(i)-* + *-o-*[1] + *-ped(i)-* + *-io*[3].] *S. m. Ant.* Futebol (2).

ludoterapia [De *lud(i)-* + *-o-*[1] + *-terapia.*] *S. f. Psiq. Terap.* Procedimento psicoterápico em que são us. divertimentos e jogos (também os esportivos), para alívio de angústia e doutros sintomas.

ludoterápico [De *ludoterapia* + *-ico*[2].] *Adj.* Referente a ludoterapia.

ludovicense *Adj. 2 g.* **1.** De, ou pertencente ou relativo a São Luís (MA). ● *S. 2 g.* **2.** O natural ou habitante de São Luís. [Sin. ger.: *são-luisense.*]

ludreiro [De *ludro* + *-eiro.*] *S. m.* V. *lamaçal* (1).

lúdrico *Adj.* V. *lúdicro.*

ludro [De or. obscura.] *Adj.* **1.** Diz-se da lã antes de ser preparada, *i. e.*, da lã suja; churdo. **2.** Diz-se do líquido turvo, como o das enxurradas: "Foi no inverno. As águas ludras da serra vinham engrossadas de pedraço e de corpos de reses" (Fernando Namora, *Retalhos da Vida de um Médico*, p. 156). [Sin., nessas acepçs.: *ludroso.*] **3.** Sujo, sórdido, churdo.

ludroso (ô) [De *ludro* + *-oso.*] *Adj.* Ludro (1 e 2).

luéea [Do tax. *Luehea.*] *S. f. Bot.* **1.** Gênero de árvores tiliáceas nativas das regiões tropicais da América. **2.** Qualquer espécie desse gênero, como, p. ex., a *Luehea divaricata* (v. *açoita-cavalo*). **3.** Qualquer espécime desse gênero.

luei *S. m. Angol.* Moeda divisionária que representa a centésima parte do cuanza novo.

lues (lu-ès) [Do lat. *lues* (nom.).] *S. f. 2 n. Med.* V. *sífilis.*

lueta (ê) *S. f. Astr.* Satélite natural de pequenas dimensões; lua pequena.

luético [Do ingl. *luetic.*] *Adj.* Relativo à, ou da natureza da lues.

lufa[1] [Do ingl. *loof.*] *S. f.* **1.** V. *rajada*[1] (1). **2.** *Fig.* Afã, azáfama.

lufa[2] [Do tax. *Luffa* (do ár.).] *S. f. Bot.* **1.** Gênero de ervas cucurbitáceas, trepadeiras, que habitam regiões tropicais, dotadas de flores alvas ou amareladas e frutos grandes, alguns deles us. como hortaliças, e outros, drásticos. **2.** Qualquer espécie desse gênero, como, p. ex., a *Luffa operculata* (v. *buchinha*). **3.** Qualquer espécime desse gênero.

lufada [De *lufa* + *-ada*[1].] *S. f.* **1.** V. *rajada*[1] (1): "A ventania redobra e nas lufadas que passam viajam gritos, catástrofes, lamentos." (Raul Brandão, *Os Pobres*, p. 32.) **2.** *Bras. MT* Método de pesca fluvial em que os peixes são atordoados, à noite, pelo fogo de fachos, chegando a saltar dentro das canoas; facheada. [Cf., nesta acepç., *piracema.*] ◆ **Às lufadas.** Com intermitência; intermitentemente.

lufa-lufa [De *lufa* (2), repetido.] *S. f.* Grande afã, grande pressa ou agitação; azáfama: "Voltava com a alma cheia de rumores de bordo, a lufa-lufa das gentes que entravam e saíam" (Machado de Assis, *Quincas Borba*, p. 244). [Pl.: *lufa-lufas.*]

lufar [De *lufa* + *-ar*[2].] *V. int.* **1.** Soprar com força variável (o vento): "no convés, onde o vento lufava .... bojando as velas a um bordo, a cena era totalmente outra" (Virgílio Várzea, *Histórias Rústicas*, p. 48). **2.** Ofegar (1).

lufengossauro [Do tax. *Lufengosaurus.*] *S. m. Paleont.* **1.** Gênero de dinossauros prossaurópodes que habitaram a China no triásico. Tinham crânio pequeno e dentes muito espaçados, porém extremamente afinados, o que faz supor que, além de herbívoros, fossem tb. carnívoros; as poderosas patas traseiras indicam que eram capazes de posição bipedal. Tinham cerca de 6m de comprimento. **2.** Espécie ou espécime desse gênero.

lufense *Adj. 2 g.* **1.** De, ou pertencente ou relativo a Lufa (MG). ● *S. 2 g.* **2.** O natural ou habitante de Lufa.

luganda *Gloss. S. m.* **1.** Língua banta dos bagandas, etnia mais importante de Uganda (África); ganda. **2.** Vocábulo dessa língua. ● *Adj. 2 g.* **3.** Pertencente ou relativo a essa língua.

lugar [Do ant. *logar* < lat. *locale* (adj.), 'local'.] *S. m.* **1.** Espaço ocupado; sítio: *Em que lugar estavas que eu não te vi?* **2.** Espaço (2): *já não há lugar nesta sala para outra estante.* **3.** Sítio ou ponto referido a um fato: *data e lugar de nascimento.* **4.** Espaço próprio para determinado fim: *Este vão é o lugar ideal para o armário.* **5.** Ponto de observação; posição, posto: *Do seu lugar, a sentinela avisou da aproximação do inimigo; O recepcionista não estava no seu lugar.* **6.** Esfera, roda, ambiente: *Frequenta lugares suspeitos; Aquilo é lugar de perdição.* **7.** Povoação, localidade: *A capital e os lugares vizinhos sofreram muito com a cheia.* **8.** Região, país: *Os costumes variam com os lugares.* **9.** Posição, situação: *Que faria você se estivesse em meu lugar?* **10.** Classe, categoria, ordem: *Ponha-se no seu lugar, não suporto má-criação!* **11.** Ocupação, emprego, função, cargo: *Temos de arranjar um lugar para ele: está desempregado.* **12.** Assento marcado e determinado: *Para o espetáculo desta noite ainda há 10 lugares.* **13.** Posição determinada num conjunto, numa escala, numa série; colocação: *Passou em segundo lugar no vestibular de letras.* **14.** Oportunidade, ensejo, vez, ocasião: *Domine-se: não dê lugar a sentimentos agressivos.* **15.** Tempo, folga, vaga: *Embora ferido, teve lugar de se salvar do incêndio.* **16.** Direção, rumo, destino: *Seguiu por este lugar há pouco tempo.* **17.** Trecho ou passagem de um livro, de uma obra: *O episódio de Inês de Castro é um dos mais famosos lugares de* Os Lusíadas. **18.** *Geom.* Lugar geométrico. [Pl.: *lugares*. Cf. *lúgar* e pl. *lúgares.*] ◆ **Lugar do texto.** *Edit.* Num texto, passagem que apresenta algum tipo de problema para o editor. **Lugar geométrico.** *Geom.* Conjunto de pontos que satisfazem a uma ou mais condições. [Tb. se diz apenas *lugar.*] **Lugar mais limpo.** *Bras. N.E. Fam.* Expr. com que se indica não estar um objeto ou uma pessoa no lugar onde tinham por certo encontrá-lo:

L

Guardei bem guardado o queijo, e quando o procurei, lugar mais limpo; Pediu-me que fosse à casa dele, fui, e lugar mais limpo. **Dar lugar a.** Ter como resultado; causar, originar. **Em lugar de.** Em vez de; em substituição a: "Mas a visão em lugar / de vir cair-lhe nos braços, / voa por esses espaços / Até já mal se avistar..." (João de Deus, *Campo de Flores*, I, p. 80.) **Ir para bom lugar.** V. *morrer* (1). **Não conhecer o seu lugar.** *Fam.* Não ser capaz de reconhecer sua posição inferior em relação a outrem ou a algo; não se enxergar. **Não esquentar lugar.** Não demorar em parte alguma aonde vá. [Cf. *não esquentar o lugar.*] **Não esquentar (o) lugar. 1.** Não se demorar em visita; não esquentar (o) banco. **2.** Mudar constantemente de escola, emprego, etc.: "Deu-me ele a notícia da morte do meu tio rico que me pagava colégio e .... me dera pensão; mas ultimamente a tinha suspendido, devido, dizia ele, a eu não esquentar lugar, isto é, andar de escola em escola, de profissão em profissão." (Lima Barreto, *Histórias e Sonhos*, p. 136.) **Ter lugar.** *Gal.* Realizar-se, efetuar-se; ocorrer: "ainda ninguém esqueceu esse interessante e nobre leilão que em 1855 teve lugar no edifício da Academia das Belas-Artes." (Joaquim Manuel de Macedo, *Os Romances da Semana*, p. 5). **Um lugar ao sol.** Situação relevante, vantajosa, próspera, na vida prática, na sociedade: *Todos buscam um lugar ao sol; F. não conseguirá nunca um lugar ao sol.*

lúgar [Do ingl. *lugger.*] ***S. m.*** Antigo navio à vela, de mastreação constituída de gurupés e três mastros de lúgar (v. *mastro de lúgar*). [Var., lus.: *lugre*. Pl.: *lúgares*. Cf. *lugares*, pl. de *lugar*.]

lugar-comum ***S. m.* 1.** Fonte de onde se podem tirar argumentos, provas, etc., para quaisquer assuntos. **2.** *P. ext.* Fórmula, argumento ou ideia já muito conhecida e repisada. **3.** Coisa trivial; trivialidade. [Sin., nas acepçs. 2 e 3: *chapa, chavão, clichê*. Pl.: *lugares-comuns*.]

lugareiro [De *lugar* + *-eiro*.] ***Adj.*** Relativo a lugar, a terra; local, localista: *termos lugareiros.*

lugarejo (ê) [De *lugar* + *-ejo*.] ***S. m.*** Povoado pequeno.

lugar-tenente [Adapt. do lat. med. *locum tenens*, 'o que ocupa o lugar'; fr. *lieutenant*.] ***S. 2 g.*** *Desus.* Pessoa que desempenha temporariamente as funções de outrem, que o substitui: "Quando Amru, lugar-tenente do Califa — que era o lugar-tenente de Deus — conquistou o Egito, cercou uma antiga fortaleza, junto do Nilo" (Eça de Queirós, *O Egito*, p. 188). [F. paral.: *locotenente*. Pl.: *lugar-tenentes*.]

lugdunense [Do lat. *lugdunense*.] ***Adj. 2 g. S. 2 g.*** Lionês.

lugente [Do lat. *lugente*.] ***Adj. 2 g.*** Plangente; lastimoso; lamentoso: "No outro dia, ao partir, quis ver de perto / Aquele mar de voz lugente e rude" (Alberto de Oliveira, *Poesias*, 3ª série, p. 293).

lugre [Do ingl. *lugger*.] ***S. m.*** *Lus.* Lúgar.

lúgubre [Do lat. *lugubre*.] ***Adj. 2 g.* 1.** Relativo a luto[1], fúnebre. **2.** Que é sinal de luto[1], de morte: *dobre lúgubre*. **3.** Triste, soturno, fúnebre, funesto, lôbrego: *voz lúgubre*. **4.** Escuro, sombrio, sinistro, medonho, lôbrego: *lúgubre masmorra*. **5.** Letal (2).

lugubridade (lù) [De *lúgubre* + *-(i)dade*.] ***S. f.*** Qualidade ou estado de lúgubre.

luís [Do fr. *louis*, f. red. de *louis d'or*, do antr. *Louis*.] ***S. m.* 1.** Antiga moeda francesa de ouro, cuja cunhagem principiou sob Luís XIII (séc. XVII). **2.** Antes de 1828, moeda de ouro francesa equivalente a 20 francos. [Pl.: *luíses*.]

luís-alvense ***Adj. 2 g.* 1.** De, ou pertencente ou relativo a Luís Alves (SC). • ***S. 2 g.* 2.** O natural ou habitante de Luís Alves. [Pl.: *luís-alvenses*.]

luís-antoniense ***Adj. 2 g.* 1.** De, ou pertencente ou relativo a Luís Antônio (SP). • ***S. 2 g.* 2.** O natural ou habitante de Luís Antônio. [Pl.: *luís-antonienses*.]

luisburguense (u-is) ***Adj. 2 g.* 1.** De, ou pertencente ou relativo a Luisburgo (MG). • ***S. 2 g.* 2.** O natural ou habitante de Luisburgo.

luís-cacheiro [Alter. de *ouriço-cacheiro*.] ***S. m.*** *Bras. S. da BA N. de MG Zool.* V. *ouriço-cacheiro*. [Pl.: *luís-cacheiros*.]

luís-correense ***Adj. 2 g.* 1.** De, ou pertencente ou relativo a Luís Correia (PI). • ***S. 2 g.* 2.** O natural ou habitante de Luís Correia. [Pl.: *luís-correenses*. Sin. ger.: *luís-correiense*.]

luís-correiense ***Adj. 2 g. S. 2 g.*** V. *luís-correense*.

luís-dominguense ***Adj. 2 g.* 1.** De, ou pertencente ou relativo a Luís Domingues (MA). • ***S. 2 g.* 2.** O natural ou habitante de Luís Domingues. [Pl.: *luís-dominguenses*.]

luisense ***Adj. 2 g.* 1.** De, ou pertencente ou relativo a São Luís do Paraitinga (SP). • ***S. 2 g.* 2.** O natural ou habitante de São Luís do Paraitinga.

luís-gomense ***Adj. 2 g.* 1.** De, ou pertencente ou relativo a Luís Gomes (RN). • ***S. 2 g.* 2.** O natural ou habitante de Luís Gomes. [Pl.: *luís-gomenses*.]

luisianense (u-i) ***Adj. 2 g.* 1.** De, ou pertencente ou relativo a Luisiana (PR). • ***S. 2 g.* 2.** O natural ou habitante de Luisiana.

luisiano (u-i) ***Adj.* 1.** De, ou pertencente ou relativo a Luisiânia (SP). • ***S. m.* 2.** O natural ou habitante de Luisiânia.

luislandense (u-is) ***Adj. 2 g.* 1.** De, ou pertencente ou relativo a Luislândia (MG). • ***S. 2 g.* 2.** O natural ou habitante de Luislândia.

luita [Do lat. *lucta*, com vocalização.] ***S. f.*** *Arc.* Luta. [Cf. *loita* e *aloite*.]

luitar [Do lat. *luctare*, com vocalização.] ***V. int.*** *Arc.* Lutar[1].

lukacsiano [Do antr. *Lukács* + *-iano*.] ***Adj.* 1.** Pertencente, relativo ou próprio de Geörgy Lukács (1885-1971), teórico marxista que analisou os grandes acontecimentos histórico-culturais do séc. XX sob a ótica da contradição fundamental entre capitalismo e socialismo. **2.** Que é adepto das concepções de Geörgy Lukács ou profundo conhecedor de sua obra. • ***S. m.* 3.** Seguidor de suas concepções ou profundo conhecedor de sua obra.

lula [Do lat. *lolligine* > **lulin*, o qual tomado como dim. deu *lula*.] ***S. f.* 1.** *Zool.* Molusco cefalópode, dibranquiado, decápode, loliginídeo (*Loligo brasiliensis*), do Atlântico, de coloração amarelada com manchas escarlates, podendo mudar de cor segundo o meio ambiente, corpo alongado, com nadadeiras triangulares do lado oposto à cabeça, provido de dez tentáculos com ventosas, dois dos quais são mais finos e alongados. Sua carne é muito estimada. **2.** *Cul.* Iguaria feita com lula (1). [Sin. ger.: *calamar*.]

lula-gigante ***S. f.*** *Zool.* Molusco cefalópode (*Architeuthis dux*), o maior dos invertebrados, com até 20m de comprimento, incluindo corpo, cabeça, braços e dois longos tentáculos que usa para apanhar alimento. Os olhos são os maiores que se conhecem, tendo aproximadamente o tamanho de um crânio humano; os tentáculos, claviformes, e os braços, têm ventosas semiesféricas, que se situam, internamente, nas extremidades destes. Vive a grandes profundidades. [Pl.: *lulas-gigantes*.]

lulu ***S. m.*** *Zool.* Lulu-da-pomerânia.

lulu-da-pomerânia ***S. m.*** *Cinol.* Cão de pequeno porte, originário da Alemanha, e que tem orelhas pontudas e retas, focinho afilado e pelagem basta e comprida de coloração variada e uniforme; lulu. [Pl.: *lulus-da-pomerânia*.]

luma [Do lat. *luna*, 'lua'; cf. *uma* < lat. *una*.] ***S. f.*** *Bras. N.E. Pop.* Lua (1): "Mandou pra ela essa loa: / Vóis não me qué? qui m'importa! / Se a luma cheia fô boa / Vou cantá na tua porta." (Mardoqueu Nacre, *Fuloreios*, p. 93, *ap.* Mário Marroquim, *A Língua do Nordeste*, p. 68.) [V. *lua*.]

lumaquela [Do it. *lumachella*, dim. de *lumaca*, 'caramujo'.] ***S. f.*** Calcário formado por fragmentos de conchas, as quais ainda se podem ver com nitidez.

lumaréu [De *lume* + *-aréu*.] ***S. m.* 1.** Labareda, fogacho, fogaréu. **2.** *P. ext.* O clarão provocado pelo lumaréu (1): "veio a loucura do arrebol da tarde a pôr no horizonte lumaréus de fogueira." (Adelaide Félix, *Cada Qual com Seu Milagre...*, p. 198).

lumbagem [Do lat. *lumbagine*.] ***S. f.*** *Pop.* Lumbago.

lumbágico [De *lumbago* + *-ico*[2].] ***Adj.*** *Med.* Referente a lumbago.

lumbago [Do lat. *lumbago* (nom.).] ***S. m.*** *Med.* Dor em região lombar; lumbagem.

lumbrical [De *lumbric(i)-* + *-al*[1].] ***Adj. 2 g.*** V. *lombrical*.

lumbricário [De *lumbric(i)-* + *-ário*.] ***Adj.*** V. *lombrical* (1 e 2).

▲**lumbric(i)-** [Do lat. *lumbrīcus, ĭ*.] ***El. comp.*** = 'minhoca'; 'lombriga': *lumbricário*. [Equiv.: *lombric(i)-*: *lombrical, lombricina*.]

lumbricida [De *lumbric(i)-* + *-cida*, com haplologia.] ***Adj. 2 g.* 1.** Diz-se de medicamento que elimina lombrigas. • ***S. m.* 2.** Medicamento lombricida. [F. paral.: *lombricida*.]

lume [Do lat. *lumen*, por via pop.] ***S. m.* 1.** Fogo (1): "Apanhou umas folhas de laranjeira, foi à cozinha, fez lume e, enchendo uma caneca d'água, pô-la ao fogo" (Coelho Neto, *Treva*, p. 328). **2.** Luz; clarão, fulgor, brilho: "Não somos como o Céu, onde sobre o negrume / De noite procelosa arde o sereno lume / Das estrelas" (Alberto de Oliveira, *Póstuma*, p. 75). **3.** Vela, círio. **4.** *Fig.* Perspicácia, penetração, esperteza. **5.** *Fig.* Ilustração, saber; doutrina: *Guia-os o lume da razão.* **6.** *Fig.* V. *luminar* (2): "S. Jerônimo, o grande lume da Igreja, depunha a pena para lavar os pés aos camelos dos viageiros que lhe pernoitavam no mosteiro" (Ramalho Ortigão, *Primeiras Prosas*, p. 280). **7.** *Anat.* Espaço entre as paredes de um vaso. [Cf. *lúmen*.] ◆ **Ao lume de.** À superfície de; à tona de (a água). **Dar a lume.** V. *publicar* (5). **Ter lume de.** Ter algum conhecimento de (algo). **Trazer a lume.** Tornar patente; mostrar, patentear. **Vir a lume.** Ser publicado; ver o dia; vir à luz: *Só daqui a um mês o seu romance virá a lume.*

lumeeira [Do lat. tard. *luminaria*, 'luz', 'lâmpada', neutro pl. de *luminare*, por via pop.] ***S. f.* 1.** Archote de palha. **2.** V. *lampadário* (1). **3.** Fogo, fogueira, fogaréu, lume, lucerna. **4.** Luz intensa; clarão. **5.** Abertura por onde se coa luz; fresta, lucarna: "Luzes passavam entre as ameias e pelas lumeeiras do castelo, lá no alto do píncaro." (Gustavo Barroso, *Livro dos Milagres*, p. 107.) **6.** V. *pirilampo*. **7.** Bandeira de porta ou de janela; lumeeiro.

lumeeiro [De *lume* + *-eiro*.] ***S. m.* 1.** Astro, luzeiro. **2.** Lumeeira (7). **3.** V. *pirilampo*.

lúmen[1] ***S. m.*** *Anat.* Designação genérica de interior de órgão, ou de ducto de órgão. [Pl.: *lumens*. Cf. *lume*.]

lúmen[2] [Do lat. *lumen*, por via erudita.] ***S. m.*** *Fotom.* No Sistema Internacional, unidade de fluxo luminoso igual ao fluxo luminoso emitido, no interior de um ângulo sólido de um esferorradiano, por uma fonte pontual de intensidade invariável de uma candela, e que emite, uniformemente, em todas as direções [símb.: *lm*]. [Pl.: *lumens*. Cf. *lume*.]

lume-pronto ***S. m.*** Fósforo ordinário, de madeira e enxofre, já desusado. [Pl.: *lumes-prontos*.]

lumiar ***S. m.*** *Ant. Pop.* V. *limiar* (1 a 3): "Nisto ali se apresenta o Padre Anchieta / No lumiar da porta" (Domingos José Gonçalves de Magalhães, *A Confederação dos Tamoios*, p. 186).

luminância [Do ingl. *luminance*.] ***S. f.*** *Fotom.* V. *brilhância*.

luminancímetro [De *luminânci(a)* + *-metro*.] ***S. m.*** *Fotom.* Nitômetro.

luminar [Do lat. tard. *luminare*, 'que dá luz'; no lat. cláss. significava 'janela'.] ***Adj. 2 g.* 1.** Que dá ou esparge luz. • ***S. m.* 2.** *Fig.* Homem notabilíssimo, preeminente, na ciência, e também nas artes ou nas letras; lume, luminária, luzeiro, astro: *Pontes de Miranda é um luminar da ciência jurídica.*

luminarense ***Adj. 2 g.* 1.** De, ou pertencente ou relativo a Luminárias (MG). • ***S. 2 g.* 2.** O natural ou habitante de Luminárias.

luminária [Do lat. tard. *luminaria*, 'luz', 'lâmpada', neutro pl. de *luminare*, por via erudita.] ***S. f.* 1.** Lamparina (2). **2.** Pequena lanterna. **3.** *P. ext.* Aquilo que alumia. **4.** *Fig.* V. *luminar* (2). **5.** *Bras.* Qualquer objeto, como lustre, aplique, etc., destinado a iluminar por meio da eletricidade. **6.** *Bras. SP Cul.* Doce de coco contido num canudinho feito de massa de farinha de trigo. [Sin.: no N., *queijadinha*; no RJ, *viúva*.] ~ V. *luminárias*.

luminárias [Pl. de *luminária*.] ***S. f. pl.*** Iluminação por motivo de festa ou de regozijo público: "Nos relvados, em frente das moradias, as árvores de Natal não espalham na alvura fofa do chão os reflexos silenciosos e multicores das suas luminárias" (José Rodrigues Miguéis, *Gente da Terceira Classe*, p. 53). ~ V. *luminária*.

luminarista [De *luminárias* + *-ista*.] ***S. 2 g.*** *Burl.* Pessoa que enfeita com luminárias.

luminense ***Adj. 2 g.* 1.** De, ou pertencente ou relativo a Paço do Lumiar (MA). • ***S. 2 g.* 2.** O natural ou habitante de Paço do Lumiar.

luminescência [Do lat. **luminescentia*.] ***S. f.*** *Fís.* Emissão de luz por uma substância, provocada por qualquer processo que não seja o aquecimento. [Cf. *fluorescência, fosforescência* (4), *incandescência* (2).]

luminescente [Do lat. **luminescere*.] ***Adj. 2 g.*** Que tem a propriedade de emitir luz em temperatura ordinária.

lumínico [Do lat. cient. *lumin-* (< lat. *lumen, inis*, 'luz'), + *-ico*[2].] ***Adj.* 1.** Em que há luz. **2.** Que se processa sob a dependência da luz.

luminímetro [Do lat. cient. *lumin(i)-* (v. *lumínico*) + *-metro*.] ***S. m.*** *Fotom.* Todo instrumento destinado a medir o fluxo luminoso de uma fonte.

luminóforo [Do lat. cient. *lumin-* (v. *lumínico*) + *-o-* + *-foro*.] ***S. m.*** *Fís.-Quím.* Grupamento responsável pela luminescência de uma substância. [Sin.: *fluoróforo*.]

luminol [Do ingl. *luminol* (do lat. *lumen, inis*, 'luz').] ***S. m.*** *Quím.* Composto orgânico, sintético, aromático e heterocíclico (cujo nome técnico é 3-aminoftalidrazida), que sofre reação de oxidação em meio alcalino com eliminação de uma molécula de nitrogênio (N_2) e emissão de quimiluminescência de cor azulada [fórm.: $C_8H_7N_3O_2$]. [Esta reação é induzida por várias substâncias, inclusive a hemoglobina – propriedade que é us. em química forense para detecção de resíduos de sangue.]

luminosense ***Adj. 2 g.* 1.** De, ou pertencente ou relativo a Luminosa (MG). • ***S. 2 g.* 2.** O natural ou habitante de Luminosa.

luminosidade [Do lat. med. *luminositate*.] ***S. f.* 1.** Qualidade de luminoso. **2.** O atributo de uma cor (2) que indica maior ou menor grau de luz por ela refletida: *O amarelo é a cor de maior luminosidade.* **3.** *Astr.* Potência radiante emitida por uma estrela. **4.** *Fís.*

Part. Num acelerador (3), grandeza que expressa o número total de partículas capazes de interagir por unidade de área e por unidade de tempo. [Esse número engloba partículas do feixe incidente e do alvo, ou de ambos os feixes, no caso de um anel de colisão.] ◆ **Luminosidade do céu noturno.** *Astr.* Luminosidade geral e difusa do céu, proveniente de fenômenos de luminescência de átomos e moléculas da alta atmosfera, e que se adiciona à luminosidade própria das estrelas.

luminoso (ô) [Do lat. *luminosu*, por via erudita.] *Adj.* **1.** Que dá ou esparge luz própria. **2.** Que reflete luz: *tinta luminosa.* **3.** Brilhante, resplendecente, luzente: "Uma estrela cadente riscou o céu, deixando um rastro luminoso." (Domingos Monteiro, *Contos do Natal*, p. 28.) **4.** Belo, formoso: "um crepúsculo cheio de harmonias consoladoras e de luminosas esperanças para uma radiante aurora." (Ramalho Ortigão, *Em Paris*, p. 263). **5.** Claro, evidente, lúcido: *raciocínio luminoso.* **6.** Ilustrativo, elucidativo, esclarecedor: *preleção luminosa.* **7.** Ilustre, brilhante, magnífico: *talentos luminosos.* **8.** *Fig.* Que compreende com facilidade: lúcido, perspicaz: *espírito luminoso.* ~ V. *boia —a, coluna —a, delta —, emitância —a, excitação —a, fluxo —, intensidade —a, mistérios —os, onda —a, poluição —a, radiância —a, raio —* e *sinal —*. ● *S. m.* **9.** *Bras.* Anúncio luminoso.

lumioso (ô) [Do lat. *luminosu*, por via pop.] *Adj. Antiq.* Luminoso: "as lumiosas / Estrelas" (Antônio Ferreira, *Obras Completas*, I, p. 65); "bem uma semana ela ficou se lembrando deles, ... falando da serra lumiosa, do rio gemedor" (Bernardo Élis, *Veranico de Janeiro*, p. 93).

■ **LUMO** [Ingl., sigla de *Lowest Unoccupied Molecular Orbital.*] *Quím.* Em uma molécula, o orbital molecular de menor energia entre aqueles que não estão preenchidos com dois elétrons.

lumpemproletariado [Do al. *Lumpenproletariat.*] *S. m. Sociol.* Na sociologia marxista, camada social carente de consciência política, constituída pelos operários que vivem na miséria extrema e por indivíduos direta ou indiretamente desvinculados da produção social e que se dedicam a atividades marginais, como, p. ex., o roubo e a prostituição. [Sin. vulg., bras.: *lumpesinato.*]

lúmpen [Do al. *Lumpen.*] *S. 2 g.* **1.** *Sociol.* Pessoa que faz parte do lumpemproletariado. **2.** *Bras. Gír.* Pessoa vadia, que não se dedica a nenhuma atividade socialmente produtiva. [Pl.: *lumpens* e (p. us. no Brasil) *lúmpenes.*]

lumpesinagem [De *lumpesinar* + *-agem*[2].] *S. f. Bras. Gír.* **1.** Ação própria de lúmpen (2). **2.** *P. ext.* Ócio, vagabundagem.

lumpesinar *V. int. Bras. Gír.* Levar vida ociosa, como a de lúmpen (2); vadiar, vagabundear, vagabundar.

lumpesinato *S. m. Bras.* Lumpemproletariado.

luna [Do lat. *luna*, 'lua', por via erudita.] *S. f. Geom.* Porção de uma esfera limitada por dois semiplanos que se iniciam num diâmetro da esfera. [Cf. *fuso* (4).]

lunação [Do lat. tard. *lunatione.*] *S. f.* **1.** *Astr.* Intervalo de tempo que separa duas luas novas consecutivas cuja duração é de aproximadamente 29 dias e meio. **2.** *P. ext.* A sucessão das fases lunares nesse intervalo.

lunado [Do lat. *lunatu.*] *Adj.* **1.** Que tem cornos em forma de meia-lua: "A garupa da vaca era palustre e bela, / uma penugem havia em seu queixo formoso; / e na fronte lunada onde ardia uma estrela / pairava um pensamento em constante repouso." (Jorge de Lima, *Obra Completa*, I, p. 638.) **2.** *P. ext.* V. *cornífero.*

lunanco [Do esp. plat. *lunanco.*] *Adj. Bras. RS* Diz-se do animal e, p. ext., da pessoa que tem depressão de uma das ancas, proveniente de lesão, congênita ou acidental, do ângulo externo do ílio.

lunanquear [Do esp. plat. *lunanquear.*] *Bras. RS V. int.* **1.** Tornar-se lunanco. *T. d.* **2.** Causar, por qualquer modo, esse defeito físico a (cavalo). [Conjug.: v. *frear.*]

lunar [Do lat. *lunare.*] *Adj. 2 g.* **1.** Relativo à Lua; selênico. **2.** Pertencente à, ou próprio da Lua, ou que a lembra: "Veste o quimão de cambraia, / Mostra-te ao fulgor lunar." (Manuel Bandeira, *Estrela da Vida Inteira*, p. 26); "a vossa palidez romântica e lunar!" (Cesário Verde, *Obra Completa*, p. 108). ~ V. *ano —, calendário —, ciclo —, cratera —, disco —, eclipse —, equação —, libração —, mês —, nutação —* e *sonda —*. ● *S. m.* **3.** Sinal congênito na pele, atribuído ao influxo lunar.

lunardelliense *Adj. 2 g.* **1.** De, ou pertencente ou relativo a Lunardelli (PR). ● *S. 2 g.* **2.** O natural ou habitante de Lunardelli.

lunarejo (ê) [Do esp. plat. *lunarejo.*] *Adj. Bras. RS* Diz-se do animal que apresenta qualquer sinal no pelo.

lunário [Do lat. cient. *Lunarium.*] *S. m. Cronol.* Calendário que conta as datas com base nas fases lunares. [Sin. (lat.): *lunarium.*]

➔**lunarium** [lu'narĩʊ(m)] [Lat.] *S. m. Cronol.* V. *lunário.*

lunático [Do lat. tard. *lunaticu.*] *Adj.* **1.** Que é sujeito à influência da Lua. **2.** *Fig.* Maníaco, visionário, aluado: "a alma do poeta / Lunático, imbecil, místico, iluminado" (Guerra Junqueiro, *Pátria*, pp. 52-53). ● *S. m.* **3.** Indivíduo lunático: "um maluco agoureiro e cismático, / Com aquelas visões estranhas de lunático" (Id., *ib.*, p. 32).

lunauta [De *lun(i)-* + *-nauta*, com haplologia.] *S. 2 g.* Astronauta que realiza voo à Lua.

lunda *S. 2 g.* **1.** *Etnôn.* Indivíduo dos lundas, povo do N.E. de Angola (África) e do S.E. da República Democrática do Congo (África): "gostava dos lundas, desses homens sonhadores que amam a aventura e a terra longe" (Castro Soromenho, *Rajada e Outras Histórias*, p. 121). ● *S. m.* **2.** *Gloss.* Língua nigero-congolesa do grupo banto falada pelos lundas. **3.** Vocábulo dessa língua. ● *Adj. 2 g.* **4.** Pertencente ou relativo aos lundas, ou à sua língua. [Sin. ger.: *lundês.*]

lundês *Adj. S. m.* V. *lunda.* [Flex.: *lundesa* (ê), *lundeses* (ê), *lundesas* (ê).]

lundu[1] [De or. afr.] *S. m. Bras.* **1.** *Etnogr.* Dança de par solto, de origem africana, que teve seu esplendor no Brasil em fins do séc. XVIII e começos do séc. XIX. **2.** *Mús.* Dos meados do séc. XIX em diante, canção solista, influenciada pelo lirismo da modinha e frequentemente de caráter cômico. [Var.: *lundum.*] ◆ **Lundu marajoara.** *Etnogr.* Modalidade de lundu (1) encontrado na Ilha de Marajó.

lundu[2] [De *calundu*, com aférese.] *S. m. Bras.* V. *amuo* (1): "Rixas tivemos, e lundus muitos ela com minha mãe, que isso faz parte da vida." (Moreira Campos, *Portas Fechadas*, p. 262.)

lundum *S. f. Bras. Santom. Mús.* V. *lundu*[1]: "A mucama de Iaiá tange os piuns, / balança a rede, / canta um lundum" (Jorge de Lima, *Obra Completa*, I, p. 299).

lunduzeiro [De *lundu*[2] + *-zeiro.*] *Adj. S. m. Bras. N.E.* Diz-se do, ou aquele (especialmente criança) que se amua com facilidade.

lunel [Do fr. lunel, pelo esp. *lunel.*] *S. m. Heráld.* V. *quaderna* (1).

luneta (ê) [Do fr. *lunette.*] *S. f.* **1.** *Ópt.* V. *telescópio refrator.* **2.** *Ópt.* Telescópio refrator de pequena abertura. **3.** V. *óculo* (1): "Depois de haver verificado a clareza dos vidros, ... pôs a luneta com gesto lento no nariz" (José Veríssimo, *Cenas da Vida Amazônica*, p. 142). **4.** Parte da guilhotina sobre a qual se atravessa o pescoço do condenado. **5.** Aro de aço para medir o calibre das balas. **6.** *Rel.* Parte da custódia na qual se expõe a hóstia consagrada. ~ V. *lunetas.* ◆ **Luneta astronômica.** *Ópt.* Telescópio refrator. **Luneta de Galileu.** *Ópt.* Luneta com ocular divergente. **Luneta de leitura.** *Ópt.* Luneta utilizada em alguns instrumentos para facilitar a leitura de escalas. **Luneta de passagem.** *Astr.* Instrumento astronômico para determinação da hora e da longitude, e que utiliza a observação da passagem meridiana de estrelas; luneta meridiana, luneta de trânsito, meridiana. **Luneta de trânsito.** *Astr.* V. *luneta de passagem.* **Luneta meridiana.** *Astr.* V. *luneta de passagem.* **Luneta zenital.** *Astr.* Instrumento destinado a estudar os movimentos do polo, e que determina com a maior precisão possível a variação da latitude num determinado lugar.

lunetas (ê) [Pl. de *luneta.*] *S. f. pl. Bras. Pop.* V. *óculos.* ~ V. *luneta.*

lunfardo [Do esp. plat. *lunfardo.*] *S. m. Bras.* **1.** Ladrão, gatuno; marginal. **2.** Gíria (1) da ralé de Buenos Aires (Argentina) e seus arredores, muito usada nos tangos.

▲ **lun(i)-** [Do lat. *lūna, ae.*] *El. comp.* = 'Lua': *lunauta, lunícola, luniforme, lunissolar.* [Equiv.: *-lun(i)-*: *semilúnio.*]

▲ **-lun(i)-** Equiv. de *lun(i)-*.

lunícola [De *lun(i)-* + *-cola*[1].] *Adj. 2 g. S. 2 g.* Selenita (1).

luniforme [De *lun(i)-* + *-forme.*] *Adj. 2 g.* Que tem forma de meia-lua; lunulado, lunular, semilunar.

lunissolar [De *lun(i)-* + *solar*[3].] *Adj. 2 g.* Que depende ao mesmo tempo das ações da Lua e do Sol. ~ V. *calendário —* e *período —*.

lúnula [Do lat. *lunula.*] *S. f.* **1.** Cada um dos satélites dos planetas Júpiter e Saturno. **2.** Tudo que tem forma de meia-lua. **3.** Mancha esbranquiçada e semilunar na base da unha; meia-lua. [Cf., nesta acepç., *leuconiquia.*] **4.** *Rel.* Peça de ouro ou de prata que prende ao ostensório a hóstia consagrada; meia-lua.

lunulado [De *lúnula* + *-ado*[1].] *Adj.* V. *luniforme.*

lunular [De *lúnula* + *-ar*[1].] *Adj. 2 g.* **1.** V. *luniforme.* **2.** Que tem lúnula.

luo *S. 2 g.* **1.** *Etnôn.* Indivíduo dos luos, povo nilótico das repúblicas do Sudão, de Uganda e do Quênia (África). ● *S. m.* **2.** *Gloss.* A língua falada pelos luos. **3.** Vocábulo dessa língua. ● *Adj. 2 g.* **4.** Pertencente ou relativo aos luos, ou à sua língua. [V. *nilo-saariano.*]

lupa[1] [Do fr. *loupe.*] *S. f.* **1.** *Ópt.* Lente simples, ou composta, empregada como instrumento óptico de ampliação; microscópio simples. **2.** *Bras. Gír. Irôn.* Óculos.

lupa[2] [De or. obscura.] *S. f.* Tumor no joelho dalguns animais.

lupa[3] *El. s. f.* Us. na loc. *à lupa.* ◆ **À lupa.** *Marinh.* Às lupadas, aos puxões: *içar o escaler à lupa.*

lupada [De *lupa*[3] (v. *à lupa*) + *-ada*[1].] *S. f. Marinh.* Cada um dos puxões dados em um cabo, quando se ala intermitentemente.

lupanar [Do lat. *lupanare.*] *S. m.* V. *prostíbulo*: "vinho .... bebido em ignóbeis lupanares, em companhia de ladrões e facínoras reclamados pela força" (Camilo Castelo Branco, *Quatro Horas Inocentes*, p. 75).

lupanga *S. f.* Espada pequena usada pelos cafres.

lupeol [F. irreg. a partir do tax. *Lupinus* (v. *lupino*[2]) + *-ol*[2].] *S. m. Quím.* Álcool triterpênico pentacíclico natural, que ocorre no látex de várias plantas [fórm.: $C_{30}H_{50}O$]. [Pl.: *lupeóis.*]

lupercais [Adapt. do lat. *Lupercalia.*] *S. f. pl.* Festas anuais celebradas, na Roma antiga, em 15 de fevereiro, em honra do deus Luperco ou Pã, para assegurar a fertilidade.

lupercense *Adj. 2 g.* **1.** De, ou pertencente ou relativo a Lupércio (SP). ● *S. 2 g.* **2.** O natural ou habitante de Lupércio.

luperco [Do lat. *lupercu.*] *S. m.* Sacerdote de Luperco ou Pã, entre os antigos romanos.

lúpia [De *lupa*[2].] *S. f.* V. *lobinho*[1].

lupinastro [De *lupin(i)-* + *-astro.*] *S. m. Bot.* Erva fabácea (*Trifolium lupinaster*) nativa da Sibéria.

▲ **lupin(i)-** [Do lat. *lupīnus, i.*] *El. comp.* = 'tremoço': *lupinose.* [Equiv.: *lupino-*: *lupinotoxina.*]

lupino[1] [Do lat. *lupinu.*] *Adj.* Relativo ou pertencente a lobo; lobal.

lupino[2] [Do tax. *Lupinus.*] *S. m. Bot.* **1.** Gênero de fabáceas que reúne cerca de 200 espécies nativas das Américas do Norte e do Sul e da região mediterrânea; são cultivadas como ornamentais e como forrageiras. **2.** Qualquer espécie desse gênero, como, p. ex., a *Lupinus uncinatus* (v. *tange-tange*). **3.** Qualquer espécime desse gênero.

▲ **lupino-** [De *lupin(i)-* + *-o-.*] Equiv. de *lupin(i)-*.

lupinose [De *lupin(i)-* + *-ose*[1].] *S. f. Med.* Intoxicação motivada pela ingestão de sementes de plantas do gênero lupino[2].

lupinotoxina (cs) [De *lupino-* + *toxina.*] *S. f.* Alcaloide venenoso dos tremoços.

lupionopolense *Adj. 2 g.* **1.** De, ou pertencente ou relativo a Lupionópolis (PR). ● *S. 2 g.* **2.** O natural ou habitante de Lupionópolis.

lupo [Do lat. *lupu.*] *S. m. Med.* V. *lúpus.*

lupoma [De *lúpus* + *-oma*[1].] *S. m. Med.* Lesão cutânea, semelhante a um tubérculo, pequena, arredondada, amarelo-esverdeada, cujas dimensões aparentes vão de uma cabeça de alfinete à de uma ervilha; com o crescimento, cada tubérculo pode juntar-se a outros, formando placas.

lupulina [Do lat. med. *lupulus* + *-ina*[1].] *S. f.* **1.** *Bot.* Erva fabácea (*Medicago lupulina*) anual, de folhas trifolioladas com folíolos ovados ou orbiculares, flores amareladas, pequeninas e congregadas em glomérulos, e legume espiralado e escuro. É importante forrageira em terras temperadas. **2.** Substância balsâmica e amarga contida no lúpulo; lúpulo.

lúpulo [Do lat. med. *lupulu.*] *S. m.* **1.** *Bot.* Planta morácea (*Humulus lupulus*) volúvel, oriunda da Europa, de folhas ovadas, cordadas, e denteadas na margem, flores unissexuais, insignificantes e ordenadas em espigas, providas de glândulas secretoras de substância amarga, tida como tônica e sedativa, e utilizada na fabricação de cerveja. O fruto é um aquênio. [Sin.: *pé-de-galo.*] **2.** Lupulina (2).

lúpus [Do lat. *lupus.*] *S. m. 2 n. Derm. Obsol.* Dermopatia com tendência invasora e destrutiva, donde seu nome, e que, outrora, englobava lesões cutâneas de naturezas diversas, com neoplasia maligna, sífilis, lepra e tuberculose. ◆ **Lúpus eritematoso.** *Med.* Doença do tecido conjuntivo, de origem desconhecida, ubiquitária, que apresenta sinais gerais (febre, emagrecimento, astenia) e manifestações cutâneas, articulares, hematológicas, viscerais (renais, pericárdica, pleurais), neurológicas, dentre outras. **Lúpus vulgar.** *Med.* Forma de tuberculose cutânea.

lura [Do lat. *lura*, 'a boca do odre', poss.] *S. f.* **1.** Esconderijo de coelhos e de outros animais; toca, covil: "uma enorme ratazana espavorida saltou de sua lura, e, acossada pela cadela, correu .... em direitura às duas senhoras" (Camilo Castelo Branco, *Quatro Horas Inocentes*, p. 75). **2.** Qualquer buraco; cova. [F. paral.: *loura, lúria.*]

lurar [De *lura* + *-ar*[2].] ***V. t. d.*** Fazer luras em; esburacar; escavar: "O sol destas terras semiáridas é paradoxal e caprichoso: acelerando a reprodução das sementes atrasa o surto dos ramos, encarquilha as folhas e obriga as raízes a lurarem o subsolo em busca de reservas de seiva." (Vitorino Nemésio, *Caatinga e Terra Caída*, p. 89.)

lurex [Marca registrada.] ***S. m. 2 n.*** *Tec. Têx.* **1.** Fio metálico suportado ou recoberto por fibra polimérica sintética. **2.** Tecido feito total ou parcialmente com tal fio, us. na confecção de tecidos de aparência e toque metálicos.

lúria ***S. f.*** V. *lura*.

lúrido [Do lat. *luridu.*] ***Adj.*** **1.** Pálido, lívido. **2.** *Poét.* Escuro, sombrio: "Gibeá! Gibeá sinistro! As lúridas ramagens / Dos olmos cantam inda ao sopro das aragens / Os salmos que Davi cantava à harpa divina..." (Goulart de Andrade, *Poesias*, p. 132.)

lusamente [Do f. de *luso* + *-mente.*] ***Adv.*** À maneira lusa: "O Barbosa .... no vasto e bulhento armazém, a ordenar, lusamente enérgico..." (Adelino Magalhães, *Obras Completas*, I, p. 531.)

lusco [Do lat. *luscu.*] ***Adj.*** **1.** Vesgo, estrábico. **2.** Que tem só um olho. **3.** *Pop.* Cego (1). ◆ **Entre lusco e fusco.** Ao lusco-fusco. **Ir entre lusco e fusco.** Ir sem instruções, ou com instruções vagas.

lusco-fusco ***S. m.*** **1.** A hora do crepúsculo vespertino; o anoitecer: "O sol chegou ao poente. Veio o lusco-fusco." (Franklin Távora, *O Cabeleira*, p. 142.) **2.** A hora do crepúsculo matutino; o amanhecer, o alvorecer: "Havia .... quem dissesse que, nas madrugadas de alguns domingos, quando a senhora Perpétua Rosa saía para a missa das almas, se enxergava ao lusco-fusco um vulto que, cosendo-se com os choupos, se aproximava da porta de Bernardina" (Alexandre Herculano, *Lendas e Narrativas*, II, p. 150); "no lusco-fusco da madrugada" (Antero de Figueiredo, *Leonor Teles*, p. 168). [Var.: *lusque-fusque* e (bras., S.) *fusco-fusco.*] **3.** *Bras. RJ* Indivíduo mulato, pardo. [Pl.: *lusco-fuscos.*]

lusíada [Do mit. *Luso*, do filho ou descendente de Baco (v. *báquico*) que teria povoado a parte mais ocidental da Península Ibérica, + *-iada.*] ***Adj. 2 g. S. 2 g.*** V. *lusitano*.

lusismo [De *luso* + *-ismo.*] ***S. m.*** *E. Ling.* Palavra, construção ou pronúncia de uso só português; lusitanismo.

lusitânico [Do lat. *lusitanicu.*] ***Adj.*** Lusitano (2).

lusitanidade [De *lusitano* + *-(i)dade.*] ***S. f.*** **1.** Qualidade ou caráter de lusitano. **2.** Sentimento exacerbado de patriotismo dos lusitanos. **3.** A família lusitana; os lusitanos.

lusitaniense ***Adj. 2 g.*** **1.** De, ou pertencente ou relativo a Nova Lusitânia (SP). • ***S. 2 g.*** **2.** O natural ou habitante de Nova Lusitânia.

lusitanismo [De *lusitano* + *-ismo.*] ***S. m.*** **1.** Costume próprio dos lusitanos. **2.** *E. Ling.* Lusismo. **3.** Portuguesismo (2).

lusitanista [De *lusitanismo* + *-ista*, seg. o padrão gr.] ***Adj. 2 g.*** **1.** Relativo aos lusitanos ou ao lusitanismo. **2.** Que tem grande admiração pelos portugueses, por Portugal e sua língua. **3.** Diz-se do especialista na língua, literatura e cultura portuguesas. • ***S. 2 g.*** **4.** Indivíduo lusitanista (2 e 3).

lusitanizar [De *lusitano* + *-izar.*] ***V. t. d.*** **1.** Tornar lusitano; aportuguesar. ***Int.*** **2.** Tratar de coisas lusitanas. ***P.*** **3.** Tornar-se lusitano; aportuguesar-se.

lusitano [Do lat. *lusitanu.*] ***Adj.*** **1.** De, ou pertencente ou relativo à Lusitânia e aos seus habitantes. **2.** De, ou pertencente ou relativo a Portugal ou aos portugueses; lusitânico. • ***S. m.*** **3.** O natural ou habitante da Lusitânia ou de Portugal. [Sin. ger.: *luso, lusíada.*]

lusitano-romani ***S. m.*** *Gloss.* V. *caló* (1). [Pl.: *lusitanos-romanis* e *lusitano-romanis.*]

luso [T. criado pelos humanistas do Renascimento, com base no lat. *Lusus* e *lusitanus.*] ***Adj. S. m.*** V. *lusitano*.

▲ **luso-** [Do antr. lat. *Lusus, i*, 'Luso', filho de Líber, que deu seu nome à Lusitânia.] ***El. comp.*** = 'português', 'lusitano': *luso-brasileiro*.

luso-africano [De *luso-* + *africano.*] ***Adj.*** De, ou pertencente ou relativo a Portugal e à África, ou de origem portuguesa e africana. [Flex.: *luso-africana, luso-africanos, luso-africanas.*]

luso-brasileiro [De *luso-* + *brasileiro.*] ***Adj.*** **1.** De, ou pertencente ou relativo a Portugal e ao Brasil, ou de origem portuguesa e brasileira. • ***S. m.*** **2.** Indivíduo de origem portuguesa e brasileira. [Sin. ger.: *luso-brasílico*. Flex.: *luso-brasileira, luso-brasileiros, luso-brasileiras.*]

luso-brasílico [De *luso-* + *brasílico.*] ***Adj. S. m.*** V. *luso-brasileiro*. [Pl.: *luso-brasílicos.*]

lusocêntrico [De *luso-* + *-centr(o)-* + *-ico*[2].] ***Adj.*** Que tem por centro o mundo lusitano, seu povo, seus costumes e sua língua: "É sabido que o termo lusofonia arrasta consigo antes de mais conotações e mesmo traumas históricos que são sobretudo os de uma radicação excessivamente lusocêntrica." (Carlos Reis, "A Questão da Lusofonia", em *Jornal de Letras*, 30.07.1997.)

lusocentrismo [De *luso-* + *-centr(o)-* + *-ismo.*] ***S. m.*** Qualidade ou caráter de lusocêntrico: "no Brasil, em Moçambique ou em São Tomé e Príncipe, esse lusocentrismo .... tende a neutralizar outros valores, outras raízes e outras opções que são fundadas e, por isso, legítimas." (Carlos Reis, "A Questão da Lusofonia", em *Jornal de Letras*, 30.07.1997).

luso-espanhol [De *luso-* + *espanhol.*] ***Adj.*** **1.** De, ou pertencente ou relativo a Portugal e à Espanha, ou de origem portuguesa e espanhola: "A língua, a tradicional hostilidade luso-espanhola, as distâncias — tudo concorre para que vivamos em perene e recíproca ignorância intelectual em face dos nossos vizinhos sul-americanos." (Alceu Amoroso Lima, *O Espírito e o Mundo*, p. 411.) • ***S. m.*** **2.** Indivíduo de origem portuguesa e espanhola. [Sin. ger.: *luso-hispânico*. Flex.: *luso-espanhola, luso-espanhóis, luso-espanholas.*]

lusofilia [De *luso-* + *-filia.*] ***S. f.*** Amor ou grande admiração a Portugal, aos portugueses, ou a tudo que seja português.

lusofílico [De *lusofilia* + *-ico*[2].] ***Adj.*** Relativo a lusofilia, ou a lusófilo.

lusófilo [De *luso-* + *-filo*[2].] ***Adj. S. m.*** Que, ou aquele que tem lusofilia.

lusofonia [De *lusofono* + *-ia*[1].] ***S. f.*** **1.** Adoção da língua portuguesa como língua de cultura ou língua franca por quem não a tem como vernácula; tal ocorre, p. ex., em vários países de colonização portuguesa. **2.** Comunidade formada por povos que habitualmente falam português.

lusofono [De *luso-* + *-fono.*] ***Adj. S. m.*** Lusófono (q. v.).

lusófono [Var. pros. de *lusofono.*] ***Adj. S. m.*** Diz-se de, ou país, ou povo, ou indivíduo, etc. que fala português, ou que tem o português como língua (4): "[o 6º Congresso da *Associação Internacional de Lusitanistas*] com 600 pessoas se reunindo para debater e discutir a literatura, a língua e a cultura dos sete países que compõem a comunidade lusófona mundial — Brasil, Portugal, Moçambique, Angola, Cabo Verde, Guiné-Bissau e São Tomé e Príncipe." (Cecília Costa, em *O Globo*, 07.08.1999). [A melhor f. é *lusofono*, mas o uso consagrou *lusófono*; v. *-fono.*]

luso-hispânico ***Adj. S. m.*** V. *luso-espanhol*. [Pl.: *luso-hispânicos.*]

lusoparlante [De *luso-* + **parlante*, 'que fala'.] ***Adj. 2 g.*** Diz-se de pessoa cujo idioma é o português.

lusório [Do lat. *lusoriu.*] ***Adj.*** **1.** Relativo ou pertencente ao jogo, à brincadeira. **2.** Que tem caráter de jogo ou de brinquedo.

lusque-fusque ***S. m.*** V. *lusco-fusco*: "E entrou a verrumar-nos a cabeça a ideia de colher os ovos todos do pomar e fazer uma surpresa à minha avó, que costumava dar-se a esse trabalho à tardinha, no lusque-fusque." (Francisco Ribeiro Sampaio, *Renembranças*, p. 15.) [Pl.: *lusque-fusques.*]

lustra [F. red. de *lustroso* (5).] ***S. m.*** *Bras. Gír.* V. *vagabundo* (7).

lustração [Do lat. *lustratione.*] ***S. f.*** **1.** Ato ou efeito de lustrar. **2.** Lavagem, purificação. **3.** Cerimônia pela qual os pagãos purificavam uma pessoa, uma casa, um campo, etc.

lustradela [De *lustra* + *-dela.*] ***S. f.*** Ato ou efeito de lustrar de leve, ou de cada vez.

lustrado [Do lat. *lustratu*; part. de *lustrar.*] ***Adj.*** A que se deu lustre ou brilho; polido.

lustrador (ô) [Do lat. *lustratore.*] ***Adj.*** **1.** Que lustra. ~ V. *cilindro —*. • ***S. m.*** **2.** Aquele que lustra.

lustral [Do lat. *lustrale.*] ***Adj. 2 g.*** **1.** Que serve para purificar ou lustrar: *banho lustral*; "Vamos fazer dos áridos rochedos / Manar a água lustral e apetecida, / Pelo ansioso coração bebida / No silêncio e na sombra d'arvoredos." (Cruz e Sousa, *Últimos Sonetos*, p. 81.) **2.** Diz-se da água do batismo cristão. ~ V. *água —*. • ***S. f.*** **3.** Água lustral: "Noss'alma fica da clarividência / Dos astros e dos anjos e dos santos, / Fica lavada na lustral dos prantos" (Cruz e Sousa, *Últimos Sonetos*, p. 23).

lustra-móveis [De *lustrar* + o pl. de *móvel.*] ***S. m. 2 n.*** Preparado que serve para limpar móveis e lhes dar lustre.

lustrar [Do lat. *lustrare.*] ***V. t. d.*** **1.** Dar brilho ou lustre a; tornar brilhante ou polido; polir: "era falso que D. Tonica não lustrasse as unhas" (Machado de Assis, *Quincas Borba*, p. 252). **2.** Engraxar: *lustrar sapatos.* **3.** Purificar com água lustral. **4.** Purificar, limpar. **5.** Andar por, percorrer, examinando; perlustrar: *lustrar uma região.* **6.** Frequentar ou visitar assiduamente. **7.** Instruir, esclarecer; ilustrar. ***T. d. e i.*** **8.** Lustrar (1): *Lustrou a pele com óleo de amêndoas.* ***Int.*** **9.** Brilhar, luzir, resplandecer: "apreciava o marido feito lorde, o cabelo lustrando de brilhantina" (Jorge Medauar, *Água Preta*, p. 121).

lustre [Do it. *lustro*, (dev. do v. it. *lustrare* < lat. *lustrare*), pelo fr. *lustre.*] ***S. m.*** **1.** Brilho ou polimento que se dá a um objeto ou que ele reflete naturalmente. **2.** *Fig.* Brilhantismo, esplendor, magnificência. **3.** *Fig.* Honra, glória, fama. **4.** *Fig.* Gentileza, graça, louçania. **5.** Luminária (5) de vários braços, suspensa do teto: "Os lustres de cristal e ouro alumiando os mais belos colos da cidade" (Machado de Assis, *Quincas Borba*, p. 155).

lustrilho [De *lustre* + *-ilho.*] ***Adj.*** **1.** V. *lustroso* (1). • ***S. m.*** **2.** Fazenda de lã lustrosa.

lustrina [Do fr. *lustrine* < it. *lustrino.*] ***S. f.*** *Tec. Têx.* Tecido de seda, de algodão ou de lã, muito lustroso, usado sobretudo para forro: "Sumidas dentro dos capuzes negros de lustrina, duas Religiosas corriam os dedos pálidos pelas contas dos seus rosários." (Eça de Queirós, *A Relíquia*, p. 119.)

lustrino [De *lustre* + *-ino*[1].] ***Adj.*** **1.** V. *lustroso* (1). **2.** Diz-se de lã estambrada e luzente.

lustro[1] [Do lat. *lustru.*] ***S. m.*** Quinquênio: "Jovem não era nem poeta o Freire; / Tinha oito lustros e falava em prosa" (Machado de Assis, *Outras Relíquias*, p. 129).

lustro[2] [Dev. de *lustrar.*] ***S. m.*** Polimento, lustre: "cadeiras pesadas de jacarandá, sem lustro" (Coelho Neto, *Treva*, p. 80).

lustroso (ô) [De *lustre* + *-oso.*] ***Adj.*** **1.** Que tem lustre; lustrino, lustrilho, reluzente, luzido: "as palmas lustrosas dos milharais intermináveis." (Alceu Amoroso Lima, *A Realidade Americana*, p. 31). **2.** Luzido, pomposo, esplendoroso: "às aclamações que partiam dos sobrados com o perfume das flores que caíam, a lustrosa passeata distribuía proclamações e poesias" (Melo Morais Filho, *Festas e Tradições Populares do Brasil*, p. 114). **3.** Magnífico, insigne, ilustre. **4.** *Bras. Gír.* Diz-se de quem está vestido com roupa lustrosa pelo uso. ~ V. *papel —*. • ***S. m.*** **5.** *Bras. Gír.* V. *vagabundo* (7).

▲ **lut-** V. *lute(i)-*.

luta [Do lat. tard. *lucta*, pelo port. arc. *luita*, com síncope.] ***S. f.*** **1.** Combate corpo a corpo, sem armas, entre dois atletas que, observando certas regras, procuram derrubar um ao outro: *luta livre*; *luta de boxe.* **2.** Qualquer tipo de combate corpo a corpo: *luta armada.* **3.** Peleja, batalha; guerra: *lutas civis.* **4.** Antagonismo entre forças contrárias; conflito: *luta entre o bem e o mal*; *luta de classes.* **5.** *Fig.* Esforço, empenho: *luta contra o alcoolismo*; *luta pela vida.* ◆ **Luta de classes.** No marxismo, categoria que expressa a relação de contradição entre as classes em uma sociedade dividida em exploradores e explorados — particularmente a sociedade capitalista — e que é a força motriz que deverá conduzir ao socialismo. **Luta livre.** Esporte em que dois atletas lutam com permissão para aplicar qualquer espécie de golpe. **Luta romana.** Esporte em que dois atletas lutam por fazer o adversário tocar o tapete com as duas espáduas. **Ir à luta.** *Bras. Fam.* Lutar para obter o que se deseja; ir à vida.

lutador (ô) [Do lat. *luctatore.*] ***Adj.*** **1.** Que luta. • ***S. m.*** **2.** Atleta que pratica a luta (1). **3.** Aquele que luta para alcançar algum fim.

lutar[1] [Do lat. *luctare.*] ***V. int.*** **1.** Travar luta; combater, brigar, pelejar, pugnar. **2.** Despender todas as forças, trabalhar com aferro, para atingir certo objetivo: *Sua natural inércia impede-o de lutar — jamais conseguirá o que pretende.* ***T. i.*** **3.** Combater, brigar, pelejar, pugnar: "lutavam pela verdade abstrata e tinham como fim a salvação do mundo." (Eça de Queirós, *Cartas Familiares e Bilhetes de Paris*, p. 183). **4.** Despender todas as forças, trabalhar com aferro, para atingir certo objetivo: *Lutou pelo cargo de diretor, mas o seu nome foi preterido.* **5.** Arcar, arrostar: *lutar com dificuldades.* ***Bit. i.*** **6.** Contender, disputar, competir: *Lutou com o irmão por parte da herança.* ***T. d.*** **7.** Travar (luta, combate): "leoa que amamenta as almas modernas que hão de lutar a grande luta" (Lúcio de Mendonça, *Horas do Bom Tempo*, p. 316).

lutar[2] [Do lat. *lutare.*] ***V. t. d.*** Tapar ou fechar com luto[2].

luteciano (è) ***Adj.*** **1.** De, ou pertencente ou relativo a Lutécia (SP). • ***S. m.*** **2.** O natural ou habitante de Lutécia.

lutécio[1] [Do lat. *lutetium* < top. lat. *Lutetia*, 'Lutécia' (v. *lutécio*[2]).] ***S. m.*** *Quím.* Elemento de número atômico 71, pertencente aos lantanídeos [símb.: *Lu*].

lutécio[2] ***Adj.*** **1.** Da, ou pertencente ou relativo a Lutécia, antiga cidade da Gália, hoje Paris. • ***S. m.*** **2.** O natural ou habitante de Lutécia.

▲ **lute(i)-** [Do lat. *lutĕum, i.*] ***El. comp.*** = 'cor amarelada', 'amarelo'; 'amarelado': *luteína*. [Equiv.: *lut-, luteo-*: *lutina*; *luteotrópico*.]

luteicórneo [De *lute(i)-* + *-corn(i)-* + *-eo.*] ***Adj.*** *Zool.* Que tem chifres ou antenas amarelas.

luteína [De *lute(i)-* + *-ina*[1].] ***S. f.*** *Bioquím.* Pigmento amarelo carotenoide da gema do ovo, que tb. existe

no espinafre e que é antioxidante e benéfico à visão [fórm.: $C_{40}H_{56}O_2$]; lipocromo.
▲ **luteo-** [Do V.C.I. *luteo-* < lat. *lutĕum, i.*] V. *lute(i)-*.
lúteo [Do lat. *luteu.*] ***Adj.*** Amarelo tirante a vermelho.
luteotrófico (lù) [De *lute(o)-* + *-trof(o)-* + *-ico²*.] ***Adj.*** *Fisiol.* Diz-se de agente que estimula a produção de corpo-amarelo; luteotrópico.
luteotrópico (lù) [De *lute(o)-* + *-trop(o)-* + *-ico²*.] ***Adj.*** *Fisiol.* Luteotrófico.
luteranismo [De *luterano* + *-ismo*.] ***S. m.*** **1.** Doutrina religiosa de Martinho Lutero (1483-1546), teólogo e reformador alemão. **2.** A seita religiosa desse reformador.
luterano [Do antr. *(Martinho) Lutero* + *-ano¹*.] ***Adj.*** **1.** Pertencente ou relativo a Lutero (v. *luteranismo*), ou próprio dele. **2.** Que é sectário do luteranismo. ● ***S. m.*** **3.** Sectário deste.
luteria ***S. f.*** *Mús.* **1.** Fabricação de instrumento de corda com caixa de ressonância. **2.** Conjunto de tais instrumentos. [É a f. que se deve usar em vez de luteraria.]
➔**luthier** [ly'tje][Fr.] ***S. m.*** Artesão especializado na construção e reparo de certos instrumentos de corda, como violino, violoncelo, violão, cavaquinho, etc.
lutífero ***Adj.*** *Poét.* V. *luctífero*.
lutina [De *lut-* + *-ina¹*.] ***S. f.*** *Quím. Obsol.* V. *progesterona*.
lutíssono ***Adj.*** *Poét.* V. *luctíssono*.
lutito [Do lat. *luta*, 'lodo', + *-ito²*.] ***S. m.*** *Petr.* Designação comum aos sedimentos elásticos finíssimos, argilosos.
lutjanídeo [Do tax. *Lutjanus*, gênero-tipo, + *-ídeo¹*; tax. *Lutjanidae*.] *Zool.* ***S. m.*** **1.** Espécime dos lutjanídeos, grande família de peixes, ger. marinhos, com nadadeira dorsal quase contínua e caudal ligeiramente dificerca. Maxilares e mandíbulas com grandes dentes semelhantes aos caninos. Algumas espécies apresentam na carne toxina que pode causar envenenamento. ● ***Adj.*** **2.** Pertencente ou relativo a eles.
luto¹ [Do lat. *luctu.*] ***S. m.*** **1.** Sentimento de pesar ou dor pela morte de alguém. **2.** Os sinais exteriores de tal sentimento, em especial o traje, preto quase sempre, que se usa quando se está de luto: 📖 "Minha mãe chorava, cosendo o luto, entre duas visitas de pêsames." (Machado de Assis, *Relíquias de Casa Velha*, p. 95.) **3.** O tempo durante o qual se usa o luto¹ (2). **4.** Tristeza profunda; consternação, dó: 📖 "Em 1855 o cólera-mórbus enchia de luto e lágrimas a cidade de Rio de Janeiro" (Joaquim Manuel de Macedo, *Os Romances da Semana*, p. 3); "a alma, em gotas mansas, / Chora, abismada no luto / Das minhas desesperanças." (Manuel Bandeira, *Estrela da Vida Inteira*, p. 18). **5.** *Fig.* A morte. ◆ **Luto aliviado.** Luto¹ (2) menos rigoroso, que se guarda após a morte de um parente afastado, ou que se segue ao luto fechado, quando as pessoas enlutadas se permitem usar roupas de cores sóbrias, mas não alegres. **Luto fechado.** Luto¹ (2) que se guarda nos primeiros tempos após a morte de um parente próximo, e cujo traje é completamente negro; luto pesado: 📖 "apareceu outra vez na corte o poeta, que vinha .... de fechar os olhos ao parente, e trazia luto fechado." (Machado de Assis, *Contos sem Data*, p. 93). **Luto pesado.** Luto fechado.
luto² [Do lat. *lutu.*] ***S. m.*** Massa de diversas composições que, endurecendo com o calor, veda inteiramente as frinchas dos aparelhos de destilação e impossibilita a saída das substâncias voláteis contidas em frascos, retortas, matrazes, etc.
lutra [Do lat. *lutra*; tax. *Lutra*.] ***S. f.*** *Zool.* **1.** Gênero da família dos mustelídeos, que compreende as espécies que habitam a Europa e a América. **2.** Espécie ou espécime desse gênero.
lutulência [De *lutulente* + *-ia²*, seg. o padrão analógico.] ***S. f.*** Qualidade de lutulento.
lutulento [Do lat. *lutulentu.*] ***Adj.*** Que tem lodo; lodoso, lamacento: 📖 "Tanta erva rasteira, tanta planta daninha, tantos fungos que só brotam e crescem nos rincões úmidos, lodosos, lutulentos da psique!" (A. Austregésilo, *Obras Completas*, VI, p. 41.) [Cf. *lutuoso*.]
lutuoso (ô) [Do lat. *luctuosu.*] ***Adj.*** **1.** Coberto de luto¹ (2): 📖 "viu ele um vulto lutuoso de mulher" (Joaquim Paço d'Arcos, *Carnaval e Outros Contos*, p. 164). **2.** *Fig.* Fúnebre, lúgubre, triste. [Cf. *lutulento*.]
luva [Do gót. *lôfa*, 'palma da mão'.] ***S. f.*** **1.** Peça de vestuário que se ajusta à mão e aos dedos, para agasalho, adorno, proteção ou higiene: 📝 *luva de pelica*; *luvas cirúrgicas.* **2.** Peça que reveste a mão, feita de tecido esponjoso ou felpudo e utilizada no banho ou na limpeza. **3.** Peça que reveste a mão, feita de couro e recheada de crina ou espuma de borracha, para amortecer a força dos golpes de boxe. **4.** Utensílio de crina usado para limpar bestas (ê). **5.** Peça tubular, provida de roscas nas extremidades, para conexão de canos e tubos. **6.** Ferragem de reforço, que envolve uma sambladura. **7.** *Tec.* Peça rosqueada internamente nas duas extremidades, e com a qual se efetua a conexão de dois tubos com roscas externas. ~ V. *luvas*. ◆ **Luva de tatos.** Dispositivo instalado na mão de robôs, com sensibilidade comparável ao tato da pele humana, e que permite a manipulação conjunta das mãos na apreensão de objetos sem os danificar, mesmo com um aperto maior dos dedos. **Assentar como uma luva.** Convir perfeitamente: 📝 *O vestido assenta-lhe como uma luva.* **Atirar a luva.** Reptar, desafiar. **Dar com luva de pelica.** Responder ou agir de modo delicado, porém irônico ou mordaz: 📝 *Deu-lhe com luva de pelica indo ao jantar como se nada houvera.* **Escrever com luva branca.** Escrever usando da maior delicadeza. **Levantar a luva.** Aceitar o repto ou desafio.
luvaria [De *luva* + *-aria*.] ***S. f.*** Fábrica de luvas, ou estabelecimento onde se vendem luvas.
luvas [De *luva*.] ***S. f. pl.*** **1.** Soma paga (às vezes de forma oculta) como retribuição pela preferência na realização de um negócio, por serviço prestado, etc. **2.** Soma paga pelo inquilino ao senhorio na ocasião da assinatura do contrato de locação: 📖 "Difícil já está sendo .... deixar o apartamento que ocupo, cujo dono, que me exigiu luvas para entrar, só falta exigir-me luvas para sair." (Fernando Sabino, *Medo em Nova Iorque. A Cidade Vazia*, p. 231.) **3.** Soma paga pelo novo ao antigo inquilino, pela transferência do contrato de locação. **4.** *Jur.* Valor do aviamento (ponto, freguesia, reputação, crédito, etc.), pago na venda ou transferência de estabelecimento comercial ou industrial. **5.** *Jur.* Importância paga pelo empregador ao atleta, na forma do que for convencionado, na assinatura do contrato. ~ V. *luva*.
luveiro [De *luva* + *-eiro*.] ***S. m.*** Fabricante e/ou vendedor de luvas; luvista.
luverdense ***Adj. 2 g.*** **1.** De, ou pertencente ou relativo a Lucas do Rio Verde (MT). ● ***S. 2 g.*** **2.** O natural ou habitante de Lucas do Rio Verde.
luvista [De *luva* + *-ista*.] ***S. 2 g.*** Luveiro.
lux (cs) [Do lat. *lux*.] ***S. m. 2 n.*** *Fotom.* Unidade de medida de iluminamento no Sistema Internacional, igual ao iluminamento de uma superfície plana cuja área é de $1m^2$, e que recebe, perpendicularmente, um fluxo luminoso de um lúmen uniformemente distribuído [símb.: *lx*].
luxação [Do lat. tard. *luxatione*.] ***S. f.*** *Med.* **1.** Deslocação de certos órgãos. **2.** Deslocamento permanente das superfícies que compõem uma articulação e que, assim, perdem suas relações anatômicas normais. Pode originar-se de traumatismo, malformação (*luxação congênita*) ou de lesões outras, como artrites que incidam sobre articulação (*luxação patológica* ou *espontânea*). [Cf., nesta acepç., *entorse*.]
luxar¹ [Do lat. *luxare*.] ***V. t. d.*** **1.** Praticar a luxação de. **2.** Deslocar, desarticular. *Int.* **3.** Ficar deslocado; desarticular-se: 📝 *A clavícula do atleta luxou.* [Cf. *luchar*.]
luxar² [De *luxo* + *-ar²*.] ***V. int.*** **1.** Ostentar luxo; pompear: 📝 *A moça não é rica, e gosta de luxar.* **2.** *Bras. S.* Negar por afetação; fazer luxo. [Cf. *luchar*.]
luxaria [De *luxo* + *-aria*.] ***S. f.*** *Bras. Pop.* Luxo demasiado; excesso de luxo: 📖 "Já pensando nas coisas da cidade, nos homens bonitos que viu por lá, na luxaria das donas, nos namoros..." (Albertino Moreira, *Boca-Pio*, p. 130.) [Cf. *lucharia*, do v. *luchar*.]
luxemburguense ***Adj. 2 g. S. 2 g.*** V. *luxemburguês* (1 e 2).
luxemburguês ***Adj.*** **1.** Do, ou pertencente ou relativo ao grão-ducado de Luxemburgo (Europa). ● ***S. m.*** **2.** O natural ou habitante de Luxemburgo. [Sin., nessas acepç.: *luxemburguense*.] **3.** *Gloss.* Língua germânica de Luxemburgo. **4.** Vocábulo dessa língua. [Flex.: *luxemburguesa* (ê), *luxemburgueses* (ê), *luxemburguesas* (ê).]
luxento [De *luxo* + *-ento*.] ***Adj.*** *Bras. Cabo-verd.* **1.** V. *cheio de luxo*. **2.** V. *niquento* (3).
luxímetro (cs) [De *lux* + *-i-* + *-metro*.] ***S. m.*** *Fotom.* Qualquer instrumento destinado a medir o iluminamento de uma superfície.
luxo [Do lat. *luxu*.] ***S. m.*** **1.** Modo de vida caracterizado por grandes despesas supérfluas e pelo gosto da ostentação e do prazer; fausto, ostentação, magnificência: 📝 *O luxo em que vivia admirava a todos; Gastou a herança em luxo e dissipações.* [Sin., (bras., MG): *cuca*.] **2.** Caráter do que é custoso e suntuoso: 📝 *Trajava um vestido de um luxo e elegância extraordinária.* **3.** Bem ou prazer custoso e supérfluo; superfluidade, luxaria: 📝 *Seu único luxo é beber uísque importado.* **4.** Viço, vigor, esplendor. **5.** *Bras. Fig.* Dengues, melindres. **6.** *Bras.* Recusa fingida de alguém a fazer ou aceitar alguma coisa; negação afetada; afetação. **7.** *Cabo-verd.* Cuidado, esmero, aplicação: 📖 "tomara que todos tivessem tanto luxo em trabalhar uma horta" (Baltasar Lopes, *Chiquinho*, p. 28). ◆ **Cheio de luxo.** *Bras. Fam. Pop.* Diz-se do indivíduo implicante, pretensioso, manhoso, exigente, luxento; cheio de chove não molha, cheio de frescura, cheio de histórias, cheio de galizia, cheio de merda, cheio de nós pelas costas, cheio de nove-horas, cheio de novidades, cheio de terra. **Dar-se ao luxo de.** Dar-se ao capricho, à fantasia, à extravagância de; permitir-se o luxo de: 📝 *Inteligente, dá-se ao luxo de não comparecer às aulas de que não gosta.* **Fazer luxo.** *Bras. Pop.* Negar por cerimônia ou afetação. **Permitir-se o luxo de.** Dar-se ao luxo de.
luxuário [De *luxo* + *-uário*.] ***Adj.*** Relativo a luxo (1 e 2).
luxuosidade [De *luxuoso* + *-(i)dade*.] ***S. f.*** Qualidade de luxuoso.
luxuoso (ô) [De *luxo* + *-uoso*.] ***Adj.*** **1.** Em que há luxo; que ostenta luxo; faustuoso, ostentoso: 📝 *sala luxuosa.* **2.** Que traja com luxo. **3.** Farto, abundante; esplêndido: 📝 *Uma luxuosa cabeleira emoldura-lhe o rosto.*
luxúria [Do lat. *luxuria*.] ***S. f.*** **1.** Viço ou exuberância das plantas. **2.** Incontinência, lascívia; sensualidade. **3.** Dissolução, corrução, libertinagem. **4.** *Bras. AL* Esperma, sêmen. [Cf. *luxuria*, do v. *luxuriar*.]
luxuriante [Do lat. *luxuriante*.] ***Adj. 2 g.*** Viçoso, exuberante, luxurioso: 📖 "O crepúsculo veio lento, depois, enquanto o navio beirava as margens de uma vegetação luxuriante." (Herman Lima, *Garimpos*, p. 12.)
luxuriar [Do lat. *luxuriare*.] ***V. int.*** **1.** Viçar, vicejar. **2.** *Fig.* Entregar-se a libertinagens. ***T. d.*** **3.** Estimular à luxúria. [Pres. ind.: *luxurio, luxurias, luxuria*, etc. Cf. *luxúria*.]
luxurioso (ô) [Do lat. *luxuriosu*.] ***Adj.*** **1.** V. *luxuriante*. **2.** Sensual, libidinoso, lascivo. **3.** Licencioso, devasso, dissoluto. ● ***S. m.*** **4.** Indivíduo luxurioso.
luz [Do lat. *luce*.] ***S. f.*** **1.** *Fís.* Radiação eletromagnética capaz de provocar sensação visual num observador normal; radiação eletromagnética de comprimento de onda compreendido aproximadamente entre 4.000Å e 7.800Å. **2.** Claridade emitida pelos corpos celestes: 📖 "Um dilúvio de luz cai da montanha: / Eis o dia! eis o Sol!" (Antero de Quental, *Sonetos*, p. 137.) **3.** Claridade emitida por corpos que não a possuem, mas que a refletem de outros; reflexo: 📝 *a luz dos planetas.* **4.** Claridade, luminosidade. **5.** Qualquer dos objetos empregados como iluminantes (vela, lampião, lâmpada, etc.). **6.** A claridade resultante do funcionamento de qualquer desses objetos: 📝 *Ótima a decoração do apartamento, sobretudo quanto aos efeitos de luz*; 📖 "incerta e fina / Luz, que mal bruxuleia pequenina..." (Id., *ib.*, p. 253). **7.** Brilho, fulgor, cintilação: 📝 *a luz dos olhos.* **8.** *Fig.* Aquilo ou aquele que esclarece, ilumina ou guia o espírito: 📝 *as luzes da fé*; 📖 "Sou o espírito, a luz!... tu és tristeza" (Id., *ib.*, p. 263). **9.** *Fig.* Faculdade de percepção; juízo, inteligência. **10.** *Fig.* Esclarecimento, elucidação: 📝 *Sua crítica emprestou luz à obra.* **11.** *Fig.* Evidência, certeza, verdade: 📖 "Da discussão nasce a luz" (prov.). **12.** *Fig.* Ilustração, saber: 📝 *homem de muita luz.* **13.** *Fig.* Notoriedade, publicidade. **14.** *Fig.* Influência (2): 📝 *Sem luzes estranhas não teria feito o que fez.* **15.** *Anat.* A cavidade existente no interior de um vaso¹ (6), ou de órgão oco. **16.** *Constr.* Espaço entre colunas, paredes, etc.; vão livre. **17.** *Mec.* Folga ou distância entre duas peças, duas superfícies. **18.** *Bras.* Espaço de terreno que, numa corrida, um dos corredores leva de dianteira a outro(s). **19.** *Bras.* Espaço livre, nas construções urbanas, destinado ao recebimento da luz solar. **20.** *Bras. RJ Gír. de ladrões* V. *dinheiro* (5). ~ V. *luzes*. ◆ **Luz artificial.** *Fot.* Qualquer luz que não provenha, direta ou indiretamente, do Sol. **Luz atenuante.** *Fot. Teatr. Telev.* A que reduz o contraste das sombras provocado pela luz principal (q. v.). **Luz básica.** *Fot.* Luz difusa (q. v.). **Luz cinérea.** *Astr.* Luz cinzenta. **Luz cinzenta.** *Astr.* Luminosidade proveniente da luz refletida pela Terra na superfície lunar, e que se observa na região não iluminada do disco lunar, quando a Lua é visível sob a forma de um fino crescente; luz cinérea. **Luz circularmente polarizada.** *Ópt.* Luz polarizada em que o vetor elétrico está sobre um plano que efetua um movimento de rotação uniforme em torno da direção de propagação da luz. **Luz cruzada.** *Fot. Teatr. Telev.* A que provém de feixes de luz em diagonal. **Luz de chão.** *Teatr.* A que provém de refletores fixos no chão. **Luz de fundo.** *Fot. Teatr. Telev.* A que provém de refletores atrás da cena. **Luz de marcha.** *Mar.* Dispositivo luminoso destinado a indicar, à noite, a velocidade do navio e as alterações ocorridas neste, segundo convenções próprias. **Luz de pino.** *Fot. Teatr. Telev.* Luz zenital (q. v.). **Luz de realce.** *Fot.* Feixe de luz dirigido sobre o rosto da pessoa a ser fotografada para lhe realçar alguns detalhes. **Luz difusa.** *Fot.* A que ilumina sem provocar sombras ou contrastes acentuados; luz básica. **Luz dirigida.** *Fot.* A que provém de uma ou mais fontes bem localizadas e ilumina um objeto de maneira não uniforme, provocando contrastes e sombras acentuados. **Luz do Tabor.** V. *onfalópsico*. **Luz elipticamente polarizada.** *Ópt.* Aquela em que o vetor elétrico gira uniformemente em torno da dire-

ção de propagação e a sua extremidade descreve uma hélice cilíndrica elíptica. **Luzes de navegação.** *Mar.* Luzes que, por força de acordos internacionais relativos à segurança da navegação, toda embarcação é obrigada a mostrar em períodos de obscuridade, a fim de que as demais embarcações sejam informadas da direção do seu movimento e das suas dimensões. [Constam dos faróis de bordo (vermelho a bombordo e verde a boreste) e de uma ou duas luzes brancas (segundo o comprimento da embarcação) fixas no mastro de vante e no de ré.] **Luzes de uma loja.** *Maç.* O venerável mestre, o primeiro e o segundo vigilantes, o orador (3) e o secretário. **Luz fria.** *Fís.* A que é emitida num fenômeno de luminescência. **Luz infravermelha.** *Astr.* Radiação eletromagnética de comprimento de onda ligeiramente maior do que o da luz visível. **Luz monocromática.** *Ópt.* A que contém radiação de um único comprimento de onda. **Luz natural.** *Fot.* A proveniente do Sol. **Luz negra. 1.** *Fís.* Radiação ultravioleta com comprimento de onda entre 3.200Å e 4.000Å. **2.** *Teatr.* Luz ultravioleta que se projeta sobre cenários ou figurinos executados em material fluorescente ou fosforescente, para destacá-los por inteiro do resto da cena, que permanece em completa escuridão. **Luz plano-polarizada.** *Ópt.* Luz polarizada. **Luz polarizada.** *Ópt.* Aquela em que o vetor elétrico vibra constantemente em um mesmo plano; luz plano-polarizada. **Luz principal.** *Cin. Fot. Telev.* Feixe principal de luz de uma cena. **Luz terrestre.** *Astr.* Luz refletida pela Terra no espaço, e que pode iluminar outros astros, especialmente a Lua. **Luz ultravioleta.** *Astr.* Radiação eletromagnética de comprimento de onda ligeiramente menor do que o da luz visível. **Luz verde. 1.** Ausência de obstáculos ou empecilhos; caminho aberto: *O Presidente deu ao líder do partido luz verde para promover os entendimentos.* **2.** V. *sinal verde.* **Luz visível.** Luz (1). **Luz zenital.** *Fot. Teatr. Telev.* A que provém do teto ou do alto, iluminando a cena verticalmente; luz de pino. **Luz zodiacal.** *Astr.* Luminosidade tênue que se estende na região do zodíaco, após o ocaso e antes do nascer do Sol, produzida pela reflexão da luz solar em partículas meteoríticas que se localizam próximo ao plano da eclíptica. **À luz de.** Segundo o modo de ver, o critério, os princípios, de: *À luz da ciência tal fato é inconcebível.* **A todas as luzes.** Sob todos os aspectos; de todos os pontos de vista. **Dar à luz. 1.** Parir (1 e 3): *Deu à luz uma bela menina; Está grávida, prestes a dar à luz.* **2.** Editar, publicar. **Lançar luz sobre.** Esclarecer, ilustrar, elucidar (alguma coisa, algum assunto). **Perder a luz. 1.** Ficar cego; cegar. **2.** Perder os sentidos; esmorecer. **Perder a luz da razão.** Perder a razão; enlouquecer. **Vir à luz.** V. *vir a lume.* **Receber a luz.** *Maç.* Iniciar-se na maçonaria, *i. e.*, retirar, o iniciado, a venda do obscurantismo.

luzecu [De *luzir* + *cu*.] *S. m. Bras. Zool.* V. *pirilampo.*

luzeiro [De *luz* + *-eiro*.] *S. m.* **1.** Qualquer coisa que emite luz, que brilha; farol. **2.** Astro, estrela: "Não tem ela uma senda florida, / De perfumes, de flores bem cheia, / Onde vague com passos incertos, / Quando o céu de luzeiros se arreia." (Gonçalves Dias, *Obras Poéticas*, I, p. 61.) **3.** *Fig.* V. *luminar* (2). ~ V. *luzeiros.*

luzeiros [Pl. de *luzeiro*.] *S. m. pl. Fig.* Os olhos [v. *olho* (1)] ~ V. *luzeiro.*

luze-luze [De *luzir* + *luzir*.] *S. m. Pop. Zool.* V. *pirilampo.* [Pl.: *luzes-luzes* e *luze-luzes*.]

luzendro *S. m. Bot.* V. *aneto* (2).

luzense[1] *Adj. 2 g.* **1.** De, ou pertencente ou relativo a Luz (MG). ● *S. 2 g.* **2.** O natural ou habitante de Luz.

luzense[2] *Adj. 2 g.* **1.** De, ou pertencente ou relativo a Santaluz (BA). ● *S. 2 g.* **2.** O natural ou habitante de Santaluz.

luzente [Do lat. *lucente*.] *Adj. 2 g.* Que luz ou brilha; lúcido, luminoso; luzidio: *metal luzente*; "Os olhos [da cascavel] pequeninos, fixos, luzentes como diamantes negros, pareciam despedir relâmpagos gelados." (Júlio Ribeiro, *A Carne*, p. 185.)

luzerna[1] [Do lat. *lucerna*, 'candeia'.] *S. f.* **1.** Grande luz; clarão. **2.** V. *lucarna.*

luzerna[2] [Do fr. *luzerne*.] *S. f.* Alfafa.

luzernal [De *luzerna*[2] + *-al*[1].] *S. m.* V. *alfafal.*

luzerneira [De *luzerna*[2] + *-eira*.] *S. f.* V. *alfafal.*

luzes [Pl. de *luz*.] *S. f. pl.* **1.** Desenvolvimento, progresso; ciência: *as luzes do século.* **2.** Inteligência, vivacidade intelectual. **3.** *Fot.* Partes mais escuras do negativo, representando pontos luminosos. [Cf., nesta acepç., *alta-luz*.] ~ V. *luz.* ◆ **Ao apagar das luzes.** No fim; na última hora: *Ao apagar das luzes, a festa animou-se.*

luzetro *S. m. Bot.* V. *maleiteira.*

luzia *S. m. Bras.* Epíteto que se dava no princípio do Segundo Reinado aos liberais exaltados, originário do combate ocorrido, no ano de 1842, em Santa Luzia (MG), no qual o então Barão de Caxias derrotou os rebeldes mineiros: "não era propriamente conservador, mas saquarema, como os liberais eram luzias." (Machado de Assis, *Esaú e Jacó*, p. 143). [Cf. *ximango* (2) e *saquarema* (1).]

luzianense *Adj. 2 g.* **1.** De, ou pertencente ou relativo a Luziânia (GO). ● *S. 2 g.* **2.** O natural ou habitante de Luziânia.

luzidio [De *luzido* + *-io*[2].] *Adj.* Luzente, brilhante, nítido, polido: *superfície luzidia; pelagem luzidia;* "O melro, eu conheci-o: Era negro, vibrante, luzidio, / Madrugador, jovial" (Guerra Junqueiro, *A Velhice do Padre Eterno*, p. 153).

luzido [Part. de *luzir*.] *Adj.* **1.** Vistoso, brilhante, pomposo: *corte luzida;* "Passou depois o rei Almançor seguido dos mais luzidos cavaleiros da Barbaria" (Ramalho Ortigão, *As Farpas*, II, p. 180). **2.** V. *lustroso* (1). ● *S. m.* **3.** Aquilo que é luzidio: *o luzido dos fardões acadêmicos.*

luziê *S. m. Bras. Bot.* Variedade de cana-de-açúcar.

luziense *Adj. 2 g.* **1.** De, ou pertencente ou relativo a Santa Luzia (MG). ● *S. 2 g.* **2.** O natural ou habitante de Santa Luzia.

luzilandense *Adj. 2 g.* **1.** De, ou pertencente ou relativo a Luzilândia (PI). ● *S. 2 g.* **2.** O natural ou habitante de Luzilândia.

luziluzir [De *luzir* + *luzir*.] *V. int. Bras.* V. *tremeluzir*: "E preso o olhar ao fumo vão das nuvens / Conglomeradas longe, em cujos cimos / Luziluziam súbitos relâmpagos." (Alberto de Oliveira, *Poesias*, 3ª série, p. 219.) [Unipess.]

luzimento [De *luzir* + *-mento*.] *S. m.* **1.** Ação ou efeito de luzir. **2.** Brilho, claridade: "Rompe a manhã. O pássaro pipila, / Desce do oriente um luzimento vago" (João Ribeiro, *Versos*, p. 97). **3.** Brilho intenso; esplendor: "A casa .... amesquinhava-a com o luzimento dos móveis, o brilho do espelho" (Xavier Marques, *Jana e Joel*, p. 98). **4.** Pompa, fausto, aparato: "estava requisitada .... uma força do oito de cavalaria, não só para dar luzimento à procissão, mas também para manter a ordem" (João da Silva Correia, *Farândola*, p. 24).

lúzio [De *luz*.] *S. m.* **1.** *Burl.* V. *olho* (1): "Foi botar os lúzios na ciganinha, e .... ficou pelo beiço" (Visconde de Taunay, *Ao Entardecer*, p. 82); "correu a tomar os óculos, que assentou em cima dos salientes lúzios." (Id., *Inocência*, p. 93). **2.** *Bras. Gír.* Lampião (1).

luzir [Do lat. *lucere*.] *V. int.* **1.** Emitir luz; irradiar claridade; brilhar; resplandecer: "Era uma estrela sozinha / Luzindo no fim do dia." (Manuel Bandeira, *Estrela da Vida Inteira*, p. 164); "Nem tudo que luz é ouro" (prov.). **2.** Refletir a luz. [Aplica-se a superfícies polidas.] **3.** *Fig.* Desenvolver-se; medrar. **4.** Dar na vista; fazer efeito: *Sua proclamada vocação oratória não luziu no discurso.* **5.** V. *brilhar* (2): "Uma das nossas folhas deu notícia de haver morrido em Paris uma bailarina, que luziu nos últimos anos do império" (Machado de Assis, *A Semana*, II, p. 81). *T. d.* **6.** Fazer brilhar; irradiar: *No verão, a aurora luz mais cedo os seus primeiros clarões. T. i.* **7.** Aproveitar; lucrar. [No sentido próprio é unipess.]

luz-santense *Adj. 2 g.* **1.** De, ou pertencente ou relativo a Santa Luz (PI). ● *S. 2 g.* **2.** O natural ou habitante de Santa Luz.

→**lwei** [lwej] [Afric.] *S. m. Angol.* V. *luei*: "João Evangelista só podia estar grato à jovem esposa, pois tinha boda de príncipe, sem gastar um lwei." (Pepetela, *O Desejo de Kianda*, p. 13.)

■ **lx** *Fotom.* Símb. de *lux.*

Minúscula Moderna | Maiúscula Moderna | Minúscula Carolíngia | Romano | Romano | Etrusco | Grego | Grego | Fenício

A posse na Academia Brasileira de Letras ocorreu no dia 18 de dezembro de 1961. Aurélio foi o quarto ocupante da cadeira 30, cujo patrono

é Pardal Mallet e o fundador, Pedro Rabelo. Sua sucessora é Nélida Piñon.

m (eme ou mê) *S. m.* **1.** A 13ª letra do nosso alfabeto. [Em início de sílaba, soa como consoante oclusiva bilabial sonora (como em *meu, mula*; em final de sílaba, nasaliza a vogal anterior (como em *campo, pombo, tempo*) ou forma com ela um ditongo nasal (como em *pompom, amam*).] **2.** A figura dessa letra, ou qualquer representação sua: *Na antiga inscrição, o M está quase apagado.* **3.** O som representado por essa letra. ● *Num.* **4.** Duodécimo (1), numa série ordenada ou hierárquica cujos elementos são designados ou representados pelas letras do alfabeto, sem considerar o *k* como 11º elemento: *prateleira m* (ou *prateleira M*). **5.** Décimo terceiro, nas séries ordenadas em que a letra *k* designa o 11º elemento. [Pl. (nas acepç. 1 a 3) indicado graficamente pela duplicação da letra: *mm.*]

■ **m 1.** Símb. de *metro*[1] (1). **2.** Símb. de *mili-*[1] (q. v.). **3.** Abrev. de *masculino*. **4.** Abrev. de *minuto*. **5.** *Fís.* Símb. de *massa* (15).

■ **M 1.** Abrev. de *médio*. [Ger. us. em relação a tamanho de peças de vestuário.] **2.** No sistema romano de numeração, símb. do número 1.000. **3.** Símb. de *mega-* (q. v.). **4.** *Fís.* Símb. de *número de Mach*, ger. us. junto ao valor de uma velocidade expressa na forma de número de Mach: *M 1,5; M 0,8.*

▲ **m-** *Quím. Pref.* F. red. de *met(a)-* (1): *m-xileno*. [Sempre us. com hífen posposto.]

ma Contr. dos pron. *me* e *a*: "Trazia a carta consigo .... Creio haver dito que era de um dos Regentes. Leu-ma duas vezes." (Machado de Assis, *Memórias Póstumas de Brás Cubas*, pp. 86-87.) [Cf. *má*.]

■ **MA** Sigla do Estado do Maranhão.

má [Do lat. *mala*.] *Adj. (f.)* Fem. de *mau*. [Cf. *ma*.]

mã *S. m. Gloss.* Iao (q. v.).

maaiana [Do sânscr.] *Filos. S. m.* **1.** V. *budismo maaiana*. ● *Adj. 2 g.* **2.** ~ V. *budismo* —.

maarani *S. f.* V. *marani*.

maarâni *S. f.* V. *marani*.

maba *Bras. S. 2 g.* **1.** *Etnôn.* Indivíduo dos mabas, povo indígena extinto que habitava a margem direita do rio Corumbiara (RO). ● *Adj. 2 g.* **2.** Pertencente ou relativo a esse povo. [Tb. us. como *s. 2 g.* e *2 n.* (com cap.) e *adj. 2 g.* e *2 n.*]

mabaça [Var. de *babaça*.] *S. 2 g. Bras.* **1.** V. *babaça*. **2.** *Rel.* V. *Ibêji*. [Nesta acepç., ger. com cap.]

mabaço [Var. de *babaço*.] *S. m. Bras.* **1.** V. *babaço*. **2.** *Rel.* V. *Ibêji*. [Nesta acepç., ger. com cap.]

mabandido [De *ma-* (pref. ronga que indica o pl.) + *bandido*.] *S. m. 2 n. Moç.* **1.** Bandido que assaltava a população dos subúrbios, no tempo colonial: "Era a época em que os mabandido desciam em hordas para o caniço, aterrorizando toda a população" (Fernando Manuel, *O Homem Sugerido*, p. 73). **2.** *Deprec.* Membro dos grupos armados da Resistência Nacional Moçambicana (Renamo, organização que lutou contra o governo moçambicano de 1979 a 1992): "Por enquanto na minha zona não tem perigo com os mabandido." (Antônio Pinto de Abreu, em *Tempo*, 12.05.1985.)

mabeco *S. m. Angol. Moç. Lus.* Cão[1] (1) selvagem.

mabeia (éi) [Adapt. do tax. *Mabea*.] *S. f. Bot.* **1.** Gênero de euforbiáceas que reúne 50 espécies nativas de regiões tropicais das Américas. **2.** Qualquer espécie desse gênero, como, p. ex., a *Mabea occidentalis* [v. *canudo-de-pito* (3)]. **3.** Qualquer espécime desse gênero.❖

maboia (ói) [Do tupi, poss.] *S. f. Bras. Bot.* Arvoreta caparidácea (*Morisonia americana*) originária da América Central, cultivada como ornamental, e de folhas brilhantes, flores alvas, com 6 a 20 estames, e baga globosa.❖

mabolo [De or. obsc.] *S. m. Bot.* Planta ebenácea (*Diospyros mabolo*), cuja madeira é us. em marcenaria.

maboque [Do quimb. *maboke*, pl. de *riboke*.] *S. m. Angol.* O fruto do maboqueiro: "sua pele macia guardava as doçuras do corpo rijo / tão rijo e tão doce — como o maboque..." (Viriato da Cruz, *Poemas*, p. 9). [Sin. (moç.): *maçala*.]

maboqueiro [De *maboque* + *-eiro*.] *S. m. Angol. Bot.* Arbusto loganiáceo (*Strychnos spinosa*) espinhoso, cujos frutos, do tamanho e da cor da laranja, são caracterizados pela casca dura e pela polpa acidulada: "emaranhados de cordas que se enredam por entre uns maboqueiros que se adensam por aí acima, dir-se-ia: uma outra mata dentro do espesso mato." (Manuel Pacavira, *Nzinga Mbandi*, p. 136). [Sin. (moç.): *maçaleira*.]

maca[1] [Do taino *hamaca*.] *S. f.* **1.** *Mar.* Cama de lona, suspensa, onde dormem, a bordo, os marinheiros. **2.** *Med.* Leito dotado de rodas para transporte de pacientes, em circunstâncias várias. [Cf., nesta acepç., *padiola* (2).] **3.** Cama de lona dobrável e facilmente transportável. **4.** *Bras. N.* Saco de couro para roupa, que, em viagem, se amarra à garupa. ◆ **Meter na maca.** *Bras. CE Pop.* Enganar, burlar, lograr, intrujar.

maca[2] [Do quimb. *maka*, 'conversa'.] *S. f. Angol. Moç.* Discussão acesa; bate-boca: "surgiu então uma grande maca, desejando a maior parte da gente debandar." (Arlindo Barbeitos, *O Rio, Estórias de Regresso*, p. 37).

maça [Do lat. vulg. **matea* ou **mattea*, poss. do lat. *mateola*, 'pau', 'cabo de enxada'.] *S. f.* **1.** Clava. **2.** Arma de ferro ou de outro material, com uma extremidade esférica provida de pontas aguçadas. **3.** Pilão cilíndrico usado pelos calceteiros; maço. **4.** Instrumento com que se maça o linho. **5.** *Ant.* Bastão com cabeça de ouro, ou de prata, etc., que era levado pelo maceiro (2) em cortejos que precediam certos cerimoniais. [Cf. *massa* e o antr. *Massa*.]

maçã [Do lat. *matiana*, *i. e.*, *mala matiana*, 'maçãs de Mácio'.] *S. f.* **1.** O fruto da macieira. [Dim. irreg.: *maçanilha*.] **2.** Parte arredondada do cabo da espada, que protege o punho. **3.** V. *maçaneta* (2). **4.** *Bras. Bot.* Variedade de cana-de-açúcar. **5.** *Bras.* Bola de pelos feltrados que se encontra no estômago dos bovinos e do jacaré. ◆ **Maçã do peito.** *Bras.* A carne de rês que fica logo abaixo do pescoço. **Maçã do rosto.** *Anat.* V. *bochecha* (2): "as maçãs do rosto proeminentes e descarnadas, o nariz adunco" (Alberto Braga, *Novos Contos*, p. 64).

macaá *S. m. Bras. Zool.* V. *acauã*.

macaba [Alter. de *bacaba*.] *S. f. Bras.* V. *bacaba* (1 a 4).

macabeu[1] [Do lat. *Machabaeus* (do gr. *Makkabaîos*, de or. hebr.).] *Adj. S. m.* Diz-se de, ou indivíduo dos Macabeus, família sacerdotal judia descendente do sumo sacerdote Matias Macabeu, a qual reinou na Palestina de 142 a.C. a 63 a.C. [Fem.: macabeia.]

macabeu[2] [Do fr. *macchabée*.] *S. m.* Cadáver: "O Egon, para conversar mais um pouco, e o legista, para esperar os acidentes ou crimes da noite que lhe forneciam os macabeus para autopsiar" (Pedro Nava, *O Círio Perfeito*, p. 337).

macabeus [Pl. de *macabeu*[1].] *S. m. pl. Rel.* Os dois livros deuterocanônicos do Velho Testamento que contam a história dos macabeus (v. macabeu[1] [1]). [Com cap.]

macabíada [De *macab(eus)* + *(olimp)íada*.] *S. f.* Série de competições esportivas semelhante às Olimpíadas, realizada em Israel.

macabrear [De *macabro* + *-ear*[2].] *V. int.* Apresentar-se macabro, ocasionalmente ou por sua natureza. [Conjug.: v. *frear*.]

macabrismo [De *macabro* + *-ismo*.] *S. m.* Qualidade ou caráter de macabro.

macabro (cá) [Do fr. *macabre* < fr. *danse macabré*, 'dança da morte', de or. controversa.] *Adj.* **1.** Diz-se de uma dança alegórica da Idade Média, na qual se representava a Morte arrastando consigo pessoas de todas as idades e condições. **2.** Respeitante a essa dança, ou que a faz lembrar: "Uma das sombras, aquela que, com esgares de louco, a arrebatava em volteios macabros pelo ar, em nuvens de fumaça sufocante, estava ali corporizada, bem nítida, contando o dinheiro furtado." (Domingos Olímpio, *Luzia-Homem*, p. 133.) **3.** Que desfila lugubremente. **4.** Fúnebre, funéreo, lúgubre, tétrico, medonho: *visão macabra*; "De baixo, lobrigavam-se, por instantes, imensas sombras humanas, deformadas, macabras, deslizando caricaturalmente sobre o fundo inflamado de um aposento, e desaparecendo de súbito." (Carlos Magalhães de Azeredo, *Casos do Amor e do Instinto*, p. 391). **5.** Afeiçoado a coisas tristes, sombrias: *indivíduo macabro*.

macabuense *Adj. 2 g.* **1.** De, ou pertencente ou relativo a Conceição de Macabu (RJ). • *S. 2 g.* **2.** O natural ou habitante de Conceição de Macabu.

macaca[1] [Fem. de *macaco*.] *S. f.* **1.** *Zool.* A fêmea do macaco. **2.** Mulher feia. **3.** V. *caiporismo*. **4.** *Bras. CE* Vaca sem cria. **5.** *Bras. PB AL* Chicote de cabo curto e grosso, para açoitar animais de carga. **6.** *Bras. S.* V. *gripe*. **7.** *Zool.* V. *corcoroca* (2 e 3). **8.** *Bras. RJ Tip.* Entre gráficos e revisores, asterisco(s) que se coloca(m) entre parágrafos. **9.** *Lus.* V. *amarelinha[2]*. ◆ **Estar com a macaca.** *Pop.* Estar muito agitado, ou irritado.

macaca[2] [Do tax. *Macaca* (< port. *macaca*, fem. de *macaco*).] *S. f. Zool.* **1.** Gênero de primatas antropoides dos cercopitecídeos das regiões tropicais do Velho Mundo, de porte médio, membros curtos, e robustos; constituem prováveis formas de transição para os cinocéfalos. Habitam a Ásia tropical e equatorial, com cerca de 20 espécies. **2.** Qualquer espécie desse gênero, como, p. ex., a *Macaca fuscatus*, do Japão, a *M. tibetanus*, do Tibete, a *M. sinus*, que compreende os macacos asiáticos comuns, e a *M. rhesus*, da Índia. **3.** Qualquer espécime desse gênero.

maçacá *S. 2 g. Adj. 2 g. Bras.* V. *aicaná*.

macacaacã *S. f. Bras. Bot.* V. *cacaurana*.

macacacacau [Alter. de *macacaacã*, com infl. de *cacau*.] *S. f. Bras. Bot.* V. *cacaurana*.

macacada [De *macaco* + *-ada[1]*.] *S. f.* **1.** Macacaria (1). **2.** V. *macaquice* (1). **3.** *Bras.* Os amigos, ou as pessoas da família; a turma: "Tens família numerosa, / só de filhos uma grosa, / fora avós, tios e manas? / Vence a crise desgraçada! / veste toda a macacada / nas Casas Pernambucanas!" (Antigo anúncio em bondes cariocas.)

macaca de auditório [De *macaca[1]* + *de* + *auditório*.] *S. f. Bras. Pop.* Mulher entusiasta de cantores de rádio ou de televisão e que frequenta os programas de auditório. [Pl.: *macacas de auditório*.] ☑

macacaiandu *S. f. Bras. Amaz. Zool.* Aranha de grande porte, arborícola, peçonhenta, de abdome preto, listrado de amarelo, e cujo nome comum ainda não está bem correlacionado com o científico.

macacal [De *macaco* + *-al[1]*.] *Adj. 2 g.* Relativo, pertencente ou semelhante ao, ou próprio do macaco. V. *simiesco*.

macacão [De *macaco* + *-ão[1]*.] *S. m.* **1.** Sujeito finório, astuto, manhoso. **2.** *Bras.* Indivíduo feio e grotesco. **3.** *Bras. Vest.* Vestimenta inteiriça, folgada, ger. com mangas e pernas longas, gola de camisa, fechamento frontal com zíper ou botões e grandes bolsos, ger. feita de algodão espesso ou jeans, us. por trabalhadores: "tirou o paletó, vestiu um macacão e pôs-se a trabalhar." (Francisco de Assis Barbosa, *Santos Dumont Inventor*, p. 29). [Sin. (lus.), nesta acepç.: *fato-macaco*.] **4.** *Bras. Vest.* Vestimenta esportiva, unissex, semelhante a essa. ◆ **Macacão de voo.** *Aer.* Macacão (3) desenhado esp. para dar segurança e conforto a tripulantes de aviões de combate e de naves espaciais.

macacapuranga [De *macaca[1]* + o tupi = 'vermelho'.] *S. f. Bras. Amaz. Bot.* Árvore lauráceа (*Aniba fragrans*) de lenho produtor de perfumado óleo essencial, o qual, destilado, pode servir em perfumaria.

macacar [De *macaco* + *-ar[2]*.] *V. t. d. Int. P. us.* V. *macaquear*. [Conjug.: v. *trancar*.]

maçaçar [Do top. *Maçaçar* ou *Macáçar* (Indonésia).] *S. m.* **1.** Macaçarês. **2.** *Gloss.* Língua falada pelos macaçares. **3.** Óleo us. para amaciar e perfumar os cabelos: "Assim lhe acudiam outras recordações; por exemplo a do macaçar cheiroso, (....) com que D. Mariana lhe perfumava os cabelos" (Aluísio Azevedo, *O Mulato*, pp. 73-74). **4.** *Bras. N.E. Bot.* V. *feijão-macáçar*.

macáçar *S. m.* V. *macaçar*.

maçacará *Bras. S. 2 g.* **1.** *Etnôn.* Indivíduo dos maçacarás [ou (etnôn. bras.) *Massacará], povo indígena extinto, de família linguística camacã, que habitava a região próxima ao rio São Francisco e entre os rios Itapicuru e Vasa-Barris (BA). • *Adj. 2 g.* **2.** Pertencente ou relativo a esse povo.

macacarecuia *S. f. Bras. Bot.* V. *castanha-de-macaco*.

macaçarês *S. m.* **1.** *Etnôn.* Indivíduo dos macaçareses, povo indonésio que vive no porto de Macaçar e região adjacente, a S.O. das Celebes; macaçar ou macáçar. • *Adj.* **2.** Pertencente ou relativo a esse povo. [Flex.: *macaçaresa* (ê), *macaçareses* (ê), *macaçaresas* (ê).]

macacaria [De *macaco* + *-aria*.] *S. f.* **1.** Porção ou bando de macacos; macacada. **2.** V. *macaquice* (1).

macacaúba [Do tupi amazônico = 'árvore do macaco'.] *S. f. Bras. Amaz. Bot.* Designação comum a duas árvores fabáceas (*Platymiscium trinitatis* e *P. ulei*) produtoras de belas madeiras que vão do pardo-avermelhado até o vermelho-escuro, e que servem particularmente para confecção de objetos de luxo.

macaco [De or. afr.] *S. m.* **1.** *Zool.* Designação comum a todas as espécies de primatas, aplicada no Brasil, restritivamente, aos cebídeos em geral. [A designação *mico*, tb. bastante us. no Brasil, costuma aplicar-se às espécies do gênero *Cebus* (v. *cebo*), no S., e às espécies de pequeno porte, ou *saguis*, no N.] [Sin.: *mono*, *símio*, *bugio*. Cf. *cebídeos* e *calitriquídeos*.] **2.** *Fig.* Aquele que arremeda ou imita grotescamente. **3.** Indivíduo muito feio. **4.** Maquinismo, provido de manivela, para levantar grandes pesos; bugio; carlequim. **5.** O peso que, no bate-estacas, cai de certa altura sobre a cabeça da estaca, afundando-a. **6.** *Marinh.* Dispositivo us. para esticar e graduar a tensão de cabos e correntes fixos. **7.** *Bras. Zool.* Designação comum às pequenas espécies costeiras de peixes bleniídeos, em geral de coloração escura, frequentadores de rochas e rochedos, e sem valor comercial. A espécie mais conhecida é *Parablennius pilicornis*. **8.** *Bras. Zool.* V. *grilo-toupeira* (1). **9.** *Bras.* No jogo do bicho (q. v.), o 17º grupo (14), que abrange as dezenas 65, 66, 67 e 68, e corresponde ao número 17. **10.** *Bras.* V. *amarelinha[2]*. **11.** *Bras. Sertão do N.E. Bot.* V. *mata-cachorro* (2). **12.** *Bras.* Paralelepípedo (3). **13.** *Bras. Sertão da BA* Ajudante de vaqueiro. **14.** *Bras. BA Pop.* V. *casa de penhor*. **15.** *Bras. RJ* Pilar que leva apenas dois tijolos. **16.** *Bras. MG RS* Galho que cai da árvore sobre o caminhante. **17.** *Bras. Cap.* Floreio (6) no qual o capoeirista, com o apoio de uma das mãos, dá um salto para trás, girando o tronco sobre a cabeça, imitando o movimento de um macaco. **18.** *Lus.* Macacão (4) feminino. • *Adj.* **19.** V. *simiesco*. **20.** Diz-se do cavalo de pelo escuro. ◆ **Macaco velho.** *Bras.* **1.** Indivíduo astuto, ladino. **2.** Indivíduo experiente. **Macaco velho não mete a mão em cumbuca.** *(Prov.) Bras.* Indivíduo sagaz, experiente, não cai em esparrela. **Cada macaco no seu galho.** *(Prov.)* Cada um deve ater-se à sua condição ou função. **Dar no macaco.** *Bras. BA Chulo* Masturbar-se (o homem). **Ir pentear macacos.** *Bras.* V. *ir às favas*. **Mandar pentear macacos.** *Bras.* V. *mandar às favas*.

macacoa (ô) *S. f.* **1.** *Fam.* Doença sem gravidade. **2.** *Bras. S.* V. *gripe*.

macaco-adufeiro *S. m. Bras. MT Zool.* V. *macaco-da-noite*. [Pl.: *macacos-adufeiros*.]

macaco-aranha *S. m. Bras. Zool.* Cuatá. [Pl.: *macacos-aranhas* e *macacos-aranha*.]

macaco-cabeludo *S. m. Bras. MT Zool.* V. *parauaçu*. [Pl.: *macacos-cabeludos*.]

macaco-da-meia-noite *S. m. Bras. Zool.* V. *jupará*. [F. paral.: *macaco-da-meia-noute*. Pl.: *macacos-da-meia-noite*.]

macaco-da-meia-noute *S. m. Bras. Zool.* Macaco-da-meia-noite (q. v.). [Pl.: *macacos-da-meia-noute*.]

macaco-da-noite *S. m. Bras. Zool.* Designação comum aos primatas platirrinos, cebídeos, de vida noturna, dotados de grandes olhos, que veem mal durante o dia, orelhas curtas e cobertas de pelo abundante, e cauda longa, mas não preênsil; macaco-adufeiro, caraí, cara-raiada, ciá, eiá, miriquiná. [F. paral.: *macaco-da-noute*. Pl.: *macacos-da-noite*.]

macaco-da-noute *S. m. Bras. Zool.* Macaco-da-noite (q. v.). [Pl.: *macacos-da-noute*.]

macaco-de-bando *S. m. Bras. BA Zool.* Macaco cebídeo (*Cebus xanthosternos*). [Pl.: *macacos-de-bando*.]

macaco-de-cheiro *S. m. Bras. Zool.* Macaco cebídeo (*Saimiri sciureus*) [v. *saimiri* (2)]; boca-preta, jurupari, jurupixuna. [Pl.: *macacos-de-cheiro*.]

macaco-inglês *S. m. Bras. Zool.* **1.** V. *uacari-vermelho*. **2.** V. *caiarara*: "Entre os símios repontavam os guaribas ....; o caiarara, louro, focinho vermelho, crismado de macaco-inglês" (Raimundo Morais, *País das Pedras Verdes*, p. 58). [Pl.: *macacos-ingleses*.]

macaco-lobo (ô) *S. m. Zool.* V. *dril*. [Pl.: *macacos-lobos* (ô) e *macacos-lobo*.]

macaco-patrona *S. m. Bras. Amaz. Bot.* Árvore rubiácea (*Henriquezia verticillata*) cujas flores rosadas e vistosas, se organizam em inflorescências simples, e cujos frutos são cápsulas com poucas sementes magnas. [Pl.: *macacos-patronas* e *macacos-patrona*.]

macaco-prego *S. m. Bras. Zool.* Designação comum a todas as espécies de primatas cebídeos do gênero *Cebus* (v. *cebo*). O nome origina-se do fato de, no momento da ereção, o pênis apresentar a glande dilatada em forma de cabeça de prego. [Pl.: *macacos-pregos* e *macacos-prego*. Cf. *mico* (1) e *caiarara*.]

macacu *S. m. Bras. Bot.* V. *macucu* (1 e 2).

macacuano *Adj.* **1.** De, ou pertencente ou relativo a Cachoeiras de Macacu (RJ). • *S. m.* **2.** O natural ou habitante de Cachoeiras de Macacu.

maçada [De *maça* + *-ada[1]*.] *S. f.* **1.** Pancada com maço ou maça; maçadura. **2.** Paulada, cacetada, bordoada. **3.** Pesca com tarrafa. [Cf., nesta acepç., *camboa* (3).] **4.** Trapaça no jogo. **5.** Trabalho, atividade ou situação enfadonha, fastidiosa, aborrecida, cansativa. **6.** V. *surra* (2).

macadame [Do antr. (*John London*) *Mac Adam* (1758-1836), engenheiro inglês.] *S. m.* **1.** Sistema de calçamento de estradas de rodagem, que consiste numa camada de pedra britada com cerca de 0,30m de espessura, aglutinada e comprimida. **2.** A massa resultante dessa mistura. **3.** Estrada empedrada com macadame (1). ◆ **Macadame hidráulico.** Macadame (2) cujo aglutinante é saibro, ou outro material semelhante, e água.

macadâmia [Do tax. *Macadamia* (do antr. [*John*] *Macadam* [sXIX], químico australiano).] *S. f. Bot.* **1.** Gênero de árvores proteáceas, perenes. **2.** Qualquer espécie desse gênero, como, p. ex., a *Macadamia ternifolia*, largamente cultivada, em regiões de clima temperado, pelas suas sementes comestíveis. **3.** Qualquer espécime desse gênero. **4.** A noz-macadâmia.

macadamização [De *macadamizar* + *-ção*.] *S. f.* Ato ou efeito de macadamizar.

macadamizado [Part. de *macadamizar*.] *Adj.* Empedrado ou calcetado com macadame (1): *estrada macadamizada*.

macadamizar [De *macadame* + *-izar*.] *V. t. d.* Empedrar ou calcetar com macadame (1).

maçã de adão *S. f. Anat.* V. *proeminência laríngea*. [Pl.: *maçãs de adão*.] ☑

maçã-de-anáfega *S. f. Bot.* V. *jujuba* (2). [Pl.: *maçãs-de-anáfega*.]

maçadiço [De *maçar* + *-(d)iço[2]*.] *Adj.* **1.** Que se maça facilmente. **2.** V. *malhadeiro* (4).

maçado [Part. de *maçar*.] *Adj.* Aborrecido, amolado, chateado: "Já maçado, resolveu [Raimundo] passar busca minuciosa em todo o quarto" (Aluísio Azevedo, *O Mulato*, p. 128).

maçã do amor *S. f.* Maçã fixada num espeto e depois passada numa calda de açúcar com corante. [Pl.: *maçãs do amor*.] ☑

maçador (ô) [De *maçar* + *-dor*.] *Adj. S. m.* Que, ou aquele que maça. [V. *maçante* (1 e 2).]

maçadura [De *maçar* + *-dura*.] *S. f.* **1.** Maçada (1). **2.** Sinal de pancada no corpo; pisadura. **3.** Maçagem.

macaense[1] [Por *macauense* (< top. *Macau* [China] + *-ense*).] *Adj. 2 g. S. 2 g.* V. *macaísta* (1 e 3).

macaense[2] *Adj. 2 g.* **1.** De, ou pertencente ou relativo a Macaé (RJ). • *S. 2 g.* **2.** O natural ou habitante de Macaé.

maçagem [De *maçar* + *-agem[2]*.] *S. f.* Ato de maçar o linho; maçadura. [Cf. *massagem*.]

macaguã [Do tupi.] *S. m. Bras. Zool.* V. *acauã*.

macaia [De or. incerta.] *S. f. Bras. BA MG SP* Tabaco de má qualidade; macaio. • **Pitar macaia.** *Bras. SP Pop.* V. *morrer* (1): "quando todos pensavam que ele um belo dia pitasse macaia, de amarelão ou hética, justou-se como zelador do cemitério." (Valdomiro Silveira, *Os Caboclos*, p. 150).

macaiá *S. m. Bras. Bot.* V. *cana-de-macaco* (1).

macaíba [Var. de *macaúba*.] *S. f. Bras. Bot.* V. *coco-de-catarro*.

macaibeira (a-i) [De *macaíba* + *-eira*.] *S. f. Bras. Bot.* V. *coco-de-catarro*.

macaibense (a-i) *Adj. 2 g.* **1.** De, ou pertencente ou relativo a Macaíba (RN). • *S. m.* **2.** O natural ou habitante de Macaíba.

macaio [De *macaia*.] *S. m.* **1.** *Bras. RJ* Macaia. • *Adj.* **2.** *Bras. O. de SP* Ruim, gasto, imprestável.

maçaió *Bras. N.E.* Maceió.

macairodo *S. m. Paleont.* V. *maquérodo*.

macaísta [Por *macauísta* (< top. *Macau* [China] + *-ista*).] *Adj. 2 g.* **1.** De, ou pertencente ou relativo a Macau (China); macaense. **2.** *Gloss.* V. *macauês* (2). • *S. 2 g.* **3.** O natural ou habitante de Macau; macaense. • *S. m.* **4.** *Gloss.* V. *macauês* (1). [Cf. *macauense*.]

macajá [Var. de *mucajá*.] *S. m. Bras. Bot.* V. *coco-de-catarro*.

macajuba *S. f. Bras. Bot.* V. *coco-de-catarro*.

macajubense *Adj. 2 g.* **1.** De, ou pertencente ou relativo a Macajuba (BA). • *S. 2 g.* **2.** O natural ou habitante de Macajuba.

maçal [De or. obscura.] *S. m.* Soro de leite, que se obtém batendo o queijo.

macala [Do ronga.] *S. f. Moç.* V. *carvão* (1): "as negras vendem macala / Pelas ruas quentes manchadas de sombra" (Orlando Mendes, *Véspera Confiada*, p. 43).

maçala *S. f. Moç.* V. *massala*.

maçaleira [De *maçala* + *-eira*.] *S. f. Moç.* Maboqueiro (q. v.): "De novo nossos pomares de maçaleiras / de novo nossas montanhas nossos mares / nossa riqueza a conquistar." (Calane da Silva, *Dos Meninos da Malanga*, p. 57.)

macaloba *S. f. Bras.* Bebida que se obtém mediante a fermentação e destilação da mandioca ou do milho, a que se acrescentam algumas folhas, e que é muito us. pelos índios zorós [v. *zoró[1]* (1)].

macamã [De or. afr., poss.] *S. m. Bras.* V. *mocamau*.

macamba [Do quimb. *ma'kãba*, 'amigos', 'camaradas'.] *S. 2 g. Bras. RJ Ant.* **1.** Designação que davam as quitandeiras aos seus fregueses. **2.** Termo com que os escravos do litoral frequentemente designavam os seus parceiros conviventes na mesma fazenda ou sujeitos ao mesmo senhor. **3.** A mulher, na cabula.

maçambala [Do quimb.] *S. f. Angol.* V. *sorgo* (2).

maçambará [Do quimb. *masã'bala*.] *S. m. Bras. Bot.* Grande capim poáceo (*Sorghum halepense*) cosmopolita nos trópicos e comum no Brasil, de colmos altos e grossos, folhas lineares, longamente acuminadas, com cerca de 80cm de comprimento por 2 a 4cm de largura, cujas espículas compõem panículas piramidais, e que floresce no primeiro ano, podendo ser anual ou perene; peripomonga, sorgo-de-alepo.

maçambique *S. m. Bras. Zool.* V. *cernambi* (3). [Cf. *moçambique*.]

macambira [Do tupi.] *S. f. Bras. N.E. Bot.* Planta bromeliácea (*Bromelia laciniosa*) de folhas rígidas e espinhosas, muito dispersa nas regiões secas nordestinas, onde o povo, premido pela fome resultante da seca, prepara, com as folhas dela, uma espécie de pão sem qualquer valor nutritivo; estas folhas são, tb., us. como forragem.

macambira-de-pedra *S. f. Bras. Bot.* Denom. comum a várias plantas bromeliáceas do gênero *Dyckia*; macambira-de-serrote. [Pl.: *macambiras-de-pedra*.]

macambira-de-serrote *S. f. Bras. Bot.* Macambira-de-pedra. [Pl.: *macambiras-de-serrote*.]

macambiral [De *macambira* + *-al*[1].] *S. m.* **1.** *Bras.* Quantidade mais ou menos considerável de macambiras dispostas proximamente entre si. **2.** Área ocupada por macambiral (1).

macambirense *Adj. 2 g.* **1.** De, ou pertencente ou relativo a Macambira (SE). ● *S. 2 g.* **2.** O natural ou habitante de Macambira.

macambo *S. m. Bras. Bot.* V. *cacau-do-peru*.

macambuziar [De *macambúzio* + *-ar*[2].] *V. int.* Tornar-se macambúzio. [Pres. ind.: *macambuzio*, etc. Cf. *macambúzio*.]

macambuzice [De *macambúzio* + *-ice*.] *S. f. Bras.* V. *macambuzismo*.

macambúzio [De or. incerta.] *Adj.* **1.** Carrancudo, sorumbático, taciturno, triste: "O João não respondia, macambúzio, metido no quarto, numa resistência passiva." (Conde de Ficalho, *Uma Eleição Perdida*, p. 197.) ● *S. m.* **2.** *Moç.* Jovem pastor (1), guardador de gado: "Os macambúzios iam atrás do gado, duna abaixo, e tomavam o caminho do grande aterro." (Rodrigues Júnior, *Calanga*, p. 111.) [Cf. *macambuzio*, do v. *macambuziar*.]

macambuzismo [De *macambúzio* + *-ismo*.] *S. m. Bras.* Qualidade, estado ou maneiras de macambúzio; melancolia, amuo, macambuzice.

macamecra *Bras. S. 2 g.* **1.** *Etnôn.* Indivíduo dos macamecras [ou (etnôn. bras.) *Mákamekra], povo indígena extinto da família linguística timbira, tronco macro-jê, que habitava a região situada na margem direita do rio Tocantins (GO). ● *Adj. 2 g.* **2.** Pertencente ou relativo a esse povo.

macaná [Do esp. *macana*, do taino de São Domingos.] *S. m. Bras.* Espécie de maça ou clava us. pelos indígenas, feita de madeira muito dura e pesada.

maçaneta (ê) [De *maçã* + *-eta* (ê), em virtude da semelhança entre a peça e a fruta.] *S. f.* **1.** Ressalto esférico, cônico, ou piramidal, etc., que serve de ornamento a certos objetos, ou por onde se pega para fazer funcionar o trinco das portas: "voltou-se hirta, agarrando-se à maçaneta da cama" (Coelho Neto, *Turbilhão*, p. 145); "E já se encaminhava para a porta, a mão na maçaneta" (Moreira Campos, *Portas Fechadas*, p. 171). **2.** A parte mais alta da sela, na dianteira; cepilho, maçã: "um dia passado no engenho de meu cunhado Araújo Beltrão, onde eu passeava pela primeira vez a cavalo, montado na maçaneta e seguro por um escravo" (Oliveira Lima, *Memórias*, p. 9). **3.** Maceta[1] (3). [Pl.: *maçanetas* (ê). Cf. *maçaneta* e *maçanetas*, do v. *maçanetar*.]

maçanetar [De *maçaneta* + *-ar*[2].] *V. t. d.* Dar a forma de maçaneta (1) a. [Pres. ind.: *maçaneto*, *maçanetas*, *maçaneta*, etc. Cf. *maçaneta* (ê) e pl. *maçanetas* (ê).]

maçangana *S. f. Bras. PE Pop.* V. *cachaça* (1).

macango *S. m. Angol.* V. *massango*.

maçanica [Dim. irreg. de *maçã*.] *S. f. Moç.* Fruto da maçaniqueira: "Gosta de toda a fruta: / atas mangas papaias / goiabas maçanicas" (Glória de Sant'Anna, *Zum-zum*, p. 26).

maçanilha [Do esp. *manzanilla*.] *S. f.* Pequena maçã; maçãzinha, maçãzita.

maçaniqueira [De *maçanica* + *-eira*.] *S. f. Moç. Bot.* Árvore ramnácea (*Zizyphus mauritania*) que produz fruto comestível, do tamanho da cereja, e que lembra a maçã: "na sombra generosa da maçaniqueira não havia zanga." (Mia Couto, *Cada Homem É uma Raça*, p. 146).

macanjice [De *macanjo* + *-ice*.] *S. f.* Qualidade de macanjo (1 a 2).

macanjo *Adj.* **1.** *Gír.* Velhaco, falso. **2.** *Gír.* Reles, vulgar. ● *S. m.* **3.** Indivíduo macanjo. **4.** *Ant.* Patacão falso.

maçante [De *maçar* + *-nte*.] *Adj. 2 g.* **1.** Que maça, enfada, aborrece, entedia: *indivíduo maçante*; *trabalho maçante*. [Sin.: *maçador*, *amolador*, *maçudo* (lus.), *amolante*, *cacete*, *chato*, *estopador*, *estopante*, *estopento*, *pau*, *paulificante*, *peto*, *sorna*, e, com referência apenas a pessoas, *peroba*, *sequista*, *seringador*.] ● *S. 2 g.* **2.** Pessoa maçante; maçador, amolador, arrazoador, cacete, caceteiro, chato, enzampa, escova, morrinha, muquirana, peroba, peúva, sequista, seringador, sorna.

macanudo [Do esp. plat. *macanudo*.] *Adj. Bras. RS* **1.** Admirável pela força, poder, prestígio, inteligência, beleza, etc.; bacana. **2.** Muito bom; excelente; bacana.

mação[1] *S. m.* Maçom.

mação[2] *S. m.* Maço grande.

macapaense (pà) *Adj. 2 g.* **1.** De, ou pertencente ou relativo a Macapá, capital do Estado do Amapá. ● *S. 2 g.* **2.** O natural ou habitante de Macapá.

maçapão [Do napolitano *martrapane*, pelo it. *marzapane*.] *S. m. Cul.* Bolo de farinha de trigo, ovos, açúcar e amêndoas. [Pl.: *maçapães*.]

macaparanense *Adj. 2 g.* **1.** De, ou pertencente ou relativo a Macaparana (PE). ● *S. 2 g.* **2.** O natural ou habitante de Macaparana.

maçaquaia *S. f. Bras. RS* Machacá[2].

maçaquara [De or. tupi, poss.] *S. f. Bras.* Armadilha para camarões, em esteiros ou em rios.

macaqueação [De *macaquear* + *-ção*.] *S. f.* V. *macaquice* (1).

macaqueador (ô) [De *macaquear* + *-dor*.] *Adj. S. m.* Que, ou aquele que macaqueia.

macaquear [De *macaco* + *-ear*[2].] *V. t. d.* **1.** Arremedar, como o fazem os macacos. **2.** Imitar de maneira ridícula. *Int.* **3.** Comportar-se de modo semelhante ao dos macacos; fazer macaquices: *Travesso, macaqueou o dia inteiro.* [Sin., p. us.: *macacar*. Conjug.: v. *frear*.]

macaqueiro [De *macaco* + *-eiro*.] *Adj.* **1.** V. *simiesco*. ● *S. m.* **2.** *Bras. Bot.* Árvore meliácea (*Guarea francavillana*) de pequeno tamanho, folhas com 10 a 12 folíolos obovados e elípticos e flores pequeninas, paniculadas. **3.** *Bot.* V. *carrapeta* (2). **4.** *Bras.* Canteiro que talha os paralelepípedos ou macacos para calçamento. **5.** *Bras. S. da BA* Trabalhador rural da lavoura do cacau. **6.** *Bras. MG* V. *caipira* (1).

macaquice [De *macaco* + *-ice*.] *S. f.* **1.** Ato ou efeito de macaquear; macacada, macacaria, macaqueação. **2.** Comportamento hipócrita e interesseiro; carinho interesseiro; adulação, lisonja.

macaquinho [De *macaco* + *-inho*[1].] *S. m.* Macacão (4) de calças curtas. ◆ **Ter macaquinhos no sótão.** *Fam.* Ser amalucado.

macaquinho-de-bambá *S. m. Bras. Zool.* V. *libélula* (3). [Pl.: *macaquinhos-de-bambá*.]

maçar [De *maça* ou de *maço* + *-ar*[2].] *V. t. d.* **1.** Bater com maço ou maça. **2.** Bater ou golpear com pau ou com outro instrumento. **3.** Enfadar, repetindo assuntos, conversas, etc.; importunar, aborrecer, amolar, chatear: "Mas esta carta começa a alongar-se indefinidamente, e eu não quero maçar-te." (Miguel Torga, *Traço de União*, p. 157.) *Int.* **4.** Ser maçador; chatear, amolar. [Conjug.: v. *laçar*. Pres. ind.: *maço*, *maças*, *maça*, etc. Cf. *massa*, s. f., e *Massa*, antr.]

macará [Var. de *macerá* (q. v.).] *S. m. Bras. PA* Espécie de cercado, nos riachos e nos rios, com porta pela qual entra o peixe. [Cf. *pari*.]

maçarana [Do tupi.] *S. f.* Muçurana: "No primeiro [dia] atam ao pescoço do prisioneiro a maçarana, que é feita de algodão ou de embira, e pintam a *maça*, *tangapema*, como escrevem alguns, ou *iverapeme* como escrevem outros, com a qual deverá ser sacrificado." (Gonçalves Dias, *O Brasil e a Oceania*, p. 131.)

maçarandiba [Do tupi.] *S. f. Bras. Bot.* V. *maçaranduba*.

maçaranduba [Do tupi.] *S. f.* **1.** *Bras. Bot.* Nome comum a várias árvores sapotáceas, esp. do gênero *Manilkara* (v. *manilcara*), e tb. a outras de diferentes famílias cujas madeiras, duras e resistentes, se assemelham àquelas. **2.** Árvore sapotácea (*Pouteria torta*) nativa desde a Amaz. até RJ, MG, GO, BA e PR, de folhas elípticas ou oblongas, flores glomeruliformes e frutos bacáceos, ovoides. [Sin., nessas acepç.: *maçarandubeira*.] **3.** Árvore sapotácea (*Manilkara amazonica*) nativa de RR ao MA, de folhas glabras e pequenos frutos globosos; maparajuba. **4.** Árvore sapotácea (*Manilkara elata*) nativa do Brasil, de folhas brilhantes e madeira vermelha, excelente, com inúmeros usos; aparaiú, gararoba, maçaranduba-de-leite, maçaranduba-de-marinha, maçaranduba-verdadeira, maçaranduba-vermelha. **5.** Árvore sapotácea (*Manilkara excelsa*) de grande porte, nativa da Amaz., de madeira violácea e frutos globosos, edules; maparajuba. **6.** Árvore sapotácea (*Manilkara longifolia*) nativa do Brasil, cuja madeira é de excepcional qualidade, e cujas folhas são as maiores do gênero; arapaju, marapaju, maparajuba, marapajuba, paraju. **7.** Árvore sapotácea (*Mimusops huber*) nativa da Amaz., de até 50m, de folhas e flores tomentosas, frutos globosos, edules, e que é explorada pela madeira e pela balata[2] (4); maçaranduba-do-pará, maçaranduba-verdadeira. **8.** V. *balata*[2] (2). **9.** V. *guapeba* (4). **10.** V. *canela-rosa*. **11.** A madeira dessas árvores. [Var.: *maçarandiba*.]

maçaranduba-de-leite *S. f. Bras. Bot.* V. *maçaranduba* (4). [Pl.: *maçarandubas-de-leite*.]

maçaranduba-de-marinha *S. f. Bras. Bot.* V. *maçaranduba* (4). [Pl.: *maçarandubas-de-marinha*.]

maçaranduba-do-pará [De *maçaranduba* + *do*[1] + o top. *Pará*.] *S. f. Bras. N. Bot.* V. *maçaranduba* (7). [Pl.: *maçarandubas-do-pará*.]

maçarandubarana [De *maçaranduba* + *-rana*.] *S. f. Bras. Bot.* Árvore sapotácea (*Chrysophyllum prieurei*) nativa da Amaz., de folhas obovadas, flores fasciculadas, amarelas, e de madeira pesada, us. para dormentes; abiu-de-casca-fina, abiurana, abiurana-vermelha, maçaranduba-verdadeira.

maçaranduba-verdadeira [De *maçaranduba* + o f. de *verdadeiro*.] *S. f. Bras. Bot.* **1.** V. *maçaranduba* (4 e 7). **2.** V. *maçarandubarana*. [Pl.: *maçarandubas-verdadeiras*.]

maçaranduba-vermelha [De *maçaranduba* + o f. de *vermelho*[1].] *S. f. Bras. Bot.* V. *maçaranduba* (4). [Pl.: *maçarandubas-vermelhas*.]

maçarandubeira [De *maçaranduba* + *-eira*.] *S. f. Bras. Bot.* Maçaranduba (1 e 2).

maçarandubense *Adj. 2 g.* **1.** De, ou pertencente ou relativo a Maçaranduba (PB e SC). ● *S. 2 g.* **2.** O natural ou habitante de Maçaranduba.

macaraniense *Adj. 2 g.* **1.** De, ou pertencente ou relativo a Macarani (BA). ● *S. 2 g.* **2.** O natural ou habitante de Macarani.

maçarari *Bras. S. 2 g.* **1.** *Etnôn.* Indivíduo dos maçararis, povo indígena extinto que habitava a margem esquerda do rio Jutaí (AM). ● *Adj. 2 g.* **2.** Pertencente ou relativo a esse povo. [Outra f.: *maçari*. Tb. us. como *s. 2 g. e 2 n.* (com cap.) e *adj. 2 g. e 2 n.*]

macaréu [De or. obscura.] *S. m.* Onda de arrebentação que, próximo à foz pouco profunda de certos rios, por ocasião da maré montante, irrompe de súbito em sentido oposto ao do fluxo das águas do rio, e, seguida de ondas menores, sobe rio acima, por vezes com forte ruído e devastação das margens, amortecendo-se à medida que avança: "As aluviões, os enxurros da cordilheira, ... em luta com a força das marés que se encrespavam em macaréus, foram depositando sedimentos, detritos, em torno dos núcleos penhascosos do Guaíbe e do Monserrate." (Júlio Ribeiro, *A Carne*, p. 118.) [Resulta do fato de as águas do rio irem represando o fluxo da maré, formando um desnível crescente que, em dado instante, rompe o equilíbrio e se precipita rio acima. Cf. *pororoca*.]

maçari *S. 2 g. Adj. 2 g. Bras.* V. *maçarari*.

maçaricão [De *maçarico* + *-ão*[1].] *S. m. Bras. Zool.* **1.** Ave caradriiforme, recurvirrostrídea (*Himantopus himantopus mexicanus*), que nidifica desde os E.U.A. até a porção setentrional da América do Sul, inclusive no N. do Brasil: PA, MA e PI. Tem dorso preto, fronte, vértice e parte inferior do corpo brancos, e pernas avermelhadas. [Sin.: *perna-de-pau*.] **2.** Maçarico-de-bico-torto.

maçarico [De or. obscura.] *S. m.* **1.** Tubo por onde se sopra a chama para lhe dar poder oxidante ou redutor; maçarico bucal. **2.** Aparelho que permite obter chama a uma temperatura muito elevada, por combustão do hidrogênio (ou do acetileno) com o oxigênio. **3.** Lâmpada de pressão us. pelos funileiros. **4.** *Bras. N.E.* Nos engenhos de banguê, a parte do assentamento que conduz as chamas à chaminé. **5.** *Bras. Zool.* Designação comum às aves caradriiformes, caradriídeas, escolopacídeas e recurvirrostrídeas, gêneros *Charadrius*, *Arenaria*, *Capella*, que têm pernas e bicos muito longos, dedos livres, com três anteriores e um posterior. Vivem nas praias marítimas, margens de rios e lagoas do interior. São comuns nas duas Américas. [Sin., nesta acepç.: *batuíra*, *otuítuí*, *ituituí*, *tarambola*, *pesca-em-pé*. Cf. *batuíra-do-campo*.] ◆ **Maçarico bucal.** Maçarico (1).

maçarico-d'água-doce *S. m. Bras. Zool.* V. *narceja*. [Pl.: *maçaricos-d'água-doce*.]

maçarico-de-bico-torto *S. m. Bras. Zool.* Ave caradriiforme, escolopacídea (*Numenius phaeopus hudsonicus*), que nidifica na costa ártica da América do Norte, de onde, pelo inverno, emigra para o S., alcançando o Equador, Chile e muitos pontos da costa setentrional do Brasil. Tem dorso pardo, pintado de cinzento-amarelado, parte inferior clara, raiada de

M

pardo na garganta e no peito. [Sin.: *maçaricão*. Pl.: *maçaricos-de-bico-torto*.]

maçarico-de-coleira *S. m. Bras. Zool.* Ave caradriídea (*Charadrius collaris*), frequente do S. do México ao N. da Argentina, de dorso em tons pardo e cinza claros, fronte branca, com uma fita preta no vértice, e atrás dela outra, avermelhada, que continua nos lados do pescoço; abdome branco, com uma fita preta no peito. Frequenta o litoral e margens de rios e lagoas dos países tropicais da América, onde vive de maneira curiosa: às carreiras, fazendo paradas súbitas à procura de alimento. [Sin.: *ituituí, batuituí, batuíra, manuelzinho-da-coroa, manuelzinho-da-croa*. Pl.: *maçaricos-de-coleira*.]

maçarico-pequeno *S. m. Bras. Zool.* Ave caradriiforme, escolopacídea (*Tringa solitaria*), do N. da América setentrional, atingindo quase toda a costa da América do Sul. Coloração dorsal parda, rêmiges da mão enegrecidas, retrizes laterais brancas listradas de preto, abdome branco. [Sin.: *batuirinha*. Pl.: *maçaricos-pequenos*.]

maçarico-preto *S. m. Zool.* **1.** *Bras.* V. *tapicuru*[1]. **2.** *Bras. RS* V. *coró-coró*. [Pl.: *maçaricos-pretos*.]

maçarico-real *S. m. Zool.* Ave ciconiiforme, tresquiornitídea (*Harpiprion caerulescens*), do S.O. do Brasil, Argentina, Uruguai e Paraguai. Coloração plúmbea, cauda, asas e bico pretos, pernas cor de salmão e crista desenvolvida; frequenta terrenos alagadiços e banhados. [Pl.: *maçaricos-reais*.]

maçariqueiro [De *maçarico* + *-eiro*.] *S. m.* Profissional que trabalha com maçarico.

maçaroca [Voc. afim com o esp. *mazorca*, mas de or. incerta.] *S. f.* **1.** Fio que o fuso enrolou em torno de si. **2.** Molho, feixe. **3.** Espiga de milho. **4.** Rolo de cabelo. **5.** *Bras.* Bola que se forma na cauda dos cavalos por crinas tão emaranhadas que não é possível desenredá-las com o pente. **6.** *Bras. N.* Extremidade cabeluda da cauda dos bovídeos. **7.** *Zool.* Suçuarana (1) cuja pelagem tem colorido diverso das do tipo padrão. **8.** *Bras. S.* Intriga, enredo, mexerico, mexericada.

maçarocada [De *maçaroca* + *-ada*[1].] *S. f. Bras.* V. *mixórdia* (1).

maçarocar [De *maçaroca* + *-ar*[2].] *V. int. Bras. S.* Fazer maçaroca; emaranhar, enredar. [Conjug.: v. *trancar*. Pres. ind.: *maçaroco*, etc. Cf. *maçaroco* (ô).]

maçaroco (ô) [De *maçaroca*.] *S. m.* Rolo de cabelo encrespado a ferro. [Pl.: *maçarocos* (ô). Cf. *maçaroco*, do v. *maçarocar*.]

→ **macaron** [maka'ʁõ] [Fr.] *S. f. Cul.* Doce francês cuja forma lembra a de um casadinho, feito de amêndoas raladas, clara de ovos e açúcar e levado para assar em tabuleiros.

maçaroqueira [De *maçaroca* + *-eira*.] *S. f. Bras.* Máquina para fazer maçarocas, que substituiu o fuso.

maçarral *Adj. 2 g.* V. *mazorral*.

macarrão [Do it. *maccherone*.] *S. m.* **1.** Massa de farinha de trigo em forma de canudinhos, ou com outro feitio, da qual se fazem sopas e outros cozinhados. **2.** *Marinh.* Peça metálica vazada, de boca aberta ou fechada, e que serve para guia dos gualdropes do leme, ou dos amantilhos das vergas, ou das amuras das velas. [Por vezes tem um rodete na parte vazada. Cf., nesta acepç., *sapata* (8).] **3.** *Tip.* Bobina de papel de jornal utilizada na impressão de tabloides. **4.** *Bras. SP Fig.* Indivíduo mole, indolente, sem préstimo.

macarronada [De *macarrão* + *-ada*[1], seg. o padrão erudito.] *S. f. Bras. Cul.* Iguaria feita de macarrão cozido, ao qual se acrescenta manteiga, queijo e, por vezes, molho de tomate ou qualquer outro molho.

macarronar [De *macarrôn(ico)* + *-ar*[2].] *Pop. V. int.* **1.** Falar ou expressar-se de maneira macarrônica. *T. d.* **2.** Falar ou escrever mal (uma língua); tornar macarrônico: *Quis fazer um belo discurso, mas acabou por macarronar o idioma.*

macarrone [Do it. *maccherone*.] *S. m. Bras.* V. *carcamano* (1).

macarrónea *S. f.* V. *macarrônea*. [Uso freq. em P.]

macarrônea *S. f.* Composição literária no gênero macarrônico.

macarroneiro [De *macarrão* + *-eiro*, seg. o padrão erudito.] *S. m. Bras. SP* Fabricante de macarrão e de massas congêneres.

macarronete (ê) [De *macarrão* + *-ete* (ê), seg. o padrão erudito.] *S. m.* Macarrão (1) muito delgado; espaguete.

macarrónico *Adj.* V. *macarrônico*. [Uso freq. em P.]

macarrônico [Do it. *maccheronico*.] *Adj.* **1.** Diz-se do gênero irônico de poesia ou prosa em que à língua original se adicionam, burlescamente, palavras latinas ou de outra língua. **2.** Diz-se de qualquer idioma pronunciado ou escrito erradamente. **3.** Irônico, burlesco, jocoso. **4.** Que escreve macarronicamente. ~ V. *latim* —.

macarronismo [De *macarrônico* + *-ismo*, seg. o padrão erudito.] *S. m.* O gênero macarrônico.

macarronista [De *macarronismo* + *-ista*.] *S. 2 g.* Pessoa que cultiva o macarronismo.

macarthismo [Do antr. *MacCarthy* + *-ismo*.] *S. m.* **1.** Atitude política radicalmente infensa ao comunismo, e que se desenvolveu nos E.U.A. com a campanha desencadeada pelo Senador Joseph Raymond MacCarthy [1909-1957]. **2.** *P. ext.* Qualquer atitude anticomunista radical.

macarthista [De *macarthismo* + *-ista*.] *Adj. 2 g.* **1.** Relativo ao, ou que é adepto do macarthismo. ● *S. 2 g.* **2.** Adepto do macarthismo.

macatubense *Adj. 2 g.* **1.** De, ou pertencente ou relativo a Macatuba (SP). ● *S. 2 g.* **2.** O natural ou habitante de Macatuba.

macau[1] [Do top. *Macau* (China), poss.] *Bras. Adj. 2 g.* **1.** Diz-se de certa raça de porcos. ● *S. m.* **2.** Porco dessa raça.

macau[2] [F. red. de *arara-macau*.] *S. m. Zool.* V. *arara-vermelha*.

macauã [Do tupi.] *S. m. Bras. Zool.* V. *acauã*.

macaúba [Do tupi.] *S. f. Bras. Bot.* V. *coco-de-catarro*.

macaubalense (a-u) *Adj. 2 g.* **1.** De, ou pertencente ou relativo a Macaubal (SP). ● *S. 2 g.* **2.** O natural ou habitante de Macaubal.

macaubense (a-u) *Adj. 2 g.* **1.** De, ou pertencente ou relativo a Macaúbas (BA). ● *S. 2 g.* **2.** O natural ou habitante de Macaúbas.

macauenho [Do top. *Macau* (China) + *-enho*.] *Adj. S. m. Gloss.* V. *macauês*.

macauense *Adj. 2 g.* **1.** De, ou pertencente ou relativo a Macau (RN). ● *S. 2 g.* **2.** O natural ou habitante de Macau. [Cf. *macaísta*.]

macauês [Do top. *Macau* (China) + *-ês*.] *Gloss. S. m.* **1.** Crioulo (12) de base portuguesa que se desenvolveu em Macau e que sobrevive, atualmente, em Hong Kong (China). ● *Adj.* **2.** Pertencente ou relativo a essa língua. [Sin. ger.: *macaísta, macauenho*. Flex. (da acepç. 2): *macauesa* (ê), *macaueses* (ê), *macauesas* (ê).]

macaxeira [Var. de *macaxera*.] *S. f. Bras. N. N.E. Bot.* V. *mandioca* (1 e 2): "no meio do bosque abrirei um roçado que nos há de dar farinha, macaxeira, feijão" (Franklin Távora, *O Cabeleira*, p. 232).

macaxeiral [Var. de *macaxeral*.] *S. m. Bras.* Plantação ou roça de macaxeiras.

macaxera (ê) [Do tupi.] *S. f. Bras. N. N.E.* Macaxeira: "o cará, a batata-doce, a macaxera" (Raimundo Morais, *País das Pedras Verdes*, p. 204).

macaxeral [De *macaxera* + *-al*[1].] *S. m. Bras.* Macaxeiral (q. v.).

macê [Do ior.] *S. m. Bras. Rel.* Bagaço residual do cozimento de ervas sagradas, posto ao lado da pedra do orixá.

mácea [Alter. de *almácega*.] *S. f.* Recipiente de pedra, ou gamela, onde comem ou bebem os animais: "procurou uma mácea de porcos e deitou-se na sujidade e adormeceu." (João Ribeiro, *Floresta de Exemplos*, p. 223).

macedense[1] *Adj. 2 g.* **1.** De, ou pertencente ou relativo a Coronel Macedo (SP). ● *S. 2 g.* **2.** O natural ou habitante de Coronel Macedo.

macedense[2] *Adj. 2 g.* **1.** De, ou pertencente ou relativo a Dom Macedo Costa (BA). ● *S. 2 g.* **2.** O natural ou habitante de Dom Macedo Costa.

macedónia *S. f.* V. *macedônia*. [Uso freq. em P.]

macedônia [Do fr. *macédoine*.] *S. f.* **1.** *Cul.* Iguaria feita com diversos legumes ou frutas picados. **2.** *Fig.* Amálgama de assuntos ou gêneros em uma só composição literária.

macedónico *Adj.* V. *macedônico*. [Uso freq. em P.]

macedônico *Adj.* Macedônio (1).

macedoniense *Adj. 2 g.* **1.** De, ou pertencente ou relativo a Macedônia (SP). ● *S. 2 g.* **2.** O natural ou habitante de Macedônia.

macedónio *Adj. S. m.* V. *macedônio*. [Uso freq. em P.]

macedônio *Adj.* **1.** Da, ou pertencente ou relativo à Macedônia (República da Macedônia, no S.E. da Europa); macedônico. ● *S. m.* **2.** O natural ou habitante da Macedônia. **3.** *Gloss.* A língua da antiga Macedônia, considerada, ger., indo-europeia. **4.** *Gloss.* Língua eslava falada na Macedônia e na Grécia.

macega *S. f.* **1.** Erva daninha que surge nas searas. **2.** *Bras. S.* O capim dos campos, quando seco e tão crescido que dificulta o trânsito. **3.** *Bras. RS* Arbusto rasteiro que viceja, em geral, nos campos de qualidade inferior.

macegal [De *macega* + *-al*[1].] *S. m. Bras.* Extensão considerável de terreno coberto de macega.

macegoso (ô) [De *macega* + *-oso*.] *Adj. Bras.* Macegento.

maceguento [De *macega* + *-ento*.] *Adj. Bras.* Diz-se do campo abundante em macega; macegoso.

maceió [Var. de *maçaió*, poss. de or. tapuia.] *S. m. Bras. N.E.* Lagoeiro, no litoral, formado pelas águas do mar nas grandes marés, e também pelas águas da chuva: "Espiou por uma das janelas com a mão em pala sobre os olhos, defendendo-se da reverberação do sol na chapa lisa do maceió cheio pela maré." (Gustavo Barroso, *Mississípi*, p. 88.)

maceioense (ôen) *Adj. 2 g.* **1.** De, ou pertencente ou relativo a Maceió, capital do Estado de Alagoas. ● *S. 2 g.* **2.** O natural ou habitante de Maceió.

maceira *S. f. P. us.* V. *macieira*: "As maceiras vergadas fortemente, / Parecem, duma fauna surpreendente, / Os pólipos enormes diluviais." (Cesário Verde, *Obra Completa*, p. 124.)

maceiro [De *maça* + *-eiro*.] *S. m. Ant.* **1.** Soldado cuja arma era a maça. **2.** Indivíduo que, em certos cerimoniais, precedia altos personagens (monarca, chanceler, etc.), levando a maça (5); porta-maça. [Cf. *masseiro*.]

macela [De or. obscura.] *S. f. Bot.* Designação comum a diversas ervas asteráceas, como, p. ex., a *Achyrocline satureoides* ou *macela-do-campo*, e a *Achyrocline alata*, perene, ereta de até 1,20m de altura, tb. us. na medicina caseira. [Var.: *marcela*.]

macela-brava *S. f. Bras. Bot.* V. *macela-do-mato*. [Pl.: *macelas-bravas*.]

macela-do-campo *S. f. Bras. Bot.* V. *macela*. [Pl.: *macelas-do-campo*.]

macela-do-mato *S. f. Bras. Bot.* Planta amarantácea (*Telanthera ramosissima*) herbácea, cujas inflorescências, paleáceas e secas por natureza, se parecem com os capítulos da macela, embora sem apresentar as mesmas propriedades; macela-brava, macelão, amaranto, perpétua-do-mato. [Pl.: *macelas-do-mato*.]

macelão [De *macela* + *-ão*[1].] *S. m. Bot.* V. *macela-do-mato*. [Var.: *marcelão*.]

macemba *S. f. Angol.* V. *massemba*.

macerá [Do tupi amazonense.] *S. m. Bras. Amaz.* Aparelho de pesca: cilindro de madeira, oco, que se arma como arapuca. [Cf. *maçará*.]

maceração [Do lat. *maceratione*.] *S. f.* **1.** Ato ou efeito de macerar; maceramento. **2.** *Anat.* Processo de amolecimento de formação (5), ou de fragmento(s) dela, por impregnação com substância destinada a este fim. **3.** *Anat.* Processo destinado a decompor, por contato longo com água corrente, as partes moles de um cadáver, no preparo do esqueleto. **4.** *Histol.* Amolecimento de formação (5), ou de fragmento(s) dela, principalmente por impregnação em ácidos, de modo a obter-se a dissolução de fibras de tecido conjuntivo e, assim, separar componentes teciduais. **5.** *Obst.* Conjunto de alterações degenerativas, com alterações de cor e amolecimento de tecidos, e eventual desintegração, em feto morto retido no útero.

macerado [Do lat. *maceratu*; part. de *macerar*.] *Adj.* **1.** Que sofreu maceração; submetido à maceração: *planta macerada*. **2.** *Fig.* Mortificado, abatido, macilento: *rosto macerado*. **3.** *Fig.* Desgostoso, aflito, angustiado: *criatura macerada; espírito macerado*. ● *S. m.* **4.** *Farmac.* Resultado líquido de maceração: *macerado de quina*.

maceramento [De *macerar* + *-mento*.] *S. m.* Maceração (1).

macerante [De *macerar* + *-nte*.] *Adj. 2 g.* Que macera.

macerar [Do lat. *macerare*.] *V. t. d.* **1.** Amolecer (uma substância sólida) pela ação de um líquido ou por meio de pancadas. **2.** Impregnar (um líquido) com os princípios solúveis de uma substância sólida. **3.** Machucar (um sólido) para extrair-lhe o suco. **4.** *Fig.* Mortificar (o corpo) por penitência; torturar. *Int.* **5.** Provocar maceração. *P.* **6.** Mortificar o corpo, por penitência; torturar-se: "Os sagrados deveres .... de instrutora de muitas noviças, de guardiã dos segredos e mistérios de seu rito, fizeram-na vacilar e lutar, sofrer e macerar-se." (Vasconcelos Maia, *O Leque de Oxum*, p. 58.)

macéria [Do lat. *maceria*.] *S. f.* Muro, parede ou qualquer obra de alvenaria em que não há barro ou argamassa.

macérrimo [Do lat. *macerrimu*.] *Adj.* Superl. abs. sint. de *magro*; magríssimo: "galinha de pescoço pelado, cachorros macérrimos ladrando." (Marques Rebelo, *A Mudança*, p. 379). [É anormal o superl. *magérrimo*, apesar de muito comum.]

maceta[1] (ê) [De *maço* ou de *maça* + *-eta* (ê).] *S. f.* **1.** Pequeno maço (1) de ferro us. pelos pedreiros. **2.** Peça cilíndrica para desfazer e moer tintas. **3.** Baqueta grossa e curta, de grande cabeça almofadada, com que se percute o bombo e o tam-tam; maçaneta. [Pl.: *macetas* (ê). Cf. *maceta* e *macetas*, do v. *macetar*.]

maceta[2] (ê) *S. f. Ant.* Escarradeira, cuspideira. [Pl.: *macetas* (ê). Cf. *maceta* e *macetas*, do v. *macetar*.]

maceta[3] (ê) [Do esp. plat. *maceta*.] *Adj. 2 g. Bras. RS* Diz-se do animal cavalar ou muar que, por doente ou defeituoso das mãos, tem os machinhos mais grossos que de costume. [Pl.: *macetas* (ê). Cf. *maceta* e *macetas*, do v. *macetar*.]

macetação [De *macetar* + *-ção*.] *S. f. Bras.* Operação que consiste em macetar as fibras de um vegetal para que se separem facilmente.

macetada [De *maceta*[1] ou de *macete* + *-ada*[1].] *S. f. Bras.* Golpe de maceta ou macete.

macetado [Part. de *macetar*[3].] *Adj. Bras. Gír.* Diz-se de pessoa que maceteia, que é hábil em fazer uso de macete (3).

macetar[1] [De *maceta*[1] ou de *macete* + *-ar*[2].] *V. t. d.* Bater com a maceta ou o macete em. [Pres. ind.: *maceto, macetas, maceta*, etc.; pres. subj.: *macete, macetes*, etc. Cf. *maceta* (ê), pl. *macetas* (ê), e *macete* (ê), pl. *macetes* (ê).]

macetar[2] [De *maceta*[2] + *-ar*[2].] *V. t. d. Bras. RS* Tornar (a cavalgadura) maceta, por haver viajado nela em caminhos ruins, muito pedregosos. [F. paral.: *macetear*. Pres. ind.: *maceto, macetas, maceta*, etc.; pres. subj.: *macete, macetes*, etc. Cf. *maceta* (ê), pl. *macetas* (ê) e *macete* (ê), pl. *macetes* (ê).]

macetar[3] [De *macete* (3) + *-ar*[2].] *V. t. d. Int.* Macetear[2]. [Pres. ind.: *maceto, macetas, maceta*, etc.; pres. subj.: *macete, macetes*, etc. Cf. *maceta* (ê), pl. *macetas* (ê), e *macete* (ê), pl. *macetes* (ê).]

macete (ê) [De *maço* + *-ete* (ê).] *S. m.* **1.** Maço (1) com que os escultores trabalham em madeira, e que os carpinteiros e marceneiros usam esp. para bater no cabo dos formões. **2.** *Bras. S.* Pau curto usado para sovar couro. **3.** *Bras. Gír.* Recurso muito engenhoso ou astucioso para se fazer ou obter algo: *O encenador deu bons macetes para os atores.* **4.** Tudo que resulta da aplicação desse recurso. [Pl.: *macetes* (ê). Cf. *macete* e *macetes*, do v. *macetar*.]

maceteado [Part. de *macetear*.] *Adj. Bras. Gír.* Que revela macete (3), ou apresenta peculiaridade(s) resultante(s) de macete: *um plano maceteado; uma casa maceteada.*

macetear[1] [De *maceta*[2] + *-ear*[2].] *V. t. d. Bras. RS* Macetar[2]. [Conjug.: v. *frear*.]

macetear[2] [De *macete* (3) + *-ear*[2].] *V. t. d.* **1.** *Bras.* Fazer, criar (qualquer coisa em que se pôs em prática o macete [3]). *Int.* **2.** *Bras. Gír.* Fazer uso de macete (3). [Sin. ger.: *macetar*[3]. Conjug.: v. *frear*.]

macetudo [De *maceta*[2] + *-udo*.] *Adj.* **1.** *Bras. RS* Diz-se do animal maceta[2], quando a doença ou defeito está muito desenvolvido. **2.** *Bras. Fig.* Diz-se de animal ou pessoa velha, inútil, sem préstimo.

➔ **mach** [max/mak] [V.C.I., do antr. (*Ernst*) *Mach* (1838-1916), físico e filósofo austríaco.] *S. m. Fís.* V. *número de Mach*. [Ger. us. junto a um número, para expressar a velocidade correspondente ao número de Mach com tal valor: *O avião alcançou* Mach *dois* (ou Mach *2*).] [Com cap.]

macha [Fem. de *macho*.] *S. f.* Peça de dobradiça que encaixa na outra, a fêmea; macho.

machacá[1] [Voc. onom., poss.] *S. m. Bras. S.* Balainho que os negros amarravam aos tornozelos para ritmar as suas danças [como, p. ex., o bailado moçambique (q. v.)], e que, cheio de frutinhas secas, produzia um ruído de chocalho; maçaquaia.

machacá[2] [De *machacaz*.] *S. m. Bras. S. Bras. N.* Boi malcastrado.

machacali [Do hauçá *masallaci*, 'mesquita'.] *S. m. Bras.* Entre os malês, casa onde se fazem orações: "À reunião na mesquita, ou no machacali, como a chamavam, tinha comparecido todos os principais chefes muçurumins." (Ana Maria Gonçalves, *Um Defeito de Cor*, p. 511.)

machacaz [De *macho* + *-acaz*.] *S. m.* **1.** Homem corpulento, desajeitado, pesadão. **2.** Indivíduo espertalhão, astucioso, finório. • *Adj.* **3.** Diz-se de indivíduo machacaz.

machada [De *machado*.] *S. f.* Machado pequeno, que se maneja com uma só mão: "O troço de cavaleiros disparou com a machada em punho, desbastando o mato de uma e outra banda" (José de Alencar, *O Sertanejo*, p. 42).

machadada [De *machado* ou *machada* + *-ada*[1].] *S. f.* Golpe de machado ou machada.

machadar [De *machado* ou *machada* + *-ar*[2].] *V. int.* **1.** Trabalhar com o machado ou a machada; dar golpes de machado. **2.** *Restr.* Rachar lenha com machado.

machadeiro [De *machado* + *-eiro*.] *S. m. Bras.* **1.** Indivíduo encarregado de derrubar florestas. **2.** Cortador de madeira para a fabricação do carvão.

machadense[1] *Adj. 2 g.* **1.** De, ou pertencente ou relativo a Álvares Machado (SP). • *S. 2 g.* **2.** O natural ou habitante de Álvares Machado.

machadense[2] *Adj. 2 g.* **1.** De, ou pertencente ou relativo a Machado (MG). • *S. 2 g.* **2.** O natural ou habitante de Machado.

machadense[3] *Adj. 2 g.* **1.** De, ou pertencente ou relativo a Machados (PE). • *S. 2 g.* **2.** O natural ou habitante de Machados.

machadiana [F. subst. de *machadiano*.] *S. f.* Coleção das obras de Machado de Assis (v. *machadiano*) e/ou sobre esse autor.

machadiano *Adj.* **1.** Relativo ou pertencente ao escritor brasileiro Machado de Assis (1839-1908), ou próprio dele. **2.** Que é seu admirador e/ou profundo conhecedor de sua obra. • *S. m.* **3.** Admirador e/ou profundo conhecedor da obra de Machado de Assis.

machadinha [De *machada* + *-inha*.] *S. f.* **1.** Pequena machada. **2.** *Bras. Zool.* Jabuti-machado.

machadinhense[1] *Adj. 2 g.* **1.** De, ou pertencente ou relativo a Machadinho (RS). • *S. 2 g.* **2.** O natural ou habitante de Machadinho.

machadinhense[2] *Adj. 2 g.* **1.** De, ou pertencente ou relativo a Machadinho d'Oeste (RO). • *S. 2 g.* **2.** O natural ou habitante de Machadinho d'Oeste.

machadinho [De *machado* + *-inho*[1].] *S. m. Bras. AM* **1.** Sinal feito na orelha do gado, semelhante a um machado. **2.** V. *seringueiro* (1).

machado [Do lat. **marculatu* < lat. *marculu*, 'pequeno martelo'.] *S. m.* **1.** Instrumento cortante que se usa, encabado, para rachar lenha, aparelhar madeira, etc. **2.** *Ant. Mar.* Instrumento para picar mastros, viradores, amarras, etc.

machado de âncora *S. m. Etnogr.* Machado luniforme, de pedra, típico dos povos indígenas jês do Brasil oriental. [Pl.: *machados de âncora*.]

machador (ô) [De **machadador* < *machadar* (< *machado* + *-ar*[2]) + *-dor*, com haplologia.] *S. m. Bras.* Aquele que, nos matadouros, divide em duas partes, com o machado, o corpo dos suínos abatidos.

macha-fêmea [Do f. de *macho* + *fêmea*.] *S. f.* Dobradiça (1) de duas peças. [Pl.: *machas-fêmeas*.]

machamba *S. f. Moç.* Campo cultivado: "Preparou-se para acariciar o milho, filho querido aguardando na machamba os seus cuidados de pai sempre preocupado." (Adriano, *Xiphefo* nº 08, p. 07.)

machão [De *macho* + *-ão*[1].] *S. m.* **1.** *Pleb.* Mulher robusta e de modos grosseiros ou varonis; machoa, machona, marimacho, mulher-homem, mulher-macho, homaça, virago. **2.** *Pop.* Latagão. **3.** *Bras. S.* Indivíduo que alardeia, ridiculamente, a sua masculinidade. **4.** V. *valentão* (3). • *Adj.* **5.** V. *valentão* (1).

macharrão [De *macho* + *-arrão*.] *S. m.* **1.** Macho (2) grande. **2.** *Bras. MT* O macho adulto da onça: "Andava bombeando o camarada, à espreita ...., que nem cachorro onceiro em rastro de macharrão." (M. Cavalcanti Proença, *Manuscrito Holandês*, p. 80.)

machatim *S. m. Teatr. Ant.* **1.** Dança ou pantomima que representava duelos, lutas e combates. **2.** Comediante que atuava nessas pantomimas.

machê [Do part. pass. do fr. *mâcher*, 'mastigar'.] *Adj.* ~ V. *papel* —.

macheado[1] [Part. de *machear*.] *Adj.* **1.** Dobrado em machos; pregueado. **2.** *Bras. N.E.* Diz-se do milharal que macheou [v. *machear* (3)].

macheado[2] [De *macho* (5) + *-eado*.] *S. m.* Dobradura do pano em machos.

machear [De *macho* + *-ear*[2].] *V. t. d.* **1.** Dobrar (pano, obras de costura, etc.) em machos [v. *macho* (5)]. **2.** Ter (o animal macho) coito com (a fêmea). *Int.* **3.** *Bras. N.E.* Ficar (o milharal) com grande predominância de flores masculinas. [Conjug.: v. *frear*. Cf. *machiar*.]

machego (ê) [De *macho* + *-ego* (ê).] *S. m. Pop.* Macho (2) ordinário. [Cf. *manchego*.]

macheiro [De *macho* + *-eiro*.] *S. m.* **1.** V. *chaparreiro* (1). [Var.: *machieiro*.] • *Adj.* **2.** *Bras. N.E.* Diz-se do touro e do garanhão cujos produtos são, predominantemente, do sexo masculino.

machetada [De *machete* + *-ada*[1].] *S. f.* Golpe de machete.

machete (ê) [Do esp. *machete*.] *S. m.* **1.** Sabre de artilheiro, com dois gumes. **2.** Faca de mato. **3.** *Mús.* V. *cavaquinho* (1). **4.** *Mús.* Descante (2). **5.** *Mús.* Viola de pequenas proporções us. no samba de roda do recôncavo baiano. ◆ **Machete de Braga.** *Lus. Mús.* V. *cavaquinho* (1).

machetinho [Dim. de *machete*.] *S. m. Lus.* V. *cavaquinho* (1).

macheza (ê) [De *macho* + *-eza*.] *S. f. Bras.* V. *machismo*[1] (2).

machial [De or. obscura.] *S. m.* **1.** Chaparral. **2.** Lugar inculto, destinado a pastagem.

machiar [De *máchio* + *-iar*[2].] *V. int.* Tornar-se máchio; secar, esterilizar-se, degenerar. [Pres. ind.: *machio*, etc. Cf. *máchio* e *machear*.]

machidão [De *macho* + *-idão*.] *S. f.* V. *machismo*[1] (2): "os limites que a nossa comunidade, com o seu rígido código de moral, honra e machidão, impunha" (Autran Dourado, *As Imaginações Pecaminosas*, p. 43).

machieiro *S. m.* V. *macheiro* (1).

machila *S. f. Moç.* Espécie de cama de lona, suspensa em vara de bambu e coberta com toldo, carregada por vários indivíduos, e que se destinava ao transporte de uma pessoa sentada, ou deitada: "o Povo da machila e das minas, / O Povo do tabaco e da estiva, / o Povo fez crescer Moçambique." (Sérgio Vieira, *Também Memória do Povo*, p. 120).

machim[1] [Alter. de *machinho*.] *S. m. Bras. N.* **1.** V. *cavaquinho* (1). **2.** Articulação do pé dos cavalos. [Cf. *maxim*.]

machim[2] [Do forro[2].] *S. m. Santom.* Facão para abrir o mato: "Capim crescendo a olhos vistos, cortado / Com a ponta dos machins, alfanjes do mato, / Pelo pessoal em fila para isso alinhado" (Juvenal Marinho Paiva de Carvalho, *A Ilha do Príncipe (Descritivo Histórico)*, p. 33).

machimbombo [De or. afr.] *S. m. Angol. Moç. Santom.* V. *ônibus* (2): "entrou no machimbombo/ paragem quatro. / Ia triste, / bilhete não tinha." (Jorge Macedo, *Irmã Humanidade*, p. 25).

machinho [De *macho* + *-inho*[1].] *S. m. Bras.* **1.** A parte da pata do cavalo que fica mais perto do casco. **2.** Burrinho novo. **3.** V. *cavaquinho* (1).

machio [De *macho* + *-io*[2].] *S. m.* Ato de machear ou ter coito (falando-se de animais). [Cf. *máchio*.]

máchio [De or. obscura.] *Adj.* **1.** Chocho, peco. **2.** *Bot.* Diz-se de árvore ou arbusto que, em consequência de alterações na vegetação circundante, ficou raquítica, com folhagem escassa e encrespada. [Cf. *machio*, do v. *machiar* e s. m.]

machismo [De *macho* + *-ismo*.] *S. m.* **1.** Atitude ou comportamento de quem não aceita a igualdade de direitos para o homem e a mulher, sendo contrário, pois, ao feminismo (q. v.). **2.** *Bras. Pop.* Qualidade, ação ou modos de macho (3 e 4); macheza, machidão.

machismo (ch = k) [Do antr. (*Ernest*) *Mach* (1838-1916) + *-ismo*.] *S. m.* Empiriocriticismo.

machista [De *machismo* + *-ista*.] *Adj. 2 g.* **1.** Relativo ao, ou que é adepto do machismo (1). **2.** Próprio de machista (3): "Seria uma maneira machista de cantar vitória." (Silviano Santiago, *Keith Jarrett no Blue Note*, p. 133.) • *S. 2 g.* **3.** Pessoa machista.

machista (ch = k) [De *machismo* (ch = k) + *-ista*.] *Adj. 2 g.* Que é adepto do machismo (ch = k).

macho [Do lat. *masculu*, por via pop.] *S. m.* **1.** Animal do sexo masculino. **2.** *Zool.* V. *mulo*: "O rapaz ficou um instante parado na porta, vendo a carruagem descer a rua ao trote largo dos machos castanhos." (Conde de Ficalho, *Uma Eleição Perdida*, pp. 149-150.) **3.** Homem (7). **4.** V. *valentão* (3). **5.** Dobradura do pano em pregas [v. *prega* (1)] opostas. **6.** Macha. **7.** Colchete (para vestuários, decoração, etc.) que se encaixa no outro (fêmea). **8.** Instrumento para concavar a madeira. **9.** Molde de barro empregado na fabricação de peças ocas. **10.** *Tec.* Peça de formato cônico ou cilíndrico, provida de um orifício, e que gira no interior do corpo de certas válvulas, possibilitando a interrupção rápida do fluxo de fluido. **11.** *Ant.* Grilhão (3). **12.** *Chulo* Amante, amásio. • *Adj.* **13.** Masculino. **14.** Diz-se de certos animais que têm o mesmo nome para ambos os sexos: *tigre macho; cobra macha.* **15.** *Pop.* Forte, robusto; másculo. **16.** *Bras.* V. *valentão* (1).

■ **macho** [Acrôn. do ingl. *Massive Astrophysical Compact Halo Object*.] *Astr.* Objeto celeste de grande massa e halo compacto. [Com cap.]

machoa (ô) [Fem. de *machão*.] *S. f.* V. *machão* (1).

macho-de-joão-gomes *S. m. Bras. Zool.* V. *guarandi*. [Pl.: *machos-de-joão-gomes*.]

macho e fêmea *S. m. Constr.* Tipo de encaixe em que uma saliência se adapta a uma reentrância. [Pl.: *machos e fêmeas*.]

machona [Fem. de *machão*.] *S. f.* V. *machão* (1).

machongo [De or. afr.] *S. m. Moç.* Terreno de aluvião, extremamente fértil: "sempre estiveste aqui / Nos machongos dos vales dos rios / Onde as cheias matam as criaturas" (Orlando Mendes, *Depois do Sétimo Dia*, p. 62).

machorra (ô) [De *macho* + *-orra*.] *S. f.* **1.** Fêmea estéril, infecunda: "depois da lei do ventre livre já não valia a pena ter muitas escravas. Salvo as machorras para o serviço doméstico, as pretas cativas caíram em funda depreciação." (Xavier Marques, *As Voltas da Estrada*, p. 134). • *Adj. (f.)* **2.** Diz-se de machorra (1).

machuca [Dev. de *machucar*.] *S. f.* V. *machucação* (1).

machucação [De *machucar* + *-ção*.] *S. f.* **1.** Ato de machucar, machucadura, machuca. **2.** V. *machucado* (3).

machucado [Part. de *machucar*.] *Adj.* **1.** Que sofreu machucadura: *Caiu de lugar alto, e ficou machucado; Tem a perna machucada da pancada que levou.* **2.** Amarrotado (1). • *S. m.* **3.** Efeito de machucar-se; contusão, pisadura, machucadura, machucação, machucão. **4.** Lugar ou parte machucada: *Gritou quando lhe tocaram no machucado do braço.*

machucador (ô) [De *machucar* + *-dor*.] *Adj.* **1.** Que machuca. • *S. m.* **2.** Aquele que machuca. **3.** *Bras.* Espécie de almofariz, em geral de madeira, para esmagar temperos, feijão, etc.

M

machucadura [De *machucar* + *-dura.*] *S. f.* 1. V. *machucação* (1). 2. V. *machucado* (3): "Levava [o mascate] .... vidros de arnica para curar machucaduras." (Manuel de Barros, *Livro sobre Nada*, p. 17.) 3. Trilhadura, amolgadela.

machucão [De *machucar* + *-ão*³.] *S. m. Bras.* V. *machucado* (3).

machucar [De or. controversa; poss. do esp. *machucar.*] *V. t. d.* 1. Esmagar (um corpo) com o peso e/ou dureza de outro. 2. Triturar, esmigalhar. 3. Debulhar (cereais); esbagoar. 4. Pisar, trilhar. 5. Amarrotar, amarfanhar: *machucar o chapéu.* 6. Fazer feridas em; produzir chaga ou contusão em; ferir: *O golpe machucou-o.* 7. *Fig.* Melindrar, ofender, magoar. 8. *Bras. Gír.* Possuir sexualmente; faturar. *P.* 9. Produzir ferimento ou contusão em si mesmo: "Caiu de mau jeito, roçando as pernas por todos os galhos, machucando-se." (Lia Correia Dutra, *Navio sem Porto*, p. 131.) 10. Melindrar-se, magoar-se. 11. *Bras. Gír.* Sair-se mal; estrepar-se. [F. paral.: *amachucar.* Conjug.: v. *trancar.*]

machucho *Adj. S. m.* 1. Diz-se de, ou indivíduo influente ou rico. 2. Diz-se de, ou indivíduo astuto, finório, machacaz.

machuchu *S. m. Bras. Bot.* V. *chuchu.*

maciar [De *macio* + *-ar*².] *V. t. d. P. us.* Amaciar (1).

macicez (ê) [De *maciço* + *-ez.*] *S. f.* 1. Qualidade de maciço. 2. *Med.* Som surdo, abafado, obtido mediante a percussão de uma área do corpo humano. [Sin. ger.: *matidez.*]

maciço [Do esp. *macizo.*] *Adj.* 1. Que não é oco; compacto: *parede maciça.* 2. Diz-se de coisa compacta cujo elemento componente ocupa todo o volume aparente. 3. Espesso, cerrado: *mata maciça.* 4. Anormalmente grande, ou forte, ou pesado: "Afonso era um pouco baixo, maciço, de ombros quadrados e fortes" (Eça de Queirós, *Os Maias*, I, p. 18). 5. Em grande quantidade, comparando-se ao que é comum: *dose maciça de barbitúricos; presença maciça de espectadores.* 6. *Fig.* Sólido, inabalável: *princípios maciços.* ~ V. *lage —a, madeira —a* e *tijolo —.* • *S. m.* 7. Grande massa, corpo, ou conjunto: *um maciço de relva.* 8. Arvoredo ou mata fechada, sem clareiras: "os bosquezinhos de arbustos, os maciços de árvores silvestres, as veigas de boninas" (Alexandre Herculano, *Lendas e Narrativas*, I, p. 15). 9. Conjunto de montanhas grupadas em volta de um ponto culminante. 10. *Geol.* Formação eruptiva de grandes dimensões.

macieira [De *maçã* + *-eira*, pelas f. **maçãeira, *maçaeira, *maceeira.*] *S. f. Bot.* Árvore rosácea (*Malus silvestris*) própria dos climas temperados e produtora de frutos muito apreciados, as maçãs. [F. paral., p. us.: *maceira.*]

macieira-de-anáfega *S. f. Bot.* V. *jujuba* (1). [Pl.: *macieiras-de-anáfega.*]

macieira-de-boi *S. f. Bras. Bot.* Árvore sapotácea (*Sideroxylon rugosum*) nativa na floresta amazônica, de folhas onduladas e membranáceas, flores pequenas e dispostas em compactos fascículos axilares, e cujo fruto é uma baga globosa, amarela e com polpa edule. [Pl.: *macieiras-de-boi.*]

macieira-do-cerrado *S. f. Bras. C.O. Bot.* Árvore asterácea (*Piptocarpa rotundifolia*) de grandes folhas arredondadas, casca grossa e sulcada, de frutos insignificantes, e que se mostra vulgar nos cerrados. [Pl.: *macieiras-do-cerrado.*]

macieirense *Adj. 2 g.* 1. De, ou pertencente ou relativo a Macieira (SC). • *S. 2 g.* 2. O natural ou habitante de Macieira.

maciez (ê) [De *macio* + *-ez.*] *S. f.* Qualidade de macio; macieza: "pálpebras brancas, de uma maciez de pétalas" (Virgílio Várzea, *Nas Ondas*, p. 189).

macieza (ê) [De *macio* + *-eza* (ê).] *S. f.* Maciez: "Toda a macieza e paz daqueles dias breves / Submersas vejo" (Eugênio de Castro, *Obras Poéticas*, VI, p. 49).

macíssimo *Adj.* Superl. abs. sint. de *macio.*

macilência [De *macilento* + *-ia*², seg. o padrão analógico.] *S. f.* Aspecto de macilento.

macilento [Do lat. *macilentu.*] *Adj.* 1. Magro e pálido; descarnado: *corpo macilento;* "descorado, pálido, macilento, mirrado, as faces sumidas, os olhos encovados" (P.ᵉ Antônio Vieira, *Sermões*, VIII, p. 380). 2. Amortecido, quebrado, mortiço: *olhar macilento.*

macinguita *S. f. Moç.* V. *massinguita.*

macio [De or. incerta; poss. do ár.] *Adj.* 1. Suave ao tato; brando, suave: *colchão macio.* 2. Não íngreme; sem asperezas: *caminho macio.* 3. Liso, plano: *superfície macia.* 4. Aprazível, agradável: "Despertou num quarto de luz macia, crepuscular, coada por seda cor-de-rosa." (Maria Archer, *Fauno Sovina*, p. 208.) 5. *Fig.* Brando, suave, manso: *fala macia.* ~ V. *raia —a.* • *S. m.* 6. Maciez, macieza: "a sua pele lustrosa tem o macio grosso dos veludos." (João do Rio, *As Religiões no Rio*, p. 206). ◆ **No macio.** *Bras.* V. *na maciota: Ganha dinheiro no macio.*

maciota [De *macio* + *-ota*¹.] *El. s. f. Bras.* Us. na loc. *na maciota.* ◆ **Na maciota.** *Bras.* 1. Sem esforço; sem se alterar; calmamente, tranquilamente: "Não dava mostra de aborrecimento, fizera tudo na maciota." (Ricardo Ramos, *Os Caminhantes de Santa Luzia*, p. 48.) 2. Sem complicações ou dificuldades; em paz; serenamente, tranquilamente: "E tudo ia indo na maciota, Deus ajudando" (Albertino Moreira, *Boca-Pio*, p. 32). [Sin. ger.: *no macio.*]

macis [Do lat. *maccis* (b.-lat. *macis*), pelo fr. *macis.*] *S. m.* 1. *Bot.* Arilo da noz-moscada, que reveste a grossa semente. 2. Óleo dele extraído. [Pl.: *macises.*]

macla [Do fr. *macle*, de or. obscura.] *S. f. Crist.* Agrupamento regular de dois indivíduos cristalinos dos quais um se deduz do outro, ou pela rotação em torno de um eixo (*eixo de geminação*) ou pela reflexão especular em relação a um plano (*plano de geminação*).

maco [Do maori *mako*, 'anequim'.] *S. m. Zool.* V. *anequim* (1).

maço [De *maça.*] *S. m.* 1. Espécie de martelo de madeira us. por carpinteiros, escultores, calceteiros, etc.: "Arranca o estatuário... a pedra dessas montanhas, tosca, bruta, dura, informe, e depois que desbastou o mais grosso, toma o maço e o cinzel na mão, e começa a formar um homem" (P.ᵉ Antônio Vieira, *Sermões*, III, p. 419). 2. Maça (3). [Dim. irreg.: *macete.*] 3. *Tip.* Martelo de pau utilizado pelos encadernadores para bater os cadernos, e pelos impressores para golpear o tamborete no trabalho de assentar a fôrma tipográfica. [Cf. *macete* (1).] 4. Conjunto de coisas atadas no mesmo liame ou contidas no mesmo invólucro: *um maço de folhas; um maço de cigarros.* 5. *Bras.* Baralho preparado para dar ganho a algum dos parceiros.

maçom [Do fr. *maçon*, do frâncico *makjo*, 'pedreiro', 'construtor'.] *S. m.* 1. *Ant.* Pedreiro (1). 2. *Maç.* Membro da maçonaria. [F. paral.: *mação.* Sin., nesta acepç.: *irmão, obreiro, pedreiro-livre, franco-maçom* e (bras. pej.) *bode, bode-preto.*]

maçonaria [Do fr. *maçonnerie* < fr. *maçon* + suf. fr. *-erie* (v. *-aria*).] *S. f.* 1. *Maç.* Sociedade secreta ou reservada cujo objetivo declarado é desenvolver o princípio da fraternidade e da filantropia; associação de pedreiros-livres; franco-maçonaria. 2. *Ant. Gal.* Arte ou obra de pedreiro. 3. *Fig. Pop.* Combinação, acordo, entendimento secreto, entre duas ou mais pessoas: *Há entre aqueles sujeitos uma maçonaria que só eles entendem.* ◆ **Alta maçonaria.** *Maç.* Maçonaria praticada acima do grau 3. [Alguns consideram a praticada acima do grau 30.]

maconde [Desta língua.] *S. 2 g.* 1. *Etnôn.* Indivíduo dos macondes, um dos povos da província de Cabo Delgado (Moçambique) e do S. da Tanzânia (África). • *S. m.* 2. *Gloss.* A língua falada pelos macondes, pertencente ao grupo banto. • *Adj. 2 g.* 3. Pertencente ou relativo aos macondes, ou à sua língua: "A casa de Madalena fica no primeiro bairro da Maragra, zona majoritariamente habitada pela comunidade maconde, constituída por gente do planalto, que há mais de catorze anos assumiu o dever de defender a Pátria" (Lina Magaia, *Dumba Nengue*, p. 16).

maconha [Do quimb. *ma'kaña.*] *S. f. Bras.* 1. *Bot.* V. *cânhamo* (1). [Sin.: *aliamba, bengue, diamba, dirígio* ou *dirijo, liamba, pango, riamba,* (moç.) *soruma, suruma.*] 2. As folhas e as inflorescências dessecadas e trituradas do cânhamo (1) us. como droga alucinógena [v. *droga* (4)]. [Sin., nesta acepç., vários deles pop. ou de gíria: *aliamba, bagulho, bengue, birra, diamba, dirígio* ou *dirijo, erva, fuminho, fumo, fumo de angola, liamba, manga-rosa, massa, mato, pango, riamba, tabanagira;* (moç.) *soruma, suruma.* Cf. *haxixe.*]

maconhado [Part. de *maconhar.*] *Adj. S. m. Bras.* Que, ou aquele que está sob o efeito da maconha (2); fumado.

maconhar [De *maconha* + *-ar*².] *V. t. d. Int.* Intoxicar-se com maconha (2).

maconheiro [De *maconha* + *-eiro.*] *S. m. Bras.* 1. Vendedor de maconha (2). 2. Indivíduo viciado em fumar maconha (2). [Sin., bras., nesta acepç.: *boqueiro, fumeiro, puxador* e *chincheiro.*]

maconi *Bras. S. 2 g.* 1. *Etnôn.* Indivíduo dos maconis [ou (etnôn. bras.) *Makoni], povo indígena extinto que habitava a região próxima dos rios Araçuaí e Mucuri (MG). • *Adj. 2 g.* 2. Pertencente ou relativo a esse povo.

maçónico *Adj.* V. *maçônico.* [Uso freq. em P.]

maçônico [De *maçom* + *-ico*², seg. o padrão erudito.] *Adj.* Pertencente ou relativo à maçonaria. ~ V. *coluna —a, idade —a, loja —a, saudação —a, segredo —* e *toque —.*

maçonizar [De *maçom* + *-izar*, seg. o padrão erudito.] *V. t. d.* 1. Tornar maçom (2). *Int.* 2. Trazer adepto(s) à maçonaria (1).

macorongo [De *mocorongo*, poss.] *S. m. Bras. SP* Amante explorador da amásia. [Cf. *mocorongo.*]

maçorral [Do esp. *mazorral.*] *Adj. 2 g.* V. *mazorral.*

macota [Do quimb. *ma'kota*, 'os maiores'.] *S. m.* 1. *Bras.* Homem de prestígio e influência na sua localidade, por dinheiro ou posição política. 2. *Bras.* O maior de todos; o mais importante; macoteiro. 3. *Bras. BA Folcl.* Personagem que dirige e organiza o maculelê. • *S. f.* 4. *Bras.* Má sorte; caiporismo, macaca. 5. V. *hanseníase.* • *Adj. 2 g.* 6. *Bras.* Grande, enorme; macoteiro: "viram que uma outra coisa também se fora ajuntando, crescendo sem que eles reparassem, e era enorme agora, guaçu, macota, gigantesca!" (Mário de Andrade, *Os Contos de Belasarte*, p. 37). 7. Superior em qualquer sentido; poderoso.

macotear [De *macota* + *-ear*².] *V. int. Bras.* Ter influência, prestígio (como um macota). [Conjug.: v. *frear.*]

macoteiro [De *macota* + *-eiro.*] *Adj.* 1. *Bras. SP* V. *macota* (6): "teceu a choça dali a dez braças, para a banda de cima, rente com o tronco macoteiro de um saguaraji" (Valdomiro Silveira, *Os Caboclos*, p. 118). • *S. m.* 2. Macota (2).

macotena [De *macota* (4) + o f. de *-eno*¹.] *Adj. 2 g. S. 2 g. Bras. SP Pop.* V. *leproso* (1 e 5). [Cf. *macutena* e *macuteno.*]

macouba [Do top. *Macouba* (região da ilha da Martinica, mar do Caribe).] *S. f.* Variedade de fumo da Martinica que cheira a rosa.

macramé [Do fr. *macramé* < it. *macrame.*] *S. m.* 1. Espécie de passamanaria feita de cordão trançado e com nós. 2. *Bord.* Tipo de linha ou fio próprio para bordados, filés e crochês.

macramê *S. m.* V. *macramé.*

macranto [De *macr(o)-* + *-anto.*] *Adj. Bot.* Diz-se de planta que tem flores grandes. [Antôn.: *micranto.*]

macrauquênia [Do tax. *Macrauchenia* (< gr. *Makraúchen[os]*, 'que tem pescoço longo', + lat. cient. *-ia* [v. *-ia*²]).] *S. f. Paleont.* 1. O gênero-tipo dos macrauqueniídeos, mamífero ungulado semelhante ao atual camelo, e dotado de tromba curta. No Brasil, ocorreu, no plioceno e no plistoceno, em Araxá (MG), em Pesqueira (PE) e em Jacobina (BA). 2. Espécie ou espécime desse gênero.

macrauqueniídeo [De *macrauquênia* + *-ídeo*¹; tax. *Macraucheniidae.*] *Paleont. S. m.* 1. Espécime dos macrauqueniídeos, família de mamíferos ungulados que habitaram a América do Sul no plioceno e no plistoceno, e cujo gênero-tipo era a macrauquênia (q. v.). • *Adj.* 2. Pertencente ou relativo a eles.

macrencefalia [De *macr(o)-* + *-encefal(o)-* + *-ia*¹.] *S. f. Neur.* Desenvolvimento excessivo do encéfalo.

macrencefálico [De *macrencefalia* + *-ico*².] *Adj. Neur.* Relativo à macrencefalia; macroencefálico.

má-criação *S. f.* 1. Qualidade de quem é malcriado. 2. Ato ou dito grosseiro ou incivil: "ora passava semanas sem aparecer, ora vinha dias seguidos, esp. para embirrar conosco e com quem estivesse, na mais completa das más-criações." (José-Augusto França, *Despedida Breve*, p. 223). [Pl.: *más-criações.* Forma menos boa, porém muito us.: *malcriação.*]

macro[1] [Do gr. *makrós, á, ón.*] *S. m. E. Ling.* Pequeno traço horizontal posto sobre uma vogal para indicar que sua quantidade é longa: ā, ē, ī, ō, ū. [F. paral.: *mácron.* Cf. *ápice* (4) e *braquia.*]

macro[2] *S. f. Fot.* V. *macrobjetiva.*

macro[3] *S. f. Inform.* V. *macroinstrução.*

▲ **macr(o)-** [Do gr. *makro-* < gr. *makrós, á, ón.*] *El. comp.* = 'longo'; 'grande': *macrócero, macroeconomia, macropsia.* [O AOLP prescreve o uso do hífen nos casos de anteposição deste pref. a palavra iniciada por *h* ou *o*: *macro-história*; é escrito com *r* ou *s* duplicados quando anteposto a palavra iniciada por *r* ou *s*: *macrorrinco, macrossismo.*]

macroalga [De *macr(o)-* + *alga.*] *S. f. Bot.* Alga macroscópica bentônica ou planctônica encontrada em água doce, ou salgada.

macrobia [De *macróbio* + *-ia*¹.] *S. f.* Estado de quem é macróbio. [Cf. *macróbia*, fem. de *macróbio.*]

macróbio [Do gr. *makróbios.*] *Adj.* 1. V. *longevo* (1). • *S. m.* 2. Aquele que vive muito. 3. Aquele que tem idade avançada: "Macróbios soturnos passam, trôpegos, trêmulos, na morna calma das tardes abrasadoras." (Graciliano Ramos, *Linhas Tortas*, p. 73.) [Fem.: *macróbia.* Cf. *macrobia.*]

macrobiótica [Do gr. *makrobíotos*, 'de vida longa', + *-ica.*] *S. f.* 1. Arte de prolongar a vida e de torná-la mais saudável pela observação de determinadas regras de higiene e alimentação. 2. Dieta com base em cereais integrais, legumes e frutas frescas.

macrobiótico [Do gr. *makrobíotos*, 'de vida longa', + *-ico*².] *Adj.* Relativo à, ou em que se observam os preceitos da macrobiótica: *alimentação macrobiótica.* ~ V. *dieta —a.*

macrobjetiva [De *macr(o)-* + *objetiva*.] *S. f. Fot.* Tipo de objetiva us. para fotografar, em tamanho grande, insetos, flores, detalhes, etc. [F. red.: *macro*.]
macrocefalia [De *macrocéfalo* + *-ia*[1].] *S. f. Ter.* Condição de macrocéfalo; megalocefalia, megistocefalia.
macrocefálico [De *macrocefalia* + *-ico*[2].] *Adj. Antropom.* Relativo à macrocefalia, ou a macrocéfalo.
macrocéfalo [Do gr. *makroképhalos*.] *Adj. S. m. Ter.* Que, ou aquele que tem a cabeça, ou parte dela, anormalmente grande; megalocéfalo, megistocéfalo.
macrocerco [Do gr. *makrókerkos*.] *Adj. Zool.* Que tem cauda longa.
macrócero [De *macr(o)-* + *-cero*.] *Adj. Zool.* Que tem cornos longos ou antenas compridas. [Antôn.: *micrócero*.]
macrocíclico [De *macrociclo* + *-ico*[2].] *Adj. Quím.* Diz-se de, ou relativo a substância cujas moléculas contêm macrociclo.
macrociclo [De *macr(o)-* + *ciclo*.] *S. m. Quím.* Anel formado por oito ou mais átomos.
macrocisto [De *macr(o)-* + *-cisto*.] *S. m. Patol.* Bexiga volumosa.
macrócito [De *macr(o)-* + *-cito*.] *S. m. Patol.* Hemácia anormalmente grande.
macroclima [De *macr(o)-* + *clima*.] *S. m. Met.* O clima de uma região, resultante de sua posição geográfica.
macrócomo [Do gr. *makrókomos*.] *Adj.* Que tem cabeleira comprida ou longos filamentos.
macrocósmico [De *macrocosmo* + *-ico*[2].] *Adj.* De, ou relativo a macrocosmo.
macrocosmo [De *macr(o)-* + *-cosmo*.] *S. m.* **1.** O mundo grande, o Universo como um todo orgânico, em oposição ao ser humano (*microcosmo*), segundo as doutrinas filosóficas que admitem uma correspondência entre as partes constitutivas do Universo e as partes constitutivas do homem. **2.** *Restr.* O mundo das coisas grandes, por oposição ao das pequenas: *o microcosmo atômico e o macrocosmo das galáxias*. [Antôn.: *microcosmo*.]
macrocosmologia [De *macrocosmo* + *-logia*.] *S. f.* Tratado ou ciência de todo o Universo.
macrocosmológico [De *macrocosmologia* + *-ico*[2].] *Adj.* Respeitante à macrocosmologia.
macrocrania [De *macr(o)-* + *-cran(i)(o)-* + *-ia*[1].] *S. f. Biotip.* Anormalidade em que o crânio se encontra excessivamente desenvolvido, ficando a área facial proporcionalmente pequena.
macrodáctilo [Do gr. *makrodáktylos*.] *Adj.* **1.** Que tem os dedos muito compridos, seja das mãos ou dos pés. [Antôn.: *microdáctilo*.] **2.** *Zool.* Que tem prolongamentos em forma de dedos. [Var.: *macrodátilo*.]
macrodasióideo [De *macr(o)-* + *-dasi-* + *-óideo*; tax. *Macrodasyoida*.] *Zool. S. m.* **1.** Espécime dos macrodasióideos, ordem de animais asquelmintos, gastrotríquios, com tubos adesivos presentes na região anterior, na lateral e posterior, e desprovidos de protonefrídios. São hermafroditas e vivem nas praias marinhas, ger. na areia. • *Adj.* **2.** Pertencente ou relativo a eles.
macrodátilo *Adj.* V. *macrodáctilo*.
macroeconomia [De *macr(o)-* + *economia*.] *S. f.* Parte da economia (3) que estuda o funcionamento do sistema econômico como um todo, esp. as variações do produto, nível geral de preços, nível de emprego, taxa de juros e balanço de pagamentos. [Cf. *microeconomia*.]
macroeconómico *Adj.* V. *macroeconômico*. [Uso freq. em P.]
macroeconômico [De *macroeconomia* + *-ico*[2].] *Adj.* Referente à, ou próprio da macroeconomia.
macroeconomista [De *macroeconomia* + *-ista*.] *S. 2 g.* Especialista em macroeconomia.
macroencefalia [De *macr(o)-* + *-encefal(o)-* + *-ia*[1].] *S. f. Med.* Macrencefalia.
macroencefálico [De *macroencefalia* + *-ico*[2].] *Adj. Med.* Macrencefálico.
macroespícula [De *macr(o)-* + *espícula*.] *S. f. Astr.* Espícula (3) gigante observada na região polar da cromosfera solar e que, em alguns minutos, alcança cerca de 40.000km de altura.
macroestado [De *macr(o)-* + *estado*.] *S. m. Fís.* Estado de um sistema constituído por grande número de partículas, e que se caracteriza por um número pequeno de grandezas extensivas e intensivas.
macroestesia [De *macr(o)-* + *-estes(i)-* + *-ia*[1].] *S. f. Neur.* Perturbação da sensibilidade em decorrência da qual os objetos dão a impressão de muito maiores do que são na realidade.
macroestrutura [De *macr(o)-* + *estrutura*.] *S. f.* Estrutura grande, abrangente, composta por muitos elementos ou que engloba outras estruturas.
macroestrutural [De *macroestrutura* + *-al*[1].] *Adj. 2 g.* De, ou relativo a macroestrutura.
macroevolução [De *macr(o)-* + *evolução*.] *S. f. Biol.* A evolução dos grandes grupos taxionômicos, tais como gêneros e famílias. [Cf. *microevolução*.]
macrófago [De *macr(o)-* + *-fago*.] *S. m. Histol.* Célula de tecido conjuntivo, com grande capacidade de fagocitose; pode ser fixa, denominada *histiócito*, ou móvel.
macrofauna [De *macr(o)-* + *fauna*; lat. cient. *macrofauna*.] *S. f. Zool.* O conjunto dos animais de determinada época ou região, à exceção dos microscópicos.
macrofilia [De *macrofilo* + *-ia*[1].] *S. f. Bot.* Qualidade de macrofilo. [Antôn.: *microfilia*.]
macrofílico [De *macrofilia* + *-ico*[2].] *Adj. Bot.* Relativo a macrofilia, ou a macrofilo.
macrofilo [Do gr. *makróphyllos*.] *Adj. S. m. Bot.* Diz-se de, ou vegetal dotado de grandes folhas; longifólio. [Antôn.: *microfilo*.]
macrófita [De *macr(o)-*[1] + *-fita*.] *S. f. Ecol.* Designação comum a vegetais que habitam desde marismas a ambientes totalmente submersos.
macroftalmo [De *macr(o)-* + *-oftalmo*.] *Adj. Zool.* Que tem olhos muito grandes.
macrogameta [De *macr(o)-* + *-gameta*.] *S. m. Biol.* O gameta feminino (óvulo dos animais e oosfera dos vegetais). [Cf. *microgameta*.]
macrogastria [De *macr(o)-* + *-gastr(o)-* + *-ia*[1].] *S. f. Med.* Dilatação do estômago.
macrogástrico [De *macrogastria* + *-ico*[2].] *Adj. Med.* Relativo à macrogastria.
macroglia *S. f. Histol.* V. *macróglia*.
macróglia [De *macr(o)-* + *-glia*.] *S. f. Histol.* O conjunto de células da neuróglia. [Var. pros.: *macroglia*.]
macroglossia [De *macr(o)-* + *-gloss(o)-* + *-ia*[1].] *S. f. Med.* Desenvolvimento excessivo da língua.
macroglosso [De *macr(o)-* + *-glosso*.] *Adj. Med.* Que apresenta macroglossia.
macrogonídio [De *macr(o)-* + *gonídio*.] *S. m. Bot.* O gonídio de tamanho maior, quando há diversificação entre eles. [Opõe-se a *microgonídio*.]
macroinstrução (o-in) *S. f. Inform.* Em um aplicativo, sequência precisa de comandos, gravada com um nome específico, que pode ser definida pelo usuário e executada sempre que este o determinar. [Tb. se diz apenas *macro*.]
macro-jê *Bras. S. m.* **1.** *Gloss.* Tronco linguístico com ampla distribuição no território nacional, e ao qual pertencem as famílias bororo, jê, botocudo, carajá, maxacali, e as línguas dos guatós e dos canoeiros. **2.** Vocábulo macro-jê. • *Adj. 2 g.* **3.** Pertencente ou relativo a macro-jê. [Pl.: *macros-jês*.]
macrólofo [De *macr(o)-* + *-lofo*.] *Adj. Zool.* Que tem crista, ou penacho, muito grande.
macrologia [Do gr. *makrología*.] *S. f. E. Ling.* Estilo difuso; elocução prolixa.
macrológico [De *macrologia* + *-ico*[2].] *Adj.* Referente à, ou próprio da macrologia.
macromania [De *macr(o)-* + *-mania*.] *S. f. Psiq.* Megalomania.
macromaníaco [De *macromania* + *-íaco*.] *Adj. S. m.* V. *megalomaníaco*.
macrómano *Adj. S. m.* V. *macrômano*. [Uso freq. em P.]
macrômano [De *macr(o)-* + *-mano*[1].] *Adj. S. m.* V. *megalomaníaco* (2 e 4).
→ **macromarketing** [ˈmækrow ˈmaɹketɪŋ] [Ingl.] *S. m. Market.* Marketing praticado por organizações empresariais complexas e por grandes organismos econômicos.
macromelia [De *macr(o)-* + *-mel(o)-* + *-ia*[1].] *S. f. Ter.* Desenvolvimento excessivo de membro superior ou inferior. [Antôn.: *micromelia*.]
macromélico [De *macromelia* + *-ico*[2].] *Adj. Ter.* Relativo à macromelia.
macrómero *S. m. Embr.* V. *macrômero*. [Uso freq. em P.]
macrômero [De *macr(o)-* + *-mero*.] *S. m. Embr.* Blastômero grande, resultante da segmentação desigual de zigoto.
macrometeorito [De *macr(o)-* + *meteorito*.] *S. m. Astr.* Meteorito cuja massa é suficientemente grande a ponto de permitir que este atravesse a atmosfera e atinja o solo terrestre.
macrometeorologia [De *macr(o)-* + *meteorologia*.] *S. f. Met.* Estudo dos processos atmosféricos responsáveis pelas diferenciações de macroclimas sobre a superfície terrestre.
macromolécula [De *macr(o)-* + *molécula*.] *S. f. Quím.* Molécula com grande número de átomos inclusive polímeros, naturais ou sintéticos.
macromolecular [De *macromolécula* + *-ar*[1].] *Adj. 2 g. Quím.* **1.** Constituído de macromoléculas. **2.** Próprio ou relativo a macromolécula.
mácron [Do gr. *makrón*, neutro de *makrós*.] *S. m. E. Ling.* V. *macro*[1].
macronúcleo [De *macr(o)-* + *núcleo*.] *S. m. Biol.* Em certos protozoários que têm dois núcleos por célula, como, p. ex., os euciliados, o núcleo que se relaciona com as funções vegetativas. [Cf. *micronúcleo*.]
macronutriente [De *macr(o)-* + *nutriente*.] *S. m. Biol.* Elemento essencial (q. v.) que é necessário em quantidade relativamente grande. [Os macronutrientes mais importantes são o carbono, o hidrogênio, o oxigênio, o nitrogênio, o enxofre, o fósforo, o potássio, o magnésio, o sódio e o cloro.] [Cf. *micronutriente*.]
macropétalo [De *macr(o)-* + *-pétalo*.] *Adj. Bot.* Que tem pétalas grandes. [Antôn.: *micropétalo*.]
macropia [De *macr(o)-* + *-opia*.] *S. f. Oftalm.* V. *macropsia*.
macrópode [De *macr(o)-* + *-pode*.] *Adj. 2 g. Zool.* Que tem longos pés, ou barbatanas, ou pedúnculos.
macropodídeo [Do lat. cient. *Macropod-* (tax. *Macropus*, gênero-tipo), + *-ídeo*[1], tax. *Macropodidae*.] *Zool. S. m.* **1.** Espécime dos macropodídeos, família de marsupiais herbívoros, diprotodontes, dotados de músculos ilíacos e coxais modificados para favorecer a locomoção bipedal, e o quarto metatarsiano alongado. São os cangurus australianos e da Nova Guiné. • *Adj.* **2.** Pertencente ou relativo a eles.
macropomo [De *macr(o)-* + *-pomo*.] *Adj.* Que tem grandes opérculos.
macropsia [De *macr(o)-* + *-opsia*.] *S. f. Oftalm. Med.* Distúrbio visual em que o paciente vê um objeto com tamanho maior do que o real; macropia, megalopia, megalopsia.
macróptero [Do gr. *makrópteros*.] *Adj. Zool.* Que tem grandes asas ou membranas alares. [Antôn.: *micróptero*.]
macroquiro [Adapt. do tax. *Macrocheira*.] *S. m. Zool.* **1.** Gênero de crustáceos decápodes, braquiúros, que vivem nas regiões abissais dos mares do Japão. São os maiores caranguejos atuais, com patas e pinças de cerca de 1,50m de comprimento. **2.** Espécie ou espécime desse gênero.
macrorregião [De *macr(o)-* + *região*.] *S. f. Geogr.* Grande região constituída por extensos blocos territoriais que se caracterizam pelo predomínio de certo número de traços comuns (humanos, físicos, econômicos e sociais).
macrorregional [De *macrorregião* + *-al*[1], seg. o padrão erudito.] *Adj. 2 g.* Relativo a macrorregião.
macrorrinco [Do gr. *makrórrhynchos*.] *Adj. Zool.* Que tem bico ou focinho comprido.
macrorrizo [Do gr. *makrórrhizos*.] *Adj. Bot.* Que tem grandes raízes.
macroscelia [Do gr. *makroskelés*, 'de longas pernas', + *-ia*[1].] *S. f. Antropom.* Desenvolvimento exagerado dos membros inferiores.
macroscélico [De *macroscelia* + *-ico*[2].] *Adj. Antropom.* Referente à, ou da natureza da macroscelia.
macróscio [Do gr. *makróskios*.] *Adj.* Diz-se dos habitantes do globo que, recebendo muito obliquamente os raios do Sol, projetam, ao meio-dia, uma sombra alongada.
macroscópico [De *macr(o)-* + *-scop-* + *-ico*[2].] *Adj.* **1.** Diz-se das observações feitas à vista desarmada. **2.** Relativo ao exame do que é grande. [Sin. ger.: *megascópico*. Antôn.: *microscópico*.]
macrossísmico [De *macrossismo* + *-ico*[2].] *Adj. Geofís.* Relativo ao, ou da natureza do macrossismo.
macrossismo [De *macr(o)-* + *sismo*.] *S. m. Geofís.* Terremoto de amplitude média. [Cf. *megassismo* e *microssismo*.]
macrossomatia [De *macr(o)-* + *-somat(o)-* + *-ia*[1].] *S. f. Ter.* Macrossomia.
macrossomático [De *macrossomatia* + *-ico*[2].] *Adj. Ter.* Macrossômico.
macrossomia [De *macr(o)-* + *-som(o)-* + *-ia*[1].] *S. f. Ter.* Anomalia caracterizada pela excessiva grossura ou grandeza de todo o corpo; macrossomatia. [Cf. *microssomia*.]
macrossómico *Adj. Ter.* V. *macrossômico*. [Uso freq. em P.]
macrossômico [De *macrossomia* + *-ico*[2].] *Adj. Ter.* Relativo à, ou em que há macrossomia; macrossomático.
macrossomo [De *macr(o)-* + *-somo*.] *Adj. S. m. Ter.* Que, ou aquele que apresenta macrossomia.
macróstico [De *macr(o)-* + *-stico*.] *Adj.* Que está escrito em linhas muito compridas.
macrostilo [De *macr(o)-* + *-stilo*[1].] *Adj. Bot.* Diz-se de folha que tem estiletes compridos.
macrostomia [De *macr(o)-* + *-stom(o)-* + *-ia*[1].] *S. f. Ter.* Anomalia em que há aumento da largura da boca, resultante de falha na união de mandíbula e maxilas, com a extensão do orifício oral em direção à orelha.
macróstomo [De *macr(o)-* + *-stomo*.] *Adj. S. m. Ter.* Diz-se de, ou quem tem macrostomia.
macrotársico [De *macr(o)-* + *-tars(o)-* + *-ico*[2].] *Adj. Zool.* Que tem tarsos compridos.
macrotério [De *macr(o)-* + *-tério*[1]; tax. *Macrotherium*.] *S. m. Paleont.* **1.** Gênero, de distribuição cosmopolita, de mamíferos perissodáctilos que viveram

M

no mioceno e no plioceno; tinham cerca de 8m de comprimento, membros anteriores muito maiores que os posteriores, e associavam uma dentição típica dos paquidermes a uma constituição anatômica com características da dos desdentados. 2. Espécie ou espécime desse gênero.

macrozoneamento [De *macr(o)-* + *zoneamento*.] *S. m.* Zoneamento total, global: 📖 "O ministro teve ontem uma agenda cheia, dando os últimos retoques num ambicioso plano de macrozoneamento da Amazônia." (*Jornal do Brasil*, 05.08.1992.)

macruro[1] [De *macr(o)-* + *-uro*.] *Adj. Zool.* Que tem cauda longa.

macruro[2] [Adapt. do tax. *Macrura*.] *Zool. S. m.* **1.** Espécime dos macruros, subordem de crustáceos decápodes com abdome completamente desenvolvido, longo e simétrico, estendido fora da carapaça. São os camarões, as lagostas e as tamburutacas. • ***Adj.*** **2.** Pertencente ou relativo a eles.

mactrismo [Do gr. *maktrismós*.] *S. m.* Certa dança cômica, entre os antigos gregos.

macu *Bras. S. 2 g.* **1.** *Etnôn.* Indivíduo dos macus [ou (etnôn. bras.) *Maku], povo indígena formado pelos subgrupos *Cacua, *Dow, *Hupdá, *Kamã, *Nadeb, *Nucak e *Yuhupde, e que habita o N.O. da Amazônia, região do alto rio Solimões. • ***S. m.*** **2.** *Gloss.* Família linguística que reúne línguas faladas por povos indígenas do N.O. do AM. **3.** Vocábulo macu. • ***Adj. 2 g.*** **4.** Pertencente ou relativo aos macus ou a macu (2).

macua [Desta língua.] *S. 2 g.* **1.** *Etnôn.* Indivíduo dos macuas, um dos povos das províncias de Nampula, Cabo Delgado, Niassa e Zambézia, em Moçambique (África): 📖 "Os macuas são promovidos a símbolo / histórico-folclórico, / só precisam de ficar quietos onde estão / com seu artesanato, / mostrar os dentes afiados em bico / para o turista de banana tirar exóticas fotografias" (Momed Kadir, em *Xiphefo*, nº 16, p. 12). • ***S. m.*** **2.** *Gloss.* Língua nígero-congolesa do grupo banto falada no S.E. da África, em países, como, p. ex., Moçambique, Tanzânia e Maláui. **3.** Vocábulo dessa língua. • ***Adj. 2 g.*** **4.** Pertencente ou relativo aos macuas, ou ao macua (2).

macuaiela [Do tsonga, poss.] *S. f. Moç.* Dança tradicional do Centro e do S. de Moçambique (África), executada por homens que cantam em coro textos de temática social: 📖 "Assim nada há de transcendente / nos que ouvem macuaiela nas festas oficiais" (Heliodoro Baptista, *Por Cima de Toda a Folha*, p. 93).

macubar [De or. afr.] *S. m. Moç.* Folha de coqueiro us. para cobrir palhoças, encher colchões, etc.: 📖 "Os macubares dos coqueiros tremulam levemente, um vento medroso começa a correr na tarde abrasada." (Orlando Mendes, *Portagem*, p. 115.)

macuca[1] [De or. obsc.] *S. f. Bot.* Variedade de pereira silvestre cujo fruto, pequeno, é insípido e tem polpa mole.

macuca[2] [De or. afr.] *S. f.* V. *macuta* (2).

macuca[3] *S. f. Bras. Zool.* V. *macuco*.

macucar [De *macuco* + *-ar*[2]; o macuco (q. v.) vive isolado.] *V. int. Bras. SP Pop.* **1.** Falar sozinho e zangado. **2.** Encolerizar-se, irritar-se, enraivecer-se, enfurecer-se: 📖 "Mas a moça macucou de repente, sentou-se, falou firme e áspero" (Valdomiro Silveira, *Os Caboclos*, p. 53). [Conjug.: v. *trancar*.]

macucau [Do tupi amazonense.] *S. m. Bras. Amaz. Zool.* V. *jaó*.

macucauá *S. m. Bras. Amaz. Zool.* V. *jaó*.

macuco [Do tupi.] *S. m. Bras.* Designação comum às aves tinamiformes, tinamídeas, gênero *Tinamus*, com cauda pequena, escondida pelas penas das coberteiras, e parte posterior do tarso áspera. Vivem exclusivamente nas matas virgens, e os maiores representantes da ordem ocorrem no Brasil, onde há, ao todo, cinco espécies. [Var.: *macuca*; sin.: *tona*.]

macuco-do-pantanal *S. m. Bras. Zool.* Ave tinamídea (*Tinamus serratus*). [Pl.: *macucos-do-pantanal*.]

macucu [Do tupi.] *S. m. Bras. Bot.* **1.** Árvore cesalpiniácea (*Aldina heterophylla*) da Amaz., de madeira dura, casca brancacenta e flores alvas. **2.** Árvore cesalpiniácea (*Aldina latifolia*) nativa da Amaz., de folíolos coriáceos, flores alvas e vagens ovoides. [Var., nestas acepç.: *macacu*.] **3.** Grande árvore crisobalanácea (*Couepia leptostachia*) de folhas revolutas e flores paniculadas. **4.** Árvore crisobalanácea (*Licania glabra*) da Amaz., de folhas lanceoladas, flores em panículas, frutos lenhosos, e cuja casca fornece matéria tintória. **5.** Macucu-verdadeiro.

macucu-do-rio-negro [De *macucu* + *do*[1] + o top. *Rio Negro*.] *S. m. Bras. Bot.* Árvore crisobalanácea (*Licania heteromorpha*) nativa da Amaz., de folhas oblongas, flores sésseis, paniculadas, e frutos globosos; ajuru. [Pl.: *macucus-do-rio-negro*.]

macucurana [De *macucu* + *-rana*.] *S. f. Bras. Bot.* Ajuru[1] (2).

macucu-verdadeiro *S. m. Bras. Bot.* Árvore aquifoliácea (*Ilex macoucoua*) da Amaz., de tronco grosso e boa madeira, folhas coriáceas e revolutas, flores pequenas e frutos drupáceos; macucu. [Pl.: *macucus-verdadeiros*.]

maçudo [De *maça* + *-udo*.] *Adj.* **1.** Que tem forma de maça. **2.** *Fig.* Maçador, indigesto, monótono (escrito ou discurso). **3.** *Lus.* V. *maçante* (1): 📖 "Longa viagem, maçuda mas tranquila." (Antônio Silva Graça, *Viagem ao Fim da História*, p. 108.) [Cf. *massudo*.]

mácula [Do lat. *macula*, por via erudita.] *S. f.* **1.** Nódoa, mancha: 📖 "E límpida, sem mácula, alvacenta / A lua a estrada solitária banha..." (Raimundo Correia, *Poesias*, p. 112.) **2.** *Fig.* Desdouro, deslustre, labéu: 📖 "Meu cunhado, o médico, algumas vezes me disse que seu irmão .... era uma das poucas vítimas da castidade sem sombra de mácula que o clero podia apresentar como exemplo." (Camilo Castelo Branco, *Serões de S. Miguel de Ceide*, III, p. 71.) **3.** *Fig.* Estigma, ferrete. **4.** *Anat.* Área que se distingue da circunjacência pela cor ou por outra característica. **5.** *Anat.* Mácula retiniana (q. v.). **6.** *Astr.* Mancha escura na superfície do Sol ou de qualquer outro astro luminoso. **7.** *Med.* Alteração de coloração na pele sem que esta apresente saliência. **8.** *Med.* Opacidade, bem caracterizada, da córnea, visível, à luz do dia, como mancha cinzenta. [Cf. *macula*, do v. *macular*.]
◆ **Mácula retiniana.** *Anat.* Pequena área amarelada situada em cada retina, e em que se dá o processo de absorção de impressões luminosas de curto comprimento de onda. [Tb. se diz apenas *mácula*.]

maculabilidade [De *maculável* (*maculabil-*) + *-(i)dade*.] *S. f.* Qualidade, caráter ou condição do que é maculável.

maculação [Do lat. tard. *maculatione*.] *S. f.* Ato ou efeito de macular(-se).

maculado [Do lat. *maculatu*, part. pass. do v. lat. *maculare*.] *Adj.* **1.** Manchado, enodoado, sujo. **2.** *Fig.* Infamado, desonrado, aviltado.

maculador (ô) [De *macular* + *-dor*.] *Adj.* Que macula.

macular [Do lat. *maculare*.] *V. t. d.* **1.** Pôr manchas em; sujar: 📖 "Um rastilho de pó amarelado maculava o vestido preto da moça." (Júlio Ribeiro, *A Carne*, p. 46.) **2.** *Fig.* Desdourar, deslustrar, infamar, enxovalhar. ***P.*** **3.** Incorrer em desonra; deslustrar-se. [Pres. ind.: *maculo*, *maculas*, *macula*, etc. Cf. *mácula*, s. f., e *Mácula*, antr.]

maculatura [De *macular* + *-tura*.] *S. f. Art. Gráf.* Folha mal impressa, suja ou repintada, que se aproveita como descarga. [Cf. *perdidos*.]

maculável [De *macular* + *-vel*.] *Adj. 2 g.* **1.** Que se pode macular ou enodoar. **2.** Suscetível de pecar, ou de incorrer em falhas.

maculelê [Do umbundo *maka*, 'provocação', 'desafio' + o umbundo *lele*, 'ser leve e rápido'.] *S. m. Bras. BA Folcl.* Misto de jogo e dança de bastões, de Santo Amaro, remanescente dos antigos cucumbis.

▲ **maculi-** [Do lat. *macŭla, ae*.] ***El. comp.*** = 'mancha'; 'mácula': *maculiforme*, *maculirrostro*. [Equiv.: *maculo-*; *maculopapular*.]

maculiforme [De *maculi-* + *forme*.] *Adj. 2 g.* Que tem forma de pequena mancha ou mácula.

maculirrostro [De *maculi-* + *-rostro*.] *Adj. Zool.* Que tem o bico malhado (diz-se de ave).

maculo [Do quimb. *ma'kulu*.] *S. m. Bras.* Doença dos negros novos, quando era intenso o tráfico da escravatura, caracterizada por diarreia com relaxamento do esfíncter anal; corrução, mal de bicho: 📖 "a cidade-espectro, onde o que o ouro construiu a horrível moléstia local arruinou, esse 'maculo' em que um esfíncter se dilata por tal forma, que a mão inteira pode sondar o intestino!" (Alberto Rangel, *Sombras n'Água*, p. 14).

▲ **maculo-** Equiv. de *maculi-*.

maculopapular (mà) [De *maculo-* + *pápula* + *-ar*[1].] *Adj. 2 g. Derm.* Que apresenta máculas e pápulas.

maculopatia [De *maculo-* + *-patia*.] *S. f. Oftalm.* Qualquer doença da mácula (5).

maculoso (ô) [Do lat. *maculosu*.] *Adj.* Salpicado de manchas, nódoas, máculas; manchado, maculado.

macuma [De *mucama*, com metátese.] *S. f. Bras.* Escrava que acompanhava a senhora quando esta saía à rua. [Cf. *mucama*.]

macumã [De or. tupi, poss.] *S. m. Bras. Bot.* V. *butiá-verdadeiro*.

macumba [Do quimb. *ma'kõba*.] *S. f. Bras.* **1.** *Rel.* Designação genérica dos cultos sincréticos afro-brasileiros derivados de práticas religiosas e divindades de povos bantos, influenciadas pelo candomblé e com elementos ameríndios, do catolicismo, do espiritismo, do ocultismo, etc. **2.** *Rel.* O ritual desses cultos. **3.** *Rel.* Denominação atribuída à quimbanda (q. v.) pelos seguidores da umbanda da chamada *linha branca*. **4.** *Rel. Impr.* Magia negra. **5.** *Rel. Pop.* Bruxaria (2). **6.** Antigo instrumento de percussão, espécie de reco-reco, de origem africana, e que produz um som rascante.

macumbeiro [De *macumba* + *-eiro*.] *S. m. Bras.* **1.** Partidário e/ou praticante da macumba. • ***Adj.*** **2.** Que é praticante da macumba.

macuna *Bras. S. 2 g.* **1.** *Etnôn.* Indivíduo dos macunas [ou (etnôn. bras.) *Makuna], povo indígena de família linguística tucano que habita o AM e a Colômbia. • ***Adj. 2 g.*** **2.** Pertencente ou relativo a esse povo.

macunde *S. m. Bot.* V. *feijão-fradinho*.

macúndi *S. m. Bot.* V. *macunde*.

macungo *S. m. Bras.* V. *berimbau* (2).

macuni *Bras. S. 2 g.* **1.** *Etnôn.* Indivíduo dos macunis, povo indígena extinto, da família linguística maxacali, que habitava MG. • ***Adj. 2 g.*** **2.** Pertencente ou relativo a esse povo. [Tb. us. como *s. 2 g. e 2 n.* (com cap.) e *adj. 2 g. e 2 n.*]

maçunim [De or. indígena, poss.] *S. m. Bras. AL Zool.* Variedade de molusco bivalve, comestível semelhante à amêijoa (q. v.).

macuquense *Adj. 2 g.* **1.** De, ou pertencente ou relativo a Macuco (RJ). • ***S. 2 g.*** **2.** O natural ou habitante de Macuco.

macuquinho [De *macuco* + *-inho*[1].] *S. m. Bras. Zool.* Ave passeriforme, furnariídea (*Lochmias nematura*), do Brasil central e meridional, de dorso pardacento e pintas brancas, dispostas como se fossem gotas, na garganta e barriga. Nidifica em galerias nas margens dos rios, e quase todos os nomes populares que recebe vêm do hábito de procurar moscas na saída dos canos de esgoto ou valas de despejos. [Sin.: *tridi*, *presidente-da-porcaria*, *presidente-das-porcarias*, *capitão-da-porcaria*, *capitão-das-porcarias*.]

macurape *Bras. S. 2 g.* **1.** *Etnôn.* Indivíduo dos macurapes [ou (etnôn. bras.) *Macurap, *Makurap], povo indígena da família linguística tupari, tronco tupi, que habita os municípios de Rolim de Moura, Colorado do Oeste, Cerejeira, Costa Marques e Guarujá-Mirim (RO). • ***Adj. 2 g.*** **2.** Pertencente ou relativo a esse povo.

macuripal [Do tupi, poss.] *S. m. Bras.* Certo fruto silvestre.

macuru [Do tupi.] *S. m. Bras.* **1.** *Zool.* V. *rapazinho-dos-velhos*. **2.** *Zool.* V. *joão-bobo*. **3.** Balanço formado por dois círculos de grossas talas ou de madeira flexível, separados de um palmo um do outro e ligados por cordas que o suspendem do teto, onde deixam as crianças entregues a si próprias.

macururense *Adj. 2 g.* **1.** De, ou pertencente ou relativo a Macururé (BA). • ***S. 2 g.*** **2.** O natural ou habitante de Macururé.

macuta [Do quimb. *mu'kuta*, 'certa moeda de pequeno valor'.] *S. f.* **1.** *Bras. MG Pop.* Coisa sem valor. **2.** *Angol.* Antiga unidade monetária, e moeda, de Angola, us. até 1950; macuca[2]: 📖 "Trazes macutas de prata nos cabelos" (José Luís Mendonça, *Respirar as Mãos na Pedra*, p. 30).

macutena [De *macotena*.] *S. f. Bras. MG* **1.** V. *hanseníase*: 📖 "Sem compreender o que se passava, um abantesma, embrulhado em trapos imundos, perfilou no ombro a vara da pedincha e espantado voltava para todos os lados a face roxa e tumefacta, em que a macutena roera as cartilagens das narinas..." (Alberto Rangel, *Fura-Mundo*, p. 60.) **2.** *Fig.* Pessoa azarenta. [Cf. *macotena* e *macuteno*. Se *macotena* vem, realmente, de *macota* (5) (= *lepra*), não nos parece razoável a distinção gráfica entre o vocábulo que significa o doente e o referente à doença.]

macuteno [De or. obscura.] *Adj. S. m.* V. *leproso* (1 e 5): 📖 "Não dizem que anda macutena, lá na Praia Grande (que anda leprosa, em Niterói)" (Afonso Arinos de Melo Franco, *A Alma do Tempo*, p. 10). [Em nota de rodapé, o autor esclarece: "Vem de 'mal cutâneo'. *Macutenos* era como em Paracatu se chamavam os leprosos." É curiosa a etimologia apontada. Compare-a com a de *macotena*.]

macúti [Do macua *makuthi*.] *S. m. Moç.* Folhas de palmeira us. para cobrir palhoças e fazer cercas de quintais: 📖 "o caniço era entrelaçado com mestria e a cobertura de macúti oferecia convincente barreira às cargas de chuva." (Fernando Manuel, *O Homem Sugerido*, p. 38).

macuxi *Bras. S. 2 g.* **1.** *Etnôn.* Indivíduo dos macuxis [ou (etnôn. bras.) *Makuxi, *Makushi, *Pemon], povo indígena da família linguística caraíba, que habita a região da bacia do rio Branco (RR). • ***Adj. 2 g.*** **2.** Pertencente ou relativo a esse povo.

madagascarense [Do top. *Madagascar* + *-ense*.] *Adj. 2 g. S. 2 g.* V. *malgaxe* (1 e 2).

madala [Do ronga.] *S. m. Moç.* Homem idoso e experiente: 📖 "Madalas que não olham a sintaxe das montras / fluorescentes nos bolsos inexistentes" (Momed Kadir, em *Xiphefo*, nº 7, p. 17).

madalena[1] [Do antr. *Madalena.*] ***S. f.*** Mulher dedicada à vida religiosa, em reparação do passado airado ou libertino. ◆ **Madalena arrependida.** Pessoa que, havendo procedido mal com outra, vem depois dar provas de arrependimento.

madalena[2] [Adapt. do fr. *madeleine.*] ***S. f. Cul.*** Bolinho leve, de forma oblonga, estriado, feito de farinha de trigo, ovos, manteiga, açúcar e limão.

madalenense[1] ***Adj. 2 g.*** **1.** De, ou pertencente ou relativo a Madalena (CE). • ***S. 2 g.*** **2.** O natural ou habitante de Madalena.

madalenense[2] ***Adj. 2 g.*** **1.** De, ou pertencente ou relativo a Santa Maria Madalena (RJ). • ***S. 2 g.*** **2.** O natural ou habitante de Santa Maria Madalena.

madama ***S. f.*** V. *madame.*

madame [Do fr. *madame.*] ***S. f.*** **1.** Senhora, dama. **2.** *Pop.* Dona de casa; patroa. **3.** *Pop.* Mulher, esposa. **4.** *Bras. Chulo* Meretriz. **5.** *Bras. MG Fam.* Costureira. **6.** *Bras. MG Fam.* V. *parteira* (1). [Var.: *madama.*]

madamismo [De *madama* + *-ismo.*] ***S. m. Fam.*** **1.** Multidão de madamas ou senhoras. **2.** As senhoras.

madapolão [Do top. *Madapolão* (Índia), importante centro de tecelagem do algodão.] ***S. m. Tec. Têx.*** **1.** Tecido branco e consistente, de lã, ou de algodão. **2.** *Bras. N.E.* V. *morim*: "levava o restante ao mercado onde trocava os alqueires por peças de madapolão ou de zuarte e morim" (Coelho Neto, *Sertão*, p. 278).

madarose [Do gr. *madárosis*, 'calvície'.] ***S. f. Patol.*** Queda dos pelos, em especial dos cílios e sobrancelhas.

madefação [Do lat. **madefactione*, do lat. *madefactore*, freq. de *madefacere*, 'umedecer'.] ***S. f.*** Ato de madeficar.

madefacção ***S. f.*** V. *madefação.*

madeficar [Do lat. *mad-*, raiz de *madidus*, 'úmido', 'mádido', + *-e-* + *-ficar.*] ***V. t. d.*** **1.** Tornar úmido; banhar. **2.** Umedecer (uma substância) na preparação de um medicamento. [Conjug.: v. *trancar.*]

madeira[1] [Do lat. *materia*, por via pop.] ***S. f.*** **1.** Cerne das árvores, anatomicamente constituído pelo lenho secundário morto. [Cf. *alburno.*] **2.** V. *madeiro* (1). **3.** *Bras. P. ext.* Árvore (1). **4.** *Bras. Amaz. Bot.* Entre os seringueiros, a seringueira. **5.** *Bras. RJ Gír.* Bengala; cacete, pau, porrete. **6.** *Bras.* Violão; viola. **7.** *Esport.* No golfe, taco de cabeça relativamente grande, us. para tacadas de longa distância, cuja cabeça costumava ser feita de madeira e atualmente é de metal. [Nesta acepç., decalque do ingl. *wood.*] ~V. *madeiras.* ◆ **Madeira aglomerada.** Aglomerado (7). **Madeira aparelhada.** A que é serrada e submetida a aplainamento mecânico. **Madeira autoclavada.** Madeira que passou por processo de cozimento em autoclave, juntamente com produtos químicos, para aumentar sua resistência física e mecânica. **Madeira bruta.** Madeira em toras. **Madeira compensada.** *Bras.* V. *compensado*[1] (2). **Madeira composta.** Peça formada por duas ou mais madeiras de pequena seção transversal, coladas, prensadas a vapor e transformadas em grande peça estrutural. **Madeira de dar em doido.** *Bras.* Indivíduo valente e destemido: "Eta velho carne de pescoço. Madeira de dar em doido. Osso duro de roer." (Antônio Torres, *O Cachorro e o Lobo*, p. 160.) **Madeira de lei. 1.** Madeira dura ou rija, própria para construções e trabalhos expostos às intempéries; madeira dura: "A mata de preciosas madeiras de lei poderia ser ainda explorada com a montagem de uma serraria." (Xavier Marques, *As Voltas da Estrada*, p. 297.) [Opõe-se a *madeira-branca.*] **2.** *Fig.* O que é bom, durável, resistente. **Madeira dura.** Madeira de lei (1). **Madeira maciça.** A madeira natural, que não é aglomerada, ou compensada. **Bater na madeira.** *Bras. Fam.* V. *isolar* (5). **Tocar na madeira.** Conjurar a má sorte.

madeira[2] [Do top. *Madeira.*] ***S. m.*** Vinho generoso, da ilha da Madeira (Portugal): "bocejando alguns, falando animadamente outros, levípedes, de faces rubras, aos estos de um xerez ancião, ou de um madeira longo tempo sopitado em garrafas poentas." (Afonso Arinos, *Pelo Sertão*, p. 138). ~ V. *madeiras.*

madeira-branca ***S. f.*** Qualquer essência florestal de contextura mole, e de segunda qualidade, seja qual for a cor do seu lenho. [Opõe-se a *madeira de lei.* Pl.: *madeiras-brancas.*]

madeiral [De *madeira*[1] + *-al*[1].] ***S. m.*** Arvoredo de que se tiram madeiras.

madeirame [De *madeira*[1] + *-ame.*] ***S. m.*** V. *madeiramento.*

madeiramento [De *madeirar* + *-mento.*] ***S. m.*** **1.** Porção de madeira. **2.** Madeira que constitui a armação de uma casa: "A casa ficou a arder com altas labaredas rubras, crepitando o madeiramento seco, as velhas vigas de aroeira, os caibros de mororó." (Gustavo Barroso, *Terra de Sol*, p. 145.) **3.** Estrutura ou armação de madeira: "Os tectos das pequenas igrejas esverdinham-se de musgo; .... crescem os tortulhos na base do madeiramento dos altares" (Ramalho Ortigão, *As Farpas*, I, p. 10). [Sin. ger.: *madeirame.*]

madeira-nova [De *madeira*[1] + o f. de *novo.*] ***S. f. Bras. Bot.*** V. *faveiro* (3). [Pl.: *madeiras-novas.*]

madeirar [De *madeira*[1] + *-ar*[2].] ***V. t. d.*** **1.** Pôr armação de madeira em: "os carpinteiros principiaram a ajeitar os pranchões aparelhados, madeirando a plataforma." (Euclides da Cunha, *Contrastes e Confrontos*, p. 192). ***Int.*** **2.** Trabalhar em madeira. **3.** Colocar armação de madeira em algum edifício.

madeiras [Pl. de *madeira.*] ***S. f. pl. Mús.*** Na orquestra, designação genérica dos instrumentos de sopro feitos de madeira. ~ V. *madeira.*

madeireira [F. subst. do adj. *madeireiro.*] ***S. f.*** Empresa ou estabelecimento comercial que se dedica à exploração industrial e/ou comercial da madeira.

madeireiro [De *madeira* + *-eiro.*] ***S. m. Bras.*** **1.** Negociante de madeira. **2.** Cortador de madeira nas matas. **3.** Aquele que trabalha em madeira. • ***Adj.*** **4.** *Bras. S.* Relativo ao comércio ou à indústria de madeiras.

madeirense ***Adj. 2 g.*** **1.** Da, ou pertencente ou relativo à ilha da Madeira (Portugal). • ***S. 2 g.*** **2.** O natural ou habitante da Madeira.

madeirização [De **madeirizar* (< [*vinho*] *madeira* + *-izar*) + *-ção.*] ***S. f.*** Oxidação indesejável que ocorre com o vinho branco, que lhe confere cor amarronzada (como a do vinho madeira) e gosto enjoativo.

madeirizado [Part. de **madeirizar* (v. *madeirização*).] ***Adj.*** Diz-se do vinho que sofreu processo de madeirização.

madeiro [De *madeira*[1].] ***S. m.*** **1.** Peça ou tronco grosso de madeira; madeira, lenho. **2.** Cruz (3): "e Jesus Cristo num madeiro, escorrendo sangue, é a imagem divina da liberdade." (Guerra Junqueiro, *Vibrações Líricas*, p. 87). **3.** *Bras. AM* Chifre de gado vacum.

madeixa [Do lat. *mataxa.*] ***S. f.*** **1.** Pequena meada. **2.** Negalho (1). **3.** Porção de cabelos da cabeça; mecha, melena: "Na cabeça, penteada em bandós de grossas madeixas alouradas, alvejava um lenço de cambraieta" (Camilo Castelo Branco, *Sentimentalismo e História*, p. 213).

madeixar-se [De *madeixa* + *-ar*[2] + *se*[1].] ***V. p.*** Cobrir-se de madeixas.

madgiar ***Adj. 2 g. S. 2 g.*** V. *magiar.*

mádido [Do lat. *madidu.*] ***Adj. Poét.*** Umedecido, orvalhado.

madoda [Do ronga.] ***S. m. Moç.*** Homem maduro e respeitável: "Meu marido aceitou a crítica dos 'madodas' e disse que ia aprender vida nova." (Carlos Cardoso, em *Gostar de Ler*, p. 36.)

madona [Do it. *madonna*, 'minha senhora'.] ***S. f.*** **1.** *Rel.* Nossa Senhora. **2.** Imagem ou pintura que representa Nossa Senhora.

madorna [De *modorra*, com dissimilação.] ***S. f.*** V. *modorra*: "sofrera o primeiro impacto da presença dela quando, passando por uma madorna, na rede, fora despertado com o oferecimento de uma xícara de café." (Nélson de Faria, *Cabeça-Torta*, p. 53).

madornar [De *madorna* + *-ar*[2].] ***V. t. d.*** **1.** V. *modorrar* (1). ***Int. P.*** **2.** V. *modorrar* (2). **3.** *Bras.* Cochilar, dormitar: "arranchei-me aqui para madornar um pedaço e pegou de mim uma tal bebedeira de sono que estou que não posso comigo." (José de Alencar, *O Sertanejo*, p. 77). [F. paral.: *amadornar.*]

madorra (ô) [De *modorra*, com dissimilação.] ***S. f.*** V. *modorra.* [Pl.: *madorras* (ô). Cf. *madorra* e *madorras*, do v. *madorrar.*]

madorrar [De *madorra* + *-ar*[2].] ***V. t. d. Int. P.*** V. *modorrar.* [Pres. ind.: *madorro, madorras, madorra*, etc. Cf. *madorra* (ô) e pl. *madorras* (ô).]

madorrento [De *madorra* + *-ento.*] ***Adj.*** V. *modorrento.*

madraçal [Do ár. *madrasa(t)*, 'escola'; de or. asiática.] ***S. m. Ant.*** **1.** Casa de estudos, ou escola muçulmana. **2.** Palácio, ou grande casa em que residiam ou se hospedavam nobres, senhores, famílias ricas, etc.

madraçar [De *madraço* + *-ar*[2].] ***V. int.*** V. *madracear.* [Conjug.: v. *laçar.*]

madraçaria [De *madraço* + *-aria.*] ***S. f.*** Vida ou caráter de madraço: "Eça de Queirós, para descrever a preguiça, a madraçaria lisboeta, usa de um vocabulário inigualável" (Martins Fontes, *Terras da Fantasia*, p. 118). [Sin.: *madracice.*]

madraceador (ô) [De *madracear* + *-dor.*] ***Adj. S. m.*** Diz-se de, ou aquele que madraceia.

madracear [De *madraço* + *-ear*[2].] ***V. int.*** Levar vida de madraço; mandriar, madraçar. [Conjug.: v. *frear.*]

madraceirão [De *madraço* + *-eirão.*] ***Adj. S. m.*** Que, ou aquele que é grande madraço. [Fem.: *madraceirona.*]

madraceirona ***S. f.*** Fem. de *madraceirão.*

madracice [De *madraço* + *-ice.*] ***S. f.*** **1.** Qualidade de madraço. **2.** Madraçaria.

madraço [De or. obscura.] ***Adj. S. m.*** V. *mandrião* (1 e 2): "Num botequim, ... abancados a mesas sórdidas, preguiçavam madraços" (Coelho Neto, *Turbilhão*, p. 60). [Aum.: *madraceirão.*]

madras [Do fr. *madras.*] ***S. m. 2 n. Tec. Têx.*** Tecido de algodão, ou de outro fio, ger. em xadrez, de cores vivas, us. em decoração, vestuário, etc.

madrasta [Do lat. **matrasta* < lat. *mater*, 'mãe'.] ***S. f.*** **1.** Mulher casada, em relação aos filhos que o marido teve de matrimônio anterior. **2.** *Fig.* Mãe ou mulher descaroável. [Nessas acepçs. é fem. de *padrasto.*] • ***Adj. (f.)*** **3.** Pouco carinhosa; ingrata, má: *terra madrasta*; "Sei que é grande maçada / Morrer, mas morrerei / — Quando fores servida — / Sem maiores saudades / Desta madrasta vida, / Que, todavia, amei." (Manuel Bandeira, *Estrela da Vida Inteira*, p. 292).

madrasto [Do top. *Madrasta* (Índia), centro de fabricação de tapeçarias, tecidos, etc.] ***S. m. Bras. N.E. Tec. Têx.*** V. *morim*: "Era um pacote grande com dois cortes de fazenda para vestido ....; madrasto para roupa branca, peças de rendas .... para enfeites." (Xavier Marques, *Jana e Joel*, p. 61.)

madre [Do lat. *mater*, 'mãe'.] ***S. f.*** **1.** *Desus.* Mãe (1). [Atualmente us. só nas loc. *Madre de Deus* e *Santa Madre Igreja.*] **2.** Religiosa professa; freira. **3.** Superiora de comunidade religiosa feminina. **4.** Diretora ou regente de recolhimento, asilo, hospital, etc. **5.** *Anat.* V. *útero*: "Já se murmura na corte, dentro e fora do palácio, que a rainha, provavelmente, tem a madre seca" (José Saramago, *Memorial do Convento*, p. 11). **6.** *Arquit.* Viga horizontal sobre a qual assentam barrotes: "O forno estava levantado junto de um pilar de pedra, sobre o qual uma viga de aroeira se erguia, suportando a madre." (Afonso Arinos, *Pelo Sertão*, p. 39.) **7.** Matriz dos metais. **8.** *Bras.* V. *mãe do rio* (1). **9.** A parte mais grossa do vinho ou do vinagre, que assenta no fundo das vasilhas; mãe. **10.** *Constr. Nav.* A parte central, mais grossa, de que se formam o mastro, o cabrestante e outras partes do aparelho do navio, quando não são feitos de uma peça única. **11.** *Marinh.* Cabo de fibra ou de algodão, em torno do qual se cocham os cordões de um cabo calabroteado ou de um cabo metálico. **12.** *Mús.* Corda principal dos bordões, de aço, tripa ou seda, em torno da qual se enrola o fio de cobre ou de prata. ◆ **Madre do leme.** *Constr. Nav.* **1.** Eixo que penetra no casco do navio e transmite movimento ao leme. **2.** Parte reforçada nos lemes de certas embarcações (antigas ou miúdas), à qual se prendem as governaduras, e que se prolonga acima da porta do leme para fixar-lhe a cana ou a meia-lua.

madre-deusense[1] ***Adj. 2 g.*** **1.** De, ou pertencente ou relativo a Madre de Deus (BA). • ***S. 2 g.*** **2.** O natural ou habitante de Madre de Deus. [Pl.: *madre-deusenses.*]

madre-deusense[2] ***Adj. 2 g.*** **1.** De, ou pertencente ou relativo a Madre de Deus de Minas (MG). • ***S. 2 g.*** **2.** O natural ou habitante de Madre de Deus de Minas. [Pl.: *madre-deusenses.*]

madrepérola [Do it. *madreperla* < *madre* (*della*) *perla.*] ***S. f.*** Substância iridescente, nacarada, lisa, que forma a camada interna da concha de vários moluscos, e que é muito us. na feitura de pequenos objetos (p. ex., botões), e em marchetaria.

madreperolado [De *madrepérola* + *-ado*[1].] ***Adj.*** **1.** Semelhante a madrepérola: "A praia parecia um canteiro vivo de estranhas flores madreperoladas faiscando de leve no escuro..." (Malu de Ouro Preto, *Siri na Noite sem Lua*, p. 264.) **2.** Revestido ou guarnecido de madrepérola.

madrépora [Do it. *madrepora.*] ***S. f. Zool.*** Cnidário antozoário, zoantário, madreporário, de esqueleto compacto e calcário. Pólipos diminutos, situados em cálices superficiais, desprovidos de sifonóglifo. São todos marinhos, na maioria coloniais, e formadores de recifes. [Sin.: *coral-branco.*]

madreporário [Do lat. cient. *Madrepora* + *-ário*; tax. *Madreporaria.*] *Zool.* ***S. m.*** **1.** Espécime dos madreporários, ordem de cnidários zoantários, de exosqueleto compacto e calcário, pólipos pequenos ou minúsculos, situados em pequenas cavidades do esqueleto, seis tentáculos, ger. sem sifonóglifos, e músculos fracos. Coloniais, na maioria; vivem em mares quentes. São os corais rochosos. • ***Adj.*** **2.** Pertencente ou relativo a eles.

madrepórico [De *madrépora* + *-ico*[2].] ***Adj.*** Referente a madrépora. ~ V. *placa —a.*

madreporífero [De *madrépora* + *-ífero.*] ***Adj.*** Que contém ou produz madréporas.

madreporiforme [De *madrépora* + *-iforme.*] ***Adj. 2 g.*** Que tem forma ou aspecto de madrépora.

madreporita [De *madrépora* + *-ita*[3].] ***S. f. Zool.*** Placa porosa ou crivada que liga o sistema irrigador dos equinodermos ao meio exterior; placa madrepórica. [F. paral.: *madreporite, madreporito.*]

madreporite [De *madrépora* + *-ite*[2].] ***S. f. Zool.*** V. *madreporita.*

madreporito [De *madrépora* + *-ito*[2].] *S. m. Zool.* V. *madreporita.*

madressilva [Do lat. med. *matrisilva.*] *S. f. Bot.* Trepadeira da família das caprifoliáceas (*Lonicera caprifolium*), de origem estrangeira, muito apreciada como ornamental graças às suas bonitas e perfumadas flores, e cujas folhas são pequenas, porém muito numerosas.

madria [De or. obscura.] *S. f.* Ondas revoltas, encapeladas.

madrigal [Do it. *madrigale.*] *S. m.* **1.** Pequena composição poética, engenhosa e galante. **2.** Poesia pastoril. **3.** Galanteio dirigido a damas. **4.** *Mús.* Composição poético-musical que, no séc. XIV e sob a forma de desenvolvimento e aperfeiçoamento da frótola, no séc. XVI, constituiu um dos gêneros mais importantes da música profana italiana, no qual o elemento literário tem papel preponderante. Era escrita para uma ou mais vozes (cinco e até seis no madrigal clássico do séc. XVI), com acompanhamento instrumental (alaúde, clavicímbalo, harpa), ou sem ele, e foi sob a sua influência que se operou a secularização da música, mediante a utilização de textos profanos e o emprego de fórmulas melódicas novas, de um cromatismo intenso.

madrigalesco (ê) [Do it. *madrigalesco.*] *Adj.* Referente a, ou que tem caráter de madrigal.

madrigalista [De *madrigal* + *-ista.*] *Adj. 2 g. S. 2 g.* Que, ou quem faz madrigais: "Ele é poeta e gentil-homem madrigalista entre os heróis da sua raça." (Martins Fontes, *A Dança*, p. 52.)

madrigalizar [De *madrigal* + *-izar.*] *V. int.* Fazer madrigais.

madrigaz [De **magridaz*, com metátese.] *S. m.* Indivíduo magro, macilento, escaveirado, feio.

madrigueira [Do esp. *madriguera.*] *S. f.* **1.** V. *lura* (1). **2.** *P. ext.* Esconderijo, abrigo: "O exército cartaginês acampara em Ilipa, ... e Cipião manobrou tão bem que acabou por lhe cortar pelo sul o caminho para Gades, a madrigueira dos africanos." (Aquilino Ribeiro, *Os Avós dos Nossos Avós*, p. 199.)

madrija [De *madre.*] *S. f. Bras. BA Zool.* Designação dada à baleia-mãe, para distingui-la do baleote. [Var.: *madrijo.*]

madrijo *S. m. Bras. Zool.* V. *madrija.*

madrileno [Do esp. *madrileño.*] *Adj.* **1.** De, ou pertencente ou relativo a Madri, capital da Espanha. ● *S. m.* **2.** O natural ou habitante de Madri. [Sin. ger.: *madrilense, madrilês, matritense.*]

madrilense [Do top. *Madri* (Espanha) + *-l-* + *-ense*, com infl. de *madrileno.*] *Adj. 2 g. S. 2 g.* V. *madrileno.*

madrilês [Do top. *Madri* (Espanha) + *-l-* + *-ês*, com infl. de *madrileno.*] *Adj. S. m.* V. *madrileno.* [Flex.: *madrilesa* (ê), *madrileses* (ê), *madrilesas* (ê).]

madrinha [Do lat. **matrina*, dim. afetivo de *mater*, 'mãe'.] *S. f.* **1.** Mulher que serve de testemunha em batizados, crismas e casamentos, e que assim fica sendo chamada, em relação ao neófito ou à pessoa que se crisma ou casa. **2.** Aquela que dá o nome, batiza ou inaugura: *É a madrinha do novo transatlântico.* **3.** *Fig.* Protetora, auxiliadora, patrocinadora. **4.** *Bras.* Égua ou besta que serve de pastora e guia duma tropa de muares; égua madrinha. **5.** *Bras. BA Rel.* Mãe de santo, nos candomblés de caboclo. ◆ **Madrinha de apresentação.** *Bras.* **1.** Mulher que leva o batizando até à igreja, onde o entrega à madrinha. [Sin., em MG: *madrinha de carrego.*] **2.** Mulher que representa o padrinho ou a madrinha, quando impedidos de comparecer ao batismo. **Madrinha de carrego.** *Bras. MG* Madrinha de apresentação (1). **Madrinha de guerra.** Pessoa do sexo feminino que, durante a primeira e a segunda guerras mundiais, escrevia a combatentes, aos quais, na maioria das vezes, jamais vira, animando-os, e enviava-lhes presentes de objetos e iguarias.

madrinhar [De *madrinha* + *-ar*[2].] *V. t. d. Bras. S.* V. *amadrinhar* (3 a 5).

madrinheiro [De *madrinha* + *-eiro.*] *S. m. Bras. S.* O rapaz que anda na égua madrinha com o fim de regular o tempo da marcha da tropa ou da tropilha.

madrugada [F. subst. de *madrugado*, part. de *madrugar.*] *S. f.* **1.** *Cronol.* Intervalo de tempo correspondente às últimas horas da noite (1), antes do nascer do Sol. **2.** *Met.* Período de tempo entre a meia-noite e as seis horas da manhã. **3.** *Fig.* Antecipação; precocidade.

madrugador (ô) [De *madrugar* + *-dor.*] *Adj. S. m.* **1.** Que, ou aquele que madruga. **2.** *Fig.* Que, ou aquele que é diligente ou antecede outrem em qualquer ação ou serviço.

madrugar [Do lat. **maturicare* < lat. *madurare*, 'amadurecer'; 'apressar, acelerar', donde 'levantar-se cedo'.] *V. int.* **1.** Levantar-se da cama bem cedo: "madrugava como um pássaro e só adormecia pela noite dentro." (João de Araújo Correia, *Terra Ingrata*, p. 220). **2.** Praticar algum ato antes do tempo próprio. **3.** Preceder outrem em qualquer coisa. **4.** Aparecer antes do tempo, ou muito cedo; manifestar-se precocemente. [Conjug.: v. *largar.*]

maduração [De *madurar* + *-ção.*] *S. f.* **1.** Sazonamento da fruta. **2.** *Patol.* Supuração de abscesso. [Sin. ger.: *amadurecimento, maturação.*]

madurador (ô) [De *madurar* + *-dor.*] *Adj.* Que faz madurar ou amadurecer.

madural [De *maduro*[2] + *-al*[1].] *Adj. 2 g.* Diz-se de uma espécie de azeitona; toural, negral.

madurão [De *maduro*[2] + *-ão*[1].] *Adj.* Muito maduro[2] (4): *Já é madurão, anda pelos cinquenta anos.* [Fem.: *madurona.*]

madurar [Do lat. *maturare.*] *V. t. d. Int.* V. *amadurecer*: "O tempo madura os frutos, / branqueia nossos cabelos" (Tiago de Melo, *Vento Geral*, p. 89); "achou melhor colher o arroz mesmo sem ele madurar de todo." (Nélson de Faria, *Tiziu e Outras Estórias*, p. 72).

madurecer [De *maduro*[2] + *-ecer.*] *V. t. d. Int.* V. *amadurecer.* [Conjug.: v. *aquecer.*]

madureiro [De *maduro*[2] + *-eiro.*] *S. m.* Lugar apropriado para se pôr a fruta a amadurecer.

madurês [Do top. *Madura* (ilha da Indonésia) + *-ês.*] *Adj.* **1.** Relativo ou pertencente à ilha Madura, ou ao madurês (2). ● *S. m.* **2.** *Gloss.* Língua austronésia falada na Indonésia, esp. na ilha Madura. [Flex. (na acepç. 1): *maduresa* (ê), *madureses* (ê), *maduresas* (ê). Cf. *madurez.*]

madurez (ê) [De *maduro*[2] + *-ez.*] *S. f. P. us.* Madureza. [Cf. *madurês.*]

madureza (ê) [De *maduro*[2] + *-eza* (ê).] *S. f.* **1.** Qualidade ou estado de maduro; sazonamento, maturação. **2.** Efeito de madurar. **3.** *Fig.* Estado do que está plenamente desenvolvido; amadurecimento, maturidade: *madureza de espírito.* **4.** *Fig.* Circunspecção, prudência: *Pensou com madureza acerca do problema.* [Var., p. us.: *madurez.*]

maduro[1] *S. m. Bras. RJ* Bebida fermentada, feita de cabaú misturado com água.

maduro[2] [Do lat. *maturu.*] *Adj.* **1.** Amadurecido, maturado, sazonado: *fruto maduro.* **2.** *Fig.* Plenamente desenvolvido; completamente formado: *indivíduo maduro; espírito maduro.* **3.** *Fig.* Refletido, prudente, ponderado; amadurecido, maturado: *É muito maduro, incapaz de leviandades, apesar de ainda moço;* "um maduro estudo da questão colonial." (Ramalho Ortigão, *As Farpas*, IV, p. 256). **4.** Que já não é moço; já avançado em anos: "Outras mulheres, velhas ou maduras, entravam ou saíam de vários quartos" (Vasconcelos Maia, *O Leque de Oxum*, p. 57). **5.** Supurado (abscesso). ~ V. *folículo —.*

maduromicose [Do tax. *Madur(ella)* + *-o-* + *micose.*] *S. f. Derm.* Infecção crônica produzida por actinomicetos, que compromete, principalmente, o pé e, em casos raros, outras partes do corpo, e se caracteriza pela formação de múltiplos abscessos e fístulas, e pelo desenvolvimento de tecido de granulação.

mãe [Do lat. *mater*, 'mãe'.] *S. f.* **1.** Mulher, ou qualquer fêmea, que deu à luz um ou mais filhos. **2.** Pessoa muito boa, dedicada, desvelada: "— Ó piedosa Mulher, Mãe dos Abandonados, / *Miserere mei!...*" (Gomes Leal, *A Mulher de Luto*, p. 183); *Pedro é uma mãe para os amigos.* **3.** *Fig.* Fonte, origem, berço: "A ideia da morte, lembra o poeta Valéry, representa a mola das leis, a mãe das religiões .... o excitante essencial da glória e dos grandes amores" (Carlos Drummond de Andrade, *Passeios na Ilha*, p. 195); *A Grécia foi a mãe do teatro ocidental.* **4.** V. *mãe do rio* (1). **5.** Madre (9). **6.** *Bras. Gír.* Nos esportes, jogador que, atuando mal, beneficia o adversário. [Posposto a outro substantivo, ao qual se liga ou não por hífen, o voc. tem valor adjetivo: *célula-mãe, ideia-mãe, nave-mãe.*] ◆ **Mãe de aluguel.** Mulher que permite que se implante em seu útero um embrião para que nele se processe a gestação de um filho que não ficará com ela. **Mãe de Deus.** V. *Nossa Senhora* (1). **Mãe de família.** Mulher casada e com filhos. [Cf. *mãe-de-família.*] **Falar na mãe de.** Usar de palavras ofensivas à honra da mãe de. **Ficar como a mãe de S. Pedro.** Não ter onde ficar. **Nossa Mãe.** *Rel.* **1.** V. *Nossa Senhora* (1). **2.** V. *Nossa Senhora* (2).

mãe-benta [De *mãe* + o antr. *Benta* (*Maria da Conceição Torres*), doceira famosa que viveu pelo tempo da Regência.] *S. f. Bras. Cul.* Espécie de pequeno bolo feito de farinha de arroz, manteiga, açúcar e ovos. [Pl.: *mães-bentas.*]

mãe-boa [De *mãe* + o f. de *bom* (v. *boa*).] *S. f. Bras. Bot.* Planta vitácea (*Cissus alata*) escandente, de flores pequeninas e ordenadas em cachos, e cujos frutos são pequenas bagas que recordam, de longe, uvas, e que, segundo o povo, tem propriedades medicinais. [Pl.: *mães-boas.*]

mãe-caridosa *S. f. Bras. Gír.* V. *ambulância* (3). [Pl.: *mães-caridosas.*]

mãe-carinhosa *S. f. Bras. Gír.* V. *ambulância* (3). [Pl.: *mães-carinhosas.*]

mãe-d'água *S. f. Bras.* **1.** *Folcl.* Ente fantástico, espécie de sereia de rios e lagos; iara, uiara, aiuara-aiuara, boiaçu. **2.** Fonte ou reservatório de água. **3.** *Pop. Zool.* V. *água-viva* (2). **4.** *Fig.* Pessoa que chora facilmente. **5.** *Constr.* Arca-d'água. [Pl.: *mães-d'água.*]

mãe-d'aguense (güen) *Adj. 2 g.* **1.** De, ou pertencente ou relativo a Mãe-d'Água (PB). ● *S. 2 g.* **2.** O natural ou habitante de Mãe-d'Água. [Pl.: *mãe-d'aguenses.*] ✣

mãe-da-lua *S. f. Bras. BA Zool.* V. *urutau*: "Dir-se-ia uma voz de mulher e tinha uma melodia esquisita e monótona. Era o canto da mãe-da-lua." (Aluísio Azevedo, *O Mulato*, p. 223.) [Pl.: *mães-da-lua.*]

mãe da mata *S. f. Bras. Amaz.* Duende da floresta, que preside aos destinos da flora e da fauna que a habitam. [Pl.: *mães da mata.*] ☑

mãe-da-taoca (ô) *S. f. Bras. Amaz. Zool.* Designação comum às aves passeriformes, formicariídeas, gênero *Phlegopsis*, de coloração pardo-olivácea, cabeça, garganta e peito pretos, e asas, cauda e crisso vermelhos. [Pl.: *mães-da-taoca* (ô).]

mãe-da-tora *S. f. Bras. Amaz. Zool.* Ave passeriforme, formicariídea (*Pyriglena leuconota*), de coloração preta, com uma mancha dorsal branca, tendo a fêmea a parte superior pardo-escura, um pouco avermelhada, garganta esbranquiçada e abdome preto. Vive na mata e alimenta-se de insetos. [Pl.: *mães-da-tora.*]

mãe-de-anhã *S. f. Bras. Zool.* Peixe da família dos locarídeos (*Kronichthys subteres*). [Pl.: *mães-de-anhã.*]

mãe-de-família *S. f. Bot.* V. *bela-margarida.* [Pl.: *mães-de-família.* Cf. *mãe de família.*]

mãe de leite *S. f.* V. *ama de leite.* [Pl.: *mães de leite.*] ☑

mãe-de-porco *S. f. Bras. Zool.* V. *jacu-estalo.* [Pl.: *mães-de-porco.*]

mãe de santo *S. f. Bras. Rel.* Sacerdotisa chefe de casa de culto afro-brasileiro. [Pl.: *mães de santo.* Cf. *ialorixá.*] ☑

mãe-de-saúva *S. f. Bras. Zool.* **1.** V. *cobra-de-duas-cabeças.* **2.** V. *cobra-cega* (1). [Pl.: *mães-de-saúva.*]

mãe-de-tucano *S. f. Bras. Amaz. Zool.* V. *anambeúna.* [Pl.: *mães-de-tucano.*]

mãe-do-anhã *S. f. Bras. Zool.* V. *anhá.* [Pl.: *mães-do-anhã.*]

mãe-do-camarão *S. f. Bras. Zool.* V. *tamburutaca.* [Pl.: *mães-do-camarão.*]

mãe do corpo *S. f. Bras. Pop.* V. *útero.* [Pl.: *mães do corpo.*] ☑

mãe do fogo *S. f.* **1.** *Bras. Amaz.* Tronco seco de madeira branca, que conserva o fogo por muitos dias. **2.** *Bras. RS* Tição grande, que conserva o fogo para o dia seguinte, no fogão do galpão das estâncias. [Pl.: *mães do fogo.*] ☑

mãe do ouro *S. f. Bras. PR Folcl.* Ente fantástico que, segundo a superstição popular, guarda as minas de ouro. [Pl.: *mães do ouro.*] ☑

mãe do rio *S. f. Bras.* **1.** Leito do rio até o extremo das margens, quando o rio, transbordando, alaga as terras ribeirinhas; madre, mãe. [Cf. *leito* (5).] **2.** *Folcl.* V. *boiuna* (1). [Pl.: *mães do rio.*] ☑

mãe-do-sol *S. f. Bras. Amaz. Zool.* **1.** Inseto coleóptero, buprestídeo (*Euchroma gigantea*), de coloração metálica brilhante, e revestido de abundante eflorescência de cor amarela. Os adultos podem atingir 8cm de comprimento e são usados como adorno pelos índios e habitantes do interior. Vivem em paineiras, embiruçus e figueiras. **2.** V. *príncipe*[1] (8). [Pl.: *mães-do-sol.*]

mãe-joana *S. f. Bras. Zool.* V. *água-viva* (2). [Pl.: *mães-joanas* e *mãe-joanas.*]

maenga *S. m. Pop.* **1.** *Bras. PE* Soldado de polícia, ou guarda-civil. [V. *mata-cachorro* (2).] **2.** *Bras.* V. *joão-ninguém.*

mãe-parida *S. f. Bras.* V. *rabanada*[1]. [Pl.: *mães-paridas.*]

mãe-pequena *S. f. Bras. Rel.* V. *iaquererê.* [Pl.: *mães-pequenas.*]

mãe-riense *Adj. 2 g.* **1.** De, ou pertencente ou relativo a Mãe do Rio (PA). ● *S. 2 g.* **2.** O natural ou habitante de Mãe do Rio. [Pl.: *mãe-rienses.*]

mães do bicho *S. f. pl. Bras. Amaz. Folcl.* Personagens míticos que protegem as espécies animais da destruição pelo homem. ☑

maestre [Do lat. *magister, tri.*] *S. m. Ant.* Mestre.

maestria [De *maestre* + *-ia*[1].] *S. f.* V. *mestria*: "A pintura portuguesa, que no século XVI atingiu um limite de maestria nunca mais alcançada, deriva inicialmente da influência de Flandres" (Ramalho Ortigão, *Arte Portuguesa*, II, p. 240).

maestrina [Do it. *maestrina.*] *S. f. Mús.* Fem. de *maestro.*

maestrino [Do it. *maestrino*, dim. pejorativo.] *S. m.* Compositor de música ligeira.

maestro [Do it. *maestro*, 'mestre'.] *S. m. Mús.* **1.** Compositor musical. **2.** Regente de orquestra ou banda. [Fem.: *maestrina.*]

maetinguense *Adj. 2 g.* 1. De, ou pertencente ou relativo a Maetinga (BA). ● *S. 2 g.* 2. O natural ou habitante de Maetinga.

mãe-velha *S. f. Bras. N.E.* Rede grande, bem usada e confortável. [Pl.: *mães-velhas.*]

mafabé *Adj. 2 g. Bras. SP* Diz-se de pessoa sem nenhum préstimo.

mafamético *Adj.* Pertencente ou relativo a Mafamede ou Mafoma (designações de Maomé) (v. *maometano*).

mafarrico [De or. obscura.] *S. m. Pop.* 1. V. *diabo* (2): "Deus me perdoe se a pequena não parecia instrumento do mafarrico para me atentar." (José Cardoso Pires, *Jogos de Azar*, p. 133.) 2. *P. ext.* Pessoa endiabrada.

mafé [Do criol.] *S. 2 g. Guin.* Carne ou peixe que acompanha o arroz: "eu já faço um enorme esforço para terem mafé no almoço" (Domingas Barbosa Mendes Samy, *A Escola*, p. 14).

má-fé *S. f.* Intenção dolosa; perfídia. [Pl.: *más-fés.*]

máfia [Do dialeto siciliano *mafia*, 'audácia', 'bazófia', 'insolência', poss. do ár. *mahyah*, 'ufanismo', 'bazófia'.] *S. f.* 1. Sociedade secreta, fundada na Itália no séc. XIX para garantir a segurança pública, e posteriormente acusada de participação em numerosos crimes. 2. *P. ext.* Grupo criminoso bem organizado.

mafião *Adj. S. m. Bras. Pop.* Covarde, poltrão.

máfico [De *ma(gnésio)* + *f(erro)* + *-ico*²; ingl. *mafic.*] *Min. Adj.* 1. Diz-se de mineral rico em ferro e manganês, como, p. ex., a olivina, o piroxênio, o anfibólio, etc. ~ V. *rocha — a.* ● *S. m.* 2. Mineral máfico.

mafioso (ô) [Do it. *mafioso.*] *S. m.* 1. Membro da máfia: "Mafiosos japoneses disputam a chefia do crime organizado" (*Jornal do Brasil*, 15.07.1984). 2. *P. ext.* Indivíduo hábil e inescrupuloso. ● *Adj.* 3. Que é membro da máfia. 4. Próprio de, ou que lembra um mafioso (1 e 2): *atitude mafiosa; cara mafiosa.*

mafoma [Do antr. ár. *muḥammad* (Maomé), cujo significado original é 'louvado', e, p. ext., 'aquilo (p. ex., escultura) que é objeto de louvor'.] *S. f.* Escultura grande e tosca, que representa uma figura humana.

mafomista *S. 2 g.* Partidário de Mafoma ou Maomé (v. *maometano*).

má-formação *S. f.* 1. Formação anômala, irregular. 2. *P. ext. Fig.* Formação moral perversa. 3. *Ter.* Anomalia de constituição caracterizada por formação (5) anormal ou defeituosa, congênita ou hereditária; cacomorfose, deformidade. [Var.: *malformação.* Pl.: *más-formações.*]

mafrense *Adj. 2 g.* 1. De, ou pertencente ou relativo a Mafra (Portugal e SC). ● *S. 2 g.* 2. O natural ou habitante de Mafra.

mafua *S. f. Angol. Bot.* V. *guajuru* (1). [Cf. *mafuá.*]

mafuá [De or. obscura.] *S. m.* 1. *Bras. RJ* Feira ou parque de diversões com barracas, jogos, carrosséis, etc.: "procissões, bandas de música, circos, mafuás" (Osmã Lins, *Nove, Novena*, p. 91). 2. Falta de ordem; bagunça. [Cf. *mafua.*]

mafumeira [Do quimb. *mafuma* + *-eira.*] *S. f. Angol. Bot.* V. *sumaúma* (1): "Vivia este numa casa de velhas tábuas de mafumeira que deixavam entrar as estrelas pelas fendas" (Antônio Jacinto, *Fábulas de Sanji*, p. 25).

mafurá [De or. indígena, poss.] *S. m. Bras. Zool.* V. *pacupeba.*

mafurra [Do changana *mafurha*, 'óleo', 'gordura'.] *S. f. Moç.* Fruto da mafurreira: "vendia o calção de caqui, por alturas do Natal, a troco de mafurra" (Luís José Loforte, *Diálogos do Desencanto*, p. 33).

mafurreira [De *mafurra* + *-eira.*] *S. f. Moç. Bot.* Árvore meliácea (*Trichilia emetica*) de porte mediano e grande copa, que produz madeira dura, utilizada em obras de marcenaria, e fruto de cujas sementes se extrai um óleo comestível e, tb., destinado ao fabrico do sabão: "E no sítio da tua sepultura, mãe / debaixo das mafurreiras de frutos de ouro / .... / pesam os muros de cimento" (José Craveirinha, *Karingana ua Karingana*, p. 131).

maga [Fem. de *mago.*] *S. f.* Mulher que pratica magia (1); feiticeira, bruxa, mágica.

magaíça [Do ronga *ma-gayisa.*] *S. m. Moç.* Trabalhador que regressa das minas da África do Sul: "trouxe comprado: calça grande de funil, apertada, candeeiros, sapatos de inglês e chapéu grande, à moda de magaíça." (Inácio Matsinhe, *Transformei-me em Tartaruga para Resistir*, p. 48).

magala [De or. obsc.] *S. m. Gír. Lus.* Soldado raso: "um malandro, que vinha de púrria com seis magalas" (Vergílio Ferreira, *Manhã Submersa*, p. 14).

magalânico *Adj.* 1. Pertencente ou relativo ao navegador português Fernão de Magalhães (1480-1521). 2. Da, ou pertencente ou relativo à província ou ao estreito de Magalhães (Chile). ● *S. m.* 3. O natural ou habitante dessa província.

magalhães-baratense *Adj. 2 g.* 1. De, ou pertencente ou relativo a Magalhães Barata (PA). ● *S. 2 g.* 2. O natural ou habitante de Magalhães Barata. [Pl.: *magalhães-baratenses.*]

magalhense *Adj. 2 g.* 1. De, ou pertencente ou relativo a Magalhães de Almeida (MA). ● *S. 2 g.* 2. O natural ou habitante de Magalhães de Almeida.

magana [De or. obscura.] *S. f.* 1. *Mús.* Espécie de tocata antiga. 2. Mulher desenvolta e/ou lasciva. ● *Adj. (f.)* 3. Namoradeira.

maganagem [De *magano* + *-agem*².] *S. f.* 1. Grupo de pessoas maganas. 2. V. *maganice.*

maganão [De *magano* + *-ão*¹.] *Adj. S. m.* Que, ou aquele que pratica muitas maganices ou é muito magano; pândego: "– Agora lá vou eu; queiram ouvir-me, disse um alegre maganão de bom gosto." (Antônio Gonçalves Teixeira e Sousa, *O Filho do Pescador*, p. 43.)

maganeira [De *magano* + *-eira.*] *S. f.* V. *maganice.*

maganice [De *magano* + *-ice.*] *S. f.* Ato ou dito de magano; maganeira, maganagem: "Dizia-lhe então maganices de velho amoroso" (Fialho d'Almeida, *Lisboa Galante*, p. 101).

magano¹ [Alter. do tax. (*Swietenia*) *mahagoni*, poss.] *S. m. Bot.* V. *mogno* (1).

magano² [De *mangana*, poss.] *Adj.* 1. Jovial, engraçado, travesso; atrevido, malicioso. ● *S. m.* 2. Indivíduo magano. 3. Indivíduo de baixa extração.

maganona (ô) *S. f.* Fem. de *maganão.*

magarefe [Do ár.-hisp. **magrif.*] *S. m.* 1. Aquele que mata e esfola reses nos matadouros; açougueiro, carniceiro, carneador: "A fazenda vendia gado no pelo e matava para o mercado, cortando, na vila, com os seus magarefes." (José Vieira, *Vida e Aventura de Pedro Malasarte*, p. 211.) 2. *Fig.* V. *açougueiro* (3).

magari *Bras. S. 2 g.* 1. *Etnôn.* Indivíduo dos magaris, povo indígena extinto que habitava a região do alto Amazonas (AM). ● *Adj. 2 g.* 2. Pertencente ou relativo a esse povo. [Tb. us. como *s. 2 g. e 2 n.* (com cap.) e *adj. 2 g. e 2 n.*]

magazine [Do fr. *magasin* < ár. *ma'zan*, 'depósito'; 'despensa' (cf. etim. de *armazém*), pelo ingl. magazine.] *S. m.* 1. *Bras.* Publicação periódica, ger. ilustrada e de caráter recreativo: "Num desses magazines americanos em que você contenta a sua moderada curiosidade do mundo exterior li uma teoria justificativa da história curta." (Domício da Gama, *Histórias Curtas*, p. VI.) [Cf. *revista*².] 2. Casa onde se vendem artigos de modas; loja. 3. *Cin. Fot.* Recipiente à prova de luz, acoplável à câmera, que contém o filme virgem. [Tem, ger., sistema de tração baseado em dois carretéis: um para o filme virgem e outro para bobiná-lo, após sua exposição através da objetiva.] [V. *formato magazine.* Cf., nesta acepç., *cartucho* (3), *chassi* (2) e *cassete* (1).] 4. *Tip.* Receptáculo de forma trapezoidal montado ao alto da linotipo e congêneres, e em cujos canais deslizam as matrizes para o componedor, quando se aciona o teclado. [Sin., p. us.: *armazém, depósito.*]

magbá [Do ior.] *S. m. Rel.* Sacerdote de Xangô que se encarregava de manter vivo o seu culto na Terra, depois que se tornou orixá.

magdaleão [Do gr. *magdaliá*, 'miolo de pão', 'pasta amassada em forma de cilindro'.] *S. m. Farmac.* Medicamento enrolado em cilindro.

magdalenense [Do lat. *Magdalena* (v. *magdaleniano*) + *-ense.*] *Adj. 2 g.* Relativo ao grande abrigo rochoso encontrado em La Madeleine (Dordonha, França), onde foram descobertos, pela primeira vez, restos arqueológicos pertinentes ao período plistoceno.

magdaleniano [Do lat. *Magdalena*, f. latinizada do top. *La Madeleine*, sítio arqueológico de Dordonha (França), + *-iano.*] *Adj.* 1. Pertencente ou relativo ao período que cobre a última parte do período paleolítico superior (q. v.): *a arte magdaleniana.* 2. Relativo ao tipo antropológico desse período, na evolução do homem: *um crânio magdaleniano.* 3. Relativo ao sítio arqueológico de La Madeleine, onde foram descobertos, pela primeira vez, restos arqueológicos pertinentes ao período plistoceno.

magdense *Adj. 2 g.* 1. De, ou pertencente ou relativo a Magda (SP). ● *S. 2 g.* 2. O natural ou habitante de Magda.

mageense (èên) *Adj. 2 g.* 1. De, ou pertencente ou relativo a Magé (RJ). ● *S. 2 g.* 2. O natural ou habitante de Magé.

magenta [Do top. *Magenta* (Itália).] *Adj. 2 g.* 1. V. *carmim* (4 e 5). ● *S. m.* 2. V. *carmim* (1 e 2). [Em fotogravura é usada em lugar do vermelho, nos filtros e tintas, para maior fidelidade ao original. Cf. *ciano.*]

magérrimo *Adj.* V. *macérrimo.*

maghemita [De *mag(netita)* + *hem(atita)* + *-ita*³.] *S. f. Min.* Mineral isométrico, óxido de ferro dimorfo da hematita.

magia [Do gr. *mageía*, pelo lat. *magia.*] *S. f.* 1. Arte ou ciência oculta com que se pretende produzir, por meio de certos atos e palavras, e por interferência de espíritos, gênios e demônios, efeitos e fenômenos extraordinários, contrários às leis naturais; mágica, bruxaria. 2. *Fig.* Religião ou doutrina dos magos; magismo. 3. *Fig.* Magnetismo, fascinação, encanto, mágica. 4. *Antrop.* Conjunto mais ou menos sistemático de saberes, crenças e práticas, relativamente institucionalizados dentro de um grupo social, e que dizem respeito à possibilidade de manipular certas forças impessoais ou indecifráveis que se manifestam na natureza, na sociedade ou nos indivíduos. ◆ **Magia branca.** Umbanda (1). **Magia imitativa.** Aquela em que se imita a causa desejada. **Magia negra.** Magia (1) praticada com maus propósitos; bruxaria, necromancia, nigromancia. **Magia simpática.** Aquela em que se pretende ter ação sobre pessoa ou objeto distante, dos quais se possui uma parte.

magiar [Do húng. *magyar.*] *Adj. 2 g. S. 2 g.* V. *húngaro* (1 a 3).

mágica [F. subst. do adj. *mágico.*] *S. f.* 1. V. *magia* (1). 2. V. *prestidigitação.* 3. V. *maga.* 4. *Fig.* V. *magia* (3). [Cf. *magica*, do v. *magicar.*]

magicar [De *maginar*, por infl. de *mágico*, poss.] *V. t. d.* 1. *Fam.* Pensar, ruminar. *T. i. Int.* 2. Cismar muito; andar apreensivo; maginar. 3. Pensar; cismar, devanear: "podia magicar à vontade nas regiões inexploradas daquele país imenso, ... percorrer em sonhos aquele *Far West* com búfalos de imaginação" (José Gomes Ferreira, *O Mundo dos Outros*, p. 63). [Conjug.: v. *trancar.* Pres. ind.: *magico, magicas, magica*, etc. Cf. *mágico* e *mágica.*]

mágico [Do gr. *magikós*, pelo lat. *magicu*, por via erudita.] *Adj.* 1. Respeitante à magia. 2. Extraordinário, sobrenatural, fantástico. 3. Encantador, delicioso, fascinante, mago. ~ V. *arte —a, lanterna —a, olho —, quadrado —* e *realismo —.* ● *S. m.* 4. V. *mago* (3). 5. V. *prestidigitador*: *os mágicos do circo.* [Cf. *magico*, do v. *magicar.*]

mágico-religioso (ô) *Adj.* Relativo à magia e à religião, ou que integra elementos de ambas. [Pl.: *mágico-religiosos.*]

maginação [De *imaginação*, com aférese.] *S. f. Ant. Pop.* Imaginação.

maginar [De *imaginar*, com aférese.] *V. int.* 1. *Ant. Pop.* Imaginar: "– Você nem magina como eu ando!" (Amando Fontes, *Os Corumbas*, p. 114.) 2. *Bras. Pop.* V. *magicar* (2).

magismo [De *magia* + *-ismo.*] *S. m.* 1. Prática de magia (1). 2. Magia (2).

magisterial [De *magistério* + *-al*¹.] *Adj. 2 g.* 1. Referente a magistério. 2. Na Igreja Católica, diz-se de definição proveniente de um órgão do magistério.

magistério [Do lat. *magisteriu.*] *S. m.* 1. *Educ.* Cargo de professor. 2. *Educ.* Exercício desse cargo; ensino, professorado. 3. *Educ.* A classe dos professores. 4. Designação comum, outrora, a certos compostos, minerais principalmente, aos quais se atribuíam virtudes extraordinárias. 5. Na Igreja Católica, exercício da autoridade de ensinar, ligada ao episcopado ou ao supremo pontificado.

magistrado [Do lat. *magistratu.*] *S. m.* 1. Indivíduo investido de múnus público, *i. e.*, delegatário de poderes da nação ou do poder central, para governar ou distribuir justiça. 2. *Restr.* Juiz, desembargador, ministro.

magistral [Do lat. tard. *magistrale.*] *Adj. 2 g.* 1. Relativo ou pertencente a mestre. 2. *Fig.* Perfeito, completo, exemplar. ~ V. *forma —* e *medicamento —.* ● *S. m.* 3. Cônego que exerce o magistério, principalmente de teologia.

magistralidade [De *magistral* + *-(i)dade.*] *S. f.* 1. Qualidade de magistral ou de magistrado. 2. Tom pomposamente magistral; pedantismo.

magistrando [Do lat. *magistru*, 'mestre', com a desin. de gerundivo que existe em *bacharelando, doutorando, formando*, etc. (v. *-ando*).] *S. m.* Candidato a mestre.

magistrático [Do lat. *magistratus*, 'magistrado', + *-ico*².] *Adj.* De, ou respeitante a magistrado.

magistratura [Do lat. *magistratus*, 'magistrado', + *-ura.*] *S. f.* 1. Dignidade ou funções de magistrado. 2. A classe dos magistrados. 3. Duração do cargo do magistrado. ◆ **Magistratura em pé.** O Ministério Público.

magma [Do gr. *mágma*, pelo lat. *magma.*] *S. m.* 1. Massa natural fluida, ígnea, de origem profunda, e que, ao esfriar-se, se solidifica, originando a rocha magmática. 2. Matéria espessa que fica depois de se espremer uma substância. 3. Qualquer substância pastosa e viscosa, como a lava, o vidro derretido, etc. 4. *Farm.* Linimento espesso. 5. *Tec.* Num cristalizador, a solução saturada de onde precipitam os cristalitos.

magmático [De *magma* + *-ático.*] *Adj.* Referente a magma. ~ V. *corrosão —a* e *rocha —a.*

magnanimidade [Do lat. *magnanimitate.*] *S. f.* 1. Qualidade de magnânimo. 2. Ato próprio de quem é magnânimo.

M

magnânimo [Do lat. *magnanimu.*] *Adj.* **1.** Que tem grandeza de alma; generoso, liberal, bizarro, longânime. **2.** Próprio de alma nobre e generosa: *gesto magnânimo.*

magnata [Do lat. tard. *magnates.*] *S. m.* **1.** Antiga designação dos membros da alta nobreza, na Polônia e na Hungria. **2.** Pessoa importante, poderosa, influente ou ilustre. V. *mandachuva.* **3.** Grande capitalista. [F. paral.: *magnate.*]

magnate [Do lat. tard. *magnates*, 'senhores', 'potentados', 'pessoas gradas', tomado no sing.] *S. m.* V. *magnata.*

magné *Bras. S. 2 g.* **1.** *Etnôn.* Indivíduo dos magnés, povo indígena extinto que habitava o MT. ● *Adj. 2 g.* **2.** Pertencente ou relativo a esse povo. [Tb. us. como *s. 2 g. e 2 n.* (com cap.) e *adj. 2 g. e 2 n.*]

magnesemia [De *magnés(io)* + *-emia.*] *S. f. Med.* Teor de magnésio no sangue.

magnésia [Do top. gr. *Magnesía*, pelo lat. *Magnesia*, e pelo fr. *magnésie.*] *S. f. Quím.* O óxido de magnésio, branco, cristalino, us. como refratário e em medicina [fórm.: MgO].

magnesiano [De *magnésio* ou *magnésia* + *-ano*[1].] *Adj.* **1.** Relativo ao magnésio, ou à magnésia. **2.** Que contém, ou tem por base, o magnésio ou a magnésia. [Sin. ger.: *magnésico.*]

magnésico [De *magnésio* ou *magnésia* + *-ico*[2].] *Adj.* V. *magnesiano.*

magnésio [Do lat. cient. *magnesium.*] *S. m. Quím.* Elemento de número atômico 12, metálico, branco-prateado, leve, reativo [símb.: *Mg*].

magnesita [De *magnésio* + *-ita*[2].] *S. f. Min.* Mineral trigonal, carbonato de magnésio, largamente empregado na manufatura de refratários [v. *refratário* (6)] especiais e na fabricação de vários sais de magnésio.

magnetéléctrico *Adj. Fís.* V. *magnetelétrico.*

magnetelétrico [De *magneto-* + *elétrico.*] *Adj. Fís. Desus.* Diz-se de fenômeno em que estão presentes campo magnético e campo elétrico.

magnetencefalografia [De *magnet(o)-* + *-encefal(o)-* + *-grafia.*] *S. f. Neur.* Processo de registro de sinais magnéticos proporcionais a traçado eletrencefalográfico.

magnetencefalográfico [De *magnetencefalografia* + *-ico*[2].] *Adj. Neur.* Relativo à magnetencefalografia.

magnetencefalógrafo [De *magnet(o)-* + *-encefal(o)-* + *-grafo.*] *S. m. Neur.* Aparelho com que se realiza a magnetencefalografia.

magnetencefalograma [De *magnet(o)-* + *-encefal(o)-* + *-grama.*] *S. m. Neur.* Registro obtido mediante o uso de magnetencefalógrafo.

magnético [Do gr. *magnetikós*, pelo lat. tard. *magneticu*, e pelo fr. *magnétique.*] *Adj.* **1.** Relativo ao magneto ou ímã, ou ao magnetismo. **2.** Que tem a propriedade de atrair o ferro como o magneto. **3.** *Fig.* Que exerce atração forte ou influência profunda; atraente, fascinador, sedutor: *olhar magnético.* ~ V. *acoplamento —, agulha —a, balança —a, banda —a, birrefringência —a, blindagem —a, cabeça —a, campo —, campo — terrestre, cartas —as, circuito —, declinação —a, dipolo —, disco —, equador —, espelho —, fita —a, fluxo —, inclinação —a, indução —a, marcação —a, onda —a transversal, número quântico —, polo —, polo — terrestre, potencial —, quadro —, ressonância —a, ressonância —a nuclear, rumo —, salto —, tambor —* e *tempestade —a.*

magnetismo [Do fr. *magnétisme.*] *S. m.* **1.** *Fís.* Designação comum às propriedades características dos campos e das substâncias magnéticas. **2.** Influência exercida por um indivíduo na vontade de outro(s). **3.** *Fig.* Propriedade de atrair, de encantar, de seduzir; atratividade, fascinação, encantamento. ◆ **Magnetismo animal.** Segundo Mesmer (v. *mesmeriano*), força vital de que são dotados certos indivíduos, e que propicia uma série de fenômenos paranormais. [Cf. *mesmerismo.*] **Magnetismo terrestre.** *Geofís.* Geomagnetismo.

magnetita [Do fr. *magnétite.*] *S. f. Min.* Mineral monométrico, óxido de ferro fortemente magnético, minério de ferro.

magnetização [De *magnetizar* + *-ção*; fr. *magnétisation.*] *S. f.* **1.** Ato ou efeito de magnetizar. **2.** *Fís.* Processo em que se magnetiza um corpo; imantação. **3.** *Fís.* Momento magnético de um corpo por unidade de volume; imantação.

magnetizado [Part. de *magnetizar.*] *Adj.* Que sofreu magnetização.

magnetizador (ô) [De *magnetizar* + *-dor.*] *Adj.* **1.** Que magnetiza; magnetizante. ● *S. m.* **2.** Aquele que magnetiza.

magnetizante [De *magnetizar* + *-nte.*] *Adj. 2 g.* Magnetizador (1). ~ V. *energia —.*

magnetizar [De *magnet(o)-* + *-izar*; fr. *magnétiser.*] *V. t. d.* **1.** Comunicar o magnetismo a: *magnetizar uma agulha.* **2.** Dominar a vontade de; ter influência em. **3.** Atrair, encantar, fascinar: *O espetáculo magnetizava-o.*

magnetizável [De *magnetizar* + *-vel.*] *Adj. 2 g.* Suscetível de ser magnetizado.

magneto [F. abrev. de *magnetelétrica* (subentende-se *máquina*).] *S. m. Fís.* V. *ímã* (1).

▲ **magnet(o)-** [Do gr. *mágnēs, ētos.*] *El. comp.* = 'magneto', 'magnetismo', 'magnético', 'ímã': *magnetelétrico, magnetogenia, magnetômetro.* [Equiv.: *-magnet(o)-*: *arqueomagnetismo.*]

▲ **-magnet(o)-** Equiv. de *magnet(o)-.*

magnetocauda [De *magnet(o)-* + *-cauda.*] *S. f. Geofís.* Magnetopausa.

magnetoelétrico *Adj.* V. *magnetelétrico.*

magnetofone [De *magnet(o)-* + *fone.*] *S. m.* Gravador (2).

magnetofónico *Adj.* V. *magnetofônico.* [Uso freq. em P.]

magnetofônico [De *magnet(o)-* + *-fon(o)-* + *-ico*[2].] *Adj.* ~ V. *música —a.*

magnetoganho *S. f. Geofís.* Zona do espaço compreendida entre a magnetopausa e a onda de choque magnetosférica.

magnetogenia [De *magnet(o)-* + *-gen(o)-* + *-ia*[1].] *S. f.* Estudo dos fenômenos magnéticos.

magnetogénico *Adj.* V. *magnetogênico.* [Uso freq. em P.]

magnetogênico [De *magnetogenia* + *-ico*[2].] *Adj.* Referente à magnetogenia.

magnetógrafo [De *magnet(o)-* + *-grafo.*] *S. m. Astr.* Instrumento baseado no efeito Zeeman (q. v.) e destinado ao estudo e registro do campo magnético do Sol.

magnetologia [De *magnet(o)-* + *-logia.*] *S. f.* **1.** Estudo das ações magnéticas de ímãs e correntes elétricas, e das propriedades magnéticas da matéria. **2.** Ciência do magnetismo.

magnetológico [De *magnetologia* + *-ico*[2].] *Adj.* Referente à magnetologia.

magnetometria [De *magnet(o)-* + *-metria.*] *S. f. Geofís.* **1.** Medição dos campos magnéticos em geral. **2.** Estudo das variações, provocadas pelas rochas, no campo geomagnético.

magnetométrico [De *magnetometria* + *-ico*[2].] *Adj. Geofís.* Referente à magnetometria.

magnetómetro *S. m. Geofís.* V. *magnetômetro.* [Uso freq. em P.]

magnetômetro [De *magnet(o)-* + *-metro.*] *S. m. Geofís.* Instrumento destinado à medição de intensidade do campo magnético.

magnetomotriz [De *magnet(o)-* + *motriz.*] *Adj. 2 g.* V. *força —.*

magneton *S. m. Fís. Nucl.* V. *magnéton.*

magnéton [De *magnet(o)-* + *-on.*] *S. m. Fís. Nucl.* Unidade natural para a medição do momento magnético de uma partícula, esp. de elétron e de próton, e que é igual ao produto da carga elétrica da partícula pela constante de Planck dividido pelo produto do número *pi* por quatro vezes a massa da partícula.

magneto-óptica [De *magnet(o)-* + *óptica.*] *S. f.* Parte da física que investiga a influência dos campos magnéticos sobre a emissão, absorção e propagação da luz. [Pl.: *magneto-ópticas.*] ✣

magnetopausa [De *magnet(o)-* + *-pausa.*] *S. f. Geofís.* Limite externo da magnetosfera, que separa a zona de ação do campo magnético terrestre do vento solar; magnetocauda.

magnetoquímica [De *magnet(o)-* + *química.*] *S. f.* Parte da físico-química que investiga a estrutura das substâncias por métodos baseados em fenômenos magnéticos.

magnetoquímico [De *magnetoquímica*, com var. suf. (v. *-ico*[2]).] *Adj.* Relativo à magnetoquímica.

magnetorrotação [De *magnet(o)-* + *rotação.*] *S. f. Ópt.* Atividade óptica provocada pela ação de um campo magnético sobre substância opticamente inativa.

magnetoscópico [De *magnetoscópio* + *-ico*[2].] *Adj.* Relativo ao magnetoscópio.

magnetoscópio [De *magnet(o)-* + *-scópio.*] *S. m.* **1.** Instrumento destinado a determinar a força magnética. **2.** Videocassete (2).

magnetosfera [De *magnet(o)-* + *-sfera.*] *S. f. Geofís.* Zona da atmosfera terrestre, além da ionosfera, na qual a taxa de ionização é próxima à unidade, as colisões são desprezíveis, e que se estende, por alguns milhares de quilômetros, até a magnetopausa, limite que a separa do espaço interplanetário.

magnetosférico [De *magnestosfera* + *-ico*[2].] *Adj. Met.* Referente à magnetosfera.

magnetosferologia [De *magnestosfera* + *-o-* + *-logia.*] *S. f. Geofís.* Ciência que estuda as magnetosferas.

magnetosferológico [De *magnetosferologia* + *-ico*[2].] *Adj. Geofís.* Referente à magnetosferologia.

magnetostática [De *magnet(o)-* + *-stat(o)-* + *-ica.*] *S. f. Fís.* Parte do magnetismo que estuda as propriedades e características dos campos magnéticos invariáveis com o tempo.

magnetostático [De *magnetostática*, com var. suf. (v. *-ico*[2]).] *Adj.* Referente à magnetostática. ~ V. *campo —.*

magnetostrição [De *magnet(o)-* + lat. **strictione*, calcado em *strictus*, de *stringere*, 'comprimir', 'apertar'.] *S. f. Fís.* Deformação de um corpo provocada pela ação de um campo magnético.

magnetostricção *S. f. Fís.* V. *magnetostrição.*

magnétron [De *magnet(o)-* + *-tron*, com haplologia.] *S. f. Eletrôn.* Válvula termiônica para gerar micro-ondas.

magnicida [Do lat. *magnus* + *-i-* + *-cida.*] *Adj. 2 g. S. 2 g.* Diz-se de, ou pessoa que comete magnicídio.

magnicídio [Do lat. *magnus* + *-i-* + *-cídio.*] *S. m.* Assassínio de grande homem, de pessoa eminente.

magnífica *S. m. Pop.* O *magnificat* (q. v.) rezado pelo povo quando troveja. [Cf. *magnífica*, do v. *magnificar.*]

magnificação [Do lat. tard. *magnificatione.*] *S. f.* Ato ou efeito de magnificar(-se).

magnificante [Do lat. *magnificante.*] *Adj. 2 g.* Que magnífica, engrandece.

magnificar [Do lat. *magnificare.*] *V. t. d.* **1.** Engrandecer, louvando; exaltar, glorificar: "Amemos com fervor, honremos, cantemos, magnifiquemos a harpa de ouro em que chorou Camões." (Martins Fontes, *A Dança*, p. 97.) **2.** Ampliar as dimensões de (um objeto); aumentar. *P.* **3.** Mostrar-se grande, magnífico; engrandecer-se. [Conjug.: v. *trancar.* Pres. ind.: *magnifico, magnificas, magnifica*, etc. Cf. *magnífico*, adj., fem. *magnífica*, e *magnífica*, s. m.]

➔ **magnificat** [maŋ'nifeʃkat] [Lat.] *S. m. Rel.* Cântico entoado por Maria por ocasião da visita a sua prima Isabel, conforme a narrativa do Evangelho de Lucas, e cuja primeira palavra, na tradução latina, é *magnificat* ('enaltece', 'magnifica'). [Cf. *magnífica.*]

magnificatório [De *magnificar* + *-tório.*] *Adj.* Que magnifica, exalta; glorificador.

magnificável [De *magnífica* + *-vel.*] *Adj. 2 g.* Digno de ser magnificado ou engrandecido.

magnificência [Do lat. *magnificentia.*] *S. f.* **1.** Qualidade de magnificente; grandiosidade, suntuosidade, pompa, esplendor: "o deslumbrante espetáculo que pressentiu [Sarah Bernhardt] ao aproximar-se de nossas montanhas, a magnificência do incomparável cenário que a cerca por todos os lados." (Joaquim Nabuco, *Escritos e Discursos Literários*, p. 4). **2.** Ostentação, aparato, luxo, brilho. **3.** Liberalidade, munificência, generosidade. ◆ **Vossa Magnificência.** Tratamento que se dá a reitor de universidade.

magnificente [Do lat. *magnificente.*] *Adj. 2 g.* **1.** Grandioso, suntuoso. **2.** Luxuoso, brilhante, ostentoso. **3.** Generoso, liberal. [Sin. ger.: *magnífico.*]

magnificentíssimo [Do lat. *magnificentissimu.*] *Adj.* Superl. abs. sint. de *magnífico.*

magnífico [Do lat. *magnificu.*] *Adj.* **1.** Magnificente. **2.** Muito bom ou muito belo; excelente: "Qualquer dos três compartimentos estava luxuosamente mobiliado e o leito era magnífico." (Artur Azevedo, *Contos Cariocas*, p. 57.) [Superl. abs. sint.: *magnificentíssimo.* Cf. *magnífico*, do v. *magnificar.*]

magniloquência (qüên) [Do lat. *magniloquentia.*] *S. f.* Qualidade ou caráter de magníloquo, estilo ou linguagem elevada; eloquência. ✣

magniloquentíssimo (qüen) *Adj.* Superl. abs. sint. de *magníloquo.* ✣

magníloquo [Do lat. *magniloquu.*] *Adj.* V. *eloquente* (1): "Do estilo seu magníloquo / Sentia-me capaz" (Antônio Feliciano de Castilho, *Os Amores*, II, p. 91). [Superl. abs. sint.: *magniloquentíssimo.*]

magnitude [Do lat. *magnitudine.*] *S. f.* **1.** Qualidade de magno; grandeza: "Como que a natureza quedava em humilhação extática, adorando silenciosamente o grande astro a pino, na glória de toda a sua magnitude" (Coelho Neto, *Turbilhão*, p. 86). **2.** *Fig.* Importância, gravidade: *a magnitude do problema.* **3.** *Astr.* O brilho de um astro, caracterizado por um número positivo ou negativo, que é tanto maior quanto menor é o brilho do astro. [A magnitude, que modernamente substitui *grandeza*, pode ser *absoluta* e *aparente.*]

magno [Do lat. *magnu.*] *Adj.* **1.** Grande; importante. **2.** Epíteto de certas personagens célebres: *Alexandre Magno, Carlos Magno.* ~ V. *aula —a, carta —a, conclusões —as, veia safena —a* e *Magna Carta.*

magnoleira [De *magnólia* + *-eira.*] *S. f. Bras. Bot.* Magnólia (2): "nem um só dia deixamos de ir pousar à sombra olente das suas magnoleiras em flor" (Oliveira Viana, *Pequenos Estudos de Psicologia Social*, p. 42).

magnólia [Do tax. *Magnolia* (< antr. [*Pierre*] *Magnol* [1638-1715], botânico francês), + lat. cient. *-ia* (v. *-ia*[2]).] *S. f. Bot.* **1.** O gênero-tipo das magnoliáceas, árvores e arbustos naturais da América do Norte e da Ásia, dotadas de folhas ou decíduas, ou sempre-verdes, e flores exuberantes, brancas, amarelas, róseas ou purpúreas. **2.** Qualquer espécie desse gênero, como, p. ex., a *Magnolia grandiflora*, cultivada como ornamental e procedente das regiões boreais, dotada de flores grandes, alvas e perfumadas; todas as espécies são tb. chamadas *magnoleiras*. **3.** Qualquer espécime desse gênero, ou a flor dele.

magnólia-amarela [De *magnólia* + o f. de *amarelo*.] ***S. f. Bras. Bot.*** Árvore magnoliácea (*Michelia champaca*) originária da Índia, Malásia e Indonésia, de porte médio, folhas persistentes, elípticas, verde-brilhantes na página superior e glaucas na inferior, e flor alaranjada; é muito us. na arborização das grandes cidades brasileiras. [Sin.: *magnólia-de-petrópolis, champaca*.]

magnólia-branca ***S. f. Bras. Bot.*** Pinho-do-brejo. [Pl.: *magnólias-brancas*.]

magnoliácea [Do tax. *Magnolia* (v. *magnólia*) + *-ácea*; tax. *Magnoliaceae*.] ***S. f. Bot.*** Espécime das magnoliáceas, família de dicotiledôneas, da ordem das magnoliales, que engloba árvores muito ornamentais pela beleza das flores. Folhas alternas; flores com grande número de peças em cada verticilo; perianto petaloide; carpelos livres, com um ou vários óvulos; fruto múltiplo, de natureza capsular ou indeiscente. Conhecem-se umas 100 espécies, basicamente dos países temperados; no Brasil há apenas duas espécies nativas.

magnoliáceo [De *magnoliácea*, com var. suf. (v. *-áceo*).] ***Adj. Bot.*** Pertencente ou relativo às magnoliáceas.

magnólia-de-petrópolis [De *magnólia* + *de* + o top. *Petrópolis*.] ***S. f. Bot.*** V. *magnólia-amarela*. [Pl.: *magnólias-de-petrópolis*.]

magnolial [Do tax. *Magnolia* (v. *magnólia*) + *-al*[1].] ***Adj. 2 g. Bot.*** Pertencente ou relativo às magnoliales.

magnoliale [Do tax. *Magnolia* (v. *magnólia*) + *-ale*; tax. *Magnoliales*.] ***S. f. Bot.*** Espécime das magnoliales, ordem de plantas odoríferas composta de seis famílias, entre elas as anonáceas e as magnoliáceas.

mágnum [Do fr. *magnum* < lat. *magnus, a, um*.] ***S. m.*** Garrafa de vinho que contém o equivalente a duas garrafas normais.

mago [Do iraniano, pelo gr. *mágos* e do lat. *magu*.] ***S. m.* 1.** Antigo sacerdote zoroástrico, entre os medos e persas. **2.** *Ant.* Astrólogo; adivinho. **3.** Homem que pratica a magia (1). [Sin., nesta acepç.: *feiticeiro, bruxo, mágico*, (bras., N.) *juremeiro* e (impr.) *necromante* e *nigromante*.] **4.** Cada um dos três reis que foram a Belém adorar o Menino Jesus. ● ***Adj.* 5.** *Fig.* V. *mágico* (3): *os magos sons do violino*; "Enche o meu peito, num encanto mago, / O frêmito das coisas dolorosas..." (Florbela Espanca, *Sonetos Completos*, p. 97).

mágoa [Do lat. *macula*, por via pop.] ***S. f.* 1.** Mancha ou nódoa proveniente de contusão. **2.** *Fig.* Desgosto, amargura, pesar, tristeza. **3.** *Fig.* Sentimento ou impressão desagradável causada por ofensa ou desconsideração; descontentamento, desagrado. **4.** *Fig.* Dó, lástima, pena. [Cf. *magoa* (ô), do v. *magoar*.]

magoado [Part. de *magoar*.] ***Adj.* 1.** Ferido, pisado, contundido. **2.** Melindrado, ofendido, suscetibilizado. **3.** Aflito, contristado. **4.** Repassado de mágoa, de pesar; dorido, dolorido, lastimoso: *palavras magoadas*.

magoante [De *magoar* + *-nte*.] ***Adj. 2 g.*** Magoativo.

magoar [Do lat. *maculare*, por via pop.] ***V. t. d.* 1.** Ferir, pisar, contundir: "encontrou-se na calçada, a pisar as pedras que lhe magoavam os pés macios." (Joaquim Paço d'Arcos, *Carnaval e Outros Contos*, p. 119). **2.** Melindrar, ofender, suscetibilizar: *Aquela negativa magoou seu orgulho.* **3.** Afligir, contristar, melindrar. ***Int.* 4.** Provocar mágoa: *Muitas vezes a verdade magoa.* ***P.* 5.** Sofrer contusão no corpo. **6.** Contristar-se, afligir-se, melindrar-se. [Conjug.: v. *coroar*. Pres. ind.: *magoo, magoas* (ô), *magoa* (ô), etc. Cf. *mágoa*.]

magoativo [De *magoar* + *-tivo*.] ***Adj.*** Que produz mágoa; que magoa; magoante.

magoável [De *magoar* + *-vel*.] ***Adj. 2 g.*** Passível de ser magoado; suscetível.

magodo [Do gr. *magodós*.] ***S. m. Teatr.*** Na antiga comédia grega, ator burlesco que representava papéis de homem vestido de mulher.

magofonia [Do gr. *magophonía*.] ***S. f.*** Festa de aniversário da matança dos magos, entre os persas.

magonçalo ***S. m. Bras. Bot.*** V. *urucurana* (1).

magonga ***S. m. Bras. Zool.*** V. *cação-magonga*.

magonguê ***S. m.*** V. *mangonguê*.

magote [De or. incerta; poss. de uma língua pré-romana da Espanha, fonte tb. do esp. *magote*.] ***S. m.*** V. *quantidade* (3).

magra [F. subst. do adj. *magro*.] ***S. f. Bras. Pop.* 1.** V. *tuberculose*. **2.** A morte humana; a morte: "Quem é mordido desse bicho não tem raiva, o que tem é medo. Tem um medo danado. O que quer é fugir da magra, de qualquer maneira." (Rute Guimarães, *Água Funda*, p. 169.) **3.** V. *magro* (7).

magrebino [Do top. *Magreb* (< ár. *mahrib*, 'o poente', 'o oeste') + *-ino*[1].] ***Adj.* 1.** Relativo à região africana do Magrebe, conhecida pelos antigos como África Menor, de ocupação predominantemente árabe e berbere, e que se estende do Marrocos à Cirenaica (O. da Líbia), abrangendo a planície litoral do Mediterrâneo e os montes Atlas. ● ***S. m.* 2.** O natural ou habitante dessa região.

magreira [De *magro* + *-eira*.] ***S. f. Pop.*** Magreza causada por doença.

magrelo [De *magro* + *-elo*.] ***Adj. S. m. Bras.*** V. *magricela*: "Lá passa o homem alto, magrelo, a melena escorrendo do chapelão de palha" (Telmo Vergara, *Contos da Vida Breve*, p. 238).

magrém [De *magro*.] ***S. f.* 1.** V. *magreza*. **2.** *Bras. BA* Entre os sertanejos, a estação da seca.

magrento [De *magro* + *-ento*.] ***Adj.*** V. *magricela*: "Ali tinha um jacaré morador magrento" (Manuel de Barros, *Matéria de Poesia*, p. 64).

magreta (ê) ***Adj. (f.)*** Fem. de *magrete*.

magrete (ê) [De *magro* + *-ete* (ê).] ***Adj. Fam.*** Um tanto magro; magruço. [Fem.: *magreta*.]

magrez (ê) [De *magro* + *-ez*.] ***S. f.*** V. *magreza*: "Um rapaz franzino, meio alto, de roupa clara, mostrando na magrez malsã de desnutrido um estranho constrangimento." (Gilberto Amado, *Depois da Política*, p. 145.)

magreza (ê) [De *magro* + *-eza*.] ***S. f.*** Qualidade ou estado de magro; magrém, magrez.

magricela [De *magriço* + *-ela*.] ***Adj. 2 g.* 1.** Diz-se de pessoa muito magra, pouco robusta; magrelo, magricelo, magriz, magriço, magrizel, magrizela, magruço: "era uma negrinha, magricela, um frangalho de nada" (Machado de Assis, *Páginas Recolhidas*, p. 7). ● ***S. 2 g.* 2.** Pessoa muito magra; magrelo, magricelo, magrizela, magrizel, magriz, magriço, mirra.

magricelo [De *magriço*[2] + *-elo*.] ***Adj. S. m. Bras.*** V. *magricela*.

magriço[1] [Do antr. *Magriço*, alcunha de Álvaro Gonçalves Coutinho, personagem da história de cavalaria *Doze de Inglaterra*.] ***S. m.* 1.** Paladino das damas; defensor dedicado das mulheres. **2.** Defensor piegas e/ou ridículo de coisas fúteis.

magriço[2] [De *magro* + *-iço*.] ***Adj. S. m.*** V. *magricela*.

magrinha [F. subst. de *magrinho*, dim. de *magro*.] ***S. f. Pop.* 1.** *Bras. BA* V. *tuberculose*. **2.** *Bras. SP* Espingarda fina, de pequeno calibre.

magríssimo ***Adj.*** Macérrimo (q. v.).

magriz [De *magro*.] ***Adj. S. m.*** V. *magricela*.

magrizel ***Adj. S. m.*** V. *magricela*. [Pl.: *magrizéis*.]

magrizela ***Adj. 2 g. S. 2 g.*** V. *magricela*: "Assesta para nós os olhos .... certo sujeito magrizela e vestido de preto" (Aquilino Ribeiro, *Alemanha Ensanguentada*, p. 120); "A morte era representada por um indivíduo magrizela, com máscara de caveira" (Martins Fontes, *A Dança*, p. 28).

magro [Do lat. *macru*.] ***Adj.* 1.** Falto de tecido adiposo; que tem carnes escassas: *indivíduo magro*. **2.** Que tem pouca ou nenhuma gordura ou sebo: *filé magro*. **3.** *Fig.* Pouco rendoso: *um magro emprego*. **4.** Insignificante, escasso, parco: *magros vencimentos*; "um pobre monge / Tem uma pobre cela e magra ceia" (Almeida Garrett, *Camões*, p. 29). [Superl. abs. sint.: *magríssimo* e *macérrimo* (q. v.).] **5.** Diz-se dos dias ou do tempo em que a Igreja não permite comer carne. **6.** *Tip.* Claro (21). **7.** *Bras.* Diz-se das cartas pertencentes aos naipes de ouros e paus: *valete magro*; *ás magro*. [Tb. us. como s. f., mas só em relação à palavra *carta*: *Só batia a parada com magras*.] ~ V. *argamassa —a, argila —a, cal —a, concreto —, dia —, leite —* e *sábado —*. ● ***S. m.* 8.** Indivíduo magro (1).

magruço [De *magro* + *-uço*.] ***Adj. Bras.* 1.** V. *magricela* (1): "e Dona Emerenciana, grandona, magruça, de saias largas, fazia a demonstração diante de Lucinda" (Albertino Moreira, *Boca-Pio*, p. 125). **2.** Magrete.

maguari [Var. de *baguari*.] ***S. m. Bras. Zool.*** Ave ciconiiforme, ardeídea (*Ardea cocoi*), das costas marítimas e, principalmente, das águas interiores da América do Sul. Dorso cinzento-escuro; cabeça, crista, estria no meio da garganta, meio do peito e da barriga, e rêmiges, pretos, o restante do abdome branco. [Sin.: *bagauri, baguari, garça-parda, mauari, socó-grande*.]

magusto [De or. obscura.] ***S. m.* 1.** Fogueira para assar castanhas. **2.** As castanhas assadas em fogueira.

mahleriano ***Adj.* 1.** Pertencente ou relativo a Gustav Mahler (1860-1911), compositor e maestro austríaco, ou próprio dele. **2.** Diz-se de grande admirador e/ou profundo conhecedor de sua obra. ● ***S. m.* 3.** Grande admirador, seguidor e/ou profundo conhecedor da obra de Mahler.

maí [Do fom *mahi*.] ***S. 2 g.* 1.** *Etnôn.* Indivíduo dos maís, povo que vive no N. da República do Benim (África). [V. *tútsi* e *tuá*.] ● ***Adj. 2 g.* 2.** Relativo ou pertencente aos maís. [Var.: *marrim*.]

maia[1] [De *maio*.] ***S. f. Lus.* 1.** Antiga festa popular portuguesa, nos primeiros dias de maio. **2.** Grande boneca de palha de centeio, farelos e trapos, vestida de branco, que no 1º de maio os algarvios colocam no meio da casa, dançando e cantando em torno dela. **3.** Mulher que se adorna com mau gosto.

maia[2] [Do sânscr., 'ilusão'.] ***S. f.*** Na filosofia hinduísta, a aparência, ilusória, da diversidade do mundo, que oculta a verdadeira unidade universal.

maia[3] ***S. 2 g.* 1.** *Etnôn.* Indivíduo dos maias, povo indígena da América Central e parte do México, notável por seu grau de civilização. ● ***S. m.* 2.** *Gloss.* A língua desse povo, ainda hoje falada no México; iucateque. **3.** *Gloss.* Família linguística do México e América Central, da qual o maia (2) faz parte. ● ***Adj. 2 g.* 4.** Pertencente ou relativo aos maias, ou a maia[2] (2 e 3).

maiá ***S. m. Bras. MT*** V. *baiá*.

maiaca [Do tax. *Mayaca*, de or. incerta.] ***S. f. Bot.* 1.** Gênero de maiacáceas que reúne quatro espécies aquáticas com folhas sésseis, estreitas, espiraladas, flores hermafroditas, esbranquiçadas, e frutos capsulares; são nativas de regiões tropicais das Américas, e de Angola. **2.** Qualquer das espécies desse gênero, como, p. ex., a *maiacá*, tb. classificada como xiridácea. **3.** Qualquer espécime desse gênero.

maiacá [De or. incerta.] ***S. f. Bot.*** Planta maiacácea (*Xyris americana*) de pequeninas folhas em roseta, flores espiciformes amarelas, e que habita regiões tropicais das Américas.

maiacácea [Do tax. *Mayaca* (v. *maiaca*) + *-ácea*; tax. *Mayacaceae*.] ***S. f. Bot.*** Espécime das maiacáceas, família de commelinales que compreende apenas o gênero *Mayaca* (v. *maiaca*).

maiacáceo [De *maiacácea*, com var. suf. (v. *-áceo*).] ***Adj. Bot.*** Pertencente ou relativo às maiacáceas.

maiapena ***Bras. S. 2 g.* 1.** *Etnôn.* Indivíduo dos maiapenas, povo indígena extinto que habitava a margem direita do rio Negro (AM). ● ***Adj. 2 g.* 2.** Pertencente ou relativo a esse povo. [Tb. us. como *s. 2 g. e 2 n.* (com cap.) e *adj. 2 g. e 2 n.*]

maiassauro [Do gr. *maîa*, 'mãe', + *-sauro*; tax. *Maiasaura*.] ***S. m. Paleont.* 1.** Gênero de dinossauros ornitísquios, hadrossauros, herbívoros, com cerca de 9m de comprimento e 3t de peso; habitaram a América do Norte no cretáceo. [Os fósseis foram encontrados protegendo ovos em seu ninho, donde a denominação científica.] **2.** Espécie ou espécime desse gênero.

maié ***Bras. S. 2 g.* 1.** *Etnôn.* Indivíduo dos maiés [ou (etnôn. bras.) *Mayé], povo indígena extinto que habitava as margens do rio Uaçá (N. do AP). ● ***Adj. 2 g.* 2.** Pertencente ou relativo a esse povo.

▲ **maieus-** [Do gr. *maíeusis, eōs*.] ***El. comp.*** = 'parto': *maieusofobia, maieusomania*.

maieusofobia [De *maieuso-* + *-fobia*.] ***S. f. Psiq.*** Medo mórbido do parto.

maieusofóbico [De *maieusofobia* + *-ico*[2].] *Psiq.* ***Adj.* 1.** Relativo a maieusofobia. **2.** Que sofre de maieusofobia; maieusófobo. ● ***S. m.* 3.** Aquele que sofre de maieusofobia; maieusófobo.

maieusófobo [De *maieus-* + *-fobo*.] ***Adj. S. m. Psiq.*** Maieusofóbico (2 e 3).

maieusômana ***S. f.*** V. *maieusômana*. [Uso freq. em P.]

maieusômana [De *maieus-* + *-mana*.] ***S. f.*** Mulher acometida por maieusomania.

maieusomania [De *maieuso-* + *-mania*.] ***S. f. Psiq.*** Quadro psicótico que por vezes sobrevém ao parto; psicose puerperal.

maieusomaníaco [De *maieusomania* + *-íaco*.] ***Adj. Psiq.*** **1.** Relativo a maieusomania. **2.** Que tem maieusomania; maieusômano.

maieusómano ***Adj. Psiq.*** V. *maieusômano*. [Uso freq. em P.]

maieusômano [De *maieus-* + *-mano*[1].] ***Adj. Psiq.*** Maieusomaníaco (2).

maiêutica [Do gr. *maieutiké (téchne)*.] ***S. f.* 1.** Processo dialético e pedagógico socrático, em que se multiplicam as perguntas a fim de obter, por indução dos casos particulares e concretos, um conceito geral do objeto em questão. [Cf. *ironia socrática*.] **2.** *Obst.* V. *obstetrícia*.

maiêutico [Do gr. *maieutikós*.] ***Adj.*** Relativo à maiêutica.

➔ **mailing list** ['mejlı̃ŋ 'lıst] [Ingl.] *Market.* V. *lista* (7).

mailo [Equiv. do adv. *mais* e do art. *lo*[1].] ***Lus. Ant. Pop.*** Em companhia do; junto com o; com o; a mailo: "A minha Noiva sairá de casa / Maila sua Mãe, mailos seus Irmãos." (Antônio Nobre, *Só*, pp. 44-45.) [Var.: *malo*.] ◆ **A mailo. 1.** Em companhia do; junto com o; com o; mailo: "Lá vai o Bernardo da Silva do Mar, / A mailos quatro filhinhos" (Id., *ib.*, p. 35). **2.** Com o; contra o: "E a Mãe-Madrinha, do tempo da guerra / A mailos Franceses, / Quando ia

M

ao confesso, à ermida da serra, / Levava-me, às vezes." (Id., *ib.*, p. 15.)

maimbaré (a-im) *Bras. S. 2 g.* **1.** *Etnôn.* Indivíduo dos maimbarés, povo indígena extinto da família linguística aruaque, que habitava as margens dos rios Papagaio e Sangue (MT). ● *Adj. 2 g.* **2.** Pertencente ou relativo a esse povo. [Tb. us. como *s. 2 g. e 2 n.* (com cap.) e *adj. 2 g. e 2 n.*]

mainá [De *mainate*, com apócope.] *S. m. Zool.* Ave passeriforme esturnídea, com cerca de 12 espécies naturais da Malásia, ilhas de Sonda e Filipinas; coloração escura, apresentando duas carúnculas carnudas que balançam dos lados da cabeça, bico cor de laranja, e que imita a fala humana com rara perfeição. [Sin.: *mainate*.]

mainate [Do malaio, pelo fr. *mainate*.] *S. m. Zool.* Mainá.

mainato [Do malaio *mannatan*.] *S. m. Moç.* Empregado que lava e engoma a roupa: "Ouve-se, depois, o riso solto e descarado do mainato, de pele negra e lustrosa, de branco engomado" (Álvaro Récio, *Tchaya – Da Inocência à Revolução Adiada*, p. 118).

mainça (a-ín) [De *mão*[1].] *S. f.* **1.** V. *mancheia*. **2.** Remate do fuso.

mainel [De *mão*[1].] *S. m.* Corrimão. [Pl.: *mainéis*.]

→ **mainframe** ['mejnfɹejm] [Ingl., de *main*, 'principal', + *frame(work)*, 'moldura, estrutura'; termo originalmente aplicado, nas décadas de 1960 e 1970, ao conjunto do processador central e memória principal dos computadores.] *S. m. Inform.* Computador de grande porte, ger. compartilhado por diversos usuários por meio de terminais e periféricos.

maio [Do lat. *Maiu*.] *S. m.* **1.** *Cronol.* O quinto mês dos calendários juliano e gregoriano, com 31 dias. **2.** *Fig.* Tempo de flores e alegrias; primavera: *A vida lhe foi um eterno maio.* ● *Adj.* **3.** Maiozinho (2): *lírios maios.*

maiô [Do fr. *maillot*.] *S. m. Vest.* Traje de banho feminino feito, ger., de tecido de malha, leve e de secagem rápida, que molda o corpo (modernamente apenas o torso). [Cf. *biquíni* (2).]

maioba *S. f. Bot.* V. *fedegoso-verdadeiro*.

maiólica [Do it. *maiolica*.] *S. f.* Faiança italiana, em especial a do Renascimento. [Var.: *majólica*.]

maionese [Do fr. *mayonnaise*.] *S. f. Cul.* **1.** Espécie de molho frio feito de azeite, vinagre, sal e gema de ovo batidos juntos. **2.** Salada de batata, ou de legumes, preparada com este molho.

maionga [Do quimb.] *S. f. Bras. Rel.* Em candomblés de rito angola e em cultos por ele influenciados, banho de cheiro ritual que corresponde ao ariaxé (q. v.).

maior [Do lat. *majore*.] *Adj. 2 g.* **1.** Que excede outro em tamanho, espaço, intensidade, duração, grandeza, número, importância, etc.; máximo, superior: *o maior dos artistas; um maior período de tempo; o maior lápis.* **2.** Que chegou à maioridade; maior de idade. [Sin. (bras., pop.) nesta acepç.: *de maior*.] **3.** Que tem mais que determinada idade: *maior de 20 anos.* ~ V. *Cão* —, *força* —, *glândula vestibular* —, *leito* —, *modo* —, *premissa* —, *quinta-feira* —, *redondilha* —, *semieixo* —, *sexta-feira* —, *termo* — e *Ursa* —. ● *S. 2 g.* **4.** Indivíduo maior (2). ~ V. *maiores*. [Antôn.: *menor*.] ◆ **Maior de idade.** V. *maior* (2). **A maior.** V. *a mais*: *Na conferência do caixa, notou-se uma diferença a maior entre o valor apurado e o que se havia contabilizado.* **De maior.** *Bras. Pop.* **1.** V. *maior* (2): *F. é de maior.* **2.** Da maior importância ou significação: *questão de maior.* **Ser o maior.** *Bras. Fam.* Estar por cima dos demais; ser mais notável ou importante que os demais; ser o tal: *Este cantor é o maior.*

maioral [De *maior* + *-al*[1].] *S. 2 g.* **1.** O chefe, o cabeça. **2.** Aquele que se distingue dos outros pela sua superioridade; maior. **3.** O maior de todos (os animais de um rebanho). **4.** *Bras.* V. *mandachuva*. **5.** *Bras. RS* O boleeiro da diligência. **6.** *Bras. RS* Capataz de tropa ou de estância. ● *S. m.* **7.** *Bras. CE* V. *diabo* (2). **8.** *Bras. Rel.* Na umbanda popular e na quimbanda, epíteto de Exu. [Com cap., nesta acepç.]

maioral-mor *S. m.* O principal dos maiorais. [Pl.: *maiorais-mores*.]

maioranta *S. f. Bras. Bot.* V. *fanfã*.

maior de todos *S. m.* V. *dedo médio*. [Pl.: *maiores de todos*.] ☑

maiores [Do lat. *majores*.] *S. m. pl.* Antepassados, ascendentes, avós: *Honremos os nossos maiores.* ~ V. *maior*.

maioria [De *maior* + *-ia*[1].] *S. f.* **1.** *Desus.* Qualidade maior; superioridade, excelência: *a maioria do engenho; a maioria da virtude.* **2.** O maior número; a maior parte: *A maioria das mulheres usa cosméticos.* **3.** Pluralidade de votos em um sufrágio, assembleia, sociedade; corporação, etc.: *eleito por pequena maioria; aprovado por maioria.* **4.** A pluralidade de votos favoráveis: *O partido não tem maioria na Câmara.* **5.** Partido ou aliança de partidos que, no parlamento, compreende o maior número de votos. [Antôn.: *minoria*.] ◆ **Maioria absoluta.** Número igual ou superior à metade do total dos votos e mais um ou mais meio. **Maioria relativa.** Simples superioridade numérica de votos.

maioridade [De *maior* + *-(i)dade*.] *S. f.* **1.** A idade (no Brasil, 18 anos) em que o indivíduo entra no gozo de todos os direitos pessoais e civis. **2.** Estado ou condição de quem atingiu a maioridade (1). **3.** *P. ext.* Desenvolvimento completo de uma sociedade. ◆ **Maioridade eleitoral.** A idade (no Brasil, 16 anos) em que o indivíduo pode exercer o direito de voto, em eleições políticas. **Maioridade penal.** Condição de maioridade (no Brasil, aos 18 anos) para efeitos criminais.

maiorista [De *maior* ou de *maioria* + *-ista*.] *S. 2 g.* **1.** Partidário do sistema eleitoral baseado na maioria dos votos. **2.** *Bras.* Partidário da antecipação da maioridade do imperador D. Pedro II.

maiormente [De *maior* + *-mente*.] *Adv.* Mormente: "A exigência do marido em receber o Rubião, como dantes, era excessiva; maiormente pela causa dada." (Machado de Assis, *Quincas Borba*, p. 95.)

maiorquino *Adj.* **1.** Da, ou pertencente ou relativo à ilha Maiorca (Espanha), uma das ilhas Baleares (mar Mediterrâneo). ● *S. m.* **2.** O natural ou habitante da Maiorca.

maiozinho [De *maio* + *-z-* + *-inho*[2].] *Adj.* **1.** Referente a maio. **2.** Que aparece ou floresce em maio; maio: *cerejas maiozinhas.*

maipoca [Do tupi.] *S. f. Bras. AM* Replantação duma roça de mandioca, feita ou à proporção que ela é desmanchada, ou depois de retiradas todas as raízes aproveitáveis; muiuíra.

maipure *S. 2 g. Adj. 2 g. Bras.* V. *aruaque* (1 e 3).

maipuré [Do tupi amazonense.] *S. m. Bras. Amaz. Zool.* **1.** V. *marianita*. **2.** Periquito-de-cabeça-preta.

maiquiniquense *Adj. 2 g.* **1.** De, ou pertencente ou relativo a Maiquinique (BA). ● *S. 2 g.* **2.** O natural ou habitante de Maiquinique.

mair (a-i) *S. m. Bras.* **1.** Designação que davam aos franceses os indígenas brasileiros. **2.** Herói cultural dos índios urubu-caapor (q. v.): "Houve um tempo, e já vai longe, em que entre os índios urubu-caapor os homens nada faziam. Mair .... criara homens e mulheres extraindo-os de uma madeira..." (Edilson Martins, *Páginas Verdes*, p. 103.) [Com cap., nesta acepç.]

mairá [Do tupi amazonense.] *S. f. Bras. Amaz. Bot.* Arbusto icacináceo (*Humirianthera duckei*) escandente, dotado de grande tubérculo subterrâneo rico em amido, que é aproveitado na fabricação de uma espécie de maisena, usada na alimentação; mandiocaçu.

mairata [Do tupi.] *S. m. Bras.* Um dos gênios da teogonia tupi.

mairiense *Adj. 2 g.* **1.** De, ou pertencente ou relativo a Mairi (BA). ● *S. 2 g.* **2.** O natural ou habitante de Mairi.

mairinquense[1] *Adj. 2 g.* **1.** De, ou pertencente ou relativo a Conselheiro Mairinck (PR). ● *S. 2 g.* **2.** O natural ou habitante de Conselheiro Mairinck.

mairinquense[2] *Adj. 2 g.* **1.** De, ou pertencente ou relativo a Mairinque (SP). ● *S. 2 g.* **2.** O natural ou habitante de Mairinque.

mairiporanense *Adj. 2 g.* **1.** De, ou pertencente ou relativo a Mairiporã (SP). ● *S. 2 g.* **2.** O natural ou habitante de Mairiporã.

mairipotabense *Adj. 2 g.* **1.** De, ou pertencente ou relativo a Mairipotaba (GO). ● *S. 2 g.* **2.** O natural ou habitante de Mairipotaba.

mais [Do lat. *magis*.] *Adv.* **1.** Designa aumento, grandeza, superioridade ou comparação: *Sua riqueza cresce cada dia mais; São Paulo é o mais populoso dos estados do Brasil; É mais difícil fazer do que criticar.* **2.** Exprime limite: *Seu apartamento não vale mais 100.000 reais.* **3.** Além disso; também, igualmente: *Protestou inocência, e mais desafiou os seus acusadores a que provassem o contrário.* **4.** Com preferência; preferentemente, antes: *Mais quer ser pobre e altivo que rico e sabujo.* **5.** Outra(s) vez(es); de novo: *Não tratemos mais desses assuntos.* **6.** Com a negativa, pode ter o valor de *já*: *Velho, não trabalha mais.* [Os puristas preferem: *já não trabalha*.] **7.** Com a negativa, também indica cessação de ação, equivalendo a 'nunca mais': "Viu-a boiar [a taça] suspendida, / Té que as ondas a levaram: / Os olhos se lhe toldaram, / E não bebeu mais em vida!" (Antero de Quental, *Raios de Extinta Luz*, p. 137.) ● *S. m.* **8.** O resto, o restante: *Já contei alguma coisa; o mais fica para depois.* **9.** A maior quantidade ou parte; o maior número: *Passa o mais do tempo a estudar; O mais das vezes, acorda tarde.* **10.** Aquilo que vai além de algo (podendo ser aquilo que é mais importante, mais belo, mais diferente, etc.): "Os olhos, porém, eram o menos. O mais era a reputação de mau gênio que esta moça trazia." (Machado de Assis, *Contos sem Data*, p. 74.) ● *Prep.* **11.** *Pop.* Em companhia de; com: *Vou morar mais você;* "E jornadeio em fantasia / Essas jornadas que eu fazia / Ao velho Douro, mais meu pai." (Antônio Nobre, *Só*, p. 38); "Foi a Xapecó buscá-lo, mais Napoleão que lhe deu algumas instruções de como dirigir o veículo." (Guido Vilmar Sassi, *São Miguel*, p. 179). ● *Conj. adit.* **12.** E (1): "Encheu, minha Marília, o grande Jove / de imensos animais de toda a espécie / as terras, mais os ares" (Tomás Antônio Gonzaga, *Marília de Dirceu*, p. 57); "papai mais mamãe querem que eu vá estudar para padre." (Bernardo Guimarães, *O Seminarista*, p. 9). ● *Pron. indef.* **13.** Maior, ou em maior quantidade, em maior número: *Poucos têm mais entusiasmo pela ciência do que eu; Vendeu mais livros este mês que no anterior.* **14.** Outros, restantes, demais: "Não negues, confessa / Que tens certa pena / Que as mais raparigas / Te chamem morena." (Guerra Junqueiro, *A Musa em Férias*, p. 109.) [Cf. *maís*.] ◆ **Mais e mais.** Cada vez mais; a mais e mais: *Os desentendimentos tornaram-se mais e mais graves.* **Mais hoje, mais amanhã.** *Fam.* Em breve, dentro em pouco; em futuro mais ou menos próximo. **Mais para lá do que para cá.** **1.** Prestes a morrer: *Salvou-se da queda por milagre: esteve 10 dias mais para lá do que para cá.* **2.** Um tanto afeminado. **A mais.** **1.** Além do necessário, do essencial, do devido, ou do ideal; a maior, de mais: *Por engano, deu-me você dinheiro a mais.* **2.** V. *além disso*: "o fazendeiro, avelhuscado por força de sucessivas decepções e, a mais, roído pelo cancro feroz dos juros, ... coçava cem vezes ao dia a coroa da cabeça grisalha." (Monteiro Lobato, *Urupês, Outros Contos e Coisas*, pp. 96-97). **A mais e mais.** Mais e mais: "Tinha já contado casos de fé sincera e castiça, outros de indiferença, dissimulação e versatilidade; os dois ascetas estavam a mais e mais anojados" (Machado de Assis, *Várias Histórias*, p. 27). **Até mais ver.** V. *até logo*. **Até mais.** V. *até logo*. **De mais.** **1.** Capaz de causar estranheza; anormal: *Não vejo nada de mais em sua resposta.* **2.** V. *a mais*: "Ou a Fé toda completa, cabal, absoluta, sem um átomo de menos, sem um átomo de mais... ou nenhuma fé." (Antônio Feliciano de Castilho, *O Presbitério da Montanha*, p. 116.) [Cf. *demais*.] **De mais a mais.** Além de tudo; ainda por cima; ainda em cima, além disso. **E mais.** **1.** Mais; e; e também: "das brancas ovelhinhas tiro leite, / e mais as finas lãs, de que me visto." (Tomás Antônio Gonzaga, *Marília de Dirceu*, p. 1). **2.** E contudo; e note-se que: "Não mofes dos meus quinze anos, leitor precoce. Com dezessete, Des Grieux (e mais era Des Grieux) não pensava ainda na diferença dos sexos." (Machado de Assis, *Dom Casmurro*, p. 101); "Que importa onde os pés se firmam, / Se é porque o olhar se erga à luz? / Bem podre é o chão dos mortos, / E mais lá se hasteia a cruz!" (Antero de Quental, *Primaveras Românticas*, p. 153). **Nem mais nem menos.** Exatamente, precisamente: "Aqui tens – concluí eu – nem mais nem menos a história do tio, dos seus motivos de reclusão, e da sua morte desastrosa" (Machado de Assis, *Contos Avulsos*, p. 162). **Sem mais nem mais.** V. *sem mais nem menos*. **Sem mais nem menos.** **1.** Sem motivo, sem razão; sem quê nem para quê. **2.** De pronto, de repente; sem mais preâmbulos: "Viera... um cigano de arribação, ... atirado a conquistador, e, sem mais nem menos, se metera com ela" (Visconde de Taunay, *Ao Entardecer*, p. 38). [Sin. ger.: *sem mais nem mais, sem mais esta nem aquela*.]

maís [Do taino, pelo esp. *maíz*.] *S. m. Bot.* Variedade de milho graúdo. [Cf. *mais*.]

maisena [De *maís* + o fem. de *-eno*[1].] *S. f.* **1.** Certo produto farináceo constituído de amido de milho. **2.** *Bras.* Biscoito doce, em geral de forma alongada, feito de farinha de trigo, ovos e maisena.

→ **maison** [me'zõ] [Fr.] *S. f.* Ateliê de alta-costura.

mais-que-perfeito *Adj. S. m. E. Ling.* Diz-se de, ou tempo verbal que indica ação ou estado passado com relação ao perfeito (8): *Comprou uma casa, e pouco antes adquirira um automóvel.* [Usa-se muitas vezes (ger. na linguagem literária) em lugar do futuro do pretérito e do imperfeito do subjuntivo. Ex.: "Por serva, por escrava te servira [= serviria], / Se não temera [= temesse] de chamar senhora / A vil Paraguaçu" (Santa Rita Durão, *Caramuru*, VI, p. 40).] [Pl.: *mais-que-perfeitos*.]

maisquerer [De *mais* + *querer*.] *V. t. d. T. d. e i.* Querer mais a; preferir, antepor: *Dos livros que me oferece, maisquero o de Sartre; Maisquer a paz do que a riqueza; Maisqueremos as ciências do que as letras.* [Conjug.: v. *querer*.]

mais que tudo *S. m. 2 n.* Pessoa a quem muito se ama, a quem se dedica o maior afeto. ☑

mais-valia *S. f.* **1.** *Econ.* Na economia marxista, valor do que o trabalhador produz menos o valor de seu próprio trabalho (dado pelo custo de seus meios de subsistência). [A mais-valia mede a exploração dos assalariados pelos capitalistas e é a fonte do lucro destes.] **2.** *Bras. Pop.* Importância a pagar para a legalização de benfeitoria executada em imóvel sem a devida licença da prefeitura. [Pl.: *mais-valias.*]

maitaca [Var. de *baitaca.*] *S. f. Bras.* **1.** *Zool.* Ave psitaciforme, psitacídea (*Pionus menstruus*), distribuída por grande parte do Brasil, de coloração verde, cabeça, garganta e peito anterior azuis, crisso e mancha no meio da garganta vermelhos; suia. **2.** A espécie *P. maximiliani*, com uma subespécie no N.E. e outra no S.E.; suia. **3.** *Bras. PE SP* Sujeito falador, tagarela; papagaio.

maitaca-da-cabeça-vermelha *S. f. Bras. Zool.* V. *cuiú-cuiú* (1). [Pl.: *maitacas-da-cabeça-vermelha.*]

maitaca-roxa (ô) *S. f. Bras. Zool.* Ave psitaciforme, psitacídea (*Pionus fuscus*), do AM, PA e MA, de coloração parda, alto da cabeça azul, parte inferior do corpo lavada de violáceo, crisso e parte basal da cauda vermelhos, e rêmiges e ponta da cauda azul-escuras. [Sin.: *paraguaí, paranaí, papagainho-roxo.* Pl.: *maitacas-roxas* (ô).]

maitatá *S. m. Bras. Rel.* Babau[3].

→ **maître** ['mɛtʁ] [Fr.] *S. m.* Maître-d'hôtel.

→ **maître-d'hôtel** ['mɛtʁ do'tɛl] [Fr.] *S. m.* Garçom que superintende o serviço dos outros garçons. [Tb. se diz apenas *maître.*]

maiuíra (mai-u-í) *S. f. Bras. Zool.* V. *amboré.*

maiúscula [F. subst. de *maiúsculo.*] *S. f.* Letra maior que as outras, de formato peculiar, us. ger. como inicial de período, de nome próprio ou de palavra que se quer destacar; letra maiúscula: "Os títulos que eu pusera na capa do caderno, caprichando nas maiúsculas, estavam reproduzidos em clichê" (Ribeiro Couto, *Prima Belinha*, p. 188). [Cf. *letra de caixa-alta* e *minúscula.*]

maiusculizar [De *maiúsculo* + *-izar.*] *V. t. d.* **1.** Tornar maiúsculo. **2.** Escrever com inicial maiúscula.

maiúsculo [Do lat. *majusculu.*] *Adj.* **1.** *Tip.* Diz-se do caráter de tamanho maior das duas formas com que é representada uma mesma letra no alfabeto. V. *letra de caixa-alta.* **2.** *Bras. Fig.* Grande, excelente, superior, extraordinário: *escritor maiúsculo; problemas maiúsculos.* [Antôn.: *minúsculo.*] ~ V. *abecedário —, alfabeto —* e *letra —a.*

majestade [Do lat. *majestate.*] *S. f.* **1.** Grandeza suprema; elevação, excelência, superioridade, magnificência, sublimidade: *a majestade divina; a majestade da epopeia.* **2.** Aspecto grandioso e imponente; imponência: *a majestade do templo;* "o Marquês de Pombal, entrando na praça em toda a majestade de sua elevada estatura, levantou nos braços o velho fidalgo" (Rebelo da Silva, *Contos e Lendas*, p. 185). **3.** Gravidade, nobreza, altivez, solenidade, respeitabilidade: *a majestade do semblante real.* **4.** Título que se dá ao soberano de um Estado e à sua mulher. **5.** O poder supremo. ◆ **Sua Majestade Católica.** Título que se dava aos reis da Espanha. **Sua Majestade Imperial.** Título dado aos imperadores.

majestático [Do lat. *majestate*, 'majestade', + *-ico*[2].] *Adj.* **1.** Relativo a majestade ou poder supremo. **2.** Respeitável, augusto, majestoso. ~ V. *plural —.*

majestoso (ô) [De **majestatoso* (< lat. *majestate* + *-oso*), com haplologia.] *Adj.* **1.** Que tem majestade, nobreza, grandeza. **2.** Imponente, suntuoso. **3.** Sublime, belo. **4.** V. *majestático* (2).

majólica *S. f.* V. *maiólica.*

major [Do lat. *majore*, 'maior', pelo fr. *majeur.*] *S. m.* **1.** V. *hierarquia militar.* **2.** Oficial que detém o posto de major. [E m. us. *major*, abreviadamente, para designar *major-aviador.*] **3.** *Bras. Zool.* V. *taperá.*

majoração [Do fr. *majoration.*] *S. f. Bras.* Ato ou efeito de majorar.

majorana *S. f. Bras. Bot.* V. *fanfá.*

majorante [De *majorar* + *-nte.*] *Adj. 2 g.* **1.** Que majora, aumenta. **2.** *Dir. Proc.* Agravante (3).

majorar [Do fr. *majorer.*] *V. t. d. T. d. e c. Bras.* Tornar maior; aumentar: *majorar o preço dos produtos; O Governo majorou o preço dos combustíveis em 10%.*

major-aviador (ô) *S. m.* **1.** V. *hierarquia militar.* **2.** Oficial que detém o posto de major-aviador. [V. *major.* Pl.: *majores-aviadores.*]

major-brigadeiro *S. m.* **1.** V. *hierarquia militar.* **2.** Oficial que detém o posto de major-brigadeiro. [Tb. se diz, no Brasil, apenas *brigadeiro* (v. *brigadeiro* [3]).] [Pl.: *majores-brigadeiros.*]

majorense *Adj. 2 g.* **1.** De, ou pertencente ou relativo a Major Gercino (SC). ● *S. 2 g.* **2.** O natural ou habitante de Major Gercino.

majoria [De *major* + *-ia*[1].] *S. f.* Posto ou função de major.

majoritário [Do fr. *majoritaire.*] *Adj. Bras.* **1.** Relativo ou pertencente à maioria. **2.** Que conta com a maioria dos eleitores: *partido majoritário.* [Antôn.: *minoritário.*] ~ V. *portador —.*

major-vieirense *Adj. 2 g.* **1.** De, ou pertencente ou relativo a Major Vieira (SC). ● *S. 2 g.* **2.** O natural ou habitante de Major Vieira. [Pl.: *major-vieirenses.*]

majuba [Do tupi, poss.] *S. f. Bras. Amaz. Bot.* Erva campanulácea (*Sphenoclea zeylanica*) de folhas amplas e mínimas flores alvas.

→ **make-up** ['mejkəp] [Ingl.] *S. m.* Maquilagem.

→ **making of** ['mejkıŋ əv] [Ingl.] *S. m. 2 n. Cin. Prop. Telev.* Registro documental da produção de um filme, peça publicitária ou programa de televisão, ger. com entrevistas de seus produtores e atores.

mal[1] [Do lat. *malu.*] *S. m.* **1.** Aquilo que é nocivo, prejudicial, mau; aquilo que prejudica ou fere: *Não deseje mal ao próximo;* "Maldita sejas pelo Ideal perdido! / Pelo mal que fizeste sem querer! / Pelo amor que morreu sem ter nascido!" (Olavo Bilac, *Poesias*, p. 221). **2.** Aquilo que se opõe ao bem, à virtude, à probidade, à honra. **3.** Estado mórbido; moléstia, enfermidade, doença: *Seu mal é incurável.* **4.** Epidemia; calamidade. **5.** Angústia, tormento, mágoa, sofrimento, aflição. **6.** Desgraça, infelicidade, infortúnio. **7.** Dano, estrago, prejuízo: *A geada fez muito mal aos cafezais.* **8.** Opinião desfavorável ou caluniosa: *O crítico disse mal do espetáculo; Vive a dizer mal dos outros.* **9.** Inconveniente, desvantagem: *O mal é que só agora soube da notícia.* **10.** *Filos.* Privação ou imperfeição; mal metafísico. **11.** *Ét.* O contrário de bem (1). **12.** *Bras. S.* V. *hanseníase.* **13.** *Bras. N.* V. *raiva* (1). [Pl.: *males.* Antôn.: *bem.*] ~ V. *males.* ◆ **Mal da baía de são paulo.** V. *sífilis.* **Mal da pinta.** *Bras.* V. *carate.* **Mal da praia.** *Bras.* V. *erisipela.* **Mal das ancas.** *Bras.* V. *mal de escancha.* **Mal das montanhas.** *Med.* O conjunto de fenômenos resultantes da adaptação insuficiente à redução de oxigênio e às grandes altitudes, como, p. ex., dispneia, alterações de pressão arterial e da frequência do pulso, cefaleia, etc. **Mal da terra.** *Bras. S.* V. *ancilostomíase.* [Cf. *mal de terra.*] **Mal de Alzheimer.** *Psiq.* Doença de Alzheimer. **Mal de amores.** *Bras. CE Pop.* Qualquer doença venérea; doença do mundo. **Mal de ano.** *Bras.* Epizootia dos bovídeos (*Carbunculo symptomatico*). **Mal de bicho.** *Bras.* V. *maculo.* **Mal de cadeiras.** *Bras.* V. *mal de escancha.* **Mal de Chagas.** *Bras. Med.* V. *tripanossomíase americana.* **Mal de chupança.** *Bras. BA* V. *bexiga do cacau.* **Mal de coito.** V. *sífilis.* **Mal de cuia.** *Bras. SP Pop.* V. *lepra* (1). **Mal de engasgo.** *Bras.* Afecção esofagiana em que há distúrbio de deglutição; mal de engasgue; engasgo ou engasgue, entalo, entalação. **Mal de engasgue.** *Bras.* V. *mal de engasgo.* **Mal de escancha.** *Bras. MA* Epizootia que, nas regiões paludosas, acomete os cavalos e os inutiliza para sempre. [Tb. se diz apenas escancha; sin., em regiões diversas: *mal das ancas, mal de cadeiras, mal dos quartos, quebra-bunda, durina.*] **Mal de fiúme.** V. *sífilis.* **Mal de franga.** V. *sífilis.* **Mal de frenga.** V. *sífilis.* **Mal de garupa.** *Bras.* Tripanossomíase dos equídeos. **Mal de gota.** *Bras.* V. *epilepsia.* **Mal de Hansen.** *Patol.* V. *hanseníase.* **Mal de lázaro.** V. *lepra* (1): "via-se repudiado de todos, porque o negro mal de lázaro iria de mal a pior" (Valdomiro Silveira, *Os Caboclos*, p. 73). **Mal de luanda.** Escorbuto: "Muitos dos que escapam à morte nos navios negreiros vêm definhar nos caminhos do Brasil, atacados do mal de luanda ou de outras moléstias de mau caráter." (Eduardo Frieiro, *O Mameluco Boaventura*, p. 18.) **Mal de monte.** *Bras. N.E.* V. *erisipela.* **Mal de nápoles.** V. *sífilis.* **Mal de Parkinson.** *Neur. Patol.* V. *doença de Parkinson.* **Mal de Pott.** *Ort. Patol.* Espondilodiscite tuberculosa. **Mal de santa eufêmia.** V. *sífilis.* **Mal de são jó.** V. *sífilis.* **Mal de são lázaro.** V. *lepra* (1). **Mal de são névio.** V. *sífilis.* **Mal de são semento.** V. *sífilis.* **Mal de secar.** **1.** *Bras.* V. *tuberculose.* **2.** *Bras. BA* A tuberculose dos bovídeos. **Mal de sete dias.** Tétano do recém-nascido: "Cadê meu filho? É isso que vosmecê me pergunta, é? .... Morreu de mal de sete dias, nhor sim!" (Nélson de Faria, *Bazé*, p. 96.) **Mal de terra.** *Lus.* V. *epilepsia.* [Cf.: *mal da terra.*] **Mal do vaso.** *Bras. RS* Ferida na raiz dos cascos dos equídeos e bovídeos. [Sin., noutras regiões: *mal dos cascos.*] **Mal do monte.** V. *erisipela.* **Mal do pinto.** *Med.* V. *carate.* **Mal do sangue.** *Bras. Pop.* V. *lepra* (1). **Mal dos aviadores.** *Med.* V. *doença de descompressão*, em doença. **Mal dos cascos.** **1.** Febre aftosa dos bovídeos e equídeos. **2.** Mal de vaso. **Mal dos chifres.** *Bras.* Epizootia do gado vacum, localizada na base dos chifres, e que lhes origina a queda. [Sin., N.E.: *roedeira.*] **Mal dos cristãos.** V. *sífilis.* **Mal dos mergulhadores.** *Med.* V. *doença de descompressão*, em doença. **Mal dos peitos.** *Bras. Pop.* V. *tuberculose.* **Mal dos quartos.** *Bras.* V. *mal de escancha.* **Mal do veado.** *Pop.* Tétano (1). **Mal mal.** Mal e mal. **Mal metafísico.** *Filos.* Mal[1] (10). **Cortar o mal pela raiz.** Destruir inteiramente, e em tempo, aquilo que prejudica ou molesta, evitando consequências irremediáveis. **Deitar para mal.** Levar a mal. **Fazer mal.** Proceder mal; incorrer em falta; errar: *Você fez mal em ter vindo aqui.* **Fazer mal a.** **1.** Causar dano a; prejudicar. **2.** Contundir, machucar, ferir. **3.** *Bras.* Seduzir, deflorar, desflorar: *Fez mal à moça;* "um moleque de S. Bernardo fizera mal à filha do mestre de açúcar" (Graciliano Ramos, *S. Bernardo*, p. 33). **Levar a mal.** Levar para o mau sentido; deitar para mal: *Não leve a mal estas palavras.* **Não fazer mal a uma mosca.** Ser incapaz de prejudicar alguém; ser brando, bondoso. **Querer mal a.** Desejar que aconteçam males a; ter ódio a.

mal[2] [Do lat. *male.*] *Adv.* **1.** De modo mau, irregular, ou diferente do que devia ser: *Os negócios vão mal.* **2.** De modo imperfeito; erradamente, desacertadamente, incorretamente: *falar, escrever mal.* **3.** De maneira que não satisfaz o gosto ou vontade, ou a necessidade: *Jantou mal; Dormiu mal.* **4.** Rudemente, duramente: *O delegado tratou-os mal.* **5.** De maneira desfavorável ou ofensiva: *Falou mal de todos.* **6.** Pouco, escassamente: *verdades mal sabidas.* **7.** A custo; dificilmente, dificultosamente: *Abatidíssimo, mal conseguia dar alguns passos.* **8.** Contra a virtude, o bem, a justiça, o direito, a probidade, a moral, as boas normas: *julgar mal; pensar mal; portar-se mal.* **9.** Rapidamente; apenas; de leve: *Mal provou a comida.* **10.** Nunca, jamais: *Mal pensava que o doente escapasse.* **11.** Gravemente enfermo: *O interno está mal.* **12.** Em desavença; em desacordo: *Vive mal com os homens por amor de Deus.* [Antôn.: *bem.*] ● *Conj.* **13.** Logo que; apenas; mal que: *Mal chegaram, tiveram de partir.* ◆ **Mal e porcamente.** Sem perícia ou zelo; muito mal: *Limpou a sala mal e porcamente.* **Mal que.** V. *mal* (13): "Tertuliano, mal que o viu, atirou-se-lhe nos braços" (Artur Azevedo, *Contos fora da Moda*, pp. 12-13). **A mal.** Contra a vontade; à força. **De mal.** Com as relações de amizade cortadas: *Velhos amigos, hoje estão de mal.* **De mal a pior.** Com tendência a piorar ainda mais; cada vez pior: *A situação vai de mal a pior.* **Dizer mal de.** Fazer restrições, ataques a; fazer má ausência de.

▲ **mal-** [Do lat. *male.*] *Pref.* = 'mal', 'imperfeitamente', 'privação', 'intensificação': *mal-aventurado, mal-educado, maldizer, malmequer, malnascido, malsucedido, malvisto.* [É seguido de hífen em compostos sem el. de ligação quando antepõsto a palavra iniciada por vogal, *h* ou *l*: *mal-afortunado, mal-empregado, mal-entendido, mal-estar, mal-humorado, mal-informado, mal-limpo.*]

mala[1] [Do fr. *malle.*] *S. f.* **1.** Saco de couro ou pano, ordinariamente fechado com cadeado: *malas bancárias.* **2.** Espécie de caixa de madeira, de couro, lona, plástico, etc., destinada, em geral, ao transporte de roupas em viagem. [Dim. irreg.: *maleta, malote*; aum. irreg.: *malotão.*] **3.** *P. ext.* Mala[1] (1) para o transporte de correspondência; mala postal. **4.** *P. ext.* A correspondência postal. **5.** *Chulo* O estômago. **6.** *Bras.* Golpe dado em falso no jogo da pelota. **7.** *Bras. Chulo* Os órgãos genitais masculinos. **8.** *Lus.* Mala de mão (2). ◆ **Mala de garupa.** *Bras. RS* Pequeno saco, com uma abertura no centro, no sentido longitudinal, o qual se põe na parte posterior do lombilho ou do serigote, à maneira de alforjes. **Mala de mão.** **1.** *Bras.* Mala[1] (2) pequena, ger. de até 60cm de comprimento. **2.** *Lus.* Bolsa ou carteira de mulher. [Nesta acepç., tb. se diz apenas *mala.*] **Mala M.** Serviço postal, de âmbito internacional, us. para grande quantidade de impressos enviados por um único remetente a um mesmo destinatário. **Mala postal.** Mala[1] (3). **Arrastar a mala.** *Bras. N.E. Fam.* Ser logrado; levar um bolo. [Cf. *arrastar mala.*] **Arrastar mala.** *Bras. MG SP MT Pop.* Roncar bravatas; fazer ameaças. [Cf. *arrastar a mala.*] **De mala e cuia.** *Bras.* V. *com armas e bagagens.*

mala[2] *S. 2 g.* V. *mala sem alça.*

malabar [Do top. *Malabar* (Ásia).] *Adj. 2 g.* **1.** V. *malabarense* (1). ~ V. *jogos —es.* ● *S. 2 g.* **2.** V. *malabarense* (2). **3.** *Bras.* Variedade de gado bovino originária do cruzamento do touro zebu com vaca da terra.

malabarense [Do top. *Malabar* (Índia) + *-ense.*] *Adj. 2 g.* **1.** Da, ou pertencente ou relativo à região de Malabar (Ásia). ● *S. 2 g.* **2.** O natural ou habitante dessa região. [Sin. ger.: *malabar, malabarita.*]

malabarismo [De (*jogos*) *malabares* + *-ismo.*] *S. m.* **1.** Exercício de jogos malabares; habilidades de malabarista. **2.** *Fig.* Habilidade para lidar com situações difíceis, inseguras, instáveis: *Firmou-se no cargo graças aos seus malabarismos.*

malabarista [De *malabarismo* + *-ista.*] *S. 2 g.* **1.** Pantomimeiro que executa jogos malabares, tais como equilibrismo, habilidades com peloticas, etc.; equilibrista, pelotiqueiro. **2.** *Fig.* Pessoa que joga habilmente com as circunstâncias; equilibrista. [Cf. *malabarita.*]

malabarístico [De *malabarista* + *-ico*[2].] *Adj. 2 g.* De, ou relativo a malabarismo ou a malabarista.

M

malabarita [Do top. *Malabar* (Ásia) + *-ita*^{2}.] *Adj. 2 g. S. 2 g.* V. *malabarense*. [Cf. *malabarista*.]

malaca [De *mal*^{1}.] *S. f. Bras. SP* Moléstia, doença. ~ V. *malacas*.

mal-acabado [De *mal*^{2} + *acabado*.] *Adj.* **1.** Mal-executado, malfeito: 🕮 "santos mal-acabados, imagens de linhas duras, objetivavam a religião mestiça em traços incisivos de manipanços: Santos Antônios proteiformes e africanizados, de aspecto bronco, de fetiches; Marias Santíssimas, feias como megeras..." (Euclides da Cunha, *Os Sertões*, p. 185). [Antôn.: *bem-acabado*.] **2.** *Bras.* Diz-se de indivíduo esquipático, malfeito de corpo. [Pl.: *mal-acabados*.]

malacacheta (ê) *S. f. Bras. Min.* V. *mica* (1).

malacachetense *Adj. 2 g.* **1.** De, ou pertencente ou relativo a Malacacheta (MG). ● *S. 2 g.* **2.** O natural ou habitante de Malacacheta.

malacafento [De *malaca*.] *Adj. Bras.* Adoentado, achacado, indisposto.

malacantídeo [Adapt. do tax. *Malacanthidae*.] *Zool. S. m.* **1.** Espécime dos malacantídeos, família de peixes perciformes dos oceanos Atlântico, Pacífico e Índico, que apresentam nadadeiras dorsal e anal longas, a caudal lunada e opérculo com espinho. ● *Adj.* **2.** Pertencente ou relativo a eles. [Sin. ger.: *branquiostegídeo*.]

malacara [Do esp. plat. *malacara*.] *Adj. 2 g. S. 2 g.* **1.** *Bras. RS* Diz-se de, ou equídeo que, sem ser escuro, tem a testa branca, com uma listra da mesma cor desde o focinho até o alto da cabeça. [Cf. *picaço* (1).] **2.** *Bras. SP* Diz-se de, ou animal que tem a cara assinalada de listras ou malhas brancas. [Var.: *malacaro*.] ◆ **Malacara bragado.** *Bras. RS* Diz-se de, ou bovídeo que tem os mesmos sinais do equíde malacara.

malacaro *Adj. S. m. Bras. S.* V. *malacara*.

malacas *S. f. pl. Bras. PE AL Pej.* Mamas murchas e pendentes. ~ V. *malaca*.

malacatifa *S. f. Bras. PB Pop.* V. *cobra*^{1} (1).

malacia [Do gr. *malakía*, 'moleza'.] *S. f.* **1.** V. *calma* (4). **2.** *Fig.* Debilidade, fraqueza. **3.** Perversão do apetite que leva o doente a comer coisas extravagantes. [Cf. *malícia*, fem. de *malácio*.]

▲ **-malacia** [Do gr. *malakía*, as < gr. *malakós*, *é*, *ón*, 'mole'; 'doce'; 'delicado', + gr. *-ía* (v. *-ia*^{1}).] ***El. comp.*** = 'moleza', 'flacidez', 'amolecimento': *ceratomalacia*, *flebomalacia*, *histeromalacia*, *litomalacia*, *miomalacia*. [V. *malac(o)-* e *-ia*^{1}.]

malácio [De *malacia*.] *Adj.* Relativo ou semelhante à malacia. [Fem.: *malácia*. Cf. *malacia*.]

▲ **malac(o)-** [Do gr. *malako-* < gr. *malakós*, *é*, *ón*.] ***El. comp.*** = 'mole'; 'brando': *malacodermo*, *malacozoário*. [V. *-malacia*.]

malacocotíleo [De *malac(o)-* + *-cotil(o)-* + *-eo*; tax. *Malacocotylea*.] *S. m. Adj. Zool.* V. *digêneo*.

malacodermo [De *malac(o)-* + *-dermo*.] *Adj. Zool.* Que tem pele mole.

malacologia [De *malac(o)-* + *-logia*.] *S. f. Zool.* Tratado acerca dos moluscos. [Cf. *conquiliologia*.]

malacológico [De *malacologia* + *-ico*^{2}.] *Adj.* Referente à malacologia.

malacologista [De *malacologia* + *-ista*.] *S. 2 g.* Especialista em malacologia.

mal-aconselhado [De *mal*^{2} + *aconselhado*.] *Adj.* Que, em virtude de receber maus conselhos, procede sem tino. [Pl.: *mal-aconselhados*.]

malacópode [De *malac(o)-* + *-pode*; tax. *Malacopoda*.] *S. m. Adj. 2 g. Zool.* V. *onicóforo*.

malacopterígio^{1} [De *malac(o)-* + *-pterígio*.] *Adj. Zool.* Que tem barbatanas moles (diz-se de peixes).

malacopterígio^{2} [Adapt. do tax. *Malacopterygii*.] *Zool. P. us. S. m.* **1.** Espécime dos malacopterígios, grupo de animais, cordados, vertebrados, peixes, osteíctes, cujos raios das nadadeiras são moles e formados por anéis encadeados. ● *Adj.* **2.** Pertencente ou relativo a eles.

mal-acordado [De *mal*^{2} + *acordado*.] *Adj.* Que não está completamente desperto. [Pl.: *mal-acordados*.]

malacostráceo [De *malaco-* + *-ostrac(o)-* + *-eo*; tax. *Malacostraca*.] *Zool. S. m.* **1.** Espécime dos malacostráceos, subclasse de animais metazoários, artrópodes, crustáceos, com 14 ou 15 segmentos no tronco, oito pares de apêndices torácicos e seis de abdominais, e telso inteiro. A cabeça é normalmente soldada ao tórax, com abdome distinto, como ocorre, p. ex., nas lagostas. ● *Adj.* **2.** Pertencente ou relativo a eles.

mal-acostumado [De *mal*^{2} + *acostumado*.] *Adj.* Que se acostumou mal; mal-habituado. [Pl.: *mal-acostumados*.]

mal-adaptado^{1} [De *mal*^{2} + *adaptado*.] *Adj.* **1.** Adaptado, posto ou ajustado de modo incorreto, indevido ou imperfeito. **2.** Que não se adaptou totalmente a algo. **3.** Cuja adaptação foi malsucedida ou malfeita (diz-se de texto, obra, etc.). [Sin. ger.: mal-ajustado. Pl.: *mal-adaptados*.]

mal-adaptado^{2} [De *mal*^{2} + *-adaptado*.] *Adj. 2 g.* Que se adaptou mal ou de forma inconveniente. [Pl.: *mal-adaptados*.]

maladia [Do it. *malattia*, ou do fr. *maladie*.] *S. f. Ant.* Doença, moléstia.

mala-direta [De *mala*^{1} + o f. de *direto*.] *S. f. Market. Rel. Públ.* **1.** Sistema de comunicação dirigida em que o material promocional ou informativo é enviado pelo correio para público-alvo constante de determinada lista (5). **2.** *P. ext.* Lista (5) us. para remessa de mala-direta (1). [Cf. *marketing direto*.] [Pl.: *malas-diretas*.]

malafa [De uma língua banta.] *S. f. Bras. Rel.* No candomblé de caboclo e em cultos por ele influenciados, bebida alcoólica que se serve aos assistentes, e que os caboclos [v. *caboclo*^{1} (8)] e Exus tomam; marafa, marafo.

malafaia [De or. obsc.] *S. f. Bras. Bot.* Árvore ocnácea (*Cespedesia spathulata*), da América do Sul, de flores amarelas.

mal-afamado [De *mal*^{2} + *afamado*.] *Adj.* Que tem má fama, reputação má; malconceituado: 🕮 "Sempre havia alguém para lhe emprestar dinheiro .... Quem sabe, faziam-no para assim arriscar-se no jogo sem ir aos cassinos proibidos, às espeluncas mal-afamadas?" (Jorge Amado, *Dona Flor e Seus Dois Maridos*, p. 144.) [Antôn.: *bem-afamado*. Pl.: *mal-afamados*.]

mal-afeiçoado^{1} [De *mal*^{2} + *afeiçoado*^{1}.] *Adj.* Que não tem afeição a; que não sente inclinação por. [Pl.: *mal-afeiçoados*.]

mal-afeiçoado^{2} [De *mal*^{2} + *afeiçoado*^{2}.] *Adj.* Que tem má feição, mau aspecto; malfeito, mal-ajeitado. [Pl.: *mal-afeiçoados*.]

mal-afiado [De *mal*^{2} + *afiado*.] *Adj.* Que não foi convenientemente afiado.

mal-afortunado [De *mal*^{2} + *afortunado*.] *Adj.* V. *mal-aventurado*. [Pl.: *mal-afortunados*. Antôn.: *bem-afortunado*.]

málaga [Do top. *Málaga*.] *S. m.* Vinho proveniente de Málaga (Espanha).

malagma [Do gr. *málagma*, pelo lat. *malagma*, 'emplastro', 'cataplasma'.] *S. m. Farm.* Antiga denominação de cataplasma, esp. de cataplasma emoliente.

mal-agoirado *Adj.* V. *mal-agourado*: 🕮 "Tive o seu retrato, que, infelizmente, um acaso destruiu, ... numa mal-agoirada mudança." (Bulhão Pato, *Memórias*, I, p. 5.) [Pl.: *mal-agoirados*.]

mal-agourado [De *mal*^{2} + *agourado*, part. de *agourar*; var. de *mal-agoirado*.] *Adj.* Que tem mau agouro, presságio ruim; infausto, agourento. [Pl.: *mal-agourados*.]

mal-agradecido [De *mal*^{2} + *agradecido*.] *Adj. S. m. Bras.* Ingrato, desagradecido. [Pl.: *mal-agradecidos*. Antôn.: *bem-agradecido*.]

malaguenha [Do esp. *malagueña*.] *S. f.* **1.** *Mús.* Canção espanhola. **2.** Dança espanhola do grupo do fandango, em compasso ternário, e alternada com a canção.

malaguenho [Do esp. *malagueño*.] *Adj.* **1.** De, ou pertencente ou relativo a Málaga (Espanha). ● *S. m.* **2.** O natural ou habitante de Málaga. [Sin. ger.: *malaguês*.]

malaguês *Adj. S. m.* V. *malaguenho*. [Flex.: *malaguesa* (ê), *malagueses* (ê), *malaguesas* (ê).]

malagueta (ê) [De or. obsc.; poss. do top. *Malagueta*, na Guiné (África).] *S. f.* **1.** *Bot.* Erva zingiberácea (*Aframomum melegueta*) aromática e rizomatosa, de frutos capsulares vermelhos, cujas sementes e castanhas são us. como condimento picante; dongo (angol.), ndongo (angol.), nedungo (angol.). **2.** A semente dessa planta. **3.** *Bot.* V. *pimenta-malagueta*. **4.** *Marinh.* Pino de metal que se prende verticalmente em um mastro, antepara, turco, etc., a fim de nele dar-se volta a cabos de laborar. **5.** *Marinh. Ant.* Cada um dos pinos que se dispunham em torno das rodas de leme antigas para que o timoneiro as pudesse manejar com firmeza. **6.** *Teatr.* Cada uma das pequenas varas de madeira ou de ferro dispostas em série contínua nas traves da varanda (q. v.), nas quais se amarram as cordas que sustentam os cenários no urdimento. **7.** *Bras. Amaz.* Fruto novo do cacaueiro. **8.** *Bras. PE* Pedaço de pau onde se enrola o fio dos papagaios de papel.

malaiala [Do malaiala *Malayalam*.] *S. m.* **1.** *Gloss.* Língua dravídica falada na costa de Malabar, estado de Kerala (Índia). **2.** Vocábulo malaiala. ● *Adj. 2 g.* **3.** Pertencente ou relativo a essa língua.

malaio *Adj.* **1.** Da, ou pertencente ou relativo à Malásia (Ásia). ● *S. m.* **2.** O natural ou habitante da Malásia. [Sin., nessas acepç.: *malásio*.] **3.** *Gloss.* Língua malaio-polinésia falada na Malásia, na Tailândia, em Singapura, Brunei, Indonésia e áreas circunvizinhas. [O dialeto do S. da Península Malaia tornou-se língua oficial da Indonésia, referido como *indonésio* ou *bahasa-indonésio*. O *malaio de bazar* é uma versão pidginizada, em uso por todo o arquipélago indonésio. O *malaio de baba* é uma variedade crioulizada do malaio, falada pelos babas (v. *baba*^{3}).] **4.** Vocábulo dessa língua.

malaio de baba *S. m. Gloss.* V. *malaio* (3). ☑

malaio de bazar *S. m. Gloss.* V. *malaio* (3). ☑

malaio-polinésio *Adj.* **1.** Pertencente ou relativo à Malásia e à Polinésia. **2.** Pertencente ou relativo ao malaio-polinésio (3). ● *S. m.* **3.** *Gloss.* Família de línguas faladas no Pacífico, na área compreendida entre Madagascar (O.) e a ilha de Páscoa (L.), e entre Taiwan e Havaí (N.) e a Nova Zelândia (S.); austronésio. [Apontam-se, em geral, dois subgrupos principais: o *ocidental* (ao qual pertencem, além do chamorro e do palauano, falados na Micronésia, cerca de 400 línguas, faladas em Madagascar, na Malásia, na Indonésia, nas Filipinas, em Taiwan, e em algumas regiões do Vietnã, do Camboja e da Nova Guiné), e o *oriental* ou *oceânico* (constituído por cerca de 300 línguas, a maioria delas faladas na Nova Guiné e nas ilhas da Melanésia, Micronésia e Polinésia). Essas línguas são ainda classificadas, com relação ao grupo maior de ilhas em que são faladas, em: *indonésio*, *melanésio*, *micronésio* e *polinésio*.] **4.** Vocábulo malaio-polinésio. [Pl.: *malaio-polinésios*.]

mal-ajambrado [De *mal*^{2} + *ajambrado*.] *Adj. Bras.* V. *mal-amanhado*: 🕮 "Dr. Cláudio, baixo, mal-ajambrado, sempre metido numa capa de gabardine." (Antônio Olavo Pereira, *Fio de Prumo*, p. 66.) [Pl.: *mal-ajambrados*. Antôn.: *bem-ajambrado*.]

mal-ajeitado [De *mal*^{2} + *ajeitado*, part. de *ajeitar*.] *Adj.* V. *mal-amanhado*. [Pl.: *mal-ajeitados*.]

mal-ajustado [De *mal*^{2} + *ajustado*.] *Adj.* V. *mal-adaptado*. [Pl.: *mal-ajustados*.]

malali *Bras. S. 2 g.* **1.** *Etnôn.* Indivíduo dos malalis, povo indígena extinto que habitava a região da cabeceira do rio Suaçuí Grande (MG). ● *Adj. 2 g.* **2.** Pertencente ou relativo a esse povo. [Tb. us. como *s. 2 g. e 2 n.* (com cap.) e *adj. 2 g. e 2 n.*]

mal-amada [F. subst. de *mal-amado*.] *S. f.* Mulher irrealizada, não correspondida no seu amor. [Pl.: *mal-amadas*.]

mal-amado [De *mal*^{2} + *amado*.] *Adj.* **1.** Infeliz no amor, não correspondido no seu amor: 🕮 "porque a menina feiinha hoje, futura estudante da PUC, acabaria psicóloga automática mal-amada e inda mais rica." (Haroldo Maranhão, *As Peles Frias*, p. 53). ● *S. m.* **2.** Aquele que não é feliz no amor. [Pl.: *mal-amados*. Cf. *bem-amado*.]

mal-amanhado [De *mal*^{2} + *amanhado*.] *Adj.* Que está malvestido; malposto, mal-ajambrado, mal-ajeitado, mal-apresentado, mal-arranjado, mal-arrumado, mal-enjorcado. [Pl.: *mal-amanhados*.]

mal-amansado [De *mal*^{2} + *amansado*.] *Adj.* Que foi indevida ou insuficientemente amansado. [Pl.: *mal-amansados*.]

malamba [Do quimb. *lama*, 'desgraça'.] *S. f. Bras. PE* **1.** Desgraça, infelicidade. **2.** Lamúria, choradeira.

malambeiro [De *malamba* + *-eiro*.] *Adj. S. m. Bras. PE* Diz-se de, ou aquele que é dado a contar aos outros as suas infelicidades ou malambas.

mal-americano [De *mal*^{1} + *americano*.] *S. m.* V. *sífilis*. [Pl.: *males-americanos*.]

malampança *S. f. Bras.* Manampança.

mal-andança *S. f. Ant.* Desgraça, desdita, infortúnio. [Pl.: *mal-andanças*.]

mal-andante [De *mal*^{2} + *andante*^{1}.] *Adj. 2 g.* **1.** *Desus.* Infeliz, desventurado. ● *S. m.* **2.** *Ant.* Ladrão de estrada. [Pl.: *mal-andantes*.]

malandéu [Alter. de *malandréu*.] *S. m. Bras. BA* V. *malandro* (1 a 3).

malandra [Fem. de *malandro*.] *S. f.* Mulher de ínfima estirpe; vagabunda.

malandragem [De *malandro* + *-agem*^{2}.] *S. f.* **1.** Súcia de malandros. **2.** Qualidade, ato, dito, modos ou vida de malandro. [Sin., nesta acepç.: *malandrice* e (bras., Amaz.) *maranha*.]

malandrar [De *malandro* + *-ar*^{2}.] *V. int.* Levar vida de malandro; mandriar. [Sin., bras.: *malandrear*.]

malandrear [De *malandro* + *-ear*^{2}.] *V. int. Bras.* V. *malandrar*. [Conjug.: v. *frear*.]

malandres *S. m. pl.* Ferimentos transversais na prega do joelho de uma cavalgadura.

malandrete (ê) [De *malandro* + *-ete* (ê).] *S. m.* Pequeno malandro.

malandréu *S. m.* V. *malandro* (1 a 3).

malandrice [De *malandro* + *-ice*.] *S. f.* V. *malandragem* (2): 🕮 "não podia continuar naquela vida de malandrice, precisava arranjar-se" (Coelho Neto, *Turbilhão*, pp. 148-149); "Antônio .... grulha .... as suas malandrices sensuais à criada" (José Vieira, *Sol de Portugal*, p. 39).

malandrim [Var. de *malandrino*.] *S. m.* V. *malandro* (1 a 3).

malandrino [Do it. *malandrino*.] *Adj.* **1.** Que tem hábitos, modos ou ares de malandro. **2.** Respeitante a malandro. ● *S. m.* **3.** V. *malandro* (1 a 3): 📖 "Quase nada rendia o tal negócio, porque .... o malandrino, guloso e glutão por natureza, comia o melhor do que pretendia expor à venda." (Visconde de Taunay, *Ao Entardecer*, p. 38.) [Var.: *malandrim*.]

malandro [Voc. deduz. de *malandrim*.] *S. m.* **1.** Indivíduo dado a abusar da confiança dos outros, ou que não trabalha e vive de expedientes; velhaco, patife. **2.** Indivíduo preguiçoso, madraço, mandrião. **3.** Gatuno, ladrão. [Sin., nessas acepç.: *malandréu*, *malandrim* ou *malandrino*, *malandrinho* e (BA) *malandéu*.] **4.** *Bras.* Indivíduo esperto, vivo, astuto, matreiro. ● *Adj.* **5.** Que é malandro.

mal-apanhado [De *mal*[2] + *apanhado*.] *Adj.* V. *mal-apessoado*. [Pl.: *mal-apanhados*. Antôn.: *bem-apanhado*.]

mal-aparelhado [De *mal*[2] + *aparelhado*.] *Adj.* **1.** Que não foi aparelhado convenientemente. **2.** Que não tem todas as peças ou equipamentos necessários. [Pl.: *mal-aparelhados*.]

mal-apessoado [De *mal*[2] + *apessoado*.] *Adj.* Que tem má aparência; malparecido, mal-apanhado: 📖 "O Leonardo, fazendo-se-lhe justiça, não era nesse tempo de sua mocidade mal-apessoado, e sobretudo era maganão." (Manuel Antônio de Almeida, *Memórias de um Sargento de Milícias*, p. 109.) [Pl.: *mal-apessoados*. Antôn.: *bem-apessoado*.]

mala-posta [Do fr. *malle-poste*.] *S. f.* Diligência que transportava as malas do correio e, por vezes, passageiros: 📖 "Em 1862 já havia a mala-posta para Coimbra e Porto." (Bulhão Pato, *Memórias*, II, p. 141.) [Pl.: *malas-postas*.]

mal-apresentado [De *mal*[2] + *apresentado*, part. de *apresentar*.] *Adj.* V. *mal-amanhado*. [Pl.: *mal-apresentados*. Antôn.: *bem-apresentado*.]

mala-preta [De *mala*[1] + o f. de *preto*.] *S. f. Bras. Esport. Gír.* Incentivo em dinheiro para que uma equipe se empenhe em ganhar de outra, de modo que o resultado favoreça a uma terceira equipe. [Pl.: *malas-pretas*.]

mal-aprumado [De *mal*[2] + *aprumado*.] *Adj.* A que falta prumo. [Pl.: *mal-aprumados*.]

malapterurídeo [Do tax. *Malapterurus* + *-ídeo*[1]; tax. *Malapteruridae*.] *Zool. S. m.* **1.** Espécime dos malapterurídeos, família de peixes siluriformes, com um gênero e duas espécies, distribuídos em rios e lagos da África tropical e no rio Nilo; são capazes de emitir descarga elétrica de até 350 volts, que utilizam para se defender ou para tontear ou matar os peixes que lhes servem de alimento. ● *Adj.* **2.** Pertencente ou relativo a eles.

malaqueiro [Do top. *Malaca* (Malásia) + *-eiro*.] *Adj.* **1.** V. *malaquês* (1). ● *S. m.* **2.** V. *malaquês* (2). **3.** *Gloss.* V. *cristão* (5).

malaquenho [Do top. *Malaca* (Malásia) + *-enho*.] *S. m. Gloss.* V. *cristão* (5).

malaquense [Do top. *Malaca* (Malásia) + *-ense*.] *S. m. Gloss.* V. *cristão* (5).

malaquês [Do top. *Malaca* (Malásia) + *-ês*.] *Adj.* **1.** De, ou pertencente ou relativo a Malaca (Malásia). ● *S. m.* **2.** O natural ou habitante de Malaca. [Sin. de 1 e 2: *malaqueiro*, *malaquista*. Flex.: *malaquesa* (ê), *malaqueses* (ê), *malaquesas* (ê).] **3.** *Gloss.* V. *cristão* (5).

malaquista [Do top. *Malaca* (Malásia) + *-ista*.] *Adj. 2 g. S. 2 g.* V. *malaquês* (1 e 2).

malaquita [Do fr. *malachite* < fr. ant. *melochite* < lat. *molochite*, 'pedra preciosa'.] *S. f. Min.* Mineral monoclínico de coloração verde, carbonato básico de cobre, minério de cobre.

malar[1] [Do lat. *mala*, 'maxila', 'maçã do rosto', + *-ar*[1].] *Anat. S. m.* **1.** V. *osso zigomático*. ● *Adj. 2 g.* **2.** Diz-se do, ou relativo ao malar[1] (1), ou à maçã do rosto [denom. ant. de bochecha (2)]: 📖 "a proeminência dos ossos malares ia dando, aos rostos, feição definitiva de caveiras" (João da Silva Correia, *Farândola*, p. 39); "Era magra de faces, sem que se lhe vissem as proeminências malares" (Camilo Castelo Branco, *Cenas da Foz*, p. 99).

malar[2] [De *mala*[1] + *-ar*[2].] *V. int. Bras.* Errar no jogo da pelota. [Fut. pret.: *malaria*, etc. Cf. *malária*.]

malaria [De *mala*[1] + *-aria*.] *S. f.* **1.** Porção de malas. **2.** Lugar onde se fabricam ou vendem malas. [Cf. *malária*.]

malária [Do it. *malaria* < it. *mala aria*, 'ar ruim'.] *S. f. Med.* Infecção que pode incidir no homem e noutros mamíferos, assim como em aves e anfíbios, causada por protozoários do gênero *Plasmodium*, transmitidos por picadas de mosquitos do gênero *Anopheles* do qual há cerca de 50 espécies. [Sin.: *acréscimo* ou *acréscimos*, *febre intermitente*, *febre palustre*, *febres*, *helópira*, *maleita* ou *maleitas*, *paludismo* ou *impaludismo*, *perniciosa*, *sezão* ou *sezões*, *sezonismo*, *batedeira* (bras. e port. lus.), *tremedeira*, *treme-treme* e *carneirada* (bras.). Cf. *malaria*, do v. *malar* e s. f.]

malárico [De *malária* + *-ico*[2].] *Adj.* Referente à malária.

▲ **malario-** [De *malária* + *-o-* (q. v.).] *El. comp.* = 'malária': *malariologia*.

malariologia (là) [De *malario-* + *-logia*.] *S. f.* Parte da medicina que estuda a malária.

malariológico (là) [De *malariologia* + *-ico*[2].] *Adj.* Relativo a malariologia.

malariologista (là) [De *malariologia* + *-ista*.] *S. 2 g.* Especialista em malariologia.

malarioterapia [De *malario-* + *-terapia*.] *S. f. Med. Desus.* Forma de tratamento que era us. na paralisia geral, e que consistia em infectar o paciente com uma das espécies de protozoários maláricos.

malarioterápico (là) [De *malarioterapia* + *-ico*[2].] *Adj. Med.* Relativo a malarioterapia.

mal-arranjado [De *mal*[2] + *arranjado*.] *Adj.* V. *mal-amanhado*. [Antôn.: *bem-arranjado*. Pl.: *mal-arranjados*.]

mal-arreado [De *mal*[2] + part. de *arrear*.] *Adj.* Que não se arreou devidamente. [Pl.: *mal-arreados*.]

mal-arrumado [De *mal*[2] + *arrumado*, part. de *arrumar*.] *Adj.* **1.** V. *mal-amanhado*. [Antôn.: *bem-arrumado*.] ● *S. m.* **2.** *Bras. SP* Terreno coberto de grandes pedaços de rocha, sobre os quais se transita com dificuldade. [Pl.: *mal-arrumados*.]

mal-articulado [De *mal*[2] + *articulado*.] *Adj.* Que não articula bem as palavras. [Pl.: *mal-articulados*.]

malas-arte *Adj. 2 g.* **1.** Mal-azado (1). **2.** V. *malas-artes* (1, 2). ● *S. 2 g.* **3.** Pessoa malas-arte. [Pl.: *malas-artes*.] ~ V. *malas-artes*.

malas-artes [Do esp. *malas artes*, 'artes más'.] *Adj. 2 g. e 2 n.* **1.** Diz-se de pessoa infeliz, miserável, mal-aventurada. **2.** Diz-se de pessoa trapalhona, intrigante, trampolineira, burlona. [Var.: *malas-arte* (q. v.).] ● *S. 2 g. e 2 n.* **3.** Indivíduo malas-artes. ~ V. *malas-arte*. ● *S. f. pl.* **4.** Trapalhadas, trampolinadas, intrigas, embaraços, confusões. [Cf. *Malasarte*, pros.]

mala sem alça *S. 2 g. Bras. Gír.* Pessoa extremamente enfadonha, maçante, ou sem graça; mala. [Pl.: *malas sem alça*.] ☑

malásio [Do top. *Malásia* (Ásia).] *Adj. S. m.* Malaio (1 e 2).

mal-assada [De *mal*[2] + *assada*, fem. do part. de *assar*.] *S. f.* **1.** V. *fritada* (3). **2.** *Bras.* Espécie de cataplasma que se prepara com plantas medicinais. [Pl.: *mal-assadas*.]

mal-assado [De *mal*[2] + *assado*.] *Adj.* Que foi insuficientemente assado. [Pl.: *mal-assados*.]

mal-assombrado [De *mal*[2] + *assombrado*.] *Bras. Adj.* **1.** Diz-se do lugar ou casa onde, segundo a crença popular, aparecem fantasmas [v. *fantasma* (3)]. ● *S. m.* **2.** V. *fantasma* (3). [Pl.: *mal-assombrados*.]

mal-assombramento [Voc. deduz. de *mal-assombrado*.] *S. m. Bras.* V. *fantasma* (3). [Pl.: *mal-assombramentos*.]

mal-assombro [De *mal*[2] + *assombro* (por *mau-assombro*), com infl. de *mal-assombrado*.] *S. m. Bras.* V. *fantasma* (3). [Pl.: *mal-assombros*.]

malato [De (*ácido*) *mál*(*ico*) + *-ato*[2].] *Adj. Quím.* Qualquer sal ou éster do ácido málico.

malauiano (au-í) *Adj.* **1.** Da, ou pertencente ou relativo à República do Malaui (S.E. da África). ● *S. m.* **2.** O natural ou habitante da República do Malaui. [F. paral.: *malaviano*; sin. ger.: *malauista*, *malauita*, *malavita*.]

malauista (au-ís) *Adj. 2 g. S. 2 g.* V. *malauiano*. ❖

malauita (au-í) *Adj. 2 g. S. 2 g.* V. *malauiano*. ❖

mal-avença [De *mal-* + *avença*.] *S. f.* Desavença: 📖 "e o breve espaço / Do curvo esquife não tivera as iras / Da mal-avença aos dois" (Almeida Garrett, *Camões*, Canto I, XIII.)

mal-aventurado [De *mal*[2] + *aventurado*.] *Adj. S. m.* Infeliz, desgraçado, desventurado: 📄 *criatura mal-aventurada*; *os mal-aventurados*. [Sin.: *malventuroso*, *mal-afortunado*, *malsorteado*. Antôn.: *bem-aventurado*. Pl.: *mal-aventurados*.]

malaviano *Adj. S. m.* Malauiano.

mal-avindo [De *mal*[2] + *avindo*.] *Adj.* Desavindo, malquisto, discorde. [Pl.: *mal-avindos*. Antôn.: *bem-avindo*.]

mal-avisado [De *mal*[2] + *avisado*.] *Adj.* Imprudente, imponderado, irrefletido: 📄 *rapaz mal-avisado*; *atitude mal-avisada*. [Pl.: *mal-avisados*. Antôn.: *bem-avisado*.]

malavita *Adj. 2 g. S. 2 g.* V. *malauiano*.

malaxadeira [De *malaxar* + *-deira*.] *S. f.* Malaxador.

malaxador (ô) [De *malaxar* + *-dor*.] *S. m.* Aparelho para malaxar a manteiga ou a nata, no fabrico do queijo; malaxadeira.

malaxar [Do lat. *malaxare*.] *V. t. d.* **1.** Amassar para fazer emplastro. **2.** Mexer ou bater muito (uma substância) a fim de torná-la compacta. **3.** Aplicar massagem em. **4.** Cansar, fatigar, extenuar.

mal-azado [De *mal*[2] + *azado*.] *Adj.* **1.** Que não é azado; impróprio, desajeitado, inadequado. ● *S. m.* **2.** Indivíduo desajeitado, mal-azado. [Pl.: *mal-azados*.]

malbaratador (ô) [De *malbaratar* + *-dor*.] *Adj. S. m.* Que, ou aquele que malbarata.

malbaratar [De *mal*[2] + *baratar*.] *V. t. d.* **1.** Vender abaixo do custo; vender com prejuízo. **2.** Empregar ou gastar de forma inconveniente; dissipar, desperdiçar, desbaratar: 📖 "Desonestos, malbaratavam a régia subvenção federal que receberam" (Marques Rebelo, *O Trapicheiro*, p. 407). *T. d. e i.* **3.** Empregar ou aplicar indevidamente: 📄 *Malbarata o raciocínio em tolices*. [Sin. ger.: *malbaratear*.]

malbaratear [De *mal*[2] + *baratear*.] *V. t. d. T. d. e i. Bras.* V. *malbaratar*. [Conjug.: v. *frear*.]

malbarato [Dev. de *malbaratar*.] *S. m.* **1.** Venda a preço vil, ou que deixa prejuízo. **2.** Depreciação. **3.** *Fig.* Desprezo, menosprezo.

malbarbeado [De *mal*[2] + *barbeado*.] *Adj.* Com a barba malfeita ou por fazer. 📖 "olhavam com um misto de dó e espanto ou ironia aqueles pobres marítimos magrizelas e malbarbeados" (José Rodrigues Miguéis, *Gente da Terceira Classe*, p. 39).

➔ **malbec** [mal'bɛk] [Fr.] *S. m.* **1.** *Vitic.* Casta nobre de uva tinta, predominante na região de Cahors (S.O. da França) e que é muito cultivada na Argentina. **2.** *Enol.* Vinho produzido com essa uva. [Sin. ger.: *cot*.]

mal-bruto [De *mal*[1] + *bruto*.] *S. m.* V. *hanseníase*. [Pl.: *males-brutos*.]

mal-caduco [De *mal*[1] + *caduco*.] *S. m. Bras. Pop.* V. *epilepsia*. [Pl.: *males-caducos*.]

malcaído [De *mal*[2] + *caído*.] *Adj.* Decaído (1).

mal-canadense [De *mal*[1] + *canadense*.] *S. m.* V. *sífilis*. [Pl.: *males-canadenses*.]

malcasado[1] [Alter. de *malcassá*.] *S. m. Bras. SE Cul.* Espécie de beiju (q. v.) feito de tapioca com leite de coco e assado a fogo brando, envolto em folhas de bananeira. [Em PE e AL, esse beiju se faz de massa de mandioca recheada de coco ralado.]

malcasado[2] [De *mal*[2] + *casado*.] *Adj.* **1.** Que vive mal com seu consorte. **2.** Que desposou pessoa de condição inferior.

malcassá [Alter. de *acaçá* (q. v.), poss.] *S. m. Bras.* Malcasado[1] (q. v.).

malcastrado [De *mal*[2] + *castrado*.] *Adj.* Que foi indevida ou inadequadamente castrado.

mal-céltico [De *mal*[1] + *céltico*.] *S. m.* V. *sífilis*. [Pl.: *males-célticos*.]

malcheiroso (ô) [De *mal*[2] + *cheiroso*.] *Adj.* Que cheira mal; fedorento, fétido: 📖 "Estavam nus, abraçados, suarentos, malcheirosos" (Antônio d'Elia, *Os Pistoleiros de Pistoia*, p. 112).

malcoalhado [De *mal*[2] + *coalhado*.] *Adj.* Que não talhou por completo; que foi indevidamente coalhado.

malcolocado [De *mal*[2] + *colocado*.] *Adj.* **1.** Posto ou colocado de modo indevido ou incorreto. **2.** Em posição ou colocação ruim, desvantajosa ou inferior.

mal com cristo [De *mal*[2] + *com* + *Cristo*.] *Adj. 2 g. e 2 n. Bras. AL Pop.* V. *encarapinhado*. ☑

mal com deus [De *mal*[2] + *com* + *Deus*.] *Adj. 2 g. e 2 n. Bras. AL Pop.* V. *encarapinhado*. ☑

mal-comicial *S. m. Neur., Patol.* V. *epilepsia*. [Pl.: *males-comiciais*.]

malcomido [De *mal*[2] + *comido*.] *Adj.* **1.** Que se alimenta mal. **2.** Magro por insuficiência de alimento: 📖 "E toda a negrada, malcomida, ... vivia faminta, entresilhada" (Coelho Neto, *Treva*, p. 252).

malcomportado [De *mal*[2] + *comportado*.] *Adj.* Que procede ou se comporta mal. [Antôn.: *bem-comportado*.]

malconceituado [De *mal*[2] + *conceituado*.] *Adj.* Que não desfruta de bom conceito, mal-afamado. [Antôn.: *bem-conceituado*.]

malconduzido [De *mal*[2] + *conduzido*, part. de *conduzir*.] *Adj.* Que não teve boa orientação; que não foi bem encaminhado: 📄 *negócio malconduzido*.

malconfiar [De *mal*[2] + *confiar*.] *V. t. d. e i. Int.* Não confiar inteiramente; desconfiar em parte.

malconformado [De *mal*[2] + *conformado*.] *Adj.* Que tem má conformação ou configuração; malproporcionado.

malconservado [De *mal*[2] + *conservado*.] *Adj.* **1.** Que envelheceu prematuramente; envelhecido, avelhantado, avelhentado: 📄 *homem malconservado*. **2.** Que se desgastou prematuramente por falta de conservação: 📄 *automóvel malconservado*.

malconstruído [De *mal*[2] + *construído*.] *Adj.* Construído de modo inadequado, imperfeito ou indevido.

malcontentadiço [De *mal*[2] + *contentadiço*.] *Adj.* Que só a muito custo se contenta.

malcontente [De *mal*[2] + *contente*.] *Adj. 2 g.* V. *descontente* (1 e 2): 📖 "Move-se no casarão, malcontente, com ar de condenada, como se levasse o próprio peso às costas." (Osmã Lins, *Nove, Novena*, p. 167.)

malcortado [De *mal*[2] + *cortado*.] *Adj.* Que não se cortou devidamente.

M

malcosido [De *mal*^{2} + *cosido*.] ***Adj.*** Cosido sem perfeição; malcosturado.

malcosturado [De *mal*^{2} + part. *costurar*.] ***Adj.*** Que foi imperfeitamente costurado.

malcozido [De *mal*^{2} + *cozido*.] ***Adj.*** Que foi insuficientemente cozido; um tanto cru; malpassado.

malcriadamente [Do f. de *malcriado* + *-mente*.] ***Adv.*** De modo malcriado; com maneiras próprias de quem o é; com má-criação: "E ele, a quem toda a gente respeitava, tinha que aturar aquele avantesma a exigir, malcriadamente." (Maria Archer, *Fauno Sovina*, pp. 10-11.)

malcriadez (ê) [De *malcriado* + *-ez*.] ***S. f.*** Qualidade de malcriado, falta de delicadeza; grosseria. [Pl.: *malcriadezes* (ê).]

malcriado [De *mal*^{2} + *criado*.] ***Adj.*** **1.** Descortês, indelicado; grosseiro, mal-ensinado. [Antôn.: *bem-criado* (1).] ● ***S. m.*** **2.** Indivíduo malcriado. [Sin. ger.: *mal-educado*.]

malcuidado [De *mal*^{2} + *cuidado*, part. de *cuidar*.] ***Adj.*** Que não foi objeto de maior cuidado ou zelo: "Talvez um dia o meu amor se extinga, / Como fogo de Vesta malcuidado / Que sem o zelo da Vestal não vinga" (Machado de Assis, *Poesias Completas*, p. 44); "Suas olheiras e os dentes malcuidados lhe davam [a Samuel] um aspecto de decadência." (Luís Fernando Veríssimo, *O Clube dos Anjos*, p. 24).

malcurado [De *mal*^{2} + *curado*.] ***Adj.*** Que não se curou, ou se restabeleceu, completamente.

mal da baía de são paulo ***S. m.*** V. *sífilis*. [Pl.: *males da baía de são paulo*.] ☑

maldade [Do lat. *malitate*.] ***S. f.*** **1.** Qualidade ou caráter de mau; perversidade, crueldade; iniquidade, malvadez. **2.** Ação má, perversa, cruel; malvadez. [Antôn. de 1 e 2: *bondade*.] **3.** Malícia; mordacidade. **4.** *Fam.* Turbulência, travessura, traquinada. [Sin. (bras., PA), nessas acepçs.: *malineza*.] **5.** *Bras. RS* Pus proveniente de úlcera; pus.

maldadoso (ô) [De *maldade* + *-oso*.] ***Adj.*** *Bras.* **1.** V. *maldoso*. **2.** Maléfico, danoso, nocivo.

mal da pinta [De *mal*^{1} + *da*^{1} + *pinta*^{1}.] ***S. m.*** *Med.* V. *caraté*. [Pl.: *males da pinta*.] ☑

mal da praia [De *mal*^{1} + *da*^{1} + *praia*.] ***S. m.*** *Bras.* V. *erisipela*. [Pl.: *males da praia*.] ☑

maldar [De *mald-*, como em *maldade*, *maldoso*, etc., + *-ar*^{2}.] *Bras.* ***V. t. d.*** **1.** Formar na mente, conceber (um mau juízo, uma suspeita má): "Quando a mulher dele .... descobriu que uma das crias da casa estava se empanzinando, maldou, logo, logo, que o velho Tonico era o dono da arte." (Nélson de Faria, *Tiziu e Outras Estórias*, p. 176.) ***T. i. Int.*** **2.** Fazer mau juízo; ter má suspeita: *Não confia em ninguém: malda de todos e de tudo; Leva o tempo a maldar.*

mal das ancas [De *mal*^{1} + o pl. de *da*^{1} + o pl. de *anca*.] ***S. m.*** *Bras.* V. *mal de escancha*. [Pl.: *males das ancas*.] ☑

mal das montanhas [De *mal*^{1} + o pl. de *da*^{1} + o pl. de *montanha*.] ***S. m.*** *Med.* O conjunto de fenômenos resultantes de adaptação insuficiente à redução de oxigênio e às grandes altitudes, como, p. ex., dispneia, alterações de pressão arterial e da frequência do pulso, cefaleia, etc. [Pl.: *males das montanhas*.] ☑

mal da terra [De *mal*^{1} + *da*^{1} + *terra*.] ***S. m.*** *Bras. S.* V. *ancilostomíase*. [Pl.: *males da terra*. Cf. *mal de terra*.] ☑

mal de amores [De *mal*^{1} + *de* + o pl. de *amor*.] ***S. m.*** *Bras. CE Pop.* Qualquer doença venérea; doença do mundo. [Pl.: *males de amores*.] ☑

mal de ano [De *mal*^{1} + *de* + *ano*^{1}.] ***S. m.*** *Bras.* Epizootia dos bovídeos (*Carbunculo symptomatico*). [Pl.: *males de ano*.] ☑

mal de bicho [De *mal*^{1} + *de* + *bicho*.] ***S. m.*** *Bras.* V. *maculo*. [Pl.: *males de bicho*.] ☑

mal de cadeiras [De *mal*^{1} + *de* + o pl. de *cadeira*.] ***S. m.*** *Bras.* V. *mal de escancha*. [Pl.: *males de cadeiras*.] ☑

mal de chupança [De *mal*^{1} + *de* + *chupança*.] ***S. m.*** *Bras. BA* V. *bexiga do cacau*. [Pl.: *males de chupança*.] ☑

mal de coito [De *mal*^{1} + *de* + *coito*^{1}.] ***S. m.*** V. *sífilis*. [Pl.: *males de coito*.] ☑

mal de cuia [De *mal*^{1} + *de* + *cuia*.] ***S. m.*** *Bras. SP Pop.* V. *hanseníase*. [Pl.: *males de cuia*.] ☑

mal de engasgo [De *mal*^{1} + *de* + *engasgo*.] ***S. m.*** *Bras.* Afecção esofagiana em que há distúrbio de deglutição; mal de engasgue; engasgo ou engasgue, entalo, entalação. [Pl.: *males de engasgo*.] ☑

mal de engasgue [De *mal*^{1} + *de* + *engasgue*.] ***S. m.*** *Bras.* V. *mal de engasgo*. [Pl.: *males de engasgue*.] ☑

mal de escancha [De *mal*^{1} + *de* + *escancha*.] ***S. m.*** *Bras. MA* Epizootia que, nas regiões paludosas, acomete os cavalos e os inutiliza para sempre. [Tb. se diz apenas *escancha*; sin., em regiões diversas: *mal das ancas*, *mal de cadeiras*, *mal dos quartos*, *quebra-bunda*, *durina*. Pl.: *males de escancha*.] ☑

maldefinido [De *mal*^{2} + *definido*.] ***Adj.*** Que não tem definição clara, precisa.

mal de fiúme [De *mal*^{1} + *de* + o top. *Fiúme* (Croácia).] ***S. m.*** V. *sífilis*. [Pl.: *males de fiúme*.] ☑

mal de franga ***S. m.*** V. *sífilis*. [Pl.: *males de franga*.] ☑

mal de frenga [De *mal*^{1} + *de* + *frenga*.] ***S. m.*** V. *sífilis*. [Pl.: *males de frenga*.] ☑

mal de garapa [De *mal*^{1} + *de* + *garapa*.] ***S. m.*** *Bras.* Tripanossomíase dos equídeos. [Pl.: *males de garapa*.] ☑

mal de gota (ô) [De *mal*^{1} + *de* + *gota* (ô).] ***S. m.*** *Bras.* V. *epilepsia*. [Pl.: *males de gota*.] ☑

mal de lázaro [De *mal*^{1} + *de* + o antr. *Lázaro*, de S. Lázaro.] ***S. m.*** V. *hanseníase*: "via-se repudiado de todos, porque o negro mal de lázaro iria de mal a pior" (Valdomiro Silveira, *Os Caboclos*, p. 73). [Pl.: *males de lázaro*.] ☑

maldelazento [De *mal de lázaro* + *-ento*, com síncope.] ***Adj. S. m.*** *Bras.* Que, ou aquele que sofre de mal de lázaro; leproso (q. v.).

maldelineado [De *mal*^{2} + *delineado*.] ***Adj.*** De delineamento impreciso.

mal de luanda [De *mal*^{1} + *de* + o top. *Luanda* (Angola).] ***S. m.*** Escorbuto: "Muitos dos que escapam à morte nos navios negreiros vêm definhar nos caminhos do Brasil, atacados do mal de luanda ou de outras moléstias de mau caráter." (Eduardo Frieiro, *O Mameluco Boaventura*, p. 18.) [Pl.: *males de luanda*.] ☑

mal de monte [De *mal*^{1} + *de* + *monte*.] ***S. m.*** *Bras. N.E.* V. *erisipela*. [Pl.: *males de monte*.] ☑

mal de nápoles [De *mal*^{1} + *de* + o top. *Nápoles*.] ***S. m.*** V. *sífilis*. [Pl.: *males de nápoles*.] ☑

mal de santa eufêmia [De *mal*^{1} + *de* + *Santa Eufêmia*.] ***S. m.*** V. *sífilis*. [Pl.: *males de santa eufêmia*.] ☑

mal de são jó [De *mal*^{1} + *de* + *São Jó*.] ***S. m.*** V. *sífilis*. [Pl.: *males de são jó*.] ☑

mal de são lázaro [De *mal*^{1} + *de* + *São Lázaro*.] ***S. m.*** V. *hanseníase*. [Pl.: *males de são lázaro*.] ☑

mal de são névio [De *mal*^{1} + *de* + *São Névio*.] ***S. m.*** V. *sífilis*. [Pl.: *males de são névio*.] ☑

mal de são semento [De *mal*^{1} + *de* + *São Semento*.] ***S. m.*** V. *sífilis*. [Pl.: *males de são semento*.] ☑

mal de secar [De *mal*^{1} + *de* + *secar*.] ***S. m.*** **1.** *Bras.* V. *tuberculose*. **2.** *Bras. BA* A tuberculose dos bovídeos. [Pl.: *males de secar*.] ☑

mal de sete dias [De *mal*^{1} + *de* + *sete* + o pl. de *dia*.] ***S. m.*** Tétano do recém-nascido: "Cadê meu filho? É isso que vosmecê me pergunta, é? .... Morreu de mal de sete dias, nhor sim!" (Nélson de Faria, *Bazé*, p. 96.) [Pl.: *males de sete dias*.] ☑

mal de terra [De *mal*^{1} + *de* + *terra*.] ***S. m.*** *Lus.* V. *epilepsia*. [Pl.: *males de terra*. Cf. *mal da terra*.] ☑

mal de vaso ***S. m.*** *Bras. RS* Ferida na raiz dos cascos dos equídeos e bovídeos. [Sin., noutras regiões: *mal dos cascos*. Pl.: *males de vaso*.] ☑

maldição [Do lat. *maledictione*.] ***S. f.*** **1.** Ato ou efeito de amaldiçoar ou maldizer. **2.** V. *praga* (1). **3.** Desgraça, infortúnio, calamidade.

maldiçoar [De *maldição* + *-ar*^{2}, seg. o padrão erudito.] ***V. t. d.*** V. *amaldiçoar*: "A mãe dela meteu o relho na menina ..... Chegou inté a maldiçoar a pobrezinha!" (Nélson de Faria, *Tiziu e Outras Estórias*, p. 183.) [Conjug.: v. *coroar*.]

maldigno [De *mal*^{2} + *digno*.] ***Adj.*** *P. us.* Indigno.

maldisposto (ô) [De *mal*^{2} + *disposto*.] ***Adj.*** Incomodado, achacado, indisposto. [Antôn.: *bem-disposto*.]

maldistinto [De *mal*^{2} + *distinto*.] ***Adj.*** Que não é claramente perceptível.

maldita [F. subst. do adj. *maldito*.] ***S. f.*** **1.** Impingem rebelde. **2.** Pústula maligna. **3.** *Bras. Pop.* V. *erisipela*.

maldito [Do lat. *maledictu*.] ***Adj.*** **1.** Diz-se daquele ou daquilo a que se lançou maldição; condenado: *filhos malditos*. **2.** Pernicioso, execrando, funesto: *guerra maldita*. **3.** Muito mau; perverso, malvado, maligno: *assassinos malditos*. [Antôn., nessas acepçs.: *bendito*.] **4.** Molesto, enfadonho: *Esta maldita caminhada nunca termina*. [Junto ao verbo *ser*, no imperativo e no pres. do subj., exprime imprecação contra alguém: *Sê maldito!*; *Maldito sejas!*] ~ V. *serpente —a*. ● ***S. m.*** **5.** Indivíduo maldito: "Caricaturas tétricas e errantes / Dos malditos, dos réus, dos suicidas" (Cruz e Sousa, *Poesias*, p. 195). [Sin., nessas acepçs.: *amaldiçoado*.] **6.** *Bras. Pop.* V. *diabo* (2).

malditoso (ô) [De *mal*^{2} + *ditoso*.] ***Adj.*** *P. us.* Desditoso, infeliz.

maldivano ***Adj. S. m.*** V. *maldivo*.

maldivense [Do top. (ilhas) *Maldivas* + *-ense*.] ***S. m.*** **1.** *Gloss.* Língua indo-europeia, do ramo indo-ariano, falada nas ilhas Maldivas (oceano Índico). **2.** Vocábulo dessa língua. ● ***Adj. 2 g.*** **3.** Pertencente ou relativo a essa língua.

maldivo ***Adj.*** **1.** Das, ou pertencente ou relativo às ilhas Maldivas (oceano Índico). ● ***S. m.*** **2.** O natural ou habitante das ilhas Maldivas. [Sin. ger.: *maldivano*.]

maldizência [Do lat. tard. *maledicentia*, por via pop.] ***S. f.*** Maledicência; difamação.

maldizente [Do lat. *maledicente*, por via pop.] ***Adj. 2 g. S. 2 g.*** Que, ou quem fala mal dos outros, tem má língua; maledicente, maldico, malfalante. [Antôn.: *bendizente*.]

maldizer [Do lat. *maledicere*.] ***V. t. d.*** **1.** Praguejar contra; lançar imprecações contra; amaldiçoar: "pensava em morrer, maldizendo a vida" (Inglês de Sousa, *O Missionário*, p. 339). ***T. i.*** **2.** Dizer mal; blasfemar: *maldizer de alguém*; "O céu que ofendes e de que maldizes, / Basta-me entanto: amo-o com seus fulgores" (Alberto de Oliveira, *Poesias*, 4.ª série, p. 42). **3.** Lastimar-se, lamentar-se. ***Int.*** **4.** Falar mal de alguém. [Antôn.: *bendizer*. Irreg. Conjug.: v. *dizer*.] ● ***S. m.*** **5.** V. *maledicência* (2).

maldomado [De *mal*^{2} + *domado*.] ***Adj.*** Que não foi devidamente domado, amansado ou adestrado.

mal do monte [De *mal*^{1} + *do*^{1} + *monte*.] ***S. m.*** V. *erisipela*. [Pl.: *males do monte*.] ☑

mal do pinto [De *mal*^{1} + *do*^{1} + *pinto*.] ***S. m.*** *Med.* V. *caraté*. [Pl.: *males do pinto*.] ☑

maldormido [De *mal*^{2} + *dormido*.] ***Adj.*** **1.** Que dormiu mal; que dormiu pouco e/ou intranquilamente: *Acordou maldormido, indisposto*. **2.** Em que se dormiu mal: "Maldormida, entremeada de sonhos ininterruptos, de sobressaltos e ânsias foi a noute que precedeu a publicação." (Machado de Assis, *Histórias da Meia-Noite*, p. 164); "Aquela sensação opressiva de calor na cabeça e aquele quebranto que lhe amolentava o corpo .... não eram apenas da noite maldormida e sim da gripe que por fim a dominava." (Josué Montelo, *Os Degraus do Paraíso*, p. 53). [Antôn.: *bem-dormido*.]

mal do sangue [De *mal*^{1} + *do*^{1} + *sangue*.] ***S. m.*** *Bras. Pop.* V. *hanseníase*. [Pl.: *males do sangue*.] ☑

mal dos aviadores [De *mal*^{1} + o pl. de *do*^{1} + o pl. de *aviador*.] ***S. m.*** *Med.* V. *doença de descompressão*. [Pl.: *males dos aviadores*.] ☑

mal dos cascos [De *mal*^{1} + o pl. de *do*^{1} + o pl. de *casco*.] ***S. m.*** *Bras.* **1.** Febre aftosa dos bovídeos e equídeos. **2.** Mal de vaso. [Pl.: *males dos cascos*.] ☑

mal dos chifres [De *mal*^{1} + o pl. de *do*^{1} + o pl. de *chifre*.] ***S. m.*** *Bras.* Epizootia do gado vacum, localizada na base dos chifres, e que lhes origina a queda. [Sin., N.E.: *roedeira*. Pl.: *males dos chifres*.] ☑

mal dos cristãos [De *mal*^{1} + o pl. de *do*^{1} + o pl. de *cristão*.] ***S. m.*** V. *sífilis*. [Pl.: *males dos cristãos*.] ☑

mal dos mergulhadores [De *mal*^{1} + o pl. de *do*^{1} + o pl. de *mergulhador*.] ***S. m.*** *Med.* V. *doença de descompressão*. [Pl.: *males dos mergulhadores*.] ☑

maldoso (ô) [De *maldadoso*, com haplologia.] ***Adj.*** **1.** Que tem ou encerra maldade; de má índole; mau. **2.** Que toma sempre em mau sentido as palavras e ações dos outros. **3.** Travesso, malicioso. [Sin. ger.: *maldadoso*.]

mal dos peitos [De *mal*^{1} + o pl. de *do*^{1} + o pl. de *peito*.] ***S. m.*** *Bras. Pop.* V. *tuberculose*. [Pl.: *males dos peitos*.] ☑

mal dos quartos [De *mal*^{1} + o pl. de *do*^{1} + o pl. de *quarto*.] ***S. m.*** *Bras.* V. *mal de escancha*. [Pl.: *males dos quartos*.] ☑

maldotado [De *mal*^{2} + *dotado*.] ***Adj.*** Diz-se daquele a quem a natureza favoreceu escassamente com seus dons ou dotes. [Antôn.: *bem-dotado*.]

mal do veado [De *mal*^{1} + *do*^{1} + *veado*.] ***S. m.*** *Pop.* Tétano (1). [Pl.: *males do veado*.] ☑

malê [Do ior. *imalê*, 'muçulmano'.] *Bras. BA* ***S. 2 g.*** **1.** Escravo africano islamizado. ● ***Adj. 2 g.*** **2.** Relativo a malê (1) ou a sua cultura.

maleabilidade [De *maleável* + *-(i)dade*, seg. o padrão erudito.] ***S. f.*** **1.** Qualidade ou propriedade de maleável. **2.** *Fig.* Docilidade, flexibilidade: *maleabilidade de espírito*.

maleabilização [De *maleabilizar* + *-ção*.] ***S. f.*** **1.** Ato ou efeito de maleabilizar. **2.** *Metal.* Tratamento térmico aplicado ao ferro fundido branco, em que o elemento carbono passa a grafita, ou é eliminado.

maleabilizar [De *maleável* + *-izar*, seg. o padrão erudito.] ***V. t. d.*** **1.** Tornar maleável. **2.** Tornar dócil, abrandar.

maleáceo [Do lat. *malleus*, 'malho', 'martelo', + *-áceo*.] ***Adj.*** Relativo ou semelhante a martelo.

malear^1 [Do lat. *malleus*, 'malho', 'martelo', + *-ar*^{1}.] ***Adj. 2 g.*** *Anat.* Referente ao, ou próprio do martelo (6).

malear^2 [Do lat. **malleare*, 'malhar'.] ***V. t. d.*** **1.** Transformar em lâmina(s). **2.** Distender (um metal) a martelo. **3.** Dar marteladas em. **4.** Tornar dócil, flexível; abrandar, suavizar. [Conjug.: v. *frear*.]

maleato ***S. m.*** *Quím.* Qualquer sal ou éster do ácido maleico.

maleável [Do fr. *malléable*.] ***Adj. 2 g.*** **1.** Que pode ser maleado ou malhado. **2.** Flexível, dobrável: "Tão finos e belos são alguns chapéus do chile, brancos, sedosos, maleáveis, que se podem guardar em carteiras de bolso" (Raimundo Morais, *País das Pedras Verdes*, p. 94). **3.** *Fig.* Flexível, dócil: *caráter maleável*.

malebra [Var. de *maleva*.] ***Adj. 2 g. S. 2 g. Bras. RS*** Maleva.

maledicência [Do lat. tard. *maledicentia*, por via erudita.] ***S. f.*** **1.** Qualidade de maldizente. **2.** Ação de maldizente; detração, difamação, murmuração, ladrado, maldizer.

maledicente [Do lat. *maledicente*, por via erudita.] ***Adj. 2 g. S. 2 g.*** V. *maldizente*. [Superl. abs. sint.: *maledicentíssimo*.]

maledicentíssimo [Do lat. *maledicentissimu*.] ***Adj.*** Superl. abs. sint. de *maledicente* e *malédico*.

malédico [Do lat. *maledicu*.] ***Adj. S. m.*** V. *maldizente*. [Superl. abs. sint.: *maledicentíssimo*.]

mal-educado [De *mal*[2] + *educado*.] ***Adj. S. m.*** V. *malcriado*. [Pl.: *mal-educados*. Antôn.: *bem-educado*.]

maleficência [Do lat. *maleficentia*.] ***S. f.*** **1.** Qualidade de maléfico. **2.** Disposição ou tendência para fazer o mal. [Antôn.: *beneficência*.]

maleficente ***Adj. 2 g.*** Que maleficia. [Antôn.: *beneficente*.]

maleficentíssimo [Do lat. *maleficentissimu*.] ***Adj.*** Superl. abs. sint. de *maleficente* e *maléfico*.

maleficiar [De *malefício* + *-ar*[2].] ***V. t. d.*** **1.** Fazer mal a; prejudicar, danificar, malfazer. **2.** Exercer influência maléfica em; enfeitiçar, encantar, embruxar. [Pres. ind.: *maleficio*, etc. Cf. *malefício*.]

malefício [Do lat. *maleficiu*.] ***S. m.*** **1.** Ato de maleficiar; dano, mal, prejuízo. [Antôn.: *benefício* (1 e 2).] **2.** Feitiço, bruxedo, sortilégio. [Cf. *maleficio*, do v. *maleficiar*.]

maléfico [Do lat. *maleficu*.] ***Adj.*** **1.** Que faz ou atrai o mal; maligno. **2.** Disposto para o mal; malévolo, mau. **3.** Danoso, prejudicial, nocivo: "É certo que .... a notícia da devastadora epidemia em S. Paulo .... produz já maléficos frutos" (Eduardo Prado, *Coletâneas*, II, p. 190). [Superl. abs. sint.: *maleficentíssimo*. Antôn.: *benéfico*.]

maleico (éi ou êi) ***Adj. Quím.*** ~ V. *ácido* —. [A pronúncia aberta *maleico* (éi) é a correta, porém a pronúncia *maleico* (êi) é a us. em Portugal, e a mais us. no Brasil.] ❖

maleiforme [Do lat. *malleus*, 'malho', 'martelo', + *-iforme*.] ***Adj. 2 g.*** Que tem forma de martelo. [Cf. *malliforme*.]

maleiro [De *mala*[1] + *-eiro*.] ***S. m.*** **1.** Fabricante e/ou vendedor de malas. **2.** A parte de um armário onde se guardam malas. **3.** *Bras.* Carregador de malas e bagagens: "Cinco dias após *O Globo* denunciar a ação de '*maleiros*' (carregadores de malas) que comercializam moedas estrangeiras nos corredores do aeroporto, agentes da PF flagraram X .... trocando R$ 80 por US$ 50 com o comissário de bordo Y" (*O Globo*, 30.01.1999). **4.** *Bras. MT* Na zona diamantífera, o baiano (4).

maleita [Do lat. *maledicta*, *i. e.*, *febris maledicta*, 'febre maldita'.] ***S. f.*** V. *malária*. [Us. tb. no pl.]

maleita-brava ***S. f. Bras.*** Infecção palustre grave, produzida, em geral, pelo parasito da terça maligna. [Pl.: *maleitas-bravas*.]

maleitas [Pl. de *maleita*.] ***S. f. pl.*** V. *malária*.

maleiteira [De *maleita* + *-eira*.] ***S. f. Bras. Amaz. Bot.*** Arbusto ou arvoreta euforbiácea (*Euphorbia cotinoides*) lactescente, cujas inflorescências se arrumam em panículas, e cujas folhas, venenosas para peixes, servem para pescar quando trituradas e lançadas na água; lechetrez, leitariga, luzetro.

maleitoso (ô) [De *maleita* + *-oso*.] ***Adj.*** **1.** Doente de maleita. **2.** Que provoca maleita: *região maleitosa*. ● ***S. m.*** **3.** Indivíduo atacado de maleita.

mal-elaborado [De *mal*[2] + *elaborado*.] ***Adj.*** Que foi preparado, ou feito, sem elaboração, cuidado ou esmero. [Pl.: *mal-elaborados*.]

mal e mal [De *mal*[2] + *e*[2] + *mal*[2].] ***Adv.*** **1.** *Bras.* Pouco mais ou menos; sofrivelmente. **2.** Parcamente, escassamente; mal mal. ☑

malembá ***S. m. Bras. Rel.*** V. *Caboclo Malembá*. [Com cap.]

mal-embaralhado [De *mal*[2] + *embaralhado*.] ***Adj.*** Que não foi bem misturado. [Pl.: *mal-embaralhados*.]

malembe[1] [Do quicongo.] ***Adv. Angol.*** Devagar, lentamente: "Nele se mergulha malembe, no ouvido o som do vento na suamaúma" (Arnaldo Santos, *Prosas*, p. 170).

malembe[2] [Do quicongo *malembe*, 'cumprimentos de paz'.] ***S. m. Bras. Rel.*** No candomblé angola-congo e no de caboclo, gênero de cântico com que se pede perdão ou auxílio às entidades cultuadas.

malemolência [De um rad. de or. express. + *-ência*.] ***S. f. Bras. Pop.*** **1.** Comportamento, ação ou cadência que denota manha, malícia e um certo charme. **2.** O gingado de certos dançarinos e cantores de samba, que expressa uma certa malandragem. **3.** Falta de empenho ou de vontade.

malemolente [De *malemol-*, como em *malemolência*, + *-ente*.] ***Bras. Pop. Adj. 2 g.*** **1.** Que tem, revela ou expressa malemolência: "Jovino, um mulato malemolente que dava a vida por um desaguisado daquele gênero .... fora um dos que mais insuflaram o ânimo da população" (Fernando Sabino, *O Grande Mentecapto*, pp. 103-104). ● ***S. 2 g.*** **2.** Aquele ou aquela que tem malemolência. **3.** Pessoa preguiçosa.

mal-empedrado [De *mal*[2] + *empedrado*.] ***Adj.*** De calçamento irregular ou imperfeito. [Pl.: *mal-empedrados*.].

mal-empregado [De *mal*[2]+ *empregado*, part. de *empregar*.] ***Adj.*** **1.** Empregado ou aplicado sem proveito, em vão: *esforço mal-empregado*; "Nenhum dinheiro lhe parecia [ao cartaginês] tão mal-empregado como o pré que dava à tropa" (Aquilino Ribeiro, *Os Avós dos Nossos Avós*, p. 53). **2.** Que constitui dom imerecido: *Mal-empregada tanta beleza em mulher tão má!* [Pl.: *mal-empregados*.]

mal-encarado [De *mal*[2] + *-en-* + *cara* + *-ado*[1].] ***Adj.*** **1.** Que tem má cara; carrancudo. **2.** Que revela, pela aparência, má índole, maus instintos, mau caráter: "Devia imaginá-lo um grande e mal-encarado bandido" (Vanda Fabian, *Zé Canarinho*, p. 27). [Antôn.: *bem-encarado*.] ● ***S. m.*** **3.** *Bras. Pop.* V. *diabo* (2): "João de Almeida / fez um pacto / com o mal-encarado. / Ficou rico / de um dia para o outro." (H. Dobal, *A Serra das Confusões*, "O Pacto".) [Pl.: *mal-encarados*.]

malencolia ***S. f. Ant. Pop.*** V. *melancolia* (1 a 3).

malenconia ***S. f. Ant. Pop.*** V. *melancolia* (1 a 3).

mal-enganado [De *mal*[2] + *enganado*.] ***Adj.*** Muito enganado. [Pl.: *mal-enganados*.]

mal-engraçado [De *mal*[2] + *engraçado*.] ***Adj.*** Não engraçado; desengraçado. [Pl.: *mal-engraçados*.]

mal-enjorcado [De *mal*[2] + o part. do lus. *enjorcar*, 'entrajar mal ou às pressas'.] ***Adj. Bras.*** V. *mal-amanhado*. [Pl.: *mal-enjorcados*.]

mal-ensinado [De *mal*[2] + *ensinado*.] ***Adj.*** V. *malcriado* (1). [Pl.: *mal-ensinados*.]

mal-entendido [De *mal*[2] + *entendido*.] ***Adj.*** **1.** Que é objeto de má interpretação ou de má compreensão: "Este sorriso, porém, tão mal-entendido por todos, nada mais era do que o contentamento de quem observa o precipício por onde passou e do qual se considera livre." (Aluísio Azevedo, *O Mulato*, p. 322.) **2.** Que entende mal ou forma das coisas opinião errada. ● ***S. m.*** **3.** Equívoco, confusão, quiproquó. **4.** Desentendimento, altercação, briga. [Pl.: *mal-entendidos*.]

mal-entrajado [De *mal*[2] + *entrajado*, part. de *entrajar*.] ***Adj.*** V. *maltrapilho* (1). [Pl.: *mal-entrajados*.]

maleolar [De *maléolo* + *-ar*[1].] ***Adj. 2 g. Anat.*** Relativo ou pertencente aos maléolos.

maléolo [Do lat. *malleolu*, 'martelinho'.] ***S. m. Anat.*** Cada uma das duas eminências ósseas situadas uma na face interna, e outra na externa, da extremidade inferior de cada perna, e que entra na constituição do tornozelo.

maleolotomia [De *maléolo* + *-tom(o)-* + *-ia*[1].] ***S. f.*** **1.** *Otor.* Seção de martelo (7) em ancilose de ossículos de orelha média. **2.** *Ort.* Separação, por seção cirúrgica, de ligamentos que mantêm unidos os maléolos de cada perna.

males [Pl. de *mal*[1].] ***S. m. pl.*** V. *sífilis*. ~ V. *mal*.

mal-escocês [De *mal*[1] + *escocês*.] ***S. m.*** V. *sífilis*. [Pl.: *males-escoceses*.]

mal-escrito [De *mal*[2] + *escrito*.] ***Adj.*** Malredigido. [Pl.: *mal-escritos*.]

malesherbia [Do tax. *Malesherbia* (do antr. [*Chrétien G. L. de*] *Malesherb* [*es*] [1721-1793], naturalista francês, + lat. cient. *-ia*, v. *-ia*[2]).] ***S. f. Bot.*** **1.** Gênero de malesherbiáceas que reúne 27 espécies de ervas endêmicas de áreas desérticas do Peru, Chile e Argentina, de folhas ger. simples, espiraladas, flores hermafroditas, solitárias ou racemosas, e frutos capsulares. **2.** Qualquer espécie, ou espécime desse gênero.

malesherbiácea (cher) [Do tax. *Malesherbia* (do antr. [*Chrétien G. L. de*] *Malesherbes* (1721-1794), estadista francês, + lat. cient. *-ia* [v. *-ia*[2]]) + *-ácea*; tax. *Malesherbiaceae*.] ***S. f. Bot.*** Espécime das malesherbiáceas, família de dicotiledôneas, da ordem das parietales, que compreende ervas ou subarbustos de folhas alternas, com flores actinomorfas, hermafroditas, pentâmeras e com receptáculo tubuloso; gineceu e androceu sobre androginóforo; três carpelos, concrescentes, com numerosos óvulos. Engloba o gênero *Malesherbia*, composto de 25 espécies andinas.

malesherbiáceo (cher) [De *malesherbiácea*, com var. suf. (v. *-áceo*).] ***Adj. Bot.*** Relativo às malesherbiáceas.

mal-estar [De *mal*[2] + *estar*.] ***S. m.*** **1.** Indisposição ou perturbação orgânica; doença de pouca gravidade; incômodo: *um mal-estar no estômago*. **2.** Ansiedade maldefinida; inquietação: "Você dizia que o mal-estar tinha remédio, era síndrome típica de filho único" (Silviano Santiago, *Keith Jarrett no Blue Note*, p. 131). **3.** Situação incômoda; constrangimento, embaraço: *Sua grosseria provocou um grande mal-estar*; "Se as coisas continuassem naquele pé, romperia com os primos, criaria mal-estares na família." (Macedo Miranda, *Lady Godiva*, p. 127). [Antôn.: *bem-estar*. Pl.: *mal-estares*.]

mal-esticado [De *mal*[2] + *esticado*.] ***Adj.*** Que não se esticou ou não se distendeu bem. [Pl.: *mal-esticados*.].

mal-estreado [De *mal*[2] + *estreado*, part. de *estrear*.] ***Adj.*** **1.** Que teve má estreia; que principiou mal, sob mau agouro. **2.** Feio; malparecido, mal-apanhado. [Pl.: *mal-estreados*.]

maleta (ê) [De *mala*[1] + *-eta* (ê).] ***S. f.*** Pequena mala; malote (q. v.).

maleva [Var. de *malevo*.] ***Bras. RS Pop. Adj. 2 g.*** **1.** V. *malevolente* (1). **2.** Genioso, rancoroso. **3.** Diz-se do cavalo que por qualquer motivo corcoveia. ● ***S. 2 g.*** **4.** Bandido, malfeitor. [Var.: *malebra*.]

malevão [De *malevo* ou *maleva* + *-ão*[1].] ***Adj. S. m. Bras. RS*** Aum. de *maleva*.

malevo [Do esp. plat. *malevo*.] ***Adj. S. m. Bras. RS*** V. *maleva*.

malevolência [Do lat. *malevolentia*.] ***S. f.*** Qualidade ou ação de malevolente. [Antôn.: *benevolência*.]

malevolente [Do lat. *malevolente*.] ***Adj. 2 g.*** **1.** Que tem má índole; mau, maléfico, malévolo. **2.** Que tem má vontade contra alguém; malquerente: "e Cervantes, naquele concílio de poetas, em vão se esforça por achar um lugar vago, que a fortuna contrária e malevolente o obriga a ficar de pé." (Latino Coelho, *Cervantes*, p. 142). [Antôn.: *benevolente*.]

malevolentíssimo [Do lat. *malevolentissimu*.] ***Adj.*** Superl. abs. sint. de *malevolente* e *malévolo*. [Antôn.: *benevolentíssimo*.]

malévolo [Do lat. *malevolu*.] ***Adj.*** V. *malevolente* (1). [Superl. abs. sint.: *malevolentíssimo*. Antôn.: *benévolo*.]

mal-executado [De *mal*[2] + part. de *executar*.] ***Adj.*** V. *malfeito* (1). [Pl.: *mal-executados*.]

malfadado [De *mal*[2] + *fadado*.] ***Adj.*** **1.** Que tem mau fado, má sorte; desditoso, desgraçado: *criatura malfadada*; "parecia-nos fantástico que alguém teimasse em viver nessas terras malfadadas." (Fernando Namora, *Retalhos da Vida de um Médico*, p. 22). [Antôn.: *bem-fadado*.] ● ***S. m.*** **2.** Indivíduo malfadado.

malfadar [De *mal*-[2] + *fadar*.] ***V. t. d.*** **1.** Vaticinar má sorte a; profetizar mau fado a. **2.** Destinar à desgraça. **3.** Tornar infeliz; infelicitar, desgraçar. [Antôn.: *bem-fadar*.]

malfalado [De *mal*[2] + *falado*.] ***Adj.*** De que, ou de quem se fala ou falou mal; mal-afamado.

malfalante [De *mal*[2] + *falante*.] ***Adj. 2 g. S. 2 g.*** V. *maldizente*. [Cf. *bem-falante*.]

malfazejo (ê) [De *malfazer*.] ***Adj.*** Amigo de fazer mal; malfeitor, malfazente. [Antôn.: *benfazejo*.]

malfazente [De *malfazer* + *-nte*.] ***Adj. 2 g.*** V. *malfazejo*.

malfazer [Do lat. *malefacere*.] ***V. t. d.*** **1.** Fazer mal, causar prejuízo a. ***Int.*** **2.** Fazer mal a outrem; causar-lhe danos: "A liberdade de malfazer a ninguém se deve permitir, a de fazer bem sobeja a todos." (Marquês de Maricá, *Máximas, Pensamentos e Reflexões*, p. 29.) ***T. i.*** **3.** Fazer mal; causar prejuízo: *De boa índole, não malfaz a ninguém*. [Antôn.: *benfazer*. Irreg. Conjug.: v. *fazer*. P. us., salvo no infinitivo e no gerúndio.]

malfeito [Do lat. *malefactu*.] ***Adj.*** **1.** Feito sem perfeição; mal-executado, malpreparado. **2.** Que tem má configuração; deforme: "o nariz [era] largo e malfeito, ponteado de sardas escuras." (Lia Correia Dutra, *Navio sem Porto*, p. 107). **3.** *Fig.* Mau, injusto, iníquo: "Um sentimento de vergonha tomou-o: Parece impossível... 'É malfeito o que estou a fazer .... Vou-me deitar...'" (Domingos Monteiro, *O Primeiro Crime de Simão Bolandas*, pp. 48-49.) [Antôn.: *benfeito*.] ● ***S. m.*** **4.** *Bras. Ant.* V. *malfeitoria*. **5.** *Bras.* V. *bruxaria* (1 e 2).

malfeitor (ô) [Do lat. *malefactore*.] ***S. m.*** **1.** Aquele que comete crimes ou delitos condenáveis; celerado, facinoroso, facínora. ● ***Adj.*** **2.** V. *malfazejo*. [Antôn.: *benfeitor*.]

malfeitoria [De *malfeitor* + *-ia*[1].] ***S. f.*** **1.** Malefício, dano, prejuízo. **2.** Delito, crime. [Sin., bras.: *malfeito*. Antôn., bras. e ant.: *benfeitoria* (3).]

malfeliz [De *mal*[2] + *feliz*.] ***Adj. 2 g.*** *P. us.* Infeliz (1).

malferido [Part. de *malferir*.] ***Adj.*** **1.** Ferido gravemente ou mortalmente: "Vem só e ofegante: traz nos ombros um veado, uma beleza de veado capoeiro, malferido." (Odilo Costa Filho, *A Faca e o Rio*, pp. 129-130.) **2.** Renhido, cruento, sangrento: *combate malferido*.

malferir [De *mal*[2] + *ferir*.] ***V. t. d.*** **1.** Ferir gravemente ou mortalmente: "Malferiram-lhe o coração amoroso e o soberano cru [D. Pedro I de Portugal] mordeu ferozmente o coração do matador da idolatrada Inês de Castro." (A. Austregésilo, *Obras Completas*, I,

p. 281.) 2. Tornar (um combate) renhido, cruento. [Irreg. Conjug.: v. *ferir*.]

malfigurado [De *mal*[2] + *figurado*, part. do v. *figurar*.] *Adj.* V. *bem-figurado*: *Seus planos de viagem estão malfigurados.*

malformação [Do fr. *malformation*.] *S. f.* V. *má-formação*.

malformado [De *mal*[2] + *formado*.] *Adj.* 1. Que apresenta malformação. 2. Que tem sentimentos ou tendências más: *espírito malformado.* 3. *E. Ling.* Cuja formação não segue o padrão morfológico correspondente.

malformulado [De *mal*[2] + *formulado*.] *Adj.* Que não foi bem formulado, expresso.

mal-francês [De *mal*[1] + *francês*.] *S. m.* V. *sífilis*: "Dizia-se à boca pequena que era o mal-francês .... Atribuía-se a doença a contacto impuro com mulher mundana." (João de Araújo Correia, *Terra Ingrata*, p. 142.) [Pl.: *males-franceses*.]

malfrequentado [De *mal*[2] + part. de *frequentar*.] *Adj.* Que tem má frequência (3).

malfundamentado [De *mal*[2] + *fundamentado*.] *Adj.* Assentado sobre fundamento, argumento, etc., fraco ou inconsistente.

malga [Do gr. *magída*, acus. de *magís*, pelo lat. *magida*, pelas f. **madiga*, **madga*.] *S. f.* Tigela ou prato fundo vidrado, branco ou de cor: "A um canto da arca, as malgas vidradas, as canecas de estanho reluziam bem limpas." (Eça de Queirós, *Últimas Páginas*, p. 13.)

malgalante [De *mal*[2] + *galante*.] *Adj. 2 g.* Descortês para com senhoras.

mal-gálico [De *mal*[1] + *gálico*.] *S. m.* V. *sífilis*. [Pl.: *males-gálicos*.]

malganho [De *mal*[2] + *ganho*.] *Adj.* Ganho ou adquirido por meios ilícitos: *dinheiro malganho; cargo malganho.*

malgastar [De *mal*[2] + *gastar*.] *V. t. d.* Gastar mal; desbaratar, malbaratar, esbanjar. [Conjug.: v. *gastar*.]

malgaxe [Do malgaxe (3), pelo fr. *madécasse, malgache*.] *Adj. 2 g.* 1. Da, ou pertencente ou relativo à República de Madagascar ou Madagáscar (oceano Índico, S.E. da África). • *S. 2 g.* 2. O natural ou habitante de Madagascar. [Sin., nessas acepç.: *madagascarense*.] • *S. m.* 3. *Gloss.* Língua da família malaio-polinésia, falada em Madagascar e em algumas das ilhas vizinhas. 4. Vocábulo dessa língua.

mal-germânico [De *mal*[1] + *germânico*.] *S. m.* V. *sífilis*. [Pl.: *males-germânicos*.]

malgostoso (ô) [De *mal*[2] + *gostoso*.] *Adj.* Que tem mau gosto ou sabor; não gostoso.

malgovernar [De *mal*[2] + *governar*.] *V. t. d.* Governar mal, gastando acima de suas posses: *Por malgovernar os seus bens terminou arruinando-se.*

malgradado [De *malgrado* + *-ado*[1].] *Adj.* Contrariado, contrafeito.

malgrado [De *malo*[1] + *grado*[1], com síncope.] *S. m.* 1. Desagrado, desprazer, mau grado: *Tudo foi feito a nosso malgrado.* • *Prep.* 2. Não obstante; apesar de; a despeito de: "Malgrado o propósito de não causar incômodo, duas semanas depois pensei em aceitar o oferecimento do parente." (Daniel de Carvalho, *De Outros Tempos*, p. 51.)

malha[1] [Do lat. *macula*, pelo fr. *maille*.] *S. f.* 1. Cada uma das alças ou voltas de um fio (de lã, seda, algodão, etc.) quando trabalhado por certos processos manuais ou mecânicos. 2. *Tec. Têx.* Tecido feito à mão ou à máquina, cujas malhas se ligam entre si formando carreiras superpostas, e que, por ser feito, em geral, com um só fio, se desfia facilmente. [A malha feita à máquina pode não ser sujeita a desfiar-se mediante o emprego de um segundo fio no sentido transversal. Cf. *jérsei* e *tricô*.] 3. *Vest.* Roupa colante, feita de malha, que ger. consiste em uma só peça (de calças compridas, e com mangas ou sem elas), e que, por sua elasticidade, é us. por bailarinos, acrobatas, ginastas, etc. 4. *Tec. Têx.* Tecido de malha com fios metálicos, us. na Idade Média, como proteção, em vestimentas de combate: "vibrada [a espada] com ânsia, colhera pelo ombro esquerdo o velho fronteiro e, rompendo a grossa malha do lorigão, penetrara na carne até o osso." (Alexandre Herculano, *Lendas e Narrativas*, II, p. 94). 5. Espaço aberto entre os nós de rede ou de tecido similar. 6. Dimensão dos furos de uma peneira (para medir a finura de certos produtos). 7. Conjunto de vias, canais, cabos, etc., interconectados, ou de elementos, pessoas, serviços, etc., distribuídos numa área ou região; rede: *malha rodoviária; malha telefônica, malha de agentes.* 8. *Eng. Elétr.* Num circuito elétrico, conjunto de condutores ou de componentes que formam um caminho fechado. 9. *Eng. Elétr.* Num diagrama de fluxo de sinal, caminho (8) fechado ao longo do qual nenhum nó é encontrado mais de uma vez. 10. *Bras. SP* Suéter ou casaquinho de malha[1] (2). ◆ **Malha fria.** *Tec. Têx.* Malha[1] (2) fabricada com fios sintéticos leves, us. para roupas tb. leves. **Malha urbana.** *Urb.* Tecido urbano. **Meia malha.** *Tec. Têx.* Mistura de jérsei com poliéster ou algodão, us. para a produção de *lingerie* e camisetas.

malha[2] [Do lat. *macula*, por via pop.] *S. f.* 1. Espaço de coloração diferente na pele dos animais; mancha natural. 2. Porção de pelos do animal destacada do todo da pelagem. 3. Descoloração no conjunto da vegetação de um terreno. 4. *Lus. Pop.* Pano[1] (8).

malha[3] [Do lat. *magalia, ium*, 'tendas de nômades', 'choupanas'.] *S. f.* Malhada[2] (1).

malha[4] [Dev. de *malhar*[1].] *S. f.* 1. Ato de malhar[1]; malhada, malhação. 2. V. *surra* (1). 3. *Bras. Esport.* Jogo que consiste em lançar chapas ou discos de metal malhado (ou outro objeto similar, como, p. ex., ferraduras) contra pequenas estacas postas a distância convencionada; chinquilho, paleta. 4. Disco de metal utilizado nesse jogo. [Cf., nesta acepç., *conca* (2).]

malha[5] [De *mealha*.] *S. f.* Mealha (1).

mal-habituado [De *mal*[2] + *habituado*.] *Adj.* Mal-acostumado. [Pl.: *mal-habituados*.]

malhação [De *malhar*[1] + *-ção*.] *S. f.* 1. Ação de malhar; malhada, malha. 2. *Fig.* Zombaria, escarnecimento, escárnio, gozação. 3. *Fig.* Crítica acerba, demolidora, violenta. [Sin., bras., nas acepç. 2 e 3: *pichação*.] 4. *Bras. Gír.* Ato de malhar[1] (12).

malhada[1] [De *malhar*[1] + *-ada*[1].] *S. f.* 1. Ato de malhar[1]; malhação, malha. 2. Pancada com malho. 3. Lugar onde se malha.

malhada[2] [De *malha*[3] + *-ada*[1].] *S. f.* 1. Cabana de pastores; malha. 2. Curral de gado: "Levara uma vida livre, solto nos campos, ajudando a tocar o gado para a malhada, a meter as vacas no curral." (Inglês de Sousa, *O Missionário*, p. 52.) 3. Rebanho de ovelhas. 4. Toca de animais selvagens. 5. *Bras.* Lugar sombreado por grandes árvores, onde o gado costuma proteger-se da soalheira; malhador. 6. *Bras. N.E.* Lugar onde se reúne comumente o gado, para ser trabalhado. 7. *Bras. PI* Baixa úmida, onde medra vegetação análoga à dos agrestes, com predomínio de palmeiras. 8. *Bras. BA* Lugar onde o gado costuma dormir, em lotes. 9. *Bras. BA* Plantação de fumo pouco extensa. 10. *Bras. BA* Lugar de uma plantação de capim de corte. 11. *Bras. BA* Área gramada à frente da casa, nas fazendas de criação da caatinga.

malhada[3] [De *malha*[1] + *-ada*[1].] *S. f.* Enredo, trama.

malhada-pedrense *Adj. 2 g.* 1. De, ou pertencente ou relativo a Malhada de Pedras (BA). • *S. 2 g.* 2. O natural ou habitante de Malhada de Pedras. [Pl.: *malhada-pedrenses*.]

malhadeiro[1] [De *malhar*[1] + *-deiro*.] *S. m.* 1. Instrumento de malhar[1] (1 e 2). 2. Aquele que é malhado, espancado. 3. Aquele que é alvo de zombarias ou críticas. • *Adj.* 4. Diz-se de indivíduo malhadeiro; malhadiço, maçadiço.

malhadeiro[2] [De *malhada*[2] + *-eiro*.] *S. m.* 1. Aquele que mora em malhada[2] (1); pastor: "Tínhamos ido .... em busca de um porco, que o malhadeiro atalaiara na véspera." (Conde de Ficalho, *Uma Eleição Perdida*, p. 169.) 2. Homem rústico, lapuz.

malhadense[1] *Adj. 2 g.* 1. De, ou pertencente ou relativo a Malhada (BA). • *S. 2 g.* 2. O natural ou habitante de Malhada.

malhadense[2] *Adj. 2 g.* 1. De, ou pertencente ou relativo a Malhada dos Bois (SE). • *S. 2 g.* 2. O natural ou habitante de Malhada dos Bois.

malhadiço [De *malhar*[1] + *-(d)iço*.] *Adj.* 1. V. *malhadeiro*[1] (4). 2. Que não faz caso de ser malhado, criticado.

malhado[1] [Part. de *malhar*[1].] *Adj.* 1. Que se malhou; batido ou calcado com malho. 2. *Bras. Gír.* Diz-se de droga (4) adulterada com misturas. 3. *Bras. Gír.* Moldado (o corpo ou parte dele) em consequência de ginástica e exercícios intensos; sarado.

malhado[2] [De *malha*[2] + *-ado*[1].] *Adj.* Que tem malhas ou manchas: *touro malhado.*

malhadoiro [De *malhar*[1] + *-doiro*[2].] *S. m.* Malhadouro (q. v.).

malhador[1] (ô) [De *malhar*[1] + *-dor*.] *Adj. S. m.* Que, ou aquele que malha.

malhador[2] (ô) *Adj.* 1. De, ou pertencente ou relativo a Malhador (SE). • *S. m.* 2. O natural ou habitante de Malhador.

malhador[3] (ô) [De *malhar*[2] + *-dor*.] *S. m. Bras. RS GO* Malhada[2] (4).

malhadorense *Adj. 2 g.* 1. De, ou pertencente ou relativo a Malhador (SE). • *S. 2 g.* 2. O natural ou habitante de Malhador.

malhadouro [De *malhar*[1] + *-douro*[2]; var. de *malhadoiro*.] *S. m.* Lugar onde se malham cereais.

malhal [De *malho* + *-al*[1].] *S. m.* Travessa de madeira dos lagares de vinho.

malhão[1] [De *malho*.] *S. m.* 1. Tiro por alto, no jogo da bola. 2. A bola com que se faz esse tiro.

malhão[2] *S. m. Lus.* Canção popular dançada, sem tipo definido.

malhar[1] [De *malho* + *-ar*[2].] *V. t. d.* 1. Bater com malho ou martelo em: *malhar o ferro.* 2. Debulhar (cereais) na eira; bater com mangual. 3. Espancar, contundir. 4. Zombar de; escarnecer de; troçar de. 5. *Fam.* Tesourar (3). 6. *Bras. Gír.* Adulterar [droga (4)], com misturas. *T. i.* 7. V. *surrar* (2): *Malhou impiedosamente no menino.* 8. Bater com malho ou martelo: *Não adianta admoestá-lo: é malhar em ferro frio.* *Int.* 9. Dar pancadas; espancar. 10. Bater com malho ou martelo. 11. Soltar a voz (o sapo, a rã). 12. *Bras. Gír.* Fazer ginástica vigorosa visando a musculação ou emagrecimento.

malhar[2] [De *malhada*[2] + *-ar*[2], com síncope.] *V. int. Bras.* 1. Estar (o gado) na malhada[2] (4); proteger-se da soalheira. 2. Juntar-se (o gado), conforme a hora, em determinados locais dos cercados, para pastar.

malharia [De *malha*[1] + *-aria*.] *S. f.* 1. A arte de fabricar tecidos de malha. 2. Indústria de malha ou de jérsei. 3. Fábrica ou loja de roupas de malha. 4. Artigos de malha (em tecido ou confeccionados).

malheirão [De *malh(ar)*[1] + *-eirão*.] *S. m. Lus.* Brincadeira que consiste em sentar-se um participante às costas do adversário, dando-lhe pancadas com o punho cerrado, até que ele adivinhe quantos dedos o esmurrador tem abertos na outra mão.

malhetar [De *malhete* + *-ar*[2].] *V. t. d.* 1. Fazer malhetes em. 2. Encaixar (peça de madeira ou metal) em outra. [Pres. subj.: *malhete, malhetes*, etc. Cf. *malhete* (ê) e pl. *malhetes* (ê).]

malhete (ê) [De *malho* + *-ete* (ê).] *S. m.* 1. *Carp.* Encaixe especial que se faz nas extremidades de duas vigas, pranchões, etc., a fim de o conjunto resistir aos esforços de tração. 2. Pequeno malho ou maço. 3. *Marinh.* Travessão existente em cada elo de amarra, destinado a aumentar-lhe a resistência, impedir que se deforme, e reduzir a possibilidade de que a amarra tome cocas. [V. *coca*[4] (2).] 4. *Ant. Constr. Nav.* Cada um dos vergalhões de ferro que se prendem horizontalmente aos ovéns de uma enxárcia para mantê-los afastados uns dos outros. 5. *Maç.* Pequeno malho (1), utilizado pelo venerável mestre e pelos vigilantes, e que, entre os maçons, é um emblema de poder. 6. *Lus. Fam.* Repreensão ligeira; pequena admoestação: "De repente, estava quase velho — .... com direito .... a jorrar sentenças e lançar malhetes." (Inês Pedrosa, *Fazes-Me Falta*, p. 25.) [Pl.: *malhetes* (ê). Cf. *malhete* e *malhetes*, do v. *malhetar*.] ◆ **Ficar sob o malhete.** *Maç.* Deixar para a sessão seguinte.

malho [Do lat. *malleu*.] *S. m.* 1. Grande martelo de ferro ou de madeira, sem unhas nem orelhas. 2. Maço de calceteiro. 3. *Mús.* Matraca (1). ◆ **Descer o malho em.** *Bras. Pop.* Falar mal de.

malhoada [De *malha*[1].] *S. f.* Conluio, tramoia.

mal-humorado [De *mal*[2] + *humorado*.] *Adj.* 1. Que tem maus humores; achacado, adoentado. 2. *Fig.* Que está de, ou tem mau humor (4); irritado, aborrecido. [Antôn., nesta acepç.: *bem-humorado*. Pl.: *mal-humorados*.]

▲ **mal(i)-** [Do lat. *mālum, i*.] *El. comp.* = 'maçã': *málico, maliforme.*

malícia [Do lat. *malitia*.] *S. f.* 1. Tendência para o mal; má índole. 2. Esperteza, vivacidade. 3. Sagacidade, astúcia, manha, ronha. 4. Brejeirice, marotice: *Tem um ar de malícia no olhar.* 5. Intenção maldosa, satírica ou fescenina: *Sente-se a malícia de suas palavras.* [Sin., nas acepç. 1 a 5: *maliciosidade*.] 6. Dito picante, mordaz. 7. *Bras. Bot.* V. *dormideira* (2). [Cf. *malicia*, do v. *maliciar*.]

malícia-d'água *S. f. Bras. Bot.* Juquiri-manso. [Pl.: *malícias-d'água*.]

malícia-de-mulher *S. f. Bras. Bot.* V. *dormideira* (2). [Pl.: *malícias-de-mulher*.]

maliciador (ô) [De *maliciar* + *-dor*.] *Adj. Bras.* Malicioso (1).

maliciar [De *malícia* + *-ar*[2].] *V. t. d.* 1. Atribuir malícia a. 2. Tomar em mau sentido; interpretar mal. 3. Desconfiar de; suspeitar. *T. i.* 4. Fazer mau juízo: *Malicia de tudo.* [Pres. ind.: *malicio, malicias, malicia*, etc. Cf. *malícia* e pl. *malícias*.]

maliciosidade [Do lat. tard. *malitiositate*.] *S. f.* Qualidade de malicioso; malícia.

malicioso (ô) [Do lat. *malitiosu*.] *Adj.* 1. Que tem malícia: "O cura era um velhote conservado, / Malicioso, alegre, prazenteiro" (Guerra Junqueiro, *A Velhice do Padre Eterno*, p. 154). [Sin., bras.: *maliciador*.] 2. Em que há, ou que revela malícia. • *S. m.* 3. Indivíduo malicioso: "o seu rosto exprimia uma angústia suprema, em que alguns maliciosos sonharam ver um êxtase de amor." (Inglês de Sousa, *Contos Amazônicos*, p. 148).

málico [De *mal(i)-* + *-ico*[2].] *Adj. Quím.* V. *ácido* —.

maliforme [De *mal(i)-* + *-forme*.] *Adj. 2 g.* Que tem forma de maçã. [Cf. *maleiforme*.]

maligna [F. subst. do adj. *maligno*.] *S. f.* 1. *Pop.* Febre perniciosa; de mau caráter. 2. *Pop.* Febre tifoide; tifo.

3. *Bras.* Febre palustre; maleita, sezão. [Var., ant. e pop.: *malina.*]

malignar [De *maligno* + *-ar*[2].] *V. t. d.* **1.** Tornar mau ou maligno. **2.** Viciar, corromper, perverter. *Int.* **3.** Recrudescer (uma doença); tornar-se maligno; agravar-se.

malignidade [Do lat. *malignitate.*] *S. f.* Qualidade de maligno. [Antôn.: *benignidade.*]

maligno [Do lat. *malignu.*] *Adj.* **1.** Propenso para o mal; mau, maléfico: *caráter maligno.* **2.** Pernicioso, nocivo, danoso: *influência maligna.* **3.** Que atrai ou prognostica o mal ou a desgraça; funesto, fatal: *estrela maligna.* [Var., ant. e pop., nessas aceps.: *malino.*] **4.** *Med.* Diz-se de mal que tende a piorar progressivamente e levar à morte. ~ V. *espírito —, linfogranuloma —, neoplasma —, pústula —* e *tumor —.* [Antôn.: *benigno.*] ● *S. m.* **5.** V. *diabo* (2).

mal-ilírico [De *mal*[1] + *ilírico.*] *S. m.* V. *sífilis.* [Pl.: *males-ilíricos.*]

mal-iluminado [De *mal*[2] + *iluminado.*] *Adj.* Que recebe pouca iluminação. [Pl.: *mal-iluminados.*]

malina[1] [Do b.-lat. *malina.*] *S. f.* Maré muito alta.

malina[2] *S. f. Ant. Pop.* V. *maligna.*

malina[3] [Do top. *Malinas* (Bélgica).] *S. f.* **1.** Renda muito fina, de origem belga. **2.** Raça belga de galinhas.

malinado [De *malino, i. e.,* 'que sofre de doença maligna', + *-ado*[1].] *Adj. Pop.* Sifilítico (2).

malinar [De *malino* (2) + *-ar*[2]; var. de *malignar.*] *Bras. V. t. i.* **1.** Atenazar (3): *malinar com alguém.* *Int.* **2.** Fazer travessuras (as crianças).

malinca *S. 2 g.* **1.** *Etnôn.* Indivíduo dos malincas, povo de agricultores de filiação mandinga, que habita regiões da Guiné, Guiné-Bissau, Mali, Senegal, Costa do Marfim, Serra Leoa, Gâmbia e Burquina Faso, na África ocidental. ● *S. m.* **2.** *Gloss.* Língua mandê (4), falada principalmente em Mali, no Senegal e na Guiné (África); maninca, maninca do noroeste. **3.** Vocábulo malinca. ● *Adj. 2 g.* **4.** Pertencente ou relativo aos malincas, ou ao malinca (2).

malinconia *S. f. Ant. Pop.* V. *melancolia* (1 a 3).

malincónico *Adj.* V. *malincônico.* [Uso freq. em P.]

malincônico *Adj. Ant. Pop.* Melancólico.

malinês *Adj.* **1.** Da, ou pertencente ou relativo à República do Mali (N.O. da África). ● *S. m.* **2.** O natural ou habitante da República do Mali. [Flex.: *malinesa* (ê), *malineses* (ê), *malinesas* (ê). Cf. *malineza.*]

malineza (ê) [De *malino* + *-eza.*] *S. f. Bras. PA Pop.* V. *maldade* (1 a 4). [Cf. *malinesa* (ê), fem. de *malinês.*]

mal-informado [De *mal*[2] + *informado.*] *Adj.* Que não teve, ou recebeu, suficiente informação sobre determinado assunto. [Pl.: *mal-informados.*]

má-língua [De *má* + *língua.*] *S. f.* **1.** Vício de dizer mal de pessoas ou coisas; maledicência. ● *S. 2 g.* **2.** Pessoa maledicente: "advertiu o pedreiro que não fosse má-língua, que não andasse a difamar os seus discípulos" (Camilo Castelo Branco, *A Brasileira de Prazins,* p. 26). ● *Adj. 2 g.* **3.** Diz-se de pessoa maledicente: "Zeferino debatia-se num azedume de desesperado, muito má-língua, insano de paixão, a degenerar para facínora em teorias de escavar meio mundo." (Id., *ib.,* p. 30.) [Pl.: *más-línguas.*]

malinha [De *mala*[1] + *-inha.*] *S. f. Bras. AL* Espécie de ganzá semelhante a uma mala, usado por cantadores de coco e de toadas, e feito de cipó de titara.

malinidade [Var. de *malignidade.*] *S. f. Bras.* Maldade, perversidade, malignidade.

malino [Var. de *maligno.*] *Adj.* **1.** *Ant. Pop.* Maligno: "Tanto podem malinas criaturas, / Que por fazer escuras as estrelas, / Dizem que falta nelas claridade!" (Fr. Agostinho da Cruz, *Obras,* p. 38.) **2.** *Bras. Pop.* Travesso, traquinas (diz-se de crianças). ● *S. m.* **3.** *Bras. Pop.* V. *diabo* (2).

mal-intencionado [De *mal*[2] + *intencionado.*] *Adj.* Diz-se daquele que tem más intenções ou má índole; propenso ao mal. [Pl.: *mal-intencionados.* Antôn.: *bem-intencionado.*]

malíssimo *Adj.* Superl. abs. sint. de *mau*; péssimo.

maljeitoso (ô) [De *mal-*[2] + *jeitoso.*] *Adj.* V. *desajeitado* (1).

mallarmeano [Do antr. (*Stéphane*) *Mallarmé* + *-ano*[1].] *Adj.* **1.** Pertencente ou relativo ao poeta francês Stéphane Mallarmé (1842-1898), ou próprio dele. **2.** Que é admirador e/ou profundo conhecedor de sua obra. ● *S. m.* **3.** Admirador e/ou profundo conhecedor da obra de Mallarmé.

mal-lavado [De *mal-*[2] + *lavado.*] *Adj.* Que conserva parte da sujeira, por não ter sido convenientemente lavado. [Pl.: *mal-lavados.*]

malletense *Adj. 2 g.* **1.** De, ou pertencente ou relativo a Mallet (PR). ● *S. 2 g.* **2.** O natural ou habitante de Mallet.

malmandado [De *mal*[2] + *mandado.*] *Adj.* Que não faz o que lhe mandam fazer; que não cumpre ordens; desobediente. [Antôn.: *bem-mandado.*]

malmente [De *mal*[2] + *-mente.*] *Adv.* Mal; incompletamente.

malmequer [De *mal*[2] + *me* + a 3.ª pess. do sing. do pres. ind. do v. *querer.*] *S. m. Bot.* Bem-me-quer.

malmequer-amarelo *S. m. Bot.* V. *tasneirinha.* [Pl.: *malmequeres-amarelos.*]

malmequer-da-campina *S. m. Bras. Bot.* Erva asterácea (*Wedelia paludosa*) nativa do Brasil e bastante cultivada como ornamental, de caule rastejante, o qual se espalha sobre amplas superfícies, folhas inteiras ou trilobadas, sempre membranáceas, e cujos capítulos, amarelos e grandes, nunca ausentes, a enfeitam. [Pl.: *malmequeres-da-campina.*]

malmequer-do-campo *S. m. Bot.* V. *grindélia* (2 e 3). [Pl.: *malmequeres-do-campo.*]

malmequer-do-rio-grande *S. m. Bras. Bot.* Girassol-do-mato. [Pl.: *malmequeres-do-rio-grande.*]

malmequer-grande *S. m. Bras. Bot.* Arbusto asteráceo (*Heliopsis scabra*) procedente da América do Norte, cultivado em jardins, que atinge 1m de altura, cujas folhas, opostas, são ásperas, e cujos capítulos, amarelos, são poucos ou solitários. [Pl.: *malmequeres-grandes.*]

mal-morfético [De *mal*[1] + *morfético.*] *S. m.* V. *hanseníase.* [Pl.: *males-morféticos.*]

mal-napolitano [De *mal*[1] + *napolitano.*] *S. m.* V. *sífilis.* [Pl.: *males-napolitanos.*]

malnascido [De *mal*[2] + *nascido.*] *Adj.* **1.** Nascido com má sorte; malfadado. **2.** Que tem má índole, má inclinação. [Antôn.: *bem-nascido.*]

malnutrido [De *mal*[2] + *nutrido.*] *Adj.* Que tem nutrição deficiente; desnutrido: "o olhar atônito e imóvel de pedreiros nordestinos, malnutridos e despreparados para o ofício" (Silviano Santiago, *Keith Jarreth no Blue Note,* p. 96).

malo[1] [Do lat. *malu,* 'mau'.] *Adj.* V. *alto e malo.*

malo[2] [Do esp. plat. *malo.*] *Adj. Bras. RS* Mau, violento, irascível, colérico, impetuoso.

malo[3] *Adv. Lus.* V. *mailo*: "ia ela, ... pela romaria d'agosto, té ao monte que ensombra a vila, malo pai, e os irmãos" (Fialho d'Almeida, *O País das Uvas,* p. 176).

▲ **malo-** [Do gr. *mallós, oû.*] *El. comp.* = 'pelos', 'cabeleira': *malófago.*

mal-observado [De *mal*[2] + *observado.*] *Adj.* Falto de observações significativas: "Confessei .... que .... o meu relato saíra chilro, insignificante e mal-observado" (Cândido Jucá [filho], *Noite Insone,* p. 108). [Pl.: *mal-observados.*]

maloca [Do araucano *malocan,* 'fazer hostilidade', pelo esp. plat. *maloca.* (Depois da pacificação dos pampas, o termo passou a designar 'aldeia de índios'.)] *S. f.* **1.** *Bras.* Casa de habitação índia, que aloja diversas famílias. **2.** *Bras.* Aldeia indígena. **3.** *Bras. P. ext.* Casa, lar. **4.** *Bras.* Esconderijo. **5.** *Bras. PA* Cardume de peixes. **6.** *Bras. N.E.* Gado que os vaqueiros ajuntam e conduzem para os currais, por ocasião das vaquejadas. **7.** *Bras. N.E.* Gado que costuma pascer em certos e determinados pastos, nas fazendas de criação. **8.** *Bras. N.E.* Grupo de gente que não inspira confiança. **9.** *Bras. AL* Esconderijo feito na areia da praia. **10.** *Bras. S.* Grupo de salteadores, de bandidos.

malocado [Part. de *malocar.*] *Adj. Bras.* **1.** Que vive em maloca (2); aldeado. **2.** *Gír.* Escondido, oculto.

malocar [De *maloca* + *-ar*[2].] *Bras. V. t. d.* **1.** Aldear (índios). **2.** *Gír.* Esconder, ocultar, dissimular. *P.* **3.** *Gír.* Esconder-se, ocultar-se. [Conjug.: v. *trancar.* Cf. *malucar.*]

malófago [De *malo-* + *-fago*; tax. *Mallophaga.*] *Zool. S. m.* **1.** Espécime dos malófagos, ordem de artrópodes da classe dos insetos, ectoparasitos de vertebrados homeotermos. São ápteros, com sistema bucal mastigador; alimentam-se de restos de pelos, penas e fragmentos da epiderme; comprimento: até 6mm. São os piolhos mastigadores encontrados nas aves e mamíferos. ● *Adj.* **2.** Pertencente ou relativo a eles. [Sin. ger.: *lipóptero.*]

malogrado [Part. de *malograr.*] *Adj.* Que se malogrou; frustrado, malsucedido, gorado: "A sua [ideia] era o angustioso desassossego das maternidades malogradas. Perdera um filho e o procurava." (Domício da Gama, *Histórias Curtas,* p. 121.)

malograr [De *mal*[2] + *lograr.*] *V. t. d.* **1.** Fazer desaparecer ou gorar: esperdiçar, inutilizar, frustrar: *Os novos acontecimentos malogravam seus planos.* *P.* **2.** Não ir avante; gorar-se, frustrar-se. **3.** Perder-se prematuramente. [Pres. ind.: *malogro,* etc. Cf. *malogro* (ô).]

malogro (ô) [Dev. de *malograr.*] *S. m.* Efeito de malograr-se; falta de êxito; insucesso, fracasso. [Pl.: *malogros* (ô). Cf. *malogro,* do v. *malograr.*]

maloio [Alter. de *saloio,* poss.] *S. m.* Camponês, aldeão.

malonato [De (*ácido*) *malôn(ico)* + *-ato*[2].] *S. m. Quím.* Qualquer sal ou éster do ácido malônico.

malónico *Adj. Quím.* V. *malônico.* [Uso freq. em P.]

malônico [Do fr. *malonique.*] *Adj. Quím.* ~ V. *ácido —.*

maloqueiro [De *maloca* + *-eiro.*] *S. m.* **1.** *Bras. AL* Denominação comum a rapazinhos que andam pelas ruas, sujos e descalços, de ordinário em grupo, pedindo dinheiro, praticando pequenos furtos, etc. [Alguns deles pernoitam em esconderijos feitos na areia da praia, denominados *malocas.* Sin., no RJ, SP e RS: *pivete* (3).] **2.** *Bras. AL P. ext.* Indivíduo maltrapilho ou mal-educado. **3.** *Bras. RS* Aquele que faz parte de maloca (9); salteador, bandido.

malotão [De *malote* + *-ão*[1].] *S. m.* **1.** Grande mala. **2.** Pacote ou trouxa grande.

malote [De *mala*[1] + *-ote*[1].] *S. m.* **1.** Pequena mala; maleta. **2.** Peça de oleado em que os soldados envolvem o capote. **3.** *P. ext. Bras.* Serviço oficial ou particular para transporte e entrega rápida de correspondência ou encomendas.

mal-ouvido [De *mal*[2] + o part. de *ouvir.*] *Adj. S. m. Bras.* Que, ou aquele que não ouve conselhos, que é desobediente. [Antôn.: *bem-ouvido.* Pl.: *mal-ouvidos.*]

malparado [Part. de *malparar.*] *Adj.* **1.** Em situação desfavorável ou perigosa; periclitante, arriscado: "Amores malsucedidos, negócios malparados, ... conduzem as vítimas até à barraca do feiticeiro" (Raimundo Morais, *País das Pedras Verdes,* p. 230). **2.** Que corre o risco de perder-se ou comprometer-se: *dinheiro malparado*; "Achando .... malparada a administração da justiça, do que muito sofria a população, o governador apresentou severa denúncia contra o ouvidor Pedro de Unhão Castelo Branco" (Vivaldo Coaraci, *O Rio de Janeiro no Século 17,* p. 486). [Antôn.: *bem-parado.*]

malparar [De *mal*[2] + *parar.*] *V. t. d.* Submeter a mau destino; aventurar, arriscar.

malparecido [De *mal*[2] + *parecido.*] *Adj.* Que tem aparência má; que não é bonito; feio. [Cf. *parecido.* Antôn.: *bem-parecido.*]

malparição [De *malparir* + *-ção.*] *S. f. Bras.* Aborto provocado.

malparir [De *mal*[2] + *parir.*] *V. int.* Ter mau parto; abortar.

malpassado [De *mal*[2] + *passado.*] *Adj.* Que não foi de todo cozido ou assado; quase cru.

malpíghia [Do tax. *Malpighia* (do antr. [*Marcello*] *Malpighi* [1628-1694], anatomista italiano, + lat. cient. *-ia,* v. *-ia*[2]).] *S. f. Bot.* **1.** O gênero-tipo das malpighiáceas, que reúne árvores e arbustos dotados de cálice glandular e fruto drupáceo, e que habitam as regiões tropicais das Américas. **2.** Qualquer espécime desse gênero, como, p. ex., a *Malpighia emarginata* [v. *acerola* (1)]. **3.** Qualquer espécime desse gênero.

malpighiácea Do tax. *Malpighia* (v. *malpíghia*) + *-ácea*; tax. *Malpighiaceae.*] *S. f. Bot.* Espécime das malpighiáceas, família de dicotiledôneas lenhosas, da ordem das poligalales, com folhas opostas, estípulas e glândulas; flores hermafroditas, diplostêmones; cálice provido de conspícuas glândulas; ovário trilocular, com um óvulo em cada lóculo. Há cerca de 600 espécies tropicais, numerosas delas no Brasil.

malpighiáceo [De *malpighiácea,* com var. suf. (v. *-áceo*).] *Adj. Bot.* Pertencente ou relativo às malpighiáceas. ~ V. *pelo —.*

malpinguinho [Var. de *mapinguim* < top. *Baependi* (MG), local de onde provinha a maior parte do fumo sulino.] *S. m. Bras. N. N.E.* Fumo importado de estados situados ao sul, especialmente de MG. [Outra var.: *mapinguinho.*]

mal-polaco [De *mal*[1] + *polaco.*] *S. m.* V. *sífilis.* [Pl.: *males-polacos.*]

malposto (ô) [De *mal*[2] + *posto*[1].] *Adj.* **1.** V. *mal-amanhado.* [Antôn.: *bem-posto* (2).] **2.** Que não está colocado de forma adequada. [Flex.: *malposta, malpostos* (ó), *malpostas.*]

malpreparado [De *mal*[2] + *preparado.*] *Adj.* **1.** V. *malfeito* (1). **2.** Que não tem preparo (6) suficiente.

malprocedido [De *mal*[2] + *procedido,* part. de *proceder.*] *Adj. Bras.* Que procede ou se porta mal; mal-educado. [Antôn.: *bem-procedido.*]

malpropício [De *mal*[2] + *propício.*] *Adj.* Pouco adequado; impróprio.

malproporcionado [De *mal*[2] + *proporcionado.*] *Adj.* Disposto irregularmente; malconformado, inarmônico. [Antôn.: *proporcionado.*]

malquerença [De *malquerer* + *-ença.*] *S. f.* Qualidade ou estado de malquerente: "Solidárias, esqueciam brigas antigas, rivalidades, malquerenças." (Lia Correia Dutra, *Navio sem Porto,* p. 103.) [Antôn.: *benquerença.*]

malquerente [De *malquerer* + *-nte.*] *Adj. 2 g.* Que malquer alguém; malevolente, inimigo. [Antôn.: *benquerente.*]

malquerer [De *mal*[2] + *querer.*] *V. t. d.* **1.** Querer mal a; ser inimigo de; aborrecer, detestar: "Vira-se a última página do romance *As Desencantadas,* de Pierre Loti, malquerendo o romancista pela impressão profunda de tristeza que ele nos influiu

M

ao findar." (José Vieira, *Sol de Portugal*, p. 59.) [Irreg. Conjug.: v. *querer*. Part.: *malquerido* e *malquisto*. Antôn., nesta acepç.: *bem-querer* e *benquerer*.] ● *S. m.* 2. Aversão, inimizade. [Antôn., nesta acepç.: *bem-querer* (2) e *benquerer*.]

malquerido [Part. de *malquerer*.] ***Adj.*** V. *malquisto*. [Antôn.: *bem-querido*.]

malquistar [De *malquisto* + *-ar*[2].] ***V. t. d. T. d. e i.*** **1.** Tornar malquisto; tornar inimigo; inimizar, indispor: *Aquela questão malquistou os amigos; Malquistaram-no com os superiores.* ***Int.*** **2.** Causar inimizade ou malquerença. ***P.*** **3.** Adquirir inimizade; inimizar-se: "O soberbo é um tolo: perde sempre sem ganhar, malquistando-se com todos." (Marquês de Maricá, *Máximas, Pensamentos e Reflexões*, p. 29.) [Antôn.: *benquistar*.]

malquisto [De *mal*[2] + *quisto*[2].] ***Adj.*** **1.** Que é objeto de antipatia, de malquerença; antipatizado, odiado. **2.** Malvisto, mal-afamado. [Sin. ger.: *malquerido*. Antôn.: *benquisto*.]

malredigido [De *mal*[2] + part. de *redigir*.] ***Adj.*** Que não teve redação apurada, benfeita; mal-escrito.

malroupido [De *mal*[2] + *roupido*.] ***Adj. S. m.*** V. *maltrapilho*.

malsã ***Adj.*** (***f.***) Fem. de *malsão*: "Tal era a predisposição malsã do meu espírito .... refratário a toda a disciplina, que o melhor título dum homem ou dum animal à minha afeição era ser desprezado por todos." (Inglês de Sousa, *Contos Amazônicos*, pp. 177-178.)

malsão [De *mal*[2] + *são*[2].] ***Adj.*** **1.** Não sadio; doentio; insalubre: "Este lugar úmido e malsão apenas recebia a tênue claridade de duas troneiras que davam para a cárcova." (Alexandre Herculano, *O Bobo*, p. 253.) **2.** Ainda não completamente curado; malcurado. **3.** Maligno, mau; mórbido, doentio. **4.** Maléfico, mau, daninho, nocivo: *influência malsã; convívio malsão*. [Flex.: *malsã, malsãos, malsãs*.]

malsatisfeito [De *mal*[2] + *satisfeito*.] ***Adj.*** Descontente, malcontente.

malseguro [De *mal*[2] + *seguro*.] ***Adj.*** Que não está bem preso; que não foi segurado com perfeição.

malselecionado [De *mal*[2] + *selecionado*.] ***Adj.*** Que não foi convenientemente selecionado ou escolhido.

malsim [Do hebr. *malxin*, 'delator', poss. pelo esp. *malsín*.] ***S. m.*** **1.** Fiscal alfandegário. **2.** Zelador dos regulamentos policiais; beleguim. **3.** ***P. ext.*** Espião; denunciante; delator. ● ***Adj. 2 g.*** **4.** Que malsina; que descobre o que se queria encobrir. **5.** Que acusa ou calunia.

malsinação [De *malsinar*[1] + *-ção*.] ***S. f.*** Ato ou efeito de malsinar; denúncia.

malsinar[1] [De *malsim* + *-ar*[2].] ***V. t. d.*** **1.** Denunciar, na qualidade de malsim; delatar. **2.** Descobrir, denunciar. **3.** Torcer o sentido de; tomar em mau sentido; desvirtuar. **4.** Censurar, condenar: "a despeito da piedade do rei, ousa malsinar os frades que vão à Ásia e julga-os elementares na ruína do império índico." (Camilo Castelo Branco, *História e Sentimentalismo*, p. 126).

malsinar[2] [De *mal*[2] + lat. *signare*, 'marcar', 'assinalar'.] ***V. t. d.*** **1.** Desejar mal a. **2.** Agourar mal de.

malsisudo [De *mal*[2] + *sisudo*.] ***Adj.*** Não sisudo; desassisado.

malsoante [De *mal*[2] + *soante*.] ***Adj. 2 g.*** Malsonante. [Antôn.: *bem-soante*.]

malsofrido [De *mal*[2] + *sofrido*.] ***Adj.*** Que não é sofrido ou resignado; insofrido, impaciente.

malsonância [De *malsonante* + *-ia*[2], seg. o padrão analógico.] ***S. f.*** Qualidade de malsonante.

malsonante [De *mal*[2] + *sonante*.] ***Adj. 2 g.*** **1.** Que soa mal; que não tem eufonia. **2.** Desafinado, dissonante. [F. paral.: *malsoante*. Antôn.: *bem-sonante*.]

malsorteado [De *mal*[2] + *sorte* + *-eado*.] ***Adj.*** V. *mal-aventurado*.

malsucedido [De *mal*[2] + *sucedido*.] ***Adj.*** Que teve mau sucesso, ou insucesso; malogrado, frustrado: "Amores malsucedidos, negócios malparados, ... conduzem as vítimas até à barraca do feiticeiro" (Raimundo Morais, *País das Pedras Verdes*, p. 230). [Antôn.: *bem-sucedido*.]

malta[1] [Do top. *Malta*, ilha do Mediterrâneo de onde saíam bandos aventureiros para trabalhar nas colheitas europeias.] ***S. f.*** **1.** Conjunto ou reunião de gente de condição inferior. **2.** Bando, grupo, súcia: "Ah bandidos, corja, malta de salteadores e de malfeitores!" (Mílton Dias, *Entre a Boca da Noite e a Madrugada*, p. 18.) **3.** Rancho de trabalhadores que se transportam juntos de um para outro ponto em busca de trabalhos agrícolas. [Cf. *maltesia*.] **4.** Vida airada; tuna: *andar na malta*. **5.** *Bras. RJ Cap. Obsol.* Designação de associações de capoeiristas que, no séc. XIX e princípio do séc. XX, prestavam serviços a políticos e provocavam desordens em desfiles, festas e aglomerações; capoeirada: "Como a malta do Mestre Mbanji nunca tinha perdido um enfrentamento, havia vários anos que alguém ligado ao governo a contratava em tempos de eleições." (Ana Maria Gonçalves, *Um Defeito de Cor*, p. 679.)

malta[2] [Do gr. *máltha*, 'mistura de pez com cera', pelo lat. *maltha*.] ***S. f.*** *Min.* Asfalto viscoso que se assemelha ao alcatrão.

maltado [Part. de *maltar*.] ***Adj.*** A que se adicionou malte; que contém malte: *farináceo maltado*.

maltagem [De *maltar* + *-agem*[2].] ***S. f.*** Ato de maltar; preparação do malte.

maltar [De *malte* + *-ar*[2].] ***V. t. d.*** **1.** Transformar (a cevada) em malte. **2.** Tratar com malte: *maltar a cerveja*.

maltase [De *malte* + *-ase*.] ***S. f.*** *Bioquím.* Enzima que catalisa a hidrólise da maltose em duas moléculas de glicose.

malte [Do ingl. *malt*.] ***S. m.*** Produto da germinação das sementes da cevada, para emprego industrial, utilizado no fabrico de cervejas, farináceos e outros produtos alimentícios.

maltense ***Adj. 2 g.*** **1.** De, ou pertencente ou relativo a Malta (PB). ● ***S. 2 g.*** **2.** O natural ou habitante de Malta. [Sin. ger.: *maltino*.]

maltês[1] [De *malta*[1] + *-ês*.] ***S. m.*** Trabalhador que faz parte de malta[1] (3). [Pl.: *malteses* (ê).]

maltês[2] ***Adj.*** **1.** Da, ou pertencente ou relativo à República de Malta (arquipélago no Mediterrâneo central). **2.** Diz-se de gato cinzento: "Um gato maltês, esgrouviado, fouveiro, ia e vinha" (Coelho Neto, *Miragem*, p. 288). ● ***S. m.*** **3.** O natural ou habitante de Malta. **4.** *Gloss.* Língua semítica falada na República de Malta e que se constitui num desenvolvimento do árabe. [Sua origem tornou-se um tanto obscurecida, pela forte influência românica vinda da Sicília que levou à adoção do alfabeto latino.] **5.** Vocábulo dessa língua. **6.** Cavaleiro da Ordem de Malta. [Flex.: *maltesa* (ê), *malteses* (ê), *maltesas* (ê).]

maltesaria [De *maltês*[1] + *-aria*.] ***S. f.*** V. *maltesia*.

maltesia [De *maltês*[1] + *-ia*[1].] ***S. f.*** Rancho de malteses; maltesaria. [Cf. *malta*[1] (3).]

malthusianismo [De *malthusiano* + *-ismo*.] ***S. m.*** *Econ.* Doutrina ou prática associada à teoria do economista inglês T. R. Malthus (1766-1834) sobre o crescimento da população, que a seu ver seria sempre maior que o dos meios de subsistência: fome e miséria só poderiam ser evitadas pela queda da natalidade, por abstinência sexual.

malthusiano [Do antr. (*T. R.*) *Malthus* + *-iano*.] ***Adj.*** **1.** Pertencente ou relativo a Malthus (v. *malthusianismo*), ou próprio dele. **2.** Relativo ao malthusianismo.

maltino ***Adj. S. m.*** V. *maltense*.

maltose [De *malte* + *-ose*[2].] ***S. f.*** *Quím.* Dissacarídeo cristalino, incolor, que se obtém pela decomposição enzimática do amido [fórm.: $C_{12}H_{22}O_{11}$].

maltosuria [De *maltose* + *-uria*.] ***S. f.*** *Med.* V. *maltosúria*.

maltosúria [De *maltose* + *-úria*.] ***S. f.*** *Med.* Teor de maltose na urina. [F. paral.: *maltosuria*.]

maltrabalhado [De *mal*[2] + *trabalhado*.] ***Adj.*** Que não foi trabalhado com perfeição; não trabalhado como deveria.

maltraçado [De *mal*[2] + *traçado*.] ***Adj.*** Que não foi convenientemente traçado (v. *traçado*[2]).

maltrajado [De *mal*[2] + part. de *trajar*.] ***Adj.*** Que não está bem ou convenientemente vestido.

maltrapido [De *mal*[2] + *trapo* + *(vest)ido*.] ***Adj. S. m.*** V. *maltrapilho*: "Enjoavam-no os espetáculos do mulherio maltrapido, alastrado no chão à porta dos casebres" (João de Araújo Correia, *Terra Ingrata*, p. 150).

maltrapilho [De *mal*[2] + *trapo* + *-ilho*.] ***Adj.*** **1.** Que anda malvestido, esfarrapado; mal-entrajado, maltrapido, malroupido, esmolambado, estrapilho, roto, pelintra, tribufe ou tribufu ou trubufu. ● ***S. m.*** **2.** Indivíduo maltrapilho; maltrapido, malroupido, esfarrapado, esmolambado, estrapilho, farroupa, farroupilha, fraca-roupa, pelintra, pelintrão, pelitrapo, roto, samango, trolha.

maltratado [Part. de *maltratar*.] ***Adj.*** Que é ou foi vítima de maus-tratos.

maltratar [De *mal*[2] + *tratar*.] ***V. t. d.*** **1.** Tratar com violência; infligir maus-tratos a; bater em; espancar: *Não se devem maltratar os animais*. **2.** Lesar fisicamente; mutilar. **3.** Tratar com palavras rudes; tratar mal; receber mal. **4.** Insultar, ultrajar, vexar. **5.** Danificar, estragar, arruinar: *As crianças maltratam qualquer objeto*. **6.** Bater, açoitar. **7.** Causar dano(s) ou prejuízo(s) a.

mal-triste [De *mal*[1] + *triste*.] ***S. m.*** *Bras.* V. *babesíase*. [Pl.: *males-tristes*.]

mal-turco [De *mal*[1] + *turco*.] ***S. m.*** V. *sífilis*. [Pl.: *males-turcos*.]

malucagem [De *maluco* + *-agem*[2].] ***S. f.*** *Bras.* **1.** *Pop.* V. *loucura* (1 a 5). **2.** V. *maluquice* (2 a 4).

malucar [De *maluco* + *-ar*[2].] ***V. int.*** **1.** Dizer ou praticar maluquices; maluquear. **2.** Andar pensativo ou cismático. ***T. i.*** **3.** Meditar ou cismar como maluco: "não me cansei de malucar na situação trágica do português que procura atingir qualquer meta dentro da pátria." (Miguel Torga, *Diário*, IX, p. 43). [Conjug.: v. *trancar*. Cf. *malocar*.]

maluco [De *mal*[1].] ***Adj.*** **1.** Diz-se de alienado mental; doido, louco; idiota. **2.** Que age como se fosse doido; tonto, zonzo, gira. **3.** V. *tolo* (1 a 3). **4.** Diz-se de indivíduo doidivanas, estouvado. **5.** Extravagante, excêntrico, esquisito. **6.** Absurdo, desarrazoado: *Comprou a casa por um preço maluco, quase o dobro do que vale*. ● ***S. m.*** **7.** Indivíduo maluco. **8.** V. *tolo* (8).

maludo[1] [De *mal*[1] + *-udo*.] ***Adj. S. m.*** *Bras. AL MG Pop.* V. *valentão* (1 e 3).

maludo[2] [De *mala*[1] + *-udo*.] ***Adj. S. m.*** **1.** *Bras. S. Chulo* Diz-se de, ou homem que tem os órgãos genitais muito grandes. **2.** *Bras. RS* Diz-se de, ou cavalo inteiro; garanhão.

malunga [Do quicongo *malunga*.] ***S. f.*** *Bras. Pop.* V. *cachaça* (1).

malungo [De quimbundo *ma 'luga*, 'camarada, companheiro', ou do quicongo *ma lungo*, 'no mesmo navio'.] ***S. m.*** **1.** Camarada, companheiro. **2.** Título que os escravos africanos davam àqueles que tinham vindo da África no mesmo navio. **3.** *Bras.* Irmão colaço ou irmão de criação.

maluquear [De *maluco* + *-ear*[2].] ***V. int.*** Malucar (1). [Conjug.: v. *frear*.]

maluqueira [De *maluco* + *-eira*.] ***S. f.*** **1.** *Pop.* V. *loucura* (1 a 5). **2.** V. *maluquice* (2 a 4).

maluquete [De *maluco* + *-ete*.] ***Adj. 2 g. S. 2 g.*** *Pop.* Diz-se de, ou indivíduo um tanto extravagante, sem juízo; amalucado.

maluquice [De *maluco* + *-ice*.] ***S. f.*** **1.** V. *loucura* (1 a 5). **2.** Ato ou dito de maluco. **3.** Extravagância, excentricidade, esquisitice. **4.** Tolice, bobagem, idiotice. [Sin. (de 2 a 4): *maluqueira* e (bras.) *malucagem*.]

mal-usar [De *mal*[2] + *usar*.] ***V. t. d.*** Usar ou empregar mal; abusar de.

maluvo [Do quimb. *maluvu*.] ***S. m.*** *Angol.* Vinho de palmeira: "Kandimba trouxe uma garrafa de maluvo e encheram os copos." (Pepetela, *Mayombe*, p. 178.) [Var.: *marufo, maruvo* e (moç.) *sura*.]

malva [Do lat. *malva*; tax. *Malva*.] ***S. f.*** *Bot.* **1.** Gênero de plantas malváceas, herbáceas, nativas do Velho Mundo, dotadas de folhas palmadas e flores tribacteadas. **2.** Qualquer espécie desse gênero, como, p. ex., a *Malva silvestris* (v. *malva-silvestre*). **3.** Qualquer espécime desse gênero, ou a sua flor. ● ***S. m.*** **4.** A cor rosa-arroxeada da flor da malva. ● ***Adj. 2 g.*** **5.** Diz-se dessa cor: "Belfort aconchegou-se à almofada de cetim malva, acendeu uma cigarrilha do Egito com o seu monograma em ouro" (João do Rio, *Dentro da Noite*, p. 16).

malva-amarela [De *malva* + o f. de *amarelo*.] ***S. f.*** *Bot.* Erva malvácea (*Abutilon avicennae*) originária da Índia, e que fornece fibra muito semelhante à da juta, pelo que é cultivada. [Pl.: *malvas-amarelas*.]

malva-branca [De *malva* + o f. de *branco*.] ***S. f.*** *Bras. Bot.* **1.** Erva malvácea (*Althaea officinalis*) herbácea, de caule ereto, folhas ovadas, e flores róseas ou purpúreas; alteia, malvaísco, malvavisco. [Fabricava-se o *marshmallow*, originariamente, com a mucilagem da raiz dessa flor, que tem, ainda, usos medicinais.] **2.** V. *malvaísco* (3). **3.** Arbusto malváceo (*Sida cordifolia*) nativo do Brasil, de folhas cordiformes e flores amarelas ou alaranjadas, racemosas. **4.** Arbusto esterculiáceo (*Waltheria indica*) de distribuição pantropical, de folhas polimorfas, flores brancas, axilares, e frutos capsulares; fornece fibras, e tem propriedades medicinais. [Pl.: *malvas-brancas*.]

malva-cajuçara ***S. f.*** *Bras. Bot.* V. *saca-rolhas* (5). [Pl.: *malvas-cajuçara*.]

malvácea [Do tax. *Malva*, gênero-tipo, + *-ácea*; tax. *Malvaceae*.] ***S. f.*** *Bot.* Espécime das malváceas, família de dicotiledôneas, da ordem das malvales, que compreende plantas lenhosas, de folhas alternas e estipuladas, não raro lobadas, flores vistosas, solitárias ou cimosas, hermafroditas, com estames concrescidos pelos filetes em coluna central, anteras monotecas, grãos de pólen aculeados, e ovário súpero, multilocular e multiovulado. Há umas 1.000 espécies, nos países tropicais e temperados, muitas delas nativas no Brasil.

malváceo[1] [De *malva* + *-áceo*.] ***Adj.*** *Bot.* Referente ou semelhante à malva.

malváceo[2] [De *malvácea*, com var. suf. (v. *-áceo*).] ***Adj.*** *Bot.* Pertencente ou relativo às malváceas.

malva-cheirosa [De *malva* + o f. de *cheiroso*.] ***S. f.*** *Bot.* **1.** Erva malvácea (*Malva moschata*) vivaz, nativa da Europa, de folhas serreadas e flores róseas. **2.** Erva geraniácea (*Erodium moschatum*) de caule prostrado, folhas penatissectas e flores pedunculadas; agulheira, agulheira-moscada, almiscareira. [Pl.: *malvas-cheirosas*.]

malvada [F. subst. do adj. *malvado*.] *S. f. Bras. Pop.* V. *cachaça* (1).

malvadez (ê) [De *malvado* + *-ez*.] *S. f.* Qualidade ou ato de malvado; maldade, crueldade, perversidade; malvadeza. [Pl.: *malvadezes* (ê).]

malvadeza (ê) [De *malvado* + *-eza*.] *S. f.* V. *malvadez*: 📖 "podia ter dito que tinha sido de pura malvadeza, de covardia dos dois" (Autran Dourado, *As Imaginações Pecaminosas*, p. 109).

malvado [Do lat. vulg. *malefatiu*, **malefatu*, 'malfadado', pelo cat. *malvat*, poss.] *Adj.* **1.** Que pratica atos cruéis, ou é capaz de praticá-los; cruel, mau, celerado, perverso. ● *S. m.* **2.** Indivíduo malvado; mau. **3.** V. *diabo* (2).

malva-do-campo *S. f. Bot.* Carapiá (1). [Pl.: *malvas-do-campo*.]

malvaísco [De *malvavisco*.] *S. m.* **1.** *Bot.* Arbusto malváceo (*Malvaviscus arboreus*) nativo das regiões tropicais das Américas, de folhas cordadas, serreadas, e flores vermelhas; é muito us. na feitura de cercas vivas. [Sin.: *malvarisco*.] **2.** Arbusto malváceo (*Pavonia astata*) nativo do Paraguai, Argentina e Brasil, de raiz mucilaginosa, folhas serreadas, flores róseas, solitárias, com base purpúrea; rosa-do-campo. **3.** Arbusto malváceo (*Wissadula hernandioides*) nativo do Brasil, de folhas ovais, flores alvacentas ou amarelas, paniculadas, frutos com carpídios ferrugíneos ou amarelados; os ramos fornecem fibras. [Sin.: *malva-branca, malva-taquari, paco-paco, rabo-de-foguete*.] **4.** V. *mático*. **5.** V. *saca-rolhas* (7). **6.** V. *malva-branca* (1). **7.** V. *guaxima-roxa*.

malval [Do lat. cient. *Malv-* (v. *malvale*) + *-al*[1].] *Adj. 2 g. Bot.* Pertencente ou relativo às malvales.

malvale [Do tax. *Malva*, gênero-tipo, + *-ale*; tax. *Malvales*.] *S. f. Bot.* Espécime das malvales, ordem de plantas floríferas, arquiclamídeas, heteroclamídeas, andróginas, de corola contorta, cálice valvar, e com estames numerosos, concrescidos em coluna central.

malvalistro [Alter. de *malvaísco*.] *S. m. Bras. Bot.* Arbusto malváceo (*Sida micrantha*), nativo do Brasil, abundante esp. em MG, cujas folhas apresentam propriedades medicinais.

malva-maçã *S. f. Bras. Bot.* Erva geraniácea (*Pelargonium odoratissimum*) muito estimada como ornamental por causa das folhas arredondadas e perfumadas, e cujas flores são pequenas e se congregam em inflorescências compactas. [Pl.: *malvas-maçãs* e *malvas-maçã*.]

malvar [Por **malval* < *malva* + *-al*[1].] *S. m.* Grande quantidade de malvas dispostas proximamente entre si; campo de malvas.

malva-reloginho *S. f. Bras. Bot.* Erva malvácea (*Sida acuta*) lenhosa, largamente dispersa no Brasil, de folhas oblongas e crenadas, e flores amarelas, e pequenas; vassoura, tupixá. [Pl.: *malvas-reloginhos* e *malvas-reloginho*.]

malvarisco [Alter. de *malvaísco*.] *S. m. Bras. Bot.* **1.** Malvaísco (1). **2.** V. *saca-rolhas* (7). **3.** V. *capeba-do-norte*.

malva-rosa *S. f. Bot.* Planta malvácea (*Althaea rosea*) medicinal, cujas propriedades terapêuticas são semelhantes às do malvavisco (q. v.), mas que não ocorre no Brasil. [Pl.: *malvas-rosas* e *malvas-rosa*.]

malvasia [Do top. gr. *Monembasía* (*Malvasia*, em romance), poss. pelo esp. *malvasía*.] *S. f.* **1.** Variedade de uva muito doce e odorífera. **2.** Vinho feito dessa uva: 📖 "Na vidraça .... empratelleirava-se uma exposição de garrafas de malvasia" (Eça de Queirós, *O Primo Basílio*, p. 184).

malva-silvestre *S. f. Bot.* Erva malvácea (*Malva sylvestris*) cujas folhas encerram mucilagem, razão por que tem uso médico. [Pl.: *malvas-silvestres*.]

malva-taquari *S. f. Bras. Bot.* V. *malvaísco* (3). [Pl.: *malvas-taquaris* e *malvas-taquari*.]

malvavisco [Do tax. *Malvaviscus* (do lat. *malva* *hibiscum*, 'hibisco', com haplologia).] *S. m. Bot.* **1.** Gênero de plantas malváceas com três espécies nativas de regiões tropicais da América do Sul e Central, que são, ger., cultivadas como ornamentais. **2.** Qualquer espécie desse gênero, como, p. ex., a *Malvaviscus arboreus* [v. *malvaísco* (1)]. **3.** Qualquer espécime desse gênero, ou a sua flor. **4.** V. *malva-branca* (1).

malveína [Do lat. *malva* (fonte do fr. *mauve*) + *-ina*[3].] *S. f. Quím.* O primeiro corante sintético, de cor púrpura, produzido (Perkin, 1856) por oxidação de anilina impura com dicromato de potássio; mauveína.

malventilado [De *mal*[2] + *ventilado*.] *Adj.* Em que há pouca ou nenhuma ventilação (2).

malventuroso (ô) [De *mal*[2] + *venturoso*.] *Adj.* V. *mal-aventurado*.

malversação [Do fr. *malversation*.] *S. f.* **1.** Falta no exercício de um cargo ou na gerência de dinheiros; dilapidação. **2.** Má administração; má gerência.

malversador (ô) [De *malversar* + *-dor*.] *Adj. S. m.* Que, ou aquele que malversa; dilapidador.

malversar [De *mal*[2] + *versar*[1].] *V. t. d.* **1.** Administrar mal. **2.** Fazer subtrações ou desvios abusivos de; dilapidar: malversar *os bens públicos*.

malvestido [De *mal*[2] + *vestido*.] *Adj.* Mal-amanhado (q. v.).

malvinense *Adj. 2 g.* **1.** Das, ou pertencente ou relativo às ilhas Malvinas ou Falklands (América do Sul). ● *S. 2 g.* **2.** O natural ou habitante dessas ilhas; cf. *Kelper*. [Sin. ger.: *malvinês*.]

malvinês *Adj. S. m.* V. *malvinense*. [Flex.: *malvinesa* (ê), *malvineses* (ê), *malvinesas* (ê).]

malvisto [De *mal*[2] + *visto*.] *Adj.* **1.** Malconceituado; mal-afamado, suspeito, trasvisto. **2.** Inimizado, antipatizado, malquisto. [Antôn.: *bem-visto*.]

malvo *S. m. Bras.* Fibra têxtil de certas árvores.

■ **MAM** Sigla de *Museu de Arte Moderna*.

▲ **mam-** V. *man-*.

mama [Do lat. *mamma*.] *S. f. Anat.* **1.** Órgão glandular característico dos mamíferos, e que, na fêmea, segrega leite, sendo normalmente atrofiado, no macho. [Sin.: *seio* (denom. ant.).] **2.** Leite que as crianças sugam da mama da mãe ou da ama. **3.** O período da amamentação. **4.** V. *mamadura*.

mamã [Voc. onom.] *S. f.* **1.** Mãe, na linguagem das criancinhas. **2.** *Lus.* Tratamento carinhoso que o adulto e a criança dão a sua mãe (no Brasil, *mamãe*). **3.** *Bras.* V. *ama de leite*.

mama-cadela *S. f. Bras. Bot.* V. *mururerana*. [Pl.: *mamas-cadelas* e *mamas-cadela*.]

mamada [De *mamar* + *-ada*[1].] *S. f. Bras.* V. *mamadura*.

mama-de-cachorra *S. f. Bras. C.O. Bot.* Subarbusto mirtáceo (*Phyllocalyx formosus*) de folhas obovadas, coriáceas, e flores solitárias, pequenas, que prolifera pelo cerrado. [Pl.: *mamas-de-cachorra*.]

mamadeira [De *mamar* + *-deira*.] *S. f.* **1.** Instrumento para extrair o leite do peito da mulher. **2.** Garrafinha provida de chupeta, para amamentar crianças artificialmente; biberão. **3.** *Bras. RS Zool.* V. *muçurana* (1).

mama-de-porca *S. f. Bras. Bot.* V. *camboatã-branco*. [Pl.: *mamas-de-porca*.]

mamado [Part. de *mamar*.] *Adj. Pop.* **1.** Desapontado, desiludido. **2.** Enganado, logrado. **3.** *Bras. S.* Meio embriagado.

mamador (ô) [De *mamar* + *-dor*.] *Adj. S. m.* Que, ou aquele que mama.

mamadura [De *mamar* + *-dura*.] *S. f.* **1.** Ato de mamar. **2.** Tempo que dura a amamentação. [Sin. ger.: *mama* e (bras.) *mamada*.]

mamãe [De *mamã*, com infl. de *mãe*.] *S. f. Bras.* V. *mamã* (2).

mamãe de aluana *S. f. Bras. SE Pop.* V. *mamãe de luanda*. [Pl.: *mamães de aluana*.] ☑

mamãe de aruana *S. f. Bras. SE Pop.* V. *mamãe de luanda*. [Pl.: *mamães de aruana*.] ☑

mamãe de luana *S. f. Bras. SE Pop.* V. *mamãe de luanda*. [Pl.: *mamães de luana*.] ☑

mamãe de luanda [De *mamãe* + *de* + top. *Luanda*.] *S. f. Bras. SE Pop.* V. *cachaça* (1). [Var.: *mamãe de luana, mamãe de aluana, mamãe de aruana*. Pl.: *mamães de luanda*.] ☑

mamãe e papai *S. m. 2 n. Bras. Chulo* Papai e mamãe. ☑

mama em onça [De *mamar* + *em* + *onça*[2].] *S. m. 2 n. Bras. Pop.* **1.** Indivíduo interesseiro, ou caça-dotes. **2.** Indivíduo casado com mulher feia. ☑

mamãe-sacode [De *mamãe* + a 3ª pess. sing. do pres. ind. de *sacudir*.] *S. f. 2 n.* **1.** *Bras. CE Pop.* V. *cachaça* (1). **2.** *Bras. BA* Espécie de espanador feito de flecha e papel de seda, que os mascarados agitavam no rosto das pessoas, pelo carnaval.

mamãe vem aí *S. m. 2 n. Bras. PE* V. *fecho ecler*. ☑

mamãezada [De *mamãe* + *-zada*.] *S. f. Bras. N.E.* **1.** Falta de moralidade no serviço público, com descaso ou conivência dos responsáveis; filhotismo político ou administrativo; compadrio. **2.** Abuso de confiança; fraude. **3.** Intriga, perfídia.

mamaiacu [Do tupi.] *S. m. Bras. Zool.* Peixe teleósteo, plectógnato, tetrodontídeo (*Colomesus psittacus*), da Amaz., de coloração parda com seis faixas escuras transversais no dorso, as duas faixas entre as nadadeiras dorsal e peitorais às vezes fundidas em uma só, e o corpo revestido de espinhos. Comprimento: até 18cm. Sua carne é tida por venenosa. [Sin.: *baiacu-de-água-doce*.]

mamaianá *Bras. S. 2 g.* **1.** *Etnôn.* Indivíduo dos mamaianás [ou (etnôn. bras.) **Mamayanás*], povo indígena extinto que habitava as margens do rio Pacajá (PA). ● *Adj. 2 g.* **2.** Pertencente ou relativo a esse povo.

mamalhudo [De *mama* + *-alh(o)-* + *-udo*.] *Adj. Pop.* Mamudo.

mamaliano [Do lat. tard. *mammal(is)*, 'referente à mama', + *-iano*.] *S. m. Adj. Zool.* Diz-se de, ou animal mamífero.

mamaluco *S. m. Bras.* V. *mameluco*.

mamana [Do tsonga.] *S. f. Moç.* Mulher respeitável: 📖 "uma mamana que sorri na dor do parto da colheita" (Guita Jr., *O Agora e o Depois das Coisas*, p. 32).

mama na égua [De *mamar* + *na*[1] + *égua*.] *S. m. 2 n. Bras. CE Pop.* **1.** V. *tolo* (8): 📖 "— Tenha cuidado, tio Armando. Olhe o que o médico disse, | — Ah! Aquele mama na égua sabe lá de nada!" (Juarez Barroso, *Mundinha Panchico e o Resto do Pessoal*, p. 16.) **2.** Indivíduo mofino, incapaz, inepto. ☑

mamangá [F. apocopada de *mamangaba*.] *S. m. Bras. Bot.* **1.** Arbusto cesalpiniáceo (*Senna medica*) de ampla dispersão no território nacional, dotado de ramos angulosos e folhas com quatro folíolos coriáceos, e cujas flores amarelas têm sete estames e se organizam em racemos dispostos em panículas. **2.** V. *fedegoso-grande*. **3.** V. *fedegoso-verdadeiro*.

mamangaba [Do tupi.] *S. f. Bras. Zool.* **1.** Designação comum a abelhas bombíneas do gênero *Bombus*, grandes, peludas, de cor preta e amarela, que constroem ninho no solo, entre touceiras de capim ou barrancos; o mel que produzem é pouco e de má qualidade e a picada é muito dolorosa, porém passageira. [Sin.: *abelhão, vespa-de-rodeio, marimbondo-mangangá*.] **2.** Designação comum às abelhas solitárias xilocopíneas, do gênero *Xylocopa*, abelhas-carpinteiras grandes, que se assemelham, na aparência, a abelhas do gênero *Bombus*, e que são importantes polinizadoras. [Var. ger.: *mangangá, mangangaba, mamangava, mangangava*.]

mamangava *S. f. Bras. Zool.* V. *mamangaba*.

mamanguapense *Adj. 2 g.* **1.** De, ou pertencente ou relativo a Mamanguape (PB). ● *S. 2 g.* **2.** O natural ou habitante de Mamanguape.

mamão [De *mama* + *-ão*[1].] *Adj.* **1.** Que ainda mama. **2.** Que mama abundantemente. ● *S. m.* **3.** Rebento que rouba o suco à haste da planta. **4.** Bezerro ou burro de um ano. **5.** O fruto do mamoeiro, de feitio semelhante ao da mama, cor amarela, e polpa espessa e suculenta; papaia. **6.** *Bras.* Mamote (3).

mamão-macho *S. m. Bras.* **1.** *Bot.* Mamoeiro-macho. **2.** *Pop.* Cara de mamão-macho. [Pl.: *mamões-machos*.]

mamar [Do lat. tard. *mammare*.] *V. t. d.* **1.** Sugar ou chupar (o leite da mãe ou da ama de leite, ou aquele que se encontra na mamadeira). [Sin., pop.: *chuchar*.] **2.** Sugar (qualquer coisa): 📖 "vivia mamando seu charuto" (Pedro Nava, *Beira-Mar*, p. 20); "Mamei teus peitos de pedra / constelados de prenúncios." (Cecília Meireles, *Obra Poética*, p. 38). **3.** Aprender ou adquirir durante a infância. **4.** Enganar, lograr, ludibriar. ***T. d. e i.*** **5.** Obter, extorquir. **6.** *Bras.* Ter percentagens ou lucros desabonadores em alguma empresa ou administração pública. ***Int.*** **7.** Sugar leite de mama ou teta; lactar. **8.** *Bras. Gír.* Embriagar-se, embebedar-se. [Fut. pret.: *mamaria*, etc. Cf. *mamária*, fem. de *mamário*.] ◆ **De mamando a caducando.** *Bras. MG GO* Da meninice até a velhice; da infância à idade madura.

mamário [De *mama* + *-ário*.] *Adj.* Relativo às mamas. ~ V. *aréola* —*a* e *papila*—*a*. [Fem.: *mamária*. Cf. *mamaria*, do v. *mamar*.]

mamarracho [Do esp. *mamarracho*.] *S. m.* **1.** Mau pintor; pinta-monos. **2.** Pintura ruim, de má qualidade: 📖 "As Academias das Ciências e Belas-Artes, professorado d'escolas industriais, ... deveriam ligar-se e contribuir para limpar as igrejas da afronta dos mamarrachos que as habitam, deixando nelas apenas as esculturas e pinturas de mérito" (Fialho d'Almeida, *Estâncias d'Arte e de Saudade*, p. 56).

mamarreis *S. m. 2 n. Bras. Zool.* V. *peixe-rei* (1 e 3).

mamata [De *mamar*.] *S. f. Bras.* **1.** Empresa ou administração pública em que mamam os políticos e funcionários desonestos. **2.** V. *comedeira*. **3.** V. *negociata*. [Cf. *papata*.]

mamaurana [Alter. de *mamão* + *-rana*.] *S. f. Bras. N. Bot.* V. *mamoeiro-bravo*.

mamba [Do ronga.] *S. f. Moç. Zool.* Designação de diversos ofídios elapídeos, glifodontes, de veneno neurotóxico, como, p. ex., *Dendroaspis angusticeps*: 📖 "cantaste a madrugada / das mambas cuspideiras nos trilhos do mato" (Luís Carlos Patraquim, *Monção*, p. 28).

mamba-africana *S. f. Zool.* Ofídio africano (*Dendroaspis africanus*), noturno, temido pela rapidez com que inocula o veneno. [Pl.: *mambas-africanas*.]

mambaiense (a-i) *Adj. 2 g.* **1.** De, ou pertencente ou relativo a Mambaí (GO). ● *S. 2 g.* **2.** O natural ou habitante de Mambaí.

mambaré *Bras. S. 2 g.* **1.** *Etnôn.* Indivíduo dos mambarés, povo indígena extinto que habitava MT. ● *Adj. 2 g.* **2.** Pertencente ou relativo a esse povo. [Tb. us. como *s. 2 g. e 2 n.* (com cap.) e *adj. 2 g. e 2 n.*]

mambembar [De *mambembe* + *-ar*[2].] *V. int. Bras. S.* Percorrer o país como membro de mambembe (3); mambembear.

mambembe [De or. obscura.] *Bras. S. m.* **1.** Lugar afastado, ermo. **2.** Ator, ou grupo teatral amador e de má qualidade. 3. Grupo teatral volante: 📖 "Os romances, contos, novelas e peças de teatro de Alexandre Dumas andam até hoje pelos palcos, quer os dos modestos mambembes, que se exibem em humildes e improvisados pavilhões, quer os das casas de espetáculos mais sofisticadas" (Mário da Silva Brito, *Diário Intemporal*, p. 57). ● *Adj. 2 g.* 4. Medíocre, ordinário, inferior; zambembe: 📖 "Sociedade mambembe, sem diretoria, sem amor ao pavilhão" (Marques Rebelo, *Marafa*, p. 57).

mambembear [De *mambembe* + *-ear*².] *V. int. Bras.* Mambembar. [Conjug.: v. *frear.*]

mambembeiro [De *mambembe* + *-eiro.*] *Adj. Bras.* Relativo a mambembe.

mambembo *S. m. Bras. Zool.* V. *atobá.*

mambira *Bras. RS S. 2 g.* 1. V. *caipira* (1). ● *Adj. 2 g.* 2. Rude, rústico.

mambirada [De *mambira* + *-ada*¹.] *S. f. Bras. RS* Reunião de mambiras; gauchada.

mambo [Do zulo *im-amba,* 'cobra'.] *S. m.* Música e dança originária da América Central.

amborense *Adj. 2 g.* 1. De, ou pertencente ou relativo a Mamborê (PR). ● *S. 2 g.* 2. O natural ou habitante de Mamborê.

mambucão [De *mumbuca,* com dissimilação, + *-ão*¹.] *S. m. Bras. Zool.* V. *mombucão.*

mâmea [Do tax. *Mammea.*] *S. f. Bot.* 1. Gênero de clusiáceas que reúne cerca de 50 espécies nativas de regiões tropicais. 2. Qualquer espécie desse gênero, como, p. ex., a *Mammea americana* [v. *abricoteiro* (1)]. 3. Qualquer espécime desse gênero.

mamelão [Do fr. *mamelon.*] *S. m.* V. *mamilão.*

mamelonado [De *mamelão* + *-ado*¹, seg. o padrão erudito.] *Adj. Bras.* Que tem forma de mamelão ou mamilão.

mameluco [Do ár. *mamlūk,* (adj.), 'possuído'; (subst.) 'propriedade'; 'escravo'.] *S. m.* 1. Soldado de uma milícia turco-egípcia primeiramente constituída de escravos, mas que depois se tornou senhora do Egito, sendo derrotada por Napoleão, na batalha das Pirâmides, e exterminada por Mehemet-Ali em 1811. 2. *Bras.* Filho de índio com branco: 📖 "o mameluco, originado das relações entre o branco e o indígena" (Manuel Diegues Júnior, *Etnias e Culturas do Brasil,* p. 99). 3. *Bras. PA* Mestiço de branco com curiboca. [Var. assimilada: *mamaluco.*]

mamenquissauro [Do top. *Mamenchi* + *-sauro*; tax. *Mamenchisaura.*] *S. m. Paleont.* 1. Gênero de dinossauros saurópodes, saurísquios, do jurássico de Sichuan (China); herbívoros, com 20m de comprimento e até 25t de peso, eram caracterizados pelo pescoço enorme, com 10m de comprimento. 2. Espécie ou espécime desse gênero.

mameto de inquice *S. f. Bras. Rel.* No candomblé angola-congo, mãe de santo. [Pl.: *mametos de inquice*; masc.: *tata de inquice.*] ☑

▲ **mam(i)-** [Do lat. *mămma, ae.*] *El. comp.* = 'mama', 'seio': *mamiforme, mamite.* [Equiv.: *mamo-*: *mamografia.*]

mamífero¹ [De *mam(i)-* + *-fero.*] *Adj.* Que tem mamas.

mamífero² [Adapt. do tax. *Mammiferae.*] *Zool. S. m.* 1. Espécime dos mamíferos, classe de animais vertebrados, vivíparos, caracterizados essencialmente pela presença de mamas, de coração com quatro cavidades, sistema nervoso desenvolvido, e por apresentarem temperatura interna constante, e respiração pulmonar. O macho é dotado de pênis, sendo interna a fecundação das fêmeas, que têm glândulas mamárias que segregam leite para alimentar os filhos. São os primatas, os cetáceos, os insetívoros, os dermópteros, os quirópteros, os roedores, os lagomorfos, os carnívoros, os perissodáctilos, os hiracoides, os proboscídeos, os artiodáctilos, os desdentados, os folídotas, os tubilidentados, os sirênios, os marsupiais e os monotremados. ● *Adj.* 2. Pertencente ou relativo a eles. [Sin. ger.: *mastozoário.*]

mamiforme [De *mam(i)-* + *-forme.*] *Adj. 2 g.* V. *mamilar*² (2).

mamila [Do lat. *mamilla.*] *S. f. Anat.* V. *mamilo* (1).

mamilão [De *mamilo* + *-ão*¹.] *S. m.* 1. Eminência de forma arredondada. 2. *Anat.* Pequena saliência, de forma cilíndrica ou cônica, coloração que pode variar do rosa cravo ao marrom, e que se eleva no meio de cada mama. [Sin. ger.: *mamelão.*]

mamilar¹ [Do lat. *mamillare.*] *S. m.* Faixa ou lenço que as mulheres usam para velar às mamas.

mamilar² [De *mamilo* + *-ar*¹.] *Adj. 2 g.* 1. Pertencente ou relativo a mamilo. 2. Que tem forma de mamilo; mamiloso, mamiforme, mamiliforme.

mamilária [De *mamil(i)-* + *-ária*; tax. *Mammilaria.*] *S. f.* 1. *Bot.* Gênero de cactáceas ornamentais da América Central e do México. 2. Espécie ou espécime desse gênero.

mamilho [De *mama* + *-ilho.*] *S. m. Ant.* Proeminência de metal, na superfície interna das bocas-de-fogo. [Cf. *mamilo.*]

▲ **mamil(i)-** [Do lat. *mamĭlla, ae.*] *El. comp.* = 'bico do peito', 'mamilo': *mamiliforme.* [Equiv.: *mamilo-, -mamil(o)-*: *mamiloplastia, neoareolomamiloplastia.*]

mamiliforme [De *mamil(i)-* + *-forme.*] *Adj. 2 g.* V. *mamilar*² (2).

mamilo [Do lat. *mamilla,* com troca de gênero.] *S. m.* 1. *Anat.* O bico da mama (1); mamila, maminha; bico do peito. 2. *P. ext.* Mama (1). 3. Aquilo que tem a forma de mamilo: 📖 mamilos de cupim. 4. *Patol.* Pequeno tumor em forma de mamilo (1). [Cf. *mamilho.*] ◆ **Mamilo hemorroidário.** *Proct.* Mamilo (4) formado por dilatação de veia retal.

▲ **mamilo-** V. *mamil(i)-.*

▲ **-mamil(o)-** V. *mamil(i)-.*

mamiloplastia [De *mamilo-* + *-plast(o)-* + *-ia*¹.] *S. f. Cir. Plást.* Intervenção cirúrgica plástica em mamilo (1).

mamiloso (ô) [De *mamil(i)-* + *-oso.*] *Adj.* 1. Que tem mamilo. 2. V. *mamilar*² (2).

maminha [De *mama* + *-inha.*] *S. f.* 1. V. *mamilo* (1). 2. Ama ma do homem. 3. A parte mais macia da alcatra (1).

maminha-de-cabra *S. f. Bras. Bot.* V. *grão-de-galo* (7). [Pl.: *maminhas-de-cabra.*]

maminha-de-cadela *S. f. Bras. Bot.* V. *tamanqueira* (1). [Pl.: *maminhas-de-cadela.*]

maminha-de-porca *S. f. Bras. Bot.* V. *tamanqueira.* [Pl.: *maminhas-de-porca.*]

mamite [De *mama* + *-ite*¹.] *S. f. Patol.* V. *mastite.*

▲ **mamo-** Equiv. de *mam(i)-.*

mamoeiro [De *mamão (mamo-)* + *-eiro.*] *S. m.* 1. *Bot.* Planta caricácea (*Carica papaya*) originária da América Central, cuja baga, o mamão, é muito estimada. O caule, mole e leitoso, mede alguns metros de altura e não se ramifica; as flores são sexualmente variadas, havendo as masculinas, as femininas e as hermafroditas; o látex é importante por encerrar a papaína, um fermento. [Sin.: *papaieira, papaia, pinoguaçu.*] 2. *Bras. PE Pop.* V. *ébrio* (8).

mamoeiro-bravo *S. m. Bras. Bot.* 1. Árvore caricácea (*Jacaratia spinoza* ou *J. dodecaphylla*) brasileira (BA até RS) de folhas compostas, flores esverdeadas, unissexuais, frutos amarelos, edules, e látex com propriedades medicinais. [Sin.: *mamaurana, mamoeiro-de-espinho, mamoeiro-do-mato.* Pl.: *mamoeiros-bravos.*]

mamoeiro-de-espinho *S. m. Bras. Bot.* V. *mamoeiro-bravo.* [Pl.: *mamoeiros-de-espinho.*]

mamoeiro-do-mato *S. m. Bras. Bot.* V. *mamoeiro-bravo.* [Pl.: *mamoeiros-do-mato.*]

mamoeiro-macho *S. m. Bras. Bot.* Mamoeiro (*Carica papaya*) que produz apenas flores masculinas e, por vezes, hermafroditas; mamão-macho. [Pl.: *mamoeiros-machos.*]

mamografia [De *mamo-* + *-grafia.*] *S. f. Radiol.* Radiografia de mama, sem uso de contraste, feita com equipamento especial; mastografia, senografia.

mamográfico [De *mamografia* + *-ico*².] *Adj.* Relativo à mamografia.

mamona [Do quimb. *mumono,* com infl. de *mamão.*] *S. f. Bot.* 1. Planta euforbiácea (*Ricinus communis*) medicinal, de fruto capsular ovoide, achatado, de tamanho variável, com superfície lisa, brilhante e acinzentada, e da qual se extrai o óleo de rícino; mamoneira, mamoneiro, carrapateira, carrapateira-branca, carrapato, caturra. 2. A semente da mamona (1); abelmeluco.

mamoneira [De *mamona* + *-eira.*] *S. f. Bot.* V. *mamona* (1).

mamoneira-do-mato *S. f. Bras. Bot.* V. *canudo-de-pito* (2). [Pl.: *mamoneiras-do-mato.*]

mamoneiro [De *mamona* + *-eiro.*] *S. m. Bot.* V. *mamona* (1).

mamoninho-bravo *S. m. Bot.* V. *estramônio.* [Pl.: *mamoninhos-bravos.*]

mamoplastia [De *mamo-* + *-plast(o)-* + *-ia*¹.] *S. f. Cir. Plást.* Mastoplastia.

mamorana [Do tupi amazonense *mamao rana* < port. *mamão* + *-rana.*] *S. f. Bras. Bot.* Árvore bombacácea (*Pachyra aquatica* ou *Bombax aquatica*) originária da Amaz., muito empregada na arborização de ruas, com folhas compostas e amplas, flores muito grandes, alvacentas e ricas em estames, e frutos com grandes sementes de sabor semelhante ao do cacau. [Sin.: *cacau-selvagem, castanha-do-maranhão, castanheiro-do-maranhão, ebiratanha, embiratanha, embiruçu, munguba, mungubarana.*]

mamorana-grande *S. f. Bras. Bot.* Árvore bombacácea (*Bombax insigne*) de porte maior que o da mamorana, porém não usada em arborização urbana. [Pl.: *mamoranas-grandes.*]

mamoso (ô) [Do lat. *mammosu.*] *Adj.* 1. Que tem mamas. 2. Que tem forma de mama.

mamote [De *mama* + *-ote*¹.] *Adj.* 1. *Ant.* Ridículo, tolo. ● *S. m.* 2. Criança que ainda mama. 3. *Bras.* Animal crescido que ainda mama; mamão. 4. *Ant.* Pequena elevação de terra ou de areia em forma de peito de mulher.

mamoto (ô) [De *mamote.*] *S. m.* V. *nonato* (4).

mampar *V. t. d. Int. Bras. S. Pop.* Comer (1 e 15).

mamparra [Do ronga.] *Moç. Adj. 2 g.* 1. Estúpido, ignorante, boçal: 📖 "vai-te daqui seu mamparra e chutos e murros e empurros." (Mia Couto, *Cronicando,* p. 104). ● *S. m.* 2. Trabalhador que, pela primeira vez, emigra para as minas da África do Sul: 📖 "A manhã azul e ouro dos folhetos de propaganda / engoliu o mamparra, / entontecido todo pela algazarra / incompreensível dos brancos da estação / e pelo resfolegar trepidante dos comboios." (Noêmia de Sousa, em *Poesia Negra de Expressão Portuguesa,* p. 70.) ~ V. *mamparras.*

mamparras [Pl. de *mamparra.*] *S. f. pl.* Evasivas, escapatórias, subterfúgios. ~ V. *mamparra.*

mamparreação [De *mamparrear* + *-ção.*] *S. f. Bras.* Ação de mamparrear.

mamparreador (ô) [De *mamparrear* + *-dor.*] *Adj. S. m. Bras.* Que, ou aquele que mamparreia; mamparreiro.

mamparrear [De *mamparra* + *-ear*².] *V. int. Bras.* 1. Enganar ou enredar para dilatar os prazos. 2. Perder tempo; mangar, remanchar. 3. Usar de evasivas ou subterfúgios; fingir. 4. Ficar inerte ou sem trabalhar; vadiar: 📖 "aquele ao menos estaria no eito, a ajudá-lo no cabo da enxada, enquanto o mulherio inútil mamparrearia por ali, a espiolhar-se ao sol." (Monteiro Lobato, *Urupês, Outros Contos e Coisas,* p. 35). [Var. ou f. paral.: *pamparrear.* Conjug.: v. *frear.*]

mamparreiro [De *mamparrear* + *-eiro.*] *Adj. S. m. Bras.* Mamparreador.

mampataz [Do criol.] *S. m. Guin. Bot.* 1. Árvore crisobalanácea (*Parinari excelsa*) de grande porte, cuja madeira é us. em obras de marcenaria: 📖 "Quando a chuva era mais forte, corríamos até à protecção do mampataz." (João Ferreira, *Uaná: Narrativa Africana,* p. 20.) 2. O fruto dessa árvore, comestível e do tamanho do pêssego.

mamposta [De *mam-* + o f. de *posto*².] *S. f.* 1. Tropas de reserva. 2. Prisão de alguém e o ato de levá-lo à cadeia. ◆ **De mamposta.** De propósito.

mamposteiro [De *mamposta* + *-eiro.*] *S. m. Ant.* 1. Pessoa encarregada de substituir outra em cargo, função ou negócio. 2. Recebedor de esmolas para cativos: 📖 "Bulas da Santa Cruzada, mamposteiros da Trindade, bentinhos, breves e escapulários eram vendidos aos quilos e resolviam todos os problemas." (Antônio Celso, *A Porta de Jerusalém,* p. 22.)

mamposteria [De *mampost-,* como em *mamposteiro,* + *-eria.*] *S. f. Ant.* Ofício de mamposteiro.

mamucha [De *mamar* + o f. de *-ucho.*] *S. f. Bras. MG* Chupa (2).

mamudo [De *mama* + *-udo.*] *Adj.* Que tem grandes mamas; mamalhudo.

mamujar [De *mama* + *-ujar.*] *V. int.* Mamar aos poucos, com intervalos, sem apetite.

mamulengo *S. m. Bras. N.E.* 1. V. *fantoche* (1 e 2). 2. Teatro de fantoches (q. v.), rico em situações cômicas e satíricas. [Nesta acepç., tb. é us. no pl. Sin.: *presepe* e (na PB) *joão-redondo.*] ~ V. *mamulengos.*

mamulengos [Pl. de *mamulengo.*] *S. m. pl. Bras. N.E.* V. *mamulengo* (2).

mamulengueiro [De *mamulengo* + *-eiro.*] *S. m. Bras. Teatr.* O titereiro do mamulengo (1).

mamulo [De *mama* + *-ulo,* com antífrase.] *S. m. Bras. RS* Grande mama (1).

mamuri [Do tupi.] *S. m. Bras. Zool. Matrinxã* (1).

mamute [Do iacuto, pelo russo *mamot* e pelo fr. *mammouth.*] *S. m. Paleont.* 1. Qualquer de grandes elefantídeos do gênero *Mammuthus* (v. *mamuto*). 2. Espécie ou espécime desse gênero.

mamutídeo [Do tax. *Mammuthus* + *-ídeo*¹; *Mammutidae.*] *Paleont. S. m.* 1. Espécime dos mamutídeos, família monotípica de elefantídeos, que compreendia animais semelhantes aos atuais elefantes, mas que diferiam dos da linha evolutiva que resultou nesses. Viveram no mioceno inferior do holoceno, tendo sobrevivido, na África e na região holártica, pelo menos até o final do plistoceno. ● *Adj.* 2. Pertencente ou relativo a eles. [Sin. ger.: *mastodontídeo.*]

mamuto [Do tax. *Mammuthus.*] *S. m. Paleont.* 1. Gênero de elefantídeos que viveram no plistoceno, e que eram adaptados a hábitats estépicos e túndricos. Tinham defesas alongadas e muito recurvas, e crânio menor e mais alto que o dos atuais elefantes. 2. Qualquer espécie desse gênero, como, p. ex., o *Mammuthus armeniacus,* da Eurásia, o maior proboscídeo de todos os tempos, que tinha 4,5m de altura, excetuada a cabeça. 3. Qualquer espécime desse gênero.

▲ man- [De *mão*[1] < lat. *mănus, us.*] ***El. comp.*** = 'mão[1]': *mancheia.* [Equiv.: *mam-, -man-*: *mamposta, remaniscar.* V. *mani-*[2].]

▲ -man- V. *man-*.

mana[1] ***S. m.*** Entre os melanésios, o conjunto de forças sobrenaturais provenientes dos espíritos e que operam num objeto ou numa pessoa.

mana[2] [Hipocorístico de *irmã.*] ***S. f. Fam.*** Irmã.

▲ -mana V. *-mania*.

maná [Do hebr. *man,* pelo lat. tard. *manna.*] ***S. m.* 1.** *Rel.* Alimento que, segundo a Bíblia, Deus mandou, em forma de chuva, aos israelitas no deserto. [Seria um líquen (*Lecanora esculenta*) ainda hoje comum na mesma região, e que, transportado pelo vento, cai à maneira de chuva e é us. como alimento.] **2.** Suco resinoso e açucarado de algumas plantas. **3.** *Fig.* Alimento delicioso; ambrosia. **4.** *Fig.* Coisa excelente, vantajosa, deliciosa: *Aquele dote foi um maná.* **5.** *Bot.* Planta oleácea (*Fraxinus ornus*) cujo tronco segrega substância tida como medicinal.

manacá [Do tupi.] ***S. m. Bras. Bot.* 1.** Nome comum a diversos arbustos solanáceos do gênero *Brunfelsia* (v. *brunfélsia*). **2.** Arbusto solanáceo (*Brunfelsia hopeana* ou *B. uniflora*) muito apreciado como ornamental para jardins e praças, de folhas ovaladas, flores solitárias grandes, corolas de esbranquiçadas a azuis-violeta, e cujo fruto é uma baga verde; manacá-de-cheiro, mercúrio-vegetal, caagambá, cangambá, eratataca, jerataca.

manacá-açu [De *manacá* + *-açu.*] ***S. m. Bras. Bot.*** Arbusto solanáceo (*Brunfelsia grandiflora*) semelhante ao manacá, mas que tem flores maiores; mancenilheira. [Pl.: *manacás-açus.*]

manacá-da-serra ***S. m. Bras. Bot.*** V. *flor-da-quaresma.* [Pl.: *manacás-da-serra.*]

manacá-de-cheiro ***S. m. Bras. Bot.*** V. *manacá* (2). [Pl.: *manacás-de-cheiro.*]

manaçaia ***S. f. Bras. Zool.*** V. *mandaçaia.*

manação [Do lat. tard. *manatione.*] ***S. f.*** Ato ou efeito de manar; emanação.

manacapuruense ***Adj. 2 g.* 1.** De, ou pertencente ou relativo a Manacapuru (AM). ● ***S. 2 g.* 2.** O natural ou habitante de Manacapuru.

manacarana [De *manacá* + *-rana.*] ***S. f. Bras. Amaz. Bot.*** Arvoreta violácea (*Papayrola grandiflora*) de folhas grandes, flores carnosas, que se ordenam em espigas, e cápsulas ovoides, com 4cm de diâmetro.

mana-chica ***S. f.* 1.** *Bras. ES* Cantiga de roda infantil. **2.** *Bras. RJ* Espécie de quadrilha, popular na cidade de Campos. **3.** *Bras. SP* Certa modalidade do fandango (6). [Pl.: *manas-chicas* e *mana-chicas.*]

manada [Do lat. *manu,* 'mão', mas por via incerta; esp. *manada.*] ***S. f.* 1.** Rebanho de gado grosso: "Nuvens esverdeadas / Corriam pelo ar como grandes manadas / De búfalos." (Guerra Junqueiro, *A Velhice do Padre Eterno,* p. 29.) **2.** *Bras. RS* Magote de éguas ou burras (quarenta ou cinquenta), que acompanham um garanhão. **3.** *Fig.* V. *súcia.*

manadeira [De *manar* + *-deira.*] ***S. f.*** V. *manancial* (1 a 3).

manadeiro [De *manar* + *-deiro.*] ***S. m.*** V. *manancial* (1 a 3).

manadio [De *manada* + *-io*[2].] ***Adj.* 1.** Referente a manada. **2.** Que anda em manada.

➔ manager ['mænidʒə'] [Ingl.] ***S. m.*** Empresário (2).

managuenho (güe) ***Adj. S. m.*** V. *managuense.* ❖

managuense (güen) ***Adj. 2 g.* 1.** De, ou pertencente ou relativo à cidade de Manágua, capital da Nicarágua. ● ***S. 2 g.* 2.** O natural ou habitante de Manágua. [Sin. ger.: *managuenho.*] ❖

manaí ***S. m. Bras. N. Zool.*** V. *manati* (1). [Cf. *manai,* do v. *manar.*]

manaíba [Var. de *maniva,* do tupi.] ***S. f. Bras. Bot.*** Tolete do caule do aipim ou da mandioca, cortado para plantio; muda de aipim ou de mandioca.

manaié ***S. 2 g. Adj. 2 g. Bras.*** V. *amanaié.*

manairense (a-i) ***Adj. 2 g.* 1.** De, ou pertencente ou relativo a Manaíra (PB). ● ***S. 2 g.* 2.** O natural ou habitante de Manaíra.

manajara ***S. f. Bras. Bot.*** V. *acapurana.*

manajeiro [Do fr. *ménager,* 'que dirige', poss.] ***S. m. Lus.*** Capataz: "Carpinteiro entre os carpinteiros, José acabara de comer o seu farnel, ainda lhes ficava um tempo, a ele e aos companheiros, antes que o manajeiro desse sinal de repegar o trabalho" (José Saramago, *O Evangelho segundo Jesus Cristo,* p. 105).

mana-joana ***S. f. Bras. RJ*** Espécie de quadrilha (3) simplificada. [Pl.: *manas-joanas* e *mana-joanas.*]

manalvo [De *man-* + *alvo.*] ***Adj.*** Diz-se do equídeo que tem manchas alvas nas extremidades dos membros anteriores.

manampança ***S. f. Bras. Cul.*** Espécie de beiju espesso, feito de massa de mandioca, temperado com açúcar e erva-doce, e que, depois de ser colocado entre folhas de bananeira, se põe a tostar no forno de farinha de mandioca; malampança.

manancial [Do esp. *manantial.*] ***S. m.* 1.** Nascente de água; olho-d'água; fonte. **2.** *Fig.* Fonte perene e abundante: *um manancial de sabedoria.* **3.** *Fig.* Origem, princípio, fonte: *A ociosidade é o manancial de todos os vícios.* [Sin. (de 1 a 3): *manadeira, manadeiro.*] ● ***Adj. 2 g.* 4.** Que mana ou corre sem cessar.

mananga ***S. m. Bras. Amaz.*** V. *pajé.*

mananguera (güe) ***Adj. 2 g. S. 2 g. Bras. SP Pop.*** Diz-se de, ou pessoa magra, abatida, fanada. ❖

manante [Do lat. *manante.*] ***Adj. 2 g.*** Que mana, corre, flui; corrente.

manantial [Do esp. plat. *manantial.*] ***S. m. Bras. RS*** Atoleiro, pântano, tremedal.

manapuçá [Do tupi.] ***S. m. Bras. Bot.* 1.** Nome comum a plantas melastomatáceas do gênero *Mouriri,* de folhas penérveas. [Var.: *manipuçá.*] **2.** V. *mandapuçá.*

manápula ***S. f.*** V. *manopla* (3): "na manápula calosa do campônio, o enxadão move-se na constância sacramental dos ritos." (Miguel Torga, *Diário,* IX, p. 84).

manaquiriense ***Adj. 2 g.* 1.** De, ou pertencente ou relativo a Manaquiri (AM). ● ***S. 2 g.* 2.** O natural ou habitante de Manaquiri.

manar [Do lat. *manare,* por via erudita.] ***V. t. d.* 1.** Verter incessantemente e/ou em abundância: *A fonte manava uma água límpida.* **2.** Dar origem a; criar, produzir, derramar. **3.** Verter, ressumar, destilar. ***T. c.* 4.** Brotar, irromper: *A água manava da rocha.* **5.** Emanar, proceder, provir: "E traços firmes, de integridade absoluta, integridade que não era só física, manava da alma." (Vasconcelos Maia, *O Leque de Oxum,* p. 53.) ***Int.* 6.** Correr em abundância; fluir, brotar. [Imperat.: *mana, ... manai, manem.* Cf. *manaí.*]

manata [Alter. pop. de *magnata.*] ***S. m. Pop.* 1.** Velhaco, patife. **2.** Ladrão, larápio. **3.** Peralvilho, peralta, janota. **4.** Personagem importante; figurão, magnata. V. *mandachuva.*

manati [De uma língua indígena antilhana, poss. o caraíba, pelo esp. *manatí.*] ***S. m. Zool.* 1.** Animal mamífero, sirênio, sirenídeo (*Trichechus mamatus*), das Antilhas, costa da Venezuela e Guianas até o litoral do PA; tem a cor e o aspecto geral do peixe-boi (q. v.) da Amaz. [Var.: *manatim, manaí.* Sin.: *vaca-marinha.*] **2.** V. *peixe-boi.*

manátida [Do tax. *Manatus* + *-ida*[1].] ***S. m. Adj. 2 g. Zool. Desus.*** V. *manatídeo.*

manatídeo [Do tax. *Manatus* + *-ídeo*[1]; tax. *Manatidae.*] *Zool. Desus.* ***S. m.* 1.** Espécime dos manatídeos, família de mamíferos sirênios, atualmente denominada triquequídeos, à qual pertence o peixe-boi. ● ***Adj.* 2.** Pertencente ou relativo a eles.

manatim ***S. m. Bras. Zool.*** V. *manati* (1).

manau ***Bras. S. 2 g.* 1.** *Etnôn.* Indivíduo dos manaus [ou (etnôn. bras.) *Manao], povo indígena extinto da família linguística aruaque que habitava as margens do rio Negro e de seus afluentes Urubaxi e Marauiá (AM). ● ***Adj. 2 g.* 2.** Pertencente ou relativo a esse povo.

manauara [Do top. *Manaus* + *-uara.*] ***Adj. 2 g. S. 2 g.*** V. *manauense*: "Dias e noites no quarto, sem dar um mergulho nos igarapés, nem mesmo aos domingos, quando os manauaras saem ao sol" (Milton Hatoum, *Dois Irmãos,* p. 25).

manauê [De or. afr., poss.] ***S. m. Bras.*** Espécie de bolo feito de fubá de milho, mel e outros ingredientes: "repletas as mesas da fina canjica de milho verde, manauês, carás, melado" (Melo Morais Filho, *Festas e Tradições Populares do Brasil,* p. 190). [Var. pros.: *manué.*]

manauense ***Adj. 2 g.* 1.** De, ou pertencente ou relativo a Manaus, capital do Estado do Amazonas. ● ***S. 2 g.* 2.** O natural ou habitante de Manaus. [Sin. ger.: *manauara.*]

mancada [De *mancar*[2] + *-ada*[1].] ***S. f. Bras.* 1.** Erro, lapso, falha, cincada, vacilo: *Aquele casamento foi uma mancada.* **2.** V. *gafe*: *O rapaz vive dando mancada.*

mancador (ô) [De *mancar*[1] + *-dor.*] ***Adj. S. m. Bras. S.* 1.** Diz-se de, ou cavalo que anda mancando. **2.** Diz-se de, ou mau cavaleiro, que deixa o cavalo manco.

mancal ***S. m.* 1.** Dispositivo, em geral de ferro ou de bronze, sobre o qual se apoia um eixo girante, deslizante ou oscilante, e que lhe permite o movimento com um mínimo de atrito. **2.** V. *dobradiça* (1). ◆ **Mancal de escora.** *Bras. Constr. Nav.* Mancal com ranhuras circulares, onde se encaixam filetes abertos no eixo propulsor de embarcação, o que impede que este se desloque no sentido axial dentro do primeiro. [Sobre os mancais de escora se exerce o esforço de impulsão, que faz os navios a hélice movimentarem-se pelas suas máquinas.]

mancar[1] [De *manco* + *-ar*[2].] ***V. t. d.* 1.** Tornar manco; fazer manco; aleijar. ***Int.* 2.** V. *coxear* (1). ***P.* 3.** Fazer-se manco; ficar manco. **4.** *Bras. Gír.* Capacitar-se de que está sendo inoportuno, inconveniente, ou está cometendo erro, engano: *Apesar das indiretas, o maçante não se mancou.* [Conjug.: v. *trancar.*]

mancar[2] [Do fr. *manquer.*] ***V. t. i. Int. Bras. Ant.*** Falhar, faltar, em relação a compromisso. [Conjug.: v. *trancar.*]

mancarra [Do cabo-verd. e do criol.] ***S. f. Cabo-verd. Guin.*** V. *amendoim* (2): "interrompia a brincadeira dentro de casa para ir buscar, ao outro lado da praça, rebuçados, bolachas ou mancarra torrada que o pai comprara para ele." (G. T. Didial, *O Estado Impenitente da Fragilidade,* p. 56).

mancarrão [Do esp. plat. *mancarrón.*] ***Adj. S. m. Bras. RS*** Diz-se de, ou cavalo velho, ou manco, sem préstimo.

manceba (ê) [Fem. de *mancebo.*] ***S. f.* 1.** Mulher nova, jovem. **2.** Mulher amancebada; amante[2] (6): "a admissão da filha na casa-grande, como manceba, se o casamento fosse impossível." (Nélson de Faria, *Cabeça-Torta,* p. 78).

mancebia [De *mancebo* + *-ia*[1].] ***S. f.* 1.** *Ant.* Mocidade, juventude. **2.** *Ant.* Os mancebos, os moços. **3.** Estado de quem vive amancebado (v. *amancebar-se*); amancebamento, concubinato. **4.** Vida desregrada, dissoluta. **5.** *Desus.* Prostíbulo (q. v.).

mancebil [De *mancebo* + *-il*[1].] ***Adj. 2 g.*** Referente a, ou próprio de mancebo (1); juvenil.

mancebo (ê) [Do lat. vulg. hisp. **mancipu* < lat. *mancipiu,* tirado da expr. *homo mancipii,* genitivo de *mancipium,* 'propriedade'.] ***S. m.* 1.** V. *rapaz* (3): "Quando chegou a Lisboa, Camões tinha quase 19 anos. Era um formoso mancebo, forte, galhardo" (Olavo Bilac, *Últimas Conferências e Discursos,* p. 245). **2.** *Desus.* Aquele que vive em mancebia. **3.** *P. us.* Criado (2). **4.** *Bras.* Cabide para roupa, formado de uma haste com diversos braços: "aos pés da cama um mancebo para roupas, com muitos braços." (Júlio Ribeiro, *A Carne,* p. 83). **5.** *Bras. S.* Pedaço de pau ao qual se penduram candeias: "O Cabeludo .... tirara com a mão esquerda o lampião de azeite, de um mancebo ao meio da casa" (Valdomiro Silveira, *Os Caboclos,* p. 71). **6.** *Ant. Mar.* Marinheiro a quem, pela falta de prática, não se podiam confiar serviços de responsabilidade a bordo; bói. ● ***Adj.* 7.** *Desus.* Juvenil, jovem.

mancenilha [Adapt. do esp. *manzanilla.*] ***S. f. Bot.*** Árvore euforbiácea (*Hippomane mancinella*) nativa na América Central, de folhas serreadas, e cujas flores se apresentam em espiga, sendo o fruto uma baga e o látex venenoso.

mancenilheira [De *mancenilha* + *-eira.*] ***S. f. Bot.*** Manacá-açu.

mancha [Do lat. *macula,* por via pop.] ***S. f.* 1.** Nódoa, laivo: *manchas de sangue.* **2.** Malha[2] (1): *as manchas da pele do leopardo.* **3.** Cada toque na distribuição das tintas em um quadro; pincelada. **4.** *Fig.* Labéu na reputação; desdouro, deslustre, mácula: *caráter sem manchas.* **5.** A cama do javali. **6.** *Bibliogr.* A parte impressa da página, por oposição às margens. **7.** *Edit.* Numa página impressa, ou no leiaute desta, o espaço do texto, fotografias, ilustrações e figuras. [Cf., nesta acepç., *margem* (1).] **8.** *Bras.* Certa doença que ataca o fumo. **9.** *Bras.* Carbúnculo do gado vacum. **10.** *Bras. PR* Concentração abundante de erveiras em um dado terreno. ◆ **Mancha branca.** *Astr.* Marca superficial, branca, de duração efêmera, que aparece em zonas de diferente latitude do planeta Saturno e tem permitido determinar-lhe o período de rotação. **Mancha estelar.** *Astr.* Região de baixo brilho situada na superfície das estrelas. **Mancha solar.** *Astr.* Manifestação da atividade solar que se apresenta sob a forma de uma mancha escura que ocupa uma pequena região do disco solar. **Mancha vermelha.** *Astr.* Marca superficial, rósea, situada na zona temperada sul do planeta Júpiter, e observada pela primeira vez em 1665, por J. D. Cassini, astrônomo francês de origem italiana (1625-1712). Parece tratar-se de massa gasosa flutuante na superfície do planeta.

mancha-de-ferro ***S. f. Bras. Micol.*** Fungo devastador dos cafezais (*Sphoerella coffeicola*). [Pl.: *manchas-de-ferro.*]

manchado [Part. de *manchar.*] ***Adj.* 1.** Que se manchou; enodoado, sujo. **2.** Que tem manchas ou malhas; malhado: *Voltou-se a usar tecido manchado.* **3.** *Fig.* Maculado, deslustrado, desacreditado, infamado.

mancha-gorda (ô) ***S. f. Bras.*** Praga que ataca diversas leguminosas, produzida pelos esporos de um criptógamo (*Ceromyces phaseolorum*). [Pl.: *manchas-gordas* (ô).]

mancha-negra (ê) ***S. f. Bras. MT*** Certa epizootia dos bovídeos. [Pl.: *manchas-negras* (ê).]

manchão[1] [De *mancha* + *-ão*[1].] ***S. m. Bras.* 1.** Mancha no terreno onde jaz enterrado o diamante de aluvião. **2.** *Ind. Pap.* Prensa de manchão. **3.** *Pop.* Remendo que se improvisa nos pneumáticos estragados ou furados.

manchão[2] *S. m.* Nos jogos de bilhar e sinuca, taco especial, com uma cruzeta de metal na ponta, para auxiliar o jogador a firmar o taco principal.

manchar [De *mancha* + *-ar*[2].] *V. t. d.* **1.** Sujar com mancha ou nódoa; sujar, enodoar: *manchar a roupa.* **2.** Fazer mancha em: *manchar o tecido.* **3.** Infamar, denegrir, desonrar: *manchar uma reputação. **P.*** **4.** Sujar-se, enodoar-se. **5.** Ficar desonrado, denegrido.

mancha-roxa (ô) *S. f. Bras.* Mancha na pele, produzida por hemorragia subcutânea. [Sin., N.E.: *roncha.* Pl.: *manchas-roxas* (ô).]

manchear *V. t. d. Bras.* Provocar a fermentação de (o cacau). [Conjug.: v. *frear.*]

manchego (ê) [Do esp. *manchego.*] ***Adj.*** **1.** Da, ou pertencente ou relativo à Mancha (Espanha central). **2.** Diz-se do herói cervantesco D. Quixote, fidalgo da Mancha. ~ V. *seguidilha —a.* • ***S. m.*** **3.** O natural ou habitante da Mancha. [Cf. *machego.*]

mancheia [De *man-* + *cheia.*] ***S. f.*** Porção de coisas, ou quantidade de uma coisa, que a mão pode abranger; mainça, maunça, manípulo, punhado, mão-cheia: "Atirava mancheias de farinha à boca" (Coelho Neto, *Treva,* p. 325); "Aqui tens ouro, mancheias de ouro" (Eugênio de Castro, *Obras Poéticas,* III, p. 219). ◆ **A mancheias. 1.** Em grande quantidade; abundantemente; à farta: "Tendo dinheiro a mancheias, os peruanos quiseram ter uma esquadra." (Eduardo Prado, *Coletâneas,* II, p. 208.) **2.** Prodigamente; à larga: "A fortuna me favorecia a mãos-cheias e a mancheias eu a derramava por quantos vinham acolher-se à minha sombra." (Afonso Arinos, *O Contratador de Diamantes,* p. 86.) [Tb. se diz *a mãos-cheias* e *às mãos-cheias.*]

manchesteriano ***Adj.*** **1.** De, ou pertencente ou relativo a Manchester (Grã-Bretanha); mancuniano. • ***S. m.*** **2.** O natural ou habitante de Manchester; mancuniano.

manchetado [De *manchete* + *-ado*[1].] ***Adj.*** Relativo a manchete. ~ V. *texto —.*

manchete [Do fr. *manchette.*] *S. f. Bras.* **1.** Título principal, em letras garrafais, na primeira página de um jornal: "A *Voz do Povo* dizia, em manchete: 'A revolução está praticamente extinta!'" (Ribeiro Couto, *Prima Belinha,* p. 68.) **2.** *P. ext.* Título de notícia, em letras maiores, em jornal ou revista. **3.** *Vôlei* Fundamento do vôlei em que se busca defender ou passar a bola com as mãos unidas e os polegares voltados para a frente.

manchil [Do ár. *minğil,* 'cutelo'; 'dente de camelo'; 'lança'.] *S. m.* **1.** Cutelo de açougueiro. **2.** Antiga arma branca de guerra.

manchilha [Dim. de *mancha,* poss.] *S. f. Bras. MT* Certa epizootia dos bovídeos.

mancho [De *mancha,* poss.] ***Adj.*** *Bras.* Falho, defeituoso. [Diz-se em especial da andadura dos cavalos.]

manchu ***Adj. 2 g.*** **1.** De, ou pertencente ou relativo à Manchúria (Ásia). • ***S. 2 g.*** **2.** O natural ou habitante da Manchúria. [Sin., nessas acepçs.: *manchuriano.*] • ***S. m.*** **3.** *Gloss.* Língua altaica falada pelos manchus, importante no passado por ter, por cerca de 200 anos, servido de língua franca entre a China e o resto do mundo, além de ter sido a língua oficial do país. V. *altaico* (3). **4.** Vocábulo dessa língua. [F. paral.: *mandchu.*]

manchuriano ***Adj. S. m.*** V. *manchu* (1 e 2).

manchu-tungue *S. m. Gloss.* V. *altaico* (3). [Pl.: *manchus-tungues* e *manchus-tungue.*]

▲ **-mancia** [Do gr. *-manteía, as* < gr. *manteía, as.*] ***El. comp.*** = 'adivinhação', 'predição': *actinomancia, cartomancia.* [V. *-ia*[1].]

mancinismo [Do it. *mancinismo.*] *S. m.* Uso predominante ou preferente da mão esquerda; canhotismo, sinistrismo.

mâncio-limense ***Adj. 2 g.*** **1.** De, ou pertencente ou relativo a Mâncio Lima (AC). • ***S. 2 g.*** **2.** O natural ou habitante de Mâncio Lima. [Pl.: *mâncio-limenses.*]

mancípio [Do lat. *mancipiu,* 'escravo'.] *S. m. Ant.* **1.** Escravo (4). **2.** *P. ext.* Indivíduo ou coisa dependente.

manco [Do lat. *mancu,* 'maneta'.] ***Adj.*** **1.** Diz-se de pessoa ou de animal a que falta mão ou pé, ou que não pode servir-se de algum braço ou perna. **2.** V. *coxo* (1). **3.** Defeituoso, imperfeito, incompleto: *verso manco.* **4.** Ignorante, bronco, estúpido, tapado. **5.** Diz-se do objeto a que falta(m) alguma(s) das coisas que lhe são próprias. **6.** Vagaroso, lento. • ***S. m.*** **7.** Indivíduo manco. **8.** V. *coxo* (4).

mancolista *S. f.* Relação de peças que faltam (a uma coleção), ou para completar (um conjunto).

mancômetro [De *mancar*[1] + *-o-* + *-metro.*] *S. m. Bras. Burl.* V. *desconfiômetro* (1).

mancomunação [De *mancomunar* + *-ção.*] *S. f.* Ato ou efeito de mancomunar(-se); mancomunagem.

mancomunado [Part. de *mancomunar.*] ***Adj.*** Combinado, ajustado, concertado, conluiado.

mancomunagem [De *mancomunar* + *-agem*[2].] *S. f.* Mancomunação.

mancomunar [De *man-* + *comum* + *-ar*[2].] ***V. t. d. T. d. e i.*** **1.** Ajustar, combinar, convencionar, contratar: *Os dois mancomunaram um plano sinistro; Mancomunou com os outros fazer uma brincadeira. **P.*** **2.** Pôr-se de acordo; combinar-se, concertar-se, conluiar-se, acomunar-se: "Falsamente e indignamente acusado perante o povo de .... se mancomunar com o inimigo, Cornélio de Witt é preso e posto a tormentos." (Ramalho Ortigão, *A Holanda,* p. 175.)

mancornar [De *man-* + *corno* + *-ar*[2].] ***V. int.*** *Taur.* Segurar com as mãos os cornos do touro, derrubando-o: *É muito hábil em mancornar.*

mancueba (ê) *S. m. Bras.* V. *cuba*[3] (2 e 3).

mancuniano [Do lat. tard. *Mancunium,* 'Manchester'.] ***Adj.*** **1.** Manchesteriano (1). **2.** Característico de mancuniano (3). • ***S. m.*** **3.** Manchesteriano (2).

manda[1] [Dev. de *mandar.*] ***S. f.*** **1.** Sinal de referência com o qual se remete o leitor para outro ponto de um texto; chamada. **2.** *Ant.* Disposição testamentária; mandado.

manda[2] *S. m. Bras. SP Pop.* V. *mandachuva.*

mandaçaia [Do tupi.] *S. f. Bras. Zool.* Abelha meliponínea (*Melipona quadrifasciata*), de cabeça e tórax pretos, abdome com faixas amarelas interrompidas no meio de cada segmento, asas ferrugíneas, e 10 a 11mm de comprimento. É uma importante polinizadora, nidifica em árvores ocas e os ninhos, com boca de barro, são grandes e em geral contêm muitos litros de mel. [Var.: *amanaçaia, manaçaia.*]

mandaçaia-do-chão *S. f. Bras. Zool.* Abelha meliponínea (*Melipona quinquefasciata*), de ampla distribuição no Brasil, com cerca de 9 a 11mm de comprimento, coloração geral preta, abdome com cinco faixas amareladas. Nidifica no chão, em formigueiros abandonados. [Pl.: *mandaçaias-do-chão.*]

mandacaru [Do tupi.] *S. m. Bras. N.E. Bot.* Grande cacto (*Cereus jamacaru*) de porte arbóreo, tronco grosso e ramificado, que pode fornecer madeira na base, flores enormes, alvas, que se abrem à noite, e cujos ramos têm de quatro a cinco ângulos, sendo o fruto uma baga espinhosa. É planta das mais características da caatinga nordestina, e serve de alimento ao gado na seca. [Var.: *jamacaru, jaramacaru.*]

mandachuva [De *mandar* + *chuva.*] ***S. 2 g.*** *Bras.* **1.** Indivíduo importante ou influente; figurão. **2.** Chefe, cabeça, líder. **3.** Chefe político no interior. [Sin. ger.: *magnata, magnate* ou *manata, caudilho* e (bras.) *manda-tudo, manda, cacique, morubixaba, chefão, maioral, paredro, mandarim, gunga-muxique, gunga, cacutu, tutu, tutumumbuca, tutunqué, jabarandaia.* Quase todos estes sin. se referem principalmente à 3ª acepç. da palavra.] ❖

mandada [De *mandar* + *-ada*[1].] *S. f. Bras.* Ato de distribuir as cartas do baralho entre os parceiros de jogo.

mandadeiro [De *mandado* + *-eiro.*] *S. m.* **1.** Aquele que cumpre mandados ou leva mensagens; mensageiro. • ***Adj.*** **2.** Relativo a mandado ou ordem.

mandado[1] *S. m. Bras. RS Pop.* V. *mandado de deus.*

mandado[2] [Part. de *mandar.*] ***Adj.*** **1.** Diz-se daquele a quem mandaram. **2.** Que se mandou; dirigido, remetido; enviado: *cartas mandadas.* **3.** Orientado, comandado. • ***S. m.*** **4.** Aquele a quem mandaram. **5.** V. *mandamento* (1). **6.** Recado, incumbência, mandamento. **7.** Ordem ou determinação imperativa. **8.** Ordem escrita que emana de autoridade administrativa: *mandado de citação; mandado de prisão.* **9.** *Jur.* Ordem judicial: *mandado de citação, mandado de prisão, mandado de soltura, mandado de averbação,* etc. **10.** Mandamento (3). **11.** *Ant.* Manda[1] (2). ◆ **Mandado de segurança.** *Jur.* Medida judicial para proteção de direito individual ou coletivo, líquido e certo, não amparado por *habeas corpus,* contra ilegalidade ou abusos de poder, seja qual for a autoridade que os cometa.

mandado de deus *S. m. Bras. RS Pop.* O raio. [V. *corisco* (2).] [F. red.: *mandado*[1]. Pl.: *mandados de deus.*] ☑

mandador (ô) [Do lat. tard. *mandatore.*] ***Adj. S. m.*** **1.** Mandante (1 e 2). **2.** Mandão (1 e 3).

mandaguaçuense ***Adj. 2 g.*** **1.** De, ou pertencente ou relativo a Mandaguaçu (PR). • ***S. 2 g.*** **2.** O natural ou habitante de Mandaguaçu.

mandaguari [Do tupi.] *S. f. Bras. Zool.* Abelha meliponínea (*Scaptotrigona postica*), agressiva, de cor preta, com abdome bruno, asas enfumaçadas com nervuras mais claras. Amplamente distribuída no Brasil, nidifica, ger., em ocos de árvores, com a entrada do ninho feita de cerume e em forma de trombeta. [Sin.: *benjoim, benjoí, bojuí, bijuí, mijuí.*]

mandaguari-amarela [De *mandaguari* + o f. de *amarelo.*] *S. f. Zool.* Abelha meliponínea (*Scaptotrigona xanthotricha*) de coloração geral amarelo-escura, agressiva, que ocorre da Bahia ao Paraná. Nidifica em ocos de árvores e em outros buracos preexistentes, sendo a entrada da colmeia um funil construído com cerume. [Sinônimos: *tiúba, tujumirim.*]

mandaguariense ***Adj. 2 g.*** **1.** De, ou pertencente ou relativo a Mandaguari (PR). • ***S. 2 g.*** **2.** O natural ou habitante de Mandaguari.

mandala [Do sânscr.] *S. m. Filos.* No tantrismo, diagrama composto de círculos e quadrados concêntricos, imagem do mundo e instrumento que serve à meditação.

mandalete (ê) [Alter. do lus. *mandarete.*] *S. m.* **1.** Recado, mandado, incumbência. **2.** Moço de recados. **3.** *Bras. RS* Pessoa (ger. criança ou velho) que trabalha numa estância, em serviços leves ou na transmissão de recados ou ordens. [F. paral.: *mandarete.*]

manda-lua [Alter. de *mãe-da-lua.*] *S. f. Bras. Zool.* V. *urutau.* [Pl.: *manda-luas.*]

mandamental [De *mandamento* + *-al*[1].] ***Adj. 2 g.*** Que encerra ou exprime mandamento.

mandamento [De *mandar* + *mento.*] *S. m.* **1.** Ato ou efeito de mandar; mandado, mando. **2.** Mandado[2] (6). **3.** Prescrição, preceito, regra. **4.** A ordem contida num mandado ou num preceito legal. **5.** *Rel.* Cada um dos preceitos do decálogo. **6.** *Rel.* Cada um dos preceitos da Igreja.

mandância [De *mandar* + *-ância.*] *S. f. Pej.* Ação abusiva de mandar; mando abusivo.

mandante [Do lat. *mandante.*] ***Adj. 2 g.*** **1.** Que manda; mandador. • ***S. 2 g.*** **2.** Pessoa que manda; mandador. **3.** Pessoa que incita a certos atos; instigador. **4.** *Jur.* Pessoa que outorga um mandato. [Antôn., nas acepçs. 2 a 4: *mandatário.*]

mandão [De *mandar* + *-ão*[1].] ***Adj.*** **1.** Diz-se daquele que manda com arrogância, ou que gosta de mandar; mandador. **2.** Despótico, tirânico, opressor. • ***S. m.*** **3.** Aquele que manda com arrogância, ou que gosta de mandar; mandador. **4.** Déspota, tirano, opressor. [Fem.: *mandona.*]

mandapuçá [Do tupi.] *S. m.* **1.** *Bras. Bot.* Arvoreta melastomatácea (*Mouriri pusa*) que se expande do CE a MG, de folhas duras e quase sem nervuras, flores pequenas e alvas, e cujos frutos são minutas bagas negras. **2.** Pequena árvore melastomatácea (*Mouriri chamissoana*) nativa do Brasil, de folhas coriáceas elípticas, flores alvas, fasciculadas e bagas globosas escuras, edules; manapuçá, cafezinho, xiputa.

mandar [Do lat. *mandare.*] ***V. t. d.*** **1.** Exigir que se faça; ordenar: *Mandaram que a multidão se dispersasse.* **2.** Determinar, preceituar, prescrever: *Fazia o que a consciência mandava.* **3.** Dirigir como chefe; comandar. **4.** Ter poder ou autoridade sobre; governar. **5.** Emitir, irradiar, expedir: *Às seis horas o Sol já mandava seus raios.* **6.** Enviar, remeter: *Mandarei cartas; Gosta de mandar flores.* ***T. d. e i.*** **7.** Ordenar que vá: *Mandou o filho ao dentista.* **8.** Enviar, remeter, expedir: "a viúva Noronha mandou uma carta a D. Carmo" (Machado de Assis, *Memorial de Aires,* p. 88). **9.** Atirar, arremessar: *Mandou-lhe uma pedra.* **10.** Enviar como presente ou dádiva. **11.** *Pop.* V. *atacar* (12): *Mandou a mão na cara do agressor.* ***T. d. e c.*** **12.** Mandar (7): *Mandou o neto para a fazenda.* **13.** Desterrar, degredar, exilar: *Dostoievski teve comutada sua pena de morte, mas foi mandado para a Sibéria.* ***Transobj.*** **14.** Nomear, escolher, eleger: *O Governador mandou-o por juiz de direito do interior.* ***T. i.*** **15.** Exercer poder ou autoridade: *mandar em alguém.* ***Int.*** **16.** Exercer o poder ou mando; governar, dominar, reger: "Ó glória de mandar, ó vã cobiça / Desta vaidade, a quem chamamos Fama" (Luís de Camões, *Os Lusíadas,* IV, 95). **17.** Dar ordens: *Seu tom era de quem manda e não pede. **P.*** **18.** *Bras. Pop.* Ir(-se) embora, ausentar-se de um local; ir-se: *F. se mandou cedo.* **19.** *Bras. Pop.* V. *fugir* (1 e 2): *Com a chegada da polícia, os gatunos se mandaram;* "No dia seguinte, o Lulu saiu com a Glorinha e eu me mandei para São Conrado" (Maria Julieta Drummond de Andrade, *Um Buquê de Alcachofras,* p. 50). ◆ **Mandar bugiar.** Despedir (um importuno) com desprezo, irritação, raiva. **Mandar e desmandar.** *Bras.* Exercer poderes totais, absolutos; fazer e desfazer: *Sempre mandou e desmandou no seu trabalho;* "Chega um forasteiro qualquer e faz aqui o que bem entende! Manda e desmanda, como um senhor de engenho!" (Gilvã Lemos, *Jutaí Menino,* p. 73). **Mandar embora.** Despedir (2). **Mandar-se dizer.** *Bras. RS* Exprimir-se bem a respeito de um assunto, mostrando conhecê-lo: *Mandou-se dizer na mesa-redonda sobre tóxicos.* **Mandar ver.** *Bras. Pop.* V. *mandar brasa.*

mandaravê [De or. obsc.] *S. f. Bras. Bot.* V. *esponjinha* (1).

mandarete (ê) [De *mandar* + *-ete* (ê).] *S. m. Lus.* V. *mandalete.*

mandari [Do sânscr. *mantri,* 'conselheiro de Estado', pelo malaio *mantari.*] *S. m. Desus.* Mandarim (q. v.).

mandarim [Var. de *mandari* (q. v.), com infl. de *mandar.*] *S. m.* **1.** Alto funcionário público, na antiga

China. [Fem.: *mandarina.*] **2.** *Fig.* V. *mandachuva:* *os mandarins da política.* **3.** *Gloss.* Conjunto de dialetos falados ao N. do rio Yangtzé (China) e que se subdivide em quatro grupos: o *mandarim setentrional,* falado nas províncias de Hopeh (ou *Hébĕi*) [incluindo Pequim (ou *Beijing*)], *Hénán,* Xantungue (ou *Shāndōng*), N. de Anwei (ou *Ānhūi*), e ainda na Manchúria e em parte da Mongólia, o *mandarim do noroeste,* falado nas províncias de Shensi (ou *Shānxī*), Shansi (ou *Shānxī*), Kansu (ou *Gānsù*), Tsinghai (ou *Qīnghai*), *Ningxiá* e áreas da Mongólia; o *mandarim do sudoeste,* falado nas províncias de Hupeh (ou *Húbĕi*), Szechwan (ou *Sichuān*), *Yúnnán,* Kveichow (ou *Guìzhōu*) e a N.O. de Kwangsi (ou *Guāngxī*); o *mandarim oriental,* falado no C. de *Ānhūi* na região de Nanquim (ou *Nánjīng*). **4.** *Gloss.* A partir de 1949, a variedade padrão do chinês, que tem por base o dialeto mandarim de Pequim (ou Beijing). [V. *cantonês, hakka, min, wu.*] **5.** Vocábulo mandarim. ● ***Adj. 2 g.*** **6.** *Gloss.* Pertencente ou relativo a mandarim (3 e 4). ◆ **Mandarim do noroeste.** *Gloss.* V. *mandarim* (3). **Mandarim do sudoeste.** *Gloss.* V. *mandarim* (3). **Mandarim oriental.** *Gloss.* V. *mandarim* (3). **Mandarim setentrional.** *Gloss.* V. *mandarim* (3).

mandarina[1] ***S. f.*** Mulher de mandarim (1).

mandarina[2] [Do esp. plat. *mandarina.*] ***S. f.*** *Bras. RS* V. *tangerina.*

mandarinado [De *mandarim* + *-ado*[2].] ***S. m.*** Mandarinato.

mandarinato [De *mandarim* + *-ato*[1].] ***S. m.*** **1.** Qualidade ou funções de mandarim (1). **2.** *Fig.* Classe privilegiada, dos que mandam. [F. paral.: *mandarinado.*]

mandarinete (ê) [De *mandarim* + *-ete* (ê).] ***S. m.*** Mandarim (1) de classe inferior.

mandarová ***S. m.*** *Bras. Zool.* V. *mandorová.*

mandaruvá ***S. m.*** *Bras. Zool.* V. *mandorová.*

mandatário [Do lat. tard. *mandatariu.*] ***S. m.*** **1.** Aquele que recebe mandato: "Respeitáveis <u>mandatários</u> na Assembleia Legislativa intrigavam para desligar o Norte [do Sul do Brasil]" (Alberto Rangel, *Textos e Pretextos,* p. 8). **2.** Executor de ordens ou mandatos. **3.** Representante, procurador, delegado. [Antôn.: *mandante.*]

mandatício [De *mandato* + *-ício.*] ***Adj.*** Relativo a mandato ou procuradoria. ~ V. *endosso* —.

mandato [Do lat. *mandatu.*] ***S. m.*** **1.** *Jur.* Contrato pelo qual alguém confere a outrem poderes para praticar em seu nome certos atos; procuração. **2.** Missão, incumbência. **3.** Ordem ou preceito de superior para inferior; mandado. **4.** Poder político outorgado pelo povo a um cidadão, por meio de voto, para que governe a nação, estado ou município, ou o represente nas respectivas assembleias legislativas. **5.** *P. ext.* Período de duração de um mandato (4): *No seu <u>mandato</u>, J. K. construiu Brasília.* ◆ **Mandato em causa própria.** Aquele em que o mandatário age com poderes para administrar certo negócio como coisa sua, auferindo todas as vantagens dele provenientes. [Cf. *procuração* (1).] **Mandato imperativo.** O que impõe ao deputado eleito pelo povo a obrigação de votar de um certo modo. **Mandato internacional.** Decisão pela qual a Organização das Nações Unidas confia a uma grande potência a administração dum território determinado, a fim de progressivamente o conduzir ao governo de si mesmo.

mandatório [Do lat. *mandatoriu.*] ***Adj.*** Que manda, obriga, ou que encerra uma ordem.

mandato-tampão ***S. m.*** *Polít.* Período que se acresce ao legalmente previsto de um mandato (5), e ger. destinado a evitar instabilidade política. [Pl.: *mandatos-tampões* e *mandatos-tampão.*]

manda-tudo [De *mandar* + *tudo.*] ***S. m. 2 n.*** *Bras. RS* V. *mandachuva.*

mandauaca *Bras.* ***S. 2 g.*** **1.** *Etnôn.* Indivíduo dos mandauacas [ou (etnôn. bras.) *Mandawaka], povo indígena da família linguística aruaque, que habita o N. do Amazonas, na região da fronteira com a Venezuela, e o S. da Venezuela. ● ***Adj. 2 g.*** **2.** Pertencente ou relativo a esse povo.

mandchu ***Adj. 2 g. S. 2 g.*** V. *manchu.*

mandê ***S. 2 g. S. m. Adj. 2 g.*** V. *mandê.*

mandê ***S. 2 g.*** **1.** *Etnôn.* Mandinga (1). ● ***S. m.*** **2.** *Gloss.* V. *maninca* (2). **3.** *Gloss.* Subgrupo do níger-congo falado numa estreita faixa que se estende da Costa do Marfim (África) para o N. [Inclui línguas como o *bambara,* o *diúla,* o *malinca* e o *mende.*] [Sin. (nesta acepç.): *mandinga.*] **4.** Vocábulo mandê. ● ***Adj. 2 g.*** **5.** Pertencente ou relativo a mandê (1 a 3). [Var.: *mandé.*]

mandélico ***Adj.*** *Quím.* ~ V. *ácido* —.

mandembe ***S. m.*** *Bras. MG GO* Lugar cheio de mato cerrado, e, pois, de acesso difícil; mandengo.

mandengo ***S. m.*** *Bras. MG GO* Mandembe.

mandestro (ê) ***Adj.*** V. *manidestro.*

mandi [Do tupi.] ***S. m.*** *Bras.* **1.** *Zool.* Designação comum a várias espécies de peixes siluriformes, esp. pimelodídeos, cujos primeiros aguilhões das nadadeiras peitorais e dorsal são rijos e ger. serrilhados. Costumam emitir, ao sair da água, um som semelhante a um choro. **2.** *Zool.* V. *dundu.* **3.** V. *caipira* (1). [Var. nasalada: *mandim.*]

mandiaçu [De *mandi* + *-açu.*] ***S. m.*** *Bras. Zool.* Bagre pimelodídeo (*Duopalatinus emarginatus*) de dorso amarelado e ventre esbranquiçado, com até 15cm de comprimento, da bacia do rio São Francisco. [Var.: *mandiguaçu.* Sin.: *mandi-urutu.*]

mandi-amarelo ***S. m.*** *Bras. Zool.* **1.** V. *mandi-pintado* (1). **2.** V. *bagre-amarelo* (3). [Pl.: *mandis-amarelos.*]

mandiba [Var. de *maniva.*] ***S. f.*** *Bras. Bot.* Espécie de mandioca. [Var.: *mandiva.*]

mandi-bandeira ***S. m.*** *Bras. Zool.* Bagre pimelodídeo (*Leiarius pictus*) das bacias dos rios Amazonas, Orinoco e Paraguai, de coloração geral amarelo-laranja, com máculas pretas; nadadeira dorsal muito desenvolvida, com manchas negras; barbilhões, também pintados, atingindo a extremidade posterior do corpo; e comprimento de até 60cm. [Sin.: *mandi-da-pedra, peixe-preto, peixe-negro.* Pl.: *mandis-bandeiras* e *mandis-bandeira.*]

mandibé ***S. m.*** *Bras. MA Zool.* V. *mandubi*[2] (1).

mandi-bicudo ***S. m.*** *Bras. Zool.* Papa-isca (1). [Pl.: *mandis-bicudos.*]

mandi-branco ***S. m.*** *Bras. Zool.* Bagre pimelodídeo (*Pimelodus fur*) da bacia do rio São Francisco, que tem a pele branca. [Sin.: *manditinga, papa-isca.* Pl.: *mandis-brancos.*]

mandíbula [Do lat. tard. *mandibula.*] ***S. f.*** **1.** *Anat.* Osso único, em forma de ferradura, que constitui a queixada inferior do homem e onde se implantam os dentes inferiores. **2.** *Zool.* Nos vertebrados em geral, porção óssea móvel da face que, por meio dos seus processos posteriores, se prende aos ossos temporais de cada lado e, junto com a maxila, forma a estrutura da boca. **3.** *Zool.* A metade inferior do bico das aves. **4.** *Zool.* Nos artrópodes, um dos apêndices pares anteriores do aparelho bucal. **5.** *P. ext. Mec.* Qualquer peça, ou ferramenta, cuja ação é semelhante à da mandíbula.

mandibulado [De *mandíbula* + *-ado*[3]; tax. *Mandibulata.*] *Zool.* ***S. m.*** **1.** Espécime dos mandibulados, sub-ramo de animais artrópodes, cujo corpo se divide em duas partes (cabeça e tronco), ou em três (cabeça, tronco com pernas locomotoras e abdome); um ou dois pares de antenas, um par de mandíbulas e um ou mais pares de maxilas. São os crustáceos, os insetos e os miriápodes. ● ***Adj.*** **2.** Pertencente ou relativo a eles. [Sin. ger.: *antenado.*]

mandibular [De *mandíbula* + *-ar*[1].] ***Adj. 2 g.*** Pertencente ou relativo à mandíbula.

mandibulectomia [De *mandibul(i)-* + *-ectom-* + *-ia*[1].] ***S. f.*** *Cir.* Excisão da mandíbula, em extensão variável.

▲ **mandibul(i)-** [Do lat. tard. *mandibula, ae.*] ***El. comp.*** = 'mandíbula': *mandibulectomia, mandibuliforme.*

mandibuliforme [De *mandibul(i)-* + *-forme.*] ***Adj. 2 g.*** Que tem feitio de mandíbula.

mandi-casaca ***S. m.*** *Bras. Zool.* V. *mandi-pintado* (1). [Pl.: *mandis-casacas* e *mandis-casaca.*]

mandi-chorão ***S. m.*** *Bras. Zool.* **1.** Bagre pimelodídeo (*Rhamdella robinsoni*), com até 10cm de comprimento e longos barbilhões, da bacia do Rio São Francisco. **2.** Bagre pimelodídeo (*Rhamdia sebae*) com até 30cm de comprimento, coloração que varia do negro ao pardo, e largamente distribuído pelo Brasil. [Sin.: *bagre-de-lagoa, jandiá, jundiá.*] **3.** Bagre pimelodídeo (*Pimelodella brasiliensis*) com ampla distribuição no centro-sul do Brasil. [Essas espécies, ao sair da água, emitem sons semelhantes ao do choro.] [F. red.: *chorão.* Pl.: *mandis-chorões.*]

mandicumbá ***S. m.*** *Bras. Zool.* V. *anujá.*

mandi-da-pedra ***S. m.*** *Bras. Zool.* V. *mandi-bandeira.* [Pl.: *mandis-da-pedra.*]

mandiguaçu [De *mandi* + *-guaçu.*] ***S. m.*** *Bras. Zool.* V. *mandiaçu.*

mandiguaru [De *mandi* + tupi = 'indivíduo que come'.] ***S. m.*** *Bras. Zool.* V. *mandipinima.*

mandiguera (güe) [Do tupi.] ***S. m.*** *Bras. SP* Leitãozinho que nasce enfezado (1) e que por isso os criadores suprimem desde logo, a fim de vingarem melhor os mais robustos. ❖

mandijuba [De *mandi* + *-juba.*] ***S. m.*** *Bras. Zool.* V. *mandi-pintado* (1).

mandil [Do ár. *mindīl,* 'guardanapo'; 'véu'; 'turbante', < lat. *mantele,* 'toalha'.] ***S. m.*** **1.** Pano grosseiro para rodilhas e esfregões. **2.** Avental de cozinheiro. **3.** Pano de limpeza.

mandileiro ***S. m.*** *Bras. Prov. port.* Mandrião, preguiçoso, madraço.

mandim ***S. m.*** *Bras.* V. *mandi.*

mandinga [Do top. *Mandinga* (África).] ***S. 2 g.*** **1.** *Etnôn.* Indivíduo dos mandingas, povo de religião predominantemente maometana, que vive na parte N. da África ocidental; mandê: "O Islão já tinha, havia mais de cem anos, boas raízes entre os <u>mandingas</u>." (Alberto da Costa e Silva, *A Enxada e a Lança,* p. 304.) ● ***S. m.*** **2.** *Gloss.* Língua falada pelos mandingas. V. *mandê* (3). ● ***S. f.*** **3.** V. *bruxaria* (1 e 2). ● ***Adj. 2 g.*** **4.** Pertencente ou relativo a mandinga (1 a 3); mandê: "Esta batalha é apresentada, nas sagas <u>mandingas</u>, como uma peleja entre dois grandes magos." (Id., *ib.,* p. 303.)

mandingado [Part. de *mandingar.*] ***Adj.*** Enfeitiçado, embruxado.

mandingar [De *mandinga* + *-ar*[2].] ***V. t. d.*** Fazer mandinga a; enfeitiçar, embruxar, encarochar. [Conjug.: v. *largar.*]

mandingaria [De *mandinga* + *-aria.*] ***S. f.*** *Bras.* Prática da mandinga (5); feitiçaria, bruxaria.

mandingueiro [De *mandinga* + *-eiro.*] ***Adj.*** **1.** Que faz mandinga (5); mandinguento, mandraqueiro. ● ***S. m.*** **2.** Indivíduo mandingueiro (1); mandinguento, mandraqueiro. **3.** *Bras. Amaz. Zool.* V. *uirapuru-verdadeiro.*

mandinguento [De *mandinga* + *-ento.*] ***Adj. S. m.*** V. *mandingueiro* (1 e 2).

mandinho ***S. m.*** *Bras. RS* Criança (1).

mandioca [Do tupi.] ***S. f.*** *Bras.* **1.** *Bot.* Planta euforbiácea (*Manihot utilissima*) cujos grossos tubérculos radiculares, ricos em amido, são de largo emprego na alimentação, mas da qual há espécies venenosas. **2.** *Bot.* O tubérculo dessa planta. [Sin., nessas acepç.: *aipi, aipim, castelinha, uaipi, macaxeira, mandioca-doce, mandioca-mansa, maniva, maniveira, pão-de-pobre.*] ● ***S. m.*** **3.** *Bras. BA* Certo partido político conservador, na Monarquia. **4.** *Bras. BA* Adepto desse partido. ◆ **Render que só mandioca de várzea.** *Bras. AL Fam.* Não cessar; ser interminável: *Aquela conversa está <u>rendendo que só mandioca de várzea.</u>*

mandiocaba [De *mandioca.*] ***S. f.*** *Bras. AM* Mingau de arroz adoçado com manipueira.

mandioca-baroa ***S. f.*** *Bot.* V. *batata-baroa.* [Pl.: *mandiocas-baroas.*]

mandioca-brava ***S. f.*** *Bras. Bot.* V. *faveleiro.* [Pl.: *mandiocas-bravas.*]

mandiocaçu [De *mandioca* + *-açu.*] ***S. f.*** *Bras. Bot.* Mairá.

mandioca-doce ***S. f.*** *Bras. Bot.* V. *mandioca* (1 e 2). [Pl.: *mandiocas-doces.*]

mandiocal [De *mandioca* + *-al*[1].] ***S. m.*** **1.** *Bras.* Quantidade mais ou menos considerável de mandiocas dispostas proximamente entre si. **2.** Área ocupada por mandiocal (1). [Sin., em alguns estados: *roça, manival.*]

mandioca-mansa ***S. f.*** *Bras. Bot.* V. *mandioca* (1 e 2). [Pl.: *mandiocas-mansas.*]

mandiola ***S. f.*** *Bras. BA* **1.** Revolução, revolta, sedição. **2.** Barulho, desordem.

mandioqueira [De *mandioca* + *-eira.*] ***S. f.*** *Bras. Bot.* V. *morototó.*

mandioqueiro [De *mandioca* + *-eiro.*] ***S. m.*** **1.** *Bras. PE* Pequeno lavrador que trabalha em terras aforadas ou arrendadas, dedicando-se quase unicamente à plantação de mandioca. **2.** *Bras. MG* V. *caipira* (1): "É [a mandioca] .... usada geralmente [pelos mineiros], sobretudo pela gente da roça, ao ponto de o nosso caipira ser dito por antonomásia o <u>mandioqueiro</u>." (Eduardo Frieiro, *Feijão, Angu e Couve,* p. 201.)

mandioquinha [De *mandioca* + *-inha.*] ***S. f.*** *Bras. Bot.* **1.** V. *bucho-de-boi.* **2.** V. *batata-baroa.*

mandioquinha-brava ***S. f.*** *Bras. Bot.* V. *chapéu-de-frade* (3). [Pl.: *mandioquinhas-bravas.*]

mandioquinha-do-campo ***S. f.*** *Bras. Bot.* **1.** V. *chapéu-de-frade.* **2.** Arbusto araliáceo (*Didymopanax vinosum*) também do cerrado, cujo caule não tem súber, sendo os frutos pequenas drupas. [Pl.: *mandioquinhas-do-campo.*]

mandi-peruano ***S. m.*** *Bras. Zool.* V. *mapará* (2). [Pl.: *mandis-peruanos.*]

mandipinima [De *mandi* + *-pinima.*] ***S. m.*** *Bras. Zool.* Peixe pimelodídeo (*Pimelodus ornatus*) da bacia dos rios Amazonas, Orinoco e Paraná, com até 38cm de comprimento, coloração amarelada com manchas escuras irregulares pelo corpo. [Sin.: *mandiguaru* e *cabeçudo.*]

mandi-pintado ***S. m.*** *Zool.* **1.** *Bras.* Bagre pimelodídeo (*Pimelodus maculatus*), com larga distribuição na América cisandina e cujo corpo apresenta pintas escuras sobre fundo amarelado; mandi-amarelo, mandi-casaca, bagre-pintado, mandijuba, mandiú, mandiúba, mandiúva, curiacica-da-branca. **2.** *Bras. SP* Bagre pimelodídeo (*Imparfinis piperatus*) com cerca de 4cm de comprimento, do S.E. do Brasil. **3.** *Bras.* V. *bagre-amarelo* (3). [Pl.: *mandis-pintados.*]

M

mandiritubense *Adj. 2 g.* 1. De, ou pertencente ou relativo a Mandirituba (PR). ● *S. 2 g.* 2. O natural ou habitante de Mandirituba.

manditinga [De *mandi* + *-tinga*.] *S. m. Bras. Zool.* V. *mandi-branco*.

mandiú [Do tupi.] *S. m. Bras. Zool.* V. *mandi-pintado* (1).

mandiúba [De *mandi* + o tupi = 'preto'.] *S. m. Bras. Zool.* V. *mandi-pintado* (1). [Var.: *mandiúva*.]

mandi-urutu *S. m. Bras. Zool.* V. *mandiaçu*. [Pl.: *mandis--urutus* e *mandis-urutu*.]

mandiúva [Var. de *mandiúba*.] *S. m. Bras. Zool.* V. *mandi-pintado* (1).

mandiva *S. f. Bras. Bot.* V. *mandiba*.

mandizinho [De *mandi* + *-zinho*.] *S. m. Bras. Zool.* V. *anujá*.

mandjoa [Do criol.] *S. f. Guin.* Mandjua.

mandjua [Do criol.] *S. m. Guin.* Indivíduo que faz parte de uma mandjuandade; mandjoa.

mandjuandade [Do criol.] *S. f. Guin.* 1. Grupo de pessoas de *status* social elevado. 2. Associação: "Lá porque a tinha convidado uma vez à mesa, não significava que a patroa ia fazê-lo agora todos os dias. Onde é que se viu uma mandjuandade daquelas, de senhora e criado?" (Abdulai Sila, *A Última Tragédia*, p. 24.) [Var.: *manjuandade, manjundade, manjoandade*.]

mando [Dev. de *mandar*.] *S. m.* 1. Poder ou direito de mandar; autoridade, comando. 2. V. *mandamento* (1).

mandobi *S. m. Bras.* V. *amendoim*.

mandola [Do it. *mandola*.] *S. f. Mús.* Antigo instrumento musical da família do alaúde, com braço curto e quatro pares de cordas em uníssono; mandora.

mandolim [Do it. *mandolino*.] *S. m. Mús.* 1. Mandolina. 2. V. *bandolim*.

mandolina [Do it. *mandolino*, pelo fr. *mandoline*.] *S. f. Mús.* Pequena mandola; mandolim.

mandolinata [Do it. *mandolinata*.] *S. f.* Peça executada em mandolina.

mandolinete (ê) [De *mandolina* + *-ete* (ê).] *S. m.* Instrumento musical italiano, pequena mandolina: "Cornamusas, mandolinetes, flautas sicilianas, violas de amor, ... acompanham a dança" (Martins Fontes, *A Dança*, p. 42).

mandona *S. f.* V. *mandão*.

mandonismo [De *mandão* + *-ismo*, seg. o padrão erudito.] *S. m. Bras.* Costume e abuso do mando (1); prepotência.

mandora [Do fr. *mandore*, alter. de difícil explicação do lat. *pandura*.] *S. f. Mús.* Mandola.

mandorová [De *marandová*, com metátese.] *S. m. Bras. Zool.* Designação comum às lagartas de insetos lepidópteros enfingídeos que se alimentam de euforbiáceas, têm ger. grande porte e corpo desprovido de cerdas urticantes. [Var.: *mandruvá, druvá, manduruvá, mandoruvá, mandaruvá, marandová*. Sin.: *gervão*. Cf. *tatarana*.]

mandraca [De or. afr., poss.] *S. f. Bras.* 1. V. *bruxaria* (1 e 2): "previa as alterações meteorológicas, era bem iniciado em mandracas e simpatias." (Antônio Versiani, *Viola de Queluz*, p. 34). 2. Beberagem de feitiçaria. [Cf. *mandraco*.]

mandraco [De *mandraca*.] *S. m. Bras. RS* Amuleto us. pelos jogadores — moeda velha, objeto qualquer, que conduzem no bolso. [Cf. *mandraca*.]

mandrágora [Do tax. *Mandragora* (< lat. *mandragora* ou *mandragoras*).] *S. f. Bot.* 1. Pequeno gênero de plantas solanáceas, herbáceas, acaules, eurasianas, dotadas de flores campanuliformes e frutos bacáceos. 2. Qualquer espécie desse gênero, como, p. ex., a *Mandragora officinarum*, dotada de folhas elípticas, flores esbranquiçadas ou purpúreas, frutos globosos, amarelos e que, supunha-se, tinham propriedades afrodisíacas, e grande raiz ramificada que era objeto de muitas superstições. 3. Qualquer espécime desse gênero. 4. A raiz da mandrágora, antigamente us. como narcótico.

mandrana [De *mandrião*.] *Adj. 2 g. S. 2 g.* V. *mandrião* (1 e 2).

mandranice [De *mandrana* + *-ice*.] *S. f.* Qualidade, modos ou vida de mandrana: "vivia ele na mandranice, sem emprego, sem trabalho, ... sempre de violão ao peito" (Viriato Correia, *Novelas Doidas*, p. 238). [Cf. *mândria*.]

mandraqueiro [De *mandraca* + *-eiro*.] *Adj. S. m. Bras. S. C.* V. *mandingueiro*.

mandraquice [De *mandraca* + *-ice*.] *S. f. Bras.* V. *bruxaria* (1 e 2).

mândria [Do esp. *mandria*.] *S. f.* Qualidade, modos ou vida de mandrião (2); mandriice. [Cf. *mandranice*, s. f., e *mandria*, do v. *mandriar*.]

mandrianar [De *mandrião* + *-ar*[2], seg. o padrão erudito.] *V. int.* V. *mandriar*.

mandrião [De *mândria* + *-ão*[2].] *Adj.* 1. Preguiçoso, ocioso, indolente; vadio, madraço, mandrana. ● *S. m.* 2. Indivíduo preguiçoso; madraço, mandrana. [Fem.: *mandriona*.] 3. V. *matinê* (2): "usava habitualmente uma *matinée*, o curto e amplo traje caseiro também chamado mandrião." (Carolina Nabuco, *Oito Décadas*, p. 8).

mandriar [De *mandri-*, como em *mândria* e em *mandrião*, + *-ar*[2].] *V. int.* Levar vida de mandrião; viver ociosamente; madracear, preguiçar, mandrianar, mandrionar. [Pres. ind.: *mandrio, mandrias, mandria*, etc. Cf. *mândria*.]

mandriice [De *mandri-* (v. *mandriar*) + *-ice*.] *S. f.* Mândria: "estirado no fundo da igarité sobre um tupé macio, cruzara os braços e as pernas numa regalada mandriice" (Inglês de Sousa, *O Missionário*, pp. 293-294).

mandril[1] [Do fr. *mandrin*, poss. pelo esp. *mandril*.] *S. m.* 1. Ferramenta semelhante ao escareador, esp. us. para retificar e calibrar furos. 2. *Cir.* Haste que se introduz em certas cânulas para dar-lhes inflexibilidade transitória e guiá-las. 3. Fio metálico que se introduz na luz das agulhas de injeção para conservar-lhes a permeabilidade. 4. *Mec.* Peça com abertura variável, us. para prender uma ferramenta ou um objeto que se está usinando, a um eixo.

mandril[2] [Do ingl. *man*, 'homem', + *drill*, 'babuíno' (t. da África ocidental), poss.; tax. *Mandrillus*.] *S. m. Zool.* Babuíno da Costa da Guiné que tem a ponta do nariz e o focinho vermelhos, estrias azuis nas regiões nasolaterais e pelos do pescoço e da barba amarelos; as fêmeas têm calosidades grandes e avermelhadas nos ísquios. Mede cerca de 1,50m, tem pelagem marrom tirante a olivácea, patas curtas e fortes.

mandrilagem [De *mandrilar* + *-agem*[2].] *S. f.* Ato de mandrilar.

mandrilamento [De *mandrilar* + *-mento*.] *S. m. Metal.* Processo de usinagem destinado à obtenção de superfícies de revolução [v. *superfície de revolução*] com auxílio de uma ou de várias ferramentas que giram e se deslocam, segundo uma trajetória determinada, em relação à peça que está sendo usinada, que pode também se estar deslocando ao longo de seu eixo.

mandrilar [De *mandril*[1] + *-ar*[2].] *V. t. d.* Alisar com mandril[1] (1).

mandriona *S. f.* V. *mandrião* (1 e 2).

mandrionar [De *mandrião* + *-ar*[2], seg. o padrão erudito.] *V. int.* V. *mandriar*.

mandruvá *S. m. Bras. Zool.* V. *mandorová*.

mandu [Do tupi = 'feixe ambulante'.] *Adj. 2 g. S. 2 g.* 1. *Bras. Pop.* V. *tolo* (1 a 3 e 8). ● *S. m.* 2. *Bras. BA Etnogr.* Tipo do carnaval de rua, com uma cabeçorra formada por uma urupema coberta com anágua, tendo o paletó, comprido e desajeitado, as mangas estiradas por um cabo de vassoura, à maneira de braços abertos. 3. *Bras. BA* Paletó malfeito, muito frouxo.

mandubé [Do tupi.] *S. m. Bras. MA Zool.* V. *mandubi*[2] (1).

mandubi[1] [Do tupi.] *S. m. Bras. Bot.* V. *amendoim*.

mandubi[2] [Var. de *mandubé*.] *S. m. Bras. Zool.* 1. Designação comum a um peixe teleósteo, siluriforme, ageneiosídeo (*Ageneiosus brevifilis*) e a outras espécies do gênero ocorrentes em todo o Brasil. São de porte médio ou pequeno, com a nadadeira dorsal situada logo atrás da cabeça, e aguilhão bem desenvolvido. [Sin.: *andubé, mandibé, mandubé, manduvá*.] 2. V. *palmito-de-ferrão*.

mandubiguaçu [De *mandubi* + *-guaçu*.] *S. m. Bras. Bot.* Arbusto euforbiáceo (*Jatropha curcas*), que é cultivado em jardins em virtude das inflorescências rubras e folhagem ornamental, e cujas sementes dão 40 a 60% dum óleo que contém uma proteína tóxica, responsável por violento efeito purgativo; pinhão, pinhão-de-purga, pinhão-do-paraguai, purgueira.

mandubirana [De *mandubi* + *-rana*.] *S. f. Bras. Bot.* V. *amendoeirana* (1).

manducação [Do lat. tard. *manducatione*.] *S. f.* Ato de manducar.

manducar [Do lat. *manducare*.] *V. t. d. Int.* Comer, mastigar: "a manducar apetitosos farnéis de .... galinha assada e bolinhos de bacalhau" (João da Silva Correia, *Farândola*, p. 85). [Conjug.: v. *trancar*.]

manducativo [De *manducar* + *-tivo*.] *Adj.* Referente a manducação ou a comezaina; manducatório.

manducatório [De *manducar* + *-tório*.] *Adj.* 1. Próprio para manducar; comível, comestível, manducável. 2. V. *manducável*. 3. Manducativo.

manducável [Do lat. *manducabile*.] *Adj. 2 g.* Que se pode manducar; manducatório, comestível, comível.

manduquinha *S. m. Bras. AM* V. *camburão* (1).

mandureba *S. f. Bras. N.E. Pop.* V. *cachaça* (1): "Teimava, ciscava o chão com as unhas, num arrastado mole, dava um tombo, tornava a equilibrar-se, ... não se sabe como. A mandureba escanchava-se-lhe no cangote e zombava de tudo." (Francisco Julião, *Cachaça*, p. 51.)

manduri [Do tupi.] *S. f. e m. Zool.* Abelha meliponínea (*Melipona marginata*) com cerca de 7mm de comprimento, distribuída da América Central à Argentina. Nidifica em ocos de árvores, e a entrada do ninho, estriada e feita de barro, permite a entrada de somente uma abelha por vez.

mandurição [De or. tupi.] *S. m. Bras. Zool.* Espécie de abelha meliponínea (*Melipona interrupta*).

manduriense *Adj. 2 g.* 1. De, pertencente ou relativo a Manduri (SP). ● *S. 2 g.* 2. O natural ou habitante de Manduri.

manduri-preto *S. m. Zool.* V. *uruçu-boi* (1). [Pl.: *manduris-pretos*.]

manduruva [De *mandorová*.] *S. f. Bras. Zool.* Larva dos lepidópteros esfingídeos, que ataca as plantações de fumo, ao S. do Brasil.

manduruvá *S. m. Bras. Zool.* V. *mandorová*.

manduvá *S. m. Bras. Zool.* V. *mandubi*[2] (1).

manduvira [De or. indígena.] *S. f. Bot.* Designação comum a dois arbustos fabáceos, *Crotalaria ovalis*, de folhas simples, ovais, e de flores amarelas, e *Crotalaria stipularia*, de folhas pecioladas, venenosas, assim como as sementes, e de flores racemosas.

manduvira-grande *S. f. Bras. C.O. Bot.* Erva fabácea (*Crotalaria paulina*) da área campestre, que se caracteriza pelas folhas unifolioladas e pelos legumes glabros, e cujas flores são amarelas. [Pl.: *manduviras--grandes*.]

manduvirana *S. f. Bras. Bot.* V. *favinha-brava* (2).

manduvira-pequena [De *manduvira* + o f. de *pequeno*.] *S. f. Bras. L. S. Bot.* Erva fabácea (*Crotalaria vitellina*) própria da zona florestada austro-oriental, e que se caracteriza pelas folhas trifolioladas e pelos legumes pubescentes, e cujas flores são amarelas. [Pl.: *manduviras-pequenas*.]

mane *Bras. S. 2 g.* 1. *Etnôn.* Indivíduo dos manes, povo indígena extinto que habitava a região entre os rios Cuiabá e Paraguai (MT). ● *Adj. 2 g.* 2. Pertencente ou relativo a esse povo. [Tb. us. como *s. 2 g. e 2 n.* (com cap.) e *adj. 2 g. e 2 n.*] [Cf. *mane*, do v. *manar*.] ~ V. *manes*.

mané [F. apocopada de *manema*.] *S. m. Bras. Prov. port.* 1. Indivíduo inepto, desleixado, negligente. 2. V. *tolo* (8). [Sin. ger.: *mané-coco* (bras. e lus.), *manema, manembro* e zé-mané (bras.).]

maneabilidade [De *maneável* + *-(i)dade*, seg. o padrão erudito.] *S. f.* 1. Qualidade do que é maneável. 2. *Mil.* Conjunto de exercícios preparatórios de combate, para mostrar a mecânica dos movimentos mais comuns em campanha e aperfeiçoar a capacidade de decisão dos quadros e a rapidez de execução da tropa, sem prejuízo da ordem e da coesão.

maneado [Part. de *manear*[2].] *Adj.* Preso com maneia ou corda: "no mover-se enredou as esporas no timãozinho que caíra, e testavilhou maneado..." (Simões Lopes Neto, *Contos Gauchescos e Lendas do Sul*, p. 144).

maneador (ô) [Do esp. plat. *maneador*.] *S. m. Bras. S.* 1. Correia de couro no freio do cavalo. 2. Aquele que maneia (v. *manear*[2]) as bestas. ◆ **Passar os maneadores em.** *Bras. RS Fig.* Amarrar, atar (alguém).

manear[1] [De *man-* + *-ear*[2].] *V. t. d.* V. *manejar* (1 a 7). [Conjug.: v. *frear*.]

manear[2] [Do esp. plat. *manear*.] *V. t. d. Bras.* Prender com a maneia ou corda. [Conjug.: v. *frear*.]

manear[3] [Do esp. ant. *manear*.] *V. t. d. P.* V. *menear* (1 e 6): "Quais verdes varas de árvores copadas / Se assopra a viração do meio-dia, / De uma parte a outra parte se maneiam, / Assim de medo os vis no chão perneiam." (Santa Rita Durão, *Caramuru*, p. 46.) [Conjug.: v. *frear*.]

maneável [De *manear*[1] + *-vel*.] *Adj. 2 g.* Fácil de ser maneado ou manejado; manejável.

maneca [F. red. de *manequim*.] *S. f. Bras.* V. *modelo* (9).

maneco [F. red. de *manequim*.] *S. m. Bras.* V. *modelo* (9).

mané-coco [De *mané* + *coco* (ô).] *S. m. Bras. Prov. port.* 1. V. *mané*. 2. V. *tolo* (8). [Pl.: *manés-cocos* e *manés--coco*.]

mané do jacá *S. m. Bras. SP Pop.* V. *tolo* (8). [F. red.: *mané-jacá*. Pl.: *manés do jacá*.]

mané-gostoso (ô) *S. m. Bras. N.E.* 1. *Folcl.* Personagem do bumba meu boi, que aparece com andas a cantar coplas. 2. *P. ext.* Qualquer pessoa com andas. 3. V. *fantoche* (2). 4. Sujeito mal-amanhado. [Pl.: *manés--gostosos* (ó).]

maneia [Do esp. plat. *manea*.] *S. f. Bras.* Correia que prende o cavalo pelas mãos, para que não corra.

maneio [Dev. de *manear*[1].] *S. m.* 1. Ato de manear[1]; manuseio. 2. Trabalho ou exercício manual. 3. Laboração, atividade, exercício. 4. Administração, direção, gerência: o maneio das herdades. 5. *Ant.* Lucro, ganho; vantagem, proveito. 6. *Ant.* Espécie de contribuição industrial. ~ V. *maneios*.

maneios [Pl. de *maneio*.] *S. m. pl.* Gorduras superficiais ou tecido adiposo das reses. ~ V. *maneio*.

maneira [F. subst. de *maneiro*.] *S. f.* 1. Modo ou forma particular de ser ou de agir: *maneira de falar, de andar*; "Ser poeta não é uma ambição minha. / É a minha maneira de estar sozinho." (Fernando Pessoa, *Poemas de Alberto Caeiro*, p. 20); "há maneiras novas de escrever cousas velhas." (Abgar Renault, *O Romantismo na Poesia Inglesa*, I, p. 95). 2. Cunho pessoal das obras de um escritor ou de um artista; estilo: *Gosto da maneira de Picasso*. 3. Feição exterior; forma, feitio, configuração: *Curiosa a maneira deste objeto*. 4. Costume, hábito, moda, uso: *Vive à maneira europeia*. 5. Meio, modo, forma: *Urdem mil maneiras de o enganar*. 6. V. *meio* (9). 7. V. *meio* (11): *Não encontrou maneira de entrevistar o visitante*. 8. Circunstância, condição: *Em maneira nenhuma nos permitem agir desta forma*. 9. *Bras. Prov. port.* Abertura posterior ou lateral das saias ou blusas a partir do cós, para permitir que elas passem pelos ombros e pelas cadeiras. ~ V. *maneiras*. ◆ **À maneira.** *Lus.* A caráter (q. v.): *trajar-se à maneira para uma formatura*. **À maneira de.** À imitação de; à moda de; à feição de: *É uma grande sala à maneira de auditório*; *O exército atacou à maneira de impetuosa torrente*. **À maneira que.** À medida que; à proporção que: "pela curva da costa os faróis se apagavam ...., à maneira que as embarcações eram puxadas." (Virgílio Várzea, *Histórias Rústicas*, p. 81). **De maneira que.** De modo que; de sorte que; de forma que; a ponto que: *Trabalha em excesso, de maneira que se acha estafado*.

maneira-negra *S. f. Art. Gráf.* Gravura à maneira-negra (q. v.). [Pl.: *maneiras-negras*.] ◆ **À maneira-negra.** *Art. Gráf.* Mediante o processo de gravura à maneira-negra.

maneirar [De *maneira* + *-ar*[2].] *Bras. Gír. V. t. d.* 1. Remediar, ou contornar temporariamente, ou resolver (embaraço, dificuldade, problema), mediante expedientes ou recursos hábeis: *O oficial de justiça maneirou o despejo, porque o inquilino é pobre*. *Int.* 2. Acomodar as coisas; dar um jeito. 3. Abrandar, melhorar: *No começo da primavera, o frio maneirou*. 4. Refrear o ímpeto; moderar: "Dionísia .... sabia que já fora longe demais naquela noite e precisava maneirar" (Sérgio Santana, *Amazona*, p. 18.)

maneiras [Pl. de *maneira*.] *S. f. pl.* 1. Modos habituais de agir: *pessoa de maneiras distintas*; *homem de maneiras acafajestadas*. 2. Afabilidade de trato; lhaneza; boas maneiras: *Dá gosto tratar com ele: é pessoa de maneiras*. ~ V. *maneira*. ◆ **Boas maneiras.** V. *maneiras* (2). **Ter maneiras.** Ser bem-educado.

maneirismo [Do it. *manierismo*.] *S. m.* 1. Ausência de naturalidade, de espontaneidade nas atitudes, na linguagem, em especial nas manifestações literárias e artísticas; amaneiramento, artificialismo. 2. *B.-Art.* Tendência estética surgida no séc. XVI que se caracteriza pela interpretação requintada da maneira (1) de certos artistas do Renascimento, com ênfase na movimentação estilizada das formas (e consequente abandono da proporção e da simetria), na elegância, na dramaticidade, o que iria configurar uma arte própria de uma minoria intelectual cortesã, marcada pelo individualismo: *Ainda no séc. XVI, o maneirismo já prenuncia o Barroco*.

maneirista [De *maneira* + *-ista*.] *Adj. 2 g.* 1. Relativo a, ou próprio do maneirismo (1): *Traços maneiristas encontram-se em certas manifestações do Simbolismo*. 2. Relativo a, ou próprio do maneirismo (2): *A estética maneirista*; *o movimento maneirista*; *Pontormo é um pintor maneirista*. ● *S. 2 g.* 3. Artista ou escritor que utiliza processos do maneirismo (1). 4. Pintor ou escultor que participou do maneirismo (2).

maneiro [Do lat. tard. *manuariu*, 'manejável', por via pop.] *Adj.* 1. Fácil de manejar; manual: *livro maneiro*. 2. De fácil uso ou manobra: *vestido maneiro*; *barco maneiro*. 3. Que exige pouco esforço; leve: *trabalho maneiro*. 4. Hábil, jeitoso: *É muito dado e maneiro*. 5. Acostumado a vir comer à mão: *ave maneira*. 6. *Bras.* Diz-se de pessoa ágil: *atleta maneiro*. 7. *Bras. Gír.* V. *bacana* (1). 8. *Bras. Gír.* Calmo, sereno, tranquilo: "'O Michael me disse que ia ficar na casa dum amigo, até que as coisas ficassem maneiras'." (Silviano Santiago, *Keith Jarrett no Blue Note*, p. 103.).

maneiro-pau *S. m. Bras. CE MG RJ Etnogr.* Dança de roda em que cada brincante bate ritmadamente o seu bastão, uma vez contra o do brincante que lhe fica à esquerda e outra vez contra o do que lhe fica à direita. [Var.: *mineiro-pau*; sin.: *leruê* (no CE). Pl.: *maneiros-paus*.]

maneiroso (ô) [De *maneira* + *-oso*.] *Adj.* Que tem boas maneiras; afável, delicado.

mané-jacá *S. m. Bras. SP Pop.* V. *mané do jacá*. [Pl.: *manés-jacás* e *manés-jacá*.]

manejador (ô) [De *manejar* + *-dor*.] *Adj. S. m.* Que, ou aquele que maneja.

manejar [Do it. *maneggiare*.] *V. t. d.* 1. Mover ou executar com as mãos; manusear, manear: *manejar um instrumento*. 2. Governar com as mãos; manear. 3. Trabalhar com; manear: "Enquanto ela [Virginia Woolf] manejou a pena de escritora tinha-se a impressão de que a vara mágica de Próspero já não estava no fundo da terra." (Eugênio Gomes, *Espelho contra Espelho*, p. 248.) 4. Administrar, dirigir, manear: *manejar um negócio*. 5. Traçar, delinear, projetar, manear. 6. Dispor, dirigir, controlar, manear: *Um líder pode manejar as massas*. 7. Ter conhecimento de; exercitar, praticar, manear: *manejar um idioma estrangeiro*. *Int.* 8. Trabalhar com as mãos (o cavalo). [Conjug.: v. *pelejar*.]

manejável [De *manejar* + *-vel*.] *Adj. 2 g.* Maneável.

manejo (ê) [Dev. de *manejar*.] *S. m.* 1. Ato de manejar; manuseio, maneio. 2. Exercício de equitação. 3. Lugar onde se exercitam cavalos; picadeiro. 4. Administração, gerência, direção, maneio: *manejo dos negócios*. 5. Faina, lida, trabalho. ~ V. *manejos*.

manejos (ê) [Pl. de *manejo*.] *S. m. pl.* 1. Manobras militares. 2. Ardis, astúcias, artimanhas, embustes. ~ V. *manejo*.

manelo (ê) [De *man-* + *-elo*.] *S. m.* Pequena porção de coisas que se podem abarcar na mão; manhuço: *um manelo de algodão*.

manema [Do tupi.] *S. m. Bras.* 1. V. *mané*. 2. V. *tolo* (8). 3. Farinha grossa de mandioca.

mané-magro [De *Mané*, hipocorístico de *Manuel*, + *magro*.] *S. m. Bras. Zool.* V. *bicho-pau* (1). [Pl.: *manés-magros*.]

manembro [F. paragógica de *manema*.] *S. m. Bras.* 1. V. *mané*. 2. V. *tolo* (8).

manemolência [De algum *Mané Mole*, personificação da moleza, + *-ência*.] *S. f. Bras. N.E. Pop.* 1. Moleza, indisposição, fraqueza. 2. Vagar, fleuma, pachorra. 3. Má sorte; infelicidade, caiporismo. [Var.: *manimolência*.]

manemolente [Voc. deduz. de *manemolência*.] *Adj. 2 g. Bras. N.E. Pop.* Que tem ou revela manemolência. [Var.: *manimolente*.]

manenguera (güe) *Adj. 2 g. Bras.* 1. Fraco, débil. 2. Fanado, murcho. ❖

manente [Do lat. *manente*.] *Adj. 2 g.* Que não muda de condição, estado ou lugar; permanente.

manequim [Do b.-al. *Mannekin*, pelo fr. *mannequin*.] *S. m.* 1. Boneco que representa homem ou mulher e é us. para estudos artísticos ou científicos, ou para trabalhos de costureira ou alfaiate, ou, ainda, para exposição de roupas em lojas, vitrinas, etc. 2. *Fig.* Pessoa sem vontade própria; autômato, fantoche. 3. Medida para roupas feitas: *F. veste manequim 42*. ● *S. 2 g.* 4. V. *modelo* (9).

manes [Do lat. *manes*.] *S. m. pl.* 1. Entre os antigos romanos, as almas dos mortos, consideradas como divindades e invocadas sobre os túmulos. 2. *P. ext.* As almas, os espíritos. ~ V. *mane*.

maneta (ê) [De *man-* + *-eta* (ê).] *Adj. 2 g. S. 2 g.* 1. Diz-se de, ou pessoa a quem falta um braço, ou uma das mãos; manita. ● *S. m.* 2. *Bras.* Cabo da rede do xaréu.

manete [Do fr. *manette*.] *S. m. Bras.* 1. *Aer.* Acelerador de motor de avião. 2. *Radiotéc.* V. *botão* (16).

manetear [De *maneta* + *-ear*[2].] *V. int. Bras. S.* Tornar-se maneta (1). [Conjug.: v. *frear*.]

manfarrico *S. m. Pop.* V. *diabo* (2).

manga[1] [Do lat. *manica*, 'manga de túnica'.] *S. f.* 1. Parte do vestuário onde se enfia o braço. 2. Filtro afunilado, para líquidos. 3. Qualquer peça de forma tubular que reveste ou protege outra peça: *a manga do candeeiro*. 4. V. *tromba-d'água* (1). 5. V. *mangueira*[1]. 6. Parte do eixo dum veículo que se encontra dentro da caixa de graxa e recebe todo o peso do carro. ◆ **Manga balão.** *Vest.* Manga[1] (1) semelhante à manga bufante, porém mais arredondada. **Manga bufante.** *Vest.* Manga[1] (1) curta, fofa no alto do ombro e ajustada no braço. **Manga japonesa.** *Vest.* Manga[1] (1) reta a partir da cava, na qual a abertura do punho equivale à altura entre o ombro e a cintura. **Manga perdida.** *Vest.* Manga bem larga e comprida, e sem punho. **Arregaçar as mangas.** Dispor-se a trabalhar a sério, a agir sem tréguas. **Em mangas de camisa.** Sem casaco, jaqueta ou veste semelhante: "Andava sempre em mangas de camisa e de calças arregaçadas" (Afonso Arinos, *Pelo Sertão*, p. 69). [Cf. *em camisa*.] **Pôr as mangas de fora.** *Bras. Fam.* V. *botar as manguinhas de fora*. **Ser manga de colete.** *P. us.* Ser muito raro, muito escasso: *É um paspalhão: inteligência, ali, é manga de colete*.

manga[2] [Do lat. **manica* < lat. *manus*, 'exército', 'hoste'.] *S. f.* 1. Hoste de tropas. 2. Grupo, ajuntamento, bando, turma. 3. *Guin.* Grande quantidade: "está com manga de problemas em cima da cabeça dele" (Abdulai Sila, *A Última Tragédia*, p. 86).

manga[3] [Do malaiala *mangā*.] *S. f.* 1. O fruto da mangueira[2]. 2. *Bot.* Mangueira[2].

manga[4] [Do esp. plat. *manga*.] *S. f.* 1. *Bras. AM* Parede de cerca que vai da beira até as asas dos currais de peixe, perpendicularmente ao rio. 2. *Bras. MA* Espécie de corredor com paredes de varas, que conduz a um rio ou igarapé e serve para guiar os bois que vão ser embarcados. 3. *Bras. CE à BA MG a GO* Pastagem cercada onde se guarda o gado. 4. *Bras. BA* Na rede de pescar denominada *calão*, a parte que fica nas extremidades, onde se puxam as cordas. 5. *Bras. RS* Cercas divergentes, a partir da porta do curral, que servem para facilitar a entrada, nele, do gado. 6. *Bras. RS* Linha formada por pessoas a pé ou a cavalo para obrigar o animal a passar por determinado ponto, ou fazê-lo entrar para a mangueira[3].

→ **mangá** [man'ga:] [Jap.] *S. m.* História em quadrinhos japonesa, de personagens com olhos expressivos e narrativa dinâmica.

mangaba [Do tupi.] *S. f. Bras.* O fruto da mangabeira: baga do tamanho de um limão, polposa e doce.

mangabal [De *mangaba* + *-al*[1].] *S. m.* 1. *Bras.* Quantidade mais ou menos considerável de mangabeiras dispostas proximamente entre si. 2. Área ocupada por mangabal (1).

mangabar [De *mangaba* + *-ar*[2].] *V. t. d. Bras.* Extrair (o látex) da mangabeira.

mangabarana [De *mangaba* + *-rana*.] *S. f.* 1. *Bras. Bot.* Nome comum a duas árvores sapotáceas (*Pouteria anomala* e *Micropholis guyanensis*) nativas da Amaz. 2. V. *mangabeira-brava*.

mangabeira [De *mangaba* + *-eira*.] *S. f. Bras. Bot.* Arvoreta apocinácea (*Hancornia speciosa*) frequente em cerrados e no litoral nordestino, que produz fruto comestível, a mangaba, e látex útil na fabricação de borracha, e cujas flores são grandes e alvas.

mangabeira-brava [De *mangabeira* + f. de *bravo*[1].] *S. f. Bras. Bot.* Árvore celastrácea (*Austroplenckia populnea*) de até 10m, folhas alternas, glabras, de bordos serreados, flores cimosas, esverdeadas, e frutos que são sâmaras pendentes. [Sin.: *mangabarana*, *marmelinho-do-campo*. Pl.: *mangabeiras-bravas*.]

mangabeirense[1] *Adj. 2 g.* 1. De, ou pertencente ou relativo a Governador Mangabeira (BA). ● *S. 2 g.* 2. O natural ou habitante de Governador Mangabeira.

mangabeirense[2] *Adj. 2 g.* 1. De, ou pertencente ou relativo a São Raimundo das Mangabeiras (MA). ● *S. 2 g.* 2. O natural ou habitante de São Raimundo das Mangabeiras.

mangabeiro [De *mangaba* + *-eiro*.] *S. m. Bras.* Aquele que se dedica à extração do látex da mangabeira.

mangabinha-do-norte *S. f. Bras. Bot.* Árvore apocinácea (*Hancornia minor*). [Pl.: *mangabinhas-do-norte*.]

mangação [De *mangar* + *-ção*.] *S. f.* Ato de mangar. V. *zombaria*.

mangaço [De *mango*[2] + *-aço*.] *S. m. Bras. RS* Pancada com o mango[2]; relhada.

manga-d'água *S. f.* V. *aguaceiro* (1). [Pl.: *mangas-d'água*.]

manga-da-praia *S. f. Bras. Bot.* V. *abaneiro*. [Pl.: *mangas-da-praia*.]

manga de alpaca *S. f.* Funcionário público, em especial o amanuense: "— Não, meu sogro será apenas manga de alpaca não sei em que repartição" (Aquilino Ribeiro, *Estrada de Santiago*, p. 121). [Pl.: *mangas de alpaca*.] ☑

manga-do-mato *S. f. Bras. Bot.* V. *farinha-seca* (8). [Pl.: *mangas-do-mato*.]

mangador (ô) [De *mangar* + *-dor*.] *Adj. S. m.* Que, ou aquele que manga ou gosta de mangar; zombador, mangão.

mangagá [Var. de *mangangá*.] *Adj. 2 g. Bras. Pop.* Muito grande; enorme.

mangal [De *mangue* + *-al*[1].] *S. m. Bras.* V. *mangue* (1).

mangalaça *S. f.* 1. Vadiagem, mandriice, vagabundagem. 2. *P. ext.* Mancebia, amigação.

mangalaço *Adj.* 1. Vagabundo, vadio. 2. Tunante, biltre, patife.

manga-larga *Adj. 2 g.* 1. Diz-se de raça de cavalos marchadores, obtida através do cruzamento de um puro-sangue com égua, e da qual há uma variedade desenvolvida em Minas Gerais (manga-larga marchador) e outra desenvolvida em São Paulo (manga-larga paulista). 2. *P. ext.* Diz-se de cavalo manga-larga (1): "À frente de todos, num cardão estrelo, manga-larga, ... ia Tranquilino, todo ancho" (Nélson de Faria, *Tiziu e Outras Estórias*, p. 204). ● *S. m.* 3. Cavalo manga-larga. [Pl.: *mangas-largas*.] ◆ **Manga-larga marchador.** V. *manga-larga* (1). **Manga-larga paulista.** V. *manga-larga* (1).

mangalho [De *mango* + *-alho*.] *S. m.* 1. *Chulo* Pênis grande. 2. *Bras. PE* Produtos da pequena lavoura e da indústria doméstica vendidos nas feiras e mercados do interior. [Nesta acepç., é m. us. no pl.] ~ V. *mangalhos*.

M

mangalhos [Pl. de *mangalho*.] *S. m. pl. Bras. PE* Mangalho (2). ~ V. *mangalho*.

mangalô [De or. afr., poss.] *S. m. Bras. Bot.* V. *feijão-de-porco* (1).

mangalô-amargo *S. m. Bras. Bot.* V. *feijão-de-lima* (1). [Pl.: *mangalôs-amargos*.]

manganato [De *mangan(o)-* + *-ato*[2].] *S. m. Quím.* Qualquer sal com o ânion divalente MnO_4^{-2}.

manganês [Do fr. *manganèse* < it. *manganese*, de or. incerta.] *S. m. Quím.* Elemento de número atômico 25, metálico, cinzento, mole, denso, us. em diversas ligas [símb.: *Mn*]. [Pl.: *manganeses*.]

manganesífero [De *manganês* + *-ífero*.] *Adj.* Manganífero.

mangangá [Do tupi.] *S. m. Bras. Zool.* **1.** Peixe teleósteo, escleropáreo, escorpenídeo, gênero *Scorpaena*, do Atlântico. A espécie *S. brasiliensis* tem coloração parda com manchas pretas, três máculas maiores nos flancos, abdome amarelado, axila branca maculada de negro, e cabeça, opérculo e pré-opérculo armados de espinhos. É peixe de fundo, peçonhento, com os acúleos das nadadeiras ligados a glândulas de peçonha, porém sua carne é boa. A espécie *S. plumieri* possui axila negra com máculas brancas; em *S. grandiocornis*, ela é cinzenta com ocelos negros. [Sin., nesta acepç.: *beatinha*, *beatriz* e *peixe-escorpião*.] **2.** V. *mamangaba*.

mangangaba [Do tupi.] *S. f. Bras. RS Zool.* V. *mamangaba*.

mangangá-liso *S. m. Bras. Zool.* Peixe teleósteo, haplódoco, batracoidídeo (*Nautopaedium porosissimum*), do Atlântico, de coloração geral escura, parte inferior e nadadeiras peitorais com pequenas zebruras brancas, a dorsal e a anal marginadas de preto. Vive no fundo do mar, tem forma de bagre e pele viscosa, e é sem valor comercial. [Sin., impr.: *bacalhau*. Pl.: *mangangás-lisos*.]

mangangava *S. f. Bras. RJ Zool.* V. *mamangaba*.

mangânico [De *mangan(o)-* + *-ico*[2].] *Adj.* Relativo a, ou que contém manganês.

manganífero [De *mangan(o)-* + *-ífero*.] *Adj.* Que tem ou produz manganês; manganesífero.

manganilha *S. f.* **1.** Astúcia, artimanha, ardil. **2.** V. *logro* (2).

manganina [De *mangan(o)-* + *-ina*[3].] *S. m. Quím.* Liga de cobre, manganês e níquel, utilizada na fabricação de resistores elétricos.

manganita [De *mangan(o)-* + *-ita*[3].] *S. f. Min.* Mineral ortorrômbico preto-acinzentado, óxido de manganês hidratado, minério de manganês.

manganito [De *mangan(o)-* + *-ito*[2].] *S. m. Quím.* Qualquer sal com o ânion divalente MnO_3^{-2}.

▲ **mangan(o)-** [Do al. *Mangan*.] *El. comp. Quím.* = 'manganês': *manganato*, *manganífero*, *manganina*, *manganometria*.

manganometria [De *mangan(o)-* + *-metria*.] *S. f. Quím.* Método de titulação de substâncias redutoras em solução que utiliza como agente oxidante e titulante uma solução de permanganato de potássio.

manganométrico [De *manganometria* + *-ico*[2].] *Adj. Quím.* Relativo à manganometria.

mangão[1] [De *manga*[1] + *-ão*[1].] *S. m.* Manga[1] (1) muito larga.

mangão[2] [De *mangar* + *-ão*[1].] *Adj. S. m.* V. *mangador*. [Fem.: *mangona*.]

mangar [De *mango*[1] + *-ar*[2].] *V. t. i.* **1.** Caçoar, afetando seriedade. **2.** V. *zombar* (1): *Manguei com o rapaz, e ele não desconfiou*; 📖 "em casa faziam chacota, mangavam comigo, e diziam ser ela a minha namorada..." (Francisco Ribeiro Sampaio, *Renembranças*, p. 2); "Havia .... o caso de um que mangou dos olhos remelentos de um velho cego. No outro dia de manhã, seus olhos boiavam na remela." (Jorge Medauar, *Água Preta*, p. 58). **3.** Iludir, enganar. *Int.* **4.** Troçar, zombar. **5.** *Bras. S.* Demorar, remanchar, mamparrear. [Conjug.: v. *largar*.]

mangará [Do tupi.] *S. m. Bras. N.E.* Ponta terminal da inflorescência da bananeira, formada pelas brácteas que cobrem as pequenas pencas de flores abortadas; coração.

mangará-mirim *S. m. Bras. Bot.* V. *mangarito*. [Pl.: *mangarás-mirins*.]

mangarataia [Do tupi.] *S. f. Bras. Bot.* V. *açafrão-da-terra* (1).

mangaratibano *Adj.* **1.** De, ou pertencente ou relativo a Mangaratiba (RJ). ● *S. m.* **2.** O natural ou habitante de Mangaratiba.

mangarito [De *mangará* + *ito*[1].] *S. m.* **1.** *Bras. Bot.* Erva arácea (*Xanthosoma sagittifolium*) produtora de rizoma farináceo e comestível, cujas grandes folhas são sagitadas e cobertas de pruína azulada, e que alcança uns 50cm de comprimento. **2.** O rizoma dessa erva. [Sin. ger.: *mangará-mirim*.]

mangarito-roxo *S. m. Bras. Bot.* V. *taioba* (1). [Pl.: *mangaritos-roxos*.]

mangarobeira *S. f. Bras. Bot.* V. *mangue-vermelho*.

manga-rosa *S. f. Bras.* **1.** Variedade de manga[3] (1), de casca rosada. **2.** *Gír.* V. *maconha* (2). [Pl.: *mangas-rosas* e *mangas-rosa*.]

mangaua [Do tupi amazonense.] *S. 2 g. Bras. AM* **1.** Tratamento que dão os afilhados aos filhos do padrinho, e vice-versa. **2.** Irmão de leite. **3.** Irmão de criação.

mango[1] [Do lat. vulg. *manicu < lat. *manica*, 'manga'; 'arpão', 'croque'.] *S. m.* **1.** Uma das varas do mangual ou paus (1). **2.** *Chulo* O pênis. **3.** *Bras. Prov. port. Gír.* Mil-réis. **4.** *Bras. Gír.* V. *dinheiro* (5).

mango[2] [Do esp. plat. *mango*.] *S. m. Bras. RS* Relho de cabo tosco, feito de madeira, com açoiteira larga de couro não trançado: 📖 "chapéu de barbicacho e o mango pendurado pelo fiel." (Darci Azambuja, *Coxilhas*, p. 55).

mangoça [De *mango*[1].] *S. f. Bras. CE Pop.* Mangofa (q. v.).

mangofa [De *mango*[1].] *S. f. Bras. CE Pop.* V. *zombaria*. [F. paral.: *mangoça*.]

mangolar *V. int. Bras. N.* V. *mangonar*.

mangona[1] *S. f.* **1.** Preguiça, indolência, mandriice. ● *S. m.* **2.** Homem preguiçoso.

mangona[2] [F. red. de *cação-mangona*.] *S. m. Bras. Zool.* V. *cação-magonga* (1).

mangona[3] *S. f.* Fem. de *mangão*[2] (q. v.).

mangonar [De *mangona*[1] + *-ar*[2].] *V. int.* Ter mangona[1] (1); vadiar, preguiçar, mangonear. [Var.: *mangolar*.]

mangonear [De *mangona*[1] + *-ear*[2].] *V. int.* V. *mangonar*. [Conjug.: v. *frear*.]

mangonga[1] [F. red. de *cação-mangona*.] *S. m. Bras. Zool.* V. *cação-mangonga*.

mangonga[2] *S. f. Bras. RJ* Restos de comida que se dão aos porcos.

mangongu *S. m. Bras. Mús.* V. *médio* (9).

mangonguê *S. m. Bras. RN* Tambor cilíndrico, coberto com pele em uma das extremidades, e percutido alternadamente com os dedos unidos de ambas as mãos; magonguê.

mangonha [Do quimb.] *S. f. Angol. Santom.* Preguiça, indolência: 📖 "nesses dias de trabalho o coração acelerava e o sangue, habituado à mangonha do trabalho quieto, corria logo com a ideia do escuro, do serviço" (José Luandino Vieira, *Luuanda*, p. 113).

mangorra (ô) *S. f. Bras. RS* Tristeza, melancolia.

mangorrear [De *mangorra* + *-ear*[2].] *V. t. d. Bras. S.* **1.** Trair, enganar, engodar, burlar. **2.** Aborrecer, irritar, apoquentar, amolar. [Conjug.: v. *frear*.]

mangostão [Do malaio *mangustan*.] *S. m. Bot.* V. *mangostim*.

mangostão-amarelo *S. m. Bot.* V. *bacupari* (2). [Pl.: *mangostões-amarelos*.]

mangostim [Do ingl. *mangosteen*.] *S. m. Bot.* **1.** Planta clusiácea (*Garcinia mangostana*) perenifólia, de copa densa, originária da Ásia. **2.** O fruto dessa planta, que é uma baga polpuda de polpa branca, sementes grandes e casca escura. **3.** O pericarpo do mangostim (2), us. como adstringente. [Sin. ger.: *mangostão*.]

mangostina [De *mangost(im)* + *-ina*[3].] *S. f. Quím.* Qualquer de certas substâncias encontradas no mangostim, que são xantonas substituídas às quais se atribuem propriedades antioxidantes e anti-inflamatórias.

mangote [De *manga*[1] + *-ote*[1].] *S. m.* **1.** *Bras. N.E.* Pequena rede de pesca. **2.** Mangueira[1] curta. **3.** *Mar.* Mangueira[1] us. como tubo de aspiração de bombas móveis de incêndio, reforçada por uma espiral de arame para resistir à deformação provocada pelo vácuo relativo que se faz no seu interior.

mangra [Do lat. *macula*, 'mancha', pelas f. *macla*, *mancla, *mangla.] *S. f. Bot.* Doença das plantas, em especial das poáceas, devida à excessiva umidade do ar, ou ao orvalho, e que impede que os frutos e espigas medrem.

mangrado [Part. de *mangrar*.] *Adj.* **1.** Atacado de mangra. **2.** Diz-se do fruto que não vingou, definhado. ◆ **A mangrado.** Expr. us. na loc. *comprar a mangrado* (q. v.).

mangrar [De *mangra* + *-ar*[2].] *V. t. d.* **1.** Produzir mangra em; impedir o desenvolvimento de. *Int. P.* **2.** Não vingar; definhar(-se). **3.** Inutilizar-se, malograr-se, perder-se.

mangrove *S. m. Fitogeogr.* V. *mangue* (1).

mangrueiro *Adj. Bras. RS Pop.* Impertinente, exigente.

mangrulho [Do esp. plat. *mangrullo*.] *S. m.* **1.** *Bras.* Posto militar de observação, em lugar elevado, e formado de madeiras toscas. **2.** *Mar.* Armação, metálica ou de madeira, erigida sobre um baixio, e sobre a qual se fixa uma luz ou um farolete como auxílio à navegação, ou uma bandeira ou outro sinal para outros fins.

manguá *S. m. Bras.* V. *mangual* (2).

mangual [Do lat. *manuale*, 'movido à mão', por via pop.] *S. m.* **1.** Instrumento que serve para malhar cereais, composto de dois paus (o *mango* e o *pírtigo*) ligados por uma correia: 📖 "Apenas no fim de um beco se ouvia o barulho de mangual com que se bate o trigo" (Guerra Junqueiro, *Contos para a Infância*, p. 179). **2.** *Bras.* Correia com que se açoitam os animais; relho; manguá, manjola. **3.** *Constr. Nav.* Dispositivo de metal fixado ao pé do pau de surriola, e por meio do qual este se prende ao cachimbo, fixando ao costado da embarcação.

mangualada [De *mangual* + *-ada*[1].] *S. f. Bras.* **1.** Pancada de mangual (2). **2.** *Fig.* Salto de cobra.

manguapa *Adj. 2 g. Bras.* Diz-se do equídeo de boa andadura.

manguara [F. paragógica de *manguá*.] *Bras. S. f.* **1.** Espécie de bastão mais grosso na parte inferior, largamente us. para auxiliar a marcha em terreno escorregadio. **2.** Vara própria para conduzir aves domésticas, amarradas pelos pés e nela enfiadas. **3.** Instrumento de madeira para bater feijão. **4.** *Bras. SP* V. *cacete* (1). ● *S. m.* **5.** *Fig.* Manguarão.

manguarão [De *manguara* + *-ão*[1].] *S. m. Bras.* Homem alto e magro; manguara.

manguari [F. nasalada de *maguari*.] *S. m. Bras.* V. *galalau*.

mangue [De or. controversa.] *S. m.* **1.** *Fitogeogr.* Comunidade dominada por árvores ditas *mangues* [v. *mangue* (2)], dos gêneros *Rhizophora*, *Laguncularia* e *Avicennia*, que se localiza, nos trópicos, em áreas justamarítimas sujeitas às marés. O solo é uma espécie de lama escura e mole. [Sin.: *mangal*, *mangrove*, *manguezal*.] **2.** *Bot.* Cada uma das plantas dotadas de raízes-escoras (v. *raiz-escora*), que aí vegetam. **3.** *Bras. RJ Gír.* Zona do baixo meretrício.

mangueação [De *manguear* + *-ção*.] *S. f. Bras. RS* Ato de manguear.

mangueador (ô) [De *manguear* + *-dor*.] *Adj. S. m. Bras. RS* Que, ou aquele que mangueia.

manguear [Do esp. plat. *manguear*.] *V. t. d. Bras. RS* **1.** Guiar (o gado) quando passa algum rio a nado, ou para a mangueira[3] quando se acha em terra. **2.** *Fig.* Tentar enganar com manhas ou artifícios. [Conjug.: v. *frear*.]

mangue-branco *S. m. Bras. Bot.* **1.** Árvore combretácea (*Laguncularia racemosa*) espalhada nos mangues litorâneos, cujo tronco não tem raízes-escoras (v. *raiz-escora*) na base, cujas pequenas flores se apresentam em cacho, e cujos frutos, drupáceos, achatados, flutuam na água. **2.** V. *sereíba*. [Pl.: *mangues-brancos*.]

mangue-bravo *S. m. Bras. Bot.* V. *abaneiro*. [Pl.: *mangues-bravos*.]

mangue-comum *S. m. Bras. Bot.* V. *mangue-vermelho*. [Pl.: *mangues-comuns*.]

mangue-da-praia *S. m. Bras. Bot.* V. *abaneiro*. [Pl.: *mangues-da-praia*.]

mangue-do-mato *S. f. Bras. Bot.* V. *farinha-seca* (8). [Pl.: *mangues-do-mato*.]

mangueira[1] [De *manga*[1] + *-eira*.] *S. f.* Tubo de lona, borracha, plástico, ou outro material, para condução de água ou de ar; manga, borracha.

mangueira[2] [De *manga*[3] + *-eira*.] *S. f. Bot.* Árvore anacardiácea (*Mangifera indica*) de origem asiática, de flores pequeninas e ordenadas em tirsos, e cujo fruto é uma drupa carnosa e saborosa, do qual há numerosas variedades. [Sin.: *manga*.]

mangueira[3] [Do esp. plat. *manguera*.] *S. f. Bras. RS* Grande curral de gado, de pedra ou de madeira, junto ao edifício da estância.

mangueiral [De *mangueira*[2] + *-al*[1].] *S. m.* **1.** Quantidade mais ou menos considerável de mangueiras (v. *mangueira*[2]) dispostas proximamente entre si. **2.** Área ocupada por mangueiral (1).

mangueirão [De *mangueira*[3] + *-ão*[1].] *S. m. Bras. S.* Curral muito grande para tropas e animais.

mangueirense[1] *Adj. 2 g.* **1.** De, ou pertencente ou relativo a Mangueirinha (PR). ● *S. 2 g.* **2.** O natural ou habitante de Mangueirinha. [Sin. ger.: *mangueirinhense*.]

mangueirense[2] *Adj. 2 g.* **1.** Do, ou pertencente ou relativo ao morro da Mangueira (RJ). ● *S. 2 g.* **2.** O natural ou habitante da Mangueira.

mangueirense[3] *Adj. 2 g. Bras. RJ* **1.** Pertencente ou relativo à Escola de Samba Estação Primeira de Mangueira: *Verde e rosa são as cores mangueirenses.* **2.** Que é membro ou grande admirador dessa escola de samba. ● *S. 2 g.* **3.** Indivíduo mangueirense[3] (2).

mangueirinhense *Adj. 2 g. S. 2 g.* V. *mangueirense*[1].

mangueiro[1] [De *mangueira*[3].] *S. m. Bras.* Pequeno curral.

mangueiro[2] [De *manga*[1] + *-eiro*.] *S. m. Bras.* Cilindro de madeira us. pelas engomadeiras para passar a ferro as mangas dos vestidos.

mangueiro[3] [De *mangue* + *-eiro*.] *S. m. Bras. Amaz. Bot.* V. *mangue-vermelho*.

mangueiro^{4} [De *mangar* + *-eiro*, poss.] ***Adj. Bras. SP Pop.*** **1.** Manhoso, astuto. **2.** Renitente, teimoso. **3.** Vagaroso, lento.

manguense ***Adj. 2 g.*** **1.** De, ou pertencente ou relativo a Manga (MG). • ***S. 2 g.*** **2.** O natural ou habitante de Manga.

mangue-preto ***S. m.*** *Bot.* **1.** V. *mangue-vermelho.* **2.** Mangue (*Avicennia marina*) de raízes curtas e que se curvam antes de chegar ao solo. [Pl.: *mangues--pretos.*]

manguerana [De *mangue* + *-rana.*] ***S. f.*** *Bras. Bot. Amaz.* Arbusto clusiáceo (*Tovomita brasiliensis*) de 2 a 3m de porte, folhas pequenas e membranáceas, flores minutas e pouco numerosas, e cápsulas que não ultrapassam 2cm de diâmetro.

mangue-verdadeiro ***S. m.*** *Bot.* V. *mangue-vermelho.* [Pl.: *mangues-verdadeiros.*]

mangue-vermelho ***S. m.*** *Bras. Bot.* Árvore rizoforácea (*Rhizophora mangle*), que habita os mangues do litoral, cujo tronco é sustentado por grossas raízes--escoras basais, e cuja casca, rica em tanino, é aproveitada; a madeira é de boa qualidade. [Sin.: *mangue-comum, mangue-preto, mangue-verdadeiro, mangarobeira, mangueiro, mapareíba, guaparaíba, tarrafe.* Pl.: *mangues-vermelhos.*]

manguezal [De *mangue* + *-zal.*] ***S. m.*** *Bras.* V. *mangue* (1).

manguinha [Dim. de *manga*^{1}.] ***S. f.*** Manga^{1} (1) pequena. ◆ **Botar as manguinhas de fora.** *Bras. Fam.* Agir revelando qualidades ou denunciando intenções que, em geral, anteriormente se ocultavam; pôr as manguinhas de fora, pôr as mangas de fora. **Pôr as manguinhas de fora.** *Bras. Fam.* V. *botar as manguinhas de fora.*

manguito^{1} [De *manga*^{1} + *-ito*^{1}.] ***S. m.*** **1.** Pequena manga us. como enfeite ou abrigo dos pulsos: "as mangas da casaca muito apertadas, as mãos a emergirem das rendas dos manguitos" (Artur Azevedo, *Contos fora da Moda*, p. 36). **2.** *Ant.* Regalo (5) de peles. **3.** *Med.* Retalho de pele e de tecido conjuntivo difuso que se desseca em um membro amputado a fim de cobrir a extremidade do coto. **4.** *Med.* Pequena faixa de pano que contém em seu interior câmara inflável de borracha, ligada a manômetro e a pera, constituindo o conjunto um aparelho para determinação de pressão arterial, de largo uso na prática médica.

manguito^{2} [De *mango*^{1} + *-ito*^{1}.] ***S. m.*** *Chulo* Gesto obsceno que consiste em dobrar o braço com o punho fechado e segurar a dobra do cotovelo com a outra mão. [Sin.: *banana* (bras.) e *armas de S. Francisco* (lus.).]

manguito^{3} [De *manga*^{3} + *-ito*^{1}.] ***S. m.*** *Bras.* Pequena manga^{3}.

manguriú [Do guar.] ***S. m.*** *Zool.* **1.** *Bras. GO* V. *bagre--sapo* (5). **2.** *Bras.* V. *jaú*^{1}.

mangusto [Do port. ant. *mangus*, do marata.] ***S. m.*** *Zool.* Mamífero carnívoro, viverrídeo, do gênero *Herpestes* que habita regiões quentes; tem cerca de 50cm de comprimento, focinho pontudo, e cauda longa e pesada. Alimenta-se de cobras, inclusive venenosas, de roedores, e ger. pode ser domesticado. [Sin.: *icnêumon, rato-dos-faraós.*]

manguxo ***S. m.*** *Bras. BA* V. *bambão* (2).

manguzá ***S. m.*** *Bras. N.E.* V. *munguzá.*

manha [Do lat. vulg. **mania*, 'habilidade manual', < lat. *manus*, 'mão'.] ***S. f.*** **1.** Destreza, desembaraço, habilidade, desenvoltura: *a coragem e a manha do guerreiro.* **2.** V. *malícia* (3): *O político agiu com inteligência e manha.* **3.** Ardil, artimanha: *as manhas do adversário.* **4.** Defeito ou mau hábito difícil de perder; sestro. **5.** Qualidade e/ou defeito que dificulta a compreensão, o uso ou o manejo de uma coisa: *Este relógio tem manhas que só eu entendo.* **6.** *Bras. Fam.* Choro infantil sem causa; birra, choradeira. **7.** *Cabo-verd.* Vontade intensa: "Estava mesmo com manha daquela comidinha." (Manuel Ferreira, *Morabeza*, p. 101.) ~ V. *manhas.*

manhã [Do lat. vulg. **maneana, i. e., hora maneana*, 'hora matinal'.] ***S. f.*** **1.** Tempo que vai do nascer do Sol ao meio-dia. **2.** A alvorada, o amanhecer, o alvorecer; madrugada: *A manhã surgia luminosa.* **3.** V. *madrugada* (2): *São duas da manhã.* **4.** *P. ext.* A primeira parte, as primeiras horas do dia. **5.** *Fig.* Princípio, começo; desabrochar: *a manhã da vida.* [Pl.: *manhãs.* Cf. *Manhães*, antr.] • ***Adv.*** **6.** De manhã. ◆ **De manhã.** Antes do meio-dia; pela manhã; manhã. **De manhã cedo. 1.** De madrugada. **2.** Pouco após o nascer do Sol. **Pela manhã.** V. *de manhã.*

manhas [Pl. de *manha.*] ***S. f. pl.*** *Desus.* Costumes, hábitos. ~ V. *manha.*

manhãzinha [De *manhã* + *-zinha.*] ***S. f.*** O começo da manhã. ◆ **De manhãzinha.** De manhã bem cedo; de madrugada.

manheira [De *manha* + *-eira.*] ***S. f.*** *Bras. Fam.* Manha (6) prolongada.

manheirar [De *manheira* + *-ar*^{2}.] ***V. int.*** **1.** Fazer manha (6), ou manheira. **2.** Mostrar-se lento e de má vontade no trabalho. **3.** Fingir-se doente. **4.** Tentar (o gado) fugir ou empacar.

manheirento [De *manheiro* + *-ento.*] ***Adj.*** *Bras. RS* Que se mostra sempre manheiro ou manhoso; muito manheiro.

manheiro [De *manha* + *-eiro.*] ***Adj.*** *Bras. RS* **1.** Manhoso (1 e 3). **2.** Que tem o hábito de manheirar (4): *gado manheiro.* **3.** Diz-se do fumo que não queima com facilidade. **4.** Diz-se do negócio demorado, difícil. [Sin. ger.: *manhento.*]

manhento [De *manha* + *-ento.*] ***Adj.*** **1.** *Bras. RS* V. *manheiro.* **2.** *Cabo-verd.* Sôfrego, ávido, guloso: "O que tu és é um grande manhento. | — Manhento, eu? Por quê? | — Levantaste-te por causa das mangas." (Carlos Araújo, *Percurso Vulgar*, p. 273.)

manho ***Adj.*** *Desus.* Desnorteado, tonto; aparvalhado, pateta.

manhosar [De *manhoso* + *-ar*^{2}.] ***V. int.*** *Bras. CE Fam.* Ficar na cama entredormido, preguiçosamente. [Pres. ind.: *manhoso*, etc. Cf. *manhoso* (ô).]

manhosidade [De *manhoso* + *-(i)dade.*] ***S. f.*** Qualidade, modos ou artes de manhoso: "O selvagem deu aos descendentes que enveredam pelo crime .... manhosidades necessárias às tocaias e fugas." (Gustavo Barroso, *Heróis e Bandidos*, p. 63.)

manhoso (ô) [De *manha* + *-oso.*] ***Adj.*** **1.** Que tem ou revela manha(s); manheiro. **2.** Em que há, ou que é feito com manha (2): *pergunta manhosa.* **3.** *Bras. Fam.* Diz-se de criança que faz manha (6), que é birrenta, chorona, manheira. [Cf. *manhoso*, do v. *manhosar.*]

manhuaçuense ***Adj. 2 g.*** **1.** De, ou pertencente ou relativo a Manhuaçu (MG). • ***S. 2 g.*** **2.** O natural ou habitante de Manhuaçu.

manhuara [Var. de *maniuara.*] ***S. f.*** *Bras. Zool.* Nome indígena da saúva (q. v.), us. em algumas regiões do Brasil.

manhuço ***S. m.*** Manelo.

manhumiriense ***Adj. 2 g.*** **1.** De, ou pertencente ou relativo a Manhumirim (MG). • ***S. 2 g.*** **2.** O natural ou habitante de Manhumirim.

▲ **mani-^{1}** V. *-mania.*

▲ **mani-^{2}** [Do lat. *mănus, us.*] ***El. comp.*** = 'mão^{1}': *maniforme, manipresto.* [Equiv.: *mano-*^{2}, *-mano*^{2}, *manu-*: *manossolfa; quadrúmano* (< lat.); *manufatura.*]

mania [Do gr. *manía*, 'loucura'.] ***S. f.*** **1.** *Psiq.* Síndrome mental caracterizada por exaltação do humor (euforia), excitação psíquica, hiperatividade, diminuição da necessidade de sono, etc., e, em certos casos, agitação motora em grau variável. **2.** *Psiq.* Uma das fases alternativas do transtorno bipolar do tipo I (q. v.). **3.** *Fig.* Excentricidade, extravagância, esquisitice. **4.** Gosto exagerado ou imoderado por alguma coisa; obcecação resultante de desejo imoderado: *mania de grandeza.* **5.** O alvo desse gosto ou desejo: *Colecionar borboletas tornou-se a sua mania.* **6.** Mau costume; hábito prejudicial; vício: *a mania do jogo.* **7.** Ideia fixa doentia; obsessão: *mania de perseguição.*

▲ **-mania** [Do gr. *-manía* < gr. *manía, as.*] ***El. comp.*** = 'loucura', 'mania'; 'tendência ou inclinação para'; 'que apresenta certa mania, tendência mórbida ou patológica': *ablutomania, toxicomania.* [Equiv.: *-mana, mani-*^{1}, *-mano*^{1}: *ninfômana; manigrafia; toxicômano; doxomaníaco.* V. *-ia*^{1}.]

maníaco [Do lat. med. *maniacu.*] ***Adj.*** **1.** *Psiq.* Que sofre de mania(s). **2.** *P. ext.* Excêntrico, extravagante, esquisito. **3.** Diz-se de indivíduo obstinado, teimoso, obcecado por alguma coisa. **4.** V. *amalucado* (1). **5.** *Psiq.* Que tem caráter de mania (1): *preocupação maníaca.* • ***S. m.*** **6.** Indivíduo maníaco.

maníaco-depressivo ***Adj.*** **1.** Que sofre de psicose maníaco-depressiva. ~ V. *psicose —a.* • ***S. m.*** **2.** Aquele que sofre de psicose maníaco-depressiva. [Pl.: *maníaco-depressivos.*]

maniatar [De *mani-*^{2} + *atar.*] ***V. t. d.*** **1.** Atar as mãos de. **2.** Impedir os movimentos de. **3.** Privar da liberdade; forçar, constranger, subjugar. ***T. d. e i.*** **4.** Prender, ligar, amarrar. [Var.: *manietar.*]

manica [Do esp. plat. *manija.*] ***S. f.*** *Bras. RS* V. *boleadeiras.*

manicaca [De or. obscura.] ***S. m.*** *Pop.* **1.** Indivíduo apalermado, atoleimado; palerma. **2.** *Bras. N.E.* Indivíduo tratante, covarde, fracalhão; mucufa, mutanje.

maniçauá *Bras.* ***S. 2 g.*** **1.** *Etnôn.* Indivíduo dos maniçauás [ou (etnôn. bras.) *Manitsauá], povo indígena extinto, do tronco linguístico tupi, que habitava a região da cabeceira do rio Maniçauá-Miçu (MT). • ***Adj. 2 g.*** **2.** Pertencente ou relativo a esse povo.

manicla [Var. de *manica.*] ***S. f.*** *Bras. RS* V. *boleadeiras.*

maniçoba [Do tupi.] ***S. f.*** *Bras.* **1.** *Bot.* Arvoreta euforbiácea (*Manihot glaziovii*) própria do N.E., da qual se extraiu, no passado, o látex, para produzir borracha, que é de segunda classe, e cujo fruto é uma cápsula que se abre em três porções; maniçobeira. **2.** *Cul.* Alimento feito de grelos de mandioca misturados com carne ou peixe, e só temperado com sal e pimenta: "O Sr. Porfírio atacou .... um prato seu predileto, a maniçoba, preparado com mocotós de paca e grelos de mandioca" (José Veríssimo, *Cenas da Vida Amazônica*, p. 2). **3.** *Cul.* Prato do N. do Brasil feito com folhas de mandioca (que cozinham por mais de 24 horas até perder a toxidez e formar um caldo espesso) e ingredientes como mocotó, toucinho, charque, pé e costeletas de porco salgadas, etc.

maniçobal [De *maniçoba* + *-al*^{1}.] ***S. m.*** **1.** *Bras.* Quantidade mais ou menos considerável de maniçobas dispostas proximamente entre si. **2.** Área ocupada por maniçobal (1).

maniçobeira [De *maniçoba* + *-eira.*] ***S. f.*** *Bras. Bot.* Maniçoba (1).

maniçobeiro [De *maniçoba* + *-eiro.*] ***S. m.*** *Bras.* Extrator do látex da maniçoba.

manicomial [De *manicômio* + *-al*^{1}.] ***Adj. 2 g.*** Referente a manicômio.

manicómio ***S. m.*** V. *manicômio.* [Uso freq. em P.]

manicômio [De *mani-*^{1} + *-cômio.*] ***S. m.*** Hospital destinado ao tratamento de psicopatas.

maniconia ***S. f.*** *Bras. N.E. Pop.* Mancha na pele, arroxeada e indolor.

manicora [De or. obscura.] ***S. f.*** *Arquit.* Ornato que representa um animal híbrido, com cabeça de serpente e tronco globoso.

manicórdio [Por *monocórdio*, este do gr. *monochórdon*, 'instrumento musical de uma corda', pelo lat. *monochordon*, com infl. de *mão*^{1}] ***S. m.*** Instrumento musical de teclado, da família do clavicórdio, e que já existia no fim do séc. XV; monocórdio.

manicoreense (eên) ***Adj. 2 g.*** **1.** De, ou pertencente ou relativo a Manicoré (AM). • ***S. 2 g.*** **2.** O natural ou habitante de Manicoré.

manicuera [Do tupi.] ***S. f.*** *Bras. N.* **1.** *Bot.* Espécie de mandioca. **2.** V. *manipueira.*

manicujá [Do tupi.] ***S. m.*** *Bras. AM* Cova feita para plantar a haste da maniva.

manícula [Do lat. *manicula*, dim. de *manus*, 'mão'.] ***S. f.*** **1.** Membro anterior do mamífero. **2.** Espécie de luva de couro us. pelos sapateiros e correeiros para não se cortarem com o fio. **3.** *Bras.* Manivela (1).

manicura [Do fr. *manucure.*] ***S. f.*** Fem. de *manicuro.*

manicurado [De *manicura* + *-ado*^{1}.] ***Adj.*** *Bras.* Diz-se das mãos, ou das unhas das mãos, tratadas por manicura ou manicuro.

manicure [Do fr. *manucure.*] ***S. f.*** **1.** Fem. de *manicuro.* **2.** *P. ext. Bras.* Aquela que se dedica ao tratamento das unhas das mãos e dos pés.

manicuro [Do fr. *manucure.*] ***S. m.*** Aquele que se dedica ao tratamento das mãos ou das unhas das mãos. [Fem.: *manicura* e *manicure.*]

manicurto [De *mani-*^{2} + *curto.*] ***Adj.*** **1.** Que tem mãos curtas. **2.** *Fig.* V. *avaro* (1). • ***S. m.*** **3.** *Fig.* V. *avaro* (3).

manidestro (ê) [De *mani-*^{2} + *destro.*] ***Adj.*** Diz-se daquele que é mais hábil com a mão direita, ou que se serve preferentemente dela. [Var.: *mandestro.* Opõe-se a *canhoto* (1).]

manietar ***V. t. d. T. d. e i.*** V. *maniatar*: "A cerca, ela está ali, alta, intransponível .... A cerca, ... impedindo-lhe a evasão, tolhendo-lhe os passos, manietando-a." (Guido Vilmar Sassi, *Piá*, p. 33.)

manifestação [Do lat. tard. *manifestatione.*] ***S. f.*** **1.** Ato ou efeito de manifestar(-se); expressão. **2.** Revelação, esclarecimento, demonstração: "O meio físico em que decorreu a existência de Antero [Antero de Quental] deixou no seu espírito uma impressão profunda, de que ficaram muitas manifestações na sua obra." (José Bruno Carneiro, *Antero de Quental*, I, p. 70.) **3.** Expressão pública e coletiva de uma opinião ou sentimento: *manifestação contra a alta de preços.* ◆ **Manifestação epiléptica crítica.** *Neur. Psiq.* Fenômeno, de que há vários tipos, que surge durante uma descarga epiléptica, revelando crise epiléptica (q. v.), sendo diagnosticado por meios clínicos e/ou por eletrencefalografia.

manifestador (ô) [Do lat. tard. *manifestatore.*] ***Adj. S. m.*** Manifestante.

manifestante [Do lat. *manifestante.*] ***Adj. 2 g. S. 2 g.*** Que, ou quem (se) manifesta; manifestador.

manifestar [Do lat. *manifestare.*] ***V. t. d.*** **1.** Tornar manifesto, público, notório; divulgar, declarar: *manifestar uma opinião.* **2.** Dar sinais de; apresentar, revelar, exprimir, patentear: *Seu rosto manifestava alegria.* **3.** Dar ao manifesto (v. esta loc.) na alfândega ou em outra estação fiscal; lealdar. **4.** Interpor (um recurso). ***T. d. e i.*** **5.** Declarar, mostrar, revelar: "Tinha .... de ser grato a esse homem, de manifestar-lhe a todos os instantes o meu reconhecimento" (Júlio Dantas, *Espadas e Rosas*, p. 126). ***P.*** **6.** Fazer-se conhecer; revelar-se, mostrar-se: "A vocação dos espanhóis para a prosa narrativa .... manifestou-se muito cedo." (Eduardo Frieiro, *O*

M

Alegre Arcipreste, p. 49.) 7. Patentear-se, exprimir-se. 8. *Espir.* Dar-se (um espírito) a conhecer por meio de sinais físicos.

manifesto [Do lat. *manifestu*.] *S. m.* **1.** Coisa manifestada. **2.** Declaração pública ou solene das razões que justificam certos atos ou em que se fundamentam certos direitos. **3.** Programa político, religioso, estético, etc. **4.** Relação que se entrega aos fiscais da fazenda pública dos gêneros expostos à venda e sujeitos ao pagamento de direitos. **5.** Rol ou inventário, completo e minudente, da carga que um navio mercante traz a bordo. **6.** O documento escrito que contém quaisquer dessas declarações. ● *Adj.* **7.** Patente, claro, evidente, notório, flagrante: *injustiça manifesta*. ◆ **Dar ao manifesto. 1.** Fazer declaração de (as mercadorias que um navio traz, ou aquelas que expõe à venda). **2.** *Fig.* Declarar; confessar.

maniflautista [De *mani-*[2] + *flautista*.] *S. 2 g.* Pessoa que com as mãos produz sons semelhantes aos da flauta.

maniforme [De *mani-*[2] + *-forme*.] *Adj. 2 g.* Que tem forma de mão.

manigância [Do fr. *manigance*, de or. obscura.] *S. f.* **1.** Arte de prestidigitador; malabarismo, manobra: "O hipnotizador suspendeu as manigâncias, e ficou uns instantes imóvel" (José Rodrigues Miguéis, *Gente da Terceira Classe*, p. 199). **2.** *Fig.* Manobra misteriosa; intriga, enredo, artimanha: "Fazem .... uma manigância que nem você nem o mais astuto é capaz de desmaranhar." (José Cardoso Pires, *De profundis, Valsa Lenta*, p. 62.) [Cf. *manigancia*, do v. *maniganciar*.]

maniganciar [De *manigância* + *-ar*[2].] *V. int. Bras.* Fazer manigâncias. [Pres. ind.: *manigancio*, *manigancias*, *manigancia*, etc. Cf. *manigância*.]

manigrafia[1] [De *mani-*[1] + *-grafia*.] *S. f. Psiq.* Maniografia.

manigrafia[2] [De *mani-*[2] + *-grafia*.] *S. f.* A arte de escrever à mão; escrita manual.

manilcara [Do tax. *Manilkara*.] *S. f. Bot.* **1.** Gênero de árvores sapotáceas originárias de regiões tropicais da Ásia, África e América. **2.** Qualquer espécie desse gênero, como, p. ex., a *Manilkara bidentata* [v. *balata*[2] (2)]. **3.** Qualquer espécime desse gênero.

manilha[1] [Do esp. *manilla*.] *S. f.* **1.** Argola com que se enfeitam os pulsos e, entre alguns povos, a parte mais delgada da perna. **2.** Grilheta (1). **3.** Tubo de cerâmica, de concreto ou de aço, que compõe canalizações para escoamento de águas e esgotos. **4.** *Marinh.* Acessório constituído por um vergalhão metálico em forma de U, com um pino (*cavirão*) atravessado entre as duas extremidades, e que se emprega para unir quartéis de amarra, cabos de aço, etc.

manilha[2] [Do fr. *manille*.] *S. f.* **1.** Denominação comum a algumas cartas de baralho, em certos jogos. **2.** Jogo de vaza, de quatro parceiros, em que a carta de maior valor, denominada *manilha*, é o sete de todos os naipes, seguindo-se o ás, o rei, o valete, a dama e as cartas brancas, pelo seu real valor.

manilha[3] [Do esp. *manilla* < top. *Manilla* (Filipinas).] *S. f.* Variedade de fumo.

manilha[4] *S. f.* **1.** Designação comum aos papéis feitos de abacá, de fibras extremamente fortes. **2.** Produto que imita esse papel, obtido de fibra de juta. ● *Adj. 2 g.* **3.** ~ V. *papel —*.

manilhão [Aum. de *manilha*[1].] *S. m. Marinh.* Manilha[1] (4) grande, reforçada.

manilhar [De *manilha*[1] + *-ar*[2].] *V. t. d.* **1.** Ornar com manilhas. **2.** Canalizar em manilhas. **3.** *Marinh.* Prender ou unir (amarra, cabo, etc.) por meio de manilha[1] (4).

manilheiro[1] [De *manilha*[1] + *-eiro*.] *S. m.* Fabricante de manilhas (v. *manilha*[1]).

manilheiro[2] [De *manilha*[2] + *-eiro*.] *S. m.* Jogador de manilha[2] (2).

manilhinha [Dim. de *manilha*[4].] *Adj.* ~ V. *papel —*.

manilúvio [Do lat. med. *maniluviu*.] *S. m.* Banho, de ordinário quente, que se dá às mãos.

manimbé [Do tupi.] *S. m. Bras. Zool.* V. *tico-tico-do-campo*.

manimolência *S. f. Bras. N.E. Pop.* V. *manemolência*: "A sessão havia começado quando ele [Clóvis Beviláqua] entrou na sua manimolência" (Gilberto Amado, *Depois da Política*, p. 234).

manimolente *Adj. 2 g. Bras. N.E. Pop.* V. *manemolente*.

manina [Var. de *maninha*.] *Adj.* (*f.*) *Bras.* Diz-se de vaca estéril, machorra.

maninca *Gloss. S. m.* **1.** V. *malinca* (2). **2.** Língua mandê (4) falada na Guiné, em Mali, na Serra Leoa e na Libéria (África); mandê, maninca do sul. ● *Adj. 2 g.* **3.** Pertencente ou relativo a essas línguas. ◆ **Maninca do noroeste.** *Gloss.* V. *malinca* (2). **Maninca do sul.** *Gloss.* V. *maninca* (2).

maninelo [De or. obscura.] *S. m.* **1.** V. *bobo* (1): "É o jogral de Restelo; jogral e maninelo que foi; beato e santo que será." (Alexandre Herculano, *O Monge de Cister*, I, p. 157.) **2.** Bobo, idiota, palerma. **3.** *Pej.* Homem efeminado. ● *Adj.* **4.** Bobo, idiota, palerma. **5.** Diz-se de maninelo (3).

maningue [Do tsonga.] *Moç. Pron. indef.* **1.** Muito (1): "Aliás, dou-me com maningues pretos e mulatos." (Sant'Ana Afonso, *Eu Não Sou Eu*, p. 16.) ● *Adv.* **2.** Muito (2): "uma pequena diferença que me parece maningue importante" (Filimone Meigos, *Poema & Kalash in Love*, p. 12).

maninha *Adj.* (*f.*) Fem. de *maninho*. [Var.: *manina*.]

maninhar [De *maninho* + *-ar*[2].] *V. t. d.* Deixar sem cultura (uma terra).

maninhez (ê) [De *maninho* + *-ez*.] *S. f.* Qualidade ou estado de maninho.

maninho [Do lat. hisp. **manninu* < lat. ibérico *manna*, 'estéril'.] *Adj.* **1.** V. *estéril* (1): *égua maninha*. **2.** Não aproveitável ou não aproveitado para o cultivo; inculto, estéril (q. v.): "e Adão tem fome, nesse areal maninho, onde só alvejam cardos que o vento estorce." (Eça de Queirós, *Contos*, p. 180). **3.** Bravo, silvestre: *plantas maninhas*. **4.** Que não tem dono; que é de logradouro público. ● *S. m.* **5.** Terra inculta, brava: "os negros auxiliavam a natureza capinando as roças, lançando fogo aos maninhos, para aproveitar o terreno em semeaduras prósperas" (Coelho Neto, *Rei Negro*, p. 10). ~ V. *maninhos*.

maninhos [Pl. subst. do adj. *maninho*.] *S. m. pl.* Bens de morto que não deixou filhos. ~ V. *maninho*.

manino *Adj.* **1.** Diminuto, pequenino. **2.** Muito pouco; escasso.

maniografia [De *mani-*[1] + *-o-* + *-grafia*.] *S. f. Psiq.* Descrição das várias formas de insanidade mental; manigrafia.

maniográfico [De *maniografia* + *-ico*[2].] *Adj.* Referente a maniografia.

maniota[1] [Do esp. *maniota*.] *S. f.* Peia com que se prendem as mãos dos animais.

maniota[2] *S. f. Bot.* V. *maniote*.

maniote [Do tax. *Manihot*.] *S. m. Bot.* **1.** Gênero de plantas euforbiáceas, herbáceas ou arbustivas, caracterizado por flores monoicas, apétalas, ger. grandes e pelas sementes carunculadas; habitam desde o México até a América do Sul. **2.** Qualquer espécie desse gênero, como, p. ex., a *Manihot utilissima* [v. *mandioca* (1)]. **3.** Qualquer espécime desse gênero. [Var.: *maniota*.]

manipanço [Do quicongo *mani-punzo*, 'dignitário e xamã', poss.] *S. m.* **1.** Ídolo africano [cf. *fetiche* (1)]: "santos mal-acabados, imagens de linhas duras, objetivavam a religião mestiça em traços incisivos de manipanços: Santos Antônios proteiformes e africanizados, de aspecto bronco, de fetiches; Marias Santíssimas, feias como megeras..." (Euclides da Cunha, *Os Sertões*, p. 185). **2.** *Burl.* Indivíduo obeso. [Var. menos pref.: *manipanso*.]

manipanso *S. m.* V. *manipanço*.

manipresto [De *mani-*[2] + *presto*.] *Adj.* Expedito de mãos; destro, expedito; prestímano: "foi direto a ele [ao candeeiro] no escuro como se o avistasse, e, manipresto, a manobra da manga de vidro e de acendê-lo durou instantes." (Alberto Rangel, *Sombras n'Água*, p. 131).

manipuçá [Var. de *manapuçá* (q. v.).] *S. m. Bras. Bot.* V. manapuçá (1).

manipueira [De *manipuera* (var. de *manicuera*), por ultracorreção.] *S. f. Bras. N. N.E. MG* Suco leitoso da mandioca ralada, obtido por compressão, e que contém o veneno da planta (evaporado o veneno, ao fogo ou ao sol, faz-se do líquido o molho denominado *tucupi*); manicuera, água-brava, água de goma: "Uma semana atrás, Tininho, ... meninozinho de três anos, tinha bebido manipueira no tipiti de uma das fazendas vizinhas .... Quando encontraram o corpinho dele, enrodilhado e cinzento, dos cantos da boquinha roxa escorriam fios de leite grosso e adocicado." (Nélson de Faria, *Cabeça-Torta*, p. 52.)

manipuera (ê) *S. f. Bras. N. N.E.* V. *manipueira*.

manipulação [De *manipular* + *-ção*; fr. *manipulation*.] *S. f.* Ato ou modo de manipular.

manipulador (ô) [De *manipular*[2] + *dor*.] *Adj.* **1.** Diz-se daquele ou daquilo que manipula: "Um livro pode ser factual e ainda assim seletivo e manipulador na exposição dos fatos." (Steve Weinberg, em *Jornal do Brasil*, 30.10.1998.) ● *S. m.* **2.** Aquele que manipula. **3.** Transmissor (3).

manipular[1] [Do lat. *manipulare*.] *Adj. 2 g.* **1.** Relativo ao manípulo (3 e 4). ● *S. m.* **2.** Entre os antigos romanos, cada um dos soldados de um manípulo (4).

manipular[2] [Do b.-lat. *manipulare*; fr. *manipuler*.] *V. t. d.* **1.** Preparar com a mão; imprimir forma a (alguma coisa) com a mão. **2.** Preparar (medicamentos) com corpos simples. **3.** Engendrar, forjar, maquinar: *manipular um plano*. **4.** Fazer funcionar; pôr em movimento; acionar. **5.** Controlar; dominar: *Precavido, soube manipular os gastos*. [Pres. ind.: *manipulo*, etc. Cf. *manípulo*, s. m.]

manipulário [Do lat. *manipulariu*.] Chefe de um manípulo (4), na milícia romana.

manipulável [De *manipular*[2] + *-vel*.] *Adj. 2 g.* Que pode ser manipulado.

manípulo [Do lat. *manipulu*.] *S. m.* **1.** Feixe de ervas, de flores, ou de qualquer coisa semelhante, que a mão pode abranger formando um arco com os dedos polegar e indicador. **2.** *P. ext.* V. *mancheia*. **3.** Haste coroada de sinais simbólicos, que servia de bandeira às tropas romanas. **4.** Troço (ô) de soldados ao qual essa haste servia de bandeira: "E não houve meio de formar manípulos de modo a resistir ao ataque." (Aquilino Ribeiro, *Os Avós dos Nossos Avós*, p. 152.) **5.** Pequena estola pendente do braço esquerdo do sacerdote, de uso facultativo quando ele diz a missa: "o abade com a sobrepeliz da cor dos seus cabelos, a estola e o manípulo" (Bernardo Pinheiro Pindela, *Azulejos*, p. 32). **6.** Cabo ou pega de objeto ou arma branca: *o manípulo da espada*. [Cf. *manipulo*, do v. *manipular*.]

maniqueísmo [De *maniqueu* + *-ismo*; fr. *manichéisme*.] *S. m.* **1.** *Filos.* Doutrina do persa Mani ou Manes (séc. III), sobre a qual se criou uma seita religiosa que teve adeptos na Índia, China, África, Itália e S. da Espanha, e segundo a qual o Universo foi criado e é dominado por dois princípios antagônicos e irredutíveis: Deus ou o bem absoluto, e o mal absoluto ou o Diabo. **2.** *P. ext.* Doutrina que se funda em princípios opostos, bem e mal.

maniqueísta [De *maniqueísmo* + *-ista*.] *Adj. 2 g.* **1.** Relativo ao, ou que é sectário do maniqueísmo. ● *S. 2 g.* **2.** Sectário do maniqueísmo. [Sin. ger.: *maniqueu*.]

maniqueístico [De *maniqueísta* + *-ico*[2].] *Adj.* De, ou relativo a maniqueísmo ou a maniqueísta (2).

maniquete (ê) [Do lat. *manica*, 'manga'', + *-ete* (ê).] *S. m.* Adorno, ordinariamente de renda, que guarnece a manga da alva dos sacerdotes.

maniqueu [Do lat. tard. *manichaeu*, 'sectário de Mani'.] *Adj. S. m.* Maniqueísta: "atolando-se nos mistérios lúbricos e imundos com que aqueles hereges maniqueus solenizavam as vigílias de determinadas noites, renovando os horrores atribuídos aos gnósticos." (Inglês de Sousa, *O Missionário*, p. 60).

manirroto (ô) [De *mani-*[2] + *roto*.] *Adj.* **1.** Que é grande gastador; esbanjador, perdulário: "Pompeava Felisberto Caldeira, na larga generosidade de fidalgo venturoso e manirroto, a riqueza deslumbradora do contrato que havia celebrado com a Real Fazenda para extração dos diamantes" (Afonso Arinos, *Pelo Sertão*, p. 137). **2.** V. *mãos-rotas*.

manistérgio *S. m.* V. *manutérgio*.

manita [De *man-* + *-ita*[1].] *S. f.* **1.** *Fam.* Mãozinha. **2.** Maná (2) de freixo; manitol. ● *S. 2 g.* **3.** Maneta (1). ● *Adj. 2 g.* **4.** Maneta (1).

manitenere *Bras. S. 2 g.* **1.** Indivíduo dos maniteneres, povo indígena da margem esquerda do alto Purus e seus afluentes (AC). ● *Adj. 2 g.* **2.** Pertencente ou relativo a esse povo. [Tb. us. como *s. 2 g. e 2 n.* (com cap.) e *adj. 2 g. e 2 n.*]

manitivitana *Bras. S. 2 g.* **1.** *Etnôn.* Indivíduo dos manitivitanas, povo indígena extinto que habitava as margens do alto rio Negro (AM), na fronteira com a Venezuela. ● *Adj. 2 g.* **2.** Pertencente ou relativo a esse povo. [Tb. us. como *s. 2 g. e 2 n.* (com cap.) e *adj. 2 g. e 2 n.*]

manitó [De *manitu* < algonquino *manitu*, 'espírito'.] *S. m. Etnogr.* **1.** Designação que os índios algonquinos dos E.U.A. dão a uma força mágica não personificada, mas inerente a todas as coisas, pessoas, fenômenos naturais e atividades. **2.** Gênio tutelar, ou demônio, entre índios americanos: "Os manitós, que moram pendurados / Nas tabas d'itajuba, que as protejam [às nações vizinhas]" (Gonçalves Dias, *Obras Poéticas*, II, p. 252). [F. paral.: *manitô*.]

manitô *S. m.* V. *manitó*: "Manitôs lhe não falem nos sonhos" (Gonçalves Dias, *Obras Poéticas*, II, p. 32).

manitol *S. m.* **1.** Manita (2). **2.** *Quím.* Alditol obtido por hidrogenação de certos açúcares e us. em indústrias, inclusive de alimentos [fórm.: $C_6H_{14}O_6$]. [Pl.: *manitóis*.]

manitu *S. m.* V. *manitó*.

maniuara (niu-a) [Do tupi.] *S. f. Bras. Amaz. Zool.* V. *saúva*.

maniva [Do tupi.] *S. f. Bras. N. N.E.* **1.** Manaíba. **2.** *Bot.* V. *mandioca* (1 e 2).

manival [De *maniva* + *-al*[1].] *S. m. Bras. PA* V. *mandiocal*.

maniveira [De *maniva* + *-eira*.] *S. f. Bras. Bot.* V. *mandioca* (1 e 2).

manivela [Do fr. *manivelle*.] *S. f.* **1.** Peça de máquina a que se imprime movimento de rotação com a mão. [Sin., bras.: *manícula*.] **2.** Peça de ferro ou de madeira sujeita a qualquer força motriz, e que transmite movimento de rotação a um engenho ou máquina.

manivelar [De *manivela* + *-ar*[2].] *V. int.* **1.** Dar à manivela. *T. d.* **2.** *Fig.* Agenciar (2).

manivérsia *S. f. Pop.* Patifaria, velhacaria, tranquibérnia.

manja[1] [Dev. de *manjar*.] *S. f. Lus.* **1.** Ato de comer. **2.** Comida, refeição.

manja[2] *S. f. Bras.* V. *esconde-esconde*.

manjaco *S. m. Guin.* **1.** *Etnôn.* Indivíduo dos manjacos, um dos povos da Guiné-Bissau: "O manjaco que emigra da ilha sente profundamente o espinho da saudade." (João Ferreira, *Uaná: Narrativa Africana*, p. 23.) **2.** *Gloss.* A língua falada pelos manjacos. • *Adj.* **3.** Pertencente ou relativo aos manjacos, ou à sua língua.

manjado [Part. de *manjar*.] *Adj. Bras. Gír.* Que é perfeita ou amplamente conhecido: *assunto manjado; pessoa manjada.*

manjadoira [Voc. conexo com o v. port. *manjar* (q. v.), mas por via incerta; poss. adapt. do it. *mangiatoia*.] *S. f.* V. *manjedoura*.

manjadoura *S. f.* V. *manjedoura*: "Os três Reis Magos tinham-se ido embora / Em dromedários calmos, ao luar... / Seus presentes de brilho singular, / Dispunha-os São José na manjadoura." (Eugênio de Castro, *Obras Poéticas*, VI, p. 133.)

manjaleco *S. m. Bras. N.E.* Marmanjo.

manja-léguas [De *manjar* (1) + o pl. de *légua*.] *S. 2 g. e 2 n. P. us.* Pessoa que caminha muito; andarilho.

manjaléu [Alter. de *manja-léguas*, poss.] *S. m. Bras. N.E. Folcl.* V. *papão*[1] (1).

manjangome *S. m. Bras. PB PE Bot.* V. *maria-gomes*.

manjar [Do cat. arc. *majar*, ou do occitânico *manjar*, ou do fr. ant. *mangier*, ou do it. *mangiare*, todos do lat. *manducare*, 'comer'.] *V. t. d.* **1.** *Ant.* V. *comer* (1). **2.** *Bras. Gír.* Observar, espionar; informar-se. **3.** *Gír.* Conhecer (pessoa ou coisa): *Ninguém manja esse sujeito; F. manja matemática.* **4.** *Pop.* Conhecer o caráter de alguém ou perceber-lhe as intenções: "Não, nada de botar banca pra cima de mim. Eu te manjo." (Vinícius de Morais, *Para Viver um Grande Amor*, p. 179.) **5.** *Gír.* Entender, compreender, perceber: *Ninguém manjou uma palavra.* *T. i.* **6.** *Gír.* Ter conhecimento; entender: *O rapaz manja de astronomia.* *Int.* **7.** *Ant.* V. *comer* (15). • *S. m.* **8.** Qualquer substância alimentícia. **9.** Iguaria delicada e apetitosa. **10.** *Fig.* Aquilo que alimenta ou deleita o espírito.

manjar-branco [De *manjar* (s. m.) + *branco*.] *S. m. Cul.* Pudim feito com leite e maisena, servido, em geral, com compota de ameixa-preta. [Pl.: *manjares-brancos*.]

manjarra [De *almanjarra*, com aférese.] *S. f. Bras.* Prensa empregada na manipulação do tabaco.

manjável [De *manjar* + *-vel*.] *Adj. 2 g.* Que pode ser manjado ou comido; comível, comestível.

manjedoira *S. f.* V. *manjedoura*.

manjedoura [Var. de *manjadoura* (q. v.).] *S. f.* Tabuleiro em que se põe comida para os animais nas estrebarias. [Outras var.: *manjadoura* e *manjedoira*.]

manjericão [De or. obsc.] *S. m.* **1.** V. *alfavaca* (1). **2.** *Bot.* Erva lamiácea (*Ocimum basilicum*) anual, de até 50cm, com pequenas folhas ovadas e flores róseas, brancas ou purpúreas; alfavaca, alfavaca-cheirosa, basilicão, manjericão-cheiroso, manjericão-grande, manjerico, quioiô. **3.** *Bras. PA RN* Mato rasteiro.

manjericão-cheiroso (ô) *S. m.* **1.** *Bras. Bot.* V. *alfavaca* (1). **2.** V. *manjericão* (2). [Pl.: *manjericões-cheirosos*.]

manjericão-dos-jardins *S. m. Bot.* Erva lamiácea (*Ocimum minimum*) de ramos quadrangulares, folhas pequenas, flores pouco atraentes, em cachos, e cujos componentes, graças ao forte aroma, se usam como condimento; manjericão. [Pl.: *manjericões-dos-jardins*.]

manjericão-grande *S. m. Bras. Bot.* V. *manjericão* (2). [Pl.: *manjericões-grandes*.]

manjerico *S. m. Bras. Bot.* **1.** V. *alfavaca* (1). **2.** V. *manjericão* (2).

manjerioba [Do tupi.] *S. f. Bras. Bot.* **1.** V. *fedegoso-verdadeiro*. **2.** V. *fedegoso-de-folha-torta*.

manjerioba-grande *S. f. Bras. Bot.* V. *dartrial*. [Pl.: *manjeriobas-grandes*.]

manjerona[1] *S. f. Bot.* Erva lamiácea (*Origanum majorana*) europeia, cultivada em hortas e jardins. Ramos avermelhados, folhas oblongo-ovadas, inteiras, moles, obtusas e tomentosas, flores alvas ou violáceas, cálice com lobos desiguais, glomérulos curtos e axilares; o fruto é uma noz pequenina. É espécie aromática e oleífera, us. como tônico e tempero culinário.

manjerona[2] *Bras. S. 2 g.* **1.** *Etnôn.* Indivíduo dos manjeronas, povo indígena extinto que habitava região do rio Amazonas (AM). • *Adj. 2 g.* **2.** Pertencente ou relativo a esse povo. [Tb. us. como *s. 2 g. e 2 n.* (com cap.) e *adj. 2 g. e 2 n.*]

manjerona-do-campo *S. f. Bot.* Erva lamiácea (*Glechon spathulata*) dos campos do S., rica em óleo essencial aromático, cujas folhas são minutíssimas e arredondadas, sendo as flores pequeninas, e que é tida por medicinal; amáraco. [Pl.: *manjeronas-do-campo*.]

manjoandade [Do criol.] *S. f. Guin.* V. *mandjuandade*.

manjola *S. f. Bras.* V. *mangual* (2).

manjolão *S. m. Bras. PE* V. *galalau*.

manjolinho *S. m. Bras. MT* Rancho (9) de paredes feitas de troncos.

manjua [Do fr. ant. *manjue*.] *S. f. Lus.* **1.** Comida, alimentos. **2.** *Zool.* Sardinha (1).

manjuandade [Do criol.] *S. f. Guin.* V. *mandjuandade*.

manjuba [De or. controv.] *S. f. Bras.* **1.** *Zool.* Designação comum a peixes clupeiformes, engraulídeos, de grande valor econômico, cujos gêneros mais conhecidos são *Anchoviella* e *Anchoa*. Diferencia-se da sardinha por ter a parte inferior da boca aberta até a parte posterior dos olhos e a cabeça terminada em um "focinho", e realiza migrações periódicas. Formam grandes cardumes e certas espécies sobem os rios para desovar. [Sin.: *aletria, arenque, enchova, xangó, pipitinga, pititinga*.] **2.** *Zool.* Peixe engraulídeo (*Anchoviella lepidentostole*) do Atlântico sul ocidental (da Guiana ao Paraná); anádromo, reproduz-se em estuários, rios e lagoas. Tem o dorso esbranquiçado, o ventre transparente, e uma faixa prateada que vai da cabeça à base da cauda; com cerca de 13cm de comprimento, é medianamente alongado e um pouco comprimido. **3.** *Zool.* Peixe engraulídeo (*Anchoa januaria*) do Atlântico sul ocidental (ao longo de toda a costa brasileira, inclusive), de corpo branco-acinzentado, com uma faixa prateada ao longo dos flancos. **4.** *Zool.* V. *peixe-rei* (1). **5.** *Bras. Chulo* O pênis. **6.** *Bras. BA SP* Comida; refeição. **7.** *Bras. MG* Enxame de peixes novos que procuram as cabeceiras dos rios. [Var.: *manjuva*.]

manjundade [Do criol.] *S. f. Guin.* V. *mandjuandade*.

manjuva *S. f. Bras.* V. *manjuba*.

mano[1] [F. hipocorística de *irmão*.] *S. m. Fam. Ant.* **1.** Irmão (1). **2.** Cunhado. **3.** Amigo, camarada, colega. • *Adj.* **4.** Muito amigo; íntimo. **5.** Inseparável, unido.

mano[2] [Do lat. *manu*.] *S. f. Ant.* Mão. [Subsiste em algumas loc., como, p. ex., *mano a mano, de mano a mano*.] ◆ **Mano a mano.** **1.** Familiarmente, com intimidade; mão por mão; de mano a mano: "E fomos conversando mano a mano pela estrada fora, ... um ao lado do outro" (Raul Brandão, *Memórias*, II, p. 249). **2.** V. *mão por mão* (1). **3.** Em pé de igualdade; pau a pau. **De mano a mano.** **1.** V. *mano a mano* (1). **2.** Sem dar partido algum (no jogo).

▲**mano-**[1] [Do gr. *manós, ē, ón*.] *El. comp.* = 'raro', 'pouco denso': *manômetro, manóstato*.

▲**mano-**[2] V. *mani-*[2].

▲**-mano**[1] [Do gr. *-manēs, ēs, és*, como em *erōtomanēs*, 'louco de amor'.] V. *-mania*.

▲**-mano**[2] V. *mani-*[2].

manobra [Adapt. do fr. *manœuvre*.] *S. f.* **1.** Ação de fazer funcionar à mão um aparelho, máquina, etc. **2.** Conjunto de ações ou movimentos para alcançar um fim desejado. **3.** Prestidigitação, pelotica, manigância. **4.** Movimento de tropas em campanha. **5.** Vaivéns de locomotivas, nas estações ferroviárias, para organizar os trens nas linhas convenientes. **6.** *Mar. G.* Movimento ou conjunto de movimentos destinados a levar à melhor posição, em relação ao inimigo, um navio ou grupo de navios: *A manobra de aproximação da força naval não foi pressentida.* **7.** *Mar. G.* Conjunto de movimentos de uma força operativa, realizado com o fim de criar uma situação favorável para alcançar um objetivo estratégico. **8.** *Marinh.* Trabalho ou faina de marinharia, como içar ou arriar uma embarcação, arriar um mastaréu, etc. **9.** *Ant. Marinh.* Mareação (em navios à vela). **10.** *Teatr.* O conjunto das cordas, roldanas e alavancas destinadas à sustentação e à movimentação dos cenários. **11.** *Teatr.* A movimentação desse conjunto. **12.** *Fig.* Trama habilidosa ou ardilosa para alcançar determinado fim; astúcia, artimanha, manha. ~ V. *manobras*. ◆ **Colher à manobra.** *Marinh.* Dispor (cabo) de modo que fique pronto e safo para a manobra seguinte. **Mentir à manobra.** *Marinh. Desus.* Falhar na manobra: *O navio mentiu à manobra de virar por d'avante.*

manobrabilidade [De *manobrável* + *-(i)dade*, seg. o padrão erudito.] *S. f.* **1.** Capacidade da aeronave de executar manobras. **2.** Capacidade da formatura aérea de mudar de rumo, altura ou velocidade sem se lhe prejudicarem as características táticas. [Cf. *maneabilidade*.]

manobrar [Adapt. do fr. *manœuvrer*.] *V. t. d.* **1.** Realizar manobra(s) com; fazer executar movimentos. **2.** Encaminhar ou governar com habilidade; agenciar, dirigir. **3.** Servir-se de artifícios em; praticar com astúcia. **4.** Executar movimentos em, para fazer funcionar; acionar: "O engenheiro manobrava a bomba de ar e, sendo somente ele conhecedor daquele segredo, não podia mostrar, ao vivo, como funcionava o tal escafandro." (Nélson de Faria, *Cabeça-Torta*, p. 121.) *Int.* **5.** Realizar exercícios militares. **6.** Realizar qualquer exercício. **7.** Lidar, trabalhar. **8.** Atuar, agir. **9.** Empregar os meios e diligências necessários para conseguir certo resultado.

manobras [Pl. de *manobra*.] *S. f. pl.* **1.** Operação militar figurada, realizada no mar, no ar, em terra ou na carta geográfica, para fins de adestramento: *A esquadra está em manobras.* **2.** *Marinh.* Cabos com que se orientam as velas em relação ao vento. ~ V. *manobra*.

manobrável [De *manobrar* + *-vel*.] *Adj. 2 g.* Que pode ser manobrado.

manobreiro [De *manobra* + *-eiro*.] *S. m.* **1.** Aquele que faz ou dirige manobras. **2.** Manobrista (1). **3.** *Ant. Mar.* Livro acerca de manobras marinheiras. **4.** *Bras.* Indivíduo incumbido das manobras nas linhas férreas. **5.** *Bras.* Indivíduo incumbido de manobrar veículos automóveis em estacionamentos, garagens, etc.; manobrista.

manobrista [De *manobra* + *-ista*.] *S. 2 g.* **1.** Pessoa que conhece e pratica bem as manobras das embarcações; manobreiro. **2.** *Bras.* Manobreiro (5).

manoca [De *mão*[1].] *S. f. Bras. BA* Molho de cinco a seis folhas de fumo, assim dispostas para a seca.

manocagem [De *manocar* + *-agem*[2].] *S. f. Bras. BA* Operação de manocar o fumo.

manocar [De *manoca* + *-ar*[2].] *Bras. BA V. t. d.* **1.** Fazer manocas de (folhas de fumo): "Adiante, num quintal, sob uma ramada, duas velhas manocam largas e verdes folhas de fumo" (Alberto Rabelo, *Contos do Norte*, p. 119). *Int.* **2.** Fazer manocas. [Conjug.: v. *trancar*.]

manocórdio [De *monocórdio*, com infl. de *mão*[1].] *S. m. Mús.* V. *manicórdio*.

manojo (ô) [Do esp. *manojo*.] *S. m.* **1.** Molho ou feixe que se pode abarcar com a mão; manolho. **2.** *Bras. RS* Espécie de novelo que o traçador do laço faz com cada um dos tentos da trança, e que se vai desenrolando à proporção que for necessário, por efeito duma laçada especial. [Pl.: *manojos* (ó).]

mano-juca [De *mano*[1] + *Juca*, hipocorístico de *José*.] *S. m. Bras. RS P. us.* V. *caipira* (1). [Pl.: *manos-jucas*.]

manola (ô) [Do esp. *manola*.] *S. f.* Moça espanhola do povo.

manolho (ô) [Do lat. **manuculu*, por *manipulu*, 'punhado'.] *S. m.* Manojo (1). [Pl.: *monolhos* (ó).]

manométrico [De *manômetro* + *-ico*[2].] *Adj.* Referente ao manômetro.

manómetro *S. m. Fís.* V. *manômetro*. [Uso freq. em P.]

manômetro [De *mano-*[1] + *-metro*.] *S. f. Fís.* Instrumento para medir pressões.

manopé [Do tupi.] *S. m. Bras. Bot.* Árvore mimosácea (*Parkia discolor*) cujo tronco, curto, está ger. mergulhado na água dos igapós, na Amaz. Folhas amplas, dotadas de pequenos folíolos, muito numerosos; flores congregadas em capítulos violáceo-escuros presos a pedúnculos curtos e pendentes, e vagem comprida, lenhosa e deiscente. [Sin., Amaz: *sipoúba*.]

manopla [Da mesma or. incerta que o esp. *manopla* e o cat. *manyopa*; poss. do lat. vulg. *manupulu*, por via semierudita.] *S. f.* **1.** Luva de ferro, que fazia parte das antigas armaduras de guerra. **2.** Chicote longo, de cocheiro. **3.** *Fig.* Mão grande e malfeita; manzorra, manápula: "E estendeu a manopla calejada, triturando, num aperto de mão amigo, minha pobre e delicada mão de citadino." (Nélson de Faria, *Tiziu e Outras Estórias*, p. 89.)

manose [Do gr. *mánna*, 'maná', + *-ose*[2].] *S. f. Quím.* Aldoexose, encontrada, sob forma combinada, p. ex., no marfim [fórm.: $C_6H_{12}O_6$].

manoseado [Part. de *manosear*.] *Adj. Bras. RS* Amansiado. [Cf. *manuseado*, do v. *manusear*.]

manoseador (ô) [Do esp. plat. *manoseador*.] *S. m. Bras. RS* Amansiador.

manosear [Do esp. plat. *manosear*.] *V. t. d. Bras. RS* Amansiar. [Conjug.: v. *frear*. Pres. ind.: *manoseio*, etc. Cf. *manuseio*, do v. *manusear*, este verbo, e *manuseio*, s. m.]

manoseio [Do esp. plat. *manoseo*.] *S. m. Bras. RS* Ato de manosear; domesticação, doma. [Cf. *manuseio*, do v. *manusear* e s. m.]

manossolfa [De *mano-*[2] + *solfa*.] *S. f. Mús.* Sistema de orientar o solfejo pelas diversas disposições dos dedos e das mãos.

manostato *S. m.* V. *manóstato*.

manóstato [De *mano-*[1] + *-stato*.] *S. m.* Sistema graças ao qual a pressão é mantida constante; pressóstato. [Var. pros.: *manostato*.]

manotaço [Do esp. plat. *manotazo*.] *S. m. Bras. RS* **1.** Pancada que o cavalo dá com uma das patas dianteiras, ou com as duas, quando perseguido ou tolhido; manoteio. **2.** Pancada que uma pessoa dá com a mão.

manoteador (ô) [Do esp. plat. *manoteador*.] *Adj. Bras. RS* **1.** Diz-se do cavalo que tem o sestro de manotear. **2.** Diz-se de quem costuma dar manotaços.

M

manotear [Do esp. plat. *manotear*.] ***V. t. d. Int. Bras. RS*** **1.** Dar manotaços (o cavalo). **2.** Pegar um objeto súbita e rapidamente. [Conjug.: v. *frear*.]

manoteio [Dev. de *manotear*.] ***S. m. Bras. RS*** Manotaço (1).

manotudo [Do esp. plat. *manota*, 'mão grande', + *-udo*.] ***Adj.*** *Bras. SP Pop.* De mãos grandes. [Cf. *mãozudo*.]

manquecer [De *manco* + *-ecer*.] ***V. int.*** Ficar ou tornar-se manco. [Conjug.: v. *aquecer*.]

manqueira [De *manco* + *-eira*.] ***S. f.*** **1.** Defeito de ser manco. **2.** Ato de manquejar; coxeadura, rengueira. **3.** *Fig.* Defeito usual; falta, vício, senão. **4.** *Bras.* Carbúnculo sintomático, epizootia dos bovinos e cavalares que os faz andar mancos. **5.** *Bras. BA MG* Na região do médio São Francisco, dança popular de compasso binário, executada por um conjunto de sanfona, violão, reco-reco, pandeiro e ganzá, cujo passo é mancado e acentuado no segundo tempo de cada compasso, com desenvolvimento melódico de andamento vagaroso.

manquejante [De *manquejar* + *-nte*.] ***Adj. 2 g.*** Que manqueja.

manquejar [De *manco* + *-ejar*.] ***V. int.*** **1.** V. *coxear* (1). **2.** *Fig.* Ser defeituoso; claudicar: *O raciocínio do filósofo manqueja em muitos pontos.* **3.** Andar pouco ou lentamente (uma embarcação). ***T. i.*** **4.** Ter faltas; fraquejar, claudicar. **5.** Faltar, carecer. [Conjug.: v. *pelejar*.]

manquetear [De *manco*.] ***V. int.*** *Bras.* V. *coxear* (1). [Conjug.: v. *frear*.]

manquiçapá ***S. m.*** *Zool.* Primata cebídeo (*Ateles variegatus*); coatá-branco.

manquitar [De *manco*.] ***V. int.*** *Bras. S.* V. *coxear* (1).

manquitó [De *manco*.] ***Adj. S. m.*** *Pop.* V. *coxo* (1 e 4).

manquitola [F. paragógica de *manquitó*.] ***Adj. S. m.*** *Bras. Pop. Ant.* V. *coxo* (1 e 4).

manquitolar [De *manquitola* + *-ar*[2].] ***V. int.*** *Bras. Pop.* V. *coxear* (1): "Atrás deles, caxingando, perrengue, Toniquinho da Samambaia .... Toniquinho manquitolava, fazendo força para acompanhar os dois." (Nélson de Faria, *Tiziu e Outras Estórias*, p. 55.)

mansão [Do lat. *mansione*.] ***S. f.*** **1.** Residência de grandes dimensões e luxo requintado. **2.** Habitação, morada, domicílio. **3.** *Teatr.* Nas representações simultâneas do teatro medieval, cada um dos diferentes cenários que eram construídos sobre palcos longitudinais, nos pavimentos dos palcos superpostos, ou ao longo das ruas e praças das cidades. [Cf., nesta acepç., *estação* (15).]

mansarda [Do fr. *mansarde*.] ***S. f.*** **1.** *Arquit.* Telhado formado por águas [v. *água* (12)] quebradas, com duas inclinações, sendo a inclinação inferior quase vertical e a superior quase horizontal. **2.** *Arquit.* O último andar de uma edificação, formado pela inclinação inferior do telhado em mansarda (1). **3.** Morada miserável.

mansarrão [De *manso* + *-arrão*.] ***Adj. S. m.*** Que, ou aquele que é muito manso e sossegado, que tem muita pachorra. [Fem.: *mansarrona*.]

mansarrona ***S. f.*** Fem. de *mansarrão*.

mansidão [De *manso* + *-idão*.] ***S. f.*** **1.** Qualidade ou estado de manso. **2.** Índole ou procedimento pacífico de quem é manso; brandura: "Viveu seus anos com mansidão e justiça, humildade e firmeza, amor e comiseração." (Osmã Lins, *Nove, Novena*, p. 137.) **3.** Serenidade, tranquilidade, calma: "o corpo lirial de Mecênia ia boiando, boiando na mansidão das vagas" (Virgílio Várzea, *Nas Ondas*, p. 187). [Sin. ger.: *mansuetude*.]

mansidãoense ***Adj. 2 g.*** **1.** De, ou pertencente ou relativo a Mansidão (BA). • ***S. 2 g.*** **2.** O natural ou habitante de Mansidão.

mansinho [De *manso* + *-inho*[1].] ***Adv.*** V. *de manso* (1 e 2): "A gente estava .... sentado no terreiro, olhando a lua, e o bacurau vinha vindo, pula daqui, pula dali, mansinho." (Coelho Neto, *Banzo*, p. 24.) ◆ **De mansinho.** V. *de manso* (1 e 2): "A madrugada veio vindo, de mansinho, de mansinho, no bico dos sabiás." (Francisco Julião, *Cachaça*, p. 86.)

mansíssimo ***Adj.*** Mansuetíssimo (q. v.).

manso [Do lat. vulg. *mansu*, der. regress. de *mansuetu*, 'domesticado'.] ***Adj.*** **1.** De gênio brando, ou índole pacífica; bondoso, pacato: *rapaz manso.* **2.** Sereno, sossegado, tranquilo, quieto: *águas mansas.* **3.** Domesticado, amansado: *cavalo manso.* **4.** Não silvestre; cultivado: *pinheiro manso.* ~ V. *almoço* — e *sorro* —. • ***S. m.*** **5.** *Bras.* Trecho de rio em que as águas parecem paradas. [Sin., no AM: *dia*.] **6.** *Bras. AM PA* Seringueiro prático, ou pessoa afeita aos costumes da terra. • ***Adv.*** **7.** V. *de manso* (1): "E a guiga vogando manso, sem ruído" (Fialho d'Almeida, *A Cidade do Vício*, p. 38). ◆ **Manso e manso.** V. *de manso* (1): "a manhã que apenas se erguia do leito de marfim, se espreguiçava e estendia manso e manso por toda a amplidão dos horizontes cor de pérola" (João Francisco Lisboa, *Obras*, IV, p. 555). **Manso de baixo.** *Bras. RS* Diz-se do cavalo que, embora manso, não se deixa montar. **De manso. 1.** Devagar, calmamente, manso, mansamente, manso e manso; de leve; mansinho, de mansinho; no manso: "A louca, muito de manso, num passo receoso, ... abeirou-se do filho." (Camilo Castelo Branco, *Vulcões de Lama*, p. 271.) **2.** À socapa; sorrateiramente; mansinho, de mansinho: *Fugiu de manso.* **No manso.** *Bras. Pop.* V. *de manso* (1).

mansuetário [Do lat. tard. *mansuetariu*.] ***S. m.*** Entre os antigos romanos, domador de animais.

mansuetíssimo ***Adj.*** Superl. abs. sint. de *manso*; mansíssimo.

mansuetude [Do lat. *mansuetudine*, por via semierudita.] ***S. f.*** Mansidão: "possuía .... uma tal expressão de mansuetude e bondade que prendia a quem a via pela primeira vez" (Virgílio Várzea, *Histórias Rústicas*, p. 90).

manta [De *manto*.] ***S. f.*** **1.** Grande pano de lã, do feitio de um cobertor, e que serve para agasalhar: "vivia embrulhado em uma manta de lã, por cima do sobretudo" (Aluísio Azevedo, *Casa de Pensão*, p. 104). **2.** Lenço grande us. como xale, para agasalhar a cabeça e os ombros. **3.** Tira de seda, de lã ou de outro tecido, com que se forma laço ao pescoço, servindo de gravata. **4.** Xairel grosso, ou sobreanca, de lã. **5.** Rego para plantação de bacelo. **6.** Camada de folhas caídas, ainda não decompostas, em uma floresta ou mata; camada humífera, folhada, rapão, sarapueira, sarapieira. **7.** Cardume, bando: *manta de sardinhas.* **8.** *Grav.* Feltro que se mete na prensa de talho-doce, juntamente com a placa e o papel, para auxiliar a penetração deste nos entalhes. **9.** *Bras. N.E. Prov. port.* Gravata (das mais comuns, não as gravatas-borboletas): "Trazia uma gravata — ele dizia manta — estofada que nem o assento duma poltrona antiga." (João de Araújo Correia, *Sem Método*, p. 27.) **10.** *Bras.* Grande pedaço de carne ou de peixe, curado pela exposição ao sol, etc.: "mostrava o vinho engarrafado em casa, as mantas de carne-seca ressumbrando sal" (Aluísio Azevedo, *Casa de Pensão*, p. 103). **11.** *Bras.* V. *logro* (2). **12.** *Bras.* Prejuízo em negócio. **13.** *Bras. S.* Porção de carne de rês, das costelas ou do peito. ◆ **Manta de toucinho.** Toucinho da metade de um porco. **Pintar a manta.** V. *pintar o sete*: "Como é que um cidadão goiano nascido tão longe .... foi fazer o diabo e pintar a manta no Rio de Prata, ... é o que custa crer." (Visconde de Taunay, *Ao Entardecer*, pp. 81-82.) **Tomar uma manta.** *Bras. SP Pop.* Ser ludibriado em compra ou em troca, adquirindo o mau como bom.

mantar [De *manta* (5) + *-ar*[2].] ***V. t. d.*** Cavar (a terra) em mantas [v. *manta* (5)] para plantar bacelo. [Pres. subj.: *mante, mantes, ... manteis, mantem.* Cf. *mantéis*, pl. de *mantel* e s. m. pl., e *mantém*, do v. *manter* e s. m.]

▲ **-mante** [Do gr. *mántis, eōs*.] ***El. comp.*** = 'que adivinha'; 'profeta': *actinomante, cartomante.*

mantear [De *manta* + *-ear*[2].] ***V. t. d.*** **1.** Colocar (alguém) sobre uma manta segura pelas quatro pontas, e fazê-lo saltar ao ar, sacudindo a manta com força. **2.** *Fig.* Importunar, arreliar, cacetear, chatear. **3.** *Bras.* Enganar dolosamente; trapacear. **4.** *Bras. S.* Cortar em mantas (a rês); retalhar. **5.** *Taur.* Incitar ou chamar (o touro) com a capa ou manta. ***Int.*** **6.** Cavar a terra, fazendo manta (5). [Conjug.: v. *frear*.]

mantearia [De *mantel* + *-aria*, com síncope do *l*.] ***S. f.*** **1.** Ofício de manteeiro. **2.** Casa onde se guardava quanto pertencesse à mesa real. **3.** O conjunto dos mantéis.

mantedor (ô) [De *manter* + *-dor*.] ***Adj. S. m.*** V. *mantenedor* (1 a 3).

manteeiro [De *mantel* + *-eiro*, com síncope do *l*.] ***S. m.*** Funcionário a quem competia a guarda dos mantéis da casa real.

manteiga [De or. incerta; poss. pré-romana.] ***S. f.*** **1.** Substância gorda e alimentícia, que se extrai da nata do leite. **2.** Substância gordurosa dalgumas plantas. **3.** Designação comum, outrora, a alguns cloretos metálicos. **4.** Variedade de feijão de grãos cor de chocolate, graúdos. **5.** *Pop.* Adulação, bajulação, lisonja. **6.** *Bras. AM* Qualquer óleo vegetal ou animal. **7.** *Bras. Gír.* Vantagem concedida por um competidor; lambujem. ◆ **Manteiga de açaí.** *Bras.* Massa, mais ou menos oleosa, que fica depositada na água onde se escalda e se tritura o açaí (2), para o refresco. **Manteiga de cacau.** *Bras.* Substância sólida, pouco consistente, branco-amarelada, obtida pela expressão das sementes do cacaueiro, e us. em confeitaria e em farmácia. **Manteiga de carité.** Substância sólida pouco consistente, acinzentada, amarelada ou esbranquiçada, obtida das sementes da árvore-da-manteiga e us. na alimentação, no fabrico de cosméticos e na feitura de velas. **Manteiga de tartaruga.** *Bras.* Substância oleosa que se prepara com as gemas dos ovos da tartaruga. **Manteiga em focinho de cachorro.** *Bras. N.E. Pop.* V. *manteiga em venta de gato.* **Manteiga em focinho de gato.** V. *manteiga em venta de gato.* **Manteiga em venta de gato.** *Bras. N.E. Pop.* Coisa que não dura, que cedo se gasta, ou sem firmeza; manteiga em focinho de gato, manteiga em focinho de cachorro. **Manteiga vegetal.** Manteiga fabricada com óleo de coco babaçu. **Boa para cortar manteiga.** *Fam. Irôn.* Diz-se de faca sem fio. **Passar manteiga em focinho de cachorro.** *Bras. N.E. Pop.* Passar manteiga em venta de gato. **Passar manteiga em focinho de gato.** *Bras. N.E. Pop.* Passar manteiga em venta de gato. **Passar manteiga em venta de gato.** *Bras. N.E. Pop.* **1.** Dar conselhos ou fazer o bem a quem não sabe ouvir ou agradecer. **2.** Fazer qualquer coisa debalde; perder o tempo. [Sin. ger.: *passar manteiga em focinho de gato, passar manteiga em focinho de cachorro*.]

manteiga-derretida [De *manteiga* + o f. de *derretido*.] ***S. 2 g.*** *Fam.* Pessoa que chora ou se melindra à toa. [Pl.: *manteigas-derretidas*.]

manteigaria [De *manteiga* + *-aria*.] ***S. f.*** Local onde se fabrica e/ou se vende manteiga.

manteigoso (ô) [De *manteiga* + *-oso*.] ***Adj.*** **1.** Que tem muita manteiga. **2.** Que tem o sabor de manteiga. **3.** Untuoso, gordurento. [Sin. ger.: *manteiguento*.]

manteigueira [De *manteiga* + *-eira*.] ***S. f.*** Recipiente em que se serve, à mesa, a manteiga.

manteigueiro [De *manteiga* + *-eiro*.] ***S. m.*** **1.** Fabricante e/ou vendedor de manteiga. • ***Adj.*** **2.** Que gosta muito de manteiga.

manteiguento [De *manteiga* + *-ento*.] ***Adj.*** V. *manteigoso.*

manteiro [De *manta* + *-eiro*.] ***S. m.*** Fabricante e/ou vendedor de mantas.

mantéis [Pl. de *mantel*.] ***S. m. pl.*** *Ant.* Roupas e pertences de mesa. [Cf. *manteis*, do v. *mantar*.] ~ V. *mantel.*

mantel [Do lat. *mantele*.] ***S. m.*** **1.** Toalha de altar ou de mesa. **2.** Capa[1] (1). ~ V. *mantéis.* [Pl.: *mantéis.* Cf. *manteis*, do v. *mantar*, e *mantéu*[1].]

mantelado [De *manteler* + *-ado*[1], com síncope.] ***Adj.*** *Heráld.* Diz-se de escudo que tem manteler.

mantelão [De *mantelete* + *-ão*[1], com síncope.] ***S. m.*** Mantelete (1) grande, us. por monsenhores.

manteler [De or. incerta.] ***S. m.*** *Heráld.* Figura constituída por duas linhas curvas, em feitio de aspas, com as extremidades voltadas para os dois lados inferiores do escudo, formando dois meios escudos.

mantelete (ê) [Do fr. *mantelet*.] ***S. m.*** *Ecles.* **1.** Vestidura curta, us. por dignitários eclesiásticos sobre o roquete. **2.** Pequena capa, leve e com rendas, para senhora: "uma ou duas dúzias de vestidos todos de cetim ou de veludo, ... decotados ou subidos, com os seus .... manteletes respectivos" (Ramalho Ortigão, *As Farpas*, V, p. 177). **3.** Capa curta com que os antigos cavaleiros cobriam o escudo e o capacete. **4.** *Fort. Ant.* Parapeito ou abrigo ligeiro, às vezes providos de rodas, para proteção das tropas que cercavam uma praça.

mantém [Var. de *mantel*.] ***S. m.*** Toalha de mesa; mantel. [Cf. *mantem*, do v. *mantar*.]

mantena ***Adj. 2 g.*** **1.** *Bras. GO* Bom; ótimo. **2.** *Bras. SP Folcl.* Personagem que desempenha o papel do rei dos cristãos e dos mouros, nas cavalhadas da cidade de Franca.

mantença [Do lat. vulg. **manutenentia*.] ***S. f.*** **1.** Aquilo que mantém ou sustenta; sustento, alimento, mantimento. **2.** Despesas feitas com a conservação dalguma coisa; manutenção, custeio, mantimento.

mantenedor (ô) [Do esp. *mantenedor*.] ***Adj.*** **1.** Que mantém, sustenta, protege ou defende. • ***S. m.*** **2.** Aquele que mantém ou sustenta. **3.** Defensor, campeão. [Sin., nessas acepçs.: *mantedor*.] **4.** *Ant.* O cavaleiro principal, nos torneios.

mantenense ***Adj. 2 g.*** **1.** De, ou pertencente ou relativo a Mantena (MG). • ***S. 2 g.*** **2.** O natural ou habitante de Mantena.

mantenha [Da loc. interj. '*(que Deus te) mantenha*', pelo cabo-verd. e pelo criol.] ***S. f.*** *Cabo-verd. Guin.* Cumprimento, saudação: "basta uma só mantenha para uma pessoa ficar logo com vontade de regressar." (Luís Romano, *Famintos*, p. 309). [Tb. us. no pl.]

mantenopolisense ***Adj. 2 g.*** **1.** De, ou pertencente ou relativo a Mantenópolis (ES). • ***S. 2 g.*** **2.** O natural ou habitante de Mantenópolis.

manteódeo [Do lat. cient. *Mante-* (tax. *Mantis*) + *-ódeo*; tax. *Manteodea*.] ***S. m. Adj.*** *Zool.* V. *mantódeo.*

manter [Do lat. **manutenere*, 'ter na mão'.] ***V. t. d.*** **1.** Prover do necessário à subsistência; sustentar: *manter uma família.* **2.** Observar, cumprir: *Manteve a palavra até o fim.* **3.** Conservar, sustentar: *Apesar de tudo, mantinha seu ponto de vista.* **4.** Defender, respeitar: *Nas piores situações, manteve os seus princípios.* **5.** Sustentar em determinada posição ou no gozo de algum direito: *O Presidente manteve o seu ministro.* **6.** Conservar, preservar: *A casa ainda mantém a cor* *original. T. d. e c.* **7.** Fazer permanecer em algum lugar: *Seus interesses mantinham-no fora do país.* ***Transobj.*** **8.** Manter (6): *Este museu mantém viva a história do país. P.* **9.** Alimentar-se, sustentar-se. **10.** Conservar-se, permanecer: "A situação política em Portugal mantém-se instável, e a outorga da Carta Constitucional por D. Pedro IV, em 1826, estabelece o liberalismo" (Feliciano Ramos, *História da Literatura Portuguesa*, p. 441). **11.** Resistir com êxito. [Irreg. Conjug.: v. *ter*. Pres. ind.: *mantenho, manténs, mantém*, etc. Cf. *mantem*, do v. *mantar*.]

manteú[1] [Var. de *mantel*, com vocalização.] ***S. m.*** **1.** Capa com colarinho, us. ger. por frades. **2.** *P. ext. Lus.* Manta (1), ou capa: "Cada pobre, sob o abrigo da sua telha-vã, ... se agacha no seu manteú ao calor da lareira." (Eça de Queirós, *A Cidade e as Serras*, p. 164.) **3.** Colarinho encanudado, ou com abas pendentes. **4.** Saia lisa, sem pregas.

manteú[2] [Do gr. *manteîon, ou*, 'residência do adivinho'.] ***S. m.*** Entre os antigos, local onde se pronunciavam oráculos.

manteúdo [Part. de *manter*, com a desin. arc. *-udo*.] ***Adj.*** **1.** Mantido, sustentado: *concubina teúda e manteúda.* **2.** *Bras.* Diz-se do cavalo ou boi robusto e que se mantém assim, apesar do trabalho ou da idade: "já montado — no Cabiúna manteúdo, animal fino, de frente alçada e pescoço leve" (João Guimarães Rosa, *Sagarana*, p. 11).

mântica [Do lat. *mantica*.] ***S. f.*** Pequeno saco; alforje, bornal.

mântico [Do gr. *mantikós*.] ***Adj.*** Relativo à adivinhação, à profecia.

manticostumes [De *manter* + o pl. de *costume*[1].] ***S. m.*** Aquilo que mantém, que conserva os costumes ou as tradições.

mântida [Do tax. *Mantis* + *-ida*[1].] ***Adj. 2 g. S. m.*** *Zool.* V. *mantídeo*.

mantídeo [Do tax. *Mantis* + *-ídeo*[1]; tax. *Mantidae*.] *Zool.* ***S. m.*** **1.** Espécime dos mantídeos, família de insetos predadores, carnívoros, matódeos, de tamanho médio a grande, e que, ger., têm coloração críptica; habitam regiões quentes do globo. ● ***Adj.*** **2.** Pertencente ou relativo a eles. [Sin. ger.: *mântida*.]

mantilha [Do esp. *mantilla*.] ***S. f.*** **1.** Manta para a proteção dos ombros e da cabeça. **2.** Véu fino de seda, rendas, etc., com que as mulheres adornam a cabeça e os ombros: "Arrumavam, as mulheres de então, suas cabeleiras .... com inúmeros grampos, flores, marrafas, alfinetes, cobrindo-as com mantilhas rendadas ou de gaze." (Osmã Lins, *Nove, Novena*, p. 23.) **3.** *P. ext.* Véu, cendal. [Cf. *matilha*.]

mantimentense ***Adj. 2 g.*** **1.** De, ou pertencente ou relativo a São José do Mantimento (MG). ● ***S. 2 g.*** **2.** O natural ou habitante de São José do Mantimento.

mantimento [Do arc. **manteimento* < *manteemento* < *manter* (< lat. **manutenere*) + *-mento*.] ***S. m.*** **1.** Ato de manter(-se): "nunca aceitava dinheiro; quando muito pequenas oferendas para o seu vestuário e mantimento" (Domingos Monteiro, *Contos do Natal*, p. 46). **2.** V. *mantença* (1). **3.** V. *mantença* (2). **4.** Alimento do espírito; satisfação, regalo. ~ V. *mantimentos*.

mantimentos [Pl. de *mantimento*.] ***S. m. pl.*** V. *víveres*. ~ V. *mantimento*.

mantinha [De *manta* + *-inha*.] ***S. f.*** *Bras. BA Cul.* **1.** Bife grelhado, muito fino e despojado de gordura. **2.** *Bras. RJ* Manta (10) de carne, acondicionada para venda em pequenas porções.

mântis [Do tax. *Mantis* (< gr. *mántis*, 'profeta').] ***S. m. e f. e 2 n.*** *Zool.* **1.** Gênero de insetos ortópteros predadores, mantídeos, que abrange cerca de 1.800 espécies, que habitam todas as regiões quentes do planeta. **2.** Qualquer espécie desse gênero como, p. ex., a *Mantis religiosa*, da qual fazem parte os maiores louva-a-deus. **3.** Qualquer espécime desse gênero.

mantissa [Do lat. *mantissa*, 'o excedente do peso', 'a quebra'.] ***S. f.*** *Mat.* A parte decimal de um logaritmo. [Cf. *característica* (2).]

manto [Do lat. tard. *mantu*.] ***S. m.*** **1.** Vestidura larga, comprida e sem mangas, us. para abrigo da cabeça e do tronco. **2.** Capa de cauda e roda que se prende nos ombros: *manto real.* **3.** Hábito (3) de freiras. **4.** *Fig.* Aquilo que encobre algo; véu, disfarce, capa: *o manto da hipocrisia.* **5.** *Fig.* Aquilo que recobre, ou se estende sobre: *o manto de verdura dos campos.* **6.** Escuridão, trevas: *o manto da noite.* **7.** *Zool.* Membrana, situada entre o corpo do animal e a concha nos moluscos e braquiópodes; túnica. **8.** *Geol.* Manto terrestre (q. v.). ◆ **Manto de decomposição.** *Geol.* Manto de intemperismo. **Manto de intemperismo.** *Geol.* Material superficial que sofreu intemperismo e que recobre a rocha fresca, e cuja espessura varia de alguns centímetros a dezenas de metros. [Sin.: *manto de decomposição*. Cf. *rególito*.] **Manto inferior.** *Geol.* V. *manto terrestre.* **Manto superior.** *Geol.* V. *manto terrestre.* **Manto terrestre.** *Geol.* Camada do globo terrestre situada entre a descontinuidade de Mohorovicic e a de Gutemberg, e que se costuma subdividir em *manto superior*, constituído provavelmente de silicatos compactos, como a olivina, e *manto inferior*, formado, presumivelmente, de sulfetos e óxidos. [Tb. se diz apenas *manto*.]

mantô [Do fr. *manteau*.] ***S. m.*** **1.** Vestimenta semelhante ao manto (1) que as mulheres usavam por cima de outro vestuário. **2.** V. *casacão*.

mantódeo [Do tax. *Mantis* + *-ódeo*; tax. *Mantodea*.] *Zool.* ***S. m.*** **1.** Espécime dos mantódeos, ordem de artrópodes, insetos ortópteros predadores, de corpo de tamanho médio ou grande, protórax longo e estreito, cabeça com movimentos livres, pernas anteriores muito alongadas, fêmures e tíbias fortemente espinhosas, com as quais prendem as presas. Põem ovos em grandes ootecas. São os louva-a-deus. ● ***Adj.*** **2.** Pertencente ou relativo a eles. [F. paral.: *manteódeo, mantóideo*.]

mantóideo [Do tax. *Mantis* + *-óideo*.] ***S. m. Adj.*** V. *mantódeo*.

mantopaque ***S. m.*** *Bras. Zool.* V. *barbado*[1] (6).

mantra [Do sânscr. *mantra*, 'instrumento para conduzir o pensamento'.] ***S. m.*** *Filos.* No tantrismo, fórmula encantatória que tem o poder de materializar a divindade invocada.

mântrico [De *mantra* + *-ico*[2].] ***Adj.*** Pertencente ou relativo a mantra: "O coro de vozes se ergue em sons quase mântricos, enquanto os pés batem forte no solo, evocando a mãe terra." (Lena Frias, em *Jornal do Brasil*, 31.05.1999.)

mantuano [Do lat. *mantuanu*.] ***Adj.*** **1.** De, ou pertencente ou relativo a Mântua (Itália). ● ***S. m.*** **2.** O natural ou habitante de Mântua.

mantuca [Do ior.] ***S. f.*** *Bras.* Feitiço de excremento de animais, us. na magia negra.

▲ **manu-** V. *mani-*[2].

manual [Do lat. *manuale*.] ***Adj. 2 g.*** **1.** Relativo à mão: *habilidade manual.* **2.** Feito com as mãos: *trabalho manual.* **3.** Que é manobrado ou acionado com as mãos: *máquina manual.* **4.** Maneiro (1). ~ V. *abecedário —, alfabeto —, câmbio —, composição —, margeação —, prelo — e terraplenagem —.* ● ***S. m.*** **5.** Pequeno livro. **6.** *Educ.* Livro que contém noções essenciais acerca de uma ciência, de uma técnica, etc.; compêndio, epítome: *manual de geografia.* **7.** Livro de ritos e rezas; breviário. **8.** *Mús.* Teclado de órgão. [Cf., nesta acepç., *pedaleira*.] ◆ **Manual didático.** *Educ.* Livro que contém orientações sobre técnicas de ensino destinado a professores.

manuário [De *manu-* + *-ário*.] ***Adj. S. m.*** *Tip.* Diz-se de, ou tipo de ostensão de estilo gótico ou de outro, sem ligaturas, em que predominam as características do desenho a mão livre. [V. *tipo gótico*. Cf. *escritural*.]

manubial [Do lat. *manubiale*.] ***Adj. 2 g.*** Relativo aos despojos do inimigo.

manúbrio [Do lat. *manubriu*, 'cabo', 'punho'.] ***S. m.*** **1.** *Anat.* Parte superior, ou punho, do esterno. **2.** *Zool.* Tubo central que principia na parte interna da umbela, nas medusas, e apresenta na extremidade livre a boca, seguida de um ducto esofagiano que se abre nos canais radiais da umbela. **3.** *Ant.* Manípulo (6): *o manúbrio da adaga.*

manuche ***S. m.*** V. *cigano* (1).

manudução [De *manu-* + lat. *ductione*, 'ação de conduzir'.] ***S. f.*** Ato de guiar pela mão.

manué ***S. m.*** *Bras.* V. *manauê*.

manuê ***S. m.*** *Bras. Cul.* V. *manauê*: "o mucunzá ...., a coalhada escorrida e os fofos manuês assados em folha de bananeira!..." (Domingos Olímpio, *Luzia-Homem*, p. 66).

manuel-comprido ***S. m.*** *Bras. Bot.* V. *farinha-seca* (8). [Pl.: *manuéis-compridos*.]

manuel-de-abreu [Var. de *manuel-de-breu* < antr. *Manuel* + *de* + *breu*, por infl. do antr. *Abreu*.] ***S. m.*** *Bras. Zool.* V. *abreu*[2]. [Pl.: *manuéis-de-abreu*.]

manuel-de-barro [Do antr. *Manuel* + *de* + *barro*.] ***S. m.*** *Bras. N.E. Zool.* Pássaro da família dos furnariídeos (*Furnarius figulus*). [Pl.: *manuéis-de-barro*.]

manuel-de-breu ***S. m.*** *Bras. Zool.* V. *abreu*[2]. [Pl.: *manuéis-de-breu*.]

manuel-emidense ***Adj. 2 g.*** **1.** De, ou pertencente ou relativo a Manuel Emídio (PI). ● ***S. 2 g.*** **2.** O natural ou habitante de Manuel Emídio. [Pl.: *manuel-emidenses*.]

manuelino [Do antr. *Manuel* + *-ino*[1].] ***Adj.*** **1.** De, ou pertencente ou relativo a D. Manuel I, rei de Portugal (1469-1521), ou à sua época. **2.** De estilo manuelino (q. v.): "Nos florões manuelinos da janela / Papeiam aves" (Gonçalves Crespo, *Obras Completas*, p. 310). ~ V. *estilo —*. ● ***S. m.*** **3.** O estilo manuelino.

manuel-magro [Do antr. *Manuel* + *magro*.] ***S. m.*** *Bras. Zool.* V. *bicho-pau* (1). [Pl.: *manuéis-magros*.]

manuel-ribense ***Adj. 2 g.*** **1.** De, ou pertencente ou relativo a Manuel Ribas (PR). ● ***S. 2 g.*** **2.** O natural ou habitante de Manuel Ribas. [Pl.: *manuel-ribenses*.]

manuel-vaqueiro [Do antr. *Manuel* + *vaqueiro*.] ***S. m.*** *Bras. PB Zool.* Pequeno passarinho da família dos furnariídeos (*Certhiaxis cinnamomea cearensis*). [Pl.: *manuéis-vaqueiros*.]

manuel-vitorinense ***Adj. 2 g.*** **1.** De, ou pertencente ou relativo a Manuel Vitorino (BA). ● ***S. 2 g.*** **2.** O natural ou habitante de Manuel Vitorino. [Pl.: *manuel-vitorinenses*.]

manuelzinho-da-coroa ***S. m.*** *Zool.* V. *maçarico-de-coleira*. [Pl.: *manuelzinhos-da-coroa*.]

manuelzinho-da-croa [Alter. de *manuelzinho-da-coroa*.] ***S. m.*** *Zool.* V. *maçarico-de-coleira*. [Pl.: *manuelzinhos-da-croa*.]

manufacto ***S. m.*** V. *manufato*.

manufactor (ô) ***Adj. S. m.*** V. *manufator*.

manufactura ***S. f.*** V. *manufatura*.

manufacturador (ô) ***Adj. S. m.*** V. *manufaturador*.

manufacturar ***V. t. d.*** V. *manufaturar*.

manufacturável ***Adj. 2 g.*** V. *manufaturável*.

manufactureiro ***Adj.*** V. *manufatureiro*.

manufato [Do lat. *manu factu*, 'feito à mão', 'fabricado'.] ***S. m.*** *P. us.* Manufatura; artefato.

manufator (ô) [De *manu-* + lat. *factore*, 'o que faz, fator'.] ***S. m.*** **1.** Aquele que manufatura. **2.** Proprietário de indústria manufatureira; fabricante. ● ***Adj.*** **3.** Referente a manufatura; manufatureiro.

manufatura [Do lat. med. *manufactura*.] ***S. f.*** **1.** Trabalho manual. **2.** Obra feita à mão. **3.** Grande estabelecimento industrial; fábrica, indústria: *manufatura têxtil.* **4.** Produto de estabelecimento dessa espécie; artefato.

manufaturação [De *manufaturar* + *-ção*.] ***S. f.*** Ato ou efeito de manufaturar.

manufaturado [Part. de *manufaturar*.] ***Adj.*** **1.** Resultante de manufatura (1), ou fabricado em manufatura (3): *produtos manufaturados.* ● ***S. m.*** **2.** Produto manufaturado.

manufaturador (ô) [De *manufaturar* + *-dor*.] ***Adj. S. m.*** Que, ou aquele que manufatura.

manufaturar [De *manufatura* + *-ar*[2].] ***V. t. d.*** **1.** Produzir com trabalho manual; fazer: *manufaturar utensílios de couro.* **2.** Fabricar ou produzir em manufatura (2); fabricar.

manufaturável [De *manufaturar* + *-vel*.] ***Adj. 2 g.*** Que se pode manufaturar.

manufatureiro [De *manufatura* + *-eiro*.] ***Adj.*** Manufator (3).

manuleio [De *mão*[1], poss.] ***S. m.*** *Bras. C.O. Pop.* Conchavo político.

→ **manu militari** ['mano mɪlɪ'tarɪ] [Lat.] *Dir.* Por força militar; recorrendo à força militar; coercitivamente.

manumissão [Do lat. *manumissione*.] ***S. f.*** Ato ou efeito de manumitir; alforria, libertação: "Àqueles a quem o berço fizera escravos restava a esperança de obterem da generosidade de seus senhores uma liberdade mais ou menos completa. Eram as manumissões de duas espécies: uma absoluta, condicional outra." (Alexandre Herculano, *História de Portugal*, III, p. 262.)

manumisso [Do lat. *manumissu*.] ***Adj. S. m.*** Diz-se de, ou escravo que teve manumissão ou alforria; liberto.

manumissor (ô) [Do lat. tard. *manumissore*.] ***S. m.*** Aquele que deu alforria, que manumitiu.

manumitente [Do lat. *manumittente*.] ***Adj. 2 g.*** Que manumite ou manumitiu.

manumitir [Do lat. *manumittere*.] ***V. t. d.*** Dar alforria a; libertar, resgatar, alforriar.

manuscrever [De *manu-* + lat. *scribere*, 'escrever'.] ***V. t. d.*** Escrever à mão: "Molho a pena na tinta e quero apenas / manuscrever teu nome na entrelinha." (Gilberto Mendonça Teles, *Plural de Nuvens*, p. 36.) [Part., irreg.: *manuscrito*.]

manuscrito [Do lat. *manu scriptu*, 'escrito à mão'.] ***S. m.*** **1.** Aquilo que se escreveu à mão. **2.** *Tip.* Designação corrente do tipo escritural. **3.** *Edit.* Original (10) de texto, mesmo que mecanografado. ● ***Adj.*** **4.** Escrito à mão. **5.** *Tip.* Diz-se de manuscrito (2).

manusdei [Do lat. *manus Dei*, 'mão de Deus'.] ***S. m.*** *Farmac.* Antigo emplastro vulnerário.

manuseação [De *manusear* + *-ção*.] ***S. f.*** V. *manuseio*.

manuseado [Part. de *manusear*.] ***Adj.*** Que foi objeto de manuseio.

manuseamento [De *manusear* + *-mento*.] ***S. m.*** V. *manuseio*.

manusear [Do lat. *manus*, 'mão', + *-ear*[2].] ***V. t. d.*** **1.** Pegar ou mover com a mão; manejar: *manusear a espada.* **2.** Folhear, compulsar: "Nem à Academia de Letras .... quis Machado de Assis legar a sua biblioteca, porque mãos alheias não deviam manusear livros lidos e relidos por Carolina" (Lúcia Miguel Pereira, *Machado de Assis*, p. 261). **3.** Amarrotar, enxovalhar. [Conjug.: v. *frear*. Pres. ind.: *manuseio*, etc. Part.:

M

manuseado. Cf. *manoseio,* s. m., *manoseado,* adj., e *manosear,* v.]

manuseável [De *manusear* + *-vel.*] ***Adj. 2 g.*** Que pode ser manuseado.

manuseio [Dev. de *manusear.*] ***S. m.*** Ato de manusear; manuseação, manuseamento. [Cf. *manoseio,* do v. *manosear* e s. m.]

manustérgio ***S. m.*** V. *manutérgio.*

manutenção [Do lat. med. *manutentione,* 'ação de segurar com a mão'.] ***S. f.*** **1.** Ato ou efeito de manter(-se). **2.** As medidas necessárias para a conservação ou a permanência de alguma coisa ou de uma situação: *manutenção da ordem.* **3.** V. *mantença* (2): *Todos na família contribuem para a manutenção da casa.* **4.** Os cuidados técnicos indispensáveis ao funcionamento regular e permanente de motores e máquinas: *manutenção de elevadores.*

manutenir [Voc. deduz. de *manutenível* (q. v.).] ***V. t. d.*** **1.** *Bras. Jur.* Conceder mandado de manutenção a. **2.** Manter, conservar. **3.** Manter-se, sustentar-se. [Defect., só conjugável nas formas em que ao segundo *n* se segue um *i*: *manutenimos, manutenis, manutenia, manutenirei,* etc.]

manutenível [Da loc. lat. *manutenere,* 'segura com a mão', + *-ível.*] ***Adj. 2 g.*** Que se pode manter ou manutenir.

manutérgio [Do lat. tard. *manutergiu.*] ***S. m.*** Toalha com que o sacerdote enxuga as mãos depois de lavá-las, durante a missa. [Var.: *manistérgio* e *manustérgio.* Sin., ant.: *tersol.*]

manx (cs) [Do nórdico *manskr,* 'da ilha de Man' (mar da Irlanda).] *Gloss.* ***S. m.*** **1.** Língua indo-europeia do ramo celta, falada na ilha de Man, e cujo último falante nativo morreu no final da década de 1940. [Voltou a ser falada, em consequência de um movimento revivescente.] • ***Adj. 2 g. e 2 n.*** **2.** Pertencente ou relativo a essa língua.

manzanza ***Adj. 2 g. S. 2 g.*** *Bras.* Mazanza.

manzanzar ***V. int.*** *Bras.* Mazanzar (q. v.).

manzape ***S. m.*** **1.** *Bras. N. Cul.* Bolo de milho ou de farinha de mandioca. **2.** *Bras. N.* Bolo malfeito. **3.** *Bras. N.E.* Pau ou chicote com que se castiga alguém. **4.** *Bras. N.E. Chulo* O pênis.

manzorra (ô) [Aum. de *mão*[1].] ***S. f.*** V. *manopla* (3).

manzuá ***S. m.*** *Bras.* Armadilha enredada para pescar lagosta.

mão[1] [Do lat. *manu.*] ***S. f.*** **1.** *Anat.* Segmento terminal de cada membro superior, que se segue ao punho, dotado de grande mobilidade e apurada sensibilidade, e que se destina, sobretudo, à preensão e ao exercício do tato. [Sin., gír.: *patola.*] **2.** *Zool.* Cada uma das extremidades dos membros superiores dos quadrúmanos e anteriores dos quadrúpedes. **3.** Extremidade, depois de cortada, de qualquer membro das reses. **4.** *Zool.* Garra de algumas aves. [Aum. irreg. principalmente da *mão*[1] (1): *manzorra* ou *mãozorra, manopla, manápula*; dim. irreg.: *manita.*] **5.** Poder, posse, domínio. **6.** Domínio, mando, autoridade; controle: *O governo passara às mãos dos republicanos.* **7.** Supervisão, orientação: *A obra passara pelas mãos de pessoa capaz.* **8.** Habilidade, destreza: *Ela tem mão para a cozinha.* **9.** Maneira peculiar de agir, ação ou influência de alguém, revelada por certo(s) indício(s); dedo: *Via-se na arrumação dos livros a mão da bibliotecária capaz; Em toda essa intrigalhada anda a mão do Alberto.* **10.** Lado, direção ou posição indicada por cada uma das mãos: "está sentado [Nosso Senhor Jesus Cristo] à mão direita de Deus Padre" (do *Credo*). **11.** Pequeno feixe ou porção de coisas que se abrange ou apreende com a mão: *duas mãos de vagens.* **12.** Camada de cal, verniz, tinta, etc., sobre uma superfície; demão. **13.** V. *gavinha.* **14.** Carda miúda e aparelhada com que se penteiam os panos. **15.** Peça com que se pisa qualquer coisa no almofariz ou no pilão. **16.** Ponteiro de relógio. **17.** Lanço completo de jogo de cartas. **18.** No jogo de cartas, o parceiro que joga em primeiro lugar. **19.** *Marinh.* Arremate em forma de alça, feito no chicote de um cabo para prendê-lo num cabeço, tope de mastro, haste, moitão, etc. **20.** *Constr. Nav.* Peça fixa, em forma de olhal, que abraça o turco próximo ao seu pé, e dentro da qual pode ele girar. **21.** *Mús.* Extremidade livre do braço das guitarras e instrumentos congêneres, onde se encontra um mecanismo de tarraxas e parafusos, destinados a retesar as cordas. [V. *cravelhal.*] **22.** *Ind. Pap.* Quantidade de papel igual a cinco cadernos, ou 25 folhas, e que equivale à vigésima parte de uma resma. **23.** *Bras.* Numa rua ou estrada, o sentido em que o veículo deve transitar; mão de direção: *Esta rua dá mão para a praia.* [Cf., nesta acepç., *contramão.*] **24.** *Bras. P. ext.* Nas ruas ou estradas de mão dupla, o lado que se convencionou o uso da mão (23): *Na grande maioria dos países adota-se a mão à direita.* [Cf., nesta acepç., *mão dupla, mão única* e *contramão.*] **25.** *Bras. N.E.* Alavanca de madeira que se introduz nos alvéolos transversais do fuso do arrocho [v. *arrocho* (4)], e com a qual se imprime a esse fuso o movimento rotativo. **26.** *Bras.* Medida us. pelos sertanejos para venda do milho não debulhado, e que consta de 50 espigas em PE, de 25 em AL, de 60 em SP, de 64 no RS. **27.** *Bras. Basq.* Cestinha (1 e 2). [Pl.: *mãos.*] ◆ **Mão de direção.** Mão (23). **Mão de ferro.** Potência tirânica; tirania, despotismo, opressão; braço de ferro. **Mão de frade.** Mão macia, de quem não se dá a tarefas pesadas. **Mão de gengibre.** *Bras. CE Pop.* Mão engelhada ou mirrada. **Mão de linho.** Doze estrigas juntas. **Mão de macaco.** *Med.* Mão (1) em que se observa atrofia da musculatura do tênar, e que ocorre em algumas doenças da medula espinhal; mão simiesca. **Mão de parteiro.** *Med.* Mão (1) que apresenta contração tetânica, estando o polegar em adução forçada e os outros dedos semifletidos sobre a palma. **Mão dupla.** *Bras.* Mão (23) nos dois sentidos: *Você poderá entrar de qualquer lado nesta rua, pois é de mão dupla.* **Mão em gota.** *Neur.* V. *carpoptose.* **Mão leve:** "Salvo aparecimento de fatos mais graves sugere-se mão leve na punição dos delitos comprovados." (Luís Garcia, *O Globo,* 04.03.2005) **Mão na roda.** *Bras.* Ajuda propícia; auxílio oportuno. **Mão por baixo, mão por cima.** Cautelosamente. **Mão por mão. 1.** Um contra um; mano a mano: "Amália e eu, pacificamente sentados muito mão por mão a uma sombra do jardim, toucávamos de .... amores-perfeitos as suas bonecas" (Antônio Feliciano de Castilho, *Amor e Melancolia,* p. 195). **2.** V. *mano a mano* (1). **Mão própria.** Serviço postal pelo qual a correspondência é entregue somente ao próprio destinatário. [Abrev.: *MP.*] **Mãos de anéis.** Mãos delicadas. **Mãos de fada.** Mãos de mulher habilidosa em trabalhos manuais, esp. nos de costura: "Mãos de fada bordavam os lençóis e as fronhas, abrindo letras sobre o linho puro." (José Lins do Rego, *Meus Verdes Anos,* p. 142.) **Mão simiesca.** *Med.* Mão de macaco. **Mãos postas.** Mãos erguidas, palma com palma, para rezar ou suplicar. [Cf. *mãos-postas,* pl. de *mão-posta.*] **Mão única.** *Bras.* Mão (23) em um único sentido: *Nos grandes centros urbanos a tendência é estabelecer mão única para as ruas estreitas.* **Mão zamba.** A mão (1) congenitamente torcida sobre o antebraço. **Abrir mão de.** Pôr de parte; desistir de; desabrir mão de: "Ultimamente parecia enojado de uma e de outra [a política e a sociedade], mas não tendo em que matar o tempo, não abriu mão delas." (Machado de Assis, *Relíquias de Casa Velha,* p. 52.) **Aguentar a mão.** *Bras.* **1.** Enfrentar ou suportar situação penosa ou trabalhosa; aguentar o repuxo, aguentar a parada, aguentar as pontas. **2.** Esperar ou aguardar pacientemente; aguentar as pontas: "Augusto achava que eu devia aguentar a mão, pois o Dias gostava de mim, e o lugar era de futuro." (Ciro dos Anjos, *A Menina do Sobrado,* p. 320.) [Sin. ger.: *aguentar as pontas, segurar a onda.*] **À mão. 1.** Com a mão. **2.** Ao alcance; pertinho; em posição fácil de pegar: *Foi à biblioteca, tomou o livro que estava mais à mão.* **Andar com as mãos nas algibeiras.** Estar ocioso; andar de mãos nas algibeiras. **Andar de mãos nas algibeiras.** Andar com as mãos nas algibeiras. **A quatro mãos. 1.** Executado (trecho musical) por duas pessoas no mesmo piano. **2.** Escrito (livro) por duas pessoas: "Há vinte anos, Lobato e Rangel [Monteiro Lobato e Godofredo Rangel] escrevem *No Minarete,* um romance a quatro mãos, *O Queijo de Minas* ou *A História de um Nó Cego*" (Fausto Cunha, *Situações da Ficção Brasileira,* p. 111). **Às mãos ambas.** V. *com ambas as mãos*: "Com a maça jogada às mãos ambas abalava e rompia as armas mais bem temperadas" (Alexandre Herculano, *Eurico, o Presbítero,* pp. 103-104). **Assentar a mão.** Adquirir destreza ou segurança, adestrar-se, aperfeiçoar-se, numa atividade manual ou noutra qualquer: "assentarei a mão para alguma obra de maior tomo." (Machado de Assis, *Dom Casmurro,* p. 6). **Baixar a mão em.** Bater muito em (alguém), surrar; deitar a mão em. **Banhar as mãos no sangue de.** Matar, assassinar (alguém). **Botar a mão na consciência.** Pôr a mão na consciência. **Colher às mãos.** Prender, agarrar, apanhar. **Com a mão do gato.** Sorrateiramente. **Com a mão na consciência.** Com toda a verdade, e ânimo de absoluta justiça. **Com a mão na massa.** Trabalhando em determinada coisa de que no momento se trata; com as mãos na massa: *estar ou achar-se com a mão na massa*; "E já que estava com a mão na massa transitória das ervas, resolvi voltar de novo a S. Frutuoso, ressonância moribunda do eco bizantino que chegou até nós." (Miguel Torga, *Portugal,* pp. 15-16.) **Com ambas as mãos.** Da melhor vontade; com as duas mãos; às mãos ambas: "Estêvão .... aceitou a oferta com ambas as mãos" (Machado de Assis, *A Mão e a Luva,* em *Obra Completa,* 1º vol., p. 338). **Com as duas mãos.** V. *com ambas as mãos*: "Em vez de levar a mal, o rapaz aceitou com as duas mãos o recurso, que se lhe oferecia" (Franklin Távora, *O Matuto,* p. 58). **Com as mãos na massa.** Com a mão na massa. **Com as mãos vazias.** V. *com uma mão atrás e outra adiante.* **Com mão de ferro.** Com a máxima energia; com pulso firme: "Sumido o curador Tutu Militão, montei nova brincadeira, uma vez que sei comandar com mão de ferro e punho doce, conforme a obrigação da hora." (José Cândido de Carvalho, *O Coronel e o Lobisomem,* p. 46.) **Com mão diurna e noturna. 1.** Dia e noite. **2.** Constantemente, incessantemente; com mão noturna e diurna: "Versou-os [os clássicos lusitanos] um por um com mão diurna e noturna." (Monteiro Lobato, *Negrinha,* p. 121.) **Com mão noturna e diurna.** Com mão diurna e noturna (2). **Comer na mão de alguém.** Ser subornado por alguém. **Com mão de mestre.** Com perfeição, com muita perícia: "ele tratou de vários ramos da Medicina e sempre com mão de mestre." (Pedro Nava, *Beira-Mar,* p. 151.) **Com uma mão atrás e outra adiante.** Em estado de penúria; sem recursos; com as mãos vazias; com uma mão na frente e (a) outra atrás: *Chegou aqui com uma mão atrás e outra adiante, e hoje é rico*; "Saí com uma mão atrás e outra adiante, e fui ser caixeiro de um bruto, um ingrato, que, ao fim de oito anos, em vez de me dar sociedade, passou a casa a um sujeito meu desafeto." (Artur Azevedo, *Contos fora da Moda,* p. 56). **Com uma mão na frente e (a) outra atrás.** V. *com uma mão atrás e outra adiante*: "Nascido na roça paranaense, foi tentar a sorte em São Paulo há mais de trinta anos, com uma mão na frente e outra atrás." (Fernanda Torres, em Revista *Veja Rio,* 01.10.2008.) **Dar a mão a. 1.** Estender a mão para cumprimentar. **2.** Ajudar, auxiliar, amparar; dar uma mão a, dar uma mãozinha a: "Devo muitos obséquios à família deste rapaz. Lembras-te daquele velho, de que te falei, aquele que foi quem me deu a mão lá no Norte?... Pois este é o sobrinho" (Aluísio Azevedo, *Casa de Pensão,* p. 9). **Dar a mão ao bolo.** *Bras.* V. *dar a mão à palmatória.* **Dar a mão à palmatória.** Confessar o erro; reconhecer que errou; dar-se por vencido. [Tb. se diz *dar as mãos à palmatória*; sin., bras.: *dar a mão ao bolo.*] **Dar as mãos à palmatória.** V. *dar a mão à palmatória.* **Dar de mão a.** Pôr de lado; abandonar, renunciar; deixar de mão, largar de mão: "Eu quisera ter ido .... para contemplar essa moça que dá de mão ao mundo e suas agitações, troca .... o figurino vário como a fortuna pelo vestido único e perpétuo de uma congregação." (Machado de Assis, *A Semana,* II, p. 79). **Dar mão forte a.** Dar todo o apoio ou toda a razão a; dar-lhe todo o poder: "Era como um feitor da redação, a quem Euro Arantes e José Maria Rabelo deram mão forte, plenos poderes." (Roberto Drummond, *Hilda Furacão,* p. 168.) **Dar uma mão a.** *Bras.* V. *dar a mão a* (2). **Deitar a mão a.** Apoderar-se de; agarrar; deitar a mão em: "Se pode, à socapa, deita a mão a alguma dessas pirâmides de frutos que sedutoramente se elevam às portas das mercearias." (Graciliano Ramos, *Linhas Tortas,* p. 31.) **Deitar a mão em. 1.** Deitar a mão a. **2.** Baixar a mão em (q. v.). **Deixar de mão.** V. *dar de mão a.* **Deixar na mão.** Faltar a um compromisso, a uma promessa, a uma responsabilidade. **De mão beijada.** De graça; gratuitamente: "Não se via José Moura ali, alegre como se o Dr. Luís o houvesse chamado para lhe entregar o Pindoba, de mão beijada, com as dívidas esquecidas?" (José Lins do Rego, *Usina,* p. 197.) **De mão cheia.** Muito bom, ótimo: "sempre gostara de passar a ferro e, sem modéstia, era uma passadeira de mão cheia." (Clarice Lispector, *Laços de Família,* p. 46). **De mão comum.** Com auxílio mútuo; em colaboração: "Tenho ainda a carta em que José Veríssimo se despede das minhas relações e foi escrita quando apareceu a pequena – *História da Literatura* – que de mão comum escrevemos Sílvio Romero e eu." (João Ribeiro, *Cartas Devolvidas,* p. 192.) **De mão em mão.** Da mão de um para a de outro; de pessoa para pessoa. **De mãos abanando.** *Fig.* **1.** Sem recursos; sem dinheiro: *Trabalhou a vida toda na empresa e no fim saiu de mãos abanando.* **2.** Sem conseguir aquilo que desejava: *Fui buscar a encomenda e voltei de mãos abanando: não havia chegado!* **De mãos atadas.** Impossibilitado de agir; maniatado, manietado. **De mãos dadas. 1.** Com uma das mãos entrelaçada à de outra pessoa: *Os namorados seguiam de mãos dadas.* **2.** Em companhia de, juntamente: *O crime ali prosperou de mãos dadas com a corrupção.* **De mãos largas.** Liberal, generoso, dadivoso. **De mãos limpas.** Íntegro, incorrutível, insubornável. **Desabrir mão de.** Abrir mão de. **De segunda mão.** Que passou por um ou mais donos; já usado: *bicicleta de segunda mão.* **Em boas mãos.** Confiado a pessoa capaz, competente, e/ou de confiança: *Confiada a pessoa com tais qualidades, a minha causa está em boas mãos.* **Em mão. 1.** Palavras que se escrevem (em geral abreviadamente: *E. M.*) no sobrescrito de carta cuja entrega ao respectivo destinatário se confia a um particular, e não ao correio. **2.** Diz-se desse modo de enviar correspondência: *Mandei-lhe uma carta em mão.* [Tb. se diz *em mão própria.*] **Em mão própria.** Em mão. [Abrev.: *E. M. P.*] **Em primeira mão. 1.** Sem ninguém ter usado antes de quem adquiriu, do dono: *Tem muitos livros, todos adquiridos em primeira mão.* **2.** Sem que ninguém tenha divulgado antes; com prioridade: *Este jornal sempre dá notícias em primeira mão.* **Em segunda mão. 1.** Sendo o adquirente ou dono o segundo (ou terceiro, etc.) a usar: *Muitos dos seus livros foram comprados em segunda mão, nos sebos.* **2.** Já tendo sido divulgado antes; sem prioridade: *A notícia saiu naquele jornal em segunda mão.* [Tb. se diz (é claro) *em terceira mão*, etc.] **Errar a mão. 1.** Fazer algo malfeito. **2.** *Pop.* Bater em alguém de modo excessivo. **Estar nas mãos de alguém. 1.** Diz-se daquilo que depende das forças, do poder, da decisão ou da boa vontade de um indivíduo: "É talvez um pressentimento infundado; é talvez loucura, como dizes, mas não está em minhas mãos; sou mãe" (Aluísio Azevedo, *O Coruja*, p. 57). **2.** Diz-se de quem está na dependência de outra pessoa, ou sob o seu poder. **Estender a mão a. 1.** Pedir uma coisa a (alguém) como grande favor, ou como esmola. **2.** Dispor-se a proteger; a ajudar: "– .... Quando estiver bem instalado na vida, não me venham pedir favores! Uma mão lava a outra e vocês não quiseram estender-me a mão." (Carlos Heitor Cony, *Pilatos*, p. 202.) **Fazer a(s) mão(s).** *Bras.* Fazer (7) as unhas da(s) mão(s); tê-la(s) manicurada(s). **Fazer com as mãos e desmanchar com os pés.** Fazer um favor, uma caridade, um benefício a alguém, mas em seguida proceder de modo inamistoso, ou deselegante, ou desdenhoso, etc. **Fazer mão baixa em.** Rapinar, furtar, surripiar: "Fazia mão baixa no que podia — o mais importante era gado e pessoas na idade juvenil aproveitáveis como escravos — e abalava" (Aquilino Ribeiro, *Os Avós dos Nossos Avós*, p. 282). **Fazer mão de gato.** *Bras. N.E.* V. *roubar* (2). **Feito por mão de mestre.** Feito a primor, excelentemente. **Ficar na mão.** Ser logrado. **Fora de mão.** Em lugar de acesso difícil; contramão: *A casa é boa, mas fica fora de mão.* **Forçar a mão.** Agir com insistência, ger. de modo excessivo, para obter algo ou para obrigar alguém a fazer determinada coisa; forçar a barra, forçar a nota: "E, em especial, tão encantado andava com as *ballerinas* que, forçando a mão, levei os companheiros a trocarem o Café Norte-Mineiro pela Confeitaria Martini, casa de luxo, intimidativa e dispendiosa." (Ciro dos Anjos, *A Menina do Sobrado*, p. 247). **Içar de mão em mão.** *Marinh.* Içar, segurando alternadamente o cabo, ora com uma, ora com outra mão, sem sair do lugar. **Ir à mão a alguém.** Impedir, obstar; ir à mão de alguém: "Um peralvilho que morava alguns passos adiante concebeu a ideia de ir denunciá-lo à polícia, ato que não realizou por lhe terem ido à mão algumas pessoas." (Machado de Assis, *Contos sem Data*, p. 84.) **Ir à mão de alguém.** V. *ir à mão a alguém*. **Jogar de mão. 1.** Ser o primeiro a jogar. **2.** Dar coices com as mãos (cavalgadura). **Lançar mão de.** Servir-se, utilizar-se, valer-se, de: "Jacob lança mão do meio extremo: mata a mísera mocinha e deita o seu corpo ao rio." (Alphonsus de Guimaraens, *Obra Completa*, p. 418.) **Largar de mão.** V. *dar de mão a*. "Gaspar, sem largar de mão o que fazia, olhou para ele de esguelha, e sacudiu os ombros." (Aluísio Azevedo, *A Condessa Vésper*, p. 42.) **Lavar as mãos de. 1.** Não tomar a responsabilidade de. **2.** Furtar-se às consequências de. **Levantar as mãos ao céu.** Agradecer a Deus um benefício, ou dar-se por satisfeito com ele. **Levar, ganhar na mão grande.** *Bras. Gír.* Roubar, furtar. **Limpo de mãos.** Honrado, íntegro. **Meter a mão.** Cobrar preço exorbitante. **Meter a mão em. 1.** Tomar conhecimento de (assunto ou pessoa); examinar, estudar. **2.** Passar a mão em (2): *Meteu a mão no dinheiro alheio.* **3.** Bater em; espancar, agredir. **Meter a mão em cumbuca.** *Bras.* **1.** Cair em esparrela, em logro; deixar-se ludibriar. **2.** Meter-se em encrenca; arrumar confusão ou problemas para si. **Meter mãos à obra.** Atirar-se com afinco a um trabalho, a uma atividade. **Molhar a(s) mão(s) de. 1.** Dar gratificação ou gorjeta a; gratificar. **2.** Subornar; untar a(s) mão(s) de. **Não haver mãos a medir. 1.** Não ter mãos a medir. **2.** Ser quase impossível atender a todos e a tudo: "Não houve mãos a medir no trabalho das escravas costureiras: vinham encomendas de todos os cantos." (Delso Renault, em *D. João VI no Brasil*, p. 23.) **Não ter mão de si.** Não se conter; não ter mão em si. **Não ter mão em si.** Não ter mão de si: "E o Pedro já não teve mão em si: jogou-se pra grota abaixo, numa aflição e num desespero sem termos." (Valdomiro Silveira, *Os Caboclos*, p. 161.); "Não pude ter mão em mim, que não pensasse outro verso, de repente" (Valdomiro Silveira, *Lereias*, p. 86). **Não ter mãos a medir.** Não se conter; esbanjar, distribuir inconsideradamente; não haver mãos a medir. **Nas mãos de. 1.** À mercê de; à discrição de: *Vai ficar nas mãos dos credores.* **2.** Na dependência de; pendente da solução de: *O caso não está nas mãos do diretor.* **Nem à mão de Deus Padre.** Nem com a maior insistência; de modo nenhum: "Ela mesma dissera logo que da Rua Direita não arredava o pé, nem à mão de Deus Padre." (Pedro Nava, *Balão Cativo*, p. 32.) **Passar a mão em.** *Bras.* **1.** Lançar mão de; apanhar. **2.** Desviar, subtrair, furtar, surripiar; meter a mão em. **Passar a mão na (ou pela) cabeça de. 1.** Perdoar falta(s) a, poupar (alguém). **2.** Proteger, livrando de castigo; alisar: "— Este menino está ficando impossível. Não sei o que ele viu. Cândida, não passe a mão pela cabeça dele que é pior. Só a pancada..." (Cordeiro de Andrade, *Anjo Negro*, p. 105.) **Pedir a mão de.** Pedir em casamento: *Pediu a mão da moça, e casa em breve.* **Poder limpar as mãos à parede.** Usa-se, ironicamente, com referência a quem se vangloria de uma ação que, em verdade, merece censura ou desprezo: "— Pois, se foi para você dizer-me o que se passou nesta casa que Jorge o deixou aqui, podem os dois limpar as mãos à parede, porque fiquei na mesma!" (Aluísio Azevedo, A *Condessa Vésper*, p. 221.) **Pôr a mão em.** Tocar ou mexer em. **Pôr a mão na consciência.** Pensar, meditar, a fim de reconhecer se está ou não em falta ou erro. **Pôr a mão na massa. 1.** Pôr-se a trabalhar em algo de modo efetivo, de fato. **2.** Trabalhar com vontade. **Pôr a mão no fogo por. 1.** Dar testemunho de confiança em (alguém). **2.** Responsabilizar-se por (alguém). [Tb. se diz *pôr as mãos no fogo por.*] **Pôr as mãos.** Uni-las em atitude súplice para rezar: "ajoelhou-se à beira do leito, pôs as mãos, e .... exclamou: | — Tu não morres, não, minha filha?" (Camilo Castelo Branco, *A Mulher Fatal*, p. 111). **Pôr as mãos no fogo por.** Pôr a mão no fogo por. **Por baixo da mão.** Às escondidas; às ocultas; à sorrelfa. **Por mão de.** Por meio de, entregue por: "– .... Saiu, e foi encomendar uma escada de seda, a qual ficou pronta e veio daí a dias por mão do criado" (Machado de Assis, *Contos Avulsos*, p. 156). **Pôr mãos à obra.** Meter mãos à obra: "Eis o réu que sobe a forca. Passou pela turba um frêmito. O carrasco pôs mãos à obra." (Machado de Assis, *Quincas Borba*, pp. 80-81.) **Prestar mão forte.** Apoiar, ajudar. **Sair na mão.** *Bras.* Vir às mãos. **Ser uma mão na roda.** *Bras. Fam.* Constituir ajuda grande e oportuna: *Se me emprestar o dinheiro, será uma mão na roda.* **Sob mão.** *Bras. Mar. G.* Sob controle. **Sujar as mãos. 1.** Furtar. **2.** Matar ou mandar matar: "Matar um homem, que coisa monstruosa! .... 'Um servicinho, Seu Doutô.' Nunca que sujasse as minhas mãos!" (José Lins do Rego, *Banguê*, p. 160). **Ter a mão furada.** *Bras.* Ser pródigo, esbanjador, manirroto. **Ter a mão pesada.** Incomodar ou molestar ao mais leve toque. **Ter as mãos limpas. 1.** Ser honesto. **2.** Não ter cometido algo criminoso ou desonesto. [Us. ger. para afirmar inocência em relação a um fato específico.] **Ter entre mãos.** Estar trabalhando em. **Ter mão. 1.** Suspender o que estava fazendo, ou deixar de fazer o que ia fazer. **2.** Tomar cautela. **3.** Reprimir, dominar, controlar, conter. **Ter mão de pilão.** *Bras.* Ser desajeitado, inábil, em trabalhos manuais. **Ter mão em. 1.** Não deixar sair das mãos; segurar, agarrar. **2.** Amparar, suster. **3.** Reprimir, dominar, controlar, conter: "mamãe .... achava pouco fino papai dizer alto o que sentia e pensava. Bem que vovô se aproveitou daquele jeito dele, quando não conseguiu ter mão no namoro de tia Juju e pediu a papai que tomasse conta da cunhada." (Adélia Prado, *Os Componentes da Banda*, p. 14). **Ter mão em alguém.** Impedi-lo de fazer algo, mantê-lo sob controle: "queria o Palácio que o episódio se encerrasse com as eleições; o Andrada não se meteria em aventuras com aquela gente esquentada dos pampas. Se o próprio Getúlio não podia ter mão nos malucos..." (Ciro dos Anjos, *A Menina do Sobrado*, p. 367). **Ter mão leve. 1.** Estar sempre disposto a bater, a espancar. **2.** *Bras. Gír.* Ser gatuno, ratoneiro, ladrão. [Cf. *mão-leve.*] **Ter na mão.** Ter (alguém) ao sabor da sua vontade, de seus caprichos; dominar (alguém). **Untar a(s) mão(s) de.** V. *molhar as mãos de.* **Vir às mãos.** Combater, lutar, brigar: "os dois exércitos encontraram-se acampados tão perto um do outro que seria impossível desligarem-se sem virem às mãos." (Aquilino Ribeiro, *Os Avós dos Nossos Avós*, p. 159). [Sin., bras.: *sair na mão.*] **Vir com as mãos a abanar.** Vir com as mãos abanando. **Vir com as mãos abanando.** Trazê-las vazias; vir com as mãos a abanar.

mão^{2} [Trad. do concani *hãt* < sânscr. *hasta*, 'mão^{1}', 'braço'.] ***S. f.*** *Luso-asiat.* Medida linear de Goa. [Pl.: *mãos.*]

mão^{3} [Do concani *man* < sânscr., *mãna*, rad. *ma*, 'medir'.] ***S. f.*** *Luso-asiat.* **1.** Antigo peso indiano. **2.** Certa medida de capacidade de Damão. [Pl.: *mãos.*]

mão-aberta ***S. 2 g.*** *Bras.* **1.** V. *mãos-rotas*. **2.** Mãos-largas. [Pl.: *mãos-abertas.*]

mão-boba (ô) [De *mão*^{1} + *boba* (ô).] ***S. f.*** **1.** Gesto de quem procura disfarçadamente, com um ar vago, distraído, tocar com a mão o corpo de outra pessoa com intenção libidinosa ou de furto. ● ***S. m.*** **2.** Indivíduo que tem o hábito de praticar esse gesto. [Pl.: *mãos-bobas.*]

mão-cheia ***S. f.*** V. *mancheia*. [Pl.: *mãos-cheias.*] ~ V. *mãos-cheias*. ◆ **De mão-cheia.** Ótimo, excelente; de encher as medidas; de enche-mão: "o Dr. Tavares, um advogado de mão-cheia" (Aluísio Azevedo, *Casa de Pensão*, p. 103).

mão-curta [De *mão*^{1} + o f. de *curto*^{2}.] ***S. m.*** *Bras. Zool.* V. *veado-roxo*. [Pl.: *mãos-curtas.*]

mão-de-branco ***S. m.*** *Bras. Amaz. Bot.* Planta amarilidácea (*Alstroemeria amazonica*) herbácea, cujas flores, lindamente coloridas, são muito ornamentais. [Pl.: *mãos-de-branco.*]

mão de cabelo (ê) ***S. m.*** *Bras. MG Etnogr.* Ente fantástico, que a superstição popular representa com forma humana, vestido de branco, e cujas mãos são feitas de longos cabelos. [Pl.: *mãos de cabelo.*] ☑

mão de cáiser ***S. f.*** *Bras. RS* Pão feito com a massa do pão careca (q. v.), crocante por fora, em forma de mão espalmada. [Pl.: *mãos de cáiser.*] ☑

mão de faca ***S. m.*** *Bras. Rel.* V. *axogum*. [Pl.: *mãos de faca.*] ☑

mão de ferro ***S. f.*** Us. em loc. como *com mão de ferro, ter mão de ferro*, etc. [Pl.: *mãos de ferro.*] ◆ **Com mão de ferro.** Com rigor; energicamente. **Ter mão de ferro.** Ser enérgico, rigoroso. ☑

mão de finado ***S. 2 g.*** V. *avaro* (3). [Pl.: *mãos de finado.*] ☑

mão-de-gato ***S. f.*** *Bras. Amaz. Bot.* Arvoreta conarácea (*Connarus erianthus*) de folhas coriáceas, flores amarelas, reunidas em espigas, e folículos internamente pubescentes. [Pl.: *mãos-de-gato.*]

mão de leitão ***S. 2 g.*** *Bras. S.* V. *avaro* (3). [Pl.: *mãos de leitão.*] ☑

mão de obra ***S. f.*** **1.** Trabalho manual de operário, artífice, etc.: "Na marcenaria francesa é inexcedível a perfeição da mão de obra nos móveis de luxo" (Ramalho Ortigão, *Notas de Viagem*, p. 192). **2.** Despesa com esse trabalho. **3.** Aqueles que o realizam: *Há muita falta de mão de obra especializada.* **4.** *Bras.* Coisa difícil, complicada. [Sin., lus. (nesta acepç.): *bico de obra*. Pl.: *mãos de obra.*] ☑

mão-de-onça ***S. f.*** *Bras. Amaz. Bot.* Arbusto marcgraviáceo (*Marcgravia coriacea*) escandente, cujas folhas são coriáceas, cujas inflorescências, grandes, portam enormes brácteas vermelhas em forma de dedo de luva, cheias de néctar, sendo as flores bem menores do que elas, e cujos frutos alcançam 15mm de diâmetro. [Pl.: *mãos-de-onça.*]

mão de onze ***S. f.*** *Bras. MG* Hora decisiva; hora de aperto. [Pl.: *mãos de onze.*] ☑

mão de padre ***S. m.*** *Bras. MG* Indivíduo preguiçoso; malandro. [Pl.: *mãos de padre.*] ☑

mão de vaca ***S. f.*** **1.** *Bras. N.E.* Mocotó (1). **2.** *Bras. N.E. Cul.* Iguaria preparada com o mocotó (1). ● ***S. 2 g.*** **3.** *Pop.* Indivíduo mesquinho, avaro. [Pl.: *mãos de vaca.*] ☑

mão-fechada [De *mão* + o f. de *fechado*.] ***Adj. 2 g. S. 2 g.*** V. *avaro* (1 e 3): "Diziam que Dona Dalva era mão-fechada. O que sei é que não cobrava renda de agregado." (Odilo Costa Filho, *Histórias da Beira do Rio*, p. 84.) [Pl.: *mãos-fechadas.*]

mão-francesa (ê) ***S. f.*** **1.** *Constr.* Espécie de braço ou cantoneira, de ferro ou de madeira, destinada a sustentar beirais de telhado, caixas-d'água, etc. **2.** Peça em forma de *L* us. para sustentar prateleiras, etc. [Pl.: *mãos-francesas.*]

mão-furada ***S. 2 g.*** *Bras. Fam.* V. *mãos-rotas*. [Pl.: *mãos-furadas.*]

mão-inglesa (ê) ***S. f.*** Mão (24) à esquerda. [Pl.: *mãos-inglesas.*]

maoismo [Do antr. *Mao* (*Tsé-Tung*) + *-ismo*.] ***S. m.*** Desenvolvimento teórico e prático do marxismo-leninismo (q. v.), realizado por Mao Tsé-Tung (1893-1976), estadista chinês, que prega a tomada do poder pelo proletariado e o desencadeamento da revolução cultural proletária durante a construção do socialismo, a fim de eliminar a ideologia burguesa. ❖

maoista [De *maoismo* + *-ista*.] ***Adj. 2 g.*** **1.** Relativo a, ou próprio do maoismo. **2.** Que é partidário ou seguidor do maoismo. ● ***S. 2 g.*** **3.** Partidário ou seguidor dessa doutrina. ❖

mão-leve ***S. 2 g.*** *Bras. Gír.* Gatuno, ratoneiro, ladrão. [Pl.: *mãos-leves*. Cf. *ter mão leve.*]

maometa [F. red. de *maometano*.] ***Adj. 2 g. S. 2 g.*** *Desus.* V. *maometano*.

maometano [Do it. *maomettano*.] *Adj.* **1.** Pertencente ou relativo a Maomé, ou ao maometismo (q. v.). **2.** Que é sectário da religião de Maomé. [Sin., nessas acepç.: *alcoranista, maomético, muçulmano, mosleme, moslim* e (desus.) *maometa*.] ● *S. m.* **3.** Sectário do maometismo. [Sin.: *islamita, muçulmano, mosleme, moslim* e (desus.) *maometa*.]

maomético [De *maomé* + *-ético*.] *Adj.* V. *maometano* (1 e 2).

maometismo [Do antr. *Maomé* (< ár. *muḥammad*) + *-t-* + *-ismo*; pelo fr. *mahométisme*.] *S. m.* Religião fundada por Maomé (c. 570-632), ou a doutrina e os ensinamentos dessa religião; alcorão, islamismo, muçulmanismo.

mão-morta *S. f.* Bens de mão-morta. [Pl.: *mãos-mortas*.]

mão-pelada *S. m. Bras. Zool.* Animal mamífero, carnívoro, canídeo (*Procyon cancrivorus*), de coloração cinzento-amarelada, salpicada de preto, cauda com anéis pretos e amarelos. Frequenta brejos e manguezais, onde caminha com facilidade, por ser plantígrado. Mede 65cm de corpo e 40cm de cauda, e alimenta-se de pequenos animais e vegetais. [Sin.: *guaxinim, iguanara, jaguacinim*. Pl.: *mãos-peladas*.]

mão-pendente *S. f.* Oferta ou presente para suborno; peita. [Pl.: *mãos-pendentes*.]

mão-posta *S. f.* **1.** Premeditação, prevenção, previdência. **2.** Coisa reservada para ocasião oportuna. **3.** Combinação, acordo. [Pl.: *mãos-postas*. Cf. *mãos postas*.]

maori *S. 2 g.* **1.** Indivíduo dos maoris, povo indígena da Nova Zelândia, de origem polinésia. ● *S. m.* **2.** *Gloss.* A língua malaio-polinésia falada na Nova Zelândia e nas ilhas Cook (território autônomo associado à Nova Zelândia); rarotongano. ● *Adj. 2 g.* **3.** Pertencente ou relativo aos maoris, ou ao maori (2).

mãos-atadas *S. 2 g. e 2 n.* **1.** Pessoa acanhada, indecisa, perplexa, sem expediente. **2.** V. *avaro* (3).

mãos-cheias *El. s. f. pl.* Us. nas loc. adv. *a mãos-cheias* e *às mãos-cheias*. ~ V. *mão-cheia*. ◆ **A mãos-cheias.** V. *a mancheias*: "A fortuna me favorecia a mãos-cheias e a mancheias eu a derramava por quantos vinham acolher-se à minha sombra" (Afonso Arinos, *O Contratador de Diamantes*, p. 86). **Às mãos-cheias.** V. *a mancheias*.

mãos-de-sapo *S. f. pl. Bras. Bot.* V. *cruz-de-malta* (2).

mãos-largas *S. 2 g. e 2 n.* Pessoa generosa, liberal, dadivosa; mão-aberta.

mãos-rotas (rô) *S. 2 g. e 2 n.* Pessoa perdulária; pródigo, gastador, esbanjador; oneómano; mão-furada, mão-aberta, manirroto: "O Damião das Regueiras, / Sem altar, par'cia um santo; / Era no dar um mãos-rotas, / Ninguém dava mais, nem tanto!" (Eugênio de Castro, *Obras Poéticas*, IX, p. 23); "era um mãos-rotas para a pobreza" (Luís de Magalhães, *O Brasileiro Soares*, p. 23).

mão-tenente *El. s. f.* Us. na loc. adv. *à mão-tenente*. ◆ **À mão-tenente. 1.** Com mão firme, com força; vigorosamente. **2.** A pequena distância; à queima-roupa: "Aí é que é ferir a salvo e à mão-tenente!" (Antônio Feliciano de Castilho, *As Geórgicas*, p. 191.) [Var. ger.: *à mão-tente*. Tb. se usa (pouco) *mão-tente* (q. v.).]

mão-tente *Adv.* V. *à mão-tenente*: "Seca a seara, forçoso ceifá-la célere e mão-tente" (Fialho d'Almeida, *À Esquina*, p. 62). ◆ **À mão-tente.** V. *à mão-tenente*: "Seria batalha crua em que se terçariam à mão-tente, como gládios fulmíneos, estas lâminas de gume embotado." (Aloísio de Castro, *Excertos*, p. 57.)

mãozada [De *mão*¹ + *-zada*.] *S. f. Pop.* **1.** Aperto forte de mão. **2.** *Bras. Prov. port.* Porção de coisas que se podem abranger numa das mãos.

mãozinha [De *mão*¹ + *-zinha*.] *S. f.* **1.** Haste terminada em garra, para coçar as costas. **2.** Ajuda, auxílio: *Segundo o jornal, o príncipe ganhou uma mãozinha para subir na aeronave.* ● *S. 2 g. Bras. N.E. Pop.* **3.** Pessoa a quem falta uma das mãos; maneta. ◆ **Dar uma mãozinha a.** *Bras.* V. *dar a mão a* (2).

mãozinha-preta (ê) *S. m. Bras. Pop. Etnogr.* Ente fantástico ou assombração em forma de mãozinha negra, solta no ar. [Pl.: *mãozinhas-pretas* (ê).]

mãozudo [De *mão*¹ + *-z-* + *-udo*.] *Adj.* Que tem mãos grandes e grosseiras: "homem grandalhão, mãozudo" (Nélson de Faria, *Tiziu e Outras Estórias*, p. 202). [Cf. *manotudo*.]

mapa [Do lat. *mappa*.] *S. m.* **1.** Representação, em superfície plana e em escala menor, de um terreno, país, território, etc.; carta geográfica. **2.** Quadro sinóptico; gráfico, quadro: *mapas bancários.* **3.** Lista descritiva; catálogo, relação: *mapa dos funcionários.* ◆ **Mapa da mina.** *Bras. Gír.* Expediente para alcançar com facilidade um objetivo difícil ou custoso. **Não estar no mapa.** *Bras. Gír.* Ser fora do comum; ser fora de série; não estar no gibi. **Riscar do mapa.** *Pop.* Suprimir, excluir: *Depois do insucesso do projeto o engenheiro foi riscado do mapa.* **Sair do mapa.** *Bras. Pop.* Sumir do mapa. **Sumir do mapa.** *Bras. Pop.* Desaparecer; sair do mapa. **Tirar um mapa.** *Bras. Pop.* Observar com atenção; guardar na memória o que se está observando.

mapã [De or. obsc.] *S. m. Bras. Bot.* Planta euforbiácea (*Sapium aubletianum*), das Guianas, a qual segrega látex extremamente venenoso, que pode provocar inflamações cutâneas graves.

mapa do brasil *S. m. Bras. SP Pop.* Pessoa muito velha e rugosa. [Pl.: *mapas do brasil*.]

mapa-múndi [Do lat. med. *mappa mundi*, 'mapa do mundo'.] *S. m.* Mapa que representa toda a superfície da Terra, em dois hemisférios. [Pl.: *mapas-múndi*.]

mapará [Do tupi.] *S. m. Bras. Zool.* **1.** Peixe teleósteo, siluriforme, auqueniopterídeo (*Auchenipterus nuchalis*), dos rios Amazonas, Paraguai e Parnaíba. **2.** Peixe teleósteo, siluriforme, hipoftalmídeo (*Hypophtalmus edentatus*), da Amaz. e Paraguai, de dorso cinza-azulado, com reflexos metálicos e abdome branco, nadadeiras peitorais e ventrais muito próximas, e a anal ocupando quase toda a parte inferior do abdome. [Sin., nesta acepç.: *peixe-gato, olho-de-gato, mandi-peruano, mapará-de-cametá, laulau*.] [Var.: *mapurá*.]

mapará-de-cametá *S. m. Bras. Zool.* V. *mapará*. [Pl.: *maparás-de-cametá*.]

maparajuba [De or. tupi, poss.] *S. f.* **1.** *Bras. N. Bot.* Árvore sapotácea (*Manilkara paraensis*) da floresta amazônica, que fornece madeira de lei, semelhante à maçaranduba. **2.** V. *balata*² (2). **3.** V. *maçaranduba* (3, 5 e 6).

mapareíba [De or. tupi, poss.] *S. f. Bras. Bot.* V. *mangue-vermelho*.

mapati [De or. indígena, poss.] *S. m. Bras. Bot.* Árvore cecropiácea (*Pourouma cecropiaefolia*) de folhas coriáceas, inflorescências em panículas e frutos bacáceos, suculentos, globosos, edules, que se assemelham à uva, e que são us. na confecção de bebidas vinosas; ocorre na Amaz. ocidental, no Peru, Colômbia e Equador, sendo cultivado pelos índios desde tempos remotos. [Sin.: *cucura, imbaúba-de-cheiro, umbaúba-do-vinho, umbaúba-mansa, uvilha, purumã*.]

mapaxó *Bras. S. 2 g.* **1.** *Etnôn.* Indivíduo dos mapaxós, povo indígena extinto que habitava a margem esquerda do alto rio Jequitinhonha (MG). ● *Adj. 2 g.* **2.** Pertencente ou relativo a esse povo. [Tb. us. como *s. 2 g. e 2 n.* (com cap.) e *adj. 2 g. e 2 n.*]

mapeabilidade [De *mapeável* (*mapeabil-*) + *-(i)dade*, seg. o padrão erudito.] *S. f.* Qualidade ou condição do que é mapeável.

mapeamento [De *mapear* + *-mento*.] *S. m.* **1.** *Bras.* Ato, processo ou efeito de mapear. **2.** *Bras. Fig.* Levantamento dos dados, das características, da ocorrência de algo. **3.** *Mat.* Aplicação de uma configuração em outra. ◆ **Mapeamento conformal.** *Mat.* Transformação de uma região em outra, por meio da qual se estabelece uma correspondência biunívoca entre os pontos das duas e se conservam invariáveis os ângulos; mapeamento conforme. **Mapeamento conforme.** *Mat.* Mapeamento conformal.

mapear [De *mapa* + *-ear*².] *V. t. d.* **1.** *Bras.* Fazer ou levantar o mapa de: *mapear uma região.* **2.** *Fig.* Fazer o levantamento dos dados, das características, da ocorrência, etc. de: "Questionário ajudará a mapear diarreia no Guarujá-SP" (em *estadao.com.br*, 19.01.2010). [Conjug.: v. *frear*. Cf. *mapiar*.]

mapeável [De *mapear* + *-vel*.] *Adj. 2 g.* Que é passível de ser mapeado.

maperoá [De or. obsc.] *S. m. Bras. Bot.* Árvore esterculiácea (*Pterygota brasiliensis*) nativa do Brasil, de folhas ovadas e casca adstringente; farinha-seca, pau-rei.

mapiação [De *mapiar* + *-ção*.] *S. f. Bras. MT Pop.* Conversação inútil; conversa fiada; parolagem, tagarelice; mapiagem, pauteação.

mapiador (ô) [De *mapiar* + *-dor*.] *Adj.* e *S. m. Bras. MT Pop.* Que, ou aquele que é dado à mapiação, que gosta de mapiar.

mapiagem [De *mapiar* + *-agem*².] *S. f. Bras. MT* V. *mapiação*: "— Escute. Por que é que você ... não dá um pulo aqui em casa para uma mapiagem?" (M. Cavalcanti Proença, *Manuscrito Holandês*, p. 237.)

mapiar [Alter. de *papear*.] *V. int. Bras. MT* **1.** V. *tagarelar* (1). **2.** Conversar futilidades; pautear. [Cf. *mapear*.]

mapico [Do maconde.] *S. m. Moç.* **1.** Dança característica dos macondes: "certas coisas me fazem pensar no mapico lá de Cabo Delgado, dança executada por artistas mascarados" (Hilário Matusse, em *Tempo*, 05.09.1982). **2.** A máscara de madeira leve us. pelos dançarinos durante tal dança. **3.** O dançarino que dela participa.

mapidiã *Bras. S. 2 g.* **1.** *Etnôn.* Indivíduo dos mapidiãs, povo indígena extinto, da família linguística aruaque que habitava a Serra do Acaraí (AP). ● *Adj. 2 g.* **2.** Pertencente ou relativo a esse povo. [Tb. us. como *s. 2 g. e 2 n.* (com cap.) e *adj. 2 g. e 2 n.*]

mapinguari *S. m. Bras. Amaz. Etnogr.* Gigante lendário semelhante ao homem, porém coberto de pelos, e que usa uma armadura de cascos de tartaruga: "O mapinguari é o duende mais poderoso, considera-se o dono da mata." (Tiago de Melo, *Mormaço na Floresta*, p. 90.)

mapinguim *S. m. Bras.* V. *malpinguinho*.

mapinguinho *S. m. Bras.* V. *malpinguinho*: "uma corda de fumo mapinguinho" (Jaime d'Altavila, *Lógica de um Burro*, p. 17).

mapira [Do chissena.] *S. f. Moç.* V. *sorgo* (2): "produza-se mais mapira, óleo e vinho / veremos que o povo nos há de louvar..." (Filimone Meigos, *Poema & Kalash in Love*, p. 25).

mapironga [Do tupi = 'coisa vermelha'.] *S. f. Bras. PE Pop.* Espinha; furúnculo.

mapixi [De or. obsc.] *S. m. Bras. Bot.* Planta mirtácea (*Myrcia lanceolata*) odorífera, do Brasil e das Guianas.

➔ **maple** ['mejpl̩] [Ingl., do antr. *Maple*, sobrenome de um fabricante de móveis.] *S. m. Lus.* Poltrona estofada: "A noite que se seguiu ao aniversário de Lisa, passou-a Dora à luz fraca de um candeeiro, num dos *maples* de veludo, com a sogra ao lado, encostada no sofá" (Maria Judite de Carvalho, *Os Armários Vazios*, p. 31.)

mapoteca [De *mapa* + *-o-* + *-teca*.] *S. f.* **1.** Coleção de mapas e cartas geográficas. **2.** Móvel onde se guardam.

mapuá¹ *Bras. S. 2 g.* **1.** *Etnôn.* Indivíduo dos mapuás, povo indígena extinto que habitava a ilha de Marajó (PA). ● *Adj. 2 g.* **2.** Pertencente ou relativo a esse povo. [Tb. us. como *s. 2 g. e 2 n.* (com cap.) e *adj. 2 g. e 2 n.*]

mapuá² [De or. obsc.] *S. m. Bras. Bot.* Planta ciclantácea (*Cyclanthus bipartitus*) nativa de regiões tropicais das Américas, de folhas partidas no ápice, flores femininas e masculinas, em verticilos separados, e frutos em espáteas helicoidais.

mapuche [Do araucano *maputche*, 'homem da terra'.] *S. 2 g.* **1.** Designação que a si mesmos dão os araucanos. ● *S. m.* **2.** *Gloss.* Araucano (2 e 3).

mapurá *S. m. Bras. Zool.* V. *mapará*.

maqueira [Do tupi.] *S. m. Bras. AM* Rede para dormir, tecida, comumente, com as fibras do tucum: "para descansar da escandalosa mandriice, atirava o corpo para o fundo duma excelente maqueira de tucum, armada no copiar" (Inglês de Sousa, *O Missionário*, pp. 367-368).

maqueiro [De *maca* + *-eiro*.] *S. m.* Padioleiro (2).

maquério [Do tax. *Machaerium*.] *S. m. Bot.* **1.** Gênero de árvores fabáceas que habitam regiões tropicais da América; algumas fornecem madeira de excelente qualidade. **2.** Qualquer espécie desse gênero, como, p. ex., a *Machaerium villosum* [v. *jacarandá* (1)]. **3.** Qualquer espécime desse gênero.

maquérodo [Do gr. *máchaira*, 'facão', 'espada', + *-odo*; tax. *Machairodus*.] *S. m. Paleont.* **1.** Gênero de mamíferos carnívoros, muito próximos dos felídeos, de porte maior que o do leão, pré-molares reduzidos e caninos superiores muito grandes. **2.** Espécie ou espécime desse gênero.

maqueta (ê) [Do fr. *maquette*.] *S. f.* **1.** Esboço de uma estátua, ou de outra obra de escultura, moldado em barro ou em cera. **2.** Miniatura de projeto arquitetônico, cenográfico, ou de engenharia. **3.** Modelo (13). [F. paral., m. us. no Brasil: *maquete*.]

maquete [Do fr. *maquette*.] *S. f.* Maqueta (q. v.).

maquetista [De *maquete* + *-ista*.] *Adj. 2 g.* *S. 2 g.* Que, ou quem faz maquetas.

maqui¹ [Do fr. *maquis*.] *S. m.* **1.** Vegetação espessa (arbustos, urzes, etc.) característica de certas regiões mediterrâneas. **2.** Na França, local de difícil acesso onde se reuniam os membros do movimento clandestino de resistência à ocupação alemã (1940-1944) durante a II Guerra Mundial. **3.** Esse movimento. ● *S. 2 g.* **4.** Militante desse movimento.

maqui² [Do malgaxe *maki*.] *S. m. Zool.* Lêmure (q. v.) de porte pequeno ou médio da República de Madagascar; tem orelhas escondidas por tufos de pelos, e hábitos crepusculares e diurnos.

maquia [Do ár. *makīola(t)*, 'medida (para grãos)'.] *S. f.* **1.** Antiga medida de cereais, correspondente a 4,5 litros: "algumas côdeas de pão, restos de peixe, ou uma maquia de lentilhas" (Eça de Queirós, *Últimas Páginas*, p. 285). **2.** Porção de grão ou de azeitona, de farinha ou de azeite, que moleiros ou lagareiros tiram em paga do seu trabalho. **3.** V. *dinheiro* (5): "nem que lhes dessem boa maquia, nem os rachassem de alto a baixo, punham pé na fazenda." (Aquilino Ribeiro, *Alemanha Ensanguentada*, p. 169). **4.** Lucro, ganho. **5.** V. *gorjeta*¹ (2).

▲ -maquia [Do gr. *-machía* < gr. *máchē, ēs*, 'combate', + gr. *-ia* (v. *-ia*[1]).] ***El. comp.*** = 'combate', 'luta': *alectoromaquia, heteromaquia.*

maquiador (ô) [De *maquiar*[2] + *-dor.*] ***S. m.*** Aquele que maquia.

maquiadura [De *maquiar*[1] + *-dura.*] ***S. f.*** Ato de maquiar[1].

maquiagem [Do fr. *maquillage.*] ***S. f.*** **1.** Ato ou efeito de maquiar(-se); pintura. **2.** O conjunto dos produtos de beleza, como base (4), pó de arroz, ruge, batom, sombra, rímel, etc., utilizados para maquiar[2] (1). [F. paral.: *maquilagem, maquilhagem* (lus.). Sin., ingl.: *make-up.*]

maquiar[1] [De *maquia* + *-ar*[2].] ***V. t. d.*** **1.** Medir com maquia (1): *maquiar milho.* **2.** Subtrair parte de; desfalcar. ***Int.*** **3.** Cobrar a maquia.

maquiar[2] [Do fr. *maquiller.*] ***V. t. d.*** **1.** Aplicar cosméticos em (o rosto) para embelezamento, realce ou disfarce. **2.** *Fig.* Mascarar, disfarçar. ***P.*** **3.** Maquiar (1) o próprio rosto. **4.** *Fig.* Mascarar-se, disfarçar-se. [F. paral.: *maquilar, maquilhar* (lus.).]

maquiavelice [Do antr. *Maquiavel* (v. *maquiavelismo*) + *-ice.*] ***S. f.*** **1.** Ato ou dito maquiavélico. **2.** Astúcia, manha, ardil.

maquiavélico [Do antr. *Maquiavel* (v. *maquiavelismo*) + *-ico*[2].] ***Adj.*** **1.** Pertencente ou referente ao, ou próprio do maquiavelismo; maquiavelista. **2.** *Fig.* Que tem, ou em que há perfídia, dolo, má-fé; astuto, velhaco, ardiloso.

maquiavelismo [Do antr. *Maquiavel* + *-ismo.*] ***S. m.*** **1.** Sistema político exposto por Niccolò Machiavelli, dito Maquiavel (1469-1527), escritor e estadista florentino, em sua obra *O Príncipe*, e caracterizado pelo princípio amoralista de que os fins justificam os meios. **2.** Política desprovida de boa-fé. **3.** Procedimento astucioso, velhaco, traiçoeiro; velhacaria, perfídia: "Nem uma palavra .... de repreensão ao maquiavelismo de forçar os judeus, por delongas, a deixar expirar o prazo marcado sem sair do reino" (Hernâni Cidade, *Lições de Cultura e Literatura Portuguesas*, I, p. 218).

maquiavelista [De *maquiavelismo* + *-ista.*] ***Adj. 2 g.*** **1.** Maquiavélico (1). **2.** Que é partidário do maquiavelismo. ● ***S. 2 g.*** **3.** Pessoa que o segue.

maquiavelizar [Do antr. *Maquiavel* (v. *maquiavelismo*) + *-izar.*] ***V. int.*** **1.** Proceder com maquiavelismo (3). ***T. d. P.*** **2.** Tornar(-se) maquiavélico (2).

maquiçapá ***S. m.*** *Bras. Zool.* Cebídeo (*Ateles variegatus*) semelhante ao macaco-aranha; cuatá-branco.

maqui-de-madagascar ***S. m.*** *Zool.* Vari (q. v.). [Pl.: *maquis-de-madagascar.*]

maquidum ***S. m.*** *Bras.* Pequena cadeira; assento, banco.

maquilador (ô) [De *maquilar* + *-dor.*] ***S. m.*** V. *maquiador.*

maquilagem [Do fr. *maquillage.*] ***S. f.*** V. *maquiagem.*

maquilar [Do fr. *maquiller.*] ***V. t. d. P.*** V. *maquiar*[2].

maquilhador (ô) [De *maquilhar* + *-dor.*] ***S. m.*** *Lus.* V. *maquiador.*

maquilhagem [Do fr. *maquillage.*] ***S. f.*** *Lus.* V. *maquiagem.*

maquilhar [Do fr. *maquiller.*] ***V. t. d. P.*** *Lus.* V. *maquiar*[2].

maquimono [Do jap. *maki*, 'rolo', + *mono*, 'coisa'.] ***S. m.*** Gênero de pintura japonesa sobre papel, esteira, etc., semelhante na forma ao caquemono (q. v.), porém mais longa e mais estreita.

máquina [Do lat. *machina* < gr. dórico *machaná* (gr. *mechanḗ*).] ***S. f.*** **1.** Aparelho ou instrumento próprio para comunicar movimento ou para aproveitar, pôr em ação, ou transformar uma energia ou um agente natural; motor: *máquina a vapor, máquina elétrica.* **2.** O conjunto orgânico das peças dum instrumento; maquinismo, mecanismo: *a máquina do relógio.* **3.** Veículo locomotor: *a máquina do trem.* **4.** Utensílio, instrumento: *máquina de guerra; máquina de calcular.* **5.** *Fig.* Estrutura orgânica e harmônica: *a máquina do corpo humano.* **6.** *Fig.* Construção importante, complexa, ou suntuosa. **7.** *Fig.* Entidade ou organismo complexo: *a máquina do Estado.* **8.** *Fig.* Multiplicidade de coisas que se relacionam entre si; complexidade, enredamento: *a máquina das transações comerciais.* **9.** *Fig.* Pessoa sem ideias próprias e que procede como autômato. **10.** *Bras. SP GO* Automóvel (3). **11.** *Bras. Gír.* V. *revólver.* ◆ **Máquina alternativa.** Máquina a vapor dotada de cilindros cujos êmbolos transmitem a um eixo, por meio de conectores e manivelas, o seu movimento alternativo em movimento de rotação. [Cf. *turbina a vapor.*] **Máquina a vapor.** A que utiliza o vapor de água como elemento intermediário da transformação da energia latente no combustível em energia mecânica. [São as mais comuns a *máquina alternativa* e a *turbina a vapor.*] **Máquina cilíndrica.** *Art. Gráf.* **1.** V. *prensa plano-cilíndrica.* **2.** *Ind. Pap.* Máquina de papel, esp. utilizada para produzir cartão, na qual o elemento formador da folha é constituído por um ou mais cilindros cobertos de tela, os quais giram parcialmente mergulhados no tanque da pasta, sendo a parte seca idêntica à da máquina plana; máquina de fôrma redonda, máquina de tambor. **Máquina composiçadora.** *Tip.* Qualquer máquina em que se realiza composição mecânica (q. v.). [Tb. se diz apenas *compositora.*] **Máquina contínua.** *Ind. Pap.* Máquina de papel. **Máquina de costura.** Máquina para conserto ou fabrico de roupas ou de calçados. **Máquina de endereçar.** Adressógrafo. **Máquina de escrever. 1.** Instrumento ou dispositivo mecânico por meio do qual é possível produzir textos com caracteres semelhantes aos dos textos impressos, e que consiste num conjunto de teclas (correspondentes às letras do alfabeto, algarismos e outros sinais gráficos), cada uma das quais, quando devidamente pressionada por um dedo, movimenta um tipo (10) metálico de encontro a uma fita entintada, que incide por sua vez sobre a folha de papel, deixando nesta a marca do tipo; dactilógrafo. **2.** *P. ext.* Máquina ou instrumento semelhante, com teclado acionado manualmente, mas cujos tipos são movimentados e controlados por dispositivos elétricos ou eletrônicos. **Máquina de filmar.** V. *câmara* (11). **Máquina de fôrma redonda.** *Ind. Pap.* V. *máquina cilíndrica.* **Máquina de gravar. 1.** *Grav.* Aparelho com que se traçam no metal linhas geométricas ou irregulares, formando grisados, azurados, etc., em geral para constituírem o fundo das chapas destinadas à impressão de papéis fiduciários. **2.** *Fotograv.* Tanque destinado à mordaçagem de clichês, dotado de dispositivo para borrifo contínuo do ácido. **Máquina de impressão.** V. *prensa* (2). **Máquina de papel.** *Ind. Pap.* Máquina de grande porte, na qual modernamente se fabrica o papel em folha contínua, cuja formação começa na parte úmida, mediante esgotamento da suspensão celulótica numa tela plana sem fim (*máquina plana*), ou num ou mais cilindros cobertos de tela (*máquina cilíndrica*), e se completa na seção de prensas e na secaria; máquina contínua. **Máquina de tambor. 1.** V. *prensa de rotação simples.* **2.** *Ind. Pap.* V. *máquina cilíndrica* (2). **Máquina detonadora.** *Expl.* Explosor. **Máquina fotográfica.** *Fot.* Instrumento para projetar e registrar sobre uma chapa fotográfica a imagem de um objeto; câmara fotográfica, câmara, câmera. **Máquina impressora.** V. *prensa* (2). **Máquina motriz.** V. *motor* (2). **Máquina operatriz.** *Mec.* Máquina-ferramenta (q. v.). **Máquina plana. 1.** *Ind. Pap.* Máquina de papel em que a folha se forma numa tela metálica sem fim (*mesa de fabricação*) tendida horizontalmente entre dois rolos e dotadas de movimento de translação longitudinal (às vezes tb. de balanço lateral), e que se constitui de cadeia de variados dispositivos cuja combinação atinge, por vezes, mais de 100m de comprimento. Divide-se em duas seções: parte úmida e parte seca. **2.** *Art. Gráf.* V. *prensa plana.* **Máquina registradora.** Espécie de cofre, muito us. em casas comerciais, dotado de teclado e maquinismo para registro das importâncias nele depositadas, e que, em geral, emite comprovantes de pagamento. [Tb. se diz apenas *registradora*; sin.: *caixa registradora.*] **Máquina rotativa.** *Art. Gráf.* V. *prensa rotativa.* **Máquina rotoplana.** V. *prensa rotoplana.* **Máquina simples.** *Fís.* Designação tradicional comum a três máquinas: *alavanca, roldana e plano inclinado.* **Máquina térmica.** Qualquer sistema que, operando segundo um ciclo, transforma calor em trabalho. **Bater à máquina.** *Pop.* Dactilografar. **Limpar a máquina.** *Art. Gráf.* Limpar as partes da impressora que recebem e distribuem tinta, como o rolo, os tinteiros, etc., us. para mudar a cor de impressão.

máquina-caixão ***S. f.*** *Fot.* Câmara-caixão. [Pl.: *máquinas-caixões* e *máquinas-caixão.*]

maquinação [Do lat. *machinatione.*] ***S. f.*** Ato ou efeito de maquinar; trama, enredo, manobra, conluio.

maquinador (ô) [Do lat. *machinatore.*] ***Adj.*** **1.** Que maquina; maquinante. ● ***S. m.*** **2.** Aquele que maquina.

máquina-ferramenta ***S. f.*** *Mec.* Máquina que, acionando um conjunto de ferramentas movidas mecanicamente, corta e dá forma ou acabamento a peças de madeira, de metal, ou de outro material sólido; máquina operatriz. [Pl.: *máquinas-ferramentas* e *máquinas-ferramenta.*]

maquinal [Do lat. *machinale.*] ***Adj. 2 g.*** **1.** Respeitante a máquinas. **2.** *Fig.* Inconsciente, automático, reflexo, mecânico: *gesto maquinal.*

maquinalidade [De *maquinal* + *-(i)dade.*] ***S. f.*** Qualidade de maquinal (2); automatismo.

maquinante [De *maquinar* + *-nte.*] ***Adj. 2 g.*** Maquinador (1).

maquinar [Do lat. **machinare*, por *machinari.*] ***V. t. d.*** **1.** Projetar (um ardil); traçar (algo) com artifícios; preparar, urdir, tramar: *Maquinou uma traição.* **2.** Projetar, intentar, planear. ***T. d. e i.*** **3.** Maquinar (1): *Maquinaram uma cilada para os futuros assaltantes.* ***T. i.*** **4.** Conspirar, conjurar: *Maquina contra as instituições.* [Pres. ind.: *maquino, maquinas, maquina*, etc. Cf. *máquina.*]

maquinaria [De *máquina* + *-aria.*] ***S. f.*** **1.** Conjunto de máquinas; maquinário. **2.** Conjunto dos maquinistas ou operários que trabalham em máquinas. **3.** A arte de maquinista. [É corrente (ao menos no Brasil), embora não recomendável, a pronúncia *maquinária.*]

maquinário [De *máquina* + *-ário.*] ***S. m.*** *Bras.* Maquinaria (1).

maquiné ***S. m.*** *Bras. CE Zool.* V. *bicudo* (10).

maquinense ***Adj. 2 g.*** **1.** De, ou pertencente ou relativo a Maquiné (RS). ● ***S. 2 g.*** **2.** O natural ou habitante de Maquiné.

maquineta (ê) [De *máquina* + *-eta* (ê).] ***S. f.*** **1.** Pequena máquina. **2.** Santuário ou sacrário onde se expõe o sacramento sobre o altar. **3.** Pequeno oratório ou armário envidraçado. **4.** Redoma enfeitada, que contém uma imagem devota.

maquinismo [Do fr. *machinisme.*] ***S. m.*** **1.** Mecanismo (1): *o maquinismo de um elevador.* **2.** Conjunto de máquinas: *o maquinismo da fábrica.* **3.** *Teatr.* O conjunto dos cenários móveis, projetores, refletores, alçapões e demais efeitos e dispositivos mecânicos, visuais e sonoros de um teatro.

maquinista [Do fr. *machiniste.*] ***S. 2 g.*** **1.** Pessoa que inventa, constrói ou conduz máquinas, principalmente locomotivas e máquinas de navios a vapor. **2.** *Teatr.* Contrarregra ou operário encarregado da manipulação dos maquinismos de um teatro: "fazer funcionar a tempo o chamado 'aparato do teatro', peças de magnífico espetáculo, de que acintemente dou notícia para encovar o orgulho dos maquinistas modernos." (Camilo Castelo Branco, *O Judeu*, II, p. 111). **3.** *Telev.* Profissional que monta, desmonta e transporta cenários.

mar[1] [Do lat. *mare.*] ***S. m.*** **1.** *Ocean.* A massa de águas salgadas do globo terrestre; oceano. [Sin., desus.: *ponto.*] **2.** *Ocean.* Cada uma das porções em que está dividido o oceano. **3.** *Ocean. Fís.* Agitação do mar produzida por um vento presente. **4.** *Ocean.* Grande massa de água salgada situada no interior de um continente: *o mar Mediterrâneo.* [Distinguem-se os mares em *costeiros, continentais* e *fechados.*] **5.** *Fig.* Grande quantidade ou extensão; imensidade, oceano: *um mar de areias*; "Ao lado dos oficiantes, espalhado, um mar de utensílios, balangandãs, cachimbos" (Luís da Câmara Cascudo, *Meleagro*, p. 191); "Até onde a vista alcança, é aquele mar de capim verde e agitado, batido de sol, ondulado pelo vento" (Nélson de Faria, *Cabeça-Torta*, p. 9). **6.** Abismo moral; oceano: *o mar das paixões.* ◆ **Mar aberto.** Porção ampla de mar sem acidentes geográficos que lhe dificultem a navegação. **Mar adjacente.** V. *mar territorial.* **Mar alto.** V. *alto-mar* (1 e 2). **Mar continental.** *Ocean.* Mar que se caracteriza por se achar intimamente ligado ao continente, através do qual às vezes penetra de maneira profunda, e que se comunica com o oceano ou com outro mar por meio de estreita passagem; mar interior, mar mediterrâneo. **Mar costeiro.** *Ocean.* Mar que se comunica com o oceano que o forma por uma abertura mais ou menos ampla, deixando de sofrer a influência das terras continentais e, de certa maneira, participando da vida e das características dos oceanos. **Mar da Lua.** Extensa planície que pode ser notada na face da Lua. **Mar de lama.** Ambiente, ou situação, de grande degradação moral, de corrupção. **Mar de leite.** Mar de rosas (1): "Deus te leve a salvo, brioso e altivo barco, por entre as vagas revoltas .... Soprem para ti as brandas auras; e para ti jaspeie a bonança mares de leite!" (José de Alencar, *Iracema*, p. 50.) **Mar de rosas. 1.** Mar sereno, bonançoso; mar de leite: "O barco sempre em mar de rosas, todo azul e tranquilo como um lago suíço." (José Lins do Rego, *Gregos e Troianos*, p. 117.) **2.** *Fig.* Período de felicidade. **Mar de sargaço.** *Ocean.* Área do oceano Atlântico, entre 20 e 35 graus de latitude N, na qual se veem, flutuando à deriva, enormes quantidades de sargaço, originadas da multiplicação vegetativa, e que constituem sério empecilho à navegação. **Mar encapelado.** *Ocean.* Mar de ondas alterosas. **Mar encarneirado.** *Ocean.* Mar recoberto de muitos carneiros [v. *carneiro* (3)]. **Mar fechado.** *Ocean.* O que não apresenta comunicação alguma com o oceano, constituindo um vasto lago de águas salgadas, e que sofre absoluta influência das terras continentais que o circundam; mar isolado, lago-mar. **Mar interior.** *Ocean.* V. *mar continental.* **Mar isolado.** *Ocean.* V. *mar fechado.* **Mar jurisdicional.** V. *mar territorial.* **Mar largo.** V. *alto-mar* (1). [Tb. se diz apenas *largo.*] **Mar litoral.** V. *mar territorial.* **Mar livre.** V. *alto-mar* (2). **Mar mediterrâneo.** *Ocean.* V. *mar continental.* **Mar mexido.** *Surf.* Mar com ondas irregulares e inconstantes. **Mar pequeno.** O que apresenta pouca ondulação. **Mar pleno.** V. *alto-mar* (2). **Mar territorial.** Faixa marítima adjacente ao litoral de determinado Estado, sobre a qual este exerce soberania, limitada apenas pelo direito de passagem inocente aos navios estrangeiros. [A fixação da sua largura tem constituído uma das mais controvertidas questões de direito internacional público, variando entre três, seis, 12 e 200 milhas marítimas. Sin. desus.: *mar adjacente, mar jurisdicional, mar litoral.*] **De mar a mar.** De ponta a ponta; completamente, totalmente. **Fazer-se ao mar.** Sair de um porto, principiando a navegar; dirigir ao mar alto: "Ímpetos de voltar, fugido, para o mato, / De me fazer ao mar numa casca de noz" (Vicente de Carvalho, *Poemas e Canções*, p. 157). **Nem tanto ao mar nem tanto à terra.** Nada de exageros; fiquemos no meio-termo; nem oito nem oitenta. **Pleno mar.** V. *alto-mar* (1): "'Stamos em pleno mar... Doudo no espaço / Brinca o luar — dourada borboleta" (Castro Alves, *Poesias Escolhidas*, p. 325). **Por mar.** Pela via marítima: *Enviou toda a bagagem por mar.*

mar[2] [Do siríaco *mar.*] *S. m.* Bispo maronita de origem siríaca.

mará[1] [Do araucano.] *S. m. Zool.* Mamífero sul-americano, da família dos roedores.

mará[2] [Do tupi.] *S. f. Bras. AM* Vara que serve para impelir a canoa, quando esta é posta em movimento, e tb. para prendê-la no porto, fixando-a no chão.

maraãense *Adj. 2 g.* **1.** De, ou pertencente ou relativo a Maraã (AM). • *S. 2 g.* **2.** O natural ou habitante de Maraã. [Sin. ger.: *maraanense.*]

maraanense *Adj. 2 g. S. 2 g.* V. *maraãense.*

marabá [Do tupi.] *S. 2 g. Bras.* **1.** Mestiço de francês com índia. **2.** Filho de índio com branco. **3.** *Bras. Amaz.* Filho das ervas.

marabaense[1] (bà) *Adj. 2 g.* **1.** De, ou pertencente ou relativo a Marabá (PA). • *S. 2 g.* **2.** O natural ou habitante de Marabá.

marabaense[2] (bà) *Adj. 2 g.* **1.** De, ou pertencente ou relativo a Marabá Paulista (SP). • *S. 2 g.* **2.** O natural ou habitante de Marabá Paulista.

marabaixo *S. m. Bras. AM Etnogr.* V. *marabaxo.*

marabaxo [De or. obsc.] *S. m. Bras. AM Etnogr.* Dança afro-brasileira, muito comum no Amapá. [Var.: *marabaixo.*]

marabitana *S. 2 g. Adj. 2 g. Bras.* V. *maribitana.*

marabu [Var. de *marabuto*; a acepç. 2 provém do ár. vulg., em que há analogia, poss., com a posição corporal do monge, ao rezar.] *S. m.* **1.** V. *marabuto* (1 e 2). **2.** Ave ciconiiforme, ciconiídea, gênero *Leptoptilos.* É uma grande cegonha de cabeça e pescoço pelados, inglúvio proeminente, asas e patas grandes. Carnívora, habita as regiões quentes da África e da Índia. ~ V. *marabus.*

marabus [Pl. de *marabu* (2).] *S. m. pl.* Enfeites de penas de marabu. ~ V. *marabu.*

marabuto [Do ár. *murābiṭ* +, lit.: 'aquele que vive em um *ribat* (fortaleza ou monastério)', *i. e.*, 'eremita', 'monge'; 'guia religioso'.] *S. m.* **1.** *Rel.* Asceta religioso ou guia espiritual muçulmano. **2.** *Restr.* Membro de qualquer uma das comunidades religiosas e militares do N. da África, de grande ascendência espiritual e política entre os berberes, esp. na época da expansão islâmica em direção à África ocidental (séculos XI-XIII). [Sin. ger., nas acepçs. 1 e 2: *marabu, morabita* e *morabito.*] **3.** *P. ext.* Local sagrado, associado à presença de um marabu (1), como o templo onde este realiza o serviço religioso, ou a sepultura em que está enterrado. **4.** *Bras.* V. *galego* (4).

maracá [Do tupi.] *S. m.* **1.** *Bras. Etnogr.* Instrumento chocalhante que era us. pelos índios nas solenidades religiosas e guerreiras; bapo, maracaxá, xuatê. **2.** *Bras. Mús.* Chocalho que acompanha certas músicas e danças populares, como, p. ex., o samba e o baião. **3.** *Bras.* Chocalho que serve de brinquedo às crianças. **4.** *Bras. Bot.* V. *xiquexique* (2). • *S. f.* **5.** *Bras. Amaz. Zool.* V. *cascavel* (3). ◆ **Enfeitar o maracá.** *Bras. PE Pop.* Alterar ou modificar um caso, uma história, um acontecimento, pela tendência à invencionice, pelo gosto de fantasiar; pôr as tintas: *O caso não foi bem assim: ele enfeitou o maracá.*

maracaboia (ói) *S. f. Bras. Zool.* V. *cascavel* (3). ❖

maracachão [Do quimb. *mbalakaxongo.*] *S. m. Angol. Zool.* Pequeno pássaro canoro, de cores vivas: "A vilinha era gaiola que só tinha chilreio baixinho de maracachão" (Arnaldo Santos, *A Boneca de Quilengues*, p. 44).

maracaense (cà) *Adj. 2 g.* **1.** De, ou pertencente ou relativo a Maracás (BA). • *S. 2 g.* **2.** O natural ou habitante de Maracás.

maracaiense (a-i) *Adj. 2 g.* **1.** De, ou pertencente ou relativo a Maracaí (SP). • *S. 2 g.* **2.** O natural ou habitante de Maracaí.

maracajá [Do tupi.] *S. m. Bras. Amaz. BA Zool.* V. *jaguatirica.*

maracajaense (jà) *Adj. 2 g.* **1.** De, ou pertencente ou relativo a Maracajá (SC). • *S. 2 g.* **2.** O natural ou habitante de Maracajá.

maracajá-preto (ê) *S. m. Bras. Zool.* V. *gato-mourisco.* [Pl.: *maracajás-pretos.*]

maracajuano *Adj.* **1.** De, ou pertencente ou relativo a Maracaju (MS). • *S. m.* **2.** O natural ou habitante de Maracaju. [Sin. ger.: *maracajuense.*]

maracajuense *Adj. 2 g. S. 2 g.* V. *maracajuano.*

maracanã *Bras. S. 2 g.* **1.** *Etnôn.* Indivíduo dos maracanãs [ou (etnôn. bras.) *Marakaná], povo indígena extinto que habitava a região situada entre os rios Uraricuera e Muicajaé (RR). • *Adj. 2 g.* **2.** Pertencente ou relativo a esse povo.

maracanã[1] [Do tupi.] *S. f. Bras. Zool.* Designação comum às seguintes aves psitaciformes, psitacídeas: a) *Propyrrhura maracana*, distribuída por quase todo o Brasil, verde, com vértice verde-azulado, fronte escarlate, dorso inferior e meio do abdome escarlate-claros, parte basal da cauda vermelho-escura, e parte terminal e rêmiges azuis; b) *Diopsittaca nobilis*, da Amaz.; c) *Psittacara leucophthalmus*, comum em todo o Brasil, verde, com o encontro e coberteiras inferiores menores da asa encarnados. [Sin.: *araguaí, araguari, ararinha, aruaí.*]

maracanã[2] *Bras. S. 2 g.* **1.** *Etnôn.* Indivíduo dos maracanãs, povo indígena extinto que habitava a região situada entre os rios Barão de Melgaço e Apedia (RO). • *Adj. 2 g.* **2.** Pertencente ou relativo a esse povo. [Tb. us. como *s. 2 g. e 2 n.* (com cap.) e *adj. 2 g. e 2 n.*]

maracanã-açu [De *maracanã*[1] + *-açu.*] *S. f. Bras. Zool.* Maracanã-guaçu. [Pl.: *maracanãs-açus.*]

maracanã-do-buriti *S. m. Bras. Zool.* Ave psitaciforme, psitacídea (*Orthopsittaca manilata*), do N. do Brasil, O. da BA e S. do PI, de coloração geral olivácea, uropígio amarelado, e rêmiges com reflexos azulados nos canutilhos e na parte média. Alimenta-se de frutos em geral. [Sin.: *ararinha.* Pl.: *maracanãs-do-buriti.*]

maracanã-guaçu [De *maracanã*[1] + *-guaçu.*] *S. f. Bras. Zool.* Ave psitaciforme, psitacídea (*Ara severa*), da Amaz., N. de MT e S. da BA, de coloração verde, cabeça verde-azulada, rêmiges e ponta da cauda azuis, e encontro vermelho; maracanã-açu. [Pl.: *maracanãs-guaçus.*]

maracanauense (a-u) *Adj. 2 g.* **1.** De, ou pertencente ou relativo a Maracanaú (CE). • *S. 2 g.* **2.** O natural ou habitante de Maracanaú.

maracanense *Adj. 2 g.* **1.** De, ou pertencente ou relativo a Maracanã (PA). • *S. 2 g.* **2.** O natural ou habitante de Maracanã.

maracarecuia *S. m. Bras. Bot.* V. *castanha-de-macaco.*

maracatiara [Do tupi.] *S. m. Bras. Amaz.* Em certas regiões, comandante de navio.

maracatim [Do tupi.] *S. m. Bras. Amaz.* Antiga igarité indígena.

maracatu [De or. afr., poss.] *S. m. Bras. PE Folcl.* **1.** Cortejo carnavalesco que baila ao som de instrumentos de percussão, acompanhando uma mulher que conduz uma bonequinha ricamente enfeitada, a *calunga*, na extremidade de um bastão. [Cf. *afoxé* (1).] **2.** *Mús.* Música popular e ritmo inspirados nessa dança.

maracaxá *S. m. Bras.* V. *maracá* (1).

marachão *S. m.* **1.** Pequena represa. **2.** Mota[1] (1).

maracotão [Adapt. do esp. *melocotón.*] *S. m. Bot.* O fruto do maracoteiro, de casca aveludada e polpa rija que adere ao caroço.

maracoteiro [Adapt. do esp. *melocotonero.*] *S. m. Bot.* Pessegueiro enxertado em marmeleiro, que produz fruto durázio, o maracotão.

maracuguara *S. m. Bras. Zool.* V. *cangulo* (1).

maracujá [Do tupi.] *S. m. Bras. Bot.* **1.** Maracujazeiro. **2.** O fruto do maracujazeiro, que é us. no preparo de sucos e que tem uso medicinal, como calmante.

maracujá-açu [De *maracujá* + *-açu.*] *S. m. Bras. Bot.* Trepadeira passiflorácea (*Passiflora quadrangularis*) cujos enormes frutos chegam a pesar 5kg. [Pl.: *maracujás-açus.*]

maracujá-azul *S. m. Bras. Bot.* Trepadeira passiflorácea (*Passiflora coerulea*) produtora de frutos comestíveis de coloração azul. [Pl.: *maracujás-azuis.*]

maracujá-branco *S. m. Bras. Bot.* Planta passiflorácea (*Passiflora capsularis*), do Brasil e das Guianas, cujos frutos capsulares se rompem ao amadurecer. [Pl.: *maracujás-brancos.*]

maracujá-de-cacho *S. m. Bras. Bot.* Designação comum a duas plantas passifloráceas: *Passiflora ovalis* e *Tetrastyllis ovalis.* [Pl.: *maracujás-de-cacho.*]

maracujá-de-cobra *S. m. Bras. Bot.* Planta passiflorácea (*Passiflora eichleriana* ou *P. violacea*) glabra, de caule cilíndrico, delicado, purpúreo, folhas trilobadas, com cálice campanulado, com sépalas oblongas, pétalas tb. oblongas, e fruto globoso, coriáceo. [Pl.: *maracujás-de-cobra.*]

maracujá-de-cortiça *S. m. Bras. Bot.* Pequena trepadeira passiflorácea (*Passiflora suberosa*) de caule corticento, que produz frutos pequeninos e sem préstimo. [Pl.: *maracujás-de-cortiça.*]

maracujá de gaveta *S. 2 g. Pej.* Pessoa com muitas rugas. [Por analogia ao fruto do maracujazeiro que, depois de colhido e muitos dias guardado, murcha e adquire muitos sulcos.] [Pl.: *maracujás de gaveta.*]

maracujá-de-pedra *S. m. Bras. Bot.* Planta passiflorácea (*Passiflora serrata*), da América do Sul e das Antilhas, cujos frutos, globosos, são comestíveis. [Pl.: *maracujás-de-pedra.*]

maracujá-de-periquito *S. m. Bras. Bot.* V. *castanha-mineira* (1). [Pl.: *maracujás-de-periquito.*]

maracujá-grande *S. m. Bras. Bot.* Trepadeira passiflorácea (*Passiflora alata*) avantajada, cujos frutos, amarelos e do tamanho de um chuchu, são saborosos. [Pl.: *maracujás-grandes.*]

maracujá-melão *S. m. Bras. Bot.* Grande trepadeira passiflorácea (*Passiflora macrocarpa*) que produz frutos de até um quilo, porém pouco importantes como alimento. [Pl.: *maracujás-melões* e *maracujás-melão.*]

maracujá-mirim [De *maracujá* + *-mirim.*] *S. m. Bras. Bot.* Trepadeira passiflorácea (*Passiflora edulis*) produtora do maracujá habitualmente consumido, com fruto do tamanho de uma laranja, cuja polpa, ácida, é especial para refrescos; maracujá-suspiro. [Pl.: *maracujás-mirins.*]

maracujá-pintado *S. m. Bras. Bot.* Trepadeira passiflorácea (*Passiflora mucronata*) glabra, de caule cilíndrico, folhas ovaladas, cordiformes, flores campanuladas, e fruto ovoide, cujas sementes são tidas como vermífugas; sururucujá. [Pl.: *maracujás-pintados.*]

maracujá-sururuca *S. m. Bras. Bot.* Trepadeira passiflorácea (*Passiflora setacea*) de folhas subcordiformes, aveludadas na página inferior, flores especiosas, pêndulas, solitárias, e fruto doce, porém acídulo; surucura, sururuca. [Pl.: *maracujás-sururucas* e *maracujás-sururuca.*]

maracujá-suspiro *S. m. Bras. Bot.* Maracujá-mirim. [Pl.: *maracujás-suspiros* e *maracujás-suspiro.*]

maracujá-vermelho (ê) *S. m. Bras. Bot.* Planta passiflorácea (*Passiflora rubra*), nativa da América tropical, de folhas amarelas com pontos vermelhos. [Pl.: *maracujás-vermelhos.*]

maracujazeiro (jà) [De *maracujá* + *-zeiro.*] *S. m. Bras. Bot.* Nome comum a várias trepadeiras passifloráceas sul-americanas do gênero Passiflora (v. *passiflora*) que reúne inúmeras espécies ornamentais (v. *flor-da-paixão*); muitas delas produzem frutos edules. [Sin.: *maracujá.*]

maracutaia *S. f. Bras.* Negócio fraudulento; negociata: "Não terá sido esta a primeira, nem infelizmente será a última maracutaia do gênero." (Oto Lara Resende, em *Folha de S.Paulo*, 07.08.1992.)

maradijó *S. 2 g. Adj. 2 g. Bras.* V. *maratxó.*

marado *Adj. Lus.* V. *amalucado*: "Terá ido ao Japão. Ou gastou uma fortuna num antiquário tão marado como ele." (João Maria Mendes, *A Mulher do Terrorista*, p. 156.)

marafa[1] [Der. regress. de *marafona.*] *S. f. Bras. RJ Gír.* Vida desregrada, licenciosa, libertina: *ser da marafa; viver na marafa.*

marafa[2] *S. f. Bras.* V. *malafa.*

marafaia [F. eufemística de *marafona.*] *S. f. Bras. PE Deprec.* Meretriz.

marafo [De or. afr.] *S. m.* **1.** *Bras.* V. *malafa.* **2.** *Bras. RJ Gír.* V. *cachaça* (1).

marafona [Do ár. *mara fraina*, 'mulher enganadora', poss.] *S. f.* **1.** Boneca de trapos: "As crianças, no adro, faziam marafonas com os farrapos brancos" (Fernando Namora, *Retalhos da Vida de um Médico*, p. 70). **2.** *Pej.* Meretriz.

marafonear [De *marafona* (2) + *-ear*[2].] *V. int.* Tratar com marafonas. [Conjug.: v. *frear.*]

marafoneiro [De *marafona* (2) + *-eiro.*] *S. m.* Indivíduo que convive com marafonas.

marafunda [Alter. de *barafunda.*] *S. f. Bras. SP Pop.* Confusão, tumulto, barafunda: "fiquei encantada quando confessou que seu quarto é uma marafunda, que fica doido procurando papel, um lápis, um apontamento." (Geraldo França de Lima, *Branca Bela*, p. 102).

maragatada [De *maragato* + *-ada*[1].] *S. f. Bras. RS* O grupo dos maragatos; os maragatos.

maragatagem [De *maragato* + *-agem*[2].] *S. f. Bras. RS* Ação própria de maragato; maragatice, maragatismo.

maragatear [De *maragato* + *-ear*[2].] *V. int. Bras. RS* Fazer política ou ação própria de maragato. [Conjug.: v. *frear.*]

maragatice [De *maragato* + *-ice.*] *S. f. Bras. RS* V. *maragatagem.*

maragatismo [De *maragato* + *-ismo.*] *S. m. Bras. RS* **1.** V. *maragatagem.* **2.** O partido dos maragatos.

maragato [Do esp. uruguaio *maragato.*] *S. m. Bras. RS* **1.** Participante da Revolução Federalista de 1893, chefiada por Silveira Martins (1834-1901), contrário ao partido então dominante, cujo chefe era Júlio de Castilhos (1860-1903). **2.** Adepto desse movimento e dessa política. **3.** Participante do movimento da Aliança Libertadora de 1923, liderado por Assis Brasil (1857-1938), infenso ao partido do então presidente do RS, Borges de Medeiros (1863-1961).

maragogiense *Adj. 2 g. S. 2 g.* V. *maragojiense.*

maragogipano *Adj. S. m.* V. *maragojipano.*

maragogipe *Adj. S. m. Bras.* V. *maragojipe.*

maragojiense *Adj. 2 g.* **1.** De, ou pertencente ou relativo a Maragoji (AL). ● *S. 2 g.* **2.** O natural ou habitante de Maragoji.

maragojipano *Adj. S. m.* V. *maragojipense.*

maragojipe [Do top. *Maragojipe.*] *Adj. S. m. Bras.* Diz-se de, ou certa variedade de café.

maragojipense *Adj. 2 g.* **1.** De, ou pertencente ou relativo a Maragojipe (BA). ● *S. 2 g.* **2.** O natural ou habitante de Maragojipe. [Sin. ger.: *maragojipano.*]

maraguá *Bras. S. 2 g.* **1.** *Etnôn.* Indivíduo dos maraguás, povo indígena extinto que habitava as margens do rio Maué-açu, afluente da margem direita do Amazonas (AM). ● *Adj. 2 g.* **2.** Pertencente ou relativo a esse povo. [Tb. us. como *s. 2 g. e 2 n.* (com cap.) e *adj. 2 g. e 2 n.*]

maraialense *Adj. 2 g.* **1.** De, ou pertencente ou relativo a Maraial (PE). ● *S. 2 g.* **2.** O natural ou habitante de Maraial.

marajá[1] [Do sânscr. *maha raja,* 'grande rei'.] *S. m.* **1.** Título dos príncipes ou potentados da Índia: "Você acredita que um marajá da China... | — Perdão, da Índia. | — Ou isso. Que um marajá da Índia ganhe a mixaria de 200 a 300.000 cruzeiros mensais?" (Carlos Drummond de Andrade, *Cadeira de Balanço,* p. 106.) [Fem.: *marani.* Cf. *rajá.*] **2.** *Bras. Fig.* Homem muito rico. **3.** *Bras.* Pessoa que exerce ou exerceu cargo público, e que recebe salário vultoso: "Entre os marajás do estado há delegados de polícia, procuradores, fiscais de renda e defensores públicos." (*Jornal do Brasil,* 13.11.1998.)

marajá[2] [Do tupi.] *S. m. Bot.* Designação comum a diversas palmeiras do gênero Bactris, como, p. ex., a *Bactris floccosa* ou *Batris maraya-y,* de estipe cespitoso, pequeno, tomentoso, de folhas contemporâneas suberectas, com bainhas compridas cobertas de acúleos pretos, espata exterior linear e interior lanceolada, e frutos drupáceos globosos; habita as florestas do Pará crescendo em tufos pequenos.

marajatina [De *marajá*[2].] *S. f. Bras.* Quantidade mais ou menos considerável de marajás (v. *marajá*[2]) dispostos proximamente entre si.

marajó[1] [Do top. *Marajó.*] *S. m. Bras. PA* Vento que sopra pela tarde sobre a baía de Guajará (ilha de Marajó).

marajó[2] *S. 2 g. Adj. 2 g. Bras.* V. *maratxó.*

marajoara [Do tupi.] *Bras. Adj. 2 g.* **1.** Da, ou pertencente ou relativo à ilha de Marajó (PA): "os vasos de cerâmica, a maravilhosa cerâmica marajoara, cuja arte fazia o assombro dos etnólogos" (Viana Moog, *Um Rio Imita o Reno,* p. 95). ● *S. 2 g.* **2.** O natural ou habitante dessa ilha. ● *S. m.* **3.** *Bras. PA* Vento nordeste que sopra com força nas florestas de Marajó. **4.** *Bot.* V. *sambaíba-de-minas-gerais.*

marajuba *S. f. Bras. Zool.* V. *guaruba.*

marambaia *S. m. Bras. Mar. Gír.* **1.** Marítimo sem grande amor à profissão, que prefere viver em terra a estar embarcado. [Cf. *patesca* (2).] **2.** Marinheiro namorador.

marambaiar [De *marambaia* + *-ar*[2].] *V. int. Bras. Mar. Gír.* Viver e proceder como marambaia.

maramomim *Bras. S. 2 g.* **1.** *Etnôn.* Indivíduo dos maramomins, povo indígena extinto que habitava próximo à margem esquerda do rio Paraíba do Sul (SP). ● *Adj. 2 g.* **2.** Pertencente ou relativo a esse povo. [Outra f.: *maromomi.* Tb. us. como *s. 2 g. e 2 n.* (com cap.) e *adj. 2 g. e 2 n.*]

marandová *S. m. Bras.* **1.** *Zool.* V. *mandorová.* **2.** Indivíduo de mau gênio.

maranduba [Do tupi = 'o que vier'.] *S. f.* **1.** *Bras.* História de guerra ou de viagem. **2.** *Bras. N. N.E.* História inverossímil ou fabulosa. [Var.: *maranduva.*]

maranduva *S. f. Bras.* V. *maranduba.*

maranguapense *Adj. 2 g.* **1.** De, ou pertencente ou relativo a Maranguape (CE). ● *S. 2 g.* **2.** O natural ou habitante de Maranguape.

maranha [De or. pré-romana, poss.] *S. f.* **1.** Porção de fibras ou fios enredados. **2.** Teia de lã por apisoar. **3.** Crespidão, grenha: *a maranha dos cabelos.* **4.** *Fig.* Coisa intrincada; emaranhamento, enredo, complicação, teia: *a maranha dos seus raciocínios; Não me vou meter nessa maranha.* **5.** Intriga, embrulhada, confusão: *as maranhas do mexeriqueiro.* **6.** Combinação, conluio, pacto: *Andava de maranha com o patife.* **7.** Astúcia, esperteza: *as maranhas do jogador.* **8.** *Bras. Amaz.* Manha, velhacaria. **9.** *Bras. Amaz.* Ação de furtar-se ao trabalho; malandragem.

maranhão[1] [De *maranha* + *-ão*[1], poss.] *S. m.* **1.** Mentira (1). **2.** Intriga caluniosa; mexerico, fofoca. **3.** *Bras. Zool.* V. *flamingo:* "o maranhão dorme ainda, em pé no meio do brejo, com a cabeça metida embaixo da asa e uma das pernas encolhida." (José de Alencar, *O Sertanejo,* p. 213).

maranhão[2] *S. m. Desus.* Maranhense[1] (2).

maranhar [De *maranha* + *-ar*[2].] *V. t. d. P.* V. *emaranhar.*

maranhense[1] *Adj. 2 g.* **1.** Do, ou pertencente ou relativo ao Estado do Maranhão. ● *S. 2 g.* **2.** O natural ou habitante do Maranhão. [Sin., nesta acepç., desus.: *maranhão.*]

maranhense[2] *Adj. 2 g.* **1.** De, ou pertencente ou relativo a São Sebastião do Maranhão (MG). ● *S. 2 g.* **2.** O natural ou habitante de São Sebastião do Maranhão.

maranho [Dev. de *maranhar,* poss.] *S. m.* **1.** Molho de tripas. **2.** *Cul.* Iguaria feita de miúdos de carneiro com arroz, bocados de galinha, etc.

maranhoso (ô) [De *maranhão*[1] + *-oso.*] *Adj.* **1.** Que diz maranhões. [V. *mentiroso* (1).] **2.** Intrigante, mexeriqueiro, fofoqueiro.

marani [Do sânscr. *maha rani,* 'grande rainha'.] *S. f.* Mulher de marajá[1]. [Var.: *maarani, maarâni, marâni.* Cf. *rani.*]

marâni *S. f.* V. *marani.*

maranta [Do tax. *Maranta.*] *S. f. Bot.* **1.** O gênero-tipo das marantáceas, que encerra plantas herbáceas das regiões tropicais da América, de raízes tuberosas, amiláceas, grandes folhas dotadas de bainha, e flores com um único filamento petaloide. **2.** Qualquer espécie desse gênero, como, p. ex., a *Maranta arundinacea* [v. *araruta* (1)] e a *M. makoyana* (*maranta-pavão*). [v. *araruta* (1)]. **3.** Qualquer espécime desse gênero.

marantácea [Do tax. *Maranta* (< antr. (*Bartolomeo*) *Maranta,* naturalista italiano do séc. XVII), + *-ácea;* tax. *Marantaceae.*] *S. f. Bot.* Espécime das marantáceas, família de monocotiledôneas, da ordem das escitamíneas, composta de ervas dotadas de ampla e bela folhagem, flores hermafroditas, assimétricas e heteroclamídeas, quatro a cinco estames, sendo fértil apenas a metade de um deles, e ovário unilocular ou trilocular, com um óvulo em cada lóculo. Compreende perto de 400 espécies peculiares aos trópicos, muitas delas plantadas nos jardins, em virtude da sua beleza e suavidade.

marantáceo [De *marantácea,* com var. suf. (v. *-áceo*).] *Adj. Bot.* Pertencente ou relativo às marantáceas.

maranta-pavão *S. f. Bras. Bot.* Planta marantácea (*Maranta makoyana*) perene, ereta, de rizoma curto, nativa do Brasil, dotada de longas folhas ornamentais, ovaladas, com linhas esbranquiçadas, peniformes, dispostas transversalmente ao longo da nervura principal, e com desenhos verde-escuros na face e arroxeados no dorso; cachos de pequeninas flores alvas. [Sin.: *caité-pena-de-pavão.* Pl.: *marantas-pavões* e *marantas-pavão.*]

maranta-zebrada [De *maranta* + o f. de *zebrado.*] *S. f. Bras. Bot.* Planta marantácea (*Ctenanthe burle-marxii*) acaule, perene, nativa do Brasil, com até 30cm de altura, folhas coriáceas, lanceoladas, porém com o ápice arredondado, de cor cinza tirante ao prata, com desenhos peniformes verde-escuros, ao longo da nervura principal, na face superior; a face inferior é roxo-escura, e as inflorescências em espigas, presas às hastes foliares, são brancas. [Pl.: *marantas-zebradas.*]

marapaju [De or. tupi.] *S. m. Bras. Bot.* V. *maçaranduba* (6).

marapajuba [De *marapá* + *-juba.*] *S. f. Bras. Bot.* V. *maçaranduba* (6).

marapaniense *Adj. 2 g.* **1.** De, ou pertencente ou relativo a Marapanim (PA). ● *S. 2 g.* **2.** O natural ou habitante de Marapanim.

marapião [De or. obsc.] *S. m. Santom. Bot.* Árvore rutácea (*Fagara macrophylla*) de grande porte: "Até porque arrecadava e vendia às boas serrações grandes e preciosas árvores, muitas quase extintas no arquipélago, como o marapião e o gogó" (Fernando Reis, *Ilha do Meio do Mundo,* p. 95).

marapitana *S. 2 g. Adj. 2 g. Bras.* V. *maribitana.*

mara-rosense *Adj. 2 g.* **1.** De, ou pertencente ou relativo a Mara Rosa (GO). ● *S. 2 g.* **2.** O natural ou habitante de Mara Rosa. [Pl.: *mara-rosenses.*]

marasca [Do it. *marasca.*] *S. f. Bot.* Variedade de cereja amarga, empregada no fabrico do marasquino.

marasmado [Part. de *marasmar.*] *Adj.* **1.** V. *marasmático:* "e na ânsia de agitar [Camilo Castelo Branco] expressões marasmadas, de tornar rútilas as esmaecidas, e dúcteis as agrestes, desarticula prefixos, muda desinências, divorcia partículas verbalmente casadas" (Antero de Figueiredo, *Jornadas em Portugal,* p. 179). **2.** Caído em marasmo.

marasmante [De *marasmar* + *-nte.*] *Adj. 2 g.* V. *marasmático.*

marasmar [De *marasmo* + *-ar*[2].] *V. t. d.* **1.** Causar marasmo a. *Int. P.* **2.** Cair em marasmo.

marasmático [De *marasmo* + *-ático.*] *Adj.* Que tem ou encerra marasmo; apático, marasmódico, marasmante, marasmado.

marasmo [Do gr. *marasmós.*] *S. m.* **1.** *Med.* Fraqueza extrema; debilidade, extenuação, atonia. **2.** *Med.* Desgaste progressivo, e emaciação, sobretudo se observado na infância. **3.** *Fig.* Enfraquecimento das forças morais; falta de coragem; desânimo. **4.** Indiferença, apatia. **5.** Tristeza profunda; melancolia. **6.** Falta de atividade; paralisação, inatividade, estagnação: *marasmo administrativo.* ◆ **Marasmo infantil.** *Patol.* V. *atrepsia* (1).

marasmódico *Adj.* V. *marasmático.*

marasquino [Do it. *maraschino.*] *S. m.* Licor branco, fabricado com marascas.

marata [Do hindustâni *marhata.*] *S. 2 g.* **1.** Indivíduo dos maratas, povo da Índia meridional. ● *S. m.* **2.** *Gloss.* Língua indo-europeia do ramo indo-ariano, uma das línguas constitucionais ou oficiais da Índia, falada no estado de Maharashtra; marati. [Escrito em devanágari, o *marata* é a quarta língua em importância na Índia.] **3.** Vocábulo dessa língua. ● *Adj. 2 g.* **4.** Pertencente ou relativo aos maratas, ou ao marata (2).

marataense (tà) *Adj. 2 g.* **1.** De, ou pertencente, ou relativo a Maratá (RS). ● *S. 2 g.* **2.** O natural ou habitante de Maratá.

marataca *S. f. Bras. Zool.* V. *jaritataca.*

marati *S. m. Gloss.* Marata (2).

maratimba *S. 2 g. Bras.* V. *caipira* (1).

maratona [Do top. *Maratona* (v. *maratônio*).] *S. f.* **1.** Corrida pedestre de cerca de 42km (distância de Maratona a Atenas), comemorativa do feito do soldado de Maratona. **2.** *P. ext.* Corrida a pé, de longo percurso. **3.** *P. ext.* Competição esportiva, lúdica, ou intelectual. **4.** *Fig.* Atividade (política, p. ex.) muito intensa: "Tancredo fez maratona no Rio e discursou na hora do almoço em Ipanema" (*Jornal do Brasil,* 11.09.1984).

maratónio *Adj. S. m.* V. *maratônio.* [Uso freq. em P.]

maratônio [Do gr. *marathónios,* pelo lat. *marathoniu.*] *Adj.* **1.** De, ou pertencente ou relativo a Maratona, antiga cidade da Ática (Grécia), ou à atual região que lhe corresponde. ● *S. m.* **2.** O natural ou habitante dessa cidade ou região.

maratonista [De *maratona* + *-ista.*] *S. 2 g.* Pessoa que toma parte em maratona (2): "Pia Nascimento, a mais linda maratonista, ... vai levar hoje para as ruas a experiência de suas corridas de um ateliê para outro, na Itália" (*Jornal do Brasil,* 07.08.1982).

maratro *S. m. Bot.* V. *mátratro.*

mátratro [Do gr. *márathron,* pelo lat. *marathru.*] *S. m. Bot.* V. *funcho* (2). [Var. pros.: *maratro.*]

marattiácea [Do tax. *Marattia,* gênero-tipo (< antr. [*F. C.*] *Maratti,* botânico italiano, do séc. XVIII), + *-ácea;* tax. *Marattiaceae.*] *S. f. Bot.* Espécime das marattiáceas, família de pteridófitos esporangiados da ordem das marattiales e se compõe de plantas robustas, de caule curto ou rizomatoso, folhas amplas, muito subdivididas, com apêndices estipuliformes, e dotadas de canais mucilaginíparos. Há umas 60 espécies intertropicais.

marattiáceo [De *marattiácea,* com var. suf. (v. *-áceo*).] *Adj. Bot.* Pertencente ou relativo às marattiáceas.

marattial [Do lat. cient. *Maratti-* (v. *marattiale*) + *-al*[1].] *Adj. 2 g. Bot.* Pertencente ou relativo às marattiales.

marattiale [Do tax. *Marattia* (v. *maratiácea*) + *-ale;* tax. *Marattiales.*] *S. f. Bot.* Espécime das marattiales, ordem das filicíneas esporangiadas que engloba unicamente a família das marattiáceas.

maratxó *Bras. S. 2 g.* **1.** *Etnôn.* Indivíduo dos maratxós [ou (etnôn. bras.) *Maratchó], povo indígena extinto que habitava a região dos rios Panamá e Marapi (N. do PA). ● *Adj. 2 g.* **2.** Pertencente ou relativo a esse povo. [Sin. ger.: *maradijó, marajó, maraxó.*]

marau [Do fr. *maraud.*] *S. m.* **1.** Mariola, malandro, patife: "disseram-lhe [ao bispo] .... que o religioso solitário mantinha uma estalagem, onde se iam embebedar e jogar os maraus dos arredores" (Gustavo Barroso, *Livro dos Milagres,* p. 44). **2.** Indivíduo espertalhão, astucioso, finório, que não se deixa enganar.

marauá *Bras. S. 2 g.* **1.** *Etnôn.* Indivíduo dos marauás [ou (etnôn. bras.) *Marawá], povo indígena extinto, da família linguística aruaque, que habitava as margens dos rios Juruá e Jutaí (AM). ● *Adj. 2 g.* **2.** Pertencente ou relativo a esse povo.

marauaná *Bras. S. 2 g.* **1.** *Etnôn.* Indivíduo dos marauanás, povo indígena extinto que habitava a região da cabeceira do rio Cachorro, afluente do rio Trombetas (PA). ● *Adj. 2 g.* **2.** Pertencente ou

M

relativo a esse povo. [Tb. us. como *s. 2 g. e 2 n.* (com cap.) e *adj. 2 g. e 2 n.*]

marauense *Adj. 2 g.* **1.** De, ou pertencente ou relativo a Marau (RS). • *S. 2 g.* **2.** O natural ou habitante de Marau.

marauense(a-u) *Adj. 2 g.* **1.** De, ou pertencente ou relativo a Maraú (BA). • *S. 2 g.* **2.** O natural ou habitante de Maraú.

marauito [Do top. *Maraú* + *-ito*².] *S. m. Geol.* Espécie de linhita formada principalmente de algas claras, riquíssima em matérias voláteis, encontrada em Maraú (BA); turfa de Maraú. ❖

marauni *Bras. S. 2 g.* **1.** *Etnôn.* Indivíduo dos maraunis, povo indígena extinto que habitava as margens do rio Tartarugal (AP). • *Adj. 2 g.* **2.** Pertencente ou relativo a esse povo. [Tb. us. como *s. 2 g. e 2 n.* (com cap.) e *adj. 2 g. e 2 n.*]

maravalhas [De or. obscura.] *S. f. pl.* **1.** Aparas de madeira; lascas, cavacos: "O Natário .... trabalhava de marceneiro, diante da casa, entre sarrafos e maravalhas" (Coelho Neto, *Treva*, p. 196). **2.** Gravetos para fogo; acendalhas. **3.** *P. ext.* Pedacinhos; fragmentos: "Aí vai ela, ... lutando contra as maravalhas de gelo que se lhe derretem na cara" (Fialho d'Almeida, *O País das Uvas*, p. 176). **4.** *Fig.* V. *ninharia*.

maravedi [Do ár. *murābiṭī*, 'referente aos almorávidas (subentendendo-se *dinar*); cf. etim. de *almorávida* e de *marabuto*).] *S. m.* **1.** Pequena moeda de ouro, cunhada durante a dinastia dos almorávidas. **2.** Antiga moeda divisionária, de cobre, que teve curso na Espanha e em Portugal: "Mas só encontrava .... algum pobre menestrel, que, a troco dum maravedi, lhe cantava um vilancete" (Eça de Queirós, *Últimas Páginas*, pp. 392-393). [Var.: *maravidi, maravidil*. Sin.: *morabitino*.]

maravidi *S. m.* V. *maravedi*.

maravidil *S. m.* V. *maravedi*.

maravilha [Do lat. *mirabilia*, pl. neutro do lat. *mirabilis*, 'notável'.] *S. f.* **1.** Ato ou fato extraordinário, surpreendente, admirável, assombroso: *as maravilhas da ciência, do heroísmo.* **2.** Prodígio, portento, milagre: *as maravilhas de Deus.* **3.** Pessoa ou coisa extraordinária, digna de admiração: *O campeão é a maravilha da cidade.* **4.** Beleza, encanto, fascinação, fascínio: *as maravilhas da poesia; as maravilhas artísticas.* **5.** *Bras. Bot.* Planta nictaginácea (*Mirabilis jalapa*) herbácea, originária do México, subespontânea no Brasil, que apresenta vistosas flores, de coloração variada, sendo por isso muito ornamental, cuja raiz é purgativa, e que foi muito empregada em experiências de genética, em estudos de transmissão de caracteres; bonina, jalapa-verdadeira. **6.** *Bras.* Carmim (2) de um rosa arroxeado e berrante. **7.** *Bras. Cul.* Espécie de empada. • *Adj. 2 g. e 2 n.* **8.** *Bras.* Da cor do carmim (2); de um rosa arroxeado e berrante. **9.** Diz-se dessa cor: *flores cor maravilha.* ◆ **À maravilha.** V. *às mil maravilhas*. **Às maravilhas.** V. *às mil maravilhas*: "A torre antiga e a mulher velha, emparelhadas nessa aldeia, casam-se às maravilhas no emblema do passado" (Alberto Rangel, *Livro de Figuras*, p. 116). **Às mil maravilhas.** Muito bem; excelentemente, primorosamente; à maravilha; às maravilhas: "O Leonardo retirou-se contente vendo que seu plano saía às mil maravilhas" (Manuel Antônio de Almeida, *Memórias de um Sargento de Milícias*, p. 173). **As sete maravilhas do mundo (antigo).** As sete obras mais notáveis da Antiguidade: as pirâmides do Egito, os jardins suspensos de Babilônia, a estátua criselefantina de Zeus em Olímpia, o templo de Ártemis em Éfeso, o mausoléu de Halicarnasso, o colosso de Rodes e o farol de Alexandria. **Oitava maravilha.** Pessoa ou coisa que se julga, ou como que se julga, digna de figurar ao lado das sete maravilhas do mundo. [Us., por vezes, ironicamente.]

maravilhador (ô) [De *maravilhar* + *-dor*.] *Adj. S. m.* Que, ou aquele que maravilha, que produz admiração ou pasmo; fascinador: *paisagem maravilhadora dos olhos; É um maravilhador.*

maravilha do sertão *S. f. Bras.* Chá muito saboroso, que se faz com as flores da catinga-de-porco. [Pl.: *maravilhas do sertão*.] ☑

maravilhamento [De *maravilhar* + *-mento*.] *S. m.* Ato ou efeito de maravilhar(-se); admiração, espanto, pasmo.

maravilhar [De *maravilha* + *-ar*².] *V. t. d.* **1.** Provocar admiração, assombro, pasmo, em: *O espetáculo maravilhava a assistência;* "alatinou o jovem More [Tomás Morus], à moda dos humanistas, o próprio nome, transmudando-o em Morus, e foi com ele que maravilhou a Europa do tempo e passou à posteridade." (Ivã Lins, *Tomás Morus e a Utopia*, p. 4). *Int.* **2.** Provocar admiração, assombro, pasmo: *A sua erudição maravilhava. P.* **3.** Encher-se de admiração, assombro, pasmo.

maravilhense¹ *Adj. 2 g.* **1.** De, ou pertencente ou relativo a Maravilha (AL e SC). • *S. 2 g.* **2.** O natural ou habitante de Maravilha.

maravilhense² *Adj. 2 g.* **1.** De, ou pertencente ou relativo a Maravilhas (MG). • *S. 2 g.* **2.** O natural ou habitante de Maravilhas.

maravilhoso (ô) [De *maravilha* + *-oso*.] *Adj.* **1.** Que maravilha; que causa admiração; surpreendente, espantoso: *fenômeno maravilhoso.* **2.** Excelente, primoroso, magnífico: *vinho maravilhoso.* **3.** Belo, encantador: *olhar maravilhoso.* • *S. m.* **4.** Aquilo que encerra maravilha, que é extraordinário ou sobrenatural: *O maravilhoso está presente em muitas das histórias infantis.*

maraximbé [Var. de *muiraximbé*, do tupi.] *S. m. Bras. Bot.* Árvore icacinácea (*Emmotum fagifolium*) que se distribui do AM à BA, de grandes folhas coriáceas e madeira de algum préstimo, flores inconspícuas e paniculadas, e cujos frutos são drupas duríssimas; muiraximbé.

maraxó *S. 2 g. Adj. 2 g. Bras.* V. *maratxó*.

marca¹ [Do suevo **marka*, ou dev. de *marcar*.] *S. f.* **1.** Marcação (1). **2.** Sinal que se faz num objeto para reconhecê-lo: *Pôs uma marca nos embrulhos.* **3.** Desenho ou etiqueta de produtos industriais: *A marca desta seda são três estrelas.* **4.** Categoria, qualidade, espécie, tipo: *Esta é a marca de café preferida pelo mercado externo.* **5.** Ferrete (1): *Usou a marca em brasa.* **6.** Impressão, selo, cunho: *a marca de prata.* **7.** Impressão (que fica no espírito): *O seu convívio deixou funda marca no meu ser.* **8.** Carimbo (2 e 3). **9.** Labéu, estigma, ferrete. **10.** Sinal, nota ou indicação para se recordar algo: *Fez uma marca no livro.* **11.** Firma, assinatura, rubrica. **12.** Nódoa ou vestígio de doença ou contusão: *marcas de pancadas; as marcas da varíola.* **13.** Limite, fronteira, marco: *as marcas das Guianas.* **14.** Tento² (2). **15.** Letra, nome ou emblema feito à tinta ou à linha numa peça de roupa. **16.** Sinal que se faz nas árvores por ocasião do inventário dos cortes. **17.** Medida reguladora; padrão, bitola: *Não atingiu a marca.* **18.** *Fig.* Grau, categoria, jaez: *Raros são os homens desta marca.* **19.** *Fig.* Cunho, selo: *a marca do gênio.* **20.** *Teatr.* Cada uma das rubricas que o ator acrescenta ao seu texto, e que o auxiliam na composição de sua personagem. **21.** *Teatr.* Marcação (5). **22.** *Prop.* Nome, expressão, forma gráfica, etc., que individualiza e identifica uma empresa, um produto ou uma linha de produtos. [Cf. *logotipo* (2 e 3), *logomarca* e *símbolo-marca*.] **23.** *Bras. PR Etnogr.* Dança regional que faz parte de um fandango. ◆ **Marca barbante.** *Bras.* De qualidade inferior; marca roscofe: "Mas se o passe de um deputado de partido marca barbante custa US$ 30 a 50 mil, quanto não custará o de um senador de um grande partido?" (Rui Castro, em *Jornal do Brasil*, 08.10.1993.) **Marca de Plimsoll.** *Mar. Merc.* Conjunto de marcas feitas no costado de navio mercante, a meia nau, para indicar a imersão máxima em que pode navegar, nas diversas estações climáticas e nos diversos mares, a fim de assegurar-lhe reserva de flutuabilidade suficiente à sua segurança. **Marca registrada.** **1.** Nome, símbolo, logotipo, etc. us. como sinal identificador dos produtos de determinada empresa (fábrica, casa comercial, etc.) e oficialmente registrado como tal. **2.** *Fig.* Aspecto ou característica típica, distintiva, de algo ou alguém. **Marca roscofe.** *Bras. Pop.* Marca barbante (q. v.). **De marca.** **1.** Que tem marca (3) famosa ou prestigiosa (roupas, calçados, etc.); de grife. **2.** *Deprec.* De péssima qualidade; da pior espécie; de marca maior: *malandro de marca;* "— O que você é — disse ela — é um preguiçoso de marca." (José Carlos Oliveira, *A Revolução das Bonecas*, p. 55). **De marca maior.** **1.** Fora do comum; que excede os limites vulgares: "A Mara é uma fútil, uma desfrutável, e uma gastadeira de marca maior!" (Telmo Vergara, *Contos da Vida Breve*, p. 115.) **2.** De marca (2): *É um tratante de marca maior.* **Sair de marca quente.** *Bras. RS* Sair desconfiado, ressabiado.

marca² [Do fin. *markka*.] *S. f.* Antiga unidade monetária, e moeda, da Finlândia (Europa), substituída pelo euro.

marcação [De *marcar* + *-ção*.] *S. f.* **1.** Ato ou efeito de marcar; marca. **2.** *Aer.* Ângulo que uma radial (q. v.) recebida de uma estação radiotransmissora faz com a direção do norte verdadeiro (*marcação verdadeira*), com a do norte magnético (*marcação magnética*), ou com a da proa da aeronave (*marcação relativa*). **3.** *Edit.* Indicação, em manuscrito, das especificações tipográficas (tipo, corpo, medidas, etc.) necessárias à composição. [Cf. *diagramação*.] **4.** *Mar.* Direção em que visamos uma aeronave, embarcação, acidente geográfico, ou qualquer outro objeto situado fora da nossa embarcação, e caracterizada pelo ângulo que o vertical de visada faz com a direção do norte (*marcação verdadeira*) ou com a direção da nossa proa (*marcação relativa*). **5.** *Teatr.* Indicação e coordenação, pelo diretor, dos movimentos e atitudes dos atores numa peça; marca. **6.** *Teatr.* Tais movimentos e atitudes: "O conjunto harmonizava-se ao toque do diretor, que acentuou o aspecto plástico das marcações e os efeitos de luz." (Sábato Magaldi, *Panorama do Teatro Brasileiro*, p. 194.) **7.** *Bras. RS* Ferra (1). ◆ **Marcação magnética.** *Aer.* V. *marcação* (2). **Marcação relativa.** *Aer. Mar.* V. *marcação* (2 e 4). **Marcação verdadeira.** *Aer. Mar.* V. *marcação* (2 e 4). **Estar de marcação com.** *Bras.* Fazer de (alguém) alvo de perseguição contínua; ter marcação com. **Fechar a marcação.** *Náut.* Fechar o rumo. **Ter marcação com.** *Bras.* Estar de marcação com.

marca-d'água *S. f.* V. *filigrana* (4). [Pl.: *marcas-d'água*. Cf. *linha-d'água*.]

marca de judas *S. 2 g. Bras. N. Pop.* Pessoa de pequena estatura. [Pl.: *marcas de judas*.] ☑

marcado [Part. de *marcar*.] *Adj.* **1.** Que recebeu marca; assinalado: *roupa marcada.* **2.** Indicado, reservado: *lugar marcado.* **3.** Estigmatizado, condenado: *É um pobre homem marcado.* **4.** Distinto, eminente: *É uma das personalidades mais marcadas de seu meio.* **5.** *E. Ling.* Num par de traços linguísticos, diz-se do que tem valor positivo, ou que é mais comumente encontrado nas línguas do mundo. **6.** *Bras. RS* Diz-se daquele que faz negócios escusos ou vive a enganar os outros em transações. ~ V. *átomo* — e *molécula* —*a*. • *S. m.* **7.** *Bras. RS* Aquele que engana os outros em negócios; traficante, tratante.

marcador (ô) [De *marcar* + *-dor*.] *Adj.* **1.** Que marca. • *S. m.* **2.** Aquele que marca. **3.** *Bras.* Quadro onde se marcam os pontos ganhos em um jogo (futebol, basquetebol, bilhar, etc.); placar. **4.** *Bras.* A indicação contida nesse quadro; placar. **5.** *Bras. RS* Marqueiro. **6.** *Bras. S.* Aquele que, munido de facão de mato, foice ou machado, assinala com um talho na casca dos pinheiros ou de outras árvores as que devem ser abatidos, fazendo a um só tempo a sua classificação de acordo com a grossura dos troncos. **7.** *Edit.* Aquele que executa a marcação (3). **8.** Fita ou linha presa à lombada de uma publicação encadernada, com que se assinalam as páginas de leitura. ◆ **Marcador de texto.** Marca-texto.

marçagão *S. m.* O mês de março, quando áspero e desabrido: "Havia muito sol mesmo em fevereiro, em março marçagão manhã de nevoeiro tarde de verão" (Almeida Faria, *Lusitânia*, pp. 93-94).

marca-grande *S. m. Bras.* Fazendeiro abastado. [Pl.: *marcas-grandes*.]

marçalino *Adj.* Relativo ao mês de março.

marca-mês [De *marcar* + *mês*.] *S. m. Bras. AL Pop.* Folhinha (2) constituída por um bloco de pequeninas folhas, que se destacam uma a uma. [Pl.: *marca-meses* (ê).]

marçano *S. m.* **1.** Aprendiz de caixeiro. **2.** *P. ext.* Aprendiz, principiante.

marcante [De *marcar* + *-nte*.] *Adj. 2 g.* **1.** Que marca; que assinala; que distingue: *traços marcantes.* **2.** Que deixa marca; que sobressai, se evidencia: *personalidade marcante;* "Eu ardia por pintar .... o carão patibular do oficial homicida, em que todos apontavam estigmas marcantes do criminoso nato..." (Cândido Jucá [filho], *Noite Insone*, p. 106).

marca-passo [Trad. errônea do ingl. *pacemaker*, a partir de *marcar* e de *passo*.] *S. m. Fisiol.* Objeto ou substância que influencia a frequência com que ocorre um determinado fenômeno. ◆ **Marca-passo cardíaco artificial.** *Fisiol. Card.* Instrumento que, mediante impulsos elétricos, estimula a contração muscular cardíaca, limitada a uma certa frequência. [Pl.: *marca-passos*.]

marca-pés [De *marcar* + o pl. de *pé*.] *S. m. 2 n. Bras.* Barro com que se purifica o açúcar.

marcar [De or. germ., pelo lomb. **markjan*, **markan*, e pelo it. *marcare*.] *V. t. d.* **1.** Pôr marca ou sinal em; assinalar: *marcar um lugar.* **2.** Indicar, apontar: *O relógio marcava a hora exata do acidente.* **3.** Ser o traço distintivo de; dar caráter especial a: *Aqueles acontecimentos marcaram época.* **4.** Demarcar, delimitar: *marcar uma divisa.* **5.** Fixar, determinar: *marcar um prazo;* "As velhas datas que marcam o seu fim [da Idade Média] — 1453, 1492, 1517, a queda de Constantinopla, a descoberta da América, a Reforma Luterana — não são bastante precisas" (Oto Maria Carpeaux, *A Cinza do Purgatório*, p. 257). **6.** Revelar, patentear. **7.** Calcular, contar. **8.** Firmar, fixar: *O partido marcou sua posição.* **9.** *Bord.* Bordar ou aplicar marca (15) em. **10.** Enodoar, macular: *Seus crimes o marcaram para sempre.* **11.** Ferir, contundir, machucar. **12.** Produzir impressão em; impressionar, influir: "O livro que mais fundamente marcou a minha adolescência foi *A Educação Sentimental*, de Flaubert." (Augusto

Frederico Schmidt, *O Galo Branco*, p. 400.) **13.** Observar (alguém) atentamente, sobretudo para surpreender em falta: *Durante dois meses os detetives marcaram os contraventores.* **14.** *Bras.* Discar (2): *Fui ao telefone e marquei 265-9528.* **15.** *Fís. Nucl.* Introduzir um indicador isotópico ou radioativo em (um sistema). **16.** *Bras.* Assinalar (o gado) a ferro em brasa. **17.** *Fut.* Colocar-se junto a um jogador adversário para impedir que atue livremente: "Briegel .... foi escalado .... no meio-campo com a função de marcar Michel Platini." (*Jornal do Brasil*, 08.07.1982.) **18.** *Fut.* Fazer (gol): *Adílio marcou o gol decisivo da partida entre Flamengo e Santos.* **19.** *Fut.* Registrar; apontar; indicar: *O juiz marcou falta.* **20.** Fazer a marcação de. [Cf., nesta acepç., *diagramar.*] **21.** Indicar o andamento de (dança): *Sempre marcava as quadrilhas das festas juninas.* ***T. c.*** **22.** Marcar (2): "o relógio branco marcava três horas" (Lígia Fagundes Teles, *Seminário dos Ratos*, p. 64). ***T. d. e i.*** **23.** Combinar; ajustar: *Marcou um encontro com a namorada.* **24.** *Fut.* Marcar (19): *Marcou pênalti contra o time que vencia a partida.* ***Int.*** **25.** *Bras.* Deixar marca, traços, sinais, de sua presença, atuação, etc.: *É uma personalidade que marca.* **26.** *Mar.* Determinar, medir a marcação (4). **27.** Bordar ou aplicar marca (15): "E ela que lhe guardaria? Pode ser que um lenço marcado com o nome dele e uma âncora na ponta, porque ela sabia marcar muito bem." (Machado de Assis, *Histórias sem Data*, p. 169.) [Conjug.: v. *trancar.*]

marca-símbolo ***S. f.*** Símbolo-marca. [Pl.: *marcas-símbolos* e *marcas-símbolo.*]

marcassita [Do arameu *makkashītha*, pelo ár. *markashita.*] ***S. f.*** *Min.* Mineral ortorrômbico, sulfeto de ferro: "produto da venda de um broche de marcassita, presente do rapaz de olhos verdes." (Mário Donato, *A Parábola das 4 Cruzes*, p. 35).

marca-texto (ê) [De *marcar* + *texto.*] ***S. m.*** Caneta us. para assinalar trechos escritos; marcador de texto. [Pl.: *marca-textos.*]

marcela ***S. f.*** *Bot.* V. *macela.*

marcelandense ***Adj. 2 g.*** **1.** De, ou pertencente ou relativo a Marcelândia (MT). ● ***S. 2 g.*** **2.** O natural ou habitante de Marcelândia.

marcelão [Aum. de *marcela.*] ***S. m.*** *Bot.* V. *macelão.*

marcelina ***S. f.*** Religiosa da Congregação de S. Marcelo.

marcelinense[1] ***Adj. 2 g.*** **1.** De, ou pertencente ou relativo a Marcelino Ramos (RS). ● ***S. 2 g.*** **2.** O natural ou habitante de Marcelino Ramos.

marcelinense[2] ***Adj. 2 g.*** **1.** De, ou pertencente ou relativo a Marcelino Vieira (RN). ● ***S. 2 g.*** **2.** O natural ou habitante de Marcelino Vieira. [Sin. ger.: *vieirense.*]

marcenaria [De *marcen-*, como em *marceneiro*, + *-aria.*] ***S. f.*** Oficina, arte ou obras de marceneiro.

marceneirar [De *marceneiro* + *-ar*[2].] ***V. int.*** *Marc. P. us.* Exercer a profissão de marceneiro; trabalhar de marceneiro.

marceneiro [De or. incerta.] ***S. m.*** Oficial que trabalha a madeira com mais arte do que o carpinteiro (1) (q. v.).

marcescência [De *marcescente* + *-ia*[2], seg. o padrão analógico.] ***S. f.*** Qualidade ou estado de marcescente.

marcescente [Do lat. *marcescente*, part. pres. de *marcescere*, 'murchar'.] ***Adj. 2 g.*** **1.** Que murcha, que seca. **2.** *Bot.* Diz-se do cálice que persiste no fruto depois de a flor haver murchado; murchoso.

marcescível [Do lat. *marcescibile.*] ***Adj. 2 g.*** Que murcha ou pode murchar.

marcgraviácea [Do tax. *Marcgravia*, gênero-tipo (< antr. [*Georg*] *Markgraf*, naturalista alemão do séc. XVII), + *-ácea*; tax. *Marcgraviaceae.*] ***S. f.*** *Bot.* Espécime das marcgraviáceas, família de dicotiledôneas da ordem das teales, que compreende arvoretas e arbustos, alguns epifíticos, com folhas ger. dimorfas, flores vistosas, coloridas, em inflorescências racemiformes ou umbeliformes, muitas vezes acompanhadas de nectários em forma de sacos, pétalas mais ou menos concrescentes, no mínimo três estames, e fruto capsular. Conhecem-se perto de 100 espécies da América tropical, não poucas brasileiras.

marcgraviáceo [De *marcgraviácea*, com var. suf. (v. *-áceo*).] ***Adj.*** *Bot.* Pertencente ou relativo às marcgraviáceas.

marcha [Dev. de *marchar.*] ***S. f.*** **1.** Ato ou efeito de marchar: *A marcha é exercício saudável.* **2.** Jornada a pé; andada, caminhada: *a marcha dos caçadores mata adentro.* **3.** Modo de andar; andadura, passo: *a marcha do cavalo.* **4.** Cortejo, préstito, séquito: *marcha triunfal.* **5.** Passo cadenciado (de um indivíduo, ou de um corpo de tropas): *O batalhão seguiu em marcha acelerada.* **6.** Sequência, sucessão: *a marcha dos acontecimentos.* **7.** Progresso, andamento, desenvolvimento: *a marcha da ciência.* **8.** *Mec.* Cada uma das posições das engrenagens da caixa de marchas que permitem, em diferentes condições de rodagem, imprimir ao veículo o regime adequado e o avanço ou recuo conveniente, como a primeira marcha, a segunda marcha, a terceira marcha, etc., e a marcha a ré. **9.** *Mús.* Peça musical em compasso binário ou quaternário, com os tempos fortes acentuados, e com andamentos variados, e que se destina a marcar ou evocar o ritmo cadenciado do passo de uma pessoa, ou de um grupo de pessoas em marcha: *marcha militar; marcha nupcial; marcha fúnebre.* **10.** *Bras. Mús.* Gênero de música popular urbana, nascida nos ranchos e cordões carnavalescos, em compasso binário, e cuja coreografia consiste num andar ritmado, em voltas. **11.** *Cronol.* V. *marcha de um relógio.* ◆ **Marcha anserina.** *Med.* Aquela em que o doente ginga como o pato. **Marcha a ré.** *Mec.* V. *marcha* (8). [Tb. se diz apenas *ré.*] **Marcha ao acaso.** *Estat.* Processo estocástico em que as variáveis aleatórias são as posições de um móvel sobre uma reta na qual ele só pode ocupar pontos que formam um conjunto discreto. **Marcha a vante.** *Mar.* Aquela que faz uma embarcação avançar. **Marcha de um relógio.** *Cronol.* Variação do estado de um relógio em um dia; marcha diurna. [Tb. se diz apenas *marcha.*] **Marcha diurna.** *Cronol.* V. *marcha de um relógio.* **Marcha ebriosa.** *Neur.* Tipo de marcha característica de comprometimento cerebelar, e na qual o indivíduo apresenta distúrbio de orientação espacial e de equilíbrio, andando de modo cambaleante e de um lado para o outro. **Marcha harmônica.** *Mús.* Pequeno grupo de acordes que se reproduz simetricamente a intervalos iguais, ascendentes ou descendentes; progressão harmônica. **Marcha oblíqua.** Marcha em diagonal. **A marchas forçadas.** Com toda a rapidez e sem interrupções; em marcha forçada. **Em marcha forçada.** A marchas forçadas.

marcha-caminheira ***S. f.*** *Bras. N.E. Folcl. Mús.* Peça musical de zabumba (2), que acompanha a procissão nas festas do padroeiro. [Pl.: *marchas-caminheiras.*]

marcha de bloco ***S. f.*** *Bras. PE Mús.* Frevo de bloco. [Pl.: *marchas de bloco.*] ☑

marcha de estrada ***S. m.*** *Bras. Mús.* Marcha que a zabumba (2) executa, ininterruptamente, ao sair da sede a caminho de uma festa; marcha-estradeira. [Pl.: *marchas de estrada.*] ☑

marchadeira [De *marchar* + *-deira.*] ***S. f.*** *Bras.* Denominação dada às mulheres que, em 1964, participaram da chamada "passeata pela democracia", protestando contra o então presidente João Goulart (1918-1976). [Tb. us. no m.]

marchador (ô) [De *marchar* + *-dor.*] ***Adj.*** **1.** Diz-se de cavalo de passo largo e compassado. ● ***S. m.*** **2.** Cavalo marchador. **3.** V. *coronel*[1] (5). **4.** *Bras.* V. *marchadeira.*

marcha-estradeira ***S. m.*** *Bras. Mús.* Marcha de estrada. [Pl.: *marchas-estradeiras.*]

➔ **marchand** [maʀˈʃɑ̃] [Fr.] ***S. m.*** *Bras.* Indivíduo que negocia com quadros e/ou outros objetos de arte.

marchantaria [De *marchante* + *-aria.*] ***S. f.*** Negócio ou profissão de marchante.

marchante [Do fr. *marchand*, 'comerciante'.] ***S. m.*** **1.** Aquele que compra gado para vendê-lo abatido, aos açougues; boiadeiro: "No lugar ocupado pela cruz tinha ele assassinado um ano antes um marchante de gados para lhe roubar o dinheiro que trazia da feira" (Franklin Távora, *O Cabeleira*, pp. 234-235). **2.** *Bras. N. N.E. Prov. port.* Dono ou empregado de açougue. **3.** *Bras. S.* Aquele que sustenta uma concubina. **4.** *Bras.* V. *coronel*[1] (5).

marchantial [Do lat. cient. *Marchant-* (v. *marchantiale*) + *-al*[1].] ***Adj. 2 g.*** *Bot.* Pertencente ou relativo às marchantiales.

marchantiale [Do tax. *Marchantia*, gênero-tipo, + *-ale*; tax. *Marchantiales.*] ***S. f.*** *Bot.* Espécime das marchantiales, ordem de hepáticas da subclasse das hepaticales, que se caracteriza pelo gametófito taloide e dorsiventral.

marchar [Do fr. *marcher.*] ***V. int.*** **1.** Andar, caminhar. **2.** Caminhar a passo cadenciado. **3.** Seguir os devidos trâmites. **4.** *Bras. Pop.* Arcar com as despesas. ***T. c.*** **5.** Caminhar; dirigir-se: *A passos largos, marchou para casa.* **6.** Investir, avançar: *As tropas marcharam sobre o território desconhecido.* ***T. i.*** **7.** Progredir, avançar: *Com muito esforço, marchou na carreira que escolheu.* **8.** Ir em busca; procurar: *Marchava para a solução do problema.* **9.** Realizar marcha (coletiva) com um certo propósito: *Centenas de pessoas marcharam pela paz.* **10.** *Bras. Pop.* Arcar (com as despesas): *O genro leva uma vida de nababo, e o sogro marcha nos gastos.*

marcha-rancho ***S. f.*** *Bras. Mús.* Marcha (10) de andamento lento, composta para ser cantada e dançada, originalmente, pelos ranchos carnavalescos. [Pl.: *marchas-ranchos* e *marchas-rancho.*]

marcheamento [De **marchear* (< *marcha* + *-ear*[2]) + *-mento.*] ***S. m.*** *Mús.* Feição ou característica de marcha (10): "durante o programa *Esquentando os tamborins* o compositor Aniceto, da Império Serrano, dará um depoimento sobre o processo de marcheamento do samba." (Glória Alvarez, em *Jornal do Brasil*, 03.01.1987).

marche-marche [De *marche*, do v. *marchar*, repetido.] ***S. m.*** **1.** O mais rápido dos passos militares. [Pl.: *marche-marches* e *marches-marches.*] ● ***Interj.*** **2.** Voz para a execução desse passo. ◆ **A marche-marche.** No passo mais rápido; apressadamente: "voltou imediatamente ao ponto onde fizera alto a tropa, que ele ordenou seguisse a marche-marche." (Franklin Távora, *Lourenço*, p. 46).

marcheta (ê) [Var. de *marchete.*] ***S. f.*** **1.** Parte do manto onde se pregam as fitas. [V. *fita* (3).] **2.** Marchete. [Pl.: *marchetas* (ê). Cf. *marcheta* e *marchetas*, do v. *marchetar.*]

marchetado [Part. de *marchetar.*] ***Adj.*** **1.** Que se marchetou; que tem obra ou lavor de marchetaria; tauxiado: *escudo marchetado;* "Todo aquele metal se lhe está sucessivamente transformado perante a fantasia, em perfumes e grinaldas, em cítaras de marfim marchetado" (Antônio Feliciano de Castilho, *A Lírica de Anacreonte*, p. 14). **2.** *Fig.* Matizado, adornado. ● ***S. m.*** **3.** Obra de marchetaria.

marchetar [Adapt. do fr. *marqueter.*] ***V. t. d.*** **1.** Fazer (obra de marchetaria). **2.** *Fig.* Adornar com manchas coloridas; matizar, esmaltar; tauxiar: "Nalgumas lagoas mais quietas, ... repontam no esmalte verde dos charões vegetais .... as folhas numerosas da vitória-régia. Marchetam a superfície." (Raimundo Morais, *Na Planície Amazônica*, p. 27.) **3.** *Fig.* Realçar, salientar. ***T. d. e i.*** **4.** Embutir, tauxiar: *Marchetou de ouro a cadeira.* **5.** Entremear, entressachar: *Marchetou o discurso de sentenças latinas.* [Pres. ind.: *marcheto, marchetas, marcheta*, etc.; pres. subj.: *marchete, marchetes*, etc. Cf. *marcheta* (ê), pl. *marchetas* (ê), e *marchete* (ê), pl. *marchetes* (ê).]

marchetaria [De *marchetar* + *-ia*[1], poss.] ***S. f.*** **1.** Arte de incrustar, ou aplicar pequenas peças recortadas de madeira, marfim, tartaruga, bronze, etc., em obra de marcenaria, formando desenhos. **2.** Qualquer obra de madeira, metal, etc. decorada com incrustações.

marchete (ê) [Dev. de *marchetar.*] ***S. m.*** Cada uma das peças que se marchetam ou embutem na madeira; marcheta. [Pl.: *marchetes* (ê). Cf. *marchete* e *marchetes*, do v. *marchetar.*]

marcheteiro [De *marchet-*, como em *marchetar*, + *-eiro.*] ***S. m.*** Oficial que trabalha em marchetaria; embutidor.

marchinha [De *marcha* + *-inha.*] ***S. f.*** *Bras.* Marcha (10) de andamento vivo e ritmo binário.

marcial [Do lat. *martiale.*] ***Adj. 2 g.*** **1.** Da, respeitante à, ou próprio da guerra; bélico: *proclamação marcial.* **2.** Que incita à guerra, à luta; belicoso, guerreiro: "Chamando as turbas, / Soam buzinas, marciais trombetas, / Sonoros carrilhões!" (Eugênio de Castro, *Obras Poéticas*, V, p. 40.) **3.** Relativo a militares ou a guerreiros. [Sin. ger.: *március, guerreiro.*] **4.** Que se impõe; altivo, sobranceiro: *atitude marcial.* [Sin., nessas acepç.: *márcio.*] **5.** *Med.* Referente a compostos de ferro, ou que os contém: *medicação marcial.* ~ V. *artes marciais, banda —, corte* (ô) *—* e *lei —.*

marcialidade [De *marcial* + *-(i)dade.*] ***S. f.*** Qualidade de marcial.

marcialização [De *marcializar* + *-ção.*] ***S. f.*** Ato ou efeito de marcializar.

marcializar [De *marcial* + *-izar.*] ***V. t. d.*** Tornar marcial.

marcialmente [De *marcial* + *-mente.*] ***Adv.*** De modo ou com aspecto marcial: "Finda a guerra, as bandeiras que ondulavam marcialmente se enrolam para o sono dos museus" (Constâncio Alves, *Figuras*, p. 82).

marciano [Do lat. **martianu.*] ***Adj.*** **1.** Relativo ao planeta Marte; marciático. ● ***S. m.*** **2.** Suposto habitante desse planeta.

marciático [De *marci-*, como em *marciano*, + *-ático.*] ***Adj.*** Marciano (1).

márcido [Do lat. *marcidu.*] ***Adj.*** **1.** Sem viço, sem frescor; murcho. **2.** Sem vigor; frouxo, flácido.

márcio [Do lat. *martiu.*] ***Adj.*** V. *marcial* (1 a 3).

marcionilense ***Adj. 2 g.*** **1.** De, ou pertencente ou relativo a Marcionílio Sousa (BA). ● ***S. 2 g.*** **2.** O natural ou habitante de Marcionílio Sousa.

marco[1] [De *marca.*] ***S. m.*** **1.** Sinal de demarcação, ordinariamente de pedra ou de granito oblongo, que se põe nos limites territoriais. [Cf. *baliza* (1).] **2.** Coluna, pirâmide, cilindro, etc., de granito ou mármore, para assinalar um local ou acontecimento: *o marco da fundação da cidade.* **3.** Qualquer acidente natural que se aproveita para sinal de demarcação. **4.** *Fig.* Fronteira, limite: *os marcos do conhecimento.* **5.** Antiga unidade de medida de peso, equivalente a 8 onças [v. *onça*[1] (1)], ou seja, 230g aproximadamente. **6.** *Constr.* A parte fixa das portas e janelas que guarnece o vão; caixão, portal. [Chamam-se *ombreiras* as partes verticais, e *padeira* a superior.] ◆ **Marco fontanário.** *Arquit.*

M

Em praças ou noutros lugares públicos, coluna ou construção semelhante que tem em seu interior água encanada, a qual deita por torneira ou bica, para uso dos transeuntes. **Marco postal.** *Lus.* Caixa do correio (2). **Marco quilométrico.** Pequeno poste ou estaca colocado à margem de uma estrada, e que indica a distância daí ao ponto inicial dessa estrada. **Marco regulatório.** Conjunto de regras que disciplinam determinada atividade: "O Ministério da Educação vem operando profunda reformulação do marco regulatório da educação superior." (*Folha de S.Paulo*, 24.03.2008.)

marco² [Do al. *Mark.*] ***S. m.*** Antiga unidade monetária, e moeda, da República Federal da Alemanha, dividida em 100 fênigues. [Foi substituída pelo euro (q. v.). Sin.: *marco alemão*.] ◆ **Marco alemão.** Marco².

março [Do lat. *martiu.*] ***S. m.*** O terceiro mês dos calendários juliano e gregoriano, com 31 dias. [Cf. *marso.*]

marcofilia [De *marca*¹ + *-o-* + *-filia.*] ***S. f.*** Estudo das marcas e carimbos em envelopes.

marcofílico [De *marcofilia* + *-ico*².] ***Adj.*** Relativo à marcofilia.

marcolandense ***Adj. 2 g.*** **1.** De, ou pertencente ou relativo a Marcolândia (PI). ● ***S. 2 g.*** **2.** O natural ou habitante de Marcolândia.

marcomano [Do lat. *marcomanu.*] ***S. m.*** **1.** Indivíduo dos marcomanos, povo antigo da Germânia que habitou as margens do Danúbio e do Reno. ● ***Adj.*** **2.** Pertencente ou relativo a esse povo.

marcondense ***Adj. 2 g.*** **1.** De, ou pertencente ou relativo a Alfredo Marcondes (SP). ● ***S. 2 g.*** **2.** O natural ou habitante de Alfredo Marcondes.

marcos-parentense ***Adj. 2 g.*** **1.** De, ou pertencente ou relativo a Marcos Parente (PI). ● ***S. 2 g.*** **2.** O natural ou habitante de Marcos Parente. [Pl.: *marcos-parentenses.*]

marcusiano [Do antr. *Marcuse* + *-iano.*] *Hist. Filos.* ***Adj.*** **1.** Pertencente ou relativo a, ou próprio de Herbert Marcuse (1898-1979), teórico alemão que procurou combinar os elementos considerados libertários nos pensamentos marxista e freudiano, e cuja reflexão política e social exerceu grande influência nos movimentos contestatórios dos anos 1960. **2.** Que é adepto ou seguidor de Herbert Marcuse, ou profundo conhecedor de sua obra. ● ***S. m.*** **3.** Seguidor de suas concepções, ou profundo conhecedor de sua obra.

mar de almirante ***S. m.*** *Bras. Mar. G.* Estado do mar bonançoso, com boa visibilidade. [Pl.: *mares de almirante.*]

▲ **mare-** [Do lat. *mare, is.*] ***El. comp.*** = 'mar': *maremoto.* [Equiv.: *mareo-, mari-, -mar(i)-*: *mareômetro; maricultura; medimarímetro.*]

maré¹ [Do fr. *marée.*] ***S. f.*** **1.** *Geofís.* Movimento periódico das águas do mar, pelo qual elas se elevam ou se abaixam em relação a uma referência fixa no solo. É produzido pela ação conjunta da Lua e do Sol, e, em muito menor escala, dos planetas; a sua amplitude varia para cada ponto da superfície terrestre, e as horas de máximo (*preamar*) e mínimo (*baixa-mar*) dependem fundamentalmente das posições daqueles astros. **2.** *Fig.* Fluxo e refluxo dos acontecimentos humanos: *Cresce a maré da insatisfação dos jovens.* **3.** *Fig.* Oportunidade, ensejo, ocasião, sazão: *É esta a minha maré de sorte.* **4.** *Fig.* Disposição de espírito; tendência, humor: *Ele não está hoje de boa maré.* **5.** Aglomeração de gente; multidão, mar: *uma maré de manifestantes.* **6.** *Bras.* Terreno à beira-mar ou à beira-rio, em que se faz sentir o fluxo e o refluxo da maré. **7.** *Bras. PA* Distância itinerária de um ponto a outro nas viagens fluviais em que se faz sentir a ação do fluxo e refluxo do mar. ◆ **Maré alta.** A altura máxima que as águas do mar atingem durante o fenômeno da maré; preamar, maré-cheia. **Maré atmosférica.** *Geofís.* Variação da altura da atmosfera, devida à ação gravitacional da Lua e do Sol, e análoga à que se produz nos mares. **Maré baixa.** *Geofís.* V. *baixa-mar.* **Maré clinométrica.** *Astr.* Variação da direção da vertical (8) em relação ao solo, provocada pela atração lunissolar. **Maré da crosta.** *Geofís.* V. *maré terrestre.* **Maré de carvoeiro.** *Bras. Amaz.* Coisa precária, passageira. **Maré de lua.** V. *maré de sizígia.* **Maré de quadratura.** *Ocean. Fís.* Maré de pequena amplitude, que se segue ao dia de quarto crescente ou quarto minguante; maré de quarto. **Maré de quarto.** *Ocean. Fís.* Maré de quadratura. **Maré descendente.** *Geofís.* V. *vazante da maré.* **Maré de sizígia.** Maré de grande amplitude, que se segue ao dia de lua cheia ou de lua nova; água-viva, maré de lua. **Maré direta.** *Geofís.* Maré formada do lado da Terra onde se encontram simultaneamente o Sol e a Lua. **Maré gravimétrica.** *Geofís.* Variação da intensidade do campo de gravidade da Terra, provocada pela atração lunissolar. **Maré lacustre.** *Geofís.* Maré das águas dos grandes lagos. **Maré montante.** *Geofís.* Fluxo ascendente da maré. **Maré oposta.** *Geofís.* A que se produz do lado da Terra oposto àquele onde se acham simultaneamente o Sol e a Lua. **Maré sólida.** *Geofís.* V. *maré terrestre.* **Maré terrestre.** *Geofís.* Movimento periódico ascendente e descendente da crosta terrestre, produzido pela ação conjunta da Lua e do Sol; maré sólida, maré da crosta. **Maré vazia.** *Geofís.* V. *baixa-mar.* **Maré vermelha.** *Ecol.* Proliferação extraordinária de dinoflagelados que dá coloração avermelhada à água do mar. **De maré.** Com disposição: "Fidêncio não estivera de maré para discutir a pessoa do Pereira, o que ele queria era dar a última novidade." (Inglês de Sousa, *O Missionário*, p. 160.) **Estar em maré de.** Estar numa fase propensa a: "ficando num tão absoluto silêncio quando sentia que Luís Bernardo não estava em maré de conversa, que era como se nem estivesse presente." (Miguel Sousa Tavares, *Equador*, p. 279). **Nadar contra a maré.** V. *ir contra a corrente.* **Remar contra a maré.** V. *ir contra a corrente.*

maré² ***S. f.*** *Bras. MG GO* V. *amarelinha*².

mareação [De *marear* + *-ção.*] ***S. f.*** *Ant.* V. *marinhagem*².

mareado [Part. de *marear.*] ***Adj.*** **1.** *Marinh.* Governado, dirigido, manobrado (embarcação). **2.** Enjoado em viagem por mar. **3.** Embaciado, manchado; oxidado: *prata mareada.* **4.** *Bras. RS* Que está um tanto ébrio; tocado, alegre.

mareagem [De *marear* + *-agem*².] ***S. f.*** **1.** V. *marinhagem*². **2.** *Marinh.* Ângulo que faz a direção da quilha de uma embarcação a vela e a direção do vento, quando navegando.

mareante [De *marear* + *-nte.*] ***Adj. 2 g.*** **1.** Que mareia [v. *marear* (1)]. ● ***S. m.*** **2.** Homem do mar; navegante, navegador, marinheiro: "as veleiras barcas, contra a força e arte dos destros mareantes, não venceram o impulso que as levava contra as penedias da barra." (Camilo Castelo Branco, *O Santo da Montanha*, p. 292).

marear [De *mar*¹ + *-ear*².] ***V. t. d.*** **1.** *Obsol.* Navegar: "Ajuda o nosso empenho; o mar é chão, mas largo; / mareia-me o baixel, pois mo tomaste a cargo." (Antônio Feliciano de Castilho, *As Geórgicas*, p. 69.) **2.** *Marinh.* Manobrar ou manejar (uma embarcação a vela). **3.** Provocar enjoo em: *O balanço da embarcação mareava-os.* **4.** Tirar o brilho a; deslustrar, embaciar, oxidar. **5.** Difamar, desonrar, desdourar. **6.** *Taur.* Estontear (o touro) com passes de capote e muleta. ***Int.*** **7.** *Ant.* Andar embarcado; navegar. **8.** Enjoar a bordo. ***P.*** **9.** Orientar-se no mar. **10.** Perder o brilho; deslustrar-se, embaciar-se. **11.** Governar-se nas suas ações; dirigir-se. **12.** Perturbar-se; zangar-se. **13.** *Bras. RS* Embriagar-se, embebedar-se. [Conjug.: v. *frear.*]

marechal [Do fr. *maréchal* < frâncico **marhskalk*, 'criado a quem incumbe cuidar dos cavalos'; 'criado que cuida dos cavalos.'] ***S. m.*** **1.** V. *hierarquia militar.* **2.** Oficial que detém o posto de marechal. **3.** *Bras.* Designação comum a *marechal de exército* e *marechal de campo.* **4.** Chefe supremo do exército em caso de guerra. ◆ **Marechal de Ferro.** Antonomásia de Floriano Peixoto (1839-1895). [V. *florianismo* e *florianista.*]

marechala ***S. f.*** Mulher de marechal.

marechalado [De *marechal* + *-ado*².] ***S. m.*** Marechalato.

marechalato [De *marechal* + *-ato*¹.] ***S. m.*** Cargo ou dignidade de marechal; marechalado.

marechal de campo ***S. m.*** **1.** V. *hierarquia militar.* **2.** Oficial que detinha o posto de marechal de campo. **3.** Feldmarechal. [V. *marechal* (3). Pl.: *marechais de campo.*]

marechal de exército ***S. m.*** **1.** V. *hierarquia militar.* **2.** Oficial que detinha o posto de marechal de exército. [V. *marechal* (3). Pl.: *marechais de exército.*]

marechal do ar ***S. m.*** **1.** V. *hierarquia militar.* **2.** Oficial que detinha o posto de marechal do ar. [Pl.: *marechais do ar.*]

maré-cheia ***S. f.*** V. *maré alta.* [Pl.: *marés-cheias.*]

maregrafista (è) [De *marégrafo* + *-ista.*] ***S. 2 g.*** Funcionário encarregado do marégrafo; mareografista, espia-maré.

marégrafo [De *mare-* + *-grafo.*] ***S. m.*** *Geofís.* Instrumento destinado à medição e ao registro do nível do mar a qualquer hora, com o fim de estudar as marés. [Sin.: *marêmetro, mareógrafo, mareômetro* e (bras.) *espia-maré.*]

maregrama (è) [De *mare-* + *-grama.*] ***S. m.*** *Geofís.* Gráfico que se obtém com o marégrafo.

mar e guerra ***S. m.*** *Bras.* V. *capitão de mar e guerra.* [Pl.: *mar e guerras.*]

mareiro [De *mar* + *-eiro.*] ***Adj.*** **1.** Diz-se de vento que vem ou sopra do mar: "findaram as nortadas; / Veio o vento mareiro e as noites orvalhadas." (Bulhão Pato, *Livro do Monte*, p. 50). **2.** Propício à navegação. ● ***S. m.*** **3.** Vento do mar: "A tarde era de verão, serena e calmosa, mas ajudada por um mareiro .... salgadio e fresco." (Bulhão Pato, *Memórias*, III, p. 335.)

marejada [De *marejar* + *-ada*¹.] ***S. f.*** Leve agitação das ondas do mar; marulho.

marejamento [De *marejar* + *-mento.*] ***S. m.*** Ato ou efeito de marejar.

marejar [De *mar* + *-ejar.*] ***V. t. d.*** **1.** Verter, gotejar, destilar. **2.** Deixar transparecer; patentear, revelar. ***T. i.*** **3.** Brotar, borbulhar, ressumar: "Dos olhos marejavam-lhe as lágrimas." (Tobias Monteiro, *História do Império, II. O Primeiro Reinado*, I, p. 234.) ***T. c.*** **4.** Verter; brotar: *Das pedras, marejava água clara e límpida.* ***Int.*** **5.** Ressumar pelos poros (um líquido). **6.** Borbulhar, borbotar: "Cavou a areia com as unhas, esperou que a água marejasse" (Graciliano Ramos, *Vidas Secas*, p. 15). ***P.*** **7.** Cobrir-se, encher-se (de lágrimas): "os olhos marejavam-se-lhe a cada momento de lágrimas." (José Veríssimo, *Cenas da Vida Amazônica*, p. 263). [Conjug.: v. *pelejar*. Cf. *merejar.*]

marel [De or. obscura.] ***Adj. 2 g. S. m.*** Diz-se de, ou animal destinado a padreação; padreador. [Pl.: *maréis.*]

marela [Der. regress. de *amarelinha*².] ***S. m.*** *Bras.* V. *amarelinha*²: "Ouvindo-as de longe, os meninos emudeciam, parando de jogar onça, firo ou marela" (Gustavo Barroso, *Mississípi*, p. 32).

marema [Do it. *maremma* < lat. *maritima (ora)*, 'região ao longo do mar'.] ***S. f.*** Designação comum aos pântanos do litoral da Itália.

maremático [De *marema* + *-ático.*] ***Adj.*** Relativo a maremas (particularmente falando-se de febres).

maré me leva maré me traz ***S. 2 g. e 2 n.*** *Bras. Fam.* Pessoa fraca, indecisa, irresoluta, sem vontade e/ou convicção.

maremense ***Adj. 2 g.*** **1.** De, ou pertencente ou relativo a Marema (SC). ● ***S. 2 g.*** **2.** O natural ou habitante de Marema.

marémetro ***S. m.*** *Geofís.* V. *marêmetro.* [Uso freq. em P.]

marêmetro [De *mare-* + *-metro.*] ***S. m.*** *Geofís.* V. *marégrafo.*

maremoço (ô) [De *mare-* + *moço.*] ***S. m.*** *Bras. RJ P. us.* Aquele que, nos aerobarcos, atende aos passageiros.

maremoto [De *mare-* + *-moto.*] ***S. m.*** *Geofís.* Grande agitação do mar provocada pelas oscilações sísmicas.

maremotor (è...ô) [De *mare-* + *-motor.*] ***Adj.*** Movido pela força das marés; mareomotor. [Fem.: *maremotriz.*]

maremotriz [De *mare-* + *motriz.*] ***Adj. (f.)*** ~ V. *energia* —.

▲ **mareo-** [De *mare-* + *-o-.*] V. *mare-.*

mareografista (e-o) [De *mareógrafo* + *-ista.*] ***S. m.*** V. *maregrafista.*

mareógrafo [De *mareo-* + *-grafo.*] ***S. m.*** *Geofís.* V. *marégrafo.*

mareómetro ***S. m.*** *Geofís.* V. *mareômetro.* [Uso freq. em P.]

mareômetro [De *mareo-* + *-metro.*] ***S. m.*** *Geofís.* V. *marégrafo.*

mareomotor (è-o... ô) [De *mareo-* + *motor.*] ***Adj.*** Maremotor: "A foz do rio Amazonas possui marés importantes e regulares, dando condições ideais para a produção de energia, sem o problema da água salgada que complica a manutenção das centrais mareomotrizes oceânicas" (*Boletim Informativo do Projeto Planeta Terra, da IBM do Brasil*, Ano 1, nº 8). [Fem.: *mareomotriz.*]

maresia [De *maré.*] ***S. f.*** **1.** Cheiro característico vindo do mar, por ocasião da vazante, sobretudo em praias onde abundam algas ou onde há lama. **2.** *Bras. MA* Banzeiro (6), nos rios ou na costa. **3.** *Bras. GO MT* Ondas encapeladas que se formam nalguns pontos do rio Araguaia. **4.** *Bras. Gír.* Cheiro forte de maconha.

mar-espanhense ***Adj. 2 g.*** **1.** De, ou pertencente ou relativo a Mar de Espanha (MG). ● ***S. 2 g.*** **2.** O natural ou habitante de Mar de Espanha. [Pl.: *mar-espanhenses.*]

mareta (ê) [Do it. *maretta.*] ***S. f.*** **1.** Pequena onda. **2.** Onda de rio. [Sin., no RS, nesta acepç.: *maretada.*]

maretada [De *mareta* + *-ada*¹.] ***S. f.*** *Bras. RS* Mareta (2).

maré-vermelha [De *maré* + o f. de *vermelho.*] ***S. f.*** *Ecol.* Proliferação extraordinária de fitoplânctons, esp. de dinoflagelados, os quais, ger., dão coloração avermelhada à água do mar. [Pl.: *marés-vermelhas.*]

marfado [Part. de *marfar.*] ***Adj.*** **1.** Amuado, zangado, desgostoso. **2.** Raivoso, enfurecido, irado.

marfar [De or. obscura.] ***V. t. d. P.*** **1.** Enfurecer(-se), enraivecer(-se); ofender(-se). **2.** Desgostar(-se), amuar(-se), enfadar(-se).

marfim [Do ár. *ʿazm al-fīl*, 'osso do elefante'; 'marfim'.] ***S. m.*** **1.** Substância fina e resistente, de um branco leitoso, de que são constituídas as presas ou defesas do elefante, e que é muito usada para delicados trabalhos de entalhe. **2.** *P. ext.* A parte compacta e branca que constitui a maior parte dos dentes dos mamíferos. **3.** Objeto ou obra de marfim (1). **4.** *Fig.* Aquilo que é muito branco e liso: *colo de marfim.* **5.** *Bras. Bot.* V. *bucho-de-boi.* **6.** *Bras. Bot.* V. *itapeuá.*

7. *Bras. Bot.* V. *pau-marfim* (1 e 2). ◆ **Deixar correr o marfim. 1.** Ser indiferente aos sucessos, ao que vai pelo mundo. **2.** Não se preocupar com as consequências dum ato.

marfim-vegetal *S. m. Bras. Bot.* Jarina. [Pl.: *marfins-vegetais.*]

marfinense *Adj. 2 g. S. 2 g.* V. *ebúrneo*[2].

marfiniano *Adj. S. m.* V. *ebúrneo*[2].

marfinizar [De *marfim* + *-izar*, seg. o padrão erudito.] *V. t. d.* **1.** Dar aparência de marfim a: "A aragem fria do rio endurecia-lhe a pele do rosto que os anos iam marfinizando." (Joaquim Paço d'Arcos, *Carnaval e Outros Contos*, p. 22.) *P.* **2.** Tomar aparência de marfim.

marfinzeiro [De *marfim*[2] + *-zeiro.*] *S. m. Bras. Bot.* V. *pau-marfim* (1).

marga [Do lat. *marga.*] *S. f. Geol.* Calcário argiloso, ou argila com maior ou menor teor em calcário; marna.

margagem [De *margar* + *-agem*[2].] *S. f.* Ato ou efeito de margar.

margar [De *marga* + *-ar*[2].] *V. t. d.* Corrigir ou adubar (o terreno) com marga. [Conjug.: v. *largar.*]

margárico [De *margar(ina)* + *-ico*[2].] *Adj. Quím.* ~ *V. ácido* —.

margarida[1] [Do lat. *margarita* < gr. *margarítes*, 'pérola'; tax. *Margarita.*] *S. f. Bot.* **1.** Gênero de plantas asteráceas, ornamentais, uma inflorescência vistosa de sépalas brancas dispostas em volta de um capítulo que encerra diminutas flores frequentemente amarelas. **2.** Espécie ou espécime desse gênero, ou a sua flor. [Sin. ger.: *margarita.*]

margarida[2] [De *margarida*[1].] *S. f.* **1.** *Bras.* Renda cearense na qual se distinguem, sob um fundo de pontos variados, desenhos de margaridas. **2.** *Bras. Zool.* Michole. **3.** *Bras. SP* Formiguinha. **4.** Em algumas máquinas de escrever e impressoras, disco com palhetas dispostas radialmente, na extremidade das quais há tipos em relevo para a impressão de caracteres.

margarida-africana [De *margarida* + o f. de *africano.*] *S. f. Bot.* Planta asterácea (*Dimorphoteca aurantiaca*) herbácea, glabra, de até 40cm, de intensa cor amarela ou alaranjada, e disco central com manchas escuras na base. [Pl.: *margaridas-africanas.*]

margarida-amarela [De *margarida* + o f. de *amarelo.*] *S. f. Bot.* Planta asterácea (*Chrysanthemum coronarium*) ornamental, de flores amarelas dispostas em capítulos. [Pl.: *margaridas-amarelas.*]

margarida-anual *S. f. Bot.* Planta asterácea (*Bellis annua*) anual, caulescente, de flores dispostas em capítulos relativamente pequenos; margarida-do-campo. [Pl.: *margaridas-anuais.*]

margarida-do-campo *S. f. Bot.* Margarida-anual. [Pl.: *margaridas-do-campo.*]

margarida-do-transval *S. f. Bot.* Planta asterácea (*Gerbera jamensonii*) de flores amarelas ou róseas, purpúreas ou cor-de-laranja. [Pl.: *margaridas-do--transval.*]

margarida-inglesa [De *margarida* + o f. de *inglês.*] *S. f. Bot.* V. *bela-margarida.* [Pl.: *margaridas-inglesas.*]

margarida-menor *S. f. Bot.* Erva asterácea (*Bellis silvestris*) acaule, de folhas oblongas e elípticas, atenuadas em pecíolo, e flores dispostas em capítulos grandes com o pedúnculo não espesso. [Pl.: *margaridas-menores.*]

margarida-rasteira *S. f. Bot.* V. *bela-margarida.* [Pl.: *margaridas-rasteiras.*]

margaridinha [De *margarida*[1] + *-inha.*] *S. f. Bot.* V. *bela-margarida.*

margarina [De *margar(o)-* + *-ina*[1]; fr. *margarine.*] *S. f.* Substância pastosa e gordurosa, semelhante à manteiga, resultante da mistura de palmitina e estearina, e que se prepara a partir de sebos e óleos vegetais.

margarita[1] [Do gr. *margarítes*, 'pérola', pelo lat. *margarita*, por via erudita.] *S. f.* **1.** Pérola (1). **2.** *Min.* Mineral monoclínico do grupo das clintonitas, ou micas frágeis, silicato ácido de alumínio e cálcio. **3.** *P. us. Bot.* V. *margarida*[1].

margarita[2] [Do tax. *Margarites.*] *S. f. Zool.* Molusco do gênero *Margarites.*

margaritáceo [De *margarit(i)-* + *-áceo.*] *Adj. Zool.* Diz-se dos moluscos que produzem pérolas.

▲ **margarit(i)-** [Do lat. *margarita, ae* ou gr. *margarítes, ou.*] *El. comp.* = 'pérola': *margaritáceo, margaritífero.*

margaritífero [De *margarit(i)-* + *-fero.*] *Adj.* Que produz pérolas.

▲ **margar(o)-** [Do gr. *márgaron* ou *márgaros, ou.*] *El. comp.* = 'ostra perlífera'; 'pérola': *margarina.*

margeação [De *margear* + *-ção.*] *S. f. Art. Gráf.* Operação de margear (5), realizada folha a folha pela mão do impressor (*margeação manual*), ou por dispositivo mecânico da prensa (*margeação automática*). [Sin., p. us.: *marginação.*] ◆ **Margeação automática.** *Art. Gráf.* V. *margeação.* **Margeação manual.** *Art. Gráf.* V. *margeação.*

margeador (ô) [De *margear* + *-dor.*] *S. m. Art. Gráf.* Impressor, pautador ou dobrador, encarregado da operação de margear (5). [Sin., p. us.: *marginador.* Cf. *alimentador.*]

margeante [De *margear* + *-nte.*] *Adj. 2 g.* Que margeia ou margina: "adubou os cafezeiros margeantes ao caminho" (Monteiro Lobato, *Urupês, Outros Contos e Coisas*, p. 97).

margear [Do lat. *marginare*, por via pop.] *V. t. d.* **1.** Fazer margem em. **2.** Seguir pela margem de; ir ao longo ou ao(s) lado(s) de: "Margeando o rio, subiram os seis homens." (Cornélio Pires, *Quem Conta um Conto...*, p. 205.) **3.** Guarnecer as margens de; marginar: *A cerca margeava o rio.* **4.** Mostrar-se, ou ficar situado, à margem ou às margens de: "Que lindo o verde, em nuanças meio incertas, / Margeando, lado a lado, as estradas desertas!" (Olegário Mariano, *Toda uma Vida de Poesia*, I, p. 51.) **5.** *Art. Gráf.* Pôr (a folha) na prensa ou na máquina respectiva, para imprimir, pautar ou dobrar, encostando-a nas balizas ou nos esquadros, ou enfiando-a em puncturas. [Sin., p. us., nesta acepç.: *marginar.* Conjug.: v. *frear.*]

margem [Do lat. *margine.*] *S. f.* **1.** Parte em branco ao redor de uma folha manuscrita ou impressa, a qual parte pode às vezes conter ilustrações e notas. **2.** Linha ou faixa que limita ou circunda alguma coisa; borda, beira, orla: *a margem de um escudo.* **3.** O terreno que ladeia um curso de água ou que circunda um lago; beira, orla. [Cf., nesta acepç.: *riba* (1).] **4.** O litoral, a costa. **5.** Leira de terra lavrada compreendida entre dois sulcos. **6.** *Bot.* A parte mais externa que circunscreve um órgão foliáceo; bordo. **7.** *Fig.* Espaço livre, de tempo ou de lugar: *Não há margem para fazermos o trabalho.* **8.** *Fig.* Ensejo, ocasião, oportunidade: *Demos aos litigantes margem de prepararem suas defesas.* **9.** *Econ.* Nas bolsas de valores e de mercadorias, depósito de garantia feito pelo investidor em operações a termo, operações no mercado futuro, ou no mercado de opções. ◆ **Margem de contribuição.** *Adm.* Preço de venda menos custo variável unitário, cálculo que ajuda a perceber o grau em que um produto ou serviço é capaz de contribuir para o rateio dos custos fixos de uma determinada operação produtiva. **Margem de lucro.** *Econ.* Importância ou porcentagem acrescentada ao custo de produção, ou ao preço por atacado, para determinar o preço de venda. [Sin. (ingl.): *mark-up.*] **Margem direita.** A margem de um curso de água que fica à direita de quem olha para jusante. **Margem esquerda.** A margem de um curso de água que fica à esquerda de quem olha para jusante. **À margem.** De parte; de lado: *pôr à margem; ficar à margem.* **À margem de. 1.** À beira de; ao lado: *casa situada à margem da estrada de ferro.* **2.** A respeito de; com respeito a; a propósito de: *À margem da História* (título de uma das obras de Euclides da Cunha). **3.** Fora do âmbito ou ação de: *Vive à margem da lei.* **Dar margem a.** Dar ocasião, proporcionar ensejo, a. **Deitar à margem.** Abandonar, desprezar; lançar à margem. **Lançar à margem.** Deitar à margem.

marginação [De *marginar* + *-ção.*] *S. f.* **1.** Ato de marginar. **2.** *Art. Gráf. P. us.* Margeação (q. v.).

marginado [Part. de *marginar.*] *Adj.* **1.** Que tem, ou forma, margem. **2.** Escrito na margem de livro ou de manuscrito.

marginador (ô) [De *marginar* + *-dor.*] *S. m. Art. Gráf. P. us.* Margeador.

marginal [De *margin(i)-* + *-al*[1].] *Adj. 2 g.* **1.** Da margem (1 e 2), ou a ela relativo, ou feito, traçado escrito, desenhado nela: *A largura marginal do livro é pequena; Há na obra umas notas marginais; O volume contém ilustrações marginais.* **2.** V. *ribeirinho* (2). **3.** V. *ripícola.* **4.** Feito ou elaborado à margem de algum assunto: *comentários marginais.* **5.** *Econ.* Relativo a pequenas variações (na quantidade produzida, no consumo, nos custos,etc.): *custo marginal, produtividade marginal, utilidade marginal.* **6.** *Bras.* Diz-se de pessoa que vive à margem da sociedade ou da lei como vagabundo, mendigo ou delinquente; fora da lei. **7.** *Bras.* No jargão médico, diz-se de órgão impróprio para transplante. ~ V. *custo* —, *homem* —, *nota* —, *receita* — e *terreno* —. ● *S. 2 g.* **8.** *Bras.* Indivíduo marginal (6); fora da lei: *A polícia prendeu diversos marginais.* ● *S. f. Bras. SP* **9.** Via, ger. expressa, que segue ao lado da margem de um rio: "A essa hora .... cinco e quinze .... a cidade já está parando .... as marginais, as ruas paralelas, as transversais .... tudo entupido de carros e buzinas" (Luís Ruffato, *Eles Eram Muitos Cavalos*, p. 84).

➔ **marginalia** [marʒeˈnalea] [Lat.] *S. m. pl.* Anotações à margem dum livro.

marginália[1] [Do lat. *marginalia.*] *S. f.* **1.** V. *marginalia.* **2.** *P. ext.* Anotações à margem de jornal, caderno, etc.: "Organizei assim uma marginália a esses artigos e notícias." (Lima Barreto, *Marginália*, p. 32.)

marginália[2] [De *marginal* (6) + *-ia*[2].] *S. f. Bras. Gír.* Os marginais [v. *marginal* (6)].

marginalidade [De *marginal* + *-(i)dade.*] *S. f.* **1.** Qualidade ou caráter de marginal. **2.** Condição de indivíduo marginal.

marginalismo [De *marginal* + *-ismo*; ingl. *marginalism.*] *S. m. Econ.* Escola de pensamento econômico, desenvolvida a partir de 1870, e que, partindo da análise da oferta e da procura em termos marginais [v. *marginal* (5)], enfatizou a tendência da economia de mercado ao equilíbrio, e em alguns autores deu lugar a uma visão apologética do capitalismo. [Prestando-se ao uso de métodos matemáticos, o marginalismo deu grande impulso à formalização da teoria econômica.]

marginalista [De *marginalismo* + *-ista*; ingl. *marginalist.*] *Adj. 2 g.* Referente ao marginalismo.

marginalização [De *marginalizar* + *-ção.*] *S. f.* Ato ou efeito de marginalizar(-se).

marginalizado [Part. de *marginalizar.*] *Adj.* Posto à margem de uma sociedade, de um grupo, da vida pública, etc.

marginalizar [De *marginal* + *-izar.*] *V. t. d.* **1.** Impedir que participe de; pôr à margem de uma sociedade, de um grupo, da vida pública, etc.: *Os grupos racistas procuram marginalizar os negros;* "A academia cultista de Mariana, até agora marginalizada ou minimizada pelos estudiosos das letras coloniais, não constitui fenômeno isolado na história da cultura implantada em Minas no século do ouro." (Afonso Ávila, *Resíduos Seiscentistas em Minas*, I, p. 60). *P.* **2.** Tornar-se marginal (7).

marginar [Do lat. *marginare*, por via erudita.] *V. t. d.* **1.** Margear (3): "Uma vez, ia eu de trem, vi-o pelas tristes ruas que marginam o início da Central" (Lima Barreto, *Vida e Morte de M. J. Gonzaga de Sá*, p. 63). **2.** Anotar à margem de (livro, folha, etc.). **3.** *Art. Gráf. P. us.* Margear (5). [Fut. pret.: *marginaria*, etc. Cf. *margínaria*, fem. de *marginário.*]

marginário [De *margin(i)-* + *-ário.*] *Adj. Bot.* Diz-se do septo formado pelo bordo dos carpelos que entram no interior do fruto. [Fem.: *marginária.* Cf. *marginaria*, do v. *marginar.*]

marginatura [Do lat. *marginatus*, part. pass. de *marginare*, 'marginar', + *-ura.*] *S. f. Bot.* Estado de margínário.

▲ **margin(i)-** [Do lat. *margo, inis.*] *El. comp.* = 'margem', 'borda': *marginário, marginiforme.* [Equiv.: *-margin(i)-*: *bimarginado.*]

▲ **-margin(i)-** Equiv. de *margin(i)-.*

marginiforme [De *margin(i)-* + *-forme.*] *Adj. 2 g.* Semelhante a uma cercadura.

mar-golfo (ô) *S. m.* Variedade de mar costeiro que tem uma só abertura. [Pl.: *mares-golfos* (ô) e *mares--golfo.*]

margoso (ô) [De *marga* + *-oso.*] *Adj.* Semelhante a, ou que contém marga.

margrave [Do al. *Markgraf*, 'conde da marca', *i. e.*, que governa a região da marca (13), pelo fr. *margrave.*] *S. m.* Título que outrora se dava aos príncipes soberanos de certos estados fronteiriços da Alemanha: "Era uma além do Holstein: viera com seu irmão — mandado pelo Margrave para adestrar os falcões" (Eça de Queirós, *Cartas Inéditas de Fradique Mendes*, p. 148). [Fem.: *margravina.*]

margraviado [De *margrave* + *-i-* + *-ado*[2].] *S. m.* Margraviato.

margraviato [De *margrave* + *-i-* + *-ato*[1].] *S. m.* Cargo ou dignidade de margrave. [F. paral.: *margraviado.*]

margravina [Do al. *Markgräfin*, pelo fr. *margrevine.*] *S. f.* Fem. de *margrave.*

margueira [De *marga* + *-eira.*] *S. f.* Concentração ou depósito de marga.

margueiro [De *marga* + *-eiro.*] *S. m.* Aquele que apanha marga.

mari[1] [Do top. *Mari* (Turcomenistão).] *Gloss. S. m.* **1.** Língua fino-úgrica, falada na região de Mari e em algumas áreas próximas ao vale do rio Volga. **2.** Vocábulo dessa língua. ● *Adj. 2 g.* **3.** Pertencente ou relativo ao mari (1).

mari[2] [De *umari*, com aférese.] *S. m. Bras. Bot.* **1.** Marizeira. **2.** V. *angelim-de-espinho.*

▲ **mari-** V. *mare-.*

▲ **-mar(i)-** V. *mare-.*

maria *S. m. Bras. Cul.* Biscoito doce, de farinha de trigo e ovos, arredondado e bem fino. [Cf. *Maria*, antr.]

maria-besta (ê) [Do antr. *Maria* + *besta* (ê).] *S. f. Bras. PB Zool.* Pássaro da família dos tiranídeos (*Elaenia flavogaster*). [Pl.: *marias-bestas.*]

maria-branca [Do antr. *Maria* + o f. de *branco.*] *S. f.* **1.** *Bras. MG Zool.* Ave passeriforme, tiranídea (*Xolmis cinerea*), de coloração cinza, ponta das retrizes e asas escuras, e a fronte, margens das rêmiges do braço, uropígio e parte basal da cauda brancos; mocinha-

M

-branca, primavera. 2. *Bras. MG SP Pop.* V. *cachaça* (1). [Pl.: *marias-brancas*.]

maria-cadeira [Do antr. *Maria* + *cadeira*.] *S. f. Bras.* Cadeirinha (3). [Pl.: *marias-cadeiras* e *marias-cadeira*.]

maria-caraíba [Do antr. *Maria* + *caraíba*.] *S. f. Bras. Zool.* 1. V. *alma-de-gato* (1). 2. V. *chincoã*. [Pl.: *marias-caraíbas* e *marias-caraíba*.]

maria-cavaleira [Do antr. *Maria* + o f. de *cavaleiro*.] *S. f. Bras. Zool.* Designação comum a várias aves passeriformes, tiranídeas, gênero *Myarchus*, esp. o *M. tyrannulus*, o *M. swainsoni amazonus* e o *M. ferox australis*, todos com larga distribuição geográfica no Brasil, de coloração geral parda, acinzentada ou esverdeada; pai-agostinho, irré. [Pl.: *marias-cavaleiras*.]

maria-chiquinha [Do antr. *Maria* + o hipocorístico *Chiquinha* < *Chica* < *Francisca*.] *S. f. Bras. Fam.* Penteado em que se dividem os cabelos ao meio, do alto até a nuca, formando duas madeixas laterais, amarradas junto à cabeça. [Sin. (lus.): *totó*. Pl.: *marias-chiquinhas*.]

maria-com-a-vovó [Do antr. *Maria* + *com* + *a*² + *vovó*.] *S. f. Bras. PA Zool.* Ave passeriforme, dendrocoláptídea (*Synallaxis rutilans omissa*), da Amaz., de coloração escura, dorso lavado de oliváceo, coberteiras superiores das asas vermelhas, e, ger., no dorso e no peito, algumas manchas da mesma cor. Alimenta-se de insetos. [Pl.: *marias-com-a-vovó*.]

maria-condé *S. f. Bras.* Certo brinquedo infantil. [Pl.: *marias-condés* e *maria-condés*. Cf. *bacondé*.]

maria da mata *S. f. Lus. Etnogr.* Monstro cornígero com lume nos olhos, transformação popular de antiga divindade. [Pl.: *marias da mata*.] ☑

maria-da-serra [Do antr. *Maria* + *da*¹ + *serra*.] *S. f. Bras. Zool.* Sarrinho. [Pl.: *marias-da-serra*.]

maria-da-toca [Do antr. *Maria* + *da*¹ + *toca*.] *S. f. Bras. Zool.* V. *amboré*. [Pl.: *marias-da-toca*.]

maria-de-barro [Do antr. *Maria* + *de* + *barro*.] *S. f. Bras. CE Zool.* V. *joão-de-barro*. [Pl.: *marias-de-barro*.]

maria-é-dia [Voc. onom.] *S. f. 2 n. Zool.* 1. *Bras.* Ave passeriforme, tiranídea (*Elaenia flavogaster*), distribuída desde SP e MT até a Amaz., de dorso cinzento-escuro, abdome amarelo-claro, penas da cabeça formando um topete, e que se alimenta de insetos: 📖 "E de leve, ligeira, a 'maria-é-dia' bateu as asas na telha, piando-lhes: já é dia, já é dia." (Dalcídio Jurandir, *Três Casas e Um Rio*, p. 91.) [Sin.: *maria-já-é-dia, marido-é-dia, maridedia, guaracava, guracava, cocurutado, bem-te-vi-miúdo, topetuda*.] 2. *Bras.* Ave passeriforme, tiranídea (*Empidonomus varius rufinus*), distribuída do AM ao ES, de coloração parda, asas marginadas de cor esbranquiçada, cauda e coberteiras superiores da cauda marginadas de vermelho, mancha amarela no vértice, e peito e abdome amarelos, pintados de pardo. [Sin.: *marido-é-dia* e (na Amaz.) *peitica*.] 3. *Bras. MT* Ave passeriforme, tiranídea (*Thryotorus leucotis rufiventris*); marido-é-dia. 4. *Bras. Zool.* V. *tico-tico* (1).

maria-faceira [Do antr. *Maria* + o f. de *faceiro*.] *S. f. Bras. Zool.* Ave ciconiiforme, ardeídea (*Syrigma sibilatrix*), da Argentina, do Uruguai e do S. do Brasil, de dorso acinzentado, parte inferior branca, coberteiras das asas vermelhas com estrias cinzentas, peito amarelado, coroa e topete azul-escuros e bico vermelho com ponta preta. Vive na beira de rios e lagos, e alimenta-se de pequenos peixes. [Sin.: *coaracinumbi, coaracimimbi*.] [Pl.: *marias-faceiras*.]

maria-farinha [Do antr. *Maria* + *farinha*.] *S. f. Bras. Zool.* V. *espia-maré* (3). [Pl.: *marias-farinhas* e *marias-farinha*.]

maria-fumaça [Do antr. *Maria* + *fumaça*.] *S. f. e m.* 1. *Bras. S.* Trem (8) com locomotiva a vapor: 📖 "duas vezes por dia viaja .... ensardinhado num vagão de primeira classe de uma maria-fumaça" (Vivaldo Coaraci, *91 Crônicas Escolhidas*, p. 196); "romance principiado em Inhaúma, alimentado com desespero no maria-fumaça, nas ruas mal-iluminadas" (Ricardo Ramos, *Matar um Homem*, p. 102). ● *S. 2 g.* 2. *Bras.* Pessoa que fuma demasiadamente. [Pl.: *marias-fumaças* e *marias-fumaça*.]

mariagombe *S. f. Bras. Bot.* V. *maria-gomes*.

maria-gomes [Var. de *mariangombe* < quimb. *rimiria ngombe*, 'língua de vaca'.] *S. f. Bras. Bot.* Pequena erva portulacácea (*Talinum patens*) nativa das Américas, de folhagem, macia e mucilaginosa, comestível; as flores são violáceas, pequenas, sendo os frutos cápsulas ínfimas. [Sin.: *mariagombe, manjangome, joão-gomes*. Pl.: *marias-gomes*.]

maria-guenza [Do antr. *Maria* + o f. de *guenzo*.] *S. f. Bras. MT Zool.* V. *joaninha* (2). [Pl.: *marias-guenzas*.]

maria-isabel [Dos antr. *Maria* e *Isabel*.] *S. f. Bras. Cul.* Prato feito de arroz e carne-seca. [Pl.: *marias-isabéis* e *maria-isabéis*.]

maria-já-é-dia [Voc. onom.] *S. f. 2 n. Bras. Zool.* V. *maria-é-dia* (1).

maria-judia [Do antr. *Maria* + *judia*.] *S. f. Bras. CE Zool.* V. *tico-tico* (1). [Pl.: *marias-judias*.]

maria-lecre *S. f. Bras. Zool.* V. *lecre*. [Pl.: *marias-lecres* e *marias-lecre*.]

maria-leite [Do antr. *Maria* + o antr. *Leite*.] *S. f. Bras. Bot.* V. *erva-de-santa-luzia* (1). [Pl.: *marias-leites* e *marias-leite*.]

marialva *Adj. 2 g.* 1. Referente às regras de cavalgar a gineta estabelecidas pelo Marquês de Marialva, D. Pedro de Alcântara de Meneses, notável cavaleiro português (1711-1799). ● *S. m.* 2. Bom cavaleiro. 3. *Lus.* Indivíduo que faz conquistas amorosas; conquistador.

marialvense *Adj. 2 g.* 1. De, ou pertencente ou relativo a Marialva (PR). ● *S. 2 g.* 2. O natural ou habitante de Marialva.

maria-macumbé *S. f. Bras. S.* V. *pique*¹ (3). [Pl.: *marias-macumbés* e *marias-macumbé*.]

maria-mijona [Do antr. *Maria* + o f. de *mijão*.] *Bras. Pop. S. f.* 1. Mulher, moça ou criança cujo vestido ou saia tem aspecto deselegante, desajeitado, por ser bem mais longo que o normal. [Pl.: *marias-mijonas*.] ● *Adj. 2 g. e 2 n.* 2. Diz-se de vestido ou saia excessivamente compridos em relação ao comprimento ditado pela moda.

maria-minha *S. f. Bras. BA Bot.* V. *trapoerabarana*. [Pl.: *marias-minhas*.]

maria-mole [Do antr. *Maria* + *mole*².] *S. f. Bras.* 1. Espécie de sapato muito macio e de sola fina. 2. *Bot.* V. *tasneirinha* 3. *Bot.* V. *folha-redonda*. 4. *Zool.* V. *socozinho*. 5. *Zool.* Peixe pomacentrídeo (*Stegastes fuscus*), do Atlântico Sul ocidental, na costa do Brasil do N. até SC, de coloração marrom, com linhas verticais escuras, manchas azuis oblongas nas escamas da cabeça, mancha negra na base das nadadeiras peitorais e as narinas muito próximas aos olhos. [Sin.: *castanheta, donzela, querê-querê, saberê*.] 6. *Zool.* Peixe teleósteo, perciforme, cianídeo (*Cyanoscion striatus*), do Atlântico, conhecido do Brasil ao Rio da Prata, de coloração prateada, tirante ao cinzento no dorso, com uma estria escura no dorso e nos flancos. É pescado com redes, sendo muito abundante nas costas do RJ. Alimenta-se de peixes e crustáceos, e mede até 50cm. 7. *Zool.* V. *bicho-pau* (2). 8. *Cul.* Doce semelhante ao *marshmallow* (q. v.), coberto com raspas de coco. [Pl.: *marias-moles*.]

maria-mucanguê *S. f. Bras. RJ* Certo divertimento de crianças, semelhante à maria-macumbé. [Pl.: *marias-mucanguês* e *marias-mucanguê*.]

maria-mulata [Do antr. *Maria* + o f. de *mulato*.] *S. f. Bras. Zool.* V. *guarandi*. [Pl.: *marias-mulatas*.]

mariana [Do antr. *Mariana*, poss.] *S. f. Bras. Bot.* V. *fruta-de-sabiá*.

maria-nagô [Do antr. *Maria* + *nagô*.] *S. f. Bras. BA Zool.* Peixe teleósteo, perciforme, cianídeo (*Eques lanceolatus*), do Atlântico, desde a América Central até a BA, de coloração amarelo-clara, ornada de faixas pretas marginadas de branco. Os desenhos do corpo, com aparência semelhante aos us. pelos negros da raça nagô, motivaram-lhe o nome vulgar. [Pl.: *marias-nagôs*.]

marianeira [De *mariana* + *-eira*.] *S. f. Bot.* 1. *Bras. L.* Arbusto solanáceo (*Aureliana lucida*) da floresta pluvial, de folhas geminadas e subcoriáceas, flores esbranquiçadas, que medem 2cm, e cujo fruto é uma baga das grandes, que atinge 10cm de diâmetro. 2. V. *fruta-de-sabiá*.

marianense¹ *Adj. 2 g.* 1. De, ou pertencente ou relativo a Mariana (MG). ● *S. 2 g.* 2. O natural ou habitante de Mariana.

marianense² *Adj. 2 g.* 1. De, ou pertencente ou relativo a Mariano Pimentel (RS). ● *S. 2 g.* 2. O natural ou habitante de Mariana Pimentel.

marianense³ *Adj. 2 g.* 1. De, ou pertencente ou relativo a Mariano Moro (RS). ● *S. 2 g.* 2. O natural ou habitante de Mariano Moro.

mariangombe *S. f. Bras. Bot.* V. *maria-gomes*.

mariangu *S. m. Bras. Zool.* V. *curiango*.

marianinha [Do antr. *Mariana* + *-inha*; hipocorístico.] *S. f.* 1. *Zool. Bras.* V. *marianita*. 2. *Bot. Bras. BA* V. *trapoerabarana*.

marianismo [De *mariano* + *-ismo*.] *S. m. Rel.* Promoção do culto ou da devoção à Virgem Maria, na Igreja Católica.

marianita [Do antr. *Mariana* + *-ita*¹.] *S. f. Bras. Zool.* Ave psitaciforme, psitacídea (*Pionites leucogaster*), da Amaz., de coloração verde, alto da cabeça e nuca alaranjados, garganta amarela, flancos e coxas verdes, coberteiras inferiores da cauda amarelas, e abdome branco. [Sin.: *marianinha, mariquita, maipuré, periquito-d'anta*.]

marianjica [Do antr. *Maria* + *anjo* + o f. de *-ico*¹, poss.] *S. f. Bras. PE Zool.* Larva de certo coleóptero, que investe contra a cana-de-açúcar, brocando-a da parte inferior até o olho.

mariano [Do antr. *Maria*, a mãe de Jesus, + *-ano*¹.] *Adj.* 1. Da, ou relativo à Virgem Maria, ou ao seu culto: 📖 "Naquele dia, em pleno mês mariano, além da missa conventual, celebrava-se um casamento de gente rica." (Inglês de Sousa, *O Missionário*, p. 101.) ● *S. m.* 2. Frade da Ordem dos Marianos. [Cf. *marista* (1).]

marianopolitano *Adj.* 1. De, ou pertencente ou relativo a Marianópolis do Tocantins (TO). ● *S. m.* 2. O natural ou habitante de Marianópolis do Tocantins.

maria-peidorreira [Do antr. *Maria* + o f. de *peidorreiro*.] *S. f. Bras. Bot.* V. *açucena-do-mato*. [Pl.: *marias-peidorreiras*.]

maria-pereira [Do antr. *Maria Pereira*, poss.] *S. f. Bras. Bot.* Árvore rubiácea (*Posoqueria macropus*) de flores conspícuas, alvas e cheirosas, corola tubulosa, fruto semelhante a um limão amarelo, e folhas opostas e estipuladas. [Pl.: *marias-pereiras* e *marias-pereira*.]

maria-pobre [Do antr. *Maria* + *pobre*.] *S. f. Bras. Bot.* V. *farinha-seca* (7). [Pl.: *marias-pobres*.]

mariapolense *Adj. 2 g.* 1. De, ou pertencente ou relativo a Mariápolis (SP). ● *S. 2 g.* 2. O natural ou habitante de Mariápolis.

maria-preta (ê) [Do antr. *Maria* + o f. de *preto*.] *S. f. Bras.* 1. *Bot.* V. *braúna* (1). 2. *Bot.* V. *guaraçaí* (2). 3. *Bot.* V. *erva-moura* (1). 4. *Bot.* V. *catinga-de-bode*. 5. *Bras. Zool.* Ave passeriforme, tiranídea, gênero *Knipolegus*, particularmente as espécies *K. lophotes*, do C. e S. do Brasil, completamente preta, com base das rêmiges branca, e a *K. nigerrimus*, de bico azul, a fêmea com manchas vermelho-pardas na garganta. Ambas são de regiões descampadas e se alimentam só de insetos. 6. *Bras. Zool.* V. *chupim* (1). [Pl.: *marias-pretas* (ê).]

maria-preta-da-mata [De *maria-preta* + *da*¹ + *mata*.] *S. f. Bras. Bot.* V. *braúna* (2). [Pl.: *marias-pretas-da-mata*.]

maria-pretinha [Do antr. *Maria* + o f. do dim. de *preto*.] *S. f. Bras. Bot.* V. *erva-moura* (1). [Pl.: *marias-pretinhas*.]

maria-rendeira *S. f. Bras. SE Zool.* V. *rendeira*² (2). [Pl.: *marias-rendeiras*.]

maria-rita [Dos antr. *Maria* e *Rita*.] *S. f. Bras. MG Zool.* Designação comum a duas espécies de vespas (*Polistes versicolor* e *Polistes canadensis*). [Pl.: *marias-ritas* e *marias-rita*.]

maria-rosa [Do antr. *Maria* + *rosa*.] *S. f. Bras. Bot.* Palmeira arecácea (*Syagrus macrocarpa*) de até 7m, nativa da Amaz. e do C.O., de estipe anelado, com palmito de ótima qualidade, folhas distribuídas em cinco direções, inflorescências interfoliares, frutos edules, amêndoa de que se extrai óleo tb. edule; anajá, anaiá, jururá, maripá, najá. [Pl.: *marias-rosas* e *marias-rosa*.]

maria-seca (ê) [De *Maria*, antr., + o f. do adj. *seco* (ê).] *S. f. Bras. Zool.* V. *bicho-pau* (1 e 2). [Pl.: *marias-secas* (ê).]

maria-sem-vergonha [Do antr. *Maria* + *sem-vergonha*.] *S. f. Bras. Bot.* Erva balsaminácea (*Impatiens sultani* ou *I. walleriana*) suculenta, originária de Zanzibar (ilha da Tanzânia na costa oriental da África), e que cresce espontaneamente no Brasil, de folhas elíptico-lanceoladas, moles, glabras, acuminadas; flores rubras, alvas e violáceas, vistosas, com quatro pétalas cruzadas; cálice com uma sépala longamente calcarada; cinco estames, reunidos no centro da flor; cápsula herbácea, que se abre explosivamente, espalhando sementes mínimas: 📖 "fica [o jardineiro] a me olhar, sem entender, ... quando peço que me respeite as avencas da garagem, o musgo da escada, o araçá torto, o risco alegre das marias-sem-vergonha, os morangos silvestres" (Elsie Lessa, *A Dama da Noite*, p. 161). [Sin.: *sultana*. Pl.: *marias-sem-vergonha*.]

mariaté *Bras. S. 2 g.* 1. *Etnôn.* Indivíduo dos mariatés, povo indígena extinto, da família linguística aruaque que habitava a confluência do rio Içá com o rio Solimões (AM). ● *Adj. 2 g.* 2. Pertencente ou relativo a esse povo. [Tb. us. como *s. 2 g. e 2 n.* (com cap.) e *adj. 2 g. e 2 n.*]

maria vai com as outras *S. 2 g. e 2 n. Bras. Fam.* Pessoa fraca, sem vontade, que se deixa levar pelos outros; carneiro, carneirinho: 📖 "Benevenor, atolado nos livros, era um maria vai com as outras, seria um bagaço nas mãos de Tiotônia." (Nélson de Faria, *Tiziu e Outras Estórias*, p. 48.) ☑

maria-velha [Do antr. *Maria* + o f. de *velho*.] *S. f. Bras. RS Zool.* V. *gaivota* (1). [Pl.: *marias-velhas*.]

maria-vitória [Dos antr. *Maria* e *Vitória*, ou alter. de *palmatória*, com infl. da terminação desta, poss.] *S. f. Bras. CE Pop.* V. *palmatória* (1). [Pl.: *marias-vitórias* e *marias-vitória*.]

maribitana *Bras. S. 2 g.* 1. *Etnôn.* Indivíduo dos maribitanas, povo indígena extinto que habitava as margens do alto do rio Negro (AM). ● *Adj. 2 g.* 2.

Pertencente ou relativo a esse povo. [Outra f.: *marabitana*. Tb. us. como *s. 2 g. e 2 n.* (com cap.) e *adj. 2 g. e 2 n.*]

maribondense *Adj. 2 g.* **1.** De, ou pertencente ou relativo a Maribondo (AL). ● *S. 2 g.* **2.** O natural ou habitante de Maribondo.

maribondo *S. m. Bras. Zool.* V. *marimbondo*.

maribondo-caboclo (ô) *S. m. Bras. Zool.* V. *marimbondo-caboclo* (ô). [Pl.: *maribondos-caboclos* (ô).]

maribondo-caçador (ô) *S. m. Bras. Zool.* V. *marimbondo-caçador* (ô). [Pl.: *maribondos-caçadores* (ô).]

maribondo-cavalo *S. m. Bras. Zool.* V. *marimbondo-cavalo*. [Pl.: *maribondos-cavalos* e *maribondos-cavalo*.]

maribondo-chapéu *S. m. Bras. Zool.* V. *marimbondo-chapéu*. [Pl.: *maribondos-chapéus* e *maribondos-chapéu*.]

maribondo-mangangá *S. m. Bras. Zool.* V. *marimbondo-mangangá*. [Pl.: *maribondos-mangangás* e *maribondos-mangangá*.]

maribondo-tatu *S. m. Bras. Zool.* V. *marimbondo-tatu*. [Pl.: *maribondos-tatus* e *maribondos-tatu*.]

marica [Do tupi amaz., alter. do port. *barriga*.] *S. f. Bras. PA* Fina faixa de carne sob o pelo do ventre, formada pelo músculo cuticular. ~ V. *maricas*.

maricá [Do tupi.] *S. m. Bras. Bot.* V. *espinho-de-maricá*.

maricaense (cà) *Adj. 2 g.* **1.** De, ou pertencente ou relativo a Maricá (RJ). ● *S. 2 g.* **2.** O natural ou habitante de Maricá.

maricagem [De *maricas* + *-agem*[2].] *S. f. Bras.* Ação ou modos de maricas (1 e 2).

maricão [De *maricas* (1 e 2) + *-ão*[1].] *S. m. Pej.* **1.** V. *efeminado* (5). **2.** Indivíduo muito medroso, extremamente covarde; maricona.

maricas [Do hipocorístico *Maricas* (< antr. *Maria*) + o f. pl. de *-ico*[1].] *S. m. 2 n. Pej.* **1.** Efeminado (5): "Era um menino bem-procedido, religioso, andava tão limpo e tão lavado, às vezes aparecia perfumado na escola — um <u>maricas</u>, diziam os outros meninos." (Oto Lara Resende, *Boca do Inferno*, p. 84.) **2.** V. *medroso* (5). **3.** *Bras.* Espécie de cachimbo de fumar maconha; boi. ~ V. *marica*. ● *Adj. 2 n.* **4.** Efeminado (1).

maricaua *S. m. Bras. Bot.* V. *toé*.

maricazal (cà) [De *maricá* + *-zal*.] *S. m.* **1.** *Bras. S.* Quantidade mais ou menos considerável de maricás dispostos proximamente entre si. **2.** Área ocupada por maricazal (1).

maricona [De *maricas* + *-ona*[1].] *S. f. Pej.* **1.** Homossexual idoso. **2.** Maricão (2).

maricoupi *Bras. S. 2 g.* **1.** *Etnôn.* Indivíduo dos maricoupis, povo indígena extinto que habitava a margem direita do rio Oiapoque (AP). ● *Adj. 2 g.* **2.** Pertencente ou relativo a esse povo. [Tb. us. como *s. 2 g. e 2 n.* (com cap.) e *adj. 2 g. e 2 n.*]

maricultura [De *mari-* + *-cultura*.] *S. f.* Técnica de criar frutos-do-mar em fazenda marinha.

maridado [Part. de *maridar*.] *Adj.* Que se maridou ou casou; casado: *mulher <u>maridada</u>*.

maridagem [De *maridar* + *-agem*[2].] *S. f.* **1.** Ato ou efeito de maridar(-se). **2.** Vida de casados; casamento. **3.** *Fig.* Harmonia entre duas ou mais coisas. [Sin. ger.: *maridança*.]

maridança [De *maridar* + *-ança*.] *S. f.* Maridagem.

maridar [De *marido* + *-ar*[2].] *V. t. d.* **1.** Casar (uma mulher). *T. d. e i.* **2.** Unir, enlaçar, juntar. *T. i.* **3.** Casar (a mulher): *<u>Maridou</u> com um primo*. *P.* **4.** Casar-se (uma mulher). **5.** Enlaçar-se, enrolar-se.

marídedia [De *marido-é-dia*, com síncope.] *S. f. Bras. Zool.* V. *maria-é-dia* (1).

marido [Do lat. *maritu*.] *S. m.* Homem casado, em relação à mulher a quem se uniu; cônjuge do sexo masculino; esposo. [Fem.: *mulher*.]

marido-é-dia [Alter. de *maria-é-dia*.] *S. f. 2 n. Bras. Zool.* V. *maria-é-dia* (1 a 3).

marielenense *Adj. 2 g.* **1.** De, ou pertencente ou relativo a Maria Helena (PR). ● *S. 2 g.* **2.** O natural ou habitante de Maria Helena.

mariense[1] *Adj. 2 g.* **1.** De, ou pertencente ou relativo a Coração de Maria (BA). ● *S. 2 g.* **2.** O natural ou habitante de Coração de Maria.

mariense[2] *Adj. 2 g.* **1.** De, ou pertencente ou relativo a Mari (PB). ● *S. 2 g.* **2.** O natural ou habitante de Mari.

mariense[3] *Adj. 2 g.* **1.** De, ou pertencente ou relativo a Maria da Fé (MG). ● *S. 2 g.* **2.** O natural ou habitante de Maria da Fé.

marigui (güi) *S. m. Bras. Zool.* V. *maruim*. ❖

marilandense[1] *Adj. 2 g.* **1.** De, ou pertencente ou relativo a Marilândia (ES). ● *S. 2 g.* **2.** O natural ou habitante de Marilândia.

marilandense[2] *Adj. 2 g.* **1.** De, ou pertencente ou relativo a Marilândia do Sul (PR). ● *S. 2 g.* **2.** O natural ou habitante de Marilândia do Sul.

marilaquense *Adj. 2 g.* **1.** De, ou pertencente ou relativo a Marilac (MG). ● *S. 2 g.* **2.** O natural ou habitante de Marilac.

marilenense *Adj. 2 g.* **1.** De, ou pertencente ou relativo a Marilena (PR). ● *S. 2 g.* **2.** O natural ou habitante de Marilena.

mariliense *Adj. 2 g.* **1.** De, ou pertencente ou relativo a Marília (SP). ● *S. 2 g.* **2.** O natural ou habitante de Marília.

mariluzense *Adj. 2 g.* **1.** De, ou pertencente ou relativo a Mariluz (PR). ● *S. 2 g.* **2.** O natural ou habitante de Mariluz.

marimã *Bras. S. 2 g. Etnôn.* **1.** Indivíduo dos marimãs, povo indígena extinto que habitava as margens do Riozinho, afluente do rio Cunhuã (AM). ● *Adj. 2 g.* **2.** Pertencente ou relativo a esse povo. [Tb. us. como *s. 2 g. e 2 n.* (com cap.) e *adj. 2 g. e 2 n.*]

marimacho [Do antr. *Maria* + *macho*.] *S. m.* V. *machão* (1).

marimari [Do tupi.] *S. m. Bras. Bot.* **1.** Árvore cesalpiniácea (*Cassia grandis*) oriunda da floresta amazônica e amplamente cultivada nas ruas do Rio de Janeiro, e cujas flores são róseas e vistosas, sendo os frutos longas vagens. **2.** V. *jeneúna*.

marimba[1] [Do quimb. *marimba*.] *S. f. Mús.* **1.** Instrumento de percussão, que consiste numa série de lâminas de madeira ou de metal, graduadas em escala, percutidas com duas baquetas, e dispostas sobre cabaças ou tubos de metal, que funcionam como caixa de ressonância. [Sin.: (guin.) *balafó* e *balafom*.] **2.** Na África, tambor dos cafres. **3.** *Bras. PA* Berimbau (2). **4.** *Bras. RJ* Piano ruim.

marimba[2] [De or. incerta.] *S. f. Bras. Pop.* Pequeno pedaço de madeira, pedra ou qualquer outro pequeno objeto que, preso a uma linha, com ou sem cerol, é lançado com a intenção de resgatar uma pipa (ou parte dela) ou de interceptar-lhe a trajetória.

marimbá *S. m. Bras. Zool.* Peixe teleósteo perciforme, esparídeo (*Diplodus argenteus*), do Atlântico, de dorso prateado tirante a cinza e abdome branco. São caracteres marcantes da espécie uma mancha preta na parte superior do pedúnculo da cauda e uma faixa amarela na sua margem. Comprimento: 50cm. [Sin.: *pinta-no-cabo*.]

marimbar[1] [De *marimba* + *-ar*[2].] *V. int. Mús.* Tocar marimba[1].

marimbar[2] [De *marimbo* + *-ar*[2].] *V. int.* **1.** Ganhar o jogo do marimbo. *T. d.* **2.** *Fig. Chulo* Lograr, burlar, enganar, embair. **3.** *Bras. RJ Gír.* Andar à toa; vaguear, vagar, vagabundear, vagabundar. *P.* **4.** *Lus. Fam.* Não ligar a mínima importância a: *<u>marimbar-se</u> para o caso*.

marimbau [De *berimbau*, com infl. de *marimba*, poss.] *S. m. Bras. Mús.* V. *berimbau* (1 e 2).

marimbo [De or. obscura.] *S. m.* Certo jogo de cartas.

marimbondo [Do quimb. *ma*, pref. pl., + *rimbondo*, 'vespa'.] *S. m. Bras.* **1.** *Zool.* Designação comum aos insetos himenópteros, vespídeos, caracterizados por terem as asas anteriores, quando em repouso, longitudinalmente dobradas, a primeira célula discoidal muito longa, três células cubitais, e garras simples. O nome comum costuma estender-se aos vespídeos em geral, incluindo outras famílias, entre elas os pompilídeos ou marimbondos-caçadores e os eumenídeos, de garras dentadas. [Sin.: *caba*. Cf. *vespa*[1] (1).] **2.** Alcunha que os portugueses davam aos brasileiros na época da independência. **3.** Alcunha dos sediciosos pernambucanos que em 1852 se manifestaram em protesto contra a execução do decreto imperial de 18 de junho de 1851, que instituiu o registro de nascimentos e óbitos. **4.** *Bras. GO* Dança jocosa, de roda, com dançarino solista no centro, e ao som de instrumentos de percussão. [Var.: *maribondo*.]

marimbondo-caboclo (ô) *S. m. Bras. Zool.* Inseto himenóptero, vespídeo (*Polistes canadensis*), vermelho-queimado, asas escuras ou negras, articulações dos pés amarelas, antenas claras com o meio preto, e o comprimento de até 28mm. O ninho, com até 15cm de diâmetro, é abandonado no inverno, quando a fêmea fecundada procura abrigo, e no começo da primavera ela dá início a um novo ninho. [Var.: *maribondo-caboclo*. Sin.: *caba-de-igreja, cabatã, cabapitã, cavapitã, cabapiranga* e *caboclo*. Pl.: *marimbondos-caboclos* (ô) e *marimbondos-caboclo* (ô).]

marimbondo-caçador (ô) *S. m. Bras. Zool.* Designação comum aos marimbondos pompilídeos, esp. aos de gênero *Pepsis* de larga distribuição geográfica. Com sua picada paralisa as aranhas, que são levadas para servirem de alimento às larvas recém-nascidas. [Var.: *maribondo-caçador*. Sin.: *marimbondo-cavalo, mata-cavalo, vespa-caçadora, vespa-de-cobra, vespão, caçador-de-aranha, caba-caçadeira, come-cobra, come-aranha, cavalo-de-cão, caçununguçu*. Pl.: *marimbondos-caçadores* (ô).]

marimbondo-cavalo *S. m. Bras. Zool.* V. *marimbondo-caçador*. [Var. *maribondo-cavalo*. Pl.: *marimbondos-cavalos* e *marimbondos-cavalo*.]

marimbondo-chapéu *S. m. Bras. Zool.* Inseto himenóptero, vespídeo (*Apoica pallida*), grande, de coloração amarelada, relativamente manso, e que não voa durante o dia, donde o nome popular de *vespa-cega*. Constrói as casas em forma de chapéu de beiju. [Var.: *maribondo-chapéu*; sin.: *beijucaba, beijucaua, caba-cega, caba-de-ladrão, vespa-cega*. Pl.: *marimbondos-chapéus* e *marimbondos-chapéu*.]

marimbondo-mangangá *S. m. Bras. Zool.* V. *mamangaba* (1). [Var.: *maribondo-mangangá*. Pl.: *marimbondos-mangangás* e *marimbondos-mangangá*.]

marimbondo-tatu *S. m. Bras. Zool.* Inseto himenóptero, vespídeo (*Synoeca cyanea*), de coloração azul-metálica, asas escuras, desenhos avermelhados na cabeça, e 24mm de comprimento. Constrói o ninho de casca rugosa em forma de casco de tatu, preso a um tronco. É temido pela braveza com que ataca e pela dor que a sua ferroada provoca. [Var.: *maribondo-tatu*. Sin.: *cabatatu, tatucaba, tatucaua, vespa-tatu*. Pl.: *marimbondos-tatus* e *marimbondos-tatu*.]

marimbu *S. m. Bras. BA* Terra embrejada, à margem dos rios: "impossível distinguir onde acabava o rio e começava a terra firme. Era o <u>marimbu</u> solitário e miasmático — ondulante bosque aquático aglutinando lama, folhas e hastes no pântano, para em seguida se fundir na mata" (Herberto Sales, *Além dos Marimbus*, p. 11).

marimonda *S. m. Bras. Zool.* Primata cebídeo, do gênero *Ateles*.

marina [Do it. *marina*, 'litoral marítimo'; 'localidade marítima'.] *S. f. Bras.* O conjunto das instalações necessárias aos serviços e comodidades dos usuários de um porto para pequenas e médias embarcações (sobretudo de esporte e/ou de lazer).

marinada [Do fr. *marinade*.] *S. f.* Vinha-d'alhos.

marinar [Do fr. *mariner*.] *V. t. d.* Pôr em marinada.

marinaua *Bras. S. 2 g.* **1.** *Etnôn.* Indivíduo dos marinauas [ou (etnôn. bras.) *Marinawa], povo indígena extinto que habitava a região do alto Juruá, fronteira com o Peru, o alto Perus (AC) e o Peru. ● *Adj. 2 g.* **2.** Pertencente ou relativo a esse povo.

→ **marine** [məˈɹijn] [Ingl.] *S. m.* Fuzileiro naval dos E.U.A.

marinete [Do antr. *Marinetti*, de Filippo Tommaso Marinetti, escritor italiano (1876-1944).] *S. f. Bras. AL SE BA* V. *ônibus*: "Quando chegamos à Cidade Baixa, ... vi uma <u>marinete</u> no ponto, com passageiros a introduzirem-se nela em respeitável fila." (Herberto Sales, *Dados Biográficos do Finado Marcelino*, p. 25.)

maringá *Adj. 2 g. Bras.* Diz-se do bovídeo ou do caprino de pelo claro salpicado de negro.

maringaense (gà) *Adj. 2 g. Bras.* **1.** De, ou pertencente ou relativo a Maringá (PR). ● *S. 2 g.* **2.** O natural ou habitante de Maringá.

maringuim *S. m. Bras. Zool.* V. *maruim*.

marinha [F. subst. de *marinho*[1].] *S. f.* **1.** Praia, margem, beira-mar. **2.** Aquilo que diz respeito ao serviço de bordo dos navios, à atividade de marinheiro, à navegação por mar. **3.** Conjunto de navios. **4.** Forças navais ou navios de guerra com a sua equipagem: *a <u>marinha</u> brasileira*. **5.** Salina (1). **6.** Desenho, pintura ou página literária inspirada em motivo marítimo: *as <u>marinhas</u> de Pancetti; Virgílio Várzea deixou muitas <u>marinhas</u>*. **7.** *Bras. PR* O litoral, em oposição à serra e aos campos do interior. ◆ **Marinha de guerra.** Força armada por intermédio da qual o governo executa a política de defesa naval da nação por ele dirigida. **Marinha mercante.** Setor das atividades econômicas de uma nação encarregado do transporte de utilidades sobre água.

marinhagem[1] [De *marinho*[1] + *-agem*[2].] *S. f.* O conjunto dos marinheiros; marinharia, maruja: "A sua brava <u>marinhagem</u> [do navio] era ainda a mesma e aguardava, com impaciência e ansiedade, a volta do grande chefe marujo." (Virgílio Várzea, *Nas Ondas*, p. 78.)

marinhagem[2] [De *marinhar* + *-agem*[1].] *S. f.* Arte e faina de navegar ou marinhar; mareação, mareagem.

marinhar [De *marinha* + *-ar*[2].] *V. t. d.* **1.** Prover de marinheiros. *Int.* **2.** Executar serviços necessários à manobra da embarcação, e que competem aos marinheiros: "A autoridade do antigo mestre do barco, o seu hábito de mandar em Joel como num filho adotivo que ele ensinara a <u>marinhar</u> e ganhar a vida" (Xavier Marques, *Jana e Joel*, p. 76). **3.** *P. ext.* Saber navegar. **4.** Trepar, subir: "outros troncos .... eram encostados às muralhas, e logo chusmas de bárbaros <u>marinhavam</u> por eles" (Mário de Carvalho, *Um Deus Passeando pela Brisa da Tarde*, p. 213). **5.** *Marinh.* Subir à mastreação. **6.** *Marinh.* Subir ao convés pelo costado. *T. c.* **7.** Marinhar (4): "agarrando-se aos galhos, guindou-se, foi <u>marinhando</u> pela árvore acima" (Coelho Neto, *Treva*, p. 158).

M

marinharesco (ê) [Do it. *marinaresco*.] *Adj.* Relativo a, ou próprio de marinha; marinhesco.

marinharia [De *marinha* + *-aria*.] *S. f.* **1.** Os conhecimentos náuticos desenvolvidos e sistematizados pelos navegadores portugueses desde o Infante D. Henrique até fins do séc. XVII. [Tais conhecimentos foram depois muito ampliados e aprofundados, e passaram a constituir a ciência e a arte da navegação sobre água, denominada *náutica*.] **2.** A arte ou profissão de marinheiro, restrita, na concepção de hoje, a atividades menores, tais como dar nós, fazer trabalhos com cabos, lona, brim, realizar pequenas manobras de peso a bordo, dirigir embarcações miúdas, tratar do exterior do navio. [Cf. *arte do marinheiro, arte naval* e *náutica*.] **3.** V. *marinhagem*[1].

marinheira [F. subst. de *marinheiro*.] *S. f. Vest.* Roupa de criança, ou fantasia (6), de gola semelhante à usada por marinheiro (5).

marinheiro [De *marinha* + *-eiro*.] *Adj.* **1.** Relativo à marinhagem: *atividades marinheiras.* **2.** Pertencente ou relativo a, ou próprio de marinheiro (5): "Vestia a roupa marinheira" (Antônio de Alcântara Machado, *Novelas Paulistanas*, p. 62). **3.** *Mar.* Diz-se da embarcação que, possuindo boas qualidades náuticas, é fácil de manobrar com qualquer espécie de tempo. ● *S. m.* **4.** Homem do mar. **5.** Marítimo (5). **6.** V. *hierarquia militar*. **7.** Militar que detém a posição hierárquica de marinheiro. **8.** *Mar. Merc.* Tripulante de convés. **9.** *Bras. Zool.* V. *aratu* (2). **10.** *Bras. Bot.* Jatuaúba-branca. **11.** *Bras.* Grão de cereal que não foi beneficiado ao passar pelas máquinas. **12.** *Bras.* V. *galego* (4). [Nesta acepç. é m. us. no N.] **13.** *Bras. CE* Qualquer estrangeiro. **14.** *Bras. PB* No interior, negociante grossista das capitais. **15.** *Bras. AL Pop.* Coco verde cuja polpa já se acha endurecida. ◆ **Marinheiro de primeira classe.** *Mar. G.* Terceira graduação na hierarquia do pessoal subalterno da Marinha do Brasil. **Marinheiro de primeira viagem.** *Fig.* Indivíduo sem prática, que faz uma coisa pela primeira vez. **Marinheiro de segunda classe.** *Mar. G.* Segunda graduação na hierarquia do pessoal subalterno da Marinha do Brasil.

marinhesco (ê) [De *marinha* + *-esco*.] *Adj.* Marinharesco.

marinhista [De *marinhas* + *-ista*.] *S. 2 g.* Pintor(a) de marinhas, ou escritor(a) que trata de assuntos relacionados com o mar.

marinho[1] [Do lat. *marinu*.] *Adj.* **1.** Do, ou relativo ao mar: *animais marinhos; plantas marinhas* **2.** Que habita o mar, ou dele provém: *animais marinhos.* [F. paral.: *marino*; sin.: *marítimo*.] ~ V. *acumulação —a, brisa —a, corrente —a, depósito —, fazenda —a, regressão —a, transgressão —a* e *trombeta —a*.

marinho[2] *Adj. 2 g.* e *2 n. S. m.* V. *azul-marinho*.

marinismo [Do antr. *Marini*, de Giambattista Marini (1569-1625), poeta italiano, + *-ismo*.] *S. m.* Estilo literário que floresceu na Itália no séc. XVII e se caracteriza pela afetação, pelo preciosismo. [Cf. *gongorismo*.]

marinista[1] [De *marinismo* + *-ista*.] *Adj. 2 g.* **1.** Relativo ao, ou próprio do marinismo. **2.** Que é sectário do marinismo. ● *S. 2 g.* **3.** Sectário dele.

marinista[2] [Do it. *marina*, 'pintura cujo tema é o mar', + *-ista*.] *S. 2 g.* Pintor de marinhas; marinhista.

marino [Do lat. *marinu*.] *Adj.* V. *marinho*[1].

marinopolense *Adj. 2 g.* **1.** De, ou pertencente ou relativo a Marinópolis (SP). ● *S. 2 g.* **2.** O natural ou habitante de Marinópolis.

mariodeandradino *Adj.* **1.** Relativo ou pertencente ao escritor brasileiro Mário de Andrade (1893-1945) ou próprio dele. **2.** Que é grande admirador e/ou profundo conhecedor de sua obra. ● *S. m.* **3.** Admirador e/ou profundo conhecedor da obra de Mário de Andrade.

mariola[1] [De or. obscura.] *S. m.* **1.** Moço de fretes; homem de recados. **2.** Tratante, biltre, patife, marau, velhaco: "a mulher .... abandonava os filhos ....; de vez em quando abalava com um mariola que lhe dava uns dias de pândega e de maus-tratos." (Joaquim Paço d'Arcos, *Carnaval e Outros Contos*, p. 129). ● *Adj. 2 g.* **3.** Que tem mau caráter; patife, velhaco; sem-vergonha.

mariola[2] *S. f. Bras.* Pequeno tijolo de doce de banana, envolto em papel.

mariolada [De *mariola*[1] + *-ada*[1].] *S. f.* **1.** Ação ou dito de mariola[1]. **2.** Bando de mariolas; os mariolas. [Sin. ger.: *mariolagem*.]

mariolagem [De *mariola*[1] + *-agem*[2].] *S. f.* Mariolada.

mariolar [De *mariola*[1] + *-ar*[2].] *V. int.* **1.** Realizar serviço de mariola[1] (1). **2.** Levar vida de malandro. **3.** Vadiar, mandriar: "– Olá, rapaz! que andas por aí a mariolar, em vez de ires direito para a escola?" (D. João da Câmara, *Contos*, p. 58.)

mariolatria [Do antr. *Maria*, da Virgem Maria, mãe de Cristo (v. *cristianismo*), + *-o-* + *-latria*.] *S. f. Rel.* Adoração da Virgem Maria, em especial a que se rende a ela e que, segundo a doutrina cristã, se deveria render, apenas, a Deus.

mariolátrico [De *mariolatria* + *-ico*[2].] *Adj.* Respeitante à mariolatria.

mariologia [Do antr. *Maria*, da Virgem Maria, mãe de Cristo (v. *cristianismo*), + *-o-* + *-logia*.] *S. f. Rel.* O conjunto dos estudos referentes à Virgem Maria.

mariológico [De *mariologia* + *-ico*[2].] *Adj. Rel.* De, ou relativo a mariologia.

marionete [Do fr. *marionette*.] *S. f.* **1.** V. *títere* (1). **2.** V. *fantoche* (2).

marionetista [De *marionete* + *-ista*.] *S. 2 g.* Aquele ou aquela que manipula, move marionetes; titereiro.

mariopolitano *Adj.* **1.** De, ou pertencente ou relativo a Mariópolis (PR). ● *S. m.* **2.** O natural ou habitante de Mariópolis.

maripá [Do tupi.] *S. f. Bras. Bot.* **1.** V. *inajá* (1). **2.** V. *maria-rosa*.

maripaense[1] (pà) *Adj. 2 g.* **1.** De, ou pertencente ou relativo a Maripá (PR). ● *S. 2 g.* **2.** O natural ou habitante de Maripá.

maripaense[2] (pà) *Adj. 2 g.* **1.** De, ou pertencente ou relativo a Maripá de Minas (MG). ● *S. 2 g.* **2.** O natural ou habitante de Maripá de Minas.

mariposa (ô) [Do esp. *mariposa*.] *S. f.* **1.** *Bras. Zool.* Designação comum aos insetos lepidópteros noturnos ou crepusculares, cujas antenas são filiformes ou clavadas. As larvas tecem casulos onde vivem quando se transformam em ninfas. [Sin.: *bruxa*. Cf. *borboleta* (1).] **2.** Joia com o ornato do feitio de borboleta. **3.** *Bras. S.* Espécie de draga puxada a boi ou a cavalo e empregada em escavações para açude. **4.** *Bras. RJ* Meretriz. [Nesta acepç. tb. us. deprec.] [Pl.: *mariposas* (ô). Cf. *mariposas*, do v. *mariposar*.]

mariposa-cigana (ô) *S. f. Bras. Zool.* Inseto lepidóptero, limantriídeo (*Lymantria dispar*), introduzido na América através de casulos vindos da França. Praga de várias plantas, é arborícola e polífago, com lagartas gregárias de cores vistosas, revestidas de pelos. [Pl.: *mariposas-ciganas* (ô).]

mariposar [De *mariposa* + *-ar*[2].] *V. int.* Adejar como mariposa; borboletear, mariposear. [Pres. ind.: *mariposo, mariposas, mariposa*, etc. Cf. *mariposa* (ô) e pl. *mariposas* (ô).]

mariposear [De *mariposa* + *-ear*[2].] *V. int.* V. *mariposar*. [Conjug.: v. *frear*.]

mariquina [Var. de *muriquina* (q. v.).] *S. f. Bras. Pop. Zool.* V. *buriqui*.

mariquinha[1] [Var. de *muriquina* (q. v.).] *S. m. Bras. Zool.* V. *buriqui*. ~ V. *mariquinhas*.

mariquinha[2] [Do hipocorístico *Mariquinha Maricas*.] *S. f.* **1.** *Bras. SP* Tripeça volante para serviço de cozinha. [Cf. *mariquita* (5).] **2.** *Bras. Pop.* V. *mentira* (1). **3.** *Bras. Pop.* V. *fanfarrice* (2). ~ V. *mariquinhas*.

mariquinhas[1] [Do hipocorístico *Mariquinhas* < *Maricas* (v. *maricas*).] *S. m. 2 n. Pej.* Efeminado (5). ~ V. *mariquinha*.

mariquinhas[2] [Var. de *muriquina* (q. v.).] *S. m. 2 n. Bras. Zool.* V. *buriqui*. ~ V. *mariquinha*.

mariquita [Do hipocorístico *Mariquita Maricas* + *-ita*[1], poss.] *S. f. Bras.* **1.** *Zool.* Peixe teleósteo, perciforme, serranídeo (*Callidulus flaviventris*), do Atlântico, de coloração esverdeada e abdome prateado, e que mede cerca de 30cm. **2.** *Zool.* Peixe teleósteo, perciforme (*Eudulus auriga*) muito comum em toda a costa do Brasil, de cor branco-amarelada. [Sin., nessas acepçs.: *jacundá*.] **3.** *Zool.* Ave passeriforme, parulídea (*Parula pitiayumi*), distribuída do México à Argentina, de dorso oliváceo, garganta, peito e lado ventral amarelos, cabeça, parte interior das coberteiras e pescoço anterior azul-esbranquiçados, asas escuras, e parte exterior das coberteiras com ponta branca. Vive nas matas e capoeiras, sendo ótima caçadora de aranhas e insetos. **4.** *Zool.* V. *marianita*. **5.** Tripeça de madeira na qual se pendura o caldeirão que vai ao fogo. [Cf., nesta acepç., *mariquinha*[2] (1).]

mariri *Bras. S. m.* Nome que os indígenas do AC, na fronteira com o Peru, dão à *ayahuasca* (q. v.).

mariricó *S. m. Bras. Bot.* V. *bariricó*.

mariricó-bravo *S. m. Bras. Bot.* V. *falsa-tiririca*. [Pl.: *mariricós-bravos*.]

mariscada [De *marisco*[1] + *-ada*[1].] *S. f. Bras. Cul.* Prato feito de vários tipos de mariscos.

mariscador (ô) [De *mariscar* + *-dor*.] *S. m. Bras.* Aquele que marisca ou que sabe mariscar (1); marisqueiro: "É possível que esses homens .... tenham começado por ser pescadores e mariscadores" (Alberto da Costa e Silva, *A Enxada e a Lança*, p. 625).

mariscar [De *marisco*[1] + *-ar*[2].] *V. t. d.* **1.** Colher, apanhar (mariscos). **2.** Procurar, catar: *mariscar pedras preciosas.* **3.** Apanhar, colher, levar. *Int.* **4.** Colher ou apanhar mariscos: "Ah! queres viver na beira da praia, mariscando e pescando com o teu Joel?" (Xavier Marques, *Jana e Joel*, p. 13.) **5.** *Bras.* Pescar; caçar. **6.** Catar ou ciscar insetos, etc. pelo chão: "Em torno do canto solitário a que ele se abrigara, com um livro, juritis mariscavam." (Coelho Neto, *Treva*, p. 41.) **7.** *Bras. AM* Pescar de tarrafa. **8.** *Lus.* Comer petisco (2). [Conjug.: v. *trancar*.]

marisco[1] [De *mar* + *-isco*[2].] *S. m. Bras.* **1.** *Zool.* Designação comum a todos os animais invertebrados marinhos que podem servir de alimento ao homem. [Em sentido restrito, designa apenas os moluscos e crustáceos: lagosta, camarão, mexilhão, amêijoa, etc.] **2.** *Bras. Gír.* Indivíduo ligado ao mar, profissional ou afetivamente.

marisco[2] *S. m. Bras.* **1.** Espécie de gato bravo. **2.** Utensílio rústico de ferro em forma de colher denteada, munida de um cabo, com que se despolpa o coco partido em duas metades. [Por vezes essa colher é presa a uma tábua com quatro pés, que serve de assento a quem utiliza o marisco.]

marisco-gigante *S. m. Zool.* V. *tridacna*. [Pl.: *mariscos-gigantes*.]

marisma [Do esp. *marisma*.] *S. f.* Terreno alagadiço à beira de mar ou rio.

marisqueira [De *marisco*[1] + *-eira*.] *S. f. Zool.* **1.** V. *corvina*. **2.** V. *enchova*.

marisqueiro [De *mariscar* + *-eiro*.] *Adj. S. m.* Que, ou aquele que marisca ou gosta de mariscar: *ave marisqueira.*

marista [Do fr. *mariste*.] *S. 2 g.* **1.** Religioso da Congregação dos Maristas, consagrada ao ensino, e fundada, em 1817, por Marcellin Champagnat (1789-1840), eclesiástico francês. [Cf. *mariano* (2).] ● *Adj. 2 g.* **2.** Relativo aos maristas.

maritaca [Alter. de *maitaca*.] *S. f. Bras. AM ao PR Zool.* Designação comum às jandaias (v. *jandaia*), esp. a duas espécies, a *Aratinga aurea* e a *A. solstitialis auricapilla*, ambas com larga distribuição geográfica. A primeira tem coloração verde, com a fronte vermelho-alaranjada, marginada de azul, abdome verde-amarelado, parte das rêmiges azuis e a segunda, coloração verde, fronte vermelho-alaranjado marginada de amarelo, abdome verde acinzentado e parte das rêmiges azuis. [Var.: *maritacaca*.]

maritacaca *S. f. Bras. PE Zool.* V. *maritaca*.

maritafede [De *marita(caca)* + a 3ª pess. do sing. do pres. ind. do v. *feder*.] *S. f. Bras. Zool.* V. *jaritataca*.

marital [Do lat. *maritale*.] *Adj. 2 g.* **1.** Relativo a marido. **2.** Referente ao matrimônio; conjugal.

maritataca [Do tupi.] *S. f. Bras. Zool.* V. *jaritataca*.

mariticida [Do lat. *maritus*, 'marido', + *-i-* + *-cida*.] *S. f.* Mulher que mata o marido.

mariticídio [Do lat. *maritus*, 'marido', + *-i-* + *-cídio*.] *S. m.* Crime da mulher que mata o marido, da mariticida.

maritimidade [De *marítimo* + *-(i)dade*.] *S. f.* Estado ou qualidade do que é marítimo ou ligado ao mar.

maritimista[1] [De *marítimo* + *-ista*.] *S. 2 g. Bras.* Especialista em direito comercial marítimo.

maritimista[2] [Do ingl. *maritimist*.] *Adj. 2 g.* **1.** Diz-se de estratégia que se apoia basicamente em atividades, forças e operações marítimas. ● *S. 2 g.* **2.** Pessoa que adota essa estratégia. [Cf. *continentalista*.]

marítimo [Do lat. *maritimu*.] *Adj.* **1.** V. *marinho*[1]: "Vi claramente visto o lume vivo / Que a marítima gente tem por santo" (Luís de Camões, *Os Lusíadas*, V, 18). **2.** Que ocorre no mar ou se realiza por mar: *pesca marítima; viagem marítima; tragédia marítima; comércio marítimo.* **3.** Relativo à marinha (2 e 3) em geral. **4.** *Restr.* Relativo à marinha mercante: *tráfego marítimo; regulamento marítimo.* [Cf. *naval* (2).] ~ V. *alfândega —a, brisa —a, câmbio —, cerimonial —, clima —, corrente —a, direito —, légua —a, letra de câmbio —, milha —a, monção —a, navegação —a, obstrução —a, parceria —a, poder —, protesto —, risco —, terminal —, testamento —* e *tráfego —*. ● *S. m.* **5.** Indivíduo que exerce atividade profissional a bordo de uma embarcação mercante; marinheiro, marujo. **6.** *Bras.* Indivíduo que exerce a profissão na marinha mercante; marinheiro.

marizeira [De *mari-* + *-zeira*.] *S. f. Bras. Bot.* Planta fabácea (*Geoffroea superba* ou *G. spinosa*) nativa do N.E., de ramos armados de pequenos espinhos, folhas forrageiras, flores amarelas odoríferas e frutos ovoides, com propriedades medicinais; mari.

➔ **marketing** ['maɪketɪŋ] [Ingl.] *S. m.* **1.** Conjunto de estratégias e ações que proveem o desenvolvimento, o lançamento e a sustentação de um produto ou serviço no mercado consumidor. [V. *composto de marketing*.] **2.** *P. ext.* Conjunto de estratégias e ações que visam a aumentar a aceitação e fortalecer a imagem de pessoa, ideia, empresa, produto, serviço, etc., pelo público em geral, ou por determinado segmento desse público. **3.** O conjunto de conhecimentos relativos ao *marketing* (1). [Correspondente em port., p. us., *mercadologia*.] ◆ ***Marketing* corporativo.** *Marketing* empresarial (q. v.). ***Marketing* cultural.** Recurso do *marketing* institucional que consiste em patrocinar ou apoiar atividades culturais e artísticas. ***Marketing* direto.** *Marketing* que procura atingir o mercado de forma segmentada e obter respostas diretas e mensuráveis. [Não utiliza a estrutura tradicional de pontos de venda para distribuição de produtos, e, sim, promove a venda através de mala-direta, anúncio com cartão-resposta, *telemarketing*, etc.] [Cf. *mala-direta*.] ***Marketing* ecológico.** *Marketing* verde. ***Marketing* empresarial.** *Marketing* institucional voltado para a imagem de uma empresa; *marketing* corporativo. ***Marketing* esportivo.** Recurso do *marketing* institucional (q. v.) que consiste em patrocinar ou apoiar atletas ou atividades esportivas. ***Marketing* institucional.** *Market.* Conjunto de estratégias e ações que visam ao fortalecimento da imagem de empresa, organismo, governo, cidade, etc. ***Marketing* interno.** V. *endomarketing*. ***Marketing* político.** Conjunto de técnicas de *marketing* (2) adaptadas à esfera política, e que visam à difusão, sob aspecto favorável, da imagem pública de candidato ou de partido político, esp. em época de campanha eleitoral. ***Marketing share.*** A participação da marca, ou de produto, no mercado em relação a seus concorrentes. ***Marketing* social.** *Marketing* orientado para a promoção de mudanças de comportamento social, em especial nas áreas de saúde, educação, meio ambiente, desenvolvimento social, etc. ***Marketing* verde.** *Marketing* que visa a atender à demanda e às exigências de um número crescente de consumidores que defendem a conservação do meio ambiente; *marketing* ecológico.

➔ **mark-up** ['maːkʌp] [Ingl.] *S. m. Econ.* V. *margem de lucro*.

marlierense *Adj. 2 g.* **1.** De, ou pertencente ou relativo a Marliéria (MG). ● *S. 2 g.* **2.** O natural ou habitante de Marliéria.

marlota [Do gr. *malloté*, pelo ár.] *S. f.* Espécie de capote curto, com capuz, us. pelos mouros.

marlotar [De *marlota* + *-ar*².] *V. t. d.* Dar aspecto rugoso a; enrugar, amarrotar, enxovalhar.

marma [De or. obscura.] *S. f.* Chapa lisa de ferro, com a qual se arredonda o vidro nas fábricas.

mar-mancha [De *mar*¹ + *mancha* < fr. *manche*, 'manga'¹, 'braço de mar'.] *S. m.* Mar costeiro com duas ou mais saídas, pelas quais se comunica com o oceano; mar-manga. [Pl.: *mares-manchas* e *mares-mancha*.]

mar-manga [De *mar*¹ + *manga*¹, trad. do fr. *manche*.] *S. m.* Mar-mancha. [Pl.: *mares-mangas* e *mares-manga*.]

marmanjo [De or. controversa.] *S. m.* **1.** Homem adulto: 📖 "lustrosas comissões recebiam as senhoras ....; enquanto os marmanjos ficavam logo conversando coisas urgentes no meio das salas e no vão das portas." (Policarpo Feitosa, *Gisinha*, p. 44). **2.** Homem abrutalhado. **3.** Moço corpulento; rapagão. **4.** Mariola, tratante, velhaco.

marmelada [De *marmelo* + *-ada*¹.] *S. f.* **1.** Doce pastoso, de marmelo. **2.** *Pop.* Vantagem, pechincha. **3.** *Bras. Bot.* Variedade de capim. **4.** *Bras.* Negócio desonesto; mamata. **5.** *Bras.* Conluio entre os participantes de um jogo ou competição, a fim de que o resultado seja favorável àquele a quem convém sair vencedor. **6.** *Zool.* V. *abreu*².

marmelada-brava [De *marmelada* + o f. de *bravo*¹.] *S. f. Bras. Bot.* Arbusto rubiáceo (*Amajoua guianensis*) de 1/2m de altura, distribuído por todo o Brasil, e cujas flores são unissexuais, pequenas, sendo o fruto uma baga amarela do tamanho de uma uva. [Pl.: *marmeladas-bravas*.]

marmelada-de-cachorro (ô) *S. f. Bras. Bot.* Designação de duas plantas rubiáceas (*Thieleodoxa lanceolata* e *T. alibertia*) comuns nos cerrados do C.O., que se caracterizam pelos frutos carnosos e agridoces, os quais podem ser ingeridos como alimento, e cuja polpa escura lembra a marmelada (1). [Pl.: *marmeladas-de-cachorro*.]

marmelada-de-cavalo *S. f. Bras. Bot.* **1.** Pequena erva fabácea (*Desmodium discolos*) cujos legumes se fragmentam em pequeninos artículos, que grudam no pelo dos animais e na roupa humana; carrapicho. **2.** V. *feijão-de-boi* (1 e 2). [Pl.: *marmeladas-de-cavalo*.]

marmeladeiro [De *marmelada* + *-eiro*.] *S. m. Bras. GO* Vendedor de marmelada (1).

marmeleiral [De *marmeleiro* + *-al*¹.] *S. m.* **1.** *Bras.* Quantidade mais ou menos considerável de marmeleiros dispostos proximamente entre si. **2.** Área ocupada por marmeleiral (1).

marmeleirense *Adj. 2 g.* **1.** De, ou pertencente ou relativo a Marmeleiro (PR). ● *S. 2 g.* **2.** O natural ou habitante de Marmeleiro.

marmeleiro [De *marmelo* + *-eiro*.] *S. m. Bot.* Árvore rosácea (*Pyrus cydonia*) que apresenta ramos em forma de longas varas, e cujos frutos (marmelos) são grandes, carnosos, ácidos e adstringentes, esp. recomendáveis para doces; marmelo.

marmeleiro-da-china [De *marmeleiro* + *da*¹ + o top. *China*.] *S. m. Bras. Bot.* Árvore rosácea (*Pyrus sinensis*). [Pl.: *marmeleiros-da-china*.]

marmeleiro-do-campo *S. m. Bras. Bot.* Arbusto euforbiáceo (*Maprounea brasiliensis*) comum nos cerrados, cujos frutos são insignificantes cápsulas tricocas e cujas flores são inconspícuas. [Pl.: *marmeleiros-do-campo*.]

marmelinho-do-campo *S. f. Bras. Bot.* V. *mangabeira-brava*. [Pl.: *marmelinhos-do-campo*.]

marmelo [Do gr. *melímelon*, pelo lat. *melimelu*.] *S. m.* **1.** O fruto do marmeleiro (q. v.). **2.** Marmeleiro.

marmelopolense *Adj. 2 g.* **1.** De, ou pertencente ou relativo a Marmelópolis (MG). ● *S. 2 g.* **2.** O natural ou habitante de Marmelópolis.

marmita [Do fr. *marmite*.] *S. f.* **1.** Panela de metal, com tampa. **2.** Vaso prismático, de folha de flandres, em que os soldados comem o rancho. **3.** Conjunto de vasilhas adaptadas a um suporte, e que serve para o transporte de comida. **4.** Cada uma dessas vasilhas. **5.** *P. ext.* Vasilha em que se leva a refeição individual para o local de trabalho, estudo, etc.

marmita de gigante *S. f.* Cavidade cilíndrica alongada, nos leitos dos rios. [Pl.: *marmitas de gigante*.] ☑

marmiteiro [De *marmita* + *-eiro*.] *S. m. Bras.* **1.** Empregado que entrega em domicílios marmitas com comida fornecida por pensões. **2.** Operário que, no trabalho, come de sua marmita. **3.** *Bras. Fig.* Alcunha que em 1945 se deu aos partidários de Getúlio Vargas [v. *getulista* (3)], por alusão ao prestígio deste perante os operários.

marmitex [Marca registrada; voc. criado a partir de *marmita* + *-ex*.] *S. m. 2 n. Bras.* V. *quentinha*.

marmo [De *magno*.] *Adj. Bras. N.E. MG* **1.** Muito grande; enorme: 📖 "O veeiro de malacacheta podre, um trem marmo, deste tamanho, misturada com osso de cavalo, e aquela trenheira toda, ... 'tá rumeando pro lado de cá de suas terras'." (Nélson de Faria, *Bazé*, pp. 118-119.) **2.** Ótimo, excelente.

marmoraria [De *mármore* + *-aria*.] *S. f.* Estabelecimento ou oficina onde se fazem trabalhos em mármore. [Cf. *marmorária*, fem. de *marmorário*.]

marmorária *S. f.* Fem. de *marmorário*.

marmorário [Do lat. *marmorariu*.] *Adj.* **1.** Relativo a mármore (1); marmóreo. ● *S. m.* **2.** V. *marmorista*. [Fem.: *marmorária*. Cf. *marmoraria*.]

mármore [Do gr. *mármaros*, pelo lat. *marmore*.] *S. m.* **1.** Calcário metamorfizado e recristalizado, duro e compacto, de cores variadas, que se pode polir, e que se emprega em obras de arquitetura e escultura. **2.** Escultura executada em mármore: 📄 *os mármores de Fídias*. **3.** Peça ou placa de mármore (1), us. como prateleira, como revestimento, etc.: 📄 *os mármores da cozinha*. **4.** *Fig.* Aquilo que é frio, duro ou branco tal como o mármore: 📄 *o mármore das faces do cadáver*. **5.** *Fig.* Dureza de coração; insensibilidade, indiferença, frieza. **6.** *Tip.* Cofre das prensas mecânicas ou dos prelos de provas. **7.** *Tip.* Mesa de superfície plana e lisa, outrora de pedra e hoje de metal, onde se fazem a imposição e o engradamento das fôrmas.

marmoreação [De *marmorear* + *-ção*.] *S. f.* **1.** Ato ou efeito de marmorear (1). **2.** *Encad.* Processo para dar a folhas de papel, ou ao corte de um livro, aspecto semelhante ao do mármore, por meio de tintas salpicadas na superfície de veículo gomoso, usualmente o tragacanto, e às quais se imprime movimento ondulatório, em geral com instrumento apropriado [*pente*], antes de fazê-las aderir, por contato, ao papel ou ao corte; marmorização.

marmoreado [Part. de *marmorear*.] *Adj.* Que tomou aspecto, a aparência de mármore; marmorizado. ~ V. *papel* —.

marmoreador (ô) [De *marmorear* (2) + *-dor*.] *S. m. Encad.* Pessoa que se ocupa no trabalho de marmoreação; marmorizador.

marmorear [De *mármore* + *-ear*².] *V. t. d.* **1.** Dar aspecto de mármore a: 📖 "ressequidos líquenes seculares que se incrustam no granito, marmoreando-o." (Antero de Figueiredo, *Jornadas em Portugal*, p. 244). **2.** *Encad.* Dar a aparência de mármore a (papel ou corte de livro); marmorizar. [Conjug.: v. *frear*.]

marmoreira [De *mármore* + *-eira*.] *S. f.* Pedreira de mármore.

marmóreo [Do lat. *marmoreu*.] *Adj.* **1.** Semelhante ou relativo ao mármore (1); marmorário. **2.** Feito de mármore (1): 📖 "estas marmóreas escadas / de horror tremer me parecem" (Antônio Feliciano de Castilho, *Amor e Melancolia*, p. 33). **3.** Da cor do mármore (1) branco: 📖 "essa marmórea tez." (Alberto de Oliveira, *Poesias*, 2.ª série, p. 36). **4.** *Fig.* Que tem, ou em que existe a insensibilidade de mármore: 📄 *indiferença marmórea*; 📖 "com algumas daquelas palavras marmóreas, ditas sem amargura nem pena, e destinadas a pôr na cova desses medíocres amores, seu epitáfio." (Fialho d'Almeida, *O País das Uvas*, p. 106).

marmorista [De *mármore* + *-ista*.] *S. 2 g.* **1.** Serrador ou polidor de mármore. **2.** Pessoa que faz esculturas de mármore. [Sin. ger.: *marmorário*.]

marmorite [De *mármore* + *-ite*².] *S. m. Constr.* Mistura de cimento e pó de mármore us. para revestimentos.

marmorização [De *marmorizar* + *-ção*.] *S. f.* **1.** Transformação do calcário em mármore. **2.** *Patol.* Estado de um órgão cuja superfície externa toma o aspecto do mármore, apresentando-se com raias e veias que imitam essa rocha. **3.** *Encad.* Marmoreação (2).

marmorizado [Part. de *marmorizar*.] *Adj.* Marmoreado: 📄 *tabletes de doce em pasta marmorizados*. ~ V. *acabamento — e papel —*.

marmorizador (ô) [De *marmorizar* + *-dor*.] *Adj.* **1.** Que marmoriza. ● *S. m.* **2.** *Encad.* Marmoreador.

marmorizar [De *mármore* + *-izar*.] *V. t. d.* **1.** Transformar em mármore. **2.** *Encad.* Marmorear (2). **3.** *Fig.* Dar a aparência ou a cor, a brancura do mármore, a.

marmota¹ [Do fr. *marmotte*.] *S. f.* **1.** *Zool.* Nome comum a roedores ciurídeos, gênero *Marmota*, do hemisfério norte, com cerca de 14 espécies, de porte pequeno a médio. São sólidos e corpulentos, com as patas apartadas, sendo as posteriores mais curtas que as dianteiras; levam uma vida parcialmente subterrânea, são capazes de hibernação, e a coloração, entre as espécies, é variada. **2.** *Bras. N.E. Pop.* V. *fantasma* (3). **3.** *Bras. N.E. C.O. Pop.* V. *espantalho* (1 e 2).

marmota² *S. f. Zool.* V. *pescada-marmota*.

marna [Do fr. *marne*.] *S. f. Geol.* Marga.

marnel *S. m.* V. *pântano*: 📖 "E eu, agitado e aflito, a submergir-me todo, / A conspurcar-me todo / No pútrido marnel de esverdinhado lodo." (Alberto de Oliveira, *Poesias*, 4.ª série, p. 59.) [Pl.: *marnéis*.]

marnota [De *mar*¹.] *S. f.* **1.** Terreno baixo que pode ser alagado pela água do mar ou de um rio. **2.** Parte da salina onde se acumula a água para o fabrico do sal.

marnotagem [De *marnoto* + *-agem*².] *S. f.* A profissão de marnoto ou marnoteiro.

marnoteiro [De *marnoto* + *-eiro*.] *S. m.* **1.** Marnoto. **2.** Aquele que dirige o trabalho dos marnotos; inspetor de marnotos. [Var., nesta acepç.: *marroteiro*.]

marnoto (ô) [De or. obsc.] *S. m.* **1.** Aquele que trabalha nas salinas; marnoteiro. ● *Adj.* **2.** Relativo a salinas.

maro [Do gr. *máron*, pelo lat. *maru*.] *S. m. Bot.* Erva lamiácea (*Teucrium marum*) aromática, originária do Mediterrâneo, cultivada no Brasil, de folhas pequeninas e ovadas, e flores violáceas e densamente ordenadas em racemos.

maro-diapa *Bras. S. 2 g.* **1.** *Etnôn.* Indivíduo dos maros-diapas [ou (etnôn. bras.) *Marö-dyapa], povo indígena extinto que habitava a margem esquerda do rio Juruá (AM). ● *Adj. 2 g.* **2.** Pertencente ou relativo a esse povo. [Pl.: *maros-diapas*.]

maroiço *S. m.* V. *marouço*. ~ V. *maroiços*.

maroiços *S. m. pl.* V. *marouços*. ~ V. *maroiço*.

➔ **maroilles** [ma'ʁwal] [Fr.] *S. m. Cul.* Queijo de leite de vaca, de sabor forte, consistência macia e casca vermelha tirante a tijolo, fabricado no N. da França.

marola [De *mar*¹.] *S. f.* **1.** Ondulação na superfície do mar: 📖 "Espreitou o céu enfarruscado e as marolas repetidas que se quebravam, insistentes, contra a amurada" (Reginaldo Guimarães, *Uma Blusa no Cais*, p. 24). **2.** *Fig.* Agitação, alvoroço: 📖 "Fiz o que a maioria procurou fazer: evitei provocar marola." (Carlos Heitor Cony, *Folha de S.Paulo*, 05.10.1994.) **3.** *Bras.* Onda pequena.

marolinho *S. m. Bras. Bot.* V. *cabeça-de-negro* (1).

marolinho-do-campo *S. m. Bras. Bot.* Pequena árvore anonácea (*Annona geraensis*) de folhas sésseis, flores amarelas e frutos edules, de polpa branca. [Pl.: *marolinhos-do-campo*.]

marolo (ô) *S. m. Bras. Bot.* V. *araticum* (2).

maroma [Do ár. *mabrūm*, 'trançado', do v. *barama*, 'torcer', 'trançar'.] *S. f.* **1.** Corda grossa; cabo, calabre. **2.** Corda em que se equilibram funâmbulos, arlequins e certas personagens cômicas. **3.** *Bras. AM* Armação de espeques altos e isolados, sobre a qual se constrói a habitação, à borda dos rios. **4.** *Bras. AM P. ext.* Essa habitação. [Cf. *maromba*² (1 e 2).]

maromba¹ [Var. de *maroma*; ár.-hisp. *mabrūma(t)*.] *S. f.* **1.** Vara com que os funâmbulos ou arlequins mantêm o equilíbrio na maroma; contrapeso. **2.** *Fig.* Situação que se sustenta com dificuldade. **3.** *Bras.* Atitude dúbia de quem não se quer definir, aguardando os acontecimentos. **4.** *Bras.* Esperteza, malandragem. **5.** *Bras. RS* Cabo de aço ou de fibras que, passando através de um curso de água, presas as extremidades uma em cada margem, serve para nele puxarem os tripulantes de uma barca de passagem, a fim de conduzirem esta de um lado para o outro. **6.** *Bras. Gír.* Musculação, esp. quando os exercícios são feitos com peso nos pulsos ou nas mãos, e nos tornozelos.

maromba² *S. f.* **1.** *Bras. AM* Jirau onde se põe o gado por ocasião das cheias. **2.** *Bras. AM* Jangada, comumente de imbaúba, para transporte de gado. [Cf., nessas

M

acepç., *maroma* (3 e 4).] 3. *Bras. N.* Lote ou magote de bois. 4. *Bras. RJ* Máquina de fabricar tijolos. 5. *Bras. S.* Entre os pescadores, exemplar adulto da sardinha quando atinge mais de 20cm de comprimento. 6. *Bras. Zool.* Sardinha-verdadeira.

marombado [Part. de *marombar*.] *Adj. Bras. CE* 1. V. *mentiroso* (1). 2. V. *fanfarrão* (1).

marombar [De *maromba*[1] + *-ar*[2].] *Bras. V. int.* 1. Procurar equilibrar-se; tentear. 2. Utilizar a maromba[1] (5) para fazer a barca andar. 3. *Fig.* Vadiar no trabalho; fugir a compromisso. 4. Usar de dissimulação; enganar. 5. Hesitar entre alvitres opostos, quando se trata de interesse próprio. 6. Embaraçar um negócio por má vontade ou por interesses inconfessáveis. [F. paral.: *marombear*.]

marombear [De *maromba*[1] + *-ear*[2].] *V. int. Bras. RS* Marombar. [Conjug.: v. *frear*.]

marombeiro [De *maromba*[1] + *-eiro*.] *Adj. S. f. Bras. Gír.* Indivíduo que pratica maromba[1] (6).

marombista [De *maromba*[1] + *-ista*.] *Adj. 2 g. S. 2 g. Bras.* 1. Diz-se de, ou pessoa que maromba, que costuma furtar-se a compromissos. 2. Aproveitador, oportunista. 3. Participante do grupo político que durante as Regências Trinas (1831-1835) não se definiu nem pelos moderados, no poder, nem pelos exaltados ou restauradores, oposicionistas.

maromomi *S. 2 g. Adj. 2 g. Bras.* V. *maramomim*.

maronês *Adj.* 1. De, ou pertencente ou relativo à serra do Marão (Portugal). ● *S. m.* 2. O natural ou habitante desta serra. [Flex.: *maronesa* (ê), *maroneses* (ê), *maronesas* (ê).]

maronita [Do antr. ár. *Marūn*, poss. o nome do patriarca fundador da comunidade ou seita cristã original, + *-ita*[2].] *S. 2 g.* 1. *Rel.* Indivíduo de uma comunidade árabe cristã, unida à Igreja Católica desde o século XII e regida por um patriarcado autônomo, sediado no Líbano. [O principal grupo maronita é o do Líbano, onde a comunidade se originou, talvez, no século IV. Há grupos menores em diversos países. O rito é celebrado em siríaco.] ● *Adj. 2 g.* 2. Pertencente ou relativo aos maronitas.

mároo [Do lat. tard. *marohu*.] *S. m.* 1. Indivíduo dos mároos, antigo povo da Índia. ● *Adj.* 2. Pertencente ou relativo aos mároos.

marosca [De or. obscura.] *S. f.* Trapaça, enredo, logro, ardil.

marotagem [De *maroto* (4) + *-agem*[2].] *S. f.* 1. V. *maroteira*. 2. Multidão de marotos.

marotear [De *maroto* + *-ear*[2].] *V. int.* Viver ou proceder como maroto (4). [Conjug.: v. *frear*.]

maroteira [De *maroto* + *-eira*.] *S. f.* Ato próprio de maroto (4); patifaria, velhacaria, malandrice, marotagem.

marotismo [De *maroto* + *-ismo*.] *S. m.* Qualidade ou ação de maroto (4).

maroto (ô) [De or. obscura.] *Adj.* 1. Ladino, esperto; brejeiro: *criança marota*. 2. Malicioso, picante: *anedota marota*. 3. Velhaco, tratante, malandro, desavergonhado, patife. ● *S. m.* 4. Indivíduo maroto; malandro, marau: "— Vou aproveitar o tempo, enquanto esperamos pelo Alencar, a arrancar as orelhas àquele maroto!" (Eça de Queirós, *Os Maias*, II, p. 398.) 5. *Bras.* Alcunha dada aos portugueses no Brasil, principalmente na BA, a começar da época da Independência. V. *galego* (4).

marouço [De *mar*[1].] *S. m.* Mar encapelado: "ora bem salientes e nítidas [as canoas] na crista elevada da mareta espumante, ora ocultas e submersas na cava funda do marouço em fúria" (Virgílio Várzea, *Nas Ondas*, p. 144). [Var.: *maroiço*.] ~ V. *marouços*.

marouços [Pl. de *marouço*.] *S. m. pl.* Ondas grandes e encapeladas. [Var.: *maroiços*.] ~ V. *marouço*.

marqueiro [De *marca*[1] + *-eiro*.] *S. m. Bras. RS* O encarregado de marcar os animais, a ferro quente, nas estâncias de criação; marcador.

marquense *Adj. 2 g.* 1. De, ou pertencente ou relativo a Marco (CE). ● *S. 2 g.* 2. O natural ou habitante de Marco.

marquês [Do occitano ant. *marqués*.] *S. m.* V. *barão* (1). [Flex.: *marquesa* (ê), *marqueses* (ê), *marquesas* (ê).]

marquesa[1] (ê) [Fem. de *marquês*.] *S. f.* 1. Senhora que tem marquesado. 2. Mulher de marquês. 3. Espécie de canapé largo, com assento de palhinha.

marquesa[2] (ê) *S. f.* V. *marquise*.

marquesa-de-belas *S. f. Bras. Bot.* V. *cipó-de-são-joão*. [Pl.: *marquesas-de-belas*.]

marquesado (ê) [De *marquês* + *-ado*[2].] *S. m.* 1. Cargo ou dignidade de marquês. 2. Terras que constituíam o domínio e solar de marquês ou marquesa.

marquesal [De *marquês* + *-al*[1].] *Adj. 2 g.* Relativo ou pertencente a marquês ou marquesa.

marquesano [Do top. (ilhas) *Marquesas*; ilhas da Polinésia Francesa, + *-ano*[1].] *Adj.* 1. De, ou relativo ou pertencente às ilhas Marquesas, ou ao marquesano (2). ● *S. m.* 2. *Gloss.* Língua malaio-polinésia falada nessas ilhas.

marquesense *Adj. 2 g. S. 2 g.* V. *leônidas-marquesense*.

marquesinha (ê) [Dim. de *marquesa*[2].] *S. f.* 1. Toldo que abriga, em campanha, a tenda dos oficiais. 2. Sombrinha outrora us. pelas senhoras.

marquesvã *S. m. Cronol.* O segundo mês do calendário israelita, com 29 ou 30 dias.

marquetagem [De *marquet(eiro)* + *-agem*[2].] *S. f.* V. *marketing*: "O comando petista está disposto a oferecer a ela [Erundina] a vaga de vice, ainda que os receituários da marquetagem política não recomendem uma chapa com duas mulheres" (Fernando Barros de Melo e José Alberto Bombig, em *Folha de S.Paulo*, 30.04.2008.)

marqueteiro [Do ingl. *market(ing)* + *-eiro*.] *S. m.* 1. *Market.* Profissional de *marketing*. 2. *Pop.* Pessoa que, indistintamente, exerce atividade de *marketing*, publicidade, promoção[2], etc. 3. *Pop. Deprec.* Aquele que, oportunisticamente, se utiliza do *marketing* para projetos e interesses pessoais.

marquise [Do fr. *marquise*, 'toldo'.] *S. f.* 1. Espécie de alpendre ou cobertura saliente, na parte externa de um edifício, destinada a servir de abrigo: *Quando começou a chuva, os transeuntes refugiaram-se debaixo da marquise*. [Sin.: *marquesa*.] 2. *Lus.* Área de serviço envidraçada em casas ou apartamentos.

marquisete [Do fr. *marquisette*.] *S. f. Tec. Têx.* Tecido fino de algodão, de trama larga, formando desenhos.

marra [Do lat. *marra*.] *S. f.* 1. Pequena enxada para mondar. 2. Marrão[2]. 3. Rego ou valeta ao lado do caminho. 4. Clareira em vinhedos e olivais. 5. Jogo de rapazes, semelhante ao pique. 6. *Bras. Gír.* Arrogância, presunção. 7. *Bras. Gír.* Coragem, disposição ou força física. 8. *Bras. Gír.* Teimosia. ◆ **Na marra.** *Bras. Pop.* 1. Mediante emprego de violência; à viva força: *A polícia invadiu o recinto na marra*. 2. A qualquer preço: *Resolveu estudar na marra*. 3. Contra vontade; a contragosto: "Não acho maravilhoso envelhecer. A gente envelhece na marra, porque não há mesmo outro jeito" (Lígia Fagundes Teles, *A Disciplina do Amor*, p. 109). [Sin. ger.: *no peito e na raça*.]

marrã [Fem. de *marrão*.] *S. f.* 1. Porca nova que deixou de mamar. 2. Carne fresca de porco. 3. *Bras. N.E.* Ovelha nova.

marrabenta [Do pref. ronga *ma-* + *rebenta*, com assimilação.] *S. f. Moç.* Dança do S. de Moçambique, rápida e sensual: "quem saberá / das canções de despero, da marrabenta, / dos lamentos da Zixaxa e das Lagoas/ onde vivem os negros da cidade?" (Duarte Galvão, *Poemas do Tempo Presente*, p. 57).

marraco [De *marra*.] *S. m.* V. *enxadão* (2).

marrada [De *marrar* + *-ada*[1].] *S. f.* Ato de marrar: "afrontava .... as violentas marradas e o coice rápido dos marruás." (Amadeu de Queirós, *Os Casos do Carimbamba*, p. 37).

marrafa [Do antr. *Marrafi*, dançarino italiano que viveu em Lisboa em fins do séc. XVIII.] *S. f.* 1. Madeixa (3) riçada e caída na testa. 2. Cada uma das partes em que se divide o cabelo, por meio de uma risca. 3. *Bras. PE* Pequeno pente ornamental us. pelas senhoras: "Arrumavam, as mulheres de então, suas cabeleiras .... com inúmeros grampos, flores, marrafas, alfinetes, cobrindo-as com mantilhas rendadas ou de gaze." (Osmã Lins, *Nove, Novena*, p. 23.) 4. *Bras. SP* Modalidade do fandango.

marraio *S. m. Bras.* 1. Palavra que, em certos jogos (como o jogo de gude), dá ao primeiro parceiro que a grita o direito de ser o último a jogar. 2. *P. ext.* O parceiro que primeiro gritou essa palavra: *Quem é o marraio?*

marralhar [Voc. deduz. de *marralheiro* (v. *-ar*[2]).] *V. int.* 1. Ser ou mostrar-se marralheiro. *T. i.* 2. Teimar ou insistir procurando convencer alguém, ou lograr alguma coisa.

marralheiro [Do esp. *marullero*.] *Adj.* 1. Que usa de astúcias para convencer ou iludir; manhoso, astuto, espertalhão. 2. Preguiçoso, madraço, indolente, mandrião.

marralhice [De *marralh-*, como em *marralheiro*, + *-ice*.] *S. f.* Qualidade de quem é marralheiro.

marrano [Do esp. *marrano*.] *Adj. S. m.* 1. Diz-se de, ou designação injuriosa dada outrora aos mouros e judeus. 2. Diz-se de, ou o indivíduo excomungado, sujo, imundo, porco. 3. *Bras. RS* Diz-se de, ou gado ruim.

marrão[1] [Do ár. *muḥarram*, 'proibido', alusão à interdição da carne de porco, no islamismo; cf. etim. de *harém*.] *S. m.* Pequeno porco desmamado. [Fem.: *marrã*.]

marrão[2] [De *marra* + *-ão*[1].] *S. m.* Grande martelo de ferro com que se quebram pedras; marra.

marrão[3] [F. aferética de *chimarrão*, poss.] *Adj. S. m. Bras. RS* Diz-se de, ou rês bravia, selvagem, indomável: *carneiro marrão; Foi difícil amansar o marrão*.

marraque *S. m. Bras.* Emblema ou símbolo, ao jeito de cetro, us. outrora pelos caciques.

marrar [De *marra* + *-ar*[2].] *V. t. d.* 1. Bater com força, como se desse marrada: "aríetes poderosos procuravam aluir a muralha, marrando e tornando a marrar os grossos silhares e juntoiros" (Aquilino Ribeiro, *Os Avós dos Nossos Avós*, p. 115). *T. i.* 2. Encontrar-se ou topar de frente com alguma coisa; defrontar, deparar. 3. Arremeter com a cornada (animal cornígero). 4. Bater com o marrão[2].

marrasquino *S. m.* V. *marasquino*.

marraxo [Do. esp. *marrajo*, poss.] *S. m. Bras. Zool.* Tubarão carcarrinídeo (*Eulamia lamia*), do Atlântico e Mediterrâneo, de dorso cinzento-claro e abdome branco. Mede de 3 a 4m de comprimento, e é espécie muito voraz e agressiva. [Sin.: *cação-de-rio*.]

marreca [F. de *marreco*.] *S. f.* 1. *Zool.* A fêmea do marreco. 2. *Bras. Zool.* Designação comum aos anatídeos de pequeno porte. 3. *Lus. Pop.* V. *corcunda* (1).

marreca-ananaí *S. f. Bras. Zool.* Ave passeriforme, anatídea (*Nettion brasiliense*), da América do Sul cisandina, de dorso superior pardo, dorso inferior e coberteiras superiores das asas pretos com lustro azul-metálico, rêmiges do braço pardo-claras marginadas de branco, peito vermelho, e alto da cabeça e estria na nuca pardo-escuros. [Tb. se diz apenas *ananaí*. Sin.: *marreca-dos-pés-encarnados*. Pl.: *marrecas-anananaís* e *marrecas-ananaí*.]

marreca-apaí [De *marreca* + o tupi = 'pato que ainda não voa'.] *S. f. Bras. Zool.* V. *irerê*. [Pl.: *marrecas-apaís* e *marrecas-apaí*.]

marreca-asa-branca *S. f. Bras.* V. *marreca-cabocla*. [Pl.: *marrecas-asas-brancas*.]

marreca-assobiadeira *S. f. Bras. Zool.* Ave anseriforme, anatídea (*Nettion flavirostre*), dos países meridionais da América do Sul. No Brasil, ocorre apenas no extremo Sul. Tem coloração dorsal cinzento-escura, cabeça com faixas pretas transversais, lado inferior esbranquiçado, peito manchado de preto, e duas faixas amarelas nas asas. [Tb. se diz apenas *assobiadeira* e *assoviadeira*; f. paral.: *marreca-assoviadeira*. Pl.: *marrecas-assobiadeiras*.]

marreca-assoviadeira *S. f. Bras. Zool.* V. *marreca-assobiadeira*. [Pl.: *marrecas-assoviadeiras*.]

marreca-cabocla (ô) *S. f. Bras. Zool.* Ave anseriforme, anatídea (*Dendrocygna autumnalis discolor*), do centro da América do Sul até o Panamá, de dorso superior pardo-castanho, dorso inferior, rêmiges e barriga pretos, e coberteiras superiores menores das asas vermelho-claras; marreca-grande-de-marajó; marreca-asa-branca. [Pl.: *marrecas-caboclas* (ô).]

marreca-caneleira (ô) *S. f. Bras. RS Zool.* V. *marreca-péua*. [Pl.: *marrecas-caneleiras*.]

marreca-carijó *S. f. Bras. RS Zool.* Ave anseriforme, anatídea (*Querquedula versicolor*), do S. da América do Sul. No Brasil, aparece apenas no extremo Sul. Coloração castanha ou leonada, carijó, capuz castanho, asas cinzentas com pontas pardas, espelho azul-esverdeado, e dorso e cauda brancos, raiados de negro. [Sin.: *marrequinho-do-campo*. Pl.: *marrecas-carijós* e *marrecas-carijó*.]

marreca-do-pará *S. f. Bras. Zool.* V. *irerê*. [Pl.: *marrecas-do-pará*.]

marreca-dos-pés-encarnados *S. f. Bras. RS Zool.* V. *marreca-anannaí*. [Pl.: *marrecas-dos-pés-encarnados*.]

marreca-grande-de-marajó *S. f. Bras. Amaz. Zool.* V. *marreca-cabocla*. [Pl.: *marrecas-grandes-de-marajó*.]

marrecão [De *marreca* + *-ão*[1].] *S. m. Bras. Zool.* 1. Ave anseriforme, anatídea (*Neochen jubata*), do O. e S. do Brasil, de coloração ocrácea, tirante ao castanho na cabeça, pescoço e peito, dorso preto com penas castanho-claras, asas escuras e espelho branco. É espécie rara, arborícola, frequentando rios e lagos. 2. Ave anseriforme, anatídea (*Metopiana peposaca*), que ocorre do S. do Brasil até o Chile. O macho tem dorso preto com finas estrias brancas, espelho da asa acentuadamente branco, abdome vermiculado de cinza e branco, bico vermelho com carúncula na base, e pernas vermelhas. A fêmea tem dorso pardo e abdome branco. [Sin. ger.: *ganso*.]

marrecapeba [De *marreca* + *-peba*.] *S. f. Bras. AM Zool.* V. *marrecapéua*.

marrecapéua [De *marreca* + *-péua*.] *S. f. Bras. Zool.* Ave anseriforme, anatídea (*Dendrocygna bicolor*), do L. da África, S. da Ásia e da América do Sul tropical e temperada, de dorso preto, parte das coberteiras superiores da cauda e todas as inferiores amarelas, asas pretas, coberteiras superiores menores da asa castanho-escuras, e parte anterior da cabeça e garganta pardas. [F. paral. e sin.: *marrecapeba* e *marreca-caneleira*.]

marreca-piadeira *S. f. Bras. RS Zool.* V. *irerê*. [Pl.: *marrecas-piadeiras*.]

marrecarana [De *marreca* + *-rana*.] *S. f. Bras. SP Zool.* Ave anseriforme, anatídea (*Nomonyx dominicus*).

marreca-toicinho *S. f. Bras. Zool.* Ave anseriforme, anatídea (*Paecilonitta bahamensis*), das Antilhas, Guianas, N. e L. do Brasil, de coloração dorsal preta, com todas as penas pintadas e marginadas de vermelho, cauda vermelho-clara, parte inferior vermelho-clara pintada de preto, e asas verde-escuras com espelhos verde-metálicos; paturi-do-mato. [Var.: *marreca-toucinho*. Pl.: *marrecas-toicinhos* e *marrecas-toicinho*.]

marreca-toucinho *S. f. Bras. Zool.* V. *marreca-toicinho*. [Pl.: *marrecas-toucinhos* e *marrecas-toucinho*.]

marreca-viúva *S. f. Bras. Zool.* V. *irerê*. [Pl.: *marrecas-viúvas*.]

marreco [De or. incerta.] *S. m.* **1.** *Zool.* Designação comum ao macho da ave anseriforme, anatídeo, *Anas platyrhynchos*, e a outras espécies do gênero. Atualmente existem várias raças domésticas, cosmopolitas. No Brasil o nome é us. para todos os anatídeos de pequeno porte. **2.** *Lus. Pop.* V. *corcunda* (2). ● *Adj. Lus. Pop.* **3.** V. *corcunda* (6).

marrento [De *marra* + *-ento*.] *Adj. Bras. Gír.* **1.** Diz-se de indivíduo arrogante, presunçoso, abusado: "Tô saindo com uma nega / Ela é marrenta e brava" (Ana Carolina & Seu Jorge, na canção *Nega Marrenta*). **2.** Que tem marra (7 e 8): *É um jogador marrento, disputa todas as bolas; Com o tempo, tornou-se marrento, cabeça-dura.*

marrequeiro [De *marreco* + *-eiro*.] *Adj.* De, ou relativo a marreco. ~ V. *boi* —.

marrequém *S. f. Bras. Zool.* V. *ararinha-de-cabeça-encarnada*.

marrequém-do-igapó *S. f. Bras. Zool.* Ave psitaciforme, psitacídea (*Pyrrhura picta amazonum*), do AM, PA, N. do MT, e GO, de coloração geral verde, cabeça parda, fronte azul, faces encarnado-escuras, região auricular pardo-amarelada, dorso inferior e a maior parte da cauda vermelho-escuros, garganta e peito ocre-claros, listrados de cinzento-escuro, encarnado o meio do abdome, e azuis as margens das rêmiges. [Pl.: *marrequéns-do-igapó*.]

marrequinha [De *marreca* + *-inha*.] *S. f. Zool.* **1.** *Bras.* V. *paturi*. **2.** *Bras. BA* V. *jaçanã* (1).

marrequinho [De *marreco* + *-inho*[1].] *S. m. Bras. GO Zool.* V. *ipequi*.

marrequinho-do-brejo *S. m. Bras. MG Zool.* V. *curutié*. [Pl.: *marrequinhos-do-brejo*.]

marrequinho-do-campo *S. m. Bras. Zool.* Marreca-carijó. [Pl.: *marrequinhos-do-campo*.]

marreta (ê) [De *marra* + *-eta* (ê).] *S. f.* **1.** Marrão[2] pequeno, mas de cabo comprido. **2.** *Bras.* Grande cacete. **3.** *Bras.* Apelido dado pelos brasileiros, nos tempos da Independência, aos portugueses. V. *galego* (4). **4.** *Bras.* Designação dada ao partido político situacionista de Pernambuco, e aos seus adeptos, na época da candidatura do General Dantas Barreto, da oposição, ao governo do Estado. **5.** *Bras.* Antiga agremiação partidária do CE. ● *S. m.* **6.** *Bras.* Adepto dessa agremiação; aciolista. [Pl.: *marretas* (ê). Cf. *marreta* e *marretas*, do v. *marretar*.] ◆ **Fazer marreta.** *Bras.* Trapacear no jogo de conluio com um ou mais parceiros; empandilhar.

marretada [De *marreta* + *-ada*[1].] *S. f.* **1.** Pancada ou golpe com marreta (1). **2.** *Bras.* Cacetada, bordoada. **3.** *Bras. Chulo* Cópula carnal; trepada.

marretar [De *marreta* + *-ar*[2].] *V. t. d.* **1.** Bater com marreta em. **2.** *Bras.* Espancar, surrar. **3.** Desbaratar, destroçar. **4.** *Bras. N.E. Pop.* Passar conto do vigário em. **5.** *Bras. N.E. Pop.* Explorar, lesar; trapacear, burlar. **6.** *Pop.* Falar mal de; criticar: *Muito maledicente, marreta até mesmo os amigos.* **7.** Bater ou espancar com marreta. *Int.* **8.** Bater em alguém; espancar: "malharam sobre aquela massa nua e arquejante, com remos, com varas, com tesouras, com pás de ferro, ... ferindo, arpoando, marretando, retalhando" (Júlio Dantas, *Abelhas Doiradas*, p. 187). **9.** *Bras. Chulo* Copular (2). [Pres. ind.: *marreto*, *marretas*, *marreta*, etc. Cf. *marreta* (ê) e pl. *marretas* (ê).]

marreteiro [De *marreta* + *-eiro*.] *S. m.* **1.** *Bras.* Operário que com a marreta percute a broca para abrir câmaras de mina nas pedreiras. **2.** *Bras. N.E. Pop.* Trapaceiro, vigarista; ladrão. **3.** *Bras. SP* Vendedor ambulante: "Compraram dúzias .... de mistos-frios, além de uns abacaxis, adquiridos diretamente do marreteiro do carrinho de mão." (István Wessel, *Os Segredos da Carne*, I, p. 3.) **4.** *Bras. SP P. ext.* Sacoleiro.

marrim *S. 2 g. Adj. 2 g.* V. *maí*.

marroada[1] [De *marrão*[2] + *-ada*[1], com desnasalação.] *S. f.* Pancada com marrão[2].

marroada[2] [De *marrão*[1] + *-ada*[1], com desnasalação.] *S. f.* Manada ou vara de marrões (v. *marrão*[1]).

marroaz [De *marrar*[1].] *Adj. 2 g.* **1.** Teimoso, obstinado cabeçudo. ● *S. m.* **2.** *Ant.* Pequeno navio de vela us. na costa da Arábia e do mar Vermelho. [Cf. *marruás*, pl. de *marruá*.]

marrom [Do fr. *marron*.] *Adj. 2 g.* **1.** Castanho (1): "Vestia um costume marrom, avivado no peito por um pequeno lenço branco" (Xavier Placer, *Doze Histórias Curtas*, p. 17). ~ V. *imprensa* —. ● *S. m.* **2.** Castanho (3).

marrom-avermelhado *Adj.* **1.** De um marrom tirante a vermelho. ● *S. m.* **2.** Essa cor. [Flex. do adj.: *marrom-avermelhados*, *marrom-avermelhada(s)*; pl. do s. m.: *marrons-avermelhados*.]

marrom-claro *Adj. Adj. 2 g. e 2 n.* **1.** De um tom claro de marrom. ● *S. m.* **2.** Essa cor. [Flex. do adj.: *marrom-claros*, *marrom-clara(s)*; pl. do s. m.: *marrons-claros*.]

marrom-escuro *Adj. Adj. 2 g. e 2 n.* **1.** De um tom escuro de marrom. ● **2.** Essa cor. [Flex. do adj.: *marrom-escuros*, *marrom-escura(s)*; pl. do s. m.: *marrons-escuros*.]

marrom-glacê [Do fr. *marron glacé*.] *S. m.* Castanha (1) confeitada em calda de baunilha. [Pl.: *marrons-glacês*.]

marroque *S. m. Bras. AL Pop.* Pão dormido, já meio duro.

marroquim [Do fr. *marroquin*, 'marroquino' (alusão à origem desse tipo de couro).] *S. m.* Pele de cabra ou de bode, tingida do lado da flor e já preparada para artefatos: "Raparigas de cor, arrastando servilhas de marroquim vermelho ou verde, ofereciam aos olhos dos homens o busto moreno meio nu" (Inglês de Sousa, *O Missionário*, p. 407).

marroquinar [De *marroquim* + *-ar*[2], seg. o padrão erudito.] *V. t. d.* Transformar em marroquim.

marroquineiro [De *marroquim* + *-eiro*, seg. o padrão erudito.] *S. m.* **1.** Vendedor de marroquim. **2.** Aquele que prepara o marroquim.

marroquino [Do top. *Marroc(os)* (< top. ár. *marākeš* [Marrakech], a principal cidade dos antigos reinos muçulmanos do N.O. da África, no atual Marrocos) + *-ino*[1], pelo fr. *marroquin*.] *Adj.* **1.** De, ou pertencente ou relativo a Marrocos (África). ● *S. m.* **2.** O natural ou habitante de Marrocos. **3.** *Gloss.* Dialeto árabe falado em Marrocos (África). [V. *árabe* (3).]

marroquita [Do top. *Marrocos* (v. *marroquino*) + *-ita*[3].] *S. f. Min.* Mineral ortorrômbico, óxido de cálcio e manganês.

marrote [De *marrão*[1] + *-ote*[1], com desnasalação e síncope.] *S. m. Bras. S.* Porco pequeno, ainda não castrado.

marroteiro *S. m.* V. *marnoteiro* (2).

marroxo (ô) *S. m.* Resto, refugo, rebotalho.

marruá [Alter. de *marroaz*.] *S. m. Bras.* **1.** Novilho que não foi domesticado: "Depois outro campeiro vinha; mais um laço desenrolava no ar, outra laçada sobre a primeira, e o marruá se imobilizava na imobilidade da invernada, donde o gado fugia espavorido!" (Amadeu de Queirós, *Os Casos do Carimbamba*, p. 38.) **2.** Boi bravo; touro, marruás. **3.** Aquele que se deixa enganar facilmente; indivíduo inexperiente, calouro. [Pl. (e var.): *marruás*. Cf. *marroaz*.]

marruás [Var. de *marruá*.] *S. m. Bras. MG SP* V. *marruá* (2): "Tão longe andavam os dois, ele e sua desassisada teimosia, que não percebeu, rezingando, no coice, um marruás alvacento, tocoió .... De repente o bicho entufou-se, desgarrou, investiu." (Nélson de Faria, *Tiziu e Outras Estórias*, p. 213.) [Pl.: *marruases*. Cf. *marroaz*.]

marruco *S. m. Bras.* Touro ou boi destinado à reprodução: "— Pois é: o menino saiu com o copinho dele para o pai encher de leite, e tinha um marruco brabeza do sertão que ninguém num lembrava." (Bernardo Élis, *Veranico de Janeiro*, p. 22.)

marrueiro [De *marruá* + *-eiro*, com síncope.] *S. m. Bras. CE* Domador de touros ou marruás.

➔ **marsala** [marˈsala] [It.] *S. m.* Vinho siciliano ger. doce, de alta graduação alcoólica, encorpado e de cor acastanhada.

marselhês *Adj.* **1.** De, ou pertencente ou relativo a Marselha (França). ~ V. *ladrilho* —. ● *S. m.* **2.** O natural ou habitante de Marselha. [Flex.: *marselhesa* (ê), *marselheses* (ê), *marselhesas* (ê).]

marselhesa *S. f.* O hino nacional francês, com letra e música de Rouget de Lisle (1760-1836), capitão do exército francês, e que foi composto por ocasião da declaração de guerra da França à Áustria, em 1792. [Com cap.] [Do fr. *Marseillaise*.] (ê)

marshallês (cha) [Do top. (Ilhas) *Marshall* (oceano Pacífico) + *-ês*.] *Adj.* **1.** Relativo ou pertencente à República das Ilhas Marshall [v. *marshallino* (1)], ou ao marshallês (2). ● *S. m.* **2.** *Gloss.* Língua austronésia falada nessas ilhas. **3.** Vocábulo dessa língua. [Flex.: *marshallesa* (ê), *marshalleses* (ê), *marshallesas* (ê).]

marshallino (cha) [Do top. *(Ilhas) Marshall* + *-ino*[1].] *Adj.* **1.** Das, ou pertencente ou relativo às Ilhas Marshall (oceano Pacífico). ● *S. m.* **2.** O natural ou habitante dessas ilhas. [Na 5ª ed. do Volp., está marshalino, em contradição com o top.]

➔ **marshmallow** [ˈmaɪʃmɛlow] [Ingl., 'malvavisco'.] *S. m.* **1.** Doce feito originalmente com a mucilagem da raiz de malvavisco e, atualmente, com xarope de milho, clara de ovo, gelatina e açúcar, batidos até tomarem consistência cremosa e elástica. **2.** *P. ext.* Calda (1) feita com *marshmallow* (1).

marsílea [Do tax. *Marsilea* < antr. *Luigi Ferdinando Marsigli*, dito *Marsilius*, naturalista italiano, + lat. cient. *-ea*.] *S. f. Bot.* **1.** O gênero-tipo das marsileáceas, vastamente distribuído, que abrange filicíneas que crescem em águas estagnadas. **2.** Qualquer espécie desse gênero como, p. ex., a *Marsilea deflexa* (v. *trevo-d'água*). **3.** Qualquer espécime desse gênero. [Var., nas acepçs. 2 e 3: *marsília*.]

marsileácea [Do tax. *Marsilea*, gênero-tipo, + *-ácea*; tax. *Marsilaceae*.] *S. f. Bot.* Espécime das marsileáceas, família de pteridófitos, da ordem das hidropteridales, caracterizada pelos esporocarpos constituídos de um segmento foliar com numerosos soros andróginos. São plantas aquáticas ou de lugares úmidos, delicadas e graciosas. Há umas 60 espécies, algumas brasileiras.

marsileáceo [De *marcileácea*, com var. suf. (v. *-áceo*).] *Adj. Bot.* Pertencente ou relativo às marsileáceas.

marsília *S. f. Bot.* V. *marsílea* (2 e 3). [Cf. *Marcília*, antr.]

marsipobrânquio [Do gr. *marsípos*, 'bolsa', + *-brânquio*; tax. *Marsipobranchii*.] *S. m. Adj. Zool.* V. *ágnato*[2].

marso [Do lat. *marsu*.] *S. m.* **1.** Indivíduo dos marsos, antigo povo do Lácio. ● *Adj.* **2.** Pertencente ou relativo a esse povo. [Cf. *março*.]

marsuíno [Do fr. *marsouin* < escand. *marsvin*, 'porco do mar'.] *S. f. Zool.* Pequeno mamífero cetáceo, delfinídeo, gênero *Phocaena*, de coloração escura com a parte ventral branca, e que mede de 1,50m a 2,50m de comprimento. Cabeça redonda ou cônica, nadadeiras pequenas, com 30 a 60 dentes achatados lateralmente, em cada maxilar. Vive no N. do Pacífico e do Atlântico.

marsupial[1] [Do lat. *marsupium*, 'bolsa', + *-al*[1].] *Adj. 2 g.* **1.** Pertencente ou relativo a marsúpio. **2.** Que tem forma de bolsa. **3.** Que tem órgão em forma de bolsa.

marsupial[2] [Adapt. do tax. *Marsupialia*.] *Zool. S. m.* **1.** Espécime dos marsupiais, ordem de animais mamíferos, aplacentários cujas fêmeas têm marsúpio ou dobras marsupiais circundando as tetas, útero e vagina duplos; os ovos se desenvolvem no útero, nascendo os filhotes prematuramente e agarrando-se às tetas, na bolsa marsupial, até se desenvolverem de todo. São os gambás, as cuícas, os coalas e os cangurus. ● *Adj. 2 g.* **2.** Pertencente ou relativo a eles.

marsupialidade [De *marsupial*[1] + *-(i)dade*.] *S. f.* Qualidade de marsupial.

marsupialização [De **marsupializar* (< *marsupial*[1] + *-izar*) + *-ção*.] *S. f. Cir.* Operação que consiste em fazer a exérese de porção da parede anterior de um cisto, com ou sem ressecção da pele suprajacente, suturando-se as bordas restantes das paredes do cisto às camadas da pele adjacente.

marsúpio [Do lat. *marsupiu*.] *S. m. Zool.* A bolsa formada pela pele do abdome dos marsupiais.

marta [Do germ., pelo fr. *martre*, *marte*.] *S. f.* **1.** *Zool.* Gênero de mamíferos carnívoros e digitígrados, de pele muito apreciada. **2.** A pele desse animal: "Vestia um modesto vestido de seda, e agasalhava-se em uma capa de martas." (Camilo Castelo Branco, *A Mulher Fatal*, p. 97.)

martagão [Do turco *martagân*, 'turbante'.] *S. m. Bot.* Liliácea (*Lilium martagon*) cujas flores, pendentes, são pequeninas e purpúreas.

marte [Do mit. lat. *Marte*, 'deus da guerra'.] *S. m.* **1.** *Astr.* O quarto planeta em ordem de afastamento do Sol, e o único do sistema solar que apresenta aspectos e características análogos aos da Terra. Nitidamente menor que esta, Marte tem um diâmetro de 6.800km, e a sua massa, deduzida da observação dos seus dois satélites, Fobos e Deimos, é 0,107 vezes a da Terra. [Sin.: *Ares* e *Planeta Vermelho*.] **2.** *Mit.* O deus da guerra, entre os antigos romanos. [F. paral., ant.: *Mavorte*. Cf. *Ares*[2] (2). Com cap., nessas acepçs.] **3.** *Fig.* Homem guerreiro; cabo de guerra. **4.** *Fig.* A guerra.

martel [De *martelo* (6), com apócope.] *S. m. Bras. RS* Copo para bebida, rústico. [Pl.: *martéis*.]

martelação [De *martelar* + *-ção*.] *S. f.* V. *martelagem*.

martelada [De *martelo* + *-ada*[1].] *S. f.* **1.** Pancada com martelo (1 e 2). **2.** Ruído de pancada semelhante à do martelo: *Sentia marteladas na orelha.*

martelado [Part. de *martelar*.] *Adj.* Que se martelou. ~ V. *vidro* —.

martelador (ô) [De *martelar* + *-dor*.] *S. m.* **1.** Aquele que martela. **2.** *Fig.* Indivíduo importuno, maçante, irritante.

martelagem [De *martelar* + *-agem*[2].] *S. f.* Ato de martelar; martelamento, martelação.

martelamento [De *martelar* + *-mento*.] *S. m.* V. *martelagem*.

martelão [De *martelar* + *-ão*[1].] *S. m. Bras. Gír.* Indivíduo que só aprende à força de muito repetir. [Fem.: *martelona*.]

martelar [De *martelo* + *-ar*[2].] *V. t. d.* **1.** Bater com o martelo em: "crava no pau, às marteladas, um prego

M

de grande cabeça chata, junto desse prego martela outro" (Ramalho Ortigão, *A Holanda*, p. 272). **2.** Bater seguidamente em, como se desse marteladas: "Como será que o Seu Júlio consegue ler o jornal, enquanto a filha martela o piano?" (Telmo Vergara, *Contos da Vida Breve*, p. 25.) **3.** Aturdir, atordoar, como se desse marteladas em: *Martelavam os seus ouvidos com aquele assunto desagradável.* ***T. c.*** **4.** Fazer soar; dar: *O relógio martelou 12 horas.* ***T. i.*** **5.** Insistir, teimar, para persuadir ou para alcançar alguma coisa: *Martelou na questão para obter melhores resultados.* ***Int.*** **6.** Dar marteladas. **7.** Martelar (5): *Tanto martelou, que acabou conseguindo o apoio do sócio.* **8.** Bater com força. ***Int.*** **9.** Soltar a voz (a araponga). [F. paral.: *amartelar.*]

marteleiro [De *martelo* + *-eiro*, poss.] ***S. m. Bras. Zool.*** V. *chapéu-armado* (2).

martelejar [De *martelo* + *-ejar.*] ***V. int. P. us.*** Dar marteladas; martelar. [Conjug.: v. *pelejar.*]

martelete (ê) [De *martelo* + *-ete* (ê).] ***S. m.*** **1.** Pequeno martelo; martelinho. **2.** Espora mourisca. ◆ **Martelete pneumático.** Máquina pneumática destinada a fazer incisão em superfícies rígidas como rochas ou pavimentos de rua. [Cf. *britadeira.*]

martelinho [De *martelo* + *-inho*[1].] ***S. m.*** **1.** Martelete (1). **2.** Copo de meio quartilho.

martelo [Do lat. med. *martellu* (clláss. *marculus* e *martulus*).] ***S. m.*** **1.** Instrumento de ferro, em geral com cabo de pau, destinado a bater, quebrar e, esp., cravar pregos na madeira. **2.** Pequeno malho us. por juízes, leiloeiros, etc. **3.** Peça dos relógios de parede que faz soar as horas. **4.** *Fig.* Pessoa que persegue e procura exterminar um mal: *martelo dos vícios.* **5.** *Fig.* Pessoa importuna, maçadora: *Despede esse martelo!* **6.** Antiga unidade de medida de capacidade para líquidos, equivalente a 1/4 de um quartilho, ou seja, 166ml: "bebia dois martelos de restilo, ficava meio troviscado" (Nélson de Faria, *Tiziu e Outras Estórias*, p. 113). **7.** *Anat.* Ossículo em forma de martelo, em cada orelha média. **8.** *Atlet.* Esfera de bronze ou de ferro presa a um cabo de aço, o qual tem, na extremidade oposta, uma espécie de argola que o atleta empunha para o lançamento. **9.** *Mús.* Cada uma das pequenas peças de madeira que, movidas pela pressão dos dedos sobre as teclas, percutem as cordas do piano e as fazem vibrar. [Dim. irreg.: *martelete.*] **10.** *Bras. Liter. Pop.* Estrofe composta de decassílabos, muito usada nos versos heroicos ou mais satíricos, nos desafios. Os martelos mais empregados são o *gabinete* e o *agalopado*. **11.** *Bras. Zool.* V. *chapéu-armado* (2). **12.** *Bras. Zool.* V. *pata*[1] (2). **13.** *Bras. Zool.* V. *tubarão-martelo* (2). **14.** *Bras.* Ninfa de certos mosquitos, depositada na água estagnada. **15.** *Bras. Cap.* Golpe traumático em que o capoeirista, com o dorso do pé, atinge seu adversário no rosto ou no tronco. ◆ **Martelo agalopado.** *Bras. Liter. Pop.* Estrofe de seis pés decassílabos, de toada violenta, improvisada pelos cantadores sertanejos nos seus desafios; martelo de seis pés, galope. [Tb. se diz apenas *agalopado*. V. *martelo* (10).] **Martelo alagoano.** *Bras. Liter. Pop.* Estrofe semelhante à do martelo agalopado, mas terminado obrigatoriamente com o refrão: "Nos dez pés de martelo alagoano". **Martelo de seis pés.** *Bras. Liter. Pop.* V. *martelo agalopado.* **Martelo justificador.** *Tip.* Peça da linotipo que põe os espaçadores em posição de fundir, e os mantém erguidos, para realizar a justificação; bloco de justificação. **Martelo miudinho.** *Bras. Liter. Pop.* Estrofe semelhante à do martelo agalopado, mas terminando obrigatoriamente com o refrão: "Nos dez pés de martelo miudinho". **Bater o martelo.** Decidir de modo definitivo: "A Portela bateu o martelo: seu enredo em 2009 será 'É o amor'." (Anselmo Góis, em *O Globo*, 08.08.2008.)

martelo de chão ***S. m. Bras. Cap.*** Martelo (13) aplicado a partir da negativa (4). [Pl.: *martelos de chão.*] ☑

martelona ***S. f. Bras. Gír.*** Fem. de *martelão*.

martelo-voador (ô) ***S. m. Bras. Cap.*** Martelo (13) aplicado após um giro do capoeirista com as pernas no ar. [Pl.: *martelos-voadores* (ô).]

martêmpera [De *mar(tensita)* + *têmpera*.] ***S. f. Metal.*** Tratamento térmico de peças de aço, em que se faz austenitização seguida de resfriamento brusco até temperatura um pouco acima daquela em que se dá a formação de martensita e, em seguida, até a temperatura ambiente.

→ **martenot** [maʁtəˈno] [Fr. (< antr. [*Maurice*] *Martenot* [1898-1980], cientista e músico francês).] ***S. m.*** Instrumento de música eletrônica, provido de teclado.

martensita [De (*Adolf*) *Martens* (1850-1914), engenheiro alemão, + *-ita*[3].] ***S. f. Metal.*** Solução sólida de carbono, ou de carboneto de ferro, em ferro beta, presente em diversos tipos de aço.

martensítico [De *martensita* + *-ico*[2].] ***Adj.*** Da natureza da martensita, ou que a contém. ~ V. *aço* —.

martilhar [Do esp. plat. *martillar.*] ***V. t. d. Bras. S.*** **1.** Engatilhar (arma de fogo); emartilhar. **2.** Aprontar (um cavalo) para correr com velocidade. ***Int. P.*** **3.** Preparar-se, aprontar-se.

martim ***S. m. Bras. S. Zool.*** V. *martim-pescador.*

martim-cachá [Do antr. *Martim* + *cachá*, onom.] ***S. m. Bras. Zool.*** V. *martim-pescador-grande.* [Pl.: *martins-cachás* e *martins-cachá.*]

martim-cachaça [F. paragógica de *martim-cachá.*] ***S. m. Bras. Zool.*** V. *martim-pescador-grande.* [Pl.: *martins-cachaças* e *martins-cachaça.*]

martim-grande ***S. m. Bras. Zool.*** V. *martim-pescador.* [Pl.: *martins-grandes.*]

martim-pererê [Alter. de *matimpererê* (q. v.), com infl. do antr. *Martim.*] ***S. m. Bras. Zool.*** V. *saci* (1). [Pl.: *martins-pererês.*]

martim-pescador (ô) [Trad. do fr. *martin-pêcheur.*] ***S. m. Bras. Zool.*** Designação comum às espécies de aves coraciiformes, alcedinídeas, gêneros *Megaceryle* e *Chloroceryle*, frequentadores dos rios e lagos do Brasil, de coloração quase sempre azul ou verde-metálica, com várias outras cores intercaladas. Nidificam nas barrancas dos rios, em galerias construídas por eles mesmos, e alimentam-se exclusivamente de peixes, donde o seu nome popular. [Sin.: *ariramba, arirana, martim, martim-grande, papa-peixe, pica-peixe* e *urarirana*. Pl.: *martins-pescadores.*]

martim-pescador-grande (ô) ***S. m. Bras. Zool.*** Ave coraciiforme, alcedinídea (*Megaceryle torquata*), do México, América Central e América meridional, de dorso escuro com tons azul-claros, nuca e garganta brancas, rêmiges e cauda pretas listradas de branco, peito ferrugíneo e barriga branca. Na fêmea o peito é cinza-azulado e a barriga ferrugínea. [Sin.: *martim-cachá, martim-cachaça, matraca, flecha-peixe, ariramba-grande, uarirama.* Pl.: *martins-pescadores-grandes.*]

martim-pescador-pequeno (ô) ***S. m. Bras. Zool.*** Espécie de martim-pescador (*Chloroceryle americana*), conhecido da BA para o N., até a Colômbia, de coloração verde tirante ao bronzeado, asas e cauda pintadas de branco, garganta, fita nucal e meio do abdome brancos, e peito ferrugíneo. A fêmea é idêntica ao macho, mas com a garganta ocre-clara e o peito da mesma cor, pintado de verde. [Sin.: *ariramba-pequena*. Pl.: *martins-pescadores-pequenos.*]

martim-pescador-pintado (ô) ***S. m. Bras. Zool.*** Ave coraciiforme, alcedinídea (*Ceryle inda*), do C. e S. da América, de dorso verde-escuro tirante ao bronzeado, rêmiges e cauda pintadas de branco, fita nucal e parte inferior do corpo ferrugíneas. [Sin.: *ariramba-pintada*. Pl.: *martins-pescadores-pintados.*]

martim-pescador-verde (ô... ê) ***S. m. Bras. Zool.*** Ariramba-verde. [Pl.: *martins-pescadores-verdes.*]

martinense[1] ***Adj. 2 g.*** **1.** De, ou pertencente ou relativo a Domingos Martins (ES). ● ***S. 2 g.*** **2.** O natural ou habitante de Domingos Martins.

martinense[2] ***Adj. 2 g.*** **1.** De, ou pertencente ou relativo a Inácio Martins (PR). ● ***S. 2 g.*** **2.** O natural ou habitante de Inácio Martins.

martinense[3] ***Adj. 2 g.*** **1.** De, ou pertencente ou relativo a Martins (RN). ● ***S. 2 g.*** **2.** O natural ou habitante de Martins.

martinete[1] [Do fr. *martinet*, poss. do antr. *Martin.*] ***S. m.*** Martelo grande e pesado, movido por água ou vapor, e utilizado para distender barras de ferro e malhar a frio o ferro ou o aço.

martinete[2] [Do fr. *martinet* < fr. *martin(-pêcheur)*, 'martim-pescador'.] ***S. m. Zool.*** Ave apodiforme, apodídea, do gênero *Apus*, que habita o Velho Mundo; semelhante às andorinhas, voam com grande velocidade. Habitam torres e campanários.

martinete[3] [Do esp. *martinete* (hisp.-amer. *martineta*) 'ave ardeídea, gênero *Nycticorax*'.] ***S. m.*** **1.** *Zool.* Designação popular de certo tipo de gavião. **2.** O penacho dessa ave, e de outras, como o grou, etc. **3.** *Bot.* V. *crista-de-galo* (2).

martinete[4] [Do esp. *martinete*, dim. de *martillo*, 'martelo'.] ***S. m. Mús.*** **1.** Peça do mecanismo do cravo correspondente ao martelo do piano, e na qual se fixa o bico da pena, ou pedaço de couro duro ou de plástico, que faz vibrar as cordas; saltador, lingueta. **2.** Canção espanhola pertencente ao grupo das canções flamengas, e que não necessita de acompanhamento de guitarra.

martingale [Do fr. *martingale.*] ***S. m.*** Espécie de meio cinto, folgado e em geral preso por botão, us. mais comumente na parte posterior de vestidos, mantôs ou redingotes.

martinhense ***Adj. 2 g.*** **1.** De, ou pertencente ou relativo a São Martinho da Serra (RS). ● ***S. 2 g.*** **2.** O natural ou habitante de São Martinho da Serra.

martinho-campense ***Adj. 2 g.*** **1.** De, ou pertencente ou relativo a Martinho Campos (MG). ● ***S. 2 g.*** **2.** O natural ou habitante de Martinho Campos. [Pl.: *martinho-campenses.*]

martíni[1] ***S. m.*** Coquetel feito com vermute seco e gim, servido gelado e com uma azeitona verde.

martíni[2] [De *Martini*, marca registrada.] ***S. m.*** Espécie de vermute: "Ele bebeu chope. E eu dois martínis doces." (Dalton Trevisan, *Essas Malditas Mulheres*, p. 14.)

martiniácea ***S. f. Bot.*** V. *martyniácea*.

martiniáceo ***Adj. Bot.*** V. *martyniáceo*.

martinica [Do top. *Martinica* (Antilhas), poss.] ***S. f.*** **1.** *Bras. MA* Espécie de calça larga us. pela gente do povo: "São casacas, paletós, jaquetas, calças modernas, antigas martinicas" (João Francisco Lisboa, *Obras*, IV, p. 557). **2.** *Bras. PI* Quaisquer calças.

martinicano ***Adj.*** **1.** De, ou pertencente ou relativo a Martinica (Caribe oriental). ● ***S. m.*** **2.** O natural ou habitante da Martinica. [Sin. ger.: *martiniquense.*]

martiniquense ***Adj. 2 g. S. 2 g.*** V. *martinicano*.

martinopolense[1] ***Adj. 2 g.*** **1.** De, ou pertencente ou relativo a Martinópole (CE). ● ***S. 2 g.*** **2.** O natural ou habitante de Martinópole.

martinopolense[2] ***Adj. 2 g.*** **1.** De, ou pertencente ou relativo a Martinópolis (SP). ● ***S. 2 g.*** **2.** O natural ou habitante de Martinópolis.

mártir [Do gr. *mártyr*, 'testemunha', pelo lat. ecles. *martyre.*] ***S. 2 g.*** **1.** Pessoa que sofreu tormentos, torturas ou a morte por sustentar a fé cristã. [Cf., nesta acepç., *confessor* (2).] **2.** Pessoa que sofre tormentos ou a morte por causa de suas crenças ou opiniões: *Fr. Caneca é um grande mártir da nossa história.* **3.** Quem se sacrifica, sofre ou perde a vida por um trabalho, experiência, etc.: *mártir da ciência.* **4.** Pessoa que sofre, que padece muito: *É um mártir da gota.* [Pl.: *mártires.*]

martírio [Do gr. *martýrion*, 'testemunho', pelo lat. ecles. *martyriu.*] ***S. m.*** **1.** Sofrimento ou suplício de mártir. **2.** Tormento ou grande sofrimento. **3.** *Bot.* V. *dois-irmãos* (1): "o pomar é vedado por uma sebe de trepadeiras: glicínias, martírios, rosas-de-todo-o-ano." (Antônio Correia d'Oliveira, *Líricas*, p. 132).

martirização [De *martirizar* + *-ção.*] ***S. f.*** Ação de martirizar(-se).

martirizador (ô) [De *martirizar* + *-dor.*] ***Adj.*** **1.** Que martiriza; martirizante. ● ***S. m.*** **2.** Aquele que martiriza.

martirizante [De *martirizar* + *-nte.*] ***Adj. 2 g.*** Martirizador (1).

martirizar [Do lat. ecles. *martyrizare.*] ***V. t. d.*** **1.** Dar tratos ou martírios a; fazer sofrer o martírio. **2.** Afligir; atormentar; mortificar: "Ritinha a falar de uma moléstia que .... a martirizara durante meses." (Coelho Neto, *Turbilhão*, p. 305). ***P.*** **3.** Mortificar-se; afligir-se.

martirológico [De *martirológio* + *-ico*[2].] ***Adj.*** Referente a martirológio.

martirológio [Do lat. ecles. *martyrologiu.*] ***S. m.*** **1.** Lista dos mártires, com a narração dos seus martírios. **2.** *P. ext.* Relação de vítimas.

martirologista [De *martirológio* + *-ista.*] ***S. 2 g.*** Autor de martirológio.

martirólogo [De *mártir* + *-o-* + *-logo.*] ***S. m.*** Indivíduo versado na história dos mártires.

martita [Do mit. lat. *Marte* + *-ita*[3].] ***S. f. Min.*** Mineral isométrico, pseudomorfo de hematita sobre magnetita, em octaedros negros, não magnéticos. [Sin., bras.: *cativo, cativo de chumbo.*]

martyniácea [Do tax. *Martynia* (< antr. [*John*] *Martyn* [-1768], botânico inglês, + lat. cient. *-ia* [v. *-ia*[2]) + *-ácea*; tax. *Martyniaceae.*] ***S. f. Bot.*** Espécime das martyniáceas, família de dicotiledôneas escrofulariales incluída, em algumas classificações, na família das pedaliáceas.

martyniáceo [De *martyniácea*, com var. suf. (v. *-áceo*).] ***Adj. Bot.*** Pertencente ou relativo às martyniáceas.

maruá ***Bras. S. 2 g.*** **1.** Indivíduo dos maruás, povo indígena do N. do Brasil. ● ***Adj. 2 g.*** **2.** Pertencente ou relativo aos maruás.

marubá [De or. tupi, poss.] ***S. m. Bras. Bot.*** Arvoreta simarubácea (*Simarouba officinalis*), semelhante ao marupá (q. v.).

marubo ***Bras. S. 2 g.*** **1.** *Etnôn.* Indivíduo dos marubos, povo indígena da família linguística pano, que habita a região do rio Javari e seus afluentes, a S.O. do AM. ● ***Adj. 2 g.*** **2.** Pertencente ou relativo a esse povo. [Tb. us. como *s. 2 g. e 2 n.* (com cap.) e *adj. 2 g. e 2 n.*]

maruce ***S. f. Moç.*** V. *marusse*.

marufle [Do fr. *maroufle.*] ***S. m.*** Cola muito forte, us. pelos pintores para reforçar uma tela com outra ou para aplicar a mesma tela sobre madeira ou parede.

marufo ***S. m. Angol.*** V. *maluvo*: "Pelo caminho, foi buscar uma cabaça de marufo que tinha escondido entre os fetos de beira rio. Fresquinho!" (António Jacinto, *Fábulas de Sanji*, p. 28.)

maruí [Do tupi = 'mosca pequena'.] ***S. m. Bras. Zool.*** V. *maruim*.

maruim (u-ím) [Var. nasalada de *maruí*.] *S. m. Bras. Zool.* Designação vulgar dos insetos dípteros, ceratopogonídeos. São nematóceros, de pequeno porte, com 1 a 2mm de comprimento, antenas com 14 artículos nos dois sexos. As larvas e ninfas vivem na água doce ou salgada; só as fêmeas são hematófagas. Transmitem a filariose ao homem e aos animais domésticos por meio de picadas dolorosas. [Var.: *meruí, meruim, maringuim, marigui, miruim, muruim.* Sin.: *mosquito-do-mangue, mosquito-palha, mosquito-pólvora, catuqui* ou *catuquim, bembé.*]

maruinense (u-i) *Adj. 2 g.* **1.** De, ou pertencente ou relativo a Maruim (SE). • *S. 2 g.* **2.** O natural ou habitante de Maruim.

maruja [De *marujo*.] *S. f.* V. *marinhagem*[1]: "Ao tope dos mastaréus dos demais navios de guerra e dos mercantes de que se apossara a maruja insurrecta, palpitava .... uma infinidade de bandeirinhas brancas" (Virgílio Várzea, *Nas Ondas*, pp. 202-203).

marujada [De *marujo* + *-ada*[1].] *S. f.* **1.** Gente do mar; os marujos. **2.** Multidão de marujos. **3.** *Bras. N.E. Etnogr.* V. *fandango* (10).

marujo [De *mar*.] *S. m.* **1.** Homem do mar; marinheiro. **2.** V. *marítimo* (5). **3.** *Bras.* V. *azulino* (5). ~ V. *marujos*. • *Adj.* **4.** Marítimo, marinheiro: *vida maruja.* **5.** V. *azulino* (2 e 3).

marujos *S. m. Bras. N.E. Folcl.* V. *fandango* (10). ~ V. *marujo*.

marula [De or. afric.] *S. f. Bot.* **1.** Árvore anacardiácea (*Sclerocarya caffra*) das estepes da África, de folhas pinadas, flores inconspícuas, e frutos suculentos, edules, que lembram ameixas; as sementes são us. no fabrico de bebida alcoólica de uso local. **2.** O fruto da marula. [Sin. ger. (moç.): *ocanho*.]

marulhada *S. f.* V. *marulho*.

marulhado [Part. de *marulhar*.] *Adj.* Tocado ou coberto pelas ondas em marulho.

marulhante [De *marulhar* + *-nte*.] *Adj. 2 g.* Que marulha.

marulhar [De *marulho* + *-ar*[2].] *V. int.* **1.** Agitar-se (o mar), formando ondas. **2.** Imitar o ruído das ondas. **3.** Agitar-se (as ondas) produzindo marulho: "As ondas marulhavam de encontro às bordas do barco" (D. João da Câmara, *Contos*, p. 75).

marulheiro [De *marulho* + *-eiro*.] *Adj.* Diz-se de vento que provoca marulho.

marulho [Cruz. de *mar* com *barulho*.] *S. m.* **1.** Movimento das águas do mar, de caráter permanente e, algumas vezes, quase imperceptível. **2.** Marejada. **3.** *P. ext.* Revolvimento ou agitação das ondas do mar: "vago e cristalino marulho das ondas" (Virgílio Várzea, *O Brigue Flibusteiro*, p. 138). **4.** *Fig.* Barulho, tumulto, confusão. [Sin. ger.: *marulhada*.]

marulhoso (ô) [De *marulho* + *-oso*.] *Adj.* **1.** Em que há marulho. **2.** Inquieto, agitado.

marumbé *S. m. Bras. SP* Espécie de feijão.

marumbi *S. m. Bras. BA* Lagoa cheia de tabuas.

marumbiense *Adj. 2 g.* **1.** De, ou pertencente ou relativo a Marumbi (PR). • *S. 2 g.* **2.** O natural ou habitante de Marumbi.

marupá [Do tupi.] *S. m. Bras. Bot.* **1.** Arvoreta simarubácea (*Simarouba amara*) de madeira branca e leve, empregada em caixotaria e forros, casca amarga, considerada medicinal, folhas compostas e flores insignificantes; papariúba, paraíba, marupaúba. **2.** V. *caroba-do-mato* (1).

marupapiranga [De *marupá* + *-piranga*.] *S. f. Bras. Bot.* Planta iridácea (*Eleutherine bulbosa*) nativa do Brasil e de uso medicinal.

marupaúba [Do tupi.] *S. f. Bras. Bot.* V. *marupá* (1).

marupiara [Do tupi.] *S. 2 g. Bras. AM* **1.** Pessoa feliz na caça ou na pesca. **2.** Pessoa feliz nos negócios e nos amores. [Cf. *panema*.]

maruquevene *Bras. S. 2 g.* **1.** *Etnôn.* Indivíduo dos maruquevenes, povo indígena extinto que habitava a margem direita do rio Japurá (AM). • *Adj. 2 g.* **2.** Pertencente ou relativo a esse povo. [Tb. us. como *s. 2 g. e 2 n.* (com cap.) e *adj. 2 g. e 2 n.*]

marusse [Do macua *mwarusi*, 'menina'.] *S. f. Moç.* Mulher jovem: "foi então a volúpia de mandar prender marusses lindas para as violar nas imundas celas das cadeias" (Lília Momplé, *Neighbours*, p. 57). [Var.: *maruce*.]

maruvo *S. m. Angol.* V. *maluvo*: "Ah! Deixem-me ao menos subir às palmeiras / Deixem-me beber maruvo, maruvo / e esquecer diluído nas minhas bebedeiras" (Antônio Jacinto, *Poemas*, p. 25).

mar-vermelhense *Adj. 2 g.* **1.** De, ou pertencente ou relativo a Mar Vermelho (AL). • *S. 2 g.* **2.** O natural ou habitante de Mar Vermelho. [Pl.: *mar-vermelhenses*.]

marxismo (cs) [Do antr. *Marx* + *-ismo*.] *S. m. Filos.* Doutrina dos teóricos do socialismo, os filósofos alemães Karl Marx (1818-1883) e Friedrich Engels (1820-1895), fundada no materialismo dialético, e que se desenvolveu através das teorias da luta de classes e da elaboração do relacionamento entre o capital e o trabalho, do que resultou a criação da teoria e da tática da revolução proletária.

marxismo-leninismo (cs) *S. m.* O conjunto das ideias sociais, políticas e econômicas desenvolvidas pelo marxismo (q. v.) e pelo leninismo (q. v.). [Pl.: *marxismos-leninismos*.]

marxista (cs) [De *marxismo* + *-ista*.] *Adj. 2 g.* **1.** Relativo ao, ou que é partidário do marxismo. ~ V. *socialismo* —. • *S. 2 g.* **2.** Partidário do marxismo.

marxista-leninista (cs) *Adj. 2 g.* **1.** Relativo ao, ou próprio do marxismo-leninismo. • *S. 2 g.* **2.** Partidário ou seguidor do marxismo-leninismo. [Pl.: *marxista-leninistas*.]

marzagonense *Adj. 2 g.* **1.** De, ou pertencente ou relativo a Marzagão (GO). • *S. 2 g.* **2.** O natural ou habitante de Marzagão.

marzão [De *mar* + *-z-* + *-ão*[1].] *S. m. Bras. Pop.* **1.** Grande mar. **2.** V. *alto-mar* (1). **3.** Mar agitado. **4.** Grande massa de água.

marzipã [Do it. *marzapane*, de or. ár.] *S. m.* Pasta de amêndoas e açúcar.

marzoco (ô) [Do it. *marzocco*, de or. controversa.] *S. m.* Indivíduo que pretende fazer rir com as suas graçolas.

mas[1] [Do lat. *magis*.] *Conj.* **1.** Exprime oposição ou restrição; porém, todavia, entretanto, no entanto, contudo: "Dai-me ũa fúria grande e sonorosa, / E não de agreste avena, ou frauta ruda; / Mas de tuba canora e belicosa, / Que o peito acende, e a cor ao gesto muda." (Luís de Camões, *Os Lusíadas*, I, 5); "apanhei o embrulho e segui / Segui, mas não sem receio." (Machado de Assis, *Memórias Póstumas de Brás Cubas*, p. 149); *É bondoso, mas não o demonstra.* **2.** No princípio da oração, indica relação com ideia anterior: *— Mas, doutor, por que não a quer tratar?* **3.** Exprime causa de uma ação: *Recebi-o mal, mas ele me deu motivos para isso.* **4.** Denota censura a palavras ou ações alheias: *— Mas como é que você fala mal do seu amigo?*; "— Paulina! — disse Tomás quase em delírio. — Mas para que partes? — continuou Paulina em tom de voz repassada de meiga exprobração." (Júlio Dinis, *Serões da Província*, I, p. 72). • *Adv.* **5.** Denota corroboração do que se acabou de dizer; sim, decerto: *Saiu-se muito bem, mas muito bem*; "trazia no chapéu uma pluma branca, mas branca que parecia neve." (Gonçalves Dias, *Teatro*, p. 7). • *Pal. denot.* **6.** Indica reforço: "Embora homens de trabalho ...., não tinham as unhas roídas dos tintos. Tinham mas era mãos adamadas" (João da Silva Correia, *Farândola*, p. 130). • *S. m.* **7.** Dificuldade, obstáculo, estorvo: *Este mas lhe atrapalha a vida.* **8.** Defeito, senão: *Afora esse mas, ele é perfeito.* [Cf. *más*, pl. de *má*.] ◆ **Mas também.** Reforço do sentido de *também*, em correlação com *não só* ou *não somente*: *Não só é talentoso, mas também esforçado; Não só fez a sua parte mas também auxiliou os companheiros.* [Sin.: *senão também*.] **Nem mas nem meio mas.** Expressão de quem não admite desculpas ou controvérsias.

mas[2] Contr. do pron. pess. *me* e do pron. pess. *as*: "Minha paz, minha alegria, / Minha coragem, roubaste-mas..." (Manuel Bandeira, *Estrela da Vida Inteira*, p. 54.) [Cf. *más*, pl. de *má*.]

masacará *Bras. S. 2 g.* **1.** Indivíduo dos masacarás, povo indígena das proximidades de Juazeiro (BA), parentes linguísticos dos camacãs. • *Adj. 2 g.* **2.** Pertencente ou relativo a esse povo. [Tb. us. como *s. 2 g. e 2 n.* (com cap.) e *adj. 2 g. e 2 n.*]

masango *S. m. Angol. Bot.* V. *masangu*.

masango-liso *S. m. Angol.* V. *meixoeira*. [Pl.: *masangos-lisos*.]

masangu [De or. afric.] *S. m. Angol.* **1.** Nome comum a várias poáceas do gênero *Pennisetum* (v. *penisseto*). **2.** V. *meixoeira*. [F. paral.: *masango, massango*.]

masca [Dev. de *mascar*.] *S. f.* **1.** Aquilo que se masca. **2.** Pedaço de fumo us. para mascar.

mascador (ô) [De *mascar* + *-dor*.] *Adj. S. m.* **1.** Que, ou aquele que masca. **2.** *Bras. RS* Diz-se do, ou o galo que, brigando, não raro pega o adversário com o bico, mas não lhe bate com os tarsos.

mascaladenite [De *mascal(o)-* + *-aden(o)-* + *-ite*[1].] *S. f. Med.* Inflamação de gânglio(s) axilar(es).

mascalefidrose [De *mascal(o)-* + gr. *ephídrosis*, 'transpiração abundante'.] *S. f. Med.* Sudação excessiva em região axilar.

mascaliatria [De *mascal(o)-* + *-iatria*.] *S. f. Terap.* Unção em axila.

mascaliátrico [De *mascaliatria* + *-ico*[2].] *Adj.* Relativo à mascaliatria.

▲ **mascal(o)-** [Do gr. *maschálē, ēs*.] *El. comp.* = 'axila': *mascaladenite, mascalefidrose.*

mascar [Do lat. tard. *masticare*.] *V. t. d.* **1.** Mastigar sem engolir: "Habituaram-se [os portugueses e seus descendentes imediatos] a dormir em redes, à maneira dos índios. Alguns, como Vasco Coutinho, o donatário do Espírito Santo, iam ao ponto de beber e mascar fumo." (Sérgio Buarque de Holanda, *Raízes do Brasil*, p. 16.) **2.** Comer, ingerir, mastigando devagar. **3.** Repisar (palavras), pronunciando-as indistintamente; resmungar. **4.** *Fam.* Planear, meditar. **5.** *Fam.* Dar a entender; insinuar. **6.** *Bras. CE Pop.* Obter por meios astuciosos, enganando, logrando. *Int.* **7.** Mascar (1) fumo ou tabaco: "erguia-se mascando com as gengivas sem dentes, cuspia para os cantos a pasta negra do fumo" (Coelho Neto, *Sertão*, pp. 28-29). **8.** Fingir mastigação: "O arrais, sentado ao leme, masca, imóvel, com o olhar apático de um boi que rumina." (Ramalho Ortigão, *A Holanda*, p. 85.) **9.** Falar entre dentes; resmungar. [Conjug.: v. *trancar*. M.-q.-perf.: *mascara*, etc. Cf. *máscara*.]

máscara [Da mesma or. controversa que o esp. *máscara*, o it. *maschera* e o fr. *masque*; poss. do ár. *mashara(t)*, 'coisa ou pessoa ridícula'; (personagem de) comédia'; 'máscara' (< raiz *sahira*, 'ridicularizar'); ou do b.-lat. *masca*, 'demônio'; 'representação de demônio'.] *S. f.* **1.** Objeto de cartão, pano ou madeira, que representa uma cara, ou parte dela, e destinado a cobrir o rosto, para disfarçar a pessoa que o põe. **2.** Peça para resguardo do rosto, na guerra ou na esgrima. **3.** Molde que se tira do rosto dos cadáveres. **4.** Pano fino com que as mulheres cobriam o rosto para ocultá-lo ou proteger a cútis. **5.** Peça de tela com que se resguarda o rosto na cresta das colmeias. **6.** Dispositivo de tela metálica us. para proteção do rosto de operários: *máscara de soldador.* **7.** Atadura especial aplicada ao rosto como curativo. **8.** Aparelho em forma de capuz com viseiras, provido de dispositivo especial que filtra e purifica o ar que se respira: *máscara contra gases; máscara respiratória.* **9.** Fisionomia característica. **10.** *P. ext.* Fisionomia; rosto, face. **11.** *Fig.* Aparência enganadora; disfarce: *É um egoísta, com a máscara da abnegação.* **12.** *Anest.* Peça integrante da aparelhagem de anestesia ou de ventilação artificial, que se aplica à boca e nariz do paciente. **13.** *Art. Gráf.* Tela de seda, ou de outro material, us. no processo de serigrafia. **14.** Equipamento de borracha com viseira de vidro, destinado a proteger os olhos e o nariz dos mergulhadores. **15.** Camada de creme, pasta, geleia, ou qualquer cosmético, que se aplica ao rosto para tratamento tópico (limpeza, fechamento dos poros, revitalização, etc.). **16.** *Teatr.* Expressão fisionômica do ator, a qual reflete o estado emocional da personagem que ele interpreta: "oferecia assim [Cacilda Becker], a cada um dos espectadores, um pouco dessa sensibilidade e dessa inteligência, por intermédio das personagens que interpretava. A máscara, a atitude corporal, as inflexões, o comportamento cênico eram da personagem; uma certa qualidade do olhar, da vibração interior, da paixão humana, eram de Cacilda." (Yan Michalski, em *Jornal do Brasil*, 15.06.1969). **17.** *Teatr.* Gênero dramático: "as duas máscaras fundamentais do teatro grego — a da tragédia e a da comédia — nasceram do mesmo culto dionisíaco." (Sábato Magaldi, *Temas da História do Teatro*, p. 62). **18.** *Teatr.* Reprodução estilizada do rosto humano ou animal, esculpida em barro, madeira, cortiça, papelão, e guarnecida de pelos, cores, etc., com que os atores cobrem o rosto, ou parte dele, na caracterização de suas personagens. [Us. sobretudo nas primitivas manifestações dramáticas e nos antigos teatros greco-romano e oriental.] **19.** *Teatr.* Personagem-tipo de determinado gênero teatral: *O Arlequim, a Colombina, o Pantaleão e o Briguela são algumas das máscaras da commedia dell'arte.* **20.** *Tip.* Pedaço de papel forte estendido entre as palhetas da minerva e recortado de modo que limite a área da fôrma, quando esta tem grandes claros, capazes de atingir e manchar o papel, ou quando há partes que não devem ser impressas; frasqueta. [Cf., nesta acepç., *bandeira* (9).] **21.** *Bras. N.E.* Tapume de couro que se aplica à vista das reses bravias, obrigando-as a ver apenas de soslaio e a andar devagar. **22.** *Fotograv.* Diapositivo, negativo ou combinação diapositivo-negativo, que se superpõe ao negativo obtido por seleção cromática, a fim de corrigir defeito dessa seleção, eliminando absorções parasitas de cores. **23.** *Fotograv.* Recorte de papel preto ou equivalente que se coloca sobre a placa sensibilizada a fim de obstruir as partes que não devem ser copiadas. **24.** *Cir. Med.* Peça retangular, de pano ou de outro material, destinada a cobrir boca e nariz de médicos e pessoal de enfermagem em salas de operação, berçários, salas de tratamento intensivo, e em local em que haja paciente com certas doenças infecciosas, etc. **25.** *Inform.* Palavra-filtro; filtro de informações, codificadas em *bits* ou em caracteres. **26.** *Inform.* Modelo que define o formato como um dado deve ser inserido ou apresentado ao usuário, especificando o número de dígitos ou caracteres e a posição dos sinais gráficos separadores: *O*

M

CPF tem a máscara xxx. xxx. xxx-xx, na qual cada x representa um algarismo. **27.** *Inform.* Sequência de caracteres ou *bits* usada para selecionar ou modificar seletivamente alguns dos caracteres ou *bits* de um conjunto de dados, por meio de operações lógicas como a conjunção ou a disjunção boolianas; palavra-filtro. **28.** *Lus.* Fantasia (6). [Cf. *mascara*, do v. *mascarar*, e *mascarra*.]

mascarada [De *máscara* + *-ada*¹.] *S. f.* **1.** Grupo de pessoas com máscara. **2.** Festa de que participam pessoas mascaradas; baile de máscaras.

mascarado [Part. de *mascarar*.] *Adj.* **1.** Que está com máscara; disfarçado com máscara; encaretado. **2.** *Fig.* Dissimulado, falso, fingido. **3.** *Bras.* Diz-se de bateria composta de canhões ocultos no mato. **4.** Diz-se do cavalo e/ou do boi que têm cara branca ou uma grande malha² (2) no rosto. • *S. m.* **5.** Pessoa com máscara, mascarada. **6.** *Fig.* Indivíduo dissimulado, falso, hipócrita. **7.** *Bras. Gír.* Profissional, artista, etc., de mérito, mas convencido. **8.** *Bras. Gír. P. ext.* Indivíduo convencido, prosa.

mascaragem [De *máscara* + *-agem*².] *S. f. Fotograv.* Ato ou efeito de superpor máscara (22 e 23).

mascaramento [De *mascarar* + *-mento*.] *S. m.* Ato ou efeito de mascarar(-se).

mascarão [De *máscara* + *-ão*¹.] *S. m.* Ornato de pedra, cimento ou gesso, em forma de cara ou de máscara, us. em cimalhas, chafarizes, etc.: "uma coluna sem capitel, outra com o soclo roído, os mascarões das fachadas comidos de sífilis" (Urbano Tavares Rodrigues, *A Noite Roxa*, p. 27). [Cf. *carranca* (4).]

mascarar [De *máscara* + *-ar*².] *V. t. d.* **1.** Pôr máscara em; disfarçar com máscara: *Mascarou o rosto para praticar o assalto.* **2.** Disfarçar, dissimular: "conseguia mascarar .... a sua falta de verdadeira cultura, conversando como se discursasse, encadeando .... foguetões de retórica." (Lima Barreto, *Vida e Morte de M. J. Gonzaga de Sá*, p. 225). **3.** Tapar, ocultar: *Galhos e folhas secas mascaravam o buraco.* ***Transobj.*** **4.** *Lus.* Vestir fantasia (6) em: *Mascarou o menino de pirata.* *P.* **5.** *Lus.* Fantasiar-se: *Sempre se mascara pelo carnaval* **6.** *Bras. Gír.* Pôr máscara; disfarçar-se com máscara. **7.** Vestir-se com traje de mascarado. **8.** *Bras. Gír.* Tornar-se mascarado (7). [F. paral.: *emascarar*. Pres. ind.: *mascaro, mascaras, mascara*, etc. Cf. *máscara* e *mascarrar*.]

mascarilha [Do esp. *mascarilla*.] *S. f.* Pequena máscara, que apenas cobre parte do rosto e se usa sobretudo com dominó (1); meia-máscara.

mascarino [De *máscara* + *-ino*¹.] *Adj. Bot.* Diz-se de flor e corola que se assemelham a uma máscara.

→ **mascarpone** [maskar'pone] [It.] *S. m. Cul.* Queijo pastoso feito com creme de leite coagulado com ácido orgânico diluído.

mascarra [Dev. de *mascarrar*.] *S. f.* **1.** V. *farrusca* (2). **2.** Sujidade, nódoa. **3.** *Fig.* Labéu, estigma, ferrete. [Cf. *mascara*, do v. *mascarar*, e *máscara*, s. f.]

mascarrar [Do esp. *mascarar*, 'tisnar'; a duplicação do *-r-* é efeito expressivo.] *V. t. d.* **1.** Pôr mascarras em. **2.** Pintar mal. **3.** Escrever mal. **4.** Deitar borrões em; borrar; emporcalhar, conspurcar: "fazia reparo ao sangue inocente que lhe mascarrava as mãos" (Aquilino Ribeiro, *Lápides Partidas*, p. 36). [Cf. *mascarar*.]

mascatagem [De *mascate* + *-agem*².] *S. f. Bras.* V. *mascataria*.

mascataria [De *mascate* + *-aria*.] *S. f. Bras.* Profissão de mascate; mascatagem, mascateagem.

mascate [Do top. *Mascate*, porto da Península Arábica (Oriente Médio).] *S. m. Bras.* **1.** Mercador ambulante que percorre as ruas e estradas a vender objetos manufaturados, panos, joias, etc.: "Apenas de mês em mês aparecia uma carreta de mascate puxada por 4 juntas de bois no fim daquele lugar." (Manuel de Barros, *Livro sobre Nada*, p. 17.) **2.** A mercadoria por ele vendida. **3.** Alcunha depreciativa dada outrora aos portugueses do Recife pelos brasileiros que habitavam Olinda, e da qual veio o nome à Guerra dos Mascates, começada em 1710, em PE, entre as duas facções. [Cf., nesta acepç., *caneludo* (3) e *galego* (4).]

mascateação [De *mascatear* + *-ção*.] *S. f. Bras.* Ação de mascatear; mascateagem.

mascateagem [De *mascatear* + *-agem*².] *S. f. Bras.* **1.** V. *mascataria*. **2.** Mascateação.

mascatear [De *mascate* + *-ear*².] *V. int. Bras.* **1.** Exercer a profissão de mascate. *T. d.* **2.** Vender (mercadorias) pelas ruas. [Conjug.: v. *frear*.]

mascavado [Part. de *mascavar*.] *Adj.* **1.** Diz-se do açúcar não refinado; mascavo: "Açúcar branco, açúcar mulatinho, açúcar mascavado, assim eram classificados os produtos da grande indústria regional" (Xavier Marques, *As Voltas da Estrada*, pp. 11-12). **2.** *Fig.* Estragado, adulterado, falsificado, impuro; ruim, mau. **3.** *Fig.* Incorreto, errado, imperfeito: *linguagem mascavada*. ~ V. *açúcar* —.

mascavar [V. *menoscabar*.] *V. t. d.* **1.** Separar e juntar (o açúcar de pior qualidade). **2.** *Fig.* Falsificar; adulterar. **3.** Pronunciar ou escrever usando de linguagem incorreta e impura: *Mascavou algumas palavras, e a muito custo.*

mascavinho [De *mascavo* + *-inho*¹.] *Adj. S. m.* Diz-se do, ou o açúcar um pouco mais claro que o mascavo.

mascavo¹ [Dev. de *mascavar*.] *S. m.* Ato de mascavar.

mascavo² [Part. irreg. de *mascavar*.] *Adj.* Mascavado (1). ~ V. *açúcar* —.

mascotar [De or. incerta.] *V. t. d.* **1.** Pisar, esmagar, calcar, com mascoto. **2.** Mascar, mastigar. [Pres. ind.: *mascoto*, etc. Cf. *mascoto* (ô).]

mascote [Do fr. *mascotte*.] *S. f.* **1.** Pessoa, animal ou coisa a que se atribui o dom de dar sorte, de trazer felicidade: "mascotes, muitas vezes de bicho, revelando procedência totêmica, ou de bruxas, ... são comuns e agora de uso nos automóveis." (Renato Almeida, *Inteligência do Folclore*, p. 44). **2.** Animal ou objeto de particular estimação de uma pessoa ou de um grupo. **3.** *Bot.* Trepadeira cucurbitácea (*Gurania malacophilla*) nativa da Amaz., de folhas ovais e flores avermelhadas, em glomérulos globosos; é cultivada como ornamental.

mascotense *Adj. 2 g.* **1.** De, ou pertencente ou relativo a Mascote (BA). • *S. 2 g.* **2.** O natural ou habitante de Mascote.

mascoto (ô) [De or. incerta.] *S. m.* Grande martelo us. na fabricação de moedas. [Pl.: *mascotos* (ô). Cf. *mascoto*, do v. *mascotar*.]

masculifloro [Do lat. *masculus* (v. *másculo*) + *-ifloro*.] *Adj. Bot.* Que tem flores masculinas.

masculinidade [De *masculino* + *-(i)dade*.] *S. f.* Qualidade de masculino ou de másculo; virilidade.

masculinização [De *masculinizar* + *-ção*.] *S. f.* Ato ou efeito de masculinizar(-se).

masculinizar [De *masculino* + *-izar*.] *V. t. d.* **1.** Tornar masculino. **2.** Atribuir gênero masculino, ou dar forma masculina, a. **3.** *Fig.* Dar aparência de sexo masculino a. *P.* **4.** Tomar aparência e/ou modos próprios do sexo masculino.

masculino [Do lat. *masculinu*.] *Adj.* **1.** Que é do sexo dos animais machos; macho: *pássaro masculino*. **2.** Relativo a, ou próprio de macho; másculo: *voz masculina*. **3.** *Fig.* Varonil, enérgico, forte, másculo: *coragem masculina*. **4.** *E. Ling.* Diz-se das palavras ou nomes que pela terminação e concordância designam seres masculinos ou como tal considerados. ~ V. *rimas* —*as*. • *S. m.* **5.** *E. Ling.* O gênero masculino. [Abrev.: *m.*] [V. *gênero* (9).]

másculo [Do lat. *masculu*, por via erudita.] *Adj.* **1.** Relativo ao homem, ou a animal macho; masculino. **2.** *P. ext.* Vigoroso, varonil, viril: "saíra robustecido na fé e na crença, e com a segurança do seu valor próprio, da sua máscula energia, da sua inquebrantável força de vontade." (Inglês de Sousa, *O Missionário*, p. 69).

masdeísmo [Do avéstico *masdâo*, 'onisciente', epíteto do deus Aúra, + *-ismo*; fr. *mazdéisme*.] *S. m.* Religião antiga dos iranianos (persas e medos), caracterizada pela divinização das forças naturais e pela admissão de dois princípios em luta, *aúra-masda* e *arimã*. [Cf. *avesta*, *zervanismo* e *zoroastrismo*.]

masdeísta [De *masdeísmo* + *-ista*.] *Adj. 2 g.* **1.** Referente ao, ou que é adepto do masdeísmo. • *S. 2 g.* **2.** Adepto do masdeísmo.

→ **maser** ['mejzə'] [Ingl., acrôn. de *microwave amplification by simulated emission of radiation*.] *S. f. Fís.* Classe de amplificadores e osciladores em que se utilizam sistemas atômicos ou moleculares para produzir amplificação com baixo nível de ruído, em micro-ondas.

masmarro *S. m. Deprec.* **1.** Donato. **2.** Frade interesseiro; fradalhão. **3.** Mariola, marmanjo, velhaco.

más-más [De *mas*¹ + *mas*¹.] *S. m. 2 n.* Reserva, incerteza; reticência.

masmorra (ô) [Do ár. *maṭmūra(t)*, 'silo'; 'prisão'.] *S. f.* **1.** Prisão subterrânea. **2.** *P. ext.* Lugar ou aposento sombrio, triste, lúgubre.

masoquismo [Do fr. *masochisme* (do antr. [*Leopold Sacher-*] *Masoch* [1836-1895], romancista austríaco, + o fr. *-isme* [v. *-ismo*]).] *S. m.* **1.** *Psiq.* Parafilia em que o indivíduo tem prazer ao ser maltratada física ou moralmente; algolagnia passiva: "Ao sadismo cândido da infância vieram misturar-se as complicações do masoquismo, as equívocas correntes subterrâneas, de crueldade e sofrimento, que levam os homens a compor tragédias, e tanta vez a vivê-las." (Tristão da Cunha, *Histórias do Bem e do Mal*, pp. 115-116.) **2.** *P. ext.* Prazer que se sente com o próprio sofrimento. [Cf. *sadismo* e *sadomasoquismo*.]

masoquista [De *masoquismo* + *-ista*; fr. *masochiste*.] *Adj. 2 g.* **1.** Relativo ao, ou próprio do masoquismo: *tendência masoquista*. **2.** Que é dado à prática do masoquismo. **3.** *P. ext.* Que se deleita com o próprio sofrimento. • *S. 2 g.* **4.** Indivíduo masoquista. [Cf. *sádico* ou *sadista*.]

■ **Masp** Sigla de *Museu de Arte de São Paulo*.

massa [Do gr. *máza*, pelo lat. *massa*.] *S. f.* **1.** Quantidade de mais ou menos considerável de matéria sólida ou pastosa, em geral de forma indefinida. [Cf. *pasta* (1 e 2).] **2.** *P. ext.* Quantidade relativamente grande de um fluido: *massa de água*; *massa de ar.* **3.** Aglomerado de elementos (em geral da mesma natureza) que formam um conjunto: *massa de edifícios, de penedos.* **4.** A totalidade, ou grande maioria: *a massa dos ouvintes.* **5.** Mistura de farinha com água ou com outro líquido, formando pasta: *massa de bolo.* **6.** Comestível cru, de farinha de cereais amassada, destinado a ser cozido: *massa alimentícia.* **7.** Qualquer iguaria feita com essa massa: *O prato de massa hoje foi lasanha.* **8.** Substância mole e pastosa preparada para determinado fim; pasta: *massa de tomate*; *massa de porcelana.* **9.** *Constr.* Argamassa. **10.** Número considerável de pessoas que mantêm entre si uma certa coesão de caráter social, cultural, econômico, etc.: *A alfabetização das massas constitui a etapa primordial para o desenvolvimento.* [Nesta acepç., opõe-se a *indivíduo* (3).] **11.** Turba, multidão. **12.** Aquilo que nossos sentidos apreendem como um todo: *massa arquitetônica*; *massa orquestral*; *as massas de luz e sombra de um quadro.* **13.** *Fig.* Constituição, composição, substância, essência: *A honestidade lhe está na massa do sangue.* **14.** *Fig.* Quantidade, volume: *massa de serviços, de conhecimentos.* **15.** *Pop.* V. *dinheiro* (5). **16.** *Fís.* Grandeza fundamental da física que mede a inércia de um corpo, e que é igual à constante de proporcionalidade existente entre uma força que atua sobre o corpo e a aceleração que esta força lhe imprime, e cuja unidade de medida, no Sistema Internacional, é o quilograma [símb.: *m*]. [Cf., nesta acepç., *peso* (1).] **17.** *Ind. Pap.* V. *pasta* (15). **18.** *Jur.* Pecúlio de uma sociedade ou coletividade; receita, fundo. **19.** *Jur.* Universalidade dos bens, direitos, ações e obrigações do devedor falido; massa falida. **20.** *Bras.* Mandioca ralada que, depois de espremida no tipiti, é peneirada antes de ir ao forno, onde pelo cozimento se completa a fabricação da farinha e das diversas espécies de beijus. **21.** *Bras. BA* V. *maconha* (2). **22.** *Bras. Gír.* V. *bacana* (1). [Cf. *maça*.] ~ V. *massas*. ◆ **Massa acústica.** *Fís.* Inertância. **Massa atômica.** *Fís.-Quím.* Razão entre a massa de um átomo de um nuclídeo e 1/12 da massa de um átomo do nuclídeo carbono 12. [Tb. se diz, impr., *peso atômico*.] **Massa cinzenta.** *Bras.* Inteligência, cérebro: *O rapaz tem muita massa cinzenta.* **Massa comum.** *Jur.* O conjunto dos bens pertencentes indistintamente a duas ou mais pessoas. **Massa crítica.** *Fís. Nucl.* Quantidade mínima de material físsil puro, com uma determinada forma geométrica, necessária para sustentar uma reação em cadeia. **Massa de vidraceiro.** *Constr.* Massa feita de alvaiade, óleo de linhaça e algum secante, us. para prender vidros em caixilhos e calafetar peças de madeira. **Massa em repouso.** *Fís.* Massa de um corpo medida num sistema de referência em relação ao qual ele está em repouso. **Massa específica.** *Fís.* Medida de massa da unidade de volume dum corpo; massa volumar, massa volumétrica. **Massa falida.** *Jur.* Massa (19). **Massa fina.** *Constr.* Massa plástica. **Massa folhada.** *Cul.* Massa (5) trabalhada em dobras sucessivas, e que, depois de assada, se assemelha a folhas superpostas. **Massa fraca.** *Constr.* Argamassa magra. **Massa fundamental.** *Petr.* V. *base* (30). **Massa gravitacional.** *Fís.* Quociente do módulo do peso de um corpo pelo módulo da aceleração da gravidade. **Massa grossa.** *Constr.* Cafelo. **Massa inercial.** *Fís.* A que se define mediante a inércia de um corpo. **Massa molecular.** *Fís.-Quím.* Soma das massas atômicas dos átomos que constituem uma molécula; relação entre a massa de uma molécula e a unidade unificada de massa atômica. [Tb. se diz, impr., *peso molecular*.] **Massa para rolos.** *Tip.* Matéria gelatinosa, constituída principalmente de melaço e cola animal, us. para fazer os rolos das prensas; pasta para rolos. **Massa plástica.** *Constr.* Massa composta de gesso, alvaiade, óleo de linhaça, secante e aguarrás, us. para dar melhor acabamento em superfícies de elementos emassados; massa fina. **Massa podre.** Tipo de massa (5) quebradiça, com que se fazem tortas, empadinhas, etc. **Massa puba.** *Bras. N. N.E.* A que se faz com a mandioca cevada [v. *cevar* (7)]. [Tb. se diz apenas *puba*.] **Massa volumar.** *Fís.* V. *massa específica*. **Massa volumétrica.** *Fís.* V. *massa específica*. **Desmanchar a massa do sangue.** *Bras. SP Pop.* Tornar-se morfético. **Em massa.** No conjunto; no total; globalmente: *A assembleia reagiu em massa*; "os homens da Prefeitura vieram em massa, dias depois, para reabrir a rua" (Antônio Carlos Vilaça, *A Descoberta do Morro*, p. 32). **Fazer boa massa.** Entender-se bem. **Ser da mesma massa.** Ser da mesma espécie, gênero, etc.

massa-bruta *S. 2 g. Fam.* Pessoa rude, bronca, e/ou muito corpulenta. [Pl.: *massas-brutas.*]

massa-corrida *S. f. Constr.* Massa (8) composta principalmente de gesso, us. para aplainar e alisar as superfícies antes das demãos de tinta. [Pl.: *massas-corridas.*]

massacrante [De *massacrar* + *-nte.*] *Adj. 2 g. Bras.* **1.** Que massacra, maça, apoquenta; maçante; muito chato. **2.** Torturante, penoso; arrasador: 🗎 *A reconstituição do crime foi massacrante para a família da vítima.*

massacrar [Do fr. *massacrer.*] *V. t. d.* **1.** Matar cruelmente; chacinar. **2.** *Bras. Fig.* Maçar, apoquentar, cacetear, cacetar, chatear. **3.** *Bras.* Pôr em situação particularmente embaraçosa, penosa ou humilhante; oprimir; torturar; esmagar: 🗎 *O professor massacrou o aluno no exame.* **4.** Abalar moralmente; arrasar: 🗎 *A morte do pai massacrou toda a família.* **5.** *Bras.* Cansar, fatigar, estafar.

massacre [Do fr. *massacre.*] *S. m.* **1.** Morticínio cruel; matança, carnificina. **2.** *Bras. Fig.* Ato ou efeito de massacrar (2 a 5).

massagada [De *massa*, poss.] *S. f.* Grande confusão de coisas. V. *mixórdia* (1).

massageador (ô) [De *massagear* + *-dor.*] *S. m.* Aparelho com que se fazem massagens.

massagear [De *massage(m)* + *-ar*².] *V. t. d.* **1.** Dar massagens em: 🗎 *Massageia diversas pessoas; É preciso massagear o ventre e as coxas. Int.* **2.** Fazer massagens: 🗎 *Sabe massagear excelentemente.* [Conjug.: v. *frear.*]

massagem [Do fr. *massage.*] *S. f. Terap.* Compressão metódica do corpo, ou de parte dele, para melhorar a circulação ou para que se obtenham outras vantagens terapêuticas. [Cf. *maçagem.*]

massagista [De *massagem* + *-ista.*] *S. 2 g.* Pessoa cuja profissão é fazer massagens.

massai *S. 2 g.* Africano negro, habitante da África oriental (Quênia e Tanzânia), de estatura elevada, fino de corpo, e que ocupa savana de baixa pluviosidade.

massajado [Part. de *massajar.*] *Adj. Lus.* Que se massajou; massageado: 📖 "O sono quando chegava repararia o corpo, como óleo massajado sobre a pele." (Teolinda Gersão, *A Árvore das Palavras*, p. 38.)

massajar [De *massag(em)* + *-ar*².] *V. t. d. Int. Lus.* V. *massagear.*

massala [Do tsonga.] *S. f. Moç.* V. *maboque*: 📖 "os dentes reflectem a luz crua do Sol suspenso como uma grande massala madura." (José Craveirinha, *O Brado Africano*, 15.06.1957, p. 5).

massaleira *S. f. Moç.* V. *maçaleira.*

massambala [Do quimb.] *S. f. Angol. Bot.* V. *sorgo* (2): 📖 "Nunca foi vã / esta procura de caminhos / cobrindo as lavras / de milho e massambala." (Costa Andrade, *Ontem e Depois*, p. 21.)

massame [De *massa* + *-ame.*] *S. m.* **1.** Leito ou lastro de poços e cisternas, feito de pedra e argamassa. **2.** *Constr.* Lastro de pedras ou tijolos britados e argamassa de cimento, que serve de alicerce para assentamento de ladrilhos. **3.** *Marinh.* Conjunto de cabos, fixos ou de laborar, existentes a bordo para manobra da embarcação: 📖 "o mar castigava o navio de través e os balanços eram tão insuportáveis que a mastreação, o massame ameaçavam ruir." (Virgílio Várzea, *Nas Ondas*, pp. 29-30).

massamorda (ô) *S. f.* **1.** Comida malfeita; gororoba. **2.** Espécie de açorda (1). **3.** V. *mixórdia* (1).

massango [Do quimb.] *S. m. Angol. Bot.* V. *masangu*: 📖 "O próprio massango só era utilizado para alimentar os pássaros cantadores, tal era a abundância de farinha." (Artur Queirós, *Kapitupitu*, p. 39.)

massapé [De or. incerta; poss. *massa* + *pé.*] *S. m. Bras. S.* Massapê (q. v.).

massapê [Var. de *massapé* (q. v.).] *S. m.* **1.** *Bras. N. N.E.* Terra argilosa de SE e BA, formada pela decomposição dos calcários cretáceos, preta quase sempre, e ótima para a cultura da cana-de-açúcar: 📖 "Os nossos ricos massapês provavam ser terras de primeira ordem para as plantações da matéria-prima: a cana." (Alberto Passos Guimarães, *Quatro Séculos de Latifúndio*, p. 44.) **2.** *Bras. S.* Solo argiloso proveniente da alteração intempérica de rochas graníticas e gnáissicas.

massapeense (êen) *Adj. 2 g.* **1.** De, ou pertencente ou relativo a Massapê (CE). ● *S. 2 g.* **2.** O natural ou habitante de Massapê.

massaroco (ô) [De *massa.*] *S. m.* Pedaço de fermento com que se leveda o pão.

massas [Pl. de *massa.*] *S. f. pl.* **1.** Aglomeração de gente; multidão, massa. **2.** O povo; a população. ~ V. *massa.*

massau *S. m. Bras. AL Zool.* V. *sagui.*

masseira [De *massa* + *-eira.*] *S. f.* **1.** Grande tabuleiro onde se amassa a farinha para fabricar o pão: 📖 "Leveda o pão, no bojo da masseira" (Antônio Correia d'Oliveira, *A Minha Terra*, V, p. 16). [Cf. *amassadeira.*] **2.** Calha por onde corre a água que cai dos alcatruzes. **3.** *Bras.* Prancha com que, no arrocho (4), se cobre a massa (5), e que recebe o brinqueto.

masseiro [De *massa* + *-eiro.*] *S. m. Bras.* Aquele que nas padarias prepara a massa. [Cf. *maceiro.*]

massemba [Do quimb. *masemba*, pl. de *risemba*, 'umbigada'.] *S. f. Angol.* Dança acompanhada de umbigadas [v. *umbigada* (3)]: 📖 "portas bambas batem em massembas" (Viriato da Cruz, *Poemas*, p. 11).

➔ **masset** ['maset] [Haida.] *S. m. Gloss.* Designação de um dialeto haida (q. v.).

masseter (tér) [Do lat. cient. *masseter* (do gr. *masetér*, 'que mastiga'; do v. gr. *masâsthai*, 'mastigar').] *S. m. Anat.* Cada um de dois músculos faciais de mastigação que se estendem do arco zigomático à mandíbula.

massetérico [De *masseter* + *-ico*².] *Adj.* Masseterino.

masseterino [De *masseter* + *-ino*¹.] *Adj.* Relativo ou pertencente ao masseter; massetérico.

mássico [De *massa* + *-ico*².] *Adj. Fís.* Relativo à unidade de massa (16).

massicote [Do fr. *massicot.*] *S. m. Quím.* Forma dimórfica do monóxido de chumbo, branco amarelado, pulverulento, ortorrômbico [fórm.: PbO] [Cf. *litargírio.*].

massificação [De *massificar* + *-ção.*] *S. m.* Ato ou efeito de massificar(-se).

massificado [Part. de *massificar.*] *Adj.* Que se massificou (v. *massificar*).

massificar [De *massa* + *-ificar.*] *V. t. d.* **1.** Orientar e/ou influenciar (o indivíduo) por meio da *comunicação de massa* (q. v.) no sentido de transformar-lhe e/ou estereotipar-lhe as reações e a conduta. **2.** Fazer ou tornar (produto) consumível pela massa (10): 🗎 *É importante massificar a boa literatura em nosso País. P.* **3.** Massificar (1) a si próprio. [Conjug.: v. *trancar.*]

massinguita [Do tsonga.] *S. f. Moç.* Presságio de mau agouro: 📖 "Massinguita, Massinguita foi trovoada de Nkavelana / Massinguita, é a desgraça que vivo, é a morte que chama." (Inácio Matsinhe, *Transformei-me em Tartaruga para Resistir*, p. 49.)

massivo [Do ingl. *massive* (do fr. *massif*, poss.).] *Adj.* **1.** Que possui massa. **2.** Que ocorre ou é feito em larga escala; maciço. **3.** Maciço (2, 3 e 5). **4.** *E. Ling.* Diz-se de nome que denota porções de matéria, não sendo, portanto, passível de ordenação: 🗎 *Ouro e prata são nomes massivos; água e vinho, também.*

➔ **mass media** [mæs 'mijdijə] [Ingl.] *Comun.* Meios de comunicação de massa (q. v.).

massoca [Cruz. de *massa* com *paçoca.*] *S. f. Bras.* Produto farináceo da mandioca, fabricado no MA. [Cf. *paçoca.*]

massorá [Do hebr. *massorat*, 'tradição'.] *S. f.* O conjunto dos comentários críticos e gramaticais acerca da Bíblia (sobretudo o Velho Testamento) feitos por doutores judeus. [Com cap.]

massoreta (ê) *S. m.* Cada um daqueles que colaboraram na Massorá.

massorético [De *massoreta* + *-ico*².] *Adj.* Respeitante à Massorá ou aos massoretas.

massoterapeuta [De *masso-* (por *massagem*) + *terapeuta.*] *Adj. 2 g. S. 2 g. Terap.* Diz-se de, ou o especialista em massoterapia.

massoterapêutica [De *masso-* (por *massagem*) + *terapêutica.*] *S. f. Terap.* Massoterapia.

massoterapia [Do V.C.I. *masso-* (por *massagem*) + *-terapia.*] *S. f. Terap.* Tratamento por meio de massagens; massoterapêutica.

massoterápico [De *massoterapia* + *-ico*².] *Adj.* Relativo a massoterapia.

massudo [De *massa* + *-udo.*] *Adj.* **1.** Que tem aspecto de massa. **2.** Volumoso, encorpado, grosso, cheio. **3.** Compacto, espesso: 🗎 *sopa massuda.* **4.** Pesado, corpulento: 🗎 *camponês massudo.* [Cf. *maçudo.*]

mastaba [Do ár.] *S. f. Arquit.* Nas pirâmides egípcias, cômodo construído acima da câmara destinada ao túmulo e que, provido de porta falsa, dava acesso a uma estátua do morto, ao pé da qual se colocavam os alimentos que lhe eram oferecidos.

mastadenite [De *mast(o)-* + *-aden(o)-* + *-ite*¹.] *S. f. Med.* V. *mastite.*

mastalgia [De *mast(o)-* + *-alg(o)-*² + *-ia*¹.] *S. f. Med.* Mastodinia.

mastaréu [Do fr. ant. *mâsterel*, atual *mâtereau.*] *S. m.* **1.** *Constr. Nav.* Mastro suplementar fixado ao mastro real para aumentar-lhe a guinda: 📖 "rumas de lemes, velas e mastaréus, destroços de barcas e ferros de arados" (Fialho d'Almeida, *Contos*, p. 341). **2.** *Marinh.* Cada uma das vergônteas que espigam por cima dos mastros ou de outros mastaréus, através das aberturas circulares das pegas respectivas. [Nos navios de três mastros e pano redondo há os seguintes, a contar da proa e de baixo para cima: *mastaréus de gávea* (velacho, gávea, gata), *mastaréus de joanete* (joanete de proa, joanete grande, sobregata) e *mastaréus de sobrejoanete* (sobrejoanete de proa, sobrejoanete grande, sobregatinha).] ◆ **Mastaréu de gávea.** *Marinh.* V. *mastaréu* (2). **Mastaréu de joanete.** *Marinh.* V. *mastaréu* (2). **Mastaréu de sobrejoanete.** *Marinh.* V. *mastaréu* (2). **Espigar um mastaréu.** *Marinh.* Fazê-lo subir, em prolongamento ao mastro.

mastatrofia [De *mast(o)-* + *atrofia.*] *S. f. Med.* Atrofia mamária.

mastatrófico [De *mastatrofia* + *-ico*².] *Adj. Med.* Relativo a mastatrofia.

mastectomia [De *mast(o)-* + *-ectom-* + *-ia*¹.] *S. f. Cir.* Ablação de mama em extensão variável, podendo ser total.

mastectómico *Adj. Cir.* V. *mastectômico.* [Uso freq. em P.]

mastectômico [De *mastectomia* + *-ico*².] *Adj. Cir.* Relativo a mastectomia.

➔ **master** ['mæstə] [Ingl.] *S. m.* **1.** *Cin. Inform. Son. Telev.* Cópia de filme, gravação sonora, vídeo, arquivo digital, etc., utilizado como base para reprodução, com vista à distribuição, ou para produção/edição de novo *master.* [Corresponde, em port., a *matriz* (menos us.). V. *remasterização* e *pré-masterização.*] **2.** *Inform. Son.* O arquivo digital resultante da etapa de pré-masterização, ou de remasterização, na produção de CD, *videolaser*, DVD, etc. **3.** *Inform. Son.* A matriz resultante da etapa de masterização e que é o molde us. para copiagem das unidades de CD, DVD, *videolaser*, etc. ● *Adj. 2 g. e 2 n.* **4.** *Inform. Son.* Diz-se de suporte, arquivo, ou gravação us. como master: 🗎 *fita master, arquivo master.*

masterização [De *masterizar* + *-ção.*] *S. f. Inform. Son.* Etapa da produção de *master* (3) durante a qual um raio *laser* de alta potência, modulado pelos sinais provenientes de arquivo digital produzido na etapa anterior de pré-masterização, grava cavidades microscópicas em matriz ger. de vidro quimicamente tratado.

masterizar [De *master* + *-izar.*] *V. t. d. Inform. Son. Telev.* Produzir *master* (1 a 3) de (filme, CD, videoteipe, etc.).

mástica [Var. de *mástique.*] *S. f.* V. *almécega* (4).

masticatório [Do lat. *masticatus*, de *masticare*, 'mastigar', + *-ório.*] *S. m.* Aquilo que se mastiga para provocar a salivação ou desodorizar a boca; mastigatório.

mastigação [Do lat. tard. *masticatione.*] *S. f.* Ato ou efeito de mastigar.

mastigado [Part. de *mastigar.*] *Adj.* **1.** Triturado com os dentes. **2.** *Fig.* Bem preparado; bem planejado. **3.** Mal-articulado; dito por entre os dentes. **4.** *Bras.* Quase resolvido; facilitado. **5.** *Bras. N.E. MG* V. *encarapinhado*: 📖 "a deleitável morena — mistura de índio, negro e sangue branco. Resultara disso aquela perfeição cor de cobre e com reflexos do mesmo metal no cabelo ainda bem mastigado." (Pedro Nava, *Beira-Mar*, p. 320).

mastigadoiro [De *mastigar* + *-doiro*².] *S. m.* Mastigadouro (q. v.).

mastigador (ô) [De *mastigar* + *-dor.*] *Adj.* Que mastiga ou tem o hábito de mastigar.

mastigadouro [De *mastigar* + *-douro*²; var. de *mastigadoiro.*] *S. m.* Espécie de freio que facilita a mastigação dos cavalos.

mastigar [Do lat. tard. *masticare.*] *V. t. d.* **1.** Triturar com os dentes: 📖 "E calados, um instante, ... iam mastigando o pudim." (Eça de Queirós, *A Capital*, p. 238.) **2.** Apertar com os dentes; morder: 🗎 *O cavalo, espumando, mastigava o freio.* **3.** Pronunciar indistintamente; dizer por entre os dentes; resmungar: 📖 "fechou os olhos fatigados e, ... mastigando as sílabas, repetiu o aviso." (Antero de Figueiredo, *Leonor Teles*, pp. 61-62). **4.** Repetir, repisar (as palavras). **5.** *Fig.* Ponderar, examinar, pesar (um assunto, um negócio, etc.). *Int.* **6.** Pronunciar as palavras indistintamente; resmungar. [Conjug.: v. *largar.*]

mastigatório [De *mastigar* + *-tório.*] *S. m.* **1.** Masticatório (q. v.). ● *Adj.* **2.** Relativo à mastigação.

mastigável [De *mastigar* + *-vel.*] *Adj. 2 g.* Próprio para ser mastigado: 🗎 *comprimidos mastigáveis.*

▲ **mastigo-** [Do gr. *mástix*, *mástigos.*] ***El. comp.*** = 'chicote'; 'flagelo': *mastigobrânquia.* [Equiv.: *-mastig(o)-*: *hipermastigino.*]

▲ **-mastig(o)-** Equiv. de *mastig(o)-.*

mastigobrânquia [De *mastig(o)-* + *brânquia.*] *S. f. Zool.* Flagelo branquial dos crustáceos, com forma típica no camarão.

mastigofobia [De *mastigo-* + *-fobia.*] *S. f. Psiq.* Medo patológico de ser açoitado.

mastigofóbico [De *mastigofobia* + *-ico*².] *Psiq. Adj.* **1.** Relativo a mastigofobia. **2.** Que sofre de mastigofobia; mastigófobo. ● *S. m.* **3.** Aquele que sofre de mastigofobia; mastigófobo.

mastigófobo [De *mastigo-* + *-fobo.*] *Adj. S. m. Psiq.* Mastigofóbico (2 e 3).

M

mastigóforo[1] [Do gr. *mastigophóros*, 'que porta um chicote'.] *Adj. Zool.* Que tem flagelo(s).

mastigóforo[2] [De *mastig(o)-* + *-foro*; tax. *Mastigophora*.] *Zool. S. m.* **1.** Espécime dos mastigóforos, classe de plasmódromos caracterizados por terem um ou mais flagelos para locomoção. São os flagelados de vida livre ou parasitos. ● *Adj.* **2.** Pertencente ou relativo a eles. [Sin. ger.: *flagelado*.]

mastim [Do fr. ant. *mastin*, atual *mâtin*.] *S. m.* **1.** Cão para guarda de gado. **2.** Cão bulhento: "Os mastins negros vão ladrando à Lua..." (Augusto dos Anjos, *Eu*, p. 69.) **3.** *Fig.* Pessoa de má língua, difamadora, maledicente. **4.** V. *beleguim*.

mástique [Do gr. *mastíche*, pelo lat. *mastiche* e pelo fr. *mastic*.] *S. m.* V. *almécega* (4). [Var., p. us.: *mástica*.] ◆ **Mástique asfáltico.** Mistura que contém 15 a 25% de betume.

mastite [De *mast(o)-* + *-ite*[1].] *S. f. Patol.* Inflamação de mama; mamite, mastadenite.

▲ **mast(o)-** [Do gr. *mastós, oû*.] *El. comp.* = 'mama'; *p. ext.* 'mamífero': *mastalgia, mastozoologia*. [Equiv.: *-mast(o)-*: *amastia*.]

▲ **-mast(o)-** Equiv. de *mast(o)-*.

mastócito [Do V.C.I. *masto-* (< al. *Mast*, 'comida') + *-cito*.] *S. m. Histol.* Célula de tecido conjuntivo, e que produz heparina e histamina.

mastodinia [De *mast(o)-* + *-odin(o)-* + *-ia*[1].] *S. f. Med.* Dor em mama; mastalgia.

mastodonte [De *mast(o)-* + *-odonte* (pelas saliências, em forma de mamilo, sobre os molares); lat. cient. *Mastodon*.] *S. m. Paleont.* **1.** Qualquer de vários elefantídeos do gênero *Mammuthus*, e que diferiam do mamute, e dos atuais elefantes, esp. na forma dos dentes molares, e tb. apresentavam, por vezes, pequenas defesas na parte inferior da mandíbula, além das existentes na parte superior. [Cf. *mamute*.] **2.** *Fig.* Pessoa de extraordinária corpulência.

mastodôntico [De *mastodonte* + *-ico*[2].] *Adj.* **1.** Relativo ou pertencente a, ou próprio de mastodonte. **2.** Corpulento, agigantado, gigantesco. **3.** Muito grande; enorme: "você se dá conta de que a dupla imagem há pouco sonhada lembra uma colagem de Rauschenberg em que o gigantesco e sólido Empire State .... se reflete na mastodôntica e leve Torre Eiffel" (Silviano Santiago, *Keith Jarrett no Blue Note*, p. 93).

mastodontídeo [Do lat. cient. *Mastodont-* (< lat. cient. *Mastodon*) + *-ídeo*[1]; *Mastodontidae*.] *S. m. Adj. Paleont.* V. *mamutídeo*.

mastografia [De *mast(o)-* + *-grafia*.] *S. f. Radiol.* V. *mamografia*.

mastográfico [De *mastografia* + *-ico*[2].] *Adj. Radiol.* Referente à mastografia.

mastoide (ói) [Do gr. *mastoeidés*.] *Adj. 2 g.* Que tem forma de mama; mastóideo, mastoídeo. ~ V. *apófise* —. ❖

mastoídeo *Adj.* V. *mastoide*.

mastóideo *Adj.* Mastoide (q. v.). ~ V. *apófise —a*.

mastoidite [De *mastoide* + *-ite*[1].] *S. f. Patol.* Inflamação em apófise mastoide.

mastologia [De *mast(o)-* + *-logia*.] *S. f.* Ramo da medicina que se ocupa do estudo da mama, em todos os seus aspectos.

mastológico [De *mastologia* + *-ico*[2].] *Adj.* Relativo à mastologia.

mastoncose [De *mast(o)-* + *-oncose*.] *S. f. Patol.* Tumor de mama.

mastoplastia [De *mast(o)-* + *-plast(o)-* + *-ia*[1].] *S. f. Cir. Plást.* Intervenção cirúrgica em mama(s), para reduzi-la(s) ou aumentá-la(s); mamoplastia.

mastoptose [De *mast(o)-* + *-ptose*.] *S. f. Cir. Plást.* Queda ou ptose de mama.

mastozoário[1] *S. m. Adj.* V. *mamífero*[2].

mastozoário[2] [De *mast(o)-* + *-zo(o)-* + *-ário*.] *Adj.* Que tem mamas.

mastozoologia [De *mast(o)-* + *zoologia*.] *S. f. Zool.* Estudo particular dos mamíferos.

mastozoológico [De *mastozoologia* + *-ico*[2].] *Adj.* Concernente à mastozoologia.

mastozoólogo [De *mast(o)-* + *zoólogo*.] *S. m. Zool.* Especialista em mastozoologia.

mastozoótico [De *mast(o)-* + *-zo(o)-* + *-ótico*.] *Adj.* V. *terreno —*.

mastreação [De *mastrear* + *-ção*.] *S. f.* **1.** Ato ou efeito de mastrear. **2.** *Constr. Nav.* O conjunto dos mastros de uma embarcação: "a fragata, ... sem governo, sem velas, deitava-se toda sobre o bordo da amura, com a mastreação despedaçada" (Virgílio Várzea, *Nas Ondas*, p. 221).

mastreamento [De *mastrear* + *-mento*.] *S. m.* Ato ou efeito de mastrear; mastreação.

mastrear [De *mastro* + *-ear*[2].] *V. t. d.* Pôr mastros em (embarcação); emastrar, emastrear. [Conjug.: v. *frear*.]

mastro [Do frâncico *mast*, pelo fr. ant. *mast*, atual *mât*, e pelo arc. *masto*.] *S. m.* **1.** *Constr. Nav.* Longa peça de madeira ou de ferro, de seção circular, que se ergue acima do convés, no plano diametral da embarcação, para suster as velas (nas embarcações à vela), antenas, paus de carga, luzes de posição e de marcha, e outros acessórios necessários aos serviços da embarcação. **2.** Madeiro alto para uso de ginastas. **3.** Haste na qual se iça a bandeira. ◆ **Mastro da bandeira.** *Constr. Nav.* Haste fincada na popa da embarcação, e na qual se iça a bandeira nacional. [Nos navios de guerra a bandeira nacional só é içada neste mastro quando o navio está fundeado, amarrado à boia ou atracado a cais ou a outro navio. Em viagem, a bandeira é içada no penol de uma pequena carangueja instalada no mastro de combate.] **Mastro da gata.** *Constr. Nav.* Em navios de três mastros, o último a contar da proa, se nele armar pano redondo. **Mastro da mezena.** *Constr. Nav.* **1.** O último mastro, a ré, nos navios à vela de quatro mastros, que enverga uma vela latina (a mezena), com carangueja. **2.** Em navios de três mastros, o último a contar da proa, se armar pano redondo (vela da mezena): "Presa ao mastro da mezena / Saudosa bandeira acena / Às vagas que deixa após." (Castro Alves, *Obra Completa*, p. 278.) [Tb. se diz apenas *mezena*.] **Mastro de brigue.** *Ant. Constr. Nav.* Aquele que espiga dois mastaréus, cruza quatro vergas, e enverga quatro velas redondas (inclusive o de ré, que iça uma vela sem gafetope). **Mastro de cocanha.** Mastro untado com sebo, e em cujo topo se põem alguns prêmios, para quem se aventure a ir lá buscá-los. [Tb. se diz apenas *cocanha*. Sin., bras.: *pau de sebo*.] **Mastro de combate.** *Bras. Mar. G.* Pequeno mastro colocado na parte de ré da superestrutura de navios de guerra de pequeno porte para içar a bandeira nacional em viagem. **Mastro de contramezena.** *Ant. Constr. Nav.* Mastro de ré, nos galeões; contramezena. **Mastro de escuna.** *Ant. Constr. Nav.* Aquele que espiga um mastaréu, cruza três vergas e enverga duas velas latinas. **Mastro de galera.** *Ant. Constr. Nav.* Aquele que espiga três mastaréus, cruza quatro vergas, e enverga quatro velas redondas (exceto o de ré, que enverga três velas redondas e uma vela latina em gafetope). **Mastro de lúgar.** *Ant. Constr. Nav.* Aquele que espiga um mastaréu e enverga uma vela latina e gafetope. **Mastro do traquete.** *Constr. Nav.* O primeiro mastro a contar da proa, em navios de mais de um mastro, se ele não for o principal (o que pode acontecer em navios de dois mastros). **Mastro grande.** *Constr. Nav.* O maior dos mastros do navio: em navios de dois mastros, pode ser o primeiro ou o segundo a contar da proa; em navios de três mastros, é o segundo a contar da proa; em navios de quatro ou cinco mastros, é o terceiro a contar da proa. [Tb. se diz apenas *grande*.] **Mastro inteiriço.** *Constr. Nav.* Mastro constituído de uma só peça. **Mastro real.** *Constr. Nav.* Cada uma das compridas e grossas peças cilíndricas, de madeira ou de ferro, que, nos antigos navios à vela, erguiam-se em direção aproximadamente vertical, com a parte inferior atravessando as cobertas e o pé apoiado na sobrequilha, e de cuja parte superior espigavam os mastaréus.

mastruço [Do lat. vulg. **masturtiu*, por *nasturtiu*.] *S. m. Bras. Bot.* Pequena erva brassicácea (*Senebiera pinnatifida*) que aparece ocasionalmente em canteiros e vasos, e cujas folhas, muito subdivididas, têm propriedades medicinais. [Var.: *mastruz* e *mentruz*.]

mastruz *S. m. Bot.* Mastruço.

masturbação [Do lat. mod. *masturbatione*.] *S. f.* Ato de masturbar(-se); vício solitário; autoerotismo. [Cf. *onanismo* (1).]

masturbador (ô) [Do lat. *masturbatore*.] *Adj. S. m.* Que, ou aquele que (se) masturba; onanista.

masturbar [Do lat. **masturbare*, por *masturbari*.] *V. t. d.* **1.** Provocar o orgasmo em, pela fricção da mão ou por meio de instrumento adequado. *P.* **2.** Provocar o orgasmo pela fricção da mão ou por meio de instrumento próprio; onanizar-se.

masturbatório [De *masturbar* + *-tório*.] *Adj.* **1.** Relativo à masturbação. **2.** Que serve para masturbar.

mata[1] [Do lat. tard. *matta*, 'esteira de junco'.] *S. f.* **1.** Terreno onde medram árvores silvestres; floresta, charneca, selva, bosque, mato. **2.** Floresta (1). **3.** Grande quantidade de árvores da mesma espécie: *mata de eucaliptos*. **4.** *Fig.* Floresta (2). **5.** *Fig.* Grande quantidade; imensidade, mar. **6.** *Bras.* Uma das zonas geográficas em que se dividem PE e estados vizinhos, entre a praia e o agreste, caracterizada pela fertilidade do solo e pela exuberância e grande porte da vegetação. **7.** *Bras.* A zona sueste cafeeira de MG. ◆ **Mata ciliar.** Cobertura vegetal que se desenvolve ao longo de cursos de água em regiões inundáveis, e que tem altura média entre 9 e 15m. **Mata de galeria.** Cobertura vegetal que se desenvolve ao longo de cursos de água em regiões como o cerrado, em razão da umidade do solo nas margens. **Mata virgem.** *Bras.* Floresta natural e primitiva, ainda não explorada: "Era um alto jequitibá, relíquia da antiga mata virgem" (José de Alencar, *O Tronco do Ipê*, p. 172). **Desta/dessa/daquela mata não sai coelho.** V. *deste mato não sai coelho*: "— Pois sim! Teu padrinho é muito bom, sim senhor, muita festa pra festa, meu afilhado pra cá, meu afilhado pra lá, mas olha que daquela mata não sai coelho." (Artur Azevedo, *Contos fora de Moda*, p. 23.)

mata[2] *S. f. Bras. Bot. RS* V. *matadura* (1).

mata-baiano [De *matar* + *baiano*.] *S. m. Bras. SC* Vento que sopra dos Andes pelo inverno e prenuncia as nevadas. [Pl.: *mata-baianos*.]

matabala [Do *forro*[2].] *S. f. Santom. Bot.* **1.** Planta arácea (*Xanthosama sagittifolium*) herbácea: "o som ritmado das gotículas de chuva caindo sobre as folhas largas da matabala e a brisa voando, leve, por entre as bananeiras, envolviam o quintal" (Albertino Bragança, *Rosa do Riboque e Outros Contos*, p. 65). **2.** O tubérculo, comestível, dessa planta: "mulheres / adoçando os queixumes dos ventres dilatados das crianças: / o inhame e a matabala, a matabala e o inhame." (Francisco José Tenreiro, *Obra Poética de Francisco José Tenreiro*, p. 89).

mata-barata [De *matar* + *barata*.] *S. m. Bras. Bot.* V. *angelim* (2). [Pl.: *mata-baratas*.]

mata-baratas [De *matar* + pl. de *barata*.] *S. m. 2 n. Bras. Bot.* V. *angelim* (2).

mata-bichar [De *mata-bicho* (3) + *-ar*[2].] *V. int. Angol. Moç. Santom.* Tomar o desjejum: "De manhã, ainda o comerciante mata-bichava, um emissário trazia uma carta." (Óscar Ribas, *Ecos da Minha Terra*, p. 26.)

mata-bicho [De *matar* + *bicho*.] *S. m. Pop.* **1.** Uma dose de aguardente ou de outra bebida alcoólica. **2.** *Bras.* V. *cachaça* (1): "— Bem, disse o vendeiro, venha tomar um martelo de aguardente. | O convite ao mata-bicho .... era .... excelente pretexto para novas e mais firmes entabulações." (Eduardo Frieiro, *O Mameluco Boaventura*, p. 16.) **3.** *Angol. Moç. Santom.* V. *desjejum*: "Acordava com o Sol e, com Chivuala, preparava o mata-bicho: geralmente era batata-doce ou mel." (Pepetela, *As Aventuras de Ngunga*, p. 55.) **4.** *Bras. Angol.* V. *gorjeta*[1] (2). [Pl.: *mata-bichos*.]

mata-boi [Do esp. plat. *matabuey*.] *S. m. Bras. RS* Correia de couro cru que, nas carretas, prende ao leito o eixo a fim de que este não salte fora, nalgum solavanco. [Pl.: *mata-bois*.]

mata-borrão [De *matar* + *borrão*.] *S. m.* **1.** *Ind. Pap.* Papel não encolado, que serve para absorver tinta ou qualquer outro líquido; papel mata-borrão, papel-chupão, chupão, papel de chupar. **2.** O conjunto constituído por esse papel adaptado ao berço (6). **3.** *Bras. Fig. Gír.* V. *ébrio* (8). [Pl.: *mata-borrões*.]

mata-burro [De *matar* + *burro*.] *S. m. Bras.* Ponte de traves espaçadas, destinada a vedar o trânsito de animais: "Quando os caminhões passavam, os bichos espirravam em disparada, apostando carreira até o mata-burro ou à porteira fechada." (Permínio Asfora, *Vento Nordeste*, p. 245.) [Pl.: *mata-burros*.]

mata-cachorro (ô) [De *matar* + *cachorro*.] *S. m.* **1.** *Bras. N.O.* Árvore da família das simarumbáceas (*Simarouba versicolor*), cujas folhas, penadas, são muito longas, e cujas flores inconspícuas, se acham ordenadas em amplas panículas. **2.** *Bras. N.* Alcunha de soldado de polícia. [Sin., nesta acepç.: *cabeça-seca, cachimbo, calango, carango, gafonha, galo-enfeitado, guita, macaco, maenga, meganha, morcego, praça, urbano*.] **3.** *Bras. BA* Servente de circo que põe e tira os tapetes, arma e desarma os trapézios, etc. [Sin., nesta acepç. em AL: *charuto*.] **4.** *Bras. RJ* Peça metálica que se adapta à motocicleta, abaixo do guidom, e que protege o motor, a carenagem, etc., em caso de queda. [Pl.: *mata-cachorros* (ô).]

mata-calado [De *matar* + *calado*.] *S. m. Bras. Amaz. Bot.* Árvore flacourtiácea (*Patrisia acuminata*) considerada venenosa para mamíferos, de folhas lanceoladas e acuminadas, flores que medem 5 a 6cm de diâmetro e não têm corola, estames numerosos, e frutos que são cápsulas bacáceas. [Pl.: *mata-calados*.]

mata-cana [De or. obsc.] *S. f. Bras. Bot.* V. *douradinha* (5). [Pl.: *mata-canas*.]

matacanha *S. f. Angol. Moç. Santom.* V. *bicho-do-pé*: "Era sempre o mesmo aviso antes da extração das matacanhas. O que vale é que ele só acordava quando da desinfecção com a tintura de iodo." (Arnaldo Santos, *Quinaxixe*, p. 19.)

matacão [De *matar* + *cão*[1].] *S. m.* **1.** Pedra solta, muito grande e arredondada. **2.** Grande fatia ou pedaço: "Ela me ojerizou tanto, que eu soltei nela um matacão de pedra" (Afonso Arinos, *Pelo Sertão*, p. 32). **3.** Suíças, costeleta ou talhe de barba que deixa o queixo a descoberto. **4.** *Bras.* Fragmento de rocha cujo diâmetro máximo está compreendido entre 25cm e 1m.

mata-cão [De *matar* + *cão*[1].] *S. m. Bot.* Erva ranunculácea (*Aconitum napellus*) originária da Europa, de belas flores, cuja importância resulta de conter aconitina, alcaloide venenoso, razão por que já teve largo emprego em terapêutica. [Pl.: *mata-cães*.]

mata-cavalo [De *matar* + *cavalo*[1].] *S. m. Bras.* **1.** *Bot.* V. *arrebenta-cavalo* (1). **2.** *Zool.* V. *marimbondo-caçador*. [Pl.: *mata-cavalos*.] ◆ **A mata-cavalo(s).** A galope; à desfilada; a toda a brida: 📖 "Mas para que correr desejos a mata-cavalos?!" (Aquilino Ribeiro, *Maria Benigna*, p. 197.)

mataco [Do quimb. *ma'taku*.] *S. m. Bras.* **1.** *Pop.* Nádegas. **2.** *Zool.* Tatu-bola (3).

mata-cobra [De *matar* + *cobra*[1].] *S. m.* Porrete, cacete. [Pl.: *mata-cobras*.]

matado[1] [Part. de *matar*.] *Adj.* **1.** *Bras.* Malfeito, mal-acabado: 📄 *trabalho matado.* **2.** *Bras.* Ruim, desvalioso: 📄 *auxílio matado.* **3.** *Bras. N.E.* Diz-se do fruto colhido antes do tempo e amadurecido artificialmente. ~ V. *morte —a*.

matado[2] [Do esp. plat. *matado*.] *Adj. Bras.* Cheio de mataduras (cavalo).

matadoiro [De *matar* + *-doiro*[2].] *S. m.* Matadouro (q. v.).

matador (ô) [De *matar* + *-dor*.] *Adj.* **1.** Que mata; mortífero, mortal: 📖 "No frio matador das madrugadas" (Augusto dos Anjos, *Eu*, p. 65). ● *S. m.* **2.** Aquele que mata; assassino. **3.** Em touradas, o espada (3), a quem cabe matar o touro. **4.** *Fig.* Indivíduo enfadonho, maçante, cacete, importuno. **5.** *Bras. S.* Homem irresistível, encantador, sedutor. ~ V. *matadores*.

matadora (ô) *S. f.* **1.** Fem. de *matador*. **2.** *Bras. S.* Mulher encantadora, fascinante, irresistível.

matadores (ô) [Pl. de *matador*.] *S. m. pl.* Tudo quanto é necessário a determinado fim; os trunfos principais. ~ V. *matador*.

matadouro [De *matar* + *-douro*[2]; var. de *matadoiro*.] *S. m.* **1.** Lugar onde se abatem reses para consumo público. [Sin.: *abatedoiro, abatedouro, açougue, corte*, e (bras., CE) *matança*.] **2.** Carnificina, morticínio, massacre. [Sin., nesta acepç.: *açougada, açougagem, açougue*.] **3.** *Fig.* Lugar muito insalubre.

matadura [Do esp. *matadura*.] *S. f.* **1.** Ferida no couro das cavalgaduras, produzida pelo roçar dos arreios. [F. red.: *mata*; sin.: *unha*.] **2.** *P. ext.* Ferimento, ferida. **3.** *Fig.* Defeito moral; balda.

mata-fome [De *matar* + *fome*.] *S. m.* **1.** *Bras. Bot.* Juruté. **2.** *Bot.* V. *cipó-timbó*. **3.** *Bras. SP* Bolinho, biscoito ou salgadinho barato. [Pl.: *mata-fomes*.]

matagal [De *mata*[1].] *S. m.* **1.** Brenha (1). **2.** Terreno coberto de plantas bravas; mato. **3.** *Fig.* Conjunto de coisas densas, enredadas ou eriçadas.

mata-galego (ê) [De *matar* + *galego*.] *S. m. Bras.* Veículo (principalmente ônibus) cuja dianteira não difere da traseira. [Pl.: *mata-galegos* (ê).]

mata-gato [De *matar* + *gato*.] *S. m. Bras.* **1.** *Zool.* Peixe caracídeo (*Brycon falcatus*) das bacias dos rios Amazonas, Orinoco e de rios guianenses, que pode atingir 37cm de comprimento; matrinxã. **2.** Chapazinha de matéria plástica ou de metal, com orifícios para facilitar o apagamento de escrito com borracha; rasurador. [Pl.: *mata-gatos*.]

matagoso (ô) [De *matagal* + *-oso*, com síncope.] *Adj.* Coberto de plantas silvestres: 📖 "Aquele canto de serra áspera e matagosa era todo o universo para o José Bento" (Conde de Ficalho, *Uma Eleição Perdida*, p. 215).

mata-grandense *Adj. 2 g.* **1.** De, ou pertencente ou relativo à Mata Grande (AL). ● *S. 2 g.* **2.** O natural ou habitante de Mata Grande. [Pl.: *mata-grandenses*.]

mata-junta [De *matar* + *junta*.] *S. f.* **1.** *Constr.* V. *guarnição* (9). **2.** Qualquer fasquia que serve para tapar a junta entre tábuas. [Pl.: *mata-juntas*.]

mata-leopardos [De *matar* + *leopardo*.] *S. m. 2 n.* Espécie de acônito (1).

matalotado [De *matalot-*, como em *matalotagem*, + *-ado*[1].] *Adj.* Provido de matalotagem.

matalotagem [Do fr. *matelotage*.] *S. f.* **1.** *Ant.* Provisão de mantimentos para a marinhagem ou para outras pessoas que embarcam. **2.** *P. ext.* Provisão de víveres; matula. **3.** *Ant.* Conjunto dos matalotes ou marujos. **4.** *Fig.* Montão de coisas confusas; amálgama, salgalhada.

matalote [Do fr. *matelot*.] *S. m.* **1.** Marinheiro, marujo. **2.** *Ant.* Companheiro de viagem no mar. **3.** *Ant.* Companheiro de serviço. **4.** *Mar. G.* Navio que navega mais próximo de outro, em uma formatura. [Há matalote de vante, de ré, de boreste ou de bombordo, conforme a posição ocupada.]

mata-mata *S. m. Jog. Inf.* Brincadeira com bola de gude, em que cada jogador procura atingir com a própria bola a bola do outro, para ter direito a apoderar-se dela. [Pl.: *matas-matas* e *mata-matas*.]

matamatá [Do tupi.] *S. m. Bras. Amaz.* **1.** *Bot.* Grande árvore lecitidácea (*Eschweilera matamata*) nativa da floresta amazônica, de flores vistosas, com os estames soldados, frutos pixídios lenhosos, e cuja madeira é forte e resistente. **2.** *Zool.* Reptil quelônio, quelídeo (*Chelys fimbriata*), da Amaz., de carapaça com dois sulcos dorsais profundos, escudos ásperos, plastrão estreito, cabeça terminada em pequena tromba, boca muito larga, lado inferior com franjas e pequenos barbilhões. Vive nas lagoas e águas paradas, metido na lama, e alimenta-se de pequenos peixes. Por seu aspecto antediluviano e hediondo é muito procurado para exibição em aquários e jardins zoológicos.

matambre [Do esp. plat. *matambre*.] *S. m. Bras. RS* **1.** Carne que cobre as costelas do boi e é a primeira que se retira depois do couro; vaqueira. [Cf., nesta acepç., *matame*.] **2.** Assado feito com essa carne.

matame *S. m.* **1.** *Bras.* Recortes angulares na extremidade de folhos, camisas de mulher, toalhas, lenços, lençóis, etc. **2.** *Bras. RJ* Carne que fica pegada ao couro depois da esfola. [Cf., nesta acepç., *matambre*.]

mata-me-embora [De *matar* + *me* + *embora*.] *S. m. 2 n. Bot.* V. *capim-de-burro*.

mata-moiros *S. m. 2 n.* V. *mata-mouros*.

mata-moscas [De *matar* + o pl. de *mosca*.] *S. m. 2 n.* Substância tóxica para exterminar moscas.

mata-mosquito [De *matar* + *mosquito*[1].] *S. m. Bras.* Funcionário dos departamentos de higiene e saúde, a quem compete destruir os focos de larvas de mosquitos. [Pl.: *mata-mosquitos*.]

mata-mouros [Do esp. *matamoros*.] *S. m. 2 n.* **1.** Valentão, ferrabrás. **2.** Fanfarrão, bravateador. [Var.: *mata-moiros*.]

matanaué *S. 2 g. Adj. 2 g. Bras.* V. *matanavi*.

matanavi *Bras. S. 2 g.* **1.** *Etnôn.* Indivíduo dos matanavis [ou (etnôn. bras.) *Matanawi], povo indígena extinto que habitava as margens do rio Madeirinha, N.O. de MT. ● *Adj. 2 g.* **2.** Pertencente ou relativo a esse povo. [Outra f.: *matanaué*.]

matança [De *matar* + *-ança*.] *S. f.* **1.** Assassínio de muitas pessoas; morticínio, mortandade, carnificina: 📄 *matança dos cristãos; matança dos inimigos.* **2.** Abatimento de reses para consumo. **3.** *Fig. Fam.* Trabalho afincado, persistente; faina, afã. **4.** *Bras. Fut.* Jogo violento ou bruto. **5.** *Bras. CE* V. *matadouro* (1). **6.** *Bras. N.* Dinheiro obtido ilicitamente.

matão [De *matar* + *-ão*[1].] *Adj. S. m. Bras.* **1.** Que, ou aquele que executa mal o seu serviço; lambão. [Fem.: *matona*.] **2.** Diz-se de, ou jóquei que procede com deslealdade, tentando apertar os concorrentes contra a cerca nas curvas da pista de corridas. **3.** *Fut.* Diz-se de, ou jogador que habitualmente comete faltas contra os adversários.

mata-olho (ô) [De *matar* + *olho*.] *S. m. Bras. Bot.* **1.** Árvore euforbiácea (*Ophtalmoblapton pedunculare*) da floresta pluvial, que é leitosa e exala cheiro de alho; tem folhas longamente acuminadas, flores unissexuais, ordenadas em espigas, e fruto que é uma tricoca. [Sin.: *árvore-de-santa-luzia, grumaré, olho-de-santa-luzia, santa-luzia*.] **2.** Árvore euforbiácea (*Pachystroma longifolium*) nativa do Brasil, de madeira resistente, látex irritante para a pele, folhas coriáceas, lanceoladas ou elípticas, flores apétalas, em espigas terminais, e frutos que são cápsulas tricocas. [Sin.: *acá, canxi, canxim, espinheira-santa, guacá, leiteira-de-espinho, vacá*.] **3.** Árvore sapotácea (*Pouteria neriiforme*) nativa do Brasil, cuja casca é adstringente e tem uso medicinal; as folhas são lanceoladas, coriáceas, e as flores, tubulares. **4.** Árvore sapotácea (*Pouteria sellowii*) nativa do Brasil e do Uruguai, cujas folhas se dispõem densamente no ápice dos ramos, e os frutos são bacáceos, monospérmicos.

matapa [De várias línguas moçambicanas.] *S. f. Moç. Cul.* Esparregado de folhas de mandioca, de abóbora ou doutras plantas, misturado com amendoim (no S.) ou com coco (no N.): 📖 "o marido rejeitou uma apetitosa matapa, seu prato preferido" (Lília Momplé, *Ninguém Matou Suhura*, p. 22).

mata-pasto [De *matar* + *pasto*.] *S. m. Bot.* **1.** *Bras.* Arbusto cesalpiniáceo (*Senna bicapsularis*) de flores amarelas e legumes roliços, e cuja casca é tida por medicinal; caquera, tareroque. **2.** V. *dartrial*. [Pl.: *mata-pastos*.]

mata-pau [De *matar* + *pau*.] *S. m. Bot.* **1.** *Bras.* Designação comum a espécies dos gêneros *Ficus*, das moráceas e *Clusia*, das clusiáceas, as quais se desenvolvem sobre outras árvores, como trepadeiras, matando-as e ocupando-lhes os lugares, sem, no entanto, sugarem-lhes a seiva. **2.** Fruteira (4). [Pl.: *mata-paus*.]

mata-peixe [De *matar* + *peixe*.] *S. m. Bras. Bot.* V. *cipó-timbó*. [Pl.: *mata-peixes*.]

matapi [Do tupi.] *S. m.* **1.** *Bras. Bot.* V. *cucura*. **2.** *Bras. Amaz.* Covo oblongo, feito de jacitara, e com abertura na base.

mata-piolho (ô) [De *matar* + *piolho*.] *S. m. Pop.* V. *dedo polegar* (1). [Pl.: *mata-piolhos* (ô).]

mata-porco *S. m.* V. *mata-porcos*.

mata-porcos (ó) [De *matar* + o pl. de *porco*.] *S. m. 2 n. Bras. RS* As larvas do pergídeo (q. v.).

matar [Da mesma or. incerta que o esp. *matar*; poss. do lat. vulg. **mattare* do lat. *mattus*, 'estúpido', 'embrutecido'.] *V. t. d.* **1.** Tirar violentamente a vida a; assassinar: 📄 *Os imperadores romanos mataram milhares de cristãos.* [Sin. (bras., pop.): *aliviar, apagar, dar cabo de, dar cabo do canastro de, despachar, despachar para o outro mundo, destacar, assentar o cabelo de, abotoar o paletó de, fechar o paletó de, mandar para as minhocas, mandar para o outro mundo, mandar para os quintos, moquear, quebrar, passar o cerol*.] **2.** Causar a morte de; privar da vida: 📖 "A bala que o matou foi um ponto final luminoso de renúncia e de sacrifício." (Júlio Dantas, *Figuras de ontem e de hoje*, p. 30.) **3.** Tirar o viço de; fazer murchar; emurchecer, secar: 📄 *O frio intenso matou a plantação.* **4.** Fazer desaparecer; desvanecer, destruir: 📄 *Aqueles acontecimentos mataram-lhe a esperança.* **5.** Fazer cessar; extinguir, apagar. **6.** Saciar, satisfazer: 📖 "Foi ao pote de água, ... bebeu com sofreguidão. Matou a sede" (Nélson de Faria, *Tiziu e Outras Estórias*, p. 85). **7.** Enfadar, afligir, mortificar. **8.** Prejudicar, arruinar, desacreditar: 📄 *Os desmandos dos diretores mataram a firma.* **9.** Prejudicar a saúde de. **10.** Cansar muito; fatigar, afadigar, estafar. **11.** Fazer apressadamente e mal: 📄 *matar um serviço.* **12.** Decifrar, adivinhar (charadas, palavras cruzadas, etc.). **13.** *Bras. Gír.* Deixar de comparecer a (aula, ou trabalho); gazear, gazetear: 📄 *Matou duas aulas de Português*; 📖 "Você mata o serviço hoje e vamos ao cinema." (Nélson Rodrigues, *100 Contos Escolhidos. A Vida como Ela É*, II, p. 95). **14.** *Bras. Fut.* V. *amortecer* (6). **15.** *Bras. Gír.* Consumir até o fim (cigarro, bebida, comida): 📄 *Sozinho, matou o queijo que o pai comprara para todos; Pode matar esta cerveja pois já bebi bastante.* **16.** Passar um período de tempo fazendo alguma coisa: 📖 "passaríamos por vizinhos que matam um pedaço da noite ao cavaco ou namorados no derrete." (Aquilino Ribeiro, *Lápides Partidas*, p. 303.) **17.** Encaçapar (1). *Int.* **18.** Causar morte(s): 📖 "febre tremedeira, sezão das que matavam em poucos dias" (Nélson de Faria, *Tiziu e Outras Estórias*, p. 132). **19.** Ser assassino. **20.** Abater reses para o consumo público. **21.** *Bras. Fut.* Amortecer a bola. *P.* **22.** Dar a morte a si mesmo, suicidar-se: 📖 "Vatel levou o amor-próprio profissional ao ponto de se matar por causa de simples deficiência numa ceia servida ao rei Luís XIV." (Eduardo Frieiro, *Feijão, Angu e Couve*, p. 22.) **23.** Cansar-se muito; fatigar-se, afadigar-se. **24.** Consagrar-se inteiramente; sacrificar-se. [Fut. pret.: *matarei, matarás, matará*, etc.; part.: *matado* e *morto*. Cf. *matará*, s. m., e pl. *matarás*.] ◆ **Matar a jogada.** *Bras. Fut.* Interromper a jogada de contra-ataque de uma equipe, ger. mediante falta (9). **Matar no peito.** *Bras. Fut.* Amortecer a bola na região peitoral. **A matar.** Condizendo, combinando, quadrando muito bem, admiravelmente: 📄 *Com a pele que tem a menina, o róseo fica-lhe a matar; Sua gravata está a matar.*

matará *S. m. Bras. Zool.* V. *batará*. [Pl.: *matarás*. Cf. *matará* e *matarás*, do v. *matar*.]

matarana [De or. tupi, poss.] *S. f.* **1.** *Bras. Bot.* Grande erva zingiberácea (*Renealmia sylvestris*) do interior da floresta atlântica, que, além das amplas folhas, tem belas flores reunidas em inflorescências terminais, e cujas cápsulas encerram sementes aromáticas. **2.** Maça de pau rijo, esquinada na extremidade mais grossa e aguçada na outra.

mataraquense *Adj. 2 g.* **1.** De, ou pertencente ou relativo a Mataraca (PB). ● *S. 2 g.* **2.** O natural ou habitante de Mataraca.

mata-rato [De *matar* + *rato*[1].] *Adj. S. m. Bras.* Mata-ratos (5): 📖 "tragando profundas fumaças do mata-rato..." (Augusto Meyer, *No tempo da Flor*, p. 21). [Pl.: *mata-ratos*.]

mata-ratos [De *matar* + o pl. de *rato*[1].] *Adj. 2 g. e 2 n.* **1.** Próprio para matar ratos. ● *S. m. 2 n.* **2.** Veneno que mata ratos. **3.** Bebida de má qualidade. **4.** V. *quebra-queixo* (1). **5.** V. *lasca-peito*. [F. paral.: *mata-rato*.]

mataréu [De *mata* ou *mato*.] *S. m. Bras.* Mataria: 📖 "A região era todo um mataréu virgem de majestosa beleza." (Monteiro Lobato, *Urupês, Outros Contos e Coisas*, p. 527.)

mataria [De *mata* ou *mato* + *-aria*.] *S. f. Bras.* Grande extensão de mata ou mato; mataréu: 📖 "Nada viu senão árvores em profusão numa mataria compacta colorindo o verde cume." (José Fonseca Fernandes, *Joatão e a Ilha*, p. 43.)

mata-romense *Adj. 2 g.* **1.** De, ou pertencente ou relativo a Mata Roma (MA). ● *S. 2 g.* **2.** O natural ou habitante de Mata Roma. [Pl.: *mata-romenses*.]

mataru [De or. indígena, poss.] *S. m. Bras. MT* Vaso de barro utilizado na fabricação de azeite de peixe.

mata-sano *S. m.* V. *mata-sanos*. [Pl.: *mata-sanos*.]

mata-sanos [Do esp. *matasanos*.] *S. m. 2 n.* Médico inábil; curandeiro, charlatão. [Var.: *mata-sano*.]

matassa *S. f.* A seda antes de ser fiada.

M

matataúba [Do tupi.] *S. f. Bras. Bot.* V. *embaúba-branca* (2).

mataua *Bras. S. 2 g.* **1.** *Etnôn.* Indivíduo dos matauas, povo indígena extinto da família linguística xapacura que habitava a margem esquerda do rio Cautário (RO). ● *Adj. 2 g.* **2.** Pertencente ou relativo a esse povo. [Tb. us. como *s. 2 g. e 2 n.* (com cap.) e *adj. 2 g. e 2 n.*]

➔ **match** [mætʃ] [Ingl., 'torneio'.] *S. m. Esport.* Partida entre dois jogadores ou duas equipes.

➔ **match-point** [mætʃ pɔjnt] [Ingl.] *S. m. Esport.* No vôlei e no tênis, ponto decisivo para o encerramento de um jogo.

mate[1] [Do ár. *māta*, '(ele) morreu', na expr. *šāyḫ māta*, 'o rei está morto' (v. *xeque-mate*).] *S. m.* **1.** Xeque-mate. **2.** Ponto de tricô em que se apanham duas malhas duma vez, para estreitá-las ou fechá-las. **3.** V. *remate* (3).

mate[2] [Do quíchua *mati*, pelo esp. plat. *mate*.] *S. m. Bras.* **1.** *Bot.* Árvore aquifoliácea (*Ilex paraguaiensis*) de até 10m, originária da América do Sul, de flores pálidas, cimosas, bagas globosas e folhas coriáceas, us. no chimarrão e no preparo de uma infusão saborosa, após a torrefação. [Sin.: *caá, congonha-verdadeira, congonha, congonheira, erva-mate, erveira*.] **2.** *Bot.* As folhas dessa planta, depois de secas. **3.** Infusão preparada com essas folhas; chá-mate. ◆ **Mate chimarrão.** *Bras.* O que se toma sem açúcar. **Mate de armada curta.** *Bras. RS* Mate quentíssimo, a ponto de queimar a boca.

mate[3] [Do ingl. *matte*.] *S. f. Metal.* Mistura de sulfetos que se obtém na metalurgia de minérios sulfetados. ◆ **Mate de cobre.** *Metal.* Estádio intermediário na metalurgia do cobre, no qual a massa fundida contém apenas sulfeto de cobre e de ferro.

mate[4] [Do fr. *mat*.] *Adj. 2 g. e 2 n.* **1.** Diz-se da tinta ou pintura fosca, não polida. **2.** Sem brilho; embaciado, empanado, fosco. **3.** Trigueiro-claro: "Ega ficou deslumbrado com .... a sua frescura <u>mate</u> de camélia branca." (Eça de Queirós, *Os Maias*, II, p. 270); "essa pele trigueira, esse tom <u>mate</u>, ... meio curtido, e no entanto saudável." (Ricardo Ramos, *Matar um Homem*, p. 85).

mateador (ô) [De *matear*[1] + *-dor*.] *S. m. Bras. S.* Aquele que gosta muito de mate[2] (3), que é dado a matear[1]; matista.

matear[1] [De *mate*[2] + *-ar*[2].] *V. int. Bras. RS* **1.** Tomar o mate[2] (3): "Jango não ia à cidade. Ficava na charqueada conversando, pitando, <u>mateando</u>." (Vieira Pires, *Querência*, p. 51.) **2.** Congonhar. [Conjug.: v. *frear*.]

matear[2] [De *mate*[2] + *-ear*[2].] *V. int. Bras. RS* Matejar (1). [Conjug.: v. *frear*.]

mateba [Do quimb.] *S. f. Angol.* Fibra da palmeira *Hyphaene luandensis*, com que se fazem vários utensílios, como vassouras, cestos, esteiras, cordas, etc.: "Destapou um cesto de <u>mateba</u> que trazia consigo, retirou de lá o papagaio." (Filipe Correia de Sá, *Tala Mungongo*, p. 95.)

mate-bastardo [De *mate*[2] + *bastardo*.] *S. m. Bras. Bot.* V. *caami* (2). [Pl.: *mates-bastardos*.]

mateense (eên) *Adj. 2 g.* **1.** De, ou pertencente ou relativo a São Mateus (ES). ● *S. 2 g.* **2.** O natural ou habitante de São Mateus.

mate-espúrio [De *mate*[2] + *espúrio*.] *S. m. Bot.* V. *caami* (2). [Pl.: *mates-espúrios*.]

mate-falso [De *mate*[2] + *falso*.] *S. m. Bot.* Congonha (1). [Pl.: *mates-falsos*.]

mateira [De *mate*[2] + *-eira*.] *S. f. Bras. S.* Bolsa de couro própria para transportar a cuia de chimarrão e a garrafa térmica.

mateirense *Adj. 2 g.* **1.** De, ou pertencente ou relativo a Mateiros (TO). ● *S. 2 g.* **2.** O natural ou habitante de Mateiros.

mateiro[1] [De *mata* + *-eiro*.] *S. m.* **1.** Aquele que guarda matas ou florestas. **2.** V. *lenhador* (1). **3.** *Bras.* Explorador de matas, que através delas se guia sem bússola, quase por mero instinto. **4.** *Bras. Amaz.* Abridor de estradas de seringa na mata. **5.** *Bras. Amaz.* O encarregado da fiscalização dessas estradas. **6.** *Bras. BA* Morador da Zona da Mata. **7.** *Bras. BA P. ext.* V. *caipira* (1). **8.** *Bras. Zool.* V. *veado-mateiro*.

mateiro[2] [De *mate*[2] + *-eiro*.] *S. m. Bras. S.* Indivíduo que explora a erva-mate.

matejar [De *mato* + *-ejar*.] *V. int.* **1.** Andar no mato; passar o dia no mato. [Sin. (bras., RS): *matear*.] **2.** Cortar lenha no mato. [Conjug.: v. *pelejar*.]

matelandense *Adj. 2 g.* **1.** De, ou pertencente ou relativo a Matelândia (PR). ● *S. 2 g.* **2.** O natural ou habitante de Matelândia.

matelassê [Do fr. *matelassé(e)*.] *Adj. 2 g.* **1.** *Tec. Têx.* Diz-se de tecido, ou material congênere, acolchoado e preso ao forro por pespontos formando desenhos em relevo: *chintz <u>matelassê</u>*. **2.** Feito ou guarnecido com tecido (ou outro material) matelassê: *colcha <u>matelassê</u>; bolsos <u>matelassês</u>*. ● *S. m.* **3.** Obra de costura feita com tecido (ou outro material) matelassê. [Cf. *capitonê*.]

matemática [F. subst. de *matemático*; lat. *mathematica*.] *S. f.* **1.** Ciência que investiga relações entre entidades definidas abstrata e logicamente. **2.** Tratado ou compêndio de matemática. **3.** Exemplar de um desses tratados ou compêndios. ◆ **Matemática elementar.** As primeiras noções de matemática. **Matemáticas aplicadas.** As que consideram as grandezas em determinados campos ou assuntos. **Matemáticas puras.** Aquelas que, como a álgebra, a geometria, a topologia, estudam as propriedades da grandeza em abstrato.

matematicamente [Do f. de *matemático* + *-mente*.] *Adv.* **1.** Com relação à matemática, ou segundo cálculos matemáticos. **2.** Com certeza ou comprovação derivadas de raciocínios e cálculos matemáticos. **3.** *Fig.* De modo exato, metódico ou minucioso.

matematicidade [De *matemático* + *-(i)dade*.] *S. f.* Qualidade de matemático (2); exatidão matemática rigorosa.

matemático [Do gr. *mathematikós*, 'relativo à instrução', pelo lat. *mathematicu*.] *Adj.* **1.** Relativo à matemática. **2.** *Fig.* Que tem a precisão rigorosa da matemática; rigoroso, exato, preciso: *certeza <u>matemática</u>; compasso <u>matemático</u>*. ~ V. *análise —a, ciências —as, esperança —a, física —a, geografia —a, indução —a* e *lógica —a*. ● *S. m.* **3.** Aquele que é versado em matemática.

matematismo [De *matemática* + *-ismo*, seg. o padrão erudito.] *S. m.* Doutrina segundo a qual tudo acontece conforme as leis matemáticas.

matense[1] *Adj. 2 g.* **1.** De, ou pertencente ou relativo a Boca da Mata (AL). ● *S. 2 g.* **2.** O natural ou habitante de Boca da Mata.

matense[2] *Adj. 2 g.* **1.** De, ou pertencente ou relativo a Feira da Mata (BA). ● *S. 2 g.* **2.** O natural ou habitante de Feira da Mata.

matense[3] *Adj. 2 g.* **1.** De, ou pertencente ou relativo a Mata (RS). ● *S. 2 g.* **2.** O natural ou habitante de Mata.

matense[4] *Adj. 2 g.* **1.** De, ou pertencente ou relativo a Mata de São João (BA). ● *S. 2 g.* **2.** O natural ou habitante de Mata de São João.

mateologia [Do gr. *mataiología*.] *S. f.* Estudo inútil de assuntos superiores ao alcance do entendimento humano.

mateológico [De *mateologia* + *-ico*[2].] *Adj.* Pertencente ou relativo à mateologia.

mateologista [De *mateologia* + *-ista*.] *S. 2 g.* Pessoa que se dedica à mateologia; mateólogo.

mateólogo [Do gr. *mataiológos*.] *S. m.* Mateologista.

mateosofia [Do gr. *mátaios*, 'vão', 'inútil', + *-sofia*.] *S. f.* Qualquer ramo de conhecimento considerado sem validade ou sem fundamento na realidade; pseudociência.

mateosófico [De *mateosofia* + *-ico*[2].] *Adj.* Relativo a, ou que é próprio de, ou constitui uma mateosofia.

mateotecnia [Do gr. *mataiotechnía*.] *S. f.* Ciência vã, inútil, fantástica.

➔ **mater** ['mater] [Lat., 'mãe'.] *S. f.* Aquela a quem é socialmente atribuído o papel de mãe; mãe social. [Cf. *genitora*.]

matéria [Do lat. *materia*, por via erudita.] *S. f.* **1.** Qualquer substância sólida, líquida ou gasosa que ocupa lugar no espaço. **2.** Substância capaz de receber certa forma, ou em que atua determinado agente: *O carvão é <u>matéria</u> combustível; O barro é <u>matéria</u> dúctil*; "o vivo e puro amor de que sou feito, / como a <u>matéria</u> simples busca a forma." (Luís de Camões, *Rimas*, p. 142). **3.** Substância sólida de que se faz qualquer obra: *muro de <u>matéria</u> resistente*. **4.** *Pop.* Pus que se forma nas feridas: "um cancro fervendo em bichos, manando podridão e <u>matéria</u>" (Pe. Antônio Vieira, *Sermões*, VII, p. 185). **5.** Assunto ou objeto de discurso, composição, conversação, etc.: "Ao chá conversamos primeiramente de letras, e pouco depois de política, <u>matéria</u> introduzida por ele" (Machado de Assis, *Páginas Recolhidas*, p. 162). **6.** Motivo, pretexto, ocasião; oportunidade: *Os fatos não lhe davam <u>matéria</u> para agir como queria*; "ia fazendo <u>matéria</u> de tudo quanto via no campo e na serra pera louvar a Deus" (Fr. Luís de Sousa, *Vida de D. Fr. Bertolameu dos Mártires*, I, p. 96). **7.** Causa, objeto: *Ali o voto se tornou <u>matéria</u> de chantagem*. **8.** *Jorn.* Notícia, reportagem, artigo, texto qualquer, de jornal ou revista: *Este jornal só dá boa <u>matéria</u>; Aquela <u>matéria</u> não interessa ao público*. **9.** *Filos.* O que é transformado ou utilizado pelo trabalho do homem para um determinado fim. **10.** *Filos.* O que dá realidade concreta a uma coisa individual, que é objeto de intuição no espaço e dotado de uma massa mecânica. **11.** No marxismo, a fonte única, indestrutível e em permanente movimento, que se manifesta em todos os fenômenos (físicos ou psíquicos) da natureza. **12.** *Lóg.* Objeto designado por um termo lógico. **13.** *Tip.* Texto ou composição tipográfica. **14.** Disciplina escolar: *A matemática é <u>matéria</u> básica*. **15.** Ausência de sentimentos; materialidade, vulgaridade. **16.** Corporalidade, carnalidade: *o espírito e a <u>matéria</u>*. ◆ **Matéria corrida.** *Tip.* V. *composição corrida*. **Matéria degenerada.** *Astr.* Matéria muito densa, formada quase só de núcleos atômicos, e que constitui a maior parte das estrelas denominadas *anãs brancas*. **Matéria editorial.** *Jorn.* Matéria produzida por determinada editoria de veículo de comunicação e publicada sob a sua responsabilidade. [Cf. *editorial* e *matéria publicitária*.] **Matéria escura.** *Astr. Fís.* Matéria de origem ainda desconhecida, diferente da matéria bariônica (prótons e nêutrons) que forma estrelas e planetas, e que seria responsável por cerca de 90% da massa do universo. [A existência de um halo de matéria escura, do qual só detectamos os efeitos gravitacionais, é necessária para explicar a coesão e aglomerado de galáxias. Partículas exóticas como neutrinos com massa, áxions e WIMPs (q. v.) são candidatas a constituírem a matéria escura.] **Matéria interstelar.** *Astr.* Matéria de pouca densidade, poeira ou gases, que se encontra nos espaços interstelares. [Cf. *poeira cósmica*.] **Matéria médica.** **1.** *Med.* O conjunto das substâncias empregadas na medicina para debelar as doenças. **2.** Parte da medicina que trata dos medicamentos. **Matéria plástica.** Matéria sintética de constituição macrocelular, dotada de grande maleabilidade, facilmente transformável mediante o emprego de calor e pressão, e que serve de matéria-prima para a fabricação dos mais variados objetos: vasos, toalhas, cortinas, bijuterias, carrocerias, roupas, sapatos, etc.; plástico. **Matéria pré-estelar.** *Astr.* Matéria gasosa capaz de vir a constituir-se em estrela, pelo efeito de contração gravitacional e de reações físicas simultâneas. **Matéria primeira.** *Filos.* Segundo a filosofia aristotélica e escolástica, princípio fundamental de que procedem todos os seres do mundo físico e que, com a forma, constitui os corpos. **Matéria publicitária.** *Jorn.* Matéria publicada por anunciante em espaço pago, e que deve ser claramente diferenciada das demais matérias [v. *matéria* (8)] para não confundir o leitor, o telespectador ou o ouvinte. **Matéria viva.** Substância complexa e heterogênea que compõe os seres vivos.

material [Do lat. tard. *materiale*.] *Adj. 2 g.* **1.** Pertencente ou relativo a matéria. **2.** Não espiritual. **3.** Grosseiro, rude, bronco. **4.** Sensual, carnal. **5.** Maciço, pesado. **6.** Prático, utilitário, objetivo: *o valor <u>material</u> do livro*. **7.** *Jur.* Referente à substância, em oposição à forma, esp. quando se contrapõe o direito substancial ao direito processual ou formal. ~ V. *balanço —, bibliografia —, causa —, cultura —, igualdade —, implicação —, lei —, lógica —, onda —, ponto —, reta —* e *superfície —*. ● *S. m.* **8.** Aquilo que é relativo à matéria: *Interessa-lhe mais o <u>material</u> que o espiritual*. **9.** Conjunto dos objetos que constituem ou formam uma obra, construção, etc. **10.** Mobiliário ou conjunto de utensílios de uma escola ou de outro estabelecimento. **11.** Armamento ou petrechos militares. **12.** Petrechos, utensílios: *<u>material</u> de maquilagem*. **13.** *Bras. S.* Alvenaria (3), em contraposição a madeira: *Casa de <u>material</u>*. **14.** *Bras. Gír.* Corpo, ger. de mulher. ◆ **Material branco.** *Tip.* Conjunto das peças mais baixas que os tipos, constituído por guarnições, entrelinhas, quadrados e espaços, que servem para impor e engradar a fôrma ou estabelecer os claros da composição. V. *branco* (22) e *claro* (28). **Material de ablação.** *Astron.* Material usado na proteção de um veículo espacial, e que se destina a ser consumido pela ablação durante o regresso à superfície terrestre. **Material rodante.** Conjunto dos veículos ferroviários, que compreende os de tração (locomotivas e automotrizes) e os rebocados (carros de passageiros, vagões de carga, e outros). **Material subjetivo.** *Paleogr.* Aquele sobre o qual se executa a escrita. [Cf. *suporte de impressão*.]

materialão [De *material* + *-ão*[1].] *Adj. S. m.* Que, ou aquele que é grosseiramente materialista; brutal, bestial. [Fem.: *materialona*.]

materialeira [De *material* + *-eira*.] *S. f. Burl.* Coisa ou ato material, estúpido, grosseiro, sem espírito.

materialidade [De *material* + *-(i)dade*.] *S. f.* **1.** Qualidade do que é material. **2.** Sentimentos vis, baixos, vulgares; bruteza, estupidez. **3.** Ausência de sensibilidade, de finura, de compreensão. **4.** *Cont.* Princípio teórico da ciência contábil que pressupõe a análise da relação custo x benefício na elaboração e apresentação de uma informação contábil. **5.** *Jur.* O conjunto de elementos objetivos que configuram ou caracterizam a ocorrência de um crime ou contravenção, um ilícito penal.

materialismo [De *material* + *-ismo*.] *S. m.* **1.** Vida voltada unicamente para os gozos e bens materiais. **2.**

Filos. Tendência, atitude ou doutrina que admite, ou que a matéria, concebida segundo o desenvolvimento paralelo das ciências, ou que as chamadas condições concretas materiais, são suficientes para explicar todos os fenômenos que se apresentem à investigação, inclusive os fenômenos mentais, sociais ou históricos. O materialismo se afirma sobretudo ante o problema da origem do mundo (que dispensa a criação divina e se explica em termos evolutivos), o problema ético (dele resultando moral hedonística), o problema psicológico (orientando a pesquisa no sentido de estabelecer as relações diretas entre os fenômenos psíquicos e as reações do organismo aos estímulos ambientais), e o problema do conhecimento (em que afirma a adequação da razão ao conhecimento do mundo, adequação que se evidencia pelo incessante progresso do conhecimento científico). [Cf., nesta acepç., *idealismo* (2).] ◆ **Materialismo dialético.** Doutrina fundamental do marxismo, cuja ideia central é que o mundo não pode ser considerado como um complexo de coisas acabadas, mas de processos, onde as coisas e os reflexos delas na consciência, *i. e.,* os conceitos, estão em incessante movimento, gerado pelas mudanças qualitativas que decorrem necessariamente do aumento de complicação quantitativa. **Materialismo histórico.** Doutrina do marxismo que afirma que o modo de produção da vida material condiciona o conjunto de todos os processos da vida social, política e espiritual. **Materialismo mecanicista.** *Filos.* Doutrina que explica os fenômenos da natureza reduzindo-os a processos mecânicos, *i. e.,* a processos que se explicam pelas leis do movimento dos corpos no espaço e por mudanças puramente quantitativas.

materialista [De *material* + *-ista*.] ***Adj. 2 g.*** **1.** Relativo ao materialismo; materialístico. **2.** Que é partidário do materialismo. ● ***S. 2 g.*** **3.** Partidário dele. **4.** *Bras. RJ* Negociante de materiais de construção.

materialístico [De *materialista* + *-ico*².] ***Adj.*** Materialista (1).

materialização [De *materializar* + *-ção*.] ***S. f.*** **1.** Ato ou efeito de materializar(-se). **2.** *Fís. Nucl.* Transformação de energia em matéria via produção de par constituído por uma partícula e sua antipartícula, como, p. ex., um pósitron e um elétron. **3.** *Filos.* Na escolástica, a individuação de uma forma pela matéria.

materializador (ô) [De *materializar* + *-dor*.] ***Adj.*** Que materializa; materializante.

materializante [De *materializar* + *-nte*.] ***Adj. 2 g.*** Materializador.

materializar [De *material* + *-izar*.] ***V. t. d.*** **1.** Tornar material. **2.** Considerar material. **3.** Atribuir as qualidades de matéria a. **4.** Tornar bronco, estúpido, material; embrutecer. **5.** *Espir.* Fazer manifestar-se (o espírito) sob forma material. ***P.*** **6.** *Espir.* Manifestar-se (o espírito) sob forma material; tornar-se corpóreo; corporificar-se. **7.** Tornar-se bronco, estúpido, material; embrutecer(-se). **8.** Realizar-se; acontecer: *Seus sonhos se materializaram.*

materialona ***S. f.*** Fem. de *materialão* (q. v.).

matéria-prima [De *matéria* + o f. de *primo*².] ***S. f.*** **1.** A substância bruta principal e essencial com que é fabricada alguma coisa: *as matérias-primas da indústria automobilística.* **2.** *Fig.* Base, fundamento: *A vida urbana é a matéria-prima dos seus romances.* [Pl.: *matérias-primas*.]

matério-espiritual ***Adj. 2 g.*** *Bras.* Que é ao mesmo tempo material e espiritual. [Pl.: *matério-espirituais*.]

materlandense ***Adj. 2 g.*** **1.** De, ou pertencente ou relativo a Materlândia (MG). ● ***S. 2 g.*** **2.** O natural ou habitante de Materlândia.

maternagem [De *materno* + *-agem*².] ***S. f.*** Relação calorosa e amiga com a mãe ou com aquela que a substitui.

maternal [De *materno* + *-al*¹.] ***Adj. 2 g.*** Materno (1 e 2): "crianças que desapareciam, outras que iam morrer nos braços maternais num sofrimento lancinante" (Coelho Neto, *Treva,* p. 266). ~ V. *escola* —.

maternalês [De *maternal* + *-ês*; trad. do ingl. *motherese*.] ***S. m.*** *E. Ling.* Nos estudos sobre a aquisição (4), denominação de um tipo especial de fala que as mães usam com os filhos durante esse processo.

maternidade [Do lat. med. *maternitate*.] ***S. f.*** **1.** Qualidade ou condição de mãe. **2.** *Jur.* Laço de parentesco que une a mãe ao filho. **3.** Hospital, ou setor hospitalar, para mulheres no último período de gravidez e para intervenções cirúrgicas obstétricias. **4.** Estabelecimento de assistência para mulheres no último período da gravidez. ◆ **Vossa Maternidade.** Tratamento dado às religiosas que são madres.

materno [Do lat. *maternu*.] ***Adj.*** **1.** Relativo a, ou próprio de mãe; maternal: *amor materno.* **2.** *Fig.* Afetuoso, dedicado, carinhoso, maternal: *afagos maternos.* **3.** Diz-se de parentesco do lado da mãe: *avô materno.* **4.** *E. Ling.* Diz-se da língua nativa, língua materna. ~ V. *língua* —*a*.

matesiologia [Do gr. *máthesis*, 'ação de ensinar', + *-o-* + *-logia*.] ***S. f.*** Ciência do ensino em geral.

matesiológico [De *matesiologia* + *-ico*².] ***Adj.*** Relativo à matesiologia.

matete [Do quimb.] ***S. m.*** *Angol. Cul.* Papa de farinha de milho ou mandioca que se come ao desjejum: "explorava o negócio do matete. Cozinhava-o de tarde num panelão de barro, e na manhã seguinte — 'Matete de milho! Ainda quente! Matete, matete, o nosso matete!' — apregoava-o pelas ruas." (Óscar Ribas, *Uanga,* p. 82).

matetê [Do quimb. *ma'tete*.] ***S. m.*** *Bras. PE* Caldo grosso, muito temperado, e que se engrossa com farinha peneirada.

mateu ***S. m.*** *Bras. N.E. Folcl.* V. *mateus*: "Os congos, ou reisados. O rei de congo. A rainha. O mateu correndo com um chicote para dar nos moleques." (Carlos de Gusmão, *Boca da Grota,* p. 5.)

mateus [Do antr. *Mateus*.] ***S. m. 2 n.*** *Bras. N.E. Folcl.* Personagem-tipo do bumba meu boi (q. v.), auxiliar do capitão, que representa o criado tonto, agitado e brincalhão, que espanca e é espancado pelas outras personagens, e está quase sempre acompanhado de outro criado, o bastião. [Muitas vezes se apresenta com uma armação de madeira e pano pintado em volta da cintura, o que lhe empresta a aparência de estar a cavalo.] [Var., pop.: *mateu*; sin., no RJ: *muleiro*. Com cap.]

mateus-lemense ***Adj. 2 g.*** **1.** De, ou pertencente ou relativo a Mateus Leme (MG). ● ***S. 2 g.*** **2.** O natural ou habitante de Mateus Leme. [Pl.: *mateus-lemenses*.]

maticado [De *mathika* (rad. do v. chuabo *ku-mathika*, 'pôr o emboço (1)'), + *-ado*¹.] ***Adj.*** *Moç.* Cujas paredes, de pau a pique, estão revestidas de uma camada de barro: "As pequenas casas maticadas / erguem-se de longe (de séculos, de antigas datas) / contra o mar e as ondas e as algas." (Glória de Sant'Anna, *Livro de Água,* p. 25.)

maticar ***V. int.*** Dar sinal, latindo (o cão que segue a pista da caça): "Os cachorros maticavam, piando separados .... Veado foi acuado num capão de mato" (João Guimarães Rosa, *Corpo de Baile,* I, p. 76). [Defect. Conjug.: v. *trancar*, porém só nas 3.ªs pess.]

mático [Do esp. *matico*, poss.] ***S. m.*** *Bot.* Arbusto piperáceo (*Pipper umbellatum*) nativo da África, de folhas cordadas, suborbiculares, espigas umbeliformes e frutos bacáceos trígonos; tem propriedades medicinais, como diurético e vermífugo. [Sin.: *aguaxima, capeba, malvaísco, pariparoba, periparoba*.]

mático-falso ***S. m.*** *Bras. Bot.* V. *aperta-ruão* (2). [Pl.: *máticos-falsos*.]

matidez (ê) ***S. f.*** **1.** Qualidade do som surdo, abafado, como o que se ouve ao percutir a coxa. **2.** *Med.* Macicez.

matiense¹ ***Adj. 2 g.*** **1.** De, ou pertencente ou relativo a Matias Barbosa (MG). ● ***S. 2 g.*** **2.** O natural ou habitante de Matias Barbosa.

matiense² ***Adj. 2 g.*** **1.** De, ou pertencente ou relativo a Matias Lobato (MG). ● ***S. 2 g.*** **2.** O natural ou habitante de Matias Lobato.

matiense³ ***Adj. 2 g.*** **1.** De, ou pertencente ou relativo a Matias Olímpio (PI). ● ***S. 2 g.*** **2.** O natural ou habitante de Matias Olímpio.

matificação [De **matificar* (de *mate*³ + *-ificar*) + *-ção*.] ***S. f.*** *Tec. Têx.* Beneficiamento final a que são submetidos alguns tecidos, com produtos à base de resinas sintéticas ou de pigmentos, para retirar-lhes o brilho.

matilha [De or. obscura.] ***S. f.*** **1.** Grupo de cães de caça. **2.** *Fig.* Chusma de vadios; corja, súcia, malta. **3.** *Bras. Mar. G.* Alcateia (4). [Cf. *mantilha*.]

matimpererê [Var. de *matintaperera* (q. v.).] ***S. m.*** *Bras. Amaz.* V. *saci* (1).

matina [Do lat. *matutina* (fem. de *matutinus*), *i. e.,* 'hora matutina', 'hora matinal'.] ***S. f.*** **1.** Matinada (1 e 2): "Julieta do céu! Ouve... a calhandra / Já rumoreja o canto da matina." (Castro Alves, *Obra Completa,* p. 123.) **2.** *Pop.* Manhã (1). ~ V. *matinas*.

matinada [F. subst. de *matinado*, part. de *matinar*.] ***S. f.*** **1.** Madrugada, alvorada, matina. **2.** Canto de matinas; matina. **3.** Ruído forte. **4.** Algazarra, vozearia, vozeria: "A mesa das crianças afogava .... os ruídos desta, na sua contínua e infinita matinada..." (Virgílio Várzea, *Nas Ondas,* p. 155.) **5.** Festa ou espetáculo matinal. [Sin., bras., N. e N.E., nesta acepç.: *matinal*.] ● ***Adj. 2 g.*** **6.** *Bras. SP Pop.* Palrador, loroteiro, mentiroso, matinador. **7.** *Bras. SP Pop.* Amalucado, adoidado, espeloteado, desmiolado, matinador.

matinador (ô) [De *matinar* + *-dor*.] ***Adj.*** **1.** *Bras. SP Pop.* V. *matinada* (6 e 7). ● ***S. m.*** **2.** *Bras. AL Folcl.* A mais importante figura da cavalhada, que dirige os ensaios e conduz os torneios nas festas dos padroeiros locais e no Natal.

matinal [De *matina* + *-al*¹.] ***Adj. 2 g.*** **1.** V. *matutino* (1 e 2): *brisa matinal; indivíduo matinal.* ● ***S. f.*** **2.** *Bras. N. N.E.* Matinada (5).

matinalidade [De *matinal* + *-(i)dade*.] ***S. f.*** **1.** Qualidade ou caráter de matinal. **2.** *Fig.* Momento de, ou renovação, esp. a que se dá toda a manhã. **3.** *Fig.* Capacidade de renovação.

matinar [De *matina* + *-ar*².] ***V. t. d.*** **1.** Fazer acordar de manhã; despertar, chamar. **2.** Tentar ensinar ou convencer; adestrar. ***Int.*** **3.** Levantar-se da cama bem cedo; madrugar. **4.** Cantar matinas. **5.** *Bras.* Pensar com aferro em determinado assunto; matutar, cismar.

matinas [Do lat. *matutina* (subentende-se *hora*), pluralizado.] ***S. f. pl.*** **1.** *Lit.* Na liturgia católica, a primeira parte do ofício divino rezada de madrugada [v. *horas canônicas* (1)]: "As mãos saídas da cogula tremiam agora nas folhas finas do Breviário. São 5,45 e vai começar o ofício das matinas." (Gerardo Melo Mourão, *O Valete de Espadas,* p. 90.) **2.** Breviário que contém as orações da manhã. **3.** Matineiro (2). ~ V. *matina*.

matiné ***S. f.*** V. *matinê*. [Uso próprio de P.]

matinê [Do fr. *matinée*.] ***S. f.*** **1.** Festa ou espetáculo realizado à tarde; vesperal: "Fui eu que tive a ideia de nos encontrarmos no cinema, para a matinê do filme com Sabu." (Osmã Lins, *Nove, Novena,* p. 53.) [Cf. *soirée*.] **2.** *Bras.* Espécie de blusa solta, folgada, que as mulheres outrora usavam em casa: "o vulto pequenino e simpático de D. Sazinha, sempre irrepreensível na sua saia escura e na matinê branca muito engomada." (Pedro Nava, *Beira-Mar,* p. 41). [Var. pros.: *matiné*.]

matineiro [De *matina* + *-eiro*.] ***Ant. Adj.*** **1.** Dizia-se do livro por onde se rezavam as matinas. ● ***S. m.*** **2.** Esse livro; matinas. [Sin. ger.: *matutinário*.] ~ V. *matineiros*.

matineiros [Pl. de *matineiro*.] ***S. m. pl.*** Confraria religiosa que reza e canta diariamente as matinas. ~ V. *matineiro*.

matinense ***Adj. 2 g.*** **1.** De, ou pertencente ou relativo a Matina (BA). ● ***S. 2 g.*** **2.** O natural ou habitante de Matina.

matinhense¹ ***Adj. 2 g.*** **1.** De, ou pertencente ou relativo a Matinha (MA). ● ***S. 2 g.*** **2.** O natural ou habitante de Matinha.

matinhense² ***Adj. 2 g.*** **1.** De, ou pertencente ou relativo a Matinhos (PR). ● ***S. 2 g.*** **2.** O natural ou habitante de Matinhos.

matintapereira [Var. de *matintaperera*, com ultracorreção.] ***S. m.*** *Bras. Amaz. Etnogr.* V. *saci* (1).

matintaperera (ê) [Do tupi.] ***S. m. e f.*** *Bras. Amaz. Etnogr.* V. *saci* (1): "E vinham, então, na ronda feiticeira das divindades silvestres, a matintaperera, o curupira, o jurupari, o anhangá, que desnorteiam e perdem os incautos, quando não lhes bebem o sangue vampiricamente." (Raimundo Morais, *País das Pedras Verdes,* p. 132).

matipoense ***Adj. 2 g.*** **1.** De, ou pertencente ou relativo a Matipó (MG). ● ***S. 2 g.*** **2.** O natural ou habitante de Matipó.

matipu *Bras.* ***S. 2 g.*** **1.** *Etnôn.* Indivíduo dos matipus [ou (etnôn. bras.) *Matipú], povo indígena da família linguística caraíba, que habita a região dos formadores do rio Xingu (MT). ● ***Adj. 2 g.*** **2.** Pertencente ou relativo a esse povo.

matirão ***S. m.*** *Bras. AM Zool.* V. *dorminhoco* (3).

matiri [Do tupi.] ***S. m.*** *Bras. PA* Espécie de saco feito da fibra do tucum.

matis *Bras.* ***S. 2 g.*** **1.** *Etnôn.* Indivíduo dos matises, povo indígena da família linguística pano, que habita nos municípios de Estirão do Norte e Atalaia do Norte (AM). ● ***Adj. 2 g.*** **2.** Pertencente ou relativo a esse povo. [Tb. us. como *s. 2 g. e 2 n.* (com cap.) e *adj. 2 g. e 2 n.*]

matista [De *mate*² + *-ista*.] ***S. 2 g.*** *Bras. RS* Mateador.

matitaperê [Var. de *matintaperera*.] ***S. m.*** *Bras. Amaz. Etnogr.* V. *saci* (1).

matiz ***S. m.*** **1.** Combinação de cores diversas num todo: "Caminha o Timbira, que a turba rodeia, / Garboso nas plumas de vário matiz." (Gonçalves Dias, *Obras Poéticas,* II, p. 19); *bordado a matiz.* **2.** V. *nuança* (1): "porque as suas asas [da borboleta] não têm os matizes de oiro coruscantes das alegrias primaveris." (Camilo Castelo Branco, *Serões de São Miguel de Ceide,* III, p. 93). **3.** Cor delicada, suave: "eram loendros de corolas brancas, carmíneas, purpúreas, heliotrópios de matizes evanescentes" (Carlos Magalhães de Azeredo, *Casos do Amor e do Instinto,* p. 312). **4.** O atributo de uma cor (2), que indica a predominância de determinada cor primária ou secundária. **5.** *Fig.* Gradação sutil, quase imperceptível; nuança: *Não percebeu os matizes de ironia daquelas observações.* **6.** *Fig.* Colorido no estilo. **7.** *Fig.* Opinião ou cor política: *Seu partido tem um matiz socialista.*

M

matização [De *matizar* + *-ção*.] *S. f.* Ato ou efeito de matizar(-se); matizamento.

matizamento [De *matizar* + *-mento*.] *S. m.* Matização.

matizar [De *matiz* + *-ar*[2].] *V. t. d.* **1.** Variar ou dar diferentes gradações a (as cores); nuançar. **2.** Dar cores diversas a; colorir. **3.** Adornar, ornar, enfeitar, alindar: "A flor purpúrea que matiza o prado, / Se o vento da manhã lhe entorna o cálix, / Perde aroma talvez" (Gonçalves Dias, *Obras Poéticas*, I, p. 56). **4.** Variar, diversificar: *Matizou o discurso com citações latinas.* ***P.*** **5.** Apresentar cores diversas: "A amendoeira cobria-se de flores, os bosques enfolhavam-se, as veigas vestiam-se e matizavam-se" (Rebelo da Silva, *Contos e Lendas*, p. 171).

mato [De *mata*[1].] *S. m.* **1.** Terreno inculto onde medram plantas agrestes; brenha, charneca, mata. **2.** O conjunto dessas plantas, antes e depois de cortadas. **3.** *Bras.* O campo (por oposição à cidade); a roça. **4.** *Bras.* V. *maconha* (2). **5.** *Bras. PE* Designação comum, entre os habitantes do Recife, aos subúrbios dessa capital. ◆ **Mato bom.** *Bras. PR* Mato cuja vegetação luxuriante revela a fertilidade do terreno onde se desenvolve e o torna próprio, depois da derrubada, para a cultura. **Mato grosso.** *Bras.* Selva, floresta, mata. **Mato mau.** *Bras. PR* Mato cujo terreno é escasso de humo, sendo, assim, impróprio para a cultura; catanduva, catanduba. **Botar no mato.** *Bras. N.E.* Jogar fora. **Cair no mato.** *Bras. Pop.* V. *fugir* (1 e 2). **Capar o mato.** *Bras. BA GO Pop.* Dar o fora. V. *fugir* (1 e 2). **Ganhar o mato.** *Bras. Fig. Pop.* V. *fugir* (1 e 2): "O cangaceiro ganhou o mato e foi ter à sua furna." (Gustavo Barroso, *Heróis e Bandidos*, p. 185.) [Sin.: *cair no mato.*] **Ir ao mato.** *Bras. N.E. MG GO Fig. Pop.* Ir defecar. **No mato sem cachorro.** *Bras. Pop.* Em situação embaraçosa, difícil, em apuros, sem contar com nenhum auxílio; na várzea sem cachorro: *estar, ficar, continuar no mato sem cachorro*; "Inhá Luísa, desta vez você tá mesmo é no mato sem cachorro." (Pedro Nava, *Balão Cativo*, p. 19). **Ser mato.** *Pop.* Existir em abundância: *É riquíssimo: dinheiro ali é mato*; "Gente doente é mato..... Meio arredado da minha casa, fica o Coelho que está morre não morre há muitos anos" (Visconde de Taunay, *Inocência*, p. 27). **Deste (desse, daquele) mato não sai coelho. 1.** Situação, condição, estado que não resultará naquilo que deles se espera. **2.** Pessoa ou grupo de pessoas que não tem como corresponder a uma expectativa: "Ela deixaria a porta da sua casa. Era só empurrar. / E lá fui eu, trôpego, desanimado, suspeitando que daquele mato dificilmente sairia coelho para mim." (Carlos Heitor Cony, *Pilatos*, p. 52.) **3.** Diz-se de pessoa de pouco préstimo ou avarenta. [Sin. ger.: *desta (dessa, daquela) mata não sai coelho.*]

mato-castelhanense *Adj. 2 g.* **1.** De, ou pertencente ou relativo a Mato Castelhano (RS). ● *S. 2 g.* **2.** O natural ou habitante de Mato Castelhano. [Pl.: *mato-castelhanenses.*]

matoense *Adj. 2 g. S. 2 g.* V. *matõense*.

matõense *Adj. 2 g.* **1.** De, ou pertencente ou relativo a Matões (MA). ● *S. 2 g.* **2.** O natural ou habitante de Matões. [Cf. *matonense.*]

mato-grossense *Adj. 2 g.* **1.** Do, ou pertencente ou relativo ao Estado de Mato Grosso. ● *S. 2 g.* **2.** O natural ou habitante de Mato Grosso. [Pl.: *mato-grossenses.*]

mato-grossense-do-sul *Adj. 2 g.* **1.** Do, ou pertencente ou relativo ao Estado de Mato Grosso do Sul. ● *S. 2 g.* **2.** O natural ou habitante de Mato Grosso do Sul. [Pl.: *mato-grossenses-do-sul.*]

matoide (ói) *Adj. 2 g.* Amalucado, doido, tresloucado: "Desequilibrado, matoide, Carolino estava ali em parada íntima de perversão poética." (João do Rio, *As Religiões no Rio*, p. 164.) ❖

matolão [De *malotão*, com metátese.] *S. m. Bras. N. N.E. MG* Alforje de couro, de bocal fechado por correias, onde os sertanejos conduzem roupa e utensílios de viagem: "Não carregava alforjes ou matolão, nem montava em jerebas" (Nélson de Faria, *Tiziu e Outras Estórias*, p. 148). [Cf. *matulão.*]

mato-leitoense *Adj. 2 g.* **1.** De, ou pertencente ou relativo a Mato Leitão (RS). ● *S. 2 g.* **2.** O natural ou habitante de Mato Leitão. [Pl.: *mato-leitoenses.*]

matombo *S. m. Bras.* V. *matumbo*.

matona *S. f.* Fem. de *matão* (1).

matonense *Adj. 2 g.* **1.** De, ou pertencente ou relativo a Matão (SP). ● *S. 2 g.* **2.** O natural ou habitante de Matão. [Cf. *matõense.*]

matoniácea [Do tax. *Matonia*, gênero-tipo, + *-ácea*; tax. *Matoniaceae*.] *S. f. Bot.* Espécime das matoniáceas, família de pteridófitos da ordem das eufilicales, que têm os esporângios reunidos, em número de seis a nove, em torno de uma columela soral, o indúsio peltado, e o anel incompleto e oblíquo. Foram muito abundantes no período jurássico, mas hoje vivem só algumas espécies, localizadas em Bornéu e adjacências.

matoniáceo [De *matoniácea*, com var. suf. (v. *-áceo*).] *Adj. Bot.* Pertencente ou relativo às matoniáceas.

matope [De várias línguas de Moçambique.] *S. m. Moç.* Barro: "querereis ainda contratar europeus, até para construir palhotas de pau a pique e matope" (Florentino Dick Kassotche, *Confabulâncias e (Estória d') a Morte Anunciada*, p. 17).

matorral [Do esp. *matorral*.] *S. m. Bras. RS Prov. port.* Terreno coberto de mato alto e espesso.

matos-costense *Adj. 2 g.* **1.** De, ou pertencente ou relativo a Matos Costa (SC). ● *S. 2 g.* **2.** O natural ou habitante de Matos Costa. [Pl.: *matos-costenses.*]

matoso (ô) *Adj.* Cheio, coberto de mato; em que há muito mato.

mato-verdense *Adj. 2 g.* **1.** De, ou pertencente ou relativo a Mato Verde (MG). ● *S. 2 g.* **2.** O natural ou habitante de Mato Verde. [Pl.: *mato-verdenses.*]

matozinhense *Adj. 2 g.* **1.** De, ou pertencente ou relativo a Matozinhos (MG). ● *S. 2 g.* **2.** O natural ou habitante de Matozinhos.

matraca [Do ár. *mitraqa(t)*, 'martelo'.] *S. f.* **1.** *Mús.* Instrumento de percussão, formado por tabuinhas movediças, ou argolas de ferro, que, ao serem agitadas, percutem a prancheta em que se acham presas e produzem uma série rápida de estalos secos; malho. **2.** *Fig.* Zombaria, troça, chacota. **3.** *Fig.* Apupo(s), vaia. **4.** *Bras.* Pessoa loquaz, tagarela, faladora: "Poxa, Lili, você não acaba nunca de me pintar, só fica aí, que nem uma matraca." (Edla Van Steen, *Bolo de Nozes*, em Teatro Brasileiro, 2º vol., p. 81.) [Sin., em SP, nesta acepç: *matraca da quaresma.*] **5.** *Bras. Zool.* V. *borralhara*. **6.** *Bras. Zool.* V. *martim-pescador-grande*. **7.** *Bras. Zool.* Ave passeriforme, formicariídea (*Batara cinerea*), do S.E. do Brasil; o macho tem coloração cinzenta com topete preto, e a fêmea é pardo-amarelada; frequenta as matas, alimentando-se de insetos, como as demais espécies da família. [Sin., nesta acepç.: *rabilhão, rajadão.*] **8.** *Bras. Gír.* V. *metralhadora*. **9.** *Bras. Gír.* Qualquer arma de fogo.

matraca da quaresma *S. f. Bras. SP Fam.* Matraca (4). [Pl.: *matracas da quaresma.*] ☑

matracar [De *matraca* + *-ar*[2].] *V. int.* **1.** Insistir em algo com impertinência. **2.** Bater fortemente à porta de uma casa, para que a abram. ***T. d.*** **3.** Matraquear. **4.** Repetir monotonamente. **5.** Maçar, aborrecer, enfadar, amolar. [Conjug.: v. *trancar*.]

matracolejante [De *matracolejar* + *-nte*.] *Adj. 2 g. Bras.* Que matracoleja.

matracolejar *V. int. Bras.* Soar como matraca; produzir grande ruído. [Normalmente é defect., conjugável só nas 3.as pess. Conjug.: v. *pelejar*.]

matraqueado [Part. de *matraquear*.] *Adj.* **1.** Experiente, experimentado, matreiro. **2.** Vaiado, troçado, motejado. ● *S. m.* **3.** Ruído de matraca, ou semelhante ao da matraca: *o matraqueado das aves migradoras.*

matraqueador (ô) [De *matraquear* + *-dor*.] *Adj. S. m.* Que, ou aquele que matraqueia.

matraquear [De *matraca* + *-ear*[2].] *V. int.* **1.** Tocar matraca. **2.** Produzir som semelhante ao da matraca: *Passos matraqueavam no corredor.* **3.** *Bras.* V. *tagarelar*. ***T. d.*** **4.** Dar vaias em; vaiar, apupar. ***T. d. e i.*** **5.** Transmitir experiência a; ensinar, adestrar: *Matraqueei-o nos segredos da profissão.* [Conjug.: v. *frear*.]

matraquilhos *S. m. pl. Lus.* Futebol totó (q. v.).

matraz [Do fr. *matras*.] *S. m.* Balão de vidro, de fundo chato, cujo colo pode ser fechado, e que permite efetuar reações sob pressão e temperaturas inferiores a 100 graus.

matreirar [De *matreiro* + *-ar*[2].] *V. int. Bras. S.* **1.** Tornar-se (um animal) arisco ou matreiro, por haver fugido para o mato. **2.** *Fig.* Mostrar-se matreiro, esperto, astuto. **3.** Eximir-se, com evasivas, de ultimar um negócio, ceder alguma coisa ou chegar a acordo; mamorbar. [F. paral.: *matreirear.*]

matreirear [De *matreiro* + *-ear*[2].] *V. int. Bras. S.* Matreirar (q. v.). [Conjug.: v. *frear*.]

matreirice [De *matreiro* + *-ice*.] *S. f.* Qualidade, ato, dito ou modos de matreiro.

matreiro [Do esp. *matrero*.] *Adj.* **1.** Muito experiente; astuto, sabido, experimentado, matraqueado: "Pé ante pé, abafando a respiração, silencioso como o mais matreiro dos gatos, eu ia direto ao maço de cigarros sobre a mesinha de cabeceira" (Marques Rebelo, *A Guerra Está em Nós*, p. 317). **2.** *Bras. S.* Esquivo, arisco. [Diz-se de animal e, p. ext., de pessoa.]

▲ **matr(i)-** [Do lat. *mater, tris*.] *El. comp.* = 'mãe': *mátrio, matriarca*.

matriarca [De *matr(i)-* + *-arca*[1].] *S. f.* A mulher, considerada como base ou chefe da família.

matriarcado [De *matriarca* + *-ado*[2].] *S. m. Antrop.* Ordem ou regime social caracterizado pela preponderância da autoridade materna ou feminina. [Como conceito, está ligado à hipótese, difundida no séc. XIX, de que teria prevalecido entre os grupos humanos em épocas arcaicas. Não há registros históricos ou etnográficos que comprovem tal suposição.]

matriarcal [De *matriarca* + *-al*[1].] *Adj. 2 g.* Referente a matriarca, ou ao matriarcado, ou próprio daquela ou deste.

matricária [Do tax. *Matricaria* (do lat. tard. [*herba*] matricaria, 'erva uterina', i.e., us. em distúrbios da menstruação).] *S. f. Bot.* **1.** Gênero das asteráceas que reúne sete espécies nativas da Europa, Ásia e N. da África, algumas delas cultivadas internacionalmente. **2.** Qualquer espécie desse gênero, como, p. ex., a *Matricaria chamomilla* (v. *camomila-dos-alemães*). **3.** Qualquer espécime desse gênero.

matricial [Do lat. *matrix, icis*, (v. *matriz*) + *-ial*.] *Adj. 2 g.* ~ V. *álgebra —, cálculo —, imagem — e impressora —*.

matricida [Do lat. *matricida*.] *Adj. 2 g. S. 2 g.* Diz-se de, ou assassino da própria mãe.

matricídio [Do lat. *matricidiu*.] *S. m.* Crime de quem matou a própria mãe, de matricida.

matrícula [Do lat. *matricula*, 'rol', 'registro público'.] *S. f.* **1.** Lista ou relação de pessoas sujeitas a certos serviços ou encargos: *a matrícula de um hospital.* **2.** Ato ou efeito de matricular(-se): *a época das matrículas no colégio.* **3.** Taxa paga por quem se matricula numa aula; propina. **4.** *Jur.* Inscrição em registros oficiais ou particulares com o fim de legalizar o exercício de certas profissões ou autorizar o gozo de certos direitos: *matrícula de motoristas.* [Cf. *matricula*, do v. *matricular*.]

matriculado [Part. de *matricular*.] *Adj.* **1.** Inscrito em matrícula. **2.** *Pop.* Experiente, experimentado; capaz, matreiro, matraqueado.

matriculando [De *matricular* + *-ando*.] *S. m.* Aquele que vai ou pretende matricular-se: "Era [o Padre Sousa Caldas] tão precoce e tão apegado aos estudos que ingressou na Universidade de Coimbra com permissão especial, pois lhe faltavam ainda três anos para alcançar a idade mínima exigida aos matriculandos." (R. Magalhães Júnior, *in Discursos Acadêmicos*, V, p. 17.)

matricular [De *matrícula* + *-ar*[2].] *V. t. d. P.* Inscrever(-se) nos registros de matrícula: "indo .... para o Recife, concluir estudos, prestar exames, matricular-se na Faculdade." (Mário Sete, *Senhora de Engenho*, p. 15). [Pres. ind.: *matriculo, matriculas, matricula*, etc. Cf. *matrícula*.]

matrifocal [De *matr(i)-* + *focal*.] *Adj. 2 g. Antrop.* Diz-se de, ou relativo a certos tipos de organização familiar caracterizados pela valorização explícita e elaborada do papel materno, em que as relações entre mães e filhos são mais enfatizadas do que as relações entre marido e mulher e em que a mãe tem o controle sobre os recursos econômicos e os processos de decisão. [Cf. *patrifocal*.]

matrifocalidade [De *matrifocal* + *-(i)dade*.] *S. f. Antrop.* Característica ou organização matrifocal.

matrilateral [De *matr(i)-* + *lateral*.] *Adj. 2 g. Antrop.* Diz-se do, ou relativo ao parentesco pelo lado da mãe. [Cf. *patrilateral*.]

matrilateralidade [De *matrilateral* + *-(i)dade*.] *S. f.* Caráter ou condição do que é matrilateral. [Cf. *patrilateralidade*.]

matrilinear [De *matr(i)-* + *linear*.] *Adj. 2 g. Antrop.* **1.** Relativo aos parentes pela linha feminina; uterino. **2.** Relativo a, ou que envolve descendência (2) pela linha materna. [Cf. *patrilinear* e *cognático*.]

matrilinearidade [De *matrilinear* + *-(i)dade*.] *S. f.* Caráter ou condição do que é matrilinear. [Cf. *patrilinearidade*.]

matrilocal [De *matr(i)-* + *local*.] *Adj. 2 g. Antrop.* Relativo a regra ou costume institucionalizado, ou ao padrão de residência a eles associado, segundo o qual após o casamento o novo casal passa a viver na localidade (casa, acampamento, aldeia, etc.) da mãe da esposa. [Opõe-se a *patrilocal*. Cf. *uxorilocal, virilocal*.]

matrilocalidade [De *matrilocal* + *-(i)dade*.] *S. f. Antrop.* Característica, regra ou padrão matrilocal.

matrimonial [Do lat. *matrimoniale*.] *Adj. 2 g.* Relativo a matrimônio; conjugal, jugal. ~ V. *enlace —*.

matrimoniar [De *matrimônio* + *-ar*[2].] *V. t. d. T. d. e i.* **1.** Esposar (1 a 6). ***P.*** **2.** Esposar (7): "A menina, que houvesse de matrimoniar-se com o morgado de Roboredo, casava pelo menos com dez gerações de Antunes" (Camilo Castelo Branco, *Doze Casamentos Felizes*, p. 34). [Pres. ind.: *matrimonio*, etc. Cf. *matrimônio*, s. m.]

matrimoniável [De *matrimoniar* + *-vel*.] *Adj. 2 g.* Que pode matrimoniar-se. [Pl.: *matrimoniáveis*. Cf. *matrimoniáveis*, do v. *matrimoniar*.]

matrimônio *S. m.* V. *matrimônio*. [Uso freq. em P.]

matrimônio [Do lat. *matrimoniu*.] *S. m.* União legítima de homem com mulher; casamento. [Cf. *matrimonio*, do v. *matrimoniar*.]

matrinchãense *Adj. 2 g.* **1.** De, ou pertencente ou relativo a Matrinchã (GO). ● *S. 2 g.* **2.** O natural ou habitante de Matrinchã.

matrinxã [Do tupi, poss.] *S. m.* **1.** *Bras. Zool.* Designação comum a algumas espécies de peixes caracídeos do gênero *Brycon*, de dentição forte e carne saborosa; mamuri. **2.** Peixe caracídeo (*Brycon hilarii*) das bacias dos rios Paraguai e S. Francisco, de dorso marrom, ventre branco, nadadeiras caudal e anal avermelhadas e as outras amareladas, e uma faixa negra na porção posterior da linha lateral; alcança 50cm de comprimento; piraputanga. **3.** Peixe caracídeo (*Brycon orbignyanus*) da bacia do Prata, de dorso escuro, corpo prateado e nadadeiras vermelho-alaranjadas; pode alcançar 80cm de comprimento; piracanjuva, piraputanga. [É apreciado na pesca esportiva de linha.] **4.** V. *piracanjuva* (1). **5.** Mata-gato (1). [F. paral.: *matrinxão.*]

matrinxão *S. m. Bras. Zool.* V. *matrinxã.*

mátrio [De *matr(i)-* + *-io*[3].] *Adj.* Relativo a mãe: *o* __*mátrio*__ *poder.*

matripotestal [De *matr(i)-* + rad. lat. *potest-* (< lat. *potestate*, 'força, poder'), + *-al*[1].] *Adj. 2 g.* Caracterizado pela concentração da autoridade familiar na pessoa da mãe. [Cf. *patripotestal.*]

matripotestalidade [De *matripotestal* + *-(i)dade.*] *S. f.* Caráter ou condição de matripotestal.

matritense [Do top. lat. tard. *Matritum*, 'Madri', + *-ense.*] *Adj. 2 g. S. 2 g.* V. *madrileno.*

matriz [Do lat. *matrice.*] *S. f.* **1.** Lugar onde algo se gera ou cria: __*matriz*__ *aurífera.* **2.** Aquilo que é fonte, origem, base, etc.: *Tal afirmação foi a* __*matriz*__ *de toda controvérsia.* **3.** Manancial, nascente, fonte. **4.** Molde para a fundição de qualquer peça. **5.** Estêncil. **6.** Peça metálica que serve de molde para a fabricação de discos. **7.** Contramolde em gesso para a confecção dos moldes de cerâmica. **8.** V. *gravura* (3). **9.** Igreja matriz. **10.** Reprodutriz. **11.** *Álg.* Arranjo retangular de elementos de um conjunto. **12.** *Anat.* V. *útero.* **13.** *Cin. Fot. Inform. Son. Telev.* V. *master* (1). **14.** *Estat.* Agrupamento ordenado de elementos estatísticos. **15.** Chapa ou película fotográfica. **16.** *Fotograv.* Clichê (1). **17.** *Histol.* V. *matriz extracelular.* **18.** *Inform. Array.* **19.** *Jur.* Estabelecimento principal, centralizador de todos os negócios e controlador das sucursais; administração central; casa matriz; sede. **20.** *Paleont.* Porção de rocha que envolve um fóssil e onde este deixa o molde. **21.** *Tip.* Molde de metal para a fundição de tipos. **22.** *Tip.* Chapa transparente, utilizada nas máquinas fotocompositoras, na qual se acham gravadas letras ou outros sinais para projeção sobre uma superfície sensibilizada e consequente formação de linhas, colunas e páginas de composição, prontas para imediato transporte para as chapas litográficas. **23.** *Tip.* Contramolde de gesso, cera, chumbo, etc., tirado de uma composição tipográfica, para posterior reprodução através da estereotipia ou da galvanotipia. **24.** *Bras. Gír.* A casa da mulher legítima. **25.** *Bras. Gír.* Essa mulher. [Cf., nesta acepç.: *filial* (5).] ● *Adj. 2 g.* **26.** Que é fonte ou origem; básico: *O latim é uma língua* __*matriz.*__ **27.** Principal, superior, primordial: *ideia* __*matriz.*__ **28.** Reprodutriz. ~ V. *casa* — *e igreja* —. ◆ **Matriz antissimétrica.** *Álg.* Aquela em que o elemento a_{jk} é igual a $-a_{kj}$; matriz igual ao negativo da sua transposta. **Matriz cartilaginosa.** *Histol.* Material intercelular, homogêneo e claro, possuindo fibras colágenas e elásticas, sem vasos sanguíneos, sem vasos linfáticos e sem neurofibras. **Matriz correlação.** *Estat.* Matriz simétrica cujos elementos são as correlações, duas a duas, de um conjunto de variáveis aleatórias. **Matriz covariância.** *Estat.* Matriz simétrica cuja diagonal principal contém as variâncias e os demais elementos são as covariâncias, duas a duas, de um conjunto de variáveis aleatórias. **Matriz deslizadora.** *Tip.* Matriz-gaveta. **Matriz de unha.** *Anat.* Tecido sobre o qual jaz o aspecto posterior de cada unha; matriz ungueal. **Matriz diagonal.** *Álg.* A que tem todos os elementos iguais a zero, exceto os da diagonal principal. **Matriz escalar.** *Álg.* Matriz diagonal em que todos os elementos são iguais. **Matriz extracelular.** *Histol.* Substância intersticial do tecido conjuntivo, formada por proteínas, mucopolissacarídeos, água e sais minerais. [Tb. se diz apenas *matriz.* Sin.: *substância fundamental, substância intersticial.*] **Matriz identidade.** *Álg.* Matriz quadrada em que os elementos da diagonal principal são iguais à unidade, e todos os demais nulos; matriz unidade. **Matriz inversa.** *Álg.* Matriz cujo produto por outra é igual à matriz identidade. **Matriz mitocondrial.** *Citol.* Fluido denso e viscoso que preenche o compartimento delimitado pela membrana interna da mitocôndria, no qual estão contidos complexos enzimáticos relacionados ao processo de respiração celular e moléculas de DNA e RNA mitocondrial. **Matriz não singular.** *Álg.* Matriz que tem uma matriz inversa. **Matriz óssea.** *Histol.* Material em que há uma parte inorgânica constituída, principalmente, por fosfato e por cálcio, e uma orgânica formada, especialmente, por fibras colágenas. **Matriz quadrada.** *Álg.* Aquela em que o número de linhas é igual ao de colunas. **Matriz retangular.** *Álg.* Aquela em que o número de linhas é diferente do de colunas. **Matriz seca.** *Tip.* V. *flã.* **Matriz simétrica.** *Álg.* Matriz quadrada igual à sua transposta; matriz quadrada em que cada elemento a_{jk} é igual ao elemento a_{kj}. **Matriz singular.** *Álg.* Matriz quadrada cujo determinante é igual a zero. **Matriz transposta.** *Álg.* Matriz quadrada que se obtém de outra substituindo-se, nesta, cada elemento pelo seu simétrico em relação à diagonal principal. [Tb. se diz apenas *transposta.*] **Matriz ungueal.** *Anat.* Matriz de unha. **Matriz unidade.** *Álg.* Matriz identidade.

matrização [De *matrizar* + *-ção.*] *S. f. Tip.* Ato ou efeito de matrizar; matrizagem.

matrizador (ô) [De *matrizar* + *-dor.*] *S. m. Tip.* Gráfico que se ocupa na confecção de matrizes de estereotipia. [Cf. *moldador.*]

matrizagem [De *matrizar* + *-agem*[2].] *S. f. Tip.* Matrização.

matrizar [De *matriz* + *-ar*[2].] *V. t. d. Tip.* Formar a matriz estereotípica de (composição tipográfica).

matrizense *Adj. 2 g.* **1.** De, ou pertencente ou relativo a Matriz de Camaragibe (AL). ● *S. 2 g.* **2.** O natural ou habitante de Matriz de Camaragibe.

matriz-gaveta *S. f. Tip.* Matriz alongada, de comprimento variável, que se introduz no bloco de gaveta da linotipo para fundir fios e orlas; matriz deslizadora. [Pl.: *matrizes-gavetas* e *matrizes-gaveta.*]

matroca [Voc. expressivo, para rimar com *troca.*] *El. s. f.* Us. na loc. adv. *à matroca.* ◆ **À matroca.** **1.** Ao acaso; à toa; de qualquer maneira: *andar* __*à matroca*__*; deixar tudo* __*à matroca.*__ **2.** *Mar.* Sem governo, sem rumo; ao sabor do vento ou da correnteza; à deriva: *A embarcação ficou* __*à matroca.*__ [Sin. lus., nesta acepç.: *ao som do mar.*]

matrona [Do lat. *matrona.*] *S. f.* **1.** Entre os antigos romanos, mulher legalmente casada, esposa. **2.** Mulher respeitável por idade, estado e procedimento: "A Sr.ª Brízida de Sousa .... era __matrona__ de mais de cinquenta anos." (Rebelo da Silva, *Contos e Lendas*, p. 58.) **3.** Mulher madura e corpulenta.

matronaça [De *matrona* + *-aça.*] *S. f. Fam.* Mulher muito gorda, corpulenta, grandalhona; mulheraça.

matronal [Do lat. **matronale.*] *Adj. 2 g.* Relativo a, ou próprio de matrona: "vestida a capricho, sem o requinte da extrema juventude, mas também sem a rigidez __matronal__" (Machado de Assis, *Histórias sem Data*, p. 128).

matronímico *Adj.* **1.** Relativo a mãe, ou a outro ancestral feminino, esp. quanto a nomes de família. **2.** Diz-se de sobrenome derivado do nome da mãe. ● *S. m.* **3.** Sobrenome derivado do nome da mãe, como ocorre, p. ex., no ingl. *Marjorison.* [Cf. *patronímico.*]

matrucar *V. t. d. Bras. RJ* Espostejar (1) (reses abatidas). [Conjug.: v. *trancar.*]

matruco *S. m. Bras. RJ* **1.** Cada um dos quartos das reses abatidas. **2.** Trem de carga da Estrada de Ferro Central do Brasil, destinado a conduzir carne verde para o entreposto de São Diogo. **3.** V. *galego* (4).

matruqueiro [De *matrucar* + *-eiro.*] *S. m. Bras. RJ* Magarefe que matruca as reses abatidas.

matsé *Bras. S. 2 g.* **1.** *Etnôn.* Indivíduo dos matsés [ou (etnôn. bras.) *Mayoruna)], povo indígena da família linguística pano, que habita a região do igarapé Lobo, afluente do rio Javari, a S.O. do AM. ● *Adj. 2 g.* **2.** Pertencente ou relativo a esse povo.

matucana [De or. obsc.] *S. f. Bras. Bot.* V. *douradinha* (5).

matula[1] *S. f.* Multidão de gente ordinária, de vadios; súcia, corja, matulagem: "Era a desolação e a dor por onde quer que passassem; cidades reverberando ao clarão dos incêndios, após o saque pela __matula__ infrene" (Gastão Cruls, *4 Romances*, p. 92). [Cf. *mátula.*]

matula[2] [Der. regress., muito alterado, de *matalotagem.*] *S. f. Bras.* **1.** Alforje para viagem; farnel. **2.** Matalotagem (2). [Cf. *mátula.*]

mátula [Do lat. *matula.*] *S. f. Ant.* **1.** V. *urinol* (1). **2.** Vaso, gamela, alguidar. [Cf. *matula.*]

matulagem [De *matula*[1] + *-agem*[2].] *S. f.* **1.** V. *matula*[1]. **2.** Vida de vadios ou matula; vadiagem.

matulão [De *matula*[1] + *-ão*[2].] *S. m.* Vadio, estroina: "— Sai, cão tinhoso! .... Sai fora, __matulão__, antes que te mande para as profundas do inferno!" (Eduardo Frieiro, *O Mameluco Boaventura*, p. 66.) [Fem.: *matulona.* Cf. *matolão.*]

matulona *S. f.* Fem. de *matulão.*

matumbo [Do quimb. *matumbu*, 'terras longínquas ou desconhecidas'.] *S. m.* **1.** Elevação de terra entre sulcos. **2.** *Bras. SP* Leirão preparado nas várzeas do litoral para plantio de tubérculos, a fim de evitar que apodreçam; vala. ● *S. 2 g.* **3.** Pessoa natural do mato, pouco adaptada à vida urbana: "Nada compreendendo de português, a pobre __matumba__ tomou o cumprimento por um insulto." (Óscar Ribas, *Quilanduquilo*, p. 137.) ● *Adj. 2 g.* **4.** *Angol.* Ignorante, rústico, selvagem: "Calumango gostaria de aprender também, mas Armindo diz que ele é __matumbo__ ainda. Ainda tem que passar mais tempo na cidade para ficar mais esperto." (Luandino Vieira, *A Cidade e a Infância*, p. 70.) [Var.: *matombo.*]

matungada [De *matungo* + *-ada*[1].] *S. f. Bras. RS* Porção de matungos; matungama.

matungama [De *matungo* + *-ama.*] *S. f. Bras. RS* Matungada.

matungão [De *matungo* + *-ão*[1].] *S. m. Bras. RS* **1.** V. *matungo* (1 a 3). **2.** Cavalo corpulento e sem vivacidade.

matungo [Do esp. plat. *matungo.*] *S. m.* **1.** *Bras. SP* Cavalo sem raça. **2.** *Bras. SP* Cavalo forte, bom. **3.** *Bras. RS* Cavalo velho, sem préstimo; pilungo. [No RS o termo tende a ser aplicado a qualquer cavalo.] [Sin., nessas acepçs.: *matungão.*] **4.** *Bras.* V. *berimbau* (2).

matupá [Do tupi.] *S. m. Bras. Amaz.* **1.** Massa compacta e considerável de capim aquático, que se encosta à beira dos rios e lagos. **2.** Barranco flutuante despegado da margem do rio, e que desce nas enchentes, coberto de canaranas, marurés e outras plantas; periatã, periantã.

matupaense (pà) *Adj. 2 g.* **1.** De, ou pertencente ou relativo a Matupá (MT). ● *S. 2 g.* **2.** O natural ou habitante de Matupá.

matupiri [Do tupi.] *S. m. Zool.* **1.** *Bras.* Peixe caracídeo (*Tetragonopterus chalceus*) das bacias dos rios Amazonas, Orinoco, S. Francisco e de rios guianenses, de coloração prateada, dorso denegrido e abdome branco; alcança até 12cm de comprimento. [Sin.: *piaba-rapadura.*] **2.** *Bras.* V. *tambiú.* **3.** *Bras. Amaz.* V. *lambari* (1).

maturação [De *maturar* + *-ção.*] *S. f.* **1.** Ato ou efeito de maturar; amadurecimento. **2.** V. *maduração.* **3.** Evolução de uma unidade produtiva desde os primeiros gastos com a sua construção até a fase em que gera receitas: *Investimentos em hidrelétricas têm longo prazo de* __*maturação.*__ **4.** *Biol.* Fase da evolução dos gametas em que estes se tornam aptos para a fecundação. **5.** *Fisiol.* Processo de transformação e desenvolvimento de um órgão ou organismo para o exercício pleno de suas funções, e que se prende essencialmente à idade. **6.** *Fam.* V. *maduração* (2). **7.** *Fig.* Desenvolvimento, desabrochamento, aperfeiçoamento: __*maturação*__ *do espírito.*

maturado [Part. de *maturar.*] *Adj.* Que se maturou; maduro.

maturador (ô) [De *maturar* + *-dor.*] *Adj.* Maturativo (1).

maturaqué *S. m. Bras. Zool.* V. *traíra* (1).

maturar [Do lat. *maturare.*] *V. t. d. Int. P.* V. *amadurecer* (1, 6 e 9): "Ela [a árvore] nos fala .... do sol estival, que lhe __maturou__ os frutos." (Bulhão Pato, *Livro do Monte*, Introdução.)

maturativo [De *maturar* + *-tivo.*] *Adj.* **1.** Que produz ou auxilia a maturação; maturador. **2.** *Med.* Que promove a supuração: *emplastro* __*maturativo.*__

maturescência [De *maturescente* + *-ia*[2], seg. o padrão analógico.] *S. f.* Qualidade ou estado de maduro ou maturescente: "e cem outras árvores da floresta parecem precipitar a __maturescência__ de suas bagas ...., para que mais cedo os alvos dentes da ninfa as mordam com delícia." (Monteiro Lobato, *Urupês, Outros Contos e Coisas*, p. 420).

maturescente [Do lat. *maturescente.*] *Adj. 2 g.* Que está amadurecendo: *caquis* __*maturescentes.*__

maturi [Do tupi.] *S. m. Bras. N.E.* Caju novo, ou, propriamente, a castanha verde, grande e mole do caju antes do desenvolvimento do pedúnculo.

maturidade [Do lat. *maturitate.*] *S. f.* **1.** V. *madureza* (3). **2.** *Fisiol.* Estado em que há maturação (5). **3.** Época desse desenvolvimento; idade madura. **4.** *Fig.* Perfeição, excelência, primor: *Sua arte atingiu a* __*maturidade.*__ **5.** *Fig.* Firmeza, precisão, exatidão: *Revela* __*maturidade*__ *de estilo.* **6.** *Fig.* Circunspecção, siso, prudência. **7.** Fase do ciclo vital de um lago na qual se registra certo equilíbrio entre o recebimento de suas águas e a perda delas.

maturrangada [De *maturrango* + *-ada*[1].] *S. f. Bras. RS* **1.** Grande número de maturrangos. **2.** Falta cometida na arte de montar. **3.** Serviço de campo malfeito, como se fora executado por um maturrango.

maturrangar [De *maturrango* + *-ar*[2].] *V. int. Bras. RS* V. *maturranguear.* [Conjug.: v. *largar.*]

maturrango [Do esp. plat. *maturrango.*] *S. m. Bras. RS* **1.** Indivíduo que monta mal a cavalo. **2.** Aquele que não entende do trabalho do campo, e que é bisonho nas lides com o gado ou cavalos. [Var.: *maturrengo.*]

maturranguear [Do esp. plat. *maturranguear.*] *V. int. Bras. RS* Fazer coisa de maturrango. [Var.: *maturrenguear.* Sin.: *maturrangar.* Conjug.: v. *frear.*]

M

maturrão *S. m. Bras. RS* Besta velha e/ou cega, inútil para o serviço.

maturrengo *S. m. Bras. RS* V. *maturrango.*

maturrenguear *V. int. Bras. RS* V. *maturranguear.* [Conjug.: v. *frear.*]

maturu *S. m. Bras.* Vaso de barro para fabricação de azeite de peixe.

matusalém [Do antr. *Matusalém* (v. *matusalênico*).] *S. m. Fam.* **1.** Indivíduo muito velho; ancião, macróbio. **2.** Garrafa de vinho que contém o equivalente a oito garrafas normais.

matusalêmico [Do antr. *Matusalém* + *-ico*².] *Adj.* V. *matusalênico*: "O marechal mergulhou mais a face adunca nas barbas <u>matusalêmicas</u>" (João do Rio, *As Religiões no Rio*, p. 213).

matusalénico *Adj.* V. *matusalênico.* [Uso freq. em P.]

matusalênico [Do antr. *Matusalém* + *-ico*², seg. o padrão erudito.] *Adj. Bras.* **1.** Pertencente ou relativo a Matusalém, patriarca bíblico que viveu, segundo a tradição, 969 anos. **2.** *Fig.* Longevo. [Var. impr.: *matusalêmico.*]

matusquela [De or. incerta.] *S. 2 g. Bras. RJ Gír.* Pessoa maluca, amalucada, adoidada.

matutação [De *matutar* + *-ção.*] *S. f.* Ato de matutar.

matutada [De *matuto* (6) + *-ada*¹.] *S. f. Bras. N.* Grupo de matutos.

matutagem¹ [De *matuto* + *-agem*².] *S. f. Bras.* Matutice.

matutagem² *S. f. Bras. N.E. Pop.* V. *matalotagem.* ◆ **Fazer matutagem.** Abater uma rês, comumente para fins festivos.

matutar [De *matuto* + *-ar*².] *V. int.* **1.** Pensar ou refletir em algo; cismar, ruminar. *T. d.* **2.** Planejar, intentar, pretender. *T. i.* **3.** Pensar insistentemente; meditar, parafusar: *<u>Matutou</u> muito na questão*; "Duvidava e acreditava ao mesmo tempo. Fiquei até doente, <u>matutando</u> sobre aquilo." (Nélson de Faria, *Tiziu e Outras Estórias*, p. 53).

matutice [De *matuto* + *-ice.*] *S. f.* Aparência, modos ou ação de matuto; matutagem.

matutina [F. abrev. de *estrela matutina.*] *S. f.* **1.** V. *Vênus* (2). **2.** *Bras. Mar. G.* Toque de corneta ou de apito, destinado a despertar a guarnição para os trabalhos diários.

matutinal [Do lat. tard. *matutinale.*] *Adj. 2 g.* V. *matutino* (1 e 2).

matutinário [Do lat. *matutinas*, 'matinas', + *-ário.*] *Adj. S. m.* V. *matineiro.*

matutinense *Adj. 2 g.* **1.** De, ou pertencente ou relativo a Matutina (MG). ● *S. 2 g.* **2.** O natural ou habitante de Matutina.

matutino [Do lat. *matutinu.*] *Adj.* **1.** Da, ou relativo a, ou próprio da manhã; matutinal, matinal: "A <u>matutina</u> luz, serena e fria, / As estrelas do polo já apartava" (Luís de Camões, *Os Lusíadas*, III, 45); *o orvalho <u>matutino</u>*; "e, do lado das montanhas, desciam tons <u>matutinos</u> de natureza que desperta." (Aluísio Azevedo, *Casa de Pensão*, p. 148). **2.** Diz-se de indivíduo madrugador; matinal, matutinal. ~ V. *crepúsculo — e estrela —a.* ● *S. m.* **3.** Jornal que aparece pela manhã: "Ortulano leu no <u>matutino</u> lisboeta a notícia do passamento do antigo condiscípulo" (Joaquim Paço d'Arcos, *Carnaval e Outros Contos*, p. 163).

matuto [De *mato.*] *Adj.* **1.** Que vive no mato, na roça [v. *caipira* (3)]: *indivíduo <u>matuto</u>.* **2.** Pertencente ou relativo ao, ou próprio do mato, da roça; caipira: *histórias <u>matutas</u>.* **3.** *Bras. N. N.E.* Acanhado, tímido, desconfiado. **4.** Dado a matutar; cismático, cogitabundo. **5.** *Fam.* Finório, sabido, matreiro. ● *S. m.* **6.** *Bras.* V. *caipira* (1). **7.** *Bras.* Sujeito ignorante e ingênuo. [Cf., nas acepç. 1, 2 e 6, *provinciano.*]

mau [Do lat. *malu.*] *Adj.* **1.** Que causa mal, prejuízo ou moléstia: *<u>maus</u> ares*; *fruta <u>má</u>.* **2.** Malfeito; imperfeito, irregular: *tradução <u>má</u>.* **3.** De má qualidade; inferior: *<u>mau</u> tecido.* **4.** Nefasto, funesto: *<u>maus</u> acontecimentos*; *<u>maus</u> presságios.* **5.** V. *malvado* (1): *pessoa <u>má</u>.* **6.** *Fam.* Traquina(s), travesso: *menino <u>mau</u>.* **7.** Nocivo, prejudicial, ruim: *<u>mau</u> convívio*; *<u>mau</u> negócio.* **8.** Árduo, difícil: *<u>maus</u> caminhos.* **9.** Contrário à razão, à justiça, ao dever, à virtude: *<u>maus</u> costumes*; *ação <u>má</u>.* **10.** Irrefletido, inconveniente, inoportuno: *<u>má</u> palavra.* **11.** Que não cumpre seus deveres: *<u>mau</u> pai*; *<u>mau</u> aluno.* **12.** Rude, áspero, grosseiro: *<u>maus</u> modos.* **13.** Inábil, incapaz, desastrado: *<u>mau</u> mecânico.* **14.** Sem talento; sem arte: *<u>mau</u> ator*, *<u>mau</u> pintor.* **15.** Escasso, diminuto: *<u>má</u> colheita.* ~ V. *anjo —, — gosto, mato —, — sucesso, má vida* e *má vontade.* ● *S. m.* **16.** Tudo o que é mau: *Todos preferem o bom ao <u>mau</u>.* **17.** Indivíduo de má índole, malvado, de maus costumes: "Os mortos voltarão varrendo os vivos, / E os <u>maus</u> se afogarão na própria lama!" (Olavo Bilac, *Tarde*, p. 27.) **18.** *Bras.* V. *diabo* (2). ● *Interj.* **19.** Designativa de reprovação ou descontentamento. [Cf. *maú.*]

maú [Do tupi.] *S. m. Bras. Zool.* Ave passeriforme, cotingídea (*Perissocephalus tricolor*), da Amaz., de dorso pardo tirante ao amarelo, fronte, parte da cabeça, loros e região orbital nus, com poucas cerdas negras, asas e cauda negras, coberteiras inferiores da asa brancas, e mento nu, com cerdas brancas. Costuma emitir um grito parecido com o berro do bezerro, o que lhe granjeou o nome popular. [Sin.: *urutauí, urutaí, ave-capuchinha.* Cf. *mau.*]

mauaense (âen) *Adj. 2 g.* **1.** De, ou pertencente ou relativo a Mauá (SP). ● *S. 2 g.* **2.** O natural ou habitante de Mauá.

mauaiana *Bras. S. 2 g.* **1.** *Etnôn.* Indivíduo dos mauaianas [ou (etnôn. bras.) *Mawayana], povo indígena da família linguística caraíba, que habita o PA e o AM, na região dos formadores do rio Mapuera, afluente do rio Trombetas. ● *Adj. 2 g.* **2.** Pertencente ou relativo a esse povo.

mauari *S. m. Bras. Zool.* V. *maguari.*

maúba [Do tupi.] *S. f. Bras. Amaz. Bot.* Árvore lauráceа (*Licaria mahuba*) característica da floresta pluvial, de folhas alternas e obovadas, flores esverdeadas, tomentosas, cujo fruto é uma baga provida de cúpula, e cuja madeira, amarela e fétida, é útil para construção.

mau-caráter *S. m.* Pessoa de má índole, velhaca, de mau caráter: "o fato é que se tornou um <u>mau-caráter</u> de primeira, e um péssimo marido." (Cora Rónai Vieira e Paulo Rónai, *Aventuras de Fígaro*, p. 60). [Pl.: *maus-caracteres.*]

mau-caratismo [De *mau-caráter* + *-ismo.*] *S. m.* Característica de quem é mau-caráter (q. v.). [Pl.: *maus-caratismos.*]

maué *Bras. S. 2 g.* **1.** *Etnôn.* Indivíduo dos maués [ou (etnôn. bras.) *Mawé], povo indígena extinto do tronco linguístico tupi, que habitava a região dos rios Urupadi, Andirá e Mariquã, na divisa do AM com o PA ● *Adj. 2 g.* **2.** Pertencente ou relativo a esse povo.

maueense (èen) *Adj. 2 g.* **1.** De, ou pertencente ou relativo a Maués (AM). ● *S. 2 g.* **2.** O natural ou habitante de Maués.

maueza (ê) [De *mau* + *-eza* (ê).] *S. f. Bras. SP Pop.* Maldade, ruindade: "Histórias! <u>mauezas</u> de cafumangos que não têm preceito e falam dos dentes pra fora." (Valdomiro Silveira, *Os Caboclos*, p. 154.)

maújo *S. m.* Instrumento de calafate, para tirar estopa das fendas.

maula [Do esp. plat. *maula.*] *Adj. 2 g. Bras. RS* Diz-se de homem ou de cavalo ruim, mole, fraco, covarde.

maunça (a-ún) [De *mão.*] *S. f.* **1.** V. *mancheia.* **2.** A parte fina ou remate do fuso.

mau-olhado [De *mau* + *olhado.*] *S. m.* **1.** Qualidade que se atribui a certas pessoas de causarem desgraça àqueles para quem olham. **2.** O mau efeito dessa qualidade. [Sin. ger.: *jetatura*, (bras.) *afito* e (bras., PE, pop.) *lili.* Pl.: *maus-olhados.*]

mauresco (ê) [De *mauro* + *-esco.*] *Adj.* **1.** V. *mourisco* (1). **2.** V. *mouro* (5).

mauriceia (éi) *S. f.* A cidade do Recife (PE), assim cognominada em evocação a Maurício de Nassau (v. *nassoviano*). [Com cap.] ❖

maurícia [Adapt. do tax. *Mauritia* (do antr. [*Johann*] *Mauritius* [*van Nassau-Siegen*] [1604-1679], dito Maurício de Nassau, militar e estadista holandês).] *S. f. Bot.* **1.** Gênero de palmeiras arecáceas que habitam a América do Sul, dotadas de folhas penatilobadas e tronco simples, quase destituído de espinhos. **2.** Qualquer espécie desse gênero, como, p. ex., a *Mauritia vinifera* (v. *buriti*). **3.** Qualquer espécime desse gênero.

mauriciano *Adj.* **1.** De, ou pertencente ou relativo a Maurício (país insular do oceano Índico). ● *S. m.* **2.** O natural ou habitante de Maurício.

mauriciense *Adj. 2 g.* **1.** De, ou pertencente ou relativo a Doutor Maurício Cardoso (RS). ● *S. 2 g.* **2.** O natural ou habitante de Doutor Maurício Cardoso.

mauricinho [Do dim. do antr. *Maurício.*] *S. m. Bras. Gír.* Jovem excessivamente cuidadoso com seu aspecto, sua indumentária, e que frequenta lugares na moda. [Sin. (lus.): *betinho.*]

mauriense¹ [De *mauro* + *-i-* + *-ense.*] *Adj. 2 g.* **1.** V. *mourisco* (1). **2.** V. *mouro* (5).

mauriense² [Do antr. (*São*) *Mauro* + *-i-* + *-ense.*] *Adj. 2 g.* De, ou pertencente ou relativo a São Mauro (c. 518-584), monge francês, ou à Congregação de São Mauro, fundada em 1618, na França.

maurilandense *Adj. 2 g.* **1.** De, ou pertencente ou relativo a Maurilândia (GO). ● *S. 2 g.* **2.** O natural ou habitante de Maurilândia.

mauritânia [Do top. *Mauritânia.*] *S. f. Bot.* Erva cariofilácea (*Dianthus barbatus*) originária da Ásia e cultivada como ornamental nos jardins, de folhas largas e flores numerosas, e pétalas denteadas, alvas ou vermelhas, dispostas em densas cimeiras.

mauritaniano *Adj. S. m.* V. *mauritano.*

mauritano *Adj.* **1.** Da, ou pertencente ou relativo à Mauritânia (África ocidental). ● *S. m.* **2.** O natural ou habitante da Mauritânia; mouro. [Sin. ger.: *mauritaniano.*]

mauritiense *Adj. 2 g.* **1.** De, ou pertencente ou relativo a Mauriti (CE). ● *S. 2 g.* **2.** O natural ou habitante de Mauriti.

mauro [Do lat. *mauru.*] *Adj. S. m.* V. *mouro* (1 e 5).

máuser [Do antr. *Mauser*, dos alemães *Peter Paul Mauser* (1838-1914) e seu irmão *Wilhelm Mauser* (1834-1882), inventores de armas de fogo.] *S. f. Bras.* **1.** Carabina automática, de fabricação alemã, cujo primeiro modelo substituiu o fuzil de agulha. **2.** Certo tipo de pistola automática, pequena, achatada, de linhas predominantemente retas, e que se municiona pela coronha. [Pl.: *máuseres.*]

mausoléu [Do gr. *Mausóleion*, pelo lat. *Mausoleu*, em alusão ao túmulo que Artemísa, viúva de Mausolo, rei da Cária, antiga cidade da Ásia Menor, mandou erguer ao marido.] *S. m.* **1.** Sepulcro de Mausolo (rei da Cária — séc. IV a. C.), em Halicarnasso, tido como uma das sete maravilhas do mundo antigo. **2.** *P. ext.* Sepulcro suntuoso: "dura mais [a nossa vaidade] do que nós mesmos, e se introduz nos aparatos últimos da morte. Que maior prova do que a fábrica de um elevado <u>mausoléu</u>? .... querem [os homens] que a suntuosidade do túmulo sirva de inspirar veneração, como se fossem relíquias as suas cinzas" (Matias Aires, *Reflexões sobre a Vaidade dos Homens*, pp. 1-2).

maus-tratos [Do pl. de *mau* + o pl. de *trato*¹.] *S. m. pl. Jur.* Crime de quem expõe a perigo a vida ou a saúde de pessoa que se acha sob sua autoridade, guarda ou vigilância, para fins de educação, ensino, tratamento ou custódia, seja privando-a de alimentação ou cuidados indispensáveis, seja impondo-lhe trabalho excessivo ou impróprio, seja abusando de meios corretivos ou disciplinares.

mauveína [Do ingl. *mauvein* (do fr. *mauve*, 'malva'), cunhado por William Henry Perkin (1838-1907), em 1956.] *S. f. Quím.* Malveína.

mauzão [De *mau* + *-z-* + *-ão*¹.] *Adj. S. m. Fam.* Que, ou aquele que é muito mau; perverso. [Fem.: *mauzona.*]

mauzona *S. f. Fam.* Fem. de *mauzão.*

maviosidade [De *mavioso* + *-(i)dade.*] *S. f.* Qualidade de mavioso.

mavioso (ô) [De *amavioso*, com aférese.] *Adj.* **1.** Afável, afetuoso, terno: "Que mais pudera fazer um pai muito <u>mavioso</u> com um filho único e muito merecedor de ser amado?" (Fr. Luís de Sousa, *Vida de D. Fr. Bertolameu dos Mártires*, II, p. 31.) **2.** Piedoso, compassivo. **3.** Brando, suave, doce, harmonioso: *voz <u>maviosa</u>*; "Pelas corolas túmidas de orvalho / Suspirava um favônio, carinhoso, / Com invisíveis mãos pulsando, leve, / Doce alaúde, ou bandolim <u>mavioso</u>" (Raimundo Correia, *Poesias*, p. 50). **4.** Que enternece ou comove; enternecedor: *palavras <u>maviosas</u>.* [Cf. *amavioso.*]

mavórcio [Do lat. *mavortiu.*] *Adj.* **1.** Relativo a Mavorte ou Marte. **2.** Aguerrido, guerreiro, belicoso. [F. paral.: *mavórtico.*]

mavorte [Do lat. *Mavorte.*] *S. m. Mit.* Marte (2).

mavórtico [Do lat. *Mavorte*, 'Marte, deus da guerra', + *-ico*².] *Adj.* V. *mavórcio.*

mavortismo [De *marvótico* + *-ismo*, seg. o padrão erudito.] *S. m.* Qualidade ou caráter de mavórtico; belicosidade.

mavotsinim [Do camaiurá.] *S. m. Etnogr.* Nome dado pelos camaiurás a um herói-cultural, criador dos seres míticos Sol e Lua, que figura em ciclo mitológico comum aos povos indígenas brasileiros do alto Xingu (MT). [Com cap.]

maxacali *Bras. S. 2 g.* **1.** *Etnôn.* Indivíduo dos maxacalis [ou (etnôn. bras.) *Maxakali], povo indígena do tronco linguístico macro-jê, que habita a região dos formadores do rio Itanhaém, no N.O. de MG, próximo à divisa com a BA. ● *S. m.* **2.** *Gloss.* Família linguística do tronco macro-jê que reúne línguas faladas por povos indígenas de MG. ● *Adj. 2 g.* **3.** Pertencente ou relativo aos maxacalis ou a maxacali (2). [Sin. de 1 e 3: *maxacari.*]

maxacalisense *Adj. 2 g.* **1.** De, ou pertencente ou relativo a Maxacalis (MG). ● *S. 2 g.* **2.** O natural ou habitante de Maxacalis.

maxacari *Bras. S. 2 g. Adj. 2 g. Bras.* V. *maxacali* (1 e 3).

maxakalissauro [Adapt. do tax. *Maxakalisaurus.*] *S. m. Paleont.* **1.** Gênero de dinossauros saurópodes que viveram no cretáceo. **2.** Espécie desse gênero, *Maxakalisaurus topai*, com cerca de 13m de comprimento e nove toneladas, cujos fósseis foram encontrados na região do Triângulo Mineiro (Minas Gerais).

maxambeta (ê) *S. f. Bras. SP* V. *mentira* (1).

maxambomba [Do ingl. *machine-pump*, 'bomba mecânica', pelo lus. *maximbombo*, que designou um ascensor mecânico para ladeiras íngremes.] *S. f.* **1.** Carruagem de estrada de ferro, com mais de um pavimento. 2. *Bras. N. C.O.* Trole usado nos portos fluviais para serviço de carga e descarga dos vapores. 3. *Bras.* Veículo desconjuntado e velho; calhambeque. 4. *Bras. RJ* V. *carrossel.*

maxaranguapense *Adj. 2 g.* 1. De, ou pertencente ou relativo a Maxaranguape (RN).• *S. 2 g.* 2. O natural ou habitante de Maxaranguape.

▲**maxi-** [Do lat. *maxĭmus, a, um.*] *El. comp.* = 'máximo', 'muito grande': *maxidesvalorização, maxivestido.* [O AOLP prescreve o uso do hífen nos casos de anteposição deste pref. a palavra iniciada por *h* ou *i*; é escrito com *r* ou *s* duplicados quando anteposto a palavra iniciada por *r* ou *s*: *maxissaia.*]

máxi[1] (cs) *S. m.* V. *maxicasaco.*

máxi[2] (cs) *S. m.* V. *maxivestido.*

máxi[3] (cs) *S. f.* 1. V. *maxissaia.*• *Adj. 2 g. e 2 n.* 2. Diz-se de traje feminino que segue a moda da maxissaia: *Os mantôs máxi só ficam bem em mulheres altas.*

máxi[4] (cs) *S. f.* V. *maxidesvalorização.*

maxicasaco (cs) [De *maxi-* + *casaco.*] *S. m.* Casaco longo, que chega à altura do tornozelo. [A moda surgiu nos fins da década de 1960. F. red.: *máxi.*]

maxicote *S. m.* Argamassa feita de areia, cal, terra e água.

maxidesvalorização (cs) [De *maxi-* + *desvalorização.*] *S. f. Bras.* Desvalorização substancial de uma moeda em relação a outra: "O mercado argentino acredita numa maxidesvalorização do peso." (*Jornal do Brasil*, 26.03.1981). [F. red.: *máxi.* Antôn.: *minidesvalorização.*]

maxila (cs) [Do lat. *maxilla.*] *S. f.* 1. *Anat.* Estrutura óssea em que se implantam os dentes superiores, que contribui tb. para formar o esqueleto de órbitas, cavidades nasais e palato, e que resulta da reunião dos dois ossos maxilares; junto com a mandíbula forma a estrutura da boca; maxilar (denom. ant.). 2. *Zool.* A parte superior do bico das aves. 3. *Zool.* Nos artrópodes, cada um dos apêndices pares do aparelho bucal, posteriores à mandíbula.

maxilar (cs) [Do lat. *maxillare,* 'do queixo'.] *Adj. 2 g.* 1. Pertencente ou relativo à maxila. ~ V. *seio —.*• *S. m.* 2. *Anat.* V. *maxila* (1).

maxilária (cs) [Do tax. *Maxillaria.*] *S. f. Bot.* 1. Grande gênero de orquidáceas, epífitas da América tropical, dotadas de folhas, ger. coriáceas, e inflorescências, ger. monantas, que emergem das axilas da bainha. 2. Qualquer espécie desse gênero, como, p. ex., a *Maxillaria leucaimata* e a *M. modesta,* que habitam locais de grande umidade, e acima de 1.000m de altitude, sendo a primeira delas branco-leitosa e a segunda, branco-marfim na base e bordos vermelhos, nas sépalas e pétalas. 3. Qualquer espécime desse gênero.

▲**maxil(i)-** (cs) [Do lat. *maxĭlla, ae.*] *El. comp.* = 'maxila', 'maxilar': *maxilípede, maxilite.* [Equiv.: *maxilo-*: *maxilopalatal, maxilopalatino.*]

maxilípede (cs) [De *maxil(i)-* + *-pede.*] *S. m. Zool.* Cada um dos três pares de apêndices cefálicos dos crustáceos, situados imediatamente atrás das maxilas; maxilípode.

maxilípode (cs) [De *maxil(i)-* + *-pode.*] *S. m.* V. *maxilípede.*

maxilite (cs) [De *maxil(i)-* + *-ite*[1].] *S. f. Patol.* Inflamação de maxila.

▲**maxilo-** (cs) [De *maxil(i)-* + *-o-.*] Equiv. de *maxil(i)-.*

maxilopalatal (csi) [De *maxilo-* + *-palat(o)-* + *-al*[1].] *Adj. 2 g.* V. *maxilopalatino.*

maxilopalatino (csi) [De *maxilo-* + *-palat(o)-* + *-ino*[1].] *Adj.* Relativo a maxilar e ao palato ou a osso palatino; maxilopalatal.

maxiloso (cs...ô) [De *maxila* + *-oso.*] *Adj.* Que tem grandes maxilas.

maxílula (cs) [Do lat. cient. *maxillula.*] *S. f. Zool.* 1. No primeiro par de maxilas dos crustáceos, cada uma delas. 2. No sistema bucal de insetos, qualquer apêndice semelhante à maxila (2).

maxim *S. m. Luso-afr.* Longa faca para cortar erva. [Cf. *machim.*]

máxima (cs ou ss) [F. subst. de *máximo.*] *S. f.* 1. Princípio básico e indiscutível de ciência ou arte; axioma. 2. Sentença ou doutrina moral que serve como regra de conduta: *as máximas do Evangelho.* 3. Conceito, aforismo, pensamento, apoftegma: "alguém, que não foi o Marquês de Maricá, escreveu que louvor em boca própria é vitupério. Não conheço o autor da máxima" (Machado de Assis, *A Semana,* II, p. 18). 4. V. *provérbio* (1). 5. *Mús. Ant.* Figura com o valor de oito semibreves.

maximalismo (cs ou ss) [Do fr. *maximalisme.*] *S. m.* Bolchevismo.

maximalista (cs ou ss) [Do fr. *maximaliste,* adapt. do russo *bolchévik,* 'maioria', t. que passou, posteriormente, a designar 'partidário do máximo de ação, *i. e.,* da ação revolucionária direta e imediata'.] *Adj. 2 g. S. 2 g.* 1. V. *bolchevista.* 2. Diz-se de, ou aquele que, entre os adeptos de um partido de esquerda, adota intransigentemente o seu programa máximo (socialização dos meios de produção, destituição da burguesia, etc.).

maximante (cs ou ss) *S. m. Mat.* No domínio de uma função, ponto em que esta tem um máximo. [Opõe-se a *minimante.*]

maximário (cs ou ss) [De *máxima* + *-ário.*] *S. m.* Coleção de máximas [v. *máxima* (3)].

máxime (cs...è) [Do lat. *maxime.*] (cs...è) *Adv.* Principalmente, especialmente, mormente: *Acelera-se a industrialização, máxime no Sul do Brasil.*

maximização (cs ou ss) [De *maximizar* + *-ção.*] *S. f.* Processo pelo qual se determina o maior valor que uma grandeza pode assumir.

maximizador (cs...ô) [De *maximizar* + *-dor.*] *Adj. S. m.* Que, ou o que maximiza.

maximizante (cs) [De *maximizar* + *-nte.*] *Adj. 2 g.* Que maximiza.

maximizar (cs ou ss) [De *máximo* + *-izar*; ingl. (*to*) *maximize.*] *V. t. d. Bras.* 1. Elevar ao máximo. 2. Superestimar, sobre-estimar: *Procura maximizar a sua participação na luta.* 3. Proceder à maximização de. 4. *Inform.* Pôr (janela [7]) em seu tamanho máximo. 5. *Mat.* Fazer (uma função) assumir um valor máximo. [Antôn.: *minimizar.*]

máximo (cs ou ss) [Do lat. *maximu.*] *Adj.* 1. Maior que todos; que está acima de todos: *a máxima potência; o máximo poeta; pena máxima.* 2. Absoluto, rigoroso, estrito: *o máximo silêncio; o máximo cuidado.* ~ V. *círculo —, penalidade —a e sequência —a.*• *S. m.* 3. O mais alto grau a que pode chegar uma quantidade variável: *o máximo da cotação do título.* 4. Aquilo que é mais alto ou maior: *O pico da Neblina tem o máximo de elevação entre as montanhas do Brasil.* 5. O último grau possível; o ponto de maior intensidade; o cúmulo: *A discussão chegou ao máximo.* 6. *Mat.* Elemento de um conjunto que é maior que outro qualquer elemento desse conjunto. ◆ **Máximo divisor comum.** *Mat.* O maior inteiro que divide simultaneamente cada membro de um conjunto de inteiros [símb.: *MDC*]. **No máximo.** 1. No estrito limite maior de: *Andará, no máximo, 30 quilômetros; Chegarei, no máximo, às 8 horas.* 2. Na melhor hipótese: *Será, no máximo, um comerciário.*

maxineri *Bras. S. 2 g.* 1. *Etnôn.* Indivíduo dos maxineris [ou (etnôn. bras.) *Machineri, *Manchineri, *Menetenéri], povo indígena da família linguística aruaque que habita o município de Sena Madureira (AC).• *Adj. 2 g.* 2. Pertencente ou relativo a esse povo.

maxissaia (cs) [De *maxi-* + *saia.*] *S. f.* Saia longa, que chega à altura do tornozelo. [A moda surgiu nos fins da década de 1960. F. red.: *máxi.*]

maxivestido (cs) [De *maxi-* + *vestido.*] *S. m.* Vestido longo, que segue a moda da maxissaia (q. v.). [F. red.: *máxi.* Cf. *longo* (6).]

maxixar [De *maxixe*[2] + *-ar*[2].] *V. int. Pred. Bras.* Dançar o maxixe[2]: *Como bom carioca antigo, gostava de maxixar;* "Os pares dançarinos maxixavam calados." (Antônio de Alcântara Machado, *Novelas Paulistanas,* p. 78).

maxixe[1] [Do quimb. *maxi'xi.*] *S. m. Bras.* O fruto do maxixeiro. [Sin., BA, pop.: *galinha-arrepiada.*]

maxixe[2] [Do antr. *Maxixe,* apelido de um conhecido boêmio, bom dançarino, que teria inventado este passo.] *S. m. Bras.* Dança urbana, geralmente instrumental, de par unido, originária da cidade do Rio de Janeiro, onde apareceu entre 1870 e 1880, como resultado da fusão da habanera e da polca com uma adaptação do ritmo sincopado africano. Era em compasso binário simples, andamento rápido, e caracterizavam-na requebros de quadris, voltas, quedas e movimentos de rosca (parafusos), acompanhados de passos convencionados ou improvisados pelos dançarinos. Foi substituída pelo samba, na segunda década do séc. XX.

maxixeiro[1] [De *maxixe*[1] + *-eiro.*] *S. m. Bras. Bot.* Planta cucurbitácea (*Cucumis anguria*) escandente, de origem africana, cultivada graças a seus frutos, comestíveis, bagas carnosas dotadas de múltiplos apêndices, que as tornam eriçadas.

maxixeiro[2] [De *maxixe*[2] + *-eiro.*] *S. m. Bras.* 1. Aquele que dança ou gosta de dançar o maxixe.• *Adj.* 2. Que dança ou gosta de dançar o maxixe.

maxubi *Bras. S. 2 g.* 1. *Etnôn.* Indivíduo dos maxubis, povo indígena extinto que habitava a bacia do rio Guaporé (RO).• *Adj. 2 g.* 2. Pertencente ou relativo a esse povo. [Tb. us. como *s. 2 g. e 2 n.* (com cap.) e *adj. 2 g. e 2 n.*]

➔ **maxwell** ['makswel] [V.C.I., do antr. (*James Clerk*) *Maxwell* (1831-1879), físico escocês.] *S. m. Fís.* Unidade de medida de fluxo de indução magnética no sistema c.g.s. eletromagnético, igual a 10^{-8} Wb; linha de indução, linha [símb.: *Mx*]. [Pl.: *maxwells.*]

maxwelliano (cs... uel) *Adj.* Pertencente ou relativo a James C. Maxwell (v. *maxwell*), ou próprio dele.

maza [Do quicongo.] *S. f. Bras. Rel.* No candomblé angola-congo e nos cultos por ele influenciados, a água us. em cerimônias rituais. [Var.: *mazia.*]

mazaganense *Adj. 2 g. S. 2 g.* V. *mazaganista.*

mazaganista *Adj. 2 g.* 1. De, ou pertencente ou relativo a Mazagão (AP).• *S. 2 g.* 2. O natural ou habitante de Mazagão. [Sin. ger.: *mazaganense.*]

mazagrã [Do top. *Mazagran* (África), pelo fr. *mazagran.*] *S. m.* Café frio que se mistura a gelo triturado e açúcar, e que, às vezes, é regado de rum, conhaque ou limão.

mazama [Do tax. *Mazama* < náuatle *maçam-* (*maçatl, mazatl,* 'veado').] *S. m. Zool.* 1. Gênero de mamíferos cervídeos que habitam matas ou florestas sul-americanas. 2. Qualquer espécie desse gênero, como p. ex., a *Mazama americana* (ou *veado-mateiro* ou *veado-pardo,* ou *guatapará*), que habita a América do Sul desde as Guianas até o Paraguai, a *M. simplicornis* (ou *veado-catingueiro*), com a mesma distribuição geográfica, e a *M. rufina* (ou *veado-roxo,* tb. conhecido como *bororó* e *foboca*), que habita o Brasil, o Equador e a Venezuela. 3. Qualquer espécime desse gênero.

mazanza *Adj. 2 g. S. 2 g. Bras.* 1. Diz-se de, ou indivíduo indolente, preguiçoso. 2. Diz-se de, ou indivíduo apalermado, aparvalhado, toleirão. 3. Diz-se de, ou pessoa desajeitada, desastrada. [F. paral.: *manzanza.*]

mazanzar [De *mazanza* + *-ar*[2].] *V. int. Bras.* 1. Demorar na feitura de um trabalho; remanchar. 2. Agir como mazanza. 3. Ficar apalermado, apatetado. [F. paral.: *manzanzar.*]

mazaroio *S. m. Bras. RN Gír.* Grande quantidade ou porção de trabalho.

mazela [Do lat. vulg. **macella,* por *macula,* 'mancha'.] *S. f.* 1. Ferida, chaga. 2. Doença, enfermidade, moléstia: "E começa a enumerar suas mazelas — doenças de toda espécie, da mais requintada patogenia" (Fernando Sabino, *O Homem Nu,* pp. 35-36). 3. Aquilo que aflige ou apoquenta; aborrecimento, desgosto. 4. *Fig.* Defeito moral; mancha na reputação; labéu, matadura.

mazelado [Part. de *mazelar.*] *Adj.* V. *mazelento.*

mazelar [De *mazela* + *-ar*[2].] *V. t. d.* 1. Encher de mazelas; ferir, chagar, machucar; amazelar. 2. Molestar, desgostar, afligir, atormentar. 3. Cobrir de labéu; manchar, macular, desacreditar. *P.* 4. Encher-se de mazelas; amazelar-se. 5. Condoer-se, amargurar-se.

mazeleiro [De *mazela* + *-eiro.*] *Adj.* V. *mazelento.*

mazelento [De *mazela* + *-ento.*] *Adj.* Cheio de mazelas; ferido, chagado, chaguento; mazelado, mazeleiro.

mazia *S. f. Bras. Rel.* V. *maza.*

mazombice [De *mazombo* + *-ice.*] *S. f.* Qualidade ou ação de mazombo.

mazombo [Do quimb.] *S. m. Deprec.* 1. Indivíduo nascido no Brasil, de pais estrangeiros, especialmente portugueses: "Num texto em que destrinçava as causas do antagonismo entre reinois e mazombos, ... ele [Frei Caneca] argumentava que os lusitanos domiciliados entre nós deviam-se considerar e serem considerados tão pernambucanos quanto os naturais," (Evaldo Cabral de Melo, *A Outra Independência,* p. 71)• *Adj.* 2. Sorumbático, macambúzio, mal-humorado: "Acendeu o cachimbo e, ..., com o queixo fincado nos joelhos, o olhar parado, pôs-se a pitar, mazomba." (Coelho Neto, *Obra Seleta,* 1º vol., p. 1.182); "mazombo agora e reinadio daí a nada [o Porto], a meditar nos seus larguinhos românticos ou a dormir nos seus cemitérios familiares, há nele como que o perfume da essência da nossa alma." (Miguel Torga, *Portugal,* p. 66).

mazorca [Do esp. plat. *mazorca.*] *S. f. Bras.* 1. Perturbação da ordem; tumulto, desordem. 2. *Fam.* Barulho, baderna.

mazorqueiro [De *mazorca* + *-eiro.*] *Adj. S. m. Bras.* Que, ou aquele que promove mazorcas; desordeiro.

mazorral [De *mazorro* + *-al*[1].] *Adj. 2 g.* Grosseiro, rude, incivil, mazorro. [F. paral.: *maçorral* e *maçarral.*]

mazorro (ô) [Do ár. *manzõr,* 'escasso', poss.] *Adj.* 1. Mazorral. 2. Preguiçoso, indolente. 3. Sorumbático, macambúzio, tristonho.• *S. m.* 4. Indivíduo mazorral.

mazurca [Do pol. *mazurka,* pelo fr. *mazurka.*] *S. f.* Dança popular polonesa, originariamente cantada e dançada, em compasso ternário, com uma acentuação característica no segundo tempo, e que, no Brasil do séc. XIX, foi dança de salão: "viu-o nas salas da dança, conduzindo uma senhora ao passo da mazurca" (Aluísio Azevedo, *O Coruja,* p. 56).

■ **mb** Símb. de *milibar* (q. v.).

■ **Mb** Símb. de *megabit* (q. v.).

■ **MB** Símb. de *megabyte* (q. v.).

mbacaiá *S. m. Bras. Bot.* V. *cana-de-macaco* (1).

mbaiá[1] [De or. indígena.] *S. m. Bras. MT* V. *baiá.*

mbaiá[2] *Bras. S. 2 g.* 1. *Etnôn.* Indivíduo dos mbaiás, [ou (etnôn. bras.) *Mbayá], povo indígena extinto, da fa-

M

mília linguística guaicuru, que habitava as margens do rio Apa no MT e no Paraguai. • *Adj. 2 g.* 2. Pertencente ou relativo a esse povo.

mbatará [Do tupi = 'choca[4]'.] *S. m. Bras. Zool.* V. *batará.*

mbelele [Do tsonga.] *S. m. Moç.* Cerimônia realizada por mulheres, destinada a provocar a chuva: "Dizei-nos se o mbelele terá sucesso. Tomai a palavra." (Paulina Chiziane, *Ventos do Apocalipse*, p. 64.)

mbenga [Do ronga.] *S. f. Moç.* Alguidar de barro: "o incenso fumegava nas mbengas para despersuadir os espíritos maus" (Marcelo Panguana, *Balada dos Deuses*, p. 72).

mboa [Do ronga *mbowa*, 'hortaliça'.] *S. f. Moç.* 1. Folhas de abóbora. 2. *Cul.* Cozinhado de folhas de abóbora: "quero voltar a ser negra, comer mboa outra vez, como as minhas irmãs" (João Salva-Rey, *Ku Femba*, p. 334).

mboi [Do tupi = 'cobra'.] *S. f. Bras. Zool.* V. *boi*[2].

mboia (ói) [De *mboi*.] *S. f. Bras. Zool.* V. *boia*[2]. ✣

mbuí *S. m. Bras. Bot.* V. *buí.*

■ **MC** ['em,sij] [Ingl., abrev. de *master of cerimonies*, '*mestre de cerimônias*'.] *S. 2 g.* 1. Animador e *performer* na cultura *hip-hop*: "Os MCs Lápide e M7 estão despejando suas rimas na Casa da Matriz sem a menor cerimônia." (Carlos Albuquerque, em *Revista O Globo*, 12.08.2007.) 2. No *funk*, o animador ou apresentador do baile, que ger. pode ser um misto de DJ, compositor e/ou cantor, ou apenas um dos três.

■ **MCE** Sigla de *Mercado Comum Europeu.*

■ **Md** Símb. de *mendelévio.*

■ **MDC** *Mat.* Símb. de *máximo divisor comum.*

■ **MDF** [Abrev. do ingl. *medium density fiber.*] *Marc.* Chapa de fibras de madeira de média densidade, aglutinadas com resina sintética, a seco, mediante calor e pressão.

■ **MDIC** Sigla de *Ministério do Desenvolvimento, Indústria e Comércio.*

■ **MDMA** *Quím.* Sigla da metilenodioximetanfetamina.

me [De *mi*, contr. do lat. *mihi*.] 1. Forma átona do pronome *eu*, a qual funciona como objeto direto ou, na maioria dos casos, como objeto indireto, correspondendo a: a) A mim: "Uma pesada, rude canseira / Toma-me todo." (Manuel Bandeira, *Estrela da Vida Inteira*, p. 42); "Contou-me o que ocorrera." (Nestor de Holanda, *Memórias do Café Nice*, p. 19). b) A mim, ante mim; a meus olhos: "Divide-se a noite para que me apareças / e prolongues tua presença entre sonhos cortados." (Cecília Meireles, *Obra Poética*, p. 406); *Surgiu-me de repente aquela visão; Deparou-se-me um soberbo espetáculo.* c) Em mim: "Passaram à minha vista, sem me acordarem animalidade nem espiritualidade, suaves raparigas pálidas." (João de Araújo Correia, *Sem Método*, p. 18.) d) Para mim; destinado ou dirigido a mim: *Compre-me um bonito presente no dia dos meus anos*; "Canta-me cantigas, manso, muito manso..." (Guerra Junqueiro, *Os Simples*, p. 119). e) De mim: "Perdoai-me se eu choro! perdoai-me / Lágrimas que por si me estão brotando" (Antônio Feliciano de Castilho, *Escavações Poéticas*, p. 253); "Entristeces-me com esse juízo estreito que me fazes." (Fialho d'Almeida, *Aves Migradoras*, p. 186). 2. Tem, às vezes, caráter reflexivo: *Cortei-me; Feri-me seriamente.* 3. Com certos verbos, pode indicar a voz passiva: *Batizei-me naquela igreja; Eduquei-me em São Paulo.* 4. Por vezes (com elegância para o estilo), vale como possessivo: *Lançou-se-me aos pés*; "Entrei. Um gênio carinhoso e amigo, / O fantasma talvez do amor materno, / Tomou-me as mãos" (Luís Guimarães, *Sonetos e Rimas*, p. 11); "Dói-me a cabeça." (Augusto dos Anjos, *Eu*, p. 123). 5. Pode funcionar como dativo ético: "E ver agora um ninguém / Vir-me ao Porto dar a lei." (João de Deus, *Campo de Flores*, II, p. 97); "Graziela só ama os autores bons .... Sabe-me de cor o Garrett, o melhor Junqueiro, o Eça crítico." (João de Araújo Correia, *Sem Método*, p. 66); "— Ninguém me põe hoje o pé fora do portão. Quero todos estudando perto de mim." (Osvaldo Orico, *Vinha do Senhor*, p. 59); "D. Lucrécia, vós com esses vestidos de luto! Pois não é hoje um dia de .... festa para nós ambas! Oh! mudai-mos, mudai-mos breve" (Gonçalves Dias, *Teatro*, p. 105). [Cf. *mê* e *mi*.]

mê *S. m. Bras. AL SE BA* Eme. [Pl.: *mês* ou *mm*. Cf. *me* e *mi*.]

meã *Adj.* (*f.*) Fem. de *meão*: "Moreninha de cabelos pretos, meã de estatura." (A. J. de Figueiredo, *Conceição, Minha Namorada*, p. 16.)

meação [De *mear* + *-ção*.] *S. f.* 1. Divisão em duas partes iguais. 2. Divisão de uma parede ou de um muro em duas partes, cada uma delas pertencente a um proprietário. 3. Direito de copropriedade entre dois vizinhos sobre um ou mais objetos. 4. Forma de parceria agrícola em que metade da produção é entregue pelo produtor direto, dito meeiro (q. v.), ao proprietário da terra; meia. 5. *Jur.* A metade ideal dos bens comuns dos cônjuges, pertencente a cada um deles.

mea-culpa [Do lat. *mea culpa*, 'minha culpa', palavras que fazem parte do ato de contrição.] *El. s. m.* Us. na loc. *fazer mea-culpa.* ◆ **Fazer *mea-culpa*.** Reconhecer o seu erro, a sua culpa; arrepender-se.

meada [F. subst. de *meado*.] *S. f.* 1. Porção de fios dobados. 2. *Fig.* Enredamento, confusão, mixórdia: "Para que iria .... enredar-se numa meada d'amarguras domésticas, por um excesso de cavalheirismo romântico?" (Eça de Queirós, *Os Maias*, II, p. 267.) 3. *Fig.* Intriga, enredo, mexerico. [Cf. *miada*.]

meadeira [De *meada* + *-eira*.] *S. f. Bras.* Máquina de fazer meadas.

meado [Part. de *mear*.] *Adj.* 1. Chegado ao meio ou próximo do meio: *ano meado*; "Mas os copos, meados ou cheios de vinho aqui e ali, eram sobre a toalha branca como rosas rubras de alegria." (Aquilino Ribeiro, *Andam Faunos pelos Bosques*, p. 90.) • *S. m.* 2. A parte média ou mediana; o meio: "no meado do décimo século, posto que esse distrito fosse assaz povoado, o seu aspecto assemelhava-se ao de um deserto" (Alexandre Herculano, *Lendas e Narrativas*, I, pp. 3-4). [Tb. us. no pl.: *nos meados do ano*. Cf. *miado*.]

mealha [Do lat. vulg. **medalia* < lat. *medialia*, pl. neutro de (*aes*) *mediale*, 'moeda de cobre'.] *S. f.* 1. Moeda antiga, de cobre, do valor de meio ceitil; malha: "Quereis vós, senhor, um conselho, e não vos custará nem mealha?" (Alexandre Herculano, *Lendas e Narrativas*, II, p. 17.) 2. *Fig.* Pequena porção de qualquer coisa; migalha, partícula.

mealheiro [De *mealha* + *-eiro*.] *S. m.* 1. Conjunto de mealhas. 2. *P. ext.* Pecúlio (1). 3. Cofrezinho ou caixinha com uma fenda por onde se põe dinheiro a juntar: *mealheiro de barro.* • *Adj.* 4. Que apenas consta de mealhas, de pouco dinheiro. 5. Que dá lucro pequeno: *negócio mealheiro.*

meandrar [De *meandro* + *-ar*[2].] *V. int.* Formar meandros; serpear, serpejar, serpentear: "Jequiá [rio alagoano], com seu afluente Jequiazinho, atravessa a lagoa de igual nome e chega ao mar em um vale ...., depois de meandrar" (Ivã Fernandes Lima, *Geografia de Alagoas*, pp. 49-50).

meândrico [Do lat. tard. *maeandricu*.] *Adj. P. us.* 1. Que tem meandros ou sinuosidades. 2. *Fig.* Difícil de compreender; emaranhado, confuso.

meandro [Do top. gr. *Maíandros*, rio da Ásia Menor, pelo lat. *Maeandru*, já nas línguas clássicas com a acepç. de 'sinuosidade'.] *S. m.* 1. Sinuosidade, rodeio, volteio de curso de água, de caminho, etc.: *os meandros do rio*; "no meio daqueles escuros e tortuosos meandros, o camareiro hesitou, retendo a respiração e pondo-se a escutar atentamente." (Alexandre Herculano, *O Monge de Cister*, II, p. 154). 2. *Fig.* Emaranhamento, complicação, dificuldade: *os meandros do problema; os meandros da alma.* 3. *Fig.* Enredo, intriga, confusão: *os meandros políticos.*

meante[1] [Adapt. do tax. *Meantes*.] *Zool. S. m.* 1. Espécime dos meantes, subordem de animais anfíbios, caudados, de corpo delgado, brânquias persistentes, maxilares com revestimento córneo, e desprovidos de membros posteriores e pálpebras. São aquáticos e não ocorrem no Brasil. • *Adj. 2 g.* 2. Pertencente ou relativo a eles.

meante[2] [Do lat. *mediante*, por via pop.] *Adj. 2 g.* 1. Dividido ao meio. 2. Que vai em meio: "Em janeiro mete obreiro; mês meante, que não ante" (prov.).

meão [Do lat. *medianu*, por via pop.] *Adj.* 1. V. *mediano* (1). 2. Nem grande nem pequeno; mediano, médio: *estatura meã*; "Troncudo e gordo, meão de estatura, rosto redondo" (Jorge Amado, *Teresa Batista Cansada de Guerra*, p. 76). 3. V. *medíocre* (2). 4. *Bras. CE* Diz-se do cavalo cuja marcha habitual é o meio. • *S. m.* 5. Peça central do tampo das vasilhas. 6. Peça central, grossa, da roda dos carros, na qual se embebe o eixo e assentam as cambas. 7. *Bras. MA Etnogr.* Tambor médio, de madeira escavada a fogo, com a abertura superior coberta de couro, para a percussão, usado punga[2]; chamador. [Flex. do adj.: *meãos, meã(s)*. Pl. do s. m.: *meãos*.]

mear [Do lat. *mediare*, por via pop.] *V. t. d.* 1. Dividir ou partir ao meio; amear, dimidiar. 2. Chegar à metade de (um trabalho, uma tarefa); pôr em meio. *Int. P.* 3. Chegar ao meio: "Corria o ano de 1575. Meava-se o mês de abril, e ainda el-rei D. Sebastião se demorava em Évora" (Conde de Sabugosa, *Embrechados*, p. 25). [Conjug.: v. *frear*. Cf. *miar*.]

meato [Do lat. *meatu*, 'ação de passar de um a outro lugar', 'passagem'.] *S. m.* 1. Pequeno ducto. 2. Orifício externo de ducto. 3. Intervalo que dá passagem. 4. Caminho, via, conduto. 5. *Anat.* Designação comum a alguns orifícios de conduto (2), como, p. ex., *o meato urinário* e *o meato auditivo externo.* 6. *Bot.* Espaço intercelular vegetal cheio de ar (nas plantas aquáticas), ou de resina (canais secretores), etc. ◆ **Meato acústico externo.** *Anat.* Cada um de dois canais que, em cada ouvido, se estende do pavilhão (12) à membrana timpânica; conduto auditivo externo (denom. ant.).

mebendazol [Voc. farmac.] *S. m. Quím.* Substância cristalina, aromática, heterocíclica, derivada do benzimidazol, usada como anti-helmíntico [fórm.: $C_{16}H_{13}N_3O_3$]. [Pl.: *mebendazóis*.]

mebungu [De or. afric.] *S. m. Bot.* V. *abó.*

■ **MEC** Sigla de *Ministério da Educação e do Desporto*, antigo Ministério da Educação e Cultura.

meca [Do top. *Meca* (Ásia), poss.] *El. s. f.* V. *ceca.*

mecanal *Adj. 2 g. S. m. Tip.* Diz-se do, ou o tipo de ostensão (q. v.) de estrutura retangular ou quadrada, traços quase sempre uniformes, e serifas em forma de barra simples ou com curvatura interna, a cuja família pertence o tipo de máquina. [Cf. *letra italiana*.]

mecânica [Do gr. *mechaniké*, 'a arte de construir uma máquina', pelo lat. *mechanica*.] *S. f.* 1. Ciência que investiga os movimentos e as forças que os provocam. 2. Obra, atividade ou teoria que trata de tal ciência: *a mecânica de Laplace.* 3. O conjunto das leis do movimento. 4. Estrutura e funcionamento orgânicos; mecanismo: *a mecânica do sistema digestório; a mecânica do relógio.* 5. Atividade relacionada com máquinas, motores, mecanismos. 6. Aplicação prática dos princípios de uma arte ou ciência. 7. Tratado ou compêndio de mecânica. 8. Exemplar de um desses tratados ou compêndios. 9. *Fig.* Combinação de meios, de recursos; mecanismo: *a mecânica política.* ◆ **Mecânica analítica.** *Fís.* Estudo matemático-dedutivo da mecânica (1); mecânica racional. **Mecânica celeste.** *Fís.* Parte da mecânica clássica que investiga o movimento dos corpos celestes. **Mecânica clássica.** A que se baseia nas leis de Newton; mecânica newtoniana. **Mecânica dos solos.** Estudo do comportamento dos maciços terrosos sob a ação de esforços externos e internos. **Mecânica estatística.** Parte da física que investiga os sistemas macroscópicos mediante o estudo da sua estrutura microscópica e dos fenômenos de massa que esta provoca. **Mecânica newtoniana.** *Fís.* Mecânica clássica. **Mecânica ondulatória.** *Fís.* Mecânica quântica. **Mecânica quântica.** Parte da física em que se investigam os fenômenos ocorrentes com partículas, átomos e moléculas, e em que, abandonando-se a admissão clássica da continuidade dos processos subatômicos, se aceita a ocorrência de fenômenos discretos quantificados; mecânica ondulatória. **Mecânica racional.** *Fís.* Mecânica analítica.

mecanicismo [De *mecânico* + *-ismo*.] *S. m. Filos.* Doutrina que admite que determinado conjunto de fenômenos, ou mesmo toda a natureza, se reduz a um sistema de determinações mecânicas. [Afirma-se esta doutrina sobretudo por conceber o movimento como determinado por lei causal rigorosa, e por negar todo o tipo de finalismo ou de qualidade oculta para a determinação dos fenômenos naturais.]

mecanicista [De *mecanicismo* + *-ista*.] *Adj. 2 g.* Relativo ao mecanicismo. ~ V. *materialismo —.*

mecânico [Do gr. *mechanikós*, pelo lat. *mechanicu*.] *Adj.* 1. Pertencente ou relativo à mecânica: *princípios mecânicos.* 2. Executado por máquina ou mecanismo. 3. *Filos.* Relativo a processo em que se pode determinar uma série de fases subordinadas e dependentes umas das outras. 4. *Filos.* Relativo à tendência a descrever as relações entre os fenômenos naturais mediante forças atrativas e repulsivas que interagem em linha reta entre partículas invariáveis, e que dependem, unicamente, da distância entre elas. 5. *Fig.* Maquinal, automático, reflexo: *gestos mecânicos.* ~ V. *artes —as, composição —a, direção —a, edição —a, equilíbrio —, estabilização —a, freio —, olho —, orla —a, pá —a, pasta —a, perna —a, piano —, pólvora —a* e *rocha —a.* • *S. m.* 6. Profissional da mecânica (5). 7. Indivíduo de origem ou condição modesta; trabalhador: "parecia-lhe melhor que os toureadores, sendo fidalgos, servissem o Estado com a pena ou com a espada, e, sendo mecânicos, que lavrassem, tecessem e ganhassem honradamente a vida" (Rebelo da Silva, *Contos e Lendas*, p. 174).

mecanismo [Do fr. *mécanisme*.] *S. m.* 1. Disposição das partes constitutivas de uma máquina; maquinismo. 2. Mecânica (4): *o mecanismo da eletrola; o mecanismo do corpo humano.* 3. *Fig.* Funcionamento orgânico; processo de funcionamento: *o mecanismo do raciocínio; o mecanismo administrativo; o mecanismo da sociedade.* 4. *Fig.* Mecânica (9): *o mecanismo diplomático.* 5. *Fig.* Parte material ou externa da linguagem, independentemente do sentido das palavras. 6. *Mús.* Estudo prático de qualquer instrumento, mediante exercícios com que se obtém igualdade na movimentação dos dedos, flexibilidade, velocidade, resistência, força, domínio da sonoridade, etc.; técnica. ◆ **Mecanismo de defesa.** *Psicol.* Qualquer dos processos psicológicos inconscientes, como, p. ex., a sublimação, a projeção e a regressão, utilizados, segundo as circunstâncias, para diminuir a angústia ou as tensões resultantes dos conflitos internos; defesa. **Mecanismo de Higgs.** *Fís. Part.* Processo pelo qual bósons e férmions adquirem massa ao interagir com o campo de Higgs, na teoria unificada das interações eletromagnéticas fracas. **Mecanismo de reação.** *Quím.* Sequência, o mais detalhada possível, das etapas consecutivas que levam dos reagentes aos produtos finais de uma reação.

mecanização [De *mecanizar* + *-ção*.] *S. f.* Ação ou efeito de mecanizar.

mecanizado [Part. de *mecanizar*.] *Adj.* Em que houve mecanização. ~ V. *terraplenagem —a.*

mecanizar [De *mecan(o)-* + *-izar*.] *V. t. d.* **1.** Prover de máquinas e meios mecânicos: *mecanizar a agricultura.* **2.** Organizar mecanicamente. **3.** Dispor a organização de mecanismos. **4.** Tornar maquinal ou mecânico. *P.* **5.** Tornar-se maquinal ou mecânico; automatizar-se: *Com o fornecimento de implementos, a agricultura mecanizou-se.*

▲ **mecan(o)-** [Do gr. *mēchanḗ, ês*.] *El. comp.* = 'máquina', 'engenho': *mecanizar, mecanotipia.*

mecanografado [Part. de *mecanografar*.] *Adj.* Que se mecanografou.

mecanografar [De *mecan(o)-* + *-graf(o)-* + *-ar*[2].] *V. t. d.* Organizar ou reproduzir por meio mecanográfico.

mecanografia [De *mecan(o)-* + *-grafia*.] *S. f.* **1.** Arte, técnica ou processo de utilizar máquinas para apuração e organização de documentos, para auxiliar a escrita ou o cálculo, etc. **2.** Atividade que compreende a fabricação, venda e manutenção de máquinas dactilográficas, taquigráficas, contábeis, computadores, etc.

mecanográfico [De *mecanografia* + *-ico*[2].] *Adj.* Relativo a mecanografia.

mecanógrafo [De *mecan(o)-* + *-grafo*.] *S. m.* Especialista em mecanografia.

mecanoquímico [De *mecan(o)-* + *químico*.] *Adj.* ~ V. *pasta —a.*

mecanoscrito [De *mecan(o)-* + *escrito*.] *S. m.* Texto obtido por mecanografia; dactiloscrito.

mecanoterapia [De *mecan(o)-* + *-terapia*.] *S. f. Terap.* Emprego de aparelho mecânico no tratamento de doenças, ou como auxiliar de exercícios terapêuticos.

mecanoterápico [De *mecanoterapia* + *-ico*[2].] *Adj.* Referente a mecanoterapia.

mecanotipia [De *mecan(o)-* + *-tip(o)-* + *-ia*[1].] *S. f. Tip.* Arte de compor mecanicamente. [Cf. *composição mecânica, fotocomposição, linotipia* e *monotipia*[1].]

meças [Dev. de *medir*, no pres. subj.] *S. f. pl.* Medição, comparação, cotejo. ◆ **Pedir meças a. 1.** Exigir a medição, a avaliação de. **2.** Exigir satisfação, explicações a. **3.** Não temer comparações com: *Em coisas de educação pede meças a quem quer que seja;* "seculas cálidas a pedir meças à vastidão dos espaços" (João da Silva Correia, *Farândola*, p. 11).

mecê *Pron. pess. Bras. Pop.* V. *você*: "agora mecê carece de dormir. Eu também." (João Guimarães Rosa, *Estas Estórias*, p. 140).

mecenas [Do antr. *Mecenas* (60 a. C.-8 d. C.), ministro de Augusto, protetor de artistas e homens de letras.] *S. m. 2 n. Fig.* Patrocinador generoso, protetor das letras, ciências e artes, ou dos artistas e sábios.

mecenato [De *mecenas* + *-ato*[1].] *S. m.* Condição, título ou papel de mecenas.

mecénico *Adj.* V. *mecênico*. [Uso freq. em P.]

mecênico [De *mecenas* + *-ico*[2].] *Adj.* Relativo a, ou próprio de mecenas.

mecha [Do fr. *mèche*.] *S. f.* **1.** Feixe ou torcida de fios ou filamentos. **2.** Torcida ou pavio de vela ou lampião. **3.** V. *madeixa* (3): "perdia-me a olhar-lhe os cabelos bem arrumados, viajando pelas ondas caídas para trás, alisando as mechas irrequietas que saltavam pelas orelhas." (Reginaldo Guimarães, *Uma Blusa no Cais*, p. 46). **4.** Pequenas madeixas [v. *madeixa* (3)] tingidas de cor mais clara que a do cabelo. **5.** Rastilho, estopim. **6.** Pedaço de papel ou de pano embebido em enxofre, e que serve especialmente para defumar pipas e tonéis. **7.** Pedaço de gaze que se introduz numa ferida ou numa abertura cirúrgica, para que elas não fechem ou para funcionar como dreno. **8.** *Constr. Nav.* Parte de seção quadrada em que termina o pé do mastro, e destinada a entrar na carlinga. **9.** *P. ext.* Qualquer parte de seção quadrada destinada a encaixar num vazado aberto em outra peça. [Cf. *mexa* (ê), do v. *mexer*.]

mechado [Part. de *mechar*.] *Adj.* Em que se fez mecha (4): "Preciso de um espelho, ... uma peruca mechada e uma patinete." (Luís Fernando Veríssimo, em *Jornal do Brasil*, "Domingo", ano 4, nº 165).

mechar [De *mecha* + *-ar*[2].] *V. t. d.* **1.** Pôr mecha em. **2.** Defumar com mecha. **3.** Ligar por meio de mecha. **4.** Comunicar fogo a. **5.** Fazer mecha (4) em. [Pres. ind.: *mecho, mechas, mecha, mechamos, mechais, mecham*; pres. subj.: *meche, meches, meche, mechemos, mecheis, mechem.* Cf. o pres. ind. e o pres. subj. do v. *mexer*.]

mechoacão [Do top. *Michoacán* (México).] *S. m. Bot.* Planta convolvulácea (*Convolvulus mechoacana*), nativa originalmente do México, cuja raiz tem propriedades purgativas.

meco *S. m. Gír.* **1.** Sujeito, tipo, indivíduo. **2.** Indivíduo libertino, devasso. **3.** Espertalhão, malandro. **4.** *Bras. SC* Pala[2] curto, de lã grosseira: "Se faz frio ou chove, um velho meco, muito surrado, lhe cobre o corpo." (Guido Vilmar Sassi, *Piá*, p. 94.)

▲ **mec(o)-** [Do gr. *mêkos, eos-ous*.] *El. comp.* = 'comprimento', 'extensão', 'tamanho': *mecômetro, mecópode.*

mecómetro *S. m. Obsol.* V. *mecômetro*. [Uso freq. em P.]

mecômetro [De *mec(o)-* + *-metro*.] *S. m. Obst.* Instrumento cirúrgico em forma de compasso, com que se mede o comprimento fetal.

mecónio *S. m. Embr.* V. *mecônio*. [Uso freq. em P.]

mecônio [Do gr. *mekónion*, 'suco de dormideira (2)', pelo lat. *meconiu*.] *S. m.* **1.** *Embr.* Substância de cor escura ou esverdeada, constituída por restos celulares, secreção biliar e pelos, presentes no intestino do feto, e que é defecada após o nascimento **2.** Variedade de ópio.

mecópode [De *mec(o)-* + *-pode*.] *Adj. 2 g.* Longípede. [Antôn.: *brevípede*.]

mecóptero [De *mec(o)-* + *-ptero*; tax. *Mecoptera*.] *Zool. S. m.* **1.** Espécime dos mecópteros, ordem de artrópodes da classe dos insetos, com sistema bucal mastigador; asas, quando presentes, iguais, estreitas e com numerosas nervuras, podendo ser vestigiais ou ausentes; antenas longas e plurissegmentadas (até 50 segmentos). Põem ovos no solo, e as larvas são eruciformes e saprófagas. Holometabólicos, vivem em vegetação densa e sombria. ● *Adj.* **2.** Pertencente ou relativo a eles. [Sin. ger.: *panorpato, panorpídeo*.]

mecruce *S. m. Moç. Bot.* V. *mecrusse*.

mecrusse [Do macua.] *S. m. Moç. Bot.* Árvore euforbiácea (*Androstachys johnsonii*) de porte médio, cuja madeira, resistente aos cupins, é us. em soalhos, estacaria e dormentes de estrada de ferro: "O pagamento seria feito em toros de mecrusse." (Rodrigues Júnior, *O Branco da Motase*, p. 48.) [Outra forma: *mecruce*.]

meda[1] [Do lat. *meta*, 'cone', por via pop.] *S. f.* **1.** Montão de molhos de trigo, palha, centeio, etc., sobrepostos de modo que formem aproximadamente um cone. **2.** *Fig.* Acervo, monte, montão: *uma meda de papéis;* "deitado em cima da meda das batatas." (João de Araújo Correia, *Terra Ingrata*, p. 197). **3.** Pilha de troncos e galhos a que se põe fogo para obter carvão vegetal.

meda[2] *Adj. 2 g. S. 2 g. S. m.* V. *medo*[2].

medalha [Do it. *medaglia*.] *S. f.* **1.** Peça metálica, de ordinário redonda ou ovalada, com emblema, efígie e inscrição. **2.** Insígnia de ordem honorífica; venera, condecoração. **3.** Placa de metal de uso obrigatório em certas profissões: *medalha de comissário.* **4.** Prêmio que se confere aos vencedores de concursos, torneios, competições, exposições, etc.: *medalha de ouro; medalha de bronze.* **5.** Peça que representa e/ou inclui um objeto de devoção religiosa. **6.** *Arquit.* Medalhão[1] (2). **7.** *Bras. Bord.* Tipo de bico de renda com bordados circulares ou ovalados. ◆ **Medalha cunhada.** *Maç.* Dinheiro em moeda corrente no país.

medalhão[1] [De *medalha* + *-ão*[1].] *S. m.* **1.** Medalha grande. **2.** *Arquit.* Baixo-relevo oval ou circular utilizado como ornato nos edifícios suntuosos; medalha: "ao centro das paredes os medalhões de César, Augusto, Nero e Massinissa." (Machado de Assis, *Dom Casmurro*, p. 4). **3.** Joia circular, oval ou oblonga, com fecho que prende as duas faces e moldura, em geral, numa delas, que se destina a guardar retratos, cabelos, etc., e é dotada de pequena argola para pendurar: "Glória usava no peito um broche com um medalhão de duas faces." (Raquel de Queirós, *As Três Marias*, p. 9.) **4.** Retrato ou quadro rodeado de moldura circular ou oval. **5.** *Fig. Deprec.* Homem importante; figurão. **6.** *Fig. Deprec.* Indivíduo nulo, sem valor real, porém guindado a posições relevantes pelo dinheiro ou pela influência de boas amizades, jeitosamente conseguidas.

medalhão[2] [Do fr. *médaillon*.] *S. m. Cul.* Bife (1), ou qualquer peça de peixe, lagosta, patê, presunto, etc., alto e redondo, lembrando um medalhão[1] (1). [Cf. *bife* (1).]

medalhar [De *medalha* + *-ar*[2].] *V. t. d.* Gravar em medalha; comemorar ou consagrar por meio de medalha: *medalhar a conquista do tetracampeonato mundial.*

medalharia [De *medalha* + *-aria*.] *S. f. Fam.* Grande quantidade de medalhas.

medalhário [De *medalha* + *-ário*.] *S. m.* Medalheiro.

medalheiro [De *medalha* + *-eiro*.] *S. m.* **1.** Lugar onde se expõem ou guardam medalhas; coleção de medalhas. **2.** Fabricante de medalhas. [Sin. ger.: *medalhário*.]

medalhista [De *medalha* + *-ista*.] *S. 2 g.* **1.** Especialista em medalhística. **2.** Pessoa que coleciona medalhas.

medalhística [De *medalhista* + *-ica*.] *S. f.* Estudo das medalhas e ordens honoríficas.

medalhonismo [De *medalhão* + *-ismo*, seg. o padrão erudito.] *S. m.* **1.** Influência ou predomínio dos medalhões [v. *medalhão*[1] (5 e 6)]. **2.** O culto dos medalhões.

médão [Do lat. vulg. hispânico **metulu*, dim. do lat. *meta*, 'meda', pelo esp. *médano*.] *S. m.* Monte de areia ao longo da costa. [Var.: *medo*. Cf. *duna*. Pl.: *médãos*.]

medeirense[1] *Adj. 2 g.* **1.** De, ou pertencente ou relativo a Medeiros (MG). ● *S. 2 g.* **2.** O natural ou habitante de Medeiros.

medeirense[2] *Adj. 2 g.* **1.** De, ou pertencente ou relativo a Medeiros Neto (BA). ● *S. 2 g.* **2.** O natural ou habitante de Medeiros Neto.

medeixes [De *me* + a 2ª pess. sing. do pres. subj. de *deixar*.] *S. m. pl. Bras. Fam.* Desdéns fingidos; esquivanças.

mede-léguas [Da 3ª pess. do sing. do pres. ind. de *medir* + o pl. de *légua*.] *S. m. 2 n. Bras. Zool.* V. *bacurau* (1).

mede-palmos [Da 3.ª pess. do sing. do pres. ind. de *medir* + o pl. de *palmo*.] *S. m. 2 n. Bras. Zool.* V. *lagarta-mede-palmos.*

➔ **media** ['mijdiə] [Ingl., f. red. do ingl. *mass media*.] *S. f.* V. *mídia*.

média [Do lat. *media*, pl. de *medium*, 'o meio', 'o espaço intermediário'.] *S. f.* **1.** *Estat.* Numa distribuição, valor que se determina segundo uma regra estabelecida *a priori* e que se utiliza para representar todos os valores da distribuição. **2.** Quantidade, estado ou coisa que se situa em determinada equidistância dos pontos extremos. **3.** Nota estipulada como mínima para aprovação escolar. **4.** *Anat.* Túnica média (q. v.). **5.** *Bras.* Café com leite, servido em xícara grande: "não me sobrava dinheiro algum para um concerto, um cinema, uma distração mais cara do que a média ou o café pequeno nos botequins." (Lia Correia Dutra, *Navio sem Porto*, p. 236). [Cf. *media*, do v. *medir*.] ◆ **Média aritmética.** *Mat.* O quociente da soma de *n* valores por *n*. **Média cúbica.** *Mat.* Raiz cúbica da média aritmética dos cubos de valores dados. **Média geométrica.** *Mat.* Raiz enésima do produto de *n* valores dados. **Média harmônica.** *Mat.* O inverso da média aritmética dos inversos de um conjunto de valores. **Média proporcional.** *Mat.* Média geométrica de dois valores. **Média quadrática.** *Mat.* Raiz quadrada da média aritmética dos quadrados de valores dados. **Fazer média.** *Bras.* Procurar agradar, criar para si uma boa situação junto a alguém, a um grupo, etc., visando a tirar proveito.

mediação [Do lat. tard. *mediatione*.] *S. f.* **1.** Ato ou efeito de mediar. **2.** Intervenção, intercessão, intermédio: *Conheci-o por mediação do deputado.* **3.** Relação que se estabelece entre duas coisas, ou pessoas, ou conceitos, etc., por meio de uma terceira coisa, ou pessoa, ou conceito, etc. **4.** *Educ.* Relação que se estabelece entre o professor, aluno e objeto do conhecimento, visando o aprofundamento do conhecimento. **5.** *Hist. Filos.* No gnosticismo, função exercida por diferentes potências celestiais na condução do homem à gnose (q. v.) **6.** *Jur.* Técnica de solução de conflitos que, pela intervenção de terceira pessoa, se busca induzir as partes litigantes à produção de um acordo. **7.** *Jur.* Processo pacífico de acerto de conflitos internacionais, no qual (ao contrário do que se dá na arbitragem) a solução é sugerida e não imposta às partes interessadas. **8.** Agenciamento, corretagem. **9.** *Mat.* Operação de somar termo a termo duas frações ordinárias. **10.** *Rel.* Intercessão junto a uma divindade, para obter graça ou proteção. **11.** *Rel.* Segundo a doutrina da Igreja Católica, função de Maria e dos Santos junto a Cristo e a Deus.

mediador (ô) [Do lat. tard. *mediatore*.] *Adj. S. m.* **1.** Que, ou aquele que medeia ou intervém; medianeiro, mediatário, intermediário, intermédio. **2.** Diz-se de, ou pessoa que coordena discussão em grupo, painel ou mesa-redonda; moderador. ~ V. *avaliação —a.*

medial [Do lat. tard. *mediale*.] *Adj. 2 g.* **1.** Que ocupa o meio; que está no meio; central, médio. **2.** Diz-se da letra que fica no meio da palavra: *O r é a letra medial da palavra força.* **3.** *Anat.* Diz-se de formação anatômica que se encontra mais próxima à linha mediana (q. v.). ~ V. *falange —, voz —.* ● *S. f.* **4.** Letra medial. **5.** *Estat.* Reta que, num diagrama de dispersão, divide o conjunto de pontos em dois conjuntos com igual número de pontos.

média-metragem *S. m. Cin.* Filme com a duração média de 30 a 60 minutos. [Pl.: *médias-metragens.*]

→ **media mix** [ˈmijdijə mɪks] [Ingl.] *Prop.* V. *mídia* (3).

mediana [F. subst. do adj. *mediano.*] *S. f.* **1.** *Geom.* Num triângulo, segmento de reta que une um vértice ao meio do lado oposto. **2.** *Estat.* Num conjunto (ou distribuição de frequências) de n valores dispostos em ordem de grandeza, o valor de ordem (n +1)/2 se n for ímpar ou a média aritmética entre os valores de ordens n/2 e n/2 + 1 se n for par.

medianeirense *Adj. 2 g.* **1.** De, ou pertencente ou relativo a Medianeira (PR). ● *S. 2 g.* **2.** O natural ou habitante de Medianeira.

medianeiro [De *mediano* + *-eiro.*] *Adj.* **1.** V. *mediador* (1): "entremetia-se [Roma] nos negócios de todas as nações, oferecendo-se como medianeira, aliada, árbitra, protetora, vingadora de tortos" (Aquilino Ribeiro, *Os Avós dos Nossos Avós*, p. 72). **2.** Que executa os desígnios de; intermediário. **3.** Que intervém a favor de; intercessor. ~ V. *parede —a.* ● *S. m.* **4.** V. *mediador* (1). **5.** Medianeiro (2 e 3). **6.** Compositor (3).

mediania [De *mediano* + *-ia*[1].] *S. f.* **1.** Qualidade ou condição de mediano (1). **2.** Termo médio: "Feijó, como político, é um paradoxo e fica à parte da mediania da nossa mentalidade étnica: as qualidades mestras do seu caráter não são exatamente as do caráter nacional." (Oliveira Viana, *Pequenos Estudos de Psicologia Social*, p. 184.) **3.** Meio-termo entre a riqueza e a pobreza. **4.** *Constr. Nav.* Interseção de um convés com o plano diametral da embarcação.

medianiz [De *mediano.*] *S. f. Tip.* A margem interna da página de um livro, que, nos antigos formatos, deitados em ramas onde apenas cabiam duas páginas, correspondia à cruzeira (1).

mediano [Do lat. *medianu*, por via erudita.] *Adj.* **1.** Que está no meio, ou entre dois extremos; intermediários, médio, meão: "enamorou-se de uma viúva, senhora de condição mediana e parcos meios de vida" (Machado de Assis, *Quincas Borba*, p. 5). **2.** V. *meão* (2). **3.** Que não é bom nem mau; médio, medíocre. **4.** V. *medíocre* (2). **5.** Que está na situação de mediania (3). ~ V. *afastamento — e estatura —a.*

mediante [Do lat. *mediante*, por via erudita.] *Adj. 2 g.* **1.** Que medeia; que intervém; que serve de auxílio. ● *Prep.* **2.** Por meio de; por intermédio de; com auxílio ou intervenção de: *Venceu mediante grande esforço; Salvou-se mediante a graça de Deus*; "Em 1609, mediante o Conde Filipe de Nassau, Maurício reconciliou-se com a irmã, e admitiu-os nos seus estados." (Camilo Castelo Branco, *D. Luís de Portugal*, pp. 113-114). **3.** Por meio de; servindo-se ou valendo-se de: "era homem expedito nisto de enforcar a gente na janela de qualquer cidadão, mediante seis varas de corda." (Camilo Castelo Branco, *Noites de Insônia*, IV, p. 42). **4.** A troco de; contra: "rejubilava-se agora ao ponto de lhes propor que almoçassem e jantassem com ela, mediante uma estipulada mensalidade." (Aluísio Azevedo, *O Coruja*, p. 65). ● *S. m.* **5.** Tempo decorrido entre dois fatos ou duas épocas. ● *S. f.* **6.** *Mús.* O terceiro grau da escala diatônica e/ou a primeira nota modal (q. v.).

mediar [Do lat. *mediare*, por via erudita.] *V. t. d.* **1.** Dividir ao meio; repartir em duas partes iguais. **2.** Intervir como árbitro ou mediador: *Uma das funções mais importantes da ONU é mediar a paz. T. i.* **3.** Ficar no meio de dois pontos; distar: *A rapidez dos meios de transporte tem diminuído muito a distância que medeia entre os povos. T. c.* **4.** Decorrer ou ter decorrido entre duas épocas: "Entre nós e a queda simbólica da Bastilha já medeia um século" (Eça de Queirós, *Cartas Familiares e Bilhetes de Paris*, p. 180); *Entre a independência do Brasil e a proclamação da República medeiam 67 anos.* **5.** Ser mediador ou árbitro. *Bit. i.* **6.** Mediar (4): *Mediou um certo tempo, da ideia à execução do desenho.* [Irreg. Conjug.: v. *odiar.* Pres. ind.: *medeio, medeias, medeia*, etc. Cf. *Medeia*, antr.]

mediastinal [De *mediastino* + *-al*[1].] *Adj. 2 g.* Do, ou pertencente ou relativo ao mediastino.

mediastínico [De *mediastino* + *-ico*[2].] *Adj.* Relativo ao mediastino: *pleura mediastínica.*

mediastinite [De *mediastino* + *-ite*[1].] *S. f. Patol.* Inflamação do mediastino.

mediastino [Do lat. med. *mediastinu*, 'que está no meio'.] *S. m. Anat.* Espaço, no tórax, compreendido entre o esterno, por diante, a coluna vertebral, por trás, a base do pescoço, por cima, o músculo diafragma, por baixo, e, de cada lado, uma das regiões pleuropulmonares, e no qual estão incluídos órgãos diversos.

mediatário [De *mediar* + *-tário.*] *Adj. S. m.* V. *mediador* (1).

mediateca [Do fr. *médiathèque.*] *S. f. Docum.* V. *midiateca.*

mediatecário [De *mediateca* + *-ário.*] *S. m. Docum.* V. *midiatecário.*

mediático [Do fr. *médiatique* < fr. *média*, 'mídia'.] *Adj. Comun.* V. *midiático*: "O problema básico é agora o da imagem. Ou seja, a imagem pública, mediática, do MST teria sido atingida pelas fotos na revista." (Muniz Sodré, em *Jornal do Brasil*, 21.10.1997.)

mediatização [De *mediatizar* + *-ção*; fr. *médiatisation.*] *S. f.* Ato ou efeito de mediatizar.

mediatizar [De *mediato* + *-izar*; fr. *médiatiser.*] *V. t. d. T. d. e i.* Tornar mediato (2); mediar relações: *As negociações econômicas mediatizaram as relações entre os dois países.* [Cf. *midiatizar.*]

mediato [Do lat. *mediatu.*] *Adj.* **1.** Que está em relação com outra(s) pessoa(s) ou coisa(s) por meio de uma terceira; indireto: *causa mediata.* [Opõe-se a *imediato* (4).] **2.** *Filos.* Diz-se do que é condicionado, dependente de outro. ~ V. *percussão —a.*

mediatriz [Do lat. tard. *mediatrice.*] *S. f. Geom.* Perpendicular ao meio de um segmento de reta.

médica[1] *S. f.* Fem. de *médico*[2] (2). [Cf. *medica*, do v. *medicar.*]

médica[2] [Do lat. *medica*, 'alfafa', 'luzerna'.] *S. f. Lus. Bot.* V. *alfafa.* [Cf. *medica*, do v. *medicar.*]

medicação [Do lat. *medicatione.*] *S. f.* **1.** Ato de medicar; tratamento mediante o uso de medicamentos. **2.** Medicamento(s) prescrito(s) e ministrado(s) a um paciente. [Sin., obsol.: *medicamentação.*] ◆ **Medicação pré-anestésica.** *Anest.* Aquela que se faz com antecedência variável no período pré-operatório, antes de o paciente ser submetido a anestesia, e que atua como auxiliar desta, visando, entre outros benefícios no paciente, à redução da ansiedade. [Sin., impr.: *pré-anestésico* e *pré-medicação.*]

medical [De *médico*[2] + *-al*[1].] *Adj. 2 g.* **1.** V. *medicinal* (1). **2.** Relativo a, ou próprio de médico.

medicamentação [De *medicamentar* + *-ção.*] *S. f. Obsol.* Medicação.

medicamentar [De *medicamento* + *-ar*[2].] *Obsol. V. t. d.* **1.** Dar medicamento a; medicar. *P.* **2.** Tratar-se com medicamento; medicar-se.

medicamento [Do lat. *medicamentu.*] *S. m. Farm.* Produto farmacêutico que objetiva curar doença, ou paliar efeito(s) dela. [Muitos medicamentos podem ser apresentados em mais de uma forma farmacêutica, o que os torna aplicáveis por mais de uma via (oral, retal, intravenosa, etc.).] ◆ **Medicamento de referência.** *Farm.* Produto inovador, registrado no órgão federal responsável pela vigilância sanitária, e comercializado no país, cuja eficácia, segurança e qualidade foram comprovadas cientificamente, junto ao órgão federal competente, por ocasião do registro. **Medicamento genérico.** *Farm.* Medicamento comercializado com o seu nome técnico, *i. e.*, o nome do princípio ativo que o integra e que deve prevalecer sobre a marca comercial, tanto na embalagem quanto na receita médica. [Tb. se diz apenas *genérico.*] **Medicamento magistral.** *Farm.* Forma magistral (q. v.). **Medicamento oficinal.** *Farm.* Forma oficinal (q. v.).

medicamentoso (ô) [Do lat. *medicamentosu.*] *Adj.* Que tem propriedades de medicamento; medicativo. ~ V. *incompatibilidade —a e interação —a.*

medicança [De *médico*[2] + *-ança.*] *S. f. Deprec.* A classe médica; os médicos.

medicando [Gerundivo do lat. *medicare* (v. *-ando*).] *Adj. S. m.* Que, ou aquele que vai ser medicado.

medição [De *medir* + *-ção.*] *S. f.* **1.** Ato ou efeito de medir; medida. **2.** *Constr.* Cálculo das quantidades de serviços executados e dos materiais empregados numa obra, para fins de pagamento e verificação da observância do projeto. **3.** *Bras. BA* Ato de mandar medir uma faixa de terras devolutas pertencentes ao Estado. **4.** Essas mesmas terras demarcadas. **5.** *Fís.* Medida (13).

medicar [Do lat. *medicare.*] *V. t. d.* **1.** Tratar com medicamentos; aplicar remédios a: "Juvenal temera pela saúde do pai. Prevenira-se, medicando-o, fazendo com que ele se recolhesse ao quarto." (Nélson de Faria, *Cabeça-Torta*, p. 111.) [Sin., pop.: *mezinhar* e, obsol., *medicamentar.*] **2.** Prescrever medicamento para. *Int.* **3.** Tratar enfermos com medicamentos. *P.* **4.** Tomar remédios. [Sin. ger., *desus.*: *medicinar.* Conjug.: v. *trancar.* Pres. ind.: *medico, medicas, medica*, etc. Cf. *médico*, adj. e s. m., e *médica*, s. f.]

medicastro [De *médico*[2] + *-astro.*] *S. m.* **1.** Aquele que faz curativos sem diploma nem aptidões de médico; curandeiro. **2.** *Deprec.* Médico incapaz.

medicativo [De *medicar* + *-tivo.*] *Adj.* Medicamentoso.

medicatriz [Do lat. *medicatrice*, fem. de *medicator*, 'aquele que medica'.] *Adj. (f.)* Que tem a propriedade de curar; que tem virtudes curativas, ou a natureza de medicamento: *substância medicatriz*; "senti-lhe [em José de Alencar] mais de uma vez a alma enojada e abatida. Mas a arte, que é a liberdade, era a força medicatriz do seu espírito." (Machado de Assis, *Páginas Recolhidas*, p. 130).

medicável [Do lat. *medicabile.*] *Adj. 2 g.* Que pode ser medicado.

mediciense *Adj. 2 g.* **1.** De, ou pertencente ou relativo a Presidente Médici (RO). ● *S. 2 g.* **2.** O natural ou habitante de Presidente Médici.

medicilandense *Adj. 2 g.* **1.** De, ou pertencente ou relativo a Medicilândia (PA). ● *S. 2 g.* **2.** O natural ou habitante de Medicilândia.

medicina [Do lat. *medicina.*] *S. f.* **1.** Arte e ciência de evitar ou curar doença, ou de paliar seu(s) efeito(s). **2.** Sistema medicinal: *a medicina dos indígenas*; *medicina alopática.* **3.** *Fig.* Aquilo que remedeia um mal; socorro, auxílio: *a medicina cristã.* ◆ **Medicina alternativa.** A que se baseia em conceitos tradicionais, religiosos ou filosóficos, às vezes rejeitados pela grande maioria dos médicos e cientistas, e que propõe tratamentos por estes considerados inócuos ou, mesmo, danosos. **Medicina ayurvédica.** Ayurveda (q. v.). **Medicina interna.** V. *clínica médica.* **Medicina legal.** A que aplica os conhecimentos médicos às questões jurídicas. **Medicina nuclear.** Ramo da medicina em que, com fim diagnóstico ou terapêutico, se aplica sofisticada tecnologia nuclear proveniente da física, química, engenharia, etc. **Medicina ortomolecular.** *Impr.* V. *terapêutica ortomolecular.*

medicinal [Do lat. *medicinale.*] *Adj. 2 g.* **1.** Relativo à medicina; médico, medical. **2.** Que serve de medicamento ou de remédio; que cura: *plantas medicinais.* **3.** *Fig.* Que remedeia ou cura qualquer mal moral.

medicinar [De *medicina* + *-ar*[2].] *V. t. d. Int. P. Desus.* V. *medicar.*

→ **medicine ball** [ˈmedɪsɪn bɔl] [Ingl.] Bola de couro, com recheio de material macio, porém resistente, usada em exercícios de condicionamento físico.

medicineiro [De *medicina* + *-eiro.*] *S. m. Bot.* Arbusto euforbiáceo (*Jatropha officinalis*) cujas grandes sementes encerram apreciável cópia de óleo drástico, cujos frutos são cápsulas que abrem em três partes, e que tem látex em todos os seus componentes.

médico[1] [Do lat. *medicu*, 'medo[2]'.] *Adj.* Relativo à Média ou aos medos: *as guerras médicas.* [V. *medo*[2]. Fem.: *médica.* Cf. *medico* e *medica*, do v. *medicar*, e *Média*, top.]

médico[2] [Do lat. *medicu.*] *Adj.* **1.** V. *medicinal*: *ciências médicas.* ~ V. *clínica —a, diatermia —a, eletrologia —a, matéria —a e química —a.* ● *S. m.* **2.** Aquele que está habilitado a exercer a medicina. **3.** *Fig.* Aquilo que pode restabelecer a saúde (física ou moral): *O tempo é grande médico.* [Fem.: *médica.* Cf. *medico* e *medica*, do v. *medicar*, e *Média*, top.] ◆ **Médico espiritual.** Confessor ou orientador moral. **Médico feiticeiro.** *Etnol.* Indivíduo que, nas tribos indígenas, se especializou na arte de curar doentes aplicando-lhes práticas mágicas, acrescidas, às vezes, de medicações empíricas e rudimentares. **Médico idiota.** *Hist. Med.* Antiga denominação dada em Portugal a médico prático ou iletrado: "Henrique Jorge Henriques afirma que havia no século XVI, em todo o reino, 2.000 médicos idiotas" (M. Ferreira de Mira, *História da Medicina Portuguesa*, p. 83). **Médico periodeuta.** *Hist. Med.* Na antiga Grécia, médico que se deslocava constantemente, dentro de sua própria cidade, ou de cidade em cidade, dispensando seus cuidados profissionais, ou ensinando sua arte.

▲ **médico-** [Do lat. *medicus, a, um* e *medicus, i.*] *El. comp.* = 'medicinal'; 'médico': *médico-hospitalar, médico-legista.*

médico-assistencial *Adj. 2 g.* Relativo, ou coexistente, à medicina e a alguma outra forma de assistência além da médica, que possa ser dada a um indivíduo. [Pl.: *médico-assistenciais.*]

médico-cirurgião *S. m.* V. *cirurgião.* [Pl.: *médicos-cirurgiões* e *médicos-cirurgiães.*]

médico-cirúrgico *Adj.* Relativo à clínica médica e à cirurgia, ou coexistente a estes dois ramos da medicina. [Pl.: *médico-cirúrgicos.*]

médico-dentário [De *médico-* + *dentário.*] *Adj.* Relativo à medicina e à odontologia: *assistência médico-dentária.* [Pl.: *médico-dentários.*]

médico-hospitalar [De *médico-* + *hospitalar*[1].] *Adj. 2 g.* Relativo ao serviço médico e ao atendimento hospitalar: *a rede médico-hospitalar do Estado.* [Pl.: *médico-hospitalares.*]

médico-jurídico *Adj.* Relativo à medicina e ao direito, ou coexistente a estes dois ramos de conhecimento. [Pl.: *médico-jurídicos.*]

médico-legal [De *médico-* + *legal.*] *Adj. 2 g.* Relativo à medicina legal. [Pl.: *médico-legais.*]

médico-legista [De *médico-* + *legista.*] *S. m.* O que se dedica à medicina legal. [F. red.: *legista.* Pl.: *médicos-legistas.*]

medida [De *medir* + *-ida*[3].] *S. f.* **1.** Medição (1). **2.** V. *padrão*[1] (2): *medida de comprimento; O litro é medida* *de capacidade.* **3.** Qualquer objeto destinado a medir uma quantidade: *Tomou duas medidas do remédio.* **4.** Limite, termo: *ultrapassar a medida.* **5.** Grau, alcance: *a medida do seu interesse.* **6.** Regra, norma: *a justa medida.* **7.** Moderação, comedimento: *agir com medida.* **8.** Dimensão, tamanho: *tomar a medida do blusão.* **9.** *Arte Poét.* O número de sílabas de um verso. **10.** Disposição, providência: *Tomou medidas imediatas.* **11.** *Fig.* Meio de comparação e julgamento; padrão, estalão: *Vê os outros pela sua medida.* **12.** *Mat.* Qualquer função aditiva de um conjunto que só é nula quando seu argumento é o conjunto vazio. **13.** *Fís.* Ato ou processo de comparar uma grandeza com outra com o objetivo de associar à primeira um número característico do seu valor em face da grandeza com a qual foi comparada; medição. **14.** *Fís.* O resultado de um processo de medida. **15.** *Tip.* Largura, e às vezes também altura, de uma composição tipográfica. **16.** *Tip.* Fio ou peça de material branco com que o paginador estabelece a altura da página. ◆ **Medida de assimetria.** *Estat.* Qualquer parâmetro dedutível ou associável a uma distribuição de frequência, e que caracteriza a assimetria da distribuição em relação a um de seus membros. **Medida de dispersão.** *Estat.* Qualquer parâmetro dedutível ou associável a uma distribuição de frequência, e que mede ou caracteriza o agrupamento dos membros da distribuição em torno de um deles. **Medida de posição.** *Estat.* Qualquer parâmetro dedutível ou associável a uma distribuição de frequência, e que caracteriza a posição da distribuição num sistema de coordenadas determinado; medida de tendência central. **Medida de segurança.** *Jur.* Providência substitutiva ou complementar da pena, sem caráter expiatório ou aflitivo, mas de índole assistencial, preventiva e recuperatória, e que consiste em certas restrições pessoais e patrimoniais (internamento em manicômio, em colônia agrícola, liberdade vigiada, interdições, confisco, etc.), fundada na periculosidade e não na responsabilidade do criminoso. **Medida de tendência central.** *Estat.* Medida de posição. **Medida provisória.** *Jur.* Providência, com força de lei, para casos urgentes e relevantes, tomada pelo Presidente da República e de imediato submetida ao Congresso Nacional, que a aprecia, cassando-lhe a eficácia ou convertendo-a em lei. [Abrev.: *MP.*] **À medida de.** Consoante, conforme, segundo: *Damos-lhes auxílio à medida dos seus merecimentos.* **À medida que.** À proporção que; conforme: "À medida que a menina ia crescendo, a Senhora Antunes .... ia-lhe ensinando o que a sua tenra idade comportava" (Bernardo Guimarães, *O Seminarista*, p. 25). **Encher as medidas. 1.** Satisfazer plenamente: "– .... Não tem que saber – gosto do Borges! É um marido que me enche as medidas!" (Aluísio Azevedo, *Filomena Borges*, p. 120.) **2.** Chegar ao limite insuportável; encher: "A nós, miúdos, ... , aqueles saraus caceteavam bastante. Em matéria musical, o que enchia as medidas, a nosso ver, eram as peças do gramofone da Loja, anunciadas por uma voz fanhosa" (Ciro dos Anjos, *A Menina do Sobrado*, p. 12).

medidagem [De *medida* + *-agem*^{2}.] ***S. f.*** **1.** Foro, antigo, que se pagava ao medidor de pão e vinho. **2.** Trabalho de medir. **3.** O que se concede ou se paga por esse trabalho.

medideira [De *medir* + *-deira.*] ***S. f.*** *Bras. Zool.* V. *lagarta-mede-palmo.*

medidor (ô) [De *medir* + *-dor.*] ***Adj.*** **1.** Que mede. ● ***S. m.*** **2.** Aquele que mede. **3.** Qualquer instrumento destinado a efetuar medições: *medidor de pressão.* **4.** *Bras. SP* V. *contador* (5). ◆ **Medidor de pH.** *Fís.-Quím.* Instrumento potenciométrico com que se mede o pH de uma solução, com emprego de um eletrodo com membrana de vidro. **Medidor de VU.** *Eletrôn.* Dispositivo, calibrado em decibéis, que mede a intensidade dos sinais de áudio, em gravação ou reprodução sonora.

medieval [De *medievo* + *-al*^{1}, ou do fr. *médiéval.*] ***Adj. 2 g.*** Da Idade Média, a ela referente, ou próprio dela; mediévico, medievo, médio.

medievalidade [De *medieval* + *-(i)dade.*] ***S. f.*** Qualidade de medieval.

medievalismo [De *medieval* + *-ismo.*] ***S. m.*** **1.** Complexo de tendências, ideais, costumes, etc., próprios da Idade Média; a civilização medieval. **2.** Predileção pelo estudo e conhecimento da Idade Média. **3.** Designação de modernas escolas de filosofia, sociologia e política que recomendam a revivificação dos ideais da Idade Média. [Sin. ger.: *medievismo.*]

medievalista [De *medieval* + *-ista.*] ***Adj. 2 g.*** **1.** Relativo ao, ou que é partidário do medievalismo (3). ● ***S. 2 g.*** **2.** Partidário do medievalismo (3). **3.** Pessoa versada em assuntos da Idade Média. [Sin. ger.: *medievista.*]

mediévico [De *medievo* + *-ico*^{2}.] ***Adj.*** V. *medieval.*

medievismo [De *medievo* + *-ismo.*] ***S. m.*** V. *medievalismo.*

medievista [De *medievo* + *-ista.*] ***Adj. 2 g. S. 2 g.*** V. *medievalista.*

medievo [Do lat. *medium*, 'médio', + *-evo*, com infl. de *coevo, grandevo, longevo.*] ***Adj.*** **1.** V. *medieval.* ● ***S. m.*** **2.** O período medieval; a Idade Média: *a arte do medievo.*

medimarímetro [De *medi(o)-* + *-mar(i)-* + *-metro.*] ***S. m.*** Instrumento com que se determina o nível do mar.

medimno [Do gr. *médimnos.*] ***S. m.*** Na antiga Atenas, medida de volume para grãos, equivalente a cerca de 52 litros.

medina ***S. f.*** V. *almedina.*

medinense ***Adj. 2 g.*** **1.** De, ou pertencente ou relativo a Medina (MG). ● ***S. 2 g.*** **2.** O natural ou habitante de Medina.

▲ **medi(o)-** [Do lat. *medĭus, a, um.*] ***El. comp.*** = 'médio': *mediocracia.* [Equiv.: *-medi(o)-*: *ventrimedial.*]

▲ **-medi(o)-** Equiv. de *medi(o)-.*

médio [Do lat. *mediu.*] ***Adj.*** **1.** Que está no meio ou entre dois pontos: *lugar médio.* **2.** Que ocupa ou exprime o meio-termo: *limão grande, médio e miúdo; posição média, não radical; tom médio.* **3.** Que se calcula tirando a média (1): *resultado médio; opinião média.* **4.** V. *medieval.* **5.** Diz-se da instrução ou do ensino destinado à formação do indivíduo que já tenha concluído o curso primário, e do curso em que se ministra esta instrução. **6.** *Mús.* Na escala geral dos sons, diz-se da região central que se estende do dó2 ao dó4. ~ V. *aceleração —a, afastamento —, afastamento quadrático —, calor específico —, caloria —a, classe —a, curso —, dedo —, dia solar —, distância —a, ensino —, erro —, hora —a, Idade Média, inglês —, lamela —a, leito —, letra —a, linha —a, —a burguesia, nuvem —a, onda —a, Oriente Médio, orelha —a, ouvido —, pêndula —a, persa —, peso —, plano —, saldo —, sol —, tempo solar —, termo —, túnica —a, vogal —a* e *voz —a.* ● ***S. m.*** **7.** *Bras. Cap.* Berimbau cujo tom se encontra entre o do gunga e o da viola. **8.** No tambor de crioula, o tambor cujo tom se encontra entre o crivador e o tambor grande; chamador, meão, munganguê, mangongu, pererenga. **9.** *Bras. MA Mús.* V. *meio-campo* (2). [Fem.: *média.* Cf. *media*, do v. *medir.*]

mediocracia [De *medi(o)-* + *-cracia*, com infl. de *aristocracia, autocracia, democracia.*] ***S. f.*** **1.** Predomínio social das classes médias, da burguesia (2): "Não as vá procurar [as moças] na alta sociedade ....! mas indague-as cá por baixo, na mediocracia, que as há de descobrir." (Aluísio Azevedo, *Casa de Pensão*, p. 49.) **2.** Mesocracia.

mediocrão [De *medíocre* + *-ão*^{1}.] ***S. m.*** *Deprec.* Indivíduo muito medíocre (2). [Fem.: *mediocrona.*]

mediocrático [De *medi(o)-* + *-crat(a)-* + *-ico*^{2}.] ***Adj.*** Referente à mediocracia.

medíocre [Do lat. *mediocre.*] ***Adj. 2 g.*** **1.** V. *mediano* (3). **2.** Sem relevo; comum, ordinário, vulgar, mediano, meão: *escritor medíocre.* ● ***S. 2 g.*** **3.** Pessoa medíocre. ● ***S. m.*** **4.** Aquilo que é medíocre: *Prefere o mau ao medíocre.*

mediocridade [Do lat. *mediocritate.*] ***S. f.*** **1.** Qualidade de medíocre. **2.** Falta de mérito: *a mediocridade do autor, de um romance.* **3.** Pessoa medíocre: "Frederico Savigny, o insigne mestre de direito romano, ... dizia do alto da sua cadeira .... que o concurso oral era a porta aberta às mediocridades." (Ramalho Ortigão, *As Farpas*, VIII, p. 136.)

mediocrização [De *mediocrizar* + *-ção.*] ***S. f.*** Ato ou efeito de mediocrizar(-se).

mediocrizar [De *medíocre* + *-izar.*] ***V. t. d. P.*** Tornar(-se) medíocre; vulgarizar(-se).

mediocrona ***S. f.*** *Deprec.* Fem. de *mediocrão.*

médio-direito ***S. m.*** *Bras. Fut. Desus.* V. *meia-direita* (2). [Pl.: *médios-direitos.*]

médio-esquerdo ***S. m.*** *Bras. Fut. Desus.* V. *meia-esquerda* (2). [Pl.: *médios-esquerdos.*]

mediolécito [De *medi(o)-* + *-lécito.*] ***S. m.*** *Embr.* V. *heterolécito.*

mediolitoral (è) [De *medi(o)-* + *litoral.*] ***Adj. 2 g. S. m.*** **2.** Mesolitoral.

médio-oriental ***Adj. 2 g.*** Relativo ao Oriente Médio: "Em Chipre, as mais diferentes organizações têm suas bases médio-orientais." (*Cadernos do Terceiro Mundo*, nº 101, 1987, p. 16.) [Pl.: *médio-orientais.*]

mediopassivo ***Adj.*** *E. Ling.* ~ V. *verbo —.* ❖

médio-volante ***S. 2 g.*** *Bras. Fut.* V. *cabeça de área.* [Pl.: *médios-volantes.*]

medir [Do lat. **metire*, por *metiri.*] ***V. t. d.*** **1.** Determinar ou verificar, tendo por base uma escala fixa, a extensão, medida, ou grandeza de; comensurar: *medir um terreno.* **2.** Ser a medida de: *A aparência nem sempre mede a essência.* **3.** Regular convenientemente; comedir; refrear, conter, moderar: *O orador media suas palavras.* **4.** Ajustar, adequar, proporcionar: *Media os ataques segundo a reação do adversário.* **5.** Avaliar, considerar, ponderar, calcular: *O atleta mediu o obstáculo e saltou.* **6.** Olhar provocadoramente, como em desafio. **7.** Andar em toda a extensão ou em todos os sentidos; percorrer: *Nervoso, media o quarto a passos rápidos.* **8.** Tirar o máximo proveito de; aproveitar: *É homem que mede os minutos.* **9.** Contar as sílabas de, escandir (versos). **10.** Pesar (4). ***T. c.*** **11.** Ter a extensão, comprimento ou altura de: "De vários tamanhos, as maiores [urnas funerárias] mediam setenta centímetros de diâmetro" (Raimundo Morais, *País das Pedras Verdes*, p. 282). ***T. d. e i.*** **12.** Regular, adequar, proporcionar: *Sabe medir os seus gastos pela sua renda.* ***P.*** **13.** Competir, bater-se, lutar. **14.** Parecer igualar ou exceder; rivalizar. [Irreg. Pres. ind.: *meço, medes, mede, medimos, medis, medem*; imperf. ind.: *media*, etc.; pres. subj.: *meça, meças, meça, meçamos, meçais, meçam.* Cf. *média*, fem. de *médio* e s. f., e *Média* e *Messa*, top.]

meditabundo [Do lat. tard. *meditabundu.*] ***Adj.*** Que medita profundamente; pensativo, meditativo, cogitabundo.

meditação [Do lat. *meditatione.*] ***S. f.*** **1.** Ato ou efeito de meditar; concentração intensa do espírito; reflexão. **2.** Oração mental, que consiste sobretudo em considerações e processos mentais discursivos, e que se opõe à contemplação.

meditador (ô) [Do lat. tard. *meditatore.*] ***Adj. S. m.*** Que, ou aquele que medita.

meditar [Do lat. *meditare*, por *meditari.*] ***V. t. d.*** **1.** Submeter a um exame interior; pensar em: *Meditou o problema anos a fio.* **2.** Estudar, ponderar, considerar: *meditar a obra dos filósofos*; "gastando as noites, não a folgar pelas locandas, mas a meditar os poetas italianos" (Machado de Assis, *Páginas Recolhidas*, p. 185). **3.** Projetar, intentar, planear, planejar. ***Int. T. i.*** **4.** Fazer meditação; refletir, pensar: *Esteve o dia inteiro a meditar*; "Já meditaste alguma vez no destino do nariz, amado leitor?" (Machado de Assis, *Memórias Póstumas de Brás Cubas*, p. 140). ● ***S. m.*** **5.** Meditação.

meditativo [Do lat. tard. *meditativu.*] ***Adj.*** V. *meditabundo.*

meditável [De *meditar* + *-vel.*] ***Adj. 2 g.*** Digno de ser meditado.

mediterraneidade [De *mediterrân(eo)* + *-eidade.*] ***S. f.*** Qualidade ou caráter de mediterrâneo (1): *a mediterraneidade boliviana.*

mediterrâneo [Do lat. *mediterraneu.*] ***Adj.*** **1.** Situado no meio de terras; situado entre terras; interior. **2.** Mediterrânico. ~ V. *mar —.* ● ***S. m.*** **3.** Mar interior, especialmente o que está entre a Europa e a África.

mediterrânico ***Adj.*** **1.** Relativo ao Mediterrâneo (3): *clima mediterrânico.* **2.** Situado à beira do Mediterrâneo (3). [Sin. ger.: *mediterrâneo.*]

➔ **medium** ['medẹo(m)] [Lat., 'meio'.] ***S. m.*** *E. Ling.* Meio^{1} (10) para a transmissão de uma mensagem. [Pl.: *media.*]

médium [Do lat. *medium.*] ***S. 2 g.*** Segundo o espiritismo, o intermediário entre os vivos e a alma dos mortos. [Pl.: *médiuns.*]

▲ **mediun(i)-** [Do lat. *medĭum, ĭi.*] ***El. comp.*** = 'meio', 'intermediário': *mediúnico, mediunidade.*

mediúnico [De *mediun(i)-* + *-ico*^{2}.] ***Adj.*** **1.** Relativo a, ou próprio de médium. **2.** Relativo à mediunidade.

mediunidade [De *mediun(i)-* + *-(i)dade.*] ***S. f.*** Qualidade de médium.

➔ **medley** ['mɛdlij] [Ingl.] ***S. m.*** **1.** *Nataç.* Competição aquática em que o nadador realiza quatro provas consecutivas: nado borboleta, nado de costas, nado de peito e nado livre. **2.** *Mús.* Pot-pourri.

medo^{1} ***S. m.*** V. *médão.* [Pl.: *medos.* Cf. *medo* (ê) e pl. *medos* (ê).]

medo^{2} [Do lat. *medu.*] ***Adj.*** **1.** Da, pertencente ou relativo à Média, antigo reino a N.O. do atual Irã (Ásia); médico^{1}. ● ***S. m.*** **2.** O natural ou habitante da antiga Média. **3.** *Gloss.* Língua indo-europeia, extinta, falada pelos medos. [Pl.: *medos.* Cf. *medo* (ê) e pl. *medos* (ê).]

medo (ê) [Do lat. *metu.*] ***S. m.*** **1.** Sentimento de grande inquietação ante a noção de um perigo real ou imaginário, de uma ameaça; susto, pavor, temor, terror. **2.** V. *receio* (1 e 2). ◆ **A medo.** Timidamente, hesitantemente: "É que, à noite, lírio branco, / Os astros guardam segredo / Dos beijos dados a medo..." (Gonçalves Crespo, *Obras Completas*, p. 316.) **Não ter medo de careta(s).** Não se amedrontar com ameaças. **Pelar-se de medo.** Ter um medo que se pela. **Ter medo da própria sombra.** Assustar-se ou apavorar-se por qualquer motivo. **Ter um medo que se pela.** Ter medo excessivo; pelar-se de medo.

➔ **médoc** [me'dɔk] [Fr., do occitano.] ***S. m.*** *Enol.* Bordô tinto da região de Médoc (S.O. da França), na qual se produzem alguns dos vinhos mais famosos e caros do mundo.

medonho [De *medo* (ê) + *-onho.*] ***Adj.*** **1.** Que causa medo; terrífico, assustador: *tempestade medonha*; "Uivam os ventos funerais medonhos..." (Olavo Bilac, *Poesias*, p. 181). **2.** Horrendo, horrível, hediondo: *animal* *medonho*. **3.** Funesto, desgraçado, fatal: *medonho destino*. **4.** Excessivamente feio; pavoroso: *Uns brincos medonhos; Que sujeito medonho!*

medorreia (éi) [Do gr. *mêdos*, 'partes genitais do homem', + *-reia*.] ***S. f. Urol.*** Corrimento pela uretra. ❖

medra [Dev. de *medrar*.] ***S. f.*** V. *medrança* (1).

medradense ***Adj. 2 g.*** **1.** De, ou pertencente ou relativo a Elísio Medrado (BA). • ***S. 2 g.*** **2.** O natural ou habitante de Elísio Medrado.

medrança [De *medrar*[1] + *-ança*.] ***S. f.*** **1.** Ato ou efeito de medrar; crescença, medra. **2.** Estado do que está medrando ou crescendo: "Os dois porcos holandeses do Sr. D. Álvaro — a melhor coisinha que em medrança e boa ceva havia nas redondezas — jaziam ali cravados de metralha" (João da Silva Correia, *Farândola*, p. 108). **3.** Melhoramento, progresso.

medrar[1] [Do esp. *medrar*.] ***V. int.*** **1.** Crescer, vegetando; desenvolver-se: "Lá no solo onde o cardo apenas medra / Boceja a Esfinge colossal de pedra / Fitando o morno céu." (Castro Alves, *Obra Completa*, p. 292.) **2.** Ganhar corpo; crescer, desenvolver-se: "Eram dois selvagens criados à lei da natureza, medrando à bruta na calaçaria da roça e das senzalas." (Coelho Neto, *Rei Negro*, p. 14.) **3.** Prosperar, adiantar-se: *A cidade medrou muito nos últimos anos.* **4.** Aumentar, crescer, ampliar-se: "Uma palavra ouvida aí em certa hora desfaz muitas vezes um erro que levou dez anos a medrar e a engrossar no nosso entendimento" (Ramalho Ortigão, *Em Paris*, p. 109). **5.** Manifestar-se com exuberância. **6.** Alcançar bom êxito; ser bem aceito; prosperar, desenvolver-se: "o humor só medra onde existe alguma coisa a corrigir. *Ridendo Castigat.*" (Lindolfo Collor, *Europa 1939*, p. 19). ***T. d.*** **7.** Fazer crescer; desenvolver. **8.** Aumentar a fortuna de; fazer prosperar. **9.** Melhorar (alguma coisa).

medrar[2] [De *medr-*, como em *medroso*, + *-ar*[2].] ***V. int.*** *Bras. Gír.* Ter medo. [Quanto ao primeiro *r*, epentético, v. *medroso*.]

medrica ***S. 2 g.*** V. *medroso* (5). [Var.: *medricas*.]

medricas [Var. de *medrica*.] ***S. 2 g. e 2 n.*** V. *medroso* (5).

medronhal [De *medronho* + *-al*[1].] ***S. m.*** **1.** Quantidade mais ou menos considerável de medronheiros dispostos proximamente entre si. **2.** Área ocupada por medronhal (1).

medronheiro [De *medronho* + *-eiro*.] ***S. m. Bot.*** Pequena árvore ou arbusto ericáceo (*Arbutus menziesii*) que habita a Europa e a América do Norte, de folhas coriáceas, flores brancas e frutos edules, alaranjados ou vermelho-vivos, semelhantes ao morango.

medronho [De or. obscura.] ***S. m.*** **1.** O fruto do medronheiro. **2.** Aguardente feita desse fruto. • ***Adj.*** **3.** *Bras.* Diz-se de um parafuso cuja forma lembra a do medronho (1).

medroso (ô) [Do lat. hispânico **metorosu*, der. de **metor* (moldado em voc. lat. como *timor*, 'temor', etc.), pelo arc. *medoroso, mederoso*.] ***Adj.*** **1.** Que tem medo; acovardado, temeroso, receoso. **2.** Tímido, acanhado. **3.** *Fig.* Pouco nítido; hesitante, dúbio, fraco: *a medrosa claridade da manhã*. **4.** *P. us.* Que causa medo; amedrontador, medonho. • ***S. m.*** **5.** Indivíduo que de tudo tem medo; medrica, maricas, cagarolas.

medula [Do lat. *medulla*.] ***S. f.*** **1.** *Anat.* Denominação comum a certos órgãos, porções de órgão, ou estruturas, de constituições e funções diferentes, e que se caracterizam por ter uma situação central em relação à formação anatômica ou órgãos em cujo interior se encontram. **2.** *Impr. Anat.* Medula espinhal. **3.** *Bot.* Porção parenquimatosa e central do talo das plantas dicotiledôneas, gimnospermas, e de alguns pteridófitos. **4.** *Bot.* Nos liquens, a parte interna do talo, constituída por hifas ger. mais frouxas que as externas. **5.** *Bot.* Porção central do talo de muitas algas feofíceas com tecido de constituição mais frouxa e irregular do que a do córtex, e com pouco ou nenhum cromatóforo. **6.** *Fig.* A parte mais íntima; o interior; âmago, essência: *a medula do poema*. ◆ **Medula espinhal.** *Anat.* A parte do sistema nervoso central contida na coluna vertebral. [Tb. se diz apenas, impr., *medula*.] **Medula óssea.** *Histol.* Tecido que preenche cavidades de osso esponjoso e o canal medular dos ossos longos. **Medula óssea vermelha.** *Histol.* A que é constituída por células formadoras de glóbulos sanguíneos. **Medula suprarrenal.** *Anat.* Porção interna de cada glândula suprarrenal, de cor pardo-avermelhada, e que sintetiza, armazena e libera catecolaminas. **Até a medula. 1.** Até o último ponto. **2.** Demasiadamente, demasiado; em excesso. **Até a medula dos ossos.** De modo penetrante e profundo; até o mais íntimo do corpo.

medular[1] [Do lat. *medullare*.] ***Adj. 2 g.*** **1.** Relativo ou pertencente a medula (1). **2.** *Fig.* Essencial, fundamental, principal.

medular[2] [De *medula* + *-ar*[2].] ***V. int.*** *Desus.* Percorrer as medulas.

▲ **medul(i)-** [Do lat. *medūlla, ae*.] ***El. comp.*** = 'medula': *medulite*. [Equiv.: *medulo-*: *meduloartrite, meduloterapia*.]

medulite [De *medul(i)-* + *-ite*[1].] ***S. f. Med.*** v. *mielite*.

▲ **medulo-** [De *medul(i)-* + *-o-*.] Equiv. de *medul(i)-*.

meduloartrite [De *medulo-* + *artrite*.] ***S. f. Reum.*** Inflamação de espaço(s) medulare(s) de extremidade(s) articular(es) óssea(s).

meduloblastoma [De *medulo-* + *-blast(o)-* + *-oma*[1].] ***S. m.*** *Neur.* Tumor (2) maligno do sistema nervoso, de elevada incidência em criança, e que mostra alta sensibilidade à radioterapia.

medulosácea [Do tax. *Medullosa*, gênero-tipo, + *-ácea*; tax. *Medullosaceae*.] ***S. f. Bot.*** Espécime das medulosáceas, família de gimnospermas, da classe das cicadofilicales, caracterizada pelos macrosporângios desprovidos de cúpula, pelo caule polistélico e pela porção cortical externa sem traves floemáticas reticulares.

medulosáceo [De *medulosácea*, com var. suf. (v. *-áceo*).] ***Adj. Bot.*** Pertencente ou relativo às medulosáceas.

meduloso (ô) [Do lat. tard. *medullosu*.] ***Adj.*** **1.** Que tem canal medular. **2.** Que contém medula. **3.** Diz-se da maneira de bem pintar ou esculpir um objeto flexível e macio. **4.** Aveludado, macio.

meduloterapia [De *medulo-* + *-terapia*.] ***S. f. Med.*** Medida preventiva contra a raiva (1), preconizada pelo químico francês Louis Pasteur (1822-1895), que consiste na ministração de emulsões de vírus fixos em medula espinhal de coelho.

medusa[1] [Do mit. gr. *Médousa* (lat. *Medusa*), uma das três górgones (v. *górgone* [1]).] ***S. f.*** V. *bruxa* (2).

medusa[2] [Do lat. cient. *Medusa* < mit. gr. *Médousa* (v. *medusa*[1]).] ***S. f. Zool.*** Forma individual cnidários, de vida livre, comumente pelágicos, em feitio de sino ou de guarda-sol transparente, corpo gelatinoso, marginado por tentáculos, com boca situada numa área saliente da superfície côncava. São as cifomedusas e hidromedusas. [Cf. *água-viva* (2).]

medusaginácea [Do tax. *Medusagyne*, gênero-tipo, + *-ácea*; tax. *Medusagynaceae*.] ***S. f. Bot.*** Espécime das medusagináceas, família de teales que compreende somente o gênero *Medusagyne*, composto de arbustos de folhas simples, opostas, flores paniculadas, e frutos capsulares; não ocorre no Brasil.

medusagináceo [De *medusaginácea*, com var. suf. (v. *-áceo*).] ***Adj. Bot.*** Pertencente ou relativo às medusagináceas.

medusandrácea [Do tax. *Medusandra*, gênero-tipo, + *-ácea*; tax. *Medusandraceae*.] ***S. f. Bot.*** Espécime das medusandráceas, família de plantas floríferas, da ordem das medusandrales, constituída por uma espécie arbórea dos Camarões (África).

medusandráceo [De *medusandrácea*, com var. suf. (v. *-áceo*).] ***Adj. Bot.*** Pertencente ou relativo às medusandráceas.

medusandral [Do lat. cient. *Medusandr-* (v. *medusandrale* + *-al*[1].] ***Adj. 2 g. Bot.*** Pertencente ou relativo às medusandrales.

medusandrale [Do tax. *Medusandra*, gênero-tipo, + *-ale*; tax. *Medusandrales*.] ***S. f. Bot.*** Espécime das medusandrales, ordem de dicotiledôneas que compreende unicamente a família monotípica das medusandráceas.

medusário [De *medusa*[1] + *-ário*.] ***Adj.*** Semelhante à medusa (1).

meduseu [Do gr. *medousaîos*, pelo lat. *medusaeu*.] ***Adj.*** **1.** *Mit.* Relativo ou pertencente a Medusa (1). **2.** *Fig.* Horrendo, apavorante; medúsico. [Fem.: *meduseia*.]

medúsico [De *medusa*[1] + *-ico*[2].] ***Adj.*** V. *meduseu* (2).

medusoide (ói) [De *medusa*[2] + *-oide*.] ***Adj. 2 g. Zool.*** Que tem a forma, ou a consistência de uma medusa[2]. ❖

meeira [F. subst. de *meeiro*.] ***S. f. Bras.*** Colheita de algodão, a segunda, em seguida à baixeira (q. v.). [Cf. *ponteira* (6).]

meeiro [De *meio* + *-eiro*.] ***Adj.*** **1.** Que tem de ser dividido ao meio; que se pode partir em dois quinhões iguais. **2.** Que tem direito à metade dos bens. **3.** *Bras. N.E.* Diz-se do cavalo cuja marcha habitual é o meio (16). • ***S. m.*** **4.** Aquele que tem metade em certos bens ou interesses. **5.** *Agr.* Aquele que planta em terreno alheio, repartindo o resultado das plantações com o dono das terras.

➔ **meeting** ['mijtɪŋ] [Ingl.] ***S. m.*** Reunião popular em que se discutem questões de interesse público; comício.

mefistofélico [Do antr. *Mefistófeles* + *-ico*[2].] ***Adj.*** **1.** Relativo a, ou próprio de Mefistófeles, demônio intelectual das lendas germânicas, e personagem do *Fausto*, drama de Goethe (v. *goethiano*). **2.** Pérfido, maldoso, sarcástico: *Tem um ar mefistofélico*. **3.** Diabólico, infernal. ~ V. *charada —a*.

mefítico [Do lat. tard. *mephiticu*.] ***Adj.*** Que tem cheiro nocivo; podre, fétido, pestilencial, pestilento: *gases mefíticos*; "Os seus habitantes, que não respiram o ar mefítico das suas ruas estreitas e charcosas, desfrutam a aragem pura, que vem da serra da Estrela" (Gonçalves Dias, *Meditação*, p. 109).

mefitismo [De *mefítico* + *-ismo*, seg. o padrão erudito.] ***S. m.*** Qualidade de mefítico.

mega ***S. m.*** *Inform.* V. *megabyte*.

▲ **meg(a)-** [Do gr. *mégas, megálē, méga*.] ***El. comp.*** = 'grande': *megascópio*. [O AOLP prescreve o uso do hífen nos casos de anteposição deste pref. a palavra iniciada por *a* ou *h*; é escrito com *r* ou *s* duplicados quando anteposto a palavra iniciada por *r* ou *s*: *megarrinco, megassismo*.] [Equiv.: *megal(o)-, -megal(o)-, -mego*: *megalanto*; *hepatomegalia*; *micrômego*.]

▲ **mega-** [Do gr. *mégas, megálē, méga*.] ***Pref.*** **1.** que, anteposto ao nome duma unidade de medida, forma o nome de uma unidade derivada, um milhão de vezes maior que a primeira [símb.: *M*]. Ex.: mega-hertz. **2.** *Inform.* Anteposto ao nome de uma unidade empregada em sistemas binários, indica multiplicação dessa unidade por 2^{20} (ou seja, 1.048.576) [símb.: *M*]: Ex.: 1 megabyte = 1 MB = 2^{20} bytes. [Sobre o uso do hífen, veja *meg(a)-*.]

➔ **megabit** ['mɛgəbɪt] [Ingl.] ***S. m.*** *Inform.* Unidade de medida de informação, equivalente a 2^{20} (*i. e.*, 1.048.576) *bits* [símb.: *Mb*]. [Por vezes, us. como equivalente a 1 milhão de *bits*.]

megablitz [De *meg(a)-* + *blitz*.] ***S. f.*** **1.** *Blitz* de grandes proporções, com grande contingente ou grande aparato. **2.** *Blitz* (3) que é realizada por mais de um órgão ou instituição.

➔ **megabyte** ['mɛgəbajt] [Ingl.] ***S. m.*** *Inform.* Unidade de medida de informação, equivalente a 2^{20} (*i. e.*, 1.048.576) *bytes* [símb.: *MB*]. [Por vezes, us. como equivalente a 1 milhão de *bytes*. F. red.: *mega*.]

megacarioblasto [De *meg(a)-* + *-cari(o)-* + *-blasto*.] ***S. m.*** *Histol.* Célula precursora do megacariócito.

megacariócito [De *meg(a)-* + *-cari(o)-* + *-cito*.] ***S. m.*** *Histol.* Célula de grande dimensão, cuja fragmentação do citoplasma dá origem a plaquetas.

megaciclo [De *mega-* + *-ciclo*.] ***S. m. Fís.*** V. *mega-hertz*.

megacólon [De *meg(a)-* + *cólon*.] ***S. m. Med.*** Dilatação aguda ou crônica do cólon, sem aumento de comprimento, e que pode ter causas diversas.

megaesófago ***S. m. Med.*** V. *megaesôfago*. [Uso freq. em P.]

megaesôfago [De *meg(a)-* + *esôfago*.] ***S. m. Med.*** Distúrbio funcional esofagiano em que está prejudicado, em grau variável, o funcionamento do esfíncter inferior do órgão, e a que se associam perturbações da eficácia do peristaltismo.

megaevolução [De *meg(a)-* + *evolução*.] ***S. f. Paleont.*** *Biol.* Aparecimento de um novo tipo de organização, com estruturas fundamentais diferentes das de um predecessor. Ex.: o aparecimento das aves, a partir dos reptis.

megafone [De *meg(a)-* + *-fone*.] ***S. m.*** Espécie de porta-voz (1). [F. paral., p. us: *megafono*.]

megafono [De *meg(a)-* + *-fono*.] ***S. m. P. us.*** Megafone.

megagrama [De *mega-* + *-grama*.] ***S. m.*** Um milhão de gramas, ou seja, uma tonelada.

➔ **mega-hair** ['mɛgəˌhɛɹ] [Ingl.] ***S. m.*** **1.** Técnica que encomprida os cabelos naturais unindo-os, de modo imperceptível, a uma extensão de cabelos artificiais. **2.** Os cabelos com este tipo de aplique.

mega-hertz [De *mega-* + *hertz*.] ***S. m. 2 n. Fís.*** Unidade de medida de frequência, igual a um milhão de hertz [símb.: *MHz*]. ❖

megalanto [De *megal(o)-* + *-anto*.] ***Adj. Bot.*** Que tem flores grandes.

megalegoria [Do gr. *megalegoría*.] ***S. f.*** Estilo enfático pomposo.

megalino ***S. m.*** Megálio.

megálio [Do gr. *megállion*.] ***S. m.*** Delicioso perfume, antigo, feito de óleo de avelã-da-índia, ou de bálsamo da junça, da canela, etc.; megalino.

megalítico [De *megálito* + *-ico*[2].] ***Adj.*** **1.** Diz-se dos monumentos pré-históricos feitos de grandes blocos de pedra, como o dólmen e o menir. **2.** *P. ext.* Feito de grandes pedras.

megálito [De *meg(a)-* + *-lito*.] ***S. m.*** Pedra monumental dos tempos pré-históricos.

▲ **megal(o)-** V. *meg(a)-*.

▲ **-megal(o)-** V. *meg(a)-*.

megaloblasto (è) [De *megal(o)-* + *-blasto*.] ***S. m. Patol.*** Célula imatura, grande, nucleada, e de que provirá série anormal de hemácias.

megalocefalia [De *megalocéfalo*[1] + *-ia*[1].] ***S. f. Ter.*** V. *macrocefalia*.

megalocefálico [De *megalocefalia* + *-ico*[2].] ***Adj.*** Relativo à megalocefalia.

megalocéfalo [De *megal(o)-* + *-céfalo*.] ***Adj. S. m.*** V. *macrocéfalo*.

megalocéfalo (è) [Do tax. *Megalocephalon*.] ***S. m.*** *Paleont.* **1.** Gênero de anfíbios labirintodontes, de cabeça muito grande, ossos espessos, dentes salientes e pontudos; habitavam as florestas úmidas e os charcos do carbonífero. **2.** Espécie ou espécime desse gênero.

megalócito [De *megal(o)-* + *-cito.*] ***S. m. Patol.*** Hemácia que se apresenta com enorme diâmetro, variável entre 12 e 25 mícrons.

megalodonte [De *megal(o)-* + *-odonte*; tax. *Megalodon.*] ***S. m. Paleont.*** **1.** Gênero de moluscos pelecípodes, megalodontídeos, com valvas simétricas muito grossas, caracterizados por um grande dente estriado; foram encontrados em terrenos devonianos e triásicos. **2.** Espécie ou espécime desse gênero.

megalodontídeo [Do lat. cient. *Megalodont-* (< tax. *Megalodon*) + *-ídeo*[1]; tax. *Megalodontidae.*] *Paleont.* ***S. m.*** **1.** Espécime dos megalodontídeos, família de moluscos pelecípodes, cujo gênero-tipo é o megalodonte. • ***Adj.*** **2.** Pertencente ou relativo a eles.

megalógono [De *megal(o)-* + *-gono.*] ***Adj. Crist.*** Diz-se dos cristais cujas faces formam entre si ângulos muito obtusos. [A pronúncia correta seria *megalogono*, v. *-gono.*]

megalografia (è) [De *megal(o)-* + *-grafia.*] ***S. f.*** **1.** Descrição de fatos grandiosos. **2.** Desenho ou pintura desses fatos.

megalográfico (è) [De *megalografia* + *-ico*[2].] ***Adj.*** Relativo à megalografia.

megalógrafo [De *megal(o)-* + *-grafo.*] ***S. m.*** Aquele que faz megalografias.

megalomania (è) [De *megal(o)-* + *-mania.*] ***S. f. Psiq.*** Gosto exacerbado de grandeza; superestima patológica de si mesmo, das próprias qualidades; macromania: "Tornava-se rajá, nababo, xá da Pérsia, e tonteava-nos com sua megalomania." (Agripino Grieco, *Recordações de um Mundo Perdido*, p. 280.)

megalomaníaco (è) [De *megalomania* + *-íaco.*] *Psiq.* ***Adj.*** **1.** Relativo a megalomania. **2.** Que tem megalomania; megalômano, macrômano. **3.** Próprio de indivíduo megalômano. • ***S. m.*** **4.** Aquele que tem megalomania; megalômano, macrômano. [Sin. ger.: *macromaníaco.*]

megalómano ***Adj. S. m. Psiq.*** V. *megalômano*. [Uso freq. em P.]

megalômano [De *megal(o)-* + *-mano*[1].] ***Adj. S. m. Psiq.*** V. *megalomaníaco* (2 e 4)

megalónix (cs) ***S. m. 2 n. Paleont.*** V. *megalônix*. [Uso freq. em P.]

megalônix (cs) [Do tax. *Megalonyx.*] ***S. m. 2 n. Paleont.*** **1.** Gênero de mamíferos desdentados que reunia grandes preguiças terrícolas, caracterizadas pelas patas com garras longas. Viveram no plistoceno da América do Sul e da América Central. **2.** Espécie ou espécime desse gênero.

megalopia [De *megal(o)-* + *-opia.*] ***S. f. Oftalm.*** V. *macropsia*.

megalópico [De *magalopia* + *-ico*[2].] ***Adj.*** Relativo à megalopia.

megalopídeo [De *megal(o)-* + *-op(e)-* + *-ídeo*[1]; tax. *Megalopidae.*] *Zool.* ***S. m.*** **1.** Espécime dos megalopídeos, pequena família de peixes marinhos, actinopterígios, de corpo fusiforme, com escamas prateadas, boca ligeiramente oblíqua, e mandíbula inferior saliente; a nadadeira caudal bifurcada é indicativa de sua grande agilidade de movimentos. Há duas espécies, que habitam os mares tropicais e subtropicais. Ex.: o camurupim. • ***Adj.*** **2.** Pertencente ou relativo a eles.

megalopigídeo [De *megal(o)-* + *-pig(o)-* + *-ídeo*[1]; tax. *Megalopygidae.*] *Zool.* ***S. m.*** **1.** Espécime dos megalopigídeos, família de insetos lepidópteros. São mariposas com densa cobertura de escamas entremeadas de cerdas onduladas, e cujas larvas, muito peludas, como as taturanas, etc. apresentam substância urticante, causadora de queimaduras e irritação da pele. • ***Adj.*** **2.** Pertencente ou relativo a eles.

megalópole [De *megal(o)-* + *-pole.*] ***S. f.*** **1.** Grande metrópole (2). **2.** *Urb.* Grande aglomeração populacional polinuclear constituída pela reunião articulada de várias áreas metropolitanas cujos limites se interpenetram, redistribuindo as atribuições urbanas num território muito mais extenso. [Ex.: Nos E.U.A., a faixa costeira de Boston a Washington, compreendendo ainda as regiões metropolitanas de Nova Iorque, Filadélfia e Baltimore.]

megalóporo [De *megal(o)-* + *-poro.*] ***Adj.*** Que tem grandes poros.

megalopsia [De *megal(o)-* + *-opsia.*] ***S. f. Oftalm. Med.*** V. *macropsia*.

megalóptero [De *megal(o)-* + *-ptero*; tax. *Megaloptera.*] *Zool.* ***S. m.*** **1.** Espécime dos megalópteros, subordem de insetos neurópteros, com dois pares de asas transparentes e veias ramificadas próximas à margem. As larvas têm sistema bucal mastigador; os adultos, mandíbulas muito desenvolvidas. • ***Adj.*** **2.** Pertencente ou relativo a eles. [Sin. ger.: *sialóideo.*]

megalosplenia [De *megal(o)-* + *-(e)splen(o)-* + *-ia*[1].] ***S. f. Patol.*** Esplenomegalia.

megalosplénico ***Adj.*** V. *megalosplênico*. [Uso freq. em P.]

megalosplênico [De *megalosplenia* + *-ico*[2].] ***Adj.*** Relativo a megalosplenia; esplenomegálico.

megalossaurídeo [De *megalossauro* + *-ídeo*[1]; tax. *Megalosauridae.*] ***S. f. Paleont.*** **1.** Espécime dos megalossaurídeos. • ***Adj.*** **2.** Pertencente ou relativo a eles.

megalossaurídeos ***S. m. pl.*** Família de dinossauros terópodes, sauríquios, cujo gênero-tipo era o megalossauro (q. v.).

megalossauro (è) [De *megal(o)-* + *-sauro*; tax. *Megalosaurus.*] ***S. m. Paleont.*** **1.** Gênero-tipo dos megalossaurídeos (q. v.), dinossauro com cerca de 10m de comprimento e 3m de altura que viveu no cretáceo da Europa; tinha dentes pontudos e semelhantes a punhais. **2.** Espécie ou espécime desse gênero.

meganha ***S. m. Bras.*** V. *mata-cachorro* (2): "Sozinho, brigou com meia dúzia de meganhas." (Reginaldo Guimarães, *Uma Blusa no Cais*, p. 5.)

meganisóptero [Adapt. do tax. *Meganisoptera.*] *Paleont.* ***S. m.*** **1.** Espécime dos meganisópteros, subordem de insetos odonatos, do paleozoico, com caracteres primitivos e sem a atividade predadora dos atuais; inclui os maiores insetos já conhecidos. • ***Adj.*** **2.** Pertencente ou relativo a eles.

megaohm ***S. m. Eletr.*** Megohm (q. v.).

megaparsec [De *mega-* + *parsec.*] ***S. m. Astr.*** Unidade de distância equivalente a 1 milhão de parsecs, ou 3.260.000 anos-luz.

→ **megapixel** [ˈmɛgəˌpɪksḷ] [Ingl., v. *mega-* e *pixel.*] ***S. m. Inform.*** Unidade de medida us. para quantificar a definição (6) da imagem em tela de televisão ou monitor de computador, igual a um milhão de pixels. [Aport.: *megapíxel*. Pl. do ingl.: *megapixels.*]

megapíxel ***S. m. Inform.*** V. *megapixel*. [Pl.: *megapíxeis.*]

megarense [Do lat. *megarense.*] ***Adj. 2 g. S. 2 g.*** V. *megárico*.

megárico [Do gr. *megarikós*, pelo lat. *megaricu.*] ***Adj.*** **1.** Da, ou pertencente ou relativo à região de Mégara (Grécia). ~ V. *escola —a*. • ***S. m.*** **2.** O natural ou habitante de Mégara. [Sin. ger.: *megarense.*]

mégaro [Do gr. *mégaron.*] ***S. m.*** **1.** Grande sala central de uma antiga casa micênica, em cujo centro ger. havia uma lareira. **2.** Parte interna de um templo grego, que abrigava a imagem de uma divindade.

megarreto [De *meg(a)-* + *reto.*] ***S. m. Med.*** Dilatação patológica do reto[1].

megarrino [De *meg(a)-* + *rino*; tax. *Megarhinus.*] ***S. m.*** Gênero de mosquitos.

megasclero [De *meg(a)-* + *-sclero.*] ***S. m. Zool.*** Grande espícula do esqueleto dos poríferos.

megascolecídeo [Do lat. cient. *Megascolec-* (do tax. *Megascolex*) + *-ídeo*[1]; tax. *Megascolecidae.*] *Zool.* ***S. m.*** **1.** Espécime dos megascolecídeos, família de vermes anelídeos. [V. *minhoca-louca.*] • ***Adj.*** **2.** Pertencente ou relativo a eles.

megascópico [De *megascópio* + *-ico*[2].] ***Adj.*** **1.** Relativo ao megascópio. **2.** Macroscópico.

megascópio [De *meg(a)-* + *-scópio.*] ***S. m.*** Instrumento com que se obtêm cópias aumentadas de pequenos quadros ou de outros objetos.

megassismo [De *meg(a)-* + *-sismo.*] ***S. m. Geofís.*** Terremoto muito violento, de grande amplitude. [Cf. *macrossismo* e *microssismo.*]

megateriídeo [Do tax. *Megatherium*, gênero-tipo, + *-ídeo*; tax. *Megatheriidae.*] *Paleont.* ***S. m.*** **1.** Espécime dos megateriídeos, família de mamíferos desdentados que compreende o megatério e outros gêneros próximos, como, p. ex., o notrotério. • ***Adj.*** **2.** Pertencente ou relativo a eles.

megatério [De *meg(a)-* + *-tério*[1]; tax. *Megatherium.*] ***S. m. Paleont.*** **1.** Gênero de mamíferos desdentados que viveram no quaternário da América do Sul e podiam atingir mais de 5m de comprimento. As patas traseiras tinham 3 dedos, um deles com uma grande garra, e as dianteiras tinham 3 dedos com garras e um sem garra. **2.** Espécie ou espécime desse gênero.

megatérmico [De *meg(a)-* + *-term(o)-* + *-ico*[2].] ***Adj. Bot.*** Que exige temperaturas elevadas o ano inteiro; megatermo: *vegetação megatérmica*.

megatermo [De *meg(a)-* + *-termo.*] ***Adj. Bot.*** Megatérmico.

megaton [De *mega-* + *ton(elada).*] ***S. m. Fís. Nucl.*** Unidade de medida empregada para avaliar a energia que se desprende numa explosão nuclear, e equivalente à energia libertada na explosão de um milhão de toneladas de trinitrotolueno, ou, aproximadamente, a 10^{15} calorias.

→ **megawatt** [ˈmɛgəwạt] [Ingl.] ***S. m. Fís.*** Um milhão de watts [símb.: *MW*].

megera (gé) [Do gr. *Mégaira*, pelo lat. *Megaera*, de uma das três Fúrias (q. v.).] ***S. f.*** **1.** Mulher de mau gênio, cruel. [Sin., bras.: *biraia.*] **2.** Mãe desnaturada. **3.** V. *bruxa* (2).

megistocefalia [De *megistocéfalo* + *-ia*[1].] ***S. f. Ter.*** V. *macrocefalia*.

megistocéfalo [Do gr. *mégistos*, 'grande', 'enorme', + *-céfalo.*] ***Adj. S. m. Ter.*** V. *macrocéfalo*.

▲ **-mego** V. *meg(a)-*.

megohm [Var. de *megaohm* < *mega-* + *ohm.*] ***S. m. Eletr.*** Unidade de medida de resistência elétrica, igual a um milhão de ohms [símb.: *M*Ω].

megóhmetro ***S. m. Eng. Elétr.*** V. *megôhmetro*. [Uso freq. em P.]

megôhmetro [De *megoh(m)* + *-metro.*] ***S. m. Eng. Elétr.*** Instrumento para medir resistência elétrica de isolamento.

meia[1] [Abrev. da ant. loc. *meia-calça.*] ***S. f.*** **1.** Peça tecida em malha, lã, algodão, seda ou náilon, para cobrir o pé e a perna ou parte dela. [M. us. no pl.] **2.** Ponto de malha com que se fabrica essa peça e outras de vestuário: *camisa de meia*. ~ V. *meias*. ◆ **Meia elástica.** Meia elástica, destinada a conter a dilatação das varizes.

meia[2] ***S. f.*** V. *meia-entrada*.

meia[3] ***S. f. Encad.*** V. *meia-encadernação*.

meia[4] [Do fem. de *meio*[1] (21).] ***S. f.*** **1.** Antiga medida portuguesa para líquidos. **2.** *Bras.* Meação (4). **3.** *Bras.* No sistema de meação (4), cada uma das partes em que se divide o produto agrícola. **4.** *Bras. Fut.* V. *meio-campo* (1).

meia[5] ***Num.*** O número 6, us. na fala, para evitar confusão com o número 3: *Os ônibus da linha quatro-três-quatro (434) e quatro-meia-quatro (464) unem o Grajaú ao Leblon.*

meia-água [Do f. de *meio*[1] + *água.*] ***S. f.*** **1.** Telhado de um só plano. **2.** *P. ext.* Habitação com esse telhado: "Vicente dera-lhe um quarto na meia-água junto da cozinha." (Antônio Celso, *A Porta de Jerusalém*, p. 29.) [Var.: *meiágua*. Pl.: *meias-águas.*]

meia-armador (ô) [Do f. subst. de *meio*[1], subentendendo-se *posição*, ou voc. equiv., + *armador.*] ***S. m. Bras. Fut.*** Jogador que atua principalmente na zona do meio de campo, entre a defesa e o ataque, e cuja função é limpar a jogada (q. v.) e alimentar o ataque: "No time da minha rua eu sou meia-armador." (João Saldanha, *Os Subterrâneos do Futebol*, p. 161.) [Tb. se diz apenas *armador*. Pl.: *meias-armadores* (ô).]

meia-calça [De *meia*[1] + *calça.*] ***S. f. Vest.*** Meia[1] (1) que vai até à cintura. [Pl.: *meias-calças.*]

meia-cana[1] [Do f. de *meio*[1] + *cana*[1].] ***S. f.*** **1.** Moldura côncava de um lado e convexa do outro, em forma de cana[1] (1). **2.** Lima em forma de segmento de círculo, de espingardeiros, carpinteiros e marceneiros. **3.** Peça das armaduras antigas, que cobria a parte anterior da perna. [Pl.: *meias-canas.*]

meia-cana[2] ***S. f. Bras. RS*** V. *meia-canha*. [Pl.: *meias-canas.*]

meia-cancha [Do f. de *meio*[1] + *cancha.*] ***S. f. Bras. Fut.*** V. *meio-campo* (1). [Pl.: *meias-canchas.*]

meia-canha [Do esp. plat. *mediacaña.*] ***S. f. Bras. RS*** Baile rural semelhante ao fandango, ao som de uma polca. [Var.: *meia-cana*. Pl.: *meias-canhas.*]

meia-cara [Do f. de *meio*[1] + *cara*; da loc. *de meia cara.*] ***S. 2 g. Bras.*** O escravo que, depois de proibido o tráfico, era importado por contrabando, sem se pagarem direitos aduaneiros; de meia cara (q. v.). [Pl.: *meias-caras.*]

meia-claridade [Do f. de *meio*[1] + *claridade.*] ***S. f.*** Meia-luz: "Pela janela entreaberta a luz fria da manhã entrava no quarto, enchendo-o duma serena meia-claridade." (D. João da Câmara, *Contos*, p. 18.) [Pl.: *meias-claridades.*]

meia-colher (é) [Do f. de *meio*[1] + *colher.*] ***S. m. Bras. SP*** Trolha[1] (4). [Pl.: *meias-colheres* (é).]

meia-confecção [Do f. de *meio*[1] + *confecção.*] ***S. f.*** Confecção (2) que é acabada segundo as medidas exatas de quem a compra. [Pl.: *meias-confecções.*]

meia-coronha [Do f. de *meio*[1] + *coronha.*] ***S. f. Bras. N.E. Pop. Vest.*** V. *calça meia-coronha*. [Pl.: *meias-coronhas.*]

meia-direita [Do f. de *meio*[1] + *direita.*] *Bras. Fut.* ***S. f.*** **1.** A posição que ocupa um jogador, na linha dianteira, entre o centro e o ponta-direita. • ***S. 2 g.*** **2.** O jogador que ocupa essa posição: "quase todo o estádio ouve o palavrão com que o meia-direita, de bola no pé, saúda o meia-esquerda que o procura" (Orígenes Lessa, *A Desintegração da Morte*, p. 98). [Pl.: *meias-direitas.*]

meia-encadernação [Do f. de *meio*[1] + *encadernação.*] ***S. f.*** Encadernação em que a cobertura da lombada, ou da lombada e das cantoneiras, é de um material, e a das pastas, de outro. [Tb. se diz apenas *meia*, ou, para especificar o material da lombada, *encadernação em meio-couro, meio-couro, encadernação em meio-*

M

-pano, meio-pano, etc. Pl.: *meias-encadernações.* Cf. *encadernação inteira.*]

meia-entrada [Do f. de *meio*¹ + *entrada.*] *S. f. Bras.* Ingresso para casas de espetáculos, que é vendido pela metade do preço a estudantes, menores, etc. [Tb. se diz apenas *meia.* Pl.: *meias-entradas.*]

meia-espessura [Do f. de *meio*¹ + *espessura.*] *S. f. Fís. Nucl.* Espessura de um absorvedor que é capaz de reduzir à metade a intensidade de um feixe de partículas que o atravessa. [Pl.: *meias-espessuras.*]

meia-esquadria [Do f. de *meio*¹ + *esquadria.*] *S. f.* **1.** Linha que divide ao meio um ângulo reto. **2.** A metade de uma esquadria. **3.** A ligação de duas peças de madeira feita segundo uma linha a 45 graus. [Pl.: *meias-esquadrias.*]

meia-esquerda (ê) [Do f. de *meio*¹ + *esquerda.*] *Bras. Fut. S. f.* **1.** A posição do jogador que ocupa, na linha dianteira, lugar entre o ponta-esquerda e o centro. • *S. 2 g.* **2.** Jogador que ocupa essa posição. [Pl.: *meias-esquerdas* (ê).]

meia-estação [Do f. de *meio*¹ + *estação.*] *S. f.* Os dias do ano que não são nem muito quentes nem muito frios: *O brim é ótimo tecido para a meia-estação.* [Pl.: *meias-estações.*] ◆ **De meia-estação.** Diz-se de roupa, moda, etc., adequadas à meia-estação.

meia-final *S. f. Lus.* V. *semifinal.* [Pl.: *meias-finais.*]

meiágua [Var. sincopada de *meia-água.*] *S. f. Bras. N.E.* **1.** Meia-água. **2.** Casa de meia-água: "Mas antes que atingisse a meiágua pintada a ocre, houve um sacolejo forte e o carro brecou." (Ricardo Ramos, *Os Caminhantes de Santa Luzia*, p. 21.)

meia-idade [Do f. de *meio*¹ + *idade.*] *S. f.* **1.** A idade dos 40 aos 60 anos. [Pl.: *meias-idades.*] **2.** A Idade Média: "um Romance moderno, dum realismo épico, em dous robustos volumes, formando um estudo ricamente colorido da Meia-Idade Portuguesa..." (Eça de Queirós, *A Ilustre Casa de Ramires*, p. 24). [Com cap., nesta acepç.]

meia-irmã [Do f. de *meio*¹ + *irmã.*] *S. f.* Filha só do mesmo pai, ou só da mesma mãe, em relação a outro(s) filho(s) destes. [Pl.: *meias-irmãs.*]

meia-lagarta [Do f. de *meio*¹ + *lagarta.*] *S. f.* Veículo militar blindado e com rolamentos mistos de rodas e lagartas. [Pl.: *meias-lagartas.*]

meia-laranja [Do f. de *meio*¹ + *laranja.*] *S. f.* **1.** *Bras.* Morro de conformação pouco acidentada, parecido à metade de uma laranja. **2.** *Constr. Nav.* Armação de metal que se coloca em escotilha de passagem de pessoal para sustentar uma cobertura de lona que a protege da chuva. [Pl.: *meias-laranjas.*]

meia-légua [Do f. de *meio*¹ + *légua.*] *S. f. Bras.* Espingarda de longo alcance. [Pl.: *meias-léguas.*]

meia-língua [Do f. de *meio*¹ + *língua.*] *S. f.* Linguagem confusa, pouco inteligível, particularmente de criança ou de estrangeiro que não domina um determinado idioma. [Pl.: *meias-línguas.*]

meia-lona [Do f. de *meio*¹ + *lona.*] *S. m. e f. Tec. Têx.* Tecido grosso, de linho cru ou branco. [Pl.: *meias-lonas.*]

meia-lua [Do f. de *meio*¹ + *lua.*] *S. f.* **1.** *Astr.* Aspecto da Lua quando, em quarto crescente ou quarto minguante, se apresenta dicotomizada. **2.** Semicírculo. **3.** Lúnula (3 e 4). **4.** *Arquit.* Construção em forma de semicírculo, à maneira de anfiteatro. **5.** *Bras. Cap.* Rabo de arraia (3) aplicado com uma das mãos no chão. **6.** *Bras. S.* Sinal com a forma de um crescente, localizado no meio da testa de certos animais. [Pl.: *meias-luas.*] ◆ **Meia-lua de compasso.** *Bras. Cap.* Rabo de arraia (3) aplicado com pouca velocidade e com as duas mãos no chão. **Meia-lua solta.** *Bras. RJ Cap. Desus.* Meia-lua (5) aplicada com as mãos no ar, a fim de que o golpe adquira maior velocidade.

meia-luva [Do f. de *meio*¹ + *luva.*] *S. f.* V. *mitene.* [Pl.: *meias-luvas.*]

meia-luz [Do f. de *meio*¹ + *luz.*] *S. f.* Claridade dúbia, indecisa; penumbra, meia-claridade: *a meia-luz da madrugada*; "Ao pôr do sol, pela tristeza / Da meia-luz crepuscular, / Tem a toada de uma reza / A voz do mar." (Vicente de Carvalho, *Poemas e Canções*, p. 31). [Pl.: *meias-luzes.*]

meia-manga [Do f. de *meio*¹ + *manga*¹.] *S. f.* Manga¹ (1) curta, que não passa da altura do cotovelo. [Pl.: *meias-mangas.*]

meia-máscara [Do f. de *meio*¹ + *máscara.*] *S. f.* Mascarilha. [Pl.: *meias-máscaras.*]

meia-morada [Do f. de *meio*¹ + *morada.*] *S. f. Bras. MA* Casa térrea que, pelo número e disposição dos cômodos, apresenta na fachada principal, em geral situada no alinhamento da rua, duas ou três janelas localizadas num mesmo lado da porta de entrada: "a meia-morada de beiral saliente onde o Dr. Estêvão tinha reaberto o seu consultório" (Josué Montelo, *Cais da Sagração*, p. 9). [Pl.: *meias-moradas.* Cf. *morada-inteira* e *porta e janela.*]

meia-nau [Do f. de *meio*¹ + *nau.*] *S. f. Constr. Nav.* **1.** Nos antigos navios a vela, a parte situada entre o mastro do traquete e o mastro grande. **2.** *Constr. Nav. Bras.* Parte da embarcação equidistante da proa e da popa, ou estreita faixa para um e outro lado dessa parte: "De meia-nau para vante, no convés, a gente andava toda alagada, ensopada, enterrada n'água até o pescoço" (Virgílio Várzea, *Nas Ondas*, p. 45). [Pl.: *meias-naus.* Cf. *meio-navio.*]

meia-noite [Do f. de *meio*¹ + *noite.*] *S. f.* **1.** A hora ou momento que divide a noite em duas partes iguais; as 24 horas. **2.** *Maç.* Hora simbólica em que se encerram os trabalhos de uma loja (4). [F. paral.: *meia-noute.* Pl.: *meias-noites.*]

meia-noute [Do f. de *meio*¹ + *noute.*] *S. f.* Meia-noite. [Pl.: *meias-noutes.*]

meia-pataca [Do f. de *meio*¹ + *pataca.*] *S. f.* **1.** *Fam.* Quantia insignificante; nonada, ninharia: *Comprou o sítio por meia-pataca.* **2.** *Bras. Zool.* V. *alma-de-gato* (1). [Pl.: *meias-patacas.*] ◆ **De meia-pataca.** V. *de meia-tigela*: "não vamos confundir e comparar Cardoso e Sr.ª com cartomante ou ocultista desses por aí, ... ou com adivinhos de meia-pataca, quiromantes chinfrins." (Jorge Amado, *Dona Flor e Seus Dois Maridos*, p. 499).

meia-pontense *Adj. 2 g.* **1.** De Meia Ponte, hoje Pirenópolis (GO). • *S. 2 g.* **2.** O natural ou habitante de Meia Ponte. [Pl.: *meia-pontenses.*]

meia-porta [Do f. de *meio*¹ + *porta.*] *S. f.* Nos trípticos, cada uma das duas portas laterais que fecham cobrindo o painel central. [Pl.: *meias-portas.*]

meia-praça [Do f. de *meio*¹ + *praça.*] *S. m. Bras. MT* Garimpeiro registrado no sindicato, e que paga para procurar ouro nas terras do investidor, entregando-lhe parte da produção. [Pl.: *meias-praças.*]

meia-quarta [Do f. de *meio*¹ + *quarta*¹.] *S. f. Ant. Náut.* Cada uma das 32 subdivisões da rosa dos ventos situada entre os pontos cardeais ou colaterais e as quartas [v. *quarta*¹ (10)]. [Pl.: *meias-quartas.*]

meia-rédea [Do f. de *meio*¹ + *rédea.*] *S. f.* Andadura do cavalo, mais rápida que o galope comum e menos do que a carreira. [Pl.: *meias-rédeas.*]

meia-rotunda [Do f. de *meio*¹ + *rotunda.*] *S. f.* Construção semicircular. [Pl.: *meias-rotundas.*]

meias [Fem. pl. de *meio*¹ (1).] *S. f. pl.* Contrato em que se dividem por igual lucros e perdas entre duas partes contratantes. ~ V. *meia.* ◆ **A meias. 1.** De sociedade; de combinação; em colaboração: "Mal sabia .... que a filha honesta e querida do judeu era uma judia de baixa condição, tirada pelo esperto Isaías duma viela de Alfama, para servir aos seus planos e ganhar com ele, a meias, o dinheiro dos mineiros petulantes e tolos." (Gustavo Barroso, *A Ronda dos Séculos*, p. 266.) **2.** V. *meio a meio* (2).

meia-sola [Do f. de *meio*¹ + *sola.*] *S. f.* **1.** Remendo em calçado, que substitui a metade anterior da sola. • *Adj. 2 g.* **2.** *Pop.* Com característica de remendo; malfeito: "Reforma tributária meia-sola." (Joelmir Beting, em *Jornal de Brasília*, 13.10.1996.) [Pl.: *meias-solas.*]

meia-sombra [Do f. de *meio*¹ + *sombra.*] *S. f.* Penumbra; meia-luz: "Nítida era agora a zona de luz que a lâmpada recortava na meia-sombra" (Augusto Meyer, *No Tempo da Flor*, p. 69). [Pl.: *meias-sombras.*]

meias-palavras *S. f. pl.* Aquilo que é dito de modo impreciso, ou pouco claro: *Se o que você quer é aumento, não me venha com meias-palavras, diga logo.*

meia-tarde [Do f. de *meio*¹ (19) + *tarde.*] *S. f.* Hora ou momento que divide a tarde em duas partes aproximadamente iguais: "A gente das proximidades, essa, desde meia-tarde, a bem dizer enxameava a casa" (Virgílio Várzea, *Mares e Campos*, p. 129). [Pl.: *meias-tardes.*]

meia-tigela [Do f. de *meio*¹ + *tigela.*] *El. s. f.* Us. na loc. adj. *de meia-tigela.* ◆ **De meia-tigela.** Sem valor, sem importância; ordinário, insignificante, medíocre, vulgar; de meia-pataca: "Esse promotorzinho de meia-tigela não dá nem para a saída." (Macedo Miranda, *As Três Chaves*, p. 82.)

meia-tinta [Do f. de *meio*¹ + *tinta.*] *S. f.* **1.** Graduação de cores; matiz: "Luzes indistintas / Vão transparecer / Entre as meias-tintas / Que há no amanhecer." (Martins Fontes, *Vulcão*, p. 44.) **2.** Tom de uma cor, entre luz e sombra. **3.** Gravura à meia-tinta. **4.** *Fig.* Disfarce, dissimulação: "Macário .... procurou o seu amigo, e abruptamente, sem meia-tinta: | – Quem é aquela mulher que tu hoje cumprimentaste defronte do armazém? (Eça de Queirós, *Contos*, p. 14); "Minha Madrinha Dona Dalva, será o sangue de meu Pai que não me deixa falar por meias-tintas" (Odilo Costa Filho, *Histórias da Beira do Rio*, p. 137). [Pl.: *meias-tintas.*]

meia-vida [Do f. de *meio*¹ + *vida.*] *S. f. Fís. Nucl.* Tempo necessário para que se reduza à metade, por desintegração, a massa de uma amostra de um nuclídeo radioativo; período. [Pl.: *meias-vidas.*]

meia-volta [Do f. de *meio*¹ + *volta.*] *S. f.* **1.** Movimento circular do corpo, de que resulta ficar de costas para o local que estava à sua frente. **2.** *Mil.* Movimento de ordem unida executado por uma tropa (em marcha ou parada), para marchar ou colocar-se na direção oposta. **3.** *Marinh.* Volta muito usada como base ou parte de vários nós, e que é também dada no chicote de cabos finos, para não deixá-lo desgornir de um gorne, ou para não deixá-lo descochar. [Cf. *cote*³.] **4.** *Marinh.* O simples retorno do cabo por trás de um objeto cilíndrico, de modo que a pernada que retorna fique em direção oposta à do vivo do cabo. [Pl.: *meias-voltas.*]

meibomiano [Do antr. *(Heirich) Meibom* (1638-1700), anatomista alemão, + *-iano.*] *Adj. Anat.* ~ V. *glândulas –as.*

meigo [Do gr. *magikós*, pelo lat. *magicu*, 'mágico', 'encantador', por via pop.] *Adj.* **1.** Amável, afável, bondoso: *palavras meigas.* **2.** Carinhoso, terno, afetuoso: *filha meiga.* **3.** Doce, suave, brando: *voz meiga.*

meiguice [De *meigo* + *-ice.*] *S. f.* **1.** Qualidade, ato ou dito de meigo; carinho, ternura. **2.** Doçura, brandura, suavidade. ~ V. *meiguices.*

meiguiceiro [De *meiguice* + *-eiro.*] *Adj.* Dado a fazer meiguices; carinhoso, terno.

meiguices [Pl. de *meiguice.*] *S. f. pl.* **1.** Afagos, mimos, carícias. **2.** Palavras afetuosas. ~ V. *meiguice.*

meijengro [De or. obsc.] *S. m.* V. *joão-ninguém.*

meijoada *S. f.* V. *ameijoada*².

meimendro [Do lat. tard. *milimindru.*] *S. m. Bot.* Planta solanácea (*Hyoscyamus niger*) medicinal e tóxica, nativa da Europa, que encerra vários alcaloides de grande atividade fisiológica, e cujas flores são grandes e vistosas; hioscíamo, velenho.

meiminho [Do lat. **miniminu*, dim. de *minimu.*] *Adj. S. m. Pop.* V. *dedo mínimo.*

meinaco *Bras. S. 2 g.* **1.** *Etnôn.* Indivíduo dos meinacos [ou (etnôn. bras.) *Mehinako, *Mehinaku], povo indígena, da família linguística aruaque, que habita a região dos formadores do rio Xingu (MT). • *Adj. 2 g.* **2.** Pertencente ou relativo a esse povo.

meio¹ [Do lat. *mediu*, por via pop.] *S. m.* **1.** Ponto equidistante, ou mais ou menos equidistante, dos extremos; metade: *Depois de marcar o meio da linha vamos dividi-la em duas partes iguais; O vento partiu no meio as amarras do navio.* **2.** Ponto equidistante, ou mais ou menos equidistante, de diversos outros em sua periferia; centro: *Dois diâmetros se cruzam no meio da circunferência; A lancha manobrava no meio da baía.* **3.** Momento equidistante, ou mais ou menos equidistante, do início e do fim; metade: *Estamos no meio da viagem, mais outras duas horas e chegaremos; Saímos no meio do filme.* **4.** Posição intermediária entre dois seres ou objetos: *A fotografia mostra o menino no meio, entre o pai e a mãe.* **5.** Situação de permeio: *O homem sumiu-se no meio da multidão.* **6.** Lugar onde se vive, com suas características e condicionamentos geofísicos; ambiente: *No séc. XX o homem saiu do meio, lançando-se ao espaço sideral.* **7.** Esfera social ou profissional onde se vive ou trabalha; ambiente, círculo: *Habituado à simplicidade, não se adaptou ao meio grã-fino.* **8.** Recurso(s) empregado(s) para alcançar um objetivo; expediente, método: *Os fins não justificam os meios; Tem procurado, por todos os meios, sair da má situação em que se acha.* **9.** Maneira de agir; modo, forma, caminho, maneira: *Este é o único meio legal para concretizarmos o negócio.* **10.** Aquilo que exerce uma função intermediária na realização de alguma coisa; via, caminho: *meios de comunicação; meio de acesso.* **11.** Poder para praticar uma ação; possibilidade, capacidade, maneira: *Onde arranjar meios para contentar a todos?* **12.** *Marn.* Cada uma das ordens em que se subdividem os talhos das salinas. **13.** *Mat.* Denominação comum ao segundo e terceiro termos de uma proporção. **14.** *Fís.* Corpo ou ambiente onde ocorrem determinados fenômenos especiais. **15.** Conjunto de exercícios que, sem apoio de barra, os bailarinos executam no meio da sala de aula. **16.** *Bras. N.E.* Andadura do cavalo, mais rápida que a estrada (6) e menos que a baralha. **17.** *Bras. N.E.* Na jangada (4), cada um dos dois paus roliços situados junto à mediania (4) da embarcação. **18.** *Bras. Chulo* O ânus. • *Adj.* **19.** Incompleto, inacabado: *Esboçou um meio riso; O enfermo teve uma meia síncope.* **20.** Que encerra um conteúdo pela metade: "Em volta de um fogareiro, sobre brasas, a miúdo ateadas, fumava num caburé meio d'água espessa camada de cera fundida." (Melo Morais Filho, *Festas e Tradições Populares do Brasil*, pp. 124-125.) ~ V. *–a dúzia, –a malha*, e *–a parede.* • *Num.* **21.** Metade de um; metade da unidade; um meio: *meia laranja; meio quilômetro; meio quilo.* ~ V. *meios.* • *Adv.* **22.** Por metade; um pouco; um tanto; quase: *Anda meio doente.* [Há muitos exemplos, no português antigo como no moderno, desse advérbio flexionado (caso de concordância por atração): "a cabeça do Rubião meia inclinada" (Machado de Assis, *Quincas Borba*, p. 67); "casou meia defunta" (Id., *Várias Histórias*, p. 97); "a mesma mulher, sempre nua ou meia despida" (Eça de Queirós, *A Cidade e as Serras*, p. 366); "Uns caem meios mortos, e outros vão / A ajuda convocando do Alcorão." (Luís de Camões, *Os Lusíadas*, III, 50); "cinzeiros com cigarros meios fumados" (José Régio, *Histórias de Mulheres*, pp. 45-46).] ◆ **Meio ambiente.** O conjunto de condições naturais e de influências que atuam sobre os organismos vivos e os seres humanos. **Meio a meio. 1.** Em duas partes iguais; pela metade: *Dividiram a despesa meio a meio.* **2.** Em regime de sociedade, no qual cada parte fica com metade de alguma coisa; a meias, de meia. **Meio circulante.** *Econ.* Total dos meios de pagamento [v. *meio de pagamento* (2)]. **Meio da rua.** V. *olho da rua.* **Meio de comunicação.** *Teor. Com.* Canal ou cadeia de canais que liga a fonte ao destinatário (ou o emissor ao receptor) na transmissão de uma mensagem — p. ex., a televisão, a telegrafia, a fala/audição, a página impressa, etc.; veículo de comunicação. **Meio de mundo.** *Bras. N.E.* V. *cafundó* (3). **Meio de pagamento.** *Econ.* **1.** Instrumento ger. aceito na compra de mercadorias e serviços e na quitação de dívidas. **2.** Nas economias modernas, papel-moeda e moedas metálicas em poder do público, e os depósitos à vista do público nos bancos. **Meio do mundo.** *Bras. N.E.* V. *cafundó* (3). **Meio exterior.** A água, o ar, a terra. **Meio geográfico.** Conjunto de características que influem na vida dos seres vivos sobre a Terra. **Meio interno.** *Fisiol.* O conjunto formado pelos espaços intravascular, intersticial, transcelular e intracelular. **Meio que.** *Fam.* Como que: "Ficamos todos meio que sem assunto, enquanto dois funcionários ajeitavam uma laje na cova." (Cristóvão Tezza, *Breve Espaço entre Cor e Sombra*, p. 13.) **Meios de comunicação de massa.** Meios ou veículos utilizados na comunicação de massa (q. v.): *mass media.* **Meios de produção.** *Econ.* Em economia marxista, elementos que constituem a condição material da produção (7), e que compreendem os objetos de trabalho (q. v.) e os instrumentos de produção (q. v.). [Cf. *modo de produção.*] **A meio de.** No meio de, na parte central de: "Um homem atarracado, sorridente, parava a meio da escada." (Mário de Carvalho, *Um Deus Passeando pela Brisa da Tarde*, p. 50.) **De meia.** *Pop.* V. *meio a meio* (2): "Agricultores plantam de meia com ladrões! As lavouras e criações de Campinas (SP) são invadidas e saqueadas à noite por quadrilhas organizadas" (*O Estado de São Paulo*, 14.07.1993). **De meio a meio.** Em toda a sua extensão; completamente: "se ele bulir comigo, racho-lhe a cabeça de meio a meio com a minha maçaranduba." (Inglês de Sousa, *O Coronel Sangrado*, p. 115.) **Embolar o meio de campo.** *Bras.* Causar confusão ou embaraço; atrapalhar. **Em meio.** Pelo meio. **Em meio a. 1.** Durante, no curso de, ao longo de; em meio de. **2.** Entre, cercado por; em meio de: *Conseguiu formar-se mesmo em meio a uma extrema pobreza.* **Em meio de.** V. *em meio a*: "No viço da juventude, o espírito lhe encanecera em meio dos dolorosos sucessos da sua ainda tão curta vida." (Alexandre Herculano, *Eurico, o Presbítero*, p. 161.) **Pelo meio.** Sem estar concluído; sem ter chegado ao fim; em meio: *Abandonou o trabalho pelo meio.* **Por meio de.** Por intermédio de; pelo emprego de; mediante: *A dominação romana exercia-se por meio das armas.*

meio[2] *S. m. Bras. RS* V. *meio-real.*

meio-busto [De *meio*[1] + *busto.*] *S. m.* Retrato ou efígie em que se representa unicamente a cabeça e o pescoço. [Pl.: *meios-bustos.*]

meio-campo [De *meio*[1] + *campo.*] *S. m. Fut.* **1.** Região intermediária do campo de futebol. **2.** Jogador que ocupa, predominantemente, essa posição; centromédio. [Sin. ger.: *meio de campo,* (desus.) *médio.* Pl.: *meios-campo.*]

meio-chumbo [De *meio*[1] + *chumbo* (2).] *S. m. Bras. SP Bot.* Carrapatinha. [Pl.: *meios-chumbos.*]

meiocica *S. f. Bras. MA* Subproduto da fabricação da farinha.

meio-claro [De *meio*[1] (adv.) + *claro.*] *Adj. S. m. Tip.* Diz-se do, ou o tipo (ou fio) que, quanto à força dos traços, se classifica entre o normal e o claro; meio-fino. [Pl.: *meio-claros.* Cf. *claro* (21).]

meio-copeiro [De *meio*[1] + *copeiro* (5).] *Adj.* ~ V. *engenho* —. [Pl.: *meios-copeiros.*]

meio-corpo (ô) [De *meio*[1] + *corpo.*] *S. m.* A parte superior de uma figura humana desde a cintura. [Pl.: *meios-corpos* (ó).]

meio-couro [De *meio*[1] + *couro.*] *S. m.* V. *meia-encadernação.* [Pl.: *meios-couros.*]

meio de campo *S. m. Fut.* V. *meio-campo* (1 e 2). [Pl.: *meios de campo.*]

meio-dia [De *meio*[1] + *dia.*] *S. m.* **1.** A hora ou momento que divide ao meio o dia; as 12 horas. **2.** O ponto cardeal Sul. [Até o séc. XV, as terras e mares conhecidos dos europeus situavam-se ao N. do Trópico de Câncer; portanto, ao passar o Sol pelo meridiano local (meio-dia), fazia-o sempre na direção do S.] **3.** O auge; o máximo vigor; o esplendor: "Cláudio Manuel, ... homem solitário na multidão, alto, muito erecto, ... em pleno meio-dia dos seus trinta e nove anos, que eram também o meio-dia do seu espírito, começava, por força do hábito, a compor os primeiros versos de um soneto" (Caio de Melo Franco, *O Inconfidente Cláudio Manuel da Costa*, pp. 23-24). **4.** *Maç.* Hora simbólica em que se iniciam os trabalhos de uma loja (4). [Pl.: *meios-dias.*] ◆ **Meio-dia aparente.** *Astr.* Instante em que o centro do Sol está no meridiano superior.

meiofauna [De *meio-* + *fauna*; lat. cient. *meiofauna.*] *S. f. Biol. Zool.* **1.** A parte da microfauna que habita algas, fissuras rochosas e as camadas superficiais do fundo lamacento do oceano. **2.** A microfauna que habita os interstícios dos grãos de areia.

meio-feriado [De *meio*[1] + *feriado.*] *S. m.* Feriado em que só se trabalha a metade do expediente normal: "Houvera meio-feriado, o expediente fechara mais cedo." (Carlos Heitor Cony, *A Verdade de Cada Dia*, p. 99.) [Pl.: *meios-feriados.*]

meio-fino [De *meio*[1] (adv.) + *fino*[1].] *Adj. S. m. Tip.* Meio-claro. [Pl.: *meio-finos.*]

meio-fio [De *meio*[1] + *fio.*] *S. m.* **1.** Arremate entre o plano do passeio e o da pista de rolamento de um logradouro: "Um marinheiro embriagado achava-se sentado no meio-fio da calçada" (Érico Veríssimo, *Noite*, p. 57). [Sin.: *lancil,* (bras., SP) *guia,* (bras., CE) *fio de pedra* e (lus.) *berma.*] **2.** Chanfradura no batente da porta ou em caixilhos. **3.** *Náut.* Anteparo que vai da popa à proa, no porão, e serve para equilibrar a carga. [Pl.: *meios-fios.*]

meio-grosso (ô) [De *meio*[1] (adv.) + *grosso.*] *Adj. S. m.* Diz-se de, ou certa qualidade de rapé: "Há charutos, há o meio-grosso, e o cigarro." (Camilo Castelo Branco, *O Que Fazem Mulheres*, p. 21.) [Pl.: *meio-grossos* (ó).]

meio-irmão [De *meio*[1] + *irmão.*] *S. m.* Filho só do mesmo pai, ou só da mesma mãe, em relação a outro(s) filho(s) destes: "Expliquei que éramos filhos da mesma mãe, mas não do mesmo pai. Então são meios-irmãos, disse." (Moacir Scliar, *A Majestade do Xingu*, p. 201.) [Pl.: *meios-irmãos.*]

meio-largo [De *meio*[1] (adv.) + *largo*[2].] *Adj. Tip.* Diz-se do tipo que, quanto à largura, se classifica entre o normal e o largo. [Pl.: *meio-largos.*]

meio-luto [De *meio*[1] + *luto.*] *S. m.* Luto[1] (2) aliviado. [Pl.: *meios-lutos.*]

meio-médio [De *meio*[1] + *médio.*] *Adj. Esport.* ~ V. *peso — e peso — ligeiro.* [Pl.: *meio-médios.*]

meio-navio [De *meio*[1] + *navio.*] *S. m. Constr. Nav.* **1.** Região do navio situada próxima ao seu plano longitudinal. **2.** *Ant.* Designação do que hoje se denomina meia-nau (q. v.) na Marinha do Brasil. [Pl.: *meios-navios.*]

meio-norte [De *meio*[1] (adv.) + *norte.*] *S. m. Bras. Geogr.* V. *Grande Região.* [É de rigor o uso das iniciais maiúsculas.]

meio-pano [De *meio*[1] + *pano.*] *S. m.* V. *meia-encadernação.* [Pl.: *meios-panos.*]

meio-peixe [De *meio*[1] + *peixe.*] *S. m. Bras. BA* O baleote já maior que o seguilhote. [Pl.: *meios-peixes.*]

meio-pesado [De *meio*[1] + *pesado.*] *Adj. Esport.* ~ V. *peso* —. [Pl.: *meios-pesados.*]

meio-preto [De *meio*[1] (adv.) + *preto.*] *Adj. S. m. Tip.* Diz-se do, ou o tipo (ou fio) que, quanto à força dos traços, se classifica entre o normal e o preto. [Pl.: *meio-pretos.*]

meio-quadratim [De *meio*[1] + *quadratim.*] *S. m. Tip.* Espaço de grossura igual à metade do corpo a que pertence. [Pl.: *meios-quadratins.* V. *ene* (2).]

meio-quilo [De *meio*[1] + *quilo.*] *S. m. Bras. Gír.* Indivíduo de estatura baixa. [Pl.: *meios-quilos.*]

meio-real [De *meio*[1] + *real*[2] (2).] *S. m. Bras. RS* Cem réis — a metade de um real[2] (3), que na fronteira gaúcha equivalia a duzentos réis. [F. red.: *meio.* Pl.: *meios-reais.*]

meio-redondo [De *meio*[1] (adv.) + *redondo.*] *S. m. Arquit.* Bareta. [Pl. *meio-redondos.*]

meio-relevo [De *meio*[1] + *relevo.*] *S. m. Escult.* Figura ou ornato em que metade do vulto ressai de um plano, no sentido da espessura. [Pl.: *meios-relevos.* Cf. *baixo-relevo.*]

meios [Pl. de *meio*[1].] *S. m. pl.* Bens pecuniários; recursos, haveres: *Não tem meios para levar vida luxuosa.* ~ V. *meio.*

meio-sangue [De *meio*[1] + *sangue.*] *Adj. 2 g. S. 2 g.* Diz-se de, ou animal, esp. de equídeo, resultante do cruzamento de um puro-sangue com outro de raça comum. [Pl.: *meios-sangues.*]

meiose [Do gr. *meíosis,* 'diminuição'.] *S. f. Citol. Genét.* Tipo especial de divisão celular que origina os gametas, e que possibilita a diminuição à metade do número de cromossomos e da quantidade de DNA característicos da espécie. [F. pref. (p. us.): *miose.* Sin.: *alotipia.*]

meio-serviço [De *meio*[1] + *serviço* (12).] *S. m.* A metade das peças de louça e/ou de vidro ou cristal que constituem um serviço de mesa. [Pl.: *meios-serviços.*]

meio-sono [De *meio*[1] + *sono.*] *S. m.* Sono em que os sentidos não estão inteiramente adormecidos; sonolência, modorra. [Pl.: *meios-sonos.*]

meio-soprano [De *meio*[1] + *soprano.*] *S. m.* **1.** Gênero de voz feminina entre soprano e contralto. **2.** Cantora que tem essa voz. [Pl.: *meios-sopranos.*]

meios-termos [De *meio*[1] + o pl. de *termo* (ê).] *S. m. pl.* **1.** Expressões incompletas e/ou ambíguas; tergiversações. **2.** Atos que nada resolvem ou decidem. ~ V. *meio-termo.*

meiota [De *meio*[1].] *S. f. Bras. Gír.* A metade duma garrafa de cachaça, servida na própria garrafa.

meio-termo [De *meio*[1] + *termo* (ê).] *S. m.* **1.** Termo a igual distância de dois extremos. **2.** *Fig.* Moderação, comedimento; ecletismo. ~ V. *meios-termos.* [Pl.: *meios-termos.*]

meiótico [De *mei(ose)* + *-ótico.*] *Adj. Citol. Genét.* Da, ou relativo à meiose; miótico, alotípico.

meio-tijolo (ô) [De *meio*[1] + *tijolo.*] *S. m.* V. *parede frontal.* [Pl.: *meios-tijolos* (ó).]

meio-tom [De *meio*[1] + *tom.*] *S. m.* **1.** *Mús.* Semitom (q. v.). **2.** Som emitido com nuanças doces, suaves ou abafadas: "E acalentava: ó-ó-ó-ó – prolongado gemido, ... com um requebro dolente de meios-tons." (Camilo Castelo Branco, *Vulcões de Lama*, p. 215.) **3.** *Pint.* V. *nuança* (1): "Nos dias de tempestade .... a paisagem se perde em meios-tons sutis: o verde dos coqueiros se torna profundo, sem brilho, pesado; a praia se cobre de um cinzento fosco, úmido, ameaçador." (James Amado, *Chamado do Mar*, p. 13.) **4.** Atributo de um desenho, estampa, fotografia, etc., que apresenta nuanças de preto ou de qualquer cor. [Pl.: *meios-tons.*]

meio-voo [De *meio*[1] + *voo.*] *S. m. Heráld.* Representação das aves com as asas numa posição intermediária entre o voo estendido e o abatido. [Pl.: *meios-voos.*] ◆

meirinhaço [De *meirinho*[1] + *-aço.*] *S. m.* Meirinho[1] (1 e 2) de mau caráter: "vou com isto à justiça, e apesar de ser ele um meirinhaço muito velhaco, há de se haver comigo." (Manuel Antônio de Almeida, *Memórias de um Sargento de Milícias*, p. 116).

meirinhado [De *meirinho*[1] + *-ado*[1].] *S. m.* **1.** Cargo de meirinho[1] (1). **2.** Território de jurisdição do meirinho[1] (2).

meirinhal [De *meirinho*[1] + *-al*[1].] *Adj. 2 g.* Relativo a meirinho[1] (1 a 3).

meirinhar [De *meirinho*[1] + *-ar*[2].] *V. int.* Exercer as funções de meirinho[1].

meirinho[1] [Do lat. *majorinu,* 'da espécie mais robusta', que na Idade Média passou a se aplicar às autoridades.] *S. m.* **1.** Antigo funcionário judicial, correspondente ao oficial de justiça de hoje (v. *beleguim*): "andava ele de cartório em cartório, acotovelando-se com meirinhos, escrivães, juízes, e advogados" (Lima Barreto, *Triste Fim de Policarpo Quaresma*, p. 71). **2.** Antigo magistrado, de nomeação régia, e que governava amplamente um território ou comarca. **3.** V. *beleguim.* ● *Adj.* **4.** Diz-se do gado que pelo verão pasta nas montanhas e pelo inverno na planície. **5.** *P. ext.* Diz-se da lã desse gado.

meirinho[2] *S. m. Bras. Zool.* V. *papa-moscas* (1).

meirinho-mor [De *meirinho*[1] + *mor.*] *S. m.* O chefe, o principal dos meirinhos. [Pl.: *meirinhos-mores.*]

meiru-de-preto (ê) *S. m. Bras. Bot.* Planta anonácea (*Guatteria scariosa*). [Pl.: *meirus-de-preto.*]

meitnério [Do antr. (*Lise*) *Meitner* (1878-1968), físico-química austro-sueca + *-io*[3].] *S. m. Quím.* Elemento transférmico (q. v.) de número atômico 109 [símb.: *Mt*]; unilênio.

meixoeira [Do *sena*[3].] *S. f. Moç. Bot.* Planta poácea (*Pennisetum thyphoideum*) anual, cujos colmos têm até 3m, sendo as folhas lineares ou lineares e lanceolada, e os frutos, cariopses obovadas; é cultivada como cereal, na África e na Índia. [Sin.: *masango-liso, masangu, painço-liso.*]

meizinha [Do lat. *medicina,* 'remédio', por via pop.] *S. f. Bras. N.E. MG Ant.* Remédio, mezinha: "Cataplasmas de farinha de mandioca, meizinhas e chás caseiros não lhe davam alívio, não faziam regredir a moléstia." (Nélson de Faria, *Tiziu e Outras Estórias*, p. 63.).

mel[1] [Do lat. *melle.*] *S. m.* **1.** Substância doce, nutritiva, viscosa, marrom-amarelada, elaborada por várias espécies de abelhas, a partir do néctar das flores. **2.** Suco espesso e doce que se extrai de certas plantas. **3.** *Fig.* Doçura, suavidade: *o mel de suas palavras.* **4.** *Bras.* Melado[1] (4). [Pl.: *meles* e *méis.*] ◆ **Mel de dedo.** Mel pouco doce. **Mel de pau.** *Bras.*

M

O mel das abelhas meliponíneas uruçu, jataí e outras, que nidificam em ocos de árvores. [Cf. *mel-de-pau*.] **Mel de toicinho.** *Bras. BA* Mel feito com rapadura e toicinho, que os garimpeiros, depois de lhe adicionarem farinha de mandioca, comem como sobremesa. **Mel de uruçu.** *Bras.* Mel fabricado pela abelha meliponínea uruçu. **Mel silvestre.** O que as abelhas fabricam pelo mato em colmeias naturais. **Mel virgem.** O primeiro que se extrai dos favos. **Ficar sem mel nem cabaça.** *Bras. Fig.* Ter prejuízo duplo, não conseguir nenhuma de duas coisas esperadas; nem mel nem cabaça; perder o mel e a cabaça. **Nem mel nem cabaça.** V. *ficar sem mel nem cabaça*: "Chutei a Higiene por causa da Santa Casa e depois fui chutado dessa. Nem mel nem cabaça." (Pedro Nava, *Beira-Mar*, p. 383.) **Perder o mel e a cabaça.** *Bras.* V. *ficar sem mel nem cabaça*.

mel[2] *S. m. Fís.* Unidade de medida de altura de um som, igual a um milésimo da altura que um observador atribui a um som simples, de frequência igual a 1.000Hz, 40dB acima do seu limiar de audibilidade. [Pl.: *mels*.]

mela [Do lat. *magella*, por *macella*, dim. de *macula*, poss.] *S. f.* **1.** Doença dos vegetais, que lhes impede o crescimento. **2.** Lacuna em uma escritura. **3.** *P. ext. Pop.* Caquexia. **4.** Calva parcial. **5.** *Bras.* V. *bebedeira* (1). **6.** *Bras.* V. *podridão-parda*. **7.** *Bras. S.* V. *surra* (1). **8.** *Bras. MA* Designação comum aos oásis dos campos talados pelas secas.

▲ **mela-** V. *melan(o)-*.

▲ **-mel(a)-** V. *melan(o)-*.

▲ **-mela** V. *melan(o)-*.

melaceiro [De *melaço* + *-eiro*.] *S. m.* Vendedor de melaço.

melaço [De *mel*[1] + *-aço*.] *S. m.* Líquido viscoso, fezes de cristalização do açúcar: "Quando o melaço começava na resfriadeira a engrossar, a cobrir-se de espuma amarela, ela .... tirava uma dedada grande, lambia-a com prazer" (Júlio Ribeiro, *A Carne*, p. 38).

meladeiro [De *melado*[1] + *-eiro*.] *S. m.* Aquele que faz o melado[1] (4): "Um meladeiro encontrou o dono da São José sem leme, de olhar vermelho em jeito de pitanga." (José Cândido de Carvalho, *Olha para o Céu, Frederico!*, p. 74.)

meladinha [Dim. do fem. de *melado*[1].] *S. f.* **1.** *Bras. Bot.* V. *mentastro* (1). **2.** *Bras. N.* Bebida feita de cachaça e mel.

meladinha-falsa [De *meladinha* + o f. de *falso*.] *S. f. Bras. Bot.* V. *mentastro* (1). [Pl.: *meladinhas-falsas*.]

melado[1] [De *mel*[1] + *-ado*[1].] *Adj.* **1.** Da cor do mel. **2.** *Bras. N.E.* Diz-se de cavalo dessa cor. • *S. m.* **3.** Calda grossa, feita com rapadura e usada como sobremesa. **4.** *Bras. N.E.* A calda grossa do açúcar, de que se faz rapadura; mel. **5.** *Bras. S.* Mel de engenho. **6.** *Bras. Gír.* Sangue (1).

melado[2] [Part. de *melar*[1].] *Adj.* **1.** Adoçado com mel: *leite melado*. **2.** *Bras.* Sujo ou lambuzado de mel ou de qualquer substância pegajosa. **3.** *Bras. P. ext.* Emporcalhado, sujo: "Nenhuma filha é capaz de lavar a minha roupa melada e me dar uma limpa para eu vestir." (Antônio Torres, *Essa Terra*, p. 98.) **4.** *Bras.* Demasiado doce ou adocicado: *café melado*.

melado[3] [Part. de *melar*[2].] *Adj.* **1.** Chocho, peco: *planta melada*. **2.** Que apresenta mossas ou falhas no gume: *facão melado*. **3.** *Bras. N.E.* V. *embriagado* (1).

melado[4] [Do esp. plat. *melado*.] *Adj.* **1.** *Bras. RS* Diz-se do animal ou do indivíduo albino. **2.** *Bras. MT* Diz-se do indivíduo louro.

melador (ô) [De *melar*[1] + *-dor*.] *S. m. Bras.* Tirador de mel nas matas.

meladura [De *melado*[1] + *-ura*.] *S. f.* Caldeirada de sumo de cana-de-açúcar.

meláfiro [De *mela-* + *(pór)firo* (q. v.).] *S. m. Petr.* Qualquer basalto amigdaloide rico em minerais do grupo das zeólitas, e que não raro se altera, em virtude da sua alta permeabilidade.

melafólio [De *mela-* + *-fólio*.] *S. m.* V. *acanto*[1] (3).

melalgia [De *mel(o)-*[1] + *-alg(o)-*[2] + *-ia*[1].] *S. f. Med.* Dor em membro superior ou inferior.

melambo *S. m. Bras. Bot.* V. *casca-de-anta* (1).

mela-mela [Da 3.ª pess. do sing. do pres. ind. de *melar*[1], repetida.] *S. m. 2 n. Bras. N.E.* Certa brincadeira do carnaval de rua do Recife: "O mela-mela – brincadeira do carnaval de rua do Recife em que os foliões se divertem jogando água, talco e goma nos outros – poderá voltar a ser proibido" (*Jornal do Brasil*, 02.02.1978).

melamina [Do fr. *melamine*.] *S. f. Quím.* **1.** Substância sólida, praticamente infusível, que contém três grupos amina (-NH_2) ligados a anel de 1,3,5-triazina, e é us. na fabricação de resinas sintéticas, principalmente por combinação com formaldeído [fórm.: $C_3H_6N_6$]. **2.** Nome usual das resinas feitas à base de melamina (1).

melanagogo (ô) [De *melan(o)-* + *-agogo*.] *Adj. S. m. Med. Obsol.* Dizia-se de, ou medicamento que se supunha ter a propriedade de fazer expelir os humores negros, ou atrabílis.

melananto [De *melan(o)-* + *-anto*.] *Adj. Bot.* Que tem flores negras.

melança [De *melar*[1] + *-ança*.] *S. f. Bras.* **1.** Colheita de mel de abelhas. **2.** *Bras. Fam.* Logro, engodo. **3.** *Bras. N. N.E.* V. *meleira* (1).

melancia [De *balancia*, f. arc. e ainda hoje pop., com infl. de *melão*.] *S. f.* **1.** *Bot.* Planta cucurbitácea (*Citrullus vulgaris*) herbácea, prostrada, de origem africana, de folhas bastante subdivididas, e cultivada por causa dos frutos, enormes bagas uniloculares e polispermas, muito sucosas, de casca verde e polpa vermelha com sementes negras; melancieira, balancia. **2.** O fruto dessa planta; balancia. **3.** Variedade de maçã; melancieira. **4.** *Bras.* Pessoa que, fingindo-se politicamente oposta à esquerda, na realidade a ela pertence ou com ela simpatiza. **5.** *Bras. RS* Designação dada, durante a revolução de 1925, àqueles que, dizendo-se governistas, no íntimo eram revoltosos.

melancia-da-praia *S. f. Bras. PE Bot.* **1.** V. *arrebenta-cavalo* (1). **2.** V. *babá*[2] (1). [Pl.: *melancias-da-praia*.]

melancia-de-cobra *S. f. Bras. Bot.* Planta cucurbitácea (*Cucumis chelonianus*). [Pl.: *melancias-de-cobra*.]

melancial [De *melancia* + *-al*[1].] *S. m.* **1.** Quantidade mais ou menos considerável de melancias ou melancieiras dispostas proximamente entre si. **2.** Colheita ou produção de melancias. **3.** Área ocupada por melancial (1).

melancieira [De *melancia* + *-eira*.] *S. f.* **1.** Melancia (1 e 3). **2.** Vendedora de melancias.

melancieiro [De *melancia* + *-eiro*.] *S. m.* Vendedor de melancias.

melancolia [Do gr. *melancholía*.] *S. f.* **1.** Estado mórbido de tristeza e depressão. **2.** Estado de languidez e tristeza indefinida: *a melancolia dos românticos*; "Esta noite estou triste e não sei a razão. / Vou, para espairecer minha melancolia, / Ouvir o mar" (Ribeiro Couto, *Poesias Reunidas*, p. 89). **3.** Desgosto, pesar, tristeza. [Sin., ant. e pop. (nessas acepçs.): *malencolia, malenconia, malinconia*.] **4.** *Psiq.* Síndrome mental caracterizada por depressão em grau variável, sensação de incapacidade, perda de interesse pela vida, podendo evoluir para ansiedade, insônia, tendência ao suicídio e, eventualmente, delírio de autoacusação.

melancólico [Do gr. *melancholikós*, pelo lat. *melancholicu*.] *Adj.* **1.** Que sofre de melancolia, ou a tem. **2.** Em que há, ou tocado, ou impregnado de melancolia: *música melancólica*. [Var.: *merencório* e (ant. e pop.) *malincônico*.]

melancolizador (ô) [De *melancolizar* + *-dor*.] *Adj.* Que melancoliza; entristecedor.

melancolizar [De *melancólico* + *-izar*, seg. o padrão erudito.] *V. t. d. P.* Tornar(-se) melancólico; entristecer(-se): "Dúbias, errantes sombras vespertinas, / Presságios maus, de que sua alma é cheia, / Melancolizam tudo o que o rodeia..." (Raimundo Correia, *Poesias*, p. 167); "Melancoliza-se quem não dá a expressão necessária ao que lhe volteia na alma" (Pontes de Miranda, *Obras Literárias*, p. 165).

melanconial [Do lat. cient. *Melanconi-* (v. *melanconiale*) + *-al*[1].] *Adj. 2 g. Micol.* Pertencente ou relativo às melanconiales.

melanconiale [Do tax. *Melanconium* + *-ale*; tax. *Melanconiales*.] *S. f. Micol.* Espécime das melanconiales, ordem de fungos diminutos e parasitos que dão origem a manchas negras nas plantas, gerando a moléstia dita *antracnose*.

melanemia [De *melan(o)-* + *-emia*.] *S. f. Patol.* Presença de formações negras no sangue, como se observa, p. ex., na hemocromatose.

melanémico *Adj. S. m. Patol.* V. *melanêmico*. [Uso freq. em P.]

melanêmico [De *melanemia* + *-ico*[2].] *Adj. Patol.* **1.** Referente a, ou que sofre de melanemia. • *S. m.* **2.** Aquele que sofre de melanemia.

melanésio *Adj.* **1.** Da, ou pertencente ou relativo à Melanésia, um dos três grandes agrupamentos das ilhas do Pacífico. **2.** Pertencente ou relativo a povo(s) que habita(m) as ilhas Melanésias. • *S. m.* **3.** O natural ou habitante da Melanésia. **4.** Indivíduo melanésio (2). **5.** *E. Ling.* Um dos subgrupos do malaio-polinésio (q. v.).

melania [Do gr. *melanía*, 'negrume'.] *S. f.* **1.** Qualidade de escuro ou sombrio. **2.** *Tec. Têx.* Tecido ondeado de lã ou de seda, que era usado em decoração[2] (2).

melânico [De *melanismo* + *-ico*[2], seg. o padrão erudito.] *Adj.* Que apresenta melanismo; negro.

melanina [De *melan(o)-* + *-ina*[3].] *S. f.* **1.** *Fisiol. Patol.* Pigmento negro encontrado em locais diversos do corpo, como pele, pelos, e em certos tumores, etc. **2.** Matéria negra segregada pelos moluscos cefalópodes.

melanismo [De *melan(o)-* + *-ismo*.] *S. m.* **1.** Anomalia que se caracteriza pela cor acidentalmente negra ou escura, no pelo dos animais. **2.** *Patol.* Melanose.

melanita [De *melan(o)-* + *-ita*[3].] *S. f. Min.* Variedade negra titanífera da andradita.

melanizar [De *melan(o)-* + *-izar*.] *V. t. d. P. us.* Tornar escuro.

▲ **melan(o)-** [Do gr. *mélas, aina, an*; gen. *mélanos* (ă).] *El. comp.* = 'negro', 'sombrio', 'escuro': *melanita, melanodermia; melanospermo*. [Equiv.: *mela-, -mel(a)-, -mela, -melan(o)-, -melano, -mélano*: *meláfiro; amelopia; icteromela; psilomelanita; calomelano; calomélano*.]

▲ **-melan(o)-** V. *melan(o)-*.

▲ **-melano** V. *melan(o)-*.

▲ **-mélano** V. *melan(o)-*.

melanoblasto (è) [De *melan(o)-* + *-blasto*.] *S. m. Histol.* Célula precursora do melanócito.

melanocarpo (è) [De *melan(o)-* + *-carpo*.] *Adj. Bot.* Que dá frutos negros.

melanocéfalo (è) [De *melan(o)-* + *-céfalo*.] *Adj. Zool.* Que tem a cabeça negra.

melanocéraso (è) [De *melan(o)-* + gr. *kérasos*, 'cerejeira'.] *S. m. Obsol.* Beladona.

melanócero [De *melan(o)-* + *-cero*.] *Adj. Zool.* Que tem cornos ou antenas negros.

melanócito [De *melan(o)-* + *-cito*.] *S. m. Histol.* Célula produtora de melanina.

melanodermia (è) [De *melan(o)-* + *-derm(o)-* + *-ia*[1].] *S. f. Med.* Aumento da quantidade de melanina na pele, o qual determina o aparecimento de áreas hiperpigmentadas, e que pode dever-se a uma produção excessiva de melanina por melanócitos presentes em quantidade normal, ou a um aumento do número dessas células.

melanofícea (è) [De *melan(o)-* + *-fic(o)-* + *-ea*; tax. *Melanophyceae*.] *S. f. Bot.* V. *feofícea*.

melanofíceo (è) [De *melanofícea*, com var. suf. (v. *-eo*).] *Adj. Bot.* V. *feofíceo*.

melanoftalmo (è) [Do gr. *melanóphtalmos*.] *Adj. Zool.* **1.** Que tem olhos negros; melanope. **2.** Que tem manchas cercadas de um círculo negro e com feitio de olho (1).

melanogastro (è) [De *melan(o)-* + *-gastro*.] *Adj. Zool.* Cuja área ventral é escura.

melanoma [De *melan(o)-* + *-oma*[1].] *S. m. Patol.* Tumor constituído de células pigmentadas por melanina. [O termo us. isoladamente significa, em geral, que o tumor referido é maligno.]

melanope [De *melan(o)-* + *-ope*.] *Adj. 2 g. Zool.* Melanoftalmo (1).

melanoplastia [De *melan(o)-* + *-plast(o)-* + *-ia*[1].] *S. f. Odont.* Intervenção plástica para a remoção de pigmentos que tornam a gengiva enegrecida.

melanóptero [Do gr. *melanópteros*.] *Adj. Zool.* Que tem asas ou élitros negros.

melanorragia (è) [De *melan(o)-* + *-ragia*.] *S. f. Med.* V. *melena*[2].

melanorreia (è...éi) [De *melan(o)-* + *-reia*.] *S. f. Med.* V. *melena*[2]. ❖

melanose [Do gr. *melánosis*.] *S. f.* **1.** *Bot.* Moléstia criptogâmica, caracterizada pela produção de manchas pretas nas folhas das plantas. **2.** *Med.* Distúrbio do metabolismo da melanina. **3.** *Patol.* Pigmentação melânica excessiva; melanismo. **4.** *Alq.* Nigredo.

melanospermo (è) [De *melan(o)-* + *-spermo*.] *Adj. Bot.* Cujas sementes são negras.

melanóstomo [De *melan(o)-* + *-stomo*.] *Adj. Zool.* Que tem a boca negra.

melanótico [De *melan(ose)* + *-ótico*.] *Adj.* **1.** Relativo a, ou que tem o caráter de melanose. **2.** Que tem melanose. • *S. m.* **3.** Aquele que a tem. [Cf. *melanótrico*.]

melanótrico [Do gr. *melanóthrix, melanótrichos*.] *Adj.* Que tem cabelos negros. [Cf. *melanótico*.]

melanoxanto (è... cs) [De *melan(o)-* + *-xanto*.] *Adj.* Que é amarelo e negro.

melanóxilo [Do tax. *Melanoxylon*.] *S. m. Bot.* **1.** Gênero monoespecífico de árvores cesalpiniáceas, com até 25m, folhas compostas, imparipenadas, e que ocorre no Brasil desde o sul da BA até SP, na floresta pluvial da encosta atlântica. **2.** A espécie desse gênero, *Melanoxylon brauna* (v. *baraúna*). **3.** Qualquer espécime desse gênero.

melântemo [Do gr. *melánthemon*, pelo lat. *melanthemu*.] *S. m. Bot. Obsol.* A camomila.

melantéria [Do gr. *melantería*, pelo lat. tard. *melanteria*.] *S. f.* **1.** Espécie de pez outrora usado por cordoeiros. **2.** Espécie de greda com que se tingia de negro o calçado.

melanterita [De *melantéria* + *-ita*[3].] *S. f. Min.* Mineral monoclínico, sulfato ferroso hidratado.

melanuria (è) [De *melan(o)-* + *-uria*.] *S. f. Med.* V. *melanúria*.

melanúria [De *melan(o)-* + *-úria*.] *S. f. Med.* Emissão de urina negra ou de urina que, posta em repouso, se torna negra. [F. paral.: *melanuria*.]

melanuro [De *melan(o)-* + *-uro*.] *Adj. Zool.* Que tem a cauda negra.

melão [Do lat. tard. *melone*.] *S. m.* **1.** O fruto do meloeiro. [Aum.: *meloa*.] **2.** *Bot.* Meloeiro.

melão-caboclo *S. m. Bras. Bot.* V. *cruá*. [Pl.: *melões-caboclos*.]

melão-de-morcego *S. m. Bras. Bot.* V. *abóbora-do-mato*. [Pl.: *melões-de-morcego*.]

melão-de-são-caetano *S. m. Bras. Bot.* Trepadeira cucurbitácea (*Momordica charantia*) herbácea, de fruto peculiar por ser uma baga carnosa que se abre como cápsula, de cor vermelha e sabor adocicado, e que é tida por medicinal. [Tb. se diz apenas *são-caetano*. Pl.: *melões-de-são-caetano*.]

melão-de-soldado *S. m. Bras. Bot.* Planta baselácea (*Basella saponaria*); sabão-de-soldado. [Pl.: *melões-de-soldado*.]

mela-pinto [De *melar* + *pinto*.] *S. m. Bras. Bot.* V. *agarra-pinto*. [Pl.: *mela-pintos*.]

melar[1] [De *mel*[1] + *-ar*[2].] *V. t. d.* **1.** Adoçar, untar ou cobrir com mel. **2.** Dar cor de mel a. **3.** *Bras. N. N.E. MG* Sujar com mel ou qualquer outra substância. **4.** *Bras. Gír. Fig.* Anular, invalidar. *Int.* **5.** Ficar melado[1]. **6.** *Bras.* Fazer mel. **7.** *Bras.* Ir ao mato procurar mel. **8.** *Bras. Gír.* Não sair a contento; não dar certo; falhar, gorar. **9.** *Bras. Gír. Fig.* Melar[1] (4). *P.* **10.** *Bras. N. N.E. MG* Sujar-se com mel ou com outra substância.

melar[2] [De *mela* + *-ar*[2].] *V. t. d.* **1.** Causar mela (1) a. **2.** Fazer mossas em. **3.** Cortar, recortar; retalhar. *Int.* **4.** Ter mela (1). **5.** Ficar peco ou chocho. **6.** *Bras. Fig.* Embebedar-se, embriagar-se.

melasma [Do gr. *mélasma*, pelo lat. cient. *melasma*.] *S. m. Med.* Condição mórbida que surge sob a forma de máculas pardas, de diâmetro variável de um a mais centímetros, nas têmporas, bochechas e fronte; ocorre frequentemente, na gravidez e na menopausa, em mulheres que usam anticoncepcionais orais, sendo raro o seu aparecimento fora das circunstâncias mencionadas, ou em homens.

melasmo [Do gr. *melasmós*.] *S. m. Med. Desus.* Melanodermia.

melastomácea [Do tax. *Melastoma*, gênero-tipo, + *-ácea*; tax. *Melastomaceae*.] *S. f. Bot.* Espécime das melastomáceas, família de plantas floríferas, da ordem das mirtales, constituída de ervas, arbustos e árvores, com folhas opostas, flores actinomorfas, hermafroditas, particularmente vistosas pelo tamanho e colorido, corola dialipétala, androceu diplostêmone, com anteras poricidas e dotadas de apêndices basais muito variáveis, e fruto capsular bacáceo. Há umas 2.000 espécies, todas essencialmente tropicais; no Brasil, onde existem abundantemente, muitas são conhecidas como *quaresmeiras*. [Sin.: *melastomatácea*, *memecilácea*.]

melastomáceo [De *melastomácea*, com var. suf. (v. *-áceo*).] *Adj. Bot.* Pertencente ou relativo às melastomáceas; melastomatáceo, memeciláceo.

melastomatácea [Do lat. cient. *Melastomat-* (tax. *Melastoma*) + *-ácea*; tax. *Melastomataceae*.] *S. f. Bot.* V. *melastomácea*.

melastomatáceo [De *melastomatácea*, com var. suf. (v. *-áceo*).] *Adj. Bot.* V. *melastomáceo*.

melatonina *S. f. Fisiol.* Hormônio produzido pela glândula pineal, e cuja secreção aumenta por exposição à luz; em anfíbios adultos, torna mais clara a pigmentação cutânea, ao causar a agregação de melanossomas. Na espécie humana, interfere na regulação do sono, no humor, na puberdade e em ciclos ovarianos; em mamíferos, interfere em alterações sazonais, tais como padrão de reprodução e cor de pele.

melatrofia [De *mel(o)-*[1] + *atrofia*.] *S. f. Med.* Atrofia de um membro.

mel-cabaú *S. m. Bras.* Melado que purga das fôrmas de açúcar e corre para o tanque, onde é recolhido. [Pl.: *méis-cabaús* e *meles-cabaús*. Sin.: *cabaú*, *mel de tanque*.]

melcatrefe *Adj. S. m. Pop.* Alter. de *mequetrefe*.

melcochado [Do esp. *melcocha*, 'mel cozido', + *-ado*[1].] *S. m.* Seda furta-cor.

mel-de-anta *S. m. Bras. Zool.* V. *uruçu-boi* (1). [Pl.: *méis-de-anta*.]

mel-de-cachorro *S. m. Bras. Zool.* V. *irapuá*. [Pl.: *méis-de-cachorro*.]

mel de engenho *S. m. Bras.* O caldo da cana depois de cozido, e que se apura a fim de ir para as fôrmas. [Pl.: *méis de engenho e meles de engenho*.] ☑

mel de furo *S. m. Bras.* Melado que escorre dos furos das fôrmas de açúcar, nos banguês. [Pl.: *méis de furo e meles de furo*.] ☑

mel de pau *S. m. Bras. Amaz.* Coisa complicada, misteriosa, que não se conhece ou não se conhece bem. [Pl.: *méis de pau e meles de pau*.] ☑ notas 1 e 2

mel-de-pau *S. m. Bras. Zool.* Abelha-do-pau. [Pl.: *méis-de-pau*. Cf. *mel de pau*.]

mel-de-sapo *S. m. Bras. Zool.* Abelha meliponínea (*Trigona fuscipennis*) que nidifica no chão, e produz mel pouco apreciado; abelha-de-sapo. [Pl.: *méis-de-sapo*.]

mel de tanque *S. m. Bras.* V. *mel-cabaú*. [Pl.: *méis de tanque e meles de tanque*.] ☑

▲ **-mele** V. *mel(o)-*[1].

melé *S. m. Bras. AL MA* V. *curinga* (1). [Cf. *melê*.]

melê[1] *S. f. Bras. Pop.* V. *meleira* (1). [Cf. *melé*.]

melê[2] [De or. obsc.] *S. m. Bras. GO* Torra (2). [Cf. *melé*.]

melê[3] [Do fr. *mêlée*.] *S. m. Bras. RJ C.O. S. Gír. Gal.* Confusão, barulho, desordem, rolo. [Cf. *melé*.]

meleagridídeo [Adapt. do tax. *Meleagrididae*.] *Zool. S. m.* **1.** Espécime dos meleagridídeos, família de grandes aves galiformes de cauda larga e arredondada; são terrestres, e gregárias. Ex.: o peru. ● *Adj.* **2.** Relativo ou pertencente a eles.

meleca [De *mel*[1] + *-eca*.] *S. f. Bras. Pop.* Secreção nasal ressequida. [Sin.: (bras. N.E.): *catota* e (lus.) *caco* e *monca*.]

meleira [De *mel*[1] + *-eira*.] *S. f.* **1.** *Bras.* Sujeira produzida por mel ou por outra substância; sujeira, lambuzeira, melança, melê. **2.** *Bras. RS* Colmeia de abelha silvestre.

meleirense *Adj. 2 g.* **1.** De, ou pertencente ou relativo a Meleiro (SC). ● *S. 2 g.* **2.** O natural ou habitante de Meleiro.

meleiro [De *mel*[1] + *-eiro*.] *S. m.* **1.** Negociante de mel. **2.** *Bras. PE* Tirador de mel. **3.** *Bras. PE* Vendedor ambulante de mel de engenho ou de mel de furo. **4.** *Bras. S.* Caçador de mel.

melena[1] [Do esp. *melena*.] *S. f.* **1.** Cabelos longos e soltos: 📖 "Através da neblina matinal, algodoando .... o telhado à mourisca do palácio do Senhor Governador Visconde de Barbacena, se ajuntavam curiosos para contemplar o rosto plúmbeo do Alferes [Tiradentes], emoldurado nas longas <u>melenas</u> empastadas de sal e de coalhos de sangue enegrecido." (Alberto Rangel, *Quando o Brasil Amanhecia*, p. 313.) **2.** V. *madeixa* (3). **3.** Crina ou juba.

melena[2] [Do gr. (*émesis*) *mélaina*, 'vômito negro'.] *S. f. Med.* Eliminação de fezes enegrecidas por pigmentos sanguíneos; melanorragia, melanorreia.

melense *Adj. 2 g.* **1.** De, ou pertencente ou relativo a Desterro do Melo (MG). ● *S. 2 g.* **2.** O natural ou habitante de Desterro do Melo.

melenudo [De *melena*[1] + *-udo*.] *Adj.* Que tem grandes melenas; guedelhudo, cabeludo.

méleo [Do lat. *melleu*.] *Adj. Poét.* V. *melífluo* (2).

melete (ê) *S. m. Bras. Zool.* V. *tamanduá-colete*.

melga *S. f. Zool. Lus.* **1.** Mosquito-berne (q. v.). **2.** Pequeno peixe marinho que lembra, pelo aspecto, a raia.

melgacense *Adj. 2 g.* **1.** De, ou pertencente ou relativo a Melgaço (PA). ● *S. 2 g.* **2.** O natural ou habitante de Melgaço.

melgaciano *Adj.* **1.** De, ou pertencente ou relativo a Barão de Melgaço (MT). ● *S. m.* **2.** O natural ou habitante de Barão de Melgaço.

melgaço [De *mel*, certamente.] *Adj. Bras. N.* Louro; melado.

melgueira [Do lat. **mellicaria*, poss.] *S. f.* **1.** Cortiço com favos de mel. **2.** *Fig.* Dinheiro junto às ocultas. **3.** *Fig.* Fonte de rendimento fácil; pechincha. **4.** *Fig.* Usufruto ou gozo tranquilo.

melharuco [Alter. de *abelharuco*, com infl. de *mel*.] *S. m. Zool.* V. *abelheiro* (4).

melhor [Do lat. *meliore*.] *Adj. 2 g.* **1.** Comp. de super. de *bom*; mais bom: 📄 *Seu trabalho é <u>melhor</u> que o nosso; É o <u>melhor</u> de todos*; 📖 "Porque essas honras vãs, esse ouro puro / Verdadeiro valor não dão à gente; / <u>Melhor</u> é merecê-los sem os ter / Que possuí-los sem os merecer." (Luís de Camões, *Os Lusíadas*, IX, 93); "Fora <u>melhor</u> não ter nascido, fora, / Do que andar, como eu ando, degredado / Por esta Costa d'África da Vida." (Antônio Nobre, *Só*, p. 126); "as <u>melhores</u>, mais doces namoradas / são as de Santo Antônio do Monte e Santa Rita." (Carlos Drummond de Andrade, *Reunião*, p. 37). [Não é normal o uso de *mais bom*, embora dele haja exemplos em um Antônio Feliciano de Castilho: 📖 "O moço mais garrido, / mais amável, <u>mais bom</u>, dar-se-ia por ditoso / se chegasse a abraçar corpinho tão mimoso." (*Fausto*, p. 226); e num Ramalho Ortigão: "Nunca em minha vida conheci homem mais justo, mais fundamentalmente honrado, mais simples, mais bravo e <u>mais bom</u>." (*As Farpas*, III, p. 261). O mesmo se dirá de *mais mau*, do qual também há exemplos, como este, do citado Ramalho Ortigão: 📖 "é desprezado aquele .... que <u>mais mau</u> é pelo que finge ser do que por aquilo que realmente é." (*Primeiras Prosas*, p. 148); e este outro, de Manuel Ribeiro: "Um cachorro, que não há peste maior no povo, ... <u>mais mau</u> que um fariseu, que dês que vossemecê se veio embora .... é um inferno naquela casa." (*A Planície Heroica*, pp. 241-242).] ● *S. m.* **2.** O que é superior a tudo o mais. **3.** O que é acertado ou sensato: 📄 *O <u>melhor</u> é irmos embora*. ● *S. f.* **4.** El. us. na loc. *levar a melhor*. ● *Adv.* **5.** Comp. de *bem*; mais bem; de modo mais perfeito ou completo, acertado, justo, normal, etc.: 📖 "Oxalá que ande ele <u>melhor</u> avisado na organização de uma escola normal de teatro" (Machado de Assis, *Crônicas*, I, p. 92); "A sua composição há de parecer <u>melhor</u> no livro, ... onde suas qualidades serão <u>melhor</u> apreciadas" (Id., *ib.*, p. 342); "composições análogas de mais largas dimensões e <u>melhor</u> delineadas e vestidas." (Alexandre Herculano, *Lendas e Narrativas*, I, p. VII); "Além de aparecer <u>melhor</u> armada e dominando os mares, os seus recursos financeiros [de Cartago]ofereciam-lhe possibilidade de toda defesa a Roma." (Aquilino Ribeiro, *Os Avós dos Nossos Avós*, p. 78); 📄 *Falou <u>melhor</u> que os demais; Vai <u>melhor</u> de saúde; Está passando <u>melhor</u>.* [Em casos como os dos exemplos de Herculano e de Aquilino, em que o *melhor* modifica um particípio ou adjetivo participial, prefere-se *mais bem* a *melhor*: 📄 *<u>mais bem</u> vestido; <u>mais bem</u> mobiliado*; e antes de advérbios de modo só se emprega *mais bem*: *Falou <u>mais bem</u> concatenadamente que das outras vezes; No fim do discurso pronunciou as palavras <u>mais bem</u> distintamente que no princípio*. Idêntica observação, *mutatis mutandis*, aplica-se a *pior*. Antôn. ger.: *pior*.] ◆ **Levar a melhor.** **1.** Vencer uma contenda. **2.** Vencer, dominar, sobrepujar. **3.** Demonstrar que tem razão. **No melhor da festa.** Na melhor ocasião ou momento; quando menos se esperava: 📄 *Estava ótimo o piquenique, mas, <u>no melhor da festa</u>, caiu um temporal*. **Ou melhor.** Isto é (q. v.).

melhora [Dev. de *melhorar*.] *S. f.* **1.** Ato ou efeito de melhorar(-se). **2.** Transição para melhor estado ou condição; melhoria, melhora. [Sin., bras., pop., nessas acepçs.: *melhorada*.] **3.** Melhoramento (1).

melhorada [De *melhor* + *-ada*[1].] *S. f. Bras. Pop.* V. *melhora* (1 e 2).

melhorado [Part. de *melhorar*.] *Adj.* Tornado melhor; aperfeiçoado; corrigido.

melhorador (ô) [De *melhorar* + *-dor*.] *Adj. S. m.* Que, ou aquele que torna melhor, e/ou faz melhoramentos.

melhoramento [De *melhorar* + *-mento*.] *S. m.* **1.** Benfeitoria, beneficiamento; melhoria, melhora: 📄 *O inquilino fez vários <u>melhoramentos</u> na casa*. **2.** Adiantamento; progresso: 📄 *Notava-se <u>melhoramento</u> no país nos últimos anos*.

melhorar [Do lat. tard. *meliorare*.] *V. t. d.* **1.** Tornar melhor ou superior; fazer prosperar: 📄 *Queria <u>melhorar</u> sua situação*. **2.** Restituir a saúde a; fazer convalescer; aliviar: 📄 *Os remédios <u>melhoraram</u>-no*. **3.** Reparar, reformar, aperfeiçoar: 📄 *<u>melhorar</u> uma casa*. *T. i.* **4.** Adquirir melhores condições; passar a situação mais próspera: 📄 *<u>melhorar</u> de vida; Tem <u>melhorado</u> no emprego*. *Int.* **5.** Pôr-se ou tornar-se melhor; melhorar-se: 📖 "Se chovesse, tudo havia de <u>melhorar</u>: a dor de cabeça cessaria, a angústia que lhe comprimia o peito seria aliviada" (Érico Veríssimo, *Noite*, pp. 105-106). **6.** Entrar em convalescença; ir recuperando a saúde. **7.** Melhorar (4): 📄 *Está no cargo há três anos, e ainda não <u>melhorou</u>*. **8.** Abrandar (o tempo); serenar, amainar. *P.* **9.** Melhorar (5).

melhorável [De *melhorar* + *-vel*.] *Adj. 2 g.* Que pode ser melhorado.

melhoria [De *melhor* + *-ia*[1].] *S. f.* **1.** Melhora (2). **2.** Melhoramento (1). **3.** Melhor estado; superioridade.

▲ **meli-** [Do lat. *mel*, *mellis*.] *El. comp.* = 'mel': *melissugo*, *melívoro*.

mélia [Do tax. *Melia* (do gr. *melía*, 'freixo').] *S. f. Bot.* **1.** Gênero-tipo das meliáceas, que se compõem de árvores de folhas penadas ou bipenadas, que lembram as do freixo, flores aromáticas, brancas ou lilases, dispostas em panículas auxiliares, e pequenos frutos drupáceos. **2.** Qualquer espécie desse gênero, como, p. ex., a *Melia azedarach* (v. *cinamomo*). **3.** Qualquer espécime desse gênero, ou a sua flor.

meliácea [Do tax. *Melia*, gênero-tipo, + *-ácea*; tax. *Meliaceae*.] *S. f. Bot.* Espécime das meliáceas, família de plantas floríferas, da ordem das geraniales, formada de árvores com folhas penadas e flores inconspícuas, actinomorfas e hermafroditas. Os estames se apresentam soldados pelos filetes tubiformes; o fruto é uma cápsula lenhosa, ger. magna. Existem perto de 800 espécies, todas tropicais; no Brasil, incluem os cedros e as canjeranas.

meliáceo [De *meliácea*, com var. suf. (v. *-áceo*).] *Adj. Bot.* Pertencente ou relativo às meliáceas.

meliana [Do fr. *mélienne*, i. e., *terre mélienne*.] *Adj. (f.) S. f.* Diz-se de, ou qualidade de terra que os pintores misturam nas tintas para melhor conservação delas.

meliantácea [Do tax. *Melianthus*, gênero-tipo, + *-ácea*; tax. *Melianthaceae*.] *S. f. Bot.* Espécime das meliantáceas, família de plantas da ordem das sapindales, que engloba espécies lenhosas da África. Flores hermafroditas e pentâmeras; o fruto é uma cápsula loculicida, com uma semente em cada loja.

meliantáceo [De *meliantácea*, com var. suf. (v. *-áceo*).] *Adj. Bot.* Pertencente ou relativo às meliantáceas.

meliante [Do esp. *maleante*.] *S. 2 g.* **1.** Malandro, vadio, vagabundo: "Juca foi autuado em flagrante / Como meliante" (Chico Buarque de Holanda, do samba *Juca*). **2.** Velhaco, patife, biltre: "há os meliantes que devastam o rio e o monte de suas espécies animais" (Aquilino Ribeiro, *Aldeia*, p. 107).

melicéride [Do gr. *melikerís, ídos*.] *S. f. Patol.* Melicéris.

melicéris [Do gr. *melikerís*, pelo lat. *meliceris*.] *S. f. 2 n. Patol.* Cisto cujo conteúdo é uma substância semelhante a mel na consistência e na cor; melicéride.

melícia [Do esp. *melizza*.] *S. f.* Morcela doce que contém uma mistura de amêndoas, banha de porco, açúcar, canela, etc. [Cf. *milícia*.]

mélico[1] [Do gr. *melikós*, pelo lat. *melicu*.] *Adj.* Musical, harmonioso; melodioso.

mélico[2] [De *mel*[1] + *-ico*[2].] *Adj.* **1.** Relativo a mel. **2.** *Fig.* V. *melífluo* (2).

meleiro [De *meli-* + *-eiro*.] *Adj.* **1.** Carinhoso, meigo. **2.** Lisonjeiro por interesse; que tem lábia; untuoso, melífluo.

melífero [Do lat. *melliferu*.] *Adj.* **1.** Que dá, ou produz mel: *planta melífera*; "Dos himenópteros melíferos do vale (amazônico) é [a jandaíra] o mais perfeito, produzindo um néctar louro, fresco" (Raimundo Morais, *País das Pedras Verdes*, pp. 48-49). **2.** Próprio de mel. [Sin. ger.: *melífico*.]

melificação [De *melificar* + *-ção*.] *S. f.* Ato ou efeito de melificar.

melificador (ô) [De *melificar* + *-dor*.] *S. m.* Vaso onde se aquecem os favos para que larguem o mel.

melificar [Do lat. *mellificare*.] *V. t. d.* **1.** Transformar em mel. **2.** Adoçar com mel. **3.** Tornar doce como o mel. *Int.* **4.** Fabricar mel (as abelhas). [Conjug.: v. *trancar*. Pres. ind.: *melifico*, etc. Cf. *melífico*.]

melífico [Do lat. *mellificu*.] *Adj.* **1.** V. *melífero*. **2.** Relativo a mel; mélico. **3.** *Fig.* V. *melífluo* (2). [Cf. *melifico*, do v. *melificar*.]

melifluentar [Do lat. tard. *mellifluens, entis* + *-ar*[2].] *V. t. d.* Tornar melífluo, suave.

melifluidade (u-i) [De *melífluo* + *-(i)dade*.] *S. f.* Qualidade de melífluo.

melífluo [Do lat. tard. *mellifluu*.] *Adj.* **1.** Que flui como o mel, ou deita mel. [Cf. *dulcífluo*.] **2.** *Fig.* Suave, doce; brando; harmonioso, melífico, mélico, meleiro: "Decerto nunca os camponeses de Pinheiro Chagas pensaram em ser transformados no bardo casquilho, de voz melíflua, gesto enfeitiçado e olhos revirando de ternura que era o Quim Teobaldo." (Afonso Arinos, *Histórias e Paisagens*, p. 25.) **3.** De voz e/ou maneiras brandas ou doces. **4.** *Deprec.* V. *meleiro* (2).

melilita [De *meli-* + *-lita*.] *S. f. Min.* Mineral tetragonal, de composição química complexa, mistura isomorfa de silicato de alumínio e cálcio e silicato de magnésio e cálcio.

meliloto (ô) [Do gr. *melílotos*, pelo lat. *melilotu*, tax. *Melilotus*.] *S. m. Bot.* **1.** Gênero de plantas fabáceas, herbáceas, anuais ou bienais, dotadas de folhas trifolioladas, pequenas flores brancas ou amarelas, em racemos axilares, e vagens com duas a três sementes. **2.** Qualquer espécie desse gênero, como, p. ex., a *Melilotus officinalis* (v. *trevo-de-cheiro*). **3.** Qualquer espécime desse gênero, ou a sua flor.

melindano *Adj.* **1.** De, ou pertencente ou relativo a Melinde (Índia). ● *S. m.* **2.** O natural ou habitante de Melinde.

melindrar [De *melindre* + *-ar*[2].] *V. t. d.* **1.** Suscetibilizar (1): *A brincadeira melindrou-o.* **2.** Ofender, magoar. *P.* **3.** Suscetibilizar-se; ofender-se, magoar-se.

melindrável [De *melindrar* + *-vel*.] *Adj. 2 g.* Suscetível de melindrar-se.

melindre [Do esp. *melindre*.] *S. m.* **1.** Delicadeza no trato; amabilidade. **2.** Hesitação de consciência; escrúpulo. **3.** Recato, pudor. **4.** Facilidade de magoar-se, de ofender-se; suscetibilidade. **5.** Coisa frágil, delicada. **6.** *Bot.* V. *aspargo* (1). [Var., nesta acepç.: *melindro*.] **7.** Bolo em que entra mel. **8.** *Bras.* Afetação, amaneiramento. [Cf. *melindre*, do v. *melindrar*.] ~ V. *melindres*.

melindres [Do pl. de *melindre*.] *S. m. pl. Bot.* V. *balsamina* (1): "melindres, malmequeres, manjeronas, trevos .... e outras flores vulgares." (José Veríssimo, *Cenas da Vida Amazônica*, p. 12). ~ V. *melindre*.

melindrice [De *melindre* + *-ice*.] *S. f. Bras.* Qualidade, caráter ou temperamento de quem se melindra com facilidade; melindrismo.

melindrismo [De *melindre* + *-ismo*.] *S. m. Bras.* Melindrice.

melindro *S. m. Bot.* V. *melindre* (6). [Cf. *melindro*, do v. *melindrar*.]

melindrosa [F. subst. de *melindroso*.] *S. f. Bras.* **1.** *Obsol.* Mocinha afetada, exagerada nas maneiras e no vestir. **2.** Traje que se compõe de vestido bem curto, de cintura baixa e saia pregueada, ou de tecido leve, etc. e us. pelo carnaval, ou em festas, etc., e que lembra certos vestidos da década de 1920. **3.** *Fut.* A bola.

melindroso (ô) [De *melindre* + *-oso*.] *Adj.* **1.** Delicado, sensível, mimoso. **2.** Escrupuloso, cuidadoso, exato: *consciência melindrosa*. **3.** Muito suscetível. **4.** Débil, frágil, fraco: *saúde melindrosa*. **5.** Isento de malícia; inocente: *os melindrosos sonhos da meninice*. **6.** Difícil, complicado, árduo: *problemas melindrosos*. **7.** Arriscado, perigoso, delicadíssimo: *Submeteu-se a uma operação melindrosa*. **8.** Embaraçoso, apertado: *situação melindrosa*. **9.** Afetado, amaneirado.

melinita [Do fr. *mélinite*.] *S. f.* Explosivo mais poderoso que a dinamite, feito com ácido pícrico.

meliorativo [Do lat. *melioratus*, part. pass. de *meliorare*, 'melhorar', + *-ivo*.] *Adj.* Que exprime ou envolve melhora.

meliorismo [Do lat. *melior, oris*, 'melhor', + *-ismo*.] *S. m.* Doutrina segundo a qual o mundo não é de todo bom nem de todo mau, mas necessita e pode ser melhorado.

meliorista [De *meliorismo* + *-ista*.] *Adj. 2 g.* **1.** Pertencente ou relativo ao, ou que é adepto do meliorismo. ● *S. 2 g.* **2.** Adepto desta doutrina.

melípona [De *meli-* + gr. *pónos*, 'o produto do trabalho'; 'o mel produzido pelo trabalho das abelhas'; tax. *Melipona*.] *S. f. Zool.* **1.** Único gênero das *Meliponini*, tribo de abelhas meliponíneas, exclusiva da região neotropical, que engloba espécies como, por exemplo, a mandaçaia (*Melipona quadrifasciata*) e a uruçu (*Melipona scutellaris*). **2.** Espécie ou espécime desse gênero. [Cf. *trígona*.]

meliponicultor (ô) [De *melípona* + *-i-* + *-cultor*.] *S. m. Apic.* Aquele que se ocupa da meliponicultura.

meliponicultura [De *melípona* + *-i-* + *cultura*.] *S. f.* Criação de abelhas meliponíneas, *i. e.*, de abelhas indígenas sem ferrão.

meliponíneo [Adapt. do tax. *Meliponinae*.] *Zool. S. m.* **1.** Espécime dos meliponíneos, subfamília de insetos apídeos, que reúne abelhas eussociais sem ferrão (na verdade, este é atrofiado ou não funcional); segundo a espécie, constroem ninhos em ocos de árvores, no chão, presos a galhos ou paredes, etc.. São abundantes em regiões tropicais e subtropicais do globo, e importantes agentes polinizadores. ● *Adj.* **2.** Pertencente ou relativo a eles.

melisma [Do gr. *mélisma*, 'melodia'.] *S. m. Mús.* **1.** Espécie de vocalização ornamental, de número indeterminado de notas, usada no canto gregoriano. **2.** *P. ext.* Ornamento melódico que consiste na divisão de um determinado tempo musical num grupo de notas de valor breve, a fim de enriquecer a melodia.

melismático [De *melisma* + *-ático*.] *Adj. Mús.* Diz-se do canto que se realiza com melismas [v. *melisma* (1)].

melissa [Do gr. *mélissa*, 'abelha'.] *S. f. Bot.* V. *erva-cidreira* (1).

melíssico [De *meliss(o)-* + *-ico*[2].] *Adj. Quím.* ~ V. *ácido* —.

▲ **meliss(o)-** [Do gr. *melisso-* < gr. *mélissa, melísses*.] *El. comp.* = 'abelha': *melíssico, melissografia*.

melissofobia [De *meliss(o)-* + *-fobia*.] *S. f. Psiq.* Medo patológico de abelhas, esp. de sua picada.

melissofóbico [De *melissofobia* + *-ico*[2].] *Psiq. Adj.* **1.** Relativo a melissofobia. **2.** Que sofre de melissofobia; melissófobo. ● *S. m.* **3.** Aquele que sofre de melissofobia; melissófobo.

melissófobo [De *meliss(o)-* + *-fobo*.] *Adj. S. m. Psiq.* Melissofóbico (2 e 3).

melissografia [De *meliss(o)-* + *-grafia*.] *S. f.* **1.** Tratado acerca das abelhas. **2.** Descrição dos costumes das abelhas.

melissográfico [De *melissografia* + *-ico*[2].] *Adj.* Relativo à melissografia.

melissógrafo [De *meliss(o)-* + *-grafo*.] *S. m.* Especialista em melissografia.

melissugo [De *meli-* + *sug-*, raiz do lat. *sugere*, 'sugar'.] *Adj.* Que suga o suco das flores.

melitídeo [Adapt. do tax. *Mellitidae*.] *Zool. S. m.* **1.** Espécime dos melitídeos, família de abelhas solitárias, que constroem ninhos no solo ou em cavidades na madeira, etc. ● *Adj.* **2.** Pertencente ou relativo a eles.

melito [Do lat. *mellitu*, 'de mel', 'preparado com mel'.] *Farm. Adj.* **1.** Diz-se de forma farmacêutica em que o veículo (7) é mel. ~ V. *diabetes* —. ● *S. m.* **2.** Qualquer dessas formas. [É m. us. como s. m.]

▲ **melit(o)-**[1] [Do gr. ático *mélitta, melíttes*.] *El. comp.* = 'abelha': *melitologista*.

▲ **melit(o)-**[2] [Do gr. *melito-* < gr. *méli, itos* (ĭ).] *El. comp.* = 'mel': *meliturgia* (< gr.), *melituria*.

melitologista [De *melit(o)-*[1] + *-log(o)-* + *-ista*.] *S. 2 g.* Entomologista que estuda as abelhas; melitólogo.

melitólogo [De *melit(o)-*[1] + *-logo*.] *S. m.* Melitologista.

meliturgia [Do gr. *melitourgía* < gr. *méli, mélitos*, 'mel' + gr. *érgon, ou*, 'trabalho'.] *S. f.* A indústria das abelhas.

melitúrgico [De *meliturgia* + *-ico*[2].] *Adj.* Relativo à meliturgia.

melituria [De *melit(o)-*[2] + *-uria*.] *S. f. Patol.* V. *melitúria*.

melitúria [De *melit(o)-*[2] + *-úria*.] *S. f. Patol.* Teor de qualquer açúcar na urina; diabetes açucarada, diabetes açucarado. [F. paral.: *melituria*.]

melívoro [De *meli-* + *-voro*.] *Adj.* Que se alimenta de mel.

▲ **mel(o)-**[1] [Do gr. *mélos, eos-ous*.] *El. comp.* = 'membro', 'articulação'; 'parte de frase musical'; 'canto'; 'melodia': *melalgia, melomania*. [Equiv.: *-mele, -mel(o)-, -melo*: *melômele*; *anisomelia*; *urômelo*.]

▲ **mel(o)-**[2] [Do gr. *mélon, ou*.] *El. comp.* = 'bochecha (2)', 'face': *meloplastia*[2]. [Equiv.: *melono-*: *melonoplastia*.]

▲ **-mel(o)-** V. *mel(o)-*[1].

▲ **-melo** V. *mel(o)-*[1].

meloa (ô) *S. f.* Grande melão (1).

meloal [De *melão* + *-al*[1], com desnasalação.] *S. m.* **1.** Quantidade mais ou menos considerável de meloeiros dispostos proximamente entre si: "Dos canteiros do meloal .... levantava-se pouco a pouco uma umidade tênue que adoçava o ar morno da noite." (Conde de Ficalho, *Uma Eleição Perdida*, p. 228.) **2.** Área ocupada por meloal (1).

melodia [Do gr. *meloidía*, 'canto cadenciado'.] *S. f.* **1.** *Mús.* Sucessão rítmica, ascendente ou descendente, de sons simples, a intervalos diferentes, e que encerram certo sentido musical. **2.** *Mús.* Peça para uma só voz ou para um canto uníssono. **3.** *Mús.* Registro de órgão, de tubos flautados, de 8', com timbre entre a flauta e a trompa. **4.** Musicalidade, sonoridade: *a melodia dos versos*. **5.** *Pop.* Qualquer composição musical constituída por um conjunto de frases que têm as características da melodia (1), embora associadas a elementos de outra natureza: "E a orquestra, quase sem pausa, rompeu numa melodia de ritmo rápido e sacudido" (Érico Veríssimo, *Noite*, p. 138). [Cf. *melódia*.] ◆ **Melodia acompanhada.** *Mús.* Processo de acompanhar por meio de harmonias uma melodia solista. **Melodia infinita.** *Mús.* A que se desenvolve livremente, sem obediência a nenhuma forma preestabelecida.

melódia [De *melodia*, com hiperbibasmo de intenção jocosa.] *El. s. f. Bras. Gír.* Us. na expr. *deu-se a melódia*. [Cf. *melodia*, do v. *melodiar*, e s. f.] ◆ **Deu-se a melódia.** *Bras. Gír.* Aconteceu o que não se esperava, o que não era desejável.

melodiar [De *melodia* + *-ar*[2].] *V. t. d.* **1.** Modular (a voz ou o canto) com suavidade; melodizar. **2.** Tornar melodioso; melodizar: *melodiar um verso*. *Int. Pred.* **3.** Cantar ou tocar melodiosamente: "O divino pianista melodiava ao piano." (Machado de Assis, *Quincas Borba*, p. 285); "Os grilos e os sapos, alternados, melodiavam monótonos." (Ribeiro Couto, *Prima Belinha*, p. 217). **4.** Soar melodiosamente. *P.* **5.** Tornar-se melodioso. [Pres. ind.: *melodio, melodias, melodia*, etc. Cf. *melódia*.]

melodia-tenor (ô) *S. f. Mús.* A melodia gregoriana; canto firme. [Pl.: *melodias-tenores* (ô) e *melodias-tenor*.]

melódica [F. subst. do adj. *melóidico*.] *S. f. Mús.* **1.** Instrumento musical que produz sons pelo atrito de umas pontas de metal sobre um cilindro de aço. **2.** Clavicórdio com um registro de flauta, construído em 1770 por J. A. Stein (1728-1792). **3.** Caixa de música. **4.** Teoria da melodia.

melódico [Do gr. *meloidikós*.] *Adj.* **1.** V. *melodioso*. **2.** Relativo a melodia. **3.** *Mús.* Diz-se do intervalo cujos sons se ouvem sucessivamente. ● *S. m.* **4.** *Mús.* Certo piano mecânico; melódio.

melódio *S. m. Mús.* Melódico (4).

melodioso (ô) [De *melodia* + *-oso*.] *Adj.* **1.** Em que há melodia. **2.** Suave, doce, agradável: *voz melodiosa*. [Sin. ger.: *melódico* e *módulo*.]

melodista [De *melodia* + *-ista*.] *Mús. Adj. 2 g.* **1.** Diz-se da corrente musical que considera o elemento melódico a parte essencial de uma composição. **2.** Que é adepto dessa corrente. ● *S. 2 g.* **3.** Adepto dessa corrente. **4.** Compositor de melodias.

melodizar [De *melodia* + *-izar*.] *V. t. d.* Melodiar (1 e 2).

melodrama [De *mel(o)-*[1] + *drama*.] *S. m.* **1.** *Teatr.* Gênero dramático originário da França, no qual os diálogos são entremeados de música, e que se desenvolveu a começar do séc. XVIII, principalmente graças ao dramaturgo italiano Pietro Metastasio (1698-1782). **2.** *Teatr.* Peça demasiado sentimental e romântica, com situações e diálogos turbulentos e pomposos, mas de caracterização escassa e superficial: "Este é o público real, palpitante ..... Nos melodramas do São Pedro, comove-se; nas revistas do São José e do Carlos Gomes, gargalha; nas operetas do Recreio, extasia-se..." (Ribeiro Couto, *A Cidade do Vício e da Graça*, p. 36.) **3.** *Teatr.* Peça teatral de má qualidade. [Sin., nessas acepç.: *drama sentimental*, e (deprec.) *drama lacrimoso*.] **4.** *Mús.* Composição que se destina a dar realce a uma pantomima ou comentar o comportamento cênico de um personagem.

melodramático [De *melodrama* + *-ático*.] ***Adj.*** **1.** Relativo ao melodrama. **2.** Que tem caráter ou apresenta situações de melodrama.

melodramatizar [De *melodramático* + *-izar*, seg. o padrão erudito.] ***V. t. d.*** Transformar em melodrama; tornar melodramático.

melodramaturgo [De *melo(drama)* + *dramaturgo*.] ***S. m.*** Autor de melodramas.

meloeiro [De *melão* + *-eiro*, com desnasalação.] ***S. m.*** *Bot.* Planta cucurbitácea (*Cucumis melo*) herbácea e rasteira, cultivada por causa dos apreciados frutos, grandes bagas amarelas ou verdes, uniloculares e polispermas, cheias de polpa sucosa e saborosa; melão.

melofilia [De *mel(o)-*[1] + *-filia*.] ***S. f.*** Melomania.

melofílico [De *melofilia* + *-ico*[2].] ***Adj. S. m.*** V. *melomaníaco*.

melófilo [De *mel(o)-*[1] + *-filo*[2].] ***Adj. S. m.*** V. *melomaníaco* (2 e 3).

melofobia [De *mel(o)-*[1] + *-fobia*.] ***S. f.*** *Psiq.* Musicofobia (q. v.).

melofóbico [De *melofobia* + *-ico*[2].] ***Adj. S. m.*** *Psiq.* V. *musicofóbico*.

melófobo [De *mel(o)-*[1] + *-fobo*.] ***Adj. S. m.*** *Psiq.* V. *musicofóbico* (2 e 3).

melofone [De *mel(o)-*[1] + *-fone*.] ***S. m.*** Espécie de acordeão com fole duplo e com a forma da antiga viela[3] de roda. [Var., p. us.: *melofono*.]

melofono [De *mel(o)-*[1] + *-fono*.] ***S. m.*** *P. us.* V. *melofone*.

melografia [De *mel(o)-*[1] + *-grafia*.] ***S. f.*** Arte de escrever música.

melográfico [De *melografia* + *-ico*[2].] ***Adj.*** Respeitante à melografia.

melógrafo [De *mel(o)-*[1] + *-grafo*.] ***S. m.*** **1.** Aquele que escreve ou copia música. **2.** Mecanismo que se adapta ao órgão ou ao piano para fixar no papel o que se toca ou improvisa no teclado.

meloídeo [Do tax. *Meloe*, gênero-tipo, + *-ídeo*[1]; tax. *Meloidae*.] *Zool.* ***S. m.*** **1.** Espécime dos meloídeos, família de insetos coleópteros, de corpo estreito e alongado, élitros macios e flexíveis, e pronoto mais estreito que a cabeça e os élitros. O representante principal é a cantárida (q. v.); entre as espécies que habitam o Brasil figura a vaquinha, da qual há vários gêneros que atacam folhas e flores de plantas cultivadas, como, p. ex., as da batata-inglesa, do tomateiro, da pimenteira. ● ***Adj.*** **2.** Pertencente ou relativo a eles. [Sin. ger.: *cantarídeo*.]

melolonta [Do tax. *Melolontha*.] ***S. f.*** *Zool.* **1.** O gênero-tipo dos melolontídeos. **2.** Qualquer espécie desse gênero, como, p. ex., a *Melolontha vulgaris* ou escaravelho. **3.** Qualquer espécime desse gênero. [Sin., nas acepç. (2 e 3): *melolôntida*.]

melolôntida [Do tax. *Melolontha*, gênero-tipo, + *-ida*[1].] ***S. f.*** *Zool.* V. *melolonta* (2 e 3).

melolontídeo [Do tax. *Melolontha*, gênero-tipo, + *-ídeo*[1]; tax. *Melolonthidae*.] *Zool.* ***S. m.*** **1.** Espécime dos melolontídeos, família de besouros proximamente relacionada à família dos escarabeídeos, e muitas vezes incluída nela. ● ***Adj.*** **2.** Pertencente ou relativo a eles.

melolontíneo [Do tax. *Melolontha* + *-in(o)-*[3] + *-ea*; tax. *Melolonthinae*.] *Zool.* ***S. m.*** **1.** Espécime dos melolontíneos, subfamília de insetos coleópteros fitófagos, de ampla distribuição, sendo algumas espécies praga de roseiras e laranjeiras, e outras de ameixeiras, figueiras e caquizeiros. ● ***Adj.*** **2.** Pertencente ou relativo a eles.

melolontoide (ói) ***S. f.*** Escarabeiforme (3). ❖

melomania [De *mel(o)-*[1] + *-mania*.] ***S. f.*** Paixão pela música; melofilia.

melomaníaco [De *melomania* + *-íaco*.] ***Adj.*** **1.** Relativo a melomania. **2.** Que tem melomania; melômano, melófilo. ● ***S. m.*** **3.** Aquele que tem melomania; melômano, melófilo. [Sin. ger.: *melofílico*.]

melómano ***Adj. S. m.*** V. *melômano*. [Uso freq. em P.]

melômano [De *mel(o)-*[1] + *-mano*.] ***Adj. S. m.*** V. *melomaníaco* (2 e 3).

melómele ***S. m.*** *Ter.* V. *melômele*. [Uso freq. em P.]

melômele [De *mel(o)-*[1] + *-mele*.] ***Adj. 2 g. S. 2 g.*** *Ter.* Diz-se de, ou indivíduo que apresenta membro(s) rudimentar(es) inserido(s) em membro(s) normal/normais.

melomelia [De *melomele* + *-ia*[1].] ***S. f.*** *Ter.* Condição de melômele.

meloniforme [Do lat. tard. *melo, onis*, 'melão', + *-forme*.] ***Adj. 2 g.*** Cuja forma semelha à do melão.

melonita [Do top. *Melones* (mina da Califórnia, E.U.A.) + *-ita*[3].] ***S. f.*** *Min.* Mineral hexagonal, telureto de níquel.

▲ **melono-** Equiv. de *mel(o)-*[2].

melonoplastia [De *melono-* + *-plast(o)-* + *-ia*[1].] ***S. f.*** *Cir. Plást.* Meloplastia[2].

melonoplástico [De *melonoplastia* + *-ico*[2].] ***Adj.*** Referente a melonoplastia.

melopeia (éi) [Do gr. *melopoiía*, pelo lat. tard. *melopoeia*.] ***S. f.*** **1.** *Mús.* Entre os gregos, a arte de compor melodias, mediante a utilização de seus elementos: sons, intervalos, modos, tons de transposição. **2.** *Mús.* Peça musical para acompanhamento de um recitativo (4). **3.** Forma de declamação agradável à audição. **4.** Toada monótona; cantilena: 📖 "As mulheres ouvem .... cantando melopeias sinistramente doces. Essas melopeias .... repetem sem modalidade, por tempo indeterminado, a mesma frase." (João do Rio, *As Religiões no Rio*, p. 9.) ❖

meloplastia[1] [De *mel(o)-*[1] + *-plast(o)-* + *-ia*[1].] ***S. f.*** *Cir. Plást.* Intervenção plástica ou reparadora nos membros superiores e/ou inferiores.

meloplastia[2] [De *mel(o)-*[2] + *-plast(o)-* + *-ia*[1].] ***S. f.*** *Cir. Plást.* Intervenção plástica ou reparadora da(s) bochecha(s); melonoplastia.

melosa [F. subst. de *meloso*.] ***S. f.*** Praga que ataca as laranjeiras.

melose [Do gr. *mélosis*.] ***S. f.*** *Med.* Ato de sondar, de explorar com a sonda.

meloso (ô) [Do lat. tard. *mellosu*.] ***Adj.*** **1.** Semelhante ao mel; doce. **2.** Brando, maneiroso, melífluo. **3.** *Bras.* Excessivamente sentimental; piegas, baboso.

melote [Do gr. *meloté*, pelo lat. tard. *melote*.] ***S. m.*** Pele de carneiro com a lã.

meloterapia [De *mel(o)-*[1] + *-terapia*.] ***S. f.*** *Terap.* V. *musicoterapia*.

meloterápico [De *meloterapia* + *-ico*[2].] ***Adj.*** *Terap.* Referente à meloterapia.

melrão [De *melro* + *-ão*[1].] ***S. m.*** *Bras. Zool.* V. *graúna* (1).

melro [Do lat. *merulu*, com síncope do *u* e metátese do *r*.] ***S. m.*** **1.** *Zool.* Designação comum às aves passeriformes turdídeas, especialmente o *Turdus merula*, cujo macho é preto, com bico amarelo-alaranjado, e cuja fêmea tem dorso preto, ventre pardo-escuro malhado de pardo-claro, e a garganta e a parte superior do peito pardas com malhas esbranquiçadas. [Fem.: *mélroa*.] **2.** *Fig.* Indivíduo sagaz, finório; espertalhão. **3.** *Bras. Zool.* V. *pássaro-preto*. **4.** *Bras. Zool.* V. *soldado* (9).

mélroa ***S. f.*** Fem. de *melro* (1).

melroado [De *melro* + *-ado*[1].] ***Adj.*** Diz-se do equídeo que tem a cor escura do melro.

melro-amarelo ***S. m.*** *Zool.* V. *chupim-do-brejo*. [Pl.: *melros-amarelos*.]

melro-pintado ***S. m.*** *Bras. Zool.* V. *chupim-do-brejo*. [Pl.: *melros-pintados*.]

melro-pintado-do-brejo ***S. m.*** *Bras. Zool.* V. *chupim-do-brejo*. [Pl.: *melros-pintados-do-brejo*.]

mel-rosado ***S. m.*** *Farmac.* Preparado feito de mel e pétalas de rosas secas; rodomel. [Pl.: *méis-rosados* ou *meles-rosados*.]

melúria [Cruz. de *mel* com *lamúria*, poss.] ***S. f.*** **1.** *Pop.* Lamentação habitual; queixa astuciosa. **2.** Ato ou palavra manhosa, untuosa. **3.** *Bras.* *S.* Agrado, lisonja. ● ***S. 2 g.*** **4.** *Pop.* Pessoa dissimulada.

memactérias [Adapt. do gr. *Maimaktéria*.] ***S. f. pl.*** Na antiga Atenas, festas em honra de Zeus Memacta, o deus da tempestade, celebradas no final do mês de memactérion.

memactério ***S. m.*** *Cronol.* V. *memactérion*.

memactérion [Do gr. *Maimaktérion*.] ***S. m.*** *Cronol.* O quinto mês do calendário grego, com 29 dias, que correspondia aproximadamente ao mês de novembro do calendário gregoriano.

membé ***S. m.*** *Bras.* V. *membi* (1).

membeca [Do tupi = 'mole'.] *Bras.* ***Adj. 2 g.*** **1.** Brando, mole, tenro. ● ***S. f.*** **2.** *Bot.* Erva poácea (*Paspalum repens*) das regiões tropicais e subtropicais das Américas, provida de rizoma rastejante e inflorescências em espiga, duas das quais se inserem no ápice do pedúnculo.

membi [Do tupi.] ***S. m.*** *Bras.* **1.** Flauta indígena, feita da tíbia dos animais ou dos inimigos; memi, membé, mibu, mimô, mubu, mumu. [Cf. *inúbia* e *mimê*.] **2.** *Bot.* Árvore cesalpiniácea (*Chamaecrista apoucouita*) ornamental em virtude das grandes flores amarelas, que preenchem a copa e têm 10 estames férteis e semelhantes.

membitarará ***S. m.*** *Bras. Etnogr.* Trombeta guerreira dos índios tupis-guaranis, feita de dois pedaços de maçaranduba, colados e unidos um ao outro por tranças de cipós fortes. [Sin. poét.: *inúbia*.]

membixuê ***S. m.*** *Bras. Etnogr.* Flauta dupla com que os indígenas acompanham seus cantos de tristeza, e que se assemelha à quena peruana.

membrado [De *membro* + *-ado*[1].] ***Adj.*** *Heráld.* Diz-se de aves representadas com pernas de diferente esmalte.

membrana [Do lat. *membrana*.] ***S. f.*** **1.** *Anat.* Designação genérica da fina camada de tecido que recobre uma superfície ou serve de divisão a um espaço ou órgão. **2.** *Bot.* Envoltório das células formado por condensação periférica do protoplasma, e que por isso difere da parede celular. **3.** Pele, película. **4.** Tecido fino ou placa que separa duas partes, e que recebe ou transmite vibrações: 🗣 membrana *do microfone*; membrana *do tambor*. [Dim. irreg.: *membrânula*.] ◆ **Membrana ceratogênica.** *Veter.* Revestimento dos pés dos equídeos, constituído por extensão da pele adaptada à função de gerar o casco. **Membrana hialoide.** *Anat.* Membrana translúcida que encerra cada humor vítreo. **Membrana mucosa.** *Anat. Histol.* Membrana que reveste internamente diversos órgãos e que é umidificada por secreção líquida que contém, quase sempre, quantidade maior ou menor de muco. [Tb. se diz apenas *mucosa*.] **Membrana nictitante.** *Zool.* Fina membrana situada no ângulo interior, ou sob a pálpebra inferior de muitos animais, e que pode estender-se sob o globo. **Membrana nuclear.** *Citol.* V. *envoltório nuclear*. **Membrana pituitária.** *Anat.* Pituitária (1). **Membrana sinovial.** *Anat.* O mais interno dos dois folhetos da cápsula articular de uma articulação sinovial, e que apresenta superfície lisa que reveste internamente aquela cápsula. **Membrana timpânica.** *Anat.* Membrana que separa cada orelha externa de cada orelha média; tímpano.

membranáceo [Do lat. *membranaceu*.] ***Adj.*** Que tem a consistência de uma membrana; fino e translúcido; membranoso.

membranela [De *membrana* + *-ela*.] ***S. f.*** *Anat.* Lâmina ondulante, formada pela fusão de fileiras de cílios.

▲ **membran(i)-** [Do lat. *membrāna, ae*.] *El. comp.* = 'membrana': *membraniforme*, *membranoso*. [Equiv.: *membrano-*: *membranofone*, *membranologia*.]

membraniforme [De *membrana* + *-iforme*.] ***Adj. 2 g.*** Que tem forma de membrana.

▲ **membrano-** [De *membran(i)-* + *-o-*.] Equiv. de *membran(i)-*.

membranocartilaginoso (ô) [De *membrano-* + *cartilaginoso*.] ***Adj.*** *Anat.* Formado por membrana e cartilagem.

membranofone [De *membrano-* + *-fone*.] ***S. m.*** *Mús.* Instrumento membranófono. Ex.: tambor, pandeiro, tímpano.

membranofónico ***Adj.*** *Mús.* V. *membranofônico*. [Uso freq. em P.]

membranofônico [De *membranofone* + *-ico*[2].] ***Adj.*** *Mús.* Relativo a membranofone.

membranófono [De *membrano-* + *-fono*.] ***Adj.*** *Mús.* Na classificação organológica de Curt Sacks (1881-1959), diz-se de qualquer instrumento cujo som é emitido por uma membrana esticada. [Cf. *aerófono*, *cordófono*, *eletrófono* e *idiófono*. V. *organologia*.]

membranologia [De *membrano-* + *-logia*.] ***S. f.*** *Anat.* Estudo das membranas [v. *membrana* (1)] do organismo (1 e 2).

membranoso (ô) [De *membran(i)-* + *-oso*.] ***Adj.*** **1.** Que tem membranas ou é da natureza delas. **2.** Membranáceo. ~ V. *labirinto* —.

membranudo [De *membran(i)-* + *-udo*.] ***Adj.*** Provido de grande membrana.

membrânula [Do lat. *membranula*.] ***S. f.*** Pequena membrana.

membro [Do lat. *membru*.] ***S. m.*** **1.** *Anat.* Cada um dos quatro apêndices do tronco, ligados a este por meio de articulações, sendo dois superiores e dois inferiores, um superior e um inferior de cada lado, e que realizam movimentos diversos, entre os quais a locomoção. **2.** Pessoa pertencente a uma corporação, associação, família, agrupamento, etc.: 🗣 membro *do Instituto Histórico*; membro *do júri*. **3.** Parte de um todo (estrutura, organização, comunidade, etc.): 🗣 *Seu país é* membro *da ONU*. **4.** *E. Ling.* Parte de frase ou de período. **5.** V. *membro viril*. ◆ **Membro fantasma.** *Neur.* Sensação que tem um indivíduo que sofreu amputação de membro (1) de que ainda possui a parte que lhe foi retirada. **Membro genital.** *Anat.* Membro viril. **Membro inferior.** *Anat.* Cada conjunto de coxa, perna e pé. **Membro superior.** *Anat.* Cada conjunto de braço, antebraço e mão. **Membro viril.** *Anat.* O pênis; membro genital. [Tb. se diz apenas *membro*.]

membrudo [De *membro* + *-udo*.] ***Adj.*** **1.** Que tem membros grandes e vigorosos: 📖 "chamou pelo Anacleto, um mulataço membrudo, que o acompanhava sempre, como guarda-costas" (Lúcio de Mendonça, *Esboços e Perfis*, p. 63). **2.** *Fig.* Vigoroso, forte, robusto.

memecilácea [Do tax. *Memecyl(on)* + *-ácea*.] ***S. f.*** *Bot.* V. *melastomácea*.

memeciláceo [De *memecilácea*, com var. suf. (v. *-áceo*).] ***Adj.*** *Bot.* V. *melastomáceo*.

memento [Do lat. *memento*, 'lembra-te'.] ***S. m.*** **1.** Cada uma das duas preces do cânon da missa: 📖 "Está

M

armada no corpo da igreja uma essa .... . Diante dela se realiza um solene memento por alma dos mortos" (Mário Sete, *Arruar*, p. 263.) **2.** Marca que serve para lembrar qualquer coisa. **3.** Papel ou caderneta onde se anotam coisas que devem ser lembradas; memorial, memorando, memória. **4.** Essa anotação; apontamento, memória. **5.** Livrinho onde se acham resumidas as partes essenciais de uma questão.

memi ***S. m.*** *Bras.* V. *membi* (1).

→ **memorabilia** [mɛmɔɾa'bileạ] [Lat.] ***S. f.*** **1.** Coleção de objetos, livros, medalhas, etc., importantes, e que merecem ser guardados pelo próprio significado ou por terem pertencido a pessoa notável: "Departamentos especiais seriam criados, um deles homenageando Noel Nutels (1913-1973) — verdadeiro museu, com abundante memorabilia... fotos de índios, e — grande atração — o primeiro Lodestar do Serviço de Unidades Sanitárias Aéreas." (Moacir Scliar, *A Majestade do Xingu*, pp. 208-209.) **2.** *P. ext.* Aquilo que traz à memória alguém, um acontecimento: *O livro era uma verdadeira* memorabilia *da Guerra do Paraguai.*

memoração [Do lat. *memoratione*.] ***S. f.*** Ato ou efeito de memorar.

memorado [Part. de *memorar*.] ***Adj.*** Que se conserva na memória; lembrado.

memorando[1] [Adapt. do lat. *memorandum*, 'que deve ser lembrado'.] ***S. m.*** **1.** V. *memento* (3). **2.** Participação ou aviso por escrito. **3.** Impresso comercial, de formato menor que o de carta, usado para comunicações breves. **4.** Nota diplomática de uma nação para outra sobre o estado de uma questão. [Este aport. do lat. *memorandum* é, pode-se dizer, recente; por volta da década de 1930, usava-se o voc. lat.]

memorando[2] [Do lat. *memorandu*.] ***Adj.*** V. *memorável*: "Preciosos como poesia, preciosos também como pintura dos costumes da mais memoranda nação num século de grandeza, são, ... aos olhos do moralista severo, uma abominação e um escândalo." (Antônio Feliciano de Castilho, *Os Amores*, tomo I, p. 29.)

memorândum [Do lat. *memorandum*.] ***S. m.*** V. *memorando*[1]. [Pl.: *memorânduns*.]

memorar [Do lat. *memorare*, por via erudita.] ***V. t. d.*** **1.** Trazer à memória; tornar lembrado; lembrar, recordar: "As filhas do Mondego a morte escura / Longo tempo chorando memoraram" (Luís de Camões, *Os Lusíadas*, III, 135); "memorando a sorte do marido, estremecia de horror" (José de Alencar, *O Sertanejo*, p. 338). **2.** Comemorar, solenizar. [Pres. subj.: *memore*, etc. Cf. *mêmore*, adj. 2 g.]

memorativo [Do lat. tard. *memorativu*.] ***Adj.*** Comemorativo (1).

memorável [Do lat. *memorabile*.] ***Adj. 2 g.*** **1.** Digno de permanecer na memória. **2.** Célebre, notável. [Sin. ger.: *memorando, memorial, memorioso* e *memoroso*.]

mémore ***Adj. 2 g.*** *Poét.* V. *mêmore*. [Uso freq. em P.]

mêmore [Do lat. *memore*.] ***Adj. 2 g.*** *Poét.* De que há lembrança; lembrado.

→ **memoria** [mɛ'mɔɾẹa] [Lat.] ***S. f.*** *E. Ling.* V. *retórica* (2).

memória [Do lat. *memoria*.] ***S. f.*** **1.** Faculdade que se tem de adquirir informações, retê-las e, então, ser capaz de evocá-las: *Tem boa memória.* **2.** Lembrança, reminiscência, recordação: *A memória daqueles dias.* **3.** Celebridade, fama, nome. **4.** Monumento comemorativo. **5.** Relação, relato, narração: *Escreveu a memória da guerra.* **6.** V. *memento* (3). **7.** V. *memento* (4). **8.** Vestígio, lembrança, sinal: *Da tragédia não restou memória alguma.* **9.** Aquilo que serve de lembrança. **10.** Medalhão em que as mulheres costumavam colocar um retrato, ou um cachinho de cabelo, como lembrança de alguém. **11.** Miniatura de retrato us. por homens em anel, ou na corrente de relógio. **12.** Nota diplomática; memorial: *O governo recebeu uma memória do embaixador francês.* **13.** Dissertação acerca de assunto científico, literário ou artístico, para ser apresentada ao governo, a uma corporação, a uma academia, etc., ou ser publicada. **14.** *Ant.* Anel comemorativo: "Nos dedos refulgem anéis e memórias." (Alcântara Machado, *Vida e Morte do Bandeirante*, p. 94.) [Cf., nesta acepç., *memória* (11).] **15.** *Inform.* Dispositivo em que informações podem ser registradas, conservadas, e posteriormente recuperadas; armazenador; dispositivo de armazenamento. **16.** *Inform.* Memória principal. **17.** *Bras. AM MG RS* Anel (1). [Cf. *memória* (11).] **18.** *Bras. RS* V. *joia* (1). [Cf. *memoria*, do v. *memoriar*.] ~ V. *memórias*. ◆ **Memória afetiva.** *Teatr.* Nos exercícios para atores segundo o método de Stanislavski (q. v.), utilização, pelos intérpretes, das experiências de suas vidas pregressas, para que construam e representem as suas personagens com o máximo de autenticidade e verdade psicológica. **Memória de anjo.** Memória excelente, extraordinária: "o que mais me admira é a sua memória: o senhor, com efeito, tem uma memória de anjo!" (Aluísio Azevedo, *O Mulato*, p. 99). **Memória de cálculo.** *Arquit. Constr.* Documento escrito que complementa o projeto arquitetônico de uma obra, e no qual se justificam as soluções de cálculo adotadas para o sistema estrutural e se faz um resumo delas. **Memória de elefante.** Grande capacidade de memorização; memória extraordinária. **Memória de galo.** Memória fraca. **Memória descritiva.** *Arquit. Urb.* Documento escrito que acompanha os desenhos de um projeto de urbanização, de arquitetura, de instalações prediais, etc., no qual são explicados e justificados os critérios adotados, as soluções, e outros pormenores. [Sin.: *memorial descritivo*.] **Memória fotográfica.** *Fig.* Faculdade de reter, de lembrar posteriormente aquilo que se vê e/ou se lê. **Memória imunológica.** *Imun.* Propriedade do sistema imunitário de responder de modo mais rápido e mais energético às solicitações antigênicas posteriores, do que à primeira delas. **Memória interna.** *Inform.* V. *memória principal.* **Memória nacional.** Pesquisa que envolve fatos históricos, sociais e artísticos, e a cultura material correspondente, e visa revitalizar de modo permanente o passado e o presente do país. **Memória primária.** *Inform.* V. *memória principal.* **Memória principal.** *Inform.* Memória interna do computador na qual os dados e instruções de um programa a ser executado são armazenados, posteriormente recuperados para processamento e para onde os resultados destes processamentos são enviados. Cada posição ou localização da memória principal é identificada por um endereço; memória interna, memória primária. [Tb. se diz, apenas, *memória*.] **Memória RAM.** *Inform.* V. *RAM.* **Memória ROM.** *Inform.* V. *ROM.* **Memória secundária.** *Inform.* Aquela que não faz parte intrínseca do computador, mas está diretamente conectada a ele e é por ele controlada. Ex.: disco magnético, fita magnética, etc. [Suas funções principais são incrementar a capacidade da memória primária e preservar informações, mesmo com o equipamento desligado.] **Memória virtual.** *Inform.* Emulação de memória principal suplementar, mediante o uso de memória secundária. **Memória visual.** Faculdade de reter, de lembrar posteriormente, pessoa, coisa ou fato vistos. **De memória.** De cor: *pronunciou o discurso de memória.* **Refrescar a memória.** Relembrar fatos, detalhes, ligados a determinado incidente, que é o centro daquilo de que se quer falar.

memorial [Do lat. tard. *memoriale*.] ***S. m.*** **1.** V. *memento* (3). **2.** Escrito que relata fatos memoráveis; memórias: *o memorial de Santa Helena.* **3.** Petição escrita. **4.** Memória (12). • ***Adj. 2 g.*** **5.** V. *memorável*: *fatos memoriais.* ◆ **Memorial descritivo.** *Arquit. Urb.* Memória descritiva. **Memorial do Senhor.** *Rel.* V. *eucaristia* (2).

memorialista [De *memorial* + *-ista*.] ***S. 2 g.*** Autor de memórias: "Antigamente o memorialista dava o melhor de suas energias para desmascarar o personagem que conhecia e amava mais do que ninguém: a si mesmo." (David Streitfeld, em *Jornal do Brasil*, 31.10.1998.) [Cf. *memorista*.]

memorialística [De *memorialista* + *-ica*.] ***S. f.*** **1.** O gênero literário das memórias (3): *Desde cedo se consagra à história e à memorialística.* **2.** Conjunto de produções desse gênero: *A memorialística brasileira não é muito ampla.*

memorião [De *memória* + *-ão*[1].] ***S. m.*** *Fam.* Boa memória; facilidade em decorar ou em reter conhecimento adquirido.

memoriar [De *memória* + *-ar*[2].] ***V. t. d.*** **1.** Reduzir a uma memória (5 e 13). **2.** Fazer uma memória (5 e 13) acerca de. [Pres. ind.: *memorio, memorias, memoria*, etc. Cf. *memória*, s. f., e *memórias*, s. f. pl.]

memórias [Pl. de *memória*.] ***S. f. pl.*** **1.** Narrações históricas escritas por testemunhas presenciais. **2.** Memorial (2). **3.** Escrito em que alguém conta a sua vida. [Cf. *memorias*, do v. *memoriar*.] ~ V. *memória*.

memoriável [De *memoriar* + *-vel*.] ***Adj. 2 g.*** Que se pode memoriar (1 e 2). [Pl.: *memoriáveis*. Cf. *memoriáveis*, do v. *memoriar*.]

memorioso (ô) [Do lat. tard. *memoriosu*.] ***Adj.*** **1.** Dotado de grande memória. **2.** V. *memorável*.

memorista [De *memória* + *-ista*.] ***S. 2 g.*** Autor de dissertações acadêmicas. [Cf. *memorialista*.]

memorização [De *memorizar* + *-ção*.] ***S. f.*** Ato ou efeito de memorizar.

memorizar [Do fr. *mémoriser*.] ***V. t. d.*** **1.** Trazer à memória; tornar lembrado. **2.** Reter na memória; aprender de cor.

memoroso (ô) ***Adj.*** V. *memorável*.

menacma [De *men(o)-* + gr. *akmé*, 'ponta'.] ***S. f.*** *Fisiol.* A fase mais intensa de período menstrual.

ménade ***S. f.*** V. *mênade*. [Uso freq. em P.]

mênade [Do gr. *mainás, ádos*, pelo lat. *maenade*.] ***S. f.*** V. *bacante* (1): "as bacantes ou mênades mastigavam hera, à conta de cujas propriedades excitantes e tóxicas alguns lhes levavam a fúria, como adverte Frazer." (Péricles Eugênio da Silva Ramos, *O Amador de Poemas*, p. 46); "E nunca, mais do que naquele momento, Isa era a amante insofrida, a mênade insaciável." (Gastão Cruls, *Contos Reunidos*, p. 347).

menadiona [Voc. farmac.] ***S. f.*** *Quím.* Substância cristalina, sintética, derivado metilado da 1,4-naftoquinona, e que tem ação medicinal de vitamina K [fórm.: $C_{11}H_8O_2$].

→ **ménage** [me'naʒ] [Fr.] ***S. m.*** **1.** O conjunto dos trabalhos domésticos. **2.** Todos aqueles que compõem uma família. **3.** O marido e a mulher, na vida comum. **4.** A vida doméstica.

→ **ménage à trois** [me'naʒ atʁwa] [Fr.] **1.** Relacionamento amoroso entre três pessoas: ger. um casal e o amante de um deles. **2.** *P. ext.* Qualquer relação sexual a três.

menagem [De *homenagem*, com aférese.] ***S. f.*** **1.** *Jur.* Prisão fora do cárcere, que a justiça militar concede sob promessa ou palavra do preso de que não sairá do lugar onde se acha ou que lhe for designado. **2.** *Ant.* Homenagem.

menálio [Do gr. *mainálios*, pelo lat. *maenaliu*.] ***Adj.*** **1.** Relativo ao monte Mênalo, na Arcádia, consagrado ao deus Pã. **2.** *Poét.* Pastoril, bucólico.

menarca [De *men(o)-* + *-arca*[2].] ***S. f.*** *Gin.* A primeira menstruação.

menarquia [De *men(o)-* + *-arqu(e)-* + *-ia*[1].] ***S. f.*** *Gin.* V. *menstruação* (1).

menáspis [Do tax. *Menaspis*.] ***S. f. 2 n.*** *Paleont.* **1.** Gênero de peixes holocéfalos, de esqueleto cartilaginoso, aparentados com as quimeras, que viveram no permiano superior. **2.** Espécie ou espécime desse gênero.

menção [Do lat. *mentione*.] ***S. f.*** **1.** Lembrança incidental; o ato de nomear ou citar algo ou alguém; referência, citação: *Fez menção da ocorrência; Não há menção, nesta obra, a várias figuras importantes.* **2.** Gesto(s) de quem se dispõe a praticar um ato; intento, tenção: *Fez menção de sair.* **3.** Registro, nota: *fato digno de menção.* ◆ **Menção honrosa.** **1.** Distinção conferida a uma obra não premiada, porém merecedora de citação. **2.** Distinção atribuída a pessoa que se distinguiu em exame, concurso, certame, etc.

menchevique [Do russo *menshevik*, 'menor', 'minoria'.] ***Adj. 2 g.*** **1.** Diz-se da ala minoritária no II Congresso do Partido Operário Social Democrata da Rússia (1903). **2.** Relativo a, ou próprio dessa ala. **3.** Que era membro dessa ala. • ***S. 2 g.*** **4.** Membro dessa ala. [Sin. ger.: *menchevista*. Cf. *bolchevique* e *minimalista*.]

mencheviquismo [De *menchevique* + *-ismo*.] ***S. m.*** Sistema político dos mencheviques; menchevismo, minimalismo. [Cf. *bolchevismo*.]

menchevismo ***S. m.*** V. *mencheviquismo*.

menchevista ***Adj. 2 g. S. 2 g.*** V. *menchevique*. [Cf. *bolchevista*.]

mencionado [Part. de *mencionar*.] ***Adj.*** De que se fez menção; referido, citado.

mencionar [De *menção* + *-ar*[2], seg. o padrão erudito.] ***V. t. d.*** **1.** Fazer menção de, ou referência a; referir, citar: *O colunista mencionou todos os presentes à festa.* **2.** Referir, relatar, expor, narrar: *Mencionou o episódio em todos os pormenores.* ***T. d. e i.*** **3.** Mencionar (2): *Mencionou o fato ao amigo.*

mencionável [De *mencionar* + *-vel*.] ***Adj. 2 g.*** Que pode ou merece ser mencionado.

mendace [Do lat. *mendace*, por via erudita.] ***Adj. 2 g.*** *Obsol.* V. *mendaz*: "Nas ondas mendaces / Senti pelas faces / Os silvos fugaces / Dos ventos que amei." (Gonçalves Dias, *Obras Poéticas*, II, p. 23.)

mendacidade [Do lat. tard. *mendacitate*.] ***S. f.*** **1.** Qualidade de mendaz; falsidade, hipocrisia. **2.** Traição, perfídia.

mendacíssimo [Do lat. *mendacissimu*.] ***Adj.*** Superl. abs. sint. de *mendaz*.

mendáculo ***S. m.*** *Bras.* Defeito moral; labéu, mancha, mazela, ferrete.

mendaz [Do lat. *mendace*, por via erudita.] ***Adj. 2 g.*** **1.** Mentiroso, hipócrita, falso. **2.** Traiçoeiro, desleal, pérfido: "'Mal hajas tu, mendaz Fortuna! Certo, / Que enorme dita, ou desventura enorme, / É tudo um sonho!' — diz Nasá enfim —" (Raimundo Correia, *Poesias Completas*, p. 77). [Superl. abs. sint.: *mendacíssimo*.]

mende [Desta língua.] ***S. m.*** *Gloss.* Língua mandê (4), falada na Libéria e em Serra Leoa (África).

mendelévio [Do antr. (*Dmitri I.*) *Mendeleev* (1834-1907), químico russo, + *-io*[3].] ***S. m.*** *Quím.* Elemento transférmico (q. v.) de número atômico 101 [símb.: *Md*]; unilúnio.

mendeliano [Do antr. (*Gregor J.*) *Mendel* (1822-1884) + *-iano*[1].] ***Adj.*** *Biol.* Respeitante ao mendelismo (q. v.) ou a Mendel.

mendelismo [Do antr. *Mendel* + *-ismo.*] ***S. m. Biol.*** Doutrina de Gregor J. Mendel, cientista austríaco (1822-1884), que estabelece as leis da hereditariedade dos caracteres biológicos, as quais se fundam na teoria cromossômica e põem em relevo a descontinuidade do patrimônio hereditário.

mendense ***Adj. 2 g.*** **1.** De, ou pertencente ou relativo a Mendes (RJ). ● ***S. 2 g.*** **2.** O natural ou habitante de Mendes.

mendicância [De *mendicante* + *-ia*[2], seg. o padrão analógico.] ***S. f.*** Mendicidade (q. v.).

mendicante [Do lat. *mendicante.*] ***Adj. 2 g. S. 2 g.*** **1.** Que, ou quem mendiga: "o que mais agradava a D. Tareja era a passagem dos monges mendicantes" (Eça de Queirós, *Últimas Páginas*, p. 346). **2.** Diz-se de, ou ordens religiosas que, proibidas de terem bens, vivem da caridade alheia.

mendicidade [Do lat. *mendicitate.*] ***S. f.*** **1.** Ato de mendigar; mendigação. **2.** A classe dos mendigos; os mendigos. **3.** Qualidade ou estado de mendigo. [Sin. ger.: *mendicância*.]

mendigação [Do lat. *mendicatione.*] ***S. f.*** Ato de mendigar.

mendigar [Do lat. *mendicare.*] ***V. t. d.*** **1.** Pedir por esmola; esmolar. **2.** Ganhar ou obter dificilmente (os meios necessários para viver). **3.** Pedir com humildade ou pleitear servilmente. **4.** Procurar com minúcia; esquadrinhar. ***T. d. e i.*** **5.** Pedir com humildade, ou pleitear servilmente: "Mendiguei um alívio ao céu da Itália" (Fagundes Varela, *Poesias Completas*, I, p. 132). ***Int.*** **6.** Pedir esmola; esmolar: "Começou então pela cidade a mendigar para os seus pobres." (Eça de Queirós, *Últimas Páginas*, p. 294); "Mademoiselle Pauline mendiga nas ruas do Porto." (Camilo Castelo Branco, *A Mulher Fatal*, p. 14). **7.** Pedir esmola para si; viver de esmolas; esmolar: *Vive de mendigar.* [Conjug.: v. *largar*.]

mendigo [Do lat. *mendicu.*] ***S. m.*** Aquele que pede esmola para viver; mendicante, pedinte, esmoleiro: "E o mendigo da aldeia, o velho cego, / Sobre o duro grabato, em choça humilde, / Achou a paz." (Alexandre Herculano, *Poesias*, p. 116.)

mendonçense ***Adj. 2 g.*** **1.** De, ou pertencente ou relativo a Mendonça (SP). ● ***S. 2 g.*** **2.** O natural ou habitante de Mendonça.

mendonciácea [Adapt. do tax. *Mendonciaceae.*] ***S. f. Bot.*** Espécime das mendonciáceas, família de escrofulariales, por vezes incluída entre as acantáceas, e que engloba dois gêneros e 61 espécies oriundas de regiões tropicais das Américas e da África; são arbustos escandentes, com folhas simples, íntegras, opostas, flores tubuliformes, pentâmeras, hermafroditas, solitárias ou racemosas, e frutos drupáceos.

mendonciáceo [De *mendonciácea*, com var. suf. (v. *-áceo*).] ***Adj. Bot.*** Pertencente ou relativo às mendonciáceas.

mendubi [Do tupi.] ***S. m. Bras. Bot.*** **1.** V. *amendoim*. **2.** V. *boi-gordo*.

mendubi-bravo ***S. m. Bras. Bot.*** V. *boi-gordo*. [Pl.: *mendubis-bravos*.]

mendubim-de-veado ***S. m. Bras. Bot.*** V. *feijão-cru*. [Pl.: *mendubins-de-veado*.]

mendubirana [De *mendubi* + *-rana.*] ***S. f. Bras. Bot.*** Erva cesalpiniácea (*Cassia diphylla*) de folhas simples e obovadas, flores amarelas de 10 estames férteis e cujos legumes medem de 2 a 5cm.

menduí [Alter. de *mendubi.*] ***S. m. Bras. Bot.*** V. *amendoim*.

meneador (ô) [De *menear* + *-dor.*] ***Adj. S. m.*** Que, ou aquele que meneia ou maneja.

meneamento [De *menear* + *-mento.*] ***S. m.*** V. *meneio* (1 e 2).

menear [De *manear*, com assimilação.] ***V. t. d.*** **1.** Mover de um para outro lado; manear: "A rapariga meneou a cabeça afirmativamente" (Aluísio Azevedo, *O Cortiço*, p. 204); "Três gregas de alvos pés, pubescentes e esguias, / Torcendo os corpos nus, donde acre aroma escapa, / Dançam meneando véus, flexíveis como enguias." (Manuel Bandeira, *Estrela da Vida Inteira*, p. 69). **2.** Mover com desenvoltura (braços, pernas, quadris); saracotear. **3.** Manejar; manusear: *menear um pincel*. **4.** Dirigir, gerir; administrar: *menear negócios*. ***P.*** **5.** Mover-se; mexer-se; agitar-se. **6.** Mover-se de um para outro lado; oscilar; manear: "Também lá se meneia o cipreste / Sobre o corpo que à terra desceu." (Alexandre Herculano, *Poesias*, p. 80.) **7.** Saracotear-se, bambolear(-se). [Conjug.: v. *frear*.]

meneável [De *menear* + *-vel.*] ***Adj. 2 g.*** **1.** Que se pode menear. **2.** *Fig.* Flexível, dócil, maleável.

menecma [Do antr. *Menecmo*, de dois personagens gêmeos idênticos, da comédia *Menaechmi*, de Plauto (v. *plautino*).] ***S. 2 g.*** Pessoa que tem notável semelhança física com outra; sósia: "Se lhe indagavam de tal passagem da sua provável autoria na produção do seu menecma, ele, que dava e recebia rascunhos, esboços, paradigmas, no companheiro de trabalho se revia como num duplo." (Atílio Milano, *Literatura Dissipada*, p. 79.)

meneio [Dev. de *menear*.] ***S. m.*** **1.** Ato ou efeito de menear(-se); balanço, oscilação, meneamento: *os meneios do barco.* **2.** Movimento do corpo ou de alguma parte dele; meneamento: "Parecia até que a provocava com os seus sorrisos, ... os meneios do corpo, a fala cantada e gostosa." (Nélson de Faria, *Cabeça-Torta*, p. 53.) **3.** Gesto, ademã(s), ademane(s): "O gesto bem talhado, / o airoso meneio e a postura" (Luís de Camões, *Rimas*, p. 300). **4.** Trejeito, momice. **5.** *Fig.* Ardil, astúcia, manobra. **6.** Governo, direção: *o meneio da empresa.* **7.** Mão de obra; custeio; custo: *o meneio da construção.* **8.** Emprego, aplicação: *o meneio do capital.*

menejou ***Bras. S. 2 g.*** **1.** *Etnôn.* Indivíduo dos menejous, povo indígena extinto, que habitava a margem esquerda do rio Jari (AP). ● ***Adj. 2 g.*** **2.** Pertencente ou relativo a esse povo. [Tb. us. como *s. 2 g. e 2 n.* (com cap.) e *adj. 2 g. e 2 n.*]

menestrel [Do fr. ant. *menestrel* < lat. tard. *ministerialis.*] ***S. m.*** **1.** Poeta medieval. **2.** Cantor medieval, de origem plebeia, a serviço de um rei, de um nobre ou de um trovador; cantor ambulante: "Os romances, as xácaras, as baladas e os solaus, com as suas castelãs, os seus paladinos, os seus pajens, os seus menestréis e os seus respectivos atributos ...., pediam um cenário de fortificação feudal" (Ramalho Ortigão, *O Culto da Arte em Portugal*, p. 30). **3.** *P. ext.* Trovador (q. v.), cantor, músico: "tinha [D. Manuel] menestréis mouriscos que cantavam e tangiam em alaúdes e pandeiros." (Oliveira Martins, *História de Portugal*, II, p. 19). **4.** Poeta (1). **5.** Atualmente, nos E.U.A., comediante negro ambulante. [Pl.: *menestréis*. Cf. *trovador* (3 e 4).]

menfita [Do gr. *memphítes*, pelo lat. *memphites.*] ***Adj. 2 g.*** **1.** De, ou pertencente ou relativo a Mênfis (Egito); menfítico. ● ***S. 2 g.*** **2.** O natural ou habitante de Mênfis.

menfítico [De *menfita* + *-ico*[2].] ***Adj.*** Menfita (1): "Ela [a Grécia] possuía danças guerreiras como a menfítica, e danças cômicas que satirizavam os aleijões do corpo e as falhas morais." (Martins Fontes, *A Dança*, p. 16.)

menga ***S. m. Bras. Rel.*** O sangue dos animais sacrificados em ritual de macumba (1).

mengar ***V. int. Bras. Chulo*** Fazer com o corpo movimentos eróticos. [Conjug.: v. *largar*.]

mengo [Hipocorístico de *Flamengo*, do Clube de Regatas do Flamengo.] ***Adj. S. m. Bras.*** V. *flamenguista*.

menhã ***S. f. Bras. Pop. Ant.*** Manhã.

meniantácea [Do tax. *Menyanthes* (v. *menianto*) + *-ácea*; tax. *Menyanthaceae*.] ***S. f. Bot.*** Espécime das meniantáceas, família de plantas herbáceas aquáticas ou palustres da ordem das asterales, vastamente distribuídas, dotadas de rizomas rasteiros, ou grupados em tufos, e em sua maioria perenes. Relacionam-se às gencianáceas, mas têm *habitats* diferentes; suas folhas são, ger., alternas, e as flores crescem em cimeiras, ou em racemos densos. Compreende cinco gêneros e cerca de quarenta espécies, algumas ornamentais, e outras de uso farmacêutico.

meniantáceo [De *meniantácea*, com var. suf. (v. *-áceo*).] ***Adj. Bot.*** Pertencente ou relativo às meniantáceas.

menianto [Do tax. *Menyanthes.*] ***S. m. Bot.*** **1.** O gênero-tipo das meniantáceas, que inclui espécies herbáceas, palustres, dotadas de rizomas rasteiros, espessos, e flores racemosas sobre escapos. **2.** Qualquer espécie desse gênero, como, p. ex., a *Menyanthes trifoliata* (v. *trevo-aquático*). **3.** Qualquer espécime desse gênero, ou a flor dele.

menicaca ***S. 2 g. Pop.*** Pessoa caricata, ridiculamente pretensiosa, toda perfumada e maquilada.

menídeo [Do lat. *maena* (< gr. *maíne*), 'pequeno peixe do mar', + *-ídeo*; tax. *Maenidae*.] ***Zool. S. m.*** **1.** Espécime dos menídeos, pequena família de peixes marinhos, percoides, do Mediterrâneo, que abrange espécies como a *Spicara smaris*, cuja carne é medíocre, sendo us. como alimento depois de seca. ● ***Adj.*** **2.** Pertencente ou relativo a eles.

meniém ***Bras. S. 2 g.*** **1.** *Etnôn.* Indivíduo dos meniéns, povo indígena extinto, da família linguística camacã, que habitava a região do rio Jequitinhonha (MG). ● ***Adj. 2 g.*** **2.** Pertencente ou relativo a esse povo. [Tb. us. como *s. 2 g. e 2 n.* (com cap.) e *adj. 2 g. e 2 n.*]

menierismo [Do antr. *Ménière*, de Prosper Ménière (1798-1862) e Émile-Antoine Ménière (1839-1905), médicos franceses, + *-ismo.*] ***S. m. Otor.*** Manifestação frusta de doença de Ménière (q. v.).

menilita [Do fr. *ménilite.*] ***S. f. Min.*** Variedade impura da opala (1) que aparece em concreções de cor castanha ou cinza-escura.

menina [Fem. de *menino.*] ***S. f.*** **1.** Criança do sexo feminino; garota. **2.** Mulher nova e/ou solteira; mocinha, garota. **3.** Tratamento familiar e afetuoso dado às pessoas de sexo feminino, crianças e adultos.

meninada [De *menino* + *-ada*[1].] ***S. f.*** Bando ou porção de meninos e/ou meninas; criançada.

menina de cinco olhos ***S. f. Bras. Fam.*** V. *palmatória* (1). [Pl.: *meninas de cinco olhos*.]

menina do olho ***S. f. Fam.*** Pupila (3). [Pl.: *meninas dos olhos*.]

menina dos olhos ***S. f. Fam.*** Pessoa, ou coisa a que se quer muito: "Todos sabemos que tio Geraldo é a menina dos olhos de vovó. Ninguém pode dizer dele uma coisinha que seja, que vovó logo ralha." (Helena Morley, *Minha Vida de Menina*, p. 68.) [Pl.: *meninas dos olhos*.]

menina-moça ***S. f.*** Menina no início da puberdade. [Pl.: *meninas-moças*.]

menineiro [De *menino* + *-eiro.*] ***Adj.*** **1.** Que tem aspecto de menino; semelhante a menino; ameninado: *um marmanjo menineiro.* **2.** V. *meninil*: "avistei com gosto a imensa barriga, as bochechas menineiras do chefe da Estação" (Eça de Queirós, *A Cidade e as Serras*, p. 200). **3.** Que gosta de crianças ou é muito carinhoso com elas.

meninez (ê) [De *menino* + *-ez.*] ***S. f.*** V. *infância* (1). [Pl.: *meninezes* (ê).]

meninge [Do fr. *méninge* < lat. tard. *meninga* < acus. do gr. *mênínx.*] ***S. f. Anat.*** Cada uma das três membranas que envolvem o encéfalo e a medula espinhal, e que são, a partir da mais externa para a mais interna, a dura-máter, a aracnoide e a pia-máter.

meníngeo [De *meninge* + *-eo.*] ***Adj.*** Da meninge, ou relativo a ela.

meningismo [De *meninge* + *-ismo.*] ***S. m.*** **1.** *Neur.* Conjunto de sinais e de sintomas de irritação meníngea, com manifestações febris agudas ou desidratação, sem que haja, realmente, infecção. **2.** *Psiq.* Sintoma característico do transtorno conversivo (q. v.) em que o indivíduo simula características clínicas de meningite.

meningite [De *mening(o)-* + *-ite*[1].] ***S. f. Neur.*** Inflamação meníngea. [Sin. (bras., CE): *espasmo*. V. *paquimeningite* e *leptomeningite*.]

meningítico [De *meningite* + *-ico*[2].] ***Adj. Neur.*** Relativo à meningite.

▲ **mening(o)-** [Do gr. *máninx, méningos.*] ***El. comp.*** = 'membrana fina'; 'membrana do cérebro', 'meninge': *meningite, meningococo; meningoencefalite.*

meningocele [De *mening(o)-* + *-cele*[1].] ***S. f. Neur.*** Hérnia meníngea produzida em consequência de defeito em continente ósseo.

meningocócico [De *meningococo* + *-ico*[2].] ***Adj. Microbiol.*** Relativo ao meningococo.

meningococo [De *mening(o)-* + *-coco.*] ***S. m. Microbiol.*** Bactéria gram-negativa, aeróbica, do gênero *Neisseria meningitidis*, principal causadora de meningite.

meningococose [De *meningococo* + *-ose*[1].] ***S. f. Med.*** Qualquer infecção causada por meningococo.

meningoencefalite [De *mening(o)-* + *-encefal(o)-* + *-ite*[1].] ***S. f. Neur.*** Inflamação que inclui comprometimento meníngeo e encefálico.

meningose [De *mening(o)-* + *-ose*[1].] ***S. f. Anat.*** União de dois ossos por meio de estruturas membranosas.

meninice [De *menino* + *-ice.*] ***S. f.*** **1.** V. *infância* (1). **2.** Atos, modos ou palavras próprios de menino; infantilidade, criancice.

meninico ***S. m. Bras. N.E. Cul.*** Iguaria feita com vísceras de carneiro.

meninil [De *menino* + *-il*[1].] ***Adj. 2 g.*** Relativo a, ou próprio de menino; menineiro, infantil, pueril.

menino [Voc. de or. express.] ***S. m.*** **1.** Criança do sexo masculino. [Sin., bras. na maioria: *pequeno, miúdo, rapaz, garoto, guri, crila, curumi* ou *curumim, piá* e (lus.) *puto*[1].] **2.** Tratamento familiar e afetuoso entre parentes e amigos, ainda que adultos. ● ***Adj.*** **3.** *P. us.* V. *meninil*: "Joaquina Maluca, você ficou lesa / não sei por que foi! / Você tem um resto de graça menina, / na boca, nos peitos, / não sei onde é..." (Jorge de Lima, *Obra Completa*, I, p. 303.) ◆ **Menino de ouro. 1.** Indivíduo exemplar, de grande valor. **2.** Menino ou rapazinho muito mimado. **Menino de peito.** Criança de peito.

menino-branco ***S. m. Bras. PR Folcl.*** Menino chupado pela bruxa, e que, ao abrir a boca, mostra um enorme buraco, que vai até o estômago, só se curando depois de alguém o benzer. [Pl.: *meninos-brancos*.]

meninório [De *menino* + *-ório.*] ***S. m. Fam.*** **1.** Meninote (q. v.). **2.** Criançola. **3.** Espertalhão, finório.

meninota [De *menina* + *-ota*[1].] ***S. f. Bras.*** Mocinha, garota.

meninote [De *menino* + *-ote*[1].] ***S. m. Bras.*** Menino já taludo; garoto, rapazola, rapazote, meninório.

menipeu [Do antr. *Menipo* + *-eu.*] ***Adj.*** **1.** Pertencente ou relativo a Menipo de Gadara (séc. III a. C.), filósofo e satirista grego, ou próprio dele, ou que o imita. **2.** Que é seu admirador e/ou profundo conhecedor de sua obra, ou imitador dela. ~ V. *sátira menipeia*.

• *S. m.* 3. Admirador e/ou profundo conhecedor da obra de Menipo, ou seu imitador. [Fem.: *menipeia*.]

menir [Do bretão¹ (5) *men*, 'pedra', + *hir*, 'comprida', pelo fr. *menhir*.] *S. m.* Monumento megalítico, que consiste num bloco de pedra levantado verticalmente. [Cf. *dólmen*.]

meniscectomia [De *menisc(o)-* + *-ectom-* + *-ia*¹.] *S. f. Cir. Ort.* Excisão de menisco (4).

menisco [Do gr. *menískos*, 'pequena lua'; 'crescente'.] *S. m.* 1. Lente delgada, de vidro, constituída de uma face convexa e outra côncava. 2. Superfície curva de líquido contido em tubo capilar. 3. Figura geométrica, côncava de um lado e convexa do outro. 4. *Anat.* Designação genérica de formação anatômica em forma de crescente. 5. *Anat.* Fibrocartilagem em forma de meia-lua, presente entre algumas superfícies articulares. 6. *Fís.* Superfície curva que se forma na interface duma fase líquida com outra fase líquida ou gasosa.

▲ **menisc(o)-** [Do gr. *mēnískos, ou*.] *El. comp.* = 'pequena lua'; 'crescente de lua'; 'crescente'; 'menisco': *meniscectomia, meniscotomia*.

meniscócito [De *menisc(o)-* + *-cito*.] *S. m. Histol.* Eritrócito em forma de meia-lua.

meniscocitose [De *meniscócito* + *-ose*¹.] *S. f. Hemat.* V. *anemia falciforme*.

meniscoide (ói) [De *menisc(o)-* + *-oide*.] *Adj. 2 g. Anat.* Que tem forma de menisco; meniscóideo. ❖

meniscóideo [De *menisc(o)-* + *-óideo*.] *Adj. Anat.* Meniscoide.

meniscotomia [De *menisc(o)-* + *-tom(o)-* + *-ia*¹.] *S. f. Cir. Ort.* Incisão em menisco.

menispermácea [Do tax. *Menispermum*, gênero-tipo, + *-ácea*; tax. *Menispermaceae*.] *S. f. Bot.* Espécime das menispermáceas, família de plantas da ordem das ranales, composta de grandes cipós dotados de folhas palmatinérveas e flores inconspícuas, sendo as masculinas dímeras ou trímeras; perigônio simples ou duplo, e fruto drupáceo. Há cerca de 400 espécies, próprias das regiões tropicais, como o Brasil; algumas fornecem substâncias curarizantes, que os índios utilizam.

menispermáceo [De *menispermácea*, com var. suf. (v. *-áceo*).] *Adj. Bot.* Pertencente ou relativo às menispermáceas.

▲ **men(o)-** [Do gr. *mēn, mēnós*, 'mês'.] *El. comp.* = 'mês'; 'mênstruo': *menarca, menopausa, menorragia*. [Equiv.: *-men(o)-*: *amemia, dismenorreia*.]

▲ **-men(o)-** Equiv.: de *men(o)-*.

menofania [De *men(o)-* + *-fan(o)-* + *-ia*¹.] *S. f. Gin.* Aparecimento de menstruações, por ocasião da puberdade.

menofilia [De *men(o)-* + *-filia*.] *S. f.* Atração sexual por mulheres menstruadas; menomania.

menofílico [De *menofilia* + *-ico*².] *Adj.* 1. Relativo a menofilia. 2. Que tem menofilia; menófilo, menômano. • *S. m.* 3. Aquele que tem menofilia; menófilo, menômano. [Sin. ger.: *menomaníaco*.]

menófilo [De *men(o)-* + *-filo*².] *Adj. S. m.* V. *menofílico* (2 e 3).

menológio [Do gr. ecles. *menológion*.] *S. m.* 1. *Lit.* Catálogo dos mártires, ou martirológio, na Igreja grega. 2. *Ant.* Descrição ou tratado dos meses.

menomania [De *men(o)-* + *-mania*.] *S. f.* V. *menofilia*.

menomaníaco [De *menomania* + *-íaco*.] *Adj. S. m.* V. *menofílico*.

menómano *Adj. S. m.* V. *menômano*. [Uso freq. em P.]

menômano [De *men(o)-* + *-mano*¹.] *Adj. S. m.* V. *menofílico* (2 e 3).

menomini [De uma língua indígena norte-americana, ingl. *Menominee*.] *S. 2 g.* 1. Indivíduo dos menominis, povo indígena norte-americano da região de Wisconsin. • *S. m.* 2. *Gloss.* A língua algonquiana desse povo. • *Adj. 2 g.* 3. Relativo, ou pertencente aos menominis, ou à sua língua.

menonita [Do al. *Menonit* < antr. *Menno* (*Simonz*) (-1561), reformista frisão.] *S. 2 g.* 1. Membro de uma seita de anabatistas, fundada no início do séc. XVI, cujas características, entre outras, são a crença na autoridade das Escrituras, a singeleza no vestir, a restrição do casamento a membros do grupo, e a prática do ritual de lava-pés; ainda hoje, tem adeptos na Holanda e nos Estados Unidos. • *Adj. 2 g.* 2. Relativo a menonita (1), ou à seita dos menonitas.

menopausa [De *men(o)-* + *-pausa*.] *S. f. Med.* Síndrome em que cessa a menstruação, seja esta como fenômeno natural (normal), seja como resultado de medidas artificiais (intervenção cirúrgica, irradiação), seja como decorrente de incapacidade ovulatória (menopausa precoce). [Sin.: *menostasia*. Cf. *climatério*.] ◆ **Menopausa artificial.** *Gin.* A que é produzida por meios artificiais, como, p. ex., intervenção cirúrgica ou irradiação.

menopáusico [De *menopausa* + *-ico*².] *Adj. Fisiol. Gin.* De, ou relativo a menopausa.

menoplania [De *men(o)-* + gr. *pláne*, 'desvio', 'afastamento', + *-ia*¹.] *S. f.* Metástase, ou aberração de menstruação; menstruação vicariante.

menor [Do lat. *minore*.] *Adj. 2 g.* 1. Comp. irreg. de *pequeno*; mais pequeno: *um vaso pequeno, outro menor.* [É corretíssimo, e de uso muito largo, o comp. *mais pequeno* (v. *pequeno*).] 2. Diz-se da pessoa que ainda não atingiu a maioridade. 3. De segundo grau; de segundo plano: "Fiz-me arquiteto? Não pude! / Sou poeta menor, perdoai!" (Manuel Bandeira, *Estrela da Vida Inteira*, p. 173.) 4. Ínfimo, mínimo: *Não lhe deu a menor atenção.* 5. Hierarquicamente inferior; subordinado, subalterno. ~ V. *artes —es, Cão —, círculos —es, determinante —, frade —, Leão —, leito —, modo —, premissa —, redondilha —, semieixo —, termo —, trajes —es* e *Ursa —*. • *S. 2 g.* 6. Indivíduo menor (2). [Antôn.: *maior*.] • *S. f.* 7. V. *guimba*. ~ V. *menores*. ◆ **A menor.** A menos (q. v.). **De menor.** *Bras. Pop.* V. *menor* (2).

menorá [Do hebr. *menorah*.] *S. m. Lit.* 1. Candelabro sagrado, com sete braços, um dos símbolos do antigo templo judeu de Jerusalém. 2. Candelabro com variável número de braços, usado principalmente nos serviços religiosos do judaísmo.

menores [Pl. de *menor*.] *S. m. pl.* Detalhes, pormenores, minúcias, minudências: *Descreveu a ocorrência com todos os menores.* ~ V. *menor*. ◆ **Em menores.** Em trajes menores: "pôs-se em menores, quero dizer, despiu os calções e o colete, e ficou em ceroulas e chinelas" (Manuel Antônio de Almeida, *Memórias de um Sargento de Milícias*, p. 210). **Por menores.** Detalhadamente, minuciosamente; por miúdo.

menoridade [De *menor* + *-(i)dade*.] *S. f.* 1. A idade do indivíduo que não atingiu a maioridade (no Brasil, até os 18 anos). 2. Estado ou condição de quem está na menoridade (1). [F. paral.: *minoridade*. Cf. *maioridade*.] ◆ **Menoridade absoluta.** A idade em que há incapacidade absoluta, por parte do indivíduo, de exercer pessoalmente qualquer ato da vida civil (no Brasil, até os 16 anos). **Menoridade relativa.** A idade em que há incapacidade relativa de exercer certos atos, ou restrição quanto à maneira de exercê-los (no Brasil, de 16 a 18 anos).

menorista *S. m.* Clérigo de ordens menores. [Cf. *menorita*.]

menorita [Do lat. ecles. *minorita*.] *S. m.* Religioso franciscano. [Cf. *menorista*.]

menorítico [De *menorita* + *-ico*².] *Adj.* Pertencente ou relativo aos menoritas.

menorragia [De *men(o)-* + *-ragia*.] *S. f. Gin.* Perda uterina excessiva de sangue, ocorrendo em intervalos regulares e sendo o período de perda mais duradouro que o habitual na menstruação.

menorrágico [De *menorragia* + *-ico*².] *Adj.* Respeitante a menorragia.

menorreia (éi) [De *men(o)-* + *-reia*.] *S. f. Fisiol. Gin.* V. *menstruação* (1). ❖

menorreico (éi) [De *menor(reia)* + *-reico*.] *Adj. Fisiol. Gin.* Relativo a menorreia. ❖

menos [Do lat. *minus*.] *Pron. indef.* 1. Comp. de *pouco*; inferior em número ou quantidade: *Há menos pessoas aqui do que lá; Tenho menos dinheiro que você.* 2. Inferior em condição ou posição: *Não sou menos humano que ele, nem menos compreensivo.* 3. Mínimo, menor: *Seu menos rendimento é de 100 reais por dia.* • *Adv.* 4. Em número ou quantidade menor: *A roseira floriu menos que antes.* 5. Com menos intensidade: *Trabalha menos; Chove menos.* • *S. m.* 6. Aquilo que tem a menor importância; o que é mínimo: *O menos que lhe pode acontecer é abrir falência.* 7. *Bras.* O menor preço: *Qual é o menos que o senhor pode fazer nestas laranjas?* • *Prep.* 8. À exceção de; exceto, afora, salvo: *Todos saíram, menos o médico; Esqueço tudo, menos as injúrias.* ◆ **A menos.** Em quantidade ou teor menor (que o que se esperava encontrar); de menos: *Achei três vestidos a menos.* **A menos que.** A não ser que; salvo se: *Não ficará bom, a menos que siga a orientação do médico.* **Ao menos.** No mínimo; quando mais não seja; ainda que seja somente; pelo menos; quando menos: *Dê-lhe ao menos alguns centavos.* **De menos.** A menos: "Ou a Fé toda completa, cabal, absoluta, sem um átomo de menos, sem um átomo de mais... ou nenhuma Fé." (Antônio Feliciano de Castilho, *O Presbitério da Montanha*, p. 116.) **Pelo menos.** V. *ao menos*. **Quando menos.** V. *ao menos*.

menoscabador (ô) [De *menoscabar* + *-dor*.] *Adj. S. m.* Que, ou aquele que menoscaba.

menoscabar [Do lat. **minuscapare*.] *V. t. d.* 1. Reduzir a menos; deixar incompleto; tornar imperfeito. 2. Fazer pouco de; ter em pouca consideração; depreciar, desprezar.

menoscabo [Dev. de *menoscabar*.] *S. m.* Ato ou efeito de menoscabar; menosprezo (q. v.).

menospreçamento [De *menospreçar* + *-mento*.] *S. m. P. us.* V. *menosprezo*.

menospreçar [Do esp. *menospreciar*.] *V. t. d.* V. *menosprezar*. [Pres. ind.: *menospreço*, etc. Cf. *menospreço* (ê).]

menospreço (ê) [Do esp. *menosprecio*.] *S. m.* V. *menosprezo*: "pois me pesa, deveras, o menospreço com que por aí costumam falar do meu cantinho natal." (Visconde de Taunay, *Ao Entardecer*, p. 81). [Pl.: *menospreços* (ê). Cf. *menospreço*, do v. *menospreçar*.]

menosprezador (ô) [De *menosprezar* + *-dor*.] *Adj. S. m.* Que, ou aquele que menospreza; desprezador, desdenhador.

menosprezar [Do esp. *menospreciar*.] *V. t. d.* Ter em menos conta ou em pouco apreço; não fazer caso de; depreciar; desprezar; desdenhar, menospreçar: "Se alguém menosprezar teu manto pobre, / Ri-te do fátuo, que se julga nobre!" (Tomás Ribeiro, *D. Jaime*, p. 4.) [Pres. ind.: *menosprezo*, etc. Cf. *menosprezo* (ê).]

menosprezível [De *menosprezar* + *-ível*, irregularmente.] *Adj. 2 g.* Digno de menosprezo ou desprezo; desprezível, desdenhável.

menosprezo (ê) [Do esp. *menosprecio*.] *S. m.* Ato ou efeito de menosprezar: "Seu menosprezo [de Virginia Woolf] deliberado e consciente pelos fatos exteriores é deveras curioso. Assim, em *To the Lighthouse* só por acaso é que se sabe da morte da Mrs. Ramsay" (Eugênio Gomes, *Espelho contra Espelho*, p. 250). [Sin.: *desprezo, menospreço, menoscabo* e, p. us., *menospreçamento*. Pl.: *menosprezos* (ê). Cf. *menosprezo*, do v. *menosprezar*.]

menostasia [De *men(o)-* + *-(e)stas(i)-* + *-ia*¹.] *S. f. Gin.* 1. Supressão da menstruação. 2. Menopausa (q. v.).

mensageiro [Do fr. *messager*, pelo port. *mesegeiro*, ant. *messageiro*.] *Adj.* 1. Que leva e traz mensagem. 2. Que anuncia ou pressagia; anunciador, pressagiador: *aves mensageiras de bom tempo.* ~ V. *ácido ribonucleico —*. • *S. m.* 3. Aquele que leva e traz mensagens; emissário, núncio, internúncio. 4. Aquele ou aquilo que anuncia ou pressagia; anunciador, pressagiador: *mensageiro de boas novas.* 5. Indivíduo que entrega mensagens, encomendas, etc.; rápido, próprio. 6. *Teatr.* Personagem do teatro grego incumbida de narrar acontecimentos anteriores à ação, ou ocorridos fora do palco, evitando a visão direta de cenas violentas. ◆ **Mensageiro químico.** *Ecol. Quím.* Substância química produzida por organismo e liberada para o meio ambiente e que, em contato com outro organismo, é capaz de provocar efeitos específicos; substância semioquímica.

mensagem [Do fr. *message*, pelo port. ant. *messagem*.] *S. f.* 1. Comunicação, notícia ou recado verbal ou escrito. 2. Ato escrito e solene com que o chefe de Estado se dirige ao Legislativo para expor atividades do seu governo, propor orçamentos, encaminhar projetos de lei ou apresentar razões de veto. 3. Felicitação ou discurso escrito, dirigido a uma autoridade. 4. Comunicação oficial entre altos paredros do Estado. 5. A essência da obra de um filósofo, poeta, romancista, dramaturgo, etc., e que é a contribuição original por ele trazida à cultura humana. 6. *Teor. Inf.* Estrutura organizada de sinais que serve de suporte à comunicação; o enunciado considerado apenas ao nível do plano de expressão, com exclusão dos conteúdos investidos. ◆ **Mensagem eletrônica.** 1. Aquela escrita e enviada por rede de computadores, esp. por meio de serviço de correio eletrônico (q. v.). 2. Aquela pré-gravada ou gerada sinteticamente por equipamento eletrônico, e que atende automaticamente a solicitações de informação por meio de telefone, etc.: *Ao telefonar para a agência, ouviu uma mensagem eletrônica.* **Levar a mensagem a Garcia.** 1. Desempenhar-se de missão difícil, enfrentando todos os obstáculos e perigos. 2. Dizer o que pensa, custe o que custar: "o importante, para o verdadeiro escritor, é levar a sua mensagem a Garcia. Dizer o que pensa. Emitir o seu juízo na hora própria." (Josué Montelo, em *Jornal do Brasil*, 29.07.1980).

mensal [Do lat. tard. *mensuale*.] *Adj. 2 g.* 1. Relativo a mês: *lucro mensal.* 2. Que dura um mês: *contrato mensal.* 3. Que se efetua de mês em mês: *exposição mensal.* 4. Que se paga ou se recebe por mês: *prestação mensal.* [Sin. ger. (bras. RS): *mensual*.] ~ V. *nutação —*.

mensalão [De *mensal* + *-ão*¹.] *S. m.* Esquema de propina, ou propina paga mensalmente a políticos que votem a favor dos governistas, ou que os favoreçam.

mensaleiro [De *mensal(ão)* + *-eiro*.] *Adj. S. m.* Diz-se de, ou político que recebe ou participa do mensalão.

mensalidade [De *mensal* + *-(i)dade*.] *S. f.* 1. Quantia em dinheiro referente a um mês; mesada. 2. Quantia paga mensalmente a uma instituição. [Cf. *anuidade* (3).]

mensalista [De *mensal* + *-ista*.] *Adj. 2 g. S. 2 g. Dir. Trab.* Diz-se de, ou empregado, funcionário, etc., que recebe o seu salário mensalmente.

mensalizar [De *mensal* + *-izar*.] *V. t. d. P.* Completar um mês: *O lucro ou perda na poupança depende do dia em que a caderneta se mensaliza.*

mensário[1] [Do lat. *mensis*, 'mês', + *-ário*.] ***S. m.*** Publicação periódica mensal.

mensário[2] [Do lat. *mensa*, 'mesa', + *-ário*.] ***Adj.*** Relativo a mesa, ou àquilo que se come à mesa.

→ **mens legis** [mens 'leges] [Lat.] *Jur.* O espírito da lei; o fim social a que ela visa.

menso ***Adj.*** *Bras. PE* Torto; manco.

menstruação [De *menstruar* + *-ção*.] ***S. f.*** *Fisiol. Gin.* **1.** Perda fisiológica de sangue de origem uterina, de caráter cíclico, e que, habitualmente, retorna a cada período de cerca de quatro semanas, desde que não tenha ocorrido gravidez durante a fase em que a mulher e as fêmeas em algumas outras espécies de mamíferos se encontram em período de reprodução. [Sin.: *catamênio, menorreia, menarquia, mênstruo, regras* e (pop.) *boi, chico*[1]*, conjunção, costume*[1]*, embaraço, escorrência, incômodo, lua, mês, paquete, período, pingadeira, purgação do mês, sangue, veículo, visita, volta da lua*.] **2.** Período menstrual (q. v.).

menstruado [Do lat. tard. *menstruatu*.] ***Adj.*** Que está com o mênstruo, ou que o tem regularmente (diz-se de mulher). [Sin.: *incomodado*.]

menstrual [Do lat. *menstruale*.] ***Adj. 2 g.*** Relativo ao mênstruo. ~ V. *ciclo —* e *período —*.

menstruar [De *mênstruo* + *-ar*[2].] ***V. int.*** **1.** Ter o fluxo menstrual. **2.** *Fam.* Ter o primeiro mênstruo. [Pres. ind.: *menstruo*, etc. Cf. *mênstruo*.]

mênstruo [Do lat. *menstruu*.] ***S. m.*** **1.** V. *menstruação* (1). **2.** Líquido dissolvente usado para se extraírem de um sólido os princípios ativos contidos nesse. [Cf. *menstruo*, do v. *menstruar*.]

mensual [Do esp. plat. *mensual*.] *Bras. RS* ***Adj. 2 g.*** **1.** Mensal. ● ***S. m.*** **2.** O assalariado, o empregado.

mensura [Do lat. *mensura*, 'medida', 'instrumento para medir'.] ***S. f.*** *Ant.* **1.** Medida. **2.** *Desus.* Compasso musical.

mensurabilidade [De *mensurável* + *-(i)dade*, seg. o padrão erudito.] ***S. f.*** Qualidade de mensurável.

mensuração [Do lat. tardio *mensuratione*.] ***S. f.*** Ato de medir ou mensurar; medição.

mensurador (ô) [De *mensurar* + *-dor*.] ***Adj. S. m.*** Que, ou aquele que mensura; medidor.

mensural [Do lat. tard. *mensurale* < lat. *mensura*, 'medida', + lat. *ale*.] ***Adj. 2 g.*** Que serve para medir.

mensurar [Do lat. tardio *mensurare*.] ***V. t. d.*** **1.** Determinar a medida de; medir: 📖 "Falamos de valor. Quem define o valor? Quem o mensura?" (Rosário Fusco, *Introdução à Experiência Estética*, p. 51.) **2.** Ter por medida. [Pret. imperf. ind.: *mensurava*, ... *mensuráveis, mensuravam*. Cf. *mensuráveis*, pl. de *mensurável*.]

mensurável [Do lat. tard. *mensurabile*.] ***Adj. 2 g.*** Que se pode medir; comensurável, dimensível. [Antôn.: *imensurável, incomensurável*.]

menta [Do gr. *mínthe*, pelo lat. *mentha*; tax. *Mentha*.] ***S. f.*** *Bot.* **1.** Gênero de plantas lamiáceas, herbáceas, dotadas de pequenas flores alvas ou róseas, de corola quase regular e quatro estames iguais, e que fornecem óleos aromáticos voláteis. **2.** Qualquer espécie desse gênero, como, p. ex., a *Mentha sativa*, que é a hortelã comum, cultivada em hortas para tempero ou condimento, e que tem, ainda, uso medicinal, e a *M. piperita* (v. *hortelã-pimenta*). **3.** Qualquer espécime desse gênero.

▲ **-menta** [Do lat. *-menta*.] ***Suf. nom.*** = 'instrumento', 'objeto'; 'coleção': *ferramenta* (< lat.), *vestimenta* (< lat.).

mentado [Part. de *mentar*.] ***Adj.*** Lembrado, memorado.

mentagra [Do lat. *mentagra*.] ***S. f.*** *Med. Impr.* Dermatose do mento.

mental[1] [Do lat. tard. *mentale*.] ***Adj. 2 g.*** **1.** Relativo à mente; intelectual: 💬 *faculdades mentais*. **2.** Que se passa na mente ou pensamento; espiritual: 💬 *concepções mentais*. ~ V. *agrafia —, alienação —, débil —, debilidade —, faculdade —, higiene —, restrição —* e *retardo —*.

mental[2] [De *ment(o)-*[1] + *-al*[1].] ***Adj. 2 g.*** *Anat.* Relativo ou pertencente ao mento.

mentalidade [De *mental*[1] + *-(i)dade*.] ***S. f.*** **1.** Qualidade de mental[1]. **2.** A capacidade intelectiva; a mente, o pensamento: 💬 *a mentalidade infantil; a alta mentalidade de Shakespeare.* **3.** O conjunto dos hábitos intelectuais e psíquicos de um indivíduo, ou de um grupo; estado mental ou psicológico: 💬 *a mentalidade nórdica*.

mentalização [De *mentalizar* + *-ção*.] ***S. f.*** Ação de mentalizar.

mentalizar [De *mental* + *-izar*.] ***V. t. d.*** **1.** Operar mentalmente. **2.** Figurar, conceber, fantasiar, imaginar.

mentano [De *ment(o)-*[2] + *-ano*[2].] ***S. m.*** *Quím.* Hidrocarboneto cíclico saturado, derivado sinteticamente do limoneno [fórm.: $C_{10}H_{20}$].

mentar [De *mente* + *-ar*[2].] ***V. t. d.*** **1.** *Ant.* Ementar, recordar: 📖 "Mais não disse. A mentar a frase triste e escassa, / A mangueira se recolheu" (Alberto de Oliveira, *Poesias*, 2ª série, p. 372). **2.** *Bras. Gír.* Conceber, inventar; bolar.

mentário [De *mente* + *-ário*.] ***S. m.*** *Bras. Pop.* Inventário.

mentastre ***S. m.*** *Bot.* V. *mentastro*.

mentastro [Do lat. *mentastru*.] ***S. m.*** **1.** *Bot.* Pequena erva lamiácea (*Peltodon radicans*) bastante dispersa no L., de folhas aromáticas, caule quadrangular, e pequeninas flores ordenadas em glomérulos esféricos situados na ponta de longo pedúnculo. [Sin.: *boicaá, hortelã-brava, hortelã-do-mato, jundiá, meladinha, meladinha-falsa, paracari, paracuri, são-pedro-caá*.] **2.** V. *catinga-de-bode*. [Var.: *mentastre, mentrasto* e *mentraste*.]

mente [Do lat. *mente*.] ***S. f.*** **1.** Intelecto, pensamento, entendimento; alma, espírito. **2.** Concepção, imaginação: 💬 *a mente fértil do artista.* **3.** Intenção, intuito, desígnio, disposição, tenção: 💬 *Era sua mente não sair dali.* ◆ **De boa mente.** De boa vontade; de bom grado: 📖 "Viveria de boa mente os últimos tempos no interior de uma casa única, ... vedada ao mundo" (Machado de Assis, *Quincas Borba*, p. 312); "E eu dispenso também de boa mente / Uns olhos onde o raio anda iminente" (João de Deus, *Campo de Flores*, II, p. 292). **De má mente.** De má vontade; contra a vontade; a contragosto: 📖 "Consentiu de má mente que os portugueses arvorassem à testa da coluna o estandarte inaudito." (Aquilino Ribeiro, *Portugueses das Sete Partidas*, p. 144.)

▲ **-mente** [Do lat. *mente*, abl. do lat. *mens, mentis*, em compostos com a noção de 'maneira de ser'.] ***Suf. adv.*** = 'maneira', 'modo': *tranquilamente, religiosamente*.

mentecapto [Do lat. *mente captu*, 'privado da mente'.] ***Adj.*** **1.** Que perdeu o uso da razão; alienado, louco, idiota. **2.** Néscio, tolo, tonto. ● ***S. m.*** **3.** Indivíduo mentecapto: 📖 "Esta fusão do ceticismo do filósofo .... com a parva fraseologia do mentecapto e com as insensatas alegrias do truão e do ébrio, forma um dos traços mais salientes do estilo shakespeariano" (Araripe Júnior, *Ibsen*, p. 61).

mentes-tu ***S. m. 2 n.*** *Jog. Inf.* Jogo de salão em que cada participante representa uma flor, iniciando-se a brincadeira quando alguém afirma: "— Ontem fui passear e estive na casa da... rosa", p. ex., ao que esta retruca: "— Mentes-tu; eu não estava em casa, mas na casa do... cravo" —, fato logo contestado por quem o representa, pagando prenda os jogadores desatentos.

mentideiro [De *mentir* + *-deiro*.] ***Adj.*** **1.** *Ant.* Mentiroso. ● ***S. m.*** **2.** Lugar onde se inventam boatos: 📖 "É aí no adro, à hora da missa dos domingos, o mentideiro predileto da tagarelice pública." (Eduardo Frieiro, *O Mameluco Boaventura*, p. 72.)

mentido [Part. de *mentir*.] ***Adj.*** Falso, ilusório, vão, enganoso, mentiroso: 📖 "O desejo, abismo onde agonizam traiçoeiras ambições, mentidas esperanças, negras asas diabólicas!" (Teixeira de Pascoais, *Obras Completas*, 7º vol., p. 112); "A emoção que nesta hora nos invade / Não leva o cunho de mentidas dores." (Emílio de Meneses, *Últimas Rimas*, p. 94).

mentir [Do lat. *mentire*.] ***V. int.*** **1.** Afirmar coisa que sabe ser contrária à verdade; dizer mentira(s). [Sin., bras., SP a RS: *queimar campo*.] **2.** Errar no que diz ou conceitua: 💬 *Os provérbios, em geral, não mentem.* **3.** Dar uma indicação contrária à realidade; induzir em erro; ser causa de, ou dar margem a engano; iludir: 💬 *O espelho não mente.* **4.** Cessar de ser bom, legítimo, verdadeiro; degenerar: 💬 *Boa raça não mente.* **5.** Não se realizar; não se concluir; não vingar; falhar. ***T. i.*** **6.** Dizer mentira(s); iludir, enganar: 💬 *Mentiu à criança, que nunca mais acreditou em suas palavras.* **7.** Afirmar coisa que sabe ser contrária à verdade; dizer mentira(s): 📖 "Quem iria garantir que Justiniano lhe mentira?" (Fran Martins, *Dois de Ouros*, p. 190.) **8.** Não corresponder; faltar, falhar. ***T. d.*** **9.** Dizer ou escrever mentindo: 💬 *Viu tudo, e mentiu que não tinha visto nada;* 📖 "Dizem que finjo ou minto / Tudo que escrevo." (Fernando Pessoa, *Poesias de Fernando Pessoa*, p. 238). **10.** Não revelar; ocultar, esconder: 💬 *Gostava de mentir a idade.* [Irreg. Conjug.: v. *aderir*.]

mentira [De *mentida*, fem. de *mentido*, com dissimilação.] ***S. f.*** **1.** Ato de mentir; engano, impostura, fraude, falsidade. [Sin., na maioria pop. ou fam.: *patranha, peta, lampana, lenda, loas, maranhão, cascata, conto, conto da carochinha* e (bras.) *goma, lorota, lorotagem, conversa, pomada, potoca, poçoca, prego, broca, rodela, gamela, moca, mariquinha, maxambeta, mentira-carioca*. ~ V. *carapeta* (3).] **2.** Hábito de mentir. **3.** Engano dos sentidos ou do espírito; erro, ilusão: 💬 *as mentiras do mundo.* **4.** Ideia, opinião, doutrina ou juízo falso. **5.** Fábula, ficção. **6.** *Bras. Pop.* V. *leuconiquia*. **7.** *Bras. RJ* Biscoito redondinho e achatado, feito de massa de pão de ló; mentirinha. **8.** *Bras. MG* Pastel[1] (1) vazio, sem recheio. ◆ **Mentira de nove modas.** *Bras.* As que são contadas por alguém de uma só vez. **Mentira deslavada.** Mentira muito exagerada; grande peta. **De mentira.** *Pop.* V. *de mentirinha*: 💬 *comida de mentira*.

mentira-carioca ***S. f.*** **1.** *Bras. BA RJ* V. *mentira* (1). **2.** *Bras. RJ* Biscoito muito leve, de polvilho, em forma de dedo ou rosca. [Pl.: *mentiras-cariocas*.]

mentirada [De *mentira* + *-ada*[1].] ***S. f.*** Porção de mentiras; mentiraria, petalhada.

mentiralha [De *mentira* + *-alha*.] ***S. f.*** *Fam.* V. *carapeta* (3).

mentiraria [De *mentira* + *-aria*.] ***S. f.*** V. *mentirada*.

mentirinha [De *mentira* + *-inha*.] ***S. f.*** **1.** Mentira sem gravidade ou desimportante. **2.** *Bras. RJ* Mentira (7). ◆ **De mentirinha.** *Pop.* **1.** De fingimento ou fantasia; falso: 💬 *As crianças resolveram brincar de casinha e fizeram comida de mentirinha.* **2.** De modo a parecer verdadeiro, real: 💬 *Na frente dos amigos, brigaram de mentirinha, para manter o namoro em segredo.* [Sin. ger.: *de mentira*.]

mentirola [De *mentira* + *-ola*[1].] ***S. f.*** V. *carapeta* (3).

mentirolar [De *mentirola* + *-ar*[2].] ***V. int.*** Dizer mentirolas, carapetas; petar.

mentiroso (ô) [De *mentira* + *-oso*.] ***Adj.*** **1.** Que mente. [Sin., pop. e fam., e muitos deles bras.: *chico, faveiro, loroteiro, maranhoso, marombado, pabola, patranheiro, pomadista, potoqueiro, pregador*.] **2.** Oposto à verdade; falso. **3.** Que não é o que parece ser; enganoso: 📖 "Mas um martírio, que encobrir não pode, / Em rugas faz / A mentirosa placidez do rosto / Na fronde audaz!" (Gonçalves Dias, *Obras Poéticas*, II, p. 20.) ● ***S. m.*** **4.** Aquele que mente. [Sin. pop. ou fam., e muitos deles bras.: *baloeiro, bandoleiro, chico, patranheiro, pomadista, potoqueiro, potoquista, loroteiro, faveiro, gandavo, pabola, pregador*.] [Pl.: *mentirosos* (ó).] ◆ **O Mentiroso.** *Hist. Filos.* Paradoxo atribuído a Eubúlides de Mileto (séc. IV a. C.), cuja forma mais simples é: se alguém afirma "eu minto", e o que diz é verdade, a afirmação é falsa; e se o que diz é falso, a afirmação é verdadeira e, por isso, novamente falsa, etc.; O Cretense. [Pode-se concluir ou que uma asserção é ao mesmo tempo verdadeira e falsa, ou continuar indefinidamente por recorrência ora a concluir que é falsa ora que é verdadeira.]

mento [Do lat. *mentu*.] ***S. m.*** **1.** *Anat.* Porção inferior e média da face, saliente, e que se localiza abaixo do lábio inferior: 📖 "Uma mulher de olhar resplandecente / E mento breve de figura grega." (Augusto Gil, *Luar de Janeiro*, p. 87.) **2.** *P. ext.* Queixo. **3.** Saliência carnuda por baixo do beiço inferior dos animais.

▲ **ment(o)-**[1] [Do lat. *mĕntum, i*.] ***El. comp.*** = 'queixo', 'mento': *mental*[2], *mentoplastia*.

▲ **ment(o)-**[2] [Do tax. *Mentha* (v. *menta*).] ***El. comp.*** = 'mentol': *mentano, mentona*.

▲ **-mento** [Do lat. *-mĕntum, i*.] ***Suf. nom.*** = 'ação ou resultado da ação'; 'coleção': *ferimento; fardamento*. [Equiv.: *-imento*: *aparecimento, corrimento, crescimento*.]

mento-faríngeo [De *ment(o)-*[1] + *-faring(o)-* + *-eo*.] ***Adj.*** Pertencente ou relativo ao mento e à faringe. [Pl.: *mento-faríngeos*.]

mentol [De *ment(o)-*[2] + *-ol*[2].] ***S. m.*** *Quím.* Álcool monoterpênico, cíclico, saturado, quiral, cujo enantiômero levogiro é produto natural e ocorre, p. ex., na hortelã-pimenta [fórm.: $C_{10}H_{20}O$]. [Pl.: *mentóis*.]

mentolado [De *mentol* + *-ado*[1].] ***Adj.*** Que contém mentol.

mentona [De *ment(o)-*[2] + *-ona*[2].] ***S. f.*** *Quím.* Cetona monoterpênica natural, derivada do mentol [fórm.: $C_{10}H_{18}O$].

mentoniano [Do ingl. *mentonian* (do lat. *mento, onis*, 'que tem o queixo saliente', + *-ian*, v. *-iano*).] ***Adj.*** De, ou relativo a mento.

mentoplastia [De *ment(o)-*[1] + *-plast(o)-* + *-ia*[1].] ***S. f.*** *Cir. Plást.* Intervenção cirúrgica no mento, para reduzi-lo ou aumentá-lo, neste último caso mediante o uso de prótese.

mentor (ô) [Do ficción. *Mentor*, personagem da *Odisseia*, de Homero (séc. VIII a. C.), amigo e conselheiro de Ulisses, e preceptor de seu filho Telêmaco.] ***S. m.*** **1.** Pessoa que guia, ensina ou aconselha outra; guia, mestre, conselheiro. **2.** *Adm.* Tutor, responsável pelo desenvolvimento de um *trainee* ou outro funcionário de grande potencial mas pouca experiência, ao longo dos primeiros anos da carreira.

mentorear [De *mentor* + *-ear*[2].] ***V. t. d.*** *Bras.* Servir de mentor a. [Conjug.: v. *frear*.]

mentraste ***S. m.*** *Bot.* V. *mentastro*.

mentrasto ***S. m.*** *Bot.* V. *mentastro*.

mentruz ***S. m.*** *Bras. N.E.* V. *mastruço*.

mentuctire *Bras.* ***S. 2 g.*** **1.** *Etnôn.* Indivíduo dos mentuctires, divisão dos índios caiapós que habita nas proximidades da cachoeira von Martius, Xingu, na área reservada para o Parque Nacional do Xingu. ● ***Adj. 2 g.*** **2.** Pertencente ou relativo a esses indígenas. [Tb. us. como *s. 2 g.* e *2 n.* (com cap.) e *adj. 2 g.* e *2 n.*]

mentzélia [Do antr. (*Christian*) *Mentzel* (-1701), botânico alemão, + *-ia*²; tax. *Mentzelia*.] ***S. f. Bot.*** Bartônia (1 e 2).

→ **menu** [mə'ny/'mɛnjuw] [Fr./Ingl.] ***S. m.*** V. *cardápio*.

menu [Do fr.] ***S. m.* 1.** V. *cardápio*. **2.** *Inform.* Lista exibida na tela do computador e cujos itens representam comandos de um programa (9), dentre os quais o usuário pode escolher uma opção. [Cf., nesta acepç., *interface de menus* e *barra de menu(s)*.]

menurídeo [Adapt. do tax. *Menuridae*.] *Zool.* ***S. m.* 1.** Espécime dos menurídeos, família de aves passeriformes grandes, de plumagem castanha, cujo macho tem as penas da cauda em forma de lira¹ (1). Habitam a floresta, nidificam no chão e alimentam-se de pequenos invertebrados. Esta família é constituída somente de duas espécies, habitantes do L. australiano. • ***Adj.* 2.** Pertencente ou relativo a eles.

meo [Desta língua.] ***S. m.*** *Gloss.* Miao (q. v.).

meperidina [Voc. farmac.] ***S. f.*** *Quím.* Substância sintética, com efeitos semelhantes à morfina, us. sob a forma de sal do ácido clorídrico; petidina [fórm.: $C_{15}H_{21}NO_2$].

meprobamato [Voc. farmac.] ***S. m.*** *Quím.* Substância cristalina, carbamato acíclico, us. como medicamento ansiolítico [fórm.: $C_9H_{18}N_2O_4$].

mepuri *Bras.* ***S. 2 g.* 1.** *Etnôn.* Indivíduo dos mepuris, povo indígena extinto que habitava as margens rio Marié, afluente do rio Negro (AM). • ***Adj. 2 g.* 2.** Pertencente ou relativo a esse povo. [Tb. us. como *s. 2 g. e 2 n.* (com cap.) e *adj. 2 g. e 2 n.*]

mequém *Bras.* ***S. 2 g.* 1.** *Etnôn.* Indivíduo dos mequéns [ou (etnôn. bras.) *Mekém], povo indígena, da família linguística mondé, tronco tupi, que habita Rondônia. • ***Adj. 2 g.* 2.** Pertencente ou relativo a esse povo.

mequetrefe [De or. controversa.] ***S. m.*** *Pop.* **1.** Indivíduo que se mete onde não é chamado. **2.** V. *joão-ninguém*. **3.** Biltre, patife: "— Te tiro o couro, mequetrefe! — ouviu que o homem furioso gritava." (Macedo Miranda, *Pequeno Mundo Outrora*, p. 29.) • ***Adj. 2 g.* 4.** Diz-se de mequetrefe. [F. paral.: *melcatrefe*.]

mera ***S. f.*** Líquido medicamentoso, resultante da destilação do zimbro.

meralgia [De *mer(o)-*² + *-alg(o)-*² + *-ia*¹.] ***S. f.*** *Med.* Dor em coxa.

merálgico [De *meralgia* + *-ico*².] ***Adj.*** Relativo a meralgia.

merca [Dev. de *mercar*.] ***S. f.* 1.** Ato ou efeito de mercar; compra: "algumas lavradoras iam às lojas fazer mercas" (Brito Camacho, *Quadros Alentejanos*, p. 49). **2.** Aquilo que se compra; mercadoria.

mercadejamento [De *mercadejar* + *-mento*.] ***S. m.*** Ato ou efeito de mercadejar.

mercadejar [De *mercado* + *-ejar*.] ***V. int.* 1.** Ser mercador ou negociante; comerciar, traficar. ***T. i.* 2.** Auferir proveito ou lucro ilícito; traficar: *mercadejar com indulgências*. ***T. d. T. d. e i.* 3.** Negociar, vender: *mercadejar um produto*; "Outros mercadejavam peixes e frutas com tapuios" (José Veríssimo, *Cenas da Vida Amazônica*, p. 40). [Sin. ger: *mercanciar*. Conjug.: v. *pelejar*.]

mercadejo (ê) [Dev. de *mercadejar*.] ***S. m.*** Ação ou efeito de mercadejar; negócio, comércio, tráfico, mercancia.

mercadinho [De *mercado* + *-inho*¹.] ***S. m.* 1.** *Bras. RJ* Mercado (1) de bairro. **2.** *Bras. RS* V. *quitanda* (6).

mercadização [De *mercadizar* + *-ção*.] ***S. f.*** *Mercad.* Execução dos negócios que encaminham dos produtores aos consumidores o fluxo de mercadorias e serviços.

mercadizar [De *mercado* + *-izar*.] ***V. int.*** *Mercad.* Exercer qualquer atividade ligada à mercadização.

mercado [Do lat. *mercatu*.] ***S. m.* 1.** Lugar onde se comerciam gêneros alimentícios e outras mercadorias. **2.** Povoação, cidade ou país onde há grande movimento comercial; empório: *A Península Itálica, durante a Idade Média, transformou-se num grande mercado.* **3.** *Econ.* Conjunto de atividades de compra e venda de determinado bem ou serviço, em certa região; comércio: *mercado de ações; mercado de trabalho; o mercado imobiliário carioca.* **4.** *Econ.* O conjunto de compradores e vendedores e sua interação: *Em concorrência perfeita, os preços são determinados pelo mercado; Quando o mercado se torna vendedor, os preços tendem a cair.* **5.** *Econ.* Demanda por determinado bem, ou serviço: *Não há mercado para ovos de chocolate fora da Páscoa; É grande o mercado para profissionais da área de informática.* ◆ **Mercado aberto.** *Econ.* Mercado de compra e venda de títulos, esp. da dívida pública, fora das bolsas de valores, por transação direta entre instituições financeiras. [Sin., ingl., *open market*; *open*.] [V. *operação de mercado aberto*.] **Mercado a termo.** *Econ.* Mercado de transações para liquidação futura, a um preço predeterminado (em bolsa de valores e de mercadorias). **Mercado comum.** *Econ.* Associação de países que visa a estimular o comércio recíproco, pela eliminação de tarifas alfandegárias entre eles, e pelo estabelecimento de política comercial comum quanto aos demais países. **Mercado de balcão.** *Econ.* Compra e venda de ações de empresas não registradas em bolsas de valores. **Mercado de capitais.** *Econ.* **1.** Mercado de aplicação de recursos financeiros por investidores privados ou institucionais, esp. a longo prazo, em ações, títulos de crédito, etc. **2.** *Restr.* Mercado de aplicação de recursos financeiros em ações ou outros valores mobiliários: "Os mercados financeiro e de capitais serão disciplinados pelo Conselho Monetário Nacional" (*Lei nº 4.728, Lei do Mercado de Capitais*, art. 1º). [Cf. *mercado financeiro* (2).] **Mercado de futuros.** *Econ.* Compra e venda de mercadorias, títulos, etc., para entrega futura; mercado futuro. **Mercado de trabalho.** *Econ.* **1.** A relação entre a oferta de trabalho e a procura de trabalhadores, em época e lugar determinados. **2.** O conjunto de pessoas e/ou empresas que, em época e lugar determinados, provocam o surgimento e as condições dessa relação. **Mercado financeiro.** *Econ.* **1.** Mercado de aplicação de recursos financeiros (em ações, títulos de crédito públicos ou privados, moeda estrangeira, mercadorias, etc.). **2.** *Restr.* Mercado de aplicação de recursos financeiros em títulos de crédito. [Cf. *mercado de capitais*.] **Mercado futuro.** *Econ.* Mercado de futuros. **Mercado livre.** *Econ.* **1.** Compra e venda de mercadorias, títulos, moedas, etc. sem regulamentação ou tabelamento de preços. **2.** *P. ext.* Local onde se realiza essa negociação. **Mercado negro.** *Econ.* Comércio ilegal ou clandestino, mantido sobretudo em períodos de racionamento. **Mercado paralelo.** *Econ.* V. *câmbio paralelo*. **Mercado primário.** *Econ.* Compra e venda de ações ou títulos novos (vendidos pela empresa ou instituição que os emitiu). [Cf. *mercado secundário*.] **Mercado secundário.** *Econ.* Compra e venda, por investidores, de ações ou títulos emitidos anteriormente (como nas transações típicas em bolsas de valores). [Cf. *mercado primário*.]

mercadologia [De *mercado* (4 e 5) + *-logia*.] ***S. f.*** *Marketing*.

mercadológico [De *mercadologia* + *-ico*².] ***Adj.*** Concernente à mercadologia.

mercador (ô) [Do lat. *mercatore*.] ***S. m.* 1.** Aquele que merca para vender a retalho; mercante. **2.** *Restr.* Negociante de panos. **3.** *Bras. Zool.* V. *canhanha* (2). **4.** *Bras. Zool.* V. *salema* (1).

mercadoria [De *mercador* + *-ia*¹.] ***S. f.* 1.** Aquilo que é objeto de comércio; bem econômico destinado à venda; mercancia. **2.** Bem comerciável, tangível (em distinção a serviço); mercancia. **3.** *Bras. BA* Designação comum ao carbonado e ao diamante. **4.** *Bras. BA* Partida de tais pedras.

merca-honra [De *mercar* + *honra*.] ***S. 2 g.*** Pessoa que trafica com a honra alheia. [F. paral.: *merca-honras*. Pl.: *merca-honras*.]

merca-honras [De *mercar* + o pl. de *honra*.] ***S. 2 g. e 2 n.*** Merca-honra (q. v.).

mercancia (í) [Do it. *mercanzia*.] ***S. f.* 1.** Mercadoria (1 e 2): "Os obscuros sicofantas, que fazem da palavra a sua ignominiosa mercancia, e os eloquentes cidadãos que levantam na tribuna a derradeira cidadela à majestade e honra ateniense, medidos por igual perante a parcialidade torva das facções." (Latino Coelho, *A Oração da Coroa*, p. CDXV.) **2.** Ato de mercanciar ou mercadejar; tráfico, comércio, mercadejo: "Sabem que ele se iniciara no contrabando dos charutos, e gostara mais os prazeres do perigo, que o lucro da mercancia." (Camilo Castelo Branco, *Doze Casamentos Felizes*, p. 207.) [Cf. *mercancia*, do v. *mercanciar*.]

mercanciar [De *mercancia* + *-ar*².] ***V. int. T. i. T. d. T. d. e i.*** V. *mercadejar*. [Pres. ind.: *mercancio, mercancias, mercancia*, etc. Cf. *mercancia*, s. f.]

mercante [Do it. *mercante*.] ***Adj. 2 g.* 1.** Relativo ao comércio, ou ao movimento comercial. ~ V. *bandeira —, marinha —, navegação —* e *navio —*. • ***S. 2 g.* 2.** Mercador (1).

mercantil [Do it. *mercantile*.] ***Adj. 2 g.* 1.** Relativo a mercadores ou a mercadorias. **2.** Relativo ao comércio; comercial. **3.** *Fig.* Interesseiro, cobiçoso, ambicioso. ~ V. *arrendamento —, escrituração —* e *fomento —*. [Sin. ger.: *mercatório*.]

mercantilagem [De *mercantil* + *-agem*².] ***S. f.*** V. *mercantilismo*.

mercantilice [De *mercantil* + *-ice*.] ***S. f.*** *Deprec.* Ação mercantil, interesseira, desprezível.

mercantilidade [De *mercantil* + *-(i)dade*.] ***S. f.*** Qualidade de mercantil.

mercantilismo [De *mercantil* + *ismo*.] ***S. m.* 1.** Tendência para subordinar tudo ao comércio, ao interesse, ao lucro, ao ganho. **2.** Predominância do interesse ou do espírito mercantil. **3.** *Econ.* Doutrina econômica, em voga no século XVII, que enfatizava a importância do comércio exterior para a economia de um país, e que defendia a ação do Estado em favor da expansão das exportações e de seu monopólio por companhias de comércio, e da restrição às importações. [Sin. ger.: *mercantilagem*.]

mercantilista [De *mercantilismo* + *-ista*.] ***Adj. 2 g.* 1.** Relativo ao, ou próprio do mercantilismo. **2.** Que é inclinado ao mercantilismo. • ***S. 2 g.* 3.** Pessoa inclinada a ele.

mercantilizar [De *mercantil* + *-izar*.] ***V. t. d.* 1.** Dar espírito ou pendor mercantil a. **2.** Tornar objeto de comércio. ***Int. T. d. e i.* 3.** Realizar transações mercantis; comerciar, negociar: *Mercantilizava vários produtos com as pessoas da vila.*

mercaptal [De *mercapt(an)* + *al(deído)*.] ***S. m.*** *Quím.* Classe de compostos obtidos pela condensação de um aldeído, ou de uma cetona, com um mercaptan. [Cf. *tioacetal* e *tiocetal*.]

mercaptan (cáp) [Do lat. med. *mer(curium) captan(s)*, literalmente 'captador de mercúrio'.] ***S. m.*** *Quím.* Tiol (1) (q. v.).

mercaptopurina [De *mercapt(an)* + *-o-* + *purina*.] ***S. f.*** *Quím.* Tiol derivado da purina, us. como antineoplásico e imunossupressor [fórm.: $C_5H_4N_4S$].

mercar [Do lat. **mercare*.] ***V. t. d.* 1.** Comprar para vender: "Imputou-se à Marquesa ser forreta, mercando legumes e ratinhando-os, vendendo toucinho à sua escravatura" (Alberto Rangel, *Dom Pedro Primeiro e a Marquesa de Santos*, p. 300). **2.** Adquirir comprando. **3.** Alcançar, conseguir, com trabalho e sacrifício. **4.** *Bras. BA* Apregoar para vender. ***Int.* 5.** Mercar (4). [Conjug.: v. *trancar*.]

mercatório [Do lat. *mercatoriu*.] ***Adj.*** V. *mercantil*.

merca-tudo [De *mercar* + *tudo*.] ***S. m. 2 n.* 1.** Aquele que de tudo faz negócio. **2.** V. *adeleiro*.

mercável [Do lat. *mercabile*.] ***Adj. 2 g.*** Que se pode mercar; comerciável, vendível.

merce [Do lat. *merce*.] ***S. f.*** *P. us.* Gênero que serve para comerciar; mercadoria: "De índicas merces, de ouro carregada / Aproa à terra, com celeuma alegre, / A nau pujante" (Alexandre Herculano, *Poesias*, p. 116).

mercê [Do lat. *mercede*.] ***S. f.* 1.** Preço ou recompensa de trabalho; remuneração paga. **2.** Favor, graça, benefício: *Espero V. Ex.ª me conceda esta mercê.* **3.** Bom acolhimento; benignidade, indulgência, benevolência: *Esperava da moça a mercê dum olhar.* **4.** Remissão de culpa; perdão, indulto, graça. **5.** Nomeação para emprego público; provimento em cargo oficial. **6.** Concessão de títulos honoríficos. **7.** Capricho, arbítrio: *O barco está à mercê dos ventos.* ◆ **Mercê de.** Graças a; em virtude de: "Mercê do impulso ou lá do que fosse, continuou a correr." (Aquilino Ribeiro, *Caminhos Errados*, p. 206.) **À mercê de. 1.** Ao sabor de; ao capricho de: "O pequeno barco vogava agora à mercê da corrente" (Trindade Coelho, *Os Meus Amores*, p. 194). **2.** Sob a dependência de: *Está à mercê do irmão*; "Não podemos ficar de braços cruzados, à mercê da Providência." (Inglês de Sousa, *Contos Amazônicos*, p. 191). **Vossa Mercê.** Antigo tratamento dado a pessoa de cerimônia, contraído em *vossemecê, vosmecê, você*, etc.: "Aqui faço conclusão / beijando com muita fé / as mãos de vossa mercê / e do senhor vosso irmão." (Joam Roiz de Castel Branco, *ap.* Garcia de Resende, *Cancioneiro Geral*, tomo III, p. 129.) [V. *você*.]

mercearia [Do it. *merceria*, com infl. do suf. vernáculo *-aria* (q. v.).] ***S. f.* 1.** Loja onde se vendem a retalho gêneros alimentícios; loja de secos e molhados; armazém, venda. **2.** Gêneros alimentícios, víveres, mercearias. **3.** *Ant.* Comércio de pouco valor. **4.** *Ant.* Loja onde se faz esse comércio. ~ V. *mercearias*.

mercearias [Pl. de *mercearia* (q. v.).] ***S. f. pl.*** V. *mercearia* (2).

mercedário [Do lat. *mercede*, 'mercê', + *-ário*.] ***S. m.*** Religioso da Ordem das Mercês, fundada por S. Pedro Nolasco (1180-1256), religioso francês, para a redenção dos escravos cristãos das mãos dos mouros, na Espanha.

merceeiro [De *merce-*, como em *mercearia*, + *-eiro*.] ***S. m.*** Dono de mercearia (1).

mercenário [Do lat. *mercenariu*.] ***Adj.* 1.** Que trabalha por soldada ou estipêndio. **2.** Que trabalha sem outro interesse que não a paga; interesseiro, venal. **3.** *P. ext.* Que age por interesse financeiro. • ***S. m.* 4.** Aquele que serve ou trabalha por estipêndio ou interesse. **5.** Indivíduo mercenário (3).

mercenarismo [De *mercenário* + *-ismo*.] ***S. m.*** Qualidade, espírito, ou atitude de mercenário (4 e 5).

merceologia [Do lat. *merce*, 'mercadoria', + *-o-* + *-logia*.] ***S. f.*** Parte da ciência do comércio que trata em especial da compra e venda, e estuda a classificação e a especificação das mercadorias.

merceológico [De *merceologia* + *-ico*².] ***Adj.*** Relativo à merceologia.

mercerização [De *mercerizar* + *-ção*.] *S. f. Tec. Têx.* Tratamento de fibras de algodão pela lixívia de sódio ou de potássio, a frio, com o intuito de conseguir aspecto sedoso e brilhante.

mercerizado [Part. de *mercerizar*.] *Adj.* Que foi submetido à mercerização. ~ V. *algodão*[1] —.

mercerizar [Do antr. (*John*) *Mercer* (-1866), estampador inglês, + *-izar*.] *V. t. d.* Submeter à mercerização.

mercesano *Adj.* **1.** De, ou pertencente ou relativo a Mercês (MG). ● *S. m.* **2.** O natural ou habitante de Mercês.

➔ **merchandising** ['mɘ·tʃindajzıŋ][Ingl.] *S. m.* **1.** *Prop.* Designação corrente da propaganda não declarada feita através da menção ou aparição de um produto, serviço ou marca durante um programa de televisão ou de rádio, filme, espetáculo teatral, etc. **2.** *Market.* Conjunto de atividades direcionadas para colocação, em condições ideais, no mercado, de determinado produto ou serviço com relação a lugar, momento, quantidade e preço. **3.** *Market.* Esforço promocional, feito nos pontos de venda, em que se utilizam *displays*, cartazes, amostras grátis, etc.

mércia [De *merce*.] *S. f. Pop.* **1.** Negócio, comércio, ou trato oculto. **2.** Namoro clandestino.

mércio [Do ingl. *Mercian*.] *Adj.* **1.** Relativo ao antigo reino anglo-saxão da Mércia (C. e S. da Inglaterra), ou aos seus habitantes. ● *S. m.* **2.** *Gloss.* O conjunto de dialetos do inglês antigo falado pelos mércios. **3.** Vocábulo do mércio (2).

■ **Mercosul** Sigla de *Mercado Comum do Sul*.

mercurial[1] [Do lat. *mercuriale*.] *Adj. 2 g.* **1.** Que contém mercúrio; mercúrico. ● *S. m.* **2.** *Farmac. Terap.* Medicamento em que entra o mercúrio. ● *S. f.* **3.** *Fam.* V. *repreensão* (1).

mercurial[2] [Do tax. *Mercurialis* (< lat. *(herba) mercurialis*).] *S. m. Bot.* **1.** Pequeno gênero de plantas euforbiáceas, herbáceas, dotadas de folhas opostas, peninérveas, e flores apétalas, dispostas em espigas axilares. **2.** Qualquer espécie desse gênero, como, p. ex., a *Mercurialis annua* (v. *urtiga-morta*). **3.** Qualquer espécime desse gênero.

mercurialismo [De *mercurial*[1] + *-ismo*.] *S. m. Tox.* Hidrargirismo.

mercúrico [De *mercúr(io)* + *-ico*[2].] *Adj. Quím.* Diz-se de compostos que encerram mercúrio divalente.

mercúrio [Do mit. *Mercúrio*, o mensageiro dos deuses, deus do comércio, da eloquência e dos ladrões, entre os romanos.] *S. m.* **1.** *Astr.* Planeta interior, o menor do sistema solar e o mais próximo do Sol, o que torna difícil observá-lo, embora seja um astro brilhante à vista desarmada, quando em configuração favorável. Tem um diâmetro 2,5 vezes menor que o da Terra e uma densidade 1,5 vez menor, e sua revolução em torno do Sol efetua-se em 88 dias. O período de rotação é igual a 59 dias aproximadamente. [Sin. (p. us.): *Hermes*. Com cap.] **2.** *Quím.* Elemento de número atômico 80, líquido prateado, denso, venenoso [símb.: *Hg*]. **3.** *Alq.* Um dos elementos ou princípios formadores dos metais, junto com o enxofre, para alguns e, além deste, do sal, para outros autores. [Seria o responsável pela fusibilidade dos metais e, segundo os alquimistas, não deve ser confundido com o mercúrio comum.]

mercúrio-do-campo *S. m. Bras. Bot.* V. *galinha-choca*. [Pl.: *mercúrios-do-campo*.]

mercúrio-dos-pobres [De *mercúrio* + o pl. de *do*[1] + o pl. de *pobre*.] *S. m. Bras. Bot.* Trepadeira cucurbitácea (*Wilbrandtia verticillata*) de raiz tuberosa, folhas amplas e trilobadas, com gavinhas, pelas quais ascende, flores pequenas e unissexuadas, e frutos que são bagas de uns 2cm de diâmetro. [Sin.: *gonu*. Pl.: *mercúrios-dos-pobres*.]

mercúrio-vegetal *S. m. Bot.* **1.** V. *manacá* (2). **2.** V. *mururé* (1). [Pl.: *mercúrios-vegetais*.]

mercurocromo [Do ingl. *Mercurochrome*, nome comercial.] *S. m. Quím.* Derivado alcalino da fluoresceína, de cor vermelho-esverdeada, e usado como antisséptico local e germicida [fórm.: $C_{20}H_8Br_2HgNa_2O_6$].

mercuroso (ô) [De *mercúr(io)* + *-oso*] *Adj. Quím.* Diz-se dos compostos que encerram mercúrio monovalente.

merda [Do lat. *merda*.] *S. f. Pleb.* **1.** Matérias fecais; excremento, dejeto. **2.** Imundície, imundícia, porcaria. **3.** Coisa insignificante, ruim, irritante ou repulsiva; titica, merreca. ● *S. 2 g.* **4.** Pessoa insignificante, sem valor ou sem préstimo; titica: 📖 "Ele, Chico, era um bêbado ..... Muito abaixo de um merda como Mário." (Gilvã Lemos, *Jutaí Menino*, p. 57.) ● *Interj.* **5.** Indica desprezo, desagrado ou repulsão. **6.** Indica repugnância, desagrado, dor, etc. **7.** *Teatr. Gír.* Indica, paradoxalmente, boa sorte, bom êxito. ◆ **Cheio de merda.** *Bras. Chulo* V. *cheio de luxo*. **De merda.** *Chulo* V. *de borra*. **Fazer merda.** *Bras. Chulo* Fazer algo errado. **Mandar à merda.** *Chulo* **1.** Em discussão, etc., desejar que alguém se dê mal, se afaste, etc. [É expressão muito ofensiva.] **2.** Abandonar alguma coisa de chofre: 📖 "Eram uns chatos, aqueles alunos, e eu já estava ficando com raiva deles e querendo mandar tudo à merda." (Moacir Scliar, *A Mulher Que Escreveu a Bíblia*, p. 9.) **Um merda.** *Chulo* Pessoa reles, sem importância, insignificante: 📖 "Sentiu-se um merda por não ter encarado o bandido de arma e tudo" (Paulo Lins, *Cidade de Deus*, p. 130).

merdícola [De *merda* + *-i-* + *-cola*[1].] *Adj. 2 g. Zool.* **1.** Que vive em excrementos: 📄 *inseto merdícola*. **2.** Que constrói o ninho com excrementos.

merdívoro [De *merda* + *-i-* + *-voro*.] *Adj.* Diz-se dos insetos que se nutrem de excrementos.

merdoso (ô) [De *merda* + *-oso*.] *Adj. Bras. Chulo* V. *de borra*.

merecedor (ô) [De *merecer* + *-dor*.] *Adj.* Que merece alguma coisa; digno: 📄 *É merecedor das homenagens que lhe prestam*.

merecer [Do lat. **merescere*, incoativo de *merere*.] *V. t. d.* **1.** Ser digno de; conseguir em virtude de seus méritos: 📖 "El-rei prezava os bons lances. A finura da astúcia mereceu a sua admiração." (Rebelo da Silva, *De Noite Todos os Gatos São Pardos*, p. 217.) **2.** Ter direito a: 📖 "as cidades [holandesas] que, como centros principais de ciências e de estudo, merecem mais particularmente a designação de cidades sábias, são Leyde e Utrecht." (Ramalho Ortigão, *A Holanda*, p. 199). **3.** Estar em condições de obter: 📄 *Esta afirmação não merece crédito*. **4.** Estar no caso ou em condições de receber: 📄 *Merece o prêmio que lhe foi conferido*; *Criminoso convicto não merece perdão*. **5.** Valer (2): 📄 *O livro é excelente, merece o alto preço que paguei por ele*. *T. i.* **6.** Adquirir direito à gratidão, por serviços relevantes: 📄 *São vultos que bem merecem de sua terra*. [Conjug.: v. *aquecer*.]

merecido [Part. de *merecer*.] *Adj.* Que se mereceu; devido, justo: 📄 *castigo merecido*.

merecimento [De *merecer* + *-imento*.] *S. m.* **1.** Qualidade que torna alguém digno de prêmio, estima, apreço, ou de castigo, desprezo, etc. **2.** Valor, importância: 📄 *o merecimento do livro*. **3.** Superioridade, excelência. **4.** Capacidade, habilitação, inteligência, talento, aptidão: 📄 *merecimento literário*; *merecimentos científicos*. [Sin. ger.: *mérito*.]

merejamento [De *merejar* + *-mento*.] *S. m. Bras. Pop.* Ato ou efeito de merejar.

merejar [Var. de *marejar* (q. v.), com assimilação.] *V. int. Bras. Pop.* Ressumar; marejar: 📖 "Para potes de água o barro deve ser arenoso e grosso, de maneira a dar uma vasilha porosa (que mereje e refresque a água)." (Regina Lacerda, *Papa-Ceia*, p. 108.) [Conjug.: v. *pelejar*.]

merencório *Adj.* V. *melancólico*: 📖 "A surdina merencória da tarde, precedendo o silêncio da noite, começava de velar os crebros rumores do campo." (José de Alencar, *Iracema*, p. 71.)

merenda [Do lat. *merenda*.] *S. f.* **1.** Refeição leve, entre o almoço e o jantar. **2.** O que se leva em farnel para comer no campo ou em viagem. **3.** O que as crianças levam para comer na escola, em geral durante o recreio. [Sin. ger.: *lanche*.]

merendar [De *merenda* + *-ar*[2].] *V. t. d.* **1.** Comer à hora da merenda: 📖 "Se era hora de recreio, merendava seu pão doce com doce." (Lustosa da Costa, *Sobral do Meu Tempo*, p. 45.) *Int.* **2.** Comer a merenda.

merendeira [De *merenda* + *-eira*.] *S. f.* **1.** Pão pequeno, próprio para merendas; merendeiro. **2.** Cesta ou maleta para merenda; lancheira, merendeiro: 📖 "Bom mesmo era o cheiro do embrulhinho de banana e biscoito, na merendeira de latão pintado, que carregava a tiracolo" (Maria Julieta Drummond de Andrade, *O Valor da Vida*, p. 19). **3.** *Bras. RJ* Funcionária que prepara ou distribui merendas nas escolas.

merendeiro [De *merenda* + *-eiro*.] *S. m.* **1.** V. *merendeira* (1 e 2). **2.** Indivíduo habituado a merendar. ● *Adj.* **3.** Diz-se de merendeiro (2).

merendiba [Do tupi.] *S. f. Bras. Bot.* Árvore combretácea (*Terminalia brasiliensis*) de madeira aproveitável, de pequenas flores dispostas em racemos, frutos que são drupas duríssimas e providas de duas asas lenhosas, e folhas que se agrupam na ponta dos ramos. [Cf. *mirindiba*.]

merengada [De *merengue* (1) + *-ada*[1].] *S. f. Bras.* Grande porção de merengues.

merengue[1] [Do esp. *merengue*.] *S. m.* **1.** Suspiro (9 e 10). [Var.: *merenque*.] **2.** *Bras. MG* Alcunha dada aos franceses.

merengue[2] [Do ingl. *merengue*, do esp. *meringue*.] *S. m.* Música e dança de origem dominicana, que se tornaram populares em toda a América Latina e nos Estados Unidos, graças ao ritmo alegre e contagiante.

merengueiro [De *merengue*[2] + *-eiro*.] *S. m.* **1.** Músico especialista em compor, cantar ou tocar merengue[2]. **2.** Dançarino de merengue[2]. **3.** Aquele que gosta de dançar ou de ouvir merengue[2]. ● *Adj.* **4.** Relativo ao, ou próprio do merengue[2]: 📄 *ritmo merengueiro*.

merenque *S. m.* V. *merengue* (1).

▲ **mereo-** V. *mer(o)-*[1].

mereologia [De *mereo-* + *-logia*.] *S. f. Lóg.* A lógica da relação entre as partes e o todo.

mereológico [De *mereologia* + *-ico*[2].] *Adj.* Relativo a mereologia.

merepe *S. m. Bras. N. N.E.* Jogo de cartas no qual se arrisca pouco dinheiro.

merepeiro [De *merepa* + *-eiro*, poss.] *Adj. Bras. CE* **1.** Mariola, tratante. **2.** Diz-se do cavalo esquipador.

merequém *S. m. Bras. Zool.* V. *ararinha-de-cabeça-encarnada*.

mereré *S. m. Bras.* **1.** V. *lansquenê* (2). **2.** *P. ext.* Qualquer jogo de azar. [Cf. *mererê*.]

mererê *S. m. Bras. Amaz. Zool.* V. *acará-disco*. [Cf. *mereré*.]

meretriciar [De *meretrício* + *-ar*[2].] *V. t. d.* **1.** Tornar meretriz. *P.* **2.** Dar-se ao meretrício (2); tornar-se meretriz. [Pres. ind.: *meretricio*, etc. Cf. *meretrício*.]

meretrício [Do lat. *meretriciu*.] *Adj.* **1.** Relativo a, ou próprio de meretriz: 📄 *conduta meretrícia*. ● *S. m.* **2.** Profissão de meretriz; prostituição. **3.** As meretrizes. [Cf. *meretricio*, do v. *meretriciar*.]

meretrícula [Do lat. *meretricula*.] *S. f.* Meretriz ainda não adulta. [Tb. us. deprec.]

meretriz [Do lat. *meretrice*.] *S. f.* Mulher que pratica o ato sexual por dinheiro. [Tb. us. deprec. Dim.: *meretrícula*.]

mereuá *Bras. S. 2 g.* **1.** *Etnôn.* Indivíduo dos mereuás, povo indígena extinto que habitava a região dos afluentes da margem esquerda do rio Cachorro, no N. do PA. ● *Adj. 2 g.* **2.** Pertencente ou relativo a esse povo. [Tb. us. como *s. 2 g. e 2 n.* (com cap.) e *adj. 2 g. e 2 n.*]

mergulhador (ô) [De *mergulhar* + *-dor*.] *Adj.* **1.** Que mergulha; mergulhante: 📄 *ave mergulhadora*. ● *S. m.* **2.** Aquele que mergulha. **3.** Homem que trabalha debaixo da água. **4.** Pescador de pérolas. **5.** *Bras. Zool.* V. *mergulhão* (5). **6.** *Bras. Zool.* V. *ipequi*.

mergulhante [De *mergulhar* + *-nte*.] *Adj. 2 g.* Mergulhador (1).

mergulhão [De *mergulho* + *-ão*[1].] *S. m.* **1.** Grande mergulho. **2.** Haste comprida de planta, que se mergulha na terra para criar novas raízes e gerar nova planta. [V. *mergulhia*.] **3.** *Bras.* V. *ebulidor*. **4.** *Zool.* Designação comum a várias espécies de aves podicipediformes, especialmente as da família dos podicipedídeos. **5.** *Zool.* Ave anatídea (*Mergus octosetaceous*), do Brasil meridional, Argentina e Paraguai, de cabeça cinzenta, capuz negro, bico avermelhado e patas vermelhas; patão, mergulhador. **6.** *Bras. Zool.* V. *atobá*. **7.** *Zool.* V. *ipequi*. **8.** *Zool.* V. *carqueja* (2). **9.** *Zool.* V. *biguá* (2).

mergulhar [Do lat. **merguliare*, der. de *mergulus*, dim. de *mergus*, 'mergulhão novo'.] *V. t. d.* **1.** Introduzir na água ou em outro líquido; submergir; afundar: 📖 "Foi até o rio, mergulhou a ponta do pé" (Lia Correia Dutra, *Navio sem Porto*, p. 135). **2.** Fazer entranhar-se, fazer penetrar; afundar: 📖 "Os vegetais felizes / Mergulhavam as sôfregas raízes / A procurar na terra as seivas boas" (Guerra Junqueiro, *A Velhice do Padre Eterno*, p. 168). *T. d. e c.* **3.** Imergir, fazer penetrar (em um líquido): 📄 *Mergulharam sondas no alto-mar*. **4.** Cravar profundamente; entranhar: 📄 *Mergulharam-lhe o punhal nas costas*. **5.** Pôr; enfiar; meter: 📄 *Mergulhou as mãos nos bolsos*. *T. c.* **6.** Penetrar, engolfar-se (em líquido, em massa líquida): 📄 *Mergulhou na lagoa gelada, e logo emergiu, tiritando*. **7.** Engolfar-se, entranhar-se, internar-se, embrenhar-se: 📖 "Padre Valdemar corre, mergulha no milharal" (Telmo Vergara, *Contos da Vida Breve*, p. 241). **8.** Esconder-se, encobrir-se; desaparecer: 📄 *O Sol poente mergulhava atrás das montanhas*. **9.** Atirar-se, jogar-se: 📄 *Correu e mergulhou na cama*. *T. i.* **10.** Entranhar-se; engolfar-se: 📄 *Mergulhou nos estudos*. *Int.* **11.** Entrar na água a ponto de ficar coberto por ela; imergir: 📖 "Mergulhou, voltou à tona trazendo Dunga" (Lia Correia Dutra, *Navio sem Porto*, p. 141). *P.* **12.** Mergulhar (6): 📖 "No dia em que a água chegou a Suez foi uma vertigem. Os pobres árabes não podiam crer: mergulhavam-se nela, bebiam até lhes fazer mal" (Eça de Queirós, *Notas Contemporâneas*, p. 25). **13.** Mergulhar (7): 📄 *Mergulhou-se na mata, e o perdemos de vista*. **14.** Mergulhar (8): 📄 *A Lua mergulhou-se entre as nuvens*.

mergulhável [De *mergulhar* + *-vel*.] *Adj.* Em que se pode mergulhar: 📄 *Esta água não é mergulhável*.

mergulhia [De *mergulho* + *-ia*[1].] *S. f.* Tipo de reprodução vegetal que consiste em enterrar um ramo de planta, ainda preso a ela, para constituir, depois de enraizado, novo exemplar, uma vez separado da planta-mãe; alporque: 📖 "Desde tempos imemoriais que a vinha do Douro .... se reproduz consecutivamente e inva-

M

riavelmente pela mergulhia e pela transplantação." (Ramalho Ortigão, *As Farpas*, I, p. 125.)

mergulho [Dev. de *mergulhar.*] *S. m.* **1.** Ato ou efeito de mergulhar. **2.** Em natação, ação de lançar-se à água, de grande altura e em variadas posições. **3.** *Aer. Av.* Voo em que a aeronave executa pronunciado ângulo de descida. **4.** Inclinação (7).

▲ **meri-** Equiv. de *merido-*.

mericarpo [De *meri-* + *-carpo.*] *S. m. Bot.* Segmento em que se divide um fruto, e que se encontra em apiáceas, cujos frutos se abrem em dois mericarpos.

mericismo [Do gr. *merykismós*, 'ruminação'.] *S. m. Med.* Perturbação digestiva em que o alimento retorna do estômago à boca e é novamente mastigado; ruminação.

▲ **meric(o)-** [Do rad. gr. *mēryk-* < gr. *mērykâsthai* ou *mērikízein.*] *El. comp.* = 'ruminar': *mericologia*.

mericoidodonte [Do tax. *Merycoidodon.*] *S. m. Paleont.* V. *oreodonte*.

mericoidodontídeo [Do lat. cient. *Merycoidodont-* (< tax. *Merycoidodon*, gênero-tipo) + *-ídeo*[1]; tax. *Merycoidodontidae.*] *S. m. Adj. Paleont.* V. *oreodontídeo*.

mericologia [De *meric(o)-* + *-logia.*] *S. f.* Tratado acerca dos ruminantes.

mericológico [De *mericologia* + *-ico*[2].] *Adj.* Relativo à mericologia.

meridense [Do top. *Mérida* (Espanha) + *-ense.*] *Adj. 2 g. S. 2 g.* Emeritense.

meridiana [F. subst. do adj. *meridiano.*] *S. f.* **1.** Interseção do plano do meridiano com o plano do horizonte, ou com outro plano qualquer. **2.** Relógio de sol. **3.** *Bras.* V. *sesta* (3). **4.** *Astr.* V. *luneta de passagem*. **5.** *Náut.* V. *passagem meridiana*.

meridianense *Adj. 2 g.* **1.** De, ou pertencente ou relativo a Meridiano (SP). ● *S. 2 g.* **2.** O natural ou habitante de Meridiano.

meridiano [Do lat. *meridianu*, 'do meio-dia'.] *S. m.* **1.** *Astr.* Qualquer dos círculos máximos da esfera terrestre que passam pelos polos; meridiano terrestre. **2.** *Geom.* Numa superfície de revolução, a interseção da superfície com um plano que passa pelo eixo de rotação. **3.** *Med.* Designação de linha hipotética que passa em formação anatômica esférica. **4.** *Náut.* Círculo de longitude (2). ● *Adj.* **5.** Relativo ao meio-dia; merídio: *sol meridiano*. ~ V. *círculo —, clareza —a, passagem —a, passagem —a inferior* e *plano —*. ◆ **Meriadiano celeste.** *Astr.* Círculo máximo da esfera celeste, que passa por ambos os polos celestes. **Meridiano corporal.** *Med.* Segundo a medicina tradicional chinesa, cada uma das diversas linhas imaginárias em que circula a energia vital. [A punção de ponto(s) situado(s) sobre essa(s) linha(s) tem por objetivo regular o funcionamento de órgão(s) que se relaciona(m) com o(s) referido(s) ponto(s).] **Meridiano das efemérides.** *Astr.* Meridiano terrestre que passa por um ponto fictício próximo ao meridiano de Greenwich, de tal sorte que se pode levar em conta a diferença entre o tempo universal e o tempo das efemérides. **Meridiano de Greenwich.** *Astr.* Meridiano tomado como origem do tempo universal, e que passa pela antiga sede do observatório de Greenwich, na Inglaterra. **Meridiano fundamental.** *Astr.* V. *meridiano-origem*. **Meridiano local.** *Astr.* Aquele que passa pelo observador ou por determinado ponto da superfície terrestre. **Meridiano terrestre.** *Astr.* Meridiano (1). **Primeiro meridiano.** *Astr.* V. *meridiano-origem*.

meridiano-origem *S. m. Astr.* Um dos meridianos terrestres, que é tomado como origem das longitudes; meridiano fundamental, primeiro meridiano. [Por acordo internacional, tomou-se por meridiano-origem o que passa pelo Observatório Astronômico de Greenwich, próximo à cidade de Londres.]

merídio [Do lat. *meridies*, 'meio-dia', + *-io*[3].] *Adj.* Meridiano (5).

meridionácea [Do tax. *Meridion* + *-ácea*; tax. *Meridionaceae.*] *S. f. Bot.* Espécime das meridionáceas, família de diatomáceas, que compreende as fragilariáceas, dotadas de talo cuneiforme e cujas células se unem pelas valvas em filamentos helicoidais.

meridionáceo [De *meridionácea*, com var. suf. (v. *-áceo*).] *Adj. Bot.* Pertencente ou relativo às meridionáceas.

meridional [Do lat. *meridionale.*] *Adj. 2 g.* **1.** Que está do lado do sul; austral: *país meridional*. [Antôn.: *setentrional, boreal.*] **2.** Relativo a, ou próprio das regiões ou dos habitantes do sul: *línguas meridionais*. ~ V. *min —*. ● *S. 2 g.* **3.** Habitante das regiões do sul: "Ele é moreno, / Da cor trigueira dos meridionais" (Mário Pederneiras, *Histórias do Meu Casal*, p. 16). **4.** *E. Ling.* Nos estudos dialetológicos sobre o português europeu, o falar (29) que compreende as regiões do Alentejo, Estremadura e Algarve.

▲ **merido-** [Do gr. *merís, ídos.*] *El. comp.* = 'parte': *meridotalo*. [Equiv.: *meri-*: *mericarpo.*]

meridotalo [De *merido-* + *-talo.*] *S. m. Bot.* Distância entre dois nós [v. *nó* (8)].

merinaque [Do esp. *miriñaque.*] *S. m.* **1.** *Vest.* Armação metálica de arcos, ou varas flexíveis, que dão às saias a forma de balão. **2.** *P. ext.* Saia-balão (1): "Os arames arqueados do merinaque raspavam sonidos metálicos nas pernas das cadeiras" (Camilo Castelo Branco, *Vulcões de Lama*, p. 166).

merino [Do esp. *merino.*] *Adj.* **1.** Diz-se de uma raça de carneiros de lã muito fina, originariamente da Espanha, atualmente criada em todos os continentes; na América do Sul, esp. na Argentina. ● *S. m.* **2.** *Tec. Têx.* Tecido feito dessa lã. [Var., bras., nesta acepç.: *merinó.*]

merinó [Do esp. *merino*, pelo fr. *mérinos.*] *S. m. Bras.* V. *merino* (2): "O seu trajo habitual nestes passeios era vestido de merinó escuro, mantelete de seda preta, e um chapéu de palha com laços azuis." (José de Alencar, *Lucíola*, p. 155.)

meriquipo [Do tax. *Merychippus.*] *S. m. Paleont.* **1.** Gênero de equídeos que viveram no mioceno da América do Norte. **2.** Espécie ou espécime desse gênero.

merisma [Do gr. *mérisma*, 'porção', 'fração'.] *S. m.* Divisão dum assunto em partes distintas.

merismático [Do gr. *mérisma, atos*, 'porção', 'fração', + *-ico*[2].] *Adj.* Diz-se da multiplicação ou reprodução que se efetua pela divisão das células ou dos organismos.

meristema [De *meri-* + gr. *stêma*, 'fio'.] *S. m. Bot.* Tecido caracterizado pela ativa divisão de suas células, e que produz as novas células necessárias ao crescimento da planta.

meristemático [De *meristema* + *-ático.*] *Adj. Bot.* Pertencente ou relativo ao meristema.

meritalo [De *meri-* + *-talo.*] *S. m. Bot.* Entrenó.

meritamente (mè) *Adv.* Com mérito; merecidamente.

meritério [Do top. *Moeris* (lago do Egito) + *-tério*[1]; tax. *Moeritherium.*] *S. m. Paleont.* **1.** Gênero de probiscideanos primitivos, ancestrais dos atuais elefantes, do eoceno e do oligoceno da África; eram do tamanho de uma anta, sem tromba, mas apresentavam os segundos incisivos transformados em defesas. **2.** Espécie ou espécime desse gênero.

meritiense *Adj. 2 g.* **1.** De, ou pertencente ou relativo a São João de Meriti (RJ). ● *S. 2 g.* **2.** O natural ou habitante de São João de Meriti.

meritíssimo [Do lat. *meritissimu.*] *Adj.* **1.** De grande mérito; muito digno; digníssimo: "Quanto ao meritíssimo juiz, compra sem pagar no armazém do Justiniano e lhe deve dinheiro." (Jorge Amado, *Teresa Batista Cansada de Guerra*, p. 69.) [Tratamento dado, sobretudo, a juízes de direito.] ● *S. m.* **2.** Juiz de direito: "Comédia de enganos, segundo o meritíssimo, revestira a audiência de um ar de farsa" (Id., *ib.*, p. 54).

mérito [Do lat. *meritu.*] *S. m.* **1.** V. *merecimento*. **2.** *Jur.* Questão ou questões fundamentais, de fato ou de direito, que constituem o principal objeto da lide.

meritório [Do lat. *meritoriu.*] *Adj.* Que merece prêmio ou louvor; louvável.

merlão [Do fr. *merlon.*] *S. m.* Intervalo dentado nas ameias de uma fortaleza.

merlim [Do neerl. *merling*, pelo fr. *merlin.*] *S. m.* **1.** *Marinh.* Cabo fino, de confecção esmerada, empregado nos trabalhos do marinheiro em que seja necessário bom acabamento. **2.** *Tec. Têx.* Tecido ralo e engomado, como a tarlatana, destinado a forros. **3.** Machado para partir lenha. **4.** *Fig.* Finório, espertalhão.

➔ **merlot** [mɛʁ'lo] [Fr.] *S. m.* **1.** *Vitic.* Casta nobre de uva tinta, predominante na margem direita do rio Dordonha (*pomerol, saint-émilion, fronsac*), e tida como muito promissora para a vinicultura no Brasil. **2.** *Enol.* Vinho produzido com essa uva.

merlu *S. f. Zool.* V. *merlúcio* (2).

merluça *S. f. Zool.* V. *merlúcio* (2).

merlucídeo [Do tax. *Merluccius* + *-ídeo*; tax. *Merluccidae.*] *Zool. S. m.* **1.** Espécime dos merlucídeos, pequena família de peixes marinhos, actinopterígios, gadiformes; têm corpo alongado, cabeça grande e dentes muito fortes. Muitas espécies, todas elas de distribuição mundial, têm grande importância comercial como alimento. ● *Adj.* **2.** Pertencente ou relativo a eles.

merlúcio [Do tax. *Merluccius* (< lat. med. *merlutius*).] *S. m. Zool.* **1.** Pequeno gênero de peixes marinhos da família dos merlucídeos. **2.** Qualquer espécie desse gênero, como, p. ex., a *Merluccius gayi*, semelhante ao bacalhau (q. v.) de até 60cm de comprimento, grandes nadadeiras ventrais e boca armada com dentes muito fortes. Tem cor acinzentada, esbranquiçada no ventre, e é de grande valor comercial e alimentício, e é vulgarmente conhecida como *merluza, merluça* ou *merlu*. **3.** Qualquer espécime desse gênero.

merluza [Alter. do lat. med. *merlutiu*, com mudança de gên.] *S. f.* V. *merlúcio* (2).

merma [Do esp. plat. *merma.*] *S. f. Bras. S.* A quantidade que se perde no peso de uma mercadoria ou de outra coisa qualquer; diminuição, perda.

mermar [Do esp. plat. *mermar.*] *V. t. c. Int. Bras. S. Ant.* Perder em valor; diminuir, minguar.

mero[1] [De or. incerta.] *S. m. Bras. Zool.* **1.** Peixe teleósteo, perciforme, serranídeo (*Promicropus itaiara*), do Atlântico tropical. O adulto é oliváceo-escuro, com pontos e faixas negros sobre o corpo e cabeça mais clara; comprimento: até 3m; peso: até 450kg. Vive em lugares rochosos, sendo pescado com linha de fundo, e alimenta-se de outros peixes. A carne é de primeira qualidade. [Sin.: *mero-preto, canapu, canapuguaçu*. Cf. *merote.*] **2.** Peixe teleósteo, perciforme, serranídeo (*Acanthistius brasilianus*), da costa atlântica; senhor-de-engenho.

mero[2] *S. m. Zool.* V. *merópodo*.

mero[3] [Do lat. *meru.*] *Adj.* **1.** Sem mistura; puro, simples, estreme: *Trata-se de mera questão gramatical*. **2.** Comum, simples, vulgar: *Aqui chegou como mero roceiro, e hoje é latifundiário.*

▲ **mer(o)-**[1] [Do gr. *méros, eos-ous.*] *El. comp.* = 'parte', 'porção', 'segmento', 'parte de um organismo': *merogonia, meroplâncton*. [Equiv.: *mereo-, -mer(o)-, -mero*: *mereologia; polimerídeo; metâmero.*]

▲ **mer(o)-**[2] [Do gr. *mērós, oû.*] *El. comp.* = 'coxa': *meralgia, merocele*.

▲ **-mer(o)-** V. *mer(o)-*[1]

▲ **-mero** [V.C.I. < gr. *méros.*] V. *mer(o)-*[1].

merocele [De *mer(o)-*[2] + *-cele*[1].] *S. f. Cir.* Hérnia femoral.

merócrino [De *mer(o)-*[1] + *-crino.*] *Adj. Fisiol.* Diz-se do tipo de secreção glandular que ocorre sem que as células secretoras sejam danificadas; écrino.

merogonia [De *mer(o)-*[1] + *-gon(o)-*[2] + *-ia*[1].] *S. f. Biol.* Método biológico e embriológico experimental, que consiste em seccionar o ovo antes de sua divisão.

merogónico *Adj. Biol.* V. *merogônico*. [Uso freq. em P.]

merogônico [De *merogonia* + *-ico*[2].] *Adj. Biol.* Relativo à merogonia.

meroíta *S. 2 g.* **1.** Súdito do antigo reino de Méroe, na África. ● *S. m.* **2.** *Gloss.* Idioma falado e escrito pelos meroítas. ● *Adj. 2 g.* **3.** Pertencente ou relativo a Méroe e a meroíta (2).

merologia [De *mer(o)-*[1] + *-logia.*] *S. f.* Tratado dos princípios elementares de qualquer ciência.

merológico [De *merologia* + *-ico*[2].] *Adj.* Referente à merologia.

meromiário [De *mer(o)-*[1] + *-m(i)-* + *-ário.*] *Adj. Zool.* Diz-se de vermes nematódeos que apresentam as células musculares (*mioblastos*) achatadas.

meromórfico [De *mer(o)-*[1] + *-morf(o)-* + *-ico*[2].] *Adj.* ~ V. *função —a*.

meropídeo [Do lat. cient. *Merop-* (do tax. *Merops*) + *-ídeo*[1]; tax. *Meropidae.*] *Zool. S. m.* **1.** Espécime dos meropídeos, família de aves coraciiformes, insetívoras, com cerca de 26 espécies, que habitam regiões tropicais e também temperadas do Velho Mundo (África, Europa e Ásia). Têm cores vivas, brilhantes, muitas predominantemente verdes, bico longo e delgado, e cerca de 15 a 35cm de comprimento. A maioria das espécies é gregária, e nidifica em buracos coletivos nas barrancas dos rios. ● *Adj.* **2.** Pertencente ou relativo a eles.

meroplâncton [De *mer(o)-*[1] + *plâncton.*] *S. m. Ecol.* Fase temporária ou sazonal de plâncton, e que consiste nas larvas pelágicas de organismos bentônicos.

meropodito [De *merópodo* + *-ito*[1].] *S. m. Zool.* V. *merópodo*.

meropódito *S. m. Zool.* V. *merópodo*.

merópodo [De *mer(o)-*[1] + *-podo.*] *S. m. Zool.* Quarto artículo de uma perna ou maxilípede de crustáceo. [F. red.: *mero*[2]. Sin.: *meropódito* ou *meropodito.*]

mero-preto [De *mero*[1] + *preto* (ê).] *S. m. Bras. Zool.* **1.** V. *cherne*. **2.** V. *mero*[1] (1). [Pl.: *meros-pretos.*]

merostomado [De *mer(o)-*[1] + *-stom(o)-* + *-ado*[3]; tax. *Merostomata.*] *Zool. S. m.* **1.** Espécime dos merostomados, em algumas classificações, classe de artrópodes, aquáticos, de corpo revestido por uma carapaça, dividido em cefalotórax e abdome, com cinco a seis pares de apêndices, e olhos compostos situados lateralmente. São os crustáceos atualmente representados pelo caranguejo-rei; no paleozoico, dominavam os mares ordovicianos, até os permianos. ● *Adj.* **2.** Pertencente ou relativo a eles.

merote [De *mero*[1] + *-ote*[1].] *S. m. Bras.* Filhote de mero[1] (1), ger. pescado nos covos.

merovíngio [Do fr. *mérovingien.*] *Adj.* Pertencente ou relativo à primeira dinastia francesa, fundada por Meroveu, que reinou de 448 a 458.

merozoário [Do tax. *Merozoa* + *-ário.*] *S. m. Adj. Zool.* V. *eucestódeo*.

merreca [De *merréis* (alter. *mil réis*) + *-eca*, poss.] *S. f. Bras. Gír.* **1.** Merda (3). **2.** Quantidade, ou quantia, etc., insignificante. **3.** *Surf. Gír. Restr.* Onda pequena.

merrime *Bras. S. 2 g.* **1.** Indivíduo dos merrimes, povo indígena da família linguística jê, do MA. ● *Adj. 2 g.* **2.** Pertencente ou relativo a esse povo. [Tb. us. como *s. 2 g. e 2 n.* (com cap.) e *adj. 2 g. e 2 n.*]

mertiolate *S. m.* V. *mertiolato.*

mertiolato [Do ingl. *Merthiolate*, nome comercial.] *S. m. Quím.* Tiomersal.

mertolengo *Adj. S. m.* V. *mertolense.*

mertolense *Adj. 2 g.* **1.** De, ou pertencente ou relativo a Mértola (Portugal). ● *S. 2 g.* **2.** O natural ou habitante de Mértola. [Sin. ger.: *mertolengo.*]

meru [De or. indígena, poss.] *S. m. Bras. Bot.* V. *biru-manso.*

merua [De or. indígena, poss.] *S. f. Bras. Bot.* Erva rubiácea (*Spermacoce longifolia*) de folhas opostas e estipuladas, ramos flexuosos, flores pequenas e numerosas, dispostas em inflorescências axilares congestas, e cujas cápsulas são mínimas.

meruanha [Var. de *beruanha.*] *S. f. Bras. N. Zool.* V. *mosca-dos-estábulos.*

meruçoca *S. f. Bras. Zool.* V. *muriçoca.*

meruí *S. m. Bras. Zool.* V. *maruim.*

meruim (u-ím) *S. m. Bras. Zool.* V. *maruim.*

meruoquense *Adj. 2 g.* **1.** De, ou pertencente ou relativo a Meruoca (CE). ● *S. 2 g.* **2.** O natural ou habitante de Meruoca.

meruquiá [Do tupi.] *S. m. Bras. Bot.* Capim poáceo (*Eragrostis vahlii*) que alcança até 80cm de altura, disseminado por todo o País, com rizoma ramificado e folhas lineares, comumente enroladas, e cujas espículas medem 8 a 12mm, são acinzentadas ou violáceas, e se ordenam em pequenas panículas.

mês [Do lat. *mense.*] *S. m.* **1.** Cada uma das 12 divisões do ano solar, sete com 31 dias, quatro com 30 dias e uma (fevereiro) com 28 ou (nos anos bissextos) 29 dias. **2.** Espaço de 30 dias. **3.** Espaço de tempo decorrente de uma data qualquer de um mês até a mesma data do mês seguinte. **4.** Preço combinado para um mês de trabalho, de função. **5.** *Pop.* V. *menstruação* (1). [Pl.: *meses* (ê).] ◆ **Mês anomalístico.** *Cronol.* V. *revolução anomalística.* **Mês calendárico.** *Cronol.* Cada uma das doze partes em que o ano é dividido, e que compreende um número inteiro de dias. **Mês cavo.** *Cronol.* Mês calendárico com 29 dias. [V. *cavo*[2].] **Mês corrente.** O mês em que se está. **Mês das noivas.** O mês de maio. **Mês de Jesus.** *Bras. BA* O mês de junho. **Mês de Maria.** O mês de maio, consagrado pela Igreja ao culto da Virgem Maria: "esta [a festa de Santo Antônio] era uma continuação das alegrias do mês de Maria, pois ganhava começo no findar da última coroação." (Antônio Celso Alves Pereira, *Rua do Quenta-Sol*, p. 55). [Cf. *mês de maria*, s.m.] **Mês de Sant'Ana.** *Bras.* O mês de julho. [Tb. se diz apenas *sant'ana.*] **Mês do Rosário.** *Bras. BA* O mês de outubro. **Mês draconítico.** *Cronol.* V. *revolução draconítica.* **Mês legal.** O espaço de 30 dias contados pela lei para qualquer fim jurídico. **Mês lunar.** *Cronol.* V. *revolução sinódica.* **Mês nódico.** *Cronol.* V. *revolução draconítica.* **Mês pleno.** *Cronol.* **1.** Mês calendárico com 30 dias. **2.** Pleno (q. v.). **Mês sinódico.** *Cronol.* V. *revolução sinódica.* **Mês solar.** *Cronol.* Intervalo de tempo necessário para que o Sol, no seu movimento aparente anual, descreva 30° de longitude. **De mês em mês.** A cada mês: "Apenas de mês em mês aparecia uma carreta de mascate, ... no fim daquele lugar." (Manuel de Barros, *Livro sobre Nada*, p. 17.)

mesa (ê) [Do lat. *mensa.*] *S. f.* **1.** Móvel, comumente de madeira, sobre o qual se come, escreve, trabalha, joga, etc. **2.** Conjunto do presidente e secretários de uma assembleia: *a mesa da câmara.* **3.** A alimentação, o passadio, o sustento: *casa de mesa farta.* **4.** O conjunto dos que estão à mesa para a refeição. **5.** Quantia fixa ou cumulativa de apostas, em certos jogos de azar. **6.** Designação comum a várias repartições pelas quais está dividido o serviço nas alfândegas. **7.** Grade ou altar para comunhão. **8.** Balcão de atendimento ao público, ou local onde se concentram os operadores de serviços telefônicos, de interfones, etc. **9.** *Cin. Son. Telev.* Equipamento dotado de recursos para edição ou execução de efeitos, como mixagem, equalização, variação de intensidade, etc.: *mesa de mixagem, mesa de corte, mesa de som, mesa de edição, mesa de controle.* [Cf., nesta acepç.: *painel*[1].] **10.** *Geol.* Camada horizontal limitada por todos os lados por escarpas em geral ab-ruptas. [Dim.: *mesinha.* Cf. *mezinha.*] **11.** *Bras.* Estrado de madeira, pentagonal, que constitui a parte principal de um carro de bois: "Carros de bois que levavam nas mesas e nos rebequéns as moças do engenho às festas da vila, com toldos vistosos de colchas das ilhas." (A. S. de Mendonça Júnior, *Jornal da Província*, p. 30.) **12.** *Bras. Amaz.* V. *comedia* (3). **13.** *Bras. Rel.* Na cabula, sessão ritual ao ar livre. **14.** *Bras. Rel.* Na cabula, o altar e seus elementos. **15.** *Bras. RJ Rel.* Cerimônia ritual da macumba; linha. ◆ **Mesa da enxárcia.** *Ant. Constr. Nav.* Prancha de madeira presa ao costado, horizontalmente, na altura do trincaniz, e onde se apoiam as bigotas superiores, por meio das quais se tesam os ovéns. **Mesa de distribuição.** *Art. Gráf.* Mesa de tintagem. **Mesa de fabricação.** *Ind. Pap.* Máquina plana (q. v.). **Mesa de pé de galo.** A que tem um único pé, que se alarga junto à base. **Mesa de tintagem.** *Art. Gráf.* Superfície onde se faz a distribuição da tinta, nas prensas plano-cilíndricas; mesa de distribuição. **Mesa digitalizadora.** *Inform.* Equipamento semelhante a uma prancheta (3), us. para digitalizar desenhos técnicos e de precisão, como, p. ex., projetos, plantas, mapas, etc. **Mesa equatorial.** *Astr.* Superfície plana, instalada sobre uma montagem equatorial, na qual podemos instalar diferentes aparelhos astronômicos. **Mesa retroiluminada.** *Art. Gráf. Fotograv.* Mesa com tampo de acrílico ou vidro translúcido, sob o qual há uma fonte de luz, us. na montagem de fotolitos, cópia de desenhos, seleção de cromos, etc. **À mesa.** Durante a refeição: "Pois a maravilha / Do batizado foi causa aparente / Da noite que passei em claro, doente / Não do vinho de Gaia, essa fineza / Que o mesmo Cristo beberia à mesa / Na derradeira ceia!" (Domingos Carvalho da Silva, *Liberdade embora Tarde*, p. 14.) **Botar a mesa.** Pôr a mesa. **Levantar a mesa.** Tirar a mesa. **Pôr a mesa.** Prepará-la para as refeições; botar a mesa. [Opõe-se a *tirar a mesa.*] **Tirar a mesa.** Retirar dela os elementos que sobre ela haviam sido postos para a refeição; levantar a mesa. [Opõe-se a *pôr a mesa.*] **Virar a mesa.** *Bras. Pop.* **1.** V. *descer o morro.* **2.** Mudar radical e ab-ruptamente de comportamento ou de atitude.

mesada [De *mês* + *-ada*[1].] *S. f.* **1.** Quantia que se paga ou se dá em cada mês; mensalidade. **2.** *Bras. Fam.* Quantia que os pais dão periodicamente aos filhos.

mesa de cabeceira *S. f.* **1.** Pequeno móvel, com o feitio de armário, que se tem rente à cabeceira da cama, e dentro do qual e sobre o qual se põem objetos utilizáveis durante a noite: "ia dormir em casa, na sua cama de solteiro, que ele, ao retornar a horas mortas, encontrava feita, com um copo de leite na mesa de cabeceira." (Herberto Sales, *Histórias Ordinárias*, p. 156). [Sin. ger.: *mesinha de cabeceira, criado-mudo* e (bras., N.E. e RS) *bidê* ou *bidé.*] **2.** Mesinha decorativa, posta à cabeceira de cama, que serve de apoio a abajur, vasos e outros objetos. [Pl.: *mesas de cabeceira.*] ☑

mesa de centro *S. f.* **1.** Mesa baixa, ger. posicionada no centro de ambientes como sala de estar, sala de espera, etc., e em que se põem livros, revistas, objetos de decoração, etc.; mesinha de centro. [Pl.: *mesas de centro.*] ☑

mesa de rendas [De *mesa* + *de* + pl. de *renda*[1].] *S. f. Bras.* Repartição das finanças onde se pagam impostos, direitos e outros emolumentos. [Pl.: *mesas de rendas.*] ☑

➔ **mésalliance** [meza'ljãs] [Fr.] *S. f.* Casamento de alguém com pessoa de condição inferior à sua.

mesão *S. m. Lus. Fís. Nucl.* V. *méson.* [Pl.: *mesões.*]

mesaraico [Do gr. *mesáraion*, 'mesentério', + *-ico*[2].] *Adj.* Mesentérico.

mesa-redonda *S. f.* Reunião de pessoas entendidas ou abalizadas que discutem ou deliberam, em pé de igualdade, sobre determinado assunto. [Pl.: *mesas-redondas.*]

mesário [Do lat. *mensariu.*] *S. m.* **1.** Membro da mesa duma corporação, especialmente confraria: "As confrarias com seus ministros, porta-estandartes, trombeteiros e mesários .... formavam alas pelas ruas." (Aquilino Ribeiro, *Portugueses das Sete Partidas*, p. 190.) **2.** *Bras.* Aquele que faz parte de mesa de seção eleitoral.

mesartéria [De *mes(o)-* + *artéria.*] *S. f. Anat.* Túnica média de artéria.

mesarterite [De *mesartér(ia)* + *-ite*[1].] *S. f. Angiol.* Inflamação de mesartéria.

mesa-tenista *S. 2 g. Bras.* Jogador de tênis de mesa. [Pl.: *mesas-tenistas* e *mesas-tenista.*]

mesa-tenístico *Adj. Bras.* Relativo ao tênis de mesa. [Pl.: *mesa-tenísticos.*]

▲ **mesati-** [Do gr. *mésatos, os, on*, superlativo de *mésos*; v. *mes(o)-*.] *El. comp.* = 'médio', 'mediano', 'no meio': *mesaticefalia, mesatipélico.*

mesaticefalia [De *mesaticéfalo* + *-ia*[1].] *S. f. Antropom.* Estado de mesaticéfalo; mesocefalia.

mesaticefálico [De *mesaticéfalo* + *-ico*[2].] *Adj.* Referente a mesaticefalia, ou a mesaticéfalo; mesocefálico.

mesaticéfalo [De *mesati-* + *-céfalo.*] *Adj. S. m. Antropom.* Diz-se do, ou o indivíduo cujo índice cefálico vai de 76° a 80°; mesocéfalo. [Cf. *braquicéfalo* e *dolicocéfalo.*]

mesatipélico [De *mesati-* + *pélico.*] *Adj.* Em que o diâmetro transverso da abertura superior da pequena pelve é quase o mesmo que o do diâmetro conjugado verdadeiro da pelve (diz-se de bacia [12]).

mesatiscélico [De *mesati-* + gr. *skélos*, 'perna', + *-ico*[2].] *Adj.* Diz-se de indivíduo que tem membros de tamanho proporcional em relação ao tronco, com um índice esquélico de 85 a 90.

mescal [Do náuatle *mexcalli.*] *S. m. Bot.* Planta cactácea (*Lophophora williamsii*) globosa, acinzentada, com gomos, suculenta. Nativa no México, é ali conhecida por *peiote* ou *peyotl* e *mescal*, sendo usada pela população de certas partes do país como alucinógeno, em rituais religiosos primitivos. Prepara-se reduzindo o corpo vegetal a fatias, que são dessecadas para conservação. Ingeridas, determinam estados alucinatórios caracterizados por visões fortemente coloridas, efeito decorrente da presença de mescalina.

mescalina [Do esp. amer. *mescal* + *-ina*[1].] *S. f. Quím.* Alcaloide alucinógeno, encontrado em certos cactos [fórm.: $C_{11}H_{17}O_3N$].

mescla [Do *mesclar.*] *S. f.* **1.** Mistura de elementos diversos; amálgama, misto: "O ambiente fizera-se de um tom morno e duvidoso, em que havia mescla de claridade e sombra." (Aluísio Azevedo, *O Mulato*, p. 131.) **2.** Mistura de substâncias da mesma natureza para se obter um todo homogêneo. **3.** Agrupamento ou reunião heterogênea: *mescla de burgueses e mendigos.* **4.** *Tec. Têx.* Tecido em que os fios da trama e da urdidura são de cores diversas: "rifle a tiracolo, terçado na cinta, calças e blusa de mescla azul" (Raimundo Morais, *Na Planície Amazônica*, p. 131). **5.** *Tec. Têx.* Tecido cujos fios são constituídos de uma mistura de várias fibras. **6.** A coisa mesclada. **7.** *Fig.* Impureza; imperfeição; falha: *uma felicidade sem mescla.* ● *Adj. 2 g. e 2 n.* **8.** *Bras.* Diz-se do tecido mescla: *brim mescla.* **9.** *Bras.* Feito de tecido mescla: "O elegante senhor, de paletó mescla, calça listrada e chapéu-coco, dá uma volta pela sala" (Francisco Inácio Peixoto, *Passaporte Proibido*, p. 33).

mesclado [Part. de *mesclar.*] *Adj.* **1.** Misturado, amalgamado: "cores e vestiduras diferentes, mescladas, baralhadas" (Machado de Assis, *Páginas Recolhidas*, p. 105). **2.** Em que há mistura de duas cores: *lã mesclada rosa e verde.* **3.** V. *versicolor.* **4.** Mestiço (1).

mesclar [Do lat. vulg. **misculare*, com base no lat. tard. *miscuere* ou *misculare*, calcados no pret. *miscui*, de *miscere*, 'misturar'.] *V. t. d.* **1.** Misturar, confundir; unir, ligar, amalgamar. **2.** Misturar (duas ou mais cores ou tintas) para produzir uma nova cor. **3.** Misturar (o sangue) pelo casamento de pessoas de etnias diversas. *T. d. e i.* **4.** Misturar, confundir; unir, ligar, amalgamar. **5.** Unir; adicionar; incorporar: *Os povos da Península Ibérica mesclaram à sua língua numerosos vocábulos árabes.* **6.** Entremear, intercalar: *Gosta de mesclar seus escritos de expressões em línguas estrangeiras.* **7.** Misturar o sangue pelo casamento de pessoas de raças diversas: *Os japoneses pouco mesclam o seu sangue com o de outras raças. P.* **8.** Misturar-se, confundir-se, unir-se: "Atiro-me por essas ruas, ... mesclo-me à turba densa e variegada" (Carlos Magalhães de Azeredo, *Ariadne*, p. 50).

mês de maio *S. m. Bras.* Mês de maria (q. v.). [Pl.: *meses de maio.*] ☑

mês de maria *S. m. Bras.* Festividades com que a Igreja celebra o mês de Maria, ou mês de maio; mês de maio: "Interno num colégio protestante em Juiz de Fora, obtinha eu licença para ir de noite acompanhar o mês de maria" (Augusto Frederico Schmidt, *O Galo Branco*, pp. 91-92); "Imagine você que eu nem percebia que estávamos no mês de maio, dos meses de maria, das festas de Santa Cruz." (João Alphonsus, *Eis a Noite!*, p. 48). [Pl.: *meses de maria.* Cf. *mês de Maria*, loc.] ☑

mesembriantemácea [Do tax. *Mesembryanthemum* + *-ácea*; tax. *Mesembryanthemaceae.*] *S. f. Bot.* Espécime das mesembriantemáceas, família de plantas floríferas desmembradas das aizoáceas, e que habitam, basicamente, a África austral.

mesembriantemáceo [De *mesembriantemácea*, com var. suf. (v. *-áceo*).] *Adj. Bot.* Pertencente ou relativo às mesembriantemáceas.

mesembrina [Do tax. *Mesembr(yanthemum)* + *-ina*[3].] *S. f. Quím.* Alcaloide encontrado em plantas da família das aizoáceas [fórm.: $C_{17}H_{23}NO_3$].

mesencefalite [De *mesencéfalo* + *-ite*[1].] *S. f. Neur.* Inflamação do mesencéfalo.

mesencéfalo [De *mes(o)-* + *-encéfalo.*] *S. m. Anat.* Parte do encéfalo que compreende os colículos superior e inferior, os pedúnculos cerebrais e o aqueduto cerebral, e que deriva da vesícula cerebral média. [Sin., impr.: *mesocéfalo.*]

mesênquima [De *mes(o)-* + *-ênquima.*] *S. m. Embr.* Tecido conjuntivo embrionário que originará os tecidos conjuntivos adultos, os vasos sanguíneos e os vasos linfáticos.

M

mesenquimal [De *mesênquima* + *-al*[1].] ***Adj. 2 g.*** De, ou relativo a mesênquima.

mesenquimatoso [De *mes(o)-* + *-enquimat(o)-* + *-oso*.] ***Adj.*** *Embr.* Pertencente ou relativo ao, ou da natureza do mesênquima. ~ V. *célula —a, célula —a indiferenciada*.

mesentérico [De *mesentério* + *-ico*[2].] ***Adj.*** Relativo ou pertencente ao mesentério; mesaraico. ~ V. *tuberculose —a*.

mesentério [Do gr. *mesentérion*.] ***S. m.*** **1.** *Anat.* Formação (5) semelhante a leque, que prende o jejuno e o íleo à parede abdominal posterior, e se compõe de duas camadas, tendo extensão suficiente para dar a essas duas porções do intestino delgado uma considerável mobilidade. **2.** *Zool.* Nos antozoários, uma das divisões verticais do celêntero.

mesenterite [De *mesentério* + *-ite*[1].] ***S. f.*** *Patol.* Inflamação do mesentério (1).

meseta (ê) [Do esp. *meseta*.] ***S. f.*** *Geogr.* Mesa (10) ou planalto de pequena conformação: "o serrano da meseta é impagável no vocabulário das suas habilidades" (Aquilino Ribeiro, *Aldeia*, p. 169).

mesial [De *mes(o)-* + *-ial*.] ***Adj. 2 g.*** **1.** Relativo à linha média (1). **2.** *Odont.* Diz-se de posição mais próxima à linha média dos dentes incisivos.

mesialização [De *mesializar* + *-ção*.] ***S. f.*** *Odont.* Movimento de um dente e de outras estruturas bucais em direção mesial (2).

mesializado [Part. de *mesializar*.] ***Adj.*** *Odont.* Que sofreu mesialização.

mesializar [De *mesial* + *-izar*.] ***V. t. d. Int. P.*** *Odont.* Provocar ou sofrer mesialização.

mésico [De *mes(o)-* + *-ico*[2].] ***Adj.*** *Ecol.* Diz-se de ambiente que nem é extremamente úmido (hídrico), nem extremamente seco (xérico).

mesinha de cabeceira ***S. f.*** V. *mesa de cabeceira* (1). [Pl.: *mesinhas de cabeceira*.] ☑

mesinha de centro ***S. f.*** Mesa de centro: "enquanto seguro aquele maldito emprego de oito horas diárias para poder pagar essa poltrona de couro .... e essa exótica mesinha de centro em junco indiano" (Caio Fernando Abreu, *Morangos Mofados*, p. 17). ☑

▲ **mesit-** [Do gr. *mesí tēs, ou*.] ***El. comp.*** = 'intermediário': *mesitina, mesitita*.

mesitila [De *mesit-* + *-ila*[2].] ***S. f.*** *Quím. Desus.* **1.** O grupo $-C_3H_5$, que estaria presente, p. ex., no *óxido de mesitila*. **2.** O grupo $-C_9H_{11}$, resultante da abstração de um hidrogênio de uma das metilas do mesitileno.

mesitileno [De *mesitil(a)* + *-eno*[2].] ***S. m.*** *Quím.* Substância líquida de alto ponto de ebulição, que é um hidrocarboneto derivado do benzeno por substituição de hidrogênios, em átomos alternados do anel, por metilas [fórm.: C_9H_{12}].

mesitina [De *mesit-* + *-ina*[1].] ***S. f.*** *Min.* Mesitita.

mesitita [De *mesit-* + *-ita*[3].] ***S. f.*** *Min.* Carbonato de magnésio e ferro, intermediário entre a magnesita e a siderita; mesitina.

mesma (ê) [F. subst. do pron. *mesmo*.] ***El. s. f.*** Us. nas loc. *dar na mesma* e *na mesma*. ◆ **Dar na mesma.** Ter o mesmo resultado (que uma medida, etc., tomada anteriormente); não apresentar nenhuma diferença; dar no mesmo. **Na mesma.** No mesmo estado; na mesma situação: "— Chama-se irmã dos pobres ....; e deve morar .... em alguma casa que ela não diz onde é. | — Estou na mesma: e a senhora onde mora?..." (Joaquim Manuel de Macedo, *Os Romances da Semana*, p. 21); *O doente continua na mesma; O professor explicou o ponto, e eu fiquei na mesma*.

mesmamente [Do f. de *mesmo* + *-mente*.] ***Adv.*** **1.** Do mesmo modo; sem nenhuma alteração. **2.** Identicamente.

mesmeriano [Do antr. *Mesmer* + *-iano*.] ***Adj.*** **1.** Relativo ou pertencente a Mesmer, ou ao mesmerismo (q. v.). **2.** Que é adepto do mesmerismo. ● ***S. m.*** **3.** Adepto ou praticante dele.

mesmerismo ***S. m.*** Teoria de Franz Anton Mesmer (1733-1815), médico austríaco, segundo a qual todo ser vivo seria dotado de um fluido magnético capaz de se transmitir a outros indivíduos, estabelecendo-se, assim, influências psicossomáticas recíprocas, inclusive com fins terapêuticos. [Cf. *magnetismo animal*.]

mesmerizado [Part. de *mesmerizar*.] ***Adj.*** Hipnotizado; magnetizado: "No tombo, o véu descobre-lhe a face, e Dimo fica mesmerizado pelo belo e enigmático rosto da dançarina." (Jô Soares, *O Homem que Matou Getúlio Vargas*, p. 61.)

mesmerizador [De *mesmerizar* + *-dor*.] ***Adj. S. m.*** Diz-se de, ou aquele que mesmeriza.

mesmerizar [Do antr. *Mesmer* (v. *mesmerismo*) + *-izar*.] ***V. t. d. P.*** Hipnotizar, magnetizar, encantar.

mesmeromania [Do antr. *Mesmer* (v. *mesmerismo*) + *-o-* + *-mania*.] ***S. f.*** *Psiq.* Devoção insana ao mesmerismo.

mesmeromaníaco [De *mesmeromania* + *-íaco*.] *Psiq.* ***Adj.*** **1.** Relativo a mesmeromania. **2.** Que tem mesmeromania; mesmerômano. ● ***S. m.*** **3.** Aquele que tem mesmeromania; mesmerômano.

mesmerômano [Do antr. *Mesmer* (v. *mesmerismo*) + *-mano*[1].] ***Adj. S. m.*** *Psiq.* Mesmeromaníaco (2 e 3).

mesmice [De *mesmo* + *-ice*.] ***S. f.*** **1.** Ausência de variedade ou de progresso; inalterabilidade: "Toda a semana santa correu-lhes na mesmice torturante daquela existência imóvel" (Euclides da Cunha, *À margem da História*, p. 85). **2.** Marasmo, pasmaceira.

mesmíssimo [Superl. abs. sint. de *mesmo*.] ***Adj.*** Que é perfeitamente o mesmo; absolutamente idêntico.

mesmo (ê) [Do lat. **metipsimu*, superl. de *metipse*.] ***Adj.*** **1.** Exatamente igual; idêntico: "As palavras seriam as mesmas da comédia; a ilha é que era outra" (Machado de Assis, *Quincas Borba*, p. 156); "Para onde fores, Pai, para onde fores, / Irei também, trilhando as mesmas ruas..." (Augusto dos Anjos, *Eu*, p. 88); "Pegaram a acender as luzes. / E nesse mesmo tempo parava no terreiro a comitiva" (Simões Lopes Neto, *Contos Gauchescos e Lendas do Sul*, p. 211). **2.** Parecido, semelhante, análogo: "toucava-se com um lenço da mais escrupulosa brancura ....; um mandil da mesma brancura .... completava o estranho vestuário da velha." (Almeida Garrett, *Viagens na Minha Terra*, pp. 98-99). **3.** Próprio, verdadeiro: "O Polvo .... com aquele não ter osso, nem espinha, parece a mesma brandura, a mesma mansidão." (Pe. Antônio Vieira, *Sermões*, II, p. 340); "É Vieira sem contradição mestre guapíssimo de nossa língua, e o mesmo Bernardes assim o conceituava" (Antônio Feliciano de Castilho, *ap.* Álvaro Lins e Aurélio Buarque de Holanda, *Roteiro Literário de Portugal e do Brasil*, I, p. 169); "A matemática se detém na invariância mesma" (Almir de Andrade, *As Duas Faces do Tempo*, p. 74). **4.** Este, esse, aquele; citado, mencionado: "Do século XVIII é João de Deus Sepúlveda, autor .... das pinturas no forro da nave da Igreja de São Pedro do Recife .... Do mesmo século é Luís Alves Pinto, que pintou o forro do coro da mesma igreja." (Gilberto Freire, *Vida, Forma e Cor*, p. 82). **5.** Que figura em pessoa; que se apresenta em caráter pessoal: "Eles mesmos pressentiam .... qualquer coisa de trágico, de mau..." (Antônio Patrício, *Serão Inquieto*, p. 140); "Responde / Como eu mesma: 'Não sei'." (Vicente de Carvalho, *Poemas e Canções*, p. 280); "Mas agora estou pensando no erro mais profundo que me divide de mim mesmo." (Gustavo Corção, *Lições de Abismo*, p. 125); "esquecida de si mesma" (Antônio Patrício, *Serão Inquieto*, p. 57). **6.** Não diverso; não outro; tal qual: "agora, como outrora, há aqui o mesmo contraste da vida interior, que é modesta, com a exterior, que é ruidosa." (Machado de Assis, *Dom Casmurro*, p. 4); "E esse teu seio, de onde a noite nasce, / É o mesmo seio de onde nasce o dia..." (Olavo Bilac, *Poesias*, p. 119). **7.** Que não mostra alteração no caráter ou na aparência; que não mudou; invariável: *Sou sempre o mesmo homem*. ● ***S. m.*** **8.** A mesma coisa: "El-rei consente que vá em seu nome consolar o Marquês de Marialva? | — Vá. É pai. Sabe o que há de dizer-lhe. | — O mesmo que ele me diria a mim, se Henrique estivesse como está o conde." (Rebelo da Silva, *Contos e Lendas*, p. 185); "Mandar-vos comprar vossa soltura a custo de tão leve risco, quase que é o mesmo que perdoar-vos." (Alexandre Herculano, *Lendas e Narrativas*, I, p. 392). [Parece conveniente evitar o emprego de *o mesmo* com outra significação que não essa, ou seja, como equiv. do pron. *ele*, ou *o*, etc.: *Vi ontem F. e falei com o mesmo a respeito do seu caso; Velho amigo desse rapaz, já tirei o mesmo de sérios embaraços.* No primeiro exemplo se dirá, mais apropriadamente, *falei com ele*, ou *falei-lhe* (por "falei com o mesmo"), e no segundo, *já o tirei* (em vez de "já tirei o mesmo"). É tão frequente esse uso, pelo menos deselegante, de *o mesmo*, que podemos observá-lo num mestre como Camilo Castelo Branco (*Cenas da Foz*, p. 30): "A primeira mulher que amei era uma dama de alto nascimento, que tivera bastante influência no quartel-general de Lord Wellington, e jogara, por causa de um ajudante de ordens do mesmo, o sopapo com uma viscondessa celebrada." Seria melhor, sem dúvida, *por causa de um seu ajudante de ordens* (sem perigo, a nosso ver, de ambiguidade), ou *por causa do ajudante de ordens deste*.] **9.** O que é indiferente ou não importa: *Isso para mim é o mesmo*. **10.** Indivíduo cujo caráter ou aparência não sofreram mudança: *Enriqueceu, mas continua o mesmo*. **11.** Usa-se reunindo duas frases com o verbo *ser* para exprimir fatos simultâneos: *Falar nele e tê-lo diante de si foi o mesmo*. **12.** *Filos.* Atributo próprio de cada ente determinado. [Cf., nesta acepç., *outro* e *unidade*.] ● ***Adv.*** **13.** Exatamente, precisamente, justamente: "Depois, cansados da viagem, / Repoisávamos na estalagem / (Que era em *Casais*, mesmo ao dobrar...)" (Antônio Nobre, *Só*, p. 63.) **14.** Até; ainda: "Não pertenci também à oposição que se faz ao Sr. Pena, antes vi com profundo dissabor, com irritação mesmo, a liga ultimamente formada." (João Francisco Lisboa, *Obras*, IV, p. 626); "Havia o mal, profundo e persistente, para o qual o remédio não surtiu efeito, mesmo em doses variáveis." (Raimundo Faoro, *Machado de Assis: a Pirâmide e o Trapézio*, p. 83); "Ela podia desmaiar naquele paroxismo, podia mesmo naquele sacrifício morrer." (Autran Dourado, *O Risco do Bordado*, p. 214). **15.** Realmente, verdadeiramente, deveras: "Mas, olhe cá, mana Glória, há mesmo necessidade de fazê-lo padre?" (Machado de Assis, *Dom Casmurro*, p. 9); *Vamos de qualquer maneira, mas vamos mesmo*. [Pelo menos no Brasil, costuma-se, principalmente em casos como o do último exemplo, pronunciar o *mesmo* como que sublinhado.] ● ***Pron.*** **16.** Com função substantiva = 'o indivíduo, a pessoa; aquele': *Foi sempre o mesmo homem de boa-fé*. ◆ **Dar no mesmo.** Dar na mesma: *Pode tomar qualquer destas ruas: dá no mesmo*.

mesnada [Do provenç. *maisnada*.] ***S. f.*** *Ant.* Porção de soldados assalariados; tropa mercenária: "Chamava-o el-rei a Toledo para o acompanhar com sua mesnada contra o rebelde Paulo." (Alexandre Herculano, *Lendas e Narrativas*, II, p. 21.)

mesnadaria [De *mesnada* + *-aria*.] ***S. f.*** *Ant.* O soldo do mesnadeiro.

mesnadeiro [De *mesnada* + *-eiro*.] ***S. m.*** *Ant.* **1.** Soldado da mesnada. **2.** Chefe de mesnada.

▲ **mes(o)-** [Do gr. *mésos, ē, on*.] ***El. comp.*** = 'meio': *mesartéria, mesoderma*. [É seguido de hífen quando anteposto a palavra iniciada por *h* ou *o*: *meso-histologia*; é grafado com *r* ou *s* duplicados quando anteposto a palavra iniciada por *r* ou *s*: *mesorrinco, mesossomo*.]

mesoblasto [De *mes(o)-* + *-blasto*.] ***S. m.*** *Embr.* Tecido conjuntivo frouxo situado entre o epiblasto e o hipoblasto, e que constitui o mesoderma intraembrionário.

mesocárpico [De *mesocarpo* + *-ico*[2].] ***Adj.*** Relativo ao mesocarpo.

mesocarpo [De *mes(o)-* + *-carpo*.] ***S. m.*** **1.** *Bot.* Porção do pericarpo dos frutos, a qual, quando estes são carnosos, constitui a polpa. **2.** *Anat.* Série inferior dos ossos do carpo.

mesocefalia [De *mesocéfalo* + *-ia*[1].] ***S. f.*** *Antropom.* Mesaticefalia.

mesocefálico [De *mesocefalia* + *-ico*[2].] ***Adj.*** *Antropom.* Mesaticefálico.

mesocéfalo [De *mes(o)-* + *-céfalo*.] ***Adj. S. m.*** *Antropom.* Mesaticéfalo (q. v.).

mesóclise [De *mes(o)-* + *-clise*[1].] ***S. f.*** *E. Ling.* Intercalação de pronome átono em um verbo. Ex.: *dir*-te-*ei*, *amá*-lo-*ia*, *contar*-vo-lo-*ia*. [Sin., p. us.: *tmese*. Cf. *ênclise* e *próclise*.]

mesoclítico [De *mesócl(ise)* + *-ítico*.] ***Adj.*** **1.** Referente à mesóclise. **2.** Em que ocorre mesóclise. [Cf. *enclítico* e *proclítico*.] ~ V. *charada —a*.

mesocoracoide (ói) [De *mes(o)-* + *coracoide*.] *Zool.* ***Adj. 2 g.*** **1.** Pertencente ou relativo à parte média do arco coracoide, nos peixes teleósteos. ● ***S. m.*** **2.** Osso mesocoracoide. ❖

mesocracia [De *mes(o)-* + *-cracia*.] ***S. f.*** Sistema social e político, ou governo, exercido ou influenciado pelas classes médias, ou pela burguesia; mediocracia.

mesocrânio [De *mes(o)-* + *crânio*.] ***S. m.*** *Anat.* Vértex do crânio (q. v.).

mesocrático ***Adj.*** Relativo a mesocracia.

mesocúrtico [De *mes(o)-* + *-cúrtico*, como em *leptocúrtico*.] ***Adj.*** *Mat.* ~ V. *curva —a*.

mesoderma [De *mes(o)-* + *-derma*.] ***S. m.*** *Embr.* A camada média, das três camadas germinativas primárias do embrião, da qual derivam os tecidos conjuntivo, ósseo, cartilaginoso, muscular, o sangue, etc. [Cf. *endoderma* (1) e *ectoderma* (1).] ◆ **Mesoderma extraembrionário.** *Embr.* Camada de tecido disposta em torno do âmnio e do saco vitelino. **Mesoderma intraembrionário.** *Embr.* Tecido que converte o disco embrionário didérmico em tridérmico.

mesodérmico [De *mesoderma* + *-ico*[2].] ***Adj.*** Derivado do mesoderma, ou que dele faz parte.

mesodiscal [De *mes(o)-* + *-disc(i)-* + *-al*[1].] ***Adj. 2 g.*** *Bot.* Diz-se dos estames quando inseridos na face superior do disco.

mesoesterno [De *mes(o)-* + *esterno*; lat. cient. *mesosternum*.] ***S. m.*** *Zool.* A cutícula ventral, esclerotizada, do mesotórax dos insetos.

mesofalange [De *mes(o)-* + *falange*.] ***S. f.*** *Anat.* V. *falange medial*.

mesofalangeal [De *mesofalange* + *-eal*.] ***Adj. 2 g.*** *Anat.* Relativo ou pertencente a mesofalange.

mesofauna [De *mes(o)-* + *fauna*.] ***S. f.*** *Zool.* O conjunto dos animais de tamanho intermediário (v. *macrofauna* e *microfauna*), e que inclui os invertebrados que habitam o solo, como, p. ex., os anelídeos e os moluscos.

mesofilo [De *mes(o)-* + *-filo*[1].] ***S. m.*** *Bot.* O conjunto dos tipos celulares que se localizam entre as duas epidermes foliares, constituindo o corpo da folha, e onde estão principalmente os dois parênquimas assimiladores, ditos *paliçádico* e *lacunoso*. [Cf. *mesófilo*.]

mesófilo [De *mes(o)-* + *-filo*^{2}.] *Adj. Ecol.* Diz-se do que só cresce em condições específicas de temperatura e de umidade, como plantas florestais dos trópicos. [Cf. *mesofilo*.]

mesofítico [De *mesófito* + *-ico*^{2}.] *Adj.* Relativo a, ou próprio de mesófito.

mesófito [De *mes(o)-* + *-fito*.] *S. m. Ecol.* Vegetal que, não sendo nem xerófito nem aquático, habita lugares com umidade suficiente para um amplo desenvolvimento vegetativo, e do qual são exemplos típicos as plantas das matas.

mesófrio [Do gr. *mesóphryon*.] *S. m. Anat.* V. *glabela*.

mesogástrio [De *mes(o)-* + *-gastr(o)-* + *-io*^{3}.] *S. m. Anat.* Região média do abdome, ou região intermédia às regiões epigástrica e hipogástrica.

mesogleia (éi) [De *mes(o)-* + adapt. do gr. *gloiós*, 'substância gelatinosa'; lat. cient. *mesoglea* ou *mesogloea*.] *S. f. Zool.* Substância gelatinosa encontrada entre o ectoderma e o endoderma em muitos cnidários e ctenóforos, e que pode conter células migradas de outras áreas. ❖

mesógnata [De *mes(o)-* + *-gnata*.] *Adj. 2 g. Zool.* V. *mesógnato*.

mesógnato [De *mes(o)-* + *-gnato*.] *Adj. Zool.* Diz-se de bico das aves que tem, nas partes superior e inferior, o mesmo comprimento.

mesoiônico *Adj. Quím.* V. *mesoiônico*.

mesoiônico [De *meso(mérico)* + *iônico*.] *Adj. Quím.* Diz-se de certos compostos orgânicos que contêm anel pentagonal heterocíclico dotado de intenso caráter dipolar.

mesolábio [Do gr. *mesolábion*, pelo lat. *mesolabiu*.] *S. m.* Antigo instrumento geométrico destinado a achar mecanicamente duas médias proporcionais que não podiam ser achadas geometricamente.

mesoletal [De *mesoleto* + *-al*^{1}.] *Adj. 2 g. E. Ling.* Relativo a mesoleto: *variantes mesoletais*.

mesoleto [De *mes(o)-* + *-leto*.] *S. m. E. Ling.* Cada uma das variedades intermediárias entre o basileto e o acroleto.

mesolita [De *mes(o)-* + *-lita*.] *S. f. Min.* Mineral monoclínico acicular, do grupo das zeólitas, silicato hidratado de sódio, alumínio e cálcio.

mesolítico [De *mes(o)-* + *-lit(o)-* + *-ico*^{2}.] *Adj.* **1.** Pertencente ou relativo ao período mesolítico. ~ V. *período* —. ● *S. m.* **2.** Esse período.

mesolitoral [De *mes(o)-* + *litoral*.] *Adj. 2 g. S. m.* Diz-se de, ou região costeira banhada pelo mar, situada entre a linha de maré mais alta e a linha de maré mais baixa; mediolitoral. [Pl.: *-rais*.]

mesolobo [De *mes(o)-* + *lobo* (1).] *S. m. Anat.* Corpo caloso (q. v.).

mesologia [De *mes(o)-* + *-logia*.] *S. f. Biol.* Ecologia (1).

mesológico [De *mesologia* + *-ico*^{2}.] *Adj.* Relativo a mesologia.

mesomeria [De *mes(o)-* + *-mer(o)-*^{2} + *-ia*^{1}.] *S. f.* **1.** A parte do corpo situada entre as coxas. **2.** *Quím.* Mesomerismo.

mesomérico [De *mesomerismo* + *-ico*^{2}, seg. o padrão erudito.] *Adj. Quím.* Próprio de, ou relativo a mesomerismo. ~ V. *efeito* —.

mesomerismo [De *mes(o)-* + *-mer(o)-*^{1} + *-ismo*.] *S. m. Quím.* Fenômeno apresentado por alguns compostos cuja estrutura molecular pode ser representada como uma média entre duas ou mais estruturas convencionais. [Cf. *teoria da ressonância*.]

mesometeorito [De *mes(o)-* + *meteorito*.] *S. m. Astr.* Meteorito com dimensões da ordem de 1cm, e que se consome pelo atrito com a atmosfera, não chegando a atingir o solo terrestre.

mesomorfia [De *mes(o)-* + *-morf(o)-* + *-ia*^{1}.] *S. f. Fís.* Propriedade dos cristais líquidos caracterizada pela anisotropia, especialmente óptica, dos cristais; mesomorfismo.

mesomórfico [De *mesomorfia* + *-ico*^{2}.] *Adj.* Referente à mesomorfia.

mesomorfismo [De *mes(o)-* + *-morf(o)-* + *-ismo*.] *S. m. Fís.* Mesomorfia.

méson [Do gr. *méson*, 'médio'; ingl. *meson*.] *S. m. Fís. Part.* Designação genérica de partículas elementares de *spin* nulo ou inteiro, constituídas por um par *quark-antiquark*. O méson mais leve é o píon. [Pl.: *mésons*.] ◆ **Méson D.** *Fís. Part.* Méson pesado que contém um quark c (q. v.). **Méson eta.** *Fís. Nucl.* Eta (2). **Méson K.** *Fís. Nucl.* Káon. **Méson pi.** *Fís. Nucl.* Píon.

mesonefro *S. m. Embr. Zool.* V. *mesônefro*.

mesônefro [De *mes(o)-* + *-nefro*.] *S. m.* **1.** *Embr.* Cada um dos órgãos alongados que atuam como rins temporários desde a quarta semana até o primeiro trimestre do desenvolvimento embrionário; no sexo masculino, forma os ductos eferentes dos testículos e, no sexo feminino, regride. **2.** *Zool.* Rim definitivo de anfíbios e da maioria dos peixes. [Var. pros.: *mesonefro*.]

mesonemertino [De *mes(o)-* + *nemertino*; tax. *Mesonemertini*.] *S. m. Adj. Zool.* V. *bdelonemertino*.

mesonoto [De *mes(o)-* + *-noto*; lat. cient. *mesonotum*.] *S. m. Zool.* A cutícula dorsal, esclerotizada, do mesotórax dos insetos.

mesopausa [De *mes(o)-* + *-pausa*.] *S. f. Geofís.* Zona de transição de alguns quilômetros de altura entre a mesosfera e a termosfera, onde a variação de temperatura em função da altitude é fraca.

mesopiteco [Do tax. *Mesopithecus*.] *S. m. Paleont.* **1.** Gênero de mamíferos primatas do terciário superior da Europa oriental e da Ásia, forma intermediária para o macaco. **2.** Espécie ou espécime desse gênero.

mesopleura [De *mes(o)-* + *-pleura*; lat. cient. *mesopleuron*.] *S. f. Zool.* A cutícula lateral, esclerotizada, do mesotórax dos insetos.

mesopotâmia *S. f.* V. *mesopotâmia*. [Uso freq. em P.]

mesopotâmia [Do gr. *mesopotamía*, pelo lat. *mesopotamia*.] *S. f.* Região situada entre rios.

mesopotâmico [De *mesopotâmia* + *-ico*^{2}.] *Adj.* Relativo ou pertencente a mesopotâmia, ou à região da Ásia, entre os rios Tigre e Eufrates, chamada *Mesopotâmia*.

mesoprosópio [De *mes(o)-* + *-prosop(o)-* + *-io*^{3}.] *S. m. Antropom.* Indivíduo cujo índice facial é superior a 84 e inferior a 90.

mesorregião [De *mes(o)-* + *região*.] *S. f. Geogr.* Unidade territorial homogênea, em nível maior que a microrregião, porém menor que o estado ou território, e resultante do grupamento de microrregiões.

mesorregional [De *mesorregião* + *-al*^{1}, seg. o padrão erudito.] *Adj. 2 g.* Relativo a mesorregião.

mesorrinia [De *mesorrino*^{1} + *-ia*^{1}.] *S. f. Antropom.* Qualidade ou estado de mesorrino^1 (1). [Cf. *platirrinia* e *leptorrinia*.]

mesorrino^1 [De *mes(o)-* + *-rino*.] *Antropom. Adj.* **1.** Diz-se de indivíduo de índice nasal médio, *i. e.*, entre 48 e 53. [As raças amarelas são quase todas mesorrinas.] [Cf. *leptorrino* e *platirrino*^{1} (1).] ● *S. m.* **2.** Indivíduo mesorrino.

mesorrino^2 [Do lat. cient. *mesorrhinium*.] *S. m. Zool.* Numa ave, a porção da base da mandíbula superior que fica entre as narinas.

mesosfera [De *mes(o)-* + *-sfera*.] *S. f. Geofís.* Camada atmosférica que se estende de 250 a 600km de altitude, entre a ionosfera e a exosfera.

mesossauro [Do tax. *Mesosaurus*.] *S. m. Paleont.* **1.** Gênero de pequenos reptis aquáticos que, presumivelmente, se alimentavam de peixes, e que viveram no permiano da América do Sul e África. **2.** Qualquer espécie desse gênero, como, p. ex., o *Mesosaurus brasiliensis*, encontrado no Sul do Brasil (formação Irati), com cerca de 75cm de comprimento, cabeça alongada, numerosos dentes longos e afiados e membros posteriores semelhantes a nadadeiras. **3.** Qualquer espécime desse gênero.

mesossomo [De *mes(o)-* + *-somo*.] *S. m. Microbiol.* Invaginação da membrana celular de algumas bactérias.

mesostigmado [De *mes(o)-* + *-(e)stigm(o)-* + *-ado*^{3}; tax. *Mesostigmata*.] *Zool. S. m.* **1.** Espécime dos mesostigmados, subordem de artrópodes aracnídeos, acarinos, predadores, comensais, parasitos ou de vida livre, cujo corpo tem um par de estigmas traqueais abrindo em tubo delgado ao lado das pernas. ● *Adj.* **2.** Pertencente ou relativo a eles.

mesotão *S. m. Lus. Fís. Nucl.* V. *méson*. [Pl.: *mesotões*.]

mesotélio [De *mes(o)-* + *(epi)télio*.] *S. m. Histol.* Epitélio pavimentoso simples que reveste as cavidades pleural, peritonial e pericárdica.

mesotenar [De *mes(o)-* + *tenar*.] *S. m. Anat.* Músculo adutor de cada um dos polegares.

mesotérmico [De *mes(o)-* + *-term(o)-* + *-ico*^{2}.] *Adj. Ecol.* Diz-se dos vegetais que preferem temperaturas anuais médias entre 15 a 20°C; mesotermo.

mesotermo [De *mes(o)-* + *-termo*.] *Adj. Ecol.* Mesotérmico.

mesotorácico [De *mesotorac-*, por *mesotórax*, + *-ico*^{2}, seg. o padrão erudito.] *Adj.* Respeitante ao mesotórax.

mesotórax (cs) [De *mes(o)-* + *tórax*; lat. cient. *mesothorax*.] *S. m. 2 n. Zool.* Segmento mediano do tórax dos insetos. [V. *tórax* (2).]

mesozoário [De *mes(o)-* + *-zo(o)-* + *-ário*; tax. *Mesozoa*.] *Zool. S. m.* **1.** Espécime dos mesozoários, grupo de organismos marinhos, vermiformes e parasitos de outros animais, caracterizados por terem células digestivas externas ciliadas em número reduzido. ● *Adj.* **2.** Pertencente ou relativo a eles.

mesozoico (ói) [De *mes(o)-* + *-zoico*.] *Geol. S. m.* **1.** Era mesozoica. ● *Adj.* **2.** ~ V. *era* —*a*. ❖

mesozona [De *mes(o)-* + *zona*.] *S. f. Petr.* Região intermediária do metamorfismo dinamotermal, caracterizada pela formação de minerais lamelares ou prismáticos, em geral hidratados. [Cf. *epizona* e *catazona*.]

mesquinhador (ô) [De *mesquinhar*^{2} + *-dor*.] *Adj. S. m. Bras. RS* Diz-se de, ou cavalo que mesquinha [v. *mesquinhar*^{2} (1)].

mesquinhar^1 [De *mesquinho*^{1} + *-ar*^{2}.] *V. t. d. e i.* **1.** Recusar, negar, por mesquinharia. **2.** Regatear (1). *P.* **3.** Mostrar-se mesquinho, pouco generoso.

mesquinhar^2 [De *mesquinho*^{2} + *-ar*^{2}.] *V. int. Bras. RS* **1.** Não deixar (o cavalo) que lhe ponham o freio. **2.** Mostrar-se mesquinho^2 (2). **3.** Procurar fugir de qualquer assunto ou de qualquer coisa.

mesquinharia [De *mesquinho*^{1} + *-aria*.] *S. f.* V. *mesquinhez*.

mesquinhez (ê) [De *mesquinho*^{1} + *-ez*.] *S. f.* **1.** Qualidade de mesquinho; insignificância, pequenez, miudeza: *Decepcionou a todos a mesquinhez dos resultados*. **2.** Estreiteza, acanhamento: *mesquinhez de espaço*. **3.** Usura, sovinice, avareza. **4.** Desdita, infelicidade: *a mesquinhez da sua vida*. **5.** Ação mesquinha. [F. paral.: *mesquinheza*; sin. ger.: *mesquinharia*.]

mesquinheza (ê) [De *mesquinho*^{1} + *-eza*.] *S. f.* V. *mesquinhez*.

mesquinho^1 [Do ár. *miskīn*, 'pobre', 'desgraçado', 'coitado', 'infeliz'.] *Adj.* **1.** Privado do necessário; pobre, mísero. **2.** Insignificante, parco, ridículo: *ordenado mesquinho*. **3.** Insignificante, apagado, irrelevante: "com seu triste e mesquinho aspecto, vivia Vicentina sempre afastada, medrosa" (José Veríssimo, *Cenas da Vida Amazônica*, p. 251). **4.** Não generoso; que não gosta de dar. V. *avaro* (1). **5.** Pouco desenvolvido; acanhado: *figura mesquinha*. **6.** Pobre, escasso: "A sua administração é mesquinha de iniciativa e balda de recursos" (João Ribeiro, *História do Brasil*, p. 168). **7.** Desditoso, infeliz: *mesquinho ser, batido pela vida; sorte mesquinha*. **8.** Baixo, reles, sórdido: *política mesquinha*. **9.** Medíocre, ordinário, vulgar: *vida mesquinha*. **10.** Débil, fraco: *jovem mesquinho; saúde mesquinha*. ● *S. m.* **11.** Indivíduo mesquinho: "as injúrias e as calúnias, com que os mesquinhos e os maus sempre procurarão deturpar o vosso pensamento" (Olavo Bilac, *Últimas Conferências e Discursos*, p. 215).

mesquinho^2 [Do esp. *mezquino*.] *Adj. Bras. RS* **1.** Diz-se do cavalo que não deixa pôr o freio, que é assustadiço. **2.** Diz-se de pessoa arisca, difícil, desconfiada, ou tímida, medrosa.

mesquita [Do ár. *masğid*, 'lugar de culto'; 'templo', 'oratório', do v. *sajada*, 'prostrar-se'.] *S. m.* Templo maometano.

mesquitense *Adj. 2 g.* **1.** De, ou pertencente ou relativo a Mesquita (MG). ● *S. 2 g.* **2.** O natural ou habitante de Mesquita.

messalina [Do antr. *Messalina*, mulher de Cláudio I (10 a. C.- 54 d. C.), imperador de Roma, famosa pela devassidão.] *S. f.* **1.** Mulher lasciva e dissoluta em excesso. **2.** *Deprec.* Meretriz.

messalínico [De *messalina* + *-ico*^{2}.] *Adj.* Referente a, ou próprio de Messalina.

messe [Do lat. *messe*.] *S. f.* **1.** Seara em bom estado de se ceifar. **2.** . Ceifa, colheita. **3.** *Fig.* Aquisição, conquista: *messe de glórias*. **4.** *Fig.* Conversão de almas.

messiado [De *messias* + *-ado*^{2}.] *S. m.* Missão ou dignidade de messias.

messiânico [Do fr. *messianique*.] *Adj.* Relativo ao Messias, a messias, ou ao messianismo: "O Saudosismo .... decerto ajudou a despertar em Fernando Pessoa quaisquer tendências messiânicas herdadas com o sangue judaico." (Jacinto do Prado Coelho, *Diversidade e Unidade em Fernando Pessoa*, p. 30.)

messianismo [Do fr. *messianisme*.] *S. m.* **1.** *Rel.* Na Bíblia, a expectativa do Messias; a esperança de um salvador ou redentor. **2.** *Antrop.* Qualquer movimento político-religioso baseado na crença em um enviado divino (já presente ou ainda por vir) que anuncia e prepara a abolição das condições vigentes, e por fim instaura, ou reinstaura, uma era de plena felicidade e justiça. [Aplica-se o termo esp. quando tal crença pode ser considerada uma referência ideológica para grupos e povos em situação de crise e de dominação, p. ex., em contexto de domínio colonial. Cf. *milenarismo*, *profetismo*.]

messianista [Do fr. *messianiste*.] *Adj. 2 g.* **1.** Relativo ao, ou que é adepto do messianismo. ● *S. 2 g.* **2.** Adepto do messianismo.

messias [Do hebr. *mashiah*, 'ungido', pelo lat. *messias*.] *S. m. 2 n.* **1.** *Rel.* Pessoa ou coletividade na qual se concretizavam as aspirações de salvação ou redenção. **2.** *Rel.* Pessoa a quem Deus comunica algo de seu poder ou autoridade. **3.** Líder carismático. **4.** *P. ext.* Pessoa esperada ansiosamente. **5.** *Fig.* Refor-

M

mador ou pretenso reformador social. ◆ **Esperar pelo Messias.** Esperar coisa pouco provável; fundar-se em esperanças vãs.

messias-targinense *Adj. 2 g.* **1.** De, ou pertencente ou relativo a Messias Targino (RN). ● *S. 2 g.* **2.** O natural ou habitante de Messias Targino. [Pl.: *messias-targinenses.*]

messidor (ô) [Do fr. *messidor* < lat. *messis*, 'messe', 'colheita', + gr. *dôron*, 'dádiva'.] *S. m. Cronol.* V. *calendário republicano.*

messiense *Adj. 2 g.* **1.** De, ou pertencente ou relativo a Messias (AL). ● *S. 2 g.* **2.** O natural ou habitante de Messias.

messório [Do lat. *messoriu.*] *Adj.* Que ceifa ou recolhe cereais.

mesteiral *Adj. 2 g. S. m. Obsol.* Diz-se de, ou homem de mester, de profissão manual.

mester (tér) [Do lat. *ministeriu*, por via pop.] *S. m. Ant.* **1.** Arte, ofício manual. **2.** Oficial mecânico; artífice, operário. **3.** Corporação (1) profissional. [Cf. *mister.*]

mestiçagem [De *mestiço* + *-agem*[2].] *S. f.* **1.** Cruzamento de espécies diferentes. **2.** V. *miscigenação.* **3.** Conjunto de mestiços.

mestiçamento [De *mestiçar* + *-mento.*] *S. m.* V. *miscigenação.*

mestiçar [De *mestiço* + *-ar*[2].] *V. t. d. T. i. P.* Cruzar(-se) (indivíduo[s] de uma etnia, ou de uma raça) com o(s) de outra. [Conjug.: v. *laçar.*]

mesticizar [De *mestiço* + *-izar.*] *V. t. d. P.* Tornar(-se) mestiço: "Eu gostava .... de distinguir do alto da cátedra, no recinto cheio, as diversas raças de que gloriosamente se mesticiza o Brasil, ali representadas, e as que se mantêm imisturáveis, indissolúveis" (Gilberto Amado, *Depois da Política*, pp. 168-169).

mestiço [Do lat. tard. *mixticiu*, de *mixtus*, 'misto', part. pass. de *miscere*, 'misturar', 'mesclar'.] *Adj.* **1.** Descendente de indivíduos de etnias diferentes. [Sin., bras.: *nhapango.*] **2.** Proveniente do cruzamento de raças diferentes: *cavalo mestiço.* ● *S. m.* **3.** Indivíduo cujos pais ou ascendentes são de etnias diferentes. [Sin., bras., nesta acepç.: *bode, chibarro* e *nhapango.*] **4.** Animal mestiço (2). **5.** *Bras. Zool.* Carataí (3).

mesto [Do lat. *moestu.*] *Adj. Poét.* Que causa tristeza; triste, melancólico: "Ainda escuto os ecos / Duma fugaz ventura, / Que assim me deixou triste / Em mesta solidão." (Gonçalves Dias, *Obras Poéticas*, II, p. 95.)

mestra [Fem. de *mestre*; não vem, pois, do lat. *magistra.*] *S. f.* **1.** Mulher que ensina; professora. **2.** Aquilo que faculta ensinamentos úteis: *A vida é grande mestra.* **3.** *Constr.* Cada uma das tábuas ou sarrafos que compõe a tabeira na locação da obra; dama. **4.** *Topogr.* V. dama[3]. **5.** *Bras. N.E. Folcl.* No pastoril (5), a pastora do cordão encarnado. ~ V. *mestras.* ● *Adj. (f.)* **6.** Principal, fundamental. V. *abóbada —.*

mestraço [De *mestre* + *-aço.*] *S. m.* Aquele que sabe muito do seu ofício; mestre hábil; mestrão.

mestrado [De *mestre* + *-ado*[2].] *S. m.* **1.** Dignidade de mestre, numa ordem militar. **2.** O exercício dessa dignidade. **3.** Função de mestre. **4.** Reunião ou conjunto de mestres. **5.** Curso de pós-graduação, mais avançado que a especialização, que capacita o graduado à execução de pesquisas em uma área de conhecimento, e do qual constam, ger., aulas e trabalho de investigação, sob a direção de um orientador, e cuja conclusão é condicionada à apresentação de um trabalho escrito ou tarefa congênere. [Cf., nesta acepç., *doutorado* (2), *especialização* e *licenciatura* (2).] **6.** *Bras.* O grau de mestre (13).

mestral [De *mestre* + *-al*[1].] *Adj. 2 g.* Respeitante a mestrado.

mestrança [De *mestre* + *-ança.*] *S. f.* **1.** Local das oficinas do material de guerra. **2.** Depósito de material para embarcações. **3.** *Pop.* O conjunto dos melhores mestres de qualquer arte ou ofício: "Pouco se importara .... com a tal febre, não pelas afirmações, sempre tranquilizadoras, dos muitos médicos consultados, a mestrança" (Visconde de Taunay, *Ao Entardecer*, p. 18).

mestrando [De *mestre* + *-ando* (q. v.).] *S. m.* Aquele que frequenta o curso de mestrado (5) ou que está prestes a concluí-lo.

mestrão [De *mestre* + *-ão*[1].] *S. m. Pop.* Mestraço.

mestras *S. f. pl.* Cones de terra que se deixam nos desaterros como testemunhas para cálculo posterior da terra escavada. ~ V. *mestra.*

mestre [Do esp. *maestre* ou do fr. ant. *maiestre*, pelo arc. *meestre.*] *S. m.* **1.** Homem que ensina; professor. **2.** Aquele que é perito ou versado numa ciência ou arte: *Vila-Lobos, mestre da música; Einstein, mestre da física.* **3.** Homem superior e de muito saber: *Deve inspirar-se nos mestres.* **4.** Aquele que se avantaja em qualquer coisa: *Em criar confusões ele é mestre.* **5.** Aquilo que serve de ensino ou lição: *Seu maior mestre foi o duro trabalho.* **6.** Artífice em relação aos seus oficiais. **7.** Chefe de fábrica. **8.** Superior de ordem militar. **9.** Título dado a artista, cientista ou escritor eminente, em sinal de respeito: *Mestre Alceu.* **10.** Chefe de operários; mestre de obras. **11.** Diretor espiritual; mentor, confessor. **12.** O que tem o terceiro grau na maçonaria. **13.** Aquele que tem o mestrado (5). **14.** *Ant.* Capitão (4). **15.** Capitão (4) de embarcação empregada na navegação de pequena cabotagem. **16.** *Maç.* Terceiro grau simbólico na hierarquia maçônica em todos os ritos. **17.** *Mar. Merc.* O contramestre mais antigo de embarcação mercante, encarregado da tripulação do convés, a quem compete dirigir os trabalhos de limpeza, conservação e pintura da embarcação, e as fainas de marinharia que nela se executam, e que é também responsável pela disciplina desse pessoal. **18.** Aquele que dirige um organismo musical. **19.** *Mús.* Título dado aos compositores mais famosos de música religiosa bizantina, que apareceram após o cisma do séc. XII. **20.** *Bras. N.E.* Título dado a todo bom tocador, principalmente de sanfona: *mestre Severino; mestre Leôncio.* **21.** *Bras. RS* O mourão mais grosso que se põe no ângulo do aramado. **22.** *Bras. Cap.* Título concedido a capoeiristas mais experientes, com notório saber e longa vivência na capoeira. **23.** *Bras. PI Rel.* Entidade da encanteria (q. v.), correspondente ao pai de santo do candomblé. ● *Adj.* **24.** Que é superior a. **25.** Grande, extraordinário: "caiu trêmula nos braços de Raimundo, que, contra os seus hábitos de rapaz sério, ferrou-lhe dous beijos mestres." (Aluísio Azevedo, *O Mulato*, p. 177); *um espetáculo mestre; as criações mestras da literatura universal.* **26.** Que é o mais importante; que serve de base ou de guia; principal, fundamental: *projeto mestre; viga mestra; itinerário mestre.* [Fem.: *mestra.*] ~ V. *abóbada —a, caverna —a, chave —a, espigão —, estrada —a, linha —a, página — a, parede —a, raiz —a, tabela —a, velas —as* e *viga —a.* ◆ **Mestre de meninos.** V. *mestre-escola.* **Mestre de primeiras letras.** V. *mestre-escola.* **Venerável mestre.** Irmão eleito e instalado para dirigir uma loja simbólica; o posto mais elevado na hierarquia desta loja. [Tb. se diz apenas *venerável.*] *Maç.*

mestrear [De *mestre* + *-ear*[2].] *V. int. Bras.* **1.** Falar como mestre. **2.** Fazer de mestre. [Conjug.: v. *frear.*]

mestre-cuca [De *mestre* + *cuca*[1].] *S. m. Pop. Fam.* Cozinheiro: "Nem troco o bom e saudável tempero de muita dona de casa pelos virtuosismos culinários do mais hábil mestre-cuca." (Eduardo Frieiro, *Feijão, Angu e Couve*, p. 23.) [F. paral.: *mestre-cuco.* F. red.: *cuca, cuco.* Pl.: *mestres-cucas.*]

mestre-cuco [De *mestre* + *cuco*[2].] *S. m. Pop.* V. *mestre-cuca.* [Pl.: *mestres-cucos.*]

mestre-d'armas *S. m. Mar. G.* Praça que dirige alguns setores e aspectos do serviço de rancho do pessoal subalterno, de segundo-sargento a grumete. [Pl.: *mestres-d'armas.* Cf. *mestre de armas.*]

mestre de açúcar *S. m. Bras. N.E.* Aquele que, nos engenhos, dá o ponto[1] (15) ao açúcar: "um moleque de S. Bernardo fizera mal à filha do mestre de açúcar de Mendonça" (Graciliano Ramos, *S. Bernardo*, p. 33). [Pl.: *mestres de açúcar.*]

mestre de armas *S. m.* Aquele que ensina esgrima. [Pl.: *mestres de armas.* Cf. *mestre-d'armas.*]

mestre de campo *S. m.* **1.** V. *hierarquia militar.* **2.** Oficial que detinha o posto de mestre de campo. [Pl.: *mestres de campo.*]

mestre de capela *S. m. Mús.* Músico que, nas catedrais, capelas reais e principescas, etc., dirigia os cantores e organizava a parte musical determinada pela liturgia. [Pl.: *mestres de capela.*]

mestre de cerimónias *S. m.* V. *mestre de cerimônias.* [Uso freq. em P.]

mestre de cerimônias *S. m.* **1.** Clérigo ou padre que dirige o cerimonial litúrgico. **2.** Mestre-sala (1). **3.** Aquele que, num evento, *show*, etc., entretém o público e anuncia os oradores, cantores, etc.: "Um *show* com Cármen e Aurora Miranda, Francisco Alves, Sílvio Caldas, Carlos Galhardo, Almirante, Dircinha Batista, Orlando Silva, João Petra de Barros, Araci de Almeida, o Bando da Lua e muitos outros .... e, como mestre de cerimônias, o humorista Barbosa Júnior." (Rui Castro, *Cármen*, p. 174.) [Pl.: *mestres de cerimônias.*]

mestre de obras *S. m.* Aquele que dirige os operários em uma construção. [Pl.: *mestres de obras.*]

mestre de toadas *S. m. Bras. PE Folcl. Mús.* Participante de folguedos populares como o maracatu (PE) e a festa do boi (MA) que canta ao som de uma orquestra de percussão e sopro. [Pl.: *mestres de toadas.*]

mestre do cu sujo *S. m. Bras. BA* Indivíduo imundo, ou reles, desprezível, insignificante. [Pl.: *mestres do cu sujo.*]

mestre-escola *S. m.* **1.** Professor de instrução primária; mestre de meninos, mestre de primeiras letras: "D. Tomásia, irmã do mestre-escola da aldeia ...., vivera na corte muitos anos com o sábio mano." (Alexandre Herculano, *Lendas e Narrativas*, II, p. 257.) **2.** Dignidade inferior, em cabidos. [Pl.: *mestres-escolas.*]

mestre-impressor (ô) *S. m.* Tipógrafo. [Pl.: *mestres-impressores.*]

mestre-maçom *S. m. Maç.* Maçom investido no grau 3. [Pl.: *mestres-maçons* e *mestres-maçom.*]

mestre-sala *S. m.* **1.** Empregado da casa real que nas recepções do paço e noutros atos solenes dirigia o cerimonial; mestre de cerimônias. **2.** Diretor ou o principal participante de um baile público ou de um desfile festivo, como ranchos, maracatus, etc. **3.** *Bras. Restr.* Figurante que faz par com a porta-bandeira (3), no desfile das escolas de samba: "Você era a mais bonita / Das cabrochas desta ala / Você era a favorita / Onde eu era mestre-sala" (Chico Buarque de Holanda, do samba *Quem Te Viu, Quem Te Vê*). [Pl.: *mestres-salas.*]

mestria [De *mestre* + *-ia*[1].] *S. f.* **1.** Qualidade de mestre; grande saber; sabedoria. **2.** Perícia, habilidade, destreza: "nenhum o igualava [a Osvaldo Goeldi] na mestria do traço, na força da emoção" (Manuel Bandeira, *Andorinha, Andorinha*, p. 60). [F. paral.: *maestria.*]

mesura [Do lat. *mensura*, 'medida'.] *S. f.* **1.** Cortesia, cumprimento, reverência. **2.** *Ant.* Medida (2).

mesurado [Part. de *mesurar.*] *Adj.* **1.** Comedido, medido: "Entrei na sala a passo mesurado, e quase a súbitas." (Camilo Castelo Branco, *Amor de Salvação*, p. 197.) **2.** Comedido, prudente, discreto: "Os poetas dos tempos floridos da Grécia e de Roma primavam pela naturalidade dos conceitos e pela mesurada compostura das imagens." (Latino Coelho, *Cervantes*, p. 198.) **3.** Reverenciado, cumprimentado. **4.** V. *mesureiro.*

mesurar [Do lat. *mensurare*, 'medir'.] *V. t. d.* **1.** Fazer ou dirigir mesuras ou cumprimentos a; cumprimentar, cortejar. *P.* **2.** Proceder com mesura, medida ou comedimento; comedir-se, moderar-se.

mesureiro [De *mesura* + *-eiro.*] *Adj.* **1.** Amigo de fazer mesuras; cerimonioso, reverenciador. **2.** Cortês, polido. **3.** Servil, adulador. [Sin. ger.: *mesurado.*]

mesurice [De *mesura* + *-ice.*] *S. f.* **1.** Qualidade de mesureiro. **2.** Mesura afetada.

▲ **met-** *Pref. Quím.* Indica que um grupamento ou substância orgânica possui somente um átomo de carbono (e pode ser considerado derivado do metano): *metil, metanol.*

meta[1] [Do lat. *meta.*] *S. f.* **1.** Poste, marco, cordel ou qualquer outro sinal que indica ou demarca o ponto final das corridas (de pedestres, de cavalos, de regatas, etc.): *O jóquei levou o potro além da meta.* **2.** V. *gol* (1). **3.** Baliza, barreira, marco, limite: *as metas da pista.* **4.** Alvo, mira, objetivo: "E quando o leitor tem mais altas ambições, visa também seu ideal ponto de chegada ou sua meta negaceadora: a filosofia da literatura ou a discussão dos problemas gerais da literatura" (Fidelino de Figueiredo, *Um Homem na Sua Humanidade*, p. 162). **5.** Termo, limite, fim: *a meta do asteroide; a meta da vida.* **6.** *Adm.* Estado futuro desejado e projetado como norteador das ações a serem tomadas no momento para a sua consecução. [Pl.: *metas.* Cf. *meta* (ê) e *metas* (ê), do v. *meter* e *meta*[2].]

meta[2] [Do gr. *metá*, pelo lat. cient. *meta.*] *Adj. 2 g. e 2 n. S. m. 2 n. Quím.* Diz-se de, ou qualquer derivado dissubstituído do benzeno em que os dois átomos de carbono, que portam os substituintes, estão separados por um terceiro. [Cf. *meta*[1] e *meta* (ê), do v. *meter.*]

▲ **met(a)-** [Do gr. *metá*, adv. e prep.] *Pref.* = 'mudança'; 'posterioridade', 'além'; 'transcendência'; 'reflexão crítica sobre': *metafonia, metamórfico, metacronismo, metapsíquico, metalinguagem.* [O AOLP prescreve o uso de hífen nos casos de anteposição deste pref. a palavra iniciada por *a* ou *h*; é escrito com *r* ou *s* duplicados quando anteposto a *r* ou *s*: metarrodopsina, metassedimento. Cf. *meta-.*]

▲ **meta-** *Quím. Pref.* **1.** Designa 'um isômero meta': *meta-xileno.* Tb., como f. red.: *m-* [q. v.].) [Sempre us. com hífen posposto.] **2.** Indica o ácido obtido de um ortoácido por perda de uma molécula de água por molécula de ortoácido; é tb. us. para os sais e ésteres derivados desse ácido: *ácido metafosfórico, metabissulfito.* [Neste uso, não se abrevia.] [Cf. *met(a)-.*]

metabissulfito [De *meta-*[2] + *bissulfito.*] *S. m. Quím.* Qualquer sal que contém o ânion $S_2O_5^{-2}$.

▲ **metabo-** V. *metabol(e)-.*

▲ **metabol(e)-** [Do gr. *metabolḗ, ês.*] *El. comp.* = 'mudança': *metabolismo.* [Equiv.: *metabo-, -metabol(e)-*: *metabologia; ametabólico.*]

▲ **-metabol(e)-** V. *metabol(e)-.*

metábole [Do gr. *metabolḗ*, 'mudança', 'troca'.] *S. f.* **1.** *E. Ling.* Figura que consiste na repetição de uma ideia em termos diferentes. **2.** *Mús.* Entre os gregos, qualquer mudança rítmica ou melódica efetuada no decurso de uma composição. [Cf. *metábolo*.]

metabólico[1] [Do gr. *metabolikós*.] ***Adj. Zool.*** Diz-se do inseto que sofre mudança ou metamorfose durante sua evolução, passando, ao menos, pelas fases de ovo, larva ou ninfa e adulto ou imago.

metabólico[2] [De *metábole* + *-ico*[2].] ***Adj.*** Relativo a, ou que contém metábole.

metabólico[3] [De *metabolismo* + *-ico*[2], seg. o padrão erudito.] ***Adj.*** Relativo ao metabolismo.

metabolismo [De *metabol(e)-* + *-ismo*.] ***S. m.* 1.** *Bioquím.* Conjunto dos mecanismos químicos necessários ao organismo para a formação, desenvolvimento e renovação das estruturas celulares, e para a produção da energia necessária às manifestações interiores e exteriores da vida, bem como às reações bioquímicas. **2.** *Fisiol.* O conjunto dos fenômenos físicos e químicos, anabólicos e catabólicos. ◆ **Metabolismo basal.** *Fisiol. Med.* Energia mínima despendida para manter funções vitais, como respiração, circulação, tono muscular, temperatura corporal, atividade glandular, etc.; metabolismo básico. [Sua taxa é medida por meio de um calorímetro, estando o indivíduo em repouso absoluto, de 14 a 18 horas após a última refeição, e é expressa em calorias por hora, por metro quadrado da superfície corporal.] **Metabolismo básico.** *Fisiol. Med.* Metabolismo basal. **Metabolismo especial.** *Bioquím.* Metabolismo secundário. [Termo preferível, segundo alguns autores.] **Metabolismo primário.** *Bioquím.* O conjunto dos processos bioquímicos essenciais à manutenção imediata da vida e da reprodução das células de um organismo, e que, ger., são comuns a um grande número de espécies. **Metabolismo secundário.** *Bioquím.* O conjunto dos processos bioquímicos que não são essenciais à manutenção imediata da vida e da reprodução das células de um organismo, e que pode ter especificidades para um dado tipo de ser vivo, como, p. ex., a produção de feromônios, de alcaloides, de certos terpenoides; metabolismo especial.

metabólito [Do ingl. *metabolite*.] ***S. m. Bioquím.* 1.** Qualquer substância, esp. os compostos de carbono, produzida por metabolismo. **2.** Metabólito (1) produzido e excretado por organismo. ◆ **Metabólito primário.** *Bioquím.* Substância produzida por metabolismo primário. **Metabólito secundário.** *Bioquím.* Substância produzida por metabolismo secundário.

metabolização [De *metabolizar* + *-ção*.] ***S. f.*** Ação ou efeito de metabolizar.

metabolizador (ô) [De *metabolizar* + *-dor*.] ***Adj.*** Que metaboliza.

metabolizar [De *metabolismo* + *-izar*, seg. o padrão erudito.] ***V. t. d.*** Efetuar o metabolismo de.

metabolizável [De *metabolizar* + -vel.] ***Adj. 2 g.*** Passível de ser metabolizado.

metábolo [Do gr. *metábolos*.] ***Adj.*** Diz-se dos insetos que sofrem mudanças ou metamorfoses. [Cf. *metábole*.]

metabologia [De *metabo-* + *-logia*.] ***S. f. Med.*** Parte da medicina que estuda as doenças do metabolismo.

metabológico [De *metabologia* + *-ico*[2].] ***Adj.*** Concernente à metabologia.

metabologista [De *metabologia* + *-ista*.] ***S. 2 g.*** Especialista em metabologia.

metaborato [De *(ácido) metabór(ico)* + *-ato*[2].] ***S. m. Quím.*** Qualquer sal ou éster do ácido metabórico.

metabórico ***Adj. Quím.*** ~ V. *ácido* —.

metacarpiano [De *met(a)-* + *-carp(o)-* + *-iano*.] ***Adj. Anat.*** Metacárpico.

metacárpico [De *metacarpo* + *-ico*[2].] ***Adj.* 1.** *Anat.* Relativo ou pertencente ao metacarpo; metacarpiano. **2.** *Zool.* Nos membros anteriores dos vertebrados tetrápodes, diz-se de um dos ossos situados próximo ao carpo e, distalmente, à falange.

metacarpo [De *met(a)-* + *-carpo*.] ***S. m. Anat.*** A parte da mão entre o carpo e os dedos, formada por cinco ossos metacarpianos, numerados de 1 a 5 a partir da borda externa ou lateral.

metacentro [De *met(a)-* + *centro*.] ***S. m. Fís.*** Num corpo que flutua num fluido, o centro de curvatura do lugar geométrico dos centros de empuxo.

metacercária [De *met(a)-* + *cercária*.] ***S. f. Zool.*** Cercária depois de encistada.

metacismo [Do gr. *metakismós*, pelo lat. *metacismu*.] ***S. m.*** V. *mitacismo*.

metaclamídea [De *met(a)-* + *-clamid(o)-* + *-ea*; tax. *Metachlamydeae*.] ***S. f. Bot.*** Espécime das metaclamídeas, grupo de dicotiledôneas que compreende as plantas nas quais as pétalas das flores são unidas entre si; simpétala.

metaclamídeo [De *metaclamídea*, com var. suf. (v. *-eo*).] ***Adj. Bot.*** Pertencente ou relativo às metaclamídeas; simpétalo.

metacone [De *met(a)-* + *cone*.] ***S. f. Paleont.*** A cúspide posterior de dente molar superior, triangular, primitivo nos mamíferos.

metacrilato [De *(ácido) metacríl(ico)* + *-ato*[2].] ***S. m. Quím.*** Sal ou éster do ácido metacrílico.

metacrílico [De *met(il)-* + *acrílico*.] ***Adj. Quím.*** ~ V. *ácido* —.

metacrítica [De *met(a)-* + *crítica*.] ***S. f.*** Crítica de uma crítica.

metacromatismo [De *met(a)-* + *-cromat(o)-* + *-ismo*.] ***S. m. Zool.*** Mudança de cor que se observa nos pelos, nas penas ou na pele dos animais, conforme a idade ou as diferentes condições mórbidas.

metacronismo [De *met(a)-* + gr. *chronismós*, 'duração de tempo'.] ***S. m.*** Anacronismo que consiste em atribuir a um acontecimento uma data posterior à verdadeira. [Opõe-se a *procronismo*.]

metade [Do lat. *medietate*.] ***S. f.* 1.** Cada uma das duas partes iguais em que se divide um todo: *metade de uma laranja*; *a metade do caminho*; *a metade de 26 é 13*. **2.** V. *meio*[1] (1 e 3). **3.** Cara-metade. ◆ **Metade disponível.** *Jur.* A parte dos bens de que a pessoa pode dispor livremente, por testamento ou por doação. **Metade tribal.** *Etnol.* Divisão dual, frequentemente exógama, de muitos povos indígenas brasileiros.

metadona [Voc. farmac.] ***S. f. Quím.*** Substância sintética, us. como sedativo e no tratamento de viciados em morfina, pois alivia a síndrome de abstinência [fórm.: $C_{21}H_{27}NO$].

metaestável [De *met(a)-* + *estável*.] ***Adj. 2 g.*** ~ V. *estado* —.

metaesterno [De *met(a)-* + *esterno*.] ***S. m. Zool.*** Placa ventral do metatórax.

metafalange [De *met(a)-* + *falange*.] ***S. f. Anat.*** V. *falange distal*.

metáfase [De *met(a)-* + *-fase*[2].] ***S. f. Citol. Genét.*** Fase da divisão celular em que os cromossomos atingem a condensação máxima e se apresentam no plano equatorial da célula, ligados às fibras do fuso acromático.

metafásico [De *metáfase* + *-ico*[2].] ***Adj. Citol. Genét.*** Referente à metáfase. ~ V. *placa* — *a*.

metáfise [De *met(a)-* + *-fise*.] ***S. f. Anat.*** A porção mais larga de extremidade da diáfise de osso longo, a qual, no adulto, é contínua com a epífise (1), e que durante a fase de desenvolvimento corporal contém zona de crescimento.

metafísica [Do gr. *metà tà physiká*, 'depois dos tratados da física'.] ***S. f.* 1.** *Filos.* Parte da filosofia, que com ela muitas vezes se confunde, e que, em perspectivas e com finalidades diversas, apresenta as seguintes características gerais, ou algumas delas: é um corpo de conhecimentos racionais (e não de conhecimentos revelados ou empíricos) em que se procura determinar as regras fundamentais do pensamento (aquelas de que devem decorrer o conjunto de princípios de qualquer outra ciência, e a certeza e evidência que neles reconhecemos), e que nos dá a chave do conhecimento do real, tal como este verdadeiramente é (em oposição à aparência). [Cf. *ontologia*.] **2.** *Hist. Filos.* Segundo Aristóteles (v. *aristotelismo*), estudo do ser enquanto ser e especulação em torno dos primeiros princípios e das causas primeiras do ser. **3.** Sutileza ou transcendência do discorrer. [Cf. *tafisica*, do v. *tafisicar*.]

metafisicar [De *metafísico* + *-ar*[2].] ***V. t. d.* 1.** Tornar metafísico. **2.** Tornar sutil; sutilizar. ***Int.* 3.** Praticar a metafísica (3); mostrar-se metafísico. [Conjug.: v. *trancar*. Pres. ind.: *metafisico*, *metafisicas*, *metafisica*, etc. Cf. *metafísico* e *metafísica*.]

metafisicismo [De *metafísica* + *-ismo*.] ***S. m.*** Influência intensa da metafísica.

metafísico [De *metafísica*, com var. suf. (v. *-ico*[2]).] ***Adj.* 1.** Relativo ou pertencente à metafísica. **2.** Transcendente: "tratava-se da existência do homem, capítulo profundamente metafísico, em que era preciso considerar tudo e por todos os lados." (Machado de Assis, *Histórias sem Data*, p. 199). **3.** *Fig.* Difícil de compreender; sutil, nebuloso. **4.** *Arte Poét.* Diz-se do estilo poético caracterizado pela adjetivação espirituosa ou filosoficamente profunda (como na poesia inglesa do séc. XVIII). ~ V. *mal* —. ● ***S. m.* 5.** Indivíduo versado em metafísica. [Cf. *metafisico*, do v. *metafisicar*.]

metafonia [De *met(a)-* + *-fon(o)-* + *-ia*[1].] ***S. f. E. Ling.*** Assimilação de uma vogal a uma outra em sílaba vizinha: *esta* (com e fechado) > *esta* (com e aberto), por influência do *e* final. [Tb. se usa o voc. al. *Umlaut*. Cf. *apofonia*.]

metafônico ***Adj.*** V. *metafônico*. [Uso freq. em P.]

metafônico [De *metafonia* + *-ico*[2].] ***Adj.*** Referente à, ou em que ocorre metafonia.

metáfora [Do gr. *metaphorá*, pelo lat. *metaphora*.] ***S. f.*** Tropo que consiste na transferência de uma palavra para um âmbito semântico que não é o do objeto que ela designa, e que se fundamenta numa relação de semelhança subentendida entre o sentido próprio e o figurado; translação. [Por metáfora, chama-se *raposa* a uma pessoa astuta, ou se designa a juventude *primavera* da vida.]

metafórico [Do gr. *metaphorikós*.] ***Adj.* 1.** Relativo a metáfora. **2.** Em que há metáfora(s); figurado, tropológico.

metaforismo [De *metáfora* + *-ismo*.] ***S. m.*** Emprego de metáforas.

metaforista [De *metáfora* + *-ista*.] ***S. 2 g.*** Pessoa que emprega metáforas, que é dada ao metaforismo.

metaforizador (ô) [De *metaforizar* + *-dor*.] ***Adj.* 1.** Que metaforiza; metaforizante. ● ***S. m.* 2.** Aquele que metaforiza.

metaforizante [De *metaforizar* + *-nte*.] ***Adj. 2 g.*** Metaforizador (1).

metaforizar [De *metáfora* + *-izar*.] ***V. t. d.* 1.** Exprimir por metáfora(s). **2.** Dar sentido metafórico a. ***Int.* 3.** Exprimir-se metaforicamente.

metafosfórico [De *meta-* + *fosfórico*.] ***Adj. Quím.*** ~ V. *ácido* —.

metáfrase [Do gr. *metáphrasis*.] ***S. f.* 1.** No comentário de um texto, transposição de frase ou passagem em termos mais simples, para melhor compreensão; interpretação de um texto. **2.** Paráfrase (1).

metafrasta [Do gr. *metaphrastés*.] ***S. 2 g.*** Pessoa que faz metáfrases.

metafrástico [De *metafrasta* + *-ico*[2].] ***Adj.*** Respeitante a, ou que encerra metáfrase.

metagaláctico ***Adj. Astr.*** De, ou relativo à metagaláxia.

metagaláxia (cs) [De *met(a)-* + *galáxia*.] ***S. f. Astr.*** O universo, o sistema das galáxias como um todo.

metagênese ***S. f. Bot.*** V. *metagênese*. [Uso freq. em P.]

metagênese [De *met(a)-* + *-gênese*.] ***S. f. Biol.*** V. *alternância de gerações*.

metagenésico [De *metagênese* + *-ico*[2].] ***Adj.*** V. *metagenético*.

metagenético [De *metagên(ese)* + *-ético*.] ***Adj.*** Relativo à metagênese.

metageometria [De *met(a)-* + *geometria*.] ***S. f.*** Geometria mais geral que a geometria clássica ou euclidiana.

metageométrico [De *metageometria* + *-ico*[2].] ***Adj.*** Relativo à metageometria.

metagítnias [Adapt. do gr. *Metageítnia*.] ***S. f. pl.*** Na antiga Atenas, festas celebradas no mês de metagítnion, em honra do deus Apolo, nas quais se davam as mudanças de residência e, por conseguinte, de vizinhos (*géitones*, em grego).

metagítnio ***S. m. Cronol.*** V. *metagítnion*.

metagítnion [Do gr. *Metageitnión*.] ***S. m. Cronol.*** O segundo mês do calendário grego, com 29 dias, que correspondia aproximadamente ao mês de agosto do calendário gregoriano.

metagnato [De *met(a)-* + *-gnato*.] ***Adj. Zool.*** Diz-se do bico das aves quando as suas extremidades se cruzam.

metagnomia [De *met(a)-* + *-gnom(o)-* + *-ia*[1].] ***S. f. Filos.*** Conhecimento das coisas que normalmente não podemos conhecer; criptestesia.

metagnómico ***Adj. Filos.*** V. *metagnômico*. [Uso freq. em P.]

metagnômico [De *metagnomia* + *-ico*[2].] ***Adj. Filos.*** Referente à metagnomia.

metagoge [Do gr. *metagogé*.] ***S. f. E. Ling.*** V. *prosopopeia* (1).

metagrama [De *met(a)-* + *-grama*.] ***S. m.*** Metaplasmo.

metais [Pl. de *metal*.] ***S. m. pl.* 1.** *Mús.* Na orquestra, os instrumentos de sopro feitos de metal, com embocadura de bocal. **2.** Os utensílios de cozinha. **3.** Chapas dos uniformes. **4.** *Bras. BA* Designação comum a diamantes e carbonados. ~ V. *metal*.

metajurídico [De *met(a)-* + *jurídico*.] ***Adj.*** Diz-se de certas condições jurídicas que não podem ser analisadas com os métodos da jurisprudência.

metal [Do gr. *métallon*, pelo lat. *metallu*, pelo cat. *metall* e esp. *metal*.] ***S. m.* 1.** *Quím.* Designação comum aos elementos químicos eletropositivos, em geral sólidos, brilhantes, bons condutores de calor e eletricidade. **2.** *Fig.* V. *dinheiro* (5). **3.** Tom, timbre (de voz): "E os cônegos da Sé gabavam-lhe o metal da voz" (Aluísio Azevedo, *O Mulato*, p. 18). **4.** *Fig.* Matéria, substância: *o metal da sua inteligência*. ~ V. *metais*. ◆ **Metais alcalinos.** *Quím.* O grupo (3) formado pelos metais alcalinos (v. *metal alcalino*). **Metais alcalinoterrosos.** *Quím.* O grupo (3) formado pelos metais alcalinoterrosos (v. *metal alcalinoterroso*). **Metal alcalino.** *Quím.* Qualquer metal do primeiro grupo da classificação periódica: lítio, sódio, potássio, rubídio, césio e frâncio. [V. *metais alcalinos*.] **Metal alcalinoterroso.** *Quím.* Qualquer destes metais: berílio, magnésio, cálcio, bário, estrôncio e rádio. [V. *metais alcalinoterrosos*.] **Metal de transição.** *Quím.* Elemento de transição. **Metal escovado.** *Metal.* Metal, ger. aço ou alumínio, que recebe acabamento mecânico para eliminar ou minimizar imperfeições decorrentes de atritos, corrosão e veias. **Metal Muntz.** *Metal.* Liga de cobre (60%) e zinco (40%), que às vezes contém um pouco

M

de chumbo, us. em tubos de condensadores e em peças para circuitos elétricos. **O louro metal.** O ouro. **O vil metal.** O dinheiro.

metal-branco *S. m.* V. *alpaca*^{2}. [Pl.: *metais-brancos.*]

metaleiro [De *metal* + *-eiro.*] *S. m. Bras. Mús.* Entusiasta ou seguidor do *heavy metal* (q. v.).

metalepse [Do gr. *metálepsis*, pelo lat. *metalepse.*] *S. f. E. Ling.* Figura em que se toma o antecedente pelo consequente, e vice-versa: *Eles viveram* (por *eles estão mortos*); *Surgiram as flores* (por *é primavera*).

metalepsia [Do gr. *metálepsis*, 'ação de receber em troca', + *-ia*^{1}.] *S. f. Quím. Desus.* Teoria que propunha, na química, a existência das reações de substituição, e que foi plenamente confirmada posteriormente.

metaléptico [Do gr. *metaleptikós.*] *Adj.* Relativo à, ou em que há metalepse. [Var.: *metalético.*]

metalescência [De **metalescer* (< *metal* + *-escer*) + *-ência.*] *S. f.* Qualidade de metalescente.

metalescente [De **metalescer* (< *metal* + *-escer*) + *-nte.*] *Adj. 2 g.* Cuja superfície apresenta cores metálicas.

metalético *Adj.* V. *metaléptico.*

▲ **metal(i)-** [Do lat. *metăllum, i* < gr. *métallon, ou.*] *El. comp.* = 'metal': *metalificar, metaliforme, metalino.* [V. *metal(o)-.*]

metalicidade [De *metálico* + *-(i)dade.*] *S. f.* **1.** Qualidade de metálico. **2.** As propriedades características de um metal.

metálico [Do gr. *metallikós*, pelo lat. *metallicu.*] *Adj.* **1.** De, relativo a, ou próprio de metal: "um ruído metálico, seco, estrepitoso" (Alberto Braga, *Novos Contos*, p. 6); *gosto metálico.* **2.** Semelhante, na cor e aparência, a metal; metalino. **3.** Em que entra metal. **4.** Que soa, aproximadamente, como metal: *voz metálica.* ~ V. *barômetro —, brilho —, condutor —, encaixe —, ligação —a, moeda —a, ponte —a, telha —a* e *válvula —a.*

metalífero [Do lat. *metalliferu.*] *Adj.* Que contém metal ou minérios metálicos: *jazidas metalíferas.*

metalificação [De *metalificar* + *-ção.*] *S. f.* **1.** Ato ou efeito de reduzir uma substância ao estado metálico. **2.** Formação natural dos metais na terra.

metalificar [De *metal(i)-* + *-ficar.*] *V. t. d.* Realizar a metalificação (1) de.

metaliforme [De *metal(i)-* + *-forme.*] *Adj. 2 g.* Que tem a estrutura ou aparência de metal.

metalinguagem [De *met(a)-* + *linguagem.*] *S. f.* **1.** *E. Ling.* A linguagem utilizada para descrever outra linguagem ou qualquer sistema de significação: todo discurso acerca de uma língua, como as definições dos dicionários, as regras gramaticais, etc. Ex.: *chover é um verbo defectivo.* [Cf. *função metalinguística.*] **2.** *P. ext.* Linguagem mediante a qual o crítico investiga as relações e estruturas presentes na obra literária.

metalinguístico (güís) [De *met(a)-* + *linguístico.*] *Adj.* Relativo à metalinguagem. ~ V. *função —a.* ❖

metalino [De *metal(i)-* + *-ino*^{1}.] *Adj.* Metálico (2).

metalismo [De *metal* + *-ismo.*] *S. m. Econ.* Teoria, ou prática, da utilização de metais, esp. o ouro, como base do sistema monetário de um país (de tal forma que o dinheiro em circulação seja metálico, ou tenha lastro metálico). [Cf. *papelismo.*]

metalista [De *metalismo* + *-ista.*] *Adj. 2 g.* **1.** Referente ao metalismo. **2.** Que é partidário dele. ● *S. 2 g.* **3.** Partidário dele.

metalização [De *metalizar* + *-ção.*] *S. f.* Ato, operação ou efeito de metalizar.

metalizado [Part. de *metalizar.*] *Adj.* Que sofreu metalização. ~ V. *papel —.*

metalizar [De *metal* + *-izar.*] *V. t. d.* **1.** Tornar puro (um metal). **2.** Transformar em metal. **3.** Guarnecer ou recobrir com leve capa de metal. **4.** Dar brilho a. **5.** Dar cor ou aparência de metal a. **6.** *Obsol.* Converter em, ou reduzir a metal (dinheiro em circulação).

▲ **metal(o)-** [Do gr. *métallon, ou.*] *El. comp.* = 'mina'; 'metal': *metalografia, metaloproteína, metalosfera.* [V. *metal(i)-.*]

metalobranqueadura [De *metal(o)-* + *branqueadura.*] *S. f.* Recobrimento de uma superfície metálica por uma película de metal branco.

metalocerâmica [De *metal(o)-* + *cerâmica.*] *S. f. Odont.* Substância metálica com revestimento cerâmico us. na confecção de próteses dentárias.

metalofone [De *metal(o)-* + *-fone.*] *S. m. Mús.* Instrumento semelhante ao xilofone, mas cujas lâminas são metálicas.

metalógica [Do biblión. *Metalogicus*, de obra escrita em lat. med. pelo inglês John of Salisbury (c. 1115/20-1180), líder clerical e erudito inglês.] *S. f.* Estudo das formas, princípios e fundamentos da lógica, com base nos próprios métodos e conhecimentos dessa disciplina filosófica.

metalógico [De *metalógica*, com var. suf. (v. *-ico*^{2}).] *Adj.* Relativo à metalógica.

metalografia [De *metal(o)-* + *-grafia.*] *S. f.* **1.** Descrição ou tratado dos metais. **2.** Estudo da estrutura dos metais e ligas, especialmente com o emprego do microscópio. **3.** *Litogr.* Processo litográfico executado sobre metal. [V. *algrafia* e *zincografia.* Cf. *fotometalografia.*]

metalográfico [De *metalografia* + *-ico*^{2}.] *Adj.* Relativo à metalografia. ~ V. *microscópio —.*

metalógrafo [De *metal(o)-* + *-grafo.*] *S. m.* Especialista em metalografia.

metaloide (ói) [De *metal(o)-* + *-oide.*] *S. m.* **1.** *Quím. Desus.* Designação genérica de elementos que têm aspecto metálico (brilho, dureza^1, etc.), mas não têm comportamento de metal, reagindo, em muitos casos, como eletronegativos. Ex.: o arsênico, o antimônio. [Cf. *ametal.*] ● *Adj. 2 g.* **2.** Semelhante a um metal. ❖

metaloproteína [De *metal(o)-* + *proteína.*] *S. f. Bioquím.* Qualquer proteína que tem como grupo prostético um ou mais cátions metálicos.

metalosfera [De *metal(o)-* + *-sfera.*] *S. f. Astrofís.* Núcleo central dos planetas, constituído, ao que se supõe, unicamente de metais, sobretudo o ferro e o níquel. [Cf. *nife.*]

metaloterapia [De *metal(o)-* + *-terapia.*] *S. f. Terap.* Sistema de tratamento que consiste em aplicar sobre a pele certas placas metálicas.

metaloterápico [De *metaloterapia* + *-ico*^{2}.] *Adj.* Referente à metaloterapia.

metal-tipo *S. m. Tip.* Liga de chumbo, estanho e antimônio, usada na fundição do material tipográfico. [Pl.: *metais-tipos* e *metais-tipo.*]

metalurgia [Do gr. *metallourgía*, 'trabalho de metais'.] *Metal. S. f.* **1.** Conjunto de tratamentos físicos e químicos a que se submetem os minérios para se extraírem os metais, devidamente purificados e beneficiados. **2.** A tecnologia de construção de peças e estruturas metálicas.

metalúrgica [F. subst. do adj. *metalúrgico.*] *S. f.* Oficina de metalurgia.

metalúrgico [De *metalurgia* + *-ico*^{2}.] *Adj.* **1.** Pertencente ou relativo à metalurgia. ● *S. m.* **2.** Aquele que se ocupa de metalurgia.

metalurgista [De *metalurgia* + *-ista.*] *S. 2 g.* Especialista em metalurgia.

metamagnético [De *metamagnetismo* + *ico*^{2}, seg. o padrão erudito.] *Adj.* Relativo ao metamagnetismo.

metamagnetismo [De *met(a)-* + *magnetismo.*] *S. m. Fís.* Fenômeno apresentado por certas substâncias que se magnetizam na direção do campo magnético, quando este é forte, e em direção oposta, quando é fraco.

metamatemática [De *met(a)-* + *matemática.*] *S. f.* Designação moderna do estudo que tem por objeto a estrutura da teoria matemática formal.

metamatemático [De *metamatemática*, com var. suf. (v. *-ico*^{2}).] *Adj.* Relativo à metamatemática.

metamerização [De **metamerizar* (*metâmero* + *-izar*) + *-ção.*] *S. f. Zool.* Divisão do corpo dos vermes ou artrópodes numa série de metâmeros [v. *metâmero* (2)].

metamerizado [Part. de **metamerizar* (v. *metamerização*).] *Adj. Zool.* Dividido por metamerização.

metâmero [De *met(a)-* + *-mero.*] *Adj.* **1.** Isômero (1). ● *S. m.* **2.** *Zool.* Cada um dos anéis de um verme ou de um artrópode. **3.** *Zool.* Cada um de uma série de segmentos homólogos do corpo de um animal.

metamielócito [De *met(a)-* + *mielócito.*] *S. m. Histol.* Célula precursora que representa um dos estágios de maturação de leucócito granulócito.

metamórfico [De *met(a)-* + *-morf(o)-* + *-ico*^{2}.] *Adj.* Respeitante às metamorfoses dos insetos. ~ V. *rocha —a.*

metamorfismo [De *met(a)-* + *-morf(o)-* + *-ismo.*] *S. m.* **1.** Faculdade de transformar-se. **2.** Transformação, mudança, metamorfose. **3.** *Geol.* Transformação que sofre uma rocha sob a ação de temperatura, pressão, gases e vapor de água, que produzem, isolada ou conjuntamente, uma recristalização parcial ou total, formando-se novos minerais e novas texturas sem ocorrer a fusão da rocha.

metamorfizado [Part. de **metamorfizar* (< *metamorfismo* + *-izar*).] *Adj. Geol.* Que sofreu metamorfismo (3).

metamorfose [Do gr. *metamórphosis.*] *S. f.* **1.** Transformação de um ser em outro. **2.** Mudança de forma ou de estrutura que ocorre na vida de certos animais, como os insetos e os batráquios. **3.** Alomorfia. **4.** *P. ext.* Mudança, transformação. **5.** *Fig.* Mudança notável na fortuna, no estado, no caráter de uma pessoa.

metamorfosear [De *metamorfose* + *-ear*^{2}.] *V. t. d. e i.* **1.** Mudar ou trocar a forma de; transformar, modificar, alterar. **2.** Mudar o gênio, o caráter ou o comportamento de: *A herança metamorfoseou-o: já não é aquele homem simples; O poder metamorfoseou-o num ditador. P.* **3.** Transformar-se; disfarçar-se. [Conjug.: v. *frear.*]

metanal [De *metano* + *-al*^{2}.] *S. m. Quím.* V. *aldeído fórmico.*

metanefro *S. m. Zool.* V. *metânefro.*

metânefro [De *met(a)-* + *-nefro.*] *S. m. Zool.* Rim permanente dos reptis, aves e mamíferos. [Var. pros.: *metanefro.*]

metanemertino [De *met(a)-* + *nemertino*; tax. *Metanemertini.*] *S. m. Adj. Zool.* V. *hoplonemertino.*

metanfetamina [De *met(il)* + *anfetamina.*] *S. f. Quím.* Substância cristalina, incolor, derivada da anfetamina, que, como esta, é us. em medicina (e tb. ilicitamente) como anoréxico e estimulante [fórm.: $C_{10}H_{15}N$].

metano [De *meta*^{2} + *-ano*^{2}.] *S. m. Quím.* O mais simples dos hidrocarbonetos, gasoso, incolor; formeno [fórm.: CH_4].

metanogênese [De *metano* + *-gênese.*] *S. f. Biol.* Formação anaeróbia de metano por certos microrganismos, as arqueobactérias, e que é acompanhada pela formação de gás carbônico.

metanogênico [De *metano* + *-gênico.*] *Adj. Biol.* Próprio de, ou relativo à metanogênese, ou ao microrganismo que a realiza; metanógeno.

metanógeno [De *metano* + *-geno.*] *Adj. Biol.* Metanogênico.

metanoia (ói) [Do gr. *metánoia.*] *S. f.* **1.** Transformação fundamental de pensamento ou de caráter. **2.** *P. ext.* Conversão espiritual. **3.** Penitência (1). ❖

metanol [De *metano* + *-ol*^{2}.] *S. m. Quím.* Álcool metílico. [Pl.: *metanóis.*]

metanólise [De *metano* + *-lise.*] *S. f. Quím.* Reação de transesterificação resultante do tratamento com álcool metílico.

➔ **meta optata** [metɔp'tata] [Lat., 'alvo desejado'.] *Jur.* O resultado final que o criminoso tem em vista ao praticar ou tentar praticar a ação delituosa.

metaplasia [De *met(a)-* + *-plas(i)-* + *-ia*^{1}.] *S. f. Patol.* Transformação mediante a qual um tipo de célula adulta de um tecido (5) passa a outro tipo, que não é normal para ele.

metaplásico [De *metaplasia* + *-ico*^{2}.] *Adj.* Referente a, ou em que há metaplasia.

metaplasmo [Do gr. *metaplasmós*, pelo lat. *metaplasmu.*] *S. m. E. Ling.* Designação comum a todas as figuras que acrescentam, suprimem, permutam ou transpõem fonemas nas palavras; metagrama. [Ex.: *enamorar* < *namorar*; *mui* < *muito*; *cuidoso* < *cuidadoso*; *sempre* < *semper.*]

metaplástico [Do gr. *metaplastós* + *-ico*^{2}.] *Adj.* Referente a, ou em que há metaplasmo.

metapoema [De *met(a)-* + *poema.*] *S. m. Arte Poét.* O uso, pelo autor, do próprio poema para assinalar sua crítica ou sua atuação ao criá-lo.

metapsicologia [De *met(a)-* + *psicologia.*] *S. f.* Especulação de caráter filosófico sobre a origem, estrutura e função do espírito, bem como sobre as relações entre o espírito e a realidade.

metapsicológico [De *metapsicologia* + *-ico*^{2}.] *Adj.* Relativo à metapsicologia.

metapsíquica [F. subst. de *metapsíquico.*] *S. f.* Estudo dos fenômenos metapsíquicos.

metapsíquico [De *met(a)-* + *psíquico.*] *Adj.* Relativo aos fenômenos que transcendem o alcance da psicologia ortodoxa e são aparentemente anormais ou inexplicáveis, como, p. ex., a clarividência, a telepatia.

metara [Do tupi.] *S. f. Bras.* Tembetá dos tupinambás; tametara.

metarrodospina [De *met(a)-* + *rodospina.*] *S. m. Fisiol.* Substância transiente produzida por irradiação de rodospina nos bastonetes retinianos e de que há duas formas: a metarrodospina I e a metarrodospina II.

metassedimento [De *met(a)-* + *sedimento.*] *S. m. Geol.* Rocha metamórfica de origem sedimentária.

metassilicato [De *meta-* + *silicato.*] *S. m. Quím.* Designação genérica de sais que contêm o ânion SiO_3^{-2} com diferentes níveis de hidratação ou, para amostras mais anidras, ânions poliméricos do tipo $(SiO_2)_n^{-2n}$. [Tb. se diz, simplesmente, *silicato.* Cf. *ortossilicato* e *vidro solúvel.*]

metassomatismo [De *met(a)-* + *-somat(o)-* + *-ismo.*] *S. m. Petr.* Processo pelo qual se efetua a substituição de um mineral ou rocha por outro mineral de composição química diferente; metassomatose.

metassomatose [De *met(a)-* + *-somat(o)-* + *-ose*^{1}.] *S. m. Petr.* Metassomatismo.

metástase [Do gr. *metástasis*, 'mudança de lugar'.] *S. f.* **1.** *E. Ling.* V. *articulação* (5). **2.** *E. Ling.* Figura pela qual o orador atribui a outrem a responsabilidade do que alega. **3.** *Med.* Aparecimento de um foco secundário, a distância, no curso da evolução dum tumor maligno ou dum processo inflamatório.

metastático [Do gr. *metastatikós*, 'que muda', 'que (se) desloca'.] *Adj.* Relativo a, ou que é da natureza da metástase.

metastável [De *met(a)-* + *estável*.] ***Adj. 2 g. Fís.*** Diz-se de qualquer estado que é instável, mas no qual as modificações são de tal forma lentas, que ele aparenta ser um estado de equilíbrio estável.

metasterno [De *met(a)-* + *esterno*.] ***S. f. Zool.*** A placa ventral do metatórax (q. v.).

metatálamo [De *met(a)-* + *-tálamo*.] ***S. m. Anat.*** Porção do diencéfalo formada pelos corpos geniculados.

metatarsiano [De *metatarso* + *-iano*.] ***Adj. S. m. Anat.*** Diz-se de, ou cada um dos cinco ossos que compõem cada metatarso.

metatársico [De *metatarso* + *-ico*[2].] ***Adj.*** Relativo ou pertencente a metatarso.

metatarso [De *met(a)-* + *-tarso*.] ***S. m. Anat.*** Porção do esqueleto de cada pé, situada entre o tarso e os pododáctilos.

metatério [De *met(a)-* + *-tério*[1]; tax. *Metatheria*.] *Zool.* ***S. m.*** **1.** Espécime dos metatérios, grupo hipotético de animais predecessores dos mamíferos placentários, que teriam alcançado um estágio de desenvolvimento equivalente ao dos marsupiais. ● ***Adj.*** **2.** Pertencente ou relativo a eles.

metátese [Do gr. *metáthesis*, 'transposição', pelo lat. *metathese*.] ***S. f.*** **1.** *E. Ling.* Transposição de fonemas dentro de um mesmo vocábulo; hipértese, comutação. Ex.: *semper* > *sempre*; *desvariar* > *desvairar*. **2.** *Lóg.* Transposição dos termos em um raciocínio.

metatético [De *metát(ese)* + *-ético*.] ***Adj.*** Relativo à, ou em que há metátese.

metatexto (ês) [De *met(a)-* + *texto*.] ***S. m.*** Texto literário que serve de base a uma crítica ou a uma nova criação literária. [V. *intertexto*.]

metatipia [De *met(a)-* + *-tip(o)-* + *-ia*[1].] ***S. f.*** Mudança de tipo na natureza vegetal ou na animal.

metatípico [De *metatipia* + *-ico*[2].] ***Adj.*** Relativo à metatipia.

metátomo [De *met(a)-* + *-tomo*.] ***S. m. Arquit.*** Espaço entre dois dentículos de uma cornija.

metatórax (cs) [De *met(a)-* + *tórax*.] ***S. m. 2 n. Zool.*** Segmento posterior do tórax dos insetos. [V. *tórax* (2).]

metaxilema [De *met(a)-* + *xilema*.] ***S. m. Bot.*** Xilema primário que se forma por último e se caracteriza pelos elementos condutores pontoados.

metazoário [De *met(a)-* + *-zo(o)-* + *-ário*; tax. *Metazoa*.] ***S. m. Zool.*** **1.** Espécime dos metazoários, divisão que abrange os animais pluricelulares, i. e., os que se incluem no reino *Metazoa* ou *Animalia* (v. *reino Animalia*); são todos os animais, à exceção dos protozoários. ● ***Adj.*** **2.** Pertencente ou relativo a eles.

meteco [Do gr. *métoikos*, 'aquele que muda de casa', pelo lat. *metoecu*.] ***S. m.*** **1.** Designação que se dava ao estrangeiro domiciliado em Atenas: "O censo de Demétrio de Falera dá a Atenas 20.000 cidadãos, 10.000 metecos e 400.000 escravos" (Oliveira Martins, *Quadro das Instituições Primitivas*, p. 309). **2.** *P. ext.* Estrangeiro domiciliado em um país; imigrante: "comecei naturalmente a deleitar-me com as obras-primas da cozinha francesa. Subira eu já a razoável nível de aptidão para opinar com conhecimento de causa e não aproximativamente como rastaquera ou meteco, sobre molhos, condimentos" (Gilberto Amado, *Mocidade no Rio e Primeira Viagem à Europa*, p. 428).

metediço [De *meter* + *-(d)iço*[2].] ***Adj.*** V. *intrometido* (2).

metedor (ô) [De *meter* + *-dor*.] ***S. m.*** *Bras. N.E.* Trabalhador de engenho que mete as canas na moenda.

metempsicose [Do gr. *metempsýchosis*, pelo lat. *metempsychose*.] ***S. f.*** **1.** *Filos.* Doutrina segundo a qual uma mesma alma pode animar sucessivamente corpos diversos, homens, animais ou vegetais; transmigração. **2.** A teoria dessa doutrina: "larguei o pensamento a distrair-me com a ideia da metempsicose, pus-me a percorrer mentalmente a lista de amigos mortos, para descobrir o que me poderia estar falando pelo olhar daquele cão." (Fernando Sabino, *O Homem Nu*, p. 229).

metempsicótico [De *metempsic(ose)* + *-ótico*.] ***Adj.*** De, ou relativo à metempsicose.

metemptose [De *met(a)-* + gr. *émptosis*, 'incidência'.] ***S. f.*** *Cronol.* Supressão de um dia, feita pela reforma gregoriana do calendário, nos anos seculares cujo número formado pelos algarismos das centenas e dos milhares é múltiplo de quatro. [V. *calendário gregoriano*.]

met-encefalina [Do ingl. *met-enkephalin*.] ***S. f.*** *Bioquím.* Encefalina na qual o aminoácido terminal é a metionina.

metencéfalo [De *met(a)-* + *-encéfalo*.] ***S. m. Anat.*** **1.** Parte do sistema nervoso central que se desenvolve a partir da porção anterior da vesícula encefálica primitiva posterior, e que compreende a ponte (2) e o cerebelo. **2.** No embrião, a vesícula encefálica anterior, das duas que compõem o rombencéfalo.

meteórico [De *meteoro* + *-ico*[2].] ***Adj.*** **1.** Referente a, ou produzido por meteoro. **2.** Dependente do estado atmosférico. **3.** *Fig.* Brilhante mas efêmero: *sucesso meteórico*. ~ V. *água —a*, *astronomia —a*, *brecha —a*, *eco —* e *traço —*.

meteorismo [Do gr. *meteorismós*.] ***S. m. Med.*** Presença de gás em excesso no tubo gastrintestinal.

meteorítico [De *meteorito* + *-ico*[2].] ***Adj.*** Referente a meteorito. ~ V. *cratera —a*, *ferro —* e *rastro —*.

meteorito [De *meteor(o)-* + *-ito*[2].] ***S. m. Astr.*** Meteoroide que cai na superfície terrestre depois de ter produzido meteoro (2); aerólito, astrólito, meteorólito, uranólito, pedra de raio. [Cf. *bólide*.]

meteorização [De *meteorizar* + *-ção*.] ***S. f.*** **1.** *Geol.* Transformação das rochas em solo sob a ação dos fenômenos climáticos e biológicos. **2.** Ação ou efeito dos agentes climáticos sobre os materiais.

meteorizar [Do fr. *meteoriser* < v. gr. *meteorízein*.] ***V. t. d.*** **1.** Tornar (o ventre) distendido por flatulência. **2.** Sublimar (5). **3.** *Geol.* Promover a meteorização de (rochas). ***P.*** **4.** Padecer meteorismo.

meteoro [Do gr. *metéoros*, pelo lat. escolástico *meteora*.] ***S. m.*** **1.** Qualquer fenômeno que ocorre na atmosfera terrestre: chuva, granizo, neve, vento, aurora boreal, relâmpago, trovão, estrela cadente, etc. **2.** Fenômeno luminoso que resulta do atrito de meteoroide com gases da atmosfera terrestre. [Sin.: *estrela cadente*, *estrela filante*, *estrela fugaz*, *exalação*, *zelação* (bras., N.E. e pop.) e *carretilha* (bras., AL).] **3.** *Fig.* Aparição brilhante e efêmera. ◆ **Meteoro esporádico.** *Astr.* Meteoro cuja direção, frequência e brilho obedecem às leis do acaso, e que não está associado a nenhuma chuva de meteoros. **Meteoro fusiforme.** *Astr.* Meteoro em forma de foguete.

▲ **meteor(o)-** [Do gr. *metḗoros, os, on*, 'que está no alto', 'que se eleva no ar'.] ***El. comp.*** = 'meteoro'; 'fenômenos atmosféricos': *meteorografia*, *meteorologia* (< gr.), *meteoronomia*; *meteorólito*.

meteorobiologia [De *meteor(o)-* + *biologia*.] ***S. f.*** Ciência que estuda os efeitos das condições meteorológicas e do clima sobre os seres vivos.

meteorobiológico [De *meteorobiologia* + *-ico*[2].] ***Adj.*** Relativo à meteorobiologia.

meteorobiologista [De *meteorobiologia* + *-ista*.] ***S. 2 g.*** Meteorobiólogo.

meteorobiólogo [De *meteor(o)-* + *biólogo*.] ***S. m.*** Especialista em meteorobiologia; meteorobiologista.

meteorografia [De *meteor(o)-* + *-grafia*.] ***S. f.*** Ramo da astronomia que estuda os meteoros; astronomia meteórica.

meteorográfico [De *meteorografia* + *-ico*[2].] ***Adj.*** Relativo à meteorografia.

meteorógrafo [De *meteor(o)-* + *-grafo*.] ***S. m.*** **1.** Instrumento meteorológico destinado ao registro da pressão, umidade relativa, e temperatura do ar. **2.** Aquele que escreve acerca de meteoros.

meteoroide (ói) [De *meteor(o)-* + *-oide*.] ***S. m. Astr.*** Corpo de pequenas dimensões que se move pelo espaço cósmico e que se torna incandescente ao entrar na atmosfera terrestre. ❖

meteorólito [De *meteor(o)-* + *-lito*.] ***S. m. Astr.*** V. *meteorito*.

meteorologia [Do gr. *meteorología*.] ***S. f.*** Ciência que investiga os fenômenos atmosféricos, e cujas observações possibilitam a previsão do tempo.

meteorológico [Do gr. *meteorologikós*.] ***Adj.*** Relativo a meteorologia. ~ V. *abrigo —*, *posto —* e *satélite —*.

meteorologista [De *meteorologia* + *-ista*.] ***S. 2 g.*** Especialista em meteorologia.

meteoromancia [De *meteor(o)-* + *-mancia*.] ***S. f.*** Adivinhação pela observação dos meteoros.

meteoromante [De *meteor(o)-* + *-mante*.] ***S. 2 g.*** Pessoa que pratica a meteoromancia.

meteoromântico ***Adj.*** Referente a meteoramancia, ou a meteoromante.

meteoronomia [De *meteor(o)-* + *-nom(o)-* + *-ia*[1].] ***S. f.*** Investigação das leis dos meteoros.

meteoronómico ***Adj.*** V. *meteoronômico*. [Uso freq. em P.]

meteoronômico [De *meteoronomia* + *-ico*[2].] ***Adj.*** Referente à meteoronomia.

meteoropatologia [De *meteor(o)-* + *patologia*.] ***S. f.*** *Patol.* Baropatologia.

meteoroscópio [De *meteor(o)-* + *-scópio*.] ***S. m.*** Instrumento para observações meteorológicas.

meter [Do lat. *mittere*, 'mandar', 'deixar ir'.] ***V. t. d.*** **1.** Causar, inspirar, infundir: *meter dó*; "Podem-nos olhar, que não metemos nojo" (José Duro, *Fel*, p. 47). ***T. d. e i.*** **2.** Causar, inspirar, infundir: *Suas ameaças não metem medo a ninguém*; "Esta ação meteu assombro aos acuados" (Haroldo Maranhão, *O Tetraneto del-Rei*, p. 14). **3.** Empregar, aplicar: *Metera seus últimos vinténs no negócio.* **4.** Fazer entrar; fazer depositar: *Não quis meter a família na trama.* **5.** Pôr de permeio; fazer mediar: *Procurou meter distância entre si e os seus perseguidores.* **6.** Fazer dedicar-se: *O pai quis metê-lo nos estudos, mas ele se esquivou.* **7.** Induzir, instigar: *Não o metas em trapalhadas.* **8.** *Pop.* V. *atacar*[1] (12): *Meteu a mão na cara do agressor.* ***T. d. e c.*** **9.** Fazer entrar; introduzir: "meter roupa no seu pequeno baú de couro." (José Régio, *Histórias de Mulheres*, p. 319). **10.** Pôr, colocar: *Meteu o preso na cadeia.* **11.** Fazer entrar; conduzir, a algum lugar onde deverá permanecer: *Com prepotência, meteu a filha num convento.* **12.** Fazer admitir em estabelecimento de educação, ou em oficina, ou estabelecimento de comércio com o fim de permanecer e receber educação e instrução (podendo, no segundo caso, perceber algum provento): *Meteu um dos filhos no colégio e o outro numa oficina de ourives.* **13.** Incluir, inserir, arrolar: *Meteram-no na lista dos culpados.* **14.** Guardar; depositar: *Meteu todo o dinheiro no banco.* ***T. i.*** **15.** *Bras. Chulo* Copular, trepar. ***Int.*** **16.** *Bras. Gír.* Copular, trepar. ***P.*** **17.** Esconder-se; ocultar-se, encafuar-se: "Chegava [João Ribeiro] do colégio e metia-se no quarto para estudar." (Joaquim Ribeiro, *9 Mil Dias com João Ribeiro*, p. 151); "lembrou-se do seu criado de quarto, que ali devia estar... Onde se meteria ele?" (Artur Azevedo, *Contos Cariocas*, p. 58). **18.** Enfiar, encaminhar-se, dirigir-se: "Já no décimo pavimento, meteu-se por um longo corredor onde a poeira e detritos emprestavam desagradável aspecto aos ladrilhos." (Murilo Rubião, *Os Dragões e Outros Contos*, p. 33.) **19.** *Pej.* Seguir a profissão, a carreira de: *Meteu-se a médico, e teve bom êxito.* **20.** Intrometer-se, ingerir-se: *Não é dado a meter-se em negócios alheios.* **21.** Provocar, desafiar: *Meteu-se com o atleta, e saiu-se mal.* **22.** Aventurar-se (a fazer algo) sem certeza de sair-se bem. **23.** Submergir-se, engolfar-se: *Estudioso, metia-se nos livros noite e dia.* **24.** Seguido da prep. *a* e de um verbo no infinitivo (explícito ou subentendido), arrogar a si (uma pessoa) capacidade que não tem: *Ignorante como é, mete-se a ser bom professor*; *Covarde, mete-se a valente.* [Pres. subj.: *meta* (ê), *metas* (ê), etc. Cf. *meta* e pl. *metas*.]

▲ **meti-** [Do gr. *méthy*.] ***El. comp.*** = 'bebida fermentada'; 'vinho': *metiomania*, *metiômano*.

metical [Do ár. *miṯqāl*, 'balança'; 'peso'.] ***S. m.*** **1.** Unidade de peso, us. para pedras preciosas, ouro, etc., aproximadamente equivalente a 23,5 quilates ou 4,7 gramas. **2.** Certa moeda de ouro; dinar. **3.** Unidade monetária, e moeda, de Moçambique, dividida em 100 centavos. [Var.: *mitical*.]

metição [De *meter* + *-ição*] ***S. f.*** *P. us.* Ato ou operação de meter.

meticulosidade [De *meticuloso* + *-(i)dade*.] ***S. f.*** Qualidade ou maneiras de meticuloso.

meticuloso (ô) [Do lat. *meticulosu*.] ***Adj.*** **1.** Suscetível de pequenos receios ou escrúpulos; escrupuloso: *consciência meticulosa*. **2.** Que se preocupa com pormenores; minucioso, esmiuçador: "São susceptibilidades de exagerado melindre, de exaltado e meticuloso cavalheirismo" (Visconde de Taunay, *Ao Entardecer*, p. 113). **3.** Cuidadoso, cauteloso. **4.** Medroso, tímido, receoso.

metida [De *meter* + *-ida*[3].] ***S. f.*** *Bras. Chulo* Cópula (1).

metido [Part. de *meter*.] ***Adj.*** **1.** V. *intrometido* (2): *Mulher muito metida, acaba ouvindo o que não quer.* **2.** Admitido ao convívio íntimo; muito familiarizado. **3.** Metido a besta (q. v.).

▲ **metil-** *Quím.* ***El. comp.*** que indica o grupo CH_3-: *metílico*. [Ocorre, tb., como infixo: *-metil-*: *carboximetilcelulose*.]

▲ **-metil-** V. *metil-*.

metila [De *met(a)-* + *-ila*[2].] ***S. f.*** *Quím.* O grupo monovalente $-CH_3$ derivado do metano.

metilação [De *metilar* + *-ção*.] ***S. f.*** *Quím.* Introdução do grupo metila numa molécula.

metilado [Part. de *metilar*.] ***Adj.*** *Quím.* Que sofreu metilação, ou que contém metila.

metilamina [Do ingl. *methylamine*.] ***S. f.*** *Quím.* A mais simples das aminas, gasosa, com odor desagradável [fórm.: CH_3NH_2].

metilar [De *metila* + *-ar*[2].] ***V. t. d.*** *Quím.* Introduzir o grupo metila em.

metilato [De *metila* + *-ato*[2].] ***S. m.*** *Quím.* Metóxido.

metildopa [Voc. farmac.] ***S. f.*** *Quím.* Pó branco, solúvel em água, aminoácido difenólico sintético, us. no tratamento de hipertensão [fórm.: $C_{10}H_{13}NO_4$].

metileno [De *met(a)-* + *-ileno*.] ***S. m.*** *Quím.* O grupo divalente CH_2, que pode estar inserido entre dois átomos ($-CH_2-$), ou duplamente ligado a somente um átomo ($=CH_2$).

▲ **metilenodioxi-** (cs) *Quím.* ***El. comp.*** Designa o grupo metilenodioxila: *metilenodioximetanfetamina*.

metilenodioxila (cs) [De *metilenodiox(i)-* + *-ila*[2].] ***S. f.*** *Quím.* O grupo $-OCH_2O-$, que ocorre ger. ligado a carbonos adjacentes de um anel aromático.

metilenodioximetanfetamina (cs) [De *metilenodiox(i)-* + *metanfetamina*.] ***S. f.*** *Quím.* Substância que é um derivado da anfetamina, que induz sensação de euforia e de resistência física, além de hipertermia e outros efeitos secundários [fórm.: $C_{11}H_{15}NO_2$]. [V. *ecstasy*.]

metilepsia [De *meti-* + *-leps(i)-* + *-ia*[1].] ***Adj. S. m. Psiq.*** V. *metomania*.

metiléptico [De *meti-* + *-léptico*.] ***Adj. S. m. Psiq.*** V. *metomaníaco*.

metil-etil-cetona ***S. f. Quím.*** V. *butanona*. [Pl.: *metil-etil-cetonas*.]

metiletilcetona ***S. f. Quím.*** V. *butanona*. ❋

metílico [De *metil-* + *-ico*[2].] ***Adj. Quím.*** Diz-se de composto cuja molécula contém metila. ~ V. *álcool* —.

metilisoborneol [De *metil-* + *-iso-* + *borneol*.] ***S. m. Quím.*** Substância (cujo nome completo é 2-metil-isoborneol) produzida por certos microrganismos, como as cianobactérias aquáticas, que tem odor particularmente intenso (perceptível em concentrações até de 2 bilionésimos de grama por litro), descrito como "de mofo", e que pode contaminar a água dos reservatórios ou produtos alimentícios como o vinho ou peixes de viveiro [fórm.: $C_{11}H_{20}O$]. [Sigla *MIB*.]

metil-isobutil-cetona ***S. f. Quím.*** V. *metilisobutilcetona*. [Pl.: *metil-isobutil-cetonas*.]

metilisobutilcetona ***S. f. Quím.*** Líquido incolor, nome usual de certa cetona acíclica (4-metil-2-pentanona), us. em indústria como solvente [fórm.: $C_6H_{12}O$].

metilmaleico (éi ou êi) ***Adj. Quím.*** ~ V. *ácido* —. [A pronúncia aberta *metilmaleico* (éi) é a correta, porém a pronúncia *metilmaleico* (êi) é a us. em Portugal, e a mais us. no Brasil.] ❖

metilnaftaleno [De *metil-* + *naftaleno*.] ***S. m. Quím.*** Qualquer de dois isômeros obtidos do naftaleno por substituição de um átomo de hidrogênio por uma metila, um dos quais, o 1-metilnaftaleno, é us. na avaliação de combustíveis para motores Diesel (índice de cetana = 0) [fórm.: $C_{11}H_{10}$].

metilo ***S. m. Lus. Quím.*** V. *metila*.

metim ***S. m.*** Espécie de cetineta ou algodão que se usa, ger., em forros de vestuário, etc.: "A casa daquela gente / É branca como um jasmim! / Tem nas vidraças da frente / Forros azuis de metim." (B. Lopes, *Cromos*, p. 38.)

metino [De *met(ila)* + *-ino*[1].] ***S. m. Quím.*** O grupo trivalente CH.

metiomania [De *meti-* + *-o-* + *-mania*.] ***S. f. Psiq.*** V. *metomania*.

metiomaníaco [De *metomania* + *-íaco*.] ***Adj. S. m. Psiq.*** V. *metomaníaco*.

metiómano ***Adj. S. m. Psiq.*** V. *metiômano*. [Uso freq. em P.]

metiômano [De *meti-* + *-mano*[1].] ***Adj. S. m. Psiq.*** V. *metomaníaco* (2 e 3).

metionina [De *me(tila)* + *-ti(o)(n)-* + *-ina*[2].] ***S. f. Quím.*** Aminoácido natural, essencial, que contém enxofre sob forma de tioéter, e que é encontrado em proteínas alimentícias [fórm.: $C_5H_{11}NO_2S$].

▲**meto-** [Do gr. *méthē, ēs*.] ***El. comp.*** = 'bebedeira', 'embriaguez': *metomania*.

metódica [F. subst. de *metódico*.] ***S. f.*** Metodismo (2).

metódico [Do gr. *methodikós*, pelo lat. *methodicu*.] ***Adj.*** **1.** Que tem, ou em que há método: *homem metódico; trabalho metódico.* **2.** *Fig.* Comedido, circunspeto.

metodismo [De *método* + *-ismo*.] ***S. m.*** **1.** Seita anglicana muito rígida, fundada no séc. XVIII por John Wesley (1703-1791), e cujos adeptos procuravam seguir um método de vida rigorosamente dentro dos preceitos bíblicos. **2.** Sistema de procedimento metódico; metódica.

metodista [De *metodismo* + *-ista*.] ***Adj. 2 g.*** **1.** Relativo ao, ou que é adepto do metodismo (1). **2.** Que é metódico ou rotineiro. ● ***S. 2 g.*** **3.** Adepto do metodismo (1). **4.** Pessoa que segue com rigor certo método.

metodização [De *metodizar* + *-ção*.] ***S. f.*** Ato ou efeito de metodizar.

metodizado [Part. de *metodizar*.] ***Adj.*** Que apresenta metodização; ordenado.

metodizador (ô) [De *metodizar* + *-dor*.] ***Adj. S. m.*** Que, ou aquele que metodiza.

metodizar [De *método* + *-izar*.] ***V. t. d.*** **1.** Tornar metódico. **2.** Regularizar; ordenar. **3.** *Educ.* Aplicar um método ao ensinar.

método [Do gr. *méthodos*, 'caminho para chegar a um fim'.] ***S. m.*** **1.** Caminho pelo qual se atinge um objetivo. **2.** Programa que regula previamente uma série de operações que se devem realizar, apontando erros evitáveis, em vista de um resultado determinado. **3.** *Educ.* Processo ou técnica de ensino; modo de ensinar: *método direto.* **4.** Modo de proceder; maneira de agir; meio. **5.** V. *meio*[1] (8). **6.** Tratado elementar. **7.** *Fig.* Prudência, circunspecção; modo judicioso de proceder; ordem: *Age sempre com método.* ◆ **Método analítico.** *Educ.* Método de análise em que se parte do "todo" para as partes constitutivas. [Na alfabetização o método analítico, também conhecimento como método global, consistia na análise do todo, seja um texto, uma palavra para então entender as unidades menores.] **Método axiomático.** *Lóg.* Formalização de uma teoria visando a explicitar-lhe as proposições primitivas (isto é, as que são evidentes ou já demonstradas), das quais se deduz a teoria. **Método categórico-dedutivo.** *Filos.* Método dedutivo (1). **Método comparativo.** *E. Ling.* Comparação sistemática de línguas aparentadas para o estudo de detalhes na sua evolução. **Método da máxima verossimilhança.** *Estat.* Método de estimação de parâmetros ou de interpolação, baseado na determinação do máximo da função de verossimilhança de um conjunto de valores obtidos experimentalmente. **Método das alturas iguais.** *Astr.* Caso particular do método das retas de altura, em que os astros são observados à mesma altura. **Método das épocas superpostas.** Método utilizado na ciência em geral, particularmente na astronomia, e segundo o qual a correlação entre um fenômeno causa, e vários outros considerados como efeitos, é obtida pela comparação simultânea com a variável independente comum, o tempo. **Método das retas de altura.** *Astr.* Método de determinação das coordenadas geográficas de um ponto da superfície terrestre pela utilização das retas de altura (v. *reta de altura*). **Método de Agazzi.** *Pedag.* Método de educação pré-escolar, no qual se utiliza um material empírico para ensinar as crianças a distinguir as formas e as cores e para desenvolver livremente a linguagem. **Método de Bragg.** *Min.* Método de investigação da estrutura cristalina dos cristais, mediante o emprego de raios X. **Método Decroly.** *Pedag.* Método de ensino em que as matérias se entrelaçam em torno de uma ideia central, formando um todo homogêneo, ajustado à experiência globalizada e às reações afetivas da criança; método dos centros de interesse. **Método de dupla distância.** *Astron.* Dupla-distância. **Método dedutivo.** *Lóg.* **1.** O que emprega a dedução, e cujas premissas são proposições evidentes ou definições razoáveis; método categórico-dedutivo. **2.** O que emprega a dedução com premissas cujas verdades serão verificadas posteriormente; método-hipotético-dedutivo. **Método de Froebel.** *Filos.* Método de educação pré-escolar baseado na autoatividade interessada. **Método de palavras.** *Pedag.* Procedimento didático usado no ensino da leitura, e em que cada palavra é ensinada como um todo, sem prévio estudo de seus elementos fonéticos. **Método de pesquisa.** Modo de realizar uma pesquisa, um levantamento de dados. **Método de Stanislavski.** *Teatr.* Técnica de adestramento de atores, proposta e usada por Konstantin Stanislavski, ator e encenador russo (1863-1938), e pela qual se começa treinando o ator para que desenvolva plenamente as suas potencialidades psíquicas, a fim de compor e interpretar seus personagens com absoluta verdade interior, pois, segundo Stanislavski, "o que interessa não é a verdade fora do ator, mas a verdade dentro dele". **Método direto.** *Pedag.* Procedimento didático usado para o ensino de línguas vivas estrangeiras, e que consiste no uso exclusivo, em todos os contatos do professor com os alunos, da língua que está sendo ensinada. **Método dos centros de interesse.** *Pedag.* Método Decroly. **Método duplo-cego.** *Estat. Med.* Experimento duplo-cego (q. v.). **Método experimental.** *Filos.* V. *experimentação* (2). **Método fônico.** *Educ.* V. *método sintético*. **Método global.** *Educ.* V. *método analítico*. **Método hipotético-dedutivo.** *Lóg.* Método dedutivo (2). **Método idiográfico.** Segundo Wilhelm Windelband (1848-1915), historiador alemão, o método das ciências que tratam de fatos singulares: a história, a arte, etc. **Método nomotético.** Segundo Wilhelm Windelband (1848-1915), historiador alemão, o método das ciências que tratam de leis: as ciências da natureza. **Método sintético.** Aquele em que se emprega a síntese ou recomposição de um todo pelos seus elementos componentes. [Na alfabetização o método sintético que também ficou conhecido como método fônico a partir da influência da linguística, consiste em entender a correspondência entre o oral e o escrito, entre o som e a grafia, estabelecendo a correspondência a partir dos elementos mínimos (letras), em um processo que consiste em ir das partes ao todo.]

metodologia [De *método* + *-logia*.] ***S. f.*** **1.** A arte de dirigir o espírito na investigação da verdade. **2.** *Educ.* Modo de dar uma aula seguindo determinados princípios e organização; método de ensinar. **3.** *Educ.* Processo de investigação científica aplicado a trabalhos acadêmicos. **4.** *Filos.* Estudo dos métodos e, especialmente, dos métodos das ciências: *metodologia das ciências naturais.* [Cf., nesta acepç., *epistemologia* e *teoria do conhecimento*.] **5.** *Liter.* Conjunto de técnicas e processos utilizados para ultrapassar a subjetividade do autor e atingir a obra literária.

metodológico [De *metodologia* + *-ico*[2].] ***Adj.*** Relativo à metodologia.

metodologista [De *metodologia* + *-ista*.] ***S. 2 g.*** Especialista em metodologia.

metomania [De *meto-* + *-mania*.] ***S. f. Psiq.*** Desejo irresistível de tomar bebidas alcoólicas; metilepsia, metiomania. [Cf. *mitomania* e *dipsomania*.]

metomaníaco [De *metomania* + *-íaco*.] ***Psiq. Adj.*** **1.** Relativo a metomania. **2.** Que tem metomania; metômano, metiômano. ● ***S. m.*** **3.** Aquele que tem metomania; metômano, metiômano. [Sin. ger.: *metiléptico, metiomaníaco*.]

metómano ***Adj. S. m. Psiq.*** V. *metômano*. [Uso freq. em P.]

metômano [De *meto-* + *-mano*[1].] ***Adj. S. m. Psiq.*** V. *metomaníaco* (2 e 3).

metónico ***Adj.*** V. *metônico*. [Uso freq. em P.]

metônico ***Adj.*** De, ou pertencente ou relativo ao astrônomo grego Meton (séc. V a. C.). ~ V. *ciclo* —.

metonímia [Do gr. *metonymía*, pelo lat. *metonymia*.] ***S. f. E. Ling.*** Tropo que consiste em designar um objeto por palavra designativa doutro objeto que tem com o primeiro uma relação de causa e efeito (*trabalho*, por *obra*), de continente e conteúdo (*copo*, por *bebida*), lugar e produto (*porto*, por *vinho do Porto*), matéria e objeto (*bronze*, por *estatueta de bronze*), abstrato e concreto (*bandeira*, por *pátria*), autor e obra (um *Camões*, por um *livro de Camões*), a parte pelo todo (*asa*, por *avião*), etc. [Sin.: *transnominação*. Cf. *sinédoque*.]

metonímico [Do gr. *metonymikós*.] ***Adj.*** Relativo a metonímia.

metonomásia [Do gr. *metonomasía*.] ***S. f.*** Substituição de um nome próprio pela tradução dele em outra língua. Ex.: *Cape Town* < *Cidade do Cabo*.

métopa [Do gr. *metópe*, pelo lat. *metopa*.] ***S. f. Arquit.*** Intervalo quadrado entre os tríglifos de um friso dórico, coberto por placa de mármore ou ornado com florões ou baixos-relevos; métope, ditríglifo.

metopagia [De *metopopagia*, com haplologia.] ***S. f. Ter.*** Metopopagia.

metópago [De *metopópago*, com haplologia.] ***Adj. S. m. Ter.*** Metopópago.

métope ***S. f. Arquit.*** V. *métopa*.

metópico [Do gr. *metopikós*.] ***Adj.*** Da, ou relativo à fronte; frontal.

metópio [De *metópion*.] ***S. m. Anat.*** Ponto localizado na linha média da fronte, entre as duas bossas frontais; metópion.

metópion [Do gr. *metópion*.] ***S. m. Anat.*** Metópio.

▲**metop(o)-** [Do gr. *métōpon, ou*.] ***El. comp.*** = 'fronte', 'testa': *metopópago*.

metopopagia [De *metopópago* + *-ia*[1].] ***S. f. Ter.*** Condição de metopópago; metopagia.

metopópago [De *metop(o)-* + *-pago*.] ***Adj. S. m. Ter.*** Diz-se de, ou gêmeos com umbigos distintos e que são ligados, superiormente, pelas cabeças, fronte a fronte; metópago.

metotrexato (cs) [Voc. farmac.] ***S. m. Quím.*** Substância heterocíclica aromática, us. como antineoplásico [fórm.: $C_{20}H_{22}N_8O_5$].

▲**metoxi-** *Quím.* ***El. comp.*** Designa o grupo metoxila: *metoxibenzeno*.

metoxibenzeno (cs) ***S. m. Quím.*** Anisol.

metóxido (cs) [De *metox(i)-* + *-ido*[2].] ***S. m. Quím.*** **1.** Qualquer alcóxido obtido do metanol. **2.** O ânion CH_3O-. [Sin. ger.: *metilato*.]

metoxila (cs) [De *metox(i)-* + *-ila*[2].] ***S. f. Quím.*** O grupo CH_3O-.

▲**-metra**[1] V. *metr(o)-*[1].

▲**-metra**[2] [Do gr. *-metrēs* < v. gr. *metreîn*, 'medir'.] V. *metr(o)-*[2].

metragem [De *metro* + *-agem*[2].] ***S. f. Bras.*** **1.** Medição em metros. **2.** Número de metros. **3.** *Cin.* Comprimento de um filme, proporcional à sua duração. [A palavra *metragem*, desus. isoladamente no Brasil, é de uso corrente, no entanto, nas loc. *de curta metragem* e *de longa metragem* (filme, projeção, etc.), de sentidos óbvios. Cf. *curta-metragem*, *longa-metragem* e *tempo de projeção*.]

metralgia [De *metr(o)-*[1] + *-alg(o)-*[2] + *-ia*[1].] ***S. f. Gin.*** Dor no útero; uteralgia, metrodinia.

metrálgico [De *metralgia* + *-ico*[2].] ***Adj.*** Relativo a metralgia; uterálgico, metrodínico.

metralha [Do fr. *mitraille*.] ***S. f.*** **1.** Balas miúdas, pedaços de ferro, cacos, etc., com que se carregam projetis ocos. **2.** Metralhada: *Os soldados avançavam sob a metralha.* **3.** *Fig.* Grande porção. V. *quantidade* (3). **4.** *Fig.* Todos os recursos mais eficientes que visam a um fim: *O médico empregou toda a metralha para salvar o doente.* **5.** *Bras.* Fragmentos de tijolo com que se enche o espaço compreendido entre os que constituem o paramento, nas paredes grossas. **6.**

Bras. Pedaços de tijolo ou de pedra, reboco, etc., nas demolições de prédios.

metralhada [De *metralha* + *-ada*^{1}.] ***S. f.*** Tiro de metralha; metralha.

metralhador (ô) [De *metralhar* + *-dor*.] ***Adj. S. m.*** Que, ou aquele que metralha.

metralhadora (ô) [De *metralhar* + *-dora*.] ***S. f.*** Arma de fogo automática, que em pouco tempo dispara numerosos projetis análogos aos dos fuzis. [Sin. (bras., gír.): *matraca, costureira*.]

metralhar [De *metralha* + *-ar*^{2}.] ***V. t. d.*** **1.** Ferir ou atacar com tiros de metralha ou de metralhadora. **2.** Fazer fogo contra.

metranemia [De *metr(o)-*^{1} + *anemia*.] ***S. f.*** *Obst. Desus.* Isquemia do útero.

metranémico ***Adj.*** *Obst. Desus.* V. *metranêmico*. [Uso freq. em P.]

metranêmico [De *metranemia* + *-ico*^{2}.] ***Adj.*** *Obst. Desus.* Relativo a, ou que tem metranemia.

metratonia [De *metr(o)-*^{1} + *atonia*.] ***S. f.*** *Obst.* Atonia do útero.

metratónico ***Adj.*** *Obst.* V. *metratônico*. [Uso freq. em P.]

metratônico [De *metratonia* + *-ico*^{2}.] ***Adj.*** *Obst.* Relativo a, ou que tem metratonia.

metrectasia [De *metr(o)-*^{1} + *-ectas-* + *-ia*^{1}.] ***S. f.*** *Obst. Gin.* Dilatação do útero não grávido.

metrectásico [De *metrectasia* + *-ico*^{2}.] ***Adj.*** Relativo à metrectasia.

metrectomia [De *metr(o)-*^{1} + *-ectom-* + *-ia*^{1}.] ***S. f.*** *Obst. Gin. P. us.* Histerectomia.

metrectómico ***Adj.*** V. *metrectômico*. [Uso freq. em P.]

metrectômico [De *metrectomia* + *-ico*^{2}.] ***Adj.*** Relativo à metrectomia.

metrectopia [De *metr(o)-*^{1} + *-ectop-* + *-ia*^{1}.] ***S. f.*** *Obst. Gin.* Deslocamento do útero.

metrectópico [De *metrectopia* + *-ico*^{2}.] ***Adj.*** Referente à metrectopia.

metreta [Do gr. *metretés*.] ***S. f.*** Na antiga Atenas, medida de volume para líquidos, equivalente a cerca de 39 litros.

▲ **-metria** [Do gr. *-metría* (como no gr. *stereometría*) < gr. *-metrēs* < v. gr. *metreîn*, 'medir', < gr. *métron, ou* (v. *metr(o)-*^{2} e *-ia*^{1}).] ***El. comp.*** = 'medição', 'processo ou técnica de mensuração', 'processo ou técnica para determinar a composição ou a intensidade de'; 'ciência de medição': *antropometria, acidimetria, anemometria; aerometria*.

métrica [F. subst. de *métrico*.] ***S. f.*** **1.** *Arte Poét.* Arte que ensina os elementos necessários à feitura de versos medidos. **2.** *Arte Poét.* Sistema de versificação particular a um poeta: *a métrica de Cecília Meireles.* **3.** *Mús.* Parte da teoria musical que trata da alternação dos tempos fortes e fracos, dentro de um compasso ou de um grupo de compassos. **4.** *Mat.* Forma diferencial que define, em um espaço, o elemento infinitesimal de comprimento.

metricista [De *métrica* + *-ista*.] ***S. 2 g.*** *Arte Poét.* Especialista em métrica greco-italiana: "De todos os metricistas do século XIX nenhum teve a projeção de Edmund Stengel" (Celso Cunha, *Significância e Movência da Poesia Trovadoresca*, p. 63).

métrico [Do gr. *metrikós*, pelo lat. *metricu*.] ***Adj.*** **1.** Relativo ao metro. **2.** Do sistema que tem por base o metro. **3.** Respeitante à, ou próprio da metrificação ou métrica: *sílabas métricas.* ~ V. *arroba —a, astronomia —a, bitola —a, fita —a, fonologia —a, onda —a, quintal —a, quilate —, sistema — decimal, tonelada —a* e *verso —*.

metrificação [De *metrificar* + *-ção*.] ***S. f.*** *Arte Poét.* Ato, efeito ou arte de metrificar; versificação.

metrificado [Part. de *metrificar*.] ***Adj.*** Feito segundo as normas da métrica (1): *versos metrificados; poesia metrificada.*

metrificador (ô) [De *metrificar* + *-dor*.] ***Adj. S. m.*** Que, ou aquele que metrifica; versejador.

metrificar [De *metr(o)-*^{2}+ *-ficar*.] ***V. t. d.*** **1.** Pôr em verso medido. ***Int.*** **2.** Compor versos medidos. [Conjug.: v. *trancar*.]

metriperemia [De *metr(o)-*^{1} + *hiperemia*.] ***S. f.*** *Patol. Desus.* Hiperemia do útero.

metrite [De *metr(o)-*^{1} + *-ite*^{1}.] ***S. f.*** *Obst. Gin.* Inflamação do útero.

metro^{1} [Do lat. *metru*.] ***S. m.*** **1.** Unidade fundamental de medida de comprimento no Sistema Internacional, igual ao comprimento do trajeto percorrido pela luz no vácuo durante um intervalo de tempo de 1/299 792 458 de segundo [símb.: *m*]. **2.** Vara, fita, ou qualquer objeto de medir, com o comprimento de um metro. **3.** *Arte Poét.* Medida reguladora da quantidade de pés ou sílabas de um verso: "E, em vão lutando contra o metro adverso, / Só lhe saiu este pequeno verso: / Mudaria o Natal ou mudei eu?" (Machado de Assis, *Poesias Completas*, p. 30.) **4.** *Arte Poét.* Forma rítmica de obra poética: *O expressivo metro de Augusto dos Anjos.* ◆ **Metro cúbico.** Unidade de volume equivalente ao volume de um cubo cuja aresta tem o comprimento de um metro [símb.: m^3]. **Metro padrão.** Unidade de comprimento adotada internacionalmente até 1960 e igual à distância entre duas linhas paralelas existentes num protótipo de platina iridiada, depositada em Paris, na temperatura de zero grau Celsius e em condições de sustentação perfeitamente definidas. **Metro quadrado.** Unidade de área: área de um quadrado cujo lado tem o comprimento de um metro [símb.: m^2].

metro^{2} [F. red. de *metropolitano*.] ***S. m.*** *Lus.* Metrô.

▲ **metr(o)-**^{1} [Do gr. *mḗtra, as*.] ***El. comp.*** = 'útero': *metralgia, metrite, metrorragia*. [Equiv.: *-metra*^{1}, *-metr(o)-*^{1}: *endométrio*.]

▲ **metr(o)-**^{2} [Do gr. *métron, ou*.] ***El. comp.*** = 'instrumento para medir'; 'que mede'; 'medição'; 'metro^{1} (2)': *metrônomo*. [Equiv.: *-metra*^{2}, *-metria* (q. v.), *-metr(o)-*^{2}, *-metro*: *astrômetra; anemométrico; cronômetro*.]

▲ **-metr(o)-**^{1} V. *metr(o)-*^{1}.

▲ **-metr(o)-**^{2} V. *metr(o)-*^{2}.

▲ **-metro** [Do gr. *-metros* ou *-metron*.] V. *metr(o)-*^{2}.

metrô [Do fr. *métro*, abrev. de *métropolitain*, f. red. de *chemin de fer métropolitain*.] ***S. m.*** *Bras.* Sistema de transporte urbano efetuado por comboios de veículos a tração elétrica, que circulam em vias exclusivas subterrâneas, elevadas e/ou superficiais, e cujas características de rapidez, frequência e distância entre pontos de parada emprestam-lhe capacidade de atender a grande número de passageiros. [Sin., desus. no Brasil: *metropolitano*; e (lus.) *metro*.]

metrocele [De *metr(o)-*^{1} + *-cele*^{1}.] ***S. f.*** *Gin.* Hérnia formada pelo útero.

metrodinia [De *metr(o)-*^{1} + *-odin(o)-* + *-ia*^{1}.] ***S. f.*** *Gin.* V. *metralgia*.

metrodínico [De *metrodinia* + *-ico*^{2}.] ***Adj.*** *Gin.* Referente à metrodinia; metrálgico.

metrografia^{1} [De *metr(o)-*^{1} + *-grafia*.] ***S. f.*** *Med. Desus.* Histerografia.

metrografia^{2} [De *metr(o)-*^{2} + *-grafia*.] ***S. f.*** Tratado acerca dos pesos e medidas.

metrográfico^{1} [De *metrografia*^{1} + *-ico*^{2}.] ***Adj.*** *Med. Desus.* Relativo à metrografia^{1}; histerográfico.

metrográfico^{2} [De *metrografia*^{2} + *-ico*^{2}.] ***Adj.*** Relativo à metrografia^{2}.

metrologia [De *metr(o)-*^{2} + *-logia*.] ***S. f.*** Conhecimento dos pesos e medidas e dos sistemas de unidades de todos os povos, antigos e modernos.

metrológico [De *metrologia* + *-ico*^{2}.] ***Adj.*** Relativo à metrologia.

metrologista [De *metrologia* + *-ista*.] ***S. 2 g.*** Especialista em metrologia.

metrómana ***Adj. S. f.*** *Psiq.* V. *metrômana*. [Uso freq. em P.]

metrômana [De *metr(o)-*^{1} + *-mana*.] ***S. f.*** *Psiq.* V. *ninfômana*.

metromania^{1} [De *metr(o)-*^{1} + *-mania*.] ***S. f.*** *Psiq.* V. *ninfomania*.

metromania^{2} [De *metr(o)-*^{2} + *-mania*.] ***S. f.*** Mania de fazer versos.

metromaníaca [F. subst. de *metromaníaco*^{1}.] ***S. f.*** *Psiq.* V. *ninfômana*.

metromaníaco^{1} [De *metromania*^{1} + *-íaco*.] ***Adj.*** *Psiq.* V. *ninfomaníaco*.

metromaníaco^{2} [De *metromania*^{2} + *-íaco*.] ***Adj.*** **1.** Relativo a metromania^{2}. **2.** Que tem metromania^{2}; metrômano. ● ***S. m.*** **3.** Aquele que tem metromania^{2}; metrômano.

metrómano ***Adj. S. m.*** *Psiq.* V. *metrômano*. [Uso freq. em P.]

metrômano [De *metr(o)-*^{2} + *-mano*^{1}.] ***Adj. S. m.*** Metromaníaco^{2} (2 e 3).

metronidazol [Voc. farmac.] ***S. m.*** *Quím.* Substância cristalina, álcool, derivado nitrado do imidazol, us. no tratamento de amebíase [fórm.: $C_6H_9N_3O_3$]. [Pl.: *metronidazóis*.]

metronómico ***Adj.*** *Mús.* V. *metronômico*. [Uso freq. em P.]

metronômico [De *metrônomo* + *-ico*^{2}.] ***Adj.*** *Mús.* **1.** Referente ao metrônomo. **2.** Diz-se do tempo preciso e exato com que se toca música ou trecho musical.

metrónomo ***S. m.*** *Mús.* V. *metrônomo*. [Uso freq. em P.]

metrônomo [De *metr(o)-*^{2} + *-nomo*.] ***S. m.*** *Mús.* Designação dada por J. N. Maelzel (1772-1838) ao instrumento que serve para regular os andamentos musicais: "levantou-se, foi até o metrônomo que batia o ponteiro no ritmo da música" (Guilherme Figueiredo, *Histórias para Se Ouvir de Noite*, p. 59). [Abrev.: *M. M.*]

metropatia [De *metr(o)-*^{1} + *-patia*.] ***S. f.*** *Gin. Patol.* Designação comum às afecções do útero.

metropático [De *metropatia* + *-ico*^{2}.] ***Adj.*** Relativo à metropatia.

metrópole [Do gr. *metrópolis*, 'cidade mãe', pelo lat. *metropole*.] ***S. f.*** **1.** Cidade principal, ou capital de província ou de estado. **2.** *P. ext.* Grande cidade; cidade importante. **3.** Igreja arquiepiscopal, em relação às sufragâneas. **4.** Nação, em relação às suas colônias: "A propriedade privada, dentro do sistema que predominava na metrópole, trouxe-a o português nas primeiras caravelas" (Manuel Diegues Júnior, *Regiões Culturais do Brasil*, p. 69). **5.** Centro comercial importante; empório. **6.** *Urb.* A principal cidade que exerce influência funcional, econômica e social sobre as cidades menores de uma região metropolitana (q. v.). ◆ **Metrópole nacional.** *Urb.* Cidade que, por suas atividades financeiras, de gestão e de informação, alcança uma esfera de influência nacional e, mesmo, mundial, como, p. ex., Nova Iorque, Paris, Rio de Janeiro.

metropolita [Do gr. *metropolítes*, pelo lat. *metropolita*.] ***Adj. S. m.*** Diz-se de, ou bispo metropolitano.

metropolitano^{1} [Do lat. *metropolitanu*.] ***Adj.*** **1.** Pertencente ou relativo a metrópole: *costumes metropolitanos; igreja metropolitana; governo metropolitano.* **2.** Que tem aspecto ou caráter de metrópole: *cidade, metropolitana.* ~ V. *região —a*. ● ***S. m.*** **3.** Prelado de metrópole, em relação aos prelados sufragâneos.

metropolitano^{2} ***S. m.*** Metrô (q. v.).

metroptose [De *metr(o)-*^{1} + *-ptose*.] ***S. f.*** *Gin. Desus.* Histeroptose.

metrorragia [De *metr(o)-*^{1} + *-ragia*.] ***S. f.*** *Gin.* Hemorragia do útero; uterorragia.

metrorrágico [De *metrorragia* + *-ico*^{2}.] ***Adj.*** Referente à metrorragia; uterorrágico.

metrorreia^{1} (éi) [De *metr(o)-*^{1} + *-reia*.] ***S. f.*** *Gin.* Corrimento mucoso pelo útero. ❖

metrorreia^{2} (éi) [De *metr(o)-*^{2} + *-reia*.] ***S. f.*** *Deprec.* Fecundidade no versejar. ❖

metrorreico^{1} (éi) [De *metror(reia*^{1}*)* + *-reico*.] ***Adj.*** Referente à metrorreia^{1}. ❖

metrorreico^{2} (éi) [De *metror(reia*^{2}*)* + *-reico*.] ***Adj.*** Referente à metrorreia^{2}. ❖

metrotomia [De *metr(o)-*^{1} + *-tom(o)-* + *-ia*^{1}.] ***S. f.*** *Obst. Desus.* V. *histerotomia*.

metrotómico ***Adj.*** V. *metrotômico*. [Uso freq. em P.]

metrotômico [De *metrotomia* + *-ico*^{2}.] ***Adj.*** Relativo à metrotomia.

metroviário [De *metrô*, com infl. de *ferroviário, rodoviário*.] *Bras.* ***Adj.*** **1.** Relativo ao metrô. **2.** Que se faz pelo metrô: *transporte metroviário.* ● ***S. m.*** **3.** Funcionário do metrô.

→ **metteur-en-scène** [mɛ'tœʁ ɑ̃ sɛn] [Fr.] ***S. m.*** *Teatr.* V. *diretor* (5).

metuendo [Do lat. *metuendu*.] ***Adj.*** Que dá medo; medonho, terrível.

meu [Do lat. *meu*.] ***Pron. poss.*** **1.** Pertencente à, ou próprio da, ou sentido, experimentado, pela pessoa que fala, por mim: *meu livro*; "Descansem o meu leito solitário / Na floresta dos homens esquecida" (Álvares de Azevedo, *Obras Completas*, I, p. 124); *Este ritmo de trabalho é meu, bem meu*; "Pátria do meu amor!" (Id., *ib.*, p. 50). **2.** Que eu gozo ou desfruto como se me pertencesse, se fosse propriedade minha: *Então eu vou perder o meu domingo com aquele pateta?* **3.** Que me serve, me convém, me interessa: *Estou esperando o meu ônibus; Fui a muitas lojas, e não achei o meu cinturão.* **4.** Que me é devido; que me cabe ou me toca: *Quero ter o meu lugar ao sol; Conheço o meu lugar; Trabalhei, e quero a minha recompensa.* **5.** Preferido por mim; da minha predileção: *Dante é o meu poeta*; "Há pouco voltei a ler o meu Nisard, admiravelmente conservado em sua terceira edição de 1867." (Fausto Cunha, *Situações da Ficção Brasileira*, p. 99). **6.** Passado ou vivido por mim: "Durante os meus trinta e tantos anos de diplomacia algumas vezes vim ao Brasil" (Machado de Assis, *Memorial de Aires*, p. 3). **7.** Dedicado ou reservado a mim: *Visite os outros amigos nos dias úteis, que o domingo é meu.* **8.** Onde eu trabalho, exerço atividade: *a minha repartição.* **9.** Esse, aquele; o tal (falando de pessoa a quem dantes já nos referimos, ou de quem nos vamos ocupar, a respeito de quem vamos falar): "Chama-se Falcão o meu homem." (Machado de Assis, *Histórias sem Data*, p. 131.) [É de rigor, neste caso, o uso do artigo.] **10.** Caro a mim; querido por mim; da minha amizade, da minha estima: "Meu Antônio, para mim não trazes nada?" (Casimiro de Abreu, *Obras*, p. 15); *É impossível, meu poeta; O Paulo é meu, muito meu.* **11.** Posposto ao substantivo, adquire, na maioria das vezes, matiz afetivo: "Filho meu, onde estás?" (Gonçalves Dias, *Obras Poéticas*, II, p. 27.) [Flex.: *minha, meus, minhas*.] ● ***S. m.*** **12.** Aquilo que pertence à pessoa que fala, a mim: *Jamais toquei no alheio: o meu é pouco, mas basta-me.* ~ V. *meus*. ● ***Interj.*** **13.** *Afric. Fam.* Exprime simpatia, camaradagem: "Agarra aí um exemplo teórico mas que pode encontrar prova prática. Sou assim, meu!" (Manuel Rui, *Sim Camarada!*,

M

p. 95); "Não penses nisso, meu." (Carlos Cardoso, *Direto ao Assunto*, p. 29).

meuá [Var. de *miuá*.] *S. m. Bras. Zool.* V. *cararú*[1].

meuã [Do tupi.] *S. m. Bras. AM* V. *careta* (1). ◆ **Fazer meuã.** *Bras. AM* Fazer careta para intimidar.

meu-consolo (ô) *S. m. Bras. Pop.* V. *cachaça* (1). [Pl.: *meus-consolos* (ô).]

meuê-meuê [Do tupi = 'devagar', repetido.] *Adv. Bras. AM* V. *assim, assim*.

meus *S. m. pl.* Us. na loc. s. *os meus*. ~ V. *meu*. ◆ **Os meus.** A minha família; os meus parentes: "No cemitério, ... lembrou-me ir ao jazigo dos meus." (Machado de Assis, *Memorial de Aires*, p. 233.)

■ **MeV** *Fís. Part.* Unidade de medida de energia igual a um milhão de elétrons-volt. [Com base na relação de equivalência entre massa e energia ($E=mc^2$) estabelecida por Einstein (v. *einsteiniano*), esta unidade é frequentemente us. para expressar a massa das partículas pelo seu equivalente em energia.]

mevalônico *Adj. Quím.* V. *mevalônico*. [Uso freq. em P.]

mevalônico *Adj. Quím.* ~ V. *ácido* —.

mexeção [De *mexer* + *-ção*.] *S. f. Bras. Fam.* Ato ou efeito de mexer ou bulir.

mexediço *Adj.* Que se mexe com muita frequência; movediço, inquieto.

mexedor (ô) [De *mexer* + *-dor*.] *Adj.* 1. Que mexe ou gosta de mexer. 2. *Fig.* Mexeriqueiro, intrigante, enredeiro. ● *S. m.* 3. Aquele que mexe. 4. Objeto com que se mexe. 5. *Fig.* V. *leva e traz*.

mexedura [De *mexer* + *-dura*.] *S. f.* Ato ou efeito de mexer(-se).

mexelhão *Adj. S. m. Fam.* Que, ou aquele que mexe em tudo; traquinas, travesso; mexilhão. [Fem.: *mexelhona*. Cf. *mexilhão*[1].]

mexelhar *V. t. d. T. i. Bras. Pop.* V. *remexer* (1 e 5).

mexelhona *Adj. S. m. Fam.* Fem. de *mexelhão*.

mexe-mexe [Da 3ª pess. do sing. do pres. ind. de *mexer*, repetida.] *S. m. Bras.* Jogo em que os parceiros, utilizando pequenas peças representativas das letras do alfabeto, tentam formar palavras sobre um tabuleiro, contando-se os pontos conforme as letras empregadas e a posição da palavra no tabuleiro. [Pl.: *mexe-mexes* e *mexes-mexes*.]

mexer [Do lat. *miscere*, 'misturar'.] *V. t. d.* 1. Imprimir movimento a; agitar; mover: "Sentado na caixa da farinha, sem mexer um dedo, bebia o ar a custo." (João de Araújo Correia, *Terra Ingrata*, p. 210); *Mexeu a cabeça num gesto afirmativo.* 2. Desviar de posição; deslocar: *Mexeu a grande pedra, provocando uma avalancha.* 3. Agitar o conteúdo de: *mexer uma panela.* 4. Misturar, revolvendo; confundir: *Mexi os meus papéis na secretária, e não pude encontrar o documento.* *T. i.* 5. Tocar, bulir; remexer: "Ontem, mexendo nos meus papéis velhos, encontrei a seguinte carta" (Aluísio Azevedo, *Demônios*, p. 85). 6. Ocupar-se; dedicar-se, trabalhar: *Mexia com química desde criança, e hoje é mestre da matéria.* 7. Negociar, comerciar; trabalhar: *Mexe com ouro e pedras preciosas, e já mexeu com produtos farmacêuticos.* 8. *Fig.* Abordar; tocar, bulir: *Não mexam com o assunto: é por demais complicado.* 9. Importunar com gracejos ou impertinências; caçoar; provocar: "o demônio do homem dava então para brigar; mexia com quem passava" (Aluísio Azevedo, *Casa de Pensão*, p. 72). 10. Causar mudança, alteração; mudar; alterar: *A notícia mexeu com os seus planos.* *Int.* 11. Mover-se, agitar-se; mexer-se: "Meu braço não mexia, minhas mãos não mexiam, meus pés não saíam do lugar" (Afonso Arinos, *Histórias e Paisagens*, p. 20). 12. Dar de si; agitar-se, bambolear(-se), rebolar(-se), saracotear-se, remexer-se: *A garota mexe muito quando anda.* *P.* 13. Mover-se, agitar-se; mexer: *Gritaram-lhe, empurraram-no, e não se mexeu.* 14. Apressar-se, aviar-se: *Disse-lhes que se mexessem, pois o trem partia dentro de uma hora.* 15. Sair do seu lugar ou posição. [Pres. ind.: *mexo* (ê), *mexes*, *mexe*, etc.; pres. subj: *mexa* (ê), *mexas* (ê), etc. Cf. *mecha*, s. f., e o pres. ind. e pres. subj. do v. *mechar*.]

mexerica [De *mexerico*.] *S. f. Bras. MG RJ SP* V. *tangerina*.

mexericada [De *mexericar* + *-ada*[1].] *S. f.* V. *mexerico* (1).

mexericar [De *mexer* + *-icar*.] *V. t. d.* 1. Narrar em segredo e astuciosamente, com o fim de malquistar, intrigar ou enredar. *T. d. e i. Bit. i.* 2. Fazer mexericos; intrigar; enredar: *Mexericou para o amigo que a namorada não lhe era sincera; Mexericava, quase sempre, da comadre para a vizinha.* *Int.* 3. Andar com mexericos; fazer intrigas: "Positivamente a vizinhança já se punha a mexericar, a comentar! Estava-se a armar um escândalo!" (Eça de Queirós, *O Primo Basílio*, pp. 183-184.) 4. Deixar-se entrever; descobrir-se, revelar-se. [Cf. *mexerucar*. Conjug.: v. *trancar*.]

mexerico [Dev. de *mexericar*.] *S. m.* 1. Ato de mexericar; enredo, intriga, bisbilhotice, chocalhice, corrilho, mexericada, mexida, mexido, mexinflório. 2. *Bras. RS* Confusão ou mistura de vários objetos, de coisas ou de animais que deveriam estar separados; desordem, balbúrdia.

mexeriqueira [De *mexerica* + *-eira*.] *S. f. Bras. MG RJ SP* 1. *Bot.* V. *tangerineira*. 2. *Zool.* Ave caradriídea (*Hoploxypterus cayanus*) de plumagem preta, branca e parda; esporão de asas, pálpebras e pernas encarnadas e bico preto. Habita praias arenosas marítimas ou fluviais, e margens lodosas de lagos.

mexeriqueiro [De *mexerico* + *-eiro*.] *Adj.* 1. Que mexerica. ● *S. m.* 2. Aquele que mexerica; bisbilhoteiro (1). V. *leva e traz*. 3. *Bras. N.E.* V. *periquito*[1] (6).

mexeriquice [De *mexerico* (*c* = *qu*) + *-ice*.] *S. f. Pop.* Ato ou efeito de mexericar.

mexerucar [De *mexer*.] *V. t. d.* Estar a mexer em. [Cf. *mexericar*. Conjug.: v. *trancar*.]

mexerufada [De *mexer*.] *S. f.* 1. Comida de porcos; lavagem. 2. Mixórdia, miscelânea, mistifório.

mexicana [F. subst. do adj. *mexicano*.] *S. f.* Moeda de prata do México.

mexicano *Adj.* 1. Do, ou pertencente ou relativo ao México (América do Norte). ● *S. m.* 2. O natural ou habitante do México.

mexida [F. subst. do adj. *mexido*, ou de *mexer* + *-ida*[3].] *S. f.* 1. Confusão, desordem, balbúrdia. 2. Discórdia, desentendimento. 3. Mixórdia, mistifório. [Sin., nessas acepçs.: *mexonada*.] 4. V. *mexerico* (1).

mexido [Part. de *mexer*.] *Adj.* 1. Que se mexeu; revolvido: *papéis mexidos*. 2. Agitado, inquieto. ● *S. m. Cul.* 3. Doce para consoada, feito de pão ralado, calda de açúcar, mel e casca de limão. 4. Bamboleamento, saracoteio (particularmente em certas danças). 5. V. *mexerico* (1). 6. *Bras. MG Cul.* Espécie de farofa feita com arroz, feijão, torresmo e verduras. 7. *Bras. SC RS Cul.* Feijão ou carne picada, que se prepara em panela, mexendo-se com farinha de mandioca: "um mexido de farinha, onde os pedaços de charque apareciam de quando em quando" (Guido Vilmar Sassi, *São Miguel*, p. 152).

mexilhão[1] [Do lat. vulg. hispânico **muscellione* < lat. *muscellus*, dim. de *musculus*.] *S. m. Zool.* 1. Designação comum aos moluscos bivalves, mitilídeos, gênero *Mytilus* e outros. As valvas são ovais ou triangulares, e iguais; a parte interna da concha, luzidia e nacarada. Fixam-se nas pedras através do bisso. 2. Molusco bivalve, mitilídeo (*Mytilus perna*), comum no RJ, SP e SC, de concha oval, alongada, recoberta de epiderme avermelhada ou parda, interior branco, comprimento de até 8cm; mexilhão-das-pedras, sururu. 3. Molusco bivalve, mitilídeo (*Mytilus edulis*), de coloração violácea mais ou menos intensa, uniforme, com raios longitudinais amarelos. Ocorre no Atlântico. [Sin. ger.: *ostra-de-pobre*. Cf. *mexelhão*.]

mexilhão[2] [De *mexer*, com provável infl. de *mexilhão*[1].] *Adj. S. m.* V. *mexelhão*.

mexilhão-das-pedras *S. m. Zool.* V. *mexilhão*[1] (2).

mexilho [De *mexer*.] *S. m.* Barra de ferro que prende a aiveca ao teiró do arado, regulando-lhe o afastamento.

mexinflório *S. m. Bras. RS* 1. V. *ninharia*. 2. Coisa atrapalhada, confusa; confusão, desordem. 3. V. *mexerico* (1).

mexoalho [De *mexer*, poss.] *S. m.* Porção de caranguejos ou plantas marinhas em putrefação, usada para adubo (2).

mexonada [De *mexer*, poss.] *S. f. Desus.* Movimento confuso de coisas desordenadas; mexida.

mezanela [Do it. *mezzanella*.] *S. f. Constr.* Tijolo mais queimado que o comum, usado em pavimentação.

mezanino [Do it. *mezzanino*, dim. de *mezzano*, 'mediano'.] *S. m.* 1. Andar pouco elevado, entre dois andares altos. 2. Pequena janela dessa espécie de andar. 3. Sobreloja avarandada. 4. Janela de porão de edifício. 5. *Teatr.* O balcão acima da plateia.

mezena [Do it. *mezzana*, 'mediano'.] *S. f. Marinh.* 1. V. *mastro da mezena*. 2. V. *vela da mezena*.

mezereão [De or. controversa; poss. do ár.-persa *mezrion*, ou do it.] *S. m. Bot.* V. *trovisco*[1].

mezinha [Do lat. *medicina*, por via pop.] *S. f.* 1. Líquido para clister. 2. *Pop.* Qualquer remédio caseiro. [Sin.: *mezinhice*. Cf. *mezinho* (1).]

mezinhar [De *mezinha* + *-ar*[2].] *V. t. d.* 1. Aplicar mezinha a. 2. *Pop.* V. *medicar* (1).

mezinheiro [De *mezinha* + *-eiro*.] *S. m.* 1. Aquele que faz ou aplica mezinhas; curandeiro. 2. Aquele que está sempre fazendo uso de mezinhas.

mezinhice [De *mezinha* + *-ice*.] *S. f.* 1. Mezinha (2). 2. Remédio ou práticas de curandeiro.

mezinho *S. m. Guin.* 1. Qualquer remédio. [Cf. *mezinha* (1).] 2. V. *amuleto*.

■ **MF** [Abrev. do Ingl. *Medium Frequency*, 'frequência média'.] *Fís.* V. *faixa de ondas hectométricas*.

■ **MFA** Símb. de *monofosfato de adenosina*. [Tb. se usa o símb. (ingl.) AMP.]

■ **mg** Símb. de *miligrama*.

■ **Mg** *Quím.* Símb. de *magnésio*.

■ **MG** Sigla do Estado de Minas Gerais.

mho (mô) [Anagrama de *ohm*.] *S. m. Eletr. Obsol.* V. *siemens*.

■ **MHz** *Fís.* Símb. de *mega-hertz*.

mi[1] [F. red. de *mira*; v. *ut*.] *S. m. Mús.* 1. Nota correspondente ao terceiro grau da escala natural do modo maior (q. v.). [Corresponde a *E*, na notação alfabética; cf. *ut*.] 2. O sinal que representa essa nota, na pauta. [Cf. *me*.]

mi[2] [Do gr. *myæ*, pelo lat. med. *my*.] *S. m.* A 12ª letra do alfabeto grego (Μ, μ), correspondente ao nosso *m*. [F. paral.: *mu*.]

mi[3] *Pron. Ant.* Mim. [Cf. *me* e *mê*.]

▲ **mi-**[1] V. *mio(s)-*.

▲ **mi-**[2] V. *mii(o)-*.

▲ **-m(i)-** V. *mio(s)-*.

miacídeo [Do tax. *Miacis*, gênero-tipo, + *-ídeo*[1]; tax. *Miacidae*.] *Paleont. S. m.* 1. Espécime dos miacídeos, família de mamíferos carnívoros que, acredita-se, eram ancestrais de carnívoros atuais; eram, na maior parte, pequenos animais do tamanho e da forma dos mustelídeos (tinham o corpo longo, e pequenas patas), e habitavam florestas. Tinham molares pontiagudos, sendo o último ausente. Com distribuição na América do Norte, Europa e Ásia, surgiram no paleoceno e desapareceram no início do oligoceno. ● *Adj.* 2. Pertencente ou relativo a eles.

miada [De *miar* + *-ada*[1].] *S. f.* 1. Os miados de muitos gatos ao mesmo tempo; miadura. 2. V. *miado*. [Cf. *meada*.]

miadela [De *miar* + *-dela*.] *S. f.* O ato de miar de cada vez.

miado [Part. subst. de *miar*.] *S. m.* A voz do gato e doutros animais; mio, miada. [Cf. *meado*.]

miador (ô) [De *miar* + *-dor*.] *Adj. S. m.* Que ou gato que mia muito.

miadura [De *miar* + *-dura*.] *S. f.* Miada (1).

mialate *Bras. S. 2 g.* 1. *Etnôn.* Indivíduo dos mialates [ou (etnôn. bras.) *Mialat], povo indígena extinto que habitava a margem direita do rio Barão de Melgaço (RO). ● *Adj. 2 g.* 2. Pertencente ou relativo a esse povo.

mialgia [De *mi-*[1] + *-alg(o)-*[2] + *-ia*[1].] *S. f. Med.* Dor no(s) músculo(s); miodinia.

miálgico [De *mialgia* + *-ico*[2].] *Adj.* Referente à mialgia; miodínico.

mialhar *S. m. Marinh.* Cabo delgado, branco ou alcatroado, resultante de se cocharem frouxamente dois ou três fios de carreta; fio de palomba.

mianmarense *Adj. 2 g. S. 2 g.* V. *birmanês*.

miao [Desta língua.] *S. m. Gloss.* 1. Língua do grupo miao-iao falada no S. da China, no Laos e na Tailândia; meo. 2. Vocábulo dessa língua.

miao-iao *S. m. Gloss.* Grupo de línguas do S.E. da Ásia, de classificação incerta, mas muitas vezes incluídas na família sino-tibetana. [As principais línguas desse grupo são o *miao* e o *iao*.]

miar [De *miau* + *-ar*[2], com síncope e crase.] *V. int.* 1. Dar ou soltar miados: "à orla da clareira, uma hiena apareceu, miando com lástima." (Eça de Queirós, *Contos*, p. 182). 2. Soltar som que lembra um miado: "Lá fora o Vento como um gato bufa e mia" (Antônio Nobre, *Só*, p. 91); "E o Vento mia! e o Vento mia!" (Id., *ib.*, p. 13). 3. *Bras. Fam.* V. *choramingar*. [Cf. *mear*.]

miasma [Do gr. *míasma*.] *S. m.* 1. *Hig. Obsol.* Emanação mefítica do solo, supostamente nociva, tida como causa de várias doenças endêmicas, como, p. ex., em certos locais, a malária, até que se viesse a conhecer a verdadeira etiologia destas. 2. *Fig.* Influência deletéria; corrupção; podridão: *miasma social*.

miasmático [De *miasma* + *-ático*.] *Adj.* 1. Que produz miasmas: "Sedu-la embaixo o lamaçal dos charcos, / O pântano miasmático deserto" (Alberto de Oliveira, *Poesias*, 2ª série, p. 228). 2. Resultante de, ou produzido por miasmas: *moléstia miasmática*.

miastenia [De *mi-*[1] + *-asten(o)-* + *-ia*[1].] *S. f. Med.* Fraqueza muscular. ◆ **Miastenia grave.** *Med.* Distúrbio neuromuscular que se deve, possivelmente, à presença de anticorpos contra a ação de receptores de acetilcolina que exercem funções neuromusculares; o doente apresenta fadiga e exaustão do sistema muscular, de intensidade variável, não se observando, no entanto, atrofia muscular ou distúrbio sensorial.

miastênico *Adj. Med.* V. *miastênico*. [Uso freq. em P.]

miastênico [De *miastenia* + *-ico*[2].] *Adj. Med.* Relativo à miastenia, ou que a tem.

miau[1] *S. m.* 1. Onomatopeia da voz do gato. 2. *Inf.* O gato.

miau[2] [Do chin. *miao*.] *S. m.* Pagode ou templo chinês.

■ **MIB** *Quím.* Sigla de *metilisoborneol*.

mibu *S. m. Bras.* V. *membi* (1).

mica [Do lat. *mica*.] *S. f.* **1.** Designação comum aos minerais do grupo das micas, silicatos de alumínio e de metais alcalinos aos quais frequentemente se associam magnésio e ferro; malacacheta. **2.** Pequena porção; bocado, migalha.

micáceo [De *mica* + *-áceo*.] *Adj.* **1.** Que contém mica. **2.** Que é da natureza da mica, ou tem a aparência dela.

micado [Do jap. *mikado*.] *S. m.* **1.** Título do soberano do Japão. **2.** Antigo título da suprema autoridade religiosa japonesa.

micaelense *Adj. 2 g. S. 2 g.* V. *são-miguelense*[1].

micageiro [De *micagem* + *-eiro*.] *Adj. Bras.* Dado a fazer micagens.

micagem [De *mico* + *-agem*[2].] *S. f.* **1.** Careta própria de mico. **2.** Trejeito, gatimonha: 📖 "Roláveis pelo tapete, fazendo micagens, plantando bananeiras" (José Geraldo Vieira, *Carta a Minha Filha em Prantos*, p. 27).

micaia [Do tsonga.] *S. f. Moç. Bot.* Árvore fabácea (*Acacia nigrescens*) que cresce nos solos pobres e arenosos, e que tem numerosos acúleos recurvados: 📖 "Rosas não me dizem nada, / caso-me mais à agura das micaias" (Rui Knopfli, *O País dos Outros*, p. 41).

miçanga [Do cafre *masanga*, pl. de *usanga*.] *S. f.* **1.** Contas de vidro, variegadas e miúdas. **2.** Ornato feito dessas contas: 📖 "Os braceletes e as miçangas tilintavam no peito e nos braços" (Lima Barreto, *Histórias e Sonhos*, p. 84). **3.** Variedade de tipo muito miúdo de imprensa. **4.** Miudeza, bugiganga. [M. us. no pl.]

micante [Do lat. *micante*.] *Adj. 2 g.* Brilhante, luzente, luzidio: 📖 "Como se a terra se fosse inflamando em centelhas, granitos micantes alumiavam." (Coelho Neto, *Rei Negro*, p. 182.)

micar [De *mico*[2] + *-ar*[2].] *V. int. Bras. Pop.* **1.** Não dar certo ou não chegar a acontecer: 📄 *O nosso encontro micou.* **2.** Sofrer prejuízo financeiro, por ficar com título de crédito, etc., desvalorizado. [Conjug.: v. *trancar*.]

→ **mi-carême** [mika'ʀɛm] [Fr.] *S. f.* **1.** O sábado de Aleluia, ou a quinta-feira santa. **2.** A festa desse dia. [Cf. *micareta*.]

micareta (ê) *S. f. Bras. BA* Festa carnavalesca fora da época do carnaval. [Cf. *mi-carême*.]

micaxisto [De *mica* + *xisto*.] *S. m. Geol.* Rocha laminada, nitidamente metamórfica, composta essencialmente de mica, mas que pode conter quartzo, e na qual o feldspato é inexistente ou raro.

micção [Do lat. *mictione*.] *S. f. Fisiol. Med.* Emissão de urina; micturição.

miccional [De *micção* + *-al*[1], seg. o padrão erudito.] *Adj. 2 g.* Relativo à micção.

micela *S. f. Fís.-Quím.* Partícula de uma solução coloidal, especialmente de um sol[4], constituída por uma partícula da substância em estado coloidal cercada por um conjunto de íons.

miceliano [De *micélio* + *-ano*[1].] *Adj. Micol.* Pertencente ou relativo ao micélio.

miceliforme [De *micélio* + *-forme*.] *Adj. 2 g.* Que tem forma de micélio.

micélio [De *mic(o)-* + *(epit)élio*.] *S. m. Micol.* Talo dos fungos, composto de filamentos, ditos *hifas*, destituídos de clorofila. As hifas constituem uma trama que representa o corpo vegetativo dos fungos, podendo este ser microscópico ou, como nas orelhas-de-pau, alcançar importantes dimensões.

micenense [Do lat. **mycenense*.] *Adj. 2 g. S. 2 g.* V. *micênico* (1 e 4).

micénico *Adj. S. m.* V. *micênico*. [Uso freq. em P.]

micênico [Do top. *Micenas* + *-ico*[2].] *Adj.* **1.** De, relativo ou pertencente a Micenas, antiga cidade do Peloponeso (Grécia). **2.** Relativo à civilização que se irradiou, a partir de Micenas, pelo Peloponeso, Ática e Beócia (c. 1950 a 1100 a. C.). **3.** Diz-se do micênico (5). ~ V. *grego* —. ● *S. m.* **4.** O natural ou habitante de Micenas. **5.** *Gloss.* Dialeto grego antigo descoberto em tábulas de argila (v. *linear b*). [Sin. (de 1 e 4): *micenense*.]

▲ **-micete** V. *micet(o)-*.

micetemia [De *micet(o)-* + *-emia*.] *S. f. Patol.* Presença de fungos no sangue.

micetémico *Adj. Patol.* V. *micetêmico*. [Uso freq. em P.]

micetêmico [De *micetemia* + *-ico*[2].] *Adj. Patol.* Relativo à micetemia.

▲ **micet(o)-** [Do gr. *mýkēs*, *ētos*.] *El. comp.* = 'cogumelo', 'fungo': *micetemia, micetologia, micetozoário*. [Equiv.: *-micete, -micet(o)-, -miceto, mic(o)-, -mic(o)-*[1]: *actinomicete; actinomicetose; micélio; maduromicose*.]

▲ **-micet(o)-** V. *micet(o)-*.

▲ **-miceto** V. *micet(o)-*.

micetografia [De *micet(o)-* + *-grafia*.] *S. f. Micol.* Micografia.

micetográfico [De *micetografia* + *-ico*[2].] *Adj. Micol.* Micográfico.

micetógrafo [De *micet(o)-* + *-grafo*.] *S. m. Micol.* Especialista em micetografia.

micetologia [De *micet(o)-* + *-logia*.] *S. f. Micol.* Micologia.

micetológico [De *micetologia* + *-ico*[2].] *Adj. Micol.* Micológico.

micetologista [De *micetologia* + *-ista*.] *S. 2 g.* Especialista em micetologia; micologista, micetólogo, micólogo.

micetólogo [De *micet(o)-* + *-logo*.] *S. m.* V. *micetologista*.

micetozoário [De *micet(o)-* + *-zo(o)-* + *-ário*; tax. *Mycetozoa*.] *Zool. S. m.* **1.** Espécime dos micetozoários, ordem de animais protozoários, rizópodes, que na fase adulta formam uma unidade protoplasmática com numerosos núcleos e movimento citoplasmódico corrente. ● *Adj.* **2.** Pertencente ou relativo a eles. [Sin. ger.: *mixogastro, mixomiceto, mixotalófito, mixófito*.]

micha [Do fr. *miche*.] *S. f.* **1.** Pão feito de diversas farinhas misturadas. **2.** V. *migalha* (1). [Cf. *mixa*.]

michê [Do fr. *miché*.] *S. m. Bras. Chulo* **1.** A ação de se prostituir. **2.** Preço pago a prostituto ou a prostituta: 📖 "Ontem *táxi-girl* de escola de dança e médico michê no randevu onde cintilava Ivonete; hoje, figura nacional" (Marques Rebelo, *O Trapicheiro*, p. 252). **3.** *P. ext.* Prostituto ou prostituta.

michela [De or. incerta.] *S. f. Bras. Chulo* Meretriz.

michná [Do hebr. *mishnah* < *shanah*, 'repetir'.] *S. f.* V. *talmude*.

michola *S. f. Bras. MT Zool.* V. *joaninha* (2).

michole *S. m. Bras. Zool.* Peixe teleósteo, perciforme, serranídeo (*Diplectrum radiale*), distribuído da América Central até as costas de SP. Coloração geral verde-azulada com estrias longitudinais; difere dos demais serranídeos por ter a parte inferior da cabeça, focinho, alto do crânio e faixa suborbitária posterior desprovidos de escamas. [Sin.: *margarida*.]

michole-da-areia *S. m. Bras. Zool.* Peixe teleósteo, perciforme, serranídeo (*Diplectum formosum*), distribuído da América do Norte até as costas do Uruguai. Coloração verde-azulada com estrias longitudinais, e nadadeiras ímpares alaranjadas; comprimento: até 20cm. [Pl.: *micholes-da-areia*.]

▲ **-micina** [De *mic(o)-* + *-ina*[3].] *Quím. El. comp.* Indica 'substância obtida a partir de fungos': *eritromicina, estreptomicina, gentamicina*. [V. *micet(o)-*.]

→ **micmac** [mik'mak] [De uma língua indígena norte-americana, pelo inglês.] *S. m. Gloss.* V. *miquemaque*.

mico[1] [Do caraíba continental *miko*.] *S. m.* **1.** *Bras. Zool.* Designação comum aos macacos de porte médio, do gênero *Cebus*, tais como o *mico-preto* (*C. niger*), o *mico-amarelo* (*C. libidinosus*), o *mico-ruivo* (*C. robustus*). [Cf. *caiarara* e *macaco-prego*.] **2.** *Bras. N. MG Impr.* V. *sagui*: 📖 "Entre os símios repontavam .... os micos, tipo sagui, com bigodes e barbas como múmias peruanas." (Raimundo Morais, *País das Pedras Verdes*, p. 58.) ◆ **Destripar o mico.** *Bras. SP Pop.* V. *vomitar* (11).

mico[2] [F. red. de *mico-preto*[2].] *S. m.* **1.** Mico-preto[2] (2): 📄 *fulano ficou com o mico.* **2.** Mico-preto[2] (3). **3.** Situação embaraçosa ou vexatória: 📄 *A braguilha da minha calça estava aberta: que mico!* ◆ **Pagar mico.** *Gír.* Colocar-se em situação embaraçosa ou vexatória: 📖 "O programa começou com uma insuportável Hora da Ave-Maria ...., teve espaço para o governador [X] pagar mico elogiando a capacidade [do apresentador Y] em trazer emoção para a TV" (*Jornal do Brasil*, 19.02.1997).

▲ **mic(o)-** V. *micet(o)-*.

▲ **-mic(o)-**[1] V. *micet(o)-*.

▲ **-mic(o)-**[2] V. *mix(o)-*.

mico-amarelo *S. m. Bras. Zool.* V. *mico*[1] (1). [Pl.: *micos-amarelos*.]

micobactéria [Adapt. do tax. *Mycobacterium*, por infl. de *bactéria*.] *S. f. Microbiol.* **1.** Gênero de micobacteriáceas que se apresentam como bastões retos, ou ligeiramente encurvados, aeróbicos, acidorresistentes, sendo a maioria delas de crescimento lento. **2.** Qualquer espécie desse gênero, como, p. ex., a *Mycobacterium tuberculosis*, o agente causador da tuberculose, e a *M. leprae*, o agente causador da lepra. **3.** Qualquer espécime desse gênero.

micobacteriácea [Do tax. *Mycobacterium* + *-ácea*; tax. *Mycobacteriaceae*.] *S. f. Microbiol.* Espécime das micobacteriáceas, família de bactérias constituída por células ligeiramente curvas, ou retas, em forma de bastão, gram-positivas, aeróbicas, e que, por vezes, se ramificam; encontram-se no solo, em água, em laticínios, e como parasitos do homem e de animais inferiores.

micobacteriáceas *S. f. pl. Bacter.* Família de bactérias constituída por células ligeiramente curvas, ou retas, em forma de bastão, gram-positivas, aeróbicas, e que, por vezes, se ramificam; encontram-se no solo, em água, em laticínios, e como parasitos do homem e de animais inferiores.

micobacteriáceo [De *micobactéria* + *-áceo*.] *Adj. Microbiol.* De, ou relativo a micobactéria.

micobionte [De *mic(o)-* + *-bionte*.] *S. m. Micol.* Fungo componente do talo dos liquens.

miçoço *S. m. Angol.* Missosso.

micoderma [Do tax. *Mycoderma*.] *S. m. Micol.* Em antigas classificações, gênero de fungos imperfeitos moniliáceos, cujas espécies estão, hoje, em sua maioria, incluídas no gênero *Candida* [v. *cândida*[2] (1)].

mico-de-topete *S. m. Bras. Zool.* Designação comum a diversos macacos do gênero *Cebus*, como o *C. cirrifer* e o *C. robustus*. [Pl.: *micos-de-topete*.]

micografia [De *mic(o)-* + *-grafia*.] *S. f. Micol.* Descrição dos fungos; micetografia.

micográfico [De *micografia* + *-ico*[2].] *Adj.* Relativo à micografia; micetográfico.

mico-leão *S. m. Zool.* Pequeno primata (*Leontopithecus rosalia rosalia*), calitriquídeo, frugívoro, da América tropical; mico-leão-dourado, sagui-amarelo, saguipiranga, sauimpiranga. [Pl.: *micos-leões* e *micos-leão*.]

mico-leão-dourado *S. m. Zool.* V. *mico-leão*. [Pl.: *micos-leões-dourados* e *micos-leão-dourados*.]

mico-leão-preto (ê) *S. m. Zool.* Pequeno primata calitriquídeo (*Leontopithecus rosalia chrysomelas*), da América tropical, e que se alimenta de frutos e insetos. [Pl.: *micos-leões-pretos* (ê) e *micos-leão-pretos* (ê).]

micologia [De *mic(o)-* + *-logia*.] *S. f. Micol.* Estudo dos fungos; micetologia.

micológico [De *micologia* + *-ico*[2].] *Adj. Micol.* Relativo à micologia; micetológico.

micologista [De *micologia* + *-ista*.] *S. 2 g.* V. *micetologista*: 📖 "Experimentador, biologista, fisiologista, microbiologista, micologista, ... — sua contribuição é enorme em cada um desses terrenos de nossa atividade intelectual." (Pedro Nava, *Beira-Mar*, p. 151.)

micólogo [De *mic(o)-* + *-logo*.] *S. m.* V. *micetologista*.

micondó [Do forro[2].] *S. m. Santom.* V. *baobá*: 📖 "começaram a cavar, a cavar à volta do micondó" (Fernando Reis, *Soiá, Literatura Oral de São Tomé*, p. 82).

micoplasma [De *mic(o)-* + *-plasma*; tax. *Mycoplasma*.] *S. m. Microbiol.* **1.** O gênero-tipo das micoplasmatáceas, e que estão entre as menores bactérias. **2.** Espécie ou espécime desse gênero.

micoplasmatácea [Do lat. cient. *Mycoplasmat-* (do *Mycoplasma*) + *-ácea*; tax. *Mycoplasmataceae*.] *S. f. Microbiol.* Espécime das micoplasmatáceas, família de bactérias gram-negativas, anaeróbicas, desprovidas de motilidade e de parede celular; são, em alguns aspectos, mais próximas aos vírus e, ger., parasitos de mamíferos.

micoplasmatáceo [De *micoplasmatácea*, com var. suf. (v. *-áceo*).] *Adj. Microbiol.* Pertencente ou relativo às micoplasmatáceas.

mico-preto[1] (ê) *S. m. Zool.* V. *mico*[1] (1). [Pl.: *micos-pretos*.]

mico-preto[2] (ê) [Marca registrada.] *S. m.* **1.** Certo jogo infantil, semelhante ao fedorento (2), e em que a carta sem par tem o desenho de um macaquinho preto. **2.** A carta sem par do mico-preto[2] (1); mico. **3.** *P. ext. Gír.* Título de crédito, ação, etc., em desvalorização no mercado, e do qual, por conseguinte, seus possuidores se querem livrar; mico[2]: 📖 "Como ninguém quer ficar com a moeda 'velha', ela passa a ser uma 'batata quente' (o mico-preto), cuja velocidade de circulação tende ao infinito." (G. B. Franco, *O Plano Real e Outros Ensaios*, p. 163.) [Pl.: *micos-pretos*.]

micorriza [De *mic(o)-* + *-riza*.] *S. f. Bot. Micol.* Associação simbiótica entre raízes duma planta vascularizada e micélio de um fungo especializado, com benefícios para ambos os organismos; ocorre, p. ex., em orquídeas, e em algumas coníferas.

mico-ruivo *S. m. Bras. Zool.* V. *mico*[1] (1). [Pl.: *micos-ruivos*.]

micose [De *mic(o)-* + *-ose*[1].] *S. f. Patol.* Doença infecciosa causada por fungo.

micótico [De *mic(ose)* + *-ótico*.] *Adj. Patol.* De, ou relativo a micose.

micotoxicose (cs) [De *mic(o)-* + *-toxic(o)-* + *-ose*[1].] *S. f. Patol.* Intoxicação causada por substância produzida por fungo.

micotoxina (cs) [De *mic(o)-* + *toxina*.] *S. f. Quím.* Qualquer de certas substâncias produzidas por fungos (e, menos comumente, por outros organismos), das quais muitas são tóxicas e algumas têm aplicações terapêuticas, e que incluem os tricotecenos, as aflatoxinas e as ergotaminas.

micracústico [De *micr(o)-*[1] + *acústico*.] *Adj. Fís.* Diz-se dos instrumentos que reforçam os sons.

micranto [De *micr(o)-*[1] + *-anto*.] *Adj. Bot.* Diz-se do vegetal que tem flores pequenas. [Antôn.: *macranto*.]

M

microeiro [De *micro* (= 'microcomputador') + *-eiro.*] *S. m. Gír.* **1.** Aquele que usa microcomputador, esp. como computador pessoal. **2.** *Restr.* Usuário de microcomputadores experiente ou aficionado, ger. autodidata e perito em detalhes técnicos. ● *Adj.* **3.** Relativo a microcomputador, ou próprio de seu usuário: *mercado microeiro; hábitos microeiros.*

micro *S. m.* V. *microcomputador.*

▲ **micr(o)-^{1}** [Do gr. *mikro-* < gr. *mikrós, á, ón.*] *El. comp.* = 'pequeno', 'curto', 'fraco'; 'de proporção menor que': 'indica ordem ou grandeza reduzida naquilo que concerne ao estudo de ciência ou fenômeno, e de uma aplicação metodológica'; 'ampliação ou amplificação (de algo no seu tamanho ou medida normal)': *micranto, microfilme, microfauna; microeconomia; microfone, microacústico, microscópio.* [O AOLP prescreve o uso do hífen nos casos de anteposição deste pref. a palavra iniciada por *h* ou *o*: *micro-história*; é escrito com *r* ou *s* duplicados quando anteposto a palavra iniciada por *r* ou *s*: *microrregião, microssaia.*] [Equiv.: *-micr(o)-, -micro, -mícron*: *acromicria, milimicro, milimícron.*]

▲ **micr(o)-^{2}** *Pref.* Anteposto ao nome duma unidade de medida, forma o nome de uma unidade derivada um milhão de vezes menor que a primeira [símb.: μ (v. *mi*^{2})]: *micrômetro, microssegundo.* [Para o uso do hífen, ver o que se diz em micr(o)-^{1}.]

▲ **-micr(o)-** V. *micr(o)-*^{1}.

▲ **-micro** V. *micr(o)-*^{1}.

microabrasão [De *micr(o)-* + *abrasão.*] *S. f. Odont.* Técnica us. na remoção de manchas superficiais de dente(s), que utiliza substâncias erosivas e abrasivas.

microacústico [De *micr(o)-*^{1} + *-acústico.*] *Adj. Fís.* V. *micracústico.*

microalga [De *micr(o)-*^{1} + *alga.*] *S. f. Bot.* Alga microscópica encontrada em água doce e em água salgada.

microbar [De *micr(o)-*^{2} + *bar*^{3}.] *S. m. Fís.* Unidade de medida de pressão, usualmente empregada em meteorologia e em acústica, equivalente a um milionésimo do bar^{3}, ou 0,1 pascal; bária.

microbial [De *micróbio* + *-al*^{1}.] *Adj. 2 g. Microbiol.* V. *microbiano.*

microbiano [De *micróbio* + *-ano*^{1}.] *Adj. Microbiol.* **1.** Relativo a micróbios. **2.** Em que os há. **3.** Provocado por eles. [Sin. ger.: *microbial.*]

microbicida [De *micróbio* + *-cida.*] *Adj. 2 g. S. m. Microbiol.* Germicida.

micróbio [De *micr(o)-*^{1} + *-bio*; lat. cient. *microbium.*] *S. m.* **1.** *Microbiol.* Qualquer organismo muitíssimo pequeno, como, p. ex., bactéria, vírus ou fungo. **2.** *Microbiol. Restr.* Designação comum a microrganismos capazes de causar doenças em animais e plantas; germe. **3.** *Fig.* Indivíduo insignificante ou reles.

microbiologia [De *micróbio* + *-logia.*] *S. f.* Ramo da biologia que estuda os microrganismos.

microbiológico [De *microbiologia* + *-ico*^{2}.] *Adj.* Relativo à microbiologia.

microbiologista [De *microbiologia* + *-ista.*] *S. 2 g.* Especialista em microbiologia; microbiólogo.

microbiólogo [De *micróbio* + *-logo.*] *S. m.* Microbiologista.

microbiota [De *micr(o)-*^{1} + *biota.*] *S. f. Microbiol.* O conjunto dos organismos microscópicos encontrados em determinado meio, compreendendo bactérias, fungos, protozoários, etc. ◆ **Microbiota normal** *Microbiol.* A microbiota que habita a pele ou as mucosas do homem e de outros animais, em boas condições de saúde. [Sin.: *flora bacteriana.*]

microcâmera [De *micr(o)-*^{1} + *câmera.*] *S. f.* Câmara (13) de pequenas dimensões.

microcefalia [De *microcéfalo* + *-ia*^{1}.] *S. f. Psiq.* Condição de microcéfalo (1), a qual, com grande frequência, é acompanhada de retardo mental. [Sin., menos us.: *nanocefalia.*]

microcefálico [De *microcefalia* + *-ico*^{2}.] *Adj.* Relativo à microcefalia, ou a microcéfalo; nanocefálico.

microcéfalo [De *micr(o)-*^{1} + *-céfalo.*] *Adj. S. m.* **1.** *Ter.* Que, ou aquele que tem a cabeça muito pequena. [Sin.: *nanocéfalo.*] **2.** *Fig.* Diz-se de, ou indivíduo pouco inteligente; idiota.

microcentral [De *micr(o)-*^{1} + *central.*] *S. f.* Central hidrelétrica que permite rendoso aproveitamento de pequenas quedas-d'água.

micrócero [De *micr(o)-*^{1} + *-cero.*] *Adj. Zool.* Que tem cornos ou antenas curtas. [Antôn.: *macrócero.*]

microchancela [De *micr(o)-*^{1} + *chancela.*] *S. f. Numism.* Autógrafo em tamanho reduzido aplicado em cédulas (papel-moeda). [Atualmente o padrão monetário brasileiro apresenta as microchancelas do ministro da Fazenda e do presidente do Banco Central do Brasil.]

➔ **microchip** ['majkɹotʃɪp] [Ingl.] *S. m.* V. *microprocessador.*

microciprino [De *micr(o)-*^{1} + *-ciprino*; tax. *Microcyprini.*] *S. m. Adj. Obsol. Zool.* V. *ciprinodontídeo.*

microcircuito (úi) [De *micr(o)-*^{1} + *circuito.*] *S. m. Eletrôn.* Combinação de elementos conectados inseparavelmente num substrato contínuo e capaz de efetuar determinada função de controle eletrônico.

microcirurgia [De *micr(o)-*^{1} + *cirurgia.*] *S. f. Cir.* Modalidade de cirurgia em que as intervenções são realizadas com o auxílio de microscópio especial, que permite ver ampliadas estruturas muito pequenas, como as dos ouvidos, olhos, laringe, etc.

microcirúrgico [De *micr(o)-*^{1} + *cirúrgico.*] *Adj.* Relativo à microcirurgia.

microclima [De *micr(o)-*^{1} + *clima.*] *S. m. Met.* Conjunto de condições climáticas existentes numa área relativamente restrita, ger. próxima à superfície, influenciadas pela vegetação e constituição do solo.

microclínio [De *micr(o)-*^{1} + *-clin(o)-*^{2} + *-io*^{3}.] *S. m. Min.* Mineral triclínico, dimorfo com o ortoclásio, silicato de alumínio e potássio.

micrococácea [Do tax. *Micrococcus* + *-ácea*; tax. *Micrococcaceae.*] *S. f. Microbiol.* Espécime das micrococáceas, família de bactérias gram-positivas, aeróbicas ou, facultativamente, anaeróbicas, que engloba espécies patogênicas e não patogênicas, constituídas por células esféricas que ocorrem individualmente, em pares, em massa irregular ou em cadeia.

micrococáceo [De *micrococácea*, com var. suf. (v. *-áceo*).] *Adj. Microbiol.* Pertencente ou relativo às micrococáceas.

micrococo [Do tax. *Micrococcus* (v. *micr(o)-*^{1} e *-coco*).] *S. m. Microbiol.* **1.** Gênero de bactérias micrococáceas em forma de cocos minutíssimos que colonizam o organismo humano, mas raramente estão associados a doenças. **2.** Espécie ou espécime desse gênero.

microcoleção [De *micr(o)-*^{1} + *coleção.*] *S. f.* Coleção pequena.

microcomputador (ô) [De *micr(o)-*^{1} + *computador.*] *S. m. Inform.* Computador de pequeno porte, cuja unidade central de processamento (q. v.) reside em um único *chip* (o microprocessador) e que ger. visa servir ao usuário individual. [Tb. se diz apenas *micro.* Cf. *computador pessoal.*]

microcópia [De *micr(o)-*^{1} + *cópia.*] *S. f.* Cópia microfotográfica.

microcósmico [De *microcosmo* + *-ico*^{2}.] *Adj.* Relativo ao microcosmo.

microcosmo [Do lat. med. *microcosmu* (v. *micr(o)-*^{1} e *-cosmo*).] *S. m.* **1.** Mundo pequeno, resumo do Universo: "Vida e morte, religião e trabalho, e, para além, no recinto doméstico, a esposa e o fogo e o amor: tudo se inclui na propriedade que é um mundo minúsculo, microcosmo que tem por centro o lar." (Oliveira Martins, *Quadro das Instituições Primitivas*, pp. 126-127.) **2.** O homem, por oposição a *macrocosmo*, o Universo. **3.** *Fig.* Pequeno mundo; círculo: *microcosmo literário.* [Antôn.: *macrocosmo.*]

microcosmologia [De *microcosmo* + *-logia.*] *S. f.* Descrição ou estudo do corpo humano.

microcosmológico [De *microcosmologia* + *-ico*^{2}.] *Adj.* Referente à microcosmologia.

microcrania [De *micr(o)-*^{1} + *-cran(i)(o)-* + *-ia*^{1}.] *S. f. Biotip.* Anormalidade em que o crânio é muito pequeno, com diminuição dos diâmetros de sua cavidade, assumindo a face, comparativamente, proporção acima da normal.

microcrédito [De *micr(o)-*^{1} + *crédito.*] *S. m. Econ.* Empréstimo de pequeno valor, destinado preferencialmente à faixa da população de menor renda que não tem, ger., acesso a outras formas de crédito.

microcristal [De *micr(o)-*^{1} + *cristal.*] *S. m.* Cristal que só pode ser visto ao microscópio.

microcristalino [De *microcristal* + *-ino*^{1}.] *Adj.* Diz-se de um corpo amorfo na aparência, mas que, examinado ao microscópio, mostra ser constituído por um aglomerado de microcristais.

microdáctilo [De *micr(o)-*^{1} + *-dá(c)tilo.*] *Adj. Zool.* Que tem dedos curtos. [Var.: *microdátilo.* Antôn.: *macrodáctilo.*]

microdátilo *Adj. Zool.* V. *microdáctilo.*

microdecompositor (ô) [De *micr(o)-*^{1} + *decompositor.*] *Adj. S. m. Ecol.* Diz-se de, ou microrganismo decompositor (q. v.), presente em todos os ecossistemas.

microdia [De *micr(o)-*^{1} + *dia.*] *S. m. Cronol.* Intervalo de tempo equivalente a um milionésimo do dia.

microdonte [De *micr(o)-*^{1} + *-odonte.*] *Adj. 2 g. Zool.* Que tem dentes pequenos.

microdrilo [De *micr(o)-*^{1} + gr. *drîlos*, 'verme de terra'; tax. *Microdrili.*] *Zool. S. m.* **1.** Espécime dos microdrilos, grupo de oligoquetas que compreende pequenos vermes alongados destituídos de rede capilar no nefrídio, e que ger. habitam as águas doces. ● *Adj.* **2.** Pertencente ou relativo a eles.

microeconomia [De *micr(o)-*^{1} + *economia.*] *S. f.* Parte da Economia (1) que estuda o comportamento de agentes econômicos individuais (consumidores, produtores) e sua interação no mercado. [Cf. *macroeconomia.*]

microeconómico *Adj.* V. *microeconômico.* [Uso freq. em P.]

microeconômico [De *microeconomia* + *-ico*^{2}.] *Adj.* Pertencente ou relativo à microeconomia.

microelectrónica [De *micr(o)-*^{1} + *electrónica.*] *S. f.* Microeletrônica.

microeletrónica *S. f.* V. *microeletrônica.* [Uso freq. em P.]

microeletrônica [Var. de *microelectrónica.*] *S. f.* Designação genérica de investigações, técnicas, processos e equipamentos que envolvem circuitos de estado sólido miniaturizados.

microeletrónico *Adj.* V. *microeletrônico.* [Uso freq. em P.]

microeletrônico [De *microeletrônica*, com var. suf. (v. *-ico*^{2}).] *S. m.* Relativo à microeletrônica.

microempresa (ê) [De *micr(o)-*^{1} + *empresa.*] *S. f. Econ.* Empresa ou firma individual abaixo de determinado tamanho, e que é isenta de certos impostos.

microempresário [De *micr(o)-*^{1} + *empresário.*] *S. m.* Dono ou responsável por microempresa.

microestado [De *micr(o)-*^{1} + *estado.*] *S. m. Fís.* O estado de um sistema caracterizado por um ponto no seu respectivo espaço de fase; complexão.

microestrutura [De *micr(o)-*^{1} + *estrutura.*] *S. f.* Estrutura detalhada de um sólido estudado por processos micrográficos.

microevolução [De *micr(o)-*^{1} + *evolução.*] *S. f. Paleont. Biol.* Nível de evolução interna de cada espécie, resultante da resposta às mutações e à seleção natural e que possibilita melhor adaptação da espécie ao meio ambiente. [Cf. *macroevolução.*]

microfauna [De *micr(o)-*^{1} + *fauna.*] *S. f. Zool.* O conjunto dos animais microscópicos de determinada época ou região.

microfibra [De *micr(o)-*^{1} + *fibra.*] *S. f. Tec. Têx.* Designação genérica de tecidos sintéticos que se obtêm com filamentos iguais ou menores que 1 denier, produzidos com acrílico, poliéster, viscose ou náilon. São tecidos leves, cujo toque é mais agradável que os demais feitos com outros filamentos sintéticos, e que têm alta resistência, oferecendo isolamento em relação a frio e vento.

microficha [De *micr(o)-*^{1} + *ficha.*] *S. f.* Ficha, opaca ou transparente, que contém microrreprodução de textos, desenhos, etc.

microfilamento [De *micr(o)-*^{1} + *filamento.*] *S. m. Citol.* Conjunto de filamentos de actina, componente do citoesqueleto celular, relacionado às funções contráteis e de movimentação celular.

microfilária [De *micr(o)-*^{2} + *filária.*] *S. f. Zool.* Filária em etapa pré-larval, no sangue humano ou em tecido do vetor.

microfilia [De *microfilo* + *-ia*^{1}.] *S. f. Bot.* Qualidade de microfilo. [Antôn.: *macrofilia.*]

microfílico [De *microfilo* + *-ico*^{2}.] *Adj. Bot.* Relativo a microfilia, ou a microfilo.

microfilmado [Part. de *microfilmar.*] *Adj.* Que se microfilmou; obtido mediante microfilmagem.

microfilmagem [De *microfilmar* + *-agem*^{2}.] *S. f.* Ato ou operação de microfilmar.

microfilmar [De *microfilme* + *-ar*^{2}.] *V. t. d.* Fotografar (livros, documentos, etc.) em microfilme; fazer microfilme de.

microfilme [De *micr(o)-*^{1} + *filme.*] *S. m. Fot.* **1.** Reprodução, com redução, de documentos em filme fotográfico. **2.** Microfotografia positiva ou negativa feita em tira ou rolo de filme.

microfilmoteca [De *micr(o)-*^{1} + *filmoteca.*] *S. f.* Acervo de microfilmes, organizado e catalogado.

microfilo [Do gr. *mikróphyllos.*] *Adj. S. m. Bot.* Diz-se de, ou vegetal que tem folhas pequenas. [Antôn.: *macrofilo.*]

microfísica [De *micr(o)-*^{1} + *física.*] *S. f.* Designação genérica e pouco precisa das partes da física em que se investigam os sistemas atômicos e subatômicos, e nas quais se utilizam procedimentos quânticos.

micrófita [De *micr(o)-*^{1} + *-fita.*] *S. f. Bot.* V. *micrófito.*

microfítico [De *micrófito* + *-ico*^{2}.] *Adj. Bot.* Relativo ou pertencente aos micrófitos.

micrófito [De *micr(o)-*^{1} + *-fito.*] *S. m. Bot.* Vegetal muitíssimo pequeno; micrófita.

microflora [De *micr(o)-*^{1} + *flora.*] *S. f. Bot.* Flora constituída por vegetais microscópicos, como, p. ex., certas algas.

microfone [De *micr(o)-*^{1} + *-fone.*] *S. m. Son.* Aparelho capaz de transformar a energia sonora em energia elétrica; transdutor eletracústico que responde a ondas acústicas fornecendo ondas ou sinais elétricos. [F. paral. p. us.: *microfono* (q. v.).]

microfonia [De *micr(o)-*[1] + *-fon(o)-* + *-ia*[1].] *S. f.* **1.** *Otor.* Fraqueza da voz. **2.** *Son. Telev.* Perturbação na transmissão de sinais de som ou de vídeo, causada por vibração mecânica em componente do sistema de transmissão. [Ocorre, p. ex., quando o microfone é colocado muito perto do alto-falante.]

microfónico *Adj. Son.* V. *microfônico.* [Uso freq. em P.]

microfônico [De *microfonia* + *-ico*[2].] *Adj. Son.* Referente à microfonia, ou a microfone.

microfonismo [De *microfone* + *-ismo.*] *S. m. Son.* Defeito em receptores de rádio, caracterizado por zumbidos intermitentes.

microfonista [De *microfone* + *-ista.*] *S. 2 g. Bras.* Profissional incumbido de manobrar a girafa (6) do microfone.

microfono [De *micr(o)-*[1] + *-fono.*] *S. m. Son. P. us.* Microfone. [Cf. *micrófono.*]

micrófono [Do gr. *mikróphonos.*] *Adj.* **1.** Que tem voz fraca. **2.** Que torna fraco um som. ● *S. m.* **3.** *Son.* Instrumento apropriado para apreciar os sons fracos. [Cf. *microfono.*] [A pronúncia correta é paroxítona, mas o uso consagrou *micrófono*; v. *-fono.*]

microfóssil [De *micr(o)-*[1] + *fóssil.*] *S. m.* Fóssil (1) de dimensões microscópicas.

microfoto [De *micr(o)-*[1] + *-foto*[2].] *S. m.* Cópia, negativa ou positiva, que se obtém por meio da microfotografia.

microfotografado [Part. de *microfotografar.*] *Adj.* Que se microfotografou; que foi objeto de microfotografia.

microfotografar [De *micr(o)-*[1] + *fotografar.*] *V. t. d.* Fotografar (livros, documentos, etc.) mediante microfotografia.

microfotografia [De *micr(o)-*[1] + *fotografia.*] *S. f.* **1.** Processo de obtenção de fotografia de dimensões reduzidas. **2.** Fotografia obtida por esse processo.

microfotográfico [De *microfotografia* + *-ico*[2].] *Adj.* Respeitante à microfotografia.

microfototeca [De *microfoto(grafia)* + *-teca.*] *S. f.* Arquivo de microfotografias.

microftalmia [De *micr(o)-*[1] + *-(o)ftalm(o)-* + *-ia*[1].] *S. f. Oftalm. Ter.* Pequenez anormal de um ou de ambos os olhos.

microftalmo [Do gr. *mikróphtalmos.*] *Adj. S. m. Oftalm. Ter.* Que, ou aquele que apresenta microftalmia.

microgameta [De *micr(o)-*[1] + *-gameta.*] *S. m. Biol.* V. *espermatozoide.* [Cf. *macrogameta.*]

microglia *S. f. Histol.* V. *micróglia.*

micróglia [De *micr(o)-*[1] + *-glia.*] *S. f. Histol.* Cada uma das células da neuróglia, com prolongamentos citoplasmáticos curtos e ramificados, que atuam como fagócitos no sistema nervoso central.

microglossia [De *micr(o)-*[1] + *-gloss(o)-* + *-ia*[1].] *S. f. Med.* Desenvolvimento insuficiente da língua.

microglosso [De *micr(o)-*[1] + *-glosso.*] *Adj.* Que apresenta microglossia. [Antôn.: *macroglosso.*]

micrognatia [De *micrógnato* + *-ia*[1].] *S. f. Ter.* Micrognatismo.

micrognático [De *micrógnato* + *-ico*[2].] *Adj.* Relativo a micrógnato.

micrognatismo [De *micrógnato* + *-ismo.*] *S. m. Ter.* Pequenez anormal da mandíbula, com recuo do queixo; migrognatia.

micrógnato [De *micr(o)-*[1] + *-gnato.*] *Adj. S. m. Ter.* Que ou o que apresenta micrognatismo.

microgonídio [De *micr(o)-*[1] + *gonídio.*] *S. m. Bot.* O menor dos gonídios, quando há diversificação entre eles. [Opõe-se a *macrogonídio.*]

micrografia [De *micr(o)-*[1] + *-grafia.*] *S. f.* **1.** Descrição dos objetos que se estudam com o auxílio do microscópio. **2.** Tudo quanto diz respeito ao emprego do microscópio. **3.** *Neur.* Redução no tamanho das letras manuscritas do indivíduo, em comparação com as de sua escrita normal.

micrográfico [De *micrografia* + *-ico*[2].] *Adj.* Referente à micrografia.

micrógrafo [De *micr(o)-*[1] + *-grafo.*] *S. m.* Especialista em micrografia.

microgranular [De *micr(o)-*[1] + *granular*[1].] *Adj. 2 g.* V. *rocha —.*

micro-habitat *S. m.* V. *micro-hábitat.*

micro-hábitat [De *micr(o)-* + *hábitat.*] *S. m. Biol.* O hábitat de um determinado organismo ou microrganismo. [Há diferentes micro-hábitats em um hábitat, cada qual com suas diferentes condições ambientais; em cada trecho de um curso d'água, p. ex., há vários micro-hábitats, conforme o oxigênio e o pH ali presentes, a velocidade do fluxo d'água, etc.] [Pl.: *micro-hábitats.*]

microilídeo [Do tax. *Microhyla* + *-ídeo*[1]; tax. *Microhylidae.*] *Zool. S. m.* **1.** Espécime dos microilídeos, família de anuros das regiões tropicais do Velho e do Novo Mundo; são pererecas pequenas, de corpo ovoide, cabeça cônica e boca estreita, arborícolas e de atividade noturna. ● *Adj.* **2.** Pertencente ou relativo a eles.

microincisão (o-in) [De *micr(o)-*[1] + *incisão.*] *S. f. Cir.* Incisão muito pequena.

microindústria (o-i) [De *micr(o)-*[1] + *indústria.*] *S. f.* Microempresa (q. v.) de caráter industrial.

microinfiltração [De *micr(o)-*[1] + *infiltração.*] *S. f. Odont.* Infiltração de microrganismos e substâncias líquidas em margens microscópicas de restaurações dentárias.

microinformática (o-in) [De *micro(computador)* + *informática.*] *S. f. Inform.* A parte da informática que lida especificamente com os equipamentos e programas empregados em microcomputadores.

microinformático (o-in) [De *microinformática* + *-ico*[2].] *S. f.* Relativo à microinformática, ou a microcomputadores, seus programas e acessórios.

microinstrumento (o-ins) [De *micr(o)-*[1] + *instrumento.*] *S. m.* Instrumento pequeníssimo, utilizado com o micromanipulador.

microleitor (ô) [De *micr(o)-*[1] + *leitor.*] *S. m.* Projetor luminoso que se usa para a leitura de microfilmes.

microlepidóptero [De *micr(o)-*[1] + *lepidóptero.*] *S. m. Zool.* Designação comum às espécies pequenas de borboletas.

microlestes [Do tax. *Microlestes.*] *S. m. Paleont.* **1.** Gênero de mamíferos didelfos do período liássico da Europa; são os mais antigos mamíferos de que se tem notícia. **2.** Espécie ou espécime desse gênero.

microlítico [De *micrólito* + *-ico*[2].] *Adj. Geol.* **1.** Relativo a micrólito. **2.** Que contém micrólitos. **3.** Diz-se da textura das rochas porfíricas em que a massa fundamental consiste em agregados de micrólitos numa base em geral vítrea.

micrólito [De *micr(o)-*[1] + *-lito.*] *Adj. Geol.* Designação comum a cristais microscópicos aciculares ou em forma de bastão que ocorrem com frequência nas rochas magmáticas efusivas.

micrologia[1] [Do gr. *mikrología.*] *S. f.* Discurso frouxo, de conteúdo inexpressivo.

micrologia[2] [De *micr(o)-*[1] + *-logia.*] *S. f.* Tratado sobre os corpos microscópicos.

micrológico[1] [De *micrologia*[1] + *-ico*[2].] *Adj.* Relativo a, ou próprio de micrologia[1].

micrológico[2] [De *micrologia*[2] + *-ico*[2].] *Adj.* Relativo a micrologia[2].

micrólogo[1] [Do gr. *mikrólogos.*] *S. m.* **1.** Aquele que faz questão de bagatelas. **2.** Pequeno discurso.

micrólogo[2] [De *micr(o)-*[1] + *-logo.*] *S. m.* Indivíduo versado em micrologia[2].

micromania [De *micr(o)-*[1] + *-mania.*] *S. f. Psiq.* Ideia distorcida de que o próprio corpo ou parte dele se tornou menor.

micromaníaco [De *micromania* + *-ico*[2].] *Adj.* **1.** Relativo a micromania. **2.** Que tem micromania; micrômano. ● *S. m.* **3.** Aquele que tem micromania; micrômano.

micromanipulador (ô) [De *micr(o)-*[1] + *manipulador.*] *S. m. Cir.* Aparelho para microcirurgia, provido de instrumentos pequeníssimos e de grande precisão, como pinças, agulhas, lâminas cortantes, etc., e comandado por um mecanismo redutor.

micrômano [De *micr(o)-*[1] + *-mano*[1].] *Adj. S. m.* Micromaníaco (2 e 3).

micrómato *Adj. Zool.* V. *micrômato.* [Uso freq. em P.]

micrômato [Do gr. *mikrómmatos.*] *Adj. Zool.* Que tem olhos pequenos. [Diz-se de invertebrados.]

micrómego *S. m.* V. *micrômego.* [Uso freq. em P.]

micrômego [De *micr(o)-*[1] + *-mego.*] *S. m.* Instrumento de matemática para o cálculo de pequenos ângulos na medição de terras.

micromelia [Do gr. *mikromelés*, 'de pequeno(s) membro(s)', + *-ia*[1].] *S. f. Ter.* Desenvolvimento anormal de membro (1). [Antôn.: *macromelia.*]

micrómero *Adj.* V. *micrômero.* [Uso freq. em P.]

micrômero [De *micr(o)-*[1] + *-mero.*] *Adj.* **1.** Que tem todos os membros e apêndices delgados. ● *S. m.* **2.** *Embr.* Blastômero pequeno, resultante da clivagem total e desigual de zigoto, que ocorre em ovos heterolécitos e oligolécitos.

micrometeorito [De *micr(o)-*[1] + *meteorito.*] *S. m. Astr.* Meteorito de pequenas dimensões, em geral microscópico, e que, ao entrar na atmosfera terrestre, não chega a ser observável da superfície.

micrometeoroide (ói) [De *micr(o)-*[1] + *meteoroide.*] *S. m. Astr.* Meteoroide de dimensão inferior a 1mm de diâmetro. ❖

micrometria [De *micr(o)-*[1] + *-metria.*] *S. f.* A técnica da aplicação do micrômetro (2).

micrométrico [De *micrometria* + *-ico*[2].] *Adj.* **1.** Relativo à micrometria, ou ao micrômetro (1 e 2). **2.** Dividido ou graduado em micrômetros [v. *micrômetro* (1)]. **3.** Que tem comprimento da ordem de um micrômetro (1). ~ V. *parafuso —.*

micrómetro *S. m.* V. *micrômetro.* [Uso freq. em P.]

micrômetro [De *micr(o)-*[1] + *-metro.*] *S. m.* **1.** Unidade de medida de comprimento, igual à milionésima parte do metro [símb.: μm]; mícron. **2.** *Fís.* Instrumento para medida de comprimentos ou de ângulos muito pequenos, baseado em dispositivos mecânicos ou em sistemas ópticos. ◆ **Micrômetro a disco.** *Astr.* Discômetro. **Micrômetro a fios.** *Astr.* Micrômetro adaptável à extremidade ocular de um telescópio, dotado de fios extremamente finos, ordinariamente feitos de teias de aranha, e capaz de medir a distância angular e o ângulo de posição; micrômetro filar, micrômetro de posição. **Micrômetro anular.** *Astr.* Aquele em que a medida de comprimentos ou de ângulos se faz por meio de anéis. **Micrômetro de dupla imagem.** *Astr.* Micrômetro dotado de um prisma birrefringente por meio do qual se obtêm duas imagens de uma estrela, de sorte que a coincidência ou a posição relativa entre elas permite determinar a distância e o ângulo de posição de outras imagens (geralmente duas). **Micrômetro de Lyot.** *Astr.* Micrômetro de dupla imagem que emprega a propriedade da mudança de posição relativa das imagens ordinária e extraordinária em uma calcita, quando esta gira em torno do seu eixo óptico. **Micrômetro de Müller.** *Astr.* Micrômetro de dupla imagem que utiliza o efeito micrométrico de um prisma especialmente idealizado pelo astrônomo francês Paul Müller (1910), no qual os eixos ópticos dos componentes são perpendiculares. **Micrômetro de posição.** *Astr.* V. *micrômetro a fios.* **Micrômetro de Repsold.** *Astr.* Micrômetro impessoal. **Micrômetro filar.** *Astr.* V. *micrômetro a fios.* **Micrômetro impessoal.** *Astr.* Micrômetro criado pelo astrônomo alemão Johann Repsold (1838-1919) para as observações de passagens meridianas, e capaz de eliminar a equação pessoal (q. v.) do observador; micrômetro de Repsold.

micromicete [De *micr(o)-*[1] + *-micete.*] *S. m. Bot.* Planta criptogâmica que produz fermentação alcoólica.

mícron [Do gr. *mikrón*, neutro de *mikrós.*] *S. m.* Micrômetro (1).

▲ **-mícron** [Do gr. *mikrón*, neutro de *mikrós.*] V. *micr(o)-*[1].

micronemo [De *micr(o)-*[1] + *-nemo.*] *Adj. Zool.* Que tem tentáculos muito pequenos.

micronésio *Adj.* **1.** Da, ou pertencente ou relativo à Micronésia, um dos três grandes agrupamentos de ilhas do Pacífico. ● *S. m.* **2.** O natural ou habitante da Micronésia. **3.** *E. Ling.* Um dos subgrupos do malaio-polinésio (q. v.).

micronúcleo [De *micr(o)-*[1] + *núcleo.*] *S. m. Zool.* Em certos protozoários que têm dois núcleos por célula, como, p. ex., os euciliados, o núcleo que se relaciona com a reprodução sexual. [Cf. *macronúcleo.*]

micronutriente [De *micr(o)-*[1] + *nutriente.*] *S. m. Biol.* Elemento essencial (q. v.) que é necessário em quantidade relativamente pequena ou muito pequena. Ex.: o ferro, o manganês, o zinco, o cobre, o boro, o iodo, o molibdênio e o cobalto. [Sin.: *elemento-traço.* Cf. *macronutriente.*]

micro-onda [De *micr(o)-*[1] + *onda.*] *S. f. Fís.* Onda eletromagnética com frequência compreendida entre 500MHz e 300GHz. [Pl.: *micro-ondas.*] ❖

micro-ondas [Pl. de *micro-onda.*] *S. m. 2 n.* **1.** Forno em que se usam micro-ondas (v. *micro-onda*) para cozimento, aquecimento ou descongelamento de alimentos. **2.** *Bras. Gír.* Suplício fatal imposto pela bandidagem a seus desafetos (estes são postos dentro de pneus aos quais se ateiam fogo).

micro-ônibus [De *micr(o)-*[1] + *ônibus.*] *S. m. 2 n. Bras.* Veículo de transporte coletivo, em geral com duas portas e menor que o ônibus. ❖

micro-orgânico [De *micr(o)-*[1] + *orgânico.*] *Adj.* Microrgânico. [Pl.: *micro-orgânicos.*] ❖

micro-organismo [De *micr(o)-*[1] + *organismo.*] *S. m.* Microrganismo. [Pl.: *micro-organismos.*] ❖

micropétalo [De *micr(o)-*[1] + *-pétalo.*] *Adj. Bot.* Que tem pétalas pequenas. [Antôn.: *macropétalo.*]

micrópila [De *micr(o)-*[1] + *-pila.*] *S. f. Bot.* Orifício canalicular que se encontra no ápice do óvulo das plantas e é formado pela abertura dos tegumentos, e pelo qual penetra o tubo polínico para efetuar a fecundação; exóstoma.

micropinocitose [De *micr(o)-*[1] + *pinocitose.*] *S. m. Citol.* Processo semelhante ao da pinocitose, só observado à microscopia eletrônica.

micropodídeo [Do lat. cient. *Micropod-* (do tax. *Micropus*) + *-ídeo*[1]; tax. *Micropodidae.*] *S. m. Adj. Zool. Desus.* V. *apodídeo.*

micropodiforme [Do lat. cient. *Micropod-* (do tax. *Micropus*) + *-iforme*; tax. *Micropodiformes.*] *S. m. Adj. 2 g. Zool. Desus.* V. *apodiforme.*

micropolegada [De *micr(o)-*[2] + *polegada.*] *S. f.* Medida inglesa e norte-americana de comprimento, equivalente à milionésima parte da polegada.

M

micróporo [De *micr(o)-*[1] + *-poro*.] ***Adj.*** Que tem poros extremamente pequenos; microporoso.

microporoso (ô) [De *micr(o)-* + *-por(o)-* + *-oso*.] ***Adj.*** Micróporo.

microprocessador (ô) [De *micr(o)-*[1] + *processador*.] ***S. m.*** *Inform.* Processador (3) miniaturizado, cujos circuitos são fabricados numa única pastilha de silício. [Corresponde ao ingl. *microchip*.]

microprótalo [De *micr(o)-*[1] + *prótalo*.] ***S. m.*** *Bot.* Prótalo masculino.

micropsia [De *micr(o)-*[1] + *-opsia*.] ***S. f.*** *Oftalm.* Alteração da visão que faz os objetos parecerem menores do que realmente são.

micropsiquia [De *micr(o)-*[1] + *-psiqu(e)-* + *-ia*[1].] ***S. f.*** *Psiq.* Fraqueza da mente.

micropsíquico [De *micropsiquia* + *-ico*[2].] ***Adj.*** Referente à micropsiquia.

micropterígio [De *micr(o)-*[1] + *-pterígio*.] ***Adj.*** *Zool.* Que tem barbatanas pequenas.

micróptero [De *micr(o)-*[1] + *-ptero*.] ***Adj.*** *Zool.* Que tem asas pequenas. [Antôn.: *macróptero*.]

microrgânico [De *microrganismo* + *-ico*[2], seg. o padrão erudito.] ***Adj.*** Relativo a microrganismo.

microrganismo [De *micr(o)-*[1] + *organismo*.] ***S. m.*** *Biol.* Designação comum a organismos microscópicos, como, p. ex., bactérias, vírus, fungos e protozoários.

microrregião [De *micr(o)-*[1] + *região*.] ***S. f.*** *Geogr.* Subdivisão de uma região natural.

microrregional [De *microrregião* + *-al*[1], seg. o padrão erudito.] ***Adj. 2 g.*** Relativo a microrregião.

microrreprodução [De *micr(o)-*[1] + *reprodução*.] ***S. f.*** Reprodução microfotográfica.

microsclero [De *micr(o)-* + *-sclero*.] ***S. m.*** *Zool.* Pequena espícula do esqueleto dos poríferos.

microscopia [De *micr(o)-*[1] + *-scop-* + *-ia*[1].] ***S. f.*** **1.** Conjunto de técnicas de observação de objetos de muito reduzidas dimensões. **2.** Arte de empregar o microscópio.

microscópico [De *microscópio* + *-ico*[2].] ***Adj.*** **1.** Relativo ao microscópio, ou à microscopia: *experiências microscópicas*. **2.** Visível só ao microscópio. **3.** *P. ext.* Minúsculo, pequeníssimo: "Ela recorre .... às torturas dos sapatinhos apertados para fazer o pé microscópico" (Aluísio Azevedo, *Livro de uma Sogra*, p. 87). [Antôn.: *macroscópico*.] **4.** *Fig.* Que tem vista penetrante. ~ V. *edição —a* e *hematúria —a*.

microscópio [De *micr(o)-*[1] + *-scópio*.] ***S. m.*** **1.** *Ópt.* Instrumento óptico destinado à observação e estudo de seres e objetos de dimensões muito pequenas, ger. invisíveis a olho nu. **2.** *Astr.* Constelação do hemisfério austral, situada ao S. do Capricórnio. [Com cap., nesta acepç.] ◆ **Microscópio de campo.** *Eletrôn.* Instrumento em que um campo elétrico muito intenso arranca elétrons de uma ponta metálica muito fina, e estes atingem uma tela fluorescente onde formam uma imagem ampliadíssima da ponta emissora. **Microscópio de contraste de fase.** *Ópt.* Aquele em que é possível observar objetos transparentes pelo método do contraste de fase. **Microscópio eletrônico.** *Eletrôn.* Instrumento em que um feixe de elétrons acelerados é convenientemente focalizado por meio de lentes eletrônicas para formar numa tela uma imagem muito ampliada de um objeto microscópico sob observação. **Microscópio metalográfico.** *Ópt.* O que permite a observação da superfície de metais e trabalha com luz refletida. **Microscópio simples.** *Ópt.* Lupa[1].

microscopista [De *microscopia* + *-ista*.] ***S. 2 g.*** Pessoa que se ocupa de microscopia.

microsfícto [Do gr. *mikrósphyktos*.] ***Adj.*** *Med. Desus.* Que tem o pulso fraco.

microsfigmia [De *micr(o)-*[1] + gr. *sphygmós*, 'pulso', + *-ia*[1].] ***S. f.*** *Med.* Situação em que uma pulsação arterial, por sua fraqueza, só a custo é percebida pelo examinador.

microsperma [De *micro-*[1] + *-sperma*; tax. *Microspermae*.] ***S. f.*** *Bot.* Espécime das microspermas, ordem de monocotiledôneas que se caracteriza pelas sementes pequeníssimas, e engloba as orquidáceas e as burmanniáceas.

microspermo[1] [Do gr. *mikróspermos*.] ***Adj.*** *Bot.* Que tem sementes muito pequenas.

microspermo[2] [De *microsperma*, com var. suf.] ***Adj.*** *Bot.* Pertencente ou relativo às microspermas.

microsporídio [De *micr(o)-*[1] + *-(e)sporídio*; tax. *Microsporidia*.] *Zool.* ***S. m.*** **1.** Espécime dos microsporídios, ordem de animais protozoários, cnidosporídios, de esporos pequenos com um ou dois filamentos polares. São parasitos intracelulares de artrópodes e peixes, e dentre eles se acha o agente etiológico da pebrina. ● ***Adj.*** **2.** Pertencente ou relativo a eles.

micrósporo [De *micr(o)-*[1] + *-sporo*.] ***S. m.*** *Bot.* Pequeno esporo que, ao germinar, origina um microprótalo.

microssaia [De *micr(o)-*[1] + *saia*.] ***S. f.*** Minissaia diminuta: "Mesmo que você adore se exibir (e quem não gosta?), evite microssaias colantes, decotes e barrigas de fora." (Danusa Leão, em *Jornal do Brasil*, 20.09.1992.)

microssáurio [Adapt. do tax. *Microsauria*.] *Paleont.* ***S. m.*** **1.** Espécime dos microssáurios, ordem de pequenos anfíbios da era paleozoica, principalmente do carbonífero e do permiano. São os prováveis ancestrais dos anfíbios ápodos, como os cecilídeos atuais. ● ***Adj.*** **2.** Pertencente ou relativo a eles.

microssegundo [De *micr(o)-*[2] + *segundo*.] ***S. m.*** *Cronol.* Intervalo de tempo correspondente à milionésima parte do segundo [símb.: μs].

microssísmico [De *microssismo* + *-ico*[2].] ***Adj.*** *Geofís.* Relativo ao, ou da natureza do microssismo.

microssismo [Do *micr(o)-*[1] + *-sismo*.] ***S. m.*** *Geofís.* Pequeno abalo sísmico de efeito puramente local e que não origina ondas sísmicas facilmente perceptíveis. [Cf. *macrossismo* e *megassismo*.]

microssismógrafo [De *microssismo* + *-grafo*.] ***S. m.*** Aparelho próprio para registrar microssismos.

microssoldagem [De *micr(o)-*[1] + *soldagem*.] ***S. f.*** *Metal.* Soldagem de equipamentos muito pequenos, na qual a junção só é visível com a utilização de um microscópio.

microssomatia [De *micr(o)-*[1] + *-somat(o)-* + *-ia*[1].] ***S. f.*** *Ter.* V. *microssomia*.

microssomático [De *microssomatia* + *-ico*[2].] ***Adj.*** *Ter.* Microssômico.

microssomia [De *micr(o)-*[1] + *-som(o)-* + *-ia*[1].] ***S. f.*** *Ter.* Anomalia caracterizada pela extrema pequenez de todo o corpo; microssomatia. [Cf. *macrossomia*.]

microssómico ***Adj.*** V. *microssômico*. [Uso freq. em P.]

microssômico [De *microssomia* + *-ico*[2].] ***Adj.*** *Ter.* Relativo a, ou em que há microssomia; microssomático.

microssomo [De *micr(o)-*[1] + *-somo*.] ***Adj.*** **1.** *Ter.* Que apresenta microssomia. ● ***S. m.*** **2.** *Ter.* Aquele que apresenta microssomia. **3.** *Citol.* Pequena vesícula fechada da membrana de retículo endoplasmático, e que pode ser isolada por meio de centrifugação diferencial.

microssulco [De *micr(o)-*[1] + *sulco*.] ***S. m.*** *Son.* Ranhura em forma de V, muito fina e compacta, na qual se registra a trilha sonora num *long-play*.

micróstomo [Do gr. *mikróstomos*.] ***Adj.*** *Zool.* Que tem boca ou abertura muito pequena.

microtexto (ês) [De *micr(o)-*[1] + *texto*.] ***S. m.*** Texto microfilmado ou microfotografado.

microtomia [De *micr(o)-*[1] + *-tom(o)-* + *-ia*[1].] ***S. f.*** *Histol.* Etapa da técnica histológica em que se obtêm cortes delgados de um órgão, para estudo através de microscópio.

micrótomo [De *micr(o)-*[1] + *-tomo*.] ***S. m.*** *Histol.* Aparelho empregado em microtomia.

microtúbulo [De *micr(o)-*[1] + *túbulo*.] ***S. m.*** *Citol.* Cada uma das estruturas celulares proteicas em forma de tubo oco, não ramificado, envolvido na ação de estruturas celulares contráteis, como cílios e flagelos, e que promove a movimentação de organelas e vesículas no citoplasma celular.

microvilo [De *micr(o)-*[1] + *-vilo*.] ***S. m.*** *Citol.* Diferenciação de membrana celular em projeções digitiformes, e que contribui para o aumento da superfície de absorção celular.

microzoário [De *micr(o)-*[1] + *-zo(o)-* + *-ário*.] ***S. m.*** *Zool.* Animálculo que só pode ser visto com a ajuda do microscópio.

micruro[1] [De *micr(o)-*[1] + *-uro*.] ***Adj.*** *Zool.* Que tem cauda curta.

micruro[2] [Do tax. *Micrurus*.] ***S. m.*** *Zool.* **1.** Gênero de pequenas serpentes elapídeas. **2.** Espécie ou espécime desse gênero.

micterismo [Do gr. *mykterismós*.] ***S. m.*** **1.** Ironia insultuosa; zombaria. **2.** Má catadura; cara feia; carranca.

mictofídeo [Adapt. do tax. *Myctophidae*.] *Zool.* ***S. m.*** **1.** Espécime dos mictofídeos, grande família de peixes mictofiformes, de ampla distribuição, que têm a boca e os olhos grandes e a nadadeira dorsal no meio do corpo. ● ***Adj.*** **2.** Pertencente ou relativo a eles.

mictofiforme [Adapt. do tax. *Myctophiformes*.] *Zool.* ***S. m.*** **1.** Espécime dos mictofiformes, ordem que reúne duas famílias de peixes marinhos, de tamanho pequeno a médio, habitantes do alto-mar, apresentando, a maioria das espécies, órgãos luminosos (fotóforos). ● ***Adj. 2 g.*** **2.** Pertencente ou relativo a eles.

mictório [Do lat. *mictoriu*.] ***Adj.*** **1.** Que promove a micção; diurético. ● ***S. m.*** **2.** *Bras.* Lugar próprio para nele se urinar. [Sin., nesta acepç.: *mijadouro*, *mijadeiro*, *sumidouro* e (lus.) *urinol*.]

micturição [Do lat. cient. *micturitio*, *onis*.] ***S. f.*** *Med.* Micção.

micuim (u-ím) [Do tupi.] ***S. m.*** *Bras. Zool.* **1.** Designação vulgar dos ácaros trombidídeos, especialmente os do gênero *Trombicula*, que em sua fase larval costumam atacar o homem e os animais, causando fortes comichões. Muito conhecida na Amaz., a espécie *T. brasiliense* ataca o homem e os animais, de agosto a outubro, nas regiões descampadas. Tem coloração avermelhada, e é quase microscópico. [Sin.: *micuim-amarelo*, *bicho-colorado*, *timicuí*, *timicuim*.] **2.** V. *carrapato-de-cavalo*. **3.** V. *carrapato-pólvora*. [Var.: *mucuim*.] ◆ **Não poder ver micuim com tosse.** *Bras. Pop.* Não tolerar gabolice por parte de criança ou de pessoa presunçosa; não poder ver mucuim com tosse.

micuim-amarelo (u-ím) ***S. m.*** *Bras. Zool.* V. *micuim* (1). [Pl.: *micuins-amarelos*.]

micuim-castanho (u-ím) ***S. m.*** *Bras. Zool.* V. *carrapato-pólvora*. [Pl.: *micuins-castanhos*.]

micula ***S. f.*** *Bras. PB Pop. Zool.* V. *uropígio* (1).

micurê [De or. indígena.] ***S. m.*** *Bras. Zool.* V. *gambá* (1).

■ **MIDI** [Abrev. do ingl. *Musical Instrument Digital Interface*.] *Inform.* **1.** Interface (6) digital para instrumentos musicais, que permite a troca de informações de música entre computadores, sintetizadores e instrumentos musicais. **2.** Designação de instrumento musical, dispositivo de *hardware*, ou aplicativo de *software*, que utilizam essa interface: *instrumentos MIDI*; *arquivos de som MIDI*; *mensagem MIDI*.

midi [Do ingl. *mid*, 'meio', 'no meio de' < ingl. ant. *midd*, *midde*.] ***Adj. 2 g. e 2 n.*** *Vest.* Diz-se da roupa feminina (vestido, saia ou casaco) que atinge a altura da canela. [O t. data do fim da década de 60.]

mídia [Do ingl. (*mass*) *media*, 'meios de comunicação (de massa)'; o ingl. *media* advém do neutro pl. do lat. *medium*, 'meio', 'centro', forma subst. do adj. lat. *medius*, *a um*, 'que está no meio', inicialmente us. na acepç. geral de 'meio', 'meio termo'.] ***S. f.*** **1.** *Comun.* O conjunto dos meios de comunicação, e que inclui, indistintamente, diferentes veículos, recursos e técnicas, como, p. ex., jornal, rádio, televisão, cinema, *outdoor*, página impressa, propaganda, mala-direta, balão inflável, anúncio em *site* da Internet, etc. **2.** Veículo de mídia (1): *O jornal é a melhor mídia para anúncio de serviços profissionais*. **3.** *Prop.* O conjunto de meios de comunicação selecionados para a veiculação de mensagem ou de campanha publicitária. [Sin. (ingl): *media mix*.] **4.** *Prop.* Atividade profissional direcionada ao planejamento da mídia (3) e à veiculação de anúncios, comerciais, etc. **5.** *Prop.* Setor de agência de propaganda responsável pelo planejamento e coordenação de mídia (4). **6.** O suporte ou a tecnologia us. para gravação ou registro de informações, como, p. ex., CD, fita DAT, videoteipe, impresso, etc. **7.** *P. ext. Gír.* Profissional que atua na mídia (4). ◆ **Mídia alternativa.** *Prop.* Mídia (1) de menor custo, e em veículos de recursos e de alcance restrito, como painéis em mobiliário urbano (q. v.), cartazes em estações de metrô, anúncio em *sites* da Internet, luminosos em táxi, filipetas, etc., e que exclui as opções mais abrangentes e de maior custo, como comerciais em televisão, anúncios em jornais de grande circulação, etc. **Mídia digital.** **1.** Mídia (1) baseada em tecnologia digital, como, p. ex., a Internet e a TV digital. **2.** Mídia (7) que utiliza gravação digital de dados, como, p. ex., o CD-ROM, fita DAT, disquete, etc. **Mídia eletrônica.** *Comun.* Mídia (1) que inclui, esp., o rádio e a televisão. [Incluem-se tb., nessa categoria, o cinema e outros recursos audiovisuais.] [Cf. *jornalismo eletrônico*.] **Mídia impressa.** *Comun.* Mídia (1) que inclui, esp., jornais e revistas. [Incluem-se tb., nesta categoria, outros recursos impressos de comunicação, como mala-direta, *folder*, catálogo, etc.]

midiateca [De *mídia* + *-teca*.] ***S. f.*** *Docum.* Acervo organizado de documentos disponíveis ao público em mídias [v. *mídia* (7)] variadas.

midiatecário [De *midiateca* + *-ário*.] ***S. m.*** *Docum.* Profissional da área de documentação e biblioteconomia que trabalha em midiateca.

midiático [De *mídia* + *-ático*.] ***Adj.*** *Comun.* **1.** Que concerne à mídia. **2.** Transmitido pela mídia.

midiatização [De *midiatizar* + *-ção*.] ***S. f.*** *Comun.* Ato ou efeito de midiatizar.

midiatizar [De *midiático* + *-izar*, seg. o padrão erudito.] ***V. t. d.*** *Comun.* Divulgar através de meios de comunicação de massa: *O Governo procura midiatizar suas ações sociais*. [Cf. *mediatizar*.]

mididesvalorização ***S. f.*** *Econ.* Desvalorização (2) média da moeda.

→ **midinette** [midi'net] [Fr.] ***S. f.*** *Obsol.* Ajudante de costureira, em Paris.

midríase [Do gr. *mydríasis*, pelo lat. *midriase*.] ***S. f.*** *Med.* Aumento dos diâmetros, ou dilatação, de pupila; corectasia.

midriático [De *midri(ase)* + *-ático*.] ***Adj.*** **1.** *Med.* Relativo à midríase, ou que é us. para promovê-la. ● ***S. m.*** **2.** *Terap.* Medicamento midriático.

mielalgia [De *miel(o)-* + *-alg(o)-*[2] + *-ia*[1].] ***S. f. Neur.*** Dor na medula espinhal.
mielálgico [De *mielalgia* + *-ico*[2].] ***Adj.*** Relativo à mielalgia.
mielencefálico [De *mielencéfalo* + *-ico*[2].] ***Adj.*** Relativo ou pertencente ao mielencéfalo.
mielencéfalo [De *miel(o)-* + *-encéfalo*.] ***S. m. Anat.*** **1.** Porção do sistema nervoso central que se desenvolve a partir da porção posterior do rombencéfalo, e que inclui o bulbo raquiano e a porção inferior do quarto ventrículo. **2.** A vesícula encefálica posterior, dentre as duas que se formam a partir do rombencéfalo.
mielina [De *miel(o)-* + *-ina*[3].] ***S. f. Bioquím.*** Substância lipoide que forma a bainha em torno de certos nervos.
mielinado [De *mielina* + *-ado*[1]; ingl. *myelinated*.] ***Adj.*** Revestido de mielina.
mielínico [De *mielina* + *-ico*[2].] ***Adj.*** ~ V. *fibra nervosa —a* e *neurofibra —a*.
mielinizado [Part. de **mielinizar* (< *mielina* + *-izar*).] ***Adj.*** Que contém mielina ou está revestido de extrato mielínico.
mielite [De *miel(o)-* + *-ite*[1].] ***S. f. Neur.*** Inflamação da medula espinhal.
▲ **miel(o)-** [Do gr. *myelós, oû*.] ***El. comp.*** = 'medula': *mielalgia, mielossarcoma.* [Equiv.: *-miel(o)-*: *osteomielite, siringomielia.*]
▲ **-miel(o)-** Equiv. de *miel(o)-*.
mieloblasto [De *miel(o)-* + *-blasto*.] ***S. m. Histol.*** Célula imatura da série que dará origem aos leucócitos granulócitos.
mielocite [De *miel(o)-* + *-cite*.] ***S. m. Histol.*** V. *mielócito*.
mielócito [De *miel(o)-* + *-cito*.] ***S. m. Histol.*** Cada uma das células da medula óssea vermelha, precursora de leucócito granulócito. [Var.: *mielocite*.]
mieloide (ói) [De *miel(o)-* + *-oide*.] ***Adj. 2 g.*** **1.** Da, ou pertencente ou relativo à medula óssea. **2.** Da, ou pertencente ou relativo à medula espinhal. ~ V. *célula —*. ❖
mieloma [De *miel(o)-* + *-oma*[1].] ***S. m. Patol.*** Tumor maligno que compromete o esqueleto, e que se caracteriza pela presença de células de origem hematopoética, imaturas e atípicas.
mielomalacia [De *miel(o)-* + *-malacia*.] ***S. f. Patol.*** Amolecimento anormal da medula espinhal.
mielopatia [De *miel(o)-* + *-patia*.] ***S. f. Neur.*** Qualquer lesão da medula espinhal.
mielossarcoma [De *miel(o)-* + *sarcoma*.] ***S. m. Hemat.*** Tumor sarcomatoso, constituído de tecido mieloide (1) ou de células de medula óssea.
miga [Do lat. *mica*.] ***S. f.*** V. *migalha* (1). ~ V. *migas*.
migado [Part. de *migar*.] ***Adj.*** Cortado em pequenas porções; desfeito em pedacinhos; picado.
migala [Adapt. do tax. *Mygale*.] ***S. f. Zool.*** Aviculária (1) (q. v.).
migalha [De *miga* + *-alha*.] ***S. f.*** **1.** Pequeno fragmento de pão, de bolo ou de outro alimento farináceo; miga, micha. **2.** Pequena porção; quantidade ínfima. [Sin., nessas acepçs.: *bobeia*.] **3.** Fração, fragmento, partícula: *uma migalha de ouro.* **4.** Coisa nenhuma; nada: *Não recebeu migalha.* **5.** Pouquíssima coisa; bocadinho, pouquinho. [F. paral.: *migalho*.] ~ V. *migalhas*.
migalhar [De *migalha* + *-ar*[2].] ***V. t. d. P.*** V. *esmigalhar*.
migalhas [Pl. de *migalha*.] ***S. f. pl.*** **1.** Sobras, sobejos, restos. **2.** Coisas supérfluas, insignificantes ou desprezíveis. ~ V. *migalha*.
migalheiro [De *migalha* + *-eiro*.] ***Adj. S. m.*** **1.** Que, ou aquele que se ocupa de bagatelas, que em tudo repara. **2.** V. *avaro* (1 e 3).
migalhice [De *migalha* + *-ice*.] ***S. f.*** V. *ninharia*.
migalho [De *migalha*.] ***S. m.*** V. *migalha*: "a gente esta noite vai mas é no cinema, distrair um migalho." (José Rodrigues Miguéis, *Onde a Noite Se Acaba*, p. 219).
migalomorfa [Adapt. do tax. *Mygalomorphae*.] ***S. f. Zool.*** Espécime das migalomorfas, subordem de artrópodes aracnídeos, araneídeos, caracterizados por terem quelíceras que se movem verticalmente; terafosomorfa.
migalomorfo [De *migalomorfa*.] ***Adj. Zool.*** Pertencente ou relativo às migalomorfas; terafosomorfo.
migar [De *miga* + *-ar*[2].] ***V. t. d.*** **1.** V. *esmigalhar*: "puxou da cava do colete uma faquinha com que ia migar um pouco de fumo" (Gastão Cruls, *De Pai a Filho*, p. 59). **2.** Esfarelar (pão) no caldo. [Conjug.: v. *largar*.]
migas [Pl. de *miga*.] ***S. f. pl. Lus.*** Pedaços de pão embebidos em líquido (caldo de carne, etc.) e temperados, em geral, com azeite. [Cf. *açorda*.] ~ V. *miga*.
migmatito [Do gr. *mígma, atos*, 'mistura', + *-ito*[2].] ***S. m. Petr.*** Tipo de gnaisse que sofreu injeções de magma, sendo, pois, uma mistura de material sedimentar metamorfizado e material magmático.

➔ **mignon** [mi'ɲõ] [Fr., 'pequenino', 'delicado'.] ***Adj.*** Delicado e de tamanho pequeno: "A sala de visitas era um mimo com a sua mobília mignon" (Adolfo Caminha, *A Normalista*, p. 95).
migração [Do lat. *migratione*.] ***S. f.*** **1.** Passagem de um país para outro (falando-se de um povo ou de grande multidão de gente): *as migrações espanholas para a América.* **2.** Viagens, periódicas ou irregulares, feitas por certas espécies de animais: *migração de andorinhas; migração de gafanhotos.* [Cf. *emigração* e *imigração*.]
migrado [Part. de *migrar*.] ***Adj.*** Que migrou. [Cf. *emigrado* e *imigrado*.]
migrador (ô) [Do lat. *migratore*.] ***Adj.*** Diz-se das espécies animais que mudam periodicamente de região, que migram: *aves migradoras.* ~ V. *rash —*.
➔ **migraine** [mi'gʁɛn] [Fr. (do lat. cient. *hemicrania*, 'dor de cabeça', de or. gr.).] ***S. f. Med.*** V. *enxaqueca*.
migrante [Do lat. *migrante*.] ***Adj. 2 g. S. 2 g.*** Que, ou quem migra. [Cf. *emigrante* e *imigrante*.]
migrar [Do lat. *migrare*.] ***V. t. c. Bit. c. Int.*** Mudar periodicamente, ou passar de uma região para outra, de um país para outro: *Muitos europeus migraram para o Brasil; Há nordestinos que migram de suas cidades para o sul do país, em busca de trabalho; Muitas aves migram, fugindo do inverno rigoroso.* [Cf. *emigrar* e *imigrar*.]
migratório [De *migrar* + *-tório*.] ***Adj.*** Referente à migração.
miguel-alvense ***Adj. 2 g.*** **1.** De, ou pertencente ou relativo a Miguel Alves (PI). ● ***S. 2 g.*** **2.** O natural ou habitante de Miguel Alves. [Pl.: *miguel-alvenses*.]
miguelão ***S. m. Bras. SP*** Grampo constituído de uma peça de plástico atravessada por dois preguinhos, usado para fixar fios de eletricidade em paredes, etc.
miguelense[1] ***Adj. 2 g.*** **1.** De, ou pertencente ou relativo a Barra de São Miguel (AL). ● ***S. 2 g.*** **2.** O natural ou habitante de Barra de São Miguel.
miguelense[2] ***Adj. 2 g.*** **1.** De, ou pertencente ou relativo a Miguel Pereira (RJ). ● ***S. 2 g.*** **2.** O natural ou habitante de Miguel Pereira.
miguelense[3] ***Adj. 2 g.*** **1.** De, ou pertencente ou relativo a São Miguel dos Campos (AL). ● ***S. 2 g.*** **2.** O natural ou habitante de São Miguel dos Campos. [Sin. ger.: *são-miguelense*[6].]
miguelense[4] ***Adj. 2 g.*** **1.** De, ou pertencente ou relativo a São Miguel das Matas (BA). ● ***S. 2 g.*** **2.** O natural ou habitante de São Miguel das Matas.
miguelense[5] ***Adj. 2 g.*** **1.** De, ou pertencente ou relativo a São Miguel do Guaporé (RO). ● ***S. 2 g.*** **2.** O natural ou habitante de São Miguel do Guaporé.
miguelense[6] ***Adj. 2 g. S. 2 g.*** V. *milagrense*[2].
miguelino ***Adj.*** **1.** De, ou pertencente ou relativo a São Miguel das Missões (RS). ● ***S. m.*** **2.** O natural ou habitante de São Miguel das Missões.
miguelismo ***S. m.*** O partido político de D. Miguel de Bragança (1802-1866), rei português, quando da luta contra seu irmão D. Pedro IV (I do Brasil) pelo trono de Portugal.
miguelista ***Adj. 2 g.*** **1.** Relativo ao, ou que era adepto do miguelismo. **2.** ***Bras.*** Dizia-se do membro ou adepto do Partido Conservador, ou guabiru, em PE, contrário ao Liberal, ou praieiro (1848). ● ***S. 2 g.*** **3.** Partidário do miguelismo. **4.** ***Bras.*** Adepto do Partido Conservador pernambucano (1848); guabiru.
miguel-oestino ***Adj.*** **1.** De, ou pertencente ou relativo a São Miguel d'Oeste (SC). ● ***S. m.*** **2.** O natural ou habitante de São Miguel d'Oeste. [Pl.: *miguel-oestinos*.]
miguelopense ***Adj. 2 g.*** **1.** De, ou pertencente ou relativo a Miguelópolis (SP). ● ***S. 2 g.*** **2.** O natural ou habitante de Miguelópolis.
miguim [De or. indígena, poss.] ***S. m. Bras. RS Zool.*** V. *príncipe*[1] (8).
miíase [De *mi-*[2] + *-íase*.] ***S. f. Med.*** Condição mórbida produzida pela implantação, no corpo, de larvas de moscas.
▲ **mii(o)-** [Do gr. *myîa, as*.] ***El. comp.*** = 'mosca': *miiocéfalo, miiologia.* [Equiv.: *mi-*[2], *-mi(i)(o)-*: *miíase; antomiídeo*.]
▲ **-mi(i)(o)-** V. *mii(o)-*.
miiocefálico [De *miiocéfalo* + *-ico*[2].] ***Adj.*** Relativo ao miiocéfalo.
miiocéfalo [De *mii(o)-* + *-céfalo*.] ***S. m. Oftalm.*** Saliência da íris, através de uma fenda acidental na córnea, formando volume comparável ao de uma cabeça de mosca.
miiodopsia [Do gr. *myiódes*, 'semelhante a mosca', + *-opsia*.] ***S. f. Oftalm.*** Turvação visual em que se percebem pontinhos pretos e móveis, à semelhança de moscas. [Sin., pop.: *moscas volantes*.]
miiologia [De *mii(o)-* + *-logia*.] ***S. f.*** Tratado ou descrição das moscas. [Cf. *miologia*.]
miiológico [De *miiologia* + *-ico*[2].] ***Adj.*** Relativo à miiologia. [Cf. *miológico*.]
miiologista [De *miiologia* + *-ista*.] ***S. 2 g.*** Especialista em miiologia; miiólogo.

miiólogo [De *mii(o)-* + *-logo*.] ***S. m.*** Miiologista.
miite [De *mi-*[1] + *-ite*[1].] ***S. f. Patol.*** Miosite.
mijacão [De *mijar* + *-cão*[1], poss.] ***S. m.*** **1.** ***Bras. Micol.*** Cogumelo com o feitio de guarda-chuva, que brota onde há urina ou excremento de animais. **2.** ***Bras. S. Med.*** Tumor ou abscesso da sola ou de entre os dedos do pé, atribuído pela crendice popular ao contato com a urina do cavalo. [Var.: *mijicão*. Pl.: *mijacãos*.]
mijação [De *mijar* + *-ção*.] ***S. f. Pleb.*** Ato ou efeito de mijar.
mijada [De *mijar* + *-ada*[1].] ***S. f. Pleb.*** **1.** Ação de mijar. **2.** A quantidade de urina produzida de uma vez pela micção.
mijadeiro [De *mijar* + *-deiro*.] ***S. m.*** **1.** V. *urinol* (1). **2.** V. *mictório* (2).
mijadela [De *mijar* + *-dela*.] ***S. f. Pleb.*** **1.** Jato de urina. **2.** Mancha que a urina produz.
mijado [Part. de *mijar*.] ***Adj. Pleb.*** **1.** Que se urinou ou mijou. **2.** Molhado ou manchado de urina: "Nessa linguagem desgovernada estava falando o Mestre, no seu pijama mijado" (Moreira Campos, *Os Doze Parafusos*, p. 46).
mijadoiro [De *mijar* + *-doiro*[2].] ***S. m.*** Mijadouro (q. v.).
mijadouro [De *mijar* + *-douro*[2]; var. de *mijadoiro*.] ***S. m.*** V. *mictório* (2).
mija-fogo [De *mijar* + *fogo*.] ***S. f. Bras. Zool.*** V. *tataíra*. [Pl.: *mija-fogos*.]
mija-mija [Da 3.ª pess. do sing. do pres. ind. de *mijar*, repetida.] ***S. f. Bras. Zool.*** Molusco bivalve, da família dos cardiídeos (*Trachycardium muricatum*), comestível, da costa atlântica, de concha quase circular e com sulcos longitudinais que partem do ápice, irradiando-se para a periferia em forma de leque. O nome provém de lançarem jatos de água ao locomoverem-se. [Sin.: *berbigão* (lus.), *rala-coco* e *tamati*. Pl.: *mija-mijas* e *mijas-mijas*.]
mijão [De *mijar* + *-ão*[1].] ***Adj. S. m. Pleb.*** Que, ou aquele que mija com frequência. [Fem.: *mijona*.]
mijar [Do lat. *meiare*, por *meiere*.] ***V. int. T. d. P. Pleb.*** V. *urinar*. ◆ **Mijar para trás.** ***Bras. Pop.*** Faltar com a palavra dada.
mija-vinagre [De *mijar* + *vinagre*.] ***S. m. Bras. Zool.*** V. *água-viva* (2). [Pl.: *mija-vinagres*.]
mijicão ***S. m. Bras. Zool.*** V. *mijacão*. [Pl.: *mijicãos*.]
mijo [Dev. de *mijar*.] ***S. m. Pleb.*** V. *urina*.
mijo de padre ***S. m. Bras. AL Pop.*** Café muito ralo; mijo de rato. [Pl.: *mijos de padre*.] ☑
mijo de rato ***S. m. Bras. PB Pop.*** **1.** Mijo de padre. **2.** Perfume ordinário. [Pl.: *mijos de rato*.] ☑
mijolo (ô) ***S. m. Bras. PI*** Bezerro novo.
mijona ***S. f. Pleb.*** Fem. de *mijão*.
mijuí [Do tupi.] ***S. m. Bras. Zool.*** V. *mandaguari*.
mil [Do lat. *mille*.] ***Num.*** **1.** Quantidade que é uma unidade maior que 999; novecentos mais cem. **2.** Número (4) correspondente a essa quantidade. [Nessas acepçs., representa-se em algarismos arábicos por 1.000, e em algarismos romanos, por M.] **3.** Quantidade grande e indeterminada; muitos, muitíssimos, inúmeros: "Traz infindo dinheiro, papagaios, / Araras e bugios: traz mil cousas." (Correia Garção, *Obras Poéticas e Oratórias*, p. 292); "E estrelas mil cravejam-te, fagueiras" (Raimundo Correia, *Poesias*, p. 94). **4.** Que está marcado ou identificado com o número 1.000. **5.** Milésimo (1). ● ***S. m.*** **6.** Representação, em algarismos, do número mil. **7.** Aquilo ou aquele que numa série ocupa o milésimo lugar. ◆ **Mil e um.** ***Fig.*** Grande quantidade; muitos; mil: "Romantismo alemão… Perigoso tema, em que logo nos sentimos solicitados por mil e um atalhos sem estrada real, verdadeira sedução da rosa dos rumos." (Augusto Meyer, *A Chave e a Máscara*, p. 87.) **A mil.** ***Bras.*** Em estado de grande animação, excitação, alegria, entusiasmo: *Ganhou o concurso, e está a mil.* **Aos mil.** Em grande quantidade; em abundância: "Voaram, deixando o musgo e a penugem dos ninhos, / No ar diáfano e aromado, aos mil, os passarinhos" (Alberto de Oliveira, *Poesias*, 3.ª série, p. 20).
➔ **milady** [mi'lejdij] [Ingl.] ***S. f.*** Tratamento dado a senhoras de elevado nível social.
milagraria [De *milagre* + *-aria*.] ***S. f. Fam.*** Grande porção de milagres.
milagre [Do lat. *miraculu*.] ***S. m.*** **1.** Feito ou ocorrência extraordinária, que não se explica pelas leis da natureza. **2.** Acontecimento admirável, espantoso: *os milagres da Natureza; os milagres da ciência.* **3.** Portento, prodígio, maravilha: *As pirâmides do Egito são milagres arquitetônicos.* **4.** Ocorrência que produz admiração ou surpresa: *É um milagre vê-lo aqui.* **5.** ***Rel.*** Qualquer manifestação da presença ativa de Deus na história humana. **6.** ***Rel.*** Sinal dessa presença, caracterizado sobretudo por uma alteração repentina e insólita dos determinismos

M

naturais. 7. *Teatr.* Peça religiosa da Idade Média, surgida nos sécs. XIII e XIV, e na qual o pecador apela para Nossa Senhora e, por intercessão dela, é perdoado e escapa da égide do Demônio. 8. *Bras.* Figura de madeira ou de cera (algumas vezes reprodução de qualquer membro do corpo) que se oferece aos santos em cumprimento de promessa: "Corria [o sacristão] daqui para acolá, ... colocando em seus devidos lugares os milagres de cera, de ouro e de prata, as velas e painéis votivos que a gente das redondezas trazia" (Melo Morais Filho, *Festas e Tradições Populares do Brasil*, pp. 145-146). 9. *Bras.* Painel oferecido por motivo idêntico, e que representa o fato que originou a promessa, com legenda explicativa. [Sin., nas acepçs. 8 e 9: *ex-voto*.]

milagreiro [De *milagre* + *-eiro*.] *Adj.* 1. Que facilmente acredita em milagres. ● *S. m.* 2. Aquele que facilmente acredita neles. 3. Aquele que os pratica, ou se dá como capaz de os praticar.

milagrense[1] *Adj. 2 g.* 1. De, ou pertencente ou relativo a Milagres (BA e CE). ● *S. 2 g.* 2. O natural ou habitante de Milagres.

milagrense[2] *Adj. 2 g.* 1. De, ou pertencente ou relativo a São Miguel dos Milagres (AL). ● *S. 2 g.* 2. O natural ou habitante de São Miguel dos Milagres. [Sin. ger.: *miguelense*[6].]

milagrento [De *milagre* + *-ento*.] *Adj. Pop. Deprec.* Milagroso (1 e 2).

milagroso (ô) [De *milagre* + *-oso*.] *Adj.* 1. Que faz milagres. 2. A quem se atribuem milagres: *santo milagroso*. 3. Maravilhoso, extraordinário, prodigioso, surpreendente, miraculoso: *fato milagroso; remédio milagroso*. [Sin. deprec. (nas acepçs. 1 e 2): *milagrento*.]

milando [De várias línguas moçambicanas.] *S. m. Moç.* Questão que vai a juízo: "No milando há quem peça dinheiro que ninguém pode pagar" (Luís José Loforte, *Diálogos do Desencanto*, p. 131).

milanês *Adj.* 1. De, ou pertencente ou relativo a Milão (Itália). ● *S. m.* 2. O natural ou habitante de Milão. [Flex.: *milanesa* (ê), *milaneses* (ê), *milanesas* (ê).]

milanesa (ê) [F. subst. do adj. *milanês*.] *S. f. Cul.* Iguaria preparada *à milanesa*. ◆ **À milanesa.** *Cul.* Diz-se de carne, peixe ou outro ingrediente culinário panado e frito na gordura: *bife à milanesa; berinjelas à milanesa*.

míldio [Do ingl. *mildew*.] *S. m.* Doença das videiras, causada por fungos, que atacam os órgãos verdes, sobretudo as folhas.

milefólio [Do lat. *millefoliu*.] *S. m. Bot.* Erva asterácea (*Achillea millefolium*) originária da Europa e da Ásia, que apresenta folhas muito subdivididas em finos segmentos, cujos capítulos, amarelos, vermelhos, e róseos, se reúnem em corimbos; mil-em-rama; mil-folhas.

mil-em-rama *S. f. 2 n. Bot.* V. *milefólio*.

milenar [De *milên(io)* + *-ar*[1].] *Adj. 2 g.* Que tem um milênio; milenário.

milenário [Do lat. *millenariu*.] *Adj.* 1. Relativo ao milhar[1]. 2. Milenar. ● *S. m.* 3. Milênio: "Ao celebrar o seu milenário, Guimarães fê-lo com todas as honras que o acontecimento merecia." (Luís Forjaz Trigueiros, *Campos Elísios*, p. 41.)

milenarismo [De *milenar* + *-ismo*.] *S. m.* 1. Crença na ideia de milênio (2 e 3). 2. *Hist. Rel.* Heresia defendida por Joaquim de Flora (séc. XIII) e por outros, ao longo da história do cristianismo, e que supunha um reinado terrestre da divindade, ou de Cristo, reinado esse que para alguns, mediante a interpretação do Apocalipse de São João, teria a duração de um milenário (3) ou milênio; quiliasmo. 3. *Antrop.* Qualquer movimento político-religioso em que tem papel importante a ideia do milênio e da ocorrência de catástrofes que antecedem o fim da ordem vigente e anunciam a instauração de uma era de justiça e felicidade; quilianismo. [Como fenômeno social, é ger. interpretado como referência ideológica de grupos e povos em situação de crise e dominação, p. ex., em contexto de domínio colonial. Cf. *messianismo* (2) e *profetismo*.]

milenarista [De *milenar* + *-ista*.] *Adj. 2 g.* 1. Relativo à crença no milênio (2 e 3), ou a qualquer movimento ou doutrina que afirma a ocorrência próxima de tal período. ● *S. 2 g.* 2. Seguidor ou adepto do milenarismo.

milénio *S. m.* V. *milênio*. [Uso freq. em P.]

milênio [Do lat. *mille*, 'mil', pelo modelo de *biênio*, *triênio*, etc.] *S. m.* 1. Período de mil anos; milenário: "Não se julgue que os países de climas temperados e frios nunca foram selvagens; a sua conquista pelo homem levou milênios." (Castro Barreto, *Povoamento e População*, II, p. 492.) 2. *Rel.* Período de mil anos durante o qual Cristo em pessoa há de reinar sobre o mundo, conforme a visão relatada no Livro do Apocalipse (20, 1-5), do Novo Testamento. 3. *P. ext.* Época de ausência do mal, em que reina a paz, justiça ou felicidade geral, esp. tal como representada ou imaginada em certas doutrinas religiosas, movimentos sociais, etc.

milésima (zi) [F. subst. de *milésimo*.] *S. f.* Cada uma das mil partes iguais em que se pode dividir a unidade; milésimo.

milésimo (zi) [Do lat. *millesimu*.] *Num.* 1. Ordinal e fracionário correspondente a mil. ● *S. m.* 2. Milésima. 3. Unidade de medida angular, usada em artilharia, definida pelo ângulo sob o qual é avistado um objeto situado a uma distância mil vezes maior do que o seu diâmetro aparente, ou seja, na graduação sexagesimal, a cerca de 3'26". 4. Aquele ou aquilo que ocupa o milésimo lugar.

milésio [Do gr. *milésios*, pelo lat. *milesiu*.] *Adj.* 1. De, ou pertencente ou relativo a Mileto, antiga cidade jônica na Ásia Menor. 2. *Hist. Filos.* Pertencente ou relativo aos milésios ou às suas doutrinas. ~ V. *escola —a*. ● *S. m.* 3. O natural ou habitante de Mileto. 4. *Hist. Filos.* Cada um dos pensadores — Tales (c. 640-545 a. C.), Anaximandro (c. 610-547 a. C.) e Anaxímenes (c. 588-524 a. C.), da cidade de Mileto — cujas discussões, sobretudo as considerações sobre a física, marcaram o início da ciência e da filosofia ocidentais, e que constituíram a chamada escola milésia ou escola de Mileto.

mil-flores *S. m. 2 n.* Essência de muitas flores diferentes.

mil-folhas (ô) *S. f. 2 n.* 1. *Bot.* V. *milefólio*. 2. *Bras. Cul.* Variedade de massa folhada, doce, e em geral com recheio de creme.

mil-folhas-d'água *S. m. 2 n. Bras. Bot.* V. *cavalinho-d'água*.

milfurado [De *mil* + *furado*.] *Adj.* 1. Que tem numerosos furos. 2. *P. ext.* Muito esburacado; traspassado, crivado.

mil-grãos [De *mil* + o pl. de *grão*[1].] *S. m. 2 n. Bot.* V. *brilhantina* (3).

milha[1] [Do lat. *milia*, *i. e.*, *milia passuum*, 'medida romana de 1.000 passos'.] *S. f.* 1. Antiga medida itinerária brasileira, equivalente a 1.000 braças, ou seja, 2.200m. 2. Medida itinerária inglesa e norte-americana, equivalente a 1.609m. 3. *Bras. Turfe* Percurso de 1.600m, no turfe carioca. [Em São Paulo, é o percurso de 1.609m, que equivale à milha (2).] ◆ **Milha geográfica.** Comprimento de um minuto do equador terrestre, equivalente a 1.856 metros. **Milha marítima.** *Náut.* Unidade de distância usada em navegação, igual ao comprimento de um minuto de meridiano terrestre. [A Conferência Hidrográfica de 1929 fixou seu valor em exatos 1.852 metros. Abrev.: *mima*.] **Milha náutica.** *Náut.* Unidade de distância usada em navegação pela Comunidade Britânica, igual ao comprimento de um minuto de meridiano terrestre, equivalente a 6.080 pés ou aproximadamente 1.853,18 metros. **Milha radar.** *Eng. Eletrôn.* O tempo gasto pela onda de um radar para fazer a viagem de ida e volta de uma milha náutica, igual a 12,34 microssegundos.

milha[2] [Der. regress. de *milhão*[1].] *S. m. Bras. Gír.* Mil reais (um milhão antigo): *O objeto foi vendido por quinhentas milhas.*

milhã [De *milho*.] *S. f. e m. Bras. Bot.* Delicado capim poáceo (*Digitaria sanguinalis*) de colmos decumbentes, folhas longas, pubérulas, verdes ou violáceas, e cujas espigas atingem até 12cm: "O panasco, o mimoso, o milhã, todas as gramíneas, quando a seca demasiadamente se prolonga, ... desprendem-se do solo" (Gustavo Barroso, *Terra de Sol*, p. 14).

milhado [Part. de *milhar*[3].] *Adj.* 1. *Bras. RS* Diz-se do animal que adoece por haver ingerido muito milho. 2. *Fig.* V. *embriagado* (1).

milhã-do-sertão *S. f. Bras. Bot.* V. *capim-guiné*. [Pl.: *milhãs-do-sertão*.]

milhãense *Adj. 2 g.* 1. De, ou pertencente ou relativo a Milhã (CE). ● *S. 2 g.* 2. O natural ou habitante de Milhã.

milhafre *S. m. Zool.* Ave de rapina europeia, falconídea (*Milvus milvus*). [Sin.: *milhano* e (poét.) *mílvio*.]

milhagem [De *milha*[1] + *-agem*[2].] *S. f. Bras.* Contagem de milhas. [V. *milha*[1] (2).]

milhã-gigante *S. f. Bras. Bot.* V. *capim-guiné*. [Pl.: *milhãs-gigantes*.]

milhal [De *milho* + *-al*[1].] *S. m.* V. *milharal*.

milhano *S. m. Zool.* V. *milhafre*.

milhão[1] [Do it. *milione* (< lat. *millem*, 'mil'), poss. pelo fr. med. *milion* (atual *million*).] *Num.* 1. Mil milhares. ● *S. m.* 2. *P. ext.* Grande número indeterminado, porém muito considerável; mil, milhar: *milhões de estrelas; Já fui lá um milhão de vezes.* ~ V. *milhões*.

milhão[2] [De *milho* + *-ão*[1].] *S. m.* Variedade de milho (1) de cana muito alta e grão muito graúdo.

milhar[1] [Do lat. tard. *milliare*.] *Num.* 1. Mil unidades. V. *milheiro*[1]. ● *S. m.* 2. V. *milhão*[1] (2): *milhares de vezes.* [Cf. *miliar*.]

milhar[2] [De *milho* + *-ar*[1].] *S. m.* V. *milharal*. [Cf. *miliar*.]

milhar[3] [De *milho* + *-ar*[2].] *V. t. d. Bras.* Dar milho a. [M.-q.-perf. ind.: *milhara*, *milharas*, etc. Cf. *mílharas* e *miliar*.]

milharada [De *milho* + *-arada*.] *S. f.* 1. Grande porção de milho. 2. V. *milharal*.

milharado [De *mílharas* + *-ado*[1].] *Adj.* Que tem mílharas.

milharal [Alter. de *milheiral*.] *S. m.* 1. Quantidade mais ou menos considerável de pés de milho, ou milheiros (v. *milheiro*[2]), dispostos proximamente entre si; milhal, milhar, milharada, milheiral: "Verdes e farfalhantes, / Os milharais pujantes / Hão de sorrir ao sol." (Ricardo Gonçalves, *Ipês*, p. 69.) 2. Área ocupada por milharal (1). [Sin. ger.: *milhal*, *milhar*, *milharada*, *milheiral*.]

mílharas [De *milhar*[1].] *S. f. pl.* 1. A substância granulosa das ovas dos peixes, da moela das aves, etc. 2. Os grânulos ou pequenas sementes da polpa de certos frutos, como o figo, a uva, etc. [Cf. *milharas*, do v. *milhar*.]

milhardário *Adj. S. m.* V. *miliardário*.

milharós [Alter. de *melharuco*.] *S. m. Zool.* V. *abelheiro* (4). [Pl.: *milharoses*.]

milhã-verde *S. f. Bras. Bot.* V. *capim-guiné*. [Pl.: *milhãs-verdes*.]

milhear [De *milho* + *-ear*[1].] *Adj. 2 g.* V. *miliar*[1].

milheiral [De *milheiro*[2] + *-al*[1].] *S. m.* V. *milharal*: "verduras úmidas de milheirais" (Antero de Figueiredo, *Jornadas em Portugal*, p. 14); "E o ouro dos milheirais a apendoar maduros" (Alberto de Oliveira, *Poesias*, 2ª série, p. 202).

milheiro[1] [Do lat. *milliariu*.] *S. m.* Milhar[1], na contagem de certas coisas (plantas, frutas, sardinhas, etc.).

milheiro[2] [De *milho* + *-eiro*.] *S. m. Bot.* Planta que dá milho; pé de milho.

milhentos [De *milh(ar*[1]*)* + a terminação de *centos*.] *Adj. Burl. Fam.* Designa um número indeterminado superior a mil ou equivalente a vários milhares.

milhete (ê) [De *milho* + *-ete* (ê).] *S. m. Bot.* Variedade de milho de grão muito miúdo; milheto.

milheto (ê) *S. m.* Milhete.

milho [Do lat. *miliu*.] *S. m. Bot.* 1. Erva poácea (*Zea mays*) de até 3m, originária da América do Sul, com muitas variedades, e que é cultivada para obtenção de seus grãos nutritivos consumidos cozidos ou assados, bem como para produção de álcool, bebidas alcoólicas, óleo e farinha (o fubá); flores de sexos separados (espiguetas masculinas em panícula terminal e espiguetas femininas axilares), porém sobre o mesmo indivíduo, o que a caracteriza como monoica. As espigas femininas têm estigmas tão longos que lembram fios de cabelo, e as brácteas que as envolvem são usadas, quando secas, para enrolar o fumo e também na fabricação de objetos artesanais. [Sin.: *abati*, *auati* e *avati*.] 2. O grão (fruto do tipo cariopse) da espiga dessa planta, de formato globoso, ovoide ou semelhante a um dente, de casca transparente coloração branca, amarela, avermelhada ou azulada e endosperma rico em amido. 3. A espiga frutífera que contém os grãos dessa planta, envolta por brácteas verde-claras. 4. *Bras. Gír.* V. *dinheiro* (5). ● *Adj.* 5. Diz-se da palha e da farinha do milho: *papa de farinha milha.* ◆ **Catar milho.** *Bras. Joc.* Dactilografar, digitar, muito vagarosamente.

milho-alpista *S. m. Bras. Bot.* V. *alpiste* (1 e 2). [Pl.: *milhos-alpistas* e *milhos-alpista*.]

milho-alpiste *S. m. Bras. Bot.* V. *alpiste* (1 e 2). [Pl.: *milhos-alpistes* e *milhos-alpiste*.]

milho-cozido *S. m. Bras. Bot.* Árvore rosácea (*Licania incana*) que habita as matas pluviais, de pequeninas flores espiculadas e frutos drupáceos, e cuja madeira não tem valor comercial. [Pl.: *milhos-cozidos*.]

milho-da-guiné *S. m. Bot.* V. *sorgo* (2). [Pl.: *milhos-da-guiné*.]

milhões [Pl. de *milhão*.] *S. m. pl.* 1. Muito dinheiro; quantia elevadíssima: *Ganhou milhões na Bolsa.* ● *Adv.* 2. *Bras. Gír.* No mais alto grau; à beça; muitíssimo: *Adorei milhões aquela festa.* ~ V. *milhão*.

mil-homens *S. m. 2 n. Bras.* V. *cipó-mil-homens* (1).

mil-homens-do-rio-grande-do-sul *S. m. 2 n. Bras.* V. *cipó-mil-homens* (1).

milho-rei *S. m. Lus. Pop.* Variedade de milho de grãos vermelhos. [Pl.: *milhos-reis* e *milhos-rei*.]

milho-zaburro *S. m. Bot.* V. *sorgo* (2). [Pl.: *milhos-zaburros*.]

▲ **mili-**[1] [F. red. de *milésimo*.] *Pref.* Anteposto ao nome de uma unidade de medida, forma o nome de uma unidade derivada mil vezes menor que a primeira: *milímetro*, *miligrama* [símb.: *m*].

▲ **mili-**[2] [Do lat. *mille*.] *El. comp.* = 'mil': *milípede*[1].

miliáceo [Do lat. *milium* + *-áceo*.] *Adj.* Pertencente ou relativo ao milho.

miliampère [De *mili-*[1] + *ampère*.] *S. m. Fís.* Unidade de intensidade elétrica, equivalente à milésima parte do ampère.

miliamperímetro [De *mili-*[1] + *amperímetro*.] *S. m. Fís.* Amperímetro para medir correntes elétricas de alguns miliampères; meliamperômetro.

miliamperómetro *S. m.* V. *miliamperômetro*. [Uso freq. em P.]

miliamperômetro [De *mili-*[1] + *amperômetro*.] *S. m.* Miliamperímetro.

miliar[1] [Do lat. *milium*, 'milho miúdo', + *-ar*[1].] *Adj. 2 g.* **1.** Que tem forma de pequenos grãos de milho. **2.** Diz-se de animal de reduzidas dimensões. **3.** *Med.* Diz-se de lesão que se assemelha a semente de milhete: *tuberculose miliar.* ~ V. *febre* —. [Sin. ger.: *milhear*. Cf. *milhar*.]

miliar[2] [Do lat. *milia*, 'milha', + *-ar*[1].] *Adj. 2 g.* Miliário. [Cf. *milhar*.]

miliardário [Do fr. *milliardaire*.] *Adj. S. m.* V. *bilionário*. [Var. pop.: *milhardário*.]

miliare [De *mili-*[1] + *are*.] *S. m.* A milésima parte do are.

miliário [Do lat. *milliariu*.] *Adj.* **1.** Relativo a milhas. **2.** Diz-se de marco que assinala distâncias em estrada. **3.** *Fig.* Que assinala época ou data memorável na história. [Sin. ger.: *miliar*[2].]

milibar [De *mili-*[1] + *bar*[3].] *S. m. Fís.* Unidade de medida de pressão igual a um milésimo do bar[2], ou seja, a uma pressão de 100 pascals, ou 0,75mm de mercúrio [símb.: *mb*]. [É us. para exprimir a pressão atmosférica.]

milicada [De *milico* + *-ada*[1].] *S. f. Bras. Gír.* Grupo de milicos.

milícia [Do lat. *militia*.] *S. f.* **1.** Vida ou disciplina militar. **2.** Força militar de um país. **3.** Qualquer corporação sujeita a organização e disciplina militares. **4.** Congregação ou agrupamento militante: *milícia partidária; milícia católica.* **5.** *Bras. RJ* Grupo paramilitar, formado ger. por policiais, bombeiros, etc., da ativa ou não, que ocupa região dominada pelo tráfico de drogas, expulsa de lá os traficantes, e passa a cobrar dos moradores por segurança e outros serviços, como gás, água, transporte, etc.: "De acordo com o delegado .... o morador que não pagasse taxa de R$ 10,00 exigida pela milícia não recebia cartas endereçadas a ele, além de ser impedido de ter visitas e socorro médico em casa." (Walesca Borges, em *O Globo*, 26.02.2008.) ~ V. *milícias*. [Cf. *melícia*.] ◆ **A milícia celeste.** *Rel.* Os anjos; os bem-aventurados.

miliciano [De *milícia* + *-ano*[1].] *Adj.* **1.** Relativo a milícia. ~ V. *oficial* —. ● *S. m.* **2.** Soldado de milícias.

milícias [Pl. de *milícia*.] *S. f. pl.* Tropas auxiliares de segunda linha. ~ V. *milícia*.

milico *S. m. Bras. Pop. Pej.* Militar das Forças Armadas.

milicurie [De *mili-*[1] + *curie*.] *S. m.* Unidade de medida de radioatividade igual a um milésimo de curie.

miligrama [De *mili-*[1] + *grama*[2].] *S. m.* Medida de massa equivalente à milésima parte do grama [símb.: *mg*].

mililitro [De *mili-*[1] + *litro*.] *S. m.* Unidade de capacidade, equivalente à milésima parte do litro [símb.: *ml*].

milimetrado [Part. de *milimetrar*.] *Adj.* **1.** Medido por milímetros. **2.** Marcado em milímetros: *papel milimetrado*.

milimetrar [De *milímetro* + *-ar*[2].] *V. t. d.* Medir por milímetros. [Pres. ind.: *milimetro*, etc. Cf. *milímetro*.]

milimétrico [De *milímetro* + *-ico*[2].] *Adj.* **1.** Relativo ao milímetro. **2.** Dividido ou graduado em milímetros. ~ V. *onda* —*a*.

milímetro [De *mili-*[1] + *metro*.] *S. m.* Milésimo do metro [símb.: *mm*]. [Cf. *milimetro*, do v. *milimetrar*.] ◆ **Milímetro de mercúrio.** *Fís.* Unidade de medida de pressão, igual a 1/760 de uma atmosfera física, e que vale 133,3224 Pa; torr [símb.: *mmHg*].

milimodo [Do lat. *millimodu*.] *Adj.* Que se efetua de mil modos; infinitamente variado.

▲ **mili(o)-** [Do gr. *mylías*, *mylíou*, 'molar'[1]', < gr. *mýlē*, *ēs*.] Equiv. de *mil(o)-*.

miliobátida [Do tax. *Myliobatis* + *-ida*[1].] *S. m. Adj. 2 g. Zool.* V. *miliobatídeo*.

miliobatídeo [Do tax. *Myliobatis* + *-ídeo*[1]; tax. *Myliobatidae*.] *Zool. S. m.* **1.** Espécime dos miliobatídeos, família de raias miliobatiformes, ger. marinhas, de tamanho médio a grande, com amplas nadadeiras peitorais, que lhes dá a forma de um losango mais largo do que longo; a cauda é longa, maior do que o corpo e, em algumas espécies, provida de espinhos junto à base; a cabeça é elevada e protrusa para adiante, em relação ao disco. Exemplo: jamanta[1]. ● *Adj.* **2.** Pertencente ou relativo a eles.

miliobatiforme [Do tax. *Myliobatis* + *-forme*; tax. *Myliobatiformes*.] *Zool. S. m.* **1.** Espécime dos miliobatiformes, ordem de peixes batoídeos, ger. ovovivíparos, de zonas temperadas e tropicais dos oceanos Atlântico, Pacífico e Índico. [Há, porém, espécies que se aventuram em estuários, e outras que vivem exclusivamente em rios.] ● *Adj. 2 g.* **2.** Pertencente ou relativo a eles.

milionário [Do fr. *millionaire*.] *Adj. S. m.* Que, ou aquele que tem milhões, que é riquíssimo. ◆ **Milionário do ar.** Aquele que já viajou de avião um total de 1.000 horas.

milionésima [F. subst. de *milionésimo*.] *S. f.* Cada uma de um milhão de partes iguais em que se divide um todo; milionésimo.

milionésimo [De *milione*, 'milhão', + o final de *centésimo*, *milésimo*, etc.] *Num.* **1.** Ordinal e fracionário correspondente a milhão. ● *S. m.* **2.** Milionésima.

milionocracia [De *milione*, 'milhão', + *-o-* + *-cracia*.] *S. f. Bras.* Plutocracia (1 e 2).

milípede[1] [De *mili-*[2] + *-pede*.] *Adj. 2 g.* Que tem muitos pés; miriópode, miriápode.

milípede[2] [Adapt. do lat. cient. *millipeda*.] *S. m. Zool.* Qualquer dos numerosos miriápodes diplópodes, e que têm, ger., o corpo mais ou menos cilíndrico, revestido de tegumento duro e composto de vários segmentos, com 2 pares de pernas nos segmentos mais aparentes.

milissegundo [De *mili-*[1] + *segundo*.] *S. m. Cronol.* Intervalo de tempo correspondente à milésima parte do segundo (usualmente, o segundo de tempo médio).

milistere *S. m.* Milistéreo.

milistéreo [De *mili-*[1] + *estéreo*.] *S. m.* A milésima parte do estéreo; milistere.

militança [De *militar*[2] + *-ança*.] *S. f.* **1.** A profissão militar. **2.** Os militares. [Cf. *militância*.]

militância [De *militante* + *-ia*[2], seg. o padrão analógico.] *S. f.* Ação de militante; exercício, prática, atuação: *militância política.* [Cf. *militança*.]

militante [Do lat. *militante*.] *Adj. 2 g.* **1.** Que milita; combatente. **2.** Que atua; participante. **3.** Que funciona ou está em exercício. ● *S. 2 g.* **4.** Membro ativo na defesa de uma causa: *militante de um partido.* **5.** Aquele que pertence a alguma das organizações apostólicas da Igreja. ● *S. m.* **6.** *Ant.* Soldado, guerreiro.

militar[1] [Do lat. *militare*.] *Adj. 2 g.* **1.** Relativo à guerra, às milícias, aos soldados. **2.** Relativo às três forças armadas (marinha, exército e aeronáutica): *chefes militares; organizações militares; Tribunal Superior Militar.* **3.** *Restr.* Relativo ao exército: *Academia Militar das Agulhas Negras.* ~ V. *base* —, *casa* —, *gota*[1] —, *hierarquia* —, *honras* —*es*, *inquérito policial-militar*, *justiça* —, *lapela* —, *polícia* —, *região* —, *serviço* —, *sorteio* —, *tambor* — e *testamento* —. ● *S. m.* **4.** Soldado, combatente. **5.** Aquele que segue a carreira das armas.

militar[2] [Do lat. *militare*.] *V. int.* **1.** Seguir a carreira das armas; servir no exército. **2.** Fazer guerra; combater: *Foram condecorados os que militaram na grande batalha.* **3.** Ser membro dum partido; seguir e defender as ideias dum grupo político. **4.** Ter força; prevalecer, vogar. **5.** Fazer guerra; combater. **6.** Pugnar, lutar: *Militava por um ideal muito nobre.* *T. i.* **7.** Seguir carreira em que se defendam ideias e/ou doutrinas: "Até morrer, militou Gonzaga Duque na imprensa." (Rodrigo Otávio [filho], *Velhos Amigos*, p. 56.) **8.** Fazer guerra; combater; pugnar; opor-se: *Militou contra inimigos poderosos.* [Pres. subj.: *milite*, etc. Cf. *milite*.]

militarão [De *militar*[1] + *-ão*[1].] *S. m.* Militar[1] (4 e 5) muito rude e autoritário, e/ou rígido seguidor da disciplina.

militária [De *militar*[1] + *-ia*[2].] *S. f.* Coleção de armas, objetos, livros, documentos, etc. relativos a temas e atividades militares.

militarismo [De *militar*[1] + *-ismo*.] *S. m.* **1.** Sistema político em que preponderam os militares. **2.** Tendência ou sistema de fortalecimento dos exércitos para a decisão de conflitos pelas armas; tendência para a guerra: *o militarismo nazista.*

militarista [De *militarismo* + *-ista*.] *Adj. 2 g.* **1.** Relativo ao, ou que é partidário do militarismo. ● *S. 2 g.* **2.** Partidário dele.

militarização [De *militarizar* + *-ção*.] *S. f.* Ato ou efeito de militarizar(-se).

militarizado [Part. de *militarizar*.] *Adj.* Tornado militar; que tomou caráter militar.

militarizar [De *militar*[1] + *-izar*.] *V. t. d.* **1.** Tornar militar; dar feição militar a. *P.* **2.** Preparar-se militarmente. **3.** Adquirir modo, atitude de militar: "Num instante se militarizava, emproado." (Graciliano Ramos, *Memórias do Cárcere*, I, p. 75.)

mílite [Do lat. *milite*.] *S. m. Poét.* Soldado (3). [Cf. *milite*, do v. *militar*.]

militofobia [Do lat. *milite* + *-o-* + *-fobia*.] *S. f.* Aversão à vida ou ao estado militar, ou aos militares.

militofóbico [De *militofobia* + *-ico*[2].] *Adj.* **1.** Relativo a militofobia. **2.** Que tem militofobia; militófobo. ● *S. m.* **3.** Aquele que tem militofobia; militófobo.

militófobo [Do lat. *milite* + *-o-* + *-fobo*.] *Adj. S. m.* Militofóbico (2 e 3).

milivolt [De *mili-*[1] + *volt*.] *S. m. Fís.* Unidade de medida de tensão elétrica, igual a um milésimo do volt.

miliwatt (uó) [De *mili-*[1] + *watt*.] *S. m. Fís.* Unidade de medida de potência, igual a um milésimo de watt.

➔ **milk-shake** ['mɪlkʃejk] [Ingl.] *S. m.* Leite batido com sorvete.

millerita [Do antr. (*William H.*) *Miller* (1801-1880), mineralogista inglês, + *-ita*[3].] *S. f. Min.* Mineral hexagonal, sulfeto de níquel.

▲ **mil(o)-** [Do gr. *myl-*, *mylo-* < gr. *mýlē*, *ēs*, 'mó[1]', 'pedra de amolar', p. anal., 'dente molar'.] *El. comp.* = 'molar[1] (2)': *milodonte*. [Equiv.: *mili(o)-*: *miliobátida*, *miliobatídeo*.]

milodonte [De *mil(o)-* + *-odonte*; tax. *Mylodon*.] *S. m. Paleont.* **1.** Gênero de mamíferos terrícolas, xenartros, semelhantes à preguiça, e que viveram no plistoceno da América do Sul. **2.** Espécie ou espécime desse gênero.

miloló *S. m. Bras. Bot.* V. *coração-de-boi* (1).

milonga [Do quimb. *milonga*, 'palavras', pelo esp. plat. *milonga*.] *S. f.* **1.** Canto e dança do tipo da habanera e do tango andaluz, popular nos subúrbios de Montevidéu e Buenos Aires nos fins do séc. XIX, e que vieram a ser absorvidos pelo tango. **2.** *Bras. RS* Espécie de música platina dolente, em ritmo binário, cantada ao som do violão. **3.** *Bras. Rel.* No candomblé e na macumba, feitiço, sortilégio, bruxedo. [Var., nesta acepç.: *milongo* e *mironga*.] ~ V. *milongas*.

milongas [Pl. de *milonga*.] *S. f. pl. Bras.* **1.** Mexericos, intrigas. **2.** Manhas, dengues. **3.** Desculpas descabidas. ~ V. *milonga*.

milongo [Do quimb.] *S. m.* **1.** *Angol. Santom.* Medicamento, ou mezinha (2): "havia de conseguir que lhe dessem os milongos necessários a salvá-la." (Artur Queirós, *Mukandano*, p. 132). **2.** *Bras. Rel.* V. *milonga* (3).

milongueiro [Do esp. plat. *milonguero*.] *Adj. S. m. Bras. RS* **1.** Que, ou aquele que canta milongas. **2.** *Bras.* Manhoso, dengoso. **3.** *Bras.* Que, ou aquele que tem lábia.

milonito [De *mil(o)-* + *-n-* + *-ito*[2].] *S. m. Geol.* Rocha finamente triturada por movimentos tectônicos e depois consolidada.

milorde [Do ingl. *milord* < *my lord*, 'meu senhor'.] *S. m.* **1.** Designação que se dá aos lordes ou pares da Inglaterra, quando se lhes dirige a palavra. **2.** *P. ext. Pop.* Homem muito rico, que vive com ostentação; figurão.

mil-réis [De *mil* + *réis*, pl. de *real*[2] (3).] *S. m. 2 n.* **1.** Unidade monetária brasileira antes de 01.11.1942, quando foi substituída pelo cruzeiro (um mil-réis = um cruzeiro; um conto de réis = 1.000 cruzeiros). **2.** Unidade monetária portuguesa antes de 1911, quando foi substituída pelo escudo, substituído pelo euro. [Cf., nesta acepç., *conto de réis* e *real*[2] (3).] ● *Adj. 2 g. e 2 n.* **3.** *Bras.* Diz-se do animal cavalar cujo pelo é mesclado de branco e vermelho.

miltónia *S. f. Bot.* V. *miltônia*. [Uso freq. em P.]

miltônia [Do antr. (*Charles W. W. Fitzwilliam, Visconde*) *Milton* + lat. cient. *-ia* (v. *-ia*[2]); tax. *Miltonia*.] *S. f. Bot.* **1.** Gênero de orquídeas monândricas da América tropical. **2.** Espécie ou espécime desse gênero.

miltoniano *Adj.* **1.** Relativo ou pertencente ao poeta inglês John Milton (1608-1674), ou próprio dele: "A poesia limítrofe de Shelley [Percy Bysshe Shelley (1792-1822)], sempre rastreando as bordas entre psicologia e forma, representa mesmo para Eliot (v. *eliotiano*) — juntamente com a voz miltoniana — o inimigo e anátema por excelência." (Arthur Nestrovski, *Ironias da Modernidade*, p. 104.) **2.** Que é grande admirador e/ou conhecedor profundo de sua obra. ● *S. m.* **3.** Admirador e/ou conhecedor profundo da obra de John Milton.

milvo [Do lat. *milviu*.] *S. m. Poét.* V. *milhafre*.

mim [Do lat. *mi*, pelo arc. *mi*, com prolação da nasal inicial.] *Pron. pess.* F. oblíqua de *eu*, sempre regida de preposição: *Vinde a mim; Mora perto de mim; Entre mim e Paulo vai tudo bem.* ◆ **De mim comigo.** V. *de mim para mim.* **De mim para mim.** Comigo mesmo; de mim comigo; entre mim; com os meus botões. **Entre mim.** V. *de mim para mim*: "Disse entre mim: — Que amplíssima mortalha!..." (Luís Delfino, *Rosas Negras*, p. 6.)

■ **mima** *S. f.* Abrev. de *milha marítima*.

mimaça [De *mimo*[1] + *-aça*.] *S. f. Bras. Prov. port.* Mimo exagerado; excessiva condescendência com crianças.

mimado [Part. de *mimar*[2].] *Adj.* Amimado.

mimalhice [De *mimalho* + *-ice*.] *S. f.* Qualidade, modos ou ato de mimalho.

mimalho [De *mimo*[1] + *-alho*.] *Adj. S. m.* Diz-se de, ou aquele que tem muito mimo; piegas, mimanço: "É a nossa própria alma que se queixa naqueles gemidos de menino mimalho, com a imaginação a arder." (Miguel Torga, *Traço de União*, p. 92.)

mimanço [De *mimo*[1] + *-anço*.] *Adj. S. m.* V. *mimalho*. [Fem.: *mimança*. Cf. *mimansa*.]

mimansa [Do sânscr.] *S. m. Filos.* Sistema ortodoxo de filosofia da Índia, que constitui uma reflexão crítica

M

sobre o ritual védico. [V. *darsana*. Cf. *mimança*, fem. de *mimanço*.]

mimar[1] [De *mimo*[1] + *-ar*[2].] *V. t. d. P.* V. *amimar*.

mimar[2] [De *mimo*[2] + *-ar*[2].] *V. t. d.* Exprimir por mímica.

mimbar [Do fr. *minbar* < ár. *minbar*.] *S. m.* Tribuna ou púlpito de mesquita.

mimbura [De or. indígena.] *S. f. Bras. N.E.* Na jangada (4), cada um dos dois paus roliços presos entre os bordos e os meios. [Var.: *mumbura*.]

mimê *S. m.* **1.** *Etnogr. Bras. MA* Entre os índios guajajaras, espécie de buzina corniforme, feita com dois pedaços de maçaranduba colados com o leite resinoso dessa árvore, e enfeitada com penas de várias cores. **2.** *Bras. AM* Apito de taquara dos índios maués. [Cf. *membi*.]

▲ **mimeo-** [Do gr. *miméomai*, 'imitar (por gestos)'.] *El. comp.* = 'imitação': *mimeografia*. [Equiv.: *mimo-*, *-mim(o)-*, *-mimo*: *mimodrama*; *paramimia*; *estrutiomimo*.]

mimeografagem [De *mimeografar* + *-agem*[2].] *S. f.* Ação de mimeografar.

mimeografar [De *mimeógrafo* + *-ar*[2].] *V. t. d.* Tirar cópias de, ao mimeógrafo: *mimeografar uma tese*; "Pensou em simplificar o rito das entrevistas mandando mimeografar dados e datas" (Carlos Drummond de Andrade, *Cadeira de Balanço*, p. 48). [Pres. ind.: *mimeografo*, etc. Cf. *mimeógrafo*.]

mimeografia [De *mimeo-* + *-grafia*.] *S. f.* A arte ou operação de mimeografar; o emprego do mimeógrafo.

mimeográfico [De *mimeografia* + *-ico*[2].] *Adj.* Referente à mimeografia.

mimeógrafo [De *Mimeograph*, nome comercial.] *S. m.* Aparelho para tirar cópias de páginas escritas sobre papel especial, o estêncil. [Cf. *mimeografo*, do v. *mimeografar*.]

mimese [Do gr. *mímesis*, 'imitação'.] *S. f.* **1.** *E. Ling.* Figura que consiste no uso do discurso direto e principalmente na imitação do gesto, voz e palavras de outrem. **2.** *Liter.* Imitação ou representação do real na arte literária, ou seja, a recriação da realidade.

mimético [Do gr. *mimetikós*.] *Adj.* Relativo a, ou em que há mimetismo.

mimetismo [Do gr. *mimetós*, 'imitado', + *-ismo*.] *S. m.* **1.** Fenômeno que consiste em tomarem diversos animais a cor e configuração dos objetos em cujo meio vivem, ou de outros animais de grupos diferentes. Ocorre no camaleão, em borboletas, etc. [Cf. *homocromia*.] **2.** *Fig.* Mudança consoante o meio; adaptação: *mimetismo religioso*.

mimetizar [De *mimetismo* + *-izar*, seg. o padrão erudito.] *V. t. d.* **1.** Adquirir por mimetismo: *Para se defenderem dos predadores, as espécies mais fracas mimetizam a forma de outros animais.* *P.* **2.** Modificar-se por mimetismo; camuflar-se.

▲ **mimeto-** [Do gr. *mimētḗs, oû*, 'imitador', < v. gr. *mimeîsthai* (v. *mimeo-*).] *El. comp.* = 'imitador'; 'imitação': *mimetomania, mimetômano*.

mimetomania [De *mimeto-* + *-mania*.] *S. f. Psiq.* Tendência mórbida para imitar.

mimetomaníaco [De *mimetomania* + *-íaco*.] *Psiq. Adj.* **1.** Relativo a mimetomania. **2.** Que tem mimetomania; mimetômano. ● *S. m.* **3.** Aquele que tem mimetomania; mimetômano.

mimetômano [De *mimeto-* + *-mano*[1].] *Adj. S. m. Psiq.* Mimetomaníaco (2 e 3).

mimi [Var. de *membi*, poss.] *S. m. Bras. Etnogr.* V. *membi*.

mímica [F. subst. do adj. *mímico*.] *S. f.* **1.** V. *pantomima* (1). **2.** Arte de fazer acompanhar de gestos precisos e adequados a ideia ou sentimento que se exprime; gesticulações. **3.** *Teatr.* V. *pantomima* (2). **4.** *Gloss.* Língua de sinais (q. v.) utilizada na Espanha. [Cf. *mimica*, do v. *mimicar*.]

mimicar [De *mímica* + *-ar*[2].] *V. t. d. Int. Bras.* **1.** Exprimir por gestos ou mímica. **2.** Gesticular. [Conjug.: v. *trancar*. Pres. ind.: *mimico, mimicas, mimica*, etc. Cf. *mímico* e *mímica*.]

mimice [De *mimo*[1] + *-ice*.] *S. f.* Maneiras de quem tem mimo[1].

mímico [Do gr. *mimikós*, pelo lat. *mimicu*.] *Adj.* **1.** Referente à mímica ou à gesticulação, ou próprio delas. **2.** Que exprime suas ideias por meio de gestos. ● *S. m.* **3.** *Teatr.* Ator que representa simplesmente por meio de mímica ou pantomima; mimo, pantomimo, pantomimeiro. [Cf. *mimico*, do v. *mimicar*.]

mimídeo [Do tax. *Mimus*, gênero-tipo, + *-ídeo*[1]; tax. *Mimidae*.] *Zool. S. m.* **1.** Espécime dos mimídeos, família de aves passeriformes, insetívoras caracterizadas por terem o tarso do tipo ocreado (escamas anteriores), de tegumento não ou indistintamente dividido em placas, a primeira das rêmiges da mão curta e a cauda consideravelmente mais comprida que a asa. Ex.: os japacanis e os sabiás-do-campo. ● *Adj.* **2.** Pertencente ou relativo a eles.

mimo[1] [De or. express.] *S. m.* **1.** Coisa delicada, fina, que se oferece ou dá; prenda, oferenda, presente: "traz nas orelhas duas pérolas verdadeiras, — mimo que o nosso Rubião lhe deu pela Páscoa." (Machado de Assis, *Quincas Borba*, p. 57). **2.** Delicadeza, gentileza: *Trataram-no com mimo e cortesia.* **3.** Meiguice, carinho, carícia, afago. **4.** Pessoa ou coisa delicada, graciosa, encantadora. **5.** Primor, perfeição; excelência: *Estas rosas são um mimo da natureza.*

mimo[2] [Do gr. *mîmos*, pelo lat. *mimu*.] *S. m. Teatr.* **1.** No antigo teatro greco-romano, farsa popular, entremeada de danças e jogos, na qual se imitavam os caracteres e costumes da época. **2.** O ator que representava nessas farsas. **3.** Pequeno drama familiar no dialeto siracusano. **4.** *Ant.* Representação burlesca. **5.** V. *bufo*[3] (1). **6.** V. *mímico* (3).

▲ **mimo-** V. *mimeo-*.

▲ **-mim(o)-** V. *mimeo-*.

▲ **-mimo** V. *mimeo-*.

mimô *S. m. Bras. Etnogr.* V. *membi*. Mimosoideae.

mimo-de-vênus [De *mimo*[1] + *de* + *o* mit. lat. *Venus* (v. *vênus*[1]).] *S. m. Bras. Bot.* Arbusto malváceo (*Hibiscus rosa-sinensis*) cultivado como ornamental, cujas flores são amplas, vistosas e coloridas, ger. vermelhas, e us. para dar lustre a sapatos escuros; graxa-de-estudante: "O mimo-de-vênus ainda entremeia o rosado das flores com o verde espesso da folharia." (Telmo Vergara, *Contos da Vida Breve*, p. 96.) [Pl.: *mimos-de-vênus*.]

mimodrama [De *mimo-* + *drama*.] *S. m. Teatr.* Ação dramática representada em mímica. [Cf. *pantomima*.]

mimodramático [De *mimodrama* + *-ático*.] *Adj.* Relativo a, ou próprio de mimodrama.

mimografia [De *mimo-* + *-grafia*.] *S. f. Teatr.* Estudo ou tratado acerca da mímica; mimologia.

mimográfico [De *mimografia* + *-ico*[2].] *Adj.* Referente à mimografia.

mimógrafo [Do gr. *mimógraphos*, pelo lat. *mimographu*.] *S. m. Teatr.* Aquele que escreve sobre a mímica ou elabora roteiros para as representações mímicas; mimólogo.

mimologia [De *mimo-* + *-logia*.] *S. f.* **1.** Arte e técnica da mímica. **2.** Ação de imitar, nas palavras, o som dos objetos que elas designam; mimologismo. [Cf., nesta acepç., *onomatopeia*.] **3.** *Teatr.* Mimografia.

mimológico [De *mimologia* + *-ico*[2].] *Adj.* Relativo à mimologia.

mimologismo [De *mimologia* + *-ismo*.] *S. m.* **1.** Mimologia (2). **2.** Palavra formada por mimologia.

mimólogo [Do gr. *mimológos*, pelo lat. *mimologu*.] *S. m.* **1.** Aquele que imita a voz ou a pronúncia de outro. **2.** Indivíduo versado em mimologia. **3.** *Teatr.* Mimógrafo.

mimosa[1] [Do tax. *Mimosa*.] *S. f. Bot.* **1.** Gênero de ervas, árvores e arbustos mimosáceos das regiões tropicais, dotados de filódios, e capítulos globulares de pequenas flores ger. brancas, ou róseas. **2.** Designação imprópria de algumas espécies do gênero *Acacia* (v. *acácia*), como a *Acacia dealbata* [v. *acácia-da-austrália* (4)]. **3.** Qualquer espécime desse gênero, ou a sua flor.

mimosa[2] [F. red. de *laranja-mimosa*.] *S. f. Bot. Bras.* V. *tangerina*.

mimosácea [Do tax. *Mimosa*, gênero-tipo, + *-ácea*; tax. *Mimosaceae*.] *S. f. Bot.* Espécime das mimosáceas, família que reúne 64 gêneros e cerca de 2.550 espécies de árvores, arbustos e ervas, inclusive aquáticas, que ocorrem em regiões tropicais e subtropicais das Américas, esp. da América do Sul; várias são cultivadas pela madeira, para a extração de resinas ou tanino, para a alimentação, como ornamentais, etc.

mimosáceo [De *mimosácea*, com var. suf. (v. *-áceo*).] *Adj. Bot.* Pertencente ou relativo às mimosáceas.

mimosear [De *mimoso*[2] + *-ear*[2].] *V. t. d.* **1.** Tratar com mimo; mimar, amimar. *T. d. e i.* **2.** Dar presente; presentear: "se nós a quisemos mimosear com sete piastras d'ouro, ela .... oferecia-nos uma joia inapreciável, uma circassiana, mais branca que a lua cheia" (Eça de Queirós, *A Relíquia*, p. 145). **3.** Obsequiar, favorecer. *P.* **4.** Dirigir-se mutuamente (injúrias). [Conjug.: v. *frear*.]

mimosense[1] *Adj. 2 g.* **1.** De, ou pertencente ou relativo a Mimoso de Goiás (GO). ● *S. 2 g.* **2.** O natural ou habitante de Mimoso de Goiás.

mimosense[2] *Adj. 2 g.* **1.** De, ou pertencente ou relativo a Mimoso do Sul (ES). ● *S. 2 g.* **2.** O natural ou habitante de Mimoso do Sul.

mimoso[1] (ô) *S. m. Bras. Bot.* V. *capim-mimoso*.

mimoso[2] (ô) [De *mimo*[1] + *-oso*.] *Adj.* **1.** Que tem mimo[1]; delicado, sensível: *pele mimosa*. **2.** Terno, afável, delicado: *palavras mimosas*. **3.** Meigo, carinhoso, afetivo: *mimosa namorada*. **4.** Acostumado a mimos; amimado: *filhos mimosos*. **5.** Gracioso, encantador: *mimosos passarinhos*. ~ V. *fubá* —. ● *S. m.* **6.** Aquele que tem muito mimo, que é demasiado sensível. **7.** Pessoa favorecida, feliz, ditosa, mimada: *os mimosos da fortuna*. **8.** *Bras. PI* Campo de criação de gado vacum revestido de gramínea denominada *mimoso* ou *capim-mimoso*. **9.** Área mais úmida de terreno, e, por isso, mais valiosa para a cultura. **10.** *Bras. N.E.* Agreste da capitania hereditária de PE: "Da ribeira do Capiberibe, o cultivo (do algodão) expandiu-se pela mata norte, rumando daí em direção ao 'mimoso', como era chamado o agreste da capitania." (Evaldo Cabral de Melo, *A Outra Independência*, p. 59).

mímulo [Do tax. *Mimulus*.] *S. m. Bot.* **1.** Gênero de ervas e arbustos escrofulariáceos originários da África, Ásia, Austrália e das Américas, que ger. ocorrem em áreas úmidas, mas que por vezes são encontradas em áreas desérticas ou em chaparrais; têm flores tubulares ou afuniladas, pentangulares e bilabiadas, e são ornamentais. **2.** Qualquer espécie desse gênero, como, p. ex., a *Mimulus lutens* (v. *berro*[2]). **3.** Qualquer espécime desse gênero, ou a sua flor.

mimusope [Do tax. *Mimusops*.] *S. f. Bot.* **1.** Gênero de árvores sapotáceas nativas de regiões tropicais que fornecem madeira de lei e, ainda, látex útil. **2.** Qualquer espécie desse gênero, como, p. ex., a *Mimusops elengi* [v. *abricoteiro* (2)]. **3.** Qualquer espécime desse gênero.

min [Do chinês.] *S. m. Gloss.* Conjunto de dialetos falados na província de Fújiàn ou Fukien, no N.E. de Guǎngdōng (Cantão), na ilha de Hainan, e ainda em Taiwan. [Tradicionalmente dividido em dois grupos: o *min meridional* ou *min nan*, que inclui o *xiàmén* e o *taiwan*, e o *min setentrional* ou *min pei*.] ◆ **Min meridional.** *Gloss.* V. *min* [v. *chinês* (3).] **Min setentrional.** *Gloss.* V. *min* [v. *chinês* (3).].

■ **min** Abrev. de *minuto* (1).

mina[1] [Do celta, pelo fr. *mine*.] *S. f.* **1.** Cavidade artificial na terra, para se extraírem minérios, combustíveis, água, etc.: *mina de carvão*; *mina de petróleo*. **2.** Jazida de minérios preciosos: *mina de ouro*. **3.** Cavidade cheia de pólvora a fim de que, explodindo, destrua tudo o que está por cima. **4.** Engenho de guerra camuflado, ou escondido, que contém matérias explosivas e se destina a destruir baluartes, trincheiras, indivíduos, etc. **5.** *Mar. G.* Mina submarina. **6.** *Fig.* Manancial de riquezas; negócio muito lucrativo: *Sua empresa é uma mina.* **7.** *Fig.* Coisa de grande valor; preciosidade: *Seu livro é uma mina para os estudiosos da matemática.* **8.** *Fig.* Fonte boa de informações e conhecimentos: *Esta enciclopédia é uma mina.* **9.** *Bras.* A grafita das lapiseiras. **10.** *Bras. PR MT* Concentração espontânea da erva-mate no recesso das matas virgens. **11.** *Bras. PA* V. *sambaqui*. **12.** *Bras. Pop.* Garota, menina. **13.** *Bras. Gír.* Mulher que sustenta o amante. ◆ **Mina de cernambi.** *Bras. PA* V. *sambaqui*. **Mina de contato.** *Mar. G.* Mina submarina que explode ao chocar-se com o alvo. **Mina de fundo.** *Mar. G.* Mina submarina que permanece no fundo do mar. **Mina de influência.** *Mar. G.* Mina submarina que explode pela ação do campo magnético de uma embarcação de ferro que passe por perto (*mina magnética*), ou pelo aumento de pressão da água deslocada por embarcação que passe próxima (*mina de pressão*), etc. **Mina flutuante.** *Mar. G.* Mina submarina que flutua, em geral entre duas águas, ou a meia profundidade, fundeada ou à deriva. **Mina submarina.** *Mar. G.* Engenho que encerra matérias explosivas, e que se mergulha no mar para destruir os navios que nele toquem ou que dele passem perto; mina.

mina[2] [Do top. *Fortaleza da Mina* (África).] *S. 2 g.* **1.** Indivíduo originário da região do Grande Popô, na fronteira do atual Togo com a República do Benim (S.O. da África). [Sin., bras.: *mina-popô*.] **2.** *Bras. BA* Indivíduo de origem fante ou achanti; negro-mina, preto-mina, tchi. ● *S. m.* **3.** *Gloss.* Língua do grupo cua falada na República do Benim e no Togo, e que também é usada como língua de comércio nessa região; *gbe-gbe*. **4.** *Gloss.* Língua geral (q. v.) com vocabulário de base *gbe*, utilizada em Minas Gerais, no séc. XVIII, entre os escravos. [Sin., nesta acepç.: *língua geral de Mina*.] ● *Adj. 2 g.* **5.** Relativo, ou pertencente aos minas [v. *mina*[2] (1 e 2)], ou à sua língua.

minacíssimo [Do lat. *minacissimu*.] *Adj. Poét.* Superl. abs. sint. de *minaz*.

minaçuense *Adj. 2 g.* **1.** De, ou pertencente ou relativo a Minaçu (GO). ● *S. 2 g.* **2.** O natural ou habitante de Minaçu.

minado [Part. de *minar*.] *Adj.* ~ V. *campo* —.

minadoiro [De *minar* + *-doiro*[2].] *S. m. Bras.* Minadouro (q. v.).

minador[1] (ô) [De *minar* + *-dor*.] *S. m.* Aquele que mina; mineiro.

minador[2] (ô) *S. m. Bras.* V. *minadouro*.

minadouro [De *minar* + *-douro*[2]; var. de *minadoiro*.] *S. m. Bras.* Olho-d'água, quase sempre nascente, de um ribeirão ou de um córrego, ou de um fundo de grota. [Var.: *minador*.]

mina-popô *Bras. S. 2 g.* **1.** Mina[2] (1). • *Adj. 2 g.* **2.** Pertencente ou relativo aos minas [v. *mina*[2] (1)]. [Pl.: *minas-popôs.*]

minar[1] [De *mina*[1] + *-ar*[2].] *V. t. d.* **1.** Abrir mina[1], ou minas, em. **2.** Abrir cavidades por baixo de; fazer uma mina sob. **3.** *Fig.* Invadir às ocultas. **4.** Abrir, cavar, escavar. **5.** Desarraigar, desenraizar, solapar: *As águas da enchente minaram as árvores.* **6.** Propagar-se, alastrar-se, expandir-se, espalhar-se, lavrar, por: *As chamas minaram toda a construção.* **7.** Corroer pouco a pouco; consumir, solapar: "a doença minava implacavelmente aquela carcaça de d'Artagnan." (Júlio Dantas, *Abelhas Doiradas*, p. 152). **8.** Prejudicar ocultamente, insidiosamente: *Boatos falsos minaram seu crédito.* **9.** Atormentar, amofinar, afligir: *A demora na solução do caso já ia minando a paciência do rapaz.* **10.** Brotar, fluir, manar: *O poço ainda minava água.* **11.** Deixar sair, deixar escapar, como de uma mina ou nascente: *A ferida minou pus.* **12.** *Mar. G.* Lançar minas em (determinada extensão de mar, canal, barra, estreito, etc.), para impedir ou dificultar a navegação nesses locais. *T. c.* **13.** Minar (10): *A água minava do fundo da terra.* **14.** *Fig.* Brotar, jorrar: *Do seu peito minava a coragem para enfrentar as adversidades.* *Int.* **15.** Espalhar-se, difundir-se, lavrar pouco a pouco. **16.** Brotar, fluir, manar: *Fez-se uma escavação no solo, e a água não tardou a minar.*

minar[2] *S. m.* V. *minarete.*

minarete (ê) [Do fr. *minaret* < ár. *manāra(t)*, 'lâmpada'; 'farol'; 'a torre do farol'.] *S. m.* Pequena torre de mesquita de três ou quatro andares e balcões salientes, de onde se anuncia aos muçulmanos a hora das orações; almádena. [Var.: *minar.*]

minas-novense *Adj. 2 g.* **1.** De, ou pertencente ou relativo a Minas Novas (MG). • *S. 2 g.* **2.** O natural ou habitante de Minas Novas. [Pl.: *minas-novenses.*]

minaz [Do lat. *minace.*] *Adj. 2 g. Poét.* Ameaçador: "Pareceu ir-se-lhe a vida concentrando em dois olhos minazes a fuzilarem ódio e indignação" (Visconde de Taunay, *Céus e Terras do Brasil*, p. 46). [Superl. abs. sint.: *minacíssimo.*]

mindinho *Adj. S. m.* V. *dedo mínimo*: "daí a pouco ele se atolava num prato fundo de caldo, enquanto os homens, suspendendo afetadamente o mindinho, sorviam goladas de café." (Macedo Miranda, *Pequeno Mundo Outrora*, pp. 41-42).

minduba [Do tupi.] *S. f. Bras. Pop.* V. *cachaça* (1).

mindubi *S. m. Bras. Bot.* V. *amendoim.*

minduriense *Adj. 2 g.* **1.** De, ou pertencente ou relativo a Minduri (MG). • *S. 2 g.* **2.** O natural ou habitante de Minduri.

mineira[1] [De *mina*[1] + *-eira.*] *S. f.* Terreno abundante em minério.

mineira[2] *S. f. Bras. Zool.* V. *formiga-mineira.*

mineirada [De *mineiro*[2] + *-ada*[1].] *S. f. Bras.* Porção ou grupo de mineiros: "via-se a trincheira em que os paulistas defendiam o território contra o ataque da mineirada invasora." (Ribeiro Couto, *Largo da Matriz e Outras Histórias*, p. 33).

mineira-de-petrópolis [De *mineira*, fem. de *mineiro*[2], + *de* + top. *Petrópolis.*] *S. f. Bras. RJ Zool.* V. *quem-quem-mineira-de-duas-cores.* [Pl.: *mineiras-de-petrópolis.*]

mineirense[1] *Adj. 2 g.* **1.** De, ou pertencente ou relativo a Mineiros (GO). • *S. 2 g.* **2.** O natural ou habitante de Mineiros.

mineirense[2] *Adj. 2 g.* **1.** De, ou pertencente ou relativo a Mineiros do Tietê (SP). • *S. 2 g.* **2.** O natural ou habitante de Mineiros do Tietê.

mineirice [De *mineiro*[2] + *-ice.*] *S. f. Bras. Fam.* V. *mineiridade.*

mineiridade [De *mineiro*[2] + *-(i)dade.*] *S. f. Bras.* **1.** Qualidade, condição ou atitude de mineiro[2] (2). **2.** Mineirismo. [Sin. ger., fam.: *mineirice.*]

mineirismo [De *mineiro*[2] + *-ismo.*] *S. m. Bras.* Amor intenso a MG; interesse apaixonado pelo que a esse estado se refere; mineiridade.

mineiro[1] [De *mina*[1] + *-eiro.*] *Adj.* **1.** Relativo a mina[1]. **2.** Em que há minas. **3.** Que lança ou recolhe minas: *navio mineiro.* • *S. m.* **4.** Aquele que trabalha em minas ou as possui. [V. *minerador.*] **5.** *Bras. SP* V. *mineiro com botas.* **6.** *Bras. MT PR* Descobridor de ervais nativos inexplorados ou virgens. **7.** *Bras. MT PR* Trabalhador que corta as folhas de erva-mate. [Sin. (nesta acepç.), em MT: *tirador.*]

mineiro[2] *Adj.* **1.** Do, ou pertencente ou relativo ao Estado de Minas Gerais; montanhês. **2.** *Gloss.* Nos estudos dialetológicos sobre o português brasileiro, diz-se do subfalar das zonas oeste, central e leste de Minas Gerais. ~ V. *Conjuração —a*, *escola —a*, *grupo —*, *Inconfidência —a* e *Triângulo Mineiro.* • *S. m.* **3.** O natural ou habitante de Minas Gerais; montanhês, geralista.

mineiro com botas [De *mineiro*[2] + *com* + *o pl. de bota.*] *S. m. Bras. S. C.O.* Doce feito com fatias de banana e queijo de minas frito, açúcar e canela. [Sin., em SP: *mineiro* e *mineiro de botas.* Cf. *cartola* (4). Pl.: *mineiros com botas.*]

mineiro de botas [De *mineiro*[2] + *de* + *o pl. de bota.*] *S. m. Bras. SP* V. *mineiro com botas.* [Pl.: *mineiros de botas.*]

mineiro-pau *S. m. Bras. Etnogr.* V. *maneiro-pau.* [Pl.: *mineiros-paus.*]

mineração [De *minerar* + *-ção.*] *S. f.* **1.** Exploração das minas (v. *mina*[1]). **2.** Purificação, depuração de minérios.

minerador (ô) [De *minerar* + *-dor.*] *Adj.* **1.** Da, ou relativo à mineração: *atividade mineradora; empresa mineradora.* • *S. m.* **2.** Aquele que minera [v. *minerar* (3)]; mineiro.

mineradora (ô) [De *minerar* + *-dora.*] *S. f.* Empresa que extrai e comercializa minério.

mineral [Do lat. med. *minerale*, pelo fr. *minéral.*] *Adj. 2 g.* **1.** Relativo aos minerais, ou próprio deles; inorgânico. ~ V. *água —*, *água — gasosa*, *carvão —*, *lã —*, *óleo —*, *pez —*, *quermes —*, *química —*, *segregação —* e *seiva —*. • *S. m.* **2.** Elemento ou composto químico formado, em geral, por processos inorgânicos, o qual tem uma composição química definida e ocorre naturalmente na crosta terrestre. ◆ **Mineral acessório.** O que não caracteriza a rocha. **Mineral essencial.** Aquele cuja presença ou ausência afeta a classificação da rocha. **Mineral secundário.** O que se originou de outros, preexistentes (primários).

mineralidade [De *mineral* + *-(i)dade.*] *S. f.* Estado ou qualidade de mineral.

mineralização [De *mineralizar* + *-ção.*] *S. f.* **1.** Processo de substituição, no interior da terra, dos constituintes orgânicos por inorgânicos. **2.** Deposição de minerais graças a agentes fluidos de origem magmática, que facilitam a sua cristalização e concentração, podendo daí resultar jazidas de valor econômico. **3.** Estado de combinação com substâncias minerais apresentado por certas águas de nascentes ou fontes. **4.** *Bot.* Impregnação mineral nos tecidos vegetais, pela sílica ou pelo calcário.

mineralizado [Part. de *mineralizar.*] *Adj.* Convertido em mineral ou em minério.

mineralizador (ô) [De *mineralizar* + *-dor.*] *Adj. S. m.* Diz-se de, ou agente líquido ou gasoso que impregna os magmas, facilitando a formação de minerais.

mineralizar [De *mineral* + *-izar.*] *V. t. d. P.* Converter(-se) em mineral ou em minério.

mineralizável [De *mineralizar* + *-vel.*] *Adj. 2 g.* Diz-se das substâncias que podem ser convertidas em minerais.

mineralogia [De *mineral* + *-o-* + *-logia.*] *S. f.* Ciência que trata dos minerais [v. *mineral* (2)].

mineralógico [De *mineralogia* + *-ico*[2].] *Adj.* Respeitante à mineralogia.

mineralogista [De *mineralogia* + *-ista.*] *S. 2 g.* Especialista em mineralogia.

mineralurgia [De *mineral* + *-urgia.*] *S. f.* Arte que ensina a aplicação dos minerais, especialmente os metais, à indústria.

mineralúrgico [De *mineralurgia* + *-ico*[2].] *Adj.* Relativo à mineralurgia.

minerar [Voc. deduz. de *mineral*, poss. (v. *-ar*[2]).] *V. t. d.* **1.** Explorar (mina[1]). **2.** Extrair de mina[1]. *Int.* **3.** Trabalhar em mina[1]. **4.** *Bras. MG Fam.* V. *limpar o salão.* **5.** Garimpar. [Fut. pret.: *mineraria*, etc. Cf. *minerária*, fem. de *minerário.*]

minerária *S. f.* Fem. de *minerário.*

minerário [De *minér(io)* + *-ário.*] *Adj. Bras.* Referente a minério: *direito minerário.* [Fem: *minerária.* Cf. *mineraria*, do v. *minerar.*]

minério [De *miner-*, como em *mineral*, + *-io*[3].] *S. m.* Mineral ou associação de minerais de que se podem extrair metais ou substâncias não metálicas, por processos físicos, químicos ou térmicos, e com vantagens econômicas.

minerioduto [De *minério* + *-duto.*] *S. m.* V. *mineroduto.*

mineroduto [De *minério*, com síncope, + *-duto.*] *S. m.* Sistema constituído de tubulações por onde se transportam minérios a grande distância. [Melhor forma, porém menos us.: *minerioduto.*]

mineropetroleiro (mí) [De *minério*, com síncope, + *petroleiro.*] *Adj.* **1.** Pertencente ou relativo ao transporte de minério e petróleo. • *S. m.* **2.** *Mar. Merc.* Navio-mineropetroleiro (q. v.).

minerva [Do mit. lat. *Minerva*, 'deusa da sabedoria'.] *S. f. Tip.* V. *prensa de platina.*

minerval [Do lat. *minervale.*] *Adj. 2 g.* **1.** Relativo ou pertencente a Minerva (assim chamada entre os romanos; Palas ou Atena entre os gregos), filha de Júpiter, deusa das artes e da sabedoria. • *S. m.* **2.** Retribuição que os alunos externos pagam aos professores, em algumas escolas de vários países.

minervista [De *minerva* + *-ista.*] *S. 2 g. Tip.* Impressor que trabalha em minerva. [Cf. *cilindrista* e *prelista* (1).]

minestra[1] [Do it. *minestra*, 'sopa'.] *S. f. Bras. SP Cul.* Ministra[2].

minestra[2] *S. f. Bras.* Artifício ou jeito com que se procura obter certas coisas.

minestre *S. m. Bras.* Indivíduo jeitoso nos meios que emprega para alcançar alguma coisa.

→ **minestrone** [mines'trone][It.] *S. m. Cul.* Caldo feito de carne e legumes, que pode ou não levar arroz ou massa.

minete [Do fr. *minette.*] *S. m. Bras. Chulo* Cunilíngua.

mineteiro [De *minete* + *-eiro.*] *S. m. Bras. Chulo* Aquele que é dado à prática do minete.

mingacho *S. m.* Cabaço com água no qual os pescadores mantêm vivos por algum tempo os peixes de água doce.

mingau [Do tupi.] *S. m. Bras.* **1.** Papa[2] (1) de farinha de trigo ou de mandioca. **2.** Iguaria de consistência pastosa, feita ger. de leite açucarado e engrossado com farinha: *mingau de tapioca.* [Cf. *papa*[2] (1).] **3.** *Fig.* Coisa muito mole, mexida ou aguada.

mingau das almas *S. m. Bras.* Matéria mucosa que se acumula na boca durante o sono: "Os olhos pregados de sono e a boca cheia de mingau das almas. Embora a mãe dissesse que era porcaria, achava o gostinho bom no resto de sono que lhe ficava na boca." (Valdomiro Autran Dourado, *Nove Histórias em Grupos de Três*, p. 177.) [Pl.: *mingaus das almas.*]

mingaupitinga [Do tupi.] *S. m. Bras. PE* Mingau de mandioca puba.

mingo [Alter. de *mínimo.*] *Adj. Bras. S. Pop.* Menor, mínimo: *o dedo mingo.*

mingolas *S. 2 g. e 2 n. Bras.* V. *avaro* (3).

mingote *S. m. Bras. Gír.* V. *baseado*[1].

míngua [Dev. de *minguar.*] *S. f.* **1.** Falta do necessário; escassez, privação, penúria: *Tantos homens que vivem na míngua!* **2.** Falta, carência: *Não há no Brasil míngua de bons poetas.* **3.** Diminuição, declínio, perda: *míngua de sangue.* **4.** Defeito, imperfeição. ◆ **À míngua.** Em penúria; na miséria. **À míngua de.** À falta de; por falta de: *Continua naquele emprego, à míngua de outro melhor.*

minguado [Part. de *minguar.*] *Adj.* **1.** Que minguou [v. *minguar* (1)]: *O dinheiro, minguado, não cobre as despesas.* **2.** Pouco desenvolvido; reduzido, diminuído: *bolo minguado.* **3.** Pouco desenvolvido; raquítico: *criança minguada.* **4.** Escasso, limitado, parco: *herança minguada; jantar minguado.*

minguamento [De *minguar* + *-mento.*] *S. m.* Ato de minguar; diminuição.

minguante [De *minguar* + *-nte.*] *Adj. 2 g.* **1.** Que míngua; decrescente, declinante. **2.** Diz-se do que está em decadência. ~ V. *quarto —*. • *S. m.* **3.** *Astr.* V. *quarto minguante.*

minguar [Do lat. vulg. *minuare*, por *minuere*; cf. *minuir.*] *V. int.* **1.** Tornar-se menor, ou menos abundante; diminuir, reduzir-se: "E as despesas de casa recrudesciam, à proporção que minguavam os lucros." (Aluísio Azevedo, *Casa de Pensão*, p. 270); "Depois tudo fora decaindo, minguando, morrendo." (Graciliano Ramos, *Linhas Tortas*, p. 227). **2.** Faltar; escassear: *Apesar de racionados, os víveres começaram a minguar.* **3.** Passar (a Lua) de cheia a nova. *T. i.* **4.** Faltar, escassear. **5.** Baixar, cair. *T. d.* **6.** Tornar escasso ou mais escasso; diminuir. **7.** Tornar menor; fazer decrescer; diminuir. **8.** Apoucar, amesquinhar, menoscabar: *Procuraram minguar o talento do artista.* [Conjug.: v. *aguar.*]

minguengue [De or. obsc.] *S. m. Bot.* V. *cajazeira.*

minguinho [De *mingo* + *-inho*[1].] *Adj. S. m. Bras. Pop. Fam.* V. *dedo mínimo.*

minguta [Dim. de *mingo* (q. v.).] *Adj. 2 g. Bras.* Pequeno, minguado, mirrado.

minha [Do lat. *mea*, pelo lat. vulg. *mia.*] *Pron. poss.* Fem. de *meu* (q. v.). ◆ **Ficar, estar, em (a minha, a tua, a dele, a dela, etc.)** **1.** Ficar com a minha hipótese, opinião: "— Pois, senhor, é curioso. No meio de uma paixão tão ardente, tão sincera... Eu ainda estou na minha: acho que foi nostalgia da lama." (Machado de Assis, *Histórias sem Data*, p. 55.) **2.** Não querer se envolver em, não participar de: *João não corrigiu isto? — Que nada! Ele hoje está na dele!*

minhoca [De or. controversa.] *S. f.* **1.** *Zool.* Designação geral dos animais anelídeos, oligoquetos, sobretudo das formas terrestres. São em certos países us. comercialmente para a pesca amadorística. Constituem, por outro lado, substancial parcela na alimentação de certas aves, anfíbios, peixes e outros invertebrados e são utilizadas, ainda, como adubo (2). [Sin.: *bichoca* (bras.), *gogo* (ô) (N.E.) e *isca* (MG).] **2.** *Chulo* O pênis. **3.** *Bras.* No pôquer, a menor sequência, *i. e.*, aquela em que o ás entra como a última carta decrescente. • *S. 2 g.* **4.** *Bras. Pop. Joc.* Nativo (3) em contraposição a estrangeiro, turista,

M

etc. ~ V. *minhocas*. ◆ **Mandar para as minhocas.** *Bras. Pop.* V. *matar* (1).

minhoca-brava *S. f. Bras. Zool.* Minhoca-louca. [Pl.: *minhocas-bravas*.]

minhocaçu *S. m. Bras.* **1.** *Etnogr.* Minhocão (1). **2.** *Zool.* Minhocuçu (q. v.).

minhocal [De *minhoca* + *-al*¹, poss.] *S. m. Bras. MT* Terreno que em tempo de seca adquire a dureza e consistência das terras argilosas, mas, que na época das águas, mal as primeiras chuvas o molham, como que se desmancha, formando atoleiros perigosos, não transponíveis por viatura, cavaleiro ou pedestre.

minhoca-louca *S. f. Bras. Zool.* Espécie de anelídeo oligoqueto megascolecídeo (*Pheretima hawayana*), de origem asiática, hoje aclimatada ao Brasil. Costuma reagir contorcendo-se violentamente quando retirada do solo, donde o que lhe motivou o nome popular. [Sin.: *minhoca-brava*. Pl.: *minhocas-loucas*.]

minhocão [De *minhoca* + *-ão*¹.] *S. m. Bras.* **1.** *Etnogr.* Animal fantástico que, segundo a crendice popular, tem a forma de verme gigantesco, vive nos açudes ou banhados e é capaz de todos os milagres; minhocaçu. **2.** *Zool.* V. *cobra-cega* (1). **3.** *Pop.* Designação genérica de certas construções, certos mecanismos, etc., de grande extensão e serpeantes.

minhocar [De *minhoca* + *-ar*².] *Bras. Fam. V. t. i.* **1.** Pensar ou refletir exaustivamente: *Minhocou sobre a questão até resolvê-la.* *Int.* **2.** Pensar ou refletir exaustivamente em algo; remoer: *Ficou minhocando até resolver a questão.*

minhocário [De *minhoca* + *-ário*.] *S. m.* Criatório (1) de minhocas.

minhocas [Pl. de *minhoca*.] *S. f. pl.* **1.** Crendices, quimeras, superstições. **2.** Ideias tolas; bobagens, manias: *Tem a cabeça cheia de minhocas.* ~ V. *minhoca*.

minhocuçu [Var. de *minhocaçu* < *minhoca* + *-açu*/*-uçu*, 'grande'.] *S. m. Bras. Zool.* Designação comum aos animais anelídeos, poliquetos, terrestres, glossoescolecídeos, gênero *Megascolex*, que podem atingir até quase 2m de comprimento. Vivem, em geral, em baixadas de solo fértil, sendo facilmente reconhecíveis pelas suas enormes dejeções: "Um cipó pesado, frio, que nem minhocuçu, enroscou-se-lhe às pernas." (Nélson de Faria, *Tiziu e Outras Estórias*, p. 186.)

minhocultura [De *minhoca* + *-cultura*, com haplologia.] *S. f.* Arte ou técnica de criar minhocas.

minhoto (ô) *Adj.* **1.** Do, ou pertencente ou relativo ao Minho (Portugal). ● *S. m.* **2.** O natural ou habitante do Minho. **3.** *Gloss.* O falar (29) dessa região.

minhufas *S. f. 2 n. Moç.* Medo; miúfa: "Só o brigadeiro Silvério, seu distante amante, era um homem muito inteiro, sem minhufas de ninguém." (Mia Couto, *Terra Sonâmbula*, pp. 159-160.)

▲ **mini-** [Do lat. *mini(mus)*, a, um.] *El. comp.* = 'mínimo', 'muito pequeno': *minibiblioteca*, *minissaia*. [O AOLP prescreve o uso do hífen nos casos de anteposição deste pref. a palavra iniciada por *h* ou *i*; é escrito com *r* ou *s* duplicados quando anteposto a palavra iniciada por *r* ou *s*: *minirretrospectiva*, *minissérie*.]

míni¹ *S. m.* V. *minidicionário*.

míni² [F. red. de *minissaia*.] *S. 2 g.* **1.** Vestido, saia ou casaco que segue a moda da minissaia (q. v.): *Esse míni não é para ela; A míni daquela pequena é de ótimo tecido.* ● *Adj. 2 g. e 2 n.* **2.** *Vest.* Diz-se da roupa feminina que segue essa moda: *As saias míni e as meias três-quartos eram obrigatórias entre as meninas.*

miniã-irugne *Bras. S. 2 g.* **1.** *Etnôn.* Indivíduo dos miniãs-irugnes [ou (etnôn. bras.) *Myniã-yrugn], povo indígena extinto da família linguística botocudo, tronco macro-jê, que habitava a margem esquerda do rio Doce (ES). ● *Adj. 2 g.* **2.** Pertencente ou relativo a esse povo. [Pl.: *miniãs-irugnes*.]

miniar [De *mínio* + *-ar*².] *V. t. d.* Pintar ou escrever com mínio. [Cf. *rubricar*.]

miniatura [Do it. *miniatura*, 'desenho feito a mínio'.] *S. f.* **1.** Pintura, desenho ou fotografia muito delicada, e em ponto pequeno: "Nas paredes forradas, ... sorriam em caixilhos de veludo miniaturas de família" (Bernardo Pinheiro Pindela, *Azulejos*, p. 96). **2.** Letra inicial ornada, dos manuscritos antigos, a princípio traçada a vermelho, com mínio. [Cf. *rubrica* (3).] **3.** *P. us.* V. *iluminura*. **4.** Obra de arte delicada e de pequenas dimensões. **5.** Qualquer coisa em tamanho reduzido: *as miniaturas japonesas de árvores.* [Cf. *abreviatura* (4).] **6.** Resumo, síntese, sinopse: *uma história em miniatura.*

miniatural [De *miniatura* + *-al*¹.] *Adj. 2 g.* **1.** Referente a, ou próprio de miniatura. **2.** Muito pequeno: "E noto, por entre os mais, / Os traços miniaturais / Duns pezitos de criança..." (Augusto Gil, *Luar de Janeiro*, p. 29.)

miniaturar [De *miniatura* + *-ar*².] *V. t. d.* **1.** Pintar em miniatura. **2.** Descrever minudentemente. [Sin. ger.: *miniaturizar*.]

miniaturista [De *miniatura* + *-ista*.] *Adj. 2 g. S. 2 g.* **1.** Que, ou quem faz miniaturas. **2.** V. *iluminador* (3).

miniaturização [De *miniaturizar* + *-ção*.] *S. f.* Ato ou efeito de miniaturizar.

miniaturizado [Part. de *miniaturizar*.] *Adj.* Que se miniaturizou.

miniaturizar [De *miniatura* + *-izar*.] *V. t. d.* **1.** V. *miniaturar*. **2.** *Eletrôn.* Construir circuitos eletrônicos de estado sólido, de reduzidas dimensões, capazes de efetuar diversas funções de controle de corrente ou de tensão.

minibiblioteca [De *mini-* + *biblioteca*.] *S. f.* Pequena biblioteca ambulante.

minicalculadora (ô) [De *mini-* + *calculadora*.] *S. f.* Calculadora portátil, de pequenas dimensões.

minicaminhão [De *mini-* + *caminhão*.] *S. m.* Caminhão de pequeno porte.

minicasaco [De *mini-* + *casaco*.] *S. m.* Casaco muito curto, que segue a moda da minissaia (q. v.); minimantô. [Cf. *míni*.]

minicomício [De *mini-* + *comício*.] *S. m.* Comício de mínimas proporções: "O candidato da Aliança Democrática à Presidência, Tancredo Neves, pediu num minicomício em Ipanema que o povo faça pressão moral contra o Colégio Eleitoral" (*Jornal do Brasil*, 11.09.1984).

minicomputador (ô) [De *mini-* + *computador*.] *S. m.* Computador de capacidade e tamanho médios, ger. destinado ao emprego por vários usuários (por meio de terminais), ou us. como servidores de uma rede de computadores mais ampla.

miniconto [De *mini-* + *conto*¹.] *S. m.* Conto¹ (4) muito pequeno.

minidesvalorização [De *mini-* + *desvalorização*.] *S. f. Bras. Econ.* Pequena desvalorização de uma moeda em relação a outra, esp. a que se dá segundo o mecanismo de reajuste cambial em vigor no Brasil a partir de 1968. [Opõe-se a *maxidesvalorização*.]

minidicionário [De *mini-* + *dicionário*.] *S. m.* Dicionário de pequeno porte. [F. red.: *míni*.]

miniférico *S. m. Bras. SP* Teleférico.

minifundiário [De *minifúndio* + *-ário*.] *Adj.* **1.** Referente a minifúndio. ● *S. m.* **2.** Proprietário de minifúndio. [Opõe-se a *latifundiário*.]

minifúndio [De *mini-* + final de *latifúndio* (q. v.).] *S. m.* Pequena propriedade rural, esp. a que é voltada à agricultura de subsistência, com uso de técnicas rudimentares e baixa produtividade. [Opõe-se a *latifúndio*.]

minigâncias *S. f. pl. Bras. RS Pop.* V. *ninharia*.

minijardim [De *mini-* + *jardim*.] *S. m.* Jardim de pequenas proporções; jardinzinho.

mínima [F. subst. do adj. *mínimo*.] *S. f.* **1.** *Mús.* Figura que vale a metade da semibreve. ● *El. s. f.* **2.** Us. na loc. *não ligar a mínima a*. ◆ **Não ligar a mínima a.** *Bras. Fam.* Não dar ou ligar a mínima importância a; ser indiferente a; não fazer nenhum caso de; não ligar.

→ **minima de malis** ['minẹma de'males] [Lat.] Dos males os menores (provérbio tirado às fábulas de Fedro).

minimalismo [Do ingl. *minimal*, 'mínimo', + *ismo*.] *S. m.* **1.** *Art. Plást.* Corrente surgida por volta de 1965, e que visa a reduzir a pintura e a escultura às mais simples formas, muitas vezes repetidas. Forma e conteúdo se confundem sem qualquer intenção expressiva. **2.** *Filos.* Atitude de rejeição a questões filosóficas (a da verdade, a dos fins últimos, etc.), por considerá-las aquém ou além das exigências teóricas. **3.** *Mús.* Técnica de composição das últimas décadas do século XX que tem como característica principal o uso obsedante da repetição, só alterada por pequenas modulações e mudanças dinâmicas ou rítmicas. **4.** *P. ext.* Método, estilo ou técnica cuja característica principal é a economia de meios.

minimalista [De *minimalismo* + *-ista*.] *Adj. 2 g.* **1.** Diz-se da arte que utiliza, em sua elaboração, um reduzido número de temas ou elementos, valorizados por sua repetição com pequenas alterações, ou isolamento contextual. **2.** De, relativo a, ou executado segundo as normas ou técnicas do minimalismo: "Depois das artes plásticas e da música, o estilo minimalista chega à moda propondo roupas simples, ... acessórios importantes." (*Jornal do Brasil*, 23.03.1987); "Será que a arte não se fechou numa paranoia conceitual e minimalista, que impede a generosa loucura de um neobarroquismo?" (Arnaldo Jabor, *Sanduíches de Realidade*, p. 99). **3.** Diz-se de adepto ou seguidor do minimalismo. ~ V. *música —a*. ● *S. 2 g.* **4.** Adepto ou seguidor do minimalismo.

minimamente [Do f. de *mínimo* + *-mente*.] *Adv.* **1.** Em grau ou intensidade muito pequenos. **2.** No menor grau ou intensidade que é aceitável, necessário ou suficiente.

minimante *S. m. Mat.* No domínio de uma função, ponto em que esta tem um mínimo. [Opõe-se a *maximante*.]

minimantô [De *mini-* + *mantô*.] *S. m.* Minicasaco (q. v.).

minimidade [De *mínimo* + *-(i)dade*.] *S. f.* Qualidade do que é mínimo.

minimização [De *minimizar* + *-ção*.] *S. f.* Processo pelo qual se determina o menor valor que uma grandeza pode assumir.

minimizar [De *mínimo* + *-izar*.] *V. t. d.* **1.** Proceder à minimização de; tornar mínimo. **2.** Fazer pouco de; subestimar: "Hortênsio me atira às mãos um Vauvenarques, que lia no momento ...., e começa a censurar. Evidentemente, minimizava o que havia de espiritual e de fino nesse moralista tranquilo." (Ascendino Leite, *Passado Indefinido*, p. 18.) **3.** *Inform.* Reduzir (janela [7]) a ícone, indo este, ger., para a parte inferior da tela. **4.** *Mat.* Fazer (uma função) assumir um valor mínimo. [Antôn.: *maximizar*.]

mínimo [Do lat. *minimu*.] *Adj.* **1.** Superl. abs. sint. de *pequeno*; que é o menor; que está no grau mais baixo: *Vendeu o sapato pelo preço mínimo; Não me deu a mínima atenção.* **2.** Que é o menor fixado ou garantido por lei: *salário mínimo*. [Antôn.: *máximo*.] ~ V. *dedo —*, *desvio —*, *disfunção cerebral —a*, *fórmula —a*, *— múltiplo comum*, *peso —*, *salário — profissional*, *sequência —a* e *superfície —a*. ● *S. m.* **3.** A menor porção ou grau de: *O mínimo por que pode vender o tecido é 100 reais; O mínimo que posso fazer é falar mais baixo.* [Antôn.: *máximo*.] **4.** V. *dedo mínimo*. **5.** *Mat.* Elemento de um conjunto que é menor que todos os outros pertencentes ao conjunto. **6.** *Rel.* Membro da Ordem de S. Francisco de Paula no séc. XV. ◆ **No mínimo. 1.** No menor limite provável: *Chegarei no mínimo às 10 horas.* **2.** Pelo menos; quando nada: *Anda, no mínimo, dois quilômetros por dia.*

minimundo [De *mini-* + *mundo*.] *S. m.* Pequeno mundo (4): "e se diverte [Helena Morley] em passar em revista o minimundo de Diamantina." (Carlos Drummond de Andrade, em *Jornal do Brasil*, 30.08.1980).

mínio [Do lat. *miniu*.] *S. m. Quím.* Óxido vermelho de chumbo, us. como pigmento [fórm.: Pb_3O_4].

miniquadro [De *mini-* + *quadro*.] *S. m.* Quadro de exíguas dimensões.

minirretrospectiva [De *mini-* + *retrospectiva*.] *S. f.* Pequena retrospectiva (2).

minissaia [De *mini-* + *saia*.] *S. f.* **1.** Saia muito curta, cerca de 30cm acima do joelho, e que foi lançada em 1967 por Mary Quant, figurinista inglesa. [Cf. *míni*.] **2.** *Bras. RJ* Cerveja em garrafa pequena.

minissérie [De *mini-* + *série*.] *S. f. Telev.* Programa produzido para televisão e apresentado em poucos episódios, ger., oito ou menos.

minissubmarino [De *mini-* + *submarino*.] *S. m. Mar.* Submarino de diminutas dimensões, guarnecido apenas por um ou dois tripulantes.

ministerial [Do lat. *ministeriale*.] *Adj. 2 g.* **1.** Relativo ou pertencente a ministério, ou a ministro: *funções ministeriais*. [Sin. p. us.: *ministral*.] **2.** Proveniente ou próprio de ministro: *programa ministerial*; *despacho ministerial*. **3.** Que apoia um governo ou ministério; que lhe defende a política; governamental: *senador ministerial*.

ministerialismo [De *ministerial* + *-ismo*.] *S. m.* Sistema ou opinião daqueles que defendem incondicionalmente os ministros ou o governo.

ministerialista [De *ministerialismo* + *-ista*.] *Adj. 2 g.* **1.** Relativo ao, ou que é adepto do ministerialismo. ● *S. 2 g.* **2.** Adepto do ministerialismo.

ministeriável [De *ministeriar (< *ministério* + *-ar*²) + *-vel*.] *Adj. 2 g. S. 2 g.* Que, ou quem está em condições ou com possibilidade de ser ministro, de pertencer a um ministério.

ministério [Do lat. *ministeriu*.] *S. m.* **1.** Cargo, incumbência, mister: *o ministério cristão*. **2.** Cargo, função, profissão: *cumprir os deveres do seu ministério*; "parecera mais que nunca azougado por aquela espécie de loucura convencional que era inerente ao ministério que exercia." (Alexandre Herculano, *O Monge de Cister*, II, p. 264). **3.** Função de ministro. **4.** Tempo durante o qual se exerce tal função. **5.** O conjunto dos ministros, ou gabinete (no regime parlamentarista). **6.** Parte da administração dos negócios do Estado atribuída a cada ministro. **7.** Edifício em que funciona esse serviço público. **8.** Secretaria de Estado. ◆ **Ministério público.** Magistratura especial ou órgão constitucional representante da sociedade na administração da justiça, incumbido, sobretudo, de exercer a ação penal, de defender os interesses de pessoas e instituições às quais a lei concede assistência e tutela especiais (menores, incapazes, acidentados do trabalho, testamentos, fundações, etc.) e de fiscalizar a execução da lei. **Ministério sagrado.** *Rel.* Trabalho ou função de serviço na Igreja, exercido pelos que têm ordens.

ministra[1] [Do lat. *ministra* (v. *ministro*).] ***S. f.*** **1.** Mulher que exerce funções de ministro (3 e 4). **2.** Mulher ou coisa que auxilia, ou que contribui para determinado fim. **3.** Roda por onde passava a comida da cozinha para os refeitórios dos conventos. **4.** Mulher de ministro. **5.** *Rel.* Religiosa franciscana que desempenha na ordem um cargo superior.

ministra[2] [Do it. *minestra*, 'sopa'.] ***S. f.*** Espécie de sopa italiana; minestra.

ministrador (ô) [Do lat. *ministratore.*] ***Adj. S. m.*** Que, ou aquele que ministra.

ministral [De *ministro* + *-al*[1].] ***Adj. 2 g.*** *P. us.* Ministerial.

ministrante [Do lat. *ministrante.*] ***Adj. 2 g.*** **1.** Que ministra, exerce algum ministério ou cargo. • ***S. 2 g.*** **2.** Pessoa que é ministrante; serventuário.

ministrar [Do lat. *ministrare.*] ***V. t. d. T. d. e i.*** **1.** Dar, prestar, fornecer: *Ministra informações sempre exatas; Ministrou ao chefe muitos dados para um relatório.* **2.** Dar, aplicar; administrar: "— Sim, senhor, lavre um tento, dizia-lhe o dono da farmácia que ministrara os remédios ao Quincas Borba." (Machado de Assis, *Quincas Borba*, p. 25.) **3.** Dar, servir; administrar: *É preciso ministrar os medicamentos a tempo e hora; A enfermeira ministrou o xarope ao doente.* **4.** Dar, conferir, administrar: *Ministra aulas de inglês; A numerosas gerações tem ministrado excelentes noções de matemática;* "E foi aí .... que .... o arcebispo de Paris .... ministrou os últimos sacramentos à veneranda anciã." (Melo Nóbrega, *O Soneto de Arvers*, p. 71). **5.** Inspirar, sugerir: *O assunto ministrou-lhe um conto.* ***Int.*** **6.** Servir ou atuar como ministro.

ministraria [De *ministro* + *-aria.*] ***S. f.*** *Desus.* Cargo de ministro.

ministrículo [De *ministro* + *-i-* + *-culo.*] ***S. m.*** *Deprec.* Ministro insignificante, sem mérito.

ministrificação [De *ministrificar* + *-ção.*] ***S. f.*** *P. us.* Ação ou efeito de ministrificar.

ministrificar [De *ministro* + *-ificar.*] ***V. t. d.*** Fazer (alguém) ministro de Estado. [Conjug.: v. *trancar.*]

ministro [Do lat. *ministru*, 'criado', 'servo', 'servidor'.] ***S. m.*** **1.** *Ant.* Título genérico para qualquer empregado ou funcionário público de nível mais elevado: *ministro secretário de Estado; ministro membro de Tribunal.* **2.** Aquele que executa os desígnios de outrem: medianeiro, intermediário, executor, auxiliar: *ministro do Evangelho; ministro de ordens vis.* **3.** Membro de um ministério (6); ministro de Estado. **4.** *Diplom.* Categoria diplomática abaixo da de embaixador. **5.** Aquele que, em nome da Igreja, exerce certas funções sagradas, como pregar, administrar os sacramentos. **6.** Pastor protestante. **7.** *Bras.* Designação comum aos juízes do Supremo Tribunal Federal, do Superior Tribunal Militar, do Tribunal de Contas da União, do Tribunal Federal de Recursos, do Tribunal Superior do Trabalho e dos tribunais eleitorais. **8.** Título de ministro de segunda classe. [V. *carreira diplomática.*] [Deprec.: *ministrículo.*] ◆ **Ministro de Estado.** Ministro (3). **Ministro de primeira classe.** V. *carreira diplomática.* **Ministro de segunda classe.** V. *carreira diplomática.* **Ministro plenipotenciário.** Representante de um país, munido de plenos poderes, acreditado junto a um governo estrangeiro; chefe de legação. **Ministro sem pasta.** Ministro de Estado que não tem especificamente nenhuma pasta.

ministro-conselheiro ***S. m.*** V. *carreira diplomática.* [Pl.: *ministros-conselheiros.*]

minivestido [De *mini-* + *vestido.*] ***S. m.*** *Vest.* Vestido muito curto, que segue a moda da minissaia (q. v.): "Marisa Berenson incorporou ao seu guarda-roupa dois minivestidos de napa com a *griffe* de Maria Vals" (Zózimo Barroso do Amaral, em *Jornal do Brasil*, 30.08.1980).

minjoada ***S. f.*** **1.** *Bras. PE* Pescaria a anzol fixo, sem a presença do pescador. **2.** *Bras. SP* Grande rede de pesca.

minjolinho ***S. m.*** *Bras. GO Zool.* V. *narceja.*

→ **minke** [ˈmɪŋkə] [Ingl.] ***S. f.*** *Zool.* V. *baleia-anã.*

→ **min nan** [mɪn ˈnaɪn] [Chinês, 'min do sul'.] ***S. m.*** *Gloss.* V. *min.*

→ **minnesänger** [ˈmɪnəzɛŋeʁ] [Al.] ***S. m.*** Poeta cantor da Alemanha dos sécs. XII e XIII, que corresponde ao trovador provençal. [Com cap.]

minnesotaíta [Do top. *Minnesota* (E.U.A.) + *-ita*[3].] ***S. f.*** *Min.* Mineral monoclínico, silicato básico de ferro e magnésio.

minoico (ói) [Do lat. *Mino(us)* (< gr. *Minôos* ou *Minóïos*) + *-ico*[2].] ***Adj.*** **1.** Referente ao período cretense que se estende do terceiro milênio a. C. a cerca de 1580 a. C. • ***S. m.*** **2.** O natural ou habitante da antiga Creta. **3.** *Gloss.* Língua da antiga civilização cretense. ❖

minoração [Do lat. *minoratione.*] ***S. f.*** **1.** Ato ou efeito de minorar; diminuição. **2.** Atenuação, abrandamento, alívio.

minorar [Do lat. *minorare.*] ***V. t. d. Int.*** **1.** Tornar menor; diminuir: *minorar um perigo; A poluição de São Paulo minorou, com o rodízio de automóveis.* **2.** Abrandar, suavizar, atenuar, aliviar, mitigar: "Constantemente procurava pílulas para minorar os sofrimentos." (José Lins do Rego, *Meus Verdes Anos*, p. 154); *As suas angústias minoraram graças ao carinho dos amigos.*

minorativo [De *minorar* + *-tivo.*] ***Adj.*** **1.** Que minora, que diminui. **2.** *Med.* Diz-se do medicamento que purga suavemente; laxante. • ***S. m.*** **3.** *Med.* Laxante (3).

minorca [Do top. *Minorca.*] ***S. 2 g.*** *Lus. Pop.* Indivíduo de baixa estatura.

minoria [Do lat. *minore*, 'menor', + *-ia*[1].] ***S. f.*** **1.** Inferioridade numérica. **2.** A parte menos numerosa duma corporação deliberativa, e que sustenta ideias contrárias às do maior número. **3.** Menoridade (2). **4.** *Antrop. Sociol.* Subgrupo que, dentro de uma sociedade, considera-se e/ou é considerado diferente do grupo maior e dominante, em razão de características étnicas, religiosas, ou de língua, costumes, nacionalidade, etc., e que em razão dessas diferenças não participa integralmente, em igualdade de condições, da vida social. [Antôn.: *maioria.*]

minoridade [Do lat. *minor, oris*, 'menor', + *-(i)dade.*] ***S. f.*** V. *menoridade.*

minoritário [De *minorar* + *-tário*; fr. *minoritaire.*] ***Adj.*** *Bras.* **1.** Pertencente ou relativo à minoria: *deputado minoritário; Grande tem sido a atuação minoritária.* **2.** Que constitui minoria ou se apoia numa minoria: *governo minoritário.* **3.** Diz-se do partido que obtém a minoria dos votos. [Antôn.: *majoritário.*] ~ V. *língua —a* e *portador —.*

minorquino ***Adj.*** **1.** Da, ou pertencente ou relativo à ilha Minorca, uma das ilhas Baleares (mar Mediterrâneo), pertencentes à Espanha. • ***S. m.*** **2.** O natural ou habitante de Minorca.

→ **min pei** [mɪn pe] [Chinês, 'min do norte'.] ***S. m.*** *Gloss.* V. *min.*

minuana [De *minuano*[1] ou *minuano*[2], poss.] ***S. f.*** *Bras. RS Bot.* Designação comum a três ervas enoteráceas (*Cenothera affinis*, *C. indecora* e *C. mollissima*) vigente nos campos austrais, de flores grandes, vistosas, amarelas, e fruto capsular.

minuano[1] [Do esp. plat. *minuano.*] ***S. m.*** *Bras. RS* Vento frio e seco, que sopra de S.O., no inverno, em geral por três dias; minuano claro, minuano limpo. [Opõe-se a *minuano sujo.*] ◆ **Minuano claro.** *Bras. RS* V. *minuano*[1]. **Minuano limpo.** *Bras. RS* V. *minuano*[1]. **Minuano sujo.** Vento frio acompanhado de chuva miúda e fina, extraordinariamente incômoda, e que é o oposto de minuano[1] (q. v.).

minuano[2] *Bras.* ***S. 2 g.*** **1.** *Etnôn.* Indivíduo dos minuanos, povo indígena extinto, que habitava as margens do rio Ibicuí (RS, Argentina e Uruguai). • ***Adj. 2 g.*** **2.** Pertencente ou relativo a esse povo. [Tb. us. como *s. 2 g. e 2 n.* (com cap.) e *adj. 2 g. e 2 n.*]

minúcia [Do lat. *minutia.*] ***S. f.*** **1.** V. *pormenor*. **2.** Coisa muito pequena ou insignificante; bagatela, ninharia, insignificância. [Sin. ger.: *minudência*. Cf. *minucia*, do v. *minuciar.*]

minuciar [De *minúcia* + *-ar*[2].] ***V. t. d.*** V. *pormenorizar*. [Pres. ind.: *minucio, minucias*, etc. Cf. *minúcia.*]

minuciosidade [De *minucioso* + *-(i)dade.*] ***S. f.*** Qualidade ou caráter de minucioso.

minucioso (ô) [De *minúcia* + *-oso.*] ***Adj.*** **1.** Que se preocupa com, ou se prende a minúcias; meticuloso, esmiuçador: *indivíduo minucioso.* **2.** Dado ou narrado circunstanciadamente ou por miúdo: *explicação minuciosa; história minuciosa.* **3.** Feito com escrúpulo, com toda a atenção: *estudo minucioso.* [Sin. ger.: *minudencioso, minudente.*]

minudência [Do esp. *menudencia.*] ***S. f.*** **1.** V. *pormenor*. **2.** *Fig.* Observação escrupulosa; exame atento: *analisar com minudência.* [Cf. *minudencia*, do v. *minudenciar.*]

minudenciar [De *minudência* + *-ar*[2].] ***V. t. d.*** V. *pormenorizar*. [Pres. ind.: *minudencio, minudencias, minudencia*, etc. Cf. *minudência.*]

minudencioso (ô) [De *minudência* + *-oso.*] ***Adj.*** V. *minucioso.*

minudente [Voc. deduz. de *minudência.*] ***Adj. 2 g.*** V. *minucioso.*

minuendo [Do lat. *minuendu.*] ***S. m.*** *Bras.* Diminuendo[1].

minuete (ê) [Do fr. *menuet.*] ***S. m.*** *Mús.* V. *minueto*: "Sobre o mármore duma consola dourada, ... um relógio de bronze marcava as horas, tocando alegres minuetes." (Bernardo Pinheiro Pindela, *Azulejos*, p. 97.)

minueto (ê) [Var. de *minuete.*] ***S. m.*** *Mús.* **1.** Antiga dança francesa originária de Poitou e caracterizada pela nobreza e equilíbrio dos movimentos. **2.** Música que acompanhava essa dança. **3.** Forma musical clássica, em compasso ternário, composta de — exposição, trio, reexposição e coda (facultativa)—, e que, havendo entrado definitivamente nas suítes instrumentais do séc. XVIII (Bach, Haendel, etc.), sob a forma de dois minuetos seguidos (I e II), um no modo maior, outro no modo menor, vai constituir em seguida o terceiro movimento das sonatas de forma clássica e das primeiras sinfonias, até nelas ser substituído pelo *scherzo* beethoveniano. [F. paral.: *minuete.*]

minuir [Do lat. *minuere*, por via erudita.] ***V. t. d. T. d. e i. T. i. Int. P.*** V. *diminuir*. [Conjug.: v. *atribuir.*]

minúscula [F. subst. de *minúsculo.*] ***S. f.*** Letra pequena, não maiúscula; letra minúscula. [Cf. *maiúscula.*] ◆ **Minúscula carolina.** *Paleogr.* A escrita europeia comum, surgida com o Renascimento carolíngio, e caracterizada pelo pequeno módulo, forma arredondada e raras ligaturas; minúscula redonda, letra francesa. [Cf. *letra humanística.*] **Minúscula redonda.** *Paleogr.* V. *minúscula carolina.*

minusculizar [De *minúsculo* + *-izar.*] ***V. t. d. P.*** Tornar(-se) minúsculo, insignificante.

minúsculo [Do lat. *minusculu*, 'um tanto menor'.] ***Adj.*** **1.** Pequeno, miúdo. **2.** De pouco valor ou merecimento; insignificante. ~ V. *abecedário —*, *alfabeto —* e *letra —a.* [Antôn.: *maiúsculo.*]

minuta[1] [Do lat. *minuta*, 'diminuída'.] ***S. f.*** **1.** A primeira redação de qualquer documento; rascunho. **2.** Desenho traçado à vista do terreno, no levantamento de plantas. **3.** *Dir. Proc.* Peça produzida pelo agravante em que expõe as razões nas quais se funda o recurso interposto a instância superior. [Cf., nesta acepç., *agravo* (5) e *contraminuta.*]

minuta[2] [Do fr. *à la minute*, 'no mesmo instante', 'imediatamente'.] ***S. f.*** *Bras.* Nos restaurantes, prato que se prepara no momento, no minuto. ◆ **À minuta.** Preparado no momento (prato, refeição).

minutador (ô) [De *minutar*[1] + *-dor.*] ***Adj. S. m.*** Que, ou aquele que minuta.

minutagem [De *minutar*[2] + *-agem*[2].] ***S. f.*** *Prop. Telev.* O tempo de duração, indicado em minutos e segundos, de uma produção videofonográfica. [Cf. *secundagem.*]

minutar[1] [De *minuta*[1] + *-ar*[2].] ***V. t. d.*** Fazer ou ditar a minuta[1] (1) de: *minutar uma carta, um ofício.*

minutar[2] [De *minuto* + *-ar*[2].] ***V. t. d.*** Cronometrar: *minutar uma cena de teatro, de cinema, uma música.*

minuteria [Do fr. *minuterie.*] ***S. f.*** Aparelho elétrico provido de mecanismo de relógio, destinado a manter o contato elétrico durante determinado lapso de tempo.

minutíssimo ***Adj.*** Superl. abs. sint. de *minuto.*

minuto [Do lat. *minutu*, 'diminuído, miúdo'.] ***S. m.*** **1.** Unidade de medida de intervalo de tempo, igual a 60 segundos [símb.: *min*]. **2.** Unidade de medida de arco ou ângulo, igual a 1/60 do grau [símb.: ′]. [Abrev.: *m., min.*] **3.** Intervalo de tempo muito breve; momento, instante. • ***Adj.*** **4.** Pequeno; ínfimo; reduzido, diminuto.

minuto-luz ***S. m.*** *Astr.* Unidade de distância equivalente à distância percorrida pela luz, no vácuo, em um minuto, à razão de cerca de 300.000 quilômetros por segundo. [Pl.: *minutos-luz.*]

mio [Dev. de *miar.*] ***S. m.*** V. *miado.*

▲ **mi(o)-** [Do gr. *meíōn, ōn, on.*] ***El. comp.*** = 'menor'; 'menos': *mioceno, miopraxia.*

mioblasto [De *mio(s)-* + *-blasto.*] ***S. m.*** *Embr. Histol.* Célula embrionária precursora das células musculares.

miocárdio [De *mio(s)-* + *-cárdio.*] ***S. m.*** *Anat.* A camada média, e mais espessa, da parede do coração, formada por músculo cardíaco.

miocardite [De *miocárdio* + *-ite*[1].] ***S. f.*** *Card.* Inflamação do miocárdio.

miocardítico [De *miocardite* + *-ico*[2].] ***Adj.*** *Card.* Referente à miocardite.

miocele [De *mio(s)-* + *-cele*[1].] ***S. f.*** *Cir.* Passagem de músculo através de sua bainha (3), em consequência de ruptura desta, formando hérnia.

mioceno [De *mi(o)-* + *-ceno*[1].] ***S. m.*** **1.** Época miocena. • ***Adj.*** **2.** ~ V. *época —a.*

miócito [De *mio(s)-* + *-cito.*] ***S. m.*** *Histol.* Fibra constituída de células diferenciadas e especializadas para a produção de movimentos, mediante contração muscular; célula muscular (denom. ant.), fibra muscular (denom. ant.). ◆ **Miócito cardíaco.** *Histol.* Fibra (2) de estrutura filamentar ramificada, com estrias transversais, núcleo central e discos intercalares; fibra muscular cardíaca (denom. ant.). **Miócito estriado.** *Histol.* Fibra (2) de estrutura filamentar, plurinucleada, com estrias transversais; fibra muscular estriada (denom. ant.). **Miócito liso.** *Histol.* Fibra (2) fusiforme, com um núcleo central e sem estrias transversais; fibra muscular lisa (denom. ant.).

mioclonia [De *mio(s)-* + *-clon-* + *-ia*[1].] ***S. f.*** *Neur.* Contração involuntária de parte de músculo, músculo inteiro ou grupo muscular, limitada a uma área do corpo ou que aparece, sincrônica ou assincronicamente, em várias áreas.

mioclónico *Adj.* V. *mioclônico*. [Uso freq. em P.]

mioclônico [De *mioclonia* + *-ico*[2].] *Adj.* Relativo a mioclonia.

miodinia [De *mio(s)-* + *-odin(o)-* + *-ia*[1].] *S. f. Med.* Mialgia.

miodínico [De *miodinia* + *-ico*[2].] *Adj. Med.* Relativo a miodinia; miálgico.

miofibrila [De *mio(s)-* + *fibrila*.] *S. f. Citol. Histol.* Estrutura cilíndrica longa, contrátil, presente no tecido muscular estriado esquelético.

miofilamento [De *mio(s)-* + *filamento*.] *S. m. Citol. Histol.* Conjunto de filamentos, espessos ou delgados, que se superpõem para constituir miofibrila.

miografia [De *mio(s)-* + *-grafia*.] *S. f.* 1. *Anat.* Descrição dos músculos. 2. *Fisiol.* Estudo do registro gráfico de contrações musculares, mediante o uso do miógrafo.

miográfico [De *miografia* + *-ico*[2].] *Adj.* Relativo a miografia.

miógrafo [De *mio(s)-* + *-grafo*.] *S. m. Fisiol.* Instrumento com que se obtém miograma.

miograma [De *mio(s)-* + *-grama*.] *S. m. Fisiol.* Registro ou traçado gráfico de atividade muscular obtido pelo miógrafo.

mioípo (i-o-í) [De *mi(o)-* + *-(h)ipo*; tax. *Miohippus*.] *S. m. Paleont.* 1. Gênero de pequenos cavalos, com três dedos nas patas, que viveram no oligoceno da América do Norte. 2. Espécie ou espécime desse gênero.

miolada [De *miolo* + *-ada*[1].] *S. f.* 1. Os miolos. 2. *Cul.* Preparado culinário em que entram miolos de animal. [Sin. ger.: *mioleira*.]

mioleira [De *miolo* + *-eira*.] *S. f.* 1. *Cul.* Miolada. 2. *Fig.* Tino, juízo, miolo.

miolemático [De *miolema* + *-ático*.] *Adj.* Relativo a miolema.

miolinho [De *miolo* + *-inho*[1].] *S. m. Bras. Zool.* Ave bucconídea (*Chelidoptera tenebrosa brasiliensis*), do Brasil este-meridional, de coloração negra, abdome posterior ferrugíneo, uropígio e crisso brancos. Nidifica em barrancos e alimenta-se de insetos. [Sin.: *tatera*.]

miolo (ô) [Do lat. **medullu*, calcado em *medulla*, 'tutano'.] *S. m.* 1. A parte do pão que fica dentro da côdea. 2. A polpa (2) de alguns frutos, ou a parte interior de certos órgãos vegetais. 3. Medula, tutano: *o miolo dos ossos*. 4. *Fam.* A massa encefálica; o cérebro. [Nesta acepç. é m. us. no pl.] 5. *Fig.* Inteligência, cabeça, juízo, razão, tino. 6. *Fig.* A parte essencial, mais importante, fundamental: *Entremos no miolo da questão*. 7. A parte interior de qualquer coisa: *o miolo do livro*. 8. *Encad.* Corpo (25). 9. *Bras. MA Folcl.* O brincante que fica por baixo da armação do boi (4) e é o responsável pelos seus movimentos coreográficos. [Pl.: *miolos* (ó).] ~ V. *miolos*. ◆ **Miolo de pote.** *Bras. AL CE Pop.* Coisa(s) vã(s), tola(s), sem importância; tolice, bobagem: *Só fala miolo de pote* (= 'só diz bobagem'). [Sin., no CE: *miolo de quartinha*.] **Miolo de quartinha.** *Bras. CE Pop.* Miolo de pote. **De miolo mole.** *Fam.* Amalucado, sem tino perfeito, por via de regra em razão da idade; caduco, decrépito, gagá, esclerosado: *Já está de miolo mole; Ficou de miolo mole aí pelos 60 anos.*

miologia [De *mio(s)-* + *-logia*.] *S. f. Anat.* Estudo dos músculos. [Cf. *miiologia*.]

miológico [De *miologia* + *-ico*[2].] *Adj. Anat.* Relativo a miologia. [Cf. *miiológico*.]

miolos (ó) *S. m. pl.* Miolo (4). ~ V. *miolo*.

mioloso (ô) [De *miolo* + *-oso*.] *Adj.* Abundante em miolo; mioludo.

mioludo [De *miolo* + *-udo*.] *Adj.* Mioloso.

mioma [De *mio(s)-* + *-oma*[1].] *S. m. Patol.* Qualquer tumor constituído de elementos musculares. [Sin., pop. (na BA): *carneiro*.]

miomalacia [De *mio(s)-* + *-malacia*.] *S. f. Patol.* Amolecimento muscular.

miomalácico [De *miomalacia* + *-ico*[2].] *Adj. Patol.* Relativo a miomalacia.

miômero [De *mio(s)-* + *-mero*.] *S. m. Histol.* Unidade contrátil de miofibrila; sarcômero (denom. ant.).

miométrio [De *mio(s)-* + *-metr(o)-*[1] + *-io*[3].] *S. m. Anat.* A camada muscular uterina, e que constitui a massa principal do órgão.

mio-mio [Do quíchua *mio*, 'veneno', pelo esp. plat.] *S. m. Bras. C.O. Bot.* Subarbusto asteráceo (*Baccharis cordifolia*) muito ramificado, de folhas lineares, sésseis, algo rígidas, e com a margem serreada, flores em panículas, tóxicas para o gado. [Pl.: *mios-mios* e *mio-mios*.]

miomorfo [De *mio(s)-* + *-morfo*; tax. *Myomorfa*.] *Zool.* *S. m.* 1. Espécime dos miomorfos, subordem de animais roedores de pequeno porte, que compreende nove famílias, entre os quais se encontram as ratazanas, ratos, camundongos e *hamsters*; têm o forame infraorbital alargado, dando passagem a músculo, a porção angular da mandíbula sem distorção, e molares 3/3. ● *Adj.* 2. Pertencente ou relativo a eles.

miondona [Do quimb. *miondona*, pl. de *muondona*, 'felicidade', 'sorte'.] *S. f. Angol. Etnogr.* Espírito tutelar: "Dança, minha filha, que as tuas miondas olharam por ti..." (Óscar Ribas, *Ecos da Minha Terra*, p. 116.)

mioneural [De *mio(s)-* + *-neur(o)-* + *-al*[1].] *Adj. 2 g.* ~ V. *junção —*.

miopatia [De *mio(s)-* + *-patia*.] *S. f. Patol.* Qualquer afecção do sistema muscular.

miopático [De *miopatia* + *-ico*[2].] *Adj. Patol.* Relativo à miopatia.

míope [Do gr. *mýops*, pelo lat. *myope*.] *Adj. 2 g.* 1. Que sofre de miopia (1): *pessoa míope*. 2. Em que há miopia (1): *olhos míopes*. 3. *Fig.* Que revela miopia (2); falto de perspicácia: *espírito míope; concepção míope*. ● *S. 2 g.* 4. Pessoa que sofre de miopia (1).

miopia [De *míope* + *-ia*[1].] *S. f.* 1. *Oftalm.* Vício (5) de refração em que os raios luminosos que entram em cada olho, paralelamente ao eixo óptico, são levados a um foco aquém da retina, dado o alongamento anteroposterior que existe nesse olho. [Sin., pop.: *vista curta*. Cf. *hipermetropia*.] 2. *Fig.* Falta de perspicácia; estreiteza de visão: *miopia sociológica*; "a entrada do Japão [nas duas Grandes Guerras] foi outro expediente de pesca nas águas turvas, que só provou a miopia da política militarista nipônica." (Fidelino de Figueiredo, *Entre Dois Universos*, p. 143).

mioplastia [De *mio(s)-* + *-plast(o)-* + *-ia*[1].] *S. f.* 1. *Cir. Plást.* Operação plástica realizada em músculo. 2. *Cir.* Operação em que, para tratamento de deformidade(s), se utiliza(m) músculo(s) parcialmente desinserido(s).

mioplástico [De *mioplastia* + *-ico*[2].] *Adj. Cir. Plást.* Relativo a mioplastia.

mioplegia [De *mio(s)-* + *-pleg-* + *-ia*[1].] *S. f. Neur.* Paralisia muscular.

mioplégico [De *mioplegia* + *-ico*[2].] *Adj. Neur.* Relativo a mioplegia.

mioporácea [Do tax. *Myoporum*, gênero-tipo, + *-ácea*; tax. *Myoporaceae*.] *S. f. Bot.* Espécime das mioporáceas, família da ordem das escrofulariales, composta de plantas lenhosas, de folhas alternas e dotadas de pontoações translúcidas. Flores solitárias ou em fascículos; androceu pentâmero ou tetrâmero; ovário plurilocular. Há cerca de 100 espécies, asiáticas.

mioporáceo [De *mioporácea*, com var. suf. (v. *-áceo*).] *Adj. Bot.* Pertencente ou relativo às mioporáceas.

miopragia [Do ingl. *miopragia*.] *S. f. Med.* V. *miopraxia*.

miopraxia (cs) [De *mi(o)-* + *-prax(i)-* + *-ia*[1].] *S. f. Med.* Condição de inferioridade ou insuficiência funcional de um órgão, de um sistema do organismo.

miorrelaxante [De *mio(s)-* + *relaxante*.] *Adj. 2 g. S. m. Terap.* Diz-se de, ou medicamento que produz relaxamento de músculo esquelético.

▲ **mio(s)-** [Do gr. *mŷs, myós*.] ***El. comp.*** = 'rato'; 'músculo': *miocárdio, miosina*. [Equiv.: *mi-*[1], *-m(i)-*, *-mio(s)-*, *mi(s)-*, *-mis-*, *-mis*: *mialgia; amiostenia; miite, perimísio; geômis*.]

▲ **-mio(s)-** V. *mio(s)-*.

miose[1] [Do ingl. *mýosis, miosis*, do v. gr. *myæein*, 'fechar (os olhos)', + gr. *-osis* (v. *-ose*[1]).] *S. f. Oftalm.* Contração de pupila (3).

miose[2] [Do gr. *méiosis*, 'diminuição'.] *S. f. Med. P. us.* Fase em que a intensidade dos sintomas diminui, numa doença (1 e 2).

miosina [De *mio(s)-* + *-ina*[3].] *S. f. Bioquím.* Proteína encontrada nos músculos, isolada como pó branco-amarelado, com massa molecular elevada, da ordem de 500.000 a 600.000.

miosite [De *mio(s)-* + *-ite*[1].] *S. f. Med.* Inflamação muscular; miite.

miosótis [Do tax. *Myosotis* < lat. *myosotis* < gr. *myosótis*, 'orelha de rato'.] *S. m. 2 n. Bot.* 1. Grande gênero de plantas boragináceas, herbáceas, de flores pequeninas, de corola assalvada, dispostas em racemos. 2. Qualquer espécie desse gênero, como, p. ex., a *Myosotis alpestris* (v. *não-te-esqueças-de-mim*). 3. Qualquer espécime desse gênero, ou a sua flor.

miótico [De *mi(ose*[2]*)* + *-ótico*.] *Adj.* V. *meiótico*.

miotomia [De *mio(s)-* + *-tom(o)-* + *-ia*[1].] *S. f.* 1. *Anat.* Dissecção muscular. 2. *Cir.* Seção muscular.

miotómico *Adj.* V. *miotômico*. [Uso freq. em P.]

miotômico [De *miotomia* + *-ico*[2].] *Adj.* Relativo a miotomia.

miótomo [De *mio(s)-* + *-tomo*.] *S. m. Embr.* Porção de um somito que originará a maior parte da musculatura estriada.

mipibuense *Adj. 2 g.* 1. De, ou pertencente ou relativo a São José de Mipibu (RN). ● *S. 2 g.* 2. O natural ou habitante de São José de Mipibu.

miqueado [Part. de *miquear*.] *Adj. Bras. RJ SP Pop.* V. *pronto* (10).

miquear *V. t. d. Bras. Pop.* Empobrecer, arruinar. [Conjug.: v. *frear*.]

miquelete (lê) [Do esp. *miquelete*.] *S. m.* 1. Designação comum aos antigos guerrilheiros dos Pirineus que, no N. da Espanha e no S. da França, levaram à luta os dois países por questões de fronteiras. 2. Antigo soldado espanhol de montanha. 3. Soldado da guarda dos governadores das províncias espanholas.

miquelino *Adj. Bras.* V. *cafona* (1).

miquemaque [Adapt. do ingl. *micmac*.] *S. 2 g.* 1. *Etnôn.* Indivíduo dos miquemaques, povo indígena do N.E. do Canadá. ● *S. m.* 2. *Gloss.* A língua algonquiana desse povo. [V., nesta acepç., *micmac*.] 3. Vocábulo dessa língua. ● *Adj. 2 g.* 4. Relativo aos miquemaques, ou à sua língua.

mir *S. m.* V. *emir*.

mira[1] [Dev. de *mirar*.] *S. f.* 1. Ato ou efeito de mirar. 2. *P. ext.* Pontaria (2). 3. *Fig.* Objetivo, fim; intenção, intuito. 4. *Telev.* Imagem de controle destinada à verificação da qualidade da transmissão. ◆ **À mira de.** À espreita de: *O caçador está à mira do veado.*

mira[2] [Do it. *mira*.] *S. f.* 1. Apêndice metálico existente na extremidade do cano das armas de fogo, para dirigir a pontaria. 2. Régua graduada que, colocada verticalmente sobre o terreno, serve de alvo de visadas em operações topográficas de medição indireta de distâncias e desníveis; mira-falante. 3. *Astr.* Marco solidamente fixado ao solo, e que contém, geralmente, um ponto iluminado, servindo de referência fixa para as observações astronômicas.

mira[3] *S. m. Bras. Zool.* V. *badejo-mira*.

mirabanda *S. f. Bras. Zool.* Moscardo que vive em sociedade numa espécie de ninho.

mirabe [Do ár. *mihrāb*, 'presidência de uma sala'; 'parte mais nobre da casa'; 'lugar de honra'; 'cabeceira'; 'sinagoga'.] *S. m.* Nas mesquitas muçulmanas, espécie de nicho, na parede voltada em direção a Meca, no qual se posta o imame.

mirabela [Do fr. *mirabelle* < it. *mirabella*.] *S. f. Bot.* 1. Erva quenopodiácea (*Kochia scoparia*) compacta, anual, nativa na Europa, de folhas lineares, e flores inconspícuas e verdes. 2. A fruta dessa planta, de forma e sabor semelhantes aos da ameixa, e de cor amarelada.

➔ **mirabile dictu** [meˈrabeɫɛ ˈdikto] [Lat., 'admirável de se dizer'.] Loc. us. interjetivamente.

➔ **mirabile visu** [meˈrabeɫe ˈviso] [Lat., 'admirável de se ver'.] Loc. us. interjetivamente.

mirabolância [De *mirabolante* + *-ia*[2], seg. o padrão analógico.] *S. f.* Qualidade de mirabolante.

mirabólano [Var. de *mirobálano*.] *S. m.* 1. *Bot.* V. *ameixeira-da-pérsia*. 2. Tanino com alto teor de açúcares fermentáveis encontrados nas nozes secas da planta *Terminalia cheoula*, originária das Índias, e us. na produção de couro pesado, e na mistura com o tanino extraído de várias espécies de Acacia (v. *acácia*) no curtimento de sola (1).

mirabolante [Do fr. *mirabolant*.] *Adj. 2 g.* 1. Ridiculamente vistoso ou pomposo; espalhafatoso: *roupas mirabolantes*. 2. Surpreendente, espantoso: "Ali, ... por certo teria ocasião de ver coisas mirabolantes, para contar aos meus embasbacados conterrâneos, quando voltasse" (Léu Vaz, *O Burrico Lúcio*, p. 34).

miracatuense *Adj. 2 g.* 1. De, ou pertencente ou relativo a Miracatu (SP). ● *S. 2 g.* 2. O natural ou habitante de Miracatu.

miracemense[1] *Adj. 2 g.* 1. De, ou pertencente ou relativo a Miracema (RJ). ● *S. 2 g.* 2. O natural ou habitante de Miracema.

miracemense[2] *Adj. 2 g.* 1. De, ou pertencente ou relativo a Miracema do Tocantins (TO). ● *S. 2 g.* 2. O natural ou habitante de Miracema do Tocantins.

mira-céu [De *mirar* + *céu*.] *S. m. Bras. Zool.* 1. Peixe teleósteo, cipriniforme, ciprinídeo (*Carassius auratus*), cujos olhos grandes, exoftálmicos, são virados para cima. [Cf. *peixe-vermelho*.] 2. Tanduju. [Pl.: *mira-céus*.]

miracídio [Do gr. *meirakidíon*, dim. do gr. *meirákion*, 'indivíduo jovem', 'adolescente'.] *S. m. Zool.* A primeira forma larvar dos trematódeos heterogenéticos.

miraculado [Do lat. *miraculum*, 'milagre', + *-ado*[1].] *Adj. S. m.* Diz-se de, ou indivíduo que foi objeto de milagre.

miraculoso (ô) [Do lat. *miraculosu*.] *Adj.* V. *milagroso* (3): "Todo o sistema planetário, / Miraculoso alampadário, / Em chuva de ouro há de findar." (Martins Fontes, *Vulcão*, p. 204.)

mirada [De *mirar*[1] + *-ada*[1].] *S. f.* Ato de mirar; olhar, olhadela, olhada.

miradoiro [De *mirar* + *-doiro*[2].] *S. m.* Miradouro (q. v.).

miradorense *Adj. 2 g.* 1. De, ou pertencente ou relativo a Mirador (MA e PR) ● *S. 2 g.* 2. O natural ou habitante de Mirador. [Cf. *miradourense*.]

miradourense *Adj. 2 g.* **1.** De, ou pertencente ou relativo a Miradouro (MG). ● *S. 2 g.* **2.** O natural ou habitante de Miradouro. [Cf. *miradorense.*]

miradouro [De *mirar* + *-douro*²; var. de *miradoiro.*] *S. m.* V. *mirante*: "Os atalaias vigiam dos altos miradouros da torre de menagem." (Rebelo da Silva, *Contos e Lendas*, p. 32.)

mira-estrelense *Adj. 2 g.* **1.** De, ou pertencente ou relativo a Mira Estrela (SP). ● *S. 2 g.* **2.** O natural ou habitante de Mira Estrela. [Pl.: *mira-estrelenses.*]

mira-falante [De *mira*² + *falante.*] *S. f.* Mira² (2). [Pl.: *miras-falantes.* Cf. *mira-muda.*]

miragaia *S. f. Bras. Zool.* V. *piraúna* (1).

miragem [Do fr. *mirage.*] *S. f.* **1.** Efeito óptico, frequente nos desertos, produzido pela reflexão total da luz solar na superfície comum a duas camadas de ar aquecidas diversamente, sendo a imagem vista, de ordinário, em posição invertida. [Quando a superfície de reflexão é horizontal e fica acima dos olhos, dá a impressão de um lençol de água onde os objetos se acham refletidos.] **2.** *P. ext.* Visão fantástica, enganosa. **3.** *Fig.* Ilusão sedutora; engano, sonho, quimera: *miragens românticas.* ◆ **Miragem gravitacional.** *Astr. Fís.* Lente gravitacional.

miraginal [De *miragem* + *-al*¹.] *Adj. 2 g.* Em que há, ou é próprio de miragem: "Ó glória, glória triste, excelsa glória, / irmã do amor e da felicidade! / Visão miraginal da trajetória / curta da nossa curta Mocidade!" (Hermes-Fontes, *A Fonte da Mata...*, p. 124.)

miraguaia *S. f. Bras. Zool.* V. *piraúna* (1).

miraguaiense (a-i) *Adj. 2 g.* **1.** De, ou pertencente ou relativo a Miraguaí (RS). ● *S. 2 g.* **2.** O natural ou habitante de Miraguaí.

miraia [Var. de *biraia.*] *S. f. Deprec.* Meretriz.

miraiense (a-i) *Adj. 2 g.* **1.** De, ou pertencente ou relativo a Miraí (MG). ● *S. 2 g.* **2.** O natural ou habitante de Miraí.

miraimense (a-i) *Adj. 2 g.* **1.** De, ou pertencente ou relativo a Miraíma (CE). ● *S. 2 g.* **2.** O natural ou habitante de Miraíma.

miralmuminim *S. m.* V. *miramolim.*

miramar [De *mirar* + *mar*¹.] *S. m.* Mirante voltado para o mar.

miramolim [Var. sincopada de *miralmuminim*, do ár. *amīr al-mu'minīn*, lit., 'príncipe ou chefe dos crentes'.] *S. m.* Califa ou chefe dos crentes, entre os muçulmanos.

mira-muda [De *mira*² + o f. de *mudo.*] *S. f.* Instrumento formado por duas réguas que deslizam uma sobre a outra, usado para levantamentos topográficos. [Pl. *miras-mudas.* Cf. *mira-falante.*]

mirandatério [Do tax. *Mirandatherium.*] *S. m. Paleont.* **1.** Gênero de mamíferos marsupiais, didelfídeos, do paleoceno do Rio de Janeiro. **2.** Espécie ou espécime desse gênero.

mirandelense *Adj. 2 g.* **1.** De, ou pertencente ou relativo a Mirandela (MG). ● *S. 2 g.* **2.** O natural ou habitante de Mirandela.

mirandense *Adj. 2 g.* **1.** De, ou pertencente ou relativo a Miranda (MS). ● *S. 2 g.* **2.** O natural ou habitante de Miranda.

mirandês *Adj.* **1.** De, ou pertencente ou relativo a Miranda (Portugal). ● *S. m.* **2.** O natural ou habitante de Miranda. [Flex.: *mirandesa* (ê), *mirandeses* (ê), *mirandesas* (ê).] **3.** *Gloss.* Dialeto do português europeu [tradicionalmente, codialeto (q. v.)] falado em Miranda do Douro. [V. *rionorês.*] **4.** Vocábulo desse dialeto.

mirandibense *Adj. 2 g.* **1.** De, ou pertencente ou relativo a Mirandiba (PE). ● *S. 2 g.* **2.** O natural ou habitante de Mirandiba.

mirandopolense *Adj. 2 g.* **1.** De, ou pertencente ou relativo a Mirandópolis (SP). ● *S. 2 g.* **2.** O natural ou habitante de Mirandópolis.

mirangabense *Adj. 2 g.* **1.** De, ou pertencente ou relativo a Mirangaba (BA). ● *S. 2 g.* **2.** O natural ou habitante de Mirangaba.

miranha *Bras. S. 2 g.* **1.** *Etnôn.* Indivíduo dos miranhas [ou (etnôn. bras.) *Mirânha, *Miraña], povo indígena de língua isolada que habita a região do rio Tefé, no Amazonas e na Colômbia. ● *Adj. 2 g.* **2.** Pertencente ou relativo aos miranhas.

mirante [De *mirar* + *-nte.*] *S. m.* **1.** Pavilhão situado em lugar alto e bastante desabrigado para que dele se possam apreciar vistas panorâmicas; observatório. **2.** Ponto elevado de onde se descobre largo horizonte. **3.** Eirado, terraço. [Sin. ger.: *miradouro.*] ~ V. *mirantes.*

mirantense¹ *Adj. 2 g.* **1.** De, ou pertencente ou relativo a Mirante (BA). ● *S. 2 g.* **2.** O natural ou habitante de Mirante.

mirantense² *Adj. 2 g.* **1.** De, ou pertencente ou relativo a Mirante da Serra (RO). ● *S. 2 g.* **2.** O natural ou habitante de Mirante da Serra.

mirantense³ *Adj. 2 g.* **1.** De, ou pertencente ou relativo a Mirante do Paranapanema (SP). ● *S. 2 g.* **2.** O natural ou habitante de Mirante do Paranapanema.

mirantes [Pl. de *mirante.*] *S. m. pl. Bras. Gír.* Os olhos. ~ V. *mirante.*

mirão [Do esp. *mirón.*] *S. m. Fam.* V. *mirone.*

mira-olho [De *mirar* + *olho.*] *Adj. 2 g.* **1.** De boa aparência; que tem bom aspecto; agradável. **2.** Apetitoso, saboroso. ● *S. m.* **3.** Variedade de pêssego. [Pl.: *mira-olhos.*]

mirar [Do lat. *mirare*, por *mirari*, 'admirar'.] *V. t. d.* **1.** Cravar a vista em; fitar os olhos em; fitar, encarar: "Escancaro as janelas / Sobre o jardim calado, e as águas miro, absorto." (Olavo Bilac, *Poesias*, p. 203.) **2.** Voltar-se (os olhos) para fitar: "Onde, os olhos que miravam / as pinturas destes tetos, / agora quase apagadas?" (Cecília Meireles, *Obra Poética*, p. 856.) **3.** Divisar, avistar, enxergar: *Do cimo da montanha mirava a extensa planície.* **4.** Observar, espreitar. **5.** Olhar, visando; tomar como alvo; apontar para; pôr o fito em: *Mirou a caça e atirou.* **6.** Aspirar a; pretender; desejar; apetecer. *T. i.* **7.** Tomar por alvo do tiro; dirigir a pontaria; apontar: *O caçador mirou à juriti.* **8.** Ter em vista; visar: *Falava sem parar mirando apenas a desabafar-se.* *T. c.* **9.** Estar voltado; dizer; olhar: *Esta janela mira para o jardim.* *T. d. e i.* **10.** *Fig.* Ver, contemplar: "Não mires a este espelho a alma inocente!" (Raimundo Correia, *Poesias*, p. 161.) *P.* **11.** Mirar (10) a si mesmo: "Mirava-se muito ao espelho" (Júlio Ribeiro, *A Carne*, p. 23); "Pelas margens das lagoas os jaburus caminham lentos e taciturnos ou miram-se imóveis nas águas." (José de Alencar, *O Sertanejo*, p. 213). **12.** Refletir-se, espelhar-se, reproduzir-se: *As árvores, à beira da lagoa, miram-se na água.* **13.** Fitar mutuamente os olhos; olhar-se: "As duas se abraçaram, mirando-se." (José Carlos Cavalcanti Borges, *O Assassino*, p. 18.)

mirasselvano *Adj.* **1.** De, ou pertencente ou relativo a Mirasselva (PR). ● *S. m.* **2.** O natural ou habitante de Mirasselva. [Sin. ger.: *mirasselvense.*]

mirasselvense *Adj. 2 g. S. 2 g.* V. *mirasselvano.*

mirassolandense *Adj. 2 g.* **1.** De, ou pertencente ou relativo a Mirassolândia (SP). ● *S. 2 g.* **2.** O natural ou habitante de Mirassolândia.

mirassolense¹ *Adj. 2 g.* **1.** De, ou pertencente ou relativo a Mirassol (SP). ● *S. 2 g.* **2.** O natural ou habitante de Mirassol.

mirassolense² *Adj. 2 g.* **1.** De, ou pertencente ou relativo a Mirassol d'Oeste (MT). ● *S. 2 g.* **2.** O natural ou habitante de Mirassol d'Oeste.

mirceno [Do tax. *Myrc(ia)* (alter. do lat. *myrtus*, 'mirto') + *-eno*².] *S. m. Quím.* Substância líquida oleosa, com cheiro característico, monoterpeno acíclico com três ligações duplas, sendo duas conjugadas, e que é encontrada nos óleos essenciais de louro e de verbena [fórm.: $C_{10}H_{16}$].

mírcia [Do tax. *Myrcia.*] *S. f. Bot.* **1.** Gênero de mirtáceas que reúne cerca de 250 espécies, originárias de regiões tropicais das Américas. **2.** Qualquer espécie desse gênero, como, p. ex., a *Myrcia oitchy* (v. *oitchi*). **3.** Qualquer espécime deste gênero.

miri [Do tupi.] *S. m. Bras. Bot.* Planta sapotácea (*Sideroxylon nigra*), das Américas, cuja casca amarga possui propriedades medicinais. [Var.: *mirim.*]

▲**-miri** Equiv. de *-mirim.*

▲**miri(a)-**¹ [Do gr. *myriás, ádos.*] *El. comp.* = 'dez mil'; 'numeroso': *miriápode*¹. [Equiv.: *mirio-*: *miriópode*¹.]

▲**miri(a)-**² *Pref.* Anteposto ao nome de uma unidade de medida, forma o nome de outra unidade derivada dez mil vezes maior que a primeira: *miriâmetro, miriare.*

miríada *S. f.* V. *miríade*: "De alguma beleza sei eu cujos olhos *cor da noite* .... inspiriam miríadas de canções descabeladas e vaporosas" (Almeida Garrett, *Viagens na Minha Terra*, pp. 34-35).

miríade [Do gr. *myriás, ádos*, 'dez mil', pelo lat. med. *myriade.*] *S. f.* **1.** Número de dez mil. **2.** *Fig.* Quantidade indeterminada, porém grandíssima: "Corro à floresta: entre miríades / De vaga-lumes, junto aos troncos, / Gênios caprípedes e broncos / Estupram virgens hamadríades." (Manuel Bandeira, *Estrela da Vida Inteira*, p. 64.) [Var.: *miríada.*]

miriagrama (mì) [De *miri(a)-*² + *grama*².] *S. m.* Unidade de massa, equivalente a 10.000 gramas.

mirialitro (mì) [De *miri(a)-*² + *litro.*] *S. m.* Unidade de capacidade, equivalente a 10.000 litros.

miriâmetro [De *miri(a)-*² + *metro.*] *S. m.* Unidade de comprimento, equivalente a 10.000 metros.

miriápode¹ [De *miri(a)-*¹ + *-pode.*] *Adj. 2 g.* V. *milípede.* [Sin.: *miriópode.*]

miriápode² [Adapt. do tax. *Myriapoda.*] *Zool. S. m.* **1.** Espécime dos miriápodes, divisão de artrópodes que engloba indivíduos de corpo dividido em cabeça e um alongado tronco; são terrestres, de tamanho que varia de quase microscópico a cerca de 30cm, e podem ter de cinco a quase duzentos pares de apêndices podais. Reúne as classes dos quilópodes, diplópodes, paurópodes e sínfilos. ● *Adj. 2 g.* **2.** Pertencente ou relativo a eles. [Sin. ger.: *miriópode.*]

miriare [De *miri(a)-*² + *are.*] *S. m.* Superfície de 10.000 ares ou de 1km².

miricácea [Do tax. *Myrica*, gênero-tipo, + *-ácea*; tax. *Myricaceae.*] *S. f. Bot.* Espécime das miricáceas, família de plantas da ordem das miricales, que inclui vegetais lenhosos, de folhas alternas e flores em espigas, monoicos ou dioicos, fruto drupáceo e externamente revestido de cera. Não existem no Brasil.

miricáceo [De *miricácea*, com var. suf. (v. *-áceo*).] *Adj. Bot.* Pertencente ou relativo às miricáceas.

mirical [Do lat. cient. *Myric-* (v. *miricale*) + *-al*¹.] *Adj. 2 g. Bot.* Pertencente ou relativo às miricales.

miricale [Do tax. *Myrica* + *-ale*; tax. *Myricales.*] *S. f. Bot.* Espécime das miricales, ordem de dicotiledôneas arquiclamídeas que compreende, exclusivamente, as miricáceas.

miricales *S. f. pl. Bot.* Ordem de dicotiledôneas arquiclamídeas que compreende, exclusivamente, a família das miricáceas.

miridã *S. m. Bras. PI Folcl.* Personagem lendário, fruto do amor proibido de uma índia acaraó, que o lançou ao rio Paraim, num tacho, mas a mãe-d'água o criou, amaldiçoando a mãe, e as águas cresceram, transformando-se no lago Parnaguá. [Com cap.] [Miridã até hoje reaparece: ao amanhecer, como criança; à tarde, como adulto; e à noite, como um velho de barbas brancas.]

mirientomado [Do tax. *Myri(apoda)* + *-entom(o)-* + *-ado*³; tax. *Myrientomata.*] *S. m. Adj. Zool.* V. *proturo.*

mirificar [Do lat. *mirificare.*] *V. t. d.* **1.** Tornar mirífico, admirável. **2.** Causar admiração ou espanto a. [Conjug.: v. *trancar.* Pres. ind.: *mirifico*, etc. Cf. *mirífico.*]

mirífico [Do lat. *mirificu.*] *Adj.* Maravilhoso, admirável, extraordinário, excelente: *mirífico empreendimento*; "Novos céus querem ver, miríficas belezas" (Francisca Júlia, *Esfinges*, p. 22). [Cf. *mirifico*, do v. *mirificar.*]

mirim [Do tupi.] *Adj. 2 g. Bras.* **1.** Pequeno, diminuto: "Em escala descendente, a começar no Catete, onde pontifica o chefe açu, e a terminar no último lugarejo do sertão, com um caudilho mirim, isto é um país a regurgitar de mandões" (Graciliano Ramos, *Linhas Tortas*, p. 9). [Antôn.: *açu.*] ● *S. f.* **2.** *Zool.* Abelhamirim. **3.** *Zool.* V. *abelha-mosquito* (1). ● *S. m.* **4.** V. *miri.*

▲**-mirim** [Do tupi *miry.*] *El. comp.* = 'pequeno', 'diminuto', 'limitado': *tamanduá-mirim.* [Equiv.: *-miri*: *pacamão-miri.*] [Ver obs. *in fine* de *-açu.*]

mirim-docense *Adj. 2 g.* **1.** De, ou pertencente ou relativo a Mirim Doce (SC). ● *S. 2 g.* **2.** O natural ou habitante de Mirim Doce. [Pl.: *mirim-docenses.*]

mirim-guaçu *S. m. Bras. Zool.* Abelha meliponínea (*Plebeia remota*) que nidifica em ocos de árvores, e que, no Brasil, ocorre de São Paulo ao Rio Grande do Sul; a entrada do ninho é tão estreita, que permite a passagem de uma só abelha por vez. [Var.: *miringuaçu.* Sin.: *mirim-pintada, mirim-rendeira, tujuveira.* Pl.: *mirins-guaçus.*]

mirim-pintada [De *mirim* (2) + o f. do adj. *pintado.*] *S. f. Bras. Zool.* V. *mirim-guaçu.* [Pl.: *mirins-pintadas.*]

mirim-preguiça [De *mirim* (2) + *preguiça.*] *S. f. Bras. Zool.* Abelha meliponínea (*Friesella schrottkyi*) mansa, acinzentada, com cerca de 3mm, que nidifica em ocos de árvores, paredes, etc.. O ninho tem entrada tubiforme, fechada à noite e reaberta com o dia já avançado, fator que explica a origem do nome popular; preguiçosa. [Pl.: *mirins-preguiças* e *mirins-preguiça.*]

mirim-rendeira [De *mirim* (2) + *rendeira*¹.] *S. f. Bras. Zool.* V. *mirim-guaçu.* [Pl.: *mirins-rendeiras.*]

mirim-sem-brilho *S. f. Zool.* Jataí-da-terra. [Pl.: *mirins-sem-brilho.*]

mirindiba [Do tupi.] *S. f. Bras. Bot.* Árvore litrácea (*Lafaoensia glyptocarpa*) que habita a mata pluvial atlântica, cujas flores são grandes, vistosas e com estames muito longos, cujos frutos são cápsulas avantajadas, cujas folhas têm uma glândula apical que é muito característica, e cuja madeira é tida como de boa qualidade; mirindiba-rósea. [Cf. *merendiba.*]

mirindiba-rósea *S. f. Bras. Bot.* Mirindiba (q. v.). [Pl.: *mirindibas-róseas.*]

miringe [Do lat. med. *miringa*, 'membrana', alter. do lat. tard. *mininga, meninga.*] *S. f. Anat.* Membrana timpânica (q. v.).

miringite [De *miring(o)-* + *-ite*¹.] *S. f. Otor.* Inflamação de membrana timpânica.

▲**miring(o)-** [Do lat. cient. *myringa* < lat. med. *miringa*, 'membrana', alter. do lat. tard. *mininga, meninga* < gr. *mḗninx, ingos*, 'membrana muito fina', 'meninge';

v. *mening(o)-*.] *El. comp.* = 'membrana do tímpano': *miringite, miringotomia.*

miringoplastia [De *miring(o)-* + *-plast(o)-* + *-ia*[1].] *S. f. Otor.* Intervenção cirúrgica para restaurar membrana timpânica perfurada.

miringoplástico [De *miringoplastia* + *-ico*[2].] *Adj. Otor.* Relativo a miringoplastia.

miringotomia [De *miring(o)-* + *-tom(o)-* + *-ia*[1].] *S. f. Otor.* Incisão cirúrgica de membrana timpânica.

miringotómico *Adj. Otor.* V. *miringotômico.* [Uso freq. em P.]

miringotômico [De *miringotomia* + *-ico*[2].] *Adj. Otor.* Relativo a miringotomia.

miringuaçu [De *mirim* (2) + *-guaçu.*] *S. f. Bras. Zool.* V. *mirim-guaçu.*

mirinhaque *S. m. Prov. port.* V. *merinaque* (1 e 2): 📖 "Usando-se o mirinhaque, ... Inês não se vestia assim o que ela chamava moda de cozinheira, pois, ao domingo, as suas criadas saíam dentro dessas gaiolas que as encarceravam." (Agustina Bessa-Luís, *Memórias Laurentinas*, p. 81.)

mirinzal [De *mirim* (2) + *-zal.*] *S. m.* **1.** *Bras.* Quantidade mais ou menos considerável de mirins, dispostos proximamente entre si. **2.** Área ocupada por mirinzal (1).

mirinzalense *Adj. 2 g.* **1.** De, ou pertencente ou relativo a Mirinzal (MA). • *S. 2 g.* **2.** O natural ou habitante de Mirinzal.

▲ **mirio-** Equiv. de *miri(a)-*[1].

mirioftalmo (mì) [Do gr. *myriόphthalmos*, 'de olhos numerosos'.] *Adj. Zool.* Que tem grande porção de olhos.

miriópode[1] [De *mirio-* + *-pode.*] *Adj. 2 g.* V. *milípede*[1].

miriópode[2] [Adapt. do tax. *Myriopoda.*] *S. m. Adj. 2 g. Zool.* V. *miriápode*[2].

miriquiná [Var. de *muriquina* (q. v.).] *S. m. Bras. Zool.* V. *macaco-da-noite.*

miristicácea [Do tax. *Myristica*, gênero-tipo, + *-ácea*; tax. *Myristicaceae.*] *S. f. Bot.* Espécime das miristicáceas, família da ordem das magnoliales formada por árvores dioicas, de folhas alternas e flores insignificantes, monoclamídeas, unissexuais e actinomorfas, androceu com 2 a 30 estames, ovário unilocular e com um só óvulo, fruto capsular, semente com arilo bem desenvolvido e aromático. No Brasil, afora as espécies nativas do gênero *Virola*, cultiva-se a noz-moscada.

miristicáceo [De *miristicácea*, com var. suf. (*-áceo*).] *Adj. Bot.* Pertencente ou relativo às miristicáceas.

miristicina [Do tax. *Myristica* (gên. da noz-moscada) + *-ina*[3].] *S. f. Quím.* Substância aromática com substituintes alila, metoxila e metilenodioxila, encontrada na noz-moscada, e que tem odor característico e propriedades alucinógenas [fórm.: $C_{11}H_{12}O_3$].

mirístico *Adj. Quím.* ~ V. *ácido* —.

miriti *S. m. Bras. Bot.* V. *buriti* (1).

miriti-tapuia *Bras. S. 2 g.* **1.** *Etnôn.* Indivíduo dos miritis-tapuias, povo indígena da família linguística tucano, que habita a região do alto rio Negro, conhecida como Boca do Cachorro, a N.O. do AM. • *Adj. 2 g.* **2.** Pertencente ou relativo a esse povo. [Pl.: *miritis-tapuias.*] [Tb. us. como *s. 2 g. e 2 n.* (com cap.) e *adj. 2 g. e 2 n.*]

mirizal [De *miri-* + *-zal.*] *S. m.* **1.** *Bras.* Quantidade mais ou menos considerável de miris, dispostos proximamente entre si. **2.** Área ocupada por mirizal (1).

▲ **mirmeco-** [Do gr. *mýrmēx, ēkos.*] *El. comp.* = 'formiga': *mirmecofilia, mirmecófago.*

mirmecofagia (è) [De *mirmeco-* + *-fag(o)-* + *-ia*[1].] *S. f.* Hábito de alimentar-se de formigas, como, p. ex., o dos tamanduás.

mirmecofagídeo (mè) [Do tax. *Myrmecophaga* + *-ídeo*[1]; tax. *Myrmecophagidae.*] *Zool. S. m.* **1.** Espécime dos mirmecofagídeos, família de mamíferos desdentados, de focinho longo, língua protrátil, desprovidos de dentes (sendo os únicos desdentados verdadeiros), unhas muito desenvolvidas, cauda longa, preênsil, nas espécies arborícolas. Alimentam-se de insetos. São os tamanduás. • *Adj.* **2.** Pertencente ou relativo a eles.

mirmecófago [De *mirmeco-* + *-fago.*] *Adj. Zool.* Que se alimenta de formigas.

mirmecofilia (è) [De *mirmeco-* + *-filia.*] *S. f. Ecol.* Associação de uma planta com as formigas que vivem sobre ela.

mirmecofílico (è) [De *mirmecofilia* + *-ico*[2].] *Adj.* Relativo a mirmecofilia.

mirmecófilo [De *mirmeco-* + *-filo*[2].] *Adj.* Que vive com as formigas.

mirmecologia (è) [De *mirmeco-* + *-logia.*] *S. f.* Estudo ou tratado acerca das formigas.

mirmecológico (è) [De *mimercologia* + *-ico*[2].] *Adj.* Relativo a mirmecologia.

mirmeleontídeo [Do lat. cient. *Myrmeleont-* (do tax. *Myrmeleon*, alter. do gr. *myrmekoléon*, 'formiga-leão') + *-ídeo*[1]; tax. *Myrmeleontidae.*] *Zool. S. m.* **1.** Espécime dos mirmeleontídeos, família que reúne insetos neurópteros vulgarmente conhecidos como formigas-leões (v. *formiga-leão*). • *Adj.* **2.** Pertencente ou relativo a mirmeleontídeos.

mirmequito [Do gr. *mirmékia*, 'verruga', + *-ito*[2].] *S. f. Min.* Intercrescimento íntimo de quartzo e feldspato, provavelmente devido à solidificação simultânea de ambos, em uma rocha magmática.

mirmicíneo [Adapt. do tax. *Myrmicianae.*] *S. m. Zool.* **1.** Espécime dos mirmicídeos, subfamília de insetos himenópteros, formicídeos, cujo abdome é dividido em dois segmentos bem definidos, e que inclui várias espécies comumente encontradas, como a saúva (*Atta*) e a quem-quem (*Aeromyrmex*). • *Adj.* **2.** Pertencente ou relativo a eles.

mirmidão *S. m.* V. *mirmídone* (1 e 2).

mirmídone *S. 2 g.* **1.** Um dos legendários povos tessálicos que acompanharam Aquiles à guerra de Troia. **2.** *P. ext.* Assistente ou criado leais ou, ainda, seguidor ou subordinado que executa ordens sem questionamento. • *Adj. 2 g.* **3.** Relativo ou pertencente a mirmídone (1). [Var., nas acepç. 1 e 2: *mirmidão.*]

mirmilão [Do lat. *mirmillone.*] *S. m.* Gladiador que trazia no capacete a figura dum peixe, e lutava armado com uma espada curta: 📖 "O senador .... era o mesmo que agora se levantava, dançava, ululava, frenético, ... , porque o reciário tinha enredado o mirmilão." (Mário de Carvalho, *Um Deus Passeando pela Brisa da Tarde*, p. 161.)

mirobálano [Do lat. *myrobalanu*, 'certa planta ornamental de noz aromática'.] *S. m. Bot.* V. *ameixeira-da-pérsia.*

mirolho (ô) [De *mirar* + *olho.*] *S. m.* **1.** *Bras. MG* Aquele que tem boa pontaria no jogo de gude. **2.** *Lus.* V. *estrábico* (4). • *Adj.* **3.** *Lus.* V. *estrábico* (2). [Pl.: *mirolhos* (ó).]

mirone [Do esp. *mirón.*] *S. m. Fam.* **1.** Espectador, observador. **2.** Aquele que, sem jogar, observa o andamento do jogo. [F. paral.: *mirão.*]

mironga [Var. de *milonga.*] *S. f. Bras.* **1.** *Pop.* Desinteligência, briga, altercação, conflito. **2.** *Rel.* V. *milonga* (3).

miroró [Do tupi.] *S. m. Bras. BA Zool.* V. *caramuru* (1). [Var.: *mororó, tororó.*]

mirotamnácea [Do tax. *Myrothamnus*, gênero-tipo, + *-ácea*; tax. *Myrothamnaceae.*] *S. f. Bot.* Espécime das mirotamnáceas, família de plantas da ordem das rosales, composta de arbustos de folhas opostas, flores aclamídeas e unissexuais, e cujo fruto é uma cápsula septicida. Não ocorre no Brasil.

mirotamnáceo [De *mirotamnácea*, com var. suf. (v. *-áceo*).] *Adj. Bot.* Pertencente ou relativo às mirotamnáceas.

mirra[1] [De uma língua semítica, pelo gr. *myrrha* e pelo lat. *myrrha.*] *S. f.* **1.** *Bot.* Designação comum a várias árvores burseráceas do gênero *Commiphora*, como, p. ex., a *Commiphora mallis* e *C. myrrha*, originárias da África, cuja resina dimana por incisão e é us. como incenso e em perfumes, unguentos, etc. **2.** A resina dessas árvores: 📖 "Como a mirra, que só lança perfumes / Quando a deitam no fogo, a nossa alma / Só tem aroma quando a angústia a queima" (Eugênio de Castro, *Obras Poéticas*, V, p. 47).

mirra[2] [F. red. de *mirrado.*] *S. 2 g.* **1.** V. *magricela* (2). **2.** V. *avaro* (3).

mirrado [Part. de *mirrar.*] *Adj.* **1.** Seco, ressequido, murcho: 📖 "Folha mirrada dum feto / Dentro dum livro fechado." (Conde de Monsaraz, *Musa Alentejana*, p. 10.) **2.** Muito magro; definhado: 📖 "Era [o Marquês de Itanhaém] seco e mirrado, usava cabeleira e trazia óculos fortes." (Machado de Assis, *Páginas Recolhidas*, p. 165.) **3.** *P. ext.* Esgotado, exaurido, exausto.

mirrador (ô) [De *mirrar* + *-dor.*] *Adj.* Que faz mirrar.

mirrar [De *mirra*[1] + *-ar*[2].] *V. t. d.* **1.** Preparar com mirra[1] (2). **2.** Tornar seco; secar, ressequir, ressecar: 📄 *O sol abrasante mirra as folhas.* **3.** Privar a pouco e pouco, das forças; definhar. **4.** Tornar magro; gastar, consumir: 📄 *A doença mirrava-o.* **5.** Diminuir, consumir: 📄 *As dificuldades não mirravam as esperanças do artista.* **6.** Diminuir de volume; encolher: 📄 *A falta de chuva mirrou a produção.* *Int. P.* **7.** Perder a energia, o viço, a frescura; secar-se. Diminuir de volume; encolher. **8.** Emagrecer em extremo; definhar-se. **9.** Diminuir de volume; encolher-se. **10.** Humilhar-se, abater-se. **11.** Desaparecer, fugir; esconder-se. **12.** Tornar-se ressequido.

mírreo [Do lat. *myrrheu.*] *Adj. Poét.* Perfumado de mirra[1] (2).

mirsinácea [Do tax. *Myrsine* (< gr. *myrsíne*, 'ramo ou coroa de mirto') + *-ácea*; tax. *Myrsinaceae.*] *S. f. Bot.* Espécime das mirsináceas, família de plantas floríferas da ordem das primulales, formada de árvores ou arbustos lenhosos, de flores dotadas de glândulas escuras ou avermelhadas, e fruto drupáceo. Engloba cerca de 1.000 espécies, das quais muitas são brasileiras.

mirsináceo [De *mirsinácea*, com var. suf. (v. *-áceo*).] *Adj. Bot.* Pertencente ou relativo às mirsináceas.

mirtácea [Do tax. *Myrtus* (< gr. *mýrtos*, 'mirto') + *-ácea*; tax. *Myrtaceae.*] *S. f. Bot.* Espécime das mirtáceas, família de dicotiledôneas da ordem das mirtales, que compreende plantas lenhosas de pequeno e grande porte. Folhas opostas ou alternas, sempre com glândulas translúcidas; flores actinomorfas, hermafroditas e diclamídeas, de corola dialipétala e estames numerosos; ovário ínfero; fruto capsular ou bacáceo. Há perto de 3.000 espécies, muitas delas ocorrendo no Brasil. [A goiabeira e a jabuticabeira são exemplos vulgares; outro exemplo é o eucalipto (q. v.).]

mirtáceo [De *mirtácea*, com var. suf. (v. *-áceo*).] *Adj. Bot.* Pertencente ou relativo às mirtáceas.

mirtal [Do lat. cient. *Myrt-* (v. *mirtale*) + *-al*[1].] *Adj. 2 g. Bot.* Pertencente ou relativo às mirtales.

mirtale [Do tax. *Myrtus* + *-ale*; tax. *Myrtales.*] *S. f. Bot.* Espécime das mirtales, ordem de plantas dicotiledôneas arquiclamídeas, que inclui, entre outras famílias, as mirtáceas, as melastomáceas e as litráceas; mirtiflora.

mirtedo (ê) [Do lat. *myrtetu.*] *S. m.* V. *murtal.*

mírteo [Do lat. *myrteu.*] *Adj.* **1.** Relativo a murta ou a mirto. **2.** Feito de murta. **3.** Onde cresce a murta.

mirtiflora [Do tax. *Myrtus* + *-iflora*; tax. *Myrtiflorae.*] *S. f. Bot.* Mirtale.

mirtifloro [Do tax. *Myrtus* + *-ifloro.*] *Adj. Bot.* Pertencente ou relativo às mirtifloras.

mirtiforme [De *mirto* + *-iforme.*] *Adj. 2 g.* Semelhante à folha da murta ou do mirto; mirtoide. ~ V. *carúncula* —.

mirtilo [Do fr. *myrtille.*] *S. m. Bot.* **1.** Planta mirtácea (*Vaccinium myrtillus*) silvestre, cujo fruto é de um azul quase preto, pequenino, usado em geleias, compotas, licores, etc.; o extrato das folhas é considerado antidiabético. **2.** O fruto comestível do mirtilo.

mirto [Do gr. *mýrtos*, pelo lat. *myrtus*; tax. *Myrtus.*] *S. m. Bot.* **1.** Gênero de arbustos mirtáceos tropicais e subtropicais, de folhas sempre-verdes, ovadas ou lanceoladas, e flores com numerosos óvulos. **2.** Qualquer espécie desse gênero, como, p. ex., a *Myrtus communis* [v. *murta* (1)]. **3.** Qualquer espécime desse gênero, ou a flor dele.

mirtoide (ói) [De *mirto* + *-oide.*] *Adj. 2 g.* Mirtiforme. ❖

mirtoso (ô) [De *mirto* + *-oso.*] *Adj.* Em que há murta ou mirto; cheio de murta.

mirueira [De or. obsc.] *S. f. Bras. BA Bot.* Grande árvore anacardiácea (*Astronium macrocalyx*) da floresta pluvial, de madeira bela e durável, empregada para móveis de luxo e objetos de adorno, e cujos frutos levam o cálice acrescente, que funciona como paraquedas; gonçalo-alves.

miruim (u-ím) *S. m. Bras. Zool.* V. *maruim.*

▲ **mi(s)-** V. *mio(s)-*.

▲ **-mis-** V. *mio(s)-*.

▲ **-mis** V. *mio(s)-*.

misantropia [Do gr. *misanthropía.*] *S. f.* **1.** Aversão à sociedade, aos homens; antropofobia. [Antôn.: *filantropia* (1).] **2.** Melancolia, hipocondria.

misantrópico [De *misantropia* + *-ico*[2].] *Adj.* Relativo à misantropia, ou próprio de misantropo. [Antôn.: *filantrópico* (1).]

misantropo (ô) [Do gr. *misánthropos.*] *Adj. S. m.* **1.** Que, ou aquele que tem ódio ou aversão à sociedade; antropófobo. **2.** *P. ext.* Que, ou aquele que evita a convivência, que prefere a solidão, que é solitário, insociável; antropófobo. [Antôn.: *filantropo.*] **3.** *P. ext.* Diz-se de, ou homem melancólico.

míscaro [De or. obsc.] *S. m. Lus. Micol.* Cogumelo poliporáceo comestível, de cor amarelada, que medra nos pinhais e estevais, sendo também cultivado: 📖 "iam ambos em busca de míscaros pelas matas" (Agustina Bessa-Luís, *Vale Abraão*, p. 45).

miscelânea [Do lat. *miscellanea.*] *S. f.* **1.** Mistura de variadas compilações literárias. **2.** Volume que se compõe de coleção de estudos afins, escritos por vários autores para homenagear uma pessoa ou instituição em data significativa; polianteia, miscelânea de homenagem, volume de homenagem. **3.** *Fig.* Mistura de coisas diversas. [V. *mixórdia* (1).] **4.** *Fig.* Confusão, amontoamento, salgalhada. ◆ **Miscelânea de homenagem.** V. *miscelânea* (2).

miscibilidade [De *miscível* + *-(i)dade*, seg. o padrão erudito.] *S. f.* Qualidade de miscível.

miscigenação [De *miscigenar*, para trad. o ingl. *miscegenation.*] *S. f.* Cruzamento de etnias; mestiçamento, mestiçagem, caldeamento: 📖 "Também na Dinamarca tive a impressão de ser a população muito loura e branca, enquanto na Inglaterra mais morena de pele e preta de cabelo. Devia ser isso, necessariamente, uma consequência da posição geográfica desses dois países, estando a Inglaterra, como a Espanha e Portugal, mais exposta à miscigenação com povos de cor, de diversas origens" (A. da Silva Melo, *Estudos sobre o Negro*, p. 162).

miscigenado [Part. de **miscigenar* (v. *miscigenação*).] ***Adj.*** Resultante de miscigenação.

miscigenar [Do lat. *miscere*, 'misturar', + *-gen(o)-* + *-ar*[2].] ***V. t. d. T. d e i. P.*** Cruzar(-se) uma raça com outra.

miscível [Do lat. **miscibile* < lat. *miscere*, 'misturar'.] ***Adj. 2 g.*** Que se pode misturar; misturável. [Antôn.: *imiscível*.]

miscorete ***S. f.*** *Bras. BA Pop.* V. *cachaça* (1).

miscrar ***V. t. d.*** *Desus.* Mesclar.

→ **mise en abyme** [mis ɔ̃na'bỹm] [Fr.] Diz-se de obra reproduzida dentro de outra de mesma natureza (quadro no interior de quadro, filme no interior de filme, romance no interior de romance, etc.).

→ **mise-en-plis** [mizɑ̃'pli] [Do fr. *mise en plis*.] ***S. 2 g.*** Operação que consiste em prender ou enrolar os cabelos molhados, em geral com um produto fixador, de modo que, depois de secos, possam ser penteados como se deseja. [Cf. *bucle* (2) e *rolo*[1] (11).]

→ **mise-en-scène** [mizɑ̃'sɛn] [Do fr. *mise en scène*.] ***S. f.*** *Teatr.* V. *encenação* (1): "a companhia de D. Maria, que muitos espanejadores da glória alcunharam de *teatro nacional*, lá curou de bem servir o público, apurando a mise-en-scène das peças" (Fialho d'Almeida, *Vida Irônica*, p. 132).

miserabilidade [De *miserável* + *-(i)dade*, seg. o padrão erudito.] ***S. f.*** Qualidade, estado ou condição de miserável.

miserabilíssimo ***Adj.*** Superl. abs. sint. de *miserável*.

miseração [Do lat. *miseratione*.] ***S. f.*** V. *comiseração*.

miserando [Do lat. *miserandu*.] ***Adj.*** Digno de comiseração; lastimável, lastimoso, deplorável, miserável, comiserador: "um vulto, branca e espessa / A barba, a veste rota, o ar miserando." (Alberto de Oliveira, *Poesias*, 3.ª série, p. 247).

miserar [Do lat. *miserare*, por *miserari*.] ***V. t. d.*** **1.** Tornar mísero, desgraçado; desgraçar; desventurar, infelicitar. ***P.*** **2.** Lastimar-se, lamentar-se. [Pres. ind.: *misero*, etc. Cf. *mísero*, adj.]

miserável [Do lat. *miserabile*.] ***Adj. 2 g.*** **1.** Digno de compaixão; lastimável, deplorável, miserando, mísero: "Miserável, faminto, sedento, / Manitôs lhe não falem nos sonhos" (Gonçalves Dias, *Obras Poéticas*, II, p. 32). **2.** Desprezível, abjeto, infame, torpe, vil, mísero. **3.** Malvado, perverso, cruel. **4.** Próprio de quem é muito pobre; pobre, desgraçado, mísero: *vida miserável*; "Suez é uma cidade escura, miserável, decrépita" (Eça de Queirós, *Notas Contemporâneas*, p. 24). **5.** Sem valor; mesquinho, escasso, ínfimo, mísero: *salário miserável*. **6.** V. *avaro* (1). [Superl. abs. sint.: *miserabilíssimo*.] • ***S. 2 g.*** **7.** Pessoa (ou animal) desgraçado, digno de compaixão: "Fortunato cortou a terceira pata ao rato, e fez pela terceira vez o mesmo movimento até a chama. O miserável estorcia-se, guinchando, ensanguentado, chamuscado, e não acabava de morrer." (Machado de Assis, *Várias Histórias*, pp. 113-114.) **8.** Aquele que está na miséria, que é muitíssimo pobre; indigente: "Os miseráveis, os rotos / São as flores dos esgotos." (Cruz e Sousa, *Obra Completa*, p. 147.) **9.** Pessoa miserável (2). **10.** V. *avaro* (3).

miserê [De *miséria*.] ***S. m.*** *Bras. Gír.* Situação de miséria extrema, de penúria: "Trabalho e não tenho nada, / Não saio do miserê" (Ciro de Sousa e Babaú, do samba *Tenha Pena de Mim*).

→ **miserere** [mẹsɛ'rɛrɛ] [Lat., 'tem piedade (de mim, meu Deus)'.] ***S. m.*** *Rel.* **1.** A primeira palavra do Salmo 51 (ou 50, na numeração bíblica grega, e na Vulgata). **2.** Esse salmo.

miséria [Do lat. *miseria*, 'desgraça', 'infelicidade'.] ***S. f.*** **1.** Extremo infortúnio; situação adversa, penosa, deplorável: *a miséria das vítimas do bombardeio.* **2.** Estado lastimoso, deplorável, que desperta compaixão. **3.** Extrema penúria; extrema necessidade; indigência: *Estar, ficar na miséria.* **4.** Estado vergonhoso, indigno, infame, torpe. **5.** Mesquinharia, sovinice, avareza. **6.** Bagatela, ninharia, insignificância. **7.** Fraqueza, defeito, imperfeição. **8.** Ação ou procedimento indigno, infame, vil. ◆ **Chorar miséria.** Queixar-se das dificuldades da vida, a fim de despertar atenção e/ou simpatia: *– Pare de chorar miséria, você tem um ótimo emprego!* **Fazer misérias.** *Bras. Pop.* Fazer grandes proezas, façanhas extraordinárias; fazer o diabo. **Uma miséria.** **1.** Coisa muito ruim; uma porcaria: *Esta comida está uma miséria.* **2.** Quantia muito pequena. **3.** Coisa deteriorada, danificada: *Com a batida, o carro ficou uma miséria.*

misericórdia [Do lat. *misericordia*.] ***S. f.*** **1.** Compaixão suscitada pela miséria alheia. **2.** Indulgência, graça, perdão. **3.** V. *santa casa*. **4.** *Ant.* Punhal que os cavaleiros traziam do lado direito e com que matavam o adversário derribado, a menos que este pedisse misericórdia. • ***Interj.*** **5.** Grito de quem pede compaixão, piedade ou socorro.

misericordiosissimamente (ìssi) ***Adv.*** De modo misericordiosíssimo; com muita misericórdia: "Quando o teu peito em lágrimas verteste / misericordiosissimamente." (Guimarães Passos, *Versos de um Simples*, p. 115.)

misericordioso (ô) [De *misericórdia* + *-oso*.] ***Adj.*** **1.** Que tem misericórdia; compassivo, clemente: *criatura misericordiosa.* **2.** Que revela misericórdia; compassivo: *procedimento misericordioso.* • ***S. m.*** **3.** Aquele que perdoa as ofensas que lhe fazem.

mísero [Do lat. *miseru*.] ***Adj.*** V. *miserável* (1 a 5). [Superl. abs. sint.: *misérrimo*. Cf. *misero*, do v. *miserar*.]

misérrimo [Do lat. *miserrimu*.] ***Adj.*** Superl. abs. sint. de *mísero*.

misidáceo [Do lat. cient. *Mysid-* (do tax. *Mysis*) + *-áceo*; tax. *Mysidacea*.] *Zool.* ***S. m.*** **1.** Espécime dos misidáceos, ordem de artrópodes crustáceos, malacostráceos, peracarídios, de corpo provido de carapaça, olhos pedunculados, e apêndices do sexto segmento abdominal lamelares. • ***Adj.*** **2.** Pertencente ou relativo a eles.

▲ **mis(o)-** [Do gr. *miseîn*, 'odiar', e do gr. *mísos, eos-ous*, 'ódio', 'aversão'.] ***El. comp.*** = 'ódio', 'temor': *misogamia, misologia.*

▲ **miso-** [Do gr. *mýsos, eos-ous*, 'ação ou palavra abominável'; 'mancha', 'mácula'.] ***El. comp.*** = 'sujeira', 'desasseio': *misofilia, misofobia.*

misofilia [De *miso-* + *-filia*.] ***S. f.*** *Psiq.* Atração anormal pela sujeira.

misofílico [De *misofilia* + *-ico*[2].] ***Adj.*** **1.** Relativo a misofilia. **2.** Que tem misofilia; misófilo. • ***S. m.*** **3.** Aquele que tem misofilia; misófilo.

misófilo [De *miso-* + *-filo*[2].] ***Adj. S. m.*** *Psiq.* Misofílico (2 e 3).

misofobia [De *miso-* + *-fobia*.] ***S. f.*** *Psiq.* Temor doentio dos contatos, pelo receio de infecção ou contaminação.

misofóbico [De *misofobia* + *-ico*[2].] *Psiq.* ***Adj.*** **1.** Relativo a misofobia. **2.** Que sofre de misofobia; misófobo. • ***S. m.*** **3.** Aquele que sofre de misofobia; misófobo.

misófobo [De *miso-* + *-fobo*.] ***Adj. S. m.*** *Psiq.* Misofóbico (2 e 3).

misogamia [De *mis(o)-* + *-gam(o)-* + *-ia*[1].] ***S. f.*** Horror ao casamento.

misógamo [Do gr. *misógamos*.] ***Adj. S. m.*** Que, ou aquele que tem misogamia.

misoginia [Do gr. *misogynía*.] ***S. f.*** **1.** Desprezo ou aversão às mulheres. **2.** *Psiq.* Repulsa mórbida do homem ao contato sexual com as mulheres. [Antôn.: *filoginia*. Cf. *ginecofobia*.]

misógino [Do gr. *misogýnes*.] ***Adj.*** **1.** Que tem misoginia. **2.** Que revela misoginia. • ***S. m.*** **3.** Aquele que tem misoginia: "ressabiado desse insucesso, votou William Hazlitt ódio às mulheres, tornando-se um misógino intratável." (Eugênio Gomes, *Espelho contra Espelho*, p. 177). [Antôn.: *filógino*.]

misologia [De *mis(o)-* + *-logia*.] ***S. f.*** **1.** Ódio ao raciocínio, à lógica. **2.** Horror às ciências.

misológico [De *misologia-* + *-ico*[2].] ***Adj.*** Referente à misologia.

misólogo [De *mis(o)-* + *-logo*.] ***S. m.*** Aquele que tem misologia.

misoneico (éi) [De *mis(o)-* + *-ne(o)-* + *-ico*[2].] ***Adj. S. m.*** Diz-se de, ou adepto do misoneísmo; misoneísta. ❖

misoneísmo [De *mis(o)-* + *-ne(o)-* + *-ismo*.] ***S. f.*** Tendência de espírito ou atitude sistemática de hostilidade à inovação, à mudança (nos hábitos, ou padrões estabelecidos): "Os Novos têm excelentes razões em seu favor. Não estou atacado daquele misoneísmo... que foi sempre a culpa da gente melhor que jamais houve." (João Ribeiro, *Páginas de Estética*, p. 11.) [Antôn.: *filoneísmo*.]

misoneísta [De *misoneísmo* + *-ista*.] ***Adj. 2 g.*** **1.** Relativo ao, ou que é adepto do misoneísmo. • ***S. 2 g.*** **2.** Adepto do misoneísmo. [Sin. ger.: *misoneico*.]

misonguê [Do *forro*[2].] ***S. m.*** *Santom. Cul.* Prato tradicional: molho à base de azeite de palma e de vários ingredientes locais, que se serve acompanhado de angu (2), de farinha de milho cozida, ou de arroz: "E levam muita comida e bebidas! Ele é *calulu, misonguê*, pombos, carnes, vinho de palmeira" (Fernando Reis, *Ilha do Meio do Mundo*, p. 176).

misopedia [De *mis(o)-* + *-pedia*.] ***S. f.*** Horror à instrução.

misosofia [De *mis(o)-* + *-sofia*.] ***S. f.*** Aversão ao saber, à ciência. [Var. pros.: *misossofia*.]

misosófico [De *misosofia* + *-ico*[2].] ***Adj.*** Relativo a misosofia. [Var. pros.: *misossófico*.]

misósofo [De *mis(o)-* + *-sofo*.] ***S. m.*** Aquele que tem misosofia. [Var. pros.: *misóssofo*.]

misossofia ***S. f.*** V. *misosofia*.

misossófico ***Adj.*** V. *misosófico*.

misóssofo ***S. m.*** V. *misósofo*.

mispíquel [Do al. *Misspickel*.] ***S. m.*** *Min.* Mineral ortorrômbico, sulfoarsenieto de ferro; arsenopirita.

misquito ***S. m.*** **1.** *Etnôn.* Indivíduo dos misquitos, povo indígena que habitava a costa leste da Nicarágua e de Honduras. **2.** *Gloss.* A língua desse povo. [O misquito tem o papel de língua de comércio nessa região.] **3.** Vocábulo dessa língua. • ***Adj.*** **4.** Pertencente ou relativo aos misquitos, ou à sua língua. [Sin. ger.: *mosquito*[2].]

→ **miss** [mɪs] [Ingl., 'senhorita'.] ***S. f.*** **1.** Tratamento dado à mulher solteira, sempre seguido do respectivo nome. **2.** Misse.

missa [Do lat. tard. *missa*, do lat. *mittere*, 'enviar', da fórmula final do ofício religioso: *ite missa est*.] ***S. f.*** **1.** *Rel.* Na Igreja Católica, celebração da Eucaristia, sacrifício do corpo e do sangue de Jesus Cristo, feito no altar pelo ministério de um sacerdote. [O Concílio Vaticano (1962-1965) renovou a liturgia da missa, modificando-a no sentido da simplificação e da participação dos fiéis. V. *liturgia da missa*. Cf. *ordinário* (10) e *próprio* (12).] **2.** *Mús.* Conjunto de peças musicais compostas para se executarem numa missa cantada. • ***S. 2 g.*** **3.** *Bras. N.E.* Alcunha dos adeptos das igrejas evangélicas. ◆ **Missa baixa.** *Rel.* V. *missa calada*. **Missa calada.** *Rel.* A ordinária, em que não há canto; missa baixa, missa chã, missa particular, missa rezada. **Missa campal.** *Rel.* A que se diz em altar armado ao ar livre. **Missa chã.** *Rel.* V. *missa calada*. **Missa concertante.** *Mús.* O conjunto das partes do ordinário (10) da missa, escritas para massas corais, com acompanhamento instrumental e eventual intervenção de solistas. **Missa conventual.** *Rel.* Missa rezada pelo pároco em domingos e dias santificados; missa do dia. **Missa das almas.** *Rel.* A primeira antes do nascer do Sol. **Missa de corpo presente.** *Rel.* A que se diz em presença do cadáver. **Missa de esmola.** *Bras.* Missa pedida. **Missa de réquiem.** *Rel.* Missa solene por alma de um morto. **Missa de sétimo dia.** *Rel.* Missa (1) que se diz ger. no sétimo dia após a morte de alguém. **Missa de três em renge.** *Rel.* A que é celebrada com ministros e canto de órgão. **Missa do dia.** *Rel.* Missa conventual. **Missa do galo.** *Rel.* A que é dita na noite de Natal (de ordinário à meia-noite): "A comissão contratara o vigário de Boa Viagem para celebrar a missa do galo às duas da madrugada." (José Carlos Cavalcanti Borges, *Contos do Céu e da Terra*, p. 9.) **Missa em ação de graças.** *Rel.* Missa celebrada em regozijo de uma graça recebida. **Missa nova.** *Rel.* A primeira que o presbítero celebra. **Missa particular.** *Rel.* V. *missa calada*. **Missa pedida.** *Bras. Rel.* Missa solicitada em cumprimento de promessa ou de penitência, e que é paga com dinheiro de esmola; missa de esmola. **Missa polifônica à capela.** *Mús.* O conjunto das partes do ordinário da missa, escritas para várias vozes, sem acompanhamento instrumental. **Missa pontifical.** *Rel.* A que se diz com as cerimônias usadas nas missas solenes dos Papas. **Missa rezada.** *Rel.* V. *missa calada*. **Missa seca.** *Bras. N.E. Rel.* Aquela em que o sacerdote não consagra. [Cf. *missa-seca*.] **Ajudar a missa.** Ajudar à missa: "Zé Sacristão se acabrunhava .... Não ajudava mais à missa." (João Clímaco Bezerra, *A Vinha dos Esquecidos*, p. 38.) **Ajudar à missa.** Fazer o serviço de acólito, ajudando o padre a celebrá-la; ajudar a missa: "homem... que acumulava o mister capilar com essoutro... d'ajudar à missa o padre do Bemposta." (Fialho d'Almeida, *À Esquina*, pp. X-XII). **Não ir à missa com.** Não simpatizar com (alguém). **Não saber da missa a metade.** Estar mal-informado. **Não saber da missa um terço.** Não saber da missa a metade.

missado [De *missa* + *-ado*[2].] ***Adj.*** Que tem ordens sacerdotais. [Cf. *missado*, do v. *missar*.]

missagra [Var. de *bisagra*.] ***S. f.*** V. *dobradiça* (1).

missal [De *missa* + *-al*[1].] ***S. m.*** **1.** Livro que encerra as orações da missa e outras: "Após o Evangelho, lido no missal das orações especiais da missa do dia, ... o sacristão... põe no altar, à direita, um segundo missal" (Antero de Figueiredo, *Toledo*, p. 79). **2.** Variedade de caracteres tipográficos. [Pl.: *missais*. Cf. *missais*, do v. *missar*.]

missalense ***Adj. 2 g.*** **1.** De, ou pertencente ou relativo a Missal (PR). • ***S. 2 g.*** **2.** O natural ou habitante de Missal.

missão [Do lat. *missione*.] ***S. f.*** **1.** Função ou poder que se confere a alguém para fazer algo; encargo, incumbência. **2.** Função especial da qual um governo encarrega diplomata(s) ou agente(s) junto a outro país; comissão diplomática. **3.** O conjunto das pessoas que receberam um encargo religioso, científico, etc. **4.** Ofício, ministério. **5.** Obrigação, compromisso, dever a cumprir: *missão de pai.* **6.** Prédica ou sermão doutrinal. **7.** *Ecles.* Estabelecimento, instituição ou instalação de missionários para pregação da fé cristã. **8.** Os missionários [v. *missionário* (1)]. ◆ **Missão divina.** *Rel.* Segundo a doutrina da Igreja Católica, o envio de uma das pessoas divinas, pelas outras, no tempo. **Missão eclesiástica.** *Rel.* **1.**

Conjunto das funções a que é enviada a Igreja, de magistério, de santificação e de regime. 2. Mandato conferido pela Igreja a determinadas pessoas, clérigos ou leigos.

missão-velhense *Adj. 2 g.* 1. De, ou pertencente ou relativo a Missão Velha (CE). • *S. 2 g.* 2. O natural ou habitante de Missão Velha. [Pl.: *missão-velhenses.*]

missar [De *missa* + *-ar*^{2}.] *V. t. i. Int.* Celebrar ou ouvir missa: "centenas de clérigos de Toledo e seu termo vêm missar pela régia defunta" (Antero de Figueiredo, *Toledo*, p. 161). [Pres. ind.: *misso, missas, missa, missamos, missais, missam*; fut. pret.: *missaria*, etc.; pres. subj.: *misse*, ... *misseis, missem*; part.: *missado*. Cf. *mísseis*, pl. de *míssil*, *missa*, s. f., *missado*, adj., *missais*, pl. de *missal*, *misse*, s. f., e *missaria*, s. f.]

missaria [De *missa* + *-aria*.] *S. f.* Grande quantidade de missas. [Cf. *missaria*, do v. *missar*.]

missa-seca (ê) [De *missa* + o f. subst. do adj. *seco*.] *S. 2 g. Bras. N.E. Pop.* V. *protestante* (6). [Pl.: *missas-secas* (ê). Cf. *missa seca*.]

misse [Do ingl. *miss*, 'senhorita'.] *S. f.* 1. Moça classificada em primeiro lugar em concursos de beleza e noutros eventos: "contemplou a besta, formosa como uma misse, mastigando feixes de alfafa." (Humberto Crispim Borges, *Cacho de Tucum*, p. 149). 2. *P. ext.* Mulher muito bonita. [Pode-se usar tb. o equiv. ingl., *miss*.]

misseiro [De *missa* + *-eiro*.] *Adj. S. m.* Diz-se de, ou aquele que é muito devoto de missas: "tia Miró tomava conta da casa; misseira e comungante das seis horas" (José Carlos Cavalcanti Borges, *Contos do Céu e da Terra*, p. 15).

míssil [Do lat. *missile*.] *Adj. 2 g.* 1. Próprio para ser arremessado; missivo. • *S. m.* 2. Engenho com propulsão própria lançado com o objetivo de atingir um alvo, percorrendo uma trajetória entre dois pontos. [Cf. *projetil* (2).] 3. *Mil.* Míssil guiado (2). ◆ **Míssil balístico.** Veículo que, do término da impulsão até o impacto, não tem sustentação, estando sujeito unicamente à gravidade e ao arrasto. **Míssil de alcance antípoda.** Míssil cujo alcance é superior a 13.000km; míssil de alcance global. **Míssil de alcance global.** Míssil de alcance antípoda. **Míssil de alcance intercontinental.** Míssil cujo alcance está compreendido entre 5.400km e 18.000km. **Míssil de alcance intermediário.** Míssil cujo alcance está compreendido entre 900km e 5.400km. **Míssil de curto alcance.** Míssil cujo alcance é inferior a 90km. **Míssil de longo alcance.** Míssil cujo alcance é superior a 900km. **Míssil de médio alcance.** Míssil cujo alcance está compreendido entre 90km e 900km. **Míssil guiado.** 1. *Mil.* Míssil cuja trajetória pode ser alterada por um mecanismo contido no próprio engenho. 2. *Mil.* Veículo não tripulado, que descreve uma trajetória acima da superfície da Terra, dotado de dispositivos (sistema de controle e sistema de direção) capazes de controlar e dirigir durante o voo essa trajetória, e destinado a causar danos ao inimigo. [Tb. se diz, nesta acepç., apenas *míssil*.] **Míssil teleguiado.** Míssil guiado cujo mecanismo de guiamento é comandado a distância. [Pl.: *mísseis*. Cf. *misseis*, do v. *missar*.]

missionar [De *missão* + *-ar*^{2}, seg. o padrão erudito.] *V. int.* 1. Fazer missões [v. *missão* (7)]; pregar a fé cristã: "D. Luís de Santa Teresa... missionou desde Porto Calvo até ao Rio Grande do Norte." (Franklin Távora, *O Cabeleira*, p. 58.) *T. d.* 2. Pregar a fé a; instruir em matéria religiosa; catequizar. 3. *P. ext.* Pregar, propagar, apregoar: "A Europa é para os europeus! — De resto, esse grito rancoroso já o brama sem cessar a Califórnia contra os pobres celestiais que vêm trabalhar a S. Francisco, e sem que eles intrusivamente missionem as suas ideias ou os seus costumes" (Eça de Queirós, *Cartas Familiares e Bilhetes de Paris*, p. 150). [Fut. pret.: *missionaria*, etc. Cf. *missionária*, fem. de *missionário*.]

missionário [De *missão* + *-ário*, seg. o padrão erudito.] *S. m.* 1. Aquele que missiona; pregador de missões. 2. Propagandista, defensor, propugnador: *missionário da democracia*. • *Adj.* 3. Relativo ou pertencente às missões: *obra missionária; padre missionário*. [Fem.: *missionária*. Cf. *missionaria*, do v. *missionar*.]

missioneiro [Do esp. plat. *misionero*.] *Adj.* 1. Relativo ou pertencente às antigas missões jesuíticas estabelecidas em terras argentinas, brasileiras (no RS) e paraguaias. 2. Diz-se do natural ou do habitante desses lugares. • *S. m.* 3. O natural ou habitante desses lugares.

missiva [F. subst. de *missivo*.] *S. f.* Carta (1) ou bilhete que se manda a alguém.

missivista [De *missiva* + *-ista*.] *S. 2 g. Bras.* 1. Pessoa que leva missivas ou cartas; portador de missivas. 2. Pessoa que as escreve.

missivo [Do lat. *missus*, 'mandado', + *-ivo*.] *Adj.* 1. Que se envia, que se remete: *carta missiva*. 2. Que se despede ou arremessa; míssil: *armas missivas; tiros missivos*.

missô [Do jap.] *S. m. Cul.* Pasta feita com feijão de soja, ou cevada, ou malte de arroz, e usada na culinária japonesa.

missosso [Do quimb. *misoso*, pl. de *musoso*, 'conto, apólogo'.] *S. m. Angol.* Narrativas baseadas na tradição oral; miçoço: "estão a ouvir os missossos na residência da avó" (Manuel Pacavira, *Nzinga Mbandi*, p. 64).

missúri [Do top. *Missúri* (E.U.A.).] *S. m.* Variedade de fumo proveniente dos E.U.A.

mista [Do lat. *mysta* < gr. *mýstes*.] *S. 2 g.* Na Grécia antiga, pessoa iniciada em um mistério, como o de Elêusis, na Ática.

mistacocáride [Adapt. do tax. *Mystacocarida*.] *Zool. S. f.* 1. Espécime das mistacocárides, ordem de artrópodes crustáceos, copépodes, de corpo de tamanho microscópico, com manchas ocelares em número de quatro e abertura genital no primeiro somito torácico. • *Adj. 2 g.* 2. Pertencente ou relativo a elas.

mistacoceto [Do gr. *mýstax, akos*, 'lábio superior', 'bigode', + *-ceto*; tax. *Mystacoceti*.] *S. m. Adj. Zool.* V. *misticeto*.

mistagogia [Do gr. *mystagogía*, 'iniciação nos mistérios'.] *S. f. Rel.* 1. Iniciação nos mistérios duma religião. 2. Na antiguidade cristã, a explicação dos ritos de iniciação, em particular o do batismo e o da eucaristia.

mistagógico [De *mistagogia* + *-ico*^{2}.] *Adj.* Relativo a mistagogia.

mistagogo (ô) [Do gr. *mystagogós*.] *S. m.* 1. Entre os antigos gregos, sacerdote que iniciava os neófitos nos mistérios [v. *mistério* (1)] de Elêusis. 2. Antigo sacerdote que ensinava as cerimônias e os ritos de uma religião; mestre dos mistérios: "Só agora .... torno a vê-lo na sua envergadura nova de político militante, governador de homens, mistagogo dessa religião confusa da salvação da pátria." (João Ribeiro, *Cartas Devolvidas*, p. 229.) 3. *P. ext.* Iniciador, mentor: "Éramos [os portugueses] os guias e mistagogos da nova civilização." (Latino Coelho, *Elogio Histórico de José Bonifácio*, p. 179.)

mistela [Do it. *mistella*, poss.] *S. f.* 1. Mosto de uva misturado ao álcool para impedir a fermentação. 2. *Pop.* Comida ou bebida malfeita e de sabor desagradável. 3. V. *mixórdia* (1).

→ **mister** ['mistə] [Ingl.] *S. m.* Tratamento correspondente a *senhor* quando antecede o nome da pessoa, ou o de certos cargos, como presidente, secretário, etc. [Abrev.: *Mr.*]

mister (é) [Do lat. *ministeriu*, por via pop.] *S. m.* 1. Trabalho, ocupação ou ofício (manual ou intelectual): *mister de pedreiro; mister de advogado*. 2. Intuito, propósito, meta, fim: *Seu mister é vencer o inimigo*. 3. Precisão, necessidade; urgência: *Não há mister de tanto dispêndio*. [Cf. *mester*.] ◆ **Ser mister.** Ser necessário ou forçoso, com participação da vontade: *Foi mister agir daquele modo*.

mistério [Do gr. *mystérion*, pelo lat. *mysteriu*.] *S. m.* 1. *Ant.* Conjunto de doutrinas e cerimônias religiosas que só eram conhecidas e praticadas pelos iniciados; culto secreto: *os mistérios de Ísis; os mistérios de Elêusis*. 2. Objeto de fé ou dogma religioso que é impenetrável à razão humana: *o mistério da Santíssima Trindade*. 3. Tudo aquilo que a inteligência humana é incapaz de explicar ou compreender; enigma. 4. Coisa ou elemento oculto, obscuro ou desconcertante; segredo, enigma: *o mistério do romance policial*. 5. Qualidade estranha e imponderável: *A todos prende o mistério do seu encanto*. 6. Precaução, cautela, reserva: *Faz tudo com muito mistério*. 7. Conhecimento aprofundado de uma arte ou ciência, inacessível aos não iniciados: *os mistérios da física*. 8. *Lit.* Cada um dos 15 grupos de 10 ave-marias e um padre-nosso de que se compõe um rosário. 9. *Rel.* No cristianismo, desígnio divino sobre a história do mundo, especialmente sobre a salvação, manifestado no tempo. 10. *Rel.* Toda a doutrina cristã sobre Deus e sua ação. 11. *Teatr.* Composição teatral da Idade Média, apresentada em praça pública, e cujo assunto era tirado, quase sempre, da Sagrada Escritura ou da vida dos santos, ou até mesmo da atualidade histórica, e acompanhada de importante participação musical: intermédios instrumentais ou vocais, canções, coros, ruídos de cena estilizados musicalmente, e até bailados: "Estas primeiras tentativas teatrais, a que depois os franceses e italianos chamaram mistérios, apareceram na Grã-Bretanha durante o século XI." (Alexandre Herculano, *Opúsculos*, IX, p. 75.) 12. *Teatr.* Espetáculo teatral cultivado a partir do séc. XIV na França, na Inglaterra e na Alemanha, que abarcava, em longas jornadas, que duravam vários dias, toda a história sacra, narrando desde a queda de Adão e Eva do Paraíso até a vida de Jesus Cristo e o Juízo Final. ~ V. *mistérios*. ◆ **Mistérios dolorosos.** *Lit.* Aqueles em que se comemora a oração no Horto, a prisão e os açoites, a coroa de espinhos, os passos e a crucificação, e que são rezados às terças e sextas-feiras [v. *mistério* (8)]. **Mistérios gloriosos.** *Lit.* Aqueles em que se comemora a Ressurreição, a Ascensão do Senhor, o Pentecostes, a Assunção e a Coroação da Virgem, e que se rezam às quartas-feiras e aos domingos [v. *mistério* (8)]. **Mistérios gozosos.** *Lit.* Aqueles em que se comemoram a Encarnação, a Visitação, a Purificação e o encontro do Menino Jesus, e que se rezam às segundas-feiras e aos sábados [v. *mistério* (8)]. ◆ **Mistérios luminosos** *Lit.* Aqueles em que se comemora o batismo de Jesus, sua autorrevelação nas Bodas de Caná, o anúncio do Reino de Deus e o convite à conversão, a Transfiguração, e a instituição da Eucaristia, e que se rezam às quintas-feiras [v. *mistério* (8)].

mistérios [Pl. de *mistério*.] *S. m. pl. Lit.* Festas particulares com que a Igreja Católica louva os mistérios da Fé. ~ V. *mistério*.

misterioso (ô) [De *mistério* + *-oso*.] *Adj.* 1. Em que há, ou que envolve mistério; oculto, secreto: *ritos misteriosos*. 2. Inexplicável, enigmático. 3. Estranho, imponderável. 4. Dúbio, suspeito, dissimulado. 5. Que faz segredo de coisas insignificantes.

mística [F. subst. do adj. *místico*^{1}.] *S. f.* 1. O estudo das coisas divinas ou espirituais. 2. Misticismo (4). 3. Crença ou sentimento arraigado de devotamento a uma ideia, causa, clube, etc. 4. Essência doutrinária: *a mística liberal*.

misticamente (ìs) [Do f. de *místico*^{1} + *-mente*.] *Adv.* De maneira mística; com misticismo: "Hoje no eterno céu, misticamente, / Goza a face do Altíssimo." (Raimundo Correia, *Poesias*, p. 291.)

misticeto [Adapt. do tax. *Mysticeti*.] *Zool. S. m.* 1. Espécime dos misticetos, subordem de grandes cetáceos, com as fêmeas maiores que os machos, que se caracterizam por apresentar barbatanas [v. *barbatana* (3)] e dois orifícios respiratórios; mistacoceto. • *Adj.* 2. Pertencente ou relativo a eles. [Sin. ger.: *mistacoceto*.]

misticidade [De *místico* + *-(i)dade*.] *S. f.* 1. Qualidade de místico^{1} (1). 2. *P. us.* Misticismo.

misticismo [De *místico*^{1} + *-ismo*.] *S. m.* 1. Fenômeno de fé religiosa intensa, de união perfeita com Deus e o Absoluto, numa experiência individual independente da vontade e que, não raro, é acompanhada de manifestações psíquicas (êxtase, estigmas, etc.). 2. Atitude religiosa ou filosófica que afirma essa união e nela crê. 3. Doutrina ou crença fundada nessa atitude. 4. Vida religiosa e contemplativa; mística. 5. O elemento místico de qualquer doutrina. 6. Disposição para crer no sobrenatural. [Sin. ger., p. us.: *misticidade*.]

misticizar [De *místico*^{1} + *-izar*.] *V. t. d.* Tornar místico^{1}.

místico^{1} [Do gr. *mystikós*, 'relativo a mistério (1)', pelo lat. *mysticu*.] *Adj.* 1. Relativo à mística e ao misticismo: *As grandes religiões reconhecem as experiências místicas*. 2. Referente à transcendência da fé, da união com Deus: *O casamento místico de Santa Catarina; O encontro místico de São Paulo na estrada de Damasco*. 3. Relativo a ou próprio de místico^{1} (8): *êxtase místico*. 4. Que experimenta os fenômenos do misticismo: *os santos místicos*. 5. Extremamente religioso, predisposto à piedade, ao misticismo: *Era um adolescente místico, presa fácil da exaltação*. 6. Misterioso; que encerra razão oculta ou significado alegórico. 7. Que lembra a vida religiosa ou ambiente devoto, místico: "Ao crepúsculo evolava-se do sítio um cheiro místico de incenso e de missa" (Coelho Neto, *Sertão*, p. 11). ~ V. *perspectiva — a* e *testamento —*. • *S. m.* 8. Aquele que pratica o misticismo, que tem intensa fé religiosa, que experimenta a união inefável da alma com Deus: *Santa Teresa de Ávila e São João da Cruz, os dois grandes místicos do Renascimento*.

místico^{2} [De *misto* + *-ico*^{2}.] *Adj. P. us.* 1. Misto (1). 2. Contíguo, anexo. 3. Que faz parte de uma miscelânea.

místico^{3} *Adj. Gír.* Muito bom; excelente, perfeito.

mistificação [De *mistificar* + *-ção*.] *S. f.* Ato ou efeito de mistificar; engano, burla.

mistificado [Part. de *mistificar*.] *Adj.* Que foi vítima de mistificação; iludido, burlado, logrado.

mistificador (ô) [De *mistificar* + *-dor*.] *Adj. S. m.* Que, ou aquele que mistifica.

mistificar [Do fr. *mystifier*.] *V. t. d.* Abusar da credulidade de; enganar, iludir, burlar, lograr, embair, embaçar. [Conjug.: v. *trancar*.]

mistifório [Do lat. *mixti fori*, 'de foro misto'.] *S. m.* V. *mixórdia* (1): "Do piedoso burburinho, sobressaía a voz de D. Inacinha, ao recitar, com solenidade de padre, o *gloria patris*, respondido pelos fiéis, numa algaravia, num mistifório de latim e português" (Domingos Olímpio, *Luzia-Homem*, p. 136).

mistilíneo [De *misto* + *-i-* + *-líneo*.] *Adj.* Constituído em parte por linhas retas e em parte por linhas curvas. ~ V. *polígono —*.

mistinérveo [De *misto* + *-nerv(i)-* + *-eo.*] ***Adj. Bot.*** Diz-se das folhas cujas nervuras se dirigem em diversos sentidos.

misto [Do lat. *mixtu*, 'misturado', part. pass. do v. lat. *miscere*, 'mexer' (q. v.).] ***Adj.*** **1.** Originado da mistura de elementos de natureza diversa; mesclado, misturado: *cor mista; bebida mista; sanduíche misto.* **2.** Que participa de diferentes coisas: *atividade mista.* **3.** Confuso, misturado, baralhado: *ruído misto de pregões, veículos e cantorias.* **4.** Diz-se do trem que transporta cargas e passageiros. **5.** Diz-se do estabelecimento de ensino que admite alunos de ambos os sexos. ~ V. *ação —a, economia —a, glândula —a, linha —a, navio —, nervo —, número —, ortografia —a, ponte —a* e *tribunal —.* ● ***S. m.*** **6.** Mistura, conjunto, composto. **7.** Reunião de coisas diversas e/ou opostas: "Sonhando, não se passa um só momento / Em que a não veja, e a vê-la as noites passo, / Num misto de doçura e de tormento." (Eugênio de Castro, *Éclogas*, p. 39.) **8.** Trem misto. **9.** Refeição de pão e vinho, que os frades de S. Bento e de S. Bernardo faziam antes de ir para o coro. **10.** *Expl.* Sistema constituído por estopins e dispositivos semelhantes para transmissão de chama em espoletas de artilharia, bombas de aviação e outros tipos de munição. **11.** *Moç.* De etnias diversas; mestiço: "Queria dizer-lhe tudo isso, contar-lhe o seu drama e o de tantos outros rapazes negros e mistos, iguais a ele." (Guilherme de Melo, *Raízes do Ódio*, p. 75.)

misto-frio ***S. m. Bras. SP*** Sanduíche[1] (1) de pão francês com queijo e presunto: "Em um boteco no cais eles compraram dúzias .... de mistos-frios .... Pãozinho francês fresco, com presunto e queijo, que maravilha." (István Wessel, *Os Segredos da Carne*, I, 3ª pág.) [Sin., RS: *recheada*. Pl.: *mistos-frios*.]

misto-quente [De *misto* + *quente*.] ***S. m. Bras.*** Sanduíche[1] (1) quente, de queijo e presunto. [Pl.: *mistos-quentes*.]

mistral [Do provenç. *mistral*.] ***S. m.*** Vento violento, frio e seco, que sopra no N. da região sueste da França: "e tornou a nevar; e, após os brandos etésios, soprou o mistral forte." (Eugênio de Castro, *Obras Poéticas*, I, p. 129); "Chegaram os mais famosos, os mais ilustres ventos da Terra: / — Mistral, com seus cabelos de agulha, e os seus frios de dedos finos" (Joaquim Cardoso, *Poesias Completas*, p. 69).

mistura [Do lat. *mixtura* < v. lat. *miscere*, 'mexer' (q. v.).] ***S. f.*** **1.** Ato ou efeito de misturar(-se). **2.** Conjunto, composto ou produto resultante de coisas misturadas. **3.** Amálgama, mescla; misto: *mistura de cores.* **4.** Cruzamento de raças; miscigenação. **5.** Reunião íntima de coisas diversas e/ou opostas: *mistura de fragilidade e força.* **6.** *Quím.* Associação de duas ou mais substâncias em proporções arbitrárias separáveis por meios mecânicos ou físicos. ◆ **Mistura de códigos.** *E. Ling.* Utilização, por parte de falantes bilíngues, de dois códigos, no decorrer de um mesmo enunciado. **Mistura racêmica.** *Quím.* Racêmico (3). **De mistura.** Simultaneamente, conjuntamente; confusamente: "E vai correndo e vai latindo de mistura, / Rosna ao dar-lhes na pista a escolta que os procura" (Vicente de Carvalho, *Poemas e Canções*, p. 69). **Sem mistura.** Perfeito, puro; pleno, completo: *doutrina sem mistura.*

misturação [De *misturar* + *-ção*.] ***S. f.*** Ato de misturar; admistão (q. v.).

misturada [F. subst. de *misturado*, ou de *mistura* ou de *misturar* + *-ada*[1].] ***S. f.*** **1.** V. *mixórdia* (1). **2.** *Bras. N.E.* Mistura de aguardente com outra qualquer bebida: *Embriagou-se com uma misturada.* **3.** *Bras. RS* Moça morena, entre cabocla e mulata. **4.** *Bras. RS* Certa dança final, nos bailes.

misturado [Part. de *misturar*.] ***Adj.*** **1.** Junto, confundido, amalgamado. **2.** Associado, acompanhado; simultâneo. **3.** Não puro: *bebida misturada.* **4.** Diz-se do sangue dos mestiços. ~ V. *cal —a.*

misturador (ô) [De *misturar* + *-dor*.] ***Adj.*** **1.** Que mistura ou serve para misturar. ~ V. *tanque —.* ● ***S. m.*** **2.** *Constr.* Betoneira. **3.** *Ind. Pap.* Tanque misturador (q. v.).

misturar [De *mistura* + *-ar*[2].] ***V. t. d.*** **1.** Juntar (coisas diversas); confundir, embaralhar: *A linguagem onírica mistura diversos níveis da realidade.* **2.** Cruzar, unir (seres de castas diversas). ***T. d. e i.*** **3.** Juntar, confundir, baralhar: "A tradição mistura lenda com fatos" (José Honório Rodrigues, *Filosofia e História*, p. 43). **4.** Entremear, alternar: "Mistura [o pajé amazônico] a terapêutica ao dogma, o receituário à oração." (Raimundo Morais, *País das Pedras Verdes*, p. 223); "Misturava palavrões com as maiores delicadezas." (Clarice Lispector, *A Via-Crúcis do Corpo*, p. 49). **5.** Reunir pessoas diversas. ***P.*** **6.** Intrometer-se, ingerir-se. **7.** Confundir-se, juntar-se, unir-se, mesclar-se, fundir-se: "a figura vaga do finado amigo passa-lhe acaso ao longe, ... depois mistura-se à do amigo atual, e parecem ambas uma só pessoa" (Machado de Assis, *Quincas Borba*, p. 43).

misturável [De *misturar* + *-vel*.] ***Adj. 2 g.*** Miscível (q. v.).

mísula [Do it. *mensola*.] ***S. f. Arquit.*** Ornato provido de relevos, estreito na parte inferior e largo na superior, que ressai de uma parede vertical, e que sustenta uma cornija, um busto, um arco de abóbada, etc.: "jarrões da Índia, bojudos em mísulas de ébano e tartaruga." (Fialho d'Almeida, *Lisboa Galante*, p. 101).

mitacismo [Do gr. *mytakismós*.] ***S. m. E. Ling.*** Uso excessivo ou errôneo do *m* ou do /m/; mutacismo.

mitene [Do fr. *mitaine*.] ***S. f.*** Luva de senhoras que, cobrindo a mão, deixa os dedos descobertos; punhete, meia-luva.

▲**mit(i)-** [Do lat. *mythos* ou *mythus*, *i* < gr. *mŷthos, ou*.] Equiv. de *mit(o)-*[2].

mitical ***S. m.*** V. *metical* (1 e 2).

mítico [Do gr. *mythikós*, pelo lat. *mythicu*.] ***Adj.*** **1.** Relativo ou pertencente a mito: *narração mítica; personagem mítica.* **2.** Semelhante a mito, ou da natureza deste. **3.** Que tem caráter fabuloso, ou que é aceito como verdadeiro por força da tradição.

mitificação [De *mitificar* + *-ção*.] ***S. f.*** Ato ou efeito de mitificar.

mitificar [De *mit(i)-* + *-ficar*.] ***V. t. d.*** Converter em mito (4 a 8); tornar mítico; mitologizar: *Os fãs mitificam a pessoa admirada; Mitificaram o conflito de rua, dando-lhe ares de heroica batalha.* [Conjug.: v. *trancar*.]

mitigação [Do lat. *mitigatione*.] ***S. f.*** Ato ou efeito de mitigar(-se).

mitigador (ô) [De *mitigar* + *-dor*.] ***Adj.*** Que mitiga; mitigativo, mitigante, mitigatório.

mitigante [De *mitigar* + *-nte*.] ***Adj. 2 g.*** V. *mitigador.*

mitigar [Do lat. *mitigare*.] ***V. t. d.*** **1.** Abrandar, amansar: *Tentava mitigar a raiva do outro.* **2.** Suavizar, abrandar, aliviar: "O certo é que os aplausos de Roma não foram poderosos nem para mitigar a dor que o pungia, nem para adormecer a ambição que o desvelava." (João Francisco Lisboa, *Obras*, IV, p. 292.) **3.** Diminuir, aclamar, atenuar: *mitigar a sede.* ***P.*** **4.** Suavizar-se, abrandar(-se). [Conjug.: v. *largar*.]

mitigativo [Do lat. *mitigativu*.] ***Adj.*** V. *mitigador.*

mitigatório [Do lat. *mitigatoriu*.] ***Adj.*** V. *mitigador.*

mitigável [De *mitigar* + *-vel*.] ***Adj. 2 g.*** Que se pode mitigar.

▲**mitil(i)-** [Do lat. *mytilus*, *i* < gr. *mytílos, ou*.] Equiv. de *mitilo-*.

mitilicultura (mì) [De *mitil(i)-* + *-cultura*.] ***S. f.*** Criação de mexilhões e outros moluscos bivalves mitilídeos.

mitilídeo [Do tax. *Mytilus* (do lat. *mytilus* [v. *mitil(i)-*]) + *-ídeo*[1]; tax. *Mytilidae*.] ***Zool. S. m.*** **1.** Espécime dos mitilídeos, família de moluscos lamelibrânquios desprovidos de sifão, quase todos marítimos, alguns das embocaduras de rios, e outros de águas doces, e cujo gênero-tipo é o *Mytilus*. Ex.: o sururu e o berbigão. ● ***Adj.*** **2.** Pertencente ou relativo a eles.

mitiliforme (mì) [De *mitil(i)-* + *-forme*.] ***Adj. 2 g.*** Que tem a forma da concha do mexilhão.

▲**mitilo-** [Do gr. *mytílos, ou*.] ***El. comp.*** = 'mexilhão': *mitilotoxina.* [Equiv.: *mitil(i)-*: *mitilicultura*.]

mitingueiro ***S. m.*** **1.** Orador que promove e estimula debates, discussões, etc.: "Numerosos são os operários da palavra — locutores, apresentadores, cantores, atores, etc. Sem falar nos políticos, nos camelôs e nos mitingueiros. Os níveis linguísticos são vários." (Oto Lara Resende, em *Folha de S.Paulo*, 06.09.1992.) ● ***Adj.*** **2.** Diz-se de mitingueiro (1).

mitismo [De *mito* + *-ismo*.] ***S. m.*** **1.** Ciência dos mitos. [Cf. *mitologia* (3) e *mitografia*.] **2.** Abuso de explicações acerca dos mitos ou da mitologia.

mito [Do gr. *mŷthos*, 'fábula', pelo lat. *mythu*.] ***S. m.*** **1.** Narrativa dos tempos fabulosos ou heroicos. **2.** Narrativa na qual aparecem seres e acontecimentos imaginários, que simbolizam forças da natureza, aspectos da vida humana, etc. **3.** Representação de fatos ou personagens reais, exagerada pela imaginação popular, pela tradição, etc. **4.** Pessoa ou fato assim representado ou concebido: *Para muitos, Rui Barbosa é um mito.* [Sin. (relativo a pessoa), nesta acepç.: *monstro sagrado* (q. v.).] **5.** Ideia falsa, sem correspondente na realidade: *As dívidas surgidas no inventário demonstram que a sua fortuna era um mito.* **6.** Representação (passada ou futura) de um estádio ideal da humanidade: *O mito da Idade do Ouro.* **7.** Imagem simplificada de pessoa ou de acontecimento, não raro ilusória, elaborada ou aceita pelos grupos humanos, e que representa significativo papel em seu comportamento. **8.** Coisa inacreditável, fantasiosa, irreal; utopia: *A perfeição absoluta é um mito.* **9.** *Antrop.* Narrativa de significação simbólica, transmitida de geração em geração e considerada verdadeira ou autêntica dentro de um grupo, tendo ger. a forma de um relato sobre a origem de determinado fenômeno, instituição, etc., e pelo qual se formula uma explicação da ordem natural e social e de aspectos da condição humana. **10.** *Filos.* Forma de pensamento oposta à do pensamento lógico e científico. ◆ **Mito da caverna.** *Filos.* Aquele com que Platão (v. *platonismo*), no começo do livro sétimo da *República*, figura o processo pelo qual a alma passa da ignorância à verdade.

▲**mit(o)-**[1] [Do gr. *mítos, ou*, 'fio'.] ***El. comp.*** = 'filamento celular'; 'mitose': *mitocôndria, mitogenético, mitoinibitório, mitose.* [Equiv.: *-mit(o)-*: *amitose*.]

▲**mit(o)-**[2] [Do gr. *mŷthos, ou*.] ***El. comp.*** = 'fábula', 'lenda'; 'mentira': *mitomania.* [Equiv.: *mit(i)-*: *mitificar*.]

▲**-mit(o)-** Equiv. de *mit(o)-*[1].

mitocôndria [De *mit(o)-*[1] + *-condr(o)-* + *-ia*[2].] ***S. f. Citol.*** Organela membranosa presente em célula eucariótica, e que gera energia química na forma de ATP.

mitocondrial [De *mitocôndria* + *-al*[1].] ***Adj. 2 g.*** De, ou relativo a mitocôndria. ~ V. *crista —* e *matriz —.*

mitofobia [De *mit(o)-*[2] + *-fobia*.] ***S. f.*** Aversão à mentira, ou aos mentirosos.

mitofóbico [De *mitofobia* + *-ico*[2].] ***Adj.*** **1.** Relativo a mitofobia. **2.** Que tem mitofobia; mitófobo. ● ***S. m.*** **3.** Aquele que tem mitofobia; mitófobo.

mitófobo [De *mit(o)-*[2] + *-fobo*.] ***Adj. S. m.*** Mitofóbico (2 e 3).

mitogenético [De *mit(o)-*[1] + *genético*.] ***Adj. Biol.*** Que produz a mitose.

mitógeno [De *mit(o)-*[1] + *-geno*.] ***S. m. Biol.*** Substância indutora de mitose.

mitografia [Do gr. *mythographía*.] ***S. f.*** Descrição de mitos: "Terra nebulosa, nebulosamente apontada nos fantásticos mapas de mitografia..." (Olavo Bilac, *Últimas Conferências e Discursos*, p. 155.) [Cf. *mitismo* (1) e *mitologia* (3).]

mitográfico [De *mitografia* + *-ico*[2].] ***Adj.*** Respeitante à mitografia.

mitógrafo [Do gr. *mythográphos*.] ***S. m.*** Aquele que escreve acerca dos mitos.

mitoinibitório (o-i) [De *mit(o)-*[1] + *inibitório*.] ***Adj. Biol.*** Que retarda ou impede a mitose.

mitologema [Do gr. *mythológema*, 'narrativa mítica'.] ***S. m.*** Tema ou *tópos* mitológico comum a diversas culturas, como a criação do homem, o dilúvio, etc.

mitologia [Do gr. *mythología*.] ***S. f.*** **1.** História fabulosa dos deuses, semideuses e heróis da Antiguidade greco-romana. **2.** O conjunto dos mitos [v. *mito* (1 a 3)] próprios de um povo, de uma civilização, de uma religião: *mitologia hindu; mitologia grega.* **3.** Ciência, estudo ou tratado acerca das origens, desenvolvimento e significação deles. [Cf. *mitismo* (1) e *mitografia*.] **4.** O conjunto dos mitos [v. *mito* (3)] relacionados com um personagem, um fato, uma doutrina, um tema, etc.: *No Brasil criou-se uma mitologia do futebol.*

mitológico [Do gr. *mythologikós*.] ***Adj.*** Relativo à, ou próprio da mitologia.

mitologização [De *mitologizar* + *-ção*.] ***S. f.*** Ato ou efeito de mitologizar.

mitologizar [De *mitologia* + *-izar*; fr. *mythologiser*.] ***V. t. d.*** **1.** Dar caráter ou feição mitológica a. **2.** Mitificar.

mitólogo [Do gr. *mythológos*.] ***S. m.*** Indivíduo versado em mitologia, ou que escreve a respeito dela.

mitoma [De *mit(o)-*[1] + *-oma*[2].] ***S. m. Biol.*** Suposto retículo fibrilar do protoplasma.

mitomania [De *mit(o)-*[2] + *-mania*.] ***S. f. Psiq.*** Tendência mórbida para a mentira: "era notória a sua mitomania [de José do Patrocínio Filho], a sua incorrigível tendência para as mistificações" (Onestaldo de Pennafort, *Um Rei da Valsa*, p. 23). [Cf. *metomania*.]

mitomaníaco [De *mitomania* + *-íaco*.] ***Adj.*** **1.** Relativo a mitomania. **2.** Que tem mitomania; mitômano. ● ***S. m.*** **3.** Aquele que tem mitomania; mitômano.

mitômano ***Adj. S. m. Psiq.*** V. *mitômano.* [Uso freq. em P.]

mitômano [De *mit(o)-*[2] + *-mano*[1].] ***Adj. S. m. Psiq.*** Mitomaníaco (2 e 3).

mitonímia [De *mitônimo* + *-ia*[2].] ***S. f.*** O estudo dos mitônimos.

mitonímico [De *mitônimo* + *-ico*[2].] ***Adj.*** Relativo a mitonímia.

mitónimo ***S. m. Neol.*** V. *mitônimo.* [Uso freq. em P.]

mitônimo [De *mit(o)-*[2] + *-ônimo*.] ***S. m. Neol.*** Nome próprio pertencente à mitologia clássica ou a qualquer outra (nomes de entidades, lugares, animais, etc. Ex.: Apolo, Cérbero, Ísis, Zeus, Afrodite, Olimpo).

mitopoeico (éi) [Do gr. *mythopoiós*, 'contador de lendas, de mitos', + *-ico*[2].] ***Adj.*** Relativo ou pertencente a mitopoese; mitopoético. ❖

mitopoese [Do gr. *mythopoíesis*.] ***S. m.*** **1.** A criação de um mito. **2.** Procedência ou origem dos mitos. [Sin. ger.: *mitopoética*.]

mitopoética [F. subst. de *mitopoético*.] ***S. f.*** Mitopoese.

mitopoético [Do gr. *mythopoietikós*.] ***Adj.*** Mitopoeico: "Essa empatia criadora para o confronto de comportamentos que nos parecem inéditos .... é constantemente reivindicada por Claude Lévi-Strauss (v. *straussiano*), não apenas para a reconceituação e recuperação, para nós, das sociedades sem história, mas também para que reintegremos elementos das sociedades industriais urbanas, onde ele denomina de mitopoético o caso exemplar da arquitetura de Ferdinand Cheval em Hauterives, França." (Lélia Coelho Frota, *Mitopoética de Nove Artistas Brasileiros*, p. 21.)

mitorribossomo [De *mit(o)-*[1] + *ribossomo*.] *S. m. Citol.* Ribossomo da mitocôndria.

mitose [De *mit(o)-*[1] + *-ose*[1].] *S. f. Citol. Genét.* Processo mediante o qual o material genético é duplicado com precisão, gerando dois novos conjuntos de cromossomos iguais ao original; cariocinese. ◆ **Mitose anastral.** *Citol. Genét.* Tipo de mitose observada em células vegetais e alguns eucariontes unicelulares, na qual, apesar da presença de centrossoma, não se observam centríolos e não ocorre formação de ásteres.

mitótico [De *mit(ose)-* + *-ótico*.] *Adj. Citol. Genét.* Relativo a, ou em que há mitose; cariocinético. ~ V. *fuso —*.

mitra [Do gr. *mítra*, pelo lat. *mitra*.] *S. f.* **1.** Barrete alto e pontudo usado pelos antigos persas, egípcios e assírios. **2.** Barrete alto e cônico, fendido lateralmente na parte superior e com duas faixas que caem sobre as espáduas, que o Papa, os bispos, arcebispos e cardeais põem na cabeça em solenidades pontificais. **3.** *Rel.* O bispado, como pessoa jurídica. **4.** *Fig.* O poder espiritual, ou dignidade pontifícia ou episcopal. **5.** Carapuça de papel que se punha na cabeça dos condenados da Inquisição. **6.** *Pop.* V. *uropígio* (1). **7.** *Bras. S.* Astúcia, manha. ● *S. m.* **8.** *Bras. S.* Indivíduo mitrado (3) (q. v.). **9.** *Bras. S.* Animal manhoso. **10.** *Bras. N.* V. *avaro* (3). ● *Adj.* **11.** *Bras.* V. *mitrado* (3). **12.** *Bras. S.* Diz-se de animal manhoso. **13.** *Bras. N.* V. *avaro* (1).

mitração [De **mitrar* (< *mitra* + *-ar*[2]) + *-ção*.] *S. f. Bras. S.* Ação própria de mitra ou finório; esperteza, tratantada.

mitrado [De *mitra* + *-ado*[1].] *Adj.* **1.** Que tem mitra ou o direito de usá-la. **2.** Diz-se de animal que tem na cabeça ornato natural, semelhante a mitra. **3.** *Bras. S. Fig.* Finório, sagaz, atilado, vivo; mitra.

mitral [De *mitra* + *-al*[1].] *Adj. 2 g.* **1.** Mitriforme. ~ V. *valva —*. ● *S. f.* **2.** *Anat.* A valva atrioventricular esquerda (q. v.).

mitridatismo [De *mitridato* (q. v.) + *-ismo*.] *S. m. Imun.* Imunidade adquirida contra veneno, mediante a ministração de doses crescentes dele.

mitridatizado [Part. de *mitridatizar*.] *Adj.* Imunizado contra venenos (no sentido literal ou no figurado). [V. *mitridatismo*.]

mitridatizar [De *mitridato* + *-izar*.] *V. t. d. P.* Tornar(-se) imune contra venenos. [V. *mitridatismo*.]

mitridato [Do lat. med. *mithridatum*, 'tipo de contraveneno', alter. do lat. tard. *mithridatium* < gr. *mithridáteios* < antr. gr. *Mithridátes* (c. 132-63 a. C.), rei do Ponto Euxino (Ásia Menor).] *S. m.* Na farmacopeia antiga, contraveneno que teria sido inventado pelo rei Mitridates, em cuja composição entravam cerca de 54 ingredientes, e que foi o antídoto universal empregado, com numerosas modificações, durante vários séculos.

mitriforme [De *mitra* + *-iforme*.] *Adj. 2 g.* Que tem forma de mitra; mitral.

miuá [Do tupi.] *S. m. Bras. MA Zool.* V. *carará*[1].

miúça [Var. de *miunça* < lat. *minutia*, 'muito pequena parte', com desnasalação.] *S. f.* **1.** Pequena porção ou fragmento; miuçalha. **2.** *Bras. N.E.* Designação dada pelos sertanejos aos gados caprino e ovelhum. ~ V. *miúças*.

miuçalha (i-u) [De *miúça* + *-alha*.] *S. f.* **1.** Miúça (1). **2.** Conjunto de coisas miúdas e de pouco ou nenhum préstimo; miudagem. [F. paral. (desus.): *miuçalho*.] **3.** *Bras.* Miudagem (4).

miuçalho (i-u) *S. m. Desus.* V. *miuçalha* (1 e 2).

miúças [Pl. de *miúça*.] *S. f. pl.* Dízimos eclesiásticos que se pagavam em gêneros por miúdo. ~ V. *miúça*.

miudagem (i-u) [De *miúdo* + *-agem*[2].] *S. f.* **1.** V. *miuçalha* (3). **2.** Resto de mercadorias em liquidação. **3.** Gado miúdo, e geralmente gado de cria. **4.** *Lus.* Bando de miúdos ou meninos; miuçalha. **5.** *Moç.* As crianças; os miúdos: "Como se chamava o mucunha, quem lembra? — Mucunha Curucho, responde a miudagem numa só voz." (Mia Couto, *Terra Sonâmbula*, p. 194.)

miudear (i-u) [De *miúdo* + *-ear*[2].] *V. t. d.* **1.** Narrar com minúcias; detalhar, pormenorizar. **2.** Esmiuçar, esquadrinhar. [Conjug.: v. *frear*.]

miudeiro (i-u) [De *miúdo* + *-eiro*.] *S. m. Bras. N.E.* Vendedor de miúdos de animais.

miudeza (i-u... ê) [De *miúdo* + *-eza*.] *S. f.* **1.** Qualidade de miúdo. **2.** Cuidado, rigor, escrúpulo, no exame ou na execução de algo: *analisar com miudeza*. **3.** V. *pormenor*. **4.** V. *mesquinhez* (1). ~ V. *miudezas*.

miudezas (i-u... ê) [Pl. de *miudeza*.] *S. f. pl.* **1.** Minúcias, particularidades, minudências. **2.** Objetos de pouco valor; bugigangas, miuçalhas, miudagens. **3.** Miúdos (2). **4.** *Bras.* Pequenos objetos; quinquilharias. ~ V. *miudeza*.

miudinha (i-u) [F. subst. do adj. *miúdo*.] *S. f. Bras. Liter. Pop.* V. *carretilha* (4).

miudinho (i-u) [De *miúdo* + *-inho*[1].] *S. m.* **1.** *Bras.* Durante a Regência (1832-1843), dança de salão, de par enlaçado. **2.** *Bras. SP* Espécie de lundu. **3.** *Bras. SP* Uma das marcações da quadrilha rural. **4.** *Bras. BA* Elemento coreográfico do *samba de roda*, em que os pés do dançarino avançam ou recuam em ritmo rápido e uniforme, com um movimento quase imperceptível. [Cf., nesta acepç., *corrido* (9).] ● *Adj.* **5.** Muitíssimo pequeno; miudíssimo. ~ V. *martelo —*.

miúdo [Do lat. *minutu*, 'diminuído', por via pop.] *Adj.* **1.** Muito pequeno; pequenino, diminuto. **2.** Amiudado, frequente: *visitas miúdas*. **3.** Escrupuloso, minucioso, cuidadoso: *É miúdo nos seus cálculos*. [Superl. abs. sint.: *miudíssimo* e *minutíssimo*.] **4.** V. *avaro* (1). **5.** *Bras. Mar.* Diz-se de embarcação de pequena proa. ~ V. *agregado —*, *dinheiro —*, *embarcação — e gado —*. ● *S. m.* **6.** V. *travadouro*. **7.** *Bras. RS Lus. Fam.* V. *menino* (1): "— Oh, é a Cassandra — disse um dos miúdos, voltando a atirar a cana à água." (Pepetela, *O Desejo de Kianda*, p. 97); "Era um miúdo inteligente, sensível." (Antônio Silva Graça, *Viagem ao Fim da História*, p. 204). ~ V. *miúdos*. ◆ **A miúdo.** V. *amiúde*: "porque esse homem cru amava particularmente o chicote e empregava-o a miúdo" (Machado de Assis, *Páginas Recolhidas*, p. 105). **De miúdo.** V. *por miúdo*: "Que é que os monges não sabiam de miúdo em história natural e social!" (Alberto Faria, *Acendalhas*, p. 151.) **Em miúdos.** V. *por miúdo*. **Pelo miúdo.** V. *por miúdo*: "Não acabaria se houvesse de contar pelo miúdo o que padecia nas primeiras horas." (Machado de Assis, *Memórias Póstumas de Brás Cubas*, p. 213.) **Por miúdo.** Com minúcias; minuciosamente, circunstanciadamente; de miúdo, em miúdo, pelo miúdo: "em vez de contar por miúdo a morte do amigo, como prometera, entrega-se a um longo devaneio sobre a sua própria existência íntima, seus sonhos, suas desilusões." (Paulo Rónai, *Encontros com o Brasil*, p. 35).

miúdos [Pl. de *miúdo*.] *S. m. pl.* **1.** V. *dinheiro miúdo*. **2.** Pequenas vísceras de animais de corte; miudezas. ~ V. *miúdo*. ◆ **Trocar em miúdos.** Dizer com objetividade e clareza; explicar.

miúfa [De or. obsc.] *S. f. Lus.* Medo. [Sin. (moç.): *minhufas*.]

miul (i-úl) *S. m.* V. *miúlo*.

miúlo *S. m.* O meão das rodas do carro de bois. [Var. apocopada: *miul*.]

miunça (i-ún) *S. f.* Miúça (q. v.): "refugiou-se na serra do Martins, voltando ao Patu para colher o resto das roças e vender algumas miunças" (Gustavo Barroso, *Heróis e Bandidos*, p. 164).

miúra *S. m.* Touro feroz com que é difícil lidar: "fixou-se na arena, onde Ordoñez começava o seu balé com o miúra preto, um touro enorme, de grandes chifres curvos ameaçadores." (Edilberto Coutinho, *Sangue na Praça*, p. 97).

miúro[1] [Do gr. *meíouros*, pelo lat. *miuru*.] *S. m. Arte Poét.* Tipo de verso cujo último pé tem uma sílaba a menos ou uma sílaba breve.

miúro[2] [De *mi(o)-* + *-uro*.] *Adj.* ~ V. *pulso —*.

miva *S. f.* Antigo preparado farmacêutico: espécie de geleia em que entra sumo de frutas e suco de carne.

mix [Do ingl. *mix*.] *S. m. 2 n.* Qualquer mistura, esp. a de alimentos (no caso de frutas, por vezes, batidas com água ou outra bebida): *mix de frutas, mix de legumes, mix de frutas secas, mix de frutas e legumes*.

mixa[1] *S. f. Bras. Gír.* **1.** Gazua. **2.** Cédula (3) falsa. [Cf. *micha*.]

mixa[2] [Var. de *mixe*.] *Adj. 2 g. Bras.* V. *mixe*. [Cf. *micha*.]

mixador (cs) [De *mixar* (cs) + *-dor*.] *S. m. Son. Telev.* Equipamento próprio para mixagem (q. v.).

mixagem (cs) [Do ingl. *(to) mix* + *-agem*[2].] *S. f.* **1.** *Son.* Processo de combinar os sinais sonoros recebidos de fontes distintas, como ocorre na gravação de uma banda sonora, a partir das gravações separadas do diálogo e da música. **2.** *Telev.* Combinação de dois ou mais sinais de imagem, para obter efeito de fusão, superposição, etc. **3.** *Mús.* Em música concreta e música eletrônica, superposição concomitante das monofonias e gravação do resultado.

mixameba (cs) [De *mix(o)-* + *ameba*; tax. *Myxamoeba*.] *S. f. Biol.* Organismo do filo Myxozoa, semelhante à ameba, e existente em solos humosos; alimenta-se de bactérias, e se origina da germinação de zoósporos.

mixanga *S. 2 g. Bras. RS* V. *caipira* (1).

mixar [De *mixe* + *-ar*[2].] *Bras. Gír. V. int.* **1.** Terminar, acabar, findar. **2.** Falhar, gorar, frustrar-se, malograr-se. *T. d.* **3.** Gorar, frustrar, malograr: *A chuva mixou o passeio*. *T. i.* **4.** Faltar; falhar: *Mixou com os amigos*. [Fut. pret.: *mixaria*, etc. Cf. *mixaria*, s. f.]

mixar (cs) [Adapt. do ingl. *(to) mix* (v. *-ar*[2]), do lat. *mixtus*, part. pass. do v. lat. *miscere*, 'mexer' (q. v.).] *V. t. d. Son. Telev.* Fazer a mixagem de (sinais de som ou de imagem). [Cf. *mixar*.]

mixaria [De *mixe* + *-aria*.] *S. f. Bras. Gír.* Coisa sem valor; insignificância, bagatela; mixuruquice. [Cf. *mixaria*, do v. *mixar*.]

mixe [Do guarani = 'pequeno', 'pouco'.] *Adj. 2 g. Bras.* **1.** Insignificante, apoucado, pequeno: *remuneração mixe*. **2.** De má qualidade; de pouco ou nenhum valor: *romance mixe; um filminho mixe*. **3.** Diz-se de festa ou de qualquer divertimento sem animação. [Var.: *mixa* e *mixo*; sin. ger.: *furreca*.]

mixedema (cs) [De *mix(o)-* + *edema*.] *S. m. Endocr.* Tumefação seca, circunscrita ou não, de aspecto céreo, em que há deposição de mucina na pele e em outros locais, e que se pode observar no hipotireoidismo. [Pelo exame clínico, verificam-se, no mixedematoso, edema que não deixa cacifo e nítidas alterações faciais, tais como tumefação dos lábios e espessamento nasal.]

mixedematoso (cs... ô) [De *mixedemat-* (por *mixedema*) + *-oso*.] *Adj.* **1.** Relativo a mixedema ou próprio dele, ou que o apresenta. ● *S. m.* **2.** Aquele que apresenta mixedema.

mixila *S. f. Bras. Zool.* V. *tamanduá-colete*.

mixilanga *S. f. Bras. BA* Beberagem (1): "amolentava-lhe as forças com mixilanga somente dela conhecida, e, quando percebia que o sujeito não aguentava mais uma gata pelo rabo, investia." (Nélson de Faria, *Bazé*, p. 45).

mixinóideo (cs) [Do tax. *Myxine* + *-óideo*; tax. *Myxinoidei*.] *Zool. S. m.* **1.** Espécime dos mixinóideos, ordem de animais marinhos, cordados, ciclostomados, de boca quase terminal, com quatro pares de tentáculos próximos da margem, poucos dentes, e desprovidos de funil bucal. Fendas branquiais em número de 10 a 14 pares; saco nasal próximo da extremidade da cabeça, com ducto que se comunica com a faringe. ● *Adj.* **2.** Pertencente ou relativo a eles.

mixira [Do tupi.] *S. f. Bras. Amaz.* Conserva de peixe-boi, de tambaqui, ou de tartaruga nova em azeite do próprio animal de que é fabricada: "à cata do peixe-boi, da gordura de tartaruga, da mixira, da castanha, do cravo, da baunilha" (Raimundo Morais, *Na Planície Amazônica*, p. 65).

mixirra [De *mixe*, poss.] *Adj. 2 g. Bras. MG* Muito pequeno; insignificante; miudíssimo.

mixo *Adj. Bras.* V. *mixe*.

▲ **mix(o)-** (cs) [Do gr. *mýxa, ēs*.] *El. comp.* = 'monco'; 'qualquer tipo de mucosidade': *mixoma, mixomiceto*. [Equiv.: *-mix(o)-*[2], *-mic(o)-*[3], *-mixo*: *amixia*[2], *actinomicídio*; *proteomixo*.]

▲ **mix(o)-** (cs) [Do gr. *míxis, eōs*.] *El. comp.* = 'ação de misturar': *mixoscopia*. [Equiv.: *-mix(o)-*[1]: *anfimixia*.]

▲ **-mix(o)-**[1] (cs). V. *mix(o)-*.

▲ **-mix(o)-**[2] (cs). Equiv. de *mixo-*.

▲ **-mixo** (cs) V. *mix(o)-*.

mixófito (cs) [De *mix(o)-* + *-fito*; tax. *Myxophita*.] *S. m. Adj. Zool.* V. *micetozoário*.

mixoflagelado (cs) [De *mix(o)-* + *flagelado*[1].] *S. m. Biol.* Organismo que constitui uma etapa evolutiva da mixameba, em que os indivíduos, independentes, são providos de flagelos.

mixogastro (cs) [De *mix(o)-* + *-gastro*; tax. *Myxogastres*.] *S. m. Adj. Zool.* V. *micetozoário*.

mixoma (cs) [De *mix(o)-* + *-oma*[1].] *S. m. Patol.* Tipo pouco frequente de tumor formado por células de tecido conjuntivo primitivo e por estroma (3) semelhante a mesênquima, e que surge, sobretudo, no coração, no sistema geniturinário de crianças e no retroperitônio.

mixomiceto (cs) [De *mix(o)-* + *-miceto*; tax. *Myxomycetes*.] *S. m. Adj. Zool.* V. *micetozoário*.

mixomónada (cs) *S. f. Biol.* V. *mixomônada*. [Uso freq. em P.]

mixomônada (cs) [De *mixo(miceto)* + *mônada*.] *S. f. Biol.* Zoósporo de mixomiceto.

mixórdia [De *mexer*, poss.] *S. f.* **1.** Mistura desordenada de coisas diversas; maçarocada, miscelânea, misturada, mistifório, mistela, massagada, massamorda, salsada, salada, salgalhada, tiborna, tibornice. **2.** Confusão, embrulhada; moxinifada; tiborna, tibornice: "Cabem aqui seres que .... conseguem olhar o céu com indiferença e a vida com sobressalto, e esta mixórdia de ridículo e de figuras somíticas" (Raul Brandão, *Húmus*, p. 12). **3.** Comida ou bebida malpreparada ou repugnante; mistela.

mixorne *S. m. Bras. Zool.* V. *joaninha* (2).

mixoscopia (cs) [De *mixo-* + *-scop-* + *-ia*[1].] *S. f. Psic.* Voyeurismo.

mixospôngia (cs) [De *mix(o)-* + *-spongia*; tax. *Myxospongia*.] *S. f. Zool.* Espécime das mixospôngias, ordem de demospôngias, que compreende animais completamente desprovidos de esqueleto.

mixospôngio (cs) [De *mixospôngia*.] ***Adj. Zool.*** Pertencente ou relativo às mixospôngias.

mixosporídio (cs) [De *mix(o)-* + *-(e)sporídio*; tax. *Myxosporidia*.] *Zool.* ***S. m.*** **1.** Espécime dos mixosporídios, ordem de protozoários cnidosporídios, bivalves, com um a quatro filamentos polares, e esporos grandes. Parasitam tecidos e cavidades dos vertebrados inferiores, especialmente dos peixes. ● ***Adj.*** **2.** Pertencente ou relativo a eles.

mixósporo (cs) [De *mixo(miceto)* + *-sporo*.] ***S. m. Biol.*** Esporo de mixomiceto.

mixotalófito (cs) [De *mix(o)-* + *talófito*; tax. *Myxothallophyta*.] ***S. m. Adj. Zool.*** V. *micetozoário*.

mixuango ***S. m. Bras. SP*** V. *caipira* (1). [F. paral.: *muxuango*.]

mixuruca ***Adj. 2 g. Bras. Gír.*** V. *mixe*.

mixuruquice [De *mixuruca* + *-ice*.] ***S. f. Bras. Gír.*** **1.** Qualidade de mixuruca ou mixe. **2.** V. *mixaria*.

▲ **miz(o)-** [Do gr. *mýzein*, 'sugar'.] ***El. comp.*** = 'que suga'; 'sugador'; 'ventosa': *mizocéfalo, mizodendrácea*. [Equiv.: *-mizo*: *ornitomizo*.]

▲ **-mizo** Equiv. de *miz(o)-*.

mizocéfalo [De *miz(o)-* + *-céfalo*.] ***Adj. Zool.*** Cuja cabeça tem forma de ventosa.

mizodendrácea [Do tax. *Myzodendron* (v. *miz(o)-* e *-dendro*) + *-ácea*; tax. *Myzodendraceae*.] ***S. f. Bot.*** Espécime das mizodendráceas, família de vegetais da ordem das santalales, composta de subarbustos semiparasitos. Há uma dúzia de espécies chilenas.

mizodendráceo [De *mizodendrácea*, com var. suf. (v. *-áceo*).] ***Adj. Bot.*** Pertencente ou relativo às mizodendráceas.

mizostomário [Do tax. *Myzostomum*, gênero-tipo, + *-ário*; tax. *Myzostomaria*.] *Zool.* ***S. m.*** **1.** Espécime dos mizostomários, classe de animais metazoários, anelídeos, poliquetas, errantes. Têm corpo oval achatado, com cinco pares de parápodes ventrais e 10 pares de cirros marginais; epiderme ciliada, com ventosas ventrais. São parasitos de crinoides. ● ***Adj.*** **2.** Pertencente ou relativo a eles.

■ **ml** Símb. de *mililitro*.

■ **mm** Símb. de *milímetro*.

■ **M.M.** *Mús.* Abrev. de *metrônomo*.

■ **mmc** *Mat.* Símb. de *mínimo múltiplo comum*.

■ **mmHg** *Fís.* Símb. de *milímetro de mercúrio*.

■ **Mn** *Quím.* Símb. de *manganês*.

mnémico ***Adj.*** v. *mnêmico*. [Uso freq. em P.]

mnêmico [De *mnem(o)-* + *-ico*².] ***Adj.*** Mnemônico (1).

▲ **mnem(o)-** [Do gr. *mnḗmē, ēs*, 'memória', e do gr. *mnḗmōn, onos*, 'que se lembra'.] ***El. comp.*** = 'memória', 'lembrança': *mnêmico, mnemotécnica*. [Equiv.: *mnemon-*: *mnemonizar*.]

▲ **mnemon-** Equiv. de *mnem(o)-*.

mnemónica ***S. f.*** V. *mnemônica*. [Uso freq. em P.]

mnemônica [F. subst. de *mnemônico*.] ***S. f.*** Arte e técnica de desenvolver e fortalecer a memória mediante processos artificiais auxiliares, como, p. ex.: a associação daquilo que deve ser memorizado com dados já conhecidos ou vividos; combinações e arranjos; imagens, etc.: 📖 "uma mnemônica feliz ensinava-me a enumeração dos estados e das províncias." (Raul Pompeia, *O Ateneu*, p. 54). [Sin.: *mnemotecnia, mnemotécnica*.]

mnemónico ***Adj.*** V. *mnemônico*. [Uso freq. em P.]

mnemônico [Do gr. *mnemonikós*, 'relativo à memória'.] ***Adj.*** **1.** Relativo à memória; mnêmico. **2.** Conforme aos preceitos da mnemônica: *exercícios mnemônicos*. **3.** Fácil de reter na memória: *número mnemônico*. **4.** Que ajuda a memória. ● ***S. m. Inform.*** **5.** Abreviatura de códigos de operação que representam funções e tarefas desempenhadas pelo processador.

mnemonização [De *mnemonizar* + *-ção*.] ***S. f.*** Ato de mnemonizar.

mnemonizar [De *mnemon-* + *-izar*.] ***V. t. d.*** Tornar mnemônico (3).

mnemonizável [De *mnemonizar* + *-vel*.] ***Adj. 2 g.*** **1.** Que se pode mnemonizar. **2.** Que se fixa facilmente na memória.

mnemotecnia [De *mnem(o)-* + *-tecn(o)-* + *-ia*¹.] ***S. f.*** V. *mnemônica*.

mnemotécnica [De *mnem(o)-* + *técnica*.] ***S. f.*** V. *mnemônica*.

mnemotécnico [De *mnemotecnia* + *-ico*².] ***Adj.*** Referente à mnemotecnia ou mnemotécnica.

mnemoteste [De *mnem(o)-* + *teste*¹.] ***S. m.*** Teste para verificação da capacidade de memória (1).

▲ **-mnese** [Do gr. *-mnēsis, eōs* < v. gr. *mnâsthai*, 'pensar em', 'lembrar-se de'.] ***El. comp.*** = 'lembrança', 'memória': *anamnese* (< gr.), *catamnese*. [Equiv.: *-mnesia* (q. v.).]

▲ **-mnesia** [Do gr. *-mnēsía, as* < v. gr. *mnâsthai*, 'pensar em', 'lembrar-se de'.] V. *-mnese*. [Embora a melhor forma seja *-mnesia*, o uso consagrou *-mnésia*, donde a seguinte variação prosódica: *amnesia / amnésia* (< gr.), *anamnesia / anamnésia, catamnesia / catamnésia, dismnesia / dismnésia, hipermnesia / hipermnésia, paramnesia / paramnésia*. V. *-ia*¹.]

▲ **-mnésia** V. *-mnesia*.

▲ **mni(o)-** [Do gr. *mníon* ou *mníon, ou*.] ***El. comp.*** = 'musgo': *mniotiltídeo*.

mniotiltídeo [Do tax. *Mniotilta* + *-ídeo*¹; tax. *Mniotiltidae*.] ***S. m. Adj. Zool.*** V. *parulídeo*.

mo **1.** Equiv. do pron. pess. complem. *me* e do pron. dem. *o*: 📖 "E a boa dama sacou um espelho e abriu-mo diante dos olhos." (Machado de Assis, *Memórias Póstumas de Brás Cubas*, p. 147.) [Flex.: *ma, mos, mas*.] **2.** Equiv. do pron. pess. complem. *me* e do pron. dem. neutro *o*: 📖 "Que me conste, ainda ninguém relatou o seu próprio delírio; faço-o eu, e a ciência mo agradecerá." (Id., *ib.*, p. 18); "Os meus males ninguém mos adivinha..." (Florbela Espanca, *Sonetos Completos*, p. 52).

■ **Mo** *Quím.* Símb. de *molibdênio*.

mó¹ [Do lat. *mola*.] ***S. f.*** **1.** Pedra de moinho ou de lagar: 📖 "Havia .... uma grande mó de pedra no moinho de fubá onde a água passava chorando." (Rubem Braga, *Ai de Ti, Copacabana!*, p. 122.) **2.** Pedra com que se afiam instrumentos cortantes; cote.

mó² ***S. f.*** Grande massa; grande quantidade: 📖 "Bem depressa a tropeirada cercou o grupo. Reuniram-se em mó" (Afonso Arinos, *Pelo Sertão*, p. 41); "observando a massa esfrangalhada de tão sombria mó de gente — corpos exangues, almas em dor — considero no espetáculo da pobreza, que me confrange o coração!" (Antero de Figueiredo, *Miradouro*, p. 39).

moa [Do *maori*.] ***S. f. Zool.*** Grande ave dinornitídea, nativa da Nova Zelândia e extinta há cerca de um século; a família compunha-se de, pelo menos, 6 gêneros com 19 espécies; eram aves ratitas com 3m de altura, desprovidas de asas, herbívoras, e que nidificavam no chão.

moabita ***S. 2 g.*** **1.** *Etnôn.* Indivíduo dos moabitas, povo do antigo reino de Moabe (na atual Jordânia). ● ***S. m.*** **2.** *Gloss.* Língua semítica, atualmente extinta, falada por esse povo. **3.** Vocábulo dessa língua. ● ***Adj. 2 g.*** **4.** Relativo ao reino de Moabe, aos moabitas, ou à sua língua.

moafa ***S. f. Pop.*** V. *bebedeira* (1).

moageiro [De *moagem* + *-eiro*.] ***S. m.*** **1.** Proprietário de estabelecimento de moagem. ● ***Adj.*** **2.** Referente à moagem: *indústria moageira*.

moagem [De *moer* + *-agem*².] ***S. f.*** Ato de moer (1 e 2); moedura: 📖 "A festa era a do costume / Pela moagem do engenho." (Alberto de Oliveira, *Poesias*, 3ª série, p. 113).

mobica [Do quimb. *mu'bika*, 'escravo'.] ***S. 2 g. Bras. N. N.E.*** Escravo já alforriado, liberto.

móbil [Do lat. *mobile*.] ***Adj. 2 g.*** **1.** Móvel (1): 📖 "nos olhos papudos .... luzia uma pupila negra e úmida, muito móbil" (Eça de Queirós, *O Primo Basílio*, p. 43). ● ***S. m.*** **2.** O que induz, incita ou motiva alguém a uma ação; causa, motivo, motor, móvel, motivação: *o móbil do crime*; 📖 "Não se procurou o móbil das belas ações na consciência humana, no amor da pátria ....; foi-se procurar esse móbil às más paixões." (Eça de Queirós, *Prosas Esquecidas*, III, p. 31). [Pl.: *móbeis* e (menos us.) *móbiles*. Cf. *mobiles*, do v. *mobilar*.]

mobilador (ô) [De *mobilar* + *-dor*.] ***Adj. S. m. Lus.*** Que, ou aquele que mobila.

mobilar [De *móbil* + *-ar*².] ***V. t. d. Int. Lus.*** V. *mobiliar*: 📖 "Mobilou casa no bairro de Buenos Aires, na menos frequentada das ruas." (Camilo Castelo Branco, *Amor de Salvação*, p. 131.) [Pres. subj.: *mobile, mobiles*, etc. Cf. *móbile*, s. m., pl. *móbiles*, e *móbiles*, pl. de *móbil*.]

móbile [Do ingl. *mobile*.] ***S. m. Art. Plást.*** Escultura abstrata móvel, constituída de formas de material leve suspensas no espaço por fios, de maneira equilibrada e harmoniosa, e que mudam de posição impelidas pelo ar: 📖 "penduradas no teto por fios, ... formas coloridas de pássaros, flores, instrumentos, figuras geométricas, bichos e anjos mexem-se, girando, impulsionadas pela repentina aragem: os seus móbiles." (Edla Van Steen, *Memórias do Medo*, p. 9). [Cf. *arte cênica e escultura* (2). Cf. tb. *mobiles*, do v. *mobilar*.]

mobilhar ***V. t. d. Int. Bras.*** V. *mobiliar*.

mobília [Do lat. *mobilia*, 'coisas móveis'.] ***S. f.*** Objetos móveis para uso ou adorno interior de uma casa ou ambiente; mobiliário.

mobiliar [De *mobília* + *-ar*².] ***V. t. d. Bras.*** **1.** Guarnecer de mobília: *mobiliar uma sala*. **2.** Fornecer móveis para. ***Int.*** **3.** Mobiliar (1): *Há duas casas para se mobiliar.* [Var. palatizada: *mobilhar*. Cf. paral., lus.: *mobilar*. Pres. ind.: *mobílio, mobílias*, etc.; fut. pret.: *mobiliaria*, etc.; pres. subj.: *mobílie, mobílies*, etc. Cf. *mobiliária*, fem. de *mobiliário* e s. f.]

mobiliária [F. subst. do adj. *mobiliário*.] ***S. f.*** Estabelecimento onde se vendem móveis; movelaria. [Cf. *mobiliaria*, do v. *mobiliar*.]

mobiliário [Do fr. *mobiliaire*.] ***Adj.*** **1.** Relativo a, ou constituído por bens móveis: *herança mobiliária*. [Fem.: *mobiliária*. Cf. *mobiliaria*, do v. *mobiliar*.] ~ V. *dívida —a, valor —*. ● ***S. m.*** **2.** Conjunto de móveis [v. *móvel* (4)] necessários ao equipamento de uma casa ou outra instalação específica: *mobiliário doméstico; mobiliário de escritório*. **3.** Os móveis, a mobília: *O mobiliário da casa é de gosto duvidoso.* **4.** Conjunto de móveis de uma determinada época ou estilo: *mobiliário D. João V.* ◆ **Mobiliário urbano.** *Arquit.* O conjunto dos equipamentos localizados em áreas públicas de uma cidade tais como abrigos de pontos de ônibus, bancos e mesas de rua, telefones públicos, instalações sanitárias, caixas de correio, objetos de recreação, etc.: 📖 "Em Belo Horizonte, o mobiliário urbano da Praça da Savassi — bancos, protetores de canteiros, lixeiras e cabines telefônicas — também foi todo construído com o material [o aço]" (Revista *Veja*, 05.05.1999).

mobilidade [Do lat. *mobilitate*.] ***S. f.*** **1.** Qualidade ou propriedade do que é móvel ou obedece às leis do movimento. **2.** Facilidade de mover-se ou de ser movido: *a mobilidade dos corpos esféricos*. **3.** *Fig.* Facilidade com que se passa de um estado para outro; inconstância, volubilidade: *mobilidade de caráter, de espírito*. **4.** Facilidade de modificar-se ou variar: *mobilidade de fisionomia, de imaginação*. ◆ **Mobilidade iônica.** *Fís.-Quím.* A velocidade dum íon sob a ação de um campo elétrico unitário. **Mobilidade social.** *Sociol.* Movimento ascensional ou descensional de indivíduos, ou de grupos de indivíduos, numa sociedade estratificada.

mobilismo [De *móbil* + *-ismo*.] ***S. m. Filos.*** Doutrina segundo a qual a essência das coisas é individual e múltipla, e se transforma incessantemente sem leis determinadas, sendo ineficazes quaisquer tentativas de apreensão e organização racional da realidade. [Cf. *heraclitismo* (2).]

mobilíssimo ***Adj.*** Superl. abs. sint. de *móvel*.

mobilização [Do fr. *mobilisation*.] ***S. f.*** **1.** Ato de mobilizar. **2.** Conjunto de medidas governamentais e militares destinadas à defesa de um país ou à preparação dele para determinada ação militar. **3.** Arregimentação para uma ação política ou reivindicatória.

mobilizar [Do fr. *mobiliser*.] ***V. t. d.*** **1.** Movimentar (1). **2.** *Com. Obsol.* Pôr (capitais ou títulos) em circulação. **3.** Fazer passar (tropas) do estado de paz para o de guerra. **4.** Arregimentar, levantar, fazer mover-se: *A campanha contra a fome mobilizou a opinião pública.* ***P.*** **5.** Movimentar-se; animar: *Mobilizou-se para ajudar o irmão.*

mobilizável [De *mobilizar* + *-vel*.] ***Adj. 2 g.*** Que pode ser mobilizado.

moca¹ [Do top. Moca (Ásia).] ***S. m.*** **1.** Variedade de café superior, originário da Arábia. **2.** *P. ext.* Café (2).

moca² ***S. f. Pop.*** V. *cacete* (1).

moca³ [De or. obscura.] ***S. f. Bras.*** **1.** V. *zombaria*. **2.** V. *mentira* (1). **3.** Asneira, bobagem, tolice.

moça (ô) [Fem. de *moço*.] ***S. f.*** **1.** Mulher jovem; rapariga. [Sin. (bras., RS): *muchacha*. Dim. irreg.: *moçoila*; aum.: *mocetona*.] **2.** Mulher púbere. **3.** Mulher madura, mas não velha: *A secretária é uma moça bem-posta, de uns quarenta anos.* **4.** *Bras.* Mulher virgem. **5.** *Bras.* Meretriz. [Tb. us. deprec.] **6.** *Bras. Amaz.* Amante² (6). **7.** *Bras. P. us.* Mulher que perdeu a virgindade. **8.** *Lus.* Criada, ama. [Pl.: *moças* (ô). Cf. *moça* e *moças*, do v. *moçar*, e *mossa*, s. f., pl. *mossas*.] ◆ **Moça do açafate.** Açafata. **Ser uma moça.** *Bras. Fam.* Ser muito delicado, muito educado; ser uma dama: 📖 "— Não viam o Alferes Mariano? Aqui-lo era uma moça. De uma delicadeza, coitadinho!" (Bernardo Élis, *O Tronco*, p. 136.)

moça-bonita [De *moça* + o f. de *bonito*⁴.] ***S. f. Bras. MG Bot.*** Erva medicinal de propriedades diuréticas, não classificada cientificamente. [Pl.: *moças-bonitas*.]

moça-branca ***S. f.*** **1.** *Bras. Zool.* V. *abreu*². **2.** *Bras. SP Pop.* V. *cachaça* (1). [Pl.: *moças-brancas*.]

mocada [De *moca*² + *-ada*¹.] ***S. f.*** Pancada com moca².

moçada [De *moço* + *-ada*¹.] ***S. f. Bras. Prov. port.*** Reunião ou grupo de moços ou moças; rapaziada.

moça-dama ***S. f.*** Meretriz: 📖 "Nesse dia [o dia da festa dos Remédios] não há homem .... que não gaste seu bocado nos leilões ....; nem há mulher, senhora ou moça-dama que não arrote grandeza, pelo menos seu vestidinho novo de popelina." (Aluísio Azevedo, *O Mulato*, pp. 95-96.) [Tb. us. deprec. Pl.: *moças-damas*.]

mocadão ***S. m.*** V. *almocadém*.

moça do fado ***S. f. Bras. SP Pop.*** Meretriz. [Tb. us. deprec. Pl.: *moças do fado*.] ☑

moçafe ***S. m.*** V. *moçafo*.

moça-feita ***S. f.*** Moça (3). [Pl.: *moças-feitas*.]

M

moçafo [Do ár. *muṣḥaf* ou *miṣḥaf*, 'volume ou exemplar de livro (especialmente do Alcorão)'.] *S. m.* O Alcorão.

mocajá *S. m. Bras. Bot.* V. *coco-de-catarro*.

mocajaíba *S. f. Bras. Bot.* Bocaiuva (1).

mocajubense *Adj. 2 g.* **1.** De, ou pertencente ou relativo a Mocajuba (PA). • *S. 2 g.* **2.** O natural ou habitante de Mocajuba.

moçalhão [De *moço* + *-alhão*.] *S. m.* V. *mocetão*. [Fem.: *moçalhona*.]

moçalhona *S. f.* Fem. de *moçalhão* (q. v.).

mocamau [Do quimbundo *mu'kumu*, 'esconderijo'.] *S. m.* Escravo fugido, que vivia em mocambos; mocambeiro, macamã. [Cf. *quilombola*.]

mocambeiro [De *mocambo* + *-eiro*.] *Bras. S. m.* **1.** V. *mocamau*. **2.** *P. ext.* Malfeitor que se refugiava em mocambo. **3.** Rês que se esconde no mato: "o vaqueiro a campear uma rês bravia. Nada o retém: onde passou o mocambeiro lá vai-lhe no encalço o cavalo e com ele o homem" (José de Alencar, *O Sertanejo*, p. 167). • *Adj.* **4.** Diz-se de rês que se esconde no mato. **5.** Que mora em mocambo.

moçambicanismo [De *moçambique* + *-ismo*.] *S. m.* **1.** Palavra ou locução própria de moçambicano (2). **2.** Modismo próprio da linguagem dos moçambicanos.

moçambicano *Adj.* **1.** De, ou pertencente ou relativo a Moçambique (África). • *S. m.* **2.** O natural ou habitante de Moçambique.

mocambinho [De *mocambo* (4) + *-inho*[1].] *S. m. Bras. N.* V. *cabana*.

moçambique [Do top. *Moçambique* (África).] *S. m.* **1.** *Bras. MG SP GO* Bailado guerreiro de origem negra, sem enredo, ao som de instrumentos de percussão, semelhante às danças de combate das congadas, e no qual o ritmo é marcado com entrechoques de bastões. **2.** *Bras. Zool.* V. *cernambi* (3). **3.** V. *banto* (3). [Cf. *maçambique*.]

mocambo [Do quimbundo *mu'kambu*, 'cumeeira', ou *mu'kamu*, 'esconderijo'.] *S. m.* **1.** *Bras.* Couto de escravos fugidos, na floresta. **2.** *Bras. N. N.E.* Cerrado de mato, ou moita, onde o gado costuma às vezes esconder-se: "Aqui detinha-se num mocambo ou touceira de mato, onde floriam os arbustos altos dos muricís" (Afrânio Peixoto, *Bugrinha*, p. 258). **3.** *Bras. N.E.* Habitação miserável. **4.** *Bras.* V. *cabana*.

moçame [De *moça* + *-ame*.] *S. m. Bras. Fam.* Grupo de moças. [Sin., no CE: *moceiro*.]

mocanquice [Var. de *moganguice*.] *S. f. Bras. Fam.* V. *moganga*[1].

moção [Do ingl. *motion* ou do fr. *motion*.] *S. f.* **1.** Ato ou efeito de mover(-se); movimento. **2.** Abalo moral; choque, comoção. **3.** *Fig.* Proposta, em uma assembleia, acerca do estudo de uma questão, ou relativa a qualquer incidente que surja nessa assembleia; proposta.

moçar [De *moça* + *-ar*[2].] *V. t. d. Bras.* **1.** Tornar moça (7); desvirginar. *Int.* **2.** Tornar-se moça (7) ou meretriz; prostituir-se. [Conjug.: v. *laçar*. Pres. ind.: *moço*, *moças*, *moça* etc. Cf. *moço* (ô), as flex. *moça* (ô) e *moças* (ô), e *mossa*, pl. *mossas*.]

moçárabe [Do ár. *musta'rab*, 'tornado árabe', 'arabizado'; esp. *mozarabe*.] *S. 2 g.* **1.** Cristão que vivia nas terras da Península Ibérica ocupadas pelos árabes. [Cf. *mudéjar* (2).] • *S. m.* **2.** *Gloss.* Grupo de dialetos românicos falados pelos moçárabes que ocuparam a região meridional da Península Ibérica. [Eram consideravelmente distintos dos dialetos setentrionais, que viriam a se tornar o galego-português, o castelhano e o catalão.] **3.** Vocábulo do moçárabe (2). • *Adj. 2 g.* **4.** Diz-se de moçárabe (1); moçarábico. **5.** Pertencente ou relativo aos moçárabes, ou ao moçárabe (2); moçarábico. **6.** *Art. Plást. Arquit.* Diz-se da arte ou do estilo arquitetônico desenvolvido por cristãos ibéricos sob influência moura ou árabe, do final do século IX ao século XI; moçarábico. ~ V. *letra* —.

moçarábico [De *moçárabe* + *-ico*[2].] *Adj.* Moçárabe (4 a 6).

moçarela *S. f.* V. *mozarela*.

moças-e-velhas [Do pl. de *moça* (s.f.) + *e* + o pl. de *velha* (s.f.).] *S. f. pl. Bras. Bot.* Planta asterácea (*Zinnia elegans*) muitíssimo comum no Brasil como planta decorativa, que tem capítulos grandes, discoides, de cores que vão do branco ao vermelho, em muitas tonalidades, e pétalas estreitas e longas. [Sin.: *moça-velha* e *canela-de-velha*.]

mocassim [Do algonquino.] *S. m. Vest.* **1.** Sapato sem salto, usado pelos peles-vermelhas e, em geral, por aborígines dos países frios, cuja sola sobe pelos lados e pela ponta do pé, onde se junta a uma peça em *u* costurada exteriormente. **2.** *P. ext.* Qualquer sapato esporte masculino ou feminino que imite o mocassim, mas com sola dura e salto: "Mudei de roupa: .... camisa vermelha, um mocassim legal." (Rubem Fonseca, *A Coleira do Cão*, p. 166); "E eu que contava com esse cobrinho para comprar um mocassim, este está na última lona." (Carlos Drummond de Andrade, em *Correio da Manhã*, 28.05.1967).

moça-velha *S. f. Bras. Bot.* V. *moças-e-velhas*. [Pl.: *moças-velhas*.]

moceiro [De *moça* + *-eiro*.] *S. m. Bras. CE Fam.* Moçame.

mocelemano *Adj. S. m.* V. *muçulmano*.

mocetão [Aum. de *moço*.] *S. m.* Mancebo robusto e bem-parecido; rapagão, moçalhão. [Fem.: *mocetona*.]

mocetona [Fem. de *mocetão* (q. v.).] *S. f.* Moça forte, esbelta e/ou formosa.

mocha (ô) [F. subst. de *mocho*[2].] *S. f. Bras. SP Pop.* Arma de fogo sem cão. [Pl.: *mochas* (ô). Cf. *mocha* e *mochas*, do v. *mochar*, e *moxa* (cs), s. f., pl. *moxas* (cs).]

mochaco [De *mocho*, poss.] *S. m. Bras. RS* Pau semelhante a um cambão, no qual se apoia o cabeçalho do carro.

mochadura [De *mochar* + *-dura*.] *S. f.* Ação de mochar.

mochar [De *mocho* + *-ar*[2].] *V. t. d.* **1.** Tornar mocho[1]; cortar um membro a. **2.** *Bras.* Enganar, lograr, burlar. **3.** *Bras. SP* Esconder, ocultar. *Int.* **4.** Deixar de cumprir a promessa ou a palavra. [Pres. ind.: *mocho*, *mochas*, *mocha*, etc. Cf. *mocho* (ô); *mocha* (ô), pl. *mochas* (ô); *moxa* e *moxas*, do v. *moxar*; este v.; e *moxa* (cs), s. f., pl. *moxas* (cs).]

mocheta (ê) [Do esp. *mocheta*.] *S. f. Arquit.* V. *listel*.

mochila [Do esp. *mochila*.] *S. f.* **1.** Bolsa unissex usada às costas e presa com alças aos ombros, onde se leva livros, roupas, objetos de uso, etc. **2.** Bolsa feminina semelhante à mochila (1), ger. de tamanho médio. **3.** Saco de viagem. **4.** Gualdrapa. **5.** *Bras.* V. *bornal* (2). **6.** *Fig.* Corcunda, corcova.

mochileiro [De *mochila* + *-eiro*.] *S. m.* Indivíduo, ger. jovem, que viaja com pouca bagagem (ger. mochila) e que procura gastar pouco com transporte e hospedagem.

mocho[1] (ô) [De or. incerta.] *S. m.* **1.** *Zool.* Designação vulgar das corujas ou caburés sem penacho ou tufo de penas na cabeça. Atualmente se aplica este nome, de maneira geral, às espécies de estrigídeos, esp. as dos gêneros *Pulsatrix*, *Ciccaba* e *Glaucidium*. **2.** *Fig.* Indivíduo macambúzio; misantropo. [Pl.: *mochos* (ô). Cf. *mocho*, do v. *mochar*.]

mocho[2] (ô) [Da mesma or. incerta que o esp. *moche*, 'sem ponta'; poss. de or. express.] *Adj.* **1.** Diz-se do animal que, devendo ter chifres, não os tem, por ter nascido sem eles ou porque lhos cortaram: "A rês, qualquer que fosse ela – garrotinho, vaca ou marruás, chifruda ou mocha –, passando ao seu alcance seria laçada na primeira carreira." (Nélson de Faria, *Tiziu e Outras Estórias*, p. 148.) **2.** Diz-se do animal mutilado, ou a que falta algum membro. **3.** *Marinh.* Diz-se de um mastro inteiriço, sem mastaréu, ou de um mastaréu, sem calcês nem galope. **4.** *Ant. Mar.* Dizia-se de navio do qual se tirou a mastreação. **5.** *Bras. SP Pop.* Diz-se de arma de fogo sem cão. **6.** Diz-se da árvore sem ramos. [Flex.: *mochos* (ô), *mocha* (ô), *mochas* (ô). Cf. *mocho*, *mocha*, e *mochas*, do v. *mochar*, e *moxa* (cs), s. f., pl. *moxas* (cs).] • *S. m.* **7.** Banco sem encosto, de assento quadrado ou redondo: "da antessala Ega avistou..., sobre um mocho muito baixo que lhe fazia roçar pelo chão as longas abas da casaca – o Cruges, ... martelando sabiamente o teclado." (Eça de Queirós, *Os Maias*, II, p. 383); "Na casa, por mobília, rude banco / E três mochos somente." (Alberto de Oliveira, *Poesias*, 3ª série, p. 119).

mocho-diabo *S. m. Bras. Zool.* Ave estrigiforme, estrigídea (*Asio stygius*), distribuída do S. do México até a Argentina, de dorso pardo, quase unicolor, pintado de ocre, e parte ventral ocrácea, pintada de pardo. [Pl.: *mochos-diabos* e *mochos-diabo*.]

mocho-mateiro *S. m. Bras. Zool.* V. *murucututu*. [Pl.: *mochos-mateiros*.]

mocho-negro *S. m. Bras. Zool.* Ave estrigiforme, estrigídea (*Ciccaba huhula*), das Guianas e Brasil, de coloração pardo-enegrecida, listrada irregularmente de branco, e lados da cabeça pretos, pintados de branco. [Sin.: *coruja-preta*. Pl.: *mochos-negros*.]

mocho-orelhudo *S. m. Bras. Zool.* **1.** Ave estrigiforme, estrigídea (*Rhinoptynx clamator*), da América Central e América do Sul, caracterizada pelo penacho muito longo e penas com 5 ou 6cm de comprimento, na orelha. Tem dorso amarelado com estrias longitudinais escuras, abdome branco-amarelado, as penas com manchas escuras ao longo das hastes e a face, ao redor dos olhos, branca marginada de escuro. **2.** V. *jacurutu*. [Pl.: *mochos-orelhudos*.]

mociço *Adj. Ant. Pop.* Maciço.

mocidade [De *moço* + *-(i)dade*.] *S. f.* **1.** O período da vida do homem entre a infância e a idade madura; juventude: "Não choremos, amigo, a mocidade! / Envelheçamos rindo!" (Olavo Bilac, *Poesias*, p. 220.) **2.** A gente moça; os moços. **3.** O viço, o frescor próprio dos poucos anos: *espírito de eterna mocidade*. **4.** *Fig.* Irreflexão, estouvamento, imprudência. ◆ **Em plena mocidade.** Na plenitude; na força, no auge da juventude.

mocinha [De *moça* + *-inha*.] *S. f. Bras.* Moça muito jovem; moçoila.

mocinha-branca *S. m. Bras. MT Zool.* V. *pombinha-das-almas*. [Pl.: *mocinhas-brancas*.]

mocinho [De *moço* + *-inho*[1].] *S. m. Bras.* Herói de histórias e filmes de aventura, especialmente de faroeste.

mocitaíba [Do tupi.] *S. f.* **1.** *Bras. Bot.* Árvore fabácea (*Swartzia crocea*) da floresta úmida, cujo legume é pequeno (2 a 3cm), tendo as folhas três folíolos, e as flores uma pétala grande e 10 estames, dispostos em racemos curtos. **2.** Árvore fabácea (*Zollernia illicifolia*) de madeira notavelmente semelhante a certos tipos de jacarandá-da-baía, folhas simples e legumes minutos; orelha-de-onça.

➔ **mock-up** ['mɑkəp] [Ingl.] *Market.* Modelo preliminar, em tamanho natural e dimensões precisas, ger. de madeira, feito para testes e estudo da aparência final de máquina, equipamento ou veículo, esp. aeronave. ◆ ***Mock-up* eletrônico.** *Mock-up* virtual feito em computador.

mocó[1] [Do tupi.] *S. m. Bras.* **1.** *Bot.* V. *pau-de-mocó*. **2.** *Zool.* Roedor caviídeo (*Kerodon rupestris*), semelhante à cobaia. **3.** *Bras. N. N.E.* Bolsa de tiracolo para pequenas provisões, papéis, etc. **4.** *Bras. N.E.* Variedades de algodão nordestino, apreciado por ser muito comprido e ter fibras sedosas. [Cf. *mocô*.]

mocó[2] *S. m. Bras. Amaz.* Mocô.

mocó[3] [De or. incerta.] *S. m. Gír.* Esconderijo de bandidos.

mocô [De or. indígena, poss.] *S. m. Bras. AL* **1.** V. *bruxaria* (1 e 2). **2.** Amuleto, talismã. [Var. pros. (na Amaz.): *mocó*[2]. Cf. *mocó*[1].]

moço (ô) [Da mesma or. incerta que o esp. *mozo*.] *Adj.* **1.** Novo em idade; jovem: "As aves moças que perderam a asa" (Augusto dos Anjos, *Eu*, p. 33). **2.** Relativo à, ou próprio da mocidade, da juventude: *alegrias moças*. **3.** *Fig.* Inexperiente, bisonho. **4.** *Fig.* Tenro, fresco: "bandos de arvoredos, ... dum verde tão moço que eram como um musgo macio onde apetecia carir e rolar." (Eça de Queirós, *A Cidade e as Serras*, p. 204). • *S. m.* **5.** V. *rapaz* (3). **6.** Criado, serviçal. **7.** *Bras. PI Rel.* Entidade da encanteria (q. v.). [Aum.: *mocetão* e *moçalhão*. Flex.: *moça* (ô), *moços* (ô), *moças* (ô). Cf. *moço*, *moças*, *moça*, do v. *moçar*, e *mossa*, s. f., pl. *mossas*.] ◆ **Moço de bordo.** Marinheiro novo que faz a bordo os serviços de criado, de limpeza do navio, etc. **Moço de convés.** Tripulante de convés, abaixo de marinheiro. **Moço de forcado.** *Lus.* Aquele que, nas touradas, agarra touros. **Moço de fretes.** *Lus.* Carregador (1).

mocoa (ô) [Do top. *Mocoa* (Equador).] *S. f.* Resina americana da qual os indígenas fazem um verniz semelhante ao charão.

moço-d'alma *S. m. Bras. BA* Mergulhador encarregado de fechar e costurar a boca da baleia, para rebocá-la, após a sua morte, na pesca de alto-mar. [Pl.: *moços-d'alma*.]

moçoila *S. f.* Dim. irreg. de *moça* (q. v.); mocinha.

moçona [De *moça* + *-ona*[1].] *S. f. Bras.* Mocetona (q. v.): "Uma moçona, bonita, sempre risonha, bem-falante..." (José Condé, *Como uma Tarde em Dezembro*, p. 41.)

mocoquense *Adj. 2 g.* **1.** De, ou pertencente ou relativo a Mococa (SP). • *S. 2 g.* **2.** O natural ou habitante de Mococa.

moçoró [Do tupi = 'rasgão, ruptura'.] *S. m. Bras. PB* Certo vento periódico que sopra do norte.

moçoroense (ôen) *Adj. 2 g.* **1.** De, ou pertencente ou relativo a Moçoró (RN). • *S. 2 g.* **2.** O natural ou habitante de Moçoró.

moçorondongo *S. m. Bras. CE Zool.* Larva que ataca as palmeiras.

mocorongo *S. m.* **1.** *Bras. PA* Santareno (q. v.). **2.** *Bras. ES RJ SP Pop.* V. *caipira* (1). **3.** *Bras. RJ* Mulato quase escuro, mais comum na região serrana. [Cf. *macorongo*.]

mocororó [Do tupi.] *S. m. Bras.* **1.** Designação comum a diversas bebidas frias feitas de arroz ou de mandioca e, no CE, de caju: "Nessas noites, a fisionomia do sertanejo se expande em descuidosa alegria, andam o mocororó, o vinho, a cachaça estusiasmando-o" (Gustavo Barroso, *Terra de Sol*, p. 219). **2.** *Min.* Limonito encontrado na região aurífera da BA. **3.** Cascalho de diamante.

mocotó [Do tupi.] *S. m. Bras.* **1.** Pata dos animais bovinos, destituída do casco, e que se usa como alimento. [Sin.: *mão de vaca* (N.E.) e *chambaril*.] **2.** *Pop.* V. *tornozelo*: "desceu as mãos até as pernas, calcou com a ponta dos dedos os mocotós inchados, sondou a dormência dos pés." (Jorge de Lima, *Calunga*, p. 93).

mocozal (cò) [De *mocó*[1] (1) + *-zal*.] *S. m. Bras. N.E.* Lugar onde se veem altas paredes de rochas cheias de buracos, nos quais vivem mocós [v. *mocó* (1)].

mocozear [De *mocó*[1] + *-z-* + *-ear*[2].] *V. t. d. Bras. RJ Gír.* Pôr em lugar de recato, esconder (alguma coisa). [Conjug.: v. *frear*.]

mocreia (éi) [De or. obsc.] *S. f. Bras. Pop. Pej.* **1.** Mulher muito feia e/ou muito velha. **2.** *P. ext.* Mulher muito má. ❖

mocsa [Do sânscr. *moksa*, 'liberação'.] *S. f. Filos.* Segundo a maioria dos sistemas filosóficos da Índia, a finalidade principal da vida humana, que é atingir um estado de perfeição, liberto de paixões e de inquietudes, resultado e função específica do conhecimento verdadeiro.

mocuguê *S. m. Bras. Bot.* V. *itapeuá*.

mocureiro *S. m. Bras. RS* Indivíduo inábil em seu ofício.

moçutaíba *S. f. Bras. Bot.* V. *mocitaíba*.

moda [Do fr. *mode*.] *S. f.* **1.** Uso, hábito ou estilo geralmente aceito, variável no tempo, e resultante de determinado gosto, ideia, capricho, e das interinfluências do meio: *conceitos em moda; a moda parnasiana.* **2.** Uso passageiro que regula a forma de vestir, calçar, pentear, etc.: *a moda dos vestidos curtos.* **3.** Arte e técnica do vestuário: *especialista em moda.* **4.** *P. ext.* O conjunto dos trajes confeccionados conforme a moda (3). **5.** Maneira, costume, feição, modo: *comida à moda do seu país.* **6.** Vontade, fantasia, capricho: *Vive à sua moda.* **7.** *Mús.* Ária, cantiga. V. *modinha* (2 e 3). **8.** *Mús.* Canção típica do folclore português. **9.** Fenômeno social ou cultural, de caráter mais ou menos coercitivo, que consiste na mudança periódica no trajar e agir, e cuja vitalidade provém do gosto pelo que é novo e da necessidade de conquistar ou manter uma determinada posição social. **10.** *Estat.* Num conjunto de observações ou distribuição de frequência, o valor de ocorrência mais frequente. ~ V. *modas*. ◆ **Moda de viola.** *Bras. MG RJ SP MT GO Mús.* Canção narrativa rural a duas vozes, ger. em terças, com acompanhamento de viola. **Moda praia.** *Vest.* Estilo de vestimenta informal que inclui trajes de banho e roupas apropriadas para uso em férias e lazer, confeccionadas com tecidos leves, frescos e confortáveis, de fácil manutenção, e cores e estampas alegres. **Cair de moda.** Deixar de estar na moda; sair da moda; cair. **Sair da moda.** V. *cair de moda*.

moda de patacoada *S. f. Bras. SP* Modinha de texto absurdo ou tolo. [Pl.: *modas de patacoada*.] ☑

moda de viola *S. f. Bras. MG RJ SP MT GO* Canção rural a duas vozes, em terças, com acompanhamento de viola. [Pl.: *modas de viola*.] ☑

modal [De *modo* + *-al*[1].] *Adj. 2 g.* **1.** Relativo a modo ou modalidade: *variações modais.* **2.** Relativo ao modo particular de execução de algo. **3.** *E. Ling.* Relativo a, ou diz-se de modal (5). ~ V. *conjunção —, divergência —, lógica —, música —, nota —, proposição —, silogismo —, verbo —* e *verbo auxiliar —*. ● *S. 2 g.* **4.** *E. Ling.* Conjunção modal (q. v.). ● *S. m.* **5.** *E. Ling.* Verbo modal (q. v.).

modalidade [De *modal* + *-(i)dade*.] *S. f.* **1.** Maneira de ser peculiar a cada indivíduo; modo de existir. **2.** Forma, aspecto ou característica de uma coisa, ato, pensamento, organização, etc.: *as modalidades de ação política; modalidade de construção poética.* **3.** *P. ext.* Forma, tipo: *O futsal é uma modalidade esportiva.* **4.** *E. Ling.* Categoria gramatical expressa, ger., por meio de modais [v. *modal* (5)], ou ainda em partículas independentes do verbo, para a expressão da atitude do falante com relação a crenças, opiniões, julgamentos que perpassam seu discurso. V. *modo* (9). **5.** *Lóg.* Na tradição aristotélico-tomista, caráter das proposições segundo o qual a relação que elas exprimem se enuncia como fato, ou é declarada possível ou impossível, necessária ou contingente. [Cf. (nesta acepç.) *modo* (12).] **6.** *Lóg.* No kantismo, caráter especial dos juízos que nada acrescenta ao conteúdo deles, mas diz respeito só ao valor da cópula em relação ao pensamento em geral. [V. *juízo assertório, juízo apodítico* e *juízo problemático*.] **7.** *Mús.* Sistema modal, geralmente baseado nos modos gregos e/ou nos eclesiásticos, em oposição a *tonalidade* (2); modalismo. **8.** *Mús.* Característica de uma composição ou de um fragmento musical escritos numa escala modal diferente das escalas dos modos clássicos maior e menor; modalismo.

modalismo [De *modal* + *-ismo*.] *S. m.* **1.** *Rel.* Heresia cristã de Fótino (300-376), herético grego, bispo de Esmirna, que reduzia as pessoas divinas a simples modos de uma única pessoa em Deus. [Cf. *monarquianismo* e *sabelianismo*.] **2.** *Mús.* V. *modalidade* (6 e 7).

modalização [De **modalizar* (< *modal* + *-izar*) + *-ção*.] *S. f. E. Ling.* A expressão da atitude do falante com relação ao conteúdo de seu enunciado.

modalizador (ô) [De **modalizar* (de *modal* + *-izar*) + *-dor*.] *S. m. E. Ling.* Elementos do discurso que indicam a atitude do sujeito em relação ao conteúdo de seu enunciado, como, p. ex., as expressões: *na minha opinião, eu acho, talvez, é possível.*

modas [Pl. de *moda*.] *S. f. pl.* Artigos de vestuário: *loja de modas.* ~ V. *moda*.

modelação [De *modelar*[2] + *-ção*.] *S. f.* Ato de modelar[2]; modelagem.

modelado [Part. de *modelar*[2].] *Adj.* Moldado (1).

modelador (ô) [De *modelar*[2] + *-dor*.] *Adj.* **1.** Que modela. ● *S. m.* **2.** Aquele que modela. **3.** *Tip.* Instrumento que os encadernadores empregam para modelar o couro da capa e dar-lhe relevo.

modelagem [De *modelar*[2] + *-agem*[2].] *S. f.* **1.** Operação de modelar; modelação. **2.** *Art. Plást.* Operação pela qual o escultor executa em argila ou cera o modelo que deve ser executado em bronze, madeira, mármore, etc.; moldagem. **3.** *Inform.* Na linguagem *assembly*, qualquer sigla, abreviatura ou palavra usada para simbolizar uma instrução de máquina. [Assim chamada por ser mais fácil de memorizar do que o código binário da instrução correspondente.] **4.** *Vest.* Criação e preparação de moldes para peças de vestuário. ◆ **Modelagem conceitual.** *Inform.* Etapa da análise de um sistema, na qual são definidos os recursos, itens de dados e suas inter-relações.

modelar[1] [De *modelo* + *-ar*[1].] *Adj. 2 g.* Que serve de modelo (7); exemplar.

modelar[2] [De *modelo* + *-ar*[2].] *V. t. d.* **1.** Fazer o modelo (2 e 3) de; representar por meio de modelo. **2.** Assinalar os contornos de; ajustar-se a; contornar: *A roupa modelava-lhe as formas.* **3.** Dar forma a; afeiçoar: *Segundo a Igreja, Deus modelou os homens à sua imagem e semelhança.* **4.** Moldar (4). **5.** Delinear intelectualmente; traçar, delinear: *modelar um poema.* **6.** *Pint.* Reproduzir exatamente os contornos ou o relevo de. *T. d. e i.* **7.** Conformar, moldar: *Modelou o retrato do ausente pelo de um irmão seu, muito parecido; Modelarei o meu parecer pelo de Henrique.* *P.* **8.** Tomar-se por modelo. **9.** Moldar-se (8). [Pres. ind.: *modelo*, etc. Cf. *modelo* (ê).]

modelense *Adj. 2 g.* **1.** De, ou pertencente ou relativo a Modelo (SC). ● *S. 2 g.* **2.** O natural ou habitante de Modelo.

modelismo [De *modelista* + *-ismo*.] *S. m.* A arte do modelista.

modelista [De *modelo* + *-ista*.] *S. 2 g. Vest.* Profissional que interpreta o croqui desenvolvido pelo estilista e o transforma em modelos para serem confeccionados.

modelo (ê) [Do it. *modello*.] *S. m.* **1.** Objeto destinado a ser reproduzido por imitação. **2.** Representação em pequena escala de algo que se pretende executar em grande. **3.** Molde (1). **4.** Pessoa ou coisa cuja imagem serve para ser reproduzida em escultura, pintura, fotografia, etc. **5.** Aquilo que serve de exemplo ou norma; molde: *modelo literário.* **6.** Aquele a quem se procura imitar nas ações, no procedimento, nas maneiras, etc.; molde: *tomar alguém por modelo.* **7.** Pessoa ou ato que, por sua importância ou perfeição, é digno de servir de exemplo: *Joana d'Arc é modelo de coragem; Sua decisão foi um modelo de sabedoria.* **8.** *Art. Plást.* Pessoa que, posando, serve para estudo prático do corpo humano, em pintura ou escultura; modelo-vivo. **9.** Pessoa que, empregada em casa de modas, por conta própria ou através de agência, traja vestes ou adereços para exibi-los a clientela; manequim, maneca (fem.), maneco, modelo de passarela. [Tb. us. (impr.) como s. f., nesta acepç.] **10.** Modelo fotográfico (q. v.). **11.** Vestido, terno, chapéu, sapato, etc., que é criação de uma casa de modas: *os mais recentes modelos da estação.* **12.** Impresso (2), com dizeres apropriados para cada fim, utilizado em escritórios, empresas, bancos, etc. **13.** Réplica tridimensional de objeto, artefato, cenário, pessoa, etc., construído em escala normal, reduzida, ou ampliada, para fins didáticos, filmagem de efeitos especiais, teste de segurança, etc.; maqueta. **14.** Estilo ou *design* de um determinado produto ou criação, como carro, vestido, joia, penteado, etc.: *Já está no comércio o último modelo de TV de 45 polegadas.* **15.** *Econ.* Modelo econômico. **16.** *Fís.* Conjunto de hipóteses sobre a estrutura ou o comportamento de um sistema físico pelo qual se procuram explicar ou prever, dentro de uma teoria científica, as propriedades do sistema. **17.** *Inform.* Representação simplificada e abstrata de fenômeno ou situação concreta, e que serve de referência para a observação, estudo ou análise. **18.** *Inform.* Modelo (17) baseado em uma descrição formal de objetos, relações e processos, e que permite, variando parâmetros, simular os efeitos de mudanças de fenômeno que representa. [Cf., nesta acepç., *simulação* (5).] [Pl.: *modelos* (ê). Cf. *modelo*, do v. *modelar*.] ◆ **Modelo computacional.** *Inform.* Modelo (17 e 18) concebido para uso, observação e teste em computadores, ger. em programas que operam como entidades e relações matemáticas. **Modelo de Einstein-de Sitter.** *Cosm.* V. *Universo de Einstein.* **Modelo de Friedmann.** *Cosm.* V. *Universo de Friedmann.* **Modelo de passarela.** V. *modelo* (9). **Modelo de Roche.** *Geofís.* Representação criada pelo astrônomo francês Edouard Roche (1820-1883) para indicar a distribuição das densidades da crosta terrestre em função da distância ao centro da Terra. **Modelo econômico.** *Econ.* Representação simplificada de relações entre variáveis econômicas, em geral sob a forma de um sistema de equações, e que, com o uso de técnicas econométricas, pode fornecer simulações ou previsões. [Tb. se diz apenas *modelo*.] **Modelo fotográfico.** Pessoa que, mediante contrato de uso de imagem ou pagamento de cachê (2), posa para fotografia a ser us. em anúncio, matéria editorial sobre moda, capa de disco, etc. [Tb. se diz apenas *modelo*.] **Modelo icônico.** Aquele que reproduz a aparência física do objeto representado. **Modelo padrão.** *Fís. Part.* Teoria que combina a cromodinâmica quântica, para descrever as interações fortes, a teoria eletrofraca, para dar uma descrição unificada das interações eletromagnéticas e fracas, e a teoria da relatividade geral, para descrever as interações gravitacionais, e que pretende dar uma descrição completa de todos os fenômenos físicos. **Modelo reduzido.** Aquele cujas dimensões são proporcionalmente menores que as do objeto representado, de acordo com uma escala predeterminada.

modelo-vivo *S. m. Art. Plást.* Modelo (8). [Pl.: *modelos-vivos*.]

➔ **modem** ['mowdɛm] [Ingl., acrôn. de *mo(dulation)/dem(odulation)*, 'modulador/demodulador'.] *S. m. Inform.* Dispositivo capaz de converter dados digitais em sinal analógico, e vice-versa (v. *modulação* e *demodulação*), o que permite estabelecer comunicação à distância entre computadores, por meio de canal analógico (ger., linha telefônica convencional).

modenatura [Do fr. *modénature*.] *S. f. Arquit.* V. *modinatura*.

modenense *Adj. 2 g.* **1.** De, ou pertencente ou relativo a Módena (Itália). ● *S. 2 g.* **2.** O natural ou habitante de Módena.

moderação [Do lat. *moderatione*.] *S. f.* **1.** Ato ou efeito de moderar(-se), de tornar(-se) menor; diminuição, minoração, redução. **2.** Qualidade que consiste em evitar excessos; prudência, comedimento: *moderação no comer e beber.*

moderado [Do lat. *moderatu*; part. de *moderar*.] *Adj.* **1.** Que se moderou [v. *moderar* (1)]; regulado, regrado. **2.** Que tem moderação ou prudência; comedido, circunspecto. **3.** Não exagerado; não excessivo; razoável, equilibrado: *O médico recomendou-lhe exercícios físicos moderados.* **4.** Suave, temperado, ameno: *clima moderado.* **5.** *Polít.* Diz-se de partido ou de indivíduo que repele o radicalismo excessivo. **6.** *Mús.* Diz-se dos andamentos (*andante, andantino, moderato* e *alegreto*) que se mantêm entre os andamentos lentos e os rápidos. ~ V. *realismo —*. ● *S. m.* **7.** *Polít.* Membro ou adepto de partido moderado.

moderador (ô) [Do lat. *moderatore*.] *Adj.* **1.** Que modera ou atenua. **2.** Que reduz ou restringe. **3.** Mediador (2). [Sin., de 1 e 2: *moderante, moderativo*.] ~ V. *poder —*. ● *S. m.* **4.** Aquele que modera. **5.** Mediador (2). **6.** *Expl. P. us.* Moderante (2). **7.** *Fís. Nucl.* Substância que absorve parte da energia de nêutrons rápidos, transformando-os em nêutrons térmicos.

moderante [Do lat. *moderante*.] *Adj. 2 g.* **1.** V. *moderador*. ● *S. m.* **2.** *Expl.* Aditivo usado em propelentes para moderar a chama da boca; moderador.

moderantismo [De *moderante* + *-ismo*.] *S. m.* **1.** Qualidade ou ato de pessoa moderada em opiniões ou procedimento. **2.** Ideias moderadas em política; opinião ou doutrina dos moderados.

moderar [Do lat. *moderare*.] *V. t. d.* **1.** Conter nos limites justos ou convenientes; pôr no meio-termo; regrar, regular: *Para conservar o cargo, resolveu moderar as queixas.* **2.** Ajustar às conveniências. **3.** Refrear, sofrear, reprimir, suster: "Sim, eu devera moderar meu pranto, / Sofrear minhas iras vingativas" (Gonçalves Dias, *Obras Poéticas*, II, p. 160). **4.** Tornar menos intenso ou acentuado; diminuir, modificar. **5.** Dirigir, reger. *P.* **6.** Agir com moderação; mostrar-se comedido.

moderativo [De *moderar* + *-tivo*.] *Adj.* **1.** V. *moderador*. **2.** Moderável.

➔ **moderato** [mode'rato] [It.] *Mús. S. m.* **1.** Andamento moderado, entre o andantino e o alegreto. **2.** Trecho executado nesse andamento. ● *Adj.* **3.** Diz-se de um alegro que não deve ser executado com muita rapidez.

moderável [Do lat. *moderabile*.] *Adj. 2 g.* Que pode ser moderado; moderativo.

modernice [De *moderno*[1] + *-ice*.] *S. f.* **1.** Aferro a coisas modernas; preferência leviana pelo moderno. **2.** O uso de coisas novas.

M

modernidade [Do lat. med. *modernitate*.] *S. f.* Qualidade de moderno[1].

modernismo [De *moderno*[1] + *-ismo*, fr. *modernisme*.] *S. m.* **1.** Preferência por tudo quanto é moderno[1]; tendência para aceitar inovações. **2.** Facilidade em adotar ideias e práticas modernas que o uso ainda não consagrou. **3.** Caráter do que é moderno: *modernismo de linguagem*. **4.** Designação comum a diversos movimentos da literatura, das artes plásticas, da arquitetura e da música, surgidos a partir do fim do séc. XIX, e que se estenderam até a década de 1930, aproximadamente; arte moderna. **5.** *Rel.* A tendência, denunciada pelo Papa Pio X (1835-1914), em 1907, de aplicar em larga escala, na exegese bíblica, a crítica histórica, científica e filosófica. **6.** *Liter. Art. Plást. Bras.* Movimento literário e artístico inaugurado com a chamada *Semana de Arte Moderna* (1922), o qual deu início a uma nova fase na literatura e nas artes plásticas brasileiras, e se caracterizou pela ruptura com as tradições acadêmicas, pela liberdade de criação e de pesquisa estética, e pela busca de inspiração nas fontes mais autênticas da cultura e da realidade brasileiras.

modernista [De *moderno*[1] + *-ista*; fr. *moderniste*.] *Adj. 2 g.* **1.** Pertencente ou relativo ao modernismo: *conceitos modernistas*. **2.** Que tem apego às coisas modernas e/ou tendência a adotá-las. **3.** Diz-se de obra ou de escritor ou artista pertencente ao modernismo, ou a uma das correntes dele: *poesia modernista*. ● *S. 2 g.* **4.** Pessoa apaixonada pelas coisas modernas. **5.** Escritor ou artista pertencente ao modernismo (4) ou a uma de suas correntes. **6.** *Bras.* Escritor ou artista pertencente ao modernismo (6).

modernístico [De *modernista* + *-ico*[2].] *Adj.* De, ou relativo a modernismo ou a modernista (4 a 6).

modernização [De *modernizar* + *-ção*.] *S. f.* Ato ou efeito de modernizar(-se).

modernizante [De *modernizar* + *-nte*.] *Adj. 2 g.* **1.** Que moderniza. **2.** Que tende a modernizar(-se).

modernizar [De *moderno*[1] + *-izar*.] *V. t. d.* **1.** Tornar moderno[1]; dar feição moderna a; adaptar aos usos ou necessidades modernas: *modernizar a máquina administrativa*; "só conseguiu converter servilmente numa prosa aguada os versos lisos do tio Duarte, sem relevo que os modernizasse" (Eça de Queirós, *A Ilustre Casa de Ramires*, p. 31). *P.* **2.** Acomodar-se aos hábitos ou às necessidades modernas. [Sin. ger.: *amodernar*.]

moderno[1] [Do lat. *modernu*.] *Adj.* **1.** Dos tempos atuais ou mais próximos de nós; recente: *filosofia moderna; autor moderno*. **2.** Atual, presente, hodierno: *a vida moderna*. **3.** Modernista (1 a 3): *a poesia moderna; autor moderno*. **4.** Que está na moda: *vestido moderno*. **5.** *Restr.* Diz-se das manifestações artísticas e literárias do séc. XX. **6.** *Bras. BA* Moço, jovem. **7.** Diz-se de oficial que foi promovido em data recente (tendo assim posição hierárquica inferior aos promovidos antes): *Mais tarde, o presidente do Conselho do Petróleo foi exonerado, e em seu lugar foi nomeado o [X], coronel como eu, porém mais moderno*. ~ V. *arte — a, inglês — e romano —*. ● *S. m.* **8.** Aquilo que é moderno ou ao gosto moderno: *aperfeiçoar o moderno na arquitetura*. ~ V. *modernos*.

moderno[2] *Adj.* **1.** *Açor.* Moderado, brando. **2.** *Bras. N.E. Pop. Prov. port.* Sossegado, manso. **3.** *Bras. N.E.* Diz-se da cor clara, não intensa. ~ V. *modernos*.

modernos [Pl. de *moderno*[1].] *S. m. pl.* Os homens de hoje; os que vivem na época atual. ~ V. *moderno*.

modernoso (ô) [De *moderno*[1] + *-oso*.] *Adj. Bras. Deprec.* **1.** Pretensa e/ou duvidosamente moderno: *arquitetura modernosa; quadro modernoso; poesia modernosa; roupa modernosa; decoração modernosa*. ● *S. m.* **2.** O que é modernoso: *Não gosta do moderno, e sim do modernoso*.

modéstia [Do lat. *modestia*.] *S. f.* **1.** Ausência de vaidade; despretensão, desambição, simplicidade. **2.** Reserva, pudor, decência, gravidade, compostura: "Aqueles veneráveis Prelados .... abaixaram com pronta e cauta modéstia os olhos" (P.[e] Manuel Bernardes, *Nova Floresta*, I, p. 168). **3.** Moderação, sobriedade.

modestinense *Adj. 2 g.* **1.** De, ou pertencente ou relativo a Senador Modestino Gonçalves (MG). ● *S. 2 g.* **2.** O natural ou habitante de Senador Modestino Gonçalves.

modesto [Do lat. *modestu*.] *Adj.* **1.** Moderado nos desejos, ações ou aspirações; despretensioso; sem vaidade. **2.** Que indica ou revela modéstia: *atitude modesta*. **3.** Que tem pudor, decência; recatado. **4.** Não excessivo; moderado, restrito: *gastos modestos*. **5.** Parco, sóbrio: *refeição modesta*. **6.** Que revela ou denota pobreza: *Leva uma vida modesta, em conformidade com seus parcos vencimentos*. **7.** Que ocupa, entre os seus iguais, posição de pouco ou nenhum relevo; que não sobressai: "Sou farmacêutico modesto, de bairro pobre." (João Alphonsus, *Pesca da Baleia*, p. 79.)

modicar [De *módico* + *-ar*[2].] *V. t. d.* Tornar módico; moderar; abrandar, refrear; limitar, diminuir. [Conjug.: v. *trancar*. Pres. ind.: *modico*, etc. Cf. *módico*.]

modicidade [Do lat. *modicitate*.] *S. f.* Qualidade de módico.

modicíssimo *Adj.* Superl. abs. sint. de *módico*.

módico [Do lat. *modicu*.] *Adj.* **1.** Exíguo, pequeno, reduzido, modesto: "Falta dizer que os preços dos livros oferecidos nos catálogos das casas Chardron .... são módicos, reduzidos" (Camilo Castelo Branco, *Noites de Insônia*, IV, p. 52). **2.** Parco, escasso, insignificante: *módicos haveres*. **3.** Moderado, limitado, restrito; modesto. [Superl. abs. sint.: *modicíssimo*. Cf. *modico*, do v. *modicar*.]

modificabilidade [De *modificável* (*modificabil-*) + *-(i)dade*, seg. o padrão erudito.] *S. f.* Qualidade ou caráter do que é modificável.

modificação [Do lat. *modificatione*.] *S. f.* **1.** Ato ou efeito de modificar(-se). **2.** Mudança da maneira de ser: *modificação do caráter*. **3.** Alteração, transformação, mudança: *modificação ortográfica*. **4.** *E. Ling.* Dependência sintática que se estabelece entre dois elementos de um constituinte, os quais se tornam, semanticamente, um todo integrado. [Cf. *modificador* (3).] ◆ **Modificação somática.** *Genét.* V. *flutuação* (13).

modificador (ô) [Do lat. *modificatore*.] *Adj.* **1.** Que modifica ou altera; modificativo, modificante. ● *S. m.* **2.** Agente ou pessoa que modifica. **3.** *E. Ling.* Num constituinte, termo que, ao desempenhar função sintática relacionada com o núcleo (11), a este acrescenta noção específica. [Em *meninos gordos*, p. ex., o modificador é *gordos*; em *sair rapidamente*, é *rapidamente*. Numa relação de subordinação (3), a oração subordinada (q. v.) atua como modificador da oração principal, com noção substantiva, ou adjetiva, ou adverbial.]

modificante [De *modificar* + *-nte*.] *Adj. 2 g.* V. *modificador* (1).

modificar [Do lat. *modificare*.] *V. t. d.* **1.** Transformar a forma de; imprimir novo modo de ser a: *Modificando a natureza, o homem constrói a cultura*. **2.** Alterar, mudar, transformar. **3.** *E. Ling.* Estabelecer uma relação de modificação (4). *P.* **4.** Sofrer modificação, ou modificações; alterar-se, mudar. **5.** Moderar-se, restringir-se. [Conjug.: v. *trancar*.]

modificativo [De *modificar* + *-tivo*.] *Adj.* V. *modificador* (1).

modificável [De *modificar* + *-vel*.] *Adj. 2 g.* Que pode ser modificado.

modilhão [Do it. *modiglione*.] *S. m. Arquit.* Ornato em forma de S invertido e pendente da cornija; corvo: "as gárgulas, os modilhões das cornijas e os variadíssimos capitéis historiados de todas as nossas igrejas românicas" (Ramalho Ortigão, *Arte Portuguesa*, II, p. 206).

modilhar [De *modilho*[1] + *-ar*[2].] *V. int.* Cantar modilho[1].

modilho[1] [De *moda* (6) + *-ilho*.] *S. m. Mús.* **1.** Música ligeira; ária. **2.** Cantiga popular; canção folclórica; modinha, moda.

modilho[2] [De *moda* (2), com infl. de *casquilho*, poss.] *Adj.* Que segue as modas com exagero.

modinatura [Do it. *modinatura*.] *S. f. Arquit.* O conjunto das molduras de uma construção, segundo o caráter das ordens arquitetônicas.

modinha [De *moda* (6) + *-inha*.] *S. f. Mús.* **1.** V. *modilho*[1] (2). **2.** *Bras.* Da segunda metade do séc. XVIII até c. 1850, gênero de romança de salão, em vernáculo, e inspirada, quanto à forma, na ária de ópera italiana. **3.** *Bras.* Depois de 1850, gênero de cantiga popular urbana, com acompanhamento de violão: "De braço dado, as meninas passavam por nós aos grupos, cantando em coro valsas tristes, modinhas de serenatas." (Raquel de Queirós, *As Três Marias*, p. 6.) [Sin., nas acepç. 2 e 3: *moda*.]

modíolo [Do lat. *modiolu*.] *S. m. Arquit.* Espaço entre os modilhões.

modismo [De *moda* + *-ismo*.] *S. m.* **1.** Modo de falar aceito pelo uso, conquanto seja ou pareça contrário às normas gramaticais; idiotismo de linguagem. **2.** Moda rápida e passageira.

modista[1] [Do fr. *modiste*.] *S. f.* Mulher que, profissionalmente, faz vestidos ou dirige a feitura deles.

modista[2] [De *moda* + *-ista*.] *S. 2 g. Bras.* Cantador de moda (6).

modista[3] [Do lat. med. *modista*.] *S. 2 g.* Na Idade Média, entre c. de 1200-1350, autor de um dos tratados que procuraram integrar a descrição do lat. na filosofia escolástica.

modo [Do lat. *modu*.] *S. m.* **1.** Maneira, feição ou forma particular; jeito: *modo de falar*. **2.** Sistema, prática, método: *modo de vida, de trabalho*. **3.** Estado, situação, disposição: *Estava em modo de receber as visitas*. **4.** Meio, via, maneira: *Não houve modo de obter o que queria*. **5.** Educação, moderação, comedimento, prudência: *Tem modo em tudo*. [Nesta acepç., é m. us. no pl. Sin.: *maneiras*: *Tenha modos, menino!*] **6.** Moda (4): *Veste-se ao modo antigo*. **7.** Jeito, habilidade, arte: *Teve modo de fazer o moço desistir do intento*. **8.** *Desus.* Casta, condição. **9.** *E. Ling.* Expressão de modalidade (3), na morfologia do verbo. [V. *conjuntivo, imperativo, indicativo, jussivo, optativo, subjuntivo*.] **10.** *Geol.* Composição mineralógica real duma rocha magmática. [Cf., nesta acepç., *norma* (7).] **11.** *Dir. Civ.* Restrição ou incumbência, ger. a favor de terceiros, imposta ao beneficiário de ato de liberalidade, como é o caso da doação e do testamento; encargo, *modus*. **12.** *Lóg.* Na lógica clássica, asserção complementar que se atribui à relação enunciada em uma proposição e que identifica essa relação como necessária, contingente, possível ou impossível. **13.** *P. ext. Lóg.* Na lógica atual, asserção complementar à afirmação ou negação de uma proposição pela qual se indica se ela é necessária, casual, falsificável, duvidosa, equivalente, proibida, etc. **14.** *Mús.* No sistema tonal ocidental, sequência dos tons e semitons dentro da oitava da escala diatônica. **15.** *Mús.* Qualquer escala antiga ou exótica, cujos intervalos de tom e semitom não se apresentam nessa ordem: *modos gregos; modos eclesiásticos*. ~ V. *modos*. ◆ **Modo autêntico.** *Mús.* Cada um dos quatro modos gregorianos principais (Ré a Ré, Mi a Mi, Fá a Fá, Sol a Sol), fixados por Santo Ambrósio (c. 333-397). **Modo condicional.** *E. Ling.* Modo verbal que enuncia o fato sob a dependência de uma condição. [Hoje quase não se aceita esse modo, que é considerado simples modalidade do futuro: o *futuro do pretérito*, segundo a Nova Nomenclatura Gramatical.] **Modo conjuntivo.** *E. Ling.* O modo subjuntivo. [Tb. se diz apenas *conjuntivo*.] **Modo de emulação.** *Inform.* Aquele em que equipamentos ou programas emulam outros. **Modo de endereçamento.** *Inform.* Método us. para indicar a localização de uma informação na memória principal (q. v.). **Modo de produção.** *Econ.* Em economia marxista, forma de organização socioeconômica associada a uma determinada etapa de desenvolvimento das forças produtivas e das relações de produção. [Cf. *meios de produção*.] **Modo derivado.** *Mús.* Modo plagal. **Modo imperativo.** *E. Ling.* Modo (9) que exprime ordem, exortação ou súplica: *Cale-se! Não se vá*. [V. *comando* e *jussivo*.] [Tb. se diz apenas *imperativo*.] **Modo indicativo.** *E. Ling.* Modo (9) que exprime o alto grau de comprometimento do falante com o que está sendo dito. [Comparem-se *Quero eu dizer*, com o verbo *querer* no indicativo, e *Quisesse eu dizer*, com o verbo no subjuntivo.] [Tb. se diz apenas *indicativo*.] **Modo indireto.** *E. Ling.* Qualquer dos modos [v. *modo* (9)], à exceção do indicativo. **Modo injuntivo.** *E. Ling.* Modo *jussivo*. [Tb. se diz apenas *injuntivo*.] **Modo irreal.** *E. Ling.* Modo (9) que refere situações hipotéticas e previsões acerca do futuro. [Cf. *modo real*.] **Modo jussivo.** *E. Ling.* Construção que expressa uma ordem ou comando, por meio de um imperativo, ou de um subjuntivo, ou de uma interjeição: *Saia! Que ele saia! Silêncio!* [Tb. se diz apenas *jussivo*. Sin., nesta acepç.: *modo injuntivo*.] **Modo maior.** *Mús.* Aquele cuja primeira terça da escala é um intervalo maior, e que apresenta um semitom entre o terceiro e o quarto, e entre o sétimo e o oitavo graus. **Modo menor.** *Mús.* Aquele cuja primeira terça da escala é um intervalo menor, e que apresenta um semitom entre o segundo e o terceiro e entre o sétimo e o oitavo graus. **Modo optativo.** *E. Ling.* Modo (9) que expressa desejo ou vontade. [Tb. se diz apenas *optativo*.] **Modo plagal.** *Mús.* Cada um dos quatro modos gregorianos secundários (Lá a Lá, Si a Si, Dó a Dó, Ré a Ré), *i. e.*, derivados ou relativos dos modos autênticos, e fixados por S. Gregório (c. 540-604); modo derivado. **Modo real.** *E. Ling.* Modo (9) que refere situações já ocorridas ou que estão ocorrendo. [Tb. se diz apenas *real*. Cf. *modo irreal*.] **Modo subjuntivo.** *E. Ling.* Modo (9) que exprime baixo comprometimento do falante com o que está sendo dito. [Tb. se diz apenas *subjuntivo*. Cf. *indicativo*.] **A modo.** Com jeito; devagar. **A modo de.** À maneira de; ao modo de; ao jeito de. **A modo que.** *Fam.* Parece que; pelo visto.

modornar *V. t. d. Int.* V. *modorrar*.

modorra (ô) [Da mesma or. incerta que o esp. *modorra*.] *S. f.* **1.** Prostração mórbida ou sonolência em que caem certos doentes. **2.** Moleza, preguiça, soneira, sonolência: "Durante o julgamento, caí numa profunda modorra que me alheou por completo do ambiente." (José Rodrigues Miguéis, *Páscoa Feliz*, p. 10.) **3.** *Fig.* Insensibilidade, indiferença, apatia. **4.** Doença do gado ovino. [Var.: *madorra* (ô) e *madorna*. Pl.: *modorras* (ô). Cf. *modorra* e *modorras*, do v. *modorrar*.]

modorral [De *modorra* + *-al*[1].] *Adj. 2 g.* Que produz modorra.

modorrar [De *modorra* + *-ar*[2].] *V. t. d.* **1.** Causar modorra a; tornar sonolento, ou manter em estado de sonolência: "Um frio úmido, pegajoso, modorrava o Seu Júlio na cama." (Reginaldo Guimarães, *Uma Blusa no Cais*, p. 59.) *Int. P.* **2.** Estar, permanecer ou cair em modorra: "O inverno alegra o sertão farto: ele [o sertanejo] preguiça e modorra." (Gustavo Barroso, *Terra de Sol*, p. 177.) [Var.: *amodorrar*, *modornar*, *madorrar* e *madornar*. Pres. ind.: *modorro*, *modorras*, *modorra*, etc. Cf. *modorro* (ô), *modorra* (ô) e pl. *modorras* (ô).]

modorrento [De *modorra* + *-ento*.] *Adj.* **1.** Que tem ou sofre de modorra. **2.** *Fig.* Estúpido, bronco, obtuso. [Sin. ger.: *modorro*, *madorrento*.]

modorro (ô) [Da mesma or. incerta que o esp. *modorro*.] *Adj.* V. *modorrento*. [Flex.: *modorros* (ô), *modorra* (ô), *modorras* (ô). Cf. *modorro*, *modorras*, *modorra*, do v. *modorrar*.]

modos [Pl. de *modo*.] *S. m. pl.* **1.** Jeito especial de ser, de agir. **2.** V. *modo* (5). ~ V. *modo*.

modulação [Do lat. *modulatione*.] *S. f.* **1.** Ato ou efeito de modular[2]; modulagem. **2.** Variações de altura ou de intensidade na emissão de sons: "a voz plana, sem modulação, que escorre como um fio d'água, acalenta e entorpece." (Lúcia Miguel Pereira, *Cabra-Cega*, p. 8). **3.** Variação de cor ou de tonalidade. **4.** *Mús.* Passagem de um modo (14) ou de um tom (13) para outro, segundo, respectivamente, as regras da música modal, ou da música tonal. **5.** *Eletrôn.* Processo pelo qual uma das características da tensão de uma onda portadora (amplitude, frequência, ou fase) varia proporcionalmente à tensão instantânea do sinal modulador. **6.** *E. Ling.* Escala de valores das vogais *a*, *e*, *o*. **7.** *Fís.* Processo em que a uma variável característica de um fenômeno periódico é atribuída uma variação determinada por outros desses fenômenos. **8.** *Fig.* Melodia; suavidade. ◆ **Modulação de amplitude.** *Eletrôn.* Aquela em que a amplitude da onda portadora varia com o tempo, proporcionalmente às variações de amplitude da tensão do sinal modulador. **Modulação de fase.** *Eletrôn.* Aquela em que o ângulo de fase da onda portadora varia com o tempo proporcionalmente ao valor instantâneo da amplitude da tensão do sinal modulador. **Modulação de frequência.** *Eletrôn.* Aquela em que a frequência da onda portadora varia com o tempo proporcionalmente ao valor instantâneo da tensão do sinal modulador.

modulado [Part. de *modular*[2].] *Adj.* **1.** Que se modulou. **2.** Melodioso, harmonioso. **3.** Proporcionado, regular, harmônico. **4.** Que é formado de módulos [v. *módulo*[1] (4)]: *móvel modulado*. ~ V. *amplitude —a*, *frequência —a*, e *onda —a*. ● *S. m.* **5.** Objeto formado de módulos [v. *módulo*[1] (4)].

modulador (ô) [Do lat. *modulatore*.] *Adj.* **1.** Que modula; modulante. ● *S. m.* **2.** Aquele que modula. **3.** *Eletrôn.* Circuito em que um sinal é modulado.

modulagem [De *modular*[2] + *-agem*[2].] *S. f. P. us.* Modulação (1).

modulante [De *modular*[2] + *-nte*.] *Adj. 2 g.* **1.** Modulador (1). **2.** *Mús.* Em que há modulação (4): *a marcha modulante dos acordes*. ~ V. *ponte —*.

modular[1] [De *módulo*[1] + *-ar*[1].] *Adj. 2 g.* Relativo a módulo[1].

modular[2] [Do lat. *modulare*.] *V. t. d.* **1.** Fazer modulação (2) em: *modular a voz*. **2.** Dizer, tocar ou cantar melodiosamente: "a boca modula uma canção germânica, onde se evocam pinheiros e neve." (Lúcia Miguel Pereira, *Cabra-Cega*, p. 95); "Então coa frauta sonora / Modulando um desafio, / O teu nome ensinarei / Às mansas águas do rio." (Correia Garção, *Obras Poéticas e Oratórias*, p. 271). **3.** *Mús.* Fazer modulação (4) na composição ou na execução de (um trecho musical). **4.** Dar módulo[1] (3) a. **5.** *Eletrôn.* Aplicar o processo de modulação (5) a (onda portadora). **6.** *Eletrôn.* Converter (sequência de dados digitais) em sinal analógico, possibilitando seu transporte por meio de ondas portadoras, como ocorre, p. ex., na transmissão de dados por *modem* ou fax. [Nas acepç. 5 e 6, opõe-se a *demodular*.] *T. i.* **7.** *Mús.* Fazer modulação (4): *modular para um tom vizinho*. *Int.* **8.** Fazer modulação (2 e 4): *O cantor modulou com absoluta afinação; Modulava, assobiando*. [Pres. ind.: *modulo*, etc. Cf. *módulo*.]

modular[3] [De *módulo*[1] + *-ar*[2].] *V. t. d. Arquit.* Construir empregando módulos [v. *módulo*[1] (4)].

modularização [Adapt. do ingl. *modularization*.] *S. f.* Ato ou efeito de modularizar.

modularizar [Voc. deduz. de *modularização* (v. *modular*[1], *-izar* e *-ção*).] *V. t. d.* Dividir estruturas complexas em estruturas menores e mais simples.

modulatório [De *modular*[2] + *-tório*.] *Adj.* Relativo a, ou próprio da modulação.

módulo[1] [Do lat. *modulu*.] *S. m.* **1.** Medida reguladora das proporções de uma obra arquitetônica. **2.** Quantidade que se toma como unidade de qualquer medida: *O litro é módulo das medidas de capacidade*. **3.** Modulação (2) da voz. **4.** Unidade (de mobiliário, de material de construção, etc.) planejada segundo determinadas proporções e destinada a reunir-se ou ajustar-se a outras unidades análogas, de várias maneiras, formando um todo homogêneo e funcional. **5.** Unidade destacável de um veículo espacial, destinada a uma missão específica: *módulo lunar*; *módulo de serviço*. **6.** *Álg.* Conjunto sobre o qual se define um grupo abeliano aditivo, e cujos elementos podem multiplicar-se pelos elementos de um anel. **7.** *Mat.* Raiz quadrada positiva do produto escalar de um vetor por si mesmo. **8.** *Inform.* Em certos estilos de programação, cada um dos segmentos relativamente autônomos de um programa, que desempenham conjuntos bem definidos de funções e que contam, para isso, com suas próprias rotinas e estruturas de dados. **9.** *Mat.* Valor absoluto. **10.** *Numism.* Diâmetro de moeda ou medalha. **11.** *Paleogr.* Dimensão normal de cada espécie de letra. [Cf. *modulo*, do v. *modular*.] ◆ **Módulo de carga.** *Inform.* Formato final de um programa de computador na forma adequada para ser armazenado na memória principal (q. v.) e executado pelo computador. **Módulo de distância.** *Astr.* A diferença entre a magnitude aparente e a magnitude observada de uma estrela. **Módulo de elasticidade.** *Fís.* Quociente entre a tensão de tração aplicada a um corpo e a deformação de tração que ela provoca; módulo de Young. **Módulo de números.** *Álg.* Conjunto de números inteiros tais que a soma ou a diferença de dois deles pertence também ao conjunto. **Módulo de rigidez.** *Fís.* Módulo de torção. **Módulo de torção.** *Fís.* Quociente entre a tensão de cisalhamento aplicada a um corpo e a deformação de cisalhamento que ela provoca; módulo de rigidez. **Módulo de Young.** *Fís.* Módulo de elasticidade.

módulo[2] [Der. de *modulado*, por infl. de *módulo*[1], poss.] *Adj.* Melodioso, harmonioso: "Cantai, ó aves módulas, / Cantai em coro ledo!" (Soares de Passos, *Poesias*, p. 88.) [Cf. *modulo*, do v. *modular*.]

módulo-fonte *S. m. Inform.* V. *programa-fonte*. [Pl.: *módulos-fontes* e *módulos-fonte*.]

módulo-objeto *S. m. Inform.* V. *programa-objeto*. [Pl.: *módulos-objetos* e *módulos-objeto*.]

modulor (ô) [Do fr. *modulor*, < fr. *moduler*, 'modular'.] *S. m. Arquit.* Sistema de proporções para obras arquitetônicas, criado pelo arquiteto franco-suíço Le Corbusier (1887-1965), baseado no número áureo (q. v.).

→ **modus** ['mɔdus] [Lat.] *S. m. Dir. Civ.* V. *modo* (11).

→ **modus faciendi** ['mɔdus fakiˈẽndi] [Lat.] Maneira de agir.

→ **modus operandi** ['mɔdus opeˈrandi] [Lat.] Modo, ger. sistemático, pelo qual um indivíduo ou grupo realiza algo.

→ **modus ponens** ['mɔdus ˈpɔnẽns] [Lat., 'modo que põe'.] V. *afirmação do antecedente*.

→ **modus tollens** ['mɔdus ˈtɔlẽns] [Lat., 'modo que suprime'.] V. *negação do consequente*.

→ **modus vivendi** ['mɔdus veˈvẽndi] [Lat., 'modo de viver'.] Acordo pelo qual duas partes em litígio se podem tolerar mutuamente.

moeda [Do lat. *moneta*.] *S. f.* **1.** Peça metálica, em geral circular, cunhada por autoridade soberana, e que é us. desde a Antiguidade como meio de troca e medida de valor. **2.** Qualquer instrumento aceito como meio de pagamento; dinheiro. **3.** *Econ.* Instrumento que exerce as funções de intermediário nas transações, unidade de valor e reserva de valor: *O euro é a moeda de Portugal e de muitos outros países europeus*. **4.** *Econ.* O conjunto de meios de pagamento de uma economia (moedas metálicas, papel-moeda e moeda bancária): *A quantidade de moeda é regulada pelo Banco Central*. **5.** *Fig.* Aquilo a que se atribui valor: *A honestidade ali é moeda rara*. ◆ **Moeda bancária.** *Econ.* O conjunto de depósitos à vista, feitos pelo público, nos bancos; moeda escritural. **Moeda contábil.** *Econ.* Moeda abstrata, us. apenas como unidade de conta; moeda de conta: *A Unidade Fiscal de Referência (UFIR) é utilizada como moeda contábil*. **Moeda conversível.** *Econ.* A que pode ser trocada sem restrições pela moeda de outro país, esp. por dólares dos E.U.A., ou (outrora) por ouro. **Moeda corrente.** *Econ.* **1.** Moeda (4) de um país; moeda sonante: *Pagou em moeda corrente*. **2.** Papel-moeda e moedas metálicas em poder do público; moeda manual. **Moeda de conta.** Moeda contábil (q. v.). **Moeda de plástico.** *Pop.* Cartão de crédito. **Moeda divisionária.** *Bras.* Moeda metálica ou cédula de pequeno valor. **Moeda escritural.** *Econ.* Moeda bancária. **Moeda falsa.** Dinheiro falsificado por particulares. **Moeda fiduciária.** *Econ.* Papel-moeda sem correspondente lastro de metal precioso em poder do emitente, e cuja aceitação se baseia na confiança. [Na atualidade, o papel-moeda de todos os países é fiduciário.] **Moeda forte.** Moeda (3) cujo valor nominal é igual ou quase igual ao valor intrínseco. **Moeda manual.** *Econ.* Moeda corrente (2). **Moeda metálica.** *Econ.* **1.** A que é cunhada em metal precioso como ouro e liga de prata, ou em metal inferior, e que tem a forma, o peso e o valor regulamentados por disposições legais. **2.** A reserva de barras de ouro de um país destinada a saldar as dívidas do comércio exterior, e que não circula no interior do país, sendo apenas instrumento para o entesouramento das riquezas auferidas mediante as trocas internacionais. **Moeda podre.** *Gír. Econ.* Títulos da dívida pública com cotação de mercado inferior ao valor nominal, mas recebidos pelo governo por seu valor nominal (esp. em leilões de venda de empresas estatais, no processo de privatização). **Moeda sonante.** *Econ.* Moeda corrente (1). **Pagar na mesma moeda.** Corresponder àquilo que nos fazem por maneira igual; retribuir o bem com o bem e o mal com o mal: "Seja como for, ele, como a própria nação portuguesa, não morre de amores por Lisboa – e sabe-se que Lisboa paga na mesma moeda." (Davi Nasser, *Portugal, Meu Avozinho*, p. 45.)

moedagem [De *moeda* + *-agem*[2].] *S. f.* **1.** Fabricação de moeda. **2.** Direito que se paga por essa fabricação. [Sin. ger.: *braceagem*.]

moeda-ouro *S. f. Ant.* Padrão monetário diretamente associado ao valor do ouro (1); padrão-ouro. [Pl.: *moedas-ouros* e *moedas-ouro*.]

moeda-papel *S. f. Ant.* Cédula representativa de depósito em moeda metálica (de ouro ou prata) e nela conversível, mediante apresentação ao banco emissor. [Cf. *papel-moeda*. Pl.: *moedas-papéis* e *moedas-papel*.]

moedeira [De *moer* + *-deira*.] *S. f.* **1.** Instrumento de moer o esmalte, em ourivesaria. **2.** *Fig.* Fadiga, cansaço, canseira. **3.** Trabalho fatigante, extenuante. **4.** *Pop.* Dor surda e prolongada.

moedeiro [De *moeda* + *-eiro*.] *S. m.* **1.** Fabricante de moeda. **2.** Bolsinha para moedas: *Minha carteira nova não tem moedeiro*. ◆ **Moedeiro falso.** Aquele que fabrica moeda falsa.

moedela [De *moer* + *-dela*.] *S. f.* V. *surra* (1).

moedense *Adj. 2 g.* **1.** De, ou pertencente ou relativo a Moeda (MG). ● *S. 2 g.* **2.** O natural ou habitante de Moeda.

moedor (ô) [De *moer* + *-dor*.] *Adj.* **1.** Que mói, tritura ou pisa. **2.** *Fig.* Importuno, maçador, maçante. ● *S. m.* **3.** Aparelho de moer ou triturar. **4.** *Fig.* Indivíduo moedor (2).

moedura [De *moer* + *-dura*.] *S. f.* **1.** Moagem. **2.** Porção de qualquer grão que se mói de cada vez. [Sin. ger.: *moenda*.]

moega [De *mó*, poss.] *S. f.* **1.** V. *canoura*. **2.** *Bras.* Um dos depósitos do trapiche.

moela [De *moer*.] *S. f. Zool.* Órgão do sistema digestório das aves, dos insetos, dos anelídeos e dalguns moluscos, que é o estômago onde os alimentos digeridos são triturados.

moela-de-mutum *S. f. Bras. Bot.* Planta quiinácea (*Lacunaria jenmani*), da Amazônia. [Pl.: *moelas-de-mutum*.]

moemense *Adj. 2 g.* **1.** De, ou pertencente ou relativo a Moema (MG). ● *S. 2 g.* **2.** O natural ou habitante de Moema.

moenda [Do lat. *molenda*, 'coisas que devem ser moídas'.] *S. f.* **1.** Peça ou conjunto de peças que servem para triturar ou moer; moinho: *moenda de cana*. **2.** Lugar onde se acha(m) instalada(s) essa(s) peça(s). **3.** V. *moedura*.

moendeiro [De *moenda* + *-eiro*.] *S. m.* **1.** V. *moleiro*. **2.** *Bras. N.E.* Trabalhador que põe as canas na moenda, engenhos de banguê.

moente [Do lat. *molente*.] *Adj. 2 g.* **1.** Que mói, que pode moer; moedor. ● *S. m.* **2.** Cavilha ou pequena peça cilíndrica que gira dentro dum pequeno orifício circular. ◆ **Moente e corrente.** **1.** *Ant.* Dizia-se do moinho que se encontrava em bom estado e pronto para serviço regular e efetivo. **2.** *Fig.* Diz-se de coisa que se encontra em estado regular e pronta para qualquer serviço ou aplicação. **3.** Muito corrente ou habitual; usadíssimo, comuníssimo: *"Augusto* por *soberano* era moente e corrente no século XVIII" (Alberto Faria, *Acendalhas*, p. 161).

moer [Do lat. *molere*.] *V. t. d.* **1.** Reduzir a pó; esmagar, triturar: *moer café*; "O moleiro moía trigo para numerosa freguesia de Viseu" (José Vieira, *Sal de Portugal*, p. 73). **2.** Fazer passar por uma prensa a fim de extrair o suco: *moer cana*. **3.** V. *surrar* (2). **4.** Repassar insistentemente no espírito (um pensamento, uma ideia). **5.** Mastigar, mascar, ruminar. **6.** Cansar, fatigar, extenuar: *A longa viagem os moeu*. **7.** Importunar, maçar, cacetear, chatear: "se não fossem o Felisberto, as tremendas estopadas que lhe pregava, moendo-o com a sua parolice interminável, de bom grado ficaria assim toda a vida." (Inglês de Sousa, *O Missionário*, p. 345). **8.** Apertar muito; magoar. **9.** Repetir muitas vezes; repisar. *Int.* **10.** Trabalhar (o moinho). **11.** Ficar triturado, esmagado: *Com a martelada, a pedra moeu inteiramente. P.* **12.** Cansar-se, fatigar-se; extenuar-se. **13.** Afligir-se, atormentar-se. [Pres. ind.: *moo, móis, mói, moemos, moeis, moem;* imperf.: *moía,* etc.; perf.: *moí,* etc.; imperat.: *mói, moa* (ô), etc.; part.: *moído.* Cf. *muí.*]

mofa [Dev. de *mofar*[2].] *S. f.* V. *zombaria.* [Sin., bras.: *moca*[3].]

mofado [Part. de *mofar*[1].] *Adj.* Que mofou; coberto de mofo.

mofador (ô) [De *mofar*[2] + *-dor.*] *Adj.* **1.** Que mofa; zombador; escarnecedor, trocista. **2.** Que envolve ou significa mofa. ● *S. m.* **3.** Aquele que mofa; trocista.

mofar[1] [De *mofo* + *-ar*[2].] *V. t. d.* **1.** Cobrir ou encher de mofo. *Int.* **2.** Criar mofo. **3.** *Fam.* Ficar à espera do que ou de quem não vem: *Mofei horas e horas no gabinete do secretário, e ele não apareceu; Passa dias mofando na antessala do ministro — e nada de emprego.* **4.** Permanecer longamente num determinado local, ou posto, em má situação, sem que esta se modifique, ou por impossibilidade absoluta, ou por desinteresse da parte de quem a poderia modificar: *Há 10 anos está mofando na cadeia, cumprindo sentença; Alphonsus de Guimaraens ficou mofando grande parte da vida no lugar de juiz do interior;* "Em Goiás, os anos corriam e Carvalho mofava na pasmaceira da comarca, pobre e esquecido." (Bernardo Élis, *O Tronco*, p. 61). [Pres. ind.: *mofo*, etc. Cf. *mofo* (ô).]

mofar[2] [De or. incerta.] *V. t. i.* Zombar, troçar, escarnecer: "tinha até umas sombras de riso cáustico, um riso de seu uso, quando mofava de alguém" (Machado de Assis, *Quincas Borba*, p. 136). [Pres. ind.: *mofo*, etc. Cf. *mofo* (ô).]

mofatra [Do esp. ant. *mofatra*, atual *mohatra.*] *S. f.* V. *logro* (2).

mofatrão *S. m.* Aquele que pratica mofatras; trapaceiro.

mofé *S. m. Bras. Rel.* V. *Airá.* [Com cap.]

mofento [De *mofo* + *-ento.*] *Adj.* **1.** Que tem mofo; bolorento, bafiento, mofoso: "avistamos velhos e mofentos prédios de habitação coletiva" (Francisco Inácio Peixoto, *Passaporte Proibido*, p. 15). **2.** *Fig.* Que traz infelicidade; funesto; mofoso. ● *S. m.* **3.** *Bras. SE SP Pop.* V. *diabo* (2).

mofeta (ê) [Do it. *mofetta.*] *S. f. Geol.* Manifestação atenuada da atividade vulcânica, que apenas consiste em exalações de anidrido carbônico.

mofina [F. subst. do adj. *mofino.*] *S. f.* **1.** V. *caiporismo.* **2.** Mulher desditosa, infeliz. **3.** Mulher acanhada, tacanha. **4.** *Fig.* Avareza, mesquinhez. **5.** *Bras.* Artigo anônimo difamatório. **6.** *Bras. Pop.* V. *ancilostomíase.*

mofineiro [De *mofina* + *-eiro.*] *S. m. Bras.* Aquele que escreve mofinas [v. *mofina* (5)].

mofineza (ê) [De *mofino* + *-eza.*] *S. f.* Qualidade de mofino.

mofino [Do esp. *mohino*, ou da mesma or. incerta que este.] *Adj.* **1.** Infeliz, desgraçado, desditoso. **2.** Turbulento, importuno. **3.** Avarento, mesquinho, sovina. **4.** Escasso, exíguo, acanhado: *espaço mofino.* **5.** *Bras.* Covarde, poltrão. **6.** *Bras.* Doentio, enfermiço, achacadiço: "Note-se que não era pálido nem mofino: tinha boas cores e músculos de ferro." (Machado de Assis, *Várias Histórias*, p. 213.) ● *S. m.* **7.** Indivíduo mofino. **8.** *Bras. Pop.* V. *diabo* (2).

mofo (ô) [Da mesma or. incerta que o esp. *moho* e o it. *muffa*; poss. de or. express.] *S. m.* **1.** Bolor (1). **2.** V. *bafio.* **3.** Ranço (2). **4.** V. *molagem.* [Pl.: *mofos* (ô). Cf. *mofo*, do v. *mofar.*] ◆ **Criar mofo.** Ficar velho.

mofofô *S. m. Bras. SP Pop.* V. *coró* (1).

mofoso (ô) [De *mofo* + *-oso.*] *Adj.* Mofento.

mofumbal [De *mofumbo* + *-al*[1].] *S. m. Bras.* **1.** Quantidade mais ou menos considerável de mofumbos dispostos proximamente entre si. **2.** Área ocupada por mofumbal (1). **3.** Lugar escuso; esconderijo, mofumbo.

mofumbar [De *mofumbo* + *-ar*[2].] *V. t. d. Bras. N.E.* **1.** Ocultar em lugar escuso, em mofumbo (2). **2.** Esconder, ocultar. [F. paral.: *amofumbar.*]

mofumbo *S. m. Bras.* **1.** V. *cipoaba.* **2.** V. *mofumbal* (3).

mofumo *S. m. Bras.* V. *cipoaba.*

mofungo *S. m. Bras. Bot.* Erva amarantácea (*Chamissoa rubricaulis*) de folhas membranáceas, flores secas, paleáceas, ordenadas em glomérulos que se dispõem em panículas, e frutos que são pequenos utrículos membranáceos, com uma semente.

mogadourense *Adj. 2 g.* **1.** De, ou pertencente ou relativo a Mogadouro (Portugal). ● *S. 2 g.* **2.** O natural ou habitante de Mogadouro.

moganga[1] [De or. incerta.] *S. f. Bras.* **1.** Caretas, trejeitos, esgares, momices; mogiganga. **2.** Carícias, lábias. [Us. tb. no pl. Var.: *muganga, mungango.* Sin. ger.: *moganguice, mogiganga, mocanquice.*]

moganga[2] [De or. afr., poss.] *Adj. (f.) S. f.* Diz-se de, ou certa variedade de abóbora. [Var., no N.E.: *muganga* e *munganga* e, no RS, *mogongo.*]

mogangar [De *moganga*[1] + *-ar*[2].] *V. int. Bras.* Fazer moganga[1] (1); caretear, trejeitear. [Conjug.: v. *largar.*]

mogangueiro [De *moganga*[1] + *-eiro.*] *Adj. S. m. Bras.* Que, ou aquele que faz mogangas; careteiro, trejeiteiro. [Var.: *mungangueiro*; sin.: *moganguento, munganguento, moganguista.*]

moganguento [De *moganga*[1] + *-ento.*] *Adj. S. m. Bras.* V. *mogangueiro.*

moganguice [De *moganga*[1] + *-ice.*] *S. f. Bras.* V. *moganga*[1].

moganguista [De *moganga*[1] + *-ista.*] *Adj. 2 g. S. 2 g. Bras.* V. *mogangueiro.*

mogarim *S. m. Bot.* V. *bogari.*

mogeirense *Adj. 2 g.* **1.** De, ou pertencente ou relativo a Mogeiro (PB). ● *S. 2 g.* **2.** O natural ou habitante de Mogeiro.

▲ **mogi-** [Do gr. *mógis*, adv.] *El. comp.* = 'com dificuldade': *mogifasia, mogifonia, mogigrafia.*

mogiartria [De *mogi-* + *-artr(o)-* + *-ia*[1].] *S. f. Neur.* Forma de disartria em que há deficiência da coordenação muscular na articulação da palavra.

mogiártrico [De *mogiartria* + *-ico*[2].] *Adj.* **1.** Referente à mogiartria, ou que dela sofre. ● *S. m.* **2.** Aquele que sofre de mogiartria.

mogifasia [De *mogi-* + *-fas(i)-* + *-ia*[1].] *S. f. Neur.* Dificuldade de expressão pela palavra falada ou escrita, ou por sinais, ou de compreender a palavra escrita ou falada.

mogifásico [De *mogifasia* + *-ico*[2].] *Adj.* **1.** Referente à mogifasia, ou que dela sofre. ● *S. m.* **2.** Aquele que sofre de mogifasia.

mogifonia [De *mogi-* + *-fon(o)-* + *-ia*[1].] *S. f. Neur.* Dificuldade de emitir som vocal.

mogifónico *Adj. S. m.* V. *mogifônico.* [Uso freq. em P.]

mogifônico [De *mogifonia* + *-ico*[2].] *Adj.* **1.** Referente à mogifonia, ou que dela sofre. ● *S. m.* **2.** Aquele que sofre de mogifonia.

mogiganga [Do esp. *mojiganga.*] *S. f.* **1.** *Teatr. Ant.* Dança burlesca, ou breve representação com figuras grotescas, originária da Espanha, séc. XV; bugiganga. **2.** V. *ninharia.* **3.** V. *moganga*[1] (1).

mogigrafia [De *mogi-* + *-grafia.*] *S. f. Neur.* Dificuldade ou impossibilidade de certos músculos do polegar e do indicador de segurar e dirigir a pena de escrever; cãibra nas mãos de quem escreve muito.

mogigráfico [De *mogigrafia* + *-ico*[2].] *Adj.* Referente à mogigrafia.

mogilalia [Do gr. *mogilalía.*] *S. f. Fonoaud.* Dificuldade em articular a palavra; mogilalismo, gaguez.

mogilálico [De *mogilalia* + *-ico*[2].] *Adj.* Referente à mogilalia.

mogilalismo [De *mogi-* + *-lal(o)-* + *-ismo.*] *S. m.* **1.** Vício prosódico ou gaguez na enunciação do *p* e do *b*. **2.** *Med.* V. *mogilalia.*

mogilexia (cs) [De *mogi-* + *-lex(i)-* + *-ia*[1].] *S. f. Neur.* Dificuldade de ler, soletrar e escrever palavras, embora permaneça a capacidade de reconhecer as letras.

mogiléxico (cs) [De *mogilexia* + *-ico*[2].] *Adj.* **1.** Referente à mogilexia, ou que dela sofre. ● *S. m.* **2.** Aquele que sofre de mogilexia.

mogitocia [De *mogi-* + *-toc(o)-* + *-ia*[1].] *S. f. Obst.* V. *distocia.*

mogitócico [De *mogitocia* + *-ico*[2].] *Adj.* **1.** Referente a mogitocia. ● *S. m.* **2.** Parto que apresenta dificuldade em seu processamento.

mogno [Var. de *mógono* < ingl. *mahogany*, de uma língua indígena da América do Norte.] *S. m. Bot.* **1.** Árvore meliácea (*Swietenia mahagoni*) nativa das Antilhas e da América do Sul, com folíolos lanceolados, agudos, flores alvas, em panículas axilares, frutos capsulares, e cuja casca tem usos medicinais; a madeira, avermelhada, é muito us. em construção naval e no fabrico de móveis. [Sin.: *acaiacatinga, acaju, aguano, magano, mogno-verdadeiro.*] **2.** Mogno-brasileiro. **3.** A madeira dessas árvores. [Var.: *mógono.*]

mogno-brasileiro *S. m. Bot.* Árvore meliácea (*Swietenia macrophylla*) que se distribui desde a América Central até MT e GO, de folhas compostas, folíolos oblongos, pequenas flores amarelas, paniculadas, e frutos capsulares, lenhosos; por causa da madeira, muitíssimo explorada, está ameaçada de extinção. [Tb. se diz apenas *mogno*. Sin.: *acaju, aguano, araputanga, caoba, cedroí.* Pl.: *mognos-brasileiros.*]

mogno-verdadeiro *S. m. Bot.* V. *mogno* (1). [Pl.: *mognos-verdadeiros.*]

mogongo *Adj. S. m. Bras. RS* V. *moganga*[2].

mógono *S. m. Bot.* V. *mogno*: "Tenho visto armários pelintras em que o folheado do mógono se está despegando da armação de pinho" (Ramalho Ortigão, *Notas de Viagem*, p. 200).

→ **mohair** ['mowhɛɹ] [Ingl.] *S. m.* **1.** Fio de lã feito com o pelo da cabra angorá. **2.** *Tec. Têx.* Tecido muito macio de lã feito com esse fio, ou com mescla desse fio e outro material têxtil.

moi *S. f. Bras. Zool.* V. *boi*[2].

moia (ói) *S. f. Bras. Zool.* V. *boia*[2]. [Cf. *moia*, s. f., e *moia*, do v. *moer.*] ❖

moia (ôi) [Do cabo-verd.] *S. f. Cabo-verd.* Despojos de naufrágio: "Moia era do povo. Toda a vida se viu. Nunca prenderam ninguém quando foi da moia do barco norueguês, nem do barco sueco, que toda a gente se encheu de queijo, de bolacha, relógios de pulso." (Manuel Ferreira, *Hora di Bai*, p. 173.) [Cf. *moia*, do v. *moer.*] ❖

moicano (o-i) [Desta língua.] *S. m.* **1.** *Etnôn.* Indivíduo dos moicanos, povo indígena extinto que habitava o vale do rio Hudson (E.U.A.). **2.** *Gloss.* Língua algonquiana desse povo. **3.** Vocábulo dessa língua. ● *Adj.* **4.** Pertencente ou relativo aos moicanos, ou à sua língua.

moído [Part. de *moer.*] *Adj.* **1.** Que se moeu; triturado, esmagado: *café moído.* **2.** Importunado, maçado. **3.** Fatigado, exausto. **4.** Diz-se de carne ou peixe em começo de putrefação.

moimento (o-i) [Do lat. *monimentu.*] *S. m. Ant.* **1.** Monumento em honra de alguém. **2.** Mausoléu (2).

moina [De or. obsc.] *S. m.* **1.** V. vagabundo (7): "Mas de longe .... não tinham conto os curiosos, moinas e voluntários, atraídos pelo rumor daquelas estranhas cavalarias." (Aquilino Ribeiro, *Andam Faunos pelos Bosques*, p. 45.) **2.** V. *mendigo.*

moinante (o-i) *Adj. 2 g. S. 2 g.* **1.** Brincalhão, festeiro. **2.** Mandrião, malandro, vadio.

moinha (o-í) [De *moer*, com possível infl. de *farinha.*] *S. f.* **1.** Fragmentos de palha muito moída. **2.** Pó a que se reduz uma substância seca ou triturada. **3.** V. *rabeira* (2).

moinho (o-í) [Do lat. *molinu.*] *S. m.* **1.** Engenho composto de duas mós sobrepostas e giratórias, movidas pelo vento, por queda-d'água, animais ou motor, e destinado a moer cereais. **2.** Lugar onde se acha instalado esse engenho. **3.** Máquina que serve para triturar qualquer coisa; moenda: *moinho de café.* ◆ **Moinho a discos.** *Tec.* Moinho constituído por dois discos, de material duro, que têm um movimento de rotação relativo, e que desintegram o material que se encontra entre eles por efeito das grandes forças de cisalhamento que exercem. **Moinho a impacto.** *Tec.* Aquele em que a ação de cominuição ocorre quando as partículas do material a moer são lançadas contra um ressalto fixo, fragmentando-se por efeito da colisão. **Moinho de bolas.** *Tec.* Moinho constituído por um cilindro rotatório que contém uma carga de esferas metálicas (ou de cerâmica), que trituram o material por uma ação combinada de compressão, abrasão e impacto. **Moinho de martelos.** *Tec.* Moinho que dispõe de um rotor circular em cuja periferia estão fixas peças articuladas (ou não), os *martelos*, que lançam contra ressaltos, existentes na carcaça que envolve o rotor, o material a moer, o qual se fragmenta em virtude da colisão. **Moinho de pasta.** *Ind. Pap.* Desfibrador (3). **Moinho de rolos.** *Tec.* Moinho constituído por um cilindro rotativo que contém no seu interior um conjunto de rolos, lisos ou corrugados ou com cristas afiadas, que desintegram, por compressão, abrasão, impacto e corte, o material a moer. **Moinho de vento.** *Bras.* V. *cata-vento* (3).

moio [Do lat. *modiu.*] *S. m.* Antiga unidade de medida de capacidade para secos, equivalente a 15 fangas, ou seja, 21,762 hectolitros: "o cônsul francês remete ao seu governo a nota dos moios de sal carregados em Lisboa" (Ramalho Ortigão, *As Farpas*, VIII, p. 185).

moiporaense (à) *Adj. 2 g.* **1.** De, ou pertencente ou relativo a Moiporá (GO). ● *S. 2 g.* **2.** O natural ou habitante de Moiporá.

moira [Do gr. *Moira*, 'personificação do destino imperioso e inflexível, e que conduz tudo a seu fim'.] *S. f.* O destino de cada indivíduo; o destino.

moira-encantada *S. f.* V. *moura-encantada.* [Pl.: *moiras-encantadas.*]

moirama[1] *S. f.* V. *mourama*[1].

moirama[2] *S. f.* V. *mourama*[2].

moirão[1] *S. m.* Mourão[1] (q. v.).

moirão[2] *S. m.* Mourão[2] (q. v.).

moirão[3] *S. m.* Mourão[3] (q. v.).

moirar *V. int.* V. *mourar.*

moiraria *S. f.* V. *mouraria.*

moira-torta *S. f.* V. *moura-torta.* [Pl.: *moiras-tortas.*]

→ **moiré** [mwa'ʀe] [Fr.] *S. m.* **1.** *Art. Gráf.* Efeito óptico indesejável produzido pela superposição de retículas. [V. *retícula*[1] (2).] **2.** *Tec. Têx.* Tecido que apresenta um brilho ondeado que se obtém por sua passagem entre os cilindros rotativos da calandra (2).

moirejado [Part. de *moirejar.*] *Adj.* V. *mourejado.*

moirejar *V. int. T. i.* V. *mourejar.* [Conjug.: v. *pelejar.*]

moirejo (ê) [Dev. de *moirejar.*] *S. m. Bras.* V. *mourejo.*

moiresco (ê) *Adj.* V. *mouresco.*
moirescos (ê) *S. m. pl.* V. *mourescos.*
moirisco *Adj.* V. *mourisco.*
moiriscos *S. m. pl.* V. *mouriscos.*
moirisma *S. f.* V. *mourisma.*
moirizar *V. t. d. P.* V. *mourizar.*
moiro *Adj. S. m.* V. *mouro.*
moironada *S. f. Bras. S.* V. *mouronada.*
moiros *S. m. pl.* V. *mouros.*
moiseísmo (è) *S. m.* V. *mosaísmo.*
moiseísta (è) [De *moiseísmo* + *-ista*, seg. o padrão erudito.] *Adj. 2 g. S. 2 g.* V. *mosaísta*[2].
moisés *S. m. 2 n. Bras.* Cesta para carregar crianças recém-nascidas.
moita [De or. obscura.] *S. f.* **1.** Grupo espesso de plantas; touça: "E das moitas cheirosas / O aroma dos mirtais sobe nos céus escampados." (Manuel Bandeira, *Estrela da Vida Inteira*, p. 22.) ● *Interj.* **2.** Designa que nada se respondeu, quando se pedia ou esperava resposta, ou serve para pedir a alguém que se cale ou fique quieto. [F. paral.: *mouta.*] ◆ **Na moita.** *Bras.* **1.** À espreita; na expectativa. **2.** Sem falar ou revelar algum fato ou segredo; em silêncio. **3.** Às escondidas; às ocultas, à sorrelfa.
moita-bonitense *Adj. 2 g.* **1.** De, ou pertencente ou relativo a Moita Bonita (SE). ● *S. 2 g.* **2.** O natural ou habitante de Moita Bonita. [Pl.: *moita-bonitenses.*]
moital [De *moita* + *-al*[1].] *S. m.* V. *moitedo*: "O verão se acentua, / e, de manhã, bem cedo, / vêm dos silêncios amplos e sombrios / dos verçudos moitais, / .... / murmúrios / macios / de cicio..." (Gilca da Costa Melo Machado, *Mulher Nua*, p. 121.)
moitão[1] *S. m.* **1.** Peça de madeira, ou metálica, constituída de uma ou duas faces ovais ou elípticas, atravessadas por um eixo, às vezes provida de roldana e de uma alça de ferro, e que serve para levantar pesos e maquinismos, mover cenários, etc. **2.** *Marinh.* Poleame que consiste numa caixa de madeira ou de metal dentro da qual trabalha uma roldana. [Cf. *cadernal.* F. paral.: *moutão*[1].]
moitão[2] [De *moita* + *-ão*[1].] *S. m.* V. *moitedo.* [F. paral.: *moutão*[2].]
moitar [De *moita* + *-ar*[2].] *V. int. Bras. Gír.* Não responder, ou não dizer o que sabe ou pensa; calar; ficar na moita; amoitar: *Ouviu e viu tudo, e moitou.*
moitedo (ê) [De *moita* + *-edo.*] *S. m.* Lugar onde há moitas; moitão, moital. [F. paral.: *moutedo.*]
mojara *S. f. Zool.* Mojarra.
mojarra [Do esp. *mojarra, moharra.*] *S. f. Zool.* Peixe perciforme, gerreídeo (*Eucinostomus melanopterus*) do Atlântico ocidental, de coloração prateada, com cerca de 20cm de comprimento.
mojiano[1] *Adj.* Relativo ou pertencente à região servida pela Estrada de Ferro Mojiana (SP a MG).
mojiano[2] *Adj.* **1.** De, ou pertencente ou relativo a Moji das Cruzes (SP). ● *S. m.* **2.** O natural ou habitante de Moji das Cruzes.
mojica [Do tupi.] *S. f. Bras. Amaz.* **1.** Processo de engrossar o caldo, ou o mingau, submetendo-os a lenta cocção e, de ordinário, adicionando-lhes féculas. **2.** O caldo, ou o mingau, engrossado por esse processo. **3.** Peixe cozido ou moqueado, em pedacinhos, sem as espinhas, que se usa, de mistura com a tapioca ou a farinha-d'água, para engrossar o caldo.
mojicar [De *mojica* + *-ar*[2].] *V. t. d. Bras. Amaz.* **1.** Engrossar (caldo ou mingau), fazendo mojica (2). *Int.* **2.** Fazer mojica (2). [Conjug.: v. *trancar.* Pres. subj.: *mojique*, etc. Cf. *mujique.*]
mojimiriano *Adj.* **1.** De, ou pertencente ou relativo a Mojimirim (SP). ● *S. m.* **2.** O natural ou habitante de Mojimirim.
mojuense *Adj. 2 g.* **1.** De, ou pertencente ou relativo a Moju (PA). ● *S. 2 g.* **2.** O natural ou habitante de Moju.
mol [Do al. *Mol*, f. red. de *Molekül*, 'molécula'.] *S. m. Fís.-Quím.* Quantidade de substância cuja massa, medida em gramas, é igual à sua massa molecular; quantidade de uma substância em que o número de moléculas é igual à constante de Avogadro; molécula-grama. [Pl.: *mols.*]
mola[1] [Do it. *molla.*] *S. f.* **1.** Peça elástica, em geral metálica, espiralada ou helicoidal, e que reage quando vergada, distendida ou comprimida: *as molas da poltrona; a mola do relógio.* **2.** Feixe de lâminas metálicas sobrepostas, que resistem ao peso e dão flexibilidade: *as molas do vagão, da carroçaria.* **3.** *Fig.* Tudo aquilo que concorre para um movimento ou para um fim; móvel, impulso, incentivo: "A ideia de morte, lembra o poeta Valéry, representa a mola das leis, a mãe das religiões, ... a origem de uma infinidade de pesquisas e de meditações." (Carlos Drummond de Andrade, *Passeios na Ilha*, pp. 195-196.) **4.** *Lus.* Pregador de roupa.
mola[2] [Do lat. *mola.*] *S. f.* **1.** Espécie de bolo de grãos de trigo usado nos rituais e sacrifícios dos antigos romanos. **2.** *Patol. Obst.* Massa ou tumor carnoso que se forma no útero, pela degeneração de um ovo ou por seu desenvolvimento no sentido de aborto. ◆ **Mola hidatiforme.** *Patol. Obst.* Mola[2] (2) formada pela degeneração das vilosidades coriônicas, produzindo-se massa de cistos que lembra cacho de uvas.
molá *S. m.* V. *mulá*: "Na Inglaterra, os molás são importados diretamente do Paquistão, porque assim a pureza da fé está garantida." (*Jornal do Brasil*, 04.03.1989.)
molada [Do esp. *molada.*] *S. f.* **1.** A porção de tinta que se mói de cada vez na moleta. **2.** A água contida na caixa onde gira a pedra de amolar ou mó. [Cf. *mulada.*]
molagem [De or. obscura.] *S. f.* Vantagem gratuita; mofo, borla (lus.). ◆ **De molagem.** De graça, ou a preço irrisório. [Sin., lus.: *de borla.*]
molal [De *mol* + *-al*[1].] *Adj. 2 g. Quím.* Diz-se de grandeza pertinente a um mol de uma substância dissolvido em mil gramas de um solvente.
molalidade [De *molal* + *-(i)dade.*] *S. f. Quím.* Concentração de uma solução expressa em mols (v. *mol*) do soluto presentes em mil gramas de um solvente.
molambento [De *molambo* + *-ento.*] *Adj. S. m. Bras.* Diz-se de, ou indivíduo roto, esfarrapado; molambudo.
molambo [Do quimb. *mu'lambu*', 'pano'.] *S. m. Bras.* **1.** Pedaço de pano velho, rasgado e sujo; farrapo. **2.** Roupa velha ou esfarrapada. **3.** *Fig.* Indivíduo fraco, pusilânime, sem firmeza de caráter.
molambudo [De *molambo* + *-udo.*] *Adj. S. m. Bras.* V. *molambento.*
molancas [De *mole*[2] + *ancas*, poss.] *Adj. 2 g. e 2 n. S. 2 g. e 2 n. Pop.* V. *molangueirão.*
molangueirão [Var. de *molanqueirão.*] *Adj. S. m. Pop.* Diz-se de, ou sujeito mole, fraco, frouxo, sem energia; molancas, molanqueirão, molanqueiro. [Fem.: *molangueirona.*]
molangueirona *S. f.* Fem. de *molangueirão* (q. v.).
molanqueirão [De *molancas* + *-eirão.*] *Adj. S. m. Pop.* V. *molangueirão.* [Fem.: *molanqueirona.*]
molanqueiro [De *molancas* + *-eiro.*] *Adj. S. m. Pop.* V. *molangueirão.*
molanqueirona *S. f. Pop.* Fem. de *molanqueirão* (q. v.).
molar[1] [Do lat. *molare*, 'de moinho'.] *Adj. 2 g.* **1.** Próprio para moer; que mói: *pedras molares.* ~ V. *dente* —. ● *S. m.* **2.** V. *dente* (1).
molar[2] [De *mole*[2] + *-ar*[1].] *Adj. 2 g.* **1.** Cuja casca é mole, fácil de partir. **2.** Macio, suave, brando, mole. **3.** *Fig.* Fácil de enganar; ingênuo, crédulo: *indivíduo molar.*
molar[3] [De *mola*[2] + *-ar*[1].] *Adj. 2 g. Patol. Obst.* Relativo ou pertencente a mola[2] (2). ~ V. *prenhez* —.
molar[4] [De *mol* + *-ar*[1].] *Adj. 2 g.* **1.** Relativo a mol. ~ V. *fração* — e *volume* —. ● *S. m.* **2.** *Quím.* Unidade de molaridade de uma solução, correspondente a um mol por litro. [Não us. no plural.]
molaridade [De *molar*[4] + *-(i)dade.*] *S. f. Fís.-Quím.* Composição de um sistema expressa pelo número de mols (v. *mol*) de cada componente presente num litro do sistema.
molariforme [De *molar*[1] + *-iforme.*] *Adj. 2 g.* **1.** Que tem a forma de dente molar. **2.** *Micol.* Diz-se de certos cogumelos cuja superfície é coberta de camada denteada.
molarinha *S. f. Bot.* V. *fel-da-terra* (1).
molassa [De *molasso.*] *S. f. Ind. Pap.* Triturador (q. v.) formado por duas pesadas rodas de arenito que giram dentro de um tanque circular.
molasso [Do fr. *molasse.*] *S. m. Geol.* Rocha composta de calcário mesclado com areia e argila. ~ V. *molassos.*
molassos *S. m. pl. Zool.* Vermes intestinais cujo corpo se constitui de uma substância gelatinosa, branda e transparente. ~ V. *molasso.*
moldação [De *moldar* + *-ção.*] *S. f.* V. *moldagem* (1).
moldado [Part. de *moldar.*] *Adj.* **1.** Que se moldou; adaptado ao molde; modelado. ● *S. m.* **2.** Trabalho de moldura que se faz em certas peças.
moldador (ô) [De *moldar* + *-dor.*] *Adj.* **1.** Que molda. ● *S. m.* **2.** Aquele que molda ou faz moldes. **3.** Instrumento com que o entalhador orna as molduras em madeira rija. **4.** *Tip.* Gráfico que se ocupa na confecção de moldes de galvanotipia. [Cf. *matrizador.*]
moldagem [De *moldar* + *-agem*[2].] *S. f.* **1.** Ato ou efeito de moldar; moldação, modelação, modelagem. **2.** *Art. Plást.* Modelagem (2). **3.** *Geol.* Impressão fóssil deixada no terreno.
moldandeira [De *moldar* + *-deira*, com infl. de *bolandeira*, poss.] *S. f. Tip. Ant.* Bolandeira (2).
moldar [De *molde* + *-ar*[2].] *V. t. d.* **1.** Formar os moldes de. **2.** Adaptar ou acomodar ao molde; amoldar. **3.** Fundir, vazando no molde. **4.** Dar forma ou contorno a; modelar: "Vestia um casaquinho justo, sem gola, ... que lhe moldava o busto" (Afrânio Peixoto, *Maria Bonita*, p. 49). *T. d. e i.* **5.** Adaptar, acomodar, afeiçoar; conformar: *Egoísta, quer moldar todos a seus caprichos. P.* **6.** Acomodar-se, adaptar-se, amoldar-se. **7.** Conformar-se, harmonizar-se: *Apesar de velho, molda-se às ideias atuais.* **8.** Regular-se, dirigir-se; conformar-se, modelar-se: *Moldou-se pelos hábitos da velha geração.*
moldávio *Adj.* **1.** Da, ou pertencente ou relativo à República da Moldávia (Europa). ● *S. m.* **2.** O natural ou habitante da República da Moldávia. **3.** *Gloss.* Língua românica falada nesse país. [Há poucas diferenças entre o moldávio e o romeno; contudo, distinguem-se fortemente na escrita, uma vez que o moldávio adotou o alfabeto cirílico.] **4.** Vocábulo dessa língua.
molde [Do cat. ant. *motle* (< lat. *modulus*), poss. pelo esp. *molde.*] *S. m.* **1.** Modelo oco em que se verte o metal derretido que há de formar um objeto. **2.** Baixo-relevo em que se introduz matéria pastosa ou líquida que, ao solidificar-se, toma a forma dele: *molde de máscara.* **3.** Impressão em gesso de objeto em relevo, com a qual se podem obter várias reproduções desse objeto: *molde de medalha.* **4.** Peça de metal, cartão, madeira ou papel, pela qual se corta, reproduz ou dispõe alguma coisa: *executar o vestido pelo molde.* **5.** Modelo de qualquer coisa, pelo qual ela se talha ou se forma. **6.** *Tip.* Peça de fundidora mecânica, onde se adapta a matriz e se fundem os tipos, vinhetas, fios, etc. **7.** *Tip.* Parte das máquinas compositoras onde se vêm automaticamente colocar as matrizes, para fundição dos tipos ou das linhas-blocos. **8.** *Tip.* Aparelho que consiste essencialmente numa caixa de ferro, plana, curva ou cilíndrica, onde se coloca a matriz ou o flã, para fundir os estereótipos; negativo. **9.** *Tip.* Matriz galvanotípica. **10.** *Fig.* Modelo (5 e 6): *Segue os moldes clássicos; São Francisco é o molde daquele monge.* ◆ **De molde.** A propósito; na ocasião própria; oportunamente: *A pergunta veio de molde.*
molde-caldeira *S. m. Tip.* Aparelho de estereotipia constituído de crisol, para o metal-tipo, e molde onde se põe a matriz, para fundição. [Pl.: *moldes-caldeiras* e *moldes-caldeira.*]
moldura [Do esp. *moldura* < fr. *moulure.*] *S. f.* **1.** Peça lisa ou lavrada com que se cercam e/ou guarnecem pinturas, estampas, fotografias, espelhos, etc., de vários materiais, formatos e tamanhos; caixilho. [Cf. *quadro* (2).] **2.** *Arquit.* Ornato ou cercadura saliente, de pedra, mármore, estuque, cimento, gesso ou metal.
moldurado [Part. de *moldurar.*] *Adj.* Emoldurado.
molduragem [De *moldurar* + *-agem*[2].] *S. f.* **1.** Ato ou efeito de moldurar. **2.** Conjunto de molduras que adornam uma peça de arquitetura. **3.** Moldura (1): *espelho de molduragem barroca.*
moldurar [De *moldura* + *-ar*[2].] *V. t. d.* V. *emoldurar.*
moldureiro [De *moldura* + *-eiro.*] *S. m.* **1.** Fabricante de molduras. **2.** Aquele que guarnece com molduras.
mole[1] [Do lat. *mole.*] *S. f.* **1.** Grande massa informe; volume desmedido: "No céu limpo, sem uma nuvem, a mole do Cáucaso surgia à direita, clara, escura, as manchas das neves eternas perfeitamente visíveis." (Graciliano Ramos, *Viagem*, p. 183.) **2.** Construção maciça, de grandes proporções: "A mole gigantesca do Convento" (Aquilino Ribeiro, *Estrada de Santiago*, p. 253). **3.** Massa (11).
mole[2] [Do lat. *molle.*] *Adj. 2 g.* **1.** Que cede à compressão; macio, tenro: *fruta mole.* **2.** Fofo, elástico: *poltrona mole.* **3.** Lento, frouxo, lânguido, vagaroso: *gesto mole.* **4.** Sem energia; débil, fraco: *atitudes moles; caráter mole.* **5.** Preguiçoso, indolente, lânguido: "Enrola-te na longa caxemira, / Como as judias moles do Levante." (Castro Alves, *Obra Completa*, p. 172). **6.** *Quím.* Diz-se de ácido de Lewis, ou de base, caracterizado por átomo ou grupo de átomos muito polarizável e pouco eletronegativo. [Nesta acepç., trad. do ingl. *soft.*] **7.** *Pej.* Efeminado, afeminado. **8.** Fácil de comover-se; sensível, terno: *coração mole.* **9.** Sem vivacidade; frouxo, inexpressivo: *olhar mole.* **10.** *Bras. Pop.* Que não apresenta dificuldade ou complicação, não exige esforço ou paciência; fácil: *Este trabalho é mole*; "eles podiam pelo menos trazer um cafezinho aqui pra gente, afinal ficar esperando aqui esse tempo todo não é mole, não cansa" (Luís Vilela, *Tremor de Terra*, p. 86). **11.** *Bras. N.E.* Sem sorte; infeliz, azarado. ~ V. *cancro* —, *conversa* —, *ovos* —*s*, *palato* —, *parte* —, *raios X moles* e *verniz* —. ● *Adv.* **12.** *Bras. Pop.* Sem dificuldade; facilmente: *No próximo vestibular ele passa mole.* ◆ **Mole mole. 1.** Pouco a pouco; aos poucos; devagar. **2.** V. *no mole.* **Dar mole.** Descuidar-se; abrir a guarda: "Eles me pegaram porque dei mole." (Rubem Fonseca, *O Seminarista*, p. 81.) **No mole.** *Bras. Fam.* Sem fazer muito esforço; mole mole, na moleza: "Garantia-se apenas a frequência [no curso da Faculdade de Medicina] e ia-se remanchando um estudozinho no mole." (Pedro Nava, *Beira-Mar*, p. 17.)

M

molear [De *mole*[2] + *-ear*[2].] *V. t. d. P. Bras.* Tornar(-se) mole ou frouxo. [Conjug.: v. *frear*.]

moleca [Do quimb. *mu'leka*, 'menina'.] *S. f. Adj.* (*f.*) *Bras.* Fem. de *moleque*[1] (1 a 4, 8 e 9).

molecada [De *moleque*[1] + *-ada*[1].] *S. f. Bras.* **1.** Grupo ou corja de moleques. [Sin.: *molecório, molecagem* e (N.E. e GO) *molecoreba*.] **2.** V. *molecagem* (1).

molecagem [De *moleque*[1] + *-agem*[2].] *S. f. Bras.* **1.** Ação de moleque[1], molecada, molequeira. **2.** V. *molecada* (1).

molecão [De *moleque*[1] + *-ão*[1].] *S. m. Bras.* Molecote (2).

molecar [De *moleque*[1] + *-ar*[2].] *V. int. Bras.* Proceder como moleque[1]; molequear: "Com os maiores, se ainda teimavam em molecar dentro da casa ou nos fundos, ela lhes dizia possessa: — Vocês vão ver quando ele sair..." (João Alphonsus, *Eis a Noite!*, p. 130.) [Conjug.: v. *trancar*.]

molecoreba *S. f. Bras. N.E. GO* V. *molecada* (1): "Na cozinha a molecoreba .... pintava o simão de carapuça." (Mário Brandão, *Almas do Outro Mundo*, p. 11); "— Ela tá xingando pro vento — gritava a molecoreba que viu o homem sair em busca do delegado." (Bernardo Élis, *Veranico de Janeiro*, p. 36).

molecório [De *moleque*[1] + *-ório*.] *S. m. Bras.* V. *molecada* (1).

molecota [De *moleque*[1] + *-ota*[1].] *S. f. Bras.* Fem. de *molecote*.

molecote [De *moleque*[1] + *-ote*[1].] *S. m. Bras.* **1.** Pequeno moleque: "À sombra do umbuzeiro brincavam molecotes." (Coelho Neto, *Treva*, p. 83.) **2.** Moleque encorpado, taludo; molecão. [Fem.: *molecota*.]

molécula [Do lat. escolástico *molecula*, dim. de *moles*, pelo fr. *molécule*.] *S. f. Quím.* **1.** A menor partícula de uma substância que ainda é capaz (em princípio) de participar das reações químicas características desta substância. **2.** Conjunto eletricamente neutro de dois ou mais átomos ligados, capaz de existência estável (dentro de limites). [Em sentido restrito, emprega-se para aquelas que constituem os compostos moleculares.] ◆ **Molécula apolar.** *Quím.* A que apresenta momento de dipolo igual a zero, ou muito pequeno. **Molécula marcada.** *Fís. Nucl.* Molécula em que um ou mais átomos foram substituídos por átomos de isótopos radioativos. **Molécula polar.** *Quím.* A que apresenta momento de dipolo maior que zero.

molécula-grama [De *molécula* + *grama*[2].] *S. f. Fís.-Quím.* Mol. [Pl.: *moléculas-gramas* e *moléculas-grama*.]

molecular [De *molécula* + *-ar*[1].] *Adj. 2 g.* Respeitante a molécula ou a molécula-grama. ~ V. *biologia —, coloide —, composto —, física —, fórmula —, massa —, orbital —, peso —, relógio —, transporte —, transporte — ativo* e *transporte — passivo*.

molecularidade [Do ingl. *molecularity*, poss.] *Fís.-Quím.* Numa reação química, o número de moléculas que devem interagir, em um choque, para que se verifique a reação.

moledo (ê) [De *mole*[2].] *S. m. Bras.* Em trabalhos de terraplenagem manual, tipo de material de escavação que resiste ao enxadão, mas pode ser desagregado à picareta, e inclui argilas estratificadas, saibros aglutinados e, em geral, rochas decompostas.

moleira[1] [Fem. de *moleiro*.] *S. f.* **1.** Mulher do moleiro. **2.** Mulher que trabalha em moinho. **3.** Proprietária de moinho.

moleira[2] [De *mole*[2] + *-eira*.] *S. f.* **1.** Fontanela. **2.** *P. ext.* A abóbada do crânio.

moleirão [De *mole*[2] + *-eirão*.] *Adj. S. m. Bras.* Molengão. [Fem.: *moleirona*.]

moleiro [Do lat. *molinariu*.] *S. m.* **1.** Proprietário de moinho; moendeiro. **2.** Aquele que mói cereais profissionalmente. **3.** *Bras. Zool.* Ave psitaciforme, psitacídea (*Amazona farinosa*), do L. e N. do Brasil e Guianas, de coloração verde, mancha amarela no vértice, ponta da cauda verde-amarelada e espelho da asa encarnado; ajuruaçu, juruaçu, juru, jeru.

moleirona *S. f.* Fem. de *moleirão* (q. v.).

moleja (ê) [Do esp. *molleja*, 'moela', com alter. semântica, poss.] *S. f.* **1.** *Zool.* Glândula carnosa, especialmente na parte inferior do pescoço dos animais; timo. **2.** O pâncreas das reses (no açougue). **3.** Excremento de aves.

molejo (ê) [De *mola*[1] + *-ejo*.] *S. m. Bras.* **1.** O conjunto das molas de um carro, especialmente um automóvel. **2.** A ação dessas molas. **3.** *Gír.* V. *saracoteio*: *Mas que molejo tem aquela mulata!*

molemente [De *mole*[2] + *-mente*.] *Adv.* **1.** De maneira mole; frouxamente: "lançou-lhe um olhar vago, um olhar que nada exprimia; sacudiu molemente a mão" (Artur Azevedo, *Contos fora da Moda*, p. 16). **2.** Com moleza; lentamente. **3.** Com preguiça; preguiçosamente; indolentemente. **4.** Deleitosamente; languidamente; sensualmente.

mole-mole *S. m. Zool.* V. *tubarão-azul*. [Pl.: *mole-moles*.]

molenga [De *mole*[2].] *Adj. 2 g.* **1.** Mole, indolente, preguiçoso. **2.** Mole, covarde, medroso, frouxo. **3.** Pouco enérgico; sem pulso; frouxo, mole. ● *S. 2 g.* **4.** Pessoa que tem esses defeitos. [F. paral.: *molengo, molengue*. Sin. ger.: *moloide*. Cf. *molongó*[2].]

molengão [De *molenga* + *-ão*[1].] *Adj. S. m.* Diz-se de, ou indivíduo muito molenga ou molengo. [Sin. (bras.): *moleirão*. Fem.: *molengona*.]

molengar *V. int.* Andar ou proceder à maneira de molenga ou molengo. [Conjug.: v. *largar*.]

molengo [De *mole*[2].] *Adj. S. m. Bras.* V. *molenga*.

molengona *S. f. Fam.* Fem. de *molengão* (q. v.).

molengue [De *mole*[2].] *Adj. 2 g. S. 2 g. Bras.* V. *molenga*.

moleque[1] [Do quimb. *mu'leke*, 'menino'.] *S. m.* **1.** Negrinho. **2.** *Bras.* Indivíduo sem palavra, ou sem gravidade. **3.** *Bras.* Canalha, patife, velhaco. **4.** *Bras.* Menino de pouca idade. **5.** *Bras.* Menino travesso. **6.** *Bras. Zool.* Aramandaia. **7.** *Bras. CE Pop.* V. *diabo* (2). **8.** *Bras. MG Zool.* Filhote de surubim. **9.** *Áfric.* Jovem doméstico (4): "Agora estava ali havia três meses. Moleque da cozinha e de ajudar às limpezas. Lavar a loiça, varrer a casa, puxar o lustro, deitar polimento na mobília..." (Guilherme de Melo, *A Estranha Aventura*, p. 189.) ● *Adj.* **10.** Engraçado, pilhérico, trocista, jocoso: *dito moleque*. **11.** *Bras.* Canalha, velhaco. [Fem. (exceto nas acepçs. 6 a 8): *moleca*.]

moleque[2] *S. m.* **1.** *Bras.* Escora com que se mantêm inferiormente as tábuas de um forro de casa, enquanto estão sendo pregadas. **2.** *Bras. MG* Barra de ímã com a qual se separam do ouro em pó as partículas de ferro nele contidas.

moleque[3] *S. m. Bras. N.E.* V. *moleque de assentar*.

molequear [De *moleque*[1] + *-ear*[2].] *V. int. Bras.* Molecar. [Conjug.: v. *frear*.]

moleque-d'água *S. m. Bras. BA Folcl.* Caboclo-d'água. [Pl.: *moleques-d'água*.]

moleque de assentar *S. m. Bras. N.E.* Pau grosso, usado como rasoura para igualar o açúcar dentro das caixas, nos respectivos engenhos. [F. red.: *moleque*[3]. Pl.: *moleques de assentar*.] ☑

moleque do surrão [De *moleque*[1] + *do* + *surrão*.] *S. m. Bras. Pop.* V. *diabo* (2). [Pl.: *moleques do surrão*.] ☑

moleque-duro [De *moleque*[1] + *duro*.] *S. m. Bras. BA a PE Bot.* Arbusto borragináceo (*Cordia leucocephala*) de caule e ramos cilíndricos, folhas pecioladas, e flores dotadas de grandes corolas alvas, campanuladas. [Pl.: *moleques-duros*.]

molequeira [De *moleque*[1] + *-eira*.] *S. f. Bras.* V. *molecagem* (1).

molesta *S. f. Bras. N.E. Pop.* Us. nas loc. *deu a molesta* e *estar com a molesta*. ◆ **Deu a molesta.** *Bras. N.E. Pop.* Exprime espanto, surpresa, admiração. **Estar com a molesta.** *Bras. N.E. Pop.* Estar furioso, zangado; estar com a bexiga.

molestado [Part. de *molestar*.] *Adj.* **1.** Atacado de moléstia; doente, molesto. **2.** Lesado fisicamente; maltratado. **3.** Ofendido, melindrado, magoado.

molestador (ô) [De *molestar* + *-dor*.] *Adj. S. m.* Que, ou aquele que molesta.

molestamento [De *molestar* + *-mento*.] *S. m.* Ato ou efeito de molestar(-se).

molestar [Do lat. *molestare*.] *V. t. d.* **1.** Causar moléstia (1) a; afetar, atacar; amolestar: *A hepatite molestou-o no último verão.* **2.** Magoar, maltratar; contundir: *Molestou o joelho ao cair.* **3.** V. *apoquentar*. **4.** Causar dano ou prejuízo a; desservir. **5.** Ofender, melindrar. **6.** Desgostar, penalizar. *P.* **7.** Ficar magoado, sentido, aborrecido; magoar-se, aborrecer-se. **8.** V. *apoquentar*.

moléstia [Do lat. *molestia*.] *S. f.* **1.** Incômodo ou sofrimento físico; doença, achaque, mal. **2.** Doença (2). **3.** Incômodo ou sofrimento moral; aborrecimento, inquietação, mal. **4.** Doença das plantas ou dos animais. **5.** *Bras. Pop.* V. *raiva* (1). ◆ **Moléstia de Marie.** *Endocr.* V. *acromegalia*. **Moléstia de Parkinson.** *Neur.* V. *doença de Parkinson*. **Moléstia reumática.** *Med.* V. *reumatismo poliarticular agudo*. **Da moléstia.** *Bras. N.E. Pop.* Do diabo (q. v.), dos diabos: *Que menina da moléstia!*

moléstia-magra *S. f. Bras. N.E. Pop.* V. *tuberculose*. [Pl.: *moléstias-magras*.]

molesto [Do lat. *molestu*.] *Adj.* **1.** Que causa moléstia ou doença; prejudicial à saúde; nocivo: *calor molesto*. **2.** Que causa aborrecimento; enfadonho, incômodo, molestoso: "É .... exato que perdeu [a vida antiga] muito espinho que a fez molesta, e, da memória, conserva alguma recordação doce e feiticeira." (Machado de Assis, *Dom Casmurro*, p. 5.) **3.** Árduo, penoso, trabalhoso: *tarefa molesta*. **4.** Mau, perverso, maligno: *espíritos molestos*. **5.** Molestado (1).

molestoso (ô) [De *molesto* + *-oso*.] *Adj.* V. *molesto* (2): "e houve um pesado, molestoso silêncio." (Coelho Neto, *Rei Negro*, p. 223).

moleta (ê) [Do esp. *moleta*, ou do fr. *molette*.] *S. f.* **1.** Pedra de mármore com que se moem tintas. **2.** *Heráld.* Figura em forma de estrela e vazada no centro. [Cf. *muleta*.]

molete *S. m. Prov. port.* V. *carcaça* (8).

moletom [Do fr. *moletton*.] *S. m.* **1.** *Tec. Têx.* Tecido espesso, macio e quente, em geral de lã ou de algodão. **2.** *Tec. Têx.* Tecido de jérsei de algodão ou fibra sintética com o avesso felpudo, usado esp. para a prática de esportes: "Você tira o blusão de moletom e fica só de calça." (Silviano Santiago, *Keith Jarrett no Blue Note*, p. 107.) **3.** *P. ext. Vest.* Conjunto de calça e blusão de moletom, ger. de cintura e tornozelo sanfonados.

moleza (ê) [Do lat. *mollitia*, por via pop.] *S. f.* **1.** Qualidade de mole[2]. **2.** Quebramento ou falta de forças. **3.** Falta de energia, de vigor, de vitalidade; apatia. **4.** Tranquilidade, sossego, quietação. **5.** V. *molície*. **6.** *Quím.* Propriedade do que é mole[2] (6). **7.** *Bras. Fam.* Coisa fácil, não árdua, que não apresenta dificuldade ou não exige esforço: *O curso que estou fazendo é uma moleza.* [Cf., nesta acepç., *dureza* (9).] **8.** *Bras. N.E. Fam. Pop.* Falta de sorte; azar, infelicidade. ◆ **Na moleza.** *Bras. Fam.* No mole (q. v.).

molha [Dev. de *molhar*.] *S. f.* **1.** V. *molhadela* (1). **2.** V. *molhamento*.

molhada[1] [De *molho* + *-ada*[1].] *S. f.* **1.** Grande molho ou feixe. **2.** Porção ou braçada de molhos.

molhada[2] [De *molhar* + *-ada*[1].] *S. f.* V. *molhadela* (1).

molhadela [De *molhar* + *-dela*.] *S. f.* **1.** Ato de molhar(-se) rapidamente ou uma vez; molha, molhada[2], molhadura. **2.** Banho[1] (1) rápido. **3.** V. *gorjeta*[1] (2).

molhado [Part. de *molhar*.] *Adj.* **1.** Umedecido, banhado ou embebido de qualquer líquido. **2.** *Bras. N.E. Fig. Pop.* V. *embriagado* (1). ~ V. *perímetro* —. ● *S. m.* **3.** Lugar umedecido por um líquido que nele caiu ou se entornou. ~ V. *molhados*. ◆ **Chover no molhado.** **1.** Ser perdido o tempo ou o esforço gasto em algo. **2.** Ser supérflua a insistência em qualquer assunto já suficientemente exposto ou em problema já resolvido. **3.** Insistir em qualquer coisa já muito batida, ou na tentativa de resolver situação já resolvida.

molhador (ô) [De *molhar-* + *-dor*.] *Adj.* ~ V. *rolo*[1] —.

molhados [Pl. subst. de *molhado*.] *S. m. pl.* Vinho, azeite e outras substâncias líquidas que se vendem nas mercearias. ~ V. *molhado*.

molhadura [De *molhar* + *-dura*.] *S. f.* **1.** V. *molhadela* (1). **2.** V. *gorjeta*[1] (2): "passou-nos numa canoa com muito jeito .... Dei-lhe uma molhadurazinha e pôs-se a pular como um cabrito satisfeito da vida" (Visconde de Taunay, *Visões do Sertão*, p. 35).

molhagem [De *molhar* + *-agem*[2].] *S. f. Art. Gráf.* Operação de umedecimento de pedra ou das placas de metal, nos processos de litografia e de ofsete para impedir a aderência da tinta.

molhamento [De *molhar* + *-mento*.] *S. m.* Ação de molhar(-se); banho, molha.

molhança [De *molho* (ô) + *-ança*.] *S. f.* Grande porção de molho; molhanga.

molhanga *S. f.* Molhança (q. v.).

molhar [Do lat. vulg. *molliare, por mollire, 'amolecer'.] *V. t. d.* **1.** Embeber em líquido: *Pegou a xícara de leite, molhou a rosca, e comeu-a devagar.* **2.** Repassar de líquido; cobrir de líquido: *A chuva molhou-o dos pés à cabeça.* **3.** Umedecer de leve: *O orvalho molhou as plantas.* *T. d. e i.* **4.** Molhar (1): *Molhou o pão no vinho.* *P.* **5.** Entornar ou receber líquido sobre si. **6.** *Fam.* Urinar (5 e 6) (q. v.). [Pres. ind.: *molho*, etc. Cf. *molho* (ô).]

molhe [Do cat. *moll*.] *S. m.* Estrutura marítima enraizada em terra, e que pode servir de quebra-mar (q. v.), guia-corrente ou cais acostável.

molheira [De *molho* (ô) + *-eira*.] *S. f.* Vasilha na qual à mesa se servem molhos; salseira.

molhelha (ê) [De or. controversa.] *S. f. Lus. Marinh.* Monelha.

molhe-molhe [De *molhar* + *molhar*.] *S. m.* V. *chuvisco* (1). [Pl.: *molhes-molhes* e *molhe-molhes*.]

molher *S. f. Arc.* Mulher.

molho [Do lat. vulg. *manuculu, *manuclu, por *manipulu, *maniplu, 'mancheia', 'punhado'.] *S. m.* **1.** Pequeno feixe; lio: *molho de feno*. **2.** Quantidade de objetos reunidos num só grupo: *molho de chaves*. [Pl.: *molhos*. Cf. *molho* (ô) e pl. *molhos* (ô).] ◆ **Aos molhos.** Em grande quantidade; com abundância: "as lágrimas saltavam aos molhos das pálpebras do velho" (José de Alencar, *Senhora*, p. 219).

molho (ô) [Dev. de *molhar*, poss.] *S. m.* **1.** *Cul.* Qualquer preparação culinária líquida ou cremosa feita de caldo de carne ou de peixe, de condimentos, de azeite e vinagre, de leite e farinha, de sangue, etc., que acompanha diversos alimentos frios ou quentes para avivar-lhes o sabor: *molho de carne*; *molho de salada*. **2.** *Cul.* O molho (1) em relação ao ingrediente de que é feito: *molho de tomate*; *molho de camarão*; *molho de caril*. **3.** Água ou qualquer outro líquido em que se imerge uma substância. **4.** *Cul.* Preparação culinária doce, em geral com a consistência da calda (1 e 2), para acompanhar sobremesa, sorvete, etc.: *molho de caramelo*; *molho de choco-*

late. [Pl.: *molhos* (ô). Cf. *molho*, do v. *molhar* e s. m., e pl. *molhos*.] ◆ **Molho** ***barbecue***. *Cul.* Molho próprio para acompanhar carne ou salsicha grelhada que consiste numa mistura de molho de tomate com azeite, conhaque, tabasco, *fines herbes* e cebola. **Molho bearnês.** *Cul.* Molho cremoso feito de gema de ovo, manteiga, cebola ralada, ervas aromáticas, vinho branco e vinagre; *sauce béarnaise*. **Molho bechamel.** *Cul.* Molho salgado, preparado com leite quente que se derrama aos poucos sobre manteiga derretida com farinha de trigo e se mexe até adquirir consistência cremosa. Serve de base para outros molhos cremosos, e usa-se para ligar diversas preparações culinárias. [Tb. se diz apenas *bechamel*; sin.: *molho branco*.] **Molho branco.** *Cul.* **1.** Molho salgado, feito de leite engrossado com farinha de trigo ou com maisena, e um pouco de manteiga, e que adquire aspecto de mingau ralo. **2.** V. *molho bechamel*. **Molho de ferrugem.** *Cul.* Molho castanho escuro, com acentuado gosto de carne, por ser esta bem tostada na gordura e nos temperos antes de se adicionar, aos poucos, água ou caldo para assá-la, e que acompanha a carne assada: 📖 "despejava sobre a mesa de refeições duas vezes ao dia o arroz solto, o feijão de caldo grosso, a carne com molho de ferrugem" (Elsie Lessa, *A Dama da Noite*, p. 152). **Molho inglês.** *Cul.* Molho escuro de origem indiana, feito de vinagre de malte, melaço, cebola, alho, cravo, tamarindo, essência de enchova e extrato de carne. **Molho nagô.** *Cul. Bras.* Molho picante, feito de pimenta-malagueta pisada com sal, camarões secos moídos, quiabo, jiló e sumo de limão, e que se cozinha em panela de barro, até adquirir consistência homogênea. **Molho pardo.** *Cul.* Molho preparado com o sangue da própria ave, ao qual se adiciona vinagre para que não coagule. **Molho pesto.** *Cul.* V. *pesto*. **Molho** ***rosé***. *Cul.* Molho feito com maionese, *ketchup*, mostarda e limão. **Molho tártaro.** *Cul.* Molho frio e picante, de origem francesa, feito com maionese, azeite de oliva, mostarda, picles, cebola, cebolinha e, eventualmente, *fines herbes*. **De molho. 1.** Imerso em água por certo tempo com ingredientes adicionais ou sem eles: *Deixou a roupa de molho para remover as manchas; Costuma-se pôr a carne-seca de molho para retirar-lhe o excesso de sal.* **2.** *Fig.* Temporariamente inativo ou marginalizado: *Passou quase um ano de molho na prisão*; 📖 "Passei de molho três semanas e quando me levantei e me preparava para ir ver Isaura, eis que ela me reaparece em pessoa." (Monteiro Lobato, *Negrinha*, p. 238).

moliana *S. f.* **1.** V. *repreensão* (1). **2.** *Bras. C.O. Bot.* Árvore voquisiácea (*Salvertia convallariodora*) típica do cerrado, de folhas enormes e rígidas, flores amareladas e vistosas, e cujos frutos são cápsulas que contêm sementes aladas; bananeira-do-campo, colher-de-vaqueiro. ◆ **Cantar a moliana a.** Repreender, admoestar, censurar a.

molibdato [De *molibd(o)-* + *-ato*[2].] *S. m. Quím.* Qualquer sal do ácido molíbdico.

molibdênio *S. m. Quím.* V. *molibdênio*. [Uso freq. em P.]

molibdênio [Do gr. *molýbdaina*, 'massa de chumbo', pelo lat. *molybdaena* + *-io*[3].] *S. m. Quím.* Elemento de número atômico 42, metálico, branco, mole, resistente, utilizado em ligas [símb.: *Mo*].

molibdenita [De *molibdênio* + *-ita*[3].] *S. f. Min.* Mineral hexagonal cinzento-metálico, sulfeto de molibdênio, importante minério de molibdênio.

molíbdico [De *molibd(o)-* + *-ico*[2].] *Adj. Quím.* ~ V. *ácido* —.

▲ **molibd(o)-** [Do gr. *mólybdos*, *ou*.] *El. comp.* = 'chumbo': *molibdomancia*, *molibdomante*.

molibdofosfórico *Adj. Quím.* ~ V. *ácido* —.

molibdomancia (cí) [De *molibd(o)-* + *-mancia*.] *S. f.* Adivinhação baseada no exame das figuras resultantes do chumbo derretido que se lança na água ou numa superfície lisa.

molibdomante [De *molibd(o)-* + *-mante*.] *S. 2 g.* Pessoa que pratica a molibdomancia.

molibdomântico *Adj.* Relativo a molibdomancia, ou a molibdomante.

molição [Do lat. *molitione*.] *S. f.* Grande esforço para alcançar um fim ou realizar alguma coisa.

molícia [Do lat. *mollitia*, por via semierudita.] *S. f.* V. *molície*: 📖 "Não há língua como a nossa, tão copiosa em sinônimos de moleza, ... de molúria, de molícia, de quebreira." (Martins Fontes, *Terras da Fantasia*, pp. 118-119.)

molície [Do lat. *mollitie*, por via semierudita.] *S. f.* **1.** Preguiça, indolência, lassidão, molúria, moleza. **2.** Voluptuosidade, sensualidade, languidez, moleza. [F. paral.: *molícia*.]

moliço [De *mole*[2] + *-iço*.] *S. m.* **1.** Limos e outras plantas aquáticas que se colhem para adubo de terrenos: 📖 "seco e movediço areal que estes bons lavradores amansaram, ... adubando a terra com moliço, plantando o feijão, o milho, a batata." (Gilberto Freire, *Aventura e Rotina*, pp. 231-232). **2.** Colmos que se empregam em cobertura de choupana.

molièresco (ês) *Adj.* **1.** Pertencente ou relativo ao comediógrafo francês Jean-Baptiste Poquelin (1622-1673), dito Molière, ou próprio dele. **2.** Que lembra o gênero de Molière: *comédia molieresca*.

molificação [De *molificar* + *-ção*.] *S. f.* **1.** Ato ou efeito de molificar. **2.** Qualidade do que molifica.

molificante [Do lat. *mollificante*.] *Adj. 2 g.* **1.** Que molifica [v. *molificar* (1)]; molificativo. **2.** Que acalma, abranda, amansa, suaviza.

molificar [Do lat. *mollificare*.] *V. t. d.* **1.** Tornar mole; tirar a dureza, a rijeza, a; amolecer. **2.** V. *enervar*[1] (2). **3.** Acalmar; aplacar; suavizar: 📖 "graças à cândida afetividade que lhe molifica os ímpetos da revolta" (Euclides da Cunha, *Contrastes e Confrontos*, p. 274). [Conjug.: v. *trancar*.]

molificativo [De *molificar* + *-tivo*.] *Adj.* V. *molificante* (1).

molificável [De *molificar* + *-vel*.] *Adj. 2 g.* Que pode ser molificado.

molime *S. m.* V. *molímen*.

molímen [Do lat. *molimen*, 'grande esforço', 'grande força empregada'.] *S. m.* **1.** Aquilo que impulsiona. **2.** *Fisiol.* Conjunto de esforços que se desenvolvem para a realização de uma função. **3.** *Mec.* Força impulsiva dum corpo em movimento. **4.** Leve mal-estar que, às vezes, antecede ou acompanha menstruação ou evacuação. [Pl.: *molimens* e (p. us. no Brasil) *molímenes*.]

molinete (ê) [Do fr. *moulinet*.] *S. m.* **1.** Movimento giratório rápido, que se faz com uma espada, um pau, etc., à volta do corpo: *os molinetes do toureiro*. **2.** Aspas cruzadas de madeira ou de ferro que giram sobre um pião, em portas de recinto muito frequentado, para evitar que por elas entrem de tropel ou para contar mecanicamente os que entram. [Cf., nesta acepç., *borboleta* (10) e *torniquete* (1).] **3.** Instrumento que mede a velocidade de um curso de água por meio da rotação de um conjunto de pás. [Cf., nesta acepç., *limnógrafo* e *limnômetro*.] **4.** Peça dos anemômetros que, girando, permite registrar a velocidade dos ventos. **5.** Peça, de ordinário metálica, composta de um carretel dotado de manivela, e que se adapta ao caniço para enrolar a linha de náilon e recolher rapidamente o anzol atirado à água. **6.** *P. ext.* Caniço equipado com tal peça. **7.** *Grav.* Cruzeta (3). **8.** *Constr. Nav.* Máquina de suspender, de eixo horizontal; bolinete: 📖 "E os de terra retomaram .... a flotilha, que desatracou e ficou pairando sobre as águas, em volta do Boa Sorte, onde já o molinete cantava, suspendendo as amarras." (Virgílio Várzea, *Nas Ondas*, p. 99.) [Cf. *cabrestante*.] **9.** *Bras.* Parafuso (9).

molinha[1] [De *mole*[2] + *-inha*.] *S. f.* Variedade de uva branca.

molinha[2] [Dev. de *molinhar*.] *S. f.* Chuva muito miúda e rala, que ao cair lembra o grão que é molinhado [v. *chuvisco* (1)]: 📖 "Quando desço a rua cai do céu baixo e fusco uma molinha muito rala." (Aquilino Ribeiro, *Alemanha Ensanguentada*, p. 23.)

molinhar [Do lat. *molinum*, 'moinho', + *-ar*[2], com palatização.] *V. t. d.* **1.** Moer aos poucos e com frequência. *Int.* **2.** Fazer funcionar o moinho. **3.** Cair molinha[2]; chuviscar.

molinheira[1] [Do lat. *molinum*, 'moinho', + *-eira*, com palatização.] *S. f.* Grande moinho.

molinheira[2] [De *molinha*[2] + *-eira*.] *S. f.* Molinha[2] persistente. [V. *chuvisco* (1).]

molinheiro [De *molinha*[2] + *-eiro*.] *S. m.* V. *chuvisco* (1): 📖 "descia sobre a terra um molinheiro álgido, agulhas e neve." (Aquilino Ribeiro, *Cinco Réis de Gente*, p. 208).

molinhoso (ô) [De *molinha*[2] + *-oso*.] *Adj.* Em que há molinha[2]: *tarde molinhosa*.

molinilho [Do esp. *molinillo*.] *S. m.* **1.** Pequeno moinho, ao qual se imprime movimento com a mão: *molinilho de café*. **2.** Círculo dentado com que se bate o chocolate.

molinismo *S. m.* Doutrina do jesuíta espanhol Luís de Molina (1535-1600), que visa a conciliar o livre-arbítrio com a graça e a presciência divina. [Cf. *molinosismo*.]

molinista *Adj. 2 g.* **1.** Pertencente ou relativo ao, ou que é adepto do molinismo. ● *S. 2 g.* **2.** Adepto dessa doutrina.

molinosismo *S. m.* Doutrina contemplativa e quietista de Miguel de Molinos (1628-1696), teólogo espanhol. [Cf. *molinismo*.]

molinosista [De *molinosismo* + *-ista*, seg. o padrão gr.] *Adj. 2 g.* **1.** Pertencente ou relativo ao, ou que é adepto do molinosismo. ● *S. 2 g.* **2.** Adepto dessa doutrina.

molinote [Do lat. *molinum*, 'moinho', + *-ote*[1].] *S. m.* **1.** Moenda de cana-de-açúcar. **2.** Cabrestante armado nos engenhos de açúcar para movê-los com bestas, quando falta a água para esse fim.

molípede [Do lat. *mollipede*.] *Adj. 2 g. Zool.* Que tem pés moles ou brandos.

molismofobia [Do gr. *molysmós*, 'nódoa', 'mancha', 'sujeira', + *-fobia*.] *S. f. Psiq.* Medo patológico de contaminação.

molismofóbico [De *molismofobia* + *-ico*[2].] *Psiq. Adj.* **1.** Relativo a molismofobia. **2.** Que sofre de molismofobia; molismófobo. ● *S. m.* **3.** Aquele que sofre de molismofobia; molismófobo.

molismófobo [Do gr. *molysmós*, 'nódoa', 'mancha', 'sujeira', + *-fobo*.] *Adj. S. m. Psiq.* Molismofóbico (2 e 3).

molito [De *mole*[2] + *-ito*[1].] *Adj. Bras. S.* **1.** Frouxo, indolente, mole. **2.** Lânguido, sensual, lascivo.

moloca [Var. de *maloca*.] *S. f. Bras. CE* Trecho de mato.

moloide (ói) [De *mole*[2] + *-oide*.] *Adj. 2 g. S. 2 g.* V. *molenga*: 📖 "Cândida não lhe foge do pensamento, e ele repreende a si mesmo, pela fraqueza... A intervalos .... ela vem ali, chamando-lhe moloide e outros nomes." (Humberto Crispim Borges, *Cacho de Tucum*, p. 113.) ❖

molongó[1] *S. m. Bras. Bot.* **1.** Arbusto apocináceo (*Ambelania grandiflora*) dotado de folhas amplas e moles, de flores vistosas que se arrumam em inflorescências cimosas, e cujo fruto é bacáceo. **2.** Tucujá.

molongó[2] *Bras. Amaz. Adj.* **1.** Adoentado, fraco, mofino. **2.** Preguiçoso, moleirão. **3.** Tolo, bobo, pateta. ● *S. m.* **4.** Indivíduo preguiçoso, moleirão. **5.** Tolo, bobo, pateta. [Cf. *molenga*.]

molongó-branco *S. m. Bras. Bot.* V. *flor-de-coral* (2). [Pl.: *molongós-brancos*.]

molossídeo [Do tax. *Molossus*, gênero-tipo, + *-ídeo*[1]; tax. *Molossidae*.] *Zool. S. m.* **1.** Espécime dos molossídeos, família de mamíferos quirópteros, microquirópteros, distribuídos nas regiões tropicais e subtropicais; são morcegos insetívoros com cauda grossa, envolvida por uropatágio em forma de bainha, e orelhas muito pregueadas. Vivem em grandes cavernas e em telhados. Compreende 12 gêneros com cerca de 90 espécies. ● *Adj.* **2.** Pertencente ou relativo a eles.

molosso (ô) [Do gr. *molossós*, pelo lat. *molossu*.] *S. m.* **1.** Espécie de cão de fila: 📖 "Alguns cães de fila, ... grandes molossos ossudos e ferozes, afastavam-se devagar, em rosnaduras ameaçadoras" (Euclides da Cunha, *Os Sertões*, p. 586). **2.** *Fig.* Indivíduo turbulento, brigão, valentão.

molozonídeo [De *mol(ecular)* + *ozonídeo*.] *S. m. Quím.* Designação genérica de substâncias instáveis, que resultam da reação de alceno com ozônio, e possuem anel pentagonal formado por três átomos de oxigênio e dois de carbono, sendo estes dois últimos diretamente ligados.

molpadiídeo [Do tax. *Molpadia*, gênero-tipo, + *-ídeo*[1]; tax. *Molpadiidae*.] *Zool. S. m.* **1.** Espécime dos molpadiídeos, família de equinodermos ápodes, de corpo curto, terminado em cauda acuminada; pés ambulacrários reduzidos a papilas anais. ● *Adj.* **2.** Pertencente ou relativo a eles.

molucano *Adj.* **1.** Das, ou pertencente ou relativo às ilhas Molucas (Indonésia). ● *S. m.* **2.** O natural ou habitante dessas ilhas.

moluene *S. m. Moç.* Menino de rua: 📖 "E os moluenes, tão meninos e tão sozinhos, povoavam o asfalto em toda a sua extensão, apropriavam-se das casas abandonadas, escadas sombrias e lixeiras." (Hélder Muteia, *Nhambaro*, p. 48.)

molugem [Do lat. *mollugine*.] *S. f. Bot.* Solda[2].

molulo [De or. afr., poss.] *S. m. Bras. Bot.* Cambará-preto.

molúria [De *mole*[2].] *S. f.* **1.** V. *molície* (1): 📖 "Não há língua como a nossa, tão copiosa em sinônimos de moleza, ... de molúria, de molícia, de quebreira." (Martins Fontes, *Terras da Fantasia*, pp. 118-119.) **2.** Orvalho abundante que amolece o solo; relento. ● *S. m.* **3.** Homem acanhado, tímido.

▲ **molusc(i)-** [Do tax. *Mollusca*, neutro pl. do lat. cient. *molluscus*, forjado a partir do lat. imp. *mollusca* (subentendendo-se *nux*), 'certa noz de casca delicada, fina', < lat. *mollis*, *e*, 'flexível', 'mole', 'delicado'.] *El. comp.* = 'molusco': *moluscoide*.

moluscicida [De *molusc(i)-* + *-cida*.] *Adj. 2 g.* **1.** Que mata moluscos. ● *S. m.* **2.** Agente que destrói moluscos, como, p. ex., caramujos.

molusco [Do lat. *molluscus*, 'macio', 'mole'; tax. *Mollusca*.] *Zool. S. m.* **1.** Espécime dos moluscos, filo de enterozoários de simetria bilateral (vísceras e concha espiraladas em algumas espécies), de corpo mole e mucoso, carapaça ou concha calcária de uma, duas ou oito peças. Não têm segmentação perceptível nem apêndices articulados, e respiram através de brânquias ou pulmões; são marinhos, terrestres ou de água doce. ● *Adj.* **2.** Pertencente ou relativo a eles. ◆ **Molusco contagioso.** Doença virótica da pele causada pelo poxvírideo *Molluscum contagiosum*, e que produz lesões papulosas com diâmetro de 1 a 10mm, de cor variada entre o branco e o rosa-nacarado. As lesões ocorrem, esp., nas crianças, e são disseminadas pelo corpo.

moluscoide (ói) [De *molusco-* + *-oide*.] *Adj. 2 g.* Semelhante a molusco; que tem aspecto de molusco. ✣

momaná *Bras. S. 2 g.* **1.** *Etnôn.* Indivíduo dos momanás, povo indígena extinto que habitava o PA. ● *Adj. 2 g.* **2.** Pertencente ou relativo a esse povo. [Tb. us. como *s. 2 g.* e *2 n.* (com cap.) e *adj. 2 g.* e *2 n.*]

mombaca *S. f. Bras.* Fruto acre e vermelho que se usa como condimento. [Cf. *mumbaca*.]

mombaçano *Adj. S. m.* V. *mombacense*.

mombacense *Adj. 2 g.* **1.** De, ou pertencente ou relativo a Mombaça (CE). ● *S. 2 g.* **2.** O natural ou habitante de Mombaça. [Sin. ger.: *mombaçano*.]

momboiaxió (bòi) [De or. indígena, poss.] *S. f. Bras. N.* Certa gaita usada pelos caboclos.

mombuca [Do tupi.] *S. f. Bras. Zool.* Abelha meliponínea (*Geotrigona mombuca*), que constrói ninhos subterrâneos, usando cavidades preexistentes feitas por formigas, raízes de plantas, etc. [Var.: *mumbuca*. Sin.: *guiruçu*.]

mombucano *Adj.* **1.** De, ou pertencente ou relativo a Mombuca (SP). ● *S. m.* **2.** O natural ou habitante de Mombuca.

mombucão [De *mombuca* + *-ão*^{1}.] *S. m. Bras. Zool.* Abelha meliponínea (*Cephalotrigona capitata*), de ampla distribuição no Brasil, com cerca de 8mm de comprimento, coloração geral preta, com partes amarelas e vermelhas, e que nidifica em ocos de árvores. [Var.: *mambucão, mumbucão*. Sin.: *mumbuca, papa-terra*.]

momentâneo [Do lat. *momentaneu*.] *Adj.* **1.** Que dura um momento; instantâneo, rápido. **2.** Transitório, passageiro, efêmero.

momento^{1} [Do lat. *momentu*.] *S. m.* **1.** Espaço pequeníssimo, mas indeterminado, de tempo; instante. **2.** Instante, hora, ocasião: *No momento em que um chegava o outro saía.* **3.** Ocasião azada; oportunidade: *Não chegou o momento de se falar em tal assunto.* **4.** Circunstância, situação. **5.** *Estat.* Qualquer média aritmética de uma potência dos afastamentos dos elementos de um conjunto em relação a um elemento escolhido como origem. **6.** *Fís.* Produto da massa pela velocidade de um corpo; impulso, quantidade de movimento, *momentum* [símb.: *P*]. **7.** *Fís.* Produto vetorial do vetor posição do ponto de aplicação de uma força pelo vetor força; momento de força. ◆ **Momento angular.** *Fís.* Produto vetorial do vetor posição de uma partícula pelo seu vetor quantidade de movimento; momento cinético; momento do *momentum*. **Momento central.** *Estat.* Qualquer momento calculado em relação à média. **Momento cinético.** *Fís.* V. *momento angular*. **Momento de dipolo.** *Fís.* Num dipolo elétrico, vetor igual ao produto do valor de uma das cargas pelo vetor distância que separa as duas, geralmente orientado da negativa para a positiva; momento dipolar [símb.: *P*]. **Momento de força.** *Fís.* Momento (7). **Momento de inércia.** *Fís.* Produto da massa de uma partícula pelo quadrado da distância desta a um eixo; num sólido, integral dos momentos de inércia de todos os elementos infinitesimais de massa que o constituem [símb.: *I*]. **Momento de quadrupolo.** *Fís.* Grandeza vetorial associada a uma distribuição de cargas elétricas, e que mede o afastamento dessa distribuição em relação a outra com simetria esférica. **Momento dialético.** *Filos.* Segundo Hegel (v. *hegelianismo*), a passagem da ideia ao seu contrário e, em seguida, à etapa de progresso que ela determina, no pensamento e na realidade. **Momento dipolar.** *Fís.* Momento de dipolo. **Momento do *momentum*.** *Fís.* V. *momento angular*. **Momento fletor.** *Eng. Civ.* Momento que representa o esforço de flexão de um elemento estrutural. **Momento generalizado.** *Fís.* Derivada parcial da lagrangiana de um sistema em relação a uma coordenada generalizada; *momentum generalizado*. **Momento multipolar.** *Fís.* Grandeza que depende do estado inicial e do final de um sistema quantificado, e que determina a probabilidade de a transição entre esses dois estados realizar-se com a emissão duma radiação correspondente ao multipolo. **De momento a momento.** Sucessivamente.

momento^{2} [De *momo* + *-ento*.] *Adj.* **1.** *P. us.* Que faz momices. **2.** *Bras. MG Fam.* Manhoso (1).

momentoso (ô) [Do lat. *momentosu*.] *Adj.* Grave, importante, ponderoso: "Quando parti da Europa, tinha por principal escopo estudar o momentoso problema da afasia, então trazido novamente ao debate com os estudos de Pierre Marie." (Gastão Cruls, *4 Romances*, p. 122.)

→ **momentum** [mo'mẽto(m)] [Lat.] *S. m. Fís.* V. *momento*^{1} (6). ◆ **Momentum generalizado.** *Fís.* Momento generalizado.

momesco (ê) [De *momo* + *-esco*.] *Adj.* Relativo a, ou consagrado a Momo ou ao carnaval; carnavalesco: "É um pacote sortido: serpentinas verdes, amarelas, vermelhas, azuis. Não só o Neco e o Mateus trarão despojos da orgia momesca." (Guido Vilmar Sassi, *Piá*, p. 88.)

momice [De *momo* + *-ice*.] *S. f.* V. *momices*.

momices [Pl. de *momice*.] *S. f. pl.* Trejeitos, esgares, caretas; monada. [Tb. us. (pouco) no sing. Sin. (no RS): *morisqueta*.]

momo [De um rad. *mon-*, de or. express.] *S. m.* **1.** *Teatr. Ant.* Pequena farsa popular. **2.** *Teatr. Ant.* O ator que representava nessas farsas; bufo. **3.** *Teatr. Ant.* V. *pantomima* (2): "Desde os primeiros tempos da nacionalidade [portuguesa] que nos paços reais e nas residências dos nobres havia *bobos* e *truões* encarregados de divertir os amos e senhores com entremezes, mímicas e momos." (Pº Arlindo Ribeiro da Cunha, *A Língua e a Literatura Portuguesa*, p. 200.) **4.** *Fig.* V. *zombaria*. **5.** *Bras.* Figura inspirada em momo (2), e que personifica o carnaval (2).

momotídeo [Do tax. *Momotus*, gênero-tipo, + *-ídeo*^{1}; tax. *Momotidae*.] *Zool. S. m.* **1.** Espécime dos momotídeos, família de aves coraciiformes, caracterizadas por terem o bico largo e forte, com as margens serradas. Vivem no interior das matas virgens e alimentam-se de toda sorte de artrópodes. Ex.: as juruvas. ● *Adj.* **2.** Pertencente ou relativo a eles.

mon [maːn] [Desta língua, pelo ingl. *Mon*.] *S. m. Gloss.* **1.** Língua da família austro-asiática falada em Mianmar (antiga Birmânia) e na Tailândia. **2.** Vocábulo dessa língua.

mona^{1} [Fem. de *mono*.] *S. f.* **1.** A fêmea do mono. **2.** *Pop.* V. *bebedeira* (1). **3.** *Fam.* Mau humor; amuo. **4.** Boneca de pano. **5.** *Bras. RJ Pej.* Mulher (1).

mona^{2} [Do quimb.] *S. m. Angol.* Criança (1): "deixa-vos os monas da vizinhança virem roubar as mangas do meu quintal." (Pepetela, *O Cão e os Caluandas*, p. 24).

monacal [Do lat. *monachale* < lat. *monachus* < gr. *monachós*, 'solitário' (monge).] *Adj. 2 g.* Relativo a, ou próprio de monge ou monja, ou da vida conventual: "O professor de Economia Civil .... ousava .... atacar .... o celibato eclesiástico e a precoce profissão da juventude no estado monacal." (Latino Coelho, *Cervantes*, pp. 173-174.) [Sin.: *monástico, mongil* e (p. us.) *monjal*.]

monacanto [Do gr. *monákanthos*.] *Adj. Bot.* Que tem uma só espinha.

monacato [Do lat. *monachus* (v. *monacal*) + *-ato*^{1}.] *S. m.* O estado ou vida monacal.

monactinélida [De *mon(o)-* + *-actin(o)-* + *-el(a)-* + *-ida*^{1}; tax. *Monactinellida*.] *S. f. Adj. 2 g. Zool.* V. *monaxônido*.

monada [De *mono* + *-ada*^{1}.] *S. f.* **1.** V. *momices*. **2.** Porção de monos. [Cf. *mônada*.]

mónada *S. f. Biol.* V. *mônada*. [Uso freq. em P.]

mônada [Do lat. tard. *monade* (*monas, adis* < gr. *monás, ádos*, 'único').] *S. f.* **1.** *Biol.* Organismo ou unidade orgânica diminuta e muito simples, como, por ex., um grão de pólen. **2.** *Filos.* Segundo Leibniz (v. *leibniziano*), cada uma das substâncias simples e de número infinito, de natureza psíquica (dotada de apercepção e apetição), e que não têm qualquer relação umas com as outras, que se agregam harmoniosamente por predeterminação da divindade, constituindo as coisas de que a natureza se compõe; enteléquia. [Var.: *mônade*. Cf. *monada*.]

monadário *Adj.* **1.** Relativo a mônada. **2.** Pequeno como as mônadas.

mónade *S. f.* V. *mônade*. [Uso freq. em P.]

mônade [Var. de *mônada*.] *S. f.* Mônada (q. v.).

monadelfia [De *monadelfo* + *-ia*^{1}.] *S. f. Bot.* **1.** União dos estames pela soldadura dos filetes, formando um feixe único. **2.** A 16ª classe do sistema de Lineu, caracterizada pelos estames monadelfos.

monadélfico [De *monadelfia* + *-ico*^{2}.] *Adj. Bot.* Relativo à monadelfia.

monadelfo [De *mon(o)-* + *-adelfo*.] *Adj. Bot.* Diz-se dos estames reunidos num só feixe.

monadismo [De *mônada* (2) + *-ismo*.] *S. m. Filos.* Doutrina que admite ser o universo formado por mônadas [v. *mônada* (2)].

monadista [De *monadismo* + *-ista*.] *S. 2 g.* Sectário do monadismo.

▲ **monad(o)-** [Do gr. *monás, ádos* (> lat. *monas, adis*).] ***El. comp.*** = 'unidade'; 'mônada': *monadologia*. [Equiv.: *-monad(o)-*: *adinimonadácea*.]

▲ **-monad(o)-** Equiv. de *monad(o)-*.

monadologia [De *monad(o)-* + *-logia*.] *S. f. Filos.* Doutrina de Leibniz (v. *leibniziano*) sobre as mônadas.

monadológico [De *monadologia* + *-ico*^{2}.] *Adj.* Respeitante à monadologia.

monandengue [Do quimb. *mona-'ngeng'e*.] *S. m. Angol.* Criancinha, bebê: "viu aquela confusão, monandengues a chorar, pessoas a gritar como malucas" (Jofre Rocha, *Estórias do Musseque*, p. 10).

monandria [De *monandro* + *-ia*^{1}.] *S. f. Bot.* Condição de um vegetal monandro. [Cf. *monândria*.]

monândria [Do lat. cient. *Monandria*.] *S. f. Bot.* O conjunto de vegetais monandros, no sistema de Lineu (v. *lineano*). [Cf. *monandria*.]

monândrico [De *monandro* + *-ico*^{2}.] *Adj. Bot.* Monandro.

monandro [Do gr. *mónandros*, 'que tem apenas um marido'.] *Adj. Bot.* Que tem flores dotadas de um só estame; monândrico.

monangamba [Do quimb. *mona ua ngamba*, 'filho de carregador'.] *S. 2 g.* Carregador (1 e 2): "Andei barbado, sujo e descalço, / como um monangamba." (Viriato da Cruz, *Poemas*, p. 10.)

monantero [De *mon(o)-* + *antero*.] *Adj. Bot.* Que tem uma só antera.

monanto [De *mon(o)-* + *-anto*.] *Adj. Bot.* **1.** Que tem só uma flor. **2.** Que tem flores solitárias.

monantropia [De *mon(o)-* + *-antrop(o)-* + *-ia*^{1}.] *S. f.* Sistema antropológico segundo o qual o gênero humano se origina de uma só raça.

monantrópico [De *monantropia* + *-ico*^{2}.] *Adj.* Referente à monantropia.

monarca [Do gr. *monárches*, pelo lat. *monarcha*.] *S. m.* **1.** Soberano vitalício e, comumente, hereditário, de uma nação ou Estado. **2.** Pessoa ou coisa que domina. **3.** *Bras. RS* Gaúcho que monta a cavalo com elegância e garbo. **4.** *Bras. RS P. ext.* Animal garboso. ● *S. 2 g.* **5.** *Bras. BA* Pessoa de hábitos conservadores. ● *Adj. 2 g.* **6.** *Bras. Pop.* Do tempo da Monarquia; antigo, antiquado: *hábitos monarcas.* **7.** *Bras. CE Pop.* Muito grande. **8.** *Bras. AL* Fora da moda. [Cf. *nomarca*.]

monarcada [De *monarca* (3) + *-ada*^{1}.] *S. f. Bras. RS Deprec.* Grupo de monarcas [v. *monarca* (3)].

monarquia [Do gr. *monarchía*, pelo lat. *monarchia*.] *S. f.* **1.** Estado em que o soberano é monarca. **2.** Forma de governo na qual o poder supremo é exercido por um monarca. **3.** *Bras. RS* Vida de monarca (3). [Cf. *nomarquia*.]

monarquiação [De *monarquiar* + *-ção*.] *S. f. Bras. RS* Ato de monarquiar (3).

monarquianismo [De *mon(o)-* + *-arqui-* + *-an(o)-* + *-ismo*.] *S. m. Rel.* Heresia cristã do séc. III, que negava a trindade (1) e enfatizava a unidade absoluta de Deus; patripassianismo. [Cf. *modalismo* e *sabelianismo*.]

monarquianista [De *monarquianismo* + *-ista*.] *Adj. 2 g. Rel.* **1.** Pertencente ou relativo ao monarquianismo. ● *S. 2 g.* **2.** Adepto do monarquianismo.

monarquiar [De *monarca* + *-iar*^{2}, ou de *monarquia* + *-ar*^{2}.] *V. int.* **1.** *P. us.* Desempenhar as funções de monarca. **2.** *P. us.* Dominar, imperar. **3.** *Bras. RS* Montar bem a cavalo, como um monarca (3): "quantas vezes sacrificara ocupações vantajosas .... para 'monarquiar', pingo aperado, cola atada, pelos rincões!" (Alcides Maia, *Tapera*, p. 10). **4.** Andar (o cavalo) com elegância e garbo.

monárquico [Do gr. *monarchikós*.] *Adj.* **1.** Monarquista (1). **2.** *Lus.* Monarquista (2). ● *S. m.* **3.** *Lus.* Monarquista (3).

monarquismo [De *monarquia* + *-ismo*.] *S. m.* Sistema político dos monarquistas.

monarquista [De *monarquia* + *-ista*.] *Bras. Adj. 2 g.* **1.** Referente à monarquia; monárquico. **2.** Que é partidário da monarquia. [Sin. (lus.), nesta acepç.: *monárquico*.] ● *S. 2 g.* **3.** Pessoa partidária da monarquia. [Sin. (lus.), nesta acepç.: *monárquico*.]

monarquização [De *monarquizar* + *-ção*.] *S. f.* Ato ou efeito de monarquizar(-se).

monarquizar [De *monarquia* + *-izar*.] *V. t. d. P.* Tornar(-se) monarquista.

monastério [Do gr. *monasterion*, 'residência solitária'.] *S. m.* V. *mosteiro*: "Um quadro medieval: freiras e monastérios..." (Félix Pacheco, *Poesias*, p. 14.)

monasticismo [De *monástico* + *-ismo*.] *S. m.* Qualidade ou estado de monástico: "O empobrecimento arquitetônico contrasta com o grande impulso e a renovada expansão que experimentou o monasticismo na Etiópia, a partir da segunda metade do século XIII." (Alberto da Costa e Silva, *A Enxada e a Lança*, pp. 289-290.)

monástico [Do gr. *monastikós*, 'relativo à vida solitária', pelo lat. tard. *monasticu*.] *Adj.* V. *monacal*.

monatómico *Adj. Quím.* V. *monatômico*. [Uso freq. em P.]

monatômico [De *mon(o)-* + *atômico*.] *Adj. Quím.* V. *monoatômico*.

monaural *Adj. 2 g. Son.* Monofônico (2).

monaxífero (cs) [De *mon(o)-* + *axífero*.] *Adj. Bot.* Diz-se da inflorescência que apresenta um só eixo.

monaxónico (cs) *Adj.* V. *monaxônico*. [Uso freq. em P.]

monaxônico (cs) [De *mono-* + *-axon(o)-* + *-ico*[2].] ***Adj.*** Que tem apenas um eixo.

monaxónido (cs) ***S. m. Adj.*** *Zool.* V. *monaxônido*. [Uso freq. em P.]

monaxônido (cs) [De *mon(o)-* + *-axon(o)-* + *-ido*[1]; tax. *Monaxonida*.] *Zool.* ***S. m.*** **1.** Espécime dos monaxônidos, ordem de animais poríferos, demospôngios, que compreende esponjas com megasclero silicoso monaxônico, com espongina ou sem ela, e cujo corpo tem forma variada. Vivem, ger., em profundidades que podem chegar a 50m, mas algumas espécies habitam regiões abissais. São as esponjas mais comuns, marinhas e de água doce. ● ***Adj.*** **2.** Pertencente ou relativo a eles. [Sin. ger.: *monactinélida*.]

monaxono (cs) [De *mon(o)-* + *-axono*.] ***Adj.*** **1.** Que se desenvolve, pelo crescimento, ao longo de um único eixo. **2.** *Zool.* Diz-se do monaxono (3). ● ***S. m.*** **3.** *Zool.* Espícula silicosa, reta, jamais ramificada, encontrada nas esponjas.

monazita [Do rad. do v. gr. *monázein*, 'ser ou viver sozinho', + *-ita*[3].] ***S. f.*** *Min.* Mineral monoclínico, amarelado, fosfato de cério, lantânio, prasiodímio, neodímio, com óxido de tório, que se encontra disseminado em rochas eruptivas ou, como produto de desagregação, misturado nas areias.

monazítico [De *monazita* + *-ico*[2].] ***Adj.*** Relativo à monazita. ~ V. *areia —a*.

monca [Var. de *monco*.] ***S. f.*** *Lus.* **1.** V. *monco*. **2.** *Pop.* Meleca.

monçanense ***Adj. 2 g.*** **1.** De, ou pertencente ou relativo a Monção (Portugal). ● ***S. 2 g.*** **2.** O natural ou habitante de Monção.

monção [De uma f. arc. *moução*, do ár. *mawsim*, 'temporada', 'estação do ano'; 'aquilo que se dá em certo período ou estação'; 'festa', 'feira', 'safra'.] ***S. f.*** **1.** Época ou vento favorável à navegação: 📖 "As suas viagens redondas duravam de dois a três meses, segundo as épocas e monções favoráveis." (Virgílio Várzea, *Nas Ondas*, p. 7.) **2.** Vento periódico, típico do S. e do S.E. da Ásia, que no verão sopra do mar para o continente (*monção marítima*) e no inverno sopra do continente para o mar (*monção continental*). **3.** *Fig.* Boa oportunidade; ensejo. **4.** *Bras.* Qualquer das expedições que desciam e subiam rios das capitanias de SP e MT, nos sécs. XVIII e XIX, pondo-as em comunicação. ◆ **Monção continental.** V. *monção* (2). **Monção marítima.** V. *monção* (2).

moncar [De *monco* + *-ar*[2].] ***V. int.*** Limpar o monco; assoar-se. [Conjug.: v. *trancar*.]

monchão ***S. m.*** *Bras.* Nas zonas diamantíferas, veio da terra firme onde se encontram depósitos de diamantes.

monchiquense ***Adj. 2 g.*** **1.** De, ou pertencente ou relativo a Monchique (Portugal). ● ***S. 2 g.*** **2.** O natural ou habitante de Monchique.

monco [Do lat. vulg. **muccu* (cláss. *mucus*), com nasalação.] ***S. m.*** V. *muco*: 📖 "O piso .... estava juncado de cascas de tremoço, barbatanas de bacalhau, moncos, escarros e até excrementos de cão." (Vergílio Godinho, *Não Há Nada mais Simples*, p. 135.) [Var. (lus.): *monca*.] ◆ **Monco de peru.** Excrescência carnosa pendente do bico dessa ave, ou que se estende sobre ele.

monçonense[1] ***Adj. 2 g.*** **1.** De, ou pertencente ou relativo a Monção (MA). ● ***S. 2 g.*** **2.** O natural ou habitante de Monção.

monçonense[2] ***Adj. 2 g.*** **1.** De, ou pertencente ou relativo a Monções (SP). ● ***S. 2 g.*** **2.** O natural ou habitante de Monções.

moncorvense ***Adj. 2 g.*** **1.** De, ou pertencente ou relativo a Torre de Moncorvo (Portugal) ● ***S. 2 g.*** **2.** O natural ou habitante de Torre de Moncorvo.

moncoso (ô) [De *monco* + *-oso*.] ***Adj.*** **1.** Que segrega muito monco; ranhento, ranhoso. **2.** *Fig.* Sórdido, vil, desprezível.

monda [Dev. de *mondar*.] ***S. f.*** *Lus.* **1.** Ato de mondar; mondadura, limpa, capina. **2.** Tempo próprio para mondar.

mondadeiro [De *mondar* + *-deiro*.] ***S. m.*** *Lus.* Aquele que trabalha nas mondas; mondador, capinador.

mondador (ô) [De *mondar* + *-dor*.] *Lus.* ***Adj.*** **1.** Que monda. ● ***S. m.*** **2.** Mondadeiro. **3.** Utensílio usado na monda.

mondadura [De *mondar* + *-dura*.] ***S. f.*** *Lus.* **1.** V. *monda* (1). **2.** Erva mondada.

mondaiense (a-i) ***Adj. 2 g.*** **1.** De, ou pertencente ou relativo a Mondaí (SC). ● ***S. 2 g.*** **2.** O natural ou habitante de Mondaí.

mondar [Do lat. *mundare*, 'limpar'.] ***V. t. d.*** *Lus.* **1.** Arrancar (as ervas daninhas que medram entre as plantas cultivadas). **2.** Cortar os ramos secos ou supérfluos de; desramar: 📖 "Nos campos as lavradeiras, cantando, mondavam os milhos" (Bernardo Pinheiro Pindela, *Azulejos*, p. 79). **3.** *P. ext.* Expurgar do que é supérfluo ou prejudicial. **4.** Rever minuciosamente (um escrito), eliminando os erros, corrigindo e emendando. *T. i.* **5.** Limpar (de ervas daninhas). **6.** Eliminar; suprimir. *Int.* **7.** Praticar a monda: 📖 "E as mondadeiras, sempre mondando, / Porque o trabalho não as enerva, / Põem-se a prumo de quando em quando." (Conde de Monsaraz, *Musa Alentejana*, p. 17.)

mondé[1] ***S. m.*** *Bras. Pop.* V. *mundéu*: 📖 "armar quixós e mondés na capoeira com o fim de apanhar preás para a menina." (Franklin Távora, *O Cabeleira*, p. 108).

mondé[2] [Do tupi.] *Bras.* ***S. 2 g.*** **1.** *Etnôn.* Indivíduo dos mondés, povo indígena extinto, da família linguística mondé, tronco tupi, que habitava a margem direita do rio Ji-Paraná, na região do alto rio Machado (RO). ● ***S. m.*** **2.** *Gloss.* Família linguística do tronco tupi que reúne línguas faladas por povos indígenas de Rondônia. **3.** Vocábulo do mondé (2). ● ***Adj. 2 g.*** **4.** Pertencente ou relativo aos mondés. **5.** Pertencente ou relativo a mondé[2] (2). [Tb. us. como *s. 2 g.* e *2 n.* (com cap.) na acepç. 1, e como *adj. 2 g.* e *2 n.*, na acepç. 4.]

mondego (ê) [Do top. *Mondego* (rio de Portugal), poss.] ***S. m.*** *Bras. Zool.* V. *parati*[2].

mondéu ***S. m.*** *Bras. Pop.* V. *mundéu*[1].

➔ **mondeuse** [mõ'døz] [Fr.] ***S. m.*** **1.** *Vitic.* Casta nobre de uva tinta, cultivada na Saboia (v. *saboiano*), no Bugey (região do L. da França) e também na Suíça. **2.** *Enol.* Vinho produzido com essa uva.

mondinense ***Adj. 2 g.*** **1.** De, ou pertencente ou relativo a Mondim (Portugal). ● ***S. 2 g.*** **2.** O natural ou habitante de Mondim.

mondonga ***S. f.*** V. *mundonga*.

mondongo ***S. m.*** V. *mundongo*.

mondongudo ***Adj.*** *Bras. S. Deprec.* V. *mundongudo*.

mondongueiro ***S. m.*** V. *mundongueiro*.

mondrongo ***S. m.*** **1.** *Bras. Cabo-verd. Deprec.* Alcunha de português. V. *galego* (4). **2.** *Bras. Cabo-verd.* Indivíduo disforme; mostrengo. **3.** *Bras. N.E.* Inchação (2).

monecia (cí) [De *mon(o)-* + *-ecia*.] ***S. f.*** *Bot.* Ocorrência de flores femininas e masculinas no mesmo indivíduo, sendo, pois, as flores unissexuais, embora as plantas sejam andróginas, como no milho.

monécico [De *monecia* + *-ico*[2].] ***Adj.*** *Bot.* V. *monoico*.

monegasco [Do fr. *monégasque*.] ***Adj.*** **1.** De, ou pertencente ou relativo a Mônaco (Europa). ● ***S. m.*** **2.** O natural ou habitante de Mônaco.

monelha (ê) ***S. f.*** *Marinh.* Chumaço feito de cabo ou de couro, cheio de estopa, que se prende no bico de proa ou no verdugo das embarcações, ou nos paus de contrabalanço, ou nos picadeiros onde assentam as embarcações miúdas, a fim de servir como defensa. [Sin., lus.: *molhelha*.]

monema [De *mon(o)-* + *-ema*.] ***S. m.*** *E. Ling.* Unidade mínima de significação, que pode ser um radical primário, um sufixo, uma desinência, etc., e que eventualmente pode coincidir com a palavra.

monenergismo [De *mon(o)-* + *energia* + *-ismo*.] ***S. m.*** *Rel.* Forma atenuada do monofisismo, professada no séc. VII, que afirmava uma única energia, ou atividade, em Jesus Cristo.

monenergista [De *monenergismo* + *-ista*.] ***Adj. 2 g.*** *Rel.* **1.** Pertencente ou relativo ao monenergismo. **2.** Que é adepto do monenergismo. ● ***S. 2 g.*** **3.** Adepto do monenergismo.

monergol [De *mon(o)-* + *-erg(o)-*[1] + *-ol*.] ***S. m.*** *Astron.* Propelente constituído de um só componente. [Pl.: *monergóis*.]

monésia ***S. f.*** *Bras. L. Bot.* Árvore sapotácea (*Pradosia glycyphloea*) habitante da mata pluvial e notória pela casca grossa, leitosa e de sabor adocicado. Tem folhas membranáceas e obovadas, flores que se ordenam em fascículos, e bagas elipsoides, amarelas e monospermas. [Sin.: *buranhém, casca-doce, pau-doce*.]

monetário [Do lat. *monetariu*.] ***Adj.*** **1.** Relativo à moeda. ~ V. *âncora —a, base —a, correção —a, ilusão —a, oferta —a, ouro —, padrão —, política —a* e *unidade —a*. ● ***S. m.*** **2.** Coleção de moedas. **3.** Livro onde se reproduzem e descrevem moedas. **4.** *Desus. Numis.* Numismata (1).

monetarismo [De *monetário* + *-ismo*.] ***S. m.*** *Econ.* **1.** Teoria econômica que enfatiza o efeito da quantidade de moeda sobre a demanda agregada (q. v.), a pouca influência desta na determinação do nível de renda, e a necessidade de controle monetário para evitar excesso de demanda e inflação. [Opõe-se a *keynesianismo*.] **2.** No pensamento econômico latino-americano, corrente que interpreta a inflação dos países dessa região como decorrente de descontrole monetário, provocando excesso de demanda. [Opõe-se a *estruturalismo* (4).]

monetarista [De *monetário* + *-ista*.] ***Adj. 2 g.*** **1.** Relativo ao, ou que é partidário do monetarismo, ou próprio dessa escola. ● ***S. 2 g.*** **2.** Partidário dela.

monete (ê) [Por **monhete*, dim. de *monho*, poss.] ***S. m.*** **1.** Farripas, guedelha. **2.** V. *vírgula* (3).

monetiforme [Do lat. *moneta* + *-iforme*.] ***Adj. 2 g.*** Que tem forma de, ou é semelhante a moeda.

monetizar [Do fr. *monétiser*.] ***V. t. d.*** V. *amoedar* (1).

mongaguaense (guà) ***Adj. 2 g.*** **1.** De, ou pertencente ou relativo a Mongaguá (SP). ● ***S. 2 g.*** **2.** O natural ou habitante de Mongaguá.

monge [Do gr. *monachós*, 'solitário', pelo lat. *monachu*, pelo lat. vulg. *monicu*, e pelo provenç. ant. *monge*.] ***S. m.*** **1.** Frade ou religioso de mosteiro. **2.** Anacoreta (2). **3.** *Bras. Zool.* V. *barbudinho* (1). **4.** *Bras. S.* Pessoa que, por fanatismo ou cálculo, se isola da sociedade, levando, ao menos na aparência, vida austera, mais ou menos à feição dos beatos do Nordeste. [Fem.: *monja*.]

mongil [Do esp. *monjil*.] ***Adj. 2 g.*** **1.** V. *monacal*. ● ***S. m.*** **2.** Hábito de monja. **3.** Túnica talar para mulheres. **4.** Qualquer túnica talar, com mangas perdidas ou sem elas: 📖 "O velho balio .... limpou com a manga do mongil as lágrimas que lhe corriam pelas faces abaixo." (Arnaldo Gama, *O Balio de Leça*, p. 141.)

mongoió *Bras.* ***S. 2 g.*** **1.** *Etnôn.* Indivíduo dos mongoiós, povo indígena extinto, da família linguística camacã, que habitava a BA. ● ***Adj. 2 g.*** **2.** Pertencente ou relativo a esse povo. [Tb. us. como *s. 2 g.* e *2 n.* (com cap.) e *adj. 2 g.* e *2 n.*]

mongol [Do persa *mughal*, pelo port. ant. *mogol*, com nasalação.] ***Adj. 2 g.*** **1.** Da, ou pertencente ou relativo à Mongólia (Ásia); mongólico, mongolino. **2.** *Pint.* Diz-se da pintura de corte executada na Índia sob o domínio dos grão-mongóis (1530-1857), a qual se distingue pelo tratamento naturalista e convencional da natureza. ● ***S. 2 g.*** **3.** O natural ou habitante da Mongólia. ● ***S. m.*** **4.** *Gloss.* Língua altaica falada na Mongólia e em parte da China. **5.** Vocábulo dessa língua. [Pl.: *mongóis*.]

mongoliano [De *mongol* + *-iano*.] ***S. m.*** *Gloss.* V. *altaico* (3).

mongólico [Do top. *Mongólia* (Ásia) + *-ico*[2].] ***Adj.*** V. *mongol* (1).

mongolino [Do top. *Mongólia* (Ásia) + *-ino*[1].] ***Adj.*** V. *mongol* (1).

mongolismo [De *mongol* + *-ismo*.] ***S. m.*** **1.** A religião dos mongóis. **2.** *Med.* V. *síndrome de Down*.

mongoloide (ói) [De *mongol* + *-oide*.] ***Adj. 2 g.*** **1.** Próprio dos mongóis. **2.** Com características físicas semelhantes às dos mongóis. **3.** *Med.* Que sofre de mongolismo. ● ***S. 2 g.*** **4.** *Med.* Pessoa que sofre de mongolismo (2). [Atualmente desus. na terminologia científica, e, us., pop., por vezes como pej.] ✜

monguba [De or. tupi.] ***S. f.*** *Bot.* V. *munguba*.

mongubeira [De *monguba* + *-eira*.] ***S. f.*** *Bot.* V. *mungubeira*.

monha [Do esp. *moña*.] ***S. f.*** **1.** Laço com que se adorna o pescoço dos touros para corridas. **2.** Roseta usada por toureiros na parte posterior da cabeça. **3.** Manequim (1) de modista ou cabeleireiro.

monhé [Do suaile *mwenye*, 'dono', 'senhor'.] ***S. m.*** *Afric. Deprec.* Indivíduo natural da Índia, ou do Paquistão, e que se dedica principalmente ao comércio: 📖 "a carroça do monhé da fruta / passava lentamente." (Carlos Maria, em *Poetas de Moçambique*, p. 31).

monho [Do esp. *mono*.] ***S. m.*** **1.** Topete de cabelo postiço, em mulheres. **2.** Rolo de cabelo natural. **3.** Laço de fita com que se enfeita ou prende o cabelo.

mónica [Do antr. *Mónica*.] ***S. f.*** *Açor.* Fruto da nespereira.

mónico ***Adj.*** V. *mônico*. [Uso freq. em P.]

mônico ***Adj.*** ~ V. *polinômio —*.

▲ **monil(i)-** [Do lat. *monile, is*.] ***El. comp.*** = 'colar': *moniliforme*.

moniliácea [Do tax. *Monilia* + *-ácea*; tax. *Moniliaceae*.] ***S. f.*** *Micol.* Espécime das moniliáceas, família de fungos imperfeitos da ordem das moniliales, dotados de hifas brancas, ou de cores claras, esporos dessas mesmas cores, e que são produzidos, diretamente, no micélio.

moniliáceo [De *moniliácea*, com var. suf. (v. *-áceo*).] ***Adj.*** *Micol.* Pertencente ou relativo às moniliáceas.

monilial [Do tax. *Monilia* + *-al*[1].] ***Adj.*** *Micol.* **1.** Pertencente ou relativo às moniliales. **2.** De, relativo a, ou causado por fungo do gênero *Candida* (v. *cândida*[2]).

moniliale [Do tax. *Monilia* + *-ale*; tax. *Moniliales*.] ***S. f.*** *Micol.* Espécime das moniliales, ordem de fungos imperfeitos destituídos de conidióforos, ou que tem conidióforos ou superficiais, ou livres, ou reunidos em tufos ou massas pulviniformes, mas, nunca, encerrados em acérvulo ou em picnídio.

monilíase [Do tax. *Monil (ia)* + *-íase*.] ***S. f.*** *Med.* V. *candidíase*.

monilicórneo [De *monil(i)-* + *-corn(i)-* + *-eo*.] ***Adj.*** *Zool.* Diz-se de inseto que apresenta antenas moniliformes.

moniliforme [De *monil(i)-* + *-forme*.] ***Adj. 2 g.*** **1.** Que tem forma de rosário ou colar. **2.** *Zool.* Diz-se de

M

antena (7) que apresenta estrangulamentos e dilatações, com forma aproximada de colar.

monilo [De *mon(o)-* + *-(h)ilo.*] *Adj. Zool.* V. *monoilo.*

monimiácea [Do tax. *Monimia*, gênero-tipo, + *-ácea*; tax. *Monimiaceae.*] *S. f. Bot.* Espécime das monimiáceas, família da ordem das magnoliales que se caracteriza pela localização das pequenas flores no interior de um receptáculo fechado. Androceu com numerosos estames e gineceu multicarpelar, sendo cada carpelo uniovulado; o fruto é um aquênio encerrado no citado receptáculo. Compreende arbustos e árvores de folhas opostas, e há cerca de 350 espécies tropicais, não poucas brasileiras, sem maior importância.

monimiáceo [De *monimiácea*, com var. suf. (v. *-áceo*).] *Adj. Bot.* Pertencente ou relativo às monimiáceas.

moniquense *Adj. 2 g.* **1.** De, ou pertencente ou relativo a Santa Mônica (PR). • *S. 2 g.* **2.** O natural ou habitante de Santa Mônica.

monir [Do lat. *monere.*] *V. t. d. Ant.* **1.** Avisar para vir depor sobre a matéria de uma monitória (1). **2.** Advertir, admoestar. [Defect. Não se conjuga nas f. em que depois do *n* viriam *o* e *a*. Pres. ind.: *mones, mone, monimos, monis, monem.* Cf. *munis*, do v. *munir*, este verbo, e os antr. *Moniz* e *Muniz.*]

monismo [De *mon(o)-* + *-ismo.*] *S. m. Filos.* Doutrina filosófica segundo a qual o conjunto das coisas pode ser reduzido à unidade, quer do ponto de vista da sua substância (e o monismo poderá ser um materialismo ou um espiritualismo), quer do ponto de vista das leis (lógicas ou físicas) pelas quais o Universo se ordena (e o monismo será lógico ou físico). ◆ **Monismo neutro.** *Filos.* Teoria de William James (v. *jamesiano*), segundo a qual a natureza é formada por substância única, que apresenta ora atributos psíquicos, ora atributos físicos; neutralismo.

monístico [De *monismo* + *-ist(a)-* + *-ico*[2], seg. o padrão erudito.] *Adj.* Referente ao monismo.

monitor (ô) [Do lat. *monitore.*] *S. m.* **1.** Aquele que dá conselhos, lições, que admoesta. **2.** Aluno que auxilia o professor no ensino de uma matéria, em geral na aplicação de exercícios, na elucidação de dúvidas, etc., fora das aulas regulares; decurião. **3.** *Fís. Nucl.* Instrumento, em geral portátil, para detectar e medir radioatividade. **4.** Monitor de vídeo (q. v.). **5.** *Mar. G.* Navio de combate, já em desuso, de calado reduzido, borda-livre muito pequena, armado com canhões de médio ou grosso calibre, em geral instalados numa torre giratória na parte de vante e na mediania (4), para emprego em operações fluviais ou de bombardeio de costa. **6.** *Mar. G.* Sargento ou praça auxiliar de oficial que tem a seu cargo instruir praças em determinada atividade. **7.** *Med.* Instrumento destinado à observação e/ou registro de funções vitais, tais como pulso arterial, ritmo cardíaco, etc., durante anestesia ou fora dela, e, também, para medir a intensidade de exposição à irradiação. **8.** *Rád. Telev.* Aparelho receptor utilizado para se supervisionar a qualidade do vídeo e/ou áudio durante uma transmissão ou gravação. **9.** *Telev.* Aparelho receptor em circuito fechado (q. v.). **10.** *Zool.* Lagarto-monitor (q. v.). ◆ **Monitor de vídeo.** *Inform.* Dispositivo de saída de dados, no qual se visualizam as informações apresentadas por um computador; a tela do computador. [Tb. se diz apenas *monitor.*]

monitoração [De *monitorar* + *-ção.*] *S. f.* Ato ou efeito de monitorar; monitoramento, monitorização.

monitoramento [De *monitorar* + *-mento.*] *S. m.* V. *monitoração*: "Em sua opinião [De Mário Henrique Simonsen], ao recusar o monitoramento do FMI, o Brasil perdeu mais do que ganhou na rolagem da dívida." (Rubeny Goulart, em Revista *Veja*, 07.01.1987.)

monitorar [De *monitor* + *-ar*[2].] *V. t. d.* **1.** Acompanhar e avaliar (dados fornecidos por aparelhagem técnica). **2.** *Restr.* Controlar, mediante monitoração. **3.** *Market.* Acompanhar o comportamento do mercado com o objetivo de detectar riscos e oportunidades: *Devido à crise, passou a monitorar, diariamente, os índices da bolsa de valores.* [Sin. ger.: *monitorizar.*]

monitoria [De *monitor* + *-ia*[1].] *S. f.* **1.** Cargo de monitor (2). **2.** O conjunto de funções e de direitos ligados à atividade de um monitor (2). [Cf. *monitória.*]

monitória [F. subst. de *monitório.*] *S. f.* **1.** Aviso com que se convida o público a ir dizer o que souber acerca de um crime. **2.** Advertência, conselho. **3.** *Fam.* V. *repreensão* (1). [Cf. *monitoria.*]

monitorial [De *monitor* + *-ial.*] *Adj. 2 g.* Monitório.

monitório [Do lat. *monitoriu.*] *Adj.* Que adverte, repreende ou admoesta; monitorial.

monitorização [De *monitorizar* + *-ção.*] *S. f.* Ato ou efeito de monitorar; monitoração, monitoramento.

monitorizar [De *monitor* + *-izar.*] *V. t. d.* V. *monitorar.*

monja *S. f.* Fem. de *monge.*

monjal [De *monge* ou de *monja* + *-al*[1].] *Adj. 2 g. P. us.* V. *monacal.*

monjoleiro[1] [De *monjolo*[1] + *-eiro.*] *S. m. Bras. MG S.* Indivíduo que toma conta de monjolo[1] (3).

monjoleiro[2] [De *monjolo*[2] + *-eiro.*] *S. m. Bras. Bot.* **1.** V. *monjolo*[2] (1). **2.** V. *canafístula* (3). **3.** V. *jacaré* (6).

monjolense *Adj. 2 g.* **1.** De, ou pertencente ou relativo a Monjolos (MG). • *S. 2 g.* **2.** O natural ou habitante de Monjolos.

monjolo[1] (ô) [Do quimb.] *S. m.* **1.** Antiga designação de certo povo, provavelmente banto, trazido como escravo para o Brasil. **2.** *Bras.* Bezerro novo, antes de nascidos os chifres. [Var., no N., nesta acepç.: *mujolo.*] **3.** *Bras. MG S.* Engenho tosco, movido a água, usado para pilar milho e, primitivamente, para descascar café. [Pl.: *monjolos* (ô). Em MG (pelo menos) a pronúncia comum é com a vogal tônica aberta.]

monjolo[2] (ô) [Do tax. (*Enterolobium*) *monjolo.*] *S. m.* **1.** *Bot. Bras.* Grande árvore fabácea (*Enterolobium monjolo*) armada quando jovem, folhas bipenadas, folíolos ovais, pilosos, dispostos em capítulos globosos, e frutos que são vagens coriáceas. Fornece madeira para civis e obras externas. [Sin.: *monjoleiro, monjolo-ferro, monjolo-preto.*] **2.** V. *jacaré* (6).

monjolo-ferro *S. m. Bras. Bot.* V. *monjolo*[2] (1) [Pl.: *monjolos-ferros* e *monjolos-ferro.*]

monjolo-preto *S. m. Bras. Bot.* V. *monjolo*[2] (1). [Pl.: *monjolos-pretos.*]

monjopina [De *Monjope*, nome de um engenho pernambucano de cana-de-açúcar, + *-ina*[1].] *S. f. Bras. PE Pop.* V. *cachaça* (1).

➔ **mon-khmer** [mɔŋ χmer] [De *mon* + *Khmer.*] *S. m. Gloss.* V. *austro-asiático* (3).

monlevadense *Adj. 2 g.* **1.** De, ou pertencente ou relativo a João Monlevade (MG). • *S. 2 g.* **2.** O natural ou habitante de João Monlevade.

mono [De or. incerta.] *S. m.* **1.** *Zool.* Designação geral para os macacos [v. *macaco* (1)], e de modo restrito para os primatas platirrínios cebídeos. [Primitivamente designava, em Portugal, um determinado símio africano. Cf. *buriqui.*] **2.** *Fam.* Indivíduo muito feio.

▲ **mon(o)-** [Do gr. *mónos, ē, on.*] *El. comp.* = 'único', 'sozinho', 'isolado': *monantero, monolépide, monodelfo.* [É seguido de hífen quando antepostо a palavra iniciada por *h* ou *o*: *monoibridismo/mono-hibridismo, mononfálico/mono-onfálico*; é grafado com *r* ou *s* duplicados quando anteposto a palavra iniciada por *r* ou *s*: *monorrítmico, monossílabo.*] [Em Quím., indica 'uma só unidade de um corpo (designado pelo formante que se segue)': *monocloreto.*]

monoácido [De *mon(o)-* + *ácido.*] *S. m. Quím.* Ácido que liberta apenas um íon hidrogênio por molécula.

monoalquilado [De *mon(o)-* + *alquila* + *-ado*[1].] *Adj. Quím.* Que contém apenas uma alquila.

monoatómico *Adj. Quím. Lus.* V. *monoatômico.* [Uso freq. em P.]

monoatômico [De *mon(o)-* + *atômico.*] *Adj. Quím.* Diz-se do elemento que não é constituído por moléculas: *Os gases nobres são elementos monoatômicos.*

monobafia [De *mon(o)-* + gr. *baphé*, 'imersão', 'tintura', 'cor', + *-ia*[1].] *S. f.* Estado daquilo que apresenta uma só cor.

monobáfico [De *monobafia* + *-ico*[2].] *Adj.* Referente à monobafia.

monobásico [De *mon(o)-* + *básico.*] *Adj. Quím.* Diz-se de ácido que cede somente um próton por molécula, em solução (ex.: o ácido clorídrico), ou de base que cede somente uma hidroxila por molécula, em solução (ex.: o hidróxido de sódio). ~ V. *ácido* —.

monoblepsia [De *mon(o)-* + *-bleps-* + *-ia*[1].] *S. f. Oftalm.* **1.** Oftalmopatia em que a visão é mais distinta quando um dos olhos está fechado. **2.** Perturbação de visão das cores em que, dentre muitas, apenas uma é percebida.

monobloco [De *mon(o)-* + *bloco.*] *Adj. S. m.* Diz-se de, ou aquilo que é feito ou fabricado em um só bloco.

monocabo [De *mon(o)-* + *cabo*[2].] *Adj. S. m.* Diz-se de, ou sistema de transporte aéreo por meio de um cabo que, acionado por um guincho, serve ao mesmo tempo de força transportadora e de tração.

monocamada [De *mon(o)-* + *camada.*] *S. f. Quím.* Camada (1) de átomos, ou de moléculas, com espessura de apenas um átomo, ou de uma molécula.

monocameral [De *mon(o)-* + lat. *camera* + *-al*[1].] *Adj. 2 g.* De, ou relativo ao monocamerismo.

monocamerismo [De *mon(o)-* + lat. *camera* + *-ismo.*] *S. m.* Sistema de representação política em que o poder legislativo funciona com uma só câmara.

monocarpelar [De *mon(o)-* + *carpelo* + *-ar*[1].] *Adj. 2 g. Bot.* Que tem um só carpelo, como o ovário das fabales.

monocárpico [De *monocarpo* + *-ico*[2].] *Adj. Bot.* **1.** Relativo ao monocarpo. **2.** Diz-se do vegetal que floresce uma única vez e morre em seguida, como, p. ex., a piteira; hapaxanto. [Cf. *anual* (5). Opõe-se a *policárpico* (2).]

monocarpo [De *mon(o)-* + *-carpo.*] *Bot. Adj.* **1.** Que só tem um fruto. • *S. m.* **2.** Fruto resultante de um ovário monocarpelar, como o do feijoeiro.

monocarril [De *mon(o)-* + *carril.*] *Adj. 2 g. S. m.* Monotrilho.

monocásico [De *monocásio* + *-ico*[2].] *Adj.* Relativo ao monocásio.

monocásio [De *mon(o)-* + *(di)cásio.*] *S. m. Bot.* Inflorescência cimosa em que, por baixo da flor terminal do eixo central, se desenvolve um único ramo lateral (eixo secundário) que termina também por uma flor, debaixo da qual sai um ramo lateral, e assim sucessivamente.

monocefalia [De *monocéfalo* + *-ia*[1].] *S. f. Ter.* Anomalia de indivíduo monocéfalo.

monocéfalo [Do gr. *monoképhalos.*] *Adj. S. m. Ter.* Diz-se de, ou indivíduo que tem uma cabeça única, mas apresenta duplicações variáveis no corpo.

monocelular [De *mon(o)-* + *celular.*] *Adj. 2 g. Biol. Citol.* Unicelular.

monócero [Do gr. *monókeros*, pelo lat. *monoceros.*] *Adj.* **1.** *Bot.* Que tem um só prolongamento, em forma de corno. **2.** *Zool.* Que tem um corno só. • *S. m.* **3.** *Zool.* Peixe que tem excrescência córnea, como, p. ex., o peixe-espada e o narval.

monoceronte [Do gr. *monókeros, otis*, pelo lat. *monocerote*, com nasalação do último *o.*] *S. m.* V. *unicórnio* (1).

monocíclico[1] [De *mon(o)-* + *-cicl(o)-* + *-ico*[2].] *Adj.* **1.** *Bot.* Que tem um só verticilo. **2.** *Quím.* Que tem um só anel na estrutura molecular.

monocíclico[2] [Adapt. do tax. *Monocyclica.*] *Zool. S. m.* **1.** Espécime dos monocíclicos, em algumas classificações, subclasse dos crinoides constituída por animais que não têm placas infrabasilares. • *Adj.* **2.** Pertencente ou relativo a eles.

monociclista [De *monociclo* + *-ista.*] *S. 2 g.* Pessoa que anda em monociclo.

monociclo [De *mon(o)-* + *-ciclo.*] *S. m.* Velocípede de uma roda só, atualmente usado apenas por acrobatas.

monocilíndrico [De *mon(o)-* + *cilíndrico.*] *Adj.* Que tem só um cilindro: *motor monocilíndrico.*

monocina [De *mon(o)-* + *(cito)cina*; ingl. *monokine.*] *S. f. Bioquím.* Qualquer de certas citocinas produzidas pelos monócitos.

monócito [De *mon(o)-* + *-cito.*] *S. m. Histol.* Leucócito granulócito que se forma na medula óssea, presente no sangue circulante, com capacidade de migrar dos capilares e vênulas por diapedese, e que no tecido conjuntivo se transforma em macrófago.

monoclamídeo [De *mon(o)-* + *-clamid(o)-* + *-eo.*] *Adj. Bot.* Que tem um único verticilo protetor, dito *perigônio*, e cujas peças, por sua vez, se chamam *tépalas.* [Opõe-se a *diclamídeo.*]

monoclinal [De *mon(o)-* + *-clin(o)-*[2] + *-al*[1].] *Adj. 2 g. S. f. Geol.* Diz-se de, ou flexão, em forma de degrau, que afeta camadas paralelas originalmente horizontais ou levemente inclinadas.

monoclínico [De *mon(o)-* + *-clin(o)-*[2] + *-ico*[2].] *Adj.* ~ V. *sistema* —.

monoclino [De *mon(o)-* + *-clino*[1].] *Adj. Bot.* V. *hermafrodito* (2).

monoclonal [De *mon(o)-* + *clone* + *-al*[1].] *Adj. 2 g. Bioquím.* Próprio de, ou produzido por clones de uma única célula. ~ V. *imunoglobulina* —.

monoclónio *S. m. Paleont.* V. *monoclônio.* [Uso freq. em P.]

monoclônio [Do tax. *Monoclonius.*] *S. m. Paleont.* **1.** Gênero de dinossauros ceratopsídeos, ornitísquios, herbívoros, dotados de grande chifre nasal, e com cerca de 4,50m de comprimento e 2t de peso, que habitavam os charcos e pântanos de Alberta (Canadá) e Montana (E.U.A.) no cretáceo. **2.** Espécie ou espécime desse gênero.

monocolor (ôr) [De *mon(o)-* + *-color.*] *Adj. 2 g.* **1.** Unicolor. **2.** *Art. Gráf.* Diz-se da prensa que imprime apenas uma cor de cada vez. [Cf. *bicolor* (2).]

monocolpado [De *mon(o)-* + *-colp(o)-* + *-ado*[1].] *Adj. Bot.* Provido de um sulco.

monocórdico [De *monocórdio* + *-ico*[2].] *Adj.* Monocórdio (4): "fugiam de quase todas as perguntas e respondiam simplesmente .... a igualdade está na Constituição, esse direito *idem*, aquele direito *ibidem*... sempre a mesma resposta monocórdica, fria e calculista." (Léu Cunha, *Nas Páginas do Tempo — crônicas* —, pp. 43-44).

monocórdio [Do gr. *monochórdon*, pelo lat. *monochordon*, poss. com infl. de *manicórdio.*] *S. m.* **1.** Instrumento composto de uma caixa de ressonância, sobre a qual se estende uma corda que se apoia sobre dois cavaletes móveis, e que já era usado no tempo de Pitágoras (séc. VI-V a. C.) para o estudo e cálculo das relações entre as vibrações sonoras, e durante a Idade Média para a afinação das vozes e de outros instrumentos.

2. Instrumento medieval, de uma só corda, que se tocava com o plectro. 3. Manicórdio. ● *Adj.* 4. Monótono, uniforme; monocórdico.

monocotilar [De *mon(o)-* + *-cotil(o)-* + *-ar*[1].] *Adj. 2 g. Zool.* Que tem uma só tromba ou sugadouro.

monocotilédone [De *mon(o)-* + *cotilédone.*] *Adj. 2 g. Bot.* Monocotiledôneo[1].

monocotiledónea *S. f. Bot.* V. *monocotiledônea.* [Uso freq. em P.]

monocotiledônea [De *mon(o)-* + *cotilédone* + *-ea*; tax. *Monocotyledoneae.*] *S. f. Bot.* Espécime das monocotiledôneas, classe de plantas angiospérmicas, caracterizada pela existência de um só cotilédone no embrião. Outros caracteres: ausência de raiz primária; nervuras paralelas; flores trímeras ou em número múltiplo de três; folhas invaginantes ou completas; caule e raiz sem estrutura secundária, com feixes vasculares dispersos. Exemplos comuns são o milho, o arroz, a bananeira, os capins, as orquídeas, etc.

monocotiledóneo[1] *Adj. Bot.* V. *monocotiledôneo*[1]. [Uso freq. em P.]

monocotiledóneo[2] *Adj. Bot.* V. *monocotiledôneo*[2]. [Uso freq. em P.]

monocotiledôneo[1] [De *mon(o)-* + *cotilédone* + *-eo.*] *Adj. Bot.* Que tem um só cotilédone no embrião; monocotilédone.

monocotiledôneo[2] [De *monocotiledônea*, com var. suf. *(-eo).*] *Adj. Bot.* Pertencente ou relativo às monocotiledôneas.

monocristal [De *mon(o)-* + *cristal.*] *S. m. Tec.* Corpo cristalizado, constituído por uma estrutura cristalina inteiriça, sem cristalitos, em geral obtida artificialmente, e de grande importância em diversas aplicações modernas — ultrassom, circuitos de estado sólido, contadores de partículas nucleares, fibras ópticas.

monocromador (ô) [Do ingl. *monochromator* < *mono-chroma(tic) (illumina)tor.*] *S. m. Fís.* Qualquer instrumento que separa de um feixe de radiações ou de partículas os componentes que têm a mesma energia ou energias muito próximas.

monocromata [Do ingl. *monochromat.*] *S. f. Ópt.* Objetiva de microscópio excepcionalmente corrigida para radiações de um só comprimento de onda.

monocromático [De *mon(o)-* + *-cromat(o)-* + *-ico*[2].] *Adj.* 1. V. *monocrômico.* 2. *Fís.* Diz-se de radiação com um só comprimento de onda. ~ V. *aberração —a, luz —a* e *onda —a.*

monocromatismo [De *mon(o)-* + *-cromat(o)-* + *-ismo.*] *S. m. Oftalm.* Cegueira completa no que diz respeito às cores, podendo, quem apresenta tal distúrbio, perceber todas as cores do espectro como cinza neutro, com variações para claro e escuro. [Sin.: *acromatopia* e *acromatopsia.*]

monocromia [De *mon(o)-* + *-crom(o)-* + *-ia*[1].] *S. f. Art. Gráf.* Processo de impressão em uma só cor. [Cf. *bicromia, tricromia, policromia* e *quadricromia.*]

monocrómico *Adj.* V. *monocrômico.* [Uso freq. em P.]

monocrômico [De *monocromo* + *-ico*[2].] *Adj.* Que é pintado com uma só cor; monocromático (1).

monocromo [Do gr. *monóchromos.*] *Adj.* De uma só cor; unicolor (q. v.).

monóculo [De *mon(o)-* + *óculo.*] *Adj.* 1. Que tem um só olho. ● *S. m.* 2. Lente, provida ou não de aro, que se usa encaixada entre os músculos da cavidade orbitária, geralmente para correção visual.

monocultor (ô) [De *mon(o)-* + *-cultor.*] *S. m.* 1. Aquele que pratica a monocultura. ● *Adj.* 2. Referente a ela.

monocultura [De *mon(o)-* + *-cultura.*] *S. f.* Cultura exclusiva dum produto agrícola. [Opõe-se a *policultura.*]

monodáctilo [De *mon(o)-* + *-dá(c)tilo.*] *Adj. Zool.* Que tem só um dedo. [Var.: *monodátilo.*]

monodátilo *Adj. Zool.* V. *monodáctilo.*

monodelfia [De *monodelfo* + *-ia*[1].] *S. f.* Condição de monodelfo.

monodelfo [De *mon(o)-* + *-delfo.*] *Adj. S. m. Zool.* Diz-se de, ou mamífero cuja fêmea tem um só útero e uma só placenta.

monodia [Do gr. *monodía*, pelo lat. *monodia*, mas seg. a prosódia grega.] *S. f.* 1. *Mús.* Canto a uma só voz, sem acompanhamento. 2. *Mús.* No séc. XVI, canto a uma só voz, com acompanhamento de alaúde ou de baixo contínuo. [O estilo monódico, depois de 1600, deu origem às formas do recitativo, da ária de corte, da cantata, da ópera, e ainda, ao *Lied*, à melodia, à canção artística em geral.] 3. *Teatr.* Na antiga tragédia clássica, recitação dramática de um só ator; monólogo da tragédia. [Cf., nesta acepç., *monodrama.*]

monodiar [De *monodia* + *-ar*[2].] *V. int. Mús.* Cantar monodias.

monódico [Do gr. *monodikós.*] *Adj.* Relativo à, ou próprio da monodia.

monodinamismo [De *mon(o)-* + *dinamismo.*] *S. m. Filos.* Animismo (1).

monodonte [Do gr. *monódous, óntos.*] *Adj. 2 g. S. m. Zool.* Diz-se de, ou animal que tem um só dente.

monodontídeo [Do gr. *monodont-* (v. *monodonte*) + *-ídeo*[1]; tax. *Monodontidae.*] *Zool. S. m.* 1. Espécime dos monodontídeos, família de cetáceos odontocetos, que compreende, entre outros, o narval e a beluga. Têm a testa alta e arredondada, as barbatanas pequenas e arredondadas, a nadadeira caudal encaixada na margem posterior e a dorsal ausente. Atingem até 6m de comprimento e habitam as águas frias das regiões árticas e subárticas. ● *Adj.* 2. Pertencente ou relativo a eles.

monodrama [De *mon(o)-* + *drama.*] *S. m. Teatr.* Drama interpretado por um só personagem; monólogo. [Cf. *monodia* (3).]

monodramático [De *monodrama* + *-ático.*] *Adj.* Relativo a, ou próprio de monodrama.

monoecia (cí) *S. f.* V. *monecia.*

monoespecífico [De *mon(o)-* + *específico.*] *Adj. Zool.* De que há uma só espécie.

monoestro [De *mon(o)-* + *-estro.*] *S. m. Biol.* Tipo de ciclo em que a fêmea apresenta o estro[1] (2) somente uma vez por estação própria para a reprodução.

monofagia [De *monófago* + *-ia*[1].] *S. f. Ecol.* 1. Hábito alimentar em que se utiliza um só tipo de alimento. 2. Utilização parasitária de um só hospedeiro.

monófago [De *mon(o)-* + *-fago.*] *Adj. Ecol.* Diz-se de organismo ou de espécie que só subsiste a expensas de um único hospedeiro ou de uma única presa.

monofásico [De *mon(o)-* + *-fas-* + *-ico*[2].] *Adj.* 1. Que tem uma só fase. 2. *Eletr.* Diz-se de sistema elétrico composto por tensão alternada senoidal. 3. *Eletr.* Diz-se de aparelho que produz ou utiliza tal tensão. ~ V. *chave —a.*

monofilo [Do gr. *monóphyllos.*] *Adj. Bot.* 1. Formado de uma só peça. 2. Que tem uma só folha.

monofiodonte [Do gr. *monophyés*, 'singular', + *-odonte.*] *Adj. 2 g.* Com uma só dentição, pois os dentes de leite ou são reabsorvidos na vida fetal ou nunca se formam.

monofisismo [De *mon(o)-* + *-fisi(o)-* + *-ismo.*] *S. m. Teol.* Doutrina daqueles que admitiam em Jesus Cristo uma só natureza.

monofisista [De *monofisismo* + *-ista.*] *Adj. 2 g.* 1. Relativo ao, ou que é sectário do monofisismo. ● *S. 2 g.* 2. Sectário dele.

monófito [De *mon(o)-* + *-fito.*] *Adj. Bot.* Que abrange uma só espécie (diz-se de gênero).

monofobia [De *mon(o)-* + *-fobia.*] *S. f. Psiq.* Horror mórbido à solidão.

monofóbico [De *monofobia* + *-ico*[2].] *Adj.* 1. Relativo a monofobia. 2. Que sofre de monofobia; monófobo. ● *S. m.* 3. Aquele que sofre de monofobia; monófobo.

monófobo [De *mon(o)-* + *-fobo.*] *Adj. S. m. Psiq.* Monofóbico (2 e 3).

monofone [De *mon(o)-* + *fone.*] *S. m.* Parte do telefone constituída de microfone e alto-falante.

monofonia [De *mon(o)-* + *-fon(o)-* + *-ia*[1].] *S. f.* 1. *Mús.* Música constituída por uma única linha melódica, sem acompanhamento. 2. *Mús. Concr.* Melodia que a audição distingue quando há superposição de sons.

monofónico *Adj.* V. *monofônico.* [Uso freq. em P.]

monofônico [De *monofonia* + *-ico*[2].] *Adj.* 1. Respeitante à monofonia. 2. *Son.* Que tem um só canal de amplificação; monaural.

monofosfato [De *mon(o)-* + *fosfato.*] *S. m. Quím.* Fosfato. ◆ **Monofosfato de adenosina.** *Quím.* V. *ácido adenílico.*

monofoto [De *mon(o)-* + *-foto.*] *S. f. Tip.* Fotocompositora (q. v.) que, tendo por modelo a monotipo, perfura, numa de suas duas unidades, uma bobina de papel que, na outra, vai comandar o sistema de composição onde a caixa de matrizes é substituída pelo porta-negativos. [Cf. *rotofoto.*]

monoftalmo [Do gr. *monóphtalmos.*] *Adj. S. m. Ter.* Diz-se de, ou feto com um só olho.

monogamia [Do gr. *monogamía*, pelo lat. ecles. *monogamia*, mas seg. a prosódia grega.] *S. f.* 1. Estado ou condição de monógamo. 2. *Antrop.* Regra, costume ou prática socialmente regulamentada segundo a qual uma pessoa (homem ou mulher) não pode ter mais de um cônjuge. [Opõe-se a *poligamia.* Cf. *poliandria, poliginia.*]

monogâmico [De *monogamia* + *-ico*[2].] *Adj.* Relativo à, ou próprio da monogamia. [Anton.: *poligâmico.*]

monogamista [De *monogamia* + *-ista.*] *Adj. 2 g.* 1. Relativo à, ou que é partidário da monogamia. ● *S. 2 g.* 2. Partidário dela.

monógamo [Do gr. *monógamos*, pelo lat. ecles. *monogamu.*] *Adj.* 1. Que tem um só cônjuge. 2. Diz-se de animal que se acasala com uma só fêmea. ● *S. m.* 3. Aquele que tem um único cônjuge. 4. Animal que se acasala com uma só fêmea. [Cf. *polígamo.*]

monogástrico [De *mon(o)-* + *-gastr(o)-* + *-ico*[2].] *Adj. Zool.* Que tem só um estômago.

monogéneo *S. m. Adj. Zool.* V. *monogêneo.* [Uso freq. em P.]

monogêneo [De *mon(o)-* + *-gen(o)-* + *-eo*; tax. *Monogenea.*] *Zool. S. m.* 1. Espécime dos monogêneos, ordem de platelmintos, trematódeos, providos ou não de ventosa oral, e em cuja extremidade posterior há um disco adesivo, e dotados, ainda, de dois poros excretores anteriores e dorsais. São parasitos externos de animais de sangue frio, sem hospedeiros intermediários. ● *Adj.* 2. Pertencente ou relativo a eles.

monogenésico [De *mon(o)-* + *-genes(i)-* + *-ico*[2].] *Adj. Biol.* Que tem apenas uma forma de reprodução, por meio de ovos ou óvulos; monogênico.

monogenia [De *mon(o)-* + *-genia.*] *S. f. Biol.* Modo de geração que consiste em produzir, por meio dum corpo organizado, uma parte que logo dele se separa, constituindo novo indivíduo.

monogénico *Adj.* V. *monogênico.* [Uso freq. em P.]

monogênico [De *monogenia* + *-ico*[2].] *Adj. Biol.* 1. Relativo à monogenia. 2. Monogenésico.

monogenismo [De *mon(o)-* + *-gen(o)-* + *-ismo.*] *S. m. Antrop.* Crença, hipótese ou teoria segundo a qual a humanidade constitui uma única espécie, descendente de um ancestral comum. [Como hipótese ou teoria científica, o monogenismo tornou-se largamente aceito a partir de meados do século XIX, em decorrência da aceitação da teoria darwiniana da evolução, sendo tb. um princípio hoje praticamente inquestionado da antropologia social e cultural.]

monogenista [De *monogenismo* + *-ista.*] *Adj. 2 g.* 1. Relativo ao, ou que é partidário do monogenismo. ● *S. 2 g.* 2. Partidário dele.

monógino [De *mon(o)-* + *-gino.*] *Adj. Bot.* Diz-se dos vegetais cuja flor só tem um pistilo.

monoglota [De *mon(o)-* + *-glota.*] *Adj. 2 g.* 1. Que fala uma só língua (8). [Cf. *monolíngue* (1).] ● *S. 2 g.* 2. Pessoa monoglota.

monoglótico [De *monoglota* + *-ico*[2].] *Adj.* De, pertencente ou relativo a monoglota.

monoglotismo [De *monoglota* + *-ismo.*] *S. m.* Qualidade de monoglota.

monogononte [De *mon(o)-* + *-gon(o)-*[2] + *-onte*; tax. *Monogononta.*] *Zool. S. m.* 1. Espécime dos monogonontes, grande ordem de rotíferos providos de duas antenas laterais no corpo e até dois dedos, e apenas um ovário. Machos conhecidos, porém degenerados. ● *Adj. 2 g.* 2. Pertencente ou relativo a eles.

monografar [De *monografia* + *-ar*[2].] *V. t. d.* Fazer a monografia de. [Pres. ind.: *monografo*, etc. Cf. *monógrafo.*]

monografia [De *mon(o)-* + *-grafia.*] *S. f.* Dissertação ou estudo minucioso que se propõe esgotar determinado tema relativamente restrito. [Cf. *nomografia.*]

monográfico [De *monografia* + *-ico*[2].] *Adj.* Referente a monografia. [Cf. *nomográfico.*]

monografista [De *monografia* + *-ista.*] *S. 2 g.* Monógrafo (2).

monógrafo [Do gr. *monógraphos.*] *Adj.* 1. Que trata de um só objeto. ● *S. m.* 2. Autor de monografia; monografista. [Cf. *monografo*, do v. *monografar.*]

monograma [De *mon(o)-* + *-grama.*] *S. m.* Entrelaçamento das letras iniciais ou principais do nome de pessoa ou de entidade; letras monogramáticas: 📖 "crianças que levantam a cauda do vestido branco de pálidas moças por muitos anos inclinadas a bordar <u>monogramas</u> em lençóis e fronhas de linho..." (Cecília Meireles, *Obra Poética*, p. 999). [Cf. *sigla, logotipo* e *nomograma.*]

monogramático [De *monograma* + *-ático.*] *Adj.* Relativo a monograma. ~ V. *letras —as.*

monogramista [De *monograma* + *-ista.*] *S. 2 g.* 1. Pessoa que faz monogramas. 2. Artista que não assina as suas obras com o nome por extenso, e sim com um monograma, uma abreviatura, ou iniciais.

monogramo [Do gr. *monógrammos*, pelo lat. *monogrammu.*] *Adj. Art. Plást.* Diz-se do trabalho de pintura composto apenas de linhas ou contornos.

mono-hibridismo *S. m. Genét.* V. *monoibridismo.* [Pl.: *mono-hibridismos.*] ❖

monoibridismo (o-i) [De *mon(o)-* + *hibridismo.*] *S. m. Genét.* Cruzamento de dois animais ou de duas plantas que diferem somente em um caráter hereditário. [Var.: *mono-hibridismo.*]

monoico (ói) [De *mon(o)-* + *-oico*[1].] *Adj. Bot.* Que apresenta monecia; monécico: 📄 *árvore <u>monoica</u>.* ❖

monoicó *Bras. S. 2 g.* 1. *Etnôn.* Indivíduo dos monoicós [ou (etnôn. bras.) *Monoikó], povo indígena extinto da família linguística caraíba, que habitava a margem esquerda do rio Cotingo (RR). ● *Adj. 2 g.* 2. Pertencente ou relativo a esse povo.

M

monoide (ói) [De *mon(o)-* + *-oide.*] *S. m. Álg.* Conjunto em que se define uma operação associativa com elemento identidade. ❖

monoideísmo (o-i) [De *mon(o)-* + *-ide(o)-* + *-ismo.*] *S. m.* Estado de alma em todo organismo psíquico que se acha dominado por uma ideia central.

monoilo (ói) [De *mon(o)-* + *-(h)ilo.*] *Adj. Zool.* Cujo corpo é formado de uma só massa homogênea. [F. paral.: *monilo.*] ❖

monolatria [De *mon(o)-* + *-latria.*] *S. f. Rel.* Adoração de um só deus, mesmo com a admissão da existência de vários.

monolátrico [De *monolatria* + *-ico*[2].] *Adj. Rel.* Referente a monolatria.

monolépide [De *mon(o)-* + *-lépide.*] *Adj. 2 g. Zool.* Que tem uma só escama; monolépido.

monolépido [De *mon(o)-* + *-lépido.*] *Adj. Zool.* Monolépide.

monolíngue (güe) [De *mon(o)-* + *-língue.*] *Adj. 2 g.* **1.** *E. Ling.* Relativo a indivíduo ou a comunidade que utiliza apenas uma língua. [Cf. *monoglota.*] **2.** Escrito em uma só língua. [Sin. ger.: *unilíngue.*] ❖

monolinguismo (güis) [De *monolíngue* + *-ismo.*] *S. m. E. Ling.* Utilização regular de apenas uma língua. [Cf. *multilinguismo.*] ❖

monolítico [De *monólito* + *-ico*[2].] *Adj.* **1.** Relativo a, ou semelhante a monólito. **2.** Diz-se de estrutura em que há uma só massa contínua de material. **3.** Diz-se de coluna, obelisco, etc., talhado num só bloco de pedra. **4.** *Fig.* Diz-se do caráter, do sentimento, da crença, etc., que não apresenta rupturas, que é íntegro. **5.** *Fig.* Diz-se de algo inabalável.

monolitismo [De *monólito* + *-ismo.*] *S. m.* **1.** Construção ou sistema de construção com grandes monólitos. **2.** *Fig.* Estrutura formada por um grande bloco ou por algo bastante coeso, inabalável. **3.** *Fig. Pol.* Sistema ou prática em que há predominância de um grupo de grande poder que se mantém em virtude de seus privilégios, doutrina, costumes, etc.

monólito [Do gr. *monólithos*, pelo lat. *monolithu.*] *S. m.* **1.** Pedra de grandes dimensões: "nas montanhas grandes monolitos [está sem acento] se despenham, porque um pequeno apoio fugiu ao seu equilíbrio instável." (Fidelino de Figueiredo, *Entre Dois Universos*, p. 138). **2.** Obra ou monumento feito de um só bloco de pedra; estela. [A grafia *monolito*, que se vê na abonação, corresponde à pronúncia talvez de maior uso.]

monologar [De *monólogo* + *-ar*[2].] *V. int.* **1.** Recitar monólogo(s). **2.** Falar consigo só: "convenceu-se de que alguém conversava ou monologava em voz baixa por ali perto." (Aluísio Azevedo, *O Mulato*, p. 223). *T. d.* **3.** Dizer de si para si: "Algumas mulheres .... se achegavam, benziam-se e monologavam uma oração." (Geraldo França de Lima, *Branca Bela*, p. 79.) [Conjug.: v. *largar*. Pres. ind.: *monologo*, etc. Cf. *monólogo.*]

monólogo [Do gr. *monológos*, 'que fala só'.] *S. m.* **1.** *Teatr.* Cena em que um só ator representa, interpretando um personagem que fala ao público ou consigo mesmo: *É famoso o monólogo de Hamlet, da peça do mesmo nome, de Shakespeare.* **2.** *Teatr.* Monodrama. **3.** Solilóquio. [Cf. *monologo*, do v. *monologar.*]

monologuista [De *monólogo* + *-ista.*] *S. 2 g. Teatr.* Intérprete de teatro que diz monólogos.

monolúcido [De *mon(o)-* + *lúcido.*] *Adj.* ~ V. *papel — e secador —.*

monolugar [De *mon(o)-* + *lugar.*] *Adj. S. m. Lus. Autom.* V. *monoposto.*

monomania [De *mon(o)-* + *-mania.*] *S. f.* **1.** *Psiq. Desus.* Forma de insanidade mental em que o indivíduo dirige a atenção para um só assunto ou tipo de assunto. **2.** *P. ext.* Atividade dirigida para uma ideia fixa.

monomaníaco [De *monomania* + *-íaco.*] *Adj. Psiq.* **1.** Relativo a monomania. **2.** Que tem monomania; monômano. ● *S. m.* **3.** Aquele que tem monomania; monômano.

monómano *Adj. S. m. Psiq.* V. *monômano.* [Uso freq. em P.]

monômano [De *mon(o)-* + *-mano*[1].] *Adj. S. m. Psiq.* Monomaníaco (2 e 3).

monomerídeo [De *mon(o)-* + *-mer(o)-*[1] + *-ídeo*[3].] *Adj. S. m. Zool.* Diz-se de, ou animal metazoário, artiozoário, cujas formas são primitivas, simples e não metamerizadas. Incluem-se, entre eles, os rotíferos e os briozoários.

monómero *Adj.* V. *monômero.* [Uso freq. em P.]

monômero [De *mon(o)-* + *-mero.*] *S. m.* **1.** *Quím.* Molécula, de massa molecular ger. pequena, capaz de ligar-se a outras moléculas da mesma espécie, constituindo longas cadeias que formam um polímero. ● *Adj.* **2.** *Bot.* Que tem um único membro em cada verticilo (diz-se de flor). **3.** *Quím.* Diz-se de monômero (1). **4.** *Zool.* Diz-se de insetos cujos tarsos têm uma só articulação.

monometálico [De *monometalismo* + *-ico*[2], seg. o padrão erudito.] *Adj.* Referente ao monometalismo.

monometalismo [De *mon(o)-* + *metal* + *-ismo.*] *S. m. Econ.* Sistema monetário que usa um só metal (em geral, ouro) como padrão monetário. [Cf. *bimetalismo.*]

monometalista [De *monometalismo* + *-ista.*] *Adj. 2 g.* **1.** Relativo ao, ou que é partidário do monometalismo. ● *S. 2 g.* **2.** Partidário dele.

monométrico [De *monômetro* + *-ico*[2].] *Adj.* **1.** Relativo a monômetro. **2.** Formado de versos duma só medida. ~ V. *sistema —.*

monómetro *S. m.* V. *monômetro.* [Uso freq. em P.]

monômetro [De *mon(o)-* + *-metro.*] *S. m. Arte Poét.* Poema em que há só uma espécie de versos: *A epopeia de Camões,* Os Lusíadas, *toda em decassílabos, é um monômetro.*

monómio *S. m. Mat.* V. *monômio.* [Uso freq. em P.]

monômio [De *mon(o)-* + o final de *binômio.*] *S. m. Mat.* Cada um dos termos de um polinômio.

monomolecular [De *mon(o)-* + *molecular.*] *Adj. 2 g. Quím.* Pertinente a uma só molécula: *gás monomolecular; camada monomolecular.*

monomorfismo [De *mon(o)-* + *morfismo.*] *S. m. Álg.* Morfismo que é uma injeção (7).

monomorfo [De *mon(o)-* + *-morfo.*] *Adj.* **1.** Que tem uma única forma. **2.** Que apresenta a mesma estrutura ou estrutura essencialmente similar em todos os indivíduos (diz-se, esp., de um grupo taxionômico). **3.** *Bot.* Que produz esporos de uma única forma ou espécie; uniforme. **4.** *Min.* Que existe apenas em uma forma cristalina.

monomotapa *S. 2 g.* Soberano do antigo reino do mesmo nome, no N. de Moçambique (África).

monomotor (ô) [De *mon(o)-* + *motor.*] *Adj. S. m.* Diz-se de, ou veículo de um só motor.

mononeuro [De *mon(o)-* + *-neuro.*] *Adj.* Que tem um só sistema nervoso.

mononuclear [De *mon(o)-* + *nuclear.*] *Adj. 2 g.* **1.** Que só tem um núcleo. ~ V. *sistema — fagocitário.* ● *S. m.* **2.** *Histol.* Célula com um só núcleo, como, p. ex., o monócito sanguíneo ou de outro tecido.

mononucleose [De *mononucle(ar)* + *-ose*[1].] *S. f. Patol. Med.* Presença de leucócitos mononucleares em número anormalmente elevado no sangue circulante. ◆ **Mononucleose infecciosa.** *Med.* Doença infecciosa aguda, produzida pelo vírus de Epstein-Barr, e que se apresenta com febre, mal-estar geral, faringite, distúrbio funcional hepático, linfadenopatia, hepatesplenomegalia e, no hemograma, linfócitos atípicos, semelhantes a monócitos; durante a doença, e na convalescença, observa-se importante astenia.

mono-ovular [De *mon(o)-* + *ovular*[1].] *Adj. 2 g. Biol.* Diz-se de gêmeos monozigóticos provenientes de um único oócito. [Pl.: *mono-ovulares.*]

monoparamétrico [De *mon(o)-* + *paramétrico.*] *Adj. Mat.* Que tem um só parâmetro.

monopartidário [De *mon(o)-* + *partidário.*] *Adj.* Em que só há um partido (3): *regime monopartidário.*

monopé [De *mon(o)-* + *pé.*] *S. m. Fot. Bras.* Suporte portátil, com uma única escora, no qual se apoia câmara fotográfica ger. com teleobjetiva. [Cf. *tripé* (3).]

monoperiantado [De *mon(o)-* + *periantado.*] *Adj. Bot.* Diz-se das flores que têm um só perianto; monoperiânteo.

monoperiânteo [De *mon(o)-* + *perianto* + *-eo.*] *Adj. Bot.* Monoperiantado.

monopétalo [De *mon(o)-* + *-pétalo.*] *Adj. Bot.* Que tem uma só pétala. [Cf. *gamopétalo.*]

monoplano [De *mon(o)-* + *plano.*] *S. m.* Espécie de aeroplano de um só plano de sustentação.

monoplástico [De *mon(o)-* + *-plast(o)-* + *-ico*[2].] *Adj.* Feito de uma só peça.

monoplegia [De *mon(o)-* + *-pleg-* + *-ia*[1].] *S. f. Neur.* Paralisia de um só membro.

monoplégico [De *monoplegia* + *-ico*[2].] *Neur. Adj.* **1.** Relativo à, ou que tem monoplegia. ● *S. m.* **2.** Aquele que a tem.

monopnéumone *S. m. Adj. 2 g. Zool.* V. *monopnêumone.* [Uso freq. em P.]

monopnêumone [De *mon(o)-* + *-pnêumone*; tax. *Monopneumona* ou *Monopneumones.*] *S. m. Adj. 2 g. Zool.* V. *ceratodídeo.*

monopneumóneo *Adj. Zool.* V. *monopneumôneo.* [Uso freq. em P.]

monopneumôneo [De *mon(o)-* + *-pneumon-* + *-eo.*] *Adj. Zool.* Que tem um só pulmão ou um só saco pulmonar.

monópode [Do gr. *monópous, odos.*] *Adj. 2 g.* Que tem só um pé.

monopodia [Do gr. *monopodía.*] *S. f.* Qualidade ou estado de monópode.

monopodial [De *monopodia* + *-al*[1].] *Adj. 2 g.* ~ V. *ramificação —.*

monopódio [Do gr. *monopódion*, pelo lat. *monopodiu.*] *S. m.* Mesa com um pé só.

monopólico [De *monopólio* + *-ico*[2].] *Adj.* Relativo a monopólio.

monopólio [Do gr. *monopólion*, pelo lat. *monopoliu.*] *S. m. Econ.* **1.** Situação de mercado em que um só vendedor controla toda a oferta de uma mercadoria ou de um serviço. **2.** Controle exclusivo de uma atividade, atribuído a determinada empresa ou entidade. **3.** A atividade da qual se atribui controle exclusivo. **4.** Açambarcamento de um mercado, para obtenção de preços altos. ◆ **Monopólio natural.** Setor produtivo onde a existência de mais de um ofertante seria em princípio ineficiente (como a distribuição de eletricidade ou de água, numa cidade), e que é em geral objeto de regulamentação governamental, quando entregue a empresa privada.

monopolista [De *monopólio* + *-ista.*] *S. 2 g. Econ.* Pessoa ou entidade que tem ou exerce monopólio.

monopolização [De *monopolizar* + *-ção.*] *S. f.* Ação ou efeito de monopolizar.

monopolizador (ô) [De *monopolizar* + *-dor.*] *Adj. S. m.* Que, ou aquele que monopoliza.

monopolizar [De *monopólio* + *-izar.*] *V. t. d.* **1.** Fazer ou ter monopólio de; açambarcar; abarcar: "Além de monopolizarem [os cartagineses] as grandes rotas marítimas, os seus cameleiros recorriam as estradas do Sudão e dos oásis, ... distribuindo pelo longínquo Oriente .... a mercadoria púnica." (Aquilino Ribeiro, *Os Avós dos Nossos Avós*, p. 45.) **2.** Explorar de maneira abusiva, vendendo sem concorrente. **3.** Possuir ou desfrutar em caráter exclusivo; tomar exclusivamente para si: "O número dos despeitados e dos invejosos aumentava de dia para dia, porque o jovem *bacharel latino* [Luís de Camões].... parecia dispor-se a monopolizar todos os triunfos." (Olavo Bilac, *Últimas Conferências e Discursos*, p. 249); "Na Monarquia eram ainda os fazendeiros escravocratas e eram filhos de fazendeiros, educados nas profissões liberais, quem monopolizava a política" (Sérgio Buarque de Holanda, *Raízes do Brasil*, p. 41).

monoposto (ô) [De *mon(o)-* + *posto*[1].] *Autom. Adj.* **1.** Diz-se de veículo de competição em que só cabe uma pessoa. ● *S. m.* **2.** Esse veículo. [Sin. ger. (lus.): *monolugar.*]

monopse [Do gr. *mónops.*] *Adj. 2 g.* Que só tem um olho.

monopsiquismo [De *mon(o)-* + *-psiqu(e)-* + *-ismo.*] *S. m. Filos.* Doutrina que afirma a unicidade do intelecto humano. [Cf. *averroísmo.*]

monopsiquista [De *monopsiquismo* + *-ista.*] *Adj. 2 g.* **1.** Relativo ao, ou que é adepto do monopsiquismo. ● *S. 2 g.* **2.** Adepto do monopsiquismo.

monopsónio *S. m. Econ.* V. *monopsônio.* [Uso freq. em P.]

monopsônio [De *mon(o)-* + gr. *opsónes*, 'que faz a provisão de víveres', + *-io*[3].] *S. m. Econ.* Situação de mercado em que há um só comprador de determinada mercadoria ou serviço.

monopsonista [De *monopsônio* + *-ista.*] *S. 2 g. Econ.* Comprador único de uma mercadoria ou serviço.

monóptero[1] [Do gr. *monópteros*, pelo lat. *monopteru.*] *Arquit. Adj.* **1.** Que é sustentado por uma só ordem de colunas. ● *S. m.* **2.** Templo monóptero.

monóptero[2] [Do tax. *Monopterus.*] *S. m. Zool.* **1.** Gênero de peixes ápodes, desprovidos de nadadeiras, das águas doces e salobras da região indo-malaia. **2.** Espécie ou espécime desse gênero.

monoquilha [De *mon(o)-* + *quilha.*] *S. f. Surf.* Prancha de surfe com apenas uma quilha (4).

monoquíni [De *mon(o)-* + o final de *biquíni* (q. v.).] *S. m. Bras.* Maiô feminino constituído de calça e, geralmente, suspensórios que passam pelos bicos das mamas. [Cf. *biquíni.*]

monorquidia [De *mon(o)-* + *-orquid(o)-* + *-ia*[1].] *S. f. Urol.* Presença, na bolsa escrotal, de um só testículo.

monorquídico [De *monorquidia* + *-ico*[2].] *Urol. Adj.* **1.** Referente à monorquidia, ou que dela sofre. ● *S. m.* **2.** Aquele que sofre de monorquidia.

monórquido [De *mon(o)-* + *-orqu(i)-* + *-ido*[1].] *Adj. Urol.* Que tem um só testículo.

monorradicular [De *mon(o)-* + *radicular.*] *Adj. 2 g. Anat.* Que tem uma única raiz.

monorrimo [De *mon(o)-* + *rima.*] *Adj. Arte Poét.* Diz-se da composição poética cujos versos têm todos a mesma rima. Ex.: o soneto chamado "Monorrimo", de Fontoura Xavier, todo ele com a rima *-eia.*

monorrino[1] [De *mon(o)-* + *-rino.*] *Adj. Zool.* Que tem apenas uma narina: *ciclostomado monorrino.*

monorrino[2] [Adapt. do tax. *Monorhina.*] *S. m. Adj. Zool. Desus.* V. *ciclostomado*[1].

monorrítmico [De *mon(o)-* + *-ritm(o)-* + *-ico*[2].] *Adj.* De um só ritmo; uniforme, sem variação: "Só a chuva monorrítmica/ sobre a noite, sobre a história / goteja." (Carlos Drummond de Andrade, *Reunião*, p. 184.)

monospermia [De *mon(o)-* + *-sperm(o)-* + *-ia*[1].] *S. f. Biol.* Penetração de um único espermatozoide em óvulo.

monospérmico [De *monospermia* + *-ico*[2].] *Adj.* Que contém uma só semente; monospermo.

monospermo [De *mon(o)-* + *-spermo.*] *Adj.* Monospérmico.

monósporo [De *mon(o)-* + *-sporo.*] *Adj.* Diz-se do esporo formado por um esporângio.

monossacarídeo [De *mon(o)-* + *sacarídeo.*] *S. m. Quím.* Açúcar simples, que não pode ser hidrolisado em outros e que, ger., tem fórmula $C_5H_{10}O_5$ ou $C_6H_{12}O_6$; ose.

monossépalo [De *mon(o)-* + *-sépalo.*] *Adj.* Que forma uma só peça, como o cálice de certas flores. [Cf. *gamossépalo.*]

monosseriado [De *mon(o)-* + *seriado.*] *Adj.* Que forma uma única série.

monossilabar [De *monossílabo* + *-ar*[2].] *V. int.* Falar por monossílabos, por meias palavras.

monossilábico [De *monossílabo* + *-ico*[2].] *Adj.* **1.** Que tem uma só sílaba; monossílabo: *O vocábulo cá é monossilábico.* **2.** Constituído de palavras que constam de uma só sílaba: *verso monossilábico.*

monossilabismo [De *monossílabo* + *-ismo.*] *S. m. E. Ling.* Caráter das línguas cujas raízes são monossilábicas, como, p. ex., o chinês e o tibetano.

monossílabo [Do gr. *monosýllabos, os, on.*] *E. Ling. Adj.* **1.** Monossilábico. • *S. m.* **2.** Palavra de uma só sílaba: "Francisco da Cunha levou aos lábios a mão de Fernanda, e não proferiu um monossílabo." (Camilo Castelo Branco, *Doze Casamentos Felizes*, p. 236.) ~ V. *monossílabos.*

monossílabos [Pl. de *monossílabo.*] *S. m. pl.* Meias palavras; expressões incompletas: *Ou não responde, ou responde por monossílabos.* ~ V. *monossílabo.*

monossintoma [De *mon(o)-* + *sintoma.*] *S. m. Med.* Sintoma único.

monossitia [Do gr. *monositía.*] *S. f.* Hábito de tomar uma única refeição em cada dia.

monossódico [De *mon(o)-* + *sódico.*] *Adj. Quím.* Que contém um só átomo de sódio por molécula. ~ V. *glutamato —.*

monossomia [De *mon(o)-* + *-som(o)-* + *-ia*[1].] *S. f. Ter.* Condição de indivíduo monossomo.

monossômico[1] [De *monossomia* + *-ico*[2].] *Adj. Citol.* A que falta um único cromossomo (diz-se de célula diploide).

monossômico[2] [De *monossomo* + *-ico*[2].] *Adj. S. m. Ter.* Monossomo.

monossomo [De *mon(o)-* + *-somo.*] *Adj. S. m. Ter.* Diz-se de, ou gêmeos que têm um só corpo; monossômico.

monóstico [Do gr. *monóstichos*, pelo lat. *monostichu.*] *Adj.* **1.** Que consta de um só verso. • *S. m.* **2.** Poema de um só verso, como, p. ex., o "Nova Friburgo", de Carlos Drummond de Andrade: "Esqueci um ramo de flores no sobretudo."

monostigmatia [De *mon(o)-* + *-(e)stigmat(o)-* + *-ia*[1].] *S. f. Bot.* Condição das plantas que têm um só estigma.

monostilo [De *mon(o)-* + *-stilo*[1].] *Adj.* Diz-se do gineceu que tem um só estilete.

monóstrofe [De *mon(o)-* + *estrofe.*] *S. f. Arte Poét.* Composição poética de uma só estrofe. [Cf. *monóstrofo.*]

monóstrofo [Do gr. *monóstrophos.*] *Adj.* Formado de uma só estrofe. [Cf. *monóstrofe.*]

monotálamo [De *mon(o)-* + *-tálamo.*] *Adj. Zool.* Diz-se de concha que tem uma cavidade simples, não ramificada.

monoteco [De *mon(o)-* + *-teco.*] *Adj.* Dotado de uma teca nas anteras; uniteco.

monoteico (éi) [De *mon(o)-* + *-te(o)-* + *-ico*[2].] *Adj.* Monoteístico. ❖

monoteísmo [De *mon(o)-* + *teísmo.*] *S. m.* **1.** Crença em um só Deus. **2.** Sistema ou doutrina daqueles que admitem a existência de um único Deus. [Cf. *henoteísmo* e *politeísmo.*]

monoteísta [De *mon(o)-* + *teísta.*] *Adj. 2 g. S. 2 g.* Que, ou quem admite um só Deus.

monoteístico [De *monoteísta* + *-ico*[2].] *Adj.* Relativo ao, ou próprio do monoteísmo, ou de monoteísta; monoteico: *concepção monoteística.*

monotelismo [De *monotelitismo* < lat. tard. *monothelita*, calcado no gr. *mónos*, 'único', + *theletés*, 'aquele que quer', + *-ismo*, com haplologia.] *S. m. Rel.* Derivação do monofisismo defendida no séc. VII, que sustenta a existência de uma única vontade em Cristo.

monotemático [De *mon(o)-* + *temático.*] *Adj. Mús.* Que tem um só tema (7). ~ V. *sonata —a.*

monoterpeno [De *mon(o)-* + *terpeno.*] *S. m. Quím.* Designação genérica dos hidrocarbonetos naturais com dez átomos de carbono, que se podem considerar resultantes da união de dois isoprenos; terpeno.

monoterpenoide (ói) [De *monoterpeno* + *-oide.*] *Adj. 2 g. Quím.* Semelhante em estrutura, ou derivado, de monoterpeno. ❖

monotipar [De *monotipo*[1] + *-ar*[2].] *V. t. d. Tip.* Compor em máquina monotipo.

monotipia[1] [De *monotipo*[1] + *-ia*[1].] *S. f. Tip.* **1.** Arte de compor em máquina monotipo. **2.** Composição monotípica. **3.** Seção ou oficina onde se trabalha em máquinas monotipo. [Cf. *fotocomposição* e *mecanotipia.*]

monotipia[2] [De *monotipo*[2] + *-ia*[1].] *S. f. Art. Gráf.* Processo pelo qual se obtêm as estampas chamadas *monotipos.*

monotípico [De *mon(o)-* + *-tip(o)-* + *-ico*[2].] *Adj. Bot. Zool.* Que tem apenas um representante (diz-se, esp., de gênero que inclui apenas uma espécie). [Opõe-se a *politípico.*]

monotipista *S. 2 g. Tip.* Operador de máquina monotipo. [Cf. *tecladista* (2).]

monotipo[1] [Do ingl. *monotype.*] *S. f. Tip.* Compositora mecânica constituída por duas máquinas distintas: a unidade compositora (teclado), onde, por um sistema de punções, se perfura uma fita de papel, e a unidade fundidora, para onde se transporta a bobina de papel perfurado, a qual passa a comandar o mecanismo de fundição e composição em tipos soltos. [Em Portugal a palavra é do gên. m. e proparoxítona. Cf. *monótipo.*]

monotipo[2] [De *mon(o)-* + *-tipo.*] *S. m. Art. Gráf.* Estampa única que se obtém pintando a imagem numa placa, em geral de vidro, e sobre esta comprimindo o papel. [Cf. *monótipo.*]

monótipo [De *mon(o)-* + *-tipo.*] *Adj. Bot. Zool.* Diz-se do gênero que tem uma só espécie; monotípico. [Cf. *monotipo.*]

monótiro [Do gr. *monóthyros*, 'que tem uma só porta'.] *Adj.* Diz-se da concha que só tem uma valva.

monotongo [Do gr. *monóphthongos*, pelo lat. *monophthongu.*] *S. m. E. Ling.* Encontro vocálico que representa um som apenas, por ser insonora a primeira letra desse grupo, como em *guerra, quinto*, etc. [Tais grupos são denominados *dígrafos* pela Nova Nomenclatura Gramatical.]

monotonia [Do gr. *monotonía.*] *S. f.* **1.** Qualidade de monótono (1); uniformidade fastidiosa de tom: *monotonia de voz.* **2.** Falta de variedade: "A seda dos reposteiros ...., um pouco mais escura que a das paredes, quebrava a monotonia dos tons claros dominantes." (Bernardo Pinheiro Pindela, *Azulejos*, p. 97.) **3.** Sensaboria, insipidez: "Com a mania francesa e burguesa de reduzir todas as regiões e todas as raças ao mesmo tipo de civilização, o mundo ia tornar-se duma monotonia abominável." (Eça de Queirós, *Os Maias*, II, p. 77.)

monotonizar [De *monótono* + *-izar.*] *V. t. d. P.* Tornar monótono, uniforme, enfadonho.

monótono [Do gr. *monótonos*, 'em um tom só', pelo lat. *monotonu.*] *Adj.* **1.** De um só tom; uniforme. **2.** Enfadonho, fastidioso. ~ V. *função —a.*

monotremado [De *mon(o)-* + gr. *trême*, 'orifício', 'cavidade', + *-ado*[3]; tax. *Monotremata.*] *Zool. S. m.* **1.** Espécime dos monotremados, ordem de mamíferos prototérios, com dentes presentes apenas nos jovens, tendo os adultos um bico córneo; cloaca; testículos abdominais; pênis que conduz apenas esperma. As fêmeas são ovíparas, desprovidas de útero ou vagina, com as glândulas mamárias sem tetas. Vivem na região australiana. Ex.: o ornitorrinco e a equidna. • *Adj.* **2.** Pertencente ou relativo a eles. [Sin. ger.: *monotremato, monotremo, ornitodelfo.*]

monotremato [Adapt. do tax. *Monotremata.*] *S. m. Adj. Zool.* V. *monotremado.*

monotremo [F. apocopada de *monotremado.*] *S. m. Adj. Zool.* V. *monotremado.*

monotrilho [De *mon(o)-* + *trilho.*] *Adj.* **1.** Que só tem um trilho. • *S. m.* **2.** Ferrovia que só utiliza um trilho de rolamento. **3.** *P. ext.* Trem, vagão ou locomotiva que trafega em ferrovia com essa característica. [Sin. ger.: *monocarril.*]

monotríquio [De *mon(o)-* + *-triqu(i)-* + *-io*[3].] *Adj. Zool.* Diz-se de animal unicelular que apresenta um só flagelo, na região polar.

monotropia [De *mon(o)-* + *-trop(o)-* + *-ia*[1].] *S. f. Fís.* Propriedade apresentada por substâncias polimórficas que para cada temperatura têm apenas uma forma cristalina estável em equilíbrio com a fase vapor.

monotrópico [De *monotropia* + *-ico*[2].] *Adj.* Relativo a monotropia.

monousuário (o-u) [De *mon(o)-* + *usuário.*] *Adj. 2 g. Inform.* Diz-se de *software* que só pode ser instalado em um único computador e acessado apenas por um usuário por vez.

monovalente [De *mon(o)-* + *valente.*] *Adj. 2 g. Quím.* Que só tem uma valência.

monovolume [De *mon(o)-* + *volume.*] *S. m.* Automóvel com quatro portas e carroceria inteiriça coberta, próprio para o transporte de passageiros e de carga.

monóxido (cs) [De *mon(o)-* + *óxido.*] *S. m. Quím.* Óxido com um só átomo de oxigênio por molécula. ◆ **Monóxido de carbono.** *Quím.* Substância gasosa, muito tóxica, formada na combustão incompleta de compostos orgânicos e presente, p. ex., nos gases de escapamento dos motores de explosão e na fumaça de cigarro [fórm.: CO].

monóxilo (cs) [Do gr. *monóxylos*, pelo lat. *monoxylu.*] *Adj.* **1.** Feito de uma só peça de madeira: *embarcação monóxila.* • *S. m.* **2.** Embarcação cujo casco é constituído de um só tronco de árvore escavado a fogo ou com ferramentas apropriadas, como, p. ex., a piroga.

monoxó *Bras. S. 2 g.* **1.** *Etnôn.* Indivíduo dos monoxós, povo indígena extinto da família linguística maxacali, que habitava a região da cabeceira do rio Suaçuí Grande (MG). • *Adj. 2 g.* **2.** Pertencente ou relativo a esse povo. [Tb. us. como *s. 2 g. e 2 n.* (com cap.) e *adj. 2 g. e 2 n.*]

monozigótico [De *mon(o)-* + *zigoto* + *-ico*[2].] *Adj.* Diz-se de gêmeos provenientes de um único óvulo fertilizado; univitelino.

monozoário [De *mon(o)-* + *-zo(o)-* + *-ário*; tax. *Monozoa.*] *S. m. Adj. Zool.* V. *cestodário.*

monozoicidade (òi) [De *monozoico* + *-(i)dade.*] *S. f.* Qualidade de monozoico.

monozoico (ói) [De *mon(o)-* + *-zoico.*] *Adj. Zool.* Diz-se dos animais que têm vida individual e insulada. ❖

monquilho [De *monco* + *-ilho.*] *S. m. Veter.* Moléstia do gado lanígero.

monroísmo *S. m.* Doutrina do estadista norte-americano James Monroe (1759-1831), que não admite a intervenção de potências europeias nas questões políticas da América. [Cf. *pan-americanismo.*]

monroísta [De *monroísmo* + *-ista.*] *Adj. 2 g. S. 2 g.* Diz-se de, ou pessoa adepta do monroísmo.

➔ **mons** [mɔns] [Lat., 'monte'.] *Astr.* Cadeia de montanhas na superfície de um planeta ou de um satélite.

monsenhor (ô) [Do it. *monsignore.*] *S. m.* **1.** *Ecles.* Título honorífico, concedido pelo Papa a alguns eclesiásticos e em especial aos seus camareiros. **2.** *Bot.* V. *crisântemo* (3). **3.** *Bot.* Planta asterácea (*Leucanthemum maximum*) herbácea, nativa dos Pireneus (Europa), de folhas lanceoladas e flores com longas brácteas; tem inúmeras subespécies.

monsenhorado [De *monsenhor* + *-ado*[2].] *S. m.* Dignidade de monsenhor.

➔ **monsieur** [mə'sjø] [Fr.] *S. m.* Tratamento correspondente a *senhor.* [Pl.: *messieurs.* Abrev.: *M.*]

monstera [Do tax. *Monstera.*] *S. f. Bot.* **1.** Gênero de plantas aráceas cultivadas por suas folhas recortadas e pertusas. **2.** Espécie, ou espécime desse gênero.

monstrengo [De *mostrengo*, com infl. de *monstro.*] *S. m.* V. *mostrengo*: "A esta violenta extorsão de 3, seguiu-se o abominável regulamento de 5 de março (a ditadura cada vinte e quatro horas aberta um monstrengo legislativo)" (João Francisco Lisboa, *Obras*, IV, p. 596);"Eis aí o monstrengo. É incrível. Falta à rima e à razão." (João Ribeiro, *Curiosidades Verbais*, p. 224). [A f. *mostrengo*, injustificavelmente condenada por muitos, encontra-se, ainda, p. ex., em José Veríssimo, *Cenas da Vida Amazônica*, p. 16; Alcides Maia, *Alma Bárbara*, p. 180; Augusto Meyer, *A Forma Secreta*, p. 118; Mário da Silva Brito, *Diário Intemporal*, p. 102.]

monstro [Do lat. *monstru.*] *S. m.* **1.** Corpo organizado que apresenta, em todas as suas partes ou em algumas delas, conformação anômala. **2.** Ser fantástico, da mitologia ou da lenda, de conformação extravagante. **3.** Animal excessivamente grande, ou de aspecto espantoso: *os monstros da pré-história.* **4.** Figura colossal, estupenda. **5.** Indivíduo que causa pasmo, assombro; monstruosidade: *É um monstro para trabalhar.* **6.** *Fig.* Pessoa cruel, desnaturada, ou horrenda. **7.** *P. ext.* Tudo que é contrário às leis da natureza: "É a Guerra aquele monstro, que se sustenta das fazendas, do sangue, das vidas, e quanto mais come, e consome, tanto menos se farta." (Pe. Antônio Vieira, *Sermões*, XIV, p. 8.) **8.** *Ter.* Feto, ou criança, que apresenta anomalia(s) de desenvolvimento tal, que o torna(m) disforme e, ger., só lhe permite(m) vida breve; aberração. • *Adj. 2 g. e 2 n.* **9.** Muito grande; fora do comum: *comício monstro; liquidação monstro; espetáculos monstro.* ◆ **Monstro sagrado. 1.** Artista excepcional, de grande talento. **2.** *P. ext.* Pessoa de renome e prestígio que, por ser louvada ao extremo, se tornou incriticável; mito, intocável. [Us., não raro, ironicamente.]

monstruosidade [De *monstruoso* + *-(i)dade.*] *S. f.* **1.** Qualidade de monstruoso. **2.** Coisa extraordinária ou abominável. **3.** Monstro (5). **4.** *Fig.* Ação própria de monstro (6). **5.** *Ter.* Grande deformidade, ger. compatível com a vida por pouco tempo, ou, tempo nenhum.

monstruoso (ô) [Do lat. *monstruosu.*] *Adj.* **1.** Que tem a conformação de monstro. **2.** Enorme, extraordinário. **3.** Pasmoso, assombroso, prodigioso. **4.** Que excede em perversidade, em maldade, o que se possa imaginar. **5.** Feio em demasia. **6.** Que é contrário às leis da natureza.

monta [Dev. de *montar*.] *S. f.* **1.** Importância total de uma conta; soma. **2.** Importância, gravidade. **3.** Preço ou valor; estimação, importe, custo. **4.** V. *lance* (2).

monta-cargas [De *montar* + o pl. de *carga*.] *S. m. 2 n.* **1.** Aparelho que serve para carregar peças de artilharia. **2.** *Bras.* Elevador para mercadorias.

montada [De *montar* + *-ada*[1].] *S. f.* **1.** Ato de montar. **2.** Elevação nas cambas do freio. **3.** Cavalo de oficial: "a Hispânia fornecia exércitos completos, isto é, montados e equipados. Não era fácil encontrar montadas superiores às ibéricas, quanto a resistência e ardor" (Aquilino Ribeiro, *Os Avós dos Nossos Avós*, p. 179). **4.** Pessoa que traz outra a cavaleiro.

montadense *Adj. 2 g.* **1.** De, ou pertencente ou relativo a Montadas (PB). ● *S. 2 g.* **2.** O natural ou habitante de Montadas.

montado[1] [De *monte* + *-ado*[1].] *S. m. Lus.* Terreno onde crescem principalmente sobreiros e azinheiros, e onde podem pastar porcos: "A palmilhar aqueles montados desmedidos, sinto-me mais perto de Portugal do que no castelo de Guimarães." (Miguel Torga, *Portugal*, p. 121.)

montado[2] [Part. de *montar*.] *Adj.* **1.** Posto sobre um cavalo ou sobre outro animal. **2.** Colocado ou posto ao jeito de cavaleiro: *Subiu o muro e lá ficou montado.* **3.** *Pop.* Que se montou [v. *montar* (28)].

montador (ô) [De *montar* + *-dor*.] *S. m.* **1.** Aquele que faz montagens. **2.** *Inform.* Programa que converte em linguagem de máquina (q. v.) as instruções escritas em mnemônicos da linguagem *assembly*. [Corresponde ao ingl. *assembler*.]

montadora (ô) [De *montar* + *-dora*.] *S. f. Bras.* Indústria cujo produto final é resultado de uma linha de montagem (q. v.).

montagem [De *montar* + *-agem*[2].] *S. f.* **1.** Ato ou efeito de montar(-se). **2.** Operação de reunir as peças de um dispositivo, um mecanismo, ou qualquer objeto complexo, de modo que possa funcionar ou preencher o fim a que se destina: *a montagem de um automóvel.* **3.** *Art. Gráf.* Arrumação, na ordem e na posição adequadas para formação de caderno, de fôrmas de tipos em uma rama, ou de fotolitos sobre astralão. **4.** *Cin.* Seleção e coordenação dos planos, das tomadas e das sequências dum filme para que este se apresente como realização coerente e definitiva. [Cf. (nesta acepç.) *copião*.] **5.** *Cin. Telev. Rád.* V. *edição* (10 e 11). **6.** *Inform.* Conversão de programa escrito em linguagem *assembly* para código de máquina, *i. e.*, para uma forma diretamente executável pelo computador. **7.** *Mús.* Qualquer processo (manual, eletrônico, etc.) pelo qual se obtém um encadeamento homogêneo de diversos segmentos de gravações. **8.** *Teatr.* A encenação de um espetáculo teatral em relação ao diretor e à equipe técnica. [Sin.: *encenação* e (fr.) *mise-en-scène*.] ◆ **Montagem crítica.** *Eng. Nucl.* Conjunto crítico.

montalvanense *Adj. 2 g.* **1.** De, ou pertencente ou relativo a Montalvânia (MG). ● *S. 2 g.* **2.** O natural ou habitante de Montalvânia.

montanha [Do lat. vulg. **montanea*, der. de *monte*.] *S. f.* **1.** Elevação íngreme de terreno, terminada em cume, e que se ergue acima de 1.000m em relação ao terreno que a cerca. **2.** Série de montes. **3.** Grande elevação de algo: *Dia a dia a montanha de lixo aumentava.* **4.** Grande volume: *Recebe, diariamente, uma montanha de cartas.*

montanha-russa [Do fr. *montagne russe*, adapt. do al. *Rutschenberg*, 'monte escorregadio'.] *S. f.* **1.** Espécie de divertimento: armação constituída de uma série de vagonetes que deslizam com grande rapidez sobre aclives sucessivos e bruscos, proporcionando emoções violentas: "o cinema ao ar livre, o Parque das Diversões com a montanha-russa, ... a roda-gigante, o tiro ao alvo" (Marques Rebelo, *O Trapicheiro*, p. 203). **2.** *Bras. RS Cul.* Doce de vários cremes, ger. de cores diversas, que se serve em taças, sobrepondo-lhe certa porção de suspiro ou de merengada com feitio cônico e, sobre esta, uma ameixa. [Pl.: *montanhas-russas*.]

montanheira [De *montanha* + *-eira*.] *S. f. Lus.* **1.** Montado[1]. **2.** Ceva de porcos por meio de bolotas, num montado.

montanhense[1] *Adj. 2 g.* **1.** De, ou pertencente ou relativo a Montanha (ES). ● *S. 2 g.* **2.** O natural ou habitante de Montanha.

montanhense[2] *Adj. 2 g.* **1.** De, ou pertencente ou relativo a Montanhas (RN). ● *S. 2 g.* **2.** O natural ou habitante de Montanhas.

montanhês *Adj.* **1.** Que habita as montanhas ou é próprio delas; montano; aarônico. **2.** Montês (1). **3.** Mineiro[2] (1): "A história do teatro nas Minas do século XVIII é capítulo da história geral da cultura montanhesa que ainda aguarda o necessário estudo." (Afonso Ávila, *Resíduos Seiscentistas em Minas*, I, p. 106); "Já conhecia .... as jovens tuberculosas da Capital montanhesa" (Paulo Mendes Campos, *Homenzinho na Ventania*, p. 136). ● *S. m.* **4.** Aquele que vive nas montanhas. **5.** V. *mineiro*[2] (3). [Flex.: *montanhesa* (ê), *montanheses* (ê), *montanhesas* (ê).]

montanhesco (ê) [De *montanha* + *-esco*.] *Adj.* Referente a montanha; silvestre, alpestre; montaraz.

montanhismo [De *montanha* + *-ismo*.] *S. m.* Esporte que consiste em subir montanhas, escalando (v. escalada) ou caminhando; alpinismo.

montanhista [De *montanhismo* + *-ista*.] *Adj. 2 g.* **1.** Relativo ao, ou que pratica o montanhismo. ● *S. 2 g.* **2.** Pessoa que o pratica. [Sin. ger.: *alpinista*.]

montanhístico [De *montanhista* + *-ico*[2].] *Adj.* Relativo ao montanhismo, ou a montanhista.

montanhoso (ô) [De *montanha* + *-oso*.] *Adj.* Em que há muitas montanhas; montuoso.

montanismo *S. m. Rel.* Heresia de Montano (séc. II), originário da Frígia, que professava uma encarnação do Espírito Santo e extremo rigorismo moral.

montanista [De *montanismo* + *-ista*.] *Adj. 2 g.* **1.** Pertencente ou relativo ao montanismo. ● *S. 2 g.* **2.** Partidário do montanismo.

montanística [De *montano* + *-ist(a)-* + *-ica*.] *S. f.* Tratado acerca da extração e fusão dos metais.

montano [Do lat. *montanu*.] *Adj.* **1.** Montanhês (1). **2.** Rude, rústico.

montante [De *montar* + *-nte*.] *S. m.* **1.** Grande espada antiga, que se brandia com ambas as mãos. **2.** Soma, importância, monta: *O montante dos gastos vai a 2 mil reais.* **3.** Haste vertical do estéreo[2]. **4.** Direção de onde correm as águas duma corrente fluvial. **5.** Enchente da maré; maré alta. [Antôn., nesta acepç.: *vazante*.] **6.** *Fin.* Capital acrescido de juros, ao fim de um período de capitalização. **7.** Soma, importância em dinheiro. **8.** *Arquit.* Qualquer peça vertical de sustentação que, numa estrutura, não possa ser considerada coluna ou pilastra: "Como os meus colegas engenheiros invadi os espaços, reduzi montantes, venci recordes, revelando a todos que nós, dessa América Latina tão explorada, tudo também podemos realizar." (Oscar Niemeyer, *As Curvas do Tempo*, p. 249.) **9.** *Calígr. Tip.* Cada uma das duas hastes do A e do V. [Cf., nesta acepç., *letra montante*.] ● *Adj. 2 g.* **10.** Que se eleva. ~ V. *maré —*, *letra —* e *prensa —*. ◆ **A montante.** Para o lado da nascente (de um rio): "brigas de morte porque a mulher de um lavou roupa a montante do córrego, a outra querendo beber água a jusante." (Josué Guimarães, *A Ferro e Fogo*, p. 31). [Antôn.: *a jusante*.]

montão [De *monte* + *-ão*[1].] *S. m.* **1.** Acumulação desordenada. **2.** V. *quantidade* (3). ◆ **De montão.** V. *aos montes.* **Em montão.** V. *aos montes.*

montar [Do lat. vulg. **montare*.] *V. t. d.* **1.** Pôr-se sobre (uma cavalgadura); cavalgar: "foi ao encontro do rei de Portugal, que, ... airoso nos estribos, montava garboso cavalo" (Antero de Figueiredo, *Leonor Teles*, p. 182). **2.** Colocar sobre; sobrepor. **3.** Fornecer ou prover de quanto é necessário. **4.** Aprontar para funcionar; armar, preparar, dispor: *montar uma máquina.* **5.** Engastar, encaixar. **6.** Organizar; planejar: *montar uma exposição.* **7.** Importar, significar, representar, valer. **8.** *Mar.* Instalar (peça ou aparelho) no seu lugar: *montar o leme.* **9.** *Mar.* Reunir e compor convenientemente as peças de (máquina, engenho ou dispositivo), de modo que fique em condições de funcionar: *montar o fuzil.* **10.** *Mar. G.* Concentrar, preparar e manter o embarque e o carregamento dos meios necessários à execução de (uma operação anfíbia). [A montagem da operação anfíbia termina com a partida da força de ataque da área de montagem para a área do objetivo.] **11.** *Mar.* Ultrapassar (um acidente geográfico): *montar o promontório, o recife.* **12.** *Cin. Telev. Rád.* Fazer a montagem (4 e 5) de. **13.** *Teatr.* Encenar (um espetáculo teatral). **14.** *Teatr.* Dirigir (a encenação); dar-lhe andamento. **15.** *Art. Gráf.* Fazer a montagem (3) de. *T. d. e c.* **16.** Pôr, colocar, sobrepor: *Montou o pequeno sobre o muro.* *T. c.* **17.** Atingir (determinada soma ou quantia): *O custo de construção monta a dois milhões.* **18.** Elevar-se; atingir; importar: *A despesa monta a 1.000 reais*; "Gastaram-se 23 dias em ler a tradução do *Ramaiana*, que monta a quase vinte e cinco mil versos" (Rebelo da Silva, *Bosquejos Histórico-Literários*, II, p. 71). **19.** Subir; entrar: *O carona montou no caminhão.* *T. i.* **20.** Colocar-se sobre uma cavalgadura: "O bosque palpita ao açoite / Do vento outonal: é noite. / Monto a cavalo e meto-me a caminho." (Gonçalves Crespo, *Obras Completas*, p. 260.) **21.** Trepar sobre, abrindo as pernas; bifurcar-se sobre: *Montou no animal e pôs-se a galopar.* **22.** Servir, prestar. *Int.* **23.** Praticar equitação. **24.** Importar, interessar: *Pouco monta que ele vá ou que fique.* **25.** Ter importância; valer. *P.* **26.** Pôr-se sobre a cavalgadura; cavalgar. **27.** Colocar-se sobre o animal ou outra coisa qualquer como se estivesse a cavalo; escanchar-se, bifurcar-se. **28.** *Pop.* Vestir-se (o homem) com trajes femininos, maquilando-se como mulher, etc. [Pres. ind.: *monto*, *montas*, etc.; fut. pres.: *montarei*, *montarás*, etc., fut. pret.: *montaria*, *montarias*, etc.; pres. subj.: *monte*, *montes*, etc. Cf. *montaraz*, *monta*, pl. *montas*, *montaria*, pl. *montarias*, *monte*, pl. *montes*, e *Monte*, antr.]

montaraz [De *monte* + *-araz*.] *Adj. 2 g.* **1.** V. *montanhesco*. ● *S. m.* **2.** Monteiro (2). [Cf. *montarás*, do v. *montar*.]

montaria[1] [De *monte* + *-aria*.] *S. f.* **1.** Lugar onde se corre caça grossa. **2.** A corrida desse tipo de caça; monteada, veação, batida. **3.** Ofício de monteiro (2). **4.** *Fig.* Perseguição feita por muita gente; assuada. [Cf. *montaria* e *montarias*, do v. *montar*.]

montaria[2] [De *montar* + *-ia*[1].] *S. f.* **1.** Remonta (1). **2.** *Bras.* Cavalgadura (1). **3.** Sela usada pelas mulheres. **4.** Saia comprida que as mulheres usavam para montar. **5.** *Turfe* V. *jóquei* (2). **6.** *Bras. Amaz.* Pequena canoa, feita, comumente, de um tronco escavado a fogo: "como índios contentava-se com os prudentes tapuios de camisa de riscado e calças de algodão, que remam silenciosamente à proa das montarias de pesca" (Inglês de Sousa, *O Missionário*, p. 190). [Cf. *montaria* e *montarias*, do v. *montar*.]

montauriense *Adj. 2 g.* **1.** De, ou pertencente ou relativo a Montauri (RS). ● *S. 2 g.* **2.** O natural ou habitante de Montauri.

monte [Do lat. *monte*.] *S. m.* **1.** Elevação notável de terreno acima do solo que a cerca; serra. **2.** Qualquer amontoado de coisas em forma de monte: *O terreiro estava coberto de montes de café.* **3.** Porção, bocado: *Pode tirar um monte destas laranjas para você.* **4.** Acervo, montão: *Conseguiu juntar um monte de dinheiro.* **5.** Ajuntamento, reunião: *Que faz ali aquele monte de gente?* [Aum., nessas acepç.: *montão*; dim. irreg.: *montículo*.] **6.** O conjunto dos bens de uma herança: "Faz-se pela rama a descrição dos bens. Há muita cousa que não figura no monte, porque a inclusão repugna à sensibilidade contemporânea." (Alcântara Machado, *Vida e Morte do Bandeirante*, p. 24.) **7.** Certo jogo de azar. **8.** O conjunto das apostas dos parceiros em cada mão de um jogo. [Dim., nessas acepç.: *montezinho*, *montinho*, *montículo*. Cf. *montesinho*.] **9.** *Lus.* No Alentejo, casa de fazenda e suas instalações. **10.** *P. ext. Lus.* Fazenda (2). [Cf. (acepç. 1 a 10) *monte* e *montes*, do v. *montar*.] ◆ **Monte de Vênus.** *Anat.* Proeminência no púbis feminino. **A monte. 1.** Ao acaso, a esmo, à toa: "era um nome que andava a monte repetido e desfigurado nos ficheiros da terapia da fala" (José Cardoso Pires, *De Profundis, Valsa Lenta*, p. 41). **2.** Por alto; sem discernimento. **3.** Abandonado ou inculto: *terreno a monte.* **Andar a monte.** *Lus.* Andar foragido. **Aos montes.** Em grande quantidade; com abundância; copiosamente; de montão; em montão. [Sin. (bras., pop.): *de montão*.]

monteada [De *montear*[1] + *-ada*[1].] *S. f.* **1.** V. *montaria*[1] (2). **2.** Caçada nos montes.

monteador (ô) [De *montear*[1] + *-dor*.] *S. m.* Aquele que caça nos montes; monteiro: "O filho do infante D. Luís saíra um dia à caça com seus monteadores." (Camilo Castelo Branco, *D. Luís de Portugal*, p. 135.)

monte-alegrense[1] *Adj. 2 g.* **1.** De, ou pertencente ou relativo a Monte Alegre (PA e RN). ● *S. 2 g.* **2.** O natural ou habitante de Monte Alegre. [Sin. (pop.), como adj. e s. m., e só aplicável ao Monte Alegre do PA: *pinta-cuia*. Pl.: *monte-alegrenses*.]

monte-alegrense[2] *Adj. 2 g.* **1.** De, ou pertencente ou relativo a Monte Alegre de Goiás (GO). ● *S. 2 g.* **2.** O natural ou habitante de Monte Alegre de Goiás. [Pl.: *monte-alegrenses*.]

monte-alegrense[3] *Adj. 2 g.* **1.** De, ou pertencente ou relativo a Monte Alegre de Minas (MG). ● *S. 2 g.* **2.** O natural ou habitante de Monte Alegre de Minas. [Pl.: *monte-alegrenses*.]

monte-alegrense[4] *Adj. 2 g.* **1.** De, ou pertencente ou relativo a Monte Alegre de Sergipe (SE). ● *S. 2 g.* **2.** O natural ou habitante de Monte Alegre de Sergipe. [Pl.: *monte-alegrenses*.]

monte-alegrense[5] *Adj. 2 g.* **1.** De, ou pertencente ou relativo a Monte Alegre do Piauí (PI). ● *S. 2 g.* **2.** O natural ou habitante de Monte Alegre do Piauí. [Pl.: *monte-alegrenses*.]

monte-alegrense[6] *Adj. 2 g.* **1.** De, ou pertencente ou relativo a Monte Alegre do Sul (SP). ● *S. 2 g.* **2.** O natural ou habitante de Monte Alegre do Sul. [Pl.: *monte-alegrenses*.]

monte-altense[1] *Adj. 2 g.* **1.** De, ou pertencente ou relativo a Barão de Monte Alto (MG). ● *S. 2 g.* **2.** O natural ou habitante de Barão de Monte Alto. [Pl.: *monte-altenses*.]

monte-altense[2] *Adj. 2 g.* 1. De, ou pertencente ou relativo a Monte Alto (SP). ● *S. 2 g.* 2. O natural ou habitante de Monte Alto. [Pl.: *monte-altenses.*]

monte-altense[3] *Adj. 2 g.* 1. De, ou pertencente ou relativo a Montes Altos (MA). ● *S. 2 g.* 2. O natural ou habitante de Montes Altos. [Pl.: *monte-altenses.*]

monte-altense[4] *Adj. 2 g.* 1. De, ou pertencente ou relativo a Palmas de Monte Alto (BA). ● *S. 2 g.* 2. O natural ou habitante de Palmas de Monte Alto. [Pl.: *monte-altenses.*]

monte-aprazivelense *Adj. 2 g.* 1. De, ou pertencente ou relativo a Monte Aprazível (SP). ● *S. 2 g.* 2. O natural ou habitante de Monte Aprazível. [Pl.: *monte-aprazivelenses.*]

montear[1] [De *monte* + *-ear*[2].] *V. t. d.* 1. Caçar nos montes. 2. Caçar em (algum lugar): 📖 "fidalgas, fidalgos, cavalos, piqueiros, monteiros, veadores .... partiram a montear javardos, lobos, onças" (Lima Barreto, *Numa e a Ninfa*, p. 119). 3. Pôr em montão; amontoar. *Int.* 4. Andar à caça nos montes; caçar: 📖 "gostava .... principalmente de três cousas boas segundo a carnalidade: da guerra, do vinho e das damas; mas ainda mais do que de tudo isso, gostava de montear." (Alexandre Herculano, *Lendas e Narrativas*, I, p. 20). [Conjug.: v. *frear*. Pres. ind.: *monteio, monteias, monteia*, etc. Cf. *monteia* e *monteira*, s. f.]

montear[2] [De *monteia* + *-ar*[2].] *V. t. d.* Fazer a monteia de. [Conjug.: v. *frear*. Pres. ind.: *monteio, monteias, monteia*, etc. Cf. *monteia*, s. f.]

monte-azulense[1] *Adj. 2 g.* 1. De, ou pertencente, ou relativo a Monte Azul (MG). ● *S. 2 g.* 2. O natural ou habitante de Monte Azul. [Pl.: *monte-azulenses.*]

monte-azulense[2] *Adj. 2 g.* 1. De, ou pertencente ou relativo a Monte Azul Paulista (SP). ● *S. 2 g.* 2. O natural ou habitante de Monte Azul Paulista. [Pl.: *monte-azulenses.*]

monte-belense[1] *Adj. 2 g.* 1. De, ou pertencente ou relativo a Monte Belo (MG). ● *S. 2 g.* 2. O natural ou habitante de Monte Belo. [Pl.: *monte-belenses.*]

monte-belense[2] *Adj. 2 g.* 1. De, ou pertencente ou relativo a Monte Belo do Sul (RS). ● *S. 2 g.* 2. O natural ou habitante de Monte Belo do Sul. [Pl.: *monte-belenses.*]

monte-belense[3] *Adj. 2 g.* 1. De, ou pertencente ou relativo a São Luís de Montes Belos (GO). ● *S. 2 g.* 2. O natural ou habitante de São Luís de Montes Belos. [Pl.: *monte-belenses.*]

monte-castelense[1] *Adj. 2 g.* 1. De, ou pertencente ou relativo a Monte Castelo (SC e SP). ● *S. 2 g.* 2. O natural ou habitante de Monte Castelo. [Pl.: *monte-castelenses.*]

monte-castelense[2] *Adj. 2 g.* 1. De, ou pertencente ou relativo a Santa Cruz de Monte Castelo (PR). ● *S. 2 g.* 2. O natural ou habitante de Santa Cruz de Monte Castelo. [Pl.: *monte-castelenses.*]

monte de piedade *S. m. Bras. MG* Monte de socorro. [Pl.: *montes de piedade.*] ☑

monte de socorro *S. m.* Instituição oficial onde se empresta dinheiro a juros mediante penhor. [Sin., em MG: *monte de piedade.* Pl.: *montes de socorro.*] ☑

monte-gameleirense *Adj. 2 g.* 1. De, ou pertencente ou relativo a Monte das Gameleiras (RN). ● *S. 2 g.* 2. O natural ou habitante de Monte das Gameleiras. [Pl.: *monte-gameleirenses.*]

monteia (éi) [Do fr. *montée.*] *S. f.* 1. Esboço ou planta duma construção com indicações relativas às respectivas elevações e dimensões. 2. O espaço ocupado por um edifício. [Cf. *monteia*, do v. *montear.*] ❖

monteico (éi) [De *monteia* + *-ico*[2].] *Adj.* Da, ou relativo à monteia. ❖

monteira [Fem. de *monteiro.*] *S. f.* 1. Caçadora dos montes. 2. Carapuça de montanhês.

monteirense *Adj. 2 g.* 1. De, ou pertencente ou relativo a Monteiro (PB). ● *S. 2 g.* 2. O natural ou habitante de Monteiro.

monteiria [De *monteiro* + *-ia*[1].] *S. f.* 1. Cargo de monteiro. 2. A parte que competia ao monteiro da multa lançada aos que iam caçar nas coutadas.

monteiro [De *monte* + *-eiro.*] *S. m.* 1. Aquele que caça nos montes; monteador. 2. Guarda de mata; montaraz. ● *Adj.* 3. Relativo a monteiro. 4. Próprio para montear.

monteiropolense (ópo) *Adj. 2 g.* 1. De, ou pertencente ou relativo a Monteirópolis (AL). ● *S. 2 g.* 2. O natural ou habitante de Monteirópolis. [Sin. ger.: *guaribense*[2].]

monte-morense *Adj. 2 g.* 1. De, ou pertencente ou relativo a Monte Mor (SP). ● *S. 2 g.* 2. O natural ou habitante de Monte Mor.

monte-negrino *Adj.* 1. De, ou pertencente ou relativo a Monte Negro (RO). ● *S. m.* 2. O natural ou habitante de Monte Negro. [Pl.: *monte-negrinos*. Cf. *montenegrino.*]

montenegrino[1] *Adj.* 1. De, ou pertencente ou relativo a Montenegro, pequena república situada nos Bálcãs, no S.E. da Europa. ● *S. m.* 2. O natural ou habitante de Montenegro. [Cf. *monte-negrino.*]

montenegrino[2] *Adj.* 1. De, ou pertencente ou relativo a Montenegro (RS). ● *S. m.* 2. O natural ou habitante de Montenegro. [Cf. *monte-negrino.*]

montepio [De *monte* (4) + *pio.*] *S. m.* Instituição em que, mediante uma cota, e satisfeitas outras condições, cada membro adquire o direito de, por morte, deixar pensão pagável a alguém de sua escolha.

montês [De *monte* + *-ês.*] *Adj. e Adj. 2 g.* 1. Dos montes; montanhês: 📖 "galgam os precipícios após a cabra montês" (Alexandre Herculano, *Eurico*, p. 229); "Cabrinhas montesas da Serra da Estrela..." (Antônio Nobre, *Só*, p. 39). 2. Próprio de quem habita os montes, de montanhês: 📖 "Passara até ali numa herdade, entre boiadas ...., a rabeira dos arados, plena liberdade montesa" (Fialho d'Almeida, *Contos*, pp. 308-309). [Sin. ger.: *montesinho, montesino*. Flex.: *monteses* (ê), ou (se considera variável em gênero a palavra) *montesa* (ê), *monteses* (ê), *montesas* (ê).] ~ V. *porco —*.

monte-santense[1] *Adj. 2 g.* 1. De, ou pertencente ou relativo a Monte Santo (BA). ● *S. 2 g.* 2. O natural ou habitante de Monte Santo. [Pl.: *monte-santenses.*]

monte-santense[2] *Adj. 2 g.* 1. De, ou pertencente ou relativo a Monte Santo de Minas (MG). ● *S. 2 g.* 2. O natural ou habitante de Monte Santo de Minas. [Pl.: *monte-santenses.*]

montes-clarense[1] *Adj. 2 g.* 1. De, ou pertencente ou relativo a Montes Claros (MG). ● *S. 2 g.* 2. O natural ou habitante de Montes Claros. [Pl.: *montes-clarenses.*]

montes-clarense[2] *Adj. 2 g.* 1. De, ou pertencente ou relativo a Montes Claros de Goiás (GO). ● *S. 2 g.* 2. O natural ou habitante de Montes Claros de Goiás. [Pl.: *montes-clarenses.*]

montesinho *Adj.* V. *montês*. [Cf. *montezinho*, dim. de *monte.*]

montesino *Adj.* V. *montês*: 📖 "sorvi o perfume, que andava no ar, das ervas montesinas" (Antero de Figueiredo, *Toledo*, p. 214).

monte-sionense *Adj. 2 g.* 1. De, ou pertencente ou relativo a Monte Sião (MG). ● *S. 2 g.* 2. O natural ou habitante de Monte Sião. [Pl.: *monte-sionenses.*]

montevideano *Adj.* 1. De, ou pertencente ou relativo a Montevidéu, capital do Uruguai. ● *S. m.* 2. O natural ou habitante de Montevidéu.

montevidéu [Do top. *Montevidéu.*] *S. m. Bras. RS* Cicatriz de ferimento recebido em briga ou em batalha.

montezumense *Adj. 2 g.* 1. De, ou pertencente ou relativo a Montezuma (MG). ● *S. 2 g.* 2. O natural ou habitante de Montezuma.

montícola [Do lat. *monticola.*] *Adj. 2 g.* 1. Que habita os montes. ● *S. 2 g.* 2. Pessoa ou animal que os habita.

monticulado [De *montículo* + *-ado*[1].] *Adj.* Em que há montículos.

montículo [Do lat. *monticulu.*] *S. m.* 1. Pequeno monte (1); cômoro, outeiro. 2. Pequeno monte (2). [Sin. ger., bras.: *munduru, murundu.*]

montígeno [Do lat. *montigena.*] *Adj.* Produzido nos montes.

montívago [Do lat. *montivagu.*] *Adj.* Que vagueia pelos montes.

montividiuense *Adj. 2 g.* 1. De, ou pertencente ou relativo a Montividiu (GO). ● *S. 2 g.* 2. O natural ou habitante de Montividiu.

montmorillonita [Do fr. *montmorillonite* < top. *Montmorillon* (França) + fr. *-ite.*] *S. f. Quím.* Argila natural, que pode conter cátions de sódio, potássio, cálcio ou magnésio, e é empregada como adsorvente ou em catalisadores.

montoeira [De *montão* + *-eira*, com desnasalação.] *S. f.* 1. *Bras. BA* Aglomeração de pedras soltas, que denuncia o trabalho de antigas catas, onde apenas se buscava o diamante. 2. *Bras. S.* Grande porção. [V. *quantidade* (3).] [Sin. ger.: *montureira.*]

montra [Do fr. *montre.*] *S. f.* 1. Vitrina de casa comercial: 📖 "Não sabem, os que o veem [a Almeida Garrett] parar no Chiado observando as montras das casas de modas, que assim disfarça a fadiga dum corpo arruinado pela doença." (José Osório de Oliveira, *O Romance de Garrett*, p. 167.) 2. Fachada do órgão (5), na qual geralmente se acham os tubos mais vistosos desse instrumento.

montuava *S. f. Bras. SP Pop.* V. *cachaça* (1).

montuoso (ô) [Do lat. *montuosu.*] *Adj.* Montanhoso.

montureira [De *monturo* + *-eira.*] *S. f.* 1. V. *monturo* (2). 2. *Bras.* Montoeira.

montureiro [De *monturo* + *-eiro.*] *S. m.* Aquele que anda a rebuscar objetos pelos monturos; trapeiro.

monturo *S. m.* 1. Lugar onde se depositam dejeções, lixo, ou imundícies; lixeira. 2. Monte de lixo, de imundícies, de coisas sujas ou imprestáveis; lixeira, estrumeira, busilhão, volutabro, montureira. 3. *Fig.* Montão de coisas vis ou repugnantes.

monumental [Do lat. *monumentale.*] *Adj. 2 g.* 1. Relativo a, ou próprio de monumento. 2. Enorme, extraordinário. 3. Grandioso, esplêndido, magnífico. ~ V. *letra —*.

monumentalidade [De *monumental* + *-(i)dade.*] *S. f.* Qualidade de monumental.

monumentalização [De *monumentalizar* + *-ção.*] *S. f.* Ato ou efeito de monumentalizar.

monumentalizar [De *monumental* + *-izar.*] *V. t. d.* Dar aspecto monumental a; tornar monumental.

monumentino *Adj.* 1. De, ou pertencente ou relativo a Monumento (RJ). ● *S. m.* 2. O natural ou habitante de Monumento.

monumento [Do lat. *monumentu.*] *S. m.* 1. Obra ou construção que se destina a transmitir à posteridade a memória de fato ou pessoa notável. 2. Edifício majestoso. 3. Sepulcro suntuoso; mausoléu. 4. Qualquer obra notável. 5. Memória, recordação, lembrança. ◆ **Monumento natural.** Obra da natureza, de feição notável, rara, ou de grande beleza cênica, e que é objeto de preservação, por interesse científico, cultural ou paisagístico.

monumentofilia [De *monumento* + *-filia.*] *S. f. Psiq.* Atração de caráter sexual por monumentos.

monumentofílico [De *monumentofilia* + *-ico*[2].] *Psiq. Adj.* 1. Relativo a monumentofilia. 2. Que sofre de monumentofilia; monumentófilo. ● *S. m.* 3. Aquele que sofre de monumentofilia; monumentófilo.

monumentófilo [De *monumento* + *-filo*[2].] *Adj. S. m.* Monumentofílico (2 e 3).

moponga [Do tupi.] *S. f. Bras. AM* Processo de pesca que consiste em bater a água de um rio com uma vara, ou com a mão, a fim de afugentar o peixe na direção desejada. [Muito us. na loc. *bater moponga*. Var.: *mupunga*. Sin.: *batição.*]

moqueação [De *moquear* + *-ção.*] *S. f. Bras.* Ação ou efeito de moquear.

moqueado [Part. de *moquear.*] *Adj. Bras.* 1. Secado no moquém para ser conservado. 2. Assado em moquém.

moquear [De *moquém* + *-ar*[2], com desnasalação.] *V. t. d.* 1. *Bras. N.* Secar (a carne ou o peixe) no moquém, para conservá-los. 2. *Bras. S.* Assar (a carne) em moquém. 3. *Bras. SP Pop.* Matar (1). [Conjug.: v. *frear.*]

moqueca[1] [Do quimb. *mu'keka.*] *S. f.* 1. *Bras. Cul.* Prato típico brasileiro, em geral de peixe ou de mariscos, podendo também ser feito de galinha, ovos, etc., e que consta de um guisado temperado com salsa, coentro, limão, cebola e, dependendo da localidade, coco, azeite de dendê e pimenta-de-cheiro. [Sin., no PA: *poqueca.*] 2. *Bras. SP* Espécie de sinapismo de folhas de mangueira e de fumo, que se põe sobre a cabeça para cura de cefalalgia. [Cf. *moquenca.*]

moqueca[2] [De *moquear*, com infl. de *moqueca*[1].] *S. f. Bras. AM* O peixe moqueado envolto em folha de bananeira. [Cf. *moquenca.*]

moquecar-se *V. p. Bras.* 1. Pôr-se de cócoras; acocorar-se. 2. Pôr-se em lugar seguro ou a coberto; tornar-se o menos visível possível; amoquecar(-se). [Conjug.: v. *trancar.*]

moquem *Bras. S. 2 g.* 1. *Etnôn.* Indivíduo dos moquens, povo indígena extinto que habitava a região situada entre os rios Meques e Corumbiara (RO). ● *Adj. 2 g.* 2. Pertencente ou relativo a esse povo. [Tb. us. como *s. 2 g. e 2 n.* (com cap.) e *adj. 2 g. e 2 n.*] [Cf. *moquém.*]

moquém [Do tupi.] *S. m. Bras.* Grelha de varas para assar ou secar a carne ou o peixe: 📖 "A cumari arde no lábio do guerreiro; mas torna mais gostosa a carne do veado assado no moquém." (José de Alencar, *Ubirajara*, p. 291.); "Moquém: grelha de madeira ou ferro montada sobre fogo, onde se coloca carne ou peixe para assar ou secar." (Ana Maria Gonçalves, *Um Defeito de Cor*, p. 117). [Sin., em SP: *moqueteiro*. Cf. *moquem.*]

moquenca *S. f. Cul.* Guisado de carne de vaca com vinagre, alho, pimenta, etc. [Cf. *moqueca.*]

moquenco [De or. obscura.] *Adj. S. m.* V. *moquenqueiro*.

moquenqueiro [De *moquenco* + *-eiro.*] *Adj. S. m.* 1. Que, ou aquele que faz moquenquices. 2. Indolente, preguiçoso, ocioso. [Sin. ger.: *moquenco.*]

moquenquice [De *moquenco* + *-ice.*] *S. f.* 1. Momice, lábia, trejeito. 2. Preguiça.

moqueta (ê) *S. 2 g. Bras. RS Pop.* V. *caipira* (1).

moqueteiro *S. m. Bras. SP* Moquém.

moquiço [De or. obsc.] *S. m.* 2. *Bras. N.E.* Casebre, choupana. V. *cabana*. 3. *P. ext.* Estabelecimento modesto, de ínfima categoria: 📖 "Estacionou o carro em frente ao hotel .... um moquiço que ficava em cima da padaria." (Adriana Falcão, *A Comédia dos Anjos*, p. 4.)

mor *Adj. 2 g.* F. sincopada de *maior*: 📖 "E Barbosa passava a mor parte do tempo em visitas e jogos pela vizinhança" (Júlio Ribeiro, *A Carne*, p. 196). [Cf. *mor* (ô).]

M

mor (ô) *S. m. Ant. Pop.* Us. na loc. prep. *por mor de.* [Cf. *mor.*] ◆ **Por mor de.** Por causa de; por amor de: "Chamavam-lhe pato, por mor do olhar .... aparvalhado e insistente que tinha para as pessoas que não conhecia." (Antunes da Silva, *Gaimirra*, p. 13.)

mora [Do lat. *mora.*] *S. f.* **1.** Delonga, demora. **2.** Atraso no pagamento de uma dívida. **3.** *Jur.* Situação jurídica caracterizada pelo fato de o devedor não efetuar o pagamento ou de o credor não querer recebê-lo no tempo, lugar e forma que a lei ou o contrato estabelecer. [Cf., nesta acepç., *protesto* (4).] **4.** Prorrogação do prazo estabelecido para pagamento ou restituição de algo: *Conceder mora.* **5.** Multa ou acréscimo por atraso no pagamento; juro de mora: *Pagar mora.* **6.** *E. Ling.* Unidade prosódica equivalente a uma sílaba breve. ◆ **Purgar a mora.** *Jur.* Conservar (o devedor inadimplente) direitos contratuais e evitar a aplicação de uma pena, pagando a prestação vencida, os juros e demais encargos resultantes do inadimplemento.

morabeza [Do cabo-verdiano.] *S. f. Cabo-verd.* Afabilidade, amabilidade, ternura: "Sorria com os lábios e com os olhos. Sorriso de paz, de entrega e de morabeza." (Ovídio Martins, *Tutchinha*, p. 14.)

morabita [Do ár. *murābiṭ* (v. *marabuto*); v. tb. *-ita*[2].] *S. m.* V. *marabuto.*

morabitino [De *morabita* + *-ino*[1]; calcado no ár. *murābi* + (v. *maravedi*).] *S. m.* Maravedi: "D. Sancho I .... contribuía anualmente com quatrocentos morabitinos para o custeio das despesas da estada dos estudantes do Mosteiro de Santa Cruz em universidades de França." (Feliciano Ramos, *História da Literatura Portuguesa*, p. 87.)

morabito [Var. de *morabita.*] *S. m.* Marabuto (1 e 2).

morácea [Do tax. *Morus*, gênero-tipo + *-ácea*; tax. *Moraceae.*] *S. f. Bot.* Espécime das moráceas, família de plantas floríferas da ordem das urticales, que engloba, basicamente, arbustos e árvores dotados de látex e de flores insignificantes ordenadas em glomérulos, espigas ou receptáculos variados. Os frutos, pequeninos, estão, em muitos casos, no interior de receptáculos. Exemplos comuns são o figo, a jaca e a fruta-pão, todos eles infrutescências complexas. Há cerca de 1.000 espécies, muitas delas brasileiras.

moráceo [De *morácea*, com var. suf. (v. *-áceo*).] *Adj. Bot.* Pertencente ou relativo às moráceas.

morada [De *morar* + *-ada*[1].] *S. f.* **1.** Lugar onde se mora ou habita; habitação, moradia. **2.** V. *casa* (1). **3.** *P. ext. Lus.* Endereço de residência. **4.** Estada ou lugar de estada habitual. [Cf. *murada*, do v. *murar* e s. f.] ◆ **Morada celeste.** O céu: "pátria suspirada de suas mais doces esperanças, única impaciência de uma alma, que longe da morada celeste se entristeça cativa." (Rebelo da Silva, *Contos e Lendas*, p. 6). **Última morada.** **1.** V. *cemitério* (1). **2.** V. *sepultura* (1).

morada-inteira *S. f. Bras. MA* Casa térrea que, pelo número e disposição dos cômodos, apresenta na fachada principal, geralmente situada no alinhamento da rua, quatro ou mais janelas simetricamente dispostas em relação à porta de entrada: "Queria viver para si, para o seu ideal por fim realizado, na morada-inteira do Largo dos Remédios, que o noivo adornara a capricho com móveis franceses, alfaias de alto preço" (Josué Montelo, *O Labirinto de Espelhos*, p. 21). [Pl.: *moradas-inteiras.* Cf. *meia-morada* e *porta e janela.*]

morada-novense *Adj. 2 g.* **1.** De, ou pertencente ou relativo a Morada Nova (CE). ● *S. 2 g.* **2.** O natural ou habitante de Morada Nova. [Pl.: *morada-novenses.*]

moradense *Adj. 2 g.* **1.** De, ou pertencente ou relativo a Morada Nova de Minas (MG). ● *S. 2 g.* **2.** O natural ou habitante de Morada Nova de Minas.

moradia [De *morada* + *-ia*[1].] *S. f.* **1.** Morada (1). **2.** Pensão que se dava aos fidalgos: "distribuía [D. Fernando de Portugal] mãos-cheias de dobras em ordenados, moradias .... mercês, esmolas" (Antero de Figueiredo, *Leonor Teles*, p. 26).

moradilho [De *morado* + *-ilho.*] *S. m.* Certa madeira de cor pardo-violeta.

morado [De *mora* + *-ado*[1].] *Adj.* Amorado. [Fem.: *morada.* Cf. *murada*, do v. *murar* e s. f.]

morador (ô) [De *morar* + *-dor.*] *Adj.* **1.** Que mora. ● *S. m.* **2.** Aquele que mora; habitante. **3.** *Bras. N.E.* Agregado[1] (10). **4.** *Bras. CE* Caseiro (6). [Cf. *murador.*]

moraina [Do fr. *moraine.*] *S. f. Geol.* V. *morena*[1].

moral [Do lat. *morale*, 'relativo aos costumes'.] *S. f.* **1.** *Filos.* Conjunto de regras de conduta consideradas como válidas, quer de modo absoluto para qualquer tempo ou lugar, quer para grupo ou pessoa determinada. [Cf. *amoral* (4 e 5) e *ética.*] **2.** Conclusão moral que se tira de uma obra, de um fato, etc. ● *S. m.* **3.** O conjunto das nossas faculdades morais; brio, vergonha. **4.** O que há de moralidade em qualquer coisa. ● *Adj. 2 g.* **5.** Relativo à moral. **6.** Que tem bons costumes. **7.** Relativo ao domínio espiritual (em oposição a físico ou material). [Cf. *mural.*] ~ V. *ciências morais, comédia —, consciência —, igualdade —, indiferença —, lei —, morte —, necessidade —, obrigação —, personalidade —, pessoa —, responsabilidade —* e *senso —.* ◆ **Moral da história.** Conclusão ou lição moral inerente a um fato narrado. [Us., às vezes, ironicamente.]

moralidade [Do lat. *moralitate.*] *S. f.* **1.** Qualidade do que é moral. **2.** Doutrina ou reflexão moral. **3.** Conceito ou intuito moral de certas fábulas ou narrativas, e, p. ext., de uma história ou narração qualquer. **4.** *P. ext.* Significação moral. **5.** *Teatr.* Gênero dramático semirreligioso dos fins da Idade Média, que se desenvolveu em seguida aos mistérios e milagres, e caracterizado por maiores qualidades de abstração e de elaboração de caracteres, tais como a Verdade, a Avareza, a Cupidez, a Força, a Prudência, etc., vícios e virtudes em luta pela posse da alma humana. [Cf., nesta acepç., *auto*[1] (3).]

moralismo [De *moral* + *-ismo.*] *S. m. Ét.* Tendência a priorizar de modo exagerado a consideração dos aspectos morais na apreciação dos atos humanos. [Cf. *muralismo.*]

moralista [De *moral* + *-ista.*] *Adj. 2 g. S. 2 g.* Que, ou quem escreve sobre moral, ou preconiza preceitos morais. [Cf. *muralista.*]

moralização [De *moralizar* + *-ção.*] *S. f.* Ato ou efeito de moralizar.

moralizador (ô) [De *moralizar* + *-dor.*] *Adj.* **1.** Que moraliza; moralizante. **2.** Que dá bons exemplos; moralizante. **3.** Que encerra ou preconiza doutrinas sãs; moralizante. ● *S. m.* **4.** Aquele que moraliza, que aconselha os bons costumes.

moralizante [De *moralizar* + *-nte.*] *Adj. 2 g.* V. *moralizador* (1 a 3).

moralizar [De *moral* + *-izar.*] *V. t. d.* **1.** Tornar conforme aos princípios de uma determinada moral. **2.** Infundir ideias sadias em; corrigir os costumes de: *Não é papel da literatura moralizar o leitor.* **3.** Interpretar sob o aspecto moral. *T. i.* **4.** Discorrer, discursar: *moralizar sobre as modas; Moralizou largamente acerca da política. Int.* **5.** Fazer reflexões morais. **6.** Pregar moral: *Tem a mania de moralizar.*

morança [Do criol.] *S. f. Guin.* O conjunto das habitações dum agregado familiar: "A morança Djaló era bastante grande, ela abrigava várias gerações, bisavós, avós, pais, netos. Numerosas choças constituíam a morança cercada de quirintins, deixando apenas um grande portão que servia de entrada." (Domingas Barbosa Mendes Samy, *A Escola*, p. 30.)

moranga[1] [De *morango.*] *Adj. (f.) S. f. Lus.* Diz-se de, ou uma variedade de uva.

moranga[2] [F. red. de *abóbora-moranga.*] *S. f. Bras. Bot.* V. *abóbora-moganga.*

morangal [De *morango* + *-al*[1].] *S. m.* **1.** Quantidade mais ou menos considerável de morangueiros dispostos proximamente entre si. **2.** Terreno onde abundam morangueiros.

morango [Do lat. vulg. **moranicu* < lat. *morum*, 'amora'.] *S. m.* Infrutescência carnosa (e não fruto) do morangueiro, na qual estão uns grânulos duros, que são os verdadeiros frutos. [Sin., no RS: *frutilha.*]

morangueiro [De *morango* + *-eiro.*] *S. m.* **1.** *Bot.* Erva rosácea (*Fragaria vesca*) de origem europeia, prostrada e com folhas compostas por três folíolos, e que é cultivada pela sua infrutescência carnosa comestível (*o morango*), muito apreciada, resultante de uma única flor; fragária. **2.** Vendedor de morangos.

morar [Do lat. *morare.*] *V. t. c.* **1.** Ter residência; habitar, residir: "Conceição morava no Engenho Novo, mas nem a visitei nem a encontrei." (Machado de Assis, *Páginas Recolhidas*, p. 88); "Ele morava na Rua do Senador Eusébio" (Artur Azevedo, *Contos Possíveis*, p. 82). **2.** Encontrar-se, achar-se; permanecer; existir: *A felicidade mora naquela casa.* **3.** *Bras. Gír.* Frequentar assiduamente um lugar: *Ela mora na casa da amiga, não sai de lá. T. i.* **4.** Residir, viver: "Morava com um tio, chefe de esquadra reformado." (Machado de Assis, *Várias Histórias*, p. 82.) **5.** *Bras. Gír.* Entender, compreender; manjar; sacar: *Você morou no que eu disse? Int.* **6.** Morar (4): *Mora só.* **7.** *Bras. Gír.* Morar (5): *Não seja insistente, ela não quer nada com você, morou?* [Cf. *mourar* e *murar.*]

moratória [F. subst. de *moratório.*] *S. f.* **1.** Dilação de prazo concedida pelo credor ao devedor para pagamento de uma dívida. **2.** Suspensão da exigibilidade das dívidas de um dado grupo de devedores, determinada por lei, com suspensão do curso de ações de cobrança e prolongamento do prazo de amortização. **3.** Interrupção do serviço de uma dívida, esp. dívida externa, decidida unilateralmente pelo devedor, ou negociada com o credor: "A moratória .... é sempre uma decisão ruim para o devedor: provoca o colapso imediato de sua credibilidade e inviabiliza a solução adequada da negociação." (João Paulo dos Reis Veloso, em *Folha de S.Paulo*, 12.01.1999.) **4.** *P. ext.* Suspensão temporária: "Insatisfeita com a política ambiental .... a bancada do PV [Partido Verde] entregou .... um documento com 42 reivindicações. A principal é a declaração de moratória na concessão de autorizações para o desmatamento da Amazônia." (Ilimar Franco, em *O Globo*, 21.02.2008.)

moratório [Do lat. *moratoriu.*] *Adj.* Que envolve demora ou dilação; dilatório.

moraujense (a-u) *Adj. 2 g.* **1.** De, ou pertencente ou relativo a Moraújo (CE). ● *S. 2 g.* **2.** O natural ou habitante de Moraújo.

morávio *Adj.* **1.** Da, ou pertencente ou relativo à Morávia (República Checa). ~ V. *irmãos —s.* ● *S. m.* **2.** O natural ou habitante da Morávia.

▲ **morbi-** [Do lat. *mōrbus, i.*] *El. comp.* = 'doença', 'enfermidade': *morbígero, morbíparo.*

morbidade [Do ingl. *morbidity.*] *S. f.* **1.** *Patol.* Capacidade de produzir doença num indivíduo ou num grupo de indivíduos. **2.** *Med.* Relação entre o número de pessoas sãs e o de doentes, ou de doenças, num dado tempo e quanto a determinada doença.

morbidez (ê) [De *mórbido* + *-ez.*] *S. f.* **1.** Qualidade ou caráter de mórbido. **2.** *Med.* Enfraquecimento doentio. **3.** Abatimento ou esgotamento de forças; alquebramento de forças; moleza, languidez, quebreira. **4.** Delicadeza ou suavidade nas cores de um retrato ou escultura. [F. paral.: *morbideza.*]

morbideza (ê) [Do it. *morbidezza.*] *S. f.* Morbidez (q. v.): "inteligência com morbidezas agudas de fobias dando artistas, bandalhos e devassos" (Fialho d'Almeida, *Vida Errante*, p. 179).

morbidizar [De *mórbido* + *-izar.*] *V. t. d. P.* Tornar(-se) mórbido.

mórbido [Do it. *mòrbido* < lat. *morbidus*, 'doente'.] *Adj.* **1.** Enfermo, doente. **2.** Relativo à doença. **3.** V. *morbígeno.* **4.** Lânguido, frouxo, mole: "Um corpo frouxo e mórbido e franzino, / Cheio de palidez etérea e doce" (Guerra Junqueiro, *A Musa em Férias*, p. 192). **5.** *Art. Plást.* Suave, delicado.

morbífico [De *morbi-* + *-fico.*] *Adj.* V. *morbígeno.*

morbígeno [De *morbi-* + *-geno.*] *Adj.* Que origina doença; mórbido, insalubre, morbífico, morbígero, morbíparo, morboso.

morbígero [De *morbi-* + *-gero.*] *Adj.* V. *morbígeno.*

morbiliforme (bì) [Do lat. med. *morbillus* + *-iforme.*] *Adj. 2 g.* Semelhante ao sarampo.

morbíparo [De *morbi-* + *-paro.*] *Adj.* V. *morbígeno.*

morbo [Do lat. *morbu.*] *S. m.* Estado patológico; doença.

morbosidade [De *morboso* + *-(i)dade.*] *S. f.* Qualidade ou estado de morboso.

morboso (ô) [Do lat. *morbosu.*] *Adj.* V. *morbígeno.*

morcão *S. m. Lus.* Indivíduo preguiçoso, indolente: "a dona Benvinda brandia a esfregona e insultava quem se lhe atravessasse à frente de morcão para cima." (Clara Pinto Correia, *Ponto Pé de Flor*, p. 35).

morcegal [De *morcego* + *-al*[1].] *Adj. 2 g.* Relativo ou pertencente a, ou próprio de morcego.

morcegão [De *morcego*[1]*-ão*[1].] *S. m.* Aum. de *morcego.* [Cf. *morsegão.*]

morcegar [De *morcego* + *-ar*[2].] *V. t. d.* **1.** Tirar partido de; explorar. *Int.* **2.** *Bras. N.E.* Tomar ou saltar de um bonde ou trem em movimento. **3.** *Bras. Chulo* Praticar felação. [Conjug.: v. *regar.* Pres. ind.: *morcego*, etc. Cf. *morcego* (ê) e *morsegar.*]

morcegário [De *morcego*[1] + *-ário.*] *S. m.* Viveiro para criação de morcegos.

morcego[1] (ê) [Do arc. *mur* (< lat. *mure*, 'rato'), + *cego.*] *S. m.* **1.** *Zool.* Designação geral para os mamíferos quirópteros cujos membros anteriores são transformados em asas pela presença do patágio. A grande maioria do grupo é insetívora ou frugívora, havendo espécies hematófagas ou ictiófagas. [Sin., bras.: *andirá, guandira, orelhudo.*] **2.** *Fam.* Pessoa que só de noite sai de casa. **3.** *Bras.* Espécie de papagaio (5). **4.** *Bras. Bot.* V. *angelim-do-cerrado.* **5.** *Bras. N.E. Pop.* V. *mata-cachorro* (2). **6.** *Bras. N.E.* Garoto que anda nos bondes e trens seguro aos balaústres ou às portinholas, sem pagar passagem. [Pl.: *morcegos* (ê); aum.: *morcegão.* Cf. *morcego*, do v. *morcegar*; *morsego*, do v. *morsegar*; e *morsegão.*]

morcego[2] (ê) *S. m. Zool.* V. *peixe-morcego.* [Pl.: *morcegos* (ê). Cf. *morcego*, do v. *morcegar.*]

morcego-do-mar *S. m. Zool.* V. *jamanta*[1]. [Pl.: *morcegos-do-mar.*]

morcegueira [De *morcego*[1] + *-eira.*] *S. f. Bras. Amaz. Bot.* Árvore fabácea (*Andira inermis*) de casca malcheirosa, flores violáceas e paniculadas, e cujos frutos são drupas de polpa odorífera, sendo o embrião grandíssimo e tóxico.

morcegueiro [De *morcego*[1] + *-eiro.*] *S. m. Bras. Bot.* V. *angelim-do-cerrado.*

morcela [Da mesma or. incerta que o esp. *morcilla.*] *S. f.* **1.** Espécie de chouriço em que o sangue de porco é o elemento principal: "Aparecem os bares, restaurantes e cervejarias de alemães ...., onde os *menus* põem água na boca com seus pés de porco ou de vitela, ... suas morcelas brancas" (Eduardo Frieiro, *Feijão, Angu e Couve*, p. 271). [F. paral., no RS: *morcilha*.] **2.** *Cul.* Doce feito de miolo de pão, canela, etc., a que se dá o feitio de morcela.

morcilha [Do esp. *morcilla*.] *S. f. Bras. RS* Morcela.

mordaça [Do lat. vulg. *mordacia*.] *S. f.* **1.** Objeto com que se tapa a boca de alguém a fim de que não fale nem grite. **2.** V. *açaimo*. **3.** *Fig.* Repressão da liberdade de escrever ou de falar. **4.** *Bras. S.* Pau fendido longitudinalmente até além do meio, e usado para amaciar a cordoalha; sovador.

mordaçagem [De *mordaçar* + *-agem*[2].] *S. f. Grav. Fotogr共.* Ação corrosiva dos ácidos sobre as placas, cilindros, etc., que devem constituir a fôrma em vários sistemas de impressão; mordedura.

mordaçar [De *mordaça* + *-ar*[2].] *V. t. d.* Aplicar mordente (8) a; submeter à ação de mordente. [Conjug.: v. *laçar*.]

mordacidade [Do lat. *mordacitate*.] *S. f.* **1.** Qualidade de mordaz. **2.** Propriedade de corrosivo. **3.** Maledicência. **4.** Sabor picante ou acre. **5.** Qualidade de crítico muito severo e/ou injusto.

mordacíssimo [Do lat. *mordacissimu*.] *Adj.* Superl. abs. sint. de *mordaz*.

mordaz [Do lat. *mordace*, 'que morde'.] *Adj. 2 g.* **1.** Mordente (1). **2.** Corrosivo, destrutivo. **3.** V. *satírico* (3). [Superl. abs. sint.: *mordacíssimo*.]

mordedeira [De *morder* + *-deira*.] *S. f. Bras. Zool.* V. *formiga lava-pé*.

mordedela [De *mordidela*, com assimilação.] *S. f.* V. *mordedura* (1 a 3).

mordedor (ô) [De *morder* + *-dor*.] *Adj. S. m.* **1.** Que, ou aquele que morde. **2.** *Bras. Gír.* Que, ou aquele que tem o costume de morder (13), de pedir dinheiro emprestado a amigos e conhecidos; facadista.

mordedura [De *morder* + *-dura*.] *S. f.* **1.** Ato ou efeito de morder; dentada. [Sin., pop.: *leva-dente*.] **2.** Vestígio de dentada. **3.** *Fig.* Impressão, marca, vestígio doloroso. [Sin., nessas acepçs.: *mordedela, mordidela, mordimento, mordida, morso*.] **4.** *Grav. Fotograv.* Mordaçagem (q. v.).

morde e assopra [De *morder* + *e*[2] + *assoprar*.] *S. 2 g. e 2 n. Bras. Pop.* Pessoa hipócrita. ☑

mordente [De *morder* + *-nte*.] *Adj. 2 g.* **1.** Que morde; mordaz. **2.** Provocador, provocante, excitante: "Sentia uma curiosidade mordente de ver a aplicação do bacalhau, de conhecer de vista esse suplício legendário, aviltante" (Júlio Ribeiro, *A Carne*, p. 44). • *S. m.* **3.** Preparação adesiva para cobrir objetos que se querem dourar. **4.** Qualquer substância que, combinada com um corante, serve para fixar as cores em pintura ou tinturaria. **5.** Instrumento usado para fixar ou apertar um objeto no lugar. **6.** Extremidade de certas pinças ou de tenazes. **7.** *Encad.* Preparação, geralmente com base em albuminas, usada para fixar a película de metal sobre couro, pano, papel, etc., no processo de douração. **8.** *Grav. Fotograv.* Ácido usado pelo gravador ou fotogravador para fazer corroer as chapas, de metal, pedras litográficas, cilindros, etc. **9.** *Constr. Nav.* Peça fixa no convés, junto ao cabrestante ou ao guincho da amarra, e destinada a morder (11) um dos elos da amarra a fim de que esta não corra, depois de fundeado o navio. **10.** *Mús.* Ornamento melódico, muito usado nas peças do período barroco, e que se compõe da nota real, da segunda maior ou menor, superior ou inferior, e da nota real repetida. **11.** *Tip.* Peça móvel do divisório, usada para prender o original e marcar as linhas que o tipógrafo ou o linotipista está compondo.

morder [Do lat. *mordere*.] *V. t. d.* **1.** Apertar com os dentes; cortar ou ferir com os dentes: *morder os lábios*. **2.** Dar dentada(s) em: *O cão mordeu-o*. **3.** Fazer doer; atormentar, afligir: *A úlcera mordia-lhe o estômago*. **4.** Tostar, crestar, queimar. **5.** Penetrar em; agarrar-se a: *As engrenagens mordiam a madeira*. **6.** Corroer, gastar. **7.** Desgostar, afligir, ralar: *O despeito mordeu-a*. **8.** Estimular, instigar, incitar, excitar: *Morde-o a curiosidade*. **9.** Falar mal de; criticar, censurar. **10.** *Grav. Fotograv.* Corroer (placas, cilindros, etc.): *O ácido mordeu desigualmente a placa da gravura*. **11.** *Mar.* Apertar, engasgar, entalar (um cabo, corrente, amarra): *A operação foi interrompida porque a talha mordeu o tirador*. **12.** *Mar.* Unhar, aferrar: *O ferro mordeu a lama do fundo e aguentou o navio*. **13.** *Bras.* Pedir dinheiro emprestado a: *Não trabalha, e vive mordendo os amigos*. *Int.* **14.** Dar dentadas: "Cão que ladra não morde" (prov.). **15.** Ser picante; causar ardor. **16.** Causar comichão ou prurido; comichar, coçar. **17.** Tomar o gosto de algo; experimentar. **18.** *Bras.* Pedir dinheiro emprestado. *T. d. e c.* **19.** Morder (18): *Mordeu-o em 200 reais*. *P.* **20.** Dar dentadas em si mesmo: "mordia-se rasgando as mangas do casaco, rangia os dentes com risco de os estalar" (Coelho Neto, *Obra Seleta*, I, p. 789). **21.** Desesperar-se, enraivecer-se, irritar-se. **22.** Atormentar-se com algum sentimento agressivo: *morder-se de ciúmes*.

mordexim [Do concani *modaxi, modxi*, 'quebrantamento'.] *S. m.* V. *cólera* (4).

mordicação [Do lat. *mordicatione*.] *S. f.* **1.** Ato ou efeito de mordicar. **2.** Sensação que os líquidos acres ou corrosivos produzem no corpo. **3.** A ação desses líquidos.

mordicante [Do lat. *mordicante*.] *Adj. 2 g.* **1.** Que mordica. **2.** Que produz mordicação (2). [Sin. ger.: *mordicativo*.]

mordicar [Do lat. *mordicare*.] *V. t. d.* **1.** Morder de leve repetidas vezes: *Mordicava o cachimbo*; "retraindo-se .... à menção de um carinho, a cabeça tombada, mordicando, com os dentinhos brancos, a polpa carnal do beiço rubro..." (Coelho Neto, *Banzo*, pp. 187-188). **2.** Dar dentadas em; morder. **3.** Picar, pungir, estimular. [Conjug.: v. *trancar*. Var.: *mordiscar*.]

mordicativo [Do lat. *mordicativu*.] *Adj.* Mordicante.

mordida [De *morder* + *-ida*[3].] *S. f. Bras. Fam.* V. *mordedura* (1 a 3).

mordidela [De *mordida* + *-ela*.] *S. f.* V. *mordedura* (1 a 3).

mordido [Part. de *morder*.] *Adj.* **1.** Que sofreu mordedura. **2.** *Bras. Fig.* V. *embriagado* (1). **3.** *Bras.* Zangado, raivoso, furioso. **4.** *Bras.* Acometido de moléstia venérea. ~ V. *volta —a*.

mordimento [De *morder* + *-imento*.] *S. m.* **1.** V. *mordedura* (1 a 3). **2.** *Fig.* Remorso, remordimento.

mordiscação [De *mordiscar* + *-ção*.] *S. f.* Ato ou efeito de mordiscar.

mordiscar *V. t. d.* V. *mordicar*: "volta a flanar pelo jardim fronteiro, mordiscando um jasmim." (Valdemar Versiani dos Anjos, *Simplício*, p. 40). [Conjug.: v. *trancar*.]

mordível [De *morder* + *-ível*.] *Adj. 2 g.* Que se pode morder.

mordomado [De *mordomo* + *-ado*[2].] *S. m.* **1.** Mordomia. **2.** Tempo que dura a mordomia. **3.** Imposto pago por quem tinha mordomo.

mordomar [De *mordomo* + *-ar*[2].] *V. t. d.* **1.** Administrar como mordomo; mordomear. *Int.* **2.** Exercer as funções de mordomo.

mordomear [De *mordomo* + *-ear*[2].] *V. t. d.* Mordomar (1). [Conjug.: v. *frear*.]

mordomia [De *mordomo* + *-ia*[1].] *S. f.* **1.** Cargo ou ofício de mordomo (1); mordomado. **2.** *Bras.* Vantagens tais como moradia, condução, criadagem, alimentação, etc., proporcionadas pelo empregador (privado ou público) a certos executivos (v. *executivo*[2]), e que lhes aumenta indiretamente os honorários ou salários sem aumento do imposto sobre a renda. **3.** *Bras. Pop.* Bem-estar, conforto; regalia.

mordomo [Do lat. vulg. *majordomu*, 'o criado maior da casa'.] *S. m.* **1.** Administrador dos bens de uma casa, de uma irmandade, de uma confraria, etc.; ecônomo. **2.** Serviçal encarregado da administração duma casa.

mordoviano [Do top. *Mordóvia* + *-ano*[1].] *Adj.* **1.** De, relativo, ou pertencente à Mordóvia (república autônoma da Federação Russa), ou a mordoviano (2). • *S. m.* **2.** O natural ou habitante da Mordóvia. **3.** *Gloss.* Língua uraliana [v. *uraliano* (3)] falada nessa região. **4.** Vocábulo dessa língua.

moré[1] *S. 2 g.* **1.** *Etnôn.* Indivíduo dos morés, povo indígena da família linguística xapacura, que habita a região da bacia do rio Guaporé (RO e Bolívia). • *Adj. 2 g.* **2.** Pertencente ou relativo a esse povo. [Tb. us. como *s. 2 g. e 2 n.* (com cap.) e *adj. 2 g. e 2 n.*]

moré[2] *S. m. Gloss.* **1.** Língua gur falada em Burquina Faso. [Embora o francês seja a língua nacional, o moré é falado por cerca de 53% da população.] **2.** Vocábulo dessa língua.

moreia[1] (éi) [Do gr. *mýraina*, pelo lat. *muraena*.] *S. f. Zool.* **1.** Designação comum a várias espécies de murenídeos (q. v.). **2.** *Bras.* V. *enguia* (1). **3.** *Bras.* V. *amboré*. ❖

moreia[2] (éi) *S. f.* Grupo de feixes de trigo ou de outro cereal colocados verticalmente na terra com as espigas para cima. ❖

moreia-amarela (éi) [De *moreia*[1] + o f. de *amarelo*.] *S. f. Bras. Zool.* V. *moreia-pintada*. [Pl.: *moreias-amarelas*.] ❖

moreia-comum (éi) [De *moreia*[1] + *comum*.] *S. f. Zool.* Peixe actinopterígio, ápode, murenídeo (*Muraena helena*), desprovido de escamas, cujo tegumento tem aspecto geral de mosaico, coloração que varia entre o amarelo intenso e o castanho-escuro, manchas brancacentas. Ocorre no Mediterrâneo e é apreciado como alimento. [Pl.: *moreias-comuns*.] ❖

moreia-pintada (éi) [De *moreia*[1] + o f. de *pintado*.] *S. f. Bras. Zool.* Peixe actinopterígio, ápode, murenídeo (*Lycodontis ocellatus*), da costa brasileira, de coloração amarelada com pintas escuras. É espécie muito agressiva e tem os hábitos da moreia[1] (1). [Sin.: *mutuca, mututuca, moreia-amarela*. Pl.: *moreias-pintadas*.] ❖

moreiatim [De or. indígena, poss.] *S. m. Bras. Zool.* Peixe actinopterígio, haplódoco, batracoidídeo (*Thalassophyrne branneri*), do Atlântico, de dorso cinza-escuro, abdome creme, e três faixas escuras na parte superior do corpo e nos flancos. Tem aspecto de bagre, a parte anterior do corpo é larga e a posterior se afila bruscamente. Vive na lama da foz dos rios. [Sin.: *pacamão-miri*.]

moreira [De *amoreira*, com aférese.] *S. f. Bras. Amaz. Bot.* **1.** V. *bagaceira*[2]. **2.** Grande árvore morácea (*Maclura tinctoria*), dioica, espinhenta, com pequenas flores esbranquiçadas e frutos adocicados; itajuba. [Cf. *mureira*.]

moreira-salense *Adj. 2 g.* **1.** De, ou pertencente ou relativo a Moreira Sales (PR). • *S. 2 g.* **2.** O natural ou habitante de Moreira Sales. [Sin. ger.: *salense*[1]. Pl.: *moreira-salenses*.]

moreiredo[1] (ê) [De *moreira* + *-edo*.] *S. m.* Quantidade mais ou menos considerável de amoreiras dispostas proximamente entre si; amoreiral.

moreiredo[2] (ê) *S. m. Desus.* Lapedo.

moreirense *Adj. 2 g.* **1.** De, ou pertencente ou relativo a Moreilândia (PE). • *S. 2 g.* **2.** O natural ou habitante de Moreilândia.

morena[1] [Do fr. *moraine*.] *S. f. Geol.* Acumulação de rochas detríticas, provenientes do transporte realizado pelas geleiras: "Os primeiros gelos eternos assomam contidos nas muralhas de pedra soltas das morenas." (Alberto Rangel, *Livro de Figuras*, p. 223.) [F. paral.: *moraina*.]

morena[2] [Fem. de *moreno*.] *S. f.* **1.** Mulher morena. **2.** *Bras.* Mulher jovem; moça. **3.** *Bras.* Certa dança acompanhada de canto. **4.** *Bras. SP* A paca, entre os caçadores do mato. **5.** *Bras. SP* A perdiz, entre os caçadores do campo. **6.** *Bras. SP* Moça do campo.

morenaço [De *moreno* + *-aço*.] *S. m. Bras.* Homem ou mulher de cor morena, e muito atraente: "Só ele, o morenaço, bonitão, com certeza um pé de mesa, só ele passava sem deixar transparecer o impacto, ... sem olhar aquele mar de seios." (Jorge Amado, *Dona Flor e Seus Dois Maridos*, p. 389.)

morenado [De *moreno* + *-ado*[1].] *Adj.* Que se fez moreno; amorenado.

morenense *Adj. 2 g.* **1.** De, ou pertencente ou relativo a Moreno (PE). • *S. 2 g.* **2.** O natural ou habitante de Moreno.

morénico *Adj.* V. *morênico*. [Uso freq. em P.]

morênico [De *morena*[1] + *-ico*[2].] *Adj.* Referente a morena[1].

moreno [Do esp. *moreno* ('da cor trigueira do mouro') < esp. *moro*, ou do lat. peninsular **maurinus* (> **maureno* > *moreno*).] *Adj.* **1.** Que tem cor trigueira: "Morena, desse moreno rosado das brasileiras do Sul, tinha a boca pequena, os dentes alvíssimos" (Artur Azevedo, *Contos Possíveis*, p. 68); "Pastores de tez morena, / queimados ao sol adusto" (Cruz e Sousa, *Obra Completa*, p. 285). **2.** *P. ext.* Cuja cor se aproxima do moreno (1): "Eu, Diogo Cão, navegador, deixei / Este padrão ao pé do areal moreno /E para diante naveguei." (Fernando Pessoa, *Mensagem*, p. 54.) [Ger. é us. em relação a pessoas ou a partes de seu corpo; no entanto, mais raramente, é empregado em relação a coisas.] **3.** Diz-se dessa cor. • *S. m.* **4.** Indivíduo que tem essa cor. [Sin., bras., RS, nesta acepç.: *morocho*.] **5.** Essa cor: "Era alta e seca, de um moreno queimado." (Coelho Neto, *Treva*, p. 81); "Que suave moreno o de seu rosto!" (Álvares de Azevedo, *Obras Completas*, I, p. 199). **6.** Homem, indivíduo, pessoa: "A dor é calada. Aconselho moreno nenhum a soltar o verbo." (Carlos Drummond de Andrade, em *Jornal do Brasil*, 07.12.1976.)

moreno-mate *Adj. 2 g. e 2 n.* Moreno (1) tirante à cor do mate: "Meigo crepúsculo há no teu rosto / moreno-mate." (B. Lopes, *Val de Lírios*, p. 10.)

moreota [Do gr. mod. *moreótes*.] *Adj. 2 g.* **1.** Da, ou pertencente ou relativo à Moreia ou Peloponeso (Grécia). • *S. 2 g.* **2.** O natural ou habitante da Moreia.

morerê [Do tupi.] *S. m. Bras. Amaz. Zool.* V. *acará-disco*.

▲ **-morfa** V. *morf(o)-*.

morfalaxia (cs) [De *morf(o)-* + gr. *allάx-* (< gr. *allássein*, 'mudar') + *-ia*[1].] *S. f. Biol.* Mecanismo de regeneração e reorganização estrutural, com produção de novas células, observada em alguns invertebrados, o que permite ao animal regenerar uma parte perdida. Exemplos notáveis são observados, p. ex., em lagostas.

morfe [Do gr. *morphé* (v. *morf(o)-*).] *S. m. E. Ling.* A realização de um morfema.

morfeia (éi) [Do b.-lat. *morphea*, calcado no gr. *morphé*, 'forma'.] *S. f.* V. *hanseníase*. ❖

M

morfema [De *morf(o)-* + *-ema*; fr. *morphème*.] *S. m. E. Ling.* Elemento linguístico mínimo que tem significado. ◆ **Morfema dependente.** *E. Ling.* V. *forma presa.* **Morfema independente.** *E. Ling.* V. *forma livre.*

morfético[1] [Do mit. *Morfeu* (< lat. *Morpheus* < gr. *Morpheús*) + *-ético*.] *Adj.* **1.** *Mit.* Relativo a, ou próprio de Morfeu, deus dos sonhos, filho do Sono e da Noite. **2.** Relativo ao sono.

morfético[2] [De *morfeia* + *-ético*.] *Adj.* **1.** V. *leproso* (1). ● *S. m.* **2.** V. *leproso* (5).

mórfico [De *morf(o)-* + *-ico*[2].] *Adj. E. Ling.* De, ou relativo a morfema: 📖 *Os elementos mórficos de uma palavra.*

morfídeo [Do tax. *Morphos* + *-ídeo*[1]; tax. *Morphideae*.] *Zool. S. m.* **1.** Espécime dos morfídeos, família de insetos lepidópteros ropalóceros, que compreende os gêneros *Morphos* e assemelhados. Ex.: o azulão. ● *Adj.* **2.** Pertencente ou relativo a eles.

morfina [Do fr. *morphine* < mit. gr. *Morpheús*, 'deus do sono', + fr. *-ine* (v. *-ina*[3]).] *S. f. Quím.* O principal e mais ativo dos alcaloides do ópio, branco, cristalino, usado como sedativo [fórm.: $C_{17}H_{19}O_3N$]. ◆ **Morfina endógena.** *Bioquím.* Cada uma de um grupo de proteínas, elaboradas pelo cérebro e integrado pelas endorfinas e encefalinas, e que tem um poder sedativo comparável ao da morfina.

morfinismo [De *morfin(o)-* + *-ismo*.] *S. m. Med.* **1.** Estado mórbido devido ao uso habitual de morfina. **2.** Morfinomania (1).

morfinização [De *morfinizar* + *-ção*.] *S. f.* Ação ou efeito de morfinizar(-se).

morfinizar [De *morfina* + *-izar*.] *V. t. d.* **1.** Aplicar morfina a. *P.* **2.** Usar ou abusar da morfina: 📖 "a sofrer .... de enxaquecas, que .... lhe davam desejos ardentes de se morfinizar, para cair em longos torpores e fruir sonhos paradisíacos." (Visconde de Taunay, *Ao Entardecer*, p. 155).

▲ **morfin(o)-** [Do fr. *morphine* < mit. gr. *Morpheús* (> lat. *Morpheus*, 'Morfeu, deus do sono e dos sonhos'), + fr. *-ine* (v. *-ina*[3]).] *El. comp.* = 'morfina': *morfinismo, morfinômano.*

morfinomania [De *morfin(o)-* + *-mania*.] *S. f. Psiq.* **1.** Dependência (5) de morfina; morfinismo. **2.** Psicose devida a mau uso, ou a abuso de morfina.

morfinomaníaco [De *morfinomania* + *-íaco*.] *Adj.* **1.** Referente a morfinomania. **2.** Que tem morfinomania; morfinômano. ● *S. m.* **3.** Aquele que tem morfinomania; morfinômano.

morfinómano *S. m.* V. *morfinômano*. [Uso freq. em P.]

morfinômano [De *morfin(o)-* + *-mano*[1].] *Adj. S. m.* Morfinomaníaco (2 e 3).

morfismo [De *morf(o)-* + *-ismo*.] *S. m. Álg.* Aplicação de um conjunto sobre outro, que preserva as operações definidas em ambos.

▲ **morf(o)-** [Do gr. *morphḗ, ês*.] *El. comp.* = 'forma': *morfologia, morfozoário.* [Equiv.: *-morfa, -morf(o)-, -morfo*: *araneomorfa; idiomórfico; alelomorfo.*] [O AOLP prescreve o uso do hífen nos casos de anteposição deste el. comp. a palavra iniciada por *h* ou *o*; é escrito com *r* ou *s* duplicados quando anteposto a palavra iniciada por *r* ou *s*: *morfossintático, morfossintaxe.*]

▲ **-morf(o)-** V. *morf(o)-*.

▲ **-morfo** V. *morf(o)-*.

morfogénese *S. f. Biol.* V. *morfogênese*. [Uso freq. em P.]

morfogênese [De *morf(o)-* + *-gênese*.] *S. f. Biol.* O desenvolvimento da forma e da estrutura de um organismo; morfogenia.

morfogenia [De *morf(o)-* + *-genia*.] *S. f. Biol.* Morfogênese.

morfogénico *Adj.* V. *morfogênico*. [Uso freq. em P.]

morfogênico [De *morfogenia* + *-ico*[2].] *Adj.* Referente a morfogenia.

morfolina [Do rad. *morf-* (< *morfina*, por se ter acreditado, a princípio, que a sua estrutura molecular era semelhante à da morfina) + *-ol-*[2] + *-ina*[3].] *S. f. Quím.* Substância líquida, heterocíclica, em cujas moléculas um átomo de oxigênio e um grupo NH ocupam posições opostas de um anel hexagonal, e que é us. como solvente [fórm.: C_4H_9NO].

morfologia [De *morf(o)-* + *-logia*.] *S. f.* **1.** Tratado das formas que a matéria pode tomar. **2.** *E. Ling.* O estudo da estrutura e formação de palavras. ◆ **Morfologia derivacional.** *E. Ling.* **1.** Conjunto de princípios que regem a formação de novas palavras numa língua. **2.** O estudo desses princípios. **Morfologia flexional.** *E. Ling.* **1.** Conjunto das mudanças na forma das palavras, na dependência de suas funções gramaticais. **2.** O estudo dessas variações. [Sin. (desus.): *acidência, campenomia* e *ptoseonomia*.] **Morfologia social.** *Sociol.* Estudo das estruturas ou das formas da vida social. **Morfologia vegetal.** O estudo das formas e estruturas dos organismos vegetais.

morfológico [De *morfologia* + *-ico*[2].] *Adj.* Relativo à morfologia. ~ V. *análise —a* e *caso —*.

morfologista [De *morfologia* + *-ista*.] *S. 2 g.* Especialista em morfologia; morfólogo.

morfólogo [De *morf(o)-* + *-logo*.] *S. m.* Morfologista.

morfose [Do lat. cient. *morphosis* (do gr. *mórphosis*, 'ação ou processo de formar').] *S. f.* **1.** Ato de tomar forma. **2.** Ato de formar ou de dar forma a algo. **3.** *Biol.* Determinação ou modificação da forma de um organismo sob a ação de determinado fator. Ex.: a morfose mediante a ação da luz, ou fotomorfose.

morfossintático [De *morf(o)-* + *sintático*.] *Adj. E. Ling.* Relativo à morfossintaxe.

morfossintaxe (ss ou cs) [De *morf(o)-* + *sintaxe*.] *S. f. E. Ling.* O estudo das categorias gramaticais a partir de critérios extraídos da morfologia e da sintaxe.

morfotropia [De *morf(o)-* + *-tropia*.] *S. f. Fís.-Quím.* Propriedade de substâncias quimicamente aparentadas que se cristalizam num mesmo sistema e têm analogias de comportamento.

morfozoário [De *morf(o)-* + *-zo(o)-* + *-ário*.] *S. m. Zool.* Qualquer animal que apresenta forma nitidamente determinada, em oposição aos que apresentam forma variável e/ou incerta.

morgada [Fem. de *morgado*.] *S. f.* **1.** Mulher ou viúva de morgado. **2.** Senhora de bens que constituem um morgado[1] (3).

morgadio [De *morgado* + *-io*[2].] *Adj.* **1.** Relativo ou pertencente a morgado. ● *S. m.* **2.** Bens de morgado. **3.** Qualidade de morgado.

morgado[1] [Do lat. vulg. *maioricatu < *maio-oricare < maiore, 'mais velho'.] *S. m.* **1.** Filho primogênito ou herdeiro de possuidor de bens vinculados. **2.** Filho mais velho, ou filho único. **3.** Propriedade vinculada ou conjunto de bens vinculados que não se podiam alienar ou dividir, e que em geral, por morte do possuidor, passava para o filho mais velho. **4.** O possuidor desses bens. **5.** *Fig.* Coisa muito rendosa. ~ V. *morgados*.

morgado[2] [Part. de *morgar*.] *Adj. Bras. Gír.* **1.** Adormecido. **2.** Cansado, sonolento; indisposto.

morgados [Pl. de *morgado*[1].] *S. m. pl. Cul.* Espécie de pastel recheado de ovos, amêndoa, etc., e polvilhado com açúcar e canela. ~ V. *morgado*[1].

morganático [Do b.-lat. *morganaticu*.] *Adj.* **1.** Diz-se do casamento contraído por príncipe com mulher de condição inferior. **2.** Diz-se da esposa nessa espécie de casamento.

morganho *S. m. Zool.* V. *camundongo*[1].

morgar [De *morgue* + *-ar*[2].] *V. int. Bras. Gír.* Dormir (1): 📖 "Não sei o que os outros faziam .... . Talvez andassem a cavalo, ou morgassem à beira da piscina" (Marcelo Rubens Paiva, *Não És Tu, Brasil*, p. 24). [Conjug.: v. *largar*.]

morgue [Do fr. *morgue*.] *S. f. Gal.* Necrotério.

moria [Do gr. *moría*, 'demência'.] *S. f. Psiq.* **1.** *Desus.* Perturbação mental. **2.** Tendência patológica a gracejar.

moribundo [Do lat. *moribundu*.] *Adj.* **1.** Que está morrendo; que vai acabar; agonizante: 📖 "E em farrapos, sozinho, arqueja moribundo / Padre Bartolomeu Lourenço de Gusmão..." (Olavo Bilac, *Poesias*, p. 240.) **2.** Desfalecido, amortecido: 📖 "Ouvem, loucos de dor, os fúnebres lamentos / Dos magros bois de olhar moribundo e sereno" (Guerra Junqueiro, *A Velhice do Padre Eterno*, p. 217). ● *S. m.* **3.** Aquele que está morrendo.

morigeração [Do lat. *morigeratione*, 'condescendência', 'complacência'.] *S. f.* **1.** Ato ou efeito de morigerar(-se). **2.** *P. ext.* Moralização. **3.** Bons costumes; boa educação.

morigerado [Do lat. *morigeratu*.] *Adj.* Que tem bons costumes ou vida exemplar: 📖 "Não gostava .... de Cassi. Era, para ele, homem morigerado e trabalhador, um capadócio, um desclassificado" (Lima Barreto, *Clara dos Anjos*, p. 153). [Sin., poét.: *morígero*.]

morigerante [De *morigerar* + *-nte*.] *Adj. 2 g.* Que serve para morigerar.

morigerar [Do lat. *morigerare*, 'condescender', 'comprazer'.] *V. t. d.* **1.** Moderar os costumes de; ensinar bons costumes a; educar. *Int.* **2.** Causar morigeração. *P.* **3.** Adquirir bons costumes; passar a portar-se bem. [Pres. ind.: *morigero*, etc. Cf. *morígero*.]

morígero [Do lat. *morigeru*.] *Adj. Poét.* Morigerado. [Cf. *morigero*, do v. *morigerar*.]

➔ **morille** [mo'ʁil] [Fr.] *S. f.* Cogumelo francês muito apreciado, típico da primavera; tem a parte de cima cônica e cheia de alvéolos.

morim [Do mal. *muri*.] *S. m. Tec. Têx.* Tecido fino de algodão cardado, muito us. para forro, roupa-branca, roupa de cama e mesa, etc.: 📖 "afastando a camisinha de morim, pôs a mão um pouco acima da virilha direita." (Ézio Pinto Monteiro, *Chico*, p. 103). [Sin., no N.E. do Brasil: *madapolão, madrasto*.]

morinda [Do tax. *Morinda* (< lat. *Morus indica*).] *S. f. Bot.* **1.** Grande gênero de árvores e arbustos rubiáceos, tropicais, nativos das Índias Orientais. **2.** Qualquer espécie desse gênero, como, p. ex., a *Morinda citrifolia*, de ramos quadrangulares, folhas elípticas, flores alvas congregadas em glomérulos, frutos globosos, carnosos, e cuja raiz fornece matéria corante amarela. **3.** Qualquer espécie desse gênero.

moringa[1] [Do quimbundo *muringi*.] *S. f.* **1.** *Bras.* Garrafão ou bilha de barro para conter e refrescar a água. [Sin.: *quarta, quartilha, quartinha* (N.E. e RS), *bilha* (MA e MG).] **2.** *P. ext. Bras. RJ* Quartinha (2). [Var., nesta acepç.: *moringue*.]

moringa[2] [Do tax. *Moringa* (poss. do malaiala).] *S. f. Bot.* **1.** Gênero de árvores moringáceas da Índia oriental e da África, de folhas penadas, flores irregulares, com 10 estames, e fruto capsular trivalvar. **2.** Qualquer espécie desse gênero, como, p. ex., a *Moringa oleifera* (v. *acácia-branca*). **3.** Qualquer espécie desse gênero.

moringácea [Do tax. *Moringa* + *-ácea*; tax. *Moringaceae*.] *S. f. Bot.* Espécime das moringáceas, família da ordem das caparidales que compreende, apenas, o gênero *Moringa* (v. *moringa*[2]).

moringáceo [De *moringácea*, com var. suf. (v. *-áceo*).] *Adj. Bot.* Pertencente ou relativo às moringáceas.

moringue *S. m. Bras. RJ* V. *moringa* (2).

morioplastia (mò) [Do gr. *mórion*, 'parte (do corpo)', + *-plast(o)-* + *-ia*[1].] *S. f. Cir. Plást.* Restauração cirúrgica de porção ou porções do corpo perdidas.

morisqueta (ê) [Do esp. plat. *morisqueta*.] *S. f. Bras. RS Pop.* V. *momices*.

moriti *S. m. Bras. Bot.* V. *buriti* (1).

morituro [Do lat. *morituru*.] *S. m. P. us.* Aquele que vai morrer: 📖 "E fiquei aqui solitário, o condenado, o empesteado, o morituro, o pária." (Rubem Braga, *Ai de Ti, Copacabana!*, p. 166.)

morivene *Bras. S. 2 g.* **1.** *Etnôn.* Indivíduo dos morivenes [ou (etnôn. bras.) *Moriwene], povo indígena da família linguística aruaque, que habita a região do rio Içana (AM). ● *Adj. 2 g.* **2.** Pertencente ou relativo a esse povo.

mormaceira [De *mormaço* + *-eira*.] *S. f.* Mormaço (1 e 2) forte.

mormacense *Adj. 2 g.* **1.** De, ou pertencente ou relativo a Mormaço (RS). ● *S. 2 g.* **2.** O natural ou habitante de Mormaço.

mormacento[1] [De *mormaço* + *-ento*.] *Adj.* Diz-se do tempo quente e úmido.

mormacento[2] [De *mormo*.] *Adj.* Semelhante ao mormo.

mormaço [De or. incerta.] *S. m.* **1.** Tempo mormacento: 📖 "Opaco, plúmbeo mormaço sufocava a terra e o mar." (Carlos Magalhães de Azeredo, *Ariadne*, p. 79.) **2.** Tempo abafadiço; bochorno. **3.** *Bras. Pop.* Sujeito cacete, enjoado, de mau gênio. **4.** *Bras. PE Pop.* V. *namoro* (1).

mormente [De *mor* + *-mente*.] *Adv.* Principalmente, sobretudo; maiormente.

mormirídeo [Do tax. *Mormyrus*, gênero-tipo, + *-ídeo*[1]; tax. *Mormyridae*.] *Zool. S. m.* **1.** Espécime dos mormirídeos, família de peixes actinopterígios que habitam as águas doces da África tropical; apresentam um focinho alongado que lembra uma tromba[1] (1), daí o nome de peixes-elefantes. Algumas espécies têm órgãos elétricos que produzem descargas de baixa voltagem. ● *Adj.* **2.** Pertencente ou relativo a eles.

mormo (ô) [Do lat. *morbu*.] *S. m. Med. Veter.* Doença de equídeos, produzida por bacilo, caracterizada por ulcerações na mucosa nasal, múltiplos nódulos subcutâneos e linfadenite, e que se pode transmitir ao homem, sendo a este, quase sempre, fatal; farcino. [Pl.: *mormos* (ô). Cf. *lamparão*.]

mórmon [Do ingl. *mormon* < antr. *Mormon*, de um profeta do séc. IV.] *S. m.* **1.** Sectário do mormonismo. ● *Adj.* **2.** Mormônico. **3.** Que é sectário do mormonismo. [Pl.: *mórmons* e (p. us. no Brasil) *mórmones*.]

mormónico *Adj.* V. *mormônico*. [Uso freq. em P.]

mormônico [De *mórmon* + *-ico*[2].] *Adj.* Referente aos mórmons ou ao mormonismo; mórmon.

mormonismo [Do ingl. *mormonism*.] *S. m.* Seita religiosa norte-americana fundada em 1827 por Joseph Smith (1805-1844), e cujos membros, os mórmons, praticavam a poligamia, que a lei americana proibiu desde 1887: 📖 "Cheguei a lembrar-me do mormonismo, a amaldiçoada seita de José Smith." (Aluísio Azevedo, *Livro de uma Sogra*, p. 77.)

mormoso (ô) [De *mormo* + *-oso*.] *Adj.* Que tem mormo; atacado de mormo.

morna [Do cabo-verd.] *S. f. Cabo-verd. Mús.* Canção e dança popular cabo-verdiana, de caráter dolente e sentimental, em andamento moderado, ger. em tom menor e ritmo sincopado: 📖 "Terra amada / Cantada nas mornas da alma das gentes" (Mário Fonseca, em *No Reino de Caliban*, p. 232).

mornança [De *mornar* + *-ança*.] ***S. f.*** *Bras. N.E.* Ação ou efeito de mornar (3); demora, lentidão, retardamento, tardança.

mornar [De *morno* + *-ar*[2].] ***V. t. d.*** **1.** V. *amornar* (1). ***Int.*** **2.** V. *amornar* (2). **3.** *Bras. N.E.* Não ser expedito; demorar, remanchar, tardar. [Pres. ind.: *morno*, etc. Cf. *morno* (ô).]

mornidão [De *morno* + *-idão*.] ***S. f.*** **1.** Estado de morno (1). **2.** *Fig.* Qualidade de morno (2); falta de energia.

morno (ô) [De or. controvertida.] ***Adj.*** **1.** Pouco quente; tépido. **2.** *Fig.* Falto de energia; frouxo. **3.** Tranquilo, sereno. **4.** Insípido, insulso, monótono: "arrastava uma existência morna e indiferente, sempre ocupada com os seus intermináveis achaques." (Eduardo Frieiro, *O Mameluco Boaventura*, p. 6). ~ V. *panos —s*. [Pl.: *mornos* (ó). Cf. *morno*, do v. *mornar*.]

moroba [Do tupi.] ***S. f.*** *Bras. Zool.* Peixe eritrinídeo (*Erythrinus erythrinus*) das bacias dos rios Amazonas e Orinoco e de rios guianenses, de coloração parda com manchas arredondas; alcança até 20cm de comprimento.

morocha (ô) ***S. f.*** Fem. de *morocho*: "a morocha mais linda que tenho visto, saltou em cima do Bonifácio, tirou-lhe da mão sem força o facão" (Simões Lopes Neto, *Contos Gauchescos e Lendas do Sul*, p. 136).

morocho (ô) [Do esp. plat. *morocho*.] ***S. m. Bras. RS*** **1.** Moreno (4). **2.** Caboclo, mestiço.

mororê [Do tupi.] ***S. m.*** *Bras. Amaz. Zool.* V. *acará-disco*.

mororó [De or. indígena, poss.] ***S. m.*** *Bras.* **1.** *Bot.* Designação comum às cesalpiniáceas do gênero *Bauhinia*. **2.** *Bot.* Árvore cesalpiniácea (*Bauhinia forficata*) da floresta úmida, de folhas subdivididas em duas partes e dotadas de propriedades hipoglicemiantes, flores amplas, e frutos que são legumes; pata-de-vaca, pé-de-boi. **3.** *Zool.* V. *caramuru* (1). ◆ **Estar de mororó.** *Bras. PE MG Fam.* Estar acamado, por doença; estar de cama: "Deixei a patroa no catre .... quase que morta: prostrada, pançuda. Está de mororó desde trasantontem." (Manuel Lobato, *Garrucha 44*, p. 46.)

mororó-cipó ***S. m.*** *Bras. Bot.* V. *cipó-escada*. [Pl.: *mororós-cipós* e *mororós-cipó*.]

morosidade [Do lat. *morositate*.] ***S. f.*** Qualidade de moroso; lentidão, vagar, frouxidão.

moroso (ô) [Do lat. *morosu*.] ***Adj.*** **1.** Que anda ou procede com lentidão: "Arrastados pesadamente por morosos mas robustos bois de grandes aspas, avançavam os ronceiros veículos" (Júlio Ribeiro, *A Carne*, p. 32). **2.** Demorado, lento: "Eu ficava em casa, ora meio sorumbático, ora caceteando a família inteira, até que ela me mandasse para a rua. Aliás, é moroso e de resultado incerto." (Ciro dos Anjos, *O Amanuense Belmiro*, p. 80.) **3.** Difícil de fazer. [Sin. ger.: *demoroso*.]

morotó [De or. indígena, poss.] ***S. m.*** *Bras. N. Zool.* V. *bicheira* (2).

morototó [De or. indígena.] ***S. m.*** *Bras. Bot.* Árvore araliácea (*Didymopanax morototoni*) alta, elegante e só ramificada no ápice, com folhas digitadas e belas, e cujas flores e frutos, uns e outros inconspícuos, dispõem-se em amplas panículas terminais. [Sin.: *mandioqueira*, *parapará*.]

morparaense (parà) ***Adj. 2 g.*** **1.** De, ou pertencente ou relativo a Morpará (BA). ● ***S. 2 g.*** **2.** O natural ou habitante de Morpará.

morra (ô) [Da 2ª pess. sing. do imperat. do v. *morrer*.] ***Interj.*** Exprime o desejo de que algo acabe, ou de que alguém seja morto ou afastado de um posto. [Antôn.: *viva*.]

morraça [De or. obscura.] ***S. f.*** **1.** O estrume vegetal dos pântanos e dos terrenos lamacentos. **2.** Zurrapa (q. v.). [Cf. *murraça*.]

morrão[1] [De or. obscura.] ***S. m.*** **1.** Pedaço de corda que se acendia numa das extremidades para comunicar fogo às peças de artilharia. **2.** Extremidade carbonizada de torcida ou de mecha. **3.** *Bot.* V. *cravagem*. **4.** *P. ext.* Grão que apodrece na espiga por causa da cravagem (q. v.).

morrão[2] ***S. m.*** *Bras. SP* V. *cachaça* (1).

morraria [De *morro* (1) + *-aria*.] ***S. f.*** Série de morros: "os cafezais alinhados, regulares, contínuos, como um tapete crespo, verde-negro, estendido pelo dorso da morraria." (Júlio Ribeiro, *A Carne*, p. 11).

morrediço [De *morrer* + *-(d)iço*[2].] ***Adj.*** Que está para morrer; pouco vivedouro; mortiço, morredor, morredouro, morrente, mortal.

morredoiro[1] [De *morrer* + *-doiro*[2].] ***S. m.*** Morredouro[1] (q. v.).

morredoiro[2] [Do lat. *morrituru*, com infl. de *morrer*.] ***Adj.*** Morredouro[2] (q. v.).

morredondense ***Adj. 2 g.*** **1.** De, ou pertencente ou relativo a Morro Redondo (RS). ● ***S. 2 g.*** **2.** O natural ou habitante de Morro Redondo.

morredor (ô) [De *morrer* + *-dor*.] ***Adj.*** **1.** V. *morrediço*. **2.** *Bras. CE Pop.* Covarde, pusilânime. ● ***S. m.*** **3.** *Bras.* Lugar onde algum ser ou alguma coisa acaba, morre. **4.** *Bras.* Lugar onde a caça dificilmente escapa. **5.** *Bras. SP* Parte do curral de peixe em que os peixes ficam definitivamente presos. **6.** *Bras. PR* Meta ou ponto de chegada, nas corridas de cavalos.

morredouro[1] [De *morrer* + *-douro*[2]; var. de *morredoiro*[1].] ***S. m.*** Lugar doentio, onde ocorrem muitos óbitos.

morredouro[2] [Var. de *morredoiro*[2].] ***Adj.*** **1.** V. *morrediço*. **2.** Decrépito, fraco, gasto. **3.** Transitório, mortal.

morre-joão [De *morrer* + o antr. *João*.] ***S. m.*** *Bras. Bot.* V. *dormideira* (2). [Pl.: *morre-joões*.]

morremorrer [De *morrer* + *morrer*.] ***V. int.*** *Bras.* Morrer lentamente; ir-se acabando: "E já morremorrendo / A coitada falou: // — Piá, não me maltrata não... / Eu levo você pro céu..." (Mário de Andrade, *Poesias*, p. 141.)

morrense[1] ***Adj. 2 g.*** **1.** De, ou pertencente ou relativo a Morro do Chapéu (BA). ● ***S. 2 g.*** **2.** O natural ou habitante de Morro do Chapéu.

morrense[2] ***Adj. 2 g.*** **1.** De, ou pertencente ou relativo a Morro do Pilar (MG). ● ***S. 2 g.*** **2.** O natural ou habitante de Morro do Pilar.

morrente [De *morrer* + *-nte*.] ***Adj. 2 g.*** V. *morrediço*.

morrer [Do lat. vulg. *morrere*, por *mori*.] ***V. int.*** **1.** Perder a vida; exalar o último suspiro; falecer, finar-se, expirar, fazer ablativo de viagem, perecer: "Minha mãe de saudades morreria / Se eu morresse amanhã." (Álvares de Azevedo, *Obras Completas*, I, p. 326.) [Sin., muitos deles bras., pop. ou de gíria: *abotoar, abotoar o paletó, adormecer no Senhor, apagar, apitar, assentar o cabelo, bafuntar, bater a alcatra na terra ingrata, bater a(s) bota(s), bater a caçoleta, bater a canastra, bater a pacuera, bater com a cola na cerca, bater o pacau, bater o prego, bater o trinta e um, bater o trinta e um de roda, botar o bloco na rua, comer capim pela raiz, dar a alma a Deus, dar a alma ao Criador, dar à casca, dar à espinha, dar a lonca, dar a ossada, dar com o rabo na cerca, dar o couro às varas, dar o último alento, defuntar, desaparecer, descansar, descer à cova, descer à terra, descer ao túmulo, desencarnar, desinfetar o beco, desocupar o beco, desviver, dizer adeus ao mundo, embarcar, embarcar deste mundo para um melhor, empacotar, entregar a alma a Deus, entregar a alma ao Diabo, entregar a rapadura, espichar, espichar a canela, esticar, esticar a canela, esticar o cambito, esticar o pernil, estuporar(-se), expirar, fazer ablativo de partida, fazer ablativo de viagem, fazer passagem, fechar o paletó, fechar os olhos, fenecer, finar(-se), fincar as aspas no inferno, ir para a Cacuia, ir para a cidade dos pés juntos, ir para a Cucuia, ir para bom lugar, ir para o Acre, ir para o beleléu, ir para o outro mundo, ir(-se), ir(-se) desta para melhor, largar a casca, passar, passar desta para melhor, passar desta para melhor vida, pifar, pitar macaia, quebrar a tira, render a alma ao Criador, render o espírito, vestir o paletó de madeira, vestir o pijama de madeira, virar presunto*.] **2.** Extinguir-se, acabar(-se), findar: "A tarde morre tranquilamente: / Na freguesia soam trindades" (Conde de Monsaraz, *Musa Alentejana*, p. 17). **3.** Sumir gradualmente; desaparecer: *A luz morria no horizonte*; "Ontem à tarde quando o Sol morria, / A natureza era um poema santo" (Castro Alves, *Obras Escolhidas*, p. 97). **4.** Perder (a planta) a cor e o vigor; estiolar-se. **5.** Ficar suspenso; interromper-se: *O grito morreu na garganta.* **6.** Ficar no esquecimento; perder a eficácia: *As palavras dos grandes filósofos nunca morrem.* **7.** Terminar, acabar, findar. **8.** Perder o movimento. **9.** Perder o brilho; tornar-se menos vivo: *A luz do lampadário entrou a morrer.* **10.** *Bras. Autom.* Parar de funcionar: *De repente o automóvel morreu.* ***T. c.*** **11.** Acabar, terminar, chegar: *A estrada morria na montanha.* **12.** Lançar suas águas; desaguar: *O rio morre no oceano.* ***T. i.*** **13.** Experimentar em grau muito intenso (sentimento, sensação, desejo, etc.): *morrer de amor, de tristeza, de inveja.* **14.** Ter grande afeição, grande amor, a: *morrer pela namorada.* **15.** Desejar, querer ardentemente: *Morria por saber o segredo da amada.* **16.** *Bras. Gír.* Satisfazer uma dívida; pagar: *morrer na conta.* ***Pred.*** **17.** Achar-se (em determinado estado ou condição) no fim da vida: "Victor Hugo, o maior lírico da idade moderna, morreu riquíssimo." (Olavo Bilac, *Conferências Literárias*, p. 258.) ***T. d.*** **18.** Experimentar, sofrer: "Não poderá arrumar a sua morte. Morrerá uma morte qualquer" (Gustavo Corção, *Lições de Abismo*, p. 172). ***P.*** **19.** V. *morrer* (1): "E vim a meditar em quem me cercaria, / Depois de eu me morrer, as pálpebras já frouxas." (Cesário Verde, *Obra Completa*, p. 59.) **20.** Padecer ou sofrer, desejando intensamente; finar-se: "o simpático alferes Carlos Magno, que era um padecente pelo belo sexo, morria-se por elas" (Virgílio Várzea, *Nas Ondas*, p. 148); "Sempre, sempre que te escuto / De um teu crime a confissão, / Entre vida e morte luto, / Suo, gelo, em dor me enluto, / Morro-me, perco a razão." (Antônio Feliciano de Castilho, *Os Amores*, III, p. 90). [Part.: *morrido* e *morto*.] ● ***S. m.*** **21.** Morte (1). ◆ **Morrer de rir.** Rir às bandeiras despregadas; gargalhar. **Morrer na praia.** *Pop.* Fracassar na etapa final de atividade, empreendimento, etc. **Lindo de morrer.** *Bras. Gír.* Muitíssimo bonito; extraordinariamente lindo.

morretense ***Adj. 2 g. S. 2 g.*** Morretiano.

morretiana [F. subst. do adj. *morretiano*.] ***S. f.*** *Bras. Pop.* V. *cachaça* (1).

morretiano ***Adj.*** **1.** De, ou pertencente ou relativo a Morretes (PR). ● ***S. m.*** **2.** O natural ou habitante de Morretes. [Sin. ger.: *morretense*.]

morrião[1] [Do esp. *morrión*.] ***S. m.*** Antigo capacete sem viseira e com tope enfeitado: "Fulge o morrião sobre o cabelo louro, / E avultas na moldura, alto, esbelto e membrudo" (Olavo Bilac, *Poesias*, p. 237).

morrião[2] [Do fr. *mouron*, pelas f. pop. *mourion* e *morion*.] ***S. m.*** *Bras. S. Bot.* Erva primulácea (*Anagalis arvensis*) muito disseminada pelo mundo, provida de ramos quadrangulares e alados, folhas sésseis e ovadas, corola rotácea, e frutos capsulares e polispermos.

morrião-d'água ***S. m.*** *Bras. S. Bot.* Erva primulácea (*Samolus aquaticus*) humilde, e provida de folhas e flores pequenas e frutos capsulares. [Pl.: *morriões-d'água*.]

morrião-dos-passarinhos [De *morrião* + o pl. de *do*[1] + o pl. de *passarinho*.] ***S. m.*** *Bras. Bot.* Erva cariofilácea (*Stellaria media*), natural da Europa, e hoje difundida nas regiões mais frias do Brasil. [Pl.: *morriões-dos-passarinhos*.]

morrido [Part. de *morrer*.] ***Adj.*** ~ V. *morte —a*.

morrinha ***S. f.*** **1.** Sarna epidêmica do gado. **2.** Gafeira (1). **3.** Doença epidêmica do gado. **4.** *Pop.* Enfermidade ligeira, ou indisposição física; achaque, ganguê. **5.** *Bras.* Fedor exalado por pessoa ou por animal; catinga, inhaca, bodum. V. *fartum* (3). **6.** *Bras.* Lassidão, lassitude, prostração, quebreira, preguiça. **7.** Melancolia, tristeza. ● ***S. 2 g. Adj. 2 g.*** **8.** *Bras. Gír.* V. *maçante* (2). **9.** *Bras. Gír.* V. *avaro* (1 e 3). **10.** *Bras. Gír.* Preguiçoso; lerdo.

morrinhar [De *morrinha* + *-ar*[2].] ***V. int.*** **1.** V. *amorrinhar-se* (2). **2.** Aborrecer-se, maçar-se, entediar-se, amolar-se. **3.** *Bras.* Prolongar-se (fato, assunto, etc.) de modo maçante.

morrinhense[1] ***Adj. 2 g.*** **1.** De, ou pertencente ou relativo a Morrinhos (CE e GO). ● ***S. 2 g.*** **2.** O natural ou habitante de Morrinhos.

morrinhense[2] ***Adj. 2 g.*** **1.** De, ou pertencente ou relativo a Morrinhos do Sul (RS). ● ***S. 2 g.*** **2.** O natural ou habitante de Morrinhos do Sul.

morrinhento [De *morrinha* + *-ento*.] ***Adj.*** **1.** Que tem morrinha (1 a 5). **2.** *Pop.* Enfraquecido; achacadiço. **3.** Prestes a extinguir-se; débil, mortiço: "teias de aranha baloiçando nervosamente à luz morrinhenta da candeia." (Antunes da Silva, *Gaimirra*, p. 141). **4.** Alquebrado, lasso, prostrado. **5.** *Bras.* Triste, macambúzio. **6.** *Bras. S.* Diz-se de pessoa ou coisa maçante (q. v.), enervante, cacete: *sujeito morrinhento*; *chuva morrinhenta*. **7.** *Bras. S.* Entristecido pela chuva: *tarde morrinhenta*.

morro (ô) [Da mesma or. incerta que o esp. *morro* e o cat. *morro*.] ***S. m.*** **1.** Monte pouco elevado; colina, outeiro. **2.** Pedreira. **3.** *Bras.* V. *favela* (1). [Dim. irreg.: *morrote*.] ◆ **Morro de chapéu.** *Bras. BA MG* Cimo com saliências que semelham abas de chapéu. **Morro pelado.** *Bras. AM* Pequeno morro com canga e revestido de rala vegetação arbórea, ou sem ela. **Descer o morro.** *Bras. RJ* Mostrar-se ríspido, grosseiro, grosso; engrossar; entornar o caldo, virar a mesa.

morro-agudense[1] ***Adj. 2 g.*** **1.** De, ou pertencente ou relativo a Morro Agudo (SP). ● ***S. 2 g.*** **2.** O natural ou habitante de Morro Agudo. [Pl.: *morro-agudenses*.]

morro-agudense[2] ***Adj. 2 g.*** **1.** De, ou pertencente ou relativo a Morro Agudo de Goiás (GO). ● ***S. 2 g.*** **2.** O natural ou habitante de Morro Agudo de Goiás. [Pl.: *morro-agudenses*.]

morro-garcense ***Adj. 2 g.*** **1.** De, ou pertencente ou relativo a Morro da Garça (MG). ● ***S. 2 g.*** **2.** O natural ou habitante de Morro da Garça. [Pl.: *morro-garcenses*.]

morrote [De *morro* + *-ote*[1].] ***S. m.*** *Bras.* Pequeno morro: "Respirou fundo na descida do morrote." (Ilza Espírito Santo Porto, em *Contos Alagoanos de Hoje*, p. 67.)

morro-testemunho ***S. m.*** *Topogr.* V. *dama*[3]. [Pl.: *morros-testemunhos* e *morros-testemunho*.]

morrudaço [De *morrudo* + *-aço*.] ***Adj.*** *Bras. RS* Muito morrudo.

morrudo [Do esp. plat. *morrudo*.] ***Adj.*** *Bras. S.* **1.** Grande, volumoso, corpulento. **2.** *Pop.* V. *musculoso* (1). **3.** Diz-se da tropa que se compõe de muitas cabeças. **4.** Bem criado; gordo. [Aum. irreg.: *morrudaço*.]

morruense *Adj. 2 g.* **1.** De, ou pertencente ou relativo a Morros (MA). ● *S. 2 g.* **2.** O natural ou habitante de Morros.

morsa[1] *S. f. Tip.* A parte dianteira da linotipo, que se abre para permitir acesso ao disco de moldes; tranqueira.

morsa[2] [Do lapão, pelo russo *morj* e pelo fr. *morse*.] *S. f. Zool.* Designação comum a dois mamíferos marinhos odobenídeos: *Odobenus rosmanus*, do N.O. do Atlântico e do oceano Ártico, e *O. divergens*, do mar de Bering e das costas do oceano Ártico, na Sibéria e no Alasca, este às vezes tido como uma variedade do primeiro. Podem atingir mais de uma tonelada de peso e são caçados pelo valor de seu couro e de suas presas e pelo óleo extraído de sua gordura. Localmente, são us. tb. como alimento.

morsegão [Aum. de **morsega*, dev. de *morsegar*.] *S. m.* **1.** Bocado que se arranca com os dentes. **2.** V. *beliscão*. [Cf. *morcegão*.]

morsegar [Do lat. *morsicare*.] *V. t. d.* **1.** Arrancar ou partir com os dentes; mordicar. **2.** Fazer mossa em; esborcinar, amossar. [Var. (com assimilação): *mossegar*. F. paral.: *amorsegar*; var.: *amossegar*. Conjug.: v. *regar*. Pres. ind.: *morsego*, etc. Cf. *morcego*, do v. *morcegar*, este v., e *morcego* (ê).]

morso [Do lat. *morsu*, 'mordedura'.] *S. m.* **1.** V. *mordedura* (1 a 3). **2.** Bocal do freio.

morsolo [Do lat. *morsolu*.] *S. m. Farm.* Trocisco (q. v.).

morta-cor *S. f. Art. Plást.* V. *morte-cor*. [Pl.: *mortas-cores* e *morta-cores*.]

mortadela [Do it. *mortadella*.] *S. f.* Grande chouriço, espécie de salame.

mortagem [Do esp. *mortaja*.] *S. f.* Chanfradura na extremidade duma peça de madeira, para receber o topo de outra peça.

mortais [Pl. de *mortal*.] *S. m. pl.* A espécie humana, a humanidade. ~ V. *mortal*.

mortal [Do lat. *mortale*.] *Adj. 2 g.* **1.** Sujeito à morte. **2.** Que produz a morte. V. *letal* (1). **3.** V. *morrediço*. **4.** Molesto ao extremo; insuportável. **5.** Passageiro, transitório, efêmero. **6.** Figadal, encarniçado: *ódio mortal*; *inimigo mortal*. ~ V. *pecado —*, *pena —* e *restos mortais*. ● *S. m.* **7.** O ser humano; o homem. ~ V. *mortais*.

mortalha [Do lat. *mortualia*, 'vestes de luto'.] *S. f.* **1.** Vestidura em que se envolve o cadáver que vai ser sepultado. **2.** Pequena tira de papel, ou de palha, em que se embrulha o fumo do cigarro: "Endireitou um dos cigarros e acendeu-o, tapando com os dedos um rasgão da mortalha." (Urbano Tavares Rodrigues, *A Noite Roxa*, p. 164.) ~ V. *mortalhas*.

mortalhas [Pl. de *mortalha*.] *S. f. pl.* Funeral, funerais, exéquias, mortuório. ~ V. *mortalha*.

mortalidade [Do lat. *mortalitate*, por via semierudita.] *S. f.* **1.** Qualidade ou condição de mortal. **2.** Número, ou proporção de óbitos em uma comunidade, em determinado período de tempo. [V. *taxa bruta de mortalidade* e *taxa de mortalidade infantil*.] **3.** V. *mortandade*.

mortandade [Do lat. *mortalitate*, 'mortalidade' (q. v.), por via pop., e com infl. dos muitos substantivos abstratos terminados em *-ndade* (v. *-(i)dade*).] *S. f.* Extermínio, chacina, carnificina, matança, mortalidade, morticínio.

morte [Do lat. *morte*.] *S. f.* **1.** Ato de morrer; o fim da vida animal ou vegetal. **2.** Termo, fim. **3.** Destruição, ruína. **4.** *Fig.* Grande dor; pesar profundo: *A partida do amigo foi para ela uma morte*. **5.** Entidade imaginária da crendice popular, representada, em geral, por um esqueleto humano armado de uma foice com que ceifa as vidas. ◆ **Morte agônica.** O oposto de *morte súbita* (1). **Morte cerebral.** *Neur.* Conjunto de alterações neurológicas irreversível [ausência de resposta a qualquer estímulo, ausência de qualquer atividade muscular espontânea (inclusive de respiração, calafrios, etc.) e, pelo eletroencefalograma, completa falta de atividade cerebral], desde que tal conjunto de alterações não se deva a hipotermia ou a intoxicação por substâncias depressoras do sistema nervoso central. **Morte civil.** Perda de todos os direitos e regalias sociais. [Cf. *morte natural*.] **Morte cósmica.** *Astr.* Fenômeno descrito em certas teorias cosmogônicas, segundo o qual o Universo tenderá a um estado de equilíbrio térmico; morte térmica. **Morte matada.** *Bras. Pop.* Morte não natural; assassínio, assassinato. **Morte moral.** **1.** Perda de todos os sentimentos de honra. **2.** Depravação moral. **Morte morrida.** *Fam.* V. *morte natural* (2). **Morte natural.** **1.** A perda da vida por sentença. [Cf. *morte civil*.] **2.** Morte por doença, morte morrida. [Cf. *morte violenta*.] **Morte súbita.** **1.** Terminação rápida ou imprevista da vida por processo mórbido, muitas vezes latente. **2.** *Pop.* Sistema de decisão de partida de futebol, pelo qual se considera vencedor o time que marca primeiro em prorrogação de tempo normal. **Morte térmica.** *Astr.* Morte cósmica. **Morte violenta.** A que não é motivada por doença, como a causada por desastre, homicídio ou suicídio. [Cf. *morte natural*.] **Chorar a morte da bezerra.** *Bras. Pop.* Lastimar-se de um fato irremediável. **De má morte.** De má índole; de mau caráter; ruim. **De morte.** Mortalmente: "primeiro que lá se chegasse ainda era preciso andar .... Era um poder de passos e paciência, — refletia o pastor, a quem aborreciam de morte os intermináveis torcicolos da vereda." (Trindade Coelho, *Os Meus Amores*, p. 51). **Pensar na morte da bezerra.** Estar distraído, alheio ao que se passa em torno. **Ser de morte.** *Bras. Fam.* **1.** Ser insuportável, de trato difícil. **2.** Pouco ou nada confiável: "aquele bombeiro que você indicou é de morte, consertou só a pia do tanque, disse que voltava, sumiu..." (Rubem Braga, *As Boas Coisas da Vida*, p. 47). **3.** Ser levado do diabo. **4.** Ser desconcertante, excêntrico.

morte-cor [De *morta-cor* < *morta*, fem. de *morto*, + *cor*.] *S. f. Art. Plást.* As primeiras cores, ordinariamente pouco vivas, que os pintores dão às suas obras: "tudo à distância sobressaía num pálido debuxo de morte-cor." (Alcides Maia, *Tapera*, p. 41). [Var.: *morta-cor*. Sin.: *morte-luz*. Pl.: *morte-cores*.]

morteirada [De *morteiro*[1] + *-ada*[1].] *S. f.* **1.** Tiro de morteiro[1]. **2.** Pancada com a cabeça; pancada.

morteiro[1] [Do fr. *mortier*, 'almofariz'.] *S. m.* **1.** Peça de artilharia que, como o obus, lança projetis com grandes ângulos de elevação, mas dele se distingue por ter menor alcance de tiro. **2.** Pequena peça de ferro que se carrega com pólvora para dar tiros ou para fazer explosão festiva. **3.** Fogo de artifício constituído por um tubo de papelão reforçado contendo uma carga de pólvora, que lança a distância uma ou mais bombas (22). [Cf. *murteiro*.]

morteiro[2] [Do it. *mortaro*, 'almofariz'.] *S. m.* **1.** Aquilo que se pisa no almofariz. **2.** *P. ext.* Almofariz. [Cf. *murteiro*.]

morteiro[3] [De *morte* + *-eiro*.] *Adj. Bras. MG* Amortecido, lânguido, voluptuoso: *olhos morteiros*; *olhar morteiro*. [Cf. *murteiro*.]

morte-luz [De **morta-luz*, com infl. de *morte-cor*.] *S. f. Art. Plást.* V. *morte-cor*. [Pl.: *morte-luzes*.]

mortiçamente [Do f. de *mortiço* + *-mente*.] *Adv.* De modo mortiço; com luz mortiça: "todas as casas, a praça, pareciam adormecidas no ar pesado, com uma ou outra janela aberta, mortiçamente alumiada." (Eça de Queirós, *A Capital*, p. 44).

morticínio [Do lat. *morticinu*, 'morte natural', + *-io*[2].] *S. m.* V. *mortandade*.

mortiço [De *morte* + *-(d)iço*[2].] *Adj.* **1.** V. *morrediço*. **2.** Prestes a apagar-se, a extinguir-se: "e se sentou à banca de sapateiro, à luz mortiça de um bico de gás." (Rui Santos, *Teixeira Moleque*, p. 108). **3.** Sem brilho ou vivacidade; desanimado. **4.** Sem brilho; amortecido, baço, embaciado, fosco: "Era uma criança franzina, mas de grande agilidade, olhos pardos e mortiços, ... fronte deprimida." (Sílvio Rabelo, *Euclides da Cunha*, p. 101.)

mortífero [Do lat. *mortiferu*.] *Adj.* Que produz a morte. V. *letal* (1).

mortificação [Do lat. *mortificatione*.] *S. f.* **1.** Ato ou efeito de mortificar(-se). **2.** Desgosto, sofrimento, tormento, aflição. **3.** Paralisia parcial.

mortificado [Part. de *mortificar*.] *Adj.* Apoquentado, desgostoso, atormentado.

mortificador (ô) [De *mortificar* + *-dor*.] *Adj.* **1.** V. *mortificante*. ● *S. m.* **2.** Aquele que mortifica.

mortificante [Do lat. *mortificante*.] *Adj. 2 g.* Que mortifica; mortificador, mortificativo.

mortificar [Do lat. *mortificare*.] *V. t. d.* **1.** Diminuir ou extinguir a vitalidade de (alguma parte do corpo); entorpecer: *O frio mortifica as mãos da criança*. **2.** Macerar ou torturar (o corpo) com penitências. **3.** Castigar, fazer sofrer (qualquer parte do corpo); torturar: "considerei que as botas apertadas são uma das maiores venturas da terra, porque, fazendo doer os pés, dão azo ao prazer de as descalçar. Mortifica os pés, desgraçado, desmortifica-os depois" (Machado de Assis, *Memórias Póstumas de Brás Cubas*, p. 112). **4.** Causar desgosto ou dissabor a; afligir, atormentar: *As contínuas recusas mortificavam-no*. **5.** Apagar, desvanecer, destruir, suprimir. *P.* **6.** Castigar o próprio corpo com penitências. **7.** Afadigar-se, extenuar-se, matar-se: "Pobre, casando não passaria da vida insípida que levam todas as mulheres, ... envelhecendo, mortificando-se no trabalho insano" (Coelho Neto, *Turbilhão*, p. 259). **8.** Afligir-se, atormentar-se. [Conjug.: v. *trancar*.]

mortificativo [De *mortificar* + *-tivo*.] *Adj.* V. *mortificante*.

mortinatalidade [De *morte* + *-i-* + *natalidade*.] *S. f.* Natimortalidade.

morto (ô) [Do lat. *mortuu*.] *Adj.* **1.** Que morreu; defunto, falecido. **2.** Diz-se do vegetal murcho ou seco. **3.** Inerte, insensível: *Com a queda, a perna ficara-lhe morta*. **4.** Paralisado, entorpecido: *morto de medo*. **5.** Extinto, apagado: *fogo morto*. **6.** Acabado, terminado, encerrado. **7.** Desvanecido, esvaecido, desmaiado, desbotado: *cor morta*. **8.** Esquecido, olvidado. **9.** Sem brilho; sem expressão; inexpressivo: *semblante morto*. **10.** Sem atividade; sem vida: *A cidade estava morta*. **11.** Sem préstimo; inútil. **12.** Caído em desuso. **13.** Muito fatigado; exausto: *Não aguento mais sair hoje: estou morta*. **14.** Muito desejoso; ávido: *Anda morto por viajar*. **15.** Fortemente possuído por algum sentimento ou emoção: *morto de paixão*; *morto de inveja*. ~ V. *arquivo —*, *dia —*, *estrela —a*, *fronteira —a*, *horas —as*, *letra —a*, *língua —a*, *noite —a*, *obras —as*, *peso —*, *ponto —*, *tempo —* e *zona —a*. ● *S. m.* **16.** Aquele que morreu; extinto. **17.** Cadáver humano: *Apareceu um morto na praia*. **18.** Em certos jogos de azar, como, p. ex., a canastra e o buraco, cada um dos montes de cartas que os parceiros que primeiro descartam as suas tomam para continuar o jogo, sem o quê não poderão bater. **19.** No bridge, o parceiro do carteador, que põe suas cartas na mesa e não joga naquela mão. **20.** *Bras.* Biribá[3] (2). **21.** *Bras. RS* Pau enterrado, ao qual se prende o rabicho para firmar o mestre do aramado [pl.: *mortos* (ó).] ◆ **Morto de.** Em alto grau; excessivamente; muitíssimo: *morto de cansaço*; *morto de sede*; *morto de ódio*. **Mais morto (do) que vivo.** **1.** Morto de cansaço, esfalfado, extenuado. **2.** Em grave estado de saúde, depois de uma doença, catástrofe, etc. **3.** Sobressaltado, apavorado, com os cabelos em pé: "Samuel sobressaltou-se e, mais morto do que vivo, lançou um olhar enviesado e mau a Clemente, que tivera aquela infeliz ideia a seu respeito." (Ariano Suassuna, *A Pedra do Reino*, p. 199.) **Não ter onde cair morto.** Diz-se de quem é muito pobre ou vive na miséria. **Nem morto.** *Bras.* Sob nenhum pretexto; de forma nenhuma; de jeito nenhum. **Ser morto e vivo em.** *Bras. N.E. Lus. Fam.* Frequentar muito assiduamente (um lugar): "D. Constança era morta e viva na escola primária." (João de Araújo Correia, *Terra Ingrata*, p. 182); *O Sebastião não larga de mão a Joana: é morto e vivo na casa dela*.

morto a fome *S. m. Pop.* V. *avaro* (3). [Pl.: *mortos a fome* (ó).] ☑

morto carregando o vivo *S. m. Bras. N.E. Folcl.* Personagem fantástico do bumba meu boi (q. v.), representado por um ator mascarado, com o torso de um boneco na frente e os membros inferiores atrás, dando a impressão de que o inanimado carrega o animado. [Pl.: *mortos carregando o vivo*.] ☑

morto e vivo *S. m. Bras. N.E.* Espécie de fantasma ou visagem. [Pl.: *mortos e vivos*.] ☑

mortório [De *mortuório*, com síncope.] *S. m.* **1.** V. *funeral* (2). **2.** Parte das sementeiras em que a semente não chegou a germinar. **3.** Esquecimento; desuso. **4.** *Bras. PE* Ócio, descanso; vagar, lazer. [Cf. *mortuório*.]

mortualha [Do lat. *mortualia*.] *S. f.* **1.** Grande porção de cadáveres. **2.** V. *funeral* (2).

mortuárias [F. pl. subst. de *mortuário*.] *S. f. pl.* Aquilo que dos bens de um defunto se pagava à Igreja; mortulhas.

mortuário [Do lat. *mortuariu*.] *Adj.* Fúnebre (1).

mortugabense *Adj. 2 g.* **1.** De, ou pertencente ou relativo a Mortugaba (BA). ● *S. 2 g.* **2.** O natural ou habitante de Mortugaba.

mortulhas [De *morte*.] *S. f. pl.* Mortuárias.

mortuório [Do lat. *mortuus*, 'morto', + *-ório*.] *S. m.* V. *funeral* (2). [Cf. *mortório*.]

mortuoso (ô) [Do lat. *mortuosu*.] *Adj.* V. *cadavérico* (1).

morua *Bras. S. 2 g.* **1.** *Etnôn.* Indivíduo dos moruas, povo indígena extinto, que habitava as margens do Auati-Paraná, afluente direito do rio Japurá (AM). ● *Adj. 2 g.* **2.** Pertencente ou relativo a esse povo. [Tb. us. como *s. 2 g. e 2 n.* (com cap.) e *s. 2 g. e 2 n.*]

morubixaba [Do tupi.] *S. m. Bras.* **1.** Chefe temporal das tribos indígenas brasileiras: "Demais, rei do Eldorado, ou soba numa cubata zanzibarita, rei-sol ou morubixaba, à sua dignidade lhe seriam indispensáveis os prejuízos e percalços da investidura tradicional e divina" (Alberto Rangel, *Lume e Cinza*, p. 114). [O espiritual é o *pajé* (q. v.). Var. e sin.: *murumuxaua*, *murubixaua*, *tubixaba*, *tuxaua*, *cacique*, *curaca*.] **2.** V. *mandachuva*. **3.** *Pop.* Chefe, patrão.

mórula[1] [Do lat. *morula*.] *S. f.* Pequena mora ou demora.

mórula[2] [Do lat. cient. *morula*, dim. de *morum*, 'amora'.] *S. f. Embr.* Massa compacta, constituída por 16 ou mais blastômeros, e proveniente da segmentação de ovo fecundado.

morungabense *Adj. 2 g.* **1.** De, ou pertencente ou relativo a Morungaba (SP). ● *S. 2 g.* **2.** O natural ou habitante de Morungaba.

morupeteca [Do tupi.] *S. f. Bras. Amaz. Zool.* V. *formiga-correição*.

mos Contr. do pron. dem. *me* e do pron. dem. *os*: 📖 "os brincos de pérola que meto debaixo de uma tábua do soalho para que os cubanos não mos furtem no dia em que voltarem para me furtar o que não levaram na semana passada" (Lobo Antunes, *O Esplendor de Portugal*, p. 59).

■ **MOS** *Microeletrôn.* Acrôn. de *metal-óxido-semicondutor*, us. nas expressões *capacitor MOS* (q. v.) e *tecnologia MOS* (q. v.).

mosaicismo [De *mosaico*[1] + *-ismo*.] *S. m. Genét.* Condição de mosaico[1] (6).

mosaicista [De *mosaico*[1] + *-ista*.] *Adj. 2 g. S. 2 g.* Que, ou quem trabalha em obras de mosaico; mosaísta.

mosaico[1] [Do it. *mosaico*.] *S. m.* **1.** Pavimento de ladrilhos variegados. **2.** Embutido de pequenas pedras, ou de outras peças de cores, que pela sua disposição aparentam desenho. **3.** *Fig.* Qualquer trabalho intelectual ou manual composto de várias partes distintas ou separadas. **4.** *Encad.* Trabalho em que recortes de couro, de diferentes cores, são embutidos ou superpostos, formando compartimentos ou ornatos na pele que cobre um livro. **5.** *Bot.* Moléstia das plantas, causada por vírus, e que produz, nas folhas, áreas pálidas que contrastam com as áreas verdes e normais. **6.** *Genét.* Organismo com duas ou mais linhagens genéticas diferentes, cada uma delas originária de um mesmo zigoto. [Cf. *quimera* (6).] ◆ **Mosaico fluido.** *Citol.* Modelo proposto para a estrutura da membrana plasmática, segundo o qual ela seria constituída por uma bicamada lipídica fluida, onde se inserem as proteínas.

mosaico[2] [Do gr. *mosaikós*.] *Adj.* Relativo ou pertencente ao profeta e legislador bíblico Moisés, personagem do Velho Testamento, ou próprio dele: 📄 *legislação mosaica*.

mosaísmo [Do fr. *mosaïsme*.] *S. m.* Doutrina e liturgia hebraicas segundo a lei mosaica; os ensinamentos mosaicos (v. *mosaico*[2]): 📖 "Também a religião mosaica possui uma história de catequese .... Entre os berberes, converteram-se tribos inteiras ao mosaísmo." (Alberto da Costa e Silva, *A Enxada e a Lança*, p. 173.) [Sin.: *moiseísmo*.]

mosaísta[1] *Adj. 2 g. S. 2 g.* Mosaicista.

mosaísta[2] [De *mosaísmo* + *-ista*, seg. o padrão erudito.] *Adj. 2 g.* **1.** De, ou pertencente ou relativo ao mosaísmo. **2.** Que o professa. **3.** Que sofre ou sofreu influência do mosaísmo. ● *S. 2 g.* **4.** Sectário do mosaísmo. [Sin. ger.: *moiseísta*.]

mosassaurídeo [Do tax. *Mosasaurus*, gênero-tipo, + *-ídeo*[1]; tax. *Mosasauridae*.] *Paleont. S. m.* **1.** Espécime dos mosassaurídeos, família de sáurios marinhos cujo gênero-tipo era o Mosassauro (q. v.) e de que, no Brasil, foram encontrados exemplares em Pernambuco e na Paraíba. ● *Adj.* **2.** Pertencente ou relativo a eles.

mosassauro [Do tax. *Mosasaurus*.] *S. m. Paleont.* **1.** Gênero de sáurios escamados do cretáceo superior, de distribuição mundial; eram grandes lagartos marinhos de corpo alongado, membros em forma de nadadeiras, pescoço curto, cabeça longa, dentes pontudos; extinguiram-se no fim do cretáceo. **2.** Espécie ou espécime desse gênero.

mosca[1] (ô) [Do lat. *musca*.] *S. f.* **1.** *Bras. Zool.* Designação comum a todos os insetos dípteros, ciclorrafos, esquizóforos, entre os quais se inclui a mosca-doméstica (q. v.). Constituem a grande maioria dos dípteros, cujo número de espécies ultrapassa hoje os 85.000. **2.** *Fig.* Pessoa importuna, impertinente, insistente. **3.** Pequena porção de barba que se deixa crescer sob o lábio inferior: 📖 "o Sr. Morais Carvalho, de bigode e mosca" (Fialho d'Almeida, *Pasquinadas*, p. 260). **4.** Pinta[1] (2) artificial que se usa no rosto. **5.** O ponto central, negro, do alvo empregado em exercícios de tiro. **6.** Pontos fortes, muitas vezes formando desenho, com que se rematam certas obras de costura. **7.** *Tip.* Borboleta (7). **8.** *Astr.* Pequena constelação austral, próxima ao Centauro. [Com cap., nesta acepç.] [Pl.: *moscas* (ô). Cf. *mosca* e *moscas*, flex. de *mosco*.] ◆ **Moscas volantes.** *Med.* Escotoma cintilante (q. v.). **Acertar na mosca.** Acertar em cheio. **Às moscas. 1.** Em ociosidade, ou ocupado com bagatelas: 📄 *andar às moscas*; *viver às moscas*. **2.** Sem ser frequentado, ou quase sem o ser; sem ou quase sem clientes ou espectadores: 📖 "Entretanto Lisboa está deserta. Os teatros às moscas" (Fialho d'Almeida, *O País das Uvas*, p. 35). **Com a mosca azul.** *Bras.* Em estado de tentação de glória, de aspiração a posto elevado, a situação de grande relevo: 📄 *Desde alguns anos está com a mosca azul, pensando em ser ministro.* **Comer mosca.** *Bras. Gír.* **1.** Ser logrado. **2.** Não perceber, não compreender algo. **3.** V. *dormir de touca* (2): 📖 "um amigo meu me abordou radiante porque havia comprado por três mil e quinhentos um livro de Barrès com dedicatória autógrafa para o Presidente Epitácio Pessoa. No dia seguinte interpelei o Carlos [Ribeiro] e zombei: / – Vocês andaram comendo mosca." (Manuel Bandeira, *Andorinha, Andorinha*, p. 325.) [Sin. ger.: papar mosca, *moscar*.] **Dar mosca.** Repetir-se um número (no jogo da roleta). **Matar moscas.** *Bras. Pop.* Não ter que fazer; encangar grilos: 📖 "Lá fiquei com o austríaco, dias e dias, matando moscas." (Ciro dos Anjos, *A Menina do Sobrado*, p. 326.) **Papar mosca.** *Bras. Gír.* Comer mosca.

mosca[2] (ô) *S. m. Esport.* V. *peso-mosca*. [Pl.: *moscas* (ô). Cf. *mosca* e *moscas*, flex. de *mosco*.]

mosca-berneira *S. f. Bras. Zool.* Mosca-do-berne. [Pl.: *moscas-berneiras*.]

mosca-da-madeira *S. f. Bras. Zool.* Inseto díptero, pantoftalmídeo (*Pantophthalmus pictus*), e demais espécies do gênero, de grandes dimensões, que brocam a madeira para criar suas larvas. Ocorrem na casuarina e em outras plantas. [Sin.: *moscardo*, *tavão*, *moscão*. Pl.: *moscas-da-madeira*.]

mosca-das-frutas *S. f. Bras. Zool.* Inseto díptero, tripetídeo (*Anastrepha fratercula*), originário do Brasil, hoje introduzido em outros países. A larva ataca os frutos de várias plantas cultivadas e silvestres. [Sin.: *bicho-das-frutas*. Pl.: *moscas-das-frutas*.]

mosca-de-casa *S. f. Bras. Zool.* V. *mosca-doméstica*. [Pl.: *moscas-de-casa*.]

mosca-de-fogo *S. f. Bras. BA Zool.* V. *pirilampo*. [Pl.: *moscas-de-fogo*.]

moscadeira [De *moscado* + *-eira*.] *S. f. Bot.* Árvore miristicácea (*Myristica fragrans*) não cultivada no Brasil, que cede o produto conhecido como *noz-moscada*, e cujos frutos, do mesmo nome, são cápsulas carnosas, das quais sai a semente única, a qual tem um arilo avermelhado e fortemente aromático, dito *macis*, que é a especiaria propriamente dita; noz-moscada.

moscadeira-do-brasil *S. f. Bras. Bot.* V. *bicuíba-redonda*. [Pl.: *moscadeiras-do-brasil*.]

moscadeiro [De *mosca* + *-deiro*.] *S. m.* Utensílio com o feitio de vassoura ou de abano, para enxotar moscas.

moscado *Adj.* Almiscarado; aromático.

mosca-do-bagaço *S. f. Bras. SC Zool.* V. *mosca-dos-estábulos*. [Pl.: *moscas-do-bagaço*.]

mosca-do-berne *S. f. Bras. Zool.* Inseto cuterebrídeo (*Dermatobia hominis*), calipterado, da região neotrópica (do S. do México ao N. da Argentina). Adulto com 15 a 17mm de comprimento; tórax castanho-escuro, tirante a azul; abdome azul-metálico; segundo segmento abdominal com o bordo anterior esbranquiçado; asas castanho-escuras. Põe os ovos em outros dípteros hematófagos, que os levam aos hospedeiros definitivos. As larvas têm o nome de berne. Infecta animais selvagens e domésticos, e o homem ocasionalmente. [Sin.: *mosca-berneira*. Pl.: *moscas-do-berne*.]

mosca-do-gado *S. f. Lus. Zool.* V. *mosca-dos-estábulos*. [Pl.: *moscas-do-gado*.]

mosca-do-mediterrâneo *S. f. Bras. Zool.* Inseto díptero, tripetídeo (*Ceratis capitata*), originário da África do Norte, atualmente cosmopolita. A larva ataca os frutos de várias plantas, provocando-lhes o apodrecimento rápido. Tem grande importância econômica. [Sin.: *mosca-rajada*. Pl.: *moscas-do-mediterrâneo*.]

mosca-doméstica *S. f. Bras. Zool.* Inseto díptero, muscídeo (*Musca domestica*), cosmopolita. Põe ovos em matéria orgânica em decomposição, lixo, esterco, etc. A evolução do ovo ao inseto adulto é feita em cerca de oito dias, de acordo com a temperatura, alimentação e outros fatores. Transmite a febre tifoide. [Sin.: *mosca-de-casa*, (MG) *mosquito*. Pl.: *moscas-domésticas*.]

mosca-dos-estábulos *S. f. Bras. Zool.* Inseto díptero, muscídeo (*Stomoxys calcitrans*), cosmopolita. Suga o sangue de animais, sobretudo de cavalos, e lhes transmite doenças. Nos jardins zoológicos, ataca as orelhas dos animais, chegando a causar feridas. [Sin.: *mosca-do-bagaço*, *mosca-do-gado*, *beruanha*, *bironha*, *meruanha*, *muruanha*. Pl.: *moscas-dos-estábulos*.]

mosca-morta *S. 2 g.* **1.** Pessoa dissimulada, aparentemente inofensiva. **2.** Pessoa indolente, ou sem animação, sem vida. [Pl.: *moscas-mortas*.]

moscão [De *mosca* + *-ão*[1].] *S. m.* **1.** *Bras. Zool.* V. *mosca-da-madeira*. **2.** *Fig.* Pessoa sonsa.

moscar [De *mosca* + *-ar*[2].] *Bras. Joc. V. int.* **1.** V. *comer mosca* (2). *P.* **2.** *Fig.* Desaparecer, sumir-se, safar-se: 📖 "nada mais tenho que fazer aqui! Musco-me! Ponho-me ao fresco!" (Aluísio Azevedo, *O Mulato*, p. 246). [Irreg. O *o* da raiz muda-se em *u* nas f. rizotônicas. Além disso, o *c* transforma-se em *qu* antes de *e* (v. *trancar*). Pres. ind.: *musco*, *muscas*, *musca*, *moscamos*, *moscais*, *muscam*; fut. pret.: *moscaria*, *moscarias*, etc.; imperat.: *musca*, *musque*, *mosquemos*, *moscai*, *musquem*.; pres. subj.: *musque*, *musques*, *musque*, *mosquemos*, *mosqueis*, *musquem*. Cf. *moscaria*, s. f.]

mosca-rajada *S. f. Bras. Zool.* Mosca-do-mediterrâneo. [Pl.: *moscas-rajadas*.]

moscardo [De *mosca* + *-ardo*.] *S. m.* **1.** *Zool.* V. *mosca-da-madeira*: 📖 "afugentou os moscardos que zumbiam sobre a rude face adormecida" (Eça de Queirós, *Contos*, p. 143). **2.** *Bras. PE Gír.* Polícia secreta.

moscaria [De *mosca* + *-aria*.] *S. f. Fam.* Grande porção de moscas; mosquedo. [Cf. *moscaria*, do v. *moscar*.]

moscário [De *mosca* + *-ário*.] *S. m.* Viveiro para criação de moscas.

moscatel [Do cat. *moscatell*, poss. pelo esp. *moscatel*.] *Adj. 2 g.* **1.** Diz-se de uma variedade de uva apreciadíssima, e da qual existem várias espécies. **2.** Diz-se do vinho feito dessa uva. **3.** Diz-se de certa variedade de figo, de pera e de maçã. ● *S. m.* **4.** Vinho feito de uva moscatel. [Pl.: *moscatéis*.]

moscatelina [De *moscatel* + *-ina*[1].] *S. f. Bot.* Pequena erva caprifoliácea (*Adoxa moschatelina*) originária da Europa, provida de tubérculo subterrâneo, e cujas folhas são biternadas, sendo as flores verdes e pequeninas.

mosca-varejeira *S. f. Bras. Zool.* **1.** Designação comum às espécies de moscas que fazem postura na carne. Os ovos (*varejas*), postos juntos, são, em geral, esbranquiçados; as larvas têm o nome de *bicho-vareja*. **2.** Inseto díptero, califorídeo (*Cochliomya macellaria*), caracterizado por ter o último segmento do abdome visível e com duas manchas laterais claras, quando visto de cima, e tórax azul-esverdeado, com três faixas longitudinais negras. **3.** Designação comum a numerosos sarcofagídeos, particularmente as espécies do gênero *Sarcophaga*, cujas fêmeas são ovovivíparas. [F. red.: *varejeira* e *vareja*. Pl.: *moscas-varejeiras*.]

mosco [Do lat. *moschu*, sing. de *moschi*, 'os moscos'.] *S. m. Zool.* **1.** Indivíduo dos moscos, antigo povo oriental que habitava entre o mar Cáspio e o Mar Negro. ● *Adj.* **2.** Pertencente ou relativo a esse povo. [Flex.: *mosca*, *moscos*, *moscas*. Cf. *mosco* (ô), s. m., pl. *moscos* (ô); *mosca* (ô), s. f., pl. *moscas* (ô), e *Mosca* (ô), antr.]

mosco (ô) *S. m. Zool.* Mosca pequena; mosquito. [Pl.: *moscos* (ô). Cf. *mosco*, pl. *moscos*, e *Mosco*, antr.]

moscóvia [Do top. *Moscóvia* (Moscou).] *S. f.* V. *couro da Rússia*: 📖 "móveis de jacarandá forrados de moscóvia com tachas de prata." (José de Alencar, *O Sertanejo*, p. 56).

moscovita [Do top. *Moscóvia* (Moscou) + *-ita*[2].] *Adj. 2 g.* **1.** De, ou pertencente ou relativo a Moscou, capital da Rússia; russo. ● *S. 2 g.* **2.** O natural ou habitante de Moscou; russo. ● *S. f.* **3.** *Min.* Mineral monoclínico, branco ou amarelado, do grupo das micas, hidrossilicato de alumínio e potássio.

■ **MOSFET** [Acrôn. do ingl. *metal-oxide-semiconductor field-effect transistor*.] *Eletrôn.* Transistor de efeito de campo de porta isolada (q. v.).

moslém *Adj. 2 g. S. 2 g.* V. *mosleme*.

mosleme [Do ár. *muslim*, 'muçulmano' (q. v.).] *Adj. 2 g. S. 2 g.* V. *maometano*. [Var.: *moslém*, *moslim*, *muslim*.]

moslémico *Adj.* V. *moslêmico*. [Uso freq. em P.]

moslêmico [De *mosleme* + *-ico*[2].] *Adj.* Relativo aos, ou próprio dos moslins.

moslemita [De *mosleme* + *-ita*[2].] *S. 2 g.* Pessoa que, deixando o cristianismo, abraçou o maometismo.

moslim *Adj. 2 g. S. 2 g.* V. *mosleme*: 📖 "Não deixava .... de ser tranquilizador para os moslins da Etiópia o saberem que podiam, em tempos de aflição, contar com o apoio do Cairo" (Alberto da Costa e Silva, *A Enxada e a Lança*, p. 279).

mosqueado [Part. de *mosquear*[1].] *Adj.* Que tem malhas escuras; pintalgado, sarapintado.

mosqueador (ô) [De *mosquear*[2] (1) + *-dor*.] *Adj. Bras. RS* Diz-se do animal que mosqueia (v. *mosquear*) constantemente.

mosqueamento [De *mosquear*[1] + *-mento*.] *S. m.* Ação ou efeito de mosquear[1].

mosquear[1] [De *mosca* + *-ear*[2].] *V. t. d.* **1.** Salpicar de pintas ou manchas, ou como que de pintas ou manchas: 📖 "Os seus rios [da lua crescente], transparecendo por entre o verde-negro das copas do arvoredo, ... descem trêmulos sobre o chão pardo e mosqueiam-lhe a superfície, semelhante, depois disso, a dorso de pantera." (Alexandre Herculano, *Lendas e Narrativas*, II, pp. 115-116); "Manchas vivas de gado mosqueavam os longes da várzea" (Augusto Meyer, *Prosa dos Pagos*, p. 145). *P.* **2.** Cobrir-se de manchas ou pintas. [Conjug.: v. *frear*.]

mosquear[2] [Do esp. plat. *mosquear*.] *V. int. Bras. RS* **1.** Afugentar com a cauda as moscas. [Aplica-se ao gado.] **2.** Mover a cauda [o equídeo] ao ser açoitado ou ao sentir o contato da espora do cavaleiro. **3.** Vagabundar, vagabundear. [Conjug.: v. *frear*.]

mosquedo (ê) [De *mosca* + *-edo*.] *S. m.* **1.** Moscaria: 📖 "Esta porcaria dos canais [de Amsterdã] é um viveiro de mosquedo pavoroso." (Ramalho Ortigão, *A Holanda*, p. 41.) **2.** Lugar onde há moscas em abundância.

M

mosqueiro [De *mosca* + *-eiro*.] *S. m.* **1.** Lugar onde há moscas em abundância; mosquedo. **2.** Utensílio ou qualquer objeto com que se apanham ou afugentam moscas; mosquiteiro. **3.** *Bras. PE* Casa de pasto de última classe; tasca, espelunca.

mosqueta (ê) [Do esp. *mosqueta*.] *S. f. Bras. Bot.* V. *bogari*.

mosquetaço [De *mosquete* + *-aço*.] *S. m.* Tiro de mosquete; mosquetada.

mosquetada [De *mosquete* + *-ada*[1].] *S. f.* **1.** Mosquetaço. **2.** Ferida produzida por mosquetaço. [Cf. *mosquitada*.]

mosquetão[1] [De *mosca*, poss.] *S. m.* **1.** Peça metálica destinada a prender o relógio à respectiva corrente. **2.** *Montanh.* Anel metálico com um segmento pivotante que se pode abrir para a passagem de corda.

mosquetão[2] [De *mosquete*[1].] *S. m. Bras.* Fuzil pequeno usado pelos soldados de cavalaria e de artilharia.

mosquetaria [De *mosquete* + *-aria*.] *S. f.* **1.** Grande porção de mosquetes, ou de mosqueteiros, ou de tiros de mosquete. **2.** Tiros de espingarda, de pistola ou de arma semelhante.

mosquete[1] (ê) [Do it. *moschetto*.] *S. m.* Arma de fogo antiga, com o feitio da espingarda, porém muito mais pesada, a tal ponto que para servir tinha de ser apoiada em uma forquilha.

mosquete[2] (ê) [De *mosca* + *-ete* (ê).] *S. m. Bras. N.E.* Cavalo pequeno e corredor.

mosquetear [De *mosquete*[1] + *-ear*[2].] *V. t. d.* **1.** Disparar tiro(s) de mosquete[1] contra. *Int.* **2.** Dar tiros de mosquete. [Conjug.: v. *frear*.]

mosqueteiro [De *mosquete*[1] + *-eiro*.] *S. m.* **1.** Antigo soldado armado de mosquete[1]: "Os mosqueteiros bem como os arcabuzeiros iam efetuando boa obra" (Aquilino Ribeiro, *Portugueses das Sete Partidas*, p. 99). **2.** *Bras. Fut.* V. *corintiano*[2]. [Cf. *mosquiteiro*.]

mosquitada [De *mosquito*[1] + *-ada*[1].] *S. f. Bras.* Quantidade de mosquitos; mosquitama. [Cf. *mosquetada*.]

mosquitador (ô) [De **mosquitar* (< *mosquito*[1] + *-ar*[2]) + *-dor*.] *S. m. Bras.* **1.** Indivíduo que negocia com mosquitos ou diamantes miúdos [v. *mosquito* (3)]. **2.** Pequeno comprador de pedras preciosas.

mosquitama [De *mosquito*[1] + *-ama*.] *S. f. Bras.* Mosquitada.

mosquiteiro [De *mosquito*[1] + *-eiro*.] *S. m.* **1.** Cortinado ou rede para proteger contra os mosquitos. **2.** Mosqueiro (2). **3.** *Bras. Bot.* V. *jacarandá-bico-de-pato*. **4.** *Bras. RS* Ajuntamento de espectadores de festa doméstica que ficam no lado de fora da casa. [Sin., nesta acepç., no N. e no N.E.: *sereno*. Cf. *mosqueteiro*.]

mosquitense *Adj. 2 g.* **1.** De, ou pertencente ou relativo a Mosquito (TO). ● *S. 2 g.* **2.** O natural ou habitante de Mosquito.

mosquitinho [De *mosquito*[1] + *-inho*[1].] *S. m. Bras. Zool.* **1.** V. *abelhamirim* (1). **2.** V. *jataí* (3).

mosquito[1] [De *mosca* + *-ito*[1].] *S. m.* **1.** *Zool.* Designação comum a todos os insetos dípteros, culicídeos, de porte pequeno, pernas muito longas, corpo e asas revestidos de escamas, antenas longas e finas, com 16 artículos. O ciclo evolutivo efetua-se em duas fases distintas: a primeira, na água, onde são depositados os ovos e se desenvolvem as larvas e pupas; a segunda é alada e terrestre. [Sin.: *pernilongo*, *mosquito-prego*, *muriçoca*, *carapanã*, *carapanã-pinima*, *fincão*, *fincudo*, *sovela*, *perereca*, *bicuda*.] **2.** *Bras. MG Zool.* V. *mosca-doméstica*. **3.** *Bras.* Em regiões diamantíferas, o diamante miúdo. **4.** *Bras. N.E.* Bicha de rabear. **5.** *Bras. Fam.* Pessoa baixa e de feições miúdas. ◆ **Estar catando mosquito.** *Bras. Pop.* Estar no desvio, sem trabalho, sem ter o que fazer: "Já paguei a vaga dele na Prado Júnior quando ele tava na pior, catando mosquito" (Flávio Moreira da Costa, *Nem Todo Canário É Belga*, p. 75.)

mosquito[2] [Alter. de *misquito*.] *S. m.* **Adj.** V. *misquito*.

mosquito-berne *S. m. Lus. Zool.* Designação comum aos insetos dípteros, tipulídeos, de longas pernas, e que não picam os homens nem os animais, vivem em lugares escuros e, quando incomodados, levantam e abaixam rapidamente o corpo, imitando certas aranhas. Há no Brasil a crença, sem fundamento, de que transmitem o berne. [Sin.: *melga*. Pl.: *mosquitos-bernes* e *mosquitos-berne*.]

mosquito-do-mangue *S. m. Bras. Zool.* V. *maruim*. [Pl.: *mosquitos-do-mangue*.]

mosquito-elétrico *S. 2 g. Bras. Fam.* Indivíduo irrequieto, agitado, buliçoso. [Pl.: *mosquitos-elétricos*.]

mosquito-palha *S. m. Bras. Zool.* **1.** V. *maruim*. **2.** V. *flebótomo*[2] (2). [Pl.: *mosquitos-palhas* e *mosquitos-palha*.]

mosquito-pólvora *S. m. Bras. Zool.* V. *maruim*. [Pl.: *mosquitos-pólvoras* e *mosquitos-pólvora*.]

mosquito-prego *S. m. Bras. Zool.* V. *mosquito* (1). [Pl.: *mosquitos-pregos* e *mosquitos-prego*.]

mossa [Do lat. *morsu*, 'mordedura', 'morso', com mudança de declinação.] *S. f.* **1.** Vestígio de pancada ou de pressão. **2.** Cavidade dos dentes do pau da canga. **3.** Entalho, rebaixo ou cavidade no fio duma lâmina, ou em qualquer superfície acutangular ou boleada. **4.** *Fig.* Impressão moral; abalo. **5.** *Bras. RS* Sinal que se faz, como marca, na orelha de uma rês. [Pl.: *mossas*. Cf. *moça* e *moças*, do v. *moçar*, e *moça* (ô), s. f. e pl. *moças* (ô).]

mossamedino *Adj.* **1.** De, ou pertencente ou relativo a Mossâmedes (GO). ● *S. m.* **2.** O natural ou habitante de Mossâmedes.

mossegar *V. t. d.* V. *morsegar*. [Conjug.: v. *regar*.]

mossi [Desta língua.] *S. 2 g.* **1.** Indivíduo dos mossis, povo africano que ocupa a região de Uagadugu (Burquina Faso, África). ● *S. m.* **2.** *Gloss.* Língua voltaica falada por esse povo. **3.** Vocábulo dessa língua. ● *Adj. 2 g.* **4.** Pertencente ou relativo aos mossis, ou à sua língua.

mossoró *S. m. Bras. PB* V. *moçoró*.

mossoroense (ôen) *Adj. 2 g. S. 2 g.* V. *moçoroense*.

mostaço [De *mosto* + *-aço*.] *S. m.* Grande porção de mosto.

mostárabe *Adj. 2 g. S. 2 g.* V. *moçárabe*.

mostarda [Do fr. ant. *moustarde* (atual *moutarde*), der. de *moût*, 'mosto' (< lat. *mustum*).] *S. f.* **1.** Semente da mostardeira. **2.** *Bot.* Mostardeira (1). **3.** Farinha ou pó de mostarda (1) seco e moído, que serve como condimento, ou como medicamento revulsivo. **4.** Pasta de preparação caseira ou industrial, feita com mostarda (2), mosto, vinagre, sal e substâncias aromatizadas, e que se usa como condimento. **5.** *Fig.* Estímulo, incentivo. **6.** *Fig.* Tiroteio, pancadaria. ● *S. m.* **7.** *Bras. SP* Chumbo muito fino. ◆ **Chegar a mostarda ao nariz de.** Subir a mostarda ao nariz de (q. v.): "às vezes até, coitado, suportava em silêncio certos desaforos; mas também, quando lhe chegasse a mostarda ao nariz, o contendor podia entregar o seu ao boticário, porque o esborrachamento havia de ser memorável." (Aluísio Azevedo, *Filomena Borges*, pp. 10-11). **Subir a mostarda ao nariz de.** Ter (alguém) um acesso de fúria; chegar a mostarda ao nariz de: *Ao ouvir o insulto, subiu-lhe a mostarda ao nariz.*

mostardal [De *mostarda* + *-al*[1].] *S. m.* **1.** *Bot.* Quantidade mais ou menos considerável de mostardeiras dispostas proximamente entre si. **2.** Área ocupada por mostardal (1).

mostardeira [De *mostarda* + *-eira*.] *S. f.* **1.** *Bot.* Erva brassicácea (*Sinapis alba*) cujas folhas, comestíveis, têm sabor picante, e de cujas sementes se retira um pó amarelo, a *mostarda*, com que se preparam vários condimentos muito picantes, e também usado como remédio, em cataplasmas; mostarda. **2.** Vaso em que se serve, à mesa, o molho ou a farinha de mostarda; mostardeiro.

mostardeiro [De *mostarda* + *-eiro*.] *S. m.* **1.** Vendedor de mostarda. **2.** Mostardeira (2).

mostardense *Adj. 2 g.* **1.** De, ou pertencente ou relativo a Mostardas (RS). ● *S. 2 g.* **2.** O natural ou habitante de Mostardas.

mosteiro [Do gr. *monastérion*, pelo lat. *monasteriu*, por via pop.] *S. m.* Habitação de monges ou monjas [v. *convento* (1)]: "Oh! se algum desses monges, que erram de mosteiro em mosteiro, ... ali passasse, naquelas serranias!" (Eça de Queirós, *Últimas Páginas*, p. 264).

mostífero [De *mosto* + *-ífero*.] *Adj.* **1.** Que produz mosto. **2.** Em que há mosto.

mosto (ô) [Do lat. *mustu*.] *S. m.* **1.** Sumo de uvas, antes de terminada a fermentação: "vermelha e espumosa como o mosto dos nossos vinhos" (Ramalho Ortigão, *Figuras e Questões Literárias*, I, p. 236). **2.** Suco, em fermentação, de qualquer fruta açucarada: "O cheiro a mosto impregnava o ar" (Domingos Monteiro, *Histórias das Horas Vagas*, p. 139). **3.** Enxame de abelhas.

mostra [Dev. de *mostrar*.] *S. f.* **1.** Ato ou efeito de mostrar. **2.** *Mar. G.* Nos navios de guerra, faina (1), geral ou parcial, na qual se verificam ou fiscalizam uniformes, aspecto do estado do pessoal, condições dos ranchos, dos dormitórios, do armamento, etc. **3.** Exposição de obras de caráter artístico, literário, histórico, etc. ~ V. *mostras*.

mostrador (ô) [De *mostrar* + *-dor*.] *Adj.* **1.** Que mostra. ~ V. *dedo —*. ● *S. m.* **2.** A parte do relógio onde estão indicadas as horas e os minutos. **3.** *P. ext.* Parte de aparelho, utensílio, mecanismo, etc., em que estão indicados os valores assumidos por uma variável: *mostrador do voltímetro; mostrador do velocímetro.* **4.** Mesa, balcão, vitrina ou qualquer outra parte de um estabelecimento comercial em que se possam expor mercadorias à venda; mostruário.

mostrar [Do lat. *monstrare*.] *V. t. d.* **1.** Expor à vista; fazer ver; exibir, apresentar: *Mostrou algumas de suas joias.* **2.** Dar a conhecer; pôr às claras; manifestar, significar, denotar: *Seu comportamento mostrava insegurança.* **3.** Apontar, indicar, notar: *mostrar as falhas de um raciocínio.* **4.** Tornar evidente; provar, demonstrar, patentear: *O promotor conseguiu mostrar a culpa do acusado.* **5.** Dar sinal de; fingir, simular, aparentar. **6.** Dar a conhecer; revelar: "Envelhecera. O espelho mostrava-lhe os cabelos brancos, as rugas." (Herberto Sales, *Histórias Ordinárias*, p. 107.) *T. d. e i.* **7.** Expor à vista; fazer ver; apresentar: *Mostrou a casa ao visitante.* **8.** Mostrar (6): *A sua voz mostrava aos amigos toda a tristeza que estava sentindo.* **9.** Apontar, indicar, indigitar: "— Gostaria de mostrar-lhe, minha amiga, coisas interessantes que já assinalei." (Nélson Vaz, *Por Amor ao Idioma*, p. 43.) **10.** Simular, aparentar. **11.** Provar, demonstrar. *P.* **12.** Manifestar-se, revelar-se: "Nas crises .... e, pois, no prolongamento verdadeiro do processo de guerra onde robustecera o caráter, Floriano mostrou-se completo." (Costa Rego, *Águas Passadas*, p. 49.) **13.** Aparecer em público; dar nas vistas. **14.** Dar mostras de. **15.** Chamar a atenção para si; destacar-se: *Vaidoso, gosta de se mostrar.* [Var.: *amostrar*.]

mostras [Pl. de *mostra*.] *S. f. pl.* Atos exteriores; manifestações; aparências. ~ V. *mostra*.

mostrengar [De *mostrengo* + *-ar*[2].] *V. t. d. P.* Tornar(-se) mostrengo. [Conjug.: v. *largar*.]

mostrengo [Do esp. *mostrenco*.] *S. m.* **1.** Pessoa disforme, malproporcionada e/ou muito feia; monstro. **2.** Aquilo que é desconforme, desproporcional ou contrário à normalidade. **3.** Entidade fantástica; monstro: "O mostrengo que está no fim do mar / Na noite de breu ergueu-se a voar" (Fernando Pessoa, *Obra Poética*, p. 79). [Var.: *monstrengo* (q. v.).]

mostruário [Do cat. *mostruari*, ou de *mostrar* + *-uário*.] *S. m. Bras.* **1.** Mostrador (4). **2.** Pasta, carteira, mala, etc., ou, ainda, simples folha de papelão, etc., em que se possam expor amostras de tecidos, de rendas, ou quaisquer outros artigos à venda. **3.** *Vest.* Conjunto das réplicas dos protótipos aprovados e confeccionados por uma empresa de moda, que representa toda a coleção, indicando ao comprador, por meio de referências em cada peça, as variantes de cor em que cada uma será produzida.

mota[1] [De or. incerta.] *S. f.* **1.** Aterro à beira de rio para proteger contra inundações os campos ou lugares marginais; marachão, presúria, amota. **2.** Terra ajuntada ao redor do tronco das árvores para resguardar-lhes as raízes contra o calor.

mota[2] *S. f. Bras. RS* V. *gorjeta*[1] (2).

mota[3] *S. f. Lus.* V. *motocicleta*.

motacilídeo [Do tax. *Motacilla*, gênero-tipo, + *-ídeo*[1]; tax. *Motacillidae*.] *Zool. S. m.* **1.** Espécime dos motacilídeos, família de aves passeriformes, cosmopolitas, com 5 gêneros e 54 espécies, com o tarso ocreado (escamas anteriores), de tegumento não ou indistintamente dividido em placas, a primeira das rêmiges da mão de comprimento igual ou maior que a segunda, a unha do dedo posterior muito longa. Vivem nos campos, frequentam o chão e alimentam-se de insetos. São os caminheiros. ● *Adj.* **2.** Pertencente ou relativo a eles.

motacu *S. m. Bras. Bot.* V. *acuri*.

mote [Do fr. *mot*, 'palavra'.] *S. m.* **1.** *Arte Poét.* Conceito, ordinariamente expresso num dístico ou numa quadra, para ser glosado. **2.** *P. ext.* Epígrafe (2). **3.** Palavra(s) que os antigos cavaleiros tomavam por divisa em suas empresas. **4.** Divisa, lema: "O mote dos antigos era: fundar povoações! Hoje, o lema dos modernos, em relação aos sertões, é grandíloquo: arrasar tudo!" (Oliveira Viana, *Pequenos Estudos de Psicologia Social*, p. 167.) **5.** *P. ext.* Tema, assunto. **6.** *Heráld.* Dístico[1] (4). [Cf. *moto*[3].]

motejador (ô) [De *motejar*[1] + *-ar*[2].] *Adj.* **1.** Que moteja. **2.** Que envolve motejo, zombaria: *riso motejador.* ● *S. m.* **3.** Aquele que moteja.

motejar[1] [De *motejo* + *-ar*[2].] *V. t. d.* **1.** Fazer motejo ou zombaria de; troçar de; apodar; escarnecer. **2.** Criticar, censurar. *Transobj.* **3.** Acusar, tachar: *Motejou-o de covarde.* *T. i.* **4.** Chasquear, caçoar, gracejar: *motejar de alguma coisa.* *Int.* **5.** Fazer zombaria. [Conjug.: v. *pelejar*.]

motejar[2] [De *mote* + *-ejar*.] *V. int.* Fazer motes; dar motes para glosas. [Conjug.: v. *pelejar*.]

motejo (ê) [Do it. *motteggio*.] *S. m.* **1.** V. *zombaria*: "Ir entre o público excitar / O epigrama, o riso, o motejo, / Em paga do meu bom desejo / De em teus amores te ajudar." (Antônio Feliciano de Castilho, *Os Amores*, III, p. 11.) **2.** Dito picante; gracejo.

motel [Do ingl. *motel*, t. criado, em 1925, por um arquiteto para um hotel da Califórnia, a partir do rad. *motor* (*car*) e de *hotel*.] *S. m.* **1.** Hotel situado à beira de estradas de grande circulação, dotado de apartamentos ou quartos para hóspedes, estacionamento para automóveis e, às vezes, restaurante. **2.** *Bras.* Hotel de alta rotatividade. [Pl.: *motéis*.]

moteleiro [De *motel* + *-eiro*.] *S. m.* Dono ou administrador de motel.

motete (ê) [Do occitânico ant. *motet*.] *S. m.* **1.** Dito engraçado ou satírico. **2.** *Mús.* Composição polifônica, de caráter religioso ou profano, a várias vozes (a capela ou com acompanhamento instrumental), e cada uma com ritmo e texto próprios. **3.** *P. ext. Mús.* Qualquer composição poética para ser cantada com música. [Sin. de 2 e 3: *moteto*.]

moteteiro [De *motete* + *-eiro*.] *Adj. S. m.* Que, ou aquele que faz motetes [v. *motete* (1)]; motejador.

moteto [Do it. *motteto*.] *S. m. Mús.* V. *motete* (2 e 3).

motevo (ê) *S. m. Bras. SP Pop.* Indivíduo atoleimado, amalucado, abobalhado.

motilidade [Do fr. *motilité*.] *S. f.* **1.** Faculdade de mover(-se). **2.** Força motriz. **3.** *Fisiol.* Capacidade de mover-se espontaneamente.

motim [Do fr. med. *mutin*.] *S. m.* **1.** V. *revolta* (2). **2.** Rebelião de militares subalternos contra seus superiores. **3.** Sublevação popular, ger. espontânea e violenta; revolta, tumulto; barulho; desordem. [Sin., nessas acepçs.: *amotinação*.] **4.** Fragor, ruído, estrépito.

motinação [De *motinar* + *-ção*.] *S. f.* V. *amotinação*.

motinar [De *motim* + *-ar*[2].] *V. t. d. P.* V. *amotinar*.

motivação [De *motivar* + *-ção*.] *S. f.* **1.** Ato ou efeito de motivar. **2.** Exposição de motivos ou causas. **3.** V. *móbil* (2). **4.** Conjunto de fatores psicológicos (conscientes ou inconscientes) de ordem fisiológica, intelectual ou afetiva, os quais agem entre si e determinam a conduta de um indivíduo.

motivacional [De *motivação* + *-al*[1], seg. o padrão erudito.] *Adj. 2 g.* **1.** Relativo à motivação. **2.** *Market.* Diz-se de pesquisa qualitativa realizada com pequenos grupos e destinada a tentar descobrir as motivações inconscientes do consumidor.

motivado [Part. de *motivar*.] *Adj.* **1.** Causado, determinado. **2.** Cujo motivo ou razão se explicou; fundamentado: *Deu um voto motivado.* **3.** Diz-se de atividade (intelectual, social, afetiva, etc.) que desperta o entusiasmo, o interesse, a curiosidade. **4.** Diz-se daquele cujo interesse ou curiosidade foi despertado para aula, conferência, exposição, etc.: *O auditório, bem motivado, ouviu a conferência atentamente.* **5.** Diz-se daquele que se mostra interessado. ~ V. *signo* —.

motivador (ô) [De *motivar* + *-dor*.] *Adj.* **1.** Que motiva: "Dizem eles que não lhes importa .... o ato motivador do pedido de processo contra um parlamentar, mas a atitude política do possível processado." (Jânio de Freitas, em *Jornal do Brasil*, 05.03.1998.) ● *S. m.* **2.** Aquele ou aquilo que motiva.

motivar [De *motivo* + *-ar*[2].] *V. t. d.* **1.** Dar motivo a; causar; produzir: "O que motivara a catástrofe não foi a violência com que a onda se arremessara, foi ter a pobre moça desmaiado." (Machado de Assis, *Histórias Românticas*, p. 14.) **2.** Expor ou explicar o motivo ou a razão de; fundamentar: *O deputado fez questão de motivar o seu voto.* **3.** Determinar a motivação (4) de: *As pesquisas de mercado e as campanhas publicitárias motivam os consumidores.* **4.** Despertar o interesse, a curiosidade, por (atividade intelectual, social, afetiva, etc.): *O conferencista motivou admiravelmente a palestra.* **5.** Despertar o interesse, a curiosidade de: "A turma não se interessou pelo que iria deflagrar o Protestantismo na Alemanha..... Que havia com as meninotas? A fim de motivá-las, de acordar as distraídas, passei à dramatização de um episódio." (Genolino Amado, *O Reino Perdido*, p. 36.) *T. d. e i.* **6.** Dar motivo; levar, induzir, incitar, mover: *Na situação que atravessa, nada o motiva a escrever.* **7.** Despertar o interesse ou o entusiasmo; estimular: *O professor motivou-o para a matemática.*

motívico [De *motivo* + *-ico*[2].] *Adj.* Relativo a motivo (6): "Ao contrário do que se poderia pensar, a forma, aqui [na música tonal], é um resultado, e não um modo de controle da ideia, da manipulação temática e motívica." (Arthur Nestrovski, *Ironias da Modernidade*, p. 168.).

motivo [Do lat. *motivu*, 'que move'.] *Adj.* **1.** Que pode fazer mover; motor. **2.** Que causa ou determina alguma coisa. ● *S. m.* **3.** Causa, razão: *Qual o motivo de sua renúncia?* **4.** Fim, intuito, escopo. **5.** V. *móbil* (2). **6.** *Mús.* Fragmento melódico, harmônico ou rítmico predominante no desenvolvimento de um trecho musical: "Sentou-se ao piano, bateu rijamente o teclado, tocou motivos do *Barba Azul*." (Eça de Queirós, *O Primo Basílio*, p. 227); "Apressava o passo, a garganteando velhos motivos da terra" (Hugo de Carvalho Ramos, *Tropas e Boiadas*, p. 22). **7.** Ornato isolado ou repetido que aparece na decoração de alguma coisa. ◆ **Motivo condutor.** Leitmotiv. **Motivo de força maior.** Razão muito forte, muito poderosa.

moto[1] [Do lat. *motu*.] *S. m.* Movimento, giro. ◆ **De moto próprio.** De vontade própria; espontaneamente.

moto[2] [Var. de *mote*.] *S. m.* **1.** Divisa que cavaleiros antigos usavam em suas empresas. **2.** *P. ext.* Divisa, lema: "Há governo, sou contra, deveria ser o moto das escolas de jornalismo" (Paulo Francis, em *Folha de S.Paulo*, 02.01.1986). **3.** Sinal que um artista põe na sua obra para autenticá-la. [Cf. *mote*.]

moto[3] *S. f.* V. *motocicleta*.

▲ **mot(o)-** [Do lat. *mōtus, us*.] *El. comp.* = 'movimento': *moto-contínuo*. [Equiv.: *-mot(o)-*, *-moto*: *eletromotância; maremoto*.]

▲ **moto-** [De *motor*.] *El. comp.* = 'motor': *motoniveladora*.

▲ **-mot(o)-** V. *mot(o)-*.

▲ **-moto** V. *mot(o)-*.

motobomba [De *moto-* + *bomba*.] *S. f.* Bomba de água movida a eletricidade.

motoboy [De *moto*[3] + *boy*.] *S. m.* Profissional que se desloca de moto[3] para entregar ou receber encomendas ou mercadorias.

motoca *S. f. Bras. Pop.* V. *motocicleta*.

motocasa [De *moto-* + *casa*, para trad. o ingl. *motor-home*.] *S. f.* Veículo automotor grande, equipado com camas, mesas, etc., ger. dobráveis, e us. como alojamento em viagens, ou como consultório médico, etc., para atendimento ao público nas ruas.

motocicleta [De *moto-* + final de *bicicleta*.] *S. f.* Veículo de duas rodas, dotado de motor a combustão, e que pode transportar uma ou duas pessoas; motociclo. [F. red.: (lus.) *mota*, (bras.) *moto*, *motoca*.]

motociclismo [De *motociclo* + *-ismo*.] *S. m.* Transporte ou esporte por meio de motocicleta ou motociclo.

motociclista [De *motociclo* + *-ista*.] *S. 2 g. Bras.* Pessoa que anda em motocicleta ou motociclo. [Sin., pop.: *motoqueiro*.]

motociclo [De *moto-* + *-ciclo*.] *S. m.* V. *motocicleta*.

moto-contínuo [De *mot(o)-* + *contínuo*.] *S. m. Fís.* Sistema cujo funcionamento estaria em contradição com o primeiro ou com o segundo princípio da termodinâmica. Seria máquina, de qualquer natureza, capaz de funcionar indefinidamente sem despender energia ou transformando em trabalho toda a energia recebida. [Sin.: *moto-perpétuo*. Pl.: *motos-contínuos*.]

➔ **motocross** ['mowtokrɔs] [Ingl.] *S. m. Esport.* Corrida de motocicleta em pista com obstáculos e em local circunscrito.

motogodile [Do fr. *motogodille*.] *S. f. Bras.* Canoa com pequeno motor a gasolina, na popa.

motolância [Cruz. de *moto*[3] + *(ambu)lância*.] *S. f.* Motocicleta adaptada para servir a um profissional de saúde (ger. auxiliar de enfermagem ou enfermeiro) como veículo no atendimento de emergência a pessoas que tenham sofrido algum acidente (de trânsito, doméstico, ataque, etc.) ou que estejam passando mal: "Para pilotar as motolâncias, todos os profissionais de saúde precisam fazer um curso de direção defensiva, onde aprendem como guiar as motos com segurança." (*jornalnacional. globo.com*, 27.11.2009.)

motomecanização [De *motomecanizar* + *-ção*.] *S. f.* Ação ou efeito de motomecanizar.

motomecanizado [Part. de *motomecanizar*.] *Adj.* Em que há motomecanização.

motomecanizar [De *moto-* + *mecanizar*.] *V. t. d.* Prover de máquinas motrizes e meios mecânicos; motorizar e mecanizar: *motomecanizar um exército.*

motonáutica [De *moto-* + *-náutica*.] *S. f.* Esporte praticado em pequenas embarcações motorizadas.

motonáutico [De *motonáutica*, com var. suf. (v. *-ico*[2]).] *Adj.* Relativo à motonáutica.

motoneta (ê) [De *moto-* + *-n-* + o final de *bicicleta*.] *S. f.* Veículo motorizado, semelhante à motocicleta, porém de rodas menores e com assento em lugar do selim. [Sin.: *vespa* e (bras.) *lambreta*.]

motoniveladora (ô) [De *moto-* + *niveladora*.] *S. f.* Niveladora dotada de motor próprio; autopatrol.

moto-perpétuo [De *mot(o)-* + *perpétuo*.] *S. m.* Moto-contínuo. [Pl.: *motos-perpétuos*.]

motoplanador (ô) [De *moto-* + *planador*.] *S. m. Aer. Av.* Aeronave equipada com um ou mais motores, mas que apresenta características de voo idênticas às de um planador e pode seguir voo mesmo com o(s) motor(es) parado(s).

moto-próprio [Do lat. *motu proprio*, 'de moto próprio'.] *S. m. Rel.* Documento papal editado por iniciativa pessoal e espontânea do próprio Papa. [Pl.: *motos-próprios*.]

motoqueiro [De *motoca* + *-eiro*.] *S. m. Bras. Pop.* Motociclista. [Cf. *mutuqueiro*.]

motor (ô) [Do fr. *moteur*.] *Adj.* **1.** Que faz mover; determinante ou causante; motivo, movedor. [Fem.: *motora* e *motriz*.] ~ V. *agrafia* —*a*, *nervo* —, *placa* —*a*, *reabilitação* —*a* e *reeducação* —*a*. ● *S. m.* **2.** Tudo o que dá movimento a um maquinismo; máquina, máquina motriz. **3.** Pessoa ou coisa que faz mover ou dá impulso. **4.** V. *móbil* (2). **5.** *Mat.* Vetor dual igual ao produto de um vetor linear unitário por um número dual. **6.** *Bras.* Haste articulada a um motor elétrico onde se prende a broca dos dentistas. ◆ **Motor a gasolina.** Motor de combustão interna em que a ignição da mistura de combustível e ar é provocada por vela[3] de ignição. **Motor atmosférico.** *Astron.* Motor que utiliza o ar na combustão. **Motor centrífugo.** *Aer.* Motor a jato que utiliza um compressor centrífugo (q. v.). **Motor de arranque.** Motor cuja fonte de energia é a eletricidade e que dá o impulso inicial ao conjunto de peças necessárias ao funcionamento de um motor de explosão, ou outro; motor de partida, arranque. **Motor de combustão interna.** Aquele em que cada cilindro que o compõe recebe ar, inicialmente, durante o movimento ascendente do êmbolo, e esse ar, depois de fortemente comprimido, recebe uma injeção de combustível líquido, que se vai inflamando à medida que entra em contato com o ar comprimido aquecido. **Motor de explosão.** Aquele em que cada cilindro que o compõe recebe uma mistura explosiva detonante, constituída de gasolina, óleo ou gás pobre, a qual, depois de comprimida no cilindro, é inflamada por meio de uma faísca elétrica. **Motor de partida.** V. *motor de arranque*. **Motor *diesel*.** Motor de combustão interna em que a ignição da mistura de combustível e ar é devida à elevada temperatura que atinge a mistura, em consequência da alta pressão a que é submetida dentro dos cilindros. [Tb. se diz apenas *diesel*.] **Motor elétrico.** Aquele que transforma energia elétrica em movimento rotatório. **Motor foguete.** *Aer.* Aquele que produz empuxo por meio de ejeção de matéria (ger. na forma de gases), e para cujo funcionamento o próprio veículo transporta o comburente. **Motor imóvel.** *Hist. Filos.* No aristotelismo (q. v.), a divindade, princípio do movimento universal, que move as coisas pela atração natural que exerce sobre elas. **Motor múltiplo.** *Astron.* Conjunto de vários foguetes que funcionam simultaneamente. **Motor nuclear.** Aquele que transforma energia nuclear (decorrente da fissão do átomo) em energia calorífica, e esta em energia mecânica. **Motor síncrono.** *Eng. Elétr.* Máquina rotativa que opera com uma velocidade de rotação proporcional à frequência da tensão alternada que a alimenta, e pode funcionar como um gerador, como um motor ou como um capacitor. **Motor térmico.** Aquele que transforma energia calorífica em movimento, como as máquinas de vapor, os motores de explosão, os motores de combustão interna. **Motor turboélice.** *Aer.* Motor de turbina a gás no qual a maior parte da energia produzida é us. para acionar uma hélice propulsora. **Motor turbojato.** *Aer.* Aquele no qual o fluido que produz trabalho é aquecido por combustão interna e, ao se expandir, movimenta uma turbina. **A motor.** Diz-se de meio de transporte, como bicicleta, barco, etc., provido de motor, que o faz mover-se. **Primeiro motor.** *Hist. Filos.* No aristotelismo (q. v.), a esfera celeste que está mais próxima do motor imóvel (q. v.) e que, movida pela atração que tem por ele, dá início ao movimento universal.

motoreiro [De *motor* + *-eiro*.] *S. m. Bras.* V. *motorneiro*.

➔ **motor-home** ['mowtər howm] [Ingl.] *S. m.* V. *motocasa*.

motorial [De *motor* + *-ial*.] *Adj. 2 g.* Referente a motor (5). ~ V. *álgebra* — e *cálculo* —.

motório [De *mot(o)-* + *-ório*.] *Adj.* Que tem movimento.

motorista [De *motor* + *-ista*.] *S. 2 g.* **1.** Condutor de qualquer veículo de tração mecânica. **2.** *Restr. Bras.* Chofer.

motorização [De *motorizar* + *-ção*.] *S. f.* Ato ou efeito de motorizar(-se).

motorizada [F. subst. de *motorizado*.] *S. f. Lus.* Bicicleta motorizada.

motorizado [Part. de *motorizar*.] *Adj.* **1.** Que é movido a motor: *bicicleta motorizada*; "A comitiva prosseguia devagar: as ruas do Brejal não haviam sido feitas para veículos motorizados." (José Sarney, *Norte das Águas*, p. 206). **2.** *Bras.* Que tem e/ou se utiliza de veículo a motor: "A caminho de casa, é de bom alvitre encontrar .... um amigo motorizado, que a gente não via há muito tempo. Com ele ir às ostras na Barra da Tijuca" (Paulo Mendes Campos, *O Cego de Ipanema*, p. 43). ~ V. *infantaria* —*a*.

motorizar [De *motor* + *-izar*.] *V. t. d.* **1.** V. *motomecanizar*. *P.* **2.** Adquirir, para uso próprio, veículo motorizado: *Logo que melhorou de vencimentos tratou de motorizar-se*; "Já ninguém anda pelos caminhos a pé e desarmado. O bicho-homem motorizou-se" (Aquilino Ribeiro, *O Homem da Nave*, p. 87).

motorneiro [De *motor* + *-n-* + *-eiro*.] *S. m. Bras.* O encarregado do motor de um bonde. [A f. preferível, *motoreiro*, é desus.]

motoro [De or. indígena, poss.] *S. m. Bras. Zool.* V. *boró*[1].

motor-ocular *Adj. 2 g.* V. *nervo — comum* e *nervo — externo*. [Na 5ª ed. do Volp., sem hífen; corrigido em errata.]

motosserra [De *moto-* + *serra*.] *S. f.* Serra acionada por motor, usada em extração de madeira, desmatamento, etc.

mototáxi (cs) [De *moto*[3] + *táxi*.] *S. f. e m.* A moto[3] como veículo para o transporte de passageiros.

mototaxista (cs) [De *mototáxi* + *-ista*.] *S. 2 g.* Aquele ou aquela que conduz o mototáxi.

motricidade [Do fr. *motricité*.] *S. f.* **1.** Capacidade que têm certas células nervosas de determinar a contração muscular. **2.** *Fisiol.* Capacidade de realizar movimento.

motriz [Do fr. *motrice*.] *S. f.* **1.** Coisa ou força que dá movimento. ● *Adj.* (*f.*) **2.** Fem. de *motor* (1). ~ V. *máquina* —.

➔ **mot savant** [mo savã] [Fr.] *E. Ling.* Palavra erudita (q. v.).

mottramita [Do top. *Mottram* (Inglaterra) + *-ita*[2].] *S. f. Min.* Mineral ortorrômbico, vanadato básico de chumbo, cobre e zinco.

motu [Desta língua.] *S. 2 g.* **1.** *Etnôn.* Indivíduo dos motus, povo da Papua Nova Guiné. ● *S. m.* **2.** *Gloss.* Língua malaio-polinésia falada na região de Port Moresby, capital da Papua Nova Guiné. **3.** Vocábulo dessa língua. ● *Adj. 2 g.* **4.** Pertencente ou relativo aos motus, ou ao motu (2). ◆ **Hiri motu.** *Gloss.* Pídgin de base motu, utilizado em toda a Papua, cuja origem alegada está na viagem anual para comércio; *police* motu. **Police motu.** *Gloss.* Antiga denominação do *hiri* motu, por uma associação entre esse pídgin e a força policial dos colonizadores britânicos.

➔ **motu proprio** [ˈmoto ˈpɾɔpɾjo] [Lat.] V. *de moto próprio.*

moucarrão [De *mouco* + *-arrão*.] *Adj.* Muito mouco. [Fem.: *moucarrona*.]

mouchão *S. m.* **1.** Pequena porção de terreno arborizado nas lezírias. **2.** Ilhota em meio de um rio. [Cf. *aljazar*.]

mouco [De or. obscura.] *Adj.* **1.** Que não ouve, ou que ouve pouco ou mal; surdo. **2.** Diz-se do ouvido [denom. atual *orelha*] de quem é mouco (1): 📖 "Palavras loucas, ouvidos moucos" (prov.). ● *S. m.* **3.** Aquele que é mouco (1); surdo. [Aum.: *moucarrão*.]

➔ **mountain-bike** [ˈmæwntin bajk] [Ingl.] *S. m.* Bicicleta de quadro leve e resistente, dotada de marchas e pneus largos, e que é us. para prática esportiva em trilhas e terrenos acidentados.

mouquice [De *mouco* + *-ice*.] *S. f.* Estado ou afecção do mouco; mouquidão, surdez.

mouquidão [De *mouco* + *-idão*.] *S. f.* V. *mouquice*.

moura [Do fem. de *mouro*.] *S. f. Lus. Cul.* Enchido feito com carne de porco, sangue, gordura, farinha de trigo e temperos.

moura-encantada *S. f. Etnogr.* Entidade fantástica, espécie de nereida mourisca, com tipo de mulher morena, a qual, segundo a crendice popular portuguesa, vivia nos rios e nas fontes, sempre de vermelho, penteando sempre os belos cabelos pretos. [Var.: *moira-encantada*. Pl.: *mouras-encantadas*. Cf. *moura-torta*.]

mourama[1] [De *mouro* + *-ama*.] *S. f.* **1.** Terra dos mouros [v. *mouro* (1)]. **2.** Grande porção de mouros; mourisma. **3.** Os mouros; mourisma. [Var.: *moirama*.]

mourama[2] [De *mourão* + *-ama*, com haplologia.] *S. f. Bras. RS* Mouronada. [Var.: *moirama*.]

mourão[1] *S. m.* **1.** Estaca na qual se sustenta a videira. **2.** *Bras.* Esteio grosso, fincado firme no solo, e ao qual se amarram reses destinadas ao corte, ou, para tratá-las, as reses indóceis. **3.** *Bras.* Vara enterrada à beira dos rios mansos, e à qual se prendem as canoas. **4.** *Bras.* Pau que sustenta o arame, nos alambrados. [F. paral.: *moirão*.]

mourão[2] *S. m.* O cavaleiro que vai à esquerda, no jogo das canas. [F. paral.: *moirão*.]

mourão[3] *S. m. Bras. Liter. Pop.* Estrofe dialogada pelos cantadores e composta ora de cinco, ora de seis, ora (é hoje o caso mais comum) de sete versos setissílabos; trocado. [F. paral.: *moirão*.] ◆ **Mourão de sete-linhas.** *Bras. Liter. Pop.* Estrofe dialogada pelos cantadores, com sete versos setissílabos, cujo esquema rimático é ABABCCB. O primeiro cantador improvisa dois versos; o segundo, mais dois, e o primeiro conclui com os três restantes. [F. red.: *sete-linhas*. Sin.: *mourão trocado*.] **Mourão trocado.** *Bras. Liter. Pop.* V. *mourão de sete-linhas*. [Tb. se diz apenas *trocado*.] **Mourão voltado.** *Bras. Liter. Pop.* Décima (5), em estilo dialogado, findando obrigatoriamente com o refrão "isso é que é mourão voltado, / isso é que é voltar mourão" (nono e décimo versos). Ao final da estrofe, os cantadores repetem, em uníssono, o último verso improvisado e o refrão.

mourar [De *mouro* + *-ar*[2].] *V. int.* **1.** Tornar-se mouro. **2.** Praticar o culto islâmico. **3.** Trajar-se e/ou agir à maneira dos mouros. [Var.: *moirar*. Cf. *morar* e *murar*.]

mouraria [De *mouro* + *-aria*.] *S. f.* Bairro onde habitavam mouros. [Var.: *moiraria*.]

moura-torta *S. f.* Entidade fantástica do folclore português, personagem malfazeja, o oposto da *moura-encantada*. [Var.: *moira-torta*. Pl.: *mouras-tortas*.]

mourejado [Part. de *mourejar*.] *Adj.* Obtido à custa de muito trabalho. [Var.: *moirejado*.]

mourejar [De *mouro* + *-ejar*.] *V. int. T. i.* Trabalhar muito, sem descanso (como um mouro); lidar constantemente: 📖 "Mourejava no ofício sem descanso, ora só, ora ajudado pelo Delfonso" (Amadeu de Queirós, *Os Casos do Carimbamba*, p. 133). [Var.: *moirejar*. Conjug.: v. *pelejar*.]

mourejo (ê) [Dev. de *mourejar*.] *S. m. Bras.* Trabalho contínuo, incessante. [Var.: *moirejo*.]

mouresco (ê) [De *mouro* + *-esco*.] *Adj.* V. *mouro* (5). [Var.: *moiresco*.] ~ V. *mourescos*.

mourescos (ê) [Pl. subst. de *mouresco*.] *S. m. pl.* Ornatos de ourivesaria; mouriscos. [Var.: *moirescos*.] ~ V. *mouresco*.

mourisca [F. subst. de *mourisco*.] *S. f.* Casta de uva mourisca [v. *mourisco* (3)].

mourisco [De *mouro* + *-isco*[2].] *Adj.* **1.** Da mourama[1] (1); mauresco, mauriense, mouro. **2.** V. *mouro* (5). **3.** Diz-se de casta de uva preta cultivada na região do Douro (Portugal). **4.** *Bras. N.E.* Diz-se do gato de cor cinzento-escura mesclada de tons mais claros. [Var.: *moirisco*.] ~ V. *arco* — e *mouriscos*.

mouriscos [Pl. subst. de *mourisco*.] *S. m. pl.* Mourescos. ~ V. *mourisco*.

mourisma [Do esp. *morisma*, com infl. de mouro.] *S. f.* **1.** Religião dos mouros [v. *mouro* (1)]. **2.** Mourama[1] (2 e 3): 📖 "partiu com lustrosa mesnada de homens d'armas para a hoste del-rei Ramiro, que ia em fossado contra a mourisma de Espanha." (Alexandre Herculano, *Lendas e Narrativas*, II, p. 15). [Var.: *moirisma*.]

mourizar [De *mouro* + *-izar*.] *V. t. d. P.* Tornar-(se) mouro. [Var.: *moirizar*.]

mouro [Do lat. *mauru*.] *S. m.* **1.** Indivíduo dos mouros, povos que habitavam a Mauritânia (África); mauritano, mauro, sarraceno. **2.** *P. ext. Ant.* Aquele que não é batizado, que não tem a fé cristã; infiel. **3.** *Fig.* Indivíduo que trabalha muito. **4.** *Guin.* V. *curandeiro* (1): 📖 "nós não somos amigos dos mouros nem consentimos, em casa, esses pantomimeiros." (Afonso Correia, *Bocomé Sambu*, p. 44). ● *Adj.* **5.** Relativo ou pertencente a, ou próprio de mouros; mauro; mauresco, mauriense, mouresco, mourisco. **6.** V. *mourisco* (1). **7.** *Ant.* Que não é batizado, que não tem a fé considerada verdadeira; infiel. **8.** Mudéjar (4). **9.** *Bras.* Diz-se do cavalo de pelo preto salpicado de branco. [Var.: *moiro*.] ~ V. *mouros*. ◆ **Haver mouro na costa.** Haver um adversário oculto: 📖 "– Sabe o que me está parecendo? – disse ela. – Parece-me que há mouro na costa." (Machado de Assis, *A Mão e a Luva*, em *Obra Completa*, 1º vol., p. 371.) **Trabalhar como um mouro.** Trabalhar intensamente (como os mouros tornados cativos, no tempo da reconquista da Península Ibérica); trabalhar com um forçado.

mouronada [De *mourão*[1] (4) + *-ada*[1], seg. o padrão erudito.] *S. f. Bras. RS* Porção de mourões; partida de mourões. [Var.: *moironada*; sin.: *mourama*.]

mouros [Pl. de *mouro*.] *S. m. pl. Bras. Folcl.* Certo folguedo popular, que representa luta naval entre mouros e cristãos. [Var.: *moiros*.] ~ V. *mouro*.

➔ **mourvèdre** [muʁˈvɛdʁ] [Fr.] *S. m.* **1.** *Vitic.* Casta de uva tinta de origem espanhola, entra na composição de excelentes vinhos do vale do Ródano, como o *châteauneuf-du-pape* e o *gigondas*, e de bons vinhos do S. da França (bandol, etc.). **2.** *Enol.* Vinho produzido com essa uva.

➔ **mouse** [mæws] [Ingl., lit., 'camundongo' (por alusão à forma, tamanho e tipo de movimento do dispositivo).] *S. m. Inform.* Dispositivo periférico de apontamento, que controla a posição de um cursor na tela e que conta com um ou mais botões, usado para indicar e selecionar opções, ícones e outros elementos de interface. [Entre as ações tipicamente executadas por meio do *mouse*, incluem-se: apontar, clicar, arrastar e executar duplo-clique.]

mouta *S. f.* Moita: 📖 "Vaga-lumes, cruzando-se, acendiam brasas na espessura das moutas." (Coelho Neto, *Rei Negro*, p. 224.)

moutão[1] *S. m.* Moitão[1].

moutão[2] *S. m.* Moitão[2] (q. v.).

moutedo (ê) *S. m.* V. *moitedo*.

movediço [De *mover* + *-(d)iço*[1].] *Adj.* **1.** Que se move com facilidade: 📖 "Pedra movediça não cria bolor" (prov.); 📖 "Esbelta, viva, grandes olhos movediços, pestanudos." (Rodrigo Otávio, *Contos de Ontem e de Hoje*, p. 207). **2.** Pouco firme; instável. **3.** *Fig.* Volúvel, inconstante. V. *areia* —*a*.

movedor (ô) [De *mover* + *-dor*.] *Adj. S. m.* Que, ou aquele que move; motor.

móveis [Pl. subst. do adj. *móvel*.] *S. m. pl.* **1.** Todos os objetos materiais que não são bens imóveis. **2.** Todos os direitos a eles inerentes. [Cf. *moveis*, do v. *mover*.] ~ V. *móvel*.

móvel [Do lat. *mobile*.] *Adj. 2 g.* **1.** Que se pode mover. **2.** *Fig.* Inconstante, variável, volúvel. [Superl. abs. sint.: *mobilíssimo*.] ~ V. *aglomerado* —, *ano* —, *astro* —, *bens móveis*, *caracteres móveis*, *cúmulo* —, *festa* —, *fio* —, *ponte* — e *unidade* —. ● *S. m.* **3.** V. *móbil* (2). **4.** Peça de mobília. **5.** Corpo em movimento. [Pl.: *móveis*. Cf. *moveis*, do v. *mover*.] ~ V. *móveis*.

▲ **-móvel** [Do lat. *mobilis*, *e*.] *El. comp.* = 'móvel', 'que se move': *automóvel*.

movelaria [De *móvel* + *-aria*.] *S. f. Bras.* Mobiliária.

moveleiro [De *móvel* + *-eiro*.] *S. m.* **1.** *Bras.* Fabricante e/ou vendedor de móveis. ● *Adj.* **2.** Pertencente ou relativo à indústria e ao comércio de móveis.

movência [De *mover* + *-ência*; fr. *mouvance*.] *S. f. E. Ling.* Variação inerente a textos de transmissão oral, como, p. ex., os cancioneiros medievais que, a partir de um modelo, são recriados e inovados a cada realização.

movente [Do lat. *movente*.] *Adj. 2 g.* Que move, ou que se move.

mover [Do lat. *movere*.] *V. t. d.* **1.** Dar ou comunicar movimento a; pôr em movimento; abalar: 📄 *A janela fechou-se sem que ninguém a movesse.* **2.** Fazer sair do lugar; deslocar por um movimento; remover, deslocar: 📄 *Apesar do esforço despendido, não conseguiram mover a grande pedra.* **3.** Exercer movimento(s) com; mexer: 📖 "moveu a cabeça dum lado para outro" (Érico Veríssimo, *Noite*, p. 1). **4.** Movimentar de um para outro lado; menear: 📄 *Caminha movendo os quadris*; 📖 "As brisas da noite começavam a mover as folhas do bosque" (Franklin Távora, *O Cabeleira*, p. 240). **5.** Induzir, determinar ou persuadir a fazer algo: 📄 *Os argumentos foram inúteis: nenhum deles o moveu.* **6.** Ocasionar, levantar, suscitar, promover: 📄 *mover ódios*; *mover questões*. **7.** Causar, suscitar, inspirar: 📄 *mover uma paixão*. **8.** Perturbar, turbar, alterar: 📄 *As circunstâncias contrárias moveram-lhe o juízo.* **9.** Inspirar dó ou compaixão a; comover: 📄 *As lágrimas do velho empregado não moveram o patrão.* *T. d. e i.* **10.** Induzir, persuadir, levar: 📖 "Herculano, atento à coisa pública, dela recebendo os principais estímulos — desde os que o moveram à atividade de revolucionário, em moço, aos que lhe suscitaram atividade de historiador — sentiu com exasperação a reação às decepções do político e do literato." (Hernâni Cidade, em João Gaspar Simões, *Perspectiva da Literatura Portuguesa do Século XIX*, I, p. 98.) **11.** Pôr em prática; levar a efeito; realizar, promover: 📖 "Desafogou [José de Alencar] a mágoa causada pelos acrimoniosos reparos dos seus inimigos gratuitos que lhe moviam verdadeira campanha difamatória" (Artur Mota, *José de Alencar*, p. 45). *T. i.* **12.** Induzir, levar: 📖 "Esta pele refranzida / Move à piedade e à tristeza." (Alberto de Oliveira, *Poesias*, 3ª série, p. 39.) **13.** Partir, abalar. *Int.* **14.** Causar comoção; sensibilizar: 📄 *argumentos que movem.* **15.** Ter móvito; abortar. *P.* **16.** Estar ou pôr-se em movimento; mexer-se de um para outro lado: 📖 "Vede que brutas pedras! Nem se movem!" (Teixeira de Pascoais, *D. Carlos*, p. 67.) **17.** Agitar-se; bulir: 📖 "move-se brandamente o arvoredo" (Luís de Camões, *Rimas*, p. 185); "Os mares, minha bela, não se movem" (Tomás Antônio Gonzaga, *Marília de Dirceu*, p. 86). **18.** Passar, decorrer: 📄 *Move-se devagar o tempo.* **19.** Pôr-se em movimento; dar de si. **20.** Caminhar, andar: 📖 "A mulher que sabe mover-se com harmonia nunca é totalmente feia." (Patrícia Joyce, *Anúncio de Casamento*, p. 142); 📄 *Moveu-se em direção à porta.* **21.** Comover-se, sensibilizar-se. **22.** Decidir-se ou determinar-se a fazer alguma coisa: 📄 *Moveu-se apenas pelas súplicas dos pais.* [Pres. ind.: *movo* (ô), *moves*, *move*, *movemos*, *moveis*, *movem*. Cf. *móveis*, pl. de *móvel* e s. m. pl.]

movido [Part. de *mover*.] *Adj.* **1.** Impelido, levado. **2.** Causado, ocasionado. **3.** *Bras.* Pouco desenvolvido; raquítico.

movimentação [De *movimentar* + *-ção*.] *S. f.* Ato de movimentar(-se); movimento.

movimentado [Part. de *movimentar*.] *Adj.* **1.** Em que há sensível movimento ou afluência de pessoas que se movem: 📖 "O hotel cheio, movimentado, o dia inteiro." (Guido Vilmar Sassi, *São Miguel*, p. 224.) **2.** Que se movimenta ou se agita muito; agitado, animado; dinâmico: 📄 *rapaz movimentado.* **3.** Que tem movimento (8): 📄 *romance movimentado*; *fita movimentada.*

movimentar [De *movimento* + *-ar*[2].] *V. t. d.* **1.** Dar ou imprimir movimento a; pôr em movimento; mobilizar: 📄 *movimentar um veículo.* **2.** Agitar em várias direções. **3.** Exercer movimentos com; agitar, mover: 📄 *Passou dias sem poder movimentar o braço* *esquerdo.* 4. Dar movimento, vida, animação, desenvolvimento, a; animar, incrementar. *P.* 5. Pôr-se em movimento; animar-se.

movimento [De *mover* + *-imento*; esp. *movimiento*, fr. *mouvement*.] *S. m.* 1. Ato ou processo de mover(-se); deslocamento. 2. Um determinado modo de mover-se: *Fazia movimentos incessantes com a mão, chamando a atenção dos passantes.* 3. Afluência de gente que se move: *O movimento na rua era incessante.* 4. Animação, agitação: *A cidadezinha era morta, sem movimento.* 5. A marcha dos astros. 6. Série de atividades organizadas por pessoas que trabalham em conjunto para alcançar determinado fim: *movimento em prol dos flagelados da seca do Nordeste.* 7. Evolução ou tendência, em determinada esfera de atividades: *A Semana de Arte Moderna é o acontecimento principal do movimento modernista.* 8. Andamento ou desenvolvimento rápido, vivaz, da ação de uma narrativa, peça, filme, etc.: *O romance é monótono, sem movimento; O filme tem pouco movimento.* 9. *Art. Plást.* A representação ou o efeito de movimento: *Este quadro não tem movimento.* 10. *Filos.* Processo de mudança ou alteração das relações internas ou externas de um sistema. 11. *Fís.* Variação, em função do tempo, das coordenadas de um corpo em relação a um referencial. 12. *Mil.* Deslocamento de tropas, navios, etc., como parte de uma manobra. 13. *Mús.* Cada uma das partes de uma composição instrumental do tipo da suíte ou da sonata: *o primeiro movimento da nona sinfonia de Beethoven.* 14. *Mús.* Às vezes, andamento (4). 15. *Bras. Gír.* O tráfico de drogas de uma localidade: "O Exército dava segurança aos trabalhadores das empreiteiras (em cujo plantel o 'movimento' tinha uma cota)." (Elio Gaspari, em *Folha de S.Paulo*, 09.07.2008.) ◆ **Movimento acelerado.** *Fís.* Movimento em que a aceleração não é nula, podendo ser positiva ou negativa. **Movimento alternativo.** O que se efetua, alternativamente, num e noutro sentido, opostos, como, p. ex., o dos êmbolos dos motores de explosão e das máquinas alternativas. **Movimento ameboide.** *Biol.* Movimento realizado por microrganismos sem membrana rígida, como as amebas, mediante a emissão de prolongamentos plasmáticos ditos *pseudópodos*, cujo lançamento e retração determinam o deslocamento da célula; movimento difluente. **Movimento anarmônico.** *Fís.* Movimento periódico em que a lei de variação com o tempo não é uma função harmônica. **Movimento browniano.** *Fís.* Movimento errático, em zigue-zague, observado ao ultramicroscópio em certas soluções e suspensões coloidais. **Movimento cíclico.** *Fís.* Movimento periódico em que o móvel descreve uma trajetória fechada. **Movimento das costas.** *Geol.* Elevação ou abaixamento dos continentes em relação ao nível do mar. **Movimento de rotação.** Aquele que um corpo efetua em torno de um ponto situado no seu interior. **Movimento de terra.** Terraplenagem. **Movimento de translação.** Aquele em que todas as partes de um corpo se deslocam paralelamente entre si. **Movimento difluente.** *Biol.* Movimento ameboide. **Movimento direto.** *Astr.* Movimento de um planeta em relação às estrelas no sentido das ascensões retas crescentes. **Movimento diurno.** *Astr.* Movimento aparente que todos os astros parecem descrever sobre a esfera celeste, em círculos paralelos ao equador, durante um dia sideral, e que é produzido pela rotação da Terra em torno de seu eixo. **Movimento finito.** *Fís.* O de um sistema de partículas em que a energia é constante e são finitas as coordenadas de todas as partículas em qualquer tempo. **Movimento harmônico.** 1. *Fís.* Movimento periódico em que a lei de variação com o tempo é uma função harmônica. 2. *Mús.* Progressão ascendente ou descendente de uma voz em relação a outra voz que evolve simultaneamente. [Pode ser: *direto*, quando as vozes seguem a mesma direção; *contrário*, quando seguem movimentos opostos; *oblíquo*, quando uma voz sustenta o mesmo som, enquanto a outra evolve por intervalos ascendentes ou descendentes.] **Movimento harmônico simples.** *Fís.* Movimento harmônico em que a lei de variação com o tempo é uma função seno ou cosseno. **Movimento infinito.** *Fís.* O de um sistema de partículas em que a energia é constante e as coordenadas de uma ou mais partículas podem assumir valores infinitos. **Movimento laminar.** *Fís.* O de um fluido em que as linhas de corrente não se cruzam. **Movimento pendular.** 1. O movimento de vaivém efetuado por um pêndulo. 2. *P. ext.* Sucessão de valores de uma variável que vai até um extremo positivo, reflui a um extremo negativo simétrico ao primeiro, e assim sucessivamente. **Movimento periódico.** *Fís.* O que é efetuado por um móvel que, em intervalos iguais de tempo, tem as mesmas coordenadas de posição e velocidade. **Movimento peristáltico.** *Fisiol.* Peristalse. **Movimento próprio.** *Astr.* Deslocamento anual da direção heliocêntrica de uma estrela, produzido pelo movimento relativo desta e do Sol. **Movimento radial.** *Astr.* Componente do movimento próprio de um astro, segundo a direção que o une ao observador. [É mensurável pelo deslocamento das linhas espectrais, produzido pelo efeito Doppler.] **Movimento retardado.** *Fís.* Movimento com aceleração negativa. **Movimento retrógrado.** *Astr.* Movimento de um planeta para oeste, em relação às estrelas. **Movimentos do lago.** Designação genérica das ondas ou vagas, das correntes e das marés que se verificam nos lagos. **Movimentos do mar.** Designação genérica que abrange as vagas, as marés e as correntes marítimas. **Movimentos negativos.** *Geol.* Abaixamento do mar ou dos continentes.

moviola [Nome comercial.] *S. f. Cin.* Mesa de montagem profissional.

móvito [De *mover*, poss.] *S. m.* V. *aborto* (1).

movível [De *mover* + *-ível*.] *Adj. 2 g.* Que se pode mover.

movongo *S. m. Bras. BA* Baixão fundo, entre elevações íngremes.

moxa (cs) [Do jap. *mogusa*, 'certa variedade de artemísia cujo parênquima é comestível'.] *S. f.* Bastonete, ou cone, feito com parênquima de artemísia, ou mesmo ramo de artemísia, que, queimado em contato com a pele, em determinadas regiões do corpo, produz efeito comparável ao da acupuntura. [É prática da medicina oriental.]

moxama [Do ár. *mušammaᶜ*, 'material ou proteção impermeável'.] *S. f.* Peixe seco e salgado para se conservar por muito tempo.

moxamar [De *moxama* + *-ar*[2].] *V. t. d.* Secar e salgar (o peixe), transformando-o em moxama.

moxameiro [De *moxama* + *-eiro*.] *S. m.* 1. Aquele que prepara e/ou vende moxama. 2. Lugar onde se prepara a moxama.

moxar [De or. incerta.] *V. t. d.* Secar (peixe) ao fumo. [Pres. ind.: *moxo*, *moxas*, etc. Cf. *mocho*, *mochas*, *mocha*, do v. *mochar*; este v.; *mocho* (ô), *mocha* (ô), o pl. *mochas* (ô); e *moxa* (cs), pl. *moxas* (cs).]

moxibustão (cs) [De *moxa* + *-i-* + *(com)bustão*; ingl. *moxibustion*.] *S. f. Med.* Contrairritação, ou cauterização, produzida pela moxa acesa, e colocada sobre a pele.

moxicombustão (cs) [De *moxa* + *-i-* + *combustão*.] *S. f. Hist. Med.* Antiga modalidade chinesa de terapêutica e que consiste na ignição de cones combustíveis de losna ou absinto (*Artemisia vulgaris*) nas mesmas áreas em que se introduzem agulhas em acupuntura; tais cones devem queimar até a pele, produzindo bolhas através das quais se presume seja restabelecido o equilíbrio entre *Yang* e *Yin* (q. v.).

moxinifada [De or. incerta.] *S. f.* Confusão, embrulhada, salsada, miscelânea, mistifório: "Também estavam nesta moxinifada fotografias e a descrição do prédio." (Pedro Nava, *O Círio Perfeito*, p. 377.)

moxubiá [De or. obsc.] *S. m. Bot.* V. *cajazeira*.

mozabita [Do top. *Mozab* (África do Norte) + *-ita*[2].] *S. 2 g.* 1. Indivíduo dos mozabitas, povo de origem turca e moura que habita a região meridional da Berberia. ● *Adj. 2 g.* 2. Pertencente ou relativo aos mozabitas.

mozárabe *Adj. 2 g. S. 2 g.* V. *moçárabe*.

mozarela [Do it. *mozzarèlla*.] *S. f.* Queijo magro de leite de búfala, ou, quando produzido industrialmente, ger. de leite de vaca, e us. na culinária de origem italiana.

mozarlandense *Adj. 2 g.* 1. De, ou pertencente ou relativo a Mozarlândia (GO). ● *S. 2 g.* 2. O natural ou habitante de Mozarlândia.

mozartiano *Adj.* 1. Pertencente ou relativo a Wolfgang Amadeus Mozart (1756-1791), compositor austríaco, ou próprio dele. 2. Diz-se de grande admirador, seguidor, e/ou profundo conhecedor de sua obra. ● *S. m.* 3. Grande admirador, seguidor, e/ou profundo conhecedor da obra de Mozart.

mozeta (ê) [Do it. *mozetta*.] *S. f.* Murça eclesiástica ou prelatícia.

■ **MP** Sigla de *medida provisória* (q. v.).

■ **MPB** Abrev. de *Música Popular Brasileira*.

■ **MPO** Sigla de *Ministério do Planejamento e Orçamento*.

■ **MP3** [Abrev. do ingl. *MPEG Layer 3*.] *Inform.* Forma de compressão de arquivos de áudio onde a perda de qualidade é minimizada.

■ **Mr** Abrev. do ingl. *mister* (q. v.).

■ **Mrs** [Ingl.] F. de tratamento que antecede, em inglês, o nome de uma mulher casada.

■ **MS** Sigla do Estado de Mato Grosso do Sul.

→ **msaho** [m'saho] [Tchôpi.] *S. m. Moç. Etnogr.* Dança com acompanhamento de timbilas e cantos, de origem tchôpi: "flectem os corpos como que desprovidos de ossatura / na cadência harmoniosa do msaho" (Juvenal Bucuane, *A Raiz e o Canto*, p. 38).

■ **M.Sc.** [Abrev. do lat. *Magister Scientiarum*.] Abrev. do título universitário *Mestre em Ciências*.

■ **MSI** [Abrev. do ingl. *Medium Scale Integration*.] *Eletrôn.* V. *integração em média escala*.

■ **MST** Sigla de *Movimento dos Trabalhadores Rurais sem Terra*.

■ **MT** Sigla do Estado de Mato Grosso.

mu[1] [Do lat. *mulu*, por apócope.] *S. m.* V. *mulo*.

mu[2] *S. m.* Mi^2.

muadié [Do quimb.] *S. m. Angol.* Homem respeitável: "O João fora-se de vez, coitado! Bom tipo, aquele muadié!" (Henrique Abranches, *Kissoko de Guerra*, vol. I, p. 14.)

muafo *S. m. Bras. N. N.E.* Muafos (1 e 2).

muafos *S. m. pl. Bras. N. N.E.* 1. Panos velhos. 2. Roupa(s) velha(s). [Tb. us. (menos) no sing., nessas acepçs.] 3. V. *cacaréus*. ~ V. *muafo*.

muamba[1] [Do quimb. *mu'hamba*, 'carga'.] *S. f.* 1. *Luso-afr.* Espécie de canastra para transporte. 2. Furto de mercadorias de navios ancorados e de armazéns da alfândega. 3. *Bras.* Contrabando (2). 4. *Bras.* Boró[2] (3). 5. *Bras.* Venda e compra de coisas furtadas. 6. *Bras.* Negócio escuso; velhacaria, fraude, furto, roubo. 7. *Bras. N.E.* Em certas zonas sertanejas, mochila e, p. ext., qualquer dos apetrechos dos soldados.

muamba[2] [Do quimb. *muamba*.] *S. f. Angol. Cul.* Guisado de azeite de palma com galinha ou carne de vaca, acompanhado de funje: "Foi um abençoado almoço, um farto almoço indígena: mufete, feijão de óleo de palma, muamba de galinha, caldeirada de cabrito à moda de Benguela." (José Eduardo Agualusa, *A Feira dos Assombrados*, p. 72.)

muambeiro [De *muamba*[1] + *-eiro*.] *S. m. Bras.* Indivíduo que negocia a muamba[1] (3); contrabandista.

muana [De várias línguas moçambicanas.] *S. 2 g. Moç.* Criança (1): "o sonho .... sorria na boca dos muanas" (Leite de Vasconcelos, *Irmão do Universo*, p. 123).

muanaense (àen) *Adj. 2 g.* 1. De, ou pertencente ou relativo a Muaná (PA). ● *S. 2 g.* 2. O natural ou habitante de Muaná.

muão *S. m. Lus. Fís. Nucl.* V. *múon*. [Pl.: *muões*.]

muar [Do lat. *mulare*.] *Adj. 2 g. S. 2 g.* Diz-se de, ou animal pertencente à raça do mulo, espécime dos mus.

muarrã [Do ár.] *S. m.* 1. *Cronol.* O primeiro mês do ano, no calendário muçulmano, com 30 dias. 2. *P. ext.* Festa religiosa muçulmana xiita, celebrada anualmente nesse mês.

muata [Do quimb.] *S. m. Angol.* Indivíduo importante, que exerce autoridade: "era um preto diferente, um muata de verdade." (Manuel dos Santos Lima, *As Sementes da Liberdade*, p. 104).

mubafo [Do quimb.] *S. m. Bot.* 1. Árvore burserácea (*Canarium schweinfurthii*) nativa de regiões tropicais da África, cuja madeira é de boa qualidade; exsuda resina medicamentosa, tb. us. em perfumaria, e tem frutos edules. 2. A resina dessa árvore.

mubu *S. m. Bras. Etnogr.* V. *membi* (1).

mucajá [Do tupi.] *S. m. Bras. N. Bot.* V. *coco-de-catarro*.

mucajaiense (a-i) *Adj. 2 g.* 1. De, ou pertencente ou relativo a Mucajaí (RR). ● *S. 2 g.* 2. O natural ou habitante de Mucajaí.

mucama [Do quimb. *mu'kama*, 'amásia escrava'.] *S. f. Bras. Angol.* A escrava negra moça e de estimação que era escolhida para auxiliar nos serviços caseiros ou acompanhar pessoas da família, e que, por vezes, era a ama de leite. [Var. (bras.): *mucamba* e *camba*[2]. Cf. *macuma*.]

mucamba *S. f. Bras.* V. *mucama*: "Um dia encontraram na escura senzala / O catre da bela mucamba vazio" (Gonçalves Crespo, *Obras Completas*, p. 177).

muçambé [Do tupi.] *S. m. Bras. Bot.* V. *muçambê*.

muçambê [Var. pros. de *muçambé*.] *S. m. Bras. Bot.* Designação comum a duas ervas caparidáceas (*Cleome heptaphylla* e *C. rosea*) [esta se chama tb. *muçambê-cor-de-rosa*] ornamentais, que têm folhas compostas e moles, flores vistosas e atraentes, róseas ou alvas, com longos estames e ovário pedunculado, e cujo fruto é uma cápsula alongada.

muçambé-cor-de-rosa *S. m. Bras. Bot.* V. *muçambê-cor-de-rosa*. [Pl.: *muçambés-cor-de-rosa*.]

muçambê-cor-de-rosa *S. m. Bras. Bot.* V. *muçambê*. [Pl.: *muçambês-cor-de-rosa*.]

muçambé-indecente *S. m. Bras. Bot.* V. *muçambê-indecente*. [Pl.: *muçambés-indecentes*.]

muçambê-indecente *S. m. Bras. Bot.* V. *feijão-de-boi* (1 e 2). [Pl.: *muçambês-indecentes*.]

mucambense *Adj. 2 g.* 1. De, ou pertencente ou relativo a Mucambo (CE). ● *S. 2 g.* 2. O natural ou habitante de Mucambo.

mucanda[1] [Do quimb.] *S. f. Angol.* Carta (1): "acabou por concordar e levou a mucanda ao padre: | — Não o devia ter feito. O padre leu a carta à minha frente e ficou sem fala." (José Eduardo Agualusa, *Estação das Chuvas*, p. 27).

mucanda[2] [Do cócue.] *S. f. Angol.* Rito (3) de circuncisão dos rapazes, e de iniciação das moças,

M

em particular na região leste de Angola (África): 📖 "quando fores homem, quando vieres da mucanda, o Mualucano ensinar-te-á a caçar." (Castro Soromenho, *Nhári*, p. 47). [V. *muquixe*.]

muçarete *S. m. Bras. Zool.* Saguaritá.

mucataia [Var. de *mucutaia*.] *S. f. Bras. Bot.* V. *caneleira-do-mato*.

mucaxixi *S. m. Bras.* Caxixi (2).

muceque *S. m. Angol.* V. *musseque*.

muchacha [Do esp. *muchacha*.] *S. f. Bras. RS* **1.** V. *moça* (1). **2.** *Fam.* Moça esperta, ladina. [Cf. *muxaxa*.]

muchachada [Do hisp.-amer. *muchachada*.] *S. f. Bras. RS* **1.** Grupo de muchachos ou de muchachas, de rapazes ou de moças. **2.** Travessura ou brincadeira de rapaz.

muchacharia [De *muchacho* + *-aria*.] *S. f. Bras. RS Fam.* Grande porção de muchachos ou rapazes.

muchacho [Do esp. *muchacho*.] *S. m. Bras. RS* **1.** V. *rapaz* (3). **2.** Suporte em que descansa o cabeçalho da carreta.

muchão [Do lat. *mustione*.] *S. m. Zool.* Trombeteiro (2).

muchém *S. m. e f. Moç.* **1.** V. *cupim* (1): 📖 "A casa .... era sólida antes de ser carcomida pela muchém." (João Salva-Rey, *Ku Femba*, p. 86.) **2.** V. *cupim* (2): 📖 "o feiticeiro subiu a um morro de muchém e contemplou a planície." (Mia Couto, *Terra Sonâmbula*, p. 241).

▲ **muc(i)-** [Do lat. *mucus*, *i*.] *El. comp.* = 'muco': *mucina*, *mucíparo*. [Equiv.: *muco-*: *mucopurulento*.]

mucica [Do tupi.] *S. f. Bras. N.E.* **1.** Sacudidela que o pescador dá à vara de pescar, quando sente que o peixe mordeu a isca. **2.** Puxão com que os vaqueiros, apanhando a rês pela cauda, conseguem derribá-la: 📖 "Os animais que dele fugiam ou o enfrentavam, touros, suçuaranas e porcos-do-mato, eram dominados a laço, à mucica e à bala." (Gustavo Barroso, *Heróis e Bandidos*, p. 171.) **3.** Empuxão que se imprime à linha do papagaio de papel. **4.** Contração súbita de certo grupo de músculos, com aparência de movimento constante e comum.

múcico [De *musc(i)-* + *-ico*[2].] *Adj.* De, ou relativo a muco.

mucífero [De *muc(i)-* + *-fero*.] *Adj.* Mucíparo.

muciforme [De *muc(i)-* + *-forme*.] *Adj. 2 g.* Que tem aparência de muco.

mucilagem [Do lat. *mucilagine*.] *S. f. Bot.* Substância viscosa presente em diversas plantas, esp. nos tecidos de suculentas e no invólucro de muitas sementes; é composta de pectinas, e tem a propriedade de aumentar de volume na água.

mucilaginífero [De *mucilagem* + *-ífero*, seg. o padrão erudito.] *Adj.* Que secreta ou armazena mucilagem; mucilaginoso, mucilaginíparo.

mucilaginíparo [De *mucilagem* + *-i-* + *-paro*, seg. o padrão erudito.] *Adj.* V. *mucilaginífero*.

mucilaginoso (ô) [De *mucilagem* + *-oso*, seg. o padrão erudito.] *Adj.* **1.** V. *mucilaginífero*. **2.** Semelhante à, ou da natureza da mucilagem.

mucina [De *muc(i)-* + *-ina*[3].] *S. f. Bioquím.* Mucopolissacarídeo que é o principal constituinte do muco.

mucíparo [De *muc(i)-* + *-paro*.] *Adj.* Que produz muco; mucífero. ~ V. *glândula —a*.

mucitaíba *S. f. Bras. Bot.* V. *mocitaíba*.

mucívoro [De *muc(i)-* + *-voro*.] *Adj.* Que se alimenta de mucosidades.

muco [Do lat. *mucu, por *mucu*.] *S. m. Bioquím.* Secreção de membrana mucosa a que se juntam diversos sais inorgânicos, células descamadas e leucócitos; mucosidade. [Sin., pleb.: *ranho*, *monco*.]

▲ **muco-** [De *muc(i)-* + *-o-*.] Equiv. de *muc(i)-*.

muçoco (ô) *S. m. Moç.* V. *mussoco*.

mucocutâneo [De *muco-* + *cutâneo*.] *Adj.* Relativo à pele e à mucosa.

mucol [De *muco* + *-ol*[1].] *S. m.* Mucilagem usada em farmácia como excipiente. [Pl.: *mucóis*.]

mucopolissacarídeo [De *muco-* + *polissacarídeo*.] *S. m. Bioquím.* Grupo de polissacarídeos que contém hexosamina e pode, ou não, estar combinado a proteína; glicosaminoglicano.

mucoproteína [De *muco-* + *proteína*.] *S. f. Bioquím.* Substância formada por mucopolissacarídeo combinado a proteína.

mucopurulento [De *muco-* + *purulento*.] *Adj.* Que tem muco e pus.

▲ **mucor-** [Do lat. *mucor*, *ōris*.] *El. comp.* = 'bolor', 'mofo': *mucorácea*.

múcor [Do tax. *Mucor*.] *S. m. Micol.* **1.** O gênero-tipo das mucoráceas, que inclui fungos que se distinguem de outros por terem esporângios arredondados, ger. cilíndricos ou piriformes, que não se agrupam, e que não se limitam a permanecer nos locais em que os rizoides se desenvolvem. **2.** Espécie ou espécime desse gênero.

mucorácea [Do tax. *Mucor* (v. *múcor*) + *-ácea*; tax. *Mucoraceae*.] *S. f. Micol.* Espécime das mucoráceas, grande família de fungos de talo não segmentado, desprovido de septos, e que inclui vários tipos de bolor (como espécies do gênero *Mucor*).

mucoráceo [De *mucorácea*, com var. suf. (v. *-áceo*).] *Adj. Micol.* Pertencente ou relativo às mucoráceas.

mucosa [F. subst. do adj. *mucoso*.] *S. f. Anat.* Membrana mucosa (q. v.).

mucosidade [De *mucoso* + *-(i)dade*.] *S. f.* V. *muco*.

mucosite [De *mucosa* + *-ite*[1].] *S. f. Odont.* Inflamação de mucosa, esp. de mucosa oral.

mucoso (ô) [Do lat. *mucosu*.] *Adj.* **1.** Que produz muco. **2.** Que tem a natureza do muco. ~ V. *glândula —a* e *membrana —a*.

mucoviscidose [De *muco-* + *víscido* + *-ose*[1].] *S. f. Med.* Doença grave que se caracteriza por viscosidade anormal de várias secreções, em particular traqueobrônquicas e pancreáticas. [Sin.: *doença fibrocística do pâncreas*.]

mucro [Do lat. *mucro* (nom.), 'ponta', 'extremidade pontuda'.] *S. m.* **1.** *Anat.* Designação genérica de extremidade pontiaguda de órgão. **2.** *Bot.* Ponta curta e dura, na extremidade de um órgão foliáceo. ◆ **Mucro esternal.** *Anat.* Apêndice xifoide (q. v.).

múcron *S. m.* V. *mucro*.

mucronado [Do lat. *mucronatu*.] *Adj.* Diz-se daquilo que termina em ponta aguda e direita.

mucruará [De or. indígena, poss.] *S. m. Bras. PA* Terra alagadiça.

muçu *S. m. Bras. Zool.* V. *muçum*.

muçuã [Do tupi.] *S. f. Bras. Amaz. Zool.* Reptil quelônio, cinosternídeo (*Cinosternon scorpioides*), do baixo Amazonas, especialmente da ilha de Marajó, de coloração pardo-escura, carapaça com três quilhas longitudinais salientes, plastrão amarelo com partes anterior e posterior movediças. Mede até 30cm, e é apreciado no PA, onde é famoso o prato *casquinho de muçuã*. [Var. desnasalada: *muçuá*.]

múcua [Do quimb.] *S. f. Angol.* Fruto do imbondeiro: 📖 "Mãos a um tempo / ásperas e / sedosas, como / múcua, / tecendo, / nas noites sem lua, / a música obsessiva, / cruel e apaziguante / dos tambores." (João Melo, *Canção do Nosso Tempo*, p. 24.)

mucuaxe [De or. indígena, poss.] *S. m. Bras. PA* Carne de gado roubado.

mucuaxeiro [De *mucuaxe* + *-eiro*.] *S. m. Bras. PA* Ladrão de gado.

mucubu [De or. indígena, poss.] *S. m. Bras. CE* Anca (do boi). [Cf. *mucumbu*.]

mucudo [De *muque* + *-udo*.] *Adj. Bras. Gír.* Que tem muque; musculoso, forte.

mucufa *Adj. 2 g.* **1.** *Bras. N. N.E.* Diz-se de indivíduo tratante, covarde, fracalhão; mutanje. **2.** *Bras. PB* Diz-se de indivíduo ordinário, reles. **3.** *Bras. PE* Diz-se daquele que tem medo de enfrentar desordeiros. **4.** *Bras. PE* Diz-se de indivíduo sem importância, insignificante. ● *S. m.* **5.** *Bras. N. N.E.* Indivíduo mucufa (1); manicaca, mutanje. **6.** *Bras. PB* Indivíduo mucufa (2). **7.** *Bras. PE* Indivíduo mucufa (3 e 4). [Var., nessas acepç.: *mucufo*.] ● *S. f.* **8.** *Bras.* Casa ordinária, ou muito suja.

mucufo *Adj. S. m.* **1.** V. *mucufa* (1 a 7). ● *S. m.* **2.** *Bras. SP Pop.* V. *caipira* (1). ~ V. *mucufos*.

mucufos [Pl. de *mucufo*.] *S. m. pl. Bras. Pop.* Trastes velhos. V. *cacaréus*. ~ V. *mucufo*.

mucuim[1] (u-ím) [Do tupi.] *S. m. Bras. Zool.* Acarídeo trombidiforme (*Tetranychus molestissimus*), cuja mordedura provoca intensas coceiras.

mucuim[2] (u-ím) *S. m. Bras. Zool.* V. *micuim*. ◆ **Não poder ver mucuim com tosse.** *Bras. Pop.* Não poder ver micuim com tosse.

mucujê [Do quicongo, poss.] *S. m. Bras. BA Bot.* Árvore apocinácea (*Couma rigida*) cuja característica mais notável é fornecer um látex adocicado e potável, us. como leite.

mucujeense (êen) *Adj. 2 g.* **1.** De, ou pertencente ou relativo a Mucujê (BA). ● *S. 2 g.* **2.** O natural ou habitante de Mucujê.

muçulmanismo [De *muçulmano* + *-ismo*.] *S. m.* V. *maometismo*.

muçulmano [Do ár. *muslim*, 'resignado, submetido (a Deus)'; 'sincero', 'devoto, fiel (à religião)', com infl. do suf. da f. pl. persa *muslimān*; v. th. etim. de *islã*.] *Adj. S. m.* V. *maometano*. ~ V. *calendário —*.

muçulmi [Do ár. *muslim* (v. *muçulmano*), com síncope e epêntese da f. vulg. **muslimī*.] *S. m. Bras. BA* Negro maometano da nação dos malês. [F. paral. e var.: *muçulmuí*, *muçurmuni*, *muxurumim*.]

muçulmuí *S. m. Bras. BA* V. *muçulmi*.

muçum [Do tupi.] *S. m. Bras. Zool.* Peixe simbranquídeo (*Synbranchus marmoratus*) encontrado do México a Argentina, de coloração amarela quase uniforme, mais clara no abdome, tendo os jovens dorso pardo, flancos azulados com máculas pardas e abdome cinzento-azulado. Habita ambientes variados de água doce ou salobra, podendo subsistir na lama de uma estação chuvosa para outra. Pode alcançar 150cm de comprimento, tem hábitos noturnos e seu sexo é reversível, agindo primeiro como fêmea e depois como macho. [Var.: *muçu*. Sin.: *peixe-cobra*, *enguia-d'água-doce*.]

mucumbagem *S. f. Bras.* **1.** V. *cacaréus*. **2.** Coisa desvaliosa.

mucumbu [Var. nasalada de *mucubu*.] *S. m. Pop.* **1.** *Bras. PE* Utensílios, troços, trens, teréns. V. *cacaréus*. **2.** *Bras. CE* V. *cóccix*. [Cf. *mucubu*.]

muçum-de-orelha *S. m. Bras. MT Zool.* V. *poraquê*. [Pl.: *muçuns-de-orelha*.]

muçum-do-mar *S. m. Bras. RJ Zool.* Designação comum ao *Ophicthus brasiliensis*, peixe teleósteo, ápode, ofictilídeo, da costa atlântica, e a mais quatro espécies do gênero. Habitam águas profundas, enroscando-se com frequência nas linhas de fundo. [Sin.: *cobra-do-mar*. Pl.: *muçuns-do-mar*.]

mucuna [Do tupi; tax. *Mucuna*.] *S. f. Bot.* **1.** Gênero de plantas herbáceas e trepadeiras fabáceas lenhosas tropicais, da família das leguminosas, dotadas de folhas trifolioladas e flores exuberantes, em racemos pedunculados, axilares. **2.** Qualquer espécie desse gênero, como, p. ex., a *Mucuna altissima* ou *M. urens*, a *M. pruriens* (v. *pó-de-mico*), a *M. rostrata*, algumas delas venenosas e com vagens pilosas, ferrugíneas, que causam irritação e prurido na pele de quem as toca, semelhantes aos da queimadura. **3.** Qualquer espécime desse gênero.

mucuná [De *mucunã*, com desnasalização.] *S. f.* V. *mucuna*.

mucunã [Do tupi.] *S. f. Bras. Bot.* V. *mucuna*.

muçunense *Adj. 2 g.* **1.** De, ou pertencente ou relativo a Muçum (RS). ● *S. 2 g.* **2.** O natural ou habitante de Muçum.

muçunga *S. m. Bras.* V. *beliscão*.

muçungão [De *muçunga* + *-ão*[1].] *S. m. Bras.* V. *beliscão*.

mucungo [De or. afric.] *S. m. Bras. Bot.* V. *camacã*[2].

mucunha *S. m. Moç.* Homem branco: 📖 "Como se chamava o mucunha, quem lembra?" (Mia Couto, *Terra Sonâmbula*, p. 194.)

muçununga [Do tupi, poss.] *S. f. Bras. BA* Terra arenosa, úmida e fofa.

mucunzá [Do quimbundo *mu'kunza*, 'milho cozido'.] *S. m. Bras. N.E.* V. *munguzá*: 📖 "o mucunzá com coco-da-praia, a coalhada escorrida e os fofos manuês assados em folha de bananeira!..." (Domingos Olímpio, *Luzia-Homem*, p. 55).

mucuoca [Do tupi.] *S. f. Bras. Amaz.* Cerca ou barragem nos riachos, feita de ramos de aningas e tijucos encostados em paus cravados a prumo, destinada a impedir a passagem do peixe, e que se utiliza, em geral, na pesca de gapuia (q. v.).

mucura [Do tupi.] *S. m. Bras. Zool.* V. *gambá* (1).

mucuracaá [Do tupi = 'folha da mucura'.] *S. f. Bras. L. Bot.* Subarbusto fitolacáceo (*Petiveria alliacea*) que desprende odor de alho, tem folhas oblongo-lanceoladas e estipuladas, utilizadas popularmente contra dor de cabeça, pequenas flores arrumadas em espigas, e cujos frutos parecem cariopses e possuem apêndices pontudos; pipi.

mucurana *S. f. S. 2 g. Bras. SP Zool.* V. *muquirana*.

muçurana [Do tupi = 'semelhante ao muçu'.] *S. f. Bras.* **1.** *Zool.* Reptil ofídio, colubrídeo, opistoglifo (*Pseudoboa cloelia*), comum em todo o Brasil, de coloração preto-acinzentada e brilhante, mais escura no dorso, flanco tendente ao pardo e ao róseo, e lado ventral cinzento ou amarelado, geralmente salpicado de branco. Ofiófaga, não teme as espécies maiores, nem as venenosas, a cujo veneno é imune. [Sin.: *limpa-campo*, *limpa-mato*, *limpa-pasto*, *cobra-preta*, *mamadeira*, *boiru*.] **2.** Corda com que os índios atavam os prisioneiros; maçarana.

mucurango [De or. indígena, poss.] *S. m. Bras. Zool.* Pequeno peixe gobiídeo, fluvial.

mucuraxixica [Do tupi.] *S. m. Bras. Zool.* Pequeno mamífero didelfídeo (*Calyromys philander*).

mucureca [De or. indígena.] *S. f. Bras. PR* Barraca, choça, toldo, entre certos povos indígenas do oeste.

mucuri [Do tupi.] *S. m. Bras. Bot.* Árvore anacardiácea (*Astronium concinnum*) com até 40m de altura, folhas compostas, penadas, flores amareladas em inflorescências terminais, e frutos que permanecem presos a cálices róseos. Ocorre no S. da Bahia, no Espírito Santo e na Zona da Mata de Minas Gerais; a madeira é muito us. para confecção de móveis, esquadrias, tacos, etc., e para obras externas. [Sin.: *aderno*, *aderno-preto*, *gibatão*, *ubatã*, *aroeira-mucuri*, *guarabu-marcineiro*, *guarabu-preto*, *guaribu-preto*.]

mucuriciense *Adj. 2 g.* **1.** De, ou pertencente ou relativo a Mucurici (ES). ● *S. 2 g.* **2.** O natural ou habitante de Mucurici.

mucuriense *Adj. 2 g.* **1.** De, ou pertencente ou relativo a Mucuri (BA). ● *S. 2 g.* **2.** O natural ou habitante de Mucuri.

muçurmuni [Var. de *muçulmuí*.] *S. m. Bras. BA* V. *muçulmi*.

muçurumim *S. m. Bras.* V. *muçulmi*: "Eu sabia que muita gente de santo também desprezava os muçurumins, a quem chamavam de malês." (Ana Maria Gonçalves, *Um Defeito de Cor*, p. 509.)

muçuruna-maracá *S. m. Bras. Etnol.* Cinta de guizos usada por indígenas de várias tribos para marcar o ritmo das danças. [Pl.: *muçurunas-maracás*.]

muçurungo [Var. de *muçurango*.] *S. m. Bras. Zool.* V. *amboré*.

mucuta *S. f. Bras. SP* Bolsa de carregar a tiracolo; bornal.

mucutaia [Do tupi.] *S. f. Bras. Bot.* V. *caneleira-do-mato*.

muda[1] [Dev. de *mudar*.] *S. f.* **1.** Mudança (1). **2.** Substituição, em jornadas longas, de animais cansados por outros folgados. **3.** Renovação do pelo, das penas ou da pele de certos animais. **4.** Planta tirada do viveiro para plantação definitiva. **5.** Conjunto de peças de vestuário que se usam à uma: *F. possui três mudas de roupa.* [Cf. *muda*, do v. *mudar*.]

muda[2] [Do lat. *muta*.] *S. f.* Fem. de *mudo* (1 a 8). [Cf. *muda*, do v. *mudar*.]

mudadiço [De *mudar* + -(*d*)*iço*[1].] *Adj.* V. *mudável*.

mudado [Part. de *mudar*.] *Adj.* **1.** Diferente; alterado. **2.** Transportado, deslocado.

mudador (ô) [De *mudar* + *-dor*.] *Adj.* **1.** Que muda ou causa mudança. • *S. m.* **2.** Aquele ou aquilo que muda ou causa mudança. **3.** *Bras. RS* Pouso onde se mudam cavalos, substituindo os montados pelos descansados. **4.** *Bras. RS* V. *circo* (5).

mudança [De *mudar* + *-ança*.] *S. f.* **1.** Ato ou efeito de mudar(-se); muda. **2.** Os móveis e os pertences, em geral, das pessoas que se mudam: *A mudança já saíra, e a casa, afinal, ficara vazia de todo.* **3.** *Bras. SC* Família ou pessoa que se mudou. **4.** *Autom.* V. *câmbio*[1] (4). **5.** *Mús.* V. *tom* (18). ◆ **Mudança de código.** *E. Ling.* Numa comunidade plurilíngue, o uso de uma língua em detrimento de outra(s), em razão da situação em que o falante se encontra, ou do tema abordado em sua fala. [Ao contrário do que ocorre em situações de diglossia (q. v.), o falante pode não se dar conta da passagem de uma língua para outra.] **Mudança organizacional.** *Adm.* Alteração em processos, na estrutura, na estratégia, nas tecnologias utilizadas ou nos papéis executados pelas pessoas que têm impactos sobre outras partes da organização e precisa, portanto, ser planejada para que possa ser adequadamente gerenciada.

mudancista [De *mudança* + *-ista*.] *Adj. 2 g. S. 2 g. Bras.* Que, ou quem era favorável à mudança da capital do Brasil para Brasília.

mudar [Do lat. *mutare*.] *V. t. d.* **1.** Pôr em outro lugar; dispor de outro modo; remover, deslocar: *Mudou o armário, e a sala pareceu maior.* **2.** Dar outra direção a; desviar: *mudar uma rota, um itinerário.* **3.** Tirar para pôr outro; substituir: *Mudou a fechadura da porta arrombada.* **4.** Transferir para outro local: *Em 1960 o governo brasileiro mudou a capital federal.* **5.** Alterar, modificar: *Com a República, em 1889, o Brasil mudou sua forma de governo;* "A Medicina mudou a face do mundo." (Deolindo Couto, *Vultos e Ideias*, p. 48). **6.** Trocar, cambiar; variar: *Mudou o nome como atriz, adotando um pseudônimo estrangeiro;* "Mudando andei costume, terra e estado, / por ver se se mudava a sorte dura" (Luís de Camões, *Rimas*, p. 155). **7.** Fazer apresentar-se sob outro aspecto: *A longa convivência com o missionário mudou a sua visão do mundo.* ***T. d. e c.*** **8.** Pôr (em outro lugar); remover: *Mudou o armário para o quarto do filho.* ***T. d. e i.*** **9.** Transformar, converter: *Há comportamentos que mudam o brio em desonra.* ***T. c.*** **10.** Ir habitar ou estacionar em outro ponto; transferir-se para outra casa ou local: *Muita gente está mudando para o interior.* ***T. i.*** **11.** Deixar (uma coisa por outra): *mudar de nome; mudar de conversa.* ***Bit. i.*** **12.** Sofrer alteração, modificação: *Mudou de afável em macambúzio.* ***Int.*** **13.** Mudar (10). **14.** Tornar-se diferente do que era, física ou moralmente; alterar-se. ***P.*** **15.** Deixar o lugar onde vivia; transferir a sua residência (para outra terra, outra casa, etc.). **16.** Transformar-se, converter-se, transmudar-se, transmutar-se: "Mudando andei costume, terra e estado, / por ver se se mudava a sorte dura" (Luís de Camões, *Rimas*, p. 155); "Mudava-se a brandura em áspera energia" (Eugênio de Castro, *Obras Poéticas*, VI, p. 51); "Muda-se o claro dia em noite escura" (Ronald de Carvalho, *Poemas e Sonetos*, p. 136). **17.** Passar, fugir, desaparecer.

mudável [Do lat. *mutabile*.] *Adj. 2 g.* **1.** Suscetível de mudar; sujeito a mudança: "Vem no sonho outro sonho, lento e lento, / que os caminhos do sonho são mudáveis, / traiçoeiros e incertos como o vento." (Martins Napoleão, *O Oleiro Cego*, p. 86.) **2.** *Fig.* Volúvel, voltário. [F. paral.: *mutável*; sin. ger.: *mudadiço*.]

mudéjar [Do esp. *mudéjar* < ár. *mudaǧǧan* (do v. *dadaǧǧana*, 'permanecer em').] *S. 2 g.* **1.** Designação arábica dos mouros que ficaram habitando a Península Ibérica depois da reconquista pelos cristãos. • *S. m.* **2.** Ornato arquitetônico de linhas entrelaçadas em forma de figuras geométricas. [Cf. *moçárabe* (1).] • *Adj. 2 g.* **3.** Pertencente ou relativo aos mouros remanescentes na Península Ibérica. **4.** Feito ao gosto mourisco; mouro.

mudez (ê) [De *mudo* + *-ez*.] *S. f.* **1.** Qualidade ou estado de mudo; mutismo (q. v.). **2.** *Med.* Incapacidade de falar, por ausência da audição (congênita ou adquirida na primeira infância), ou em consequência de lesões que comprometem os órgãos centrais ou periféricos da fala. [F. paral., desus.: *mudeza*.]

mudeza (ê) [De *mudo* + *-eza*.] *S. f. Desus.* V. *mudez*.

mudo [Do lat. *mutu*.] *Adj.* **1.** Impossibilitado de falar; privado do uso de palavra por defeito orgânico. **2.** Impedido de falar em virtude de inibição psíquica (emoção, medo, ódio, etc.). **3.** Que se abstém voluntariamente de falar ou responder; calado, silencioso. **4.** Que não se expressa por palavras: *protesto mudo; cena muda.* **5.** Que não é acompanhado de palavras, ou que não faz rumor: "O bom do velho ao sobressalto acorda. / E as lágrimas de alguém banham-lhe a face, / E o pranto é mudo" (Alexandre Herculano, *Poesias*, p. 117). **6.** Diz-se daquilo que por sua natureza ou por impedimento momentâneo não produz nenhum som: *teclado mudo; O telefone está mudo;* "Contudo os olhos d'ignóbil pranto / Secos estão; / Mudos os lábios não descerram queixas / Do coração." (Gonçalves Dias, *Obras Poéticas*, II, p. 20). **7.** Que não registra sons ou palavras: *circuito mudo de televisão; cinema mudo.* ~ V. *cena —a*, *cinema — e piano —.* • *S. m.* **8.** Aquele que é mudo. [Fem.: *muda*.] **9.** Certo jogo popular. [Cf. *mudo*, do v. *mudar*.]

muezim [Do ár. *mū'aḏin*, pelo turco *muezzim* e pelo fr. *muézin*.] *S. m.* V. *almuadem*.

mufa *S. f.* **1.** V. *mufla* (1 a 3). **2.** *Quím.* Peça, ger. metálica, por meio da qual se fixam garras [v. *garra*[1] (8)] a um suporte ou uma grade em montagens laboratoriais. **3.** *Bras. Gír.* Cabeça: *Estou aqui queimando a mufa neste trabalho.*

mufana [Do ronga.] *S. 2 g. Moç.* Menino, ou menina; criança: "Um mufana dorme no frio mais escuro do banco" (Adriano, em *Xiphefo*, n.º 5, p. 8).

mufete [Do quimb.] *S. m. Angol. Cul.* Peixe não escamado, assado em brasas: "não dissemos palavra atacamos logo logo / o mufete e o vinho / e como eu não sabia o que fazer / tu ensinaste-me a comer com as mãos" (João Melo, *Definição*, p. 27).

→ **muffin** [ˈmʌfin] [Ingl.] *S. m. Cul.* Pãozinho feito com farinha de trigo, leite e sal, assado em forminhas altas, de cerca de 5cm de largura, e untadas com manteiga; é servido quente, com o chá, e é ger. acompanhado de geleia e manteiga fresca.

mufla [Do b.-lat. *muffala*, pelo fr. *moufle*.] *S. f.* **1.** Ornato em forma de focinho de animal. **2.** Caixa, nas instalações elétricas, onde se acham os interruptores gerais. **3.** *Metal.* Cadinho de argila refratária, que serve de vaso para fusão de metais em fornos com aquecimento elétrico, ou a gás ou a carvão, sem que ocorra contato direto entre a chama e o material fundido. [Var., nessas acepç.: *mufa*.] **4.** *Tec.* Forno de mufla (q. v.).

muflão [Do fr. *mouflon* (ingl. *mouflon*, *moufflon*, ou *mufflon*).] *S. m. Zool.* Grande carneiro selvagem do gênero *Ovis*, do S. da Europa, da Córsega e da Sardenha; com grandes chifres recurvados, cerca de 1,25m de comprimento e 0,70m de altura na cernelha, e pesando de 40 a 50kg. Tem pelagem curta, espessada no inverno, e é atualmente considerado um animal raro.

muflão-da-américa-do-norte *S. m.* Carneiro selvagem (*Ovis canadensis*) das Montanhas Rochosas (América do Norte). [Pl.: *muflões-da-américa-do-norte*.]

muflão-de-chipre *S. m. Zool.* Carneiro selvagem (*Ovis ophion*), de grandes chifres recurvados, que habita as elevações da ilha de Chipre (mar Mediterrâneo). [Pl.: *muflões-de-chipre*.]

mufti [Do ár. *muft*, 'aquele que emite um juízo sobre alguma questão legal'.] *S. m.* No islamismo, espécie de líder eclesiástico ou guia, que serve como consultor a respeito da aplicação da lei, e a quem compete resolver em última instância as controvérsias civis ou religiosas. [Em certos países muçulmanos, o governo designa oficialmente os muftis.]

mufula [Do criol.] *S. f. Guin.* Bajuda.

mufumba *S. f. Bras.* V. *cipoaba*.

mufunfa *S. f. Bras.* V. *dinheiro* (5).

muganga[1] *S. f. Bras. N.E.* V. *moganga*[1].

muganga[2] *Adj. (f.) S. f. Bras. N.E.* V. *moganga*[2].

mugem *S. f. Zool.* V. *tainha* (1).

mugido [Part. subst. de *mugir*.] *S. m.* **1.** A voz da vaca e, em geral, dos bovídeos: "Saudade! O Parnaíba — velho monge / As barbas brancas alongando... E ao longe / O mugido dos bois da minha terra..." (Da Costa e Silva, *Sangue*, p. 41.) **2.** Bramido, estrondo: "Do lado da barra reboava o mugido das vagas que rolavam e vinham chofrar espumas no parapeito do cais." (Camilo Castelo Branco, *Perfil do Marquês de Pombal*, p. 15.)

mugidor (ô) [Do lat. *mugitore*.] *Adj.* **1.** Que dá mugidos, que muge. • *S. m.* **2.** Animal mugidor.

mugilídeo [Do tax. *Mugil*, gênero-tipo, + *-ídeo*[1]; tax. *Mugilidae*.] *Zool. S. m.* **1.** Espécime dos mugilídeos, família de peixes actinopterígios, com numerosas espécies. São fusiformes, com grandes escamas arredondadas, douradas ou prateadas. • *Adj.* **2.** Pertencente ou relativo a eles.

mugir[1] [Do lat. *mugire*.] *V. int.* **1.** Dar mugidos: "O gado mugia; os cães latiam furiosos" (José de Alencar, *O Sertanejo*, p. 110). **2.** Soltar gritos semelhantes a mugidos; berrar, bramir. **3.** Soar fortemente, estrondar (o mar, etc.): "Mas hoje, que sinistra ventania / Muge nas selvas, ruge nos rochedos, / Condor sem rumo, errante, / que esvoaça, / Deixo-te entregue ao vento da desgraça." (Castro Alves, *Poesias Escolhidas*, p. 311); "Da água os turvos cachões mugem pela devesa." (Carlos D. Fernandes, *Canção de Vesta*, p. 7). ***T. d.*** **4.** Dar, soltar, emitir, à maneira de mugido: *Mugiu palavras incompreensíveis.* [Conjug.: v. *dirigir*. Us., em geral, só nas 3.ªs pess. Cf. *mungir*.]

mugir[2] [De *mungir*, com desnasalação.] *V. t. d.* V. *mungir*. [Conjug.: v. *dirigir*.]

muguenga [De or. afric.] *S. f. Angol. Bot.* V. *cajazeira*.

muguenque [De or. afric.] *S. m. Angol. Bot.* V. cajazeira.

→ **muguet** [my'gɛ] [Fr.] *S. m.* Lírio-do-vale.

mugunzá *S. m. Bras.* V. *munguzá*.

mui (*ũ*) *Adv.* F. apocopada de *muito*, empregada antes de adjetivos ou de advérbios em *-mente*: *mui triste, mui docemente.* [Insólito o emprego de *mui* precedendo a verbo, como se vê no excerto seguinte: "o Porto mui devia rir." (Albino Forjaz de Sampaio, *Crônicas Imorais*, p. 30). Cf. *muito* e *muí*.]

muí [Do tupi, poss.] *S. m. Bras. Bot.* **1.** V. *caraná* (1). **2.** V. *buí*. [Cf. *moí*, do v. *moer*, e *mui* (*ũ*).]

muiá *S. m. Bras. Zool.* V. *carará*[1].

muiracatiara *S. f. Bras. Zool.* V. *muiraquatiara*.

muiracaua [Do tupi.] *S. f. Bras. Bot.* Árvore rutácea (*Rhabdodendron paniculatum*), nativa da Amazônia.

muiracutaca [Do tupi.] *S. f. Bras. Amaz. Bot.* Árvore fabácea (*Swartzia acuminata*) da floresta úmida, cujas folhas têm de 9 a 13 folíolos ovados, e cujas flores, com uma pétala branca de 2 a 3cm de diâmetro, compõem longos racemos multifloros.

muiraíra [Do tupi.] *S. f. Bras. AM Desus.* Replantio.

muirajuba [Var. de murajuba.] *S. f. Bras. Bot.* V. *murajuba* (1).

muirajuçara [Do tupi.] *S. f. Bras. Amaz. Bot.* Árvore apocinácea (*Rauvolfia pentaphylla*) da floresta pluvial, de folhas coriáceas e dispostas em verticilos de 5cm, e cuja casca encerra o alcaloide reserpina, útil no tratamento da hipertensão arterial.

muirajuçara-verdadeira [De *muirajuçara* + o f. de *verdadeiro*.] *S. f. Bras. Amaz. Bot.* Árvore apocinácea (*Aspidosperma duckei*) das matas mais secas, que tem folhas ovadas, coriáceas e pubérulas, flores grandes paniculadas, amareladas ou creme, e cujo fruto é grande folículo piloso, de sementes aladas, sendo a madeira rosada e aproveitável para vários fins. [Pl.: *muirajuçaras-verdadeira*.]

muirapaxiúba [Do tupi.] *S. f. Bras. Amaz. Bot.* Árvore cesalpiniácea (*Cassia adiantifolia*) que habita a floresta úmida, de folhas dotadas de 20 a 30 folíolos pequenos e coriáceos, e cujas flores se dispõem em cacho e têm pétalas douradas.

muirapinima [Do tupi.] *S. f. Bras. Amaz. Bot.* Árvore morácea (*Brosimum guianense*) frequente na mata úmida, de cerne duríssimo, imputrescível e difícil de trabalhar, notável pela coloração vermelha com pintas pretas, imitante a pele de onça, e empregada na confecção de objetos de luxo.

muirapiranga [Do tupi.] *S. f. Bras. Bot.* **1.** *Amaz.* V. *conduru-de-sangue*. **2.** V. *mururé* (1). [Var.: *murapiranga*.]

muirapiranga-roxa [De *muirapiranga* + o f. de *roxo*.] *S. f. Bras. Bot.* V. *balata*[2] (2). [Pl.: *muirapirangas-roxas*.]

muirapixi [Do tupi.] *S. m. Bras. Amaz. Bot.* Árvore sapotácea (*Manilkara parviflora*) da floresta pluvial, de folhas grandes e coriáceas, flores ordenadas em fascículos, látex copioso, madeira dura e forte, mas não aproveitada, e cujo fruto é baga edule.

muirapixuna [Do tupi.] *S. f. Bras. Amaz. Bot.* Árvore cesalpiniácea (*Chamaecrista scleroxylon*) que habita a floresta pluvial, cujo tronco é sulcado e esburacado, e

M

cuja madeira, dura e resistente, é pardo-acinzentada, com largos veios pretos, e tem importância local.

muirapuama [Do tupi.] *S. f. Bras. Amaz. Bot.* Árvore olacácea (*Ptychopetalum olacoides*) da mata úmida, que se tornou afamada por julgar-se que a casca da sua raiz encerra propriedades afrodisíacas.

muirapuamina [De *muirapuama* + *-ina*[3].] *S. f. Bras.* Alcaloide que se extrai da muirapuama.

muirapucu [Do tupi.] *S. m. Bras. AM Bot.* Arvoreta flacourtiácea (*Laetia corymbulosa*) de folhas ovadas, glanduloso-serreadas e providas de pontoações translúcidas, flores de 1cm agrupadas em cimeiras, e cujos frutos são cápsulas carnosas.

muiraquatiara [Do tupi.] *S. f. Bras. Amaz. Bot.* Árvore anacardiácea (*Astronium lecointei*) da floresta úmida, cuja madeira é semelhante à do gonçalo-alves, sendo valiosa pelo colorido e durabilidade, e cujas pequenas drupas têm um paraquedas formado pelo cálice acrescente. [Var.: *muiracatiara.* Sin.: *aroeira.*]

muiraqueteca [Do tupi.] *S. f. Bot.* 1. *Bras.* V. *cipó-caboclo.* 2. V. *cipó-d'água.*

muiraquitã [Do tupi.] *S. m. Bras. Amaz.* Artefato talhado em nefrita, com formas diversas, algumas vezes de batráquios, quelônios, serpentes, etc., que tem sido encontrado no baixo rio Amazonas, e ao qual se atribuem virtudes de amuleto; pedra-verde, pedra das amazonas.

muiratinga [Do tupi.] *S. f. Bras. Amaz. Bot.* Árvore morácea (*Noyera mollis*) lactescente, espécie raramente observada da floresta úmida, cujas folhas são coriáceas e estipuladas, e cujas flores, unissexuais, se agregam em receptáculos solitários.

muiratinga-verdadeira [De *muiratinga* + o f. de *verdadeiro.*] *S. f. Bras. Amaz. Bot.* Árvore morácea (*Olmedia maxima*) da floresta pluvial, de folhas membranáceas, amplas e estipuladas, flores unissexuais, reunidas em amentos compactos, e que cede látex mediante lesão. [Pl.: *muiratingas-verdadeiras.*]

muiraúba [Do tupi.] *S. f. Bras. Amaz. Bot.* Arvoreta melastomatácea (*Mouriri plasschaertii*) que se caracteriza pelas folhas coriáceas sem nervuras curvas.

muiraximbé *S. f. Bras. Bot.* Maraximbé.

muísca *S. 2 g. Adj. 2 g.* V. *chibcha.*

muitá [Var. de *mutá.*] *S. m. Bras. Amaz.* V. *mutá* (2).

muitíssimo (ũi) *Adj. Adv.* Superl. abs. sint. de *muito.*

muito (ũi) [Do lat. *multu.*] *Adj.* 1. Que é em grande número, ou em abundância, ou em grande intensidade: *muito dinheiro; muita atenção.* [Superl. abs. sint., nesta acepç.: *muitíssimo.*] [Não admite, neste caso, a f. apocopada *mui*, sendo anormal o emprego de "mui respeito", que se observa em Rodolfo Teófilo, *Lira Rústica*, pp. 101 e 102.] ● *Pron. indef.* 2. Algo (coisa ou indivíduo) em grande quantidade, em abundância, em demasia, em excesso: *Temos muito que aprender; Maria tem muito de amiga; O auditório estava lotado, mas muitos saíram logo após a primeira apresentação; Convidei várias crianças, mas muitas não vieram.* [Sin. (lus.), nesta acepç.: *bué.*] ● *S. m.* 3. Aquilo que é em grande quantidade: *O muito que lhe devo, não tenho como pagar.* ● *Adv.* 4. Com excesso; abundantemente; em alto grau; com intensidade: "Gosto muito de você / acho que estou apaixonado / mas acho que este versinho / está de pé quebrado." (Ziraldo, *O Menino Maluquinho*, p. 60.) [F. apocopada: *mui* (q. v.). Sin. (angol., lus.), nesta acepç.: *bué.*] 5. Muito tempo: *Morreu há muito.* [Superl. abs. sint., nas acepçs. 4 e 5: *muitíssimo.*] ◆ **Muito e muito.** Muitíssimo. **De há muito.** Desde muito tempo: "De há muito, sabiam os sudaneses cultivar a terra." (Alberto da Costa e Silva, *A Enxada e a Lança*, p. 249.) **De muito.** Desde muito tempo; há (ou havia) muito tempo. **Quando muito.** Se tanto; no máximo: *O apartamento tem, quando muito, 200 metros quadrados.*

muiuíra (mui-u-í) [Do tupi.] *S. f. Bras.* Maipoca.

muiuna (mui-ú) [Do tupi.] *S. m. Bras.* Remoinho produzido, no Amazonas e em seus afluentes ocidentais, na época das enchentes, pela ação da água sobre a curvatura extrema das margens, tornando-se o rio infranqueável. ❖

mujangué (gué ou güé) *S. m.* V. *mujanguê.*

mujanguê (guê ou güê) [Do tupi.] *S. m. Bras. Amaz.* Iguaria feita de ovos crus de tartaruga, tracajá ou gaivota, com açúcar e farinha-d'água. [Var.: *mujangué.*] ❖

mujimbo [Do cócue *mujimbu*, 'mensagem'.] *S. m. Angol.* 1. Essência florestal de uso medicinal, encontrada em Luanda (Angola). 2. *Fig.* V. *boato*: "– Os mujimbos de corrupções e desfalques são às centenas e alguns serão verdadeiros" (Pepetela, *O Desejo de Kianda*, p. 21).

mujique [Do russo *muzhik.*] *S. m.* Camponês russo. [Cf. *mojique*, do v. *mojicar.*]

mujolo (ô) *S. m. Bras. PA* V. *monjolo*[1] (2).

mula[1] [Do lat. *mula.*] *S. f.* 1. A fêmea do mulo (q. v.). 2. *Pop.* Adenite inguinal, de origem venérea. ◆ **Lerdo como mula guaxa.** *Bras. S.* Diz-se, por gracejo, de pessoa mole, vagarosa. **Picar a mula.** *Bras. Pop.* 1. Ir embora; retirar-se. 2. V. *fugir* (1 e 2).

mula[2] *S. f. Marn.* Monte de sal com a forma de prisma, de seção triangular, terminado em dois meios cones.

mulá [Do ár. *Moulah*, 'mestre', 'senhor'.] *S. m.* Doutor em leis corânicas. [Var.: *molá.*]

mulada [Do esp. plat. *mulada.*] *S. f. Bras. S.* Manada de mulas. [Cf. *molada.*]

muladar [Do lat. vulg. *muratale.*] *S. m.* Monturo, esterqueira. [Var. metatética: *muradal.*]

muladeiro [De *mula*[1] + *-deiro.*] *S. m. Bras. MG S.* 1. Aquele que conduz mulas; arrieiro, almocreve: "Não suportou os ciúmes dele, fugiu com um muladeiro de cometa" (Nélson de Faria, *Tiziu e Outras Estórias*, p. 38). 2. Aquele que negocia com mulas, etc.: "Era muladeiro; ia todos os anos à feira de Sorocaba ou Curitiba, a comprar bestas, que vendia pelas províncias de S. Paulo, Minas e Goiás." (Bernardo Guimarães, *História e Tradições da Província de Minas Gerais*, p. 39.)

mula de padre [De *mula*[1] + *de* + *padre.*] *S. f. Bras. N.E.* V. *mula sem cabeça.* [Pl.: *mulas de padre.*] ☑

mulala [De várias línguas moçambicanas.] *S. f. Moç. Bot.* Planta ebenácea (*Euclea natalensis*) cuja raiz é us. como escova para lavar os dentes e desinfetar a boca: "Ana Mafuta olhou-me sem falar, enquanto esfregava os dentes com pau de mulala." (Areosa Pena, em *Gostar de Ler*, p. 115.)

mula sem cabeça [De *mula*[1] + *sem* + *cabeça.*] *S. f. Bras.* 1. *Folcl.* Conforme a crendice popular, concubina de padre, que, metamorfoseada em mula, sai, certas noites, cumprindo o seu fadário, a correr desabaladamente, ao fúnebre tilintar de cadeias que arrasta, amedrontando os supersticiosos. 2. Concubina de padre. [Sin. ger.: *mula de padre, burra de padre, cavalo sem cabeça.* Pl.: *mulas sem cabeça.*] ☑

mulata [Fem. de *mulato.*] *Adj.* (*f.*) 1. Diz-se duma variedade de batata própria para assar. ● *S. f.* 2. Fem. de *mulato.* 3. *Bras. Zool.* Peixe lutjanídeo (*Rhomboplistes aurorubens*), do Atlântico, de coloração geral vermelha viva, mais clara na parte inferior, estrias irregulares, escuras e douradas nos flancos e no dorso. [Sin., nesta acepç.: *carapitanga, cioba, realito, vermelho-paramirim.*] 4. *Zool.* V. *abelha-mulata.*

mulataço [De *mulato* + *-aço.*] *S. m. Bras.* Mulato corpulento, reforçado: "Chamou pelo Anacleto, um mulataço membrudo, que o acompanhava sempre, como guarda-costas" (Lúcio de Mendonça, *Esboços e Perfis*, p. 63)

mulatame [De *mulato* + *-ame.*] *S. m. Bras.* Mulataria.

mulataria [De *mulato* + *aria.*] *S. f. Deprec.* Grande quantidade de mulatos; mulatame.

mulateira [De *mulato* + *-eira.*] *S. f.* Burra que se dá à cobrição por cavalo, para a produção de mus (v. *mu*[1]).

mulateiro [De *mulato* + *-eiro.*] *S. m.* 1. Jumento de cobrição de éguas para a produção de mus (v. *mu*[1]). 2. *Bras. Amaz. Bot.* Pau-mulato (1).

mulatete (ê) [De *mulato* + *-ete* (ê).] *S. m. Bras.* Dim. irreg. de *mulato* (1 e 2).

mulatice [De *mulato* + *-ice.*] *S. f. Bras.* Qualidade ou condição de mulato; mulatismo.

mulatinha [De *mulata* + *-inha.*] *S. f. Zool.* V. *abelha-mulata.*

mulatinha-do-chão *S. f. Bras. Zool.* V. *abelha-mulata.* [Pl.: *mulatinhas-do-chão.*]

mulatinho [De *mulato* + *-inho*[1].] *S. m. Bot.* 1. Arbusto rubiáceo (*Rudgea dahlgrenii*) cujas folhas são opostas e estipuladas, sendo as flores e os frutos pequeninos e dispostos em cimeiras bastante ramificadas. 2. Variedade de feijão.

mulatismo [De *mulato* + *-ismo.*] *S. m. Bras.* V. *mulatice.*

mulato [Do esp. *mulato* < esp. *mulo*, por ser mestiço o mulato.] *S. m.* 1. Filho de pai branco e mãe preta, ou vice-versa; cabrocha, pardo. 2. Homem escuro, trigueiro. [Aum. irreg., nessas acepçs.: *mulataço*; dim. irreg.: *mulatete.*] 3. *Ant.* V. *mulo.* 4. *Min.* Minério pardacento de prata ou de cobre. ● *Adj.* 5. Diz-se de indivíduo mulato (1 e 2); pardo. 6. *Bras. PA* Diz-se da rês cujo pelo é alaranjado no dorso e preto no restante.

mulato-velho [De *mulato* + *velho.*] *S. m. Bras. RJ* O bagre seco e salgado; patureba, caicó. [Pl.: *mulatos-velhos.*]

mule [Do fr. *mule.*] *S. m. Vest.* Espécie de chinelo feminino, com ou sem salto, e aberto na parte de trás.

muleiro [De *mula*[1] + *-eiro.*] *S. m. Bras. RJ Folcl.* V. *mateus.*

mulemba [Do quimb.] *S. f. Bot.* 1. A figueira-branca (q. v.), quando cresce como epífita. 2. *Angol.* Gameleira (1): "Como o meu bairro está triste / Porque a mulemba secou..." (Aires de Almeida Santos, *Meu Amor da Rua Onze*, p. 47.) [Var. pros.: *mulembá.*]

mulembá [Do quimb. *mu'lemba.*] *S. f. Angol. Bras. Bot.* V. *mulemba.*

muleta (ê) [Do esp. *muleta.*] *S. f.* 1. Bastão de braço curvo, ao qual se apoiam os coxos. 2. *Fig.* Aquilo que serve de apoio. 3. Pau em que o toureiro suspende a capa, a fim de provocar o touro. 4. Manivela de realejo. 5. *Lus.* Pequeno barco de pesca: "Nessas inumeráveis composições [os *croquis* de Carlos de Bragança] perpassam, a remo ou à vela, a muleta do Seixal, ... o lugre, o patacho, a escuna, o caíque" (Ramalho Ortigão, *Arte Portuguesa*, II, p. 128). [Cf. *moleta.*]

muletada[1] [De *mulo.*] *S. f.* Manada de gado muar.

muletada[2] [De *muleta* + *-ada*[1].] *S. f.* Golpe dado com muleta (3).

muleteiro *S. m.* Aquele que trata de mulas.

muletim *S. m. Lus.* Vela da muleta (5).

mulher [Do lat. *muliere.*] *S. f.* 1. O ser humano do sexo feminino. 2. Esse mesmo ser humano considerado como parcela da humanidade: *os direitos da mulher.* 3. A mulher (1) na idade adulta. 4. *Restr.* Adolescente do sexo feminino que atingiu a puberdade; moça. 5. Mulher (1) dotada das chamadas qualidades e sentimentos femininos (carinho, compreensão, dedicação ao lar e à família, intuição): *Como mulher, sabe apoiá-lo na justa medida.* 6. A mulher (1) considerada como parceira sexual do homem. 7. Cônjuge do sexo feminino; a mulher (1) em relação ao marido; esposa. 8. Amante, companheira, concubina. 9. Mulher que apresenta os requisitos necessários para um determinado empreendimento, para um determinado encargo: *mulher de negócios.* 10. Uma mulher (1) qualquer; dona: *Quem telefonou? | – Uma mulher.* [Aum., nas acepçs. 1, 3 e 6: *mulheraça, mulherão* e *mulherona.*] ◆ **Mulher da sociedade.** A que frequenta a alta sociedade e conhece seus hábitos e costumes. **Ser como a mulher de César.** Ser mulher de reputação inatacável.

mulheraça [De *mulher* + *-aça.*] *S. f.* Mulher alta, grandona; mulherão, mulherona, matronaça: "saía do mato uma mulheraça rúbida, de saias tufadas de goma" (Monteiro Lobato, *Urupês, Outros Contos e Coisas*, p. 53).

mulheraço [De *mulher* + *-aço.*] *S. m.* Mulher que chama atenção pelo corpo bem proporcionado, ou pela beleza, etc.; mulherão, mulherona.

mulherada [De *mulher* + *-ada*[1].] *S. f. Bras.* V. *mulherio.*

mulher a dias *S. f. Lus.* Mulher diarista[2]: "A mulher a dias, que vive com o marido e cinco filhos, a mãe, a irmã, o cunhado e quatro sobrinhos, na mesma casa" (Augusto Abelaira, *Bolor*, p. 53). [Pl.: *mulheres a dias.*] ☑

mulherame [De *mulher* + *-ame.*] *S. m. Bras.* V. *mulherio.*

mulherão [De *mulher* + *-ão*[1]; f. irreg.] *S. m.* 1. V. *mulheraça.* 2. V. *mulheraço*: "O engenheiro chegava sempre depois do meio-dia com o maior mulherão no carro e nem um bom-dia dava para a peãozada." (Paulo Lins, *Cidade de Deus*, p. 128).

mulher-dama *S. f. Bras. N.E. MG Pop.* Meretriz: "O povo é mesmo aleivoso, mete a ronca na coitada como se ela fosse mulher-dama." (Ricardo Ramos, *Os Caminhantes de Santa Luzia*, p. 45.) [Tb. us. deprec. Pl.: *mulheres-damas.*]

mulher da rótula *S. f. Bras. Pop. Deprec.* Meretriz. [Pl.: *mulheres da rótula.*] ☑

mulher da rua *S. f. Bras. Pop. Deprec.* Meretriz. [Pl.: *mulheres da rua.*] ☑

mulher da vida *S. f. Bras. Pop. Deprec.* Meretriz. [Pl.: *mulheres da vida.*] ☑

mulher da zona *S. f. Bras. Pop. Deprec.* Meretriz. [Pl.: *mulheres da zona.*] ☑

mulher de amor *S. f. Bras.* Meretriz. [Tb. us. deprec. Pl.: *mulheres de amor.*] ☑

mulher de gamela *S. f. Bras. BA* Vendedora de fato[2] (4), peixe e mingau. [Pl.: *mulheres de gamela.*] ☑

mulher de má nota *S. f. Bras. Pop. Deprec.* Meretriz. [Pl.: *mulheres de má nota.*] ☑

mulher de negócios *S. f.* Mulher que tem a seu cargo os negócios de uma empresa (3) particular; empresária. [Pl.: *mulheres de negócios.*] ☑

mulher de ponta de rua *S. f. Bras. Pop. Deprec.* Meretriz. [Pl.: *mulheres de ponta de rua.*] ☑

mulher de pulso *S. f.* Mulher enérgica, firme. [Pl.: *mulheres de pulso.*] ☑

mulher de verdade *S. f. Bras.* Mulher que enfrenta qualquer situação com grande ânimo, coragem. [Pl.: *mulheres de verdade.*] ☑

mulher do fandango *S. f. Bras. Pop. Deprec.* Meretriz. [Pl.: *mulheres do fandango.*] ☑

mulher do mundo *S. f. Bras. Pop. Deprec.* Meretriz. [Pl.: *mulheres do mundo.*] ☑

mulher do pala aberto *S. f. Bras. Pop. Deprec.* Meretriz. [Pl.: *mulheres do pala aberto.*] ☑

mulher do piolho *S. f. Bras. Fam.* Mulher muito teimosa. [Us., em geral, comparativamente: 🗎 *Ó velhinha teimosa! é pior que a mulher do piolho.*] [Pl.: *mulheres do piolho.*] ☑

mulherengo [De *mulher* + *-engo.*] *Adj. S. m. Pej.* **1.** Que, ou aquele que se compraz em misteres próprios do sexo feminino; efeminado, maricas. **2.** Femeeiro (1 e 3): 📖 "O Juca é muito mulherengo, demais. Doente por mulher." (Nélson Rodrigues, *100 Contos Escolhidos. A Vida como Ela É*, II, p. 49.)

mulher-errada *S. f. Bras. Deprec.* Meretriz. [Pl.: *mulheres-erradas.*]

mulher-fatal *S. f.* Mulher particularmente sensual e sedutora, que provoca ou é capaz de provocar tragédias: 📖 "Cadê Maria Rosa, / tipo acabado de mulher-fatal / que tem como sinal / uma cicatriz, / dois olhos muito grandes, uma boca e um nariz." (Nássara e J. Rui, na marcha *Cadê Maria Rosa?*.) [Pl.: *mulheres-fatais.*]

mulher-forte *S. f.* Mulher corajosa, destemida, cumpridora de seus deveres [por alusão à mulher ideal, segundo a Sagrada Escritura (Provérbios)]. [Pl.: *mulheres-fortes.*]

mulher-homem *S. f.* **1.** V. *machão* (1). **2.** Lésbica. [Sin. ger.: *mulher-macho*. Pl.: *mulheres-homens* e *mulheres-homem.*]

mulherico [De *mulher* + *-ico*[1].] *Adj. Pej.* Efeminado (1 e 2).

mulherigo [De *mulherico*, com sonorização.] *S. m.* Homem mulherico, efeminado, afeminado.

mulheril [De *mulher* + *-il*[1].] *Adj. 2 g.* **1.** Relativo a mulher. **2.** Próprio de mulheres. **3.** Mulherengo (1).

mulher-ingrata [De *mulher* + o f. de *ingrato.*] *S. f. Bras. Zool.* V. *piramutaba*. [Pl.: *mulheres-ingratas.*]

mulherinha [De *mulher* + *-inha.*] *S. f.* Dim. de *mulher*; mulherzinha.

mulherio [De *mulher* + *-io*[1].] *S. m.* **1.** *Joc.* As mulheres: 🗎 *O mulherio lá de casa acordou animado: tive de levar toda a meninada pra praia.* **2.** Grande quantidade de mulheres. [Sin. ger.: *mulherada, mulherame.*]

mulher-macho *S. f.* **1.** Mulher que apresenta qualidades viris. **2.** V. *machão* (1). **3.** Lésbica. [Pl.: *mulheres-machos.*]

mulher-objeto *S. f.* A mulher (7) considerada como simples fonte de prazer. [Pl.: *mulheres-objetos* e *mulheres-objeto.*]

mulherona [De *mulher* + *-ona.*] *S. f. Bras.* **1.** V. *mulheraça*. **2.** V. *mulherão*.

mulher-perdida *S. f. Bras. Deprec.* Meretriz. [Pl.: *mulheres-perdidas.*]

mulher-solteira *S. f. Bras. CE MG Pop.* Meretriz. [Pl.: *mulheres-solteiras.*]

mulher-vadia *S. f. Bras. Deprec.* Meretriz. [Pl.: *mulheres-vadias.*]

mulherzinha [De *mulher* + *-zinha.*] *S. f. Pej.* Mulherinha.

muliado [De *mulo* + *-iado.*] *Adj.* **1.** Monstruoso, híbrido. **2.** *Fig.* Oposto ao que deve ser, ao que é conveniente.

muliebre [Do lat. *muliebre.*] *Adj. 2 g. P. us.* Feminino, mulheril.

mulita [Do esp. plat. *mulita.*] *S. f. Bras. RS* **1.** *Zool.* Espécie de tatu. **2.** Engano, logro, burla. ◆ **Passar mulita em.** *Bras. RS* Enganar, lograr, burlar.

muliternense *Adj. 2 g.* **1.** De, ou pertencente ou relativo a Muliterno (RS). ● *S. 2 g.* **2.** O natural ou habitante de Muliterno.

mulo [Do lat. *mulu.*] *S. m. Zool.* Animal mamífero, perissodáctilo, resultante do cruzamento de jumento com égua, ou de cavalo com jumenta. É, pois, animal híbrido, estéril, do mesmo gênero de *Equus*, *i. e.*, do cavalo (*Equus caballus*) e do jumento (*Equus asinus*). [Sin.: *mu, besta, burro* e (pop.) *macho.*]

mulói [Do tsonga.] *S. m. Moç.* V. *feiticeiro* (1): 📖 "Depois bebera a água quente e suja / Onde o mulói pousou o seu cachimbo outrora" (Rui de Noronha, em *No Reino de Caliban III*, p. 45).

mulôji [Do quimb.] *S. m. Angol.* V. *feiticeiro* (1): 📖 "E a sua campa foi realmente violada. Por certo — afirmava o vulgo — para o satânico banquete dos mulôjis!" (Óscar Ribas, *Ilundo*, p. 35.)

mulso [Do lat. *mulsu*, 'vinho misturado com mel'.] *S. m.* V. *hidromel*.

multa [Do lat. *mulcta.*] *S. f.* **1.** Ato ou efeito de multar; coima. **2.** Pena pecuniária. **3.** Papel ou documento que a comprova. **4.** Pena, condenação. ◆ **Multa penitencial.** A que uma parte contratante paga à outra no caso de arrepender-se do contrato.

multangular [De *mult(i)-* + *angular.*] *Adj. 2 g. Mat.* Multiangular.

multar [Do lat. *mulctare.*] *V. t. d.* Impor ou aplicar multa a.

▲ **mult(i)-** [Do lat. *multus, a, um.*] *El. comp.* = 'muito', 'numeroso': *multangular, multiangular, multissecular*. [É seguido de hífen quando anteposto a palavra iniciada por *h* ou *i*: *multi-instrumentista*; é grafado com *r* ou *s* duplicados quando anteposto a palavra iniciada por *r* ou *s*: *multirracial, multissecular.*]

múlti *S. f.* V. *multinacional* (5): 📖 "Múltis sustentam exportações de manufaturados." (*Gazeta Mercantil*, 06.05.1999.)

multiangular [De *mult(i)-* + *angular.*] *Adj. 2 g. Mat.* Diz-se de figura que tem mais de quatro ângulos; multangular.

multiaxífero (cs) [De *mult(i)-* + *axífero.*] *Adj. Bot.* Que tem muitos eixos.

multibilionário [De *mult(i)-* + *bilionário.*] *Adj. S. m.* Diz-se de, ou indivíduo muitas vezes bilionário.

multibracteado [De *mult(i)-* + *bracteado.*] *Adj. Bot.* Que tem muitas brácteas.

multicanal [De *mult(i)-* + *canal.*] *Adj. 2 g.* Que tem muitos canais [v. *canal* (13 a 17)].

multicapsular [De *mult(i)-* + *capsular.*] *Adj. 2 g. Bot.* Que tem muitas cápsulas.

multicarpelar [De *mult(i)-* + *carpelo* + *-ar*[1].] *Adj. 2 g. Bot.* Que tem muitos carpelos.

multicaudo [De *mult(i)-* + *-caudo.*] *Adj. Zool.* Que tem muitos prolongamentos semelhantes a cauda.

multicaule [Do lat. *multicaule.*] *Adj. 2 g. Bot.* Diz-se do vegetal de cuja raiz saem muitos caules.

multicelular [De *mult(i)-* + *celular.*] *Adj. 2 g. Biol.* Pluricelular.

multicolinearidade *S. f. Estat.* Existência de correlação entre variáveis independentes, numa equação de regressão.

multicolor (ôr) [Do lat. *multicolore.*] *Adj. 2 g.* Que tem muitas cores; multicor, multicolorido, policromo, policromado: 📖 "Pelas largas espáduas penduradas / Não te verão mais setas aguçadas. / Nem de penas multicolor textura / Teus braços cingirá, tua cintura." (Fr. Francisco de S. Carlos, *A Assunção*, pp. 186-187.) [Pl.: *multicolores* (ô). Cf. *multicolores*, do v. *multicolorir.*]

multicolorido [De *mult(i)-* + *colorido.*] *Adj.* V. *multicolor*: 📖 "Pernas, braços, seios, olhos, muitos olhos dando reflexos multicoloridos ao ambiente escuro." (Elias José, *Inquieta Viagem do Fundo do Poço*, p. 15.)

multicolorir [De *mult(i)-* + *colorir.*] *V. t. d.* Dar muitas cores a; tornar multicolor: 📖 "A luz, que os vitrais multicolorem, aviva as estações da Via Sacra." (Antônio de Alcântara Machado, *Pathé-Baby*, p. 21.) [Pres. ind.: *multicoloro, multicolores*, etc. Cf. *multicolores* (ô), pl. de *multicolor.*]

multicomponente [De *mult(i)-* + *componente.*] *Adj. 2 g. Fís.-Quím.* Que tem vários componentes.

multicor (ô) [Do lat. *multicolore.*] *Adj. 2 g.* V. *multicolor*.

multicultural [De *mult(i)-* + *cultural.*] *Adj. 2 g.* Que reúne ou inclui várias culturas: 📖 "O Brasil é um país multicultural e multiétnico e os japoneses fazem parte desse cenário." (Débora Yuri, em *Folha de S.Paulo*, 18.06.2008.)

multiculturalismo [De *multicultural* + *-ismo.*] *S. m.* Coexistência de diversas culturas numa sociedade, num país.

multidão [Do lat. *multitudine*, pelo arc. *multidõe, multidom.*] *S. f.* **1.** Grande quantidade ou ajuntamento de pessoas ou de coisas. **2.** V. *quantidade* (3). **3.** Abundância, cópia, profusão. **4.** O povo (4). **5.** *Sociol.* Grande ajuntamento de pessoas, que reage de maneira semelhante e de modo mais ou menos impulsivo, aos mesmos estímulos, ainda que formado por indivíduos de diferentes origens sociais.

multidiedro [De *mult(i)-* + *diedro.*] *S. m. Geom.* Figura sólida formada por *n* faces, três das quais não passam pela mesma reta e pelas *n* *(n-1) /2* arestas que essas faces definem duas a duas.

multidimensional [De *mult(i)-* + *dimensional.*] *Adj. 2 g.* Que tem várias dimensões; pluridimensional.

multidisciplinar [De *mult(i)-* + *disciplina* + *-ar*[1].] *Adj. 2 g.* Referente a, ou que abrange muitas disciplinas.

multidisciplinaridade [De *multidisciplinar* + *-(i)dade.*] *S. f. Pedag.* **1.** Qualidade ou caráter de multidisciplinar. **2.** Conjunto de múltiplas disciplinas. **3.** Aspecto pedagógico que visa o estudo pela adição de disciplinas ou campos disciplinares independentes para aprofundar um conhecimento, um saber.

multienzimático [De *mult(i)-* + *enzimático.*] *Adj.* Composto de várias enzimas.

multiestágio [De *mult(i)-* + *estágio.*] *Adj. Astron.* ~ V. *foguete* —.

multietnicidade [De *multiétnico* + *-(i)dade.*] *S. f.* Condição, qualidade ou característica de multiétnico.

multiétnico [De *mult(i)-* + *étnico.*] *Adj.* Relativo a, ou que reúne ou inclui mais de uma etnia.

multiface [De *mult(i)-* + *face.*] *Adj. 2 g.* **1.** Multifacetado. **2.** Que se aplica a diversos assuntos: 🗎 *pesquisador multiface.*

multifacetado [De *mult(i)-* + *facetado.*] *Adj.* Que tem muitas facetas; multiface.

multifamiliar [De *mult(i)-* + *família* + *-ar*[1].] *Adj. 2 g.* Referente a, ou que abrange muitas famílias. ~ V. *edificação* —.

multifário [Do lat. *multifariu.*] *Adj.* Que tem muitos aspectos; variado; multímodo: 📖 "inúmeras obras de preço concebidas e facetadas nos diferentes gêneros em que a sua intelectualidade multifária e brilhante [de Lucindo Filho] teve ocasião de se exibir." (Raimundo Correia, *Poesia Completa e Prosa*, p. 472).

multifatorial [De *mult(i)-* + *fatorial.*] *Adj. 2 g.* Que envolve ou inclui vários fatores ou elementos.

multífido [Do lat. *multifidu.*] *Adj. Bot.* Fendido em muitas partes.

multifloro [Do lat. *multifloru.*] *Adj. Bot.* Que tem muitas flores.

multífluo [Do lat. *multifluu.*] *Adj.* Que flui ou corre abundantemente.

multifocal [De *mult(i)-* + *focal.*] *Adj. 2 g.* **1.** Que tem muitos focos. **2.** Relativo a muitos focos.

multifoliado [De *mult(i)-* + *foliado.*] *Adj. Bot.* Que tem muitas folhas.

multiforme [Do lat. *multiforme.*] *Adj. 2 g.* Que tem muitas formas ou se apresenta de muitas maneiras; polimorfo, multímodo: 📖 "a mulher *coquette* — mulher artificial, mulher multiforme, que tem um coração para cada homem, uma sensibilidade para cada palavra, um trejeito para cada sentimento" (Latino Coelho, *Tipos Nacionais*, pp. 63-64).

multiformidade [Do lat. tard. *multiformitate.*] *S. f.* Qualidade de multiforme.

multifuncional [De *mult(i)-* + *funcional.*] *Adj. 2 g.* **1.** Que tem, ou realiza, diversas funções. ● *S. m. e f.* **2.** Aquilo que realiza tem, ou realiza, diversas funções (ex.: impressora com copiadora e *scanner*).

multifuncionalidade [De *multifuncional* + *-(i)dade.*] *S. f.* Qualidade ou estado de multifuncional.

multifuro [De *mult(i)-* + *furo.*] *Adj.* Que tem muitos furos.

multifuso [De *mult(i)-* + *fuso.*] *Adj.* Diz-se de país ou região que tem muitos fusos horários.

multiganglionar [De *mult(i)-* + *ganglionar.*] *Adj. 2 g.* Referente a muitos gânglios.

multígeno [Do lat. *multigenu.*] *Adj.* Que abrange muitos gêneros ou espécies.

multigrafar [De *mult(i)-* + *grafar.*] *V. t. d.* Reproduzir por meio de duplicador de qualquer espécie, *i. e.*, sem intervenção dos processos de impressão propriamente ditos.

multi-instrumentista [De *mult(i)-* + *instrumentista.*] *S. 2 g.* Instrumentista (músico) que toca vários instrumentos. [Pl.: *multi-instrumentistas.*] ❖

multilateral [De *mult(i)-* + *lateral.*] *Adj. 2 g.* Que se faz ou realiza entre várias nações, instituições ou pessoas.

multilateralismo [De *multilateral* + *-ismo.*] *S. m.* Prática do comércio internacional de forma não discriminatória, em que cada país comercia com os demais nas mesmas condições. [Opõe-se a *bilateralismo.*]

multilátero [Do lat. *multilateru.*] *Adj. Geom.* Diz-se de figura plana que tem mais de quatro lados.

multilingue *Adj. 2 g.* V. *multilíngue*. [Uso freq. em P.]

multilíngue (güe) [De *mult(i)-* + *língue.*] *Adj. 2 g.* **1.** Que tem muitas línguas [v. *língua* (3)]. **2.** V. *poliglota* (1 e 2). [Var. lus.: *multilingue.*] ❖

multilinguismo (güis) [De *multilíngue* + *-ismo.*] *S. m. E. Ling.* Utilização regular de várias línguas por parte de indivíduo ou comunidade, em decorrência de fatores variados, que podem envolver a identidade nacional de uma comunidade face a outra, a necessidade de acesso ao conhecimento, ou mesmo invasões, anexações de territórios, ou migração; plurilinguismo, poliglotismo. [Sua expressão mais comum é o *bilinguismo*.] [Cf. *monolinguismo.*] ❖

multilite [Do ingl. *Multilith*, marca registrada.] *S. f.* **1.** Processo de impressão análogo ao ofsete, usado sobretudo para imprimir folhas de formato pequeno. **2.** Máquina impressora que utiliza tal processo: 📖 "Fiz a princípio 'súmulas', que mais tarde ampliei num pequeno *Manual*, impresso em multilite na Escola para uso privativo dos Oficiais-Alunos." (J. Matoso Câmara Jr., *Manual de Expressão Oral e Escrita*, p. 5.)

multilobado [De *mult(i)-* + *-lob(o)-* + *-ado*[1].] *Adj. Biol.* Que é, por natureza, dividido em muitos lóbulos; plurilobulado.

multilocular [De *mult(i)-* + *locular.*] *Adj. 2 g. Bot.* Plurilocular.

multíloquo [Do lat. *multiloquu.*] *Adj.* Que fala muito; loquaz.

multilustroso (ô) [De *mult(i)-* + *lustroso.*] *Adj.* Que tem muito lustre ou brilho.

multimâmio [Do lat. *multimamiu.*] *Adj. Zool.* Que tem mais de duas mamas ou tetas.

M

multímetro [De *mult(i)-* + *-metro*.] *S. m. Eletrôn.* Instrumento medidor de corrente, tensão e resistência elétricas.

multimídia *S. f.* **1.** *Inform.* Combinação de diversos formatos de apresentação de informações, como textos, imagens, sons, vídeos, animações, etc., em um único sistema. **2.** *Comun. Inform.* Apresentação de informações em uma multiplicidade de formatos, ou o conjunto de informações assim apresentadas. [Cf. *hipermídia*.] **3.** *P. ext.* Qualquer recurso de comunicação que utilize mais de um canal de comunicação. **4.** *Comun.* Apresentação teatral, musical, etc., que combina música, projeção de *slides*, ação ao vivo, etc. **5.** *Comun.* Organização que possui meios diferenciados de comunicação, como canal de televisão, estação de rádio e jornal. **6.** *Prop.* Campanha publicitária cujo plano de mídia lança mão de diferentes meios de comunicação. ● *Adj. 2 g.* **7.** Que utiliza multimídia (1), ou que consiste em, ou contém multimídia (2 e 3): *aplicativo multimídia; obra multimídia.* **8.** Que é capaz de, ou próprio para apresentar e processar informação nos diversos formatos utilizados em multimídia: *equipamento multimídia.*

multimilenar [De *mult(i)-* + *milenar*.] *Adj. 2 g.* Multimilenário.

multimilenário [De *mult(i)-* + *milenário*.] *Adj.* Que tem muitos milênios; multimilenar: *povo multimilenário.*

multimilionário [De *mult(i)-* + *milionário*.] *Adj. S. m.* Que, ou aquele que é muitas vezes milionário, que é extremamente rico; supermilionário, bilionário (q. v.).

multímodo [Do lat. *multimodu*.] *Adj.* **1.** V. *multiforme*. **2.** Multifário.

multinacional [De *mult(i)-* + *nacional*.] *Adj. 2 g.* **1.** Relativo ou pertencente a muitos países ou nações. **2.** De que participam muitos países: *banco multinacional.* **3.** Que se realiza entre vários países: *acordo multinacional.* **4.** Diz-se de multinacional (5); transnacional. ● *S. f.* **5.** Empresa com instalações produtivas em mais de um país, e cujas linhas básicas de atuação são traçadas num contexto global: "As exportações das multinacionais são favorecidas pela maior facilidade de acesso ao crédito e por estratégias globais das matrizes, que transformam as filiais em fornecedoras mundiais." (*Gazeta Mercantil*, 06.05.1999.) [F. red., nesta acepç.: *múlti*. Sin., nesta acepç.: *transnacional*.]

multinacionalismo [De *multinacional* + *-ismo*.] *S. m.* Qualidade de multinacional.

multinegativo [De *mult(i)-* + *negativo*.] *S. m. Fotograv.* Negativo que contém as imagens multiplicadas pela repetidora.

multinucleado [De *mult(i)-* + *nucleado*.] *Adj.* Que tem muitos núcleos; plurinucleado.

multiovulado [De *mult(i)-* + *-ovul(i)-* + *-ado*¹.] *Adj. Biol.* Que tem muitos óvulos.

multiparidade [De *multíparo* + *-(i)dade*; lat. cient. *multiparitas, atis*.] *S. f.* Qualidade de multíparo.

multíparo [De *mult(i)-* + *-paro*.] *Adj.* **1.** *Zool.* Que pode parir, de uma só vez, muitos filhos. [Diz-se das fêmeas de certos animais.] **2.** Diz-se da mulher que já teve muitos filhos: "A este homem chamavam-lhe .... o *Capão*, porque, tendo desposado .... uma viúva multípara e ativa, enquanto a mulher trabalhava por fora, gravitava ele todo o dia pelo terreiro, montando guarda aos enteados." (Tristão da Cunha, *Histórias do Bem e do Mal*, p. 114.)

multipartição [De *multipartir* + *-ção*.] *S. f.* Ação ou efeito de multipartir.

multipartidário [De *mult(i)-* + *partidário*.] *Adj.* Relativo a, ou que admite a coexistência de vários partidos [v. *partido* (4)]: *política multipartidária.*

multipartidarismo [De *multipartidário* + *-ismo*.] *S. m.* O sistema ou o espírito multipartidário.

multipartido [Do lat. *multipartitu*.] *Adj. Bot.* Diz-se de órgão vegetal dividido em grande número de partes.

multipartir [De *mult(i)-* + *partir*.] *V. t. d. P.* Dividir(-se) em muitas partes.

multípede [Do lat. *multipede*.] *Adj. 2 g. Zool.* Que tem muitos pés; polipódio.

multipétalo [De *mult(i)-* + *-pétalo*.] *Adj. Bot.* V. *polipétalo*.

multipleto (ê) [Do ingl. *multiplet*.] *S. m.* **1.** *Fís.* Linha espectral constituída por diversas radiações de comprimentos de onda muito próximos. **2.** *Fís. Nucl.* Conjunto de partículas elementares de mesmo *spin*, e número bariônico e massas quase iguais, porém cargas elétricas diferentes. Ex: o próton e o nêutron.

multiplex (cs) *Adj. 2 g. e 2 n. S. m. 2 n.* V. *multíplex*.

multíplex (cs) [Do lat. *multiplex* (nom.), 'que tem muitas partes'.] *Adj. 2 g. e 2 n.* **1.** *Rád.* Diz-se de sistema de transmissão e recepção de programas estereofônicos em frequência modulada. **2.** *Telec.* Diz-se de sistema que permite comunicação concomitante entre pessoas em diferentes lugares (p. ex., por rádio, telefone, etc.). **3.** *Telec.* Diz-se de sistema que torna uma única via comum de telecomunicações em diversas vias de transmissão, pela divisão da faixa de frequências em faixas mais estreitas, ou pela utilização, em turnos, da via comum. **4.** *Telev.* Diz-se de dispositivo óptico us. para combinar imagens de diferentes proveniências num só canal gerador de sinais. ● *S. m. 2 n.* **5.** *Telev.* Dispositivo multíplex (4). [No Brasil, o voc. é correntemente pronunciado como oxítono.] [Var. pros.: *multiplex*. F. paral.: *multíplice*.]

multiplexar (cs) [De *multíplex* + *-ar*².] *V. t. d. Telec.* Transmitir simultaneamente (duas ou mais mensagens) num mesmo canal de transmissão.

multiplicação [Do lat. *multiplicatione*.] *S. f.* **1.** Ato ou efeito de multiplicar(-se). **2.** *Mat.* Operação elementar em que se calcula a soma de *n* parcelas iguais a um número *m*. **3.** *Bot.* Reprodução agâmica. ◆ **Multiplicação lógica.** *Lóg.* Conjunção (7).

multiplicador (ô) [Do lat. *multiplicatore*.] *Adj.* **1.** Que multiplica. ● *S. m.* **2.** *Mat.* Numa multiplicação, o fator que indica quantas vezes se há de tomar o outro para efetuá-la. **3.** *Econ.* Relação entre um acréscimo de renda e o acréscimo de gastos (de investimento, p. ex.) que o originou.

multiplicando [Do lat. *multiplicandu*.] *S. m. Mat.* Numa multiplicação, o número que se há de tomar tantas vezes quantas são as unidades do multiplicador.

multiplicar [Do lat. *multiplicare*.] *V. t. d.* **1.** Aumentar em número ou importância; tornar mais numeroso, ou maior: *Relatam os Evangelhos um milagre em que Jesus multiplica os pães*; "Se possuía bons recursos com o que lhe dava a firma comercial ...., o encilhamento multiplicara-lhe a fortuna." (Gastão Cruls, *De Pai a Filho*, p. 40). **2.** Apresentar ou produzir em grande quantidade: *Sentindo-se em falta, multiplicava as desculpas por sua ausência na festa.* **3.** Repetir, amiudar: *Ao saber que falava a um ministro, multiplicou as mesuras.* **4.** Tornar mais veemente; aumentar de intensidade: *O apelo apenas serviu para multiplicar a sua teimosia.* ***Bit. c.*** **5.** *Mat.* Realizar uma multiplicação: *multiplicar oito por cinco.* ***Int.*** **6.** Crescer em número; aumentar; avultar. **7.** Produzir seres da mesma espécie; prolificar; reproduzir-se. **8.** *Mat.* Fazer uma multiplicação. ***P.*** **9.** Crescer em número; aumentar; avultar: "Sorrindo a céus que vão se desvendando, / A mundos que se vão multiplicando, / A portas de ouro que se vão abrindo!" (Cruz e Sousa, *Últimos Sonetos*, p. 50). **10.** Propagar-se, reproduzir-se. **11.** Produzir-se (seres da mesma espécie); prolificar; reproduzir-se. **12.** Desenvolver atividade extraordinária: "Fr. Geraldo multiplicava-se, fazendo-se ouvir tanto pelas igrejas como pelas capelas particulares" (Aquilino Ribeiro, *Caminhos Errados*, p. 148). [Conjug.: v. *trancar*.]

multiplicativo [Do lat. *multiplicativu*.] *Adj.* Que multiplica ou serve para multiplicar. ~ V. *numeral* — e *sinal* —.

multiplicável [Do lat. *multiplicabile*.] *Adj. 2 g.* Que se pode multiplicar.

multíplice [Do lat. *multiplice*.] *Adj. 2 g.* **1.** Que se manifesta de várias maneiras; complexo, copioso, variado: "A literatura, quando verdadeira, genérica, não é senão uma das multíplices manufaturas da liberdade." (Latino Coelho, *Cervantes*, p. 184.) **2.** V. *multíplex*. ● *S. 2 g.* **3.** V. *multíplex*.

multiplicidade [Do lat. tard. *multiplicitate*.] *S. f.* **1.** Qualidade de multíplice. **2.** Grande número; abundância: "O exercício da crítica é experiência das mais complexas. Não só o crítico se defronta com uma multiplicidade infinita de problemas, como também com uma oposição, uma luta de temperamentos diversos" (Temístocles Linhares, *Interrogações*, p. 52). **3.** *Fís.* Numa raia espectral, o número de linhas muito próximas que a constituem.

múltiplo [De *mult(i)-* + o final dos números multiplicativos latinos.] *Adj.* **1.** Que abrange muitas coisas: "A América é, ao mesmo tempo, uma, tríplice e múltipla, conforme o ponto de vista em que nos colocarmos." (Alceu Amoroso Lima, *A Realidade Americana*, p. 247.) **2.** Que não é simples nem único. ~ V. *banco* —, *coro* —, *decaimento* —, *desintegração* —*a*, —*a escolha*, *estrela* —*a*, *exposições* —*as*, *fruto* —, *galáxia* —*a*, *motor* —, *ponto* —, *raiz* —*a*, *regressão* —*a*, *sensibilidade química* —*a* e *válvula* —*a*. ● *S. m.* **3.** Produto de um número por um inteiro; múltiplo inteiro. ◆ **Múltiplo comum.** *Mat.* Número que é simultaneamente múltiplo de dois outros. **Múltiplo inteiro.** *Mat.* V. *múltiplo* (3). **Mínimo múltiplo comum.** *Mat.* O menor inteiro que é múltiplo de todos os membros de um conjunto de inteiros [símb.: *mmc*].

multipolar (mùl) [De *multipolo* + *-ar*¹.] *Adj. 2 g.* Que tem vários polos. ~ V. *momento* —.

multipolo (mùl) [De *mult(i)-* + *polo*¹.] *S. m. Eletr.* Sistema eletricamente neutro constituído por várias cargas elétricas pontuais com uma disposição espacial determinada.

multipontoado (mùl) [De *mult(i)-* + *pontoado*.] *Adj.* Que tem muitos pontos ou pintas; mosqueado.

multiprocessamento (mùl) [De *mult(i)-* + *processamento*.] *S. m. Inform.* Processamento de mais de um programa ou rotina, simultaneamente. [Cf. *multitarefa* e *processamento paralelo*.]

multiprofissional [De *mult(i)-* + *profissional*.] *Adj. 2 g.* Próprio de, ou em que há profissionais de várias áreas.

multirracial (mùl) [De *mult(i)-* + *racial*.] *Adj. 2 g.* Relativo a, ou constituído de muitas raças.

multirradiado (mùl) [De *mult(i)-* + *radiado*.] *Adj.* Que apresenta muitos raios.

multirradicular (mùl) [De *mult(i)-* + *radícula* + *-ar*¹.] *Adj. 2 g.* **1.** Que tem muitas radículas (1 e 2). **2.** *Anat.* Que tem mais de duas raízes.

multisciente (mùl) [De *mult(i)-* + *-(s)ciente*, como em *consciente*.] *Adj. 2 g.* Que sabe muito; multíscio.

multíscio [Do lat. *multisciu*.] *Adj.* Multisciente.

multissecular (mùl) [De *mult(i)-* + *secular*.] *Adj. 2 g.* Que tem muitos séculos; muitas vezes secular; plurissecular, polissecular.

multissegmentado (mùl) [De *mult(i)-* + *segmento* + *-ado*¹.] *Adj.* **1.** Que é dividido em muitos segmentos. **2.** Que é formado por muitos segmentos.

multisseptado (mùl) [De *mult(i)-* + *septado*.] *Adj. Bot.* Que tem muitos septos.

multíssono [Do lat. *multisonu*.] *Adj.* Que produz muitos ou variados sons.

multissuave (mùl) [De *mult(i)-* + *suave*.] *Adj. 2 g.* Muito suave; suavíssimo: "Vinhos multicoloridos, / multissuaves, escorridos / dos vinhedos do crepúsculo, / acenderão os desenhos / de monólogos e diálogos / que ainda jazem no limbo / de soterrado silêncio" (Abgar Renault, *A Outra Face da Lua*, p. 16).

multitarefa (mùl) [De *mult(i)-* + *tarefa*.] *Adj. 2 g. Inform.* Relativo à capacidade que têm alguns sistemas operacionais de simular o processamento simultâneo de mais de uma tarefa, graças à divisão do tempo do processador entre elas. [Cf. *multiprocessamento* e *processamento paralelo*.]

multitubular (mùl) [De *mult(i)-* + *tubular*.] *Adj. 2 g.* Diz-se de caldeiras de vapor, etc., que têm muitos tubos.

multitudinário [Do lat. *multitudine*, 'multidão', + *-ário*.] *Adj.* Relativo à, ou próprio da multidão: "não dura muito o sentimento da vergonha individual, pouco mais que as superficiais e repentinas explosões do amor-próprio e dos ódios e entusiasmos multitudinários." (Fidelino de Figueiredo, *Entre Dois Universos*, p. 107).

multiungulado (mùlti-un) [De *mult(i)-* + *ungulado*.] *Adj. Zool.* Diz-se do animal que tem mais de dois cascos em cada pé.

multiusuário (mùti-u) [De *mult(i)-* + *usuário*.] *Adj. 2 g. Inform.* Diz-se do programa, sistema operacional, ou computador, que permite a operação simultânea por mais de um usuário. [Cf. *monousuário*.]

multívago [Do lat. *multivagu*.] *Adj.* Que anda de um lugar para outro; que anda sempre; vagabundo.

multivalente (mùl) [De *mult(i)-* + *valente*.] *Adj. 2 g.* V. *polivalente*.

multivalve (mùl) [De *mult(i)-* + *-valve*.] *Adj. 2 g. Bot.* Que tem muitas valvas; plurivalve.

multivalvular (mùl) [De *mult(i)-* + *valvular*.] *Adj. 2 g. Bot.* Que tem muitas válvulas.

multivariado [De *mult(i)-* + *variado*.] *Adj.* **1.** Que apresenta muitas variações. ~ V. *análise estatística* — *a*.

multivibrador (mùl... ô) [De *mult(i)-* + *vibrador*.] *S. m. Eletrôn.* Circuito oscilante que inclui duas etapas acopladas de maneira que o sinal de entrada de cada uma é derivado do sinal de saída da outra. ◆ **Multivibrador biestável.** *Eletrôn.* **1.** V. *gatilho* (2). **2.** V. *circuito flip-flop*.

multívio [Do lat. *multiviu*.] *Adj.* Que apresenta muitos caminhos.

multivitamínico [De *mult(i)-* + *vitamínico*.] *Adj.* **1.** Constituído de várias vitaminas. **2.** *Restr.* Constituído de vitaminas C, E, do complexo B, aminoácidos, betacaroteno, zinco e outros antioxidantes (diz-se de suplemento alimentar).

multívoco [De *mult(i)-* + *-voco*, como em *equívoco*, *unívoco*, etc.] *Adj.* Plurívoco.

multívolo [Do lat. *multivolu*.] *Adj.* Que quer muitas coisas simultaneamente; exigente, ambicioso.

multundu [De or. afr., poss.] *S. m. Bras. Folcl.* Certa dança de negros.

mulungo *S. m. Moç.* **1.** Muzungo (1): "tens aqui um vestido que te trouxe este mulungo!" (João Salva-Rey, *Ku Femba*, p. 179). **2.** Muzungo (2).

mulungu¹ [Do tupi.] *S. m. Bras. Bot.* **1.** V. *corticeira* (2). **2.** V. *flor-de-coral* (2). [Var., nesta acepç.: *murungu*.] **3.** V. *sananduva* (2).

mulungu[2] [Poss. de or. quiconga: *mulunga*, 'forma circular'.] ***S. m. Bras. AL*** Espécie de ingome, de origem africana, que produz sons retumbantes.

mulungu-crista-de-galo *Bras. Bot.* V. *corticeira* (2). [Pl.: *mulungus-crista-de-galo*.]

mulunguense (u-ên) ***Adj. 2 g.*** **1.** De, ou pertencente ou relativo a Mulungu (CE e PB). • ***S. 2 g.*** **2.** O natural ou habitante de Mulungu.

mumbaca [Do tupi.] ***S. f.*** *Bras. Amaz. Bot.* Designação comum a duas palmeiras arecáceas (*Astrocaryum humile* e *A. mumbaca*) do interior da floresta pluvial, cujas folhas têm até 2m, e cujas nozes são pequenas, globosas, com cerca de 2cm de diâmetro: "a Zefa virava o peixe nas palhas de mumbaca e remexia o fogo, mouca às palavras desassisadas, que borbotavam..." (Alberto Rangel, *Sombras n'Água*, p. 57). [Cf. *mombaca*.]

mumbanda [Do quimb. *mi-nbamda*, 'mulher'.] ***S. f.*** **1.** *Bras. PE* V. *mucama*. **2.** *P. us.* Qualquer criada nas mesmas condições.

mumbava [Do tupi.] ***S. m.*** *Bras. S.* **1.** Aquele que trabalha ou reside em terra alheia, como agregado, sem se fixar muito tempo no mesmo lugar. **2.** V. *apaniguado* (2). **3.** V. *capanga* (4). [Cf. *mumbavo*.]

mumbavo [Var. de *mumbava*.] ***S. m.*** *Bras. PR* Xerimbabo. [Cf. *mumbava*.]

mumbebo ***S. m.*** *Bras. Zool.* V. *atobá*.

mumbica [Do quimb. *mu'bika*, 'escravo', 'homem de baixa condição'.] ***S. m.*** **1.** *Bras. N.E.* Bezerro pequeno, magro ou raquítico: "considera, aqui, um velho boi que ele conhece há dez anos ....; além um mumbica claudicante, em cujo flanco se enterra estrepe agudo" (Euclides da Cunha, *Os Sertões*, p. 127). • ***Adj. 2 g.*** **2.** *Bras.* Sem graça; à toa, ruim. **3.** *Bras.* Malvestido, mal-amanhado. **4.** *Bras.* Diz-se do cavalo de má andadura ou mal-arreado.

mumbuca [Do tupi.] ***S. f.*** *Bras. Zool.* **1.** V. *mombuca*. **2.** V. *mombucão*.

mumbuca-loira [De *mumbuca* + f. de *loiro*.] ***S. f.*** *Bras. Zool.* V. *abelha-mulata*. [Pl.: *mumbucas-loiras*.]

mumbuca-loura [De *mumbuca* + o f. de *louro*[3].] ***S. f.*** *Bras. Zool.* V. *abelha-mulata*. [F. paral.: *mumbuca-loira*. Pl.: *mumbucas-louras*.]

mumbucão [De *mumbuca* + *-ão*[1]] ***S. m.*** *Bras. Zool.* V. *mombucão*.

mumbura ***S. f.*** *Bras. N.E.* V. *mimbura*.

múmia [Do ár. *mumiyā'*, 'betume', 'corpo embalsamado', do ár. *mum*, 'cera (us. em embalsamamento)'; do persa.] ***S. f.*** **1.** Corpo embalsamado pelos antigos egípcios. **2.** Cadáver embalsamado por processos análogos aos dos antigos egípcios. **3.** *P. ext.* Diz-se de qualquer cadáver cujos tecidos moles, em vez de se decomporem pela putrefação, endurecem pela dessecação: *As múmias de Guanajuato, fruto da secura do solo, enfileiram-se na entrada da cripta do cemitério local.* **4.** *Fig.* Pessoa muito magra ou descarnada. **5.** *Bras. Fig.* Pessoa sem energia.

mumificação [De *mumificar* + *-ção*.] ***S. f.*** Ato ou efeito de mumificar(-se). ◆ **Mumificação fetal.** A que ocorre com o feto, intrauterinamente, após a sua morte, entre o 2.º e o 5.º mês de gestação. **Mumificação natural.** A que ocorre naturalmente, após morte, nos climas secos, áridos e cujo solo é salitroso. Ex.: as múmias naturais chilenas e peruanas.

mumificado [Part. de *mumificar*.] ***Adj.*** Convertido em múmia; amumiado: "E [Rita] correu para o lugar onde estava .... um octogenário, seco, que parecia mumificado pela idade" (Aluísio Azevedo, *O Cortiço*, p. 87).

mumificador (ô) [De *mumificar* + *-dor*.] ***Adj.*** **1.** Que mumifica; mumificante. • ***S. m.*** **2.** Aquele que mumifica.

mumificante [De *mumificar* + *-nte*.] ***Adj. 2 g.*** Mumificador (1).

mumificar [De *múmia* + *-ficar*.] ***V. t. d.*** **1.** Converter em múmia. **2.** Tornar semelhante a múmia; amumiar. ***Int. P.*** **3.** Converter-se em múmia. **4.** Emagrecer extremamente; amumiar-se. **5.** Ter a capacidade intelectual atrofiada. [Conjug.: v. *trancar*.]

mumificável [De *mumificar* + *-vel*.] ***Adj. 2 g.*** Que se pode mumificar.

mumu [De or. indígena, poss.] ***S. m.*** *Bras. Etnogr.* V. *membi* (1).

mu-mu [Voc. onom., calcado em *mugir*.] ***S. m.*** *Bras. RS Gír.* V. *corno* (9).

mumuca [De or. indígena, poss.] ***S. m. e f.*** *Bras. S. Folcl.* V. *papão*[1] (1).

mumunha ***S. f.*** *Bras. Gír.* Ardil, manha, artimanha: "Que é um vício [o fumar] cheio de mumunhas e mutretas." (Rubem Braga, *Recado de Primavera*, p. 22.)

munã [De or. indígena, poss.] ***S. f.*** *Bras. N. N.E. Zool.* V. *égua* (1).

munda ***S. 2 g.*** **1.** *Etnôn.* Indivíduo dos mundas, povo do N.E. da Índia. • ***S. m.*** **2.** *Gloss.* V. *austro-asiático* (3). **3.** Vocábulo do munda (2). • ***Adj. 2 g.*** **4.** Relativo aos mundas, ou ao munda (2).

mundana [F. subst. do adj. *mundano*.] *Deprec.* ***S. f.*** Meretriz.

mundanal [De *mundano* + *-al*[1].] ***Adj. 2 g.*** *P. us.* V. *mundano*.

mundanalidade [De *mundanal* + *-(i)dade*.] ***S. f.*** **1.** Qualidade de mundanal ou mundano. **2.** Tudo quanto é relativo ao mundo, ou não espiritual. **3.** Tendência para os gozos materiais. **4.** Vida desregrada; libertinagem.

mundanismo [De *mundano* + *-ismo*.] ***S. m.*** **1.** Vida mundana. **2.** Hábito ou sistema daqueles que só procuram gozos materiais.

mundano [Do lat. *mundanu*.] ***Adj.*** **1.** Referente ao mundo (considerado este pelo lado material e transitório); terreno, terrenho, terreal, terrestre. **2.** Dado a gozos ou prazeres materiais. [Sin. ger., p. us.: *mundanal*.] ~ V. *vida –a*.

mundão [De *mundo* + *-ão*[1].] ***S. m.*** **1.** *Bras.* Grande extensão de terra; mundaréu. **2.** *Bras.* V. *quantidade* (3). **3.** *Bras. N. N.E.* Lugar muito longe, muito distante.

mundaréu [De *mundo* + *-aréu*.] ***S. m.*** *Bras.* **1.** Mundão (1). **2.** V. *quantidade* (3): "Um mundaréu de gente / que era um horror." (Vargas Neto, *Tropilha Crioula e Gado Xucro*, p. 63.)

mundari ***S. m.*** *Gloss.* **1.** Língua da família austro-asiática do ramo munda, uma das línguas da Índia. **2.** Vocábulo dessa língua.

mundaú [De or. tupi, poss.] ***S. m.*** *Bras. Bot.* Arbusto euforbiáceo do gênero *Phyllanthus*, de frutos comestíveis; cabuim, carrapato-do-mato.

mundauense (a-u) ***Adj. 2 g.*** **1.** De, ou pertencente ou relativo a Santana do Mundaú (AL). • ***S. 2 g.*** **2.** O natural ou habitante de Santana do Mundaú.

mundé [Do tupi = 'alçapão'.] ***S. m.*** *Bras.* V. *mundéu*[1].

mundeiro [De *mundo* + *-eiro*.] ***Adj. S. m.*** *Bras. RS* V. *vagabundo* (1 e 6).

mundele [Do quimb.] ***S. m.*** *Angol.* Indivíduo branco: "A denominação de mundele dada ao branco é originada da semelhança que acharam os indígenas entre os navios que primeiro aportaram e uns pássaros aquáticos brancos e de grandes asas – o pássaro *ndele*." (Alfredo Troni, *Nga Mutúri*, p. 68.)

mundéu[1] [Var. paragógica de *mundé*.] ***S. m.*** **1.** *Bras.* Armadilha de caça. **2.** *Bras. Fig.* Qualquer casa, ou coisa, que ameaça ruir, constituindo perigo. **3.** *Bras. GO* O queixada (3), em certas zonas. [Outras var.: *mondé, mondéu*.] ◆ **Cair no mundéu.** *Bras.* Ser apanhado na ratoeira.

mundéu[2] [De *mundo*.] ***S. m.*** V. *quantidade* (3).

mundial [Do lat. *mundiale*.] ***Adj. 2 g.*** **1.** Relativo ao mundo; geral. • ***S. m.*** **2.** Campeonato mundial: *mundial de futebol; mundial de basquete.* [Pl.: *mundiais*. Cf. *mundiais*, do v. *mundiar*.]

mundialização [De *mundializar* + *-ção*.] ***S. f.*** *Econ.* Globalização (2).

mundiar ***V. t. d.*** *Bras. AM PA* Entorpecer ou magnetizar por encantamento. [Pres. ind.: *mundio, ... mundiais, mundiam*. Cf. *mundiais*, pl. de *mundial*.]

mundiça [Alter. de *imundícia*.] ***S. f.*** *Pop. Bras. N.E.* V. *ralé* (1).

mundícia [Do lat. *munditia*.] ***S. f.*** **1.** Asseio, limpeza. **2.** Amor ao asseio. [F. paral.: *mundície*.]

mundície [Do lat. *munditie*.] ***S. f.*** V. *mundícia*.

mundificação [De *mundificar* + *-ção*.] ***S. f.*** Ato ou efeito de mundificar(-se).

mundificante [Do lat. *mundificante*.] ***Adj. 2 g.*** Que mundifica; mundificativo.

mundificar [Do lat. *mundificare*.] ***V. t. d.*** **1.** Limpar; assear; purificar. ***T. d. e i.*** **2.** V. *purificar* (4). ***P.*** **3.** Tornar-se limpo. **4.** V. *purificar* (5). [Conjug.: v. *trancar*.]

mundificativo [De *mundificar* + *-tivo*.] ***Adj.*** Mundificante.

mundinho [De *mundo* + *-inho*[1].] ***S. m.*** Dim. de mundo. ◆ **Estar no mundinho.** *Bras. SP Gír.* Estar absorto. **Sair do mundinho.** *Bras. SP Gír.* Dar-se conta da realidade, do que se passa à sua volta. **Ser do mundinho.** *Bras. SP Gír.* Ser de um grupo de pessoas unidas por interesses comuns.

mundividência [De *mundo* + *-i-* + *vidência*.] ***S. f.*** V. *visão de mundo*.

mundo[1] [Do lat. *mundu*.] ***S. m.*** **1.** A Terra e os astros considerados como um todo organizado; o Universo: *Deus criou o mundo em sete dias.* **2.** Qualquer corpo celeste: *Haverá vida em outros mundos?* **3.** O globo terrestre; a Terra, o orbe, o planeta. **4.** Qualquer extensão, qualquer espaço, na Terra, e/ou os seres que habitam tal espaço; universo: *o mundo mediterrâneo; o mundo cristão.* **5.** Tudo o que existe na Terra; universo: *O mundo não vale o meu lar.* **6.** *Fig.* A maioria dos homens; a humanidade; as pessoas: *O misantropo odeia o mundo.* **7.** *Fig.* A vida no século, na sociedade: *os prazeres do mundo.* **8.** *Fig.* Classe social: *Essas pessoas não são de seu mundo.* **9.** *Fig.* A totalidade das coisas que pertencem a um mesmo domínio, a uma mesma classe: *o mundo físico; o mundo do pensamento.* **10.** *Fig.* Ambiente preferido; universo: *A família é o seu mundo.* **11.** *Fig.* Conjunto de coisas importantes e complexas: *Este hotel é um mundo.* **12.** Conjunto de pessoas ligadas por um interesse comum: *o mundo dos negócios; o mundo dos esportes.* **13.** *Filos.* Unidade autônoma de fenômenos, determinada por um conjunto completo de variações possíveis, e que é inesgotável na multiplicidade de significados que pode assumir. **14.** *Bras.* V. *quantidade* (3): "sabia que naquele casarão funcionavam os escritórios com o inspetor à frente, dirigindo um mundo de coisas" (Ranulfo Prata, *Navios Iluminados*, p. 17). ◆ **Mundo aberto sem porteira.** *Bras. SP Pop.* **1.** Grande extensão de terra. **2.** O mundo (3) como um todo, sem nada que o divida. **Mundo exterior.** *Filos.* O conjunto de seres, animados ou inanimados, que nos circundam e entre os quais nos movemos e agimos no dia a dia. **Mundo inteligível.** *Filos.* O conjunto dos fenômenos produzidos pela atividade intelectual, pela reflexão, pelo pensamento. **Mundo sensível.** *Filos.* O conjunto dos fenômenos do mundo exterior que percebemos de forma acrítica (v. *acrítico*[1]) através dos sentidos. **Mundos e fundos.** Quantia vultosíssima: "O sítio é bom, mas seu Braga pede mundos e fundos por ele." (Coelho Neto, *Treva*, p. 332.) **Abarcar o mundo com as pernas.** **1.** Empreender numerosas coisas simultaneamente. **2.** Querer tudo ao mesmo tempo. **Abrir no mundo.** *Bras. N.E. Pop.* V. *fugir* (1 e 2): "Entrou de porta adentro, sem dar uma palavra, e atirou. Depois saltou no cavalo e abriu no mundo." (Fontes Ibiapina, *Congresso de Duendes*, p. 127.) **Afundar no mundo.** *Bras.* **1.** Ir-se embora; partir; ganhar o mundo; danar-se no mundo; pisar no mundo: "– Ando com palpite de afundar no mundo ..... Vou ver aquilo por lá [pelo Paraná]; quero conhecer mundo e gente" (Amadeu de Queirós, *João*, p. 197). **2.** V. *fugir* (1 e 2). **Arribar no mundo.** *Bras. N.E. Pop.* V. *fugir* (1 e 2): "Chiquita foi embora com um chofer de caminhão. Ceição casou-se (já largou o marido e arribou também no mundo)." (Fontes Ibiapina, *Congresso de Duendes*, p. 98.) **Azular no mundo.** *Bras.* V. *fugir* (1 e 2): "Zé Canuto que, ao cair, ficara com uma perna imprensada sob o corpo do animal, desvencilhou-se .... e azulou no mundo. Chegou ao Monte Alto quase sem fôlego" (José Maria de Melo, *Os Canoés*, p. 78). **Cair no mundo.** *Bras. Pop.* V. *fugir* (1 e 2). **Correr mundo.** **1.** Viajar (1): "Era uma vez um menino chamado Miguel que saiu a correr mundo." (Gondim da Fonseca, *Histórias de João Mindinho*, p. 73.) **2.** *Fig.* Espalhar-se, divulgar-se, propalar-se: "As mais desencontradas notícias corriam mundo sobre o poderio surpreendente dos guerrilheiros entrincheirados nos cerros e grotas em torno de Canudos." (Sílvio Rabelo, *Euclides da Cunha*, p. 89.) **Danar-se no mundo.** *Bras. N.E. Pop.* V. *afundar no mundo* (1): "Dane-se no mundo, Pãozinho, amarre a mulher e os filhos e ganhe a estrada." (Teotônio Brandão Vilela, *Andanças pela Crônica*, p. 88.) **Desabar o mundo.** Vir o mundo abaixo. **Desde que o mundo é mundo.** Desde os tempos mais remotos. **Despachar para o outro mundo.** *Bras. Pop.* Matar (1). **Do outro mundo.** *Bras. Pop.* Excelente, ótimo, estupendo: "um marinheiro da Armada atirou-se embaixo de um trem por causa de uma mulatinha do outro mundo" (Ribeiro Couto, *Conversa Inocente*, p. 213). **Embarcar deste mundo para um melhor.** *Bras.* V. *morrer* (1): "Maria-do-Luciano fez o pior negócio da vida, pois logo no primeiro parto embarcava deste mundo para um melhor, carregada nas asas dos anjos, de boa que era" (Bariani Ortêncio, *Vão dos Angicos*, p. 87). **Ganhar o mundo.** *Bras.* **1.** V. *afundar no mundo* (1): "esse, com a idade de vinte anos, ganhou o mundo e já nem sei por onde anda." (Raquel de Queirós, *100 Crônicas Escolhidas*, p. 3). **2.** V. *fugir* (1 e 2). **Ir no melhor dos mundos.** Estar algo muito bem; ter andamento ótimo, excelente. **Ir para o outro mundo.** V. *morrer* (1). "Era o filho do velho Baglioni que eu ajudara a ir para o outro mundo." (Rubem Fonseca, *Histórias de Amor*, p. 30.) **Mandar para o outro mundo.** V. *matar* (1): "se eu não falei da morte do mocinho grego, vendedor de balas, que o bonde elétrico mandou para o outro mundo, ... não é justo que fale dos terríveis sustos de quinta-feira passada." (Machado de Assis, *A Semana*, II, p. 201). **Não ser deste mundo.** Não existir (q. v.). **No mundo da Lua.** Alheio à realidade; muito distraído; na Lua, na estratosfera: *Vive no mundo da Lua.* **Novo Mundo.** O continente americano. **O mundo inteiro.** V. *todos*. **Outro mundo.** V. *além* (5): "não me desgrudava dele [o livro] por nada desse mundo. Nem do outro mundo." (Léo Cunha, *Nas Páginas do Tempo*, p. 48). **Pisar no mundo.** *Bras. S. Pop.* **1.** V. *afundar no mundo* (1). **2.** V. *fugir* (1 e 2). **Prometer este mundo e o outro.** V. *prometer mundos e fundos*: "os meus pais prometeram-me este mundo e o outro na condição de não casar com ele" (Lobo Antunes, *O Esplendor de Portugal*, pp. 49-50). **Prometer mundos e fundos.** Fazer promessas ou oferecimentos extraordinários; prometer este mundo e o outro: "Levei três anos e meio rondando aquela casa, para um dia .... entrar de porta adentro e perguntar-lhe, prometendo mundos e fundos, se queria amigar-se comigo." (Osmã Lins, *Nove, Novena*, pp. 104-105.) **Terceiro Mundo.** O conjunto dos países subdesenvolvidos; terceira força. **Todo o mundo.** V. *todos*: "Supunha todo o mundo que Júlio dissipaira, em pouco tempo, o patrimônio de sua mãe." (Camilo Castelo Branco, *Doze Casamentos Felizes*, p. 207); "É impossível que ele ignore... Todo o mundo o sabe..." (Valentim Magalhães, *Vinte Contos*, p. 46); "Ah! Ninguém vê, mas todo o mundo sente / Dentro, n'alma, um Atlântico infinito..." (Raimundo Correia, *Poesias*, p. 161). **Velho Mundo.** A parte do mundo constituída pelo continente eurasiano e pela África. **Ver o mundo com.** *Bras. N.E. Pop.* Sofrer muito com: *Tenho visto o mundo com esta doença.* **Vir o mundo abaixo.** **1.** Ocorrer uma catástrofe, um mal irremediável, ou ventania ou chuva forte, etc. **2.** Haver grande escarcéu, forte escândalo, cenas desagradáveis: "Chegar à janela era um ato que lhe estava tacitamente vedado e de sair sozinha à rua Deus a livrasse: viria o mundo abaixo!" (Artur Azevedo, *Contos Efêmeros*, p. 109.) [Sin. ger.: *desabar o mundo.*]

mundo[2] [Do lat. *mundu*, 'limpo'; 'elegante'.] *Adj.* Limpo, puro: "todas as embriaguezes, assim as mundas como as imundas, segundo a hierarquia consagrada, conduzem ao nirvana" (Tristão da Cunha, *Cousas do Tempo*, p. 143).

mundonga [Fem. de *mundongo* (q. v.).] *S. f.* Fem. de mundongo (2). [Talvez fosse preferível a grafia *mondonga*.]

mundongo [Do esp. *mondongo*, poss.] *S. m.* **1.** Intestinos miúdos de certos animais. **2.** Indivíduo sujo e desmazelado. **3.** *Bras. Amaz.* Pântano ou várzea lamacenta, coberta de várias plantas palustres, especialmente aningas. [Talvez melhor a grafia *mondongo*.]

mundongudo [De *mundongo* (q. v.) + *-udo*.] *Adj. Bras. RS Deprec.* Diz-se do cavalo ruim para a carreira. [Seria preferível, talvez, a escrita *mondongudo*.]

mundongueiro [De *mundongo* (q. v.) + *-eiro*.] *S. m.* **1.** Vendedor de mundongo (1); fressureiro. **2.** *Fig.* Aquele que se ocupa em misteres sórdidos. [Melhor seria, porventura, a grafia *mondongueiro*.]

mundo-novense *Adj. 2 g.* **1.** De, ou pertencente ou relativo a Mundo Novo (BA, GO e MS). ● *S. 2 g.* **2.** O natural ou habitante de Mundo Novo. [Pl.: *mundo-novenses.*]

mundrunga [De or. afr., poss.] *S. f. Bras. N.E. Pop.* V. *bruxaria* (1 e 2).

mundrungo *S. m. Bras. PB Pop. Zool.* Cavalo[1] (1).

mundrungueiro [De *mundrunga* + *-eiro*.] *S. m. Bras. N.E.* Mandingueiro, feiticeiro.

mundureba *S. f. Bras. BA Pop.* V. *cachaça* (1).

munduru [De *murundu*, com metátese.] *S. m.* **1.** *Bras. Amaz.* Espécie de matapi de grandes dimensões. **2.** *Bras. N.E.* V. *montículo*.

mundurucu *Bras. S. 2 g.* **1.** *Etnôn.* Indivíduo dos mundurucus [ou (etnôn. bras.) *Munduruku], povo indígena da família linguística mundurucu, tronco tupi, que habita a região do rio Tapajós (PA). ● *S. m.* **2.** *Gloss.* Família linguística que reúne línguas faladas por povos indígenas do PA, como, p. ex., os mundrucurus e os baurins. **3.** Vocábulo do mundurucu (2). ● *Adj. 2 g.* **4.** Pertencente ou relativo a mundurucu (1 e 2).

munganga *S. f. Bras.* V. *moganga*[2].

mungango *S. m. Bras. CE* V. *moganga*[1].

mungangüê *S. m. Bras. Mús.* V. *médio* (9).

mungangueiro *Adj. S. m. Bras.* V. *mogangueiro*.

munganguento [De *munganga* + *-ento*.] *Adj. S. m. Bras.* V. *mogangueiro*.

mungida [De *mungir* + *-ida*[3].] *S. f.* Mungidura.

mungidor (ô) [De *mungir* + *-dor*.] *Adj. S. m.* Que, ou aquele que munge.

mungidura [De *mungir* + *-dura*.] *S. f.* **1.** Ato de mungir. **2.** Porção de leite mungido. [Sin. ger.: *mungida*.]

mungir [Do lat. **mulgire*, por *mulgere*.] *V. t. d.* **1.** Ordenhar (1): "As vaquinhas .... são mungidas nos pastos, e produzem este leite perfumado, que não me canso de beber" (Raul Brandão, *As Ilhas Desconhecidas*, p. 38). **2.** *Fig.* Espremer (6). **3.** *Fig.* Explorar (5). [Var.: *mugir*. Conjug.: v. *dirigir*. Cf. *mugir*.]

munguba [Do tupi = 'árvore de fusos negros'.] *S. f. Bras. Bot.* **1.** V. *mamorana*. **2.** Mungubeira (1). **3.** V. *embiruçu* (1). **4.** O fruto dessas árvores. [Var.: *monguba*.]

mungubarana [Do tupi.] *S. f. Bras. Bot.* **1.** *Amaz.* Árvore bombacácea (*Bombax paraense*) da floresta pluvial, de folhas compostas e coriáceas, flores grandes e cheias de estames, e cujo fruto é uma cápsula com enormes sementes. **2.** V. *mamorana*.

mungubeira [De *munguba* + *-eira*.] *S. f. Bot.* **1.** Árvore bombacácea (*Bombax munguba*) de até 25m, nativa desde a região amazônica até os terrenos alagadiços do MA; munguba. **2.** V. *embiruçu* (1). [Var.: *mongubeira*.]

mungunzá *S. m. Bras. N. N.E.* V. *munguzá*.

munguzá [Var. de *mucunzá*, do quimb. *mu'kunza*, 'milho cozido'.] *S. m. Bras. N. N.E. Cul.* Iguaria feita de grãos de milho (geralmente branco) cozidos em caldo açucarado, algumas vezes com leite de coco ou de gado, a que se junta polvilho com canela. [Outras var.: *mugunzá*, *mungunzá* e *manguzá*. Sin.: *chá de burro* (AL) e *canjica* (S. e C.O.).]

munhão [Do esp. *muñón*.] *S. m.* **1.** Eixo quase a meio do comprimento duma peça de artilharia, e que serve para levantar ou baixar esta, conforme as conveniências da pontaria. **2.** *Astr.* Extremidade cilíndrica do eixo de rotação de uma luneta astronômica.

munhata [Do taino, pelo esp. plat. *muñato*.] *S. f. Bras. RS Bot.* Nalgumas regiões, batata-doce.

munheca [Do esp. *muñeca*.] *S. f.* **1.** A parte da mão em que ela se liga ao braço; pulso. **2.** *Bras.* Designação comum às folhas dos fetos ou samambaias quando principiam a desenvolver-se, tendo a forma de báculo. **3.** *Bras. S.* A mão. ◆ **Quebrar a munheca.** *Bras. Pop.* V. *embriagar* (4).

munhecaço [De *munheca* + *-aço*.] *S. m. Bras.* Pancada com a munheca; bofetada.

munheca de cutia *S. f. Bras. SP* Chicote ou relho cujo cabo é um pé ou mão de cutia. [Pl.: *munhecas de cutia*.]

munheca de pau *S. 2 g. Bras. PE AL Pop.* V. *barbeiro* (8): "Motorista ruim é 'barbeiro', 'munheca de pau', 'trevelô'." (Marcos Vinícios Vilaça, *Em torno da Sociologia do Caminhão*, p. 44.) [Pl.: *munhecas de pau*.]

munheca de samambaia *S. 2 g. Bras. MG* V. *avaro* (3): "O padre era sovina, munheca de samambaia" (Antônio Celso, *Girassol de Ouro*, p. 98).

munhecar [De *munheca* + *-ar*[2].] *V. t. d. Bras. Gír.* Agarrar, segurar, prender. [Conjug.: v. *trancar*.]

munhoneira [Do esp. *muñonera*.] *S. f.* Encaixe onde assenta o munhão.

munhozense[1] *Adj. 2 g.* **1.** De, ou pertencente ou relativo a Munhoz (MG). ● *S. 2 g.* **2.** O natural ou habitante de Munhoz.

munhozense[2] *Adj. 2 g.* **1.** De, ou pertencente ou relativo a Munhoz de Melo (PR). ● *S. 2 g.* **2.** O natural ou habitante de Munhoz de Melo.

munhungo [Do quimb. *munhungu*, 'tontura', 'vertigem'.] *S. m. Angol.* Prostituição: "Júlia não é do munhungo, Júlia é santa" (Jorge Macedo, *Gente de Meu Bairro*, p. 72).

munição [Do lat. *munitione*.] *S. f.* **1.** Fortificação de uma praça. **2.** *Fig.* Aquilo que serve para defender; defesa. **3.** Designação comum a todo material de guerra ou de outra espécie com que se devem prover tropas, navios de guerra, etc. **4.** Designação comum a projetis, pólvoras e demais artefatos explosivos com que se carregam armas de fogo. **5.** *P. ext.* Chumbo para a caça dos pássaros. ◆ **Munição de boca.** Provisão de víveres para tropas, navios de guerra, etc.; provisão de boca.

municiamento [De *municiar* + *-mento*.] *S. m.* Municionamento.

municiar [De *munição* + *-ar*[2], com desnasalação e síncope, poss.] *V. t. d.* V. *municionar*.

munício [Der. regress. de *municiar*.] *S. m.* **1.** Pão comum, que faz parte do rancho dos soldados. **2.** *Bras. S.* O gado de provisão alimentar da tropa ou do exército. **3.** Gênero alimentício que o tropeiro leva consigo para as necessidades de viagem.

municionamento [De *municionar* + *-mento*.] *S. m.* Ato ou efeito de municionar; municiamento.

municionar [De *munição* + *-ar*[2], seg. o padrão erudito; fr. *munitionner*.] *V. t. d.* Prover ou abastecer de munições; munir, municiar, amuniciar.

municipal [Do lat. *municipale*.] *Adj. 2 g.* **1.** Do, ou pertencente ou relativo ao município. ~ V. *Câmara* —. ● *S. m.* **2.** *Bras.* Qualquer teatro pertencente à municipalidade.

municipalidade [De *municipal* + *-(i)dade*.] *S. f.* **1.** Câmara municipal. **2.** V. *vereação* (2). **3.** O edifício onde funciona a Câmara municipal. **4.** Município (2). **5.** A prefeitura.

municipalismo [De *municipal* + *-ismo*.] *S. m.* **1.** Sistema de administração que atende em especial à organização e prerrogativas dos municípios; comunalismo. **2.** Descentralização da administração pública em favor dos municípios. [Cf. *descentralismo*.]

municipalista [De *municipalismo* + *-ista*.] *Adj. 2 g.* **1.** Relativo ao, ou que é adepto do municipalismo; comunalista. ● *S. 2 g.* **2.** Adepto do municipalismo; comunalista. [Cf. *descentralista*.]

municipalização [De *municipalizar* + *-ção*.] *S. f.* Ato ou efeito de municipalizar.

municipalizar [De *municipal* + *-izar*.] *V. t. d.* **1.** Transformar em município (1): *municipalizar um distrito.* **2.** Passar para a administração municipal: *municipalizar a polícia.*

munícipe [Do lat. *municipe*.] *Adj. 2 g.* **1.** Do município. ● *S. 2 g.* **2.** Cidadão ou cidadã do município.

município [Do lat. *municipiu*.] *S. m.* **1.** Circunscrição administrativa autônoma do estado, governada por um prefeito e uma câmara de vereadores; municipalidade, concelho. **2.** O conjunto dos habitantes do município (1); municipalidade.

munificência [Do lat. *munificientia*.] *S. f.* Qualidade de munificente; generosidade, magnanimidade, liberalidade: "Nada é caro para a munificência e grandeza de Vossa Majestade." (Rebelo da Silva, *De Noite Todos os Gatos São Pardos*, p. 163.)

munificente [Do lat. *munificente*.] *Adj. 2 g.* Generoso, magnânimo, liberal, munífico: "O monomotapa .... senhoreava sobre os exércitos e chamava às suas mãos as riquezas da terra e do comércio, que redistribuía como munificente provedor." (Alberto da Costa e Silva, *A Enxada e a Lança*, p. 425.) [Superl. abs. sint.: *munificentíssimo*.]

munificentíssimo [Do lat. *munificentissimu*.] *Adj.* Superl. abs. sint. de *munífico* e *munificente*.

munífico [Do lat. *munificu*.] *Adj.* Munificente. [Superl. abs. sint.: *munificentíssimo*.]

muniquense *Adj. 2 g.* **1.** De, ou pertencente ou relativo a Munique (Alemanha). ● *S. 2 g.* **2.** O natural ou habitante de Munique.

muníquio *S. m. Cronol.* V. *muníquion*.

muníquion [Do gr. *Mounichión*.] *S. m. Cronol.* O décimo mês do calendário grego, com 29 dias, que correspondia aproximadamente ao mês de abril do calendário gregoriano.

munir [Do lat. *munire*.] *V. t. d.* **1.** V. *municionar*. **2.** Defender com fortificações; fortificar. *T. d. e i.* **3.** Prover; fornecer; abastecer: *Muni-o do necessário para a excursão.* **4.** Acautelar, prevenir (alguém contra alguma coisa). *P.* **5.** Armar-se, prevenir-se com alguma coisa para defesa própria ou alheia. **6.** Abastecer-se, prover-se: *munir-se de provisões*; "Muniu-se de coragem e afrontou a página." (Aluísio Azevedo, *O Mulato*, p. 132). [Cf. *monir*. Pres. ind.: *muno*, *munes*, *mune*, *munimos*, *munis*, *munem*. Cf. os antr. *Moniz* e *Muniz*.]

muniz-ferreirense *Adj. 2 g. S. 2 g.* V. *ferreirense*[3]. [Pl.: *muniz-ferreirenses*.]

muniz-freirense *Adj. 2 g.* **1.** De, ou pertencente ou relativo a Muniz Freire (ES). ● *S. 2 g.* **2.** O natural ou habitante de Muniz Freire. [Pl.: *muniz-freirenses*.]

➔ **munster** [mœs'te] [Fr.] *S. m. Cul.* Queijo de leite de vaca de consistência macia e lisa, de cor alaranjada e cheiro forte, fabricado na Alsácia (L. da França).

munupiú [De or. indígena, poss.] *S. m. Bras. Bot.* Arbusto euforbiáceo (*Sapium euphorbium*) nativo do Brasil.

múnus [Do lat. *munus*.] *S. m. 2 n.* Funções que um indivíduo tem de exercer; encargo, emprego: "Observaram-lhe que estava um inverno muito cerrado e a sazão imprópria para o exercício do múnus episcopal em aldeias humildes." (Aquilino Ribeiro, *Dom Frei Bertolameu*, p. 29.) ◆ **Múnus público.** O que procede de autoridade pública ou da lei, e obriga o indivíduo a certos encargos em benefício da coletividade ou da ordem social.

munzuá [Do quimbundo *muzua*.] *S. m. Bras.* Covo feito de fasquias de taquara ou de bambu: "saíram com anzóis, linhas e munzuás para as costas de noroeste da ilha, onde abundavam corvinas e dentões." (Xavier Marques, *Jana e Joel*, p. 32).

múon [Do ingl. *muon* (< *mu-meson*).] *S. m. Fís. Part.* Partícula elementar da família dos léptons, com propriedades semelhantes às do elétron, mas com massa 207 vezes maior. Abundante nos raios cósmicos que atingem a superfície da Terra, esta partícula é instável e decai num elétron mais um neutrino e um antineutrino. Existe em dois estados de carga elétrica, o múon-mais e o múon-menos.

muônico *Adj. Fís. Part.* V. *muônico*. [Uso freq. em P.]

muônico [De *múon* + *-ico*[2].] *Adj. Fís. Part.* ~ V. *neutrino* — *e número* —.

múon-mais *S. m. Fís. Part.* Antipartícula do múon-menos [símb.: μ+]. [Pl.: *múons-mais*.]

múon-menos *S. m. Fís. Part.* Lépton de massa 105,66 MeV/c[2], *spin* 1/2, carga elétrica igual à do elétron e número leptônico + 1 [símb.: μ-]. [Pl.: *múons-menos*.]

mupéua [Do tupi.] *S. f. Bras. AM* Canal raso nos baixios ou praias extensas.

mupicar [Do tupi = 'dirigir', + *-ar*[2].] *V. int. Bras. Amaz.* **1.** Remar ligeiro em remadas curtas. **2.** Marcar o caminho na mata, quebrando ramos na passagem, a fim de saber orientar-se na volta. [Conjug.: v. *trancar*. Var.: *mupucar*.]

mupororoca [Do tupi.] *S. f. Bras. Amaz.* Pororoca[1] (q. v.).

mupucar *V. int. Bras. Amaz.* V. *mupicar*. [Conjug.: v. *trancar*.]

mupunga *S. f. Bras. Amaz.* V. *moponga*.

muque [De *músculo*.] *S. m. Bras. Gír.* Força muscular, músculo. ◆ **A muque.** À força física; com violência.

muqueluque [Do esquimó *mukluk*, 'grande foca'.] *S. m.* **1.** Calçado (tipo bota), feito de pele de foca ou de rena, usado por esquimós. **2.** *P. ext.* Bota semelhante ao muqueluque (1), feito de couro ou tecido, macios, com sola de couro flexível, e usado sobre várias meias.

muquiense (ìen) *Adj. 2 g.* **1.** De, ou pertencente ou relativo a Muqui (ES). ● *S. 2 g.* **2.** O natural ou habitante de Muqui.

muquinhar *V. int. Bras. S. Pop.* V. *vadiar* (2).

muquira *S. 2 g. Bras. Amaz. Pop.* V. *avaro* (3).

muquirana [Do tupi = 'piolho da pele', + *-rana*.] *S. f.* **1.** *Bras. Zool.* Inseto anopluro, pediculídeo (*Pediculus humanus*), ectoparasito do homem, cosmopolita. Esconde-se nas vestes, onde faz de preferência sua postura. Raramente é encontrado no corpo, preferindo a região costal mediana. Comprimento: 2 a 3mm. [Sin.: *quirana*.] ● *S. 2 g.* **2.** *Bras. SP Pop.* V. *avaro* (3). **3.** *Bras.* V. *maçante* (2). [Var.: *mucurana*.]

muquirão *S. m. Bras. SP Pop.* V. *mutirão*.

muquixe [Do cócue.] *S. m. Angol.* Dançarino mascarado, vestido de palha, que intervém no rito da mucanda[2] (q. v.): 📖 "Danças de muquixes. Os muquixes estão presentes em toda a cultura da Lunda, em todas as manifestações. Têm de aparecer no nosso bailado." (Pepetela, *Lueji*, p. 335.)

mura *Bras. S. 2 g.* **1.** *Etnôn.* Indivíduo dos muras, povo indígena da família linguística mura, que habita os municípios de Autazes, Careiro, Borba, Alvarães, Uarini, Auxiliadora e Manicoré (AM). ● *S. m.* **2.** *Gloss.* Família linguística que reúne a língua dos muras, dos pirãs e outras já extintas. **3.** Vocábulo do mura (2). ● *Adj. 2 g.* **4.** Pertencente ou relativo aos muras ou a mura (2). [Nas acepç. 1, 2 e 4, tb. us. como *s. 2 g. e 2 n.* (com cap.) e *adj. 2 g. e 2 n.*]

muraçanga *S. f. Bras.* V. *buraçanga*.

murada [De *muro* + *-ada*[1].] *S. f.* Fiada de malhas em toda a largura da rede. [Cf. *morada*.]

muradal *S. m.* V. *muladar*.

murado [Part. de *murar*[1].] *Adj.* Que se vedou com muro ou tapume.

murador (ô) [De *murar*[2] + *-dor*.] *Adj.* Diz-se do gato que apanha ou caça ratos. [Cf. *morador*.]

murajuba [Do tupi = 'madeira amarela'.] *S. f. Bras.* **1.** *Bot.* Árvore cesalpinácea (*Apuleia molaris* ou *A. leiocarpa*) da floresta amazônica, de folíolos emarginados e oblongos, flores pequenas, dispostas em panículas, frutos que são vagens densamente revestidas de pelos, e cuja madeira, bege-clara, é dura e durável. [Var.: *barajuba, muirajuba*. Sin.: *amarelinha, garapa, garapa-amarela, garapiapunha, garapinha, grapiapunha*.] **2.** *Zool.* Espécie de papagaio da região amazônica.

mural [Do lat. *murale*.] *Adj. 2 g.* **1.** Relativo a muro ou parede. **2.** *Restr.* Relativo a muro ou parede como meio para informações visuais: 📋 *quadro mural; jornal mural.* ~ V. *pintura* —. ● *S. m.* **3.** Pintura mural (q. v.): 📖 "Nos murais de Portinari, há o humano, há o social, há o político, isso tudo na mais alta, direta e límpida linguagem artística." (Celso Kelly, *Portinari*, p. 55.) [Pl.: *murais*. Cf. *murais*, do v. *murar*, e *moral*.]

muralha [Do it. *muraglia*.] *S. f.* **1.** Muro que guarnece uma fortaleza ou uma praça de armas; muramento. **2.** Grande muro; paredão. **3.** *P. ext.* Tudo o que oferece resistência a assédio, ataque, ou mesmo à simples execução de uma coisa. **4.** *Zool.* Contorno exterior do casco dos cavalos.

muralhar [De *muralha* + *-ar*[2].] *V. t. d.* V. *amuralhar*.

muralismo [De *mural* + *-ismo*.] *S. m.* A arte da pintura em murais. [Cf. *moralismo*.]

muralista [De *mural* + *-ista*.] *Adj. 2 g.* **1.** Relativo a, ou que lembra o mural. ● *S. 2 g.* **2.** Artista que pinta murais. [Cf. *moralista*.]

muramento [De *murar*[1] + *-mento*.] *S. m.* **1.** Ato ou efeito de murar[1]. **2.** Muralha (1).

murâmico *Adj. Quím.* ~ V. *ácido* —.

murapiranga *S. f. Bras. Bot.* V. *muirapiranga*.

murar[1] [De *muro* + *-ar*[2].] *V. t. d.* **1.** Cercar ou vedar com muro ou tapume; amuralhar. **2.** Defender contra assaltos; fortificar. **3.** Servir de muro a: 📋 *Uma cerca viva murava a casa;* 📖 "O pé de maracujá cobria uma latada, murando a varanda" (Povina Cavalcanti, *Volta à Infância*, p. 16). *T. d. e i.* **4.** Cobrir, fortalecer, defender, contra ataques de qualquer natureza: 📋 *Conseguiu murar a sua pessoa contra assédios importunos. P.* **5.** Fortificar-se, defender-se, cobrir-se, abrigar-se. **6.** Cercar-se ou cobrir-se com qualquer coisa que possa livrar de dano. **7.** Revestir-se, encher-se: 📋 *Misantropo, necessita murar-se de paciência para aguentar um bate-papo.* [Pres. ind.: *muro, muras, muramos, murais, muram*. Cf. *muro*, s. m., *mura*, adj. e s., *murais*, pl. de *mural*, e os v. *morar* e *mourar*.]

murar[2] [Do lat. *mus, muris*, 'rato', *-ar*[2].] *V. t. d.* **1.** Caçar (ratos). *Int.* **2.** Espiar ou espreitar ratos para caçá-los. [Us. com relação aos gatos. Cf. *morar* e *mourar*.]

murbanense *Adj. 2 g.* **1.** De, ou pertencente ou relativo a Manuel Urbano (AC). ● *S. 2 g.* **2.** O natural ou habitante de Manuel Urbano.

murça[1] [De or. incerta.] *S. f.* Espécie de cabeção de cor usado pelos cônegos por cima da sobrepeliz.

murça[2] [De or. obscura.] *S. f.* Lima que tem a picagem fina. ◆ **Murça fina.** Lima que tem a picagem muito fina e serve para dar acabamento muito liso às peças limadas.

murceiro [De *murça*[2] + *-eiro*.] *S. m.* Fabricante e/ou vendedor de murças.

murcha [Dev. de *murchar*.] *S. f. Bot.* Doença de que resulta a perda de turgescência de tecidos foliares e de partes suculentas dos ramos das plantas.

murchamento [De *murchar* + *-mento*.] *S. m.* Ato ou efeito de murchar: 📖 "A falta de água causa o murchamento dos tecidos e .... a morte da planta." (José Antônio Jorge, em *O Estado de S. Paulo*, 05.06.1963.)

murchar [De *murcho* + *-ar*[2].] *V. t. d.* **1.** Tornar ou pôr murcho; privar da frescura ou viço. **2.** Contrair; apertar; encolher: 📋 *Assustado, o cão murchou as orelhas.* **3.** *Fig.* Tirar a força ou a intensidade a: 📋 *A idade murchou toda a sua verve.* **4.** Fazer perder a energia, a veemência, a viveza de afetos, sentimentos, etc.: 📋 *O tempo murchou-lhe a paixão.* **5.** Privar de lustre ou fama; desmerecer, empanar. *Int. P.* **6.** Ficar murcho: 📖 "secam os rios, ... murcham os pastos, permanecem nuas as árvores" (Capistrano de Abreu, *Capítulos de História Colonial*, p. 49); "As flores morrem. Toda a relva entra a murchar." (Manuel Bandeira, *Estrela da Vida Inteira*, p. 14); "Murcharam-se as lindas flores, / Apagou-se a luz do dia." (Correia Garção, *Obras Poéticas e Oratórias*, p. 270). **7.** Perder o viço, a frescura. **8.** Perder a energia, a animação, o brilho, a cor. **9.** Tornar-se triste; entristecer(-se).

murchecer [De *murcho* + *-ecer*.] *V. t. d. Int.* Emurchecer. [Conjug.: v. *aquecer*.]

murchecível [De *murchecer* + *-ível*.] *Adj. 2 g.* Sujeito a murchecer; marcescível (q. v.).

murchidão [De *murcho* + *-idão*.] *S. f.* Estado do que murchou.

murchisônia *S. f. Paleont.* V. *murchisônia*. [Uso freq. em P.]

murchisônia [Do tax. *Murchisonia* < antr. (*Roderick Impey*) *Murchison* (1792-1871), geólogo inglês, + lat. cient. *-ia* (v. *-ia*[2]).] *S. f. Paleont.* **1.** Gênero de moluscos gastrópodes de conchas espiraladas, turriformes, extremamente comuns, nos sedimentos paleozoicos, até o triássico. **2.** Espécie ou espécime desse gênero.

murcho [De or. controversa.] *Adj.* **1.** Que perdeu a frescura, o viço, a cor ou a beleza. **2.** *Fig.* Que perdeu a força ou a energia; triste, pensativo. **3.** Que se esvaziou, ou está esvaziando-se.

murchoso (ô) [De *murcho* + *-oso*.] *Adj. Bot.* V. *marcescente* (2).

murciano *Adj.* **1.** De, ou pertencente ou relativo a Múrcia (Espanha). ● *S. m.* **2.** O natural ou habitante de Múrcia.

mureiana *Bras. S. 2 g.* **1.** *Etnôn.* Indivíduo dos mureianas, povo indígena extinto, que habitava a região entre os rios Paru do Leste e Maecuru (N. do PA). ● *Adj. 2 g.* **2.** Pertencente ou relativo a esse povo. [Tb. us. como *s. 2 g. e 2 n.* (com cap.) e *adj. 2 g. e 2 n.*]

mureira [De *muro* + *-eira*.] *S. f.* Montão de estrume ou monturo, em geral junto de um muro. [Cf. *moreira*, s. f., e *Moreira*, top. e antr.]

muremuré [Do tupi.] *S. m. Bras.* V. *murmuré*.

▲ **muren(i)-** [Do lat. *muraena* ou *murena, ae*.] *El. comp.* = 'moreia': *murenídeo*.

murenídeo [Do tax. *Muraena* (v. *muren(i)-*) + *-ídeo*[1]; tax. *Muraenidae*.] *Zool. S. m.* **1.** Espécime dos murenídeos, grande família de peixes actinopterígios, anguiliformes, marinhos, de corpo ligeiramente achatado, desprovidos de escamas; apresentam as nadadeiras dorsais e anais, mas não as peitorais. Distribuem-se pelas águas quentes e temperadas de todo o mundo. São as moreias. ● *Adj.* **2.** Pertencente ou relativo a eles.

mureru [Do tupi.] *S. m. Bras. Bot.* Mururé (4).

mureta (ê) [De *muro* + *-eta* (ê).] *S. f.* Muro baixo, em geral para anteparo ou proteção.

múrex (cs) [Do tax. *Murex* < lat. *murex*, 'concha de que se extraía a púrpura[2] (11)'.] *S. m. 2 n. Zool.* **1.** Gênero de moluscos gastrópodes, com concha rugosa e espinhenta, muito frequentes nas águas marinhas temperadas e que fornecem um corante púrpura. **2.** Qualquer espécie desse gênero, como, p. ex., a *Murex senegalensis* [v. *púrpura*[2] (3)]. [F. paral., nesta acepç.: *múrice*.] **3.** Qualquer espécime desse gênero.

murexida (cs) [Do tax. *Murex* + *-ida*[4].] *S. f. Quím.* Substância cristalina de cor púrpura, sal de amônio de um ácido derivado da aloxana, us. como indicador em análises químicas [fórm.: $C_8H_8N_6O_6$].

murexido (cs) [Do tax. *Murex* + *-ido*[3]; al. *Murexid*.] *S. m. Quím.* V. *murexida*.

murganho [Do lat. **muricaneu* < **muricu* < lat. *mus, muris*, 'rato'.] *S. m. Zool.* V. *camundongo*[1].

▲ **mur(i)-** [Do lat. *mus, mūris*.] *El. comp.* = 'rato': *murídeo, murino* (< lat.).

muriá [De or. obsc.] *S. m. Bras. Bot.* V. *pau-de-caixa*.

muriaeense[1] *Adj. 2 g. S. 2 g.* V. *muriaense*[1].

muriaeense[2] *Adj. 2 g. S. 2 g.* V. *muriaense*[2].

muriaense[1] *Adj. 2 g.* **1.** De, ou pertencente ou relativo a Muriaé (MG). ● *S. 2 g.* **2.** O natural ou habitante de Muriaé.

muriaense[2] *Adj. 2 g.* **1.** De, ou pertencente ou relativo a Laje do Muriaé (RJ). ● *S. 2 g.* **2.** O natural ou habitante de Laje do Muriaé.

murianha [Alter. de *meruanha* < *beruanha*, do tupi = 'mosca' + o tupi = 'aguçada', 'farpada'.] *S. f. Bras. Zool.* Díptero antomiídeo (*Stomoxys calcitrans*), que ataca os animais e o homem. [Var.: *murinhanha*.]

muriático [De *muriato* + *-ico*[2].] *Adj. Quím.* ~ V. *ácido* —.

muriato *S. m. Quím. Obsol.* Cloreto.

muribequense *Adj. 2 g.* **1.** De, ou pertencente ou relativo a Muribeca (SE). ● *S. 2 g.* **2.** O natural ou habitante de Muribeca.

muricado [Do lat. *muricatu*.] *Adj.* Coberto de pequenas pontas rígidas: 📋 *fruto muricado*.

múrice [Do lat. *murice*.] *S. m. Zool.* Molusco gastrópode, purpurífero. [V. *múrex*.]

murici [Do tupi.] *S. m. Bot.* **1.** *Bras.* Designação comum a várias espécies malpighiáceas do gênero *Byrsonima* (v. *birsônima*), que são árvores e arbustos que produzem um tipo de fruto drupáceo, do mesmo nome, de polpa edula, e que habitam maciçamente os cerrados; muricizeiro. **2.** Esse fruto. **3.** *Bras. RJ* V. *pau-de-caixa*. [Var.: *muruci*.]

murici-cascudo *S. m. Bras. C. Bot.* Árvore malpighiácea (*Byrsonima verbascifolia*) caracterizada pelas enormes folhas peludas, e que é o murici mais disperso pelo cerrado; pau-de-semana. [Pl.: *murícis-cascudos*. Var.: *muruci-cascudo*.]

murici-da-mata *S. m. Bras. Bot.* Árvore malpighiácea (*Byrsonima crispa*) de folhas oblongas, glabras, e cuja casca fornece matéria tintorial; a madeira é us. em construções, e o fruto é edule. [Pl. *murícis-da-mata*.]

municiense *Adj. 2 g.* **1.** De, ou pertencente ou relativo a Murici (AL). ● *S. 2 g.* **2.** O natural ou habitante de Murici.

muricilandense *Adj. 2 g.* **1.** De, ou pertencente ou relativo a Muricilândia (TO). ● *S. 2 g.* **2.** O natural ou habitante de Muricilândia.

muricizal [De *murici* (1) + *-zal*.] *S. m.* **1.** *Bras.* Quantidade mais ou menos considerável de muricizeiros dispostos proximamente entre si. **2.** Área ocupada por muricizal (1).

muricizeiro [De *murici* (1) + *-zeiro*.] *S. m. Bras. Bot.* Murici (1).

muriçoca [Do tupi.] *S. f. Bras. N.E. MG Zool.* V. *mosquito*[1] (1). [Var.: *meruçoca* e *muruçoca*.]

murídeo[1] [De *mur(i)-* + *-ídeo*[1].] *Adj.* **1.** Pertencente ou relativo ao, ou próprio do rato; murino, ratinheiro. **2.** Semelhante a rato.

murídeo[2] [Do lat. cient. *Mur-* (do tax. *Mus*) + *-ídeo*[1]; tax. *Muridae*.] *Zool. S. m.* **1.** Espécime dos murídeos, grande família de roedores, que abrange os ratos e camundongos do Velho Mundo. São pequenos, terrestres, arborícolas, escavadores, ou semiaquáticos. Têm cauda longa e escamosa, e nos saltígrados os membros traseiros são modificados. Têm distribuição quase cosmopolita. ● *Adj.* **2.** Pertencente ou relativo a eles.

murinhanha *S. f. Bras. Zool.* V. *murianha*.

murino [Do lat. *murinu*.] *Adj.* V. *murídeo*[1] (1).

muriqui [Do tupi.] *S. m. Bras. Zool.* V. *buriqui*.

muriquina [Do tupi.] *S. f. Bras. Zool.* V. *buriqui*. [Var.: *muriquinha, mariquina, mariquinha, mariquinhas*.]

muriquinha [Var. de *muriquina* (q. v.).] *S. m. Bras. Zool.* V. *buriqui*.

muriti [Var. de *buriti*.] *S. m. Bras. Bot.* V. *buriti* (1).

muritibano *Adj.* **1.** De, ou pertencente ou relativo a Muritiba (BA). ● *S. m.* **2.** O natural ou habitante de Muritiba.

muritim [Var. nasalada de *muriti*.] *S. m. Bras. Bot.* V. *buriti* (1).

muritinzal [Var. nasalada de *muritizal*.] *S. m. Bras.* V. *buritizal*.

muritizal [De *muriti* + *-zal*.] *S. m. Bras.* V. *buritizal*.

muritizeiro [De *muriti* + *-zeiro*.] *S. m. Bras. Bot.* V. *buriti* (1).

muriva *Bras. S. 2 g.* **1.** *Etnôn.* Indivíduo dos murivas, povo indígena extinto, que habitava a margem direita do rio Tapajós (PA). • *Adj. 2 g.* **2.** Pertencente ou relativo a esse povo. [Tb. us. como *s. 2 g. e 2 n.* (com cap.) e *adj. 2 g. e 2 n.*]

murixaba [Var. de *muruxaba*.] *S. f. Bras. N.E. Pop.* **1.** Amante[2] (6). **2.** Meretriz. [Tb. us. deprec.]

murmulhante [De *murmulhar* + *-nte*.] *Adj. 2 g. Bras.* Que murmulha.

murmulhar [De *murmulho* + *-ar*[2].] *V. int. Bras.* Produzir murmulho; murmurar.

murmulho [De *murmúrio*, com dissimilação.] *S. m.* Ruído das ondas ao arrebentarem, da água corrente, do ramalhar das árvores, etc.; murmúrio: "irmã gêmea .... dos roncos da cachoeira, do murmulho suave do arroio." (Afonso Arinos, *Pelo Sertão*, p. 13); "noites crivadas de vaga-lumes, cheias de murmulhos e de mugidos" (Coelho Neto, *Obra Seleta*, I, p. 248).

múrmur [Do lat. *murmure*.] *S. m.* Ruído da água corrente ou das ondas; murmúrio: "Nem um múrmur alegre, um pio d'ave eu ouço..." (Raimundo Correia, *Poesias*, p. 253); "Na sombra completa do bosque fechado, o 'furo' insinuava-se num múrmur brando." (Alberto Rangel, *Inferno Verde*, p. 120). [Pl.: *múrmures*. Cf. *murmures*, do v. *murmurar*.]

murmuração [Do lat. *murmuratione*.] *S. f.* **1.** Murmúrio (1). **2.** V. *maledicência* (2).

murmurador (ô) [Do lat. *murmuratore*.] *Adj.* V. *murmurante*.

murmurante [Do lat. *murmurante*.] *Adj. 2 g.* **1.** Que produz murmúrio. **2.** Que murmura. [Sin. ger.: *murmurador, murmurativo, murmúreo, murmuroso* e (em ling. poét.) *múrmuro*.]

murmurar [Do lat. *murmurare*.] *V. t. d.* **1.** Emitir (som leve, frouxo). **2.** Dizer em voz baixa; segredar: "murmurava algumas frases truncadas que ela não entendia" (Machado de Assis, *Iaiá Garcia*, p. 222). **3.** Censurar ou repreender disfarçadamente e em voz baixa. *T. d. e i.* **4.** Dizer em voz baixa; segredar: *Aproximou-se dela sorrateiramente e murmurou-lhe umas palavras*; "murmurariam, um ao outro, para se fortalecerem, as tristezas dos seus corações." (Eça de Queirós, *Últimas Páginas*, p. 264). *T. i.* **5.** Dizer mal; maldizer; conceber mau juízo: *Toda a cidade murmurava de seu comportamento*; "Tenho nas mãos desse teu peito a chave / Nunca murmurarei contra o destino / Por mais que a saudade se me agrave." (José Albano, *Rimas*, p. 228). **6.** Falar (contra alguém ou algo); criticar: *Murmuram sempre contra os governantes.* **7.** Conversar, difamando ou desacreditando. *Int.* **8.** Produzir murmúrio ou sussurro; sussurrar: *Tocadas pela brisa, as ondas murmuravam*; "Entre os sinceiros da margem / Murmura o claro Mondego" (Gonçalves Crespo, *Obras Completas*, p. 315). **9.** Soltar queixumes; lastimar-se em voz baixa; resmungar, resmonear: "Seu lábio jamais murmura, / E o seu regaço indolente / Palpita amorosamente" (Luís Guimarães, *Sonetos e Rimas*, p. 190). **10.** Dizer mal de alguém; apontar faltas; conceber mau juízo. [Pres. ind.: *murmuro*, etc.; pres. subj.: *murmure, murmures*, etc. Cf. *múrmuro*, adj., e *múrmures*, pl. de *múrmur*.]

murmurativo [De *murmurar* + *-tivo*.] *Adj.* V. *murmurante*.

murmuré [Var. sincopada de *muremuré*.] *S. m. Bras. Etnogr.* Instrumento musical feito de ossos, usado pelos índios. [Outra var.: *murumuré*.]

murmurejar [De *murmur(ar)* + *-ejar*.] *V. int.* Produzir murmúrio; rumorejar, murmurinhar: "Quase em segredo murmureja o rio" (Guimarães Passos, *Horas Mortas*, p. 16). [Conjug.: v. *pelejar*.]

murmúreo [De *murmur-*, como em *murmúrio* e *murmurar*, + *-eo*.] *Adj.* V. *murmurante*. [Cf. *murmúrio*.]

murmurinhar [Do *murmurinho* + *-ar*[2].] *V. int.* **1.** Produzir murmurinho; murmurejar. *T. d.* **2.** Dizer em voz baixa, como num murmurinho, num sussurro: "E a lufa-lufa das abelhas, indo e vindo / Murmurinhando: — Oh! fevereiro / Festoado e lindo!" (Alberto de Oliveira, *Póstuma*, p. 20.)

murmurinho [De *murmúrio*, com infl. de *burburinho*.] *S. m.* **1.** Sussurro de vozes simultâneas: "As nuvens brancas do incenso enchiam, com o murmurinho das preces, as claras naves." (J. Lúcio d'Azevedo, *O Marquês de Pombal e a Sua Época*, p. 141.) **2.** Ruído brando das folhas, das águas, etc. **3.** Som confuso; murmúrio, burburinho: "para fala, concentrou todas as melodias, balbuciadas no frêmito das virações, no murmurinho das fontes, e nos cânticos das aves" (Antônio Feliciano de Castilho, *Amor e Melancolia*, p. 394).

murmúrio [Do lat. tard. *murmuriu*.] *S. m.* **1.** Ato de murmurar; murmuração. **2.** Ruído das ondas, da água corrente, das folhas agitadas, etc.; murmulho: "Murmúrio d'água, és tão suave a meus ouvidos..." (Manuel Bandeira, *Estrela da Vida Inteira*, p. 83.) **3.** Som de muitas vozes juntas; som confuso; murmurinho, burburinho. **4.** Palavras pronunciadas em voz baixa. **5.** Som plangente; queixa, lamento. [Cf. *murmúreo*.] ◆ **Murmúrio vesicular.** *Pneum.* Som de intensidade variável, normalmente percebido pela ausculta da superfície torácica, e que resulta da passagem de ar pelos bronquíolos, sendo audível, principalmente, durante a inspiração, e imperceptível ao final da expiração.

múrmuro *Adj. Poét.* V. *murmurante*: "e a suave, musical / tagarelice / da água múrmura, a fluir do manancial..." (Hermes-Fontes, *Microcosmo*, p. 48). [Cf. *murmuro*, do v. *murmurar*.]

murmuroso (ô) [De *murmur-*, como em *murmurar*, + *-oso*.] *Adj.* **1.** Que murmura muito; que faz ruído prolongado. **2.** V. *murmurante*: "Os sons se abrandam, tomam um como timbre murmuroso." (Júlio Ribeiro, *A Carne*, p. 182); "movia os lábios numa lenta, murmurosa reza" (Eça de Queirós, *A Cidade e as Serras*, p. 157).

muro [Do lat. *muru*.] *S. m.* **1.** Parede forte que circunda um recinto ou separa um lugar do outro. **2.** *Fig.* Defesa, proteção. **3.** *Bras.* Lugar cerrado para guardar colmeias. **4.** *Bras. CE* Quintal[1] (2). ◆ **Muro das Lamentações.** *Rel.* Parte do muro que cercava O Templo de Jerusalém (q. v.), considerado o lugar mais sagrado do judaísmo, e onde os judeus rezaram e se lamentaram pela destruição de seu templo; muro ocidental. **Muro de arrimo.** *Constr.* Muro, usualmente em talude, que suporta e retém um volume de terra [v. *terra* (15)] , pedras, etc. [Sin.: *muro de contenção, muro de suporte*.] **Muro de contenção.** *Constr.* V. *muro de arrimo*. **Muro de suporte.** *Constr.* V. *muro de arrimo*. **Muro de testa.** *Constr.* Pequena parede construída junto à boca de saída de bueiro ou de comporta, para proteger contra desmoronamento ou correnteza. **Muro ocidental.** *Rel.* Muro das Lamentações. **Estar em cima do muro.** Não tomar partido; evitar pronunciar-se em questão que possa gerar comprometimento; ficar em cima do muro: "– O Benedito [Valadares] sempre esteve e estará em cima do muro." (Roberto Drummond, *Hilda Furacão*, p. 81.) **Ficar em cima do muro.** V. *estar em cima do muro*.

murra [De or. controversa.] *S. f.* Nódoa que a aproximação do fogo produz na pele.

murraça [De *murro* + *-aça*.] *S. f.* Murro forte: "Apetecia-me extinguir este brilho — mais com uma boa murraça do que .... com um tiro do meu revólver." (João de Araújo Correia, *Cinza do Lar*, p. 95.) [Cf. *morraça*.]

murro [De or. obscura.] *S. m.* Pancada com a mão fechada. [Sin.: *soco* e (bras., N.E.) *bogue*. Aum.: *murraça*.] ◆ **Dar murro em faca de ponta.** *Bras.* Dar murro em ponta de faca (q. v.). **Dar murro em ponta de faca.** *Bras.* Pretender o impossível e, às vezes, com risco pessoal; dar murro em faca de ponta. **Dar o murro.** Trabalhar intensamente; dar um murro; dar um duro: "— Pensei que o dinheiro fosse *nosso*. | — É nosso, mas não para gastar à toa. Engraçado, então eu dou o murro lá na loja para você depois comprar lírios? Tem graça." (Luís Vilela, *Tremor de Terra*, p. 57.)

murta [Do lat. vulg. *murta*.] *S. f. Bot.* **1.** Arbusto mirtáceo (*Myrtus communis*) de origem mediterrânea, cultivado como ornamental, e que se caracteriza pelas flores pequeninas e compactas, e fruto bacáceo ovoide, purpúreo tirante ao negro. **2.** Planta melastomácea (*Mouriri guianensis*), nativa do Brasil e das Guianas, cujas folhas apresentam propriedades medicinais; murteira, murteiro. **3.** O fruto da murta (1 e 2).

murta-de-cheiro *S. f. Bras. Bot.* **1.** Jasmim-laranja. **2.** Árvore rutácea (*Murraya paniculata*) procedente da Ásia, cuja madeira, amarelo-clara e resistente, é útil, e cuja casca é us. na indústria de cosméticos. [Pl.: *murtas-de-cheiro*.]

murta-do-mato *S. f. Bras. Bot.* Árvore rubiácea (*Coutarea hexandra*) de grandes folhas e estípulas, flores vistosas tubulosas, e cujos frutos são cápsulas de tamanho mediano. É considerada medicinal. [Sin.: *quina, quinaquina* e *quinquina*. Pl.: *murtas-do-mato*.]

murtal [De *murta* + *-al*[1].] *S. m.* **1.** Quantidade mais ou menos considerável de murtas dispostas proximamente entre si; mirtal, mirtedo. **2.** Área ocupada por murtal (1). [Sin. ger.: *mirtal, mirtedo*.]

murteira [De *murta* + *-eira*.] *S. f. Bot.* V. *murta* (2).

murteiro [De *murta* + *-eiro*.] *S. m. Bot.* V. *murta* (2). [Cf. *morteiro*.]

murtense *Adj. 2 g.* **1.** De, ou pertencente ou relativo a Coronel Murta (MG). • *S. 2 g.* **2.** O natural ou habitante de Coronel Murta.

murtilho [De *murta* + *-ilho*.] *S. m. Bras. S. Bot.* Arbusto mirtáceo (*Myrrhinium rubriflorum*) de folhas sésseis, coriáceas e lanceoladas, flores cimosas, com apenas quatro estames, vermelho-escuros, e cujo fruto é pequena baga.

murtinha [De *murta* + *-inha*.] *S. f. Bras. C.O. Bot.* Árvore mirtácea (*Eugenia aurata*) cujo tronco tem casca suberosa, grossa e rimosa, cujas folhas, depois de secas, se tornam cor de ouro, e cujas flores e frutos, são inconspícuos.

murtinhense *Adj. 2 g.* **1.** De, ou pertencente ou relativo a Porto Murtinho (MS). • *S. 2 g.* **2.** O natural ou habitante de Porto Murtinho.

murtinho [De *murta* + *-inho*[1].] *S. m. Bot.* **1.** Baga de murta. **2.** Designação comum a diversas plantas mirtáceas, entre elas a *Eugenia arenaria*, a *Eugenia ovalifolia* e a *Eugenia insipida*.

muru [Do tupi.] *S. m. Bras. Bot.* **1.** Erva canácea (*Canna aurantiaca*) cultivada como ornamental, us. em ajardinamento e paisagismo; tem flores amplas, de formas exóticas, e fortemente coloridas em alaranjado, e cujos frutos são cápsulas muricadas. **2.** V. *coquilho* (1).

murua *S. f. Bras. Etnogr.* Certa dança dos indígenas.

muruanha [Var. de *meruanha*.] *S. f. Bras. Zool.* V. *mosca-dos-estábulos*.

muruchi [De or. obsc.] *S. m. Bras. Bot.* Arbusto malpighiáceo (*Banisteria dispar*) disperso pelo cerrado e campos, que exibe flores amarelas de pétalas recortadas, dispostas em cachos, e cujo cálice é provido de grandes glândulas, sendo as folhas coriáceas, rígidas.

muruci *S. m. Bras. Bot.* V. *murici*.

muruci-cascudo *S. m. Bras. Bot.* V. *murici-cascudo*. [Pl.: *murucis-cascudos*.]

muruci-da-praia *S. m. Bras. Bot.* V. *murici-da-praia*. [Pl.: *murucis-da-praia*.]

muruçoca *S. f. Bras. Zool.* V. *muriçoca*.

murucu [Do tupi.] *S. m. Bras. AM Etnogr.* Espécie de lança indígena de pau vermelho, com a ponta ervada.

murucutu *S. m. Bras. Zool.* V. *murucututu*.

murucututu [Do tupi.] *S. m. Bras. Zool.* Ave estrigiforme, estrigídea (*Pulsatrix perspicillata*), da América do Sul. Coloração parda; fronte, sobrancelha e mancha na garganta, brancas; mento e peito, pardos; o resto do abdome, amarelo-ocre; alimenta-se de aves e mamíferos, sobretudo roedores: "Desde as sete horas da tarde, só se ouve na povoação o pio agoureiro do murucututu" (Inglês de Sousa, *O Missionário*, p. 82). [Var.: *murucutu*. Sin.: *coruja-do-mato, mocho-mateiro, corujão*.]

murugem *S. f. Bot.* Erva boraginácea (*Myosotis arvensis*) semelhante ao miosótis (q. v.) e, como esta, cultivada em jardins.

muruim (u-ím) *S. m. Bras. Zool.* V. *maruim*.

murumbu *S. m. Bras. Bot.* V. *capim-guiné*.

murumuré *S. m. Bras.* V. *murmuré*.

murumuru [Do caraíba.] *S. m. Bras. Bot.* Palmeira arecácea (*Astrocaryum murumuru*) muito comum na bacia amazônica, cujos frutos são nozes piriformes e medem uns 5 a 6cm de comprimento, e cujas sementes cedem perto de 40% de uma gordura branca que serve na alimentação e para fins técnicos; caicumana.

murumuruzal [De *murumuru* + *-zal*.] *S. m.* **1.** *Bras.* Quantidade mais ou menos considerável de murumurus dispostos proximamente entre si. **2.** Área ocupada por murumuruzal (1).

murumuxaua *S. m. Bras.* V. *morubixaba* (1).

murundu [Do quimb. *mulun'du*.] *S. m. Bras.* **1.** V. *montículo*: "Escondia-se nas curvas, atrás dos murundus" (Nélson de Faria, *Tiziu e Outras Estórias*, p. 204). [Var.: *munduru*.] **2.** Montão.

murundum *S. m. Bras.* Pantanal.

murungu [Do tupi.] *S. m. Bras. Bot.* V. *mulungu* (2).

murupi *S. m. Bras.* Certa pimenta pequena, amarela, dividida em gomos.

murupitá [Do tupi.] *S. f. Bras. Bot.* V. *curupitá* (2).

mururé [Do tupi.] *S. m. Bras. Bot.* **1.** Árvore morácea (*Brosimopsis acutifolia*) nativa do Brasil, de folhas lanceoladas e flores com receptáculos globulares; muirapiranga, mercúrio-vegetal. **2.** V. *aguapé*[2] (1). **3.** Planta onagrácea (*Ludwigia repens*) aquática ou terrestre, de frutos capsulares, tendo, as aquáticas, raízes esponjosas eretas até a superfície; cruz-de-malta, saracura. **4.** Planta cabombácea (*Cabomba aquatica*) cujas folhas inferiores são opostas, e as flutuantes, alternas e orbiculares; mureru. **5.** Planta lentibulariácea (*Utricularia foliosa*) originária do Brasil, cultivada como ornamental, e que é alimentícia para peixes e aves aquáticas. **6.** Planta pontederiácea (*Pontederia cordata*) originária do S. dos E.U.A. e da América tropical; estolhosa, vive em águas rasas, tem folhas amplas e macias, e flores azuis em cachos terminais, sendo ornamental para lagos; orelha-de-veado. [Cf. *moroRé*.]

mururé-carrapatinho *S. m. Bras. Bot.* Pequena erva salviniácea (*Salvinia auriculata*) aquática, flutuante, que tem folhas orbiculares e pilosas, longas raízes que na verdade são folhas transformadas, e cujos esporocarpos surgem junto às raízes. [Pl.: *mururés-carrapatinhos* e *mururés-carrapatinho*.]

mururé-das-cachoeiras *S. m. Bras. Bot.* V. *flor-da-cachoeira*. [Pl.: *mururés-das-cachoeiras*.]

mururerana [De *mururé* + *-rana*.] *S. f. Bras. Bot.* **1.** Pequena árvore morácea (*Brosimum gaudichaudii*) lactescente, muito comum nos cerrados, de folhas coriáceas, flores capituliformes e frutos drupáceos, globosos, que são us. pelas crianças como chicle, pois não se desfazem na boca. [Sin.: *apé, conduru, conduru, mama-cadela*.]

mururé-redondinho *S. m. Bras. Bot.* V. *mureru*. [Pl.: *mururés-redondinhos*.]

mururé-rendado *S. m. Bras. Bot.* Pequena erva salviniácea (*Azolla caroliniana*) de 1 a 3cm, originária da América do Norte, que flutua nas águas, cobrindo-as por inteiro e em pouco tempo, graças à sua rápida multiplicação, por divisão, e cujas folhas são carnosas e bilobadas. [Pl.: *mururés-rendados*.]

mururu[1] [Do tupi.] *S. m. Bras. Bot.* V. *capim-guiné*.

mururu[2] *S. m. Bras. Pop.* **1.** Moléstia intermitente; achaque. **2.** V. *enxaqueca*.

mururu[3] *S. m. Bras. PB* Piruá.

muruti [Var. de *muriti*.] *S. m. Bras. Bot.* **1.** V. *buriti* (1). **2.** O fruto do murutizeiro.

murutinguense *Adj. 2 g.* **1.** De, ou pertencente ou relativo a Murutinga do Sul (SP). ● *S. 2 g.* **2.** O natural ou habitante de Murutinga do Sul.

murutizeiro [De *muruti* + *-zeiro*.] *S. m. Bras. Bot.* V. *buritizeiro*.

muruxaba [Do tupi.] *S. f. Bras. Pop.* **1.** Amante[2] (6). **2.** Meretriz. [Tb. us. deprec.]

muruxaua [Do tupi.] *S. m. Bras.* V. *morubixaba* (1).

murzelo (ê) [Do lat. vulg. *mauricellu* < lat. *mauru*, 'mouro'.] *Adj. S. m.* Diz-se de, ou cavalo morado: 🕮 "Pajens! que arreiem o meu ginete murzelo" (Alexandre Herculano, *Lendas e Narrativas*, II, p. 81); "ardoroso murzelo em cujo pelame fulgia a prata rendilhada dos arreios" (Xavier Marques, *As Voltas da Estrada*, p. 7).

mus[1] [Do basco, pelo esp. plat.] *S. m. 2 n. Bras. RS* Certo jogo de cartas.

mus[2] [Do tax. *Mus*.] *S. m. Zool.* **1.** O gênero-tipo dos murídeos, que inclui várias espécies de roedores de pequeno porte, que se caracterizam pelo encaixe dos incisivos superiores, focinho pontudo, pelas pequeninas orelhas, corpo alongado, e cauda delgada, glabra ou pouco peluda; como os ratos, são vetores de doenças sérias. [Cf. *rato*[1] (1).] **2.** Qualquer espécie desse gênero, como, p. ex., o *Mus musculus* (v. *camundongo*). **3.** Qualquer espécime desse gênero.

musa[1] [Do gr. *moûsa*, pelo lat. *musa*.] *S. f.* **1.** *Mit.* Cada uma das nove deusas que presidiam às artes liberais. **2.** *Mit.* Divindade inspiradora da poesia. **3.** *P. ext.* Tudo quanto pode inspirar um poeta.

musa[2] [Do tax. *Musa* (< ár. *mawzah*, 'banana').] *S. f. Bot.* **1.** Gênero de grandes plantas musáceas, herbáceas, rizomatosas, dotadas de pseudocaule ereto, formado de folhas basais imbricadas, e inflorescências terminais; as flores são unissexuadas, sendo as masculinas terminais e sustentadas por brácteas coloridas. O fruto é uma baga alongada, com inúmeras sementes duras (ausentes apenas nas bananas comestíveis). Há cerca de 35 espécies; as bananas [v. *banana* (1)] são espécies híbridas. **2.** Qualquer espécime desse gênero. **3.** Qualquer espécie desse gênero, como, p. ex., a *Musa paradisiaca* (v. *banana-da-terra*), a *M. sapientium* (v. *banana-prata*) e a *M. cavendishii* (v. *banana-nanica*).

musácea [Do tax. *Musa*, gênero-tipo, + *-ácea*; tax. *Musaceae*.] *S. f. Bot.* Espécime das musáceas, família de monocotiledôneas, da ordem das escitamíneas, compostas de grandes ervas arborescentes e perenes. Flores de perianto corolino; androceu com cinco estames e um estaminódio; ovário trilocular; fruto capsular ou bacáceo. Há umas 150 espécies tropicais, entre as quais a bananeira, que é da maior importância.

musáceo [De *musácea*, com var. suf. (v. *-áceo*).] *Adj. Bot.* **1.** Pertencente ou relativo à família das musáceas. **2.** Relativo ou semelhante à bananeira.

musal [De *musa*[1] + *-al*.] *Adj. 2 g.* Respeitante às musas.

musaranho [Do lat. *musaraneu*.] *S. m. Zool.* Pequeno mamífero soricídeo (*Sorex minutus* [v. *sórex*]), de hábitos esp. noturnos. São carnívoros, muitíssimo vorazes, e têm o olfato muito apurado.

musaranho-de-água *S. m. Zool.* Soricídeo (*Sorex palustris*) de hábitos aquáticos. [Pl.: *musaranhos-de-água*.]

muscadina [Do fr. *muscadine*.] *S. f. Bot.* Videira americana (*Vitis rotundifolia*) de folhas arredondadas e espessas, e frutos do tipo moscatel, e que dá origem a diferentes variedades cultivadas. [Cf. *muscardina*.]

muscadínia [Do tax. *Muscadinia*.] *S. f. Bot.* **1.** Pequeno gênero de videiras lenhosas, de gavinhas simples e medula (3) contínua. **2.** Espécie ou espécime desse gênero.

muscardina [Do fr. *muscardine*.] *S. f.* Doença contagiosa que ataca e mata o bicho-da-seda. [Cf. *muscadina*.]

muscardínico [De *muscardina* + *-ico*[2].] *Adj.* **1.** Relativo à muscardina. **2.** Doente de muscardina.

muscari [Do tax. *Muscari* < lat. *muscum*, 'almíscar'.] *S. m. Bot.* **1.** Gênero de ervas liliáceas, bolbosas. **2.** Qualquer espécie desse gênero, como, p. ex., a *Muscari moschatum*, procedente da Ásia, cultivada como ornamental, com 5 a 6 folhas que crescem até 30cm, flores azuis urceoladas, perfumadas, que se congregam em racemos frouxos **3.** Qualquer espécime desse gênero, ou a flor dele.

muscarina [Do lat. cient. *muscaria* (do tax. *Amanita muscaria*) + *-ina*[3].] *S. f. Quím.* Alcaloide extraído do cogumelo *Amanita muscaria*, cristalino, deliquescente, muito venenoso, que é um cátion de amônio quaternário [fórm.: $(C_9H_{20}NO_2)^+$].

muscarínico [De *muscarina* + *-ico*[2].] *Adj. Bioquím.* Próprio de ou relativo a muscarina e substâncias análogas.

▲ **musc(i)-** [Do lat. *muscus, i*.] *El. comp.* = 'musgo': *muscícola, muscíneo*. [Equiv.: *musco-*: *muscologia*.]

▲ **musci-** [Do lat. *musca, ae*.] *El. comp.* = 'mosca': *muscívoro*.

músci [Do tax. *Musci*.] *S. m. 2 n. Bot.* Espécime dos músci, classe de vegetais briófitos, incluídos entre os criptógamos, dotados de gametófito diferenciado; têm distribuição cosmopolita, e habitam rochas, cascas de árvores, e o solo.

muscicapídeo [Adapt. do tax. *Muscicapidae*.] *Zool. S. m.* **1.** Espécime dos muscicapídeos, grande família de aves passeriformes, de grande distribuição mundial, que atualmente abrange a família dos turdídeos, a dos sabiás. ● *Adj.* **2.** Relativo ou pertencente a eles.

muscícola [De *musc(i)-* + *-cola*[1].] *Adj. 2 g.* Que vive ou vegeta nos musgos.

muscídeo [De *musc(i)-*[1] + *-ídeo*[1]; tax. *Muscidae*.] *Zool. S. m.* **1.** Espécime dos muscídeos, família de insetos dípteros, de tamanho médio, com cerca de 4000 espécies; as fêmeas põem ovos em fezes ou em outros restos orgânicos. São vetores de muitas doenças. ● *Adj.* **2.** Pertencente ou relativo a eles.

musciforme[1] [De *musci-* + *-forme*.] *Adj. 2 g.* Semelhante à mosca.

musciforme[2] [De *musc(i)-* + *-forme*.] *Adj. 2 g.* Semelhante ao musgo.

muscíneo [De *musc(i)-* + *-íneo*, como em *sanguíneo, catarríneo*.] *Adj. Bot.* Relativo ou semelhante aos musgos.

muscívoro [De *musci-* + *-voro*.] *Adj. Zool.* Que se nutre de moscas.

▲ **musco-** [De *musc(i)-* + *-o-*.] Equiv. de *musc(i)-*.

muscógui [Adapt. do ingl. *muskogee* (q. v.).] *S. 2 g.* **1.** *Etnôn.* Indivíduo dos muscóguis, povo indígena norte-americano da Geórgia e do Alabama. ● *S. m.* **2.** *Gloss.* A língua muscoguiana desse povo. **3.** Vocábulo dessa língua.

muscoguiano [De *muscógui* + *-iano*.] *Adj.* **1.** De, ou pertencente, ou relativo aos muscóguis, ou ao muscoguiano (2). ● *S. m.* **2.** *Gloss.* Família de línguas indígenas norte-americanas que inclui o muscógui. **3.** Vocábulo do muscoguiano (2).

muscologia [De *musco-* + *-logia*.] *S. f.* Parte da botânica que estuda os musgos.

muscológico [De *muscologia* + *-ico*[2].] *Adj.* Relativo à muscologia.

muscologista [De *muscologia* + *-ista*.] *S. 2 g.* Muscólogo.

muscólogo [De *musco-* + *-logo*.] *S. m.* Especialista em muscologia; muscologista.

muscoso (ô) [Do lat. *muscosu*.] *Adj.* V. *musgoso*.

muscovita [Do it. ant. *Muscovia* (f. do top. *Moscou*) + *-ita*[3].] *S. f. Min.* Mineral micáceo, branco, amarelo, ou marrom-escuro, de brilho vítreo a sedoso, muito comum em rochas.

musculação [De **muscular* (< *músculo* + *-ar*[2]) + *-ção*.] *S. f.* **1.** Exercício muscular. **2.** O conjunto das ações musculares. **3.** *Restr.* O conjunto de exercícios de ginástica destinados a desenvolver e fortalecer os músculos do corpo.

musculado [De *músculo* + *-ado*[1].] *Adj.* **1.** Que tem músculos. **2.** Que tem músculos bem pronunciados; musculoso.

muscular [De *músculo* + *-ar*[1].] *Adj. 2 g.* Relativo ou pertencente aos, ou próprio dos músculos. ~ V. *célula —, fibra —, fibra — cardíaca, fibra — estriada, fibra — lisa, sistema —* e *tecido —*.

musculatura [Do fr. *musculature*.] *S. f.* **1.** O conjunto dos músculos do corpo; musculosidade. **2.** Vigor muscular; musculosidade. **3.** Maneira de representar os músculos em artes plásticas.

musculina [De *músculo* + *-ina*[3].] *S. f.* **1.** *Obsol.* Proteína ou globulina do tecido muscular. **2.** Preparação de carne crua de vaca, sem gordura, moída, dessecada e coberta com uma delgada camada de açúcar que lhe auxilia a conservação.

músculo [Do lat. *musculu*.] *S. m. Anat.* Órgão com poder de contração e relaxamento, e que se destina a realizar movimentos diversos, dependentes ou não da vontade. Há dois tipos de músculos: os *estriados*, que se subdividem em *esqueléticos* (de ação voluntária) e *cardíaco* (de ação involuntária), e os *lisos*, de ação involuntária, e que fazem parte de diversos órgãos, como, p. ex., intestinos, estômago, bexiga, vasos sanguíneos, dando-lhes movimentação. ◆ **Músculo abdutor.** *Anat.* Aquele que produz abdução. [Tb. se diz apenas *abdutor*.] **Músculo basiofaríngeo.** *Anat.* Cada um de dois músculos que se estendem da base do osso hioide à faringe. [Tb. se diz apenas *basiofaríngeo*.] **Músculo basioglosso.** *Anat.* Porção de cada músculo hioglosso inserida na base do osso hioide. [Tb. se diz apenas *basioglosso*.] **Músculo bucinador.** *Anat.* Cada um de dois músculos situados na espessura de cada bochecha e em cuja compressão age na expulsão de ar da boca, por ocasião de uso de instrumento musical de sopro. [Tb. se diz apenas *bucinador*.] **Músculo constritor superior da faringe.** *Anat.* Cada um de dois músculos, um de cada lado, que tomam parte no mecanismo de constrição da faringe. **Músculo costureiro.** *Anat.* V. *músculo sartório*. [Tb. se diz apenas *costureiro*.] **Músculo digástrico.** *Anat.* **1.** Designação genérica de músculo que tem duas porções carnosas unidas por um tendão. **2.** Cada um de dois músculos do pescoço e cujas ações são as de elevar o osso hioide e de abaixar a mandíbula. **Músculo escaleno.** *Anat.* Cada um de quatro músculos (anterior, médio, mínimo e posterior) que se estendem, de cada lado, de vértebras cervicais (da terceira para baixo) a costelas (primeira ou segunda). **Músculo estapédio.** *Anat.* Músculo que se insere em cada osso estribo, e sobre o qual exerce ação de amortecimento. **Músculo esternocleidomastóideo.** *Anat.* Cada um de dois músculos que se estendem, um de cada lado, da apófise mastoide a clavícula e a esterno. **Músculo estilofaríngeo.** *Anat.* Cada um de dois músculos que se estendem, um de cada lado, da apófise estiloide à faringe. **Músculo estiloglosso.** *Anat.* Cada um de dois músculos que se estendem, um de cada lado, da apófise estiloide à língua. **Músculo estiloióideo.** *Anat.* Cada um de dois músculos, um de cada lado do corpo, e que se estende de osso temporal a osso hioide homolateral. **Músculo estriado.** *Anat.* V. *músculo*. **Músculo extensor.** *Anat.* Aquele que executa a extensão de uma parte qualquer do corpo. [Tb. se diz apenas *extensor*.] **Músculo flexor.** *Anat.* Aquele que executa flexão de uma parte qualquer do corpo. [Tb. se diz apenas *flexor*. Sin.: *flexório*.] **Músculo gastrocnêmio.** *Anat.* Músculo que, em cada perna, se estende do fêmur até o tendão do músculo solear, do mesmo lado, formando o tendão calcâneo (q. v.). **Músculo gêmeo.** *Anat.* Cada um dos músculos pares, paralelos um ao outro, que formam a panturrilha. **Músculo glossofaríngeo.** *Anat.* De cada lado, porção do músculo constritor superior da faringe. **Músculo isquiocavernoso.** *Anat.* Cada um de dois músculos que se originam dos ísquios, se inserem no pênis ou no clitóris e mantêm a ereção de cada um desses. **Músculo liso.** *Anat.* V. *músculo*. **Músculo oblíquo inferior.** *Anat.* O que se origina da maxila, no soalho da órbita, insere-se na esclera e faz girar lateralmente o globo ocular. **Músculo oblíquo superior.** *Anat.* Músculo extrínseco que, em cada olho, permite movimento de rotação para fora e para baixo. **Músculo orbicular da pálpebra.** *Anat.* Denom. ant. de *músculo orbicular do olho*. **Músculo orbicular do olho.** *Anat.* Músculo que circunda a órbita ocular e que tem a função, p. ex., de fechar os olhos e movimentar as sobrancelhas. [Denom. ant.: *músculo orbicular da pálpebra*.] **Músculo poplíteo.** *Anat.* Músculo existente em cada perna e que se estende do fêmur à tíbia. **Músculo pronador.** *Anat.* Aquele que executa pronação de parte qualquer do corpo. [Tb. se diz apenas *pronador*.] **Músculo reto lateral.** *Anat.* Cada um de dois músculos inseridos na borda lateral da esclera, e cuja ação é a de abdução do globo ocular homolateral. **Músculo risório.** *Anat.* Cada um de dois pequenos músculos, um em cada lado da face, e que tem por ação tracionar, em sentido lateral, o ângulo bucal homolateral. [Tb. se diz apenas *risório*.] **Músculo sartório.** *Anat.* Músculo longo e estreito situado na região anterior e interna de cada coxa; músculo costureiro. [Tb. se diz apenas *sartório*.] **Músculo solear.** *Anat.* Músculo que, em cada perna, se estende da fíbula e da tíbia ao calcâneo. **Músculo supinador.** *Anat.* Aquele que executa a supinação de uma parte qualquer do corpo. [Tb. se diz apenas *supinador*.]

musculocartilaginoso (ô) [De *músculo* + *cartilagem* + *-oso*, seg. o padrão erudito.] *Adj. Anat.* De, ou pertencente ou relativo a músculo e cartilagem.

musculoesquelético [De *músculo* + *esquelético*.] *Adj. Anat.* De, ou relativo a músculo estriado esquelético (v. *músculo*). ~ V. *fibrilação* —*a*.

musculomembranoso (ô) [De *músculo* + *membranoso*.] *Adj. Anat.* Respeitante a músculo e membrana.

musculosidade [De *musculoso* + *-(i)dade*.] *S. f.* **1.** Qualidade de musculoso. **2.** Musculatura (1 e 2).

musculoso (ô) [Do lat. *musculosu*.] *Adj.* **1.** Que tem músculos fortes e desenvolvidos; musculado, carnudo. [Sin., pop.: *morrudo*.] **2.** Da natureza dos músculos. **3.** *Fig.* Forte, vigoroso.

museografia [De *museu* + *-o-* + *-grafia*.] *S. f.* Descrição ou catálogo de museu. [Cf. *museologia*.]

museográfico [De *museografia* + *-ico*².] *Adj.* Relativo à museografia.

museógrafo [De *museo-*, como em *museografia*, + *-grafo*.] *S. m.* Autor de museografia.

museologia [De *museu* + *-o-* + *-logia*.] *S. f.* Ciência que trata dos princípios de conservação e apresentação das obras de arte nos museus. [Cf. *museografia*.]

museológico [De *museologia* + *-ico*².] *Adj.* **1.** Relativo à museologia. **2.** Que só tem valor histórico: *filme museológico*.

museologista [De *museologia* + *-ista*.] *S. 2 g.* V. *museólogo*.

museólogo [De *museo-*, como em *museologia*, + *-logo*.] *S. m.* Especialista em museologia. [Sin.: *museologista* e, p. us. no Brasil, *conservador*.]

museotecnia [De *museu* + *-o-* + *-tecn(o)-* + *-ia*¹.] *S. f.* Arte da organização e funcionamento dos museus.

museotécnico [De *museotecnia* + *-ico*².] *Adj.* Referente à museotecnia.

museta (ê) [Do fr. *musette*.] *S. f. Mús.* **1.** Espécie de gaita de foles. **2.** Instrumento pastoril da família do oboé. **3.** Dança campestre, em voga nos séc. XVII e XVIII. **4.** Tipo de composição baseada num baixo persistente, e cujo caráter é ingênuo e pastoril.

museu [Do gr. *Mouseîon*, 'templo das musas', pelo lat. *museu*.] *S. m.* **1.** Qualquer estabelecimento permanente criado para conservar, estudar, valorizar pelos mais diversos modos, e sobretudo expor para deleite e educação do público, coleções de interesse artístico, histórico e técnico. **2.** *Fig.* Reunião de coisas várias; miscelânea.

musgo [Do lat. *muscu*.] *S. m. Bot.* Denominação genérica dos vegetais briófitos, minutos, da classe dos *músci* (q. v.), destituídos de flores e de raízes, e que crescem nas superfícies úmidas de rochas, troncos de árvores, etc.

musgo-espanhol *S. m. Bras. Bot.* V. *barba-de-velho* (2). [Pl.: *musgos-espanhóis*.]

musgoso (ô) [De *musgo* + *-oso*.] *Adj.* **1.** Que tem ou produz musgo. **2.** Coberto de musgo: "E a casa que entre arvoredos / ali sozinha vivia, / tinha já musgosos muros" (Tomás Ribeiro, *D. Jaime*, p. 9). **3.** Semelhante ao musgo. [Sin. ger.: *muscoso*, *musguento*.]

musguento [De *musgo* + *-ento*.] *Adj.* V. *musgoso*.

música [Do gr. *mousiké*, pelo lat. *musica*.] *S. f. Mús.* **1.** Arte e ciência de combinar os sons de modo agradável à audição. **2.** Qualquer composição musical. **3.** Música (2) escrita ou notada; solfa. **4.** Execução de qualquer peça musical: *Os coralistas faziam música na igreja.* **5.** Conjunto ou corporação de músicos. **6.** V. *orquestra* (11). **7.** Filarmônica (2). **8.** Conjunto de sons organizados no tempo a partir de determinada lógica. **9.** *Fig.* Qualquer conjunto de sons. [Deprec.: *musiqueta*. Cf. *musica*, do v. *musicar*.] ◆ **Música absoluta.** *Mús.* Música pura. **Música aleatória.** *Mús.* Obra em que o compositor libera um que outro aspecto da estrutura musical tradicional, e deixa ao intérprete a possibilidade de agir sobre essa estrutura, determinando a duração das notas, ou a sucessão dos sons, ou a sua intensidade, num ato de improvisação criadora. **Música atonal.** *Mús.* Aquela que adota a atonalidade. [Cf. *dodecafonismo* e *série* (11).] **Música concreta.** *Mús.* Gênero de música experimental de vanguarda, ou novo método de compor, idealizado pelo francês Pierre Schaeffer (1910-1995), e através do qual o compositor procura reunir toda espécie de objetos sonoros (sons musicais e ruídos concretos), já gravados em disco ou em fita magnética, para transformá-los em seguida por meio de manipulações complexas, e utilizá-los em montagens e colagens, conforme seu pensamento musical. **Música cromofônica.** *Mús.* Utilização da técnica cromofônica de composição, criada, em 1966, pelo brasileiro Jorge Antunes (1942-), e que consiste na combinação dos sons tratados como cores. **Música das esferas.** *Hist. Filos.* Expressão que remonta aos pitagóricos (v. *pitagorismo*), e que se relaciona à crença de que os corpos celestes, no seu curso, produzem sons musicais. [Cf. *harmonia das esferas*.] **Música de barbeiros.** *Bras. Mús.* Pequena banda de música do Brasil colonial, com base em pistom e trompa, formada por escravos ou negros livres, na sua maioria barbeiros. **Música de câmara.** *Mús.* Qualquer música vocal ou instrumental destinada a um pequeno auditório, a um solista ou a pequenos agrupamentos de solistas, como, p. ex., a sonata para um ou vários instrumentos, o trio, o quarteto, o quinteto, a ária para uma ou duas vozes, as melodias, as cantatas com acompanhamento instrumental ou sem ele, etc. **Música de cena.** *Mús.* O conjunto das peças musicais destinadas a acompanhar determinados momentos de uma peça teatral; música incidental. **Música de estante.** *Mús.* Música sacra, escrita em grandes livros que se colocavam nos facistóis da igreja, em frente do coro; música de facistol. **Música de facistol.** *Mús.* Música de estante. **Música de programa.** *Mús.* A que procura, por meio de elementos instrumentais, descrever um assunto fixado em página literária que vem impressa no programa do concerto. **Música descritiva.** *Mús.* A que pretende evocar os fenômenos do mundo exterior, por meio de uma imitação mais ou menos estilizada dos elementos sonoros que os caracterizam, ou de analogias estruturais. **Música dodecafônica.** *Mús.* Música baseada no dodecafonismo. **Música eletrônica.** *Mús.* A que utiliza sons de origem eletromagnética, que o compositor seleciona e ordena a fim de obter um resultado artístico. **Música espacial.** *Mús.* A que procura criar a ilusão do deslocamento dos objetos sonoros no momento da realização da obra em público. **Música experimental de vanguarda.** *Mús.* A que expressa a revolução musical do séc. XX, e através da qual se vem completando a destruição da estrutura lógico-dedutiva da organização musical tradicional, que é substituída por uma nova sintaxe não discursiva, mas analógico-sintética. **Música folclórica.** *Mús.* Cada uma das formas de música vocal, instrumental ou coreográfica, em geral de autor anônimo, tradicionalmente cultivadas pelas populações rurais e transmitidas oralmente ou por processos primitivos de continuidade cultural. **Música *gospel*.** *Mús.* Música de cunho religioso dos negros norte-americanos, que surgiu na década de 1920 a partir do *negro spiritual* (q. v.) cantado em igrejas evangélicas do S. dos E.U.A. **Música incidental.** *Mús.* Música de cena. **Música infantil.** *Mús.* Aquela com temática infantil, com versos curtos e por vezes repetitivos, feita esp. para as crianças. **Música instrumental.** *Mús.* Obra composta para ser executada apenas por instrumentos. **Música magnetofônica.** *Mús.* Aquela em que o gravador que executa uma fita magnética com música eletroacústica é utilizado como instrumento orquestral. **Música minimalista.** *Mús.* Aquela baseada nas técnicas de composição do minimalismo. **Música modal.** *Mús.* A que emprega escalas diferentes (sem a sensível) das escalas dos modos clássicos maior e menor. **Música pura.** *Mús.* Obra exclusivamente instrumental (fuga, sonata, sinfonia, quarteto de cordas, etc.), e que, não se baseando diretamente em elementos descritivos, quer objetivos, quer psicológicos, tira dos elementos dinamogênicos (ritmo, melodia, harmonia) as suas razões de agradar; música absoluta. **Música serial.** *Mús.* A que se baseia na noção de série (11) (q. v.). **Música sertaneja.** *Mús.* Música que versa, primordialmente, sobre temas da vida do homem do campo, e que faz uso de instrumentos acústicos. [Há tb. a música sertaneja dita moderna, que tem relação com o homem do campo que migrou para a cidade, com canções de temática romântica e uso de instrumentos amplificados.] **Dançar conforme a música.** Agir segundo as conveniências do momento; adaptar-se à situação. [Sin.: *dançar conforme tocam*.]

musicado [Part. de *musicar*.] *Adj.* Que se desenrola ao som de música(s): *filme musicado; espetáculo musicado*.

musical [De *música* + *-al*¹.] *Adj. 2 g.* **1.** Relativo à, ou próprio da música; músico. **2.** Agradável à audição; harmonioso. **3.** *Cin. Teatr. Telev.* Diz-se de espetáculo ou filme em que predominam músicas ou um roteiro musical. **4.** Diz-se de pessoa que tem pendor para música. ~ V. *acento* —, *assinatura* —, *comédia* —, *drama* —, *fundo* —, *prosódia* — e *som* —. ● *S. m.* **5.** *Cin. Teatr. Telev.* Espetáculo ou filme musical (3).

musicalidade [De *musical* + *-(i)dade*.] *S. f.* Qualidade de musical.

musicar [De *música* + *-ar*².] *Mús. V. int.* **1.** Tocar instrumento musical. **2.** Cantar, trautear. *T. d.* **3.** Converter em música. **4.** Compor música para (versos, letra); pôr em música: "decorava modinhas, fazia versos, musicava-os." (Nélson de Faria, *Cabeça-Torta*, p. 119). [Conjug.: v. *trancar*. Pres. ind.: *musico*, *musicas*, *musica*, etc. Cf. *músico* e *música*.]

musicastro [De *músico* + *-astro*.] *S. m.* Músico inferior, de segunda ordem; mau músico: "na Alemanha romântica musicastros anônimos expulsaram Beethoven e arrancaram-lhe da mão a batuta — cetro de uma das maiores soberanias do espírito que passaram sobre a Terra." (Fidelino de Figueiredo, *Um Colecionador de Angústias*, p. 199).

musicata [De *música*, com infl. de *cantata*, *sonata*, *tocata*.] *S. f. Mús. Fam.* **1.** Banda de música. **2.** Execução de uma peça musical.

➔ **music-hall** ['mjuzwik hɔl] [Ingl.] *S. m.* Lugar de diversões públicas, onde se executam músicas leves, danças, pequenas cenas, etc.

musicista [Do it. *musicista*.] *S. 2 g. Bras.* **1.** Apreciador ou amador de música. **2.** Especialista em música.

▲ **musico-** [Do lat. *musĭcus, a, um* < gr. *mousikós*.] *El. comp.* = 'música': *musicografia*, *musicologia*, *musicomania*.

músico [Do gr. *mousikós*, 'relativo às musas, às artes (em especial à música)', pelo lat. *musicu*.] *S. m.* **1.** *Mús.* Aquele que professa a arte da música, compondo peças, tocando e/ou cantando. **2.** *Mús.* Aquele que pertence a banda, orquestra ou filarmônica. [Cf., nessas acepç., *musiqueiro*.] **3.** *Bras. Zool.* V. *uirapuru-verdadeiro*. ● *Adj.* **4.** *Mús.* Musical (1): *instrumento músico*; "Ao fresco arrepio dos ventos cortantes / Em músico estalo rangia o coqueiro." (Castro Alves, *Obra Completa*, p. 357). [Cf. *musico*, do v. *musicar*.] ~ V. *galo* —.

musicofilia (mù) [De *musico-* + *-filia*.] *S. f.* Predileção à música, ou propensão para ela.

musicofílico (mù) [De *musicofilia* + *-ico*².] *Adj.* **1.** Relativo a musicofilia. **2.** Que tem musicofilia; musicófilo. ● *S. m.* **3.** Aquele que tem musicofilia; musicófilo.

musicófilo [De *musico-* + *-filo*².] *Adj. S. m.* Musicofílico (2 e 3).

musicofobia (mù) [De *musico-* + *-fobia*.] *S. f. Psiq.* Aversão à música; melofobia.

musicofóbico (mù) [De *musicofobia* + *-ico*².] *Psiq. Adj.* **1.** Relativo a musicofobia. **2.** Que tem musicofobia; musicófobo, melófobo. ● *S. m.* **3.** Aquele que tem musicofobia; musicófobo, melófobo. [Sin. ger.: *melofóbico*.]

musicófobo (mù) [De *musico-* + *-fobo*.] *Adj. S. m. Psiq.* V. *musicofóbico* (2 e 3).

musicografia (mù) [De *musico-* + *-grafia*.] *S. f. Mús.* **1.** Arte ou atividade do musicógrafo. **2.** Tratado sobre música. ◆ **Musicografia braille.** *Mús.* Notação musical específica para músicos cegos, que combina o sistema braille com a notação musical tradicional.

musicográfico (mù) [De *musicografia* + *-ico*².] *Adj. Mús.* Referente à musicografia.

musicógrafo (mù) [De *musico-* + *-grafo*.] *S. m. Mús.* **1.** Compositor de música; músico. **2.** Instrumento para escrever música. **3.** Autor que escreve sobre música.

musicologia (mù) [De *musico-* + *-logia*.] *S. f. Mús.* Ciência que trata dos assuntos musicais que não se referem propriamente à composição e à execução, tais, como, p. ex., a investigação histórica, a acústica, a estética, a pedagogia, a rítmica e a métrica, as teorias harmônicas, a organologia, o folclore.

musicológico (mù) [De *musicologia* + *-ico*².] *Adj. Mús.* Que diz respeito à musicologia.

musicólogo (mù) [De *musico-* + *-logo*.] *S. m. Mús.* Estudioso da música que se consagra à musicologia ou que discorre ou escreve sobre música.

musicomania (mù) [De *musico-* + *-mania*.] *S. f.* Paixão pela música.

musicomaníaco (mù) [De *musicomania* + *-íaco*.] *Adj.* **1.** Relativo a musicomania. **2.** Que tem musicomania; musicômano. ● *S. m.* **3.** Aquele que tem musicomania; musicômano.

musicómano *Adj. S. m.* V. *musicômano*. [Uso freq. em P.]

musicômano [De *musico-* + *-mano*¹.] *Adj. S. m.* Musicomaníaco (2 e 3).

musicoterapeuta (mù) [De *musico-* + *terapeuta*.] *S. 2 g. Terap.* Especialista em musicoterapia.

musicoterapia (mù) [De *musico-* + *-terapia*.] *S. f. Terap.* Terapia que se utiliza da música para o tratamento de distúrbios psicossomáticos; meloterapia.

musicoterápico (mù) [De *musicoterapia* + *-ico*².] *Adj. Mús.* Relativo à musicoterapia.

musiquear [De *música* + *-ear*².] *V. t. d. Int. Desus.* Musicar (q. v.). [Conjug.: v. *frear*.]

musiqueiro [De *músico* + *-eiro*.] *S. m. Bras.* **1.** Músico de banda. **2.** *Deprec.* V. *musiquim*. [Cf. *músico* (1 e 2).]

musiqueta (ê) [De *música* + *-eta* (ê).] *S. f.* **1.** Pequeno trecho de música. **2.** Música reles.

musiquim [Do it. *musichino*.] *S. m. Pop.* **1.** Músico (1 e 2) pouco hábil, reles, que geralmente faz parte de conjuntos e se apresenta em feiras, festas populares, etc. **2.** *P. ext.* Músico ambulante. [Sin. ger. deprec.: *musiqueiro*.]

➔ **muskogee** [ma'skogij] [Ingl., de língua indígena norte-americana.] *S. 2 g.* V. *muscógui*.

muslim V. *mosleme*.

musmé *S. f.* V. *musmê.*

musmê [Var. de *mussumé*, do jap. *mussumé.*] *S. f.* Mulher japonesa ainda jovem. [Outras var.: *mussumê, musmé.*]

musofagídeo [Adapt. do tax. *Musophagidae.*] *Zool. S. m.* **1.** Espécime dos musofagídeos, família de aves africanas musofagiformes, de porte médio a grande, ger. com plumagem vistosa e colorida, crista, região perioftálmica nua, bico curto e robusto, asas curtas e arredondadas e cauda longa. São sociais, barulhentas, e alimentam-se de frutas, sementes e tb. de artrópodes. São os turacos. ● *Adj.* **2.** Pertencente ou relativo a eles.

musofagiforme [Adapt. do tax. *Musophagiformes.*] *Zool. S. m.* **1.** Espécime dos musofagiformes, ordem de aves africanas constituída somente da família musofagídea. ● *Adj. 2 g.* **2.** Pertencente ou relativo a eles.

musofobia [Do lat. *mus*, 'rato', + *-o-*[1] + *-fobia.*] *S. f. Psiq.* Medo patológico de ratos.

musofóbico [De *musofobia* + *-ico*[2].] *Psiq. Adj.* **1.** Relativo a musofobia. **2.** Que sofre de musofobia; musófobo. ● *S. m.* **3.** Aquele que sofre de musofobia; musófobo.

musófobo [Do lat. *mus*, 'rato', + *-o-*[1] + *-fobo.*] *Adj. S. m. Psiq.* Musofóbico (2 e 3).

mussaca [Do turco *musaka.*] *S. f. e m. Cul.* Prato de origem turca, muito difundido na Grécia e no Oriente Médio, preparado com camadas intercaladas de berinjela e carne moída, e coberto de molho branco gratinado. [F. paral.: *mussacá.*]

mussacá [Do turco *musaka*, pelo fr. *moussaka.*] *S. f. e m. Cul.* Mussaca (q. v.).

mussaenda [Do tax. *Mussaenda.*] *S. f. Bot.* **1.** Gênero que abrange arbustos, subarbustos e trepadeiras rubiáceos, originários de regiões tropicais da África e da Ásia; são dotados de flores tubulares ou afuniladas, vermelhas, róseas, amarelas ou brancas, cada uma delas com uma grande sépala colorida. **2.** Qualquer espécie desse gênero, como, p. ex., a *Mussaenda erythrophyla* (v. *mussaenda-vermelha*). **3.** Qualquer espécime desse gênero, ou a sua flor.

mussaenda-vermelha [De *mussaenda* + o f. de *vermelho.*] *S. f. Bot.* Arbusto rubiáceo (*Mussaenda erythrophyla*) ereto, de folhas aveludadas, sulcadas, abundantes inflorescências com pequenas flores brancas tirantes ao creme, e dotadas de sépala grande, vermelha; é cultivado como ornamental. [Pl.: *mussaendas-vermelhas.*]

musse [Do fr. *mousse.*] *S. f. Cul.* Iguaria doce ou salgada, de consistência cremosa e leve, feita com um ingrediente básico (chocolate, frutas, queijo, camarão, etc.), a que se adicionam claras batidas e/ou gelatina, e servida fria.

musselina [Do fr. *mousseline.*] *S. f.* **1.** *Tec. Têx.* Tecido fino, leve e transparente, de seda, poliéster, algodão ou lã, us. na confecção de camisas, blusas, camisolas, vestidos, etc.: 📖 "D. Eulália, ... enxugando o suor do rosto com a manga do paletó de musselina branco, não se cansava de lhe fazer elogios." (Inglês de Sousa, *O Missionário*, p. 49.) **2.** *Cul.* Preparado culinário de que há várias espécies doces e salgadas e de carnes e peixes, todas as quais levam ovos, sobretudo claras em neve.

musseque [Do quimb. *museke*, 'quinta'; 'lugar de areia'.] *S. m. Angol.* Bairro pobre na periferia de Luanda, capital de Angola (África): 📖 "Os musseques são bairros humildes / de gente humilde" (Agostinho Neto, *Sagrada Esperança*, p. 38).

mussitação [Do lat. *mussitatione.*] *S. f.* Movimento automático dos lábios [v. *lábio* (2)], sem que seja emitido som articulado.

mussitar [Do lat. *mussitare.*] *V. int.* **1.** Falar em voz baixa; cochichar. *T. d.* **2.** Dizer em voz baixa; murmurar; cochichar: 📖 "E, em sonho, ouvir-lhe a voz mussitar, num arquejo, / O nosso nome como quem aspira um beijo..." (Martins Fontes, *Poesias*, V, p. 113.)

mussiú [Do fr. *monsieur.*] *S. m. Bras. MG Pop. Desus.* Alcunha jocosa dada aos franceses.

mussoco (ô) [De várias línguas moçambicanas.] *S. m. Moç.* Na época colonial, imposto de capitação: 📖 "Vens pelo mussoco, não é? A minha gente não paga mussoco ao rei de Portugal..." (Manuel Récio, *Homens do Mato*, p. 149.)

mussumé *S. f.* V. *musmê.*

mussumê *S. f.* V. *musmê.*

▲ **mustel(i)-** [Do tax. *Mustela*, 'marta', < lat. *mustella*, 'doninha'.] ***El. comp.*** = 'marta', 'doninha', 'fuinha': *mustélida.*

mustélida [De *mustel(i)-* + *-ida*[1].] *S. m. Adj. 2 g. Zool.* V. *mustelídeo.*

mustelídeo [Do tax. *Mustela* (v. *mustel(i)-*) + *-ídeo*[1]; tax. *Mustelidae.*] *Zool. S. m.* **1.** Espécime dos mustelídeos, família de mamíferos carnívoros de porte pequeno, corpo alongado, cabeça deprimida, com orelhas reduzidas, pernas curtas, unhas longas e afiladas, cauda bem desenvolvida, glândulas odoríferas dos lados da abertura anal capazes de exalar cheiro forte. São as iraras, os furões, as jaritatacas e as ariranhas. ● *Adj.* **2.** Pertencente ou relativo a eles. [Sin. ger.: *mustélida.*]

mutá [Do tupi.] *S. m. Bras. Amaz.* **1.** Espécie de escada tosca utilizada pelos seringueiros para trepar às árvores. **2.** Estrado alto, ou assento, feito no mato ou à beira da água, no tronco das árvores, para espera da caça ou da pesca. [Var., nesta acepç.: *mutã, muitá.*]

mutã *S. m. Bras. Amaz.* V. *mutá* (2).

mutabilidade [Do lat. *mutabilitate.*] *S. f.* Qualidade de mutável; instabilidade, volubilidade.

mutabílio [Do lat. *mutabilis*, 'que muda', + *-io*[3]; tax. *Mutabilia.*] *Zool. S. m.* **1.** Espécime dos mutabílios, ordem de animais anfíbios, caudados, cujos adultos são desprovidos de brânquias; pulmões presentes (exceto nos plectodontídeos) e crânio com vômeres pares. ● *Adj.* **2.** Pertencente ou relativo a eles. [Sin. ger.: *criptobrânquio, salamandrino, derotremado.*]

mutação [Do lat. *mutatione.*] *S. f.* **1.** Mudança; alteração, modificação, transformação: 📖 "A mutação maravilhosa que se me acabava de operar nas perspectivas da alma, fez rebentar o meu último canto — *A Esperança*." (Antônio Feliciano de Castilho, *Amor e Melancolia*, p. 356.) **2.** Volubilidade, inconstância. **3.** *Genét.* Modificação na informação genética que pode ou não resultar em células ou indivíduos com alterações fenotípicas. **4.** *Mús.* Na teoria musical medieval e renascentista, mudança do nome das notas, quando estas passavam de um hexacorde a outro. **5.** *Mús.* Na fuga tonal, transformação na constituição melódica da resposta em relação ao sujeito. **6.** *Mús.* Alteração do modo, dentro de uma tonalidade, de um acorde ou de um qualquer fragmento musical. **7.** *Mús.* Na salmodia, inflexão que anuncia a segunda parte do versículo. **8.** *Teatr.* Mudança de cenário.

mutacional [De *mutação* + *-al*[1], seg. o padrão erudito.] *Adj. 2 g.* De, ou relativo a mutação.

mutacismo [Do gr. *mytakismós.*] *S. m.* V. *mitacismo.*

mutado [Part. de *mutar.*] *Adj. Genét.* Que sofreu mutação.

mutagênese *S. f. Genét.* V. *mutagênese.* [Uso freq. em P.]

mutagênese [De *muta-*, como em *mutação*, + *-gênese.*] *S. f. Citol. Genét.* Processo que origina mutação (3), e que ocorre espontaneamente, ou é induzido por agentes mutagênicos.

mutagénico *Adj. Genét.* V. *mutagênico.* [Uso freq. em P.]

mutagênico *Adj. Genét.* **1.** Relativo à mutagênese. **2.** Diz-se do agente químico capaz de provocar mutações. ~ V. *agente* —.

mutamba [Do quimb. *mu'tamba.*] *S. f.* **1.** *Bot.* V. *camacã*[2]. **2.** *Bot.* V. *louro-pardo.* **3.** *Bras. AM* Óleo extraído da cápsula da mutamba (1) usado para perfumes e amaciar os cabelos. [Var.: *mutambo.*]

mutamba-preta (ê) [De *mutamba* + o f. de *preto.*] *S. f. Bras. Bot.* V. *açoita-cavalo* (2). [Pl.: *mutambas-pretas* (ê).]

mutambo [Var. de mutamba.] *S. m. Bras. Bot.* V. *camacã*[2].

mutambo-periquiteiro *S. m. Bot.* V. *camacã*[2]. [Pl.: *mutambos-periquiteiros.*]

mutanje *Adj. S. m. Bras. N.E. Pop.* V. *mucufa* (1 e 5).

mutante [Do lat. *mutante.*] *Adj. 2 g. S. 2 g.* **1.** *Biol.* Diz-se de, ou pessoa ou animal que apresenta características marcadamente distintas das de seus ascendentes. **2.** *Genét.* Diz-se de, ou organismo, célula ou gene portador de mutação (3).

mutar [Do lat. *mutare.*] *V. int.* Sofrer mutação.

mutarrotação [Do lat. *mutare*, 'mudar', + *rotação.*] *S. f. Fís.-Quím.* Variação com o tempo do poder rotatório de uma solução de uma substância opticamente ativa.

→ **mutatis mutandis** [mo'tates mo'tandes] [Lat.] Mudado o que deve ser mudado, *i. e.*, com a devida alteração de pormenores.

mutatório [Do lat. tard. *mutatoriu.*] *Adj.* Que muda; que serve para fazer mudança.

mutável [Do lat. *mutabile.*] *Adj. 2 g.* V. *mudável*: 📖 "Não ter opinião ou ter uma opinião oscilante e mutável é comprometer inteiramente os princípios pela falta de virtude." (Ramalho Ortigão, *As Farpas*, IV, p. 128.)

mutelina [Do tax. (*Meum*) *mutellina.*] *S. f. Bot.* Erva apiácea (*Meum mutellina*) nativa na Europa, e que se cultiva graças à folhagem delicada, rosulada e recortada, sendo as flores alvas, pequenas e organizadas em umbelas densas; funcho-dos-alpes.

mútico [Do lat. *muticu.*] *Adj. Bot.* Que não tem qualquer estrutura pungente; desarmado.

mutilação [Do lat. tard. *mutilatione.*] *S. f.* Ato ou efeito de mutilar(-se).

mutilado [Part. de *mutilar.*] *Adj.* **1.** A que falta um membro, ou alguma parte do corpo. ● *S. m.* **2.** Aquele a quem falta um membro, ou alguma parte do corpo.

mutilador (ô) [Do lat. *mutilatore.*] *Adj.* **1.** Que mutila; mutilante. ● *S. m.* **2.** Aquele que mutila.

mutilante [Do lat. *mutilante.*] *Adj. 2 g.* Mutilador (1).

mutilar [Do lat. *mutilare.*] *V. t. d.* **1.** Privar de algum membro ou de alguma parte do corpo. **2.** Cortar (um membro do corpo). **3.** Desramar (1). **4.** *Fig.* Cortar ou destruir qualquer parte de; truncar: 📄 *mutilar um texto.* **5.** Depreciar o merecimento de; amesquinhar, diminuir, reduzir: 📄 *Procuram mutilar o escritor glorioso. P.* **6.** Decepar algum membro ou alguma parte do próprio corpo.

mutirante *S. 2 g. Bras.* Pessoa que trabalha em mutirão: 📖 "Castilho, cidade com menos de 20 mil habitantes, vive quase que exclusivamente da lavoura, e os mutirantes, com raras exceções, são boias-frias." (*Informativo da Secretaria de Habitação e da Companhia de Desenvolvimento Habitacional*, março 1987, ano II, nº 6.)

mutirão [Do tupi.] *S. m.* **1.** *Bras.* Auxílio gratuito que prestam uns aos outros os lavradores, reunindo-se todos os da redondeza e realizando o trabalho em proveito de um só, que é o beneficiado, mas que nesse dia faz as despesas de uma festa ou função. Esse trabalho pode ser a colheita, ou queima ou roçado, ou plantio, ou taipamento ou construção de uma casa. [Var. e sin., em lugares diversos do Brasil: *mutirom, mutirum, muxirão, muxirã, muxirom, muquirão, putirão, putirom, putirum, pixurum, ponxirão, punxirão, puxirum; ademão, adjunto, adjutório, ajuri, arrelia, bandeira, batalhão, boi de cova, corte* (ô), *junta.* Cf. *suta* (3), *traição* (5) e *estalada* (5).] **2.** *P. ext. Bras.* Auxílio gratuito que prestam uns aos outros os membros de uma determinada comunidade, reunindo-se todos em proveito ou de um de seus membros, ou de todos, como no caso, p. ex., da implementação de obra(s) de infraestrutura. **3.** *Bras. AM Zool.* Ave da família dos ardeídeos (*Nyctanassa violacea*).

mutirom *S. m. Bras. PA* V. *mutirão* (1).

mutirum *S. m. Bras. PA* V. *mutirão* (1).

mutismo [Do lat. *mutus*, 'mudo', + *-ismo.*] *S. m.* **1.** Mudez (1) (q. v.). **2.** Estado ou condição de mudo (2): 📖 "E vinha a tal dúvida .... Ataxerxes entristecia, caía no mutismo." (Aníbal M. Machado, *Novelas Reunidas*, p. 196). **3.** *Fig.* Silêncio, sossego.

mutreita *S. f. Bras. RS* Gordura excessiva do gado vacum. ◆ **Estar de mutreita.** *Bras. RS* Estar muito gorda (a carne ou o animal).

mutreta (ê) *S. f. Bras. Gír.* Ardil, logro, trapaça, treta ou treita.

mutretar [De *mutreta* + *-ar*[2].] *V. t. d. Bras. Gír.* Fazer mutreta. [Pres. ind.: *mutreto, mutretas, mutreta*, etc.]

mutreteiro [De *mutreta* + *-eiro.*] *Adj. S. m. Bras. Gír.* Que, ou aquele que faz mutretas; velhaco, trapaceiro.

mutuã *Bras. S. 2 g.* **1.** *Etnôn.* Indivíduo dos mutuãs, povo indígena extinto, da família linguística caraíba, que habitava a região do rio Jamundá (AM). ● *Adj. 2 g.* **2.** Pertencente ou relativo a esse povo. [Tb. us. como *s. 2 g. e 2 n.* (com cap.) e *adj. 2 g. e 2 n.*]

mútua [F. subst. do adj. *mútuo.*] *S. f. Bras.* Sociedade mutuante. [Cf. *mutua*, do v. *mutuar.*]

mutuação [Do lat. *mutuatione.*] *S. f.* **1.** Ato ou efeito de mutuar(-se); troca, permuta. **2.** Ato de dar ou tomar emprestado.

mutuador (ô) [De *mutuar* + *-dor.*] *S. m.* Mutuante (3).

mutual [De *mútuo* + *-al*[1].] *Adj. 2 g. P. us.* V. *mútuo* (1).

mutualidade [De *mutual* + *-(i)dade.*] *S. f.* Qualidade ou estado do que é mútuo; reciprocidade, permutação, troca.

mutualismo [De *mutual* + *-ismo.*] *S. m. Ecol.* Tipo de associação entre organismos de espécies diferentes e no qual há benefícios para uns e outros.

mutualista [De *mutual* + *-ista.*] *S. 2 g.* **1.** Pessoa que é associada de uma companhia de seguros ou de socorros mútuos. ● *Adj. 2 g.* **2.** Relativo a socorros mútuos.

mutuante [Do lat. *mutuante.*] *Adj. 2 g.* **1.** Que mutua. ● *S. 2 g.* **2.** Pessoa que dá de empréstimo, no contrato de mútuo; emprestador. **3.** Pessoa que mutua; mutuador.

mutuar [Do lat. *mutuare.*] *V. t. d.* **1.** Trocar entre si (tratando-se de mais de um indivíduo ou coisa, ou de coletividades); permutar, reciprocar: 📖 "Conduta .... e senso artístico .... são fenômenos paralelos, que recebem a influência do meio em que se banham, mas não mutuam condições específicas de existir." (Mecenas Dourado, *Mecenas ou o Suborno da Inteligência*, p. 210.) **2.** Dar ou tomar de empréstimo (coisa fungível). *T. c.* **3.** Mutuar (2): 📄 *Mutuou 2 mil reais. T. d. e i. T. c. e i.* **4.** Mutuar (2): 📄 *Mutuou enorme quantia com o sobrinho; Mutuaram-lhe 50 mil reais. P.* **5.** Trocar entre si; reciprocar: 📖 "ódio com que, em todos os tempos, os escritores se expuseram à irrisão dos ignorantes, mutuando-se afrontosas injustiças." (Camilo Castelo Branco, *Noites de Insônia*, IX, p. 19). [Pres. ind.: *mutuo, mutuas, mutua*, etc.; fut.

M

pret.: *mutuaria*, etc. Cf. *mútuo*, *mútua* e *mutuária*, fem. de *mutuário*.]

mutuário [Do lat. *mutuariu*.] ***S. m.*** Aquele que recebe por empréstimo qualquer coisa fungível. [Fem.: *mutuária*. Cf. *mutuaria*, do v. *mutuar*.]

mutuca [Do tupi.] ***S. f.*** **1.** *Bras. Zool.* Designação comum aos dípteros da família dos tabanídeos. [Var.: *butuca*.] **2.** *Bras.* Pequeno pacote de maconha. **3.** *Bras. N.E.* Extremidade carbonizada de um fósforo que se implanta entre a unha e a pele, e se acende para despertar alguém. **4.** *Bras. BA* Remador de baleeira. **5.** *Bras. BA Zool.* V. *moreia-pintada*. **6.** *Bras. SP Pop.* V. *espora* (1). ● ***Adj.*** **7.** *Bras.* Diz-se do galo de briga surrado e medroso, utilizado para atiçar a combatividade de outros. **8.** *Bras. N.E. P. ext.* Diz-se de indivíduo covarde. **9.** *Bras. RS* Diz-se de galo ordinário para a rinha.

mutucacaba [Do tupi.] ***S. f.*** *Bras. Zool.* Designação comum aos vespídeos do gênero *Parachartegus*.

mutucal [De *mutuca* (1) + *-al*[2].] ***S. m.*** *Bras.* Lugar onde há muitas mutucas.

mutuense[1] ***Adj. 2 g.*** **1.** De, ou pertencente ou relativo a Mutum (MG). ● ***S. 2 g.*** **2.** O natural ou habitante de Mutum.

mutuense[2] ***Adj. 2 g.*** **1.** De, ou pertencente ou relativo a Nova Mutum (MT). ● ***S. 2 g.*** **2.** O natural ou habitante de Nova Mutum.

mutuipense (u-i) ***Adj. 2 g.*** **1.** De, ou pertencente ou relativo a Mutuípe (BA). ● ***S. 2 g.*** **2.** O natural ou habitante de Mutuípe.

mútulo [Do lat. *mutulu*.] ***S. m.*** *Arquit.* Modilhão quadrado, em cornija de ordem dórica.

mutum [Do tupi.] ***S. m.*** *Bras. Zool.* Designação comum a aves cracídeas do gênero *Crax*, com sete espécies, caracterizadas pelo topete de penas encrespadas, e do gênero *Mitu*, com quatro espécies, com topete de penas retas, quando tem. [Quase todas estas espécies, devido à destruição do seu ambiente natural e à caça, encontram-se em perigo de extinção.]

mutum-açu [De *mutum* + *-açu*.] ***S. m.*** *Bras. Zool.* Ave cracídea (*Crax globulosa*) da Amazônia ocidental, cujo macho, com cerca de 90cm de comprimento, de coloração preta, com abdome e crisso brancos, topete de penas encrespadas, pés pretos, e bico com carúncula globulosa na base da maxila e lobos na mandíbula avermelhados, por vezes, amarelados. A fêmea, com cerca de 82cm de comprimento, é preta, com as penas da crista listradas de branco, abdome e crisso castanho-avermelhados. [Sin.: *mutum-fava*, *mutum-de-assobio*, *mutum-de-assovio*, *mutumboicinim*. Pl.: *mutuns-açus*.]

mutumboicinim ***S. m.*** *Bras. Zool.* V. *mutum-açu*.

mutum-cavalo ***S. m.*** *Bras. Zool.* Ave cracídea (*Mitu tuberosa*) da Amazônia meridional, com cerca de 90cm de comprimento, coloração preta, com o abdome castanho, ponta da cauda branca e ranfoteca vermelha. [Sin.: *mutum-etê*, *mutum-da-várzea*, *mutumpiri*. Pl.: *mutuns-cavalos* e *mutuns-cavalo*.]

mutum-da-várzea ***S. m.*** *Bras. Zool.* V. *mutum-cavalo*. [Pl.: *mutuns-da-várzea*.]

mutum-de-alagoas [De *mutum* + *de* + o top. *Alagoas*.] ***S. m.*** *Bras. Zool.* Ave cracídea (*Mitu mitu*) originariamente endêmica da Mata Atlântica alagoana, tida hoje como extinta na natureza, e com alguns exemplares no cativeiro. Tem coloração geral preta, com o abdome marrom-claro, região auricular nua, bico esbranquiçado na ponta e rosa-claro na base. [Sin.: *mutum-do-nordeste*. Pl.: *mutuns-de-alagoas*.]

mutum-de-assobio ***S. m.*** *Bras. Amaz. Zool.* V. *mutum-açu*. [Pl.: *mutuns-de-assobio*.]

mutum-de-assovio ***S. m.*** *Bras. Zool.* V. *mutum-açu*. [Pl.: *mutuns-de-assovio*.]

mutum-de-penacho ***S. m.*** *Bras. Zool.* Ave cracídea (*Crax fasciolata*) com ampla distribuição no Brasil e tb. na Bolívia, Paraguai e Argentina. O macho, com cerca de 83cm de comprimento, coloração preta, topete de penas encrespadas, ponta da cauda, abdome e crisso brancos, bico amarelo e pernas pretas; a fêmea, um pouco menor, tem coloração negra com riscas brancas, abdome amarelo e pernas vermelhas. [Pl.: *mutuns-de-penacho*.]

mutum-do-cu-branco ***S. m.*** *Bras. Zool.* Mutumporanga. [Pl.: *mutuns-do-cu-branco*.]

mutum-do-nordeste ***S. m.*** *Bras. Zool.* Mutum-de-alagoas. [Pl.: *mutuns-do-nordeste*.]

mutum-do-norte ***S. m.*** *Zool.* Ave cracídea (*Mitu tomentosa*) do alto rio Negro e Branco à Guiana, Venezuela e Colômbia, com cerca de 85cm de comprimento, coloração negra, sem topete, abdome castanho e bico vermelho, sem protuberâncias. [Pl.: *mutuns-do-norte*.]

mutum-do-sudeste ***S. m.*** *Bras. Zool.* Ave cracídea (*Crax blumenbachii*) que, originariamente, ocorria na extensão da Mata Atlântica que ia do Rio de Janeiro ao S. da Bahia e tb. no L. de Minas Gerais, e hoje, devido ao desmatamento e à caça, em número decrescente, está restrita a pouquíssimas áreas. O macho tem coloração negra, ventre e crisso brancos, pequeno topete de penas encrespadas, base do bico vermelha; a fêmea, coloração negra, ventre e crisso amarronzados, topete barrado de branco e a base do bico negra. [Pl.: *mutuns-do-sudeste*.]

mutum-etê ***S. m.*** *Bras. Zool.* V. *mutum-cavalo*. [Pl.: *mutuns-etês*.]

mutum-fava ***S. m.*** *Bras. Zool.* V. *mutum-açu*. [Pl.: *mutuns-favas* e *mutuns-fava*.]

mutumiju [Do tupi.] ***S. m.*** *Bras. Bot.* V. *araribá*.

mutumpiri [Do tupi.] ***S. m.*** *Bras. Zool.* V. *mutum-cavalo*.

mutumporanga [Do tupi = 'mutum belo'.] ***S. m.*** *Bras. Zool.* Ave cracídea (*Crax alector*), distribuída da margem esquerda do rio Amazonas para as Guianas, Colômbia e Venezuela. O macho, com cerca de 95cm de comprimento, é preto, com topete de penas encrespadas, abdome e crisso brancos, ceroma e base do bico amarelos, por vezes, vermelhos; a fêmea, com cerca de 85cm de comprimento, tem topete com riscas brancas. [Sin.: *mutum-do-cu-branco*.]

mutungo ***S. m.*** V. *berimbau* (2).

mútuo [Do lat. *mutuu*.] ***Adj.*** **1.** Recíproco (1): 📖 "Admirava e conhecia essa mulher de a ter encontrado algumas vezes; mas as nossas relações não passavam de uma polidez mútua." (José de Alencar, *Lucíola*, p. 130.) [Sin., desus. *mutual*.] V. *condutância —a*, *fundo —*, *indução —a* e *indutância —a*. ● ***S. m.*** **2.** *Jur.* Contrato pelo qual se transfere a propriedade duma coisa fungível a outrem, que se obriga a pagar-lhe entregando coisa do mesmo gênero, quantidade e qualidade. [Cf., nesta acepç., *comodato*.] **3.** Empréstimo; permutação; reciprocidade. [Cf. *mutuo*, do v. *mutuar*.]

mutuqueiro [De *mutuca* + *-eiro*.] ***S. m.*** *Bras. RS* Neófito em rinhas de galo. [Cf. *motoqueiro*.]

mututi [Do tupi.] ***S. m.*** *Bras. Bot.* Nome comum a três árvores fabáceas (*mututi-branco*, *mututi-da-terra-firme* e *mututi-da-várzea*) do gênero *Pterocarpus* (v. *pterocarpo*) que se caracterizam pelos frutos de asa circular e semente na porção central.

mututi-branco ***S. m.*** *Bras. Bot.* V. *mututi*. [Pl.: *mututis-brancos*.]

mututi-da-terra-firme ***S. m.*** *Bras. Bot.* V. *mututi*. [Pl.: *mututis-da-terra-firme*.]

mututi-da-várzea ***S. m.*** *Bras. Bot.* V. *mututi*. [Pl.: *mututis-da-várzea*.]

mutuuca [Do tupi, poss.] ***S. f.*** *Bras. Zool.* V. *moreia-pintada*.

muvuca ***S. f.*** *Bras. Gír.* **1.** Grande aglomeração de pessoas, e consequente agitação, vozearia, etc. **2.** Desorganização; balbúrdia; bagunça.

muvucado [De *muvuca* + *-ado*[1].] ***Adj.*** *Bras. Gír.* Em que há muvuca.

muxarabi ***S. m.*** V. *muxarabiê*.

muxarabiê [Do fr. *moucharaby* < ár. *mašrabyya(t)*, 'cercado de arame', 'barras de ferro'; 'janela'.] ***S. m.*** Balcão mourisco protegido, em toda a altura da janela, por uma grade de madeira, donde se pode ver sem ser visto. [Var. apocopada: *muxarabi*.]

muxaxo [De or. afric.] ***S. m.*** *Afric. Bot.* Arbusto ou arvoreta euforbiácea (*Sappium mannianum* ou *S. ellipticum*) de folhas elípticas ou oblongo-lanceoladas, simples, alternas, verde-escuras, flores amarelas em espigas terminais, destituídas de pétalas e cujas sépalas têm estilos persistentes, deiscentes, que contêm sementes marrons. Habita os arredores das matas sempre-verdes, nas ravinas sul-africanas.

muxiba [Do quimb. *mu'xiba*, 'nervo', 'veia'.] ***S. f.*** *Bras.* **1.** Carne magra, para cães. **2.** Peles enrugadas e magras da carne; pelancas. **3.** Mamas flácidas. **4.** *Fig.* V. *bruxa* (2).

muxibento [De *muxiba* + *-ento*.] ***Adj.*** *Bras.* Cheio de pelancas ou muxibas: *pescoço muxibento*; 📖 "Era uma coisa encoscorada, muxibenta, toda espichada." (Albertino Moreira, *Boca-Pio*, p. 126).

muxicão ***S. m.*** *Bras. N. N.E. Fam.* **1.** Repelão, safanão: 📖 "A mulher deu um muxicão no marido: | — Acorda homem! É aqui?" (Gilvã Lemos, *Jutaí Menino*, p. 8.) **2.** V. *beliscão*.

muxicar ***V. t. d.*** *Bras. N. N.E. Fam.* Dar muxicão ou muxicões em. [Conjug.: v. *trancar*.]

muxima [Do quimb.] ***S. f.*** *Angol.* Coração (1): 📖 "Buscamos mãe tua muxima / E achamo-la nua, comida pelo sal" (José Eduardo Agualusa, *Coração dos Bosques*, p. 56).

muxinga [Do quimb. *mu'xinga*, 'açoite'.] ***S. f.*** *Bras.* **1.** V. *chicote* (1): 📖 "já a mata em peso estrondava aos gritos, ... às invectivas dos tropeiros armados de muxinga e varas de ferrão com que azorragavam as mulas solteiras carregadas e tangiam os caracus ronceiros das viaturas." (Raimundo Morais, *País das Pedras Verdes*, p. 130). **2.** *Fig.* V. *surra* (1).

muxingueira ***Adj. (f.) S. f.*** *Bras. BA* Diz-se de, ou mulher que vive de favor em teto alheio, trabalhando em excesso, para justificar a comida e teto que lhe dão.

muxira [De or. indígena, poss.] ***S. f.*** *Bras. Amaz.* Certo tipo de rede.

muxirã ***S. f.*** *Bras.* V. *mutirão* (1).

muxirão ***S. m.*** *Bras.* V. *mutirão* (1).

muxirom ***S. m.*** *Bras.* V. *mutirão* (1).

muxito [Do quimb.] ***S. m.*** *Angol.* Bosque, arvoredo: 📖 "O fogo subiu mais alto que as árvores do muxito!" (Castro Soromenho, *Homens Sem Caminho*, p. 93.)

muxoxar [De *muxoxo* (1) + *-ar*[2].] ***V. int.*** **1.** *Angol.* Fazer muxoxo (2): 📖 "A companheira, muxoxando desdenhosamente, saiu resmoneando." (Óscar Ribas, *Ecos da Minha Terra*, p. 18.) **2.** *Bras.* Dar beijos; fazer carícias. [Pres. ind.: *muxoxo*, etc. Cf. *muxoxo* (ô) e *muxoxear*.]

muxoxear [De *muxoxo* (2) + *-ear*[2].] ***V. int.*** *Bras.* Dar muxoxos. [Conjug.: v. *frear*. Cf. *muxoxar*.]

muxoxo (ô) [Do quimb.] ***S. m.*** **1.** *Bras.* Beijo, carícia. **2.** *Bras. Angol.* Estalo com a língua e o céu da boca, por vezes acompanhado da interjeição *ah*, para indicar desprezo ou desdém. [Sin., bras., N.E.: *tunco*.] **3.** *Bras. Bot.* Árvore fabácea (Erythrina fusca) de 20 a 30m de altura, dotada de copa baixa, globosa, folhas alternas, trifoliadas e inflorescências em racemos terminais sobre pedúnculos vermelhos, com flores eretas de até 10cm de comprimento; o fruto é um legume indeiscente, com 15 a 25cm de comprimento. Ocorre na região amazônica, em solos pantanosos e ao longo de rios. [Sin.: *sapato-do-diabo*.] [Pl.: *muxoxos* (ô). Cf. *muxoxo*, do v. *muxoxar*.]

muxuango [F. paral. de *mixuango*.] ***S. m.*** **1.** *Bras. SP* V. *caipira* (1). **2.** *Bras. RJ* Mulato claro, quase branco, mais comum na baixada e no litoral.

muxurumim ***S. m.*** *Bras. BA* V. *muçulmi*.

muxurundar ***V. t. d.*** *Bras. MG Pop.* V. *surrar* (2): 📖 "Gosta de andar com a blusa desabotoada e pra fora das calças curtas. E a mãe muxurunda-o, até por causa dessas pequenas teimas." (Manuel Lobato, *Garrucha 44*, p. 82.)

muzambinhense ***Adj. 2 g.*** **1.** De, ou pertencente ou relativo a Muzambinho (MG). ● ***S. 2 g.*** **2.** O natural ou habitante de Muzambinho.

muzenza [Do quicongo, poss.] ***S. f.*** *Bras. Rel.* No candomblé de rito angola-congo, filha de santo.

muzimo [Do chuabo e do nhungue.] ***S. m.*** *Moç.* Espírito de um antepassado: 📖 "Muzimos, reconhecemos os nossos erros, por amor aos nossos filhos que são os vossos, mandem-nos chuva!" (Paulina Chiziane, *Ventos do Apocalipse*, p. 42.)

muzongué [Do quimb.] ***S. m.*** *Angol. Cul.* Caldo de peixe acompanhado de mandioca, batata-doce e jindungo: 📖 "e não faltava sempre o velho muzongué, caldo de aguentar forças de farristas já com a madrugada a entrar" (José Luandino Vieira, *A Vida Verdadeira de Domingos Xavier*, p. 119).

muzundu ***S. m.*** *Bras. Zool.* Peixe teleósteo, perciforme, escombrídeo (*Pneumatophorus grex*), de dorso verde, com estrias verticais escuras e abdome prateado. Comprimento: até 35cm. Sua pesca é feita com traineiras. [Sin.: *cavalinha*.]

muzungo [De várias línguas moçambicanas.] ***S. m.*** *Moç.* **1.** Indivíduo branco: 📖 "preto é mesmo pra servir de burro de carga de muzungo" (Ascêncio de Freitas, *E as Raiva Passa Por Cima, Fica Engrossar um Silêncio*, p. 129). **2.** Indivíduo de boas maneiras. [Sin. ger.: *mulungo*.]

■ **Mv** *Quím.* Símb. de *mendelévio*.

■ **Mx** *Fís.* Símb. de *Maxwell*.

➔ **myasthenia gravis** [myas'tʰenẹa 'gravẹs] [Lat.] ***S. f.*** *Med.* V. *miastenia grave*.

Minúscula Moderna	Maiúscula Moderna	Minúscula Carolíngia	Romano	Romano	Etrusco	Grego	Grego	Fenício
n	N	n	N	И	Ꮧ	N	Ꮧ	ゝ

Lexicógrafo, filólogo, professor, ensaísta, crítico literário, cronista, contista, tradutor e poeta, Aurélio tornou-se imortal na Academia Brasileira de Letras, sua maior glória. Sentou-se na cadeira 30 ao lado de Josué Montelo. Atrás, está Pedro Calmon.

n (ene ou nê) *S. m.* **1.** A 14ª letra do nosso alfabeto. [Representa, quando em início de sílaba, a consoante nasal oclusiva linguodental (como em *nariz* e *lona*); em final de sílaba, nasaliza a vogal anterior (p. ex.: *vencer, canto, incorreto*). Seguido de *h*, forma o dígrafo que representa a consoante nasal oclusiva palatal, como em *linha*.] **2.** A figura dessa letra, ou qualquer representação sua: 📄 *O autor inverteu propositalmente o* <u>*N*</u>*, no título da obra.* **3.** O som representado por essa letra. ● ***Num.*** **4.** Décimo terceiro, numa série ordenada ou hierárquica cujos elementos são designados ou representados pelas letras do alfabeto, sem considerar o *k* como 11º elemento: 📄 *guichê* <u>*n*</u> (ou *guichê* <u>*N*</u>). **5.** Décimo quarto, nas séries em que a letra *k* figura como 11º elemento. [Quanto ao uso com função adjetiva, cf. ■*n* (5).] [Pl. (nas acepçs. 1 a 3) indicado graficamente pela duplicação da letra: *nn*.]

■ **n 1.** Abrev. de *número*. **2.** Abrev. de *nota* (5). **3.** Símb. de *nano-* (q. v.). **4.** *Fís. Nucl.* Símb. de *nêutron*. **5.** *Mat.* Representação de um número qualquer (ger., inteiro), não determinado. [Nesta acepç., tb. é us. com valor adjetivo, dando ideia de 'em quantidade ou número relativamente grande, ou excessivo', 'vários, muitos': 📄 *Fez* <u>*n*</u> *tentativas, até desistir.*] **6.** *Ópt.* Símb. de *índice de refração*. **7.** *Quím.* Abrev. de *normal* (5).

■ **N 1.** Abrev. de *Norte* (1, 2, 5 e 8). **2.** *Fís.* Símb. de *newton*. **3.** *Mat.* Símb. do conjunto dos números naturais (v. *número natural*). **4.** *Quím.* Símb. de *nitrogênio*. **5.** *Quím.* Abrev. de *normal* (8).

▲ **n-** *Quím.* ***Pref.*** Equivale a normal (6): *n-butano*. [Sempre us. com hífen posposto.]

▲ **-n-** Consoante de ligação: *maraunita*.

na[1] **1.** Equiv. da prep. *em* e do art. def. *a*; fem. de *no*[1] (1) (q. v.): 📄 *Só pensa* <u>*na*</u> *filha.* **2.** Equiv. da prep. *em* e do pron. dem. fem. *a*; fem. de *no*[1] (2) (q. v.): 📄 *Cuida só de sua vida, não pensa* <u>*na*</u> *dos amigos.*

na[2] F. que muitas vezes assume o pron. oblíquo da 3ª pess. sing. fem., *la (a)*, quando precedido de som nasal: 📄 *dão-*<u>*na*</u>*; comparam-*<u>*na*</u>*;* 📖 "E vós, peregrino bando / De andorinhas a emigrar, / — Essa em cujo encalço eu ando, / Não <u>na</u> viste vós passar?" (Raimundo Correia, *Poesias*, p. 139); "Retida em casa, Don'Ana / Qual num cárcere, vivia; / E aí, cerrada a ventana, / Da rua ninguém <u>na</u> via." (Id., *ib.*, p. 256). [V. observação em *no*[3].]

■ **Na** *Quím.* Símb. de *sódio*.

■ $\mathbf{N_A}$ *Fís.-Quím.* Símb. de *constante de Avogadro* [outra f.: *L*].

nã *Adv. Pop.* Não (1).

naali [Desta língua, pelo ingl. *Nahali*.] *S. m. Gloss.* **1.** Língua isolada (q. v.) falada na região de Madhya Pradesh (Índia). **2.** Vocábulo dessa língua.

nababesco (ê) [De *nababo* + *-esco*.] **1.** Próprio de nababo. **2.** *P. ext.* Luxuoso, ostentoso, pomposo: 📖 "a sua fortuna mental [de Rui Barbosa] era <u>nababesca</u>." (Martins Fontes, *Terras da Fantasia*, p. 202).

nababia [De *nababo* + *-ia*[1].] *S. f.* **1.** Dignidade de nababo. **2.** Território submetido a um nababo.

nababo [Do ár. *nuwwāb*, pl. de *nā'ib*, 'delegado', 'representante', 'lugar-tenente', 'vice-rei' ou 'vice-governador' pelo hindi (urdu) *nawāb*.] *S. m.* **1.** Título do lugar-tenente ou do vice-rei nomeado pelo grão-mogol, soberano turcomano da Índia setentrional (do séc. XVI ao XIX), e, depois, designação comum a autoridades menos importantes, na Índia muçulmana. **2.** *P. ext.* O europeu que ocupava alto posto nas Índias, ou que lá enriquecia. **3.** Pessoa muito rica, que vive cercada de luxo; milionário.

nabada [De *nabo* + *-ada*[1].] *S. f. Cul.* Cozinhado feito com cabeças de nabos.

nabal [De *nabo* + *-al*[1].] *S. m.* **1.** Quantidade mais ou menos considerável de nabos dispostos proximamente entre si: 📖 "Medrava a fazenda ao sopro de Deus: couval em dois palmos de terra, <u>nabal</u> em riba de fraga" (Aquilino Ribeiro, *Estrada de Santiago*, p. 292). **2.** Área ocupada por nabal (1).

nabantino *Adj.* **1.** De, ou pertencente ou relativo à cidade de Tomar (Portugal), antiga Nabância. ● *S. m.* **2.** O natural ou habitante dessa cidade.

nabateia (éi) *S. f.* Fem. de *nabateu* (q. v.). ❖

nabateu [Do lat. *nabathaeu*.] *S. m.* **1.** Indivíduo dos nabateus, nome antigo das tribos árabes do deserto da Síria. ● *Adj.* **2.** Pertencente ou relativo aos nabateus. [Fem.: *nabateia*.]

nabi [Do hebr. *nābhi*, 'profeta', pelo fr. *nabis*.] *Adj. 2 g. S. 2 g. Art. Plást.* Diz-se de, ou membro de um grupo de artistas independentes franceses, surgido com grande impacto por volta de 1890, sob a influência de Paul Gauguin (1848-1903) e da gravura japonesa, e cujos valores estéticos se prendem também ao simbolismo literário.

nabiça [Do esp. *nabiza*, poss.] *S. f. Bot.* **1.** Nabo ainda pouco desenvolvido. **2.** Variedade de nabo de que se aproveitam as folhas.

nabiçal [De *nabiça* + *-al*[1].] *S. m.* **1.** Quantidade mais ou menos considerável de nabiças dispostas proximamente entre si. **2.** Área ocupada por nabiçal (1).

nabla [Do gr. *nábla*.] *S. m. Mat.* Operador vetorial que, multiplicado por uma função escalar, forma o gradiente da função, e por uma vetorial, o rotacional; operador del, operador nabla, atled.

nabo [Do lat. *napu*.] *S. m.* **1.** *Bot.* Planta brassicácea (*Brassica napus*) herbácea, cultivada por suas raízes comestíveis, arredondadas ou pontiagudas, roxas ou brancas, conforme a variedade. **2.** A raiz desenvolvida dessa planta. **3.** *Burl.* Pessoa ignorante, néscia, estúpida. **4.** *Chulo* O pênis. **5.** *Bras. S.* A parte do mourão, da tranqueira, do poste ou do esteio, que fica enterrada no solo. ◆ **Comprar nabos em saco.** Comprar ou aceitar uma coisa sem a examinar.

nabuco *Adj. Bras. MG Pop.* V. *suru* (1).

nabucodonosor (ô) *S. m.* Garrafa de champanha equivalente a 20 garrafas de 750ml.

nabuquense *Adj. 2 g.* **1.** De, ou pertencente ou relativo a Joaquim Nabuco (PE). ● *S. 2 g.* **2.** O natural ou habitante de Joaquim Nabuco.

nabuquiano *Adj.* **1.** Relativo ou pertencente a Joaquim Nabuco, grande orador, político, escritor e homem público brasileiro (1849-1919), ou próprio dele. **2.** Que é seu admirador ou profundo conhecedor de sua obra e/ou de sua vida. ● *S. m.* **3.** Grande admirador de Joaquim Nabuco, ou profundo conhecedor da sua obra, ou vida.

naca [De *naco*.] *S. f. Bras.* V. *nacada*: 📖 "Compunha-se esta [a refeição] de uma <u>naca</u> de carne de vento e alguns punhados de farinha, que trazia no alforje." (José de Alencar, *O Sertanejo*, p. 65.)

nacaca *S. m. Guin.* Responsável pela educação e ensino religioso de crianças, entre manjacos muçulmanos.

nacada [De *naco* + *-ada*[1].] *S. f.* **1.** Grande fatia. **2.** Pedaço, naco. [Sin. ger.: *naca*.]

nação [Do lat. *natione*.] *S. f.* **1.** Agrupamento humano, mais ou menos numeroso, cujos membros, ger. fixados num território, são ligados por laços históricos, culturais, econômicos e/ou linguísticos. [Cf. *povo* (1).] **2.** O povo de um território organizado politicamente sob um único governo. **3.** Pessoa jurídica (q. v.) formada pelo conjunto dos indivíduos regidos pela mesma constituição e que, distinta desses indivíduos, é a titular da soberania: 📄 *Ao chegar ao Brasil, em 1808, D. João VI lançou um manifesto às* <u>*nações*</u> *amigas; A Organização das* <u>*Nações*</u> *Unidas foi fundada em 1945.* [Cf., nesta acepç., *estado* (10 e 11).] **4.** País (3). **5.** Terra natal; pátria: 📄 *homens da mesma* <u>*nação*</u>. **6.** Povo ou tribo indígena (do Brasil ou de outra origem): 📖 "—Tu, prisioneiro, tu? — Vós o dissestes. / — Dos índios? — Sim. — De que <u>nação</u>? — Timbiras." (Gonçalves Dias, *Obras Poéticas*, II, p. 28.) **7.** Nas religiões afro-brasileiras, o conjunto daqueles que cultuam as divindades suposta ou originalmente associadas a determinada etnia africana, e que se definem como continuadores das práticas e tradições dessa etnia: 📄 <u>*nação*</u> *nagô;* <u>*nação*</u> *jeje.* **8.** P ext. Grupo de divindades cultuadas por um mesmo grupo ou subgrupo étnico africano, ou por tradição religiosa dele proveniente. **9.** Raça, casta, espécie: 📄 *Que* <u>*nação*</u> *de gente é esta?;* 📖 "nunca vendeu qualquer <u>nação</u> de bicho fêmea, incluída a terra, que também é mulher...” (Nélson de Faria, *Tiziu e Outras Estórias*, p. 101). ~ V. *nações*.

nácar [Do esp. *nácar*, poss. do ár. e persa.] ***S. m.*** **1.** Substância branca, brilhante, com reflexos irisados, e que se encontra no interior das conchas. **2.** Colorido nacarado. [Pl.: *nácares*. Cf. *nacares*, do v. *nacarar*.]

nacara ***S. m.*** *Mús.* Pequeno timbale de cobre, que os árabes introduziram na Península Ibérica.

nacarado [De *nácar* + *-ado*^{1}.] ***Adj.*** **1.** Semelhante ao nácar no brilho ou no aspecto; anacarado, nacarino. **2.** Carminado, rosado, nacarino: “Amo uns suspiros quebrados / Sobre uns lábios nacarados / A gemer, a soluçar.” (Gonçalves Dias, *Obras Poéticas*, II, p. 180.)

nacarar [De *nácar* + *-ar*^{2}.] ***V. t. d.*** **1.** Dar aspecto de nácar a. **2.** Cobrir de nácar. **3.** *Fig.* Tornar rubro ou rosado. [Pres. subj.: *nacare, nacares*, etc. Cf. *nácares*, pl. de *nácar*.]

nacarino [De *nácar* + *-ino*^{1}.] ***Adj.*** V. *nacarado*.

nacauã ***S. m.*** *Bras. Zool.* V. *acauã*.

nacela^{1} [Do lat. tard. *navicella*, dim. de *navis*, ‘nave’, ‘embarcação’.] ***S. f.*** **1.** *Arquit.* Moldura côncava na base duma coluna; escócia. **2.** *Anat.* Fossa navicular da uretra.

nacela^{2} [Do fr. *nacelle*.] ***S. f.*** **1.** *Aer.* Espécie de cesta ou barca, na parte inferior de um aeróstato ou de um balão, destinada a tripulantes e passageiros. **2.** *P. ext.* Espaço da fuselagem ou cabine dos aviões pequenos destinado ao piloto, à tripulação ou, eventualmente, a passageiros.

nacele ***S. f.*** *Aer.* V. *nacela*^{2} (1 e 2).

nachuchu ***S. m.*** *Bras. Bot.* V. *chuchu* (1).

nacibo [Do ár. *naṣīb*, ‘porção’, ‘lote’; ‘fortuna’, ‘sorte’.] ***S. m.*** Sorte, fortuna.

nacional [Do fr. *national*.] ***Adj. 2 g.*** **1.** Da nação; pátrio: *os símbolos nacionais*. **2.** De, ou pertencente ou relativo a uma nação, ou próprio dela: *a marinha mercante nacional; os bens nacionais; problemas nacionais*. [Cf. *internacional* e *multinacional*.] **3.** Diz-se de quem, por nascimento (ou por naturalização), pertence a uma nação, ou de coisa nela produzida: *a mão de obra nacional; os carros nacionais*. **4.** Vernáculo (1). ~ V. *baile —, bandeira —, cadeia —, contabilidade —, contas nacionais, emissora —, guarda —, hino —, língua —, memória —, metrópole —, poder —, produto —, produto — bruto, produto — líquido, renda —* e *próprios nacionais*. • ***S. m.*** **5.** V. *nativo* (8).

nacionalidade [De *nacional* + *-(i)dade*.] ***S. f.*** **1.** Condição ou qualidade de quem ou do que é nacional. **2.** País de nascimento. [Cf. *naturalidade* (2).] **3.** Condição própria de cidadão de um país, quer por naturalidade (3), quer por naturalização (1). **4.** O complexo dos caracteres que distinguem uma nação, como a mesma história, as mesmas tradições comuns, etc.: *A Insurreição Pernambucana foi a primeira manifestação expressiva da nacionalidade brasileira*.

nacionalismo [De *nacional* + *-ismo*.] ***S. m.*** **1.** Exaltação do sentimento nacional; preferência marcante por tudo quanto é próprio da nação à qual se pertence; patriotismo. **2.** Doutrina baseada neste sentimento e que subordina toda a política interna de um país ao desenvolvimento do poderio nacional. **3.** Doutrina política que reivindica para um povo o direito de formar uma nação politicamente organizada (esp. num Estado [11] soberano). **4.** Política de nacionalização de todas as atividades dum país — indústria, comércio, artes, etc. **5.** *Hist. Polít.* Tendência ou processo histórico da época moderna, pelo qual os diversos povos ou nações têm formado unidades políticas ou Estados (10) independentes: *O nacionalismo mudou o mapa europeu no século XIX*.

nacionalista [De *nacionalismo* + *-ista*.] ***Adj. 2 g.*** **1.** Relativo ao nacionalismo; patriótico, nacionalístico. **2.** Que é partidário do nacionalismo. • ***S. 2 g.*** **3.** Partidário dele.

nacionalístico [De *nacionalista* + *-ico*^{2}.] ***Adj.*** V. *nacionalista* (1).

nacionalização [De *nacionalizar* + *-ção*.] ***S. f.*** Ato ou efeito de nacionalizar(-se).

nacionalizador (ô) [De *nacionalizar* + *-dor*.] ***Adj. S. m.*** Que, ou aquele que nacionaliza.

nacionalizante [De *nacionalizar* + *-nte*.] ***Adj. 2 g.*** Que dá feição nacional a; que nacionaliza; nacionalizador: “Antes da plêiade (chamemo-la assim) mineira, houve poetas nacionalizantes na Bahia desde Anchieta, e não podiam levar a pecha de revoltosos.” (João Ribeiro, *Crítica*, I, p. 95.)

nacionalizar [De *nacional* + *-izar*.] ***V. t. d.*** **1.** Tornar nacional; dar feição nacional a. **2.** Naturalizar (1 e 2). **3.** Estatizar: *O governo nacionalizou a exploração do petróleo*. ***P.*** **4.** Fazer-se nacional; naturalizar-se (q. v.).

nacionalizável [De *nacionalizar* + *-vel*.] ***Adj. 2 g.*** Que pode ou deve ser nacionalizado.

nacional-socialismo [Do al. *Nationalsozialismus*.] ***S. m.*** Nazismo. [Pl.: *nacional-socialismos*.]

nacional-socialista [Do al. *Nationalsozialist*.] ***Adj. 2 g. S. 2 g.*** V. *nazista*. [Pl.: *nacional-socialistas*.]

nacipense ***Adj. 2 g.*** **1.** De, ou pertencente ou relativo a Nacip Raydan (MG). • ***S. 2 g.*** **2.** O natural ou habitante de Nacip Raydan.

nacnianuque *Bras.* ***S. 2 g.*** **1.** *Etnôn.* Indivíduo dos nacnianuques [ou (etnôn. bras.) *Naknyanúk], povo indígena extinto, da família linguística botocudo, que habitava as margens dos rios Doce, São Mateus e Mucuri (MG). • ***Adj. 2 g.*** **2.** Pertencente ou relativo a esse povo.

naco [De or. incerta.] ***S. m.*** V. *nacada* (2): “tirou da bolsinha de couro um naco de fumo escuro” (Jaime d’Altavila, *Lógica de um Burro*, p. 11).

nações [Pl. de *nação*.] ***S. f. pl.*** Designação bíblica dos gentios ou pagãos. ~ V. *nação*.

nacreé *Bras.* ***S. 2 g.*** **1.** *Etnôn.* Indivíduo dos nacreés [ou (etnôn. bras.) *Nakrehé], povo indígena extinto, da família linguística botocudo, que habitava a região do rio Doce (ES e MG). • ***Adj. 2 g.*** **2.** Pertencente ou relativo a esse povo.

nacrita [Do fr. *nacrite*.] ***S. f.*** *Min.* Uma das variedades do caulim.

nada [Da loc. do lat. tard. *res nata*, ‘nenhuma coisa nascida’, que, com elipse do *não* (*res* [*non*] *nata*) e perda do *res*, passou a significar ‘coisa alguma’, ‘nada’.] ***Pron. indef.*** **1.** Nenhuma coisa; coisa alguma: *Não estuda nada, nada sabe*. [Sin. (bras., pop.) *níquel*, (p. us.) *bus*, e (gír.) *lhufas* e *nicles*.] • ***Adv.*** **2.** De modo nenhum; absolutamente não: *É um pequeno esperto, nada tolo*. • ***S. m.*** **3.** A não existência. **4.** V. *ninharia*: *Brigaram por um nada, uma tolice*. **5.** Pessoa insignificante, seja pelo aspecto físico (quando o termo tem, muitas vezes, significado carinhoso, e é, tb., us. no dim.), seja pelo intelectual ou moral (quando o termo é, em geral, us. pejorativamente): *É pequenininho, um nada; É um nadinha de gente; Era um escritor de meia-tigela, um nada*. **6.** *Filos.* O que se opõe ao ser, em graus e em sentidos diversos; não ser. [Abre-se o nada à reflexão quer mediante categorias do pensamento, sendo concebido como negação, privação ou limite, quer mediante experiências de ordem afetiva pelas quais se revela ao ser humano a finitude. Em Heidegger, p. ex., o nada se revela pela angústia (5) (q. v.), como componente do *Dasein* (q. v.).] ◆ **Nada de nada.** Absolutamente nada; coisa nenhuma; nada dos nadas, nadica de nada: “Zé Boné nada de nada contava.” (João Guimarães Rosa, *Primeiras Estórias*, p. 41); “Sei só que não se acaba realmente e de uma vez nada de nada do que nos faz saudade.” (Francisco Ribeiro Sampaio, *Renembranças*, p. 7). **Nada dos nadas.** V. *nada de nada*: “nem bilhetes de loteria, nem sortes grandes ou pequenas, — nada dos nadas veio ter comigo.” (Machado de Assis, *Dom Casmurro*, p. 189). **Dar em nada.** Não ter, absolutamente, nenhum resultado: resultar em nada. **De nada.** Muito pequeno ou insignificante; sem importância; à toa: “— Mas está ferido, disse a velha. | — Cousa de nada.” (Id., *Várias Histórias*, p. 124); “Confessou-me que apenas tivera uma dor de cabeça de nada” (Id., *Dom Casmurro*, p. 319). **Não ser de nada.** *Pop.* **1.** Não passar da palavra à ação; não fazer o esperado ou devido. **2.** Ser um covarde, um fraco. **Quando nada.** No mínimo; no pior dos casos: *Pedro ganha, quando nada, mais que José*.

nada-consta [De *nada* + a 3.ª pess. sing. do pres. ind. de *constar*.] ***S. m. 2 n.*** Documento burocrático em que se declara nada constar contra o peticionário.

nadada [De *nadar* + *-ada*^{1}.] ***S. f.*** *Bras.* V. *nadadura*.

nadadeira [De *nadar* + *-deira*.] ***S. f.*** **1.** *Zool.* Órgão locomotor dos peixes, constituído por uma expansão cutânea em forma de lâmina, sustentada por um esqueleto ósseo ou cartilaginoso. **2.** *Zool.* Cada um dos membros remiformes, próprios para a natação, dos cetáceos e dos pinípedes. **3.** *Bras.* Pé de pato (2). ◆ **Nadadeira adiposa.** *Zool.* Excrescência carnosa situada entre a nadadeira dorsal e a caudal, comum em peixes caracídeos. [Tb. se diz apenas *adiposa*.] **Nadadeira anal.** *Zool.* Aquela situada na parte inferior do corpo dos peixes, após o ânus. [Tb. se diz apenas *anal*.] **Nadadeira caudal.** *Zool.* Aquela situada na porção terminal dos peixes, e que é importante para sua locomoção. [Tb. se diz apenas *caudal*.] **Nadadeira dorsal.** *Zool.* Aquela situada no dorso dos peixes, e que pode ser única, ou dividida em duas ou três partes. [Tb. se diz apenas *dorsal*.] **Nadadeira peitoral.** *Zool.* Cada uma de um par de nadadeiras situadas logo após as fendas branquiais, ou abaixo delas. [Tb. se diz apenas *peitoral*.] **Nadadeira pélvica.** *Zool.* Cada uma de um par de nadadeiras situadas na região ventral do peixe; nadadeira ventral. [Tb. se diz apenas *pélvica*.] **Nadadeira ventral.** *Zool.* Nadadeira pélvica. [Tb. se diz apenas *ventral*.]

nadador (ô) [De *nadar* + *-dor*.] ***Adj.*** **1.** Que nada ou sabe nadar. **2.** Que serve para nadar. • ***S. m.*** **3.** Aquele que nada.

nadador-salvador (ô... ô) ***S. m.*** *Lus.* V. *salva-vidas* (2). [Pl.: *nadadores-salvadores*. Cf. *banheiro* (5 e 6).]

nadadura [De *nadar* + *-dura*.] ***S. f.*** Ato ou efeito de nadar. [Sin.: *nado* e (bras.) *nadada*.]

nadante [Do lat. *natante*.] ***Adj. 2 g.*** **1.** Que nada; nadador. **2.** Que fica à tona da água; flutuante.

nadar [Do lat. *natare*.] ***V. int.*** **1.** Sustentar-se e mover-se sobre a água por impulso próprio: “tinha ímpetos .... de nadar atravessando o rio” (Inglês de Sousa, *O Missionário*, p. 205). **2.** Conservar-se ou sustentar-se sobre a água; flutuar, boiar, sobrenadar. **3.** Saber os preceitos e a prática da natação. ***T. i.*** **4.** Estar imerso em um líquido: “apontou .... para um prato, onde fatias transparentes de abacaxi nadavam em calda de vinho.” (Aluísio Azevedo, *Casa de Pensão*, p. 118). **5.** Estar ou ficar molhado ou banhado: *Chorava tanto que nadava em lágrimas*. **6.** Ter em abundância (dinheiro, bens de fortuna): *nadar em ouro; Com a herança ficou nadando em dinheiro*; “essa festa legal era na casa de uma tal de Licinha, cujo pai era contrabandista, estava nadando no tutu.” (Rubem Fonseca, *A Coleira do Cão*, pp. 168-169). **7.** Sentir ou experimentar intensamente: “nadam hoje em júbilo e satisfação.” (Machado de Assis, *Crônicas*, I, p. 151). **8.** Engolfar-se suavemente, com prazer. ***T. d. T. c.*** **9.** Percorrer (nadando): *Nada longas distâncias; Nadava 20 quilômetros diariamente*.

nádega [Do lat. vulg. *natica*, der. de *nates*, ‘nádegas’.] ***S. f.*** **1.** *Anat.* Cada uma das duas partes globosas na porção inferior do dorso (1). **2.** Parte carnuda atrás e por baixo da garupa das cavalgaduras. [Var.: *nalga*.] ~ V. *nádegas*.

nadegada [De *nádega* + *-ada*^{1}.] ***S. f.*** V. *nalgada*.

nadegal [De *nádega* + *-al*^{1}.] ***Adj. 2 g.*** Nadegueiro.

nádegas [Pl. de *nádega*.] ***S. f. pl.*** O conjunto das duas nádegas: “alvas formas de sereias / De braços nus e nádegas redondas.” (Manuel Bandeira, *Estrela da Vida Inteira*, p. 58). [Var.: *nalgas*; sin.: *quadril* e (alguns fam., inf., pop. ou chulos, e bras.): *assento, traseira* ou *traseiro, bozó, bunda, caneco, holofote, lândrias, lorto, padaria, popa, popô, popança, rabo, rabiosque, rabioste, rabiote, rabisteco, rabistel, trá-lá-lá, tundá*.] ~ V. *nádega*.

nadegoso (ô) [De *nádega* + *-oso*.] ***Adj.*** Nadegudo.

nadegudo [De *nádega* + *-udo*.] ***Adj.*** De grandes nádegas; bundudo: “Em pintura preferia [Severiano de Resende] as mulheres nadegudas de Renoir” (Agripino Grieco, *Memórias*, II, p. 25).

nadegueiro [De *nádega* + *-eiro*.] ***Adj.*** **1.** Relativo a nádegas. **2.** Situado nas nádegas. [Sin. ger.: *nadegal*.]

na-dene [Do rad. atabascano *na-* (conexo com o haida *na*, ‘morar’; ‘casa’, e com o tlinguite *na*, ‘povo’) + fr. *Déné*.] ***S. m.*** *Gloss.* Bloco (8) que inclui três famílias de línguas indígenas norte-americanas: o atabascano, o haida e o tlinguite. [F. paral.: *na-denê*.]

na-denê ***S. m.*** *Gloss.* V. *na-dene*.

nadica *Bras. Joc.* ***Pron. indef.*** **1.** Nada (1): *não sabe nadica*. • ***Adv.*** **2.** Nada (2): *Não é nadica bobo para concordar*. ◆ **Nadica de nada.** V. *nada de nada*.

nadificar [De *nada* + *-ificar*.] ***V. t. d.*** *Filos.* Segundo Sartre (v. *sartriano*), processo pelo qual a consciência, exercendo o modo de ser que lhe é próprio, torna para si (q. v.) o que é em si (q. v.), e o anula. [Conjug.: v. *trancar*.]

nadinha [De *nada* + *-inha*.] ***Pron. indef.*** Nada (1): *Não quero nadinha*. ◆ **Um nadinha.** **1.** Pequena porção de alguma coisa. **2.** Muito pouco; quase nada. **3.** Coisa insignificante, sem importância.

nadir [Do ár. *nāẓir*, ‘ponto diretamente oposto (ao zênite)’.] ***S. m.*** **1.** *Astr.* Interseção inferior da vertical do lugar com a esfera celeste, e que é o ponto diametralmente oposto ao zênite. **2.** *P. ext.* O ponto mais baixo, o tempo ou lugar onde ocorre a maior depressão.

nadiral [De *nadir* + *-al*^{1}.] ***Adj. 2 g.*** Referente ao nadir.

nadível^{1} [De *nado*^{2} + *-ível*.] ***Adj. 2 g.*** *Desus.* V. *nativo* (1 a 6).

nadível^{2} [De *nadar* + *-ível*, irregularmente.] ***Adj. 2 g.*** *Desus.* Que se pode atravessar nadando.

nadivo [De *nado*^{2} + *-ivo*.] ***Adj.*** *P. us.* V. *nativo* (1 a 6).

nado^{1} [Dev. de *nadar*.] ***S. m.*** **1.** V. *nadadura*. **2.** Espaço que se pode percorrer nadando. ◆ **Nado borboleta.** *Nataç.* Estilo de natação em que as braçadas, semelhantes às do nado livre, se realizam simultaneamente alçando-se a cabeça e o peito para fora da água num movimento que lembra asas abertas, enquanto as pernas se encolhem e esticam num forte impulso. [Sin. (lus.): *nado mariposa*. Cf. *golfinho*^{1}(4).] **Nado de bruços.** *Lus.* Nado de peito. **Nado de cachorrinho.** Aquele em que a pessoa faz movimentos de braços e de pernas sem obedecer a um estilo, à maneira de um cão que se locomove na água. **Nado de costas.** *Nataç.* Aquele em que o nadador, com o corpo reto voltado para cima, movimenta os braços acima da cabeça com impulsos alternados, enquanto as pernas executam batidas ligeiras. **Nado de peito.** *Nataç.* Aquele em que se flexionam e se afastam braços e pernas dentro da água com movimentos coordenados, à maneira das rãs: as braçadas vencem a resistência da água com um impulso, de modo que a cabeça aflora à superfície para respirar, enquanto os pés se separam, voltando depois o nadador à posição inicial. É o método mais antigo de natação, e também o mais lento. [Sin.: *braçada de peito* e (lus.) *nado de bruços*.] **Nado livre.** *Nataç.* O método mais rápido de natação, em que o nadador desliza à tona da água com braçadas longas e alternadas de modo que pode virar a cabeça para respirar, enquanto as pernas se movimentam em rápidas batidas, golpeando a água. [Sin., ingl.: *crawl*.] **Nado mariposa.** *Lus.* Nado borboleta. **Nado sincronizado.** *Esport.* Conjunto de exercícios coreografados realizados na piscina, em grupo ou individualmente.

nado² [Do lat. *natu*.] Part. irreg. de *nascer* (q. v.) e *adj.* Nascido, nato: 📖 "Quando acordei era já sol nado, havia muito." (Bernardo Pinheiro Pindela, *Azulejos*, p. 69.)

nado-morto [De *nado²* + *morto*.] ***Adj. S. m.*** V. *natimorto*. [Pl.: *nado-mortos*.]

nafé [Do ár. *nafha(t)*.] ***S. m.*** Quiabo (q. v.), em certos países da África e da Europa.

náfego [Alter. de *náufrago*.] ***Adj.*** **1.** Diz-se do equídeo que tem um quadril menor que o outro. **2.** Diz-se do animal aleijado que coxeia: 📖 "Havia já pelo pátio reses náfegas, coxeando." (José Américo de Almeida, *O Boqueirão*, p. 22.) [Sin., bras., nessas acepç.: *náufico*.] ● ***S. m.*** **3.** Fratura do osso ilíaco cavalar, da qual resulta tornarem-se-lhe desiguais os quadris.

nafil ***S. m.*** V. *anafil¹*.

nafir ***S. m.*** V. *anafil¹*.

nafó ***S. m.*** *Guin.* Espécie de gorro bordado, de uso masculino.

nafta [Do lat. *naphta*, gr. *náphtha*, de or. oriental, relacionado, por empréstimo, ao ár. *naf*+ou *nif*+, 'betume', 'petróleo', e ao persa.] ***S. f.*** *Quím.* Mistura hidrocarbonetos de faixa de ebulição baixa, obtida por destilação direta do petróleo (ou de alcatrão), e que é ger. us. para reformação (2). [Sin. restr.: *éter de petróleo*.]

■ **Nafta** [Acrôn. do ingl. *North American Free Trade Agreement*.] Sigla de *Acordo de Livre Comércio da América do Norte*.

▲**nafta-** *Quím.* V. *naft(o)-*.

naftaceno [De *nafta-* + *-aceno*.] ***S. m.*** *Quím.* Hidrocarboneto aromático tetracíclico, isômero do criseno, de cor laranja, presente em pequena quantidade no alcatrão de hulha, e cujas moléculas são formadas por dois naftalenos fundidos, com um lado comum, gerando uma estrutura linear [fórm.: $C_{18}H_{12}$].

naftaleno [De *nafta-* + *-l-* + *-eno²*.] ***S. m.*** *Quím.* Hidrocarboneto aromático com dois anéis benzênicos fundidos, cristalino, branco, com cheiro característico, obtido na destilação do alcatrão de hulha [fórm.: $C_{10}H_8$].

naftalina [Do fr. *naphtaline*.] ***S. f.*** **1.** *Quím.* Designação popular do naftaleno. **2.** *P. ext.* Naftaleno industrializado e usado para defender roupas, estofos, etc. de traças e outros insetos.

naftenato [De *nafteno* + *-ato²*.] ***S. m.*** *Quím.* Qualquer sal ou éster do ácido naftênico.

naftênico ***Adj.*** *Quím.* V. *naftênico*. [Uso freq. em P.]

naftênico [De *nafteno* + *-ico²*.] ***Adj.*** *Quím.* Diz-se de compostos derivados do ácido naftênico. ~ V. *ácido* —.

nafteno [De *naft(o)-* + *-eno²*.] ***S. m.*** *Quím.* Designação genérica de cicloalcanos, como ciclopentano, cicloexano, decalina, e derivados, encontrados em petróleos de origem russa ou californiana.

▲ **naftil-** [De *naft(o)-* + *-il²*.] *Quím.* ***El. comp.*** que indica a presença do radical naftila num composto: *naftilamina*.

naftila [De *naft(o)-* + *-ila²*.] ***S. f.*** *Quím.* O grupo monovalente $C_{10}H_7$, derivado do naftaleno.

naftilamina ***S. f.*** *Quím.* Qualquer de duas aminas aromáticas cristalinas, tóxicas, derivadas do naftaleno, us. na preparação de corantes [fórm.: $C_{10}H_9N$].

▲ **naft(o)-** [Do V.C.I. *naphth-*, *naphtho-*, *naphtha-* < gr. *náphtha*, *es*.] ***El. comp.*** *Quím.* = 'nafta': *naftaceno*, *naftila*, *naftoquinona*. [Equiv.: *nafta-*; *naftaleno*.]

naftol [De *naft(aleno)* + *-ol²*.] ***S. m.*** *Quím.* **1.** Qualquer dos dois fenóis derivados do naftaleno [fórm.: $C_{10}H_8O$]. **2.** *P. ext.* Qualquer fenol derivado de naftol (1). [Pl.: *naftóis*.]

naftoquinona [De *naft(o)-* + *quinona*.] ***S. f.*** *Quím.* **1.** Quinona derivada do naftaleno, da qual existem dois isômeros [fórm.: $C_{10}H_6O_2$]. **2.** Qualquer quinona derivada da naftoquinona (1).

nagã [De *Nagan*, nome comercial.] ***S. m.*** *Bras.* Revólver grande e de cano longo, usado na cavalaria. [Var.: *nagão*.]

nagana [Do zulu *u-nakane*, *ulu-nakane*.] ***S. f.*** *Veter.* Doença do sono (q. v.) dos bovídeos e equinos, e que ocorre na África central.

nagão ***S. m.*** *Bras.* V. *nagã*.

nagi [Do antr. *Nagib*, poss.] ***S. m.*** *Bras. S. da BA* Fazendeiro de cacau. [Cf. *nagibe*.]

nagibe [Do antr. *Nagib*.] ***S. m.*** *Bras. S. da BA Deprec.* Turco (2). [Cf. *nagi*.]

nagô [Do fom, poss.] ***S. 2 g.*** **1.** Indivíduo dos nagôs, povo de língua iorubana que vive a S.E. da República do Benim (África). **2.** *Bras. BA* Ioruba (1). ● ***S. m.*** **3.** *Bras. MA* Casa de mina. ● ***Adj. 2 g.*** **4.** Pertencente ou relativo aos nagôs. **5.** *Bras. BA* Ioruba (3). ~ V. *molho* —.

nágua ***S. f.*** V. *anágua*.

naia ***S. f.*** *P. us.* V. *náiade* (1): 📖 "Nas clareiras das matas, à hora fulva do sol, ... os poetas viam, sonhando de olhos abertos, os trebelhos dos sátiros lascivos e das esquivas naias tentadoras..." (Martins Fontes, *A Dança*, pp. 17-18.)

náiada ***S. f.*** V. *náiade* (1).

naiadácea [Do lat. cient. *Naiad-* (do tax. *Naia*, gênero-tipo) + *-ácea*; tax. *Naiadaceae*.] ***S. f.*** *Bot.* Espécime das naiadáceas, família da ordem das naiadales ou alismatales que compreende apenas o gênero *Najas* [v. *náiade* (3)]; são caracterizadas pelas flores unissexuais, aclamídeas ou monoclamídeas. São ervas aquáticas submersas, cujas flores emergem das águas, doces ou salgadas, onde vivem.

naiadáceo [De *naiadácea*, com var. suf. (v. *-áceo*).] ***Adj.*** *Bot.* Pertencente ou relativo às naiadáceas.

naiadal [Do lat. cient. *Naiad-* (v. *naidácea*) + *-al¹*.] ***Adj. 2 g.*** *Bot.* Pertencente ou relativo às naiadales.

naiadale [Adapt. do tax. *Naiadales*.] ***S. f.*** *Bot.* Espécime das naiadales, ordem de dicotiledôneas ger. incluída na ordem das alismatales.

náiade [Do gr. *Naiás*, *ádos*, 'ninfa dos cursos de água', pelo lat. *Naiade*.] ***S. f.*** **1.** Divindade mitológica inferior, que presidia aos rios e às fontes; a ninfa dos rios e das fontes. [F. paral. (p. us.), nesta acepç.: *naia*. Var.: *náiada*. Cf. *ondina*.] **2.** *Zool.* Designação das formas jovens dos insetos cujas larvas são aquáticas e os adultos terrestres, como os odonatos e efemerópteros; odonáiade. **3.** *Bot.* Planta naiadácea (*Najas guadalupensis*) nativa da Índia e da América tropical, de folhas lineares e sementes elipsoides; najas. **4.** Uma das cinco regiões em que o botânico alemão Karl Friedrich Philipp von Martius (1794-1868) dividiu a flora do Brasil, e constituída pela região cálido-úmida ou região das náiades. **5.** *Astr.* Um dos satélites de Netuno, com diâmetro de 54km e órbita quase circular de 48.200km, no sentido direto e inclinada de 4,5° em relação ao plano equatorial. [Foi descoberto em 02.07.1989 pela sonda espacial norte-americana *Voyager 2*.] [Com cap., nesta acepç.]

naiádeo [De *náiade* + *-eo*.] ***Adj.*** Relativo ou semelhante à náiade (3).

➔**naïf** [na'if] [Fr.] *Art. Plást.* ***Adj. 2 g.*** **1.** Diz-se de arte, esp. pintura, desvinculada da tradição erudita convencional e de vanguarda, e que é espontânea e popularesca na forma sempre figurativa, valendo-se de cores vivas e simbologia ingênua: 📖 "A pintura *naïf* se impõe por sua autenticidade" (João Spinelli, em *Bienal Naïfs do Brasil* 1998, p. 100). **2.** Diz-se de quem pratica arte *naïf* (1), ou daquilo que é próprio, ou característico, dessa arte; ingênuo, primitivo: 📖 "A apropriação de símbolos e mitos da cultura popular rural e da periferia urbana é recuperada pelos artistas naïfs." (Id., *ib.*, p. 100.) ● ***S. m.*** **3.** A arte *naïf* (1). ● ***S. 2 g.*** **4.** Artista, em geral autodidata, que pratica o *naïf* (3): 📋 *Ela é uma das mais talentosas naïfs brasileiras*; 📖 "Assim como fazem nos países realmente cultos, devemos dar vivas aos *naïfs* do Brasil." (Romildo Sant'Anna, *ib.*, p. 99). [Embora em francês *naïf* seja voc. masculino (fem.: *naïve*), no Brasil é us., nas acepç. 1, 2 e 4, como voc. de dois gêneros.]

náilon [Do ingl. *nylon*, nome comercial.] ***S. m.*** *Tec. Têx.* **1.** Fibra têxtil sintética, derivada de resina poliamida, e que se caracteriza por ser imputrescível, elástica e de notável resistência aos agentes atmosféricos. **2.** *P. ext.* Tecido ou outro material fabricado com essa fibra.

naipada [De *naipe* + *-ada¹*.] ***S. f.*** Série de cartas do mesmo naipe.

naipar [De *naipe* + *-ar²*.] ***V. int.*** *Bras.* Jogar as cartas dum só naipe.

naipe [De or. obscura.] ***S. m.*** **1.** Cada um dos quatro símbolos com que se distinguem os quatro grupos das cartas de jogar: ouros e copas (*naipes vermelhos*) e paus e espadas (*naipes pretos*). **2.** *Mús.* Cada um dos grupos de instrumentos em que se costuma dividir a orquestra. **3.** *Fig.* Qualidade, condição, categoria, classe: 📋 *É um jogador de primeiro naipe.* **4.** Conjunto, grupo: 📋 *Aqui ele tem um bom naipe de amigos.* ◆ **Naipes pretos.** V. *naipe* (1). **Naipes vermelhos.** V. *naipe* (1).

naipeira [De *naipe* + *-eira*.] ***S. f.*** *Pop.* Certo número de cartas de naipe igual.

naira [Fem. de *naire*.] ***S. f.*** **1.** Mulher hindu da casta dos naires: 📖 "Cem mulheres em flor, cem nairas soberbas, / Aos pés dele, no liso chão, / Espreguiçam sorrindo as suas graças finas" (Machado de Assis, *Poesias Completas*, p. 315). **2.** Unidade monetária, e moeda, da Nigéria.

naire [Do sânscr. *nayaka*, 'chefe', 'diretor', pelo malaiala *nayar*.] ***S. m.*** Entre os hindus do Malabar, militar nobre.

naja [Do tax. *Naja* (< sânscr. *nâgá*, 'serpente').] ***S. f.*** *Zool.* **1.** Gênero de ofídios venenosos, do S. da Ásia e da África. **2.** Qualquer espécie desse gênero, como, p. ex., a *Naja tripudians*, cujo pescoço se dilata quando o animal enraivece. **3.** Qualquer espécime desse gênero.

najá [De *anajá*, com aférese.] ***S. f.*** *Bras. Bot.* **1.** V. *inajá*. **2.** V. *indaiá*. **3.** V. *maria-rosa*.

najadácea [Do lat. cient. *Najad-* (do tax. *Naja*, gênero-tipo) + *-ácea*; tax. *Najadaceae*.] ***S. f.*** *Bot.* V. *naiadácea*.

najadáceo [De *najadácea*, com var. suf. (v. *-áceo*).] ***Adj.*** *Bot.* V. *naiadáceo*.

najas [Do tax. *Najas*.] ***S. f. 2 n.*** *Bot.* Náiade (3).

nalga ***S. f.*** V. *nádega*: 📖 "mulheres de nalgas maciças, ... de pernas opulentas" (Camilo Castelo Branco, *Vulcões de Lama*, p. 22).

nalgada [De *nalga* + *-ada¹*.] ***S. f.*** Pancada nas nalgas ou nádegas, ou com elas; nadegada. [Cf. *narigada*.]

nalgas ***S. f. pl.*** V. *nádegas*.

nalgum Equiv. da prep. *em* e do pron. indef. *algum*: 📖 "o rebanho deitado numa encosta ou nalgum cabeço de outeiro" (Silva Guimarães, *Os Borrachos*, p. 12). [Flex.: *nalguma*, *nalguns*, *nalgumas*.]

nalímega *Bras.* ***S. 2 g.*** **1.** *Etnôn.* Indivíduo dos nalímegas, povo indígena extinto que habitava as margens de um afluente do rio Paraguai (MS). ● ***Adj. 2 g.*** **2.** Pertencente ou relativo a esse povo. [Tb. us. como *s. 2 g. e 2 n.* (com cap.) e *adj. 2 g. e 2 n.*]

nama [Desta língua.] ***S. 2 g.*** **1.** *Etnôn.* Indivíduo dos namas, povo hotentote de Namaqualand ou Namaland, região costeira que vai da Namíbia ao cabo da Boa Esperança (África do Sul). ● ***S. m.*** **2.** *Gloss.* Língua da família coissã, falada na região de Grande Namaland (Namíbia); hotentote, tama. ● ***Adj. 2 g.*** **3.** Pertencente ou relativo aos namas, ou ao nama (2).

namasque [Contr. de *não mais que*.] ***Adv.*** *Bras. Amaz.* Na forma de costume; regularmente.

nambi [Do tupi = 'orelha'.] ***S. m.*** *Bras.* **1.** Orelha (1). ● ***Adj. 2 g.*** **2.** De orelha cortada ou atrofiada. **3.** Diz-se do cavalo que tem as orelhas caídas. **4.** V. *suru* (1).

nambiju [Do tupi = 'orelha amarela'.] ***Adj. 2 g.*** *Bras. S.* Diz-se do animal vacum de orelhas fulvas ou amarelas.

nambiquara *Bras.* ***S. 2 g.*** **1.** *Etnôn.* Indivíduo dos nambiquaras [ou (etnôn. bras.) *Nambikwara], povo indígena da família linguística nambiquara, que habita os municípios de Vila Bela da Santíssima Trindade, Diamantino, Barra do Bugre, Alto Paraguai, Pontes Lacerda (MT) e Vilhena (RO), e constituído por três agrupamentos étnicos: **a)** *nambiquara do campo* (*Halotesu, *Kithaulu, *Wakalitesu, *Sawentesu); **b)** *nambiquara do norte* (*Negarotê, *Mamaindê, *Latundê); **c)** *nambiquara do sul* (*Hahauitesu, *Alantesu, *Waikisu, *Alaketesu, *Wasusu, *Sararé). ● ***S. m.*** **2.** *Gloss.* Família linguística que reúne as línguas faladas pelos agrupamentos étnicos nambiquaras. ● ***Adj. 2 g.*** **3.** Pertencente ou relativo a nambiquara ou aos nambiquaras.

nambiquara do campo *Bras. Etnôn.* ***S. 2 g.*** **1.** V. *nambiquara* (1). ● ***Adj. 2 g.*** **2.** Pertencente ou relativo aos nambiquaras do campo. [Pl.: *nambiquaras do campo*.] ☑

nambiquara do norte *Bras. Etnôn.* ***S. 2 g.*** **1.** V. *nambiquara* (1). ● ***Adj. 2 g.*** **2.** Pertencente ou relativo aos nambiquaras do norte. [Pl.: *nambiquaras do norte*.] ☑

nambiquara do sul *Bras. Etnôn.* ***S. 2 g.*** **1.** V. *nambiquara* (1). ● ***Adj. 2 g.*** **2.** Pertencente ou relativo aos nambiquaras do sul. [Pl.: *nambiquaras do sul*.] ☑

nambiuvu (i-u) [De or. tupi.] ***S. m.*** *Bras. S.* Doença de cães; caracterizada por hemorragia nas orelhas.

nambu [Var. de *inhambu*.] *Bras.* ***S. m. e f.*** **1.** *Zool.* V. *inhambu*: 📖 "Já os nambus piavam nos matos, quando ela fechou silenciosamente a janela." (Coelho Neto, *Treva*, p. 212.) ● ***S. m.*** **2.** *Bot.* Cará-mimoso.

nambuaçu ***S. m.*** *Bras. Zool.* V. *inhambuaçu*.

nambuanhanga ***S. m.*** *Bras. Zool.* V. *inhambuanhanga*.

nambucuá ***S. m.*** *Bras. Zool.* V. *inhambucuá*.

nambu-grande ***S. m.*** *Bras. Zool.* V. *inhambu-grande*. [Pl.: *nambus-grandes*.]

nambuguaçu ***S. m.*** *Bras. Zool.* V. *inhambuguaçu*.

nambumirim ***S. m.*** *Bras. Zool.* V. *inhambumirim*.

nambupixuna ***S. m.*** *Bras. Zool.* V. *inhambupixuna*.

nambu-preto ***S. m.*** *Bras. Zool.* V. *inhambu-preto*. [Pl.: *nambus-pretos*.]

nambuquiá ***S. m.*** *Bras. Zool.* V. *inhambuquiá*.

nambu-relógio ***S. m.*** *Bras. Zool.* V. *inhambu-relógio*. [Pl.: *nambus-relógios* e *nambus-relógio*.]

nambu-saracuíra ***S. m.*** *Bras. Zool.* V. *inhambu-saracuíra*. [Pl.: *nambus-saracuíras* e *nambus-saracuíra*.]

nambu-sujo ***S. m.*** *Bras. Zool.* V. *inhambu-sujo*. [Pl.: *nambus-sujos*.]

N

nambuu *S. m. Bras. Zool.* V. *inhambuu.*
nambuxintã *S. m. Bras. Zool.* V. *inhambuxintã.*
nambuxororó *S. m. Bras. Zool.* V. *inhambuxororó.*
nambuzinho [De *nambu* + *-zinho.*] *S. m. Bras. CE Zool.* V. *inhambuxintã.*
namibiano *Adj.* **1.** De, ou pertencente ou relativo à Namíbia (S.O. da África). ● *S. m.* **2.** O natural ou habitante da Namíbia.
namoração [De *namorar* + *-ção.*] *S. f. Bras.* V. *namoro* (1).
namorada [Fem. de *namorado.*] *S. f.* Moça ou mulher a quem se namora; pequena. [Sin., bras., deprec.: *osso.*]
namoradeira [De *namorar* + *-deira.*] *S. f.* Mulher que gosta de namorar; magana. [Sin. ger. (bras., pop., p. us.): *azeiteira.*]
namoradeiro [De *namorar* + *-deiro.*] *Adj.* V. *namorador* (1). [Fem.: *namoradeira.*]
namoradiço *Adj.* **1.** Pronto em namorar, em fazer ou aceitar galanteios: "À tarde, uma moçoila <u>namoradiça</u> colhe um ramilhete de carvalhas" (José Vieira, *Sol de Portugal*, p. 39). **2.** V. *namorador.*
namorado [Part. de *namorar.*] *Adj.* **1.** Que se namorou ou enamorou: *o mancebo <u>namorado</u>.* **2.** Galanteado, requestado. **3.** Meigo, suave, doce, terno, amorável: "Vieram depois as <u>namoradas</u> recreações da fantasia, que o absorveram todo e acalentaram-lhe o sono" (José de Alencar, *O Sertanejo*, p. 72). ● *S. m.* **4.** Aquele que é requestado, galanteado; namoro. [Sin. (fam. ou pop.), nesta acepç.: *conversado, pequeno, derriço* e (bras.) *xodó, camote, grinfo.*] [Fem.: *namorada.*] **5.** *Bras. Zool.* Peixe teleósteo, perciforme, pinguipedídeo (*Pseudopercis numida*), do Atlântico, de coloração violáceo-escura, com pintas brancas esparsas pelo corpo, nadadeira dorsal contínua da nuca ao pedúnculo caudal, e comprimento de até 1m. **6.** *Bras. Zool.* V. *jandaia* (3).
namorador (ô) [De *namorar* + *-dor.*] *Adj.* **1.** Que namora, ou que gosta de namorar; galanteador, namoradeiro, namoradiço. ● *S. m.* **2.** Aquele que namora; galanteador. [Sin. ger., p. us.: *azeiteiro* e (bras., BA) *cortador.*]
namorar [Var. aferética de *enamorar.*] *V. t. d.* **1.** Procurar inspirar amor a; requestar, cortejar: "Uma velhota metida a faceira, ... que tinha a mania de <u>namorar</u> os rapazes elegantes da cidade." (Viriato Correia, *Novelas Doidas*, p. 24.) [Sin.: *arrastar a asa a, fazer pé de alferes a, azeitar* e (bras., S.) *tourear.*] **2.** Inspirar amor a; apaixonar; cativar; atrair, seduzir: "Sete anos e nove meses tinha ele de casado com a Luzia .... <u>Namorara</u>-o o seu lindo cabelo preto, o seu rosto de nazarena" (Trindade Coelho, *Os Meus Amores*, p. 228). **3.** Manter relação de namoro com; ser namorado de: *<u>Namora</u> a moça há muitos anos, e nada de casamento.* **4.** Desejar ardentemente; cobiçar. **5.** Empregar todos os esforços por obter. **6.** Fitar (alguma coisa) de maneira insistente e com vontade de possuí-la. **7.** Atrair, chamar: *A mesa de jogo <u>namorava</u>-o.* *T. i.* **8.** Manter relação de namoro; ser namorado: "O Promotor <u>namorava</u> com a filha do coronel Quincas" (Bernardo Élis, *Caminhos e Descaminhos*, p. 58); "Edílio está <u>namorando</u> com Mirna" (Dias da Costa, *Canção do Beco*, p. 19); "nunca disse por vergonha a nenhum colega de liceu que <u>namorava</u> com ela, se calhava aproximar-se toda risinhos à saída das aulas" (Lobo Antunes, *O Esplendor de Portugal*, p. 10). [O uso de *namorar* com esta regência é perfeitamente legítimo, moldado em *casar com* e *noivar com.*] *Int.* **9.** Andar em requestos ou galanteios: "poderia [Lima Barreto] dizer que só havia <u>namorado</u> uma única vez, aos 16 anos" (Francisco de Assis Barbosa, *Lima Barreto*, p. 217). [Sin. (bras., pop.) nesta acepç.: *derriçar, fazer cera, fazer tijolo, graxear, pegar uma ponta.*] **10.** Procurar conquistar. [Sin. (bras., gír.), nesta acepç.: *paquerar.*] *P.* **11.** Ficar enamorado; possuir-se de amor; apaixonar-se, enamorar-se: "porque a aventureira <u>se namorou</u> do redator de um jornal, que não tinha vintém" (Machado de Assis, *Relíquias de Casa Velha*, p. 26). **12.** Andar em requestos ou galanteios recíprocos: "Doquinha tinha onze anos, Mário doze. Outros meninos e meninas da mesma idade <u>se namoravam</u>, conversavam com desenvoltura" (Oto Lara Resende, *Boca do Inferno*, p. 75). **13.** Tomar-se mutuamente de amor: "O Teófilo olhou para cima; Helena sorriu. | <u>Namoraram-se</u>." (Artur Azevedo, *Contos Possíveis*, p. 28.) **14.** Agradar-se; encantar-se; enamorar-se: *<u>Namorou-se</u> da cidadezinha, e por lá ficou.* [Pres. ind.: *namoro*, etc. Cf. *namoro* (ô), s. m.]
namoratório [De *namorar* + *-tório.*] *Adj.* Respeitante a namoro (1).
namorável [De *namorar* + *-vel.*] *Adj. 2 g.* Que pode ser namorado.
namoricador (ô) [De *namoricar* + *-dor.*] *Adj. S. m.* Que, ou aquele que namorica; namoriscador.
namoricar [De *namorico* + *-ar*[2].] *V. t. d.* **1.** Namorar por pouco tempo; requestar levianamente; namoriscar. *Int.* **2.** Namorar alguém por pouco tempo ou levianamente; namoriscar. [Conjug.: v. *trancar.*]
namorice [De *namoro* + *-ice.*] *S. f. P. us.* V. *namorico.*
namorico [De *namoro* + *-ico*[1].] *S. m.* Galanteio por divertimento; namoro por pouco tempo. [Sin.: *namorilho, namorisco* e (p. us.) *namorice.*]
namorilho [De *namoro* + *-ilho.*] *S. m.* V. *namorico.*
namoriscador (ô) [De *namoriscar* + *-dor.*] *Adj. S. m.* Que, ou aquele que namorisca; namoricador.
namoriscar [De *namorisco* + *-ar*[2].] *V. t. d. Int.* V. *namoricar*: "relanceava os olhos pela vizinhança a ver se lhe estariam <u>namoriscando</u> as filhas" (Fialho d'Almeida, *Pasquinadas*, pp. 61-62). [Conjug.: v. *trancar.*]
namorisco [De *namoro* + *-isco*[1].] *S. m.* V. *namorico.*
namoro (ô) [Dev. de *namorar.*] *S. m.* **1.** Ato de namorar. [Sin. (quase todos pop. ou fam.): *namoração, galanteio, derriço, pé de alferes* e (bras.) *azeite, bredo, camote, cera, chamego, embeleco, grude, mormaço, paleio, prosa, sebo, sumbaré, suruba, tijolo, tribofe, xodó.*] **2.** V. *namorado* (4): "— Tu sabes que ele foi <u>namoro</u> da Luísa?" (Eça de Queirós, *O Primo Basílio*, p. 187.) [Pl.: *namoros* (ô). Cf. *namoro*, do v. *namorar.*]
nana [Do it. *nanna.*] *S. f.* Voz para acalentar. ◆ **Fazer nana.** Acalentar, acalantar, ninar.
nanã[1] [Var. de *nhanhã.*] *S. f. Bras.* V. *iaiá.* ◆ **Fazer nanã.** *Bras. SP Inf.* V. *dormir* (1).
nanã[2] [De uma língua nigero-congolesa.] *S. f. Bras. Rel.* Iabá (1) cuja epifania são as águas profundas e lodosas; Anamburucu, Nanamburucu. [Com cap.]
nanamburucu *S. f. Bras. Rel.* V. *Nanã*[2]. [Com cap.]
nanar [De *nana* + *-ar*[2].] *V. int. Inf.* V. *dormir* (1).
nanás [F. aferética de *ananás.*] *S. m. Bot.* V. *abacaxi*[1] (1 e 2). [Pl.: *nanases.*]
nanaseiro [F. aferética de *ananaseiro.*] *S. m. Bot.* V. *abacaxi*[1] (1).
nanauí [Do tupi = 'ananás'.] *S. f. Bras.* Bebida fermentada que os índios faziam com o ananás.
nancíbea [De or. incerta.] *S. f. Bras. Bot.* Trepadeira rubiácea (*Manetia cordifolia*) herbácea, de folhas cordiformes e caule delgado, e cujas flores têm corola tubulosa, longa e vermelha.
nandaia *S. f. Bras. Zool.* V. *jandaia.*
nandi [Desta língua.] *S. m. Gloss.* Língua nilótica do Quênia, também falada na Tanzânia e em Uganda.
nandiroba [Do tupi = 'óleo amargo'.] *S. f. Bras. Bot.* V. *andiroba* (1).
nandrolona [Voc. farmac.] *S. f. Quím.* Substância cristalina sintética, que é um esteroide anabólico; nortestosterona [fórm.: $C_{18}H_{26}O_2$].
nandu [Var. de *nhandu.*] *S. m. Bras. Zool.* V. *ema*[1] (1).
nani [Var. aferética de *oanani.*] *S. f. Bras.* Resina extraída do oanani.
nanico [De *nan(o)-* + *-ico*[1].] *Adj.* **1.** De figura anã; pequeno, acanhado;ananico, anano. ~ V. *imprensa —a.* ● *S. m.* **2.** *Jorn.* Órgão de imprensa nanica (q. v.).
naniquice [De *nanico* + *-ice.*] *S. f. Bras.* V. *nanismo* (1).
naniquismo [De *nanico* + *-ismo.*] *S. m. Bras.* V. *nanismo* (1).
nanismo [De *nan(o)-* + *-ismo.*] *S. m.* **1.** *Med.* Forma de hipodesenvolvimento corporal acentuado, atribuível a causas diversas (endócrinas, circulatória), e que pode ou não apresentar desproporcionalidade entre as várias porções constituintes do corpo. [Conforme a etiologia, pode haver, ainda, retardo mental. Sin., no S. do Brasil: *naniquice, naniquismo.*] **2.** *Bot.* Fenômeno que consiste na redução das dimensões de uma planta ou órgão vegetal. [Sin. ger.: *ananismo*; antôn.: *gigantismo.*]
nanja [De *nã(o)* + *já.*] *Adv. Ant. Pop.* Não; nunca; de maneira alguma: "O merceeiro mais grado da vida era o Pacabote. Era-o pela importância que dava a si mesmo — <u>nanja</u> pelo dinheiro ganho e acumulado." (João de Araújo Correia, *Terra Ingrata*, p. 117.)
▲ **nan(o)-** [Do gr. *nánnos, e, on.*] *El. comp.* = 'anão', 'muito pequeno': *nanismo, nanomelia.* [Equiv.: *-nano: anano.*]
▲ **nano-** *Pref.* que, anteposto ao nome de uma unidade de medida, indica uma unidade derivada igual a 10^{-9} vezes a primeira: *nanômetro* [símb.: *n*].
▲ **-nano** Equiv. de *nan(o)-.*
nanocefalia [De *nan(o)-* + *-cefal(o)-* + *-ia*[1].] *S. f. Ter.* Microcefalia.
nanocefálico [De *nanocefalia* + *-ico*[2].] *Adj.* V. *microcefálico.*
nanocéfalo [De *nan(o)-* + *-céfalo.*] *Adj. S. m. Ter.* V. *microcéfalo* (1).
nanocormia [De *nan(o)-* + *-corm(o)-* + *-ia*[1].] *S. f. Ter.* Pequenez anômala do tronco[1] (3).
nanocórmico [De *nanocormia* + *-ico*[2].] *Adj. Ter.* Relativo a, ou em que há nanocormia.
nanocormo [De *nan(o)-* + *-cormo.*] *Adj. S. m. Ter.* Que, ou aquele que tem nanocormia.
nanofanerofítico [De *nanofanerófito* + *-ico*[2].] *Adj.* Relativo ao nanofanerófito.
nanofanerófito [De *nan(o)-* + *fanerófito.*] *S. m. Bot.* Fanerófito cuja altura é inferior a 2m.
nanoinfiltração [De *nan(o)-* + *infiltração.*] *S. f.* Infiltração (2) em espaços nanométricos.
nanomaterial [De *nan(o)-* + *material.*] *S. m.* Material de dimensões nanométricas.
nanomelia [De *nan(o)-* + *-mel(o)-* + *-ia*[1].] *S. f. Ter.* Anomalia que se caracteriza pela pequenez anormal dos membros do corpo.
nanomélico [De *nanomelia* + *-ico*[2].] *Adj. Ter.* Relativo a, ou em que há nanomelia.
nanômelo [De *nan(o)-* + *-melo.*] *Adj. S. m. Ter.* Que, ou aquele que apresenta nanomelia.
nanométrico [De *nanômetro* + *-ico*[2].] *Adj.* Relativo a nanômetro: *escala <u>nanométrica</u>.*
nanómetro *S. m.* V. *nanômetro.* [Uso freq. em P.]
nanômetro [De *nano-* + *-metro.*] *S. m.* Submúltiplo do metro, igual a 10^{-9}m [símb.: *nm*].
nanopartícula [De *nano-* + *partícula.*] *S. f. Quím.* A que, sendo fabricada controladamente, tem dimensões da ordem do nanômetro — o que lhe confere propriedades específicas.
nanossegundo [De *nano* + *segundo.*] *S. m.* Unidade de tempo equivalente a um bilionésimo de segundo (10^{-9}).
nanotecnologia [De *nano-* + *tecnologia.*] *S. f.* Estudo dos princípios de funcionamento, do projeto e da fabricação de dispositivos mecânicos, eletrônicos, ópticos, etc., com funções definidas e cujas dimensões são da ordem de um a cem nanômetros.
nanotecnológico [De *nanotecnologia* + *-ico*[2].] *Adj.* Da, ou relativo à nanotecnologia.
nanotubo [Adapt. do ingl. *nano(meter) + tube.*] *S. m. Quím.* Nome genérico de cilindros ocos, sintéticos, com diâmetro da ordem de dez nanômetros e comprimento de até vários micrômetros, constituídos de carbono grafítico, e com vários usos tecnológicos possíveis.
nanquim [Do top. *Nanquim.*] *S. m.* **1.** Tinta preta de pó de sapato, que primitivamente vinha da China. **2.** *Tec. Têx.* Tecido de algodão amarelo, que antes só se fabricava na China. ● *Adj. 2 g.* **3.** De cor amarelada, semelhante à desse tecido.
nantoquita [Do top. *Nantoko* (Chile) + *-ita*[3].] *S. f. Min.* Mineral isométrico, cloreto de cobre.
nanuquense *Adj. 2 g.* **1.** De, ou pertencente ou relativo a Nanuque (MG). ● *S. 2 g.* **2.** O natural ou habitante de Nanuque.
nanzuque [Do sânscr. *nayana sukh*, 'deleite da vista', pelo hindustâni *nainsukh*, pelo ingl. *nainsook* e pelo fr. *nanzouk.*] *S. m. Tec. Têx.* Certo tecido fino de algodão: "o vestido dela era de <u>nanzuque</u>" (Cecília Meireles, *Obra Poética*, p. 1.017).
não [Do lat. *non.*] *Adv.* **1.** Exprime negação. [Este adv. funciona muitas vezes como partícula de realce ou de reforço: "A que nível moral <u>não</u> desce a gente, / Alma filha de Deus, neste ambiente!" (João de Deus, *Campo de Flores*, I, p. 159); "— Muita vez eu imagino o que <u>não</u> faria o falecido Heleno neste caso de Oceano e Maria Corina" (Maria Alice Barroso, *Um Nome para Matar*, p. 409); "— Desde o início eu <u>não</u> falei que estou aqui para salvar?" (Adriana Falcão, *A Comédia dos Anjos*, p. 80).] ● *S. m.* **2.** Negativa; recusa: *Recebeu um <u>não</u>.* ◆ **Pois não.** *Interj.* **1.** Que exprime incredulidade ou recusa. **2.** Cortesia usada quando nos pedem alguma coisa, e que significa não podermos deixar de concedê-la. **Quando não.** Do contrário; em caso contrário: *Você deverá ir; <u>quando não</u>, perderá um bom negócio.*
não- [De *não* (adv., do lat. *non*), por infl. do fr. *non-*, do ingl. *non-* e *no-* e do al. *Nicht.*] *Pref.* Ocorre na língua a partir do séc. XX, esp. a partir do pós-guerra, com o valor em geral de 'negação', 'privação', 'destituição', 'ausência' ou 'inexistência (de algo)', muitas vezes em formações com significado próprio em dada área de conhecimento: *não agressão, não combatente, não eu, não violência.* [Sobre a queda do hífen em tais voc., ver a nota 2 do símbolo 3 do prefácio. Cf. *sem-.*]
não agressão *S. f.* Fato ou intenção declarada de não iniciar hostilidades belicosas: *Os dois países firmaram um pacto de <u>não agressão</u>.* [Pl.: *não agressões.*] ✻ nota 2
não alinhado *Adj. S. m.* Diz-se de, ou Estado partidário do não alinhamento; não engajado. [Pl.: *não alinhados.*] ✻ nota 2
não alinhamento *S. m.* Orientação adotada por alguns países, e que, no plano internacional, preconiza a recusa de comprometimento com a política de determinado país ou de bloco de países; não engajamento. [Pl.: *não alinhamentos.*] ✻ nota 2
não arredondado *Adj.* Sem arredondamento. [Pl.: *não arredondados.*] ~ V. *vogal —a.* ✻ nota 2
não beligerância *S. f.* Estado de um país que não participa da guerra, mas que, por simpatizar com uma das partes beligerantes, se mantém à parte das regras de neutralidade. [Pl.: *não beligerâncias.*] ✻ nota 2
não calórico *Adj. Quím.* Diz-se de alimento, bebida, etc., que não fornece energia ao organismo. [Pl.: *não calóricos.*] ✻ nota 2
não combatente *Adj. 2 g. S. 2 g.* Que, ou quem, pertencendo ao pessoal militar de um país beligerante, não

porta armas nem toma parte direta em combates: *Os oficiais médicos são militares não combatentes.* [Pl.: *não combatentes.*] ✽ nota 2

não compartilhado *Adj.* ~ V. *elétron* —. [Pl.: *não compartilhados.*] ✽ nota 2

não conformismo *S. m.* Atitude de divergência em relação aos valores estabelecidos. [Pl.: *não conformismos.*] ✽ nota 2

não conformista *Adj. 2 g.* **1.** Que adota o não conformismo. **2.** V. *inconformista.* ● *S. 2 g.* **3.** Indivíduo não conformista. **4.** V. *inconformista.* [Pl.: *não conformistas.*] ✽ nota 2

não conservativo *Adj.* ~ V. *força —a.* [Pl.: *não conservativos.*] ✽ nota 2

não contável *Adj. 2 g. E. Ling.* Diz-se de substantivo que admite a anteposição de advérbio de intensidade, mas não a de numeral. [Cf. *contável* (2).] [Pl.: *não contáveis.*] ✽ nota 2

não contradição *S. f.* Inexistência ou ausência de contradição. [Pl.: *não contradições.*] ✽ nota 2

não disjunção *S. f. Citol. Genét.* A não separação de duas cromátides, ou de dois cromossomos homólogos, durante divisão celular. [Pl.: *não disjunções.*] ✽ nota 2

não distribuído *Adj. Lóg.* Diz-se de termo, ou conceito geral, que designa a totalidade indiferenciada da sua extensão. Ex.: *Os pobres são numerosos.* [Opõe-se a *distribuído.* Pl.: *não distribuídos.*] ✽ nota 2

não empresarial *Adj. 2 g.* Que não é empresarial; que não tem as características, interesses ou tipo de organização das empresas que atuam no mercado (4 e 5) capitalista. [Pl.: *não empresariais.*] ✽ nota 2

não engajado *Adj. S. m.* Não alinhado. [Pl.: *não engajados.*] ✽ nota 2

não engajamento *S. m.* Não alinhamento. [Pl.: *não engajamentos.*] ✽ nota 2

não essencial *Adj. 2 g.* ~ V. *descontinuidade —.* [Pl.: *não essenciais.*] ✽ nota 2

não eu *S. m. Filos.* O mundo exterior; a realidade objetiva: 📖 "No momento em que ela [a inspiração do poeta romântico] se lhe revela ...., inspiração e expressão vão de par, indivíduo e universo consubstanciam, eu e não eu integram-se." (João Gaspar Simões, *Liberdade do Espírito*, p. 34.) [Pl.: *não eus.*] ✽ nota 2

não euclidiano *Adj.* Diz-se de cada uma das geometrias que partem da negação do postulado das paralelas, do geômetra grego Euclides (séc. III a. C.). ~ V. *espaço — e geometria —a.* [Pl.: *não euclidianos.*] ✽ nota 2

não exigível *Adj. 2 g.* Que não se pode exigir. ~ V. *passivo —.* [Pl.: *não exigíveis.*] ✽ nota 2

não fazer nada [De *não* + *fazer* + *nada*; it. *far niente.*] *S. m. 2 n.* Ócio: 📖 "Somos uma geração que perdeu o privilégio de não fazer nada, aquele doce não fazer nada que é a mansa hora de repouso" (Elsie Lessa, *A Dama da Noite*, p. 50). ✽ nota 2

não ficção *S. f.* Designação genérica de obras literárias tais como, entre outras, ensaios, crônicas, críticas, biografias, memórias, narrativas históricas, divulgação científica, em contraposição a romances, novelas, poesia, contos, fábulas, etc. [Pl.: *não ficções.* Cf. *literatura de ficção.*] ✽ nota 2

não formal *Adj. 2 g.* Que não é formal, não é convencional ou categórico. [Pl.: *não formais.*] ~ V. *educação — e sofisma —.* ✽ nota 2

não fumante *Adj. 2 g. S. 2 g.* Diz-se de, ou indivíduo que não fuma. [Pl.: *não fumantes.*] ✽ nota 2

não governamental *Adj. 2 g.* **1.** Que não é governamental. **2.** Que não está vinculado ao governo ou às instituições, empresas, etc. vinculadas a este. ~ V. *organização —.* [Pl.: *não governamentais.*] ✽ nota 2

não holónomo *Adj.* V. *não holônomo.* [Uso freq. em P. Pl.: *não holónomos.*] ✽ nota 2

não holônomo *Adj.* ~ V. *vínculo —.* [Pl.: *não holônomos.*] ✽ nota 2

não iluminado *Adj.* Que não recebe iluminação. ~ V. *bordo —.* [Pl.: *não iluminados.*] ✽ nota 2

não índio [De *não* + *índio*[2].] *Adj. S. m.* Que, ou aquele que não é índio[2] (4): *população não índia; O julgamento da ação decidiu pela total retirada dos não índios da área demarcada.* [Pl.: *não índios.*] ✽ nota 2

não iniciado *Adj. S. m.* Diz-se de, ou aquele que não foi instruído em (conhecimento, arte, etc.). [Pl.: *não iniciados.*] ✽ nota 2

não intervenção *S. f. Dir. Intern.* Princípio de direito internacional pelo qual um Estado não deve intrometer-se nos negócios do outro. [Cf. *intervenção* (3). Pl.: *não intervenções.*] ✽ nota 2

não intervencionista *Adj. 2 g. S. 2 g.* Diz-se de, ou partidário da não intervenção. [Pl.: *não intervencionistas.*] ✽ nota 2

não inversor *Adj. Eletrôn.* ~ V. *amplificador —.* [Pl.: *não inversores.*] ✽ nota 2

não letrado *Adj.* **1.** Que não faz uso da escrita como forma de comunicação; analfabeto, iletrado. **2.** *Antrop.* Diz-se de povo ou sociedade que não faz uso de sistema de linguagem escrita. [É frequentemente us. como termo alternativo à designação de *primitivo* (12).] [Pl.: *não letrados.*] ✽ nota 2

não ligado *Adj.* ~ V. *aço —.* [Pl.: *não ligados.*] ✽ nota 2

não linear *Adj. 2 g.* Que não é linear. ~ V. *amplificador —, correlação — e regressão —.* [Pl.: *não lineares.*] ✽ nota 2

não linguístico (güís) *Adj. E. Ling.* Relativo ao mundo extralinguístico. [Pl.: *não linguísticos.*] ✽ nota 2

não local *Adj. 2 g. Fís.* ~ V. *ação —.* [Pl.: *não locais.*] ✽ nota 2

não localizado *Adj.* ~ V. *ligação —a.* [Pl.: *não localizados.*] ✽ nota 2

não magnético *Adj. Fís.* Que não possui magnetismo; que não é afetado perceptivelmente por campo magnético. [Pl.: *não magnéticos.*] ✽ nota 2

não-me-deixes [De *não* + *me* + o v. *deixar.*] *S. m. 2 n. Bras. Bot.* Erva asterácea (*Senecio vulgaris*) alta, cujas flores, de coloração geral amarela, pequenas e muito numerosas, se agregam em capítulos amplos.

não-me-esqueças [De *não* + *me* + o v. *esquecer.*] *S. m. 2 n. Bot.* V. *não-te-esqueças-de-mim.*

não metal *S. m. Quím.* Ametal. [Pl.: *não metais.*] ✽ nota 2

não-me-toquense *Adj. 2 g.* **1.** De, ou pertencente ou relativo a Não Me Toque (RS). ● *S. 2 g.* **2.** O natural ou habitante de Não Me Toque. [Pl.: *não-me-toquenses.*]

não me toques *S. m. 2 n. Bras.* Seda (5). ☑ notas 1 e 2

não-me-toques *S. m. 2 n. Bras. Bot.* V. *espinho-de-santo-antônio* (1).

não militar *Adj. 2 g.* Que não é militar. [Pl.: *não militares.*] ✽ nota 2

não natural *Adj. 2 g.* Que não é natural. ~ V. *língua —.* [Pl.: *não naturais.*] ✽ nota 2

não nulo *Adj. Mat.* Que não é nulo; diferente de zero; não vazio. [Pl.: *não nulos.*] ✽ nota 2

não operacional *Adj. 2 g.* Que não é operacional. ~ V. *lucro —.* [Pl.: *não operacionais.*] ✽ nota 2

não padrão *S. m. E. Ling.* Subpadrão. [Posposto a substantivo, tem valor adjetivo. Pl.: *não padrões.*] ✽ nota 2

não parente *S. 2 g.* Aquele que não é parente: 📖 "Os não parentes só podem doar (órgãos) com autorização judicial" (*O Globo*, 23.07.2006). [Pl.: *não parentes.*] ✽ nota 2

não participante *Adj. 2 g. S. 2 g.* Que, ou quem não participa de uma atividade, em geral política ou reivindicatória. [Pl.: *não participantes.*] ✽ nota 2

não periódico *Adj.* Que não é periódico. ~ V. *cometa — e publicação —a.* [Pl.: *não periódicos.*] ✽ nota 2

não poder *S. m.* Falta de poder; impotência. [Pl.: *não poderes.*] ✽ nota 2

não popularidade *S. m.* Falta de popularidade; impopularidade: 📖 "A antitradicionalidade e não popularidade do tom poético do nosso atual período literário são flagrantes, flagrantíssimas." (Fernando Pessoa, *Apreciações Literárias*, p. 158.) [Pl.: *não popularidades.*] ✽ nota 2

não probabilístico *Adj. Estat.* ~ V. *amostragem —a.* [Pl.: *não probabilísticos.*] ✽ nota 2

não saturado *Adj. Quím.* Diz-se de um composto cuja molécula tem pelo menos uma dupla ou tripla ligação; insaturado. [Pl.: *não saturados.*] ~ V. *sistema —.* ✽ nota 2

não segmental *Adj. 2 g.* **1.** Que não é segmental. **2.** *E. Ling.* V. *suprassegmental* (1). [Pl.: *não segmentais.*] ✽ nota 2

não sei quê *S. m. 2 n. Bras.* V. *cachaça* (1). ✽ nota 2

não sei que diga *S. m. 2 n.* **1.** *Bras. N.E. Pop.* V. *diabo* (2). **2.** *Bras. N.E. MG* Criança traquinas. ✽ nota 2

não seletivo *Adj.* V. *absorção —a.* [Pl.: *não seletivos.*] ✽ nota 2

não ser *S. m.* **1.** *Filos.* Nada (6). **2.** O não existir; o nada, o aniquilamento: 📖 "Talvez seja pecado procurar-te [ó morte], / Mas não sonhar contigo e adorar-te, / Não ser, que és o Ser único absoluto." (Antero de Quental, *Sonetos*, p. 210.) [Pl.: *não seres.*] ✽ nota 2

não simétrico *Adj.* ~ V. *relação —a.* [Pl.: *não simétricos.*] ✽ nota 2

não singular *Adj. 2 g.* ~ V. *matriz —.* [Pl.: *não singulares.*] ✽ nota 2

não sofrer *S. m.* Ausência de sofrimento; não sofrimento. [Pl.: *não sofreres.*] ✽ nota 2

não sofrimento *S. m.* Não sofrer. [Pl.: *não sofrimentos.*] ✽ nota 2

não tecido [De *não* + o part. de *tecer.*] *Adj. Tec. Têx.* Diz-se de tecido cuja estrutura é obtida por processos mecânico (fricção), químico (adesão) e/ou térmico (coesão), ou ainda por combinações destes, para se obter uma estrutura plana, flexível e porosa, constituída por um véu ou manta de fibras ou filamentos dispostos em múltiplas direções. [Pl.: *não tecidos.*] ✽ nota 2

não-te-esqueças [De *não* + *te* + o v. *esquecer.*] *S. m. 2 n. Bot.* V. *não-te-esqueças-de-mim.*

não-te-esqueças-de-mim De *não* + *te* + o v. *esquecer* + *de* + *mim.*] *S. m. 2 n. Bot.* Planta boraginácea (*Myosotis alpestris*) herbácea, de florezinhas azuis, cultivada em jardins como ornamental; não-me-esqueças, não-te-esqueças.

não tendencioso *Adj.* ~ V. *estimador —.* [Pl.: *não tendenciosos.*] ✽ nota 2

não tripulado [De *não* + o part. de *tripular.*] *Adj.* Que não leva tripulação: *voo não tripulado.* [Pl.: *não tripulados.*] ✽ nota 2

não urdido [De *não* + o part. de *urdir.*] *Adj. Tec. Têx.* V. *tecido —.* [Pl.: *não urdidos.*] ✽ nota 2

não verbal *Adj. 2 g.* Que não utiliza a linguagem falada ou escrita. [Pl.: *não verbais.*] ~ V. *comunicação —.* ✽ nota 2

não viciado *Adj.* ~ V. *estimador —.* [Pl.: *não viciados.*] ✽ nota 2

não viesado *Adj.* ~ V. *estimador —.* [Pl.: *não viesados.*] ✽ nota 2

não violência [Do ingl. *non-violence.*] *S. f.* **1.** Abstenção da violência em qualquer circunstância. **2.** *Restr.* O princípio (7) da não violência. ✽ nota 2

não volátil *Adj. 2 g. Inform.* Diz-se de dispositivo de memória que preserva seus registros mesmo quando a fonte de alimentação é desligada. [O termo é empregado especialmente com referência à memória principal. Ex.: ROM.] [Pl.: *não voláteis.*] ✽ nota 2

napa [Do top. *Napa* (Califórnia, E.U.A.).] *S. f.* **1.** Espécie de pelica muito fina e macia, feita de pele de carneiro curtida em mistura de sabão e óleo, us. na confecção de luvas, roupas, bolsas, etc. **2.** Material sintético semelhante à napa (1): 📖 "o fogão e as pias embutidas em balcão de napa alvíssima e sintética" (Maria Julieta Drummond de Andrade, *O Valor da Vida*, p. 137).

napáceo [De *nap(i)-* + *-áceo.*] *Adj. Bot.* Diz-se das raízes de forma semelhante a um nabo (1); napiforme.

napalm [Do ingl. *napalm* < *na(phthenate)*, 'ácido naftênico', + *palm(itate)*, 'ácido palmítico'.] *S. m. Mil.* Gasolina gelatinizada e espessada por sais do ácido naftênico e palmítico, empregada em bombas incendiárias e lança-chamas.

napeia (éi) [Do gr. *Napaîai*, pelo lat. *napaeas.*] *S. f.* **1.** *Mit.* Ninfa dos bosques e dos prados: 📖 "Pela finura das linhas, bem revela / Ser um pé de mulher, deusa ou de napeia" (Eugênio de Castro, *Obras Poéticas*, X, p. 154); "uma névoa rósea e palpitante de ninfas — nereidas, dríadas, oréadas, napeias coleantes, oceânides melodiosas" (Júlio Dantas, *Espadas e Rosas*, p. 46). **2.** Designação dada pelo botânico alemão Karl Friedrich Philipp von Martius (1794-1868) à região florística brasileira que compreende os terrenos dos bosques de araucárias (pinheiro-do-paraná) do S. do Brasil. ❖

napeiro [De or. obscura.] *Adj.* **1.** Indolente, preguiçoso. **2.** V. *dorminhoco* (1).

napelo (ê) [Do b.-lat. *napellu*, 'acônito'.] *S. m. Bot.* Erva ranunculácea (*Aconitum napellus*) ereta, de flores zigomorfas, comum em pastos montanhosos e lugares úmidos, da qual se extrai a aconitina.

napeva *Adj. 2 g. Bras. S.* Curto de pernas; nanico. [Diz-se, em geral, de galináceos ou de cães.]

▲ **nap(i)-** [Do lat. *nāpus, i.*] *El. comp.* = 'nabo': *napáceo, napiforme.*

napiforme [De *nap(i)-* + *-forme.*] *Adj. 2 g. Bot.* Napáceo.

napoleão *S. m.* **1.** Moeda francesa de ouro, com a efígie de Napoleão Bonaparte (v. *napoleônico*) e o valor de 20 francos. **2.** Moeda de prata francesa de cinco francos.

napoleónico *Adj.* V. *napoleônico.* [Uso freq. em P.]

napoleônico *Adj.* Pertencente ou relativo a, ou próprio de Napoleão Bonaparte (1769-1821), imperador dos franceses (1804-1815).

napoleonismo *S. m.* Partido político chefiado por um príncipe da família de Napoleão Bonaparte (v. *napoleônico*).

napoleonista [De *napoleonismo* + *-ista.*] *Adj. 2 g.* **1.** Relativo ao, ou que é sectário do napoleonismo. ● *S. 2 g.* **2.** Sectário dele.

napolês *Adj. S. m. Desus.* Napolitano. [Flex.: *napolesa* (ê), *napoleses* (ê), *napolesas* (ê).]

napolitano [Do it. *napoletano.*] *Adj.* **1.** De, ou pertencente ou relativo a Nápoles (Itália). [Sin.: *partenopeu* (p. us.).] ~ V. *sexta —a.* ● *S. m.* **2.** O natural ou habitante de Nápoles. [Sin. ger. (desus.): *napolês.*]

napopé *S. f. Bras. SE Zool.* V. *perdiz.*

naquele (ê) Equiv. da prep. *em* e do pron. dem. *aquele.* [Flex.: *naquela, naqueles* (ê), *naquelas.*]

naqueloutro Contr. de *naquele* e do pron. *outro.* [Flex.: *naqueloutra, naqueloutros, naqueloutras.* Tb. se pode usar *naquele(s) outro(s), naquela(s) outra(s).*]

naquilo Contr. da prep. *em* e do pron. dem. *aquilo.*

nara [De or. afr.] *S. m. Rel.* O inferno dos malês.

narandiba [Do tupi.] *S. f. Bras. P. us.* Laranjal.

narandibense *Adj. 2 g.* **1.** De, ou pertencente ou relativo a Narandiba (SP). ● *S. 2 g.* **2.** O natural ou habitante de Narandiba.

naravute *Bras. S. 2 g.* **1.** *Etnôn.* Indivíduo dos naravutes, povo indígena extinto da família linguística caraíba

N

que habitava a região dos formadores do rio Xingu. • *Adj. 2 g.* 2. Pertencente ou relativo a esse povo. [Tb. us. como *s. 2 g. e 2 n.* (com cap.) e *adj. 2 g. e 2 n.*]

narbonense *Adj. 2 g.* 1. De, ou pertencente ou relativo a Narbona (França). • *S. 2 g.* 2. O natural ou habitante de Narbona. [Sin. ger.: *narbonês*.]

narbonês *Adj. S. m.* V. *narbonense*. [Flex.: *narbonesa* (ê), *narboneses* (ê), *narbonesas* (ê).]

narcafto [De or. hindu, pelo gr. *nárkaphthon*.] *S. m.* Casca aromática da árvore-de-incenso, empregada em farmácia.

narceína [De *narc(o)-* + *-ina*[3].] *S. f. Quím.* Alcaloide extraído do ópio, cristalino, incolor, usado como narcótico e sedativo [fórm.: $C_{23}H_{27}NO_8$].

narceja (ê) *S. f. Bras. Zool.* Ave caradriiforme, escolopacídea (*Capella paraguaiae*), que, como residente ou como migratória, ocorre em toda a América do Sul tropical e temperada, inclusive em quase todo o Brasil. Tem dorso escuro com manchas e estrias amarelas, cabeça preta, com linha mediana e sobrancelha amarelada, rêmiges escuras, uniformes, e lado ventral claro. Frequenta os brejos, onde nidifica, e se alimenta de artrópodes e outros invertebrados. [Sin.: *berrumeira, bico-rasteiro, corta-vento, maçarico-d'água-doce, minjolinho, narceja-miúda, narcejinha, rapazinho, rasga-mortalha*.]

narceja-miúda *S. f. Bras. Zool.* V. *narceja*. [Pl.: *narcejas-miúdas*.]

narcejão [De *narceja* + *-ão*[1].] *S. f. Bras. Zool.* Ave caradriiforme, escolopacídea (*Capella undulata gigantea*), da zona temperada da América meridional, de dorso escuro com manchas e faixas transversais castanho-amareladas, cabeça amarela com duas estrias pretas no vértice, uma do bico ao olho e outra por baixo deste, lado ventral claro com largas faixas negras, e bico de 13cm de comprimento. Vive nos brejos e alagadiços, e se alimenta de pequenos animais. [Sin.: *água-só, batuirão, galinhola, rapaz*.]

narcejinha [De *narceja* + *-inha*.] *S. f. Bras. Zool.* V. *narceja*.

narcinídeo [Adapt. do tax. *Narcinidae*.] *Zool. S. m.* 1. Espécime dos narcinídeos, família de raias torpediniformes, com o corpo em forma de disco e nadadeira caudal bem desenvolvida. Exemplo: treme-treme. • *Adj.* 2. Pertencente ou relativo a eles.

narcisação [De *narcisar(-se)* + *-ção*.] *S. f.* Narcisamento.

narcisado [Part. de *narcisar*.] *Adj.* Que se narcisa (v. *narcisar-se*): 📖 "Os três bailavam sempre narcisados; / sabiam fazer cantos e navios." (Jorge de Lima, *Obra Completa*, I, p. 680.)

narcisamento [De *narcisar(-se)* + *-mento*.] *S. m.* Ato ou efeito de narcisar-se; narcisação.

narcisar-se [Do mit. *Narciso* (v. a etim. de *narciso*) + *-ar*[2] + *se*[1].] *V. p.* 1. Rever-se como o Narciso da fábula; desvanecer-se de si mesmo; mostrar-se encantado de si; envaidecer-se; amar-se. 2. Enfeitar-se com extremos de vaidade; compor vaidosamente o próprio semblante. [F. paral.: *anarcisar-se*.]

narcíseo *Adj.* Relativo a narciso (1).

narcísico [De *narciso*[1] + *-ico*[2].] *Adj.* 1. De, ou próprio de narciso[1]. 2. Diz-se de pessoa egoísta e/ou vaidosa.

narcisismo *S. m.* 1. Qualidade daqueles que se narcisam. [Cf. *egolatria*.] 2. *Psic.* O estado em que a libido é dirigida ao próprio ego; amor excessivo a si mesmo. [Cf. *autofilia*. Sin. ger.: *autoadmiração* e *autocontemplação*.]

narcisista [De *narciso*[1] + *-ista*.] *S. 2 g.* 1. Pessoa que tem propensão ao narcisismo, que nutre amor excessivo a si mesmo, a sua imagem: 📖 "Não é [José Gomes Ferreira] um narcisista autocontemplativo." (Antônio Quadros, *A Existência Literária*, p. 95.) • *Adj. 2 g.* 2. Diz-se de narcisista (1). ~ V. *personalidade —*.

narcisístico [De *narcisista* + *-ico*[2].] *Adj.* Relativo a narcisista (1), ou ao narcisismo.

narciso[1] [Do mit. *Narciso*, personagem famosa pela admiração à sua própria beleza.] *S. m.* Homem muito vaidoso, enamorado de si mesmo.

narciso[2] [Do tax. *Narcissus*.] *S. m. Bot.* 1. Gênero de plantas amarilidáceas, herbáceas, bulbosas, dotadas de folhas lineares, eretas, e flores brancas, ou amarelas, ou bicolores, com grande corona em forma de taça. 2. Qualquer espécie desse gênero, como, p. ex., a *Narcissus poeticus*, nativa no Mediterrâneo, de folhas longas e estreitas, flores grandes, alvas, perfumadas e solitárias, e que é cultivada pelo seu valor ornamental. 3. Qualquer espécime desse gênero, ou a flor dele.

narcisoide (ói) [De *narciso*[2] + *-oide*.] *Adj. 2 g. Bot.* Semelhante ao narciso[2]. ❖

▲ **narc(o)-** [Do gr. *nárkē, ēs*.] *El. comp.* = 'torpor', 'entorpecimento'; 'narcótico': *narcolepsia, narcomania*.

narcoanálise [De *narc(o)-* + *análise*[1].] *S. f. Psiq.* Procedimento psicoterápico em que o indivíduo é submetido à administração intravenosa, lenta, de barbitúricos, com o fim de liberar pensamentos suprimidos ou reprimidos. [Cf. *soro da verdade*.]

narcolepsia [De *narc(o)-* + *-leps(i)-* + *-ia*[1].] *S. f. Neur.* Doença (1) caracterizada por períodos de sono breves, repetidos e incontroláveis; de etiologia desconhecida, pode manifestar-se associada a alucinações hipnagógicas, cataplexia e paralisia do sono.

narcomania [De *narc(o)-* + *-mania*.] *S. f.* Tendência patológica a abusar de narcóticos [v. *narcótico* (2 e 3)].

narcomaníaco [De *narcomania* + *-íaco*.] *Psiq. Adj.* 1. Relativo a narcomania. 2. Que tem narcomania; narcômano. • *S. m.* 3. Aquele que tem narcomania; narcômano.

narcómano *Adj. S. m.* V. *narcômano*. [Uso freq. em P.]

narcômano [De *narc(o)-* + *-mano*[1].] *Adj. S. m.* Narcomaníaco (2 e 3).

narcomedusa [Adapt. do tax. *Narcomedusae*.] *Zool. S. f.* Espécime das narcomedusas, subordem de metazoários, cnidários, hidrozoários, traquilinos, que têm a margem da campânula fendida pela base dos tentáculos e gônadas situadas na superfície basal do estômago.

narcomedúseo [De *narcomedusa* + *-eo*.] *Adj. Zool.* Pertencente ou relativo às narcomedusas.

narcoplanta [De *narc(o)-* + *planta*.] *S. f.* Planta que fornece substâncias narcóticas, ou tóxicas: 📖 "Foi também de nossa iniciativa a aprovação de uma lei permitindo a expropriação das terras com narcoplantas para fins de reforma agrária." (Antônio Cabrera, em *Folha de S.Paulo*, 12.07.1994).

narcose [Do gr. *nárkosis*.] *S. f. Anest. Med.* Depressão (8) reversível e inespecífica do sistema nervoso central, produzida por droga(s).

narcossíntese [De *narco(análise)* + *síntese*.] *S. f. Psiq.* Forma de psicoterapia que utiliza elementos coligidos pela narcoanálise, e que se efetua quer no estado de seminarcose, quer no estado de vigília.

narcoterapia [De *narc(o)-* + *-terapia*.] *S. f. Psiq.* Sonoterapia.

narcótico [Do gr. *narkotikós*.] *Adj.* 1. Que produz narcose; que faz dormir. • *S. m.* 2. Substância que produz narcose. 3. *Anest.* Substância cuja ação se caracteriza pela produção de amnésia, hipnose, analgesia, e certo grau de relaxamento muscular.

narcotina [Do fr. *narcotine* (< *narcot[ique]* 'narcótico' + fr. *-ine*).] *S. f. Quím.* Substância alcaloide, que se encontra no ópio, junto com a morfina, e que não tem efeito narcótico, us. contra a tosse; noscapina [fórm.: $C_{22}H_{23}NO_7$].

narcotismo [De *narcótico* + *-ismo*, seg. o padrão erudito.] *S. m.* 1. Conjunto dos efeitos produzidos pelos narcóticos. 2. O vício do narcótico.

narcotização [De *narcotizar* + *-ção*.] *S. f.* Ato ou efeito de narcotizar.

narcotizador (ô) [De *narcotizar* + *-dor*.] *Adj.* Narcotizante.

narcotizante [De *narcotizar* + *-nte*.] *Adj. 2 g.* Que narcotiza; narcotizador.

narcotizar [De *narcótico* + *-izar*, seg. o padrão erudito.] *V. t. d.* 1. Aplicar narcótico a. 2. Provocar narcose em. 3. *P. ext.* Adormecer, entorpecer, paralisar. 4. *Fig.* Tornar insensível; insensibilizar. 5. *Fig.* Causar tédio ou aborrecimento a; entediar, aborrecer, enfadar.

narcotizável [De *narcotizar* + *-vel*.] *Adj. 2 g.* Que pode ser narcotizado.

narcotraficante [De *narc(o)-* + *traficante*.] *S. 2 g.* Traficante de narcóticos.

narcotráfico [De *narc(o)-* + *tráfico*.] *S. m.* 1. Tráfico de narcóticos: 📖 "Washington 'espera' que Siles Zuazo colabore no combate ao narcotráfico na Bolívia." (Armando Ourique, em *Jornal do Brasil*, 17.10.1982.) 2. Conjunto de indivíduos e negócios ligados ao narcotráfico (1).

nardino [Do lat. *nardinu* < gr. *nárdinos*.] Referente ao nardo.

nardo [Do gr. *nárdos*, pelo lat. *nardu*.] *S. m.* 1. *Bot.* Planta valerianácea (*Nardostachys jatamansi*) herbácea, originária da Ásia, cujo rizoma, aromático, foi muito empregado pelos antigos em perfumaria: 📖 "embebia-se de perfume de nardo" (Aquilino Ribeiro, *Aventura Maravilhosa*, p. 125). 2. Perfume extraído dessa planta. 3. *Bot.* Gênero de plantas poáceas, herbáceas. 4. *Bot.* Qualquer espécie desse gênero, como p. ex., a *Nardus stricta*, de espiguetas unifloras, sésseis, dispostas em espiga unilateral, muito comum nos prados. 5. *Bot.* Qualquer espécime desse gênero.

nardo-da-índia [De *nardo* + *da*[1] + o top. *Índia*.] *S. m. Bot.* Erva valerianácea (*Valeriana jatamansi*) de raiz fortemente odorífera, com pequenas flores em cimeiras compactas, e cujos frutos são aquênios, achatados. [Pl.: *nardos-da-índia*.]

narguilé [Do sânscr. *narikela*, pelo persa *nargileh*, de *nargil*, 'coco' (ô), e pelo fr. *narguilé*.] *S. m.* 1. Cachimbo largamente usado no N. da África, no S. da Ásia e no Oriente Médio, composto de um fornilho, um tubo, e vaso cheio de água perfumada que o fumo atravessa antes de chegar à boca: 📖 "As tendas abertas por diante deixavam ver os grandes lustres pendentes, os tapetes da Meca e de Damasco, onde se encruzavam as soberbas figuras dos xeques, fumando gravemente o narguilé." (Eça de Queirós, *Notas Contemporâneas*, p. 15.) 2. *Bras. Gír.* Compressor de ar usado para mergulhos profundos.

narguilhé *S. m.* V. *narguilé*.

▲ **nari-** [Do lat. *nāris, is*.] *El. comp.* = 'nariz': *naricorne, narícula*.

naricorne [De *nari-* + *-corne*.] *S. m. Zool.* Segmento córneo que cobre as narinas dos albatrozes e outras aves.

narícula [De *nari-* + *-cula*.] *S. f.* V. *narina*. ~ V. *narículas*.

narículas [Pl. de *narícula*.] *S. f. pl.* Narinas. ~ V. *narícula*.

narigada [De *narig-*, como em *narigudo*, + *-ada*[1].] *S. f.* 1. Pancada com o nariz. 2. Pitada (1). [Cf. *nalgada*.]

nariganga [Do rad. de *narigudo*.] *S. f.* V. *narigão* (2): 📖 "Lá nariz não lhe faltava. .... Uma nariganga solene, volumosa" (José Gomes Ferreira, *O Mundo dos Outros*, p. 139).

narigão [De *narig-*, como em *narigudo*, + *-ão*[1].] *Adj.* 1. V. *narigudo* (1). • *S. m.* 2. Nariz muito grande; nariganga, narilão, beque, bicanca, penca: 📖 "Soltava uns dois espirros ...., sacava o alcobaça, assoava o narigão repolego" (Nélson de Faria, *Tiziu e Outras Estórias*, p. 128). 3. V. *narigudo* (2). [Fem.: *nariguda*.]

narigona *S. f.* Fem. de *narigão*.

nariguda [F. subst. do adj. *narigudo*.] *S. f. Bras. Zool.* V. *jararaca-da-praia*.

narigudo [Do lat. vulg. *naricutu < lat. vulg. *naricae*, 'ventas'.] *Adj.* 1. Que tem nariz grande; narigão, pencudo. • *S. m.* 2. Aquele que tem nariz grande; narigão.

narigueira [F. subst. de *narigueiro*.] *S. f. Bras. Etnogr.* Adorno, ger. feito de penas e que atravessa o septo nasal, us. entre índios brasileiros como adereço pessoal cotidiano ou para ocasiões rituais.

narigueiro [De *narig-*, como em *narigudo*, + *-eiro*.] *Adj.* Relativo ou pertencente ao nariz.

narilão *S. m. Bras.* V. *narigão* (2).

narina [Do fr. *narine*.] *S. f. Anat.* Cada um de dois orifícios externos do nariz, no homem, e da cavidade nasal noutros animais, como, p. ex., o cavalo e o boi; narícula, venta.

narinari *S. f. Bras. Zool.* V. *raia-pintada* (1).

nariz [Do lat. vulg. *naricae*, 'ventas', que, tido por um sing. pronunciado *narice, recebeu outra desin. de pl., dando *narices*; deste pl. veio a criar-se o novo sing.] *S. m.* 1. *Anat.* Saliência cuja forma se assemelha a pirâmide de base triangular, situada na parte média do rosto, acima da boca e abaixo da testa, e com funções olfativa e respiratória. [Aum. irreg.: *narigão, nariganga*. Sin., pop.: *bitácula, corneta*.] 2. A narina: *Vive de dedo no nariz.* 3. *P. ext.* Olfato (1): *Tenho bom nariz para comida estragada.* 4. Ferrolho a que se acha ligado o lacete da fechadura. 5. A parte dianteira da fuselagem da aeronave. 6. *Astron.* Extremidade anterior, aerodinâmica, de lançador ou de foguete-sonda, e que se destina à proteção de carga útil, no início da sequência de um voo. 7. *Tip.* Peça da monotipo e de outras máquinas fundidoras, por onde esguicha o metal-tipo na ocasião de fundir a letra; boquilha. ~ V. *narizes*. ◆ **Nariz de cavalete.** Nariz aquilino; nariz arqueado. **Dar com o nariz na porta.** Encontrar fechada ou defesa a porta que se esperava encontrar aberta ou franqueada. **Ficar de nariz comprido.** Não conseguir o que desejava. **Ficar de nariz torcido.** Mostrar má cara; zangar-se. **Meter o nariz em.** Intrometer-se, ingerir-se, imiscuir-se em. **Saber onde tem o nariz.** Ser perito, competente, capaz; entender do riscado; saber onde tem as ventas: 📖 "Afinal, Betinho devia saber onde tinha o nariz." (Ciro dos Anjos, *A Menina do Sobrado*, p. 212.) **Seu nariz está crescendo.** Diz-se a alguém que se presume estar mentindo. **Torcer o nariz a.** Mostrar-se desagradado com; torcer a cara a: 📖 "torceu o nariz ao pobre almoço que Dona Isabel lhe apresentou carinhosa." (Aluísio Azevedo, *O Cortiço*, p. 199).

nariz de burro *S. m. Bras. Pop.* Garrucha de dois canos. [Pl.: *narizes de burro*.] ☑

nariz de cera *S. m.* 1. Preâmbulo enfático ou vago. 2. *Jorn. Desus.* Texto introdutório, ger. vago, composto em medida menor que o da coluna ou da página, e que antecedia um artigo, uma reportagem, etc. [Cf., nesta acepç., *lide*.] [Pl.: *narizes de cera*.] ☑

nariz de ferro *S. m. Bras.* Pequeno recipiente com um preparado especial que se coloca na geladeira para evitar o mau cheiro. [Pl.: *narizes de ferro*.] ☑

nariz de folha *S. 2 g. Bras. SC Pop.* Pessoa que vai a festas sem convite; penetra (q. v.). [Pl.: *narizes de folha*. Cf. *peru de festa*.] ☑

narizes [Pl. de *nariz*.] *S. m. pl.* Ventas, narículas; nariz. ~ V. *nariz*.

naro *S. m. Gloss.* Língua coissã falada em Botsuana (S. da África).

narração [Do lat. *narratione*.] *S. f.* **1.** Ato ou efeito de narrar. **2.** Exposição escrita ou oral de um fato; narrativa. [Cf., nesta acepç., *invocação* (4).] **3.** *Cin. Telev.* Fala que explica, descreve ou complementa o que está sendo mostrado. [Por vezes, a narração resume-se à leitura de texto apresentado na tela.] **4.** O texto da narração (3).

narrado [Part. de *narrar*.] *Adj.* **1.** Que se narrou; exposto, relatado, referido, contado. ● *S. m.* **2.** Aquilo que se narrou; narração.

narrador (ô) *S. m.* **1.** Aquele que narra ou conta. **2.** *Cin. Telev.* Locutor, apresentador ou personagem que faz a narração (4). **3.** *Teatr.* Personagem que exerce a função de intermediário ou mediador entre a ação da peça e o público, informando este das peripécias e intrigas. ● *Adj.* **4.** Diz-se de narrador (1). [Do lat. *narratore*.]

narrar [Do lat. *narrare*.] *V. t. d. T. d. e i.* **1.** Expor minuciosamente. **2.** Expor, contar, relatar; referir, dizer: *Narrou o sucedido sem nada omitir*; "entrou a narrar minuciosamente ao noivo a palestra e discussão em que ela e todos da sua roda tinham andado empenhados entusiasticamente" (Virgílio Várzea, *Nas Ondas*, p. 281); "Outro narrava de um casal novo, da sua criança que vence um concurso de robustez" (Ricardo Ramos, *Matar um Homem*, p. 101). **3.** Pôr em memória; registrar; historiar. [F. paral., p. us.: *enarrar*.]

narrativa [F. subst. de *narrativo*.] *S. f.* **1.** A maneira de narrar. **2.** Narração (2). **3.** Conto, história.

narrativo [Do lat. tard. *narrativu*.] *Adj.* **1.** Respeitante a narração; expositivo. **2.** Que tem o caráter de narração. ~ V. *presente* —.

narrável [Do lat. *narrabile*.] *Adj. 2 g.* Que se pode narrar.

nartécio [Do tax. *Narthecium*.] *S. m. Bot.* **1.** Gênero de plantas liliáceas, herbáceas, dos pântanos, que têm folhas lineares e flores amarelo-esverdeadas em racemo e com filamentos de praganas visíveis. **2.** Espécie ou espécime desse gênero.

nartecóforo [Do gr. *narthekophóros*.] *S. m.* Na Grécia antiga, pessoa que conduzia um ramo de férula nas festas de Dioniso.

nártex [Do gr. *nárthex*, pelo lat. *narthex*.] *S. m. 2 n. Arquit.* **1.** Em templos cristãos primitivos (como, p. ex., em basílicas), pórtico ger. situado num dos lados do átrio ou num pátio externo, circundado por ambulatórios [v. *ambulatório* (5)], e reservado a catecúmenos, penitentes e mulheres; exonártex. **2.** Em templos cristãos primitivos (como, p. ex., em basílicas), vestíbulo interior us. para o mesmo fim que o nártex (1); esonártex. **3.** Vestíbulo que conduz à nave central de uma igreja.

narval [Do ingl. *narwhal, narwal* < norueguês e dinamarquês *narhval*, sueco *narval*.] *S. m. Zool.* Cetáceo monodontídeo (*Monodon monoceros*), dos mares árticos, com até 5m de comprimento, de coloração cinza-azulada, manchada de branco, quando adulto, e marrom quando jovem. Nos machos, o incisivo superior esquerdo, enrolado em espiral, projeta-se como um chifre, alcançando de 2 a 3m de comprimento, e sua função, ainda hoje, é incerta.

■ **Nasa** [Acrôn. do ingl. *National Aeronautic and Space Administration*.] Sigla de *Administração Nacional de Aeronáutica e Espaço dos E.U.A.*

nasal [De *nas(i)-* + *-al*[2].] *Adj. 2 g.* **1.** Relativo ou pertencente ao nariz. **2.** Nasalado, fanhoso. **3.** *E. Ling.* Diz-se de vogal ou consoante caracterizada pelo escoamento, através da cavidade nasal, de parte da corrente de ar originada nos pulmões, por encontrar-se abaixado o véu palatino. [Cf., nesta acepç., *oral* (4).] ~ V. *cavidade* —, *consoante* —, *índice* —, *septo* — e *vogal* —. ● *S. m.* **4.** *Anat.* Cada um dos dois pequenos ossos que, em conjunto, formam a ponte do nariz. ● *S. 2 g.* **5.** *E. Ling.* Consoante nasal (q. v.).

nasalação [De *nasalar* + *-ção*.] *S. f.* Ato ou efeito de nasalar; nasalização.

nasalado [Part. de *nasalar*.] *Adj.* **1.** Pronunciado com som nasal. **2.** Nasal (2): *Falou em tom nasalado; Tem voz nasalada.*

nasalador (ô) [De *nasalar* + *-dor*.] *Adj.* Que nasala; nasalizador.

nasalar [De *nasal* + *-ar*[2].] *V. t. d.* **1.** Pronunciar pelo nariz; tornar nasal. **2.** Pronunciar com som nasal. [Sin. ger.: *nasalizar*.]

nasalidade [De *nasal* + *-(i)dade*.] *S. f.* Qualidade de nasal.

nasalização [De *nasalizar* + *-ção*.] *S. f.* Nasalação.

nasalizador (ô) [De *nasalizar* + *-dor*.] *Adj.* Nasalador.

nasalizar [De *nasal* + *-izar*.] *V. t. d.* Nasalar.

nasardo [Do fr. *nasard*.] *S. m. Mús.* Registro de órgão, de mistura simples, e que produz o harmônico (7) dois do som fundamental.

nascediço [De *nascer* + *-(d)iço*[2].] *Adj.* Que vai nascendo.

nascedoiro[1] [De *nascer* + *-doiro*[2].] *S. m.* Nascedouro[1] (q. v.).

nascedoiro[2] [Do lat. *nasciturу*.] *Adj.* Nascedouro[2] (q. v.).

nascedouro[1] [De *nascer* + *-douro*[2]; var. de *nascedoiro*[1].] *S. m.* **1.** Lugar onde se nasce. **2.** *Pop.* Orifício do útero.

nascedouro[2] [Var. de *nascedoiro*[2].] *Adj.* Que deverá nascer.

nascença [Do lat. *nascentia*.] *S. f.* **1.** Nascimento (1 e 2). **2.** *Arquit.* Ponto que determina o início de um arco, de uma coluna, de uma abóbada.

nascente [Do lat. *nascente*.] *Adj. 2 g.* **1.** Que nasce; que começa. **2.** Diz-se do Sol quando está surgindo no horizonte. ● *S. m.* **3.** *Astr. Geogr.* V. *este* (1 e 2). **4.** O nascer do Sol. ● *S. f.* **5.** Lugar onde nasce um curso de água; cabeceira.

nascer [Do lat. **nascere*, por *nasci*.] *V. int.* **1.** Vir ao mundo; vir à luz; começar a ter vida exterior: "Mais tarde, debaixo dum signo mofino, / Pela lua nova, nasceu um menino." (Antônio Nobre, *Só*, p. 9.) **2.** Tomar carne; encarnar-se, humanar-se. **3.** Começar a crescer, a desenvolver-se: *A palmeira nasce em terreno arenoso.* **4.** Ter princípio ou origem: *Uma cidadezinha nasceu no vale*; "Abri subitamente uma janela / e vi nascer da sombra uma cidade / feita de paz lunar e eternidade." (Alphonsus de Guimaraens Filho, *Poemas Reunidos*, p. 207). **5.** Brotar, rebentar: *Nasceu uma fonte no meio do terreno.* **6.** Principiar a aparecer, a manifestar-se; começar: *Um belo sorriso nasceu em seus lábios; A epopeia grega nasce no séc. IX a. C.* **7.** Começar a surgir aparentemente no horizonte; surgir: "Apagou-se a última estrela, / Clareia o céu, nasce o dia" (Alberto de Oliveira, *Poesias*, 3.ª série, p. 72). **8.** Surgir; gerar-se: *Depois de muita discussão nasceu o plano.* **9.** Formar-se, instituir-se: *O cristianismo nasceu em meio de uma sociedade pagã decadente.* **10.** Nascer feito (q. v.): "O filósofo nasce, como o poeta." [Depois de "nasce" subentende-se *filósofo*.](Bulhão Pato, *Memórias*, II, p. 135.) *T. i.* **11.** Ser procriado; vir por geração; descender: *Nasceu de pais idosos.* **12.** Ter a sua origem; proceder, provir, derivar, originar-se: *Vários vocábulos ingleses, tais como* candle, school, minister, (to) mix, mass, *etc., nasceram do latim.* **13.** Despertar-se; abrir-se: *Nascer para o amor.* **14.** Ser fadado; ter aptidão especial: *Nasceu para a política.* **15.** Sair, aparecer: *Nasceram-lhe furúnculos por causa da alimentação condimentada. Pred.* **16.** Vir ao mundo (com certa qualidade, aptidão, tendência, etc.): "Nasci enfezado." (E. di Cavalcanti, *Viagem da Minha Vida*, I, p. 27); "Tamoio nasceste, / Valente serás" (Gonçalves Dias, *Obras Poéticas*, II, p. 43); *Mozart nasceu compositor: aos sete anos já compunha e dava concertos.* [Conjug.: v. *crescer*. Pres. subj.: *nasça*, etc. Cf. *nassa*.] ● *S. m.* **17.** Ato de nascer; o nascimento: *O nascer do Sol.* ◆ **Nascer acrônico.** *Astr.* O nascer do astro quando o Sol se põe. **Nascer agora.** *Fig.* V. *nascer de novo*. **Nascer cósmico.** *Astr.* O nascer de um astro, que ocorre simultaneamente com o do Sol; nascer helíaco. **Nascer de novo.** *Fig.* Escapar a um grande perigo de vida; renascer: *Só ele se salvou: nasceu de novo naquele dia.* [Tb. se diz *nascer hoje*, *nascer agora*.] **Nascer empelicado.** *Bras.* Ter muita sorte. [V. *empelicado* (2).] **Nascer feito.** Vir ao mundo, nascer, com determinada qualidade, tendência, etc. (indicada pela palavra que é sujeito ou predicativo da oração): *O poeta nasce feito* (i. e., *feito poeta*); "Quem é bom já nasce feito" (prov.). [Tb. se diz apenas *nascer*.] **Nascer helíaco.** *Astr.* Nascer cósmico. **Nascer hoje.** *Fig.* V. *nascer de novo*. **Nascer ontem.** Ser ainda muito jovem e inexperiente: "O senhor nasceu ontem e quer vir ensinar a mim, que trabalho nesse negócio há tantos anos?!" (Francisco de Assis Barbosa, *Santos Dumont Inventor*, p. 28.) **Não ter nascido ontem.** Não ser tolo ou ingênuo; ser vivo, esperto.

nascida [F. subst. do adj. *nascido*.] *S. f.* Abscesso, tumor, furúnculo; nascido.

nascidiço [De *nascido* + *-iço*.] *Adj.* Natural; nativo.

nascido [Part. de *nascer*.] *Adj.* **1.** Que nasceu; dado à luz. **2.** Acabado de nascer. ● *S. m.* **3.** V. *nascida*.

nascimento [De *nascer* + *-imento*.] *S. m.* **1.** Ato de nascer; nascença. **2.** Princípio, começo, nascença. **3.** Origem, procedência: *nascimento de uma ideia.* **4.** Progênie, estirpe: *homem de bom nascimento.* ◆ **Ter nascimento.** Ser de origem ou estirpe famosa, célebre, rica, etc.; ter berço.

nascituro [Do lat. *nascituru*.] *Adj.* **1.** Que há de nascer. ● *S. m.* **2.** Aquele que há de nascer. **3.** *Jur.* O ser humano já concebido, cujo nascimento se espera como fato futuro certo.

nascível [Do lat. tard. *nascibile*.] *Adj. 2 g.* Que pode nascer.

■ **NASDAQ** [Acrôn. do ingl. *National Association of Securities Dealers Automated Quotation*, 'Sistema Eletrônico de Cotação da Associação Nacional de Intermediários de Valores'.] *Econ.* Bolsa de valores dos Estados Unidos especializada em ações de empresas de informática e de alta tecnologia.

▲ **nas(i)-** [Do lat. *nāsus, i*.] *El. comp.* = 'nariz': *nasal, nasicórneo*. [Equiv.: *-nas(i)-*, *naso-*: *paranasal, perinasal; nasofaringe*.]

▲ **-nas(i)-** V. *nas(i)-*.

nasicórneo [De *nas(i)-* + *-corn(i)-* + *-eo*.] *Adj. Zool.* Que tem uma saliência córnea sobre o nariz.

▲ **naso-** V. *nas(i)-*.

nasobucal [De *naso-* + *bucal*.] *Adj. 2 g. Anat.* Relativo ou pertencente ao nariz e à boca.

nasóculos [De *nas(i)-* + *óculos*.] *S. m. pl. Bras.* Neologismo proposto por Castro Lopes, e aceito por muito poucos, para substituir o fr. *pince-nez* (v. *pincenê*): "O bom Artur [Artur Azevedo] sorriria por trás dos nasóculos ao ver o provinciano que escreve artigos pró e contra o mesmo sujeito" (Agripino Grieco, *Gente Nova do Brasil*, p. 32).

nasofaringe [De *naso-* + *faringe*.] *S. f. Anat.* Rinofaringe.

nasofaríngeo [De *nasofaringe* + *-eo*.] *Adj.* Relativo a nasofaringe ou rinofaringe; nasofaringiano.

nasofaringiano [De *nasofaringe* + *-iano*.] *Adj.* Nasofaríngeo.

nasofaringite [De *nasofaringe* + *-ite*[1].] *S. f. Patol.* Rinofaringite.

nasofaringítico [De *nasofaringite* + *-ico*[2].] *Adj. Patol.* Relativo a nasofaringite; rinofaringítico.

nassa [Do lat. *nassa*.] *S. f.* Cesto de pescar, afunilado, feito de vime: "terminada a faina da pescaria, assentados os espinhéis e as nassas, ... Arlequim dormia, sono solto, no fundo da canoa" (João Felício dos Santos, *João Abade*, p. 57). [Cf. *nasça*, do v. *nascer*, e *cacumbi*.]

nassada [De *nassa* + *-ada*[1].] *S. f.* **1.** Grande porção de nassas. **2.** Quantidade de peixe apanhado pela nassa.

nasserismo *S. m.* **1.** Pensamento ou ação política de Gamal Abdel Nasser, estadista árabe nascido no Egito (1918-1971). **2.** Adesão ao nasserismo (1), ou simpatia por ele.

nasserista [De *nasserismo* + *-ista*.] *Adj. 2 g.* **1.** Relativo ao, ou próprio do nasserismo. **2.** Que é partidário do nasserismo (1). ● *S. 2 g.* **3.** Partidário dele.

nassoviano *Adj.* Relativo a Johann Mauritius van Nassau-Siegen (1604-1679), dito Maurício de Nassau, nobre alemão que, a serviço da Companhia das Índias Ocidentais dos Países Baixos, governou o Brasil holandês (1637-1644): "a época nassoviana foi um momento histórico de grande esplendor cultural." (Joaquim Ribeiro, *História Administrativa do Brasil*, p. 390).

nastia [Do gr. *nastós*, 'compacto', 'espesso', + *-ia*[1].] *S. f. Bot.* Movimento de curvatura das plantas e partes vegetais, provocado por um estímulo de caráter externo, que é difuso.

▲ **-nastia** [Do al. *-nastie* < gr. *nastós, é, ón*, 'prensado', 'comprimido', 'compacto', 'firme', 'sólido', + al. *-ie* (v. *-ia*[1]).] *El. comp.* = 'nastia', 'movimento nástico': *hidronastia*.

nástico [De *nastia* + *-ico*[2].] *Adj. Bot.* Relativo à, ou próprio da nastia: *movimento nástico.*

nastriforme [De *nastro* + *-iforme*.] *Adj. 2 g.* Que tem feitio ou forma de nastro.

nastro [Do it. *nastro*.] *S. m.* **1.** Fita estreita de algodão, de linho, ou de outro fio; cadarço. **2.** Fita de seda, ouro ou prata, etc., para trançar ou atar o cabelo; trena: "Dusá apareceu, vestida de branco, cabelos soltos, apenas com um nastro de veludo, em tope, no alto da cabeça." (Lindolfo Rocha, *Maria Dusá*, p. 117.) ~ V. *nastros*.

nastros [Pl. de *nastro*.] *S. m. pl. Art. Gráf.* V. *cadarços*. ~ V. *nastro*.

nastúrcio [Adapt. do tax. *Nasturtium*.] *S. m. Bot.* **1.** Gênero de brassicáceas cuja ramagem tem aspecto suculento; as folhas são, ger., pinadas, e as flores, de pétalas brancas, têm o dobro do tamanho das sépalas. **2.** Qualquer espécie desse gênero, como, p. ex., a *Nasturtium officinale* (v. *agrião*). **3.** Gênero de ervas prostradas tropeoláceas, de folhas cerosas, e cujas flores, amarelas, alaranjadas ou vermelhas, simples ou dobradas, são ornamentais. **4.** Qualquer espécie desse gênero, como, p. ex., a *Tropaeolum majus* (v. *capuchinha*). **5.** Qualquer espécime desses gêneros.

nata [Do lat. vulg. *natta*.] *S. f.* **1.** A parte gorda do leite, que se forma à superfície e da qual se faz manteiga; creme: "precisas de quatro ovos, deixa-me ver... uma chávena de chá de natas... outra de maizena..." (Vasco Graça Moura, *Partida de Sofonisba às Seis e Doze da Manhã*, p. 222). **2.** *Fig.* A melhor parte de qualquer coisa; o que há de melhor. **3.** V. *elite* (1): "Morreu um figurão, a nata da cidade abalou-se." (Guilherme Figueiredo, *A Pluma e o Vento*, p. 174.) **4.** *Constr.* Película muito fina, praticamente sem resistência, que às vezes se forma na superfície de um concreto após o seu lançamento, e é reconhecível

N

pelo aspecto brilhante. **5.** A suspensão de cimento em água, que se segrega de um concreto. **6.** *Bras. N. N.E. Pop.* Catarro (3).

natação [Do lat. *natatione.*] *S. f.* **1.** Ação, exercício, arte ou esporte de nadar. **2.** Sistema de locomoção dos animais que vivem na água. **3.** *Bras.* Equipe de nadadores de clube, associação, etc.

natadeira [De *nata* + *-deira.*] *S. f.* Bacia larga onde se expõe o leite ao máximo contato com o ar para coalhar-se facilmente.

natado [De *nata* + *-ado*[1].] *Adj.* V. *nateirado.*

natal [Do lat. *natale.*] *Adj. 2 g.* **1.** Relativo ao nascimento. **2.** Onde ocorreu o nascimento: *terra natal; cidade natal;* "Oh! que saudades tamanhas / Das montanhas, / Daqueles campos natais!" (Casimiro de Abreu, *Obras*, p. 57). ~ V. *família —, terra —* e *torrão —.* ● *S. m.* **3.** Dia do nascimento. **4.** *Rel. Restr.* Dia em que se comemora o nascimento de Cristo (25 de dezembro). [Com cap., nesta acepç.] **5.** *Mús.* Qualquer canção de caráter popular inspirada nos festejos ou nos personagens natalinos.

natalense *Adj. 2 g.* **1.** De, ou pertencente ou relativo a Natal, capital do Estado do Rio Grande do Norte. ● *S. 2 g.* **2.** O natural ou habitante de Natal. [Sin. ger. (joc. e m. us. como s. 2 g.): *papa-jerimum.*]

natalício [Do lat. *nataliciu.*] *Adj.* **1.** Relativo ao dia do nascimento: *aniversário natalício.* **2.** Relativo ao nascimento; genetlíaco. ● *S. m.* **3.** O dia do nascimento: *Festejava ali o seu natalício.*

natalidade [Do lat. med. *natalitate.*] *S. f.* Percentagem de nascimentos de uma comunidade em determinado período de tempo: "É por demais conhecido o fenômeno da alta natalidade nas coletividades rurais, em particular nas regiões de escasso desenvolvimento econômico." (Clóvis Caldeira, *Menores no Meio Rural*, p. 31.)

natalídeo [Do tax. *Natalus*, gênero-tipo, + *ídeo*[1]; tax. *Natalidae.*] *Zool. S. m.* **1.** Espécime dos natalídeos, família de animais quirópteros, com um só gênero e oito espécies; são morcegos insetívoros, delicados, com nariz simples, sem folha, pernas longas e delgadas, que vivem nas regiões tropicais das Américas e das ilhas do Caribe. ● *Adj.* **2.** Pertencente ou relativo a eles.

natalino [De *natal* + *-ino*[1].] *Adj. Bras.* Relativo ao, ou próprio do Natal, ou das festas do Natal.

natante [Do lat. *natante.*] *Adj. 2 g.* Natátil.

natátil [Do lat. tard. *natatile.*] *Adj. 2 g.* Que fica à tona da água; que sobrenada; natante. [Pl.: *natáteis.*]

natatório [Do lat. tard. *natatoriu.*] *Adj.* **1.** Relativo à natação. **2.** Que serve para nadar: *bexiga natatória.* ● *S. m.* **3.** Lugar próprio para nadar. **4.** Tanque de peixes; aquário. ~ V. *bexiga —a* e *vesícula —a.*

nateirado [De *nateiro* + *-ado*[1].] *Adj.* Coberto de nateiro ou de nata; natado, natento.

nateiro [De *nata* + *-eiro.*] *S. m.* **1.** Lodo que as cheias depositam nas margens dos rios. **2.** Camada de lodo formada pela poeira, detritos orgânicos e água da chuva.

natento [De *nata* + *-ento.*] *Adj.* **1.** V. *nateirado.* **2.** Fértil, fecundo: *terra natenta.*

naterciano *Adj.* **1.** De, ou pertencente ou relativo a Natércia (MG). ● *S. m.* **2.** O natural ou habitante de Natércia.

▲ **nati-** [Do lat. *nātus, a, um.*] *El. comp.* = 'nascido'; 'recém-nascido': *natimortalidade, natimorto.* [Equiv.: *-nat(o)-*; *neonatologia.*]

natimortalidade [De *nati-* + *mortalidade.*] *S. f.* A proporção de natimortos em relação à quantidade total de nascidos; mortinatalidade.

natimorto (ô) [De *nati-* + *morto.*] *Adj. S. m.* **1.** Diz-se de, ou que nasceu morto. **2.** *P. ext.* Diz-se de, ou aquele que, tendo vindo à luz com sinais de vida, logo morreu. [Sin. ger.: *nado-morto.* Pl.: *natimortos* (ó).]

natio [Alter. de *nativo.*] *S. m.* Terra onde sem cultura brotam plantas.

nativense [Por *natividadense*, com síncope.] *Adj. 2 g.* **1.** De, ou pertencente ou relativo a Natividade da Serra (SP). ● *S. 2 g.* **2.** O natural ou habitante de Natividade da Serra.

natividade [Do lat. tard. *nativitate.*] *S. f.* **1.** Nascimento (em especial o de Cristo e o dos santos). **2.** *Teatr.* No teatro medieval, drama religioso baseado no nascimento de Cristo.

natividadense *Adj. 2 g.* **1.** De, ou pertencente ou relativo a Natividade (RJ). ● *S. 2 g.* **2.** O natural ou habitante de Natividade.

nativismo [De *nativo* + *-ismo.*] *S. m.* **1.** Qualidade ou caráter de nativista; aversão a estrangeiros. **2.** *Antrop.* Qualquer movimento de valorização da cultura de uma etnia nativa, esp. como reação ou oposição ao processo de aculturação (q. v.). **3.** *Psicol.* Teoria que atribui a origem de certas noções a estruturas congênitas, por oposição ao empirismo, que as faz derivar de uma aquisição progressiva através da experiência.

nativista [De *nativo* + *-ista.*] *Adj. 2 g.* **1.** Relativo aos nativos, esp. os indígenas. **2.** Relativo a, próprio de, ou caracterizado por nativismo. ● *S. 2 g.* **3.** *Bras. Obsol.* Pessoa que apaixonadamente detesta estrangeiros, esp. os portugueses. **4.** *Antrop.* Adepto ou defensor do nativismo (2).

nativitano [Do lat. tard. *nativitate*, 'natividade', + *-ano*[1], com haplologia.] *Adj.* **1.** De, ou pertencente ou relativo a Natividade (TO). ● *S. m.* **2.** O natural ou habitante de Natividade.

nativo [Do lat. *nativu.*] *Adj.* **1.** Que é natural; congênito: *graça nativa.* **2.** Que nasce, procede; procedente: *O cajueiro é planta nativa do Brasil.* **3.** Não estrangeiro; nacional: *os elementos nativos da população.* **4.** Desartificioso, singelo. **5.** Diz-se da água que nasce em uma propriedade, ou que não provém de corrente distante. **6.** Diz-se dos metais e não metais encontrados em estado de elemento na natureza. **7.** *Zool.* Diz-se de espécie animal originária de determinada região ou que, há muito tempo, nela habita: *O ornitorrinco é nativo da Austrália e da Tasmânia.* [F. paral., p. us.: *nadivo*; sin., desus.: *nadível.*] ~ V. *falante —, ferro —* e *língua —a.* ● *S. m.* **8.** Indivíduo natural de uma terra, de um país (por oposição a estrangeiro, a colono, etc.); indígena, natural, nacional.

nato [Do lat. *natu.*] *Adj.* **1.** Nascido, nado. **2.** Que é de nascença; congênito. **3.** Inerente à natureza ou às funções do próprio cargo: *Todo governante deveria ser um defensor nato do povo.*

▲ **-nat(o)-** Equiv. de *nati-*.

natrão [Do egípcio *ntrj*, pelo ár. *natrun*, poss. pelo fr.] *S. m. Quím.* Carbonato hidratado de sódio natural; natro.

natremia [Do lat. cient. *natr(ium)* + *-emia.*] *S. f. Med.* Teor de sódio no sangue.

nátrio [Do ingl. *natrium* ou do al. *Natrium.*] *S. m. Quím. Desus.* Sódio (q. v.).

natriuria [De *nátrio* + *-uria.*] *S. f.* V. *natriúria.*

natriúria [De *nátrio* + *-úria.*] *S. f. Med.* Teor de sódio na urina. [F. paral.: *natriuria.*]

natro *S. m. Quím.* Natrão.

natrolita [De *natro* + *-lita.*] *S. f. Min.* Mineral ortorrômbico, silicato hidratado de alumínio e sódio.

natrómetro *S. m.* V. *natrômetro.* [Uso freq. em P.]

natrômetro [De *natro* + *-metro.*] *S. m.* Aparelho com que se mede a quantidade de sódio contida nos produtos comerciais.

natu *Bras. S. 2 g.* **1.** *Etnôn.* Indivíduo dos natus, povo indígena extinto de língua isolada, que habitava o litoral de Alagoas. ● *Adj. 2 g.* **2.** Pertencente ou relativo a esse povo. [Tb. us. como *s. 2 g. e 2 n.* (com cap.) e *adj. 2 g. e 2 n.*]

natubense *Adj. 2 g.* **1.** De, ou pertencente ou relativo a Natuba (PB). ● *S. 2 g.* **2.** O natural ou habitante de Natuba.

natura [Do lat. *natura.*] *S. f.* **1.** *Poét.* Natureza. **2.** *Ant.* Direito de ser herdeiro em alguma igreja, mosteiro ou qualquer instituição religiosa. **3.** *Ant.* Dinheiro ou alimentos que se recebiam em virtude desse direito.

natural [Do lat. *naturale.*] *Adj. 2 g.* **1.** De, ou referente à natureza: *belezas naturais.* **2.** Produzido pela natureza: *O ouro é uma riqueza natural.* **3.** Em que não há trabalho ou intervenção do homem: *o crescimento natural das plantas silvestres.* **4.** Que segue a ordem regular das coisas; lógico: *Não raro o crime é fruto natural da miséria.* **5.** Inato, ingênito, congênito: *As letras constituem-lhe paixão natural.* **6.** Próprio do instinto; instintivo: *Os reflexos são reações naturais.* **7.** Próprio, peculiar: *O riso é natural do homem.* **8.** Não estudado ou calculado; sem artifício; desafetado, espontâneo: *pessoa simples, de maneiras naturais.* **9.** Provável, presumível: *Tendo saído cedo, a estas horas é natural que já estejam bem longe.* **10.** Nascido; originário, procedente, oriundo: *É natural do Maranhão.* **11.** *Mús.* Diz-se da trompa e da trombeta sem pistons. **12.** *Bras.* Diz-se de alimento preparado sem adição de ingredientes tóxicos, de fruta, legume, cereal, etc., que não foi tratado com agrotóxico, etc.; orgânico. ~ V. *abrigo —, abundância —, água —, astrologia —, bem —, betume —, canal —, ciências naturais, classificação —, coordenadas naturais, desintegração —, direito —, filho —, filosofia —, frequência —, gás —, gás — veicular, história —, iluminação —, lei —, língua —, linguagem —, logaritmo —, luz —, monopólio —, morte —, mumificação —, número —, pessoa —, povos naturais, produto —, radioatividade —, realismo —, recursos naturais, região —, reserva —, satélite —, seleção —, sistema —* e *som —.* ● *S. m.* **13.** V. *nativo* (8). **14.** Aquele que pertence a uma certa localidade. **15.** Aquilo que é conforme a natureza. **16.** Tendência natural; índole, caráter: "Segundo as tradições mais correntes .... o Cabeleira trouxe do seio materno um natural brando e um coração benévolo." (Franklin Távora, *O Cabeleira*, p. 69.) **17.** A realidade; o original. **18.** Sorte, destino. **19.** *Mat.* Número natural. **20.** *Bras. N.E. Pop.* Terra do nascimento; terra natal. ◆ **Ao natural.** Diz-se de alimento que se serve como foi colhido, sem qualquer alteração ou preparo: *A sobremesa foi mamão ao natural; Comeu ostras ao natural.*

naturaleza (ê) [De *natural* + *-eza.*] *S. f. Ant.* Natureza.

naturalidade [Do lat. tard. *naturalitate.*] *S. f.* **1.** Qualidade ou caráter de natural. **2.** Local (município, estado, etc.) de nascimento [Cf. *nacionalidade* (2)]: *Rui Barbosa, de naturalidade baiana, projetou-se vivamente no cenário nacional.* **3.** Nascimento, origem: *A terra de sua naturalidade é o Brasil.*

naturalismo [De *natural* + *-ismo.*] *S. m.* **1.** Estado daquilo que é produzido pela natureza. **2.** *Art. Plást.* Na pintura, representação realista da natureza. **3.** Doutrina ou escola literária infensa a qualquer idealização da realidade, e que insiste particularmente nos aspectos que, no homem, resultam da natureza e de suas leis. [Cf. *realismo*[1](6).] **4.** *Teatr.* Estilo de encenação originário da França, com Émile Zola (1840-1902), e que é um prolongamento do teatro realista [v. *realismo*[1] (4)], do qual se distingue por conceber a verdade como sendo virtualmente sinônima da sequência dos acontecimentos. **5.** *Filos.* Doutrina segundo a qual todo conjunto de fenômenos pode ser reduzido, por um encadeamento mecânico, a fatos do mundo concreto material sem a intervenção de nenhuma causa transcendente. P. ex.: em moral, doutrina que fundamenta a conduta humana na satisfação dos instintos biológicos. **6.** *Filos.* Doutrina que preconiza a volta à natureza e à simplicidade primitiva, quer nas instituições sociais, quer na maneira de viver; naturismo.

naturalista [De *natural* + *-ista.*] *Adj. 2 g.* **1.** Referente ao naturalismo; naturalístico. **2.** Que é partidário ou seguidor do naturalismo. ● *S. 2 g.* **3.** Partidário ou seguidor dele. **4.** Especialista em história natural, esp., em Botânica e Zoologia.

naturalístico [De *naturalista* + *-ico*[2].] *Adj.* **1.** Referente aos naturalistas [v. *naturalista* (4)], ou aos seus estudos. **2.** Naturalista (1).

naturalização [De *naturalizar* + *-ção.*] *S. f.* **1.** Ato pelo qual um estrangeiro se torna cidadão dum Estado que não é o seu, perdendo ao mesmo tempo a sua nacionalidade de origem. **2.** Ato de aclimar-se. **3.** *E. Ling.* Introdução em uma língua de palavras e locuções doutra língua.

naturalizado [Part. de *naturalizar.*] *Adj. S. m.* Diz-se de, ou estrangeiro que se naturalizou, que passou à categoria de nacional.

naturalizador (ô) [De *naturalizar* + *-dor.*] *Adj.* **1.** Que naturaliza; naturalizante. ● *S. m.* **2.** Aquilo ou aquele que naturaliza, que nacionaliza.

naturalizando [De *naturalizar* + *-ando.*] *Adj. S. m.* Que, ou aquele que vai ser naturalizado.

naturalizante [De *naturalizar* + *-nte.*] *Adj. 2 g.* Naturalizador (1).

naturalizar [De *natural* + *-izar.*] *V. t. d.* **1.** Dar a (um estrangeiro) os direitos de que desfrutam os cidadãos dum país, com a consequente perda da nacionalidade de origem; nacionalizar. **2.** Adotar como nacional; nacionalizar. **3.** Adotar como nativo ou vernáculo: *naturalizar palavras.* **4.** Aclimar em país estrangeiro (animal ou planta). **5.** Adaptar-se a; adotar: *Viveu longos anos na Europa e acabou naturalizando hábitos europeus.* *P.* **6.** Adquirir (um estrangeiro) os direitos atribuídos aos naturais dum país, renunciando à nacionalidade original; naturalizar-se.

naturalizável [De *naturalizar* + *-vel.*] *Adj. 2 g.* Que pode naturalizar-se; em condições de ser naturalizado.

naturalmente [De *natural* + *-mente.*] *Adv.* **1.** De modo natural; com naturalidade. **2.** Provavelmente; evidentemente. ● *Interj.* **3.** Está claro; certamente.

naturança [De *natura* + *-ança.*] *S. f. Ant.* Natura (2) em mosteiro.

natureba *Adj. 2 g. S. 2 g. Bras. Joc.* Diz-se de, ou indivíduo que se alimenta, essencialmente, de frutas, vegetais, grãos e cereais integrais.

natureza (ê) [De *natura* + *-eza.*] *S. f.* **1.** Todos os seres que constituem o Universo. **2.** Força ativa que estabeleceu e conserva a ordem natural de tudo quanto existe. **3.** Índole do indivíduo; temperamento, caráter. **4.** Espécie, qualidade: *Vive cheio de problemas de toda natureza.* **5.** A condição do homem anteriormente à civilização. **6.** As partes genitais do homem ou da mulher (especialmente as do homem). **7.** *Filos.* Essência (5). **8.** *Filos.* O mundo visível, em oposição às ideias, sentimentos, emoções, etc. **9.** *Filos.* Conjunto do que se produz no Universo independentemente de intervenção refletida ou consciente. **10.** *Bras. S. Pop.* Terra natal. ◆ **Natureza humana. 1.** *Antrop.* O conjunto das características físicas e orgânicas, mentais, psicológicas, afetivas, etc., que, nos seres humanos, são supostamente comuns a toda a espécie e invariáveis, isto é, independentes da influência das sociedades ou culturas específicas em que os indivíduos nascem e se desenvolvem. 2. *Filos.* O conjunto das qualidades percebidas como idênticas, imutáveis e comuns a todos os seres humanos, e que seria suficiente para caracterizá-los como tais. **Cortar a natureza de.** *Bras. SP* Causar frigidez sexual em.

natureza-morta *S. f. Art. Plást.* 1. Gênero de pintura em que se representam animais mortos, coisas ou seres inanimados. 2. Quadro desse gênero. [Pl.: *naturezas--mortas.*]

naturismo [De *natura* (1) + *-ismo.*] *S. m.* 1. Concepção daqueles que tudo esperam das forças da natureza. 2. Valorização excessiva dos agentes físicos naturais — p. ex., banhos, irradiações — como métodos terapêuticos. 3. V. *nudismo.* 4. *Filos.* Naturalismo (6).

naturista [De *naturismo* + *-ista.*] *Adj. 2 g. S. 2 g.* Partidário ou seguidor do naturismo.

nau [Do lat. *nave*, pelo cat. *nau.*] *S. f.* 1. Antigo navio redondo, tanto na forma do casco quanto no velame, de grande tamanho, com acastelamentos na proa e na popa. [Começou tendo apenas um mastro, e no fim do séc. XVIII tinha três, todos com velas redondas e mais uma vela latina quadrangular no mastro de ré.] 2. *Poét.* Qualquer embarcação. ◆ **Nau de guerra.** *Ant.* Nau destinada a proteger o comércio marítimo e a fazer a guerra no mar. Era armada com 60 a 120 peças de artilharia, podendo ser de 1.ª classe (mais de 100 peças), de 2.ª classe (90 a 100 peças) ou de 3.ª classe (60 a 80 peças). **Nau de linha.** *Ant.* Nau de guerra, armada com 74 peças de artilharia, ou mais, e assim chamada porque constituía a linha de batalha, nos combates navais de vulto. **Nau dos quintos.** *Ant.* Nau ou fragata que transportava anualmente, do Brasil colônia para Portugal, o quinto (4) da mineração do ouro.

▲ **nau-** [Do gr. *naûs, neós.*] ***El. comp.*** = 'navio': *naupatia.*

naua [Do hisp.-amer. *nahua.*] *S. 2 g. S. m. Adj. 2 g.* V. *náuatle.* [Com cap.]

nauarca [Do gr. *nauárches.*] *S. m.* Na Grécia antiga, comandante de um navio ou de uma frota; almirante: 📖 "os atenienses .... mandem ao mar duzentas naus, e que o nauarca se faça com elas na volta das Termópilas" (Latino Coelho, *A Oração da Coroa*, de Demóstenes, p. 63). [F. paral.: *nauarco.*]

nauarco [Do gr. *naúarchos.*] *S. m.* Nauarca (q. v.).

nauatle *S. 2 g. S. m. Adj. 2 g.* V. *náuatle.*

náuatle [Do náuatle *náhuatl*, 'harmoniosa' (subentende-se *língua*).] *S. 2 g.* 1. *Etnôn.* Indivíduo dos náuatles, grupo de povos do S. do México e da América Central que incluía os astecas. ● *S. m.* 2. *Gloss.* Língua uto--asteca falada nas regiões central e oeste do México. 3. Vocábulo dessa língua. ● *Adj. 2 g.* 4. Pertencente ou relativo aos náuatles, ou ao náuatle (2). [Sin. ger.: *naua.* F. paral.: *nauatle.*] ◆ **Náuatle clássico.** *Gloss.* Dialeto náuatle, hoje extinto, falado pelos astecas à época da chegada dos colonizadores espanhóis, no séc. XVI; asteca.

nauatle-espanhol *S. m. Gloss.* V. *náuatle-espanhol.*

náuatle-espanhol *S. m. Gloss.* Crioulo (12) surgido na Nicarágua no séc. XVI, atualmente em via de extinção. [F. paral.: *nauatle-espanhol.*]

naucuá (a-u) *Bras. S. 2 g.* 1. *Etnôn.* Indivíduo dos naucuás [ou (etnôn. bras.) *Nahukwá, *Nahucuá], povo indígena da família linguística caraíba que habita a região dos formadores do rio Xingu (MT). ● *Adj. 2 g.* 2. Pertencente ou relativo a esse povo.

náufico *Adj. Bras.* Náfego (1 e 2).

naufragado [Part. de *naufragar.*] *Adj.* 1. Náufrago (1). ● *S. m.* 2. Náufrago (3). 3. *Bras. S.* Entre os praieiros, pinguim.

naufragante [Do lat. *naufragante.*] *Adj. 2 g. S. 2 g.* Que, ou quem naufraga.

naufragar [Do lat. *naufragare.*] *V. int.* 1. Ir a pique, soçobrar (a embarcação). 2. Sofrer naufrágio (os tripulantes). 3. Perder-se; extinguir-se; malograr--se: 📄 *Dadas as más condições econômicas, o projeto naufragou.* 4. Malograr-se, fracassar, falhar: 📄 *Meteu-se em negócio perigoso, e naufragou; Naufragar no empreendimento. T. d.* 5. Causar naufrágio a; fazer naufragar. 6. Levar à falência, ao malogro: 📄 *Inábil para os negócios, conseguiu naufragar suas empresas.* [Conjug.: v. *largar.* Pres. ind.: *naufrago*, etc. Cf. *náufrago*, adj. e s. m.]

naufragável [De *naufragar* + *-vel.*] *Adj. 2 g.* Que pode naufragar; sujeito a naufrágio.

naufrágio [Do lat. *naufragiu.*] *S. m.* 1. Ato ou efeito de naufragar. 2. Perda de uma embarcação, em virtude de encalhe ou de outro acidente marítimo; soçobro. 3. *Fig.* Grande insucesso; prejuízo. 4. Decadência, ruína.

náufrago [Do lat. *naufragu.*] *Adj.* 1. Que naufragou; naufragado. 2. Resultante de naufrágio. ● *S. m.* 3. Indivíduo que naufragou; naufragado. 4. *Fig.* Indivíduo infeliz, decadente: 📄 *náufrago da vida.* [Cf. *naufrago*, do v. *naufragar.*]

naufragoso (ô) [De *náufrago* + *-oso.*] *Adj.* 1. Que causa naufrágios. 2. *Fig.* Perigoso, arriscado.

naumannita [Do antr. (*Karl F.*) *Naumann* (1797-1873), mineralogista alemão, + *-ita*[3].] *S. f. Min.* Mineral isométrico, seleneto de prata.

naumaquia [Do gr. *naumachía*, pelo lat. *naumachia.*] *S. f.* 1. Entre os antigos romanos, representação ou simulação dum combate naval. 2. O lugar onde era simulado o combate.

naumáquico [Do gr. *naumachikós.*] *Adj.* Concernente a naumaquia.

nauna *Bras. S. 2 g.* 1. *Etnôn.* Indivíduo dos naunas, povo indígena extinto que habitava a margem esquerda do rio Jutaí (AM). ● *Adj. 2 g.* 2. Pertencente ou relativo a esse povo. [Tb. us. como *s. 2 g. e 2 n.* (com cap.) e *adj. 2 g. e 2 n.*]

naupatia [De *nau-* + *-patia.*] *S. f. Med.* Enjoo em viagem por via aquática.

náuplio [Do lat. *nauplíu.*] *S. m. Zool.* Forma larvar comum a todos os crustáceos, com um ocelo mediano e três pares de apêndices.

nauruano [Do top. *Nauru*, ilha do Pacífico, + *-ano*[1].] *Adj.* 1. Da, ou pertencente ou relativo à República de Nauru (Micronésia), ou ao nauruano (3). ● *S. m.* 2. O natural ou habitante da República de Nauru. 3. *Gloss.* Língua malaio-polinésia falada ali; naurués, nauruense.

nauruense [Do top. *Nauru* + *-ense.*] *S. m. Gloss.* V. *nauruano* (3).

naurués [Do top. *Nauru* + *-ês.*] *S. m. Gloss.* V. *nauruano* (3). [Flex.: *nauruesa* (ê), *naurueses* (ê), *nauruesas* (ê).]

nauscopia [De *nau-* + *-scop-* + *-ia*[1].] *S. f.* Arte de empregar o nauscópio.

nauscópico [De *nauscopia* + *-ico*[2].] *Adj.* Referente à nauscopia.

nauscópio [De *nau-* + *-scópio.*] *S. m.* Instrumento óptico de grande alcance, que permite ver, de terra, navios a grande distância, e ver terra a grande distância de bordo de um navio.

náusea [Do gr. *nausía*, 'enjoo de mar', pelo lat. *nausea.*] *S. f.* 1. Enjoo ou ânsia no mar, causado pelo balanço da embarcação. 2. *Med.* Sensação desagradável, imprecisa, experimentada no abdome, em especial no epigástrio, e que pode ser seguida de vômito. [Sin., nessas acepçs.: *enjoo, estuação.*] 3. *Fig.* Sentimento de repulsão; repugnância, nojo.

nauseabundo [Do lat. *nauseabundu.*] *Adj.* 1. Que produz náuseas; nauseativo, nauseante, nauseoso. 2. *Fig.* Nojento, asqueroso, ascoso, repugnante, nauseante, nauseoso.

nauseado [Part. de *nausear.*] *Adj.* 1. Que tem náusea ou enjoo. 2. Que se sente indisposto, como quem vai vomitar.

nauseante [Do lat. *nauseante.*] *Adj. 2 g.* V. *nauseabundo.*

nausear [Do lat. *nauseare.*] *V. t. d.* 1. Causar náuseas a; enjoar: 📖 "Fugia a Cremilda, de cujo corpo se desprendia um cheiro forte, que o estonteava e nauseava." (Macedo Miranda, *As Três Chaves*, p. 28.) 2. Ter aversão a; repugnar. 3. Enfastiar; entediar. *Int. P.* 4. Sentir náuseas. 5. Enfastiar(-se); entediar(-se). [Sin. ger.: *enausear.* Conjug.: v. *frear.*]

nauseativo [De *nausear* + *-tivo.*] *Adj.* V. *nauseabundo* (1).

nauseento [De *náusea* + *-ento.*] *Adj.* Que sente náuseas facilmente.

nauseoso (ô) [Do lat. *nauseosu.*] *Adj.* 1. V. *nauseabundo.* 2. Diz-se de indivíduo que se queixa de náusea.

nauta [Do gr. *naútes*, pelo lat. *nauta.*] *S. m.* Aquele que navega; navegante, navegador, marinheiro: 📖 "A palavra Índia tem para nós .... uma significação de parentesco. Fomos descobertos porque nautas que demandavam as Índias avistaram terras estranhas para eles." (José Lins do Rego, *Homens, Seres e Coisas*, p. 32.)

▲ **-nauta** [Do lat. *nauta*, *ae* < gr. *naútes, ou*, 'marinheiro'.] ***El. comp.*** = 'que navega', 'que cursa'; *p. ext.* 'astronauta': *astronauta, internauta; robonauta.*

náutica [Do gr. *nautiké* (v. *náutica*).] *S. f.* Ciência e arte da navegação sobre água. [Cf. *marinharia* (1 e 2).]

▲ **-náutica** [Do gr. *nautiké*, 'arte da navegação', do f. de *nautikós, é, on*, 'náutico'.] ***El. comp.*** = 'navegação': *motonáutica.*

náutico [Do gr. *nautikós*, pelo lat. *nauticu.*] *Adj.* 1. Relativo a marinheiro; navegante, nauta: 📄 *espírito náutico; termo náutico.* 2. Respeitante à navegação: 📄 *processo náutico.* ~ V. *almanaque —, carta —a* e *crepúsculo —.*

nautilídeo [Do tax. *Nautilus* + *-ídeo*[1]; tax. *Nautilidae.*] *Paleont. Zool. S. m.* 1. Espécime dos nautilídeos, família de moluscos cefalópodes que reúne nautilídeos (q. v.) com concha muito espiralada. ● *Adj.* 2. Pertencente ou relativo a eles.

náutilo [Do lat. *nautilu* < gr. *nautílos*, 'marinheiro'; tax. *Nautilus.*] *S. m. Zool.* 1. Gênero de molusco cefalópode. 2. Qualquer espécie desse gênero, como, p. ex., a *Nautilus pompilius*, dos oceanos Pacífico e Índico, com quatro brânquias, concha externa, univalve e plurilocular. 3. Qualquer espécime desse gênero.

nautiloide (ói) [De *náutilo* + *-oide.*] *Adj. 2 g.* Relativo ou semelhante ao náutilo; nautilídeo. ❖

nautilóideo [Adapt. do tax. *Nautiloidea.*] *Paleont. Zool. S. m.* 1. Espécime dos nautilóideos, ordem de moluscos cefalópodes providos de concha externa, com formatos variados. Importante no ordoviciano e no siluriano, é atualmente representada apenas pelo gênero *Nautilus.* ● *Adj.* 2. Pertencente ou relativo a eles.

nautimodelismo [De *nautimodelo* + *-ismo.*] *S. m.* 1. Ciência ou técnica de projetar e construir nautimodelos. 2. *Esport.* Esporte praticado com nautimodelos.

nautimodelista [De *nautimodelo* + *-ista.*] *S. 2 g.* 1. Aquele ou aquela que projeta e constrói nautimodelos. 2. Aquele ou aquela que pratica nautimodelismo.

nautimodelo [De *naut(i)-* + *modelo.*] *S. m.* Miniatura ou modelo (2) de navio, lancha, transatlântico, etc. para fins experimentais, recreativos ou esportivos.

nautografia [Do lat. *nauta*, 'nauta', + *-o-* + *-grafia.*] *S. f.* Descrição dos aparelhos dos navios e das respectivas manobras.

nautográfico [De *nautografia* + *-ico*[2].] *Adj.* Referente à nautografia.

nautógrafo [De *nauto-*, como em *nautografia*, + *-grafo.*] *S. m.* Especialista em nautografia.

nava [De um idioma pré-romano, pelo esp. *nava.*] *S. f. P. us.* Planície cercada de montanhas.

navaité *Bras. S. 2 g.* 1. *Etnôn.* Indivíduo dos navaités, povo indígena extinto que habitava a região do rio Castanho, divisa de RO com MT. ● *Adj. 2 g.* 2. Pertencente ou relativo a esse povo. [Tb. us. como *s. 2 g. e 2 n.* (com cap.) e *adj. 2 g. e 2 n.*]

navajo *S. m.* 1. *Etnôn.* Indivíduo dos navajos, povo indígena do Novo México e Arizona (E.U.A.) 2. *Gloss.* A língua atabascana desse povo. ● *Adj.* 3. Pertencente ou relativo aos navajos, ou à sua língua.

naval [Do lat. *navale.*] *Adj. 2 g.* 1. *Ant.* Relativo a navio. [Nesta acepç., atualmente só é us. nas loc. *construção naval, engenheiro naval* e *revista naval.*] 2. Relativo à marinha de guerra: 📄 *força naval; batalha naval; estratégia naval; tática naval; doutrina naval; política naval.* [Cf. *marítimo* (4).] ~ V. *aviação —, base —, construção —, coroa —, fuzileiro —, polícia —, poder — e revista —.* ● *S. m.* 3. *Bras. Gír.* Praça pertencente ao Corpo dos Fuzileiros Navais.

navalha [Do lat. *novacula*, com assimilação.] *S. f.* 1. Instrumento cortante, que consta de uma lâmina e de um cabo com dispositivo para resguardar o fio da mesma lâmina, quando se fecha. 2. *Bot.* Capim ciperáceo (*Hypolytrum pungens*) semelhante à navalha-de-macaco; navalheira, navalheira-dura. 3. *Fig.* Frio intenso. 4. *Fig.* Língua maldizente. 5. *Art. Gráf.* Faca[1] (5). 6. *Tip.* Cada uma das três lâminas que aparam a linha-bloco da linotipo, após a fundição, acertando-lhe o corpo e a altura; faca. [V. *bloco de navalhas.*] ● *S. m.* 7. *Bras. Pop.* Motorista imperito; barbeiro. ◆ **Navalha de Ockham.** *Hist. Filos.* Princípio fundamental do ockhamismo (q. v.), segundo o qual, para explicar os fatos, não devemos multiplicar desnecessariamente as entidades.

navalhada [De *navalha* + *-ada*[1].] *S. f.* Golpe de navalha.

navalha-de-macaco *S. f. Bras. L. Bot.* Grande capim ciperáceo (*Hypolytrum schraderianum*) muito copioso e denso em lugares úmidos, de longas folhas que em ambas as margens têm uma serrilha silicosa extremamente cortante. [Pl.: *navalhas-de-macaco.*]

navalhagem [De *navalhar* + *-agem*[2].] *S. f. Tec. Têx.* Processo que tem por finalidade a eliminação, por corte, das pontas salientes das fibras que ficam eriçadas na superfície do material tecido.

navalhante [De *navalhar* + *-nte.*] *Adj. 2 g.* Que navalha.

navalhão [De *navalha* + *-ão*[1].] *S. m.* 1. Grande navalha. 2. Em artilharia, cada uma das lâminas de aço temperado ligadas à cabeça da broca[1] (6).

navalhar [De *navalha* + *-ar*[2].] *V. t. d.* 1. Golpear com navalha. 2. *Fig.* Magoar, ferir.

navalheira [De *navalha* + *-eira.*] *S. f. Bot.* V. *navalha* (2).

navalheira-dura *S. f. Bras. Bot.* V. *navalha* (2). [Pl.: *navalheiras-duras.*]

navalheira-mole *S. f. Bras. Bot.* Capim ciperáceo (*Hypolytrum laxum*) semelhante à navalha-de--macaco. [Pl.: *navalheiras-moles.*]

navalhista [De *navalha* + *-ista.*] *S. 2 g.* 1. Pessoa que dá navalhada(s). 2. Faquista (1).

navarra [De *navarro*, t. poss. criado por toureiros navarros.] *S. f. Taur.* Sorte (15) que o toureiro executa com a capa que tira por baixo do focinho do touro, rodando nos calcanhares e ficando em posição de repetir a sorte.

navarrense *Adj. 2 g.* 1. De, ou pertencente ou relativo a Engenheiro Navarro (MG). ● *S. 2 g.* 2. O natural ou habitante de Engenheiro Navarro.

navarrês *Adj. S. m.* Navarro. [Flex.: *navarresa* (ê), *navarreses* (ê), *navarresas* (ê).]

navarro [Do esp. *navarro*.] *Adj.* **1.** De, ou pertencente ou relativo a Navarra (Espanha). ● *S. m.* **2.** O natural ou habitante de Navarra. [Sin. ger.: *navarrês*.]

nave [Do lat. *nave*.] *S. f.* **1.** Embarcação, navio: "O carro vai rompendo o silêncio e a meia treva como a querena duma nave corta a água dum canal." (Aquilino Ribeiro, *Caminhos Errados*, pp. 297-298.) **2.** *Arquit.* Numa igreja, espaço desde a entrada até o santuário, ou o que fica entre fileiras de colunas que sustentam a abóbada. ◆ **Nave espacial.** *Astron.* V. *espaçonave*. **Nave orbital.** *Astron.* Veículo de velocidade orbital capaz de circular, a grande altitude, uma ou mais vezes em torno da Terra e, em seguida, aterrissar.

▲ **-nave** Equiv. de *navi-*.

nave-alvo *S. f. Astron.* Foguete-alvo. [Pl.: *naves-alvos* e *naves-alvo*.]

navegabilidade [De *navegável* + *-(i)dade*, seg. o padrão erudito.] *S. f.* Qualidade ou estado de navegável.

navegação [Do lat. *navigatione*.] *S. f.* **1.** Ato ou efeito de navegar. **2.** Arte de conduzir com segurança uma embarcação de um ponto a outro da superfície da Terra. **3.** Viagem por mar. **4.** Comércio marítimo. **5.** Náutica. **6.** *Bras. Amaz.* Navio, lancha, gaiola. **7.** *Inform.* Ato ou efeito de percorrer um hipertexto, utilizando seus recursos de orientação (como elos, índices, históricos, buscas, etc.) e determinando a sequência em que os diversos documentos são consultados. **8.** *Inform.* Método pelo qual o cruzamento sucessivo de informações em um banco de dados permite a obtenção de uma informação derivada. ◆ **Navegação aérea.** Aeronavegação (1). **Navegação astronômica.** A que se faz tomando como referência astros celestes. [V. *triângulo de posição*.] **Navegação celeste.** *Astron.* Orientação celeste (q. v.). **Navegação cósmica.** A que se faz no espaço cósmico. **Navegação costeira.** A que se faz tomando como referência pontos de terra (como faróis, torres, picos, ilhas, pontas, etc.) assinalados nas cartas náuticas. **Navegação de cabotagem.** *Mar. Merc.* Navegação mercante realizada em águas costeiras de um só país, ou em águas marítimas limitadas. [Tb. se diz apenas *cabotagem*. Cf. *navegação de longo curso*.] **Navegação de longo curso.** *Mar. Merc.* Navegação mercante realizada em alto-mar, através dos oceanos, unindo portos de países vários. [Cf. *navegação de cabotagem*.] **Navegação de praticagem.** A que é feita por prático, com profundo conhecimento do local onde navega. **Navegação eletrônica.** A que se faz com auxílio de aparelhos eletrônicos especiais (como o radiogoniômetro, o radar, satélites artificiais, etc.). **Navegação estimada.** A que se faz tomando como referência apenas os rumos da embarcação, as distâncias percorridas em cada rumo, e as influências do vento e da correnteza. **Navegação fluvial.** A que se faz em rios e canais interiores. **Navegação hipertextual.** *Inform.* Busca às informações desejadas, por meio de comandos que estabelecem ligações entre tópicos relacionados em um hipertexto. [A navegação pela Internet (rede mundial de computadores), p. ex., é *hipertextual*.] **Navegação inercial.** Processo moderno de navegação que emprega eixos de referência definidos por meio de giroscópios, e cujos deslocamentos são calculados mecanicamente em função das variações de rumo e de velocidade da embarcação segundo esses eixos. **Navegação interior.** A que se efetua no interior dos continentes em rios, lagos e canais interiores, e que compreende a navegação fluvial e a lacustre. **Navegação lacustre.** A que se faz em lagos e lagoas. **Navegação marítima.** A que se faz nos mares. **Navegação mercante.** Comércio marítimo. **Navegação por satélite.** Navegação eletrônica que toma como referência satélites artificiais próprios para este fim.

navegado [Part. de *navegar*.] *Adj.* Que se navega ou navegou; em que há, ou houve, navegação.

navegador (ô) [Do lat. *navigatore*.] *Adj.* **1.** Que navega. **2.** Que sabe navegar. ● *S. m.* **3.** Aquele que navega ou é dado à navegação. [Sin., nessas acepç.: *navegante*.] **4.** Perito encarregado, numa aeronave, navio ou submarino, dos cálculos de navegação. **5.** *Inform.* Aplicativo, ou parte de aplicativo, capaz de apresentar o conteúdo de um sistema de hipertexto ou de hipermídia e permitir a navegação neste; *browser*, leitor de hipertexto.

navegante [Do lat. *navigante*.] *Adj. 2 g.* **1.** Náutico (1). **2.** V. *navegador* (1 e 2). ● *S. 2 g.* **3.** Navegador (3). ● *S. m.* **4.** *Lus. Zool.* V. *lavagante*.

navegantino *Adj.* **1.** De, ou pertencente ou relativo a Navegantes (SC). ● *S. m.* **2.** O natural ou habitante de Navegantes.

navegar [Do lat. *navigare*.] *V. t. d.* **1.** Percorrer (o mar e, p. ext., a atmosfera ou o espaço cósmico) em navio, embarcação, aeronave, astronave ou outro veículo: "Os astegues, segundo as últimas revelações das ciências etnológicas, descendem dos fenícios, que nas suas esguias trirremes, e olhando a pálida estrela polar, navegaram todos os mares" (Eça de Queirós, *Cartas Familiares e Bilhetes de Paris*, p. 132). *Int.* **2.** Viajar sobre água, ou na atmosfera ou no espaço cósmico, utilizando um veículo apropriado; seguir viagem (a embarcação): "navegavam a rumo de noroeste aquela grande fragata e a linda corveta *le Berceau*" (Virgílio Várzea, *Nas Ondas*, p. 217). **3.** Dirigir a navegação. **4.** *Bras. Pop.* Tocar para a frente; ir, andar: "Como vais você? / Vou navegando, / vou temperando..." (Ari Barroso, da marcha *Como "Vais" você?*). **5.** *Inform.* Percorrer interativamente hipertexto ou hipermídia, consultando uma sequência de documentos e determinando, a cada passo, qual documento será consultado a seguir. *T. c.* **6.** *Bras. Pop.* Andar, viajar, trafegar: *Já navegou pela Europa diversas vezes*; "que já nem sabíamos a quantas léguas estávamos da fazenda Paraíso, navegando naquele sertão central." (Inglês de Sousa, *O Missionário*, p. 133). [Conjug.: v. *regar*.]

navegável [Do lat. *navigabile*.] *Adj. 2 g.* Que pode ser navegado. [Sin. poét.: *navígero*.]

nave-mãe *S. f. Astron.* Espaçonave principal. [Pl.: *naves-mães* e *naves-mãe*.]

naveta (ê) [Do it. *navetta*, ou do cat. e do esp. *naveta*, ou do fr. *navette*.] *S. f.* **1.** Vaso pequeno, com o feitio dum barco, onde nas festas de igreja se serve o incenso para os turíbulos; acerra. **2.** Espécie de lançadeira com que se faz a renda denominada *frivolité*. **3.** Lançadeira de certas máquinas de costura ou de tear, de feitio semelhante ao de uma naveta (2). **4.** *Ant.* Nau pequena. **5.** *Astron.* V. *lançadeira espacial*.

▲ **navi-** [Do lat. *navis, is*.] *El. comp.* = 'nave', 'navio': *naviforme*. [Equiv.: *-nave*: *belonave*.]

naviarra [De *navio* + *-arra*.] *S. f. Ant.* Grande barca.

navícula [Do lat. *navicula*, 'embarcação pequena'.] *S. f.* Peça ou órgão naviforme.

navicular [De *navícula* + *-ar*[1].] *Adj. 2 g.* **1.** Referente a navícula **2.** *Bot.* Naviforme: *fruto navicular*.

naviforme [De *navi-* + *-forme*.] *Adj. 2 g.* Que tem forma de navio. [Sin. (em bot.): *navicular*.]

navífrago [Do lat. *navifragu*.] *Adj.* Que despedaça embarcações.

navígero [Do lat. *navigeru*.] *Adj. Poét.* Navegável.

navio [Do lat. *navigiu*.] *S. m.* **1.** Embarcação de grande tamanho. **2.** *Bras. AL* Variedade de papagaio (5). **3.** *Bras. RJ* Tapume que cerca buraco aberto na via pública. ◆ **Navio bananeiro.** *Mar. Merc.* Bananeiro (3). **Navio capital.** *Mar. G.* Designação genérica que se dá, em cada fase do desenvolvimento das marinhas de guerra, ao tipo de navio que realiza as tarefas de maior significação ou importância para a guerra no mar. [Na I Guerra Mundial o navio capital era o *encouraçado*; na II Guerra Mundial foi o *navio-aeródromo*.] **Navio cargueiro.** V. *navio de carga*. **Navio de carga.** *Mar. Merc.* Navio mercante destinado, exclusiva ou principalmente, a transportar mercadorias ou cargas; navio cargueiro, cargueiro. **Navio de combate.** *Mar. G.* Navio de guerra destinado a executar missões de combate. **Navio de guerra.** Navio destinado a executar operações de guerra, e que pode ser navio de combate ou navio auxiliar. **Navio de pesca.** Navio especialmente aparelhado para a pesca em alto-mar, e que pode ser ou não provido de câmaras frigoríficas para conservação do pescado. **Navio de vela.** Navio que é impulsionado pela força do vento nas velas. **Navio fluvial.** Navio de pequeno calado e superestruturas relativamente altas, construído especialmente para navegar em rios. **Navio graneleiro.** *Mar. Merc.* Navio apropriado para transporte de carga a granel. **Navio mercante.** O destinado ao comércio marítimo e ao transporte de passageiros. **Navio misto.** **1.** Navio de propulsão à vela e mecânica (a vapor ou a motor). **2.** Navio mercante que pode transportar simultaneamente muita carga e regular número de passageiros. **Navio negreiro.** Navio que transportava escravos negros. **Navio oceanográfico.** Embarcação aparelhada para realizar estudos de oceanografia. **Navio quebra-gelos.** Navio de construção especial e reforçada, acionado por máquinas potentes, e destinado a abrir caminho por entre camadas de gelo, nas regiões frígidas: "tomamos o vapor, o Báltico gelado, os navios quebra-gelos rasgando sulco naquela lisura de pedra!" (Gilberto Amado, *Depois da Política*, p. 209). [Tb. se diz apenas *quebra-gelos*.] **Deixar a ver navios.** Não dar, não cumprir o combinado ou prometido; deixar na saudade. **Ficar a ver navios.** Não alcançar o que pretendia; ficar logrado; ficar na saudade.

navio-aeródromo *S. m. Mar. G.* Base aérea flutuante, com propulsão própria, capaz de reabastecer, municiar, alojar, reparar e operar aviões e suas equipagens aéreas, e defender-se, dentro de certos limites, de ataques aéreos e de superfície. Seu armamento principal é o avião, que permite atacar objetivos terrestres ou navais a distâncias dezenas de vezes maiores que as atingidas pelo armamento principal dos encouraçados, que era o canhão. [Sin., impr.: *porta-aviões*. Pl.: *navios-aeródromos*.]

navio-auxiliar *S. m. Mar. G.* Navio de guerra destinado a executar missões de apoio logístico. [Pl.: *navios-auxiliares*.]

navio-baleeiro *S. m.* V. *baleeiro*. [Pl.: *navios-baleeiros*.]

navio-cisterna *S. m. P. us. no Brasil*. Navio-tanque. [Pl.: *navios-cisternas* e *navios-cisterna*.]

navio-escola *S. m.* Navio em que os candidatos a tripulantes realizam o aprendizado. [Pl.: *navios-escolas* e *navios-escola*.]

navio-fábrica *S. m.* Na pesca da baleia, embarcação de grande porte que acompanha os navios baleeiros para industrializar no local os animais arpoados. [Pl.: *navios-fábricas* e *navios-fábrica*.]

navio-mineropetroleiro *S. m. Mar. Merc.* Navio que transporta alternadamente petróleo, seus derivados, ou minérios; mineropetroleiro. [Pl.: *navios-mineropetroleiros*.]

navio-oficina *S. m. Mar. G.* Navio-auxiliar dotado de instalações próprias para executar reparos de pequena monta em outros navios. [Pl.: *navios-oficinas* e *navios-oficina*.]

navio-petroleiro *S. m. Mar. Merc.* Aquele que se destina a transportar petróleo ou derivados deste em grandes quantidades; petroleiro. [Pl.: *navios-petroleiros*.]

navio-tanque *S. m.* Navio destinado a transportar carga líquida, a qual pode ser petróleo bruto, óleo combustível, gasolina, vinho, etc. [Sin., p. us. no Brasil: *navio-cisterna*. Pl.: *navios-tanques* e *navios-tanque*.]

navio-tênder *S. m. Bras. Mar. G.* Aquele que se destina a prestar apoio a outros navios, abastecendo-os, reparando-os, etc. [Tb. se diz apenas *tênder*. Pl.: *navios-tênderes*.]

navio-transporte *S. m. Mar. G.* Navio-auxiliar destinado a transportar tropa ou carga. [Pl.: *navios-transportes* e *navios-transporte*.]

navio-varredor *S. m. Bras.* Tipo de navio de guerra destinado a destruir minas submarinas lançadas pelo inimigo, mediante o uso de dispositivos que as fazem explodir sem ser preciso localizá-las precisamente. [Sin., lus.: *draga-minas*; cf. *caça-minas* (1). Pl.: *navios-varredores*.]

navipeça [De *navi-* + *peça*.] *S. f.* Peça ou acessório para navio ou embarcação miúda.

naviraiense (a-i) *Adj. 2 g.* **1.** De, ou pertencente ou relativo a Naviraí (MS). ● *S. 2 g.* **2.** O natural ou habitante de Naviraí.

nazareano (è) *Adj.* **1.** De, ou pertencente ou relativo a Nazaré Paulista (SP). ● *S. m.* **2.** O natural ou habitante de Nazaré Paulista.

nazarena [Do esp. plat. *nazarena*.] *S. f. Bras. S.* Espora grande.

nazareno[1] [Do lat. tard. *nazarenu*.] *Adj.* **1.** De, ou pertencente ou relativo a Nazaré, cidade de Israel na Galileia, lugar da vida oculta de Cristo. ● *S. m.* **2.** O natural ou habitante de Nazaré. **3.** *Rel.* Designação que os judeus davam a Jesus Cristo, e que passou a ser empregada pelos cristãos. [Nesta acepç., com inicial maiúscula.]

nazareno[2] *Adj.* **1.** De, ou pertencente ou relativo a Nazaré (BA e TO). ● *S. m.* **2.** O natural ou habitante de Nazaré.

nazareno[3] *Adj.* **1.** De, ou pertencente a Nazaré da Mata (PE). ● *S. m.* **2.** O natural ou habitante de Nazaré da Mata.

nazareno[4] *Adj.* **1.** De, ou pertencente ou relativo a Nazareno (MG). ● *S. m.* **2.** O natural ou habitante de Nazareno.

nazareno-do-piauí *Adj.* **1.** De, ou pertencente ou relativo a Nazaré do Piauí (PI). ● *S. m.* **2.** O natural ou habitante de Nazaré do Piauí. [Pl.: *nazarenos-do-piauí*.]

nazarezinhense *Adj. 2 g.* **1.** De, ou pertencente ou relativo a Nazarezinho (PB). ● *S. 2 g.* **2.** O natural ou habitante de Nazarezinho.

nazariense *Adj. 2 g.* **1.** De, ou pertencente ou relativo a Nazário (GO). ● *S. 2 g.* **2.** O natural ou habitante de Nazário.

názi [Do al. *Nazi*, f. red. de *Nationalsozialist*, 'nacional-socialista'.] *Adj. 2 g. S. m.* Nazista: "Os názis .... não dispunham dos conhecimentos capazes de geneticamente moldarem uma raça superior." (José Pacheco Pereira, *O Nome e a Coisa*, p. 135.)

nazicolaboracionista [De *názi* + *colaboracionista*.] *Adj. 2 g. S. 2 g.* Indivíduo que colaborou com os nazistas, que foi colaboracionista (q. v.) dos nazistas: "é o caso dos que hoje falam em fascista, nazicolaboracionista sem o cuidado de grifar tais expressões" (João Gaspar Simões, *Natureza e Função da Literatura*, p. 134). ❖

nazifascista *Adj. 2 g.* **1.** Relativo a, ou próprio do nazismo e do fascismo. **2.** Que é partidário ou simpatizante do nazismo e do fascismo. ● *S. 2 g.* **3.** Partidário ou simpatizante dos dois. ❖

nazificação [De *nazificar* + *-ção*.] *S. f.* Ato ou efeito de nazificar(-se).

nazificar [De *názi* + *-ficar*.] *V. t. d.* **1.** Imprimir caráter ou feição nazista; tornar nazista. *P.* **2.** Tornar-se nazista.
názir [Do ár. *nāzir*, 'observador'; 'inspetor'.] *S. m.* Inspetor, vigilante.
nazismo [De *názi* + *-ismo*.] *S. m.* Movimento chauvinista de direita, alemão, nos moldes do fascismo, imperialista, belicista, e cuja doutrina consiste numa mistura de dogmas e preconceitos a respeito da pretensa superioridade da raça ariana, sistematizados por Adolf Hitler (1889-1945) em seu livro *Minha Luta*; o fascismo alemão. [Sin.: *nacional-socialismo*.]
nazista [De *nazismo* + *-ista*.] *Adj. 2 g.* **1.** Relativo ao, ou que é adepto do nazismo. ● *S. 2 g.* **2.** Adepto desse movimento. [Sin. ger.: *názi* (q. v.) e *nacional-socialista*.]
■ **Nb** *Quím.* Símb. de *nióbio*.
■ **N.B.** Abrev. de *Nota bene*.
■ **NBC** [Sigla de *Nota do Banco Central*.] *Econ.* Título emitido pelo Banco Central como instrumento de política monetária.
■ **NBR** Sigla de *norma brasileira* (q. v.).
■ **Nd** *Quím.* Símb. de *neodímio*.
→ **ndau** [n'daw] [Afric.] *S. 2 g.* **1.** *Etnôn.* Indivíduo dos ndaus, um dos povos das províncias de Manica e Sofala (Moçambique). ● *S. m.* **2.** *Gloss.* A língua falada pelos ndaus, pertencente ao grupo banto: "Com os olhos ardidos de surmana, os homens falavam entre si, em ndau." (Lília Momplé, *Neighbours*, p. 41.) **3.** Vocábulo dessa língua. ● *Adj. 2 g.* **4.** Pertencente ou relativo aos ndaus, ou à sua língua: "Os anciãos executam com elegância a belíssima dança ndau" (Paulina Chiziane, *Ventos do Apocalipse*, p. 75).
n-dimensional *Adj. 2 g.* V. *espaço* —. [Pl.: *n-dimensionais*.]
▲ **-ndo** [Do lat. *-ndus*.] *Suf.* formador do gerúndio (q. v.): *amando, comendo, partindo*.
ndongo [Do quimb.] *S. m. Bot.* **1.** V. *malagueta* (1). **2.** V. *pimenta-malagueta*.
■ **Ne** *Quím.* Símb. de *neônio*.
■ **N.E.** Abrev. de *nordeste*.
né [Contr. de *não* + *é*.] *Adv. Pop.* Us. para buscar concordância, confirmação, anuência, etc. sobre aquilo que se diz, com o significado de 'Não é mesmo?': *Amanhã, iremos ao cinema, né?* "— Que coincidência desgraçada, né? Ambos somos casados desde 1950." (Stanislaw Ponte Preta, *Febeapá 1*, p. 98.)
nê *S. m. Bras. AL SE BA* Ene. [Pl.: *nn* e *nês*.]
neandertal [Do top. al. *Neanderthal* (v. *neandertalense*).] *Adj. 2 g. e 2 n. S. 2 g. e 2 n. Etnol. Paleont.* Diz-se de, ou hominídeo paleolítico, *Homo sapiens neanderthalensis*, identificado a partir de fósseis encontrados numa gruta na região de Neanderthal (Alemanha). [Vestígios fósseis, igualmente classificados como *neanderthalensis*, foram também encontrados em outras regiões da Europa, África e Ásia; tido anteriormente como ancestral da humanidade moderna (*Homo sapiens sapiens*), o neandertal é hoje considerado uma variante extinta da espécie humana (*Homo sapiens*).]
neandertalense [Do top. al. *Neanderthal* + *-ense*; lat. cient. *neanderthalensis*.] *Adj. 2 g.* **1.** De, ou pertencente ou relativo a Neanderthal (Alemanha). **2.** *Antrop.* Relativo aos fósseis encontrados nessa região, ou à espécie de hominídeos a que pertenceram (v. *neandertal*). ● *S. 2 g.* **3.** O natural ou habitante de Neandertal. [Numa gruta dessa região encontrou-se, em 1856, um crânio humano, conhecido como *crânio de Neanderthal*, que teria pertencido a uma das raças humanas mais antigas.] **4.** Hominídeo da espécie *Homo neanderthalensis* (v. *neandertal*).
neandertaloide (ói) [Do top. al. *Neanderthal* + *-oide*.] *Adj. 2 g. S. 2 g. Paleont.* Diz-se de, ou espécie, ou fóssil com características semelhantes às do homem de Neanderthal. ❖
neártica [De *ne(o)-* + o f. de *ártico*.] *S. f.* Região zoogeográfica que compreende a América do Norte, a partir das regiões mais setentrionais do México, e a Groenlândia. [Cf. *paleártica*.]
neártico [De *neártica*, com var. suf. (v. *-ico*[2]).] *Adj.* Pertencente ou relativo à neártica.
neartrose [De *ne(o)-* + *artrose*.] *S. f. Ort.* **1.** Pseudartrose (q. v.). **2.** Articulação artificial realizada mediante intervenção cirúrgica.
nebaliáceo [Do tax. *Nebalia*, gênero-tipo, + *-áceo*; tax. *Nebaliacea*.] *Zool. S. m.* **1.** Espécime dos nebaliáceos, ordem de artrópodes crustáceos, malacostráceos, leptostráceos, marinhos, de carapaça bivalve e com sete segmentos abdominais, sendo o último ápode; olhos pedunculados, segmentos torácicos distintos e com apêndices foliáceos. ● *Adj.* **2.** Pertencente ou relativo a eles.
→ **nebbiolo** [neb'bjolo] [It.] *S. m.* **1.** *Vitic.* Casta nobre de uva tinta, cultivada sobretudo no N.O. da Itália, sobretudo na região do Piemonte (v. *piemontês*). **2.** *Enol.* Vinho produzido com essa uva.
neblina [Do esp. *neblina*.] *S. f.* **1.** Névoa densa e rasteira; nevoeiro. **2.** *Fig.* Escuridão; trevas, sombras. **3.** *Bras. N.E.* V. *chuvisco* (1). **4.** *Bras. Pl.* Aguaceiro rápido. [Var.: *nebrina*.]
neblinada [De *neblina* + *-ada*[1].] *S. f.* Neblina abundante, densa: *A neblinada impedia a visão.*
neblinar [De *neblina* + *-ar*[2].] *V. int. Bras. Açor.* **1.** Cair neblina: "No dia anterior neblinara, o chão estava macio, a terra fria" (Gilvã Lemos, *Jutaí Menino*, p. 100). **2.** Chuviscar.
neblinoso (ô) [De *neblina* + *-oso*.] *Adj.* Coberto de neblinas.
nebri [Do esp. *neblí*, poss.] *Adj. S. m.* Diz-se de, ou falcão adestrado para a caça: "seguido dos falcoeiros, começou a encaminhar-se para o solar, lançando nebris e falcões e ajuntando caça de volateria" (Alexandre Herculano, *Lendas e Narrativas*, II, p. 24).
nebrina *S. f.* V. *neblina*: "as nebrinas do Douro esbatendo no vapor aquático, polvilhado de sol, o risonho contorno da casaria e das montanhas." (Ramalho Ortigão, *As Farpas*, I, p. 161).
nébula [Do lat. *nebula*.] *S. f. P. us.* Névoa, nevoeiro.
nebulento [De *nebul(i)-* + *-ento*.] *Adj.* V. *nevoento*.
▲ **nebul(i)-** [Do lat. *nebŭla, ae*.] *El. comp.* = 'névoa', 'vapor', 'nuvem': *nebulento*.
→ **nebulium** [ne'bulɪʊ(m)] [Lat.] *S. m. Astr.* Substância que se supunha existir nas nebulosas gasosas, mas que o astrônomo norte-americano Ira S. Bowen (1898) provou ser o oxigênio duplamente ionizado.
nebulização [De *nebulizar* + *-ção*.] *S. f.* **1.** Ato ou efeito de nebulizar (1); pulverização. **2.** *Terap.* Névoa obtida por meio de nebulizador no qual se põem substâncias medicamentosas e que se inalam com fins terapêuticos.
nebulizador (ô) [De *nebulizar* + *-dor*.] *S. m.* Pulverizador que produz gotículas líquidas muito finas; atomizador, vaporizador.
nebulizar [De *nebul(i)-* + *-izar*.] *V. t. d.* **1.** Transformar (um líquido) em vapor. **2.** *Terap.* Tratar por meio de nebulização (2).
nebulosa [F. subst. de *nebuloso*.] *S. f. Astr.* **1.** Corpo celeste que se apresenta com o aspecto de mancha esbranquiçada e difusa. [A nebulosa pode ser *galáctica* ou *extragaláctica*.] **2.** Massa estelar ainda em via de condensação. **3.** Universo em formação. ◆ **Nebulosa anular.** *Astr.* Nuvem de gás, aneliforme, na constelação da Lira, entre as estrelas beta e gama de tal constelação, e em cujo centro se vê uma estrela pouco brilhante, e muito quente, o que sugere ter-se a nebulosa originado da explosão dessa estrela. **Nebulosa de Andrômeda.** *Astr.* Galáxia de Andrômeda. **Nebulosa de Caranguejo.** *Astr.* Nuvem de gás, nas proximidades da estrela zeta do Touro, descoberta no século XVIII, e que provavelmente se originou da explosão de uma estrela nova. **Nebulosa de emissão.** *Astr.* Nebulosa cujo espectro apresenta raias de emissão, e que encerra estrelas muito quentes. **Nebulosa de Órion.** *Astr.* Nuvem de gás, visível a olho desarmado, sob a aparência de uma estrela muito fraca, a teta de Órion, e que envolve estrelas de alto brilho intrínseco, brancas e azuis. **Nebulosa difusa.** *Astr.* Nebulosa galáctica de difícil definição óptica. **Nebulosa extragaláctica.** *Astr. Impr.* V. *galáxia* (1). **Nebulosa galáctica.** *Astr.* A que se inclui no interior da Via Láctea ou Galáxia. **Nebulosa Hubble.** *Cosm.* Nebulosa cometária, ou seja, em forma cônica (NGC 2261), existente junto à estrela R Monocerotis. **Nebulosa planetária.** *Astr.* Nebulosa brilhante, com aspecto de um vasto envoltório gasoso, em torno de uma estrela muito quente, e em cujo espectro se encontram raias interditas. **Nebulosa protossolar.** *Cosm.* Nuvens de gases e poeira em rotação lenta, que deram origem ao sistema solar.
nebulosidade [Do lat. tard. *nebulositate*.] *S. f.* **1.** Qualidade ou estado de nebuloso. **2.** *Met.* Pequenas gotas de água provenientes da condensação do vapor de água, e que, por muito leves, ficam em suspensão na atmosfera sob as formas de nevoeiro e de nuvem. **3.** *Fig.* Falta de clareza ou de precisão no modo de exprimir-se.
nebuloso (ô) [Do lat. *nebulosu*.] *Adj.* **1.** Coberto de nuvens ou vapores densos; nevoento, nublado, nubloso, nubiloso. **2.** Sombrio, triste, ameaçador; nublado, nubiloso, nuvioso: *tempo nebuloso.* **3.** Sem transparência; turvo; nubiloso: *água nebulosa.* **4.** Pouco definido; indistinto; nubiloso: *vultos nebulosos.* **5.** *Fig.* Ininteligível, obscuro, enigmático, misterioso, nevoento, nubiloso: "A felicidade é um sonho nebuloso..." (Fagundes Varela, *Poesias Completas*, I, p. 145.)
neca [Do lat. *nec*, poss.] *Bras. Gír. Adv.* **1.** Não, negativo (q. v.): *— Comprou os livros? | — Neca.* ● *Pron. indef.* **2.** Coisa nenhuma; nada, neres: *Olhou e não viu neca.*
necátor [Do tax. *Necator*.] *S. m. Zool.* **1.** Gênero de vermes ancilostomatídeos. **2.** Qualquer espécie desse gênero, como, p. ex., a *Necator americanus*, com lâminas quitinosas na margem anterior da placa bucal. É parasito do intestino delgado do homem, e, juntamente com o ancilóstomo, responsável pela doença conhecida como *amarelão* ou *opilação*. Alimenta-se de sangue, que retira perfurando a mucosa intestinal. O ciclo evolutivo faz-se através da corrente circulatória e dos pulmões. **3.** Qualquer espécime desse gênero. [V. *ancilóstomo*. Pl.: *necátores*.]
necatoríase [Do tax. *Necator* + *-íase*.] *S. f. Patol.* V. *ancilostomíase*.
necear [Do esp. *necear*.] *V. int.* Dizer ou praticar necedades; dizer tolices; disparatar. [Conjug.: v. *frear*.]
necedade[1] [Do esp. *necedad*.] *S. f.* **1.** Ignorância crassa; estupidez, inépcia. **2.** Disparate, dislate, tolice. [Sin. ger.: *nescidade*.]
necedade[2] *S. f. Ant. Pop.* Contr. de *necessidade* (q. v.).
→ **nécessaire** [nese'sɛʀ] [Fr.] *S. m.* Bolsa ou estojo com utensílios necessários à toalete.
necessária [F. subst. do adj. *necessário*.] *S. f. Lus. Fam.* V. *latrina* (1).
necessário [Do lat. *necessariu*.] *Adj.* **1.** Que não se pode dispensar; que se impõe; essencial, indispensável: *A água é necessária à vida.* **2.** Que não pode deixar de ser; forçoso, inevitável, fatal: *A doença foi a consequência necessária de seu desregramento.* **3.** Que deve ser feito, cumprido; que se requer; preciso: *É necessário premiar-lhe os esforços.* **4.** *Lóg.* Diz-se de proposição que sendo verdadeira não poderia ser falsa, e sendo falsa não poderia ser verdadeira. **5.** *Filos.* Diz-se do que se põe por si mesmo e imediatamente, quer no domínio do pensamento, quer no domínio do ser. [Opõe-se, nesta acepç., a *contingente* (3).] **6.** *Filos.* Diz-se daquilo que, dados determinados antecedentes, não pode ser, ou só pode ser, tal como é. ~ V. *benfeitorias —as, caução —a, condição —a, domicílio —* e *herdeiro —*. ● *S. m.* **7.** Aquilo que é necessário, preciso, indispensável: *Para alimentar o filho, priva-se até do necessário.*
necessidade [Do lat. *necessitate*.] *S. f.* **1.** Qualidade ou caráter de necessário. **2.** Aquilo que é absolutamente necessário; exigência: *São mínimas as necessidades do rapaz.* **3.** Aquilo que é inevitável, fatal. **4.** Aquilo que constrange, compele ou obriga de modo absoluto: *Viu-se ante a necessidade de ceder.* **5.** Privação dos bens necessários; indigência, míngua, pobreza, precisão. **6.** *Hist. Filos.* Na Grécia antiga, o poder ordenador, que, de modo absoluto, se impõe aos homens, à natureza e mesmo aos deuses e que, historicamente desenvolvido, será reconhecido na organização prática dos homens sob a forma das leis. ◆ **Necessidade moral.** *Ét.* Obrigação, de que são dotados os seres inteligentes, de escolher um entre diversos possíveis, por concebê-lo como superior aos outros. **Necessidades especiais.** *Educ. Esp.* V. *portador de necessidades especiais*. **De primeira necessidade.** Indispensável, imprescindível. **Fazer necessidade.** *Pop.* Urinar ou defecar. [Sin., no N.E.: *fazer precisão*. Cf. *defecar* (5).] **Passar necessidade.** Sofrer privação dos bens necessários: *Há no Haiti milhares de pessoas passando necessidade.*

N

necessitado [Part. de *necessitar*.] *Adj. S. m.* Que, ou aquele que padece necessidade, privação; indigente, miserável; pobre.
necessitar [Do lat. med. *necessitare*.] *V. t. d.* **1.** Sentir necessidade de; carecer de; precisar (de): *Necessitava algumas horas para resolver.* **2.** Exigir, reclamar: *A arte necessita sensibilidade.* **3.** Tornar necessário ou indispensável. **4.** Ter necessidade ou obrigação de. *T. d. e i.* **5.** *P. us.* Obrigar, constranger, forçar. **6.** *P. us.* Pôr em necessidade; privar: *Despojou-o de seus bens, necessitou-o de tudo.* *T. i.* **7.** Carecer, precisar: "adormecia contente, feliz por ter ao pé de si um desgraçado que necessitava do seu consolo." (Alphonsus de Guimaraens, *Obra Completa*, p. 397). *Int.* **8.** Sofrer necessidades; passar privações.
necessitoso (ô) [De *necessit-* (como em *necessitar*, + *-oso*.] *Adj.* Que necessita muito; necessitado; indigente.
→ **nec plus ultra** [nɛk plus 'ultra] [Lat., 'não mais além'.] Expressão com que se costuma designar um limite que não deve ser ultrapassado; *non plus ultra*.
▲ **necr(o)-** [Do gr. *nekro-* < gr. *nekrós, oû*.] *El. comp.* = 'morte'; 'cadáver'; 'os mortos'; 'extinto': *necrobiose, necrófobo; necrofilia; necropsia; necrológio; necrotério.*
necrobiose [De *necr(o)-* + *-bi(o)-* + *-ose*[1].] *S. f. Patol. Desus.* Etapa do processo de morte celular anterior à necrose.
necrobiótico [De *necrobi(ose)* + *-ótico*.] *Adj.* Referente à necrobiose.
necrodulia [De *necr(o)-* + gr. *douleía*, 'culto'.] *S. f.* Culto dos mortos.

necrodúlico [De *necrodulia* + *-ico*[2].] ***Adj.*** Relativo à necrodulia.

necrofagia [De *necr(o)-* + *-fag(o)-* + *-ia*[1].] ***S. f.*** Qualidade de necrófago.

necrofágico [De *necrofagia* + *-ico*[2].] ***Adj.*** Relativo a necrofagia.

necrófago [Do gr. *nekrophágos*.] ***Adj. S. m.*** Diz-se de, ou animal que se alimenta de cadáveres.

necrofilia [De *necr(o)-* + *-filia*.] ***S. f. Psiq.*** Parafilia em que ocorre atração sexual por cadáver.

necrofílico [De *necrofilia* + *-ico*[2].] ***Psiq. Adj.*** **1.** Relativo a necrofilia. **2.** Que sofre de necrofilia; necrófilo. • ***S. m.*** **3.** Aquele que sofre de necrofilia; necrófilo.

necrófilo [De *necr(o)-* + *-filo*[2].] ***Adj. S. m. Psiq.*** Necrofílico (2 e 3).

necrofobia [De *necr(o)-* + *-fobia*.] ***S. f. Psiq.*** Horror mórbido à morte.

necrofóbico [De *necrofobia* + *-ico*[2].] ***Psiq. Adj.*** **1.** Relativo a necrofobia. **2.** Que tem necrofobia; necrófobo. • ***S. m.*** **3.** Aquele que tem necrofobia; necrófobo.

necrófobo [De *necr(o)-* + *-fobo*.] ***Adj. S. m. Psiq.*** Necrofóbico (2 e 3).

necrólatra [De *necr(o)-* + *-latra*.] ***S. 2 g.*** Pessoa dada à necrolatria.

necrolatria [De *necr(o)-* + *-latria*.] ***S. f.*** Culto dos mortos.

necrolátrico [De *necrolatria* + *-ico*[2].] ***Adj.*** Relativo à necrolatria.

necrologia [De *necr(o)-* + *-logia*.] ***S. f.*** **1.** Lista de mortos. **2.** Necrológio (1).

necrologiar [De *necrológio* + *-ar*[2].] ***V. t. d.*** Escrever o necrológio de.

necrológico [De *necrologia* + *-ico*[2].] ***Adj.*** Referente a necrologia ou a necrológio; obituário.

necrológio [De *necr(o)-* + *-log(o)-* + *-io*[3].] ***S. m.*** **1.** Notícia em jornal, etc., relativa a pessoas falecidas; necrologia. **2.** Elogio escrito ou falado de pessoas falecidas.

necrologista [De *necrológio* + *-ista*.] ***S. 2 g.*** Autor de necrológios; necrólogo.

necrólogo [De *necr(o)-* + *-logo*.] ***S. m.*** Necrologista: 📖 "Álvares de Azevedo era, realmente, um grande talento; só lhe faltou o tempo, como disse um dos seus <u>necrólogos</u>." (Machado de Assis, *Crítica Literária*, p. 113.)

necromancia (cí) [Do gr. *nekromanteía*.] ***S. f.*** **1.** Adivinhação pela invocação dos espíritos. **2.** V. *magia negra*. [Var.: *nigromancia*.]

necromante [Do gr. *nekrómantis*.] ***S. 2 g.*** **1.** Pessoa que pratica a necromancia. **2.** Pessoa que invoca os mortos. [Var.: *nigromante*.]

necromântico ***Adj.*** Relativo a necromancia, ou a necromante. [Var.: *nigromântico*.]

necropolar [De *necrópole* + *-ar*[1].] ***Adj. 2 g.*** Relativo a, ou próprio de necrópole; necropolitano.

necrópole [Do gr. *nekrópolis*.] ***S. f.*** V. *cemitério* (1): 📖 "Nessas fantásticas <u>necrópoles</u>, a alvinitência da Lua dá talvez formas de sonho a cada fachada lívida de mausoléu." (Fialho d'Almeida, *O País das Uvas*, p. 295.)

necropolitano ***Adj.*** Necropolar: 📖 "No entanto, o que melhor explica a singular impressão <u>necropolitana</u> que a Bienal me deu, foi justamente a melancólica monotonia que nela impera." (Léu Vaz, *Páginas Vadias*, p. 191.)

necropsia [De *necr(o)-* + *-opsia*.] ***S. f. Patol.*** Exame de cadáver. [Sin.: *necroscopia* e (impr.) *autópsia*.]

necropsiar [De *necropsia* + *-ar*[2].] ***V. t. d.*** Fazer necropsia de. [Sin., impr.: *autopsiar*.]

necrópsico [De *necropsia* + *-ico*[2].] ***Adj.*** Referente à necropsia.

necropulpectomia [De *necr(o)-* + *pulpectomia*.] ***S. f. Odont.*** Esvaziamento do conteúdo necrótico da cavidade pulpar e dos canais radiculares, quando a polpa dentária está necrosada.

necrosado [Part. de *necrosar*.] ***Adj.*** Em que se produziu necrose.

necrosante [De *necrosar* + *-nte*.] ***Adj. 2 g.*** Que necrosa.

necrosar [De *necrose* + *-ar*[2].] ***V. t. d.*** **1.** Produzir necrose em. ***Int.*** **2.** Tornar-se necrosado ou morto. ***P.*** **3.** Ser atacado de necrose.

necroscopia [De *necr(o)-* + *-scop-* + *-ia*[1].] ***S. f. Patol.*** V. *necropsia*.

necroscópico [De *necroscopia* + *-ico*[2].] ***Adj. Patol.*** Referente à necroscopia.

necrose [Do gr. *nékrosis*, 'mortificação'.] ***S. f. Patol.*** O conjunto de alterações morfológicas que indicam morte celular, a qual pode variar, em extensão, de algumas células à porção de órgão. [Cf. *gangrena* (1).]

necrotério [De *necr(o)-* + *-tério*; t. proposto pelo Visconde de Taunay, escritor brasileiro (1843-1899), para substituir o gal. *morgue*, e que logo teve, entre nós, aceitação geral.] ***S. m.*** Lugar onde se expõem os cadáveres que vão ser autopsiados ou identificados.

necrótico [Do gr. *nekrotikós*.] ***Adj.*** Relativo a necrose.

nectandra [Do tax. *Nectandra*.] ***S. f. Bot.*** **1.** Gênero das lauráceas que reúne cerca de 120 espécies originárias de regiões tropicais das Américas, algumas de madeira útil, outras de uso medicinal. **2.** Qualquer espécie desse gênero, como, por ex., a *Nectandra canescens* (v. *caneleira-do-mato*). **3.** Qualquer espécime desse gênero.

néctar [Do gr. *néktar*, pelo lat. *nectare*.] ***S. m.*** **1.** ***Mit.*** A bebida dos deuses: 📖 "Este vinho da quinta vale o <u>néctar</u> dos deuses." (José Vieira, *Sol de Portugal*, p. 162.) **2.** Qualquer bebida deliciosa, saborosa. **3.** ***Fig.*** Delícia, deleite, encanto. **4.** ***Bot.*** Líquido açucarado que as plantas segregam em várias de suas partes, ditas *nectários*, que servem de estímulo a várias espécies de animais polinizadores e dispersores de esporos e sementes; é us. pelas abelhas para produção do mel. [Pl.: *néctares*.]

nectáreo [Do lat. *nectareu*.] ***Adj.*** Referente ou semelhante ao néctar: 📖 "<u>Nectáreo</u> caldo espumante / Borbotará brancacento" (Alberto de Oliveira, *Poesias*, 3ª série, p. 114). [Cf. *nectário*.]

▲ **nectar(i)-** [Do lat. *nectar, ăris*.] ***El. comp.*** = 'néctar': *nectarífero*.

nectarífero [De *nectar(i)-* + *-fero*.] ***Adj. Bot.*** Que produz néctar: 📖 *glândula <u>nectarífera</u>*.

nectarina[1] [Do tax. (*Prunus persica*) *nectarina*.] ***S. f.*** **1.** ***Bot.*** Variedade de pessegueiro (*Prunus persica* var. *nucipersica*) cujo fruto tem pele lisa, polpa macia, e caroço que não adere a ela. **2.** O fruto dessa planta.

nectarina[2] [Do tax. *Nectarina*.] ***S. f. Zool.*** **1.** Gênero de insetos himenópteros vespídeos ao qual pertencem vespas caracterizadas por ninhos de grandes proporções, e também a enxuí (q. v.). **2.** Espécie ou espécime desse gênero.

nectário [De *néctar* + *-io*[3].] ***S. m. Bot.*** Parte vegetal que segrega néctar: 📖 "E ao colibri que desce / Do ar luminoso, / Num delíquio amoroso / A grande flor o mel de seu <u>nectário</u> oferta." (Alberto de Oliveira, *Poesias*, 2ª série, p. 224). [Se se localiza na flor, diz-se *nectário floral*; se em outra porção qualquer, *nectário extrafloral*. Os mais importantes são os florais. Cf. *nectáreo*.] ◆ **Nectário extrafloral.** *Bot.* V. *nectário*. **Nectário floral.** *Bot.* V. *nectário*.

nectarívoro [De *néctar* + *-i-* + *-voro*.] ***Adj. Zool.*** Diz-se dos seres, sobretudo de insetos, que se alimentam de néctar.

néctico [Do gr. *nektikós*, 'hábil em natação'.] ***Adj.*** Que tem a propriedade de flutuar na água.

necto [Do gr. *nektón*, n. de *nektós*, 'que nada'.] ***S. m. Ecol.*** V. *nécton*.

▲ **nect(o)-** [Do gr. *nēktós, ē, ón*.] ***El. comp.*** = 'que nada': *nectópode, necturo*. [Equiv.: *-nect(o)-, -necto*: *ortonectídeo; gimnonecto*.]

▲ **-nect(o)-** V. *nect(o)-*.

▲ **-necto** V. *nect(o)-*.

nécton [Do al. *Nekton* < gr. *nektón*, neutro de *nektós*, 'que nada'.] ***S. m. Ecol. Ocean.*** O conjunto das espécies que vivem no meio da massa líquida, independente do fundo, e dotadas de capacidade de locomoção.

nectonematoide (ói) [Do lat. cient. *Nectonemat-* (do tax. *Nectonema*) + *-oide*; tax. *Nectonematoidea*.] ***Zool. S. m.*** **1.** Espécime dos nectonematoides, ordem de asquelmintos nematomorfos, de corpo provido de duas fileiras de cerdas para natação, pseudoceloma preenchido por parênquima e uma única gônada. São marinhos, pelágicos, e as larvas parasitam os crustáceos. • ***Adj. 2 g.*** **2.** Pertencente ou relativo a eles. ❖

nectônico [De nécton + -ico[2].] ***Adj.*** Relativo ou pertencente ao nécton.

nectópode [De *nect(o)-* + *-pode*.] ***Adj. 2 g. Zool.*** Cujos pés são achatados e membranosos, próprios para nadar.

necturo [De *nect(o)-* + *-uro*; tax. *Necturus*.] ***S. m. Zool.*** **1.** Gênero de grandes salamandras proteídeas aquáticas, da América do Norte, dotadas de guelras. **2.** Espécie ou espécime desse gênero.

nediez (ê) [De *nédio* + *-ez*.] ***S. f.*** **1.** Qualidade de nédio. **2.** Aspecto lustroso, por efeito da gordura.

nédio [Do lat. *nitidu*, por via pop.] ***Adj.*** **1.** Luzidio, brilhante, nítido. **2.** De pele lustrosa: 📖 "ocupa a sua cadeira na comprida mesa, onde já abancaram, com ruído, <u>nédias</u> matronas de buço e altos pentes de tartaruga" (Eça de Queirós, *Notas Contemporâneas*, p. 446).

nedungo [Do quimb.] ***S. m. Bot.*** **1.** V. *malagueta* (1). **2.** V. *pimenta-malagueta*.

neerlandês ***Adj.*** **1.** De, ou pertencente ou relativo à Neerlândia ou Países Baixos (Europa). • ***S. m.*** **2.** O natural ou habitante da Neerlândia. [Sin., nessas acepçs.: *holandês*. Flex., nessas acepçs.: *neerlandesa* (ê), *neerlandeses* (ê), *neerlandesas* (ê).] **3.** ***Gloss.*** Língua indo-europeia do grupo germânico falada nos Países Baixos (Holanda), na Bélgica, no Suriname e nas Antilhas; holandês. [Incluem-se no neerlandês as variedades belgas do flamengo[2] (3).] **4.** Vocábulo dessa língua.

nefalismo [Do gr. médio *nephalismós*.] ***S. m.*** Abstinência total de álcool.

nefalista [De *nafalismo* + *-ista*.] ***S. 2 g.*** Praticante do nefalismo.

nefalograma ***S. m. Met.*** Representação gráfica das informações obtidas numa nefanálise.

nefanálise ***S. f. Met.*** Processo de extração de informações meteorológicas a partir de imagens de nuvens obtidas de satélite meteorológico.

nefando [Do lat. *nefandu*.] ***Adj.*** **1.** Indigno de se nomear; abominável, execrável, execrando, aborrecível, infando: 📖 "Cativou-me uma dama de Sevilha, / Foi isso um crime que julguei <u>nefando</u>; / Tive remorsos!... (Por que choras, filha?!)" (Raimundo Correia, *Poesias*, p. 114.) **2.** Sacrílego, ímpio. **3.** Perverso, malvado, nefário.

nefário [Do lat. *nefariu*.] ***Adj.*** V. *nefando* (3).

nefas [Do lat. *nefas*.] ***S. m.*** Aquilo que é ilegítimo, ilícito. [Antôn.: *fás* (q. v.).]

nefasto [Do lat. *nefastu*.] ***Adj.*** **1.** Que causa desgraça. **2.** De mau agouro; agourento, infausto. **3.** Trágico, sinistro, funesto: 📖 "Mas num dia <u>nefasto</u>, a turbamulta / Irosa vai-se à estátua do imortal, / Com duro esparto o ilustre colo insulta / 'Té dar com ele em fundo lodaçal" (Gonçalves Dias, *Obras Poéticas*, II, p. 407).

▲ **nefeli-** Equiv. de *nefelo-*.

nefelíbata [Var. pros. de *nefelibata*.] ***Adj. 2 g. S. 2 g.*** **1.** Que, ou quem anda ou vive nas nuvens. **2.** ***Fig.*** Diz-se de, ou literato alambicado que despreza os processos simples, fáceis.

nefelibata [De *nefeli-* + *-bata*[1].] ***Adj. 2 g. S. 2 g.*** Nefelibata (q. v.).

nefelibatice [De *nefelibata* + *-ice*.] ***S. f.*** Dito, escrito ou ato próprio de nefelibata (2).

nefelibático [De *nefelibata* + *-ico*[2].] ***Adj.*** Relativo a, ou próprio de nefelibata.

nefelibatismo [De *nefelibata* + *-ismo*.] ***S. m.*** Qualidade ou atitude de nefelibata.

nefelina [De *nefeli-* + *-ina*[1].] ***S. f. Min.*** Nefelita.

nefelinito [De *nefelina* + *-ito*[2].] ***S. m. Geol.*** Rocha extrusiva composta de nefelita e de um mineral fêmico, porém sem olivina.

nefélio [Do gr. *nephélion*, 'nuvenzinha'.] ***S. m. Med.*** Nubécula.

nefelita [De *nefeli-* + *-ita*[3].] ***S. f. Min.*** Mineral hexagonal constituído essencialmente de silicato de sódio e alumínio; nefelina.

▲ **nefelo-** [Do gr. *nephélē, ēs*.] ***El. comp.*** = 'nuvem': *nefelófilo, nefelomancia*. [Equiv.: *nefeli-*: *nefelibata*.]

nefelófilo [De *nefelo-* + *-filo*[2].] ***Adj. Ecol.*** Diz-se da planta que vive nas montanhas, na região das nuvens, como frequentemente sucede com os epífitos.

nefeloide (ói) [Do gr. *nepheloeidés*.] ***Adj. 2 g.*** Que semelha nuvem. ❖

nefelomancia [De *nefelo-* + *-mancia*.] ***S. f.*** Arte de adivinhar mediante a observação das nuvens.

nefelomante [De *nefelo-* + *-mante*.] ***S. 2 g.*** Pessoa que pratica a nefelomancia.

nefelomântico ***Adj.*** Relativo a nefelomancia, ou a nefelomante.

nefelometria [De *nefelo-* + *-metria*.] ***S. f. Fís.-Quím.*** Técnica de análise quantitativa de soluções coloidais ou de suspensões, baseada na medida da luz difundida ao atravessá-las.

nefelométrico [De *nefelometria* + *-ico*[2].] ***Adj.*** Relativo à nefelometria.

nefelômetro ***S. m. Fís.-Quím.*** V. *nefelômetro*. [Uso freq. em P.]

nefelômetro [De *nefelo-* + *-metro*.] ***S. m. Fís.-Quím.*** Instrumento empregado em nefelometria.

▲ **nefo-** [Do gr. *néphos, eos-ous*.] ***El. comp.*** = 'nuvem': *nefoscopia, nefoscópio*.

nefoscopia [De *nefo-* + *-scop-* + *-ia*[1].] ***S. f. Met.*** Estudo da distribuição de nuvens.

nefoscópico [De *nefoscopia* + *-ico*[2].] ***Adj. Met.*** Relativo a nefoscopia.

nefoscópio [De *nefo-* + *-scópio*.] ***S. m. Met.*** Instrumento óptico destinado à observação da nebulosidade atmosférica e, em especial, ao exame e à avaliação da direção e da velocidade de deslocamento das nuvens.

nefralgia [De *nefr(o)-* + *-alg(o)-*[2] + *-ia*[1].] ***S. f. Med.*** Dor em rim.

nefrálgico [De *nefralgia* + *-ico*[2].] ***Adj.*** Relativo à nefralgia.

nefrectasia [De *nefr(o)-* + *-ectas-* + *-ia*[1].] ***S. f. Urol.*** Dilatação renal.

nefrectásico [De *nefrectasia* + *-ico*[2].] ***Adj.*** Referente à nefrectasia.

nefrectomia [De *nefr(o)-* + *-ectom-* + *-ia*[1].] ***S. f. Urol.*** Ablação parcial ou total de rim.

nefrectômico ***Adj. Urol.*** V. *nefrectômico*. [Uso freq. em P.]

nefrectômico [De *nefrectomia* + *-ico*[2].] ***Adj. Urol.*** Relativo à nefrectomia.

nefrídio [Do lat. cient. *nephridium*.] ***S. f. Zool.*** Órgão excretor de grande número de invertebrados, constituído de um funil ciliado que comunica com o celoma, um tubo e um orifício externo.

nefrita [De *nefr(o)-* + *-ita*³.] *S. f. Min.* Mineral compacto, microgranular, esverdeado, de composição química semelhante à da actinolita ou tremolita, que os antigos preconizavam contra as dores dos rins. [Cf. *muiraquitã*.]

nefrite [Do lat. *nephrite*.] *S. f. Nefr.* Inflamação de rim. [Sin., desus.: *nefroflegmasia*. Cf. *perinefrite*.]

nefrítico [Do lat. *nephriticu*.] *Adj.* **1.** Relativo a nefrite. **2.** Que sofre de nefrite. ● *S. m.* **3.** Aquele que sofre de nefrite.

nefro [Do gr. *nephrós*, 'rim'.] *S. m. Fisiol.* Unidade funcional de rim.

▲ **nefr(o)-** [Do gr. *nephro-* < *nephrós*, *oû*.] *El. comp.* = 'rim': *nefrita, nefrólito.* [É seguido de hífen quando anteposto a palavra iniciada por *h* ou *o*: *nefrelmíntico/nefro-helmíntico, nefroncose/nefro-oncose*; é grafado com *r* ou *s* duplicados quando anteposto a palavra iniciada por *r* ou *s*: *nefrorragia, nefrorrágico.*] [Equiv.: *-nefr(o)-, -nefro: paranéfrico; mesonefro.*]

▲ **-nefr(o)-** V. *nefr(o)-*.

▲ **-nefro** V. *nefr(o)-*.

nefrocele [De *nefr(o)-* + *-cele*¹.] *S. f. Cir.* Saliência herniária produzida por um rim.

nefrocélico [De *nefrocele* + *-ico*².] *Adj. Cir.* Relativo à nefrocele.

nefroflegmasia [De *nefr(o)-* + *flegmasia*.] *S. f. Nefr. Desus.* Nefrite.

nefroflegmático [De *nefroflegm(asia)*+ *-ático*.] *Adj. Nefr.* Relativo à nefroflegmasia.

nefrogênico *Adj.* V. *nefrogênico*. [Uso freq. em P.]

nefrogênico [De *nefr(o)-* + *-gen(o)-* + *-ico*².] *Adj.* Que se origina em rim; nefrógeno.

nefrógeno [De *nefr(o)-* + *-geno*.] *Adj.* Nefrogênico.

nefroide (ói) [Do gr. *nephroeidés*.] *Adj. 2 g.* **1.** Reniforme. ● *S. m.* **2.** *Geom.* Epicicloide em que o raio da circunferência móvel é duas vezes menor que o da fixa. ✥

nefrólise [De *nefr(o)-* + *-lise*.] *S. f. Nefr.* **1.** Destruição de substância renal por agente tóxico. **2.** *Cir.* Operação para separar o rim de aderências paranéfricas.

nefrolitíase [De *nefr(o)-* + *litíase*.] *S. f. Urol.* Litíase renal.

nefrolítico¹ [De *neofrólito* + *-ico*².] *Adj.* Relativo ao nefrólito.

nefrolítico² [De *nefról(ise)* + *-ítico*.] *Adj.* Relativo à nefrólise.

nefrólito [De *nefr(o)-* + *-lito*.] *S. m. Urol.* Pedra ou cálculo que se forma nos rins.

nefrolitotomia [De *nefr(o)-* + *-lit(o)-* + *-tom(o)-* + *-ia*¹.] *S. f. Urol.* Operação que consiste na abertura de rim para extrair cálculo.

nefrolitotómico *Adj.* V. *nefrolitotômico*. [Uso freq. em P.]

nefrolitotômico [De *nefrolitotomia* + *-ico*².] *Adj.* Relativo à nefrolitotomia.

nefrologia [De *nefr(o)-* + *-logia*.] *S. f. Med.* Parte da medicina que estuda as doenças renais.

nefrológico [De *nefrologia* + *-ico*².] *Adj. Med.* Relativo a nefrologia.

nefrologista [De *nefrologia* + *-ista*.] *S. 2 g. Med.* Especialista em nefrologia; nefrólogo.

nefrólogo [De *nefr(o)-* + *-logo*.] *S. m. Med.* Nefrologista.

nefroma [De *nefr(o)-* + *-oma*¹.] *S. m. Patol.* Tumor de rim.

nefropatia [De *nefr(o)-* + *-patia*.] *S. f. Patol.* Denominação genérica de doença renal.

nefropático [De *nefropatia* + *-ico*².] *Adj. Patol.* Relativo à nefropatia.

nefropiose [De *nefr(o)-* + *-piose*.] *S. f. Urol.* Supuração de rim.

nefroplegia [De *nefr(o)-* + *-pleg-* + *-ia*¹.] *S. f. Med. Desus.* Paralisia de um rim, ou de ambos.

nefroplégico [De *nefroplegia* + *-ico*².] *Adj. Med.* Referente à nefroplegia.

nefrorragia [De *nefr(o)-* + *(hemo)rragia*.] *S. f. Med.* Hemorragia renal.

nefrorrágico [De *nefrorragia* + *-ico*².] *Adj. Nefr.* Relativo a nefrorragia.

nefrose [De *nefr(o)-* + *-ose*¹.] *S. f. Nefr.* Afecção renal degenerativa, não inflamatória.

nefrótico [De *nefr(ose)* + *-ótico*.] *Adj. Nefr.* Relativo a nefrose. ~ V. *síndrome —a*.

nefrotomia [De *nefr(o)-* + *-tom(o)-* + *-ia*¹.] *S. f. Urol.* Incisão cirúrgica de rim.

nefrotómico *Adj. Urol.* V. *nefrotômico*. [Uso freq. em P.]

nefrotômico [De *nefrotomia* + *-ico*².] *Adj. Urol.* Relativo a nefrotomia.

nefrotoxicidade (cs) [De *nefrotóxico* + *-(i)dade*.] *S. f. Med.* Caráter do que é nefrotóxico.

nefrotóxico (cs) [De *nefr(o)-* + *tóxico*.] *Adj. S. m.* Diz-se de, ou substância tóxica para o rim.

nega [Dev. de *negar*.] *S. f.* **1.** *P. us.* V. *negação* (1, 2 e 4). **2.** *Expl.* Falha no acendimento de uma carga explosiva quando se tenta iniciar sua queima; falha. **3.** *Constr.* O limite máximo, geralmente expresso em centímetros, preestabelecido para a penetração no solo de uma estaca de fundação, após um número determinado de golpes consecutivos do bate-estacas. [Pl.: *negas*. Cf. *nega* e *negas*, do v. *negar*.] ◆ **Dar nega.** *Constr.* Chegar (a estaca de uma fundação) à nega (3).

negabelha (ê) [De or. obsc.] *S. f. Bot.* Erva brassicácea (*Cochlearia armoracia*) anual, de pequenas flores dispostas em racemos, cujos frutos são pequenas síliquas infladas, e que é tida por medicinal.

negaça¹ [De *negar* + *-aça*.] *S. f.* **1.** Engodo, isca. **2.** Mostra ilusória; ilusão, engano: "Assim luta o náufrago com as vagas, por entre parcéis, sem farol, apenas conduzido pela negaça de uma vaga aurora distante e inacessível, que é mais do seu coração que da realidade." (Fidelino de Figueiredo, *Um Colecionador de Angústias*, p. 254.) **3.** Provocação, sedução, requebro. **4.** Recusa, negação (em geral fingida): *Faz as suas negaças: quer e diz que não quer.* **5.** *Bras.* Modo de caçar em que se segue a caça sem esta o perceber, para abatê-la de posição favorável.

negaça² *S. f. Bras. Amaz.* Neguça.

negação [Do lat. *negatione*.] *S. f.* **1.** Ato de negar. [Sin.: *negativa* e (p. us.) *nega, negamento*.] **2.** Falta de vocação ou de aptidão; inaptidão. [Sin., nesta acepç., p. us.: *nega*.] **3.** Falta, ausência. **4.** Rejeição, recusa. [Sin., nesta acepç.: *negativa* e (p. us.) *nega*.] **5.** *E. Ling.* Rejeição ou contradição do todo, ou de parte de uma sentença. **6.** *Lóg.* Proposição em que se considera inexistente a relação entre os termos. [Antôn., nesta acepç.: *afirmação* (6).] **7.** *Filos.* Símbolo lógico que representa o universo do discurso diminuído da extensão do termo por ele afetado. **8.** *Lóg.* Relação entre uma proposição *p* e sua negação *não p*, pela qual se *p* for verdadeira, *não p* será falsa e se *p* for falsa, *não p* será verdadeira. [Cf., nesta acepç., *conjunção* (7), *disjunção* (5) e *disjunção exclusiva*.] ◆ **Negação do antecedente.** *Lóg.* Argumento não válido a partir da afirmação simultânea *se p então q* (ex.: se chove então há engarrafamento) e *não p* (não chove), conclui-se *não q* (não há engarrafamento). **Negação do consequente.** *Lóg.* Regra válida de inferência, pela qual se conclui *não p* (ex.: não chove), a partir da afirmação simultânea *se p então q* (ex.: se chove então há engarrafamento) e *não q* (não há engarrafamento). **Ser a negação de.** Não ter absolutamente (certa qualidade, ou capacidade, para determinada atividade, função, etc.): *Pedro é a negação do escritor; É a negação da bondade; F. era a negação do político.*

negaceado [Part. de *negacear*.] *Adj.* **1.** Que foi alvo de negaça; enganado, iludido. **2.** Em que há negaça.

negaceador (ô) [De *negacear* + *-dor*.] *Adj. S. m.* Que, ou aquele que negaceia; negaceiro, nagaceante.

negaceante [De *negacear* + *-nte*.] *Adj. 2 g. S. 2 g.* Negaceador.

negacear [De *negaça* + *-ear*².] *V. t. d.* **1.** Atrair por meio de negaça; fazer negaças a; provocar. **2.** Enganar, iludir. **3.** Negar, recusar (em geral fingidamente). *Int.* **4.** Fazer negaças. [Conjug.: v. *frear*.]

negaceiro [De *negaça* + *-eiro*.] *Adj. S. m.* Negaceador.

negacionista [De *negação* + *-ista*, seg. o padrão erudito.] *S. 2 g.* Indivíduo que mostra negativismo; negativista.

negador (ô) [Do lat. tard. *negatore*.] *Adj.* **1.** Que nega. ● *S. m.* **2.** Aquele que nega. **3.** *E. Ling.* Forma vocabular que exprime negação, como o advérbio *não* e prefixos negativos como *in-*, *im-*, *i-* (*inculto, impermeável, ilegal*).

negalhas *S. f. pl. Bras. RS* Negalho (3).

negalho [Do lat. **ligaculu* < lat. *ligare*, 'ligar'.] *S. m.* **1.** Pequena porção de linha para coser; madeixa. **2.** Cordel com que se ata alguma coisa; atilho. **3.** *Fig.* Pequena porção de alguma coisa: "Foi uma despedida de arrebentar a alma! Ele deixou-lhe de lembrança uma memória e ela deu-lhe um negalho de cabelo." (Simões Lopes Neto, *Contos Gauchescos e Lendas do Sul*, p. 191.) [Sin. no RS, nesta acepç.: *negalhas*.] **4.** *Fig.* Coisa pequena. **5.** *Fig.* Indivíduo de pequena estatura.

negamento [De *negar* + *-mento*.] *S. m. P. us.* V. *negação* (1).

negar [Do lat. *negare*.] *V. t. d.* **1.** Dizer que não é verdadeiro (uma coisa). **2.** Afirmar que não: "Já o velho Demócrito negava que fosse possível a alguém ser poeta sem que fosse um pouco louco." (Álvaro Lins, *Literatura e Vida Literária*, p. 65.) **3.** Não admitir a existência de; contestar: "Camilo não acreditava em nada. Por quê? Não poderia dizê-lo, não possuía um só argumento; limitava-se a negar tudo." (Machado de Assis, *Várias Histórias*, p. 5.) **4.** Não reconhecer como verdadeiro; abandonar, repudiar, trair, abjurar: *Nos momentos difíceis os covardes negam seus princípios.* **5.** Não conceder; recusar: *negar um empréstimo.* **6.** Não permitir; proibir, vedar: *negar a passagem.* **7.** Desmentir, contradizer. **8.** Deixar de contar; ocultar, esconder: *Negava a sua riqueza.* **9.** Não admitir a existência de; não reconhecer; contestar. *T. d. e i.* **10.** Dizer que não: *Negou-me que ganhara na loteria.* **11.** Não conceder; recusar: *Negou-lhes qualquer benefício;* "Negou-te a primavera um riso ao menos; / Dos sonhos da estação nenhum tiveste" (Fagundes Varela, *Poesias Completas*, I, p. 204). **12.** Negar (8): *Negou a sua origem aos amigos mais próximos.* *Int.* **13.** Dizer que não: *Perguntei-lhe se cometera o furto, e ele negou.* **14.** Contestar a existência de algo; formular negativa (1) ou negativas: "limitava-se a negar tudo. E digo mal, porque negar é ainda afirmar, e ele não formulava a incredulidade" (Machado de Assis, *Várias Histórias*, p. 5). *P.* **15.** Não se prestar; recusar-se: "O frade nega-se a relatar o que se concluía." (Antero de Figueiredo, *Leonor Teles*, p. 343.) **16.** Não se apresentar; ocultar-se. [Conjug.: v. *regar*. Pres. ind.: *nego, negas, nega*, etc. Cf. *nego* (ê), *nega*, s. f., pl. *negas*.]

negativa [Do lat. tard. *negativa*.] *S. f.* **1.** Proposição com que se nega alguma coisa. [Cf. *afirmativa*.] **2.** V. *negação* (1 e 4). **3.** Partícula que exprime negação. **4.** *Bras. Cap.* Movimento defensivo em que o capoeirista abaixa o corpo, deixando uma perna estendida e outra flexionada, utilizando uma das mãos como apoio, para fugir de um golpe mais próximo ao chão. [Cf., nesta acepç., *esquiva*.] ◆ **Negativa invertida.** *Bras. Cap.* Inversão da negativa (4), procurando fugir do adversário pelo outro lado.

negativar [De *negativo* + *-ar*².] *V. t. d. Int. Neol.* Tornar(-se) negativo; negativizar.

negatividade [De *negativo* + *-(i)dade*.] *S. f.* **1.** *Eletr.* Propriedade comum aos corpos com carga negativa, ou num potencial negativo. **2.** *Filos.* Segundo Hegel, o caráter próprio da antítese. [Cf., nesta acepç., *contradição* (4).] **3.** *Mat.* Propriedade comum às grandezas negativas.

negativismo [De *negativo* + *-ismo*.] *S. m.* Espírito de negação sistemática.

negativista [De *negativismo* + *-ista*.] *Adj. 2 g.* **1.** Relativo ao negativismo. **2.** Diz-se de, ou próprio de quem mostra negativismo: *homem negativista; atitude negativista.* ● *S. 2 g.* **3.** Pessoa que o mostra.

negativizar [De *negativo* + *-izar*.] *V. t. d. Int.* Negativar.

negativo [Do lat. tard. *negativu*.] *Adj.* **1.** Que encerra ou exprime negação: *gesto negativo; partícula negativa.* **2.** Sem efeito; nulo: *Nada conseguiu, todo o seu esforço foi negativo.* **3.** Restritivo; proibitivo: *ordens negativas.* **4.** De resultado contrário ao que se esperava; contraproducente: *O excesso de rigor produz efeitos negativos.* ● *S. m.* **5.** *Art. Gráf.* Diz-se da imagem reversa em relação ao original, como, p. ex., um desenho a traço vazado em branco sobre chapado azul; em negativo. **6.** *Art. Gráf.* Diz-se de fotolito ou de matriz com imagem gravada em negativo. ~ V. *aceleração —a, altura —a, ângulo —, carga elétrica —a, carga —a, cristal —, direção —a,* feedback *—, figura —a, filme —, geotropismo —, infinito —, inteiro —, movimentos —s, número —, ocular —a, polo —, polo celeste —, proposição particular —a, proposição universal —a, sentido —, sinal —* e *valor —*. ● *S. m.* **7.** *Eletr.* Polo negativo. **8.** *Fot.* Imagem formada ao impressionar-se um filme, na qual os tons claros e escuros do assunto aparecem invertidos (negativo preto e branco), ou na qual as cores e matrizes são complementares em relação às do original (negativo colorido). [Cf., nesta acepç., *diapositivo*.] **9.** *Art. Gráf.* A imagem negativa [v. *negativo* (5)]: *o negativo do símbolo.* **10.** *Art. Gráf.* Fotolito ou matriz em negativo: *retocar o negativo.* [Opõe-se, nas acepç. 7 a 9, a *positivo*.] **11.** *Mat.* Número negativo. ● *Adv.* **12.** *Bras. Pop.* Não (1): *— Vem trabalhar domingo? — Negativo;* "O preço dele é noventa cruzeiros, mas para você, que é freguês, faço por cinquenta. — Negativo!" (Adovaldo Fernandes Sampaio, *O Sol na Rede*, p. 23). [Implica, nesta acepç., recusa e/ou ironia.] ◆ **Negativo a traço.** *Art. Gráf.* Filme negativo de alto contraste, us. ger. para reprodução de original a traço. **Negativo duro.** *Fot.* Filme negativo denso, de muito contraste, e grande diferença de luz e sombra. [Opõe-se a *negativo suave*.] **Negativo reticulado.** *Art. Gráf.* Negativo de meio-tom (4), obtido mediante aplicação de retícula¹ (3). **Negativo suave.** *Fot.* Filme negativo de muitos meios-tons e poucos contrastes. [Opõe-se a *negativo duro*.] **Em negativo.** Negativo (5): *gravura em negativo; letra em negativo.*

negatório [Do lat. tard. *negatoriu*.] *Adj.* Que serve para, ou tem a força de negar.

negatoscópio [De *negat(ivo)* + *-o-* + *-scópio*.] *S. m. Med.* Aparelho com iluminação especial que permite a observação perfeita de chapas radiográficas.

negável [De *negar* + *-vel*.] *Adj. 2 g.* Que pode ser negado.

➔**négligé** [negli'ʒe] [Fr.] *S. m.* Roupão fino de senhora.

negligência [Do lat. *negligentia*.] *S. f.* **1.** Desleixo, descuido, incúria. **2.** Desatenção, menoscabo, menosprezo. **3.** Preguiça, indolência. [Cf. *negligencia*, do v. *negligenciar*.]

negligenciar [De *negligência* + *-ar*².] *V. t. d.* Tratar com negligência; desatender; descuidar-se de; descuidar,

N

descurar, desleixar: "Procurou água. O barril encontrava-se vazio, sem nem uma gota — descuido de Ambrosina, que, na pressa de encontrar-se com o amante, negligenciara aquela obrigação." (Guido Vilmar Sassi, *São Miguel*, p. 228.) [Pres. ind.: *negligencio, negligencias, negligencia*, etc. Cf. *negligência*.]

negligente [Do lat. *negligente*.] ***Adj. 2 g.* 1.** Que tem ou revela negligência. **2.** Lânguido, frouxo, indolente. • ***S. 2 g.* 3.** Pessoa negligente.

nego (ê) [De *negro*, com síncope.] ***S. m.* 1.** *Bras. Fam. Pop.* Camarada, amigo, companheiro; negro: *Está doente, nego?; Como vai, meu nego?* **2.** *Bras. Gír.* Negro (15): *O nego meteu-se a valente, e saiu-se mal.* **3.** *Bras. PB Zool.* Sangue-de-boi. [Pl.: *negos* (ê). Cf. *nego*, do v. *negar*.] ◆ **Meu nego.** *Bras.* V. *meu negro*.

nego-bom ***S. m.*** *Bras. N.E. Cul.* Doce de banana cristalizada cortado em quadradinhos. [Pl.: *negos-bons*.]

negociabilidade [De *negociável* + *-(i)dade*, seg. o padrão erudito.] ***S. f.*** Qualidade de negociável.

negociação [Do lat. *negotiatione*.] ***S. f.* 1.** Ato ou efeito de negociar. **2.** Negócio (2). **3.** Entendimento entre nações, por intermédio de seus legítimos representantes, para concluir tratados ou convênios. **4.** *Adm.* Interação entre dois ou mais agentes com o intuito de estabelecer um acordo ou resolver uma pendência de forma que todas as partes envolvidas tenham os seus interesses levados em conta.

negociador (ô) [Do lat. *negotiatore*.] ***Adj.* 1.** Que negocia. • ***S. m.* 2.** Aquele que negocia. **3.** Negociante (2). **4.** Agente político encarregado de uma negociação entre governos.

negociante [Do lat. *negotiante*.] ***S. 2 g.* 1.** Pessoa que negocia, que exerce o comércio; comerciante. **2.** Pessoa que trata de negócios; negociador.

negocião [De *negócio* + *-ão*[1].] ***S. m.*** Negociarrão: "Estava rico, só em compras de café aos colonos fazia um negocião" (Coelho Neto, *Banzo*, p. 34).

negociar [Do lat. **negotiare*, por *negotiari*.] ***V. int.* 1.** Fazer negócios; exercer o comércio; comerciar: *Era funcionário público; agora negocia.* ***T. i.* 2.** Fazer negócios; comerciar: *Negociava com cereais;* "Nada havia de oriental no Bazar, que, com prosaísmo, só negociava em ocidentalíssimos artigos" (Ciro dos Anjos, *Explorações no Tempo*, p. 80). **3.** Manter relações para concluir tratados ou convênios: *Hábil diplomata, já negociou com diversas nações.* ***T. d.* 4.** Promover o andamento de; contratar, ajustar, agenciar: *negociar um empréstimo.* **5.** Concluir, ajustar, celebrar: *As nações beligerantes negociaram uma trégua.* **6.** Comprar ou vender; permutar, trocar: *Negociou os seus bens.* ***T. d. e i.* 7.** Negociar (2): *Negociava gado com o fazendeiro.* **8.** Ajustar, combinar, concluir: *O pequeno país teve de negociar com o poderoso adversário a rendição incondicional.* [Apresenta dois paradigmas: a) regular (no Brasil e em Port.) — pres. ind.: *negocio, negocias, negocia, negociamos, negociais, negociam*; imperat.: *negocia, negocie, negociemos, negociai, negociem*; pres. subj.: *negocie, negocies, negocie, negociemos, negocieis, negociem*; b) irregular (esp. em Port.) — pres. ind.: *negoceio, negoceias, negoceia, negociamos, negociais, negoceiam*; imperat.: *negoceia, negoceie, negociemos, negociai, negoceiem*; pres. subj.: *negoceie, negoceies, negoceie, negociemos, negocieis, negoceiem*.]

negociarrão [De *negócio* + *-arrão*.] ***S. m.*** Negócio muito bom, de grande interesse; negocião: "E que negociarrão. Pelas minhas contas teremos quatro a cinco mil contos por ano garantidos." (Joaquim Paço d'Arcos, *Carnaval e Outros Contos*, p. 194.)

negociata ***S. f.*** Negócio em que há logro ou trapaça; negócio irregular, suspeito; mamata, papata. V. *comedeira*.

negociável [De *negociar* + *-vel*.] ***Adj. 2 g.* 1.** Que pode ser negociado; vendível (q. v.). **2.** Em que pode haver transação comercial.

negócio [Do lat. *negotiu*.] ***S. m.* 1.** Comércio, tráfico: *negócio de bebidas.* **2.** Relações comerciais; negociação, transação: *Tem negócio com uma firma do Pará.* **3.** Convenção, combinação. **4.** Empresa, ajuste, questão: *O negócio foi resolvido com agrado geral.* **5.** Negócio vantajoso; bom negócio: *Aquele apartamento por 500 mil reais não é negócio.* **6.** Caso, coisa; assunto; fato: *De que negócio está você falando?;* "— Madrinha, o negócio é o seguinte: a mãe não deixou nem um xem-xem" (Antônio Versiani, *Viola de Queluz*, p. 10). **7.** *Bras. Pop. Fam.* Qualquer objeto ou coisa; troço, trem. **8.** *Bras.* Casa de negócio: "enquanto mudava de cavalo tinha ido tomar um refresco no negócio do ilhéu" (Simões Lopes Neto, *Contos Gauchescos e Lendas do Sul*, p. 192); "era um homem de trabalho, dono de um negócio na vila." (Coelho Neto, *Sertão*, p. 188). [Cf. *negocio*, do v. *negociar*.] ◆ **Negócio da China.** Negócio muito lucrativo. [Sin., bras.: *negócio da Costa da Mina*.] **Negócio da Costa da Mina.** *Bras.* Negócio da China. **Negócio de compadres.** Aquele em que intervém o favor em vez da justiça. **Negócio de pai para filho.** Negócio de pequeno lucro, ou de nenhum, ou, até, em que há prejuízo. **Negócio de ocasião.** Bom negócio ou boa oferta. **Negócio de orelha.** *Bras.* Troca dum animal por outro, sem volta. **Negócio jurídico.** V. *ato jurídico*. **Um negócio.** *Bras. Gír.* V. *um amor* (1): *A pequena é uma beleza, é um negócio!*

negocioso (ô) [Do lat. *negotiosu*.] ***Adj.* 1.** Que trata de muitos negócios; ocupado, atarefado. **2.** Diligente, ativo: "Moreira descavalga, prende ao buxeiro o burrico, negocioso, importante, berra o preço do gado na Ribeira, lucros, prejuízos, planos." (José Vieira, *Sol de Portugal*, p. 39.) **3.** Cuidadoso, diligente.

negocista [De *negócio* + *-ista*.] ***Adj. 2 g. S. 2 g.*** *Bras.* Que, ou quem é dado a negócios equívocos, a negociatas.

negra (ê) [Fem. de *negro*.] ***S. f.* 1.** Mulher de etnia, ou de raça negra. **2.** Escrava, cativa. **3.** A terceira partida, que desempata, num torneio, campeonato, competição, etc.

negraço [De *negro* + *-aço*.] ***S. m.*** V. *negralhão*.

negrada [De *negro* + *-ada*[1].] ***S. f.*** *Bras.* **1.** V. *negraria*. **2.** *Fig.* Grupo de indivíduos dados a pândegas ou a desordens. **3.** Pessoal, gente: *Vamos embora, negrada.*

negral [De *negro* + *-al*[1].] ***Adj. 2 g.* 1.** Quase negro. **2.** De cor negra. **3.** V. *madural*.

negralhada [De *negro* + *-alhada*.] ***S. f.*** *Deprec.* V. *negraria*.

negralhão [De *negro* + *-alhão*.] ***S. m.*** Aum. de *negro*; negrão, negraço: "o Malaquias, um negralhão espadaúdo" (Hugo de Carvalho Ramos, *Tropas e Boiadas*, p. 61). [Fem.: *negralhona*.]

negralhona ***S. f.*** Fem. de *negralhão* (q. v.).

negra-mina [De *negra* + *mina*[2].] ***S. f.*** *Bras. Zool.* V. *corcoroca* (2 e 3). [Pl.: *negras-minas* e *negras-mina*.]

negrão [De *negro* + *-ão*[1].] ***S. m.*** V. *negralhão*. [Fem.: *negrona*.]

negraria [De *negro* + *-aria*.] ***S. f.*** *Deprec.* Grupo de negros; multidão de negros; negrada, negralhada.

→ **nègre** ['nɛgʁ] [Fr.] ***S. m.*** Pessoa que esboça ou escreve obras assinadas por outrem (escritor, político, etc.).

negregado [Do lat. *nigricatu*, 'denegrido'.] ***Adj.* 1.** Desgraçado e infeliz, infausto: "Depois daquela negregada cena do beco, será ocioso dizer-lhes que o meu ataque de intestinos recrudesceu" (Camilo Castelo Branco, *Cenas da Foz*, p. 48); *negregada recordação.* **2.** Trabalhoso, custoso, árduo.

negregoso (ô) [De *negro* + *-oso*.] ***Adj.*** Muito negro.

negreira [De *negro* + *-eira*.] ***S. f.*** *Bras. Bot.* V. *cruz-de-malta* (2).

negreiro [De *negro* + *-eiro*.] ***Adj.* 1.** Relativo a negros. **2.** Que comerciava escravos negros: "Francisco .... ofuscado pelos grandes lucros do comércio de escravos, teria .... se encaminhado para Badagry .... onde instalou um entreposto negreiro" (Alberto da Costa e Silva, Francisco Félix de Sousa, *Mercador de Escravos*, p. 15). **3.** Diz-se de navio que transportava escravos negros. ~ V. *navio* —. • ***S. m.* 4.** Traficante de negros. **5.** *Bras. Gír.* Indivíduo que tem inclinação sexual por negros.

negrejante [De *negrejar* + *-nte*.] ***Adj. 2 g.*** Que negreja.

negrejar [De *negro* + *-ejar*.] ***V. int.* 1.** Ser ou parecer negro. **2.** Mostrar-se com sua cor negra ou escura: "O vulto que negrejava no meio do terreiro, era o patíbulo popular e peão: era a forca" (Alexandre Herculano, *Lendas e Narrativas*, I, pp. 93-94). **3.** Tornar-se negro. **4.** Causar escuridão, sombra. **5.** Mostrar-se triste, lutuoso; estar de luto. **6.** Surgir como coisa triste e ameaçadora. ***T. d.* 7.** Tornar negro, escuro, triste: "Secar-se o orvalho à flor que desbrochava, / E o inverno negrejar a primavera!..." (Barão de Paranapiacaba, *Poesias Escolhidas*, p. 34.) [Conjug.: v. *pelejar*. Normalmente é defect.]

negrense ***Adj. 2 g.* 1.** De, ou pertencente ou relativo a Minador do Negrão (AL). • ***S. 2 g.* 2.** O natural ou habitante de Minador do Negrão.

negridão [De *negro* + *-idão*.] ***S. f.* 1.** Negrura (1). **2.** V. *negrume* (1).

negrilhos ***S. m. pl.*** Vidrilhos pretos.

negrinha [De *negro* + *-inha*.] ***S. f.*** *Bot.* Planta ciperácea (*Cyperus difformis*) anual, de raiz fibrosa, espiguetas reunidas em feixes capituliformes, glumas ferruginosas e frutos que são aquênios triangulares.

negrinho [De *negro* + *-inho*[1].] ***S. m.*** *Bras. Pop.* **1.** *SP* Café simples. **2.** *Cul.* Brigadeiro (2). ◆ **Negrinho do Pastoreio.** *Bras. RS* Ente fantástico, anjo bom dos pampas, também conhecido por *Negrinho do Pastorejo, Crioulinho do Pastoreio, Crioulinho do Pastorejo, Crioulo do Pastoreio* ou *Crioulo do Pastorejo*. **Negrinho do Pastorejo.** *Bras. RS* V. *Negrinho do Pastoreio*.

negríssimo ***Adj.*** Nigérrimo.

negrita ***S. f.*** V. *negrito*.

negrito [De *negro* + *-ito*[1].] ***Adj. S. m.*** *Tip.* Diz-se de, ou tipo de traços acentuadamente mais fortes que o normal, especialmente quando usado em certos destaques tipográficos (entradas de catálogos, cabeças de verbetes, etc.). [Sin.: *normandinho* e (ingl.) *bold*. F. paral.: *negrita*. Cf. *preto* (7) e *normando* (4).]

negritude [De *negro* + *-itude*.] ***S. f.* 1.** Estado ou condição de pessoas negras. **2.** Ideologia característica da fase de conscientização, pelos povos negros africanos, da opressão colonialista, a qual busca reencontrar a subjetividade negra, observada objetivamente na fase pré-colonial e perdida pela dominação da cultura branca ocidental.

negro (ê) [Do lat. *nigru*.] ***Adj.* 1.** De cor preta. **2.** Diz-se dessa cor; preto: *terno de cor negra.* **3.** Diz-se de indivíduo de etnia, ou raça negra. **4.** Sujo, encardido, preto: *A criança está com as mãos negras.* **5.** Preto (3): *As nuvens negras anunciavam tempestade.* **6.** Muito triste; lúgubre: "pensar [Casimiro de Abreu] que sua morte poderia ocorrer em Lisboa .... o fazia mergulhar na mais negra infelicidade." (Carlos Drummond de Andrade, *Confissões de Minas*, p. 28). **7.** Melancólico, funesto, lutuoso: *Negro destino o esperava.* **8.** Maldito, sinistro: *Em negra hora chegou ali aquele bandido.* **9.** Perverso, nefando: *O negro crime abalou a cidade.* [Superl. abs. sint.: *negríssimo, nigérrimo*.] ~ V. *buraco* —, *câmbio* —, *corpo* —, *humor* —, *licor* —, *língua* —*a*, *lista* —*a*, *lixívia* —*a*, *livro* —, *luz* —*a*, *magia* —*a*, *mercado* —, *ouro* —, *ovelha* —*a*, *O Papa* —, *poder* —, *O Poeta* —, *pólvora* —*a* e *ponto* —. • ***S. m.* 10.** Indivíduo de etnia, ou de raça negra. **11.** *P. ext.* Escravo (4). **12.** *Ópt.* A cor de um corpo que absorve integralmente toda a radiação luminosa visível que sobre ele incide. **13.** *Tip.* V. *preto* (7). **14.** *Bras. Fam. Pop.* V. *nego* (1). **15.** *Bras. Gír.* Homem, pessoa, indivíduo; nego (ê), neguinho: *Há muito negro que não sabe o que é trabalhar.* [Aum.: *negrão, negralhão, negraço*; dim.: *negrinho, negrito, negrilho*.] ◆ **Negro velho.** *Bras.* Tratamento familiar, carinhoso, mais ou menos equivalente ao de *meu negro* (q. v.). [Cf. *negro-velho*.] **Meu negro.** *Bras.* Tratamento familiar, carinhoso, e algumas vezes algo irônico, equivalente a 'meu bem', 'meu amigo'; meu nego, meu bichinho: *— Que é que há, meu negro?; Calma, meu negro, isto não vai assim, não!* **Trabalhar como um negro.** Trabalhar muito.

negro-aça [De *negro* + *aça*.] ***S. m.*** *Bras.* Preto-aça. [Pl.: *negros-aças*.]

negro de fumo ***S. m.*** Pó de sapato. [Pl.: *negros de fumo*.]

negrofilia [De *negro* + *-filia*.] ***S. f.*** Condição de negrófilo.

negrofílico [De *negrofilia* + *-ico*[2].] ***Adj.*** Relativo a negrofilia, ou a negrófilo.

negrófilo [De *negro* + *-filo*[2].] ***Adj. S. m.* 1.** Que, ou aquele que gosta dos negros. **2.** Diz-se de, ou partidário da abolição da escravatura.

negro-fugido ***S. m.*** *Bras.* Brinquedo de crianças, modalidade de esconde-esconde. [Pl.: *negros-fugidos*.]

negroide (ói) [De *negro* + *-oide*.] ***Adj. 2 g.* 1.** Parecido com os negros. • ***S. 2 g.* 2.** Indivíduo semelhante aos negros. ✤

negro-mina [De *negro* + *mina*[2].] ***S. m.* 1.** V. *mina*[2] (2). **2.** *Zool.* Peixe-porco (1). [Pl.: *negros-minas* e *negros-mina*.]

negro-muçulmano [De *negro* + *muçulmano*.] ***Adj.*** De origem negra e muçulmana: "E hoje é com dificuldade que o etnógrafo vai descobrir sobrevivências negro-muçulmanas na multiplicidade de macumbas e candomblés distribuídos por esse imenso Brasil..." (Artur Ramos, *O Negro Brasileiro*, p. 92.) [Pl.: *negro-muçulmanos*.]

negrona ***S. f.*** Fem. de *negrão* (q. v.).

negro-novo ***S. m.*** *Bras.* V. *boçal* (3). [Pl.: *negros-novos*.]

negror (ô) [Do lat. *nigrore*.] ***S. m.* 1.** V. *negrume* (1): "os relâmpagos alumiavam o negror do horizonte." (Darci Azambuja, *Coxilhas*, p. 66). **2.** *Bras.* Agitação que produz na água a baleia perseguida.

→ **negro spiritual** ['nijgrow 'spiritʃuəl] [Ingl.] ***Mús.*** Canto religioso dos negros norte-americanos, em língua inglesa, e que nasceu da fusão de certos elementos da tradição musical africana (escalas pentatônicas e hexatônicas, síncopes, etc.) com a inspiração cristã. [Tb. se diz apenas *spiritual*.]

negrota [De *negro* + *-ota*[1].] ***S. f.*** *Bras.* Fem. de *negrote* (q. v.): "Um negro, uma negra, duas negrotas" (Franklin Távora, *O Cabeleira*, p. 251).

negrote [De *negro* + *-ote*[1].] ***S. m.*** *Bras.* Negro jovem; molecote: "Negrotes albardados com roupas usadas dos senhores choutavam em sendeiros" (Xavier Marques, *As Voltas da Estrada*, p. 16). [Fem.: *negrota*.]

negro-velho ***S. m.*** *Bras. RJ Cul.* Prato de carne-seca desfiada com tutu. [Pl.: *negros-velhos*. Cf. *negro velho*.]

negrume [De *negro* + *-ume*.] ***S. m.* 1.** Escuridão, trevas, negror, negridão, negrura: "Não somos como o Céu, onde sobre o negrume / Da noite procelosa arde o sereno lume / Das estrelas" (Alberto de Oliveira, *Póstuma*, p. 75). 2. Nevoeiro espesso; cerração: "Densos negrumes pelo céu rolavam, / Rugia o vento no palmar sombrio." (Fagundes Varela, *Poesias Completas*, I, p. 145.) 3. *Fig.* Tristeza, melancolia; negrura: "A sua agonia, o negrume da sua agonia." (José Lins do Rego, *Usina*, p. 187.)

negrumoso (ô) [De *negrume* + *-oso*.] *Adj.* Em que há negrume.

negrura [De *negro* + *-ura*.] *S. f.* 1. Qualidade de negro; negridão. 2. V. *negrume* (1): "O policial se perdera na negrura da noute" (Raul Pompeia, *Obras*, I, p. 74). 3. *Fig.* V. *negrume* (3): "O grande medalhão brilhando ao peito, no meio da negrura do luto" (Raquel de Queirós, *As Três Marias*, p. 11). 4. *Fig.* Crueldade, perversidade, ruindade. 5. *Fig.* Falta, erro, culpa.

negrusco [De *negro* + *-usco*[2].] *Adj.* Um tanto negro; anegrado: "Hordas de chimpanzés, coortes de elefantes, / De pelagem negrusca e trombas bambaleantes" (Martins Fontes, *Nos Jardins de Augusto Comte*, pp. 99-100).

neguça *S. f. Bras. Zool.* Ave passeriforme, traupídea (*Tangara punctata*) da Amaz., de coloração geral verde, a parte central das penas da metade anterior do corpo manchada de preto, garganta e meio do peito verde--esbranquiçados, pintados de preto. [Sin.: *negaça*.]

neguinho [De *nego* (ê) + *-inho*[1].] *S. m. Bras. Gír.* Negro (16): *Lá em casa é assim: neguinho começa as coisas e não termina.*

negus (gús) [Do etiópico z *negush*, 'rei'.] *S. m.* Título que se dava ao soberano da Etiópia (antiga Abissínia). [Pl.: *neguses*. Correntemente se pronunciava (no Brasil, pelo menos) como paroxítono.]

nei-nei [Voc. onom.] *S. m. Bras. MG Zool.* V. *bem-te-vi--do-bico-chato*.

nele *S. m.* Antiga moeda francesa. [Pl.: *neles*. Cf. *nele* (ê) e pl. *neles* (ê).]

nele (ê) Equiv. da prep. *em* e do pron. pess. *ele*. [Flex.: *nela*, *neles* (ê), *nelas*. Cf. *nele*, s. m., e pl. *neles*.]

nelore [Do top. *Nelore* (Índia).] *Adj. S. m.* Diz-se de, ou uma raça zebu (q. v.).

nelumbo [Do tax. *Nelumbo*.] *S. m. Bot.* 1. Gênero de plantas aquáticas ninfeáceas. 2. Qualquer espécie desse gênero, como, p. ex., a *Nelumbo nucifera* [v. *loto*[1] (3)]. 3. Qualquer espécime desse gênero.

nem [Do lat. *nec*.] *Conj.* 1. E não: "Não conheço senão fatos sem causas, nem procurei conhecê-las." (Thiers Martins Moreira, *Os Seres*, p. 63.) 2. E sem: *Ficou sem amigo nem dinheiro.* 3. Ao menos, pelo menos; sequer: "A minha vida se resume, / desconhecida e transitória, / em contornar teu pensamento, / sem levar dessa trajetória / nem esse prêmio de perfume / que as flores concedem ao vento." (Cecília Meireles, *Obra Poética*, p. 103.) 4. Ou: *É o crime mais negro que se pode cometer nem conceber.*

▲ **-nema** V. *nemat(o)-*.

nemastomácea [Do tax. *Nemastoma*, gênero-tipo, + *-ácea*; tax. *Nemastomaceae*.] *S. f. Bot.* Espécime das nemastomáceas, família de algas avermelhadas da ordem das criptonemiales com talos cilíndricos, achatados ou folhosos e cistocarpos submersos.

nemastomáceo [De *nemastomácea*, com var. suf. (v. *-áceo*).] *Adj. Bot.* Pertencente ou relativo às nemastomáceas.

nematelminte [De *nemat(o)-* + *-(h)elminte*; tax. *Nemathelminthes*.] *S. m. Adj. 2 g. Zool.* V. *nematódeo*.

nematelmíntio [De *nemat(o)-* + *-(h)elmint(o)-* + *-io*[2].] *S. m. Adj. Zool.* V. *nematódeo*.

nematelminto [De *nemat(o)-* + *-(h)elminto*.] *S. m. Adj. Zool.* V. *nematódeo*.

nemático [De *nemat(o)-* + *-ico*[2].] *Adj. Fís.-Quím.* Diz-se do estado de um cristal líquido no qual as moléculas se organizam em estruturas mais ou menos filamentosas, com uma ordenação regular dentro de certos domínios, mas não entre domínios vizinhos.

▲ **nemat(o)-** [Do gr. *nêma*, *atos*.] *El. comp.* = 'fio'; *p. ext.* 'antena', 'tentáculo': *nematócero*, *nematoide*. [Equiv.: *-nema*, *nemo-*[1], *-nemo*: *epinema*; *nemoblasto*; *heptanemo*.]

nematócero [De *nemat(o)-* + *-cero*; tax. *Nematocera*.] *Zool. S. m.* 1. Espécime dos nematóceros, subordem de insetos dípteros, com antenas em geral mais longas que o tórax, seis a 39 segmentos, tendo raramente cerda ou estilo diferenciados, ou o corpo com cerdas. ● *Adj.* 2. Pertencente ou relativo a eles.

nematociste [De *nemat(o)-* + *-ciste*.] *S. f. Zool.* Nematocisto.

nematocisto [De *nemat(o)-* + *-cisto*.] *S. m. Zool.* Órgão dos cnidários, espécie de bexiga observada na superfície do corpo do animal, e que contém um filamento oco, espiralado e farpado, o cnidocílio (q. v.), imerso em líquido urticante; esse filamento se lança para fora, mediante estímulo, e penetra ou enrola-se na vítima, paralisando-a, causando-lhe queimaduras ou matando-a. [V. *cnidoblasto*.]

nematócito [De *nemat(o)-* + *-cito*.] *S. m. Zool.* Cnidoblasto.

nematódeo [De *nemat(o)-* + *-ódeo*; tax. *Nematoda*.] *Zool. S. m.* 1. Espécime dos nematódeos, filo de vermes asquelmintos, com cerca de 12 mil espécies, com sexos separados, de corpo vermiforme, cilíndrico ou filiforme, afilado nas extremidades, revestido por uma cutícula compacta, e apenas os músculos longitudinais presentes; a boca ou a faringe pode conter dentes ou estiletes que usam para perfurar tecidos vegetais. São ou de vida livre, na água ou no solo, ou parasitos. ● *Adj.* 2. Pertencente ou relativo a eles. [Sin. ger.: *nematelminto*, *nematelmíntio*, *nematelminte*.]

nematoide (ói) [De *nemat(o)-* + *-oide*.] *Adj. 2 g.* Fino e alongado como um fio de linha.

nematologia [De *nemat(o)-* + *-logia*.] *S. f. Zool.* Ramo da zoologia que estuda os nematódeos.

nematológico [De *nematologia* + *-ico*[2].] *Adj. Zool.* Relativo a nematologia.

nematologista [De *nematologia* + *-ista*.] *S. 2 g. Zool.* Especialista em nematologia.

nematomicete [De *nemat(o)-* + *-micete*.] *S. m.* Tribo de cogumelos de forma filamentosa.

nematomorfo [De *nemat(o)-* + *-morfo*; tax. *Nematomorpha*.] *Zool. S. m.* 1. Espécime dos nematomorfos, classe de asquelmintos de corpo filiforme, ger. enrolado em forma de nó. Os jovens são parasitos e providos de tubo digestivo completo; os adultos são livres, com tubo digestivo atrofiado. Cutícula grossa e opaca, lisa ou com aréolas, tubérculos, poros e outras formações. ● *Adj.* 2. Pertencente ou relativo a eles. [Sin. ger.: *gordiáceo*.]

nembo *S. m. Constr.* Maciço, entre vãos, em obra de pedreiro.

nemeu [Do gr. *nemeaîos*, pelo lat. *nemeaeu*.] *Adj. S. m.* V. *nemeu*.

nemertino [Do tax. *Nemertes* + *-ino*[3]; tax. *Nemertinea*.] *Zool. S. m.* 1. Espécime dos nemertinos, filo de animais de simetria bilateral, acelomados, de corpo vermiforme, alongado, revestido de cílios, com tubo digestivo completo, e boca anterior, com tromba reversível longa, provido de ânus. Os sexos são separados. Vivem no mar, na água doce ou na terra, e têm vida livre. ● *Adj.* 2. Pertencente ou relativo a eles. [Sin. ger.: *rincocélio*.]

némese *S. f.* V. *nêmese*. [Uso freq. em P.]

nêmese *S. f.* V. *nêmesis*: "É doloroso que a única grande vítima dos ultrajes perpetrados por *X* seja dona *YX*, a única que acreditou na nêmese, e sucumbiu à dor da desonra." (*Jornal do Brasil*, 27.10.1993).

nemesiano *Adj.* 1. De, ou pertencente ao escritor português Vitorino Nemésio (1901-1978), ou próprio dele. 2. Que é seu admirador e/ou profundo conhecedor de sua obra. ● *S. m.* 3. Admirador e/ou profundo conhecedor da obra de Vitorino Nemésio.

nemésico [De *nêmesis* + *-ico*[2].] *Adj.* Referente à nêmesis.

némesis *S. f. 2 n.* V. *nêmesis*. [Uso freq. em P.]

nêmesis [Do gr. *némesis*.] *S. f.* 1. Justiça distributiva. 2. Indignação provocada por uma partilha injusta ou desigual. 3. Deusa da justiça distributiva. [Com cap., nesta acepç.]

nemeu [Do gr. *nemeaîos*, pelo lat. *nemeaeu*.] *Adj.* 1. Do, pertencente ou relativo ao vale de Nêmea (ou Nemeia), na Argólida, região do Peloponeso (Grécia). ● *S. m.* 2. O natural ou habitante de Nêmea. [F. paral.: *nemeeu*. Fem.: *nemeia*. Cf. *jogos nemeus*.]

➔ **nemine discrepante** ['nemẽne deskre'pante] [Lat.] Sem que haja nenhuma discordância, *i. e.*, por unanimidade.

▲ **nemo-**[1] V. *nemat(o)-*.

▲ **nemo-**[2] [Do gr. *némos*, *eos-ous*.] *El. comp.* = 'bosque', 'floresta': *nemólito*.

▲ **-nemo** V. *nemat(o)-*.

nemoblasto [De *nemo-*[1] + *-blasto*.] *S. m. Bot.* Embrião filiforme.

nemólito [De *nemo-*[2] + *-lito*.] *S. m. Geol.* Rocha arborizada.

nemoral [Do lat. *nemorale*.] *Adj. 2 g.* 1. Referente a, ou próprio de bosque. 2. Existente nos bosques.

nemorívago [Do lat. *nemorivagu*.] *Adj.* Que vagueia pelos bosques.

nemoroso (ô) [Do lat. *nemorosu*.] *Adj.* 1. Sombreado ou povoado de árvores: "Já Pierrot busca repouso / À mágoa que o excrucia, / Por um vale nemoroso, / Triste, ao declinar do dia." (Goulart de Andrade, *Poesias*, 2ª série, p. 17.) 2. Cheio de bosques.

nem sei que diga *S. m. 2 n. Bras. N.E.* V. *diabo* (2): "elevava-se o coro de maldições à memória de Vadinho, um nem sei que diga de tão ruim." (Jorge Amado, *Dona Flor e Seus Dois Maridos*, p. 153).

nena [De or. obsc.] *S. f. Fam.* Boneca (1): "uma destas nenas que mexem com os olhos ou mugem: papá!, mamã! e fazem a felicidade dos bebés burgueses" (Aquilino Ribeiro, *Lápides Partidas*, p. 92).

nené *S. m.* V. *nenê*[1]. [M. us. em Portugal.]

nenê[1] *S. 2 g. Bras.* Criança recém-nascida ou de poucos meses; criancinha. [F. paral.: *nenê* e *neném*. Sin.: *bebê*, *bebé* e (no AM) *chichuta* e *chicuta*.]

nenê[2] *Bras. S. 2 g.* 1. *Etnôn.* Indivíduo dos nenês [ou (etnôn. bras.) *Nênê], povo indígena extinto que habitava a margem direita do rio Barão de Melgaço (RO). ● *Adj. 2 g.* 2. Pertencente ou relativo a esse povo.

neném *S. 2 g.* V. *nenê*[1].

nenhengatu *S. m. Bras.* V. *nheengatu*.

nenho *Adj.* F. aferética e despalatalizada de *inhenho* (q. v.).

nenhum [Aglut. de *nem* e *um* com palatalização.] *Pron. indef.* 1. Nem um (só): "Na vastidão do rio, nenhuma canoa, nenhum sinal de vida aparecia" (Inglês de Sousa, *O Missionário*, p. 214). [Às vezes aparece posposto ao substantivo: "Serviço nenhum José de Arimateia refugava" (Mário Palmério, *Chapadão do Bugre*, p. 23).] 2. Qualquer: *O cavalo dele, melhor que nenhum outro, ganhou a corrida.* 3. Nulo; inexistente: *poeta de nenhum valor.* [Flex.: *nenhuma*, *nenhuns*, *nenhumas*.] – V. *coisíssima* — *a*. ● *S. m.* 4. *Restr.* Nenhum dinheiro: *No fim do mês estou sempre sem nenhum.* ◆ **A nenhum.** *Bras. Pop.* Sem dinheiro; na pindaíba: *estar, ficar, viver a nenhum*; "— Dave, você tem dinheiro? Nós aqui estamos a nenhum..." (Raquel de Queirós, *A Donzela e a Moura Torta*, p. 65).

nenhumamente [Do f. *nenhum* + *-mente*.] *Adv.* De maneira nenhuma; absolutamente não.

nenhures [De *nenhum*; formado à semelhança de *algures* e *alhures*.] *Adv.* Em nenhuma parte: "Quando a alma já descansa / Da eternidade no porto, / Nenhures está melhor / Do que na urna grosseira" (Gonçalves Dias, *Obras Poéticas*, II, p. 401). [Cf. *algures* e *alhures*.]

nénia *S. f.* V. *nênia*. [Uso freq. em P.]

nênia [Do lat. *nenia*.] *S. f.* 1. Canto fúnebre: "não mais os rugidos de luta, os gritos ferozes de ameaça, o alarido das buzinas, a ronqueira dos mosquetões, mas um queixume triste, uma nênia dolorosa pelos mortos .... na investida da muralha misteriosa." (Afonso Arinos, *Histórias e Paisagens*, pp. 96-97). 2. Canção plangente, melancólica: "Podem servos, debaixo do açoite, / Nênias tristes da pátria cantar!" (Gonçalves Dias, *Obras Poéticas*, I, p. 301.) [São tb. canções plangentes o *epicédio* (q. v.) e a *elegia* (q. v.) — palavras estas us., por vezes, como sin. de *nênia* —, e a *endecha* (q. v.).]

nenúfar [Do persa *nīlūfar*, pelo lat. med. *nenuphar* ou *nenufar*, e pelo fr. *nénuphar*.] *S. m. Bot.* V. *lótus* (2).

neo (nêu) *S. m. Patol.* V. *neoplasma*.

▲ **ne(o)-** [Do gr. *néos*, *a*, *on*.] *El. comp.* = 'novo', 'moderno': *neolatino*, *neologia*. [É seguido de hífen quando anteposto a palavra iniciada por *h* ou *o*: *neo-hegelianismo*, *neo-otoplastia* (em tais casos, apenas o 2º el. é flexionado na formação do plural); é grafado com *r* ou *s* duplicados quando anteposto a palavra iniciada por *r* ou *s*: neorrepublicano, neossiríaco.] [Em química, como antepositivo, indica a presença de duas metilas e uma alquila ligadas a um carbono que, por sua vez, se liga a um metileno, ao qual está ligado um grupo funcional: *álcool neopentílico*.]

▲ **-ne(o)-** Equiv. de *ne(o)-*.

neoaramaico [De *ne(o)-* + *aramaico*.] *S. m. Gloss.* V. *aramaico* (2).

neoareolomamiloplastia (arè-o) [De *ne(o)-* + *aréola* + *-o-* + *-mamil(o)-* + *-plast(o)-* + *-ia*[1].] *S. f. Cir. Plást.* Intervenção cirúrgica destinada a reconstruir, parcial ou totalmente, aréola (2) e mamilo (1).

neoárico [De *ne(o)-* + *árico*.] *Adj. Gloss.* Relativo às línguas indo-europeias modernas.

neobarroco (ô) [De *ne(o)-* + *barroco*.] *Adj.* 1. Relativo à renovação do estilo barroco, ocorrida em fins do século XVII e princípios do século XVIII: "a eloquência de Massillon [Jean-Baptiste Massillon] é harmoniosa, até *précieuse*, como o estilo neobarroco dos móveis Rococó." (Oto Maria Carpeaux, *História da Literatura Ocidental*, II, p. 1.031). ● *S. m.* 2. Esse estilo.

neobarroquismo [De *neobarroco* (q. v.) + *-ismo*.] *S. m.* Neobarroco (2): "o próprio D'Ors [Eugenio D'Ors], teórico do classicismo mais ortodoxo, também agiu como propagandista do neobarroquismo." (Oto Maria Carpeaux, *História da Literatura Ocidental*, VI, p. 2.793).

neocaledonio *Adj. S. m.* V. *neocaledônio*. [Uso freq. em P.]

neocaledônio [De *ne(o)-* + *caledônio*.] *Adj.* 1. De, ou pertencente ou relativo à Nova Caledônia (arquipélago francês do Pacífico sul). ● *S. m.* 2. O natural ou habitante da Nova Caledônia.

neocatolicismo [De *ne(o)-* + *catolicismo*.] *S. m.* Doutrina que visa a aproximar o catolicismo das ideias modernas de progresso e liberdade.

neocatólico [De *ne(o)-* + *católico*.] *Adj.* 1. Relativo ao, ou que é adepto do neocatolicismo. ● *S. m.* 2. Adepto dessa doutrina.

N

neocéltico [De *ne(o)-* + *céltico*.] *Adj.* Diz-se das línguas vivas provenientes das línguas célticas, como o bretão e o gaélico. ~ V. *língua —a*.

neocíclico [De *ne(o)-* + *-cicl(o)-* + *-ico*[2].] *Adj.* Que ocorre no começo de um ciclo.

neociência [De *ne(o)-* + *ciência*.] *S. f.* Ciência nova, moderna: 📖 "Ufologistas .... querem sociedade para estudar neociência a sério" (*Jornal do Brasil*, 29.10.1979).

neocientífico [De *ne(o)-* + *científico*.] *Adj.* Relativo à neociência.

neoclassicismo [De *ne(o)-* + *classicismo*.] *S. m.* **1.** Movimento intelectual surgido na Itália nos fins do séc. XVIII e começo do XIX, que preconizava o retorno do estilo clássico na arte e na literatura. **2.** Imitação hodierna dos escritores ou artistas clássicos.

neoclassicista [De *neoclassicismo* + *-ista*.] *Adj. 2 g.* Relativo ao neoclassicismo (q. v.).

neoclássico [De *ne(o)-* + *clássico*.] *Adj.* **1.** Referente ao, ou que era ou é adepto ou praticante do neoclassicismo. • *S. m.* **2.** Adepto ou praticante dele.

neocolonial [De *ne(o)-* + *colonial*.] *Adj. 2 g.* **1.** Pertencente ou relativo a neocolonialismo. **2.** *Arquit.* Diz-se de estilo arquitetônico do Brasil, mas tb. de outros países das Américas, nas primeiras décadas do século XX, que visava o renascimento das características da arquitetura colonial dos sécs. XVII e XVIII.

neocolonialismo [De *ne(o)-* + *colonialismo*.] *S. m.* Domínio que um país exerce sobre outro, menos desenvolvido, não por sistema ou orientação política, mas pela influência econômica e/ou cultural. [Cf. *colonialismo*.]

neocolonialista [De *neocolonialismo* + *-ista*.] *Adj. 2 g.* **1.** Relativo ao, ou próprio do neocolonialismo. **2.** Que é partidário do neocolonialismo. • *S. 2 g.* **3.** Partidário dele.

neoconfucionismo [De *ne(o)-* + *confucionismo*.] *S. m. Filos.* Desenvolvimento do confucionismo (q. v.), a partir do séc. X, que acrescenta à doutrina da escola, até então voltada para os problemas éticos, a reflexão metafísica, principalmente em torno dos princípios *Yin* e *Yang*.

neocriticismo [De *ne(o)-* + *criticismo*.] *S. m. Filos.* Neokantismo.

neodarwinismo (w=u) [De *ne(o)-* + *darwinismo*.] *S. m. Biol.* Doutrina que procura conciliar a teoria da seleção natural de Darwin (v. *darwinismo*) com a herança mendeliana (v. *mendelismo*).

neodarwinista (w=u) [De *neodarwinismo* + *-ista*.] *Adj. 2 g.* **1.** Relativo ao, ou que é adepto do neodarwinismo. • *S. 2 g.* **2.** Adepto dessa doutrina.

neodímio [Do ingl. *neodymium*.] *S. m. Quím.* Elemento de número atômico 60, pertencente aos lantanídeos [símb.: *Nd*].

neoescolástica [De *ne(o)-* + *escolástica*.] *S. f. Filos.* Neotomismo. ❖

neoescolástico [De *neoescolástica*, com var. suf. (v. *-ico*[2]).] *Adj.* **1.** Relativo à, ou que é partidário da neoescolástica. • *S. m.* **2.** Partidário dela. ❖

neoespanhol [De *ne(o)-* + *espanhol*.] *Adj.* Relativo aos descendentes dos espanhóis, radicados na América. ❖

neoespinozismo *S. m. Filos.* Designação atribuída, por vezes, ao sistema de Schelling (v. *idealismo*), por seu caráter panteísta e monista. ❖

neoespinozista *Adj. 2 g.* **1.** Relativo ao, ou que é adepto do neoespinozismo. • *S. 2 g.* **2.** Adepto do neoespinozismo. ❖

neoevolucionismo [De *ne(o)-* + *evolucionismo*.] *S. m. Antrop.* Corrente ou teoria antropológica que renova a perspectiva evolucionista do século XIX [v. *evolucionismo* (3)], dando ênfase aos processos de adaptação e ajustamento dos grupos humanos ao meio ambiente e a outros grupos humanos vizinhos como os principais fatores condicionantes das mudanças evolutivas sociais e culturais. [Cf. *ecologia cultural*.] ❖

neoevolucionista [De *neoevolucionismo* + *-ista*.] *Antrop. Adj. 2 g.* **1.** Relativo ao, ou próprio do neoevolucionismo. • *S. 2 g.* **2.** Adepto do neoevolucionismo, ou proponente dessa teoria. ❖

neofaloplastia [De *ne(o)-* + *-fal(o)-* + *-plast(o)-* + *-ia*[1].] *S. f. Cir. Plást.* Intervenção cirúrgica destinada a reconstruir, parcial ou totalmente, o pênis.

neofascismo [De *ne(o)-* + *fascismo*.] *S. m.* Movimento político surgido na Europa após a II Guerra Mundial, e que visa a incorporar os princípios básicos do fascismo (como, p. ex., o nacionalismo e a oposição à democracia e ao liberalismo) aos sistemas políticos existentes.

neofascista [De *neofascismo* + *-ista*.] *Adj. 2 g.* **1.** Relativo ao, ou que é partidário do neofascismo. • *S. 2 g.* **2.** Partidário dele.

neofilia [De *ne(o)-* + *-filia*.] *S. f.* Sentimento ou qualidade de neófilo.

neofílico [De *neofilia* + *-ico*[2].] *Adj.* Relativo a neofilia, ou a neófilo.

neófilo [De *ne(o)-* + *-filo*[2].] *Adj. S. m.* Que, ou aquele que tem apreço ou amor por tudo que é novo, e em especial pelas inovações artísticas e culturais em geral.

neofitismo [De *neófito* + *-ismo*.] *S. m.* Empenho exagerado na conquista de adeptos para uma ideia ou instituição.

neófito [Do gr. *neóphytos*, pelo lat. tard. *neophytu*.] *S. m.* **1.** *Rel.* Na Igreja primitiva, indivíduo recentemente convertido ao cristianismo. **2.** *Rel.* Aquele que recebeu ou acabou de receber o batismo: 📖 "uma pequena multidão de neófitos, ainda na candidez das vestes próprias da Iniciação, mas cheios de promessas" (Nestor Vítor, *A Crítica de Ontem*, p. 25). **3.** *Rel.* Noviço (1). **4.** Indivíduo admitido há pouco em uma corporação. **5.** *P. ext.* Principiante, novato: 📋 *É neófito em filologia.*

neofobia [De *ne(o)-* + *-fobia*.] *S. f. Psiq.* V. *cenofobia*[2].

neofóbico [De *neofobia* + *-ico*[2].] *Adj. S. m. Psiq.* V. *cenofóbico*[2].

neófobo [De *ne(o)-* + *-fobo*.] *Adj. S. m. Psiq.* V. *cenofóbico*[2] (2 e 3).

neofonema [De *ne(o)-* + *fonema*.] *S. m. E. Ling.* Fonema que se desenvolveu de novo numa língua ou com relação à língua mãe.

neoformação [De *ne(o)-* + *formação*.] *S. f. Med. Patol.* Formação de novo(s) tecido(s), seja como parte de processo de reparação consequente a uma lesão, seja como tumor benigno ou maligno.

neogeia (éi) [Do lat. cient. *Neogea*.] *S. f. Biogeogr.* Região zoogeográfica neotropical que abrange as Américas do Sul e Central. [Com cap. Cf. *Arctogeia* e *Notogeia*.] ❖

neógeno [De *ne(o)-* + *-geno*.] *S. m. Geol.* Último dos períodos em que se divide a era cenozoica, que compreende as seguintes épocas: mioceno, plioceno, plistoceno e holoceno (ou recente).

neógnata [De *ne(o)-* + *-gnata*; tax. *Neognathae*.] *S. f. Zool.* Espécime das neógnatas, superordem de aves neórnites, que abrange todas as aves cujo palatino não é dromeógnato, e que são carenadas, de asas bem desenvolvidas, vértebras caudais em número de cinco ou seis, e têm pigóstilo. Os pinguins, embora tenham asas reduzidas, pertencem ao grupo.

neógnato *Adj. Zool.* Pertencente ou relativo às neógnatas.

neogótico [De *ne(o)-* + *gótico*.] *Adj. S. m.* Diz-se de, ou estilo arquitetônico que floresceu no final do séc. XIX e que imita o gótico (3).

neografia [De *ne(o)-* + *-grafia*.] *S. f.* Qualquer novo sistema ortográfico; nova grafia.

neográfico [De *neografia* + *-ico*[2].] *Adj.* Relativo à neografia.

neógrafo [De *ne(o)-* + *-grafo*.] *S. m.* Aquele que defende ou pratica uma neografia.

neogramática [De *ne(o)-* + *gramática*.] *S. f. E. Ling.* Escola surgida na Alemanha por volta de 1875, e que advogava a formulação mais exata das leis fonéticas e a sua aplicação mais rígida aos fenômenos linguísticos, afirmando que tais leis não admitem exceções e que a analogia é fator normal na transformação linguística.

neogramático [De *ne(o)-* + *gramático*.] *Adj.* **1.** Relativo à, ou que é adepto da neogramática. • *S. m.* **2.** Aquele que é adepto da neogramática.

neogrego (ê) [De *ne(o)-* + *grego*.] *Adj.* V. *neo-helênico* (1).

neo-hegelianismo [De *ne(o)-* + *hegelianismo*.] *S. m. Filos.* Corrente filosófica que se desenvolveu sobretudo a começar do fim do séc. XIX, e cujos principais representantes são: Francis Herbert Bradley (1846-1924), filósofo inglês, Josiah Royce (1855-1916), filósofo norte-americano, e os filósofos italianos Benedetto Croce (1866-1952) e Giovanni Gentile (1875-1944) (v. *atualismo*), que retomam, em sentidos diversos, algumas teses do hegelianismo.

neo-hegelianista [De *neo-hegelianismo* + *-ista*.] *Adj. 2 g.* **1.** Relativo ao, ou que é partidário do neo-hegelianismo. • *S. 2 g.* **2.** Partidário dessa corrente. [Pl.: *neo-hegelianistas*.]

neo-helênico *Adj. S. m.* V. *neo-helênico*. [Uso freq. em P.]

neo-helênico [De *ne(o)-* + *helênico*.] *Adj.* **1.** Relativo ou pertencente à Grécia moderna ou ao grego moderno (q. v.); neogrego, romaico. • *S. m.* **2.** *Gloss.* O grego moderno (q. v.).

neokantiano *Adj.* V. *neokantista*.

neokantismo [De *ne(o)-* + *kantismo*.] *S. m. Filos.* Movimento doutrinário que se difundiu na segunda metade do séc. XIX na Alemanha, Itália, França e Rússia, caracterizado sobretudo pela retomada do criticismo (q. v.), do qual aprofunda os elementos idealísticos e subjetivos, e que se desenvolveu em duas escolas, a Escola de Baden (q. v.) e a Escola de Marburgo (q. v.). [Cf. *neocriticismo* e *historicismo* (2).]

neokantista [De *neokantismo* + *-ista*.] *Adj. 2 g.* **1.** Relativo ao, ou que é adepto do neokantismo. • *S. 2 g.* **2.** Adepto desse movimento. [Sin. ger.: *neokantiano*.]

neolatino [De *ne(o)-* + *latino*.] *Adj.* Diz-se das nações cuja língua e/ou civilização procedem da latina; novilatino. ~ V. *língua —a*.

neoliberal [De *ne(o)-* + *liberal*.] *Adj. 2 g.* **1.** Relativo ao neoliberalismo. **2.** Diz-se do adepto dessa doutrina. • *S. 2 g.* **3.** Indivíduo neoliberal (2).

neoliberalismo [De *ne(o)-* + *liberalismo*.] *S. m.* Doutrina, em voga nas últimas décadas do séc. XX, que favorece uma redução do papel do Estado na esfera econômica e social. [O neoliberalismo se contrapõe à tendência anterior de aumento da intervenção governamental, em economias capitalistas, como resultado da adoção de políticas sociais de natureza assistencial e de políticas econômicas keynesianas (v. *Welfare State* e *keynesianismo*).]

neolítico [De *ne(o)-* + *-lit(o)-* + *-ico*[2].] *Adj.* **1.** Pertencente ou relativo ao período neolítico. • *S. m.* **2.** O período neolítico. ~ V. *período —*.

neologia [De *ne(o)-* + *-logia*.] *S. f.* Emprego de palavras novas, ou de novas acepções.

neológico [De *neologia* + *-ico*[2].] *Adj.* Relativo à neologia.

neologismar [De *neologismo* + *-ar*[2].] *V. int.* Criar e/ou empregar neologismos.

neologismo [De *ne(o)-* + *-log(o)-* + *-ismo*.] *S. m.* **1.** *E. Ling.* Palavra ou expressão nova numa língua, como, p. ex., *dolarizar*, *dolarização*, no português. **2.** *P. ext.* Significado novo que uma palavra ou expressão de uma língua pode assumir. [P. ex.: *zebra*, como 'resultado inesperado'.] **3.** Nova doutrina, sobretudo em teologia.

neologista [De *neologismo* + *-ista*.] *Adj. 2 g. S. 2 g.* Que, ou quem emprega neologismo(s); neólogo.

neólogo [De *ne(o)-* + *-logo*.] *Adj. S. m.* Neologista.

neomastoplastia [De *ne(o)-* + *-mast(o)-* + *-plast(o)-* + *-ia*[1].] *S. f. Cir. Plást.* Intervenção cirúrgica destinada à reconstrução, parcial ou total, da mama (1).

neomedievalismo [De *ne(o)-* + *medievalismo*.] *S. m.* Espírito medieval observável na época moderna.

neomelanésio [De *ne(o)-* + *melanésio*.] *S. m. Gloss.* V. *bislamá*.

neomênia *S. f.* V. *neomênia*. [Uso freq. em P.]

neomênia [Do gr. *neomenía*, 'lua nova', pelo lat. *neomenia*.] *S. f.* **1.** *Ant.* Lua nova. **2.** Festa que os antigos celebravam em cada novilúnio.

neomicina [De *ne(o)-* + *-micina*.] *S. f. Quím.* Qualquer de certos glicídios antibióticos, naturais, us. como medicamentos dermatológicos.

neomodicano *Adj.* **1.** De, ou pertencente ou relativo a Nova Módica (MG). • *S. m.* **2.** O natural ou habitante de Nova Módica.

neomórfico [De *ne(o)-* + *-morf(o)-* + *-ico*[2].] *Adj. Biol.* Neomorfo.

neomorfismo *S. m. Biol.* O desenvolvimento de uma nova forma, no curso de uma evolução.

neomorfo [De *ne(o)-* + *-morfo*.] *Adj. Biol.* Que, no curso de sua evolução, foi recentemente adquirido. [Sin.: *neomórfico*.]

neomorto (ô) [De *ne(o)-* + *morto*.] *Adj.* **1.** Que morreu com menos de um mês de idade. **2.** *Med.* Diz-se do feto que morreu no último mês de vida intrauterina. [Pl.: *neomortos* (ó).]

néon [Do gr. *néon*, 'novo'.] *S. m.* **1.** *Quím.* V. *neônio*. **2.** *Market.* Letreiro comercial que us. néon (1) em tubo transparente e se ilumina quando eletrificado. **3.** *Zool.* Paraquirodonte (1).

neonatal [De *neonato* + *-al*[1].] *Adj. 2 g. Med.* Referente ao neonato: 📋 *enfermagem neonatal; reanimação neonatal.*

neonato [De *ne(o)-* + *nato* (1).] *S. m. Med.* Criança recém-nascida.

neonatologia [De *ne(o)-* + *-nat(o)-* + *-logia*.] *S. f.* Ramo da medicina que se ocupa do diagnóstico e tratamento de doenças de recém-nascido.

neonatológico [De *neonatologia* + *-ico*[2].] *Adj.* Referente à neonatologia.

neonatologista [De *neonatologia* + *-ista*.] *S. 2 g.* Especialista em neonatologia.

neonaturalismo [De *ne(o)-* + *naturalismo*.] *S. m.* Renovação do naturalismo, ou de sua influência.

neonaturalista [De *ne(o)-* + *naturalista*.] *Adj. 2 g.* Relativo à renovação do naturalismo, ao neonaturalismo.

neonazismo [De *ne(o)-* + *nazismo*.] *S. m.* Movimento de volta ao nazismo (q. v.); revivescência do nazismo.

neonazista [De *neonazismo* + *-ista*.] *Adj. 2 g.* **1.** Relativo ou pertencente ao neonazismo. **2.** Diz-se de simpatizante ou seguidor do neonazismo. • *S. 2 g.* **3.** Simpatizante ou seguidor do neonazismo.

néon-cardinal *S. m. Zool.* Néon (*Paracheirodon axelrodi*) em que predomina a cor vermelha. [Pl.: *néons-cardinais*.]

neônio *S. m. Quím.* V. *neônio*. [Uso freq. em P.]

neônio [De *néon* + *-io*[3].] *S. m. Quím.* Elemento de número atômico 10, pertencente à família dos gases nobres, incolor, existente em pequenina proporção na atmosfera, usado especialmente em iluminação [símb.: *Ne*].

néon-tetra *S. m. Zool.* Néon (*Paracheirodon innesis*) em que a região ventral é prateada. [Pl.: *néons-tetras*.]

néon-verde *S. m. Zool.* Néon (*Paracheirodon simulans*) em que a faixa azul-metálica é mais longa, e o vermelho menos intenso. [Pl.: *néons-verdes*.]

neo-onfaloplastia [De *ne(o)-* + *-onfal(o)-* + *-plast(o)-* + *-ia*[1].] *S. f. Cir. Plást.* Intervenção cirúrgica destinada a reconstruir, parcial ou totalmente, a cicatriz umbilical.

neo-otoplastia [De *ne(o)-* + *-ot(o)-*+ *-plast(o)-* + *-ia*[1].] *S. f. Cir. Plást.* Intervenção cirúrgica destinada à reconstrução, parcial ou total, de pavilhão auricular.

neopentano *S. m. Quím.* Alcano ramificado, que ferve a 9,5°C, o 2,2-dimetil-propano [fórm.: C_5H_{12}].

neopentila *S. f. Quím.* O grupo alquila derivado do neopentano por abstração de um hidrogênio.

neopentílico *Adj. Quím.* ~ V. *álcool* —.

neopitagórico [De *neopitagorismo* + *-ico*[2], seg. o padrão erudito.] *Adj.* **1.** Relativo ao, ou que é adepto do neopitagorismo. • *S. m.* **2.** Adepto dessa corrente.

neopitagorismo [De *ne(o)-* + *pitagorismo*.] *S. m. Filos.* Corrente doutrinária que se desenvolveu em Roma, fundada por Nigídio Fígulo (98 a. C.-44 d. C.), senador e escritor romano, e inspirada no pitagorismo, ao qual se associam elementos do platonismo, do estoicismo e da mística oriental.

neoplasia [De *ne(o)-* + *-plas(i)-* + *-ia*[1].] *S. f. Patol.* V. *neoplasma*.

neoplásico [De *neoplasia* + *-ico*[2].] *Adj. Patol.* Relativo à neoplasia.

neoplasma [De *ne(o)-* + *-plasma*.] *S. f. Patol.* Qualquer tumor, benigno ou maligno; neoplasia, blastoma. [F. red.: *neo*.] ◆ **Neoplasma maligno.** V. *tumor maligno*.

neoplastia [De *ne(o)-* + *-plast(o)-* + *-ia*[1].] *S. f. Cir. Plást.* Restauração duma parte do organismo por meio de operação plástica.

neoplástico [De *neoplastia* + *-ico*[2].] *Adj. Cir. Plást.* Relativo à neoplastia.

neoplatónico *Adj. S. m.* V. *neoplatônico*. [Uso freq. em P.]

neoplatônico [De *neoplatonismo* + *-ico*[2], seg. o padrão erudito.] *Adj.* **1.** Relativo ao, ou que é adepto do neoplatonismo. • *S. m.* **2.** Adepto dessa corrente.

neoplatonismo [De *ne(o)-* + *platonismo*.] *S. m. Filos.* Corrente doutrinária fundada por Amônio Sacas (séc. II), em Alexandria, e cujos representantes principais são Plotino, filósofo romano (204-270), em Roma; Jâmblico, filósofo grego (c. 250-330), na Síria; e Proclo, filósofo grego (410-485), em Atenas. Caracterizava-se pelas teses da absoluta transcendência do ser divino, da emanação (q. v.) e do retorno do mundo a Deus pela interiorização progressiva do homem.

neopoesia [De *ne(o)-* + *poesia*.] *S. f.* Poesia nova, moderna, orientada segundo novas tendências: 📖 "O Sr. Sérgio Milliet aparece com um livro novo, os — Poemas Análogos — com os mesmos tiques e truques da neopoesia." (João Ribeiro, *Crítica*, IX, p. 197.)

neopolense (e-ò) *Adj. 2 g.* **1.** De, ou pertencente ou relativo a Neópolis (SE). • *S. 2 g.* **2.** O natural ou habitante de Neópolis.

neopolitano (e-ò) *Adj.* **1.** De, ou pertencente ou relativo a Neópolis (SE). • *S. m.* **2.** O natural ou habitante de Neópolis.

neopontino *Adj.* **1.** De, ou pertencente ou relativo a Nova Ponte (MG). • *S. m.* **2.** O natural ou habitante de Nova Ponte.

neopositivismo [De *ne(o)-* + *positivismo*.] *S. m. Filos.* V. *positivismo lógico*.

neopositivista [De *neopositivismo* + *-ista*.] *Adj. 2 g.* **1.** Relativo ao, ou que é partidário do neopositivismo. • *S. 2 g.* **2.** Partidário dele.

neopratense *Adj. 2 g.* **1.** De, ou pertencente ou relativo a Nova Prata (RS). • *S. 2 g.* **2.** O natural ou habitante de Nova Prata.

neopreciosismo [De *ne(o)-* + *preciosismo*.] *S. m.* Retorno ao preciosismo; nova modalidade de preciosismo: 📖 "O neopreciosismo da *Régence* tinha como centro, entre 1710 e 1773, o salão da Marquesa de Lambert" (Oto Maria Carpeaux, *História da Literatura Ocidental*, III, p. 1.295).

neoprene [De *ne(o)-* + *(cloro)preno*. Marca registrada.] *S. m.* **1.** *Quím.* Nome registrado de borracha sintética preparada por polimerização do cloropreno. **2.** *Tec. Têx.* Tecido de neoprene (1), us. na confecção de roupas para esportes aquáticos e trajes de mergulho.

neorama [De *ne(o)-* + *-orama*.] *S. m.* Espécie de panorama que representa o interior dum edifício.

neórnite [De *ne(o)-* + *-órnite*; tax. *Neornithes*.] *Zool. S. f.* **1.** Espécime das neórnites, subclasse de aves metazoárias, cordadas. São caracterizadas pela ausência de dentes nas maxilas e de unhas nos dedos da mão, os metacarpos fundidos, o segundo dedo mais longo que os demais, e as vértebras caudais comprimidas, em número de 13 ou menos. São as verdadeiras aves. • *Adj. 2 g.* **2.** Pertencente ou relativo a elas.

neorrealismo [De *ne(o)-* + *realismo*.] *S. m.* **1.** Designação comum a movimentos literários, artísticos e filosóficos da atualidade que têm no realismo (q. v.) o seu ponto de partida ou posição central. **2.** *Liter. Cin.* Movimento que floresceu após a segunda guerra mundial, principalmente na Itália, e que, partindo da literatura, se estendeu às artes, em particular ao cinema. Não pretendia retratar a realidade, e sim dela participar, apresentando documentos, reportagens, testemunhos autobiográficos fidedignos no teatro e no cinema, e aproveitando como atores a gente do povo. ❖

neorrealista [De *neorrealismo* + *-ista*.] *Adj. 2 g.* Relativo ao neorrealismo, ou próprio dele. ❖

neorrenascentista [De *ne(o)-* + *renascentista*.] *Adj. 2 g.* Relativo à renovação do renascimento, ou da influência renascentista: 📖 "Continuaram [os parnasianos] a poesia exótico-descritiva, só comparável, na mesma época, ao carnaval de estilos da arquitetura, enchendo os novos *boulevards* de Paris e Viena com igrejas e paços municipais neogóticos, Universidades neorrenascentistas" (Oto Maria Carpeaux, *História da Literatura Ocidental*, V, p. 2.181). ❖

neorrepública [De *ne(o)-* + *república*.] *S. f.* República de feição nova, de novos princípios ou métodos. ❖

neorrepublicanismo [De *neorrepublicano* + *-ismo*.] *S. m.* **1.** Conjunto de normas ou métodos de uma neorrepública. **2.** Sentimento de neorrepublicano. ❖

neorrepublicano [De *ne(o)-* +*republicano*.] *Adj.* **1.** Relativo à, ou que é partidário da neorrepública. • *S. m.* **2.** Partidário dela. ❖

neorrinoplastia [De *ne(o)-* + *-rin(o)-* + *-plast(o)-* + *-ia*[1].] *S. f. Cir. Plást.* Intervenção cirúrgica destinada à reconstrução, parcial ou total, do nariz.

neoscopelídeo [Adapt. do tax. *Neoscopelidae*.] *Zool. S. m.* **1.** Espécime dos neoscopelídeos, pequena família de peixes mictofiformes, de corpo comprimido, com 3 gêneros e 6 espécies, dos oceanos Atlântico, Índico e Pacífico. • *Adj.* **2.** Pertencente ou relativo a eles.

neossalomónico *S. m. Gloss.* V. *neossalomônico*. [Uso freq. em P.] ❖

neossalomônico [De *ne(o)-* + *salomônico*, 'relativo às Ilhas Salomão'.] *S. m. Gloss.* Píjin (q. v.). ❖

neossiríaco [De *ne(o)-* + *siríaco*.] *S. m. Gloss.* V. *aramaico* (2). ❖

neossologia [Do gr. *neossós*, 'ave recém-nascida', + *-logia*.] *S. f. Zool.* O estudo das aves recém-nascidas.

neossóptilo [Do gr. *neossós*, 'ave recém-nascida', + gr. *ptílon*, 'pluma', 'pena'.] *S. m. Zool.* Penugem das aves recém-nascidas.

neostigmina [De *ne(o)-* + *-stigmina*, como em *fisostigmina*.] *S. f. Quím.* Cátion de amônio, aromático, que, sob forma de sal (brometo, p. ex.), é us. como miorrelaxante [fórm.: $(C_{12}H_{19}N_2O_2)^+$].

neotaoismo [De *ne(o)-* + *taoismo*.] *Adj. 2 g. Filos.* Ramo do taoismo (q. v.) que se desenvolveu na China a partir do séc. III, e que, à feição mística dessa doutrina, acrescentava a preocupação ética e política. ❖

neotaoista [De *neotaoismo* + *-ista*.] *Adj. 2 g.* **1.** Relativo ao, ou que é adepto do neotaoismo. • *S. 2 g.* **2.** Adepto do neotaoismo. ❖

neotenia [De *ne(o)-* + o rad. do v. gr. *teínein*, 'estender', + gr. *-ia* (v. *-ia*[1]).] *S. f. Biol.* **1.** Capacidade de reprodução em estágio larvar. **2.** Persistência de caracteres filogenéticos larvais ou juvenis na fase adulta, como ocorre em anfíbios.

neoténico *Adj.* V. *neotênico*. [Uso freq. em P.]

neotênico [De *neotenia* + *-ico*[2].] *Adj.* Que retém caracteres larvares ou juvenis na forma adulta.

neotérico [Do gr. *neoterikós*, 'de moço', pelo lat. tard. *neotericu*.] *Adj.* Que introduz novas doutrinas.

▲ **neotero-** [Do gr. *neóteros, a, on*.] *El. comp.* = 'novo'; 'jovem': *neoterofilia, neoterófilo*.

neoterofilia [De *neotero-* + *-filia*.] *S. f.* Atração sexual por pessoas mais jovens.

neoterofílico [De *neoterofilia* + *-ico*[2].] *Adj.* **1.** Relativo a neoterofilia. **2.** Que tem neoterofilia; neoterófilo. • *S. m.* **3.** Aquele que tem neoterofilia; neoterófilo.

neoterófilo [De *neotero-* + *-filo*[2].] *Adj. S. m.* Neoterofílico (2 e 3).

neótipo [De *ne(o)-* + *-tipo*.] *S. m. Biol.* Em taxonomia, tipo novo, sobre o qual se reescreve uma espécie, por perda do tipo original, ou holótipo.

neotomismo [De *ne(o)-* + *tomismo*.] *S. m. Filos.* Corrente doutrinária que tem como representante principal Jacques Maritain (1882-1973), filósofo francês, caracterizada sobretudo pela tentativa de abordar a problemática filosófica contemporânea sob a perspectiva tomística; neoescolástica.

neotomista [De *neotomismo* + *-ista*.] *Adj. 2 g.* **1.** Relativo ao, ou que é partidário do neotomismo. • *S. 2 g.* **2.** Partidário dele.

neotremado [Adapt. do tax. *Neotremata*.] *Zool. S. m.* **1.** Espécime dos neotremados, ordem de animais artrópodes, branquiópodes, inarticulados, de concha ventral achatada e presa às rochas, e valva dorsal cônica. • *Adj.* **2.** Pertencente ou relativo a eles.

neotrentino *Adj. S. m.* V. *nova-trentino*.

neotropical [De *ne(o)-* + *tropical*.] *Adj. 2 g.* Próprio da América tropical: ▯ *reino neotropical*.

neotrópico [De *ne(o)-* + *trópico*.] *Adj.* Da América, desde o México até a Patagônia.

neozelandês [De *ne(o)-* + *zelandês*.] *Adj.* **1.** Da, ou pertencente ou relativo à Nova Zelândia (Oceania). • *S. m.* **2.** O natural ou habitante da Nova Zelândia. [Flex.: *neozelandesa* (ê), *neozelandeses* (ê), *neozelandesas* (ê).]

neozoico (ói) [De *ne(o)-* + *-zoico*.] *S. m.* **1.** Era neozoica. • *Adj.* **2.** ~ V. *era* —*a*. ❖

nepalês [Do top. *Nepal* (Ásia central) + *-ês*.] *Adj.* **1.** Do, ou pertencente ou relativo ao Nepal (Ásia central). • *S. m.* **2.** O natural ou habitante do Nepal. [Flex.: *nepalesa* (ê), *nepaleses* (ê), *nepalesas* (ê).] **3.** *Gloss.* Nepali.

nepali [Do hindi *naipālī* < sânscr. *naipālīya* < *Nepāla*, 'Nepal'.] *S. m. Gloss.* Língua indo-europeia do grupo indo-iraniano, falada no Nepal e no estado de Sikkim (Índia); nepalês.

nepe-nepe *Bras. S. 2 g.* **1.** *Etnôn.* Indivíduo dos nepe-nepes [ou (etnôn. bras.) *Nyepnyep, *Nép-Nép], povo indígena extinto, da família linguística botocuda, que habitava a região entre os rios Doce e São Mateus (ES). • *Adj. 2 g.* **2.** Pertencente ou relativo a esse povo. [Pl.: *nepe-nepes*.] ❇

nepentácea [Do tax. *Nepenthes*, gênero-tipo, + *-ácea*; tax. *Nepenthaceae*.] *S. f. Bot.* Espécime das nepentáceas, família de plantas carnívoras da ordem das nepentales, cujas folhas saceliformes aprisionam insetos que são nelas digeridos, mas que tb. se nutrem por meio das raízes.

nepentáceo [De *nepentácea*, com var. suf. (v. *-áceo*).] *Adj. Bot.* Pertencente ou relativo às nepentáceas.

nepental [Do tax. *Nepenthes* (v. *nepentes*[2]) + *-al*[1].] *Adj. 2 g. Bot.* Diz-se das, ou relativo às nepentales.

nepentale [Do tax. *Nepenthes* + *-ale*; tax. *Nepenthales*.] *S. f. Bot.* Espécime das nepentales, ordem de dicotiledôneas que reúne as nepentáceas, as droseráceas, as dioncofiláceas e as ancistrocladáceas.

nepente *S. m.* V. *nepentes*[1].

nepentes[1] [Do gr. *nepenthés*, pelo lat. *nepenthes*, 'certa planta cuja infusão em vinho dissipa a melancolia'.] *S. m. 2 n.* Bebida mágica, remédio contra a tristeza, da qual se falava na Antiguidade.

nepentes[2] [Do tax. *Nepenthes*.] *S. m. 2 n. Bot.* **1.** Gênero-tipo das nepentáceas, da Ásia tropical e de Madagascar. **2.** Espécie ou espécime desse gênero.

neper (né) [Do antr. (*John*) *Neper* (v. *neperiano*).] *S. m. Fís.* Medida do amortecimento num processo periódico amortecido, igual ao logaritmo natural da razão de duas variáveis do processo em dois ciclos sucessivos [símb.: *Np*]. [Pl.: *nepers*.]

neperiano *Adj.* Pertencente ou relativo a John Neper ou Napier (1550-1617), matemático escocês, inventor dos logaritmos, ou às suas criações no terreno da matemática. ~ V. *logaritmo* —.

nepetalactona [Do tax. *Nepeta*, 'gatária', + *lactona*.] *S. f. Quím.* Lactona insaturada monoterpênica, que é um iridoide que ocorre na gatária e cujo odor é fortemente atrativo para gatos [fórm.: $C_{10}H_{14}O_2$].

nepídeo [Adapt. do tax. *Nepidae*.] *Zool. S. m.* **1.** Espécime dos nepídeos, família de insetos hemípteros que abrange os escorpiões-d'água. • *Adj.* **2.** Pertencente ou relativo a eles.

nepomucenense *Adj. 2 g.* **1.** De, ou pertencente ou relativo a Nepomuceno (MG). • *S. 2 g.* **2.** O natural ou habitante de Nepomuceno.

nepote (ó) [Do b.-lat. ecles. *nepote*, 'favorito do Papa'.] *S. m.* **1.** Sobrinho do Papa. **2.** Valido ou conselheiro do Papa. **3.** Favorito, valido: 📖 "Outros seriam afilhados ou nepotes de salvadores nacionais" (José Rodrigues Miguéis, *Gente da Terceira Classe*, p. 155).

nepotismo [De *nepote* + *-ismo*.] *S. m.* **1.** Autoridade que os sobrinhos e outros parentes do Papa exerciam na administração eclesiástica. **2.** Favoritismo, patronato: 📖 "A tal ponto foi aquela identificação do irlandês com o patriarcalismo, o familismo, o próprio nepotismo brasileiro .... que a adoção, por Daunt, do culto do Padre Diogo, ... surge-nos com alguma coisa de culto doméstico, ao mesmo tempo que aristocrático à moda paulista." (Gilberto Freire, *Problemas Brasileiros de Antropologia*, p. 54.) **3.** Favorecimento a parentes (dando-lhes emprego, etc.), esp. no serviço público.

nepotista [De *nepote* + *-ista*.] *Adj. 2 g.* **1.** De, ou relativo a nepotismo. **2.** Que usa de nepotismo, ou que dele se vale. • *S. 2 g.* **3.** Indivíduo nepotista (2).

neptuniano *Adj.* V. *netuniano*.

neptunino *Adj.* V. *netunino*.

neptúnio *Adj. S. m.* V. *netúnio*.

neptunismo *S. m. Geol.* V. *netunismo*.

neptuno *S. m.* V. *netuno*. [Com cap.]

nequícia (qüí) [Do lat. *nequitia*.] *S. f.* Maldade, perversidade, malícia. ❖

N

neral [De *ner(ol)* + *-al*[2].] *S. m. Quím.* Substância líquida, um dos isômeros geométricos do citral; citral b.

➔nerd [nɜːd] [Ingl.] *S. 2 g. Gír.* Jovem muitíssimo aplicado nos estudos, com especial interesse por tecnologia, às vezes, porém, com problemas de socialização, por ter comportamento antissocial ou por sofrer o preconceito dos demais.

nereida [Alter. do mit. lat. *Nereides* < mit. gr. *Nereís, Nereídos*.] *S. f.* **1.** *Mit.* Cada uma das ninfas que presidiam ao mar: 📖 "uma névoa rósea e palpitante de ninfas — nereidas, dríadas, oréadas, napeias coleantes, oceânides melodiosas" (Júlio Dantas, *Espadas e Rosas*, p. 46). **2.** *Astr.* Um dos dois satélites telescópicos de Netuno, com 300km de diâmetro e magnitude aparente de 18,7 na oposição. [Foi descoberto em 01.05.1949 pelo astrônomo norte-americano G. P. Kuiper (1905-1973).] [Com cap., nesta acepç.]

nereide *S. f. Mit. Astr.* Nereida (q. v.).

nereídeo [Do tax. *Nereis*, gênero-tipo + *-ídeo*[1]; tax. *Nereidae*.] *Zool. S. m.* **1.** Espécime dos nereídeos, grande família de vermes poliquetas, marinhos, predadores, de corpo alongado e muito segmentado, com a maior parte dos segmentos providos de parápodes. Algumas espécies vivem enterradas na areia, e outras vivem na água. ● *Adj.* **2.** Pertencente ou relativo a eles.

nêreis [Do tax. *Nereis*, gênero-tipo.] *S. m. 2 n. Zool.* **1.** O gênero-tipo dos nereídeos, que abrange grandes vermes poliquetas esverdeados, ger. dimórficos. **2.** Espécie ou espécime desse gênero.

neres *Pron. indef. Bras. Gír.* Coisa nenhuma; nada, neca: 📄 *Gastou a noite inteirinha e não caçou neres.* ◆ **Neres de neres.** *Bras. Gír.* Absolutamente nada; neres de pitibiriba. **Neres de pitibiriba.** *Bras. Gír.* Neres de neres.

nereusense *Adj. 2 g.* **1.** De, ou pertencente ou relativo a Presidente Nereu (SC). ● *S. 2 g.* **2.** O natural ou habitante de Presidente Nereu.

nério [Do tax. *Nerium* (do lat. *nerium*).] *S. m. Bot.* **1.** Gênero de apocináceas de folhas verticiladas, coriáceas, e grandes flores fragrantes reunidas em cimeiras corimbiformes ou paniculadas, terminais. **2.** Qualquer espécie desse gênero, como, p. ex., a *Nerium oleander* (v. *espirradeira*). **3.** Qualquer espécime desse gênero, ou a flor dele.

nerítico [Do lat. cient. *nerit-* (< gr. *nerités*, 'marisco') + *-ico*[2].] *Adj. Biol.* Da, pertencente à, ou que constitui a faixa ou região marítima para além da plataforma continental, que tenha menos de 200m de profundidade (aproximadamente a profundidade máxima para organismos que efetuam fotossíntese).

nerol [Do rad. *ner-* < antr. *Neroli*, de uma princesa italiana do séc. XVII, + *-ol*[4].] *S. m. Quím.* Álcool primário monoterpenoide, isômero do geraniol, constituinte de certos óleos essenciais, cristalino, com odor de tangerina, us. em perfumaria [fórm.: $C_{10}H_{18}O$]. [Pl.: *neróis*.]

nerolidol [De *nerol* + *-id(o)-* + *-ol*[2].] *S. m. Quím.* Álcool sesquiterpênico com três ligações duplas, isômero do farnesol e que ocorre em várias flores [fórm.: $C_{15}H_{26}O$]. [Pl.: *nerolidóis*.]

neroniano [Do lat. *neronianu*.] *Adj.* Pertencente ou relativo a Nero, imperador romano (séc. I), ou próprio dele.

neropolino *Adj.* **1.** De, ou pertencente ou relativo a Nerópolis (GO). ● *S. m.* **2.** O natural ou habitante de Nerópolis.

nerudiano [Do antr. *Neruda* + *-iano*.] *Adj.* **1.** Relativo ou pertencente ao poeta chileno Pablo Neruda (Neftali Ricardo Reyes Neruda [1904-1973]), ou próprio dele. **2.** Que é seu admirador e/ou profundo conhecedor de sua obra. ● *S. m.* **3.** Admirador e/ou profundo conhecedor da obra de Pablo Neruda.

nervação [De **nervar* (< *nervo* + *-ar*[2]) + *-ção*.] *S. f. Bot.* Disposição das nervuras de uma folha: 📄 *nervação penada*. [Cf. *inervação* e *venação*.]

nervado [De *nervo* + *-ado*[1].] *Adj.* **1.** Que tem nervuras. **2.** Feito de tiras de couro.

nerval [De *nerv(i)-* + *-al*[1].] *Adj. 2 g. Obsol.* V. *neural*.

▲-nerve V. *nerv(i)-*.

nérveo [De *nerv(i)-* + *-eo*.] *Adj.* V. *neural*.

▲ nerv(i)- [Do lat. *nĕrvus, i*.] *El. comp.* = 'nervo'; 'nervura': *nerviduto, nervimuscular*. [Equiv.: *-nerve, -nerv(i)-*: *albinerve; pedalinérveo*.]

▲ -nerv(i)- V. *nerv(i)-*.

nerviduto [De *nerv(i)-* + *-duto*.] *S. m. Anat.* Local ósseo ou cartilaginoso atravessado por segmento de nervo.

nervimoção [De *nerv(i)-* + *moção*; ingl. *nervimotion*.] *S. f. Fisiol.* Movimento realizado mediante ação de nervo.

nervimuscular [De *nerv(i)-* + *muscular*.] *Adj. 2 g.* Relativo a inervação muscular.

nervino [Do lat. tard. *nervinu*.] *Adj.* **1.** V. *neural*. **2.** Que atua sobre os nervos; neural: 📄 *medicamento nervino*. ● *S. m.* **3.** Medicamento nervino (2).

nervo (ê) [Do lat. *nervu*.] *S. m.* **1.** *Anat.* Cordão esbranquiçado, constituído de feixes de neurofibras contidos em uma bainha de tecido conjuntivo, e através do qual estímulos nervosos se transmitem do sistema nervoso central, ou do autônomo, à periferia, ou vice-versa. **2.** *Fig.* Força, energia, vigor. **3.** *Fig.* Robustez, vigor. **4.** *Fig.* Parte essencial; essência, substância: 📖 "Diz-se há muitos séculos que o dinheiro é o nervo da guerra. É o nervo de tudo." (Olavo Bilac, *Conferências Literárias*, p. 245. **5.** *Chulo* O pênis. **6.** *Arquit.* V. *nervura* (1 e 2). **7.** *Encad.* Cada um dos cordões ou tiras de pele que atravessam a lombada de um livro e sobre os quais se executa a costura sem serrotagem, que os deixa salientes na cobertura. [V. *corda* (6).] **8.** *Encad.* Cada uma das saliências produzidas por esses cordões ou tiras, ou pelos nervos falsos; nervura. [V. *corda* (6).] ◆ **Nervo acessório.** *Anat.* Cada um de dois nervos que constituem o 11º par de nervos cranianos e que tem, além de raízes de origem craniana, raízes de origem espinhal. **Nervo acústico.** *Anat.* Nervo vestibulococlear (q. v.). **Nervo craniano.** *Anat.* O que nasce do encéfalo. [Há 12 pares de nervos cranianos: 1) olfativo; 2) óptico; 3) motor-ocular comum; 4) patético; 5) trigêmeo; 6) motor-ocular externo; 7) facial; 8) vestibulococlear; 9) glossofaríngeo; 10) pneumogástrico; 11) acessório; 12) grande-hipoglosso.] **Nervo espinhal.** *Anat.* O que nasce da medula espinhal, e do qual há 31 pares. [Tb. se diz apenas *espinhal*.] **Nervo facial.** *Anat.* Cada um de dois nervos que constituem o 7º par de nervos cranianos, fornecendo inervação aos músculos da expressão facial, aos músculos estiloióideos e ao ramo posterior de cada músculo digástrico. [Tb. se diz apenas *facial*.] **Nervo glossofaríngeo.** *Anat.* Cada um de dois nervos constitutivos do 9º par de nervos cranianos, e que dá inervação à língua, à faringe e às glândulas parótidas. [Tb. se diz apenas *glossofaríngeo*.] **Nervo hipoglosso.** *Anat.* Nervo motor, o duodécimo dos chamados *cranianos*, que inerva os músculos da língua e do pescoço. [Tb. se diz apenas *hipoglosso*.] **Nervo misto.** *Anat.* O que contém fibras motoras e sensitivas; nervo sensitivo-motor. **Nervo motor.** *Anat.* O que transmite estímulos motores. **Nervo motor-ocular comum.** *Anat.* Cada um de dois nervos constitutivos do 3º par de nervos cranianos, e que inerva a musculação extrínseca de cada olho, excetuados o músculo oblíquo superior e o músculo reto lateral. [Tb. se diz apenas *motor-ocular comum*.] **Nervo motor-ocular externo.** *Anat.* Cada um de dois nervos constitutivos do 6º par de nervos cranianos e que inerva o respectivo músculo reto lateral. [Tb. se diz apenas *motor-ocular externo*.] **Nervo óptico.** *Anat.* Cada um de dois nervos constitutivos do 2º par de nervos cranianos, e que serve à visão (2). **Nervo patético.** *Anat.* Cada um de dois nervos constitutivos do 4º par de nervos cranianos e que inerva o respectivo músculo oblíquo superior. [Tb. se diz apenas *patético*.] **Nervo pneumogástrico.** *Anat.* Cada um de dois nervos que constituem o 10º par de nervos cranianos e que se distribui pelo pescoço, tórax e abdome; nervo vago. [Tb. se diz apenas *pneumogástrico*.] **Nervo safeno.** *Anat.* Ramo terminal do nervo femoral, e que fornece sensibilidade à pele da perna e do pé. [Tb. se diz apenas *safeno*.] **Nervo sensitivo.** *Anat.* O que transmite estímulos sensitivos. **Nervo sensitivo-motor.** *Anat.* Nervo misto. **Nervo sensorial.** *Anat.* O que transmite as sensações aos órgãos dos sentidos. **Nervo trigêmeo.** *Anat.* Cada um de dois nervos constitutivos do 5º par de nervos cranianos, e que dá inervação sensitiva à face, boca, dentes e cavidade nasal, e inervação motora aos músculos de mastigação. **Nervo vago.** *Anat.* Nervo pneumogástrico (q. v.). [Tb. se diz apenas *vago*.] **Nervo vestibulococlear.** *Anat.* Cada um de dois nervos constitutivos do 8º par de nervos cranianos, e que serve à audição (1); nervo acústico. **Ter nervos de aço.** Ser impassível, incomovível.

nervosa [F. subst. do adj. *nervoso*.] *S. f. Bras. Pop.* V. *nervosismo* (2).

nervosia [De *nervoso* + *-ia*[1].] *S. f.* Nervosismo: 📖 "Seu Honório calou-se. Já estava cansado: vinte e tantos anos de nervosia e má-criação da mulher: estava cansado." (Alaor Barbosa, *Picumãs*, p. 73.)

nervosidade [Do lat. *nervositate*.] *S. f.* **1.** Qualidade ou estado de nervoso. **2.** Energia nervosa. **3.** V. *nervosismo* (1): 📖 "vivia numa nervosidade pouco natural, numa perene agitação, cheio de sestros e de tiques nervosos." (Luís Edmundo, *De um Livro de Memórias*, III, p. 728).

nervosismo [De *nervoso* + *-ismo*.] *S. m.* **1.** Emotividade exagerada; irritabilidade, excitação, enervamento, nervosidade. **2.** Estado caracterizado por excitação psíquica, ansiedade, etc. [Sin., nesta acepç.: *nervoso* e (bras., pop.) *nervosa*.]

nervoso (ô) [Do lat. *nervosu*.] *Adj.* **1.** Relativo a nervos; neural. **2.** Que tem nervos. **3.** Que sofre dos nervos. **4.** *Fig.* Vigoroso, enérgico. **5.** *Fig.* Irritado, exaltado, excitado. **6.** *Bot.* Que tem nervura (7): 📄 *sépalas nervosas*. ~ V. *bulimia —a, célula —a, fibra —a, fibra —a amielínica, fibra —a mielínica, gânglio —, gravidez —a, impulso —, impulso — celulífugo, impulso — celulípeto, raiz —a, sistema — autônomo, sistema — central, sistema — periférico, sistema — vegetativo, tecido —, tensão —a* e *tique —*. ● *S. m.* **7.** V. *nervosismo* (2). **8.** Aquele que sofre dos nervos. **9.** Indivíduo facilmente irritável, emotivo, agitado.

nervudo [De *nervo* + *-udo*.] *Adj.* **1.** Que tem nervos fortes. **2.** *Fig.* Musculoso, forte, robusto: 📖 "Os cabelos eram longos, pretos e crespos. As correias das sandálias .... apertavam-lhe as pernas nervudas." (Gustavo Barroso, *A Ronda dos Séculos*, p. 38.)

nervura [De *nervo* + *-ura*.] *S. f.* **1.** *Arquit.* Moldura nas arestas de uma abóbada, nas quinas das pedras, etc.; nervo. **2.** *Arquit.* Saliência corrida, de pouca projeção, em qualquer superfície sólida; nervo. **3.** *Constr.* Cada uma das vigas salientes, paralelas ou cruzadas, para reforço de laje. **4.** *Cost.* Prega finíssima e costurada, ou fio mais grosso entremeado no tecido, e que forma desenho ou listra em relevo. **5.** *Encad.* Conjunto dos nervos da lombada de um livro, ou cada um deles. **6.** *Encad.* Nervo (8). **7.** *Bot.* Cordão exteriormente visível na superfície das folhas, constituído pelos feixes vasculares que as irrigam. **8.** *Zool.* Filete de natureza córnea, que sustenta a membrana das asas dos insetos. ◆ **Nervura central.** *Bot.* Nervura que percorre longitudinalmente a folha pelo centro, e que não falta nunca.

nervurado [De *nervura* + *-ado*[1].] *Adj.* Que tem nervura(s). ~ V. *laje —a*.

nescidade [De *nésc(io)* + *-(i)dade*.] *S. f.* V. *necedade*[1].

néscio [Do lat. *nesciu*.] *Adj.* **1.** Que não sabe; ignorante, estúpido. **2.** Inepto, incapaz. **3.** Insensato, absurdo: 📖 "E assim como seria pensamento néscio, e esperança vã, querer um condenado no Inferno ter glória, ou um Bem-Aventurado no Céu ter pena, assim o é querer um peregrino no mundo ter satisfação e descanso." (P.ᵉ Manuel Bernardes, *Luz e Calor*, pp. 253-254.) ● *S. m.* **4.** Indivíduo néscio.

nesga (ê) [Do ár. *nasīg*, 'tecido'.] *S. f.* **1.** Peça ou bocado de pano triangular que se adiciona, cosendo, entre dois panos de uma costura, para dar mais amplidão. **2.** Pequeno espaço de terreno entre terrenos extensos. **3.** Pequena porção de qualquer espaço: 📖 "Vira o pai pôr os roçados, ajudara-o na colheita, tratava das criações. Depois, foi crescendo e tomando conta de sua nesga de terra." (João Clímaco Bezerra, *O Homem e Seu Cachorro*, p. 31.)

nesiarca [Do gr. *nesiárches*.] *S. m.* Na Grécia antiga, governador de uma ilha.

n-ésimo *Num. ord.* V. *enésimo*. [Pl.: *n-ésimos*.]

▲ neso- [Do gr. *nêsos, ou*.] *El. comp.* = 'ilha': *nesografia*. [Equiv.: *-neso*: *quersoneso* (< lat.).]

▲ -neso Equiv. de *neso-*.

nesografia [De *neso-* + *-grafia*.] *S. f. Desus.* Parte da geografia física que estuda as ilhas.

nesográfico [De *nesografia* + *-ico*[2].] *Adj.* Relativo à nesografia.

nesónimo *S. m.* V. *nesônimo*. [Uso freq. em P.]

nesônimo [De *neso-* + *-ônimo*.] *S. m.* Nome de ilha.

nêspera [Do lat. vulg. **nespiru*, cláss. *mespilus*.] *S. f. Bot.* **1.** Fruto da nespereira. **2.** V. *ameixeira*.

nespereira [De *nêspera* + *-eira*.] *S. f. Bot.* **1.** Árvore rosácea (*Eriobotrya japonica*) procedente da Ásia e comum no Brasil, de folhas coriáceas e com pelos, e cujos frutos, as nêsperas, são bagas amarelas e pubescentes, de sabor agradável. [Sin.: *ambone, ameixa-amarela, ameixa-americana, ameixa-do-canadá, ameixa-do-japão, ameixa-japonesa, japona, japônia, nespereira-do-japão*.] **2.** V. *ameixeira*.

nespereira-do-japão [De *nespereira* + *do*[1] + o top. *Japão*.] *S. f. Bot.* V. *nespereira* (1). [Pl.: *nespereiras-do-japão*.]

nesse (ê) Equiv. da prep. *em* e do pron. dem. *esse*. [Flex.: *nessa, nesses* (ê), *nessas*.]

nessoutro Equiv. da prep. *em* e *essoutro*. [Flex.: *nessoutra, nessoutros, nessoutras*. Usa-se tb. *nesse(s) outro(s), nessa(s) outra(s)*.]

neste (ê) Equiv. da prep. *em* e do pron. dem. *este*. [Flex.: *nesta, nestes* (ê), *nestas*.]

nestor (ô) [Do ficcion. gr. *Néstor*, 'Nestor, rei de Pilos, o mais velho dos príncipes gregos que sitiaram Troia'.] *S. m.* Velho prudente e experiente.

nestorianismo [De *nestoriano* + *-ismo*.] *S. m.* Heresia de Nestório (v. *nestoriano*), segundo a qual há em Jesus Cristo duas pessoas distintas, uma humana e outra divina — em oposição ao ensinamento ortodoxo de que Jesus Cristo era uma só pessoa com duas naturezas, uma humana e outra divina.

nestoriano [Do antr. *Nestório*, patriarca de Constantinopla (séc. V).] *Adj.* **1.** De, pertencente ou relativo a Nestório, ou ao nestorianismo. ● *S. m.* **2.** Sectário do nestorianismo.

nestoutro Equiv. da prep. *em* e de *estoutro*. [Flex.: *nestoutra, nestoutros, nestoutras*. Usa-se tb. *neste(s) outro(s), nesta(s) outra(s)*.]

➔net[1] [nɛt] [Ingl.] *S. f.* V. *network*.

➔net² [nɛt] [Ingl.] *S. f.* V. *Internet*. [Com cap.]

neta¹ [Do lat. vulg. *nepta*.] *S. f.* Fem. de *neto¹*.

neta² *S. f. Bras.* A mais fina escuma que o melado deita, ao ferver, nos engenhos de açúcar [v. *engenho* (8)].

netalhada [De *neto* + *-alhada*.] *S. f.* Grande porção de netos: *Teve quatro filhos, e agora tem uma netalhada!*

net-encefalina *S. m.* V. *encefalina*.

neto¹ [De neta¹.] *S. m.* Filho de filho ou de filha, em relação aos pais destes. [Fem.: *neta*.] ~ V. *netos*.

neto² [Do fr. *net*.] *Adj. Desus.* Muito claro; límpido, brilhante, nítido: "Boca num meio sorriso / Partida, em fileira clara / Deixando ver netas pérolas / Em escrínio de escarlata." (Alberto de Oliveira, *Poesias*, 3.ª série, p. 112.) ~ V. *netos*.

netos [Pl. de *neto¹*.] *S. m. pl.* Descendentes, vindouros, posteridade. ~ V. *neto*.

netsuquê [Do jap. *netsuke*.] *S. m.* Pequeno objeto esculpido em madeira ou marfim, ou trabalhado em metal, e atravessado por orifícios, us. pelos japoneses como adorno para prender uma pequena bolsa ou sacola à faixa do quimono: "Netsuquê em marfim, representando figura fantástica." (Do catálogo de leilão da Investiarte, realizado em 15.04.1983, no Rio de Janeiro.)

netuniano [Do mit. *Netuno* (lat. *Neptunus*), deus do mar, + *-iano*.] *Adj.* **1.** Relativo a Netuno. **2.** Relativo ou pertencente ao oceano. [Sin. ger.: *netunino, netúnio*.]

netunino *Adj.* V. *netuniano*.

netúnio¹ [Do mit. *Netuno* (v. *netuniano*) + *-io³*.] *S. m. Quím.* Elemento de número atômico 93, transurânico, radioativo, metálico [símb.: *Np*].

netúnio² [Do lat. *neptuniu*.] *Adj.* V. *netuniano*.

netunismo [Do mit. *Netuno* (v. *netuniano*) + *-ismo*.] *S. m. Geol.* Teoria antiga segundo a qual todas as rochas se teriam originado das águas.

netuno [Do mit. *Netuno* (v. *netuniano*).] *S. m.* **1.** *Mit.* Divindade que preside ao mar. **2.** *Astr.* O oitavo e último planeta em ordem de afastamento do Sol, com 13 sátelites conhecidos (Tritão, Nereida, Proteu, Larissa, Galateia, Dispina, Talassa, Náiade e Psámata – os demais esperam confirmação e nomeação), e um sistema de cinco anéis principais. [Com um diâmetro de cerca de 50.000km, completa a sua revolução em torno do Sol em 164 anos e 280 dias. Sua existência foi prevista matematicamente, em 1845, pelo astrônomo inglês John C. Adams (1819-1892) e, independentemente, em 1846, pelo astrônomo francês Urbain J. Le Verrier (1811-1877), e confirmada por observação óptica, ainda em 1846, pelo astrônomo alemão Johann G. Galle (1812-1910).] [Com cap.]

➔network [ˈnetwɜːk] [Ingl.] *S. f. Rád. Telev.* Rede de emissoras afiliadas. [F. red.: *net*.]

neuma [Do gr. *pneûma*, 'sopro', pelo lat. med. *neuma*.] *S. m. Mús.* **1.** Cada um dos sinais da antiga notação musical medieval, que não indicavam nem a altura exata dos sons nem a sua duração, mas apenas o movimento linear da melodia, *i. e.*, onde a voz deveria elevar-se ou abaixar-se. **2.** No cantochão, passagem melismática entoada com uma só sílaba.

neura¹ *S. f. Pop.* V. *neurastenia* (2).

neura² *S. f. Pop.* V. *neurose*.

neural [De *neur(o)-* + *-al¹*.] *Adj. 2 g.* Relativo a, ou próprio de nervo; nerval, nervoso, nérveo, nervino. ~ V. *sulco — e tubo — embrionário*.

neuralgia [De *neur(o)-* + *-alg(o)-²* + *-ia¹*.] *S. f. Med.* Dor paroxística, que se estende ao longo do trajeto de um ou mais nervos; nevralgia.

neurálgico [De *neuralgia* + *-ico²*.] *Adj.* Relativo a neuralgia; nevrálgico.

neuramínico [Do ingl. *neuraminic* (*acid*), calque (2) do al. *Neuraminsäure* (cunhado, em 1941, pelo cientista alemão E. Klink).] *Adj. Bioquím.* ~ V. *ácido —*.

neuraminidase [Do ingl. *neuraminidase* (de *neur(o)-* + *amine* + *-ide* + *-ase*).] *S. f. Bioquím.* Enzima que catalisa certos processos hidrolíticos no metabolismo de alguns vírus (como os das gripes).

neurapraxia (cs) [De *neur(o)-* + gr. *apraxía*, 'ausência de ação', 'inércia'.] *S. f. Neur.* Incapacidade de condução de impulso ao longo de nervo, sem que este tenha sido diretamente lesado, e devido a contusão, a compressão, etc.; axonapraxia.

neurastenia [De *neur(o)-* + *astenia*.] *S. f.* **1.** *Psiq. Desus.* Distúrbio mental caracterizado por psicastenia, por preocupação exagerada com a própria saúde, grande irritabilidade, cefaleia, alterações do sono e fácil fatigabilidade. **2.** *Pop.* Mau humor com irritabilidade fácil. [F. red. pop., nesta acepç.: *neura¹*.]

neurasténico *Adj. S. m.* V. *neurastênico*. [Uso freq. em P.]

neurastênico [De *neurastenia* + *-ico²*.] *Adj.* **1.** Respeitante a neurastenia, ou que sofre desse distúrbio. • *S. m.* **2.** Aquele que sofre de neurastenia. **3.** *Pop.* Indivíduo mal-humorado e irascível.

neurastenizador (ô) [De *neurastenizar* + *-dor*.] *Adj.* Neurastenizante.

neurastenizante [De *neurastenizar* + *-nte*.] *Adj. 2 g.* Que neurasteniza, torna neurastênico; neurastenizador.

neurastenizar [De *neurastênico* + *-izar*, seg. o padrão erudito.] *V. int. P.* Tornar(-se) neurastênico.

▲ **neuri-** V. *neur(o)-*.

nêurico [De *neur(o)-* + *-ico²*.] *Adj.* Relativo a nervos ou ao sistema nervoso.

neurilema [De *neuri-* + *-lema¹*.] *S. m. Histol. Desus.* Tecido conjuntivo que mantém juntas neurofibras que constituem um nervo periférico, tendo cada fibra sua própria bainha; nevrilema.

neurilemal [De *neurilema* + *-al¹*.] *Adj. 2 g. Histol. Desus.* Relativo ou pertencente ao neurilema.

neurilidade [Adapt. do ingl. *neurity*, poss.] *S. f. Fisiol.* O conjunto dos atributos e funções do tecido nervoso.

neurite [De *neur(o)-* + *-ite¹*.] *S. f. Neur.* Inflamação de nervo; nevrite.

neurítico [De *neurite* + *-ico²*.] *Adj. Neur.* Relativo a neurite; nevrítico.

neuro *Adj. Bras. Gír.* V. *neurótico* (2).

▲**neur(o)-** [Do gr. *neûron, ou*.] *El. comp.* = 'nervo', 'fibra', 'sistema nervoso': *neuropata, neurose*. [É seguido de hífen quando anteposto a palavra iniciada por *h* ou *o*: *neuripófise/neuro-hipófise, neuroncologia/neuro-oncologia*; é grafado com *r* ou *s* duplicados quando anteposto a palavra iniciada por *r* ou *s*: *neurorradiologia, neurossensorial*.] [Equiv.: *neuri-, -neur(o)-, nevro-, nevri-, nevr(o)-, -nevr(o)-*: *neurilema; trofoneurose; mononeuro; nevrilema; nevralgia, nevropata; trofonevrose*. As formas em *-v-* (este proveniente da pronúncia bizantina do *y* [ípsilo] grego) e *-u-* alternam-se, às vezes, entre si.]

▲ **-neur(o)-** V. *neur(o)-*.

▲ **-neuro** V. *neur(o)-*.

neurobiologia [De *neur(o)-* + *biologia*.] *S. f. Biol.* Ramo da biologia que estuda as células e os tecidos nervosos em seus aspectos anatômicos e fisiológicos.

neurobiológico [De *neurobiologia* + *-ico²*.] *Adj. Biol.* Da, ou relativo à neurobiologia.

neurobiologista [De *neurobiologia* + *-ista*.] *Adj. 2 g. S. 2 g. Biol.* Que, ou aquele que é especialista em neurobiologia.

neuroblasto [De *neur(o)-* + *-blasto*.] *S. m. Embr.* Célula embrionária formadora de neurônios.

neurociência [De *neur(o)-* + *ciência*.] *S. f.* Qualquer das ciências que estudam o funcionamento do sistema nervoso, esp. o do cérebro.

neurocientífico [De *neur(o)-* + *científico*.] *Adj.* Relativo à, ou próprio da neurociência.

neurocientista [De *neur(o)-* + *cientista*.] *Adj. 2 g. S. 2 g.* Que, ou aquele que é especialista em neurociência.

neurocirurgia [De *neur(o)-* + *cirurgia*.] *S. f. Cir.* Cirurgia do sistema nervoso.

neurocirurgiã *S. f.* Fem. de *neurocirurgião* (q. v.).

neurocirurgião [De *neur(o)-* + *cirurgião*.] *S. m.* Especialista em neurocirurgia. [Fem.: *neurocirurgiã*; pl.: *neurocirurgiões* e *neurocirurgiães*.]

neurocirúrgico [De *neurocirurgia* + *-ico²*.] *Adj.* Relativo a neurocirurgia.

neuroectoderma [De *neur(o)-* + *ectoderma*.] *S. m. Embr.* Camada derivada do ectoderma, e da qual se origina o sistema nervoso central e periférico.

neuroendócrino [De *neur(o)-* + *endócrino*.] *Adj.* **1.** Relativo à secreção de substâncias por neurônio(s). **2.** Diz-se de substância hormonal que atua sobre neurônios.

neuroestimulador (ô) [De *neur(o)-* + *estimulador*.] *Adj. S. m.* Diz-se de, ou aparelho próprio para o tratamento de dores derivadas dos tecidos nervosos, por meio de impulsos elétricos.

neurofibra [De *neur(o)-* + *fibra*.] *S. f. Histol.* Conjunto formado por um axônio e suas bainhas envoltórias; fibra nervosa (denom. ant.). ◆ **Neurofibra amielínica.** *Histol.* Aquela em que o axônio é envolvido por uma única prega de células envoltórias; fibra nervosa amielínica (denom. ant.). **Neurofibra mielínica.** *Histol.* Aquela em que as células envoltórias formam capas concêntricas, o extrato mielínico, em torno do axônio; fibra nervosa mielínica (denom. ant.).

neurofibrila [De *neur(o)-* + *fibrila*.] *S. f. Histol.* Estrutura constituída por um conjunto de neurofilamentos.

neurofibroma [De *neur(o)-* + *fibroma*.] *S. m. Patol.* Tumor, ger. benigno, de nervos periféricos, causado pela proliferação excessiva de células de Schwann (q. v.).

neurofibromatose [De *neurofibromat-* (< *neurofibroma* + *-omat-*) + *-ose¹*.] *S. f. Patol.* Doença familiar caracterizada por lesões do sistema nervoso, de músculos, ossos e da pele, e caracterizada pela formação de múltiplos neurofibromas que se distribuem por todo o corpo, coexistindo com áreas de maior pigmentação. [Sin.: *neurofibromatose periférica* e (impr.) *doença de Recklinhausen*.] ◆ **Neurofibromatose periférica.** *Patol.* V. *neurofibromatose*.

neurofilamento [De *neur(o)-* + *filamento*.] *S. m. Histol.* Filamento presente no corpo celular e nos prolongamentos de neurônio.

neurofisiologia [De *neur(o)-* + *fisiologia*.] *S. f. Fisiol.* Parte da fisiologia que trata do sistema nervoso.

neurofisiológico [De *neurofisiologia* + *-ico²*.] *Adj.* Relativo a neurofisiologia.

neurofisiologista [De *neurofisiologia* + *-ista*.] *S. 2 g.* Especialista em neurofisiologia.

neurogénese *S. f. Embr.* V. *neurogênese*. [Uso freq. em P.]

neurogênese [De *neur(o)-* + *-gênese*.] *S. f. Embr.* Formação do sistema nervoso; neurogenia, nevrogenia.

neurogenia [De *neur(o)-* + *-genia*.] *S. f. Embr.* V. *neurogênese*.

neurogénico *Adj. Embr.* V. *neurogênico*. [Uso freq. em P.]

neurogênico [De *neurogenia* + *-ico²*.] *Adj. Embr.* **1.** Relativo a neurogênese. **2.** Que tem origem nervosa. [F. paral.: *nevrogênico*.]

neuroglia *S. f. Histol.* V. *neuróglia*.

neuróglia [De *neur(o)-* + *-glia*.] *S. f. Histol.* V. *gliócito*. [Var.: *neuroglia*.]

neuroglial [De *neuroglia* + *-al¹*.] *Adj. 2 g. Histol.* Da neuróglia (denom. ant. do gliócito), ou referente a ela.

neuroglioma [De *neur(o)-* + *-gli(o)-* + *-oma¹*.] *S. m. Patol.* Tumor originado em tecido neuroglial; glioma.

neurografia [De *neur(o)-* + *-grafia*.] *S. f.* Descrição dos nervos; nevrografia.

neurográfico [De *neurografia* + *-ico²*.] *Adj.* Referente à neurografia; nevrográfico.

neurógrafo [De *neur(o)-* + *-grafo*.] *S. m.* Especialista em neurografia; nevrógrafo.

neuro-hipófise *S. f.* V. *neuroipófise*. [Pl.: *neuro-hipófises*.]

neuroipófise (o-i) [De *neur(o)-* + *hipófise*.] *S. f.* V. *hipófise*. [Var.: *neuro-hipófise*.]

neuroléptico [De *neur(o)-* + *-léptico*.] *Adj. S. m. Psiq.* Diz-se de, ou psicotrópico capaz de produzir ação sedativa sem efeito hipnótico, sendo eficaz em estados de excitação e de agitação, bem como em psicoses.

neurolinfa [De *neur(o)-* + *-linfa*.] *S. f. Fisiol.* Líquido cerebroespinhal.

neurolinguista (güis) [De *neur(o)-* + *linguista*.] *S. 2 g. E. Ling. Med.* Especialista em neurolinguística.

neurolinguística (güís) [De *neur(o)-* + *linguística*.] *S. f. E. Ling. Med.* Ciência que trata das relações entre a linguagem e a estrutura cerebral. ❖

neurolinguístico (güís) [De *neur(o)-* + *linguístico*.] *Adj. E. Ling. Med.* Da, ou relativo a neurolinguística.

neurologia [De *neur(o)-* + *-logia*.] *S. f.* Ramo da medicina que se ocupa das doenças do sistema nervoso em todos os seus aspectos; nevrologia.

neurológico [De *neurologia* + *-ico²*.] *Adj.* Relativo a neurologia; nevrológico. ~ V. *linguística —a*.

neurologista [De *neurologia* + *-ista*.] *S. 2 g.* Especialista em neurologia; nevrologista.

neuroma [De *neur(o)-* + *-oma¹*.] *S. m. Patol.* Tumor formado à custa de células ou neurofibras; nevroma.

neuromuscular [De *neur(o)-* + *muscular*.] *Adj. 2 g. Med.* Relativo a nervo e a músculo concomitantemente.

neuronal *Adj. 2 g.* V. *neuronial*.

neuroncologia [De *neur(o)-* + *oncologia*.] *S. f. Med.* Ramo da oncologia que se dedica ao estudo, em seus vários aspectos, dos tumores do sistema nervoso: "Simpósio internacional discute neuroncologia" (*Jornal do Brasil*, 17.02.1992).

neuronial [De *neurônio* + *-al¹*.] *Adj. 2 g.* Neurônico.

neurónico *Adj.* V. *neurônico*. [Uso freq. em P.]

neurônico [De *neurônio* + *-ico²*.] *Adj.* Relativo ou pertencente aos neurônios; neuronial.

neurónio *S. m. Histol.* V. *neurônio*. [Uso freq. em P.]

neurônio [Do gr. *neûron*, 'fibra', 'nervo', + *-io³*.] *S. m. Histol.* Célula do sistema nervoso, com as propriedades de excitabilidade e condutibilidade, e que apresenta corpo celular e ramificações. [V. *axônio* e *dendrite*.]

neuropata [Var. pros. de *neurópata* (q. v.).] *Adj. 2 g. S. 2 g.* Que, ou quem padece de neuropatia; neurópata, nevrópata, nevropata.

neurópata [De *neur(o)-* + *-pata* (q. v.).] *Adj. 2 g. S. 2 g.* V. *neuropata*.

neuropatia [De *neur(o)-* + *-patia*.] *S. f. Neur.* Designação genérica de doença do sistema nervoso; nevropatia.

neuropático [De *neuropatia* + *-ico²*.] *Adj. Neur.* Relativo a neuropatia; nevropático.

neuropatologia [De *neur(o)-* + *patologia*.] *S. f. Med.* Ramo da patologia que se ocupa das doenças do sistema nervoso; nevropatologia.

neuropatológico [De *neuropatologia* + *-ico²*.] *Adj.* Respeitante à neuropatologia; nevropatológico.

neuropeptídeo [De *neur(o)-* + *peptídeo*.] *S. m. Bioquím.* Cada uma de um grupo de moléculas existentes em tecido encefálico, endorfinas, encefalinas, etc., e formadas por cadeias curtas de aminoácidos.

neurópira [De *neur(o)-* + *-pira*.] *S. f. Med.* Febre de origem nervosa.

neuróporo [De *neur(o)-* + *-poro*.] *S. m. Embr.* Abertura temporária nas extremidades caudal e rostral do tubo neural de embrião.

N

neuropsiquiatra [De *neur(o)-* + *psiquiatra*.] *Adj. 2 g. S. 2 g.* Que, ou aquele que é especialista em neuropsiquiatria.

neuropsiquiatria [De *neur(o)-* + *psiquiatria*.] *S. f. Med.* Ramo da medicina que engloba a neurologia e a psiquiatria.

neuropsiquiátrico [De *neuropsiquiatria* + *-ico*[2].] *Adj. Med.* Relativo a neuropsiquiatria; neuropsíquico.

neuropsíquico [De *neur(o)-* + *psíquico*.] *Adj.* **1.** *Psiq.* Relativo ao centro nervoso atuante em processo mental. **2.** *Neur. Psiq.* Resultante de causa neurológica e psíquica. **3.** *Med.* Neuropsiquiátrico.

neuróptero [De *neur(o)-* + *-ptero*; tax. *Neuroptera*.] *Zool. S. m.* **1.** Espécime dos neurópteros, ordem de artrópodes, insetos, holometabólicos, predadores, de sistema bucal mastigador, quatro asas membranosas muito ricas em nervuras entrecruzadas, antenas mais longas que a cabeça. As larvas são tisanuriformes terrestres, e raramente aquáticas. No grupo, acha-se incluída a formiga-leão, cuja larva faz na areia ou na poeira um cone, no fundo do qual permanece, alimentando-se de insetos que, resvalando nos lados do cone, acabam capturados pelo predador. ● *Adj.* **2.** Pertencente ou relativo a eles.

neuroquímica [De *neur(o)-* + *química*.] *S. f. Neur.* Ramo da neurologia que se ocupa, do ponto de vista químico, dos fatos relativos ao sistema nervoso.

neuroquímico [De *neur(o)-* + *químico*.] *Adj.* **1.** Relativo à neuroquímica. **2.** Que se obtém mediante a neuroquímica. ● *S. m.* **3.** Aquele que se dedica ao estudo da neuroquímica.

neurorradiologia [De *neur(o)-* + *radiologia*.] *S. f. Med.* Ramo da radiologia que se ocupa das doenças do sistema nervoso.

neurorradiológico [De *neurorradiologia* + *-ico*[2].] *Adj. Med.* Relativo a neurorradiologia.

neurose [De *neur(o)-* + *-ose*[1].] *S. f. Psiq.* Cada um de vários tipos de transtornos mentais em que não se observam nem grandes distorções da realidade, como ocorre nas psicoses, nem desorganização da personalidade; nevrose. [F. red. pop.: *neura*[2].] ◆ **Neurose de guerra.** *Psiq. Desus.* Transtorno de estresse pós-traumático (q. v.). **Neurose histérica.** *Psiq. Desus.* A que se caracteriza por aparecimento súbito e involuntário de distúrbio funcional de origem psíquica, consequente a agressão emocional, e que pode assumir uma de duas formas: 1) *neurose histérica de conversão* (v. *transtorno conversivo*); 2) *neurose histérica de dissociação* (v. *transtorno dissociativo*). **Neurose histérica de conversão.** *Psiq.* V. *neurose histérica*. **Neurose histérica de dissociação.** *Psiq.* V. *neurose histérica*.

neurossensorial [De *neur(o)-* + *sensorial*.] *Adj. 2 g.* De, ou pertencente a nervo relacionado a órgão de sentido; neurossensório. ~ V. *surdez —*.

neurossensório *Adj.* Neurossensorial.

neurótico [De *neur(ose)* + *-ótico*.] *Adj.* **1.** De, ou relativo a neurose: 📄 *estado neurótico*. **2.** Que sofre neurose. [F. red. pop., nesta acepç.: *neuro*.] ● *S. m.* **3.** Indivíduo neurótico. [F. paral.: *nevrótico*.]

neurotização [De *neurotizar* + *-ção*.] *S. f.* Ato ou efeito de neurotizar.

neurotizado [Part. de *neurotizar*.] *Adj.* Que se neurotizou; que sofre de neurose.

neurotizante [De *neurotizar* + *-nte*.] *Adj. 2 g.* Que neurotiza.

neurotizar [De *neurótico* + *-izar*, seg. o padrão erudito.] *V. t. d.* Tornar neurótico; induzir à neurose.

neurotomia [De *neur(o)-* + *-tom(o)-* + *-ia*[1].] *S. f. Cir.* Secção de nervo. [F. paral.: *nevrotomia*.]

neurotómico *Adj.* V. *neurotômico*. [Uso freq. em P.]

neurotômico [De *neurotomia* + *-ico*[2].] *Adj.* Referente a neurotomia; nevrotômico.

neurotoxicidade (cs) [De *neurotóxico* + *-(i)dade*.] *S. f. Med.* Caráter do que é neurotóxico.

neurotóxico (cs) [De *neur(o)-* + *-tóxico*.] *Adj. S. m. Med.* Diz-se de, ou substância tóxica para tecido nervoso.

neurotoxina (cs) [De *neur(o)-* + *toxina*.] *S. f. Microbiol.* Exotoxina de alto poder agressivo, ainda que em baixa concentração, que lesam o sistema nervoso, a cujo âmbito, porém, sua ação pode não se limitar.

neurotransmissor (ô) [De *neur(o)-* + *transmissor*.] *Adj. S. m. Bioquím.* Diz-se de, ou substância liberada por célula nervosa, que transmite a outra célula, de nervo ou músculo, um impulso nervoso.

neurotrauma [De *neur(o)-* + *trauma*.] *S. m. Neur.* Qualquer traumatismo físico infligido ao sistema nervoso.

neurótrico [De *neur(o)-* + *-trico*.] *Adj. Bot.* Provido de pelos nas nervuras.

neurovegetativo [De *neur(o)-* + *vegetativo*.] *Adj.* Pertencente ou relativo ao sistema nervoso vegetativo. ~ V. *distonia —a*.

neurulação [Do ingl. *neurulation*.] *S. f. Embr.* Processo de formação do tubo neural.

neusto *S. m. Ecol.* V. *nêuston*.

nêuston [Do ingl. *neuston*.] *S. m. Ecol.* Conjunto de organismos macroscópicos e microscópicos que habitam a superfície de uma massa de água; alguns se deslocam por si mesmos e outros dependem de fatores ambientais, como ventos e correntes, para o seu deslocamento. [Var.: *neusto*.]

neutral [De *neutro* + *-al*[1].] *Adj. 2 g.* **1.** V. *neutro* (1, 2 e 6). ● *S. 2 g.* **2.** Pessoa neutral: 📖 "Os neutrais entre dous partidos são geralmente maltratados como censores e antagonistas de ambos." (Marquês de Maricá, *Máximas, Pensamentos e Reflexões*, p. 57.)

neutralidade [Do lat. med. *neutralitate*, ou do fr. med. *neutralité*.] *S. f.* Qualidade ou estado de neutral.

neutralismo [De *neutral* + *-ismo*.] *S. m.* **1.** Doutrina que consiste em, ao menos em tempo de paz, recusar-se um Estado a concertar aliança(s) militar(es). **2.** Doutrina que consiste em um Estado ou uma pessoa negar adesão a um dos grandes blocos políticos e ideológicos do mundo. **3.** *Filos.* Monismo neutro (q. v.).

neutralista [De *neutralismo* + *-ista*.] *Adj. 2 g.* **1.** Relativo ao, ou próprio do neutralismo. **2.** Que é partidário do neutralismo. ● *S. 2 g.* **3.** Partidário dele.

neutralização [De *neutralizar* + *-ção*.] *S. f.* **1.** Ato ou efeito de neutralizar(-se). **2.** *Eletrôn.* Eliminação de efeitos indesejáveis de retroalimentação em circuitos amplificadores, especialmente dos que provocam oscilações no circuito. **3.** *E. Ling.* Perda da distinguibilidade entre dois elementos em oposição (9), especificamente em ambientes onde apenas um deles ocorre.

neutralizador (ô) [De *neutralizar* + *-dor*.] *Adj.* **1.** Que neutraliza; neutralizante. ● *S. m.* **2.** *Astron.* Órgão de um motor a propulsão iônica, que produz elétrons cujas cargas (negativas), após a ejeção, tornam eletricamente neutro o fluxo propulsivo, evitando, assim, o retorno deste sobre o propulsor carregado negativamente. **3.** *Tip.* Dispositivo existente em certas máquinas de impressão, destinado a eliminar a eletricidade estática.

neutralizante [De *neutralizar* + *-nte*.] *Adj. 2 g.* Neutralizador (1).

neutralizar [De *neutral* + *-izar*.] *V. t. d.* **1.** Declarar ou tornar neutro (um país, uma cidade, um território, etc.): 📖 "A monarquia moderna faria bem para sustentar-se em .... neutralizar ainda mais o poder neutro" (Joaquim Nabuco, *Minha Formação*, p. 110). **2.** Anular, inutilizar, eliminar: 📖 "tudo quanto a natureza pode produzir para neutralizar a terrível amargura da luta pela vida." (Ramalho Ortigão, *Notas de Viagem*, p. 70). **3.** Tornar inertes as propriedades de (uma coisa). *P.* **4.** Tornar-se neutral, indiferente, inativo.

neutralizável [De *neutralizar* + *-vel*.] *Adj. 2 g.* Que pode ser neutralizado.

neutramente [Do f. de *neutro* + *-mente*.] *Adv.* De modo neutro; imparcialmente; neutralmente.

neutrão *S. m. Lus. Fís. Nucl.* V. *nêutron*. [Pl.: *neutrões*.]

neutrino [De *neutro* + *-ino*[1].] *S. m. Fís. Nucl.* Partícula elementar da família dos léptons, de massa nula ou muito pequena, carga elétrica nula, *spin* 1/2, formada em diversos processos de desintegração beta, e na desintegração dos mésons K [símb.: ν]. [Há três tipos de neutrino, associados respectivamente ao elétron, ao múon e ao tau. A cada neutrino corresponde um antineutrino (q. v.). Os neutrinos sofrem, apenas, interações fracas e gravitacionais. Evidências experimentais recentes (Super-Kamiokande, Japão, 1988) parecem indicar que os neutrinos se podem transformar de um tipo em outro à medida que se deslocam; essas oscilações são previstas em teorias que supõem uma diferença de massa entre os tipos de neutrino.] ◆ **Neutrino do elétron.** *Fís. Part.* Neutrino eletrônico. **Neutrino do múon.** *Fís. Part.* Neutrino muônico. **Neutrino do tau.** *Fís. Part.* Neutrino tauônico. **Neutrino eletrônico.** *Fís. Part.* Neutrino associado ao elétron, e de número atômico +1; neutrino do elétron [símb.: ν_e]. **Neutrino muônico.** *Fís. Part.* Neutrino associado ao múon-menos, e de número muônico +1; neutrino do múon [símb.: ν_μ]. **Neutrino tauônico.** *Fís. Part.* Neutrino associado ao tau, e de número tauônico +1, ainda não detectado experimentalmente; neutrino do tau [símb.: $\nu\tau$].

neutro [Do lat. *neutru*.] *Adj.* **1.** Que não toma partido nem a favor nem contra, numa discussão, contenda, etc.; neutral. **2.** Que julga sem paixão; imparcial, neutral. **3.** Diz-se de nação cujo território as potências se comprometem a respeitar em caso de guerra entre elas. **4.** Não distintamente marcado ou colorido. **5.** Indefinido, vago, indistinto, indeterminado. **6.** Que se mostra indiferente, insensível; neutral. **7.** *E. Ling.* Diz-se do gênero das palavras ou nomes que, em certas línguas, designam os seres concebidos como não animados, em oposição aos animados, masculinos ou femininos. [V. *gênero* (9).] ~ V. *cor —a*, *elemento —*, *ponto —*, *pressão —a*, *rocha —a* e *verbo —*. ● *S. m.* **8.** *Eng. Elétr.* Num circuito de corrente alternada, condutor permanentemente ligado à terra (18) e que tem potencial constantemente igual a zero. [Cf. *nêutron*.]

neutródino [Do ingl. *neutrodyne*, marca registrada.] *S. m. Eletrôn.* Circuito amplificador em que a neutralização se efetua por meio de tensões elétricas provenientes de capacitores.

neutrófilo [De *neutro* + *-filo*[2].] *S. m. Histol.* Leucócito granulócito formado na medula óssea, presente no sangue circulante, com capacidade de migrar dos capilares e vênulas por diapedese, e que no tecido conjuntivo desempenha atividade fagocitária.

nêutron [De *neutro* + *-on*.] *S. m. Fís. Part.* Bárion de massa 939,56MeV/c^2, *isospin* 1/2, *spin* 1/2, paridade positiva, carga elétrica nula, número bariônico unitário, composto de *quarks u*, *d* e *d*. Juntamente com o próton, é um dos constituintes dos núcleos atômicos [símb.: *n*]. [Cf. *neutro*.] ◆ **Nêutron epitérmico.** *Fís. Nucl.* O que tem energia superior à de agitação térmica e comparável à energia das ligações químicas. **Nêutron frio.** *Fís. Nucl.* Nêutron com energia cinética inferior a 0,025eV. **Nêutron rápido.** *Fís. Nucl.* Nêutron que tem energia cinética superior a um certo mínimo que depende do domínio de interesse. Num reator nuclear, p. ex., o mínimo é fixado às vezes em 0,1MeV. **Nêutron retardado.** *Fís. Nucl.* O que é emitido por um núcleo excitado que se formou em consequência de uma cadeia de desintegrações beta provocada por uma fissão nuclear. **Nêutron térmico.** *Fís. Nucl.* O que está em equilíbrio com o meio onde se encontra, e que tem, pois, energia cinética igual à de agitação térmica do meio. **Nêutron virgem.** *Fís. Nucl.* O que foi emitido num processo de fissão e não sofreu nenhuma interação com nenhum núcleo.

neutropausa [De *neutro* + *-pausa*.] *S. f. Geofís.* Zona de transição entre a neutrosfera e a ionosfera.

neutropenia [De *neutro* + *-penia*.] *S. f. Patol.* Baixa no número de leucócitos neutrófilos no sangue.

neutropénico *Adj.* V. *neutropênico*. [Uso freq. em P.]

neutropênico [De *neutropenia* + *-ico*[2].] *Adj.* Relativo a neutropenia.

neutrosfera [De *neutro* + *-sfera*.] *S. f. Geofís.* Região da atmosfera situada entre a superfície terrestre e a ionosfera, na qual a concentração eletrônica é praticamente desprezível.

nevada [De *nevar* + *-ada*[1].] *S. f.* **1.** A neve que cai de uma vez. **2.** Queda de neve.

nevado [Part. de *nevar*.] *Adj.* **1.** Branco como neve: 📖 "Seu seio nevado de amor se intumesce..." (Casimiro de Abreu, *Obras*, p. 157). **2.** Branqueado, alvejado. **3.** Frio como a neve; frígido: 📖 "O meu Príncipe bebeu da água nevada e luzidia da fonte" (Eça de Queirós, *A Cidade e as Serras*, p. 214). **4.** Coberto de neve: 📄 *Os picos nevados dos Andes*. ● *S. m.* **5.** Neve e gelo acumulados em um ciclo glacial.

nevar [Do lat. vulg. *nivare*, por *nivere*.] *V. int.* **1.** Cair neve: 📖 "Não choveu, nem ventou muito, não chegou a nevar" (Machado de Assis, *A Semana*, II, p. 254). **2.** Tornar-se branco; branquejar. *T. d.* **3.** Cobrir de neve. **4.** Tornar alvo como a neve: 📖 "A grande lua subia no céu, alva e serena, nevando a mata e os campos" (Coelho Neto, *Sertão*, p. 191). **5.** Esfriar por meio de neve ou de gelo. *P.* **6.** Tornar-se branco; branquejar. [Defect. na 1ª acepç.]

→ **ne varietur** [nɛ vaˈrjetʊr] [Lat., 'para que nada seja mudado'.] Loc. us. para indicar reprodução muito fiel. V. *edição ne varietur*.

nevasca [De *neve*.] *S. f.* Nevada acompanhada de temporal.

neve [Do lat. *nive*.] *S. f.* **1.** *Met.* Precipitação de cristais de gelo, em geral de forma hexagonal e intricadamente ramificados, e por vezes aglomerados em flocos, formados diretamente pelo congelamento do vapor de água que se encontra em suspensão no ar atmosférico. **2.** Camada desses flocos depositada no solo ou em outra superfície. **3.** *Fig.* Frialdade extrema. **4.** *Fig.* Extrema alvura: 📄 *a neve do seu colo*. **5.** *Fig.* As cãs: 📖 "desceu os degraus do anfiteatro, seguro e resoluto como se as neves de setenta anos lhe não branqueassem a cabeça." (Rebelo da Silva, *Contos e Lendas*, pp. 180-181). **6.** *Eletrôn.* Figura que se forma na tela de um tubo de raios catódicos e se assemelha à imagem da queda de flocos de neve. ◆ **Em neve.** *Bras. Cul.* Diz-se da clara de ovo batida até adquirir a consistência leve e espumosa dos flocos de neve. [Sin. (lus.): *em castelo*.]

nevense[1] *Adj. 2 g.* **1.** De, ou pertencente ou relativo a Neves Paulista (SP). ● *S. 2 g.* **2.** O natural ou habitante de Neves Paulista.

nevense[2] *Adj. 2 g.* **1.** De, ou pertencente ou relativo a Ribeirão das Neves (MG). ● *S. 2 g.* **2.** O natural ou habitante de Ribeirão das Neves.

neviano *Adj. S. m.* V. *são-cristovense*[2].

névico [De *neve* + *-ico*[2].] *Adj.* Referente a neve.

neviscar [De *neve* + *-iscar*.] *V. int.* Cair neve em pequena quantidade. [Defect. Conjug.: v. *trancar*.]

nevo [Do lat. *naevu.*] *S. m.* **1.** *Derm.* Malformação cutânea e, eventualmente, da mucosa oral, estável e circunscrita, presumivelmente de natureza hereditária. **2.** *Pop.* Mancha na pele; marca, sinal: 📖 "Aquele sinal em Corina evoluiu muito pouco com a chegada dos anos ..... E não enfeava o rosto da moça. Ao revés, o nevo dava-lhe certa graça" (Nélson de Faria, *Cabeça-Torta*, p. 12).

névoa [Do lat. *nebula*, por via pop.] *S. f.* **1.** *Met.* Turvação atmosférica, menos intensa que a cerração, e que não reduz a visibilidade a menos de um quilômetro. **2.** *Fig.* Aquilo que embaça a vista: 📖 "Essas mulheres de vestidos pretos / têm névoa de saudade em seu olhar." (Valdemar Lopes, *Sonetos de Portugal*, p. 53.) **3.** Aquilo que dificulta a compreensão. [Sin., nessas acepç.: *bruma*.] **4.** *Pop.* Belida. [Cf. *nevoa-se*, do v. *nevoar-se*.] ◆ **Névoa seca.** *Met.* Bruma (3). **Névoa úmida.** *Met.* A que resulta de partículas líquidas em suspensão, que não chegam a saturar a atmosfera.

nevoaça [De *névoa* + *-aça*.] *S. f.* V. *nevoeiro*.

nevoado [Part. de *nevoar*.] *Adj.* V. *enevoado*.

nevoar [De *névoa* + *-ar*[2].] *V. t. d. P.* V. *enevoar*: 📖 "Nela nasci, nela vivi a infância / tão pobre quanto a humilde juventude / que se foi nevoando na distância." (Judas Isgorogota, *Cantos da Visitação*, p. 67.) [Defectivo. Conjug.: v. *coroar*. Pres. ind.: *nevoa-se* (ô), *nevoam-se* (ô). Cf. *névoa*.]

nevoeiro [De *névoa* + *-eiro*.] *S. m.* **1.** *Met.* Nebulosidade que se forma nas camadas inferiores da atmosfera, próximo ao solo, constituída de grande número de gotículas de água em suspensão no ar, do que resulta ficar muito reduzida a visibilidade. **2.** *Fig.* Obscuridade, escuridão. [Sin. ger.: *nevoaça*.]

nevoento [De *névoa* + *-ento*.] *Adj.* **1.** V. *nebuloso* (1 e 5). **2.** V. *nevoso*. [Sin. ger.: *nebulento*.]

nevoso (ô) [Do lat. *nivosu*, por via pop.] *Adj.* Em que há neve; coberto de neve; nevado, nevoento. [F. paral., poét.: *nivoso*.]

nevralgia [De *nevr(o)-*[2] + *-alg(o)-*[2] + *-ia*[1].] *S. f. Med.* Neuralgia.

nevrálgico [De *nevralgia* + *-ico*[2].] *Adj.* Neurálgico.

▲ **nevri-** V. *neur(o)-*.

nevrilema [De *nevri-* + *-lema*[1].] *S. m. Histol. Desus.* Neurilema.

nevrite [De *nevr(o)-* + *-ite*[1].] *S. m. Neur.* Neurite.

nevrítico [De *nevrite* + *-ico*[2].] *Adj. Neur.* Neurítico.

▲ **nevr(o)-** V. *neur(o)-*.

▲ **-nevr(o)-** V. *neur(o)-*.

nevrogenia [De *nevr(o)-* + *-genia*.] *S. f. Embr.* V. *neurogênese*.

nevrogênico *Adj.* V. *nevrogênico*. [Uso freq. em P.]

nevrogênico [De *nevrogenia* + *-ico*[2].] *Adj.* Neurogênico.

nevrografia [De *nevr(o)-* + *-grafia*.] *S. f.* Neurografia.

nevrográfico [De *nevrografia* + *-ico*[2].] *Adj.* Neurográfico.

nevrógrafo [De *nevr(o)-* + *-grafo*.] *S. m.* Neurógrafo.

nevrologia [De *nevr(o)-* + *-logia*.] *S. f.* Neurologia.

nevrológico [De *nevrologia* + *-ico*[2].] *Adj.* Neurológico.

nevrologista [De *nevrologia* + *-ista*.] *S. 2 g.* Neurologista.

nevroma [De *nevr(o)-* + *-oma*[1].] *S. m. Patol.* Neuroma.

nevropata [Var. pros. de *nevrópata*.] *Adj. 2 g. S. 2 g.* V. *neuropata*.

nevrópata [De *nevr(o)-* + *-pata* (q. v.).] *Adj. 2 g. S. 2 g.* V. *neuropata*.

nevropatia [De *nevr(o)-* + *-patia*.] *S. f. Neur.* Neuropatia.

nevropático [De *nevropatia* + *-ico*[2].] *Adj. Neur.* Neuropático.

nevropatologia [De *nevr(o)-* + *patologia*.] *S. f. Med.* Neuropatologia.

nevropatológico [De *nevropatologia* + *-ico*[2].] *Adj. Med.* Neuropatológico.

nevrose [De *nevr(o)-* + *-ose*[1].] *S. f. Psiq.* Neurose.

nevrostenizante [De *nevrostenizar* + *-nte*.] *Adj. 2 g.* Neurastenizante.

nevrótico [De *nevr(ose)* + *-ótico*.] *Adj.* Neurótico.

nevrotomia [De *nevr(o)-* + *-tom(o)-* + *-ia*[1].] *S. f.* Neurotomia.

nevrotômico *Adj.* V. *nevrotômico*. [Uso freq. em P.]

nevrotômico [De *nevrotomia* + *-ico*[2].] *Adj.* Neurotômico.

nevyanskita [Do top. *Nevyansk* (Rússia) + *-ita*[2].] *S. f. Min.* Liga natural de ósmio e irídio com outros elementos do grupo da platina.

➔ **new journalism** ['njuw 'dʒɜ:nəlɪzm] [Ingl.] *S. m. 2 n. Jorn.* Estilo jornalístico, que tem no escritor e jornalista norte-americano Gay Talese (1932-) um dos seus maiores expoentes, e que se caracteriza pelo uso da subjetividade e por recursos de ficção e narrativa literária na produção de textos não ficcionais.

➔ **newsletter** ['nuwzlɛtə'] [Ingl.] *S. f. Jorn. Rel. Públ.* Periódico editado por empresa, com informações relativas a ela ou a sua área de atuação, e destinado a público restrito.

➔ **newsmaking** ['njuwz,mejkɪŋ] [Ingl.] *S. m. 2 n. Comun.* Conceito segundo o qual os meios de comunicação de massa constroem uma realidade e controlam os acontecimentos a partir daquilo que noticiam, norteados pelo conjunto de valores aceitos pelo público.

➔ **newton** ['njuwtən] [V.C.I., do antr. *Newton* (v. *newtoniano*).] *S. m. Fís.* Unidade de medida de força do Sistema Internacional de Unidades: a força que, agindo sobre um corpo de massa igual a um quilograma, lhe atribui a aceleração constante de um metro por segundo quadrado na direção da força [símb.: *N*].

newtoniano (niu) *Adj.* Pertencente ou relativo a Isaac Newton (1642-1727), cientista inglês, ou próprio dele. ~ V. *cosmologia —a*, *mecânica —a* e *potencial —*.

nexo (cs) [Do lat. *nexu*.] *S. m.* **1.** Ligação, vínculo, união. **2.** V. *coerência* (2): 📄 *Que palavreado solto, sem nexo, aquele discurso!* **3.** *Citol.* Cada uma das junções comunicantes entre a membrana de uma célula e outra.

ngá [Do quimb.] *S. 2 g. Angol.* Tratamento respeitoso dispensado aos homens e às mulheres: 📖 "Pago não pago. Ngá Fefa e Sô Zé no afrontamento." (Boaventura Cardoso, *Dizanga dia Muenhu*, p. 48.) [Var.: *ngana*.]

ngana [Quimb.] *S. 2 g. Angol.* **1.** Senhor, ou senhora: 📖 "A torneira do sô Costa rebentou. Miúdos e miúdas, nganas e bessanganas, desde as cinco da manhã, estão aproveitando água" (Jorge Macedo, *Gente de Meu Bairro*, p. 38). **2.** V. *ngá*: 📖 "Decoraste no catecismo, ngana Sandu!" (Luandino Vieira, *Velhas Estórias*, p. 26.)

■ **NGB** Abrev. de *Nomenclatura Gramatical Brasileira*.

ngoma [Quimb.] *S. f. Angol. Moç.* V. *tambor* (1): 📖 "O som de ngoma aumenta e torna-se frenético." (Pepetela, *A Corda*, p. 9.) [Outra forma: *goma*[2].]

ngueta (u-e) [Quimb.] *S. m. Angol. Pej.* Indivíduo branco: 📖 "os nguetas começaram a aparecer em massa, preocupados com a presença constante de grupos de pretos e mestiços." (Boaventura Cardoso, *O Signo do Fogo*, p. 176). [Outra forma: *gueta* (u-e).]

ngúni *S. 2 g.* **1.** *Etnôn.* Indivíduo dos ngúnis, povo de origem zulu, que, vindo do sul, invadiu Moçambique (África) por volta de 1820 e se instalou principalmente nas regiões meridionais e na atual província de Tete: 📖 "não me digas que voltamos às célebres guerras dos ngúnis" (Paulina Chiziane, *Ventos do Apocalipse*, p. 23). ● *S. m.* **2.** *Gloss.* A língua falada pelos ngúnis, pertencente ao grupo banto. ● *Adj. 2 g.* **3.** Pertencente ou relativo aos ngúnis, ou à sua língua.

nhá [F. aferética de *sinhá*.] *S. f. Bras. Pop. Cabo-verd. Guin.* Iaiá, senhora: 📄 *nhá Joana*; 📖 "— Sabe, nhá mãe? Vamos embora desta terra" (Amadeu de Queirós, *Os Casos do Carimbamba*, p. 141); "Fui cruel e descaridoso com Nhá Chica." (Francisco Ribeiro Sampaio, *Renembranças*, p. 1).

nhaçanã *S. f. Bras. Zool.* V. *jaçanã* (1).

nhacundá *S. m. Bras. Zool.* V. *jacundá* (1).

nhambi [Do tupi.] *S. m. Bras. Bot.* Erva apiácea (*Eryngium foetidum*) de porte muito semelhante ao de uma bromeliácea, folhas invaginantes, providas de acúleos nos bordos, inconspícuas flores alvas, dispostas em amplas panículas terminais, e frutos muito pequenos.

nhambibororoca [Do tupi.] *S. m. Bras. Zool.* Espécie de veado (*Nanelaphus nambi*, *Cervus manus*).

nhambiquara *S. 2 g. Adj. 2 g. Bras.* V. *nambiquara*.

nhambu [Do tupi.] *S. m.* **1.** *Bras. Zool.* V. *inhambu*. **2.** *Bras. Amaz. Bot.* V. *agrião-do-pará*.

nhambuaçu *S. m. Bras. Zool.* V. *inhambuaçu*.

nhambuanhanga *S. m. Bras. Zool.* V. *inhambuanhanga*.

nhambucuá *S. m. Bras. Zool.* V. *inhambucuá*.

nhambu-grande *S. m. Bras. Zool.* V. *inhambu-grande*. [Pl.: *nhambus-grandes*.]

nhambuguaçu *S. m. Bras. Zool.* V. *inhambuguaçu*.

nhambumirim *S. m. Bras. Zool.* V. *inhambumirim*.

nhambupixuna *S. m. Bras. Zool.* V. *inhambupixuna*.

nhambu-preto *S. m. Bras. Zool.* V. *inhambu-preto*. [Pl.: *nhambus-pretos*.]

nhambuquiá *S. m. Bras. Zool.* V. *inhambuquiá*.

nhamburana [De *nhambu* + *-rana*.] *S. f. Bot.* Erva asterácea (*Cotula piper*) aromática, de origem europeia, que se espalha pelo solo, de folhas lobadas e capítulos hemisféricos, de longo pedúnculo.

nhambu-relógio *S. m. Bras. Zool.* V. *inhambu-relógio*. [Pl.: *nhambus-relógios* e *nhambus-relógio*.]

nhamburi [Do tupi, poss.] *S. m. Bras. L. Bot.* Trepadeira, ou planta prostrada, rosácea (*Rubus urticaefolius*) de longos ramos fortemente aculeados, folhas compostas, e cujos frutos lembram uma framboesa.

nhambu-saracuíra *S. m. Bras. Zool.* V. *inhambu-saracuíra*. [Pl.: *nhambus-saracuíras* e *nhambus-saracuíra*.]

nhambu-sujo *S. m. Bras. Zool.* V. *inhambu-sujo*. [Pl.: *nhambus-sujos*.]

nhambuu *S. m. Bras. Zool.* V. *inhambuu*.

nhambuxintã *S. m. Bras. Zool.* V. *inhambuxintã*.

nhambuxororó *S. m. Bras. Zool.* V. *inhambuxororó*.

nhampupê *S. f. Bras. SE Zool.* V. *perdiz*.

nhamuçoro *S. 2 g. Moç.* V. *nhamussoro*.

nhamuí *S. m. Bras. Bot.* **1.** V. *louro-inhamuí*. **2.** V. *querosene* (2).

nhamundaense *Adj. 2 g.* **1.** De, ou pertencente ou relativo a Nhamundá (AM). ● *S. 2 g.* **2.** O natural ou habitante de Nhamundá.

nhamussoro *S. 2 g. Moç.* Adivinho, curandeiro e exorcista; nhanga: 📖 "Vieram os nhamussoros, fizeram-se as adivinhas e apanhou-se o nó do problema" (Paulina Chiziane, *Balada de Amor ao Vento*, p. 74).

nhançanã *S. f. Bras. SP Pop. Zool.* V. *jaçanã* (1).

nhandaia *S. f. Bras. Zool.* V. *jandaia*.

nhandearense *Adj. 2 g.* **1.** De, ou pertencente ou relativo a Nhandeara (SP). ● *S. 2 g.* **2.** O natural ou habitante de Nhandeara.

nhandi [Do tupi.] *S. m. Bras. Bot.* **1.** *Bras.* Arbusto piperáceo (*Piper caudatum*) próprio das matas úmidas, de folhas delicadas e dotadas de estípulas, flores inconspícuas ordenadas em compactas espigas bastante alongadas, e cujos frutos têm sabor acre; pimenta-dos-índios. **2.** V. *capeba-cheirosa*.

nhandiá *S. m. Bras. Zool.* V. *jundiá* (1).

nhandiruiate *Bras. S. 2 g.* **1.** *Etnôn.* Indivíduo dos nhandiruiates [ou (etnôn. bras.) *Nhandiruiat], povo indígena extinto que habitava a região próxima ao rio Barão de Melgaço (RO). ● *Adj. 2 g.* **2.** Pertencente ou relativo a esse povo.

nhandiroba [Do tupi = 'óleo amargo'.] *S. f. Bras. Bot.* **1.** V. *castanha-mineira* (1). **2.** V. *fava-de-santo-inácio-falsa* (1).

nhandirova [Var. de *nhandiroba*.] *S. f. Bras. Bot.* **1.** V. *castanha-mineira* (1). **2.** V. *fava-de-santo-inácio-falsa* (1).

nhandu [Do tupi.] *S. m. Bras.* **1.** *Zool.* V. *ema*[1] (1). **2.** *Bot.* V. *capeba-cheirosa*. **3.** *Bot.* V. *agrião-do-pará*.

nhanduvá [Do tupi, poss.] *S. m. Bras. RS Bot.* Árvore mimosácea (*Prosopis juliflora*) cuja madeira, muito resistente, é us. para esteios e dormentes; nhanduvaí.

nhanduvaí [De *nhanduvá* + *-í*.] *S. m. Bras. RS Bot.* Nhanduvá.

nhanga *S. 2 g. Moç.* Nhamussoro: 📖 "Temos de arranjar um bom nhanga e mandarmos lá a miúda." (Calane da Silva, *Xicandarinha — na Lenha do Mundo*, p. 39.)

nhanhá [F. redobrada de *nhá*.] *S. f. Bras.* V. *iaiá*: 📖 "Ah nhanhá, venha escutar / Amor puro e verdadeiro, / Com preguiçosa doçura / Que é Amor de Brasileiro." (Domingos Caldas Barbosa, *ap.* Sérgio Buarque de Holanda, *Antologia dos Poetas Brasileiros da Fase Colonial*, I, p. 300.)

nhanhã [F. redobrada e nasalada de *nhá*.] *S. f. Bras.* V. *iaiá*.

nhanhero [Do criol.] *S. m. Guin.* Espécie de violino de três cordas, usado pelos djidius fulas: 📖 "a seca/ é um gemido ululante / sublimado / nas três cordas do nhanhero" (Antônio Soares Lopes Júnior, *Antologia Poética da Guiné-Bissau*, p. 163).

nhanhéru *S. m. Guin.* Nhanhero.

nhanica [Do tupi.] *S. f. Bras. S. Bot.* Árvore mirtácea (*Eugenia nhanica*) de ramos quadrangulares, folhas lanceoladas, quase sésseis e sem pontos translúcidos perceptíveis, e cujas bagas são do tamanho de uma ameixa, vermelhas, e contêm uma a quatro sementes.

nhanjaçanã [Do tupi.] *S. f. Bras. Zool.* V. *jaçanã* (1).

nhapango *Adj. S. m. Bras. Pop.* V. *mestiço* (1 e 3).

nhapim *S. m. Bras. Zool.* **1.** V. *soldado* (9). **2.** V. *encontro* (11).

nhaque [Do esp. *ñaque*.] *S. m. Teatr.* Dupla de saltimbancos que representavam autos e entremezes durante o período teatral espanhol do séc. XVI.

nhato [Do esp. plat. *ñato*.] *Adj. Bras. MG SP GO* **1.** Prógnato. **2.** Diz-se do animal cavalar de corpo grande e pés desproporcionalmente pequenos. [Cf. *inhato*.]

nhauanhem *Bras. S. 2 g.* **1.** *Etnôn.* Indivíduo dos nhauanhens, povo indígena extinto que habitava as margens do rio Jamaxim (PA). ● *Adj. 2 g.* **2.** Pertencente ou relativo a esse povo. [Tb. us. como *s. 2 g. e 2 n.* (com cap.) e *adj. 2 g. e 2 n.*]

nhazinha (nhà) *S. f. Bras.* V. *sinhazinha* (1).

nheengaíba *Bras. S. 2 g.* **1.** *Etnôn.* Indivíduo dos nheengaíbas, povo indígena extinto que habitava a ilha de Marajó (PA). ● *Adj. 2 g.* **2.** Pertencente ou relativo a esse povo. [Tb. us. como *s. 2 g. e 2 n.* (com cap.) e *adj. 2 g. e 2 n.*]

nheengatu [Do tupi = 'fala' + o tupi = 'boa'.] *S. m. Gloss.* Língua geral que se originou de uma língua do tronco tupi falada no litoral brasileiro por vários povos indígenas até o séc. XVII, e que se difundiu na região amazônica, sendo atualmente falada por povos indígenas e por populações não indígenas, sobretudo no N.O. amazônico: 📖 "E a Iara é preguiçosa, / tão preguiçosa, / que não canta mais as trovas lentas / em nheengatu" (João Guimarães Rosa, *Magma*, p. 19). [Sin.: *língua geral amazônica* e *língua geral do Norte*. Cf. *abanheém*.]

N

nhem-nhem-nhem *S. m.* V. *nhe-nhe-nhem.* [Pl.: *nhem--nhem-nhens.*] ❄

nhe-nhem [De *nhem-nhem-nhem*, poss.] *S. m.* O prosseguir, o repetir-se interminavelmente de um ato, um movimento, um som: 📖 "Férias compridas: as de três meses .... Fase de liberdade, um reencontro com o nhe-nhem normal da vida." (Alaor Barbosa, *Picumãs*, p. 119.) [Pl.: *nhe-nhens.*] ❄

nhe-nhe-nhem [Do tupi = 'falar, falar, falar'.] *S. m. Bras.* **1.** Resmungo, rezinga. **2.** Falatório interminável. [Pl.: *nhe-nhe-nhens.*] ❄

nhô *S. m. Bras. Pop. Cabo-verd. Guin.* V. *ioiô*[2]: 📖 "— Você é um ingrato, nhô Miguel: não paga o bem que lhe querem." (José de Alencar, *Til*, p. 27.)

nhoca [De várias línguas do grupo banto.] *S. f. Angol. Moç.* Cobra: 📖 "és o veneno da nhoca cuspideira" (Gulamo Khan, *Moçambicanto*, p. 14).

nhô-chico [De *nhô* + o hipocorístico *Chico.*] *S. m. Bras. RS PR* Modalidade de fandango. [Pl.: *nhôs-chicos* e *nhô-chicos.*]

nhonhô [F. redobrada de *nhô.*] *S. m. Bras.* V. *ioiô*[2]: 📖 "— Está bom, nhonhô, vossemecê agora me há de ouvir." (Afonso Arinos, *Pelo Sertão*, p. 171.)

nhoque [Do it. *gnocchi.*] *S. m. Bras. Cul.* **1.** Massa alimentícia típica da cozinha italiana, cortada em fragmentos arredondados e feita de farinha de trigo, batata, ovos e queijo. **2.** Prato feito com essa massa cozida, molho de tomate e queijo parmesão ralado.

nhor (ô) [Contr. de *senhor.*] *El. s. m. Bras. Pop.* Us. nas expr. *nhor não* (não, senhor) e *nhor sim* (sim, senhor). [Var.: *inhor.*] ◆ **Nhor não.** *Bras. Pop.* V. *nhor.* [Var.: *inhor não.*] **Nhor sim.** *Bras. Pop.* V. *nhor.* [Var.: *inhor sim.*]

nhundu *S. m. Bras.* V. *jundu.*

nhunguaçuano *Adj.* **1.** De, ou pertencente ou relativo a Nhunguaçu (RJ). ● *S. m.* **2.** O natural ou habitante de Nhunguaçu.

nhungue *S. 2 g.* **1.** *Etnôn.* Indivíduo dos nhungues, povo que habita as províncias de Tete e de Manica, em Moçambique (África): 📖 "O nhungue retirou-se, ofendido. Ele não admitia que dissessem que ele não era branco porque, para nhungues, 'branco é todo o homem civilizado'." (Aníbal Aleluia, *Mbelele e Outros Contos*, p. 127.) ● *S. m.* **2.** *Gloss.* A língua falada pelos nhungues, pertencente ao grupo banto. ● *Adj. 2 g.* **3.** Pertencente ou relativo aos nhungues, ou à sua língua.

ni [Do gr. *nŷ.*] *S. m.* A 13ª letra do alfabeto grego (N, ν), correspondente ao nosso *n.* [F. paral.: *nu*[2].]

■ **Ni** *Quím.* Símb. de *níquel*[1] (1).

niacina [Do ingl. *niacin* < *ni(cotinic) ac(id)* + ingl. *-in.*] *S. f. Quím.* Ácido nicotínico.

niagem *S. f.* V. *aniagem.*

niaia [Do sânscr.] *S. m. Filos.* Sistema ortodoxo da filosofia da Índia fundado por Gautama (c. 563-c. 483 a. C.), caracterizado sobretudo pela reflexão em torno de temas de caráter lógico e metodológico, e pela elaboração de uma teoria do conhecimento e do universo físico, visando sempre tais conhecimentos à liberação final do indivíduo, à mocsa (q. v.). [Cf. *darsana.*]

nianja [Desta língua.] *S. m. Gloss.* Língua banta falada em Maláui, Zâmbia, Zimbábue e Moçambique (S. da África); cheua. [Juntamente com o inglês é língua oficial da República de Maláui.]

nica [De or. obscura.] *S. f.* **1.** Impertinência, rabugice: 📖 "Conhece-lhe as baldas, as nicas, as manhas, e as qualidades." (Afonso Arinos, *Histórias e Paisagens*, p. 123.) **2.** Futilidade, puerilidade. **3.** V. *ninharia:* 📖 "Flávia .... era sua devedora? Não tinha dinheiro para o retorno? Eram tudo nicas. Ele sentia-se com forças para arrombar, matar, arrasar, contanto que a libertasse!" (Godofredo Rangel, *Falange Gloriosa*, p. 271.) **4.** *Tip.* Pequeno traço centrado na medida, para separar partes do texto.

niçace [Alter. de *Liça*[3], poss.] *S. m. Bras. Rel.* Divindade suprema dos candomblés de origem jeje, correspondente ao Olorum nagô. [Com cap.]

nicada [De *nicar* + *-ada*[1].] *S. f. Bras. S.* Ato de nicar (3).

nicar [De *depenicar*, com aférese, poss.] *V. t. d.* **1.** Picar com o bico. **2.** *Pop.* Escalavrar ou rachar com o bico de um pião (outro pião). *Int.* **3.** *Bras. S.* No jogo de gude, bater com uma bola em outra. **4.** *Chulo* Praticar o coito; copular. [Conjug.: v. *trancar.* Pres. subj.: *nique, niques, nique, niquemos, niqueis, niquem.* Cf. *níqueis*, pl. de *níquel*[1].]

nicaraguano *Adj.* **1.** Da, ou pertencente ou relativo à Nicarágua (América Central). ● *S. m.* **2.** O natural ou habitante da Nicarágua. [Sin. ger.: *nicaraguense.*]

nicaraguense (güen) *Adj. 2 g. S. 2 g.* V. *nicaraguano.* ❖

niçasse *S. m. Bras. Rel.* V. *niçace.* [Com cap.]

niceno [Do lat. *nicaenu.*] *Adj.* **1.** De, ou pertencente ou relativo a Niceia (Ásia Menor). ● *S. m.* **2.** O natural ou habitante de Niceia.

nicho [Do it. ant. *nicchio*, fonte tb. do esp. *nicho.*] *S. m.* **1.** Cavidade ou vão em parede ou muro para colocar estátua, imagem ou qualquer objeto ornamental; charola. **2.** Compartimento de estante ou de armário. **3.** *Fig.* Emprego rendoso e pouco trabalhoso; sinecura. **4.** *Fig.* Pequena habitação. **5.** *Fig.* Lugar afastado; retiro. **6.** *Ecol.* Porção restrita de um hábitat onde vigem condições especiais de ambiente. P. ex.: uma bromeliácea é um nicho onde vivem não poucos animais e plantas. **7.** *Market.* Segmento restrito do mercado, não atendido pelas ações tradicionais de *marketing*, e que ger. oferece novas oportunidades de negócio. ◆ **Nicho ecológico.** *Ecol.* Conjunto de todos os recursos bióticos e abióticos necessários para a sobrevivência de uma espécie.

nicles [Do lat. vulg. *nichil*, por *nihil*, 'nada', pelas f. **nichel*, **nicle.*] *Gír. Pron. indef.* **1.** V. *nada* (1). ● *Adv.* **2.** Coisa nenhuma; nada. [Var. (bras.): *níquel.*]

niclosamida [Voc. farmac.] *S. f. Quím.* Amida fenólica aromática, clorada e nitrada, us. como anti-helmíntico [fórm.: $C_{13}H_8Cl_2N_2O_4$].

nicobarês [Do top. *Nicobar* (Índia) + *-ês.*] *Adj.* **1.** Das, ou pertencente ou relativo às ilhas Nicobar (baía de Bengala, Índia). **2.** Do, ou pertencente ou relativo ao nicobarês (3). ● *S. m.* **3.** O natural ou habitante das ilhas Nicobar. **4.** *Gloss.* Uma das subdivisões da família austro-asiática [v. *austro-asiático* (3)], composta por línguas faladas nessas ilhas. [Flex. (nas acepç. 1 e 2): *nicobaresa* (ê), *nicobareses* (ê), *nicobaresas* (ê).]

nicociana [Adapt. do tax. *Nicotiana*, da designação genérica do fumo, *Nicotiana tabacum.*] *S. f. Bot.* V. *nicotiana.*

nicocianeo [De *nicociana* + *-eo.*] *Adj.* Relativo ou semelhante à nicociana; nicociânico.

nicociânico [De *nicociana* + *-ico*[2].] *Adj.* Nicociâneo.

nicol [Do antr. *(William) Nicol* (c. 1768-1851), físico inglês.] *S. m. Ópt.* Dispositivo destinado a polarizar luz, e constituído por um prisma de calcita, convenientemente cortado, que só deixa passar o raio extraordinário; prisma de Nicol. [Pl.: *nicóis.*]

nicolau [Alter. afetiva de *níquel*, com infl. do antr. *Nicolau.*] *S. m. Bras. Gír. Obsol.* Moeda de níquel: 📖 "Conquanto dissesse várias vezes que não precisa daquilo — o dinheiro — ...., foi embolsando os nicolaus, por causa das dúvidas." (Lima Barreto, *Vida e Morte de M. J. de Gonzaga de Sá*, p. 218.)

nicolau-vergueirense *Adj. 2 g.* **1.** De, ou pertencente ou relativo a Nicolau Vergueiro (RS). ● *S. 2 g.* **2.** O natural ou habitante de Nicolau Vergueiro. [Pl.: *nicolau-vergueirenses.*]

nicolita [Do lat. cient. *niccolum*, 'níquel', + *-ita*[2].] *S. f. Min.* Mineral hexagonal, cor de cobre, de brilho metálico, arsenieto de níquel, um dos minérios de níquel.

nicotiana [Do tax. *Nicotiana* (poss. do lat. *herba nicotiana*).] *S. f. Bot.* **1.** Gênero de plantas solanáceas, herbáceas, naturais da América e da Ásia, dotadas de folhagem viscosa e flores tubulares, de cálice fendido, ou dividido, e cápsula com numerosas sementes. **2.** Qualquer espécie desse gênero, como p. ex., a *Nicotiana tabacum* (v. *tabaco*). **3.** Qualquer espécime desse gênero.

nicótico [De *nicot*, f. red. de *Nicotiana* (v. *nicociana*) + *-ico*[2].] *Adj.* Relativo ao fumo[1] (6); nicotínico.

nicotina [Do tax. *Nicot(iana)* (v. *nicociana*) + *ina*[3]; fr. *nicotine.*] *S. f. Quím.* Alcaloide existente nas folhas de tabaco, líquido, incolor, com odor semelhante ao da piridina, venenoso [fórm.: $C_{10}H_{14}N_2$].

nicotinamida [De *nicotin(a)* + *amida.*] *S. f. Quím.* Amida derivada do ácido nicotínico e que, como este, é uma vitamina [fórm.: $C_6H_6N_2O$].

nicotínico [De *nicotina* + *-ico*[2].] *Adj.* **1.** Nicótico. **2.** *Quím.* V. *ácido —.*

nicotinismo [De *nicotina* + *-ismo.*] *S. m. Tox.* Envenenamento por nicotina, e em que se observa estimulação seguida de depressão do sistema nervoso em suas divisões central e autônoma, podendo ocorrer morte por paralisia respiratória.

nicotino [De *nicotina.*] *Adj.* Próprio do fumo (6).

nicotizar [De **nicotinizar* (< *nicotina* + *-izar*), com síncope.] *V. t. d.* Impregnar de nicotina; intoxicar pela nicotina.

nicromo *S. m. Quím.* Liga de níquel, cromo, ferro, cobre e outros componentes, usada em resistores.

nictação [Do lat. *nictatione.*] *S. f.* Ato de abaixar ou erguer as pálpebras.

nictaginácea [Do lat. cient. *Nyctagin-* (do tax. *Nyctago*) + *-ácea*; tax. *Nyctaginaceae.*] *S. f. Bot.* Espécime das nictagináceas, família de cariofilales cujas flores são monoclamídeas, têm cinco pétalas e, comumente, bractéolas amplas. Androceu isostêmone; ovário com um só óvulo; fruto seco e indeiscente. Compreende cerca de 300 espécies, herbáceas e lenhosas, bem representadas no Brasil.

nictagináceo [De *nictaginácea*, com var. suf. (v. *-áceo*).] *Adj. Bot.* Pertencente ou relativo às nictagináceas.

nictalgia [De *nict(o)-* + *-alg(o)-*[2] + *-ia*[1].] *S. f. Patol.* Dor que só se manifesta durante a noite.

nictálgico [De *nictalgia* + *-ico*[2].] *Adj.* Relativo a, ou que sofre de nictalgia.

nictalope [Do gr. *nyktálops*, pelo lat. *nyctalope.*] *Adj. 2 g. S. 2 g. Oftalm.* Diz-se de, ou pessoa que sofre de nictalopia. [Antôn.: *hemeralope.*]

nictalopia [Do gr. *nyktalopía.*] *S. f. Oftalm.* **1.** Alteração visual em que o paciente distingue os objetos à noite ou com luz fraca, vendo-os mal durante o dia. **2.** Cegueira diurna. **3.** *Impr.* Cegueira noturna. [Antôn.: *hemeralopia.*]

nictalópico [Do gr. *nyktalopikós.*] *Adj.* Referente a, ou que sofre de nictalopia. [Antôn.: *hemeralópico.*]

nictante [Do lat. *nictante.*] *Adj. 2 g.* Nictitante.

nictanto [De *nict(o)-* + *-anto.*] *Adj. Ecol.* Cujas flores se abrem à noite e ficam fechadas durante o dia.

nictemeral [De *nictêmero* + *-al*[1].] *Adj. 2 g.* Relativo a nictêmero.

nictémero *S. m.* V. *nictêmero.* [Uso freq. em P.]

nictêmero [Do gr. *nykthémeron*, 'uma noite e um dia'.] *S. m.* Espaço de tempo que compreende um dia e uma noite.

▲ **nicteri-** [Do gr. *nykterís, ídos.*] *El. comp.* = 'morcego': *nicteribídeo.*

nicteribídeo (ic) [Adapt. do tax. *Nycteribiidae.*] *Zool. S. m.* **1.** Espécime dos nicteribídeos, pequena família de moscas que parasitam morcegos. ● *Adj.* **2.** Pertencente ou relativo a eles.

▲ **nicti-** Equiv. de *nict(o)-.*

nictibiídeo [Adapt. do tax. *Nyctibiidae.*] *Zool. S. m.* **1.** Espécime dos nictibiídeos, família de aves caprimulgiformes, noturnas e insetívoras, caracterizadas por terem o bico triangular. No grupo se incluem os urutaus. ● *Adj.* **2.** Pertencente ou relativo a eles.

nicticórace [Adapt. do tax. *Nycticorax.*] *S. f. Zool.* **1.** Gênero de aves ciconiiformes, ardeídeas, que inclui vários tipos de garça. **2.** Qualquer espécie desse gênero, como, p. ex., a *Nycticorax nycticorax* (v. *taquiri*). **3.** Qualquer espécime desse gênero.

nictinastia [De *nicti-* + *-nastia.*] *S. f. Bot.* Movimento das plantas provocado pela sucessão dos dias e das noites, como a posição de sono dos folíolos das leguminosas e oxalidáceas.

nictinástico [De *nictinastia* + *-ico*[2].] *Adj.* Referente à nictinastia.

nictitante [Do lat. **nictitare*, frequentativo de *nictare*, 'pestanejar', + *-nte.*] *Adj. 2 g.* Que pisca ou pestaneja; nictante. ~ V. *membrana —.*

▲ **nict(o)-** [Do gr. *nýx, nyktós.*] *El. comp.* = 'noite': *nictofobia, nictúria.* [Equiv.: *nicti-: nictinastia.*]

nictobata [Var. pros. de *nictóbata.*] *S. 2 g.* Noctâmbulo (3).

nictóbata [De *nict(o)-* + *-bata*[1] (q. v.).] *S. 2 g.* Nictobata (q. v.).

nictofobia [De *nict(o)-* + *-fobia.*] *S. f. Psiq.* Medo doentio da noite, da escuridão.

nictofóbico [De *nictofobia* + *-ico*[2].] *Psiq. Adj.* **1.** Relativo a nictofobia. **2.** Que sofre de nictofobia; nictófobo. ● *S. m.* **3.** Aquele que sofre de nictofobia; nictófobo.

nictófobo [De *nict(o)-* + *-fobo.*] *Adj. S. m. Psiq.* Nictofóbico (2 e 3).

nictografia [De *nict(o)-* + *-grafia.*] *S. f.* Arte de escrever às escuras, ou sem usar a vista.

nictográfico [De *nictografia* + *-ico*[2].] *Adj.* Relativo à nictografia.

nicturia [De *nict(o)-* + *-uria.*] *S. f. Med.* V. *nictúria.*

nictúria [De *nict(o)-* + *-úria.*] *S. f. Med.* Predominância de volume urinário noturno em relação ao diurno. [F. paral.: *nicturia.*]

nicuri *S. m. Bras. Bot.* V. *aricuri.*

nicuriroba *S. m. Bot.* V. *aricuriroba.*

nidação [Do ingl. *nidation.*] *S. f. Embr.* Processo de fixação do blastocisto no endométrio; implantação.

▲ **nidi-** [Do lat. *nīdus, i.*] *El. comp.* = 'ninho': *nidícola, nidífugo.* [Equiv.: *-nid(o)-: pilonidal.*]

nidícola [De *nidi-* + *-cola*[1].] *Adj. 2 g. Zool.* Que permanece no ninho algum tempo depois de nascer; altricial.

nidificação [De *nidificar* + *-ção.*] *S. f.* Ato de nidificar.

nidificar [Do lat. *nidificare.*] *V. int. T. c.* Fazer ninho; aninhar, ninhar: 📖 "flores, quinquilharias e até ninhos, dos pássaros, que nidificavam nos grandes plátanos do quintal." (Fialho d'Almeida, *A Cidade do Vício*, p. 200). [Conjug.: v. *trancar.*]

nidiforme [De *nidi-* + *-forme.*] *Adj. 2 g.* Que tem forma de ninho.

nidífugo [De *nidi-* + *-fugo*[1].] *Adj. Zool.* Que está apto a correr, mal sai do ovo.

▲ **-nid(o)-** V. *nidi-.*

nidor (ô) [Do lat. *nidore.*] *S. m. P. us.* Cheiro que sai do estômago quando há indigestão.

nidoroso (ô) [Do lat. tard. *nidorosu.*] *Adj.* **1.** Que tem cheiro desagradável. **2.** Que tem bafio: 📖 "um hálito quente, nidoroso, saía-lhe da boca seca." (Coelho Neto, *Turbilhão*, p. 79).

nielo *S. m.* V. *nigelo.*

nielsbóhrio [Do antr. *Niels Bohr* (1885-1962), físico dinamarquês, + *-io*[3].] *S. m. Quím. Desus.* Bóhrio [símb.: *Ns*].

nietzschiano (nitxi) [Do antr. *Nietzsche* + *-iano.*] *Adj.* **1.** *Hist. Filos.* Relativo a, ou próprio de Friedrich

Wilhelm Nietzsche (1844-1900), filólogo e filósofo alemão, cuja obra é caracterizada por um exame fortemente crítico dos fundamentos da cultura europeia do século XIX, em especial os sistemas platônico, cristão e positivista. **2.** Que é adepto das ideias ou concepções de Friedrich Nietzsche, ou profundo conhecedor de sua obra. ● ***S. m.* 3.** Aquele que é seguidor das ideias de Nietzsche ou grande conhecedor de sua obra. [Sin. (bras.), nesta acepç.: *nietzschista*.]

nietzschista (nitxís) [Do antr. *Nietzsche* + *-ista*.] ***S. 2 g.*** *Bras.* Nietzschiano (3).

nife [De *ní(quel)* + *fe(rro)*.] ***S. m.*** *Geofís.* Núcleo central da Terra, supostamente constituído de ferro e níquel; núcleo central, barisfera, centrosfera. [Cf. *metalosfera*.]

nifurtimox (cs) [Voc. farmac.] ***S. m. 2 n.*** *Quím.* Sulfona heterocíclica, que contém anel furânico nitrado, us. no tratamento da tripanossomíase [fórm.: $C_{10}H_{13}N_3O_5S$].

nigela [Do lat. tard. *nigella*.] ***S. f.*** V. *nigelo*: 📖 "Coberto de fitas roxas, que ondulam ao vento frio da tarde, o ataúde sombrio e prateado, com seus fusos, nigelas, gregas e colchetes" (Osmã Lins, *Nove Novena*, p. 143).

nigelador (ô) [De *nigelar* + *-dor*.] ***S. m.*** Aquele que nigela, que pratica a nigelagem.

nigelagem [De *nigelar* + *-agem*².] ***S. f.*** Arte ou operação de nigelar (que até certo tempo se acreditou ter dado origem ao talho-doce). [Sin.: *anielagem*.]

nigelar [De *nigelo* + *-ar*².] ***V. t. d.*** Ornar com nigelo. [Sin.: *anielar*.]

nigelo [Do lat. med. *nigellu*.] ***S. m.* 1.** Liga de enxofre com prata, cobre, chumbo, etc., que produz esmalte negro intenso, usado em ourivesaria. **2.** Objeto de metal, geralmente ouro ou prata, ornado a entalhes tomados por esse esmalte. **3.** Prova em papel tirada da peça entalhada antes de nela vazar-se o esmalte. [Var.: *nielo*.]

▲**níger-** ***El. comp.*** = 'de, ou pertencente ou relativo à Nigéria (África), ou a Níger (África)': *níger-congo, níger-cordofaniano*. [Equiv.: *nigero-*: *nigero-congolês*.]

níger-congo [Dos tops. *Níger* e *Congo*, rios da África central.] ***S. m.*** *Gloss.* A maior família linguística africana, composta por seis grupos: (a) o benuê-congo; (b) a adamaua-oriental; (c) o cua; (d) o gur ou voltaico; (e) o atlântico-ocidental; (f) o mandê. [V. *níger-cordofaniano*.]

níger-cordofaniano [De *níger-* + *cordofaniano*.] ***Adj. S. m.*** *Gloss.* Diz-se de, ou grupo de línguas do continente africano que reúne o níger-congo e o cordofaniano: 📖 "Imenso é o esgalhar da família níger-cordofaniana." (Alberto da Costa e Silva, *A Enxada e a Lança*, p. 40.) [Flex. do adj.: *níger-cordofaniana, níger-cordofanianos, níger-cordofanianas*.]

nigerense ***Adj. 2 g. S. 2 g.*** V. *nigerino* (1 e 3).

nigeriano¹ ***Adj.*** Relativo ou pertencente ao rio Níger (África), ou à região por ele banhada; nigerino.

nigeriano² ***Adj.* 1.** Da, ou pertencente ou relativo à Nigéria (África ocidental). ● ***S. m.* 2.** O natural ou habitante da Nigéria. [Cf. *nigerino*.]

nigerino ***Adj.* 1.** Da, ou pertencente ou relativo à República do Níger (África). **2.** Nigeriano¹. ● ***S. m.* 3.** O natural ou habitante da República do Níger (África). [Sin. (1 e 3): *nigerense*. Cf. *nigeriano*².]

▲ **nigero-** Equiv. de *níger-*.

nigero-congolês [De *nigero-* + *congolês*.] ***Adj.*** Pertencente ou relativo a níger-congo. [Flex.: *nigero-congolesa* (ê), *nigero-congoleses* (ê), *nigero-congolesas* (ê).]

nigérrimo [Do lat. *nigerrimu*.] ***Adj.*** Superl. abs. sint. de *negro*; negríssimo.

nigredo [Do lat. dos alquimistas *nigredo* (nom. do lat. *nigredo, inis*, 'escuro'; 'escuridão'; 'noite').] ***S. m.*** *Alq.* O primeiro dos quatro estágios para atingir a pedra filosofal (q. v.), correspondente ao negro, quando ocorre a putrefação ou morte da matéria que está a sofrer transmutação; melanose.

nigrícia [Do lat. *nigritia*.] ***S. f.*** Terra de negros.

nigricórneo [Do lat. *nigri-* + *-corn(i)-* + *-eo*.] ***Adj.*** *Zool.* Que tem antenas, ou chifres negros.

nigrípede [Do lat. *nigri-* + *-pede*.] ***Adj. 2 g.*** Que tem pés negros ou escuros.

nigripene [Do lat. *nigri-* + *-pene*.] ***Adj. 2 g.*** *Zool.* Que tem asas ou élitros negros.

nigrirrostro [Do lat. *nigri-* + *rostro*.] ***Adj.*** *Zool.* Que tem bico ou tromba negra ou escura.

nigromancia (cí) ***S. f.*** V. *necromancia*.

nigromante ***S. 2 g.*** V. *necromante*.

nigromântico ***Adj.*** V. *necromântico*.

nígua [Do taino *nigua*.] ***S. f.*** *Zool.* V. *bicho-do-pé*.

➔**nihil obstat** ['nihel 'opstat] [Lat., 'nada obsta'.] Fórmula com que a censura eclesiástica autoriza a publicação dos livros que lhe são submetidos e contra os quais não existe objeção doutrinal.

niilificação [De *niilificar* + *-ção*.] ***S. f.*** Ato ou efeito de niilificar(-se).

niilificar [Do lat. *nihil*, 'nada', + *-ficar*] ***V. t. d. P.*** Reduzir(-se) a nada; aniilar(-se), nulificar(-se), anular(-se). [Conjug.: v. *trancar*.]

niilismo [Do fr. *nihilisme*.] ***S. m.* 1.** Redução a nada; aniquilamento. **2.** Descrença absoluta. **3.** *Filos.* Doutrina segundo a qual nada existe de absoluto. **4.** *Ét.* Doutrina segundo a qual não há verdade moral nem hierarquia de valores. **5.** *Polít.* Doutrina segundo a qual só será possível o progresso da sociedade após a destruição do que socialmente existe.

niilista [Do fr. *nihiliste*.] ***Adj. 2 g.* 1.** Relativo a, ou próprio do niilismo, ou que é adepto dele. ● ***S. 2 g.* 2.** Adepto do niilismo.

▲**-(n)il-** *Quím.* ***El. comp.*** Designa, na nomenclatura sistemática dos elementos transférmicos (q. v.), a presença do dígito zero no número atômico do elemento. Ex.: unilúnio.

nílico ***Adj.*** Pertencente ou relativo ao rio Nilo (África), ou à região por ele banhada; nilótico.

nilo ***Adj.*** *Bras. RS* Diz-se da rês que tem a cabeça toda ou parcialmente branca e o resto do pelo de outra cor.

nilo-peçanhense ***Adj. 2 g.* 1.** De, ou pertencente ou relativo a Nilo Peçanha (BA). ● ***S. 2 g.* 2.** O natural ou habitante de Nilo Peçanha. [Pl.: *nilo-peçanhenses*.]

nilopolitano ***Adj.* 1.** De, ou pertencente ou relativo a Nilópolis (RJ). ● ***S. m.* 2.** O natural ou habitante de Nilópolis.

nilo-saariano [Do top. (rio) *Nilo* + *saariano*.] ***Adj. S. m.*** *Gloss.* Diz-se de, ou família linguística africana que reúne línguas faladas nas regiões dos rios Nilo e Chari; nilo-saárico. [São exemplos de línguas desse grupo o canúri e o núbio.] [Sin.: *nilo-saárico*. V. *nilótico*. Pl. do adj.: *nilo-saarianos*.]

nilo-saárico [Do top. (rio) *Nilo* + *saárico*.] ***Adj. S. m.*** *Gloss.* Nilo-saariano. [Pl. do adj.: *nilo-saáricos*.]

nilota [Do gr. *neilótes*, pelo lat. *nilotes*.] ***Adj. 2 g. S. 2 g.*** Diz-se de, ou indivíduo nativo da região do Nilo superior.

nilótico [Do lat. *niloticu*.] ***Adj.* 1.** Nílico. **2.** Dos, ou pertencente, ou relativo aos povos que habitam os territórios banhados pelo rio Nilo. **3.** Do, ou pertencente ou relativo ao nilótico (4). ● ***S. m.* 4.** *Gloss.* Grupo de línguas pertencentes ao nilo-saariano, em que se incluem, p. ex., o nuer e o nandi.

nilpotente ***S. m.*** *Álg.* Elemento nilpotente (q. v.).

nim [Do sânscr. *nimba*, pelo hindi *nim*.] ***S. m.*** *Bot.* V. *cinamomo* (4): 📖 "O nim indiano está no centro de uma polêmica entre uma multinacional e grupos ambientais." (*Jornal do Brasil*, 10.05.2000.)

nimbar [De *nimbo* + *-ar*².] ***V. t. d.* 1.** Cercar de nimbo ou auréola; aureolar: 📖 "Salomé, nua, ... executa uma dança quase hierática, de olhos fixos na cabeça decepada do Profeta, a qual, tendo-se desgarrado da bandeja pousada no chão, levita ainda ensanguentada e nimbada de um santo resplendor." (Onestaldo de Pennafort, *O Festim, a Dança e a Degolação*, p. 72); "Esverdeado, um halo, anunciador de chuvas, / Nimbou a Lua, mãe das Comungantes virgens..." (Eugênio de Castro, *Obras Poéticas*, I, p. 159). **2.** Aureolar, gloriar, enaltecer, sublimar: 📖 "Nimbava-me, interiormente, a necessidade do martírio." (Ribeiro Couto, *Clube das Esposas Enganadas*, p. 65.)

nimbífero [Do lat. *nimbiferu*.] ***Adj.*** *Poét.* Que traz chuva.

nimbo [Do lat. *nimbu*, 'aguaceiro'.] ***S. m.* 1.** *Met.* Nuvem densa e cinzenta, de baixa altitude e contornos maldefinidos, que facilmente se precipita em chuva ou neve: 📖 "O cerúleo espaço intenso / Tolda-o o nimbo pardacento" (João Penha, *Rimas*, p. 177). **2.** Chuva ligeira. **3.** *Fig.* V. *auréola* (1). **4.** *Fig.* V. *auréola* (2): 📖 "a amplidão se recobre / de nuvens colossais, prenhes, plúmbeas e pardas, / De faixas de chumbo e nimbos cor de cobre." (Martins Fontes, *Verão*, p. 34).

nimbo-cúmulo ***S. m.*** *Met.* Cúmulo-nimbo. [Pl.: *nimbos-cúmulos* e *nimbos-cúmulo*.]

nimbo-estrato ***S. m.*** *Met.* Nuvem de chuva cinzento-escura, constituída de massa densa, sem forma definida, e situada a altitudes inferiores a 2.500m. [Sin.: *estrato-nimbo*. Pl.: *nimbos-estratos* e *nimbos-estrato*.]

nimboso (ô) [Do lat. *nimbosu*.] ***Adj.*** Coberto de nimbos; chuvoso: 📖 "Era uma fria manhã de inverno. O céu nimboso parecia feito para cenário de seus pensamentos." (Reginaldo Guimarães, *Uma Blusa no Cais*, p. 56.)

nimbuia ***S. f.*** *Bras. Zool.* Rã-pimenta.

nimiedade [Do lat. tard. *nimietate*.] ***S. f.*** Qualidade de nímio.

nímio [Do lat. *nimiu*.] ***Adj.*** Excessivo, demasiado, sobejo: 📄 *Comoveu-se com a nímia gentileza de que foi alvo*; 📖 "Às vezes vinha o arrufo temperar o nímio adocicado da situação." (Machado de Assis, *Memórias Póstumas de Brás Cubas*, p. 198).

nina [Do it. *ninna*.] ***S. f.*** Menina.

ninã *Bras.* ***S. 2 g.* 1.** *Etnôn.* Indivíduo dos ninãs [ou (etnôn. bras.) *Ninam], povo indígena de família linguística ianomâmi que habita o AM. ● ***Adj. 2 g.* 2.** Pertencente ou relativo a esse povo.

ninar [De *nina* + *-ar*².] ***V. t. d.* 1.** Fazer adormecer; acalentar, embalar; aninar: 📖 "a velhinha passava os dias a cantar, ninando os netos" (Melo Nóbrega, *O Soneto de Arvers*, p. 71). ***Int.* 2.** Adormecer, dormir (a criança). ***P.* 3.** Não fazer caso; não dar importância.

ninense ***Adj. 2 g.* 1.** De, ou pertencente ou relativo a Nina Rodrigues (MA). ● ***S. 2 g.* 2.** O natural ou habitante de Nina Rodrigues.

ninfa [Do gr. *nýmphe*, 'noiva', pelo lat. *nympha*.] ***S. f.* 1.** Na mitologia greco-romana, divindade dos rios, dos bosques e florestas e dos campos. **2.** *Fig.* Mulher nova e formosa. **3.** *Anat.* Pequeno lábio da vulva. **4.** *Zool.* Forma intermediária entre a larva e o inseto adulto.

ninfal [De *ninfa* + *-al*¹.] ***Adj. 2 g.*** Relativo a, ou próprio de ninfa.

ninfalídeo [Do tax. *Nymphalis*, gênero-tipo, + *-ídeo*¹; tax. *Nymphalidae*.] *Zool.* ***S. m.* 1.** Espécime dos ninfalídeos, família de insetos lepidópteros, de cores brilhantes, com mais de 5.000 espécies de borboletas, e de distribuição universal. ● ***Adj.* 2.** Pertencente ou relativo a eles.

ninfeácea [Do tax. *Nymphaea*, gênero-tipo, + *-ácea*; tax. *Nymphaeaceae*.] ***S. f.*** *Bot.* Espécime das ninfeáceas, família de grandes ervas aquáticas da ordem ninfeales, ger. ricas em alcaloides, providas de belíssimas e amplas flores, e cujo perianto e androceu têm um número variável, por vezes elevado, de peças. Há umas 100 espécies nos dois hemisférios, distinguindo-se no Brasil a vitória-régia.

ninfeáceo [De *ninfeácea*, com var. suf. (v. *-áceo*).] ***Adj.*** *Bot.* Pertencente ou relativo às ninfeáceas.

ninfeal [Do tax. *Nymphaea* (v. *ninfeia*²) + *-al*¹.] ***Adj. 2 g.*** *Bot.* Pertencente ou relativo às ninfeales.

ninfeale [Do tax. *Nymphaea* (v. *ninfeia*²) + *-ale*; tax. *Nympheales*.] ***S. f.*** *Bot.* Espécime das ninfeales, ordem de dicotiledôneas que reúne a família das ninfeáceas.

ninfeia¹ (éi) [Do gr. *nymphaía*, pelo lat. *nymphaea*.] ***Adj.*** Fem. de *ninfeu*. ❖

ninfeia² (éi) [Do tax. *Nymphaea*.] ***S. f.*** *Bot.* **1.** Gênero-tipo ninfeáceas, que inclui várias plantas aquáticas perenes, com grandes rizomas e folhas peltadas ou cordiformes, ger. flutuantes, flores perfumadas, com quatro sépalas verdes e numerosas pétalas, tão grandes quanto as sépalas; ocorrem nas cores branca, verde, azul, amarela, e do rosa ao vermelho, nos vários espécimes do gênero. **2.** Qualquer espécie desse gênero, como, p. ex., a *Nymphaea lotus* [v. *lótus* (2)]. **3.** Qualquer espécime desse gênero, ou a sua flor. ❖

ninfeta (ê) [De *ninf(o)-* + *-eta* (ê).] ***S. f.*** Menina púbere voltada para o sexo e/ou que desperta desejo sexual: 📖 "Está sendo esperada no Rio no dia 10 de novembro uma das mais célebres ninfetas de Hollywood — Brooke Shields." (Zózimo Barroso do Amaral, em *Jornal do Brasil*, 24.10.1980.)

ninfeu [Do gr. *nymphaîos*, pelo lat. *nimphaeu*.] ***Adj.*** Relativo ou pertencente às ninfas, ou próprio delas. [Fem.: *ninfeia*.]

▲ **ninf(o)-** [Do gr. *nýmphē, ēs*.] ***El. comp.*** = 'ninfa': *ninfoide, ninfomania, ninfotomia*.

ninfoide (ói) [De *ninf(o)-* + *-oide*.] ***Adj. 2 g.*** Que tem forma de ninfa (4). ❖

ninfómana ***S. f.*** *Psiq.* V. *ninfômana*. [Uso freq. em P.]

ninfômana [De *ninf(o)-* + *-mana*.] ***S. f.*** *Psiq.* Mulher que tem ninfomania. [Sin.: *histerômana, histeromaníaca, metrômana, metromaníaca, ninfomaníaca, uterômana, uteromaníaca* e (bras., N., pop.) *areia-gulosa*.]

ninfomania [De *ninf(o)-* + *-mania*.] ***S. f.*** *Psiq.* Tendência, nas mulheres, para o hipersexualismo, o qual assume, por vezes, caráter patológico; andromania, histeromania, metromania, uteromania, furor uterino.

ninfomaníaca [F. subst. de *ninfomaníaco*.] ***S. f.*** *Psiq.* V. *ninfômana*.

ninfomaníaco [De *ninfomania* + *-íaco*.] ***Adj.*** *Psiq.* Relativo a, ou que tem ninfomania. [Sin.: *histeromaníaco, metromaníaco, uteromaníaco*.]

ninfose [De *ninf(o)-* + *-ose*¹.] ***S. f.*** *Zool.* Período da vida de um inseto no estágio de ninfa (4).

ninfotomia [De *ninf(o)-* + *-tom(o)-* + *-ia*¹.] ***S. f.*** *Gin.* Incisão das ninfas [v. *ninfa* (3)].

ninfotómico ***Adj.*** V. *ninfotômico*. [Uso freq. em P.]

ninfotômico [De *ninfotomia* + *-ico*².] ***Adj.*** Referente a ninfotomia.

➔**ningeyô-jôruri** [ningejo dʒoruri] [Jap.] ***S. m.*** *Teatr.* Teatro de bonecos japonês. V. *bunraku*. [F. red.: *jôruri*.]

ningres-ningres [De *ninguém*.] ***S. m. 2 n.* 1.** Pessoa acanhada, tímida. **2.** V. *joão-ninguém*.

ningrimanço ***S. m.*** Instrumento com que se lavram as marinhas.

ninguém [Do lat. *nec quem*, pelo arc. *neguem*.] ***Pron. indef.* 1.** Nenhuma pessoa: 📄 *Ninguém tinha ânimo*

N

para sair; "ninguém conhece ninguém, somos todos estranhos." (Geir Campos, *O Vestíbulo*, p. 18). ● *S. m.* 2. Indivíduo de pouco ou nenhum valor, merecimento, importância (v. *joão-ninguém*): "E ver agora um ninguém / Vir-me ao Porto dar a lei." (João de Deus, *Campo de Flores*, II, p. 97.)

ninhada [De *ninho* + *-ada*[1].] *S. f.* 1. Avezinhas contidas em um ninho. 2. Todos os filhos que a fêmea do animal pariu de uma só vez. 3. Abrigo, valhacouto, ninho. 4. *Fam.* V. *filharada*. 5. Grande quantidade; viveiro: *Veio com ele toda a ninhada de desordeiros, malfeitores.*

ninhal [De *ninho* + *-al*[1].] *S. m.* 1. Ninho (2). 2. Local onde muitas aves fazem o seu ninho; ninhário: "Em período reprodutivo as garças transformam o Zoo no único ninhal urbano do Rio" (*Jornal do Brasil*, 15.12.1997).

ninhar [De *ninho* + *-ar*[2].] *V. int.* V. *nidificar*.

ninharia [Do esp. *niñería*, 'ação própria de criança'.] *S. f.* 1. Coisa sem préstimo ou valor; insignificância. [Sin. (muitos deles pop.): *babugem, bagatela, borra, bugiaria, bugiganga, burundangas, cascavel, frioleira, futilidade, inânias, maravalhas, migalhice, mogiganga, nada, nica, nonada, nuga, ossos de borboleta, palha, quiquiriqui, quetilquê, quotiliquê, trampa, trica, tuta e meia* e (bras.) *bagana, bolacha-quebrada, chorumela, gueta, mexinflório, minigâncias, quixilingangue*.] 2. Quantia insignificante, irrisória; bagatela: "Professores pedem que o governo 'deixe de pagar ninharia' durante manifestação em Londres" (*Folha de S.Paulo*, 25.04.2008).

ninhário [De *ninho* + *-ário*.] *S. m.* Ninhal (2): *Naquele arquipélago as aves marinhas transformaram o local num ninhário.*

ninhego (ê) [De *ninho* + *-ego*.] *Adj.* Que foi apanhado no ninho.

ninho [Do lat. *nidu*.] *S. m.* 1. Habitação das aves, feita por elas para a postura de ovos e criação dos filhotes. 2. Lugar onde os animais se recolhem e dormem; ninhal. 3. Refúgio, abrigo. 4. Toca, covil, valhacouto. 5. Casa paterna; lar: *Deixou o ninho ainda muito jovem, contrariando os pais.* 6. *P. ext.* A pátria. 7. *Geol.* Pequena cavidade, nas rochas, atapetada de cristais ou de incrustações. ◆ **Ninho de cobras.** Lugar onde há pessoas de índole má, traiçoeira. **Ninho de gea-da.** *Bras. S.* Lugar onde geia forte todos os anos. **Ninho de metralhadora.** Abrigo ou trincheira onde se instala uma metralhadora, em geral camuflada, para bater de surpresa e eficazmente, com grande potência de fogo, um determinado setor da frente de tiro. **Ninho de pega.** *Constr. Nav.* Plataforma circundada por uma balaustrada ou por um escudo de chapa fina, instalada a certa altura do mastro de vante dos navios mercantes modernos, e destinada a servir de guarida a um vigia de navegação. **Ninho de rato.** *Bras. Fam.* Gaveta, mesa, armário, etc., em extrema desordem. **Ninho de xexéu.** *Bras. Pop. Fig.* Carapinha desgrenhada.

ninho-de-passarinho *S. m. Bot.* Samambaia aspleniácea (*Asplenium nidus*) herbácea, originária da Ásia, de grandes folhas coriáceas brilhantes, em roseta, e com nervura central escura. É cultivada como ornamental. [Pl.: *ninhos-de-passarinho*.]

nini *S. 2 g. Inf.* Menino ou menina.

ninidrina [Do nome comercial *Ninhydrin* (E.U.A.).] *S. f. Quím.* Substância cristalina, amarelo-clara, que é o hidrato de uma tricetona derivada do indano e é us. em análise de peptídios e proteínas [fórm.: $C_9H_6O_4$].

ninivita [Do lat. *ninivita*.] *Adj. 2 g.* 1. De, ou pertencente ou relativo a Nínive (Ásia antiga). ● *S. 2 g.* 2. O natural ou habitante de Nínive.

ninja [Do jap.] *S. 2 g.* 1. Lutador de ninjútsu. 2. *P. ext.* Aquele que usa disfarce semelhante ao de ninja (1): *gostava de ser o ninja na hora das brincadeiras.* 3. *Angol.* Membro da polícia especial de intervenção: "arrancou gritando: 'Ninja'! O muadié se desmaiou" (Manuel Rui, *1 Morto & os Vivos*, p. 76). 4. *Moç.* Malfeitor das cidades: "É um ninja, vamos acabar com os ninjas, morte aos ninjas." (Marcelo Panguana, *Balada dos Deuses*, p. 95.)

ninjútsu [Do jap.] *S. m.* Arte marcial japonesa que se utiliza de movimentos furtivos e de disfarces.

nioaquense *Adj. 2 g.* 1. De, ou pertencente ou relativo a Nioaque (MS). ● *S. 2 g.* 2. O natural ou habitante de Nioaque.

niobato [De *nióbi(o)* + *-ato*[2].] *S. m. Quím.* Qualquer sal do ácido nióbico.

nióbico [De *nióbio* + *-ico*[2].] *Adj.* 1. Referente a nióbio. 2. *Quím.* ~ V. *ácido* —.

nióbio [Do mit. *Níobe* + *-io*[2].] *S. m. Quím.* Elemento de número atômico 41, metálico, branco-acinzentado, usado em ligas; colômbio [símb.: *Nb*].

nióbio-titanato *S. m. Min.* Minério que contém óxido de nióbio e dióxido de titânio. [Pl.: *nióbios-titanatos*.]

nicociana *S. f. Bot.* V. *nicotiana*.

nipa [De várias línguas moçambicanas.] *S. m. e f. Moç.* Aguardente (1): "Sempre fumando e bebendo nipa nos intervalos, os cocuanas lembraram o tempo em que os homens eram levados para S. Tomé." (Carlos Monteiro dos Santos, *20 Canções do Zambeze*, p. 71.)

niple [Do ingl. *nipple*.] *S. m. Tec.* Peça cilíndrica, ou cilindro-cônica, com roscas externas nas duas extremidades, ou apenas em uma, com a qual se efetua a conexão entre dois tubos, ou entre um tubo e uma válvula ou outro acessório.

▲ **nipo-** *El. comp.* = 'japonês', 'nipônico': *nipo-brasileiro*.

nipoanense *Adj. 2 g.* 1. De, ou pertencente ou relativo a Nipoã (SP). ● *S. 2 g.* 2. O natural ou habitante de Nipoã.

nipo-argentino [De *nipo-* + *argentino*.] *Adj.* 1. Relativo ao Japão e à República Argentina, ou a japoneses e argentinos: "A companhia nipo-argentina Hinode Penguins .... concebeu o fúnebre projeto de sacrificar 48.000 animais por ano a fim de fabricar um concentrado de proteínas de grande valor alimentício" (Maria Julieta Drummond de Andrade, *O Valor da Vida*, p. 95). 2. De origem japonesa e argentina: *uma jovem nipo-argentina.* ● *S. m.* 3. Indivíduo nipo-argentino. [Flex.: *nipo-argentina, nipo-argentinos, nipo-argentinas*.]

nipo-brasileiro [De *nipo-* + *brasileiro*.] *Adj.* 1. Relativo ao Japão e ao Brasil, ou a japoneses e brasileiros: *o acordo comercial nipo-brasileiro.* 2. De origem japonesa e brasileira: *Um rapaz nipo-brasileiro.* ● *S. m.* 3. Indivíduo nipo-brasileiro. [Flex.: *nipo-brasileira, nipo-brasileiros, nipo-brasileiras*.]

nipónico *Adj. S. m.* V. *nipônico*. [Uso freq. em P.]

nipônico [Do jap. *Nippon*, 'Sol Nascente', 'Japão', + *-ico*[2].] *Adj. S. m.* V. *japonês* (1 e 2).

niponizado [Part. de *niponizar*.] *Adj.* Que se niponizou: "Lafcadio Hearn, inglês americanizado e depois niponizado, glorificando os aspectos poéticos e pitorescos da vida japonesa" (Oto Maria Carpeaux, *História da Literatura Ocidental*, VI, p. 2.773).

niponizar [De *nipão* + *-izar*, seg. o padrão erudito.] *V. t. d.* 1. Dar feição ou caráter nipônico a. *P.* 2. Adquirir feição ou caráter nipônico.

nipoteniídio [Adapt. irreg. do tax. *Nippotaeniidea*.] *Zool. S. m.* 1. Espécime dos nipoteniídios, ordem de platelmintos cestóideos, de porte pequeno, sem escólex, com uma ventosa apical. São parasitos de peixes de água doce no Japão. ● *Adj.* 2. Pertencente ou relativo a eles.

níquel[1] [Do al. *Nickel*.] *S. m.* 1. *Quím.* Elemento de número atômico 28, metálico, branco-prateado, denso, usado em ligas e como catalisador [símb.: *Ni*]. 2. *Bras.* Designação comum às moedas divisionárias feitas com esse metal. 3. *Pop.* V. *dinheiro* (5): *Saí do negócio sem níquel.* [Pl.: *níqueis*. Cf. *niqueis*, do v. *nicar*.]

níquel[2] [De *nicles*.] *Pron. indef. Bras.* V. *nada* (1): "Ia retirar-se, sem que o Silva compreendesse níquel" (Carlos Drummond de Andrade, *Fala, Amendoeira*, p. 152).

niquelação [De *niquelar* + *-ção*.] *S. f. Metal.* Processo ou efeito de niquelar (uma lâmina metálica, ou um objeto), ger. para fins decorativos ou para proteção contra corrosão.

niquelagem [De *niquelar* + *-agem*[2].] *S. f.* 1. Operação de niquelar. 2. *Art. Gráf.* Operação de niquelar clichês para aumentar sua resistência na impressão de grandes tiragens.

niquelandense *Adj. 2 g.* 1. De, ou pertencente ou relativo a Niquelândia (GO). ● *S. 2 g.* 2. O natural ou habitante de Niquelândia.

niquelar [De *níquel*[1] + *-ar*[2].] *V. t. d.* 1. Cobrir ou guarnecer de níquel. 2. Dar aparência de níquel a.

niqueleira [De *níquel*[1] + *-eira*.] *S. f. Bras. RS* Porta-níqueis.

niquelífero [De *níquel*[1] + *-(i)fero*.] *Adj.* Que contém níquel.

niqueltipia [De *níquel*[1] + *-tip(o)-* + *-ia*[1].] *S. f. Tip.* Galvanotipia com eletrodeposição de níquel, em vez de cobre.

niqueltipo [De *níquel*[1] + *-tipo*[2].] *S. m. Tip.* Galvanoníquel (q. v.).

niquento [De *nica* + *-ento*.] *Adj.* 1. Que se ocupa em nicas ou ninharias. 2. Impertinente em minúcias tediosas; manhoso. 3. Que se sensibiliza à toa; luxento, languento.

niquice [De *nica* + *-ice*.] *S. f.* Qualidade de niquento.

niquim [Do tupi = 'enrugado', 'franzido', + o tupi = 'espinhento'.] *S. m. Bras. Zool.* Designação comum a diversos peixes marinhos batracoidídeos (*Thallassophryne puctata, Nautopaedium porosissimum*, etc.): "Damião trazia peixes para a Senhora Comadre de Anselmo, e a notícia de que este fora outra vez ferido num pé pelo niquim terrível." (Xavier Marques, *Jana e Joel*, p. 142.)

niridazol [Voc. farmac.] *S. m. Quím.* Substância aromática heterocíclica, derivada do tiazol, usada como anti-helmíntico, esp. no tratamento da esquistossomose [fórm.: $C_6H_6N_4O_3S$]. [Pl.: *niridazóis*.]

nirvana [Do sânscr. *nirvâna*, 'extinção (da chama vital)'.] *S. m.* 1. *Filos.* No budismo, estado de ausência total de sofrimento; paz e plenitude a que se chega por uma evasão de si que é a realização da sabedoria. 2. *Fig.* Quietude perpétua: "todas as embriaguezes, assim as mundas como as imundas, ... conduzem ao nirvana, ao olvido da personalidade" (Tristão da Cunha, *Cousas do Tempo*, p. 143). 3. *P. ext.* Apatia, inércia.

nirvanamente [De *nirvana* + *-mente*.] *Adv.* De modo que lembra o nirvana; beatificamente.

nirvanesco (ê) [De *nirvana* + *-esco*.] *Adj.* Nirvânico: "deste recente e aniquilador tumulto, que lhe parece caótico ou nirvanesco, surgirá em toda [a] frescura e suavidade um poeta novo, lírico, amoroso e admirável." (João Ribeiro, *Crítica*, IX, p. 364).

nirvânico [De *nirvana* + *-ico*[2].] *Adj.* Relativo ao nirvana, ou que o lembra; nirvanesco.

nirvanização [De *nirvanizar* + *-ção*.] *S. f.* Ação de nirvanizar(-se); ato de anular a individualidade e absorvê-la no supremo espírito do Universo, pelo nirvana, que é a beatitude budística.

→**nisan** [nɪ'san] [Hebr.] *S. m. Cronol.* O sétimo mês do calendário judaico, que recai entre os meses de março e abril nos calendários juliano e gregoriano.

nísia-florestense *Adj. 2 g.* 1. De, ou pertencente ou relativo a Nísia Floresta (RN). ● *S. 2 g.* 2. O natural ou habitante de Nísia Floresta. [Sin. ger.: *florestense*. Pl.: *nísia-florestenses*.]

nissácea [Do tax. *Nyssa* + *-ácea*; tax. *Nyssaceae*.] *S. f. Bot.* Espécime das nissáceas, família de vegetais floríferos, da ordem das mirtales, composta de arbustos e flores com cálice, corola, androceu diplostêmone e ovário ínfero. Não ocorrem no Novo Mundo.

nissáceo [De *nissácea*, com var. suf. (v. *-áceo*).] *Adj. Bot.* Pertencente ou relativo às nissáceas.

nissei [Do jap. *nisei* < *ni*, 'segunda', + *sei*, 'geração'.] *Adj. 2 g. S. 2 g.* Diz-se de, ou filho de pais japoneses, nascido na América. [Cf. *issei* e *sansei*.]

nisso Equiv. da prep. *em* e do pron. dem. *isso*.

nistagmo [Do gr. *nystagmós*, 'cochilo'.] *S. m. Oftalm.* Movimento rápido e involuntário de globo ocular, que pode ser em um só sentido (horizontal, vertical, rotatório), ou em dois.

▲**nistagm(o)-** [Do gr. *nystagmós, oû*.] *El. comp.* = 'cochilo'; 'nistagmo': *nistagmografia*.

nistagmografia [De *nistagm(o)-* + *-grafia*.] *S. f. Oftalm.* Estudo do registro gráfico de nistagmo.

nistagmográfico [De *nistagmografia* + *-ico*[2].] *Adj.* Referente a nistagmografia.

nistagmógrafo [De *nistagm(o)-* + *-grafo*.] *S. m. Oftalm.* Aparelho para realizar nistagmografia.

nistagmograma [De *nistagm(o)-* + *-grama*.] *S. m. Oftalm.* Registro gráfico de nistagmo.

nistatina [Do ingl. *nystatin* < top. *N* (ew) *Y* (ork) *Stat* (e), onde foi desenvolvido, + ingl. *-in*.] *S. f. Quím.* Antibiótico poliênico macrocíclico, natural, us. como antifúngico [fórm.: $C_{47}H_{75}NO_{17}$].

nisto 1. Equiv. da prep. *em* e do pron. dem. *isto*: *Só penso nisto: viajar.* *Adv.* 2. Neste ou naquele momento; então: "Chamei uma pomba e soltei-a pela janela da arca. Nisto chegou o burro, com uma águia pousada na cabeça, entre as orelhas." (Machado de Assis, *A Semana*, II, p. 131.)

nit [F. red. do lat. *nit(or)*, 'claridade'.] *S. m. Fotom.* Unidade de luminância no Sistema Internacional, igual à luminância, numa direção determinada, de uma fonte com área emissiva de um metro quadrado, e cuja intensidade luminosa, na mesma direção, é de uma candela.

nitência *S. f.* Nitescência.

nitente[1] [Do lat. *nitente*, part. pres. de *nitere*, 'resplandecer', 'luzir'.] *Adj. 2 g.* Que resplandece; brilhante, luzidio, nítido: "A folha / Luzente / Do orvalho / Nitente / A gota / Retrai" (Gonçalves Dias, *Obras Poéticas*, II, p. 234).

nitente[2] [Do lat. *nitens*, part. pres. de *nitor*, 'esforçar-se'.] *Adj. 2 g.* Que se esforça; resistente.

niteribiídeo (ni) [Adapt. do tax. *Nycteribiidae*.] *Zool. S. m.* 1. Espécime dos niteribiídeos, família de insetos dípteros que reúne moscas muito modificadas que parasitam morcegos; têm antenas com dois segmentos, tórax com ctenídio, asas ausentes e pernas longas. ● *Adj.* 2. Pertencente ou relativo a eles.

niteroiense (òi) *Adj. 2 g.* 1. Da, ou pertencente ou relativo à cidade de Niterói, antiga capital do RJ. ● *S. 2 g.* 2. O natural ou habitante de Niterói.

nitescência *S. f.* Qualidade de nitente[1]; brilho, esplendor; nitência.

nitidade [De *nítido* + *-(i)dade*, com haplologia.] *S. f.* *P. us.* Nitidez.

nitidez (ê) [De *nítido* + *-ez*.] *S. f.* Qualidade de nítido. [Sin., p. us.: *nitidade*.]

nitidificar [De *nítido* + *-ificar*.] *V. t. d. P.* Tornar(-se) nítido; aclarar(-se); nitidizar(-se).

nitidifloro [Do lat. *nitidus*, 'nítido', 'brilhante', + *-ifloro*.] *Adj. Bot.* Que tem flores brilhantes.

nitidizar [De *nítido* + *-izar*.] *V. t. d. P.* Nitidificar.

nítido [Do lat. *nitidu*, por via erudita.] *Adj.* **1.** Que brilha; fulgente, brilhante: "Já sob o largo pálio a tenebrosa / Noite as estrelas nítidas e belas / Prendera ao seio como mãe piedosa." (Alberto de Oliveira, *Poesias*, 2.ª série, p. 149.) **2.** Límpido, limpo, claro. **3.** Em que há clareza, inteligibilidade: *estilo nítido*.

nitidulídeo [Adapt. do tax. *Nitidulidae*.] *Zool. S. m.* **1.** Espécime dos nitidulídeos, família de coleópteros, com diversos gêneros, que ocorrem na Europa e nas Américas, muitos deles prejudiciais a certas culturas. São pequenos besouros brilhantes, como que metálicos, escuros. ● *Adj.* **2.** Pertencente ou relativo a eles.

nitómetro *S. m. Fotom.* V. *nitômetro*. [Uso freq. em P.]

nitômetro [De *nit* + *-o-* + *-metro*.] *S. m. Fotom.* Designação genérica dos fotômetros destinados a medir a luminância de uma fonte; luminancímetro.

nitração [De *nitrar* + *-ção*.] *S. f. Quím.* O ato ou efeito de nitrar.

nitrado [Do lat. *nitratu*.] *Adj. Quím.* **1.** Que sofreu nitração. **2.** Que contém grupo nitro ou nitrato.

nitrar [De *nitr(o)-* + *-ar*².] *V. t. d. Quím.* Tratar uma substância com qualquer de certos reagentes, esp. o ácido nítrico, o que pode levar à formação de um nitrato, ou de um nitrocomposto.

nitrato [Do lat. *nitratu*.] *S. m. Quím.* Qualquer sal ou éster derivado do ácido nítrico.

nitrazepam (pã) [Voc. farmac.] *S. f. Quím.* Substância benzodiazepínica nitrada, us. como anticonvulsivante e sedativo [fórm.: $C_{15}H_{11}N_3O_3$].

nitreira [Do lat. *nitraria*.] *S. f.* Lugar onde se forma o nitro; salitral.

nitretação [De *nitretar* + *-ção*.] *S. f. Metal.* Tratamento térmico de peças de aço que produz enriquecimento superficial em nitrogênio e que é us. para aumentar a resistência à fadiga de contato e ao atrito.

nitretar [De *nitreto* + *-ar*².] *V. t. d. Metal.* Realizar a nitretação de.

nitreto (ê) [De *nitri-* + *-eto*².] *S. m. Quím.* Composto binário constituído por nitrogênio e um metal.

▲ **nitri-** [Do lat. *nitrum, i.*] *Quím. El. comp.* = 'grupo nitrato': *nitrificar*.

nítrico [De *nitr(o)-* + *-ico*¹.] *Adj. Quím.* ~ V. *ácido* —.

nitrido [De *nitrir* + *-ido*¹.] *S. m.* Ato de nitrir; rincho, relincho, nitrir: "Os cavalos aspiram ruidosamente as emanações do campo e soltam os breves e alegres nitridos" (José de Alencar, *O Sertanejo*, p. 196).

nitridor (ô) [De *nitrir* + *-dor*.] *Adj.* **1.** Que nitre ou rincha. ● *S. m.* **2.** Animal que nitre.

nitrificação [De *nitrificar* + *-ção*.] *S. f.* Ato ou efeito de nitrificar(-se).

nitrificador (ô) [De *nitrificar* + *-dor*.] *Adj.* Que nitrifica; nitrificante.

nitrificante [De *nitrificar* + *-nte*.] *Adj. 2 g.* Nitrificador.

nitrificar [De *nitri-* + *-ficar*.] *V. t. d.* **1.** Transformar (o amoníaco ou os sais amoniacais) em nitritos e depois em nitratos. **2.** Cobrir de nitro. *P.* **3.** Transformar-se em nitro. **4.** Cobrir-se de nitro. [Conjug.: v. *trancar*.]

nitrila [De *nitr(o)-* + *-ila*¹.] *S. f. Quím.* Classe de compostos orgânicos que contêm o grupo funcional -C ≡ N (carbono unido a nitrogênio por ligação tripla), e que podem ser considerados obtidos por substituição do hidrogênio do ácido cianídrico por um grupo hidrocarbônico; nitrilo.

▲ **-nitrila** [De *nitr(o)-* + *-ila*¹.] *Quím. El. comp.* Indica a presença do grupo -CN: *butanonitrila*.

nitrilo *S. m. Quím.* Nitrila.

nitrir [Do it. *nitrire*.] *V. int.* **1.** Rinchar, relinchar; trinir: "O corcel lobuno, pastor da tropilha .... relincha depois, nitre com força" (Afonso Arinos, *Pelo Sertão*, p. 62). [Defect. Não se conjuga nas f. em que ao *r* da raiz se seguiriam as vogais *o* e *a*, e normalmente só é conjugado nas 3.ªs pess.] ● *S. m.* **2.** V. *nitrido*.

nitrito *S. m. Quím.* Qualquer sal ou éster do ácido nitroso.

nitro *S. m. Quím.* O grupo funcional $-NO_2$ [cf. *nitrato*, $-ONO_2$].

▲ **nitr(o)-** [Do gr. *nítron, ou.*] *Quím. El. comp.* **1.** Indica a presença do grupo nitro ($-NO_2$): *nitroalcano*; *nitrobenzeno*. **2.** Que sofreu nitração: *nitrocelulose*, *nitroglicerina*.

nitroalcano [De *nitr(o)-* + *alcano*.] *S. m. Quím.* Designação genérica dos nitrocompostos derivados de alcanos.

nitrobactéria [De *nitr(o)-* + *bactéria*.] *S. f. Microbiol.* Bactéria que é capaz de converter nitrito em nitrato.

nitrobacteriácea [Do tax. *Nitrobacter* + *-i-* + *-ácea*; tax. *Nitrobacteriaceae*.] *S. f. Microbiol.* Espécime das nitrobacteriáceas, família de bactérias que têm a propriedade de oxidar várias substâncias e de utilizar a energia daí resultante.

nitrobacteriáceo [De *nitrobacteriácea*, com var. suf. (v. *-áceo*).] *Adj. Microbiol.* Pertencente ou relativo às nitrobacteriáceas.

nitrobenzeno [De *nitr(o)-* + *benzeno*.] *S. m. Quím.* Líquido oleoso, levemente amarelado, de odor adocicado, tóxico, usado como intermediário na fabricação de corantes; essência de mirbana [fórm.: $C_6H_5NO_2$].

nitrocelulose [De *nitr(o)-* + *celulose*.] *S. m. Expl.* Sólido penugento, amorfo, explosivo, com elevado teor de nitrogênio, e resultante da nitração da celulose; algodão-colódio, algodão-pólvora [fórm.: $C_6H_7O_2(ONO_2)_2$ 3].

nitrocomposto (ô) [De *nitr(o)-* + *composto*.] *S. m. Quím.* Designação genérica usual das substâncias orgânicas que contêm o grupo funcional nitro ($-NO_2$), ligado a grupo hidrocarbônico; nitroderivado. [Pl.: *nitrocompostos* (ó).]

nitroderivado [De *nitr(o)-* + *derivado*.] *S. m. Quím.* Nitrocomposto.

nitroetano [De *nitr(o)-* + *etano*.] *S. m. Quím.* Líquido de odor agradável, nitroalcano us. como solvente e reagente [fórm.: $C_2H_5NO_2$].

nitrófilo [De *nitr(o)-* + *-filo*².] *Adj. Ecol.* Que vive em substratos ricos em compostos nitrogenados: *planta nitrófila*.

nitrófito [De *nitr(o)-* + *-fito*.] *S. m. Bot.* Vegetal nitrófilo.

nitrofórmio *S. m. Quím.* Substância cristalina, explosiva, análoga ao clorofórmio em estrutura, com três grupos nitro no lugar dos outros tantos átomos de cloro deste [fórm.: CHN_3O_6].

nitrogenado [De *nitrogê(nio)* + *-ado*¹.] *Adj.* Em que há nitrogênio; combinado com ele.

nitrogénio *S. m. Quím.* V. *nitrogênio*. [Uso freq. em P.]

nitrogênio [De *nitr(o)-* + *-gen(o)-* + *-io*³.] *S. m. Quím.* **1.** Elemento de número atômico 7, que participa de grande número de compostos [símb.: *N*]. **2.** Gás incolor, inodoro, insípido, bastante inerte quimicamente e que é a forma usual do nitrogênio elementar [fórm.: N_2].

nitroglicerina [De *nitr(o)-* + *glicerina*.] *S. f. Quím. Expl.* Trinitrato de glicerina, líquido, oleoso, utilizado em explosivos e em medicina no tratamento da angina [fórm.: $C_3H_5N_3O_9$]; trinitroglicerina.

nitrometano [De *nitr(o)-* + *metano*.] *S. m. Quím.* Líquido, o mais simples dos nitroalcanos, us. como solvente e combustível [fórm.: CH_3NO_2].

nitrómetro *S. m.* V. *nitrômetro*. [Uso freq. em P.]

nitrômetro [De *nitr(o)-* + *-metro*.] *S. m.* Aparelho para a dosagem do nitrogênio.

nitroso (ô) [De *nitr(o)-* + *-oso*.] *Quím. Adj.* **1.** ~ V. *ácido* —. ● *S. m.* **2.** O grupo funcional -NO [cf. *nitrito*, -ONO].

nitrosocomposto (pôs) [De *nitroso* + *composto*.] *S. m. Quím.* Designação genérica das substâncias orgânicas que contêm o grupo funcional nitroso (-NO), ligado a grupo hidrocarbônico. [Pl.: *nitrosocompostos* (pós).]

nitruração *S. f. Metal.* Procedimento de endurecimento superficial de certos metais, no qual se forma uma camada externa dura e resistente de nitreto.

nitrurado *Adj. Metal.* Diz-se de metal que sofreu nitruração.

nitzschiácea [Do tax. *Nitzschia*, gênero-tipo (do antr. [*Christian L.*] *Nitzsch* (-1837), naturalista alemão) + *-ácea*; tax. *Nitzschiaceae*.] *S. f. Bot.* Espécime das nitzschiáceas, família de diatomáceas da classe das penales, caracterizada pela rafe em ambas as valvas em quilhas laterais.

nitzschiáceo (txi) [De *nitzschiácea*, com var. suf. (v. *-áceo*).] *Adj. Bot.* Pertencente ou relativo às nitzschiáceas.

niuiano [Do top. *Niue*, ilha no Pacífico, + *-ano*¹.] *Adj.* **1.** Pertencente ou relativo à ilha Niue (território autônomo associado à Nova Zelândia), ou ao niuiano (2). ● *S. m.* **2.** *Gloss.* A língua malaio-polinésia falada ali.

niurucuaié *Bras. S. 2 g.* **1.** *Etnôn.* Indivíduo dos niurucuaiés [ou (etnôn. bras.) *Nyurukwayé], povo indígena extinto, da família linguística jê, que habitava a margem esquerda do rio Tocantins (GO). ● *Adj. 2 g.* **2.** Pertencente ou relativo a esse povo.

nivalenol [Voc. farmac.] *S. m. Quím.* Micotoxina que é um tricoteceno [fórm.: $C_{15}H_{20}O_7$]. [Pl.: *nivalenóis*.]

niveal [De *níveo* + *-al*¹.] *Adj. 2 g.* **1.** Que floresce no inverno. **2.** Que vive na neve.

nível [Do lat. vulg. **libellu*, pelo fr. ant. *nivel*, ou pelo provenç. *nivel*, ou pelo cat. *nivell*. Dizia-se outrora, corretamente, *nivel* (oxítono), dando-se preferência a *livel* e *olivel*, f. estas, sobretudo a primeira, mais aproximadas do étimo. A pronúncia *nível* resulta da analogia com vocábulos como *terrível*, *sofrível*, *horrível*.] *S. m.* **1.** Instrumento destinado a determinar a horizontalidade de um plano. [Cf. *nível de bolha*.] **2.** Superfície paralela ao plano do horizonte. **3.** Elevação relativa de uma linha ou de um plano horizontal: *O nível das águas subiu.* **4.** Instrumento dotado de luneta, geralmente montado em um tripé, e usado na medição de diferenças de cotas entre pontos do terreno. **5.** *Fig.* Altura relativa numa escala de valores: *nível econômico*. **6.** *Fig.* Situação, estado, plano: *O negócio acha-se em tal nível que já não se pode recuar.* **7.** *Fig.* Padrão, qualidade; gabarito: *bairro residencial de alto nível*. [Var., nessas acepçs.: *livel* e (ant.) *olivel*.] **8.** *Bras.* Designação comum aos diferentes estágios do ensino: *estudante de nível médio; professor de nível universitário.* ◆ **Nível aceitador.** *Fís.* Num semicondutor extrínseco, nível de energia próximo à banda de valência, e que, em qualquer temperatura não muito próxima do zero absoluto, pode ser ocupado por elétrons provenientes dessa banda. **Nível de bolha.** *Constr.* Instrumento destinado a verificar a horizontalidade de um plano, e que consiste num pequeno tubo que contém líquido e uma bolha de ar; nível de pedreiro. **Nível de confiança.** *Estat.* Probabilidade que tem o parâmetro de pertencer ao intervalo de confiança. **Nível de energia.** *Fís.* Valor da energia de um sistema num determinado estado quântico, e que é um autovalor da função de onda desse estado. **Nível de entrada.** *Eletrôn.* Relação, expressa em decibéis, entre a potência do sinal de áudio num circuito com uma dada impedância e um sinal de referência. **Nível de Fermi.** *Fís.* Energia correspondente ao potencial químico dos elétrons de condução de um metal em temperatura bastante baixa. **Nível de pedreiro.** *Constr.* Nível de bolha. **Nível de potência.** *Eletrôn.* Num sistema de transmissão, a razão entre a potência num ponto e uma potência tomada como referência (em geral um miliwatt). **Nível de significância.** *Estat.* Probabilidade que se tem de, no julgamento de uma hipótese estatística, cometer o erro de rejeitá-la sendo ela verdadeira; nível fiducial. **Nível de vida.** **1.** Estado comparativo das condições de existência (econômicas, sociais, etc.) de um indivíduo, de um grupo, de um país. **2.** Avaliação quantitativa e objetiva dessas condições. **Nível doador.** *Fís.* Num semicondutor extrínseco, nível intermediário muito próximo da banda de condução, que pode fornecer elétrons a essa banda. **Nível excitado.** *Fís.* Valor da energia de um estado excitado de um sistema. **Nível fiducial.** *Estat.* Nível de significância. **Nível fundamental.** *Fís.* O nível de energia que corresponde à configuração mais estável de um sistema. **Nível geral de preços.** *Econ.* Valor assumido, em dado momento, por índice de preços indicativo de variações da generalidade dos preços de bens e serviços, numa economia (2). **Nível ligado.** *Fís. Nucl.* Nível excitado de um núcleo, com energia inferior à necessária para emissão de uma partícula. **Nível lógico alto.** *Eletrôn.* O maior dos níveis da tensão de operação de um circuito lógico binário. **Nível lógico baixo.** *Eletrôn.* O menor dos níveis da tensão de operação de um circuito lógico binário. **Nível trófico.** *Ecol.* Posição que um organismo ocupa numa cadeia alimentar. **Nível zero.** *Son.* Nível de referência de volume, adequado para gravação e/ou reprodução sem distorções. **Ao nível.** À mesma altura.

nivelação [De *nivelar* + *-ção*.] *S. f.* **1.** Nivelamento. **2.** *Bras. N.E. Restr.* Ato de regularizar o lastro das vias férreas para que os trilhos determinem, nas curvas, uma superfície plana ou cônica.

nivelador (ô) [De *nivelar* + *-dor*.] *Adj.* **1.** Que nivela. ● *S. m.* **2.** Aquele ou aquilo que nivela.

niveladora (ô) [Fem. de *nivelador*.] *S. f.* Máquina de terraplenagem munida de lâmina, e utilizada para regularizar o terreno, abrir valetas e executar pequenas escavações, podendo ser rebocada ou de autopropulsão; patrol, patrola, plaina, aplanadora.

nivelamento [De *nivelar* + *-mento*.] *S. m.* Ato ou efeito de nivelar(-se); nivelação.

nivelar [De *nível* + *-ar*².] *V. t. d.* **1.** Medir com nível (1). **2.** Tornar horizontal; colocar no mesmo nível; aplainar: *nivelar um terreno.* **3.** Tornar igual; igualar: *As aspirações comuns nivelam os homens.* **4.** Deitar no chão ou em outra superfície; acamar. **5.** Destruir, arrasar. *T. d. e i.* **6.** Colocar no mesmo nível; igualar: *Nivela os seus poemas com os do amigo; Nivelava as suas aspirações pelas do marido.* **7.** Graduar, proporcionar. **8.** Equiparar, igualar: *É impossível nivelar Iaiá Garcia com Dom Casmurro.* *T. i.* **9.** Igualar-se em nível; ficar no mesmo plano: *A construção nivelava com a estrada.* *P.* **10.** Equiparar-se, igualar-se. [Sin. ger.: *livelar*.]

nivelável [De *nivelar* + *-vel*.] *Adj. 2 g.* Que se pode nivelar.

níveo [Do lat. *niveu*.] *Adj.* **1.** Relativo à neve. **2.** Alvo como a neve: "Fílis! vem reclinar-te no meu leito, / E deixa-me oscular teu níveo peito" (Eugênio de Castro, *Obras Poéticas*, V, p. 107); "O avô — ancião de rosto austero e duro, / De níveas barbas e cabelo níveo" (Raimundo Correia, *Poesias*, p. 130).

nivoso¹ (ô) [Do fr. *nivôse*.] *S. m. Cronol.* V. *calendário republicano*.

nivoso² (ô) [Do lat. *nivosu*, por via erudita.] *Adj. Poét.* V. *nevoso*: "Manso, como um cisne, grácil, como um goivo, / Num natal nivoso se sentiu morrer." (Martins Fontes, *Verão*, p. 240.)

■ **nm** Símb. de *nanômetro*.

■ **N.N.** *Teatr.* Abrev. convencional que, na relação do elenco, designa os coadjuvantes mais secundários e a comparsaria, para não identificá-los.

■ **N.N.E.** Abrev. de *nor-nordeste.*

■ **N.N.O.** Abrev. de *nor-noroeste.*

■ **N.N.W.** Abrev. de *nor-noroeste.*

no[1] [Aglut. da prep. *em* e de *lo (o).*] **1.** Equiv. da prep. *em* e de *lo* (1): "No começo era silêncio: / amorfo, vasto e pesado." (Tiago de Melo, *Vento Geral*, p. 107.) [Flex.: *na, nos, nas.*] **2.** Equiv. da prep. *em* e de *lo* (3): *Fui ao escritório do Paulo, mas não estive no de Joel.* [Flex.: *na, nos, nas.*] **3.** Equiv. da prep. *em* e de *lo* (4): *Só acredita no que vê.*

no[2] Equiv. do pron. neutro *o* e da prep. *em*, invertidos, *i. e.*, 'o em', 'aquilo em': *No que penso* [= 'o em que penso'] *é em vê-lo feliz.*

no[3] **1.** Forma que o pron. *lo (o)* assume, por via de regra, em posição enclítica, em presença de f. verbais terminadas em ditongos nasais, como *ão, am (= ão), õe, em (= ei)*: *Estão-no vendo*; "As casas chamadas nobres eram-no antes pelas dimensões .... que pela estética" (Xavier Marques, *As Voltas da Estrada*, p. 13); "e o comendador .... põe-no a pontapés no olho da rua." (Artur Azevedo, *Contos Efêmeros*, p. 152); *Indispõem-no contra os amigos.* [É menos regular o emprego, neste caso, de *o* (e, pois, de *a, os, as*) em vez de *no* (e, portanto, *na, nos, nas*), porém dele não faltam exemplos — em Camilo Castelo Branco (talvez sobretudo), Alexandre Herculano, Rebelo da Silva, Ramalho Ortigão, Fernando Pessoa, França Júnior, e outros. Citemos alguns, apenas. De Camilo: "mandaram-o", "acharam-o" (*A Brasileira de Prazins*, pp. 273 e 291), e "mandaram-a", "receberam-a" (*Perfil do Marquês de Pombal*, p. 16). De Herculano: "tinham-o" (*Os Opúsculos*, I, p. 198). De Ramalho Ortigão: "calcaram-a ...., enlamearam-a, sujaram-a, moeram-a, desfibraram-a" (*As Farpas*, IV, p. 93).] **2.** F. que o pron. *lo*, em geral us., neste caso, na sua forma atual *(o)*, apresenta, com certa frequência, em posição enclítica com relação a outras palavras, não verbos, terminadas em ditongo nasal — *não, ninguém, sem, bem, quem*, etc. — e até em simples vogal nasal, como *assim*: "Aquele silêncio, a velha não no entende." (Fialho d'Almeida, *O País das Uvas*, p. 93); "não no alcanço" (José Régio, *Mas Deus É Grande*, p. 53); "ninguém na entende" (Latino Coelho, *Cervantes*, p. 210); "sem na olhar" (Antônio Feliciano de Castilho, *Escavações Poéticas*, p. 206); "Eu bem na sinto!" (Fialho d'Almeida, *O País das Uvas*, p. 7); "Quem no havia de salvar?" (Almeida Garrett, *Folhas Caídas*, p. 85); "Ninguém no entende" (Teixeira de Pascoais, *Obras Completas*, VI, p. 105); "Mas, vi-te e amei-te: o fado assim no quis" (João Penha, *Ecos do Passado*, p. 44).

no[4] F. que assume o pron. *nos* antes de *lo, la, lo, las* (o, a, os, as): *no-lo, no-la, no-los, no-las.*

no[5] *Ant.* F. desnasalada do adv. de negação *nom* (não), antes de *mais*: "No mais, Musa, no mais, que a Lira tenho / Destemperada, e a voz enrouquecida" (Luís de Camões, *Os Lusíadas*, X, 145).

■ **No** *Quím.* Símb. de *nobélio.*

■ **N.O.** Abrev. de *noroeste.*

nó [Do lat. *nodu*, por via pop.] *S. m.* **1.** Entrelaçamento feito na extremidade ou no meio de uma ou de duas cordas, linhas ou fios, a fim de encurtá-los, marcá-los ou uni-los. **2.** A parte mais dura da madeira. **3.** A articulação das falanges dos dedos: "esfregou os olhos no fundo das órbitas com os nós dos dedos" (João de Araújo Correia, *Terra Ingrata*, p. 55). **4.** Ligação, união, vínculo: *nó matrimonial.* **5.** O ponto crítico ou essencial, e que mais nos merece a atenção num assunto, negócio, problema, etc. **6.** Embaraço, estorvo, empecilho. **7.** Enredo, intriga. **8.** *Bot.* Porção do caule ou do ramo, estipe ou colmo onde se inserem as folhas ou onde nascem novos ramos, e que ger. apresentam um pequeno espessamento do tecido. **9.** *Eng. Elétr.* Ponto de um diagrama de fluxo de sinal, simbolizado por um pequeno círculo, junto ao qual se escreve o nome da variável a ele associada. **10.** *Fís.* Numa onda estacionária, ponto em que a amplitude do movimento é constantemente nula; nodo. **11.** *Mat.* Ponto nodal. **12.** *Inform.* Cada um dos dispositivos conectados a uma rede de computadores e que é capaz de comunicar-se com os demais. **13.** *Náut.* Unidade de velocidade, igual a uma milha marítima por hora. [Pl.: *nós.* Cf. *nó*, pl. *nôs, nos* e *noz.*] ◆ **Nó cego.** Nó que não se pode desatar ou só a custo se desata. **Nó cotiledonar.** *Bot.* Nó de planta jovem no qual se inserem os dois cotilédones. **Nó dependente.** *Eng. Elétr.* Num diagrama de fluxo de sinal, nó ao qual chega, pelo menos, um ramo (12), independentemente de haver, ou não, ramos dele saindo. **Nó górdio. 1.** Nó que é impossível desatar. **2.** Dificuldade séria; busílis: "Admitida esta última ideia, estaria cortado o nó górdio da questão e daríamos por terminada a controvérsia." (Alfredo Brandão, *A Escrita Pré-Histórica do Brasil*, p. 31.) **Nó na garganta.** *Bras.* Sensação de constrição na garganta, causada por um abalo emocional: "Como a cabeça me pesa! E este nó na garganta me sufoca." (Cordeiro de Andrade, *Anjo Negro*, p. 15.) [Cf. *nó da garganta.*] **Nó na(s) tripa(s).** *Pop.* Vólvulo. **Cheio de nós pelas costas.** *Bras. Fam.* V. *cheio de luxo.* **Cortar o nó górdio.** Resolver uma grande dificuldade com rapidez e/ou violência. **Dar o nó.** *Bras. Fam.* Casar(-se), matrimoniar-se. **Nó primitivo.** *Embr.* Extremidade cefálica da linha primitiva. **Ser um nó.** Ser um problema complexo, difícil de resolver; ser um abacaxi.

nô [Do jap. *no, noh*, 'habilidade', 'capacidade'.] *S. m. Teatr.* Uma das primeiras manifestações teatrais do Japão, originada no séc. XIV, sob a forma de dramas líricos representados durante funções religiosas nos festivais xintoístas, e que se caracteriza pelo simbolismo, pelo lirismo, pelos movimentos altamente estilizados dos atores, que obedecem a convenções cênicas permanentes e tradicionais, pela forma solene e ritualística, pela presença de personagens míticas ou humanas, mortas ou vivas, concretas ou abstratas, e pela atuação exclusiva de homens, inclusive na representação de papéis femininos; teatro nô. [Cf. *cabúqui.* Pl.: *nôs.* Cf. *nó*, s. m., pl. *nós*, e *nós*, pron. pess.]

noa (ô) [Do lat. *nona*, por via pop.] *S. f.* Na liturgia católica, hora canônica [v. *horas canônicas* (1)] subsequente à sexta[2] (2) e correspondente às três da tarde: "Não se rezara Noa, ... porque o clero comarcão se desabituara disso, considerando talvez as Horas Canônicas um luxo de catedral." (Vitorino Nemésio, *O Retrato do Semeador*, p. 127.) [O uso da cap. é facultativo. Cf. *nona*[1] (2).]

nobel (bél) [Do antr. *(Alfred B.) Nobel* (1833-1896), químico e inventor sueco.] *S. m.* **1.** Qualquer um dos prêmios de Física, de Fisiologia ou Medicina, de Literatura, de Química e da Paz, criados em virtude do legado de A. B. Nobel, e distribuídos anualmente pela Fundação Prêmio Nobel (Estocolmo, Suécia). ● *S. 2 g.* **2.** *P. ext.* Pessoa ganhadora do Prêmio Nobel. [Com cap.]

nobélio [Do antr. *(Alfred B.) Nobel* (v. *nobel*) + *-io*[3].] *S. m. Quím.* Elemento transférmico (q. v.) de número atômico 102; unílbio [símb.: *No*].

nobiliário [Do lat. *nobile*, 'nobre', + *-i-* + *-ário.*] *Adj.* **1.** Relativo à nobreza. ● *S. m.* **2.** Nobiliarquia (2).

nobiliarista [De *nobiliário* + *-ista.*] *S. 2 g.* Especialista em estudos nobiliários e/ou autor de nobiliários.

nobiliarquia [Do lat. *nobile*, 'nobre', + *-i-* + *-arquia.*] *S. f.* **1.** Estudo das origens e tradições das famílias nobres e dos apelidos, armas, brasões, etc., da nobreza. **2.** Livro ou tratado em que se faz esse estudo; nobiliário. **3.** Os nobres; a nobreza.

nobiliárquico [De *nobiliarquia* + *-ico*[2].] *Adj.* Respeitante à nobiliarquia.

nobilificar [Do lat. *nobile*, 'nobre', + *-ificar.*] *V. t. d. P.* Tornar(-se) nobre; nobilitar.

nobilíssimo [Do lat. *nobilissimu.*] *Adj.* Superl. abs. sint. de *nobre*; nobríssimo.

nobilitação [De *nobilitar* + *-ção.*] *S. f.* Ato ou efeito de nobilitar(-se).

nobilitador (ô) [De *nobilitar* + *-dor.*] *Adj.* Nobilitante.

nobilitante [Do lat. *nobilitante.*] *Adj. 2 g.* Que nobilita; nobilitador.

nobilitar [Do lat. *nobilitare.*] *V. t. d.* **1.** Tornar nobre; engrandecer, elevar, enobrecer: "As caixas econômicas .... concorrem .... para nobilitar o caráter do homem pobre" (Alexandre Herculano, *Opúsculos*, I, p. 162). **2.** Dar foros ou títulos de nobreza a; enobrecer. **3.** Exaltar, engrandecer, celebrar, ilustrar: "É o Sr. Augusto de Carvalho um brasileiro que nobilita as letras da sua pátria." (Camilo Castelo Branco, *Noites de Insônia*, IV, p. 53.) *P.* **4.** Tornar-se nobre; engrandecer-se. [Sin. ger.: *nobilificar.*]

nobre [Do lat. *nobile.*] *Adj. 2 g.* **1.** Que tem título nobiliárquico; pertencente à nobreza; fidalgo. **2.** *P. ext.* Que é de descendência ilustre. **3.** Relativo ou pertencente aos indivíduos fidalgos ou de descendência ilustre: *casa nobre.* **4.** Muito conhecido; notável, ilustre, célebre: *o nobre deputado; Tem razão o nobre colega.* **5.** Majestoso, augusto: *a nobre figura do pai.* **6.** Elevado, alto, sublime: *uma nobre empresa.* **7.** Generoso, longânime, magnânimo: *coração nobre; ação nobre.* **8.** *Quím.* Pouco reativo. [Superl. abs. sint.: *nobilíssimo, nobríssimo.*] ~ V. *área —, balcão —, gás —, horário —, pai —* e *página —.* ● *S. 2 g.* **9.** Pessoa nobre.

➔**nobreak** ['nowbɹejk] [Ingl., do ingl. *no*, 'não', + ingl. *break*, 'quebra', 'interrupção'.] *S. m. Eng. Elétr.* Equipamento dotado de bateria, e que se destina a suprir falhas na alimentação pela rede elétrica, mantendo o fornecimento de eletricidade por determinado período de tempo e evitando interrupção no funcionamento dos aparelhos a ele conectados.

nobrecer [De *nobre* + *-ecer.*] *V. t. d.* V. *enobrecer* (1). [Conjug.: v. *aquecer.*]

nobrense *Adj. 2 g.* **1.** De, ou pertencente ou relativo a Nobres (MT). ● *S. 2 g.* **2.** O natural ou habitante de Nobres.

nobreza (ê) [De *nobre* + *-eza.*] *S. f.* **1.** Qualidade ou caráter de nobre. **2.** A classe dos nobres; a fidalguia: *A nobreza francesa perdia suas prerrogativas.* **3.** O conjunto das famílias ilustres, nobres; os nobres: *A nobreza da terra compareceu em peso.* **4.** Excelência, dignidade: *a nobreza do estilo.* **5.** Magnanimidade, generosidade, longanimidade: *nobreza de sentimentos.* **6.** Majestade, gravidade, austeridade: *a nobreza do seu porte.* **7.** *Ant. Tec. Têx.* Certo tecido de seda: "O justilho de nobreza, desarrugado, cingia-lhe estreitamente a cinta, inflando-lhe o busto" (Afonso Arinos, *Pelo Sertão*, p. 143).

nobríssimo *Adj.* Nobilíssimo.

noção [Do lat. *notione.*] *S. f.* **1.** Conhecimento, ideia: "Num ai tudo se apaga e ela perde a noção de quanto a cerca." (Orlando Gonçalves, *Este Mundo dos Homens*, p. 96.) **2.** Informação, notícia: *Não tem noção dos últimos acontecimentos.* **3.** Concepção, conceito. ~ V. *noções.* [Cf. *nução.*]

nocaute [Do ingl. *knock-out.*] *S. m.* **1.** Em boxe, a derrota pela inconsciência durante 10 segundos, no mínimo. [Abrev.: *KO.*] **2.** *P. ext.* Soco, murro, pancada, etc., que leva à inconsciência. ● *Adj. 2 g.* **3.** *Fig.* Em estado de debilitação, de apatia ou abulia, de quem se acha ou se considera, ou como que se considera, fora de combate: *Uísque ruim bota qualquer pessoa nocaute.* ◆ **Nocaute técnico.** Em boxe, nocaute (1) em que o lutador, embora não tenha sido derrotado por nocaute, se encontra em tais condições físicas que o juiz suspende a luta.

nocautear [De *nocaute* + *-ear*[2].] *V. t. d.* **1.** Levar a nocaute (1). **2.** Pôr ou deixar nocaute (3). [Conjug.: v. *frear.*]

➔**nocebo** [no'kɛbo] [Lat., 1ª pess. sing. fut. ind. de *nocere*, 'causar dano, prejuízo, prejudicar', por analogia a placebo (q. v.).] *S. m.* Us. na loc. *efeito nocebo* (q. v.).

nocente [Do lat. *nocente.*] *Adj. 2 g.* V. *nocivo*: "estou me referindo .... às coisas que são por vezes censuradas, ... mas que devem ser compreendidas e julgadas em razão do momento, ou de serem nocentes ou inocentes." (Carlos de Gusmão, *Boca da Grota*, p. 489).

nocgue-nocgue *Bras. S. 2 g.* **1.** *Etnôn.* Indivíduo dos nocgue-nocgues [ou (etnôn. bras.) *Nocg-nocg], povo indígena extinto que habitava o S. da Bahia. ● *Adj. 2 g.* **2.** Pertencente ou relativo a esse povo. [Pl.: *nocgue-nocgues.*]

nochatro [Do ár. *nušādar* ou *nušādir.*] *S. m.* Sal amoníaco.

nociceptor (ô) [Do lat *noc(ere)*, 'fazer mal', 'causar dano', + *-i-* + *(re)ceptor*; ingl. *nociceptor.*] *S. m. Neur.* Terminação nervosa cutânea sensível a estímulos dolorosos; algioceptor.

nocional [De *noção* + *-al*[1], seg. o padrão semierudito.] *Adj. 2 g.* **1.** Referente a noção ou noções. **2.** Que tem caráter de noção.

nocividade [De *nocivo* + *-(i)dade.*] *S. f.* Qualidade de nocivo.

nocivo [Do lat. *nocivu.*] *Adj.* Que prejudica; que causa dano; danoso, nocente, nóxio.

noções [Pl. de *noção.*] *S. f. pl.* Conhecimentos elementares; rudimentos: *noções de geometria.* ~ V. *noção.*

noctambulação [De *noctambular (< *noctâmbulo* + *-ar*[2]) + *-ção.*] *S. f.* Ação de andar de noite; procedimento de sonâmbulo.

noctambulismo [De *noctâmbulo* + *-ismo.*] *S. m.* Qualidade ou estado de noctâmbulo.

noctâmbulo [De *noct(i)-* + *-âmbulo.*] *Adj.* **1.** Que anda de noite; noctívago: "ia .... lançar-se a caminho, quando viu um tílburi, que se aproximava vagaroso, ao passo tardo de um sendeiro esgrouviado, pobre besta noctâmbula, velha e exausta, que só àquelas horas ermas, de trevas, saía" (Coelho Neto, *Turbilhão*, p. 32). **2.** Sonâmbulo (1). ● *S. m.* **3.** Indivíduo noctâmbulo; nictobata, nictóbata.

▲ **noct(i)-** [Do lat. *nox, noctis.*] *El. comp.* = 'noite', 'trevas': *noctâmbulo, noctígeno.*

nocticolor (ôr) [Do lat. tard. *nocticolore.*] *Adj. 2 g.* Da cor da noite; escuro: "toda de negro e ouro purpurejante, nocticolor, ... Lola Sánchez principia a dançar, cantarolando, e a tamborilar no pandeiro..." (Martins Fontes, *A Dança*, p. 58).

noctífero [Do lat. *noctiferu.*] *Adj.* Noctígeno.

noctifloro [De *noct(i)-* + *-floro.*] *Adj. Bot.* Diz-se das plantas cujas flores se abrem ao anoitecer e se fecham de manhã.

noctígeno [De *noct(i)-* + *-geno.*] *Adj.* Que produz sombra; que espalha trevas; noctífero.

noctilionídeo (tí) [Do lat. cient. *Noctilion-* (< tax. *Noctilio*, gênero-tipo) + *-ídeo*[1]; tax. *Noctilionidae.*] *Zool. S. m.* **1.** Espécime dos noctilionídeos, família de quirópteros insetívoros, de lábios partidos, o superior carnoso, com carúncula, a cauda totalmente incluída no uropatágio, e asas muito longas. ● *Adj.* **2.** Pertencente ou relativo a eles.

noctiluca[1] [Do lat. *noctiluca*.] ***S. f. Poét.*** A Lua.

noctiluca[2] [Do tax. *Noctiluca*.] ***S. f. Zool.*** **1.** Gênero de protozoários marinhos, fitomastiginos, dinoflagelados, de corpo luminescente. **2.** Qualquer espécie desse gênero, como, p. ex., a *Noctiluca miliaris*, com cerca de 2mm de diâmetro. [Sin., nesta acepç.: *fosforescência-do-mar*, *noctilúcio* e (bras.) *ardência* e *buxiqui*.] **3.** Espécie ou espécime desse gênero.

noctilucente ***Adj. 2 g. Astr.*** ~ V. *nuvem —*.

noctilúcio[1] [De *noctiluca*[1] + *-io*[2].] ***Adj.*** Diz-se de corpos que luzem ou brilham à noite.

noctilúcio[2] [Do tax. *Noctiluca* + *-io*[3].] ***S. m. Zool.*** V. *noctiluca*[2] (2).

noctiluz [De *noct(i)-* + *luz*.] ***S. m.*** V. *pirilampo*.

noctívago [Do lat. *noctivagu*.] ***Adj. S. m.*** Que, ou aquele que anda ou vagueia de noite; noctâmbulo, noturno: "Salta da rede ao assobio dos pássaros noctívagos, pelas três da manhã, toma um gole de cachaça ou bebe uma xícara de café" (Raimundo Morais, *Na Planície Amazônica*, p. 131); "na rua, havia o silêncio das horas mortas: somente, de onde a onde, se ouviam os tamancos de algum raro noctívago, batendo no lajedo da calçada" (Antero de Figueiredo, *Jornadas em Portugal*, p. 291).

noctívolo [De *noct(i)-* + *-volo*[1].] ***Adj.*** Que voa de noite.

nóctua [Do tax. *Noctua*, gênero-tipo.] ***S. f. Zool.*** **1.** Grande gênero de mariposas noctuídeas, amplamente distribuídas, cujas larvas destroem plantas jovens. **2.** Espécie ou espécime desse gênero.

noctuídeo [Do tax. *Noctua* + *-ídeo*[1]; tax. *Noctuidae*.] *Zool.* ***S. m.*** **1.** Espécime dos noctuídeos, família de insetos lepidópteros, na qual se encontram as mariposas, de hábitos noturnos e facilmente atraídos pela luz. Robustos, variam muito quanto ao tamanho e colorido, tendo a maioria, em média, 3cm de envergadura. As lagartas são lisas e de cores discretas. Constituem a maior família de lepidópteros, com cerca de 20.000 espécies, e de distribuição universal. • ***Adj.*** **2.** Pertencente ou relativo a eles.

nóctula [Do lat. tard. *noctula*, dim. do lat. *noctua*, 'coruja'.] ***S. m. Zool.*** V. *pipistrelo* (2).

noda ***S. f.*** *Ant. Pop.* Nódoa.

nó da garganta ***S. m.*** *Anat.* V. *proeminência laríngea*. [Pl.: *nós da garganta*. Cf. *nó na garganta*.] ☑

nó da goela ***S. m.*** *Anat.* V. *proeminência laríngea*. [Pl.: *nós da goela*.] ☑

nodal [De *nod(i)-* + *-al*[1].] ***Adj. 2 g.*** Referente a nó. ~ V. *caracol —*, *ponto —*, *pontos nodais* e *superfície —*.

nodar [De *noda* + *-ar*[2].] ***V. t. d. P. Guin.*** Encher(-se) de nódoas, manchar(-se); nodoar(-se). [V. *enodoar* (1).]

nó de adão ***S. m.*** *Anat.* V. *proeminência laríngea*. [Pl.: *nós de adão*.] ☑

nó-de-cachorro ***S. m.*** *Bras. Bot.* **1.** Planta malpighiácea (*Heteropteris anceps*) de folhas elípticas, flores amarelas, paniculadas, e frutos samariformes. **2.** V. *quaró*. [Pl.: *nós-de-cachorro*.]

▲ **nod(i)-** [Do lat. *nōdus*, *i*.] ***El. comp.*** = 'nó'; 'protuberância', 'nodosidade': *nodal*, *nodicórneo*, *nodifloro*. [Equiv.: *-nod(i)-*, *nodo-*: *binodal*; *nodossauro*.]

▲ **-nod(i)-** V. *nod(i)-*.

nódico ***Adj.*** ~ V. *período —* e *revolução —a*.

nodicórneo [De *nod(i)-* + *-corn(i)-* + *-eo*.] ***Adj. Zool.*** Que tem antenas nodosas.

nodífero [De *nod(i)-* + *-fero*.] ***Adj.*** Que apresenta nodosidade(s).

nodifloro [De *nod(i)-* + *-floro*.] ***Adj. Bot.*** Diz-se das plantas cujas flores nascem dos nós.

nodo [Do lat. *nodu*, por via erudita.] ***S. m.*** **1.** *Anat. Patol. Med.* Pequena massa de tecido, normal ou patológica, que se apresenta como saliência, como tumefação. **2.** *Astr.* Cada uma das interseções da órbita de um corpo celeste com determinado plano de referência. **3.** *Fís.* Nó (10). **4.** *Inform.* Nó (12). ◆ **Nodo ascendente.** *Astr.* Aquele no qual o planeta, em seu movimento orbital, passa do hemisfério sul para o hemisfério norte. **Nodo atrioventricular.** *Histol.* Massa de células musculares cardíacas especializadas na transmissão de impulsos elétricos para a contração do coração. **Nodo descendente.** *Astr.* Aquele em que o planeta, em seu movimento orbital, passa do hemisfério norte para o hemisfério sul. **Nodo linfático.** *Anat.* V. *linfonodo*. **Nodo sinoatrial.** *Histol.* Massa de células musculares cardíacas especializadas na geração de impulsos elétricos para a contração do coração.

▲ **nodo-** [De *nod(i)-* + *-o-*.] V. *nod(i)-*.

nódoa [Do lat. tard. *notula*, 'pequeno sinal'.] ***S. f.*** **1.** Sinal de um corpo ou substância que deixa marca, ou sujo, etc.; mancha. **2.** *Fig.* Mácula, deslustre, desdouro, estigma. **3.** *Fig.* Ignomínia, opróbrio, afronta. [Var., ant. e pop.: *noda*. Cf. *nodoa*, do v. *nodoar*.]

nodoar [De *nódoa* + *-ar*[2].] ***V. t. d.*** **1.** Enodoar (1). [Tb. us como *guin*.] **2.** Enodoar (2). ***P.*** **3.** Enodoar (3).

nodoide (ói) [De *nod(i)-* + *-oide*.] ***S. f. Geom.*** Superfície de revolução gerada pela rotação de uma catenária em torno da reta ao longo da qual rola a hipérbole que gera a catenária. ❖

nodosidade [Do lat. tard. *nodositate*.] ***S. f.*** Qualidade ou estado de nodoso.

nodoso (ô) [Do lat. *nodosu*.] ***Adj.*** **1.** Que tem nós: "E aqui e além, ao passar, avistávamos budistas decrépitos, secos como pergaminhos e nodosos como raízes, encruzados no chão sob os sicômoros, numa imobilidade de ídolos" (Eça de Queirós, *O Mandarim*, p. 128); "Fora das luvas, as mãos apareciam grandes e nodosas." (Graciliano Ramos, *Viagem*, p. 40). **2.** Saliente, proeminente. ~ V. *eritema —*, *periarterite —a* e *poliarterite —a*.

nodossauro [Do lat. *nodo-* + *-sauro*; tax. *Nodosaurus*.] ***S. m. Paleont.*** **1.** Gênero de dinossauros protegidos por forte couraça formada de nódulos ósseos e que lembravam gigantescos sapos dotados de chifres. Habitaram o cretáceo superior da América do Norte. **2.** Espécie ou espécime desse gênero.

nodular [De *nódulo* + *-ar*[2].] ***Adj. 2 g.*** **1.** Relativo a, ou que apresenta nódulo. **2.** *Bot.* Que ocorre sob a forma de nódulo (3).

nódulo [Do lat. *nodulu*.] ***S. m.*** **1.** Nó pequeno; nozinho. **2.** Concentração de substância mineral em redor de um ponto ou de um eixo, ou dentro de uma cavidade. **3.** *Bot.* Pequeno espessamento globoso de qualquer órgão vegetal. ◆ **Nódulo linfático.** *Histol.* Corpúsculo sem cápsula encontrado como formação isolada no tecido conjuntivo frouxo de diversos órgãos, e relacionado com a formação de células, como linfócitos, com função de defesa orgânica; folículo linfático, nódulo linfoide. **Nódulo linfoide.** *Histol.* V. *nódulo linfático*.

noduloso (ô) [De *nódulo* + *-oso*.] ***Adj.*** Que tem nódulos.

noema [Do gr. *nóema*, 'percepção'.] ***S. f. Filos.*** Na fenomenologia, o aspecto objetivo da vivência, *i. e.*, o objeto, considerado pela reflexão em seus diferentes modos de ser dado: o percebido, o pensado, o imaginado, etc.

noemático [De *noema* + *-ático*.] ***Adj.*** *Filos.* Relativo a noema.

noese [Do gr. *nóesis*, 'pensamento', 'inteligência'.] ***S. f.*** *Filos.* Na fenomenologia, aspecto subjetivo da vivência, constituído por todos os atos que tendem a apreender o objeto: o pensamento, a percepção, a imaginação, etc.

noete (ê) [Do fr. *nouet*.] ***S. m.*** Rodízio onde se reúnem as varetas do guarda-chuva.

noética [F. subst. de *noético*.] ***S. f.*** *Filos.* Estudo das leis gerais do pensamento.

noético [Do gr. *noetikós*, 'inteligente'.] ***Adj.*** *Filos.* **1.** Relativo à noese. **2.** Relativo ao pensamento. [Cf. *dianoético*.]

nó-fonte ***S. m.*** *Eng. Elétr.* Num diagrama de fluxo de sinal, nó de onde somente saem ramos. [Pl.: *nós-fontes* e *nós-fonte*.]

nogada [Do lat. vulg. **nucata*, moldado em *nux*, 'noz'.] ***S. f.*** **1.** *Bot.* A flor da nogueira. **2.** Doce de nozes. **3.** Molho em que entra o miolo das nozes.

nogado [Do lat. vulg. **nucatu*, moldado em *nux*, 'noz'.] ***S. m.*** Nugá.

nogai ***S. m.*** **1.** *Etnôn.* Indivíduo dos nogais, povo de origem turca em via de extinção, que hoje habita o N. do Cáucaso e as estepes da Crimeia. **2.** *Gloss.* A língua altaica desse povo; nogaico. • ***Adj. 2 g.*** **3.** Pertencente ou relativo aos nogais ou à sua língua; nogaico.

nogaico ***S. m. Adj.*** Nogai (2 e 3).

nogal [Do lat. vulg. **nucale*, moldado em *nux*, 'noz'.] ***S. m.*** Nogueiral.

nogueira [Do lat. vulg. **nucaria*, moldado em *nux*, 'noz'.] ***S. f. Bot.*** Árvore juglandácea (*Juglans regia*) europeia, de flores arrumadas em longas espigas pendentes, e cujos frutos, as conhecidas nozes de Natal, são muito apreciados, sendo a madeira boa para móveis.

nogueira-brasileira ***S. f.*** *Bras. Bot.* V. *nogueira-de-iguape*. [Pl.: *nogueiras-brasileiras*.]

nogueira-de-bancul ***S. f.*** *Bot.* V. *nogueira-de-iguape*. [Pl.: *nogueiras-de-bancul*.]

nogueira-de-iguape ***S. f.*** *Bot.* Árvore euforbiácea (*Aleuritis moluccana*) originária da Ásia e cultivada pelo valor do óleo que fornece, de folhas lobadas, frutos capsulares, de 3 a 6cm de diâmetro com três a cinco sementes, as quais contêm cerca de 60% de óleo secativo de boa qualidade. [Sin.: *abassino*, *nogueira-brasileira*, *nogueira-de-bancul*, *noz-de-bancul*, *noz-da-índia*, *tungue*. Pl.: *nogueiras-de-iguape*.]

nogueiral [De *nogueira* + *-al*[1].] ***S. m.*** Quantidade mais ou menos considerável de nogueiras dispostas proximamente entre si; nogal.

nogueirense ***Adj. 2 g.*** **1.** De, ou pertencente ou relativo a Artur Nogueira (SP). • ***S. 2 g.*** **2.** O natural ou habitante de Artur Nogueira.

noi [Do tsonga.] ***S. 2 g.*** *Moç.* Feiticeiro ou feiticeira: "baixou-se olhando-o bem sob o queixo e gritou: | – *Noi!*... | – 'Não sou bruxo' – protestou recuando" (Aníbal Aleluia, *Mbelele e Outros Contos*, p. 55).

noia (ói) ***S. f.*** *Gír.* V. *paranoia* (2 e 3). ❖

noiene *Bras.* ***S. 2 g.*** **1.** *Etnôn.* Indivíduo dos noienes [ou (etnôn. bras.) *Noyenne], povo indígena extinto que habitava próximo ao rio Jari (a oeste do AP). • ***Adj. 2 g.*** **2.** Pertencente ou relativo a esse povo.

➔**noir** [nwaʀ] [Fr.] *Cin.* ***Adj.*** Diz-se de gênero cinematográfico que se caracteriza, principalmente, por ter cenas de violência e de ações criminosas, pelo ambiente sombrio e pela visão desencantada da sociedade.

noitada [De *noite* + *-ada*[1].] ***S. f.*** **1.** Espaço ou duração de uma noite; noite. **2.** Insônia, vigília. **3.** Folia ou divertimento que dura a noite inteira ou grande parte da noite: *Não sei como ele consegue trabalhar de manhã após uma noitada*; "Beberam à saúde do novo tenente. Foi uma noitada de farra." (Adalberon Cavalcanti Lins, *Curral Novo*, p. 300). **4.** Trabalho durante a noite. [F. paral.: *noutada*.]

noitão [De *noite* + *-ão*[1].] ***S. m.*** *Bras. N.E.* Horas mortas da noite; noite alta (q. v.). [F. paral.: *noutão*.]

noite [Do lat. *nocte*.] ***S. f.*** **1.** Espaço de tempo em que o Sol está abaixo do horizonte: *As noites são mais curtas no verão*. [Sin. (bras. pop.), nesta acepç.: *caruca*.] **2.** Obscuridade que reina durante esse tempo; escuridão, trevas: "De noite todos os gatos são pardos" (prov.). **3.** Noitada (1): *Passei a noite em claro*. **4.** A noite que antecede um dia santo; a vigília de um santo: *A noite de S. Pedro foi festejada em toda a região*. **5.** *Fig.* Cegueira (1). **6.** *Fig.* Ignorância, trevas. **7.** *Fig.* Sofrimento, tristeza: *Velho e sozinho, sua vida é eterna noite*. **8.** A vida noturna: "Lorna Luft, irmã de Liza Minelli, o novo sucesso da noite de Nova Iorque." (*Jornal do Brasil*, 11.12.1972.) [F. paral.: *noute*.] ◆ **Noite alta.** Noite avançada no seu curso; noite morta: "tão frio era o ar da noite, já noite alta, já noite morta." (Machado de Assis, *Quincas Borba*, p. 356). **Noite americana.** *Cin. Telev.* Técnica de criar aparência noturna por meio de filtro e subexposição durante a filmagem, ou por meio de recursos de laboratório. **Noite cerrada.** Noite fechada. **Noite das garrafadas.** *Hist. Bras.* A noite de 13.03.1831, quando no Rio de Janeiro ocorreram conflitos de rua entre brasileiros hostis a D. Pedro I e portugueses naturalizados que, apoiando o imperador, pretendiam recebê-lo festivamente de volta de sua viagem a MG. **Noite de S. Bartolomeu.** *Hist.* A noite de 23.08.1572, quando, por inspiração de Catarina de Médicis (1519-1589), foram assassinados milhares de huguenotes parisienses. **Noite fechada.** Noite completa, sem restos de luz de dia, após o crepúsculo vespertino; noite cerrada: "Pânico geral: noite fechada, sem saber onde estávamos" (Maria Helena Cardoso, *Vida-Vida*, p. 34). **Noite morta.** ***Loc. s. f.*** Noite alta (q. v.). ***Loc. adv.*** V. *alta noite*: "afirmou que o Artur entrava, noite morta, por uma janela em casa do Canastreiro" (Camilo Castelo Branco, *Vulcões de Lama*, p. 20). **Noite velha.** V. *alta noite*: "o marido lia até noite velha, e adormecia sobre os in-fólios" (Camilo Castelo Branco, *A Queda dum Anjo*, pp. 10-11); "Quando a lua, noite velha, afastou os crepes da noite e prateou os caminhos, ... os homens empunharam os archotes .... – e rumaram para as terras lavradas." (Castro Soromenho, *Rajada e Outras Histórias*, p. 137). **Alta noite.** Em hora adiantada da noite; tarde da noite; noite velha; noite morta: "Alta noite, ouvi em sonhos, / A chamar-me, um serafim" (Gonçalves Dias, *Obras Poéticas*, II, p. 102). **Da noite para o dia.** De um dia para outro; sem se esperar; de repente: "Coragem para trabalhar não lhe faltava. Foi assim que, da noite para o dia, se transformou em quitandeira." (Povina Cavalcanti, *Volta à Infância*, p. 147.) **Não ter senão a noite e o dia.** Ser extremamente pobre; só ter de seu o dia e a noite: "– Pouco ou muito ele trouxesse, tudo é riqueza, disse a velha, para quem não tem senão a noite e o dia." (Fialho d'Almeida, *O País das Uvas*, p. 91.) **Passar a noite em claro.** Passá-la sem dormir: "Durante a noite, passada febrilmente em claro, muitas ideias me vieram" (Ciro dos Anjos, *Abdias*, p. 85). **Tarde da noite.** Com a noite muito avançada: "ao voltar para casa com o tempo fechado, tarde da noite" (Freitas Cavalcanti, *A Profecia das Águas*, p. 31).

noitecer [De *noite* + *-ecer*.] ***V. int.*** Anoitecer. [F. paral.: *noutecer*. Conjug.: v. *aquecer*.]

noiteiro [De *noite* + *-eiro*.] ***S. m.*** *Bras. N.E.* Cada uma das pessoas incumbidas de concorrer, financeiramente ou por outros meios, para o brilhantismo duma das noites de novena das festas públicas de uma igreja. [F. paral.: *nouteiro*.]

noitibó [De *noctívolo*, mudado em paroxítono e depois em oxítono.] ***S. m.*** **1.** *Zool.* V. *bacurau* (1). **2.** *Fig.* Pessoa pouco sociável, ou que só aparece de noite. [Var. (no CE): *oitibó*.]

noitinha [De *noite* + *-inha*.] ***S. f.*** O crepúsculo da noite; o anoitecer: "partira à tarde quando já quebrara a força do sol, contando chegar à sua casa à noitinha." (José de Alencar, *O Sertanejo*, p. 32). [F. paral.: *noutinha*.]

noiva [De noivo (q. v.).] *S. f.* Fem. de *noivo*. [Sin.: *prometida*.]

noivado [De *noivar* + *-ado*[1].] *S. m.* **1.** Compromisso de casamento entre futuros esposos; esponsais: "As atoardas cessaram instantaneamente com a notícia do noivado de Jorge com Laura Simas, linda viúva de vinte e dois anos" (Coelho Neto, *Obra Seleta*, I, p. 267). **2.** O período de tempo que decorre entre esse compromisso e a celebração do casamento. **3.** O dia do noivado (1). **4.** A festa do noivado (1). **5.** O dia do casamento. **6.** A festa do casamento; boda(s), esponsais. **7.** Matrimônio, esponsais, casamento.

noivar [De *noivo* + *-ar*[2].] *V. int.* **1.** Celebrar noivado. **2.** Cortejar a pessoa com quem se vai casar: *Noivou durante cinco anos.* **3.** Ficar noivo; ajustar casamento. **4.** Passar a lua de mel. *Int. T. i.* **5.** Ficar ou tornar-se noivo: "Recordou-se de que tinha visto eventualmente uma aliança em um dos anulares de Lídia. Noivara ou casara-se, a verdade é que já havia qualquer compromisso moral." (Manuel Lobato, *Garrucha 44*, p. 169); *Noivou com uma bonita moça.*

noivinha [De *noiva* + *-inha*.] *S. f. Bras. RS Zool.* Ave passeriforme, tiranídea (*Xolmis irupero*), distribuída desde a Argentina até a BA, insetívora, e de coloração branca, com rêmiges primárias e ponta da cauda negras.

noivo [Do lat. **novius* (< lat. *novus*, 'novo'), atestado como antr. no S. da Itália.] *S. m.* **1.** Aquele que vai casar, que fez promessa solene de casamento. [Sin., p. us.: *prometido*.] **2.** Indivíduo recém-casado. ~ V. *noivos*.

noivos [Pl. de *noivo*.] *S. m. pl.* **1.** O homem e a mulher que se vão casar, que fizeram promessa solene de casamento. **2.** Recém-casados. ~ V. *noivo*.

nojado [De *nojo* + *-ado*[1].] *Adj.* Anojado.

nojeira [De *nojo* + *-eira*.] *S. f.* **1.** Coisa nojenta, suja. **2.** Aquilo que provoca nojo. **3.** Serviço porco; sujeira.

nojento [De *nojo* + *-ento*.] *Adj.* **1.** Que causa nojo; repugnante, repelente, nojoso, anojoso: *animal nojento.* **2.** Que se enoja com facilidade.

nojo (ô) [De *enojo*, com aférese.] *S. m.* **1.** Náusea, enjoo. **2.** Repulsão, repugnância, asco. **3.** Profunda mágoa; pesar, desgosto, tristeza. **4.** Tédio, aborrecimento. **5.** Aquilo que provoca asco ou repugnância. **6.** Luto, dó: "A tia Sabina fora enterrada na véspera da sua chegada. Os três dias de nojo tinham passado" (Eça de Queirós, *A Capital*, p. 547). [Pl.: *nojos* (ô).]

nojoso (ô) [De *nojo* + *-oso*.] *Adj.* **1.** V. *nojento* (1). **2.** Desgostoso, pesaroso. **3.** Vestido de nojo ou luto.

nolanácea [Do tax. *Nolana* + *-ácea*; tax. *Nolanaceae*.] *S. f. Bot.* Espécime das nolanáceas, família de plantas floríferas, da ordem das solanales, que compreende ervas anuais ou perenes e pequenos arbustos de folhas alternas. Há apenas um gênero, que abrange cerca de 18 espécies, nenhuma delas brasileira.

nolanáceo [De *nolanácea*, com var. suf. (v. *-áceo*).] *Adj. Bot.* Pertencente ou relativo às nolanáceas.

nolição [Do lat. bárbaro filosófico *nollitione*, 'ação de não querer', moldado em *nolle*, 'não querer'.] *S. f.* Ato de vontade que nega, que se opõe. [Antôn.: *volição*.]

nollywoodiano [De *Nollywood* (do top. *Nigéria* + o top. *Hollywood*) + *-iano*.] *Adj. Cin.* De ou referente a Nollywood, a indústria de filmes da Nigéria (v. *nigeriano*).

no-lo **1.** Comb. do pron. pess. *nos* com o pron. pess. *lo*, mediante assimilação do *s*: *O emprego que nos prometeu, não no-lo arranjará nunca.* [Flex.: *no-la*, *no-los*, *no-las*.] **2.** Comb. do pron. pess. *nos* com o pron. dem. neutro *lo*, mediante assimilação do *s*: "Certos bolos e cremes, antes de serem degustados pela boca ávida, o são pelo nariz e pelos olhos, e, se no-lo permitissem, o seriam pelas mãos" (Carlos Drummond de Andrade, *Contos de Aprendiz*, pp. 27-28).

noma [Do lat. cient. *noma* < lat. *nome* < gr. *nomé*.] *S. f. Patol.* **1.** Estomatonoma. **2.** Afecção gangrenosa que acomete a genitália; vulvite fleimonosa.

nómada *Adj. 2 g. S. 2 g.* V. *nômade*. [Uso freq. em P.]

nômada *Adj. 2 g. S. 2 g.* V. *nômade*: "Foi por esse método que os soldados aventureiros e nômadas, vivendo da rapina quando não viviam de guerra, ... se converteram a pouco e pouco em cidadãos laboriosos, pacíficos e honrados" (Ramalho Ortigão, *As Farpas*, I, p. 236).

nómade *Adj. 2 g. S. 2 g.* V. *nômade*. [Uso freq. em P.]

nômade [Do gr. *nomás, ádos*, 'pastor errante', pelo lat. *nomade*.] *Adj. 2 g.* **1.** Diz-se das tribos ou povos errantes, sem habitação fixa que se deslocam constantemente em busca de alimentos, pastagens, etc. **2.** Diz-se de indivíduo de uma dessas tribos ou povos. **3.** *P. ext.* Diz-se de indivíduo que leva vida errante; vagabundo. **4.** Relativo ou semelhante aos, ou próprio dos povos errantes, ou do seu tipo de vida. • *S. 2 g.* **5.** Indivíduo pertencente a tribo ou povo nômade (1). **6.** Indivíduo nômade (3). [Var.: *nômada*.] ~ V. *nômades*.

nómades *S. m. pl.* V. *nômades*. [Uso freq. em P.]

nômades [Pl. de *nômade*.] *S. m. pl.* Povos que não pertencem a determinado país e vagueiam sem residência fixa. ~ V. *nômade*.

nomadismo [De *nômade* + *-ismo*.] *S. m.* Sistema nômade de viver; vida nômade.

nomadizar [De *nômade* + *-izar*.] *V. t. d. P.* Tornar(-se) nômade.

nomancia (ci) [De *nome* + *-mancia*, com haplologia.] *S. f.* Arte de adivinhar por meio das letras de um nome próprio.

→**no man's land** [now mænz lænd] [Ingl.] Território disputado entre duas partes adversas, especialmente o campo de batalha entre dois exércitos entrincheirados.

nomante [De *nome* + *-mante*, com haplologia.] *S. 2 g.* Pessoa que pratica a nomancia.

nomântico *Adj.* Referente a nomancia, ou a nomante.

nomarca [Do gr. *nomárches*.] *S. m.* Governador de um nomo[2], ou de uma nomarquia. [F. paral.: *nomarco*. Cf. *monarca*.]

nomarcado [De *nomarca* + *-ado*[2].] *S. m.* Governo ou funções de nomarca.

nomarco [Do gr. *nómarchos*.] *S. m.* Nomarca (q. v.).

nomarquia [Do gr. *nomarchía*.] *S. f.* **1.** Território administrado por um nomarca. **2.** Divisão territorial, na Grécia hodierna. [Cf. *monarquia*.]

nombrada [Do esp. *nombrada*.] *S. f.* Heroísmo, rasgo: "O gaúcho, apeava, ligava, tirava as boleadeiras e já se bancava de novo pra nova nombrada." (J. Simões Lopes Neto, *Contos Gauchescos e Lendas do Sul*, p. 167.)

nome [Do lat. *nomen*.] *S. m.* **1.** Palavra(s) com que se designa pessoa, animal ou coisa. **2.** V. *prenome*: *Seu nome é Joana.* **3.** Palavra(s) que exprime(m) uma qualidade característica ou descritiva de pessoa ou coisa; epíteto, cognome, alcunha, apelido. **4.** Fama, reputação, nomeada, renome. **5.** Boa reputação: *É uma firma de nome.* **6.** Família, linhagem: *D. João, o sexto do nome (D. João VI).* **7.** Pessoa que se notabiliza por sua atuação em determinado campo de atividade: *Goya é um nome na pintura.* **8.** Título (4): *Só é chefe no nome.* **9.** V. *nome feio*: *É um imoral: vive dizendo nomes.* **10.** Designação patronímica da pessoa; nome de família; sobrenome, apelido. **11.** *E. Ling.* Substantivo (4). **12.** *E. Ling.* Classe de palavras que reúne o substantivo e o adjetivo, caracterizados como estáticos, por oposição ao *verbo*. ◆ **Nome civil.** Nome de pessoa tal como figura no registro civil: "O Visconde de Chateaubriand — François René de Chateaubriand, como era o seu nome civil — nasceu em Saint-Malo, na França, a 4 de setembro de 1768." (Múcio Leão, *Emoção e Harmonia*, p. 102.) **Nome comercial.** *Market.* Parte nominativa da marca[1] (22), em oposição à parte figurativa, gráfica. **Nome de batismo.** V. *prenome*. **Nome de família.** V. *nome* (10). **Nome de fantasia.** *Market.* Designação criada com fins mercadológico e publicitário para produto, serviço, ou empresa, capaz de alcançar forte apelo comercial e boa memorização na mente do consumidor. [Cf. *firma* (4).] **Nome de guerra.** **1.** Pseudônimo ou apelido pelo qual alguém se torna mais conhecido em qualquer esfera de atividade. **2.** *Bras. Pop.* Nome pelo qual é conhecida uma prostituta. **Nome feio.** Palavra obscena ou atentatória aos bons costumes; obscenidade, palavrão, palavrada. [Tb. se diz apenas *nome*.] **Nome frio.** *Bras. Gír.* Nome falso pelo qual alguém se faz conhecer, com o propósito de esconder sua verdadeira identidade. [Cf. *pseudônimo* e *nome quente*.] **Nome popular.** *Bot. Zool.* O nome dado à planta ou ao animal pelo povo, tendo em vista, geralmente, o aspecto, a qualidade ou o emprego de uma ou de outro; nome vulgar. **Nome próprio.** **1.** Nome com que se nomeiam individualmente os seres e que se aplica em especial a pessoas, nações, povoações, montes, mares, rios, etc. **2.** V. *prenome*. **Nome quente.** *Bras. Gír.* O nome verdadeiro de uma pessoa (por oposição ao *pseudônimo*, ao *nome de guerra* ou ao *nome frio*). [V. *ortônimo*.] **Nome simbólico.** *Maç.* Nome que, dependendo do rito praticado, é adotado por maçom, para dificultar a sua identificação. **Nome vulgar.** *Bot. Zool.* Nome popular. **Dar nome a.** **1.** Dar amparo, prestígio, assistência a alguém. **2.** Tornar afamado. **Dar nome aos bois.** *Bras.* Revelar nomes que se vinham ocultando, geralmente por se tratar de protagonistas de acontecimentos desabonadores. **Dar(-se) pelo nome de.** *Lus.* Ter por nome; chamar-se. **De nome.** Afamado, famoso, renomeado: *poeta de nome.* **Em nome de.** **1.** Com autorização de. **2.** Em lugar de.

nomeação [Do lat. *nominatione*, por via pop.] *S. f.* **1.** Ato ou efeito de nomear. **2.** Ato formal pelo qual o poder público atribui um cargo a pessoa estranha aos seus quadros, ou, caso se trate de comissão, a um de seus funcionários. **3.** Atribuição de cargo ou função privada. ◆ **Nomeação à autoria.** *Jur.* Ato pelo qual o réu, que possui em nome de outrem a coisa demandada, indica ao juízo o verdadeiro proprietário ou possuidor, requerendo sua citação. **Nomeação de bens à penhora.** *Jur.* Ato pelo qual o devedor executado indica bens, valores, títulos, direitos, etc., que integram seu patrimônio, para que sejam penhorados como garantia da execução de uma dívida.

nomeada [F. subst. de *nomeado*.] *S. f.* Fama, reputação, nome, renome.

nomeadamente [Do f. de *nomeado* + *-mente*.] *Adv.* **1.** Particularizando o nome. **2.** Especificadamente, designadamente. **3.** Sobretudo, mormente, maiormente, principalmente.

nomeado [Part. de *nomear*.] *Adj.* **1.** Designado pelo nome. **2.** Que recebeu nomeação para exercer função pública, ou emprego.

nomeador (ô) [Do lat. tard. *nominatore*, por via pop.] *Adj. S. m.* Que, ou aquele que nomeia; nomeante.

nomeante [Do lat. *nominante*, por via pop.] *Adj. 2 g. S. 2 g.* Nomeador.

nomear [Do lat. *nominare*, por via pop.] *V. t. d.* **1.** Designar pelo nome; proferir o nome de: *Recusou-se a nomear o culpado.* **2.** Chamar pelo nome. **3.** Criar, instituir, designar: *nomear uma comissão julgadora.* **4.** Fazer a nomeação (2) de. **5.** Eleger; escolher: *A convenção do partido nomeou apenas três candidatos a deputado.* *Transobj.* **6.** Considerar; classificar; chamar: "Uns a nomeiam primavera. Eu lhe chamo estado de espírito." (Carlos Drummond de Andrade, *Fala, Amendoeira*, p. 125.) **7.** Conferir o cargo de; escolher, designar: *Nomearam-no ministro de Estado; O governo nomeou-o como chanceler interino.* *P.* **8.** Dar a si próprio um nome ou qualificativo; intitular-se. **9.** Proferir ou pronunciar o próprio nome: *Nomeou-se, e de pronto foi recebido.* [Conjug.: v. *frear*.]

nome do padre *S. m. Fam.* Sinal da cruz (q. v.). [Pl.: *nomes do padre*.] ☑

nomeio [De *nomear*.] *S. m.* Ato ou efeito de nomear ou designar pelo nome.

nomenal *Adj. 2 g.* V. *numenal*.

nomenclador (ô) [Do lat. *nomenclatore*.] *Adj.* **1.** Que nomeia ou classifica. • *S. m.* **2.** Aquele que se consagra à nomenclatura ou classificação das ciências. **3.** *Ant.* Escravo romano que acompanhava na rua os candidatos à magistratura a fim de lhes nomear os cidadãos que encontravam e a quem tinham interesse em cumprimentar.

nomenclar *V. t. d.* Nomenclaturar.

nomenclatório [De *nomenclar* + *-tório*.] *Adj.* Referente à nomenclatura[1].

nomenclatura[1] [Do lat. *nomenclatura*.] *S. f.* **1.** Vocabulário de nomes. **2.** Conjunto de termos peculiares a uma arte ou ciência; terminologia. **3.** Lista, relação, catálogo: "O *esprit* francês é um termo técnico, um vocábulo da nomenclatura das especialidades purissimamente nacionais, palavra que não tem equivalente em nenhuma outra língua pela razão de que em nenhum outro país que não seja a França se encontra o que ela representa." (Ramalho Ortigão, *Em Paris*, p. 161.) ◆ **Nomenclatura binária.** *Bot.* A aplicação, a cada espécie vegetal, dos dois nomes, em latim científico, que a classificam taxonomicamente, o primeiro dos quais, um substantivo, indica o gênero, e o segundo, um adjetivo, a espécie. Ex.: *Rosa centifolia*; *Tamarindus indica*.

nomenclatura[2] [Do rus. *nomenklatura* < lat. *nomenclatura*.] *S. f. Obsol.* A classe burocrática, privilegiada, dos países da antiga Cortina de Ferro (2).

nomenclatural [De *nomenclatura* + *-al*[1].] *Adj. 2 g.* Próprio de, ou relativo a nomenclatura[1].

nomenclaturar [De *nomenclatura*[1] + *-ar*[2].] *V. t. d.* Levantar a nomenclatura[1] de; nomenclar.

→**nomen juris** ['nomeŋ 'juɾes] [Lat., 'denominação legal'.] *Jur.* Nome que em direito se dá a alguma coisa ou situação.

nómeno *S. m. Filos.* V. *nômeno*. [Uso freq. em P.]

nômeno *S. m. Filos.* Númeno.

nomerento [De *nome*.] *Adj. Bras.* Que diz nomes feios; desbocado, inconveniente.

nómico *Adj. Filos.* V. *nômico*. [Uso freq. em P.]

nômico *Adj. Filos.* Diz-se do que, sob enfoques diversos, resulta de leis.

nómina *S. f.* V. *nômina*. [Uso freq. em P.]

nômina [Do lat. *nomina*, 'nomes'.] *S. f.* **1.** Bolsa onde se guardam relíquias. **2.** Oração escrita e guardada numa bolsinha para livrar-nos do mal. **3.** Prego dourado dos arreios das bestas.

nominação [Do lat. *nominatione*, por via semierudita.] *S. f. E. Ling.* Figura pela qual se dá nome a uma coisa que não o tem.

nominado [Part. de *nominar*.] *Adj.* **1.** Que recebe, ou recebeu um nome; designado, nomeado. • *S. m.* **2.** *Antrop. Etnol.* Aquele que recebe um nome pessoal, conferido por outra pessoa (o nominador) segundo o que determinam as regras específicas de uma sociedade.

nominador (ô) [Do lat. *nominatore*, por via semierudita.] *Adj.* **1.** Que confere nome(s); que nomeia ou designa. ● *S. m.* 2. *Antrop. Etnol.* Indivíduo que determina, ou a quem cabe determinar o nome (2) a ser dado a outro, segundo as regras específicas da sociedade. [Tais regras determinam, p. ex., se o nome assim conferido deve ser o do nominador, ou outro por ele escolhido.]

nominal [Do lat. *nominale.*] *Adj. 2 g.* 1. Referente ao nome. 2. Que existe só em nome; que não é real. 3. *Econ.* Diz-se de valor monetário não corrigido para compensar o efeito da inflação: *Meu salário nominal aumentou, mas ganho menos do que antes.* [Opõe-se, nesta acepç., a *real*[3] (2).] 4. *Econ.* Diz-se do valor declarado de um título de crédito ou de uma ação (em oposição ao valor pelo qual é efetivamente transacionado). ~ V. *cheque —, complemento —, órbita —, resultado —, valor —* e *voto —.*

nominalidade [De *nominal* + -(*i*)*dade.*] *S. f.* Qualidade de nominal.

nominalismo [De *nominal* + *-ismo.*] *S. m. Filos.* Doutrina segundo a qual as ideias gerais não existem, e os nomes que pretendem designá-las são meros sinais que se aplicam indistintamente a diversos indivíduos; terminismo. [Cf. *conceitualismo.*]

nominalista [De *nominal* + *-ista.*] *Adj. 2 g.* 1. Referente ao nominalismo: "Essa posição [de Jorge Luis Borges] situa-o no sistema filosófico nominalista que questiona a validade da linguagem como meio para interpretar e expressar a realidade." (Bella Jozef, *Jorge Luis Borges*, p. 74.) 2. Diz-se do título, papel de crédito ou ação de sociedade mercantil onde se indica o nome do proprietário ou do favorecido. 3. Que é adepto do nominalismo. ● *S. 2 g.* 4. Adepto dessa doutrina.

nominalizado [Part. de *nominalizar.*] *Adj.* Empregado ou usado como nome (substantivo); substantivado. ~ V. *lexia —a.*

nominar [Do lat. *nominare*, por via erudita.] *V. t. d.* 1. Conferir nome ou designação a. 2. *Restr.* Dar ou escolher o nome (2) de: *Tradicionalmente, é o padrinho quem nomina a criança.* **Transobj.** 3. Chamar, nomear: *Quando nasceu o sétimo filho, nominou-o Benjamim.* [Sin. ger.: *nomear.* Pres. ind.: *nomino, nominas, nomina,* etc. Cf. *nômina.*]

→**nomina sacra** ['nomẽna 'sakɾa] [Lat., 'nomes sagrados'.] *S. m. pl. Paleogr.* Qualquer abreviatura (1) para termos designativos ou dos membros da Santíssima Trindade (como, p. ex., DS, 'Deus', XPS, 'Christus'), ou dos nomes sagrados (como, p. ex., SCS para 'sanctus'), ou dos nomes de membros da hierarquia eclesiástica (como, p. ex., EPS, 'Episcopus' e DIACS, 'diaconus').

nominata [Do lat. tard. *nominata*, pl. neutro tomado como fem.] *S. f.* 1. Lista ou relação de nomes: "é contraproducente carregar a memória infantil com uma nominata incolor." (Américo Jacobina Lacombe, *Capitanias Hereditárias*, p. 395). 2. *P. ext.* Lista ou relação de entrada de palavras.

nominativo [Do lat. *nominativu.*] *Adj.* 1. Que tem nome, ou que denomina. 2. Que traz o nome do proprietário ou do favorecido. ~ V. *ação —a, caso —, cheque —* e *endosso —.* ● *S. m.* 3. *E. Ling.* Caso nominativo (q. v.). 4. *E. Ling.* V. *caso reto.*

nominável [De *nominar* + *-vel.*] *Adj. 2 g.* Que se pode nominar.

nomo[1] [Do gr. *nómos.*] *S. m.* Entre os gregos, composição vocal, geralmente acompanhada pela cítara ou pelo aulo, que obedecia a determinados padrões fixos aos quais se atribuía influência mágica, e que era destinada a louvar os deuses ou a celebrar certos acontecimentos.

nomo[2] [Do gr. *nomós.*] *S. m.* Divisão territorial do antigo Egito: espécie de distrito ou província.

▲**nomo-** [Do gr. *nomo-* < gr. *nómos, ou*, 'regra de conduta', 'costume'.] *El. comp.* = 'uso', 'regra', 'lei (jurídica ou científica)'; 'que regula': *nomografia, nomologia.* [Equiv.: *-nom(o)-, -nomo*: *foronomia; heterônomo, metrônomo.*]

▲**-nom(o)-** V. *nomo-.*

▲**-nomo** V. *nomo-.*

nomofílace [Do gr. *nomophýlax, akos.*] *S. m.* Na antiga Atenas, magistrado que velava pela execução das leis: "Platão queria que os nomofílaces (que são os que têm a cargo a guarda das leis) fossem incorruptíssimos." (Frei Amador Arrais, *Diálogos*, p. 324). [Var.: *nomofílaco.*]

nomofílaco *S. m.* V. *nomofílace.*

nomofilo [De *nomo-* + *-filo*[1].] *Bot. S. m.* 1. Folha normal de uma planta. ● *Adj.* 2. Diz-se da planta que tem folhas normais.

nomofobia [Do ingl. *nomophobia*, do ingl. *no-mo(bile)* + *-phobia.*] *S. f. Psiq.* Angústia ou medo mórbido de ficar incontactável, sem aparelho celular, *laptop* ou qualquer outro aparelho de comunicação móvel.

nomofóbico [De *nomofobia* + *-ico*[2].] *Psiq. Adj.* 1. Relativo ou pertencente a nomofobia. 2. Que sofre de nomofobia; nomófobo. ● *S. m.* 3. Aquele que sofre de nomofobia; nomófobo.

nomófobo [Do ingl. *nomophobe.*] *Adj. S. m. Psiq.* V. *nomofóbico* (2 e 3).

nomografia [Do gr. *nomographía*, 'ação de escrever leis'.] *S. f.* Parte da matemática aplicada em que se investigam os processos de resolução de equações mediante os nomogramas. [Cf. *monografia.*]

nomográfico [De *nomografia* + *-ico*[2].] *Adj.* Respeitante à nomografia. [Cf. *monográfico.*]

nomograma [De *nomo-* + *-grama.*] *S. m. Mat.* Gráfico, com curvas apropriadas, mediante o qual se podem obter as soluções de uma equação determinada pelo simples traçado de uma reta; ábaco. [Cf. *monograma.*]

nomologia [De *nomo-* + *-logia.*] *S. f.* Estudo das leis que presidem aos fenômenos naturais.

nomológico [De *nomologia* + *-ico*[2].] *Adj.* Relativo à nomologia.

nomologista [De *nomologia* + *-ista.*] *Adj. 2 g.* Especialista em nomologia; nomólogo.

nomólogo [De *nomo* + *-logo*[2].] *S. m.* Nomologista.

nomóteta [Do gr. *nomothétes.*] *S. m.* Na antiga Atenas, membro de um colegiado de 501, 1.001 ou 1.501 integrantes conforme a época, cuja principal função era aprovar ou rejeitar mudanças na constituição votada pela eclésia.

nomotético *Adj.* V. *método —.*

▲**non-** [Do lat. *nonus*, 'nono'.] *El. comp. Quím.* Indica cadeia de nove átomos de carbono, em grupamento ou substância: *nonila, nonano.* [Tb. ocorre como infixo, -non-, na nomenclatura de compostos orgânicos: *diazabiciclononeno.*]

▲**-non-** *Quím.* V. *non-.*

nona[1] [Do lat. *nona*, por via erudita.] *S. f.* 1. *Arte Poét.* Estrofe de nove versos. 2. Uma das horas em que os romanos dividiam o dia, e que era correspondente às três da tarde. [Cf., nesta acepç., *noa.*] 3. *Mús.* Intervalo que compreende uma oitava e mais um tom ou um semitom. ~ V. *nonas.*

nona[2] [F. aferética de *anona.*] *S. f. Bras. SC* V. *fruta-de-conde* (1). ~ V. *nonas.*

nona[3] *Num.* V. *nono*[2]. ~ V. *nonas.*

▲**nona-** V. *non(o)-.*

nonacontaedro *S. m. Geom.* Poliedro de 90 faces.

nonacontágono *S. m. Geom.* Polígono de 90 lados. [A pronúncia correta seria *nonacontagono*, v. *-gono.*]

nonacosaedro *S. m. Geom.* Poliedro de 29 faces.

nonacoságono *S. m. Geom.* Polígono de 29 lados. [A pronúncia correta seria *nonacosagono*, v. *-gono.*]

nonada [De *non*, f. arcaica de 'não', + *-ada*[1].] *S. f.* V. *ninharia.*

nonadecaedro *S. m. Geom.* Poliedro de 19 faces.

nonadecágono *S. m. Geom.* Polígono de 19 lados. [A pronúncia correta seria *nonadecagono*, v. *-gono.*]

nonaedro *S. m. Geom.* Poliedro de nove faces.

nonagenário [Do lat. *nonagenariu.*] *Adj. S. m.* Que, ou aquele que está na casa dos 90 anos de idade; noventão: *Pablo Picasso e Jacques Maritain morreram nonagenários, em 1973.*

nonagésimo [Do lat. *nonagesimu.*] *Num.* 1. Ordinal e fracionário correspondente a noventa. ● *S. m.* 2. A nonagésima parte. 3. Aquele ou aquilo que ocupa o nonagésimo lugar.

nonágono [De *nona-* + *-gono.*] *S. m. Geom.* Polígono de nove lados. [A pronúncia correta seria *nonagono*, v. *-gono.*]

nonano [De *non(o)-* + *-ano*[2].] *S. m. Quím.* Hidrocarboneto saturado, líquido, incolor [fórm.: C_9H_{20}].

nonanoico (ói) *Adj. Quím.* ~ V. *ácido —.* ❖

nonário [Do lat. **nonariu.*] *Adj.* Composto de nove unidades ou elementos. ~ V. *compasso —.*

nonas [Do lat. *nonae.*] *S. f. pl. Cronol.* No antigo calendário romano, o nono dia antes dos idos. ~ V. *nona.*

nó nas tripas *S. m. Bras. Pop.* Designação comum a diversas condições mórbidas em que há parada de trânsito intestinal. [Pl.: *nós nas tripas.*] ☑

nonato [Do lat. *non natu*, 'não nascido'.] *Adj.* 1. Diz-se da criança que só saiu do ventre materno mediante operação cesariana. 2. Diz-se do animal que se tirou do ventre da mãe depois que esta morreu. ● *S. m.* 3. A criança ou animal tirado do ventre da mãe nessas condições. 4. *Bras. RS* Terneiro que se tira do ventre da vaca quando esta é carneada; mamoto, tapichi, vacaraí.

→**non bis in idem** [noŋ bis ẽn'idẽm] [Lat.] *Jur.* Diz-se de quem não pode ser punido duas vezes pelo mesmo delito.

→**non dominus** [noŋ 'domẽnos] [Lat., 'não senhor'.] *Jur.* Diz-se de quem não tem propriedade da coisa de que se trata.

nones [Pl. de *non*, f. arc. de *não.*] *Adj. S. m. Ant. Pop.* Nunes.

noneto (ê) [De *nono*[2] + o final de *dueto, terceto, quarteto,* etc.] *S. m. Mús.* 1. Composição vocal ou instrumental a nove partes. 2. Conjunto de música de câmara formado por nove cantores ou nove instrumentistas.

nongentésimo (zi) [Do lat. tard. *nongentesimu.*] *Num. S. m.* Noningentésimo.

▲**noni-** V. *non(o)-.*

▲ **nonil-** *Quím. Pref.* que indica presença do grupo nonila.

nonila *S. m. Quím.* Grupo monovalente $-C_9H_{19}$, derivado de nonano.

nonilhão [De *nono*[2] + *-ilhão.*] *S. m. Mat.* Mil octilhões; 10 elevado à 30.ª potência.

nonilião [De *nono*[2] + *-ilião.*] *Num.* Nonilhão.

noningentésimo (zi) [Do lat. tard. *noningentesimu.*] *Num.* 1. Ordinal e fracionário correspondente a novecentos. ● *S. m.* 2. Cada uma das 900 partes em que se divide um todo. 3. Aquele ou aquilo que ocupa o noningentésimo lugar. [Sin. ger.: *nongentésimo.*]

nónio *S. m.* V. *nônio.* [Uso freq. em P.]

nônio [De *Nonius*, f. latinizada de *Nunes*, de João Pedro Nunes (1502-1578), matemático português inventor deste instrumento.] *S. m. Fís.* Escala auxiliar para leitura de frações da menor divisão de uma escala, e da qual existem diversos modelos, sendo os mais comuns os destinados a medidas de comprimento e medidas de ângulos. [Sin.: *verniê.*]

nonipétalo [De *noni-* + *-pétalo.*] *Adj. Bot.* Que tem nove pétalas.

nono[1] [Do it. *nonno.*] *S. m. Ant.* Monge, frade.

nono[2] [Do lat. *nonu.*] *Num.* 1. Ordinal e fracionário correspondente a nove. ● *S. m.* 2. A nona parte. 3. Aquele ou aquilo que ocupa o nono lugar.

▲ **non(o)-** [Do lat. *nonus*, 'nono'.] *El. comp.* = 'nono'; 'nove': *nonano.* [Equiv.: *nona-, noni-*: *nonadecaedro, nonágono; nonipétalo.*]

nonoaiense *Adj. 2 g.* 1. De, ou pertencente ou relativo a Nonoai (RS). ● *S. 2 g.* 2. O natural ou habitante de Nonoai.

nonodo (ô) [De *non(o)-* + *-odo.*] *S. m. Eletrôn.* Válvula eletrônica com nove eletrodos.

nonono *S. m. Art. Gráf.* Designação do elemento visual composto pelas letras *n* e *o*, que indica blocos de texto em rafes e leiautes.

→**non plus ultra** [noŋ plus 'ultra] [Lat.] *Nec plus ultra.*

→**nonsense** ['nɔnsens] [Ingl.] *S. m.* 1. Palavra, dito, texto, linguagem, etc. ininteligível, por ser incoerente ou por não fazer sentido. 2. Literatura, filme ou peça teatral com elementos surreais. 3. Ação ou comportamento absurdos, ilógicos, disparatados ou equivocados. 4. *P. ext.* Pessoa de comportamento ou expressão incompreensíveis, contrários à razão. 5. *P. ext.* O que não faz sentido, o que é absurdo. [Em português é us. como adj. 2 g. 2 n.]

→**non sequitur** [noŋ 'sekwẽtoɾ] [Lat., 'não se segue'.] Diz-se de argumento cuja conclusão não é garantida pelas premissas.

nontronita [Do top. *Nontron* (França) + *-ita*[3].] *S. f. Min.* Mineral monoclínico, aluminossilicato básico hidratado de ferro.

nónuplo *Num. S. m.* V. *nônuplo.* [Uso freq. em P.]

nônuplo [Do lat. *nonu*, 'nono', com o final de vários multiplicativos (*duplo, triplo,* etc.).] *Num.* 1. Que é nove vezes maior que outro. ● *S. m.* 2. Quantidade nove vezes maior que outra.

▲**noo-** [Do gr. *nóos-noûs, nóou-noû*, 'a faculdade de pensar'; 'inteligência'; 'pensamento'; 'espírito'.] *El. comp.* = 'psique'; 'mente'; 'espírito': *noologia.*

noologia [De *noo-* + *-logia.*] *S. f.* O estudo da mente; a ciência dos fenômenos considerados como puramente mentais em sua origem.

noológico [De *noologia* + *-ico*[2].] *Adj.* Relativo à noologia.

noologismo [De *noo-* + *-log(o)-* + *-ismo.*] *S. m. Filos.* Sistema de Rudolf Christoph Eucken (1846-1926), filósofo alemão, cuja tese fundamental é a da independência absoluta da vida espiritual.

noologista [De *noologismo* + *-ista.*] *Adj. 2 g.* 1. Relativo ao, ou que é adepto do noologismo. ● *S. 2 g.* 2. Adepto do noologismo.

nootrópico [De *noo-* + *-trop(o)-* + *-ico*[2].] *Adj.* Diz-se de efeito produzido por certas drogas, e que atua positivamente sobre o funcionamento do sistema nervoso, melhorando distúrbio de cognição devido a causa orgânica.

nopal [Do náuatle, pelo esp. *nopal.*] *S. m. Bot.* Planta cactácea (*Nopalea coccinellifera*) originária do México e da América Central, e que era cultivada para a criação da cochonilha-do-carmim.

nopaleia (éi) [Do tax. *Nopalea* (do náuatle, v. *nopal*).] *Bot. S. f.* 1. Gênero de cáctus que diferem dos do gênero *Opuntia* (v. *opúncia*) pelas flores escarlates de pétalas eretas, dotadas de estames que são muito mais longos que as pétalas. 2. Qualquer espécie desse gênero, como, p. ex., a *Nopalea coccinellifera* (v. *nopal*). 3. Qualquer espécime desse gênero. ❖

nopineno *S. m. Quím.* O isômero beta do pineno.

noque *S. m. Bras.* V. *anoque.*

N

▲**nor-** [F. red. de *normal*.] *Quím. Pref.* Designa a ausência de um ou mais átomos de carbono, ou a contração de um anel, em relação ao composto original: *norpinano.*

nora[1] [Do lat. vulg. *nora*; fem. de *genro* (q. v.).] *S. f.* A mulher do filho em relação aos pais dele.

nora[2] [Do ár. *nāʿūra(t).*] *S. f.* Aparelho para tirar água dos poços, cisternas, rios, etc., cuja peça principal é uma grande roda de madeira em volta da qual passa uma corda a que estão presos alcatruzes: "Ao longe as noras / Gemem na rega dos laranjais." (Conde de Monsaraz, *Musa Alentejana*, p. 18.)

noradrenalina [De *nor-* + *adrenalina*.] *S. f. Quím.* Hormônio relacionado à adrenalina [fórm.: $C_8H_{11}NO_3$].

noraque *Bras. S. 2 g.* **1.** *Etnôn.* Indivíduo dos noraques [ou (etnôn. bras.) *Norak], povo indígena extinto que habitava a margem esquerda do rio Oiapoque (AP). ● *Adj. 2 g.* **2.** Pertencente ou relativo a esse povo.

norbergita *S. f.* V. *norberguita*.

norberguita [Do top. *Norberg* (Suécia) + *-ita*[3].] *S. f. Min.* Mineral ortorrômbico, silicato de magnésio com flúor, do grupo da humita.

norbornadieno [De *nor-* + *bornadieno*.] *S. m. Quím.* Hidrocarboneto bicíclico, com duas insaturações, derivado do norbornano [fórm.: C_7H_8].

norbornano [De *nor-* + *bornano*.] *S. m. Quím.* Hidrocarboneto saturado, bicíclico, derivado do bornano [fórm.: C_7H_{12}].

norça [Do lat. **nortia*.] *S. f. Bot.* Norça-branca.

norça-branca [De *norça* + o f. de *branco*.] *S. f. Bot.* Erva cucurbitácea (*Bryonia dioica*) medicinal, fortemente purgativa, nativa da Europa, dotada de raiz carnosa, grossa, e vesicante, se aplicada na pele em estado fresco, e triturada. [Tb. se diz apenas *norça*. Pl.: *norças-brancas*.]

norcarano [De *nor-* + *carano*.] *S. m. Quím.* Hidrocarboneto saturado, bicíclico, derivado do carano por perda de três metilas [fórm.: C_7H_{12}].

norcarotenoide (ói) [De *nor-* + *carotenoide*.] *S. m. Quím.* Qualquer substância cujo esqueleto carbônico difere daquele dos carotenoides usuais pela perda de um ou mais átomos de carbono ou pela contração do tamanho de um anel. ❖

nordestada [De *nordeste* + *-ada*[1].] *S. f.* Vento frio e/ou rijo do nordeste; nordestia.

nordestal [De *nordeste* + *-al*[1].] *Adj. 2 g.* Que está no N.E., ou dele provém.

nordeste [Do fr. *nord-est*.] *S. m.* **1.** *Geogr.* Ponto do horizonte situado a 45° do N. e do E. [Abrev.: *N.E.*] **2.** Vento que sopra desse ponto: "Em meio da viagem, soprou de súbito rijo nordeste" (Artur Azevedo, *Contos Possíveis*, p. 52). **3.** Região ou regiões situadas a nordeste (1). **4.** *Bras. N.E.* Moléstia que dizima os galináceos, originada, segundo o povo, do vento do mesmo nome; tinguí. **5.** *Bras. Geogr.* V. *Grande Região*. [Com cap., nesta acepç.] ● *Adj. 2 g.* **6.** Relativo ao nordeste (1), ou dele procedente; nordésteo: *vento nordeste.* **7.** Situado a nordeste (1): *região nordeste.* ◆ **Nordeste Ocidental.** *Bras. Geogr.* V. *Grande Região.* **Nordeste Oriental.** *Bras. Geogr.* V. *Grande Região.*

nordestear [De *nordeste* + *-ear*[2].] *V. int.* **1.** Navegar para nordeste. **2.** Inclinar-se (agulha magnética) para nordeste. [Conjug.: v. *frear*.]

nordésteo [De *nordeste* + *-eo*.] *Adj.* Nordeste (6).

nordeste-ocidental *Adj. 2 g.* Diz-se da, ou relativo à região que abrange as partes nordeste e ocidental de um continente, país, território, etc. [Pl.: *nordeste-ocidentais*.]

nordeste-oriental *Adj. 2 g.* Diz-se da, ou relativo à região que abrange as partes nordeste e oriental de um continente, país, território, etc. [Pl.: *nordeste-orientais*.]

nordestia [De *nordeste* + *-ia*[1].] *S. f.* Nordestada.

nordestinense *Adj. 2 g.* **1.** De, ou pertencente ou relativo a Nordestina (BA). ● *S. 2 g.* **2.** O natural ou habitante de Nordestina.

nordestinismo [De *nordestino* + *-ismo*.] *S. m. Bras.* Palavra, expressão ou construção peculiar ao N.E. brasileiro.

nordestino [De *Nordeste* + *-ino*[1].] *Adj.* **1.** *Bras.* Do, ou pertencente ou relativo ao N.E. brasileiro. V. *Grande Região*. **2.** *E. Ling.* Nos estudos dialetológicos sobre o português brasileiro, diz-se da variedade falada na área linguística que compreende os estados do Maranhão, Piauí, Ceará, Rio Grande do Norte, Paraíba, Pernambuco, Alagoas e ainda parte de Goiás. [V. *falar* (29).] ● *S. m.* **3.** O natural ou habitante dessa região.

nórdico [Do al. *nordisch*.] *Adj.* **1.** De, ou pertencente ou relativo aos países do N. da Europa (Dinamarca, Finlândia, Suécia, Noruega e Islândia). [Cf. *escandinavo*.] **2.** Diz-se das línguas e das literaturas dos povos escandinavos; norreno. ● *S. m.* **3.** O natural ou habitante da Escandinávia. **4.** *Gloss.* Variedade literária do islandês antigo.

norfolquês [Do top. *Norfolk* + *-ês*.] *Adj.* **1.** Pertencente ou relativo a Norfolk (ilha do oceano Pacífico), ou ao norfolquês (2). ● *S. m.* **2.** *Gloss.* Crioulo (12) de base inglesa, falado na ilha Norfolk, que deriva do pitcairnês (q. v.). [Flex. (na acepç. 1): *norfolquesa* (ê), *norfolqueses* (ê), *norfolquesas* (ê).]

nórico [Do lat. *noricu*.] *Adj.* **1.** Da, ou pertencente ou relativo à Nórica, antiga província romana no alto Danúbio (Áustria). ● *S. m.* **2.** O natural ou habitante da Nórica.

norito [De *nor* (do top. *Noruega*) + *-ito*[2].] *S. m. Petr.* Variedade de gabro cujo piroxênio pertence ao sistema ortorrômbico.

norma [Do lat. *norma*.] *S. f.* **1.** Aquilo que se estabelece como base ou medida para a realização ou a avaliação de alguma coisa: *norma de serviço; normas jurídicas; normas diplomáticas.* **2.** Princípio, preceito, regra, lei: *Tem como norma não deixar carta sem resposta.* **3.** Modelo, padrão: *norma de conduta, de ação.* **4.** *Bibliogr.* Título abreviado de obra, que acompanha a assinatura (q. v.). **5.** *E. Ling.* Numa comunidade, o ideal linguístico de correção. **6.** *Filos.* Tipo concreto ou fórmula abstrata do que deve ser, em tudo o que admite um juízo de valor. **7.** *Geol.* Composição hipotética de uma rocha, calculada em base de certas regras definidas. [Cf., nesta acepç., *modo* (10).] **8.** *Mat.* A soma dos quadrados dos membros de uma sequência ou de um conjunto de números. ◆ **Norma brasileira.** Norma técnica elaborada pela Associação Brasileira de Normas Técnicas (ABNT), em conformidade com os procedimentos fixados para o Sistema Nacional de Metrologia, Normalização e Qualidade Industrial, pela lei 5.966, de 16.12.1973. [Sigla: *NBR*.] **Norma técnica.** Documento técnico que fixa padrões reguladores visando a garantir a qualidade do produto industrial, a racionalização da produção, transporte e consumo de bens, a segurança das pessoas, a uniformidade dos meios de expressão e comunicação, etc.

normal [Do lat. *normale*.] *Adj. 2 g.* **1.** Que é segundo a norma. **2.** Habitual, natural. **3.** *Educ.* Diz-se do ensino ou instrução de nível médio para formação de professores primários, e do curso em que se ministra essa instrução. **4.** *Educ.* Que leciona no curso normal: *professora normal.* **5.** *Quím.* Diz-se do alcano de cadeia linear, ou de composto derivado deste alcano por substituição de hidrogênio de uma das extremidades por um grupo funcional: *butano normal, butanol normal.* [Abrev.: *n-*, anteposto. Ex.: n-butano, n-butanol.] **6.** *Tip.* Diz-se do tipo de largura ou peso comum. [Cf., nesta acepç., *largo* e *negrito*.] ~ V. *atmosfera —, banda —, bitola —, cunha —, curva —, curvatura —, derivada —, dispersão —, ebulição —, escola —, microbiota —, objetiva —, plano —, seção —, tensão —* e *vetor —*. ● *S. m.* **7.** O curso normal (3). [Sin., bras., MG: *curso de formação, formação*.] **8.** Unidade de normalidade (2) de uma solução, correspondente a um equivalente-grama por litro [símb.: *N*]. ● *S. f.* **9.** *Mat.* Reta perpendicular a uma curva ou superfície. ◆ **Normal principal.** *Mat.* Normal a uma superfície, contida no plano osculador. **Normal superior.** Curso destinado à formação de professores em nível superior. Habilitação mínima exigida para professores da educação básica.

normalidade [De *normal* + *-(i)dade*.] *S. f.* **1.** Qualidade ou estado de normal. **2.** *Quím.* O número de equivalentes-grama de uma substância dissolvidos em um litro de solução.

normalista [De *normal* + *-ista*.] *Adj. 2 g. S. 2 g. Educ.* **1.** Que, ou quem frequenta ou tem o curso de uma escola normal. **2.** Diz-se de, ou professor ou professora que cursa ou cursou escola normal.

normalização [De *normalizar* + *-ção*.] *S. f.* **1.** Ato ou efeito de normalizar(-se). **2.** *Mat.* Operação em que, mediante multiplicação por um fator conveniente, se faz o valor da integral de certas funções igual à unidade. **3.** *Metal.* Tratamento térmico que se dá ao aço, aquecendo-o até completa austenitização, resfriando-o, em seguida, à temperatura ambiente, a fim de dar à sua estrutura granulação mais fina.

normalizar [De *normal* + *-izar*.] *V. t. d.* **1.** Tornar normal; fazer voltar à normalidade; regularizar: *A chegada do responsável normalizou a situação.* **2.** Submeter a norma (3) ou normas; padronizar. **3.** *Metal.* Realizar a normalização (3) de. *Int.* **4.** Retornar à ordem. *P.* **5.** Voltar ao estado normal. [Cf. *normatizar*.]

normalizável [De *normalizar* + *-vel*.] *Adj. 2 g.* Que pode ser normalizado.

normalmente [De *normal* + *-mente*.] *Adv.* **1.** Na maioria das vezes; habitual ou frequentemente: *Normalmente, ele lê o jornal antes de ir para o escritório.* **2.** Como de costume; conforme o habitual. **3.** Com normalidade: *Depois do susto, voltou a falar normalmente.* **4.** Do mesmo modo que a maior parte das pessoas: *Embora muitíssimo rico, andava pelas ruas normalmente.*

normandiense *Adj. 2 g.* **1.** De, ou pertencente ou relativo a Normandia (RR). ● *S. 2 g.* **2.** O natural ou habitante de Normandia.

normandinho [De *normando* + *-inho*[1].] *S. m. Tip.* V. *negrito* (4). [Cf. *normando* (5).]

normando [Do fr. *normand*.] *Adj.* **1.** Da, ou pertencente ou relativo à Normandia (região do N. da França). ● *S. m.* **2.** O natural ou habitante da Normandia. **3.** *Gloss.* Dialeto do francês falado nessa região. **4.** Vocábulo do normando (3). **5.** *Tip.* Tipo de ostensão que se caracteriza pelo exagerado contraste entre grossos e finos, e pelo aspecto geral arredondado. [Cf., nesta acepç., *negrito* (4) e *normandinho*.]

norma-padrão *S. f.* Norma (1) que servirá de padrão às demais normas. [Pl.: *normas-padrões* e *normas-padrão*.]

normatividade [De *normativo* + *-(i)dade*.] *S. f.* Qualidade ou caráter de normativo.

normativo [Do fr. *normatif*.] *Adj.* **1.** Que tem a qualidade ou força de norma. **2.** *Filos.* Diz-se de conhecimento que enuncia ou que constitui uma norma. ~ V. *ciências —as, direito —* e *gramática —a*.

normatização [De *normatizar* + *-ção*.] *S. f.* Ato ou efeito de normatizar.

normatizar [Do lat. *normatus*, part. pass. de *normare*, + *-izar*.] *V. t. d.* **1.** Estabelecer normas para. **2.** Submeter a norma(s). [Cf. *normalizar*.]

▲**normo-** [Do lat. *nōrma, ae* + *-o-*.] *El. comp.* = 'norma', 'normal': *normócito, normógrafo.*

normoblasto [De *normo-* + *-blasto*.] *S. m. Histol.* Célula sanguínea vermelha, imatura, caracterizada pela grande quantidade de hemoglobina e pelo núcleo pequeno.

normócito [De *normo-* + *-cito*.] *S. m. Histol.* Hemácia em estado normal de volume, forma e concentração de hemoglobina.

normocitose [De *normócito* + *-ose*[1].] *S. f. Histol.* Estado normal do sangue em relação aos seus elementos figurados (ou formadores).

normocórmico [De *normo-* + *-corm(o)-* + *-ico*[2].] *Adj. Antropom.* Diz-se de indivíduo cujo tronco está dentro das proporções normais.

normógrafo [De *normo-* + *-grafo*.] *S. m.* Aparelho de desenho, que consta de lâminas de celuloide com alfabetos vazados ou recortados e que servem de moldes para a elaboração (por meio de penas especiais) de legendas e letreiros.

normológio [De *normo-* + *-log(o)-* + *-io*[3].] *S. m.* Conjunto de normas.

normotensão [De *normo-* + *tensão*; ingl. *normotension*.] *S. f. Med.* Pressão (arterial, liquórica, etc.) cujos valores são normais. [Cf. *hipertensão* e *hipotensão*.]

normotenso [Voc. deduz. de *normotensão* (v. *normo* e *tenso*).] *Adj. S. m. Med.* Diz-se de, ou indivíduo que tem normotensão. [Cf. *hipertenso* e *hipotenso*.]

nor-nordeste [De *nor(te)* + *nordeste*.] *S. m.* **1.** *Geogr.* Ponto do horizonte a meia distância angular do N. e do N.E. [Abrev.: *N. N.E.*] **2.** Vento que sopra desse rumo. ● *Adj. 2 g.* **3.** Relativo ao nor-nordeste (1), ou dele procedente: *vento nor-nordeste.* **4.** Situado ao nor-nordeste (1): *região nor-nordeste.* [Pl.: *nor-nordestes*.]

nor-noroeste [De *nor(te)* + *noroeste*.] *S. m.* **1.** *Geogr.* Ponto do horizonte a meia distância angular do N. e do N.O. [Abrev.: *N. N.O.* ou *N. N.W.*] **2.** Vento que sopra desse rumo. ● *Adj. 2 g.* **3.** Relativo ao nor-noroeste (1), ou dele procedente: *vento nor-noroeste.* **4.** Situado ao nor-noroeste (1): *região nor-noroeste.* [Pl.: *nor-noroestes*.]

noroeste [Do fr. ant. *norouest*.] *S. m.* **1.** *Geogr.* Ponto do horizonte situado a 45° do N. e do O. [Abrev.: *N.O.* ou *N.W.*] **2.** Vento que sopra desse ponto. ● *Adj. 2 g.* **3.** Relativo ao noroeste (1), ou dele procedente: *vento noroeste.* **4.** Situado a noroeste (1): *região noroeste.*

noroestear [De *noroeste* + *-ear*[2].] *V. int.* **1.** *Ant.* Navegar para noroeste. **2.** Inclinar-se (a agulha magnética) para noroeste. [Conjug.: v. *frear*.]

noronhense *Adj. 2 g.* **1.** De, ou pertencente ou relativo a Fernando de Noronha (PE). ● *S. 2 g.* **2.** O natural ou habitante de Fernando de Noronha.

norpinano [De *nor-* + *pinano* (q. v.).] *S. m. Quím.* Alcano bicíclico [fórm.: C_7H_{12}].

norreno [Do fr. *norrain*.] *Adj.* Nórdico (2).

nortada [De *norte* + *-ada*[1].] *S. f.* Vento frio e/ou áspero que sopra do norte; nortia: "E eis que, a um gesto do rei, a turba consternada / A pouco e pouco sai, reina o silêncio, apenas / Cortado pelo uivar longínquo da nortada." (Gonçalves Crespo, *Obras Completas*, p. 334.)

norte [Do anglo-saxônio *north*, ou do fr. *nord*.] *S. m.* **1.** *Astr.* Ponto da esfera celeste (q. v.) situado, para os observadores que estão no hemisfério austral, do lado do polo abaixo do horizonte, e que é a interseção do plano meridiano com o horizonte real. **2.** *Geogr.* Ponto cardeal que se opõe diretamente ao sul (2), e que fica à esquerda do observador voltado para o este. 3. Polo norte. 4. *Astr.* A Estrela Polar. 5. Região ou regiões situadas ao norte. 6. O vento que sopra do norte: "o brando norte assopra" (Tomás Antônio Gonzaga, *Marília de Dirceu*, p. 86). 7. Guia, rumo, direção. 8. *Bras. Geogr.* V. *Grande Região*. [Com cap., nas acepçs. 4 e 8.] ● *Adj. 2 g. e 2 n.* 9. Relativo ao norte (1 e 2), ou dele procedente: *vento norte*. 10. Situado ao norte (1 e 2): *região norte; zona norte*. ~ V. *hemisfério —, latitude —, polo — e sequência polar —*.

norteador (ô) [De *nortear* + *-dor*.] *Adj. S. m.* Que, ou aquele que norteia.

norte-africano *Adj.* 1. Da, ou pertencente ou relativo à África do Norte. ● *S. m.* 2. O natural ou habitante da África do Norte. [Flex.: *norte-africana, norte-africanos, norte-africanas*.]

norteamento [De *nortear* + *-mento*.] *S. m.* Ato ou efeito de nortear(-se); norteio.

norte-americanismo [De *norte-americano* + *-ismo*.] *S. m.* Admiração, apreço ou mania das coisas da América do Norte, particularmente dos E.U.A. [Pl.: *norte-americanismos*.]

norte-americanizado [Part. de *norte-americanizar*.] *Adj.* Que se norte-americanizou. [Pl.: *norte-americanizados*.]

norte-americanizar [De *norte-americano* + *-izar*.] *V. t. d. P.* Tornar(-se) norte-americano; adaptar(-se) ao temperamento, à maneira, ou ao estilo norte-americano.

norte-americano *Adj.* 1. Dos, ou pertencente ou relativo aos Estados Unidos da América. ● *S. m.* 2. O natural ou habitante desse país. [Sin. ger.: *americano-do-norte, americano, estadunidense* e *ianque*. Pl.: *norte-americanos*.]

nortear [De *norte* + *-ear*[2].] *V. t. d.* 1. Dar a direção do norte a; dirigir para o norte. 2. Dirigir, orientar, guiar: "O princípio que, desde os tempos mais remotos da colonização, norteara a criação da riqueza no país, não cessou de valer um só momento para a produção agrária." (Sérgio Buarque de Holanda, *Raízes do Brasil*, p. 21.) *T. d. e i.* 3. Dirigir, orientar, guiar: *Norteia seu comportamento por uma ética rígida*. *P.* 4. Dirigir-se, guiar-se, orientar-se: "Não maravilha que os três magos, filhos da Caldeia sonhadora, arrancassem de seus lares remotos, norteando-se pela estrela surpreendente." (Euclides da Cunha, *À margem da História*, p. 315.) 5. Encaminhar-se, dirigir-se. [Conjug.: v. *frear*.]

norte-asiático *Adj.* 1. Do, ou pertencente ou relativo ao N. da Ásia. ● *S. m.* 2. O natural ou habitante do N. da Ásia. [Flex.: *norte-asiática, norte-asiáticos, norte-asiáticas*.]

norte-coreano *Adj.* 1. Da, ou pertencente ou relativo à Coreia do Norte (Ásia). ● *S. m.* 2. O natural ou habitante da Coreia do Norte. [Flex.: *norte-coreana, norte-coreanos, norte-coreanas*.]

norte-europeu *Adj.* 1. Da, ou pertencente ou relativo à Europa do Norte. ● *S. m.* 2. O natural ou habitante da Europa do Norte. [Flex.: *norte-europeia, norte-europeus, norte-europeias*.]

norteio [Dev. de *nortear*.] *S. m.* Norteamento.

nortelandense *Adj. 2 g.* 1. De, ou pertencente ou relativo à Nortelândia (MT). ● *S. 2 g.* 2. O natural ou habitante de Nortelândia.

norte-mirandense *Adj. 2 g.* 1. De, ou pertencente ou relativo a Miranda do Norte (MA). ● *S. 2 g.* 2. O natural ou habitante de Miranda do Norte. [Pl.: *norte-mirandenses*.]

nortenho *Adj.* 1. Do, ou pertencente ou relativo ao N. de Portugal. ● *S. m.* 2. O natural ou habitante do N. de Portugal.

nortense[1] *S. 2 g. Bras. CE GO* Designação que se dá, no sul desses estados, aos naturais do norte.

nortense[2] *Adj. 2 g.* 1. De, ou pertencente ou relativo a Santa Luzia do Norte (AL). ● *S. 2 g.* 2. O natural ou habitante de Santa Luzia do Norte.

nortense[3] *Adj. 2 g.* 1. De, ou pertencente ou relativo a São José do Norte (RS). ● *S. 2 g.* 2. O natural ou habitante de São José do Norte.

norte-ponte-altense *Adj. 2 g.* 1. De, ou pertencente ou relativo a Ponte Alta do Norte (SC). ● *S. 2 g.* 2. O natural ou habitante de Ponte Alta do Norte. [Pl.: *norte-ponte-altenses*.]

norte-rio-grandense *Adj. 2 g. S. 2 g.* V. *rio-grandense-do-norte*. [Pl.: *norte-rio-grandenses*.]

nortestosterona [De *nor-* + *testosterona*.] *S. f. Quím.* Nandrolona.

norte-vietnamita *Adj. 2 g. S. 2 g. Desus.* V. *vietnamita*. [Pl.: *norte-vietnamitas*.]

nortia [De *norte* + *-ia*[1].] *S. f.* Nortada.

nortismo [De *norte* + *-ismo*.] *S. m. Bras. P. us.* Qualidade de nortista.

nortista [De *norte* + *-ista*.] *Adj. 2 g.* 1. *Bras.* De, ou pertencente ou relativo ao Norte brasileiro. V. *Grande Região*. 2. Diz-se de pessoa nascida nessa região. ● *S. 2 g.* 3. *Bras.* O natural ou habitante dessa região. [Sin., bras., S., nas acepçs. 2 e 3: *baiano*.] ● *S. m.* 4. *Bras. RN* Adepto do partido conservador, ao tempo da monarquia.

nortúmbrio [Do top. *Nortúmbria* (v. *-io*[3]).] *Adj.* 1. Relativo ao antigo reino anglo-saxão da Nortúmbria ou ao nortúmbrio (2). ● *S. m.* 2. *Gloss.* Dialeto do inglês antigo falado na Nortúmbria. 3. Vocábulo do nortúmbrio (2).

noruega [Do top. *Noruega* (v. *norueguês*).] *S. f.* 1. *Bras. S. C.O.* Terras frescas e úmidas de encosta de montanha, pouco batidas pelo sol. [Cf. *soalheiro* (5).] 2. *Bras. RJ MG SP* Vento frio e áspero. ● *Adj. 2 g.* 3. *Bras. RJ MG SP* Diz-se de noruega (2): *vento noruega*.

noruegal [De *noruega* + *-al*[1].] *S. m. Bras. S. C.O.* Larga extensão de noruega (1).

norueguês *Adj.* 1. Da, ou pertencente ou relativo à Noruega (Europa). ● *S. m.* 2. O natural ou habitante da Noruega. 3. *Gloss.* A língua germânica falada pelos noruegueses. V. *germânico* (4). 4. Vocábulo dessa língua. [Flex.: *norueguesa* (ê), *noruegueses* (ê), *norueguesas* (ê).]

nos[1] [Do lat. *nos* (átono).] 1. F. oblíqua do pron. pess. *nós*, a qual funciona, ger., como objeto direto ou, em menor número de casos, como objeto indireto, equivalendo a: 1. A nós: "Recebeu-nos com os braços abertos o nosso bom e sincero amigo" (Almeida Garrett, *Viagens na Minha Terra*, p. 260); "Nossa Senhora, a Dolorida, / Vem apontar-nos a outra vida, / Olhando o Céu com o olhar celeste." (Alphonsus de Guimaraens, *Obra Completa*, p. 62); "As mãos quando a gente as aperta e as tem entre as suas dão-nos o ser inteiro pelo contacto." (Raul Brandão, *Memórias*, II, p. 14). [Quer como objeto direto, quer como indireto, pode assumir caráter reflexo ou recíproco: *Fazendo a barba, distraídos, ferimo-nos*; "Mas explicai-vos ou primeiro ouvi-me / Que a um tempo assim braceando, assim gritando, / Assim chorando, não nos entendemos." (Alberto de Oliveira, *Poesias*, 3ª série, p. 94); *Demo-nos as mãos, em sinal de paz*.] 2. Em nós: *Nossos pais nunca nos bateram*; *Suas palavras não nos influíram entusiasmo*. 3. Para nós: *Nossos amigos nos compraram belos presentes de Natal*. 4. De nós: *Dói-nos fundamente o conceito que nos fazes*. 5. Diante de nós; a nossos olhos: "Não acabava, quando... a figura / Se nos mostra no ar, robusta e válida" (Luís de Camões, *Os Lusíadas*, V, 39). 6. Indica, com certos verbos, a voz passiva: *Batizamo-nos naquela igrejinha, e crismamo-nos em outra, de outra cidade*. 7. Pode funcionar como dativo ético: *Não nos vá fazer papel feio, menino; Não nos ande com brincadeiras de mau gosto*. 8. Usa-se, por vezes, em lugar de *me*, como plural majestático, ou como plural de modéstia. 9. Não raro (com elegância para o estilo), tem valor possessivo: *Queimou-nos fortemente a pele o sol de verão*. [Cf. *nós*, pron. pess. e pl. de *nó*; *no*[1], *no*[2], *no*[3], *no*[4]; e *me, te, lhe, se, vos*.]

nos[2] 1. Masc. pl. de *no*[1] (1): "E os tímidos velhos / Nos graves conselhos, / Curvadas as frontes, / Escutam-lhe a voz!" (Gonçalves Dias, *Obras Poéticas*, II, p. 43.) 2. Masc. pl. de *no*[1] (2): *Há muita beleza nos versos de Antero de Quental e nos de Antônio Nobre; Pense nos que sofrem*. [Cf. *nós*, pron. pess. e pl. de *nó*, e *no*[1], *no*[2], *no*[3], *no*[4].]

nos[3] 1. Masc. pl. de *no*[3] (1): *Estes livros, eles compram-nos muito barato e vendem-nos caro*. 2. Pl. de *no*[3] (2): *Passaram pelos rapazes e não nos viram; Esses ternos que você usa, quem nos fez?* [Cf. *nós*, pron. pess. e pl. de *nó*, e *no*[1], *no*[2], *no*[3] e *no*[4].]

nós [Do lat. *nos* (tônico).] *Pron. pess.* (da 1ª pess. do pl. de ambos os gêneros). 1. Funciona como sujeito, como predicativo ou como regime de preposições: "Existe [a felicidade], sim; mas nós não a alcançamos / Porque está sempre apenas onde a pomos / E nunca a pomos onde nós estamos" (Vicente de Carvalho, *Poemas e Canções*, p. 3); *Quem está certo não é ele, somos nós*; "E trazem já de longe engano urdido / Contra nós" (Luís de Camões, *Os Lusíadas*, I, 79); "Nós dois... E entre nós dois, implacável e forte / A arredar-me de ti, cada vez mais, a morte..." (Olavo Bilac, *Poesias*, p. 170); "Por que me vens, com o mesmo riso, / Por que me vens, com a mesma voz, / Lembrar aquele Paraíso / Extinto para nós?" (Id., *ib.*, p. 222); *Há muito que se afastou de nós*. 2. Usa-se em vez do singular, *eu*, como plural majestático, ou como plural de modéstia. [Se a preposição é *com*, emprega-se, normalmente, *com nós*, em vez de *conosco* (q. v.), se em seguida ao *nós* vier *mesmo* ou *próprio*. Cf. *nos*.]

noscapina [Voc. farmac.] *S. f. Quím.* Narcotina.

▲**-nose** Equiv. de *noso-*.

nosema [Do tax. *Nosema* < gr. *nósema, atos*, 'doença'; 'defeito'.] *S. m. Zool.* 1. Gênero de protozoários, microsporídios, parasitos, intracelulares, que infectam invertebrados, sendo especialmente patogênicos em insetos. 2. Espécie ou espécime desse gênero.

nosematose [Do lat. cient. *Nosemat-* (< tax. *Nosema*, v. *nosema*) + *-ose*[1].] *S. f. Patol.* Qualquer infecção causada por protozoário do gênero *nosema* (q. v.).

▲**noso-** [Do gr. *nósos, ou*.] *El. comp.* = 'doença', 'moléstia': *nosologia, nosomania*. [Equiv.: *-nose*: *fitonose, zoonose*.]

nosocomial [De *nosocômio* + *-al*[1].] *Adj. 2 g.* Relativo a nosocômio; nosocômico, hospitalar.

nosocômico *Adj.* V. *nosocômico*. [Uso freq. em P.]

nosocômico [De *nosocômio* + *-ico*[2].] *Adj.* Nosocomial.

nosocómio *S. m.* V. *nosocômio*. [Uso freq. em P.]

nosocômio [De *noso-* + *-cômio*.] *S. m.* Hospital (1): "Tais palestras ou confissões devem ser .... executadas em um nosocômio ou sanatório, ou lugar tranquilo, para que o doente e o clínico se sintam mais a gosto para o desvendar das verdades." (A. Austregésilo, *Obras Completas*, III, p. 232.)

nosofilia [De *noso-* + *-filia*.] *S. f. Psiq.* Desejo patológico de estar doente.

nosofílico [De *nosofilia* + *-ico*[2].] *Psiq. Adj.* 1. Relativo a nosofilia. 2. Que tem nosofilia; nosófilo. ● *S. m.* 3. Aquele que tem nosofilia; nosófilo.

nosófilo [De *noso-* + *-filo*[2].] *Adj. S. m. Psiq.* Nosofílico (2 e 3).

nosófito [De *noso-* + *-fito*.] *S. m.* Qualquer vegetal patogênico.

nosofobia [De *noso-* + *-fobia*.] *S. f. Psiq.* Medo imoderado de adoecer, ou de doenças: "Um fedelho de nove anos, da minha clientela, possuía inteligência vivíssima e alto grau de nosofobia, isto é, terror das doenças." (A. Austregésilo, *Obras Completas*, III, p. 48.) [Sin. ger.: *patofobia*.]

nosofóbico [De *nosofobia* + *-ico*[2].] *Psiq. Adj.* 1. Relativo a nosofobia. 2. Que sofre de nosofobia; nosófobo, patófobo. ● *S. m.* 3. Aquele que sofre de nosofobia; nosófobo, patófobo. [Sin. ger.: *patofóbico*.]

nosófobo [De *noso-* + *-fobo*.] *Adj. S. m. Psiq.* V. *nosofóbico* (2 e 3).

nosogenia [De *noso-* + *-genia*.] *S. f. Patol.* V. *patogenia*.

nosogénico *Adj. Patol.* V. *nosogênico*. [Uso freq. em P.]

nosogênico [De *nosogenia* + *-ico*[2].] *Adj. Patol.* Respeitante à nosogenia.

nosografia [De *noso-* + *-grafia*.] *S. f. Med.* Descrição metódica das doenças.

nosográfico [De *nosografia* + *-ico*[2].] *Adj. Med.* Relativo à nosografia.

nosógrafo [De *noso-* + *-grafo*.] *S. m.* Autor de nosografia.

nosologia [De *noso-* + *-logia*.] *S. f. Med.* Estudo das moléstias.

nosológico [De *nosologia* + *-ico*[2].] *Adj. Med.* Referente à nosologia.

nosologista [De *nosologia* + *-ista*.] *S. 2 g. Med.* Pessoa que se ocupa da nosologia; nosólogo.

nosólogo [De *noso-* + *-logo*.] *S. m. Med.* Nosologista.

nosomania [De *noso-* + *-mania*.] *S. f. Psiq. Desus.* Hipocondria (1).

nosomaníaco [De *nosomania* + *-íaco*.] *Psiq. Adj.* 1. Relativo a nosomania. 2. Que tem nosomania; nosômano. ● *S. m.* 3. Aquele que tem nosomania; nosômano.

nosómano *Adj. S. m.* V. *nosômano*. [Uso freq. em P.]

nosômano [De *noso-* + *-mano*[1].] *Adj. S. m. Psiq.* Nosomaníaco (2 e 3).

nó-sorvedouro *S. m. Eng. Elétr.* Num diagrama de fluxo de sinal, nó dependente (q. v.), do qual não sai nenhum ramo (14); sorvedouro. [Pl.: *nós-sorvedouros* e *nós-sorvedoure*.]

nossa *Interj.* V. *Nossa Senhora* (2): "Os cavalinhos correndo, / E nós, cavalões, comendo... / O Brasil politicando, / Nossa! A poesia morrendo..." (Manuel Bandeira, *Estrela da Vida Inteira*, p. 149.) [Com cap.]

nossa-amizade *S. f. Bras. RJ Gír.* Tratamento dado (sobretudo entre os homens do povo) a pessoas íntimas, ou até a estranhos, por simpatia: "Passou o portão a galope e disse adeus. Flor-da-Noite veio correndo lá de dentro e pôs a cara na grade. | — Onde vai, nossa-amizade?" (M. Cavalcanti Proença, *Manuscrito Holandês*, p. 202.)

nosso [Do lat. *nostru*.] *Pron. poss.* 1. Pertencente a, ou próprio de, ou sentido, experimentado por nós: *nosso sítio*; *os nossos livros*; "Recebe o afeto que se encerra/ Em nosso peito juvenil" (Olavo Bilac, "Hino à Bandeira Nacional", *Poesias Infantis*, p. 137); "Nossa mãe, o que é aquele / vestido, naquele prego?" (Carlos Drummond de Andrade, *Reunião*, p. 103). 2. Pertencente a, ou próprio de, ou sentido, experimentado pelos seres humanos, entre eles incluída a pessoa que fala: "Choro esta humana insuficiência: / — a confusão dos nossos olhos, / — o selvagem peso do gesto" (Cecília Meireles, *Obra Poética*, p. 488); "O valor de nossas lágrimas / sobre quem perdeu a vida, / não é nada." (Id., *ib.*, p. 490). 3. Que gozamos ou desfrutamos como se nos pertencesse, se fosse propriedade nossa: *A nossa praia, domingo último, estava sensacional*. 4. Que nos serve, nos convém, nos interessa: *O horário de nossa barca sofreu modificações*; *Faz tempo que*

N

não acho o nosso vinho para comprar. **5.** Que nos é devido; que nos cabe ou nos toca: *Lutaremos até o fim pelos nossos direitos.* **6.** Preferido por nós; da nossa predileção: *A peixada sempre foi o nosso prato.* **7.** Dedicado ou reservado a nós: *Tuas férias serão nossas: terás de passá-las na fazenda conosco.* **8.** Onde nós trabalhamos, exercemos atividade: *Nosso centro de pesquisas está cada vez mais bem aparelhado.* **9.** Esse, aquele, o tal (tratando-se de pessoa a quem dantes já nos referimos ou a respeito de quem vamos falar): *Que terá acontecido ao nosso homem?* [É de rigor, neste caso, o uso do artigo.] **10.** Da nossa amizade; do nosso afeto; que nos é caro; querido por nós: *Como vai passando o nosso poeta?* **11.** Do, ou pertencente ao povo e/ou à terra onde nascemos ou habitamos: "Nosso céu tem mais estrelas, / Nossas várzeas têm mais flores, / Nossos bosques têm mais vida, / Nossa vida mais amores." (Gonçalves Dias, *Obras Poéticas*, I, p. 21.) [Aplica-se, aqui, a observação anterior.] [Flex.: *nossa, nossos, nossas*. Paralelamente ao uso do pronome pessoal *nós* por *eu* nas fórmulas de modéstia e majestade, aparece o do pronome possessivo *nosso(a)* por *meu* (*minha*).] **12.** Posposto ao substantivo (o que acontece com bem menor frequência do que em relação ao *meu*), adquire, na maioria dos casos, conteúdo afetivo: *Filho nosso, que vais fazer?* • ***S. m.*** **13.** Aquilo que nos pertence: *Respeitamos o alheio para que o mesmo façam com o nosso.* ~ V. *nossos.*

nosso-pai ***S. m. Pop.*** Viático (2). [Pl.: *nossos-pais.*]

nossos [Pl. de *nosso.*] ***S. m. pl.*** Us. na loc. s. *os nossos.* ~ V. *nosso.* ◆ **Os nossos.** A nossa família; os nossos parentes.

nostalgia [De *nost(o)-* + *-alg(o)-*[2] + *-ia*[1]; fr. *nostalgie.*] ***S. f.*** **1.** Melancolia produzida no exilado pelas saudades da pátria: "O meu interlocutor de acaso teria .... o espírito perturbado pela amargura do exílio e pela nostalgia do que a revolução lhe destruíra" (Fidelino de Figueiredo, *Entre Dois Universos*, p. 196); "Dão-se frequentes casos de nostalgia, sobretudo nas gentes do campo, quando deixam as suas montanhas e são obrigados a viver em terra estrangeira." (Bulhão Pato, *Memórias*, I, p. 12). **2.** Saudade (1): "— Pois, senhor, é curioso. No meio de uma paixão ardente, tão sincera... Eu ainda estou na minha; acho que foi a nostalgia da lama. / — Não: nunca a Marocas desceu até aos Leandros." (Machado de Assis, *Histórias sem Data*, p. 55.)

nostálgico [De *nostalgia* + *-ico*[2].] ***Adj.*** **1.** Em que há nostalgia: *Quedou-se horas a fio a ouvir canções nostálgicas.* **2.** Que sofre de nostalgia. • ***S. m.*** **3.** Aquele que sofre desse mal.

nostalgizar [De *nostalgia* + *-izar.*] ***V. t. d.*** Infundir nostalgia em; tornar nostálgico.

▲ **nost(o)-** [Do gr. *nóstos, ou.*] ***El. comp.*** = 'retorno', 'regresso': *nostalgia, nostomania.*

nostocácea [Do tax. *Nostoc*, gênero-tipo, + *-ácea*; tax. *Nostocaceae.*] ***S. f. Bot.*** Espécime das nostocáceas, família de esquizofíceas cujas células, globosas se reúnem em filamentos moniliformes providos de heterocistos. Muitas espécies produzem mucilagem, formando massas gelatinosas sobre o solo úmido, ou sobre a água. Algumas espécies são us. como alimento, na China e no Japão.

nostocáceo [De *nostocácea*, com var. suf. (v. *-áceo*).] ***Adj. Bot.*** Pertencente ou relativo às nostocáceas.

nostomania [De *nost(o)-* + *-mania.*] ***S. f. Psiq.*** Impulso irresistível de retornar a casa.

nostomaníaco [De *nostomania* + *-íaco.*] *Psiq.* ***Adj.*** **1.** Relativo a nostomania. **2.** Que tem nostomania; nostômano. • ***S. m.*** **3.** Aquele que tem nostomania; nostômano.

nostómano ***Adj. S. m. Psiq.*** V. *nostômano.* [Uso freq. em P.]

nostômano [De *nost(o)-* + *-mano*[1].] ***Adj. S. m. Psiq.*** Nostomaníaco (2 e 3).

nota [Do lat. *nota.*] ***S. f.*** **1.** Marca para assinalar algo. **2.** Conhecimento; consideração, atenção: "Seguia-se outra sala menor que a primeira, onde nada havia que seja digno de nota." (Machado de Assis, *Contos Avulsos*, p. 149.) **3.** Apontamento, anotação: *notas de aula; notas de leitura.* **4.** Sinal ou comentário feito à margem de um trecho escrito: *O romance trazia notas do punho do autor.* **5.** *Edit.* Comentário, explicação ou aditamento à parte do texto de uma obra. [Imprime-se, ger. em corpo menor, ao pé da página (*nota de rodapé*), no fim da publicação (*nota de fim de texto*) ou na margem (*nota marginal*); e pode ser elaborado pelo autor, editor, comentador ou tradutor.] **6.** Bilhete para lembrar ou indicar alguma coisa: *Deixou em sua mesa uma nota dos compromissos do dia.* **7.** Observação ou esclarecimento no final de um texto: *A nota dizia que a carta era confidencial.* **8.** Breve comunicação ou exposição escrita: *O jornal traz uma nota esclarecendo o incidente.* **9.** Comunicação escrita e oficial do governo de um país para o de outro. **10.** Julgamento (de aptidão revelada em exame ou concurso, de aproveitamento no estudo regular, de desempenho em função, etc., ou de conduta escolar, funcional, etc.) expresso em números, em palavras ou em letras de valor relativo, segundo critérios variáveis; grau. [Cf., nesta acepç., *conceito* (6).] **11.** Conta de despesa efetuada: *A nota do restaurante foi altíssima.* **12.** O papel onde está escrita a nota (3, 6 e 9). **13.** Cédula (3): *Recebeu o pagamento em notas de 100.* **14.** Registro das escrituras dos tabeliães. **15.** Função de notário. **16.** *Taquigr.* Ao findar a Antiguidade Clássica, termo de sentido amplo que designava tanto a abreviação, os símbolos, e as siglas que a indicavam, como os símbolos não alfabéticos e taquigráficos: *notas tironianas.* **17.** Pormenor ou detalhe que caracteriza (para bem ou para mal) alguém ou algo: *Sua presença foi a nota destoante da festa; As cortinas vermelhas eram a nota alegre da sala.* **18.** *Mús.* Som musical (q. v.) de determinada altura (12), esp. aquele produzido por instrumento musical ou pela voz humana, e correspondente a alguma nota da escrita musical: *Assobiava ininterruptamente a mesma nota; Cantarolou algumas notas da canção.* **19.** *Mús.* Cada um dos sinais gráficos com que se representam convencionalmente a altura e duração relativas dos sons nas composições musicais. [Quanto às alturas relativas dos sons que representam, as notas são designadas como *dó, ré, mi, fá, sol, lá* ou *si* (e suas respectivas alterações [v. *alteração* (9)]); quanto à duração relativa, são designadas *breve, semibreve, mínima, semínima, colcheia, semicolcheia, fusa* ou *semifusa*.] **20.** *P. ext. Mús.* Qualquer som musical (q. v.): *as notas plangentes do violão; O copo de cristal, percutido, emitiu uma nota aguda.* **21.** *Econ.* Título de crédito: *nota promissória; Nota do Tesouro Nacional.* **22.** *Lóg.* V. *atributo* (9). **23.** *Bras. Pop.* V. *dinheiro* (5): *Casou com uma moça rica e está com a nota.* [Dim. irreg.: *nótula.*] ◆ **Nota bibliográfica.** *Edit.* Nota que indica a fonte da citação, transcrição ou paráfrase utilizada em uma obra. [Cf. *bibliografia* e *notas bibliográficas.*] **Nota complexa.** *Mús. Concr.* Todo elemento de uma monofonia, breve ou longo, que apresente com clareza um início, um corpo e uma extinção. **Nota de culpa.** *Jur.* Documento que a autoridade é obrigada a entregar ao preso, em caso de flagrante, dentro de 24 horas, mediante recibo, e que contém o motivo da prisão, o nome do condutor e os das testemunhas. **Nota de despesa.** V. *conta* (4). **Nota de fim de texto.** *Edit.* V. *nota* (5). **Nota de passagem.** *Mús.* Nota estranha à harmonia, que liga duas notas reais, por graus conjuntos diatônicos ou cromáticos, ascendentes ou descendentes, e é, em geral, empregada no tempo fraco do compasso. **Nota de rodapé.** *Edit.* V. *nota* (5). **Nota de serviço.** Conjunto de instruções escritas que o engenheiro-fiscal de uma obra expede aos empreiteiros que a executam. **Nota de venda.** *Com.* Nota fiscal (q. v.). **Nota explicativa.** **1.** *Cont.* Detalhamento de informações inerentes a saldos e operações contábeis mencionado complementarmente às demonstrações financeiras. **2.** *Tip.* Nota us. para comentários, esclarecimentos ou explanações, que não possam ser incluídos no texto. **Nota fiscal.** *Com.* Impresso com nome e endereço da firma vendedora e outras informações exigidas pelas leis fiscais, e em que se especificam as mercadorias vendidas, com indicação dos preços unitário e global, e que é obrigatoriamente entregue ao comprador; nota de venda. **Nota fundamental.** *Mús.* Aquela que é a base para a formação de um acorde segundo os princípios acústicos dos sons harmônicos [v. *harmônico* (4 e 7)]e as regras da harmonia tonal, e que ger. é a mais grave desse acorde e lhe empresta o nome e o símbolo. [Cf. *som fundamental.*] **Nota grossa.** *Mús. Concr.* Nota complexa que tem o ataque, o corpo e a extinção suficientemente desenvolvidos. **Nota marginal.** A que se põe nas margens laterais das páginas, geralmente à esquerda nas páginas pares e à direita nas ímpares. **Nota modal.** *Mús.* Cada um dos graus (terceiro e sexto) da escala diatônica que dão origem à formação dos modos maior e menor. **Nota promissória.** Promissória. **Nota promissória comercial.** *Econ.* Nota promissória, em geral de curto prazo, emitida por empresa de grande porte, e negociada no mercado financeiro, esp. no mercado financeiro internacional. [Sin. (ingl.): *commercial paper.*] **Notas bibliográficas.** *Bibliol. Bibliogr.* Colação (6). [Cf. *nota bibliográfica.*] **Nota verbal.** *Diplom.* Comunicação diplomática redigida na terceira pessoa do singular, sem assinatura ou outras formalidades, e dirigida pelo ministro de Estado a chefe de representação estrangeira ou vice-versa. **Notas tironianas.** *Taquigr.* Sistema taquigráfico desenvolvido na Roma antiga (por Tirão, liberto e amanuense de Cícero - v. *ciceroniano*), que consistia no emprego de letra ou de sílaba inicial de uma palavra, muito modificada em virtude de seu desenvolvimento cursivo, acrescida de símbolos representativos das terminações. [Cf. *braquigrafia* (1).] **Dar a nota.** **1.** Lembrar a expressão ou frase precisa para designar alguma coisa. **2.** *Fam.* Brilhar muito, sobressaindo entre os demais; fazer boa presença em público; sobressair, distinguir-se, relevar-se, destacar-se: "Os redentoristas davam a nota com o Padre Severino fazendo milagres." (Pedro Nava, *Beira-Mar*, p. 179.) **Forçar a nota.** V. *forçar a mão*: "Ele dirigiu-se ao interior da casa; mas nos poucos passos que fez... É melhor citar-lhe o pensamento, não pareça esteja eu querendo interferir para forçar a nota." (Xavier Placer, *Doze Histórias Curtas*, p. 97.) **Uma nota.** *Bras. Pop.* V. *uma nota firme.* **Uma nota firme.** *Bras. Pop.* Muito dinheiro; uma fortuna; uma nota; uma nota preta: *O carro custou uma nota firme!* **Uma nota preta.** *Bras. Pop.* V. *uma nota firme.*

→ **nota bene** ['nota 'benɛ] [Lat., 'observa bem'.] Serve para, num texto, chamar a atenção para o que segue. [Abrev.: *N. B.*]

notabilidade [De *notável* + *-(i)dade*, seg. o padrão erudito.] ***S. f.*** **1.** Qualidade de notável. **2.** Pessoa ilustre, notável.

notabilíssimo ***Adj.*** Superl. abs. sint. de *notável.*

notabilização [De *notabilizar* + *-ção.*] ***S. f.*** Ato ou efeito de notabilizar(-se).

notabilizador (ô) [De *notabilizar* + *-dor.*] ***Adj.*** Que notabiliza.

notabilizar [De *notável* + *-izar*, seg. o padrão erudito.] ***V. t. d.*** **1.** Tornar notável, famoso; celebrizar. ***P.*** **2.** Tornar-se notável, famoso; sobressair, distinguir-se: "verdadeiramente, a única mulher que em Portugal se notabilizou pelo espírito malicioso, ... pela cintilação do talento, ... foi, no século XVII, a sumptuosa freira Bernarda de Odivelas sóror Feliciana Maria" (Júlio Dantas, *Abelhas Doiradas*, p. 103).

notacantídeo [Do tax. *Notacanthus* + *-ídeo*[1]; tax. *Notacanthidae.*] *Zool.* ***S. m.*** **1.** Espécime dos notacantídeos, pequena família de peixes actinopterígios, notacantiformes, que se assemelham às enguias e cujo corpo alongado termina em cauda estreita dotada de barbatana dorsal. • ***Adj.*** **2.** Pertencente ou relativo a eles.

notacantiforme [Do tax. *Notacanthus* + *-iforme*; tax. *Notacanthiformes.*] *Zool.* ***S. m.*** **1.** Espécime dos notacantiformes, ordem de peixes elopomorfos, desprovidos de bexiga natatória, ou de ducto pneumático, que habitam regiões profundas dos oceanos, e cujo corpo afusado termina em pequena barbatana caudal. • ***Adj. 2 g.*** **2.** Pertencente ou relativo a eles.

notacanto[1] [De *not(o)-*[1] + *-acanto.*] ***Adj. Zool.*** Que tem barbatanas no dorso.

notacanto[2] [Do tax. *Notacanthus.*] ***S. m. Zool.*** **1.** Gênero-tipo dos notacantídeos. **2.** Espécie ou espécime desse gênero.

notação [Do lat. *notatione.*] ***S. f.*** **1.** Ato ou efeito de notar. **2.** Sistema de representação ou designação convencional. **3.** Conjunto de sinais com que se faz essa representação ou designação. **4.** *Bibliot.* Número de chamada. **5.** *Mús.* O conjunto dos sinais convencionais que simbolizam os sons de uma obra musical. [Cf. *nutação.*]

notacional [De *notação* (*natacion-*) + *-al*[1], seg. o padrão erudito.] ***Adj. 2 g.*** De, ou relativo a notação.

notadamente [Do f. de *notado* + *-mente.*] ***Adv.*** De maneira especial; especialmente.

notado [Part. de *notar.*] ***Adj.*** **1.** De que se tomou nota. **2.** Que dá na vista; que se tornou reparado, reputado.

notador (ô) [De *notar* + *-dor.*] ***Adj. S. m.*** Que, ou aquele que nota.

→ **notae juris** ['notaj 'jur̃es] [Lat., 'sinais jurídicos'.] *Paleogr.* Cada uma das abreviaturas [v. *abreviatura* (3)] para termos que se repetiam com frequência, as quais foram utilizadas em textos jurídicos da Antiguidade, constituindo a origem das abreviaturas medievais. [Pelos problemas interpretativos que criaram, foram banidas das cópias oficiais pelo Senado Romano em 438 d. C., proibição ignorada nas ilhas britânicas.] [Tb. us. a loc. *abreviaturas jurídicas.*] [Cf. *braquigrafia* (1).]

notalgia [De *not(o)-*[1] + *-alg(o)-*[2] + *-ia*[1].] ***S. f. Med.*** Dor no dorso (1).

notálgico [De *notalgia* + *-ico*[2].] ***Adj.*** Relativo a notalgia.

notambulação ***S. f.*** V. *noctambulação.*

notambulismo ***S. m.*** V. *noctambulismo.*

notâmbulo ***Adj. S. m.*** V. *noctâmbulo.*

notar [Do lat. *notare.*] ***V. t. d.*** **1.** Pôr sinal, marca, nota, em. **2.** Tomar nota de; anotar: *O repórter notou cuidadoso as declarações do entrevistado.* **3.** Redigir; minutar. **4.** Atentar ou reparar em; observar: *Notando que o dono da casa estava fatigado, despediu-se.* **5.** Observar com censura; estranhar, censurar: *Notou o mau comportamento do empregado, e despediu-o.* **6.** Fazer referência a; observar. **7.** Arguir, acusar. **8.** Inscrever nas notas de tabelião. **9.** Representar por meio de sinais convencionais. ***Transobj.*** **10.** Acusar, tachar: *Notou como esno-*

bismo o uso de certas expressões estrangeiras na obra; “Quem hoje ouvir recontar os bravos golpes que .... se deram na frontaria de Beja, notá-los-á de fábulas sonhadas” (Alexandre Herculano, *Lendas e Narrativas*, II, p. 99). [Cf. *nutar*. Fut. pret.: *notaria*, etc. Cf. *notária*, fem. de *notário*, s. m.]

notariado [De *notário* + *-ado*^{2}.] ***S. m.*** Ofício ou funções de notário ou de tabelião.

notarial [De *notário* + *-al*^{1}.] ***Adj. 2 g.*** Relativo a, ou próprio de notário.

notário [Do lat. *notariu.*] ***S. m.*** Escrivão público; tabelião: “Um velho notário, muito mesurado, lavrou, com todas as formalidades, uma longa escritura” (Antero de Figueiredo, *Leonor Teles*, p. 195). [Fem.: *notária*. Cf. *notaria*, do v. *notar*.]

notável [Do lat. *notabile.*] ***Adj. 2 g.*** **1.** Digno de nota, atenção ou reparo: *livro notável; obra notável.* **2.** Digno de apreço ou louvor: *Teve uma atuação notável nas negociações de paz.* **3.** Essencial; importante. **4.** Eminente, ilustre, insigne: *Dostoievski é um romancista dos mais notáveis do mundo.* **5.** Extraordinário, considerável. **6.** Que ocupa elevada posição social: *dama notável.* [Superl. abs. sint.: *notabilíssimo*.]

notavelmente (à) [De *notável* + *-mente.*] ***Adv.*** De maneira notável.

➔**notebook** ['nowtbʊk] [Ingl., lit., ‘caderno (de anotações)’.] ***S. m.*** *Inform.* Microcomputador portátil, menor que o *laptop*.

notícia [Do lat. *notitia.*] ***S. f.*** **1.** Informação, notificação, conhecimento: *Não tive notícia do acontecido.* **2.** Observação, apontamento, nota. **3.** Resumo de um acontecimento. **4.** Escrito ou exposição sucinta de um assunto qualquer. **5.** Novidade, nova: *Que notícias me traz você?* **6.** Lembrança, memória. **7.** Nota histórica. **8.** *Jorn.* Relato de acontecimento atual, de interesse público geral, ou de determinado segmento da sociedade, veiculado em jornal, rádio, televisão, etc. [Cf. *noticia*, do v. *noticiar*.] ◆ **Ser notícia.** Constituir-se novidade; destacar-se em um noticiário.

noticiabilidade [De *noticiável* (*noticiabil-*) + *-(i)dade*, seg. o padrão erudito.] ***S. f.*** *Jorn.* Caráter ou condição que leva determinado fato a se tornar notícia.

noticiador (ô) [De *noticiar* + *-dor.*] ***Adj.*** **1.** Que noticia, informador, informante, noticiante. ● ***S. m.*** **2.** Aquele que noticia.

noticiante [De *noticiar* + *-nte.*] ***S. 2 g.*** Noticiador.

noticiar [De *notícia* + *-ar*^{2}.] ***V. t. d. T. d. e i.*** **1.** Dar notícia de; comunicar: “Rubião entrou, estendeu-lhes a mão, ... e acabou noticiando a queda do ministério.” (Machado de Assis, *Quincas Borba*, p. 315); *Noticiou aos amigos o próximo casamento.* **2.** Tornar conhecido; divulgar: “Os jornais noticiavam há dias dois casos de violência exercida sobre menores do sexo feminino” (Fialho d’Almeida, *Pasquinadas*, p. 165). ***P.*** **3.** Inteirar-se, informar-se, notificar-se. [Pres. ind.: *noticio*, *noticias*, *noticia*, etc. Cf. *notícia*, s. f.]

noticiário [De *notícia* + *-ário.*] ***S. m.*** **1.** Resenha ou conjunto de notícias. **2.** Seção de jornal, etc., destinada à publicação de notícias.

noticiarismo [De *noticiário* + *-ismo.*] ***S. m.*** *Bras.* **1.** A função do noticiarista. **2.** A classe dos noticiaristas ou redatores de notícias.

noticiarista [De *noticiário* + *-ista.*] ***S. 2 g.*** **1.** Pessoa que noticia, que dá notícias. **2.** *Jorn.* Encarregado da redação de notícia (8). [Cf., nesta acepç., *repórter* (1).] ● ***Adj. 2 g.*** **3.** ~ V. *locutor* —.

noticiável [De *noticiar* + *-vel.*] ***Adj. 2 g.*** Que pode ser noticiado.

noticioso (ô) [De *notícia* + *-oso.*] ***Adj.*** **1.** Que sabe dar muitas notícias; que tem muitos conhecimentos: “Passaremos em silêncio muitos episódios que na vida de Cervantes têm sido diversamente interpretados pelos seus mais eruditos e noticiosos comentadores.” (Latino Coelho, *Cervantes*, p. 145.) **2.** Que traz ou contém muitas notícias. ● ***S. m.*** **3.** *Bras.* Noticiário (1), em especial o radiofônico e o de televisão.

notificação [De *notificar* + *-ção.*] ***S. f.*** **1.** Ato de notificar. **2.** *Jur.* Ordem judicial para que alguém faça ou não faça alguma coisa; intimação. **3.** *P. ext. Jur.* Documento que contém essa ordem: *Ao receber do oficial de justiça a notificação, rasgou-a irritadíssimo.* [Cf., nas acepçs. 2 e 3, *citação* (4) e *intimação* (2).]

notificante [De *notificar* + *-nte.*] ***Adj. 2 g.*** Notificativo.

notificar [Do lat. *notificare.*] ***V. t. d.*** **1.** Dar ciência ou notícia a; inteirar: *Uma vez ciente da resolução, notificou todos os presentes.* **2.** Dar judicialmente conhecimento de; intimar. ***T. d. T. d. e i.*** **3.** Dar conhecimento ou notícia de; comunicar, participar, noticiar; dizer: *notificar um acontecimento; Notificou-o de sua estranha resolução.* **4.** Participar com solenidade, segundo as formalidades da lei ou do estilo. **5.** *Jur.* Participar a (alguém) uma ordem judicial para fazer ou não fazer algo; dar conhecimento das ordens do juiz. [Cf., nesta acepç., *intimar* (1), *citar* (4) e *interpelar* (3). Conjug.: v. *trancar*.]

notificativo [De *notificar* + *-tivo.*] ***Adj.*** Que notifica; notificante.

notificatório [De *notificar* + *-tório.*] ***Adj.*** Que serve para notificar.

notificável [De *notificar* + *-vel.*] ***Adj. 2 g.*** Digno de ser notificado.

notista [De *nota* + *-ista.*] ***S. 2 g.*** *Bras.* Empregado que, nos estabelecimentos comerciais ou industriais, se encarrega da extração de notas e serviços conexos.

notívago ***Adj. S. m.*** V. *noctívago*.

noto^{1} [Do gr. *nótos*, pelo lat. *notu.*] ***S. m.*** *Ant.* Entre os antigos, o vento sul. [Antôn.: *bóreas* e *setentrião*.]

noto^{2} [Do gr. *nôtos* ou *nôton*, ‘costas’, ‘dorso’.] ***S. m.*** *Zool.* A face dorsal do corpo dos artrópodes, e, mais particularmente, do tórax dos insetos.

noto^{3} [Do lat. *notu*, part. pass. de *noscere.*] ***Adj.*** *Poét.* **1.** Conhecido, sabido. **2.** Manifesto, patente.

▲ **not(o)-**^{1} [Do gr. *nôtos* ou *nôton, ou.*] ***El. comp.*** = ‘costas’, ‘dorso’; ‘corda dorsal’: *notalgia*, *notocórdio*. [Equiv.: *-noto*: *pronoto*.]

▲ **not(o)-**^{2} [Do gr. *nótos, ou* (> lat. *notus, i*).] ***El. comp.*** = ‘noto’, ‘vento sul’, ‘sul’: *nototério*.

▲ **not(o)-**^{3} [Do gr. *nóthos, ē, on.*] ***El. comp.*** = ‘espúrio’, ‘híbrido’, ‘falso’: *notófago*, *notossauro*.

▲ **-noto** Equiv. de *not(o)-*^{1}.

notocentro [De *not(o)-*^{1} + *centro.*] ***S. m.*** *Zool.* O centro de uma vértebra, quando formada por arcos dorsais, como na rã e no sapo.

notocorda [De *not(o)-*^{1} + *-corda.*] ***S. f.*** *Embr.* Estrutura celular em forma de bastão, e que dá origem ao eixo primitivo do embrião; notocórdio, corda dorsal.

notocordal [De *notocorda* + *-al*^{1}.] ***Adj. 2 g.*** *Embr.* Do, ou relativo ao notocórdio.

notocórdio [De *not(o)-*^{1} + *-cord(o)-* + *-io*^{3}.] ***S. m.*** *Embr.* V. *notocorda*.

notodontídeo [Do tax. *Notodonta* + *-ídeo*^{1}; tax. *Notodontidae.*] *Zool.* ***S. m.*** **1.** Espécime dos notodontídeos, grande família de mariposas que se assemelham às noctuídeas, mas que delas se distinguem sobretudo pela nervação da parte anterior das asas e pelas larvas, nuas e, ger., de forma grotesca. ● ***Adj.*** **2.** Pertencente ou relativo a eles.

notófago [Do tax. *Nothofagus* (v. *not(o)-3* e *–fago*).] ***S. m.*** *Bot.* **1.** Gênero de árvores fagáceas, semelhantes à faia, ao qual pertencem 12 espécies das regiões temperadas do hemisfério sul. Algumas dessas espécies fornecem madeira útil. **2.** Espécie ou espécime desse gênero.

notogeia (éi) [Do lat. cient. *Notogea.*] ***S. f.*** A região zoogeográfica que abrange a Austrália, a Nova Zelândia, Nova Guiné, Tasmânia, e ilhas a S. e a E. da linha Wallace (q. v.). [Com cap. Cf. *Neogeia* e *Arctogeia*.] ❖

notomatídeo [Do tax. *Notommata*, gênero-tipo, + *-ídeo*^{1}; tax. *Notommatidae.*] *Zool.* ***S. m.*** **1.** Espécime dos notomatídeos, grande família de rotíferos monogonontes, que inclui muitas formas típicas, as quais, ger., têm o corpo quase cilíndrico, e pé situado na parte posterior, terminando em dois dedos. ● ***Adj.*** **2.** Pertencente ou relativo a eles.

notonectídeo [Do tax. *Notonecta* + *-ídeo*^{1}; tax. *Notonectidae.*] *Zool.* ***S. m.*** **1.** Espécime dos notonectídeos, família de insetos carnívoros aquáticos, hemípteros, cujo dorso é acentuadamente convexo, e as pernas posteriores longas, e remiformes. ● ***Adj.*** **2.** Pertencente ou relativo a eles.

notopterídeo [Do tax. *Notopterus* + *-ídeo*^{1}; tax. *Notopteridae.*] *Zool.* ***S. m.*** **1.** Espécime dos notopterídeos, pequena família de peixes osteoglossiformes, da África ocidental e do Sudeste Asiático, em que a nadadeira dorsal, quando presente, é pequena e em forma de pena, e a anal longa e confluente à pequena caudal. ● ***Adj.*** **2.** Pertencente ou relativo a eles.

notoriamente [Do f. de *notório* + *-mente.*] ***Adv.*** De modo notório.

notoriedade [Do lat. med. *notorietate.*] ***S. f.*** **1.** Qualidade de notório; fama, publicidade. **2.** Pessoa de notória competência, ou saber.

notório [Do lat. *notoriu.*] ***Adj.*** Conhecido de todos; público, manifesto: *professor de notório saber*; “O boato dos amores adúlteros da duquesa corria já: os ciúmes da viscondessa eram notórios” (Camilo Castelo Branco, *Livro Negro de Padre Dinis*, p. 194).

notórnis [Do tax. *Notornis.*] ***S. f.*** *Zool.* **1.** Gênero de aves gruiformes, ralídeas, incapazes de voar, encontrado na Nova Zelândia; do porte de uma galinha-d’água, apresentam coloração verde-oliva, com ventre azulado. É um gênero em via de extinção. **2.** Espécie ou espécime desse gênero.

notorrizo [De *not(o)-*^{1} + *-rizo.*] ***Adj.*** *Bot.* Diz-se de embrião cuja radícula se aplica dorsalmente contra a nervura central de um dos cotilédones.

notossáurio [Adapt. do tax. *Nothosauria.*] *Paleont.* ***S. m.*** **1.** Espécime de notossáurios, subordem de reptis sauropterígios, marinhos, que viveram no triásico da Europa, África e Ásia; compreende animais pequenos e médios, com patas remiformes, pescoço comprido, e crânio com grandes cavidades. ● ***Adj.*** **2.** Pertencente ou relativo a eles.

notossauro [Do tax. *Nothosaurus* (v. *not(o)-*^{3} e *–sauro*).] ***S. m.*** *Paleont.* **1.** Gênero de reptis notossáurios com cerca de 6m de comprimento, dotados de dentes aguçados, cauda estreita e membros largos, achatados, remiformes. Alimentavam-se de peixes. **2.** Espécie ou espécime desse gênero.

notostráceo [Adapt. do tax. *Notostraca.*] *Zool.* ***S. m.*** **1.** Espécime dos notostráceos, ordem de artrópodes crustáceos, branquiópodes, de carapaça baixa, ovoide, somitos em número de 40 a 60 e olhos sésseis, que vivem nas águas doces estagnadas. ● ***Adj.*** **2.** Pertencente ou relativo a eles.

nototério [Do tax. *Nototherium* (v. *not(o)-2* e *–tério*^{1}).] ***S. m.*** *Paleont.* **1.** Gênero de marsupiais do plistoceno da Austrália, relacionados aos atuais vombatídeos, mas cujo tamanho se aproximava ao de um rinoceronte. **2.** Espécie ou espécime desse gênero.

notoungulado [De *not(o)-*^{1} + *ungulado*; tax. *Notoungulata.*] *Paleont.* ***S. m.*** **1.** Espécime dos notoungulados, ordem de mamíferos ungulados, perissodáctilos, com o terceiro dedo muito forte e grande, sendo importante para a sustentação do peso do animal; os demais dedos eram reduzidos. Herbívoros, com dentição completa, viveram no terciário e no quaternário da América do Sul. ● ***Adj.*** **2.** Pertencente ou relativo a eles.

notrotério [Do tax. *Nothrotherium.*] ***S. m.*** *Paleont.* **1.** Gênero de mamíferos edentados, megateriídeos, que se assemelhavam às atuais preguiças, e que habitavam a América do Sul, tendo penetrado na América do Norte pelo Panamá (América Central) há cerca de três milhões de anos, onde se espalharam, principalmente, pela atual região S.O. dos E.U.A.; extinguiram-se há 11.000 anos. **2.** Espécie ou espécime desse gênero.

nótula [Do lat. tard. *notula.*] ***S. f.*** Pequena nota ou comentário.

noturnal [Do lat. *nocturnale.*] ***Adj. 2 g.*** Noturno (1 e 2): “E a treva noturnal circunvolve Granada.” (Martins Fontes, *Verão*, p. 71.)

noturnidade [De *noturno* + *(i)dade.*] ***S. f.*** Caráter ou qualidade de noturno.

noturno [Do lat. *nocturnu.*] ***Adj.*** **1.** Referente à noite; noturnal. **2.** Que se faz de noite; noturnal: *trabalho noturno.* **3.** Noctívago. **4.** *Bot. Zool.* Diz-se de animal, e de planta, que realiza a maior parte de suas funções (como alimentação, ou florescimento) à noite, ou seja, que são ativos à noite. [Antôn., nessas acepçs., *diurno*.] ~ V. *albergue* —, *casa* —*a* e *rapaces* —*s*. ● ***S. m.*** **5.** Noctívago. **6.** *Lit.* Uma das partes do ofício divino. **7.** *Mús.* No séc. XVIII, variante da serenata instrumental. **8.** *Mús.* No séc. XIX, pequena composição vocal (a duas ou mais vozes) influenciada pela romança. **9.** *Mús.* Gênero de composição para piano, de caráter melancólico e sonhador, em andamento vagaroso, e que foi criado por John Field (1782-1837) e desenvolvido por F. Chopin (1810-1849) e G. Fauré (1845-1923). **10.** *Mús.* No séc. XX, poema sinfônico que, por suas características, revive o espírito da serenata do séc. XVIII. **11.** *Bras.* Designação comum aos trens que correm à noite.

➔**nougat** [nu'ga] [Fr.] ***S. m.*** V. *nugá*.

➔**noûs** [nows] [Gr., ‘pensamento’.] ***S. m.*** *Hist. Filos.* Segundo Anaxágoras (v. *anaxagórico*) a inteligência, o princípio ordenador e controlador do mundo.

noutada ***S. f.*** Noitada.

noutão ***S. m.*** *Bras. N.E.* Noitão.

noute ***S. f.*** V. *noite*: “‘Vá para casa, fuja aos orvalhos da Noute.’” (Antônio Nobre, *Só*, p. 164.)

noutecer ***V. int.*** Noitecer. [Conjug.: v. *aquecer*.]

nouteiro ***S. m.*** *Bras. N.E.* Noiteiro.

noutinha ***S. f.*** Noitinha.

noutrem Equiv. da prep. *em* e do pron. indef. *outrem*: *Não pensa noutrem, somente no filho.*

noutro Equiv. da prep. *em* e do pron. indef. *outro*: “Ia morrer de saudade! Noutros climas, noutras plagas” (Casimiro de Abreu, *Obras*, p. 81). [Flex.: *noutra*, *noutros*, *noutras*.]

noutrora [Equiv. da prep. *em* e do adv. *outrora.*] ***Adv.*** V. *outrora*: “Às portas do rico bati sem alento, / Eu rico noutrora, mendigo por fim” (Soares de Passos, *Poesias*, p. 118).

➔**nouveau-riche** [nuvo'ʁiʃ] [Fr.] ***S. m.*** V. *novo-rico*. [Pl.: *nouveaux-riches*.]

➔**nouveau roman** [nu'vo ʁo'mɑ̃] [Fr.] *Liter.* Tendência literária francesa surgida nos anos de 1950 que, pela desconstrução da estrutura tradicional do romance, põe ênfase nas técnicas narrativas do gênero, que se torna extremamente cerebral nas mãos dos expoentes dessa tendência.

➔**nouvelle-cuisine** [nu'vɛl kwi'zin] [Fr.] *S. f.* Modo de cozinhar moderno, sem excesso de temperos ou gorduras e apresentação apetitosa.

nova [F. subst. do adj. *novo*.] *S. f.* 1. Notícia, novidade. 2. *Astr.* V. *estrela nova*. ◆ **Nova recorrente.** *Astr.* Estrela nova que apresenta mais de uma explosão observável. **Nem novas nem mandados.** Nenhuma notícia (a respeito de alguém).

nova-aliancense *Adj. 2 g.* 1. De, ou pertencente ou relativo a Nova Aliança (SP). ● *S. 2 g.* 2. O natural ou habitante de Nova Aliança. [Sin. ger.: *aliancense*[3]. Pl.: *nova-aliancenses*.]

nova-almeidense *Adj. 2 g.* 1. De, ou pertencente ou relativo a Nova Almeida (ES). ● *S. 2 g.* 2. O natural ou habitante de Nova Almeida. [Pl.: *nova-almeidenses*.]

nova-alvoradense *Adj. 2 g.* 1. De, ou pertencente ou relativo a Nova Alvorada (RS). ● *S. 2 g.* 2. O natural ou habitante de Nova Alvorada. [Pl.: *nova-alvoradenses*.]

nova-americanense *Adj. 2 g. S. 2 g.* V. *colinense*[5]. [Pl.: *nova-americanenses*.]

nova-americano *Adj.* 1. De, ou pertencente ou relativo a Nova América (GO). ● *S. m.* 2. O natural ou habitante de Nova América. [Pl.: *nova-americanos*.]

nova-andradinense *Adj. 2 g.* 1. De, ou pertencente ou relativo a Nova Andradina (MS). ● *S. 2 g.* 2. O natural ou habitante de Nova Andradina. [Pl.: *nova-andradinenses*.]

nova-aurorense *Adj. 2 g.* 1. De, ou pertencente ou relativo a Nova Aurora (GO e PR). ● *S. 2 g.* 2. O natural ou habitante de Nova Aurora. [Sin. ger., só aplicável ao do PR.: *aurorense*[2]. Pl.: *nova-aurorenses*.]

nova-bandeirantense *Adj. 2 g.* 1. De, ou pertencente ou relativo a Nova Bandeirantes (MT). ● *S. 2 g.* 2. O natural ou habitante de Nova Bandeirantes. [Pl.: *nova-bandeirantenses*.]

nova-campinense *Adj. 2 g.* 1. De, ou pertencente ou relativo a Nova Campina (SP). ● *S. 2 g.* 2. O natural ou habitante de Nova Campina. [Pl.: *nova-campinenses*.]

nova-canaaense *Adj. 2 g. S. 2 g.* V. *nova-canaense*.

nova-canaense *Adj. 2 g.* 1. De, ou pertencente ou relativo a Nova Canaã Paulista (SP). ● *S. 2 g.* 2. O natural ou habitante de Nova Canaã Paulista. [Pl.: *nova-canaenses*.]

nova-cantuense *Adj. 2 g.* 1. De, ou pertencente ou relativo a Nova Cantu (PR). ● *S. 2 g.* 2. O natural ou habitante de Nova Cantu. [Pl.: *nova-cantuenses*.]

novação [Do lat. tard. *novatione*.] *S. f.* 1. Inovação (1). 2. *Jur.* Negócio jurídico pelo qual o devedor contrai com o credor nova dívida para extinguir e substituir obrigação anterior (*novação objetiva*) ou pelo qual é substituído o credor ou o devedor por terceiro (*novação subjetiva*). [V. *delegação* (4) e *expromissão*.] ◆ **Novação objetiva.** *Jur.* V. *novação* (2). **Novação subjetiva.** *Jur.* V. *novação* (2).

novacap [Do f. de *novo* + f. red. de *capital*.] *S. f. Bras.* A nova capital. [Designação da cidade de Brasília quando da transferência da capital do País para essa cidade. V. *Velhacap*.] [Com cap.]

nova-crixaense (xà) *Adj. 2 g.* 1. De, ou pertencente ou relativo a Nova Crixás (GO). ● *S. 2 g.* 2. O natural ou habitante de Nova Crixás. [Pl.: *nova-crixaenses*.]

nova-cruzense *Adj. 2 g.* 1. De, ou pertencente ou relativo a Nova Cruz (RN). ● *S. 2 g.* 2. O natural ou habitante de Nova Cruz. [Pl.: *nova-cruzenses*.]

novado [Part. de *novar*.] *Adj. Jur.* De que se efetuou a novação (2).

novador (ô) [Do lat. tard. *novatore*.] *Adj. S. m.* 1. Inovador. 2. Que, ou aquele que dá novas ou novidades.

novaense *Adj. 2 g.* 1. De, ou pertencente ou relativo a Novais (SP). ● *S. 2 g.* 2. O natural ou habitante de Novais.

nova-erense *Adj. 2 g.* 1. De, ou pertencente ou relativo a Nova Era (MG). ● *S. 2 g.* 2. O natural ou habitante de Nova Era. [Pl.: *nova-erenses*.]

nova-erexinense *Adj. 2 g.* 1. De, ou pertencente ou relativo a Nova Erexim (SC). ● *S. 2 g.* 2. O natural ou habitante de Nova Erexim. [Pl.: *nova-erexinenses*.]

nova-esperancense[1] *Adj. 2 g.* 1. De, ou pertencente ou relativo a Nova Esperança (PR). ● *S. 2 g.* 2. O natural ou habitante de Nova Esperança. [Pl.: *nova-esperancenses*.]

nova-esperancense[2] *Adj. 2 g.* 1. De, ou pertencente ou relativo a Nova Esperança do Sul (RS). ● *S. 2 g.* 2. O natural ou habitante de Nova Esperança do Sul. [Pl.: *nova-esperancenses*.]

nova-europense *Adj. 2 g.* 1. De, ou pertencente ou relativo a Nova Europa (SP). ● *S. 2 g.* 2. O natural ou habitante de Nova Europa. [Pl.: *nova-europenses*.]

nova-florestense *Adj. 2 g.* 1. De, ou pertencente ou relativo a Nova Floresta (PB). ● *S. 2 g.* 2. O natural ou habitante de Nova Floresta. [Pl.: *nova-florestenses*.]

nova-friburguense *Adj. 2 g.* De, ou pertencente ou relativo a Nova Friburgo (RJ). ● *S. 2 g.* 2. O natural ou habitante de Nova Friburgo. [Pl.: *nova-friburguenses*.]

nova-glorino *Adj.* 1. De, ou pertencente ou relativo a Nova Glória (GO). ● *S. m.* 2. O natural ou habitante de Nova Glória. [Pl.: *nova-glorinos*.]

nova-guaritense *Adj. 2 g.* 1. De, ou pertencente ou relativo a Nova Guarita (MT). ● *S. 2 g.* 2. O natural ou habitante de Nova Guarita. [Pl.: *nova-guaritenses*.]

nova-hartense *Adj. 2 g.* 1. De, ou pertencente ou relativo a Nova Hartz (RS). ● *S. 2 g.* 2. O natural ou habitante de Nova Hartz. [Pl.: *nova-hartenses*.]

nova-ibiaense (bià) *Adj. 2 g.* 1. De, ou pertencente ou relativo a Nova Ibiá (BA). ● *S. 2 g.* 2. O natural ou habitante de Nova Ibiá. [Pl.: *nova-ibiaenses*.]

nova-iguaçuense *Adj. 2 g.* 1. De, ou pertencente ou relativo a Nova Iguaçu de Goiás (GO). ● *S. 2 g.* 2. O natural ou habitante de Nova Iguaçu de Goiás. [Pl.: *nova-iguaçuenses*.]

nova-iorquino *Adj.* 1. Do, ou pertencente ou relativo ao Estado de Nova Iorque ou à cidade do mesmo nome (E.U.A.), ou ao município e cidade desse nome (MA). ● *S. m.* 2. O natural ou habitante de Nova Iorque. [Pl.: *nova-iorquinos*.]

nova-itaberabense *Adj. 2 g.* 1. De, ou pertencente ou relativo a Nova Itaberaba (SC). ● *S. 2 g.* 2. O natural ou habitante de Nova Itaberaba. [Pl.: *nova-itaberabenses*.]

nova-itaranense *Adj. 2 g.* 1. De, ou pertencente ou relativo a Nova Itarana (BA). ● *S. 2 g.* 2. O natural ou habitante de Nova Itarana. [Pl.: *nova-itaranenses*.]

noval [De *nove* + *-al*[1].] *Adj. 2 g.* ~ V. *base* —.

nova-limense *Adj. 2 g.* 1. De, ou pertencente ou relativo a Nova Lima (MG). ● *S. 2 g.* 2. O natural ou habitante de Nova Lima. [Pl.: *nova-limenses*.]

nova-londrinense *Adj. 2 g.* 1. De, ou pertencente ou relativo a Nova Londrina (PR). ● *S. 2 g.* 2. O natural ou habitante de Nova Londrina. [Pl.: *nova-londrinenses*.]

nova-mamorense *Adj. 2 g.* 1. De, ou pertencente ou relativo a Nova Mamoré (RO). ● *S. 2 g.* 2. O natural ou habitante de Nova Mamoré. [Pl.: *nova-mamorenses*.]

nova-marilandense *Adj. 2 g.* 1. De, ou pertencente ou relativo a Nova Marilândia (MT). ● *S. 2 g.* 2. O natural ou habitante de Nova Marilândia. [Pl.: *nova-marilandenses*.]

nova-maringaense (gà) *Adj. 2 g.* 1. De, ou pertencente ou relativo a Nova Maringá (MT). ● *S. 2 g.* 2. O natural ou habitante de Nova Maringá. [Pl.: *nova-maringaenses*.]

novamente [Do f. de *novo* + *-mente*.] *Adv.* 1. Outra vez; de novo: "o corpo fora despendurado da força, ... e depois novamente enforcado" (Eça de Queirós, *Contos*, p. 268). 2. Pouco antes; recentemente: "Chamou Fernão de Magalhães ao grupo de ilhas novamente descoberto o arquipélago de S. Lázaro." (Latino Coelho, *Fernão de Magalhães*, p. 171.)

nova-monte-verdense *Adj. 2 g.* 1. De, ou pertencente ou relativo a Nova Monte Verde (MT). ● *S. 2 g.* 2. O natural ou habitante de Nova Monte Verde. [Pl.: *nova-monte-verdenses*.]

nova-olimpiense *Adj. 2 g.* 1. De, ou pertencente ou relativo a Nova Olímpia (MT). ● *S. 2 g.* 2. O natural ou habitante de Nova Olímpia. [Pl.: *nova-olimpienses*.]

nova-olindense *Adj. 2 g.* 1. De, ou pertencente ou relativo a Nova Olinda (CE, PB e TO). ● *S. 2 g.* 2. O natural ou habitante de Nova Olinda. [Pl.: *nova-olindenses*.]

nova-orleanês *Adj.* 1. De, ou pertencente ou relativo a Nova Orleães (E.U.A.). ● *S. m.* 2. O natural ou habitante de Nova Orleães. [Flex.: *nova-orleanesa* (ê), *nova-orleaneses* (ê), *nova-orleanesas* (ê).]

nova-palmeirense *Adj. 2 g.* 1. De, ou pertencente ou relativo a Nova Palmeira (PB). ● *S. 2 g.* 2. O natural ou habitante de Nova Palmeira. [Pl.: *nova-palmeirenses*.]

nova-palmense *Adj. 2 g.* 1. De, ou pertencente ou relativo a Nova Palma (RS). ● *S. 2 g.* 2. O natural ou habitante de Nova Palma. [Pl.: *nova-palmenses*.]

nova-petropolitano *Adj.* 1. De, ou pertencente ou relativo a Nova Petrópolis (RS). ● *S. m.* 2. O natural ou habitante de Nova Petrópolis. [Pl.: *nova-petropolitanos*.]

nova-pontense *Adj. 2 g.* 1. De, ou pertencente ou relativo a Nova Ponte (MG). ● *S. 2 g.* 2. O natural ou habitante de Nova Ponte. [Pl.: *nova-pontenses*.]

nova-pratense *Adj. 2 g.* 1. De, ou pertencente ou relativo a Nova Prata (RS). ● *S. 2 g.* 2. O natural ou habitante de Nova Prata. [Pl.: *nova-pratenses*.]

novar [Do lat. *novare*.] *V. t. d. Jur.* Efetuar a novação de (uma dívida). [Pres. ind.: *novo*, etc.; pres. subj.: *nove*, *noves*, *nove*, *novemos*, *noveis*, *novem*. Cf. *novo* (ô), adj. e s. m., e *novéis*, pl. de *novel*.]

nova-redençoense *Adj. 2 g.* 1. De, ou pertencente ou relativo a Nova Redenção (BA). ● *S. 2 g.* 2. O natural ou habitante de Nova Redenção. [Pl.: *nova-redençoenses*.]

nova-romano *Adj.* 1. De, ou pertencente ou relativo a Nova Roma (GO). ● *S. m.* 2. O natural ou habitante de Nova Roma. [Pl.: *nova-romanos*.]

nova-romense *Adj. 2 g.* 1. De, ou pertencente ou relativo a Nova Roma do Sul (RS). ● *S. 2 g.* 2. O natural ou habitante de Nova Roma do Sul. [Pl.: *nova-romenses*.]

nova-russano *Adj.* 1. De, ou pertencente ou relativo a Nova Russas (CE). ● *S. m.* 2. O natural ou habitante de Nova Russas. [Sin ger.: *nova-russense*. Pl.: *nova-russanos*.]

nova-russense *Adj. 2 g. S. 2 g.* V. *nova-russano*.

nova-santa-ritense *Adj. 2 g.* 1. De, ou pertencente ou relativo a Nova Santa Rita (RS). ● *S. 2 g.* 2. O natural ou habitante de Nova Santa Rita. [Pl.: *nova-santa-ritenses*.]

nova-santa-rosense *Adj. 2 g.* 1. De, ou pertencente ou relativo a Nova Santa Rosa (PR). ● *S. 2 g.* 2. O natural ou habitante de Nova Santa Rosa. [Sin. ger.: *santa-rosense*. Pl. *nova-santa-rosenses*.]

nova-seita *S. 2 g. Bras. N.E.* V. *protestante* (6). [Pl.: *novas-seitas*.]

nova-serranense *Adj. 2 g.* 1. De, ou pertencente ou relativo a Nova Serrana (MG). ● *S. 2 g.* 2. O natural ou habitante de Nova Serrana. [Pl.: *nova-serranenses*.]

nova-sourense *Adj. 2 g.* 1. De, ou pertencente ou relativo a Nova Soure (BA). ● *S. 2 g.* 2. O natural ou habitante de Nova Soure. [Pl.: *nova-sourenses*.]

nova-tebense *Adj. 2 g.* 1. De, ou pertencente ou relativo a Nova Tebas (PR). ● *S. 2 g.* 2. O natural ou habitante de Nova Tebas. [Pl.: *nova-tebenses*.]

novato [Do lat. *novatu*.] *S. m.* 1. Estudante novel; calouro. 2. Aluno do primeiro ano de qualquer faculdade. 3. Principiante, aprendiz, noviço. 4. Aquele que ocupa cargo ou função há pouco tempo. 5. *Bras. Zool.* V. *formiga-lava-pé*. 6. *Bras.* Alcunha dada aos portugueses, no extremo S., no período colonial. V. *galego* (4). ● *Adj.* 7. Ingênuo, inexperiente.

nova-trentino *Adj.* 1. De, ou pertencente ou relativo a Nova Trento (SC). ● *S. m.* 2. O natural ou habitante de Nova Trento. [Sin. ger.: *neotrentino*. Pl.: *nova-trentinos*.]

nova-triunfense (i-un) *Adj. 2 g.* 1. De, ou pertencente ou relativo a Novo Triunfo (BA). ● *S. 2 g.* 2. O natural ou habitante de Novo Triunfo. [Pl.: *nova-triunfenses*.]

nova-uniense *Adj. 2 g.* 1. De, ou pertencente ou relativo a Nova União (MG). ● *S. 2 g.* 2. O natural ou habitante de Nova União. [Pl.: *nova-unienses*.]

nova-venezino *Adj.* 1. De, ou pertencente ou relativo a Nova Veneza (GO). ● *S. m.* 2. O natural ou habitante de Nova Veneza. [Pl.: *nova-venezinos*.]

nova-viçosense *Adj. 2 g.* 1. De, ou pertencente ou relativo a Nova Viçosa (BA). ● *S. 2 g.* 2. O natural ou habitante de Nova Viçosa. [Pl.: *nova-viçosenses*.]

nova-xavantinense *Adj. 2 g.* 1. De, ou pertencente ou relativo a Nova Xavantina (MT). ● *S. 2 g.* 2. O natural ou habitante de Nova Xavantina. [Pl.: *nova-xavantinenses*.]

nove [Do lat. *novem*.] *Num.* 1. Quantidade que é uma unidade maior que oito; oito mais um. 2. Número (4) correspondente a essa quantidade. [Nessas acepçs., representa-se em algarismos arábicos por 9, e em algarismos romanos por IX.] 3. Que está marcado ou identificado com o número 9. 4. Nono[2] (1). ● *S. m.* 5. Representação, em algarismos, do número nove. 6. Carta de baralho ou face de peça de jogo de mesa marcada com esse número: *nove de copas*. 7. Aquilo ou aquele que numa série ocupa o nono lugar. 8. A nota nove, em exame, concurso, ou avaliação.

novecentismo [De *novecentos* + *-ismo*.] *S. m.* Estilo, gosto ou escola dos novecentistas.

novecentista [De *novecentos* + *-ista*.] *Adj. 2 g.* 1. Pertencente ou relativo ao novecentismo ou ao séc. XX (século de novecentos). 2. Diz-se do escritor ou do artista desse século. ● *S. 2 g.* 3. Escritor ou artista do séc. XX.

novecentos [De *nove* + o pl. de *cento*.] *Num.* 1. Quantidade que é uma unidade maior que 899; oitocentos mais cem. 2. Número (4) correspondente a essa quantidade. [Nessas acepçs., representa-se em algarismos arábicos por 900, e em algarismos romanos por CM.] 3. Que está marcado ou identificado com o número 900. 4. Noningentésimo (1). ● *S. m.* 5. O século XX, ou o século de novecentos; o período novecentista. [Com cap., nesta acepç.] 6. Representação, em algarismos, do número novecentos. 7. Aquilo ou aquele que numa série ocupa o noningentésimo lugar.

novedio [De *novo*, com a term. de *corredio*, *resvaladio*, etc.] *S. m.* 1. *Bot. Desus.* Noveleiro (1). ● *Adj.* 2. De poucos anos.

nove-horas *El. s. f. pl. Bras. Fam.* Us. na loc. adj. *cheio de nove-horas*. ◆ **Cheio de nove-horas.** *Bras. Fam.* 1. V. *cheio de luxo*: "Eu sou lá a Isaltina, que é cheia de nove-horas, pra aprender língua de gringo e dedilhar delicadezas em pianos?" (Antônio Celso Alves Pereira, *Rua do Quenta-Sol*, p. 35.) 2. Diz-se de coisa excessivamente trabalhosa, complicada, enfeitada, rebuscada; cheio de novidades; cheio de frescura; cheio de ipsilones: *Estava com um vestido cheio de nove-horas.*

novel (é) [Do cat. *novell.*] *Adj. 2 g.* **1.** Que tem poucos anos de existência; novo. **2.** Inexperiente, imperito, bisonho: "Em larga roda de novéis guerreiros / Ledo caminha o festival timbira" (Gonçalves Dias, *Obras Poéticas*, II, p. 21). **3.** Principiante, novato. • *S. 2 g.* **4.** Pessoa novel: "Quero-me explicar, não para os Mestres, sim para os novéis no ofício de escrever" (Antônio Feliciano de Castilho, *A Primavera*, p. 31). [Pl.: *novéis*. Cf. *noveis*, do v. *novar*.]

novela [Do fr. *nouvelle.*] *S. f.* **1.** *Liter.* Narração, mais longa do que um conto e menos extensa do que um romance, ordenada e completa, de fatos humanos fictícios, mas, por via de regra, verossímeis. [Cf. *romance* (4) e *conto*[1] (5).] **2.** V. *romance* (5 a 7). **3.** *Bras.* Peça teatral ou romance, geralmente em capítulos, escrito ou adaptado para apresentação seriada pelo rádio ou pela televisão.

novelar [De *novela* + *-ar*[2].] *V. int.* Escrever novelas: "A vocação dos espanhóis para a prosa narrativa, e em especial para a arte de novelar, manifestou-se muito cedo." (Eduardo Frieiro, *O Alegre Arcipreste*, p. 49.) [Pres. ind.: *novelo*, etc. Cf. *novelo* (ê).]

noveleiro[1] [De *novelo(s)* + *-eiro.*] *S. m. Bot.* **1.** *Desus.* Vergôntea que nasce ao pé da árvore; novedio. **2.** Arbusto caprifoliáceo (*Viburnum opulus* var. *roseum*) natural da Europa, de flores róseas, em cimeiras globosas. [Sin.: *novelo, novelos, rosa-de-gueldres* (lus.), *sabugueiro-d'água*.]

noveleiro[2] [De *novela* + *-eiro.*] *Adj. S. m.* **1.** Que, ou aquele que escreve novelas. **2.** Novidadeiro. **3.** *Bras.* Que, ou aquele que aprecia novela (3).

novelesco (ê) [De *novela* + *-esco.*] *Adj.* **1.** Próprio da, ou que lembra novela (1); romanesco: "As estranhas atitudes dão à sua figura um colorido novelesco." (Thiers Martins Moreira, *Os Seres*, p. 37.) **2.** Referente a novela.

noveleta (ê) [Do it. *novelletta.*] *S. f.* **1.** *Mús.* Composição breve, de caráter romântico ou fantástico, sem delineamentos especiais de forma, gênero criado por Schumann, compositor alemão (1810-1856). **2.** Pequena novela (1).

novelista [De *novela* + *-ista.*] *S. 2 g.* **1.** Pessoa que escreve novelas. [Cf. *romancista.*] • *Adj. 2 g.* **2.** Que gosta de intrigar, de enredar; noveleiro.

novelística [De *novela* + *-ist(a)-* + *-ica.*] *S. f.* O gênero literário da novela; o ficcionismo: "É .... desapontador que certa crítica ainda não tenha prestado atenção a este seu volume de contos [*Eis a Noite!*, de João Alphonsus], a reafirmar a posição do jovem mineiro como um dos melhores artistas da nossa novelística." (Guilherme Figueiredo, *Cobras & Lagartos*, p. 71.)

novelístico [De *novela* + *-ist(a)-* + *-ico*[2].] *Adj.* Relativo ou pertencente à novelística, ou à novela.

novelização [De *novelizar* + *-ção.*] *S. f.* Ato ou efeito de novelizar.

novelizar [De *novela* + *-izar.*] *V. t. d.* Transformar em novela (3).

novelo (ê) [Do lat. *globellu*, 'pequeno globo', pelo arc. *lovelo.*] *S. m.* **1.** Bola feita de fio enrolado. **2.** *Fig.* Enredo, embrulho. **3.** *Bot.* V. *noveleiro*[1] (2) ~ V. *novelos.* [Pl.: *novelos* (ê). Cf. *novelo*, do v. *novelar.*]

novelo-da-china [De *novelo* + *da*[1] + o top. *China.*] *S. m. Bras. Bot.* V. *hortênsia.* [Pl.: *novelos-da-china.*]

novelos (ê) [Pl. de *novelo.*] *S. m. pl. Bot.* V. *noveleiro*[1] (2). ~ V. *novelo.*

novembrada [De *novembro* + *-ada*[1].] *S. f. Bras.* Sedição nativista ocorrida no Recife (PE) em novembro de 1831.

novembro [Do lat. *Novembre*, com mudança de declinação.] *S. m.* O 11º mês dos calendários juliano e gregoriano, com 30 dias.

novena [Do lat. *novena.*] *S. f.* **1.** O espaço de nove dias. **2.** Rezas feitas durante nove dias. **3.** Grupo de nove coisas ou pessoas. **4.** *Bras.* Castigo de açoites durante nove dias seguidos, que se infligia aos escravos.

novenal [Do lat. *novenale*, 'nono'.] *Adj. 2 g.* **1.** Respeitante a novena (1). **2.** De nove dias.

novenário [Do lat. *novenariu*, 'composto de nove unidades'.] *S. m.* Livro de novenas.

novenfoliado [Do lat. *noven-*, 'nove', como em *novenalis*, e, 'nono' + *-foli-* + *-ado*[1].] *Adj. Bot.* Que tem nove folíolos.

novénio *S. m.* V. *novênio.* [Uso freq. em P.]

novênio [Do lat. *novenne*, 'que tem nove anos', + *-io*[3], à feição de biênio, etc.] *S. m.* Espaço de nove anos.

novenlobado [Do lat. *noven-*, 'nove', como em *novenalis, e*, 'nono', + *lobo* + *-ado*[1].] *Adj. Bot.* Que tem nove lóbulos.

noveno [Do lat. *novenu.*] *Num.* **1.** *P. us.* Nono[2]. • *Adj.* **2.** Diz-se do nono dia de uma doença.

noventa [Do lat. *nonaginta*, com infl. de *novem*, 'nove'.] *Num.* **1.** Quantidade que é uma unidade maior que 89; oitenta mais dez. **2.** Número (4) correspondente a essa quantidade. [Nessas acepçs., representa-se em algarismos arábicos por 90, e em algarismos romanos por XC.] **3.** Que está marcado ou identificado com o número 90. **4.** Nonagésimo (1). • *S. m.* **5.** Representação, em algarismos, do número noventa. **6.** Aquilo ou aquele que numa série ocupa o nonagésimo lugar.

noventão [De *noventa* + *-ão*[1].] *Adj. S. m.* Nonagenário: "É engano dizer-se que Manuel Bandeira seria agora noventão." (Mauro Mota, *A Estrela de Pedra*, p. 115.) [Fem.: *noventona.*]

noventona *S. f.* Fem. de *noventão.*

nove palavras por seis *S. m. 2 n. Bras. Liter. Pop.* Estrofe de nove versos, dos quais o primeiro, o terceiro, o quarto, o sexto, o sétimo e o nono têm sete sílabas, e o segundo, o quinto e o oitavo têm três, e cujo esquema rimático é AABBCBDDB. Às vezes é dialogada, e neste caso o primeiro cantador canta os três primeiros versos, o segundo os três seguintes, e o primeiro completa a estrofe com os três versos finais. [Sin.: *nove por seis, seis por nove, obra de nove por seis.*] ☑

nove por seis *S. m. 2 n. Bras. Liter. Pop.* V. *nove palavras por seis.* ☑

▲**nov(i)-** [Do lat. *novus, a, um.*] *El. comp.* = 'novo': *novilúnio, novilatino.* [Equiv.: *-nov(i)-*: *ergonovina.*]

▲**-nov(i)-** Equiv. de *nov(i)-.*

novial [De *nov(i)-* + *-al*[1], term. de *internacional.*] *S. m. Gloss.* Língua auxiliar de comunicação (q. v.) criada em 1928 por Otto Jespersen (1860-1945), que se baseia em outras duas: o *ido*, no que diz respeito ao vocabulário, e o *occidental*, em relação à gramática.

noviça [Fem. de *noviço.*] *S. f.* **1.** Pupila (2). **2.** Fem. de *noviço* (2).

noviciado [Do lat. *novicius*, 'novo', + *-ado*[2].] *S. m.* **1.** Tempo de noviço. **2.** *Rel.* Fase de iniciação por que passam as pessoas que pretendem professar (8). **3.** *Rel.* A duração desse aprendizado.

noviciar [De *novici-*, como em *noviciado*, + *-ar*[2].] *V. int.* **1.** Praticar o noviciado. *T. i.* **2.** Fazer os primeiros exercícios; iniciar-se, estrear-se. [Fut. pret.: *noviciaria*, etc. Cf. *noviciaria*, s. f., e *noviciária*, fem. de *noviciário.*]

noviciaria [De *novici-*, como em *noviciado*, + *-aria.*] *S. f.* A parte do convento onde residem os noviços. [Cf. *noviciária*, fem. de *noviciário.*]

noviciário [De *novici-*, como em *noviciado*, + *-ário.*] *Adj.* Respeitante ou pertencente a noviço. [Fem.: *noviciária.* Cf. *noviciaria*, do v. *noviciar* e s. f.]

noviço [Do lat. *noviciu.*] *S. m.* **1.** *Rel.* Homem que se está preparando para professar (8). **2.** *Fig.* Aprendiz, principiante. • *Adj.* **3.** Inexperiente, bisonho, novato.

novidade [Do lat. *novitate.*] *S. f.* **1.** Qualidade ou caráter de novo. **2.** Aquilo que é novo; coisa nova; inovação: *O gosto das novidades era o seu fraco: aceitou facilmente a nova doutrina.* **3.** Produção ou artigo lançado recentemente no mercado: *As vitrinas das lojas estavam cheias de novidades; Muitas novidades estão sendo anunciadas pelas livrarias.* **4.** Notícia, nova: *A novidade logo se espalhou: o homem morrera.* **5.** Originalidade, singularidade. **6.** Novos frutos do ano; colheita. **7.** Motim; perturbação, agitação. **8.** *Bras.* Embaraço, imprevisto; dificuldade. ◆ **Cheio de novidades.** *Bras. Fam.* **1.** V. *cheio de luxo.* **2.** V. *cheio de nove-horas* (2).

novidadeirice [De *novidadeiro* + *-ice.*] *S. f.* Qualidade, ou modo de ser, de novidadeiro: "Zeferino partia para S. Paulo, um clarão de deslumbramento nos olhos. De deslumbramento, de esperança, de novidadeirice." (Orígenes Lessa, *Omelete em Bombaim*, p. 14.)

novidadeiro [De *novidade* + *-eiro.*] *Adj. S. m.* **1.** Que gosta do que é novo, moderno ou diferente. **2.** Que representa uma novidade; diz-se do que é novo ou moderno. **3.** Que gosta ou é dado a contar novidades. **4.** Que é dado a fazer mexericos. • *S. m.* **5.** Indivíduo (1 e 3 a 5).

novidadismo [De *novidade* + *-ismo.*] *S. m.* Paixão, gosto, ou mania das novidades, das coisas novas, em moda.

novilatino [De *nov(i)-* + *latino.*] *Adj.* V. *neolatino.* ~ V. *língua —a.*

novilha [Do esp. *novilla.*] *S. f.* Vaca nova; bezerra.

novilhada [De *novilho* + *-ada*[1].] *S. f.* Manada de novilhos.

novilho [Do esp. *novillo.*] *S. m.* Boi ainda novo; almalho. ◆ **Novilho corpo de boi.** *Bras. S.* Novilho bem desenvolvido.

novilhota [De *novilho* + *-ota*[1].] *S. f. Bras. S.* Fem. de *novilhote.*

novilhote [De *novilho* + *-ote*[1].] *S. m. Bras. S.* Novilho de um ano e meio. [Fem.: *novilhota.*]

novilírico [De *nov(i)-* + *lírico.*] *Adj.* Referente a uma espécie nova de lirismo: "E não sacrificaram Sá de Miranda e Camões no altar novilírico da castelhanidade, numa época em que nós não podemos suspeitar de ruins estrangeirados?" (Vitorino Nemésio, *Conhecimento de Poesia*, p. 77.)

novilunar [De *nov(i)-* + *lunar.*] *Adj. 2 g.* Relativo ao novilúnio.

novilúnio [De *nov(i)-* + *-lun(i)-* + *-io*[3].] *S. m.* **1.** Lua nova (q. v.). **2.** O tempo da lua nova.

novimensal [De *nov(i)-* + *mensal*[1].] *Adj. 2 g.* Que ocorre ou se efetua nove vezes por mês.

novíssimo [Do lat. *novissimu.*] *Adj.* **1.** Superl. abs. sint. de *novo.* **2.** Último, derradeiro. ~ V. *charada —a* e — *Continente.* ~ V. *novíssimos.*

novíssimos [Pl. de *novíssimo.*] *S. m. pl. Rel.* Os últimos destinos do homem (Morte, Juízo, Inferno e Paraíso). ~ V. *novíssimo.*

novo (ô) [Do lat. *novu.*] *Adj.* **1.** Que tem pouco tempo de existência: *o novo jornal.* **2.** De pouca idade; moço: *Mário ainda é novo.* **3.** De pouco tempo; recente: *Era um conhecimento novo; Tenho um novo vizinho.* **4.** Que é visto pela primeira vez. **5.** Que acaba de ser feito ou adquirido e/ou ainda não foi posto em uso: *carro novo; vestido novo.* **6.** *P. ext.* Que tem pouco uso: *Via-se que a máquina estava boa, ainda era nova.* **7.** Moderno, recente: *Era hábito novo o fumar em público.* **8.** Original (5): *Seu quadro apresenta uma nova Bahia.* **9.** Inexperiente, inexperto: *Era novo o funcionário, não sabia o lugar de nada.* **10.** Estranho, desconhecido: *O rapaz era novo na cidade.* [Flex.: *nova, novos, novas.* Cf. *novo*, do v. *novar.*] ~ V. *bossa —a, comédia —a, — Continente, —a crítica, cruzado —, cruzeiro —, estrela —a, estrela variável —a, leitura —a, lek —, lua —a, missa —a, — Mundo, — Testamento, República —a, sol —, — Zaire.* • *S. m.* **11.** O que é recente. **12.** O ano próximo; a próxima colheita. [Pl.: *novos.* Cf. *novo*, do v. *novar.*] ~ V. *novos.* ◆ **De novo.** Novamente. **Pagar o novo e o velho.** Ser castigado por culpas recentes e antigas.

novo-acordino *Adj.* **1.** De, ou pertencente ou relativo a Novo Acordo (TO). • *S. m.* **2.** O natural ou habitante de Novo Acordo. [Pl.: *novo-acordinos.*]

novo-airãoense *Adj. 2 g.* **1.** De, ou pertencente ou relativo a Novo Airão (AM). • *S. 2 g.* **2.** O natural ou habitante de Novo Airão. [Pl.: *novo-airãoenses.*]

novo-aripuanense *Adj. 2 g.* **1.** De, ou pertencente ou relativo a Novo Aripuanã (AM). • *S. 2 g.* **2.** O natural ou habitante de Novo Aripuanã. [Pl.: *novo-aripuanenses.*]

novo-barreirense *Adj. 2 g.* **1.** De, ou pertencente ou relativo a Novo Barreiro (RS). • *S. 2 g.* **2.** O natural ou habitante de Novo Barreiro. [Pl.: *novo-barreirenses.*]

novo-brasilense *Adj. 2 g.* **1.** De, ou pertencente ou relativo a Novo Brasil (GO). • *S. 2 g.* **2.** O natural ou habitante de Novo Brasil. [Pl.: *novo-brasilenses.*]

novo-cruzeirense *Adj. 2 g.* **1.** De, ou pertencente ou relativo a Novo Cruzeiro (MG). • *S. 2 g.* **2.** O natural ou habitante de Novo Cruzeiro. [Pl.: *novo-cruzeirenses.*]

novo-hamburguense *Adj. 2 g.* **1.** De, ou pertencente ou relativo a Novo Hamburgo (RS). • *S. 2 g.* **2.** O natural ou habitante de Novo Hamburgo. [Pl.: *novo-hamburguenses.*]

novo-horizontense *Adj. 2 g. S. 2 g.* V. *novo-horizontino*[1]. [Pl.: *novo-horizontenses.*]

novo-horizontino[1] *Adj.* **1.** De, ou pertencente ou relativo a Novo Horizonte (BA, SC e SP). • *S. m.* **2.** O natural ou habitante de Novo Horizonte. [Sin. ger., só aplicável ao da BA: *novo-horizontense.* Pl.: *novo-horizontinos.*]

novo-horizontino[2] *Adj.* **1.** De, ou pertencente ou relativo a Novo Horizonte do Norte (MT). • *S. m.* **2.** O natural ou habitante de Novo Horizonte do Norte. [Pl.: *novo-horizontinos.*]

novo-horizontino-do-sul *Adj.* **1.** De, ou pertencente ou relativo a Novo Horizonte do Sul (MS). • *S. m.* **2.** O natural ou habitante de Novo Horizonte do Sul. [Pl.: *novo-horizontinos-do-sul.*]

novoide (ói) [De *nov(i)-* + *-oide.*] *S. f. Astr.* Estrela variável, com muitas das características observadas nas estrelas novas. ❖

novo-linense *Adj. 2 g.* **1.** De, ou pertencente ou relativo a Novo Lino (AL). • *S. 2 g.* **2.** O natural ou habitante de Novo Lino. [Pl.: *novo-linenses.*]

novo-machadense *Adj. 2 g.* **1.** De, ou pertencente ou relativo a Novo Machado (RS). • *S. 2 g.* **2.** O natural ou habitante de Novo Machado. [Pl.: *novo-machadenses.*]

novo-oriental *Adj. 2 g.* **1.** De, ou pertencente ou relativo a Novo Oriente (CE). • *S. 2 g.* **2.** O natural ou habitante de Novo Oriente. [Sin ger.: *novo-orientense.* Pl.: *novo-orientais.*]

novo-orientense *Adj. 2 g. S. 2 g.* V. *novo-oriental.* [Pl.: *novo-orientenses.*]

novo-orientino *Adj.* **1.** De, ou pertencente ou relativo a Novo Oriente do Piauí (PI). • *S. m.* **2.** O natural ou habitante de Novo Oriente do Piauí. [Pl.: *novo-orientinos.*]

novo-rico [De *novo* + *rico*, para trad. o fr. *nouveau-riche.*] *S. m.* Aquele cuja riqueza é recente. [Designa especialmente aquele que, sendo de baixo nível social, enriqueceu rápido e gosta de ostentar esta riqueza. Tb. é us. o correspondente fr. *nouveau-riche.* Pl.: *novos-ricos.*] [Cf. o fr. *parvenu.*]

N

novo-riquismo [De *novo-rico* (*c* = *qu*) + *-ismo*.] *S. m.* Qualidade, condição ou característica de novo-rico: "Nada o irrita tanto, aliás, como esse tique de novo-riquismo em ascensão." (Inês Pedrosa, *Nas Tuas Mãos*, p. 164.)

novos [Pl. de *novo*.] *S. m. pl.* **1.** A gente nova: *Os novos não aceitam os conselhos dos velhos.* **2.** Os literatos incipientes: *antologia poética de novos.* ~ V. *novo*.

novo-triunfense *Adj. 2 g.* **1.** De, ou pertencente ou relativo a Novo Triunfo (BA). • *Adj. 2 g.* **2.** O natural ou habitante de Novo Triunfo. [Pl.: *nova-triunfenses*.]

noxal (cs) [Do lat. tard. *noxale*.] *Adj. 2 g.* ~ V. *abandono* —.

nóxio (cs) [Do lat. *noxiu*.] *Adj.* V. *nocivo*.

noz [Do lat. *nuce*.] *S. f.* **1.** O fruto da nogueira. **2.** Designação comum aos frutos secos indeiscentes, com uma única semente, como, p. ex., o das palmeiras. **3.** *Marinh.* Engrossamento da haste da âncora, onde há uma abertura por onde passa o cepo. [Cf. *nós*, pl. de *nó* e pron. pess.]

nozado [Do forro².] *S. m. Santom.* Velório com comida, ladainhas e soias: "decidiu entreter os presentes com uma dessas histórias contadas nas noites de 'nozados'" (Francisco Costa Alegre, *Mussandá*, p. 55).

noz-da-índia *S. f. Bot.* V. *nogueira-de-iguape*. [Pl.: *nozes-da-índia*.]

noz-de-bancul *S. f. Bot.* V. *nogueira-de-iguape*. [Pl.: *nozes-de-bancul*.]

noz-de-cola *S. f. Bot.* V. *orobó* (2). [Pl.: *nozes-de-cola*.]

noz de galha *S. f.* A galha do carvalho, usada em tinturaria; bugalho. [Pl.: *nozes de galha*.]

noz-do-pará *S. f. Bras.* V. *pixurim* (2). [Pl.: *nozes-do-pará*.]

nozilhão [De or. obscura.] *S. m. Pop.* Tumor, inchação.

noz-macadâmia [De *noz* + *macadâmia*.] *S. f. Bot.* O fruto da macadâmia (2); macadâmia. [Pl.: *nozes-macadâmias* e *nozes-macadâmia*.]

noz-moscada [De *noz* + *moscada* (fem. de *moscado*) < b.-lat. *muscata*, 'almiscarada'.] *S. f. Bot.* **1.** Moscadeira. **2.** O fruto da moscadeira. [Pl.: *nozes-moscadas*.]

noz-moscada-do-brasil [De *noz-moscada* + *do*¹ + o top. *Brasil*.] *S. f. Bras. Bot.* **1.** V. *bicuíba-redonda*. **2.** V. *canela-batalha*. [Pl.: *nozes-moscadas-do-brasil*.]

noz-vómica *S. f. Bot.* V. *noz-vômica*. [Uso freq. em P. Pl.: *nozes-vómicas*.]

noz-vômica [De *noz* + f. de *vômico*.] *S. f. Bot.* **1.** Árvore estricnácea (*Strychnos nux-vomica*) de folhas ovaladas, flores esverdeadas, cimosas, e frutos bacáceos esféricos, com várias sementes, que encerram estricnina e outros alcaloides muito tóxicos; é nativa do S. da Ásia e cultivada pelas propriedades medicinais. [Sin.: *fava-de-santo-inácio, calajar*.] **2.** Árvore estricnácea (*Strychnos ignatii*) nativa do Vietnã e da Malásia, cujos frutos encerram sementes que tb. fornecem a estricnina. [Sin.: *fava-de-santo-inácio, inácia, inaciana*.] **3.** V. *quina-cruzeiro* (2). **4.** A semente da noz-vômica (1 a 3). [Pl.: *nozes-vômicas*.]

■ **Np 1.** *Fís.* Símb. de *neper*. **2.** *Quím.* Símb. de *netúnio*¹.

■ **NPK** *Tec.* Sigla que se utiliza para indicar o teor de nitrogênio total, de fósforo solúvel (na forma de pentóxido de fósforo) e de potássio solúvel (na forma de óxido de potássio) num fertilizante ou adubo.

■ **nqm** [Abrev. de *nem que morra*, poss.] *Jorn. Telev. Rád. Gír.* Matéria jornalística pautada pela direção de um veículo de imprensa.

■ **NREM** [Sigla do ingl. *Non-Rapid Eye Movement*, 'movimento ocular não rápido'.] *Fisiol.* Etapa do sono em que não há sonho e durante a qual as ondas cerebrais que ocorrem são lentas e de alta voltagem, estando diminuídas, mas com caráter de regularidade, as funções autônomas, tais como frequência de batimentos cardíacos e pressão arterial. [Cf. *REM*.]

■ **Ns** *Quím.* Símb. de *nielsbóhrio*.

▲ **-nte** [Do lat. *-ns, -ntis*, do part. pres. latino.] *Suf. nom.* formador de adjetivos e substantivos com ideia de: 'agente'; 'ação'; 'estado': *combatente, ouvinte, pagante; abrangente, constituinte, seguinte*. [Equiv.: *-ente: diluente*.]

■ **NTSC** [Sigla de *National Television System Committee*.] *Telev.* Padrão técnico de gravação e difusão de imagem em cores. [É utilizado, p. ex., nos Estados Unidos, Canadá e América Latina.] [Cf. *PAL*.]

nu¹ [Do lat. *nudu*.] *Adj.* **1.** Privado de vestuário; despido, desnudo. **2.** Sem cobertura; exposto, descoberto: *cabeça nua*; "Pés descalços, braços nus" (Casimiro de Abreu, *Obras*, p. 94). **3.** Sem calçado; descalço: *pés nus*. **4.** Sem folhas: *as árvores nuas do inverno*. **5.** Sem vegetação; escalvado. **6.** Desguarnecido, desornado, desataviado: "quando entrara afinal no seminário, numa grande sala branca e nua" (Inglês de Sousa, *O Missionário*, p. 206); "Tempo claro, o campo azulado de orvalho e as buracicas altas, isoladas, quase nuas de folhagem, vestidas com ouro da sua floração eruptiva." (Xavier Marques, *As Voltas da Estrada*, p. 131). **7.** Sem nada; vazio: *Os ladrões deixaram o apartamento completamente nu*. **8.** Privado, destituído, carecente: *temperamento nu de virtudes e paixões fortes*. **9.** Sem afetação; simples, sincero, franco: "É muito conhecido este processo de captarmos a benevolência alheia com a confissão nua de nossas misérias." (Ciro dos Anjos, *Abdias*, p. 82.) **10.** Não disfarçado; patente, evidente: *a verdade nua e crua*. **11.** Tosco, grosseiro. **12.** Desembainhado (a espada). [Fem.: *nua*.] ~ V. *fio* — e *propriedade* —*a*. • *S. m.* **13.** Aquele que não tem o que vestir: *Uma das obras de misericórdia é vestir os nus*. **14.** Nudez (1): *Certos moralistas estreitos consideram o nu obsceno até na arte*. **15.** *Art. Plást.* V. *nu artístico*: "O nu na arte foi inventado no século V antes de Cristo, pelos gregos, como a ópera foi inventada no século XVIII pelos italianos, lembra Kenneth Clark." (Carlos Lacerda, *O Cão Negro*, p. 82); "Quando Miguel Ângelo pinta nus soberbos no teto da Capela Sistina, não é só por devoção a Deus e sim por devoção transferida, num plano espiritual, sem dúvida, mas não desligado de seu carnal invólucro." (Id., *ib.*, p. 85). ◆ **Nu artístico.** *Art. Plást.* **1.** A arte de representar plasticamente pessoa(s) desnuda(s). **2.** Quadro ou escultura em que há essa representação. [Tb. se diz apenas *nu*.] **Nu e cru.** Em toda a rudeza; sem dissimulação ou disfarce; tal como é: *Disse-lhe a verdade nua e crua*. **Pôr a nu.** Descobrir, desvendar, patentear; desnudar.

nu² *S. m.* Ni.

nuança [Do fr. *nuance*.] *S. f.* **1.** Cada uma das diversas gradações de uma cor; cambiante, matiz, tom, tonalidade; meio-tom: "Que lindo o verde, em nuanças meio incertas, / Margeando, lado a lado, as estradas desertas!" (Olegário Mariano, *Toda uma Vida de Poesia*, I, p. 51.) **2.** Diferença delicada entre coisas do mesmo gênero. **3.** Grau de força ou de doçura que convém dar aos sons.

nuançado [Part. de *nuançar*.] *Adj.* Em que há nuança(s); matizado, cambiante.

nuançar [Do fr. *nuancer*.] *V. t. d.* Matizar (1). [Conjug.: v. *laçar*.]

nuara *Bras. S. 2 g.* **1.** *Etnôn.* Indivíduo dos nuaras, povo indígena extinto que habitava as margens de um dos afluentes do rio Paraguai (MS). • *Adj. 2 g.* **2.** Pertencente ou relativo a esse povo. [Tb. us. como *s. 2 g. e 2 n.* (com cap.) e *adj. 2 g. e 2 n.*]

nuaruaque [De aruaque *nu*, 'meu', + *aruwak*, 'comedor de farinha'.] *S. 2 g. Adj. 2 g. Bras.* V. *aruaque* (1 e 3).

nuba *S. f. Mús.* **1.** Entre os árabes, grande composição vocal e instrumental. **2.** Na África setentrional, música dos regimentos de atiradores.

nubécula [Do lat. *nubecula*.] *S. f. Med.* **1.** Ligeira turvação da córnea. **2.** Ligeira turvação na urina. [Sin. ger.: *nefélio*.]

nubente [Do lat. *nubente*.] *Adj. 2 g.* **1.** Que é noivo ou noiva. • *S. 2 g.* **2.** Pessoa que se vai casar.

▲ **nubi-** [Do lat. *nubes, is*.] *El. comp.* = 'nuvem': *nubícogo*.

nubiano *Adj. S. m. P. us.* Núbio.

núbico *Adj. S. m. P. us.* Núbio.

nubícogo [De *nubi-* + *-cog-*, raiz de *cogere*, 'ajuntar'.] *Adj. Poét.* Que ajunta nuvens.

nubífero [Do lat. *nubiferu*.] *Adj.* Que traz ou acumula nuvens.

nubífugo [Do lat. *nubifugu*.] *Adj.* Que espalha ou desfaz nuvens.

nubígeno [Do lat. *nubigenu*.] *Adj.* Proveniente das nuvens.

núbil [Do lat. *nubile*.] *Adj. 2 g.* Casadouro (1): "uma ou outra filha núbil que ainda não era tempo de levar a el-rei, a que lhe escolhesse consorte" (Fialho d'Almeida, *Estâncias d'Arte e de Saudade*, p. 237). [Pl.: *núbeis*.]

nubilar [Do lat. tard. *nubilare*.] *S. m.* Lugar onde se recolhe o trigo quando há receio de chuva.

nubilidade [De *núbil* + *-(i)dade*.] *S. f.* Qualidade ou estado de núbil.

nubiloso (ô) [Do lat. *nubilosu*.] *Adj.* V. *nebuloso*.

núbio *Adj.* **1.** Da, ou pertencente ou relativo à Núbia (África). • *S. m.* **2.** O natural ou habitante da Núbia. **3.** *Gloss.* Língua nilo-saariana falada no Egito e no Sudão. [Tem longa tradição escrita, contando com manuscritos, num alfabeto copta modificado, que datam do século VIII.] **4.** Vocábulo dessa língua.

nubívago [Do lat. *nubivagu*.] *Adj.* **1.** Que anda pelas nuvens; nefelibata. **2.** *Fig.* Sublime, excelso.

nublado [Part. de *nublar*.] *Adj.* **1.** Coberto de nuvens; nubloso, nuvioso, nebuloso, anuviado: "A tarde está nublada, fria. Antes que anoiteça, vai chover." (Osmã Lins, *Nove, Novena*, p. 179.) **2.** V. *nebuloso* (2). **3.** *Fig.* Infeliz, triste, lúgubre; nuvioso; anuviado. **4.** *Fig.* Preocupado, apreensivo, inquieto, nuvioso: *A notícia o deixou de semblante nublado*.

nublar [Do lat. *nubilare*.] *V. t. d.* **1.** Cobrir de nuvens; anuviar; enuviar, enublar. **2.** Tornar escuro, sombrio, tristonho; entristecer; toldar, anuviar: *Nublou o semblante quando soube da tragédia*. *P.* **3.** Cobrir-se de nuvens; anuviar-se: "Nos raros dias de chuva a baía se nublava, com um ar de cinza." (Ricardo Ramos, *Matar um Homem*, p. 95.) **4.** Obscurecer-se, desvanecer-se, apagar-se: "Quando chegou perto da vacaria, a imagem nublou-se, fugiu." (Id., *Os Caminhantes de Santa Luzia*, p. 32.) **5.** Obscurecer-se, entristecer-se.

nublosidade [De *nubloso* + *-(i)dade*.] *S. f.* Qualidade de nubloso; nebulosidade.

nubloso (ô) [F. sincopada de *nubiloso*.] *Adj.* V. *nublado* (1): "a tarde estava fria, nublosa" (Lêdo Ivo, *O Flautim*, p. 108).

nuca [Do ár. *nuqra(t)*, 'a medula espinhal', pelo b.-lat. *nucha*.] *S. f. Anat.* Região do corpo humano que compreende as partes moles que se dispõem posteriormente ao setor cervical da coluna vertebral.

nucal [De *nuca* + *-al*¹.] *Adj. 2 g.* Relativo ou pertencente à nuca. ~ V. *órgão* —.

nucamentáceo [Do lat. *nucamentum*, 'flor semelhante a um cacho', + *-áceo*.] *Adj. Bot.* Nuciforme: *fruto nucamentáceo*.

nução [Do lat. **nutione* < lat. *nutus*, 'aceno com a cabeça, etc., para exprimir a vontade'.] *S. f.* **1.** Assentimento, anuência. **2.** Talante, arbítrio, alvedrio. [Cf. *noção*.]

nucela [Do b.-lat. *nucella*.] *S. f.* **1.** Núcula. **2.** *Bot.* Massa de tecido parenquimatoso, de forma arredondada ou oval, presente no óvulo, que encerra o saco embrionário e é envolvida por um ou mais tegumentos, e que, em seguida à fertilização, pode ser reabsorvida pelo embrião em desenvolvimento ou persistir, originando o perisperma; nucelo.

nucelar [De *nucelo* + *-ar*¹.] *Adj. 2 g.* Relativo ao nucelo.

nucelo [De *nucela*.] *S. m.* **1.** *Citol.* Tecido central do óvulo com funções, em parte, nutritivas. **2.** *Bot.* Nucela (2).

▲ **nuci-** [Do lat. *nux, nucis*.] *El. comp.* = 'noz': *nucífrago, nucívoro*.

nuciforme [De *nuci-* + *-forme*.] *Adj. 2 g. Bot.* Semelhante a uma noz; nucamentáceo: *semente nuciforme*.

nucífrago [De *nuci-* + *-frago*.] *Adj.* Que quebra nozes.

nucívoro [De *nuci-* + *-voro*.] *Adj.* Que se alimenta de nozes.

nucleação [De *nuclear*² + *-ção*.] *S. f.* Ato ou efeito de nuclear(-se).

nucleado [Part. de *nuclear*².] *Adj.* Que tem núcleo(s).

nucleal [De *nucle(i)-* + *-al*¹.] *Adj. 2 g.* Nuclear¹ (1).

nuclear¹ [De *nucle(i)-* + *-ar*¹.] *Adj. 2 g.* **1.** Relativo a núcleo; nucleal. **2.** Diz-se do fenômeno, aparelho, engenho, etc., em que se processam reações de cisão ou fissão nuclear, controladas ou não: *explosão nuclear; propulsão nuclear; reator nuclear; motor nuclear; armamento nuclear*. ~ V. *alvo* —, *arma* —, *atividade* —, *bomba* —, *cisão* —, *combustível* —, *desnaturante* —, *emulsão* —, *energia* —, *envoltório* —, *estrela* —, *família* —, *física* —, *fissão* —, *fusão* —, *guerra* —, *isomeria* —, *medicina* —, *membrana* —, *motor* —, *química* —, *rejeito* —, *ressonância magnética* —, *satélite* —, *submarino* —, *suco* —, *torpedo* —, *usina* — e *transição* —.

nuclear² [De *núcleo* + *-ar*².] *V. t. d.* **1.** Dispor em núcleos. *P.* **2.** *Biol.* Formar-se em núcleo no interior da célula. [Fut. pret.: *nuclearia*, etc. Cf. *nucleária*, fem. de *nucleário*.]

nucleário [De *nucle(i)-* + *-ário*.] *Adj.* Referente ao núcleo (1). [Fem.: *nucleária*. Cf. *nuclearia*, do v. *nuclear*.]

nuclease [De *nucle(i)-* + *-ase*.] *S. f. Bioquím.* Qualquer das enzimas que catalisam a hidrólise das ligações entre os nucleotídeos de um ácido nucleico.

▲ **nucle(i)-** [Do lat. *nucleus, i*.] *El. comp.* = 'núcleo'; 'núcleo da célula'; 'núcleo do átomo': *nuclear*¹, *nucleário, nucléon*. [Equiv.: *-nucl(e)(i)-, nucle(o)-: quinuclidina; nucleofílico*.]

▲ **-nucl(e)(i)-** V. *nucle(i)-*.

nucleico (éi ou êi) [De *nucle(i)-* + *-ico*².] *Adj. Quím.* V. *ácido*. [A pronúncia aberta *nucleico* (éi) é a correta, porém a pronúncia *nucleico* (êi) é a us. em Portugal, e a mais us. no Brasil.]

▲ **nucle(o)-** V. *nucle(i)-*.

núcleo [Do lat. *nucleu*.] *S. m.* **1.** O miolo da noz e de outros frutos. **2.** Parte central de um objeto, de densidade diferente da densidade da massa. **3.** *P. ext.* O ponto central; o centro. **4.** O ponto essencial. **5.** A sede de principal. **6.** *Constr.* Parte das peças de concreto armado envolvida pelo cintamento. **7.** *Fig.* A melhor parte; a nata, a flor de qualquer coisa; o escol. **8.** *Álg.* Num homomorfismo de um grupo G em outro G', conjunto de elementos de G que se representam no elemento identidade de G'. **9.** *Citol.* Organela celular, delimitada pelo envoltório nuclear, presente em células eucarióticas e que contém o material genético, sob a forma de cromatina. **10.** *Eletr.* Peça de ferro em torno da qual se enrola um condutor para constituir um indutor. **11.** *E. Ling.* Elemento do sintagma, como um nome, um verbo, um adjetivo, que determina o caráter nominal, ou verbal, ou adjetival da construção. **12.** *E. Ling.* Na estrutura da sílaba, a posição obrigatória, ocupada pela vogal. [Cf., nesta acepç., *coda* (1), *onset* e *rima*¹ (6).] **13.** *Fís. Nucl.* Núcleo atômico. [Cf., nesta acepç., *núcleon*. Dim. irreg.: *nucléolo* (q. v.).] **14.** *Inform.* Parte de um sistema operacional que é responsável por gerir suas funções básicas e organizar a realização das demais. **15.** *Patol.* Matéria em torno da qual se forma(m) cálculo(s), em órgãos musculomembranosos e em canais excretores glandulares. **16.** *Quím.* Anel ou ciclo de um composto aromático. ◆ **Núcleo atômico.** *Fís. Nucl.* Parte do átomo com carga positiva e com a quase totalidade da sua massa constituída por prótons e nêutrons, e que ocupa pequeníssimo volume. [Tb. se diz apenas *núcleo*.] **Núcleo central.** *Geofís.* V. *nife*. **Núcleo histórico.** *Urb.* Centro histórico (q. v.).

nucleobrânquio [De *nucle(o)-* + *-brânquio*.] *S. m. Adj. Zool. Desus.* V. *heterópode*[2].

nucleofilia [De *nucleófilo* + *-ia*[1].] *S. f. Quím.* Nucleofilicidade.

nucleofilicidade [De *nucleofílico* + *-(i)dade*.] *S. f. Quím.* Qualidade ou intensidade do caráter nucleofílico; nucleofilia.

nucleofílico [De *nucleófilo* + *-ico*[2].] *Adj.* **1.** *Quím.* Relativo a ou que tem características de um nucleófilo. **2.** *Quím.* Diz-se de reação causada pela ação de um nucleófilo sobre um substrato. **3.** *Fís.-Quím.* Eletrodótico.

nucleófilo [De *nucle(o)-* + *-filo*[2].] *S. m. Quím.* Substância que é atraída por núcleo (atômico): ânion, ou molécula dotada de par de elétrons não compartilhado, com tendência a formar ligação covalente com cátion ou molécula que possua um átomo parcialmente positivo (ou seja, com um eletrófilo). [Apesar de menos comuns, tb. existem nucleófilos que são radicais livres. Cf. *eletrófilo*.]

nucleoide (ói) [De *nucle(o)-* + *-oide*.] *S. m. Citol.* Região distinta do citoplasma ocupada pela informação genética do procarionte. ❖

nucleolar [De *nucléolo* + *-ar*[1].] *Adj. 2 g. Citol.* Pertencente ou relativo a nucléolo.

nucléolo [Do lat. tard. *nucleolu*.] *S. m. Citol.* Estrutura presente no núcleo (9), constituída por RNA, proteínas e DNA, e onde ocorre a transcrição de RNA ribossômico.

núcleon [De *nucle(i)-* + *-on*.] *S. m. Fís. Nucl.* Designação genérica das partículas que constituem o núcleo atômico (q. v.), *i. e.*, o próton e o nêutron.

nucleoplasma (nù) [De *nucle(o)-* + *-plasma*.] *S. m. Citol.* Fluido protoplasmático contido no núcleo (9). [Sin. (desus.): *cariolinfa, carioplasma, suco nuclear*.]

nucleoproteína (nù) [De *nucle(o)-* + *proteína*.] *S. f. Bioquím.* Substância composta de uma proteína básica simples, ger. uma histona, ou protomina, combinada com um ácido nucleico.

nucleosídeo (nù) [De *nucle(o)-* + *-os(e)-*[2] + *-ídeo*[2].] *S. m. Bioquím.* Heterosídeo que fornece, por hidrólise, uma pentose (ribose ou desoxirribose), e uma base nitrogenada, purínica (adenina ou guanina) ou pirimidínica (citosina, timina ou uracila).

nucleossíntese (nù) [De *nucle(o)-* + *síntese*.] *S. f. Astr.* Formação dos núcleos atômicos por reações nucleares que ocorreram no bigue-bangue ou nos meios interiores estelares.

nucleossomo (nù) [De *nucle(o)-* + *-somo*.] *S. m. Citol. Genét.* Unidade estrutural da cromatina, constituída por um segmento de DNA que envolve um octâmero proteico de histonas; cromatossomo.

nucleotídeo (nù) [De *nucle(o)-* + *-t-* + *-ídeo*[2].] *S. m. Bioquím.* Unidade constituinte dos ácidos ribonucleicos e desoxirribonucleicos que, por hidrólise, fornece um açúcar, ácido fosfórico e uma base nitrogenada. Nos nucleotídeos dos ácidos desoxirribonucleicos, o açúcar é a desoxirribose e a base nitrogenada pode ser timina, adenina, citosina ou guanina; nos nucleotídeos dos ácidos ribonucleicos, o açúcar é a ribose e, em vez da timina, encontra-se a uracila.

nuclídeo [De *núcleo* + *-ídeo*[3].] *S. m. Fís. Nucl.* Átomo caracterizado por um número de massa e um número atômico determinados, e que tem vida média suficientemente longa para permitir a sua identificação com um elemento químico. [Tb. se denomina, embora com absoluta impropriedade, *isótopo*.] ◆ **Nuclídeo estável.** *Fís. Nucl.* O que não apresenta radioatividade. **Nuclídeo radioativo.** *Fís. Nucl.* O que apresenta radioatividade; radionuclídeo. **Nuclídeos especulares.** *Fís. Nucl.* Par de nuclídeos isóbaros em que o número de prótons de um é igual ao número de nêutrons do outro. **Nuclídeos isóbaros.** *Fís. Nucl.* Os que têm o mesmo número de massa, mas números atômicos diferentes, como, p. ex., zircônio 90, nióbio 90, molibdênio 90. [Tb. se dizem apenas *isóbaros*.] **Nuclídeos isodiáferos.** *Fís. Nucl.* Os que têm a mesma diferença entre o número de nêutrons e o número de prótons. [Tb. se dizem apenas *isodiáferos*.] **Nuclídeos isômeros.** *Fís. Nucl.* Os que têm iguais o número de massa e o número atômico, mas estão em diferentes níveis de energia. [Tb. se dizem apenas *isômeros*.] **Nuclídeos isótonos.** *Fís. Nucl.* Os que têm o mesmo número de nêutrons, mas números atômicos diversos. [Tb. se dizem apenas *isótonos*.] **Nuclídeos isótopos.** *Fís. Nucl.* Os que têm o mesmo número atômico, mas números de massa diferentes.

núcula [Do lat. *nucula*.] *S. f.* Pequena noz; nucela.

nuculâneo [De *núcula* + *-âneo*.] *Adj. Bot.* Diz-se do fruto que tem muitas sementes distintas, como, p. ex., a nêspera.

nuculano [De *núcula* + *-ano*[1].] *S. m. Bot.* Fruto que tem núculas em lóculos ligados ou livres.

nucular [De *núcula* + *-ar*[1].] *Adj. 2 g. Bot.* **1.** Relativo a noz. **2.** Que encerra uma noz.

nuculoso (ô) [De *núcula* + *-oso*.] *Adj. Bot.* Que contém núculas.

nudação [Do lat. *nudatione*.] *S. f.* Ato ou efeito de desnudar(-se); nudez.

nudez (ê) [Do lat. *nudus*, 'nu', + *-ez*.] *S. f.* **1.** Estado de quem se acha ou vive nu; nu. **2.** Falta de vestuário. **3.** Ausência de ornatos: 📖 "Uma saleta cor-de-rosa esteirada, uma cama de ferro, ... algumas cadeiras e um crucifixo de marfim, compunham esse aposento de extrema simplicidade e <u>nudez</u>." (José de Alencar, *Lucíola*, p. 148). **4.** Privação de folhas (nas plantas). **5.** Carência, falta, privação. **6.** Simplicidade, singeleza. [F. paral., p. us.: *nudeza*. Sin. ger.: *nueza* (p. us.) e *desnudez*.]

nudeza (ê) [Do lat. *nudus*, 'nu', + *-eza*.] *S. f. P. us.* V. *nudez*: 📖 "a esperança fogosa / De ir ao longe, através das ondas, conquistar / A <u>nudeza</u> pagã e a virgindade ociosa / De ermas ilhas em flor nas solidões do mar..." (Vicente de Carvalho, *Poemas e Canções*, p. 168).

▲ **nud(i)-** [Do lat. *nudus, a, um*.] *El. comp.* = 'despido', 'nu': *nudicaule*; *nudismo*. [Equiv.: *nudo-*: *nudofobia*.]

nudibrânquio[1] (nù) [De *nud(i)-* + *brânquio*.] *Adj. Zool.* Diz-se dos animais que têm as brânquias descobertas.

nudibrânquio[2] (nù) [Adapt. do tax. *Nudibranchia*.] *Zool. S. m.* **1.** Espécime dos nudibrânquios, ordem de moluscos gastrópodes, opistobrânquios; os adultos são desprovidos de concha e, para sua defesa, muitos apresentam glândulas que segregam ácido sulfúrico; outros fazem uso de nematocistos de animais engolidos. São, ainda, desprovidos de verdadeiro ctenídio, e respiram pela pele ou por brânquias secundárias em torno do ânus, ou em fileiras dorsais, ou sob a margem lateral do manto. ● *Adj.* **2.** Pertencente ou relativo a eles.

nudicaude (nù) [De *nud(i)-* + *-caude*.] *Adj. 2 g. Zool.* Diz-se do animal cuja cauda não tem pelos.

nudicaule (nù) [De *nud(i)-* + *-caule*.] *Adj. 2 g. Bot.* Que não tem folhas no caule.

nudifloro (nù) [De *nud(i)-* + *-floro*.] *Adj. Bot.* Que tem flores nuas, esp. sem pelos ou glândulas.

nudípede [Do lat. tard. *nudipede*.] *Adj. 2 g.* Que tem os pés nus; descalço.

nudismo [De *nud(i)-* + *-ismo*.] *S. m.* **1.** Doutrina que prega o viver ao ar livre em completa nudez. **2.** A prática dessa doutrina. [Sin.: *naturismo*.]

nudista [De *nudismo* + *-ista*.] *Adj. 2 g.* **1.** Referente ao, ou próprio do nudismo. **2.** Que é adepto do nudismo. ● *S. 2 g.* **3.** Adepto dele.

nuditarso (nù) [De *nud(i)-* + *-tarso*.] *Adj. Zool.* Que tem os tarsos nus.

nudiúsculo (nù) [De *nud(i)-* + *-úsculo*.] *Adj. Bot.* Quase nu.

▲ **nudo-** Equiv. de *nud(i)-*.

nudofobia [De *nudo-* + *-fobia*.] *S. f. Psiq.* Aversão ou sensação mórbida que se experimenta por ficar nu.

nudofóbico [De *nudofobia* + *-ico*[2].] *Psiq. Adj.* **1.** Relativo a nudofobia. **2.** Que sofre de nudofobia; nudófobo. ● *S. m.* **3.** Aquele que sofre de nudofobia; nudófobo.

nudófobo [De *nudo-* + *-fobo*.] *Adj. S. m. Psiq.* Nudofóbico (2 e 3).

nudomania [De *nudo-* + *-mania*.] *S. f. Psiq.* Desejo mórbido de ficar nu.

nudomaníaco [De *nudomania* + *-íaco*.] *Psiq. Adj.* **1.** Relativo a nudomania. **2.** Que tem nudomania; nudômano. ● *S. m.* **3.** Aquele que tem nudomania; nudômano.

nudómano *Adj. S. m. Psiq.* V. *nudômano*. [Uso freq. em P.]

nudômano [De *nudo-* + *-mano*[1].] *Adj. S. m. Psiq.* Nudomaníaco (2 e 3).

nuelo [Do lat. **nudelu* < lat. *nudus*, 'nu'.] **1.** Implume: 📖 "um pombinho <u>nuelo</u>" (Visconde de Taunay, *Ao Entardecer*, p. 42). **2.** *P. ext.* Que nasceu há pouco; recém-nascido. **3.** *Bras. MG Fam.* Nu em pelo (q. v.).

nuer [Desta língua.] *S. 2 g.* **1.** *Etnôn.* Indivíduo dos nueres, povo que vive às margens do rio Nilo (Etiópia e Sudão). ● *S. m.* **2.** *Gloss.* Língua nilótica falada no Sudão e na Etiópia. **3.** Vocábulo dessa língua. ● *Adj. 2 g.* **4.** Relativo aos nueres, ou ao nuer (2).

nueza (ê) [De *nu* + *-eza*.] *S. f. P. us.* V. *nudez*.

nuga [Adapt. do lat. *nugae*.] *S. f.* V. *ninharia*: 📖 "Uma <u>nuga</u>, um nada a punha fora de si." (Júlio Ribeiro, *A Carne*, p. 245.) [M. us. no pl.]

nugá [Do provenç. *nougat*, 'torta de nozes' (< provenç. ant. *noga*, 'noz' [atual *nougo*] < lat. vulg. *nuca* [lat. cláss. *nux, nucis*, 'noz']'), pelo fr. *nougat*.] *S. m. Cul.* Doce em pasta firme cuja origem remonta aos antigos romanos, feito de amêndoas, ou avelãs, ou nozes, caramelo e mel, e vendido, em geral, em tabletes, ou como recheio de bombom, de chocolate, etc.; nogado. [Tb. é us. o fr. *nougat*.]

nugação [Do lat. **nugatione*.] *S. f.* Sofisma ridículo; argumento vão.

nugacidade [Do lat. tard. *nugacitate*.] *S. f.* **1.** Futilidade, frivolidade, nulidade. **2.** Ninharia, insignificância, nulidade, nuga. **3.** Gracejo, pilhéria.

nugativo [Do lat. *nugatus*, part. pass. de *nugari*, 'ocupar-se com ninharias', + *-ivo*.] *Adj.* **1.** Em que há nuga. **2.** Frívolo, ridículo, vão. [Sin. ger.: *nugatório*.]

nugatório [Do lat. *nugatoriu*.] *Adj.* V. *nugativo*.

▲ **nuli-** [Do lat. *nullus, a, um*.] *El. comp.* = 'nulo': *nulípara*.

nulibismo [Do lat. tard. *nullibi*, 'em lugar nenhum', + *-ismo*.] *S. m. Filos.* Termo proposto por Henry More (1614-1687), filósofo e teólogo inglês, para a doutrina que nega a extensão aos espíritos.

nulibista [De *nulibismo* + *-ista*.] *Adj. 2 g.* **1.** Relativo ao, ou que é adepto do nulibismo. ● *S. 2 g.* **2.** Adepto dessa doutrina.

nulidade [Do lat. med. *nullitate*.] *S. f.* **1.** Estado ou qualidade de nulo. **2.** V. *nugacidade* (1 e 2). **3.** Pessoa sem mérito nenhum. **4.** *Jur.* Estado ou condição de um ato ou negócio jurídico que, em razão de vício que o contamina, tornou-se inválido, deixando de produzir os efeitos que lhe são próprios.

nulificação [De *nulificar* + *-ção*.] *S. f.* Ato ou efeito de nulificar.

nulificante [Do lat. tard. *nullificante*.] *Adj. 2 g.* Que tem força de nulificar; nulificativo.

nulificar [Do lat. tard. *nullificare*.] *V. t. d. P.* Anular[2]. [Conjug.: v. *trancar*.]

nulificativo [De *nulificar* + *-tivo*.] *Adj.* Nulificante.

nulificável [De *nulificar* + *-vel*.] *Adj. 2 g.* Que pode ser nulificado; anulável.

nulinerve (nù) [De *nuli-* + *-nerve*.] *Adj. 2 g. Bot.* Diz-se das folhas que não têm nervuras aparentes.

nulípara [De *nuli-* + *-para*.] *S. f.* Fêmea que nunca pariu.

nuliparidade (nù) [De *nulíparo* + *-(i)dade*.] *S. f.* Estado ou condição de nulípara.

nulíparo [De *nuli-* + *-paro*.] *Adj.* Que nunca pariu (diz-se de fêmea).

nulo [Do lat. *nullu*.] *Adj.* **1.** Que não é válido; que não tem valor: 📄 *sentença <u>nula</u>*. **2.** Sem valor ou sem efeito; inútil, vão: 📄 *esforços <u>nulos</u>*. **3.** Nenhum (3): 📄 *Seu merecimento é <u>nulo</u>*. **4.** Inepto, incapaz: 📄 *Não contes com ele, é um indivíduo <u>nulo</u>*. **5.** Sem atividade; inerte. ~ V. *conjunto* –.

num[1] **1.** Equiv. da prep. *em* e do art. indef. *um*. **2.** Equiv. da prep. *em* e do num. *um*: 📄 *Trabalha <u>num</u> dia mais do que muitos em dez*. [Flex.: *numa, nuns, numas*.]

num[2] *Adv. Pop.* V. *não*: 📖 "<u>Num</u> falei! <u>Num</u> falei que chovia de noite? Agora é chuva até a entrada da lua nova" (Bernardo Élis, *Veranico de Janeiro*, p. 102); "— Pois é: o menino saiu com o copinho dele para o pai encher de leite, e tinha um marruco brabeza do sertão que ninguém <u>num</u> lembrava." (Id., *ib.*, p. 22).

numantino [Do lat. *numantinu*.] *Adj.* **1.** De, ou pertencente ou relativo a Numância, antiga cidade da Espanha (a moderna Sória). ● *S. m.* **2.** O natural ou habitante de Numância.

numária [F. subst. de *numário*.] *S. f. Numism.* V. *numismática*.

numário [Do lat. *nummariu*.] *Adj. Numism.* Numismático.

numbu [Var. de *inhambu*.] *S. m. Bras. Bot.* V. *agrião-do-pará*.

nume [Do lat. *numen*.] *S. m.* **1.** Deidade (1): 📖 "adorava-a humildemente como a um <u>nume</u>, uma divindade." (Gilberto Amado, *Inocentes e Culpados*, p. 213). **2.** Divindade mitológica. **3.** Gênio (1). **4.** Influxo divino; inspiração.

numenal [De *número* + *-al*[1].] *Adj. 2 g.* Relativo a númeno; nomenal, numênico.

numénico *Adj.* V. *numênico*. [Uso freq. em P.]

numênico [De *númeno* + *-ico*[2].] *Adj.* V. *numenal*.

númeno [Do gr. *nooúmenon*, neutro do part. pres. passivo do v. *noeîn*, 'pensar'.] *S. m. Filos.* Objeto inteligível, em oposição a objeto que se conhece pela intuição sensível; nômeno. [Cf. *fenômeno* (8).]

numeração [Do lat. *numeratione*.] *S. m.* **1.** Ato ou efeito de numerar. **2.** Série de números arábicos ou romanos que distinguem as páginas de livro, folheto, manuscrito, etc. **3.** *Mat.* Processo de enumerar um conjunto. **4.** Processo de escrever ou representar os números. ◆ **Numeração binária.** *Mat.* A que usa apenas dois símbolos e na qual a unidade de uma ordem vale duas vezes uma unidade de ordem imediatamente inferior. **Numeração decimal.** *Mat.* A que utiliza 10 símbolos e na qual a unidade de uma

N

ordem vale 10 vezes a unidade que a precede. **Numeração progressiva.** Sistema de numeração das partes de um documento mediante sequência de números, de 0 a 9, separados por ponto. Ex.: 0, 0.1, 0.1.1, 0.1.2, 0.1.2.1, 0.1.2.2 .... 9, 1.1.1, etc.

numerado [Part. de *numerar*.] *Adj.* **1.** Indicado por número(s). **2.** Posto por ordem numérica.

numerador (ô) [Do lat. tard. *numeratore*.] *Adj.* **1.** Que numera. ~ V. *carimbo* — e *rama* —*a*. • *S. m.* **2.** Aquele que numera. **3.** Aparelho para numerar. **4.** Carimbo numerador. **5.** *Mat.* Numa fração ordinária, termo que fica acima do traço de fração. **6.** *Art. Gráf.* Aparelho que, justificado na fôrma tipográfica, com a composição, numera os impressos em ordem crescente (*numerador progressivo*) ou decrescente (*numerador regressivo*), podendo repetir números; numeradora. ◆ **Numerador progressivo.** *Art. Gráf.* V. *numerador* (6). **Numerador regressivo.** *Art. Gráf.* V. *numerador* (6).

numeradora (ô) [Fem. de *numerador*.] *S. f. Art. Gráf.* Numerador (6).

numeral [Do lat. tard. *numerale*.] *Adj. 2 g.* **1.** Referente a número. **2.** Indicativo de número. • *S. m.* **3.** *E. Ling.* Classe de palavras que indica uma quantidade exata de pessoas ou coisas, ou lugar que elas ocupam numa série. ◆ **Numeral cardinal.** *Mat.* O que designa quantidade absoluta: *cinco, nove, setenta* e *sete*. **Numeral fracionário.** *Mat.* O que designa quantidade fracionária: *meio, terço, sexto, vigésimo*. **Numeral multiplicativo.** *Mat.* O que designa quantidade multiplicativa: *duplo, triplo, quíntuplo, sêxtuplo, décuplo*. **Numeral ordinal.** *Mat.* O que indica ordem ou série: *primeiro, segundo, décimo, undécimo, vigésimo, octogésimo*.

numerar [Do lat. *numerare*.] *V. t. d.* **1.** Indicar por números: *Numerou todas as referências bibliográficas da obra.* **2.** Dispor por ordem numérica. **3.** Pôr números em. **4.** Contar, calcular; enumerar: *São tantos os seus bens que mal pode numerá-los;* "Numerar sepulturas e carneiros, / Reduzir carnes podres a algarismos, / Tal é, sem complicados silogismos, / A aritmética hedionda dos coveiros!" (Augusto dos Anjos, *Eu*, 30ª ed., p. 224). **5.** Expor metodicamente; relatar, enumerar. ***T. d. e i.*** **6.** Contar, incluir: *Costumam numerá-la entre as mulheres mais elegantes do país.* [Pres. ind.: *numero*, etc.; fut. do pret.: *numeraria*, etc. Cf. *número*, s. m., *numerária*, fem. de *numerário*, adj.]

numerário [Do fr. *numéraire* < b.- lat. *numerariu*.] *Adj.* **1.** Respeitante a dinheiro. ~ V. *testemunha* —*a*. [Fem.: *numerária*. Cf. *numeraria*, do v. *numerar*.] • *S. m.* **2.** Moeda; dinheiro efetivo [v. *dinheiro* (5)].

numerável [Do lat. *numerabile*.] *Adj. 2 g.* Que pode ser numerado. ~ V. *conjunto* — e *infinidade* —.

numérico [De *número* + *-ico*².] *Adj.* **1.** Relativo a número. **2.** Que indica número; numeral. **3.** *Inform.* V. *digital*¹. ~ V. *abertura* —*a*, *hipertrofia* —*a* e *índice* —.

número [Do lat. *numeru*.] *S. m.* **1.** A soma total dos elementos ou unidades de um conjunto, série, etc. **2.** Porção ou parcela de um grupo, conjunto, etc.: *Não sei o número de alunos que passaram de ano.* **3.** Nome, símbolo ou representação de uma quantidade. [Cf. *numeral* (3).] **4.** Entidade abstrata que corresponde a um aspecto ou a uma característica mensurável de algo (quantidade, grandeza, intensidade, etc.) e que é matematicamente definida como conjunto de todos os conjuntos equivalentes a um conjunto dado: *dois é um número par; três é um número primo; pi é um número transcendente.* **5.** Grande número; quantidade, abundância, cópia: *Na eleição passada alcançou número de votos.* **6.** Classe, rol, categoria: *Não é do número dos que falham à última hora.* **7.** V. *quórum*: *A assembleia não teve número.* **8.** *Bibliol. Bibliot. Edit.* V. *fascículo* (5). **9.** *P. ext.* O conjunto desses exemplares. **10.** Cada um dos quadros ou cenas duma peça teatral ou dum espetáculo de variedades. **11.** *E. Ling.* Categoria gramatical de nomes, verbos e pronomes, que indica distinções do tipo *um/mais de um* (singular/plural); *um/dois/mais de dois* (singular/dual/plural); *um/dois/três/mais de três* (singular/dual/trial/plural). [Cf., nesta acepç.: *dual, plural* (4), *singular* (5), *trial*.] **12.** *Arte Poét.* Harmonia proveniente da disposição das palavras, na prosa ou no verso; cadência, regularidade. [Cf. *numero*, do v. *numerar*.] ◆ **Número abundante.** *Mat.* Inteiro maior que a soma dos seus divisores próprios. [Opõe-se a *número deficiente*. Cf. *número perfeito*.] **Número adimensional.** *Tec.* Combinação multiplicativa de potências de grandezas físicas cuja dimensão, em termos de um conjunto de grandezas fundamentais, é igual a zero. [Estes números são de importância em inúmeros problemas práticos, pois permitem a expressão elegante de diversos parâmetros notáveis.] **Número algébrico.** *Mat.* **1.** Número dotado de sinal positivo ou negativo, como o são os da álgebra; número relativo. [Cf. *número aritmético*.] **2.** Qualquer raiz de uma equação algébrica com coeficientes racionais. **Número aritmético.** *Mat.* Número real positivo, como o são os da aritmética. [Cf. *número algébrico*.] **Número atômico.** *Fís. Nucl.* Número de prótons no núcleo de um elemento, o qual coincide com a ordem do elemento na classificação periódica; número de carga [símb.: *Z*]. **Número áureo.** **1.** *Mat.* Número determinado pela divisão de um segmento em média e extrema razão (q. v.), e que é igual à metade da diferença entre a raiz quadrada de cinco e a unidade, ou seja, aproximadamente 1,61803...; número de ouro. **2.** *Cronol.* Número de ordem que um dado ano ocupa no ciclo lunar (q. v.). Para calculá-lo, soma-se 1 ao ano em apreço e divide-se o resultado por 19, sendo o resto da divisão o número áureo desse ano. [Sin. (p. us.): *número de ouro*.] **Número bariônico.** *Fís. Nucl.* Número associado às partículas elementares, e que tem propriedades conservativas nas transformações dessas partículas; número igual a um para os bárions, a zero para os léptons e bósons, e a menos um para os antibárions. **Número binário.** *Mat.* O que é escrito no sistema binário. **Número cardeal.** *Mat.* V. *número cardinal*. **Número cardinal.** *Mat.* **1.** O número *n* na bijeção de um conjunto enumerável finito sobre o subconjunto 1, 2, ..., *n* dos números naturais. **2.** Característica comum a todos os conjuntos equivalentes. [Sin. ger.: *número cardeal, cardinal, cardeal*.] **Número combinatório.** *Mat.* Inteiro da forma (m + n)!/m!n!. **Número complexo.** *Mat.* **1.** Número que exprime uma grandeza medida em unidades que não guardam entre si relações decimais, como, p. ex., horas, minutos e segundos. **2.** Número que pode ser escrito na forma *a* + *ib*, onde *a* e *b* são reais, e *i* é a unidade imaginária (q. v.); número imaginário. [Tb. se diz apenas *complexo*.] **Número composto.** *Mat.* Inteiro que não é primo. **Número de Abbe.** *Ópt.* Constringência. **Número de Avogadro.** *Fís.-Quím. Impr.* V. *constante de Avogadro*. **Número de carga.** *P. us. Fís. Nucl.* Número atômico. **Número de chamada.** *Bibliot.* Conjunto de símbolos que determina a colocação dos livros e outros documentos em estantes, etc.; notação. **Número decimal.** *Mat.* O que é escrito no sistema decimal. [Tb. se diz apenas *decimal*.] **Número de Fermat.** *Mat.* Inteiro igual à unidade mais a potência 2n de 2, em que *n* é um inteiro positivo. **Número deficiente.** *Mat.* Inteiro menor que a soma dos seus divisores próprios. [Opõe-se a *número abundante*. Cf. *número perfeito*.] **Número de Loschmidt.** *Fís.-Quím. Impr.* **1.** V. *número de Avogadro*. **2.** Número de moléculas existentes num centímetro cúbico de um gás perfeito, medido em condições normais de temperatura e pressão. **Número de Mach.** *Fís.* Quociente da velocidade dum corpo que se move num fluido pela velocidade do som no mesmo fluido. [Tb. se diz apenas *número Mach* e *Mach*.] [Abrev.: *M*.] **Número de massa.** *Fís. Nucl.* Número total de prótons e nêutrons presentes no núcleo de um elemento, e que é igual ao número inteiro mais próximo da massa atômica do elemento [símb.: *A*]. **Número de onda.** *Fís.* O inverso do comprimento de onda de um fenômeno ondulatório. **Número de ouro.** **1.** *Mat.* Número áureo (1). **2.** *Cronol. P. us.* Número áureo (2). **Número de oxidação.** *Quím.* Número positivo (ou negativo) que indica o número de elétrons cedidos (ou recebidos) por um elemento para formar um íon, ou um radical ou uma molécula. **Número de Reynolds.** *Fís.* Número adimensional que caracteriza o escoamento de um fluido, igual ao produto da velocidade do fluido pelo diâmetro do encanamento onde se escoa dividido pela viscosidade cinemática. **Número de transporte.** *Fís.-Quím.* Numa eletrólise, fração da carga elétrica que é transportada por uma determinada espécie iônica. **Número diploide.** *Biol.* Número de cromossomos da célula-ovo e das células dela derivadas, e que é igual ao dobro do número haploide, sendo indicado usualmente por *2n*. [Cf. *haploide, tetraploide* e *triploide*.] **Número dois.** Forma eufêmica para *cocô*. [Calque (2) do ingl. *number two*.] **Número dual.** *Mat.* Entidade da forma x + jy, onde *x* e *y* são reais e *j* é um unitário divisor de zero. [Tb. se diz apenas *dual*.] **Número duodecimal.** *Mat.* O que é escrito no sistema duodecimal. **Número e.** *Mat.* Número real irracional transcendente, igual ao limite, quando *n* tende para infinito, de (1 + 1/n)n, ou à soma da série infinita cujo termo é *1/n*!. Seu valor aproximado é 2,7182818284590... [símb.: *e*]. [Tb. se diz apenas *e*.] **Número eletrônico.** *Fís. Part.* Número leptônico (q. v.) associado ao elétron e ao neutrino do elétron, igual a +1 para essas partículas, -1 para suas antipartículas e zero para os demais léptons. **Número f.** *Ópt.* Numa objetiva, o quociente da distância focal pelo diâmetro de abertura, ger. expresso na forma de uma fração com numerador 1. [O número f dá a medida da abertura relativa (q. v.): quanto menor o denominador da fração, maior é a capacidade da lente em deixar passar raios luminosos.] **Número fracionário.** *Mat.* Fração (4). **Número guia.** *Fot.* Número que indica a potência de um *flash*. **Número haploide.** *Biol.* Número de cromossomos dos gametas, indicado usualmente por *n*: *Na espécie humana o número haploide é 23.* [Cf. *diploide, tetraploide* e *triploide*.] **Número hexadecimal.** *Mat.* O que é escrito no sistema hexadecimal de numeração. **Número imaginário.** *Mat.* V. *número complexo* (2). [Tb. se diz apenas *imaginário*.] **Número ímpar.** *Mat.* O que não é divisível por dois. [Tb. se diz apenas *ímpar*.] **Número inteiro.** *Mat.* Qualquer elemento da série -∞, ..., –3, –2, –1, 0, 1, 2, 3, 4, ..., ∞ [Tb. se diz apenas *inteiro*.] [O conjunto dos números inteiros é representado pelo símb. *Z*.] **Número irracional.** *Mat.* Número real que não é racional. [Tb. se diz apenas *irracional*.] **Número leptônico.** *Fís. Part.* Número quântico associado aos léptons e que é igual à soma dos números eletrônico, muônico e tauônico. Elétrons, múons-menos, taus e neutrinos têm número leptônico +1; pósitrons, múons-mais, taus-mais e antineutrinos têm número leptônico –1; e hádrons têm número leptônico nulo. O número leptônico bem como os números eletrônico, muônico e tauônico se conservam nas interações entre partículas. **Número Mach.** *Fís.* V. *número de Mach*. **Número misto.** *Mat.* A soma de um inteiro com uma fração ordinária. **Número muônico** *Fís. Part.* Número leptônico (q. v.) associado ao múon e ao neutrino do múon, igual a +1 para essas partículas, –1 para suas antipartículas e zero para os demais léptons. **Número natural.** *Mat.* Número inteiro positivo; qualquer dos números da sequência 1, 2, 3, ... [Tb. se diz apenas *natural*.] [O conjunto dos números naturais é representado pelo símb. *N*.] **Número negativo.** *Mat.* Número menor que zero. [Tb. se diz apenas *negativo*.] **Número octal.** *Mat.* O que é escrito no sistema octal. **Número ordinal.** *Mat.* O que indica a ordem de um termo numa sequência. **Número par.** *Mat.* O que é divisível por dois. [Tb. se diz apenas *par*.] **Número perfeito.** *Mat.* Inteiro igual à soma dos seus divisores próprios, como, p. ex., 6, 28 e 496. [Cf. *número abundante* e *número deficiente*.] **Número pi (π).** *Mat.* Número irracional transcendente igual à razão entre o comprimento de uma circunferência de círculo e o seu diâmetro; número que é o limite do produto infinito 2(2,2/1,3)(4,4/3,5)(6,6/5,7)(8,8/7,9) ..... Seu valor aproximado é 3,141592653589793 ..... [Tb. se diz apenas *pi*.] **Número pitagórico.** *Mat.* Qualquer dos inteiros, *a*, *b* e *c*, que satisfazem a equação pitagórica $a^2 + b^2 = c^2$. Ex.: 3, 4 e 5. **Número positivo.** *Mat.* Número maior que zero. [Tb. se diz apenas *positivo*.] **Número primo.** *Mat.* Inteiro não nulo cujos únicos divisores, em módulo, são ele próprio e a unidade. [Tb. se diz apenas *primo*.] **Número quântico.** *Fís.* Qualquer dos números necessários para caracterizar o estado de um sistema quantificado, e que permite identificar univocamente a função de onda associada ao estado. **Número quântico azimutal.** Aquele que determina a forma de um orbital atômico [símb.: *l*]. [Sin.: *número quântico de momento angular orbital*.] **Número quântico de momento angular orbital.** Número quântico azimutal. **Número quântico magnético.** Aquele que determina a orientação espacial de um orbital atômico [símb.: *m*]. **Número quântico principal.** Aquele que determina a energia e o tamanho de um orbital atômico [símb.: *n*]. **Número racional.** *Mat.* O que pode ser escrito como quociente de dois inteiros, dos quais o divisor não é nulo. [Tb. se diz apenas *racional*.] [O conjunto dos números racionais é representado pelo símb. *Q*.] **Número real.** *Mat.* Par de classes, uma minorante e outra majorante, em que se pode dividir o conjunto dos números racionais de modo que todo racional, exceto, no máximo, um deles, esteja numa das classes. [Tb. se diz apenas *real*.] [O conjunto dos números reais é representado pelo símb. *R*.] **Número relativo.** *Mat.* Número algébrico (1). **Número sexagesimal.** *Mat.* O que é escrito num sistema sexagesimal. **Número tauônico** *Fís. Part.* Número leptônico (q. v.) associado ao tau e ao neutrino do tau e igual a +1 para essas partículas, -1 para suas antipartículas e zero para os demais léptons. **Número transcendente.** *Mat.* Número irracional que não é algébrico. [Tb. se diz apenas *transcendente*.] **Número transfinito.** *Mat.* Cardinal de um conjunto infinito. **Número triangular.** *Mat.* Inteiro da forma n(n + 1)/2, onde *n* é um natural. **Número um.** **1.** O mais importante; o principal: *Paulo é o meu amigo número um.* **2.** Forma eufêmica para *xixi*. [Nesta acepç. calque (2) do ingl. *number one*.] **Número zero.** *Jorn.* Número experimental de novo jornal ou revista, lançado para testar sua formatação. **Números aleatórios.** *Estat.* Sequência de números em que a ordem de qualquer deles é acidental, e que se utiliza para a extração de amostras acidentais; números equiprováveis. **Números amigos.** *Mat.* Par de números em que um deles é igual à soma dos divisores próprios do outro, e vice-versa. Ex.: par 220 e 284. **Números associados.** *Mat.* Dois números cujo produto dá resto um quando dividido por um terceiro número. **Números equiprováveis.** *Estat.* Números aleatórios. **Números primos entre si.** *Mat.* Números inteiros cujo máximo divisor comum, em módulo, é a unidade. **Fazer número.** Servir apenas para aumentar a quantidade, o número, por não ter valor pessoal, merecimento próprio: *Só um falou, os outros vieram apenas para fazer número.* **Não ser do número dos vivos.** Ter morrido; ser morto: "Sou frade, minha irmã, sou um que já não é do número dos vivos" (Almeida Garrett, *Viagens na Minha Terra*, p. 124). **Sem número.** Que não se pode numerar; inumerável. [Cf. *sem-número*.] **Ser um número.** *Bras.* Ser desfrutável, ou ingênuo, ou muito engraçado, etc.: "Beirão é um número! Quando deixa a carapaça de romanista e se põe a conversar com naturalidade, torna-se um companheiro realmente divertido." (Ciro dos Anjos, *Abdias*, p. 77.)

número-índice *S. m. Estat.* Número que indica a variação média de uma grandeza (preços, salários, produção, etc.) entre um período tomado como base (número-índice = 100) e o período considerado. [Tb. se diz apenas *índice*.] [Pl.: *números-índices*.]

numerologia [De *número* + *-logia*.] *S. f. Ocult.* Estudo da significação oculta dos números e da influência deles no caráter e no destino das pessoas.

numerológico [De *numerologia* + *-ico*[2].] *Adj.* Respeitante à numerologia.

numerologista [De *numerologia* + *-ista*.] *S. 2 g.* Especialista em numerologia; numerólogo.

numerólogo [De *número* + *-logo*.] *S. m.* Numerologista.

números *S. m. pl. Rel.* O quarto livro do Pentateuco. [Com cap.]

numerosidade [Do lat. tard. *numerositate*.] *S. f.* Qualidade de numeroso.

numeroso (ô) [Do lat. *numerosu*.] *Adj.* **1.** Em grande número; abundante, copioso. **2.** Harmonioso, melodioso, cadenciado: "vereis um novo exemplo / De amor dos pátrios feitos valerosos / Em versos devulgado numerosos." (Luís de Camões, *Os Lusíadas*, I, 9); "além de qualquer apuro literário, faltava-lhe também uma voz musical, numerosa, com inflexões." (Lima Barreto, *Numa e a Ninfa*, p. 129).

númida [Do lat. *numida*.] *Adj. 2 g.* **1.** Da, ou pertencente ou relativo à Numídia (antigo reino situado no N. da África, mais ou menos em região da atual Argélia); numídico. ● *S. 2 g.* **2.** O natural ou habitante da Numídia.

numídico [Do lat. *numidicu*.] *Adj.* Númida (1).

numidídeo [Adapt. do lat. tax *Numididae*.] *Zool. S. m.* **1.** Espécime dos numidídeos, família de aves galiformes que têm a cabeça nua e o resto do corpo coberto de penas pretas com pintas brancas. São as galinhas-d'angola. ● *Adj.* **2.** Relativo ou pertencente a eles.

numiforme [Do lat. *nummus*, 'moeda', + *-iforme*.] *Adj. 2 g.* V. *numismal*.

numinoso (ô) [Do lat. *numen, inis*, 'divindade', 'nume', + *-oso*.] *S. m. Filos.* Segundo Rudolf Otto (1869-1927), teólogo e filósofo alemão, o sentimento único vivido na experiência religiosa, a experiência do sagrado, em que se confundem a fascinação, o terror e o aniquilamento.

numisma [Do gr. *nómisma*, 'moeda de cunho legal', pelo lat. *numisma*.] *S. f. Numism.* Qualquer moeda antiga, fora de circulação.

numismal [De *numisma* + *-al*[1].] *Adj. 2 g.* Referente ou semelhante a numisma; numiforme, numular.

numismata [Do fr. *numismate* < lat. *numisma, atis*, p. anal. com o fr. *diplomate* (v. *diplomata*).] *S. 2 g. Numism.* **1.** Especialista em numismática. [Sin., desus.: *monetário*.] **2.** Colecionador de moedas, cédulas (papel-moeda), medalhas ou condecorações.

numismática [Do lat. *numisma, atis* (< gr. *nómisma, atos*, 'costume', 'regra'; 'moeda') + *-ica*; *numismatique*.] *S. f. Numism.* Ciência que estuda moedas, cédulas (papel-moeda), medalhas e condecorações; numária, numulária.

numismático [De *numismática*, com var. suf. (v. *-ico*[2]); fr. *numismatique*.] *Adj. Numism.* De, ou relativo à numismática; numário.

numismatografia [De *numismat-*, como em *numismática* (q. v.), + *-o-* + *-grafia*.] *S. f.* **1.** Tratado numismático. **2.** Descrição e história de moedas e medalhas.

numismatográfico [De *numismatografia* + *-ico*[2].] *Adj.* Relativo à numismatografia.

numismatógrafo [De *numismat-*, como em *numismática*, + *-o-* + *-grafo*.] *S. m.* Especialista em numismatografia.

numular [Do lat. *nummulus*, 'dinheirinho', 'moedinha', + *-ar*[1].] *Adj. 2 g.* V. *numismal*.

numulária [Subst. do lat. *nummulariu*.] *S. f. Numism.* V. *numismática*.

numulário [Do lat. *nummulariu*.] *S. m. Desus.* Argentário; capitalista.

nunca [Do lat. *nunquam*.] *Adv.* **1.** Em tempo algum; em nenhum tempo; jamais: "Nunca morrer assim! Nunca morrer num dia / Assim!" (Olavo Bilac, *Poesias*, p. 170); *Bajular para vencer na vida? Nunca!* **2.** Não (1): "Eu estava cansado, era uma criança, p'rali me deitei. Mas o pai nunca dormiu" (Conde de Ficalho, *Uma Eleição Perdida*, p. 181). **3.** Em algum tempo (passado); já, jamais: "Rebateu-me com o mais formal e mais descomposto desdém, que meus olhos nunca viram em menina com tal idade e educação" (Camilo Castelo Branco, *Agulha em Palheiro*, p. 114); "o rouxinol mais poeta e namorado que eu nunca ouvi" (Antônio Feliciano de Castilho, *Escavações Poéticas*, p. 28). ◆ **Nunca jamais.** F. enfática de *nunca* (1): "Marcela juntava-as todas [as dobras de ouro] dentro de uma caixinha de ferro, cuja chave ninguém nunca jamais soube onde ficava" (Machado de Assis, *Memórias Póstumas de Brás Cubas*, p. 53). [Sin., bras., pop.: *nunquinha*.] **Até nunca mais.** Para sempre.

nunca-acabar *S. m.* **1.** Não acabar nunca, em tempo algum: "Maravilha do nunca-acabar de vidas" (Adelino Magalhães, *Obras Completas*, II, p. 547). **2.** Quantidade indeterminada, porém grande: *Era um nunca-acabar de gente reunida ali.*

núncia [Do lat. *nuntia*.] *S. f.* Anunciadora, mensageira; precursora: *Esta rajada de vento é núncia de temporal.*

nunciativo [Do lat. *nuntiatus*, part. pass. de *nuntiare*, 'anunciar', + *-ivo*.] *Adj.* Que contém notícia ou participação de alguma coisa.

nunciatura [Do lat. *nuntiatus*, part. pass. de *nuntiare*, 'anunciar', + *-ura*.] *S. f. Ecles.* **1.** Dignidade de núncio apostólico. **2.** A residência do núncio. **3.** Tribunal eclesiástico sujeito a ele.

núncio [Do lat. *nuntiu*.] *S. m.* **1.** *Ecles.* Representante diplomático da Igreja Católica Apostólica Romana (O Vaticano) junto a outros Estados. **2.** *Ecles.* Cargo ou dignidade de núncio (1). **3.** Aquele que anuncia, que traz uma mensagem.

nuncupação [Do lat. tard. *nuncupatione*.] *S. f. Jur.* Designação ou instituição de herdeiro feita de viva voz.

nuncupativo [Do lat. tard. *nuncupativu*.] *Adj. Jur.* Diz-se da instituição de herdeiro feita por disposição de última vontade expressa oralmente: *testamento nuncupativo*. ~ V. *casamento* — e *testamento* —.

nuncupatório [Do lat. *nuncupatus*, part. pass. de *nuncupare* + *-ório*.] *Adj.* Que encerra dedicatória.

nunes [Alter. de *nones*, pl. de *non*, f. arc. de *não*.] *Adj. 2 g. e 2 n.* **1.** Ímpar. ● *S. m. 2 n.* **2.** O número ímpar.

nunquinha *Adv. Bras. Pop.* F. enfática de *nunca* (1); nunca jamais.

nuorês *S. m. Gloss.* V. *sardo*[1] (3).

nupcial [Do lat. *nuptiale*.] *Adj. 2 g.* Relativo a núpcias.

nupcialidade [De *nupcial* + *-(i)dade*.] *S. f.* **1.** Conjunto de casamentos efetuados em uma dada época ou região. **2.** Estatística de matrimônios.

nupciar-se [De *núpcias* + *-ar*[2] + *se*[1].] *V. p. P. us.* Celebrar núpcias; casar(-se), matrimoniar-se. [Pres. ind.: *nupcio-me, nupcias-te*, etc. Cf. *núpcias*.]

núpcias [Do lat. *nuptias*.] *S. f. pl.* **1.** Matrimônio, casamento. **2.** Celebração de casamento; boda. **3.** Contrato de casamento; esponsais. [Cf. *nupcias-te*, do v. *nupciar-se*.] ◆ **Justas núpcias.** *Jur.* As que se efetuam com observância estrita das normas e formalidades legais.

nupe *S. 2 g. S. m. Adj. 2 g.* V. *nupê*.

nupê *S. 2 g.* **1.** *Etnôn.* Indivíduo dos nupês, povo que vive acima e abaixo da confluência do rio Kaduna com o rio Níger, na Nigéria (C.O. da África), tb. chamado *tapa*: "Como a dos songais, a força dos nupês viria a residir no comando das canoas e dos cavalos." (Alberto da Costa e Silva, *A Enxada e a Lança*, p. 560.) ● *S. m.* **2.** *Gloss.* A língua falada por esse povo. **3.** Vocábulo dessa língua. ● *Adj. 2 g.* **4.** Pertencente ou relativo aos nupês ou à sua língua; tapa. [Var.: *nupe*.]

nuperfalecido (nú) [Do lat. *nuper*, 'recentemente', + *falecido*.] *Adj.* Recentemente falecido. ❖

nuperpublicado (nú) [Do lat. *nuper*, 'recentemente', + *publicado*.] *Adj.* Recentemente publicado. ❖

nupérrimo [Do lat. *nuperrimu*.] *Adj. P. us.* Que ocorreu há muito pouco tempo; recentíssimo.

nuporanguense *Adj. 2 g.* **1.** De, ou pertencente ou relativo a Nuporanga (SP). ● *S. 2 g.* **2.** O natural ou habitante de Nuporanga.

nu-proprietário *S. m. Dir. Civ.* Num usufruto, indivíduo que detém a propriedade de um bem. [Cf. *usufrutuário* (4).] [Pl.: *nus-proprietários*.]

nuquear [De *nuca* + *-ear*[2].] *V. t. d. Bras.* Abater (o gado) por meio da punção bulbar. [Conjug.: v. *frear*.]

nuquini *Bras. S. 2 g.* **1.** *Etnôn.* Indivíduo dos nuquinis [ou (etnôn. bras.) *Nukini, *Nukuini], povo indígena extinto, da família linguística pano, que habitava o município de Mâncio Lima (AC). ● *Adj. 2 g.* **2.** Pertencente ou relativo a esse povo.

→**nurse** [nɜːs] [Ingl.] *S. f.* Ama-seca ou governanta de crianças.

→**nursery** ['nɜːsərij] [Ingl.] *S. f.* Quarto onde as crianças brincam.

nutação [Do lat. *nutatione*.] *S. f.* **1.** Vacilação; oscilação. **2.** *Astr.* Oscilação do eixo da Terra que faz os polos descreverem uma pequena elipse em cerca de 19 anos. **3.** *Astr.* Componente periódico do movimento do polo celeste, que se adiciona à precessão (q. v.). **4.** *Fís.* Movimento periódico que se superpõe ao de precessão do eixo de rotação de um sólido girante. **5.** *Bot.* Movimento de curvatura de um órgão vegetal provocado pelo crescimento desigual em duas faces opostas. [Cf. *notação*.] ◆ **Nutação de Bradley.** *Astr.* A parte principal da nutação, descoberta pelo astrônomo inglês James Bradley (1693-1762), e cujo período é 18,6 anos. **Nutação forçada.** *Astr.* Oscilação forçada do polo. **Nutação lunar.** *Astr.* Parte da nutação que é devida ao movimento dos nodos da Lua. **Nutação mensal.** *Astr.* Parte da nutação que é devida à mudança de declinação da Lua. **Nutação solar.** *Astr.* Parte da nutação que é devida à mudança de declinação do Sol.

nutante [Do lat. *nutante*.] *Adj. 2 g.* **1.** Que nuta; vacilante. **2.** *Bot.* Pêndulo (1): *flor nutante*.

nutar [Do lat. *nutare*.] *V. int.* **1.** Vacilar; oscilar: "O velho nutava entre a cólera e a vergonha." (Camilo Castelo Branco, *Novelas do Minho*, VII, p. 48.) **2.** Executar movimento de nutação. [Cf. *notar*.]

nutca [De uma língua indígena norte-americana, pelo ingl. *Nootka*.] *S. 2 g.* **1.** *Etnôn.* Indivíduo dos nutcas, povo indígena norte-americano de Washington (E.U.A.) e da ilha Vancouver (Canadá). ● *S. m.* **2.** *Gloss.* A língua *wakashan* desse povo. **3.** Vocábulo dessa língua. ● *Adj. 2 g.* **4.** Pertencente ou relativo aos nutcas, ou à sua língua.

nuto [Do lat. *nutu*.] *S. m.* **1.** Ato de abanar a cabeça quando se aprova ou consente. **2.** *Fig.* Desejo, arbítrio, vontade.

nútria [Do esp. *nutria*.] *S. f. Bras. RS* **1.** *Zool.* V. *ratão-do-banhado*. **2.** *P. ext.* A pele curtida desse animal, usada em peleteria: *um casaco de nútria*. [Cf. *nutria*, do v. *nutrir*.]

nutrição [Do lat. tard. *nutritione*.] *S. f.* **1.** Ato ou efeito de nutrir(-se); nutrimento. **2.** Sustento; alimento, nutrimento. **3.** *Biol.* Conjunto de processos que vão desde a ingestão do alimento até a sua assimilação pelas células.

nutrício [Do lat. *nutritiu*.] *Adj.* V. *nutritivo*.

nutricional [De *nutrição* + *-al*[1], seg. o padrão erudito.] *Adj. 2 g. Bras.* Relativo à nutrição.

nutricionismo [De *nutrição* + *-ismo*, seg. o padrão erudito.] *S. m.* Estudo sistemático dos problemas referentes à nutrição (3).

nutricionista [De *nutrição* + *-ista*, seg. o padrão erudito.] *S. 2 g.* Profissional que se ocupa do planejamento, em todos os seus aspectos, do uso científico da dieta, na saúde e na doença; dietista.

nutrido [Part. de *nutrir*.] *Adj.* **1.** Alimentado, sustentado. **2.** Gordo, forte, robusto: "O pároco era um homem sanguíneo e nutrido, que passava entre o clero diocesano pelo comilão dos comilões." (Eça de Queirós, *O Crime do Padre Amaro*, p. 1.) **3.** Forte e continuado (fogo).

nutridor [Do lat. tard. *nutritore*.] *Adj.* **1.** Que nutre. ● *S. m.* **2.** Aquele ou aquilo que nutre.

nutriente [Do lat. *nutriente*.] *Adj. 2 g.* **1.** V. *nutritivo*. ● *S. m.* **2.** Substância nutriente: "Ele [o sal] é considerado um nutriente, como fornecedor de sódio e cloro" (Oto Mack Junqueira, em *O Estado de S. Paulo*, 26.10.1983).

nutrimental [Do lat. med. *nutrimentale*.] *Adj. 2 g.* Próprio para nutrir. V. *nutritivo*.

nutrimento [Do lat. *nutrimentu*.] *S. m.* **1.** V. *nutrição* (1 e 2). **2.** Cada um dos elementos nutrientes de um alimento.

nutrir [Do lat. *nutrire*.] *V. t. d.* **1.** Alimentar; sustentar. **2.** Constituir o alimento de: *O pão nutre o homem.* **3.** Produzir alimentos para; fornecer recursos alimentícios a: *Nos tempos do Império Romano as colônias nutriam Roma.* **4.** Engordar, cevar. **5.** Desenvolver, educar, instruir: *nutrir a inteligência.* **6.** Alentar, avigorar. **7.** Proteger, favorecer. **8.** Aumentar; alentar, alimentar: *O discurso nutriu o descontentamento geral.* **9.** Conservar sem quebra; manter intato. *T. d. e i.* **10.** Alimentar; alentar; ter: *Nutria por ele grande paixão.* *Int.* **11.** Ser nutritivo: *Massas nutrem.* **12.** Ganhar corpo; engordar: "Nutrira, arredondaram-se-lhe as proeminências faciais." (Camilo Castelo Branco, *A Mulher Fatal*, p. 123.) *P.* **13.** Alimentar-se; sustentar-se: "se as duas tribos dividirem em paz as batatas do campo, não chegam a nutrir-se suficientemente e morrem de inanição." (Machado de Assis, *Quincas Borba*, p. 12). **14.** Fortificar-se, avigorar-se. [Imperf. ind.: *nutria*, etc. Cf. *nútria*.]

nutritício [De *nutrir* + *-(t)ício*.] *Adj.* **1.** V. *nutritivo*. **2.** Relativo a mãe ou ama de leite; nutrício.

N

nutrítico [De *nutrit-*, como no lat. *nutritus*, part. pass. de *nutrise*, 'nutrir', + *-ico*².] *Adj.* **1.** Nutritício (2). **2.** V. *nutritivo.*

nutritivo [De *nutrir* + *-tivo.*] *Adj.* Que nutre; que serve para nutrir; alimentício; nutrício, nutriente, nutrimental, nutritício, nutrítico.

nutriz [Do lat. *nutrice.*] *S. f.* **1.** Mulher que amamenta; ama de leite. • *Adj. (f.)* **2.** Que alimenta: 📖 "Trazes a palpitar, como um fruto do outono, / A noite, alma nutriz da volúpia e do sono" (Olavo Bilac, *Tarde*, p. 11). [É corrente, embora irregular, o emprego de *nutriz* no gên. masculino, como em Olavo Bilac: 📖 "E, no seio nutriz da natureza bruta, / Resguardava o pudor teu verde coração!" (Id., *Poesias*, p. 261).]

nutrologia [Do lat. *nutr(ire)*, 'nutrir', + *-o-* + *-logia.*] *S. f. Med.* Ramo da medicina que se ocupa da nutrição em todos os seus aspectos, normais, patológicos, clínicos e terapêuticos.

nutrologista [De *nutrologia* + *-ista.*] *S. 2 g.* Nutrólogo.

nutrólogo [De *nutro-*, como em *nutrologia*, + *-logo.*] *S. m.* Médico especializado em nutrologia; nutrologista.

nuvear [De *nuve(m)* + *-ar*².] *V. t. d.* Encher de nuvens ou como que de nuvens: 📖 "empanturrei de caporal Maryland o bojo do meu cachimbo e comecei a nuvear os ares" (Augusto Meyer, *No Tempo da Flor*, p. 34). [Conjug.: v. *frear.*]

nuvem [Do lat. *nube.*] *S. f.* **1.** *Met.* Conjunto visível de partículas de água ou de gelo em suspensão na atmosfera. **2.** *P. ext.* Qualquer conjunto de partículas de pó, fumaça, gases, etc., de aparência e em situação semelhantes. **3.** Turvação da vista, transitória ou definitiva; vista enevoada. **4.** *Fig.* Tristeza, pesar. **5.** *Fig.* Aquilo que dificulta a compreensão. **6.** Grande quantidade de coisas reunidas, por via de regra em movimento. • *S. m.* **7.** *Bras. RS* Indivíduo finório, matreiro. • *Adj. 2 g.* **8.** *Bras. RS* Finório, matreiro. ◆ **Nuvem alta.** *Met.* Nuvem que ocorre nas camadas superiores da atmosfera, em média acima de 6.000m, tal como os cirros, os cirros-estratos e os cirros-cúmulos. [Cf. *nuvem baixa* e *nuvem média.*] **Nuvem ardente.** *Geol.* Nuvem de poeira que, durante erupção vulcânica, impelida por vapores em alta temperatura, se espalha da cratera do vulcão em sentido horizontal ou descendente. **Nuvem atômica.** Nuvem em forma de cogumelo que se forma na detonação de uma bomba atômica e é constituída por gases aquecidos, poeiras, vapor de água, partículas elementares, etc. **Nuvem baixa.** *Met.* Nuvem que ocorre nas camadas inferiores da atmosfera, entre as proximidades do solo e 2.000m, tal como os estratos e os estratos-cúmulos. [Cf. *nuvem alta* e *nuvem média.*] **Nuvem computacional.** *Inform.* Computação em nuvem (q. v.). **Nuvem de estrelas.** *Astr.* Grande grupo de estrelas situadas a pequenas distâncias umas das outras, na mesma região do céu; nuvem estelar. **Nuvem de gases protogaláctica.** *Cosm.* Maciça nuvem de gases que se colapsou para formar uma galáxia. [Tais nuvens se produziram como resultado do crescimento contínuo da flutuação de densidade após a era de desdobramento.] **Nuvem de Magalhães.** *Astr.* Cada uma das duas nuvens estelares visíveis a olho desarmado e próximas ao polo sul, descobertas pelo navegador português Fernão de Magalhães (1480-1521), na sua viagem de circum-navegação. São as duas galáxias mais próximas da Via Láctea, e pertencem ao grupo das galáxias irregulares. [Tb. se diz *Grande Nuvem de Magalhães.*] **Nuvem derramadeira.** *Bras. AL Pop.* Aquela que traz no bojo copiosa chuva. **Nuvem estelar.** *Astr.* Nuvem de estrelas. **Nuvem média.** *Met.* Nuvem que ocorre nas camadas de média altura da atmosfera, entre 2.000 e 6.000m, tal como os altos-cúmulos. [Cf. *nuvem alta* e *nuvem baixa.*] **Nuvem noctilucente.** *Met.* Nuvem luminosa, de coloração azul amarelada, que ocorre aproximadamente a 80km de altitude; de aparência similar à cirro-estrato, pode ser vista, nas noites de verão, em certas latitudes, em ambos os hemisférios. **Cair das nuvens.** Espantar-se ou decepcionar-se com acontecimento imprevisto ou imprevisível; ter grande surpresa; cair dos céus: 📖 "Convencera-se de que era realmente 'burro' .... Caiu das nuvens quando lhe disse que estava enganado. Possuía inteligência igual à dos melhores." (Daniel de Carvalho, *De Outros Tempos*, p. 30.) **Em branca nuvem.** **1.** Cercado de facilidade, de conforto; entre alegrias; sem conhecer o sofrimento: 📖 "Quem passou pela vida em branca nuvem, / E em plácido repouso adormeceu; / Quem não sentiu o frio da desgraça, / Quem passou pela vida e não sofreu; / Foi espectro de homem, não foi homem, / Só passou pela vida, não viveu." (Francisco Otaviano, *ap.* Manuel Bandeira, *Antologia dos Poetas Brasileiros da Fase Romântica*, p. 108). **2.** Sem ser notado, ou festejado; como se não tivesse ocorrido: 🗎 *O seu aniversário decorreu em branca nuvem*; 📖 "Assim, a data passou em branca nuvem." (Valdemar de Sousa Lima, *Graciliano Ramos em Palmeira dos Índios*, p. 31.) **Em brancas nuvens.** V. *em branca nuvem.* **Grande Nuvem de Magalhães.** *Astr.* Nuvem de Magalhães (q. v.). **Ir às nuvens.** V. *ir aos ares*: 📖 "O padre regente, conquanto admirasse o precoce talento poético do menino, foi às nuvens com semelhante descoberta" (Bernardo Guimarães, *O Seminarista*, p. 59). **Nas nuvens.** Em estado de alheamento ao que ocorre; distraído. **Pôr nas nuvens.** Exaltar muito calorosamente; pôr nos cornos da Lua; pôr entre as estrelas: 🗎 *A crítica pôs nas nuvens o seu último romance.* **Tomar a nuvem por Juno.** Enganar-se com aparências; laborar em falso pressuposto: 📖 "Além deste requisito elementar da probidade, pouco mais pede .... uma crítica de atribuição, senão muita paciência, ... o preciso discernimento para não se tomar a nuvem por Juno, e a vigilância da autocrítica para impedir que a vontade influa na razão, e que o pensamento se compasse pelo desejo." (Afonso Pena Júnior, *A Arte de Furtar e o Seu Autor*, I, p. 8.)

nuvioso (ô) [De *nuve(m)* + *-i-* + *-oso.*] *Adj.* **1.** V. *nublado.* **2.** V. *nebuloso* (2).

nuvistor (ô) *S. m. Eletrôn.* Válvula eletrônica de pequenas dimensões, constituída por elementos sólidos de metal e cerâmica, utilizada na modulação de frequência até 1.200MHz.

■ **N.W.** Abrev. de *noroeste.*

➔**nylon** ['najlɔn] [Ingl., marca registrada.] *S. m. Tec. Têx.* V. *náilon.* [Com cap.]

Minúscula Moderna | Maiúscula Moderna | Minúscula Carolíngia | Romano | Romano | Etrusco | Grego | Grego | Fenício

Como imortal, em 1963, representou a Academia no *Simpósio de Língua, História, Folclore e Arte do Povo Romeno*, em Bucareste, visitando também países como Bulgária e Grécia. Foi membro da Comissão Nacional do Folclore e da Comissão Machado de Assis.

o [Do lat. *illu*.] **1.** Art. def. masc. sing.: *O menino dorme.* [No Brasil, costuma-se, em alguns casos, empregar esse artigo sublinhadamente, com ênfase, em geral irônica: *Julga-se o sábio*; *Ele é o bom* (= 'o sábio', 'o bom', entre todos, por excelência). Flex.: *a, os, as*.] **2.** Pron. pess. da 3ª pess. masc., f. oblíqua: "O melro, eu conheci-o" (Guerra Junqueiro, *A Velhice do Padre Eterno*, p. 153). **3.** Pron. dem. masc.: "Lembrou-me o rouxinol de Bernardim Ribeiro, o que se deixou cair na água de cansado." (Almeida Garrett, *Viagens na Minha Terra*, p. 87); "há em todas as cousas um sentido filosófico; Carlyle descobriu o dos coletes, ou mais propriamente, o do vestuário" (Machado de Assis, *Papéis Avulsos*, p. 193); "Mas sofre menos o que sofre em sonho." (Guimarães Passos, *Horas Mortas*, p. 5). [Flex.: *a, os, as*.] **4.** Pron. dem. neutro, equiv. a *isto* ou *isso*, ou *aquilo*: "Ora eu filósofo seguramente não sou, já o disse" (Almeida Garrett, *Viagens na Minha Terra*, p. 94); "O que não tenho e desejo / É que melhor me enriquece." (Manuel Bandeira, *Estrela da Vida Inteira*, p. 173). [Cf. *ó, ô, oh* e *ôh*.]

o (ó) *S. m.* **1.** A 15ª letra do nosso alfabeto. [Representa a vogal oral posterior média aberta, quando em posição tônica, em muitas palavras da língua (p. ex.: *ordem, mole, melhor, reinol, óculos, pó*), ou quando em sílaba pretônica ou inicial átona, em certas pronúncias regionais. Pronuncia-se como vogal oral posterior média fechada, em muitíssimas outras palavras da língua, quando em posição pretônica (como em *oráculo, caloria*), ou quando a postônica seguida de *r* (*sóror, séptuor*). Pronuncia-se como vogal nasal fechada quando em posição tônica e seguida de consoante nasal *m, n, nh*), ou quando seguida de *m* ou *n* na mesma sílaba (p. ex.: *bom, romper, onda, contar*). Pronuncia-se como vogal reduzida (soa como /u/) quando átona em sílaba aberta postônica ou final (*cachorro, abóbora, pêndulo, hexágono*). Pronuncia-se como vogal reduzida (soa como /u/) quando é a semivogal de ditongo (*mão, áureo*).] **2.** A figura dessa letra, ou qualquer representação sua: *A falsificação foi descoberta devido ao O da assinatura.* **3.** Som representado por essa letra. ● *Num.* **4.** O décimo quarto, em uma série ordenada ou hierárquica cujos elementos são designados ou representados pelas letras do alfabeto, sem considerar o *k* como 11º elemento: *poltrona o* (ou *poltrona O*). **5.** Décimo quinto, nas séries em que o *k* designa o 11º elemento. [Pl., nas acepçs. 1 a 3: *os* (ós), tb. indicado graficamente pela duplicação da letra *oo*. Cf. *ó, ô, oh, ôh*.]

■ **o** À direita e ao alto de um número, indica o ordinal correspondente a este.

■ **O** **1.** *Filos.* Símb. de *proposição particular negativa*. **2.** Abrev. de *oeste*. [Tb. se usa a abrev. *W.*, do ingl. *West*.] **3.** *Med.* Us. (por sua semelhança com o algarismo 0) como indicação de ausência de aglutinógenos nas hemácias, característica de um grupo sanguíneo (q. v.), designado *grupo O*. **4.** *Quím.* Símb. de *oxigênio*.

▲ **o-**[1] [Do lat. *ob*.] ***Pref.*** = 'posição em frente', 'diante'; 'oposição': *ocorrer* (< lat.), *opor* (< lat.). [Equiv.: *ob-*: *obcláveo, obstar* (< lat.).]

▲ **o-**[2] *Quím.* F. red. de *orto-* (q. v.): *o-xileno, o-fenantrolina*. [Sempre us. com hífen posposto.]

▲ **-o-**[1] Vogal de ligação proveniente do grego, preferível à latina *-i-* (q. v.), quando entre elementos gregos, ou quando o 2º el. é grego; ocorre frequentemente entre elementos híbridos.

▲ **-o-**[2] Vogal de ligação em formações vernáculas, associada ger. a um sufixo: *-oado, -oalha, -oar, -oecer, -oeira, -oeiro*, etc.

ó[1] ***S. m.*** A letra *o*. [Pl.: *ós* ou *oo*. Cf. *o, ô, oh* e *ôh*.]

ó[2] ***Interj.*** Us. para chamar alguém, para conciliar-lhe atenção, para invocar, e, ainda, para exprimir vários afetos e impressões da alma: "Deus! ó Deus! onde estás que não respondes?" (Castro Alves, *Obras Completas*, p. 290); "Salve, ó bela manhã!" (José Bonifácio, *Poesias*, p. 41). [No Brasil, sobretudo na ling. pop., tb. existe a forma *ô*. Cf. *o, oh* e *ôh*.]

ô ***Interj.*** *Bras.* Ó[2]: "A velha Teonila gritava do alto, esganiçando: | — Jana! ô Jana!" (Xavier Marques, *Jana e Joel*, p. 36); "Ô vida cara!" (Adélia Prado, *Cacos para um Vitral*, p. 9). [Cf. *o, ó, oh, ôh* e *ou*.]

■ **OAB** Sigla de *Ordem dos Advogados do Brasil*.

oacá [De or. obsc.] ***S. m.*** *Bras. Bot.* V. *guapeba* (4).

▲ **-oada** V. *-ada*[1].

▲ **-oado** V. *-ado*[1].

oaiana *Bras.* ***S. 2 g.*** **1.** *Etnôn.* Indivíduo dos oaianas, povo indígena extinto da família linguística caraíba, que habitava a região dos rios Jari e Paru, afluentes da margem esquerda do rio Amazonas (AM). ● ***Adj. 2 g.*** **2.** Pertencente ou relativo a esse povo. [Sin. ger.: *rucuiene, opuluí, uiana, urucuiana*.] [Tb. us. como *s. 2 g.* e *2 n.* (com cap.) e *adj. 2 g.* e *2 n.*]

▲ **-oalha** [De *-o-* + *-alha*.] V. *-alha*.

oanaçu [De or. indígena, poss.] ***S. m.*** *Bras. Bot.* Palmeira arecácea (*Attalea spectabilis*) acaule, ou quase, vulgar na floresta amazônica, de folhas numerosas, de até 7m, frutos que são drupas obovoides, rostradas, avermelhadas, com 3 x 5cm, e que dá poucas sementes, pequenas.

oanani [Do tupi.] ***S. m.*** *Bras. Bot.* V. *anani*.

▲ **-oar** [De *-o-* + *-ar*[2].] ***Suf. verb.*** = 'ação', 'transformação': *arregoar, cavaloar*.

▲ **-oara** Equiv. de *-uara*.

▲ **-oaria** [De *-o-* + *-aria*.] V. *-aria*.

oaralgia [De *oari(o)-* + *-alg(o)-*[2] + *-ia*[1].] ***S. f.*** *Med.* Ooforalgia.

oarálgico [De *oaralgia* + *-ico*[3].] ***Adj.*** V. *ooforálgico*.

oariectomia [De *oari(o)-* + *-ectom-* + *-ia*[1].] ***S. f.*** *Cir.* V. *ooforectomia*.

oariectómico *Adj. Cir.* V. *oariectômico*. [Uso freq. em P.]

oariectômico [De *oariectomia* + *-ico*[2].] ***Adj.*** *Cir.* V. *ooforectômico*.

▲ **oari(o)-** [Do gr. *ṓarion, ou*, 'pequeno ovo', 'óvulo'.] ***El. comp.*** = 'ovário': *oarialgia, oariotomia*.

oariopatia [De *oari(o)-* + *-patia*.] ***S. f.*** V. *ooforopatia*.

oariopático [De *oariopatia* + *-ico*[3].] ***Adj.*** V. *ooforopático*.

oariotomia [De *oari(o)-* + *-tom(o)-*[2] + *-ia*[1].] ***S. f.*** *Cir.* V. *ooforotomia*.

oariotômico [De *oariotomia* + *-ico*[2].] ***Adj.*** *Cir.* V. *ooforotômico*.

oaristo [Do gr. *oaristýs*, 'comércio íntimo'.] ***S. m.*** **1.** Diálogo entre esposos ou amantes. **2.** Entretenimento íntimo; colóquio terno. [Cf. *aoristo*.]

oasiano ***Adj.*** **1.** De, ou relativo ou pertencente a oásis; oásico. ● ***S. m.*** **2.** O habitante de um oásis.

oásico ***Adj.*** Oasiano (1).

oásis [Do lat. tard. *oasis* (< gr. *óasis*), pelo fr. *oasis*.] ***S. m. 2 n.*** **1.** Região coberta de vegetação em meio a um grande deserto. **2.** *Fig.* Lugar aprazível, em contraste com outros que não o são: *A fresca daquela rua era um verdadeiro oásis na cidade abafada.* **3.** *Fig.* Coisa bela, agradável, deliciosa, num conjunto que é o oposto disso: *Naquela pinacoteca horrenda, o quadro de Goya era um oásis*; *A conversa de Mário, tão viva, foi um oásis naquele ambiente de chatos.* **4.** *Fig.* Prazer, alegria, entre desgostos, aborrecimentos: *Conhecê-la representou um oásis no vazio da vida do rapaz.*

oauaçu ***S. m.*** *Bras. Bot.* V. *babaçu*.

▲ **ob-** Equiv. de *o-*[1]. [O AOLP prescreve o uso do hífen nos casos de anteposição deste pref. a palavra iniciada por *b, h* ou *r* que inicie sílaba: *ob-repção, ob-reptício*.]

oba [Do gr. dórico *obá*.] ***S. f.*** Cada uma das seis divisões de cada tribo ateniense antiga. [Cf. *oba* (ô).]

oba (ô) [De or. express.] ***Interj.*** **1.** Revela satisfação ou alegria por algo que se ganha ou que acontece, inesperadamente ou não. **2.** Expressa espanto, admiração. **3.** *Gír.* Us. como saudação, cumprimento.

obá[1] [De *Oba*, rio da África.] ***S. f.*** *Bras. Rel.* Iabá (1) cuja epifania é o rio de mesmo nome, na Nigéria, terceira e mais velha das mulheres de Xangô. [Com cap.]

obá[2] [Do ior.] ***S. m.*** *Bras. Rel.* Título honorífico atribuído a 12 homens no candomblé do Opô Afonjá, em Salvador (BA), e que se refere aos 12 próceres que, reza a tradição, faziam de ministério de Xangô em Oió (África).

obacatuara *Bras. S. 2 g.* **1.** *Etnôn.* Indivíduo dos obacatuaras, povo indígena extinto do tronco linguístico tupi que habitava ilhas do rio São Francisco (BA). • *Adj. 2 g.* **2.** Pertencente ou relativo a esse povo. [Tb. us. como *s. 2 g. e 2 n.* (com cap.) *e adj. 2 g. e 2 n.*]

obaluaê [Do ior.] *S. m. Bras. Rel.* V. *Abaluaiê.* [Com cap.]

obaluaiê [Do ior.] *S. m. Bras. Rel.* V. *Abaluaiê.* [Com cap.]

oba-oba [Da interj. *oba*, reduplicada.] *S. m.* **1.** Festa (esp. aquela em que se comemora algo). **2.** Circunstância ou situação em que há grande favorecimento daqueles que dela, de alguma forma, participam: *O bloguista preocupa-se com o oba-oba dos políticos durante as obras para as Olimpíadas de 2016.* **3.** *Esport.* Comportamento ou sentimento de quem, em virtude de resultados ou acontecimentos anteriores, acredita que certa conquista (esp. de competição, jogo, etc.) estaria garantida antes mesmo de vir a acontecer: *O capitão do time alvinegro prega cautela para evitar oba-oba;* "O Pan esconde um pouco a verdade e cria um oba-oba na mídia." (César Cielo, em entrevista à *Gazeta Esportiva.Net*, 23.10.2009).

obarana [Var. de *ubarana.*] *S. f. Zool. Bras.* V. *ubarana.*

obaranaçu [De *obarana* + *-açu.*] *S. f. Bras. Zool.* V. *ubarana.*

obarana-focinho-de-rato *S. f. Bras. Zool.* V. *ubarana-rato.* [Pl.: *obaranas-focinho-de-rato.*]

obarana-rato *S. f. Bras. Zool.* V. *ubarana-rato.* [Pl.: *obaranas-ratos e obaranas-rato.*]

obatalá [Do ior.] *S. m. Bras. Rel.* Oxalá[1]. [Com cap.]

obcecação [De *obcecar* + *-ção.*] *S. f.* **1.** Ato ou efeito de obcecar(-se): "amor .... com a obcecação do instinto que cega, mas sem a fuga da espiritualidade que põe asas no desejo, o eleva e transfigura." (Antero de Figueiredo, *Leonor Teles*, pp. 91-92). **2.** *Med.* Cegueira incompleta.

obcecado [Part. de *obcecar.*] *Adj.* **1.** Que tem a inteligência obscurecida. **2.** Contumaz no erro. **3.** Teimoso, obstinado.

obcecador (ô) [De *obcecar* + *-dor.*] *Adj.* Obcecante.

obcecante [De *obcecar* + *-nte.*] *Adj. 2 g.* Que obceca, que cega; obcecador: *paixão obcecante.*

obcecar [Do lat. *obcaecare.*] *V. t. d.* **1.** Tornar cego; cegar. **2.** Deslumbrar, ofuscar: *Os holofotes obcecaram-no.* **3.** Obscurecer com trevas (o espírito); cegar. **4.** Turvar o entendimento de; perturbar, ofuscar: "Outrora o mistério apenas me obcecara como mistério; evidenciando-se, também, a minha alma se desensombraria." (Mário de Sá-Carneiro, *A Confissão de Lúcio*, p. 91.) **5.** Induzir em erro. **6.** Desvairar, alucinar; cegar, enceguecer, encegueirar: *A paixão obcecou-o; A cobiça obcecava-o.* **7.** *V. obsedar* (2): *A empresa obcecou-o a ponto de afastá-lo de suas ocupações habituais.* **8.** Tornar contumaz no erro. *P.* **9.** Tornar-se contumaz no erro. [Conjug.: v. *trancar.*]

obcláveo [De *ob-* + *clava* + *-eo.*] *Adj.* Em forma de clava invertida.

obcónico *Adj.* V. *obcônico.* [Uso freq. em P.]

obcônico [De *ob-* + *cônico.*] *Adj.* Em forma de cone invertido.

obcordado [De *ob-* + *-cord(i)-* + *-ado*[1].] *Adj. Bot.* Obcordiforme.

obcordiforme [De *ob-* + *-cord(i)-* + *-forme.*] *Adj. 2 g.* Cordiforme com a parte mais larga em cima: *folha obcordiforme.* [Sin., em botânica: *obcordado.*]

obdentado [De *ob-* + *dentado.*] *Adj. Bot.* Que tem o bordo dentado em pequenos ângulos salientes dirigidos para a base.

obdiplostémone *Adj. 2 g. Bot.* V. *obdiplostêmone.* [Uso freq. em P.]

obdiplostêmone [De *ob-* + *diplostêmone.*] *Adj. 2 g. Bot.* Diplostêmone com os estames externos epipétalos.

obducto [Do lat. *obductu*, 'levado para adiante'.] *Adj. Poét.* Coberto; tapado; oculto.

obduração [Do lat. tard. *obduratione.*] *S. f.* **1.** Ato ou efeito de obdurar(-se); endurecimento. **2.** Obstinação; obcecação.

obdurar [Do lat. *obdurare.*] *V. t. d.* **1.** Endurecer, empedernir. **2.** Tornar obstinado, relutante; obcecar. *P.* **3.** Tornar-se duro, insensível; empedernir-se.

obduto *Adj. Poét.* V. *obducto.* [Uso próprio de P.] ⊙

obé [Do ior.] *S. m. Bras. Rel.* Faca cerimonial, ger. empregada no candomblé para imolar os animais votivos dos orixás.

obeba [De or. indígena, poss.] *S. m. Bras. Zool.* V. *oveva.*

obedecente [De *obedecer* + *-nte.*] *Adj. 2 g. P. us.* Que obedece; obediente.

obedecer [Do lat. **oboediscere*, incoativo de *oboedire*, f. evolutiva de *abaudire*, *audire.*] *V. t. i.* **1.** Sujeitar-se à vontade de: "Já lhe obedece a Terra num momento" (Luís de Camões, *Os Lusíadas*, III, 33); *Obedecia-lhe porque o respeitava muito.* **2.** Estar sob a autoridade de; estar sujeito; prestar vassalagem: *Grande parte da Europa obedeceu a Napoleão.* **3.** Não resistir; ceder: *Acabou obedecendo à vontade da amada.* **4.** Estar ou ficar sujeito a uma força ou influência: *A História também obedece a leis regulares;* "Sabe-se que a partir da segunda metade do século XVI a língua poética passa a obedecer a determinadas regras, às quais, *grosso modo*, ainda se submete em nossos dias." (Celso Cunha, *Língua e Verso*, p. 29). **5.** Submeter-se ao mais forte; render-se: *Após a guerra do ópio a China foi obrigada a obedecer aos ingleses.* **6.** Cumprir, executar: *Obedece às ordens dos superiores.* **7.** Seguir o impulso de alguma coisa: *Raramente obedece às suas cóleras. Int.* **8.** Submeter-se à vontade de outrem; executar as ordens de outrem: *Sabe mandar e sabe obedecer.* [Conjug.: v. *aquecer.*]

obediência [Do lat. *obedientia*, *oboedientia.*] *S. f.* **1.** Ato ou efeito de obedecer. **2.** Hábito de, ou disposição para obedecer. **3.** Submissão à vontade de alguém; docilidade. **4.** Sujeição, dependência. **5.** Submissão extrema; vassalagem. **6.** *Maç.* Agrupamento, numa mesma jurisdição, de lojas maçônicas que trabalham com os três graus simbólicos (aprendiz, companheiro e mestre) fundamentais: *Grande Oriente, Grande Loja ou Supremo Conselho são obediências maçônicas.* [Sin., nesta acepç.: *potência.*] **7.** *Rel.* Um dos três votos feitos pelos membros de uma ordem religiosa. **8.** *Rel.* Numa ordem religiosa, licença ou mandato por escrito dado aos subordinados para transferência de conventos ou para outros fins, e que serve, muitas vezes, de título de capacidade. **9.** *Rel.* Na Ordem de S. Bento, mosteiro, granja ou pequeno priorato sujeito a uma ordem superior.

obediente [Do lat. *oboediente*, part. pres. de *oboedire* < lat. *obaudire.*] *Adj. 2 g.* **1.** Que obedece. **2.** Submisso, dócil. **3.** Vassalo; humilde.

obélia [Do tax. *Obelia* < gr. *obelías*, 'tipo de bolo'.] *S. f. Zool.* **1.** Gênero de pequenos cnidários, hidroides, de vida colonial, amplamente distribuídos nos mares temperados. **2.** Espécie ou espécime desse gênero.

obélio [Do gr. *obelós* + *-io*[3].] *S. m. Anat.* Ponto da sutura sagital situado ao nível dos buracos dos ossos parietais; obélion.

obélion *S. m. Anat.* Obélio.

obeliscal [De *obelisco* + *-al*[1].] *Adj. 2 g.* **1.** De, ou relativo a obelisco. **2.** Que tem feição de obelisco.

obelisco [Do gr. *obelískos*, pelo lat. *obeliscu.*] *S. m.* **1.** Monumento quadrangular, agulheado, feito, ordinariamente, de uma só pedra sobre um pedestal; agulha. **2.** Objeto alto e alongado. **3.** *Tip.* V. *cruz* (13).

óbelo [Do gr. *obelós*, pelo lat. tard. *obelu.*] *S. m.* **1.** *Paleogr.* Sinal em forma de travessão (—) ou de seta (⇒), usado para indicar lições falsas, repetições, atribuições erradas, etc., ou precedido ou seguido pela diple (q. v.), para separar períodos nos textos dramáticos e indicar que à estrofe se segue uma antístrofe. **2.** *Tip.* Pequena marca tipográfica, com a figura de um punhal, que se usa para fazer chamada ao pé da página.

oberado [Do lat. *obaeratu.*] *Adj.* **1.** Carregado de dívidas; endividado; empenhado. **2.** Onerado com despesas obrigatórias e sem meios para fazer face a elas.

oberar [Voc. deduz. de *oberado.*] *V. t. d.* **1.** Onerar com dívidas; endividar: *As constantes lutas nas colônias oberavam o tesouro português.* **2.** Impor obrigação de encargo a. *P.* **3.** Encher-se de dívidas; endividar-se.

obesidade [Do lat. *obesitate.*] *S. f. Med.* Deposição excessiva de gordura no organismo, levando a um peso corporal que ultrapassa em 15%, ou mais, o peso ótimo. [Sin.: *pimelose.* Cf. *adiposidade.*]

obesífugo [De *obeso* + *-i-* + *-fugo*[2].] *Adj.* Que faz desaparecer a obesidade.

obesígeno [De *obeso* + *-i-* + *-geno.*] *Adj.* Que provoca obesidade; que engorda.

obeso [Do lat. *obesu.*] *Adj.* **1.** Excessivamente gordo, e de ventre proeminente. **2.** Muito gordo: "Aos trinta anos a ociosidade tornou esses homens obesos, moles de músculos, apáticos" (Fialho d'Almeida, *O País das Uvas*, p. 20).

obfirmado [Part. de *obfirmar.*] *Adj. Desus.* **1.** Muito firme. **2.** Pertinaz, obstinado.

obfirmar [Do lat. *obfirmare.*] *V. int. Desus.* **1.** Estar firme, constante. **2.** Ter pertinácia, obstinação; obstinar-se.

→ **obi** [o'bi] [Jap.] *S. f. Vest.* Larga faixa de seda ou de linho brocado, em cores contrastantes, us. sobre o quimono.

obi [De or. afric.] *S. m. Bras. BA* **1.** *Bot.* V. *cola*[2] (2). **2.** A noz do obi (1): "Havia pessoas andando, outras comerciando coisas como obi, ..., aluá, acará, óleo de palma." (Ana Maria Gonçalves, *Um Defeito de Cor*, p. 28).

óbice [Do lat. *obice.*] *S. m.* Impedimento, embaraço, empecilho, obstáculo, estorvo: "Será aquela divisão da consciência espanhola desde a ruptura da sua unidade religiosa .... um insuperável óbice à construção dum estilo político novo?" (Fidelino de Figueiredo, *Últimas Aventuras*, p. 12); "Imensos óbices impediram, até o séc. XV, a grande difusão da cultura clássica." (Ivã Lins, *Erasmo, a Renascença e o Humanismo*, p. 101).

obidense *Adj. 2 g.* **1.** De, ou pertencente ou relativo a Óbidos (Portugal e PA). • *S. 2 g.* **2.** O natural ou habitante de Óbidos.

óbito [Do lat. *obitu.*] *S. m.* **1.** Falecimento ou morte de pessoa; passamento: "à morte do marido, a mulher passa ao poder do cunhado três dias depois do óbito." (Oliveira Martins, *Quadro das Instituições Primitivas*, p. 25). **2.** *Angol.* Ritual funerário: "já passou uma noite num óbito?" (Óscar Ribas, *Tudo Isto Aconteceu*, p. 239). **3.** *Angol.* Lugar onde decorre o ritual funerário: "contava essa aventura nos amigos, na casa, nos óbitos" (Boaventura Cardoso, *A Morte do Velho Kipacaça*, p. 64).

obituário [De *óbito* + *-uário.*] *Adj.* **1.** Relativo a óbito. • *S. m.* **2.** Registro de óbito(s). **3.** Relação de óbitos; mortalidade. **4.** Livro onde se registram os óbitos.

obituarista [De *obituário* + *-ista.*] *S. 2 g.* Pessoa que registra óbitos; redator de obituários.

objeção [Do lat. tard. *objectione.*] *S. f.* **1.** Ato ou efeito de objetar; réplica; contestação: *A objeção não condiz com os argumentos dados.* **2.** V. *oposição* (1): *A corte não lhe fez objeção.* **3.** Obstáculo; óbice: *A cor de Machado de Assis não constituía objeção à sua glória.*

objecção *S. f.* V. *objeção.*

objectal *Adj. 2 g.* V. *objetal.*

objectar *V. t. d. T. d. i. T. i.* V. *objetar.*

objectável *Adj. 2 g. objetável.*

objectiva *S. f.* V. *objetiva.*

objectivação *S. f.* V. *objetivação.*

objectivar *V. t. d.* V. *objetivar.*

objectividade *S. f.* V. *objetividade.*

objectivismo *S. m. Lóg. Estét.* V. *objetivismo.*

objectivo *Adj. S. m.* V. *objetivo.*

objecto *S. m.* V. *objeto.*

objetal [De *objeto* + *-al*[1].] *Adj. 2 g.* Pertencente ou relativo a objeto.

objetar [Do lat. *objectare.*] *V. t. d.* **1.** Contrapor (um argumento a outro); alegar como razão contraditória: *O réu objetou que era inocente.* **2.** Ser contrário, opor-se a. *T. d. e i.* **3.** Dizer ou responder como objeção; contrapor: *Queria viajar, porém o médico objetou-lhe que a saúde não o permite. T. i.* **4.** Fazer objeção; opor-se: *Não objetou a esta ideia.*

objetável [De *objetar* + *-vel.*] *Adj. 2 g.* A que se pode opor objeção.

objetificação [De *objetificar* + *-ção.*] *S. f. Filos.* Nas correntes dialéticas contemporâneas, o momento do processo de objetivação (q. v.) em que o homem dissocia o produzir, que lhe é próprio, do produto, de tal modo que o pode conhecer, tornando-o objeto da sua consciência. [Cf. *objetivação e reificação.*]

objetificar [De *objeto* + *-ificar.*] *V. t. d. Filos.* Proceder à objetificação de. [Conjug.: v. *trancar.*]

objetiva [F. subst. do adj. *objetivo.*] *S. f.* **1.** Vidro ou lente que se acha voltada para o objeto que se quer examinar. **2.** Linha tendente para um ponto ao qual se quer chegar. **3.** *Fot.* Peça da parte anterior de máquina fotográfica, formada de lentes fixadas por uma armação com diafragma. **4.** *Ópt.* Parte de um sistema óptico que forma uma imagem real de um objeto e a projeta num anteparo, ou no plano focal de outro sistema, para que seja observada. ◆ **Objetiva acromática.** *Ópt.* A que é corrigida para aberração cromática de dois comprimentos de onda, mas forma um espectro secundário. **Objetiva apocromática.** *Ópt.* Aquela em que a aberração cromática para três cores foi corrigida e é aplanética para duas dessas cores. **Objetiva grande-angular.** *Fot.* Objetiva fotográfica de campo muito extenso, capaz de abarcar ângulo da ordem de 50° ou mais. [Tb. se diz apenas *grande-angular.*] **Objetiva normal.** *Fot.* Objetiva fotográfica cujo campo (19) corresponde àquele normal da visão. [Tb. se diz apenas *normal.*] **Objetiva olho de peixe.** *Fot.* Objetiva fotográfica de campo (19) muitíssimo amplo, e que, por isso, reproduz a imagem fortemente distorcida e em formato circular. [Tb. se diz apenas *olho de peixe.*] **Objetiva ortocromática.** *Fot.* A que tem correção da aberração cromática para dois comprimentos de onda, um no azul e outro no amarelo.

objetivação [De *objetivar* + *-ção.*] *S. f.* **1.** Ato de objetivar. **2.** *Filos.* Nas correntes dialéticas contemporâneas, o processo pelo qual a subjetividade ou consciência humana se corporifica em produtos avaliáveis para ela e para os outros como elementos de um mundo comum. [Cf., nesta acepç., *alienação* (5) *e objetificação.*]

objetivar [De *objetivo* + *-ar*[2].] *V. t. d.* **1.** Tornar objetivo; tornar real ou existente objetivamente; materializar: *Objetivava, nos seus atos, uma vontade férrea;* "santos mal-acabados, imagens de linhas duras, objetivavam a religião mestiça em traços incisivos de manipanços" (Euclides da Cunha, *Os Sertões*, p. 185). **2.** Ter por fim; pretender: "Objetivando a extinção gradual do cativeiro, assegurava essa lei [Lei de 28 de setembro de 1885] a liberdade aos sexagenários." (R. Magalhães Júnior, *Artur Azevedo e Sua Época*, p. 124); *Escreveu o conto objetivando participar do concurso literário.*

objetividade [De *objetivo* + *-(i)dade*.] *S. f.* **1.** Qualidade do que é objetivo. **2.** Caráter da atitude, ou do procedimento, que é, ou pretende ser, estritamente adequado às circunstâncias. **3.** *Estét.* Perfeição do estilo, do desenho, da execução de uma obra, independentemente do caráter ou índole do respectivo artista. **4.** *Filos.* Existência real daquilo que se concebeu no espírito; existência dos objetos fora do sujeito.

objetivismo [De *objetivo* + *-ismo*.] *S. m. Lóg. Estét.* **1.** Doutrina que afirma existirem normas objetivas, de validade geral. **2.** Qualquer doutrina ou modo de pensamento, esp. nas ciências humanas e sociais, que atribui relevância ou exclusividade à observação dos aspectos objetivos daquilo que é estudado (como mensuração de propriedades quantitativas). [Cf. *subjetivismo*.]

objetivista [De *objetivo* + *-ista*.] *Adj. 2 g.* **1.** Relativo a, ou caracterizado por objetivismo. • *S. 2 g.* **2.** Pessoa que defende ou propõe o objetivismo.

objetivo [De *objeto* + *-ivo*.] *Adj.* **1.** Relativo ao objeto. **2.** Prático, positivo. **3.** *Filos.* Diz-se do que é válido para todos, e não apenas para um indivíduo. **4.** Diz-se de fenômeno natural que se determina conforme os critérios científicos vigentes. ~ V. *complemento —*, *direito —*, *idealismo —*, *novação —a*, *pronome —* e *vertigem —a*. • *S. m.* **5.** *Mat.* No método interativo, o valor final para o qual convergem progressivamente os resultados das sucessivas interações. **6.** Objeto (8).

objeto [Do lat. med. *objectu*.] *S. m.* **1.** Tudo que é apreendido pelo conhecimento, que não é o sujeito do conhecimento. **2.** Tudo que é manipulável e/ou manufaturável. **3.** Tudo que é perceptível por qualquer dos sentidos. **4.** Coisa, peça, artigo de compra e venda: *objeto barato*. **5.** Matéria, assunto: *o objeto de uma ciência, de um estudo*. **6.** Agente; motivo, causa: *objeto de discórdia*. **7.** O ponto de convergência duma atividade; mira, desígnio: *A filosofia hindu era o objeto de suas meditações.* **8.** Mira, fim, propósito, intento, intuito, desígnio; objetivo. **9.** *Filos.* Na relação de conhecimento, o correlato do sujeito, isto é, o que é conhecido, em oposição ao que conhece. [Cf., nesta acepç., *sujeito* (13), *conhecimento* (10) e *teoria do conhecimento*.] **10.** *Filos.* O que é real ou realizável e se torna motor da ação de um sujeito. [Cf., nesta acepç., *sujeito* (11).] **11.** *Inform.* Em programação orientada a objetos (q. v.), representação de entidade concreta ou abstrata do mundo real. **12.** *Inform.* V. *elemento de interface*. **13.** *Inform.* Programa-objeto (q. v.). **14.** *Jur.* Aquilo sobre que incide um direito, obrigação, faculdade, norma de procedimento, proibição, etc. **15.** *Ópt.* Fonte de luz ou corpo iluminado cuja imagem se pode formar num sistema óptico. **16.** *Semiol.* V. *referente* (3). ◆ **Objeto de cena.** *Cin. Teatr. Telev.* Objeto comum, móvel, como garrafa, cinzeiro, copo, etc., utilizado como elemento de cenografia. **Objeto de interface.** *Inform.* V. *elemento de interface*. **Objeto de percepção.** *Filos.* Coisa do mundo exterior (q. v.) que aparece ao observador ingênuo como estável e perfeitamente delimitado. **Objeto direto.** *E. Ling.* Complemento que integra a significação do verbo sem auxílio de preposição; complemento direto, complemento objetivo. **Objeto direto preposicional.** *E. Ling.* O que vem regido de preposição. Ex.: *amar a Deus*; *estimar aos pais*. **Objeto espacial.** *Astron.* Corpo, natural ou artificial, que se situa no espaço cósmico. **Objeto indireto.** *E. Ling.* Complemento que integra a significação do verbo, ligando-se a este por uma preposição; complemento indireto, complemento terminativo. **Objetos de trabalho.** *Econ.* Em economia marxista, elemento a que se aplica o trabalho humano, no processo de produção (terra, recursos naturais, matérias-primas). [Cf. *instrumentos de produção e meios de produção*.]

objurgação [Do lat. *objurgatione*.] *S. f.* Ato de objurgar; censura; repreensão violenta; objurgatória.

objurgado [Part. de *objurgar*.] *Adj.* Repreendido com severidade; invectivado.

objurgar [Do lat. *objurgare*.] *V. t. d.* **1.** Repreender com aspereza; censurar, arguir. **2.** Lançar em rosto; invectivar. *T. d. e i.* **3.** Objurgar (2). [Conjug.: v. *largar*.]

objurgatória [F. subst. de *objurgatório*.] *S. f.* Objurgação: "Insurge-se contra a Igreja Romana, e vibra-lhe objurgatórias" (Euclides da Cunha, *Os Sertões*, p. 170).

objurgatório [Do lat. *objurgatoriu*.] *Adj.* **1.** Concernente a objurgação. **2.** Que contém objurgação: *discurso objurgatório*.

oblação [Do lat. tard. *oblatione*.] *S. f.* **1.** *Rel.* Ação de oferecer algo a Deus ou aos santos. **2.** *Rel.* Essa oferenda; oblata. **3.** *Lit.* Oferecimento a Deus do pão e do vinho, no ofertório (1). **4.** *P. ext.* Qualquer oferta ou oferecimento.

obladagem *S. f. Ant.* Oblata.

oblanceolado [De *ob-* + *lanceolado*.] *Adj.* Que tem forma de ponta de lança invertida.

oblata [Do lat. *oblata* (pl. de *oblatum*), 'donativos', 'dádivas'.] *S. f.* **1.** *Rel.* Tudo quanto se oferece a Deus ou aos santos na igreja. **2.** Oferta piedosa: "Noutro tempo o gênio só começava a sua vida quando, desatado dos envoltórios da carne, oferecia uma campa por altar às oblatas e às adorações da posteridade." (Latino Coelho, *Cervantes*, pp. 151-152.)

oblativo [Do lat. tard. *oblativu*, 'que se oferece'.] *Adj.* Em que há, ou que tem o significado de oblata.

oblato [Do lat. *oblatu*.] *S. m.* **1.** Leigo que se oferece para serviço duma ordem monástica. • *Adj.* **2.** Achatado nos polos. ~ V. *elipsoide —*.

oblíqua [F. subst. de *oblíquo*.] *S. f.* **1.** Reta que forma com outra, ou com um plano, ângulos adjacentes desiguais (e, portanto, ângulos agudos e obtusos). **2.** Reta que tem um ponto de interseção com um plano e não coincide com a normal nesse ponto. [Cf. *obliqua* (ú), do v. *obliquar*.]

obliquamente [Do f. de *oblíquo* + *-mente*.] *Adv.* De modo oblíquo; de través.

obliquângulo [De *oblíquo* + *ângulo*.] *Adj.* ~V. *triângulo —*.

obliquar [Do lat. *obliquare*.] *V. int.* **1.** Caminhar obliquamente, de través: *O navio soçobrou depois de muito obliquar.* **2.** *Fig.* Proceder com dissimulação; tergiversar: *Ante as circunstâncias adversas, só lhe restava obliquar.* *T. d. e c.* **3.** Tornar oblíquo; desviar: "Obliquou a rota para nor-nordeste" (João Guimarães Rosa, *Sagarana*, p. 31). *P.* **4.** Tornar-se oblíquo: "Fora do combate, o olhar murcha, obliqua-se desconfiado, não fita, nunca insiste." (Gustavo Barroso, *Terra de Sol*, p. 121.) [Conjug.: v. *averiguar*. Pres. ind.: *oblíquo* ou *obliquo* (ú), *oblíquas* ou *obliquas* (ú), *oblíqua* ou *obliqua* (ú), etc.; pres. subj.: *oblíque* (ú), *oblíques* (ú), etc. Cf. *oblíqua* e *oblíquo*.]

obliquidade (qüi) [Do lat. *obliquitate*.] *S. f.* **1.** Qualidade de oblíquo. **2.** Posição do que é oblíquo. **3.** Inclinação em direção oblíqua. **4.** Tergiversação, evasiva, rodeio. ◆ **Obliquidade da eclíptica.** Ângulo de 23°27', formado pelo plano da eclíptica e pelo do equador celeste. ❖

oblíquo [Do lat. *obliquu*.] *Adj.* **1.** Não perpendicular; inclinado; de través: "Seguiremos na luz oblíqua do sol-posto." (Alberto Ramos, *Poemas*, p. 69.) **2.** Torto; vesgo. **3.** *Fig.* Indireto (4). **4.** Malicioso; dissimulado, ardiloso; sinuoso: *conduta oblíqua*; *atitudes oblíquas*. [Cf. *obliquo*, do v. *obliquar*.] ~ V. *abóbada —a*, *ângulo —*, *caso —*, *cilindro —*, *cone —*, *esfera —a*, *folha —a*, *linha —a*, *marcha —a*, *músculo — inferior*, *músculo — superior*, *paralelepípedo —*, *passo —*, *pirâmide —a*, *prisma —* e *pronome —*.

obliteração [Do lat. *oblitteratione*.] *S. f.* Ato ou efeito de obliterar(-se).

obliterado [Part. de *obliterar*.] *Adj.* **1.** Em que houve obliteração. **2.** Extinto, apagado. **3.** Olvidado, esquecido. ~ V. *vaso —*.

obliterador (ô) [Do lat. tard. *oblitteratore*.] *Adj.* V. *obliterante*.

obliterante [De *obliterar* + *-nte*.] *Adj. 2 g.* Que oblitera; obliterador, obliterativo.

obliterar [Do lat. *oblitterare*.] *V. t. d.* **1.** Fazer desaparecer a pouco e pouco; apagar, expungir: *O passar dos anos obliterava os vestígios materiais das tribos extintas.* **2.** Destruir, eliminar, suprimir: "Não só o esquecimento é provável, mas até pode ser certo e constante, se o condutor padecer de moléstia que oblitere a memória" (Machado de Assis, *A Semana*, III, p. 303). **3.** Fazer esquecer: *Hiroxima não deixa obliterar o poder destrutivo do homem.* **4.** Fechar a cavidade de; obstruir, tapar: *obliterar um vaso, um conduto.* **5.** Carimbar (selo) tornando-o impróprio para ser utilizado outra vez. *P.* **6.** Fechar-se aos poucos. **7.** Ficar esquecido; cair no olvido. **8.** Apagar-se, extinguir-se: "O pensamento se obliterou, suponho que delirei" (Graciliano Ramos, *Memórias do Cárcere*, I, p. 135).

obliterativo [De *obliterar* + *-tivo*.] *Adj.* V. *obliterante*.

obliterável [De *obliterar* + *-vel*.] *Adj. 2 g.* Que se pode obliterar.

olvido [Do lat. *obliviu*.] *S. m.* Olvido, esquecimento: "O sono! O sono doce! Onde é que se escondera, / Que não vinha, por mais que, em lástima sincera, / Macário lhe pedisse o maternal alívio / Da sua quietação, do seu calmante oblívio?" (Eugênio de Castro, *Obras Poéticas*, VIII, p. 111.)

oblongifólio [De *oblongo* + *-i-* + *-fólio*.] *Adj. Bot.* Que tem folhas oblongas.

oblongo [Do lat. *oblongu*.] *Adj.* **1.** Que tem mais comprimento que largura; alongado. **2.** Oval; elíptico: "Assim cantado fica o seu geral aspeto: / Seu rosto de papoila um quase nada oblongo, / E, em fuste para o ar, lançado como um feto, / Seu busto, o principal assunto em que me alongo, / Por ver que nele estão, como em gomil repleto, / Os dois globos do seio unidos num ditongo!..." (Antônio Feijó, *Poesias Completas*, p. 249.) **3.** *Tip.* Diz-se da obra gráfica (livro, folheto, etc.) cujo formato tem a largura maior que a altura. ~ V. *elipsoide —* e *formato —*.

obnóxio (cs) [Do lat. *obnoxiu*.] *Adj.* **1.** Que se submete a punição. **2.** Servil; desprezível. **3.** Funesto, nefasto.

obnubilação [Do lat. tard. *obnubilatione*.] *S. f. Med.* Perturbação da consciência, caracterizada por obscurecimento e lentidão do pensamento.

obnubilar [Do lat. *obnubilare*, 'cobrir com uma nuvem'.] *V. t. d.* **1.** Obscurecer, escurecer: *Os preconceitos obnubilam a visão objetiva dos fatos*; "Porque a tal nível de perfeição haviam chegado os artífices de outrora na reprodução manual de vistas, cenas ou figuras, que o prestígio da sua arte obnubilou o juízo e o critério dos homens" (Léu Vaz, *Páginas Vadias*, pp. 169-170). **2.** *Med.* Produzir obnubilação em. *P.* **3.** Pôr-se em trevas; obscurecer-se.

obó [Do forro[2].] *S. m. Santom.* Floresta densa: "O obó era um mundo estranho, terrífico, hostil para os homens que se atrevessem a devassar e profanar a sua tranquilidade milenária." (Fernando Reis, *Histórias da Roça*, p. 137.)

oboé [Do fr. *hautbois* (na pronúncia antiga), pelo it. ant. *oboè* (atual *oboe*).] *S. m. Mús.* **1.** Instrumento musical de sopro, feito de madeira, com palheta dupla, de timbre semelhante ao do clarinete, mas levemente nasal. **2.** Registro de órgão ou de harmônio.

oboísta [De *oboé* + *-ista*.] *S. 2 g.* Tocador de oboé.

óbolo [Do gr. *obolós*, pelo lat. *obolu*.] *S. m.* **1.** Pequena moeda grega. **2.** *Fig.* Donativo de pequeno valor; esmola.

obongo *S. m.* **1.** Indivíduo dos obongos, indígenas de pequena estatura e cabelo arruivado que habitavam as margens do rio Zaire (África). • *Adj.* **2.** De, ou pertencente ou relativo a esse povo.

obori *S. m. Bras. Rel.* V. *bori*.

obovado [De *ob-* + *ovado*.] *Adj.* Que tem o ápice mais largo que a base: *folha obovada*.

obovado-lanceolado *Adj. Bot.* Que é, simultaneamente, obovado e lanceolado. [Pl.: *obovado-lanceolados*.]

obovál [De *ob-* + *ovo* + *-al*[1].] *Adj. 2 g.* V. *obóveo*.

obovalado [De *oboval* + *-ado*[1].] *Adj.* V. *obóveo*.

obóveo [De *ob-* + *óveo*.] *Adj.* Que tem a forma de um ovo invertido; oboval, obovalado, obovoide.

obovoide (ói) [De *ob-* + *ovoide*.] *Adj. 2 g.* V. *obóveo*. ❖

obpiramidal [De *ob-* + *piramidal*.] *Adj. 2 g.* Que tem forma de pirâmide invertida.

obra [Do lat. *opera*, por via pop.] *S. f.* **1.** Efeito do trabalho ou da ação. **2.** Trabalho manual: *Aquele tapete era obra de um grande artífice.* **3.** Ação moral: *Invejar é obra dos que não sabem admirar.* **4.** Edifício em construção. **5.** A produção total de um escritor, artista ou cientista: *A obra de Coelho Neto compreende bem mais de 100 volumes.* **6.** Trabalho literário, científico ou artístico: Guernica *é a obra mais famosa de Picasso*; *Muitos consideram* Fogo Morto *a melhor obra de José Lins do Rego.* **7.** Ação, feito: *Aquela crueldade era obra de Lampião.* **8.** Ato ou efeito de obrar, de defecar. **9.** *Tip.* Qualquer impresso tipográfico, em contraposição a *jornal*. [V. *casa de obras*.] **10.** *Bras.* Pessoa ou coisa muito bonita, perfeita: *Aquela garota é uma obra.* [Us. tb. ironicamente.] ~ V. *obras*. ◆ **Obra aberta.** Trabalho artístico ou literário que, independentemente ou não da vontade do autor, permite diferentes interpretações. **Obra capital.** V. *obra-prima* (1). **Obra coletiva.** *Tip.* Aquela criada por iniciativa, organização e responsabilidade de uma pessoa física ou jurídica, que a publica sob seu nome ou marca e que é constituída pela participação de diferentes autores, cujas contribuições se fundem numa criação autônoma. **Obra de.** Pouco mais ou menos; cerca de: *Esteve de férias obra de dois meses*; "Em pouco tempo, obra de três semanas, o Pacabote era diretor, editor e proprietário de um jornal" (João de Araújo Correia, *Terra Ingrata*, p. 120). **Obra de acidência.** *Tip.* V. *obra de bico*. **Obra de arte. 1.** Obra produzida segundo o conceito de arte[1] (3), especialmente a que é tida como de boa qualidade. **2.** Objeto executado com perfeição, acabamento, gosto, senso estético: *Este vestido é uma obra de arte.* [Cf. *obra de arte* (s. f.).] **Obra de carregação.** Trabalho grosseiro, feito às pressas, com vista apenas ao lucro; obra de fancaria. **Obra de consulta.** A que se destina apenas a ser consultada, como os dicionários, enciclopédias, bibliografias, guias, atlas, etc.; obra de referência. **Obra de empreitada. 1.** Trabalho feito por um ou mais indivíduos a prazo. **2.** Coisa não perfeita, executada sem esmero. **Obra de fachada.** Obra (geralmente obra pública) de pouca importância, mas de aparência bela ou grandiosa. **Obra de fancaria.** Obra de carregação. **Obra de fôlego.** Empreendimento de grande vulto e que consumiu muitos recursos intelectuais e/ou materiais: *Aquele dicionário é obra de fôlego.* **Obra de misericórdia.** Ato de caridade; esmola. **Obra de Penélope.** V. *teia de Penélope.* **Obra de referência.** Obra de consulta. **Obra de Santa Engrácia.** Trabalho que tarda muito a ser feito, que parece não ter fim. **Obra de talha. 1.** Trabalho em relevo, feito por entalhadores. **2.** Escultura em madeira, marfim ou metal. [Tb. se diz apenas *talha*.] **Obra de um instante.** Trabalho feito rapidamente, num abrir e fechar de olhos. **Obra do Capeta. 1.** Coisa misteriosa, sem explicação; obra do Diabo. **2.** Arruaça, desordem. **Obra do Diabo.** Obra do Capeta (1). **Obra grossa.** Coisa feita sem arte, descuidadamente. **Obra intelectual.** Criação do espírito de qualquer modo exteriorizada e protegida pela legislação sobre direitos autorais. **Obra póstuma.** A que é publicada posteriormente à morte do autor. **Coroar a obra. 1.** Arrematar um trabalho: *A sala já estava arrumada: coroou a obra com um belo arranjo de flores.* **2.** *Irôn.* Completar ação, plano: *Pagou a maior parte do que me deve; pode coroar a obra pagando o restante da dívida.* **Em obras.** Em construção; em reparo. **Fazer obra.** V. *defecar* (5). **Pôr em obra.** Executar, realizar. **Pôr por obra.** Providenciar no sentido de que (alguma coisa) se realize; fazer executar, levar a efeito: "Apenas João Afonso .... saiu para pôr por obra aqueles arbítrios, o chanceler deixou-se cair na grande poltrona e desandou uma das suas chirriantes gargalhadas." (Alexandre Herculano, *O Monge de Cister*, II, p. 342.) **Por obra e graça de.** Graças à ação, ao arbítrio, à participação de; por causa de.

obra-córnea [De *obra* + o f. de *córneo*; trad. do hol. *hoornwerk*.] *S. f. Fort.* Frente abalaustrada com flancos. [Pl.: *obras-córneas*.]

obra de arte *S. f. Constr.* Designação tradicional de estruturas tais como bueiros, pontes, viadutos, túneis, muros de arrimo, etc., necessárias à construção de estradas. [Pl.: *obras de arte*. Cf. *obra de arte*, loc.] ◆ **Obra de arte corrente.** *Constr.* Estrutura tal como bueiro ou pontilhão, que se repete com características semelhantes ao longo de uma estrada, em geral obedecendo a um projeto padronizado. **Obra de arte especial.** *Constr.* Estrutura, tal como ponte, viaduto ou túnel, que, pelas suas proporções e características peculiares, requer um projeto específico. ☑

obra de bico *S. f. Tip.* Trabalho tipográfico de pequeno porte (convite, cartão de visita, etc.); obra de acidência; remendo. [Pl.: *obras de bico*. Tb. se diz apenas *bico*.] ☑

obra de nove por seis *S. f. Bras. Liter. Pop.* V. *nove palavras por seis*: "A 'obra de nove por seis' é a estrofe de nove versos, dos quais seis têm sete sílabas; os três restantes — o segundo, o quinto e o oitavo — têm três." (Leonardo Mota, *Cantadores*, p. 13.) [Pl.: *obras de nove por seis*.] ☑

obra de sete pés *S. f. Bras. Liter. Pop.* Poesia de sete. [Pl.: *obras de sete pés*.] ☑

obrador (ô) [Do lat. *operatore*, por via pop.] *Adj. S. m.* Que, ou aquele que obra; obreiro.

obrage [Alter. de *obragem* (q. v.).] *S. f. Bras. PR* Lugar próximo à barranca de um rio, onde se corta e prepara a madeira destinada a descer por água. [Cf. *obragem*.]

obrageiro [De *obrage* + *-eiro*.] *S. m. Bras. PR* Extrator de madeira.

obragem [De *obrar* + *-agem*[2].] *S. f.* **1.** Ato de construir. **2.** Obra, lavor, trabalho. [Cf. *obrage*.]

obra-mestra [De *obra* + *mestra* (4).] *S. f.* **1.** A obra melhor dum autor. **2.** A melhor obra no gênero: *O Dom Quixote é uma obra-mestra da literatura barroca.* [Sin. ger.: *obra-prima*. Pl.: *obras-mestras*.]

obra-prima [De *obra* + o f. de *primo*[2].] *S. f.* **1.** A melhor e/ou a mais benfeita obra de uma época, gênero, estilo ou autor; obra capital,: *O Dom Casmurro, de Machado de Assis, é talvez a obra-prima das letras brasileiras.* **2.** Obra perfeita ou considerada como tal: *O Rio de Janeiro é uma obra-prima da natureza.* [Pl.: *obras-primas*.]

obrar [Do lat. *operare*, por via pop.] *V. t. d.* **1.** Converter em obra; fazer, executar, praticar, realizar: *obrar maravilhas*; "O bandido obrou estas duas ações com tanta fé e grandeza d'alma, que Luísa correu a ele dominada de peregrina comoção, e o apertou em seus braços." (Franklin Távora, *O Cabeleira*, p. 229). **2.** Construir, fabricar. **3.** Produzir, fazer: *A muito custo, obrou um sonetinho.* **4.** Maquinar, urdir; causar: *obrar discórdias.* ***Int.*** **5.** Fazer um trabalho; realizar uma ação; agir, trabalhar. **6.** Proceder, agir, atuar. **7.** Surtir efeito (um medicamento). **8.** V. *defecar* (5). ***P.*** **9.** V. *defecar* (6).

obras [Pl. de *obra*.] *S. f. pl. Ant. Marinh.* Os cabos de laborar de qualquer vela redonda, ou as escotas e carregadeiras das velas latinas. ~ V. *obra*. ◆ **Obras mortas.** *Constr. Nav.* A parte do casco da embarcação que fica acima do plano de flutuação em plena carga e que, portanto, está sempre emersa: "Da elevada superestrutura, desenvolvidas obras mortas, dois, três conveses, camarotes nas amuradas, adveio-lhe o apelido irônico e pitoresco de *gaiola*." (Raimundo Morais, *Na Planície Amazônica*, p. 137.) **Obras vivas.** *Constr. Nav.* A parte do casco da embarcação que fica abaixo do plano de flutuação em plena carga e que, portanto, fica total ou quase totalmente imersa; carena.

obreia [Do fr. ant. *oblée* (atual *oublie*), 'hóstia'.] *S. f.* **1.** Pasta de massa de que é feita a hóstia para a comunhão. **2.** Folha de massa que, umedecida, se usa para pegar papéis, fechar envelopes gomados, etc.

obreira [Fem. de *obreiro*.] *S. f. Zool.* Operária (2 e 3).

obreiro [Do lat. *operariu*.] *Adj.* **1.** Obrador. **2.** V. *operário*. • *S. m.* **3.** Obrador. **4.** V. *operário*. **5.** V. *maçom* (2).

ob-repção [Do lat. tard. *obreptione*.] *S. f.* Ação de obter algo por surpresa, ardil, astúcia, ou outro processo doloso, por se julgar impossível consegui-lo por meios ordinários. [Pl.: *ob-repções*.]

ob-reptício [Do lat. tard. *obrepticiu*.] *Adj.* **1.** Obtido por ob-repção. **2.** Ardiloso, astucioso; doloso. [Pl.: *ob-reptícios*.]

obriga [Dev. de *obrigar*.] *S. f.* Obrigação (6).

obrigação [Do lat. *obligatione*.] *S. f.* **1.** Imposição, preceito: *Numa sociedade humana, ao lado de cada obrigação deve estar um direito.* **2.** Dever; encargo; compromisso: "Primeiro a obrigação, depois a devoção" (prov.). **3.** Benefício; favor: *Nada lhe posso negar, pois devo-lhe muitas obrigações.* **4.** Ofício, emprego, profissão. **5.** Serviço, mister; tarefa: *Limpar a casa é sua obrigação quotidiana.* **6.** Escritura pela qual alguém se obriga ao pagamento de uma dívida, ao cumprimento de um contrato, etc.; obriga. **7.** V. *debênture*. **8.** *Econ.* Dívida (1): *As obrigações de uma empresa são registradas no passivo.* **9.** *Econ.* Título da dívida pública. **10.** *Jur.* Vínculo jurídico, oriundo da lei ou de ato da vontade, que compele alguém a dar, a fazer ou não fazer algo economicamente apreciável, em proveito de outrem. **11.** *Bras. Fam.* A família: "Dia e noite o infeliz vivia caído pelas calçadas ..... Uma desgraça! A obrigação passando privações, com a mulher cheia de macacoas e assim mesmo tendo que produzir doces e quitandas que os meninos vendiam pelas ruas" (Bernardo Élis, *Veranico de Janeiro*, pp. 58-59). **12.** *Bras. Fam.* Esposa, mulher: "Nonô quis saber como andava a comadre Anerbina Barbosa: | — Como vai a obrigação, compadre Barbosa? Ainda é muito dada a comer grumixama e jabuticaba?" (José Cândido de Carvalho, *Por que Lulu Bergantim não Atravessou o Rubicon*, p. 6.) **13.** *Bras.* Grande festa anual da religião dos negros, chamada outrora *candomblé*. **14.** *Bras. Rel.* Trabalho que o filho de santo tem de executar. ◆ **Obrigação ao portador.** *Jur.* V. *debênture*. **Obrigação do Tesouro Nacional.** *Bras. Econ.* Denominação da Obrigação Reajustável do Tesouro Nacional após março de 1986. **Obrigação fungível.** *Jur.* Aquela que pode ser cumprida por terceiro. **Obrigação infungível.** *Jur.* Aquela que só pode ser cumprida pela própria pessoa. **Obrigação moral.** *Ét.* Característica de atitude prática determinada por coerção interior decorrente de princípio ou sentimento socialmente sancionado: o sentimento do dever, da solidariedade, do respeito aos direitos humanos, a defesa da honra, etc. **Obrigação Reajustável do Tesouro Nacional.** *Econ.* Título da dívida pública brasileira, criado em julho de 1964, renomeado Obrigação do Tesouro Nacional em março de 1986, e extinto em janeiro de 1989. [Seu valor, reajustado periodicamente em função da perda do poder aquisitivo da moeda, foi us. como indexador de débitos fiscais, contratos privados, etc.] [Cf. *Bônus do Tesouro Nacional* e *Taxa Referencial de Juros*.]

obrigacional [De *obrigação* + *-al*[1], seg. o padrão erudito.] *Adj. 2 g.* Relativo a obrigação.

obrigacionário [De *obrigação* + *-ário*, seg. o padrão erudito.] *S. m. P. us.* V. *obrigacionista*.

obrigacionista [De *obrigação* + *-ista*, seg. o padrão erudito.] *S. 2 g.* Debenturista. [Sin.: *obrigatário* e (p. us.) *obrigacionário*.]

obrigado [Do lat. *obligatu*, part. pass. do v. lat. *obligare* (v. *obrigar*).] *Adj.* **1.** Imposto por lei, pelo uso, convenção, etc.; obrigatório. **2.** Agradecido, grato, reconhecido: *Fico-lhe muito obrigado pelo que me fez.* [É largamente us., nesta acepç., em construções elípticas, de certa natureza interjetiva: — *Como vai?* — *Bem, obrigado;* — *Muito obrigada, meu querido;* — *Vamos bem, obrigados.*] **3.** Sujeito a dívida. **4.** Forçado, compelido: *Lutou obrigado.* **5.** Necessário; indispensável. **6.** *Jur.* Que é o sujeito passivo de uma relação obrigacional (10). ~ V. *ponto* —. • *S. m.* **7.** *Jur.* Indivíduo obrigado (6).

obrigar [Do lat. *obligare*.] *V. t. d. e i.* **1.** Pôr na obrigação, no dever; colocar como imposição: *O juiz o obrigou a pagar as dívidas.* **2.** Mover, impelir, incitar, estimular: *A pressa o obrigava a correr.* **3.** Forçar, constranger, compelir: *A Inquisição obrigou Galileu a rejeitar suas teorias.* **4.** Sujeitar, expor, oferecer. **5.** Dar como fiança; empenhar. **6.** Preceituar, impor. ***T. d.*** **7.** Prender (alguém) por gratidão ou afeição; tornar grato: *Sua dedicação ao nosso amigo muito o obrigou.* **8.** Vencer, dominar. **9.** Sujeitar a risco ou obrigação. **10.** Impor obrigação a. ***P.*** **11.** Ligar-se a algum compromisso; oferecer-se, expor-se. **12.** Tornar-se responsável por; responsabilizar-se. **13.** Afiançar, assegurar. **14.** Forçar-se; empenhar-se: *Obrigou-se a longas caminhadas a pé.* **15.** *Jur.* Assumir uma obrigação (10). [Conjug.: v. *largar*.]

obrigatário [De *obrigar* + *-tário*; fr. *obligataire*.] *S. m.* V. *obrigacionista*.

obrigatoriedade [De *obrigatóri(o)* + *-edade*.] *S. f.* Qualidade de obrigatório.

obrigatório [Do lat. tard. *obligatoriu*.] *Adj.* **1.** Que envolve obrigação; que obriga. **2.** Obrigado (1). **3.** Forçoso, inevitável: *É obrigatório o uso do hífen nas formas verbais com pronomes enclíticos ou mesoclíticos.*

obrista [De *obra* + *-ista*.] *S. 2 g. Tip.* **1.** Gráfico que trabalha em casa de obras. **2.** V. *compositor de bicos*.

ob-rogação [Do lat. tard. *obrogatione*.] *S. f.* Ato ou efeito de ob-rogar. [Pl.: *ob-rogações*.]

ob-rogar [Do lat. *obrogare*.] *V. int.* Contrapor-se, ou fazer contrapor-se, uma lei a outra. [Conjug.: v. *largar*.]

ob-rogatório [De *ob-rogar* + *-tório*.] *Adj.* Capaz de ob-rogar; que tem força para ob-rogar. [Pl.: *ob-rogatórios*.]

obscenidade [Do lat. *obscenitate*.] *S. f.* **1.** Qualidade de obsceno. **2.** Palavra, gesto, ato, imagem obscenos.

obscenizar [De *obsceno* + *-izar*.] *V. t. d.* Dar forma ou caráter obsceno a.

obsceno [Do lat. *obscenu*.] *Adj.* **1.** Que fere o pudor; impuro, desonesto. **2.** Diz-se de quem profere ou escreve obscenidades.

obscurante [Do lat. *obscurante*.] *Adj. 2 g.* **1.** Que obscurece. • *S. 2 g.* **2.** Obscurantista (3).

obscurantismo [De *obscurante* + *-ismo*.] *S. m.* **1.** Estado de quem vive na escuridão. **2.** Ausência de conhecimento; ignorância. **3.** Reprovação ou oposição ao esclarecimento. **4.** Política de fazer alguma coisa com o objetivo de impedir o esclarecimento da massa por considerá-lo um perigo para a sociedade.

obscurantista [De *obscurantismo* + *-ista*.] *Adj. 2 g.* **1.** Relativo ao obscurantismo. **2.** Diz-se de quem segue os princípios do obscurantismo (4). • *S. 2 g.* **3.** Pessoa obscurantista; obscurante.

obscurantizar [De *obscurante* + *-izar*.] *V. t. d.* Tornar obscurante (2); levar ao obscurantismo.

obscurecer [De *obscuro* + *-ecer*.] *V. t. d.* **1.** Tornar obscuro, tirar ou reduzir a claridade a. **2.** Toldar, perturbar, confundir, baralhar: *obscurecer o entendimento.* **3.** Encobrir, esconder, disfarçar: *Os regimes de força não logram obscurecer por muito tempo os seus crimes.* **4.** Deslustrar, desonrar, infamar. **5.** Fazer esquecer; avantajar-se a; suplantar. **6.** Tornar triste; afligir, turvar. ***Int. P.*** **7.** Tornar-se obscuro; apagar-se. **8.** Perder a clareza; tornar-se menos inteligível. **9.** Tornar-se sombrio ou triste. **10.** Deslustrar-se, macular-se. [Conjug.: v. *aquecer*.]

obscurecido [Part. de *obscurecer*.] *Adj.* **1.** Que tem pouca luz, ou nenhuma. **2.** V. *obscuro* (2). **3.** *Fig.* Esquecido; ignorado: *Morreu obscurecido aquele que um dia foi o ídolo da juventude.* **4.** *Fig.* Ofuscado; deslumbrado.

obscurecimento [De *obscurecer* + *-imento*.] *S. m.* Escassez ou ausência de luz; escuridão.

obscurecível [De *obscurecer* + *-ível*.] *Adj. 2 g.* Que pode ser obscurecido.

obscureza (ê) [De *obscuro* + *-eza*.] *S. f. P. us.* V. *obscuridade*.

obscuridade [Do lat. *obscuritate*.] *S. f.* **1.** Estado de obscuro. **2.** Falta de luz; escuridão. **3.** *Fig.* Falta de clareza (no estilo): *A obscuridade do texto impede maiores considerações.* **4.** Ausência de celebridade, de fama, de notoriedade; condição humilde: "Teme a obscuridade, Brás; foge do que é ínfimo." (Machado de Assis, *Memórias Póstumas de Brás Cubas*, p. 93.) **5.** Esquecimento, olvido. **6.** Vida retirada. [Sin. ger., p. us.: *obscureza*.]

obscuro [Do lat. *obscuru*.] *Adj.* **1.** Falto de luz; escuro: "A treva invade o obscuro orbe terrestre." (Augusto dos Anjos, *Eu*, p. 110.) **2.** Sombrio, tenebroso; obscurecido. **3.** *Fig.* Difícil de entender; confuso; enigmático. **4.** Ignorado, desconhecido: *origem obscura*; "Ninguém sentiu o teu espasmo obscuro, / Ó ser humilde entre os humildes seres." (Cruz e Sousa, *Últimos Sonetos*, p. 17). **5.** Vago; indistinto: *sinal obscuro.* **6.** Humilde, singelo, pobre: *Leva uma vida obscura desde que empobreceu.*

obsecração [Do lat. *obsecratione.*] *S. f.* **1.** Ato de obsecrar. **2.** Súplica fervorosa e humilde. **3.** Palavras com que se obsecra.

obsecrar [Do lat. *obsecrare.*] *V. t. d. T. d. e i. P. us.* Pedir com humildade; suplicar, implorar.

obsedante [Do fr. *obsédant.*] *Adj. 2 g. Bras.* Que obseda (v. *obsessivo*): "A obra de Van Gogh é uma explosão de temperamento. A sua força vem dessa obsedante sinceridade, desse desejo violento e místico de pintar o sol." (Santa Rosa, *Roteiro de Arte*, p. 19.)

obsedar [Do fr. *obséder.*] *V. t. d.* **1.** Tornar-se assíduo junto de (alguém), para lhe obter as graças; importunar com assiduidade; molestar. **2.** Apoderar-se (uma ideia) do espírito de (alguém), não lhe dando descanso; produzir obsessão (2) em; obsediar, obsidiar, obcecar: *A ideia da morte obseda-o.*

obsediante [De *obsediar* + *-nte*.] *Adj. 2 g.* V. *obsessivo*.

obsediar [De *obsidiar*, com infl. de *obsessão*.] *V. t. d.* V. *obsedar* (2).

obsequente (qüen) [Do lat. *obsequente.*] *Adj. 2 g.* **1.** Que se sujeita; dócil, obediente. **2.** Que se mostra agradável; afável. **3.** Favorável, obsequiador. ~ V. *rio* —.❖

obsequiador (zè... ô) [De *obsequiar* + *-dor*.] *Adj. S. m.* Que, ou aquele que obsequia.

obsequiar (zè) [De *obséquio* + *-ar*^{2}.] *V. t. d.* **1.** Prestar obséquios, serviços, a; tratar com agrados; mimosear, favorecer: *Está sempre disposto a obsequiá-la.* **2.** Dar presentes a; presentear, mimosear: *Gosta de obsequiar os amigos. T. d. e i.* **3.** Mimosear com presentes; presentear: *Obsequiou o amigo com um exemplar de sua obra.* **4.** Tornar grato; cativar. [Conjug.: v. *negociar* (Bras. e Port.). Pres. ind. (Bras. e Port.): *obsequio, obsequias, obsequia*, etc. Cf. *obséquio* e *obséquias*.]

obséquias (zé) [Adapt. do lat. tard. *obsequiae.*] *S. f. pl. Ant.* Funerais, exéquias. [Cf. *obsequias*, do v. *obsequiar*.]

obséquio (zé) [Do lat. *obsequiu.*] *S. m.* **1.** Ato de obsequiar. **2.** Favor, serviço; benefício; benevolência. [Cf. *obsequio*, do v. *obsequiar*.] ◆ **Em obséquio a.** V. *em obséquio de*: "vivia casta como certas damas antigas casadas, de acordo com os maridos, em obséquio à pureza dos anjos de ambos os sexos" (Camilo Castelo Branco, *História e Sentimentalismo*, p. 173). **Em obséquio de.** A favor de; em benefício de; em obséquio a.

obsequiosidade (zè) [De *obsequioso* + *-(i)dade*.] *S. f.* Qualidade de obsequioso; afabilidade de trato.

obsequioso (zè... ô) [Do lat. *obsequiosu.*] *Adj.* **1.** Que presta obséquios; serviçal; benévolo; afável no trato. **2.** Que revela vontade de obsequiar: *caráter obsequioso.*

obserrulado [De *ob-* + *serrulado*.] *Adj. Bot.* Serrulado, com os dentes dirigidos para a base.

observação [Do lat. *observatione.*] *S. f.* **1.** Ato ou efeito de observar(-se). [Sin., p. us.: *observatório*.] **2.** Cumprimento, prática, observância: *observação das tradições.* **3.** Advertência por escrito; nota: *qualquer observação deverá vir à margem do papel.* **4.** Reparo, advertência: *Volta e meia faziam-lhe observações sobre descuidos de linguagem.* **5.** Exame, análise. **6.** Censura leve; admoestação: *Fiz-lhe uma observação, e prometeu emendar-se.* ◆ **Observação participante.** *Antrop. Etnol.* Método de investigação em que o pesquisador procura integrar-se ao grupo estudado, vivendo junto a este e participando de suas atividades por período relativamente prolongado, como se fosse um de seus membros, de modo a captar com maior riqueza de detalhes a vida do grupo estudado e minimizar a influência de sua presença sobre este.

observacional [De *observação* (*observacion-*) + *-al*^{1}, seg. padrão erudito.] *Adj. 2 g.* **1.** De, ou relativo a observação. **2.** Feito com base em observações: *astronomia observacional.*

observado [Part. de *observar*.] *Adj.* Que foi objeto de observação. ~ V. *posição* — *a*.

observador (ô) [Do lat. *observatore.*] *Adj.* **1.** Que observa; observante. **2.** Respeitador, cumpridor. **3.** Crítico, censor.● *S. m.* **4.** Aquele que observa; espectador, observante. **5.** *Bras.* Encarregado de postos ou estações meteorológicas.

observância [Do lat. *observantia.*] *S. f.* **1.** Execução fiel; prática, uso. **2.** Cumprimento rigoroso da vida claustral, da disciplina da penitência, ou das regras peculiares a cada ordem religiosa.

observando [De *observar* + *-ando*.] *S. m.* Aquele que se acha debaixo de observação médica.

observante [Do lat. *observante.*] *Adj. 2 g.* **1.** Observador (1). **2.** Obediente, cumpridor; praticante; militante. ● *S. 2 g.* **3.** V. *observador* (4).● *S. m.* **4.** Religioso de uma das ordens franciscanas.

observar [Do lat. *observare.*] *V. t. d.* **1.** Examinar minuciosamente; olhar com atenção; estudar: "Paras aqui, observas uma árvore nova que cresce" (Carlos Magalhães de Azeredo, *Odes e Elegias*, p. 51). **2.** Espiar, espreitar: *Furtivamente, os soldados observavam as manobras inimigas.* **3.** Cumprir ou respeitar as prescrições ou preceitos de; obedecer a; praticar: *Observa rígida discrição.* **4.** Atentar em; notar, advertir: *O conferencista pediu que observassem aquele aspecto de sua palestra.* **5.** Ponderar, replicar. **6.** Acompanhar a evolução, o comportamento ou o funcionamento de: *Há anos, observava os gorilas no seu hábitat. T. d. e i.* **7.** Fazer ver; advertir: *Observou-lhe que a resposta não estava certa*; "Hamlet observa a Horácio que há mais cousas no céu e na terra do que sonha a nossa filosofia." (Machado de Assis, *Várias Histórias*, p. 3). **8.** Notar; verificar: *Pela primeira vez, observara no filho traços de consideração; Observou no texto as alterações sugeridas pelo autor. Int.* **9.** Examinar atenta, minuciosamente, a(s) pessoa(s) e/ou o ambiente que os cerca(m): "Neste lance passou um espanhol, ... bem montado numa égua preta. Parou a observar" (Alberto Braga, *Novos Contos*, p. 81); "Às vezes, se me acontece algum ócio, desço até a praça. Sento-me num banco e observo." (Maria Julieta Drummond de Andrade, *Um Buquê de Alcachofras*, p. 21). *P.* **10.** Vigiar as próprias ações; ser circunspecto. **11.** Vigiar-se reciprocamente.

observatório [De *observar* + *-tório*; fr. *observatoire*.] *S. m.* **1.** Instituição ou serviço de observações astronômicas ou meteorológicas. **2.** Edifício onde funciona um observatório (1). **3.** Mirante (1). **4.** Espaço de discussão e de crítica, ger. na Internet, televisão ou publicação específica, à atuação de determinado setor: *observatório da imprensa; observatório da saúde.* **5.** *P. us.* Observação (1).

observável [Do lat. *observabile.*] *Adj. 2 g.* **1.** Que pode ou merece ser observado. **2.** Diz-se de grandeza que é passível de uma medida direta.● *S. m.* **3.** Grandeza observável (2). **4.** *Fís.* Em mecânica quântica, operador linear cujos autovalores podem ser experimentalmente observados e medidos, e que em geral constituem um conjunto discreto.

obsessão [Do lat. *obsessione.*] *S. f.* **1.** Impertinência, perseguição, vexação. **2.** *Psiq.* Pensamento, imagem ou impulso, persistente ou recorrente, indesejado, inadequado e aflitivo, e que vem à mente involuntariamente, a despeito da tentativa de ignorá-lo ou suprimi-lo; ideia fixa.

obsessivo [De *obsesso* + *-ivo*.] *Adj.* Que causa, ou em que há obsessão (2); obsedante, obsediante, obsidiante, obsessor, obsidente.

obsessivo-compulsivo *Psiq. Adj.* **1.** Em que há obsessão (2) e compulsão: *transtorno obsessivo-compulsivo.* ~ V. *personalidade* — *a*.● *S. m.* **2.** Indivíduo que sofre de transtorno obsessivo-compulsivo. [Pl.: *obsessivo-compulsivos*.]

obsesso [Do lat. *obsessu.*] *Adj.* **1.** Importunado, atormentado, perseguido.● *S. m.* **2.** Indivíduo que se crê atormentado, perseguido pelo Demônio.

obsessor (ô) [Do lat. *obsessore.*] *Adj.* **1.** Que causa obsessão; que importuna. **2.** V. *obsessivo*.● *S. m.* **3.** Aquele que causa obsessão; importuno.

obsidente [Do lat. *obsidente.*] *Adj. 2 g.* **1.** V. *obsessivo*: "Tornava-se [a lembrança] viva, obsidente, dolorosa mesmo." (Eduardo Frieiro, *O Mameluco Boaventura*, p. 78.)● *S. 2 g.* **2.** Aquele que cerca, sitia, obsidia.

obsidiana [Do lat. *obsidianus lapis*, por *obsianus lapis*, 'pedra de Óbsio' (do antr. lat. *Obsius*, do descobridor dessa pedra na Etiópia).] *S. f. Petr.* Designação comum a diversas variedades de lavas, em geral escuras, pobres de água, com fratura concoidal, e de aspecto vítreo: "Esses bantos .... já trabalhavam o ferro, embora ainda utilizassem lâminas de obsidiana." (Alberto da Costa e Silva, *A Enxada e a Lança*, p. 387.)

obsidiante [De *obsidiar* + *-nte*.] *Adj. 2 g.* V. *obsessivo*.

obsidiar [Do lat. *obsidiare*, por *obsidiari*.] *V. t. d.* **1.** Cercar, assediar. **2.** Observar o comportamento ou a vida de; espiar. **3.** Importunar, incomodar, perturbar, molestar. **4.** V. *obsedar* (2): "no desterro, a lembrança dele [o pai] povoa-lhe [a Alexandre Herculano] os sonhos aflitos, obsidia-o e comove-o." (Vitorino Nemésio, *A Mocidade de Herculano*, I, p. 77). [Cf. *obsediar*.]

obsidional [Do lat. *obsidionale.*] *Adj. 2 g.* **1.** Referente a assédio ou cerco. **2.** Relativo à arte de cercar ou defender uma praça. **3.** *Numism.* Diz-se de moeda cunhada em período de emergência, sob cerco inimigo.

obsignador (ô) [Do lat. *obsignatore.*] *S. m.* Testemunha chamada a subscrever um testamento e pôr-lhe o seu selo.

obsolescência [Do lat. *obsolescere*, 'tornar-se obsoleto', + *-ência*.] *S. f.* **1.** O fato ou o processo de tornar-se obsoleto. **2.** *Econ.* Redução da vida útil e do valor de um bem (equipamento industrial, p. ex.) devido ao aparecimento de modelo tecnologicamente superior. ◆ **Obsolescência planejada.** *Econ.* A que decorre de ação deliberada do produtor, com o propósito de induzir a compra de novos modelos.

obsolescente [Do lat. *obsolescente.*] *Adj. 2 g.* Em processo de obsolescência; em curso de cair em desuso.

obsolescer [Do lat. *obsolescere.*] *V. t. d. Int.* Tornar(-se) obsoleto: *A reforma ortográfica obsolesceu um grande número de livros; Pouco a pouco, o trabalho manual obsolesce.*

obsoletar [De *obsoleto* + *-ar*^{2}.] *V. t. d.* Tornar obsoleto (1).

obsoletismo [De *obsoleto* + *-ismo*.] *S. m.* Qualidade de obsoleto.

obsoleto (é ou ê) [Do lat. *obsoletu.*] *Adj.* **1.** Que caiu em desuso; arcaico: *vocabulário obsoleto*; "fez que ressurgisse uma lei obsoleta, de há quatro séculos." (Euclides da Cunha, *Contrastes e Confrontos*, p. 29). **2.** V. *antiquado*. **3.** Mal desenvolvido; atrofiado, rudimentar.

obstaculizar [De *obstáculo* + *-izar*.] *V. t. d. Bras.* Criar obstáculos a (alguma coisa); obstar.

obstáculo [Do lat. *obstaculu.*] *S. m.* **1.** Embaraço, dificuldade, impedimento, estorvo, empecilho; barreira: "As religiões não deveriam ser, como são, obstáculos para que as pessoas se entendessem." (José Saramago, em *O Globo*, 30.04.1999.) **2.** *Esport.* Cada uma das diferentes barreiras que se dispõe numa pista de corridas.

obstância [Do lat. *obstantia.*] *S. f. Bras.* Obstáculo, dificuldade, empecilho.

obstante [Do lat. *obstante.*] *Adj. 2 g.* Que obsta; impedidor, obstativo. ◆ **Nada obstante.** V. *não obstante*. **Não obstante. 1.** Apesar de: *Não obstante a doença, compareceu à cerimônia.* **2.** Apesar disso; no entanto; contudo: "os cabelos caíam despenteados, e as lágrimas faziam-lhe encarquilhar os olhos. Não obstante, o total falava e cativava o coração." (Machado de Assis, *Dom Casmurro*, p. 89). [Sin. ger.: *nada obstante*.]

obstar [Do lat. *obstare*, 'estar diante ou contra'.] *V. t. i.* **1.** Causar embaraço ou impedimento; servir de obstáculo: *Sua intransigência obsta a que eu realize os meus planos.* **2.** Fazer oposição; opor-se: "Arrependidos uns de não terem acompanhado o destemido rapaz, outros de não haverem obstado àquela temeridade, aguardavam o desfecho do estranho acidente." (José de Alencar, *O Sertanejo*, p. 115.) *T. d.* **3.** Servir de obstáculo a; causar embaraço a; impedir: *A morte do tio obstou sua viagem.* [Sin., bras., nesta acepç.: *obstaculizar*.]

obstativo [De *obstar* + *-tivo*.] *Adj. Bras.* V. *obstante*.

obstável [De *obstar* + *-vel*.] *Adj. 2 g.* Que pode ser obstado.

obstetra [Voc. deduz. de *obstetriz*.] *Adj. 2 g. S. 2 g.* Que, ou quem é especialista em obstetrícia; parteiro.

obstétrica [De *obstetra* + *-ica*.] *S. f.* V. *obstetrícia*.

obstetrícia [F. subst. de *obstetrício*.] *S. f.* Ramo da medicina que se ocupa da gravidez, do parto e do puerpério; ciesiologia; obstétrica, maiêutica, tocologia.

obstetrício [Do lat. tard. *obstetriciu.*] *Adj.* Relativo à obstetrícia; obstétrico.

obstétrico [De *obstetra* + *-ico*^{2}.] *Adj.* Obstetrício.

obstetriz [Do lat. *obstetrice.*] *S. f.* V. *parteira* (1).

obstinação [Do lat. *obstinatione.*] *S. f.* **1.** Pertinácia, persistência, tenacidade, perseverança: *trabalhar com obstinação.* **2.** Teima, birra: *Continuou a insistir, só por obstinação.*

obstinado [Do lat. *obstinatu*, 'perseverante', 'decidido', part. de *obstinare* (v. *obstinar*).] *Adj.* **1.** Pertinaz, firme, relutante. **2.** Teimoso, birrento. **3.** Inflexível, irredutível: "baixava a cabeça, obstinada, não renegava e não pedia perdão." (Raquel de Queirós, *As Três Marias*, p. 31).

obstinar [Do lat. *obstinare.*] *V. t. d.* **1.** Tornar obstinado. *P.* **2.** Manter-se na teima ou erro; porfiar, relutar.

obstipação [Do lat. tard. *obstipatione.*] *S. f. Med.* Constipação (1) renitente.

obstipar [Voc. deduzido de *obstipação*.] *V. t. d. Med.* Produzir obstipação em.

obstringir [Do lat. *obstringere.*] *V. t. d.* **1.** Apertar muito; ligar. **2.** Comprimir, imprensar. **3.** Obrigar, constranger. [Conjug.: v. *dirigir*. Defect., us. só nas 3.ªs pess.]

obstrito [Do lat. *obstrictu.*] *Adj.* Obrigado, constrangido.

obstrução [Do lat. *obstructione.*] *S. f.* **1.** Ato ou efeito de obstruir(-se); obstrucionismo, obturação. **2.** *Cir.* Impedimento parcial ou total, mecânico, devido a causas diversas, do livre trânsito no interior da luz (15) de órgão; oclusão. **3.** *Bras. Fig.* Oposição propositada. **4.** Obstrucionismo. ◆ **Obstrução intestinal.** *Patol.* Interrupção de trânsito intestinal, propositalou não, por tempo variável, produzido por obstáculo mecânico; oclusão intestinal. **Obstrução marítima.** Obstáculo natural que, no oceano, dificulta a passagem livre dos navios.

obstrucionismo [De *obstrução* + *-ismo*, seg. o padrão erudito; ingl. *obstructionism*.] *S. m.* V. *obstrução* (1).

obstrucionista [De *obstrucionismo* + *-ista*.] *Adj. 2 g.* **1.** Relativo ao, ou que pratica o obstrucionismo. ● *S. 2 g.* **2.** Pessoa que o pratica.

obstruidor (ô) [De *obstruir* + *-dor*.] *Adj. S. m.* Que, ou aquele que obstrui.

obstruinte (u-ín) [De *obstruir* + *-nte*.] *Adj. 2 g. S. f. E. Ling.* Diz-se de, ou consoante obstruinte (q. v.).

obstruir [Do lat. *obstruere*.] *V. t. d.* **1.** Fechar, tapar; entupir. **2.** Impedir com obstáculos a passagem ou circulação de: *A multidão obstruiu as ruas*; "obstruíram a enseada do porto, submergindo velhos navios." (João Ribeiro, *História do Brasil*, p. 149). **3.** Impedir, estorvar: *A oposição obstruiu a votação da lei.* **4.** Causar obstrução (2). *P.* **5.** Tapar-se, fechar-se, embaraçar-se. **6.** Criar obstrução (2). [Conjug.: v. *atribuir*.]

obstrutivo [Do lat. *obstructus*, part. pass. de *obstruere*, 'obstruir', + *-ivo*.] *Adj.* Que obstrui ou serve para obstruir; obstrutor.

obstrutor (ô) [Do lat. *obstructus*, part. pass. de *obstruere*, 'obstruir', + *-or*.] *Adj.* **1.** Obstrutivo. ● *S. m.* **2.** Aquele ou aquilo que obstrui.

obstupefação [Do lat. *obstupefactione, forjado eruditamente, com base em *obstupefactus*.] *S. f.* Estado de obstupefato; pasmo, estupefação.

obstupefacção *S. f.* V. *obstupefação*.

obstupefacto *Adj.* V. *obstupefato*.

obstupefato [Do lat. *obstupefactu*.] *Adj.* Pasmado, estupefato.

obstúpido [Do lat. *obstupidu*.] *Adj.* Pasmado, atônito, surpreendido, estupefato.

obtemperação [Do lat. *obtemperatione*.] *S. f.* Ato ou efeito de obtemperar.

obtemperar [Do lat. *obtemperare*, 'obedecer'.] *V. t. d. T. d. e i.* **1.** Dizer em resposta com humildade e modéstia; ponderar: *O aluno obtemperou que a lição era difícil; Obtemperou-lhe que preferia não ir. T. i. Int.* **2.** Obedecer, assentir, aquiescer, sujeitar-se, submeter-se: *Obtempera aos superiores; Dócil, é inclinado a obtemperar.*

obtenção [De *obter* + *-ção*, por anal. com *retenção*, *detenção*, etc.] *S. f.* Ato ou efeito de obter; consecução, aquisição, adquirição, conseguimento.

obtenível [De *obter* (< lat. *obtinere*) + *-ível*, seg. o padrão erudito.] *Adj. 2 g. Bras.* Que pode ser obtido.

obtentor (ô) [Do lat. *obtentus*, part. pass. de *obtinere*, 'obter', + *-or*.] *Adj. S. m.* Que, ou aquele que obtém.

obter [Do lat. *obtinere*.] *V. t. d.* **1.** Alcançar ou conseguir (o que se pede ou deseja): *obter um cargo.* **2.** Ter ensejo ou ocasião de; lograr, conseguir: *Com seus atos obteve convencer o outro.* **3.** Ganhar, granjear. **4.** Conseguir, atingir, alcançar: *Esforçado, obteve média de 9,8 durante todo o curso. T. d. e i.* **5.** Obter (1): *Obtive-lhe um aumento com a chefia.* **6.** Conseguir; conquistar: *Esforçou-se e obteve lucro para a empresa.* [Irreg. Conjug.: v. *ter*.]

obtestação [Do lat. *obtestatione*.] *S. f.* Ato ou efeito de obtestar.

obtestar [Do lat. *obstestare, por *obtestari*.] *V. t. d.* **1.** Tomar (alguém) por testemunha. **2.** Instar, rogar, suplicar. **3.** Provocar, incitar. *T. d. e i.* **4.** Instar, rogar, suplicar.

obtundente [Do lat. *obtundente*.] *Adj. 2 g.* Que obtunde.

obtundir [Do lat. *obtundere*.] *V. t. d.* **1.** Contundir (1). **2.** Tornar rombo, ou menos agudo. **3.** Bater, sovar.

obturação [Do lat. tard. *obturatione*.] *S. f.* **1.** Ato ou efeito de obturar. **2.** *Odont.* Obstrução, com fim terapêutico, de cavidade dentária resultante de cárie. **3.** *Cir.* Obliteração, com fim terapêutico, de orifício ou de conduto pela introdução de substância adequada. **4.** *Cir.* Forma de obstrução (2) que se verifica, em especial, no intestino.

obturador (ô) [De *obturar* + *-dor*.] *Adj.* **1.** Que obtura. ● *S. m.* **2.** Objeto que serve para obturar. **3.** Dispositivo das armas de fogo destinado a vedar a passagem ou fuga dos gases. **4.** *Fot.* Dispositivo da câmara fotográfica que regula a duração da exposição da chapa sensível.

obturar [Do lat. *obturare*.] *V. t. d.* **1.** Tapar, fechar, entupir. **2.** Fechar, obstruir.

obturbinado [De *ob-* + *turbinado*.] *Adj.* Que tem o feitio de pião invertido.

obtusângulo [De *obtus(i)-* + *ângulo*.] *Adj. Geom.* Diz-se do triângulo que tem um ângulo obtuso. ~ V. *triângulo* —.

obtusão [Do lat. tard. *obtusione*.] *S. f.* **1.** Qualidade ou estado de obtuso. **2.** Diminuição, perda ou ausência da sensibilidade: *obtusão do paladar.* **3.** *Med.* Entorpecimento sensitivo ou intelectual.

▲ **obtus(i)-** [Do lat. *obtūsus, a, um*.] *El. comp.* = 'obtuso': *obtusifólio*; *obtusângulo*.

obtusidade [Do lat. tard. *obtusitate*.] *S. f.* **1.** Qualidade de obtuso. **2.** Insensibilidade, estupidez.

obtusífido [De *obtus(i)-* + *-fido*.] *Adj. Bot.* Dividido em segmentos obtusos.

obtusifoliado (tù) [De *obtus(i)-* + *-foli-* + *-ado*[1].] *Adj. Bot.* Obtusifólio.

obtusifólio (tù) [De *obtus(i)-* + *-fólio*.] *Adj. Bot.* Que tem folhas obtusas; obtusifoliado.

obtusilobulado (tù) [De *obtus(i)-* + *lobulado*.] *Adj. Bot.* Dividido em lóbulos obtusos.

obtusirrostro (tù) [De *obtus(i)-* + *-rostro*.] *Adj. Zool.* Diz-se de ave que tem obtuso o bico, ou a parte dianteira da cabeça.

obtuso [Do lat. *obtusu*, 'embotado'.] *Adj.* **1.** Que não é agudo; rombo, arredondado: *pássaro de bico obtuso; folha obtusa.* **2.** *Fig.* Que é pouco penetrante; rude, bronco, estúpido, fechado: *espírito obtuso*; "Ali ficava .... aquele imbecil impondo a sua pessoa, grosseiramente, tão obtuso que não percebia o enfado dela, a sua regelada secura!" (Eça de Queirós, *Os Maias*, II, p. 54). **3.** *Fig.* Que não é nítido; pouco claro; confuso: *frases de sentido obtuso.*

obumbração [Do lat. tard. *obumbratione*.] *S. f.* **1.** Ato ou efeito de obumbrar(-se); obscurecimento, sombreamento. **2.** Cegueira de espírito; ideia fixa; obcecação. [Sin. ger.: *obumbramento*.]

obumbrado [Part. de *obumbrar*.] *Adj.* Coberto de sombras; anuviado, toldado.

obumbramento [De *obumbrar* + *-mento*.] *S. m.* V. *obumbração*: "O seu renome [do facínora Zé Pinheiro] se fez no período que mediou entre o obumbramento da estrela de Antônio Silvino e o fulgor infernal da triste glória de Lampião." (Leonardo Mota, *No Tempo de Lampião*, p. 38.)

obumbrar [Do lat. *obumbrare*.] *V. t. d.* **1.** Cobrir de sombras; tornar escuro; toldar, nublar: "Sempre a noite a obumbrar o Sol inglório..." (Alphonsus de Guimaraens, *Pastoral aos Crentes do Amor e da Morte*, p. 136.) **2.** Tornar esotérico; velar, disfarçar, ocultar. **3.** Turvar; cegar, obcecar: *obumbrar a inteligência. P.* **4.** Cobrir-se de sombras ou de nuvens; tornar-se escuro; toldar-se: "Súbito o céu sereno se obumbrava, / Que os ventos mais que nunca impetuosos / Começam novas forças a ir tomando" (Luís de Camões, *Os Lusíadas*, VI, 37). **5.** Perder a intensidade ou o brilho; apagar-se. **6.** Cobrir-se, tapar-se.

obus [Do checo *haufnice*, 'máquina de lançar pedras', pelo al. *Haubitze* e pelo fr. *obus*.] *S. m.* **1.** Peça de artilharia, semelhante ao canhão, capaz de arremessar bombas ou granadas em trajetórias parabólicas. [Sin.: *obuseiro*.] **2.** *P. ext.* Bomba ou granada lançada pelo obus. [Pl.: *obuses*.]

obuseiro [De *obus* + *-eiro*.] *S. m.* Obus (1).

obvenção [Do lat. *obventione*.] *S. f.* **1.** Provento, receita ou lucro eventual. **2.** Antigo tributo que se pagava aos eclesiásticos para a sua manutenção.

obversão [Do lat. *obversione*, ação do v. lat. *obvertere*.] *S. f. Lóg.* Inferência imediata válida para todo tipo de proposição categórica obtida pela mudança da qualidade da proposição e substituição do predicado pelo seu complemento. Assim, *todo S é P* será, por obversão, *nenhum S é não P.* [Cf. *contraposição* e *conversão*.]

obverso [Do lat. *obversu*.] *Adj.* **1.** *Bot.* Que tem a extremidade mais larga do que a base: *folha obversa.* **2.** *Lóg.* Que resulta de obversão (diz-se de proposição). [Sin., nesta acepç.: *recíproco*.]

obviamente (ò) [Do f. de *óbvio* + *-mente*.] *Adv.* De modo óbvio; com obviedade.

obviar [Do lat. *obviare*.] *V. t. d.* **1.** Remediar, prevenir, atalhar: *obviar um mal. T. i.* **2.** Obstar, resistir, opor-se: *obviar à violência.* **3.** Remediar, atalhar, desviar: *Era difícil obviar a tantos inconvenientes.* [Pres. ind.: *obvio*, etc. Cf. *óbvio*, adj. e s.m.]

obviativo [Do lat. *obviatus*, part. pass. de *obviare*, + *-ivo*.] *S. m. E. Ling.* A 4ª pessoa do discurso. [Em referência a seres animados, algumas línguas distinguem a forma pronominal de terceira pessoa primeiramente introduzida no discurso de uma outra forma de terceira pessoa, introduzida em seguida. É esta segunda forma o *obviativo*.]

obviável [De *obviar* + *-vel*.] *Adj. 2 g.* Que pode ser obviado; remediável.

obviedade [De *óbvi(o)* + *-edade*.] *S. f.* **1.** Qualidade de óbvio. **2.** Coisa óbvia: "Estou repisando obviedades que toda gente sabe" (Carlos Drummond de Andrade, em *Jornal do Brasil*, 09.07.1983).

óbvio [Do lat. *obviu*.] *Adj.* **1.** Que está diante dos olhos; que salta à vista; manifesto, claro, patente: "Como é óbvio, o hoteleiro é um auxiliar imprescindível do viajante comercial." (João Alphonsus, *Pesca da Baleia*, p. 65.) **2.** Axiomático, evidente, incontestável: *conclusão óbvia.* **3.** Que se compreende ou percebe por intuição; intuitivo; evidente: *Por motivos óbvios, deixou de manifestar-se.* [Cf. *obvio*, do v. *obviar*.]

obvir [Do lat. *obvenire*.] *V. t. i.* **1.** Tocar ao Estado por sucessão, herança, etc. **2.** Vir a pertencer; advir: *Por sua morte, parte de seus bens obveio ao sobrinho.* [Irreg. Conjug.: v. *vir*.]

obvoluto [Do lat. *obvolutu*, 'coberto ao redor', 'envolto'.] *Adj.* Dobrado pelo meio, ficando uma das metades encaixada na dobra da outra: *folha obvoluta.*

oca[1] [Do esp. *oca*, 'ganso' < lat. *auca*.] *S. f.* V. *glória* (10). [Pl.: *ocas*. Cf. *oca* (ô), *ocas* (ô), flex. de *oco* (ô).]

oca[2] [Do quíchua *okka*, pelo hisp.-amer. *oca*.] *S. f. Bras. Bot.* Planta oxalidácea (*Oxalis tuberosa*) herbácea, perene, nativa da América do Sul, introduzida esp. na Nova Zelândia, de folhas alternas, trifoliadas, e tubérculos comestíveis, muito utilizados na alimentação andina. [Pl.: *ocas*. Cf. *oca* (ô) e *ocas* (ô), flex. de *oco* (ô).]

oca[3] [Do tupi.] *S. f. Bras.* Cabana ou palhoça de índios: "O piaga de Tupá, severo e casto, / Nas ocas tece os versos dos oráculos." (Junqueira Freire, *Obras Poéticas*, I, p. 71.) [Pl.: *ocas*. Cf. *oca* (ô) e *ocas* (ô), flex. de *oco* (ô).]

oca[4] *S. f. Bras. S.* Perfuração redonda nas rodas do carro de boi. [Pl.: *ocas*. Cf. *oca* (ô) e *ocas* (ô), flex. de *oco* (ô).]

oca[5] [Var. de *ocra*.] *S. f. S. m. Adj. 2 g. e 2 n. Pop.* V. *ocra*. [Pl.: *ocas*. Cf. *oca* (ô) e *ocas* (ô), flex. de *oco* (ô).]

▲ **-oca** *Suf. nom.* = 'diminuição': *engenhoca*.

ocá [Do forro[2].] *S. m. Santom. Bot.* V. *sumaúma* (1): "Um grande ocá foi abatido e desde logo soaram os machados e machins a escavarem o enorme tronco." (Sum Marky, *Tempo de Flogá*, p. 202.)

ocado [Part. de *ocar*.] *Adj.* Tornado oco, escavado, esvaziado.

oçãe *S. m. Bras. Rel.* V. *Oçãnhim*. [Com cap.]

oçãim *S. m. Bras. Rel.* V. *Oçãnhim*. [Com cap.]

ócame *S. m. Santom. Bot.* V. *óssame*.

▲ **-ocana** *Quím. El. comp.* Indica anel heterocíclico saturado de oito átomos: *azocana*.

oçanha *S. m. Bras. Rel.* V. *Oçãnhim*. [Com cap.]

oçanhe *S. m. Bras. Rel.* V. *Oçãnhim*. [Com cap.]

oçãnhim [Do ior.] *S. m. Bras. Rel.* Orixá cuja epifania são as folhas e ervas medicinais e litúrgicas usadas no candomblé. [Var.: *Oçãe, Oçãim, Oçanha, Oçanhe, Oçânim, Oçonhe*. Embora mais usuais, evitar as var. com dois ss. Com cap.]

ocanho [De or. afric.] *S. m. Moç. Bot.* V. *marula*.

oçânim *S. m. Bras. Rel.* V. *Oçãnhim*. [Com cap.]

ocapi [Do tax. *Okapia*.] *S. m. Zool.* Mamífero girafídeo de tipo intermediário entre as girafas e os antílopes, que tem pescoço relativamente curto, colorido uniforme, castanho tirante ao vermelho no lombo, faces branco-amareladas, e parte superior das patas com anéis creme e pretos.

ocápia [Do tax. *Okapia*.] *S. m. Zool.* **1.** Gênero de girafídeos que habitam o S. da África e o Saara. **2.** Espécie desse gênero, a *Okapia Johnstoni* (v. *ocapi*). **3.** Qualquer espécime desse gênero.

ocar [De *oco* + *-ar*[2].] *V. t. d.* Tornar oco; escavar, esvaziar. [Conjug.: v. *trancar*. Pres. ind.: *oco, ocas, oca*, etc.; perf.: *oquei, ocaste, ocou*, etc. Cf. *oco* (ô), *as* flex. *oca* (ô) e *ocas* (ô), e *hóquei*.]

ocara [Do tupi = 'terreiro'.] *S. f. Bras.* Praça no interior de taba; terreiro de aldeia indígena: "Os caraíbas enfeitam de penas os tais *maracás* e fazem crer que alguma cousa de divina e misteriosa neles se encerra. Enfincados no meio da ocara, são objetos de adoração, rendem-lhes homenagem, trazem oferendas votivas — carne assada, caça, etc." (Alfredo Brandão, *A Escrita Pré-Histórica do Brasil*, pp. 104-105.) [Aum.: *ocaruçu*.]

ocarense *Adj. 2 g.* **1.** De, ou pertencente ou relativo a Ocara (CE). ● *S. 2 g.* **2.** O natural ou habitante de Ocara.

ocarina [Do it. *ocarina*.] *S. f.* Instrumento de sopro, oval, com embocadura curta, e que lembra o perfil de uma cabeça de ganso, geralmente de barro, com oito orifícios, quatro para a mão direita e quatro para a esquerda, correspondentes às notas sucessivas de uma escala diatônica.

ocarinista [De *ocarina* + *-ista*.] *S. 2 g.* **1.** Tocador de ocarina. **2.** Fabricante e/ou vendedor de ocarinas.

ocaruçu [Do tupi.] *S. m. Bras.* Aum. de *ocara*.

ocasião [Do lat. *occasione*.] *S. f.* **1.** Oportunidade para a realização de algo; conjuntura favorável ou oportuna de tempo e de lugar para que se dê ou se realize algo: *ocasião de agir.* **2.** Momento, instante, circunstância: "Os espanhóis dizem que quem, em certas ocasiões, não perde a cabeça é porque não tem cabeça para perder." (Eça de Queirós, *Cartas Familiares e Bilhetes de Paris*, p. 192.) **3.** Razão, motivo, causa: "Copiosa multidão da nau francesa / Corre a ver o espetáculo assombrada; / E ignorando a ocasião da estranha empresa, / Pasma da turba feminil, que nada" (Santa Rita Durão, *Caramuru*, VI, 37). **4.** Tempo disponível; lazer: *Não escrevi por falta de ocasião.* **5.** Tempo em que ocorre algo: *Na ocasião do terremoto ele estava ausente da cidade.*

◆ **Agarrar a ocasião pela calva.** Aproveitá-la, antes que passe. **Agarrar a ocasião pelos cabelos.** Agarrar a ocasião pela calva. **De ocasião.** Especialmente bom; vantajoso: *preço de ocasião.* **Por ocasião de.** Na época de; na oportunidade de; quando de.

ocasionado [Part. de *ocasionar.*] *Adj.* **1.** Causado, provocado, determinado. **2.** V. *ocasional* (1). **3.** *Bras. SP Pop.* Atrapalhado, desorientado, desarvorado. **4.** *Bras. SP Pop.* Enfurecido, desatinado.

ocasionador (ô) [De *ocasionar* + *-dor.*] *Adj.* **1.** Que ocasiona; causador, motivador, ocasional. ● *S. m.* **2.** Aquele ou aquilo que ocasiona; causador, motivador.

ocasional [De *ocasião* + *-al*¹, seg. o padrão erudito.] *Adj. 2 g.* **1.** Casual, eventual, fortuito, acidental; ocasionado. **2.** V. *ocasionador* (1).

ocasionalismo [De *ocasional* + *-ismo*, fr. *occasionnalisme.*] *S. m. Filos.* Doutrina, no Ocidente, atribuída ao filósofo francês Nicole de Malebranche (1638-1715), no entanto, encontrada também na tradição islâmica e no hinduísmo, e segundo a qual não há influência direta entre os acontecimentos do mundo, que não são causados uns pelos outros mas pela vontade divina que, a cada momento, os cria e os faz coincidir.

ocasionalista [De *ocasionalismo* + *-ista.*] *Adj. 2 g.* **1.** Relativo ao, ou que é partidário do ocasionalismo. ● *S. 2 g.* **2.** Partidário dele.

ocasionamento [De *ocasionar* + *-mento.*] *S. m.* Ato ou efeito de ocasionar.

ocasionar [De *ocasião* + *-ar*², seg. o padrão erudito.] *V. t. d.* **1.** Ser motivo ou causa de; causar, motivar, originar, provocar: "O maior benefício ocasiona de ordinário a maior ingratidão." (Marquês de Maricá, *Máximas, Pensamentos e Reflexões*, p. 25.) *T. d. e i.* **2.** Ser motivo ou causa de; causar, motivar, originar, provocar: *Caluniou o velho amigo e ocasionou-lhe prejuízos sérios.* **3.** Oferecer, proporcionar: *Ocasionei-lhe todos os meios de defesa. P.* **4.** Suceder, acontecer, ocorrer. **5.** Originar-se, advir.

ocasionável [De *ocasionar* + *-vel.*] *Adj. 2 g.* Que pode ser ocasionado.

ocaso [Do lat. *occasu.*] *S. m.* **1.** Desaparecimento de um astro no horizonte, do lado oeste, proveniente do movimento diurno; pôr. **2.** Ocidente, oeste, poente: "O prisioneiro, cuja morte anseiam, / Sentado está, / O prisioneiro, que outro sol no ocaso / Jamais verá!" (Gonçalves Dias, *Obras Poéticas*, II, p. 20); "O ocaso flamejava numa fulguração deslumbrante de ouro e púrpura" (Coelho Neto, *Banzo*, p. 117). **3.** *Fig.* Termo, fim, final: *o ocaso da vida*; "No meu encontro com Getúlio Vargas, naquela hora final do seu ocaso, estava eu longe de adivinhar o desfecho trágico da manhã de vinte e quatro de agosto." (Augusto Frederico Schmidt, *As Florestas*, p. 211). **4.** *Fig.* Queda, ruína, decadência, extinção, morte, crepúsculo: *o ocaso do Império Romano.* ◆ **Ocaso real.** *Astr.* Instante exato da passagem de um astro pelo horizonte ocidental; ocaso verdadeiro. **Ocaso verdadeiro.** *Astr.* Ocaso real.

ocauçuense *Adj. 2 g.* **1.** De, ou pertencente ou relativo a Ocauçu (SP). ● *S. 2 g.* **2.** O natural ou habitante de Ocauçu.

■ **OCB** Sigla de *Organização das Cooperativas Brasileiras.*

occipício [Do lat. *occipitiu.*] *S. m. Anat.* A parte inferoposterior da cabeça; occipúcio, occipital.

occipital [Do lat. med. *occipitale.*] *Anat. Adj. 2 g.* **1.** Relativo ou pertencente ao occipício. ~ V. *osso —.* ● *S. m.* **2.** V. *occipício.*

▲ **occipito-** [Do lat. cient. *occipito-* < lat. *occiput, ĭtis*, 'occipício'.] *El. comp.* = 'occipício', 'pertencente ou relativo ao occipício': *occipitofrontal, occipitoparietal, occipitovertebral.*

occipitocervical (ìp) [De *occipito-* + *cervical.*] *Adj. 2 g.* Pertencente ou relativo ao occipício e ao pescoço.

occipitofacial (ìp) [De *occipito-* + *facial.*] *Adj. 2 g.* Pertencente ou relativo ao occipício e à face.

occipitofrontal (ìp) [De *occipito-* + *frontal.*] *Adj. 2 g.* Pertencente ou relativo ao occipício e à fronte.

occipúcio [Var. de *occipício*, com infl. do lat. *occiput.*] *S. m. Anat.* V. *occipício.*

occitânico [Do top. *Occitânia* + *-ico*².] *S. m. Gloss.* **1.** Língua *d'oc* (q. v.). **2.** Provençal (4). **3.** V. *alverniano* (3 e 4). **4.** Gascão (3). **5.** Limusino (4). ● *Adj.* **6.** Relativo aos dialetos da língua *d'oc* (q. v.).

■ **OCDE** Sigla de *Organização de Cooperação e de Desenvolvimento Econômicos.*

océ [Do ior.] *S. m. Bras. Rel.* Oferenda de alimentos feita pelas filhas de santo aos seus orixás, nos dias que a estes são consagrados, ou na sexta-feira.

ocê *Pron. de tratamento Bras. Cabo-verd. Pop. Fam.* V. *você*: "Ocê falou em sangue de boi..." (Coelho Neto, *Treva*, p. 362.)

oceanário [De *oceano* + *-ário.*] *S. m.* Grande aquário, com as condições ideais de temperatura, salinidade, oxigenação, etc., para o estudo da vida marinha.

oceanauta [De *oceano* + *-nauta.*] *S. 2 g.* Indivíduo que se dedica à exploração submarina.

oceâneo [De *oceano* + *-eo.*] *Adj.* V. *oceânico* (1 e 2). [Fem.: *oceânea.* Cf. *Oceania*, top.]

oceânico [De *oceano* + *-ico*².] *Adj.* **1.** Relativo ao, ou do oceano. [Sin.: *oceâneo* e (p. us.) *oceano.*] **2.** Que vive no oceano; oceâneo. **3.** Referente à Oceania. **4.** *Fig.* Muito grande: *Não conseguia se decidir, pois havia uma distância oceânica entre a opinião do pai e a do marido.* ~ V. *bacia —a, dorsal —a* e *solo —.* ● *S. m.* **5.** *Gloss.* V. *malaio-polinésio.* [Cf. *ossiânico.*]

oceânide [Do lat. *Oceanide* < gr. *Okeanís, ídos.*] *S. f. Mit.* Cada uma das ninfas ou divindades marinhas, filhas de Oceano e Tétis.

oceano [Do gr. *Okeanós*, pelo lat. *Oceanu* (com *a* breve); o hiperbibasmo deve-se à analogia com paroxítonos em *-ano*¹.] *S. m.* **1.** A vasta extensão de águas salgadas que cobre a maior parte da Terra; mar: "Já no largo oceano navegavam" (Luís de Camões, *Os Lusíadas*, I, 19); *Os rios correm para o oceano.* **2.** Cada uma das grandes porções em que estão divididas as águas do globo terrestre (o Pacífico, que banha as Américas, a Austrália e a Ásia; o Atlântico, que está entre as Américas, a Europa e a África; o Índico, que banha o S. da Índia, a África e a Austrália; o Glacial Ártico, que banha o polo norte; e o Glacial Antártico, no polo sul). **3.** *Fig.* Grande quantidade; imensidade; mar: *um oceano de vegetação*; "entra pelos camarotes o vistoso cortejo, e vê-se ondear um oceano de cabeças e de plumas." (Rebelo da Silva, *Contos e Lendas*, p. 175). **4.** *Fig.* Meio onde se encontram perigos, perturbações, agitações: *o oceano das paixões.* ● *Adj.* **5.** *P. us.* V. *oceânico* (1): *mares oceanos.*

oceanografia [De *oceano* + *-grafia.*] *S. f.* Estudo das características físicas e biológicas dos oceanos e dos mares; oceanologia. [Cf. *talassografia.*] ◆ **Oceanografia biológica.** Ramo da oceanografia que estuda o fenômeno da vida no meio oceânico e nas bacias oceânicas. **Oceanografia física.** Ramo da oceanografia que estuda as propriedades físicas do meio oceânico e das bacias oceânicas, para descrever e explicar os fenômenos físicos ou os aspectos físicos de todos os fenômenos que neles se desenrolam. **Oceanografia geológica.** Ramo da oceanografia que estuda os fenômenos geológicos do meio oceânico e das bacias oceânicas. **Oceanografia química.** Ramo da oceanografia que estuda as propriedades químicas do meio oceânico e das bacias oceânicas, para descrever e explicar os fenômenos químicos ou os aspectos químicos de todos os fenômenos que neles se desenrolam.

oceanográfico [De *oceanografia* + *-ico*².] *Adj.* Relativo a oceanografia; oceanológico. ~ V. *navio —.*

oceanografista [De *oceanografia* + *-ista.*] *S. 2 g.* V. *oceanógrafo.*

oceanógrafo [De *oceano* + *-grafo.*] *S. m.* Especialista em oceanografia; oceanografista, oceanólogo.

oceanologia [De *oceano* + *-logia.*] *S. f.* Oceanografia (q. v.).

oceanológico [De *oceanologia* + *-ico*².] *Adj.* Referente à oceanologia; oceanográfico.

oceanólogo [De *oceano* + *-logo.*] *S. m.* V. *oceanógrafo.*

ocelado [Do lat. *ocellatu.*] *Adj.* Que tem ocelos; oculado, oculoso, océleo, ocelífero.

ocelar [De *ocel(i)-* + *-ar*¹.] *Adj. 2 g.* Ocular².

océleo [De *ocel(i)-* + *-eo.*] *Adj.* V. *ocelado.*

▲ **ocel(i)-** [Do lat. *ocellus, i.*] *El. comp.* = 'olhinho', 'ocelo': *océleo, ocelífero.*

ocelífero [De *ocel(i)-* + *-fero.*] *Adj.* V. *ocelado.*

ocelo [Do lat. *ocellu*, 'olhinho'.] *S. m.* **1.** Olhinho, olhozinho. **2.** *Biol.* Cada um dos pontos arredondados e variegados que matizam certos órgãos, como penas, pelos, asas, folhas, etc.: *os ocelos das penas do pavão.* [Sin., nesta acepç.: *olho.*] **3.** *Zool.* V. *estema* (4).

ocelocular [De *ocel(i)-* + *-ocul(i)-* + *-ar*¹.] *Adj. 2 g. Zool.* Diz-se de olho que se situa em ocelo (3) ou estema (4), ou entre ocelos.

ocelote [Do náuatle *ocelotl*, 'jaguar', pelo fr. *ocelot.*] *S. m. Zool.* Felídeo carnívoro (*Felis pardalis*) de porte médio, que habita as matas e florestas das Américas.

ocidental [Do lat. *occidentale.*] *Adj. 2 g.* **1.** Do, ou pertencente ou relativo ao, ou próprio do Ocidente. **2.** Que fica para o Ocidente. **3.** Que habita as regiões do Ocidente (2). [Sin., poét., nessas acepç.: *ocíduo.*] ~ V. *muro —, Nordeste —* e *saxão —.* ● *S. 2 g.* **4.** O natural ou habitante do Ocidente. [Antôn.: *oriental.*] ● *S. m.* **5.** *Gloss.* V. *malaio-polinésio* (3). **6.** *Gloss.* Língua auxiliar de comunicação (q. v.) baseada nas línguas românicas, criada em 1922 por Edgard von Wahl.

ocidentalense *Adj. 2 g.* **1.** De, ou pertencente ou relativo a Cidade Ocidental (GO). ● *S. 2 g.* **2.** O natural ou habitante de Cidade Ocidental.

ocidentalismo [De *ocidental* + *-ismo.*] *S. m.* **1.** Qualidade ou caráter de ocidental. **2.** Predileção pelas coisas do ocidente.

ocidentalização [De *ocidentalizar* + *-ção.*] *S. f.* Ato ou efeito de ocidentalizar(-se).

ocidentalizado [Part. de *ocidentalizar.*] *Adj.* Que se ocidentalizou; que adquiriu caráter ou feição ocidental.

ocidentalizar [De *ocidental* + *-izar.*] *V. t. d. P.* Adaptar(-se) à civilização do Ocidente.

ocidente [Do lat. *occidente.*] *S. m.* **1.** O lado onde se vê o desaparecimento diário do Sol; poente, ocaso. **2.** A parte do hemisfério terrestre que fica ao poente. [Com cap., nesta acepç.] **3.** *Astr. Geogr.* V. *oeste* (1 e 2). **4.** *Maç.* Lado do templo maçônico onde se situa a porta de entrada.

ocíduo [Do lat. *occiduu.*] *Adj. Poét.* **1.** Ocidental (1 a 3). **2.** Que se põe ou chega ao fim: "A um jorro o sol ocíduo em cheio a iluminara." (Alberto de Oliveira, *Poesias*, 2.ª série, p. 383.)

ocimeno [Do tax. *Ocimum* < lat. *ocimum*, 'manjericão', + *-eno*².] *S. m. Quím.* Qualquer de quatro substâncias líquidas oleosas (trans-α-ocimeno e cis-α-ocimeno, trans-β-ocimeno e cis-β-ocimeno), ou mistura destas, com cheiro agradável, encontradas no óleo essencial de manjericão e que são monoterpenos acíclicos isoméricos, com três ligações duplas, sendo duas conjugadas [fórm.: $C_{10}H_{16}$.]

ócimo [Do tax. *Ocimum.*] *S. m. Bot.* **1.** Gênero de plantas lamiáceas, herbáceas, que ocorrem, esp., em regiões quentes; várias espécies são us. como condimento. **2.** Qualquer espécie desse gênero, como, p. ex., a *Ocimum gratissimum* (v. *manjericão-cheiroso*) e a *O. basilicum* (v. *alfavaca*). **3.** Qualquer espécime desse gênero.

ócio [Do lat. *otiu.*] *S. m.* **1.** Descanso do trabalho; folga, repouso. **2.** Tempo que se passa desocupado; vagar, quietação, lazer, ociosidade. **3.** Falta de trabalho; desocupação, inação, ociosidade. **4.** Preguiça, indolência, moleza, mandriice, ociosidade. **5.** Trabalho mental ou ocupação suave, agradável.

ociosidade [Do lat. tard. *otiositate.*] *S. f.* **1.** Qualidade ou estado de ocioso, de quem gasta o tempo inutilmente; inatividade: "Homem que nascera e crescera no trabalho, ... sentia-se mal naquela ociosidade forçada." (Ranulfo Prata, *Navios Iluminados*, p. 15.) **2.** Preguiça, indolência, moleza. [Sin. ger.: *ócio.*]

ocioso (ô) [Do lat. *otiosu.*] *Adj.* **1.** Que não trabalha; desocupado; inativo: *indivíduo ocioso.* **2.** Em que há ócio: *vida ociosa.* **3.** Que vive na ociosidade (2); preguiçoso, mandrião, vadio. **4.** Improdutivo, improfícuo, estéril: *discussão ociosa.* **5.** Supérfluo, desnecessário, inútil: *palavras ociosas.* ● *S. m.* **6.** Indivíduo ocioso.

ocípode [Do tax. *Ocypode.*] *S. m. Zool.* **1.** O gênero-tipo dos ocipodídeos. **2.** Espécie ou espécime desse gênero.

ocipodídeo [Do tax. *Ocypode* + *-ídeo*¹; tax. *Ocypodidae.*] *Zool. S. m.* **1.** Espécime dos ocipodídeos, família de crustáceos decápodes, de hábitos anfíbios, encontrados em águas litorâneas ou em estuários, chamados vulgarmente caranguejos-verdadeiros pelo alto grau de especialização que atingiram, o que lhes permite locomover-se com rapidez; têm carapaça quadrangular e olhos largos, pedunculados, que ocupam toda a borda anterior da carapaça. Uma das espécies mais comuns é a *Ocypode quadrata*, conhecida vulgarmente por espia-maré [v. *espia-maré* (3)] e a chama-maré (q. v.), do gênero uca. ● *Adj.* **2.** Pertencente ou relativo a eles.

ocisão [Do lat. *occisione.*] *S. f. Desus.* Ato de matar; assassínio, assassinato.

ocisivo [Do lat. *occisus*, part. pass. de *occidere*, 'matar', + *-ivo.*] *Adj. Desus.* **1.** Que mata. **2.** Seguido ou acompanhado de morte: *duelo ocisivo.*

ockhamismo [Do antr. (*Guilherme de*) *Ockham* + *-ismo.*] *S. m. Filos.* Doutrina de Guilherme de Ockham (c. 1285-1349), filósofo inglês, caracterizada principalmente pelo empirismo, nominalismo, terminismo, e pelo ceticismo quanto à possibilidade de se demonstrarem racionalmente as verdades da fé.

▲ **oclo-** [Do gr. *óchlos, ou.*] *El. comp.* = 'multidão', 'turba': *oclofobia.*

oclocracia [De gr. *ochlokratía.*] *S. f.* Governo em que prepondera a plebe, a multidão, ou em que o poder é por ela exercido: "Monarquia ou democracia levam aos mesmos perigos ocasionais do despotismo ou da oclocracia, o império odioso das turbas." (João Ribeiro, *Cartas Devolvidas*, pp. 231-232.)

oclocrático [De *oclocracia* + *-ico*², seg. o padrão erudito.] *Adj.* Relativo a, ou próprio da oclocracia.

oclofilia [De *oclo-* + *-filia.*] *S. f.* Gosto ou atração por multidão, por turbas.

oclofílico [De *oclofilia* + *-ico*².] *Adj.* **1.** Relativo a oclofilia. **2.** Que tem oclofilia; oclófilo. ● *S. m.* **3.** Aquele que tem oclofilia; oclófilo.

oclófilo [De *oclo-* + *-filo*².] *Adj. S. m.* Oclofílico (2 e 3).

O

oclofobia [De *oclo-* + *-fobia.*] *S. f. Psiq.* Horror ou aversão à plebe, à multidão.

oclofóbico [De *oclofobia* + *-ico*[2].] *Psiq.* ***Adj.*** **1.** Relativo a oclofobia. **2.** Que tem oclofobia; oclófobo. • ***S. m.*** **3.** Aquele que tem oclofobia; oclófobo.

oclófobo [De *oclo-* + *-fobo.*] ***Adj. S. m.*** *Psiq.* Oclofóbico (2 e 3).

ocluir [Do v. lat. *occludere*, 'cerrar', 'fechar', por via semierudita, mas seg. o padrão analógico (lat. *concludere* > *concluir*; lat. *excludere* > *excluir*).] ***V. t. d.*** **1.** Provocar a oclusão (1) de. **2.** *Fís.-Quím.* Fixar (um gás) no interior de uma massa metálica. [Conjug.: v. *atribuir*.]

oclusal [De *oclus(ão)* + *-al*[1].] ***Adj. 2 g.*** *Odont.* Diz-se da superfície dentária que se superpõe à superfície oposta, quando estas se encontram. ~ V. *traumatismo* —.

oclusão [Do lat. tard. *occlusione.*] ***S. f.*** **1.** Ato de fechar; cerramento, fechamento. **2.** Estado daquilo que se acha fechado. **3.** Obliteração; apagamento, escurecimento: "podia ser uma oclusão passageira da memória e com um pequeno esforço talvez lembrasse." (Godofredo Rangel, *Andorinhas*, p. 53). **4.** *Astr.* Desaparecimento momentâneo dum astro. **5.** *Cir.* Obstrução (2). **6.** *E. Ling.* Interrupção momentânea ou total da corrente de ar emitida pelos pulmões, determinada pela aproximação completa ou quase completa de dois órgãos supralaríngeos do sistema fonador. **7.** *Fís.-Quím.* Sorção de um gás por um metal; fixação de um gás no interior da massa de um metal por meio de adsorção e absorção simultâneas. **8.** *Med.* Obliteração de ducto e/ou canal, de orifício ou de interior de órgão, parcial ou total, devida a causas diversas e promovida intencionalmente ou não. **9.** *Odont.* Contato das arcadas dentárias superior e inferior, quando fechadas. ◆ **Oclusão intestinal.** *Patol.* Obstrução intestinal.

oclusiva [F. subst. do adj. *oclusivo.*] ***S. f.*** *E. Ling.* Consoante oclusiva (q. v.).

oclusivo [Do lat. *occlusus*, part. pass. de *occludere*, 'fechar', + *-ivo.*] ***Adj.*** Que produz oclusão. ~ V. *consoante* —*a*.

ocluso [Do lat. *occlusu.*] ***Adj.*** Em que há oclusão; fechado, cerrado: "pálpebras rosadas, quase sempre oclusas, em constante semissono." (João Guimarães Rosa, *Sagarana*, p. 3).

oclusor (ô) [De *ocluso* + *-or.*] ***Adj.*** Que cerra ou fecha uma abertura natural.

ocnácea [Do tax. *Ochna*, gênero-tipo, + *-ácea*; tax. *Ochnaceae.*] ***S. f.*** *Bot.* Espécime das ocnáceas, família da ordem das teales que compreende cerca de 370 espécies de ervas, arbustos e arvoretas, com flores diclamídeas, hermafroditas, pentâmeras, estames em número de 10 ou mais, carpelos livres, com um só estilete. Há perto de 400 espécies tropicais, muitas no Brasil.

ocnáceo [De *ocnácea*, com var. suf. (v. *-áceo*).] ***Adj.*** *Bot.* Pertencente ou relativo às ocnáceas.

oco (ô) [Do v. lat. *occare* (fonte tb. do v. esp. *ocar* e, através deste, do esp. *hueco*).] ***Adj.*** **1.** Que não tem medula ou miolo. **2.** Vazio, vão, esvaziado. **3.** *Fig.* Sem valor ou importância; fútil, insignificante. ~ V. *carga* —*a*. [Flex.: *oca* (ô), *ocos* (ô), *ocas* (ô). Cf. *oco, ocas, oca*, do v. *ocar, oca*, s. f., pl. *ocas, Oco*, top. e antr.; e *Oca*, top.] • ***S. m.*** **4.** *Bras.* Lugar oco, escavado. [Pl.: *ocos* (ô). Cf. *oco*, do v. *ocar*, e *Oco*, top. e antr.] ◆ **Oco do mundo.** *Bras.* Terras muito distantes; fim do mundo: "De primeiro, ficara rodando pelo oco do mundo, ora num lugar, ora noutro". (Lêdo Ivo, *Ninho de Cobras*, p. 50). **Cair no oco do mundo.** *Bras. Pop.* V. *fugir* (1 e 2): "Dali mesmo, se a coragem não lhe faltasse, Vitorino poderia cair no oco do mundo, sem deixar vestígios." (Nélson de Faria, *Tiziu e Outras Estórias*, p. 8.) **Entupir no oco do mundo.** *Bras. AL Pop.* V. *fugir* (1 e 2).

oçobô ***S. m.*** *Santom.* V. *ossobô*.

ocongá *Bras.* ***S. 2 g.*** **1.** *Etnôn.* Indivíduo dos ocongás, povo indígena extinto que habitava a margem esquerda do rio Poti (PI). • ***Adj. 2 g.*** **2.** Pertencente ou relativo a esse povo. [Tb. us. como *s. 2 g. e 2 n.* (com cap.) e *adj. 2 g. e 2 n.*]

oçonhe ***S. m.*** *Bras. Rel.* V. *Oçãnhim*. [Com cap.]

ocorrência [De *ocorrer* + *-ência.*] ***S. f.*** **1.** Acontecimento, sucesso, acaso. **2.** Circunstância, encontro, ocasião. **3.** *Geol.* Modo por que se apresentam os minerais e rochas.

ocorrente [Do lat. *occurrente.*] ***Adj. 2 g.*** Que ocorre, sucede, sobrevém.

ocorrer [Do lat. *occurrere.*] ***V. int.*** **1.** Acontecer, suceder; dar-se: *A criação dos cursos jurídicos no Brasil ocorreu em São Paulo, em 1827.* **2.** Aparecer, sobrevir: *Ocorreu um fato novo, que imprimiu um novo aspecto ao crime.* **3.** Vir à memória ou ao pensamento: *Não ocorria solução para o problema.* **4.** *Lit.* Coincidir (duas ou mais festas) no mesmo dia. ***T. i.*** **5.** Vir ao encontro ou a algum lugar; aparecer, oferecer-se: *Ocorreram ao meu chamado.* **6.** Vir à memória ou ao pensamento; lembrar: *A ninguém ocorreu uma providência*; "Ocorrera-lhe de súbito um expediente sagaz para sair daquela situação difícil." (Alexandre Herculano, *O Monge de Cister*, II, p. 276). **7.** Acudir, prevenir, remediar. **8.** Acontecer, suceder: "Em outubro de 1930 ocorreu-me a aventura do exílio." (Gilberto Freire, *Casa-Grande & Senzala*, I, p. XXIX).

ocorrido [Part. de *ocorrer.*] ***Adj.*** **1.** Que ocorreu. • ***S. m.*** **2.** Aquilo que ocorreu, aconteceu; acontecimento, fato.

ocótea [Do tax. *Ocotea.*] ***S. f.*** *Bot.* **1.** Gênero de lauráceas que reúne cerca de 350 espécies nativas das regiões tropicais das Américas e da África, algumas delas de madeira útil. **2.** Qualquer espécie desse gênero, como, p. ex., a *Ocotea pulchella* [v. *canelinha*[1] (1)]. **3.** Qualquer espécime desse gênero.

ocoteguebo *Bras.* ***S. 2 g.*** **1.** *Etnôn.* Indivíduo dos ocoteguebos, povo indígena extinto, da família linguística guaicuru, que habitava a margem esquerda do rio Nabileque, afluente do rio Paraguai (MS). • ***Adj. 2 g.*** **2.** Pertencente ou relativo a esse povo. [Tb. us. como *s. 2 g. e 2 n.* (com cap.) e *adj. 2 g. e 2 n.*]

ocra [Do gr. *óchra*, pelo lat. *ochra.*] ***S. f.*** **1.** Argila colorida por óxido de ferro de várias tonalidades pardacentas (vermelhas, amarelas, castanhas), usada em pintura. • ***S. m.*** **2.** A cor de tonalidade semelhante à dessa argila. • ***Adj. 2 g. e 2 n.*** **3.** Que tem essa cor: *casa ocra.* **4.** Diz-se dessa cor: *chalé de cor ocra.* [Var.: *oca*[5] (pop.) e *ocre* (q. v.).]

ocráceo [De *ocra* + *-áceo.*] ***Adj.*** Ocreado.

ocratoxina (cs) [Do tax. *(Aspergillus) ochra(ceus)* + *toxina.*] ***S. f.*** *Quím.* Qualquer de certas micotoxinas (ocratoxinas A, B e C) produzidas por diversos fungos e que podem ser contaminantes de grãos e outros alimentos [fórm. da ocratoxina A, que é a mais importante: $C_{20}H_{18}ClNO_6$].

ocre [Var. de *ocra*, por infl. do fr. *ocre.*] ***S. f. S. m. Adj. 2 g. e 2 n.*** V. *ocra*.

ócrea [Do lat. *ocrea*, 'perneira', 'polaina'.] ***S. f.*** *Bot.* Conjunto de estípulas compridas e totalmente concrescentes em bainha, que envolve parte do ramo, acima dos nós, e é peculiar à família das poligonáceas.

ocreado [De *ocre* + *-ado*[1].] ***Adj.*** Tirante a ocra (2); ocráceo.

ocrem *Bras.* ***S. 2 g.*** **1.** *Etnôn.* Indivíduo dos ocrens, povo indígena extinto que habitava a margem esquerda do rio Salitre, afluente da margem direita do rio São Francisco (BA). • ***Adj. 2 g.*** **2.** Pertencente ou relativo a esse povo. [Tb. us. como *s. 2 g. e 2 n.* (com cap.) e *adj. 2 g. e 2 n.*]

▲ **ocri-** [De *ocr(o)-* + *-i-.*] Equiv. de *ocr(o)-*.

ocricórneo [De *ocri-* + *-corn(i)-* + *-eo.*] ***Adj.*** *Zool.* Que tem antenas pardacentas ou amareladas.

▲ **ocr(o)-** [Do gr. *ōchro-* < gr. *ōchrós, á, ón*, ou *âchros, ou.*] ***El. comp.*** = 'amarelo pálido', 'pardacento': *ocrodermia*. [Equiv.: *ocri-*: *ocricórneo*.]

ocrocéfalo [De *ocr(o)-* + *-céfalo.*] ***Adj.*** *Zool.* Que tem cabeça amarelada.

ocrodermia [De *ocr(o)-* + *-derm(o)-* + *-ia*[1].] ***S. f.*** *Med.* Palidez ou amarelidão da pele.

ocrodérmico [De *ocrodermia* + *-ico*[2].] ***Adj.*** Relativo a ocrodermia.

ocroleuco [De *ocr(o)-* + *-leuco.*] ***Adj.*** De cor amarelo-pálida: *flores ocroleucas.*

ocronose [De *ocr(o)-* + *-nose.*] ***S. f.*** *Med.* Alteração de cor de certos tecidos [v. *tecido* (5)] produzida pela deposição, neles, de corpos alcaptônicos, consequente a distúrbio metabólico.

ocrópode [De *ocr(o)-* + *-pode.*] ***Adj. 2 g.*** *Zool.* Que tem pés amarelados.

ocróptero [De *ocr(o)-* + *-ptero.*] ***Adj.*** *Zool.* Que tem asas amareladas.

ocrósporo [De *ocr(o)-* + *-sporo.*] ***S. m.*** *Micol.* Esporo amarelo-pardacento.

▲ **oct-** [Do gr. *októ* (v. *oct(o)-*).] ***El. comp.*** *Quím.* Indica cadeia de oito átomos de carbono, em grupamento ou substância: *octila, octano*. [Também ocorre como infixo -oct- na nomenclatura de compostos orgânicos (*isoctano*)]

▲ **-oct-** *Quím.* ***El. comp.*** V. *oct-*.

▲ **octa-** [Do gr. *octa-*, como no gr. *oktágonos, os, on*, do gr. *októ*, 'oito' (indeclinável)] ***El. comp.*** V. *oct(o)-*: *octacampeão, octaedro* (< lat. < gr.), octâmero. [O grego apresenta oscilação entre formas em *okto-* e *okta-*, como no caso de *oktodáktylos/oktadáktylos*, o que explica a oscilação em port.]

octã [Do lat. **octana*, calcado em *octo*, 'oito', à semelhança de *terçã, quartã*, etc.] ***S. f.*** **1.** Febre octã. • ***Adj. (f.)*** **2.** ~ V. *febre* —.

octacampeã [De *octa-* + *campeã.*] ***S. f.*** Fem. de *octacampeão*.

octacampeonato [De *octa-* + *campeonato.*] ***S. m.*** V. *octocampeonato*.

octacontaedro ***S. m.*** *Geom.* Poliedro de 80 faces.

octacontágono ***S. m.*** *Geom.* Polígono de 80 lados. [A pronúncia correta seria *octacontagono*, v. *-gono*.]

octacosaedro ***S. m.*** *Geom.* Poliedro de 28 faces.

octacoságono ***S. m.*** *Geom.* Polígono de 28 lados. [A pronúncia correta seria *octacosagono*, v. *-gono*.]

octadecaedro ***S. m.*** *Geom.* Poliedro de 18 faces.

octadecágono ***S. m.*** *Geom.* Polígono de 18 lados. [A pronúncia correta seria *octadecagono*, v. *-gono*.]

octadecanoico (ói) ***Adj.*** *Quím.* ~ V. *ácido* —. ❖

octaédrico [De *octaedro* + *-ico*[2].] ***Adj.*** *Geom.* **1.** Relativo a octaedro. **2.** Octaedriforme.

octaedriforme [De *octaedro* + *-iforme.*] ***Adj. 2 g.*** Que tem a forma de octaedro; octaédrico.

octaedrita [De *octaedro* + *-ita*[3].] ***S. f.*** *Min.* Mineral tetragonal, bióxido de titânio, um dos satélites do diamante. [Sin.: *anatásio* e (bras., pop.) *cericória*.]

octaedro [Do gr. *oktáedros*, pelo lat. tard. *octahedru.*] ***S. m.*** *Geom.* Poliedro de oito faces.

octaetéride [Do gr. *oktaeterís*, pelo lat. *octaeteride.*] ***S. f.*** Período de oito anos.

octal [De *oct(o)-* + *-al*[1].] ***Adj. 2 g.*** ~ V. *base* —, *número* — e *sistema* —.

octâmero [De *octa-* + *-mero.*] ***S. m.*** *Genét.* Estrutura ou molécula constituída de oito subunidades.

octana[1] [De *oct(o)-* + *-ana*[1].] ***S. f.*** V. *índice de octana*.

octana[2] ***S. f.*** *Quím.* V. *octano*.

octana[3] [Do lat. **octana* (v. *octã*).] ***S. f.*** **1.** Febre octana. • ***Adj. (f.)*** **2.** ~ V. *febre* —*a*.

octanagem [De *octana*[1] + *-agem*[2].] ***S. f.*** *Quím.* O índice de octana (q. v.).

octandria [De *oct(o)-* + *-andr(o)-* + *-ia*[1].] ***S. f.*** *Bot.* Condição de octandro.

octandro [De *oct(o)-* + *-andro.*] ***Adj.*** *Bot.* Diz-se da flor que tem oito estames.

octangular [De *oct(o)-* + *angular.*] ***Adj. 2 g.*** *Geom.* V. *octogonal* (1 e 3).

octano [De *octana*[2].] ***S. m.*** *Quím.* Hidrocarboneto saturado com oito átomos de carbono, existente no petróleo, líquido, incolor [fórm.: C_8H_{18}].

octanoico (ói) ***Adj.*** *Quím.* ~ V. *ácido* —. ❖

octante [Do lat. *octante*, por via erudita.] ***S. m.*** V. *oitante* (1 e 2).

octantero [De *oct(o)-* + *-antero.*] ***Adj.*** *Bot.* Que tem oito anteras.

octateuco [Do gr. *Oktáteuchos*, pelo lat. tard. *Octateuchu.*] ***S. m.*** O conjunto dos oito primeiros livros do Antigo Testamento. [Com cap.]

octatônico [De *oct(o)-* + *-ton(o)-* + *-ico*[2].] ***Adj.*** *Mús.* Que tem oito sons. ~ V. *escala* — *a*.

octeto (ê) [De *oct(o)-* + *-eto*[3].] ***S. m.*** **1.** *Mús.* Composição vocal ou instrumental a oito partes. **2.** *Mús.* Conjunto de música de câmara formado por oito cantores ou oito instrumentistas. **3.** *Inform.* *Byte* constituído de oito *bits*. [É o tamanho de *byte* usualmente adotado, comum a todos os microcomputadores atuais.]

octil [De *oct(o)-* + *-il*[1].] ***S. m.*** *Estat.* Separatriz de uma distribuição de frequência que divide a área da distribuição em domínios de área iguais a múltiplos inteiros de um oitavo desta área.

octila ***S. m.*** *Quím.* O grupo monovalente $-C_8H_{17}$, derivado do octano.

octilhão [De *oct(o)-* + *-ilhão.*] ***Num.*** Mil setilhões; 10 elevado à 27ª potência. [F. paral.: *octilião*.]

octilião [De *oct(o)-* + *-ilião.*] ***Num.*** Octilhão.

octingentésimo (zi) [Do lat. *octingentesimu.*] ***Num.*** **1.** Ordinal e fracionário correspondente a oitocentos; oitocentésimo. • ***S. m.*** **2.** Cada uma das 800 partes iguais em que se divide um todo. **3.** Aquele ou aquilo que ocupa o octingentésimo lugar.

▲ **oct(o)-** [Do gr. *oktṓ.*] ***El. comp.*** = 'oito': *octangular, octodáctilo*.

octocampeã ***S. f.*** Fem. de *octocampeão*.

octocampeão [De *oct(o)-* + *campeão.*] ***Adj. S. m.*** **1.** Diz-se de, ou indivíduo, equipe, grupo etc., que foi campeão por oito vezes (consecutivas ou não) em competição ou modalidade esportiva, artística, ou cultural, ou em concurso. **2.** *Restr.* Diz-se de, ou indivíduo que participou da conquista de um octocampeonato. [Fem.: *octocampeã*.]

octocampeonato [De *oct(o)-* + *campeonato.*] ***S. m.*** **1.** Campeonato (2) obtido por um mesmo disputante pela oitava vez. **2.** *Restr.* Aquele que é conquistado pela oitava vez consecutiva. [F. paral.: *octacampeonato*.]

octocnematácea [Do lat. cient. *Oktocnemat-* (do tax. *Oktocnema*) + *-ácea*; tax. *Oktocnemataceae.*] ***S. f.*** *Bot.* Espécime das octocnematáceas, família de plantas floríferas, lenhosas, da ordem das santales, de folhas alternas, flores unissexuais, perigônio com cinco tépalas, estames em número de cinco, e fruto drupáceo. Há poucas espécies, nenhuma no Brasil.

octocnematáceo [De *octocnematácea*, com var. suf. (v. *-áceo*).] ***Adj.*** *Bot.* Pertencente ou relativo às octocnematáceas.

octocoraliário [Do tax. *Octocorallia* + *-ário.*] ***S. m. Adj.*** *Zool.* V. *alcionário*.

octocórneo [De *oct(o)-* + *-corn(i)-* + *-eo.*] ***Adj. Zool.*** Que tem oito cornos.

octodáctilo [De *oct(o)-* + *-dá(c)tilo.*] ***Adj. Zool.*** Que tem oito dedos. [Var.: *octodátilo.*]

octodátilo ***Adj. Zool.*** V. *octodáctilo.*

octodo (ô) [De *oct(o)-* + *-odo.*] ***S. m. Eletrôn.*** Válvula eletrônica com oito eletrodos.

octodontídeo [Adapt. do tax. *Octodontidae.*] *Zool.* ***S. m.*** **1.** Espécime dos octodontídeos, família de pequenos roedores que habitam a América do Sul, de pelagem longa e sedosa, cabeça grande, e um tufo de pêlos na ponta da cauda. • ***Adj.*** **2.** Pertencente ou relativo a eles.

octofilo [De *oct(o)-* + *-filo*[1]*.*] ***Adj. Bot.*** Que tem oito folhas ou oito folíolos.

octogenário [Do lat. *octogenariu.*] ***Adj. S. m.*** Que, ou aquele que está na casa dos oitenta anos de idade; oitentão: "Vossa Alteza, octogenário, coroado de cãs, porá os seus reais óculos para nos ler aos seus netos" (Ramalho Ortigão, *As Farpas*, II, pp. 7-8); "Outra infâmia de Virgulino [Lampião] foi surrar .... o octogenário Joaquim José dos Santana" (Leonardo Mota, *No Tempo de Lampião*, p. 23).

octogésimo (zi) [Do lat. *octogesimu.*] ***Num.*** **1.** Ordinal e fracionário correspondente a oitenta. • ***S. m.*** **2.** A octogésima parte. **3.** Aquele ou aquilo que ocupa o octogésimo lugar.

octógino [De *oct(o)-* + *-gino.*] ***Adj. Bot.*** Que tem oito pistilos.

octogonal [De *octógono* + *-al*[1]*.*] ***Adj. 2 g. Geom.*** **1.** Que tem oito ângulos e oito lados; octangular, octógono. **2.** Que tem a forma de octógono (2); oitavado: "era o relógio sem pêndula, octogonal, velho também" (Lima Barreto, *Vida e Morte de M. J. Gonzaga de Sá*, p. 187). **3.** Que tem por base um octógono; octangular, octógono: *prisma octogonal.*

octógono [Do lat. *octogonu* < gr. *októgonos.*] ***Adj. Geom.*** **1.** V. *octogonal* (1 e 3). • ***S. m.*** **2.** *Geom.* Polígono de oito lados. **3.** Construção em forma de octógono. [A pronúncia correta seria *octogono*, v. *-gono.*]

octolépide [De *oct(o)-* + *-lépide.*] ***Adj. 2 g. Bot.*** Que tem oito escamas.

octolobulado [De *oct(o)-* + *lóbulo* + *-ado*[1]*.*] ***Adj. Bot.*** Que tem oito lóbulos.

octonado [Do lat. *octon-*, como em *octonário* (q. v.) + *-ado*[1]*.*] ***Adj.*** Disposto em grupos de oito.

octonário [Do lat. *octonariu.*] ***S. m.*** **1.** Verso octonário. • ***Adj.*** **2.** ~ V. *verso —.*

octópode[1] [De *oct(o)-* + *-pode.*] ***Adj. 2 g. Zool.*** Que tem oito pés ou tentáculos.

octópode[2] [Adapt. do tax. *Octopoda.*] *Zool.* ***S. m.*** **1.** Espécime dos octópodes, subordem de animais metazoários, moluscos, cefalópodes, dibrânquios, com oito braços ou tentáculos. No grupo se incluem os argonautas e os polvos. • ***Adj. 2 g.*** **2.** Pertencente ou relativo a eles.

octorum [Do ingl. *octoroon.*] ***Adj. 2 g. S. 2 g. Bras.*** V. *oitavão.*

octoruno [Var. de *octorum.*] ***Adj. S. m. Bras. Angl.*** V. *oitavão.*

octósporo [De *oct(o)-* + *-sporo.*] ***S. m. Micol.*** Esporo que se forma num esporângio que contém oito deles, como se observa em muitas algas superiores.

octossecular [De *oct(o)-* + *secular.*] ***Adj. 2 g.*** Que tem oito séculos; oito vezes secular.

octossilábico [De *octossílabo* + *-ico*[2]*.*] ***Adj.*** Octossílabo (1).

octossílabo [Do lat. *octosyllabu.*] *E. Ling.* ***Adj.*** **1.** Que tem oito sílabas; octossilábico. • ***S. m.*** **2.** Vocábulo ou verso de oito sílabas.

octostémone ***Adj. 2 g. Bot.*** V. *octostêmone.* [Uso freq. em P.]

octostêmone [De *oct(o)-* + *-stêmone.*] ***Adj. 2 g. Bot.*** Que tem oito estames.

octuplicar [Do lat. *octuplicare.*] ***V. t. d.*** Multiplicar por oito. [Conjug.: v. *trancar.*]

óctuplo [Do lat. *octuplu.*] ***Num.*** **1.** Que é oito vezes maior que outro. • ***S. m.*** **2.** Quantidade oito vezes maior que outra: *Quarenta laranjas é o óctuplo de cinco laranjas.*

octupolo [Do ingl. *octupole.*] ***S. m. Eletr.*** Sistema neutro de oito cargas elétricas pontuais, quatro positivas e quatro negativas, dispostas simétrica e alternadamente nos vértices dum pequeno cubo.

▲ **-oçu** V. *-açu.*

oculação [De **ocular* (< *ocul(i)-* + *-ar*[2]) + *-ção.*] ***S. f.*** Ato de enxertar numa árvore um olho (10) de outra.

oculado [Do lat. tard. *oculatu*, 'que tem ornamentos que lembram olhos'.] ***Adj.*** **1.** Que tem olhos. **2.** V. *ocelado.*

ocular[1] [F. subst. de *ocular*[2] (subentende-se *lente*).] ***S. f.*** *Ópt.* Parte de um instrumento óptico destinada a aumentar o ângulo de observação da imagem formada pela objetiva. ◆ **Ocular negativa.** *Ópt.* A que tem o foco objeto situado atrás da lente frontal, e que não pode, por isso, ser utilizada para a observação de objetos reais. **Ocular ortoscópica.** *Ópt.* Ocular positiva de grande aumento e amplo campo, acromática e corrigida para distorção. **Ocular positiva.** *Ópt.* Aquela em que o foco objeto está antes da lente frontal, e que pode ser utilizada para a observação de objetos reais.

ocular[2] [Do lat. *oculare.*] ***Adj. 2 g.*** Pertencente ou relativo a olho ou à vista; ocelar. ~ V. *testemunha —.*

▲ **ocul(i)-** [Do lat. *ocŭlus, i.*] ***El. comp.*** = 'olho': *oculífero.* [Equiv.: *-ocul(i)-*, *oculo-*: *binocular*; *oculogiro.*]

▲ **-ocul(i)-** V. *ocul(i)-.*

oculífero [De *ocul(i)-* + *-fero.*] ***Adj. Zool.*** Que tem ou apresenta um olho (1).

oculiforme [De *ocul(i)-* + *-forme.*] ***Adj. 2 g.*** Que tem forma de olho.

oculista[1] [De *óculos* + *-ista.*] ***S. 2 g.*** Fabricante e/ou vendedor de óculos.

oculista[2] [De *ocul(i)-* + *-ista.*] ***Adj. 2 g. S. 2 g.*** Oftalmologista.

oculística [De *oculista* + *-ica.*] ***S. f.*** Oftalmologia.

▲ **oculo-** [De *ocul(i)-* + *-o-.*] V. *ocul(i)-.*

óculo [Do lat. *oculu*, por via erudita.] ***S. m.*** **1.** Instrumento que permite boa visão a longa distância, constituído de um ou vários tubos, encaixados entre si, com lentes de aumento; óculo de alcance, óculo de ver ao longe, longamira, luneta. **2.** Qualquer instrumento (binóculo, luneta, microscópio, telescópio, etc.) provido de lentes para auxiliar e ampliar a visão. **3.** Abertura circular, provida ou não de vidro: *o óculo do relógio.* **4.** *Arquit.* Abertura ou janela circular ou elíptica, não raro decorativa, destinada à passagem do ar e da luz; olho. **5.** *Mar. Ant.* Abertura feita na portinhola do costado dos navios, pela qual passavam os canos das peças de artilharia no momento de atirar. ~ V. *óculos.* ◆ **Óculo de inspecção.** *Lus.* Olho mágico. **Ver por um óculo. 1.** Não ver, não lograr (algo). **2.** Não obter, não conseguir, não lograr (o que se está vendo ou almejando). **3.** Ser ludibriado em algo que lhe era devido ou foi prometido.

óculo de alcance ***S. m.*** V. *óculo* (1). [Pl.: *óculos de alcance.*] ☑

óculo de ver ao longe ***S. m.*** V. *óculo* (1). [Pl.: *óculos de ver ao longe.*] ☑

oculofacial (òc) [De *oculo-* + *face* + *-ial.*] ***Adj. 2 g. Anat.*** Relativo a(os) olho(s) e à face.

oculogiração (òc) [De *oculo-* + *giração.*] ***S. f. Oftalm.*** Movimento de olho em torno de seu eixo anteroposterior.

oculogiria (òc) [De *oculo-* + *-gir(o)-* + *-ia*[1]*.*] ***S. f. Oftalm.*** Distúrbio ocular caracterizado por oculogiração.

oculogiro (òc) [De *oculo-* + *-giro.*] ***Adj. Oftalm.*** **1.** Relativo a oculogiria, ou que se caracteriza por esta condição. **2.** Que causa oculogiria.

óculos [Pl. de *óculo.*] ***S. m. pl.*** Lentes usadas em frente dos olhos, providas ou não de aro (3), encaixadas em uma armação, munida de hastes que as prendem ao pavilhão da orelha, e cavalete, que repousa sobre o nariz, as quais servem, geralmente, para correção visual. [Sin. (bras, pop.): *lunetas.* No Brasil, pelo menos, diz-se, erroneamente, *o óculos, este óculos, meu óculos.*]

oculoso (ô) [De *ocul(i)-* + *-oso.*] ***Adj.*** V. *ocelado.*

ocultação [Do lat. *occultatione.*] ***S. f.*** **1.** Ato ou efeito de ocultar(-se); encobrimento, escondedura. **2.** *Astr.* Fenômeno do desaparecimento de um astro pela interposição da Lua ou de um planeta entre ele e o observador terrestre.

ocultamente [Do f. de *oculto* + *-mente.*] ***Adv.*** De modo oculto; às escondidas.

ocultar [Do lat. *occultare.*] ***V. t. d.*** **1.** Não deixar ver; encobrir, esconder: *Ocultou o que tinha nas mãos.* **2.** Não revelar, disfarçar, dissimular, calar: *ocultar uma verdade.* **3.** Esconder fraudulentamente; sonegar: *ocultar rendas.* ***T. d. e i.*** **4.** Esconder, encobrir: "De que se tratava? De .... ocultar aos tapuios o fim duma viagem que, na opinião íntima e reservada de Macário, não se devia realizar." (Inglês de Sousa, *O Missionário*, p. 209); *Procurou ocultar de mim a triste realidade*; "Temendo a oposição do pundonor ofendido de sua mãe, ocultou dela a ocorrência." (José de Alencar, *Senhora*, p. 195). ***P.*** **5.** Não se deixar ver por qualquer indício; esconder-se: "Neste poema, ... a dor da pessoa oculta-se sob os véus mais finos e ao mesmo tempo mais indevassáveis." (Carlos Drummond de Andrade, *Passeios na Ilha*, p. 196.)

ocultas [Pl. do f. subst. do adj. *oculto.*] ***El. s. f. pl.*** Us. na loc. adv. *às ocultas.* ◆ **Às ocultas.** De modo oculto; ocultamente, às escondidas, à socapa: "Ora, às ocultas, eu trazia / No seio um livro e lia, lia" (Antônio Nobre, *Só*, p. 65).

ocultável [De *ocultar* + *-vel.*] ***Adj. 2 g.*** Que pode ou deve ser ocultado.

ocultismo [De *oculto* + *-ismo.*] ***S. m.*** **1.** Estudo e/ou prática de supostas artes divinatórias e de fenômenos que parecem não poder ser explicados pelas leis naturais, como, p. ex., a astrologia, a quiromancia, a magia, a telepatia e a levitação; ciências ocultas. **2.** *P. ext.* As artes divinatórias ou ciências ocultas. [Cf. *esoterismo* e *hermetismo.*]

ocultista [De *ocultismo* + *-ista.*] ***Adj. 2 g.*** **1.** Referente ao ocultismo (1). • ***S. 2 g.*** **2.** Pessoa adepta do ocultismo, ou que o pratica.

ocultístico [De *ocultista* + *-ico*[2]*.*] ***Adj.*** De, ou relativo a ocultismo ou a ocultista (2).

oculto [Do lat. *occultu.*] ***Adj.*** **1.** Escondido, encoberto. **2.** Não devassado; inexplorado, desconhecido: *as regiões ocultas da Terra.* **3.** Não manifesto; recôndito, secreto: *pensamentos ocultos*; "Ninguém te viu o sentimento inquieto, / Magoado, oculto, aterrador, secreto, / Que o coração te apunhalou no mundo." (Cruz e Sousa, *Últimos Sonetos*, p. 18). **4.** Misterioso, sobrenatural. ~ V. *amigo —*, *ciências —as* e *sujeito —.*

ocupação [Do lat. *occupatione.*] ***S. f.*** **1.** Ato de ocupar, ou de se apoderar de algo; posse. **2.** Ato de ocupar-se, de trabalhar em algo. **3.** Atividade, serviço ou trabalho manual ou intelectual realizado por um período de tempo mais ou menos longo. **4.** Ocupação (2 e 3), ofício ou função remunerada; trabalho, serviço: *ocupação rendosa; ocupação de tempo integral.* **5.** V. *ofício* (4). **6.** *Jur.* Modo de aquisição do domínio por meio de apropriação de coisa móvel (ou semovente) sem dono, ou porque ainda não foi apropriada, ou por haver sido abandonada. [Cf., nesta acepç., *derrelição* (2).]

ocupacional [De *ocupação* + *-al*[1], seg. o padrão erudito.] ***Adj. 2 g.*** Referente a ocupação, trabalho, ofício. ~ V. *terapêutica —* e *terapia —.*

ocupadíssimo ***Adj.*** Superl. abs. sint. de *ocupado.*

ocupado [Part. de *ocupar.*] ***Adj.*** **1.** Que se ocupa; que tem ocupação ou trabalho em via de fazer. **2.** Absorvido ou preocupado com alguma tarefa. **3.** Em que há muito que fazer: *Terei a tarde ocupada.* **4.** Que não está livre ou vago; preenchido: *lugar ocupado.* **5.** De que se tomou posse: *cargo ocupado.* **6.** Obtido por concessão ou conquista; tomado: *Os países ocupados sublevaram-se.* ~ V. *banda —a.*

ocupador (ô) [De *ocupar* + *-dor.*] ***Adj. S. m. P. us.*** Ocupante.

ocupante [Do lat. *occupante.*] ***Adj. 2 g. S. 2 g.*** Que ou pessoa que ocupa. [Sin., p. us.: *ocupador.*]

ocupar [Do lat. *occupare.*] ***V. t. d.*** **1.** Estar ou ficar na posse de; exercer: *Ocupa alto cargo público.* **2.** Tomar posse de; conquistar o direito de: *Comprou a fazenda e ocupou-a imediatamente.* **3.** Invadir; conquistar: *Em 1940 os alemães ocuparam parte da França*; "O Q. G. revolucionário ocupou as estações de rádio" (Clóvis Ramalhete, *O Anjo Torto*, p. 14). **4.** Tomar ou encher (algum lugar no espaço); cobrir todo o espaço de: "Passei a morar na Universidade, ocupando um espaçoso apartamento" (José Leventhal, *A Terceira Base*, p. 18); *Os convidados ocuparam todas as salas.* **5.** Encher completamente; preencher: *A música ocupava sua mente todo o tempo.* **6.** Residir, habitar: *Ocupou por muitos anos o sótão da casa dos tios.* **7.** Consumir o tempo ou a duração de; tomar; levar: *A seção de eleição ocupou uma tarde inteira.* **8.** Gastar; consumir: *Ocupou três anos para escrever o livro.* **9.** Constar de; fazer parte de: *Acordos de cooperação ocupam a agenda do presidente.* **10.** Ter ou possuir por direito, convenção, etc.: *O nome de Manuel Bandeira ocupa lugar importante em nossas letras.* **11.** Fazer uso de; empregar; aproveitar: *Quer ocupar suas horas de folga; Ocupa o tempo em ninharias.* **12.** Usar, utilizar: *Vinícius ocupou o aparelho quase todo o dia.* **13.** Dar trabalho ou ocupação a: *Ocupa excessivamente os seus subordinados.* **14.** Ser objeto de; fixar, atrair: *O ator coadjuvante ocupou todo o tempo a atenção do público.* ***Int.*** **15.** *Desus.* Ficar grávida (a mulher). ***P.*** **16.** Aplicar a atenção ou os cuidados em alguma coisa; dedicar-se a; cuidar: "Conversavam entre si as doentes que se ocupavam no tricô." (Antônio Olavo Pereira, *Fio de Prumo*, p. 105); "Eugênio se ocupava às vezes em escrever algumas cousas, que não eram seus temas de latim" (Bernardo Guimarães, *O Seminarista*, p. 55); "ocupava-se sempre dos seus cavalos, do seu luxo" (Eça de Queirós, *Os Maias*, p. 195); *Não se ocupa com frivolidades.*

od [Do al.; voc. cunhado pelo Barão Karl-Ludwig von Reichenbach.] ***S. m.*** Força que se supõe difundir-se por toda a natureza, produzindo os fenômenos do magnetismo, hipnotismo, mesmerismo, etc. [Cf. *ode.*]

odalisca [Do turco *odalik*, 'camareira', pelo fr. *odalisque.*] ***S. f.*** **1.** Camareira escrava, a serviço das mulheres de um sultão. **2.** Mulher de harém. **3.** *P. ext.* Mulher morena e bonita.

ode [Do gr. *oidé* (com iota subscrito), 'canto[2]', pelo lat. tard. *ode.*] ***S. f. Arte Poét.*** **1.** Entre os antigos gregos, composição em verso que se destina a ser cantada:

as *odes* de Píndaro; a bela "*Ode* à Língua Portuguesa", de José Albano. **2.** *Arte Poét.* Composição poética de caráter lírico, composta de estrofes simétricas. **3.** *Arte Poét.* Homenagem, celebração: *Este filme é uma ode à amizade.* [Cf. *od.*]

odeão [De *odéon* < gr. *odeîon* (com iota subscrito).] *S. m. Teatr.* **1.** Entre os antigos gregos, teatro coberto destinado às audições de poetas e músicos. **2.** Auditório para espetáculos teatrais, cinematográficos, para concertos, atos de variedades, etc. [F. paral.: *odéon* e *odeom.*]

▲ **-ódeo** [Adapt. do lat. cient. *-odea* < gr. *-odes.*] *Suf. nom.* Us. na terminologia biológica para indicar 'ordem (25)', ou 'subordem': *embiódeo, nematódeo.*

odeom *S. m.* V. *odeão.*

odéon *S. m.* V. *odeão.*

odessano *Adj.* **1.** De, ou pertencente ou relativo a Nova Odessa (SP). ● *S. m.* **2.** O natural ou habitante de Nova Odessa.

odiá *S. f.* V. *alfadia.*

odiar [De *ódio* + *-ar*[2].] *V. t. d.* **1.** Ter ódio a; detestar; aborrecer, abominar. **2.** Sentir aversão ou repugnância a; aborrecer profundamente; desprezar. *T. d.* e *i.* **3.** Intrigar, indispor, inimizar: *Perverso, odiou o filho com o pai. Int.* **4.** Ter ou sentir ódio: "Nunca [Ramalho Ortigão] *odiou*. Quase inútil é dizer que nunca invejou." (Eça de Queirós, *Notas Contemporâneas*, p. 35.) *P.* **5.** Sentir raiva de si mesmo. **6.** Ter ódio recíproco: "entre as duas famílias, corriam ainda litígios de partilhas que contavam setenta anos. *Odiavam-se* reciprocamente." (Camilo Castelo Branco, *Noites de Insônia*, I, p. 73). [Irreg. Pres. ind.: *odeio, odeias, odeia, odiamos, odiais, odeiam*; imperat.: *odeia, ..., odiai, odeiem*; pres. subj.: *odeie, odeies, odeie, odiemos, odieis, odeiem.*]

odiento [De *ódio* + *-ento.*] *Adj.* **1.** Que tem ou guarda ódio; rancoroso: *homem odiento; caráter odiento.* **2.** Que envolve ou revela ódio ou paixões rancorosas; odioso: *atitudes odientas.*

▲ **odin(o)-** [Do gr. *odýnē, ēs(ÿ).*] *El. comp.* = 'dor', 'dor física', 'dor moral', 'tristeza': *odinofagia, odinofobia.* [Equiv.: *-odin(o)-, -ódino*: *gastrodinia, miodinia; anódino* (< lat. < gr.).]

▲ **-odin(o)-** V. *odin(o)-.*

▲ **-ódino** V. *odin(o)-.*

odinofagia [De *odin(o)-* + *-fag(o)-* + *-ia*[1].] *S. f. Med.* V. *disfagia.*

odinofágico [De *odinofagia* + *-ico*[2].] *Adj.* Referente à odinofagia.

odinofobia [De *odin(o)-* + *-fobia.*] *S. f. Psiq.* Medo patológico de dor.

odinofóbico [De *odinofobia* + *-ico*[2].] *Psiq. Adj.* **1.** Relativo a odinofobia. **2.** Que sofre de odinofobia; odinófobo. ● *S. m.* **3.** Aquele que sofre de odinofobia; odinófobo.

odinófobo [De *odin(o)-* + *-fobo.*] *Adj. S. m. Psiq.* Odinofóbico (2 e 3).

ódio [Do lat. *odiu.*] *S. m.* **1.** Paixão que impele a causar ou desejar mal a alguém; execração, rancor, raiva, ira: "*Ódio* são! *ódio* bom! sê meu escudo / Contra os vilões do Amor, que infamam tudo, / Das sete torres dos mortais Pecados!" (Cruz e Sousa, *Últimos Sonetos*, p. 138.) **2.** Aversão a pessoa, atitude, coisa, etc.; repugnância, antipatia, desprezo, repulsão: *ódio aos desonestos; ódio à violência.*

odiosidade [De *odioso* + *-(i)dade.*] *S. f.* **1.** Qualidade de odioso. **2.** Aversão, ódio.

odioso (ô) [Do lat. *odiosu.*] *Adj.* **1.** Digno de ódio; detestável, execrável: "Baco *odioso* em sonhos lhe aparece" (Luís de Camões, *Os Lusíadas*, VIII, 47). **2.** Repelente, repulsivo, desprezível. **3.** Odiento (2): *semblante odioso.* **4.** Reprovável, condenável: *Era odioso o tratamento dado aos presos.* ● *S. m.* **5.** Aquilo que provoca ódio.

odisseia (éi) [Do gr. *Odýsseia*, pelo lat. *Odyssea.*] *S. f.* **1.** Poema do grego Homero (v. *homérico*), cujo assunto são as aventuras de Ulisses ao retornar à pátria, após a tomada de Troia. **2.** *Fig.* Viagem cheia de peripécias e aventuras. **3.** *Fig.* Narração de aventuras extraordinárias. **4.** *Fig.* Série de complicações, peripécias ou ocorrências singulares, variadas e inesperadas: "uma *odisseia* romanesca de aventuras e de reveses" (Latino Coelho, *Cervantes*, p. 45); "contou-me toda a sua trabalhosa *odisseia* de prisões e de degredos" (Eça de Queirós, *Prosas Bárbaras*, p. 34). ❖

odivelense *Adj. 2 g.* **1.** De, ou pertencente ou relativo a São Caetano de Odivelas (PA). ● *S. 2 g.* **2.** O natural ou habitante de São Caetano de Odivelas.

▲ **-od(o)-**[1] V. *odont(o)-.*

▲ **-od(o)-**[2] V. *hodo-.*

▲ **-odo** [Do gr. *-odos* < gr. *hodós*, 'caminho' (v. *hodo-*).] *El. comp.* = 'caminho', 'rota'; 'jornada', 'elétrodo': *eletrodo, dinodo, diodo, pentodo.* [A pronúncia correta dos voc. formados com este elemento é a proparoxítona, mas o uso, no Brasil, consagrou a acentuação paroxítona. Daí a variação prosódica para a maioria das formas, como, p. ex., em: *cátodo/ catodo, elétrodo/eletrodo* (em que a f. paroxítona é, sem dúvida, a mais us.). Alguns voc., entretanto, não apresentam a f. proparoxítona, como, p. ex., *nonodo* e *octodo*. Há, na língua, a tendência de formar, tb., voc. (de boa formação) acrescidos do suf. *-io*[3] (*catódio, eletródio, pentódio*, etc.), para evitar a proparoxítona.]

odobenídeo [Do tax. *Odobenus*, gênero-tipo, + *-ídeo*[1]; tax. *Odobenidae.*] *Zool. S. m.* **1.** Espécime dos odobenídeos, família monoespecífica de mamíferos carnívoros marinhos, próximos aos otariídeos. São desprovidos de orelhas e de cauda e as patas traseiras voltam-se para frente, quando o animal está em terra. Os caninos superiores formam grandes presas, os molares são us. para maceração, mas os outros dentes são pequenos ou ausentes. São as morsas. ● *Adj.* **2.** Pertencente ou relativo a eles.

odoiá [Do ior.] *S. m. Bras. Rel.* Saudação a Iemanjá.

odonáiade *S. f. Zool.* Náiade (2).

odonato [Adapt. do tax. *Odonata.*] *Zool. S. m.* **1.** Espécime dos odonatos, ordem de animais artrópodes, insetos, pterigotos, predadores, providos de sistema bucal mastigador, asas membranosas, estreitas, com numerosas nervuras, abdome longo, cilíndrico, olhos muito grandes, voo rápido. São hemimetábolicos, depositam os ovos em plantas submersas ou na água, onde se criam as formas jovens, do tipo campodeiforme, denominadas náiades ou odonáiades. São as libélulas. ● *Adj.* **2.** Pertencente ou relativo a eles. [Sin. ger.: *arquíptero, libelulóideo, paraneuróptero, pseudoneuróptero.*]

odontagra [De *odont(o)-* + *-agra.*] *S. f. Odont.* Odontalgia.

odontalgia [De *odont(o)-* + *-alg(o)-*[2] + *-ia*[1].] *S. f. Odont.* Dor de dente(s); odontagra.

odontálgico [De *odontalgia* + *-ico*[2].] *Adj. Odont.* Relativo a odontalgia.

odontaspidídeo [Adapt. do tax. *Odontaspididae.*] *Zool. S. m.* **1.** Espécime dos odontaspidídeos, família de tubarões lamniformes, de mares tropicais e temperados, com dois gêneros e quatro espécies, que apresentam focinho pontudo e nadadeira caudal assimétrica, com o lobo inferior menor. ● *Adj.* **2.** Pertencente ou relativo a eles. [Sin. ger.: *carcarídeo.*]

odontatrofia [De *odont(o)-* + *atrofia.*] *S. f. Odont.* Atrofia dentária.

odontatrófico [De *odontatrofia* + *-ico*[2].] *Adj.* Relativo a odontatrofia.

▲ **-odonte** V. *odont(o)-.*

odontíase [Do gr. *odontíasis.*] *S. f. Odont.* Irrupção natural dos dentes; nascença dos dentes; dentição.

odontite [De *odont(o)-* + *-ite*[1].] *S. f. Odont.* Inflamação de dente(s).

▲ **odont(o)-** [Do gr. *odoús, odóntos.*] *El. comp.* = 'dente': *odontagra, odontologia.* [Equiv.: *-od(o)-*[1], *-(o)dont(o)-, -odonte, -odonto*: *ceratodídeo, endodontia; leptodonte; periodonto.*]

▲ **-(o)dont(o)-** V. *odont(o)-.*

▲ **-odonto** V. *odont(o)-.*

odontoblasto [De *odont(o)-* + *-blasto.*] *S. m. Histol.* Célula mesenquimal responsável pela dentinogênese.

odontoceto [De *odont(o)-* + *-ceto*; tax. *Odontoceti.*] *Zool. S. m.* **1.** Espécime dos odontocetos, subordem de cetáceos que abrange animais providos de dentes, que podem variar de dois, como nos narvais, a numerosos, como em outras espécies, e orifício respiratório único. ● *Adj.* **2.** Pertencente ou relativo a eles. [Sin. ger. (desus): *denticeto.*]

odontoclastia [De *odont(o)* + *-clast(o)-* + *-ia*[1].] *S. f. Odont.* Má-formação do esmalte (3), ger. em consequência da má nutrição materna durante a gestação.

odontodinia [De *odont(o)-* + *-odin(o)-* + *-ia*[1].] *S. f. Odont. Med.* V. *aerodontalgia.*

odontóforo[1] [De *odont(o)-* + *-foro.*] *Zool. S. m.* **1.** Estrutura protusa, observada na base da boca de muitos moluscos, e que suporta a rádula (q. v.). ● *Adj.* **2.** Que tem odontóforo (1).

odontóforo[2] [Do tax. *Odontophorus.*] *S. m. Zool.* **1.** Gênero de perdizes cristadas, que lembram as codornizes, e que são classificadas em subfamília distinta da dos fasianídeos. **2.** Espécime desse gênero.

odontogênese [De *odont(o)* + *-gênese.*] *S. f. Odont.* Geração e desenvolvimento dos dentes.

odontogenia [De *odont(o)-* + *-genia.*] *S. f. Odont.* Desenvolvimento ou formação dentária; odontose.

odontogénico *Adj. Odont.* V. *odontogênico.* [Uso freq. em P.]

odontogênico [De *odontogenia* + *-ico*[2].] *Adj. Odont.* Relativo a odontogenia.

odontogeriatra [De *odont(o)-* + *geriatra.*] *S. 2 g. Odont.* Especialista em odontogeriatria.

odontogeriatria [De *odont(o)-* + *geriatria.*] *S. f. Odont.* Ramo da odontologia especializado no tratamento dentário de pacientes idosos.

odontogeriátrico [De *odontogeriatria* + *-ico*[2].] *Adj. Odont.* De, ou relativo a odontogeriatria.

odontoglosso [Do tax. *Odontoglossum.*] *S. m. Bot.* **1.** Grande gênero de vistosas orquídeas epífitas das regiões tropicais das Américas, e que têm variadas formas e cores. **2.** Espécie ou espécime desse gênero.

odontografia [De *odont(o)-* + *-grafia.*] *S. f. Odont.* Descrição dos dentes.

odontográfico [De *odontografia* + *-ico*[2].] *Adj. Odont.* Referente à odontografia.

odontograma [De *odont(o)-* + *-grama.*] *S. m. Odont.* Registro esquemático dos dentes das arcadas dentárias decídua e permanente, destinado à anotação dos achados clínicos e radiográficos durante o exame do paciente.

odontoide (ói) [Do gr. *odontoeidés.*] *Adj. 2 g.* Que tem forma de dente; odontóideo. ❖

odontóideo [De *odont(o)-* + *-óideo.*] *Adj.* Odontoide.

odontolando [De *odont(o)-* + *-ando*, como em *bacharelando, doutorando, formando*, etc., que se baseiam em verbos, o que não se dá com *odontolando*. É, pois, uma f. irreg.] *S. m. Bras.* Aquele que está prestes a graduar-se em odontologia.

odontolegista [De *odont(o)-* + *legista.*] *S. 2 g.* Profissional de odontologia que atua na área da perícia legal.

odontólite [De *odont(o)-* + *-lite.*] *S. m.* V. *odontólito.*

odontolitíase [De *odontólite* + *-íase.*] *S. f. Odont.* Presença de odontólito(s).

odontolito *S. m. Odont.* V. *odontólito.*

odontólito [De *odont(o)-* + *-lito.*] *S. m. Odont.* Depósito calcário que se forma em dente(s); tártaro. [Var. pros.: *odontolito.*]

odontologia [De *odont(o)-* + *-logia*; fr. *odontologie.*] *S. f.* **1.** Parte da medicina que se ocupa da higiene, do tratamento e da profilaxia das doenças dentárias. **2.** *Odont.* Conjunto de ciências que se estudam para o exercício da profissão de cirurgião-dentista.

odontológico [De *odontologia* + *-ico*[2].] *Adj.* Relativo a odontologia. ~ V. *articulador* —.

odontologista [De *odontologia* + *-ista.*] *S. 2 g.* **1.** Pessoa que se ocupa de odontologia; odontólogo. **2.** Cirurgião-dentista; dentista, odontólogo.

odontólogo [De *odont(o)-* + *-logo.*] *S. m.* V. *odontologista.*

odontoma [De *odont(o)-* + *-oma*[1].] *S. m. Odont.* Qualquer tumor de origem dentária.

odontometria [De *odont(o)-* + *-metria.*] *S. f. Odont.* Procedimento clínico que se destina à medição de canal radicular a ser tratado.

odontopediatra [De *odont(o)-* + *pediatra.*] *S. 2 g. Odont.* Especialista em odontopediatria.

odontopediatria [De *odont(o)-* + *pediatra.*] *S. f. Odont.* Ramo da odontologia especializado no tratamento dentário de crianças.

odontopediátrico [De *odontopediatria* + *-ico*[2].] *Adj. Odont.* De, ou relativo a odontopediatria.

odontopleurose [De *odont(o)-* + *-pleur(o)-* + *-ose*[1].] *S. f. Odont.* Operação pela qual se preenche uma cavidade dentária.

odontorragia [De *odont(o)-* + *-ragia.*] *S. f. Odont.* Hemorragia de origem dentária.

odontorrágico [De *odontorragia* + *-ico*[2].] *Adj.* Respeitante a odontorragia.

odontoscopia [De *odont(o)-* + *-scop-* + *-ia*[1].] *S. f. Odont. Med. Leg.* **1.** Exame por meio de odontoscópio. **2.** Tomada de impressão das bordas cortantes dos dentes como meio de identificação pessoal.

odontoscópico [De *odontoscopia* + *-ico*[2].] *Adj.* Relativo a odontoscopia.

odontoscópio [De *odont(o)-* + *-scópio.*] *S. m. Odont.* Espelho especial usado no exame de dente(s).

odontose [De *odont(o)-* + *-ose*[1].] *S. f. Odont.* **1.** Odontogenia. **2.** Afrouxamento de implantação dentária por periodontoclasia.

odontossecção [De *odont(o)-* + *secção.*] *S. f. Odont.* Secção de um dente para facilitar a sua remoção.

odontóstomo [De *odont(o)-* + *-stomo.*] *Adj. Zool.* Diz-se dos moluscos que têm a abertura da concha denteada.

odontotomia [De *odont(o)-* + *-tom(o)-* + *-ia*[1].] *S. f. Odont.* Desgaste de um dente para corrigir a sua forma, facilitar movimentos ortodônticos ou prevenir cáries.

odor (ô) [Do lat. *odore.*] *S. m.* **1.** Impressão produzida no olfato pelas emanações voláteis dos corpos; cheiro: *mau odor.* **2.** Cheiro agradável; aroma, perfume, fragrância, olor: *odor de rosas*; "Chegas sutil e sem rumores... / E até sinto o *odor* profundo / no qual eu sôfrego me imundo" (Ascenso Ferreira, *Catimbó e Outros Poemas*, p. 136). [Pl.: *odores* (ô). Cf. *odores*, do v. *odorar.*] ◆ **Odor de santidade.** Cheiro de santidade.

odorante [Do lat. *odorante.*] *Adj. 2 g.* Que exala odor (2); cheiroso, aromático, perfumado; odorífero, odorífico, odoroso, odoro, oloroso, olente: *plantas odorantes*; "Sonhei: de novo suspirava o vento / Das tílias sob a cúpula *odorante*" (Gonçalves Crespo, *Obras Completas*, p. 256).

odorar [Do lat. *odorare.*] *V. int.* **1.** *P. us.* Exalar odor ou cheiro; ter aroma; cheirar. *T. d.* **2.** Tornar cheiroso, odorante; aromatizar: "Mirtos e tamarindos / *Odoram* a lonjura" (Mário de Sá-Carneiro, *Poesias*,

p. 82). [Pres. subj.: *odore, odores*, etc. Cf. *odores* (ô), pl. de *odor*.]

▲ **odori-** [Do lat. *odor, ōris.*] ***El. comp.*** = 'cheiro', 'odor': *odorifumante*.

odorífero [Do lat. *odoriferu.*] ***Adj.*** V. *odorante*: "a madressilva, a rosa agreste, o rosmaninho e toda a casta de boninas teciam um tapete odorífero e imenso." (Alexandre Herculano, *Lendas e Narrativas*, I, p. 291).

odorífico [De *odori-* + *-fico.*] ***Adj.*** V. *odorante*.

odorifumante (dò) [De *odori-* + *fumante.*] ***Adj. 2 g. Poét.*** Que exala fumo cheiroso: "Aos pés do deus, na pedra côncava da ara, arde, odorifumante, o fogo sacro." (Martins Fontes, *A Dança*, p. 12.)

odorização [De *odorizar* + *-ção.*] ***S. f.*** Ato ou efeito de odorizar.

odorizador (ô) [De odorizar + -dor.] ***Adj. S. m.*** Que, ou aquilo que odoriza.

odorizante [De *odorizar* + *-nte.*] ***Adj. 2 g.*** Diz-se de substância que odoriza, perfuma.

odorizar [De *odor* + *-izar.*] ***V. t. d.* 1.** Difundir, espalhar, odor em: *O perfume do jasmineiro odorizava o parque.*

odoro [Do lat. *odoru.*] ***Adj.*** V. *odorante*: "Se no fogo se abrasa, se enovela / O odoro incenso, remontando aos céus" (Gonçalves Dias, *Obras Poéticas*, II, p. 400).

odoroso (ô) [De *odor* + *-oso.*] ***Adj.*** V. *odorante*: "Alva do albor dos lírios odorosos, / Tem a modéstia da violeta esquiva" (Gonçalves Dias, *Obras Poéticas*, I, p. 353).

odraria [De *odre* + *-aria.*] ***S. f.*** Loja ou oficina de odreiro.

odre (ô) [Do lat. *utre.*] ***S. m.* 1.** Saco feito de pele e destinado ao transporte de líquidos; pele: "pondo sobre seus animais odres velhos com água, e sacos velhos com pão duro, e feito pedaços, se partiram de Gábaon" (Fr. Pantaleão de Aveiro, *Itinerário da Terra Santa*, p. 418). **2.** Pessoa muito gorda. **3.** V. *ébrio* (8).

odreiro [Do lat. *utrariu.*] ***S. m.*** Fabricante e/ou vendedor de odres.

odu [Do ior.] ***S. m. Rel.*** No opelé-ifá, o valor de cada uma das metades de sementes ou de buzos.

odudua [Do ior.] ***S. m. Bras. Rel.*** Orixá que criou o mundo; adversário de Obatalá e fundador mítico da cidade de Ifé. [Há quem o tenha por orixá feminino, divinização da Terra e mulher de Obatalá, o Céu.] [Com cap.]

■ **Oe** *Fís.* Símb. de *oersted*.

■ **OEA** Sigla de *Organização dos Estados Americanos*.

▲ **-oecer** [De *-o-* + *-ecer.*] V. *-ecer*.

▲ **-oeira** [De *-o-* + *-eira.*] V. *-eiro*.

oeirana [De or. tupi.] ***S. f. Bras. Bot.* 1.** *Amaz.* Árvore euforbiácea (*Alchornea castaneafolia*), de folhas coriáceas, serruladas e peninérveas, cujas flores, inconspícuas, se reúnem em espigas pêndulas e unissexuais, que chegam a 20cm, e cujas cápsulas têm apenas 8mm e são pilosiúsculas. **2.** V. *salgueiro*[1] (2).

oeirense[1] ***Adj. 2 g.* 1.** De, ou pertencente ou relativo a Oeiras (PI e Portugal). • ***S. 2 g.* 2.** O natural ou habitante de Oeiras.

oeirense[2] ***Adj. 2 g.* 1.** De, ou pertencente ou relativo a Oeiras do Pará (PA). • ***S. 2 g.* 2.** O natural ou habitante de Oeiras do Pará.

▲ **-oeiro** [De *-o-* + *-eiro.*] V. *-eiro*.

➔ **oersted** ['œrstɛd/ 'ərstad] [V.C.I, do antr. (*Hans Christian*) *Oersted* (1777-1851), físico dinamarquês.] ***S. m. Fís.*** Unidade de medida de intensidade de campo magnético, no sistema c.g.s. eletromagnético, igual ao quociente de 1.000 por 4p ampères-espiras por metro, ou a um *gilbert* por centímetro [símb.: *Oe*]. [Pl.: *oersteds*.]

oesipólio ***Adj. S. m.*** V. *esipólio*.

oés-noroeste [De *oés*, f. red. de *oeste*, + *noroeste.*] ***S. m.* 1.** *Astr.* Ponto do horizonte a meia distância angular do O. e do N.O. [Abrev.: *O.N.O.* ou *W.N.W.*] **2.** Vento que sopra desse ponto. • ***Adj. 2 g.* 3.** Relativo a oés-noroeste (1), ou dele procedente: *vento oés-noroeste*. **4.** Situado a oés-noroeste (1): *região oés-noroeste*.

oés-sudoeste [De *oés*, f. red. de *oeste*, + *sudoeste.*] ***S. m.* 1.** *Astr.* Ponto do horizonte a meia distância angular do O. e do S.O. [Abrev.: *O.S.O.* ou *W.S.W.*] **2.** Vento que sopra desse ponto. • ***Adj. 2 g.* 3.** Relativo ao oés-sudoeste (1), ou dele procedente: *vento oés-sudoeste*. **4.** Situado ao oés-sudoeste (1): *região oés-sudoeste*.

oeste [Do anglo-saxão *west*, pelo fr. *ouest.*] ***S. m.* 1.** *Astr.* Ponto da esfera celeste (q. v.) situado do lado do ocaso dos astros, e que é a interseção do primeiro vertical com o horizonte real. **2.** *Geogr.* Ponto cardeal situado à esquerda do observador voltado para o norte (2). [Sin. (nessas acepçs.): *ocidente, poente*.] **3.** Região ou regiões situadas a oeste (2). **4.** O vento que sopra do oeste (2). • ***Adj. 2 g.* 5.** Relativo ao oeste (1 e 2), ou dele procedente: *vento oeste*. **6.** Situado a oeste (1 e 2): *região oeste*. [Abrev.: *O.* ou *W.*]

oeste-meridional ***Adj. 2 g.* 1.** Relativo ao oeste e ao sul. **2.** Diz-se da, ou relativo à região que abrange as partes oeste e meridional de um continente, país, território, etc. [Pl.: *oeste-meridionais*.]

oestense ***Adj. 2 g.* 1.** De, ou pertencente ou relativo a São Francisco do Oeste (RN). • ***S. 2 g.* 2.** O natural ou habitante de São Francisco do Oeste.

oeste-setentrional ***Adj. 2 g.* 1.** Relativo ao oeste e ao norte. **2.** Diz-se da, ou relativo à região que abrange as partes oeste e setentrional de um continente, país, território, etc. [Pl.: *oeste-setentrionais*.]

oestiano ***Adj.* 1.** De, ou pertencente ou relativo a São Sebastião do Oeste (MG). • ***S. m.* 2.** O natural ou habitante de São Sebastião do Oeste.

ofaié *Bras.* ***S. 2 g.* 1.** *Etnôn.* Indivíduo dos ofaiés [ou (etnôn. bras.) *Ofayé-Xavante], povo indígena, do tronco linguístico macro-jê, que habita o município de Brasilândia (MS). • ***Adj. 2 g.* 2.** Pertencente ou relativo a esse povo.

ofegante [De *ofegar* + *-nte.*] ***Adj. 2 g.* 1.** Que está a ofegar; arquejante, arfante. **2.** Cansado, exausto. **3.** *Fig.* Próprio de pessoa ofegante (1); ansioso, anelante: "a respiração ofegante erguia-lhe sobre o peito os colares de conta." (Eça de Queirós, *A Capital*, p. 209). [Sin. ger.: *ofegoso, ofeguento*.]

ofegar [Do lat. *offocare.*] ***V. int.* 1.** Respirar a custo, com frequentes perturbações e com ruído produzido pelo cansaço; arquejar: "eu todo ofegava, de narinas acesas como um animal fogoso" (Luís Jardim, *As Confissões do Meu Tio Gonzaga*, p. 90). **2.** Produzir um ruído semelhante ao do ofego: *O trem ofegava serra acima.* **3.** Estar ansioso; estar anelante. [Conjug.: v. *regar*. Pres. ind.: *ofego*, etc. Cf. *ofego* (ê).]

ofego (ê) [Dev. de *ofegar.*] ***S. m.* 1.** Respiração difícil e/ou ruidosa; arfagem, arquejo: "tinha o semblante demudado e a voz entrecortada pelos ofegos do largo peito hirsuto." (Afonso Arinos, *Pelo Sertão*, p. 179). **2.** Exaustão, canseira, cansaço. [Pl.: *ofegos* (ê). Cf. *ofego*, do v. *ofegar*.]

ofegoso (ô) [De *ofeg-*, como em *ofegar*, + *-oso.*] ***Adj.*** V. *ofegante*.

ofeguento [De *ofeg-*, como em *ofegar*, + *-ento.*] ***Adj.*** V. *ofegante*.

ofendedor (ô) [De *ofender* + *-dor.*] ***Adj. S. m.*** Ofensor.

ofender [Do lat. *offendere.*] ***V. t. d.* 1.** Fazer mal a; lesar: *A punhalada ofendeu-o gravemente*; "Somente ao tronco, que devassa os ares, / O raio ofende!" (Gonçalves Dias, *Obras Poéticas*, II, p. 21). **2.** Causar mal físico a; ferir: "A bala ofendera-lhe um órgão qualquer lá dentro" (Viriato Correia, *Novelas Doidas*, p. 68). **3.** Fazer mal a, ferir ou atacar, em combate. **4.** Causar sensação desagradável: *As luzes ofendiam-lhe os olhos.* **5.** Romper; estragar: *A pancada ofendeu-lhe as vestes.* **6.** Quebrar; romper: *Um grito súbito ofendeu o silêncio da plateia.* **7.** Fazer ofensa (1) a; injuriar, melindrar; afrontar, agravar: *O mais leve gracejo o ofende*; "Ofendi-te. E, depois, vejo-te humildemente / Chorar" (Vicente de Carvalho, *Poemas e Canções*, p. 44). **8.** Desgostar, escandalizar; magoar; desagradar. **9.** Ferir a susceptibilidade ou os sentimentos de; chocar; contrariar; molestar. **10.** Ir contra as regras ou preceitos de; contrariar: *atos que ofendem a moral.* **11.** *Bras.* V. *estuprar*. ***P.* 12.** Dar-se por ofendido, injuriado, agravado: "Mas é claro que ninguém se ofende de receber um elogio." (Rubem Mauro Machado, *Lobos*, p. 141.) **13.** Escandalizar-se; chocar-se. *Ofendeu-se com a piada indecente.*

ofendículo [Do lat. *offendiculu.*] ***S. m.* 1.** Estorvo, embaraço, empecilho. **2.** Objeto que faz tropeçar.

ofendido [Part. de *ofender.*] ***Adj.* 1.** Que recebeu ou sofreu ofensa (q. v.): *O cavalheiro ofendido pediu desforra*; *Com o tiro, o braço ficou-lhe ofendido*; *Teve os seus direitos ofendidos.* [Sin. p. us.: *ofenso*.] • ***S. m.* 2.** Aquele que sofreu ou recebeu ofensa ou dano; vítima.

ofensa [Do lat. *offensa.*] ***S. f.* 1.** Injúria, agravo, ultraje, afronta. **2.** Lesão, dano. **3.** Desconsideração, desacato; menosprezo. **4.** Postergação de preceitos; violação de regras; transgressão; pecado, falta. **5.** Mágoa ou ressentimento de pessoa ofendida.

ofensiva [F. subst. de *ofensivo.*] ***S. f.* 1.** Ato ou situação de quem ataca; ataque, assalto, acometimento, acometida, agressão, investida. **2.** Iniciativa no ataque: *tomar a ofensiva.*

ofensivo [Do lat. *offensus*, part. pass. de *offendere*, 'ofender', + *-ivo.*] ***Adj.* 1.** Que ofende, ataca, ou serve para atacar; agressivo: *arma ofensiva*; *guerra ofensiva.* **2.** Que ofende moralmente; lesivo, prejudicial; danoso.

ofenso [Do lat. tard. *offensu.*] ***Adj.*** Ofendido.

ofensor (ô) [Do lat. *offensore.*] ***Adj. S. m.*** Que, aquele ou aquilo que ofende; agressor, ofendedor.

oferecedor (ô) [De *oferecer* + *-dor.*] ***Adj. S. m.*** Que, ou aquele que oferece; oferente; ofertante.

oferecer [Do lat. **offerescere*, incoativo de *offerre*, 'levar para diante', 'oferecer'.] ***V. t. d.* 1.** Apresentar ou propor para que seja aceito: *oferecer hospedagem*; *Tomando conhecimento da situação crítica, ofereceu os seus préstimos.* **2.** Apresentar à vista ou ao espírito; expor; exibir: *Sua extrema elegância oferecia triste contraste com a pobreza local*; "Afogada no luar a cidade oferecia um aspecto de paz serena" (Lima Barreto, *Numa e a Ninfa*, p. 137). **3.** Apresentar para algum fim: *Ofereceu a própria vida para salvar a do filho.* **4.** Proporcionar; apresentar; dar: *Estes móveis oferecem conforto.* ***T. d. e i.* 5.** Oferecer (1). **6.** Dar como oferta, mimo ou presente: *Ofereceu um prêmio ao vencedor*; "Moças ofereceram ramilhetes às mulheres que nos acompanhavam." (Graciliano Ramos, *Viagem*, p. 29). **7.** Oferecer (3): *Ofereceu a vida à pátria.* **8.** Proporcionar, apresentar, dar: "Pio IX oferecia resistências à Concordata." (Afonso Arinos de Melo Franco, *Amor a Roma*, p. 33.) **9.** Expor, exibir: "Raparigas de cor .... ofereciam aos olhos dos homens o busto moreno meio nu" (Inglês de Sousa, *O Missionário*, p. 407). **10.** Dedicar, dizer ou fazer com intenção religiosa; ofertar: *oferecer preces ao Senhor.* **11.** Imolar, sacrificar: *Os pagãos ofereciam vidas humanas às divindades.* ***P.* 12.** Mostrar-se, apresentar-se: *Nenhuma solução se oferecia.* **13.** Propor-se, prestar-se a, ou convir em fazer (alguma coisa). **14.** Vir à lembrança, à memória; ocorrer: *Nada se me ofereceu a este propósito.* **15.** Vir ou aparecer a tempo; suceder, acontecer. **16.** Fazer dom de si mesmo; dar-se, entregar-se: "A todo o momento parecia [Leonor Teles] oferecer-se, fácil, como as flores oferecem sua beleza e as fontes sua água livre." (Antero de Figueiredo, *Leonor Teles*, pp. 40-41.) [Conjug.: v. *aquecer*.]

oferecido [Part. de *oferecer.*] ***Adj.* 1.** Apresentado ou proposto para ser aceito. **2.** Exposto, exibido. **3.** Diz-se de pessoa que se dá facilmente, ou que, pelos seus modos, parece fazê-lo. **4.** Que se oferece aos olhos como que entregando-se, sem mistérios, sem segredos: "Ubatuba é alegre. Cidade aberta, oferecida, simples, derramada" (Antônio Carlos Vilaça, *O Nariz do Morto*, p. 146).

oferecimento [De *oferecer* + *-imento.*] ***S. m.* 1.** Ato ou efeito de oferecer(-se). **2.** Expressão da vontade de servir, de ser útil ou agradável a alguém: *oferecimento de sua pessoa.* **3.** Dedicatória: *oferecimento de um livro.*

oferenda [Do lat. *offerenda.*] ***S. f.* 1.** Objeto ou coisa qualquer que se oferece; presente, dádiva, oferta: "nunca aceitava dinheiro; quando muito, pequenas oferendas para o seu vestuário e mantimento" (Domingos Monteiro, *Contos do Natal*, p. 46). **2.** Oferta piedosa; oblata, oblação: "calculava .... as lâmpadas e as flores, e as oferendas, que cercariam o altar onde pousassem os seus ossos!" (Eça de Queirós, *Últimas Páginas*, p. 308).

oferendar [De *oferenda* + *-ar*[2].] ***V. t. d.*** Fazer oferenda de; ofertar.

oferente [Do lat. *offerente.*] ***Adj. 2 g. S. 2 g.*** V. *oferecedor*.

oferta [Do lat. **offerta*, por *oblata*, fem. do part. pass. de *offerre.*] ***S. f.* 1.** Ato de oferecer(-se); oferecimento. **2.** Aquilo que se oferece; oferenda, dádiva, oblação. **3.** Retribuição de certos atos litúrgicos. **4.** *Arte Poét.* A quadra final da balada[2], onde ordinariamente o poeta fazia oferecimento do poema a alguém; ofertório. **5.** *Econ.* Quantidade de mercadorias, ou de serviços, postos à venda. **6.** *Bras.* Mercadoria anunciada como de preço modicíssimo. ◆ **Oferta agregada.** *Econ.* Oferta global (q. v.). **Oferta global.** *Econ.* Conjunto das mercadorias e serviços ofertados num país, em certo período, ger. um ano, abrangendo a produção interna, deduzidas as exportações, mais as importações. **Oferta monetária.** *Econ.* Total da moeda (3) disponível num país em dado momento, e que inclui notas, moedas metálicas e depósitos à vista nos bancos.

ofertante [De *ofertar* + *-nte.*] ***Adj. 2 g. S. 2 g.*** V. *oferecedor*.

ofertar [De *oferta* + *-ar*[2].] ***V. t. d. T. d. e i.* 1.** Dar como oferta; oferecer: *Gosta de ofertar livros*; *Ofertou uma bela gravata ao velho amigo.* ***P.* 2.** Dar-se; oferecer-se: "E, na sua nudez, ofertando-se, fica / Diante dele, a ofegar, orvalhada, impudica!" (Martins Fontes, *Verão*, p. 76.)

ofertório [Do lat. tard. *offertoriu.*] ***S. m.* 1.** *Lit.* A parte da missa em que se oferece a Deus o pão e o vinho. **2.** *Lit.* Oração que antecede ou acompanha essa oblação. **3.** *Lit.* Trecho musical que se executa entre o Credo e o Sanctus. **4.** Ato de angariar ofertas para festas de igreja. **5.** *Arte Poét.* Oferta (4). **6.** *P. ext.* Dádiva, doação, oferecimento, oferenda, oferta.

➔ **off** [ɔf] [Ingl.] *Jorn.* V. *off-the-records*.

➔ **off-Broadway** [ɔf'bɹɔdwej] [Ingl.] ***Adj. 2 g. e 2 n. Teatr.* 1.** Diz-se de casas de espetáculos, que se situam fora da Broadway, distrito teatral de Nova Iorque, que se caracterizam por levar peças de maior experimentalismo artístico, e menor preocupação comercial. 2. Diz-se do elenco e do repertório dessas peças.

→ **office-boy** [ˈɔfisbɔj] [Ingl.] *S. m.* Empregado que tem a seu cargo pequenos serviços de um escritório, como distribuir correspondência, etc.

→ **off-line** [ˈɔflajn] [Ingl., de *off* (exprimindo 'afastamento'; 'interrupção') + *line*, 'linha'.] *Adv.* 1. *Inform.* Sem conexão com, ou entre, sistemas de transmissão e processamento de informação: *a fase inicial do trabalho foi realizada* off-line; *o sistema está operando* off-line. ● *Adj. 2 g. e 2 n.* 2. *Inform.* Que não está conectado ao sistema, ou não pode ser por ele acessado ou utilizado: *periférico* off-line; *arquivo* off-line. 3. *Inform.* Nos sistemas distribuídos, diz-se da operação realizada sem conexão ou comunicação com outros pontos do sistema. 4. *Telev.* Relativo à fase inicial de produção de um programa em videoteipe. [Opõe-se a *on-line*.]

→ **off-off-Broadway** [ɔfˈɔfˈbɹɔdwej] [Ingl.] *Adj. 2 g. e 2 n. Teatr.* Diz-se da versão radical do teatro off-Broadway (q. v.) que não aceita absolutamente o comercialismo que caracteriza a Broadway.

→ **off-road** [ɔfˈɹowd] [Ingl.] *Adj. 2 g. e 2 n. S. m.* Diz-se de, ou veículo próprio para terrenos e lugares de difícil acesso, como, p. ex., montanhas e desertos.

→ **offset** [ˈɔfset] [Ingl.] *S. m.* V. *ofsete*.

→ **offshore** [ɔfˈʃɔɹ] [Ingl.] *Adj. 2 g. e 2 n.* 1. Situado longe da costa: *poços/plataforma* offshore. 2. Feito realizado, ou desenvolvido longe da costa, em alto-mar: *produção, trabalhos, pesquisa* offshore. 3. Que visa a atender às necessidades e dar apoio às atividades das plataformas de petróleo e gás: "Petrobras prorroga prazo de licitação de navios *offshore*." (Francisco Góis, em *oglobo.com* de 29.07.2008.) 4. Diz-se de empresa, fundo de investimento, etc., com sede ou base de operações no exterior, esp. num paraíso fiscal (q. v.). 5. *P. ext.* Feito em paraíso fiscal: "Dizem que também possui depósitos vultosos *offshore*, secretos, que não declara ao I.R." (Rubem Fonseca, *O Seminarista*, p. 102.)

→ **offside** [ˈɔfsajd] [Ingl.] *Fut.* V. *impedimento* (4).

→ **off-the-records** [ɔf ðə ˈɹɛkɔɹdz] [Ingl.] *Adj. 2 g. e 2 n. Jorn.* Diz-se da informação cuja fonte não autoriza sua identificação. [É usualmente publicada sem que seja atribuída a ninguém.] [F. red.: *off*. Cf. *on-the-records*.]

ofíase [Do gr. *ophíasis*.] *S. f. Derm.* Alopecia em que os cabelos e outros pelos do corpo caem por parte, deixando sinal que lembra sulco calcado no solo pela passagem da serpente.

oficalcito [De *ofi(o)-* + *cálc(io)* + *-ito*².] *S. m. Petr.* Rocha esverdeada, rica em serpentina, de estrutura brechada, com cimento de carbonato de cálcio; ofiólito. [É tb. chamado, erroneamente, *mármore verde*.]

oficiador (ô) [De *oficiar* + *-dor*.] *Adj. S. m.* 1. Diz-se de, ou aquele que oficia. 2. V. *oficiante*.

oficial [Do lat. *officiale*.] *Adj. 2 g.* 1. Proposto por autoridade, ou emanado dela; conforme as ordens legais: *documento oficial*. 2. Relativo à autoridade legalmente constituída, ou dela emanado: *ato oficial*. 3. Relativo às pessoas pertencentes ao alto funcionalismo, aos altos dignitários: *visita oficial; reunião oficial*. 4. Relativo ao funcionalismo público; burocrático. 5. Oficializado (2). ~ V. *câmbio —, língua — e publicação —*. ● *S. m.* 6. Aquele que tem um ofício ou emprego. 7. Operário que conhece bem o seu ofício. 8. Indivíduo que, exercendo um ofício, tem categoria inferior à de mestre: *oficial de carpintaria*. 9. *Desus.* Funcionário de graduação superior à de amanuense. 10. Dignitário de certas ordens honoríficas. 11. Empregado inferior, judicial ou administrativo, a quem cabe fazer citações, intimações, etc. 12. Qualquer militar das forças armadas ou da polícia que exerce certo grau de comando e de nível hierárquico acima de aspirante (no Exército, na Aeronáutica e na Polícia Militar) ou de guarda-marinha (na Marinha de Guerra). [Na Marinha Mercante são considerados oficiais: os capitães de longo curso e de cabotagem, os oficiais superiores de máquinas e os 1.ºs e 2.ºs oficiais de náutica, de máquinas e de radiocomunicações; e, no grupo de fluviários: o capitão fluvial, o piloto fluvial e o supervisor maquinista motorista fluvial.] [Cf. *hierarquia militar*. Fem. (das acepçs. 6 a 12): *oficiala*.] 13. *Ant.* Pessoa que, a bordo das naus, galeões e outros navios, desempenhava determinados serviços de importância, como eram, p. ex., o capitão, o piloto, o sota-piloto, o mestre, o contramestre, o guardião, o calafate, o condestável. 14. *Maç.* Maçom que exerce cargo em loja (4). ◆ **Oficial combatente.** 1. *Mar. G.* O que pertence ao Corpo da Armada ou ao Corpo de Fuzileiros Navais. 2. *Exérc.* O que pertence às armas de Infantaria, Cavalaria, Artilharia, e os oficiais engenheiros que servem nas unidades de Engenharia de Combate. **Oficial da reserva.** *Bras.* 1. Aspirante a oficial que, ao ser convocado para o serviço militar, em vez de ir servir na tropa faz um curso preparatório de oficiais que exige dos candidatos curso de nível médio; oficial miliciano. 2. Oficial de tropa que pediu transferência para a reserva. **Oficial de cata-vento.** *Ant. Mar.* Oficial apto a manobrar com navios à vela. **Oficial de dia.** O oficial encarregado, durante as 24 horas de um dia, de fiscalizar e dirigir o serviço normal da unidade, pelo qual é responsável nas ausências do comando; oficial de inspeção. **Oficial de diligências.** Oficial de justiça. **Oficial de inspeção.** Oficial de dia. **Oficial de justiça.** Funcionário incumbido de cumprir as determinações judiciais (citações, notificações, intimações, arrestos, penhoras, etc.); oficial de diligências. **Oficial de registro.** *Bras.* Serventuário privativo e vitalício, com subordinação administrativa e judiciária, encarregado de um dos ofícios dos registros públicos (registro civil das pessoas físicas, das pessoas jurídicas, de títulos e documentos e de imóveis). **Oficial de ronda.** Oficial encarregado, durante as 24 horas de um dia, de visitar e fiscalizar os postos de guarda, os postos avançados de uma guarnição, praças militares ou estacionamentos. **Oficial intermediário.** *Bras.* O de posto de capitão (no Exército, na Aeronáutica e na Polícia Militar), ou de capitão-tenente (na Marinha de Guerra). **Oficial miliciano.** Oficial da reserva (1). **Oficial subalterno.** Designação comum aos oficiais de postos de primeiro e segundo-tenente. **Oficial superior.** Designação comum aos oficiais de postos de major, tenente-coronel e coronel (no Exército, na Aeronáutica e na Polícia Militar), ou de capitão de corveta, capitão de fragata e capitão de mar e guerra (na Marinha de Guerra).

oficiala *S. f.* Fem. de *oficial* (6 a 12).

oficialato [De *oficial* + *-ato*¹.] *S. m.* Condição ou dignidade de oficial (militar).

oficial de defunto *S. m. Bras. PE Pop.* Indivíduo cruel, desalmado; assassino frio. [Pl.: *oficiais de defunto*.] ☑

oficial de gabinete *S. m. Bras. Obsol.* Espécie de secretário particular de uma autoridade: *Foi oficial de gabinete do velho ministro*. [Pl.: *oficiais de gabinete*.] ☑

oficial-de-sala *S. m. Bras. Bot.* Erva asclepiadácea (*Asclepias curassavica*) muito difundida como ruderal, de flores escarlates, e cujos frutos, cápsulas que encerram uma espécie de paina, são tóxicos para o gado e têm glicosídios que atuam sobre o coração, razão por que poderiam ser empregados em lugar do digital, em terapêutica; capitão-de-sala, camará-bravo, falsa-erva-de-rato. [Pl.: *oficiais-de-sala*.]

oficial-general *S. m.* Designação comum a todos os oficiais de posto superior a coronel (no Exército ou na Aeronáutica) ou a capitão de mar e guerra (na Marinha de Guerra). [Pl.: *oficiais-generais*.]

oficialidade [Do lat. tard. *officialitate*.] *S. f.* Conjunto de oficiais de uma força armada, ou de uma de suas unidades.

oficialismo [De *oficial* + *-ismo*.] *S. m. Deprec.* 1. O conjunto dos funcionários públicos. 2. *Bras.* As rodas oficiais governamentais.

oficialização [De *oficializar* + *-ção*.] *S. f.* Ato ou efeito de oficializar, de submeter à orientação do Estado.

oficializado [Part. de *oficializar*.] *Adj.* 1. Tornado oficial; submetido à sanção ou orientação do governo: *educandário oficializado*. 2. Consagrado pelo uso; sancionado; oficial: *vocábulo oficializado*.

oficializador (ô) [De *oficializar* + *-dor*.] *Adj. S. m.* Que, ou aquele que oficializa.

oficializar [De *oficial* + *-izar*.] *V. t. d.* Dar sanção ou caráter oficial a; tornar oficial.

oficial-maior *S. m. Bras.* Aquele que, nos tabelionatos, pode praticar atos de competência do tabelião. [Pl.: *oficiais-maiores*.]

oficial-marinheiro *S. m. Ant. Mar. G.* Suboficial ou sargento da especialidade de manobra. [O antigo Corpo de Oficiais-Marinheiros, na Marinha Brasileira, era constituído de contramestres e guardiães. Pl.: *oficiais-marinheiros*.]

oficiante [De *oficiar* + *-nte*.] *Adj. 2 g. S. 2 g.* Que, ou quem oficia ou preside ao ofício divino; oficiador, celebrante: "Parece que ele ouviu do outro sacristão ou do mesmo padre oficiante o nome da pessoa sufragada" (Machado de Assis, *Histórias sem Data*, p. 184).

oficiar [De *ofício* + *-ar*².] *V. int.* 1. Celebrar o ofício religioso. *T. i.* 2. Dirigir um ofício (8 e 9) a alguém: *Oficiou ao diretor da Saúde Pública*. *T. d.* 3. Ajudar a celebrar (a missa). [Pres. ind.: *oficio*, etc. Cf. *ofício*.]

oficina [Do lat. *officina*.] *S. f.* 1. Lugar onde se exerce um ofício. 2. Lugar onde se fazem consertos em veículos automóveis. 3. Dependência de igreja, convento, etc., destinada a refeitório, despensa ou cozinha. 4. *Maç.* Loja maçônica, em trabalho. 5. *Fig.* Lugar onde se verificam grandes transformações. ◆ **Oficina pedagógica.** *Educ.* Ambiente destinado ao desenvolvimento das aptidões e habilidades, mediante atividades laboratorivas orientadas por professores capacitados, e em que estão disponíveis diferentes tipos de equipamentos e materiais para o ensino ou aprendizagem, nas diversas áreas do conhecimento. [Técnica educativa que visa ensinar uma habilidade, um saber.]

oficinal [Do lat. vulg. *officinale*.] *Adj. 2 g.* 1. Relativo a, ou próprio de oficina. 2. *Farm.* Respeitante a preparações farmacêuticas. 3. *Farm.* Que se aplica em farmácia e/ou em preparações farmacêuticas: *planta oficinal*. ~ V. *forma — e medicamento —*.

ofício [Do lat. *officiu*, 'dever'.] 1. Ocupação (1) manual ou mecânica a qual supõe certo grau de habilidade e que é útil ou necessária à sociedade: *ofício de dona de casa; ofício de carpinteiro; ofício de escultor; Liceu de Artes e Ofícios*. 2. Ocupação ou trabalho especializado do qual se podem tirar os meios de subsistência; profissão: *o ofício de bancário; o ofício de vitrinista*. 3. Ocupação permanente de ordem intelectual, ou não, a qual envolve certos deveres e encargos ou um pendor natural: *o ofício de rei; o ofício de magistrado; o ofício de escritor*. 4. Atividade exercida em determinados setores profissionais ou não; cargo, função, ocupação: *um ofício burocrático; um ofício subalterno*. 5. Cargo público ou oficial. 6. Incumbência, missão: *o ofício de legislar, de ensinar*. [Sin., nessas acepçs.: *mister* (1 a 6).] 7. *Lit.* Conjunto de orações e cerimônias religiosas. 8. Comunicação escrita e formal entre autoridades da mesma categoria, ou de inferiores a superiores hierárquicos. 9. Comunicação escrita e formal que as autoridades e secretarias em geral endereçam umas às outras, ou a particulares, e que se caracteriza não só por obedecer a determinada fórmula epistolar, mas, também, pelo formato do papel (formato ofício). 10. Cartório, tabelionato. ~ V. *formato —, papel — e ofícios*. [Cf. *oficio*, do v. *oficiar*.] ◆ **Ofício da estrela.** *Teatr.* Drama litúrgico medieval que gira em torno do nascimento de Cristo e se representava na época natalina. **Ofício de mestre.** *Educ.* O do professor, do educador. **Ofício de notas.** Notariado. **Ofício Divino.** *Rel.* A missa. **Ofício escolar.** *Educ.* Documento que informa ou notifica determinada situação escolar. **De ofício.** *Jur.* Por iniciativa e autoridade própria. **Santo Ofício.** V. *Inquisição* (2). **Sem ofício nem benefício.** *Bras. Fam.* Que nada tem que fazer; sem ocupação; vadio.

ofícios [Pl. de *ofício*.] *S. m. pl.* Intervenção, influência; serviços: *Recorremos aos bons ofícios do deputado*. ~ V. *ofício*.

oficiosidade [Do lat. tard. *officiositate*.] *S. f.* Qualidade de oficioso.

oficioso (ô) [Do lat. *offisiosu*.] *Adj.* 1. Que revela boa vontade de servir, de ser útil; serviçal, prestável, prestante, obsequioso. 2. Desinteressado, gratuito. 3. Que, embora sem caráter ou formalidade oficial, provém de fontes oficiais: *comunicação oficiosa*. 4. Diz-se do jornal que, embora não tenha caráter oficial, recebe inspiração do governo. 5. Diz-se do advogado que não tem procuração do réu e é encarregado da defesa deste pelo presidente do tribunal. 6. Diz-se da mentira que se pratica para prestar serviço a alguém.

oficleide *S. m. Mús.* V. *oficlide*.

oficlide [Do fr. *ophicléide*.] *S. m. Mús.* Instrumento de sopro, feito de metal com bocal, chaves e tubo cônico dobrado sobre si mesmo, e que, por volta de 1800, substituiu nas igrejas e bandas militares o rústico serpentão; figle, ofigle: "e tomando [D. Pedro I] do oficlide aturdiu os ares de palácio com variações dificultosas de uma marcha guerreira." (Alberto Rangel, *Quando o Brasil Amanhecia*, p. 364). [A f. *oficleide* é a m. us.]

▲ **ofid-** [De lat. cient. *Ophid-* < tax. *Ophidia*, f. irreg. a partir do gr. *óphis, eōs*, 'cobra', 'serpente'.] *El. comp.* = 'cobra', 'serpente': *ofídio*², *ofídico*, *ofidismo*.

ofidiário [De *ofídio*² + *-ário*.] *S. m.* Local destinado à criação de ofídios venenosos, para extração de peçonha e fabricação de antídotos.

ofídico [De *ofid-* + *-ico*².] *Adj.* Pertencente ou relativo a, ou próprio de serpente.

ofidiídeo [Do tax. *Ophidia* (v. *ofídio*²) + *-ídeo*¹; tax. *Ophidiidae*.] *Zool. S. m.* 1. Espécime dos ofidiídeos, subordem de peixes actinopterígios, gadiformes, marinhos, de corpo alongado, revestido de escamas minúsculas; as nadadeiras dorsal, caudal e anal são ger. unidas e as pélvicas são modificadas em filamentos, poss. com função tátil. Ex.: o congro-rosa. ● *Adj.* 2. Pertencente ou relativo a eles.

ofídio¹ [Do gr. *ophídion*, dim. de *óphis*, 'cobra'.] *Adj.* Semelhante a serpente; ofioídeo.

ofídio² [De *ofid-* + *-io*³; tax. *Ophidia*.] *Zool. S. m.* 1. Espécime dos ofídios, subordem de animais metazoários, cordados, reptis, escamados. São ápodes, com as mandíbulas presas por um ligamento mentoniano; olhos imóveis, cobertos por uma escama transparente, que resulta da fusão das pálpebras; língua delgada, bífida e protrátil; desprovidos de aberturas auriculares, esterno e bexiga urinária. [Sin.: *serpente*.] ● *Adj.* **2.** Pertencente ou relativo a eles.

ofidiofobia (fi) [De *ofídio*[2] + *-fobia*.] *S. f. Psiq.* Medo mórbido de ofídios.

ofidiofóbico (fi) [De *ofidiofobia* + *-ico*[2].] *Psiq. Adj.* **1.** Relativo a ofidiofobia. **2.** Que sofre de ofidiofobia; ofidiófobo. ● *S. m.* **3.** Aquele que sofre de ofidiofobia; ofidiófobo.

ofidiófobo [De *ofídio* + *-fobo*.] *Adj. S. m. Psiq.* Ofidiofóbico (2 e 3).

ofidismo [De *ofid-* + *-ismo*.] *S. m.* **1.** Estudo do veneno dos ofídios. **2.** Efeitos desse veneno. **3.** *Med.* Intoxicação por veneno de serpente.

ofigle *S. m.* V. *oficlide*.

▲ **ofi(o)-** [Do gr. *óphis, eōs*.] *El. comp.* = 'serpente': *oficalcito, ofiografia, ofiólito*.

ofiocéfalo (òf) [De *ofi(o)-* + *-céfalo*.] *Adj. Zool.* De cabeça triangular, semelhante à das cobras.

ofiofagia (òf) [De *ofi(o)-* + *-fag(o)-* + *-ia*[1].] *S. f.* Hábito de alimentar-se de serpentes.

ofiofágico (òf) [De *ofiofagia* + *-ico*[2].] *Adj.* Relativo à ofiofagia.

ofiófago [Do gr. *ophiophágos*.] *Adj. S. m.* Que, ou aquele que se alimenta de serpentes.

ofioglossácea (òf) [Do tax. *Ophioglossum*, gênero-tipo, + *-ácea*; tax. *Ophioglossaceae*.] *S. f. Bot.* Espécime das ofioglossáceas, família de pteridófitos, da ordem das ofioglossales, que engloba umas 80 espécies, dos países intertropicais e temperados, havendo algumas no Brasil.

ofioglossáceo (òf) [De *ofioglossácea*, com var. suf. (v. *-áceo*).] *Adj. Bot.* Pertencente ou relativo às ofioglossáceas.

ofioglossal (òf) [Do tax. *Ophioglossum* (v. *ofioglosso*) + *-al*[1].] *Adj. 2 g. Bot.* Pertencente ou relativo às ofioglossales.

ofioglossale (òf) [Do tax. *Ophioglossum* (v. *ofioglosso*) + *-ale*; tax. *Ophioglossales*.] *S. f. Bot.* Espécime dos ofioglossales, ordem de pteridófitos da classe das filicíneas, providos de poucas frondes. Apresentam uma espécie de rizoma, e têm esporângios grandes, sem anel.

ofioglosso (òf) [Do tax. *Ophioglossum*.] *S. m. Bot.* **1.** Gênero-tipo das ofioglossáceas, com uma só fronde, de nervação entrelaçada, e espiga terminal formada por duas carreiras de esporângios coalescentes. **2.** Espécie ou espécime desse gênero.

ofiografia (òf) [De *ofi(o)-* + *-grafia*.] *S. f.* Estudo e descrição das serpentes.

ofiográfico (òf) [De *ofiografia* + *-ico*[2].] *Adj.* Relativo à ofiografia.

ofiógrafo [De *ofi(o)-* + *-grafo*.] *S. m.* Especialista em ofiografia.

ofióideo [De *ofi(o)-* + *-óideo*.] *Adj.* Ofídio[1].

ofiólatra [De *ofi(o)-* + *-latra*.] *S. 2 g.* Pessoa que pratica a ofiolatria.

ofiolatria (òf) [De *ofi(o)-* + *-latria*.] *S. f.* Culto ou adoração das serpentes.

ofiolátrico [De *ofiolatria* + *-ico*[2].] *Adj.* Referente à ofiolatria.

ofiólito [De *ofi(o)-* + *-lito*.] *S. m. Petr.* Oficalcito.

ofiologia (òf) [De *ofi(o)-* + *-logia*.] *S. f.* **1.** Parte da zoologia que trata dos ofídios. **2.** Tratado acerca das serpentes.

ofiológico (òf) [De *ofiologia* + *-ico*[2].] *Adj.* Relativo à ofiologia.

ofiologista (òf) [De *ofiologia* + *-ista*.] *S. 2 g.* Especialista em ofiologia.

ofiomancia (òf... cí) [De *ofi(o)-* + *-mancia*.] *S. f.* Adivinhação pela observação de serpentes.

ofiomante (òf) [De *ofi(o)-* + *-mante*.] *S. 2 g.* Pessoa que pratica a ofiomancia.

ofiomântico (òf) *Adj.* Relativo à ofiomancia, ou a ofiomante.

ofiomórfico (òf) [De *ofi(o)-* + *-morf(o)-* + *-ico*[2].] *Adj.* V. *serpentiforme*.

ofiomorfo (òf) [De *ofi(o)-* + *-morfo*.] *Adj.* V. *serpentiforme*.

ofiopógon (òf) [Do tax. *Ophiopogon*.] *S. m. Bot.* **1.** Gênero de ervas liliáceas, folhosas, dotadas de escapo e estolho, e que têm racemos ou espigas com flores brancas, azuis, violáceas ou lilases, e ovário ínfero. **2.** Espécie ou espécime desse gênero.

ofítico [De *ofito* + *-ico*[2].] *Adj. Min.* Diz-se da textura em que os cristais de feldspato em forma de baguete produzem um entrelaçamento cujos interstícios são preenchidos por um mineral ferromagnesiano posteriormente formado.

ofito [De *ofi(o)-* + *-ito*[2].] *S. m. Petr.* Rocha verde com manchas esbranquiçadas, cuja aparência lembra a pele de cobra, e que é, em geral, diabásio mais ou menos uralitizado.

ofiúco [Do gr. *Ophioûchos*, pelo lat. *Ophiucus*.] *S. m. Astr.* Constelação boreal, ao S. de Hércules, ao N. do Escorpião e Sagitário, a O. da Cauda da Serpente e a E. da Libra. [Com cap.]

ofiuquídeos (i-u) [Do lat. *Ophiucus* (v. *Ofiúco*) + o pl. de *-ídeo*[1].] *S. m. pl. Astr.* Chuva de meteoros, visível no período de 17 a 26 de junho, que atinge o seu máximo nos dias 19 e 20, e cujo radiante se situa na constelação de Ofiúco.

ofiúrida [Do tax. *Ophiura* + *-ida*[1]; tax. *Ophiurida*.] *Zool. S. m.* **1.** Espécime dos ofiúridas, ordem de animais equinodermos, ofiuroides, com braços simples, não ramificados, desprovidos de movimento de contração. O disco e os braços são, em geral, recobertos por placas calcárias. ● *Adj. 2 g.* **2.** Pertencente ou relativo a eles.

ofiuroide (i-u...ói) [Do tax. *Ophiura* + *-oide*; tax. *Ophiuroidea*.] *Zool. S. m.* **1.** Espécime dos ofiuroides, subclasse de equinodermos de corpo provido de um disco central donde saem cinco braços ou raios vermiformes nitidamente separados do disco, articulados, e às vezes ramificados, e de tubos pediosos dispostos em duas fileiras e desprovidos de ânus. Os braços são quebradiços, mas reconstituem-se com rapidez. São conhecidos desde o siluriano. ● *Adj. 2 g.* **2.** Pertencente ou relativo a eles. ❖

ofo (ô) [Desta língua, pelo ingl. *Ofo*.] *S. m. Gloss.* Língua, atualmente extinta, da família siuana.

ófrio [Do gr. *óphrys, yos*, 'sobrancelha'.] *S. m. Anat.* O ponto médio da linha transversal supraorbitária.

ófrion [Do lat. cient. *ophryn*.] *S. m. Anat.* V. *ófrio*.

ofrioscolecídeo (òf) [Do lat. cient. *Ophryoscolec-* (do tax. *Ophryoscolex*) + *-ídeo*[1]; tax. *Ophryoscolecidae*.] *Zool. S. m.* **1.** Espécime dos ofrioscolecídeos, grande família de ciliados que vivem no estômago de ruminantes, onde decompõem o amido e, provavelmente, a celulose. ● *Adj.* **2.** Pertencente ou relativo a eles.

ófris [Do gr. *óphrys, yos*, 'sobrancelha'.] *S. f. 2 n. Bot.* V. *listera* (2).

ofsete [Do ingl. *offset*.] *S. m. Art. Gráf.* Método de impressão litográfica indireta em que a imagem ou os caracteres, gravados por processo fotoquímico em uma folha de metal flexível (chapa), geralmente zinco ou alumínio, são transferidos para o papel por intermédio de um cilindro de borracha. ~ V. *papel —*. ◆ **Ofsete seco.** *Tip.* Tipofsete.

ofsetista [De *ofsete* + *-ista*.] *S. 2 g. Art. Gráf.* Impressor que trabalha em prensa de ofsete. [Cf. *rotativista*[1].]

oftalgia *S. f. Oftalm.* V. *oftalmalgia*.

oftálgico *Adj.* V. *oftalmálgico*.

oftalmalgia [De *oftalm(o)-* + *-alg(o)-*[2] + *-ia*[1].] *S. f. Oftalm.* Dor ocular.

oftalmálgico [De *oftalmalgia* + *-ico*[2].] *Adj. Oftalm.* Referente a oftalmalgia.

oftalmia [Do gr. *ophthalmía*.] *S. f. Oftalm.* Inflamação grave de olho, ou de conjuntiva, ou de formação ou formações [v. *formação* (5)] ocular(es) mais profunda(s). [Sin. (bras., pop.): *calor nos olhos*.]

oftálmico [Do gr. *ophthalmikós*.] *Oftalm. Adj.* **1.** Relativo ao(s) olho(s). **2.** Aplicável contra oftalmia. ● *S. m.* **3.** Aquele que padece de oftalmia. **4.** Medicamento contra oftalmia.

▲ **oftalm(o)-** [Do gr. *ophthalmo-* < gr. *ophthalmós, oû*.] *El. comp.* = 'olho': *oftalmalgia, oftalmorragia*. [Equiv.: *-(o)ftalm(o)-, -oftalmo*: *buftalmia, anoftalmia; macroftalmo*.]

▲ **-(o)ftalm(o)-** V. *oftalm(o)-*.

▲ **-oftalmo** V. *oftalm(o)-*.

oftalmografia [De *oftalm(o)-* + *-grafia*.] *S. f.* Descrição dos olhos.

oftalmográfico [De *oftalmografia* + *-ico*[2].] *Adj.* Referente a oftalmografia.

oftalmologia [De *oftalm(o)-* + *-logia*.] *S. f.* Ramo da medicina que estuda os olhos em todos os aspectos; oculística.

oftalmológico [De *oftalmologia* + *-ico*[2].] *Adj.* Relativo a oftalmologia.

oftalmologista [De *oftalmologia* + *-ista*.] *S. 2 g.* Especialista em oftalmologia. [Sin.: *oculista, oftalmólogo* e (desus.) *óptico*.]

oftalmólogo [De *oftalm(o)-* + *-logo*.] *S. m.* V. *oftalmologista*.

oftalmomalacia (cì) [De *oftalm(o)-* + *-malacia*.] *S. f. Oftalm.* Amolecimento patológico de olho.

oftalmomalácico [De *oftalmomalacia* + *-ico*[2].] *Adj. Oftalm.* Relativo a oftalmomalacia.

oftalmômetro *S. m. Oftalm.* V. *oftalmômetro*. [Uso freq. em P.]

oftalmômetro [De *oftalm(o)-* + *-metro*.] *S. m. Oftalm.* **1.** Qualquer instrumento para efetuar medida em olho. **2.** *Restr.* Instrumento que determina a capacidade e os vícios de refração, ao medir o tamanho das imagens refletidas a partir da córnea e do cristalino.

oftalmopatia [De *oftalm(o)-* + *-patia*.] *S. f. Oftalm.* Qualquer doença ocular.

oftalmoplastia [De *oftalm(o)-* + *-plast(o)-* + *-ia*[1].] *S. f. Cir. Plást.* Qualquer intervenção cirúrgica, plástica, realizada em olho(s) ou seu(s) anexo(s).

oftalmoplástico [De *oftalmoplastia* + *-ico*[2].] *Adj. Cir. Plást.* Relativo à oftalmoplastia.

oftalmoplegia [De *oftalm(o)-* + *-pleg-* + *-ia*[1].] *S. f. Oftalm. Neur.* Paralisia de um ou mais músculos oculares.

oftalmoplégico [De *oftalmoplegia* + *-ico*[2].] *Adj.* Relativo a oftalmoplegia.

oftalmorragia [De *oftalm(o)-* + *-ragia*.] *S. f. Oftalm.* Hemorragia de origem ocular.

oftalmorrágico [De *oftalmorragia* + *-ico*[2].] *Adj. Oftalm.* Relativo a oftalmorragia.

oftalmoscopia [De *oftalm(o)-* + *-scop-* + *-ia*[1].] *S. f. Oftalm.* Exame ocular mediante o uso de oftalmoscópio.

oftalmoscópico [De *oftalmoscopia* + *-ico*[2].] *Adj. Oftalm.* Relativo a oftalmoscopia.

oftalmoscópio [De *oftalm(o)-* + *-scópio*.] *S. m. Oftalm.* Instrumento com que se realiza o exame do interior do olho.

oftalmóstato [De *oftalm(o)-* + *-stato*.] *S. m. Oftalm.* Instrumento destinado a manter fixo o olho, durante intervenção oftalmológica.

oftalmoteca [De *oftalm(o)-* + *-teca*.] *S. f. Zool.* Parte do corpo da crisálida que cobre os olhos do inseto.

oftalmoterapia [De *oftalm(o)-* + *-terapia*.] *S. f. Oftalm.* Terapêutica das doenças dos olhos.

oftalmoterápico [De *oftalmoterapia* + *-ico*[2].] *Adj.* Relativo a oftalmoterapia.

oftalmotomia [De *oftalm(o)-* + *-tom(o)-* + *-ia*[1].] *S. f. Oftalm.* Incisão (2) em globo ocular.

oftalmotómico *Adj. Oftalm.* V. *oftalmotômico*. [Uso freq. em P.]

oftalmotômico [De *oftalmotomia* + *-ico*[2].] *Adj. Oftalm.* Relativo a oftalmotomia.

oftalmotorrinolaringologista [De *oftalm(o)-* + *-ot(o)-* + *-rin(o)-* + *-laring(o)-* + *-log(o)-* + *-ista*.] *S. 2 g. Med. Obsol.* Médico especialista em moléstias dos olhos, ouvidos, nariz e garganta. [É especialidade hoje quase inexistente.]

oftalmoxistro (cs) [De *oftalm(o)-* + *-xistro*.] *S. m. Med.* Espécie de pincel para limpar ou raspar a superfície do olho.

ofurô [Do jap., 'o sublime lugar do calor'.] *S. m.* Banheira feita de ripas de madeira (esp. de cedro), de grande porte (de modo a comportar um grupo de pessoas), que é us. para banhos relaxantes, nos quais a água, aquecida entre 36º e 40º, deve cobrir os ombros de uma pessoa sentada. [No Japão, o *banho de ofurô* constitui uma atividade familiar diária; no Brasil, vem sendo us. para fins terapêuticos, individualmente.]

ofuscação [Do lat. tard. *offuscatione*.] *S. f.* Ato ou efeito de ofuscar(-se); ofuscamento.

ofuscador (ô) [De *ofuscar* + *-dor*.] *Adj.* Ofuscante.

ofuscamento [De *ofuscar* + *-mento*.] *S. m.* Ofuscação.

ofuscante [Do lat. tard. *offuscante*.] *Adj. 2 g.* Que ofusca; ofuscador.

ofuscar [Do lat. tard. *offuscare*.] *V. t. d.* **1.** Impedir de ver ou de ser visto; ocultar, encobrir, obscurecer: *O nevoeiro denso ofuscava a paisagem.* **2.** Turvar, toldar: *A presença da moça ofusca-lhe a razão.* **3.** Turvar a vista de; deslumbrar: *A forte luz do Sol ofuscou-o.* **4.** Tornar menos distinto, menos claro ou menos perceptível; fazer diminuir de intensidade; empanar: *Sua viva inteligência ofuscava a dos outros candidatos.* **5.** Exceder; suplantar. *Int.* **6.** Turvar a vista; deslumbrar: "Luz que de tão forte ofusca e fascina." (Pe. Antônio Vieira, *Sertão Brabo*, p. 19.) *P.* **7.** Perder o brilho, o prestígio, o valor; apagar-se. **8.** Toldar-se, obscurecer-se. [Conjug.: v. *trancar*.]

ogã [Do ior. ou do jeje.] *S. m. Bras. Rel.* Título honorífico dado a protetores de candomblés, de templos umbandistas, etc.: "Eu tenho um primo que é ogã no terreiro de Mãe Honorina, no Cabula." (Herberto Sales, *Armado Cavaleiro o Audaz Motoqueiro*, p. 59.)

ogã-calofé [Do ior.] *S. m. Bras. Rel.* Ogã-ilu. [Pl.: *ogãs-calofé*.]

ogã-colofé [Do ior.] *S. m. Bras. Rel.* Na umbanda, posto hierárquico imediatamente abaixo do chefe da casa. [Pl.: *ogãs-colofé*.]

ogã de faca *S. m. Bras. Rel.* V. *axogum*. [Pl.: *ogãs de faca*.] ☑

ogã-ilu [Do ior.] *S. m. Bras. Rel.* No candomblé, tocador de atabaque que dirige os outros nas cerimônias rituais; ogã-calofé. [Pl.: *ogãs-ilu*.]

ogâmico [De *ogamo* + *-ico*[2].] *Adj. Graf.* Relativo a ogamo. ~ V. *alfabeto —*.

ogamo *S. m. Graf.* Cada um dos símbolos que formam o alfabeto ogâmico.

ogano [Do lat. *hoc anno*.] *Adv. Ant.* Neste ano.

ogervão [De *urgebão* (q. v.).] *S. m. Bras. Bot.* V. *gervão* (2).

ogiva [Do fr. *ogive*.] *S. f.* **1.** *Arquit.* Figura formada pelo cruzamento de dois arcos iguais que se cortam superiormente, formando um ângulo agudo, e que é típica das abóbadas góticas. **2.** Parte frontal afilada de um projetil, foguete, ou veículo espacial, e que geralmente carrega a carga útil.

ogivado [De *ogiva* + *-ado*[1].] *Adj.* Que tem forma de ogiva; provido de ogiva.

ogival [De *ogiva* + *-al*[1].] *Adj. 2 g.* **1.** Relativo a ogiva. **2.** Que tem a forma de ogiva: 📖 "só agora, no alto, a olhar o panorama através da porta ogival da capelinha, se me vai fazendo luz no espírito" (Miguel Torga, *Diário*, IX, p. 13). ~ V. *abóbada –, arco –* e *estilo –*.

ogó [Do ior. *ogó*, 'dinheiro', 'riqueza'.] *S. m. Bras.* Material constituído, em grande parte, de monazita mesclada com grânulos de zirconita, o que lhe dá uma coloração amarela semelhante à do ouro [v. *satélite* (7)] : 📖 "Olhe que isto não é ogó, compadre Figueirinhas; é ouro limpo, sem argueiro nem limalha." (Eduardo Frieiro, *O Mameluco Boaventura*, p. 19.)

ogodó *Adj. 2 g. S. m.* V. *Ogodô*. [Com cap.]

ogodô [Do ior.] *Bras. Rel. S. m.* **1.** Qualidade (11) guerreira de Xangô. ● *Adj. 2 g.* **2.** Diz-se dessa qualidade. [Com cap.; var. ger.: *Ogodó*.]

ogra *S. f.* A fêmea do ogro.

ogro [Do fr. *ogre*.] *S. m. Etnogr.* Ente fantástico em que se fala para intimidar as crianças; papão.

ogum [Do ior.] *S. m. Bras.* Orixá a quem se atribui a transmissão da técnica da metalurgia do ferro aos homens, e que no Brasil é cultuado mais por sua belicosidade; na umbanda, é protetor das demandas jurídicas dos fiéis. [Com cap.]

ogunhê [Do ior.] *Interj. Bras. Rel.* Saudação que se dirige a Ogum, quando este desce [v. *descer* (15)] num terreiro nagô de candomblé.

oh [Do lat. *o*.] *Interj.* Exprime espanto, surpresa, alegria, tristeza, admiração, lástima, repugnância e outras impressões vivas ou súbitas: 📄 *Oh! você por aqui?*; 📖 "Oh! que saudades que tenho / Da aurora da minha vida, / Da minha infância querida / Que os anos não trazem mais!" (Casimiro de Abreu, *As Primaveras*, p. 33); "Oh! quanto pode em nós a vária estrela!" (Tomás Antônio Gonzaga, *Marília de Dirceu*, p. 15); "Oh, excelentíssima! poupe-me .... o dissabor de vir trazer o sono a uma sociedade tão divertida." (Artur Azevedo, *Contos Efêmeros*, p. 83); "Oh, que bela surpresa!" (Josué Montelo, *O Baile da Despedida*, p. 150). [Var. (bras., pop): *ôh*. Cf. *ó*, *ô* e *ou*.]

ôh *Interj. Bras. Pop.* V. *oh*. [Cf. *ó*, *ô* e *ou*.]

➔ **ohm** [om] [V.C.I., do antr. (*Georg Simon*) *Ohm* (1787-1854), físico alemão.] *S. m. Eletr.* Unidade de medida de resistência elétrica, no Sistema Internacional, que é a resistência elétrica de um elemento passivo dum circuito no qual circula uma corrente elétrica invariável de um ampère quando existe uma diferença de potencial constante de um volt entre seus terminais [símb.: Ω]. [Pl.: *ohms*.] ◆ **Ohm acústico.** *Fís.* Unidade c.g.s. de medida de impedância acústica, que é a impedância de um sistema em que uma pressão de um microbar produz uma velocidade volumétrica de um centímetro cúbico por segundo.

óhmico *Adj.* V. *ôhmico*. [Uso freq. em P.]

ôhmico [De *ohm* + *-ico*[2]] *Adj.* Relativo a ohm. ~ V. *acoplamento –, condutor –* e *contato –*.

ohmímetro [De *ohm* + *-i-* + *-metro*.] *S. m. Eng. Elétr.* Instrumento com que se mede a resistência elétrica de um componente de circuito.

oi *Interj. Bras.* Indica espanto, chamamento, resposta ao apelo do nome, saudação jovial ao encontrar outrem, e indica, ainda, que não se ouviu bem o que foi dito ou perguntado.

oiá [Do ior.] *S. f. Bras. Rel.* Iabá (1) cuja epifania, na África, é o rio Oiá (Níger); é uma das mulheres míticas de Xangô. [Com cap. No Brasil, o mitônimo *Oiá* só é us. em candomblés nagôs, sendo *Iansã* o de emprego mais geral.]

oiampi (o-i) *Bras. S. 2 g.* **1.** *Etnôn.* Indivíduo dos oiampis [ou (etnôn. bras.) *Waiãpi, *Wayãpi], povo indígena da família linguística tupi-guarani, tronco tupi, que habita o parque do Tumucumaque (PA), nos municípios de Mazagão e Macapá (AP), e na Guiana Francesa. ● *Adj. 2 g.* **2.** Pertencente ou relativo a esse povo.

oiana *S. 2 g. Adj. 2 g. Bras.* V. *oaiana*.

oiapoquense *Adj. 2 g.* **1.** De, ou pertencente ou relativo a Oiapoque (AP). ● *S. 2 g.* **2.** O natural ou habitante de Oiapoque.

oiça[1] V. *ouça*[1].

oiça[2] V. *ouça*[2].

▲ **-oico**[1] (ói) V. *eco-*[1]. ❖

▲ **-oico**[2] (ói) [De *-o-* + *-ico*[2].] *Quím. Suf.* us. em nome de ácidos carboxílicos e em alguns de seus derivados: *caproico, benzoico*. ❖

▲ **-oid(e)-** V. *-oide*.

▲ **-oide** (ói) [Do gr. *-(o)eidḗs*.] *Suf. nom.* = 'aspecto ou forma de', 'semelhante a', 'relativo a'; 'espécie de animal, mineral, substância orgânica, etc.'; 'família ou classe de animais, grupo de minerais, de substâncias orgânicas, etc.': *mastoide* (< gr.), *cristaloide*; *aracnoide* (< gr.). [Equiv.: *-ida*[2], *-ídeo*[3], *-ídio*[3], *-(i)di(o)-*, *-óideo*, *-oideo*, *-oid(e)-*: *amida*; *actinídeo*, *braquídeo*; *ofídio* (< gr.); *zoidiogamia*, *mastóideo*; *euglenoidino*. Alternam-se, em geral, as formas *-oide*, *-óideo* e *-oídeo*: *mastoide, mastoídeo, mastóideo*; *xifoide, xifóideo, xifoídeo*.] ❖

▲ **-óideo** V. *-oide*.

▲ **-oídeo** V. *-oide*.

oídio [Do lat. cient. *oidiu*, formado do gr. *oión*, 'ovo', + lat. cient. *-idium* (= *-ídio*).] *S. m. Micol.* **1.** Espermácia formada numa ramificação de uma hifa; oidiósporo. **2.** Moléstia das plantas, produzida por fungos erisifáceos.

oidiomicose (o-i) [De *oídio* + *micose*.] *S. f. Micol.* Designação comum às doenças dos vegetais produzidas por fungos do gênero *Oidium*.

oidiósporo (o-i) [De *oídio* + *-sporo*.] *S. m. Micol.* Oídio (1).

oigalé *Interj. Bras. S.* V. *oigalê*: 📖 "Oigalé! Pechada macota!" (Simões Lopes Neto, *Contos Gauchescos e Lendas do Sul*, p. 233.)

oigalê [Do esp. plat. *oiga*, 'ouça', + *le*, 'o'.] *Interj. Bras. S.* Exprime admiração ou espanto; oigalé, oigatê, oigaté.

oigaté *Interj. Bras. S.* V. *oigalê*.

oigatê *Interj. Bras. S.* V. *oigalê*.

oió [Do ior. *Oyo*.] *S. 2 g.* **1.** *Etnôn.* Indivíduo dos oiós, povo iorubano do S.O. da Nigéria (África). ● *Adj. 2 g.* **2.** Pertencente ou relativo a esse povo.

oira *S. f.* V. *oura*.

oirado [Part. de *oirar*[2].] *Adj.* V. *ourado*.

oirama *S. f. Bras.* V. *ourama*.

oirana *S. f. Bras. Bot.* V. *ourana*.

oirar[1] *V. t. d.* V. *ourar*[1].

oirar[2] *V. t. d. Int. P.* V. *ourar*[2].

oiriçar *V. t. d. P.* V. *ouriçar*. [Conjug.: v. *laçar*.]

oiriço *S. m.* V. *ouriço*.

oiriço-cacheiro *S. m. Zool.* V. *ouriço-cacheiro*. [Pl.: *oiriços-cacheiros*.]

oiriço-do-mar *S. m. Zool.* V. *ouriço-do-mar*. [Pl.: *oiriços-do-mar*.]

oiriço-preto *S. m. Bras. BA Zool.* V. *ouriço-preto*. [Pl.: *oiriços-pretos*.]

oiro *S. m.* V. *ouro*. ~ V. *oiros*.

oiro de gato *S. m.* V. *ouro de gato*. [Pl.: *oiros de gato*.] ☑

oiro e fio *Adv.* V. *ouro e fio*. ☑

oiro-fio *Adv.* V. *ouro-fio*.

oiropel *S. m.* V. *ouropel*. [Pl.: *oiropéis*.]

oiro-pigmento *S. m.* V. *ouro-pigmento*. [Pl.: *oiros-pigmentos* e *oiros-pigmento*.]

oiros [Pl. de *oiro*.] *S. m. pl.* V. *ouros*. ~ V. *oiro*.

oirudo *Adj.* V. *ourudo*.

■ **OIT** Sigla de *Organização Internacional do Trabalho*.

oitante [Do lat. *octante*, por via pop.] *S. m.* **1.** *Ant. Náut.* Instrumento para medir ângulos (semelhante ao sextante (q. v.), mas cujo limbo abrange um oitavo do círculo, *i. e.*, 45º). [Cf. *quadrante* e *quintante*.] **2.** *Geom.* Arco de circunferência, ou setor de círculo, que mede 45º. [Var., nessas acepçs.: *octante*.] **3.** Distância de 45 graus entre o Sol e outro astro. **4.** Uma das fases da Lua intermediária entre duas principais. [Há quatro oitantes: 1º oitante: fase da Lua intermediária entre a lua nova e o quarto crescente; 2º oitante: fase da Lua intermediária entre o quarto crescente e a lua cheia; 3º oitante: fase da Lua intermediária entre a lua cheia e o quarto minguante; 4º oitante: fase da Lua intermediária entre o quarto minguante e a lua nova.] **5.** *Astr.* Constelação que abrange o polo celeste austral. [Com cap., nesta acepç.]

oitão [Var. de *outão* < lat. **altanu* < *altu*, 'alto'.] *S. m. Constr.* **1.** Cada uma das paredes laterais da casa, situadas nas linhas de divisa do lote: 📖 "Ao lado, numa casa de paredes brancas de tabatinga, de janelas abertas no oitão, botara loja bem sortida um tal Joãozinho" (Nélson de Faria, *Cabeça-Torta*, p. 7). **2.** Cada um dos espaços laterais de um edifício. **3.** Empena (2). [Var.: *outão*.]

oitava [Do lat. *octava*, fem. do ord. *octavu*.] *S. f.* **1.** Cada uma das oito partes iguais em que se divide um todo. **2.** *Lit.* Espaço de oito dias consagrados a uma festa religiosa; oitavário. **3.** *Lit.* O oitavo dia da oitava. **4.** *Mús.* Intervalo de oito graus, ascendente ou descendente, entre duas notas do mesmo nome, e que corresponde a uma razão entre as respectivas frequências igual a 2, *i. e.*, a oitava justa superior de um som é produzida por um número de vibrações que é exatamente o dobro do som fundamental. **5.** *Arte Poét.* Estrofe ou estança de oito versos: 📄 *as oitavas de* Os Lusíadas. **6.** Antiga unidade de medida de peso, equivalente a 1/8 da onça[1] (1), ou seja, 3,586 gramas; dracma. **7.** *Bras. Ant.* Unidade monetária, e moeda, correspondentes a 1.200 réis: 📖 "Ai, fortunas, ai, fortunas... / Doblas, oitavas, cruzados, / vastos dinheiros antigos" (Cecília Meireles, *Obra Poética*, p. 884).

oitava a quadrão *S. f. Bras. Liter. Pop.* V. *oito pés em quadrão*. [Pl.: *oitavas a quadrão*.] ☑

oitava de final *S. f. Bras. Esport.* Nos torneios por eliminação, rodada em que oito duplas de times disputam a classificação às quartas de final. [Pl.: *oitavas de final*.] ☑

oitavado [Part. de *oitavar*.] *Adj.* Octogonal (2).

oitavão [De *oitavo* + *-ão*[2].] *Adj. S. m. Bras.* Diz-se de, ou aqueles que têm ou parecem ter um oitavo de sangue negro. [Sin.: *octorum, octoruno*. Fem.: *oitavona*.]

oitavão-rebatido *S. m. Bras. Liter. Pop.* Estrofe de oito versos setissílabos, com esquema rimático ABCBDDDB. [Pl.: *oitavões-rebatidos*.]

oitavar [De *oitavo* + *-ar*[2].] *V. t. d.* **1.** Dar a forma de octógono (2) a. **2.** Dividir em oito partes. **3.** *Mús.* Tocar na oitava superior ou inferior.

oitava-rima *S. f. Arte Poét.* Estância de oito versos decassílabos, dos quais o primeiro rima com o terceiro e o quinto, o segundo com o quarto e o sexto, e o sétimo com o oitavo: 📄 *Em oitava-rima são compostos* Os Lusíadas, *de Camões, e* Caramuru, *de Santa Rita Durão*. [Pl.: *oitavas-rimas*.]

oitavário [De *oitavo* + *-ário*.] *S. m. Lit.* **1.** Oitava (2). **2.** Livro que contém os cânticos e orações das oitavas.

oitavino [Do it. *ottavino*.] *S. m.* Flautim em dó.

oitavo [Do lat. *octavu*.] *Num.* **1.** Ordinal e fracionário correspondentes a oito. ● *S. m.* **2.** A oitava parte. **3.** Aquele ou aquilo que ocupa o oitavo lugar. **4.** *Bibliol.* V. *in-oitavo* (2).

oitavona *S. f. Bras.* Fem. de *oitavão*.

oitchi [De *oiti*, com palatalização, poss.; lat. cient. *oitchy*.] *S. m. Bras. Bot.* Arbusto mirtáceo (*Myrcia oitchy*) de folhas pecioladas, oblongas, glabras, glandulosas, luzidias na página inferior e, na superior, muito brilhantes, flores paniculadas e frutos bacáceos, edules.

oiteira *S. f. Bras. GO Bot.* V. *vinhático-do-campo*.

oiteirista *S. 2 g.* V. *outeirista*.

oiteiro *S. m.* V. *outeiro*: 📖 "já a alba arruçava a lomba dos oiteiros e o recorte das árvores" (Aquilino Ribeiro, *Estrada de Santiago*, p. 312).

oitenta [Do lat. vulg. *octaginta*, pelo lat. clás. *octoginta*.] *Num.* **1.** Quantidade que é uma unidade maior que 79; setenta mais dez. **2.** Número (4) correspondente a essa quantidade. [Nessas acepçs., representa-se em algarismos arábicos por 80, e em algarismos romanos, por LXXX.] **3.** Que está marcado ou identificado com o número 80. **4.** Octogésimo. ● *S. m.* **5.** Representação, em algarismos, do número oitenta. **6.** Aquilo ou aquele que numa série ocupa o octogésimo lugar.

oitenta-e-oito *S. f. 2 n. Bras. Zool.* Inseto lepidóptero, ninfalídeo (*Callicore janeira*), cujas borboletas adultas possuem na porção inferior das asas posteriores duas manchas em forma de 8, formando o número 88. O lado superior das asas é azul e preto; o lado inferior, vermelho.

oitentão [De *oitenta* + *-ão*[1].] *Adj. S. m.* Octogenário. [Fem.: *oitentona*.]

oitentona *S. f.* V. *oitentão*.

oiti [Do tupi.] *S. m. Bras. Bot.* **1.** Árvore crisobalanácea (*Licania tomentosa*) de folhas elípticas, flores brancas e frutos edules, cujas amêndoas são ricas em óleo; oiti-bêbedo, oiti-cagão, oiti-da-beira-do-rio, oiti-da-praia, oitizeiro. **2.** Árvore crisobalanácea (*Licania salzmannii*) de folhas oblongas, flores brancas, paniculadas, e fruto de polpa farinácea comestível; oiti-grande. [Var.: *goiti*.]

oiti-bêbedo *S. m. Bras. Bot.* V. *oiti* (1). [Pl.: *oitis-bêbedos*.]

oitibó *S. m. Bras. CE* V. *noitibó*: 📖 "O irmão de Iracema tem .... o olhar do oitibó que vê melhor nas trevas." (José de Alencar, *Iracema*, p. 56).

oiti-cagão *S. m. Bras. Bot.* V. *oiti* (1). [Pl.: *oitis-cagões*.]

oiticica [Do tupi = 'oiti resinoso'.] *S. f. Bras. Bot.* **1.** Árvore rosácea (*Licania rigida*) que habita o N.E., e cuja semente fornece óleo secativo muito útil. **2.** Árvore morácea (*Clarisia racemosa*) que habita desde a Amaz. até o N.E., e produz madeira de boa qualidade, sobretudo para fazer canoas. [Sin., nessas acepçs.: *guariúba*.] **3.** V. *limãorana*.

oiticoró [Do tupi = 'oiti áspero'.] *S. m. Bras. Amaz. Bot.* Árvore rosácea (*Couepia rufa*) da floresta pluvial, de grandes folhas coriáceas e frutos drupáceos com polpa aproveitável. [F. paral.: *oiticoroia*.]

oiticoroia (ói) [Do tupi = 'oiti áspero'.] *S. m. Bras. Amaz. Bot.* Oiticoró. ❖

oiti-da-beira-do-rio *S. m. Bras. Bot.* V. *oiti* (1). [Pl.: *oitis-da-beira-do-rio*.]

oiti-da-praia *S. m. Bot.* **1.** Fruta-de-coruja. **2.** V. *oiti* (1). [Pl.: *oitis-da-praia*.]

oiti-grande *S. m. Bras. Bot.* Oiti (2). [Pl.: *oitis-grandes*.]

oitiva [Var. de *outiva* < *auditiva*, com síncope e alter. do ditongo inicial.] *S. f.* **1.** Ouvido, audição. **2.** V. *ouvida*. ◆ **De oitiva.** V. *de ouvida*.

oitizeiro [De *oiti* + *-zeiro*.] *S. m. Bras. Bot.* V. *oiti* (1).

oito [Do lat. *octo*.] *Num.* **1.** Quantidade que é uma unidade maior que sete; sete mais um. **2.** Número (4) correspondente a essa quantidade. [Nessas acepçs., representa-se em algarismos arábicos por 8, e em algarismos romanos, por VIII.] **3.** Que está marcado ou identificado com o número 8. **4.** Oitavo (1). ● *S. m.* **5.** Representação, em algarismos, do número oito. **6.** Carta de baralho ou face de peça de jogo de mesa marcada com esse número: *oito de copas.* **7.** Aquilo ou aquele que numa série ocupa o oitavo lugar. **8.** A nota oito, em exame, concurso, ou avaliação. [Cf. *outo.*] ◆ **Oito mm.** *Cin.* **1.** Formato de filme com bitola de oito mm. [Mais us. por cineastas amadores e, atualmente, para fins artísticos.] [Cf. *dezesseis mm* e *trinta e cinco mm.*] **2.** Equipamento para filme oito mm. **Ou oito ou oitenta.** Ou tudo ou nada. **Tomar um oito.** *Bras. Pop.* Ingerir certa quantidade de bebida alcoólica.

oitocentésimo *Num.* Octingentésimo.

oitocentismo [De *oitocentos* + *-ismo.*] *S. m.* Estilo, gosto ou escola dos oitocentistas.

oitocentista [De *oitocentos* + *-ista.*] *Adj. 2 g.* **1.** Pertencente ou relativo ao oitocentismo, ou ao séc. XIX (século de oitocentos). **2.** Diz-se do escritor ou do artista desse século. ● *S. 2 g.* **3.** Escritor ou artista do séc. XIX.

oitocentos [De *oito* + o pl. de *cento.*] *Num.* **1.** Quantidade que é uma unidade maior que 799; setecentos mais cem. **2.** Número (4) correspondente a essa quantidade. [Nessas acepçs., representa-se em algarismos arábicos por 800, e em algarismos romanos, por DCCC.] **3.** Que está marcado ou identificado com o número 800. **4.** Octingentésimo (1). ● *S. m.* **5.** O séc. XIX, ou século de oitocentos; o período oitocentista. [Com cap., nesta acepç.] **6.** Representação, em algarismos, do número oitocentos. **7.** Aquilo ou aquele que numa série ocupa o octingentésimo lugar.

oito pés a quadrão *S. m. 2 n. Bras. Liter. Pop.* V. *oito pés em quadrão.* [Sin.: *oitava a quadrão; quadrão de oito.*] ☑

oito pés em quadrão *S. m. 2 n. Bras. Liter. Pop.* Estrofe de oito versos de sete sílabas, com a disposição AAABBCCB, sendo o último verso obrigatoriamente um refrão alusivo ao nome da estrofe. [O refrão mais comumente usado é: *nos oito pés do quadrão.*] [Sin.: *oito pés a quadrão, oitava a quadrão, quadrão de oito.*] ☑

oitubro *S. m. Ant. Pop.* Outubro: "Já no casal descubro / As relvas a pungir, cosas águas deste oitubro." (Bulhão Pato, *Livro do Monte*, p. 13).

oivaneca *Bras. S. 2 g.* **1.** *Etnôn.* Indivíduo dos oivanecas, povo indígena extinto que habitava a região do rio Tartarugal, a leste do AP. ● *Adj. 2 g.* **2.** Pertencente ou relativo a esse povo. [Tb. us. como *s. 2 g. e 2 n.* (com cap.) e *adj. 2 g. e 2 n.*]

ojá [Do ior.] *S. m. Bras. Rel.* Faixa de pano usada para diversos fins litúrgicos e rituais no candomblé e em cultos a ele associados.

ojeriza [Do esp. *ojeriza.*] *S. f.* Má vontade, aversão, antipatia a pessoa ou coisa: "Sempre tive ojeriza a quem não encara de frente." (Afrânio Peixoto, *Fruta do Mato*, p. 151.)

ojerizar [De *ojeriza* + *-ar*[2].] *V. t. d. Bras.* **1.** Ter ojeriza a; antipatizar com. *T. i.* **2.** Antipatizar; repugnar.

o.k. [Do ingl., abrev. de *oll korrect*, alter. de *all correct.*] *Adv.* **1.** Sim; certamente: *O.k., telefono-lhe mais tarde.* **2.** Muito bem; em bom estado, em boas condições: *Com a troca da bateria, o carro ficou o.k.; O doente está o.k., já teve alta.* ● *Interj.* **3.** Indica afirmação, aprovação: *— Pode-me ajudar? | — O.k.! Conte comigo.*

▲ **-ol-**[1] V. *-ol*[2].

▲ **-ol-**[2] V. *-ol*[3].

▲ **-ol**[1] *Suf.* = 'uso', 'serventia': *urinol.*

▲ **-ol**[2] *Quím. Suf.* Indica um álcool: *metanol, etanol.* [Ocorre, tb., como infixo: *-ol-*: *etanolamina.*]

▲ **-ol**[3] [Do ingl. *oil*, 'óleo', < ingl. med. *olie, oile* < lat. *oleum* (v. *ole(i)-*).] *Quím. Suf.* us. em termos antigos ou tradicionais (e ainda us. no comércio e na indústria) = 'óleo de' (*eucaliptol*); 'óleo que' (*pirrol*). [Ocorre, tb., como infixo: *-ol-*: *picolina.*]

ola[1] (ó) [Do malaiala *ola.*] *S. f.* **1.** *Luso-asiat. Bot.* Folha de palmeira. **2.** Lâmina de ouro que imita folha de palmeira. **3.** *Bibliol.* Cada uma das tiras de folhas de palmeira que, preparadas, perfuradas e metidas entre capas de madeira, formam, entre povos indianos, uma espécie de livro, sobre o qual se escreve com estilete de metal, cujos sulcos são preenchidos com mistura de carvão e óleo.

ola[2] (ó) *S. f. Ant. Prov. port.* Panela de barro: "havia nela [a cozinha] uma barafunda que nunca acabava entre água corrente, estalar do fogo, ferver de olas, bater de massas." (Agustina Bessa-Luís, *Memórias Laurentinas*, p. 18).

ola[3] (ó) *S. f. Prov. port.* Remoinho de água.

ola (ô) [Do esp. *ola*, 'onda'.] *S. f.* Em estádio (1), movimento festivo realizado pelos torcedores, em que a multidão, ao levantar-se e sentar-se, com os braços erguidos, evolui à maneira das ondas do mar.

▲ **-ola**[1] [Poss. do it. *-ola* ou do fr. *-ole*, ambos do lat. *-ola.*] *Suf. nom.* = 'diminuição': *bandeirola, portinhola, rapazola.* [Em palavras como *patetola* e *beiçola*, significa, ironicamente, o oposto.]

▲ **-ola**[2] *Quím. Suf.* Indica anel heterocíclico insaturado com 5 átomos no anel: *oxazola.*

olá *Interj.* Serve para chamar, para saudar, e também, indica espanto; olé.

olacácea [Do lat. cient. *Olac-* (do tax. *Olax* este do lat. tard. *olax, acis*, 'que exala odor') + *-ácea*; tax. *Olacaceae.*] *S. f. Bot.* Espécime das olacáceas, família de plantas floríferas, da ordem das santalales, que engloba arbustos e árvores dotadas de flores diclamídeas, hermafroditas e actinomorfas, e fruto drupáceo. Várias são parasitas de raízes de outras árvores, havendo umas 250 espécies tropicais, bem representadas no Brasil.

olacáceo [De *olacácea*, com var. suf. (v. *-áceo*).] *Adj. Bot.* Pertencente ou relativo às olacáceas.

olada [Do esp. plat. *olada.*] *S. f. Bras. RS* **1.** Ocasião, oportunidade, momento propício. **2.** Maré de sorte; boa sorte. ◆ **Estar de olada.** *Bras. RS* Estar com sorte (principalmente no jogo).

olaeira [De *olaia* + *-eira.*] *S. f. Bot.* Olaia.

olaia [De or. obsc.] *S. f. Bot.* Árvore fabácea (*Cercis siliquastrum*), de origem asiática, que tem folhas arredondadas e cordadas, flores purpúreas em fascículos, sendo, por isso, bastante ornamental, e cujo legume mede de 7 a 10cm; olaeira.

▲ **-olana** *Quím. El. comp.* Indica anel heterocíclico saturado com 5 átomos no anel, não sendo o heteroátomo nitrogênio: *tiolana.*

olandi [De or. tupi.] *S. m. Bras. Bot.* **1.** V. *anani.* **2.** V. *jacareúba.*

olaria[1] [De *ola*[2] + *-aria.*] *S. f.* **1.** Fábrica de produtos cerâmicos; cerâmica. **2.** Indústria de oleiro. **3.** Conjunto de peças de louça de barro ou cerâmica.

olaria[2] *S. 2 g. Bras.* Bariri[2] (3).

olariense *Adj. 2 g.* **1.** De, ou pertencente ou relativo a Olaria (MG). ● *S. 2 g.* **2.** O natural ou habitante de Olaria.

oldemburguês *Adj.* **1.** De, ou pertencente ou relativo a Oldemburgo (Alemanha). ● *S. m.* **2.** O natural ou habitante de Oldemburgo. [Flex.: *oldemburguesa* (ê), *oldemburgueses* (ê), *oldemburguesas* (ê).]

olé[1] [Do esp. *olé.*] *S. m. Bras. Fut.* **1.** Série de passes entre jogadores de uma equipe, ou de dribles efetuados por um jogador, e pela qual se exibe virtuosismo e domínio da bola: "Não porque o Botafogo tivesse dado olé no River. Não, foi um olé pessoal, de Garrincha em Vairo." (João Saldanha, *Os Subterrâneos do Futebol*, p. 103.) ● *Interj.* **2.** Exclamação com que a torcida aplaude essas jogadas.

olé[2] *Interj.* **1.** Olá: "Olé, pois o doutor é tão novato assim em viagens?" (Visconde de Taunay, *Inocência*, p. 42.) **2.** Exprime também afirmação.

ólea [Do tax. *Olea.*] *S. f. Bot.* **1.** Gênero-tipo das oleáceas, que compreende árvores e arbustos de folhas simples, flores axilares, e frutos drupáceos oleosos. **2.** Qualquer espécie desse gênero, como, p. ex., a *Olea europaea* (v. *oliveira*). **3.** Qualquer espécime desse gênero.

oleácea [Do tax. *Olea*, gênero-tipo, + *-ácea*; tax. *Oleaceae.*] *S. f. Bot.* Espécime das oleáceas, família de plantas da ordem das escrofulariales, com flores gamopétalas e hermafroditas, corola com prefloração torcida, estames em número igual ao de pétalas, ou menor, e fruto variável. Engloba cerca de 600 espécies de plantas lenhosas, próprias dos climas temperados. No Brasil há poucas espécies.

oleáceo [De *oleácea*, com var. suf. (v. *-áceo*).] *Adj. Bot.* Pertencente ou relativo às oleáceas.

oleado [Part. de *olear.*] *Adj.* **1.** Que tem óleo; untado de óleo. ● *S. m.* **2.** Lona ou pano impermeabilizado por uma camada de verniz, e usado em tapetes, capas para chuva, chapéus, etc.; encerado: "O casaco de oleado escorregara pela portinhola" (Eça de Queirós, *A Cidade e as Serras*, p. 190).

oleagíneo [Do lat. *oleagineu.*] *Adj.* **1.** Relativo, pertencente ou semelhante à oliveira. **2.** Oleaginoso.

oleaginoso (ô) [Do lat. *oleagina*, 'oliveira' + *-oso.*] *Adj.* Que contém óleo, ou é da natureza do óleo; oleagíneo: *fruto oleaginoso; planta oleaginosa.*

oleandrina *S. f. Quím.* Substância cristalina, tóxica, que é um glicosídeo, tem ação cardiotônica e é encontrada na espirradeira [fórm.: $C_{32}H_{48}O_9$].

oleandro [Do lat. med. *oliandru* ou *oleandru.*] *S. m. Bot.* V. *espirradeira.*

oleanólico *Adj. Quím.* ~ V. *ácido* —.

olear [De *óleo* + *-ar*[2].] *V. t. d.* **1.** Cobrir ou untar de óleo. **2.** Impregnar de uma substância oleosa. [Conjug.: v. *frear*. Fut. pret.: *olearia*, etc. Cf. *olearia*, s. f.]

olearia [De *óleo* + *-aria.*] *S. f.* Fábrica de óleos. [Cf. *olearia*, do v. *olear.*]

oleato *S. m. Quím.* Sal ou éster do ácido oleico. [Alguns deles são componentes importantes dos sabões, como o oleato de sódio ou o de potássio.]

olecraniano [De *olecrânio* + *-ano*[1].] *Adj.* Relativo ou pertencente a olecrânio.

olecrânio [De *olécrano* + *-io*[3].] *S. m. Anat.* Apófise na extremidade superior da ulna, e que contribui para formar articulação de cotovelo; olecrano, olécrano.

olecrano [Var. pros. de *olécrano.*] *S. m. Anat.* V. *olecrânio.*

olécrano [Do gr. *olékranon* (ã).] *S. m. Anat.* V. *olecrânio.*

oleense *Adj. 2 g.* **1.** De, ou pertencente ou relativo a Óleo (SP). ● *S. 2 g.* **2.** O natural ou habitante de Óleo.

oleento [De *óleo* + *-ento.*] *Adj.* V. *oleoso.*

olefina [Do ingl. *olefin.*] *S. f. Quím.* V. *alceno.*

olegariense *Adj. 2 g.* **1.** De, ou pertencente ou relativo a Presidente Olegário (MG). ● *S. 2 g.* **2.** O natural ou habitante de Presidente Olegário.

▲ **ole(i)-** [Do lat. *olĕum, i.*] *El. comp.* = 'azeite', 'óleo': *oleico; oleicultura, oleífero.* [Equiv.: *-ole(i)-, oleo-, -ol(e)(o)-, -óleo*: *quinoleína, oleoduto; ricinoleico; eleoceróleo, eleóleo.*]

▲ **-ole(i)-** V. *ole(i)-.*

oleico (éi ou êi) [De *ole(i)-* + *-ico*[2]; fr. *oléique.*] *Adj. Quím.* ~ V. *ácido.* [A pronúncia aberta *oleico* (éi) é a correta, porém a pronúncia *oleico* (êi) é a us. em Portugal, e a mais us. no Brasil.] ❖

oleícola [De *ole(i)-* + *-cola*[1].] *Adj. 2 g.* Referente à cultura das oliveiras e ao comércio do azeite.

oleicultor (e-i... ô) [De *ole(i)-* + *-cultor.*] *S. m.* Aquele que se ocupa de oleicultura; olivicultor.

oleicultura (e-i) [De *ole(i)-* + *-cultura.*] *S. f.* **1.** Indústria do fabrico, tratamento e conservação do azeite. **2.** Cultura de oliveiras; olivicultura.

oleídeo [De *ole(i)-* + *-ídeo*[2].] *S. m. Obsol.* Triacilglicerídeo líquido, como o azeite, ou óleo, de oliva. ~ V. *oleídeos.*

oleídeos [Pl. de *oleídeo.*] *S. m. pl. Obsol.* Família de substâncias oleosas. ~ V. *oleídeo.*

oleífero [De *ole(i)-* + *-fero.*] *Adj.* Oleificante.

oleificante (e-i) [De *ole(i)-* + *-ficar-* + *-nte.*] *Adj. 2 g.* Que contém ou produz óleo; oleífero.

oleifoliado (e-i) [De *ole(i)-* + *foli-* + *-ado*[1].] *Adj. Bot.* Que tem folhas semelhantes às da oliveira.

oleígeno [De *ole(i)-* + *-geno.*] *Adj.* Que produz líquido semelhante ao óleo.

oleína [De *ole(i)-* + *-ina*[1].] *S. f. Quím.* Éster oleico da glicerina, encontrado nos óleos vegetais.

oleiro [De *ola*[2] + *-eiro.*] *Adj.* **1.** Ceramista. ● *S. m.* **2.** Aquele que trabalha em olaria. **3.** Ceramista. **4.** *Bras. Zool.* V. *joão-de-barro.*

olência [De *olento* + *-ia*[2], seg. o padrão analógico.] *S. f.* Qualidade de olente: "A olência dos benjoeiros, / o aroma dos cajueiros, / das odorosas limeiras" (Catulo da Paixão Cearense, *Poemas Bravios*, p. 25).

olente [Do lat. *olente.*] *Adj. 2 g.* V. *odorante*: "Flores olentes crescem à sombra das paredes arruinadas" (Alcides Maia, *Tapera*, p. 4).

▲ **oleo-** V. *ole(i)-.*

▲ **-ol(e)(o)-** V. *ole(i)-.*

óleo [Do lat. *oleu.*] *S. m.* **1.** Designação comum a substâncias gordurosas, líquidas a temperatura ordinária, inflamáveis, de origem vegetal ou animal. **2.** *P. ext.* Produto mais ou menos viscoso, de origem mineral. **3.** Perfume oleoso; essência: *óleo de rosas.* **4.** *Art. Plást.* Pintura a óleo (2). **5.** *Bras.* Petróleo (1). **6.** *Bras. Pop.* V. *cachaça* (1). **7.** *Bras. Gír.* V. *dinheiro* (5): "E a noite comportava um teatrinho camarada, quando o estudante ainda estava munido de óleo, isto é, na primeira quinzena." (Carlos Drummond de Andrade, em *Jornal do Brasil*, 30.05.1982.) **8.** *Restr. Quím.* Designação genérica dos triacilglicerídeos, ger. líquidos, que fornecem, por hidrólise, glicerina e ácidos graxos cujas cadeias contêm uma ou mais insaturações (p. ex., oleico, linoleico), encontrados nos tecidos animais ou extraídos de certos vegetais (p. ex., óleo de oliva). ◆ **Óleo canforado.** *Quím.* Solução de cânfora em azeite de oliva. **Óleo combustível.** O que é utilizado como combustível, em caldeiras. **Óleo de algodão.** Líquido oleoso, amarelo-claro, extraído das sementes de algodão, e usado na fabricação de óleos comestíveis. **Óleo de amendoim.** Líquido oleoso, amarelado, extraído das sementes do amendoim, e usado como óleo comestível. **Óleo de baleia.** O que se obtém da gordura de cetáceos, usado em sabões especiais. **Óleo de canela.** *Quím.* Óleo essencial extraído a vapor da casca da árvore *Cinnamomum zeylanicum*, e que contém aldeído cinâmico e eugenol. **Óleo de cássia.** *Quím.* Óleo extraído a vapor das folhas e ramos de árvores do gênero *Cassia*, e que contém aldeído cinâmico. **Óleo de cedro.** Óleo essencial, extraído do lenho vermelho do cedro, mediante a ação de vapor, e que contém cedreno e cedrol. **Óleo de coco.** Substância pastosa, branca, extraída do coco, usada como gordura comestível e na fabricação de sabões finos. **Óleo de cravo.** *Quím.* Essência extraída dos frutos do craveiro-da-índia, e que contém eugenol e é usado em perfumaria. **Óleo de fígado de bacalhau.** Líquido viscoso, amarelado, de cheiro e sabor desagradáveis, rico em vitaminas A e D, usado como fortificante. **Óleo de girassol.** Substância líquida, viscosa, amarelada, de sabor agradável, extraída da semente de girassol, usada na fabricação de vernizes e de gorduras comestíveis. **Óleo de hortelã.** *Quím.* Substância oleosa extraída, pelo vapor de água, das folhas e brotos de diversas espécies de *Mentha*, com cheiro característico. **Óleo de linhaça.** *Quím.* Líquido amarelado, extraído do linho, que contém glicerídeos de ácidos graxos saturados e insaturados, e é usado na fabricação de vernizes, de tintas, de massas artificiais. **Óleo de mamona.** Óleo de rícino. **Óleo de palma.** *Afric.* V. *dendê* (3): "Ontem recebemos óleo de palma e fuba." (Pepetela, *A Geração da Utopia*, p. 224.) **Óleo de quenopódio.** *Quím.* Óleo obtido de erva-de-santa-maria (mastruço), usado como lombrigueiro. **Óleo de rícino.** *Quím.* Óleo extraído das sementes de mamona, líquido, incolor, com gosto desagradável, usado em medicina e na indústria; óleo de mamona. **Óleo de soja.** Líquido viscoso, de coloração amarelo-clara a amarelo-escura, extraído de soja, e que contém glicerídeos dos ácidos oleico, linoleico, palmítico, esteárico e linolênico, usado na fabricação de sabões e tintas e também como óleo comestível. **Óleo de tungue.** *Quím.* Líquido amarelo-claro, extraído das sementes do tungue (*Aleurites cordata*), de cheiro desagradável, e usado na fabricação de vernizes e na impermeabilização de tecidos. **Óleo de vermelho-turco.** *Quím.* Óleo sulforricinado (q. v.). **Óleo *diesel*.** O combustível usado em motores *diesel*. **Óleo dos enfermos.** *Rel.* V. *extrema-unção*. **Óleo essencial.** *Quím.* Material oleoso que se extrai, mediante diversos processos, de certos vegetais, contendo substâncias odoríferas e usado em perfumaria e medicina; óleo volátil. [Cf. *essência* (9).] **Óleo fúsel.** *Quím.* Mistura oleosa que contém álcool amílico, venenosa, obtida na fermentação de substâncias amiláceas. **Óleo lubrificante.** O que serve para lubrificar peças de máquinas. **Óleo mineral.** Petróleo. **Óleo pesado.** *Quím.* Fração da destilação do petróleo, que passa acima de 225°C, da qual se podem obter os óleos lubrificantes. **Óleo secativo.** *Quím.* Material oleoso, de origem vegetal ou animal, que contém ésteres de ácidos graxos insaturados, que se oxida em contato com o oxigênio do ar e forma película elástica e resistente e que se usa na fabricação de vernizes e de tintas. **Óleo sulforricinado.** *Quím.* Óleo de mamona sulfatado, us. como solvente; óleo de vermelho-turco. **Óleo volátil.** Óleo essencial. **Arriar o óleo.** *Bras. PE Chulo* Copular (2). **Os santos óleos.** *Rel.* O óleo sagrado usado na Igreja para a crisma, extrema-unção e outras cerimônias: "Entre as dez e onze horas da manhã do dia 10 resolveram impor-lhe [à imperatriz D. Leopoldina] extrema-unção. Os santos óleos sagraram uma pobre exânime." (Alberto Rangel, *Dom Pedro Primeiro e a Marquesa de Santos*, p. 168.) **Pôr óleo.** *Bras. Pop.* V. *embriagar* (4). **Trocar o óleo.** *Bras. Chulo* Copular (2): "Iam ao baile arrumar uma mulher para fazer sexo, porque .... os homens têm de trocar o óleo toda semana" (Paulo Lins, *Cidade de Deus*, p. 96).

▲-óleo V. *ole(i)-*.

óleo-cabureíba [De *óleo* + o tupi.] *S. m. Bras. L. S. Bot.* V. *cabriúva* (1). [Pl.: *óleos-cabureíbas* e *óleos-cabureíba*.]

óleo de bacaba *S. m. Bras.* Óleo extraído da bacaba-de-azeite; azeite de bacaba. [Pl.: *óleos de bacaba*.]

óleo-de-macaco *S. m. Bras. Bot.* V. *cabriúva-do-campo*. [Pl.: *óleos-de-macaco*.]

oleoduto (òl) [De *oleo-* + *-duto*.] *S. m.* Sistema constituído de tubulações e estações de bombeamento, destinado a conduzir petróleo ou seus derivados líquidos a grandes distâncias.

oleografia (òl) [De *oleo-* + *-grafia*.] *S. f. Art. Plást.* **1.** Cópia dum quadro a óleo, transmitida de uma tela para outra. **2.** Quadro feito por esse processo: "E a mulher, ... que fora o anjo da guarda de sua mocidade turbulenta e rixosa, ia-se-lhe apresentando à memória vagamente, aureolada de uma luz admirável, como as santas das oleografias." (Valdomiro Silveira, *Os Caboclos*, p. 74).

oleográfico (òl) [De *oleografia* + *-ico*[2].] *Adj.* Referente a oleografia.

oleogravura (òl) [De *oleo-* + *gravura*.] *S. f.* Imitação de quadro a óleo por processo de cromolitografia, tirada em papel semelhante a tela e em geral completada por pintura direta e envernizamento: "A oleogravura ingênua da Virgem, de sabor bizantino, que havia em nossa alcova, deve ter ouvido muitas queixas e o desabafo mental das confissões engolidas diante das grades do confessionário." (Augusto Meyer, *No Tempo da Flor*, pp. 21-22.) [Sin., p. us.: *litocromia*.]

oleol [De *oleo-* + *-ol*[1].] *S. m. Ant. Farmac.* Qualquer óleo vegetal. [Pl.: *oleóis*.]

oleolado (òl) *S. m. Farmac.* Oleolatado.

oleolatado (òl) [De *oleolato* (1) + *-ado*[1].] *S. m. Farmac.* Medicamento composto de óleos essenciais; oleolado.

oleolato (òl) *S. m. Farmac.* **1.** Qualquer óleo essencial. **2.** Óleo medicinal obtido por infusão ou por decocção.

oleólico [De *oleo-* + *-l-* + *-ico*[2].] *Adj. Farmac.* Diz-se do medicamento cujo excipiente é o óleo ou o azeite.

oleômetro *S. m. Fís.* V. *oleômetro*. [Uso freq. em P.]

oleômetro [De *oleo-* + *-metro*.] *S. m. Fís.* Aparelho usado para medir a densidade dos óleos.

óleo-pardo *S. m. Bot.* **1.** V. *cabriúva* (1). **2.** V. *cabriúva-do-campo*. [Pl.: *óleos-pardos*.]

oleorresina [De *oleo-* + *resina*.] *S. f. Quím.* Exsudato vegetal, natural ou provocado, constituído por resina e óleo essencial.

oleosidade [De *oleoso* + *-(i)dade*.] *S. f.* Qualidade de oleoso.

oleoso (ô) [Do lat. *oleosu*.] *Adj.* Que tem óleo; gorduroso, untuoso, oleento.

óleo-vermelho *S. m. Bot.* V. *bálsamo-de-tolu*. [Pl.: *óleos-vermelhos*.]

oleráceo [Do lat. *oleraceu*.] *Adj.* Relativo a legumes, aos vegetais empregados como alimento: *planta olerácea*.

▲ oleri- [Do lat. *olus, ĕris*.] *El. comp.* = 'legume': *olericultura*.

olericultor (òl... ô) [De *oleri-* + *-cultor*.] *S. m.* Aquele que pratica a olericultura.

olericultura (òl) [De *oleri-* + *-cultura*.] *S. f.* Cultura de legumes.

óleum *S. m. Quím.* Solução de trióxido de enxofre em ácido sulfúrico concentrado, líquida, viscosa, muito corrosiva e muito ativa, usada em diversos processos industriais. [Pl.: *óleuns*.]

olfação [Do lat. **olfactione* < poss. *olfactus*.] *S. f.* O exercício do olfato; ação de cheirar.

olfacção *S. f.* V. *olfação*.

olfactivo *Adj.* V. *olfativo*.

olfacto *S. m.* V. *olfato*.

olfativo [De *olfato* + *-ivo*.] *Adj.* Relativo ao, ou próprio do olfato.

olfato [Do lat. *olfactu*.] *S. m.* **1.** Sentido (5) com que se percebem os odores. **2.** Faro (1).

olfatório [De *olfato* + *-ório*.] *Adj.* Do, relativo ao, próprio do, ou responsável pelo olfato: *bulbo olfatório, células olfatórias, nervos olfatórios*.

olga *S. f.* **1.** Tabuleiro de terra; leira. **2.** Baixa de terreno fértil. **3.** *Prov. port.* Planície entre oiteiros: "ela hipotecou as olgas que não davam nada e onde a fonte secara." (Agustina Bessa-Luís, *Memórias Laurentinas*, p. 185).

olha[1] (ô) [Do esp. *olla*, 'panela'; v. *olha-podrida*.] *S. f. Cul.* Comida feita com legumes e várias qualidades de carne; espécie de cozido (3). [Pl.: *olhas* (ô). Cf. *olha* e *olhas*, do v. *olhar*.]

olha[2] (ô) [De *olho*.] *S. f.* Caldo (1) gordo, ou gordura do caldo. [Pl.: *olhas* (ô). Cf. *olha* e *olhas*, do v. *olhar*.]

olhada [De *olhar* + *-ada*[1].] *S. f.* V. *espiada* (1).

olhadela [De *olhar* + *-dela*.] *S. f.* V. *espiada* (2).

olhado [Part. de *olhar*.] *Adj.* **1.** Visto; considerado; observado. ● *S. m.* **2.** Feitiço ou quebranto que a crendice popular atribui ao olhar de certas pessoas, e que influiria nas crianças robustas, nas plantas e nos animais domésticos, causando-lhes atraso no desenvolvimento, ou perda, ou morte; mau-olhado.

olhador (ô) [De *olhar* + *-dor*.] *Adj. S. m.* Que, ou aquele que olha.

olhadura [De *olhar* + *-dura*.] *S. f.* V. *espiada* (2).

olhal [De *olho* + *-al*[1].] *S. m.* **1.** *Constr.* Cada um dos vãos, aberturas ou arcos entre os pilares de pontes ou arcadas: *O barco atravessou o olhal.* **2.** Orifício ao qual se adapta a espoleta, nas armas de fogo. **3.** *Constr. Nav.* Anel metálico, fixo em qualquer parte da embarcação, cais, etc., para nele se engatar um aparelho ou amarrar um cabo. [Cf., nesta acepç., *arganéu*.]

olhalvo [De *olho* + *alvo*, com aglut.] *Adj.* **1.** Diz-se do equídeo de olhos cercados de malhas brancas, ou que, ao levantar a cabeça, põe os olhos em alvo; olhibranco. ● *S. m. Zool.* **2.** Certo peixe de Portugal.

olhanense *Adj. 2 g.* **1.** De, ou pertencente ou relativo a Olhão (Portugal). ● *S. 2 g.* **2.** O natural ou habitante de Olhão.

olha-podrida (ôlha) [Do esp. *olla podrida*.] *S. f.* **1.** *Cul.* Iguaria espanhola: mistura de carne, toucinho e legumes, a que se acrescentam presunto, carne de ave, enchidos, e vários temperos. **2.** *Fig.* Miscelânea de coisas muito diferentes. [F. red.: *podrida*. Pl.: *olhas-podridas* (ô).]

olhar [Do lat. **adoculare*, pela f. *aolhar*, *oolhar*, *oulhar*.] *V. t. d.* **1.** Fitar os olhos ou a vista em; mirar, contemplar. **2.** Olhar de cara; encarar. **3.** Estar em frente de; estar voltado para: *Sua janela olhava o rio.* **4.** Pesquisar, observar, sondar, examinar, estudar: *Olhou o céu, procurando ver se choveria.* **5.** Atentar ou reparar em; ponderar: *Olhe bem a situação em que fica.* [Nesta acepç., é muito corrente o emprego do verbo com o objeto subentendido: *Pois olhe* [isto], *creio que a situação é irremediável; Olhe, meu caro, acho que está abusando; Olhem, vocês não têm razão.*] **6.** Tomar conta de; cuidar de; velar por: *Comprometera-se a olhar as crianças naquela tarde.* **7.** Zelar por; proteger. ***Transobj.*** **8.** Reputar, julgar, considerar: *Olhou como criminosa a intenção do amigo.* **9.** Tomar conta; cuidar, velar: *À tarde, olha os filhos da comadre.* **10.** Atentar, considerar: *não olhar despesas.* ***T. i.*** **11.** Olhar (10): *De manhã olha pelas crianças.* **12.** Olhar (10): *olhar pelas despesas*; "Como na guerra, praticava-se o fogo de barragem, sem olhar a desperdícios, o importante sendo manter o inimigo à distância." (Ciro dos Anjos, *A Menina do Sobrado*, p. 99). **13.** Dispensar benevolência; ser benévolo; interessar-se, ocupar-se: *Rogara a Deus que olhasse pelos pecadores.* **14.** Fitar os olhos; mirar, observar: "Uma janela aberta deixava entrar o vento, que sacudia frouxamente as cortinas, e eu fiquei a olhar para as cortinas, sem as ver." (Machado de Assis, *Memórias Póstumas de Brás Cubas*, pp. 174-175); "Helena olhou alternadamente para o desenho e para o irmão." (Id., *Helena*, p. 220). ***T. c.*** **15.** Estar voltado; estar em frente ou em face: "Do lado que olha para o mar, a serra da Tijuca apresenta um aspecto muito diferente." (José de Alencar, *Sonhos d'Ouro*, p. 97.) **16.** Estar mais elevado; estar sobranceiro: *O torreão olhava sobre as ladeiras.* **17.** Estar em certa direção. ***Int.*** **18.** Exercer ou aplicar o sentido da vista; procurar ver: "Prova. Olha. Toca. Cheira. Escuta. / Cada sentido é um dom divino." (Manuel Bandeira, *Estrela da Vida Inteira*, p. 20). **19.** *Bras.* Deitar olhos; rebentar; brotar: "o chão parece um tapete verde, as árvores começam a olhar, os algodoais, as ervas, tudo ressurge e revigora ao sopro vivificador da nova estação." (M. Rodrigues de Melo, *Várzea do Açu*, p. 31). ***P.*** **20.** Ver-se, mirar-se, encarar-se. **21.** Ver a própria pessoa ou imagem; entreolhar-se. **22.** Ver-se mutuamente: "Quando me encontras na rua, / Nem uma palavra ao menos, / Olhamo-nos tão serenos, / Como quem no amor não crê." (Guimarães Passos, *Horas Mortas*, p. 19). [Pres. ind.: *olho, olhas, olha, olhamos, olhais, olham*. Cf. *olho* (ô), *olha* (ô) e pl. *olhas* (ô)] ● *S. m.* **23.** O aspecto dos olhos; o olho. ◆ **E olhe lá.** *Bras.* **1.** Expr. que se emprega com relação ao que acaba de ser dito, e indica: **2.** Uma oferta, concessão, tolerância, além da qual a pessoa que fala não pretende ou não pode ir: *Dou-lhe R$ 80,00 pelo livro, e olhe lá!*; "Vivia encerrada no castelo, e apenas raras vezes podia visitar uma amiga, ir à missa aos domingos, e olhe lá." (Cora Rónai Vieira e Paulo Rónai, *Aventuras de Fígaro*, p. 60). **3.** A certeza, ou quase certeza, de que a pessoa de quem se fala é capaz de superar o que dela se declarou: *Com aquela inteligência, acabará um grande advogado — e olhe lá!*

olharapo [De or. obsc.] *S. m. Prov. port.* **1.** Ente fantástico com apenas um olho na testa; ciclope. **2.** Larápio, gatuno. **3.** Indivíduo curioso e metediço. ● *Adj.* **4.** Curioso: "Pouco a pouco, ... , embora dia de fazer, juntou-se o gentio a admirar-nos, olharapo e boquiaberto ante as espingardas de aço polido, as cartucheiras, os metais reluzentes" (Aquilino Ribeiro, *Maria Benigna*, p. 130.)

olheirado [De *olheira(s)* + *-ado*[1].] *Adj.* V. *olheirento*.

olheiral [De *olheiro* + *-al*[1].] *S. m. Bras. BA MG* Cone de altura pequena e variável, no qual se abrem dezenas de orifícios de um formigueiro subterrâneo; olheiro.

olheiras [De *olho* + o pl. de *-eira*.] *S. f. pl.* Manchas lívidas (escuras ou azuladas), que aparecem nas pálpebras inferiores, em consequência de enfermidade, insônia, ou cansaço físico ou mental.

olheirento [De *olheiras* + *-ento*.] *Adj.* Que tem olheiras. [Sin.: *olheirado* e (bras.) *olheirudo*.]

olheiro [De *olho* + *-eiro*.] *S. m.* **1.** Aquele que olha ou vigia certos trabalhos; vigia. **2.** Observador e informador: *olheiro político*. **3.** *Bras. RJ SP Desus.* Guardador (3). **4.** *Bras.* Indivíduo que, em pontos de contravenção, tráfico de drogas, etc., vigia um eventual aparecimento da polícia, etc. **5.** Indivíduo que descobre novos talentos nos esportes, novos rostos na moda, etc.: "Parreira estreia como executivo e 'olheiro', para revelar jogadores e treinadores." (*Folha de S.Paulo*, 03.09.2008.) **6.** *Bras. Esport.* Indivíduo incumbido por um time de espionar treino, tática, etc., de time adversário. **7.** *Bras.* Nascente de água. **8.** *Bras. BA MG* Olheiral. **9.** *Bras. SP* Galeria de entrada da toca de paca.

olheirudo [De *olheira* + *-udo*.] *Adj. Bras.* V. *olheirento*.

olhento [De *olho* + *-ento*.] *Adj.* Que tem olhos, poros ou buracos: *queijo olhento*.

olhete (ê) [De *olho* + *-ete* (ê).] *S. m.* **1.** Pequeno olho ou abertura. **2.** Pequena cavidade oculiforme nas articulações dos braços e das pernas. **3.** *Bras. Zool.*

Peixe teleósteo, perciforme, carangídeo (*Seriola carolinensis*), do Atlântico, desde as Antilhas até o RJ, de dorso oliváceo e abdome branco, e cujo comprimento não ultrapassa 1m. **4.** V. *olho-de-boi* (3).

olhiagudo [De *olho* + *-i-* + *agudo*.] ***Adj.*** Que tem olhar agudo, penetrante.

olhibranco [De *olho* + *-i-* + *branco*.] ***Adj.*** Olhalvo.

olhimanco [De *olho* + *-i-* + *manco*.] ***Adj. S. m.*** Que, ou aquele que é torto dos olhos, ou a quem falta um deles.

olhinegro (ê) [De *olho* + *-i-* + *negro*.] ***Adj.*** Que tem olhos negros; olhipreto.

olhinho [De *olho* + *inho*[1].] ***S. 2 g. Bras. RN Pop.*** V. *avaro* (3).

olhipreto (ê) [De *olho* + *-i-* + *preto*.] ***Adj.*** Olhinegro.

olhirridente [De *olho* + *-i-* + *ridente*.] ***Adj. 2 g.*** Que tem olhar alegre, ridente.

olhitoiro ***Adj.*** V. *olhitouro*.

olhitouro [De *olho* + *-i-* + *touro*.] ***Adj.*** Que tem olhos como os do boi. [Var.: *olhitoiro*.]

olhizaino ***Adj. S. m.*** V. *estrábico* (2 e 4).

olhizarco ***Adj.*** **1.** Que tem olhos azul-claros. **2.** Diz-se do equídeo que tem cada olho de uma cor.

olho (ô) [Do lat. *oculu*.] ***S. m.*** **1.** *Anat.* Órgão par, em forma de globo, situado um em cada órbita (2), constituído de três camadas (esclera, coroide e retina), e de meios de refração (humores aquoso e vítreo, e cristalino). É o órgão da visão. **2.** Percepção operada pela visão; olhar, vista: *Dirigiu os olhos para o mar.* **3.** *Fig.* Atenção, cuidado, vigilância: *Nada escapa ao olho do mestre; Olho nele!* **4.** *Fig.* V. *olho vivo* (1). **5.** *Fig.* Aquilo que distingue, percebe, guia, esclarece: *os olhos da alma.* **6.** *Fig.* Indício ou manifestação dos sentimentos ou do caráter: *olhos frios.* **7.** Abertura arredondada; orifício, furo: *os olhos do queijo.* **8.** *Biol.* Ocelo (2). **9.** Pequena saliência de forma arredondada: "o ensopado de peixe, farto, em travessas e pratos estanhados, rebrilhando à luz entre olhos de gordura." (Hugo de Carvalho Ramos, *Tropas e Boiadas*, p. 23). **10.** *Bot.* V. *gema* (3). **11.** A parte central de certas hortaliças: *um olho de couve.* **12.** *Arquit.* Óculo (4): *O corredor é iluminado por vários olhos.* **13.** Olho-d'água. **14.** *Jorn.* Pequeno texto, com tratamento gráfico diferenciado, em destaque no meio de matéria jornalística para chamar a atenção do leitor. [Ger. não se emprega ponto final, nem quebra de palavra.] **15.** *Marinh.* Cada um dos furos de qualquer poleame surdo por onde passa o cabo. **16.** *Tip.* A parte do tipo que imprime, constituída pelo relevo da letra fundido no entalhe da matriz, e cujo tamanho pode variar dentro da mesma força de corpo: *tipo de olho normal, grande, pequeno.* **17.** *Tip.* A estampagem da letra, deixada na matriz pelo punção. **18.** *P. ext. Tip.* Superfície impressora de outros materiais tipográficos, como fios, clichês, etc. **19.** *Tip.* A área fechada do *e*, que o distingue do *c*. [Cf., nesta acepç., *contrapunção* (2).] **20.** *Tip.* A parte superior do tipo, que apresenta o caráter em relevo. [Dim.: *olhinho, olhozinho, ocelo*. Cf. *olho*, do v. *olhar*.] ● ***Interj.*** **21.** Atenção, cuidado, cautela; olho vivo. ◆ **Olho clínico. 1.** Tendência para acertar no diagnóstico das moléstias: *O Dr. F. tem olho clínico: seus diagnósticos em geral são exatos.* **2.** *Fig.* Capacidade de percepção pronta de uma situação. **Olho composto.** *Zool.* Olho formado por vários estemas [v. *estema* (4)]. **Olho da rua.** *Bras.* Lugar indeterminado para onde se manda alguém, expulsando-o; meio da rua; rua: *Ponha-se no olho da rua, patife!* **Olho de cabra morta.** *Bras. N.* V. *olho de peixe morto* (2): "Ajuntem-se a estes acentuados característicos um nariz de cavalete, uns olhos castanhos fulvos, como os cabelos que 'nunca viram pente', como ele próprio confessava, olhos de cabra morta, mas de uma convexidade singular de quem só vê para fora" (Cardoso de Oliveira, *Dois Metros e Cinco*, pp. 5-6). **Olho de gata morta.** V. *olho de peixe morto* (2). **Olho de gato.** Olho esverdeado, agateado. **Olho de lince.** Vista agudíssima; vista de lince. **Olho de mormaço.** Olhar lânguido, conquistador, dirigido através das pálpebras semicerradas; olho de peixe morto, olhos dependurados. **Olho de peixe morto. 1.** V. *olho de mormaço*. **2.** *Bras.* Olhar triste, sem brilho; olho de cabra morta, olho de gata morta. **Olho de vaca laçada.** *Bras. CE Pop.* O de quem tem por hábito andar com a vista baixa. **Olho gordo.** *Bras.* Inveja, cobiça; olho grande. **Olho grande.** Olho gordo. [Cf. *olho-grande*.] **Olho mágico. 1.** Dispositivo circular dotado de pequena lente, que se instala nas portas e permite olhar de dentro para fora sem ser notado. **2.** *Eletrôn.* Válvula de sintonia em que um feixe de elétrons incide sobre uma tela fluorescente e, conforme a sua abertura, indica a intensidade dos sinais recebidos no circuito. **Olho mecânico.** *Turfe* Dispositivo eletrônico que, num páreo, fotografa a ordem de chegada dos concorrentes. **Olho pineal.** *Zool.* Estrutura semelhante a olho, com cristalino e retina, ligada ao cérebro por um nervo. **Olho por olho, dente por dente.** Vingança correspondente à ofensa ou dano sofrido; pena de talião: *Pagará tudo olho por olho, dente por dente.* **Olhos dependurados.** V. *olho de mormaço*. **Olhos de sapiranga.** *Bras.* Olhos avermelhados: "a freira que sofria de insônia se aproximou da cama em que agonizava uma velha de olhos de sapiranga" (Lêdo Ivo, *Ninho de Cobras*, p. 10). [Cf. *olhos de sapiranga*, pl. do s.m.] **Olho simples.** *Zool.* V. *estema* (4). **Olhos rasos de água.** Olhos cheios de lágrimas: "E o poeta sentiu os olhos rasos de água" (Olavo Bilac, *Poesias*, p. 143). **Olho vivo. 1.** Agudeza de espírito; sagacidade, penetração, perspicácia, percepção. [Tb. se diz apenas *olho*.] **2.** V. *olho* (21): *Cuidado com ele: olho vivo!* **Abrir o olho.** Acautelar-se, prevenir-se. **Abrir os olhos à luz.** Vir ao mundo; nascer. **Abrir os olhos de.** Mostrar a verdade a; esclarecer. **Alongar os olhos.** Olhar ao longe. **Andar de olho em. 1.** Observar (alguém) com insistência, procurando conhecer-lhe os hábitos, seguir-lhe os movimentos, etc. **2.** Andar muito interessado em; desejar vivamente: *Anda de olho naquele emprego; Anda de olho na moça.* [Sin. ger.: *estar de olho em*.] **A olho.** Só pela vista; sem pesar nem medir: *Calculei as dimensões a olho; Tirou a medida a olho;* "Unidos os dois morgadios, ficou sendo a casa de Calisto a maior da comarca; e, com o rodar de dez anos, prosperou a olho" (Camilo Castelo Branco, *A Queda dum Anjo*, p. 10). **A olho armado.** Com instrumento que auxilie a visão. **A olho desarmado.** V. *a olho nu*. **A olho nu.** Apenas com a vista, sem auxílio de qualquer instrumento; a olho desarmado, a simples vista, à vista desarmada. **A olhos cerrados.** A olhos fechados. **A olhos fechados.** Com toda a confiança; sem exame; a olhos cerrados: "Ele segue a olhos fechados o declive que o arrasta ao abismo" (Machado de Assis, *Crônicas*, I, p. 171). **A olhos vistos.** Visivelmente, patentemente: *Emagrece a olhos vistos;* "A Sabina tem uma filha que está crescendo a olhos vistos" (Artur Azevedo, *Contos Efêmeros*, p. 233). **Aos olhos de.** Na opinião de; ao parecer de. **Botar o olho em.** *Fam.* **1.** V. *botar o olho grande em*. **2.** Pôr o olho em (2): *Nunca mais botei o olho em cima dele.* **Botar o olho grande em.** *Fam.* Cobiçar, invejar; botar o olho em; crescer o olho em; pôr o olho em. **Comer com os olhos. 1.** Cobiçar (comida que não poderá comer, por não ter fome). **2.** Fitar com atenção ou interesse (pessoa amada, ou objeto desejado). **Com olhos de ver.** Com toda a atenção, segurança, rigor: "Quatro mil-réis tinha empregado a pequena na mercadoria; e, contas botadas ao negócio (se a freguesia aparecesse, e visse, com olhos de ver, aquela riqueza), não era nada de admirar que chegasse ao fim do dia com seus quinze tostões" (João da Silva Correia, *Farândola*, p. 26). **Correr os olhos por.** Passar os olhos por. **Crescer o olho em.** *Fam.* V. *botar o olho grande em*. **Custar os olhos da cara.** Ser de preço elevadíssimo. **Dar com os olhos em.** Avistar, ver: "Apenas este deu com os olhos em Margarida, sentiu um abalo estranho" (Bernardo Guimarães, *O Seminarista*, p. 81). **De encher o olho.** De causar admiração, contentamento, agrado, cobiça; de encher os olhos: *uma mulata de encher o olho.* **De encher os olhos.** De encher o olho. **Deitar olho comprido a.** Cobiçar, desejar, ambicionar. **De olho em.** Com (alguém ou algo) em vista, no desejo, no pensamento: *Está de olho na pequena.* **De olhos fechados. 1.** Com absoluta confiança; cegamente: *Ela seguia o marido de olhos fechados.* **2.** Com muita facilidade; com os pés nas costas: *Este trabalho eu o faço de olhos fechados.* **Encher o olho.** Encher os olhos. **Encher os olhos.** Satisfazer, agradar, contentar muito; encher o olho: *Esta paisagem enche os olhos.* **Entrar pelos olhos.** Ser evidente, facílimo de compreender, ou de notar. **Estar de olho em.** V. *andar de olho em*. **Fechar os olhos.** V. *morrer* (1). **Fechar os olhos a. 1.** Fingir que não vê ou percebe; desculpar, perdoar: *Fechou os olhos às faltas do amigo.* **2.** Assistir à morte de; acompanhar nos últimos instantes; ajudar a morrer; fechar os olhos de. **Fechar os olhos de.** Fechar os olhos a (2). **Ficar de olho.** Ficar atento, observar, vigiar: "— Esta noite fico de olho!" (Walcyr Carrasco, *Anjo de Quatro Patas*, p. 102.) **Meter pelos olhos adentro. 1.** Explicar da maneira mais clara possível. **2.** Obrigar a tomar ou a comprar, por meio de importunações, insistindo muito. **Não pregar o olho.** Não dormir. **Não ser olho de santo.** Não ser coisa que exija excesso de cuidado, exagerada preocupação de acabamento. **Passar os olhos por.** Ler de relance; examinar rapidamente; correr os olhos por. **Pelos seus belos olhos.** *Irôn.* Sem obter em troca nenhuma vantagem; de graça; gratuitamente: *Acredita que ele só o auxiliará pelos seus belos olhos?* **Pôr o olho em.** *Fam.* **1.** V. *botar o olho grande em*. **2.** Avistar-se ou encontrar-se com; botar o olho em: *Há dois anos não ponho o olho neles; Nunca mais lhe pus o olho.* **Pregar (os) olhos.** V. *dormir* (1): "Meu pai piorava dia a dia, não pregava olhos de noite" (Cordeiro de Andrade, *Anjo Negro*, p. 25). [Ger. us. com o adv. *não* ou com a prep. *sem*.] **Saltar aos olhos.** Ser claro, evidente, patente; saltar à vista: *Há verdades que saltam aos olhos.* **Ter debaixo de olho.** Não desviar de (alguém) a atenção e/ou o cuidado; ter de olho. **Ter de olho.** Ter debaixo de olho: "Aquela peste e outras descaradas da vizinhança serviam de espoleta para o namoro, de leva e traz, dona Rosilda as tinha de olho, um dia lhe pagariam com juros." (Jorge Amado, *Dona Flor e Seus Dois Maridos*, p. 131.) **Ter olho.** Ser bom observador; ser arguto, perspicaz, vivo. **Ter o olho maior que a barriga.** *Fam.* Ser muito guloso. **Torto de um olho.** *Bras. Pop.* Torto (6). **Trazer de olho.** Espreitar (alguém ou algo), por cautela ou prevenção. **Ver com bons olhos.** Receber bem; ser ou mostrar-se favorável: *Não vê com bons olhos o casamento da filha com aquele rapaz;* "Henrique Bernardelli .... talvez não visse com bons olhos aquelas exaltações fantasiosas que, de certa maneira, vinham pôr em xeque os cânones tradicionais da pintura acadêmica." (Luís Edmundo, *De um Livro de Memórias*, III, p. 724).

olho-cozido ***S. m. Bras. N.E. Pop.*** Leucoma da córnea. [Pl.: *olhos-cozidos*.]

olho-d'água ***S. m.*** Nascente que rebenta do solo; fonte natural perene; lacrimal, olho: "no ardor úmido da selva, o olho-d'água se ofertando frio, nunca para de minar." (Tiago de Melo, *Mormaço na Floresta*, p. 72). [Pl.: *olhos-d'água*.]

olho-d'água-borgense ***Adj. 2 g.*** **1.** De, ou pertencente ou relativo a Olho-d'Água do Borges (RN). ● ***S. 2 g.*** **2.** O natural ou habitante de Olho-d'Água do Borges. [Pl.: *olho-d'água-borgenses*.]

olho-d'aguense[1] (güen) ***Adj. 2 g.*** **1.** De, ou pertencente ou relativo a Olho-d'Água (PB). ● ***S. 2 g.*** **2.** O natural ou habitante de Olho-d'Água. [Pl.: *olho-d'aguenses*.] ❖

olho-d'aguense[2] (güen) ***Adj. 2 g.*** **1.** De, ou pertencente ou relativo a Olho-d'Água das Cunhãs (MA). ● ***S. 2 g.*** **2.** O natural ou habitante de Olho-d'Água das Cunhãs. [Pl.: *olho-d'aguenses*.] ❖

olho-d'aguense[3] (güen) ***Adj. 2 g.*** **1.** De, ou pertencente ou relativo a Olho-d'Água das Flores (AL). ● ***S. 2 g.*** **2.** O natural ou habitante de Olho-d'Água das Flores. [Pl.: *olho-d'aguenses*.] ❖

olho-d'aguense[4] (güen) ***Adj. 2 g.*** **1.** De, ou pertencente ou relativo a Olho-d'Água Grande (AL). ● ***S. 2 g.*** **2.** O natural ou habitante de Olho-d'Água Grande. [Sin. ger.: *olho-grandense*. Pl.: *olho-d'aguenses*.] ❖

olho de boi ***S. m.*** **1.** *Arquit.* Claraboia (1) circular ou elíptica. **2.** *Bras.* Selo do correio, da primeira emissão (feita em 1843), com desenho que semelha um olho. [Cf., nesta acepç., *olho de cabra*.] **3.** *Bras. N.E. Pop.* V. *exoftalmia*. **4.** *Bras. SE* Espécie de mármore que apresenta grandes manchas. **5.** *Bras. BA* Arco-íris incompleto. **6.** *Constr. Nav.* Abertura feita em um pavimento, a bordo, ao qual se fixa um vidro grosso, para dar luz ao compartimento inferior. **7.** *Constr. Nav.* O vidro de qualquer vigia (5). **8.** *Ant. Mar.* Acúmulo de grossas nuvens no horizonte, prenunciadoras de um tufão. [Pl.: *olhos de boi*.] ☑ notas 1 e 2

olho-de-boi ***S. m.*** **1.** *Bot.* Planta asterácea (*Buphtalmum salicifolium*) herbácea, que, pelo aspecto dos discos dos capítulos, sempre de tom mais escuro que o das lígulas, lembra um ocelo. **2.** *Bot.* V. *jatobá* (2). **3.** *Bras. Zool.* Peixe teleósteo, perciforme, carangídeo (*Seriola lalandi*), do Atlântico, das Antilhas ao Uruguai, de dorso violáceo ou azul-metálico e abdome branco. Alimenta-se de pequenos peixes e frequenta lugares pedregosos. Comprimento: até 2m; peso: até 50kg. [Sin.: *arabaiana, urubaiana, olhete, pitangola, tapiranga, tapireçá*.] [Pl.: *olhos-de-boi*.]

olho-de-boneca ***S. m. Bras. L. S. Bot.*** Liana sapindácea (*Paullinia elegans*) de folhas quinquefoliadas, folíolos oblongo-lanceolados e dentado-serreados, flores alvas, pequeninas, arrumadas em tirsos, e cujas cápsulas são trivalvares e aladas. [Pl.: *olhos-de-boneca*.]

olho de cabra ***S. m. Bras.*** Selo do correio, da série emitida em 1845, menor do que o olho de boi (2) (q. v.). [Pl.: *olhos de cabra*.] ☑ notas 1 e 2

olho-de-cabra ***S. m. Bras. Bot.*** **1.** *L.* Árvore fabácea (*Ormosia nitida*), cujos legumes encerram sementes fortemente coloridas de vermelho, as quais servem para compor colares e objetos semelhantes. **2.** *BA* V. *jequiriti*. [Pl.: *olhos-de-cabra*.]

olho-de-cabra-miúdo ***S. m. Bras. Bot.*** V. *favinha-brava* (3). [Pl.: *olhos-de-cabra-miúdos*.]

olho-de-cão ***S. m. Bras. Zool.*** Peixe teleósteo, perciforme, priacantídeo (*Priacanthus arenatus*), do Atlântico, de coloração vermelha, nadadeiras verticais marginadas de negro, as ventrais escuras, olhos muito grandes, e até 25cm de comprimento; olho-de-vidro, pirapema, piranema. [Pl.: *olhos-de-cão*.]

O

olho-de-céu *S. m. Bras. Zool.* Peixe do litoral cearense. [Pl.: *olhos-de-céu*.]

olho de fogo *S. m. Bras. Pop.* V. *albino* (2). [Pl.: *olhos de fogo*.] ☑ notas 1 e 2

olho-de-fogo *S. m. Bras.* **1.** *Pop.* V. *albino* (2). **2.** *Zool.* Peixe caracídeo (*Hemigrammus ocellifer*) da bacia amazônica e de rios guianenses e surinameses, de coloração prata-esverdeada, mancha vermelha, brilhante, sobre os olhos e laivo dourado acima da mancha escura do pedúnculo caudal. Comprimento: 4 a 5cm. Adapta-se bem em aquários. [Sin., nesta acepç.: *olho-vermelho*. Pl.: *olhos-de-fogo*.]

olho de gato *S. m.* **1.** *Min.* Quartzo com agulhas de amianto. **2.** *Bras. Pop.* Catadióptrico (2). [Pl.: *olhos de gato*.] ☑ notas 1 e 2

olho-de-gato *S. m.* **1.** *Bot.* V. *bonduque*. **2.** *Bras. Zool.* V. *mapará* (2). [Pl.: *olhos-de-gato*.]

olho de matar pinto *S. m. Bras. Pop.* V. *olho de secar pimenta*. [Pl.: *olhos de matar pinto*.] ☑

olho de mosquito *S. m. Bras. MG Ant.* Diamante de tamanho e peso exíguos. [Pl.: *olhos de mosquito*.] ☑

olho de peixe[1] *S. m. Min.* Calcedônia branca. [Pl.: *olhos de peixe*.] ☑

olho de peixe[2] *S. f. 2 n. Fot.* V. *objetiva olho de peixe*. [Pl.: *olhos de peixe*.] ☑

olho de perdiz *S. m.* Calozinho redondo que se forma nos dedos dos pés. V. *tilose* (2). [Pl.: *olhos de perdiz*.] ☑

olho-de-pombo *S. m. Bot.* **1.** *Bras. L.* V. *favinha-brava* (2). **2.** *Bras. BA* V. *jequiriti*. [Pl.: *olhos-de-pombo*.]

olho-de-santa-luzia [De *olho* + *de* + o hag. *Santa Luzia*.] *S. m. Bras. Bot.* **1.** V. *mata-olho* (1). **2.** V. *trapoeraba*. [Pl.: *olhos-de-santa-luzia*.]

olho de sapiranga *S. m. Bras. N.E.* **1.** Blefarite ciliar. **2.** Ectrópio. [Pl.: *olhos de sapiranga*. Cf. *olhos de sapiranga*, loc.] ☑

olho de sapo *S. m. Bras. Pop.* V. *exoftalmia*. [Pl.: *olhos de sapo*.] ☑ notas 1 e 2

olho-de-sapo *S. m. Bot.* Casta de uva. [Pl.: *olhos-de-sapo*.]

olho de seca pimenta *S. m. Bras. N.E. Pop.* V. *olho de secar pimenta*. [Pl.: *olhos de seca pimenta*.] ☑

olho de seca pimenteira *S. m. Bras. Pop.* V. *olho de secar pimenta*. [Pl.: *olhos de seca pimenteira*.] ☑

olho de secar pimenta *S. m. Bras. Pop.* Pessoa de mau-olhado; olho de seca pimenta, olho de seca pimenteira, olho de secar pimenteira, olho de matar pinto. [Pl.: *olhos de secar pimenta*.] ❄

olho de secar pimenteira *S. m. Bras. Pop.* V. *olho de secar pimenta*. [Pl.: *olhos de secar pimenteira*.] ☑

olho de sogra *S. m. Bras. Cul.* Espécie de doce (12) feito de ameixa ou tâmara coberta de calda caramelada e/ou recheada. [Pl.: *olhos de sogra*.] ☑

olho de tigre *S. m. Min.* Variedade amarelo-avermelhada de quartzo, que apresenta inclusões fibrosas paralelas de crocidolita. [Pl.: *olhos de tigre*.] ☑

olho-de-vidro *S. m. Bras. Zool.* V. *olho-de-cão*. [Pl.: *olhos-de-vidro*.]

olho-grande *S. 2 g.* Pessoa que tem olho grande (q. v.). [Pl.: *olhos-grandes*.]

olho-grandense *Adj. 2 g. S. 2 g.* V. *olho-d'aguense*[4]. [Pl.: *olho-grandenses*.]

olhômetro [De *olho* + *-metro*.] *S. m. Bras. Burl.* A visão, o olho, considerado como instrumento de medição, de avaliação, ou de observação indiscreta.

olho-preto *S. m. Bras. Bot.* Trepadeira (*Thunbergia alata*) originária da África do Sul, dotada de flores amarelas tirantes ao laranja e corola escura, tubuliforme. [Pl.: *olhos-pretos*.]

olho-vermelho *S. m. Bras. Zool.* Olho-de-fogo (2). [Pl.: *olhos-vermelhos*.]

olhuda [De *olho* + *-uda*, f. de *-udo*.] *S. f. Zool.* V. *maria-mole* (6).

olhudo [De *olho* + *-udo*.] *Adj.* Que tem olhos grandes.

olíbano [Do ár. *al-lubn(a)* (de or. incerta), pelo gr. *líbanos*, pelo lat. med. *olibanu*.] *S. m.* **1.** *Ant.* Goma-resina para aplicações tópicas em ferimentos. **2.** Espécie de incenso: 🕮 "Estes vasos estão cheios de aromas... mirra, ... olíbano, almíscar, unguento de nardo" (Eugênio de Castro, *Obras Poéticas*, II, p. 145). **3.** *Bot.* Designação comum a árvores e arbustos burseráceos (*Boswellia thurifera* e outros) que vivem nos desertos da África e da Arábia, e que, mediante incisão, deixam escorrer a goma-resina conhecida como *incenso*, que se recolhe depois de seca. São plantas muito citadas nas Escrituras Sagradas, e hoje quase sem importância.

▲ **-olídeo** *Quím. Suf.* Designa uma lactona: *butenolídeo*.

olifante [Do fr. *olifant* ou *oliphant*.] *S. m.* Trombeta curva, de uso na Idade Média, feita de uma presa de elefante: 🕮 "E Rolando eu supunha ainda ouvir, moribundo, / A assoprar, com fereza, os pulmões rebentando, / No alvo olifante de marfim." (Martins Fontes, *Verão*, p. 78.)

oligarca [Do gr. *oligárches*.] *S. 2 g.* **1.** Partidário da oligarquia. **2.** Membro de uma oligarquia.

oligarquia [Do gr. *oligarchía*.] *S. f.* **1.** Governo de poucas pessoas, pertencentes ao mesmo partido, classe ou família. **2.** *Fig.* Preponderância duma facção ou dum grupo na direção dos negócios públicos.

oligárquico [Do gr. *oligarchikós*.] *Adj.* Respeitante à, ou que tem o caráter de oligarquia.

oligarquismo [De *oligarquia* + *-ismo*.] *S. m.* Espírito oligárquico; predomínio da oligarquia.

oligarquização [De *oligarquizar* + *-ção*.] *S. f.* Ato ou efeito de oligarquizar.

oligarquizar [De *oligarquia* + *-izar*.] *V. t. d.* Transformar em oligarquia; dar aspecto oligárquico a.

oligisto [Do gr. *olígistos*.] *S. m. Min.* V. *hematita*.

▲ **olig(o)-** [Do gr. *olígos, ē, on* (í).] *El. comp.* = 'pouco', 'em pequeno número', 'em quantidade insuficiente': *oligocracia, oligoemia, oligofilo, oligúresia*.

oligoblenia (ní) [De *olig(o)-* + *-blen(o)-* + *-ia*[1].] *S. f. Med.* Escassez de secreção mucosa.

oligocéfalo [De *olig(o)-* + *-céfalo*.] *Adj. Bot.* Que apresenta um ou poucos capítulos: ramo oligocéfalo.

oligoceno (ê) [De *olig(o)-* + *-ceno*[3].] *Adj.* **1.** ~ V. *época —a*. ● *S. m.* **2.** *Geol.* Época oligocena.

oligoclásio [De *olig(o)-* + *-clas(i)-* + *-io*[3].] *S. m. Min.* Mineral triclínico do grupo dos feldspatos (plagioclásio), mistura isomorfa de albita e anortita, variando esta de 10 a 30 por cento.

oligoclasita [De *olig(o)-* + *-clas(i)-* + *-ita*[3].] *S. f. Petr.* Forma alterada de norito na qual o felsdspato foi transformado em saussurita e oligoclásio.

oligoclasito [De *olig(o)-* + *-clas(i)-* + *-ito*[2].] *S. m. Petr.* V. *oligoclasita*.

oligocolia [De *olig(o)-* + *-col(e)-* + *-ia*[1].] *S. f. Med.* Escassez de secreção biliar.

oligocólico [De *oligocolia* + *-ico*[2].] *Adj.* Respeitante à oligocolia.

oligocracia [De *olig(o)-* + *-cracia*.] *S. f. Deprec.* Aristocracia pouco numerosa.

oligocrático *Adj.* Referente à oligocracia.

oligócrono [Do gr. *oligóchronos*.] *Adj.* Que vive ou subsiste por pouco tempo.

oligocronômetro *S. m.* V. *oligocronômetro*. [Uso freq. em P.]

oligocronômetro [De *olig(o)-* + *cronômetro*.] *S. m.* Instrumento com que se medem as pequenas frações de tempo.

oligodacria [De *olig(o)-* + *-dacr(i)(o)-* + *-ia*[1].] *S. f. Oftalm.* Escassez de secreção lacrimal.

oligodácrico [De *oligodacria* + *-ico*[2].] *Adj. Oftalm.* Relativo a oligodacria.

oligodactilia [De *olig(o)-* + *-da(c)til(o)-* + *-ia*[1].] *S. f. Ter.* Anomalia caracterizada por número de dedos inferior ao normal.

oligodactílico [De *oligodactilia* + *-ico*[2].] *Adj. Ter.* Relativo a, ou em que há oligodactilia.

oligodáctilo [De *olig(o)-* + *-dá(c)tilo*.] *Adj. S. m. Ter.* Que, ou aquele que apresenta oligodactilia.

oligodendrócito [De *olig(o)-* + *-dendr(o)-* + *-cito*.] *S. m. Histol.* Célula do gliócito, pequena, com poucas e curtas ramificações, encontrada tanto na substância branca como na cinzenta. [Estas células são responsáveis pela produção e manutenção da mielina em torno dos axônios do sistema nervoso central.]

oligoelemento [De *olig(o)-* + *elemento*.] *S. m.* Elemento químico essencial à vida, e presente em pequeníssimas quantidades nos organismos vivos.

oligoemia [De *olig(o)-* + *-emia*.] *S. f. Patol.* Diminuição do volume sanguíneo.

oligoémico *Adj. Patol.* V. *oligoêmico*. [Uso freq. em P.]

oligoêmico [De *oligoemia* + *-ico*[2].] *Adj. Patol.* Relativo à oligoemia.

oligofagia [De *oligófago* + *-ia*[1].] *S. f.* Caráter de oligófago.

oligófago [De *olig(o)-* + *-fago*.] *Adj.* Que sobrevive com uma dieta restrita de alimentos.

oligofilo [Do gr. *oligóphyllos*.] *Adj. Bot.* Que tem poucas folhas: espiga oligofila.

oligofótico *Adj.* ~ V. *zona —a*.

oligofrenia [De *olig(o)-* + *-fren(o)-* + *-ia*[1].] *S. f. Psiq. Desus.* Deficiência de desenvolvimento mental, que pode ter causas diversas (hereditárias ou adquiridas); oligopsiquia. [Cf. *demência*.]

oligofrénico *Adj. S. m. Psiq.* V. *oligofrênico*. [Uso freq. em P.]

oligofrênico [De *oligofrenia* + *-ico*[2].] *Psiq. Adj.* **1.** Referente à oligofrenia; oligopsíquico. **2.** Que sofre de oligofrenia. ● *S. m.* **3.** Aquele que sofre desse mal.

oligogenia [De *olig(o)-* + *-gen(o)-* + *-ia*[1].] *S. f. Genét.* Condição do caráter (12) que é determinado por poucos genes.

oligogénico *Adj.* V. *oligogênico*. [Uso freq. em P.]

oligogênico [De *oligogenia* + *-ico*[2].] *Adj.* Referente à oligogenia, ou que a apresenta.

oligoidria (o-i) [De *olig(o)-* + *-(h)idr(o)-* + *-ia*[1].] *S. f. Med.* Escassez de secreção sudoral.

oligoídrico [De *oligoidria* + *-ico*[2].] *Adj. Med.* Relativo à oligoidria.

oligolécito [De *olig(o)-* + *-lécito*[1].] *Adj. Zool.* Diz-se de óvulo com pouco vitelo distribuído homogeneamente pelo citoplasma; encontrado em equinodermos. [Sin.: *isolécito*.]

oligómero *S. m. Quím.* V. *oligômero*. [Uso freq. em P.]

oligômero [De *olig(o)-* + *-mero*.] *S. m. Quím.* Substância cujas moléculas são formadas pela ligação de um número pequeno de moléculas de um monômero. [Cf. *polímero*.]

oligoneuro [De *olig(o)-* + *-neuro*; tax. *Oligoneuria*.] *S. m. Adj. Zool.* V. *embióptero*.

oligonucleotídeo [De *olig(o)-* + *nucleotídeo*.] *S. m. Quím.* Biopolímero resultante da condensação de pequeno número de nucleotídeos.

oligopeptídio [De *olig(o)-* + *peptídio*.] *S. m. Quím.* Biopolímero resultante da condensação de pequeno número de aminoácidos.

oligopionia [De *olig(o)-* + *-pio(n)-* + *-ia*[1].] *S. f. Med.* Escassez de gordura.

oligopiónico *Adj. Med.* V. *oligopiônico*. [Uso freq. em P.]

oligopiônico [De *oligopionia* + *-ico*[2].] *Adj. Med.* Relativo à oligopionia.

oligopólio [De *olig(o)-* + *-pólio*.] *S. m. Econ.* Situação de mercado em que a oferta é controlada por um pequeno número de vendedores, e em que a competição tem por base, não as variações de preços, mas a propaganda e as diferenças de qualidade: *As montadoras de automóveis no Brasil constituem um oligopólio.*

oligopolista [De *oligopólio* + *-ista*.] *Adj. 2 g.* Relativo ao oligopólio.

oligoposia [Do gr. *oligoposía*.] *S. f. Med.* Escassez de ingestão de líquidos.

oligopósico [De *oligoposia* + *-ico*[2].] *Adj.* Relativo a oligoposia.

oligopsiquia [De *olig(o)-* + *-psiqu(e)-* + *-ia*[1].] *S. f. Psiq. Desus.* Oligofrenia.

oligopsíquico [De *oligopsiquia* + *-ico*[2].] *Adj.* Referente a oligopsiquia; oligofrênico.

oligopsónio *S. m. Lus. Econ.* V. *oligopsônio*.

oligopsônio [De *olig(o)-* + gr. *opsónes*, 'que faz a provisão de víveres', + *-io*[3].] *S. m. Econ.* Situação de mercado em que há um número pequeno de compradores.

oligoqueta (ê) [Do tax. *Oligochaeta*.] *Zool. S. m.* **1.** Espécime dos oligoquetas, classe de animais anelídeos, com segmentos distintos e ger. com poucas cerdas em cada anel, hermafroditos, sem região cefálica diferenciada, desprovidos de tentáculos e parápodes. São as minhocas, e vivem mais comumente em solo úmido. ● *Adj. 2 g.* **2.** Pertencente ou relativo a eles.

oligoquilia [De *olig(o)-* + *-quil(o)-*[1] + *-ia*[1].] *S. f. Med.* Escassez de quilo[1].

oligoquílico [De *oligoquilia* + *-ico*[2].] *Adj.* Relativo à oligoquilia.

oligoquilo [Do gr. *oligóchylos*.] *Adj. S. m. Med.* Diz-se de, ou substância alimentar pouco nutritiva.

oligospermia [De *olig(o)-* + *-sperm(o)-* + *-ia*[1].] *S. f. Urol.* Escassez de espermatozoides no sêmen.

oligospérmico [De *oligospermia* + *-ico*[2].] *Adj. Urol.* Relativo a oligospermia.

oligospermo [Do gr. *oligóspermos*.] *Adj. Bot.* Que tem poucas sementes: cápsula oligosperma.

oligossacarídeo [De *olig(o)-* + *sacarídeo*.] *S. m. Quím.* Sacarídeo formado por um número relativamente pequeno de oses ligadas.

oligossialia [De *olig(o)-* + *-sial(o)-* + *-ia*[1].] *S. f. Med.* Secreção escassa de saliva.

oligossiálico [De *oligossialia* + *-ico*[2].] *Adj.* Referente a oligossialia.

oligostémone *Adj. 2 g. Bot.* V. *oligostêmone*. [Uso freq. em P.]

oligostêmone [De *olig(o)-* + *-stêmone*.] *Adj. 2 g. Bot.* Que tem poucos estames, em número menor que o de pétalas: flor oligostêmone.

oligotriquia [De *olig(o)-* + *-triqu(i)-* + *-ia*[1].] *S. f. Med.* Escassez de pelos.

oligotríquico [De *oligotriquia* + *-ico*[2].] *Adj. Med.* Referente a oligotriquia.

oligotrofia [Do gr. *oligotrophía*.] *S. f.* **1.** *Med.* Estado de nutrição escassa. **2.** Pobreza de um meio qualquer em nutrientes minerais.

oligotrófico [De *oligotrofia* + *-ico*[2].] *Adj.* **1.** Relativo à oligotrofia. **2.** Que apresenta oligotrofia (2): solo oligotrófico. ~ V. *lago —*.

oliguresia [De *olig(o)-* + gr. *oúresis*, 'micção', + *-ia*[1].] *S. f. Med.* V. *oligúria*.

oliguria [De *olig(o)-* + *-uria*.] *S. f. Med.* V. *oligúria*.

oligúria [De *olig(o)-* + *-úria*.] *S. f. Med.* Diminuição do volume de urina; secreção insuficiente de urina. [F. paral.: *oliguria*. Sin.: *oliguresia*.]

oligúrico [De *oligúria* + *-ico*[2].] *Adj.* **1.** Relativo à, ou que sofre de oligúria. ● *S. m.* **2.** Aquele que sofre de oligúria.

olimpíada [Var. de *olimpíade.*] *S. f.* **1.** Espaço de quatro anos decorridos entre duas celebrações consecutivas dos jogos olímpicos, originariamente efetuados na cidade de Olímpia, na Grécia antiga. **2.** Os jogos olímpicos gregos. ~ V. *olimpíadas.*

olimpíadas [Pl. de *olimpíada.*] *S. f. pl.* Jogos olímpicos modernos, que se realizam de quatro em quatro anos, de 1896 para cá. [Com cap.] ~ V. *olimpíada.*

olimpíade [Do gr. *olympías*, pelo lat. *olympiade.*] *S. f.* Olimpíada.

olimpiano [Do lat. *olympianu.*] *Adj.* **1.** V. *olímpico*[1] (1 e 2). ● *S. m.* **2.** Habitante do Olimpo; deus.

olimpicamente (ìm) [Do f. de *olímpico* + *-mente.*] *Adv.* De forma olímpica; com grande altivez: *Fitou a todos olimpicamente, e saiu.*

olímpico[1] [Do gr. *olympikós* (do gr. *Ólympos*, 'Olimpo', + gr. *-ikós* [v. *-ico*[2]]), pelo lat. *olympicu.*] *Adj.* **1.** Pertencente ou relativo ao Olimpo. **2.** Pertencente ou relativo aos deuses do Olimpo. [Sin., nessas acepç.: *olimpiano.*] **3.** Olímpio (1). **4.** *Fig.* Grandioso, majestoso, divino, nobre, sublime.

olímpico[2] [Do gr. *olympikós* (do gr. *Olympía*, 'Olímpia', cidade do Peloponeso [v. *peloponésio*], + -gr. *-ikós* [v. *-ico*[2]]), pelo lat. *olympicu.*] *Adj.* Referente às Olimpíadas. ~ V. *ginástica — a, gol —, jogos — s* e *piscina — a.*

olimpiense[1] *Adj. 2 g.* **1.** De, ou pertencente ou relativo a Nova Olímpia (PR). ● *S. 2 g.* **2.** O natural ou habitante de Nova Olímpia.

olimpiense[2] *Adj. 2 g.* **1.** De, ou pertencente ou relativo a Olímpia (SP). ● *S. 2 g.* **2.** O natural ou habitante de Olímpia.

olímpio [Do gr. *olýmpios*, pelo lat. *olympiu.*] *Adj.* **1.** De, ou pertencente ou relativo à cidade de Olímpia (Grécia); olímpico. ● *S. m.* **2.** O natural ou habitante de Olímpia.

olímpio-noronhense *Adj. 2 g.* **1.** De, ou pertencente ou relativo a Olímpio Noronha (MG). ● *S. 2 g.* **2.** O natural ou habitante de Olímpio Noronha. [Pl.: *olímpio-noronhenses.*]

olimpismo [De *olímpico* + *-ismo*, seg. o padrão erudito.] *S. m.* **1.** Espírito que preside os jogos olímpicos, os treinos preparatórios para esses jogos. **2.** A influência dos jogos olímpicos.

olimpo [Do lat. *Olympos* < top. gr. *Ólympos* (montanha da Tessália).] *S. m.* **1.** *Mit.* Habitação das divindades greco-latinas: "Os deuses de Homero... debatiam uma vez no Olimpo, gravemente, e até furiosamente." (Machado de Assis, *Quincas Borba*, p. 98). **2.** *Poét.* Lugar de delícias; céu, paraíso. **3.** *Mit.* O conjunto das divindades greco-latinas. [Com cap., nas acepç. 1 e 3.]

olindense[1] *Adj. 2 g.* **1.** De, ou pertencente ou relativo a Olinda (PE e RJ). ● *S. 2 g.* **2.** O natural ou habitante de Olinda.

olindense[2] *Adj. 2 g.* **1.** De, ou pertencente ou relativo a Nova Olinda do Norte (AM). ● *S. 2 g.* **2.** O natural ou habitante de Nova Olinda do Norte.

olindinense *Adj. 2 g.* **1.** De, ou pertencente ou relativo a Olindina (BA). ● *S. 2 g.* **2.** O natural ou habitante de Olindina.

oliniácea [Do tax. *Olinia*, gênero-tipo, + *-ácea*; tax. *Oliniaceae.*] *S. f. Bot.* Espécime das oliniáceas, família de plantas floríferas, da ordem das mirtales, cujas flores têm pétalas pouco desenvolvidas e cujo fruto é drupáceo. Engloba uns poucos arbustos africanos.

oliniáceo [De *oliniácea*, com var. suf. (v. *-áceo*).] *Adj. Bot.* Pertencente ou relativo às oliniáceas.

olira [Do tax. *Olyra.*] *S. f. Bot.* **1.** Gênero de poáceas que compreende espécies que habitam a África e zonas tropicais das Américas. **2.** Qualquer espécie desse gênero, como, p. ex., a *Olyra polypodioides* (v. *bambuzinho*). **3.** Qualquer espécime desse gênero. [Var.: *olíria.*]

olíria *S. f. Bot.* V. *olira.*

olisiponense [Do lat. *olisipponense.*] *Adj. 2 g. S. 2 g.* V. *lisboeta.*

oliva [Do lat. *oliva.*] *S. f.* **1.** Azeitona. **2.** *Bot.* Oliveira. **3.** Pequena lombada, na extremidade de um tubo, que serve para fixar-lhe melhor a tampa. ~ V. *olivas.* ◆ **Oliva bulbar.** *Anat.* Cada uma de duas porções arredondadas situadas de cada lado da parte superior do bulbo raquiano; oliva do bulbo raquiano. **Oliva cerebelar.** *Anat.* Cada um de dois núcleos de substância cinzenta localizados em cada hemisfério cerebelar. **Oliva do bulbo raquiano.** *Anat.* Oliva bulbar.

oliváceo [De *oliva* + *-áceo*[1].] *Adj.* Que tem a cor da azeitona. [Cf. *azeitonado.*]

oliváceo-claro *Adj.* De um tom claro de verde-oliva. [Flex.: *oliváceo-claros, oliváceo-clara(s).*]

oliváceo-escuro *Adj.* De um tom oliváceo muito carregado, tirante a preto, ou a marrom-escuro. [Flex.: *oliváceo-escuros, oliváceo-escura(s).*]

olival [De *oliva* + *-al*[1].] *S. m.* Quantidade mais ou menos considerável de oliveiras dispostas proximamente entre si; oliveiral, olivedo. **2.** Área ocupada por olival (1). [Sin. ger.: *oliveiral, olivedo.*]

olivar [De *oliva* + *-ar*[1].] *Adj. 2 g.* Que tem forma de azeitona; olivário, oliviforme.

olivário [Do lat. *olivariu.*] *Adj.* V. *olivar.*

olivas [Pl. de *oliva.*] *S. f. pl.* **1.** *Anat.* Eminências do bulbo raquiano, para fora da pirâmide anterior. **2.** *Arquit.* Ornatos arquitetônicos em forma de azeitonas. **3.** Parótidas do cavalo. ~ V. *oliva.*

olivedo (ê) [Do lat. *olivetu.*] *S. m.* **1.** V. *olival*: "Entrevi-os emboscados nos olivedos vizinhos da casa." (Camilo Castelo Branco, *A Mulher Fatal*, p. 101.) **2.** Porção de olivais, ou olival extenso: "quieta aldeia, adormecida sob o olivedo e a vinha" (Eça de Queirós, *Últimas Páginas*, p. 401).

oliveira [Do lat. *olivaria, i. e., arbor olivaria.*] *S. f. Bot.* Arvoreta oleácea (*Olea europaea*) originária da região mediterrânea, de pequenas folhas acinzentadas, frutos (*azeitonas*) que são drupas oleaginosas e servem na alimentação humana em espécie e sob a forma de azeite deles extraído; oliva.

oliveira-fortense *Adj. 2 g.* **1.** De, ou pertencente ou relativo a Oliveira Fortes (MG). ● *S. 2 g.* **2.** O natural ou habitante de Oliveira Fortes. [Pl.: *oliveira-fortenses.*]

oliveiral [De *oliveira* + *-al*[1].] *S. m.* V. *olival.*

oliveirense[1] *Adj. 2 g.* **1.** De, ou pertencente ou relativo a Oliveira (Portugal). ● *S. 2 g.* **2.** O natural ou habitante de Oliveira.

oliveirense[2] *Adj. 2 g.* **1.** De, ou pertencente ou relativo a Senhora de Oliveira (MG). ● *S. 2 g.* **2.** O natural ou habitante de Senhora de Oliveira.

olivel [De *o* (1) + *livel.*] *S. m. Ant.* V. *nível* (1 a 7). [Pl.: *olivéis.*]

olivençano *Adj.* **1.** De, ou pertencente ou relativo a Olivença (Espanha). ● *S. m.* **2.** O natural ou habitante de Olivença. [Sin. ger.: *oliventino*[1].]

olivense *Adj. S. 2 g.* V. *oliventino*[2].

oliventino[1] *Adj. S. m.* V. *olivençano.*

oliventino[2] *Adj.* **1.** De, ou pertencente ou relativo a Olivença (AL). ● *S. m.* **2.** O natural ou habitante de Olivença. [Sin. ger.: *olivense.*]

olíveo [De *oliva* + *-eo.*] *Adj. Poét.* Relativo ou pertencente à oliveira. [Cf. *Olívio*, antr.]

▲ **oliv(i)-** [Do lat. *olīva, ae.*] *El. comp.* = 'oliva', 'oliveira', 'azeitona': *olivicultor, oliviforme.*

olivicultor (ô) [De *oliv(i)-* + *-cultor.*] *S. m.* Oleicultor.

olivicultura [De *oliv(i)-* + *-cultura.*] *S. f.* Oleicultura (2).

olivídeo [Do tax. *Oliva*, gênero-tipo, + *-ídeo*[1]; tax. *Olividae.*] *Zool. S. m.* **1.** Espécime dos olivídeos, família de moluscos gasterópodes de concha ovalada, em forma de azeitona, que se caracterizam por apresentarem o pé dividido por fenda transversal, sendo a parte posterior, larga, dobrada lateralmente sobre a concha. Compreende os caramujos de praias e servem de iscas para os pescadores. ● *Adj.* **2.** Pertencente ou relativo a eles.

oliviforme [De *oliv(i)-* + *-forme.*] *Adj. 2 g.* V. *olivar.*

olivina [De *oliva* + *-ina*[1].] *S. f. Min.* **1.** Mineral ortorrômbico, mistura isomorfa do silicato de magnésio com o de ferro; peridoto. **2.** *P. ext.* Designação comum aos minerais do grupo da olivina.

olmeca *S. 2 g.* **1.** Indivíduo dos olmecas, povo pré-colombiano da costa S.O. do México. Exímios escultores, deixaram cabeças gigantescas em basalto; tinham escrita própria, e influenciaram as culturas zapoteca e tolteca. ● *Adj. 2 g.* **2.** Pertencente ou relativo aos olmecas.

olmedal *S. m.* **1.** Quantidade mais ou menos considerável de olmos dispostos proximamente entre si; olmedo. **2.** Área ocupada por olmedal (1). [Sin. ger.: *olmedo.*]

olmedo (ê) [Do lat. *ulmetu.*] *S. m.* Olmedal.

olmeira [De *olmo* + *-eira.*] *S. f. Bot.* V. *ulmária.*

olmeiro [De *olmo* + *-eiro.*] *S. m. Bot.* V. *olmo.* [F. paral.: *ulmeiro.*]

olmo [Do lat. *ulmu.*] *S. m. Bot.* Árvore ulmácea (*Ulmus campestris*) própria da Europa e ausente dos trópicos, que tem folhas simples e dísticas, exíguas flores, monoclamídeas, fruto drupáceo, e cuja madeira tem importância local. [F. paral.: *ulmo.* Sin.: *olmeiro.* Pl.: *olmos.* Cf. *Holmos*, top.]

olodumaré *S. m. Bras. Rel.* V. *Olorum.* [Com cap.]

ologbô [Do ior.] *S. m. Bras.* O conselheiro e chefe dos narradores iorubanos.

olor (ô) [Do lat. *olore.*] *S. m. Poét.* Cheiro agradável; aroma, perfume, fragrância: "de todo o seu corpo esbelto evolava-se um tão quente e capitoso olor sensual que o padre sentiu uma vertigem quebrá-lo e aturdi-lo." (Manuel Ribeiro, *A Planície Heroica*, p. 83); "Vinha de ti o olor de uma rosa fanada..." (Olegário Mariano, *Toda uma Vida de Poesia*, I, p. 132).

olori [Do ior.] *S. m. Bras. Rel.* Orixá que possui o espírito do crente; no Brasil, assimilado a *Eledá* e a *Elemi.* [Com cap.]

▲ **olor(i)-** [Do lat. *olos, ōris.*] *El. comp.* = 'cheiro agradável', 'aroma': *olorizar, oloroso.*

olorizar [De *olor(i)-* + *-izar.*] *V. t. d.* Tornar cheiroso, oloroso.

oloroso (ô) [De *olor(i)-* + *-oso.*] *Adj.* Que tem olor: "agachou-se diante do fogo, atirando para as brasas punhados de alfazema, e ao fumo oloroso que subia, perfumou as fraldas" (Coelho Neto, *Sertão*, p. 176). V. *odorante.*

olorum [Do ior.] *S. m. Bras. Rel.* O deus supremo, entre os iorubas, que mora no Orum, o Além, o Infinito. [Com cap.] [Var.: *Olodumaré*; cf. *Niçace.*]

oloxum [Do ior.] *S. f. Rel.* **1.** *Bras. PE* Oxum em alguns xangôs [v. *xangô* (2).] **2.** *Bras. BA* Tabá (1) cuja natureza mescla as de Oxum e Iemanjá. [Com cap.]

olubajé [Do ior.] *S. m. Bras. Rel.* Banquete oferecido a Omolu.

olvidamento [De *olvidar* + *-mento.*] *S. m. P. us.* V. *olvido* (1).

olvidar [Do lat. vulg. *oblitare*, freq. de *oblivisci*, 'esquecer'.] *V. t. d.* **1.** Perder de memória; não se lembrar de; deixar cair no esquecimento; esquecer. *P.* **2.** Não se lembrar; esquecer-se.

olvidável [De *olvidar* + *-vel.*] *Adj. 2 g.* Que pode ou deve ser olvidado.

olvido [Dev. de *olvidar.*] *S. m.* **1.** Ato ou efeito de olvidar(-se); esquecimento. [Sin., p. us.: *olvidamento.*] **2.** *Poét.* Adormecimento, descanso, repouso.

▲ **-oma**[1] [Do gr. *-ōma.*] *El. comp.* = 'tumor': *mioma, fibroma.* [Equiv.: *-omat-*: *fibromatose.*]

▲ **-oma**[2] [Do lat. cient. *-oma* < lat. *-oma.*] *El. comp.* = 'massa'; 'grupo'; 'conjunto': *bioma, cauloma.*

▲ **-oma**[3] V. *omat(o)-.*

omacefalia [De *om(o)-* + *-acefal(o)-* + *-ia*[1].] *S. f. Ter.* Anomalia caracterizada pela má-formação da cabeça e falta de membros superiores.

omacefaliano [De *omacefalia* + *-ano*[1].] *Adj.* Que tem omacefalia.

omacefálico [De *omacefalia* + *-ico*[2].] *Adj. Ter.* Relativo a, ou em que há omacefalia.

omacéfalo [De *om(o)-* + *-acéfalo.*] *Adj. S. m. Ter.* Que, ou aquele que apresenta omacefalia.

omagra [De *om(o)-* + *-agra.*] *S. f. Reum.* Gota (6) em ombro.

omágua *Bras. S. 2 g.* **1.** *Etnôn.* Indivíduo dos omáguas, povo indígena extinto, do tronco linguístico tupi, que habitava a região do alto rio Solimões, no AM, no Peru e na Colômbia. ● *Adj. 2 g.* **2.** Pertencente ou relativo a esse povo. [Tb. us. como *s. 2 g. e 2 n.* (com cap.) e *adj. 2 g. e 2 n.*]

omalá [Do ior.] *S. m. Bras. BA* Caruru especial de Xangô.

omalgia [De *om(o)-* + *-alg(o)-*[2] + *-ia*[1].] *S. f. Med.* Dor em ombro.

omálgico [De *omalgia* + *-ico*[2].] *Adj.* Referente a omalgia.

▲ **-ômalo** Equiv. de *homal(o)-.*

omani *Adj. 2 g.* **1.** Do, ou pertencente ou relativo ao Sultanato de Omã (S.E. da Arábia Saudita). ● *S. 2 g.* **2.** O natural ou habitante do Sultanato de Omã. [Sin. ger.: *omaniano.*]

omaniano *Adj. S. m.* V. *omani.*

omartrócace [De *om(o)-* + *-artr(o)-* + gr. *kaké*, 'vício', 'doença'.] *S. f. Reum. Desus.* Artrite tuberculosa de ombro; omartrocacia.

omartrocacia [De *om(o)-* + *-artr(o)-* + *-cac(o)-* + *-ia*[1].] *S. f. Reum. Desus.* Omartrócace.

omartrocático *Adj.* Relativo a omartrocacia.

omaso *S. m. Zool.* V. *folhoso* (2).

▲ **-omat-** Equiv. de *-oma*[1].

omátide [De *omat(o)-* + *-ide*[3].] *S. m. Zool.* Omatídio.

omatídio [De *omat(o)-* + *-ídio*[4]; lat. cient. *ommatidium.*] *S. m. Zool.* Cada um dos elementos que correspondem a um olho simples ou a um ocelo e que, reunidos, formam o olho composto de um artrópode.

▲ **omat(o)-** [Do gr. *ómma, atos*, 'olho'.] *El. comp.* = 'olho', 'vista': *omatídio, omatóforo.* [Equiv.: *-omat(o)-*, *-oma*[3]: *estilomatóforo; loxoma.*]

▲ **-omat(o)-** V. *omat(o)-.*

omatóforo [De *omat(o)-* + *-foro*; lat. cient. *ommatophorus.*] *S. m. Zool.* Pedúnculo móvel com um olho na extremidade, encontrado nos caramujos, etc.

ombrã [Alter. de *samburá*, poss.] *S. m. Bras. AM Etnol.* Espécie de cesto usado por diversos povos indígenas.

ombrear [De *ombro* + *-ear*[2].] *V. t. d.* **1.** Levar ou pôr ao ombro. *T. i.* **2.** Pôr-se a par; pôr-se ou estar em paralelo; igualar-se; equiparar-se: *Grande escritor, ombreia com os mestres da literatura universal.* **Bit. i.** **3.** Competir, rivalizar: *Não ombreia com o irmão em inteligência.* [Conjug.: v. *frear.*]

ombreira [De *ombro* + *-eira.*] *S. f.* **1.** Cada uma das partes complementares do vestuário correspondentes aos ombros: "a cabeça inclinada sobre a almofada chata de costura, onde tinha pregada a ombreira de uma camisa, que pospontava." (José Veríssimo, *Cenas da Vida Amazônica*, p. 69). **2.** *Constr.* Cada uma das peças verticais das portas e janelas que sustentam as padieiras; umbral: "Enquanto mudavam os cavalos da diligência, vim encostar-me à ombreira da porta." (Alberto Braga, *Novos Contos*, p. 4.) [Cf. (nesta acepç.) *marco*[1] (5).] **3.** *Fig.* Limiar, porta, entrada. **4.** *Bras. N.E.* V. *cabide* (1).

O

ombrino *S. f. Zool.* V. *castanha* (12).

ombro [Do lat. *umeru.*] *S. m.* **1.** *Anat.* O segmento mais alto de cada membro superior, representando o local por que cada membro superior se une ao tórax. **2.** *Tip.* Rebarba compreendida entre a base do talude e a aresta superior da frente do tipo. **3.** *Fig.* Força, vigor, robustez. **4.** *Fig.* Esforço, diligência. ◆ **Ombro a ombro.** Ombro com ombro. **Ombro com ombro. 1.** Lado a lado; a par; um ao lado do outro. **2.** Com familiaridade; com intimidade. [Sin. ger.: *ombro a ombro.*] **Carregar aos ombros.** Tratar [alguém] com especial carinho ou atenção. **Chorar no ombro de.** Contar as suas mágoas a, lamentar-se com (alguém). **Dar de ombros.** V. *encolher os ombros*: "Chegaram [os boatos] aos nossos ouvidos; eu negava formalmente e sério; ela dava de ombros e ria." (Machado de Assis, *Várias Histórias*, p. 95.) **Encolher os ombros.** Mostrar indiferença ou resignação; dar de ombros, levantar os ombros. **Levantar os ombros.** V. *encolher os ombros*: "diante do mistério, contentou-se em levantar os ombros, e foi andando." (Machado de Assis, *Várias Histórias*, p. 5). **Olhar por cima do ombro.** Tratar por cima do ombro. **Tratar por cima do ombro.** Mostrar desprezo ou desdém a; olhar por cima do ombro.

▲ **ombro-** [Do gr. *ombro-* < gr. *ómbros, ou,* 'chuva (de tempestade)'; 'água'; 'urina'.] ***El. comp.*** = 'chuva': *ombrofobia, ombrófobo.*

ombrofilia [De *ombro-* + *-filia.*] *S. f.* Grande apreço, ou atração por chuvas, temporais e tempestades.

ombrofílico [De *ombrofilia* + *-ico^2.*] ***Adj.*** **1.** Relativo a ombrofilia. **2.** Que tem ombrofilia; ombrófilo. ● ***S. m.*** **3.** Aquele que tem ombrofilia; ombrófilo.

ombrófilo [De *ombro-* + *-filo^2.*] ***Adj.*** **1.** Ombrofílico (2). **2.** Pluvial (2). ● ***S. m.*** **3.** Ombrofílico (3).

ombrofobia [De *ombro-* + *-fobia.*] *S. f. Psiq.* Medo mórbido de chuvas, temporais e tempestades.

ombrofóbico [De *ombrofobia* + *-ico^2.*] *Psiq.* ***Adj.*** **1.** Relativo a ombrofobia. **2.** Que sofre de ombrofobia; ombrófobo. ● ***S. m.*** **3.** Aquele que sofre de ombrofobia; ombrófobo.

ombrófobo [De *ombro-* + *-fobo.*] ***Adj. S. m.*** *Psiq.* Ombrofóbico (2 e 3).

➔ **ombudsman** ['ɑmbədzˌmən] [Ingl., do sueco *ombud*, 'representante', 'deputado', + ingl. *man*, 'homem'.] ***S. 2 g.*** **1.** Nos países de democracia avançada como, p. ex., a Suécia, funcionário do governo que investiga as queixas dos cidadãos contra os órgãos da administração pública. **2.** *Jorn. Telev.* Jornalista responsável por atender às reclamações do público e por fazer críticas periódicas à cobertura do veículo em que trabalha: "o ombudsman critica o próprio jornal que lê com olhos do leitor" (*Jornal do Brasil*, 25.06.1985).

■ **OMC** Sigla de *Organização Mundial do Comércio.*

▲ **omeg(a)-** *Quím.* ***Pref.*** Indica, numa molécula, átomo ou grupo ômega: *ômega-aminoácido.* [Tb. é us. a letra grega, ω.]

ómega *S. m.* V. *ômega.* [Uso freq. em P.]

ômega [Do gr. *ô méga*, 'o grande'.] ***S. m.*** **1.** A 24ª e última letra do alfabeto grego (Ω, ω), correspondente ao *o* longo. **2.** Fim, final, termo. [Opõe-se a *alfa*, nesta acepç.] **3.** *Fís. Part.* Méson de massa 782 MeV/c^2, *isospin* zero, *spin* 1, paridade negativa, carga elétrica nula, composto de uma mistura de pares *quark-antiquark u, d* e *s* [símb.: ω]. **4.** *Quím.* Designação do último átomo de uma cadeia, ou de um substituinte ligado a esse átomo, quando se toma como referência a outra extremidade da cadeia. [Posposto a outro substantivo (átomo, grupo, etc.), tem valor de adjetivo: *carbono ômega.* Usa-se, tb., a letra grega ω.]

ómega-c *S. m. Fís. Part.* V. *ômega-c.* [Uso freq. em P. Pl.: *ómegas-c.*]

ômega-c *S. m. Fís. Part.* Bárion de massa 2.710 MeV/c^2, *isospin* zero, *spin* 1/2, paridade positiva, carga elétrica nula, charme + 1, composto de dois *quarks s* e de um *quark c* [símb.: Ωc]. [Pl.: *ômegas-c.*]

ómega-mais *S. m. Fís. Part.* V. *ômega-mais.* [Uso freq. em P. Pl.: *ómegas-mais.*]

ômega-mais *S. m. Fís. Part.* Antipartícula (q. v.) do ômega-menos [símb.: Ω+]. [Pl.: *ômegas-mais.*]

ómega-menos *S. m. Fís. Part.* V. *ômega-menos.* [Uso freq. em P. Pl.: *ómegas-menos.*]

ômega-menos *S. m. Fís. Part.* Bárion que no estado fundamental tem massa 1.672,45 MeV/c^2, *isospin* zero, *spin* 3/2, paridade positiva, carga elétrica igual a do elétron, estranheza -3, composto de três *quarks s* [símb.: Ω−]. [Pl.: *ômegas-menos.*]

omelê *S. m. Bras. MA Mús.* V. *cuíca* (2).

omeleta (ê) *S. f. Lus.* Omelete.

omelete (é) [Do fr. *omelette.*] *S. f. Bras.* Fritada de ovos batidos.

omeleteira [De *omelete* + *-eira.*] *S. f.* Frigideira (1) para omelete.

omental [De *omento* + *-al^1.*] ***Adj. 2 g.*** Pertencente ou relativo a omento.

omento [Do lat. *omentu.*] *S. m. Anat.* V. *epíploo.*

omicro *S. m.* V. *omícron.*

omícron [Do gr. *ò mikrón* (com iota longo), '*o* pequeno'.] *S. m.* A 15ª letra do alfabeto grego (O, o), correspondente ao *o* breve. [F. paral.: *omicro.* Var. pros. impr.: *ômicron.*]

ómicron *S. m.* V. *ômicron.* [Uso freq. em P.]

ômicron *S. m.* V. *omícron.*

ominar [Do lat. *ominare.*] ***V. t. d.*** Agourar, pressagiar, prenunciar, vaticinar.

ominoso (ô) [Do lat. *ominosu.*] ***Adj.*** **1.** Agourento, nefasto, funesto. **2.** Detestável, execrável: "A devassa conhecida em nossa história pelo nome contundente e burlesco de 'Bonifácia' apresenta-se, à primeira vista, como um prolongamento de ação colonial no novo organismo político, eivado de ideais pelos quais se pretendia libertar de um ominoso passado de velharias e opressões..." (Alberto Rangel, *Textos e Pretextos*, p. 25.)

omissão [Do lat. *omissione.*] *S. f.* **1.** Ato ou efeito de omitir(-se). **2.** Aquilo que se omitiu; falta, lacuna. **3.** Ausência de ação; inércia. **4.** *Jur.* Ato ou efeito de não fazer aquilo que moral ou juridicamente se devia fazer. ◆ **Omissão de socorro.** *Jur.* Crime caracterizado pela falta de assistência, por aquele que poderia ou deveria prestá-la sem risco pessoal, a criança abandonada ou extraviada, ou a pessoa inválida ou ferida, ao desamparo ou em grave e iminente perigo; ou pelo fato de não pedir, nesses casos, o atendimento da autoridade pública.

omissivo [Do lat. *omissus*, part. pass. de *omittere*, 'omitir', + *-ivo.*] ***Adj.*** Que envolve ou se origina em omissão. ~ V. *crime* —. [Cf. *comissivo.*]

omisso [Do lat. *omissus*, part. pass. de *omittere*, 'omitir'.] ***Adj.*** **1.** Que revela omissão, falta, lacuna, esquecimento. **2.** Descuidado; negligente. ● ***S. m.*** **3.** Aquele que pratica um alcance deixando de recolher, como lhe cabe, dinheiros ou valores de que tem a posse. [Cf. *remisso.*]

omissor (ô) [Do lat. *omissus*, part. pass. de *omittere*, 'omitir', + *-or.*] ***Adj.*** Omissório.

omissório [Do lat. *omissus*, part. pass. de *omittere*, 'omitir', + *-ório.*] ***Adj.*** Que determina ou envolve omissão; omissor.

omitir [Do lat. *omittere.*] ***V. t. d.*** **1.** Deixar de fazer, dizer ou escrever; não mencionar: *Depondo, omitiu fatos importantes.* **2.** Descuidar-se de fazer, dar, etc.: *Não omitiu nenhuma providência, e o processo teve bom andamento.* **3.** Deixar em esquecimento; preterir, postergar: *Ao fazer os convites, omitiu duas das pessoas presentes.* **4.** Deixar de lado; não tomar conhecimento de: *Ao fazer a revisão, omitiu várias páginas.* ***P.*** **5.** Não atuar, não manifestar-se, não se pronunciar, quando seria de esperar que o fizesse: *Os funcionários fazem arbitrariedades, e o chefe omite-se; Na discussão do problema, o eminente sociólogo omitiu-se*; "jamais se omitiu, quando podia elevar a voz em defesa de sua classe e da moralidade no ensino." (Clementino Fraga Filho, *Ideias e Ideais*, p. 7).

omitível [De *omitir* + *-vel.*] ***Adj. 2 g.*** Que é passível de ser omitido.

▲ **o(m)ni-** [Do lat. *ōmnis, e.*] ***El. comp.*** = 'tudo', 'todo': *omnipresente, onipresente.*

ômnibus *S. m.* V. *ônibus.*

omnicolor (ô) ***Adj. 2 g.*** V. *onicolor.*

omnidirecional ***Adj. 2 g.*** V. *onidirecional.*

omniforme ***Adj. 2 g.*** V. *oniforme.*

omnilingue ***Adj. 2 g.*** V. *onilíngue.* [Uso freq. em P.]

omnilíngue (güe) ***Adj. 2 g.*** *Lus.* V. *onilíngue.* ❖

omnímodo ***Adj.*** V. *onímodo.*

omnipalrante ***Adj. 2 g.*** V. *onipalrante.*

omniparente ***Adj. 2 g.*** V. *oniparente.*

omnipessoal ***Adj. 2 g.*** V. *onipessoal.*

omnipotência *S. f.* V. *onipotência.*

omnipotente ***Adj. 2 g.*** V. *onipotente.*

omnipresença *S. f.* V. *onipresença.*

omnipresente ***Adj. 2 g.*** V. *onipresente.*

omnisciência *S. f.* V. *onisciência.*

omnisciente ***Adj. 2 g.*** V. *onisciente.*

omnissapiência *S. f.* V. *onissapiência.*

omnissapiente ***Adj. 2 g.*** V. *onissapiente.*

omnividência *S. f.* V. *onividência.*

omnividente ***Adj. 2 g.*** V. *onividente.*

omnivoridade *S. f.* V. *onivoridade.*

omnívoro [De *omn(i)-* + *-voro.*] ***Adj. S. m.*** V. *onívoro.*

▲ **om(o)-** [Do gr. *ômos, ou.*] ***El. comp.*** = 'ombro': *omagra, omocótila.* [Equiv.: *-omo*: *haplomo.*]

▲ **omo-** [Do gr. *ōmós, ḗ, ón.*] ***El. comp.*** = 'cru'; 'prematuro': *omofagia, omotocia.*

▲ **-omo** Equiv. de *om(o)-.*

omocótila [De *om(o)-* + *-cótila.*] *S. f. Anat.* Em cada escápula, cavidade onde se encaixa a cabeça do úmero.

omodinia [De *om(o)-* + *-odin(o)-* + *-ia^1.*] *S. f. Med.* Dor em ombro.

omodínico [De *omodinia* + *-ico^2.*] ***Adj.*** Relativo à omodinia.

omofagia [Do gr. *omophagía.*] *S. f.* Qualidade ou hábito de omófago.

omófago [Do gr. *omophágos.*] ***Adj. S. m.*** Que, ou aquele que se alimenta de carne crua.

omolocô [De or. banta.] *S. m. Bras. RJ Rel.* Culto umbandista fortemente influenciado pelo candomblé de rito angola, mas diferenciado da chamada *umbanda de Angola.*

omolu [De or. afr.] *S. m. Bras. Rel.* Orixá cuja epifania são as doenças contagiosas, esp. a varíola; Xapanã, Xampanã, Xopanã. [Com cap. Cf. *Abaluaiê.*]

omolucu [Do ior.] *S. m. Bras. Cul.* Comida feita com feijão-fradinho e ovos.

omoplata [Do gr. *omopláte.*] *S. f. Anat. Denom. ant.* V. *escápula.*

omótico *Gloss.* ***S. m.*** **1.** Um dos ramos da família camito-semítica, cujas línguas são faladas principalmente na Etiópia e no Quênia. [A principal língua desse ramo é o ualamo.] ● ***Adj.*** **2.** Relativo ou pertencente a omótico (1).

omotina ***S. 2 g. Adj. 2 g.*** *Bras.* V. *umutina.*

omotocia (cí) [De *omo-* + *-toc(o)-* + *-ia^1.*] *S. f. Obst.* Parto prematuro.

■ **OMS** Sigla de *Organização Mundial da Saúde.*

▲ **-on-** Equiv. de *-on.*

▲ **-on** ***Suf.*** **1.** Designa unidade: *magnéton*; *vírion.* **2.** *Fís. Part.* Us. na nomenclatura de partículas elementares: *híperon, nêutron.* [Equiv.: *-on-*: *actinônio.*]

▲ **-on(a)-** V. *-ona^2.*

▲ **-ona^1** [Do fem. de *-ão^1* (q. v.).] ***Suf. nom.*** formador de aumentativos: *bundona, gatona.*

▲ **-ona^2** *Quím.* ***Suf.*** que indica: **1.** Função cetona: *propanona.* **2.** Certos compostos relacionados à cetona (*sulfona, lactona*); ou não (*nervona, peptona*). [Ocorre, tb., como infixo: *-on(a)-*: *acetilacetonato.*]

onagata [Do jap. *onnagata.*] *S. m. Teatr.* Ator japonês especializado na representação de papéis femininos, nos teatros nô (q. v.) e cabúqui (q. v.).

onagrácea [Do tax. *Onagra* + *-ácea*; tax. *Onagracea.*] *S. f. Bot.* Espécime das onagráceas, família de mirtales que reúne cerca de 18 gêneros e 650 espécies de ervas, arbustos, e raramente árvores, com folhas simples, inteiras ou penatífidas, flores hermafroditas, ger. tetrâmeras, solitárias, espiciformes ou paniculadas, e frutos capsulares loculicidas, nuciformes ou bacáceos; têm distribuição cosmopolita, e são ger. cultivadas como ornamentais. Ex.: brinco-de-princesa. [Sin. (desus.): *enoterácea.*]

onagráceo [De *onagrácea*, com var. suf. (v. *-áceo*).] ***Adj.*** *Bot.* Pertencente ou relativo às onagráceas; enoteráceo (desus.).

onagro [Do gr. *ónagros*, pelo lat. *onagru.*] ***S. m.*** **1.** *Zool.* Espécie de burro selvagem da África e da Ásia. **2.** *P. ext.* Burro; jumento. **3.** Máquina de guerra usada pelos antigos romanos para arremessar projetis. [A melhor f. é *ônagro/ónagro*, mas o uso consagrou *onagro.*]

ónagro ***S. m.*** *P. us.* V. *ônagro.* [Uso freq. em P.]

ônagro [Do gr. *ónagros*, pelo lat. *onagru.*] ***S. m.*** *P. us.* V. *onagro.*

onanismo [Do antr. *Onã*, de um personagem bíblico que praticava coitos interrompidos, + *-ismo.*] ***S. m.*** **1.** Automasturbação manual masculina; quiromania. [Cf. *masturbação.*] **2.** No conceito bíblico, coito interrompido no instante da ejaculação para evitar a fecundação.

onanista [De *onanismo* + *-ista.*] ***Adj. 2 g. S. 2 g.*** Que, ou quem pratica o onanismo; masturbador.

onanizar-se [De *onanismo* + *-izar* + *se^1*, seg. o padrão erudito.] ***V. p.*** Praticar o onanismo (1). [Cf. *masturbar.*]

onça^1 [Do lat. *uncia.*] *S. f.* **1.** Antiga unidade de medida de peso, equivalente a 28,691g. **2.** Medida de peso inglesa, equivalente a 28,349g. **3.** Moeda espanhola do valor de 14.672 réis. **4.** Moeda havanesa de ouro, equivalente a 17 piastras. **5.** Entre os romanos, a 12ª parte da libra. **6.** *Bras. S.* Antiga moeda de ouro.

onça^2 [Da mesma or. incerta que o esp. *onza*, cat. *onça* e o fr. *once*; poss. do lat. vulg. **luncea* (< lat. cláss. *lynx, lyncis* < gr. *lýnx, lynkós*).] *S. f.* **1.** *Zool.* Grande felino das montanhas do N. da Ásia (*Panthera uncia*), de pelagem lanosa, que lembra a da pantera, com 1,30m de comprimento. **2.** *Zool. Bras.* V. *jaguar.* **3.** *Bras. P. ext. Zool.* Designação comum a todos os felídeos brasileiros de grande porte. **4.** Pessoa feiíssima. **5.** V. *valentão* (3). **6.** *Bras. N.* Jogo semelhante ao das damas. ● ***Adj. 2 g.*** **7.** Diz-se de pessoa muito valente, fortíssima, invencível. V. *valentão* (1). **8.** *Bras.* Fora do comum; extraordinário: "— A Josefa tomou um pileque onça" (Artur Azevedo, *Contos fora da Moda*, p. 44). ◆ **Ficar uma onça.** *Bras.* Ficar muito zangado; virar onça. **Na onça.** *Bras. Gír.* Sem dinheiro; na miséria: *andar na onça*; "— Ô gente boa! Estou na onça, quero um bife a cavalo. Se mexa, sargento!" (Reginaldo Guimarães, *Uma Blusa no Cais*, p. 5). [Em Portugal: *à onça.*] **Safar a onça.** *Bras.* Livrar-

-se de algo. **Virar onça.** *Bras.* Ficar uma onça: "quem quisesse ver aquela meiga criatura virar onça, lhe tocasse num filho ou num neto" (A. S. de Mendonça Júnior, *O Anel de Brilhante e Outras Estórias*, p. 16).

onça-d'água ***S. f.*** *Bras. Zool.* Ariranha. [Pl.: *onças-d'água*.]

onça-parda ***S. f.*** *Bras. Zool.* V. *suçuarana* (1). [Pl.: *onças-pardas*.]

onça-pintada ***S. f.*** *Bras. Zool.* V. *jaguar*. [F. red.: *pintada*[2]. Pl.: *onças-pintadas*.]

onça-preta ***S. f.*** *Bras. Zool.* Variedade melânica da onça-pintada ou jaguar, geralmente mais feroz que o jaguar, recebendo por isso a denominação imprópria de tigre. [Nos cruzamentos, a cor preta predomina sobre o amarelo-ruivo. Pl.: *onças-pretas*.]

onça-vermelha ***S. f.*** *Bras. Zool.* V. *suçuarana* (1). [Pl.: *onças-vermelhas*.]

onceiro [De *onça*[2] + *-eiro*.] ***S. m.*** *Bras.* Cão caçador de onça.

oncense ***Adj. 2 g.*** **1.** De, ou pertencente ou relativo a Onça de Pitangui (MG). • ***S. 2 g.*** **2.** O natural ou habitante de Onça de Pitangui.

oncícola [Do tax. *Oncicola*.] ***S. f.*** *Zool.* **1.** Gênero de pequenos vermes acantocéfalos que, na forma adulta, parasitam os intestinos de cães e coiotes. **2.** Qualquer espécie desse gênero, como, p. ex., a *Oncicola canis*. **3.** Qualquer espécime desse gênero.

oncídio [Do tax. *Oncidium*.] ***S. m.*** *Bot.* **1.** Gênero de exuberantes orquídeas tropicais, epífitas ou terrestres, cuja coluna é curta e alada, ficando o labelo, ger., em ângulo reto em relação a esta. **2.** Espécie ou espécime desse gênero, ou a flor dele.

oncinha [De *onça*[2] + *-inha*.] ***S. f.*** *Bras. Zool.* V. *formiga-chiadeira*.

▲ **onc(o)-** [Do gr. *ónkos, ou*, 'curvatura'.] ***El. comp.*** = 'gancho', 'farpa': *oncícola, oncídio, oncorrinco*.

▲ **onco-** [Do gr. *ónkos, ou*, 'volume', 'massa', 'molécula'.] ***El. comp.*** = 'tumor', 'volume', 'massa': *oncogene, oncologia*. [Equiv.: *-onco*: *ulonco*.]

▲ **-onco** Equiv. de *onco-*.

oncocercose [Do tax. *Onchocerca* + *-ose*[1].] ***S. f.*** *Med.* Infecção por nematódeos do gênero *Onchocerca*, que tem como agente etiológico, no homem, o *O. volvulus*, incidente na África tropical, Guatemala, México e Venezuela, e cujos vetores são mosquitos simuliídeos. [O *O. volvulus* invade pele, plano subcutâneo e outros tecidos, neles produzindo nódulos fibrosos; quando há invasão ocular pode ocorrer cegueira.]

oncócito [De *onco-* + *-cito*.] ***S. m.*** *Patol.* Designação genérica de célula tumoral.

oncogene [De *onco-* + *gene*.] ***S. m.*** *Genét.* Gene envolvido no processo de origem de câncer.

oncogénico ***Adj.*** V. *oncogênico*. [Uso freq. em P.]

oncogênico [De *onco-* + *-gen(o)-* + *-ico*[2].] ***Adj.*** Que causa tumor (2), ou contribui para causá-lo.

oncologia [De *onco-* + *-logia*.] ***S. f.*** Estudo dos tumores [v. *tumor* (2)] em todos os seus aspectos (causas, estrutura, tratamento, etc.). [Cf. *cancerologia*.]

oncológico [De *oncologia* + *-ico*[2].] ***Adj.*** Referente à oncologia; cancerológico.

oncologista [De *oncologia* + *-ista*.] ***S. 2 g.*** Especialista em oncologia; cancerologista.

oncometria [De *onco-* + *-metria*.] ***S. f.*** *Med. Obsol.* Medida do volume de órgãos e das variações que essa medida apresenta.

oncométrico [De *oncometria* + *-ico*[2].] ***Adj.*** *Med.* Referente à oncometria.

oncómetro ***S. m.*** *Med.* V. *oncômetro*. [Uso freq. em P.]

oncômetro [De *onco-* + *-metro*.] ***S. m.*** *Med.* Aparelho apropriado para oncometria.

oncorrinco [De *onc(o)-* + *-rinco*; tax. *Oncorhynchus*.] ***S. m.*** *Zool.* **1.** Gênero de peixes que se relaciona ao gênero *Salmo* (v. *salmo*[2]), e que inclui espécies, comercialmente importantes, no Pacífico norte e nas correntes litorâneas da América do Norte e Ásia. **2.** Espécie ou espécime desse gênero.

oncose [Do gr. *ónkosis*.] ***S. f.*** *Patol.* Condição mórbida caracterizada pela formação de tumores.

▲ **-oncose** [Do gr. *ónkōsis, eōs*.] ***El. comp.*** = 'inchação': *faloncose, iridoncose*.

oncosfera [De *onc(o)-* + *-sfera*.] ***S. f.*** *Zool.* A larva da tênia contida em envoltório embrionário externo, e dotada de seis ganchos; pode ser encontrada em fezes.

oncotomia [De *onco-* + *-tom(o)-* + *-ia*[1].] ***S. f.*** *Cir.* Incisão de tumor.

oncotómico ***Adj.*** V. *oncotômico*. [Uso freq. em P.]

oncotômico [De *oncotomia* + *-ico*[2].] ***Adj.*** Relativo à oncotomia.

oncovirino [Adapt. do tax. *Oncovirinae*.] ***S. m.*** *Microbiol.* **1.** Espécime dos oncovirinos, subfamília retrovirídea que inclui os tipos A, B, C e D de oncovírus, classificados segundo sua morfologia e o tipo de hospedeiro. São, todos eles, oncogênicos. • ***Adj.*** **2.** Pertencente ou relativo a eles.

oncovírus [De *onco-* + *vírus*; tax. *Oncovirus*.] ***S. m. 2 n.*** *Microbiol.* **1.** Gênero de vírus ARN dos oncovirinos, todos eles oncogênicos, e que se classificam, morfologicamente, em quatro grupos (*A*, *B*, *C* e *D*); são tb. grupados de acordo com o tipo de hospedeiro (felino, aviário, humano, etc.). [Não foram, ainda, nomeados.] **2.** Espécie ou espécime desse gênero. **3.** Qualquer vírus ADN ou ARN oncogênico, para o homem e outros animais.

onda [Do lat. *unda*.] ***S. f.*** **1.** Porção de água do mar, lago ou rio, que se eleva; vaga. **2.** A água do mar; oceano, mar. **3.** Grande quantidade ou afluxo de líquido; ondada: *ondas de sangue*. **4.** *Fig.* Grande quantidade ou abundância; grande afluência: *ondas de bombardeios; ondas de luz; uma onda de pessoas*. **5.** *Fig.* Grande agitação; ímpeto, tumulto, tropel, torrente: *onda revolucionária*. **6.** Movimento ondulatório; ondulação: *as ondas das searas*. **7.** Ondulação, ondulado, ondeado; flexuosidade: *as ondas de uma saia rodada*. **8.** *Fig.* Intensidade, exuberância (de sentimentos): *onda de alegria; onda de amargura*. **9.** *Art. Gráf.* Representação de linhas paralelas que formam curvas côncavas e convexas. **10.** *Fís.* Perturbação periódica mediante a qual pode haver transporte de energia de um ponto a outro de um material ou do espaço vazio. **11.** *Bras.* Confusão, complicação, embrulhada, enredo. **12.** *Bras. Gír.* Fingimento, simulação, hipocrisia. **13.** *Bras. Gír.* Aquilo que é muito bom ou muito bonito; aquilo que é formidável; chinfra, curtição, barato. ~ V. *ondas*. ◆ **Onda caminhante.** *Fís.* Onda em que não existem frentes de ondas estacionárias; onda progressiva. **Onda capilar.** *Fís.* Onda que se forma na interface de dois fluidos, e em que a principal força responsável pelo movimento periódico é a tensão interfacial. **Onda centimétrica.** *Fís.* Onda eletromagnética cujo comprimento está compreendido entre 1cm e 10cm. **Onda cerebral.** *Fisiol.* Flutuação de potencial elétrico cerebral, e de que há vários tipos registráveis pela eletrencefalografia. **Onda cheia.** *Surf.* Onda (1) que quebra em grandes profundidades. **Onda curta.** *Fís.* Onda eletromagnética cujo comprimento está compreendido entre 10m e 100m; onda decamétrica, onda tropical. **Onda de arrebentação.** Onda (1) cuja crista, avançando mais rápido que o cavado, escachoa à frente da onda, desfazendo-a. **Onda decamétrica.** *Fís.* V. *onda curta*. **Onda de choque.** *Fís.* Onda que provoca uma variação extremamente rápida e localizada de densidade, pressão e temperatura em um fluido. **Onda decimétrica.** *Fís.* Onda ultracurta (q. v.). **Onda de gravitação.** *Fís.* Campo gravitacional periódico em um espaço vazio, e que é uma onda transversal que se propaga com a velocidade da luz. **Onda de pressão.** *Fís.* A que provoca uma perturbação periódica da pressão num fluido e se evidencia por uma sequência de compressões e rarefações na massa desse fluido. **Onda de rádio.** *Fís.* Onda eletromagnética cuja frequência se situa na faixa de radiofrequência (3kHz a 300GHz); onda radioelétrica, onda hertziana. **Onda direcional.** *Fís.* A que se propaga apenas seguindo um setor esférico. **Onda do tipo elétrico.** *Fís.* V. *onda magnética transversal*. **Onda do tipo magnético.** *Fís.* V. *onda elétrica transversal*. **Onda E.** *Fís.* V. *onda magnética transversal*. **Onda elétrica transversal.** *Fís.* Aquela que, na direção de propagação, só contém o campo magnético, permanecendo o campo elétrico em planos transversais. [Sin.: *onda do tipo magnético; onda H*.] **Onda eletromagnética.** *Fís.* Campo eletromagnético periódico não estacionário que se propaga no espaço ou num meio material; perturbação periódica de natureza eletromagnética que se propaga num meio material ou no espaço vazio e é portadora de energia. **Onda eletromagnética transversal.** *Fís.* Aquela que não tem campo elétrico nem campo magnético na direção de propagação. **Onda esférica.** *Fís.* Aquela em que as frentes de onda são esféricas. **Onda estacionária.** *Fís.* Onda ou sistema de ondas que, num meio, determina a existência de perturbações nulas em pontos fixos e não provoca um transporte de energia ao longo desse meio. **Onda extraordinária.** *Ópt.* Num cristal birrefringente uniaxial, onda eletromagnética que não se propaga isotropicamente no meio. **Onda H.** *Fís.* V. *onda elétrica transversal*. **Onda harmônica.** *Fís.* Aquela em que o periodismo da perturbação é representável por uma função harmônica simples. **Onda hectométrica.** *Fís.* Onda média. **Onda hertziana.** *Fís.* V. *onda de rádio*. **Onda longa.** *Fís.* Onda eletromagnética cujo comprimento está compreendido entre 1km e 10km; onda quilométrica. **Onda longitudinal.** *Fís.* Aquela em que a perturbação do meio tem uma direção idêntica à de propagação da onda no meio. **Onda magnética transversal.** *Fís.* Aquela que, na direção de propagação, só contém o campo elétrico, permanecendo o campo magnético em planos transversais. [Sin.: *onda do tipo elétrico; onda E*.] **Onda material.** *Fís.* A que se associa a uma partícula e cujo comprimento é inversamente proporcional ao momento da partícula. **Onda média.** *Fís.* Onda eletromagnética cujo comprimento está compreendido entre 100m e 1.000m; onda hectométrica. **Onda métrica.** *Fís.* Onda muito curta (q. v.). **Onda milimétrica.** *Fís.* Onda eletromagnética cujo comprimento está compreendido entre 1mm e 1cm. **Onda muito curta.** *Fís.* Onda eletromagnética cujo comprimento está compreendido entre 1m e 10m; onda métrica. **Onda muito longa.** *Fís.* Onda eletromagnética cujo comprimento está compreendido entre 10km e 100km. **Onda modulada.** *Fís.* Superposição de uma onda eletromagnética por outra(s), com a consequente modulação de um dos seus parâmetros. **Onda monocromática.** *Fís.* Onda eletromagnética cujo campo é uma função harmônica simples do tempo. **Onda ordinária.** *Ópt.* Num cristal birrefringente uniaxial, onda eletromagnética que se propaga isotropicamente no meio. **Onda plana.** *Fís.* Aquela em que as frentes de ondas são planas. **Onda portadora.** *Telec.* Onda eletromagnética de frequência, fase e amplitude constantes, cuja modulação (por um sinal modulador [q. v.]) permite a transmissão de informações. [Tb. se diz apenas *portadora*.] **Onda progressiva.** *Fís.* Onda caminhante. **Onda quadrada.** *Eng. Elétr.* Sinal elétrico periódico que varia, em intervalos de tempo iguais, entre dois valores constantes de tensão ou de corrente. **Onda quilométrica.** *Fís.* Onda longa. **Onda radioelétrica.** *Fís.* V. *onda de rádio*. **Ondas luminosas.** As perturbações que resultam no fenômeno da propagação da luz. **Onda sônica.** *Fís.* Onda sonora. **Onda sonora.** *Fís.* Onda de pressão que se propaga num meio elástico, tendo a frequência situada entre 20 e 20.000Hz, e que é a responsável pelos fenômenos acústicos; onda sônica. **Ondas sísmicas.** Ondulações e abalos do solo, nos tremores de terra. **Onda subsônica.** *Fís.* Onda de pressão da mesma natureza da onda sônica, mas de frequência inferior a 20Hz. **Onda transversal.** *Fís.* Aquela em que o plano de vibração da perturbação é perpendicular à direção de propagação. **Onda tropical.** *Fís.* V. *onda curta*. **Onda ultracurta.** *Fís.* Onda eletromagnética cujo comprimento está compreendido entre 10cm e 1m; onda decimétrica. **Onda ultrassônica.** *Fís.* Onda de pressão da mesma natureza da onda sônica, mas de frequência superior a 20.000Hz. **Estar na onda.** *Bras. Gír.* Estar em posição de relevo; fazer sucesso. **Fazer onda.** *Bras.* Provocar agitação; tumultuar, por simples gosto ou por interesse. **Ir na onda.** *Bras.* **1.** Ir levado pelos outros; não resistir. **2.** Deixar-se levar pelas circunstâncias, ou adaptar-se a elas. **3.** Ser enganado; cair na esparrela. **Não ser onda para o rádio de.** *Bras. Gír.* Não ser do agrado ou simpatia de; não cair no goto de. **Pegar onda.** V. *surfar*. **Tirar onda.** *Bras. Gír.* Dar-se ares de valente, de culto, de inteligente, de bom, de importante, etc. **Segurar a onda.** **1.** Não se deixar levar pelo sentimento ou pela dificuldade da hora. **2.** V. *aguentar a mão*. **Tirar onda de.** *Bras. Gír.* Fazer-se ou fingir-se de: *Adora tirar onda de rico*.

ondaca ***S. f.*** *Angol.* V. *indaca* (1).

onda-caixote ***S. f.*** *Surf.* Onda grande que se quebra por inteiro. [Tb. se diz apenas *caixote*. Pl.: *ondas-caixotes*.]

ondada [De *onda* + *-ada*[1].] ***S. f.*** **1.** Quantidade de ondas. **2.** Afluência, afluxo, onda: *uma ondada de sangue*.

ondado [Part. de *ondar*.] ***Adj.*** V. *ondeado*: "Em finos caracóis, a loura e ondada coma" (Gonçalves Crespo, *Obras Completas*, p. 269); "E os seus ondados cabelos!" (Luís Guimarães, *Sonetos e Rimas*, p. 181).

onda-maré ***S. f.*** A onda (1) proveniente do fenômeno da maré, e que, no alto-mar, se desloca de leste para oeste a uma velocidade de 864 nós, dando uma volta em redor da Terra cada 24 horas. [Pl.: *ondas-marés*.]

ondar [De *onda* + *-ar*[2].] ***V. int. T. d. P.*** V. *ondear*.

ondas [Pl. de *onda*.] ***S. f. pl.*** *Arquit.* Ornato formado por curvas em S, deitadas, e us. em frisos e barras. ~ V. *onda*.

onda-verdense ***Adj. 2 g.*** **1.** De, ou pertencente ou relativo a Onda Verde (SP). • ***S. 2 g.*** **2.** O natural ou habitante de Onda Verde. [Pl.: *onda-verdenses*.]

onde [Do lat. *unde*, 'donde'.] ***Adv.*** **1.** Em que lugar; no qual lugar. **2.** *Bras. N.E. Prov. port.* Quando, enquanto. • ***Pron.*** **3.** Em que: *Gosto da casa onde moro*. [Cf. *aonde*.] ◆ **Onde quer que.** Em qualquer lugar onde. **De onde.** De que lugar; do lugar em que. **De onde a onde.** De tempos a tempos; de onde em onde: "na rua, havia o silêncio das horas mortas: somente, de onde a onde, se ouviam os tamancos de algum raro noctívago, batendo no lajedo da calçada" (Antero de Figueiredo, *Jornadas em Portugal*, p. 291). **De onde em onde.** **1.** V. *de quando em quando*: "De onde em onde ia de férias a Lourenço Marques." (Antônio Silva Graça, *A Viagem ao Fim* *da História*, p. 107.) 2. Aqui e ali: *De onde em onde via-se o campo queimado.* **Por onde.** Pelo qual lugar; pelo lugar em que.

ondeado [Part. de *ondear*.] *Adj.* 1. Que tem ondas. 2. Disposto em curvas, à feição de ondas; ondulado, ondeante (q. v.): "Bela cabeleira leonina, castanha, ondeada, descendo sobre as orelhas" (Pedro Nava, *Beira-Mar*, p. 87). [Var.: *ondado*.] ● *S. m.* 3. Aquilo que apresenta a forma de ondas: *o ondeado dos cabelos.*

ondeamento [De *ondear* + *-mento*.] *S. m.* Ato ou efeito de ondear(-se); ondeio.

ondeante [De *ondear* + *-nte*.] *Adj. 2 g.* Que ondeia; que ondula; ondeado, ondulado, ondulante, ondulatório, onduloso, undante, undoso: "Revolta, / Ondeante, a cabeleira, aos níveos ombros solta, / Cobre-lhe os seios nus e a curva dos quadris" (Olavo Bilac, *Poesias*, p. 138).

ondear [De *onda* + *-ear*^{2}.] *V. int.* 1. Mover-se (a água) em ondulação (1). 2. Fazer ondulação (2); serpear: "Fumo e a fumaça, no ar parado, / Sobe ondeando..." (Olegário Mariano, *Toda uma Vida de Poesia*, I, p. 215.) 3. Propagar-se ou transmitir-se em ondas. 4. Fazer curvas; serpear: *O rio ondeava pelo vale.* 5. Agitar-se, mover-se formando ondas ou como que formando-as: "E o teu pendão da guerra ondeou, glorioso, ao lado / Do pendão de Balduíno, Imperador do Oriente." (Olavo Bilac, *Poesias*, p. 237); "Todos os ferros das lanças retiniram, as Insígnias de Roma ondearam no ar" (Eça de Queirós, *Últimas Páginas*, p. 278). *T. d.* 6. Dar a forma de ondas a; tornar ondeado, sinuoso; frisar: *ondear os cabelos.* 7. Agitar como ondas; fazer tremular: *A ventania ondeia a vela da embarcação*; "Ao redor de nós, somente o vento selvagem que dobra vergônteas, ondeia cidreiras e despetala flores." (Mário da Silva Brito, *Conversa Vai, Conversa Vem*, p. 12). *P.* 8. Mover-se em ondulações; fazer ondas. [Var.: *ondar*. Sin. ger.: *ondular*. Conjug.: v. *frear*.]

ondeio [Dev. de *ondear*.] *S. m.* Ondeamento.

ondina [Do lat. *undine*, pelo fr. *ondine*.] *S. f. Mit.* Cada um dos gênios ou ninfas das águas, entre os antigos povos germânicos e escandinavos. [Cf. *náiade* (1).]

ondo [Do ior.] *S. 2 g.* 1. *Etnôn.* Indivíduo dos ondos, povo iorubano do S.O. da Nigéria (África). ● *Adj. 2 g.* 2. Pertencente ou relativo aos ondos.

ondógrafo [De *onda* + *-o-* + *-grafo*.] *S. m.* Instrumento utilizado para medir a altura das marés.

ondométrico [De *ondômetro* + *-ico*^{2}.] *Adj.* Relativo ao ondômetro.

ondómetro *S. m. Fís.* V. *ondômetro*. [Uso freq. em P.]

ondômetro [De *onda* + *-o-* + *-metro*.] *S. m. Fís.* Aparelho empregado em radiotécnica para medição de comprimento de onda.

ondulação [De *ondular* + *-ção*.] *S. f.* 1. Formação de ondas pouco agitadas. 2. Movimento semelhante ao das ondas: *a ondulação dos trigais, das bandeiras, das cortinas.* 3. Forma ou linha sinuosa; sinuosidade, flexuosidade: *as ondulações do desenho do vestido.* 4. Conjunto de saliências e depressões: *as ondulações do terreno.* 5. Processo de anelar os cabelos dispondo-os em mechas; frisagem.

onduladeira [De *ondular* + *-deira*.] *S. f. Ind. Pap.* Máquina que produz o papelão ondulado (q. v.), mediante corrugação e colagem, em camadas superpostas, de duas ou mais folhas de papel grosso; corrugadeira.

ondulado [Do lat. *undulatu*.] *Adj.* 1. V. *ondeado* (2). 2. V. *ondeante*. 3. *Bot.* Diz-se dos órgãos foliáceos cujas margens apresentam subidas e descidas alternadas e sucessivas; repando: *folha ondulada.* ~ V. *cartão —, chapa —a* e *papelão —.*

ondulância [De *ondulante* + *-ia*^{2}, seg. o padrão analógico.] *S. f.* Qualidade de ondulante.

ondulante [De *ondular* + *-nte*.] *Adj. 2 g.* V. *ondeante*. ~ V. *febre —.*

ondular [Do lat. *undulare < lat. *undulatu*, 'ondulado'.] *V. int. T. d. P.* V. *ondear*: "Vaga, indistinta, / De rua em rua, a turba ondula" (Olegário Mariano, *Toda uma Vida de Poesia*, I, p. 253); "Ondula ao sol, como um penacho de ouro, / A cabeleira fulva das espigas." (Id., *ib.*, I, p. 87); "numa clara noite fria desse inverno, com o minuano a ondular as macegas e a sibilar tristonho nos oitões, o seu corpo .... desfaleceu de amor" (Alcides Maia, *Tapera*, p. 75); "Ele viu-a sair ondulando os quadris, conjugal e desejável, no seu roupão vermelho" (Xavier Placer, *Doze Histórias Curtas*, p. 96).

ondulatório [De *ondular* + *-tório*.] *Adj.* V. *ondeante*: *movimentos ondulatórios.* ~ V. *mecânica —a.*

ondulável [De *ondular* + *-vel*.] *Adj. 2 g.* Que se pode ondular.

onduloso (ô) [De *ondul-*, como em *ondular*, + *-oso*.] *Adj.* V. *ondeante*: "O seio, castamente velado pelo corpinho, que subia até ao pescoço, estava ofegante e onduloso como a água do mar." (Machado de Assis, *Helena*, p. 119.)

ondurmanês *Adj.* 1. De, ou pertencente ou relativo a Ondurmã (Sudão). ● *S. m.* 2. O natural ou habitante de Ondurmã. [Flex.: *ondurmanesa* (ê), *ondurmaneses* (ê), *ondurmanesas* (ê).]

▲ **one-** [Do gr. *ōnē̃, ês, ás*.] *El. comp.* = 'compra': *onemania, onêmano.*

oneida [Desta língua, pelo ingl. *Oneida*.] *S. 2 g. Etnôn.* 1. Indivíduo dos oneidas, povo indígena norte-americano originário de Nova Iorque. ● *S. m.* 2. *Gloss.* Língua indígena norte-americana, da família iroquesa. 3. Vocábulo dessa língua. ● *Adj. 2 g.* 4. Pertencente ou relativo aos oneidas, ou a oneida (2).

onemania [De *one-* + *-mania*.] *S. f. Psiq.* Oneomania (q. v.).

onemaníaco [De *onemania* + *-íaco*.] *Adj. S. m. Psiq.* V. *oneomaníaco*.

onémano *Adj. S. m. Psiq.* V. *onêmano*. [Uso freq. em P.]

onêmano [De *one-* + *-mano*^{1}.] *Adj. S. m. Psiq.* V. *oneomaníaco* (2 e 3).

▲ **oneo-** [Do v. gr. *ōnein*.] *El. comp.* = 'comprar': *oneomania, oneômano.*

oneomania (ôn) [De *oneo-* + *-mania*.] *S. f. Psiq.* Desejo mórbido, impulsivo, de fazer compras; onemania, oniomania.

oneomaníaco (ôn) [De *oneomania* + *-íaco*.] *Psiq. Adj.* 1. Relativo a oneomania. 2. Que tem oneomania; onêmano, oneômano, oniômano. ● *S. m.* 3. Aquele que tem oneomania; onêmano, oneômano, oniômano. [Sin. ger.: *onemaníaco, oniomaníaco*.]

oneómano *Adj. S. m. Psiq.* V. *oneômano*. [Uso freq. em P.]

oneômano [De *oneo-* + *-mano*^{1}.] *Adj. S. m. Psiq.* V. *oneomaníaco* (2 e 3).

onerado [Part. de *onerar*.] *Adj.* Sujeito a ônus; que se onerou; sobrecarregado.

onerar [Do lat. *onerare*.] *V. t. d.* 1. Sujeitar a ônus; impor ônus ou obrigação a. 2. Impor pesados tributos ou ônus a. 3. Oprimir, vexar: "O gravíssimo imposto que onerou a nação desde 1762" (Camilo Castelo Branco, *Perfil do Marquês de Pombal*, p. 274). 4. Carregar, sobrecarregar: *Os remorsos oneravam-lhe a consciência.* *T. d. e i.* 5. Carregar, sobrecarregar; gravar: *Oneraram-no com pesadíssimos impostos.* 6. Gravar com tributos. *P.* 7. Sujeitar-se a ônus.

onerosidade [Do lat. *onerositate*.] *S. f.* 1. Qualidade de oneroso. 2. Encargo, gravame, ônus.

oneroso (ô) [Do lat. *onerosu*.] *Adj.* 1. Que envolve ou impõe ônus; que sobrecarrega; pesado: *convênio oneroso.* 2. De que resultam grandes despesas ou gastos; dispendioso. 3. Vexatório, incômodo, molesto: *condição onerosa.* ~ V. *ato —.*

onfacita [Do gr. *ómphax, akos*, 'uva verde', + *-ita*^{3}.] *S. f. Min.* Variedade verde de augita.

onfalite [De *onfal(o)-* + *-ite*^{1}.] *S. f. Patol.* Inflamação do umbigo.

▲ **onfal(o)-** [Do gr. *omphalós, oû* (ŏ).] *El. comp.* = 'umbigo': *onfalite, onfalomancia.* [Equiv.: *-onfal(o)-, -ônfalo*: *neo-onfaloplastia, hematônfalo.*]

▲ **-onfal(o)-** V. *onfal(o)-*.

▲ **-ônfalo** V. *onfal(o)-*.

onfalocele (ôn) [De *onfal(o)-* + *-cele*^{1}.] *S. f. Med.* Hérnia que se produz ao nascimento, e que passa porção de intestino através de amplo orifício na parede abdominal anterior, dando origem a saliência recoberta, apenas, por uma estrutura formada por âmnio e peritônio; amniocele.

onfaloide (ói) [De *onfal(o)-* + *-oide*.] *Adj. 2 g. Bot.* Semelhante ao umbigo: *cavidade onfaloide.* ❖

onfalomancia (ôn... cí) [De *onfal(o)-* + *-mancia*.] *S. f.* Adivinhação de quantos filhos terá uma mulher pelo exame do número de nós do cordão umbilical do primeiro filho.

onfalomante (ôn) [De *onfal(o)-* + *-mante*.] *S. 2 g.* Pessoa que pratica a onfalomancia.

onfalomântico (ôn) *Adj.* Relativo à onfalomancia, ou a onfalomante.

onfalomesentérico (ôn) [De *onfal(o)-* + *mesentério* + *-ico*^{2}.] *Adj. Anat.* Referente ao umbigo e ao mesentério.

onfalópsico [De *onfal(o)-* + *-psico*.] *S. m.* Membro de antiga seita quietista [v. *quietismo* (1)] dos sécs. XI e XII, cujos sectários se acreditavam iluminados e achavam que, contemplando e fixando o umbigo, podiam comunicar-se com a divindade e ver aquilo a que chamavam *luz do Tabor*.

onfalóptico [De *onfal(o)-* + *óptico*.] *Adj. Fís.* Diz-se do cristal óptico convexo de ambas as faces.

onfalorragia (ôn) [De *onfal(o)-* + *-ragia*.] *S. f. Med.* Hemorragia de origem umbilical.

onfalorrágico (ôn) [De *onfalorragia* + *-ico*^{2}.] *Adj. Med.* Relativo a onfalorragia.

onfalosito [De *onfal(o)-* + *-sito*.] *Adj. S. m. Ter.* Diz-se de, ou feto a que faltam muitos órgãos, e cuja vida cessa mal se rompe o cordão umbilical.

onfalotomia (ôn) [De *onfal(o)-* + *-tom(o)-* + *-ia*^{1}.] *S. f. Obst.* Seção do cordão umbilical.

onfalotómico (ôn) *Adj. Obst.* V. *onfalotômico*. [Uso freq. em P.]

onfalotômico [De *onfalotomia* + *-ico*^{2}.] *Adj.* Relativo a onfalotomia.

onfuá *S. m. Bras. Etnogr.* Instrumento musical indígena, espécie de clarim.

■ **ONG** Sigla de *organização não governamental.*

onglete (ê) [Do fr. *onglet*.] *S. m. Grav.* Pequeno buril do qual se servem os gravadores em madeira e metal para obterem traços finos e profundos; buril lentiforme. [V. *buril* (1).]

▲ **-onho** [Do lat. *-oneus, a, um*.] *Suf. nom.* = 'que provoca'; 'que se caracteriza por': *medonho, risonho, tristonho.*

ónibus *S. m. 2 n.* 1. *Lus.* Carruagem de tração animal, us. antigamente como transporte público coletivo; diligência. 2. *Bras.* V. *ônibus*.

ônibus [F. red. de *auto-ônibus*.] *S. m. 2 n.* 1. Veículo automóvel para transporte público de passageiros, com itinerário preestabelecido. 2. *P. ext.* Qualquer veículo com capacidade para grande número de passageiros. [Sin. ger.: *auto-ônibus*; (pop.) em diferentes partes do Brasil: *garota, gôndola, jardineira, marinete, sopa*; lus.: *autocarro, caminhonete*; angol., moç. e santom.: *machimbombo*.] ◆ **Ônibus elétrico.** Trólebus. **Ônibus espacial.** *Astron.* Nave espacial tripulada, com capacidade de reutilização.

▲ **onic(o)-** [Do gr. *ónyx, ychos*.] *El. comp.* = 'unha': *onicófago, onicotrofia.* [Equiv.: *oniqu(i)-, -oniqu(i)-*: *oniquite; leuconiquia.*]

▲ **-ônico** [Do V.C.I., como em *glicônico*.] *Quím. Suf.* = 'que contém o grupo carboxila, esp. quando formado pela oxidação do grupo aldeído de uma aldose': (*ácido*) *aldônico.*

onicofagia (ôn) [De *onic(o)-* + *-fag(o)-* + *-ia*^{1}.] *S. f.* Hábito ou vício de roer as unhas.

onicofágico (ôn) [De *onicofagia* + *-ico*^{2}.] *Adj.* Respeitante a onicofagia.

onicófago [De *onic(o)-* + *-fago*.] *S. m.* Aquele que tem onicofagia.

onicofimia (ôn) [De *onic(o)-* + *-fim(a)-* + *-ia*^{1}.] *S. f. Derm.* Espessamento de unha.

onicofímico (ôn) [De *onicofimia* + *-ico*^{2}.] *Adj. Derm.* Referente a onicofimia.

onicóforo [De *onic(o)-* + *-foro*; tax. *Onychophora*.] *Zool. S. m.* 1. Espécime dos onicóforos, classe de artrópodes de corpo alongado, extremidade anterior sem cabeça diferenciada, com duas antenas e papilas orais. Locomovem-se por meio de 15 a 43 pares de patas curtas, não articuladas, afiladas para o ápice, com duas minúsculas unhas apicais; são de sexos separados, terrestres, e vivem debaixo de pedras ou de troncos de árvores em decomposição. Combinam características de anelídeos e artrópodes, sendo provavelmente um elo entre eles. ● *Adj.* 2. Pertencente ou relativo a eles. [Sin. ger.: *malacópode, protraqueado*.]

onicólise [De *onic(o)-* + *-lise*.] *S. f. Derm.* Desprendimento ou queda de unhas.

onicolor (ôr) [Do lat. *omnicolore*.] *Adj. 2 g.* Que tem todas as cores: "uma ampla corola eritrina, sulfurina, sandicina, purpurizada, irial, que onímona, onicolor, ... se cobaltiza, se ambreia, se acobreia" (Martins Fontes, *A Dança*, p. 64). [F. paral.: *omnicolor*. Cf. *unicolor*.]

onicoma [De *onic(o)-* + *-oma*^{1}.] *S. m. Derm.* Tumor de unha ou de leito ungueal.

onicomancia (ôn... cí) [De *onic(o)-* + *-mancia*.] *S. f.* Arte de adivinhar o futuro de uma criança untando-lhe as unhas com azeite e fuligem, e observando as figuras que então se formam.

onicomante (ôn) [De *onic(o)-* + *-mante*.] *S. 2 g.* Pessoa que pratica a onicomancia.

onicomântico (ôn) *Adj.* Relativo a onicomancia, ou a onicomante.

onicopatia [De *onic(o)-* + *-patia*.] *S. f. Derm.* Designação genérica de doenças da unha.

onicopático (ôn) [De *onicopatia* + *-ico*^{2}.] *Adj. Derm.* Relativo a onicopatia.

onicoré *Bras. S. 2 g.* 1. *Etnôn.* Indivíduo dos onicorés, povo indígena extinto que habitava a margem direita do rio Madeira (AM). ● *Adj. 2 g.* 2. Pertencente ou relativo a esse povo. [Tb. us. como *s. 2 g. e 2 n.* (com cap.) e *adj. 2 g. e 2 n.*]

onicorrexia (ôn... cs) [De *onic(o)-* + *-rex-* + *-ia*^{1}.] *S. f. Derm.* Doença caracterizada pela esfoliação de unha, que se quebra facilmente.

onicotrofia (ôn) [De *onic(o)-* + *-trofia*.] *S. f. Derm.* Nutrição e crescimento das unhas.

onicotrófico (ôn) [De *onicotrofia* + *-ico*^{2}.] *Adj. Derm.* Relativo a onicotrofia.

onidirecional (ôn) [De *o(m)ni-* + *direcional*.] *Adj. 2 g.* 1. Que se propaga em todas as direções: *emissão onidirecional.* 2. Que capta sons de todas as direções: *microfone onidirecional.* [F. paral.: *omnidirecional*. Cf. *unidirecional*.]

oniforme [Do lat. *omniforme*.] *Adj. 2 g.* Que tem ou pode tomar todas as formas: "E essa ânsia oniforme e onipotente / De um futuro mais alto que o

presente...” (A. J. Pereira da Silva, *Holocausto*, p. 113.) [F. paral.: *omniforme*. Cf. *uniforme*.]
onilíngue (güe) [De *o(m)ni-* + *-língue*.] ***Adj. 2 g.*** Que sabe muitas línguas; poliglota, multilíngue. [F. paral.: *omnilíngue*. Var. lus.: *omnilingue*. Cf. *unilíngue*.] ❖
▲ **-onim(o)-** Equiv. de *-ônimo*.
▲ **-ônimo** [Do gr. *-ónymos* < gr. *ónoma, atos*.] ***El. comp.*** = ‘nome’: *anônimo* (< gr.), *antropônimo, topônimo*. [Equiv.: *-onim(o)-*: *biotoponímia*.]
onímodo [Do lat. *omnimodu*.] ***Adj.*** **1.** Que é de todos os modos; que abrange todos os modos de ser; que abrange tudo. **2.** Que não tem restrições; ilimitado. [F. paral.: *omnímodo*. Cf. *unímodo*.]
▲ **onio-** [Do gr. *ônios, os ou a, on*.] ***El. comp.*** = ‘que se compra’, ‘que se pode comprar’; ‘comprar’: *oniomania, oniômano*.
▲ **-ônio** [Do lat. cient. *(amn)onium*.] *Quím.* ***Suf.*** = ‘cátion’: *diazônio*.
oniomania (ôn) [De *onio-* + *-mania*.] ***S. f.*** *Psiq.* V. *oneomania*.
oniomaníaco (ôn) [De *oniomania* + *-íaco*.] ***Adj. S. m.*** *Psiq.* V. *oneomaníaco*.
oniómano ***Adj. S. m.*** *Psiq.* V. *oniômano*. [Uso freq. em P.]
oniômano [De *onio-* + *-mano*[1].] ***Adj. S. m.*** *Psiq.* V. *oneomaníaco* (2 e 3).
onipalrante [De *o(m)ni-* + *palrante*.] ***Adj. 2 g.*** *Burl.* Que fala a respeito de tudo. [F. paral.: *omnipalrante*.]
oniparente [Do lat. *omniparente*.] ***Adj. 2 g.*** Que produziu ou produz tudo; que de tudo é criador. [F. paral.: *omniparente*.]
onipessoal [De *o(m)ni-* + *pessoal*.] ***Adj. 2 g.*** Que não é unipessoal. ~ V. *verbo* —. [F. paral.: *omnipessoal*. Cf. *unipessoal*.]
onipotência [Do lat. *omnipotentia*.] ***S. f.*** **1.** Qualidade de onipotente (1); poder absoluto e infinito: ▯ *a onipotência de Deus*. **2.** Deus (1); providência. **3.** Autoridade ou soberania absoluta: ▯ *a onipotência dos Médicis*. [F. paral.: *omnipotência*.]
onipotente [Do lat. *omnipotente*.] ***Adj. 2 g.*** **1.** Que pode tudo; que tem poder absoluto; todo-poderoso. ● ***S. m.*** **2.** Deus. [F. paral.: *omnipotente*.]
onipresença [De *o(m)ni-* + *presença*.] ***S. f.*** V. *ubiquidade*. [F. paral.: *omnipresença*.]
onipresente [De *o(m)ni-* + *presente*.] ***Adj. 2 g.*** Ubíquo. [F. paral.: *omnipresente*.]
▲ **oniqu(i)-** V. *onic(o)-*.
▲ **-oniqu(i)-** V. *onic(o)-*.
oniquite [De *oniqu(i)-* + *-ite*[1].] ***S. f.*** *Derm.* Inflamação da matriz de unha.
oniranálise [De *onir(o)-* + *análise*.] ***S. f.*** *Psiq. Desus.* Procedimento psicoterápico em que se usam fármacos indutores de sonhos; oniroanálise.
onírico [De *onir(o)-* + *-ico*[2].] ***Adj.*** Relativo a, ou próprio de sonhos: 📖 “incoerente, sonâmbula, onírica, ilógica, eventual, ... a poesia, tal como a concebe e realiza um Eugênio de Andrade, ... não engana ninguém quando é feita para enganar.” (João Gaspar Simões, *Crítica*, II, p. 76).
onirismo [De *onir(o)-* + *-ismo*.] ***S. m.*** *Psiq.* Quadro alucinatório grave que se apresenta sob a forma de sonho vívido, e que pode surgir no curso de estados confusionais, ocorrendo em alguns casos de intoxicação, ou de abstinência de substâncias que causam dependência.
▲ **onir(o)-** [Do gr. *óneiros* ou *óneiron, ou*.] ***El. comp.*** = ‘sonho’: *onírico, oniromancia*. [Equiv.: *-onir(o)-*: *exonirose*.]
▲ **-onir(o)-** Equiv. de *onir(o)-*.
oniroanálise [De *onir(o)-* + *análise*.] ***S. f.*** *Psiq.* Oniranálise.
onirocricia [Do fr. *onirocritie*.] ***S. f.*** *Psiq.* V. *onirocrisia*. [Cf. *oniromancia*.]
onirocrisia [Do gr. *oneirokrisía*.] ***S. f.*** *Psiq.* Análise e interpretação dos sonhos; onirocricia. [Cf. *oniromancia*.]
onirócrita [Do gr. *oneirokrítes*.] ***S. 2 g.*** *Psiq.* Pessoa que se dedica à onirocrisia. [Cf. *oniromante*.]
onirocrítica [De *onir(o)-* + *crítica*.] ***S. f.*** *Psiq.* Arte de interpretar sonhos.
onirocrítico [Do gr. *oneirokritikós*.] ***Adj.*** *Psiq.* Relativo a onirocrisia, ou a onirócrita.
onirologia [De *onir(o)-* + *-logia*.] ***S. f.*** *Psiq.* Conjunto de conhecimentos relativos aos sonhos.
onirológico [De *onirologia* + *-ico*[2].] ***Adj.*** *Psiq.* Relativo a onirologia.
onirólogo [De *onir(o)-* + *-logo*.] ***S. m.*** *Psiq.* Aquele que se dedica à onirologia.
oniromancia (cí) [De *onir(o)-* + *-mancia*.] ***S. f.*** Adivinhação pela interpretação dos sonhos; brizomancia. [Cf. *onirocrisia* e *onirocricia*.]
oniromante [Do gr. *oneirómantis*.] ***S. 2 g.*** Pessoa que se dedica à oniromancia; brizomante. [Cf. *onirócrita*.]
oniromântico ***Adj.*** Referente a oniromancia, ou a oniromante; brizomântico.
onisciência [De *onisciente* + *-ia*[2], seg. o padrão analógico.] ***S. f.*** **1.** Qualidade de onisciente. **2.** *Teol.* O saber de Deus. [Sin. ger.: *onissapiência*. F. paral.: *omnisciência*.]
onisciente [De *o(m)ni-* + lat. *sciente*, ‘ciente’.] ***Adj. 2 g.*** Que sabe tudo; onissapiente. [F. paral.: *omnisciente*.]
oniscomorfo [Adapt. do tax. *Oniscomorpha*.] *Zool.* ***S. m.*** **1.** Espécime dos oniscomorfos, ordem de miriápodes, diplópodes, de corpo com 14 a 16 somitos. Os machos têm gonópodes formados pelo primeiro ou pelos dois primeiros pares de pernas do último somito. ● ***Adj.*** **2.** Pertencente ou relativo a eles.
onissapiência [De *o(m)ni-* + *sapiência*.] ***S. f.*** V. *onisciência*. [F. paral.: *omnissapiência*.]
onissapiente [De *o(m)ni-* + *sapiente*.] ***Adj. 2 g.*** Onisciente. [F. paral.: *omnissapiente*.]
onividência [De *omnividente* + *-ia*[2], seg. o padrão analógico.] ***S. f.*** Qualidade de onividente. [F. paral.: *omnividência*.]
onividente [De *o(m)ni-* + *vidente*.] ***Adj. 2 g.*** Que tudo vê; que tudo conhece. [F. paral.: *omnividente*.]
onivoridade [De *onívoro* + *-(i)dade*.] ***S. f.*** Qualidade de onívoro. [F. paral.: *omnivoridade*.]
onívoro [Do lat. *omnivoru*.] ***Adj.*** **1.** *Ecol.* Que se alimenta de carne e de vegetal; polífago. **2.** *Ecol.* Que obtém alimento em mais de um nível trófico. **3.** *Fig.* Que tudo absorve, devora: 📖 “Os mausoléus, os sarcófagos, os jazigos de família com a boca onívora aberta, chovendo dentro” (Macedo Miranda, *As Três Chaves*, p. 104); “Sua carreira [de George Perec] .... é um testemunho dessa vocação onívora, de um escritor que afirmava também jamais ter se repetido.” (Arthur Nestrovski, *Ironias da Modernidade*, p. 75). ● ***S. m.*** **4.** *Ecol.* Aquele que é onívoro (1 e 2). [F. paral.: *omnívoro*.]
ónix (cs) ***S. m. 2 n.*** V. *ônix*. [Uso freq. em P.]
ônix (cs) [Do gr. *ónyx*, pelo lat. *onyx*.] ***S. m. 2 n.*** **1.** Variedade de ágata entre cujas camadas se observa sensível destaque de cor. **2.** Mármore com camadas policrômicas. [Cf. *onixe*.]
onixe (cs) [Do gr. *ónyx*, ‘unha’.] ***S. m.*** *Med.* Unha encravada. [Cf. *ônix*.]
➔ **on-line** [ɔn'lajn] [Ingl., de *on* (exprimindo ideia de ‘posição em, ou sobre; continuidade; funcionamento’), + *-line*, ‘linha’.] ***Adv.*** **1.** Em conexão com, ou entre, sistemas de processamento e/ou transmissão de informação. ● ***Adj. 2 g. e 2 n.*** **2.** *Inform.* Diz-se de equipamentos periféricos, arquivos, etc. que estão conectados a um sistema computacional, ou acessíveis para utilização por este: ▯ *impressora on-line; banco de dados on-line*. **3.** *P. ext.* Diz-se de processo, ou atividade muito ágil e capaz de responder rapidamente a estímulos externos: ▯ *comunicação on-line*. **4.** *Inform.* Nos sistemas distribuídos, diz-se da operação realizada em conexão com outros pontos do sistema, permitindo compartilhamento de informações e colaboração no processamento, como, p. ex., consultas e atualizações imediatas de bases de dados remotas. [Opõe-se a *off-line*.]
■ **O.N.O.** Abrev. de *oés-noroeste*.
onóbrique ***S. f.*** *Bot.* V. *onóbriquis*.
onóbriquis [Do tax. *Onobrychis*.] ***S. m. 2 n.*** *Bot.* **1.** Gênero de ervas fabáceas do Velho Mundo, que têm folhas pinuladas, flores racemosas róseas ou brancas, e vagens achatadas. **2.** Espécie ou espécime desse gênero. [Var.: *onóbrique*.]
onofrita [Do top. *San Onofre* + *-ita*[3].] ***S. f.*** *Min.* Mineral monométrico, sulfosseleneto de mercúrio.
▲ **-onom(a)-** Equiv. de *onomato-*.
onomasiologia (mà) [Do gr. *onómasis*, ‘designação nominal’, + *-o-* + *-logia*.] ***S. f.*** *E. Ling.* O estudo das expressões de que dispõe uma língua para traduzir determinada noção, e que parte, pois, do significado (v. q. v.) para estudar o significante (q. v.).
onomástica [F. subst. do adj. *onomástico*.] ***S. f.*** **1.** Estudo e investigação da etimologia, transformações, morfologia, etc., dos nomes próprios de pessoas e lugares. **2.** Lista ou catálogo de nomes próprios; onomástico: 📖 “— Joaquim, tu passas agora a chamar-te André. Vai lá para dentro. | Fê-lo João, fê-lo Manuel, ... percorreu toda a onomástica latina, grega, ... conseguindo ter sempre o mesmo ruim criado” (Machado de Assis, *A Semana*, II, p. 69). **3.** Explicação desses nomes; onomástico. **4.** *Antrop.* Conjunto de regras, práticas e representações que, em cada sociedade ou cultura, estão associadas à atribuição de nomes [v. *nome* (2)] aos indivíduos.
onomástico [Do gr. *onomastikós*.] ***Adj.*** **1.** Relativo aos nomes próprios: ▯ *vocabulário onomástico*; 📖 “A 29 de junho ...., quando todo o sertão baiano guardava, tranquilo e feliz, o dia onomástico de S. Pedro, Virgulino .... assaltou a fazenda ‘Formosa’” (Leonardo Mota, *No Tempo de Lampião*, p. 63). ~ V. *índice* —. ● ***S. m.*** **2.** Onomástica (2 e 3).
onomático [Do gr. *onomatikós*.] ***Adj.*** Referente a nome.
▲ **onomato-** [Do gr. *ónoma, atos* (ât).] ***El. comp.*** = ‘nome’: *onomatomancia*. [Equiv.: *-onom(a)-*: *siglonomia*.]
onomatofobia [De *onomato-* + *-fobia*.] ***S. f.*** *Psic.* Aversão a ouvir determinado nome ou palavra.
onomatomancia (nô... cí) [De *onomato-* + *-mancia*.] ***S. f.*** Adivinhação fundada no nome da pessoa.
onomatomania (nô) [De *onomato-* + *-mania*.] ***S. f.*** *Psiq.* Preocupação obsessiva com uma palavra ou com a escolha de palavras, ou dificuldade ou impotência para encontrar vocábulo ou expressão procurada.
onomatomaníaco (nô) [De *onomatomania* + *-íaco*.] *Psiq.* ***Adj.*** **1.** Relativo a onomatomania. **2.** Que tem onomatomania; onomatômano. ● ***S. m.*** **3.** Aquele que tem onomatomania; onomatômano.
onomatómano ***Adj. S. m.*** *Psiq.* V. *onomatômano*. [Uso freq. em P.]
onomatômano [De *onomato-* + *-mano*[1].] ***Adj. S. m.*** *Psiq.* Onomatomaníaco (2 e 3).
onomatomante (nô) [De *onomato-* + *-mante*.] ***S. 2 g.*** Pessoa que se dedica à onomatomancia.
onomatomântico (nô) ***Adj.*** Relativo à onomatomancia, ou a onomatomante.
onomatopaico (nô) ***Adj.*** V. *onomatopeico*.
onomatopeia (nô...éi) [Do gr. *onomatopoiïa*, pelo lat. tard. *onomatopoeia*.] ***S. f.*** Palavra cuja pronúncia imita o som natural da coisa significada (*murmúrio, sussurro, cicio, chiado, mugir, pum, reco-reco, tique-taque*): 📖 “inventa [Camilo Castelo Branco] onomatopeias refletidoras do som das vozes significadas, e reforça e acelera, com prepositivas, verbos que lhe parecem retardados de movimento” (Antero de Figueiredo, *Jornadas em Portugal*, pp. 179-180); “Bisbilhar é uma bela onomatopeia que o autor [Heli Menegale] emprega duas vezes: ‘a fonte que bisbilha’ e ‘regato que bisbilha’.” (Aires da Mata Machado Filho, *Crítica de Estilos*, p. 97). [Cf. *mimologia* (2).] ❖
onomatopeico (nô...éi) [De *onomatopeia* + *-ico*[2].] ***Adj.*** **1.** Referente a onomatopeia. **2.** Que imita a coisa significada: ▯ *vocábulo onomatopeico*. ❖
onomatopoese (nô) [De *onomato-* + *-poese*.] ***S. f.*** Criação de palavras novas, de neologismos.
onomatópose (nô) ***S. m.*** V. *pseudônimo* (1).
onopordo ***S. m.*** *Bot.* V. *onopórdon*.
onopórdon [Do tax. *Onopordon*.] ***S. m.*** *Bot.* **1.** Gênero de ervas asteráceas, eurásicas, de folhagem tomentosa e espinhosa, e grandes capítulos de flores arroxeadas. **2.** Espécie ou espécime desse gênero. [Var.: *onopordo*.]
➔ **onset** ['ɔnset] [Ingl.] ***S. m.*** **1.** *E. Ling.* Na estrutura da sílaba, a posição que precede a vogal e que pode estar vazia ou ser ocupada por uma ou duas consoantes. [Cf. *coda* (1), *núcleo* (12) e *rima*[1] (6).] **2.** *Mús.* Na acústica musical, ataque de uma nota ou som inicial.
▲ **-onte** [Do V.C.I. *-ont* < gr. *ón, óntes* (v. *ont(o)-*).] ***El. comp.*** = ‘célula’; ‘organismo’: *diplonte, planctonte*.
ontem [Do lat. *ad nocte(m)*, ‘à noite’, ‘na noite passada’.] ***Adv.*** **1.** No dia imediatamente anterior ao de hoje. **2.** *P. ext.* No tempo que passou: ▯ *os costumes de ontem*. ● ***S. m.*** **3.** O dia imediatamente anterior ao de hoje. ◆ **Antes de ontem.** Anteontem. **Para ontem.** Com a máxima urgência.
➔ **on-the-records** [ɔn ðə 'rɛkɚdz] [Ingl.] ***Adj.*** *Jorn.* Diz-se de informação cuja fonte autoriza sua identificação. [Cf. *off-the-records*.]
ôntico [De *ont(o)-* + *-ico*[2].] ***Adj.*** *Filos.* Pertencente ou relativo ao ente. [Cf. *ontológico*.]
▲ **ont(o)-** [Do gr. *ón* (ou *ón*), *óntos*, part. pres. do verbo *einai*, ‘ser’, ‘estar’.] ***El. comp.*** = ‘ser’, ‘indivíduo’: *ôntico, ontogênese; ontologia*. [Equiv.: *-ont(o)-*: *paleontologia*.]
▲ **-ont(o)-** Equiv. de *ont(o)-*.
ontogénese ***S. f.*** *Biol.* V. *ontogênese*. [Uso freq. em P.]
ontogênese [De *ont(o)-* + *-gênese*.] ***S. f.*** *Biol.* Ontogenia.
ontogenético [De *ontogên(ese)* + *-ético*.] ***Adj.*** Relativo à ontogênese ou ontogenia; ontogênico: ▯ *desenvolvimento ontogenético*.
ontogenia [De *ont(o)-* + *-genia*.] ***S. f.*** *Biol.* Desenvolvimento do indivíduo desde a fecundação até a maturidade para a reprodução; ontogênese. [Cf. *filogenia* (1).]
ontogénico ***Adj.*** V. *ontogênico*. [Uso freq. em P.]
ontogênico [De *ontogenia* + *-ico*[2].] ***Adj.*** Ontogenético.
ontogonia [De *ont(o)-* + *-gon(o)-*[2] + *-ia*[1].] ***S. f.*** História da produção dos seres organizados sobre a Terra.
ontogónico ***Adj.*** V. *ontogônico*. [Uso freq. em P.]
ontogônico [De *ontogonia* + *-ico*[2].] ***Adj.*** Relativo à ontogonia.
ontologia [De *ont(o)-* + *-logia*.] ***S. f.*** *Filos.* Parte da filosofia que trata do ser enquanto ser, *i. e.*, do ser concebido como tendo uma natureza comum que é inerente a todos e a cada um dos seres: 📖 “Com Kant (v. *kantiano*), o universo é uma dúvida: com Locke, é dúvida o nosso espírito: e num destes abismos vêm precipitar-se todas as ontologias.” (Alexandre Herculano, *Lendas e Narrativas*, II, p. 107.) [Cf. *metafísica*.]

O

ontológico [De *ontologia* + *-ico*^{2}.] ***Adj. Filos.*** **1.** Pertencente ou relativo à ontologia. **2.** Na filosofia de Heidegger (v. *existencialismo*), relativo ao *Dasein*.

ontologismo [De *ont(o)-* + *-log(o)-* + *-ismo*.] ***S. m. Filos.*** Doutrina teológica que afirma a evidência imediata do conhecimento que se tem de Deus, e sendo este conhecimento garantia dos demais.

ontologista [De *ontologia* + *-ista*.] ***S. 2 g.*** Pessoa que se ocupa de ontologia.

■ **ONU** Sigla da *Organização das Nações Unidas*.

ónus ***S. m. 2 n.*** V. *ônus*. [Uso freq. em P.]

ônus [Do lat. *onus*.] ***S. m. 2 n.*** **1.** Aquilo que sobrecarrega; carga, peso. **2.** *Fig.* Encargo, obrigação; dever, gravame. **3.** Encargo ou obrigação pesada, de cumprimento difícil ou desagradável: "Eu nunca exerci ofícios de justiça, e nunca tinha considerado os ônus da condição de crítico." (Tristão da Cunha, *À beira do Estix*, p. 84.) **4.** Imposto gravoso. **5.** *Jur.* Ato cuja realização atende a interesse da própria pessoa onerada, em oposição a dever jurídico e obrigação que atendem a interesse social ou geral e a interesse de outrem. ◆ **Ônus reais.** *Jur.* Gravame que recai sobre coisas móveis ou imóveis, por força de direitos reais sobre coisas alheias. [A enfiteuse, o usufruto, a hipoteca, o penhor, etc. são ônus reais.]

onusto [Do lat. *onustu*.] ***Adj.*** Carregado, sobrecarregado, cheio, repleto: "o inverno ama a folgança. / É como quando ao porto onusto lenho aproa, / e a chusma jubilosa a popa alfim coroa." (Antônio Feliciano de Castilho, *As Geórgicas*, p. 39).

onze^{1} ***S. 2 g. e 2 n. Bras. SP*** V. *onze-letras*.

onze^{2} [Do lat. *undeci*, pelas f. **undece*, **undce*, **unce*.] ***Num.*** **1.** Quantidade que é uma unidade maior que dez; dez mais um. **2.** Número (4) correspondente a essa quantidade. [Nessas acepçs., representa-se em algarismos arábicos por 11, e em algarismos romanos, por XI.] **3.** Que está marcado ou identificado com o número 11. **4.** Undécimo (1). ● ***S. m.*** **5.** Representação, em algarismos, do número onze. **6.** Aquilo ou aquele que numa série ocupa o undécimo lugar. **7.** *Fut.* Equipe, time.

onze-horas [De *onze* + o pl. de *hora*.] ***S. f. 2 n. Bras. Bot.*** Erva portulacácea (*Portulaca grandiflora*) ornamental, de caule e folhas carnosos e moles, e de flores vistosas e violáceas, e que tende a alastrar-se pelo solo.

onze-letras [Alusão às 11 letras de que se forma o voc. *alcoviteiro*.] ***S. 2 g. e 2 n.*** Alcoviteira ou alcoviteiro; intermediário em amores: "Uma leva e traz, ver a Balancia, não é por boa coisa que passeia no bairro! Ai! onze-letras do inferno, se alguém te pilha no olho duma enxada!" (Valdomiro Silveira, *Os Caboclos*, p. 170.) [F. red., us. em SP: *onze*; sin., bras.: *dez e um*.]

onzena [De *onze*^{2} + *-ena*.] ***S. f.*** **1.** Juro de onze por cento. **2.** *Fig.* Juro exorbitante, excessivo; usura. **3.** *Ant.* Porção de onze objetos. [Cf. *ozena*.]

onzenar [De *onzena* + *-ar*^{2}.] ***V. int.*** **1.** Emprestar com grande usura. **2.** Intrigar, mexericar. ***T. d.*** **3.** Lucrar (mais do que o justo). [Sin. ger.: *onzeneirar*. Fut. pret.: *onzenaria*, etc. Cf. *onzenária*, fem. de *onzenário*.]

onzenário [De *onzena* + *-ário*.] ***Adj.*** **1.** Relativo à onzena; que contém onzena. ● ***S. m.*** **2.** Usurário, agiota: "O .... desdentado onzenário, que em certo momento de apuros, não se envergonha de cobrar-me 60% (lesão enormíssima!), é um porco!" (Raimundo Correia, *Poesia Completa e Prosa*, p. 589.) [Sin.: *onzeneiro*. Fem.: *onzenária*. Cf. *onzenaria*, do v. *onzenar*.]

onzeneirar [De *onzeneiro* + *-ar*^{2}.] ***V. int. T. d.*** V. *onzenar*.

onzeneiro [De *onzena* + *-eiro*.] ***Adj. S. m.*** **1.** Onzenário: "para aliviar [ao povo] do peso do juro onzeneiro, – ensinar-lhe as ideias da cooperação econômica, e esclarecer e auxiliar a sua iniciativa livre na criação de cooperativas de variados tipos." (Antônio Sérgio, *Cartas do Terceiro Homem*, p. 67). **2.** Intrigante, mexeriqueiro, bisbilhoteiro.

onzenice [De *onze*^{1} + *-n-* + *-ice*.] ***S. f.*** Intriga, mexerico, bisbilhotice.

onzeno [De *onze*^{2} + a term. *-eno* dos distributivos latinos.] ***Num. P. us.*** V. *undécimo* (1).

▲ **oo-** [Do gr. *oion, ou*.] ***El. comp.*** = 'ovo'; 'ovoide': *oologia*; *oólito*.

ooângio [De *oo-* + *-ângio*.] ***S. m. Bot.*** Aparelho ovular, constituído da oosfera e das sinérgides.

oocineto [De *oo-* + *-cineto*.] ***S. m. Zool.*** Zigoto móvel, vermiforme, de protozoários esporozoários, plasmódios causadores do impaludismo, formado no estômago do mosquito vetor após a fecundação.

oocisto [De *oo-* + *-cisto*.] ***S. m. Micol.*** Oósporo de parede espessa, capaz de permanecer certo tempo inativo antes de germinar.

oócito [De *oo-* + *-cito*.] ***S. m. Biol.*** Célula precursora de óvulo. [Estágio de formação do óvulo, imediatamente precedente à primeira divisão meiótica (oócito primário) ou subsequente a ela (oócito secundário).]

oófago [De *oo-* + *-fago*.] ***Adj. Zool.*** Diz-se de animais, sobretudo de insetos e reptis, que se alimentam de ovos.

ooforalgia [De *oofor(o)-* + *-alg(o)-*^{2} + *-ia*^{1}.] ***S. f. Med.*** Dor em ovário; oarialgia.

ooforálgico [De *ooforalgia* + *-ico*^{2}.] ***Adj.*** Relativo a dor ovariana; oariálgico.

ooforectomia [De *oofor(o)-* + *-ectom-* + *-ia*^{1}.] ***S. f. Cir.*** Extirpação de ovário em extensão variável; oariectomia, ovariectomia.

ooforectómico ***Adj. Cir.*** V. *ooforectômico*. [Uso freq. em P.]

ooforectômico [De *ooforectomia* + *-ico*^{2}.] ***Adj. Cir.*** Relativo a ooforectomia; oariectômico, ovariectômico.

ooforisterectomia [De *oofor(o)-* + *-(h)ister(o)-* + *-ectom-* + *-ia*^{1}.] ***S. f. Cir.*** Extirpação, em extensão variável, do útero e de um ou de ambos os ovários.

ooforisterectómico ***Adj. Cir.*** V. *ooforisterectômico*. [Uso freq. em P.]

ooforisterectômico [De *ooforisterectomia* + *-ico*^{2}.] ***Adj. Cir.*** Pertencente ou relativo a ooforisterectomia.

ooforite [De *oofor(o)-* + *-ite*^{1}.] ***S. f. Gin.*** Inflamação de ovário.

▲ **oofor(o)-** [Do lat. cient. *oophoron* < gr. *ōiophóros, os, on*, 'que contém ou produz ovos'.] ***El. comp.*** = 'ovário': *ooforite*, *ooforotomia*.

ooforoisterectomia (o-i) [De *oofor(o)-* + *-(h)ister(o)-* + *-ectom-* + *-ia*^{1}.] ***S. f. Gin.*** V. *ooforisterectomia*.

ooforopatia [De *oofor(o)-* + *-patia*.] ***S. f. Med.*** Qualquer doença ovariana; oariopatia.

ooforopático [De *ooforopatia* + *-ico*^{2}.] ***Adj.*** Relativo a ooforopatia; oariopático.

ooforossalpingectomia [De *oofor(o)-* + *-salping(o)-* + *-ectom-* + *-ia*^{1}.] ***S. f. Gin.*** Extirpação de uma ou de ambas as tubas uterinas e, em extensão variável, de um ou de ambos os ovários.

ooforotomia [De *oofor(o)-* + *-tom(o)-* + *-ia*^{1}.] ***S. f. Cir.*** Incisão em ovário; oariotomia, ovariotomia.

ooforotómico ***Adj. Cir.*** V. *ooforotômico*. [Uso freq. em P.]

ooforotômico [De *ooforotomia* + *-ico*^{2}.] ***Adj. Cir.*** Relativo a ooforotomia; oariotômico, ovariotômico.

oogameta [De *oo-* + *-gameta*.] ***S. m. Biol. Desus.*** Gameta feminino dos protozoários esporozoários; oogâmeta.

oogâmeta [De *oo-* + *-gâmeta*.] ***S. m. Biol. Desus.*** V. *oogameta*.

oogamia [De *oo-* + *-gam(o)-* + *-ia*^{1}.] ***S. f. Biol.*** Fecundação de um gameta imóvel por outro menor e móvel.

oógamo [De *oo-* + *-gamo*.] ***Adj. Bot.*** Diz-se de vegetal que se reproduz por oogamia.

oogénese ***S. f. Embr.*** V. *oogênese*. [Uso freq. em P.]

oogênese [De *oo-* + *-gênese*.] ***S. f. Embr.*** Gamatogênese feminina.

oogónia ***S. f. Biol.*** V. *oogônia*. [Uso freq. em P.]

oogônia [De *oo-* + *-gon(o)-*^{2} + *-ia*^{2}.] ***S. f. Embr.*** V. *ovogônia*.

oogónio ***S. m. Biol.*** V. *oogônio*. [Uso freq. em P.]

oogônio [De *oo-* + *-gon(o)-*^{2} + *-io*^{3}.] ***S. m. Biol.*** Célula em cujo interior se formam gametas femininos imóveis (oosferas).

oolítico [De *oólito* + *-ico*^{2}.] ***Adj. Geol.*** **1.** Constituído de oólitos. **2.** Diz-se de rochas sedimentares em cujas camadas aparecem minúsculos grãos aglutinados por um cimento calcário ou ferruginoso. **3.** Sistema oolítico (q. v.). ~ V. *sistema* –.

oólito [De *oo-* + *-lito*.] ***S. m. Min.*** Pequena concreção calcária ou ferruginosa, semelhante a ovo de peixe.

oologia [De *oo-* + *-logia*.] ***S. f.*** Descrição do ovo, no ponto de vista da geração; ovologia.

oológico [De *oologia* + *-ico*^{2}.] ***Adj.*** Relativo à oologia; ovológico.

oomancia (cí) [De *oo-* + *-mancia*.] ***S. f.*** Adivinhação por meio de ovos.

oomante [De *oo-* + *-mante*.] ***S. 2 g.*** Pessoa que pratica a oomancia.

oomântico ***Adj.*** Relativo a oomancia, ou a oomante.

oomiceto [De *oo-* + *miceto*; tax. *Oomycetes*.] ***Micol. S. m.*** **1.** Espécime dos oomicetos, classe dos fungos em que os zoósporos têm dois flagelos, e cuja célula tem paredes atípicas em relação aos demais fungos, pois, na maioria das espécies, contém celulose mas não quitina. São cosmopolitas, ocorrendo na água e no solo e alguns são patogênicos para plantas e outros parasitas de invertebrados e algas. Há quatro ordens. ● ***Adj.*** **2.** Pertencente ou relativo a eles.

ooscópio [De *oo-* + *-scópio*.] ***S. m.*** Instrumento para visualizar o interior de ovo.

oosfera [De *oo-* + *-sfera*.] ***S. f. Bot.*** Célula sexual feminina contida num oogônio; a fecundação de uma oosfera é seguida do desenvolvimento de um oósporo. [Sin.: *ovocélula*.]

oósporo [De *oo-* + *-sporo*.] ***S. m. Bot.*** Esporo imóvel formado após a fecundação de uma oosfera, no interior de um oogônio.

ooteca [De *oo-* + *-teca*.] ***S. f. Zool.*** Espécie de estojo formado pela secreção de certos insetos, como blatários e mantódeos, e que encerra agregado de ovos; quando exposta ao ar, por ocasião da oviposição, tal secreção torna-se escura, e endurece.

ootecário [De *ooteca* + *-ário*.] ***Adj. S. m. Zool.*** Diz-se de, ou inseto dotado de ooteca.

oótide ***S. f. Biol.*** V. *ovótide*.

■ **op** Abrev. de *opus*.

opa ***S. f.*** **1.** Espécie de capa sem mangas, com aberturas por onde se enfiam os braços, usada pelas confrarias e irmandades religiosas. **2.** *Gír.* Pândega, folia, troça. **3.** *Bot.* V. *pau-d'arco-amarelo*. [Cf. *opa* (ô).]

opa (ô) [Var. de *upa* (4).] ***Interj. Bras.*** Designa admiração, espanto, e é tb. forma de saudação. [Var.: *oba* (ô). Cf. *opa*.]

opaba [Do tupi-guar.] ***S. m. Bras. BA*** Terreno arenoso, à beira-mar, que se torna alagado no inverno; japara.

▲ **opac(i)-** [Do lat. *opācus, a, um*.] ***El. comp.*** = 'opaco', 'sombrio'; 'opacidade': *opacificar*.

opacidade [Do lat. *opacitate*.] ***S. f.*** **1.** Qualidade de opaco. **2.** Lugar sombrio; sombra densa: *opacidade da mata*.

opacificação [De *opacificar* + *-ção*.] ***S. f.*** Ato ou efeito de opacificar.

opacificado [Part. de *opacificar*.] ***Adj.*** Tornado opaco.

opacificar [De *opac(i)-* + *-ficar*.] ***V. t. d. P.*** Tornar(-se) opaco. [Conjug.: v. *trancar*.]

opacímetro [De *opac(i)-* + *-metro*.] ***S. m.*** Instrumento (como, p. ex., o nefelômetro) que mede a opacidade.

opacíssimo ***Adj.*** Superl. abs. sint. de *opaco*.

opaco [Do lat. *opacu*.] ***Adj.*** **1.** Que não deixa atravessar a luz; que não é transparente; toldado, turvo: "Inda do puro rio a opaca névoa / Bem não era desfeita ao Sol nascido" (Antônio Feliciano de Castilho, *A Primavera*, p. 64); "Camilo achou-se diante de um longo véu opaco..." (Machado de Assis, *Várias Histórias*, p. 14). [Cf. *fosco* (2).] **2.** Espesso, denso, sombrio, obscuro: *a opaca floresta*. **3.** *Fig.* Cerrado, fechado: *opaca ignorância*. [Superl. abs. sint.: *opacíssimo*.] V. *clister* – e *vidro* –.

opado [Part. de *opar*.] ***Adj.*** Inchado, intumescido, balofo: "o rei, paralítico, imbecil, opado, risonho" (Júlio Dantas, *O Amor em Portugal no Século XVIII*, p. 310); "A lavadeira, gorda e roliça, mas de gordura opada, vai e vem, fala e gesticula, toda cacarejante de ternura e cuidado." (Aquilino Ribeiro, *É a Guerra*, p. 219).

opala [Do fr. *opale* < lat. *opalu* < gr. *opállios* < sânscr. *upala*, 'pedra preciosa'.] ***S. f.*** **1.** *Min.* Mineral tipicamente coloidal, produto de dessecação do hidrogel de sílica, que apresenta coloração leitosa e azulada, emitindo, quando exposto à luz, cores vivas e reflexos matizados. **2.** *Bras. Tec. Têx.* Espécie de tecido de algodão. ● ***S. m.*** **3.** A cor da opala (1). ● ***Adj. 2 g. e 2 n.*** **4.** V. *opalino*. ~ V. *vidro* –.

opala de fogo ***S. f. Min.*** Variedade vermelha de opala (1), com irisação. [Pl.: *opalas de fogo*.] ☑

opalanda [Do esp. *hopalanda*.] ***S. f.*** Grande opa (1) talar, com mangas.

opala-nobre ***S. f. Min.*** Opala que apresenta elegante jogo de cores de interferência, mercê da existência de lamelas; opala-preciosa. [Pl.: *opalas-nobres*.]

opala-preciosa ***S. f. Min.*** Opala-nobre. [Pl.: *opalas-preciosas*.]

opala-xiloide (ói) ***S. f. Min.*** Opala que se apresenta em forma de troncos fósseis. [Pl.: *opalas-xiloides*.] ❖

opalescência [De **opalescer* (*opala* + *-escer*) + *-ência*.] ***S. f. Ópt.*** Fenômeno de refração, difusão e interferência luminosa simultâneas numa solução coloidal ou numa suspensão, e que a estas atribui colorações brilhantes e vivas, variáveis com a incidência da luz. [Dependendo da natureza e tamanho das partículas da solução ou da suspensão, podem estas colorações assumir, também, aspecto leitoso irisado. É fenômeno especialmente conspícuo no mineral opala.]

opalescente [De **opalescer* (v. *opalescência*) + *-nte*.] ***Adj. 2 g.*** **1.** Que apresenta o fenômeno da opalescência: *vidro opalescente*. **2.** V. *opalino*: "Ergui os olhos distraidamente, / A ver se já brilhava alguma estrela / No côncavo do céu opalescente, / – E vi, numa varanda, os olhos dela..." (Augusto Gil, *Luar de Janeiro*, p. 137.)

opalina [Do fr. *opaline*.] ***S. f.*** **1.** Vidro fosco, mas translúcido, que se emprega na confecção de objetos decorativos, como jarras, taças, etc. **2.** *P. ext.* Objeto confeccionado com esse vidro. **3.** Vidro espesso, leitoso, us. em revestimento de paredes, tetos, etc.

opalinidade [De *opalino* + *-(i)dade*.] ***S. f.*** Qualidade ou cor de opalino.

opalinizante [De *opalinizar* + *-nte*.] ***Adj. 2 g.*** Que (se) opaliniza.

opalinizar [De *opalino* + *-izar*.] ***V. t. d. P.*** Tornar(-se) opalino.

opalino [De *opala* + *-ino*^{1}.] ***Adj.*** **1.** Que tem cor leitosa e azulada, como a da opala (1): "Ao nascente e ponente as nuvens, túmidas, / Duma tinta opalina"

(Bulhão Pato, *Livro do Monte*, p. 101). **2.** Que apresenta reflexos irisados como os da opala: 📖 "O sol fulvo da tarde, caindo em desmaio opalino para os longes nebulosos e vagos, barrava a vastidão do poente" (Virgílio Várzea, *Nas Ondas*, p. 176). [Sin. ger.: *opalescente, opala.*]

opalizar [De *opala* + *-izar*.] *V. t. d.* **1.** Dar cor ou reflexos de opala (1) a: 📖 "Fria, a cinza do ocaso opalizava o azul." (Martins Fontes, *Verão*, p. 77.) *P.* **2.** Tomar o aspecto da opala (1).

opanijé [Do ior., poss.] *S. m. Bras. Rel.* Batida ritual de atabaques preferida de Omolu/Abaluaiê.

opar [Do gal. *opar*, 'ajudar a subir'.] *V. int. P.* Tornar-se túmido, volumoso; inchar(-se). [Pres. ind.: *opo, opas, opa*, etc. Cf. *opa* (ô) e *upar*.]

➔**op art** [ap art] [Ingl.] *S. f.* Corrente da arte abstrata, de meados do séc. XX, caracterizada pelo uso de formas geométricas e jogo de cores e luzes que criam ilusões de óptica, como, p. ex., a de movimento.

opção [Do lat. *optione*.] *S. f.* **1.** Ato ou faculdade de optar; livre escolha. **2.** Aquilo por que se opta. **3.** Direito de compra e venda de título ou mercadoria, a ser exercido dentro de certo prazo, a um preço preestabelecido. [Cf., nesta acepç., *preempção* (5) e *preferência* (5).] **4.** Documento negociável que representa esse direito.

opcional [De *opção* + *-al*[1], seg. o padrão erudito.] *Adj. 2 g.* Que pode ser objeto de opção; por que se pode optar: 📄 *O aluno terá duas matérias obrigatórias e três opcionais.*

■ **op. cit.** Abrev. de *opere citato.*

▲**-op(e)-** V. *-opia.*

▲**-ope** [Do gr. *-ōpe*, ou do gr. *-ōps, -ōpós*.] V. *-opia.* [A melhor prosódia para voc. com esse elemento é a paroxítona, mas o uso consagrou *míope*.]

opelé-ifá [Do ior.] *S. m. Bras. Rel.* Espécie de colar de meias nozes de dendê, ou búzios cortados, ou pedaços de caroços de frutas, que o babalô (1) lançava, segundo regras preestabelecidas, para interpretar divinatoriamente as formas por ele tomadas ao cair, como respostas oraculares de Ifá; colar de ifá, rosário de ifá. [Cf. *dilogum*. Pl.: *opelés-ifás*.]

opelê-ifá *S. m. Bras. Rel.* V. *opelé-ifá*. [Pl.: *opelês-ifás*.]

➔**open** ['owpin] [Ingl.] *S. m. Econ.* V. *open market*.

➔**open market** ['owpin 'maɹkit] [Ingl.] *S. m. Econ.* **1.** V. *mercado aberto*. **2.** *P. ext.* Mercado financeiro associado às operações de mercado aberto (q. v.): 📄 *Recebi o dinheiro e apliquei-o no open market.* [Tb. se diz apenas *open*.]

■ **Opep** Sigla de *Organização dos Países Exportadores de Petróleo.*

ópera [Do it. *opera*.] *S. f.* **1.** *Teatr. Mús.* Drama inteiramente cantado, com acompanhamento de orquestra, ou intercalado com diálogos falados, ou com recitativos acompanhados por um instrumento de teclado; drama lírico; drama musical. **2.** Teatro onde se representam esses dramas. **3.** Gênero constituído por esse tipo de composição. [Cf. *opera*, do v. *operar*.]

ópera-balé *S. f. Teatr. Mús.* Espetáculo composto de danças e de canto, cujos atos se baseiam em episódios diferentes e completos, unidos entre si apenas por uma ideia geral anunciada no título: 📄 *"Les Indes Galantes", ópera-balé de J.-P. Rameau (1683-1764), são um modelo do gênero.* [Pl.: *óperas-balés*.]

operabilidade [De *operável* + *-(i)dade*, seg. o padrão erudito.] *S. f.* Qualidade de operável.

ópera-bufa [Do it. *opera buffa*.] *S. f. Teatr. Mús.* Ópera (1) de assunto jocoso, que surgiu na Itália (fim do séc. XVII) como desenvolvimento dos intermédios dos melodramas, e que se distingue da ópera-cômica pela introdução em cena de personagens burlescas, de tipos facetos ou patuscos, e por uma música mais ligeira, ou exageradamente cômica. [Cf. *ópera-cômica*. Pl.: *óperas-bufas*.]

operação [Do lat. *operatione*.] *S. f.* **1.** Ato ou efeito de operar; ação de um poder ou faculdade de que resulta certo efeito: 📄 *as operações cósmicas; as operações da inteligência.* **2.** Complexo de meios que se combinam para a obtenção de certo resultado: 📄 *operação industrial; A operação Copacabana melhorou o trânsito na Zona Sul.* **3.** Execução das medidas consideradas necessárias à consecução de um objetivo financeiro, político, militar, etc. **4.** Intervenção cirúrgica que tem como objetivo esclarecer um diagnóstico e/ou fornecer paliação ou cura: 📄 *operação de apendicite; operação de catarata.* **5.** Manobra ou combate militar: 📄 *as operações da retaguarda.* **6.** Cálculo matemático: 📄 *A adição é a primeira das operações.* **7.** Transação comercial. **8.** *Mat.* Qualquer processo em que se transforma uma entidade matemática em outra. ◆ **Operação aditiva.** *Mat.* A que é distributiva em relação à soma. **Operação algébrica.** *Mat.* Qualquer das operações — soma, subtração, multiplicação, divisão, elevação a uma potência e extração de uma raiz — efetuadas um número finito de vezes, isoladamente ou em conjunto. **Operação associativa.** *Mat.* Aquela em que é válida a associatividade. **Operação binária.** *Mat.* A que se realiza com dois elementos de um conjunto. **Operação cesariana.** V. *cesariana.* **Operação comutativa.** *Mat.* Aquela em que vale a comutatividade. **Operação de mercado aberto.** *Econ.* Compra ou venda feita pelo Banco Central, de títulos de dívida pública, no mercado aberto, e que tem o propósito de aumentar ou de diminuir o volume de meios de pagamento na economia. **Operação dúplex.** *Telec.* Método de operação pelo qual é possível transmitir simultaneamente em ambos os sentidos de um circuito de telecomunicações. **Operação elementar.** *Mat.* Qualquer das operações: soma, subtração, multiplicação e divisão. **Operação homogênea.** *Mat.* A que permite seja posto em evidência um fator que se multiplique pelo elemento operado. **Operação idempotente.** *Álg.* Operação binária que satisfaz à relação x . x = x, para qualquer *x* de um conjunto. **Operação inversa.** *Mat.* Aquela que, efetuada sobre uma entidade que é o resultado de outra operação, reproduz a entidade inicial. **Operação linear.** *Mat.* Operação aditiva e homogênea. **Operação símplex.** *Telec.* Operação na qual só é possível transmitir alternadamente ora num ora noutro sentido de um circuito de telecomunicações. **Operação tartaruga.** *Bras.* Forma atenuada de greve, que consiste na diminuição premeditada do ritmo de trabalho. **Operação ternária.** *Álg.* A que se realiza com três elementos de um conjunto. **Operação transcendente.** *Mat.* A que não é algébrica. **Operação unívoca.** *Mat.* A que conduz a um resultado único. **Operações lógicas.** *Inform.* Operações de processamento de dados não aritméticos, como comparar, selecionar, tomar decisões, etc.

operacional [De *operação* + *-al*[1], seg. o padrão erudito.] *Adj. 2 g.* **1.** Relativo a operação: 📄 *norma operacional; custo operacional.* **2.** Que está pronto para funcionar. **3.** *Mil.* Que está em condições de realizar operações militares: 📄 *força operacional.* ~ V. *cálculo —, lucro —, pesquisa—* e *sistema —.*

operacionalidade [De *operacional* + *-(i)dade*.] *S. f.* Qualidade ou caráter de operacional.

operacionalismo [De *operacional* + *-ismo*.] *S. m. Filos.* Doutrina de William Percy Bridgman (1882-1962), físico e teórico da ciência inglês, segundo o qual a significação dos conceitos científicos, principalmente, tendo-se em vista a física relativística, se reduz à descrição do conjunto das operações empíricas possíveis por eles designadas; operacionismo.

operacionalização [De *operacionalizar* + *-ção*.] *S. f.* Ato ou efeito de operacionalizar.

operacionalizador (ô) [De *operacionalizar* + *-dor*.] *Adj. S. m.* Que, ou aquilo ou aquele que operacionaliza.

operacionalizar [De *operacional* + *-izar*.] *V. t. d.* Tornar (algo) apto a operar.

operacionismo [De *operação* + *-ismo*, seg. o padrão erudito.] *S. m. Filos.* Operacionalismo.

ópera-cômica *S. f. Teatr. Mús.* V. *ópera-cômica*. [Uso freq. em P. Pl.: *óperas-cômicas*.]

ópera-cômica *S. f. Teatr. Mús.* Ópera em que preponderа o caráter cômico, e na qual os episódios cantados alternam com as partes faladas. [Cf. *ópera-bufa*. Pl.: *óperas-cômicas*.]

operado [Part. de *operar*.] *Adj. S. m.* Que, ou aquele que se submeteu a uma operação cirúrgica.

operador (ô) [Do lat. tard. *operatore*.] *Adj.* **1.** Que opera. ~ V. *gene —.* ● *S. m.* **2.** Aquele ou aquilo que opera. **3.** V. *cirurgião.* **4.** *Inform.* Técnico responsável pelo funcionamento de um sistema de computadores, ger. de grande porte, monitorando filas de processos ou de impressão e o desempenho do equipamento. **5.** *Mat.* Símbolo de uma operação, ou sequência de operações, que se efetua sobre uma função, transformando-a em outra função: o *operador* (d/dx) corresponde à derivada. **6.** *P. ext. Mat.* Essa operação (ou sequência de operações): o *operador* (d/dx) transforma a função f(x) em sua derivada, (d/dx)f(x) = df(x)/dx. ◆ **Operador biarmônico.** *Mat.* A quarta potência do operador nabla. **Operador booliano.** *Mat. Inform.* Operador (4) us. na álgebra booliana (q. v.). [Os operadores boolianos mais comuns em programação de computadores são a *conjunção*, a *disjunção*, a *disjunção exclusiva* e a *negação*.] **Operador cinematográfico. 1.** Aquele que, nos estúdios, se acha incumbido da filmagem. **2.** Aquele que, em cabine de cinema, lida com os aparelhos para projeção de filmes na tela. [Cf. *operador de câmara* e *projecionista de estúdio*.] **Operador de áudio.** *Telev.* Técnico que opera a mesa de áudio durante gravações e transmissões, e responde pela qualidade de som. [Cf. *operador de som*.] **Operador de cabo.** *Telev.* Aquele que auxilia o operador de câmara na movimentação do equipamento. **Operador de câmara.** *Cin. Telev.* Profissional que opera câmaras de diversos tipos. [Tb. se diz apenas *câmara*. Cf. *operador de câmara de unidade portátil de externa* e *operador cinematográfico*.] **Operador de câmara de unidade portátil de externa.** *Telev.* Responsável pela gravação e geração de som e imagem mediante equipamento eletrônico portátil de TV. [Sin. (desus.): *cinegrafista*. Cf. *operador de câmara*.] **Operador de caracteres.** *Telev.* Operador de máquina de caracteres (q. v.). **Operador de d'Alembert.** *Fís. Mat.* D'alembertiano. **Operador de gravações.** *Rád. Telev.* Profissional responsável pela gravação de narração, música, etc. a ser utilizada na programação. **Operador del.** *Mat.* V. *nabla.* **Operador de luz.** *Teatr.* Aquele que comanda o quadro de luz de um espetáculo. **Operador de máquina de caracteres.** *Telev.* Profissional responsável pela produção de caracteres em programa, filme, chamada, etc.; operador de caracteres. **Operador de pregão.** *Econ.* Representante de uma sociedade corretora, que executa ordens de compra e de venda de ações no pregão de uma bolsa de valores. **Operador de som.** *Cin.* **1.** Profissional que opera equipamento de captação de som (microfone, gravador, etc.). [Cf. *operador de áudio*.] **2.** *Teatr.* Aquele que comanda a aparelhagem de som de um espetáculo. **Operador de *telemarketing*.** *Market.* Teleoperador. **Operador de vídeo.** *Telev.* Profissional responsável pela qualidade técnica da imagem mediante operação de controles eletrônicos, colocação de filtro, correção da abertura do diafragma da câmara, etc. **Operador de videoteipe.** *Telev.* Profissional que opera máquinas de gravação e reprodução de programas em videoteipe; operador de vt. **Operador de vt.** *Telev.* Operador de videoteipe. **Operador diferencial.** *Mat.* Operador que envolve derivadas ou diferenciais. **Operador hamiltoniano.** *Fís.* Operador associado à energia de um sistema quantificado e cujos autovalores são as energias do sistema em estados estacionários. [Tb. se diz apenas *hamiltoniano*.] **Operador laplaciano.** *Mat.* O que se obtém aplicando o operador nabla a si mesmo. **Operador linear.** *Mat.* Aquele (aqui representado por L) que, para quaisquer duas funções, *f* e *g*, e qualquer número, *n*, obedece às seguintes equações: L(*f*+*g*) = L*f* + L*g* e L(*n.f*) = *n*.L*f*. **Operador lógico.** *Lóg.* V. *termo* (18). **Operador nabla.** *Mat.* V. *nabla.*

operadora (ô) [F. subst. de *operador*.] *S. f.* Empresa que explora determinada atividade de serviço (19): 📄 *operadora de cartão de crédito; operadora de TV a cabo.* ◆ **Operadora de TV a cabo.** *Telev.* Empresa que, mediante a concessão pública, executa os serviços de recepção de programação própria ou de terceiros e de distribuição desta a assinantes localizados dentro de uma área determinada.

operando [De *operar* + *-ando*.] *S. m.* **1.** Aquele que está prestes a ser operado. **2.** *Mat.* Constante, variável ou função a que se aplica um operador (4) durante a avaliação de uma expressão.

operante [Do lat. tard. *operante*.] *Adj. 2 g.* Que opera, realiza, produz; produtivo, operativo, operatório, operoso.

operar [Do lat. tard. *operare*.] *V. t. d.* **1.** Fazer realizar (alguma coisa) em resultado de trabalho próprio, de esforço próprio; executar, obrar: 📖 "O Reitor convencera-se, enfim, de que operara uma conversão milagrosa" (Inglês de Sousa, *O Missionário*, p. 68). **2.** Produzir, realizar (qualquer efeito): 📖 "A noite encanta os olhos, penetra aos poucos na sensibilidade e opera o milagre interior do êxtase." (Ribeiro Couto, *A Cidade do Vício e da Graça*, p. 113.) **3.** Submeter a uma operação cirúrgica. **4.** Fazer (operação matemática, química, farmacêutica, etc.). **5.** Fazer funcionar; manobrar, acionar: 📖 "Húngaros dão aula de como operar trem" (*Jornal do Brasil*, Rio, 27.02.1974). *T. d. e i.* **6.** Realizar, efetuar, proceder a: 📖 "Coube ao cristianismo operar a primeira revolução na essência e na existência do amor" (San Tiago Dantas, *D. Quixote*, p. 55). *T. i.* **7.** Atuar; agir: 📄 *A empresa opera no ramo do comércio.* *Int.* **8.** Entrar em função ou atividade: 📄 *Em 1942, as forças armadas norte-americanas começaram a operar no Pacífico.* **9.** Realizar operações cirúrgicas. **10.** Sofrer intervenção cirúrgica. **11.** Agir, obrar. **12.** Produzir efeito: 📄 *O remédio não tardou a operar.* **13.** V. *defecar* (5). *P.* **14.** Suceder, ocorrer, realizar-se: 📄 *Operaram-se grandes transformações.* **15.** Sofrer intervenção cirúrgica: 📄 *Operou-se dos rins.* [Pres. ind.: *opero, operas, opera*, etc.; fut. pret.: *operaria*, etc. Cf. *ópera*, s. f., e *operária*, fem. de *operário*, s. m.]

operária [Fem. de *operário*.] *S. f.* **1.** Mulher que trabalha em fábrica ou indústria. **2.** *Zool.* Nome comum à mais numerosa das castas de insetos himenópteros e isópteros, constituída por fêmeas estéreis que executam diferentes tarefas na colônia. **3.** *Zool.* Casta de abelhas eussociais, nascidas de ovo fecundado, responsáveis por tarefas como, por exemplo, coleta de pólen e néctar, produção de cera e mel, nutrição das larvas e da rainha, faxina, vigilância. [Sin. ger: *obreira*. Cf. *operaria*, do v. *operar*.]

O

operariado [De *operário* + *-ado*[2].] *S. m.* A classe dos operários. [Cf. *proletariado* (3).]

operário [Do lat. *operariu.*] *S. m.* **1.** Trabalhador ou artífice que, mediante salário, exerce uma ocupação manual. **2.** *Restr.* Trabalhador manual ou mecânico nas grandes indústrias. [Cf., nessas acepçs., *proletário* (2).] **3.** *Fig.* Aquele que colabora na realização de uma ideia, plano, campanha ou apostolado: *os operários do Evangelho.* **4.** *Fig.* Autor, artífice. ● *Adj.* **5.** Relativo ou pertencente a, ou constituído por operários: *a classe operária.* [Sin. ger.: *obreiro.* Fem.: *operária.* Cf. *operaria*, do v. *operar.*]

operático [De *ópera* + *-ático.*] *Adj.* Operístico: "'O que é bom não tem restos', dizia, com um ar operático" (Agustina Bessa-Luís, *Memórias Laurentinas*, p. 191).

operativo [Do lat. tard. *operativu.*] *Adj.* V. *operante.*

operatório [Do lat. tard. *operatoriu.*] *Adj.* **1.** Relativo a operações cirúrgicas. **2.** V. *operante.* ~ V. *acidente — e campo —.*

operatriz [Do lat. tard. *operatrice.*] *Adj.* (*f.*) ~ V. *máquina —.*

operável [De *operar* + *-vel.*] *Adj. 2 g.* Que pode ser operado.

operculado [De *opercul(i)-* + *-ado*[1].] *Adj.* **1.** Que tem opérculos; opercular, operculífero. **2.** Fechado por opérculo.

opercular [De *opercul(i)-* + *-ar*[1].] *Adj. 2 g.* V. *operculado* (1).

▲ **opercul(i)-** [Do lat. *opercŭlum, i.*] *El. comp.* = 'tampa', 'opérculo': *opercular, operculífero.*

operculífero [De *opercul(i)-* + *-fero.*] *Adj. 2 g.* V. *operculado* (1).

operculiforme [De *opercul(i)-* + *-forme.*] *Adj. 2 g.* Que tem forma de opérculo.

opérculo [Do lat. *operculu*, 'tampa'.] *S. m.* **1.** Tampa que cobre e fecha o turíbulo. **2.** *Bot.* Estrutura presente nos esporângios de muitos briófitos, que tampa a cápsula e ger. se desprende quando ocorre a maturação. Em algumas plantas insetívoras tb. se caracteriza pela parte superior de um ascídio formada por um segmento foliar, ger. móvel e que se fecha quando há estímulo. **3.** *Zool.* Peça córnea ou calcária que fecha a entrada da concha de certos moluscos. **4.** *Zool.* Peça articulada e flexível que protege a abertura branquial da maioria dos peixes ósseos. **5.** *Zool.* Membrana que cobre a abertura dos orifícios respiratórios dos bicos das aves. **6.** *Zool.* Película que cobre as células das abelhas.

➔ **opere citato** [o'pɛre ki'tato] [Lat.] Na obra citada. [Us. em remissão bibliográfica.]

opereta (ê) [Do it. *operetta.*] *S. f.* *Teatr. Mús.* **1.** Gênero leve de teatro musicado, derivado da ópera-bufa, sobre assunto cômico e sentimental, e no qual as estrofes, cantadas, se alternam com as partes faladas. **2.** Pequena peça desse gênero.

operista [De *ópera* + *-ista.*] *S. 2 g.* *Bras.* Compositor de óperas.

operístico [De *ópera* + *-ist(a)-* + *-ico*[2].] *Adj.* *Bras.* Relativo à ópera, ou a óperas; operático.

operon [Do lat. *opera*, 'trabalho', + *-on*; ingl. *operon.*] *S. m.* *Genét.* Unidade operacional responsável pela expressão e regulação de genes, composta de genes repressores, reguladores e estruturais.

operosidade [Do lat. *operositate.*] *S. f.* Qualidade de operoso; laboriosidade, produtividade.

operoso (ô) [Do lat. *operosu.*] *Adj.* **1.** Que opera; que produz ou causa efeito; produtivo. V. *operante.* **2.** Trabalhoso, laborioso, difícil.

▲ **-opia** [Do gr. *-ōpía* (como no gr. *amblyōpía*, 'debilidade da visão') < *-ōps, -ōpós* ('que vê'), < gr. *ṓps*, 'olho', 'vista'; 'visão', + gr. *-ia* (v. *-ia*[1]).] *El. comp.* = '(tipo de) visão'; 'que tem certo tipo de visão': *anisopia, astenopia, diplopia, disopia.* [Equiv.: *-op(e)-, -ope*: *anomalopídeo; melanope, hipermetrope.* Cf. *-opsia.*]

opiáceo [De *ópio* + *-áceo.*] *Adj.* **1.** Relativo ao ópio. **2.** Opiado (1).

opiado [Part. de *opiar.*] *Adj.* **1.** Preparado com ópio; que contém ópio; opiáceo. **2.** *Fig.* Embotado, insensibilizado, entorpecido.

opiar [De *ópio* + *-ar*[2].] *V. t. d.* Misturar ou preparar com ópio. [Pres. ind.: *opio, opias, opia*, etc. Cf. *ópio*, s. m., *Opio*, antr. m., e *Ópia*, antr. fem.]

opiato [De *ópio* + *-ato*[2].] *S. m.* *Farmac. Desus.* Eletuário em que entrou ópio: "uma escova de dentes, suja de opiato." (Aluísio Azevedo, *O Coruja*, p. 135).

opífero [Do lat. *opiferu.*] *Adj.* *Poét.* Que dá auxílio; que socorre; auxiliar.

opífice [Do lat. *opifice.*] *S. m.* *P. us.* Artífice.

opifício [Do lat. *opificiu.*] *S. m.* *P. us.* Trabalho de opífice; fabricação, fabrico, fatura.

opilação [Do lat. *oppilatione.*] *S. f.* **1.** Ato ou efeito de opilar(-se). **2.** Obstrução de um ducto natural. **3.** *Bras.* V. *ancilostomíase.*

opilado [Part. de *opilar.*] *Adj.* *S. m.* Diz-se de, ou doente de opilação.

opilar [Do lat. *oppilare*, 'amontoar diante'.] *V. t. d.* **1.** Causar opilação a; obstruir conduto natural de. *P.* **2.** Tornar-se opilado; sofrer de opilação.

opilência *S. f.* *Neur. Obsol.* V. *epilepsia.*

opiliácea [Do tax. *Opilia* + *-ácea*; tax. *Opiliaceae.*] *S. f.* *Bot.* Espécime das opiliáceas, família de plantas da ordem das santalales que se caracteriza por um único óvulo, desprovido de tegumentos, e tem poucas espécies tropicais, das quais apenas a *Agonandra brasiliensis* é bem conhecida entre nós.

opiliáceo [De *opiliácea*, com var. suf. (v. *-áceo*).] *Adj.* *Bot.* Pertencente ou relativo às opiliáceas.

opilião [Adapt. do tax. *Opilio.*] *S. m.* *Zool.* **1.** Gênero de artrópodes opiliônidos do qual há mais de 2.000 espécies conhecidas. Não têm separação visível entre cefalotórax e abdome, são dotados de pernas muito longas e finas, e vivem debaixo de troncos em decomposição e entre pedras e folhagens, alimentando-se doutros artrópodes. Exalam cheiro ativo. **2.** Qualquer espécie desse gênero, como, p. ex., as que são vulgarmente conhecidas como bodum, frade-fedorento e josé-mole, que exalam cheiro fortemente desagradável. **3.** Qualquer espécime desse gênero.

opiliónido *S. m.* *Adj.* *Zool.* V. *opiliônido.* [Uso freq. em P.]

opiliônido [Adapt. do tax. *Opilionida.*] *Zool.* *S. m.* **1.** Espécime dos opiliônidos, ordem de artrópodes, aracnídeos cujos primeiros segmentos abdominais são soldados ao cefalotórax; a respiração é traqueal, e os pedipalpos têm seis segmentos, sem quelas. Vivem nas matas e nos campos, em lugares escuros e úmidos. ● *Adj.* **2.** Pertencente ou relativo a eles. [Sin. ger.: *falângido, falangídeo.*]

opimo (i) [Do lat. *opimu.*] *Adj.* Excelente, abundante, fértil, rico: "Terra infecunda e seca, ou farta e opima." (Alberto de Oliveira, *Poesias*, 4ª série, p. 179); "Nunca extorquir d'árvore amena / Verdes frutos opimos." (Antônio Feliciano de Castilho, *Os Amores*, II, p. 73).

opinante [Do lat. *opinante.*] *Adj. 2 g.* *S. 2 g.* Que, ou quem opina.

opinar [Do lat. *opinare.*] *V. int.* **1.** Expor o que julga acerca de um assunto em estudo, deliberação, etc.; dar o seu parecer: *Interpelado, preferiu não opinar.* **2.** Dizer manifestando opinião. *T. i.* **3.** Expor o que julga; dar o seu parecer: *Não quis opinar sobre a questão, muito controversa; Opinou acerca do divórcio.* *T. d.* **4.** Ser de opinião; dizer, manifestando opinião; julgar; entender: *Todos opinaram que a condenação fora injusta.*

opinativo [Do lat. tard. *opinativu.*] *Adj.* **1.** Que depende de opinião; baseado em opinião particular. **2.** Discutível, duvidoso, incerto; inseguro. ~ V. *verbo —.*

opinável [Do lat. *opinabile.*] *Adj. 2 g.* **1.** Sujeito a diversas opiniões; sobre que se pode opinar. **2.** Baseado em conjeturas.

opinião [Do lat. *opinione.*] *S. f.* **1.** Modo de ver, de pensar, de deliberar: *liberdade de opinião.* **2.** Parecer, conceito: *Na minha opinião, venceremos.* **3.** Juízo, reputação: *a opinião mundana.* **4.** Ideia, doutrina, princípio: *opiniões democráticas.* **5.** Ideia sem fundamento; presunção: *Sua opinião de que vai ser ministro é bem ridícula.* **6.** *Filos.* Forma de assentimento (2) objetiva e subjetivamente insuficiente já que é dado a conhecimentos reconhecidos como duvidosos. [Cf., nesta acepç., *certeza* (7) e *crença* (6).] **7.** *Bras.* Teimosia orgulhosa; capricho. ◆ **Opinião pública.** *Sociol.* **1.** O conjunto das ideias e dos juízos partilhados pelas pessoas em geral sobre as mais variadas questões, sejam eles de âmbito político, social, moral, cultural, econômico, esportivo, etc. **2.** O conjunto das pessoas que partilham essas ideias ou juízos: "Mattos afirmava que era esse o objetivo preliminar da greve, chamar a atenção da opinião pública e forçar as autoridades a procurar uma solução para o problema." (Rubem Fonseca, *Agosto*, p. 11.) **Carregar uma opinião.** *Bras.* Ter ou sustentar uma opinião, um capricho.

opiniaticidade [De *opiniático* + *-(i)dade.*] *S. f.* Qualidade de opiniático.

opiniático [De *opini(ão)* + *-ático.*] *Adj.* V. *opinioso*: "opiniático, egoísta e algo contemptor dos homens, isso fui" (Machado de Assis, *Memórias Póstumas de Brás Cubas*, p. 34).

opinioso (ô) [Do lat. tard. *opiniosu.*] *Adj.* **1.** Aferrado à sua opinião; obstinado, caprichoso, teimoso. **2.** Vaidoso, presunçoso, orgulhoso. [Sin. ger.: *opiniático.*]

▲ **opi(o)-** [Do gr. *ópion, ou.*] *El. comp.* = 'ópio': *opiófago, opiomania.*

ópio [Do gr. *ópion*, 'suco de papoula', pelo lat. *opiu* < gr. *ópion.*] *S. m.* **1.** Substância que se extrai dos frutos imaturos de várias espécies de papoulas (gênero *Papaver*), e que é utilizada como narcótico. **2.** *Fig.* Aquilo que produz adormecimento, embrutecimento, entorpecimento: *Nero servia ao povo o ópio do circo.* [Cf. *opio*, do v. *opiar.*]

opiofagia [De *opiófago* + *-ia*[1].] *S. f.* Qualidade ou hábito de opiófago.

opiofágico [De *opiofagia* + *-ico*[2].] *Adj.* Referente a opiofagia.

opiófago [De *opi(o)-* + *-fago.*] *Adj.* *S. m.* Diz-se de, ou aquele que come ópio.

opioide (ói) *S. m.* Qualquer substância, sintética ou não, com ação semelhante à do ópio, mas que não deriva dele. ◆ **Opioide endógeno.** Qualquer substância de um grupo de peptídeos existentes naturalmente que se ligam a receptores de opiáceo de membranas celulares, ou neles influem de outra forma; podem ter ação ou semelhante ou antagônica à de opiáceo. O grupo compreende dimorfinas, endorfinas e encefalinas. ✧

opiomania [De *opi(o)-* + *-mania.*] *S. f.* *Psiq.* Dependência (5) de ópio.

opiomaníaco [De *opiomania* + *-íaco.*] *Psiq.* *Adj.* **1.** Relativo a opiomania. **2.** Que tem opiomania; opiômano. ● *S. m.* **3.** Aquele que tem opiomania; opiômano.

opiómano *Adj.* *S. m.* *Psiq.* V. *opiômano.* [Uso freq. em P.]

opiômano [De *opi(o)-* + *-mano*[1].] *Adj.* *S. m.* *Psiq.* Opiomaníaco (2 e 3).

opíparo [Do lat. *opiparu.*] *Adj.* Esplêndido, pomposo, suntuoso, faustoso, lauto: "incerteza que se convertia em confusão ante as copas de prata de um jantar opíparo" (Alexandre Herculano, *O Bobo*, p. 155).

opístio [Do gr. *opísthion.*] *S. m.* *Anat.* O ponto médio da borda posterior do buraco occipital.

opístion *S. m.* *Anat.* V. *opístio.*

▲ **opist(o)-** [Do gr. *opisth-, opistho-* < gr. *ópisthe* ou *ópisthen.*] *El. comp.* = 'atrás', 'nas costas': *opistocélico, opistocelo.* [Equiv.: *-opisto-*: *anopistógrafo.*]

▲ **-opisto-** Equiv. de *opist(o)-*.

opistobrânquio [De *opist(o)-* + *-brânquio*; tax. *Opisthobranchia.*] *Zool.* *S. m.* **1.** Espécime dos opistobrânquios, grande ordem de moluscos gastrópodes, marinhos, cuja concha é pequena ou nula, e com dois tentáculos, olhos situados na base dos tentáculos posteriores, coração atrás das brânquias, que são, por vezes, secundárias, nuas, e esparsas pelo corpo; não têm opérculo, e são hermafroditos, com aberturas sexuais separadas. ● *Adj.* **2.** Pertencente ou relativo a eles.

opistocélico [De *opist(o)-* + *-cel(o)-* + *-ico*[2].] *Adj.* *Zool.* Opistocelo[1].

opistocelo[1] [De *opist(o)-* + *-celo*[2].] *Adj.* *Zool.* Que tem a superfície posterior côncava (diz-se de vértebra); opistocélico.

opistocelo[2] [De *opist(o)-* + *-celo*[1]; tax. *Opisthocoelia.*] *Zool.* *S. m.* **1.** Espécime dos opistocelos, ordem de animais cordados, anfíbios, anuros, de vértebras opistocelas e costelas livres, nas larvas e adultos. ● *Adj.* **2.** Pertencente ou relativo a eles.

opistocifose [Do gr. *opisthokýphosis.*] *S. f.* *Ort.* Curvatura, para trás, da coluna vertebral.

opistocomídeo [Do tax. *Opisthocomus* + *-ídeo*[1]; tax. *Opisthocomidae.*] *Zool.* *S. m.* **1.** Espécime dos opistocomídeos, família monoespecífica cuja única espécie é a *Opisthocomus hoatzin* [v. *cigana* (2)] de aves galiformes, caracterizadas por terem caudas, dedos ordinários livres, três anteriores e um posterior, tarso reticulado, pernas fortes, de comprimento médio, e cabeça provida de pequena crista. Vivem na margem dos rios, e se alimentam de folhas de vegetais, esp. de aninga e turi. ● *Adj.* **2.** Pertencente ou relativo a eles.

opistocomiforme [Do tax. *Opisthocomus* + *-iforme*; tax. *Opisthocomiformes.*] *Zool.* *S. m.* **1.** Espécime dos opistocomiformes, ordem de aves que se incluem, ger., entre os galiformes; dela fazem parte as ciganas [v. *cigana* (2)]. ● *Adj. 2 g.* **2.** Pertencente ou relativo a eles.

opistódomo [Do gr. *opisthódomos*, pelo lat. tard. *opisthodomu.*] *S. m.* Parte posterior de um templo grego. [Cf. *pronau.*]

opistogástrico [De *opist(o)-* + *-gastr(o)-* + *-ico*[2].] *Adj.* Situado atrás do estômago: *artéria opistogástrica.*

opistóglifo [Adapt. do tax. *Opisthoglypha.*] *Zool.* *S. m.* **1.** Espécime dos opistóglifos, grupo de animais cordados, reptis, ofídios, providos de um ou mais pares de presas ou dentes sulcados, inoculadores de peçonha, situados na parte posterior da maxila. ● *Adj.* **2.** Pertencente ou relativo a eles.

opistoglosso [De *opist(o)-* + *-glosso.*] *S. m.* *Zool.* Diz-se de animal cuja língua é retrátil e está inserida na base da cavidade oral, como, por ex., as rãs.

opistógnato [De *opist(o)-* + *-gnato.*] *Adj.* **1.** Que tem mandíbula recuada. **2.** *Zool.* Diz-se de animal que apresenta alvéolos e dentes recuados.

opistogoneado[1] [De *opist(o)-* + gr. *goné*, 'genitália', + *-ado*[1].] *Adj.* Que tem orifício genital próximo à parte posterior do corpo.

opistogoneado[2] [Adapt. do tax. *Opisthogoneata.*] *Zool.* ***S. m.*** **1.** Espécime dos opistogoneados, subclasse de artrópodes, miriápodes, caracterizados por terem a abertura genital na porção posterior do corpo. São os quilópodes ou lacraias. • ***Adj.*** **2.** Pertencente ou relativo a eles.

opistografia [De *opistógrafo* + *-ia*[1].] ***S. f.*** Qualidade ou estado de opistógrafo (1).

opistográfico [De *opistografia* + *-ico*[2].] ***Adj.*** Relativo à opistografia.

opistógrafo [Do gr. *opisthógraphos,* pelo lat. *opisthographu.*] ***Adj.*** **1.** Diz-se da folha ou documento que está escrito ou impresso de ambos os lados. [Cf. *anopistógrafo.*] • ***S. m.*** **2.** Folha ou documento escrito de ambos os lados.

opistorquíase [Do tax. *Opisthorchis* + *-íase.*] ***S. f.*** *Med.* Infecção de via(s) biliar(es) pelos parasitos trematódeos *Opisthorchis felineus* e *Opisthorchis verrini,* e que, se muito intensa, pode lesar além de via(s) biliar(es), também o fígado, até o ponto de causar cirrose hepática.

opistossoma [De *opist(o)-* + *-soma*; lat. cient. *opisthosoma.*] ***S. m.*** *Zool.* A parte posterior do corpo dos artrópodes quelicerados.

opistotónico ***Adj.*** V. *opistotônico.* [Uso freq. em P.]

opistotônico [De *opistótono* + *-ico*[2].] ***Adj.*** Relativo ao opistótono.

opistótono [Do gr. *opisthótonos,* 'esticado para trás', pelo lat. *opisthotonu.*] ***S. m.*** *Med.* Forma de espasmo tetânico em que se recurvam para trás a cabeça e os calcanhares, arqueando-se para diante o resto do corpo.

▲ **op(o)-** [Do gr. *ôps* (acus. *ôpa,* gen. *opós*).] ***El. comp.*** = 'rosto': *opocéfalo.*

▲ **opo-** [Do gr. *opós, oû.*] ***El. comp.*** = 'suco', 'sumo', 'extratos glandulares': *opoterapia.*

opocefalia [De *opocéfalo* + *-ia*[1].] ***S. f.*** *Ter.* Conformação de opocéfalo.

opocefálico [De *opocefalia* + *-ico*[2].] ***Adj.*** *Ter.* Relativo a opocefalia.

opocéfalo [De *op(o)-* + *-céfalo.*] ***Adj. S. m.*** *Ter.* Diz-se de, ou feto cujas orelhas se apresentam fundidas com a cabeça, que só tem uma órbita (2), e não tem boca nem nariz.

opodeldoque [Do ingl. *opodeldoc.*] ***S. m.*** Forma farmacêutica para uso externo, sólida ou líquida, composta de sabão, amônia, cânfora, essência de rosmaninho e de tomilho, e veiculada pelo álcool etílico.

opoente [Do lat. *opponente,* por via pop.] ***Adj. 2 g. S. 2 g.*** V. *oponente* (1 e 2).

oponente [Do lat. *opponente,* por via erudita.] ***Adj. 2 g.*** **1.** Que se opõe; contrário, oposto, opositor, opoente. • ***S. 2 g.*** **2.** Pessoa que se opõe; opositor, opoente. **3.** Pessoa que interpõe oposição (10) em juízo.

oponibilidade [De *oponível* + *-(i)dade,* seg. o padrão erudito.] ***S. f.*** Qualidade ou caráter de oponível.

oponível [De *opon-,* como em *oponente,* + *-i-* + *-vel.*] ***Adj. 2 g.*** Que pode ser oposto; susceptível de se opor.

opopânace [Do gr. *opopánax, akos,* pelo lat. *opopanace.*] ***S. m.*** *Bot.* V. *opópanax* (3 e 4).

opopânaco ***S. m.*** *Bot.* V. *opópanax* (3 e 4).

opópanax (cs) [Do tax. *Opopanax.*] ***S. m. 2 n.*** **1.** *Bot.* Gênero de plantas apiáceas, herbáceas, nativas do S. da Europa, dotadas de umbelas compostas, com flores amarelas, e frutos oleificantes. **2.** *Bot.* Qualquer espécie desse gênero como, p. ex., a *Opopanax chironium,* europeia. **3.** *Bot.* Qualquer espécime desse gênero. **4.** Material gomoso, resinoso, amarelado, com cheiro desagradável, extraído por incisão da raiz dessas plantas, us. em perfumaria, como fixador. [Var., nas acepçs. 3 e 4: *opopânace, opopônace* e *opopânaco.*]

opopónace ***S. m.*** *Bot.* V. *opopônace.* [Uso freq. em P.]

opopônace ***S. m.*** *Bot.* V. *opópanax* (3 e 4).

opor [Do lat. *opponere,* 'pôr na frente'.] ***V. t. d.*** **1.** Apresentar em oposição: *Opôs fraca resistência, e acabou cedendo.* **2.** Apresentar como objeção ou impugnação: *As dificuldades que opôs foram facilmente contornadas.* **3.** Estremar para a luta; dividir, separar: *O juiz opôs os contendores.* **4.** *Jur.* Impugnar (embargo). ***T. d. e i.*** **5.** Apresentar em oposição: "Se opusesse à tenacidade do fazendeiro seu caráter indomável, o choque havia de ser terrível." (José de Alencar, *O Sertanejo,* p. 129.) **6.** Pôr defronte de; colocar de maneira que forme obstáculo: *As tropas inimigas opuseram barreiras aos atacantes.* **7.** Pôr de maneira que forme contraste; pôr em paralelo. **8.** Apresentar como objeção ou impugnação; objetar. **9.** Fazer apresentar como adversário. **10.** Obrar ou atuar em contrário. **11.** *Jur.* Apresentar oposição (10) em juízo; impugnar: *Opôs recurso ao acórdão.* ***P.*** **12.** Ser contrário; fazer obstáculo: *Opõe-se aos argumentos mais plausíveis.* **13.** Dar combate; fazer face; resistir: "Dizes que podes com teu oiro absurdo / Lutar com Deus, opor-te à divindade" (Luís de Camões, *Sonetos e Rimas,* p. 188); "Já temos visto que o Estado, criatura espiritual, opõe-se à ordem natural e a transcende." (Sérgio Buarque de Holanda, *Raízes do Brasil,* p. 142). **14.** Surgir em contraposição: *Obstáculos insuperáveis opuseram-se.* **15.** Recusar-se, negar-se. [Irreg. Conjug.: v. *pôr.*]

oportunidade [Do lat. *opportunitate.*] ***S. f.*** **1.** Qualidade de oportuno. **2.** Ocasião, ensejo, lance. **3.** Circunstância adequada ou favorável; conveniência: *Não tinha certeza da oportunidade de dar o despacho.* ◆ **Na oportunidade de.** V. *por ocasião de.*

oportunismo [De *oportuno* + *-ismo.*] ***S. m.*** **1.** Acomodação e aproveitamento das circunstâncias para se chegar mais facilmente a algum resultado. **2.** Sistema político em que a tática principal é a acomodação às circunstâncias, a transigência adequada nos fatos e acontecimentos momentâneos, para a consecução de seus objetivos.

oportunista [De *oportuno* + *-ista.*] ***Adj. 2 g.*** **1.** Relativo ao, ou que é partidário do oportunismo. **2.** Que aproveita as oportunidades, sem pesar o que seria certo. **3.** *Med.* Que se manifesta apenas em certas condições (tais como: baixa imunidade, estresse emocional, ação de medicamentos, etc.) (diz-se doença, infecção, vírus). ~ V. *infecção –a.* • ***S. 2 g.*** **4.** Partidário do oportunismo. **5.** Pessoa que aproveita as oportunidades.

oportunístico [Do ingl. *opportunistic.*] ***Adj.*** ~ V. *infecção –a.*

oportunização [De *oportunizar* + *-ção.*] ***S. f.*** Ato ou efeito de oportunizar.

oportunizar [De *oportuno* + *-izar.*] ***V. t. d.*** **1.** Tornar oportuno, proveitoso. **2.** Permitir ou tornar viável, possível a realização ou ocorrência de (algo).

oportuno [Do lat. *opportunu.*] ***Adj.*** **1.** Que vem a tempo, a propósito, ou quando convém; apropriado. **2.** Cômodo, favorável.

oposição [Do lat. tard. *oppositione.*] ***S. f.*** **1.** Ato ou efeito de opor(-se); impedimento, obstáculo, objeção: *Houve oposição do pai aos seus intentos.* **2.** Partido(s) político(s) contrário(s) ao governo. [Antôn., nesta acepç.: *situação.*] **3.** Vontade contrária. **4.** Antagonismo, contrariedade: *oposição de interesses.* **5.** Contestação, réplica, refutação, objeção: *oposições filosóficas.* **6.** Contraste (1). **7.** *Astr.* Oposição geocêntrica. **8.** *Astron.* Posição da Lua na qual a Terra se encontra entre o Sol e o nosso satélite. **9.** *E. Ling.* Princípio de análise estruturalista segundo o qual o valor de cada elemento num sistema é determinado por suas relações com os demais elementos. [Cf., nesta acepç., *distribuição.*] **10.** *Jur.* Intervenção de terceiro em demanda alheia, deduzindo pretensão própria excludente da dos outros litigantes. **11.** *Lóg.* Na Lógica Clássica, relação que se estabelece, por inferência imediata, entre duas proposições categóricas que, tendo embora o mesmo sujeito e o mesmo predicado, diferem quanto a qualidade e/ou a quantidade, pelo que se estabelecem correlações determinadas entre seus valores de verdade. [V. *contradição* (5), *contrariedade* (5), *subcontrariedade* e *subalternidade.*] [Cf. *antítese* (4) e *dialética* (3).] **12.** *E. Ling.* Figura pela qual se reúnem ideias aparentemente antagônicas. ◆ **Oposição geocêntrica.** *Astr.* Posição de dois astros cujas longitudes celestes geocêntricas diferem de 180°. [Tb. se diz apenas *oposição.*] **Oposição heliocêntrica.** *Astr.* Posição de dois astros cujas longitudes celestes heliocêntricas diferem de 180°.

oposicionismo [De *oposição* + *-ismo,* seg. o padrão erudito.] ***S. m.*** **1.** Sistema de opor-se a tudo, sem exceção. **2.** Parcialidade ou facção política que se opõe ao governo; oposição sistemática.

oposicionista [De *oposição* + *-ista,* seg. o padrão erudito.] ***Adj. 2 g. S. 2 g.*** **1.** Que, ou quem faz oposição. **2.** Que, ou quem combate o governo.

▲ **oposit(i)-** [Do lat. *oppositus, a, um.*] ***El. comp.*** = 'oposto': *opositivo, opositifloro, opositipétalo.*

opositiflor (ô) [De *oposit(i)-* + *flor.*] ***Adj.*** *Bot.* V. *opositifloro.*

opositifloro [De *oposit(i)-* + *-floro.*] ***Adj.*** *Bot.* Que tem as flores em pedúnculos opostos.

opositifólio [De *oposit(i)-* + *-fólio.*] ***Adj.*** *Bot.* Adversifólio.

opositipenado [De *oposit(i)-* + *penado*[1].] ***Adj.*** ~ V. *folha –a.*

opositipétalo [De *oposit(i)-* + *-pétalo.*] ***Adj.*** ~ V. *estame –.*

opositissépalo [De *oposit(i)-* + *-sépalo.*] ***Adj.*** ~ V. *estame –.*

opositivo [De *oposit(i)-* + *-ivo.*] ***Adj.*** **1.** Que envolve oposição; oposto. **2.** *Bot.* Diz-se de órgão de uma planta situado em frente a outro.

opósito [Do lat. *oppositu,* por via erudita.] ***Adj. S. m.*** *P. us.* Oposto.

opositor (ô) [Do lat. *oppositus,* 'oposto', + *-or.*] ***Adj.*** **1.** Que se opõe; contrário, adversário, oponente, opoente. • ***S. m.*** **2.** Concorrente, candidato.

opóssum [Do ingl. *opossum,* de or. *algonquiana.*] ***S. m.*** *Zool.* Didelfídeo (*Didelphis virginiana*) [v. *didelfo* (2)].

oposto (ô) [Do lat. *oppositu,* por via pop.] ***Adj.*** **1.** Que está em frente; fronteiro: *A casa ficava oposta ao rio.* **2.** Contrário, inverso, contraposto: *Os dois partiram em direções opostas.* **3.** Contraditório (1): *Estas afirmações não combinam: são opostas.* ~ V. *folha –a, maré –a* e *reta –a.* • ***S. m.*** **4.** O que é contrário; inverso: *É o oposto do irmão.*

opoterapia [De *opo-* + *-terapia.*] ***S. f.*** *Terap.* Tratamento de doença mediante o uso de extratos de órgãos animais como, p. ex., os de glândulas endócrinas; organoterapia.

opoterápico [De *opoterapia* + *-ico*[2].] ***Adj.*** *Terap.* Relativo a opoterapia; organoterápico.

opressão [Do lat. *oppressione.*] ***S. f.*** **1.** Ato ou efeito de oprimir. **2.** Estado de quem se acha oprimido. **3.** Abatimento de forças; prostração. **4.** Vexame; humilhação. **5.** Tirania (4). **6.** Dificuldade de respirar; sufocação.

opressivo [De *opresso* + *-ivo.*] ***Adj.*** V. *opressor* (1).

opresso [Do lat. *oppressu.*] ***Adj.*** V. *oprimido* (1).

opressor (ô) [Do lat. *oppressore.*] ***Adj.*** **1.** Que oprime ou serve para oprimir; opressivo, oprimente. • ***S. m.*** **2.** Aquele que oprime; tirano.

oprimente [Do lat. *opprimente.*] ***Adj. 2 g.*** V. *opressor* (1).

oprimido [Part. de *oprimir.*] ***Adj.*** **1.** Que sofre opressão; vexado, humilhado, opresso: *povo oprimido.* • ***S. m.*** **2.** Indivíduo oprimido.

oprimir [Do lat. *opprimere.*] ***V. t. d.*** **1.** Causar opressão a; carregar ou sobrecarregar com peso. **2.** Apertar, comprimir: *Desalentado, oprimia a cabeça entre as mãos.* **3.** Causar opressão, prostração a; afligir: *A triste cena oprimia-o.* **4.** Exercer pressão sobre; tiranizar: *O domínio inimigo oprimia a população;* "E que é que fiz, Senhor? que torvo crime / Eu cometi jamais que assim me oprime / Teu gládio vingador?!" (Castro Alves, *Obra Completa,* p. 292). **5.** Exercer violência contra; violentar, forçar, coagir. **6.** Vexar, humilhar: *Firmando-se no poder, oprimia fracos e desamparados.* **7.** Esmagar; aniquilar. **8.** Impor ônus ou obrigação a; onerar. **9.** Apoquentar, importunar. ***Int.*** **10.** Causar opressão: "O Visconde de ***.... apareceu-me, um momento, como o símbolo da generosidade que oprime, do favor que escraviza, da gratidão que vexa." (Júlio Dantas, *Espadas e Rosas,* p. 127.) [Part.: *oprimido, opresso.*]

opróbrio [Do lat. *opprobriu.*] ***S. m.*** **1.** Abjeção extrema. **2.** Ignomínia, desonra. **3.** Afronta infamante; injúria: "El-rei sabe que Maria Isabel está aqui, e pensa que a tem resguardada de injúrias e do opróbrio injusto que lhe reflete do crime do marido." (Camilo Castelo Branco, *A Filha do Regicida,* p. 70.)

oprobrioso (ô) [Do lat. tard. *opprobriosu.*] ***Adj.*** **1.** Que causa opróbrio; em que há opróbrio. **2.** Vergonhoso, abjeto; infamante.

▲ **-opse** [Do gr. *-opsis* < gr. *ópsis, eōs,* 'visão'.] ***El. comp.*** = 'visão'; 'exame'; '(planta) semelhante a': *biopse; cariopse.* [V. *-ops(i)-* e *-opsia.*]

▲ **opsi-** [Do gr. *opsi-* < gr. *opsé,* 'tarde'; 'tardiamente' (adv.).] ***El. comp.*** = 'tarde'; p. ext. 'tardio': *opsígamo* (< gr.), *opsigamia.* [Cf. *-ops(i)-.*]

▲ **-ops(i)-** [Do gr. *ópsis, eōs.*] ***El. comp.*** = 'ação de ver', 'vista'; 'visão'; 'órgão da visão', 'olho': *cetopsídeo.* [V. *-opsia.*]

▲ **-opsia** [Do gr. *-opsía* (como no gr. *autopsía*) < gr. *ópsis, eōs,* 'visão', + gr. *-ía* (v. *-ia*[1]).] ***El. comp.*** = 'tipo, ou condição de visão'; 'distúrbio visual'; 'exame visual', 'tipo de exame': *acromatopsia, anopsia; dictiopsia, eritropsia, fotopsia, macropsia; biopsia, necropsia.* [Note-se a ocorrência de *autopsia* e *autópsia,* e *biopsia* e *biópsia,* e que, nesses dois casos, o uso consagrou, no port. do Brasil, as var. prosódicas *autópsia* e *biópsia.* V. *-opse.*]

opsigamia [De *opsi-* + *-gam(o)-* + *-ia*[1].] ***S. f.*** Casamento em idade provecta.

opsigâmico [De *opsigamia* + *-ico*[2].] ***Adj.*** Referente a opsigamia.

opsígamo [Do gr. *opsígamos.*] ***Adj. S. m.*** Que, ou aquele que se casa tarde.

opsomania [Do gr. *opsomanía,* 'gosto exagerado por comida'.] ***S. f.*** *Psiq.* Preferência patológica por determinado tipo de alimento.

opsomaníaco [De *opsoman(ia)* + *-íaco.*] *Psiq.* ***Adj.*** **1.** Relativo a opsomania. **2.** Que tem opsomania; opsômano. • ***S. m.*** **3.** Aquele que tem opsomania; opsômano.

opsômano [Do gr. *opsomanés.*] ***Adj. S. m.*** *Psiq.* Opsomaníaco (2 e 3).

opsonina [De *opson(o)-* + *-ina*[3].] ***S. f.*** *Imun.* Anticorpo que torna bactérias e outras células suscetíveis à fagocitose.

▲ **opson(o)-** [Do gr. *ópson, ou.*] *El. comp.* = 'alimento assado ou cozido'; 'aperitivo': *opsonina, opsonomania.*

opsonomania (òp) [De *opson(o)-* + *-mania.*] *S. f. Psiq.* Apetite insaciável em relação a certas iguarias.

opsonomaníaco (òp) [De *opsonomania* + *-íaco.*] *Psiq. Adj.* **1.** Relativo a opsomania. **2.** Que tem opsomania; opsonômano. ● *S. m.* **3.** Aquele que tem opsonomania; opsonômano.

opsonômano *Adj. S. m. Psiq.* V. *opsonômano.* [Uso freq. em P.]

opsonômano [De *opson(o)-* + *-mano*[1].] *Adj. S. m. Psiq.* Opsonomaníaco (2 e 3).

opsônomo [Do gr. *opsonómos.*] *S. m.* Na Grécia antiga, particularmente em Atenas, fiscal que controlava o preço do peixe, ou dos alimentos em geral.

optação [Do lat. *optatione.*] *S. f. Lus.* **1.** V. *opção* (1 e 2). **2.** *E. Ling.* Figura na qual se expressa um desejo sob a forma de exclamação.

optálico [Do gr. *optaléos, a, on,* 'que arde com o calor', + *-ico*[2].] *Adj. Petr.* Diz-se do tipo de metamorfismo que atua pelo aquecimento das rochas em contato com lavas ou com diques.

optante [De *optar* + *-nte.*] *Adj. 2 g. S. 2 g.* Que ou pessoa que opta, que faz opção.

optar [Do lat. *optare.*] *V. t. i.* **1.** Decidir-se por uma coisa (entre duas ou mais): *Não soube optar entre as vantagens e os prejuízos que a situação acarretava. Int.* **2.** Exercer o direito da opção. *T. d.* **3.** Decidir-se por; preferir; escolher: *Ante as condições desonrosas de paz, optaram a continuação da batalha.*

optativo [Do lat. tard. *optativu.*] *Adj.* **1.** Que indica desejo. **2.** Que indica ou envolve escolha ou opção. ~ V. *modo —.* ● *S. m.* **3.** *E. Ling.* Modo optativo (q. v.).

óptica [Do gr. *optiké,* pelo lat. tard. *optice.*] *S. f.* **1.** Parte da física que investiga os fenômenos de produção, transmissão e detecção de radiação eletromagnética de comprimento de onda compreendido aproximadamente entre 10Å e 1mm. **2.** Tratado ou compêndio acerca dessa matéria: *Estuda por uma boa óptica.* **3.** Exemplar de um desses tratados ou compêndios. **4.** Aspecto ou perspectiva dos objetos vistos; visão: *ilusão de óptica.* **5.** Estabelecimento onde se vendem e/ou fabricam instrumentos ópticos, sobretudo óculos ou lunetas. **6.** *Fig.* Maneira de ver, de julgar, de sentir; conceito ou ideia particular: *a óptica dos românticos.* [Var.: *ótica.*] ◆ **Óptica eletrônica.** Investigação do comportamento de feixes de elétrons que se deslocam na presença de campos magnéticos e elétricos. **Óptica física.** Parte da óptica que investiga a emissão de radiação eletromagnética e a sua propagação nos meios materiais. **Óptica geométrica.** Parte da óptica em que se investigam os fenômenos de propagação da luz mediante a substituição das frentes de onda pelas respectivas normais e o agrupamento desta em raios luminosos.

opticidade [De *óptico* + *-(i)dade.*] *S. f.* **1.** Qualidade de óptico. **2.** Qualidade do que facilita a visão ou é favorável à vista: *a opticidade das cores vivas.*

opticista [De *óptica* + *-ista.*] *S. 2 g.* Pessoa que se ocupa de óptica e/ou que é versada nessa matéria.

óptico [Do gr. *optikós.*] *Adj.* **1.** Respeitante à óptica: *sistema óptico.* **2.** Relativo à visão, ou ao olho; ocular: *ângulo óptico.* ~ V. *acoplamento —, atividade —a, banco —, buraco —, caminho —, centro —, densidade —a, eixo —, elétron —, fibra —a, filtro —, isomeria —a, janela —a, libração —a, nervo —, par —, quiasma —, som —* e *vidro —.* ● *S. m.* **3.** Especialista em óptica (1). **4.** Fabricante de instrumentos de óptica. **5.** V. *oftalmologista.* [Var.: *ótico*[2]. Cf. *ótico*[1].]

▲ **-óptico** [Do gr. *optikós, é, ón.*] *El. comp.* = 'relativo à vista ou à visão', 'relativo a (voc. em *-opsia* ou *-opse*)': *entóptico, eritróptico, isóptico.*

optimacia (ci) *S. f.* **1.** Os optimates. **2.** Governo ou predomínio deles. **3.** Aristocracia, nobreza. [Var.: *otimacia.*]

optimates [Do lat. *optimates.*] *S. m. pl.* **1.** Membros da alta nobreza na antiga Roma republicana; a optimacia. **2.** *Fig.* Os grandes da nação; os magnatas ou nobres. [Var.: *otimates.*]

optimismo *S. m.* V. *otimismo.*

optimista *Adj. 2 g. S. 2 g.* V. *otimista.*

optimização *S. f.* V. *otimização:* "o Mercosul é um instrumento fundamental para a optimização do relacionamento econômico, social, cultural e político entre seus integrantes." (Hélio Jaguaribe, em *Jornal do Brasil,* 10.08.1999).

óptimo *Adj. S. m. Interj.* V. *ótimo:* "os Correia de Barros, gente óptima, elegante, um pouco exclusiva" (Agustina Bessa-Luís, *Memórias Laurentinas,* p. 19).

▲ **opt(o)-** [Do gr. *optós, é, ón,* 'visível', adj. verbal de um dos radicais do v. *orân,* 'ver'.] *El. comp.* = 'visão', 'olho', 'óptico': *optômetro.* [Equiv.: *-opt(o)-*: *entoptoscopia, entoptoscópio.*]

▲ **-opt(o)-** Equiv. de *opt(o)-.*

optoeletrônica [De *opt(o)-* + *eletrônica.*] *S. f. Eletrôn.* Ramo da eletrônica que se ocupa com o estudo e o desenvolvimento dos equipamentos eletrônicos na sua interação com a luz.

optoeletrônico [De *opt(o)-* + *eletrônico.*] *Adj.* Da, ou relativo à optoeletrônica.

optometria [De *opt(o)-* + *-metria.*] *S. f. Med.* Medida da acuidade visual. V. *optômetro.*

optométrico [De *optometria* + *-ico*[2].] *Adj.* Relativo à optometria.

optometrista [De *optometria* + *-ista.*] *S. 2 g.* Especialista em optometria.

optómetro *S. m. Med.* V. *optômetro.* [Uso freq. em P.]

optômetro [De *opt(o)-* + *-metro.*] *S. m. Med.* Instrumento para medir o poder e a faixa de amplitude da visão.

opugnação [Do lat. *oppugnatione.*] *S. f.* **1.** Ato ou efeito de opugnar; ataque, assalto, acometimento. **2.** Refutação, contestação, impugnação: *opugnação de uma ideia.*

opugnador (ô) [Do lat. *oppugnatore.*] *Adj. S. m.* Que, ou aquele que opugna; combatente, atacante.

opugnar [Do lat. *oppugnare.*] *V. t. d.* **1.** Investir para tomar (praça ou fortaleza); investir contra; assaltar, acometer. **2.** Combater (uma ideia, uma instituição, etc.). **3.** Impugnar, refutar.

opulência [Do lat. *opulentia.*] *S. f.* **1.** Abundância de riquezas; grande riqueza. **2.** Luxo, magnificência, fausto. **3.** Abundância, fartura, fertilidade, feracidade: *opulência vegetal.* **4.** Grandeza, esplendor, elevação: *opulência de ideias.* **5.** Desenvolvimento incomum de formas; corpulência: *a opulência de um carvalho.*

opulentar [Do lat. *opulentare.*] *V. t. d.* **1.** Tornar opulento; engrandecer. **2.** Avantajar em riquezas; enriquecer. *P.* **3.** Tornar-se opulento, abundante ou copioso; engrandecer-se.

opulento [Do lat. *opulentu.*] *Adj.* **1.** Que está na opulência; possuidor de grandes riquezas; rico, abastado. **2.** Faustoso, suntuoso, pomposo, magnificente, luxuoso: *palácio opulento.* **3.** Farto, abundante, copioso, luxuriante: *floresta opulenta.* **4.** Muito desenvolvido; cheio, nutrido; encorpado: *mamas opulentas;* "Vêm sacudindo as ancas opulentas! / Seus troncos varonis recordam-me pilastras" (Cesário Verde, *Obra Completa,* p. 104).

opuluí *S. 2 g. Adj. 2 g. Bras.* V. *oaiana.*

opúncia [Do tax. *Opuntia.*] *S. f. Bot.* **1.** Grande gênero de cactáceas sem folhas, espinhosas, cujos cladódios, ger., têm forma de raquetas; algumas espécies dão frutos bacáceos, edules. **2.** Qualquer espécie desse gênero, como, p. ex., a *Opuntia bergeriana,* de floração abundante, e a *O. robusta,* com grandes cladódios azulados e flores amarelas, ambas naturais do Mediterrâneo. **3.** Qualquer espécime desse gênero, ou a flor dele.

opuncial [De *opunci-,* como em *opunciale,* + *-al.*] *Adj. 2 g. Bot.* V. *cariofilal.*

opunciale [De *opúncia* (q. v.) + *-ale;* tax. *Opuntiales.*] *S. f. Bot.* V. *cariofilale.*

➔ **opus** ['opus] [Lat.] *S. m. Mús.* Obra musical que foi classificada e numerada. [Usa-se de preferência a abreviatura *op.,* seguida de um número que designa, por ordem cronológica de composição ou de publicação, as obras de um mesmo autor, como, p. ex., o Quarteto *op.* 135 de Beethoven.] ◆ **Opus incertum.** *Constr.* Tipo de construção constituído de blocos de pedra irregulares, mas que se ajustam entre si.

opuscular [De *opúsculo* + *-ar*[1].] *Adj. 2 g.* Referente a, ou que tem o caráter de opúsculo.

opusculeiro [De *opúsculo* + *-eiro.*] *S. m.* Autor de opúsculos.

opúsculo [Do lat. *opusculu.*] *S. m.* **1.** Pequena obra escrita acerca de qualquer assunto. **2.** V. *folheto.*

oquê [Do ior.] *Interj. Bras. Rel.* Saudação a Oxoce.

▲ **-or** [Do lat. *-ore.*] *Suf. nom.* = 'agente'; 'instrumento de ação'; 'qualidade', 'propriedade': *claror* (< gr.), *coesor, opositor, perversor.* [Equiv.: *-dor* (q. v.); *-tor* (part. pass. lat. + *-ore*); *-sor* (part. ou supino lat. + *-ore*): *escritor* (< lat.), *instrutor* (< lat.), *dissuasor* (< lat.).]

ora[1] *S. m.* Medida grega de comprimento. [Pl.: *oras.* Cf. *hora,* s. f., pl. *horas; Hora,* mit. e antr.; e *Horas,* mit.]

ora[2] [Do lat. *ad hora(m),* 'à hora'.] *Conj.* **1.** Mas; note-se (que): *De repente chegou ele: ora naquele dia eu estava impaciente, e não o atendi como era devido;* "Ora, se deu que chegou / (isso já faz muito tempo) / no banguê dum meu avô / uma negra bonitinha / chamada negra Fulô." (Jorge de Lima, *Obra Completa,* I, p. 291). ● *Adv.* **2.** Agora; atualmente, presentemente: *Meu amigo Paulo, que ora se acha aqui, deseja falar-lhe.* ● *Interj.* **3.** Exprime impaciência, zombaria, menosprezo, dúvida, etc.: "Ora, que banalidade!" (Machado de Assis, *Teatro,* p. 87); "Ora (direis) ouvir estrelas! Certo / Perdeste o senso!" (Olavo Bilac, *Poesias,* p. 51). [Como se vê do último exemplo, pode iniciar período. Cf. *hora,* s. f., e *Hora,* mit. e antr.] ◆ **Ora .... ora.** Umas vezes .... outras vezes: *É pessoa de temperamento mutável: ora é gentil e educado, ora é de extrema rudeza.* **Ora pois.** Assim sendo; à vista disso. **Ora sus.** Sus. **Ora tibe.** *Bras. Pop.* Que maçada!; não me amole! **Outro ora.** *Bras. CE* Outras vezes. **Por ora.** Por enquanto; por agora.

orabutã *S. m. Bras. Bot.* V. *pau-brasil.*

oraca [De or. obsc.] *S. f. Bras. RS Zool.* V. *alma-de-gato* (1).

oração [Do lat. *oratione.*] *S. f.* **1.** *Lit.* Súplica religiosa; reza, prece: "Ajoelha e reza uma oração." (Manuel Bandeira, *Estrela da Vida Inteira,* p. 128.) [V. *rogo* (2).] **2.** Discurso, fala. **3.** Sermão, prédica. **4.** *E. Ling.* Construção gramatical composta de sujeito e predicado; cláusula (desus.), sentença. ◆ **Oração absoluta.** *E. Ling.* Oração que constitui, sozinha, um período (7). [Ex.: *As crianças brincavam no pátio; Chove.*] [Tb. se diz apenas *absoluta.*] **Oração coordenada.** *E. Ling.* A que está numa relação de coordenação (3). [Ex.: *Gosta de ler, mas não tem bom gosto literário; Estuda e trabalha.*] [Tb. se diz apenas *coordenada.*] **Oração correlativa.** *E. Ling.* A que está numa construção por correlação (5). [Tb. se diz apenas *correlativa.*] **Oração de sapiência.** Discurso inaugural de um curso universitário ou escolar, proferido pelo respectivo reitor ou diretor, ou por um dos professores do estabelecimento ou, por vezes, de fora; aula inaugural, aula magna. **Oração eucarística** *Lit.* V. *ação de graças.* **Oração justaposta.** *E. Ling.* A que entra numa relação de justaposição (6). **Oração principal.** *E. Ling.* Aquela que, numa relação de subordinação (3), se constitui no núcleo da sentença. [Tb. se diz apenas *principal.* Cf. *oração subordinada.*] **Oração reduzida.** *E. Ling.* Oração subordinada (q. v.) com verbo ou no infinitivo, ou no gerúndio ou no particípio. [Tb. se diz apenas *reduzida.*] **Oração relativa.** *E. Ling.* Aquela introduzida por pronome relativo. [Tb. se diz apenas *relativa.*] **Oração subordinada.** *E. Ling.* Numa relação de subordinação (3), aquela que atua como modificador (3), e que desempenha, portanto, função sintática ligada à oração principal, à qual acrescenta noção específica. [Classificam-se, conforme à função sintática que desempenham em relação à oração principal, em substantivas, adjetivas e adverbiais: (a) uma oração subordinada substantiva equivale a um substantivo e desempenha funções típicas dele, como, p. ex., a de sujeito, objeto, etc. (ex.: *Aguardo que regresses.*); (b) uma oração subordinada adjetiva equivale a um adjetivo e desempenha, em relação à oração principal, a função de adjunto adnominal (ex.: *Há pessoas que sofrem por nada.*); (c) uma oração subordinada adverbial equivale a um advérbio e desempenha, em relação à oração principal, a função de adjunto adverbial (ex.: *Quando saía da loja, encontrou com o irmão.*).] [Tb. se diz apenas *subordinada.* Cf. *oração principal.*] **Oração subordinada adjetiva.** *E. Ling.* V. *oração subordinada.* **Oração subordinada adverbial.** *E. Ling.* V. *oração subordinada.* **Oração subordinada substantiva.** *E. Ling.* V. *oração subordinada.*

oração-núcleo [De *oração* + *núcleo.*] *S. f. E. Ling.* Tópico (10). [Pl.: *orações-núcleos* e *orações-núcleo.*]

oracional [Do lat. tard. *orationale.*] *Adj. 2 g. E. Ling.* Relativo a, ou equivalente a oração ou proposição.

oraçoeiro *S. m. Ant.* Livro de orações.

oracular[1] [De *oráculo* + *-ar*[1].] *Adj. 2 g.* Relativo a, ou próprio de oráculo.

oracular[2] [De *oráculo* + *-ar*[2].] *V. int. T. i.* Falar como oráculo; doutrinar. [Pres. ind.: *oraculo,* etc. Cf. *oráculo.*]

oráculo [Do lat. *oraculu.*] *S. m.* **1.** Resposta de um deus a quem o consultava. **2.** Divindade que responde a consultas e orienta o crente: *o oráculo de Delfos.* **3.** *Fig.* Palavra, sentença ou decisão inspirada, infalível, ou que tem grande autoridade: *os oráculos dos profetas; os oráculos da ciência.* **4.** *Fig.* Pessoa cuja palavra ou conselho tem muito peso ou inspira absoluta confiança: *É o oráculo do partido.* [Sin. ger.: *orago.* Cf. *oraculo,* do v. *oracular.*] ◆ **Falar como um oráculo.** Dizer verdades incontestáveis. **Ouvir como (a) um oráculo.** Escutar com toda a atenção, acreditando piamente: "O presidente ouvia como a um oráculo e ia fazendo com a cabeça que sim e que sim." (Pedro Nava, *Beira-Mar,* p. 345.)

orada [De *orar* + *-ada*[1].] *S. f. Pop.* **1.** Lugar onde se ora ou reza. **2.** Capela fora do povoado; ermida, igrejinha.

orador (ô) [Do lat. *oratore.*] *S. m.* **1.** Aquele que ora ou discursa em público; perorador. **2.** Aquele que tem o dom da palavra, que fala bem e fluentemente; indivíduo eloquente; tribuno. **3.** *Maç.* Um dos oficiais de uma loja (4). ◆ **Orador sacro.** Clérigo que faz sermões ou prédicas religiosas; orador sagrado; pregador. **Orador sagrado.** V. *orador sacro.*

orago [Do lat. *oraculu,* 'oráculo (1)', 'templo onde se dão oráculos', pela f. arc. *oragoo.*] *S. m.* **1.** O santo da invocação que dá o nome a uma capela ou templo: "Uma vez, pregava de S. Martinho, o orago da freguesia" (Camilo Castelo Branco, *Serões de S. Miguel* *de Ceide,* III, p. 69). **2.** Templo assim consagrado. **3.** V. *oráculo.*

oral [Do lat. med. *orale.*] ***Adj. 2 g.*** **1.** Relativo ou pertencente à boca. **2.** Formado ou emitido pela boca; verbal, vocal, articulado: *som oral.* **3.** Realizado de viva voz; verbal: *exame oral.* **4.** *E. Ling.* Diz-se de som produzido com o véu palatino levantado, o que impede a passagem do ar também pela cavidade nasal. ~ V. *consoante —, estilo —, literatura —* e *vogal —.* [Cf. *nasal.*] ● ***S. f.*** **5.** Prova ou exame oral: "Na oral do fim do ano, última prova e de mínima influência para aprovação, é que havia banca examinadora." (Genolino Amado, *O Reino Perdido,* p. 39.) **6.** *E. Ling.* Consoante oral (q. v.). [Cf. *horal.*]

oralidade [De *oral* + *-(i)dade.*] ***S. f.*** **1.** Qualidade de oral. **2.** *E. Ling.* Condição oral, esp. a que envolve ênfase na comunicação pela fala, considerada em oposição à escrita, ou como fundamento desta: *a oralidade nas culturas ágrafas; a transmissão do conhecimento preservou parte de sua oralidade, mesmo nas sociedades modernas.*

oralizar [De *oral* + *-izar.*] ***V. t. d.*** Tornar oral.

▲ **-orama** [Do gr. *hórama, atos.*] ***El. comp.*** = 'aquilo que se vê'; 'espetáculo': *cosmorama, diorama, panorama.*

orangista ***Adj. 2 g.*** **1.** De, ou pertencente ou relativo a Orange (África do Sul). ● ***S. 2 g.*** **2.** O natural ou habitante de Orange. ● ***S. m.*** **3.** Partidário de Guilherme III (1650-1702), rei da Inglaterra, antes príncipe de Orange (casa principesca holandesa), oposto ao partido católico, que sustentava Jaime II (1633-1701).

orangotango [Do malaio *órang,* 'homem', + *útan,* ou *hútan,* 'bosque'.] ***S. m.*** *Zool.* Grande macaco pongídeo (*Pongo pygmaeus*) arborícola e frugívoro, que habita Bornéu e Sumatra (Indonésia); tem pelagem muito longa, marrom-avermelhada, braços longos, e é desprovido de cauda.

ora-pro-nóbis [Do lat. *ora pro nobis,* 'roga por nós', frase de uma ladainha.] ***S. m. 2 n.*** *Bras. L. Bot.* **1.** Arbusto cactáceo (*Peireskia aculeata*) trepador, intensamente armado de acúleos, comum na restinga e adjacências, que se caracteriza pela presença de nítidas folhas suculentas, e cujos frutos são pequenas bagas amarelas, insípidas: "— Louro, ó louro. Cá o pé, nego — era a voz de Sinhana atroando a rua. Todo o mundo saía procurando o Louro, revirando as vassourinhas, os ora-pro-nóbis das cercas." (Bernardo Élis, *Ermos e Gerais,* p. 90.) **2.** V. *beldroega-pequena.*

orar [Do lat. *orare.*] ***V. int.*** **1.** Fazer oração; rezar: "Minha mãe, minha mãe! ai que saudade imensa, / Do tempo em que ajoelhava, orando, ao pé de ti." (Guerra Junqueiro, *A Velhice do Padre Eterno,* p. 3); "Persignando-se, orou." (Ana Elisa Gregori, *Os Barões de Candeia,* p. 9). **2.** Discursar em público; proferir discursos: *O advogado orou admiravelmente em defesa do réu.* **3.** Falar em tom oratório. ***T. i.*** **4.** Dirigir oração; suplicar em oração: *Orou, fervoroso, a todos os santos; Oraram pela alma do morto.* ***T. d.*** **5.** Pedir, suplicar, rogar: *Orou a piedade divina.* **6.** Fazer (prece); rezar: *Orou longas preces.* ***T. d. e i.*** **7.** Pedir, suplicar, rogar: *Orou a Deus que lhe concedesse o descanso eterno.* [Pres. ind.: *oro, oras, ora,* etc. Cf. *hora,* s. f., pl. *horas; Hora,* mit. e antr.; e *Horas,* mit.]

orário [Do lat. *orariu.*] ***S. m.*** Espécie de lenço com que os antigos romanos limpavam a boca e o suor do rosto. [Cf. *horário.*]

orate [Do cat. *orat,* 'louco', pelo esp. *orate.*] ***S. m.*** Doido, louco, maluco, idiota.

oratória [Do lat. *oratoria.*] ***S. f.*** **1.** Arte de falar ao público. **2.** *Teatr.* Drama de tema religioso, com diálogos e cânticos. [Cf., nesta acepç., *oratório*[2].]

oratoriano ***Adj.*** **1.** Da congregação do Oratório. ● ***S. m.*** **2.** Aquele que pertence a essa congregação.

oratório[1] [Do lat. *oratoriu.*] ***Adj.*** **1.** Respeitante à oratória ou eloquência. **2.** Próprio de orador. ~ V. *acento —.* ● ***S. m.*** **3.** *Rel.* Nicho ou armário com imagens religiosas; adoratório. **4.** *Rel.* Qualquer capela doméstica. ◆ **Estar no oratório.** *Bras. PE* Estar ameaçado, jurado.

oratório[2] [Do it. *oratorio.*] ***S. m.*** *Mús.* Gênero musical dramático, de assunto religioso, quase sempre tirado da Bíblia, com solos, coros e orquestra, para ser executado sem cenários, nem costumes, nem mímica: "oratórios e tocatas de Haendel e Bach, ... poemas de Schumann e Wagner." (Fidelino de Figueiredo, *Música e Pensamento,* p. 33). [Cf. *oratória* (2).]

ora veja ***El. s. m.*** Us. na loc. *ficar no ora veja.* ◆ **Ficar no ora veja.** Ser esquecido, deixado à margem; não alcançar o que tinha como certo. ❄

orbe [Do lat. *orbe,* 'o círculo, a esfera, a roda'.] ***S. m.*** **1.** Esfera, globo, redondeza: *o orbe terrestre.* **2.** Qualquer corpo celeste: *o movimento dos orbes;* "Sabe que mais facilmente fecharás no punho a redondeza da Terra, e farás que os celestes orbes cessem de seu perpétuo movimento, do que da glória dos bem-aventurados possas dizer ou entender a mínima parte, até que não sejas, como eu, ensinado pela experiência." (P.^e Manuel Bernardes, *Nova Floresta,* II, p. 63). **3.** Mundo (1): *o velho e o novo orbe;* "dividiram o orbe em dois blocos militares, políticos, econômicos e morais antagônicos, a gritar a toda a hora palavras de ameaça e ódio." (Fidelino de Figueiredo, *Entre Dois Universos,* pp. 77-78). **4.** Terra, país, nação; domínio: *o orbe português.* **5.** Campo, setor, domínio, esfera: *o orbe intelectual.* **6.** Círculo, circunferência; volta. ◆ **Orbe terráqueo.** A Terra.

▲ **orbi-** [Do lat. *orbis, is.*] ***El. comp.*** = 'figura esférica ou circular', 'mundo', 'globo': *orbícola.*

orbícola [De *orbi* + *-cola*[1].] ***Adj. 2 g.*** **1.** Que viaja ou erra por toda a parte, por todo o orbe; cosmopolita. **2.** Que pode habitar qualquer ponto da Terra: *aves orbícolas.* [Sin., poét.: *orbívago.*]

orbicular [Do lat. *orbiculare.*] ***Adj. 2 g.*** **1.** Que tem a forma de orbe; esférico, globular. **2.** Circular[1] (1): *movimento orbicular.* **3.** *Anat.* Diz-se de músculo que, ao contrair-se, obstrui ou leva a obstruir orifício. **4.** *Petr.* Diz-se da textura rochosa em que os minerais se dispõem em grupamentos esferoidais ou em zonas concêntricas. ~ V. *folha —.* ● ***S. m.*** **5.** *Anat.* Músculo orbicular.

órbita [Do lat. *orbita,* 'linha circular'.] ***S. f.*** **1.** *Astr.* Trajetória fechada que um astro descreve em torno de outro. **2.** *Anat.* Cada uma das cavidades ósseas da face em que se alojam um globo ocular e as partes moles que o circundam. **3.** *Fís.* Qualquer trajetória fechada. **4.** *Zool.* Região que contorna o olho das aves. **5.** *Fig.* Esfera de ação; área, limite: *Tal assunto é da órbita do diretor; É importante a órbita da sociologia.* [Cf. *orbita,* do v. *orbitar.*] ◆ **Órbita alta.** *Astron.* Órbita descrita por um satélite artificial, acima de 500km de altitude. **Órbita aparente.** *Astr.* No caso das estrelas duplas visuais, a projeção da órbita verdadeira sobre o plano tangente à esfera celeste. **Órbita baixa.** *Astron.* Órbita descrita por um satélite artificial, entre 200km e 500km de altitude. **Órbita definitiva.** *Astr.* Órbita de um astro, que se calcula utilizando um número suficiente de observações e considerando a perturbação produzida por outros corpos celestes vizinhos. **Órbita de transferência.** *Astr.* Trajetória calculada para que um veículo espacial possa atingir um planeta, ou outro corpo celeste, consumindo a menor quantidade possível de energia; órbita hohmanniana. **Órbita nominal.** *Astron.* Órbita ideal de um veículo espacial, a qual se supõe que ele vá seguir antes de seu lançamento. **Órbita terrestre.** *Astr.* Trajetória elipsoidal descrita pela Terra no seu movimento de translação ao redor do Sol. **Em órbita.** *Bras. Fam.* Alheio à realidade; distraído, desligado. **Entrar em órbita.** *Bras. Fam.* Estar ou ficar fora da realidade, alienado da realidade circunstante; estar em órbita. **Estar em órbita.** *Bras. Fam.* Entrar em órbita. **Fora de órbita.** *Bras. Fam.* Fora da realidade; alienado, doido, amalucado: *A pancada na cabeça deixou-o fora de órbita pelo resto da vida.*

orbitador (ô) [De *orbitar* + *-dor.*] ***S. m.*** *Astron.* Sonda projetada para circular ao redor de planeta, ou satélite, e que transmite para a Terra os sinais emitidos pelo módulo de aterrissagem; orbitante.

orbital [De *órbita* + *-al*[1].] ***Adj. 2 g.*** **1.** Relativo a órbita: *movimento orbital.* **2.** *Anat.* Orbitário: *cavidade orbital.* ~ V. *base —, nave —, período —, peso —, veículo —* e *velocidade —.* ● ***S. m.*** **3.** *Fís.* Função de onda de um elétron num átomo ou numa molécula. [É us. como s. f. em Portugal, nesta acepç.] ◆ **Orbital antiligante.** *Fís.-Quím.* Numa molécula, orbital cuja energia é maior que a dos orbitais atômicos que o constituem. **Orbital atômico.** *Fís.* Função de onda de um elétron num átomo. **Orbital atômico d.** *Quím.* Aquele que tem número quântico azimutal igual a dois. [O *d* provém do ingl. *d(iffuse).*] **Orbital atômico f.** *Quím.* Aquele que tem número quântico azimutal igual a três. [O *f* provém do ingl. *f(undamental).*] **Orbital atômico p.** *Quím.* Aquele que tem número quântico azimutal igual a um. [O *p* provém do ingl. *p(rincipal).*] **Orbital atômico s.** *Quím.* Aquele que tem número quântico azimutal igual a zero. [O *s* provém do ingl. *s(harp).*] **Orbital digonal.** *Fís.-Quím.* Orbital híbrido que favorece a formação de ligações localizadas ao longo de um eixo. **Orbital híbrido.** *Fís.* Orbital molecular formado pela superposição ou composição de orbitais atômicos de tipos diferentes. **Orbital ligante.** *Fís.-Quím.* Numa molécula, orbital cuja energia é menor que a de qualquer dos orbitais atômicos que o constituem. **Orbital molecular.** *Fís.* Função de onda de um elétron numa molécula. **Orbital não ligante.** *Quím.* Numa molécula, orbital cuja energia é igual à dos orbitais atômicos que o constituem, ou que, localizado sobre um átomo, se comporta essencialmente como orbital atômico. **Orbital sp.** *Quím.* Orbital digonal resultante de hibridização sp. **Orbital sp^2.** *Quím.* Orbital trigonal resultante de hibridização sp^2. **Orbital sp^3.** *Quím.* Orbital tetragonal resultante de hibridização sp^3. **Orbital tetraedral.** *Fís.-Quím.* Orbital híbrido que favorece a formação de ligações localizadas ao longo de quatro eixos que coincidem com os de um tetraedro regular. **Orbital trigonal.** *Fís.-Quím.* Orbital híbrido que favorece a formação de ligações localizadas ao longo de três eixos que formam no espaço ângulos de 120°.

orbitante [De *orbitar* + *-nte.*] ***Adj. 2 g.*** **1.** Que descreve órbitas [v. *órbita* (1)]. ● ***S. 2 g.*** **2.** *Astron.* Orbitador.

orbitar [De *órbita* + *-ar*[2].] ***V. int.*** **1.** Descrever órbita. **2.** *Fig.* Prender-se a alguém por quem se deixa influenciar; ficar na órbita (5) de alguém. ***T. d.*** **3.** Descrever (órbita, ou como que órbita): "Depois, o urubu pairou, orbitando giros amplos." (João Guimarães Rosa, *Sagarana,* p. 65.) [Pres. ind.: *orbito, orbitas, orbita,* etc.; fut. do pret.: *orbitaria,* etc. Cf. *órbita,* s. f., e *orbitária,* fem. de *orbitário.*]

orbitário [De *órbita* + *-ário.*] ***Adj.*** *Anat.* Relativo ou pertencente a órbita (2); orbital. [Fem.: *orbitária.* Cf. *orbitaria,* do v. *orbitar.*] ~ V. *pirâmide —a.*

orbitelo [Do lat. *orbis,* 'círculo', + lat. *tela,* 'teia'.] ***Adj.*** *Zool.* Que forma teias semelhantes a círculos concêntricos (diz-se de aranha).

orbívago [De *orbi-* + *-vago.*] ***Adj.*** *Poét.* V. *orbícola.*

orca[1] [Do lat. *orca.*] ***S. f.*** Vaso semelhante a uma ânfora, de menores dimensões.

orca[2] [Do tax. *Orca.*] ***S. f.*** *Zool.* Cetáceo delfinídeo (*Orcinus orca*), o maior da família, com cerca de 7 a 10m de comprimento, dorso negro e abdome branco. Tem distribuição cosmopolita, e pode caçar em bando, cercando habilmente um grande cardume, ou individualmente, atacando inclusive baleias e tubarões. [Sin.: *baleia-assassina, caldeirão, roaz-de-bandeira* (lus.)]

orça [Dev. de *orçar.*] ***S. f.*** **1.** Ato de orçar ou calcular. **2.** *Mar.* Ato ou efeito de orçar (7 e 8); orçada. [Cf. *Orsa,* top., e *Horsa,* antr.] ◆ **À orça.** A olho; por junto; aproximadamente: *calcular à orça.*

orçada [De *orçar* + *-ada*[1].] ***S. f.*** *Mar.* **1.** Ato ou efeito de orçar. **2.** Guinada para barlavento; orçadela. [Sin. ger.: *orça.*]

orçadela [De *orçar* + *-dela.*] ***S. f.*** *Mar.* Orçada (2).

orçador (ô) [De *orçar* + *-dor.*] ***Adj.*** **1.** Que faz orçamentos. ● ***S. m.*** **2.** Orçamentista.

orçamental [De *orçamento* + *-al*[1].] ***Adj. 2 g.*** Orçamentário.

orçamentário [De *orçamento* + *-ário.*] ***Adj.*** Relativo a orçamento; orçamental. ~ V. *ano —, crédito —* e *lei —a.*

orçamentista [De *orçamento* + *-ista.*] ***S. 2 g.*** *Bras.* Especialista em orçamentos; orçador.

orçamento [De *orçar* + *-mento.*] ***S. m.*** **1.** Ato ou efeito de orçar; avaliação, cálculo, cômputo. **2.** Avaliação do custo de obra ou de serviço a ser executado: *Meu dentista apresentou-me um orçamento assustador.* **3.** Discriminação da origem e da aplicação de recursos a serem us. para determinado fim: *O orçamento de investimentos das empresas estatais é aprovado pelo Congresso.* **4.** Documento que discrimina a receita e a despesa da administração pública para o exercício seguinte, encaminhado anualmente pelo Poder Executivo à aprovação do Poder Legislativo. **5.** *Adm.* Plano de entradas e saídas de caixa previsto para um determinado período, utilizado para fins de planejamento de investimentos; montante de recursos financeiros disponível para a realização de determinado projeto ou atividade. **6.** *Jur. Fin.* Cálculo da receita que se deve arrecadar num exercício financeiro e das despesas que devem ser feitas pela administração pública, organizado obrigatoriamente pelo Executivo e submetido à aprovação das respectivas câmaras legislativas. **7.** *Jur.* Cálculo, feito pelo agrimensor, da partilha dum imóvel sujeito a processo divisório.

orçamento-programa ***S. m.*** *Fin.* Orçamento público que especifica não somente os custos dos diversos programas, subprogramas e projetos, desdobrados setorialmente, por funções, segundo as categorias de despesas de custeio e capital, mas também as metas físicas anuais que devem ser atingidas mediante a aplicação dos recursos orçamentários. [Pl.: *orçamentos-programas* e *orçamentos-programa.*]

orcaneta (ê) [Do fr. *orcanette.*] ***S. f.*** *Bot.* Erva boraginácea (*Anchusa azurea*) cultivada em virtude das suas flores violáceas, dispostas em panículas escorpioides, e cujas folhas são pubescentes.

orçar [Do it. *orzare.*] ***V. t. d.*** **1.** Calcular, computar; estimar, esmar: *orçar despesas.* ***T. d. e i. T. d. e c.*** **2.** Fazer o orçamento de; avaliar, calcular, estimar: *Orçou a despesa em milhões; Orçou a obra em R$ 13.000,00.* ***T. i.*** **3.** Correr parelhas; aproximar-se; raiar. **4.** Chegar; atingir: *Sua disponibilidade monetária não orçava a tanto.* ***T. c.*** **5.** Ser ou ter aproximadamente: "Orçava ele então pelos vinte e oito anos" (Aluísio Azevedo, *O Coruja,* p. 159). **6.** Ter aproximadamente o valor de: *A despesa orçava pelos R$ 2.000,00.* **Int. 7.** *Mar.* Pôr o leme a barlavento, a fim de que a proa da embarcação se aproxime da linha do vento. **8.** *Mar.* Aproximar a proa da embarcação da linha do vento. [Antôn., nas acepçs. 7 e 8: *arribar*. Conjug.: v. *laçar*. Pres. ind.: *orço, orças, orça,* etc. Cf. *Orsa*, top., e *Horsa*, antr.]

orchata [Do esp. *horchata*.] *S. f.* **1.** Refresco preparado com pevides de melancia pisadas, água e açúcar. **2.** Bebida feita com uma decocção de cevada com amêndoas doces pisadas. • *S. m.* **3.** *Bras. RJ Pop.* Indivíduo que usa terno branco em dia de chuva.

orcinol [Do ingl. *orcinol* < ingl. *orcin*, 'pigmento encontrado em certos liquens.] *S. m. Quím.* Difenol derivado do tolueno [fórm.: $C_7H_8O_2$]. [Pl.: *orcinóis*.]

orco [Do lat. *orcu*.] *S. m. Poét.* **1.** Região dos mortos. **2.** O Inferno. [Cf. *Horco*, top.]

ordália *S. f.* V. *ordálio*.

ordálio [Do b.-lat. *ordalium* (pl. *ordalia*) < franco *ordal*, 'julgamento, juízo'.] *S. m.* **1.** Prova judiciária sem combate, usada na Idade Média; prova. **2.** Juízo de Deus (q. v.).

ordeirismo [De *ordeiro* + *-ismo*.] *S. m.* Sistema ou inclinação daqueles que são ordeiros.

ordeiro [De *ord(em)* + *-eiro*.] *Adj.* Amigo da ordem; conciliador, conservador, pacífico.

ordem [Do lat. *ordine*.] *S. f.* **1.** Disposição conveniente dos meios para se obterem os fins. **2.** Disposição metódica; arranjo de coisas segundo certas relações: *ordem alfabética.* **3.** Boa disposição; bom arranjo; arrumação: *pôr os livros em ordem; deixar em ordem a casa.* **4.** Qualidade de quem é metódico: *Revela muita ordem no seu trabalho.* **5.** Regra ou lei estabelecida: *Tais atos não seguem a ordem.* **6.** Tranquilidade pública resultante da conformidade às leis. **7.** Disciplina, subordinação: *manter a ordem.* **8.** Determinação de autoridade; mandado, prescrição, ordenação: *ordem superior.* **9.** Documento ou instrução que autoriza ou determina a execução de uma ação: *ordem de pagamento; ordem de serviço; ordem de crédito; ordem de compra.* **10.** Boa administração: *cuidar da ordem da empresa.* **11.** Categoria (3): *artista de primeira ordem; Procedimento de tal ordem é monstruoso.* **12.** Maneira, modo, disposição: *Pôs as crianças em ordem de altura.* **13.** Renque, fila, fileira: *várias ordens de ciprestes.* **14.** Classe ou hierarquia de cidadãos: *ordem dos sacerdotes; ordem dos militares.* **15.** Classe de pessoas que exercem determinada profissão liberal: *a ordem dos advogados.* **16.** Feição especial ou característica da organização política e social: *O movimento resultou em nova ordem.* **17.** Série, sequência: *Uma ordem de acontecimentos políticos determinou a revolução.* **18.** Lei, regulamento. **19.** Publicação de leis, regulamentos ou instruções acerca de serviço militar. **20.** Companhia de pessoas que fazem voto de viver sob a autoridade de certas regras: *a Ordem de Malta.* **21.** Classe de honra instituída por um governo ou por um soberano, para recompensar o mérito de um indivíduo ou instituição. **22.** *Rel.* Confraria de seculares ligados à Igreja, e que se comprometem a cumprir determinados preceitos exarados em estatuto próprio: *a Ordem do Santo Sepulcro.* **23.** Insígnia(s) de membro de uma ordem (21). **24.** *Ecles.* Sacramento que confere o poder de exercer funções eclesiásticas. **25.** *Arquit.* Sistema de relações fixas entre as dimensões de certas partes dum edifício, como pedestal, coluna e entablamento: *ordem dórica; ordem jônica.* **26.** *Biol.* Categoria taxonômica compreendida entre a classe e a família. **27.** *Mat.* Ordinal de um elemento de um conjunto ordenado. **28.** *Rel.* Comunidade católica masculina ou feminina caracterizada pela emissão de votos solenes (v. *voto solene*) de pobreza, castidade e obediência. **29.** *E. Ling.* Comando (4). [Com cap., ger., nas acepçs. 20, 21 e 22.] ◆ **Ordem ática.** Ordem arquitetônica [v. *ordem* (25)] caracterizada por pequenas pilastras que têm por entablamento uma cornija arquitravada. **Ordem civil.** *Jur.* Sistema de princípios e leis que, em um determinado Estado, rege os interesses privados. **Ordem compósita.** Ordem arquitetônica [v. *ordem* (25)] em que entram elementos da ordem jônica e da coríntia. [Tb. se diz apenas *compósita*.] **Ordem coríntia.** Ordem arquitetônica [v. *ordem* (25)] criada em Corinto (Grécia), e que se caracteriza pelas folhas de acanto do capitel. **Ordem cronológica. 1.** Ordem de entrada ou de chegada de papéis, documentos ou pessoas a um estabelecimento. **2.** Ordem que se segue, em um escrito, lista, etc., respeitando a sequência das datas. **Ordem de cavalaria.** Instituição militar e religiosa da Idade Média, restrita aos nobres, que nela eram admitidos mediante sagração no grau de cavaleiros, para combater os hereges. [Tb. se diz apenas *cavalaria*.] **Ordem de Cristo.** Ordem (21) militar portuguesa. **Ordem de grandeza.** *Mat.* Valor grosseiramente aproximado de uma grandeza. **Ordem do Banho.** Ordem (21) militar inglesa. **Ordem do dia. 1.** Expediente predeterminado dos trabalhos de cada dia. **2.** Pauta, agenda: "A impunidade dos crimes de tortura, assassinatos e desaparecimentos cometidos pela repressão, durante a ditadura, está de volta à ordem do dia" (Jânio de Freitas, em *Folha de S.Paulo*, 20.05.2008). **3.** *Mil.* Conjunto de determinações e instruções divulgadas diariamente por comandante militar. **Ordem dórica.** *Arquit.* A mais antiga das ordens [v. *ordem* (25)], caracterizada pela coluna de oito módulos ou diâmetros de altura, no máximo, pelo capitel singelo e pelo friso adornado de métopas e tríglifos. **Ordem jônica.** *Arquit.* Ordem (25) caracterizada por capitel ornado de duas volutas laterais. **Ordem jurídica.** *Jur.* Sistema complexo de princípios e regras disciplinadores da organização e funcionamento do Estado, das relações sociais e dos direitos do cidadão. **Ordem política.** Conjunto de princípios que harmonizam as funções e relações internas e externas dum Estado. **Ordem pública.** Conjunto de instituições e preceitos coagentes destinados a manter o bom funcionamento dos serviços públicos, a segurança e a moralidade das relações entre particulares, e cuja aplicação não pode, em princípio, ser objeto de acordo ou convenção. **Ordem seráfica.** *Ecles.* A dos frades franciscanos. **Ordem social.** A sociedade estruturada econômica e politicamente, como objeto de tutela policial e penal. **Ordem Terceira.** *Ecles.* Ordem religiosa destinada a leigos, agregada a uma grande ordem monástica (franciscanos, carmelitas, etc.). **Ordem Teutônica.** Ordem hospitalar e militar austríaca, fundada em 1128 pelos cruzados alemães. **Ordem toscana.** Entre os romanos, a mais simples das ordens [v. *ordem* (25)], mais sólida e simples que a dórica. **Ordens maiores.** *Rel.* Os três graus conferidos pela imposição de mãos (q. v.): bispo, presbítero e diácono. **Ordens menores.** *Rel.* Os quatro graus [v. grau (7)] que dão acesso às ordens maiores: acolitato, exorcistado, leitorado, ostiariato. **Até nova ordem.** Até nova decisão, até que se resolva outra coisa. **De primeira ordem.** De excelente qualidade; ótimo, excelente: *Estou lendo um livro de primeira ordem.* **Estar às ordens (de alguém).** Estar pronto a servi(-lo) ou a obedecer(-lhe): "disse que não tinha de que, que estava sempre às ordens" (Pedro Nava, *Baú de Ossos*, p. 47). **Na ordem do dia.** Em maré de fama, de celebridade; muito falado, comentado, discutido; na moda: *O poeta F. está na ordem do dia; Aquele romance continua na ordem do dia.* **Por ordem.** De modo ordenado. **Receber ordem.** *Rel.* Ser ordenado [v. *ordem* (24)] ; tomar ordens. **Tomar ordens.** *Rel.* V. *receber ordem*: "Padre Matias não se esquecia das lições do avô, que deixara o seminário para casar-se na véspera de tomar ordens." (Odilo Costa Filho, *Histórias da Beira do Rio*, p. 17).

ordem-unida *S. f. Mil.* **1.** Formação normal de marcha, de reunião ou de parada dos elementos de uma tropa, com intervalos e distâncias regulamentares. **2.** O exercício dessa formação: "Iniciei-me na vida de caserna com seus toques de corneta nas madrugadas frias ....; depois as infindas instruções de ordem-unida sob o sol implacável" (Xavier Placer, *Doze Histórias Curtas*, p. 116). [Pl.: *ordens-unidas*.]

ordenação [Do lat. *ordinatione*.] *S. f.* **1.** Ato ou efeito de ordenar; ordenamento. **2.** V. *ordem* (8). **3.** Boa disposição; arranjo metódico; arrumação, ordem. **4.** *Lit.* Colação de ordens eclesiásticas. **5.** *Mat.* Organização dos elementos de um conjunto de acordo com uma relação de ordem com a qual se atribui, em geral, a todo elemento, um antecedente e um sucessor. ~ V. *ordenações*.

ordenações *S. f. pl. Ant.* Codificação das leis em vigor, que se fizeram, na monarquia portuguesa, em quatro ocasiões: nos reinados de Afonso V (1432-1481): *Ordenações Afonsinas*; de D. Manuel I (1469-1521): *Ordenações Manuelinas*; de D. Sebastião (1554-1578): *Código Sebastiânico*, e de Filipe II (1527-1598): *Ordenações Filipinas*. [Sin.: *ordenanças*.] ~ V. *ordenação*.

ordenada [F. subst. do adj. *ordenado*.] *S. f. Mat.* Coordenada cartesiana correspondente a um dos eixos: o vertical, no plano; o dos *y*, no espaço. ◆ **Ordenada à origem.** *Mat.* A ordenada do ponto de intercessão de uma reta com o eixo dos *y*.

ordenado [Part. de *ordenar*.] *Adj.* **1.** Posto em ordem; arranjado, arrumado, disposto. **2.** Que tem ordem; metódico. **3.** Posto em ordem; classificado, numerado. **4.** Que tomou ordens sacras. ~ V. *domínio —*. • *S. m.* **5.** Vencimento dum funcionário, ou empregado qualquer, pago periodicamente.

ordenador (ô) [Do lat. *ordinatore*.] *Adj. S. m.* Que, ou aquele que ordena.

ordenamento [De *ordenar* + *-mento*.] *S. m.* **1.** Ordenação (1). **2.** Método ou conjunto de preceitos que se devem observar no tratamento e exploração das matas. **3.** *Jur.* Ordenamento jurídico: "Já a pessoa, do ponto de vista do nosso ordenamento, só passa a existir no instante de nascimento com vida." (Ellen Gracie, ministra do STF, em entrevista à Revista *Veja*, 12.02.2008.) ◆ **Ordenamento jurídico.** *Jur.* As leis vigentes num país. [Tb. se diz apenas *ordenamento*.]

ordenança [De *ordenar* + *-ança*.] *S. f.* **1.** Regulamento militar. **2.** *Ant.* Corpo de tropas; exército. • *S. f. e m.* **3.** Soldado às ordens de um superior hierárquico. [Sin. (bras., N.E.), nesta acepç.: *peito-largo*.] ~ V. *ordenanças*.

ordenanças *S. f. pl. Ant.* V. *ordenações*. ~ V. *ordenança*.

ordenar [Do lat. *ordinare*.] *V. t. d.* **1.** Pôr em ordem (1); arranjar, dispor: *Ordenou todos os seus livros por assunto.* **2.** Determinar por ordem (8); mandar que se faça; determinar: *Ordenou a substituição do funcionário rebelde*; "foi publicado um decreto, que desnaturalizava os nacionais, e ordenava a expulsão de todos" (J. Lúcio d'Azevedo, *O Marquês de Pombal e a Sua Época*, p. 202). **3.** Conferir o sacramento da ordem a. **4.** Fazer estudar para receber o sacramento da ordem: *Muito religioso, sempre quis ordenar o filho.* **5.** Dispor, traçar, preparar: *ordenar um banquete.* ***T. d. e i.*** **6.** Determinar, mandar: *Ordenei-lhe que saísse*; "O cristão com um gesto ordenou silêncio ao chefe pitiguara." (José de Alencar, *Iracema*, p. 105); "na terceira noite, ordenou ao criado que lhe foi levar o chá: | — Diga a seu amo que preciso falar-lhe sem demora." (Lúcio de Mendonça, *Horas do Bom Tempo*, p. 153). **7.** Dispor, traçar, preparar. ***Transobj.*** **8.** Reconhecer como, sagrar (ou fazer que isto se dê): *Ordenaram-no sacerdote*; "Profundamente religiosa, pôs o mais velho dos filhos no Seminário de Olinda, e ordenou-o padre." (Júlio Belo, *Memórias de um Senhor de Engenho*, p. 12). ***T. i.*** **9.** Dar ordem (8): *Ordenou de matar o súdito.* ***Int.*** **10.** Dar ordem (8): *O chefe ordenou, e a ordem foi cumprida.* **11.** Determinar ou mandar que se faça alguma coisa: "entre a turba Hipérides assoma, / Defende-lhe a inocência, exclama, exora, pede, / Suplica, ordena, exige..." (Olavo Bilac, *Poesias*, p. 78). ***P.*** **12.** Receber o sacramento da ordem (24). **13.** Entrar em ordem; preparar-se, aparelhar-se.

ordenável [De *ordenar* + *-vel*.] *Adj. 2 g.* Que pode ser ordenado ou disposto.

ordenha [Dev. de *ordenhar*.] *S. f.* Ato ou efeito de ordenhar; ordenhação.

ordenhação [De *ordenhar* + *-ção*.] *S. f.* Ordenha.

ordenhadeira [De *ordenhar* + *-deira*.] *S. f.* Aparelho utilizado para a ordenha de animais.

ordenhar [Do lat. vulg. **ordiniare*, 'pôr em ordem', e, entre pastores, 'mungir'.] *V. t. d.* **1.** Espremer a teta de (um animal) para tirar leite; mungir: "Ele mesmo ordenhava as vacas de uma a uma. E o contato daquelas tetas pejadas dava-lhe uma alegria tão grande que mais parecia um pecado." (João Clímaco Bezerra, *O Semeador de Ausências*, p. 121.) ***Int.*** **2.** Praticar a ordenha.

ordinal [Do lat. *ordinale*.] *Adj. 2 g.* ~ V. *numeral —* e *número —*.

ordinando [Do lat. *ordinandu*.] *Adj. S. m.* Que, ou aquele que se prepara para receber o sacramento da ordem (24).

ordinária [F. subst. do adj. *ordinário*.] *S. f.* **1.** Gasto diário, mensal ou anual. **2.** Pensão alimentícia. [Cf. *tença*.]

ordinariamente (nà) [Do f. de *ordinário* + *-mente*.] *Adv.* Comumente; na maioria das vezes; de ordinário.

ordinário [Do lat. *ordinariu*.] *Adj.* **1.** Que está na ordem usual das coisas; habitual, useiro, comum: *ocorrência ordinária.* **2.** Regular, periódico, costumado, frequente: *São ordinárias, ali, as festas.* **3.** De má qualidade; inferior: *vinho ordinário.* **4.** De baixa condição; baixo, grosseiro; mal-educado: *Que indivíduo ordinário!* **5.** Medíocre, vulgar: *inteligência ordinária.* **6.** *Bras.* Sem caráter; reles, ruim. ~ V. *ação —a, derivada —a, descontinuidade —a, equação diferencial —a, equação diferencial —a linear, gesso —, onda —a, passo —* e *ponto —*. • *S. m.* **7.** Aquilo que é habitual. **8.** *Ecles.* Superior eclesiástico. **9.** Música em passo de marcha. **10.** *Lit.* Designação comum às partes invariáveis de qualquer missa, cantada ou não, e que se apresentam na seguinte ordem: *Kyrie, Gloria in excelsis* e *Credo*; *Sanctus* e *Benedictus*; *Agnus Dei*. [Em certos casos, o *Gloria* e o *Credo* são suprimidos. Cf. *próprio* (12). V. *ano litúrgico*.] **11.** Indivíduo grosseiro ou sem caráter; indivíduo reles. ◆ **De ordinário.** Ordinariamente; por via de regra: "a fisionomia, de ordinário meiga, tornou-se severa" (Machado de Assis, *Helena*, p. 162).

ordinarismo [De *ordinário* + *-ismo*.] *S. m. Bras.* Procedimento ou caráter de quem é ordinário (4 a 6); falta de caráter.

ordinatório [Do lat. *ordinatus*, part. pass. de *ordinare*, 'ordenar', + *-ório*.] *Adj. Jur.* Diz-se do ato que tem por fim dar andamento a processos administrativos ou judiciários ou disciplinar o funcionamento da administração e a conduta funcional de seus agentes, orientando-os no desempenho de suas atribuições.

ordoviciano [De *ordovices*, ant. povo do País de Gales, pelo ingl. *ordovician*.] *Adj. S. m.* ~ V. *período* —.

oré *S. m. Bras. RJ Gír.* Homossexual (3).

oréade [Do mit. gr. *Oreiás, ádos*, pelo lat. *Oreade*.] *S. f. Mit.* Cada uma das ninfas dos bosques e das montanhas. ~ V. *oréades*.

oréades *S. f. pl. Bras.* Uma das cinco divisões florísticas brasileiras, a qual, segundo Martius [Carl Friedrich Philipp von Martius (1794-1868), botânico alemão], abrange toda a região campestre do Brasil. ~ V. *oréade*.

oreamno [Do tax. *Oreamnos*.] *S. m. Zool.* **1.** Gênero de mamíferos artiodáctilos, ruminantes, bovídeos, que abrange as cabras selvagens das Montanhas Rochosas (E.U.A.). **2.** Espécie ou espécime desse gênero.

orear [Do esp. plat. *orear*.] *V. t. d. Bras. RS* **1.** Secar ao vento (roupas, carnes, etc.). **2.** Expor ao sol. *Int.* **3.** Arejar-se, secar-se. [Conjug.: v. *frear*.]

orectolobídeo [Do tax. *Orectolobus*, gênero-tipo, + *-ídeo*[1]; tax. *Orectolobidae*.] *Adj. S. m. Zool.* Diz-se de, ou família de peixes orectolobiformes, habitantes de águas rasas tropicais e temperadas do Pacífico ocidental e do Índico oriental. Compreende oito espécies de tubarões de corpo achatado, que passam a maior parte do tempo no fundo do oceano onde, graças ao padrão de cores e as protuberâncias na pele que lhes ocultam o contorno da cabeça, se tornam invisíveis aos peixes, moluscos, crustáceos, etc., que lhes servem de alimento.

orectolobiforme [Adapt. do tax. *Orectolobiformes*.] *Zool. S. m.* **1.** Espécime dos orectolobiformes, ordem de peixes eusseláquios, elasmobrânquios, com 13 gêneros distribuídos em 8 famílias, que habitam águas rasas (principalmente) dos oceanos Atlântico, Pacífico e Índico; apresentam duas nadadeiras dorsais sem espinhos, boca pequena e cinco fendas branquiais, sendo que a quarta se sobrepõe à quinta na maioria das espécies. • *Adj. 2 g.* **2.** Pertencente ou relativo a eles.

orégano [Do gr. *oríganos*, pelo lat. *origanu*, por via semierudita.] *S. m.* Orégão (q. v.).

orégão [Do gr. *oríganos*, pelo lat. *origanu*, por via pop.] *S. m.* **1.** *Bot.* Erva lamiácea (*Origanum virens*) oriunda do Mediterrâneo e cultivada em virtude do forte aroma. **2.** Tempero de cozinha feito com as folhas dessa erva. [F. paral.: *orégano*. Pl.: *orégãos*.]

orelha (ê) [Do lat. *auricula*, dim. de *auris*, pela f. vulg. *oricla*.] *S. f.* **1.** *Anat.* Cada uma das duas conchas auditivas situadas nas partes laterais da cabeça e pertencente à orelha (2); aurícula **2.** *Anat.* Cada um de dois conjuntos de formações anatômicas [v. formação (5)] situados nas partes laterais da cabeça, responsáveis pelo sentido da audição e com função na manutenção do equilíbrio (8); ouvido (denom. ant.): "As óperas do Judeu [Antônio José] eram dadas num teatro popular; não as ouvia a corte de D. João V, mas o povo e os burgueses de Lisboa, cujas <u>orelhas</u> não teriam ainda os melindres que mais tarde lhes atribuiu Figueiredo." (Machado de Assis, *Relíquias de Casa Velha*, p. 153); "e o grito é abafado pelas <u>orelhas</u> surdas." (Iolanda Jordão, *Poesias*, p. 85). **3.** A orelha, esp. a do porco, para uso na alimentação humana. **4.** Apêndice de certos objetos semelhante a orelha: *as <u>orelhas</u> do boné do aviador.* **5.** A parte fendida do martelo, oposta à cabeça, e destinada a arrancar ou endireitar pregos. **6.** Pala de certos objetos; aba: *as <u>orelhas</u> das botinas; a <u>orelha</u> da sacola.* **7.** *Tip.* Cada uma das duas extremidades da sobrecapa ou da capa de papel ou cartolina de um livro, dobradas para dentro e geralmente impressas; aba. [Sin., nesta acepç. (lus.): *badana*.] **8.** Aquilo que se escreve na orelha (7) com informação e/ou julgamento a respeito do autor. [Sin., nesta acepç. (lus.): *badana*.] **9.** Cada uma das aivecas do arado. **10.** *Arquit.* Hélice do capitel coríntio. **11.** *Tip.* Pequena composição, geralmente orlada, e contendo informação, anúncio, etc., que ladeia o cabeçalho de um periódico. **12.** *Bras.* Perfuração na canga do coice, pela qual se passa o correame que sustenta o cabeçalho. ◆ **Orelha da sota.** *Bras.* Jogo de cartas; jogatina: "Travei amizade com ele e em dois meses emprestei-lhe dois contos de réis, que ele sapecou depressa na <u>orelha da sota</u> e em folias de bacalhau e aguardente, com fêmeas ratuínas, no Pão-sem-Miolo." (Graciliano Ramos, *S. Bernardo*, p. 17.) **Orelha externa.** *Anat.* Porção de cada orelha que abrange pavilhão de orelha e meato acústico externo; ouvido externo (denom. ant.). **Orelha interna.** *Anat.* Porção de cada orelha que compreende labirinto ósseo (q. v.) que, por sua vez, contém labirinto membranoso (q. v.); ouvido interno (denom. ant.). **Orelha média.** *Anat.* Porção de cada orelha que compreende membrana timpânica, caixa de tímpano, três ossículos (estribo, martelo e bigorna) e que se comunica com a cavidade mastoidea e com a tuba auditiva; ouvido médio (denom. ant.). **Orelhas de abano.** As que têm parte considerável afastada da cabeça. **Abanar a(s) orelha(s).** *Pop.* **1.** Não consentir, não concordar. **2.** Deixar transparecer que se duvida do que é dito: "André <u>abanou as orelhas</u> a tais palavras." (Aluísio Azevedo, *O Coruja*, p. 195.) **Até as orelhas.** Completamente, totalmente; até os olhos: *Está endividado <u>até as orelhas</u>.* **Bater orelha.** *Bras. RS* Andar parelho com outro; ser ou estar igual a outro; bater orelhas, bater aspas, bater guampas. [Aplica-se a animais, e também a pessoas: *Aqueles dois sujeitos <u>batem orelha</u> na maledicência*.] **Bater orelhas.** V. *bater orelha*. **Coçar a orelha com o pé.** V. *ter um pé na cozinha*. **De orelha.** V. *de ouvida*. **De orelha em pé.** *Bras. Fam.* Desconfiado, prevenido: *andar, estar, viver <u>de orelha em pé</u>.* **De orelha murcha.** Decepcionado, desiludido, desapontado. **Ficar de orelhas baixas.** Ficar humilhado. **Pisar na orelha.** *Bras. S.* Sair pela frente do cavalo quando este cai. **Prestar orelhas.** V. *prestar ouvido(s)*: "Ele também estava ali, a <u>prestar orelhas</u> ao diálogo que punera em dúvida a honestidade do suicida." (Lêdo Ivo, *Ninho de Cobras*, p. 74.) **Puxar as orelhas de.** Fazer reprimenda a alguém; advertir, censurar: "Às vezes o bom senso me <u>puxava as orelhas</u>: | – Baixa o fogo, sendeiro. Isso não tem pé nem cabeça." (Graciliano Ramos, *S. Bernardo*, p. 156.) **Puxar pela orelha da sota.** *Bras.* Ter o vício do jogo. **Rir de orelha a orelha.** Dar mostra de grande contentamento: "Sobretudo do Cavalcanti, que <u>ria de orelha a orelha</u>" (Pedro Nava, *Beira-Mar*, p. 24). **Sacar orelhas.** *Bras. S.* Na corrida, chegar com pequeno avanço. **Torcer as orelhas.** Arrepender-se de não ter feito o que podia fazer. **Torcer a orelha e não sair sangue.** Arrepender-se quando já não há remédio.

orelhada [De *orelha* + *-ada*[1].] *S. f.* Orelhão (1). ◆ **De orelhada.** *Bras. Pop.* V. *de ouvida*.

orelha-de-burro *S. f. Bras. Bot.* Orelha-de-onça (1). [Pl.: *orelhas-de-burro*.]

orelha-de-coelho *S. f. Bras. Bot.* V. *coração-magoado*. [Pl.: *orelhas-de-coelho*.]

orelha-de-cutia *S. f. Bras. Bot.* Grama-do-pará. [Pl.: *orelhas-de-cutia*.]

orelha-de-gato *S. f. Bras. S. Bot* Erva clusiácea (*Hypericum connatum*) de folhas ovadas ou suborbiculares, coriáceas e dotadas de pontoações negras, flores ordenadas e cimeiras paucifloras, amarelas, e cujos frutos são cápsulas. [Pl.: *orelhas-de-gato*.]

orelha-de-macaco *S. f. Bras. RJ* V. *renila*. [Pl.: *orelhas-de-macaco*.]

orelha-de-negro *S. f. Bot.* **1.** V. *favela-branca*. **2.** V. *tamburi*. [Pl.: *orelhas-de-negro*.]

orelha-de-onça *S. f. Bras. Bot.* **1.** Subarbusto menispermáceo (*Cissampelos ovalifolia*) comum nos cerrados, de folhas arredondadas e muito peludas, pequenas flores pouco aparentes, e que, subterraneamente, tem grossos tubérculos radiculares; orelha-de-burro. **2.** Mucitaíba (2). [Pl.: *orelhas-de-onça*.]

orelha de onça *S. f. Bras. SP*, *Bot.* Muda de café ainda muito nova. [Pl.: *orelhas de onça*. Na 1.ª impress. da 5.ª ed. do Volp., com hífens; corrigido em errata virtual; correção questionável, seg. a Base XV do AOLP.]

orelha-de-pau *S. f.* **1.** *Bras. Bot.* V. *urupê*. **2.** *Micol.* V. *píleo* (3). [Pl.: *orelhas-de-pau*.]

orelha-de-porco *S. f. Bras. Bot.* V. *coração-magoado*. [Pl.: *orelhas-de-porco*.]

orelha-de-rato *S. f. Bras. Amaz. Bot.* Erva escrofulariácea (*Vandellia diffusa*) anual e prostrada, que habita lugares úmidos, tem folhas pequenas, sésseis, serreadas e pilosas, flores solitárias que não ultrapassam 6mm, e cujas cápsulas são compridas e amarelas. [Pl.: *orelhas-de-rato*.]

orelha-de-urso *S. f. Bot.* **1.** Planta primulácea (*Auricula primula*) de folhas obovadas e flores bicolores, lilás e amarelo, agrupadas, originária da Europa; aurícula. **2.** *Bras. L.* Arbusto melastomatáceo (*Tibouchina holosericea*) comum no RJ, cujas amplas folhas são revestidas de denso tomento alvo, e cujas grandes flores, violáceas, são muito ornamentais. [Pl.: *orelhas-de-urso*.]

orelha-de-veado *S. f. Bras. Bot.* **1.** Mururé (6). **2.** V. *aguapé*[2] (1). [Pl.: *orelhas-de-veado*.]

orelhado [De *orelha* + *-ado*[1].] *Adj.* Que tem orelha(s); auriculado.

orelhador (ô) [De *orelhar* + *-dor*.] *S. m. Bras. RS* Indivíduo que orelha o animal.

orelha-livre *S. f. Bras. RS* Pequena vantagem que um cavalo leva, na carreira, ao seu competidor. [Pl.: *orelhas-livres*.]

orelhame [De *orelha* (1) + *-ame*.] *S. m. Fam.* As orelhas.

orelhano [Do esp. plat. *orejano*.] *Adj. Bras. S.* **1.** Diz-se do animal sem nenhum sinal nas orelhas. **2.** *P. ext.* Diz-se do animal sem marca. [Sin. ger: *orelhudo*.]

orelhão [De *orelha* + *-ão*[1].] *S. m.* **1.** Puxão de orelhas; orelhada. **2.** Inflamação em torno das parótidas. **3.** Parte do tear, nas fábricas de seda. **4.** *Bras. Pop.* Tipo de cabine de telefone público, instalada ao ar livre, que consiste numa peça concoidal em cujo interior está o aparelho.

orelhar [De *orelha* + *-ar*[2].] *V. t. d.* **1.** *Bras.* Fazer as orelhas [v. *orelha* (7)] de. **2.** *Bras. RS* Segurar (o animal) pelas orelhas, para tornar menos difícil ao domador montá-lo. **3.** *Fig.* Alimentar (uma esperança). [Conjug.: v. *aparelhar*.]

orelha-redonda *S. 2 g. Bras.* **1.** Boi orelhano. **2.** Animal que não tem sinal do dono. [Pl.: *orelhas-redondas*.]

orelheira [De *orelha* + *-eira*.] *S. f.* **1.** Orelhas de animal, especialmente porco **2.** Partes dos bonés ou gorros que se abaixam para resguardar as orelhas.

orelhudo [De *orelha* + *-udo*.] *Adj.* **1.** Que tem orelhas grandes. **2.** *Fig.* Estúpido, burro. **3.** Teimoso, obstinado. **4.** *Bras. S.* V. *orelhano*. • *S. m.* **5.** *Zool.* V. *morcego*[1] (1). **6.** *Pop.* Indivíduo burro, estúpido.

orélia [De or. obsc.] *S. f. Bras. Bot.* V. *dedal-de-dama*.

▲ **ore(o)-** Equiv. de *or(o)-*.

oreodonte [De *ore(o)-* + *-odonte*; tax. *Oreodon*.] *Paleont. S. m.* **1.** Gênero-tipo dos oreodontídeos, que encerrava animais selenodontes, semelhantes aos porcos atuais, porém com dentição completa, foram ancestrais dos camelos e parecem ter sido ruminantes. Viveram no oligoceno da América do Norte. **2.** Espécie ou espécime desse gênero. [Sin. ger.: *mericoidodonte*.]

oreodontídeo [Do lat. cient. *Oreodont-* (do tax. *Oreodon*, gênero-tipo) + *-ídeo*[1]; tax. *Oreodontidae*.] *Paleont. S. m.* **1.** Espécime dos oreodontídeos, família de mamíferos artiodáctilos do oligoceno, cujo gênero-tipo era o oreodonte (q. v.). • *Adj.* **2.** Pertencente ou relativo a eles. [Sin. ger.: *mericoidodontídeo*.]

oreognosia (òr) [De *ore(o)-* + *-gnosia*.] *S. f.* V. *orogenia* (2).

oreognóstico (òr) [De *ore(o)-* + *-gnóstico*.] *Adj.* V. *orogênico*.

oreografia (òr) [De *ore(o)-* + *-grafia*.] *S. f.* V. *orografia*.

oreográfico (òr) [De *oreografia* + *-ico*[2].] *Adj.* V. *orográfico*.

oreógrafo [De *ore(o)-* + *-grafo*.] *S. m.* V. *orógrafo*.

oreopiteco (òr) [De *ore(o)-* + *-piteco*; tax. *Oreopithecus*.] *S. m. Paleont.* **1.** Gênero de primatas antropoides, hominídeos, que habitaram o mioceno da Toscana (Itália). **2.** Espécie ou espécime desse gênero.

➔ **ore rotundo** ['ɔɾɛ ɾɔ'tundo] [Lat.] Com a boca arredondada; *i. e.*, em sentido figurado, numa linguagem harmoniosa.

▲ **-orex-** (cs) Equiv. de *orex(i)-*.

▲ **orex(i)-** (cs) [Do gr. *órexis, eōs*.] *El. comp.* = 'desejo', 'apetite': *orexia*. [Equiv.: *-orex-*: *anorexia*, *xenorexia*.]

orexia (cs) [De *orex(i)-* + *-ia*[1].] *S. f. Med.* Desejo ou necessidade de alimentar-se; apetite.

oreximania (cs) [De *orex(i)-* + *-mania*.] *S. f. Psiq.* Tendência mórbida para alimentar-se exageradamente.

oreximaníaco (cs) [De *oreximania* + *-íaco*.] *Adj. Psiq.* **1.** Relativo a oreximania. **2.** Que tem oreximania; orexímano. • *S. m.* **3.** Aquele que tem oreximania; orexímano.

orexímano (cs) [De *orex(i)-* + *-mano*[1].] *Adj. S. m. Psiq.* Oreximaníaco (2 e 3).

órfã [Fem. de *órfão*.] *Adj.* (*f.*) **1.** *Apic.* Diz-se da família de abelhas que perde a sua rainha. [Quando uma colmeia está órfã, as abelhas emitem, ao serem revisadas, um ruído típico, o chamado *choro das abelhas*, conhecido dos apicultores mais experimentados.] **2.** *Tip.* Diz-se de linha isolada de um parágrafo, no início ou no final de página.

orfaico [Do lat. tard. *orphaicu*.] *Adj.* Orfeico.

orfanado[1] [Part. de *orfanar*.] *Adj.* Tornado órfão: *Deixaram <u>orfanado</u> o único filho.*

orfanado[2] [De *órfão* + *-ado*[2], seg. o padrão erudito.] *S. m. P. us.* Orfanato.

orfanar [De *órfão* + *-ar*[2], seg. o padrão erudito.] *V. t. d.* **1.** Tornar órfão; lançar na orfandade. *T. d. e i.* **2.** Privar; destituir: *A destituição do diretor <u>orfanou</u> os funcionários de um dos seus mais competentes chefes.*

orfanato [De *órfão* + *-ato*[2], seg. o padrão erudito.] *S. m.* **1.** Orfandade. **2.** Asilo para órfãos. **3.** *Fig.* Abandono, desamparo.

orfandade [Do lat. tard. *orphanitate*.] *S. f.* Estado de órfão; orfanato.

orfanologia [Do gr. *orphanós*, 'órfão', + *-logia*.] *S. f.* Legislação relativa aos órfãos.

orfanológico [De *orfanologia* + *-ico*[2].] *Adj.* Relativo aos órfãos, ou à orfanologia.

órfão [Do gr. *orphanós*, pelo lat. tard. *orphanu*.] *Adj.* **1.** Que perdeu os pais ou um deles. **2.** *P. ext.* Que perdeu um protetor. **3.** *Fig.* Abandonado, desamparado, privado: *<u>órfão</u> de carinhos.* **4.** *Fig.* Desprovido, falto: *<u>órfão</u> de bom senso.* • *S. m.* **5.** Aquele que ficou órfão. [Flex.: *órfã, órfãos, órfãs*.]

orfeão [Do fr. *orphéon*.] *S. m. Mús.* **1.** Sociedade cujos membros se consagram ao canto coral, com acom-

O

panhamento ou sem ele. **2.** Coro (ô) (2). **3.** Pequeno instrumento de cordas e teclas.

orfeico (éi) [Do lat. tard. *orpheicu*.] ***Adj.*** Referente à música. [F. paral.: *orfaico*.] ❖

orfeônico ***Adj.*** V. *orfeônico*. [Uso freq. em P.]

orfeônico [De *orfeão* + *-ico*[2], seg. o padrão erudito.] ***Adj.*** **1.** Relativo a orfeão, ou à música dos orfeões. **2.** Próprio para orfeão: *canto orfeônico.*

orfeonista [De *orfeão* + *-ista*, seg. o padrão erudito.] ***S. 2 g.*** Membro de orfeão.

órficas [Do lat. *orphica*.] ***S. f. pl.*** Na antiguidade greco-romana, festas em honra de Dioniso ou Baco, celebradas nas confrarias órficas.

órfico [Do gr. *orphikós*, pelo lat. *orphicu*.] ***Adj.*** **1.** Referente a Orfeu: *poemas órficos.* **2.** Diz-se dos dogmas, mistérios e/ou princípios filosóficos atribuídos a Orfeu. ● ***S. m.*** **3.** Filósofo partidário do orfismo.

orfismo [Do mit. *Orfeu* + *-ismo*.] ***S. m.*** **1.** *Filos.* Culto religioso-filosófico, difundido na Grécia a partir dos sécs. VII e VI a. C., ligado ao culto de Dioniso, e que se acreditava instituído por Orfeu. Caracterizava-se principalmente pela crença na imortalidade, conquistável por meio de cerimônias, ritos purificadores e regras de conduta moral, que propiciavam a libertação da alma das sucessivas transmigrações. **2.** *Pint.* Movimento de dissidência do cubismo, surgido a partir de 1912, assim batizado por Guillaume Apollinaire (1880-1918), e segundo o qual os valores luminosos devem constituir a estrutura dinâmica do quadro, o que só se conseguirá a partir do 'contraste simultâneo'. Visava à criação de uma 'pintura pura', tb. no dizer de Apollinaire.

organdi [Do fr. *organdi*.] ***S. m.*** Musselina muito leve e transparente, com um preparo especial que lhe dá certa consistência: "O vestido de Carmela coladinho no corpo é de organdi verde." (Antônio de Alcântara Machado, *Novelas Paulistanas*, p. 63.)

organeiro [Do lat. tard. *organariu*, 'músico', ou de *órgão* + *-eiro*, seg. o padrão erudito.] ***S. m.*** Fabricante de órgãos.

organela [Do lat. cient. *organella* (v. *organ(o)-* e *-ela*).] ***S. f.*** *Citol.* Diminuta estrutura celular limitada por membrana (mitocôndria, lisossomo, etc.) ger. presente em células eucarióticas. [Sin. (desus.): *organoide* e *orgânulo*.]

organicidade [De *orgânico* + *-(i)dade*.] ***S. f.*** Qualidade ou caráter de orgânico. "A 'organicidade' da função dos intelectuais só existe enquanto se trata de dar um sentido e direção à sociedade, que ela por si própria não tem a não ser na 'revolução'" (José Pacheco Pereira, *O Nome e a Coisa*, p. 176).

organicismo [De *orgânico* + *-ismo*.] ***S. m.*** **1.** *Filos.* Doutrina segundo a qual a vida resulta da composição e coordenação das funções particulares dos órgãos que compõem o ser vivo. **2.** *Sociol.* Doutrina que, assimilando a sociedade ao organismo vivo, tende a aplicar aos fatos sociais as leis e teorias biológicas.

organicista [De *organicismo* + *-ista*.] ***Adj. 2 g.*** **1.** Relativo ao, ou que é partidário do organicismo. ● ***S. 2 g.*** **2.** Partidário do organicismo.

orgânico [Do gr. *organikós*, pelo lat. *organicu*.] ***Adj.*** **1.** Relativo a órgão, a organização, ou a seres organizados: *vida orgânica; disposição orgânica.* **2.** Relativo a, ou próprio de organismo: *doenças orgânicas.* **3.** Arraigado profundamente: *inclinação orgânica.* **4.** Que ataca os órgãos. **5.** Que tem o caráter de um desenvolvimento natural, inato, em oposição ao que é ideado, calculado: *um intelectual orgânico.* **6.** *Quím.* Pertinente ou próprio dos compostos de carbono. [Contrapõe-se a *inorgânico* (3).] **7.** Diz-se de alimento produzido levando-se em conta os princípios da ecologia, ger. sem o emprego de fertilizantes ou pesticidas sintéticos. **8.** *P. ext.* Diz-se de produto, processo ou método que respeita esses princípios; natural: *agricultura orgânica.* ~ V. *arquitetura —a, crescimento —, composto —, doença —a, lei —a, lesão —a, química —a, rocha —a, seiva —a e solo —.*

organigrama [Do fr. *organigramme*.] ***S. m.*** V. *organograma*: "Encontrei .... a lógica perfeita .... que vai relacionar todas as coisas a uma única luz, a sexualidade, os buracos negros, o vosso organigrama" (Clara Pinto Correia, *Histórias Naturais*, p. 177). [Forma m. us. em Portugal.]

organismo [Do fr. *organisme*.] ***S. m.*** **1.** O conjunto dos órgãos dos seres vivos. **2.** A constituição do corpo humano: *O abuso do álcool afeta o organismo.* **3.** Qualquer ser organizado: *organismos microscópicos.* **4.** Qualquer sistema ou estrutura organizada: *As cidades são organismos em transformação constante.* **5.** Entidade que exerce funções de caráter social, político, administrativo, etc.; organização, órgão: *os organismos internacionais; um organismo assistencial.*

organista [Do lat. med. *organista*.] ***S. 2 g.*** Pessoa que toca órgão.

organização [De *organizar* + *-ção*.] ***S. f.*** **1.** Ato ou efeito de organizar(-se). **2.** Modo pelo qual um ser vivo é organizado; conformação, estrutura: *a organização dos vegetais; O rapaz tem uma organização saudável.* **3.** Modo pelo qual se organiza um sistema (2): *a organização de um mecanismo; a organização da justiça.* **4.** Associação ou instituição com objetivos definidos: *organização esportiva; organização filantrópica.* **5.** V. *organismo* (5): *A Unesco é uma organização de caráter especialmente cultural.* **6.** *P. ext.* A designação oficial de certos organismos: *a Organização das Nações Unidas.* [Com cap., nesta acepç.] **7.** Planejamento, preparo: *organização de uma viagem, de uma temporada teatral.* ◆ **Organização dualista.** *Antrop.* Constituição ou estruturação de uma sociedade, fundamentada numa divisão global em dois grupos, ger. exógamos e unilineares, com atribuições rituais contrastivas e simbolicamente associados a aspectos e elementos opostos do universo. **Organização funcional.** *Adm.* Organização com hierarquia bem definida em que os funcionários são distribuídos em setores ou departamentos de acordo com as funções desempenhadas (*marketing*, produção, finanças, etc.). **Organização industrial.** *Econ.* Parte da microeconomia que estuda as características de mercados industriais específicos, como, p. ex., a existência e a extensão de situações de monopólio e oligopólio, e suas consequências no desempenho e nas políticas das empresas, e na formação de preços. **Organização não governamental.** **1.** Qualquer organização que não integra o Estado nem está diretamente ligada ao Governo, e cujas atividades, de natureza não empresarial, estão voltadas para a esfera pública, esp. a prestação de serviços considerados relevantes para o desenvolvimento social [sigla: *ONG*]. **2.** Designação genérica das entidades jurídicas de caráter privado, sem fins lucrativos, e voltadas para questões tais como movimentos populares, ecologia, políticas de saúde, direitos humanos, população de rua, minorias, etc.; seu propósito básico é, ger., o exercício da cidadania e da autonomia dos grupos que compõem a sociedade.

organizacional [De *organização* + *-al*[1], seg. o padrão erudito.] ***Adj. 2 g.*** Relativo a, ou próprio de organização; organizativo. ~ V. *aprendizagem —, autoconhecimento —, coesão —, cultura —, disfunção —, estrutura — e mudança —.*

organizado [Part. de *organizar*.] ***Adj.*** **1.** Que tem órgãos: *seres organizados.* **2.** *Bras.* Ordenado, metódico: *É muito organizado: faz tudo na hora certa.* ~ V. *anarquia —a.*

organizador (ô) [De *organizar* + *-dor*.] ***Adj. S. m.*** Que, ou aquele que organiza. ◆ **Organizador nucleolar.** *Citol.* Segmento de DNA que contém os genes que codificam para os RNAs ribossômicos e induz a formação de nucléolo.

organizar [Do fr. *organiser*.] ***V. t. d.*** **1.** Constituir o organismo de; estabelecer as bases de; ordenar, arranjar, dispor: "Flaubert pensou em organizar um vasto *dossier de la bêtise humaine*, do qual Maupassant chegou a publicar alguns extratos." (Eduardo Frieiro, *Os Livros Nossos Amigos*, p. 180.) **2.** Dar às partes de (um corpo) a disposição necessária para as funções a que ele se destina. **3.** *Adm.* Alocar recursos, ordenar tarefas e atribuir responsabilidades de modo a possibilitar o cumprimento dos objetivos da organização. ***P.*** **4.** Tornar definitiva uma organização; constituir-se, formar-se.

organizativo [De *organizar* + *-tivo*.] ***Adj.*** Organizacional.

organizável [De *organizar* + *-vel*.] ***Adj. 2 g.*** Que pode ser organizado.

▲ **organ(o)-** [Do lat. *organum*, *i* < gr. *órganon*, *ou*.] ***El. comp.*** = 'órgão': *organograma, organopatia.*

▲ **organo-** *Quím.* ***El. comp.*** = 'orgânico (6)': *organometálico.*

órgano [Do lat. *organu* < gr. *órganon*, por via erudita.] ***S. m.*** *Mús.* Polifonia a duas vozes (séc. IX e X): a voz grave (*vox principalis*), que entoava uma melodia gregoriana, e a voz acompanhante (*vox organalis*), que cantava a mesma melodia, nota contra nota, a uma quarta ou quinta superiores. Ambas podiam ser duplicadas pelas respectivas oitavas. [Cf. *diafonia* (2).]

organoclorado [De *organo-* + *clorado*.] ***Adj. S. m.*** *Quím.* Diz-se de, ou composto orgânico (em particular, inseticida) que contém cloro. [Os inseticidas organoclorados, por se acumularem no ambiente, são de uso restrito ou proibido.]

organofosforado [De *organo-* + *fosforado*.] ***Adj. S. m.*** *Quím.* Diz-se de, ou composto orgânico cujas moléculas contêm fósforo, em particular certos fosfonatos us. como inseticidas.

organogênese ***S. f.*** *Embr.* V. *organogênese*. [Uso freq. em P.]

organogênese [De *organ(o)-* + *-gênese*.] ***S. f.*** *Embr.* Descrição do desenvolvimento ou formação dos órgãos durante o desenvolvimento embrionário; organogenesia, organogenia.

organogenesia [De *organ(o)-* + *-genes(i)-* + *-ia*[1].] ***S. f.*** *Embr.* V. *organogênese*.

organogenésico [De *organogênese* + *-ico*[2].] ***Adj.*** V. *organogenético*.

organogenético [De *organogên(ese)* + *-ético*.] ***Adj.*** Relativo a organogenesia; organogênico, organogenésico.

organogenia [De *organ(o)-* + *-genia*.] ***S. f.*** *Embr.* V. *organogênese*.

organogénico ***Adj.*** V. *organogênico*. [Uso freq. em P.]

organogênico [De *organogenia* + *-ico*[2].] ***Adj.*** V. *organogenético*. ~ V. *rocha —a.*

organografia [De *organ(o)-* + *-grafia*.] ***S. f.*** Parte da botânica que descreve os órgãos.

organográfico [De *organografia* + *-ico*[2].] ***Adj.*** Relativo a organografia.

organograma [De *organ(o)-* + *-grama*.] ***S. m.*** *Bras.* Representação gráfica de uma organização ou de um serviço, e que indica os arranjos e as inter-relações de suas unidades constitutivas, o limite das atribuições de cada uma delas, etc.; organigrama.

organoide (ói) [De *organ(o)-* + *-oide*.] ***S. m.*** *Citol. Desus.* V. *organela*. ❖

organoléptico [De *organ(o)-* + *-léptico*.] ***Adj.*** *Fisiol.* Diz-se de propriedade demonstrada por um corpo, ou por uma substância, e que impressiona um ou mais sentidos [v. *sentido* (5)] : *os efeitos organolépticos do vinho.* [Var.: *organolético*.]

organolético ***Adj.*** *Fisiol.* V. *organoléptico*.

organologia [De *organ(o)-* + *-logia*.] ***S. f.*** *Mús.* Disciplina que trata da descrição e da classificação de qualquer instrumento musical, tanto da tradição ocidental como da oriental e mesmo dos povos ágrafos, e que leva em conta o material empregado, a forma, a qualidade do som produzido, o timbre, o modo de execução, etc. [Vale ressaltar nessa disciplina a terminologia adotada por Curt Sacks e E. von Hornbostel (Berlim, 1914) e divulgada nos estudos de musicologia.]

organológico [De *organologia* + *-ico*[2].] ***Adj.*** Relativo a organologia.

organoma [De *organ(o)-* + *-oma*[1].] ***S. m.*** *Patol.* Tumor formado de órgãos ou partes de órgão, ou que se caracteriza pela presença, nele, de órgãos definidos, como ocorre, p. ex., no cisto dermoide.

organometálico [De *organo-* + *metálico*.] ***Adj.*** *Quím.* Diz-se de substância proveniente da combinação de um grupo orgânico com um metal.

organometaloídico [De *organo-* + *metaloide* + *-ico*[2].] ***Adj.*** *Quím.* Diz-se da combinação de metaloide com grupo orgânico.

órganon [Do gr. *órganon*, 'instrumento'.] ***S. m.*** Conjunto de requisitos lógicos para uma demonstração científica ou filosófica.

organopatia [De *organ(o)-* + *-patia*.] ***S. f.*** *Med.* Doença orgânica.

organoplastia [De *organ(o)-* + *-plast(o)-* + *-ia*[1].] ***S. f.*** *Cir.* Plastia de órgão (1).

organoplástico [De *organoplastia* + *-ico*[2].] ***Adj.*** *Med.* Relativo a organoplastia.

organoscopia [De *organ(o)-* + *-scop-* + *-ia*[1].] ***S. f.*** *Med.* Inspeção de um órgão mediante instrumento adequado, ou sem ele.

organoscópico [De *organoscopia* + *-ico*[2].] ***Adj.*** *Med.* Relativo a organoscopia.

organoterapia [De *organ(o)-* + *-terapia*.] ***S. f.*** *Terap.* Opoterapia.

organoterápico [De *organoterapia* + *-ico*[2].] ***Adj.*** *Terap.* Opoterápico.

organotrópico [De *organo-* + *-trop(o)-* + *-ico*[2].] ***Adj. S. m.*** *Med.* Diz-se de, ou substância que tem particular afinidade por determinado tecido ou órgão.

organsim [Do fr. *organsin*.] ***S. m.*** O primeiro fio de seda que se deita no tear para formar urdidura; organsino.

organsinar [De *organsim* + *-ar*[2], seg. o padrão erudito.] ***V. t. d.*** Tecer (fios de seda bruta) em rodas apropriadas para formar o organsim.

organsino ***S. m.*** Organsim.

orgânulo [De *organ(o)-* + *-ulo*.] ***S. m.*** *Citol. Desus.* V. *organela*.

organza [Alter. de *Lorganza*, marca registrada, poss.] ***S. f.*** *Tec. Têx.* Tecido fino e transparente, de trama simples, em geral de fio de seda, raiom ou náilon, e mais encorpado e armado que o organdi.

órgão [Do lat. *organu* < gr. *órganon*, por via pop.] ***S. m.*** **1.** *Anat.* Formação anatômica que goza de certa autonomia, constituída segundo um plano que lhe é característico, sendo composta de tecidos, um dos quais predomina funcionalmente sobre os outros, e que desempenha uma ou mais funções especiais. **2.** Cada uma das partes de um maquinismo. **3.** Meio, pessoa ou objeto que serve de intermediário. **4.** Periódico; revista, jornal, gazeta. **5.** Grande instrumento de sopro, composto de tubos afinados cromaticamente, alimentados por um sistema de foles, e acionados por meio de um ou mais teclados manuais, além de uma ou duas pedaleiras. É empregado especialmente como instrumento de música religiosa. **6.** V. *organismo* (5). [Pl.: *órgãos.*] ◆ **Órgão de Weber.** *Zool.* O conjunto das estruturas constituídas por ossículos e seus ligamentos, e pelo qual a bexiga natatória de alguns peixes se comunica com a orelha interna. **Órgão hidráulico.** Órgão inventado c. 300 a. C., pelo alexandrino Ctesíbio, e que era provido de um teclado manual, de tubos sonoros e de um sistema que utilizava o peso da água para comprimir o ar no someiro. **Órgão nucal.** *Zool.* Órgão ciliado dos vermes anelídeos, próximo aos gânglios cerebroides. **Órgão paleal.** *Zool.* Conjunto de estruturas (*ctenídia* e *osfrádio*) que se situam na parte posterior da cavidade paleal dos moluscos. **Órgão respiratório acessório.** *Biol.* Órgão que, além de suas funções normais, tem função respiratória, como, p. ex., a pele. **Órgão trocal.** *Zool.* Cada um de um par de órgãos caudais, sensoriais e preensores, característicos da maioria dos vermes nematódeos, principalmente nos asquelmintos.

orgasmo [Do gr. *orgasmós.*] *S. m.* O mais alto grau de excitação dos sentidos ou de um órgão, especialmente o acme do ato sexual.

orgástico [De *org(asmo)* + gr. *-astikós* (de v. gr. terminados em *-ázein*), como em *entusiasmo* (< gr.)/ entusiástico (< gr.).] *Adj.* Relativo ao orgasmo.

orgia [Do gr. *órgia*, 'festas de Baco', pelo lat. *orgia* (ĭ); tal como no esp. *orgía*, a acentuação deve-se poss. à infl. do fr. *orgie.*] *S. f.* **1.** Festim licencioso; bacanal. **2.** Festa solene em honra de Dioniso ou Baco, na antiguidade greco-romana; bacanal. **3.** *Fam.* Entretenimento, que, em geral, inclui companhia alegre² (6), bebidas, etc. [Sin.: *farra, esbórnia*, e (lus.) *borga.*] **4.** *Fig.* Desordem, tumulto; anarquia. **5.** Profusão; desperdício: *orgia de cores; orgia orçamentária.* [Cf. *órgia*, fem. de *órgio*, e *urgia*, do v. *urgir.*]

orgíaco [Do gr. *orgiakós.*] *Adj.* **1.** Relativo a orgia ou a orgias. **2.** Que tem caráter de orgia. [Sin. (p. us.): *orgiástico* e *órgio.*]

orgiasmo [Do gr. *orgiasmós.*] *S. m.* Celebração dos mistérios orgíacos.

orgiástico [Do gr. *orgiastikós.*] *Adj. P. us.* V. *orgíaco.*

órgio [do lat. **orgiu* < lat. *orgia* (v. *orgia*).] *Adj. P. us.* V. *orgíaco*: "em vez da chama, a frio / luz de um deserto frio, em vez do *órgio* / festim, este calado, / indefeso aceitar que me consome" (Marli de Oliveira, *Antologia Poética*, p. 101). [Fem.: *órgia*. Cf. *orgia.*]

orgulhar [De *orgulho* + *-ar²*.] *V. t. d.* **1.** Causar orgulho a; ensoberbecer: *Os feitos científicos do físico César Lattes orgulham toda a nação. P.* **2.** Sentir orgulho; ufanar-se: "Começou então a estudar, assiduamente, com Mestre Porcalho, que *se orgulhava* deste discípulo, tão gentil e tão nobre." (Eça de Queirós, *Últimas Páginas*, p. 396.)

orgulho [Do frâncico **urgūli*, 'excelência', pelo cat. *orgull* e poss., pelo esp. *orgullo.*] *S. m.* **1.** Sentimento de dignidade pessoal; brio, altivez. **2.** Conceito elevado ou exagerado de si próprio; amor-próprio demasiado; soberba. **3.** Aquilo ou aquele(s) de que(m) se tem orgulho: *Osvaldo Cruz é um orgulho da nação; Aqueles rapazes são o orgulho dos pais.*

orgulhoso (ô) [De *orgulho* + *-oso.*] *Adj.* **1.** Que tem orgulho; altivo, brioso. **2.** Vaidoso, soberbo. ● *S. m.* **3.** Indivíduo que tem orgulho.

ori¹ *Bras. S. 2 g.* **1.** *Etnôn.* Indivíduo dos oris, povo indígena extinto que habitava a região entre os rios Vasa-Barris e Itapicuru (N.E. da BA). ● *Adj. 2 g.* **2.** Pertencente ou relativo a esse povo. [Tb. us. como *s. 2 g. e 2 n.* (com cap.) e *adj. 2 g. e 2 n.*]

ori² [De or. afric.] *S. m.* Manteiga vegetal us. como hidratante ou em rituais: "Ela tinha peitos pequenos, dentes brancos e a pele escura que brilhava ainda mais por causa do *ori*." (Ana Maria Gonçalves, *Um Defeito de Cor*, p. 22.)

▲ **ori-** [Do lat. *os, ōris.*] *El. comp.* = 'boca': *orifício* (< lat.), *oriforme*. [Equiv.: *oro-*: *orofacial, orofaringe.*]

oriá [Do sânscr.] *S. m. Gloss.* Língua indo-ariana falada em Orissa (Índia) e em regiões circunvizinhas.

oribi *S. m. Bras. Bot.* V. *coleira³*.

oricalco [Do gr. *oreíchalkos*, 'cobre das montanhas', pelo lat. *orichalcu.*] *S. m.* Designação que os antigos gregos davam umas vezes ao cobre puro, outras ao latão, outras ao bronze: "Ai do desgraçado que pusesse pé no palácio de *oricalco* da princesa lendária!" (Aquilino Ribeiro, *Portugueses das Sete Partidas*, pp. 345-346.) [F. paral.: *auricalco.*]

oricterope [Do fr. *oryctérope.*] *S. m. Zool.* V. *oricterópo.*

orictéropo [Do tax. *Orycteropus* < gr. *oryktér, êros*, 'cavador', + gr. *poús, podós*, 'pé'.] *S. m. Zool.* **1.** Gênero de mamíferos oricteropodídeos dos quais há, apenas, uma espécie exstante. **2.** A espécie exstante desse gênero, *Orycteropus afer*, que lembra um porco comprido, de focinho alongado, pesando de 50 a 100kg. Os espécimes são excelentes escavadores, e habitam planícies relvadas, matas e savanas à procura de formigas e cupins, de que se alimentam. **3.** Qualquer espécime desse gênero. [Sin., nas acepçs. 2 e 3: *jimbo, porco-da-terra, porco-formigueiro, timba, timbo*. Var.: *oricterope.*]

oricteropodídeo [De *orictéropo* + *-ídeo¹*; tax. *Orycteropodidae.*] *Zool. S. m.* **1.** Espécime dos oricteropodídeos, família de tubulidentados que habitaram a África no mioceno e a Europa no oligoceno, e da qual há uma única espécie exstante (v. *orictéropo*), distribuída pela África em regiões ao sul do Saara. Têm membros especializados para a escavação, e fazem buracos que atingem de 2 a 3m, ou são mais extensos ainda, hábitos noturnos, enrolando-se, durante o dia, num círculo apertado dentro dos buracos, que usam para escaparem ao perigo e obterem alimento (formigas e cupins); seu olfato e audição são altamente desenvolvidos. ● *Adj.* **2.** Pertencente ou relativo a eles.

orientação [De *orientar* + *-ção.*] *S. f.* **1.** Ato ou arte de orientar(-se). **2.** Direção, guia, regra. **3.** *Fig.* Impulso, tendência, inclinação. **4.** *Astr.* Direção dos eixos de um engenho espacial, em relação a um triedro de referência. **5.** *Educ.* Fase do ciclo docente em que o professor acompanha, utilizando técnicas, recursos e procedimentos adequados, a marcha do aprendizado de seus alunos. ◆ **Orientação acadêmica.** *Educ.* V. *orientação educacional.* **Orientação a objetos.** *Inform.* Metodologia de programação e análise baseada na identificação e definição de classes de objetos e de relações. [Cf. *classe* (21), *objeto* (11) e *programação orientada a objetos.*] **Orientação celeste.** Orientação por intermédio da posição de corpos celestes; navegação celeste. **Orientação educacional.** *Educ.* Processo intencional e metódico destinado a acompanhar, segundo técnicas específicas, o desenvolvimento intelectual e a formação integral dos estudantes; orientação escolar; orientação acadêmica. **Orientação escolar.** *Educ.* V. *orientação educacional.* **Orientação profissional.** *Psicol.* Conjunto de esforços sistemáticos desenvolvidos mediante métodos e técnicas próprios no sentido de ajudar as pessoas, em especial os adolescentes, na escolha adequada de suas profissões.

orientado [Part. de *orientar.*] *Adj.* Que sofreu ou sofre orientação. ~ V. *ângulo —, ligação —a, ramo — e reta —a.*

orientador (ô) [De *orientar* + *-dor.*] *Adj.* Que dirige, orienta; dirigente, diretor. ~ V. *professor —.* ◆ **Orientador educacional.** *Educ.* Técnico habilitado a ministrar orientação educacional; orientador escolar. **Orientador escolar.** *Educ.* Orientador educacional. **Orientador profissional.** *Psicol.* Técnico em orientação profissional. **Orientador psicológico.** *Psicol.* Psicólogo encarregado de aconselhamento (3).

orientais [Pl. subst. de *oriental.*] *S. m. pl.* Os povos da Ásia. ~ V. *oriental.*

oriental [Do lat. *orientale.*] *Adj. 2 g.* **1.** Relativo ao Oriente. **2.** Situado no Oriente. **3.** Que é originário de lá. **4.** Que vive ou vegeta no Oriente. **5.** Característico dos países orientais e/ou ao seu povo; peculiar a eles. **6.** Uruguaio. ~ V. *Nordeste — e tapete —.* [Antôn.: *ocidental.*] ● *S. m.* **7.** O natural ou habitante do Oriente. **8.** *Gloss.* V. *malaio-polinésio* (3). ~ V. *orientais.*

orientalense *Adj. 2 g. S. 2 g.* Orientense.

orientalidade [De *oriental* + *-(i)dade.*] *S. f.* Qualidade de oriental.

orientalismo [De *oriental* + *-ismo.*] *S. m.* **1.** Qualidade ou caráter de oriental ou que sofreu o influxo do Oriente. **2.** Predileção pelas coisas do Oriente. **3.** Conjunto de conhecimentos ou estudos acerca dos povos orientais. **4.** Ciência de orientalista. **5.** Locução hiperbólica ou simbólica, à maneira dos orientais.

orientalista [De *oriental* + *-ista.*] *Adj. 2 g. S. 2 g.* Diz-se de, ou pessoa versada no conhecimento dos povos e idiomas orientais.

orientalização [De *orientalizar* + *-ção.*] *S. f.* Ato ou efeito de orientalizar(-se).

orientalizar [De *oriental* + *-izar.*] *V. t. d. P.* Adaptar(-se) à civilização do Oriente.

orientando [De *orientar* + *-ando.*] *S. m.* **1.** *Educ. Psic.* Aquele que recebe orientação educacional ou profissional. **2.** *Educ.* Acadêmico que recebe orientações com vias a conclusão de uma pesquisa científica, dissertação ou tese.

orientar [De *oriente* + *-ar².*] *V. t. d.* **1.** Determinar a posição de (um lugar) em relação aos pontos cardeais. **2.** Adaptar ou ajustar à direção dos pontos cardeais. **3.** Indicar o rumo a; dirigir, encaminhar, guiar: *Orientou o turista que desejava chegar ao centro da cidade.* **4.** *Geom.* Atribuir um sentido a (uma reta ou um arco de curva). *T. d. e c.* **5.** Orientar (2): *Orientou a bússola para o Norte.* **6.** Orientar (3): *Orientava o viajante em direção à praça. T. d. e i.* **7.** Guiar, dirigir, nortear: *Orienta sua vida por princípios morais rigorosos. P.* **8.** Dirigir-se, encaminhar-se, nortear-se: *A multidão orientava-se para o centro da cidade.* **9.** Reconhecer a situação do lugar onde se acha, para guiar-se no caminho. **10.** Reconhecer ou examinar cuidadosamente os diferentes aspectos de (uma questão): *Orientou-se antes de assumir a responsabilidade dos negócios.* **11.** Buscar orientação, ou informações sobre; inteirar-se, informar-se: *Orientou-se com o amigo sobre o roteiro da viagem.*

orientável [De *orientar* + *-vel.*] *Adj. 2 g.* Que pode ser orientado.

oriente [Do lat. *oriente.*] *S. m.* **1.** A parte onde nasce o Sol; nascente, leste, este, levante. **2.** *Astr. Geogr.* V. *este* (1 e 2). **3.** A Ásia. [Com cap., nesta acepç.] **4.** *P. ext.* Os povos da Ásia; os orientais. **5.** O lado direito (do ponto de vista do observador) de uma carta geográfica. **6.** A qualidade que determina o valor de uma pérola; o lustre: *Pérolas do mais puro oriente ornamentavam-lhe o colo.* **7.** *Maç.* Lugar na loja maçônica onde tem assento o venerável mestre. ◆ **Oriente Médio.** Região que compreende o N. da África, os países da Península Arábica (Arábia Saudita, Iêmen, Omã, Emirados Árabes Unidos, Catar, Bareine e Kwait), Israel (mais os territórios palestinos de Gaza e Cisjordânia), Jordânia, Líbano, Síria, Iraque, Irã, Chipre e, por vezes, a Turquia e o Afeganistão; Oriente Próximo. **Oriente Próximo.** Oriente Médio. **Extremo Oriente.** Designação ampla dada pelos ocidentais à região da Ásia que compreende os países do Leste Asiático (China, Japão, Coreia, Mongólia, Manchúria e a parte oriental da Sibéria), e que inclui, por vezes, os países do S. e do S.E. do continente. **Grande Oriente.** *Maç.* **1.** Agrupamento de lojas maçônicas que seguem ritos diferentes. **2.** Órgão central e mais elevado na hierarquia maçônica, reconhecido previamente por outro Grande Oriente: "criando-se mais duas lojas políticas, intituladas União e Tranquilidade e Esperança de Niterói, e com estas três lojas organizou-se o *Grande Oriente* do Brasil" (A. Melo Morais, *História do Brasil-Reino e Brasil-Império*, p. 79).

orientense *Adj. 2 g.* **1.** De, ou pertencente ou relativo a Oriente (SP). ● *S. 2 g.* **2.** O natural ou habitante de Oriente. [Sin. ger.: *orientalense.*]

orifício [Do lat. tard. *orificiu.*] *S. m.* **1.** Abertura estreita e/ou pequena. **2.** Pequeno buraco. ◆ **Orifício urogenital.** *Zool.* V. *cloaca².*

oriflama [Do fr. *oriflamme.*] *S. f.* V. *auriflama*: "A cinco léguas dessa localidade aglomeram-se rochedos de diferente coloração, ... representando ora um templo, ora um palácio, abóbadas, cúpulas, torreões, um mastro com a *oriflama*, arruamentos de casas com telhados, becos e praças." (Alberto Rangel, *Papéis Pintados*, p. 269.)

O

oriforme [De *ori-* + *-forme.*] *Adj. 2 g.* Que tem a forma de boca: *abertura oriforme.*

origâmi [Do jap.] *S. m.* Arte japonesa de dobrar papéis, de modo a criar formas delicadas e poéticas de animais, flores, etc.

origamista [De *origâmi* + *-ista.*] *S. 2 g.* Especialista em origâmi.

origem [Do lat. *origine.*] *S. f.* **1.** Princípio, começo, procedência: "O teatro grego é de *origem* religiosa; nunca houve dúvidas a esse respeito." (Oto Maria Carpeaux, *História da Literatura Ocidental*, I, p. 51.) **2.** Naturalidade, nascimento, procedência. **3.** V. *pátria* (4). **4.** Ascendência, progênie. **5.** *Fig.* Princípio ou causa.

origenismo [Do antr. *Orígenes* + *-ismo.*] *S. m.* Tendência teológica cristã iniciada com Orígenes, teólogo de Alexandria, no séc. III, a qual mistura elementos da gnose do platonismo e do cristianismo, afirmando, especialmente, uma restauração final de todos os seres, inclusive o Demônio e os condenados; apocatástase.

origenista [De *origenismo* + *-ista.*] *Adj. 2 g. S. 2 g.* Sectário do origenismo.

original [Do lat. *originale.*] *Adj. 2 g.* **1.** Relativo à origem. **2.** Que provém da origem; inicial, primordial, primitivo, originário. **3.** Que não ocorreu nem existiu antes; inédito, novo. **4.** Que foi feito pela primeira vez, em primeiro lugar, sem ser copiado de nenhum modelo. **5.** Que tem caráter próprio; que não procura imitar nem seguir ninguém; novo. **6.** Que por seus caracteres peculiares, singulares, chega ao ponto de tornar-se bizarro, extravagante. ~ V. *edição —.* ● *S. m.* **7.** Obra original, o modelo do qual se poderão tirar cópias ou reproduções. **8.** Escrito primitivo. **9.** Pessoa ou coisa reproduzida ou descrita pela arte; modelo original. **10.** *Edit.* Material (texto manuscrito, datilografado, ou impresso, fotografia, desenho, etc.) destinado à preparação editorial e ulterior impressão. [Cf. *manuscrito.*] ● *S. 2 g.* **11.** Pessoa original. ◆ **Original a traço.** *Art. Gráf.* Original que não apresenta tonalidades intermediárias entre o traço dos grafismos e o suporte impresso. **Original de tom contínuo.** *Art. Gráf.* Original que apresenta uma série de tonalidades intermediárias entre o branco do suporte e a saturação máxima das cores a serem impressas.

originalão [De *original* + *-ão*¹.] *Adj. S. m.* Diz-se de, ou indivíduo muito original, excêntrico, esquisito, exótico. [Fem.: *originalona*.]

originalidade [De *original* + *-(i)dade*.] *S. f.* **1.** Qualidade de original. **2.** *Edit.* Novidade (5) na forma de expressão de uma obra, protegida pela legislação sobre propriedade intelectual. [Cf., nesta acepç., *plágio*.]

originalona *S. f.* Fem. de *originalão* (q. v.).

originar [De *origem* + *-ar*², seg. o padrão erudito.] *V. t. d.* **1.** Dar origem a; ser causa de; causar, determinar, motivar: *O problema ortográfico originou séria polêmica.* *P.* **2.** Ter origem; ser proveniente; derivar-se; nascer, proceder. [Fut. pret.: *originaria*, etc. Cf. *originária*, fem. de *originário*.]

originário [Do lat. tard. *originariu*.] *Adj.* **1.** Proveniente, oriundo: *originária da Índia.* **2.** Que provém por geração; descendente: *É originário dos Albuquerques.* **3.** Que se conserva desde a origem; primitivo: *instintos originários.* ~ V. *receita* —. [Fem.: *originária*. Cf. *originaria*, do v. *originar*.]

origma [Do gr. *órygma*.] *S. m.* Na antiga Atenas, fosso ou abismo no qual se precipitavam os condenados à morte.

origone [Var. de *orijone*.] *S. m. Bras.* Fatia seca de pêssego, que se come ao natural ou cozida.

orijone [Do esp. plat. *orejón*.] *S. m. Bras.* Origone.

orilha [Do esp. *orilla*.] *S. f.* **1.** Borda, orla; margem, beira: *a orilha do regato*; "Há episódios dignos de um cancioneiro popular nas evocações das tricanas folgando à orilha do Mondego ou junto à fonte da linda Inês." (Agripino Grieco, *São Francisco de Assis e a Poesia Cristã*, p. 148). **2.** Filete (ê) (1) em obra de ourivesaria.

orim-orixá [Do ior.] *S. m. Bras. Rel.* Cada um dos cânticos com que se chamam a descer (15) os orixás. [Pl.: *orins-orixás*.]

orindiuvense (i-u) *Adj. 2 g.* **1.** De, ou pertencente ou relativo a Orindiúva (SP). ● *S. 2 g.* **2.** O natural ou habitante de Orindiúva.

▲ **-ório** [Do lat. *-orĭus, a, um* ou de *-orĭus, ii*.] *Suf. nom.* = 'pertinência', 'relação'; 'lugar de ação'; 'instrumento ou meio de ação': *colutório, compressório, compromissório, compulsório, concessório, confessório* (< lat.), *consecratório, vomitório*. [Casos há em que tal suf. apresenta conotação pejorativa, como, p. ex., em *livrório*.]

oriolídeo [Do tax. *Oriolus* + *-ídeo*¹; tax. *Oriolidae*.] *Zool. S. m.* **1.** Espécime dos oriolídeos, família de aves passeriformes do Velho Mundo, caracterizadas por cor brilhante, amarelo-preta, dos machos. ● *Adj.* **2.** Pertencente ou relativo a eles.

órion [Do gr. *Oríon*, pelo lat. *Orion*.] *S. m. Astr.* Constelação equatorial, a O. do Unicórnio, a E. do Touro e do Erídano, ao S. do Touro e ao N. da Lebre, formada de estrelas brilhantes, três das quais são popularmente chamadas *Três Marias*. [Sin., ant. (pop.): *Caçador*.] [Com cap.]

orionídeos *S. m. Astr.* Chuva de meteoros, visível no período de 16 a 26 de outubro, que atinge o seu máximo nos dias 19 e 20, e cujo radiante se situa na constelação de Órion.

oritimbó *S. m. Bras. RJ* V. *ânus*.

oriundo¹ (i-ún) [Do it. *oriundo*.] *S. m. Bras.* **1.** Descendente de italianos. **2.** *Fut. Obsol.* Jogador de origem italiana, contratado para jogar na Itália. **3.** *Fut. Obsol.* Jogador estrangeiro contratado por clube de outro país.

oriundo² (i-ún) [Do lat. *oriundu*.] *Adj.* Originário, proveniente, procedente; natural.

órix (cs) [Do tax. *Orix*.] *Zool. S. m.* **1.** Gênero de antílopes da África e Arábia, muito fortes e pesados, com crina curta, chifres longos, redondos e retos; há 6 espécies, sendo a mais setentrional a *Oryx leucoryx* do N. da África. **2.** Espécime desse gênero.

orixá [Do ior. *orisha*.] *S. m.* Entre os iorubas e nos ritos religiosos afro-brasileiros, como o candomblé, a umbanda, etc., personificação ou deificação das forças da natureza ou ancestral divinizado que, em vida, obteve controle sobre essas forças; guia, encantado. [Cf. *vodum*.]

orixaguinhã (xà) [Do ior.] *S. m. Bras. Rel.* Forma jovem e guerreira de Oxalá. [Com cap. Var.: *Oxaguiã, Oxaguinhã*. Cf. *Oxalufã*.]

orixalá [Do ior.] *S. m. Bras. Rel.* V. *Oxalá*¹. [Com cap.]

oriximinaense *Adj. 2 g.* **1.** De, ou pertencente ou relativo a Oriximiná (PA). ● *S. 2 g.* **2.** O natural ou habitante de Oriximiná.

oriza [Do tax. *Orysa* (do lat. *orysa*).] *S. f. Bot.* **1.** Pequeno gênero de poáceas nativas das regiões tropicais, dotadas de flores perfeitas, com seis estames. **2.** Qualquer espécime desse gênero, como, p. ex., a *Oryza sativa* [v. *arroz* (1)]. **3.** Qualquer espécime desse gênero.

▲ **orizi-** [Do lat. *oryza, ae* < gr. *óryza, ēs*.] Equiv. de *oriz(o)-*.

orizicultor (ô) [De *orizi-* + *-cultor*.] *S. m.* Aquele que se dedica à orizicultura. [Var.: *rizicultor*.]

orizicultura [De *orizi-* + *-cultura*.] *S. f.* Cultura do arroz. [Var.: *rizicultura*.]

orizívoro [De *orizi-* + *-voro*.] *Adj. S. m.* Diz-se de, ou animais que se alimentam de arroz; orizóvoro. [Cf. *orizófago*.]

▲ **oriz(o)-** [Do gr. *óryza, ēs*.] *El. comp.* = 'arroz': *orizóideo, orizófago*. [Equiv.: *orizi-*: *orizicultura, orizívoro*.]

orizófago [De *oriz(o)-* + *-fago*.] *Adj.* Que se alimenta de arroz (tratando-se do homem). [Cf. *orizívoro*.]

orizóideo [De *oriz(o)-* + *-óideo*.] *Adj. Bot.* Que tem a aparência do arroz.

orizonense *Adj. 2 g.* **1.** De, ou pertencente ou relativo a Orizona (GO). ● *S. 2 g.* **2.** O natural ou habitante de Orizona.

orizóvoro [De *oriz(o)-* + *-voro*.] *Adj. S. m.* Orizívoro.

orla [Do lat. vulg. **orula*, dim. de *ora*, 'borda', 'beira'.] *S. f.* **1.** Borda, bordo, rebordo. **2.** Beira, margem: "Um pequeno mosteiro em meio de um pomar, / entre loureiros-rosa e vinhas de todo o ano, / num misticismo lírico, a sonhar / na orla florida e azul de um lago italiano..." (Raul de Leoni, *Luz Mediterrânea*, p. 175); "Uma orla de espuma rendilha a graciosa curva da praia." (Sousa Bandeira, *Evocações e Outros Escritos*, p. 62). **3.** Faixa (8): *orla de terra à beira-mar.* **4.** Rebordo de uma cratera. **5.** Rebordo de roupas, tecidos, alfaias; cercadura: "desvencilhou-se das mãos do marido, e puxou com as suas a rival insolente pela orla do decote" (Carlos Magalhães de Azeredo, *Casos do Amor e do Instinto*, p. 399); *a orla da almofada.* **6.** *Arquit.* Filete num ornato oval de capitel. **7.** *Tip.* V. *guarnição* (11). [Sin. (nas acepçs. 1 a 5): *orladura*.] ◆ **Orla mecânica.** *Met.* Camada da atmosfera na qual a resistência do ar e a fricção se tornam desprezíveis.

orladura [De *orlar* + *-dura*.] *S. f.* **1.** Ato ou efeito de orlar. **2.** V. *orla* (1 a 5): "o velho sacerdote apareceu, ... trazendo nas mãos o cálix coberto por uma pátena de damasco branco com estreita e rica orladura d'ouro." (Virgílio Várzea, *O Brigue Flibusteiro*, p. 136).

orlandino *Adj.* **1.** De, ou pertencente ou relativo a Orlândia (SP). ● *S. m.* **2.** O natural ou habitante de Orlândia.

orlar [De *orla* + *-ar*².] *V. t. d.* **1.** Guarnecer com orla; ornar em redor: *orlar uma saia*; "O sol, refletido na parede do fundo, orlava-lhe os cabelos crespos de um contorno luminoso" (Conde de Ficalho, *Uma Eleição Perdida*, p. 63). **2.** Estar situado à orla, à borda ou margem de: "Florinhas que orlais a estrada, / — Não vos veio ela colher?" (Raimundo Correia, *Poesias*, p. 138.) **3.** Estar em volta de; circundar: *Um sombreado azul orlava-lhe as pálpebras.* **4.** *Fig.* Envolver, aureolar: *A celebridade orla o nome.*

orleã [Do top. *Orléans* (França).] *S. f. Tec. Têx.* Tecido leve de lã e algodão ou seda.

orleanense *Adj. 2 g.* **1.** De, ou pertencente ou relativo a Orleães (SC). ● *S. 2 g.* **2.** O natural ou habitante de Orleães.

orleanês *Adj.* **1.** De, ou pertencente ou relativo a Orleães (França). ● *S. m.* **2.** O natural ou habitante de Orleães. [Flex.: *orleanesa* (ê), *orleaneses* (ê), *orleanesas* (ê).]

orleanista *Adj. 2 g. S. 2 g.* Diz-se de, ou partidário da casa de Orleães, em diversas oportunidades da história da França.

orlom [Do fr. *orlon*.] *S. m.* Nome comercial de uma fibra sintética de aspecto sedoso e alto poder de isolamento térmico.

ormasde [Do sânscr.] *S. m. Filos.* Aúra-masda.

ornador (ô) [De *ornar* + *-dor*.] *Adj.* **1.** Que orna, que ornamenta. ● *S. m.* **2.** V. *ornamentista*.

ornamentação [De *ornamentar* + *-ção*.] *S. f.* Ato ou efeito de ornamentar(-se); maneira ou arte de dispor ornamentos, formas ou cores; ornamento: *a ornamentação jônica; a ornamentação do salão de baile.*

ornamentador (ô) [De *ornamentar* + *-dor*.] *S. m.* V. *ornamentista*.

ornamental [De *ornamento* + *-al*¹.] *Adj. 2 g.* **1.** Relativo a ornamentos. **2.** Próprio para adorno ou para ornamentar. ~ V. *salto* —.

ornamentalista [De *ornamental* + *-ista*.] *S. 2 g.* Pessoa dada à prática de saltos ornamentais.

ornamentar [De *ornamento* + *-ar*².] *V. t. d.* **1.** Guarnecer com ornamentos ou ornatos; ornar, enfeitar. **2.** Abrilhantar, realçar; ornar: *A presença da bela jovem ornamentou a recepção.* *P.* **3.** Enfeitar-se, adornar-se.

ornamentista [De *ornamento* + *-ista*.] *S. 2 g.* Pessoa que ornamenta, que faz ornatos ou ornamentações; ornamentador, ornador.

ornamento [Do lat. *ornamentu*.] *S. m.* **1.** Ornamentação. **2.** Aquilo que ornamenta ou orna; ornato, adorno: *os ornamentos góticos.* **3.** *Fig.* Floreio de estilo; atavio: *os ornamentos de um discurso.* **4.** *Fig.* Pessoa eminente em uma classe, instituição, arte, etc.: *É um dos ornamentos da nossa tribuna.* **5.** *Arquit. B.-Art.* Parte ou conjunto das partes acessórias de uma composição ou de obra arquitetônica, lavradas, pintadas ou aplicadas sobre estas, para realçá-las e/ou embelezá-las; ornato. **6.** *Mús.* Nota ou grupo de notas rápidas que embelezam determinada melodia; ornato. [Os mais comuns são: *acicatura, apojatura, floritura, grupeto, mordente, portamento, trinado*.] ~ V. *ornamentos*.

ornamentos [Pl. de *ornamento*.] *S. m. pl. Lit.* Paramentos. ~ V. *ornamento*.

ornar [Do lat. *ornare*, 'pôr em ordem'.] *V. t. d.* **1.** Guarnecer com adornos ou ornatos; ornamentar, enfeitar, adornar. **2.** V. *ornamentar* (2): "noutro baile, dado daí a um mês, em casa de uma senhora, que ornara os salões do Primeiro Reinado, ... a aproximação foi maior e mais longa, porque conversamos e valsamos." (Machado de Assis, *Memórias Póstumas de Brás Cubas*, p. 144). **3.** Constituir adorno ou ornato de: *Uma bela floreira orna o centro da mesa*; "Um ar alegre vinha do Largo da Matriz, ... envolvia os santos, os altares e os belos festões de flores naturais que, naquele dia, ornavam o milagroso altar de N. S.ª do Carmo." (Inglês de Sousa, *O Missionário*, p. 100). **4.** Aprimorar, aformosear, embelezar: *Um belo sorriso ornava-lhe o semblante.* **5.** Ilustrar, engrandecer, glorificar. **6.** Ilustrar ou aprimorar com ornatos de estilo. *P.* **7.** Enfeitar-se, embelezar-se, ornamentar-se, adornar-se.

ornato [Do lat. *ornatu*.] *S. m.* **1.** Efeito de ornar; ornamentação, ornamento. **2.** Aquilo que orna; enfeite, atavio, ornamento. **3.** *Arquit.* Ornamento (5). **4.** *Mús.* Ornamento (6).

ornear [T. onom.] *V. int.* V. *zurrar* (1): "galopa [o burro], escoicinha, orneia estridentemente" (Ramalho Ortigão, *Banhos de Caldas e Águas Minerais*, p. 193). [Conjug.: v. *frear*. Normalmente, não é us. nas 1.ªs pess.]

orneio [Dev. de *ornear*.] *S. m.* V. *zurro* (1).

ornejador (ô) [De *ornejar* + *-dor*.] *Adj. S. m.* Diz-se de, ou animal que orneja.

ornejar [T. onom.] *V. int.* V. *zurrar* (1): "Despediu-se então do Mestre, montou o jumento, que, dando costas ao pequeno templo, saiu ornejando na esperança de novos pastos." (João Ribeiro, *Crepúsculo dos Deuses*, p. 104.) [Conjug.: v. *pelejar*. Normalmente, não é us. nas 1.ªs pess.]

ornejo (ê) [Dev. de *ornejar*.] *S. m.* V. *zurro* (1).

ornis [Do fr. *ornis*.] *S. m.* Espécie de musselina proveniente da Índia.

▲ **-órnis** V. *ornit(o)-*.

▲ **-ornite** V. *ornit(o)-*.

ornitina [De (*ácido*) *ornit* (*úrico*) + *-ina*³.] *S. f. Quím.* Substância cristalina, muito solúvel em água, encontrada em muitos organismos, que é um aminoácido com um grupo amina adicional, e que é precursora biossintética de vários alcaloides [fórm.: $C_5H_{12}N_2O_2$].

ornitísquio [Adapt. do tax. *Ornithischia*.] *Paleont. S. m.* **1.** Espécime dos ornitísquios, ordem de dinossauros caracterizados pela estrutura óssea dos quadris, com os ossos inferiores da pelve atrás dos membros posteriores, como ocorre, p. ex., nas aves. ● *Adj.* **2.** Pertencente ou relativo a eles.

▲ **ornit(o)-** [Do gr. *órnis, órnithos* (*i*).] *El. comp.* = 'ave', 'pássaro': *ornitóbio, ornitologia*. [Equiv.: *-órnis, -ornite, -ornit(o)-, -ornito*: *epiórnis; neornite; heliornitídeo; dromornito*.]

▲ **-ornit(o)-** V. *ornit(o)-*.

▲ **-ornito** V. *ornit(o)-*.

ornitóbio [De *ornit(o)-* + *-bio*.] *Adj. Zool.* Diz-se de insetos que parasitam certas aves.

ornitocéfalo [De *ornit(o)-* + *-céfalo*; tax. *Ornitocephalus*.] *S. m.* **1.** *Bot.* Gênero de orquidáceas monandras que compreende 20 espécies nativas da América tropical e Antilhas. **2.** Espécie ou espécime desse gênero, ou a flor dele.

ornitocórico [De *ornitocoro* + *-ico*².] *Adj. Bot.* Relativo a ornitocoro, ou a ornitocoria; ornitócoro.

ornitocoro [De *ornit(o)-* + *-coro*.] *Adj. S. m. Bot.* Diz-se de, ou vegetal cujos diásporos são disseminados pelas aves.

ornitócoro *Adj. Bot.* Ornitocórico.

ornitodelfo [De *ornit(o)-* + *-delfo*; tax. *Ornithodelphos* ou *Ornithodelphia*.] *S. m. Adj. Zool.* V. *monotremado*.

ornitofilia [De *ornit(o)-* + *-filia*.] *S. f.* **1.** Grande dedicação à ornitologia, ou aos pássaros. **2.** *Ecol.* Polinização efetuada pelas aves, como, p. ex., o beija-flor.

ornitofílico [De *ornitofilia* + *-ico*².] *Adj.* Relativo a ornitofilia, ou a ornitófilo.

ornitófilo [De *ornit(o)-* + *-filo*².] *Adj. S. m.* **1.** Que, ou aquele que se dedica por prazer à ornitologia. **2.** *Bot.* Diz-se de, ou vegetal polinizado pelas aves.

ornitofobia [De *ornit(o)-* + *-fobia*.] *S. f. Psiq.* Medo patológico de pássaros.

ornitofóbico [De *ornitofobia* + *-ico*².] *Psiq. Adj.* **1.** Relativo a ornitofobia. **2.** Que sofre de ornitofobia;

ornitófobo. ● *S. m.* 3. Aquele que sofre de ornitofobia; ornitófobo.

ornitófobo [De *ornit(o)-* + *-fobo.*] *Adj. S. m. Psiq.* Ornitofóbico (2 e 3).

ornitofonia [De *ornit(o)-* + *-fon(o)-* + *-ia*^{1}.] *S. f.* Imitação do canto ou voz das aves.

ornitofônico *Adj.* V. *ornitofônico.* [Uso freq. em P.]

ornitofônico [De *ornitofonia* + *-ico*^{2}.] *Adj.* Relativo a ornitofonia.

ornitógalo [Do tax. *Ornithogalum.*] *S. m. Bot.* 1. Grande gênero de plantas liliáceas, herbáceas, bulbosas, de folhas basais, e escapos que portam racemos de flores alvas, ou amarelas, ou esverdeadas. 2. Qualquer espécie desse gênero, como, p. ex., a *Ornithogalum umbellatum*, de flores esverdeadas. 3. Qualquer espécime desse gênero, ou a flor dele.

ornitóideo [De *ornit(o)-* + *-óideo.*] *Adj.* Que tem semelhança com ave.

ornitologia [De *ornit(o)-* + *-logia.*] *S. f.* 1. Parte da zoologia que trata das aves. 2. Tratado acerca das aves.

ornitológico [De *ornitologia* + *-ico*^{2}.] *Adj.* Referente à ornitologia.

ornitologista [De *ornitologia* + *-ista.*] *S. 2 g.* Especialista em ornitologia; ornitólogo.

ornitólogo [Do gr. *ornithológos.*] *S. m.* Ornitologista.

ornitomancia (cí) [De *ornit(o)-* + *-mancia.*] *S. f.* Adivinhação baseada no voo ou no canto das aves. [Cf. *ornitoscopia.*]

ornitomania [De *ornit(o)-* + *-mania.*] *S. f. Psiq.* Afeição exagerada às aves.

ornitomaníaco [De *ornitomania* + *-íaco.*] *Psiq. Adj.* 1. Relativo a ornitomania. 2. Que tem ornitomania; ornitômano. ● *S. m.* 3. Aquele que tem ornitomania; ornitômano.

ornitómano *Adj. S. m.* V. *ornitômano.* [Uso freq. em P.]

ornitômano [De *ornit(o)-* + *-mano*^{1}.] *Adj. S. m.* Ornitomaníaco (2 e 3).

ornitomante [Do gr. *ornithomántes.*] *S. 2 g.* Pessoa que pratica a ornitomancia.

ornitomântico *Adj.* Relativo a ornitomancia, ou a ornitomante. [Cf. *ornitoscópico.*]

ornitomimo [Do tax. *Ornithomimus.*] *S. m. Paleont.* 1. Gênero de dinossauros terópodes, onívoros, com cerca de 5m de comprimento e 2,5m de altura, e que lembravam uma avestruz, com a cabeça pequena, a cauda e o pescoço longos e as pernas compridas. Viveram no cretáceo superior, e fósseis foram encontrados na América do Norte e Ásia. 2. Espécie ou espécime desse gênero.

ornitomizo [De *ornit(o)-* + gr. *mýzein*, 'sugar'.] *Adj. S. m. Zool.* Diz-se de, ou inseto que suga o sangue de aves.

ornitópode [Adapt. do tax. *Ornithopoda.*] *Paleont. S. m.* 1. Espécime dos ornitópodes, subordem de dinossauros arcossáurios, ornitísquios, bípedes, herbívoros, que viveram do jurássico superior ao cretáceo; inclui, entre outras famílias, a dos iguanodontídeos e a dos paquicefalossaurídeos. ● *Adj. 2 g.* 2. Pertencente ou relativo a eles.

ornitorrinco^1 [De *ornit(o)-* + *-rinco.*] *Adj. Zool.* Que tem bico semelhante ao de uma ave.

ornitorrinco^2 [Do tax. *Ornithorhynchus.*] *S. m. Zool.* 1. Gênero monoespecífico de mamíferos ornitorrinquídeos, altamente adaptados à vida aquática, cujos dedos das patas anteriores são unidos por membranas, e os das patas posteriores têm fortes garras. Têm bico semelhante ao do pato, e são dotados de cloaca e de coracoide (2). São ovíparos, constituindo uma forma de transição entre reptis e mamíferos, e habitam a região zoogeográfica australiana. 2. A única espécie desse gênero, a *Ornithorynchus anatimus* ou plátipo. 3. Qualquer espécime desse gênero.

ornitorrinquídeo [Do tax. *Ornithorhynchus* + *-ideo*^{1}; tax. *Ornithorhynchidae.*] *Zool. S. m.* 1. Espécime dos ornitorrinquídeos, família monoespecífica de monotremados noturnos, altamente adaptados à vida aquática, e que se alimentam de invertebrados; habitam o S. e o L. da Austrália, e a Tasmânia. ● *Adj.* 2. Pertencente ou relativo a eles.

ornitoscopia [De *ornit(o)-* + *-scop-* + *-ia*^{1}.] *S. f.* Observação das aves para prever o futuro. [Cf. *ornitomancia.*]

ornitoscópico [De *ornitoscopia* + *-ico*^{2}.] *Adj.* Referente à ornitoscopia. [Cf. *ornitomântico.*]

ornitóscopo *S. m.* Aquele que pratica a ornitoscopia.

ornitotomia [De *ornit(o)-* + *-tom(o)-* + *-ia*^{1}.] *S. f.* Dissecação das aves.

ornitotómico *Adj.* V. *ornitotômico.* [Uso freq. em P.]

ornitotômico [De *ornitotomia* + *-ico*^{2}.] *Adj.* Referente a ornitotomia.

ornitotrofia [De *ornit(o)-* + *-trofia.*] *S. f.* Criação de aves.

ornitotrófico [De *ornitotrofia* + *-ico*^{2}.] *Adj.* Relativo à ornitotrofia.

▲ **or(o)-** [Do gr. *óros, eos-ous.*] *El. comp.* = 'monte', 'montanha': *orogenia, orografia, orônimo.* [Equiv.: *ore(o)-*: *oreamno, oreognosia, oreografia.*]

▲ **oro-** Equiv. de *ori-*.

oró *S. m. Bras. Bot.* Feijão-oró (1).

orobanca [Do tax. *Orobanche.*] *S. f. Bot.* 1. O gênero-tipo das orobancáceas, plantas herbáceas que parasitam raízes de outras, nativas do Velho Mundo e das regiões temperadas da América, dotadas de flores carnosas, branco-amareladas, espiciformes. 2. Espécie ou espécime desse gênero, ou a flor dele; órobo.

orobancácea [Do tax. *Orobanche*, gênero-tipo, + *-ácea*; tax. *Orobanchaceae.*] *S. f. Bot.* Espécime das orobancáceas, família de plantas da ordem das escrofulariales, que engloba parasitos de raízes. Flores zigomorfas; androceu didínamo; ovário unilocular; fruto capsular. São ervas com folhas reduzidas a escamas; distribuem-se em cerca de 150 espécies, dos climas temperados.

orobancáceo [De *orobancácea*, com var. suf. (v. *-áceo*).] *Adj. Bot.* Pertencente ou relativo às orobancáceas.

orobatimétrico [De *or(o)-* + *-bat(i)-* + *-metr(o)-*^{2} + *-ico*^{2}.] *Adj.* Referente ao relevo submarino. ~ V. *carta —a.*

orobó *S. m. Bot.* 1. V. *cola*^{2} (2). 2. Orobô (2).

orobô [Do ior. *orogbo.*] *S. m. Bot.* 1. V. *cola*^{2} (2). 2. A semente nuciforme da cola^2 (2), tb. conhecida como *noz-de-cola*, e us. como masticatório estimulante e digestivo desde tempos remotíssimos; orobó.

órobo [Do gr. *óróbos*, pelo lat. *orobu.*] *S. m. Bot.* Orobanca (2).

oroboense (ôen) *Adj. 2 g.* 1. De, ou pertencente ou relativo a Orobó (PE). ● *S. 2 g.* 2. O natural ou habitante de Orobó.

orocoense (cò) *Adj. 2 g.* 1. De, ou pertencente ou relativo a Orocó (PE). ● *S. 2 g.* 2. O natural ou habitante de Orocó.

oroense (ôen) *Adj. 2 g.* 1. De, ou pertencente ou relativo a Orós (CE). ● *S. 2 g.* 2. O natural ou habitante de Orós.

orofacial [De *oro-* + *face* + *-ial.*] *Adj. 2 g.* 1. *Anat.* Relativo ou pertencente à boca e à face. 2. Que se produz com participação simultânea da boca e da face: *movimentos orofaciais.*

orofaringe [De *oro-* + *faringe.*] *S. f. Anat.* Uma das divisões da faringe, e que está compreendida entre o palato mole, acima, e a borda superior da epiglote, abaixo; bucofaringe.

orofaríngeo [De *orofaringe* + *-eo.*] *Adj. Anat.* Relativo ou pertencente à orofaringe.

orofilia [De *or(o)-* + *-filia.*] *S. f.* Amor às montanhas, e/ou ao alpinismo.

orofílico [De *orofilia* + *-ico*^{2}.] *Adj.* 1. Relativo a orofilia. 2. Que tem orofilia; orófilo. ● *S. m.* 3. Aquele que tem orofilia; orófilo.

orófilo [De *or(o)-* + *-filo*^{2}.] *Adj. S. m.* Orofílico (2 e 3).

orófito [De *or(o)-* + *-fito.*] *S. m. Ecol.* Planta que habita a porção mais alta de uma montanha, e que apresenta aspecto e estrutura característicos.

orofobia [De *or(o)-* + *-fobia.*] *S. f. Psiq.* Horror mórbido às montanhas.

orofóbico [De *orofobia* + *-ico*^{2}.] *Psiq. Adj.* 1. Relativo a orofobia. 2. Que sofre de orofobia; orófobo. ● *S. m.* 3. Aquele que sofre de orofobia; orófobo.

orófobo [De *or(o)-* + *-fobo.*] *Adj. S. m. Psiq.* Orofóbico (2 e 3).

orogénese *S. f. Geol.* V. *orogênese.* [Uso freq. em P.]

orogênese [De *or(o)-* + *-gênese.*] *S. f. Geol.* V. *orogenia.*

orogenético [De *orogên(ese)* + *-ético.*] *Adj.* Relativo a orogênese. V. *orogênico.*

orogenia [De *or(o)-* + *-genia.*] *S. f. Geol.* 1. Conjunto de fenômenos que determinam a formação das montanhas, não só os relacionados ao diastrofismo, mas também os fenômenos vulcânicos e causas erosivas. 2. Estudo ou descrição desses fenômenos; orognosia ou oreognosia, orologia. [Sin. ger.: *orogênese.*]

orogénico *Adj.* V. *orogênico.* [Uso freq. em P.]

orogênico [De *orogenia* + *-ico*^{2}.] *Adj.* 1. Relativo a orogenia. 2. Diz-se dos movimentos que produzem os relevos da crosta terrestre. [Sin. ger.: *orognóstico* ou *oreognóstico, orogenético, orológico.*] ~ V. *deformação —a.*

orognosia [De *or(o)-* + *-gnosia.*] *S. f.* V. *orogenia* (2). [F. paral.: *oreognosia.*]

orognóstico [De *or(o)-* + *gnóstico.*] *Adj.* V. *orogênico.* [F. paral.: *oreognóstico.*]

orografia [De *or(o)-* + *-grafia.*] *S. f.* Descrição das montanhas. [F. paral.: *oreografia.* Cf. *horografia.*]

orográfico [De *orografia* + *-ico*^{2}.] *Adj.* Relativo a orografia. [F. paral.: *oreográfico.* Cf. *horográfico.*]

orógrafo [De *or(o)-* + *-grafo.*] *S. m.* Tratadista de orografia. [F. paral.: *oreógrafo.* Cf. *horógrafo.*]

orologia [De *or(o)-* + *-logia.*] *S. f.* V. *orogenia* (2). [Cf. *urologia.*]

orológico [De *orologia* + *-ico*^{2}.] *Adj.* V. *orogênico.* [Cf. *urológico.*]

oronasal [De *oro-* + *-nas(i)-* + *-al*^{1}.] *Adj. 2 g.* Relativo à boca e ao nariz, ou à cavidade oral, e à cavidade nasal.

oroneta (ê) *S. f.* Rede com que os levantinos pescam o peixe-voador.

oronímia [De *orônimo* + *-ia*^{1}.] *S. f.* Estudo linguístico ou histórico da origem dos orônimos.

oronímico [De *orônimo* + *ico*^{2}.] *Adj.* Relativo a orônimo.

orónimo *S. m.* V. *orônimo.* [Uso freq. em P.]

orônimo [De *or(o)-* + *-ônimo.*] *S. m.* Nome próprio de montanha ou de cadeia de montanhas.

orontanje *S. f. Bras. Pop.* V. *cachaça* (1).

oropa [De *Europa*, top.] *S. f. Bras. Zool.* V. *abelha-europeia.*

orosfera [De *or(o)-* + *-sfera.*] *S. f. Geofís.* V. *litosfera.*

orótico *Adj. Quím.* ~ V. *ácido —.*

orquestra [Do gr. *orchéstra*, pelo lat. *orchestra.*] *S. f.* 1. Nos antigos teatros gregos, o espaço circular destinado às danças, aos músicos e às evoluções dos coros. 2. *Mús.* Na tradição ocidental, o conjunto de músicos com seus respectivos instrumentos que, em geral sob a direção de um regente, executam obras de música de câmera, sinfônica, operística, etc. 3. *Restr. Mús.* Os instrumentos us. na orquestra (2) e que, na música tradicional do Ocidente, constam, basicamente, dos naipes de cordas, de sopros e de percussão. 4. *Mús.* Parte instrumental de uma partitura que contenha por extenso as partes vocais e instrumentais de uma obra. 5. *Mús.* Conjunto (7) destinado a executar música popular: *No baile de carnaval, duas orquestras se revezavam incessantemente.* 6. *Mús.* Qualquer conjunto instrumental com características próprias: *orquestra de pífaros do Nordeste.* 7. *Teatr.* No palco italiano (q. v.), o espaço situado adiante e em nível inferior ao do proscênio, e que se destina aos músicos ou à orquestra. [Sin., nesta acepç.: *poço* e *poço da orquestra.*] 8. *Teatr.* No teatro grego de Epidauro (séc. IV a. C.), o círculo em que evoluía o coro e, segundo alguns teóricos, em que ocorria, tb., a representação dos atores, situado entre o *théatron*, arquibancada em semicírculos concêntricos de 270°, e a *skené*, normalmente um palácio real, diante da qual se colocava o *proskénion*, o palco propriamente dito, destinado, segundo alguns, ao desempenho dos atores. 9. *Teatr.* No teatro romano, lugar reservado aos senadores e magistrados. 10. *Teatr.* V. *hiposcênio* (3). 11. *Fig.* Conjunto de sons harmoniosos; música; orquestração: *a orquestra dos pássaros.* ◆ **Orquestra de câmara.** *Mús.* Orquestra com reduzido número de instrumentos, na maioria de cordas. **Orquestra de pau e corda.** *Mús. Bras. PE* Orquestra tradicionalmente constituída de instrumentos de sopro (flauta e flautim), palheta (8) (clarinete e saxofone), cordas dedilhadas (violão, bandolim, banjo e cavaquinho) e de percussão. [Algumas orquestras de pau e corda extrapolam a formação tradicional, incluindo instrumentos de metal, como o trombone, o trompete e o bombardino.] **Orquestra sinfônica.** *Mús.* Grande conjunto instrumental e de músicos, destinado à interpretação de repertório sinfônico e demais obras destinadas a concertos. [Tb. se diz apenas *sinfônica.*]

orquestração [De *orquestrar* + *-ção.*] *S. f.* 1. *Mús.* A arte de aplicar os princípios da instrumentação (2) a uma orquestra (3) de modo que a obra, com as diversas partes expressas na respectiva partitura, possa alcançar o melhor efeito sonoro e artístico. 2. *Fig.* Orquestra (11). 3. *Fig.* Combinação harmoniosa e conciliadora: *a orquestração de diferentes facções.* 4. *Fig.* Combinação que se faz para alcançar um objetivo: *Para o ministro havia uma orquestração na imprensa para desacreditar o judiciário.*

orquestrador (ô) [De *orquestrar* + *-dor.*] *Adj. S. m.* Que, ou aquele que orquestra.

orquestral [De *orquestra* + *-al*^{1}.] *Adj. 2 g. Mús.* Relativo, pertencente ou semelhante a orquestra.

orquestrar [De *orquestra* + *-ar*^{2}.] *V. t. d.* 1. Realizar a orquestração de. 2. Combinar, harmonizar. *P.* 3. Combinar-se, harmonizar-se.

▲ **orqu(i)-** V. *orquio-*.

▲ **-orqu(i)-** V. *orquio-*.

orquialgia (òr) [De *orqu(i)-* + *-alg(o)-*^{2} + *-ia*^{1}.] *S. f. Urol.* Dor no(s) testículo(s); didimalgia, didimodinia.

orquiálgico (òr) [De *orquialgia* + *-ico*^{2}.] *Adj. Urol.* Relativo a orquialgia.

orquidácea [Do lat. cient. *Orchid-* (tax. *Orchis*) + *-ácea*; tax. *Orchidaceae.*] *S. f. Bot.* Espécime das orquidáceas, família que reúne muitos gêneros e inúmeras espécies de plantas monocotiledôneas, da ordem das microspermas, muito estimadas pela beleza das flores, muito ornamentais, e que são internacionalmente comercializadas. De crescimento considerado lento (em média cerca de 7 anos desde a semeadura até a primeira floração), são nativas dos países tropicais, e cultivadas universalmente.

orquidáceo [De *orquidácea*, com var. suf. (v. *-áceo*).] *Adj. Bot.* Pertencente ou relativo às orquidáceas.

orquidário [De *orquid(o)-* + *-ário.*] *S. m. Bras.* Viveiro de orquídeas.

orquídea [Do lat. cient. *Orchid-* (v. *orquidácea*) + *-ea.*] *S. f. Bot.* Designação comum às plantas e flores orquidáceas, impropriamente consideradas parasitas, quando, na verdade, as espécies aéreas são epífitas.

O

orquidectomia (òr) [De *orquid(o)-* + *-ectom-* + *-ia*[1].] ***S. f.*** *Urol.* V. *orquiectomia.*

▲ **orquid(o)-** [Do gr. *orchídion, ou,* 'pequeno testículo', dim. de *órchis, ios.*] ***El. comp.*** = 'testículo'; 'orquídea': *orquidopexia; orquidófilo.* [Equiv.: *-orquid(o)-; anorquidia.* V. *orquio-.*]

▲ **-orquid(o)-** Equiv. de *orquid(o)-.*

orquidófilo [De *orquid(o)-* + *-filo*[2].] ***S. m.*** Aquele que se ocupa da cultura de orquídeas.

orquidologia [De *orquid(o)-* + *-logia.*] ***S. f.*** Estudo das orquídeas.

orquidológico [De *orquidologia* + *-ico*[2].] ***Adj.*** Relativo à orquidologia.

orquidólogo [De *orquid(o)-* + *-logo.*] ***S. m.*** Especialista em orquidologia.

orquidómetro ***S. m.*** *Urol.* V. *orquidômetro.* [Uso freq. em P.]

orquidômetro [De *orquid(o)-* + *-metro.*] ***S. m.*** *Urol.* Instrumento usado para medir testículo.

orquidopexia (òr... cs) [De *orquid(o)-* + *-pex-* + *-ia*[1].] ***S. f.*** *Urol.* V. *orquiopexia.*

orquiectomia (òr) [De *orqu(i)-* + *-ectom-* + *-ia*[1].] ***S. f.*** *Urol.* Excisão, de extensão variável, de testículo; testectomia.

▲ **orquio-** [Do gr. *órchis, ios.*] ***El. comp.*** = 'testículo': *orquiocele.* [Equiv.: *orqu(i)-, -orqu(i)-*: *orquialgia, orquite; anorquia.* V. *orquid(o)-.*]

orquiocele (òr) [De *orquio-* + *-cele*[1].] ***S. f.*** *Cir.* **1.** Saliência herniária de testículo. **2.** Tumor de testículo.

orquiocélico (òr) [De *orquiocele* + *-ico*[2].] ***Adj.*** Relativo a orquiocele.

orquiopexia (òr... cs) [De *orquio-* + *-pex-* + *-ia*[1].] ***S. f.*** *Urol.* Fixação testicular realizada cirurgicamente.

orquiotomia (òr) [De *orquio-* + *-tom(o)-* + *-ia*[1].] ***S. f.*** *Urol.* Incisão em testículo.

orquiotómico (òr) ***Adj.*** *Urol.* V. *orquiotômico.* [Uso freq. em P.]

orquiotômico (òr) [De *orquiotomia* + *-ico*[2].] ***Adj.*** *Urol.* Relativo a orquiotomia.

orquiótomo [De *orquio-* + *-tomo.*] ***S. m.*** *Urol. Desus.* Instrumento com que se pratica a orquiotomia.

orquite [De *orqu(i)-* + *-ite*[1].] ***S. f.*** *Urol.* Inflamação do(s) testículo(s); didimite.

orquítico [De *orquite* + *-ico*[2].] ***Adj.*** *Urol.* Relativo a orquite.

▲ **-orra** V. *-arra.*

orreta (ê) ***S. f.*** Vale muito apertado entre os montes.

▲ **orro-** [Do gr. *orrhós, oû.*] ***El. comp.*** = 'soro': *orrocisto.*

▲ **-orro** V. *-arra.*

orrocístico [De *orrocisto* + *-ico*[2].] ***Adj.*** Relativo a orrocisto.

orrocisto [De *orro-* + *-cisto.*] ***S. m.*** *Patol.* V. *sorocisto.*

orrodiagnóstico [De *orro-* + *diagnóstico.*] ***S. m.*** *Imun.* V. *sorodiagnóstico.*

orroimunidade (o-i) [De *orro-* + *imunidade.*] ***S. f.*** *Imun.* V. *imunidade adquirida.*

orroterapia [De *orro-* + *-terapia.*] ***S. f.*** *Terap.* V. *soroterapia.*

orteguiano [Do antr. *Ortega* + *-iano.*] ***Adj.*** **1.** Relativo ou pertencente ao filósofo e ensaísta espanhol José Ortega y Gasset (1835-1955), ou próprio dele. **2.** Que é seu admirador e/ou conhecedor profundo da obra de Ortega y Gasset.

órtese [Do ingl. *orthesis.*] ***S. f.*** *Ort.* V. *ortose.*

orteziídeo [Do tax. *Orthezia* + *-ídeo*[1]; tax. *Ortheziidae.*] *Zool.* ***S. m.*** **1.** Espécime dos orteziídeos, família de insetos homópteros, parasitos de plantas cultivadas e selvagens. As fêmeas, distintamente segmentadas, são ovais e apresentam placas céreas, brancas e duras. São vulgarmente conhecidos como piolhos-das-plantas. ● ***Adj.*** **2.** Pertencente ou relativo a eles.

ortigueirense ***Adj. 2 g.*** **1.** De, ou pertencente ou relativo a Ortigueira (PR). ● ***S. 2 g.*** **2.** O natural ou habitante de Ortigueira.

ortita [De *ort(o)(s)-* + *-ita*[3].] ***S. f.*** *Min.* Mineral monoclínico do grupo dos epídotos, rico em elementos de terras-raras, especialmente de cério, lantânio, praseodímio e neodímio; allanita.

ortivo [Do lat. tard. *ortivu.*] ***Adj.*** **1.** Que nasce; nascente. **2.** *Astr.* Relativo a orto[1] (1). **3.** *P. us.* Oriental (3). ~ V. *amplitude —a.*

■ **ORTN** Sigla de *Obrigação Reajustável do Tesouro Nacional.*

orto[1] [Do lat. *ortu.*] ***S. m.*** **1.** *Astr.* O nascer de um astro: "Aquela aparição esplêndida era em sua existência um fato de todos os dias, como o orto dos astros." (José de Alencar, *Senhora,* p. 157.) **2.** *Poét.* Origem, princípio, nascimento. [Cf. *horto,* do v. *hortar, horto* (ô) e *orto*[2].]

orto[2] [De *orto-.*] ***Adj. 2 g. e 2 n. S. m. 2 n.*** *Quím.* Diz-se de, ou qualquer derivado dissubstituído do benzeno em que os dois átomos de carbono que portam os substituintes são adjacentes. [Cf. *horto,* do v. *hortar, horto* (ô) e *orto*[1].]

▲ **ort(o)-** ***El. comp.*** V. *ortos-.* [Cf. *orto-.*]

▲ **orto-** [Do gr. *orthós* (v. *ortos-*).] *Quím.* ***El. comp.*** **1.** Indica, em derivados de benzeno, isômero orto: *orto-xileno.* [Sempre us. seguido de hífen. F. red.: *o-.*] **2.** Indica o ácido mais hidroxilado que se pode obter a partir de um determinado óxido, e é us., tb., para os sais e ésteres derivados desse ácido: *ácido ortofosfórico, ortocarbonato.* [Neste uso, não se abrevia.] [Cf. *ort(o)-.*]

ortoácido [De *orto-* + *-ácido.*] ***S. m.*** *Quím.* O ácido mais hidroxilado que se pode obter a partir de um determinado óxido.

ortobiose [De *ort(o)-* + *-biose.*] ***S. f.*** *Biol.* Vida normal ou conforme às leis da natureza.

ortobiótico [De *ortobi(ose)* + *-ótico.*] ***Adj.*** Relativo a ortobiose.

ortocarbonato [De *ortocarbôn(ico)* + *-ato*[2].] ***S. m.*** *Quím.* Qualquer éster do ácido ortocarbônico.

ortocarbónico ***Adj.*** *Quím.* V. *ortocarbônico.* [Uso freq. em P.]

ortocarbônico ***Adj.*** *Quím.* ~ V. *ácido —.*

ortocentro [De *ort(o)-* + *-centro.*] ***S. m.*** *Geom.* Ponto de encontro das alturas de um triângulo.

ortocitose [De *ort(o)-* + *-cit(o)-* + *-ose*[1].] ***S. f.*** *Med.* Situação em que todas as células sanguíneas estão em fase madura.

ortoclásio [De *ort(o)-* + *-clas(e)-* + *-io*[3].] ***S. m.*** *Min.* Mineral monoclínico, do grupo dos feldspatos, silicato de alumínio e potássio, que às vezes contém sódio; ortósio.

ortocolo [Do gr. *orthócolon.*] ***S. m.*** *Med. Obsol.* Rigidez de uma articulação, que impede o movimento das peças articuladas.

ortocólon ***S. m.*** *Med.* V. *ortocolo.*

ortocromático [De *ort(o)* + *-crom(o)-* + *-ático.*] ***Adj.*** ~ V. *filme —* e *objetiva —a.*

ortodáctilo [De *ort(o)-* + *-dá(c)tilo.*] ***Adj.*** *Zool.* Que tem dedos direitos. [Var.: *ortodátilo.*]

ortodátilo ***Adj.*** *Zool.* V. *ortodáctilo.*

ortodonte [De *ort(o)-* + *-odonte.*] ***Adj. 2 g.*** Que tem os dentes direitos.

ortodontia [De *ort(o)-* + *-(o)dont(o)-* + *-ia*[1].] ***S. f.*** *Odont.* Ramo da odontologia que se ocupa da prevenção e correção dos defeitos de posição de dentes e problemas faciais associados.

ortodôntico [De *ortodontia* + *-ico*[2].] ***Adj.*** *Odont.* Relativo a ortodontia. ~ V. *casquete —.*

ortodontista [De *ortodontia* + *-ista.*] ***S. 2 g.*** *Odont.* Especialista em ortodontia.

ortodoxia (cs) [Do gr. *orthodoxía,* 'opinião certa'.] ***S. f.*** **1.** Qualidade de ortodoxo. **2.** Fiel, exato e inconcusso cumprimento de uma doutrina religiosa; conformidade com essa doutrina. **3.** *P. ext.* Absoluta conformidade com um princípio ou doutrina. **4.** *Deprec.* Intransigência em relação a tudo quanto é novo; não aceitação de novos princípios ou ideias. [Antôn.: *heterodoxia.*]

ortodoxo (cs) [Do gr. *orthódoxos,* pelo lat. tard. *orthodoxu.*] ***Adj.*** **1.** *Rel.* Conforme com a doutrina religiosa tida como verdadeira. **2.** *P. ext.* Conforme com os princípios tradicionais de qualquer doutrina. **3.** Que professa a ortodoxia: *teólogo ortodoxo.* **4.** *Rel.* Pertencente ou relativo à Igreja Católica Apostólica Ortodoxa, também chamada *Igreja Ortodoxa* e *Igreja do Oriente,* que resultou do cisma da Igreja Católica Apostólica Romana ocorrido em 1054. **5.** *Rel.* Que é sectário da Igreja Ortodoxa. ~ V. *Igreja — a.* **6.** Que age com ortodoxia (2): *o velho e ortodoxo professor.* ● ***S. m.*** **7.** Aquele que professa a ortodoxia (2). **8.** *Rel.* Sectário da Igreja Ortodoxa. **9.** Indivíduo ortodoxo (6). [Antôn.: *heterodoxo.*]

ortodromia [Do gr. *orthódromos,* 'que corre em linha reta', + *-ia*[1].] ***S. f.*** *Náut.* Arco de círculo máximo compreendido entre dois pontos da superfície da Terra, e que é o caminho mais curto para ir de um ao outro. [Cf. *loxodromia.*]

ortodrómico ***Adj.*** V. *ortodrômico.* [Uso freq. em P.]

ortodrômico [De *ortodromia* + *-ico*[2].] ***Adj.*** Relativo a ortodromia.

ortoélio [De *orto-* + *-(h)élio.*] ***S. m.*** *Fís.-Quím.* Estado de um átomo de hélio em que os *spins* dos elétrons são paralelos, e que é um tripleto.

ortoepia [Do gr. *orthoépeia.*] ***S. f.*** *E. Ling.* **1.** Pronúncia normal e correta; ortofonia. [Antôn.: *cacoepia.*] **2.** Prosódia (2). [A melhor f., segundo a derivação grega, é *ortoepia,* mas a var. pros. *ortoépia* é a f. mais comum.]

ortoépia ***S. f.*** *E. Ling.* V. *ortoepia.*

ortoépico [De *ortoepia* + *-ico*[2].] ***Adj.*** *E. Ling.* Relativo à ortoepia.

orto-fenantrolina [De *orto-* + *fenantrolina.*] ***S. f.*** *Quím.* Designação imprópria de uma das fenantrolinas, a 1,10-fenantrolina, que é us. em química analítica [fórm.: $C_{12}H_8N_2$]. [Tb. se usa a f. *o-fenantrolina.*]

ortofonia [De *ort(o)-* + *-fon(o)-* + *-ia*[1].] ***S. f.*** **1.** Tratamento que visa a corrigir os vícios de pronúncia e outros problemas da fala. **2.** Ortoepia (1).

ortofónico ***Adj.*** V. *ortofônico.* [Uso freq. em P.]

ortofônico [De *ortofonia* + *-ico*[2].] ***Adj.*** **1.** Relativo a ortofonia. **2.** Que emite sons normais e corretos.

ortofonista [De *ortofonia* + *-ista.*] ***S. 2 g.*** Pessoa versada em ortofonia e/ou que se dedica à sua aplicação terapêutica.

ortoformiato [De *ortofórm(ico)* + *-ato*[2].] ***S. m.*** *Quím.* Qualquer éster do ácido ortofórmico.

ortofórmico ***Adj.*** *Quím.* ~ V. *ácido —.*

ortofosfórico [De *orto-* + *fosfórico.*] ***Adj.*** *Quím.* ~ V. *ácido —.*

ortofosforoso (ô) [De *orto-* + *fosforoso.*] ***Adj.*** *Quím.* ~ V. *ácido —.*

ortofrenia [De *ort(o)-* + *-fren(o)-* + *-ia*[1].] ***S. f.*** *Psiq. Desus.* **1.** Intelecto normal. **2.** Correção das perturbações intelectuais ou mentais.

ortofrénico ***Adj.*** *Psiq.* V. *ortofrênico.* [Uso freq. em P.]

ortofrênico [De *ortofrenia* + *-ico*[2].] ***Adj.*** *Psiq.* Relativo a ortofrenia.

ortognaisse [De *ort(o)-* + *gnaisse.*] ***S. m.*** *Petr.* Tipo de gnaisse originado pelo metamorfismo de uma rocha granítica. V. *paragnaisse.*

ortognatia [De *ortógnato* + *-ia*[1].] ***S. f.*** *Antropom.* Constituição da cabeça caracterizada por pouca ou nenhuma proeminência da face à frente de um plano vertical tangente à parte mais anterior da fronte, o que torna o ângulo facial quase ou totalmente reto; ortognatismo.

ortognatismo [De *ortógnato* + *-ismo.*] ***S. m.*** *Antropom.* Ortognatia.

ortognato ***Adj. S. m.*** V. *ortógnato.*

ortógnato [De *ort(o)-* + *-gnato.*] ***Adj.*** **1.** Que tem mandíbula reta. **2.** *Antropom.* Diz-se de indivíduo ou tipo racial que apresenta ortognatia. **3.** *Zool.* Diz-se de animal em que a parte inferior da face está alinhada com a superior. ● ***S. m.*** **4.** *Antropom.* Indivíduo ou tipo racial ortógnato (2).

ortogonal [Do gr. *orthógonos,* 'que tem ângulos retos', + *-al*[1].] ***Adj. 2 g.*** *Geom.* Que forma ângulos retos. ~ V. *base —, coordenadas ortogonais, coordenadas cartesianas ortogonais, polinômios ortogonais* e *vetores ortogonais.*

ortogonalidade [De *ortogonal* + *-(i)dade.*] ***S. f.*** **1.** *Geom.* Propriedade de ser perpendicular. **2.** *Mat.* Propriedade de funções que têm nulas as integrais, sobre um certo domínio, de seus produtos binários.

ortogonalizar [De *ortogonal* + *-izar.*] ***V. t. d.*** *Mat.* Tornar ortogonais (duas ou mais funções).

ortografar [De *ortografia* + *-ar*[2].] ***V. t. d.*** **1.** Escrever segundo as regras ortográficas; aplicar a ortografia a: *Não sabe ortografar certas palavras comuns.* **2.** Grafar. ***Int.*** **3.** Escrever segundo as regras ortográficas: *Sabe ortografar como poucos.* [Pres. ind.: *ortografo,* etc. Cf. *ortógrafo.*]

ortografia [Do gr. *orthographía.*] ***S. f.*** *E. Ling.* **1.** O conjunto das regras que, para uma determinada língua, estabelecem a grafia correta das palavras e o uso de sinais de pontuação. **2.** O estudo dessas regras. **3.** Maneira de representar as palavras por meio da escrita; grafia. **4.** *Geom.* Representação geométrica de uma figura ou de sólido por meio de projeções ortogonais. **5.** *Geom.* Representação geométrica e proporcionalmente reduzida das dimensões e configuração de um edifício. ◆ **Ortografia etimológica.** A que procura preservar nas palavras as letras fundamentais da(s) língua(s) de origem. **Ortografia fonética.** A que grafa as palavras utilizando apenas as letras correspondentes aos sons ou fonemas; ortografia sônica. **Ortografia mista.** A que funde organicamente os processos da ortografia etimológica e da ortografia fonética. **Ortografia sônica.** Ortografia fonética.

ortográfico [De *ortografia* + *-ico*[2].] ***Adj.*** Relativo à ortografia.

ortógrafo [Do gr. *orthográphos,* pelo lat. tard. *orthographu.*] ***S. m.*** Indivíduo versado em ortografia e nas normas ortográficas. [Cf. *ortografo,* do v. *ortografar.*]

orto-hélio ***S. m.*** *Fís.-Quím.* V. *ortoélio.* [Pl.: *orto-hélios.*] ❖

orto-hidrogénio ***S. m.*** *Fís.-Quím.* V. *orto-hidrogênio.* [Pl.: *orto-hidrogénios.*] [Uso freq. em P.] ❖

orto-hidrogênio ***S. m.*** *Fís.-Quím.* V. *ortoidrogênio.* [Pl.: *orto-hidrogênios.*] ❖

ortoidrogénio (o-i) ***S. m.*** *Fís.-Quím.* V. *ortoidrogênio.* [Uso freq. em P.]

ortoidrogênio (o-i) [De *orto-* + *hidrogênio.*] ***S. m.*** *Fís.-Quím.* Hidrogênio em que os *spins* do próton e do elétron são paralelos. [Var.: *orto-hidrogênio.*]

ortolexia (cs) [De *ort(o)-* + *-lex(i)-* + *-ia*[1].] ***S. f.*** Expressão correta; boa dicção.

ortometamórfico [De *ort(o)-* + *metamórfico.*] ***Adj.*** *Geol.* ~ V. *rocha —a.*

ortometria [De *ort(o)-* + *-metria.*] ***S. f.*** Medida exata.

ortométrico [De *ortometria* + *-ico*[2].] ***Adj.*** Concernente à ortometria.

ortomolecular [De *ort(o)-* + *molecular.*] ***Adj.*** *Med.* Relativo a, ou que objetiva restaurar, em nível molecular, as concentrações e funções das substâncias presentes normalmente no organismo. ~ V. *medicina* — e *terapia* —.

ortomórfico [De *ort(o)-* + *-mórf(o)-* + *-ico*².] **Adj.** *Astr.* ~ V. *projeção —a.*

ortonéctida [Do tax. *Orthonectida*.] *Zool.* **S. m. 1.** Espécime dos ortonéctidas, ordem de mesozoários, sexuados, com menos de 1mm de comprimento, e corpo com uma massa celular interna. São parasitos de tecidos e cavidades de vários invertebrados, como platelmintos, nemertinos, anelídeos, etc.● **Adj. 2 g. 2.** Pertencente ou relativo a eles.

ortónimo **S. m.** V. *ortônimo*. [Uso freq. em P.]

ortônimo [De *ort(o)-* + *-ônimo*.] **S. m.** Nome correto; nome verdadeiro, real: *O ortônimo de Alberto Caeiro, Álvaro de Campos e Ricardo Reis é Fernando Pessoa.* [Cf. *heterônimo, pseudônimo* e *nome quente*.]

ortonormal [De *orto(gonal)* + *normal*.] **Adj. 2 g.** *Mat.* ~ V. *base* — e *vetores ortonormais*.

ortonormalidade [De *ortonormal* + *-(i)dade*.] **S. f.** *Mat.* Propriedade de funções normalizadas e ortogonais.

ortonormalizar [De *ortonormal* + *-izar*.] **V. t. d.** Tornar normais e ortogonais (duas ou mais funções).

ortopedia [De *ort(o)-* + *-pedia*; fr. *orthopédie*.] **S. f.** *Med.* **1.** Ramo da medicina que, utilizando diferentes processos (cirúrgicos, fisioterápicos, etc.), se ocupa da profilaxia e do tratamento de doenças do esqueleto (1) e de formações [v. *formação* (5)] a ele associadas (ligamentos, articulações, etc.). **2.** *Restr.* Ramo da medicina que se ocupa da prevenção e da correção de deformidade do corpo humano.

ortopédico [De *ortopedia* + *-ico*².] **Adj.** Relativo à, ou próprio da ortopedia: *aparelho ortopédico.* ~ V. *bota —a* e *colete —*.

ortopedista [De *ortopedia* + *-ista*.] **S. 2 g.** Especialista em ortopedia (2).

ortopneia (éi) [Do gr. *orthópnoia*, pelo lat. *orthopnoea*.] **S. f.** *Patol.* Impossibilidade de respirar a não ser com o tórax ereto; dispneia que obriga o doente a manter-se em pé ou sentado.❖

ortopneico (éi) [De *ortopneia* + *-ico*².] **Adj.** Relativo a ortopneia.❖

ortopráctico **Adj.** Respeitante à ortopraxia.

ortopraxia (cs) [De *ort(o)-* + *-prax(i)-* + *-ia*¹.] **S. f.** *Med.* Correção mecânica de deformações.

ortoprima [De *ort(o)-* + *prima*.] **S. f.** *Antrop.* **1.** Prima paralela (q. v.) de um indivíduo. **2.** *Restr.* Prima paralela que é membro do mesmo grupo de descendência unilinear do qual também faz parte o indivíduo tomado como referência.

ortoprimo [De *ort(o)-* + *primo*.] **S. m.** *Antrop.* **1.** Primo paralelo (q. v.) de um indivíduo. **2.** *Restr.* Primo paralelo que é membro do mesmo grupo de descendência unilinear ao qual também faz parte o indivíduo tomado como referência.

ortóptero [De *ort(o)-* + *-ptero*; tax. *Orthoptera*.] *Zool.* **S. m. 1.** Espécime dos ortópteros, ordem de insetos paurometabólicos, pterigotos, providos de sistema bucal mastigador, asas anteriores coriáceas, asas posteriores membranosas, dobradas longitudinalmente. De grande porte, têm, na maioria, as pernas posteriores mais desenvolvidas, adaptadas para o salto. São as baratas, os grilos, os gafanhotos, as esperanças, os louva-a-deus.● **Adj. 2.** Pertencente ou relativo a eles. [Sin. ger.: *saltatório*.]

ortóptica [De *ort(o)-* + *óptica*.] **S. f.** *Mat.* **1.** Curva ortóptica. **2.** *Oftalm.* Ramo da oftalmologia em que, mediante exercícios oculares, se procura corrigir deformação de eixos visuais que não estejam coordenados de modo a proporcionar visão binocular normal.

ortóptico [De *ort(o)-* + *óptico*.] **Adj.** *Oftalm.* Que corrige a obliquidade de um ou de ambos os eixos visuais. ~ V. *curva —a*.

ortorrafo [Adapt. do tax. *Orthorhapha* ou *Orthorrhapha*.] *Zool.* **S. m. 1.** Espécime dos ortorrafos, subordem de insetos dípteros, cuja larva tem cabeça distinta, e o adulto, antena desprovida de lúnula frontal; emerge da pupa por sulco dorsal em forma de T.● **Adj. 2.** Pertencente ou relativo a eles.

ortorrômbico [De *ort(o)-* + *rômbico*.] **Adj.** *Min.* ~ V. *sistema —*.

▲ **ortos-** [Do gr. *orthós, é, ón*.] **El. comp.** = 'direito', 'reto'; 'normal'; 'em linha reta ou direita': *ortósio*. [Equiv.: *ort(o)-, -ort(o)(s)-*: *ortodátilo, ortopedia, ortoprimo, ortose, ortodonte; anortita, euortosia*.]

▲ **-ort(o)(s)-** V. *ortos-*.

ortoscópico [De *ort(o)-* + *-scop-* + *-ico*².] **Adj.** Que não apresenta distorção: *imagem ortoscópica.* ~ V. *ocular —a*.

ortose [Do ingl. *orthosis* (do gr. *orthós, é, ón*, 'reto', 'correto').] **S. f.** *Ort.* Qualquer aparelho ortopédico que objetive proteger, imobilizar ou sustentar o corpo ou um de seus segmentos a que está fixado diretamente. [Sin. ger.: *órtese*.]

ortósio [De *ortos-* + *-io*³.] **S. m.** Ortoclásio.

ortossilicato [De *orto-* + *silicato*.] **S. m.** *Quím.* Designação genérica de sais que contêm o ânion SiO_4^{-4}, ou de ésteres do tipo $Si(OR)_4$ (em que os RR são grupos hidrocarbônicos). [Cf. *metassilicato*.]

ortotópico [De *ort(o)-* + *-top(o)-* + *-ico*².] **Adj.** *Imun. Cir.* ~ V. *transplante —*.

ortótropo [De *ort(o)-* + *-tropo*.] **Adj.** *Bot.* Diz-se do óvulo retilíneo em que a micrópila e o hilo estão situados na mesma direção. ~ V. *fonte —a*.

oruncó [Do ior.] **S. m.** *Bras. Rel.* Cerimônia pública do candomblé em que o orixá da iniciada dá a conhecer seu nome particular pela voz dela; dia de dar o nome.

orungã [Do ior.] **S. m.** *Bras. Rel.* Divindade iorubana ligada à divinação através de Ifá e cuja epifania é o ar; um mito africano o dá como o filho de Aganju e Iemanjá que teria violentado a mãe, dando origem ao nascimento de 15 orixás. [Com cap.]

orvalhada [F. subst. de *orvalhado*.] **S. f.** O orvalho da manhã.

orvalhado [Part. de *orvalhar*.] **Adj. 1.** Umedecido ou molhado com orvalho; orvalhoso: *flores orvalhadas;* "As ovelhas e os cordeiros pastam nos relvedos orvalhados." (Eugênio de Castro, *Obras Poéticas*, III, p. 93). **2.** *Fig.* Raso de água; molhado, alagado: *Chorou, e ainda tem os olhos orvalhados.*

orvalhar [De *orvalho* + *-ar*².] **V. t. d. 1.** Molhar ou umedecer com orvalho; cobrir de orvalho; rociar. **2.** Borrifar ou aspergir com gotas de qualquer líquido. **3.** Cobrir de líquido; molhar: "Uma chuva miúda, peneirada, batida de vento, entrava pela janela, orvalhando o oleado da mesa." (Coelho Neto, *Turbilhão*, p. 212.) **Int. 4.** Cair orvalho; rociar: "Orvalhava e os grilos recomeçaram no silêncio o canto merencório." (Coelho Neto, *Sertão*, p. 200.) **5.** Cair chuva miúda; chuviscar. **P. 6.** Cobrir-se de orvalho. **7.** Umedecer-se; molhar-se.

orvalheira [De *orvalho* + *-eira*.] **S. f.** *Bras. SP Pop.* Grande quantidade de orvalho.

orvalhinha [De *orvalho* + *-inha*.] **S. f.** *Bot.* Planta droserácea carnívora (*Drosera rotundifolia*), nativa do hemisfério norte, que apresenta várias propriedades medicinais, sendo us., na homeopatia ou medicina alternativa, como diurético, calmante e expectorante.

orvalho [Da mesma or. incerta que o esp. *orvallo*.] **S. m. 1.** Umidade da atmosfera, que se condensa (principalmente durante a noite) e se deposita, em forma de gotículas, sobre qualquer superfície fria; relento, rocio. **2.** Chuva muito miúda; chuvisco. **3.** *P. ext.* Líquido que se espalha em pequenas gotas. **4.** *Fig.* Aquilo que refrigera, acalma, consola: *os orvalhos da graça de Deus.*

orvalhógrafo [De *orvalho* + *-grafo*.] **S. m.** *Met.* Instrumento mecânico que registra a intensidade do orvalho em milímetros.

orvalhómetro **S. m.** *Met.* V. *orvalhômetro*. [Uso freq. em P.]

orvalhômetro [De *orvalho* + *-metro*.] **S. m.** *Met.* Dispositivo que indica o grau de intensidade do orvalho.

orvalhoso (ô) [De *orvalho* + *-oso*.] **Adj. 1.** Orvalhado (1). **2.** Que espalha ou deita orvalho.

orwelliano [Do pseudôn. (*George*) *Orwell* + *-iano*.] **Adj. 1.** Relativo ou pertencente ao escritor britânico George Orwell (pseudônimo de Eric Arthur Blair [1903-1950]), ou próprio dele. **2.** Que é seu admirador e/ou profundo conhecedor de sua obra. **3.** Que é característico dos seus escritos, esp. dos que tratam do totalitarismo, como *1984* e *A Revolução dos Bichos*.● **S. m. 3.** Admirador e/ou profundo conhecedor da obra de George Orwell.

■ **Os** *Quím.* Símb. de *ósmio*.

■ **OS** [Acrôn. do ingl. *o(perational) s(ystem)*.] *Inform.* Abrev. de *sistema operacional*.

▲ **-osa** [Do lat. cient. *-osa*, do neutro pl. de *-osus*.] **Suf. nom.** us. na nomenclatura zoológica ou botânica = 'nome de família'; 'espécime': *ceratosa*.

osana **S. f.** *Quím.* Designação genérica de substâncias encontradas em vegetais, de elevada massa molecular, e que dão por hidrólise pentoses e hexoses. [Cf. *hosana*.]

osasquense **Adj. 2 g. 1.** De, ou pertencente ou relativo a Osasco (SP).● **S. 2 g. 2.** O natural ou habitante de Osasco.

■ **OSB** [Abrev. do ingl. *oriented strand board*.] *Marc.* Chapa de fibras de madeira, orientadas perpendicularmente, aglutinadas, sob pressão, com resina sintética.

óscar [Do antr. (*Pierce*) *Oscar*, fazendeiro norte-americano.] **S. m. 1.** Prêmio concedido anualmente, nos Estados Unidos da América, a artistas, diretores, etc., de cinema: *O óscar de melhor filme estrangeiro coube, pelo 2.º ano consecutivo, a um filme holandês.* **2.** A estatueta dourada representativa do óscar (1): *Furtaram o óscar da atriz premiada.*

oscilação [Do lat. tard. *oscillatione*.] **S. f. 1.** Ato ou efeito de oscilar. **2.** *Fís.* Fenômeno em que uma grandeza ou um conjunto de grandezas de um sistema varia segundo função periódica do tempo. **3.** Variação alternada; flutuação, mudança: *as oscilações da temperatura.* **4.** *Fig.* Hesitação, perplexidade, dúvida, vacilação. **5.** *Fig.* Incerteza, perplexidade. ◆ **Oscilação de relaxação.** *Fís.* Aquela em que o sistema permanece quiescente durante parte do ciclo e só se modifica na outra parte. **Oscilação forçada.** *Fís.* A que um sistema oscilante efetua sob a ação de um agente externo que varia periodicamente. **Oscilação forçada do polo.** *Astr.* Variação polar (q. v.) que tem um período de um ano e, realmente, pode ser considerada como uma nutação forçada imposta por fenômenos meteorológicos de caráter sazonal; nutação forçada. **Oscilação livre.** *Fís.* A que é efetuada por um sistema sem a intervenção de agentes externos; oscilação própria. **Oscilação própria.** *Fís.* Oscilação livre.

oscilador (ô) [De *oscilar* + *-dor*.] **S. m.** *Fís.* Qualquer sistema capaz de iniciar e sustentar oscilações em si mesmo ou transmiti-las a outro sistema.

oscilante [Do lat. *oscillante*.] **Adj. 2 g. 1.** Que oscila; oscilatório, pendular. **2.** *Fig.* Vacilante, hesitante. **3.** *Fig.* Variável, inseguro, incerto. ~ V. *bloco —, braço —, dipolo —, faca —* e *série —*.

oscilantemente [De *oscilante* + *-mente*.] **Adv.** De modo oscilante; com oscilação: "pousavam em ramos frágeis equilibrando oscilantemente." (Coelho Neto, *Banzo*, p. 64).

oscilar [Do lat. tard. *oscillare*.] **V. int. 1.** Mover-se para um lado e para outro; balançar-se: "A taça oscilou ligeiramente nas águas, fez umas reviravoltas antes de seguir mar em fora" (Fialho d'Almeida, *O País das Uvas*, p. 98). **2.** Movimentar-se alternadamente em sentidos opostos; mover-se, tornando a passar (ao menos aproximadamente) pelas mesmas posições: *Dada a corda ao relógio, entrou o pêndulo a oscilar;* "Dependurada num portal / A toalha em que enxuguei as mãos / Oscila ao vento." (Ribeiro Couto, *Poesias Reunidas*, p. 161); "A rede oscilava, ia e vinha." (Moreira Campos, *Portas Fechadas*, p. 32). **3.** Sofrer abalo; vacilar, tremer: "Súbito, um ronco pavoroso, enorme trovão subterrâneo. ... Nos altares oscilam as imagens; as paredes bailam; dessoldam-se traves e colunas" (J. Lúcio d'Azevedo, *O Marquês de Pombal e a Sua Época*, pp. 141-142). **4.** Vacilar, hesitar: *Em dúvida, oscilou antes de responder.* **5.** Sofrer variação: *Os salários não oscilaram nos últimos anos.* **T. i. 6.** Vacilar, hesitar: *Oscilava entre a viagem marítima e a terrestre.* **Bit. i. 7.** Alternar; variar: *Oscilava de um excelente humor a uma grande impaciência.* **Bit. c. T. c. 8.** Sofrer variação; variar: *A temperatura oscilou entre 10 e 25 graus no inverno.* **T. d. 9.** Agitar, mover, ora para um, ora para outro lado: *O animal oscilava a cauda.*

oscilatório [De *oscilar* + *-tório*.] **Adj.** V. *oscilante* (1).

▲ **oscilo-** [Do rad. do lat. *oscillāre* + *-o-*.] **El. comp.** = 'oscilação': *oscilógrafo, osciloscópio*.

oscilógrafo [De *oscilo-* + *-grafo*.] **S. m.** *Fís.* Qualquer instrumento que detecta e registra oscilações.

osciloscópio [De *oscilo-* + *-scópio*².] **S. m.** *Fís.* Instrumento que permite detectar e observar oscilações. ◆ **Osciloscópio de raios catódicos.** *Eletrôn.* Aquele em que o feixe de elétrons de um tubo de raios catódicos registra numa tela fluorescente os sinais elétricos periódicos que recebe.

óscine [Do tax. *Oscines*.] *Zool.* **S. m. 1.** Espécime dos óscines, subordem de aves neórnites, neógnatas, passeriformes, com órgão vocal formado por cinco músculos. Equivalem, taxionomicamente, à subordem dos pássaros (v. *pássaro*²).● **Adj. 2 g. 2.** Pertencente ou relativo a eles.

oscitação [Do lat. *oscitatione*.] **S. f.** Ato de oscitar; bocejo.

oscitar [Do lat. *oscitare*.] **V. int.** V. *bocejar* (1 e 2).

osco [Do lat. *oscu*.] **S. m. 1.** Indivíduo dos oscos, antiquíssimo povo de estirpe pelágica, habitante da Campânia italiana. **2.** *Gloss.* Língua itálica desse povo e também a das tribos samnitas. **3.** *Graf.* V. *alfabeto osco*.● **Adj. 4.** Pertencente ou relativo aos oscos, ou a osco (2 e 3). ~ V. *alfabeto —*.

oscofórias [Adapt. do gr. *Oschophória*.] **S. f. pl.** Na antiga Atenas, procissão em honra do deus Dioniso, na segunda quinzena do mês de pianépsion, na qual se levavam ramos de videira com cachos de uva.

osco-úmbrio **S. m.** *Gloss.* Um dos subgrupos do itálico (11), cujas línguas estão extintas, e que compreendia o osco (2), o úmbrio e o sabélico (3). [Pl.: *osco-úmbrios*.]

osculação [Do lat. *osculatione*.] **S. f. 1.** Ato ou efeito de oscular. **2.** *Geom.* Contato de duas curvas; cruzamento de dois ramos da mesma curva.

osculador (ô) [De *oscular* + *-dor*.] **Adj. 1.** Que oscula. ~ V. *círculo* — e *plano —*.● **S. m. 2.** Aquele que oscula.

oscular [Do lat. tard. *osculare*.] **V. t. d.** Dar ósculo(s) em; beijar: "E deixa-me oscular teu níveo peito,

O

/ Teus braços, tua boca de romã!" (Eugênio de Castro, *Obras Poéticas*, V, p. 107.) [Pres. ind.: *osculo*, etc. Cf. *ósculo*.]

osculatório [De *oscular* + *-tório*.] ***Adj.*** **1.** Relativo a ósculo. ● ***S. m.*** **2.** *Rel.* Relicário (1). **3.** Porta-paz.

osculatriz [Fem. de *osculador*.] ***Adj.*** ***(f.)*** ~ V. *circunferência —*.

ósculo [Do lat. *osculu*, lit. 'boquinha'.] ***S. m.*** **1.** Beijo (1). **2.** Beijo de paz e amizade. **3.** *Zool.* Orifício exalante das esponjas, que permite a comunicação do átrio com o meio exterior. [Cf. *osculo*, do v. *oscular*.]

ose ***S. f.*** *Quím.* Designação genérica das aldoses e das cetoses.

▲ **-os(e)-**[1] Equiv. de *-ose*[1].

▲ **-os(e)-**[2] V. *-ose*[2].

▲ **-ose**[1] [Do lat. cient. *-osis* < gr. *-ōsis*.] ***Suf.*** = 'ação'; 'processo'; 'processo mórbido': *osmose*, *cirrose*, *dermatose*. [Equiv.: *-os(e)-*: *quimosina*.]

▲ **-ose**[2] [De *glic(ose)*.] *Quím.* ***Suf.*** = 'açúcar'; 'carboidrato': *frutose*, *pentose*. [Ocorre, tb., como infixo: *-os(e)-*[2]: *hexosamina*.]

oseltamivir ***S. m.*** *Quím.* Substância farmacêutica antiviral, que age por inibição da neuraminidase viral, e é usada, sob a forma de fosfato, no combate a certos tipos de gripe [fórm.: $C_{16}H_{28}N_2O_4$].

osfrádio [De lat. cient. *osphradium* < gr. med. *osphradíon*, 'ramalhete'.] ***S. m.*** *Zool.* Órgão sensorial que se supõe seja olfativo, situado na cavidade paleal dos gastrópodes aquáticos, junto à ctenídia.

osfresia [Do gr. *ósphresis*, 'olfato', + *-ia*[1].] ***S. f.*** Sensibilidade olfativa intensa; faculdade de sentir facilmente os cheiros.

osfrésico [De *osfresia* + *-ico*[2].] ***Adj.*** Relativo à osfresia, ou que a experimenta.

osfresiofobia [Do gr. *ósphresis*, 'olfato' (e, p. ext., 'cheiro') + *-o-*[1] + *-fobia*.] ***S. f.*** *Psiq.* Medo patológico de cheiros, ou de ser contaminado por cheiros.

osfresiofóbico [De *osfresiofobia* + *-ico*[2].] *Psiq.* ***Adj.*** **1.** Relativo a osfresiofobia. **2.** Que sofre de osfresiofobia; osfresiófobo. ● ***S. m.*** **3.** Aquele que sofre de osfresiofobia; osfresiófobo.

osfresiófobo [De *osfresio-*, como em *osfresiofobia*, + *-fobo*.] ***Adj. S. m.*** *Psiq.* Osfresiofóbico (2 e 3).

osfresiolagnia [Do gr. *ósphresis*, 'olfato' (e, p. ext., 'cheiro') + *-o-*[1] + *-lagnia*.] ***S. f.*** *Psiq.* Interesse patológico ou parafílico por cheiros.

osga [Do ár. *wazaga(t)*, 'lagarto'.] ***S. f.*** **1.** *Bras. AM PA MA Zool.* Réptil lacertílio, geconídeo (*Hemidactylus mabovia*), originário da África e introduzido no Brasil com o tráfico de escravos. Inofensivo; tem coloração cinza-brancacenta e põe ovos brancos, de 9 a 11mm de diâmetro. Muito comum nas regiões costeiras, frequenta habitações humanas, onde se reproduz, e se alimenta de pequenos artrópodes, que seleciona na luz, ao anoitecer. **2.** V. *lagartixa* (1). **3.** *Pop.* Aversão entranhada; má vontade, asco, repulsa.

▲ **-osma** [Do gr. *osmḗ*, *ês*, *ás*.] V. *osm(o)-*[1].

osmanil ***S. m.*** V. *osmanli*.

osmanli [Do antr. ár. *ʿuṯmān*(Oscar) > adj. ár. *ʿuṯmānī*, 'de, ou relativo a Osman'.] ***S. m.*** **1.** Membro de uma dinastia turca fundada por Osmã I (1259-1326), imperador dos turcos, fundador do Império Otomano. **2.** *P. ext.* Indivíduo dos osmanlis, designação dada aos turcos; turco. **3.** *Gloss.* V. *turco* (5). [Var.: *osmanil*.]

osmático [De *osm(o)-*[1] + *-ático*.] ***Adj.*** *Zool.* Que tem elevado sentido de olfação; caracterizado por grande acuidade olfativa, como, p. ex., o cão.

osmetério [Do gr. *osmḗ*, 'odor', + *-tério*[2]; lat. cient. *osmeterium*.] ***S. m.*** *Zool.* Órgão protrátil, bífido, do dorso do primeiro segmento torácico das larvas de muitas borboletas papilionáceas, que emite odor desagradável e que é, provavelmente, um órgão de defesa.

ósmico [De *ósmio* + *-ico*[2].] ***Adj.*** Relativo ao ósmio. ~ V. *ácido —*.

osmidrose [De *osm(o)-*[1] + *-idr(o)-* + *-ose*[1].] ***S. f.*** *Patol.* Sudação abundante e com cheiro desagradável.

osmidrótico [De *osmidr(ose)* + *-ótico*.] ***Adj.*** Respeitante a osmidrose.

ósmio [De *osm(o)-*[1] + *-io*[3].] ***S. m.*** *Quím.* Elemento de número atômico 76, metálico, duro, quebradiço, branco-azulado, muito denso, usado em algumas ligas [símb.: *Os*].

▲ **osm(o)-**[1] [Do gr. *osmḗ*, *ês*, *ás* ou do gr. *osmós*, *oû*.] ***El. comp.*** = 'cheiro', 'odor', 'aroma': *osmidrose*, *osmologia*. [Equiv.: *-osma*, *-osm(o)-*[1]: *xilosma*, *diósmea*.]

▲ **osm(o)-**[2] [Do gr. *osmós*, *oû*.] ***El. comp.*** = 'impulso'; 'osmose': *osmômetro*. [Equiv.: *-osm(o)-*[2]: *endosmose*.]

▲ **-osm(o)-**[1] Equiv. de *osm(o)-*[1].

▲ **-osm(o)-**[2] Equiv. de *osm(o)-*[2].

osmol [De *osm(ose)* + *-mol*.] ***S. m.*** Unidade de medida de pressão osmótica, igual à pressão osmótica exercida por uma molécula-grama de um corpo não ionizado dissolvido em um litro de água.

osmolalidade [De *osmol* + *-al-* + *-(i)dade*, p. anal. com *molalidade*.] ***S. f.*** *Bioquím. Fisiol.* Concentração de partículas osmoticamente ativas em solução, e expressa em termos de osmoles de soluto por quilo de solvente.

osmolar [De *osmol* + *-ar*[1].] ***Adj. 2 g.*** Relativo à pressão osmótica medida em osmol.

osmolaridade [De *osmolar* + *-(i)dade*, p. anal. com *molaridade*.] ***S. f.*** *Bioquím. Fisiol.* Concentração de partículas osmoticamente ativas em solução, e expressa em termos de osmoles de solutos por litro de solução.

osmologia [De *osm(o)-*[1] + *-logia*.] ***S. f.*** Tratado acerca dos odores ou aromas.

osmológico [De *osmologia* + *-ico*[2].] ***Adj.*** Relativo à osmologia.

osmómetro ***S. m.*** *Fís.-Quím.* V. *osmômetro*. [Uso freq. em P.]

osmômetro [De *osm(o)-*[2] + *-metro*.] ***S. m.*** *Fís.-Quím.* Instrumento para demonstrar a existência da pressão osmótica ou para efetuar medidas dessa pressão.

osmorreceptor (ô) [De *osm(o)-*[2] + *receptor*.] ***S. m.*** *Fisiol.* Cada neurônio de um grupo especializado, situado no hipotálamo, e que é estimulado quando se eleva a osmolalidade do líquido extracelular.

osmorrecetor (ô) ***S. m.*** *Fisiol.* V. *osmorreceptor*. [Uso próprio de P.]

osmorregulação [De *osm(o)-*[2] + *regulação*.] ***S. f.*** *Bioquím. Fisiol.* Manutenção da osmolaridade, da parte de um organismo simples ou de uma célula, e relativamente ao meio circundante.

osmorregulador (ô) [De *osm(o)-*[2] + *regulador*.] *Bioquím. Fisiol.* ***Adj.*** **1.** Relativo a osmorregulação. ● ***S. m.*** **2.** Fator que intervém na osmorregulação.

osmose [De *osm(o)-*[2] + *-ose*[1].] ***S. f.*** *Fís.-Quím.* Passagem do solvente de uma solução através de membrana impermeável ao soluto. ◆ **Por osmose.** *Bras. Gír.* Como por um processo de absorção que sugere o da osmose (q. v.): *Namorava um economista com a ilusão de aprender economia por osmose.*

osmótico [De *osm(ose)* + *-ótico*.] ***Adj.*** Relativo à osmose. ~ V. *pressão —a*.

osmundácea [Do tax. *Osmunda* + *-ácea*; tax. *Osmundaceae*.] ***S. f.*** *Bot.* Espécime das osmundáceas, família de pteridófitos, da ordem das eufilicales, que se caracteriza pelos esporângios não congregados em soros e destituídos de anel diferenciado. Há cerca de 20 espécies em todo o globo.

osmundáceo [De *osmundácea*, com var. suf. (v. *-áceo*).] ***Adj.*** *Bot.* Pertencente ou relativo às osmundáceas.

■ **O.S.O.** Abrev. de *oés-sudoeste*.

▲ **-oso** [Do lat. *-ōsus*, *a*, *um*.] ***Suf. nom.*** = 'provido ou cheio de'; 'que provoca ou produz (algo)'; 'que se assemelha a'; 'relativo a'; 'que é muito (algo)': *cauteloso*, *granuloso*; *apetitoso*, *assombroso*, *ganchoso*; *ceratoso*; *amenoso*. [Em Quím., indica 'que tem valência mais baixa do que em compostos ou íons cujos adjetivos terminam em *-ico*[2]': *ferroso*, *sulfuroso*.] [Equiv. (exceto em quím.): *-uoso*: *infectuoso*.]

osoriense ***Adj. 2 g.*** **1.** De, ou pertencente ou relativo a Osório (RS). ● ***S. 2 g.*** **2.** O natural ou habitante de Osório.

osqueíte [De *osque(o)-* + *-ite*[1].] ***S. f.*** *Urol.* Inflamação do escroto.

▲ **osque(o)-** [Do gr. *óscheos*, *ou*.] ***El. comp.*** = 'escroto': *osqueíte*, *osqueocele*.

osqueocele (ò) [De *osque(o)-* + *-cele*[1].] ***S. m.*** *Patol.* Hérnia inguinal que desce até o escroto.

osqueoma [De *osque(o)-* + *-oma*[1].] ***S. m.*** *Urol.* Tumor do escroto.

ossada [De *osso* + *-ada*[1].] ***S. f.*** **1.** Quantidade de ossos; ossaria, ossama. **2.** Os ossos de um cadáver. **3.** V. *esqueleto* (2). **4.** *Fig.* Restos, destroços: *a ossada do navio naufragado.* **5.** Arcabouço, armação, estrutura; ossatura: *a ossada do edifício.* **6.** *Ant. Constr. Nav.* V. *cavername* (1). **7.** *Bras.* Sílex satélite do diamante. ◆ **Dar a ossada.** *Bras. Pop.* V. *morrer* (1).

ossama [De *osso* + *-ama*.] ***S. f.*** *Bras.* V. *ossada* (1).

óssame [Do forro[2].] ***S. m.*** *Santom.* Erva vivaz (*Aframomum daniellii*), da família das zingiberáceas, cujo fruto é us. como condimento: "à venda viam-se condimentos locais como malagueta, óssame, berinjela" (Sacramento Neto, *Peneta*, p. 16).

ossamenta [Do lat. *ossa*, pl. de *os*, 'osso', + *-menta*.] ***S. f.*** V. *esqueleto* (1). [F. paral.: *ossamento*.]

ossamento [De *ossa* + *-mento*.] ***S. m.*** Ossamenta.

ossanha ***S. m.*** *Bras.* V. *Ossanhe*. [Com cap.]

ossanhe ***S. 2 g.*** *Bras. Rel.* V. *Oçânhim*. [Com cap.]

ossaria [De *osso* + *-aria*.] ***S. f.*** **1.** V. *ossada* (1). **2.** Ossuário (1).

ossário [Do lat. tard. *ossariu*.] ***S. m.*** V. *ossuário*.

ossatura [Do lat. *ossa*, pl. de *os*, 'osso', + *-tura*.] ***S. f.*** **1.** V. *esqueleto* (1). **2.** Ossada (5): *a ossatura de uma torre.* **3.** *Fig.* Constituição, estrutura: *a ossatura do romance, do drama, do poema.*

osseína [De *ósseo* + *-ina*[2], com infl. de *osso*.] ***S. f.*** Osteína.

ósseo [Do lat. *osseu*.] ***Adj.*** **1.** Relativo ao osso, ou que é da natureza dele. **2.** Que tem ossos. ~ V. *calo —*, *distase —a*, *labirinto —*, *lamela —a*, *leontíase —a*, *medula —a*, *placa —a*, *sistema —* e *tecido —*.

ossetra ***S. m.*** *Zool.* Esturjão (*Acipenser persicus*) com até 2,30m de comprimento, de coloração azulada, endêmico do mar Cáspio e do mar Negro, que fornece caviar, de mesmo nome, muito apreciado.

▲ **ossi-** [Do lat. *os*, *ōssis*.] ***El. comp.*** = 'osso': *ossificar*, *ossiforme*, *ossifluente*, *ossívoro*.

ossiandrianismo [De *ossiandriano* + *-ismo*.] ***S. m.*** Seita ou doutrina dos ossiandrianos.

ossiandriano [Do antr. *Ossiandro* + *-iano*.] ***S. m.*** Sectário protestante de Ossiandro (1498-1522), discípulo de Lutero (v. *luteranismo*).

ossiânico [Do antr. *Ossian* + *-ico*[2].] ***Adj.*** **1.** Pertencente ou relativo a Ossian ou Oisin, guerreiro e bardo gaélico legendário, que se supõe ter vivido no séc. III d. C., ou às suas poesias. **2.** Pertencente ou relativo ao poeta escocês James MacPherson (1736-1796), que publicou poemas os quais pretendia haver traduzido do gaélico, atribuindo-os a Ossian [v. *ossiânico* (1)], ou a esses poemas. [Cf. *oceânico*.]

ossicos [De *osso* + o pl. de *-ico*[1].] ***S. m. pl.*** Ossos que dividem as ventas das bestas; vômer das cavalgaduras.

ossiculado [De *ossículo* + *-ado*[1].] ***Adj.*** Que tem ossículos.

ossículo [Do lat. *ossiculu*.] ***S. m.*** **1.** *Anat.* Osso pequeno, ossinho. **2.** *Bot.* Caroço de frutos quando pequeno e não divisível.

ossidagã [Do ior.] ***S. f.*** *Bras. Rel.* No padê de Exu, filha de santo que assiste ou substitui a dagã e acolita a mãe de santo. [Var.: *assidagã*, *sidagã*.]

ossificação [De *ossificar* + *-ção*.] ***S. f.*** **1.** Ato ou efeito de ossificar(-se). **2.** *Histol.* V. *osteogênese* (2).

ossificado [Part. de *ossificar*.] ***Adj.*** **1.** Convertido em osso. **2.** Endurecido como osso.

ossificar [De *ossi-* + *-ficar*.] ***V. t. d. P.*** **1.** Converter(-se) em osso. **2.** Endurecer como osso. [Conjug.: v. *trancar*.]

ossifluência [De *ossi-* + *fluência*.] ***S. f.*** *Patol.* Amolecimento de tecido ósseo.

ossifluente [De *ossi-* + *fluente*.] ***Adj. 2 g.*** *Patol.* Que produz ossifluência, ou em que esta ocorre. ~ V. *abscesso —*.

ossiforme [De *ossi-* + *-forme*.] ***Adj. 2 g.*** Que tem forma de osso.

ossívoro [De *ossi-* + *-voro*.] ***Adj.*** **1.** Que come ossos. **2.** *Med.* Que corrói ou ataca a substância óssea.

osso (ô) [Do lat. tard. *ossu*.] ***S. m.*** **1.** *Anat. Histol.* Cada uma das diversas estruturas formadas por tecido rígido, composto de células incluídas em material conjuntivo mineralizado e constituídas, principalmente, de colágeno e fosfato de cálcio. Juntamente com as cartilagens, formam o esqueleto dos vertebrados, desempenhando funções diversas, como dar apoio estrutural às ações musculares, proteger órgãos da maior importância (como o cérebro, a medula espinhal), agir como reservatório de cálcio e de fosfato. [Dim. irreg.: *ossículo*.] **2.** *Fig.* Coisa difícil; dificuldade. **3.** *Bras. Gír.* V. *amante*[2] (6). **4.** *Bras. Gír.* Concubina. **5.** *Bras. Deprec.* V. *namorada* (1). **6.** *Bras. Gír.* Emprego, ocupação. ● ***Adj.*** **7.** *Bras. Gír.* V. *valentão* (1). **8.** *Bras. Gír. Desus.* Competente, capaz. [Pl.: *ossos* (ó). Cf. *ouço*, do v. *ouvir*.] ◆ **Osso calcâneo.** *Anat.* Osso de tarso, que forma calcanhar. [Tb. se diz apenas *calcâneo*.] **Osso compacto.** *Anat.* Porção de osso sem cavidade visível. **Osso coxal.** *Anat.* V. *osso do quadril*. **Osso dérmico.** **1.** *Anat.* O que surge por ossificação na pele. **2.** Designação especial das placas dérmicas (q. v.) dos quelônios. **Osso do quadril.** *Anat.* Cada um dos dois ossos, constituídos de três partes (*ílio*, *ísquio* e *púbis*), que, articulando-se anteriormente entre si, e posteriormente com o sacro, contribuem para formar o esqueleto ósseo da bacia; ilíaco, osso coxal. **Osso duro de roer.** **1.** *Fam.* Coisa muito difícil de fazer, ou de resolver, ou de suportar. **2.** Carne de pescoço. **Osso epactal.** *Anat.* Qualquer osso vórmio (q. v.). **Osso esponjoso.** *Anat.* Porção de osso constituído de lâminas finas que se entrecruzam. **Osso ganchoso.** *Anat.* Unciforme (2). **Osso occipital.** *Anat.* O situado na parte posterior e inferior do crânio. **Osso palatino.** *Anat.* Cada um dos dois ossos que formam o terço posterior do céu da boca ou palato. [Tb. se diz apenas *palatino*.] **Osso parietal.** *Anat.* Cada um de dois ossos que contribuem para fechar, lateral e superiormente, a maior parte da caixa craniana. [Tb. se diz apenas *parietal*.] **Osso pisiforme.** *Anat.* Cada um de dois ossos situados, um em cada mão, na fileira proximal de ossos de cada carpo. **Osso sacro.** *Anat.* O que forma a parte posterior da bacia. [Sin. (lus.): *osso sagrado*.] **Osso sagrado.** *Anat. Lus.* Osso sacro. **Ossos de borboleta.** *Fam.* V. *ninharia*. **Ossos de vidro.** *Pop.* Ossos fracos, que quebram facilmente. **Ossos do ofício.** Encargos ou dificuldades inerentes ao exercício de uma tarefa, emprego ou profissão; percalços: "Um dia queixei-me ao mano Artur dessa incumbência, que a meu ver não se enquadrava nas minhas obrigações. Retrucou que eram ossos do ofício." (Ciro dos Anjos, *A Menina do Sobrado*, p. 161.) **Osso**

sesamóideo. *Anat.* Cada um dos pequenos ossos situados na espessura dos tendões, na vizinhança de certas articulações. **Osso zigomático.** *Anat.* Osso de forma quadrangular situado um em cada região da bochecha, e que se articula com outros ossos do crânio e face do mesmo lado. [Sin.: *malar* e *zigoma*.] **Andar em osso.** *Bras.* Montar sem arreios sobre o pelo do cavalo. **Apertar os ossos (a/de alguém).** **1.** Apertar a mão de alguém, cumprimentá-lo. **2.** Abraçar alguém. **Dar com os ossos em.** Ir ter a; ir parar em: 🗒 *Depois de muito andar, deu com os ossos no mercado.* **Em osso.** **1.** Diz-se da construção sem revestimento, em que há, apenas, a armação ou o arcabouço. **2.** Em marcenaria, diz-se da madeira que ainda não foi lustrada ou envernizada. **Largar o osso.** Abandonar um bom emprego, pedir demissão: 📖 "– Tem gente forte que não vai topar largar o osso pelos belos olhos do presidente." (Permínio & Lúcio Asfora, *Confidências no Largo da Segunda-Feira*, p. 150.) **Moer os ossos.** Dar uma surra; machucar; sovar. **Não ser osso para andar em boca de cachorro.** *Bras. Pop.* Considerar-se moralmente acima de seus detratores. **No osso.** *Bras.* Com os pneumáticos furados: 🗒 *É impossível continuar a viagem, pois o carro está no osso.* **Roer os ossos.** *Bras.* Desfrutar os restos de alguma coisa; ter somente os percalços, sem auferir nenhum lucro ou vantagem.

ossobô [Do forro².] *S. m. Santom. Zool.* Ave de cores vivas, cujo canto, supõe-se, anuncia a chuva: 📖 "Já ouço o canto angustiado do ossobô a semear a tormenta" (Alda Espírito Santo, *É Nosso o Solo Sagrado da Terra*, p. 34).

➔ **ossobuco** [ɔso'buko] [It.] *S. m. Cul.* Guisado de rodelas de jarrete de vitela com o osso.

osso de cavalo *S. m. Bras.* Sílex satélite do diamante: 📖 "numa das catas do Boqueirão dos Papagaios, ... fora dar numa formação de osso de cavalo. Dentro dela, um conglomerado duro que nem rocha." (Nélson de Faria, *Cabeça-Torta*, p. 138). [Pl.: *ossos de cavalo*.] ☑

osso do pai joão *S. m. Bras. CE Pop.* V. *cóccix*. [Pl.: *ossos do pai joão*.] ☑

osso do vintém *S. m. Bras. CE Pop.* V. *tornozelo*. [Pl.: *ossos do vintém*.] ☑

ossonhe *S. 2 g. Bras. Rel.* V. *Oçânhim*. [Com cap.]

ossoso (ô) [De *osso* + *-oso*.] *Adj. P. us.* V. *ossudo*: 📖 "Outros .... chegam aos corações, como para os apalpar, as ossosas mãos enrugadas" (Alphonsus de Guimaraens, *Obra Completa*, p. 419).

ossuário [Do lat. tard. *ossuariu*.] *S. m.* **1.** Local onde se depositam os ossos humanos extraídos dos cemitérios; ossaria. **2.** Sepultura comum de muitos cadáveres. [Sin. ger.: *ossário*.]

ossudo [De *osso* + *-udo*.] *Adj.* **1.** Que tem grandes ossos. **2.** Que tem os ossos muito salientes: 📖 "Tipo mofino era o velho Quinca Epifânio, ossudo, inquieto, cara de fome" (Graciliano Ramos, *Infância*, p. 51). [Sin. ger. (p. us): *ossoso*.]

ostaga [Do esp. *ostaga*.] *S. f. Marinh.* Cabo com que se arria horizontalmente, pelo terço, ao longo do mastro, uma verga de gávea.

ostariofiso [Adapt. do tax. *Ostariophysi*.] *Zool. S. m.* **1.** Espécime dos ostariofisos, superordem de peixes actinopterígios que se caracterizam por apresentar órgão de Weber (q. v.). Constitui-se das seguintes ordens: caraciforme, cipriniforme, gimnotiforme, gonorrinquiforme e siluriforme. ● *Adj.* **2.** Pertencente ou relativo a eles.

ostealgia [De *oste(o)-* + *-alg(o)-*² + *-ia*¹.] *S. f. Med.* Dor em osso; osteodinia.

osteálgico [De *ostealgia* + *-ico*².] *Adj. Med.* Relativo a ostealgia; osteodínico.

osteícte [De *oste(o)-* + *-icte*; tax. *Osteichthyes*.] *Zool. S. m.* **1.** Espécime dos osteíctes, classe de peixes gnatostomados, de esqueleto ósseo, marinhos ou de água doce, que compreende mais de 25.000 espécies, constituindo a maior classe de vertebrados. Caracterizam-se por apresentar bexiga natatória ou pulmões, à exceção de algumas espécies bentônicas, opérculos, escamas dérmicas, cicloides ou ganoides e nadadeira caudal homocerca ou dificerca. ● *Adj. 2 g.* **2.** Pertencente ou relativo a eles. [Cf. *osteíte*.]

osteína [De *oste(o)-* + *-ina*³.] *S. f. Bioquím.* A principal substância orgânica do tecido ósseo; osseína.

osteíte [De *oste(o)-* + *-ite*¹.] *S. f. Patol.* Inflamação óssea. [Pl.: *osteítes*. Cf. *osteícte* e *osteíctes*.]

ostensão [Do lat. tard. *ostensione*.] *S. f.* V. *ostentação*.

ostensível [Do fr. *ostensible*.] *Adj. 2 g.* V. *ostensivo*.

ostensivo [Do lat. tard. *ostensivu*.] *Adj.* **1.** Que se pode mostrar ou ostentar; ostensível, ostensório. **2.** Próprio para se mostrar; ostensível, ostensório. **3.** Que se patenteia; aparente, ostensível, ostensório. **4.** Que ostenta [v. *ostentar* (1)] ; ostentativo; ostentoso, ostensível, ostensório.

ostensor (ô) [Do lat. tard. *ostensore*.] *Adj. S. m.* Que, ou aquele que mostra ou ostenta.

ostensório [De *ostensor* + *-io*³.] *Adj.* **1.** V. *ostensivo*. ● *S. m.* **2.** *Lit.* Custódia onde se ostenta a hóstia consagrada: 📖 "tinha o ar compungido de quem, na procissão, estava apenas na procissão, acompanhando o Corpo de Deus, que o vigário levava, vivo e verdadeiro, no ostensório, pelas ruas da cidade." (Oto Lara Resende, *Boca de Inferno*, p. 78).

ostentação [Do lat. *ostentatione*.] *S. f.* **1.** Ato ou efeito de ostentar(-se). **2.** Exibição aparatosa; alarde, exibicionismo. **3.** Pompa, magnificência, luxo. **4.** Vanglória, jactância, bazófia. [Sin. ger.: *ostensão*.]

ostentador (ô) [Do lat. *ostentatore*.] *Adj.* **1.** Que ostenta. ● *S. m.* **2.** Indivíduo que age ou fala com ostentação.

ostentar [Do lat. *ostentare*.] *V. t. d.* **1.** Mostrar ou exibir com aparato; pompear, alardear: 🗒 *Gosta de ostentar riqueza;* 📖 "As árvores do jardim, embora seja primavera, não ostentam viço." (Ursulino Leão, *Existência de Marina*, p. 17). **2.** Exibir ou mostrar com orgulho: 🗒 *Ostentava o fundo ferimento que quase o vitimara.* **3.** Revelar com brilho e glória: 🗒 *Ostenta, nos livros, o seu estilo pomposo.* **Int.** **4.** Fazer ostentação. *P.* **5.** Exibir-se ou mostrar-se com ostentação.

ostentativo [Do lat. *ostentatus*, part. pass. de *ostentare*, 'ostentar', + *-ivo*.] *Adj.* V. *ostensivo* (4).

ostentatório [De *ostentar* + *-tório*.] *Adj.* Em que há ostentação (2); exibitório.

ostentoso (ô) [De *ostent-*, como em *ostentar*, + *-oso*.] *Adj.* **1.** Feito, preparado, disposto com ostentação; aparatoso, pomposo. **2.** Magnífico, esplêndido, brilhante, soberbo. **3.** V. *ostensivo* (4).

▲ **oste(o)-** [Do gr. *ostéon-oûn, éou-oû*.] *El. comp.* = 'tecido ósseo'; 'osso': *osteólito, osteoma, osteonecrose, osteodermo*¹. [Equiv.: *-ost(e)(o)-*, *-ósteo*: *hiperosteose; teleósteo*.]

▲ **-ost(e)(o)-** V. *oste(o)-*.

▲ **-ósteo** V. *oste(o)-*.

osteoblasto [De *oste(o)-* + *-blasto*.] *S. m. Histol.* Célula derivada de célula osteogênica, e que sintetiza a parte orgânica da matriz óssea.

osteocele [De *oste(o)-* + *-cele*¹.] *S. f. Patol.* Hérnia que contém osso.

osteocélico [De *osteocele* + *-ico*².] *Adj. Patol.* Relativo a osteocele.

osteócito [De *oste(o)-* + *-cito*.] *S. m. Histol.* Célula óssea madura derivada do osteoblasto, e que ficou aprisionada dentro de matriz óssea.

osteoclasto [De *oste(o)-* + *-clasto*.] *S. m. Histol.* Célula do tecido ósseo, grande e multinucleada, que é capaz de digerir a matriz óssea orgânica e dissolver cristais de sais de cálcio, como, p. ex., na formação de canais e cavidades.

osteocondrite [De *oste(o)-* + *-condr(o)-* + *-ite*¹.] *S. f. Patol.* Inflamação conjunta de osso e de cartilagem. ◆ **Osteocondrite de crescimento.** *Ort.* Osteocondrose.

osteocondrodisplasia [De *oste(o)-* + *-condr(o)-* + *displasia*.] *S. f. Ort.* Condrodisplasia.

osteocondrose [De *oste(o)-* + *-condr(o)-* + *-ose*¹.] *S. f. Ort.* Afecção de origem obscura, de caráter não inflamatório, que acomete o núcleo epifisário durante o período de crescimento; osteocondrite de crescimento.

osteócopo [De *oste(o)-* + gr. *kópos*, 'pena'; 'sofrimento'.] *S. m. Patol.* Dor aguda em osso, e que dá a impressão de que este se esteja quebrando. [Resulta, freq., de lesão óssea sifilítica.]

osteodermo¹ [De *oste(o)-* + *-dermo*.] *Adj. Zool.* Que tem a pele recoberta de placas ósseas, como, p. ex., o crocodilo.

osteodermo² [Adapt. do tax. *Osteodermi*.] *Zool. Obsol. S. m.* **1.** Espécime dos osteodermos, ordem de peixes plectógnatos incluídos, atualmente, entre tetraodontiformes. ● *Adj.* **2.** Pertencente ou relativo a eles.

osteodinia [De *oste(o)-* + *-odin(o)-* + *-ia*¹.] *S. f. Med.* Ostealgia.

osteodínico [De *osteodinia* + *-ico*².] *Adj. Med.* Osteálgico.

osteófito [De *oste(o)-* + *-fito*.] *S. m. Patol.* Produção óssea anormal que se observa em margem de superfície articular e que se associa a certas osteopatias.

osteogénese *S. f. Biol.* V. *osteogênese*. [Uso freq. em P.]

osteogênese [De *oste(o)-* + *-gênese*.] *S. f.* **1.** *Biol.* Estudo da formação dos ossos; osteogenia. **2.** *Histol.* Formação de osso(s) ou de sistema ósseo; ossificação, osteose (desus.).

osteogenético [De *osteogên(ese)* + *-ético*.] *Adj.* Relativo a osteogênese.

osteogenia [De *oste(o)-* + *-genia*.] *S. f. Biol.* Osteogênese (1).

osteogénico *Adj. Biol.* V. *osteogênico*. [Uso freq. em P.]

osteogênico [De *osteogenia* + *-ico*².] *Adj. Biol.* Referente a osteogenia.

osteoglossídeo [Do tax. *Osteoglossum* + *-ídeo*; tax. *Osteoglossidae*.] *Zool. S. m.* **1.** Espécime dos osteoglossídeos, família de peixes osteoglossiformes de áreas tropicais da América do Sul, África, Ásia e Austrália. Caracterizam-se por terem o corpo coberto de escamas grandes e espessas, a cabeça protegida por placas ósseas, os olhos grandes, a boca voltada para a superfície, e a língua dura e áspera. Ex.: pirarucu. ● *Adj.* **2.** Pertencente ou relativo a eles.

osteoglossiforme [Adapt. do tax. *Osteoglossiformes*.] *Zool. S. m.* **1.** Espécime dos osteoglossiformes, ordem de peixes actinopterígios de água doce e salobra, com espécies fósseis e exstantes, que inclui as famílias notopterídea, hiodontídea, osteoglossídea e pantodontídea. ● *Adj. 2 g.* **2.** Pertencente ou relativo a eles.

osteografia [De *oste(o)-* + *-grafia*.] *S. f.* Descrição ou tratado acerca dos ossos.

osteográfico [De *osteografia* + *-ico*².] *Adj.* Relativo a osteografia.

osteógrafo [De *oste(o)-* + *-grafo*.] *S. m.* Especialista em osteografia.

osteoide (ói) [De *oste(o)-* + *-oide*.] *Adj.* **1.** Diz-se de formação que se assemelha a osso. ● *S. f.* **2.** *Histol.* Matriz óssea orgânica; osso novo ainda não calcificado. ❖

osteointegração [De *oste(o)-* + *integração*.] *S. f. Odont.* Crescimento de tecido ósseo em contato com a superfície de um implante biocompatível, o qual promove forte imbricamento mecânico.

osteólise [De *oste(o)-* + *-lise*.] *S. f. Patol.* Destruição de tecido ósseo.

osteolítico [De *osteól(ise)* + *-ítico*.] *Adj. Patol.* Relativo a osteólise.

osteólito [De *oste(o)-* + *-lito*.] *S. m.* **1.** Osso fóssil; osso petrificado. **2.** *Min.* Variedade terrosa de apatita.

osteologia [De *oste(o)-* + *-logia*.] *S. f.* Tratado acerca dos ossos.

osteológico [De *osteologia* + *-ico*².] *Adj.* Relativo a osteologia.

osteólogo [De *oste(o)-* + *-logo*.] *S. m.* Especialista em osteologia.

osteoma [De *oste(o)-* + *-oma*¹.] *S. m. Patol.* Tumor formado por tecido ósseo.

osteomalacia [De *oste(o)-* + *-malacia*.] *S. f. Med.* Osteopatia caracterizada por deficiência de calcificação da matriz óssea, e que determina o amolecimento do esqueleto, facilitando a ocorrência de deformidade e de fratura.

osteómero *S. m. Anat.* V. *osteômero*. [Uso freq. em P.]

osteômero [De *oste(o)-* + *-mero*.] *S. m. Anat.* Cada uma de uma série de estruturas ósseas similares, como, p. ex., as vértebras.

osteometria [De *oste(o)-* + *-metria*.] *S. f.* Medição dos ossos, nos estudos antropológicos.

osteométrico [De *osteometria* + *-ico*².] *Adj.* Referente a osteometria.

osteomielite [De *oste(o)-* + *-miel(o)-* + *-ite*¹.] *S. f. Ort. Restr.* Inflamação de medula óssea. **2.** Inflamação óssea que pode permanecer localizada ou difundir-se, comprometendo medula, parte cortical, parte esponjosa e periósteo.

osteomielítico [De *osteomielite* + *-ico*².] *Adj. Ort.* Relativo a osteomielite.

osteonecrose [De *oste(o)-* + *necrose*.] *S. f. Patol.* Morte ou necrose óssea.

osteopatia [De *oste(o)-* + *-patia*.] *S. f. Med.* Qualquer doença óssea.

osteopático [De *osteopatia* + *-ico*².] *Adj. Med.* Relativo a osteopatia.

osteopenia [De *oste(o)-* + *-penia*.] *S. f. Histol.* Diminuição da massa óssea, consequente à predominância do desgaste ósseo normal sobre a síntese da matriz óssea.

osteoplastia [De *oste(o)-* + *-plast(o)-* + *-ia*¹.] *S. f. Cir. Plást.* Intervenção cirúrgica plástica em osso.

osteoplástico [De *osteoplastia* + *-ico*².] *Adj. Cir. Plást.* Relativo a osteoplastia.

osteoplasto [De *oste(o)-* + *-plasto*.] *S. m. Histol. Desus.* Lacuna que encerra osteócito.

osteoporose [De *oste(o)-* + *-por(o)-* + *-ose*¹.] *S. f. Histol. Patol.* Decréscimo de massa óssea, tornando-se os ossos propensos a fratura.

osteosclereide [De *oste(o)-* + *esclereide*.] *S. f. Bot.* Esclereide ramificada cujas extremidades são dilatadas.

osteose [De *oste(o)-* + *-ose*¹.] *S. f. Histol. Desus.* V. *osteogênese* (2).

osteossarcoma [De *oste(o)-* + *sarcoma*.] *S. m. Patol.* Tumor maligno que produz tecido ósseo imaturo.

osteossíntese [De *oste(o)-* + *síntese*.] *S. f. Cir.* **1.** Reunião de bordas ósseas mediante ato cirúrgico. **2.** Tratamento cirúrgico de fratura(s) que consiste em, após redução (12), manter unidas bordas ósseas, por meio de objeto(s) metálico(s) (parafuso, placa, fio, etc.).

osteóstomo [De *oste(o)-* + *-stomo*.] *Adj. Zool.* Que tem as maxilas inteiramente ósseas (diz-se de peixe).

O

osteotomia [De *oste(o)-* + *-tom(o)-* + *-ia*[1].] *S. f. Cir.* Seção de um ou mais ossos, para correção de deformidades ou em etapa de operação que visa lesão localizada em estrutura protegida por osso.
osteotómico *Adj. Cir.* V. *osteotômico*. [Uso freq. em P.]
osteotômico [De *osteotomia* + *-ico*[2].] *Adj. Cir.* Relativo a osteotomia.
osteótomo [De *oste(o)-* + *-tomo*.] *S. m. Cir.* Instrumento com que se pratica a osteotomia.
ostíaco *S. m.* **1.** Indivíduo dos ostíacos, povo finês que habita a Sibéria ocidental (Rússia). **2.** A língua falada pelos ostíacos. ● *Adj.* **3.** Pertencente ou relativo a esse povo.
ostiariato [De *ostiário* + *-ato*[1].] *S. m. Rel.* **1.** Na Igreja Católica, a primeira das ordens menores (q. v.). **2.** Cargo de ostiário.
ostiário [Do lat. *ostiariu*, 'porteiro'.] *S. m.* **1.** *Rel.* Aquele que abria e fechava as portas do templo e guardava as alfaias do culto. **2.** *Ecles.* Clérigo que recebeu o ostiariato. [Cf. *hostiário*.]
óstio [Do lat. cient. *ostium* < lat. *ostium*, 'porta', 'entrada'.] *S. m. Anat.* Designação genérica de abertura que dá acesso a órgão tubular, ou está situado entre duas cavidades corporais distintas; óstium.
ostiolado [De *ostíolo* + *-ado*[1].] *Adj. Biol.* Provido de ostíolo: *peritécio ostiolado*.
ostiolar [De *ostíolo* + *-ar*[1].] *Adj. 2 g. Biol.* Pertencente ou relativo ao ostíolo.
ostíolo [Do lat. *ostiolu*, dim. de *ostium*, 'porta'.] *S. m. Biol.* Pequena abertura de um órgão ou parte vegetal: *ostíolo estomático*.
óstium *S. m. Anat.* Óstio.
→ **ostpolitik** ['ɔstpoli,tik] [Al.] Política oriental. [Designação eufemística das tendências de expansão da Alemanha imperial e nacional-socialista.] [Com cap.]
ostra (ô) [Do lat. *ostrea*.] *S. f.* **1.** *Zool.* Molusco bivalve, ostreida, do gênero *Ostrea* [v. *óstrea* (2)]. Vive em colônias, fixo nas pedras, ferro, madeira, ou mesmo uns agarrados aos outros. São conhecidas sete espécies brasileiras, e a *Ostrea virginica*, de formato irregular e de valva inferior côncava, é a mais comum. O comprimento médio é de 6 a 8cm, mas pode atingir até 20cm, na BA. [Sin.: *ostra-americana*, *ostra-da-virgínia*, *gueriri*.] **2.** *Zool.* V. *ostra-verdadeira*. **3.** *Bras.* Assento preso à parede, nas casas de espetáculos. **4.** *Bras. Fig.* Pessoa que não larga outra. **5.** Escarro grosso.
ostra-americana *S. f. Bras. Zool.* V. *ostra* (1). [Pl.: *ostras-americanas*.]
ostráceo [De *ostra* + *-áceo*.] *Adj.* Relativo ou semelhante à ostra.
ostra-chata *S. f. Zool.* V. *ostra-verdadeira*. [Pl.: *ostras-chatas*.]
ostraciontídeo [Do lat. cient. *Ostraciont-* (do tax. *Ostracion*) + *-ídeo*[1]; tax. *Ostraciontidae*.] *Zool. S. m.* **1.** Espécime dos ostraciontídeos, família de peixes esclerodermos que compreende os gêneros Ostracion e Aracana. Encontram-se nos mares quentes e temperados. ● *Adj.* **2.** Pertencente ou relativo a eles.
ostracismo [Do gr. *ostrakismós*.] *S. m.* **1.** Em Atenas e outras cidades da Grécia antiga, desterro temporário determinado em plebiscito contra um cidadão. [Cf. *óstraco*.] **2.** *P. ext.* Afastamento (imposto ou voluntário) das funções políticas: "Nabuco, num capítulo d'*O Abolicionismo*, nos conta como os homens do Império, entre os quais encontramos os nossos maiores homens de Estado, conseguiam *soutenir son rang*, quando no ostracismo, ou melhor, quando apeados das posições." (Oliveira Viana, *O Idealismo da Constituição*, p. 121.) **3.** Exclusão, proscrição, banimento; exílio. **4.** Repúdio, repulsa.
ostracista [De *ostracismo* + *-ista*.] *S. 2 g.* Partidário do ostracismo.
ostracite [Do gr. *ostrakítes*, pelo lat. *ostracite*.] *S. f.* Ostra fóssil.
▲ **ostrac(o)-** [Do gr. *ostrako-* < gr. *óstrakon, ou* (ă).] *El. comp.* = 'concha', 'ostra', 'óstraco (1)': *ostracismo* (< gr.), *ostracite* (< gr.), *ostracologia*, *ostracólogo*. [Equiv.: *-ostrac(o)-*, *-óstraco*: *anostráceo*; *perióstraco*.]
▲ **-ostrac(o)-** V. *ostrac(o)-*.
óstraco [Do gr. *óstrakon, ou*.] *S. m.* **1.** Fragmento de cerâmica em que, na Grécia antiga, se inscrevia o nome daquele que se queria banir. **2.** *Paleogr.* Material de escrita constituído por fragmento de cerâmica, usado por alguns povos antigos para textos curtos e de natureza efêmera.
▲ **-óstraco** V. *ostrac(o)-*.
ostracodídeo [Do tax. *Ostracoda* + *-ídeo*[1]; tax. *Ostracodidae*.] *S. m. Adj. Zool.* V. *ostracóideo*.
ostracóideo [Do tax. *Ostrac(oda)* + *-óideo*.] *Zool. S. m.* **1.** Espécime dos ostracóideos, subclasse de metazoários artrópodes, crustáceos, de corpo de pequena dimensão, provido de uma carapaça bivalve sem linhas de crescimento e normalmente com sete pares de apêndices; ostracodídeos. ● *Adj.* **2.** Pertencente ou relativo a eles. [Sin. ger.: *ostracodídeo*.]

ostracologia [De *ostrac(o)-* + *-logia*.] *S. f.* Parte da zoologia que estuda as conchas.
ostracológico [De *ostracologia* + *-ico*[2].] *Adj.* Relativo à ostracologia.
ostracologista [De *ostracologia* + *-ista*.] *S. 2 g.* Especialista em ostracologia; ostracólogo.
ostracólogo [De *ostrac(o)-* + *-logo*.] *S. m.* Ostracologista.
ostra-da-virgínia *S. f. Bras. Zool.* V. *ostra* (1). [Pl.: *ostras-da-virgínia*.]
ostra-de-pobre *S. f. Bras. Zool.* V. *mexilhão*. [Pl.: *ostras-de-pobre*.]
ostra-do-mangue *S. f. Bras. Zool.* Molusco bivalve, ostreídeo (*Ostrea arborea*), da costa atlântica. É pequena, abundante, também usada na alimentação, embora menos estimada que as demais, e vive agarrada às raízes do mangue. [Pl.: *ostras-do-mangue*.]
ostra-europeia (éi) *S. f. Bras. Zool.* V. *ostra-verdadeira*. [Pl.: *ostras-europeias*.] ✣
ostra-francesa *S. f. Bras. Zool.* V. *ostra-verdadeira*. [Pl.: *ostras-francesas*.]
ostra-pé-de-cavalo *S. f. Zool.* V. *ostra-verdadeira*. [Pl.: *ostras-pés-de-cavalo*.]
ostraria [De *ostra* + *-aria*.] *S. f.* Grande quantidade ou ajuntamento de ostras.
ostra-verdadeira *S. f. Zool.* Molusco bivalve, ostreídeo, do Atlântico e do Mediterrâneo, de cor branca, acastanhada, amarelada ou manchada de violáceo, parte inferior branca, luzidia e levemente nacarada. [Tb. se diz apenas *ostra*; sin.: *ostra-francesa*, *ostra-chata*, *ostra-pé-de-cavalo*, *ostra-europeia*. Pl.: *ostras-verdadeiras*.]
óstrea [Do tax. *Ostrea*.] *S. f. Zool.* **1.** O gênero-tipo dos ostreidas. **2.** Qualquer espécie desse gênero, como, p. ex., a *Ostrea edulis*, ou ostra-verdadeira (q. v.), e a *O. virginica* [v. *ostra* (1)]. **3.** Qualquer espécime desse gênero.
ostreário [Do lat. *ostreariu*, 'viveiro de ostras'.] *S. m.* **1.** Local em que se desenvolve a ostreicultura. **2.** *Geol.* Terreno, ou sedimento, rico em conchas de ostras. ● *Adj.* **3.** *Zool.* Que vive na concha das ostras.
▲ **ostre(i)-** [Do lat. *ostrea, ae* ou *ostreum, i* < gr. *óstreon, ou*.] *El. comp.* = 'ostra': *ostreicultor*, *ostreiforme*. [Equiv.: *ostreo-*, *ostri-*, *-ostr(i)-*: *ostreófago*; *ostricultura*, *ostrífero* (< lat.), *anostráceo*.]
ostreicultor (e-i... ô) [De *ostre(i)-* + *-cultor*.] *S. m.* Aquele que pratica a ostreicultura; ostricultor.
ostreicultura (e-i) [De *ostre(i)-* + *cultura*.] *S. f.* Cultura de ostras; ostricultura.
ostreida [Adapt. do tax. *Ostreidae*.] *Zool. S. m.* **1.** Espécime dos ostreidas, família de moluscos que tem por tipo o gênero óstrea, e vizinhos: são moluscos bivalves, de concha muito irregular, que se fixam pela valva inferior, que é a maior e mais profunda. Têm grande importância alimentar, e são a origem dos sambaquis litorâneos. ● *Adj. 2 g.* **2.** Pertencente ou relativo a eles. [Sin. ger.: *ostreídeo*.]
ostreídeo [De *ostre(i)-* + *-ídeo*.] *S. m. Adj. Zool.* V. *ostreida*.
ostreiforme (e-i) [De *ostre(i)-* + *-forme*.] *Adj. 2 g.* Que tem forma de ostra.
ostreína [De *ostre(i)-* + *-ina*[1].] *S. f.* Substância que se extrai das ostras.
ostreira [De *ostra* + *-eira*.] *S. f.* **1.** Lugar onde se criam ostras. **2.** Vendedora de ostras. **3.** *Bras. SP SC* V. *sambaqui*.
ostreiro [De *ostra* + *-eiro*.] *Adj. S. m.* Que, ou aquele que vende ostra.
▲ **ostreo-** V. *ostre(i)-*.
ostreófago [De *ostre(o)-* + *-fago*.] *Adj.* Que se alimenta de ostras.
▲ **ostri-** [Do lat. *ostri-* (< lat. *ostreum, i*), como em *ostrifer, a, um*.] V. *ostre(i)-*.
▲ **-ostr(i)-** V. *ostre(i)-*.
ostricultor (ôr) [De *ostri-* + *-cultor*.] *S. m.* Ostreicultor.
ostricultura [De *ostri-* + *-cultura*.] *S. f.* Ostreicultura.
ostrífero [Do lat. *ostriferu*.] *Adj.* Que produz ostras: *região ostrífera*.
ostrino [Do lat. *ostrinu*.] *Adj.* Da cor ou da natureza da púrpura (1).
ostro [Do lat. *ostru*.] *S. m.* V. *púrpura*[1](1).
ostrogodo (ô) [Do gót. **austra*, 'leste', + *got*, 'godo'.] *S. m.* **1.** Indivíduo dos ostrogodos ou godos de leste. ● *Adj.* **2.** Pertencente ou relativo a eles. [Cf. *godo* (ô).]
osvaldo-cruzense *Adj. 2 g.* **1.** De, ou pertencente ou relativo a Osvaldo Cruz (SP). ● *S. 2 g.* **2.** O natural ou habitante de Osvaldo Cruz. [Pl.: *osvaldo-cruzenses*.]
oswaldiano [Do antr. *Oswald* + *-iano*.] *Adj.* **1.** Relativo ou pertencente ao escritor brasileiro José Oswald de Sousa Andrade (1890-1954), ou próprio dele. **2.** Que é seu admirador e/ou profundo conhecedor de sua obra. ● *S. m.* **3.** Admirador e/ou profundo conhecedor da obra de Oswald de Andrade.
ota (ô) *Interj. Bras.* Exprime incitamento, alegria, admiração ou espanto; upa, eta: "— Ota, bicho abençoado!..." (Amadeu de Queirós, *Os Casos do Carimbamba*, p. 130.)
▲ **-ot(a)-** V. *-ota*[2].
▲ **-ota**[1] V. *-ote*[1].

▲ **-ota**[2] [Do lat. *ōtes*(< gr.) ou do gr. *-ṓtēs*.] *Suf.* = 'natural de', 'nascido em'; 'pertinente a'; 'provido de': *cipriota*, *epirota* (< lat.), *amniota*, *estradiota* (< it. < gr.), *patriota* (< gr.), *idiota* (< gr.). [Equiv.: *-ote*[2], *-oto*[2], *-ot(a)-*: *dactiloquirotídeo*; *dendroquiroto*.]
▲ **-ot(a)** V. *-ota*[2].
otá [Do ior., poss.] *S. f. Bras. Rel.* No peji, cada uma das pedras sobre as quais se fixou, com ritos especiais, o axé (1).
otaciliense *Adj. 2 g.* **1.** De, ou pertencente ou relativo a Otacílio Costa (SC). ● *S. 2 g.* **2.** O natural ou habitante de Otacílio Costa.
otalgia [Do gr. *otalgía*.] *S. f. Otor.* Dor em ouvido(s) (orelha[s], atualmente); otodinia.
otálgico [De *otalgia* + *-ico*[2].] *Adj. Otor.* Relativo a otalgia; otodínico.
■ **OTAN** Sigla de *Organização do Tratado do Atlântico Norte*.
otária [Do tax. *Otaria*.] *S. f. Zool.* **1.** O gênero-tipo dos otariídeos. **2.** Qualquer espécie desse gênero, como, p. ex., a *Otaria flavescens* (v. *lobo-marinho*). **3.** Qualquer espécime desse gênero.
otariídeo [Do tax. *Otaria* + *-ídeo*; tax. *Otariidae*.] *Zool. S. m.* **1.** Espécime dos otariídeos, família de mamíferos carnívoros, pinípedes, marinhos, de membros muito curtos, transformados em paletas natatórias, de forma que apenas as mãos ou pés se destacam do corpo; têm, tb., orelhas bem visíveis. Vivem a maior parte da vida na água, tendo hábitos anfíbios. São os lobos-marinhos. ● *Adj.* **2.** Pertencente ou relativo a eles.
otário [Do lunf. *otario*, 'homem ingênuo, de boa-fé'.] *S. m. Gír.* Indivíduo tolo, simplório, fácil de ser enganado: "Agora somente os distinguia pelas vozes, Heliodoro cheio de desprezo ('Seu otário. Você é que não soube trabalhar a mulher'), Oliveira saltitando diante do Mudo" (José Cardoso Pires, *Jogos de Azar*, p. 181).
■ **OTCA** Sigla de *Organização do Tratado de Cooperação Amazônica*.
▲ **-ot(e)-** V. *-ote*[1].
▲ **-ote**[1] *Suf. nom.* = 'diminuição': *filhote*, *rapazote*. [Equiv.: *-ota*[1], *-oto*[1], *-ot(e)-*: *ilhota*; *casinhoto*; *bisbilhotar*.]
▲ **-ote**[2] V. *-ota*[2].
oti *S. 2 g. Adj. 2 g. Bras.* V. *oti-xavante*.
ótica *S. f.* V. *óptica*.
ótico[1] [Do gr. *otikós*.] *Adj.* Relativo ou pertencente a ouvido (orelha[s], atualmente). [Cf. *óptico*.]
ótico[2] *Adj. S. m.* V. *óptico*.
▲ **-ótico** [Do gr. *-otikós*.] *Suf. nom.* formador de voc. eruditos, ger. adjetivos para nomes terminados em *-ose* = 'de, ou relativo a (ação, processo, ou condição específica)'; 'que tem ou apresenta (certa doença, ou condição anormal)'; 'que apresenta um aumento ou formação de (algo específico)': *celulótico*, *cianótico*, *meiótico*, *psicótico*, *simbiótico*. [V. *-ico*[2] e *-ático*.]
otidídeo [Adapt. do tax. *Otididae*.] *Zool. S. m.* **1.** Espécime dos otidídeos, família de aves pernaltas de tamanho médio a grande, de plumagem cinzenta ou castanha no dorso, abdome branco ou camurça, e riscas pretas e brancas na cabeça e pescoço. São onívoras e nidificam no solo. Ex.: a *abetarda*. ● *Adj.* **2.** Pertencente ou relativo a eles.
otim [Do ior.] *S. m. Bras. BA* V. *cachaça* (1).
otimacia (cí) *S. f.* V. *optimacia*.
otimates *S. m. pl.* V. *optimates*.
otimismo [Var. de *optimismo* < lat. *optimus*, 'ótimo', + *-ismo*.] *S. m.* **1.** Doutrina filosófica segundo a qual tudo corre no mundo do melhor modo possível, tudo vai bem: *Voltaire consagra o seu romance* Candide *à refutação do otimismo.* **2.** Atitude em face dos problemas humanos ou sociais que consiste em considerá-los passíveis de uma solução global positiva, do que pode resultar uma atitude geral ativa e confiante ou, ao contrário, o descompromisso, por desnecessário, com qualquer tipo de participação. **3.** *Hist. Filos.* Termo originalmente atribuído à doutrina de Leibniz (v. *leibniziano*), segundo a qual a divina inteligência criadora deste mundo escolhera, entre os diversos mundos possíveis, o que associava o máximo de bem e o mínimo de mal, criando, pois, o melhor dos mundos possíveis. [Opõe-se a *pessimismo*.]
otimista [De *otimismo* + *-ista*.] *Adj. 2 g.* **1.** Relativo ao otimismo: *conceito otimista*. **2.** Partidário do otimismo. **3.** Que revela otimismo: *atitude otimista*. ● *S. 2 g.* **4.** Pessoa que revela otimismo. [Sin. (nas acepçs. 2, 3 e 4): *panglossiano*. Var. de *optimista*.]
otimização [De *otimizar* + *-ção*.] *S. f.* **1.** Ato, processo ou efeito de otimizar: "Ele prevê o aproveitamento e otimização de tudo o que foi feito até o momento" (*Revista de Domingo*, 23.05.1982). **2.** *Estat.* Determinação do valor ótimo (q. v.) de uma grandeza ou conjunto de grandezas. **3.** *Inform.* O conjunto das técnicas algorítmicas e de programação us. para buscar o valor ótimo de funções matemáticas.

otimizar [De *ótimo* + *-izar*.] *V. t. d.* **1.** Tornar ótimo. **2.** *P. ext. Bras.* Aceitar ou reconhecer como ótimo. **3.** *Estat.* Realizar a otimização (2) de (uma grandeza). **4.** *Inform.* Aperfeiçoar (um programa) a fim de que realize sua função no menor tempo ou no menor número de passos possível.

ótimo [Do lat. *optimu*.] *Adj.* **1.** Superl. abs. sint. de bom; muito bom; boníssimo; excelente: *ótimo vinho; ótima pessoa.* **2.** Que é o melhor possível: *Para um estrangeiro, seu português é ótimo.* **3.** Diz-se de grau, quantidade ou estado que se considera o mais favorável, em relação a um determinado critério: *temperatura ótima.* **4.** Que representa ou constitui o máximo que certa grandeza ou quantidade variável pode atingir em determinadas condições, ou a melhor combinação de diversos fatores variáveis: *o ponto ótimo de uma função.* ~ V. *valor* —. • *S. m.* **5.** O que é melhor ou o mais favorável: "O ótimo é inimigo do bom" (prov.); *O ótimo da nitidez.* • *Interj.* **6.** Exprime entusiasmo, admiração ou reconhecimento de que algo é excelente: *Faremos a viagem? Ótimo!*

ótis [Do tax. *Otis*.] *S. f. 2 n. Zool.* **1.** O gênero-tipo dos otidídeos, que abrange grandes aves que habitam as planícies do Velho Mundo. **2.** Qualquer espécie desse gênero, como, p. ex., a *Otis tarda* (v. *abetarda*). **3.** Qualquer espécime desse gênero.

otite [De *ot(o)-* + *-ite*[1].] *S. f. Otor.* Inflamação do(s) ouvido(s) (orelha[s], atualmente).

oti-xavante *Bras. S. 2 g.* **1.** *Etnôn.* Indivíduo dos otis-xavantes, povo indígena extinto, de língua isolada, que habitava o S.O. de SP. • *Adj. 2 g.* **2.** Pertencente ou relativo a esse povo. [Tb. se diz apenas *oti*, e us. como *s. 2 g. e 2 n.* (com cap.) e *adj. 2 g. e 2 n.*] [Pl.: *otis-xavantes* e *otis-xavante*.]

■ **OTN** Sigla de *Obrigação do Tesouro Nacional*.

▲ **ot(o)-** [Do gr. *oûs, otós*.] *El. comp.* = 'orelha', 'ouvido'; 'labirinto membranoso': *otite, otólito, otorrino, otologia.* [Equiv.: *-ot(o)-*, *-oto*[3]: *parótico, otólito; teniot0.*]

▲ **-ot(o)-** V. *ot(o)-*.

▲ **-oto**[1] V. *-ote*[1].

▲ **-oto**[2] V. *-ota*[2].

▲ **-oto**[3] V. *ot(o)-*.

otoantrite [De *ot(o)-* + *antro* + *-ite*[1].] *S. f. Otor.* Inflamação simultânea de caixa do tímpano e de antro de mastoide.

otocisto [De *ot(o)-* + *-cisto*.] *S. m. Zool.* **1.** Cada um dos supostos órgãos auditivos dos invertebrados, que contêm um fluido e otólitos. **2.** Invaginação saciforme do ectoderma, a partir da qual se desenvolve a orelha dos vertebrados.

otodinia [De *ot(o)-* + *-odin(o)-* + *-ia*[1].] *S. f. Otor.* Otalgia.

otodínico [De *otodinia* + *-ico*[2].] *Adj. Otor.* Otálgico.

otoemissão [De *ot(o)-* + *emissão*.] *S. f. Ort.* Qualquer emissão acústica, espontânea ou provocada, gerada na cóclea e captada no conduto auditivo externo. [É a base para um importante método de avaliação da audição.]

otólito [De *ot(o)-* + *-lito*.] *S. m. Otor.* Cada uma das concreções de carbonato de cálcio existentes em labirinto membranoso.

otologia [De *ot(o)-* + *-logia*.] *S. f.* Ramo da medicina que se ocupa das doenças dos ouvidos, em todos os seus aspectos.

otológico [De *otologia* + *-ico*[2].] *Adj.* Relativo a otologia.

otomana [Do fr. *ottomane*.] *S. f.* **1.** Espécie de sofá largo e sem costas: "Sofia .... foi sentar-se com grande rumor de saias, na otomana de cetim azul" (Machado de Assis, *Quincas Borba*, p. 192). **2.** *Tec. Têx.* Tecido com ligamento tafetá, com nervuras profundas no sentido da trama.

otomano [Do antr. *Uthman*, 'Osmã', imperador turco (1259-1326).] *Adj. S. m.* V. *turco* (1 e 3).

otomicose [De *ot(o)-* + *micose*.] *S. f. Otor.* Infecção fúngica de ouvido (orelha[s], atualmente).

otopatia [De *ot(o)-* + *-patia*.] *S. f. Otor.* Qualquer doença de ouvido (orelha[s], atualmente).

otopático [De *otopatia* + *-ico*[2].] *Adj. Otor.* Relativo a otopatia.

otoplastia [De *ot(o)-* + *-plast(o)-* + *-ia*[1].] *S. f. Cir. Plást.* Intervenção cirúrgica plástica em ouvido (orelha[s], atualmente).

otoplástico [De *otoplastia* + *-ico*[2].] *Adj. Cir. Plást.* Relativo a otoplastia.

otorreia (éi) [De *ot(o)-* + *-reia*.] *S. f. Otor.* Eliminação, pela(s) orelha(s), de secreção purulenta ou não. ❖

otorreico (éi) [De *otor(reia)* + *-reico*.] *Adj. Otor.* Relativo a otorreia. ❖

otorrino *S. 2 g.* V. *otorrinolaringologista*.

otorrinolaringologia [De *ot(o)-* + *-rin(o)-* + *-laring(o)-* + *-logia*.] *S. f.* Parte da medicina consagrada ao estudo e tratamento das doenças da orelha, do nariz e da garganta. [F. red.: *otorrino*.]

otorrinolaringológico [De *otorrinolaringologia* + *-ico*[2].] *Adj.* Relativo à otorrinolaringologia.

otorrinolaringologista [De *otorrinolaringologia* + *-ista*.] *S. 2 g.* Médico especialista em otorrinolaringologia. [F. red.: *otorrino*.]

otosclerose [De *ot(o)-* + *-(e)scler(o)-* + *-ose*[1].] *S. f. Otor.* Lesão de labirinto ósseo na qual há otospongiose, principalmente adiante e atrás da base do estribo (3), e que pode causar ancilose, resultando em surdez de condução. Ocorre também, por vezes, otosclerose coclear (q. v.). ◆ **Otosclerose coclear.** *Otor.* A que resulta de surdez neurossensorial.

otoscopia [De *ot(o)-* + *-scop-* + *-ia*[1].] *S. f. Otor.* Exame com otoscópio.

otoscópico [De *otoscopia* + *-ico*[2].] *Adj. Otor.* Relativo a otoscopia, ou a otoscópio.

otoscópio [De *ot(o)-* + *-scópio*.] *S. m. Otor.* Aparelho para realizar inspeção de orelha, particularmente de membrana timpânica.

otose [De *ot(o)-* + *-ose*[1].] *S. f. Otor.* **1.** Afecção crônica, não inflamatória, do ouvido (orelha[s], atualmente). **2.** Falsa impressão de som emitido por outra pessoa.

otospongiose [De *ot(o)-* + *-spong(i)-* + *-ose*[1].] *S. f. Otor.* Formação de osso esponjoso em labirinto ósseo.

ototomia [De *ot(o)-* + *-tom(o)-* + *-ia*[1].] *S. f. Otor.* Dissecção de ouvido (orelha[s], atualmente).

ototômico *Adj. Otor.* V. *ototômico*. [Uso freq. em P.]

ototômico [De *ototomia* + *-ico*[2].] *Adj. Otor.* Relativo a ototomia.

otutuí (u-i) *S. m. Bras. Zool.* V. *maçarico* (4).

otuque *S. 2 g. Adj. 2 g. Bras.* V. *bororo* (1 e 3).

otxucaiana *Bras. S. 2 g.* **1.** *Etnôn.* Indivíduo dos otxucaianas [ou (etnôn. bras.) *Otshukayana], povo indígena extinto que habitava as margens dos rios Apodi e Açu (a oeste do RN). • *Adj. 2 g.* **2.** Pertencente ou relativo a esse povo.

ou [Do lat. *aut*.] *Conj.* **1.** Designa alternativa ou exclusão: *vencer ou perecer; sim ou não.* **2.** Indica dúvida, incerteza ou hesitação: "o hipopótamo não me entendeu ou não me ouviu, se é que não fingiu uma dessas coisas" (Machado de Assis, *Memórias Póstumas de Brás Cubas*, p. 19); "Existe [Deus] ou não existe?" (Guimarães Passos, *Versos de um Simples*, p. 177). **3.** De outro modo; por outra forma; por outra(s) palavra(s): *mil metros, ou um quilômetro; tendência ou disposição de espírito; arte de fazer versos, ou poética;* "— Chama-me Natureza ou Pandora" (Machado de Assis, *Memórias Póstumas de Brás Cubas*, p. 21). [Cf. *ô* e *ôh*.]

■ **OUA** Sigla de *Organização da Unidade Africana*.

ouabaína [Do V.C.I. *ouabain* (do fr. *ouabaïo*, 'árvore do gên. *Acokanthera*).] *S. f. Bioquím.* Heterosídeo extraído de várias apocináceas, esp. do gênero *Acokanthera* (v. *acocantera*), esp. us. para envenenar flechas, e pelo uso medicinal como cardiotônico. [fórm.: $C_{29}H_{44}O_{12}$.]

ouça[1] [Dev. de *ouvir*.] *S. f. Fam.* Ouvido (1). [Var.: *oiça*[1].]

ouça[2] [Do fr. *heusse*.] *S. f.* Chavelha que se atravessa na ponta do timão de um arado ou carro. [Var.: *oiça*[2].]

oução *S. m. Zool.* Pequenino ácaro (*Acarus sirus*) encontrado nos queijos, na farinha, etc.

ouirarema (ou-i) [Do tupi = 'pau fétido'.] *S. f. Bras. Amaz. Bot.* Árvore mimosácea (*Acacia ouyrarema*) provida de espinhos, cujas pequenas flores se agrupam em densas inflorescências, e cujo fruto é um legume.

oura [Do lat. *aura*, 'ar', 'vento', por via pop.] *S. f.* Tontura de cabeça; vertigem. [Var.: *oira*.]

ourado [Part. de *ourar*[2].] *Adj.* Estonteado, absorto, alheado; areado. [Var.: *oirado*.]

ourama [De *ouro* + *-ama*.] *S. f. Bras.* Grande porção de ouro; muito ouro. [Var.: *oirama*.]

ourana [Var. de *oirama* < tupi.] *S. f. Bras. Amaz. Bot.* V. *salgueiro-do-rio*.

ouranaiou *Bras. S. 2 g.* **1.** *Etnôn.* Indivíduo dos ouranaious [ou (etnôn. bras.) *Ouranayou], povo indígena extinto que habitava a região do rio Amopari (a leste do AP). • *Adj. 2 g.* **2.** Pertencente ou relativo a esse povo.

ourar[1] [De *ouro* + *-ar*[2].] *V. t. d.* **1.** Prover de ouro. **2.** Ostentar ouro em. [Var.: *oirar*[1].]

ourar[2] [De *oura* + *-ar*[2].] *V. t. d.* **1.** Desvairar, alucinar. *Int. P.* **2.** Ter tonturas ou ouras; entontecer. **3.** Alucinar-se, desvairar-se. [Var.: *oirar*[2].]

ourela [Do lat. vulg. **orella*, por *orula*, dim. de *ora*, 'beira', 'borda'.] *S. f.* **1.** Orla (5), geralmente de tecido mais encorpado, de uma peça de fazenda. **2.** Ourelo. **3.** Margem, beira; costa: "caminhou para o largo rio, desconfiadamente, sem se afastar da ourela do bosque abrigador." (Eça de Queirós, *Contos*, p. 169); "saltando dos esconderijos em chamas, rompentes à ourela da caatinga junto à estrada, os sertanejos em chusma" (Euclides da Cunha, *Os Sertões*, p. 352).

ourelo (ê) [De *ourela*.] *S. m.* Fita ou tira de pano grosso; ourela.

ouremense *Adj. 2 g.* **1.** De, ou pertencente ou relativo a Ourém (PA). • *S. 2 g.* **2.** O natural ou habitante de Ourém.

ourense[1] *Adj. 2 g.* **1.** De, ou pertencente ou relativo a Conceição dos Ouros (MG). • *S. 2 g.* **2.** O natural ou habitante de Conceição dos Ouros.

ourense[2] *Adj. 2 g.* **1.** De, ou pertencente ou relativo a Ouro (SC). • *S. 2 g.* **2.** O natural ou habitante de Ouro.

ourense[3] *Adj. 2 g.* **1.** De, ou pertencente ou relativo a São José do Ouro (RS). • *S. 2 g.* **2.** O natural ou habitante de São José do Ouro.

ouri [Do cabo-verd. *urim*.] *S. m. Cabo-verd.* Jogo constituído de um tabuleiro de madeira com doze cavidades, nas quais, segundo diferentes modalidades, dois jogadores depositam sementes: "À porta das habitações, pares sentados em bancos jogavam ouri." (Teixeira de Sousa, *Xaguate*, p. 127.)

ouriçado[1] [De *ouriço* + *-ado*[1].] *Adj.* Semelhante a ouriço (1 e 2).

ouriçado[2] [Part. de *ouriçar*.] *Adj. Bras. Gír.* Animado ao extremo; agitado, excitado.

ouriçador (ô) [De *ouriçar* + *-dor*.] *Adj.* **1.** Que ouriça. • *S. m.* **2.** Aquele que ouriça. **3.** *Bras.* Garfo (9).

ouricana *S. f. Bras. Zool.* V. *jararaca-verde*.

ouriçanguense *Adj. 2 g.* **1.** De, ou pertencente ou relativo a Ouriçangas (BA). • *S. 2 g.* **2.** O natural ou habitante de Ouriçangas.

ouriçar [De *ouriço* + *-ar*[2].] *V. t. d.* **1.** Tornar semelhante ao ouriço; eriçar; enouriçar. **2.** Tornar áspero; encrespar. **3.** *Bras. Gír.* Animar ao extremo; agitar; exaltar; excitar: *O cantor ouriçou a plateia.* *P.* **4.** Tornar-se áspero; encrespar-se, eriçar-se. **5.** Arrepiar-se, eriçar-se: "Ouriçou-se de surpresa e horror, ao apalpar as carnes nuas das coxas, rijas e endurecidas de barro." (Ciro Martins, *Paz nos Campos*, pp. 36-37.) **6.** *Bras. Gír.* Animar-se ao extremo; agitar-se; exaltar-se; excitar-se. [Conjug.: v. *laçar*. Var.: *oiriçar*.]

ouriço [Do lat. *ericiu*.] *S. m.* **1.** O invólucro da castanha. **2.** *P. ext.* Casca exterior, dura ou espinhosa, de certos frutos: *o ouriço da noz.* **3.** *Zool.* Mamífero insetívoro que tem o corpo coberto de espinhos, e cuja espécie principal é o ouriço-cacheiro. **4.** *Bras. Gír.* Animação intensa; agitação, agito, excitação: *A festa de ontem foi um grande ouriço.* **5.** *Bras.* Suporte de plantas, em arranjos florais, feito de material pesado, com portas em intervalos regulares na superfície superior, e cuja forma lembra a de um ouriço (3). [Var.: *oiriço*.] ◆ **Parir ouriço.** *Bras. Gír.* Roer as unhas dos pés.

ouriço-cacheiro [De *ouriço* + *cacheiro*[2].] *S. m. Bras. Zool.* Mamífero roedor eretizontídeo, dos gêneros *Coendou* e *Chaetomys*, os dois únicos ocorrentes em território brasileiro, com cerca de 14 espécies. São arborícolas; têm pés desprovidos de hálux, que é substituído por uma calosidade preensora; cauda preênsil, que se enrola pela superfície dorsal e pelagem modificada, aparecendo pelos aristiformes, rígidos e vulnerantes. [Sin.: *cuandu, cuim*, (S. da BA) *luís-cacheiro* e (impr.) *porco-espinho*. Pl.: *ouriços-cacheiros*.]

ouriço-do-mar *S. m. Zool.* Animal equinodermo, equinoide, com esqueleto ou carapaça rija, globular, discoide, ou cordiforme, com espinhos móveis em sua superfície, e pés ambulacrários, longos e com ventosas. Atualmente são conhecidas cerca de 800 espécies vivas e 7.200 fósseis. [Sin.: *pindá* e (bras., BA) *pinaúma*. Cf. *corrupio* (4). Pl.: *ouriços-do-mar*.]

ouriço-preto *S. m. Bras. BA Zool.* Mamífero roedor, eretizontídeo (*Chaetomys tortilis*), de SE, BA e N. do ES. Dorso escuro, por vezes variegado, com manchas brancas; ventre bruno-avermelhado; cauda com pelos que a recobrem mal; ao contrário do que se observa nos outros ouriços, a parte superior da porção terminal não é nua. [Pl.: *ouriços-pretos*.]

ouricuri [Do tupi.] *S. m. Bras. Bot.* V. *aricuri*.

ouricuriense *Adj. 2 g.* **1.** De, ou pertencente ou relativo a Ouricuri (PE). • *S. 2 g.* **2.** O natural ou habitante de Ouricuri.

ourilandense *Adj. 2 g.* **1.** De, ou pertencente ou relativo a Ourilândia do Norte (PA). • *S. 2 g.* **2.** O natural ou habitante de Ourilândia do Norte.

ourinar *V. int. T. d. P. Obsol.* Urinar: "deparo com um ginja alcachinado, que sem pudor ourina em cena" (Fialho d'Almeida, *Pasquinadas*, p. 99).

ourinhense *Adj. 2 g.* **1.** De, ou pertencente ou relativo a Ourinhos (SP). • *S. 2 g.* **2.** O natural ou habitante de Ourinhos.

ourinol *S. m. Obsol.* Urinol (1).

ourinque [Do neerl. médio *oorring*, 'brinco de orelha' e, p. ext., 'anel de âncora'; cat. *orri*, fr. *orin*.] *S. m. Marinh.* Arinque[1] (q. v.).

ouripel [Do fr. ant. *oripel*.] *S. m. Desus.* V. *ouropel*. [Pl.: *ouripéis*.]

ourique [Do criol.] *S. m. Guin.* Dique para canalizar e controlar o fluxo de água nos arrozais: "Corridos uns dois anos, na época própria, seria a lavra definitiva: valas abertas, camalhões levantados, pequenos

O

ouriques compostos, estes a servirem de passadiço e traçado a marcar propriedades." (Alexandre Barbosa, *Guinéus*, p. 45.)

ourives [Do lat. *aurifice*, 'aquele que trabalha em ouro'.] *S. m. 2 n.* Fabricante e/ou vendedor de artefatos de ouro e prata; negociante.

ourivesaria [De *ourives* + *-aria*.] *S. f.* **1.** Arte de ourives. **2.** Oficina ou loja de ourives.

ourizonense *Adj. 2 g.* **1.** De, ou pertencente ou relativo a Ourizona (PR). ● *S. 2 g.* **2.** O natural ou habitante de Ourizona.

ouro [Do lat. *auru*.] *S. m.* **1.** *Quím.* Elemento de número atômico 79, metálico, amarelo, dúctil, maleável, denso, pouco reativo, utilizado em ligas preciosas [símb.: *Au*]. **2.** Qualquer moeda ou artefato desse metal. **3.** Riqueza, opulência. **4.** V. *dinheiro* (5). **5.** *Fig.* Cor amarela muito brilhante: *cabelos de ouro.* **6.** Douradura. [Var.: *oiro*.] ~ V. *ouros*. ◆ **Ouro branco. 1.** Liga de ouro, muito empregada por joalheiros, e que contém de 20 a 50% de níquel. **2.** Liga de ouro, níquel e paládio. **3.** *Bras.* O algodão, considerado como riqueza agrícola. **4.** *Ant.* Platina. **Ouro da água.** *Bras.* Ouro de dentro do leito dos ribeiros; ouro da madre. **Ouro da madre.** *Bras.* Ouro da água. **Ouro de lei.** O que tem os quilates determinados por lei. **Ouro de tabuleiro.** *Bras.* O que existe nas margens dos ribeiros. **Ouro dos trouxas.** *Bras. Pop.* A pirita. **Ouro falso.** Ouropel. **Ouro fino.** Ouro de 24 quilates. **Ouro monetário.** O que é us. como ativo financeiro ou reserva internacional. **Ouro negro. 1.** O petróleo, considerado como riqueza econômica. **2.** *Bras.* A borracha extraída da seringueira. **Ouro sobre azul. 1.** Coisa muito bela ou excelente. **2.** Ótima oportunidade ou ocasião; grande vantagem. **Ouro verde. 1.** Composição aurífera formada por 78 partes de ouro puro e 292 partes de prata pura. **2.** *Bras.* O café, considerado como riqueza agrícola. **A ouro e fio.** V. *ouro-fio*. **De ouro.** De muito valor; de grande qualidade; precioso: *Esta menina é de ouro; É um coração de ouro.* **Entregar o ouro.** Entregar o ouro ao bandido (q. v.). **Entregar o ouro ao bandido.** *Bras.* Prejudicar alguém ou a si mesmo em proveito de terceiro, revelando algo que não se devia; revelar inadvertidamente. **Nadar em ouro.** Ser muito rico; viver na opulência: "o dinheiro tem sempre o seu prestígio, ninguém lhe pede a origem... e ela nadava em ouro." (Coelho Neto, *Turbilhão*, p. 260). **Ser ouro de lei.** Valer muito; ter valor inestimável; valer ouro. **Ser ouro em pó.** Ser inestimável; perfeitíssimo. **Trocar ouro por lama.** Trocar o bom pelo ruim, o ótimo pelo péssimo. **Valer ouro. 1.** Ser ouro de lei. **2.** Ser boníssimo, de ótimas qualidades morais.

ouro-branquense *Adj. 2 g.* **1.** De, ou pertencente ou relativo a Ouro Branco (AL, MG e RN). ● *S. 2 g.* **2.** O natural ou habitante de Ouro Branco. [Pl.: *ouro-branquenses*.]

ouro de gato *S. m. Min.* Mica amarela. [Var.: *oiro de gato*. Pl.: *ouros de gato*.] ☑

ouro e fio *Adv. Bras.* V. *ouro-fio*. [Var.: *oiro e fio*.] ☑

ouro-finense *Adj. 2 g.* **1.** De, ou pertencente ou relativo a Ouro Fino (MG). ● *S. 2 g.* **2.** O natural ou habitante de Ouro Fino. [Pl.: *ouro-finenses*.]

ouro-fio *Adv.* Em proporção igual; paralelamente; exatamente; ouro e fio, a ouro e fio, a ouro fio: *Os pesos da balança equilibraram-se ouro fio.* [Var.: *oiro-fio*. F. paral.: *ouro e fio*.] ◆ **A ouro fio.** V. *ouro-fio*.

ourolandense *Adj. 2 g.* **1.** De, ou pertencente ou relativo a Ourolândia (BA). ● *S. 2 g.* **2.** O natural ou habitante de Ourolândia.

ouropel [Var. de *ouripel*.] *S. m.* **1.** Liga metálica de cobre de cor amarela, ou latão e zinco, que imita o ouro; ouro falso; pechisbeque, alquime. **2.** *Fig.* Falso brilho; aparência enganosa: *os ouropéis do pequeno burguês;* "A alma de Bayart despia-se dos vãos ouropéis das honras, dos tesouros e do próprio nome para ascender ainda mais limpa à presença do Eterno com duas asas nas espáduas nuas" (Alberto Rangel, *Livro de Figuras*, p. 146). [Sin., nas acepç. 1 e 2: *açófar*.] **3.** Estilo pomposo que encobre pobreza ou falta de ideias. [Outra var.: *oiropel*. Pl.: *ouropéis*.]

ouro-pigmento [Do lat. *auripigmentu*, 'tinta de ouro'.] *S. m. Min.* Mineral monoclínico, sulfeto de arsênico. [Var.: *oiro-pigmento*. Pl.: *ouros-pigmentos* e *ouros-pigmento*.]

ouro-pretano *Adj.* **1.** De, ou pertencente ou relativo a Ouro Preto (MG). ● *S. m.* **2.** O natural ou habitante de Ouro Preto. [Sin. ger.: *ouro-pretense*. Pl.: *ouro-pretanos*.]

ouro-pretense[1] *Adj. 2 g. S. 2 g.* V. *ouro-pretano*. [Pl.: *ouro-pretenses*.]

ouro-pretense[2] *Adj. 2 g.* **1.** De, ou pertencente ou relativo a Ouro Preto do Oeste (RO). ● *S. 2 g.* **2.** O natural ou habitante de Ouro Preto do Oeste. [Pl.: *ouro-pretenses*.]

ouros [Pl. de *ouro*.] *S. m. pl.* Um dos quatro naipes [v. *naipe* (1)], vermelho, que se figura com o desenho de um losango vermelho: *valete de ouros.* [Var.: *oiros*.] ~ V. *ouro*.

ouro-verdense[1] *Adj. 2 g.* **1.** De, ou pertencente ou relativo a Ouro Verde (SC e SP). ● *S. 2 g.* **2.** O natural ou habitante de Ouro Verde. [Pl.: *ouro-verdenses*.]

ouro-verdense[2] *Adj. 2 g.* **1.** De, ou pertencente ou relativo a Ouro Verde de Goiás (GO). ● *S. 2 g.* **2.** O natural ou habitante de Ouro Verde de Goiás. [Pl.: *ouro-verdenses*.]

ouro-verdense[3] *Adj. 2 g.* **1.** De, ou pertencente ou relativo a Ouro Verde de Minas (MG). ● *S. 2 g.* **2.** O natural ou habitante de Ouro Verde de Minas. [Pl.: *ouro-verdenses*.]

ouro-verdense[4] *Adj. 2 g.* **1.** De, ou pertencente ou relativo a Ouro Verde do Oeste (PR). ● *S. 2 g.* **2.** O natural ou habitante de Ouro Verde do Oeste. [Pl.: *ouro-verdenses*.]

ourudo [De *ouro* + *-udo*.] *Adj. Bras.* Que tem muito ouro ou dinheiro; endinheirado, rico, patacudo. [Var.: *oirudo*.]

ousadia [De *ousado* + *-ia*[1].] *S. f.* **1.** Qualidade de ousado; coragem, destemor, arrojo, galhardia. **2.** Temeridade, imprudência. **3.** Audácia, petulância, atrevimento. [Sin. ger.: *ousio*.]

ousado [Part. de *ousar*.] *Adj.* **1.** Destemido, corajoso, audaz. **2.** Atrevido, audacioso.

ousar [Do lat. vulg. **ausare*.] *V. t. d.* **1.** Ser bastante corajoso ou ousado para; ter a ousadia de; atrever-se: *Ousou discordar da opinião de seu chefe, sabendo-o prepotente; Ninguém ousou uma objeção.* **2.** Decidir-se a; empreender: *Ciente da má receptividade, não ousou desculpar-se.* **3.** Tentar com audácia (empreendimento, expediente, etc.). **4.** Tentar (coisa difícil). *T. i.* **5.** *Desus.* Ter a ousadia, a coragem; atrever-se, abalançar-se: *Não ousaram a desacatar a autoridade.* "Aquele .... / Não ousa de pensar se ao pai enfermo / Na descarnada mão rugosa e seca / Ósculo filial lhe é dado ainda / Respeitoso imprimir" (Almeida Garrett, *Camões*, Canto I, V). *Int.* **6.** Tentar um empreendimento com coragem ou audácia: *Ousou e venceu.*

ousio [Do lat. *ousu*, 'ousado', + *-io*[2].] *S. m.* V. *ousadia*.

→ **out** [æwt] [Ingl.] *Adv. Gír.* **1.** Fora; por fora. **2.** Fora de moda. [Nesta acepç., opõe-se a *in*[1].]

outão *S. m.* Oitão (q. v.): "Braceja ao sol nascente alta mangueira, / No outão da casa há século plantada." (Alberto de Oliveira, *Poesias*, 2ª série, p. 285.)

outar [Do lat. *optare*, 'escolher'.] *V. t. d.* Joeirar. [Var.: *utar*.]

→ **outdoor** ['æwtdɔɹ] [F. red. do ingl. *outdoor advertising*, 'anúncio feito ao ar livre'.] *S. m.* **1.** Designação genérica de qualquer propaganda (painel, letreiro luminoso, parede pintada, etc.) exposta ao ar livre e que se caracteriza por forte apelo visual e comunicação instantânea. **2.** *Restr.* Grande cartaz com essas qualidades colocado no exterior à margem das vias públicas ou em pontos de boa visibilidade.

outeirista [De *outeiro* + *-ista*.] *S. 2 g.* Pessoa que glosava ou trovava [v. *outeiro* (2)] nos outeiros conventuais. [Var.: *oiteirista*.]

outeiro [Do lat. tard. *altariu*, 'a parte mais alta do altar'.] *S. m.* **1.** Pequeno monte. V. *colina*[1]. **2.** Festa que se realizava no pátio dos conventos, e por ocasião da qual os poetas glosavam motes dados pelas freiras: "Os abadessados ou outeiros eram então cenáculos de moços talentosos e alegres, que se reuniam nas grades de um convento para festejar com glosas e libações .... a eleição ou reeleição de uma abadessa." (Alberto Pimentel, *O Romance do Romancista*, p. 225.) [Var.: *oiteiro*.]

→ **outer stage** ['æwtə stejdʒ] [Ingl., 'palco exterior'.] *Teatr.* O grande proscênio do palco elisabetano (q. v.), que avança até a plateia, a qual o circunda por três lados. [Sin.: *avental, palco exterior*. Cf. *inner stage*.]

outiva *S. f.* V. *oitiva*.

→ **outlet** ['æwtlet] [Ingl.] *S. m. Market.* Loja de varejo que trabalha ger. com ponta de estoque (q. v.), o que permite a ela vender a preços reduzidos.

outo [Dev. de *outar*.] *S. m.* Palhas ou arestas que ficam na joeira depois de limpos os cereais. [Cf. *oito*.]

outonada [De *outono* + *-ada*[1].] *S. f.* **1.** Toda a estação de outono. **2.** Colheita que se faz no outono.

outonal [Do lat. *autumnale*.] *Adj. 2 g.* Do, relativo ao, ou próprio do outono; outoniço: "Batido do torvelinho / O bosque palpita ao açoite / Do vento outonal; é noite." (Gonçalves Crespo, *Obras Completas*, p. 260.) [F. paral.: *autunal*.]

outonalmente [De *outonal* + *-mente*.] *Adv.* Na época do outono: "nas cabeceiras da torrente, caudalosa durante as chuvas invernais, agora porém seca, mostrando apenas outonalmente, aqui e além, breves charcos ou gânglios" (Oliveira Martins, *A Vida de Nun'Álvares*, p. 297).

outonar [Do lat. *autumnare*.] *V. int.* **1.** Passar o outono. **2.** Brotar no outono. *T. d.* **3.** Regar (as terras) com as primeiras águas do outono.

outonear [De *outono* + *-ear*[2].] *V. t. c. Bras.* Passar o outono em (praias, p. ex.). [Conjug.: v. *frear*.]

outoniço [De *outono* + *-iço*.] *Adj.* **1.** Outonal: *tarde outoniça;* "O poeta [John Keats (1795-1821)] nasceu num fim de outubro e o seu lirismo seivoso e cálido parece haver captado à natureza todo o esplendor da sazão e os indefiníveis amavios do langor outoniço." (Eugênio Gomes, *Espelho contra Espelho*, p. 198). **2.** Que está no outono da vida: "morava em casa de D. Emerenciana, senhora viúva e outoniça" (Artur Azevedo, *Contos Possíveis*, p. 17); "ainda estava formosa, de uma formosura outoniça, realçada pela noite." (Machado de Assis, *Memórias Póstumas de Brás Cubas*, p. 325).

outono [Do lat. *autumnu*.] *S. m.* **1.** *Astr.* Estação do ano que sucede ao verão e antecede o inverno. No hemisfério sul principia quando o Sol alcança o equinócio de março (dia 21) e termina quando ele atinge o solstício de junho (dia 20); no hemisfério norte principia quando o Sol alcança o equinócio de setembro (dia 22) e finda quando ele atinge o solstício de dezembro (dia 20). [Sin., poét.: *o cair das flores, o cair das folhas*.] **2.** O tempo da colheita. **3.** *Fig.* Decadência, ocaso: "Como as mulheres que foram realmente belas, a Ribeirinha não se conformaria com o outono da vida e procuraria encobrir com o *branco* e *vermelho* a decadência humilhante." (Celso Cunha, *Língua e Verso*, p. 25.) **4.** *Fig.* Idade que antecede a velhice.

outorga [Dev. de *outorgar*.] *S. f.* Ato ou efeito de outorgar; consentimento, concessão, aprovação, beneplácito.

outorgado [Part. de *outorgar*.] *Adj.* **1.** Que se outorgou; que teve concessão; aprovado, permitido, concedido. ● *S. m.* **2.** Aquele a quem se outorga (mandato, poderes, etc.); beneficiário de outorga.

outorgador (ô) [De *outorgar* + *-dor*.] *Adj. S. m.* Outorgante.

outorgante [De *outorgar* + *-nte*.] *Adj. 2 g. S. 2 g.* Que, ou quem outorga; outorgador.

outorgar [Do lat. **auctoricare*.] *V. t. d.* **1.** Consentir em; aprovar: *outorgar um pedido.* **2.** Dar, conceder: *outorgar o perdão.* **3.** Dar, conferir (mandato). **4.** Dar por direito; conceder. **5.** *Jur.* Declarar em escritura pública. *T. d. e i.* **6.** Conceder; facultar, permitir: *O decreto outorga aos funcionários vantagens excepcionais.* **7.** Dar, conceder, por escrito. **8.** Atribuir; imputar; referir, aplicar: "a egrégia virtude que os biógrafos outorgam à feia e avelhada consorte do doutor [Sá de Miranda], é ter sido mui econômica e zelosa administradora do casal." (Camilo Castelo Branco, *Doze Casamentos Felizes*, p. 55). *T. i.* **9.** *P. us.* Estar de acordo; concordar, consentir: *Ele outorga com o nosso desejo.* *P.* **10.** Confessar-se, reconhecer-se. [Conjug.: v. *largar*.]

outorgável [De *outorgar* + *-vel*.] *Adj. 2 g.* Que se pode outorgar.

→ **output** ['æwtput] [Ingl.] *S. m.* **1.** *Econ.* O produto, o resultado da combinação dos fatores de produção. **2.** *Inform.* Resultados fornecidos após um processamento; dados de saída. **3.** *Inform.* Dispositivo, processo ou canal que intervém numa operação de transferência de dados de um computador para meio externo; canal de saída, dispositivo de saída, processo de saída. [Cf. *input*.]

outrem [Do lat. *alteri*.] *Pron.* Outra(s) pessoa(s): *Foi decidido pelo diretor, e não será por outrem revogado.* ◆ **Outrem ninguém.** *Ant.* Nenhuma outra pessoa.

outro [Do lat. *alteru*, 'outro entre dois'.] *Pron.* **1.** Diverso do primeiro; diferente de pessoa ou coisa especificada: "Cesse tudo o que a Musa antiga canta, / Que outro valor mais alto se alevanta." (Luís de Camões, *Os Lusíadas*, I, 3.) **2.** Diferente, diverso, distante: "Guiou dali Vieira para a escola com grande alvoroço, e sentiu-se tão outro do que fora até então, que logo animosamente pediu para argumentar com os mais sabedores e adiantados." (João Francisco Lisboa, *Obras*, IV, p. 10.) **3.** Seguinte, imediato, ulterior: *Conversamos longamente, e no outro dia ele voltou a procurar-me; Dum momento para o outro.* **4.** O resto; o restante: *Os outros soldados ficarão no quartel; Alguns farão jus a uma pequena quantia, e os outros nada receberão.* **5.** Mais um; segundo: *Tem um filho médico, e prepara outro para advocacia.* **6.** *Filos.* Atributo de cada ente determinado relativo a todos e a cada um dos entes que não são ele próprio. ~ V. *outros*. [Cf., nesta acepç., *mesmo* (12).] ◆ **Outro que tal.** Outro semelhante; quejando. **Em outro.** *Filos.* Dependentemente de outro quanto à realidade. [Tb. se diz em lat.: *in alio*. Opõe-se a *em si*.] **Não dar outra.** *Bras. Gír.* Acontecer precisamente o que se tinha imaginado ou previsto: "Esta coluna [Zózimo] acertou em cheio quando, há dois meses, apontou o filme *Missing* como o grande vencedor do Festival de Cannes. / Não deu outra." (*Jornal do Brasil*, 27.05.1982.) **O outro.** Outrem; alguém: *Ao mudar de emprego passou de cavalo a burro, como diz* o outro. [Us., em geral, com referência a afirmações anônimas, ou proverbiais, ou cuja autoria não se deseja assumir.] **Por outro.** *Filos.* Dependentemente de outro sob algum aspecto do ser. [Opõe-se a *por si* (3 e 4).]

outrora [De *outra* + *hora*.] ***Adv.*** Em outro tempo; em tempos passados; antigamente; noutrora.

outros [Pl. de *outro*.] ***Pron. pl.*** Qualquer ou quaisquer pessoa(s) indeterminada(s); o próximo; outrem. ~ V. *outro*.

outrossim [De *outro* + *sim*.] ***Adv.*** Igualmente; também; bem assim: *Relatou as perseguições, o exílio, e outrossim as suas extremas dificuldades.*

→ **outsider** [æwt'sajdər] [Ingl.] ***S. m.* 1.** *Turfe* Cavalo que tem o mínimo de possibilidades de vencer. **2.** *Fut.* Lance em que a bola vai fora do campo. **3.** *Mar. Merc.* Navio mercante que não se atém aos acordos estabelecidos nas conferências de frete.

outubrismo [De *outubro* + *-ismo*.] ***S. m.* 1.** O conjunto das ideias e programas de ação dos movimentos políticos revolucionários de outubro de 1905 e de 1917 (na Rússia) e de 1930 (no Brasil). **2.** Cada um desses movimentos.

outubrista [De *outubrismo* + *-ista*.] ***Adj. 2 g.* 1.** Pertencente ou relativo ao outubrismo. **2.** Que é partidário ou participante do outubrismo.● ***S. 2 g.* 3.** Partidário ou participante dele.

outubro [Do lat. *Octobre*, com mudança de declinação (v. *dezembro*).] ***S. m.*** *Cronol.* O 10º mês dos calendários juliano e gregoriano, com 31 dias. [F. paral. (desus.): *oitubro*.]

→ **ouverture** [uvɛʁ'tyʁ] [Fr.] ***S. f.*** *Mús.* V. *abertura* (11): "executando a *ouverture* antes de subir o pano, e outras peças no intervalo." (Brito Broca, *Memórias*, p. 83).

ouvida [F. subst. do adj. *ouvido*.] ***S. f.*** Ato ou efeito de ouvir; audiência, oitiva. ◆ **De ouvida.** Por ouvir dizer; de oitiva, de orelha, de orelhada (bras.): *Conhece o caso só de ouvida.* [Cf. *de ouvido*.]

ouvido [Part. de *ouvir*.] ***S. m.* 1.** Faculdade de ouvir, de perceber os sons; audição. **2.** *Anat.* V. *orelha* (2). **3.** *Mús.* Aptidão para captar com relativa precisão sons musicais ou não, e de reproduzir aqueles sem o auxílio de partitura: *ter bom ouvido.* [Cf., nesta acepç., *ouvido absoluto*.] **4.** Orifício por onde se comunicava fogo às cargas das armas ou peças de artilharia. **5.** Facilidade de gravar na memória qualquer música: *ter bom ouvido.* **6.** *Mús.* Abertura no tampo dos instrumentos de corda, ou orifício nos instrumentos de palheta. ◆ **Ouvido absoluto.** *Mús.* Capacidade, adquirida mediante o aperfeiçoamento de uma disposição congênita, para classificar um intervalo entre dois sons, identificar um som único, e até distinguir os sons que constituem um acorde. [Cf. *ouvido* (3).] **Ouvido de tuberculoso.** Ouvido (1) apuradíssimo. **Ouvido externo.** *Anat.* V. *orelha externa.* **Ouvido interno.** *Anat.* V. *orelha interna.* **Ouvido médio.** *Anat.* V. *orelha média.* **Dar ouvidos a.** Ouvir com atenção, dar crédito a, acreditar em (o que se diz): "Agora mesmo, se lhe desse ouvidos, já teria ido pedir alguma cousa ao governo" (Machado de Assis, *Esaú e Jacó*, p. 94). **De ouvido.** Só por ouvir; sem conhecimentos teóricos: *Toca piano de ouvido.* [Cf. *de ouvida*.] **De ouvido em ouvido.** V. *de boca em boca*: "A guerra contra os promotores da nova companhia era assim: de ouvido em ouvido, as mãos sempre em tapa-som – para que ninguém mais ouvisse o que era preciso que todos soubessem." (Monteiro Lobato, *Negrinha*, pp. 251-252.) **Duro de ouvido.** Que não ouve bem. **Emprenhar pelos ouvidos.** *Fig.* Deixar-se levar por intrigas, por mexericos: "Muito ingênuo, emprenha pelos ouvidos." (Graciliano Ramos, *S. Bernardo*, p. 54.) **Entrar num ouvido e sair no outro.** Entrar por um ouvido e sair pelo outro: "As ordens do feitor entravam num ouvido deles e saíam no outro." (José Lins do Rego, *Banguê*, p. 189.) **Entrar por um ouvido e sair pelo outro.** Não merecer atenção, não ser levado em conta (conselho, advertência, lição, etc.); entrar num ouvido e sair no outro: "Ele a seguia com um ar vivo e de concentrada atenção mas, para quem era esperto, estava claro que aquilo entrava por um ouvido e saía pelo outro" (Pedro Nava, *Beira-Mar*, p. 345). **Fazer ouvidos de mercador.** Fingir que não ouve; não atender ao que se lhe diz ou pergunta; fazer ouvidos moucos: "ouço a voz do patrão, autoritária, chamando-me. O barulho do carro e dos cavalos me permite, sem medo de castigo, fazer ouvidos de mercador." (Osmã Lins, *Nove, Novena*, p. 156). **Fazer ouvidos moucos.** Fazer ouvidos de mercador: "Correm avisos nos ares. / Há mistério, em cada encontro. / O Visconde, em seu palácio, / a fazer ouvidos moucos." (Cecília Meireles, *Obra Poética*, p. 716.) **Prestar ouvido a.** Prestar atenção a; prestar orelhas: "O outro escutava-a como quem presta ouvido à música longínqua dum órgão." (Fialho d'Almeida, *O País das Uvas*, p. 191.) **Ser todo ouvidos.** Prestar toda a atenção ao que se diz. **Tapar os ouvidos.** *Fig.* Não querer ouvir. **Ter bom ouvido.** Ter fácil percepção de sons, esp. musicais.

ouvidor (ô) [De *ouvir* + *-dor*.] ***S. m.* 1.** Aquele que ouve. V. *ouvinte*[1]. **2.** *Lus.* Juiz especial adjunto a certas repartições públicas. **3.** *Bras.* No período colonial, o juiz posto pelo donatário. **4.** *Bras.* Antigo magistrado com as funções do atual juiz de direito.

ouvidorense ***Adj. 2 g.* 1.** De, ou pertencente ou relativo a Ouvidor (GO).● ***S. 2 g.* 2.** O natural ou habitante de Ouvidor.

ouvidoria [De *ouvidor* + *-ia*[1].] ***S. f.*** Cargo ou funções de ouvidor (2 a 4).

ouvinte[1] [De *ouvir* + *-nte*.] ***S. 2 g.* 1.** Pessoa que assiste a um discurso, conferência, preleção, aula, etc.; ouvidor. **2.** Estudante que assiste às aulas, mas não presta exame nem obtém certificado de aprovação. **3.** *E. Ling.* O destinatário de uma mensagem oral.

ouvinte[2] [F. red. de *radiouvinte*.] ***S. m.* 1.** Radiouvinte. **2.** *Market.* Pessoa que ouve regularmente determinado programa, ou emissora de rádio. [Cf. *audiência*.]

ouvir [Do lat. *audire*.] ***V. t. d.* 1.** Perceber, entender (os sons) pelo sentido da audição: "Quem a vê, ouve a música de um canto" (Luís Delfino, *Rosas Negras*, p. 19); "Ouvir Wolfgang Amadeus Mozart é a minha maneira de rezar." (Mário da Silva Brito, *Conversa Vai, Conversa Vem*, p. 30). **2.** Ouvir os sons de; escutar: *Ouvia, de seu quarto, a orquestra do clube;* "Fócion, o orador grego, ouvindo os aplausos da multidão, costumava dizer: — 'Que erro cometi eu?'" (Oto Maria Carpeaux, *A Cinza do Purgatório*, p. 332); "Olho, medito, ... e oiço cantigas de embalar." (Antunes da Silva, *Vila Adormecida*, p. 31). **3.** Dar ouvidos às palavras de; escutar: *Ouviu atentamente o advogado;* "Neste tempo, viu Laura, falou-lhe, ouviu-a" (Camilo Castelo Branco, *A Mulher Fatal*, p. 32). **4.** Dar atenção a; atender: *O Presidente passou a tarde ouvindo os ministros.* **5.** Dar audiência a. **6.** Inquirir (o réu, as testemunhas, os peritos, etc.). **7.** Escutar discurso, sermão, conferência, etc., de: *O auditório ouviu a palestra com sensível interesse.* **8.** Escutar os conselhos, as razões, os votos de: *Quis adverti-la, porém ela não o ouviu.* **9.** Tomar em consideração; atender: *Espera que Deus ouça as suas preces;* "Quem não ouve conselhos raras vezes acerta" (prov.). ***T. i.* 10.** Perceber pelo sentido da audição; atender. ***Int.* 11.** Perceber as coisas pelo sentido da audição; atender, escutar: "Nos últimos tempos de sua vida, Chateaubriand [François René de Chateaubriand] já não podia falar, nem ouvir, nem sequer ver." (Múcio Leão, *Emoção e Harmonia*, p. 105.) **12.** Levar descompostura ou repreensão: *Fez-me uma falseta, mas, quando eu o encontrar, ele vai ouvir.* [Irreg. Pres. ind.: *ouço* ou *oiço, ouves, ouve*, etc. Cf. *osso*, s. m., e *houve*, do v. *haver*.]◆ **Por ouvir dizer.** Por informação oral; de ouvida.

ouvisto [De *ouvir*, com infl. de *visto*.] ***Part. Pop.*** Ouvido: "Ele, o pai, tenho eu ouvisto / que é materialão d'escacha" (Antônio Feliciano de Castilho, *O Médico à Força*, pp. 25-26).

ova [Do lat. *ova*, pl. de *ovum*, 'ovo'.] ***S. f.*** O ovário dos peixes. ~ V. *ovas*.◆ **Uma ova.** *Gír.* Loc. interjetiva que exprime repulsa, protesto, contradita violenta; uma brisa: "Vivia de favor? Uma ova. Com que dificuldades obtinha promoção!" (Permínio Asfora, *Vento Nordeste*, p. 11.)

ovação[1] [Do lat. *ovatione*.] ***S. f.*** Aclamação pública; aplausos ou honras entusiásticas e clamorosas feitas a alguém: "depois das bênçãos do Sr. Bauer e das ovações ao Sr. de Lesseps, era doloroso ver findar tudo repentina e vergonhosamente, verificar-se que num canal feito para a navegação não cabiam navios." (Eça de Queirós, *Notas Contemporâneas*, p. 10).

ovação[2] [De *ovar* + *-ção*.] ***S. f.*** O conjunto dos ovos dos peixes.

ovacionar [De *ovação* + *-ar*[2], seg. o padrão erudito.] ***V. t. d. Bras.*** Fazer ovação[1] a; aclamar publicamente.

ovado[1] [Do lat. *ovatu*.] ***Adj.* 1.** V. *oval* (1).● ***S. m.* 2.** *Arquit.* V. *óvalo*. **3.** *Arquit.* Moldura principal do capitel dórico. **4.** *Ecles.* Escudo oval, pertencente a eclesiásticos.

ovado[2] [De *ova(s)* + *-ado*[1].] ***Adj.* 1.** *Bras. N.* Diz-se do peixe que contém ovas. **2.** *Bras. S.* Diz-se do cavalo que tem doença nos machinhos.

oval [Do lat. *ovale*.] ***Adj. 2 g.* 1.** Que tem forma elíptica, semelhante à do ovo; ovalar, ovado, ovalado, óveo, oviforme, ovoide. ~ V. *folha — e janela —*.● ***S. f.* 2.** *Mat.* Qualquer curva plana fechada, duas vezes derivável, cujo vetor curvatura esteja sempre dirigido para seu interior, como, p. ex., a elipse. **3.** *Geom.* Figura oval, plana ou sólida. [Cf. *uval*.]

ovalação [De *ovalar*[2] + *-ção*.] ***S. f.*** Ato ou efeito de ovalar[2].

ovaladeira [De *ovalar*[2] + *-deira*.] ***S. f.*** *Tip.* Aparelho para cortar clichês em forma ovalada ou circular.

ovalado [Part. de *ovalar*[2].] ***Adj.* 1.** Tornado oval. **2.** V. *oval* (1). **3.** Que tem a forma de óvalo.

ovalar[1] [De *oval* + *-ar*[1].] ***Adj. 2 g.*** V. *oval* (1).

ovalar[2] [De *oval* + *-ar*[2].] ***V. t. d.*** Tornar oval. [Pres. ind.: *ovalo*, etc. Cf. *óvalo*.]

óvalo [Do esp. *óvalo*.] ***S. m.*** *Arquit.* Ornato oval, e em particular a moldura arredondada e oval que guarnece uma cornija ou um capitel; ovado. [Var.: *óvano*. Cf. *ovalo*, do v. *ovalar*.]

ovaloide (ói) [De *oval* + *-oide*.] ***S. m.*** *Mat.* Qualquer superfície convexa fechada cujas curvaturas principais são contínuas e não nulas.❖

ovambo ***S. m.* 1.** *Etnôn.* Indivíduo dos ovambos, um dos maiores grupos étnicos da Namíbia. **2.** *Gloss.* Língua banta da Namíbia, também falada em Angola.● ***Adj.* 3.** Pertencente ou relativo aos ovambos, ou à sua língua.

óvano ***S. m.*** V. *óvalo*.

ovante [Do lat. *ovante*.] ***Adj. 2 g.*** Triunfante, jubiloso, vitorioso: "Porque Afonso verás soberbo e ovante / Tudo render, e ser depois rendido." (Luís de Camões, *Os Lusíadas*, I, 92); "Morreu de bela aurora o belo filho, / Que ovante espanejava em nossos lares" (Antônio Feliciano de Castilho, *Os Amores*, II, p. 33).

ovar [De *ovo* + *-ar*[2].] ***V. int.* 1.** Pôr ovos. **2.** Criar ovos ou ovas. [Pres. ind.: *ovo*, etc.; pres. subj.: *ove, oves, ovem*, etc. Cf. *ovo* (ô) e *ovém*.]

ovariano [De *ovário* + *-ano*[1].] ***Adj.*** Relativo ou pertencente a ovário; ovárico. ~ V. *ciclo —, estroma —, folículo — e gravidez —a*.

ovárico [De *ovário* + *-ico*[2].] ***Adj.*** Ovariano.

ovariectomia [De *ovari(o)-* + *-ectom-* + *-ia*[1].] ***S. f.*** *Cir.* V. *ooforectomia*.

ovariectómico ***Adj.*** *Cir.* V. *ovariectômico*. [Uso freq. em P.]

ovariectômico [De *ovariectomia* + *-ico*[2].] ***Adj.*** *Cir.* V. *ooforectômico*.

ovarino ***Adj.* 1.** De, ou pertencente ou relativo a Ovar (Portugal).● ***S. m.* 2.** O natural ou habitante de Ovar.

▲ **ovari(o)-** [Do lat. cient. *ovarium*.] ***El. comp.*** = 'ovário': *ovariectomia, ovariocele, ovariotomia*. [Equiv.: *-ovar(i)(o)-*: *hipo-ovarismo*.]

▲ **-ovar(i)(o)-** Equiv. de *ovari(o)-*.

ovário [Do lat. cient. *ovarium* (do lat. tard. *ovarium*).] ***S. m.* 1.** *Anat.* Cada um dos dois corpos situados de cada lado do útero. É a glândula sexual da mulher, e nele se formam os óvulos. **2.** *Bot.* Orgânulo cavitário da flor, que encerra os óvulos, dentro dos quais se acha a célula reprodutiva feminina. [O ovário pode ser súpero ou ínfero, conforme sua posição em relação às demais peças florais, contém um ou mais óvulos e, depois da fecundação, cresce e forma o fruto.] **3.** *Zool.* Órgão que contém e onde se formam os ovos ou óvulos nas fêmeas das aves e noutros animais ovíparos. [Cf. *uvário*.]

ovariocele [De *ovari(o)-* + *-cele*[1].] ***S. f.*** *Patol.* Saliência herniária de ovário.

ovariocélico [De *ovariocele* + *-ico*[2].] ***Adj.*** *Patol.* Relativo a ovariocele.

ovariotomia [De *ovari(o)-* + *-tom(o)-* + *-ia*[1].] ***S. f.*** *Cir.* V. *ooforotomia*.

ovariotómico ***Adj.*** *Cir.* V. *ovariotômico*. [Uso freq. em P.]

ovariotômico [De *ovariotomia* + *-ico*[2].] ***Adj.*** *Cir.* V. *ooforotômico*.

ovarismo [De *ovário* + *-ismo*.] ***S. m.*** Doutrina biológica que atribui a origem de todos os seres organizados ao desenvolvimento de um ovo.

ovarista [De *ovarismo* + *-ista*.] ***Adj. 2 g.* 1.** Relativo ao ovarismo, ou que é partidário dele.● ***S. 2 g.* 2.** Partidário do ovarismo.

ovas [Pl. de *ova*.] ***S. f. pl.*** Tumores moles originários da dilatação de certas membranas entre a pele e os ossos das bestas. ~ V. *ova*.

oveiro[1] [Do lat. tard. *ovariu*, por via pop.] ***S. m.* 1.** Ovário, esp. o das aves. **2.** *Pop.* Na mulher, o aparelho reprodutor. ◆ **Oveiro baixo.** *Pop.* Prolapso ovariano: "a mulher de oveiro baixo .... já recebera alta." (Lêdo Ivo, *Ninho de Cobras*, p. 44).

oveiro[2] [De *ovo* + *-eiro*.] ***S. m.* 1.** Vasilha de servir ovos à mesa. **2.** *Bras. N.E. Pop.* O orifício anal das aves.

oveiro[3] [Do esp. *overo*, de or. incerta.] ***Adj. Bras.*** Diz-se do boi ou do cavalo que tem malhas no corpo.

ovelha (ê) [Do lat. tard. *ovicula*.] ***S. f.* 1.** Fêmea do carneiro. [Sin. (bras., S.): *carneira*.] **2.** *Cul.* Iguaria feita com ovelha (1). **3.** *Fig.* O cristão, em relação ao seu pastor espiritual. ◆ **Ovelha negra.** Pessoa que num grupo sobressai por suas más qualidades, por seu mau proceder: *Desde criança é a ovelha negra da família.* **Recomendar as ovelhas ao lobo.** V. *pôr a raposa para tomar conta do galinheiro*.

ovelhada [De *ovelha* + *-ada*[1].] ***S. f.*** Rebanho de ovelhas.

ovelheiro[1] [De *ovelha* + *-eiro*.] ***S. m.*** Pastor de ovelhas.

ovelheiro[2] [Do esp. plat. *ovejero*.] ***Adj. S. m. Bras. S.* 1.** Diz-se de, ou cachorro criado desde muito novo junto ao rebanho, que ele, quando cresce, guarda e protege. **2.** Diz-se de, ou cão habituado a perseguir rebanhos para comer ovelhas.

ovelhum [De *ovelha* + *-um*[1].] ***Adj. 2 g.*** Referente às ovelhas, carneiros e cordeiros, ou próprio deles; ovino, ovelhuno: "O gado ovelhum e cabrum é de 145 cabeças, não se incluindo nesse número a criação pertencente aos colonos." (Afonso Arinos, *Histórias e Paisagens*, p. 177.)

ovelhuno ***Adj.*** V. *ovelhum*: "pequena igreja cheia de aldeões a tresandarem a curral com suas samarras e safões ovelhunos." (Antero de Figueiredo, *Toledo*, p. 95).

ovém [Do escand. ant. *höfudbendur*, pelo fr. ant. *hobent* ou *hobene*.] ***S. m.*** *Constr. Nav.* Cada uma das pernadas da enxárcia: "Desarmam o toldo de lona à proa, ... colhem os guardins, as enxárcias, os ovéns, os brandais, todo o cordame, em suma, capaz de ser tocado pela ramaria do arvoredo debruçado na calha." (Raimundo Morais, *Na Planície Amazônica*, p. 77.) [Cf. *ovem*, do v. *ovar*.]

ovença ***S. f.*** *Ant.* **1.** O serviço de mesa e comedoria, entre os cônegos regrantes. **2.** Arrecadação ou cobrança das rendas da coroa.

ovençal [De *ovença* + *-al*[1].] ***S. m.*** *Ant.* **1.** Cobrador de rendas ou da fazenda nacional. **2.** Vedor ou provedor dos mantimentos de uma casa, palácio, comunidade, etc.; despenseiro.

óveo [De *ovo* + *-eo*.] ***Adj.*** **1.** Que contém ovos. **2.** V. *oval* (1).

→ **over** ['owvɚ] [Ingl.] ***Adj. 2 g. e 2 n. S. m.*** Overnight (q. v.).

→ **overalls** ['owvɚɔlz] [Ingl.] ***S. m.*** Capa leve para proteger a vestimenta.

→ **overbooking** [ˌowvɚ'bukiŋ] [Ingl.] ***S. m.*** Reserva ou venda de passagens aéreas além do número de assentos de um avião, com o objetivo de compensar possíveis desistências ou ausências de passageiros no momento da viagem.

→ **overdose** ['owvɚdows] [Ingl.] ***S. f.*** **1.** Dose excessiva, ger. de tóxico (4), ministrada a alguém ou a si próprio. **2.** *Fig.* Quantidade enorme, excessiva: *O filme tem uma overdose de efeitos especiais.*

→ **overhead** ['owvɚhed] [Ingl.] ***Adj. 2 g. e 2 n.*** Diz-se das despesas operacionais de um negócio, outras que não as concernentes ao trabalho e aos materiais.

overloque [Do ingl. *overlock*.] ***S. m.*** Peça de máquina de costura própria para chulear.

overloquista [De *overloque* + *-ista*.] ***S. 2 g.*** Pessoa que trabalha com overloque.

→ **overnight** ['owvɚnajt] [Ingl.] ***Adj. 2 g. e 2 n.*** **1.** Diz-se de aplicações financeiras com rendimento diário, resgatáveis a partir do dia seguinte àquele em que são feitas. ● ***S. m.*** **2.** O mercado de tais aplicações: *Cai a taxa de juros do overnight.* [Tb. se diz apenas *over*.]

→ **over-price** [owvɚ'pɹajs] [Ingl.] ***S. m.*** *Market.* Valor que o intermediário acresce ao preço de produto ou serviço, a seu favor.

→ **over-time** ['owvɚ tajm] [Ingl.] ***S. m.*** *Basq.* V. *prorrogação* (3).

ovetense [Do lat. *Ovetum*, 'Oviedo', + *-ense*.] ***Adj. 2 g.*** **1.** De, ou pertencente ou relativo a Oviedo (Espanha). ● ***S. 2 g.*** **2.** O natural ou habitante de Oviedo.

oveva [Var. de *obeba*, este de or. indígena.] ***S. m.*** *Bras. Zool.* Peixe cienídeo (*Larimus breviceps*) do Atlântico ocidental, desde as Antilhas à Santa Catarina. Tem coloração prateada, com o dorso mais escuro, nadadeiras pélvicas e anal amareladas, e até 30cm de comprimento. [Var.: *obeba, ubeba*. Sin.: *boca-torta, camanguá, pirucaia*.]

▲ **ov(i)-** [Do lat. *ovum*, *i*.] ***El. comp.*** = 'ovo': *ovissaco, ovoide*. [Equiv.: *ovo-*: *oológico*.]

oviário [Do lat. **oviariu*, por *oviaria*.] ***S. m.*** **1.** V. *ovil*. **2.** Rebanho de ovelhas.

ovicida [De *ov(i)-* + *-cida*.] ***Adj. 2 g. S. m.*** Diz-se de, ou substância química, ou agente físico, capaz de matar ovos ou óvulos.

ovidiano [Do lat. *ovidianu*.] ***Adj.*** Pertencente ou relativo a Ovídio, poeta latino (43 a. C.-16 d. C.), ou próprio desse poeta.

oviduto [De *ov(i)-* + *-duto*; lat. cient. *oviductus*.] ***S. m.*** **1.** *Anat.* Tuba uterina. **2.** *Zool.* Ducto que nos animais ovíparos se estende do ovário até a cloaca e serve para dar passagem aos ovos.

oviforme [De *ov(i)-* + *-forme*.] ***Adj. 2 g.*** V. *oval* (1). [Cf. *uviforme*.]

ovígero [De *ov(i)-* + *-gero*.] ***Adj.*** Que contém os ovos ou corpúsculos reprodutores.

ovil [Do lat. *ovile*.] ***S. m.*** Curral de ovelhas; aprisco, oviário.

ovimbundo ***S. m.*** **1.** *Etnôn.* Indivíduo dos ovimbundos, povo que vive ao S. do Cuanza, sobretudo no planalto de Benguela, em Angola (S.O. da África). ● ***Adj.*** **2.** De, pertencente ou relativo a esse povo.

ovinho [De *ovo* + *-inho*[1].] ***S. m.*** *Bras. RJ Fut. Gír.* V. *caneta*[1] (4).

ovino [Do lat. *ove*, 'ovelha', + *-ino*[1].] ***Adj.*** **1.** V. *ovelhum*: *gado ovino*; "De sorte que cada habitante de Lisboa recebe no seu estômago, desprezadas as frações milésimas, de carne limpa das reses da espécie bovina, caprina e ovina, adultas e adolescentes, etc., etc., — quilo e meio!" (Ramalho Ortigão, *As Farpas*, VI, p. 6). ● ***S. m.*** **2.** Exemplar de gado ovelhum: *Possui milhares de ovinos.*

ovinocultor (ô) [De *ovino* (2) + *-cultor*.] ***S. m.*** Criador de ovelhas.

ovinocultura [De *ovino* (2) + *-cultura*.] ***S. f.*** Criação de ovelhas.

oviparidade [De *ovíparo* + *-idade*.] ***S. f.*** *Zool.* Condição de ovíparo; oviparismo.

oviparismo [De *ovíparo* + *-ismo*.] ***S. m.*** Oviparidade.

ovíparo [Do lat. *oviparu*.] ***Adj. S. m.*** *Zool.* Diz-se de, ou animal que põe ovos, que se reproduz por meio de ovos. [Cf. *vivíparo*.]

ovipositor (ô) [De *ov(i)-* + lat. *positus*, part. pass. de *ponere*, 'pôr', + *-or*.] ***S. m.*** *Zool.* **1.** Estrutura final do oviduto por onde são eliminados os ovos. **2.** Nos insetos, estrutura tubular que, ger., se estende para fora do abdome, e que permite a postura dos ovos. [F. paral.: *ovopositor*.]

ovirraptor (ô) [Do tax. *Oviraptor*.] ***S. m.*** *Paleont.* **1.** Gênero de dinossauros, ceratopsídeos, ornitísquios, de mandíbula forte, bico largo, destituídos de dentes, poss. revestidos de tecido córneo, e com protuberância tb. córnea na parte superior; patas traseiras desenvolvidas, e dianteiras com 3 dedos em garra. Habitaram a Ásia no cretáceo. **2.** Espécie ou espécime desse gênero.

óvis [Do tax. *Ovis*.] ***S. m. 2 n.*** *Zool.* **1.** Gênero de bovídeos que inclui carneiros domésticos e selvagens; a maioria destes últimos habita regiões montanhosas do O. da América do Norte e do O. da Ásia; e são dotados de chifres espiralados lateralmente. **2.** Qualquer espécie desse gênero, como, p. ex., o *Ovis ammon* (v. *argali*). **3.** Qualquer espécime desse gênero.

ovissaco [De *ov(i)-* + *saco*.] ***S. m.*** **1.** *Anat.* Vesícula de Graaf. **2.** *Zool.* Ooteca, ou outro tipo de estrutura, que serve para conter ovos ou óvulos.

ovívoro [De *ov(i)-* + *-voro*.] ***Adj.*** Que se nutre de ovos.

óvni [Acrôn. de *objeto voador não identificado*.] ***S. m.*** Designação geral de objetos voadores não identificados, empregada habitualmente para hipotéticos engenhos voadores de origem extraterrestre; ufo.

ovniologia [De *óvni* + *-o-* + *-logia*.] ***S. f.*** Ciência, estudo ou tratado acerca dos óvnis; ufologia.

ovniológico [De *ovniologia* + *-ico*[2].] ***Adj.*** Pertencente ou relativo aos óvnis; ufológico.

ovniologista [De *ovniologia* + *-ista*.] ***S. 2 g.*** Pessoa versada em ovniologia; ovniólogo, ufologista, ufólogo.

ovniólogo [De *óvni-* + *-o-* + *-logo*.] ***S. m.*** V. *ovniologista*.

ovniomania [De *óvni* + *-o-* + *-mania*.] ***S. f.*** Gosto ou interesse exagerado pelos óvnis; ufomania.

ovniomaníaco [De *ovniomania* + *-iaco*.] ***Adj.*** **1.** Relativo a ovniomania. **2.** Que tem ovniomania; ovniômano; ufômano. ● ***S. m.*** **3.** Aquele que tem ovniomania; ovniômano; ufômano. [Sin. ger.: *ufomaníaco*.]

ovniômano [De *óvni* + *-o-* + *-mano*[1].] ***Adj. S. m.*** V. *ovniomaníaco* (2 e 3).

ovnionauta [De *óvni-* + *-o-* + *-nauta*.] ***S. 2 g.*** Suposto tripulante de um óvni; ufonauta.

ovo (ô) [Do lat. *ovu*.] ***S. m.*** **1.** *Embr.* Célula resultante da fecundação de óvulo por espermatozoide; célula-ovo, zigoto. **2.** *Restr.* Óvulo, fecundado ou não, de certos animais, esp. de aves, como a galinha, revestido por membrana resistente ou por casca rígida, que contém uma parte albuminoide, a clara, e outra rica em lipídios, a gema, e us., como alimento: *comer ovo; ovo frito*. [Pl.: *ovos* (ó). Dim.: *óvulo*. Cf. *ovo*, do v. *ovar*.] ~ V. *ovos*. ◆ **Ovo cósmico.** *Astr.* Expressão criada pelo astrônomo belga Georges Lemaître (1894-1967) para designar o conjunto de matéria altamente compacto que teria dado origem ao Universo; átomo primordial. **Ovo da serpente.** Prenúncio de um mal que está por vir. [Por alusão ao *Ovo da Serpente* de Ingmar Bergman, em que indícios da ascensão nazista são comparados ao ovo da serpente fertilizado, que já mostra a forma do réptil.] **Ovo de Colombo.** Coisa fácil de realizar, mas na qual não se pensou antes de a ver posta em prática por outrem: "Desvendado, o meu segredo é como o ovo de Colombo" (Simões Lopes Neto, *Casos do Romualdo*, p. 68) **Ovo de Páscoa.** **1.** Bombom oviforme, de chocolate, marzipã, etc., que se vende na época da Páscoa. **2.** Casca de ovo esvaziada, artisticamente trabalhada com pintura e/ou colagem. **Ovo quente.** Ovo ligeiramente cozido, na casca, em água fervente, e geralmente temperado apenas com sal. **Babar o ovo de.** *Bras. AL Chulo* V. *bajular*. **Balançar o ovo de.** *Bras. AL Chulo* V. *bajular*. **Cheio como um ovo.** Cheio que nem ovo. **Cheio que nem ovo.** **1.** Muito rico. **2.** Muito cheio; repleto: *A casa estava cheinha de gente, cheia que nem ovo.* [Tb. se diz *cheio como um ovo*.] **Chupar o ovo de.** *Bras. AL Chulo* V. *bajular*. **Contar com o ovo na bunda da galinha.** *Bras. Chulo* Fazer planos com base em coisa incerta; contar com o ovo no cu da galinha. **Contar com o ovo no cu da galinha.** *Bras. Chulo* Contar com o ovo na bunda da galinha. **De ovo virado.** *Bras. Pop.* De mau humor: *estar, acordar, ficar, etc., de ovo virado.* **De pocar o ovo.** *Bras. N.E. Chulo* **1.** Extraordinário, admirável; do outro mundo: *uma morena de pocar o ovo.* **2.** Dos diabos; de todos os diabos: *Que azar! Essa foi uma de pocar o ovo.* **Fazer ovo.** Fazer mistério em torno de algum fato; escondê-lo. **No ovo.** *Bras. Fig.* Em embrião; no germe, no princípio, na origem, no começo, no início: *O movimento político malogrou no ovo; Todo aquele plano ficou no ovo.* **Pisar em ovos.** Conduzir-se com cautela, diplomacia, habilidade, por tratar-se de situação delicada e/ou constrangedora. **Ser um ovo.** Ser muito pequeno, ou muito estreito, ou pouco cômodo: *Comprou um apartamento que é um ovo.* **Um ovo por um real.** Coisa muitíssimo barata.

▲ **ovo-** Equiv. de *ov(i)-*.

ovocélula [De *ovo-* + *célula*.] ***S. f.*** *Bot.* Oosfera.

ovócito [De *ovo-* + *-cito*.] ***S. m.*** *Biol.* Oócito.

ovo-de-galo ***S. m.*** *Bras. S. Bot.* Erva solanácea (*Salpichroa rhomboidea*) escandente, de bagas ovoides, vermelhas e polispermas, folhas ovadas, e flores solitárias, alvas e tubulosas. [Pl.: *ovos-de-galo*.]

ovo de peru ***S. m.*** *Bras.* V. *sarda*[2]. [Pl.: *ovos de peru*.] ☑

ovo de pombo ***S. m.*** *Bras. Min.* Quartzo hialino rolado, satélite do diamante. [Pl.: *ovos de pombo*.] ☑

ovo de sapo ***S. m.*** *Bras. RS* Aglomeração de glóbulos cor-de-rosa, ovos de uma variedade de caracol, que se encontram aderidos às folhas das plantas aquáticas ou às pedras à beira da água, e que encerram um líquido transparente. [Pl.: *ovos de sapo*.] ☑

ovogénese ***S. f.*** *Embr.* V. *ovogênese*. [Uso freq. em P.]

ovogênese [De *ovo-* + *-gênese*.] ***S. f.*** *Embr.* V. *oogênese*.

ovogónia ***S. f.*** *Embr.* V. *ovogônia*. [Uso freq. em P.]

ovogônia [De *ovo-* + *-gon(o)-*[2] + *-ia*[2].] ***S. f.*** *Embr.* Célula germinativa primordial que dá origem a oócitos.

ovoide (ói) [De *ovo-* + *-oide*.] ***Adj. 2 g.*** **1.** V. *oval* (1). **2.** *Bot.* Em forma de ovo (diz-se de órgãos ou partes maciças): *semente ovoide*. ~ V. *curva —*. ❖

ovologia [De *ovo-* + *-logia*.] ***S. f.*** V. *oologia*.

ovológico [De *ovologia* + *-ico*[2].] ***Adj.*** V. *oológico*.

ovopositor (ô) [De *ovo-* + lat. *positus*, part. pass. de *ponere*, 'pôr', + *-or*.] ***S. m.*** *Zool.* V. *ovipositor*.

ovos [Pl. de *ovo*.] ***S. m. pl.*** *Chulo* Os testículos. ~ V. *ovo*.

ovos-moles [Do pl. de *ovo* + o pl. de *mole*[2].] ***S. f. pl.*** *Cul.* Doce (12) de consistência cremosa originário da região de Aveiro (v. *aveirense*), feito com gemas de ovos e calda de açúcar, envolto em massa de hóstia, e ger. com a forma de frutos do mar (amêijoas, peixinhos, conchas, etc.): "E Policarpo Golfão comoveu-se diante duns ovos-moles d'Aveiro, enquanto o padre Salgado, que não era de muito comer, abriu exceção para o arroz-doce polvilhado de canela" (Herberto Sales, *Os Pareceres do Tempo*, p. 85).

ovos-nevados [Do pl. *ovo* + o pl. de *nevado*[2].] ***S. m. pl.*** *Cul.* Doce (12) feito com claras batidas em neve e cozidas, às colheradas, em calda de leite perfumada com casca de limão e baunilha e depois regadas com creme de leite e gemas.

ovótide ***S. f.*** *Biol.* Célula madura, no processo da oogênese, que eliminou os glóbulos polares, e já pode ser fecundada; oótide.

ovoviviparidade [De *ovovivíparo* + *-(i)dade*.] ***S. f.*** Condição de ovovivíparo; ovoviviparismo.

ovoviviparismo [De *ovovivíparo* + *-ismo*.] ***S. m.*** Ovoviviparidade.

ovovivíparo [De *ovo-* + *vivíparo*.] ***Adj. S. m.*** *Biol.* Diz-se de, ou animal cujo ovo é incubado no interior do organismo materno, sem se nutrir à custa desse organismo.

ovulação [De *ovular*[2] + *-ção*.] ***S. f.*** *Biol.* Rompimento de parede ovariana e liberação de oócito maduro, junto com fluido folicular.

ovulado [De *óvulo* + *-ado*[1].] ***Adj.*** **1.** Que tem óvulo(s). **2.** *Bot.* Provido de óvulos. [Us. com prefixos indicativos de número: *uniovulado, biovulado*, etc.]

ovular[1] [De *ovul(i)-* + *-ar*[1].] ***Adj. 2 g.*** **1.** Relativo ou pertencente a óvulo: *tegumento ovular.* **2.** Semelhante a um ovo de galinha. [Cf. *uvular*.]

ovular[2] [De *óvulo* + *-ar*[2].] ***V. int.*** Ter ovulação. [Cf. *uvular*.]

ovulatório [De *ovular* + *-tório*.] ***Adj. 2 g.*** De, ou relativo à ovulação.

▲ **ovul(i)-** [Do lat. cient. *ovulum* (v. *ov(i)-* e *-ulo*).] ***El. comp.*** = 'óvulo': *ovuliforme*. [Equiv.: *-ovul(i)-*: *pauciovulado*.]

▲ **-ovul(i)-** Equiv. de *ovul(i)-*.

ovuliforme [De *ovul(i)-* + *-forme*.] ***Adj. 2 g.*** Que tem forma de óvulo. [Cf. *uvuliforme*.]

óvulo [De *ov(i)-* + *-ulo*; lat. cient. *ovulum*.] ***S. m.*** **1.** *Biol.* Célula sexual feminina, formada em ovário; gameta feminino, macrogameta. **2.** *Bot.* Corpúsculo encontrado no interior do ovário das flores, dentro do qual se acha a célula sexual feminina, ou oosfera. Fecundada esta, o óvulo cresce e forma a semente.

▲ **ox(a)-** *Quím.* ***El. comp.*** Indica a presença, na molécula de uma substância, de um átomo de oxigênio, em substituição a carbono: *oxatiolana.* [Ocorre, tb., como infixo.]

▲ **-ox(a)-** V. *ox(a)-.*

oxácido (cs) [De *ox(igênio) + ácido.*] ***S. m.*** *Quím.* Oxiácido.

oxaguiã ***S. m.*** *Bras. Rel.* V. *Orixaguinhã.* [Com cap.]

oxaguinhã ***S. m.*** *Bras. Rel.* V. *Orixaguinhã.* [Com cap.]

oxalá[1] [De *Orixalá,* com síncope.] ***S. m.*** *Bras. Rel.* Alta divindade entre os orixás jeje-nagôs, abaixo apenas de Olorum. [Com cap. Sin.: *Obatalá.* Cf. *Orixaguinhã, Oxalufã.*]

oxalá[2] [Do ár. *in šā'allah–,* 'e queira Deus'.] ***Interj.*** Tomara; queira Deus; prouvera a Deus: *Oxalá cesse um dia a miséria do mundo!*

oxalato (cs) [De *oxal,* f. red. de *oxálico,* + *-ato*[2].] ***S. m.*** *Quím.* Qualquer sal do ácido oxálico. ◆ **Oxalato ácido.** *Quím.* V. *bioxalato.*

oxálico (cs) [Do gr. *oxalís,* 'azedo', + *-ico*[2].] ***Adj.*** *Quím.* ~ V. *ácido —.*

oxalidácea (cs) [Do lat. cient. *Oxalid-* (do tax. *Oxalis*) + *-ácea*; tax. *Oxalidaceae.*] ***S. f.*** *Bot.* Espécime das oxalidáceas, família de plantas da ordem das geraniales, composta de pequenas ervas de folhas compostas, flores diclamídeas com 10 estames, sendo o fruto uma cápsula ou baga às vezes grande. Engloba umas 800 espécies tropicais, muitas brasileiras. A caramboleira, embora árvore, classifica-se nesta família. [Sin.: *oxalídea.*]

oxalidáceo (cs) [De *oxalidácea,* com var. suf. (v. *-áceo*).] ***Adj.*** *Bot.* Pertencente ou relativo às oxalidáceas; oxalídeo.

oxalídea (cs) [Do lat. cient. *Oxalid-* (< tax. *Oxalis*) + *-ea.*] ***S. f.*** *Bot.* Oxalidácea.

oxalídeo (cs) [Do lat. cient. *Oxalid-* (< tax. *Oxalis*) + *-eo.*] ***Adj.*** *Bot.* Oxalidáceo.

oxalufã [Do ior.] ***S. m.*** *Bras. Rel.* Forma anciã de Oxalá como rei de Ifon (Nigéria). [Com cap. Cf. *Orixaguinhã.*]

oxaluria (cs) [De *oxal(ato) + -uria.*] ***S. f.*** *Patol.* V. *oxalúria.*

oxalúria (cs) [De *oxal(ato) + -úria.*] ***S. f.*** *Patol.* Teor de oxalatos na urina. [F. paral.: *oxaluria.*]

oxalúrico (cs) [De *oxalúria + -ico*[2].] ***Adj.*** **1.** Relativo a, ou que sofre de oxalúria. • ***S. m.*** **2.** Aquele que sofre de oxalúria.

oxamniquina (cs) [Voc. farmac.] ***S. f.*** *Quím.* Substância aromática heterocíclica, us. como anti-helmíntico, esp. no tratamento da esquistossomose [fórm.: $C_{14}H_{21}N_3O_3$].

oxano (cs) [Do V.C.I. *oxane.*] ***S. m.*** *Quím.* Tetraidropirano.

oxaria ***S. f.*** *Lus. Gír.* Pechincha (3).

oxatiolana (cs) [De *ox(a)- + -ti(a)- + -olana.*] ***S. f.*** *Quím.* Substância orgânica cujas moléculas podem ser consideradas como derivadas do ciclopentano por substituição de dois átomos de carbono (com os hidrogênios a eles ligados) por um átomo de oxigênio e outro de enxofre [fórm.: C_3H_6OS].

oxazol (cs) [De *ox(a)- + azol.*] ***S. m.*** *Quím.* **1.** Substância heterocíclica insaturada, cujo anel tem três átomos de carbono, um de oxigênio e um de nitrogênio, não sendo os dois últimos átomos adjacentes [fórm.: C_3H_3NO]. **2.** Qualquer derivado do oxazol (1). [Sin. ger.: *oxazola* e (lus.) *oxazole.* Pl.: *oxazóis.*]

oxazola (cs) [De *ox(a)- + -az(a)- + -ola*[2].] ***S. f.*** *Quím.* V. *oxazol.*

oxazole (cs) ***S. m.*** *Lus. Quím.* V. *oxazol.*

oxazolidina (cs) [De *oxazol + -idina.*] ***S. f.*** *Quím.* Substância líquida, resultante da hidrogenação total do oxazol, da qual alguns derivados são us. na indústria de couros [fórm.: C_3H_7NO].

oxazolina (cs) [De *oxazol + -ina*[3].] ***S. f.*** *Quím.* Qualquer de três substâncias isômeras, resultantes da hidrogenação parcial do oxazol [fórm.: C_3H_5NO].

oxe (ô) ***Interj.*** *Bras. N.E. Pop.* V. *oxente.*

oxente [F. aglutinada da expr. *ó gente,* com sonorização do *g.*] ***Interj.*** *Bras. N.E. Pop.* Exprime espanto, surpresa ou desdém: "— Oxente, mulher! / Tu estás pensando que compadre / Cazuza é pinto?!" (Ascenso Ferreira, *Catimbó e Outros Poemas,* p. 152.) [F. red.: *oxe.*]

oxetana (cs) [De *ox(a)- + -etana.*] ***S. f.*** *Quím.* Substância heterocíclica saturada, cujo anel tem três átomos de carbono e um de oxigênio [fórm.: C_3H_6O].

➔ **oxford** ['ɑksfɔɹd] [Ingl.] ***S. m.*** *Tec. Têx.* Tecido originário de Oxford (Inglaterra) de algodão ou de fio sintético, e com densidade idêntica de urdidura e trama, us. esp. para camisas.

oxfordiano (cs) ***Adj.*** **1.** De, ou pertencente ou relativo à cidade ou à Universidade de Oxford (Grã-Bretanha). • ***S. m.*** **2.** O natural ou habitante de Oxford. **3.** Estudante ou ex-estudante da Universidade de Oxford. [Sin. ger.: *oxoniense, oxoniano* (q. v.).]

▲ **ox(i)-** [Do gr. *oxýs, eîa, ý.*] ***El. comp.*** = 'agudo'; 'rápido'; 'ácido'; 'oxigênio': *oxiácido, oxicefalia, oxiopsia, oxitocia, oxílito, oximetria; oxirredução.* [Em *Quím.,* 'presença ou ação de oxigênio'.] [Equiv.: *-ox(i)-, -óxi: anoxemia, hipoxia; acetóxi.*]

▲ **-ox(i)-** V. *ox(i)-.*

▲ **-óxi** V. *ox(i)-.*

oxiácido (cs) [De *ox(i)- + ácido.*] ***S. m.*** *Quím.* Qualquer ácido inorgânico que contém pelo menos um oxigênio em sua molécula; oxácido.

oxibrácteo (cs) [De *ox(i)- + -brácteo.*] ***Adj.*** *Bot.* Que tem brácteas agudas.

oxibrometo (cs... ê) [De *óxi(do) + brometo.*] ***S. m.*** *Quím.* Designação genérica de compostos que são brometo e óxido.

oxicedro (cs) [Do gr. *oxýkedros,* pelo lat. *oxycedru.*] ***S. m.*** *Bot.* Arvoreta ou arbusto cupressáceo (*Juniperus oxycedrus*) nativo na região mediterrânea, de folhas aromáticas, lineares, terminando em ponta acerada, e fruto esférico.

oxicefalia (cs) [De *ox(i)- + -cefal(o)- + -ia*[1].] ***S. f.*** *Antropom.* Conformação da cabeça em que esta se apresenta com o ápice pontudo, com índice vertical acima de 77; acrocefalia.

oxicefálico (cs) [De *oxicefalia + -ico*[2].] ***Adj.*** Relativo a oxicefalia; acrocefálico.

oxicéfalo (cs) [De *ox(i)- + -céfalo.*] ***Adj. S. m.*** Diz-se de, ou indivíduo que tem oxicefalia; acrocéfalo.

oxicloreto (cs... ê) [De *ox(i)- + cloreto.*] ***S. f.*** *Quím.* Designação genérica de compostos que são cloreto e óxido.

oxicortante (cs) [De *ox(i)- + cortante.*] ***Adj. 2 g.*** *Metal.* Diz-se do processo no qual o corte dos metais é obtido pela sua reação com oxigênio puro a alta temperatura.

oxicrato (cs) [Do gr. *oxýkraton.*] ***S. m.*** Bebida feita de vinagre e água, que serve para acalmar e amenizar a transpiração.

oxidabilidade (cs) [De *oxidável + -(i)dade,* seg. o padrão erudito.] ***S. f.*** Qualidade de oxidável.

oxidação (cs) [De *oxidar + -ção.*] ***S. f.*** **1.** Ato ou efeito de oxidar(-se); oxigenação. **2.** Fixação de oxigênio em um corpo. **3.** *Quím.* Processo em que um átomo, uma molécula ou um íon perde um ou mais elétrons. **4.** *Quím.* Processo em que uma substância se combina com oxigênio, ou em que ela perde hidrogênio. **5.** *Quím.* Processo em que o número de oxidação de um dado elemento aumenta. **6.** *Restr.* Criação de ferrugem.

oxidante (cs) [De *oxidar + -nte.*] *Quím.* ***Adj. 2 g.*** **1.** Que tem a propriedade de oxidar. • ***S. m.*** **2.** Substância que produz oxidação.

oxidar (cs) [De *óxido + -ar*[2].] ***V. t. d.*** **1.** Provocar oxidação em. **2.** *Quím.* Submeter (uma substância) a oxidação. ***P.*** **3.** *Quím.* Sofrer oxidação (4): "Apenas escaparam ao incendiário alguns capítulos em dois canhenhos, cuja letra miúda a custo se distingue no borrão de que a tinta, oxidando-se com o tempo, saturou o papel." (José de Alencar, *O Guarani,* I, p. 66.) **4.** Enferrujar (8): *A lâmina de aço oxidou-se rapidamente.* [Pres. ind.: *oxido,* etc. Cf. *óxido,* s.m.]

oxidase (cs) [De *óxido + -ase.*] ***S. f.*** Diástase capaz de fixar o oxigênio do ar sobre certas substâncias oxidáveis.

oxidável (cs) [De *oxidar + -vel.*] ***Adj. 2 g.*** Que se pode oxidar.

óxido (cs) [De *ox(i)- + -ido*[2].] ***S. m.*** *Quím.* Composto binário de oxigênio e outro elemento. [Cf. *oxido,* do v. *oxidar.*] ◆ **Óxido básico.** *Quím.* Óxido metálico que tem caráter básico. **Óxido cúprico.** *Quím.* Aquele em que o cobre figura com valência 2 [fórm.: CuO]. **Óxido cuproso.** *Quím.* Aquele em que o cobre figura com valência 1 [fórm.: Cu_2O]. **Óxido de etileno.** *Quím.* Oxirana (1). **Óxido de mesitila.** *Quím.* Nome tradicional do produto de desidratação do diacetona-álcool, que uma cetona insaturada, us. como solvente e na produção de metil-isobutil-cetona [fórm.: $C_6H_{10}O$]. **Óxido nióbico.** *Quím.* Óxido em que o nióbio é pentavalente [fórm.: Nb_2O_5]. **Óxido pulga.** *Quím.* O dióxido de chumbo. **Óxido salino.** *Quím.* O que é, ao mesmo tempo, óxido e sal. **Óxido vanádico.** *Quím.* Óxido em que o vanádio é pentavalente [fórm.: V_2O_5].

oxidrila (cs) [De *ox(igênio) + (h)idr(ogênio) + -ila*[2].] ***S. f.*** *Quím.* V. *hidroxila.*

oxidulado (cs) [De *óxido + -ul(o)- + -ado*[1].] ***Adj.*** Levemente oxidado.

oxienídeo (cs) [Do tax. *Oxyaena* (gênero-tipo) + *-ídeo*[1]; tax. *Oxyaenidae.*] *Paleont.* ***S. m.*** **1.** Espécime dos oxienídeos, família de mamíferos creodontes, carnívoros, do paleoceno, muito semelhantes às atuais raposas. • ***Adj.*** **2.** Pertencente ou relativo a eles.

oxigenação (cs) [De *oxigenar + -ção.*] ***S. f.*** **1.** Ato ou efeito de oxigenar(-se). **2.** Capacidade de oxigenar-se, ou de receber oxigênio. **3.** *Anest. Med.* Ato ou efeito de oxigenar (5). **4.** Oxidação (1).

oxigenado (cs) [Part. de *oxigenar.*] ***Adj.*** **1.** Combinado com oxigênio. **2.** Que recebeu oxigênio, ou que teve a capacidade de oxigenação ampliada. **3.** Que sofreu a ação da água oxigenada: *cabelos oxigenados.* ~ V. *água —a.*

oxigenar (cs) [De *oxigên(io) + -ar*[2].] ***V. t. d.*** **1.** Introduzir oxigênio em. **2.** *Fig.* Fortalecer, avigorar. **3.** Aumentar a oxigenação (2) de: *Andar é um santo remédio para oxigenar o cérebro.* **4.** Descolorir pela aplicação de água oxigenada: *Oxigenava os cabelos.* **5.** *Anest. Med.* Administrar oxigênio a (um indivíduo), mediante equipamento apropriado. **6.** *Quím.* Tratar (uma substância) pelo oxigênio e fixá-lo em sua molécula. ***P.*** **7.** Combinar-se com o oxigênio. **8.** Sofrer aumento de oxigênio; receber (mais) oxigênio.

oxigénio ***S. m.*** *Quím.* V. *oxigênio.* [Uso freq. em P.]

oxigênio (cs) [De *ox(i)- + -gen(o)- + -io*[3]; fr. *oxygène.*] ***S. m.*** **1.** Elemento de número atômico 8, que ocorre em inúmeros compostos [símb.: *O*]. *Quím.* **2.** Gás incolor, inodoro, insípido, com atividade química bastante grande, indispensável à vida e que é a forma usual do oxigênio elementar [fórm.: O_2].

oxigenoterapia (cs) [De *oxigênio + -terapia.*] ***S. f.*** *Terap.* Tratamento que tem como agente o oxigênio; terapêutica pelo oxigênio.

oxigenoterápico (cs) [De *oxigenoterapia + -ico*[2].] ***Adj.*** Relativo à oxigenoterapia.

oxigeusia (cs) [De *ox(i)-* + gr. *geûsis,* 'gosto', + *-ia*[1].] ***S. f.*** Desenvolvimento excessivo do sentido do gosto.

oxígono (cs) [Do gr. *oxygonos.*] ***Adj.*** **1.** *Geom.* Acutângulo. **2.** *Zool.* Anguloso (falando-se de conchas). [A pronúncia correta seria *oxigono,* v. *-gono.*]

oxílito (cs) [De *ox(i)- + -lito.*] ***S. m.*** *Quím. Desus.* Pastilha contendo peróxido de sódio e permanganato de potássio e que, em contato com água, produz oxigênio gasoso.

oxima (cs) ***S. f.*** *Quím.* Designação genérica das substâncias que contêm o grupo divalente C=N-OH, ger. obtidas por reação de uma cetona ou de um aldeído com a hidroxilamina.

oximel (cs) [Do gr. *oxýmeli,* pelo lat. tard. *oxymel.*] ***S. m.*** **1.** Bebida que é uma mistura de vinagre, água e mel. **2.** *Farm.* Melito a que se adicionou vinagre. [Pl.: *oximéis.*]

oximetria (cs) [De *ox(i)- + -metria.*] ***S. f.*** *Med.* Determinação do grau de saturação de oxigênio no sangue.

oximétrico (cs) [De *oximetria + -ico*[2].] ***Adj.*** Relativo à oximetria.

oxímetro (cs) [De *ox(i)- + -metro.*] ***S. m.*** Instrumento com que se faz a oximetria.

oximoro (cs... ô) [Var. de *oximóron* < gr. *oxýmoron,* pelo lat. *oxymoru.*] ***S. m.*** *E. Ling.* Figura que consiste em reunir palavras contraditórias; paradoxismo. Ex.: *silêncio eloquente;* "covarde valentia" (Almeida Garrett, *Frei Luís de Sousa,* p. 47); "valentia covarde" (Antônio Feliciano de Castilho, *Amor e Melancolia,* p. 315); "inocente culpa" (Cecília Meireles, *Obra Poética,* p. 487).

oximóron (cs) ***S. m.*** *E. Ling.* V. *oximoro.*

oxiopia (cs) [Do gr. *oxyopía.*] ***S. f.*** *Oftalm.* Vista muito aguda, penetrante; faculdade de ver a grande distância; oxiopsia.

oxiópico (cs) [De *oxiopia + -ico*[2].] ***Adj.*** Relativo à oxiopia.

oxiopsia (cs) [De *ox(i)- + -opsia.*] ***S. f.*** *Oftalm.* Oxiopia.

oxirana (cs) [De *ox(a)- + irana.*] ***S. f.*** *Quím.* **1.** Substância, que é o epóxido mais simples, cujas moléculas têm um ciclo com dois átomos de carbono e um de oxigênio; óxido de etileno [fórm.: C_2H_4O]. **2.** Epóxido (2).

oxirranfídeo (cs) [De *ox(i)- + -ranf(o)- + -ídeo*[1].] ***S. m. Adj.*** *Zool.* V. *oxiruncídeo.*

oxirredução (cs) [De *ox(i)- + redução.*] ***S. f.*** *Quím.* Designação abrangente para reações de oxidação e de redução.

oxirrinco (cs) [De *ox(i)- + -rinco.*] ***Adj.*** Diz-se dos caranguejos cuja carapaça se estreita para adiante, formando um rostro mais ou menos acentuado.

oxirrino (cs) [De *ox(i)- + -rino.*] ***Adj. S. m.*** *Zool.* Diz-se de, ou animal que apresenta nariz pontiagudo.

oxiruncídeo (cs) [Adapt. do tax. *Oxyruncidae.*] *Zool.* ***S. m.*** **1.** Espécime dos oxiruncídeos, família monoespecífica de aves passeriformes, pequenas, verde-oliváceas no dorso, salpicadas de preto nas partes inferiores; têm crista vermelho-alaranjada, e bico reto, pontudo e aguçado. Habitam as florestas da América do Sul, e são frugívoras. Ex.: o bico-agudo. • ***Adj.*** **2.** Pertencente ou relativo a eles. [Sin. ger.: *oxirranfídeo.*]

oxitocia (cs) [De *ox(i)- + -toc(o)- + -ia*[1].] ***S. f.*** *Obst.* Parto rápido.

oxitócico (cs) [De *ox(i)- + -toc(o)- + -ico*[2].] ***Adj.*** **1.** *Obst.* Relativo a oxitocia, ou que se caracteriza por promovê-la. • ***S. m.*** **2.** *Farm.* Substância que acelera o esvaziamento uterino, estimulando as contrações do miométrio.

oxitocina (cs) [Do V.C.I. *oxytoc(ic)* + *-ina*[3].] *S. f. Bioquím.* Peptídio que é um hormônio secretado pela hipófise, e que estimula a lactação e provoca contrações uterinas [fórm.: $C_{43}H_{66}N_{12}O_{12}S_2$].

oxitonia (cs) [De *oxítono* + *-ia*[1].] *S. f. E. Ling.* Qualidade de oxítono.

oxítono (cs) [Do gr. *oxýtonos*, 'de som agudo'; 'com acento agudo na última sílaba'.] *Adj. E. Ling.* **1.** Diz-se de vocábulo que tem o acento na última sílaba: café, jacarandá, maçom, português. [Sin., desus.: *agudo*.] ● *S. m.* **2.** Vocábulo oxítono.

oxitropismo (cs) [De *ox(i)-* + *-trop(o)-* + *-ismo*.] *S. m. Biol.* Tropismo provocado pelo oxigênio.

oxiuríase (csi-u) [De *oxiúro* + *-íase*.] *S. f. Med.* Infecção produzida pela presença de oxiúros no sistema digestório; oxiurose.

oxiúrico (cs) [De *oxiúro* + *-ico*[2].] *Adj.* Relativo ou pertencente ao oxiúro.

oxiurídeo (cs) [Do tax. *Oxyuris* + *-ídeo*[1]; tax. *Oxyuridae*.] *Zool. S. m.* **1.** Espécime dos oxiurídeos, família de vermes nematódeos cujas fêmeas, de cauda muito afilada, dando a ideia de um chicote, são muito maiores que os machos. Os machos da espécie *Enterobius vermicularis*, parasita do intestino grosso do homem, medem até 5mm, e as fêmeas até 12mm. Os ovos têm casca espessa e lisa, são postos nas margens do ânus, o que ocasiona intenso prurido, e medem de 50 a 60 por 15 a 32 micrômetros. ● *Adj.* **2.** Pertencente ou relativo a eles.

oxiúro (cs) [De *ox(i)-* + *-uro*; tax. *Oxyuris*.] *S. m. Zool.* **1.** Gênero-tipo da família dos oxiurídeos, que compreende vermes filiformes, brancos, tendo o macho cerca de 3 a 5mm de comprimento, e a fêmea, de 9 a 12mm. **2.** Qualquer espécie desse gênero, como, p. ex., a *Enterobius vermicularis* ou a *Oxyuris vermicularis*. **3.** Qualquer espécime desse gênero.

oxiurose (csi-u) [De *oxiúro* + *-ose*[1].] *S. f. Med.* Oxiuríase.

▲ **-ox(o)-** *Quím. El. comp.* Indica a presença do grupo carbonila em lugar de um metileno: *ácido 2-oxo-propiônico*.

oxoce [Do ior.] *S. m. Bras. Rel.* Orixá de caça, irmão de Ogum, segundo alguns mitos; Dono do Mato, Oxóssi. [Com cap. Cf. *Ibualama*.]

oxolana (cs) [De *ox(a)-* + *-olana*.] *S. f. Quím.* Tetraidrofurano.

oxoniano (cs) [Do top. *Oxinia*, nome de *Oxford* em lat. medieval, + *-iano*.] *Adj. S. m.* V. *oxfordiano*.

oxoniense (cs) *Adj. 2 g. S. 2 g.* V. *oxfordiano*.

oxóssi *S. m. Bras. Rel.* V. *Oxoce*. [Com cap.]

oxum [De *Òsun*, rio da Nigéria.] *S. f. Bras. Rel.* Iabá (1) faceira e vaidosa, cuja epifania no Brasil são as águas doces. [Com cap.] ◆ **Oxum Abalô.** *Bras. Rel.* Qualidade (11) de Oxum que usa um abebé como atributo. **Oxum Apará.** *Bras. Rel.* Qualidade (11) de Oxum que usa espada e abebé como atributos. **Oxum Pandá.** *Bras. Rel.* Qualidade (11) de Oxum guerreira, mulher de Ibualama.

oxumarê [Do ior.] *S. m. Bras. Rel.* Orixá-serpente dos iorubas, equivalente ao vodum Dã dos jejes; tem dois sexos e uma de suas epifanias é o arco-íris. [Com cap.]

ozena [Do gr. *ózaina*, pelo lat. *ozaena*.] *S. f. Otor.* Rinite atrófica, acompanhada de eliminação de matéria mucopurulenta espessa, de crostas mucosas e com presença de mau cheiro. [Cf. *onzena*.]

ozénico *Adj.* V. *ozênico*. [Uso freq. em P.]

ozênico [Do gr. *ozainikós*.] *Adj.* Relativo a ozena.

ozenoso (ô) [De *ozena* + *-oso*.] *Adj. S. m.* Diz-se de, ou aquele que sofre de ozena.

▲ **ozo-** [Do gr. *ózein*, 'exalar odor', 'recender'.] *El. comp.* = 'cheiro', 'aroma': *ozostomia*.

ozocerite [De *ozo-* + *cera* + *-ite*[2].] *S. f.* Cera fóssil, ou parafina natural, que é uma mistura de hidrocarbonetos, amarela, lamelar ou fibrosa.

ozonado [De *ozônio* + *-ado*[1].] *Adj.* V. *ozonizado*.

ozone *S. m. Quím.* Ozônio.

ozoneto (ê) *S. m. Quím.* V. *ozonídeo*.

ozônide [De *ozon(o)-* + *-ide*[2].] *S. m. Quím.* V. *ozonídeo*.

ozonídeo [De *ozon(o)-* + *-ídeo*[2].] *S. m. Quím.* Designação genérica de substâncias, ger. instáveis, que possuem anel pentagonal formado por três átomos de oxigênio e dois de carbono (esp. aquelas em que estes últimos não são adjacentes), e que resultam da reação de alceno com ozônio; ozônide; ozoneto.

ozónido *S. m. Quím.* V. *ozonídeo*. [Uso freq. em P.]

ozónio *S. m. Quím.* V. *ozônio*. [Uso freq. em P.]

ozônio [Do gr. *ózon, ontos*, part. pres. de *ózein*, 'exalar cheiro', + *-io*[3]; al. *Ozon*.] *S. m. Quím.* Gás azul pálido, muito oxidante e reativo, que é uma variedade alotrópica do oxigênio [fórm.: O_3]. [F. paral.: *ozone*; e, sin. (lus.), *ozono*.]

ozonização [De *ozonizar* + *-ção*.] *S. f.* Ato ou efeito de ozonizar; combinação ou tratamento de um corpo com o ozônio.

ozonizado [Part. de *ozonizar*.] *Adj.* **1.** Combinado com o ozônio. **2.** Tratado por ozônio. [Sin. ger.: *ozonado*.]

ozonizador (ô) [De *ozonizar* + *-dor*.] *Adj.* **1.** Que produz ozônio. ● *S. m.* **2.** Aparelho ozonizador.

ozonizar [De *ozônio* + *-izar*.] *V. t. d.* **1.** Combinar com o ozônio. **2.** Tratar pelo ozônio.

ozono (ô) *S. m. Lus.* V. *ozônio*.

▲ **ozon(o)-** [Do V.C.I. *ozone* < gr. *ózon, ontos*, part. pres. do v. gr. *ózein*, 'exalar cheiro', 'recender'.] *Quím. El. comp.* = 'ozônio': *ozonídeo, ozoneto, ozonômetro*.

ozonólise [De *ozon(o)-* + *-lise*.] *S. f. Quím.* Reação em que, por meio de ozonização seguida de hidrólise, a ligação dupla de um alceno é rompida, surgindo, no lugar deste, dois compostos carbonílicos (aldeídos, cetonas, ou um aldeído e uma cetona).

ozonometria [De *ozon(o)-* + *-metria*.] *S. f.* Aplicação do ozonômetro.

ozonométrico [De *ozonometria* + *-ico*[2].] *Adj.* Concernente à ozonometria (q. v.).

ozonómetro *S. m.* V. *ozonômetro*. [Uso freq. em P.]

ozonômetro [De *ozon(o)-* + *-metro*.] *S. m.* Aparelho com que se mede o ozônio contido num gás ou no ar atmosférico.

ozonoscópico [Por *ozônio* + *-scop-* + *-ico*[2].] *Adj.* Que serve para mostrar a presença de ozônio.

ozonosfera [De *ozon(o)-* + *-sfera*.] *S. f. Geofís.* Camada da atmosfera terrestre situada entre as altitudes de 12 a 50km, e na qual existe uma concentração de ozônio relativamente elevada. [Sin.: *camada de ozônio*.]

ozostomia [De *ozo-* + *-stom(o)-* + *-ia*[1].] *S. f. Med.* V. *halitose*.

ozostómico *Adj.* V. *ozostômico*. [Uso freq. em P.]

ozostômico [De *ozostomia* + *-ico*[2].] *Adj. Med.* Relativo a ozostomia.

Minúscula Moderna	Maiúscula Moderna	Minúscula Carolíngia	Romano	Romano	Etrusco	Grego	Grego	Fenício

Além de integrar a ABL, Aurélio era membro da Academia Alagoana de Letras, da Academia Brasileira de Filologia, da Academia de Ciências de Lisboa, da Hispanic Society of America, entre outras.

p (pê) ***S. m.*** **1.** A 16ª letra do nosso alfabeto. [Representa a consoante oclusiva bilabial surda.] **2.** A figura dessa letra, ou qualquer representação sua: *O monograma traz um P floreado e um T anguloso.* **3.** O som representado por essa letra. ● ***Num.*** **4.** Décimo quinto, numa série ordenada ou hierárquica cujos elementos são designados ou representados pelas letras do alfabeto, sem considerar o *k* como 11º elemento: *quadra p* (ou *quadra P*). **5.** Décimo sexto, nas séries em que o *k* designa o 11º elemento. [Pl. (nas acepçs. 1 a 3) indicado graficamente pela duplicação da letra: *pp*.]

■ **p 1.** Abrev. de *página*. [Usa-se ger. duplicado (*pp*), para abreviar o pl. *páginas*.] **2.** Abrev. de *para*. **3.** Abrev. de *por*. [Nas acepçs. 2 e 3, usa-se ger. seguido de sinal de barra (9).] **4.** Símb. de *pico-* (q. v.). **5.** *Fís.* Símb. de *próton*. **6.** *Mús.* Abrev. de *piano*^{2} (1). [Duplicado (*pp*) ou triplicado (*ppp*), é abrev. de *pianíssimo*.] **7.** *Quím.* Abrev. de *para*^{2}. [Nesta acepç., usa-se ger. como pref., seguido de hífen.]

■ **P 1.** Abrev. de *pequeno*. [Ger. us. em relação a tamanho de peças de vestuário.] **2.** Abrev. de *peso*. **3.** Símb. de *peta-*. **4.** *Biol.* Abrev. de *geração paterna* (*i. e.*, dos genitores) de um indivíduo. [É ger. acompanhado de um índice numérico que indica a contagem de gerações ascendentes a partir do(s) indivíduo(s) tomado(s) como referência.] **5.** *Fís.* Símb. de *momento* (6) ou de *momento de dipolo* de uma partícula. **6.** *Quím.* Símb. de *fósforo* (1).

▲ **p-** *Quím.* F. red. de *para-*^{1}: *p-xileno*. [Sempre us. com hífen posposto.]

■ **Pa 1.** *Fís.* Símb. de *pascal*^{2}. **2.** *Quím.* Símb. de *protactínio*.

■ **PA** Sigla do Estado do Pará.

■ **P.A.** *Quím.* Sigla de *pró-análise*.

pá^{1} [Do lat. *pala*.] ***S. f.*** **1.** Instrumento largo e chato, de madeira, ferro, etc., com rebordos laterais e provido de um cabo, us. em trabalhos agrícolas, de construção e outros, para cavar o solo, ou remover terra, areia, carvão, lixo, etc. **2.** Qualquer objeto relativamente largo e achatado ao qual se prende uma haste mais ou menos longa: *a pá de um moinho, de um ventilador, de um remo.* **3.** A parte mais larga e carnuda da perna das reses. [Var. (bras., nesta acepç.): *apá*^{2}.] **4.** *Bras. Gír.* Grande quantidade: *uma pá de livros*: "vinha uma pá de polícia de máscara, só com olhos de fora, metralhadora, latido de cachorro" (Drauzio Varela, *Estação Carandiru*, p. 286). **5.** *Constr. Nav.* Cada um dos lobos achatados, mais ou menos alongados e retorcidos, presos ao cubo^{1} (5) do hélice, e que dão impulsão quando este gira. [Atualmente os hélices costumam ter três pás; mas houve os de duas até seis pás.] [Pl.: *pás*. Cf. *Paz*, mit. e antr.]

◆ **Pá direita.** Pá apropriada para cavar ou lavrar terra. **Pá mecânica.** Máquina de terraplenagem, utilizada em escavações, dotada de motor que aciona uma caçamba e permite o deslocamento da máquina sobre rodas ou esteiras. **Da pá virada.** *Bras. Fam.* De procedimento violento, impetuoso e/ou duvidoso sob o aspecto moral: "Por ser da pá virada, foi remetida à madrinha, de modo a perder as sapequices" (José Cândido de Carvalho, *O Coronel e o Lobisomem*, p. 84). [Sin., no CE: *pá-virada*.] **Pôr uma pá de cal sobre.** Dar por encerrado; deixar de falar a respeito de.

pá^{2} [Voc. onom.] ***Interj.*** Exprime o baque de um corpo, ou choque de corpos.

pã [Do gr. *Pán, Panós*, pelo lat. *Pan, Panos*.] ***S. m.*** **1.** Divindade greco-latina que os pastores adoravam. **2.** Símbolo mitológico da Natureza.

pabo ***Adj.*** V. *pábulo* (4): "— .... Mulher-dama, quando se amiga, se esquece logo dos outros. Pensa que já virou mulher casada e fica paba que nem quê." (Amando Fontes, *Rua do Siriri*, [1ª ed.] p. 209.)

pabola [De *pábulo*.] ***Adj. 2 g. S. 2 g.*** **1.** *Bras. CE Fam.* V. *fanfarrão*. **2.** V. *mentiroso* (1 e 4).

pabulagem [De *pábulo* + *-agem*^{2}.] ***S. f.*** **1.** *Bras.* Orgulho vão; empáfia, fatuidade. **2.** V. *fanfarrice*. **3.** Embuste, impostura. [Var.: *pavulagem*.]

pabular [De *pábulo* + *-ar*^{2}.] *Bras.* ***V. int. P.*** **1.** Dar mostras de pábulo (3); contar grandezas; fanfarronar; pacholar. **2.** Desdenhar com superioridade; gabar-se, vangloriar-se, pacholar. ***T. d.*** **3.** Ostentar, blasonar, fanfarronar: *pabular vantagens.* [Pres. ind.: *pabulo*, etc. Cf. *pábulo*.]

pábulo [Do lat. *pabulu*.] ***S. m.*** **1.** Pasto; sustento: "Sob o pudor da morte os membros seus inermes / Têm de ser fatalmente o pábulo dos vermes / Frios e roedores..." (Raimundo Correia, *Poesias*, p. 179.) **2.** *Fig.* Aquilo que serve de motivo ou assunto a motejo ou a maledicência. **3.** *Bras.* Indivíduo presumido; gabarola, gabola, fátuo. V. *fanfarrão* (2). ● ***Adj.*** **4.** Presumido, gabarola, gabola, fátuo. V. *fanfarrão* (1). [Var. nesta acepç.: *pabo*. Cf. *pabulo*, do v. *pabular*.]

■ **PAC** Sigla de *Programa de Aceleração do Crescimento*.

paca^{1} [Do b.-lat. *paccu*, pelo neerl. médio *packe*, pelo fr. ant. *pacque*.] ***S. f.*** *Desus.* Fardo, pacote.

paca^{2} [Do tupi.] ***S. f.*** **1.** *Bras. Zool.* Roedor dasiproctídeo (*Agouti paca*), de hábitos noturnos, distribuído do Sul do México ao Sul do Brasil, de pelame castanho-avermelhado tirante a marrom, lados do corpo com três a cinco listras longitudinais brancas, irregulares, ventre branco e cauda curtíssima, quase invisível. A cabeça é grande, com orelhas curtas e arredondadas, a maxila é proeminente, os olhos são grandes e, à noite, apresentam-se vermelhos. Vive sempre perto da água, onde busca refúgio quando perseguido. Adulto, pesa cerca de 10kg, e sua carne é apreciada. [Masc.: *pacuçu*.] **2.** *Cul.* Iguaria feita com paca (1). ● ***S. m.*** **3.** V. *tolo* (8). **4.** Pederasta passivo. ● ***Adj.*** **5.** V. *tolo* (1 a 3). **6.** Inexperiente, bisonho.

paca^{3} [De *pa(ra) ca(ralho)*.] ***Adv.*** *Bras. Chulo* V. *pra caralho*: *Na festa havia gente paca; A pequena é bonita paca*; "— Ele [o cabelo] era comprido paca, me batia aqui no ombro" (Vanda Fabian, *Zé Canarinho*, p. 29). [Var.: *pacas*.]

pacaa-nova *Bras.* ***S. 2 g.*** **1.** *Etnôn.* Indivíduo dos pacaas-novas [ou (etnôn. bras.) *Pakaa-nova, *Wari], povo indígena da família linguística xapacura, que habita a região das cabeceiras dos rios Laje e Formoso (RO). ● ***Adj. 2 g.*** **2.** Pertencente ou relativo a esse povo. [Pl.: *pacaas-novas*.]

pacaás ***S. 2 g. e 2 n. Adj. 2 g. e 2 n.*** *Bras.* V. *pacaa-nova*.

pacaça [Do quimb.] ***S. f.*** *Angol. Zool.* Mamífero ruminante (*Sincerus nanus*), semelhante ao búfalo: "a pacaça ferida caiu na lama da lagoa sem água" (Arlindo Barbeitos, *Nzoji (Sonho)*, p. 8).

pacacidade [Do lat. *pacatus* + *-(i)dade*, com passagem de *-t-* a *-c-*.] ***S. f.*** *Desus.* Pacatez.

pacaembuense ***Adj. 2 g.*** **1.** De, ou pertencente ou relativo a Pacaembu (SP). ● ***S. 2 g.*** **2.** O natural ou habitante de Pacaembu.

pacaguara *Bras.* ***S. 2 g.*** **1.** *Etnôn.* Indivíduo dos pacaguaras, povo indígena extinto que habitava o alto rio Madeira (RO). ● ***Adj. 2 g.*** **2.** Pertencente ou relativo a esse povo. [Var.: *pacavara*. Tb. us. como *s. 2 g. e 2 n.* (com cap.) e *adj. 2 g. e 2 n.*]

pacaia ***Adj. 2 g. S. m.*** *Bras. N. N.E. Pop.* Diz-se de, ou cigarro ou charuto ordinário; pacaio.

pacaiá ***S. 2 g. Adj. 2 g.*** *Bras.* V. *pacajá*.

pacaio ***Adj. S. m.*** *Bras. N. N.E. Pop.* Pacaia.

pacajá *Bras.* ***S. 2 g.*** **1.** *Etnôn.* Indivíduo dos pacajás, povo indígena extinto, do tronco linguístico tupi, que habitava as margens do rio Pacajá, estendendo-se até o Xingu (AP). ● ***Adj. 2 g.*** **2.** Pertencente ou relativo a esse povo. [Outra forma: *pacaiá*. Tb. us. como *s. 2 g. e 2 n.* (com cap.) e *adj. 2 g. e 2 n.*]

pacajaense ***Adj. 2 g.*** **1.** De, ou pertencente ou relativo a Pacajá (PA). ● ***S. 2 g.*** **2.** O natural ou habitante de Pacajá.

pacajudéu ***S. 2 g. Adj. 2 g.*** *Bras.* V. *pacaxodéu*.

pacajuense ***Adj. 2 g.*** **1.** De, ou pertencente ou relativo a Pacajus (CE). ● ***S. 2 g.*** **2.** O natural ou habitante de Pacajus.

pacaleque *Bras.* ***S. 2 g.*** **1.** *Etnôn.* Indivíduo dos pacaleques, povo indígena extinto que habitava as margens de um afluente do rio Paraguai (MS). ● ***Adj. 2 g.*** **2.** Pertencente ou relativo a esse povo. [Tb. us. como *s. 2 g. e 2 n.* (com cap.) e *adj. 2 g. e 2 n.*]

pacalho *El. s. m. Bras. Gír.* Us. na loc. *virar pacalho.* ◆**Virar pacalho.** *Bras. Gír.* Virar ou terminar em nada; perder-se.

pacamã *S. m. Bras. Zool.* V. *pacamão* (1).

pacamão [Do tupi.] *S. m. Bras. Zool.* **1.** Bagre pimelodídeo (*Lophiosilurus alexandri*), da bacia do rio São Francisco, de coloração cinza, corpo muito deprimido, muito largo na altura das nadadeiras peitorais, fortemente afilado para trás, barbilhões curtos e boca com dentes viliformes. Comprimento: até 70cm. [Var. e sin.: *pacamã, apacamã, pacumã, bagre-sapo, peixe-sapo, piracururu.*] **2.** V. *bagre-sapo* (5).

pacamão-miri [De *pacamão* + *-miri.*] *S. m. Bras. Zool.* Moreiatim. [Pl.: *pacamões-miris.*]

pacamão-mirim *S. m.* V. *moreiatim.*

pacanaua *Bras. S. 2 g.* **1.** *Etnôn.* Indivíduo dos pacanauas [ou (etnôn. bras.) *Pakanawa], povo indígena da família linguística pano, que habita a região da cabeceira do rio Envira, afluente do rio Tarauacá (AC). •*Adj. 2 g.* **2.** Pertencente ou relativo a esse povo.

pacapeua [Do tupi.] *S. f. Bras. Amaz. Bot.* Árvore fabácea (*Swartzia racemosa*) habitante das matas inundadas, de folhas simples e acuminadas, flores com uma pétala orbicular de 1 a 1,5cm de diâmetro e dispostas em racemos multifloros, casca tanífera, e madeira que fornece boa lenha.

pacapiá [Do tupi, poss.] *S. f. Bras. Bot.* **1.** Trepadeira cucurbitácea (*Fevillea uncipetala*) sarmentosa, nativa da Amaz., de folhas ovadas e inflorescências racemosas. **2.** V. *fava-de-santo-inácio-falsa* (1).

pacará [Do tupi.] *S. m. Bras. Amaz.* Cesta redonda, de várias cores, tecida de palha de palmeira.

pacarana [De *paca*[2] + *-rana.*] *S. f. Bras. Zool.* Mamífero roedor, dinomídeo (*Dinomys branckii*), conhecido na região do rio Juruá e no Peru, Equador e Colômbia. Muito parecido à paca, tem cauda curta, vibrissas nasais muito longas, e listras brancas do corpo maiores e mais destacadas que as daquela.

pacari [Do tupi, poss.] *S. m. Bras. Bot.* Árvore litrácea (*Lafoensia densiflora*) comum nos cerrados, de folhas coriáceas, em cujo ápice há uma glândula, grandes flores campanuladas, alvas, róseas ou esverdeadas, e fruto capsular pequeno. [Sin.: *aricuiú, dedal, dedaleira, pacari-da-mata, pacari-selvagem.*]

pacari-da-mata *S. m. Bras. Bot.* V. *pacari.* [Pl.: *pacaris-da-mata.*]

pacari-selvagem *S. m. Bras. Bot.* V. *pacari.* [Pl.: *pacaris-selvagens.*]

pacas [Var. de *paca*[3].] *Adv. Bras. Chulo* V. *pra caralho.*

pacatez (ê) [De *pacato* + *-ez.*] *S. f.* Qualidade ou estado de pacato. [Sin., desus.: *pacacidade.*]

pacato [Do lat. *pacatu*, 'pacificado'.] *Adj.* **1.** Que é amigo de paz; pacífico, sossegado, tranquilo. **2.** Próprio de quem é pacato (1): *homem de hábitos pacatos; vida pacata.* **3.** Em que há paz, tranquilidade; tranquilo, sereno, sossegado: "Realmente o Dr. Mata Filho havia chegado pondo em rebuliço a pacata cidade" (Cornélio Pires, *Quem Conta um Conto...*, p. 203). •*S. m.* **4.** Indivíduo pacato.

pacatubano *Adj.* **1.** De, ou pertencente ou relativo a Pacatuba (CE). •*S. m.* **2.** O natural ou habitante de Pacatuba. [Sin. ger.: *pacatubense.*]

pacatubense *Adj. 2 g.* **1.** De, ou pertencente ou relativo a Pacatuba (SE). **2.** V. *pacatubano.* •*S. 2 g.* **3.** O natural ou habitante de Pacatuba. **4.** V. *pacatubano.*

pacau [Alter. de *macau*, poss.] *S. m. Bras.* **1.** Antigo jogo de cartas. **2.** Certo jogo de cartas atualmente praticado na fronteira gaúcha. **3.** Indivíduo a quem falta um dedo. ◆**Bater o pacau.** *Bras. S. Pop.* V. *morrer* (1).

pacavara *S. 2 g. Adj. 2 g. Bras.* V. *pacaguara.*

pacavira [Alter. de *pacoveira.*] *S. f. Bras. Bot.* Grande erva musácea (*Heliconia pendula*) ornamental, própria do interior das matas sombrias e úmidas, de folhas muito grandes e inflorescências vermelhas e multifloras; paquevira.

pacaxodéu *Bras. S. 2 g.* **1.** *Etnôn.* Indivíduo dos pacaxodéus, povo indígena que habitava o MT. •*Adj. 2 g.* **2.** Pertencente ou relativo a esse povo. [Var.: *pacajudéu.* Tb. us como *s. 2 g. e 2 n.* (com cap.) e *adj. 2 g. e 2 n.*]

pacé *Bras. S. 2 g.* **1.** Indivíduo dos pacés, povo indígena extinto do alto Amazonas. •*Adj. 2 g.* **2.** Pertencente ou relativo a esse povo. [Tb. us. como *s. 2 g. e 2 n.* (com cap.) e *adj. 2 g. e 2 n.*]

paceiro [De *paço* + *-eiro.*] *Adj. S. m.* Que, ou aquele que frequenta o paço do rei; cortesão, palaciano. [Cf. *passeiro.*]

pacejar [De *paço* + *-ejar.*] *V. int. Ant.* Gracejar, motejar. [Conjug.: v. *pelejar.*]

pacenho [Do esp. *paceño.*] *Adj.* **1.** De, ou pertencente ou relativo a La Paz, capital da Bolívia. •*S. m.* **2.** O natural ou habitante de La Paz.

pachecada [Do ficcion. *Pacheco* (v. *pachecal*) + *-ada*[1].] *S. f.* V. *pachequice.*

pachecal [Do ficcion. *Pacheco* + *-al*[1].] *Adj. 2 g.* Semelhante a, ou próprio de Pacheco, tipo de figurão ridículo, que aparece em uma das cartas de *A Correspondência de Fradique Mendes*, de Eça de Queirós (v. *eciano*).

pachequense *Adj. 2 g.* **1.** De, ou pertencente ou relativo a Coronel Pacheco (MG). •*S. 2 g.* **2.** O natural ou habitante de Coronel Pacheco.

pachequice [Do ficcion. *Pacheco* (v. *pachecal*) + *-ice.*] *S. f.* Atitude, modos, traços quaisquer de mediocridade que fazem lembrar Pacheco; pachequismo, pachecada.

pachequismo [Do ficcion. *Pacheco* (v. *pachecal*) + *-ismo.*] *S. m.* V. *pachequice.*

pacho *S. m. Pop.* V. *parche.*

pachocho *S. m.* V. *pachoucho.*

pachola [De um ant. *pajola* < *pajem*, poss.] *S. m.* **1.** Madraço, mandrião. **2.** Farsola, farsante; patusco. **3.** Indivíduo pedante, cheio de si. **4.** Indivíduo de elegância duvidosa. **5.** Homem femeeiro, mulherengo. •*Adj. 2 g.* **6.** *Bras.* Cheio de si; orgulhoso, vaidoso; gabola. **7.** Pretensiosamente apurado no trajar.

pacholar [De *pachola* + *-ar*[2].] *V. int.* **1.** Viver como pachola, bem vestido e a divertir-se. **2.** *Bras.* V. *pabular* (1 e 2). *P.* **3.** *Bras.* V. *pabular* (1 e 2).

pacholice [De *pachola* + *-ice.*] *S. f. Bras.* Qualidade, ato ou dito de pachola; pacholismo.

pacholismo [De *pachola* + *-ismo.*] *S. m. Bras.* Pacholice.

pachorra (ô) [De um rad. *pach-*, 'gordura', 'pesadume', + *-orra*, poss.] *S. f.* **1.** Falta de pressa; vagar, lentidão, fleuma. **2.** Paciência (4).

pachorrento [De *pachorra* + *-ento.*] *Adj.* **1.** Dotado de pachorra. **2.** Feito com pachorra. **3.** Que revela pachorra: *andar pachorrento.*

pachouchada [De *pachoucho* + *-ada*[1].] *S. f.* **1.** Dito disparatado; tolice, asneira. **2.** V. *palavrão* (1). **3.** *Teatr. Gír.* Mau espetáculo.

pachoucho [De or. express., poss.] *S. m.* Vulva. [Var.: *pachocho.*]

paciência [Do lat. *patientia.*] *S. f.* **1.** Qualidade de paciente. **2.** Virtude que consiste em suportar as dores, incômodos, infortúnios, etc., sem queixas e com resignação. **3.** Perseverança tranquila. **4.** Conformação abúlica e indolente; pachorra. **5.** Entretenimento que consiste em reunir as peças separadas de um mosaico para formar uma figura. **6.** Passatempo para uma só pessoa, no qual se fazem diferentes combinações com cartas de baralho, seguindo determinadas regras. **7.** *Bot.* Planta poligonácea herbácea (*Rumex patientia*), nativa da Ásia e da Europa, porém mundialmente difundida; possui propriedades medicinais e vem sendo us. no tratamento de úlceras e alguns tipos de câncer, tais como a leucemia. •*Interj.* **8.** Designa conformação, resignação. ◆ **(Não) levar à paciência.** (Não) suportar, (não) tolerar: "– .... Pois olhe que esses feitiços são invejas das desavergonhadas que não podiam levar à paciência a virtude da minha Josefa." (Camilo Castelo Branco, *Novelas do Minho*, VII, p. 60.) **Perder a paciência.** Irritar-se ou descontrolar-se. **Tenha santa paciência!** Resigne-se! Conforme-se! [Us.-se tb. para recusar um pedido.] **Ter paciência de Jó.** Ser muito paciente, condescendente; ter paciência de santo. **Ter paciência de santo.** V. *ter paciência de Jó.* **Ter uma paciência beneditina.** Ser paciente como os monges de São Bento, capazes de realizar trabalhos muito minuciosos.

paciencioso (ô) [De *paciência* + *-oso.*] *Adj. Bras. MG RS* Paciente (3).

pacientar [De *paciente* + *-ar*[2]; fr. *patienter.*] *V. int.* Ter paciência; mostrar-se paciente: "É mister trabalhar, pacientar e esperar até que se organizem [os partidos políticos] mais robustamente" (João Francisco Lisboa, *Obras*, I, p. 473).

paciente [Do lat. *patiens, entis*, part. pres. do lat. *pati*, 'sofrer', 'padecer', 'aturar'.] *Adj. 2 g.* **1.** Resignado, conformado. **2.** Que espera serenamente um resultado; tranquilo: *professor paciente; motorista paciente.* **3.** Que persevera na continuação de uma tarefa lenta e difícil: *relojoeiro paciente.* [Sin. (bras., MG e RS): *paciencioso.*] **4.** Que é feito com paciência (3): *trabalho paciente; análise paciente.* •*S. 2 g.* **5.** Pessoa que padece; doente. **6.** Pessoa que está sob cuidados médicos. **7.** Réu ou ré que vai padecer a pena capital; padecente. **8.** *Jur.* Vítima (7). **9.** *Jur.* Aquele que sofre restrição de sua liberdade em razão de abuso ou de ilegalidade cometida por parte de agente do poder público. **10.** *Filos.* O que sofre ou é objeto de uma ação. •*S. m.* **11.** *E. Ling.* Aquele que recebe a ação praticada por um agente (12), como, p. ex., o objeto direto de um verbo na voz ativa (*Maria comprou um gato*), ou o sujeito de um verbo na passiva (O carro *foi abandonado por ela*).

pacificação [Do lat. *pacificatione.*] *S. f.* Ato ou efeito de pacificar(-se).

pacificador (ô) [Do lat. *pacificatore.*] *Adj.* **1.** Que pacifica; pacificante. •*S. m.* **2.** Aquele que pacifica.

pacificante *Adj. 2 g.* Pacificador (1).

pacificar [Do lat. *pacificare.*] *V. t. d.* **1.** Restituir a paz a; apaziguar; serenar, tranquilizar, acalmar, abrandar: *A boa nova pacificou os ânimos exaltados. P.* **2.** Voltar à paz; tranquilizar-se, serenar-se, acalmar-se: *Com a fé, aquela alma inquieta pacificou-se;* "Quando me voltarei para a tua misericórdia e me pacificarei das coisas do mundo, e ficarei como o Pobre à espera da libertação e da silenciosa Alegria?" (Augusto Frederico Schmidt, *O Galo Branco*, p. 359). [Conjug.: v. *trancar.* Pres. ind.: *pacifico*, etc. Cf. *pacífico* e o top. e pros. *Pacífico.*]

pacificidade [De *pacífico* + *-(i)dade.*] *S. f. Bras.* Qualidade de pacífico.

pacífico [Do lat. *pacificu.*] *Adj.* **1.** Amigo da paz; sossegado, manso, tranquilo. **2.** Que é aceito ou admitido sem discussão ou oposição: *Seu prestígio eleitoral é coisa pacífica; É pacífica a eleição dele para senador.* **3.** Relativo ou pertencente ao oceano Pacífico. ~V. *ponto —.* •*S. m.* **4.** Indivíduo pacífico. [Cf. *pacifico*, do v. *pacificar.*]

pacifismo [Do fr. *pacifisme.*] *S. m.* Doutrina, sistema ou sentimento daqueles que propugnam paz universal e o desarmamento das nações.

pacifista [Do fr. *pacifiste.*] *Adj. 2 g.* **1.** Relativo ao, ou que é partidário do pacifismo. •*S. 2 g.* **2.** Partidário do pacifismo. [Opõe-se a *belicista.*]

▲**pacno-** [Do gr. *páchnē, ēs*, 'água congelada'; 'gelo'; 'neve'.] *El. comp.* = 'neve': *pacnofobia, pacnófobo.*

pacnofobia [De *pacno-* + *-fobia.*] *S. f. Psiq.* Medo patológico de neve; quionofobia.

pacnofóbico [De *pacnofobia* + *-ico*[2].] *Psiq. Adj.* **1.** Relativo a pacnofobia. **2.** Que sofre de pacnofobia; pacnófobo, quionófobo. •*S. m.* **3.** Aquele que sofre de pacnofobia; pacnófobo, quionófobo. [Sin. ger.: *quionofóbico.*]

pacnófobo [De *pacno-* + *-fobo.*] *Adj. S. m. Psiq.* V. *pacnofóbico* (2 e 3).

paco [Do lunf. *paco.*] *S. m. Bras.* Pacote de papéis velhos que simulam papel-moeda, ger. cobertos por uma nota verdadeira, e us. pelos vigaristas ao passarem o conto do vigário. [Sin. (lus.): *balúrdio.*]

paço [Do lat. *palatiu*, 'palácio', por via pop.] *S. m.* **1.** Palácio real ou episcopal: "Já o bispo de Roma estava .... hospedado no paço imperial." (Gustavo Barroso, *Livro dos Milagres*, pp. 91-92); "E foi à frente deles que, com passo seguro, penetrou na sala do paço episcopal, onde estava reunido todo o cabido" (Id., *ib.*, pp. 45-46). **2.** Edifício suntuoso, nobre: *O Paço da Cidade, construído no Rio de Janeiro no séc. XVIII, era a residência oficial dos vice-reis do Brasil.* [Cf. *palácio.*] **3.** *Fig.* A corte; os cortesãos. [Pl.: *paços.* Cf. *passo*, do v. *passar* e s. m., e *Passos*, antr.]

pacoba [Var. de *pacova.*] *S. f. Bras.* V. *banana* (1).

pacobal [Var. de *pacoval.*] *S. m. Bras.* V. *bananal.*

pacobeira [Var. de *pacoveira.*] *S. f. Bras. Bot.* V. *bananeira* (1).

pacoca [De or. indígena, poss.] *S. f. Bras.* Correnteza fortíssima de um rio, quase uma cachoeira. [Sin. (SP): *vaivém.*]

paçoca [Do tupi.] *S. f.* **1.** *Bras. Cul.* Prato típico da cozinha brasileira, feito de carne fresca, seca ou carne de sol previamente cozida, e que, depois de picada, moída ou desfiada, é frita ou refogada em gordura bem quente, e socada com farinha de mandioca ou de milho: "O emprego de rapadura, farinha e leite, de carne socada com farinha e rapadura, a conhecida paçoca, o uso constante da coalhada ...., fariam, dessa civilização primária, uma civilização de tipo mais pastoril do que agrícola." (Sousa Barros, *Cercas Sertanejas*, pp. 7-8.) [Cf. *massoca.*] **2.** *Bras. Cul.* Doce feito de amendoim socado e rapadura ou doce de leite seco. **3.** *Bras. Fig.* Confusão de coisas amarfanhadas, malcuidadas; misturada. **4.** *Bras. Fig.* Coisa amassada, amarfanhada: *Meu vestido está uma paçoca.* **5.** *Bras. AM* Amêndoa de castanha-do-pará assada e socada em pilão com farinha-d'água, sal e açúcar, tudo reduzido a grãos pequeninos. **6.** *Bras. S.* Amendoim torrado pilado com farinha e açúcar. **7.** *Fig. Bras. S.* Coisa complicada, embrulhada; trapalhada.

paco-caatinga [De or. tupi.] *S. f. Bras. Bot.* V. *cana-de-macaco* (1 e 2). [Pl.: *paco-caatingas.*]

paco-paco [De or. obsc.] *S. m. Bras. Bot.* V. *malvaísco* (3). [Pl.: *paco-pacos.*]

paco-seroca [De or. tupi.] *S. f. Bras. Bot.* V. *cardamomo-da-terra.* [Pl.: *paco-serocas.*]

pacote [Dim. de *paca*[1] (q. v.).] *S. m.* **1.** Pequeno maço ou pequeno embrulho: *um pacote de dinheiro; um pacote de papel pardo.* **2.** O conjunto de unidades contidas num pacote (1): *Um pacote de cigarros contém dez maços.* **3.** *P. ext. Bras.* Qualquer coisa semelhante a pacote (1); combinação de elementos que se relacionam, e que são tomados como um todo: *Os agentes de viagem oferecem excelente pacote para férias na Bahia.* **4.** *Fig.* Logro, embuste, engano. **5.** *Market.* Conjunto de itens relacionados, como, p. ex., programas de TV ou serviços turísticos, comercializados como um todo, usualmente com desconto. **6.** *Bras.* Grande quantidade de mercadoria negociada em conjunto e, ger., em transação vultosa. **7.** *Bras. Pop.* Conjunto de medidas governamentais, sobretudo na área econômica, adotadas simultaneamente: *Espera-se para amanhã novo pacote na área econômica.* **8.** *Inform.* Bloco de informação preparado para trafegar numa rede de computadores, com um cabeçalho que identifica a sua origem e o seu destino; datagrama. [Cf. *comutação de pacotes.*] ~ V. *pacotes.* ◆ **Pacote de ondas.** *Fís.* Conjunto finito de ondas que transporta energia de um para outro ponto do espaço; grupo de onda, trem de onda. **Ir no pacote.** *Bras. Gír.* Ser enganado; deixar-se lograr.

pacoté *S. m. Bras. Bot.* V. *butua-de-corvo.*

pacotes [Pl. de *pacote.*] *S. m. pl. Bras. Gír.* Dinheiro de papel [v. *dinheiro* (5)]: *Está cheinho de pacotes.* ~ V. *pacote.*

pacotiense *Adj. 2 g.* **1.** De, ou pertencente ou relativo a Pacoti (CE). ● *S. 2 g.* **2.** O natural ou habitante de Pacoti.

pacotilha [Do fr. *pacotille.*] *S. f.* **1.** A quantidade de gêneros que o passageiro de um navio podia levar consigo sem pagar o transporte deles. **2.** Artigo mal-acabado, grosseiro; fancaria. **3.** *Bras. RS* Quadrilha de bandidos.

pacotilheiro [De *pacotilha* + *-eiro.*] *S. m. Bras.* Aquele que faz ou vende pacotilhas.

pacova [Do tupi = 'folha de enrolar'.] *S. f.* **1.** *Bras. N. N.E.* V. *banana* (1): "quando começavam a comer a sobremesa, umas enormes pacovas amarelas, acompanhadas ainda com muita farinha, Porfírio disse à mulher: | — Apronta as coisas que nós vamos à solga." (José Veríssimo, *Cenas da Vida Amazônica*, p. 5). **2.** *Bras. S.* Variedade de banana grande. [Var., nessas acepçs., *pacoba.*] ● *S. 2 g. Bras.* **3.** Moleirão, palerma, banana. ● *Adj. 2 g. Bras.* **4.** Moleirão, palerma.

pacová [Do tupi-guar. = 'folha que se enrola'.] *S. f. Bras. L. a AM Bot.* **1.** Grande erva zingiberácea (*Renealmia exaltata*) rizomatosa, do interior da floresta pluvial, de folhas muito amplas, flores vermelhas, e cujos frutos são cápsulas que produzem sementes dotadas de odor aromático semelhante ao do cardamomo, ao qual podem substituir; pacová-catinga. **2.** V. *cana-de-macaco* (2). **3.** V. *cardamomo-da-terra.*

pacová-catinga *S. f. Bras. Bot.* Pacová (1). [Pl.: *pacovás-catingas* e *pacovás-catinga.*]

pacova-de-macaco *S. f. Bras. L. Bot.* Árvore fabácea (*Swartzia langsdorffii*) da floresta atlântica, cujas folhas têm sete a 11 folíolos ovados e pecíolo alado, e cujas flores têm uma pétala que chega a 5cm de diâmetro e se organizam em longos racemos plurifloros, sendo o fruto grosso e comprido, estando as sementes envoltas num arilo rubro. [Pl.: *pacovas-de-macaco.*]

pacoval [De *pacova* + *-al*[1].] *S. m. Bras.* V. *bananal.* [Var.: *pacobal.*]

pacova-sororoca *S. f. Bras. Amaz. Bot.* Planta musácea (*Phenacosperma guianense*) arborescente, mais conhecida como *Ravenala guianensis*, que vive na beira dos riachos, dentro da mata, e tem enormes folhas dispostas em leque, flores alvas que se reúnem em grandes inflorescências terminais, e sementes com arilo vermelho-vivo. [Muito ornamental, cultiva-se em jardins, mas, por ser monocárpica, morre depois de florescer. Pl.: *pacovas-sororocas* e *pacovas-sororoca.*]

pacoveira [De *pacova* + *-eira.*] *S. f. Bras. Bot.* V. *bananeira* (1). [Var.: *pacobeira.*]

pacóvio [De *pacova.*] *Adj. S. m.* V. *tolo* (1 a 3 e 8): "E o monge [Santo Antônio], considerado até então como pacóvio completo, revela-se o pregador e dialeta infatigável" (Aquilino Ribeiro, *Por obra e graça*, p. 313).

pactário [De *pacto* + *-ário.*] *Adj. S. m.* Pactuante.

pactício [Do lat. *pactitiu.*] *Adj.* Pactual.

pacto [Do lat. *pactu.*] *S. m.* **1.** Ajuste, convenção, contrato. [Sin. (bras., N.E., pop.): *pauta.*] **2.** Constituição (3) pela qual se regem certos Estados confederados como, p. ex., a Suíça. [Cf. *pato.*] ◆ **Pacto adjeto.** *Jur.* V. *contrato acessório.* **Pacto de sangue.** Aquele em que os pactuantes dão em si mesmos um corte e fazem, depois, que se lhes misturem os sangues, em penhor do cumprimento do pacto; juramento de sangue.

pactolo (ô) [De *Pactolo*, pequeno rio da Lídia que, segundo a fábula, arrastava areias de ouro desde que nele se banhou o rei Midas, e ao qual devia o rei Creso a sua riqueza imensa.] *S. m. Bras.* Enorme riqueza inexplorada.

pactuação [De *pactuar* + *-ção.*] *S. f.* Ação ou efeito de pactuar.

pactual [De *pacto* + *-ual.*] *Adj. 2 g.* Referente a pacto; pactício.

pactuante [De *pactuar* + *-nte.*] *Adj. 2 g. S. 2 g.* Que, ou quem pactua; pactário.

pactuar [De *pacto* + *-uar.*] *V. t. d.* **1.** Combinar, ajustar, contratar, estipular, convencionar: *Os bandidos pactuaram o assalto para o dia seguinte. T. i.* **2.** Fazer pacto: *Domingos Fernandes Calabar pactuou com os invasores holandeses, sendo por isso condenado à forca.* **3.** Transigir, condescender; compactuar (q. v.): *Homem de bem não pactua com bandidos.* [Conjug.: v. *averiguar.* Fut. pret.: *pactuaria*, etc. Cf. *pactuária*, fem. de *pactuário.*]

pactuário [De *pacto* + *-uário.*] *S. m.* **1.** Aquele que pactua. **2.** Aquele que tem pacto ou contratos com outrem. [Fem.: *pactuária.* Cf. *pactuaria*, do v. *pactuar.*]

pacu [Do tupi.] *S. m. Bras.* **1.** *Zool.* Designação comum a peixes caracídeos sul-americanos, dos gêneros *Metynnis*, *Myleus*, *Myloplus*, *Mylossoma*, etc., de corpo comprimido, em geral arredondado ou ovalado e nadadeiras dorsal e anal situadas muito atrás. Alimentam-se de frutas e outras substâncias, sendo praticamente onívoros. **2.** Peixe caracídeo (*Metynnis maculatus*) das bacias dos rios Amazonas, Paraguai e S. Francisco, de até 18cm de comprimento, de coloração prateada com manchas arredondadas dispersas pelo corpo, e uma mancha alaranjada na região do opérculo. **3.** Peixe caracídeo (*Myleus micans*) da bacia do rio São Francisco. Comprimento médio: 35cm. [Sin., nesta acepç.: *pacu-azul.*] **4.** Peixe caracídeo (*Mylossoma duriventris*) das bacias do Amazonas, do Paraguai e do Prata, de coloração prateada, com mancha arredondada no opérculo e a nadadeira anal pode apresentar borda vermelha. Adulto, mede cerca de 28cm de comprimento por 20cm de altura. [Sin., nesta acepç.: *pacumirim*, *tambaqui.*]

pacuã [Do tupi.] *S. m. Bras. Bot.* Certa planta medicinal do alto Amazonas.

pacu-azul *S. m. Bras. Zool.* Pacu (3). [Pl.: *pacus-azuis.*]

pacu-branco *S. m. Bras. Zool.* **1.** Peixe caracídeo (*Myloplus rhomboidalis*) da Amaz., cuja coloração lhe valeu o nome comum; pacutinga. **2.** V. *anduiá* (1). [Pl.: *pacus-brancos.*]

pacu-caranha *S. m. Bras. Zool.* V. *pacuguaçu.* [Pl.: *pacus-caranhas* e *pacus-caranha.*]

pacuçu [Do tupi = 'paca grande'.] *S. m. Bras. Zool.* O macho da paca[2] (1).

pacu-de-corredeira *S. m. Bras. Zool.* Peixe caracídeo (*Myloplus rubripinnis*) de até 39cm de comprimento, das bacias dos rios Amazonas, Orinoco, e de rios guianenses, de coloração prateada com pequenas manchas e nadadeira anal avermelhada, em forma de gancho; é apreciado para aquários. [Sin.: *pacuzinho*, *pacu-de-correnteza.* Pl.: *pacus-de-corredeira.*]

pacu-de-correnteza *S. m. Bras. Zool.* V. *pacu-de-corredeira.* [Pl.: *pacus-de-correnteza.*]

pacuera [Do tupi = 'entranhas já tiradas'.] *S. f. Bras.* Fressura de boi, de porco ou de carneiro. ◆ **Bater a pacuera.** *Bras. Pop.* **1.** Ir-se embora. **2.** V. *morrer* (1): "ficou azaranzado e bateu a pacuera." (Nélson de Faria, *Tiziu e Outras Estórias*, p. 198).

pacuguaçu [Do tupi = 'pacu grande'.] *S. m. Bras. Zool.* Peixe caracídeo (*Myletes edulis*), das bacias dos rios Paraná e Paraguai, de dorso cinza-escuro, flancos prateados e ventre amarelado. É o maior dos pacus, podendo atingir até 60cm de comprimento; muito apreciado para a pesca esportiva de linha, com isca de pequenos frutos. [Sin.: *caranha*, *pacu-caranha.*]

pacujaense *Adj. 2 g.* **1.** De, ou pertencente ou relativo a Pacujá (CE). ● *S. 2 g.* **2.** O natural ou habitante de Pacujá.

pacumã *S. m. Bras. Zool.* V. *pacamão* (1).

pacumirim [De *pacu* + *-mirim.*] *S. m. Bras. Zool.* V. *pacu* (4).

pacupeba [Var. de *pacupeva*; v. *pacu* e *-peba.*] *S. m. Bras. Zool.* Peixe caracídeo (*Myleus setiger*) das bacias do rio Amazonas, Orinoco e de rios guianenses. Tem nadadeira anal com forte reentrância semilunar na margem externa, e até 27cm de comprimento. [Sin.: *mafurá.* Var.: *pacupeva.*]

pacupeva [Do tupi = 'pacu chato'; v. *pacu* e *-peva.*] *S. m. Bras. Zool.* V. *pacupeba.*

pacurina [Do tax. *Pacourina.*] *S. f. Bot.* **1.** Gênero monoespecífico de ervas asteráceas aquáticas. **2.** A espécie desse gênero (*Pacourina edulis*) nativa das Guianas e do Brasil, de folhas oblongas, denteadas e flores violáceas em capítulos; é forrageira e medicinal. **3.** Qualquer espécime desse gênero.

pacutinga [De *pacu* + *-tinga.*] *S. f. Bras. Zool.* Pacu-branco.

pacuzinho [De *pacu* + *-zinho.*] *S. m. Bras. Zool.* V. *pacu-de-corredeira.*

pada[1] [Do lat. vulg. **panata*, de *pane*, 'pão'.] *S. f.* **1.** Pão pequeno. **2.** *Fig.* Pequena coisa, ou pequena quantidade.

pada[2] *S. f.* Ceilão Ant. Certo barco grande, de fundo chato.

padaria [De *pada*[1] + *-aria.*] *S. f.* **1.** Lugar onde se vende e/ou fabrica pão, bolachas, biscoitos, etc. [Sin.: *padejo* (p. us.) e *panificação*, *panificadora* (bras.).] **2.** *Bras. Chulo* V. *nádegas.*

➔ **paddock** ['pædɔk] [Ingl.] *S. m. Turfe* Local dos hipódromos, em geral junto à pesagem (2) e ao ponto em que os cavalos entram e saem da pista, de onde os profissionais assistem às corridas.

padê [Do ior.] *S. m. Bras. Rel.* Rito propiciatório que ocorre antes do início das cerimônias públicas ou privadas dos candomblés e da umbanda, e que consiste na oferenda a Exu de animais votivos sacrificados, alimentos e bebidas, para que este não perturbe a festa e faça as vezes de mensageiro na obtenção da boa vontade dos orixás que serão chamados a descer (15); despacho de Exu, despacho.

pá de cavalo *S. f.* Máquina agrícola empregada no movimento de terras (aterro e desaterro). [Pl.: *pás de cavalo.*] ☑

padecedor (ô) [De *padecer* + *-dor.*] *Adj. S. m.* Padecente (1 e 2).

padecente [De *padecer* + *-nte.*] *Adj. 2 g.* **1.** Que padece; padecedor. ● *S. 2 g.* **2.** Pessoa que padece; padecedor. **3.** Pessoa que vai sofrer a pena de morte; paciente.

padecer [Do lat. vulg. **patiscere*, incoativo de *pati*, 'sofrer'.] *V. t. d.* **1.** Ser afligido, atormentado, martirizado por; sofrer: *Padece, há anos, uma doença incurável*; "Então o sapateiro revolucionário, que padecera prisões por seu ódio loquaz contra reis e rainhas, empalideceu de comoção" (Fidelino de Figueiredo, *Sob a Cinza do Tédio*, p. 75). **2.** Suportar, aguentar: *padecer necessidades.* **3.** Consentir, admitir, permitir: *Tal afirmação não padece dúvida. T. i.* **4.** Ser acometido, ou sofrer (de alguma enfermidade, algum mal): *Padece de uma doença misteriosa*; "padeço deste mau clima de sol tirano." (Haroldo Maranhão, *O Tetraneto del-Rei*, p. 17). *Int.* **5.** Ser vítima de violências físicas. **6.** Sentir dores físicas ou morais. **7.** Ser ou estar doente. [Conjug.: v. *aquecer.*]

padecimento [De *padecer* + *-imento.*] *S. m.* **1.** Ato ou efeito de padecer. **2.** Dor, pena, sofrimento. **3.** Doença, enfermidade.

padeiral [De *padeiro* + *-al*[1].] *Adj. 2 g. Burl.* Referente a, ou próprio de padeiro.

padeiro [Do lat. vulg. **panatariu* < **panata* < *pane*, 'pão'.] *S. m.* **1.** Fabricante ou vendedor de pão. **2.** Aquele que entrega pão em domicílio. [Sin. (bras., N.E.), nesta acepç.: *pãozeiro.*]

padejador (ô) [De *padejar*[1] + *-dor.*] *Adj. S. m.* Que, ou aquele que padeja (v. *padejar*[1]).

padejar[1] [De *pá*[1] + *-d-* + *-ejar.*] *V. t. d.* **1.** Revolver com a pá. **2.** Atirar (o pão) ao ar com a pá, a fim de limpá-lo na eira. [Conjug.: v. *pelejar.*]

padejar[2] [De *pada*[1] + *-ejar.*] *V. int.* **1.** Fabricar pão. **2.** Exercer o ofício de padeiro. [Conjug.: v. *pelejar.*]

padejo[1] (ê) [Dev. de *padejar*[1].] *S. m.* Ato de padejar[1].

padejo[2] (ê) [Dev. de *padejar*[2].] *S. m.* **1.** O mister de padeiro. **2.** V. *padaria* (1).

padieira [De or. obscura.] *S. f. Constr.* V. *verga* (4): "as fachadas revestidas de azulejos, as padieiras de granito tão nitidamente esquadriadas, dão ao todo um ar rijo, saudável, alegre" (Ramalho Ortigão, *As Farpas*, I, p. 161).

padiola [De or. obscura.] *S. f.* **1.** Espécie de tabuleiro retangular, com quatro varais, usado para transporte. **2.** Espécie de cama de lona, portátil e desmontável, na qual os padioleiros transportam doentes ou feridos. [Cf. *maca* (2).]

padioleiro [De *padiola* + *-eiro.*] *S. m.* **1.** *Bras.* Cada um dos que carregam uma padiola. **2.** Soldado cuja tarefa é remover, com outro companheiro, os feridos do campo de batalha. [Sin. (lus.): *maqueiro.*]

padixá [Do persa *padiseah*, 'rei', pelo turco *padyxah.*] *S. m.* Designação dada outrora ao sultão ou imperador dos turcos.

padoca [De *pad(aria)* + *-oca.*] *S. f. Bras. SP* Padaria, esp. aquela em que se vendem produtos variados, lanches e refeições.

padralhada [De *padre* + *-alhada.*] *S. f. Deprec.* **1.** Grande porção de padres. **2.** O clero. [Sin. ger.: *padraria.*]

padrão[1] [Do lat. *patronu*, 'protetor'.] *S. m.* **1.** Modelo oficial de pesos e medidas. **2.** Aquilo que serve de base ou norma para a avaliação de qualidade ou quantidade; medida, estalão, craveira. **3.** *P. ext.* Qualquer objeto que serve de modelo à feitura de outro. **4.** Desenho decorativo estampado em tecido ou noutra superfície (papel de parede, azulejo, etc.). [Sin., bras.: *pinta.*] **5.** Título (10). **6.** *Fig.* Modelo, exemplo, protótipo, arquétipo. **7.** *Fig.* Nível, qualidade; gabarito. **8.** *Bot.* Planta típica do grau de fertilidade do solo. **9.** *Econ.* Padrão monetário. **10.** *E. Ling.* Variedade linguística adotada numa comunidade como norma institucionalizada. [Cf., nesta acepç., *subpadrão.*] **11.** *Tip.* Folha de padrão. **12.** *Bras. MG* Hidrômetro (2). [Posposto a substantivo, esse voc. tem valor adjetivo.] ◆ **Padrão monetário.** *Econ.* Quantidade de metal, ger. ouro, que definia o valor de uma unidade

P

monetária, nos antigos sistemas monetários de base metálica. [Tb. se diz apenas *padrão.*] **Padrão ouro.** *Econ.* Sistema monetário, comum no século XIX, em que o valor da unidade monetária era fixado em gramas de ouro, e o papel-moeda era livremente convertido nesse metal.

padrão[2] [Alter. de *pedrão*, aum. de *pedra.*] ***S. m.*** **1.** Monumento de pedra que os portugueses erguiam em terras por eles descobertas. **2.** Estaca monolítica; marco, baliza.

padrão-ouro ***S. m.*** Moeda-ouro. [Pl.: *padrões-ouros* e *padrões-ouro.*]

padraria [De *padre* + *-aria.*] ***S. f.*** *Deprec.* V. *padralhada.*

padrar-se [De *padre* + *-ar*[2] + *se*[1].] ***V. p.*** Fazer-se padre; tomar ordens; ordenar-se.

padrastal [De *padrasto* + *-al*[1].] ***Adj. 2 g.*** Relativo a padrasto[1], ou próprio dele.

padrasto[1] [Do lat. vulg. *patrastru*, com dissimilação.] ***S. m.*** Indivíduo que ocupa o lugar de pai em relação aos filhos que sua mulher teve de casamento anterior. [Fem.: *madrasta.*]

padrasto[2] [Alter. de **pedrasto < pedra.*] ***S. m.*** Monte, colina ou construção que domina um terreno.

padre [Do lat. *pater*, 'pai'.] ***S. m.*** **1.** *Ecles.* Aquele que recebeu ordenação sacerdotal; sacerdote secular ou regular; presbítero, reverendo. [Sin. pop.: *batina.* Dim. deprec.: *padreco, padreca*; fem.: *madre* (q. v.).] **2.** *Ant.* Pai (1). **3.** *Bras. Folcl.* Personagem do bumba meu boi (q. v.), que faz o casamento de *Mateus* e *Catirina*, e a confissão do *Morto carregando o vivo.* ◆ **Casar no padre.** *Bras. Pop.* Casar-se na Igreja, eclesiasticamente: "— Lá na pensão tu vais dizer .... que tu casas comigo no juiz e no padre." (Josué Montelo, *Cais da Sagração*, p. 20.) **O Padre Santo.** O Santo Padre. **O Santo Padre.** O Papa; o Padre Santo: "O Santo Padre pede ao imperador Guilherme que o governo da Alemanha não insista na perseguição do clero católico." (Ramalho Ortigão, *As Farpas*, XI, p. 88.)

padreação [De *padrear* + *-ção.*] ***S. f.*** Ato de padrear. [Sin., bras.: *salto.*]

padreador (ô) [De *padrear* + *-dor.*] ***Adj. S. m.*** Diz-se de, ou animal que padreia; marel.

padrear [Do ant. *padre*, 'pai', + *-ear*[2].] ***V. int.*** Reproduzir-se, procriar (esp. o cavalo e o burro). [Conjug.: v. *frear.*]

padre-bernardense ***Adj. 2 g.*** **1.** De, ou pertencente ou relativo a Padre Bernardo (GO). ● ***S. 2 g.*** **2.** O natural ou habitante de Padre Bernardo. [Pl.: *padre-bernardenses.*]

padreca [De *padre* + *-eca.*] ***S. m.*** *Deprec.* Padreco.

padreco [De *padre* + *-eco*[1].] ***S. m.*** *Deprec.* Padre de pouco mérito e/ou de pequena estatura; padreca.

padre-cura ***S. m.*** **1.** V. *pároco.* **2.** Espécie de jogo popular. [Pl.: *padres-curas.*]

padre-marquense ***Adj. 2 g.*** **1.** De, ou pertencente ou relativo a Padre Marcos (PI). ● ***S. 2 g.*** **2.** O natural ou habitante de Padre Marcos. [Pl.: *padre-marquenses.*]

padre-mestre ***S. m.*** **1.** Sacerdote professor. **2.** Chefe de um grupo de missionários. **3.** *Fig.* Sabichão, sabe-tudo. **4.** *Bras.* Capelão (3). [Pl.: *padres-mestres.*]

padre-nosso ***S. m.*** **1.** *Rel.* Pai-nosso (1). **2.** *P. ext. Rel.* Pai-nosso (2). **3.** *Bras. Liter. Pop.* Espécie de pé-quebrado em que cada quadra termina com palavras da oração do mesmo nome. [Pl.: *padre-nossos* e *padres-nossos.*] ◆ **Ensinar o padre-nosso ao vigário.** Aconselhar ou ensinar a alguém mais experimentado ou mais competente. "Isto que aí fica não tem nenhuma pretensão de ensinar o padre-nosso ao vigário." (Manuel Bandeira, *Andorinha, Andorinha*, p. 237.)

padre-paraisense (a-i) ***Adj. 2 g.*** **1.** De, ou pertencente ou relativo a Padre Paraíso (MG). ● ***S. 2 g.*** **2.** O natural ou habitante de Padre Paraíso. [Pl.: *padre-paraisenses.*]

padresco (ê) [De *padre* + *-esco.*] ***Adj.*** *Deprec.* Relativo a, ou próprio de padre.

padrice [De *padre* + *-ice.*] ***S. f.*** *Deprec.* Qualidade, ato ou modos de padre.

padrinho [Do lat. vulg. **patrinu*, dim. de *pater*, 'pai'.] ***S. m.*** **1.** Testemunha de batismo, casamento, duelo, etc. **2.** *Ant.* Aquele que acompanhava o doutorando a receber o capelo. [Sin., ant., nessas acepçs.: *paraninfo.*] **3.** *Fig.* Protetor, patrono, paraninfo. **4.** Paraninfo (3). [Fem.: *madrinha.*] **5.** *Maç.* Aquele que apresenta um candidato a maçom a uma loja (4). **6.** *Bras. BA Rel.* Pai de santo, nos candomblés de caboclo.

▲ **padro-** V. *patr(i)-.*

padroado [Do lat. tard. *patronatu.*] ***S. m.*** **1.** Direito de protetor, adquirido por quem fundou ou dotou uma igreja. **2.** *Ecles.* Direito de conferir benefícios eclesiásticos. [F. paral.: *patronato.*]

padroeiro [Do lat. **patronariu < patronus*, 'patrono'.] ***Adj. S. m.*** **1.** Que, ou aquele que tem o direito de padroado. **2.** Defensor; protetor, patrono: "Não é São Roque o orago oficial da paróquia [de Paquetá], colocada sob a invocação do Senhor Bom Jesus do Monte. É, porém, no sentimento tradicional dos moradores, o padroeiro efetivo da Ilha desde tempos remotos." (Vivaldo Coaraci, *Paquetá*, p. 30.)

padrofilia [De *padro-* + *-filia.*] ***S. f.*** Apego exagerado a sacerdotes.

padrofílico [De *padrofilia* + *-ico*[2].] ***Adj.*** **1.** Relativo a padrofilia. **2.** Que tem padrofilia; padrófilo. ● ***S. m.*** **3.** Aquele que tem padrofilia; padrófilo.

padrófilo [De *padro-* + *-filo*[2].] ***Adj. S. m.*** Padrofílico (2 e 3).

padronagem [De *padrão (padron-)* + *-agem*[2], seg. o padrão erudito.] ***S. f.*** **1.** O padrão seguido por algo. **2.** *Tec. Têx.* Cada um dos conjuntos de desenhos criados no processo de tecelagem a fim de formar um padrão de repetição.

padronização [De *padronizar* + *-ção.*] ***S. f.*** **1.** Ato ou efeito de padronizar. **2.** Redução dos objetos do mesmo gênero a um só tipo, unificado e simplificado, segundo um padrão ou modelo preestabelecido. **3.** Unificação dos processos de fabricação desses objetos: *A padronização da indústria visa a facilitar a produção em massa.* **4.** Uniformização do comportamento dos indivíduos segundo modelos aceitos por um grupo ou impostos pela criação de novos hábitos: *padronização de costumes; padronização da moda.* **5.** *E. Ling.* Processo, ger. implementado por autoridades governamentais, e que tem a finalidade de diminuir ou eliminar a diversidade linguística, mediante o desenvolvimento de normas ortográficas, dicionários e gramáticas. **6.** *E. Ling.* Numa comunidade linguística, a emergência de uma variedade linguística com mais prestígio que as demais. **7.** *Quím.* Ato ou efeito de padronizar (2). [Sin. de 1 a 4: *estandardização.*]

padronizado [Part. de *padronizar.*] ***Adj.*** Que sofreu padronização; reduzido a um só tipo ou estalão; estandardizado: *produto padronizado; comportamento padronizado.*

padronizador (ô) [De *padronizar* + *-dor.*] ***Adj. S. m.*** Que, ou aquele que padroniza.

padronizar [De *padrão*[1] + *-izar*, seg. o padrão erudito.] ***V. t. d.*** **1.** Operar padronização em; submeter a padronização; estandardizar. **2.** *Quím.* Determinar, com alta precisão, a concentração de (uma substância, ger. reagente empregado em titulação), num dado volume de solução.

padronizável [De *padronizar* + *-vel.*] ***Adj. 2 g.*** Que pode ser padronizado.

padu ***S. m.*** *Bras. Bot.* V. *ipadu.*

paduano[1] [Do lat. vulg. *paduanu.*] ***Adj. S. m.*** Patavino.

paduano[2] ***Adj.*** **1.** De, ou pertencente ou relativo a Santo Antônio de Pádua (RJ). ● ***S. m.*** **2.** O natural ou habitante de Santo Antônio de Pádua.

➔ **paella** [pa'eʎa] [Esp.] ***S. f.*** *Cul.* Iguaria típica espanhola: ensopado de arroz, legumes, carnes, peixes e crustáceos diversos.

paetê [Do fr. *pailleté.*] ***S. m.*** V. *lentejoula.*

páfia ***S. f.*** *Bras. RS* F. aferética de *empáfia* (q. v.).

pafioso (ô) [De *páfia* + *-oso.*] ***Adj.*** *Bras. RS* Cheio de páfia ou empáfia; enfatuado, presumido, presunçoso.

pafo [De or. obscura.] ***S. m.*** *Bras. PE AL* Peça de franzido, frouxa, em veste ger. feminina: "Gostava de vestir, nos grandes dias, uma blusa de seda cor de vinho, acetinada, cuja gola rendada subia até quase a garganta, afogando-se em pafos." (Araújo Costa, *O Menino e o Tempo*, p. 33.)

paga [Dev. de *pagar.*] ***S. f.*** **1.** V. *pagamento* (1). **2.** Recompensa, retribuição; pago: "Aguentava toda a trabalheira de fora, ... toda a grosseria do patrão, pela única paga de ver, três vezes por dia, o famoso par de braços." (Machado de Assis, *Várias Histórias*, p. 46.) **3.** O dinheiro ou tento que se paga no jogo.

pagá-devê [De *pagar e dever*, pelo forro[2].] ***S. m.*** *Santom.* Ritual realizado pelo curandeiro e destinado a proteger as crianças recém-nascidas: "ali viu pela primeira vez a luz do dia ali sua mãe mandou 'pagá-devê' deu os primeiros passos" (Maria Olinda Beja, *15 Dias de Regresso*, p. 172). [Pl.: *pagá-devês.*]

pagadoiro [De *pagar* + *-doiro*[1].] ***Adj.*** *Ant.* Pagadouro (q. v.).

pagador (ô) [De *pagar* + *-dor.*] ***Adj.*** **1.** Que paga. ● ***S. m.*** **2.** Aquele que paga; aquele que faz pagamentos.

pagadoria [De *pagador* + *-ia*[1].] ***S. f.*** Lugar ou repartição pública onde se efetuam pagamentos.

pagadouro [De *pagar* + *-douro*[1]; var. de *pagadoiro.*] ***Adj.*** *Ant.* Pagável.

pagamento [De *pagar* + *-mento.*] ***S. m.*** **1.** Ato ou efeito de pagar(-se); paga, pago. **2.** Aquilo que se dá em troca de um serviço; remuneração, estipêndio. **3.** Restituição da quantia que se deve; reembolso. **4.** Maneira de pagar: *pagamento adiantado; pagamento mensal.* **5.** Prestação, cota. **6.** *Dir. Civ.* Cumprimento voluntário de uma obrigação. **7.** *Econ.* Transferência de recursos financeiros, normalmente como contrapartida pelo recebimento de uma mercadoria ou serviço.

paganais [De *paganálias*, do lat. *paganalia.*] ***S. f. pl.*** Festas em honra de Ceres, na Roma antiga; paganálias. [Pl. subst. de *paganal* (poss. *paganálias*).]

paganal ***Adj. 2 g.*** **1.** Relativo a, ou próprio de pagãos. **2.** Referente a aldeões.

paganálias [Adapt. do lat. *paganalia.*] ***S. f. pl.*** Paganais.

pagânico [Do lat. (adj.) *paganicu.*] ***Adj.*** Pagão[1].

paganismo [Do lat. *paganus*, 'pagão', + *-ismo.*] ***S. m.*** **1.** O conjunto dos que não foram batizados. **2.** Religião pagã. V. *gentilidade* (1).

paganização [De *paganizar* + *-ção.*] ***S. f.*** Ação ou efeito de paganizar.

paganizador (ô) [De *paganizar* + *-dor.*] ***Adj.*** Que paganiza.

paganizar [De *pagão*[1] + *-izar*, seg. o padrão erudito.] ***V. t. d.*** **1.** Tornar pagão; descristianizar. ***Int.*** **2.** Pensar ou proceder como pagão.

pagante [De *pagar* + *-nte.*] ***Adj. 2 g. S. 2 g.*** Que, ou quem paga. [Sin. (bras., gír.): *pagão.*]

pagão[1] [Do lat. *paganu*, 'aldeão'.] ***Adj.*** **1.** Diz-se do indivíduo que não foi batizado. **2.** Diz-se de adepto de qualquer das religiões onde não se adota o batismo. **3.** Relativo ou pertencente a, ou próprio de pagão (5): *crença pagã; culto pagão.* ● ***S. m.*** **4.** Indivíduo que não foi batizado. **5.** Adepto de qualquer religião que não adota o batismo. [Flex.: *pagã, pagãos, pagãs.*]

pagão[2] [De *pagar* + *-ão*[1].] ***Adj. S. m.*** *Bras. Gír.* Pagante.

pagar [Do lat. *pacare.*] ***V. t. d.*** **1.** Satisfazer (dívida, encargo, etc.). **2.** Satisfazer o preço ou valor de: *pagar uma consulta*; "uma preta escrava, comprada com outra, ... às escondidas, por serem de contrabando. Dizem até que nem as pagou, porque o vendedor faleceu logo sem deixar nada escrito." (Machado de Assis, *Várias Histórias*, p. 31). **3.** Remunerar, recompensar; gratificar: *Não o pagou devidamente.* **4.** Recompensar; retribuir: *Não pagou as finezas recebidas.* **5.** Sofrer vingança, desforra, em consequência de: *Hás de pagar a tua ingratidão.* **6.** Sofrer as consequências de; expiar: *pagar os pecados.* ***T. d. e i.*** **7.** Satisfazer (dívida, encargo): *Pagou-lhe o que devia.* **8.** Satisfazer o preço ou valor de: "para celebrar a sua entrada na Literatura, Gonçalo Mendes Ramires pagou aos camaradas do Cenáculo e a outros amigos uma ceia" (Eça de Queirós, *A Ilustre Casa de Ramires*, p. 14). **9.** Recompensar, retribuir: "Amor com amor se paga" (prov.); *Pagou o benefício com injúrias; Pagou a amabilidade com um sorriso.* **10.** Dar como recompensa, remuneração ou pagamento: *Paga à empregada dois salários mínimos por mês.* **11.** Reembolsar (alguém) do que lhe é devido: *Pagou afinal ao amigo a velha dívida.* ***T. i. e c.*** **12.** Pagar (10): "uma revista inglesa paga-lhe [a Tennyson] por um poema trezentos e cinquenta libras esterlinas!" (Constâncio Alves, *Figuras*, p. 161). ***T. i.*** **13.** Reembolsar (alguém) do que lhe é devido: *Já lhe paguei, nada lhe devo.* **14.** Retribuir, restituir, na mesma espécie: *Cedeu-me algumas garrafas daquele vinho, e eu, ao receber as que havia encomendado, logo lhe paguei.* **15.** Ser castigado; padecer: *Pagou pelos erros do pai; Pagou pelas loucuras de sua juventude.* ***Int.*** **16.** Desobrigar-se de compromissos; satisfazer, reembolsar alguém do que lhe é devido. **17.** Desembolsar dinheiro. **18.** Recompensar serviços ou boas ações. **19.** Sofrer, padecer um castigo ou uma pena injustamente. **20.** Sofrer consequências; expiar uma culpa: *Cometeu o crime, e pagou.* ***P.*** **21.** Receber a paga ou recompensa; indenizar-se. **22.** Dar-se por satisfeito; contentar-se. **23.** Descontar, do que se há de entregar, a parte que lhe é devida. [Conjug.: v. *largar.* Part.: *pagado* (p. us.) e *pago.*] ◆ **Pagar caro.** Sofrer duramente as consequências de um procedimento; pagar com juros. **Pagar e não bufar.** *Bras. Gír.* Pagar sem reclamação, sem protesto. **Pagar para ver.** **1.** No pôquer, aceitar a aposta que o parceiro propõe, ganhando o direito de ver-lhe as cartas e disputar a parada. **2.** *Fig.* Pôr em dúvida a concretização de uma ameaça ou realização de qualquer coisa que se promete, anuncia, etc.: *Disse que vai vingar-se da afronta, mas eu pago para ver; Prometeu saldar o débito amanhã — nós pagamos para ver.*

pagará ***S. m.*** *Bras. RS* V. *fandango* (6 e 7).

pagável [De *pagar* + *-vel.*] ***Adj. 2 g.*** Que pode ou deve ser pago.

➔ **pageant** ['pædʒənt] [Ingl., 'espetáculo'.] ***S. m.*** *Teatr.* **1.** Espetáculo ao ar livre, no período medieval do teatro inglês. **2.** Cada um dos palcos volantes montados em carros ou vagões, alguns com dois ou três andares, para as representações, nas cidades, dos milagres e mistérios do teatro medieval inglês.

➔ **pager** ['pejdʒɚ] [Ingl.] ***S. m.*** Pequeno receptor portátil que registra em uma tela mensagens transmitidas por uma central de radiotransmissão. [Cf. *bipe* e *paging.*]

página [Do lat. *pagina*, 'coluna de papiro'.] ***S. f.*** **1.** Cada um dos lados das folhas dos livros e de outras publicações. **2.** O texto contido em cada um desses lados. 3. *P. ext.* Trecho, passo, passagem: *Acabo de ler uma bela página de Ciro dos Anjos.* 4. *Art. Gráf.* Fôrma com que se realiza a impressão desse texto. 5. *Bot.* Superfície ou face de um órgão vegetal plano. [A folha tem duas páginas: uma superior e uma inferior.] 6. *Fig.* Período ou passagem notável em uma história ou biografia. 7. *Inform.* Página da *Web* (q. v.), ou, p. ext., *site* ou *homepage.* 8. *Pop.* Narração importuna; estopada, maçada. [Cf. *pagina*, do v. *paginar.*] ◆ **Página branca.** Página em branco. **Página capitular.** *Bibliogr.* A que inicia capítulo; página de começo. **Página cheia.** *Tip.* A que é integrada por composição corrida. **Página coxa.** *Tip.* A que, por exigência da paginação, fica mais alta ou menos alta que as demais. **Página curta.** *Tip.* A que não atinge o número de linhas da medida, como as de fim de capítulo. **Página da Web.** Qualquer documento que se pode consultar na *Web* em uma localização ou endereço específico (a sua URL de identificação). [É composto de um arquivo básico, codificado em HTML, e que pode indicar (por meio de elos) e requerer outros arquivos complementares, como, p. ex., de imagens ou de sons, e *scripts.*] [Tb. se diz apenas *página.*] **Página de começo.** *Bibliogr.* 1. A que inicia o livro. 2. *P. ext.* Página capitular. **Página deitada.** *Tip.* A que, contendo tabela, fac-símile, ilustração, etc., que não cabem na largura, é disposta no sentido da altura. **Página de rosto.** *Bibliogr.* Lado da folha de rosto que contém o título e, em geral, a indicação de responsabilidade e os dados referentes à sua publicação, onde também é impresso o frontispício. [Tb. se diz apenas *rosto.* Sin.: *frontispício.*] **Página de rosto gravada.** *Bibliogr.* V. *portada* (3). **Página determinada.** *Prop.* Tipo de contrato utilizado para veiculação de anúncio determinado (q. v.) em jornal ou revista. **Página em branco.** A que nada leva escrito ou impresso; página branca. **Página ímpar.** *Edit.* A que fica do lado direito do livro, revista ou jornal, quando aberto; reto; página nobre. **Página indeterminada.** *Prop.* Tipo de contrato utilizado para veiculação de anúncio indeterminado (q. v.) em jornal ou revista. **Página mestra.** *Edit. Eletrôn.* Cada uma das páginas existentes na maioria dos programas de paginação que permitem a criação de elementos comuns a todas as páginas na publicação. **Página nobre.** *Edit.* V. *página ímpar.* **Página par.** *Edit.* A que fica do lado esquerdo do livro, revista ou jornal, quando aberto. **Páginas amarelas.** [Marca registrada.] Guia telefônico comercial organizado por atividade econômica, produto e serviço, com indicação de fornecedores. **Página virada.** Pessoa, coisa ou fato passado, e a que não se deve dar, pois, maior atenção: "te afasta de mim / pois já não vales nada / és página virada / descartada do meu folhetim." (Chico Buarque de Holanda, da canção *Folhetim*). **A páginas tantas.** Em certo momento; em dada altura: "A páginas tantas chegou ao Liceu uma circular para que os professores em idade militar se apresentassem à reinspeção" (Aquilino Ribeiro, *Estrada de Santiago*, p. 123).

paginação [De *paginar* + *-ção.*] *S. f. Art. Gráf.* 1. Ato ou efeito de paginar; compaginação. 2. Ordem das páginas de um livro 3. Seção da oficina onde se pagina. ◆ **Paginação contínua.** *Bibliogr.* A que abrange, numa só sequência numérica, os diversos volumes de uma obra. **Paginação independente.** *Bibliogr.* A que, nas obras em dois ou mais volumes, recomeça em cada um deles.

paginador (ô) [De *paginar* + *-dor.*] *S. m. Tip.* O gráfico encarregado do trabalho de paginação; compaginador.

paginar [De *página* + *-ar*[2].] *V. t. d.* 1. Numerar por ordem as páginas de. 2. *Tip.* Reunir (composição tipográfica) para formar páginas; compaginar. 3. *Tip.* Arranjar graficamente as páginas de (livro, periódico, etc.). 4. *Tip.* Colocar o número da página em (livro, registro, etc.). *Int.* 5. *Tip.* Reunir textos, títulos, fólios, notas, tabelas, gravuras, fotogravuras, etc., para formar páginas de determinada medida, que passarão à imposição. [V. *foliar.* Pres. ind.: *pagino, paginas, pagina*, etc. Cf. *página.*]

➔ **paging** ['pejdʒɪŋ] [Ingl.] *S. m.* Sistema de radiocomunicação que utiliza *pagers* (q. v.) para recepção de mensagens: "O mercado de paging viveu uma explosão no ano passado." (*O Globo*, 21.01.1998.)

pago[1] [Do lat. *pagu.*] *S. m.* 1. *P. us.* Pequena povoação. 2. *Bras. RS* O lugar natal; o rincão, a querência, o povoado, o município onde alguém nasceu e/ou onde reside. [Us. ger. no pl.]

pago[2] [Dev. de *pagar.*] *S. m.* 1. Paga (2): "estou muito avezada a receber maus pagos, pelo bem que quero fazer." (Conde de Ficalho, *Uma Eleição Perdida*, p. 261). 2. V. *pagamento* (1).

pago[3] [Part. de *pagar*; f. contrata de *pagado.*] *Adj.* 1. Entregue para pagamento: *quantia paga.* 2. Que recebeu paga; remunerado, recompensado: *funcionário pago.* 3. Que se pagou; cujo pagamento foi realizado; satisfeito: *dívida paga.* 4. *Fig.* Desforrado, vingado. ~ V. *carga —a.*

-pago V. *pag(o)-*.

-pag(o)- V. *pag(o)-*.

pag(o)- [Do rad. gr. *pag-* < v. gr. *pēgnýnai*, 'fixar', 'unir'.] *El. comp.* = 'fixado', 'unido', 'ligado': *paguro.* [Equiv.: *-pago, -pag(o)-*: *somatópago, xifópago; isquiopagia.*]

pagode [Do sânscr. *bhagavati*, pelo dravídico *pagôdi.*] *S. m.* 1. Templo que alguns povos asiáticos destinam ao culto e adoração dos seus deuses: *pagode chinês, japonês, birmanês*; "Da mesquita, vamos ao pagode chinês." (Arnon de Melo, *África*, p. 133). 2. Ídolo adorado nesse templo. 3. Divertimento, brincadeira, bambochata, pândega, pagodeira, pagodice. 4. *Bras.* Zombaria, debique, caçoada, troça, mangação: *Que pagode fizeram com o pobre bêbado!* 5. *Bras. AL Folcl. Mús.* V. *coco*[2] (ô) (1). 6. *Bras. Mús.* Espécie de samba. 7. *Bras. Mús.* Reunião em que se toca, canta e dança pagode (6) e outros ritmos populares, principalmente samba, com acompanhamento de percussão, cavaquinho, violão, etc. 8. *Bras. Mús.* Pagode caipira (q. v.). ◆ **Pagode caipira.** *Bras. Mús.* Ritmo ou estilo de música caipira. [Tb. se diz apenas *pagode.*] **De pagode.** *Bras. Pop.* Em grande quantidade ou intensidade; muito.

pagodear [De *pagode* + *-ar*[2].] *V. int.* 1. Levar vida de estroina; pandegar, foliar, farrear: "dois longos meses se haviam esgotado sem que o coletor .... pensasse em outra cousa senão em .... pagodear com as caboclas à beira do rio" (Inglês de Sousa, *O Missionário*, p. 276). 2. *Bras.* Zombar, escarnecer, mofar, motejar. *T. i.* 3. *Bras.* Zombar, escarnecer, mofar, motejar: *Não leva ninguém a sério: pagodeia de todos.* [Conjug.: v. *frear.*]

pagodeira [De *pagode* + *-eira.*] *S. f. Fam.* V. *pagode* (3).

pagodeiro [De *pagode* + *-eiro.*] *S. m.* 1. *Bras.* Compositor ou cantor de pagode (6). 2. *Bras.* Frequentador de pagode (7).

pagodice [De *pagode* + *-ice.*] *S. f. Fam.* V. *pagode* (3).

pagodista [De *pagode* + *-ista.*] *S. 2 g. Fam.* Pessoa estroina, dada a pagodes ou pândegas.

paguro [Do tax. *Pagurus* < lat. *pagurus*, 'espécie de lagosta', < gr. *págouros* < v. gr. *pēgnýnai*, 'fixar' (v. *pag(o)-*).] *S. m. Zool.* 1. Grande gênero cosmopolita de crustáceos decápodes, anomuros, os quais têm apenas a parte anterior do corpo, ou cefalotórax, revestida de couraça resistente e quitinosa; o abdome é curto, grosso e mole. Vivem em conchas de moluscos, mudando de casa à medida que crescem, e alimentam-se de toda sorte de detritos orgânicos, sendo conhecidas cerca de 15 espécies no Brasil. 2. Qualquer espécie desse gênero, como a que é vulgarmente conhecida como *bernardo-eremita*, ou *eremita-bernardo*, ou *ermitão*, ou *sacuritá*: "O bernardo-eremita, ou paguro — todos o sabem — é um caranguejo desprovido de carapaça, que se mete na concha espiralada de certo caramujo marinho" (Melo Nóbrega, *O Soneto de Arvers*, p. 29). 3. Qualquer espécime desse gênero.

pai [Do lat. *pater*, pelas f. *padre*, **pade* e *pae.*] *S. m.* 1. Homem que deu ser a outro; homem que tem um ou mais filhos; genitor, progenitor. 2. *P. ext.* Aquele que exerce as funções de pai: *pai adotivo.* 3. Animal do sexo masculino que gerou outro. 4. Designação bíblica da divindade, com relação a toda a criação, esp. ao homem. 5. Tratamento que certos fiéis dão aos padres: *Meu pai, preciso de seus conselhos.* 6. V. *papai* (1). 7. Criador, fundador, instituidor (de uma doutrina, uma escola artística ou científica, uma instituição): *Baden Powell é o pai do escotismo*; "O pai da poesia romântica inglesa é, segundo algumas autoridades, William Lisle Bowles (1762-1850), pároco da Igreja da Inglaterra em Bremhill" (Abgar Renault, *O Romantismo na Poesia Inglesa*, p. 40). 8. Benfeitor, protetor: *pai dos pobres; pai dos enfermos.* 9. Causador, gerador; causa, motivo, origem: *O ódio é o pai de muitos crimes.* 10. Aquele que concebe, imagina; autor: *Quem é o pai desta magistral ideia?* 11. *Teol.* A primeira pessoa da Santíssima Trindade. [Com cap., nesta acepç.] 12. Tratamento afetuoso que se dava aos escravos de idade avançada: *pai João.* 13. *Bras.* V. *morubixaba* (1). [Fem.: *mãe*; pl.: *pais.* Cf. *país.*] ~ V. *pais.* ◆ **Pai da Mentira.** V. *diabo* (2): "Decerto mil noites de dura peleja ele rechaçara o Pai da Mentira!" (Eça de Queirós, *Últimas Páginas*, p. 279.) **Pai da pátria.** 1. *Joc.* Deputado federal ou senador. 2. *Ant.* Par do reino. **Pai de família.** Indivíduo que tem mulher e filhos. [Cf. *pai de família*, s.m.] **Pai do Mal.** V. *diabo* (2). **Pai espiritual.** Aquele que dirige a consciência (3) de alguém; guia espiritual. **Pai Natal.** *Lus.* V. *Papai Noel.* **Pai nobre.** *Teatr.* Ator que nas tragédias e na alta comédia desempenha o papel de pai. **O pai da aviação.** Antonomásia do brasileiro Alberto Santos Dumont (1873-1932). **O pai da criança.** *Bras. Fam.* O responsável por um acontecimento, o autor de uma ideia, etc.: *Agora que a ideia pegou, todos querem ser o pai da criança.* **O pai da História portuguesa.** Antonomásia do cronista português Fernão Lopes (1380?-1459). **O Santo Pai.** V. *O Santo Padre.* **Ser o pai cortado.** *Bras. MG* Ser a cara do pai. **Ter o pai alcaide.** Ter protetor poderoso; ter as costas quentes. **Ter pai vivo e mãe bulindo.** *Bras. Pop.* Ter pais que o defendam; não necessitar de castigos ou auxílios a não ser os paternos.

paiá *S. m. Bras. SP Folcl.* Tornozeleira de guizos, us., numa das pernas, pelos brincantes da dança do moçambique.

paiaba *Bras. S. 2 g.* 1. *Etnôn.* Indivíduo dos paiabas, povo indígena extinto que habitava o PA. ● *Adj. 2 g.* 2. Pertencente ou relativo a esse povo. [Tb. us. como *s. 2 g. e 2 n.* (com cap.) e *adj. 2 g. e 2 n.*]

paiacu *Bras. S. 2 g.* 1. *Etnôn.* Indivíduo dos paiacus, povo indígena que habita o CE. ● *Adj. 2 g.* 2. Pertencente ou relativo a esse povo. [Tb. us. como *s. 2 g. e 2 n.* (com cap.) e *adj. 2 g. e 2 n.*]

pai-agostinho *S. m. Bras. Zool.* V. *maria-cavaleira.* [Pl.: *pais-agostinhos.*]

paiaguá *Bras. S. 2 g.* 1. *Etnôn.* Indivíduo dos paiaguás [ou (etnôn. bras.) *Payaguá], povo indígena extinto, da família linguística guaicuru, que habitava as margens do rio Paraguai (MS) e o Paraguai. ● *Adj. 2 g.* 2. Pertencente ou relativo a esse povo.

paiaiá *Bras. S. 2 g.* 1. *Etnôn.* Indivíduo dos paiaiás [ou (etnôn. bras.) *Payayá], povo indígena extinto que habitava a costa da BA, a margem esquerda do rio Paraguaçu e a margem esquerda do rio Jacuípe (BA). ● *Adj. 2 g.* 2. Pertencente ou relativo a esse povo.

paialense *Adj. 2 g.* 1. De, ou pertencente ou relativo a Paial (SC). ● *S. 2 g.* 2. O natural ou habitante de Paial.

paiana *Bras. S. 2 g.* 1. *Etnôn.* Indivíduo dos paianas, povo indígena extinto que habitava a região do rio Javari (AM). ● *Adj. 2 g.* 2. Pertencente ou relativo a esse povo. [Tb. us. como *s. 2 g. e 2 n.* (com cap.) e *adj. 2 g. e 2 n.*]

paiauaru (pai-au) [Var. de *paiauru.*] *S. m. Bras.* 1. Bebida feita de suco de frutas com beiju, usada pelos índios: "Algumas mulheres iam atrás, com panacus pesados de massa para caxiri e paiauaru, com cochos, alguidares e panelas, para os seus vinhos e comidas." (Nunes Pereira, *Moronguetá*, I, p. 59.) 2. Bebida fermentada feita de beiju queimado.

paiauru (pai-au) [Do tupi.] *S. m. Bras.* Paiauaru.

pai-avô [T. onom., poss.] *S. m. Bras. Amaz.* V. *vovô* (2). [Pl.: *pais-avós.*]

paíba [Do tupi.] *Adj. 2 g. Bras. AM* Desastrado, desajeitado, inábil; incapaz.

paica [Do ingl. *pica.*] *S. f. Tip.* Unidade tipométrica do sistema anglo-norte-americano (q. v.), equivalente a 12 pontos (4,218mm) e correspondente a 11,22 pontos do sistema Didot. [V. *cícero.*]

paiçanduense *Adj. 2 g.* 1. De, ou pertencente ou relativo a Paiçandu (PR). ● *S. 2 g.* 2. O natural ou habitante de Paiçandu.

pai das queixas *S. m. Bras. N.E. Pop.* Delegado de polícia. [Pl.: *pais das queixas.*] ☑

pai de chiqueiro *S. m. Bras. N.E.* Bode ou carneiro não castrado. [Pl.: *pais de chiqueiro.*] ☑

pai de família *S. m. Bras. BA* Certa rede de malhas estreitas. [Pl.: *pais de família.* Cf. *pai de família*, loc.] ☑

pai-d'égua *S. m. Bras.* 1. V. *garanhão* (1). 2. *Fig.* Indivíduo femeeiro; garanhão. ● *Adj. 2 g.* 3. *Bras. Gír.* Diz-se de coisa grande, ou avultada, ou que causa espanto: "O modo de pagar o cuidado do padre para com os munícipes era este: dar uma festa pai-d'égua." (Chico Anísio, *Teje Preso*, p. 60.) [Pl.: *pais-d'égua.*]

pai de malhada [De *pai* + *de* + *malhada*[2] (2).] *S. m. Bras. N.N.E.* Marruá que chefia uma manada de gado vacum. [Pl.: *pais de malhada.*] ☑

pai de santo *S. m. Bras. Rel. Pop.* V. *babalorixá.* [Fem.: *mãe de santo.* Pl.: *pais de santo.*] ☑

pai de terreiro *S. m. Bras. Rel. Pop.* V. *babalorixá.* [Fem.: *mãe de terreiro.* Pl.: *pais de terreiro.*] ☑

pai de todos *S. m. Fam.* V. *dedo médio*: "dá forte pancada na parte ofendida, esmagando entre o — fura-bolos — e o — pai de todos — um borrachudo." (França Júnior, *Folhetins*, pp. 491-492). [Pl.: *pais de todos.*] ☑

pai dos burros *S. m. Bras. Fam.* Dicionário (2). [Pl.: *pais dos burros.*] ☑

paié *S. m. Bras.* V. *pajé.*

pai-gonçalo *S. m. Bras.* Marido moleirão, dominado pela mulher. [Pl.: *pais-gonçalos e pai-gonçalos.*]

pai-joão *S. m. Bras. N.E.* 1. Fantasia de carnaval, que representa um preto velho esfarrapado. 2. A parte traseira da rês. [Pl.: *pais-joões e pai-joões.*]

➔ **paillarde** [pa'jaʁd] [Fr., do antr. *Paillard*, famoso *chef* parisiense do séc. XIX.] *S. f. Cul.* Segundo István Wessel: "Fatia fina de vitela ou de filé, ligeiramente batida, grelhada sem condimento, salgada e apimen-

P

tada depois de pronta e servida com suco de limão." (István Wessel, *Os Segredos da Carne*, p. 52.)

pai-luís *S. m. Bras. CE* Mato que nasce pelo inverno nas capoeiras e roçados, e estraga as plantações malcuidadas: "Nos sertões do Norte o pai-luís simboliza o mato que invade a roça e deteriora as plantações do agricultor descuidado ou preguiçoso." (Leonardo Mota, *Sertão Alegre*, p. 223.) [Pl.: *pais-luíses* e *pai-luíses*.]

pai-mané *S. m. Bras.* Indivíduo bobo, ignorante. [Pl.: *pais-manés* e *pai-manés*.]

paim-filhense (a-ím) *Adj. 2 g.* **1.** De, ou pertencente ou relativo a Paim Filho (RS). ● *S. 2 g.* **2.** O natural ou habitante de Paim Filho. [Pl.: *paim-filhenses*.]

paina (ãi) [Do malaiala *paññi*.] *S. f.* Conjunto de fibras sedosas, parecidas às do algodão, que envolvem as sementes de várias plantas, em especial das famílias das bombacáceas, asclepiadáceas e tifáceas, e têm larga aplicação industrial.

paina-cipó (ãi) *S. f. Bras. S. L. Bot.* Cipó asclepiadáceo (*Araujia sericifera*) lactescente, de folhas lanceoladas e cordadas, flores especiosas, alvas, com linhas purpúreas, e ordenadas em cimeiras oligantas, corola urceolada, cujo fruto é um folículo pruinoso, de 15cm, e cujas sementes têm pelos compridos. [Pl.: *painas-cipós* e *painas-cipó*.]

paina-de-arbusto (ãi) *S. f. Bras. Bot.* Árvore bombacácea (*Bombax marginatum*) de folhas digitadas, lanceoladas ou ovais, grandes flores alvas e fruto capsular, ovoide, com numerosas sementes envolvidas em paina sedosa. [Pl.: *painas-de-arbusto*.]

paina-de-penas (ãi) *S. f. Bras. Bot.* V. *cipó-capador*. [Pl.: *painas-de-penas*.]

paina-de-santa-bárbara (ãi) [De *paina* + *de* + o hag. *Santa Bárbara*.] *S. f. Bras. L. Bot.* Arbusto asclepiadáceo (*Gomphocarpus brasiliensis*) ornamental, de folhas lanceoladas ou lineares e incanas, flores alvas e dispostas em umbelas, e cujos frutos são amplos folículos inflados, ventricosos, papiráceos e cobertos de pontas moles. [Pl.: *painas-de-santa-bárbara*.]

paina-de-seda (ãi) *S. f. Bot.* **1.** V. *paineira* (1). **2.** V. *cipó-de-sapo*. [Pl.: *painas-de-seda*.]

paina-do-arpoador (ãi... ô) *S. f. Bras. L. Bot.* Pequena árvore bombacácea (*Bombax cyathophorum*) bastante frequente no litoral, de folhas digitadas, amplas e coriáceas, flores grandes, alvas e com numerosos estames salientes, frutos que são cápsulas avantajadas que encerram uma espécie de paina, e madeira mole. [Pl.: *painas-do-arpoador*.]

paina-do-campo (ãi) *S. f. Bras. C. Bot.* Arvoreta ou arbusto bombacáceo (*Bombax gracilipes*) comum nos cerrados, de folhas digitadas, flores bem menores que as da paina-do-arpoador, e cujos frutos também geram uma sorte de paina. [Pl.: *painas-do-campo*.]

painça (a-in) *S. f.* **1.** A palha de painço. **2.** A farinha de painço.

painçada (a-in) [De *painço* + *-ada*[1].] *S. f.* Porção de painço.

painço (a-in) [Do lat. tard. *paniciu*.] *S. m. Bot.* **1.** Capim poáceo (*Setaria italica*) anual, próprio da Europa, embora cultivado em muitas terras como alimentar, cujos colmos vão de 90 a 150cm, e cujas espigas são amentiformes, grossas, amarelas ou violáceas, e setosas. **2.** O grão dessa planta.

painço-grande (a-in) *S. m. Bras. Bot.* V. *capim-guiné*. [Pl.: *painços-grandes*.]

painço-liso *S. m. Bot.* V. *meixoeira*. [Pl.: *painços-lisos*.]

paineira [De *paina* + *-eira*.] *S. f. Bras. Bot.* **1.** Grande árvore bombacácea (*Chorisia speciosa*), peculiar às matas, provida de grandes acúleos no grosso tronco, folhas digitadas e enormes flores róseas, altamente ornamentais, e cujos frutos fornecem a paina; árvore-da-lã, árvore-da-paina, barriguda, paina-de-seda, paineira-branca, paineira-fêmea, paineira-rosa: "Neste retiro os longos dias passo, / Sem alegrias e sem dissabores, / Vendo as aves cruzarem-se no espaço / E as paineiras vestirem-se de flores." (Ricardo Gonçalves, *Ipês*, p. 37.) **2.** V. *saca-rolhas* (4).

paineira-branca [De *paineira* + o f. de *branco*.] *S. f. Bras. Bot.* V. *paineira* (1). [Pl.: *paineiras-brancas*.]

paineira-embiruçu *S. f. Bras. Bot.* V. *embiruçu* (1). [Pl.: *paineiras-embiruçus*.]

paineira-fêmea [De *paineira* + o f. de *fêmeo*.] *S. f. Bras. Bot.* V. *paineira* (1). [Pl.: *paineiras-fêmeas*.]

paineira-rosa *S. f. Bras. Bot.* V. *paineira* (1). [Pl.: *paineiras-rosas*.]

paineirense *Adj. 2 g.* **1.** De, ou pertencente ou relativo a Paineiras (MG). ● *S. 2 g.* **2.** O natural ou habitante de Paineiras.

painel[1] [Do esp. *painel*.] *S. m.* **1.** V. *quadro* (3): "Na sala de jantar, um pouco sombria, ... escurecida ainda por dois antigos painéis de paisagem tristonha, a mesa oval .... ressaltava alva e fresca" (Eça de Queirós, *Os Maias*, II, p. 73). **2.** Almofada de portas ou janelas. **3.** Relevo arquitetônico em feitio de moldura, sobre um plano. **4.** Qualquer obra artística ou decorativa que recobre uma parede ou parte dela: *painel fotográfico*; *painel de mosaico*. **5.** Tabique móvel ou fixo us. em museus ou salas de exposição. **6.** A parte visível das fechaduras não embutidas na espessura das portas. **7.** Quadro (5) onde se encontram os instrumentos de controle de uma instalação ou de um motor: *o painel de um avião; o painel de uma rede elétrica; O painel dos automóveis está localizado abaixo do para-brisa.* [Sin. (lus.), nesta acepç.: *tablier*.] **8.** Quadro onde se penduram chaves, ferramentas, etc. **9.** *Fig.* Visão, quadro, panorama: *A Dolce Vita, de Fellini, é um painel de mortandade.* **10.** *Market.* Quadro com mensagem publicitária, ger. pintada sobre suporte de material durável. [Cf., nesta acepç., *back-light*.] [Pl.: *painéis*.] ◆ **Painel da popa.** *Constr. Nav.* **1.** Parte superior da popa, acima da almeida (q. v.), nos navios de popa quadrada. **2.** Parte larga e plana das embarcações miúdas de popa quadrada, presa ao cadaste, e onde se vão encaixar os topos das tábuas do costado. **Painel de projeção.** Equipamento eletrônico que, acoplado a computador e colocado sobre retroprojetor, permite a projeção em tela das imagens do monitor de vídeo. [Cf. *projetor multimídia*.]

painel[2] [Do ingl. *panel*.] *S. m.* Reunião em que uma mesa, constituída por personalidades ou especialistas, apresenta pontos de vista a respeito de um tema, a fim de serem debatidos pelo plenário: "Painel discute preços cobrados pela mídia" (*Folha de S.Paulo*, 18.07.1985).

painelense *Adj. 2 g.* **1.** De, ou pertencente ou relativo a Painel (SC). ● *S. 2 g.* **2.** O natural ou habitante de Painel.

painelista [De *painel*[1] + *-ista*.] *S. 2 g.* **1.** Aquele que pinta painel[1] (4). **2.** Aquele que, em obra literária, cinematográfica, etc., traça o panorama de uma época, de um acontecimento.

painense (a-i) *Adj. 2 g.* **1.** De, ou pertencente ou relativo a Pains (MG). ● *S. 2 g.* **2.** O natural ou habitante de Pains.

painho [De *paio* + *-inho*[1].] *S. m. Lus. Cul.* Embutido de carne de porco magra, temperada com alho e pimentão.

pai-nosso *S. m. Rel.* **1.** Oração de origem cristã que principia com essas palavras. **2.** *P. ext.* Cada uma das contas maiores do rosário, que indicam o número de vezes em que se há de rezar esta oração. [Sin. ger.: *padre-nosso*. Pl.: *pais-nossos*.]

➔ **paintball** ['pejnt͵bɔl] [Ingl.] *S. m.* Jogo em que duas equipes simulam disputar uma guerra, ger. ao ar livre, empregando como armas pequenos rifles de repetição, a ar comprimido, que atiram bolinhas macias, cheias de tinta colorida.

paio [Do antr. galego *Payo*.] *S. m.* **1.** Carne de porco ensacada em tripa de intestino grosso; linguiça de padre. **2.** *Bras. S.* Indivíduo toleirão, bobalhão, crédulo em demasia. ● *Adj.* **3.** *Bras. S.* Diz-se de paio (2).

paiol [De *paiol*, f. dialetal do cat., em lugar de *pallol*.] *S. m.* **1.** Depósito de pólvora e de outros petrechos de guerra. **2.** *Constr. Nav.* Qualquer compartimento destinado à guarda ou ao armazenamento de materiais ou gêneros de qualquer espécie: *paiol de amarra; paiol de sobressalentes; paiol de mantimentos; paiol de munição.* **3.** *Bras.* Armazém para depósito de gêneros da lavoura. **4.** *Bras. MG SP* Depósito ou tulha de milho ou de outros cereais. **5.** *Bras. BA* Monte de cascalho. [Pl.: *paióis*.]

paioleiro [De *paiol* + *-eiro*.] *S. m.* **1.** Guarda do paiol. **2.** *Bras.* Cafuleteiro.

paiote [De *paio* + *-ote*[1].] *S. m. Lus. Cul.* Paio (1) alentejano, grosso.

pai-pedro (ê) *S. m. Bras. AM Zool.* V. *tico-tico-do-mato* (1). [Pl.: *pais-pedros* e *pai-pedros* (ê).]

paiquicé *Bras. S. 2 g.* **1.** *Etnôn.* Indivíduo dos paiquicés, povo indígena extinto que habitava o PA. ● *Adj. 2 g.* **2.** Pertencente ou relativo a esse povo. [Tb. us. como *s. 2 g. e 2 n.* (com cap.) e *adj. 2 g. e 2 n.*]

pairado [Part. de *pairar*.] *Adj.* Que pairou. ~ V. *voo —*.

pairador (ô) [De *pairar* + *-dor*.] *Adj.* Que paira; pairante.

pairante [De *pairar* + *-nte*.] *Adj. 2 g.* Pairador.

pairar [Do lat. *pariare*, 'ser igual', pelo provenç. *pairar*, 'aguentar', 'suportar', 'pacientar'.] *V. int.* **1.** Cruzar (uma embarcação) em espaço relativamente restrito, com pequeno seguimento. **2.** Adejar sem sair do mesmo sítio: "Subir, pairar, mais alto ainda" (Martins Fontes, *Vulcão*, p. 116); "Os abutres cruéis pairavam lentamente / A farejar-lhe o corpo" (Guerra Junqueiro, *A Velhice do Padre Eterno*, p. 31). **3.** Voar vagarosamente. **4.** Mover-se ou agitar-se com lentidão no alto: *Pairam nuvens espessas*; "uma névoa subtil pairava sobre os pântanos." (Coelho Neto, *Treva*, p. 322); "Paira no silêncio do espaço a alma das gerações mortas." (Afonso Arinos, *Histórias e Paisagens*, p. 98). **5.** Estar iminente; ameaçar: *A situação é má: pairam graves perigos.* **6.** Estar ou ficar no alto, sobranceiro: *Nuvens de fumaça pairavam; Sua nobreza paira acima das perfídias*; "O mistério do tempo parecia pairar sobre a noite" (José Condé, *Tempo Vida Solidão*, p. 63). *T. i.* **7.** Hesitar, vacilar: *Pairava entre as duas opções.* *T. d.* **8.** *Desus.* Sofrer, padecer. **9.** Parar, suster, aguentar.

pairari [De or. indígena, poss.] *S. m. Bras. Zool.* V. *avoante*.

pairitiri *Bras. S. 2 g.* **1.** *Etnôn.* Indivíduo dos pairitiris, povo indígena extinto que habitava entre o rio Branco e a serra Parima (AM). ● *Adj. 2 g.* **2.** Pertencente ou relativo a esse povo. [Tb. us. como *s. 2 g. e 2 n.* (com cap.) e *adj. 2 g. e 2 n.*]

pairo [Dev. de *pairar*.] *S. m.* Ato ou efeito de pairar: "Aos pairos a cotovia, / Impaciente pela aurora, / Lá vai a chamar o dia, / Por esses espaços fora!" (Bulhão Pato, *Livro do Monte*, p. 128.)

pais [Pl. de *pai*.] *S. m. pl.* **1.** O pai e a mãe. **2.** Antepassados, ancestrais. [Cf. *país*.] ~ V. *pai*.

país [Do b.-lat. *page(n)se*, pelo fr. *pays*.] *S. m.* **1.** Região, terra, território: *Elegia do País das Gerais* [= o Estado de MG] (título de um livro do poeta Dantas Mota). **2.** Pátria, terra. **3.** Território habitado por uma coletividade, e que constitui uma realidade histórica e geográfica com designação própria; nação: *O Brasil tem fronteiras com todos os países da América do Sul exceto o Chile e o Equador; O escândalo abalou o país.* **4.** Meio, ambiente, clima: *Sentia-se fora de seu país, entre costumes estranhos.* **5.** *Fig.* Região, terra, lugar: *o país das quimeras; o país dos sonhos.* **6.** *Jur.* Território social, política, cultural e geograficamente delimitado, não confundindo-se com Estado, porque prescinde da noção de soberania ou governo independente. [Pl.: *países*. Cf. *pais*, pl. de *pai* e s. m. pl., e *Pais*, antr.] ◆ **País de opereta.** País pequeno, insignificante.

paisagem [Do fr. *paysage*.] *S. f.* **1.** Espaço de terreno que se abrange num lance de vista. **2.** Pintura, gravura ou desenho que representa uma paisagem natural ou urbana: *As paisagens de Ruysdael decortinam vastos horizontes.*

paisagismo [De *paisagem* + *-ismo*.] *S. m.* **1.** Representação de paisagens pela pintura ou pelo desenho. **2.** *Arquit.* Estudo dos processos de preparação e realização da paisagem como complemento da arquitetura. **3.** *Arquit.* Projeto paisagístico.

paisagista [Do fr. *paysagiste*.] *S. 2 g.* **1.** Pessoa que pinta ou descreve paisagens. **2.** Aquele que se dedica ao paisagismo (2 e 3); arquiteto paisagista. **3.** *Bras.* Pessoa que planeja e compõe paisagens decorativas de jardins e/ou parques; jardinista: "O paisagista Roberto Burle Marx reiterou suas denúncias contra a deturpação do projeto original do Parque do Flamengo." (*Jornal do Brasil*, 18.02.1981.) ● *Adj. 2 g.* **4.** Que pinta ou descreve paisagens: "Atravessávamos uma região que sempre inspirou pintores paisagistas" (Carlos de Gusmão, *Boca da Grota*, p. 333). ~ V. *arquiteto —*.

paisagística [F. subst. de *paisagístico*.] *S. f.* A arte do paisagista.

paisagístico [De *paisagem* + *-ist(a)-* + *-ico*[2].] *Adj.* **1.** Relativo a paisagem. **2.** *Arquit. Urb.* Relativo ao paisagismo (q. v.). ~ V. *projeto —*.

paisana [F. subst. do adj. *paisano*.] *El. s. f.* Us. na loc. adv. *à paisana*. ◆ **À paisana.** Em traje civil (referindo-se a militar).

paisanada [De *paisano* + *-ada*[1].] *S. f. Deprec.* **1.** Grupo ou conjunto de paisanos. **2.** Os paisanos.

paisanaria [De *paisano* + *-aria*.] *S. f.* Conjunto de paisanos; paisaneria.

paisaneria [De *paisano* + *-eria*; fr. *paysannerie*.] *S. f.* Paisanaria.

paisano [Do fr. *paysan*, 'camponês'.] *S. m.* **1.** Compatriota, compatrício, patrício. **2.** Indivíduo não militar. ● *Adj.* **3.** Que não é militar. **4.** *P. us.* Conterrâneo, compatriota.

paiseiro (a-i) [De *país* + *-eiro*.] *S. m. Bras. RS* Cavalo crioulo.

países-baixos [Do pl. de *país* + o pl. de *baixo*.] *S. m. pl. Joc.* As partes pudendas.

pais-landinense *Adj. 2 g.* **1.** De, ou pertencente ou relativo a Pais Landim (PI). ● *S. 2 g.* **2.** O natural ou habitante de Pais Landim. [Pl.: *pais-landinenses*.]

paiurá (ai-u) *S. m. Bras. Bot.* V. *pajurá*.

paivense *Adj. 2 g.* **1.** De, ou pertencente ou relativo a Paiva (MG). ● *S. 2 g.* **2.** O natural ou habitante de Paiva.

paixa [F. red. de *paixão*[1].] *S. f. Bras. Gír.* **1.** Paixão[1] (2): "desfalecente de 'paixa' por detrás do balcão da venda, sem ideia senão a de ver, em relance feliz, a rapariga, vivia o caixeiro estraçoado na boca remordaz do povo." (Alcides Maia, *Tapera*, p. 71). **2.** Enleio amoroso.

paixão[1] [Do lat. *passione*.] *S. f.* **1.** Sentimento ou emoção levados a um alto grau de intensidade, sobrepondo-se à lucidez e à razão: *Deixou-se vencer* *pela paixão; Resistiu à paixão.* 2. Amor ardente; inclinação afetiva e sensual intensa: *A paixão entre Romeu e Julieta nasceu de um rápido encontro.* 3. Afeto dominador e cego; obsessão: *A paixão pela filha impedia-o de ver as boas qualidades do futuro genro;* "a paixão do avaro às moedas" (Pina de Morais, *Sangue Plebeu*, p. 152). 4. Entusiasmo muito vivo por alguma coisa: *Dedicava-se ao aeromodelismo com paixão; Colecionava com verdadeira paixão moedas do período colonial.* 5. Atividade, hábito ou vício dominador: *a paixão da política, da maledicência, do jogo.* 6. O objeto da paixão (2, 3, 4 e 5): *Ana Amélia foi a grande paixão de Gonçalves Dias.* 7. Desgosto, mágoa, sofrimento: *A paixão causada pela morte da mulher quase o levou à loucura.* 8. Arrebatamento, cólera: *No auge da paixão destruiu quanto estava a seu alcance.* 9. Disposição contrária ou favorável a alguma coisa, e que ultrapassa os limites da lógica; parcialidade marcante; fanatismo, cegueira: *Galileu foi vítima da paixão de seus algozes.* 10. O martírio de Cristo e dos santos. 11. A parte do Evangelho que trata do martírio de Cristo. [Nessas duas últimas acepçs., escreve-se com cap.] 12. A expressão de sensibilidade ou entusiasmo do artista que se manifesta numa obra de arte; calor, emoção: *Portinari tem afrescos cheios de paixão; A Iracema, de Alencar, é obra de grande paixão.* 13. *Mús.* Gênero de cantata ou oratório religioso cujo tema são os acontecimentos que precederam e acompanharam a morte de Cristo, tal como se acham descritos nos quatro Evangelhos. 14. *Teatr.* Composição dramática baseada na vida de Cristo.

paixão[2] *S. f. Constr. Nav.* Forte olhal fixo na sobrequilha para segurar a braga da amarra.

paixoneta (ê) [De *paixão*[1] + *-eta* (ê), seg. o padrão erudito.] *S. f. Fam.* Pequena paixão amorosa; amorico.

paixonite [De *paixão*[1] + *-ite*[1], seg. o padrão erudito.] *S. f. Bras. Fam.* Grande paixão amorosa: *O rapaz estava sofrendo de paixonite aguda.* [Us. mais comumente seguido de *aguda*.]

pajamarioba [Do tupi.] *S. m. Bras. Bot.* V. *fedegoso-verdadeiro.*

pajana *S. 2 g. Adj. 2 g. Bras.* V. *pauxiana.*

pajão *S. m.* Instrumento de marnoto para alisar e comprimir a superfície dos montes de sal.

pajé [Do tupi.] *S. m.* 1. *Bras. Antrop.* Designação dada ao especialista ritual que, nas comunidades indígenas brasileiras, tem a atribuição ou o suposto poder de comunicar-se com as diversas potências e seres não humanos (espírito de animais, de pessoas mortas, etc.); xamã: "O tuxaua e o pajé .... guardam segredos invioláveis, só transmitidos aos substitutos na hora da morte." (Raimundo Morais, *País das Pedras Verdes*, p. 290.) 2. *Bras.* V. *mandachuva.* 3. *Bras. Amaz.* Benzedor, curandeiro. 4. *Bras. Amaz. Rel.* Chefe de pajelança. [Var.: *paié*.]

pajeada [De *pajem* + *-ada*[1], com desnasalação.] *S. f.* 1. A classe dos pajens; os pajens. 2. Porção de pajens.

pajear [De *pajem* + *-ar*[2], com desnasalação.] *V. t. d.* 1. Apajear. 2. *Bras.* Tomar conta de, vigiar (criança, e, p. ext., ironicamente, adulto). [Conjug.: v. *frear*.]

pajelança [De *pajé*.] *S. f. Bras. Rel.* Conjunto de atividades rituais realizadas por um pajé em determinada ocasião e com um fim específico, como cura, previsão de acontecimentos, propiciação de potências sobrenaturais, etc.

pajem [Do fr. ant. *page*, 'criado', 'aprendiz'.] *S. m.* 1. Moço nobre que, na Idade Média, acompanhava um príncipe, um senhor, uma dama, para se aperfeiçoar na carreira das armas e nas boas maneiras antes de ser armado cavaleiro. 2. Menino ou rapaz que outrora se punha a serviço de pessoa de alta categoria. 3. Cavaleiro que, nas touradas, transmite ordens. 4. *Ant.* Grumete encarregado da limpeza, em navios de guerra. 5. *Bras.* Criado que acompanha alguém em viagem a cavalo. 6. *Bras.* Menino que faz parte de um cortejo de casamento. ● *S. f.* 7. *Bras. MG SP* V. *ama-seca.*

pajeú [Do tupi.] *S. m.* 1. *Bras. Bot.* Árvore poligonácea (*Triplaris surinamensis*) de ampla dispersão e habitante das florestas, de folhas ovadas, agudas, flores pequenas e reunidas em amplas panículas terminais, e cujo fruto é uma noz pequena encimada pelo cálice muito ampliado, com seis enormes sépalas, sendo a madeira de pouco préstimo. Nas cavidades dos ramos se abrigam formigas. [Sin.: *taxi-preto*.] ● *S. f.* 2. *Bras. PE* Designação comum a instrumentos de cutelaria fabricados nos sertões de Pajeú. 3. *Bras. N.E.* Grande faca de ponta, de cabo de chifre, em forma de anéis, brancos e pretos; pajeuzeira. 4. *P. ext.* Faca de ponta. V. *lambedeira* (3).

pajeuzeira (e-u) [Do top. *Pajeú* + *-zeira*.] *S. f. Bras. CE Bot.* V. *pajeú* (3).

pajonal [Do esp. plat. *pajonal*.] *S. m. Bras. RS* 1. Terreno coberto de palha brava, santa-fé e outras gramíneas; capinzal. 2. Restolhal, restolhada.

pajualiene *Bras. S. 2 g.* 1. *Etnôn.* Indivíduo dos pajualienes [ou (etnôn. bras.) *Kuripaco, *Paku-Tapuya], povo indígena extinto, da família linguística aruaque, que habitava a região do rio Aiari. ● *Adj. 2 g.* 2. Pertencente ou relativo a esse povo.

pajuari [De or. caribenha.] *S. m. Bras.* Certa bebida excitante, us. pelos indígenas.

pajuçara [Do tupi.] *Adj. 2 g. Bras. N. N.E.* Muito grande; de grande corpo ou estatura.

pajurá [Do tupi.] *S. m. Bras. Amaz. Bot.* Árvore rosácea (*Couepia bracteosa*) comum nas florestas pluviais, cuja madeira, amarela, é dura, mas pouco durável, e cujo fruto é uma drupa dotada de mesocarpo carnoso, oleaginoso, doce e perfumado, apreciado pelo sabor agradável.

pajurarana [De *pajurá* + *-rana*.] *S. f. Bras. Amaz. Bot.* V. *copuda.*

■ **PAL** [Abrev. de *Phase Alternate Line*.] Sistema de transmissão de imagens em cores, adotado na maioria dos países da Europa. [Cf. *NTSC*.]

pala[1] [Do lat. *pala*, por via erudita.] *S. f.* 1. Engaste de pedra preciosa. 2. Peça que guarnece a parte inferoanterior da barretina ou boné de militares, etc. 3. Anteparo para proteger os olhos contra a claridade molesta. 4. Cartão quadrado, guarnecido de pano, com que o sacerdote cobre o cálice. 5. Parte lisa e recortada, ger. ajustada ao corpo, de vestido, saia, blusa ou calça, entre o ombro e parte da cava, entre a cintura e os quadris, ou entre a cintura e o busto. 6. Peça retangular móvel colocada na parte superior interna do para-brisa dos automóveis, que o motorista abaixa para evitar a incidência da luz direta do Sol. 7. Parte do sapato onde assenta a fivela. 8. Parte da polaina que cobre o pé. 9. Parte móvel de uma cartucheira, que serve para cobrir os cartuchos. 10. *Ant.* Manto us. pelas matronas romanas. 11. *Heráld.* Peça vertical que divide o escudo de alto a baixo. 12. *Pop.* Engano, peta, mentira. 13. *Bras. Pop.* V. *dica.* ◆ **Em pala.** Com a mão esticada e os dedos unidos, acima dos olhos, para protegê-los da claridade: "Chegando ao cume, botavam a mão em pala diante dos olhos, protegendo a vista contra o sol que chapeava nas pedras" (Fernando Sabino, *O Grande Mentecapto*, p. 221.)

pala[2] [De or. obscura.] *S. m. Bras. S.* Poncho leve, de brim, vicunha, merinó, ou até de seda, com as pontas franjadas. [Sin. (desus.): *balandrau*.] ◆ **Abrir o pala.** *Bras. S. Pop.* V. *fugir* (1 e 2).

palacete (ê) [De *paláç(io)* + *-ete* (ê).] *S. m.* 1. Palácio pequeno. 2. Casa suntuosa, grande. V. *palácio* (4).

palacianidade [De *palaciano* + *-(i)dade*.] *S. f.* Palacianismo.

palacianismo [De *palaciano* + *-ismo*.] *S. m.* Qualidade, modos ou hábitos de palaciano; palacianidade.

palaciano [De *palácio* + *-ano*[1].] *Adj.* 1. Respeitante a palácio; palatino. 2. Próprio de quem vive na corte; cortesão: *costumes palacianos.* 3. *Bras. SP Pop.* Delicado, cortês. ● *S. m.* 4. Cortesão, áulico.

palácio [Do lat. *palatiu*, por via semierudita.] *S. m.* 1. Residência de um monarca, de um alto dignitário eclesiástico, de um chefe de governo: *palácio real; palácio episcopal; palácio presidencial.* 2. *P. ext.* Residência de família nobre ou pessoa importante. 3. Sede dum governo, duma administração, dum tribunal, etc.: *o palácio da Prefeitura; o palácio da Câmara.* 4. Construção ampla e aparatosa; edifício suntuoso. [Dim. irreg.: *palacete*. Cf. *paço*.] ◆ **Palácio de Armida.** Lugar de delícias; jardins de Armida: "Perdoai a banalidade do encontro e do lugar; não vos hei de inventar um palácio de Armida, nem a própria Armida [linda feiticeira da *Jerusalém Libertada*, de Torquato Tasso]." (Machado de Assis, *Contos Avulsos*, p. 245.)

paladar [Do lat. vulg. **palatare* < *palatum*, 'palato', 'céu da boca'.] *S. m.* 1. *Anat.* V. *palato* (1). 2. V. *gosto* (1). 3. *Fig.* V. *sabor* (2).

paladim *S. m.* V. *paladino*: "Farão ressuscitar os nobres condestáveis, / Os vultos fantasmais dos paladins e heróis" (Martins Fontes, *Verão*, p. 69).

paladinar [De *paladino* + *-ar*[2].] *V. int.* Proceder como paladino; lutar, combater.

paladínico [De *paladino* + *-ico*[2].] *Adj.* 1. Relativo a, ou próprio de paladino. 2. Esforçado; temerário.

paladino [Do b.-lat. galicano *palatinu*, pelo it. *paladino*.] *S. m.* 1. Cada um dos principais cavaleiros que acompanhavam o Imperador Carlos Magno [v. *carolíngio* (1)] na guerra. 2. Cavaleiro andante. 3. *Fig.* Homem de grande bravura; defensor estrênuo; campeão: *José do Patrocínio foi um paladino da Abolição;* "embora o animasse [a D. Pedro I] o desejo de transpor o mar para fazer-se paladino do constitucionalismo em Portugal, tentou ainda em 1831 (19 de março) um último esforço de reconciliação" (Euclides da Cunha, *À margem da História*, p. 253). [Var.: *paladim*.]

paládio [Do gr. *palládion*, estátua de Palas Atena, que protegia Troia, pelo lat. *palladiu*.] *S. m.* 1. Estátua de Palas Atena, deusa das artes e da sabedoria, venerada em Troia. 2. *Fig.* Salvaguarda, proteção, garantia. 3. *Quím.* Elemento de número atômico 46, metálico, branco-prateado, denso, us. em ligas e em laboratório [símb.: *Pd*].

palafita [Do it. *palafitta*, 'paus fixados'.] *S. f.* 1. Estacaria que sustenta as habitações lacustres. 2. Designação comum a essas habitações: "O homem que nele habita [no vale amazônico], na parte mais baixa, mantém-se, o pobre, nas estacas de palafitas como seus irmãos nas lagunas da pré-história." (Alberto Rangel, *Papéis Pintados*, p. 231.) ~ V. *palafitas.*

palafitas [Pl. de *palafita*.] *S. f. pl.* Ruínas de povoações lacustres dos homens pré-históricos. ~ V. *palafita.*

palafítico [De *palafita* + *-ico*[2].] *Adj.* Relativo a palafitas.

palafrém [Do lat. tard. *paraveredu*, 'cavalo de posta', pelo cat. *palafrè* (< fr. ant. *palefrei*).] *S. m.* 1. Cavalo de parada dos reis e dos nobres, na Idade Média. 2. Cavalo elegante, esp. destinado a senhoras: "Atanagildo dirigiu-lhe [à dama] algumas palavras em voz submissa e, tomando as rédeas do palafrém, guiou-o para uma porta contígua ao frontispício da igreja." (Alexandre Herculano, *Eurico, o Presbítero*, p. 128.) 3. *P. ext.* Qualquer cavalo.

palafreneiro [De *palafrém* + *-eiro*, seg. o padrão erudito.] *S. m.* 1. Moço de libré que tratava do palafrém ou o conduzia à mão. 2. Cavalariço.

palagonita [Do top. *Palagônia* + *-ita*[3].] *S. f. Min.* Vidro vulcânico basáltico alterado, de cor amarela ou alaranjada, encontrável nos terrenos vulcânicos da Palagônia, na Sicília (Itália).

palagonito [Do top. *Palagônia* + *-ito*[3].] *S. m. Min.* Tufo semelhante a arenito, composto de numerosos grãos ou fragmentos de palagonita, vidro basáltico alterado, além de fragmentos de augita e olivina, e micrólitos de plagioclásio.

palaiê [Do forro[2].] *S. f. Santom.* Mulher que vende peixe, hortaliça, fruta, etc., no mercado: "Ouviam-se latidos de cães ladrando aos transeuntes madrugadores, às palaiês ajoujadas sob pesadas cargas a caminho da cidade" (Sacramento Neto, *Milongo*, p. 19).

palamalhar [Alter. de *palamalho* < it. *pallamaglio*.] *S. m.* Espécie de jogo de bola ou de bilhar; palamalho.

palamalho *S. m.* Palamalhar.

palamedeídeo [Do tax. *Palamedea* (do mit. gr. *Palamédes*, 'herói da guerra de Troia, célebre por seu espírito inventivo') + *-ídeo*[1]; tax. *Palamedeidae*.] *S. m. Adj. Zool.* V. *anhimídeo.*

palamedeiforme [Do tax. *Palamedea* (v. *palamedeídeo*) + *-iforme*; tax. *Palamedeiformes*.] *Zool. S. m.* 1. Espécime dos palamedeiformes, para alguns autores, ordem de aves neórnites, neógnatas, com cauda, dedos livres, ordinários, dispostos três para a frente e um para trás, tarso reticulado, pernas fortes, de comprimento médio, e um tubo membranáceo na cabeça. São as anhumas e os unicórnios. ● *Adj. 2 g.* 2. Pertencente ou relativo a eles.

palamenta [Do esp. *palamenta*.] *S. f. Mar.* 1. Conjunto de objetos acessórios indispensáveis, nas condições normais, à utilização de uma embarcação miúda, ao serviço de rancho, etc.: "Impelida a canoa para o mar sobre dois pequenos rolos de madeira, ... após isso embarcávamos a palamenta indispensável (remos, leme e velas) e largávamos a sulcar a baía" (Virgílio Várzea, *Histórias Rústicas*, p. 89). 2. Instrumental necessário ao serviço de uma boca de fogo.

➔ **palam et publice** ['palaet 'publeke] [Lat.] Aberta e publicamente.

pálamo [Do lat. cient. *palama*, com mud. de gênero.] *S. m. Zool.* Membrana entre os dedos de algumas aves, reptis e mamíferos.

palanca[1] [Do esp. *palanca*.] *S. f.* 1. Estacaria, coberta de terra, construída para defesa e us. em manobras militares; palanque: "as estacas podres da palanca espreitam das represas mortas." (José Cardoso Pires, *Jogos de Azar*, p. 185). 2. Estaca (1). 3. Instrumento para alisar e estanhar, us. pelos caldeireiros.

palanca[2] [De or. afric.] *S. f. Zool.* Antílope (*Hippotragus equinus* [v. *hipótrago*]) de longos chifres curvos, que habita as planícies africanas: "uma palanca jovem demais .... que o Damião observava com pena, não lhe conservou a pele nem os chifres" (Lobo Antunes, *O Esplendor de Portugal*, p. 271).

palancada [De *palanque* + *-ada*[1].] *S. f.* Reunião de palanques.

palanca-preta [De *palanca*[2] + o f. de *preto*.] *S. f. Zool.* Antílope (*Hippotragus niger* [v. *hipótrago*]) dotado de armação belíssima, que habita região planáltica de Angola (África); está, atualmente, ameaçado de extinção. [Pl.: *palancas-pretas*.]

palanfrório [Alter. de *palavrório*.] *S. m.* V. *palavreado.*

P

palangana [Do esp. *palangana*.] *S. f.* **1.** Tabuleiro de barro ou de metal onde se serviam os assados. **2.** Grande tigela. **3.** *Bras. N. N.E.* Xícara muito grande.

palanque [De *palanca*, poss.] *S. m.* **1.** Estrado com degraus, para espectadores de festas ao ar livre; tablado. **2.** Palanca (1). **3.** *Bras. SP a RS* Tronco ou esteio grosso e forte que se finca no chão e ao qual se prende o cavalo para o domar, encilhar, ou tratá-lo de bicheira. ◆ **De palanque.** Presente a discussão, luta, etc., sem contudo nela(s) se envolver: "E o Carlos [Carlos Lacerda (v. *lacerdista*)].... ficou de palanque assistindo ao incidente entre o advogado e o juiz." (Evandro Lins e Silva, *O Salão dos Passos Perdidos*, p. 284.)

palanqueação [De *palanquear* + *-ção*.] *S. f. Bras. S.* Ato ou operação de palanquear; palanqueio.

palanqueador (ô) [De *palanquear* + *-dor*.] *Adj. Bras. S.* Que palanqueia; palanqueiro.

palanquear [De *palanque* + *-ear*².] *V. t. d. Bras. S.* Prender (o potro) no palanque, com o fim de o encilhar, domar, ou tratá-lo de bicheira. [Conjug.: v. *frear*.]

palanque de banhado *S. m. Bras. S.* Indivíduo sem firmeza de convicções. [Pl.: *palanques de banhado*.]

palanqueio [Dev. de *palanquear*.] *S. m. Bras. S.* Palanqueação.

palanqueiro [De *palanque* + *-eiro*.] *S. m.* **1.** Construtor de palanques. ● *Adj.* **2.** *Bras. S.* Palanqueador. **3.** *Bras. S.* Diz-se do animal que, rebelde, tem de viver sempre palanqueado.

palanqueta (ê) [De *palanca* + *-eta* (ê).] *S. f. Ant.* Barra de ferro, terminada por duas balas fixas, que era lançada por peças de artilharia, e empregada esp. nos combates navais.

palanquim [Do hindustâni *palaki* < sânscr. *paryankah*, 'cama'.] *S. m.* **1.** Espécie de liteira usada na Índia e na China: "uma imperatriz .... que acolhia os amantes nas colgaduras do seu palanquim doirado, suspenso nos ombros de vinte e quatro escravos!..." (Gonzaga Duque, *Mocidade Morta*, p. 45). **2.** Cada um dos homens que conduzem a liteira. **3.** Rede suspensa a um varal por duas pontas, destinada a conduzir uma pessoa deitada ou sentada.

palaque *S. m. Bras. MG S.* Variedade de cincerro.

palatabilidade [De *palatável* + *-(i)dade*, seg. o padrão erudito.] *S. f.* Qualidade de palatável: "Ele [o sal] é considerado um nutriente, como fornecedor de sódio e cloro, e também um condimento, melhorando a palatabilidade do alimento" (Oto Mack Junqueira, em *O Estado de S. Paulo*, 26.10.1983).

palatal [De *palato* + *-al*¹.] *Adj. 2 g.* **1.** Relativo ou pertencente ao palato; palatinal, palatino². ~ V. *consoante* — e *vogal* —. ● *S. f.* **2.** *E. Ling.* Consoante palatal (q. v.). **3.** *E. Ling.* Vogal palatal (q. v.).

palatalização [De *palatalizar* + *-ção*.] *S. f. E. Ling.* Na produção de uma consoante, articulação secundária (q. v.) caracterizada pela elevação da língua em direção ao palato duro; palatização.

palatalizado [Part. de *palatalizar*.] *Adj. E. Ling.* Em que houve palatalização; palatizado.

palatalizar [De *palatal* + *-izar*.] *V. t. d. E. Ling.* Tornar palatal (som), por influência do contexto; palatizar. [Na passagem do latim ao port., p. ex., a consoante /l/ em *aliu* palatalizou-se por influência do /i/, gerando o port. *alho*.]

palatável [Do ingl. *palatable*.] *Adj. 2 g.* **1.** Que é grato ao paladar ou gosto; que sabe bem. **2.** *Fig.* Aceitável, tolerável: "Seu papel [o de Getúlio Vargas] era corrigir os excessos, tornar a coisa palatável ao país e útil ao exercício real do seu domínio." (Gilberto Amado, *Depois da Política*, pp. 1-2.)

palatiforme [De *palat(o)-* + *-iforme*.] *Adj. 2 g.* Em forma de palato.

palatina [Do pros. *Palatina*, de Carlota da Baviera, cunhada de Luís XIV de França.] *S. f.* Peliça que as senhoras usam, pelo inverno, sobre os ombros e ao pescoço.

palatinado [De *palatino*² + *-ado*².] *S. m.* **1.** Dignidade de palatino¹. **2.** Região dominada por um palatino¹. **3.** Cada uma das antigas províncias polonesas. **4.** Domínio de conde palatino.

palatinal [De *palatino*² + *-al*¹.] *Adj. 2 g.* V. *palatal* (1).

palatinização [De *palatinizar* + *-ção*.] *S. f.* Ação ou efeito de palatinizar: "O latifundiário senhor feudal .... é vencido pelo burguês mercador, pelo *trading-man*; de aí a urbanização e a palatinização da nobreza e a formação das metrópoles tentaculares." (Sílvio Lima, *Ensaio sobre a Essência do Ensaio*, p. 42.)

palatinizar [De *palatino* + *-izar*.] *V. t. d.* **1.** Tornar palatino¹ ou palaciano. **2.** Construir, edificar palácios; dotar com palácios.

palatino¹ [Do lat. *palatinu*.] *Adj.* **1.** Do, ou relativo ou pertencente a palácio. **2.** Palaciano (1). **3.** Dizia-se de um nobre incumbido de qualquer serviço no palácio de um soberano: "Um conde palatino .... embarcou para Mira, a fim de saber do prefeito e do bispo se estavam dispostos a dar as relíquias preciosas, a pedido do Imperador" (Gustavo Barroso, *Livro dos Milagres*, p. 64). ~ V. *conde* —. ● *S. m.* **4.** Príncipe ou senhor que tinha palácio e administrava justiça. **5.** Governador de província polonesa. **6.** Antigo título daqueles que tinham emprego no palácio dum príncipe.

palatino² [De *palato* + *-ino*¹.] *Adj.* **1.** V. *palatal* (1). ~ V. *abóbada —a, osso —, tonsila —a, úvula —a* e *véu —*. ● *S. m.* **2.** *Anat.* V. *osso palatino*.

palatite [De *palat(o)-* + *-ite*¹.] *S. f. Patol.* Inflamação do palato.

➔ **palatium** [pa'lateo(m)] [Lat.] *S. m. Teatr.* No teatro medieval, mansão (q. v.) que representava um palácio, literal ou alegoricamente.

palatização [De *palatizar* + *-ção*.] *S. f. E. Ling.* Palatalização.

palatizado [Part. de *palatizar*.] *Adj. E. Ling.* Palatalizado.

palatizar [De *palat(o)-* + *-izar*.] *V. t. d. E. Ling.* Palatalizar.

palato [Do lat. *palatu*.] *S. m. Anat.* A abóbada que separa a cavidade oral das cavidades nasais; abóbada palatina, paladar. ◆ **Palato duro.** *Anat.* Porção óssea que forma, superiormente, os dois terços anteriores do palato. **Palato mole.** *Anat.* Lâmina musculomembranosa, móvel, com formato que lembra quadrilátero, e que se inicia a partir da borda posterior do palato duro, estando sua borda inferior, livre e flutuante, acima da base da língua. [Sin.: *véu do paladar, véu palatino*.]

▲ **palat(o)-** [Do lat. *palātum, i*.] *El. comp.* = 'palato', 'abóbada palatina': *palatite, palatoplastia*. [Equiv.: *-palat(o)-*: *maxilopalatal*.]

▲ **-palat(o)-** Equiv. de *palat(o)-*.

palatoalveolar [De *palat(o)-* + *alvéolo* + *-ar*¹.] *Adj. 2 g.* **1.** ~ V. *consoante* —. ● *S. f.* **2.** *E. Ling.* Consoante palatoalveolar (q. v.).

palatofaríngeo [De *palat(o)-* + *-faring(o)-* + *-eo*.] *Adj. Anat.* Relativo ou pertencente ao palato e à faringe.

palatolabial [De *palat(o)-* + *lábio* + *-al*¹.] *Adj. 2 g. Anat.* Relativo ao palato e a(os) lábio(s).

palatolingual [De *palat(o)-* + *língua* + *-al*¹.] *Adj. 2 g. Anat.* Relativo ao palato e à língua.

palatoplastia [De *palat(o)-* + *-plast(o)-* + *-ia*¹.] *S. f. Cir. Plást.* Reconstrução cirúrgica do palato.

palatoplástico [De *palatoplastia* + *-ico*².] *Adj. Cir. Plást.* Relativo à palatoplastia.

palatoplegia [De *palat(o)-* + *-pleg-* + *-ia*¹.] *S. f. Neur.* Paralisia do véu palatino.

palatoplégico [De *palatoplegia* + *-ico*².] *Adj.* Referente à palatoplegia.

palau [Do top. *Palau*, república do oceano Pacífico.] *S. m. Gloss.* V. *palauano* (3).

palauano [Do top. *Palau*, república do oceano Pacífico, + *-ano*¹.] *Adj.* **1.** Das, ou pertencente, ou relativo às ilhas Palau, atual República de Palau ou Belau (oceano Pacífico). ● *S. m.* **2.** O natural ou habitante da República de Palau. **3.** *Gloss.* Língua austronésia do grupo malaio-polinésio falada nessas ilhas e também na ilha de Guam; palau. [Sin. ger.: *belauano*.]

palavi *S. m. Adj. 2 g.* V. *pálavi*.

paláví *S. m. Adj. 2 g.* V. *pálavi*.

pálavi [Do persa *pahlavi*.] *S. m.* **1.** *Gloss.* O persa falado entre os séculos III e IX d. C; persa médio. **2.** *Gloss. Restr.* A língua da literatura zoroástrica dos séculos III a VII d. C. **3.** *Graf.* Escrita persa, adaptada do alfabeto aramaico, us. principalmente, nos textos sagrados persas pré-islâmicos. ● *Adj. 2 g.* **4.** Pertencente ou relativo a pálavi (1 a 3). [F. paral.: *paláví* e *palavi*.]

palavra [Do gr. *parabolé*, pelo lat. *parabola*.] *S. f.* **1.** *E. Ling.* Unidade mínima com som e significado que pode, sozinha, constituir enunciado; forma livre. **2.** Unidade pertencente a uma das grandes classes gramaticais, como, p. ex., substantivo, verbo, adjetivo, advérbio, abstraídas as diferentes realizações (marcas flexionais) que ela possa apresentar; lexema. [Quando referimos um verbo como *amar*, temos em mente não apenas o infinitivo, tomado aí como forma de citação, mas todas as demais formas da conjugação.] **3.** *E. Ling.* V. *palavra gramatical*. **4.** Nas escritas modernas, unidade constituída por grafemas, delimitada por espaços em branco e/ou sinais de pontuação. **5.** Alta expressão do pensamento; verbo. **6.** Grupo de palavras; frase(s): "Concluindo o livro de Iracema, escreveu Alencar esta palavra melancólica: 'A jandaia cantava ainda no olho do coqueiro, mas não repetia já o mavioso nome de *Iracema*'." (Machado de Assis, *Páginas Recolhidas*, p. 131.) **7.** Faculdade de expressar ideias por meio de sons articulados; fala: "De todas as artes a mais bela, a mais expressiva, a mais difícil, é sem dúvida a arte da palavra." (Latino Coelho, *A Oração da Coroa*, p. XVII.) **8.** Modo de ver; opinião, afirmação, asserto. **9.** Alocução, oração, discurso: *A palavra de Rui Barbosa fez-se ouvir com interesse na Conferência de Haia.* **10.** Doutrina (1): *a palavra de Cristo; a palavra de Buda.* **11.** Promessa verbal: *A palavra desse negociante merece a maior confiança;* "Palavra de rei não volta atrás" (prov.). **12.** Permissão ou direito de falar: *O presidente negou a palavra aos deputados não inscritos.* **13.** Maneira de falar: *É um mineiro de palavra mansa.* **14.** *Inform.* O maior segmento de dados que um computador é capaz de manipular (processar, transmitir através do barramento (2) interno, armazenar na memória principal ou num registrador, etc.) com uma única operação. [Há diversos tamanhos convencionais; os mais comuns são os de 16, 32 ou 64 bits.] ● *Interj.* **15.** Exclamação peremptória: *Palavra! não estou mentindo.* ~ V. *palavras*. ◆ **Palavra de conteúdo.** *E. Ling.* Palavra lexical (q. v.). **Palavra de honra.** Protesto verbal que afirma a realização de promessa. **Palavra de rei.** Promessa que será seguramente cumprida; afirmação incontestável. **Palavra entrecruzada.** *E. Ling.* Formação vocabular que resulta da combinação de palavras, ou da parte inicial de uma palavra com a parte final de outra; amálgama. [P. ex.: *show-mício* < *show* + *comício*.] **Palavra erudita.** *E. Ling.* A que é tomada por empréstimo diretamente às línguas clássicas, não apresentando assim mudança fonética; cultismo, eruditismo; *mot savant*. **Palavra estrutural.** *E. Ling.* V. *palavra funcional*. **Palavra funcional.** *E. Ling.* Palavra cujo significado expressa relações gramaticais, como, p. ex., as conjunções; palavra gramatical, palavra estrutural, palavra vazia. [Cf. *palavra lexical*.] **Palavra gramatical.** *E. Ling.* **1.** Determinada unidade de um paradigma gramatical; palavra morfossintática. [Tb. se diz apenas *palavra*.] [No português padrão do Brasil, *amamos* representa duas palavras gramaticais diferentes: a primeira pessoa do plural do presente do indicativo de *amar*, e a primeira pessoa do plural do pretérito perfeito do mesmo lexema.] **2.** V. *palavra funcional*. **Palavra lexical.** *E. Ling.* Aquela cujo significado refere o mundo biossocial; palavra de conteúdo. [Cf. *palavra funcional*.] **Palavra morfossintática.** *E. Ling.* V. *palavra gramatical*. **Palavra reservada.** *Inform.* Palavra-chave (3). **Palavra semestral.** *Maç.* Palavra concedida pelo grão-mestre às lojas, a cada seis meses, sendo, então, em cada uma delas, transmitida de modo especial (v. *cadeia de união*), provando a regularidade da loja e do obreiro. **Palavras cruzadas.** Espécie de charada em que, achando a palavra que resume uma das definições dadas, o cruzadista a inscreve na conveniente fileira ou coluna de um desenho quadriculado, de tal modo que cada letra de uma palavra horizontal entre na composição de outra palavra vertical. **Palavra semierudita.** *E. Ling.* A que é tomada por empréstimo diretamente às línguas clássicas, apresentando, entretanto, pequena adaptação fonética; semicultismo, semieruditismo. **Palavra vazia.** *E. Ling.* V. *palavra funcional*. **Cortar a palavra a.** Impedir que continue a falar. **Dar a palavra a. 1.** Permitir (o presidente duma assembleia) que alguém fale. **2.** Assegurar o cumprimento de uma promessa. **De palavra.** Que cumpre aquilo que promete: *pessoa de palavra*. **Empenhar a palavra.** Obrigar-se por promessa. **Em quatro palavras.** Com brevidade; brevemente, laconicamente. **Medir as palavras.** Atentar bem no que diz; falar com prudência; pesar as palavras. **Molhar a palavra.** Beber vinho ou outra bebida espirituosa. **Não dar uma palavra.** Abster-se de falar; calar(-se). **Passar a palavra.** Convidar a falar, permitir que outra pessoa fale logo depois de se ter falado. **Pedir a palavra.** Solicitar permissão para falar numa assembleia. **Pegar na palavra.** Dispor-se a exigir o cumprimento do prometido. **Pesar as palavras.** Medir as palavras. **Santas palavras. 1.** Exclamação proferida por alguém que ouve, enfim, palavras que desejava ouvir. **2.** Exclamação de quem ouve dizer, afinal, que chegou a hora de comer ou de beber. **Ser a última palavra em.** Ser o que há de mais moderno, mais avançado, mais perfeito, em: *Paris ainda é a última palavra em moda feminina;* "cadeiras de encosto reto que eram a última palavra em móveis de escritório." (Osvaldo França Júnior, *Um Dia no Rio*, p. 12). **Ter palavra.** Cumprir o que promete. **Ter a palavra.** Ser autorizado a falar, numa assembleia. **Ter a palavra fácil.** Ter desembaraço para fazer discursos, para falar; ter o dom da palavra: "Tinha a palavra fácil e rápida, boa tonalidade vocal, mímica expressiva, a metáfora apropriada e principalmente o gosto de ensinar." (Pedro Nava, *O Círio Perfeito*, p. 524.) **Tirar a palavra da boca de.** Antecipar-se em declarar o que ia ser dito por (outra pessoa). **Última palavra.** Palavra, opinião, resolução definitiva, irrevogável: *Já dei a última palavra sobre o caso.*

palavração [De *palavrar (palavra + -ar*²) + *-ção*.] *S. f.* Método de aprender a ler palavra por palavra.

palavra-chave *S. f.* **1.** Palavra que encerra o significado global de um contexto, ou que o explica e identifica:

A palavra-chave deste romance é angústia. 2. Palavra que serve para identificar, numa coleção classificada de informações (como catálogos de livros ou de artigos, listagens, arquivos de computador, etc.), elementos que tenham entre si algum parentesco ou que pertençam a um mesmo grupo. 3. *Inform.* Em uma linguagem de programação, palavra que tem função predeterminada (como, p. ex., representar instrução ou definir parâmetro de controle para o compilador) e que não pode ser utilizada como rótulo ou identificador de constante, variável, rotina, etc.; palavra reservada. [Pl.: *palavras-chaves* e *palavras-chave.*]

palavrada [De *palavra* + *-ada*[1].] ***S. f.*** 1. V. *palavrão* (1 e 3): "Ao contrário do imperador Francisco José d'Áustria, que adorava as anedotas picarescas e os casos sujos, tinha meu pai horror às palavradas, tão portuguesas de lei" (Oliveira Lima, *Memórias*, p. 7). 2. Bravata, fanfarronada.

palavra-filtro ***S. f.*** *Inform.* Máscara (26). [Pl.: *palavras-filtros* e *palavras-filtro.*]

palavra-guia ***S. f.*** Cada uma das palavras colocadas na cabeça da página de obras de referência, e que repete a primeira e a última entrada da página, visando a facilitar a consulta à obra. [Pl.: *palavras-guias* e *palavras-guia.*]

palavrão [De *palavra* + *-ão*[1].] ***S. m.*** 1. Palavra obscena ou grosseira; palavrada, pachouchada. 2. Palavra grande e difícil de pronunciar. 3. *P. ext.* Termo enfático ou empolado; palavrada.

palavra-ônibus ***S. f.*** *E. Ling.* Aquela que tem larguíssimo número de acepções, prestando-se, dentro de uma certa faixa, à expressão de numerosíssimas ideias. Ex.: *bacana* (q. v.), *legal* (q. v.), que exprimem, praticamente, todas as ideias apreciativas. [Pl.: *palavras-ônibus.*]

palavras [Pl. de *palavra.*] ***S. f. pl.*** Promessas vãs, enganosas. ~ V. *palavra.*

palavreado [De *palavrea*r + *-eado.*] ***S. m.*** 1. Conjunto de palavras com pouco ou nenhum nexo e importância: "Falava-se nas 'raivas do ciúme, ... nas noites de luar, nos suspiros da saudade', todo o palavreado mórbido do sentimentalismo lisboeta." (Eça de Queirós, *O Primo Basílio*, p. 228.) [Sin.: *bacharelice, bagaçada, bagaceira, conversa, parlenda, palavrório, palanfrório* e (bras., S.) *bocagem.*] 2. Loquacidade de astuciosa: "aos quinze julgava-se desiludida e sonhava com o túmulo; aos vinte, como é natural, sucumbiu ao palavreado de um primo em segundo grau" (Aluísio Azevedo, *Casa de Pensão*, p. 158). [Sin.: *lábia, conversa, palavrório, palanfrório* e (bras., S.) *bocagem.*]

palavreador (ô) [De *palavrear* + *-dor.*] ***Adj. S. m.*** Que, ou aquele que palavreia.

palavrear [De *palavra* + *-ear*[2].] ***V. int.*** 1. Falar sem moderação e com leviandade; tagarelar, parolar: "Não bebia e nem ficava, como muitos, palavreando e debicando da vida dos mais." (Nélson de Faria, *Bazé*, p. 116.) ***T. i.*** 2. Dirigir a palavra; falar: "E, enquanto palavreava abstraído com Mme Brizard e com o Coqueiro, percebia que alguma coisa se apoderava dele" (Aluísio Azevedo, *Casa de Pensão*, p. 100). [Conjug.: v. *frear.*]

palavrinha [De *palavra* + *-inha.*] ***S. f.*** Palavras poucas e breves: *Não saia agora: quero dar-lhe uma palavrinha.*

palavrório [De *palavra* + *-ório.*] ***S. m.*** V. *palavreado.*

palavroso (ô) [De *palavra* + *-oso.*] ***Adj.*** 1. Que tem muita palavra: "Há .... um estilo péssimo, chamado asiático, palavroso, tufado, logomáquico." (José Oiticica, *Curso de Literatura*, p. 55.) 2. Prolixo na expressão; loquaz, verboso.

palco [Do lomb. *palk*, 'viga', pelo it. *palco.*] ***S. m.*** 1. *Teatr.* Tablado ou estrado destinado às representações, em geral construído de madeira, e que pode ser fixo, giratório ou transportável, bem como tomar várias formas e localizações em função da plateia, que pode situar-se à frente dele ou circundá-lo por dois ou mais lados. 2. *Teatr.* O proscênio, em oposição à cena (1). 3. *P. ext. Teatr.* O conjunto que inclui o espaço de representação, os bastidores e os camarins; caixa, caixa de cena, caixa de teatro. 4. *Teatr. Fig.* A arte teatral; o teatro: *Dedicou a vida ao palco; Tem vocação para o palco.* 5. *Fig.* Local onde se desenrola algum acontecimento (trágico ou imponente, em geral): *O Rio foi palco de grandes desabamentos durante as chuvas do verão de 1966*; "O Rio foi o palco da mais renhida exibição de virtudes e pecados do personalismo nacional" (José Honório Rodrigues, *Vida e História*, p. 145). 6. *Ant.* Leito protrátil. ◆ **Palco de avental.** *Teatr.* Palco elisabetano. **Palco elisabetano.** *Teatr.* Palco originário do período elisabetano, constituído de um espaço interior, ao fundo, denominado *inner stage* (q. v.), e de um proscênio, bem mais amplo, chamado *outer stage* (q. v.); palco de avental. **Palco exterior.** *Teatr.* V. *outer stage.* **Palco giratório.** *Teatr.* Aquele cujo madeiramento não é fixo, porém movido por mecanismos que permitem inúmeros e rápidos movimentos de cenários, e vários outros efeitos cênicos. **Palco interior.** *Teatr.* V. *inner stage.* **Palco italiano.** *Teatr.* Palco retangular, em forma de caixa aberta na parte anterior, situado ao fundo e em plano acima da plateia, provido de moldura (v. *boca de cena*), de bastidores laterais, de bambolinas e de cortinas ou pano de boca e, não raro, de um espaço à frente, destinado à orquestra (7). É o mais conhecido e utilizado dos palcos modernos.

pálea [Do lat. cient. *palea* (do lat. *palea*, 'palha').] ***S. f.*** *Bot.* 1. Cada uma das pequenas brácteas que constituem o perianto. 2. Cada uma das escamas membranosas, secas (brácteas), que se encontram entre as flores dos capítulos de certas asteráceas.

paleação [De *palear*[2] + *-ção.*] ***S. f.*** *Bras. RS* Ato de palear[2]. [Cf. *paliação.*]

paleáceo [De *pale(i)-* + *-áceo.*] ***Adj.*** 1. Da natureza da palha. 2. *Bot.* Diz-se dos órgãos vegetais providos de palha. 3. *Bot.* Que tem páleas: *receptáculo paleáceo.*

paleal [De *pálea* + *-al*[1].] ***Adj. 2 g.*** Relativo à pálea. ~ V. *órgão —.*

paleantropologia [De *pale(o)-* + *antropologia.*] ***S. f.*** Parte da paleontologia que tem por objeto as espécies ancestrais da humanidade, e que estuda a família dos hominídeos a partir das evidências fósseis de sua separação evolutiva de outros grupos de primatas; paleetnologia, paleontologia humana.

paleantropológico [De *paleantropologia* + *-ico*[2].] ***Adj.*** Relativo à paleantropologia ou a seu campo de estudo; paleetnológico.

paleantropologista [De *paleantropologia* + *-ista.*] ***S. 2 g.*** Especialista em paleantropologia; paleantropólogo.

paleantropólogo [De *paleantropo-*, como em *paleantropologia*, + *-logo.*] ***S. m.*** Paleantropologista.

palear[1] [Da loc. lat. *palam facere*, 'divulgar', 'revelar'; 'manifestar'.] ***V. t. d.*** *P. us.* Manifestar, patentear, revelar, divulgar, propalar. [Conjug.: v. *frear.* Cf. *paliar.*]

palear[2] [Do esp. plat. *palear.*] ***V. int.*** *Bras. RS* Trabalhar com a pá[1] (1), removendo terras. [Conjug.: v. *frear.* Cf. *paliar.*]

paleárctica ***S. f.*** V. *paleártica.*

paleárctico ***Adj.*** V. *paleártico.*

palearqueologia [De *pale(o)-* + *arqueologia.*] ***S. f.*** Estudo arqueológico dos objetos que pertenceram aos homens pré-históricos.

palearqueológico [De *paleoarqueologia* + *-ico*[2].] ***Adj.*** Referente à palearqueologia.

paleártica [De *pale(o)-* + *ártica.*] ***S. f.*** Região zoogeográfica que se estende pela Europa e Ásia até o Himalaia, e África setentrional até o Saara. [Cf. *neártica.*]

paleártico [De *paleártica*, com var. suf. (v. *-ico*[2]).] ***Adj.*** Pertencente ou relativo à paleártica.

pale-etnologia [De *pale(o)-* + *etnologia.*] ***S. f.*** V. *paleantropologia.* [Sobre o uso do hífen neste voc., ver *pale(o)-.*]

pale-etnológico [De *pale-etnologia* + *-ico*[2].] ***Adj.*** Paleantropológico.

pale-etnólogo [De *pale-etno-*, como em *pale-etnologia*, + *-logo.*] ***S. m.*** Especialista em pale-etnologia. [Sobre o uso do hífen neste voc., ver *pale(o)-.*]

▲ **pale(i)-** [Do lat. *palea, ae.*] ***El. comp.*** = 'palha': *paleáceo, paleiforme.*

paleiforme [De *pale(i)-* + *-forme.*] ***Adj. 2 g.*** Semelhante à palha.

paleio[1] [Dev. de *palear*[1], poss.] ***S. m.*** 1. *Bras. N.E.* Pilhéria insistente e inconveniente; pândega, troça, zombaria; desafio, provocação. 2. *Bras. PB Pop.* V. *namoro* (1). 3. Conversa amigável, ou a que revela astúcia, malícia.

paleio[2] [Dev. de *palear*[2].] ***S. m.*** *Bras. RS* Ato de palear[2].

palejante [De *palejar* + *-nte.*] ***Adj. 2 g.*** Que paleja, que tem ou apresenta cor pálida; pálido.

palejar ***V. int.*** *Bras.* Tornar-se ou mostrar-se pálido; empalidecer: "Estava [a noite] deliciosamente bela, os morros palejavam de luar e o espaço morria de silêncio." (Machado de Assis, *Dom Casmurro*, p. 191.) [Conjug.: v. *pelejar.*]

palemonídeo [Do tax. *Palaemon* (do lat. *Palaemon, onis*, 'certo deus do mar') + *-ideo*[1]; tax. *Palaemonidae.*] *Zool.* ***S. m.*** 1. Espécime dos palemonídeos, família de camarões de água doce da América do Sul, encontrados também nas embocaduras dos rios e nas águas salobras, conhecidos vulgarmente como pitus [v. *pitu* (1)]. ● ***Adj.*** 2. Pertencente ou relativo a eles.

palência [Do v. lat. *pallere*, 'ser ou estar pálido', + *-ência.*] ***S. f.*** V. *palidez.*

palendrengue [De or. obsc.] ***S. m.*** *Bras. Vest.* Roupa, fato, fatiota.

palenqueiro [Do esp. *palenquero* < esp. *palenque*, 'quilombo'.] ***S. m.*** *Gloss.* Crioulo (12) falado na região de Palenque de San Basilio (Colômbia), e cuja origem remonta ao contato entre espanhóis e escravos que trabalharam nas fortificações de Cartagena, no século XVI.

palente [Do lat. *pallente.*] ***Adj. 2 g.*** 1. *Poét.* Que paleja. 2. V. *pálido.*

▲ **pale(o)-** [Do gr. *palaio-* < gr. *palaiós, á, ón.*] ***El. comp.*** = 'antigo', 'primitivo', 'pré-histórico': *paleantropologia, paleografia.* [O Volp. registra com hífen *pale-etnologia* e outras formas em que o 2º el. inicia-se por e, esquecendo-se de que se trata do gr. *palaio-* (> *paleo-*), e que as formas em *pale-* são aglutinadas.]

paleoacantocéfalo [De *pale(o)-* + *acantocéfalo*[2]; tax. *Paleoacanthocephala.*] *Zool.* ***S. m.*** 1. Espécime dos paleoacantocéfalos, ordem dos asquelmintos, acantocéfalos com espinhos da probóscide em fileiras alternadas, protonefrídios ausentes, os machos ger. com seis glândulas de cemento. ● ***Adj.*** 2. Pertencente ou relativo a eles.

paleoantropologia ***S. f.*** V. *paleantropologia.*

paleoantropológico ***Adj.*** V. *paleantropológico.*

paleoastronomia [De *pale(o)-* + *astronomia.*] ***S. f.*** *Astr.* Ramo da astronomia que emprega dados de natureza fóssil existentes em rocha para determinar parâmetros, tais como dias, lunações, etc.

paleobotânica [De *pale(o)-* + *botânica.*] ***S. f.*** Parte da botânica que trata das plantas fósseis.

paleobotânico [De *paleobotânica*, com var. suf. (v. *-ico*[2]).] ***Adj.*** 1. Relativo à paleobotânica. ● ***S. m.*** 2. Especialista em paleobotânica.

paleoceno [De *pale(o)-* + *-ceno*[1].] ***S. m.*** *Geol.* 1. Época paleocena. ● ***Adj.*** 2. V. *época —a.*

paleoclimatologia [De *pale(o)-* + *climatologia.*] ***S. f.*** *Met.* Estudo dos climas dos antigos períodos geológicos baseado, principalmente, na análise de sedimentos fósseis desses períodos.

paleoclimatológico [De *paleoclimatologia* + *-ico*[2].] ***Adj.*** *Met.* Relativo a paleoclimatologia.

paleocristão [De *pale(o)-* + *cristão.*] ***Adj.*** 1. Dos primeiros cristãos. 2. *Pint.* Diz-se da pintura das primitivas comunidades cristãs, executada a têmpera ou a fresco nas paredes e teto das catacumbas, no período antecedente ao Édito de Galério (311), às perseguições. [Fem.: *paleocristã.*]

paleoecologia [De *pale(o)-* + *ecologia.*] ***S. f.*** *Ecol.* Ramo da ecologia que trata da identificação dos seres vivos extintos e interpreta ecossistemas de períodos geológicos passados.

paleoecológico [De *paleoecologia* + *-ico*[2].] ***Adj.*** Concernente à paleoecologia.

paleoecologista [De *paleoecologia* + *-ista.*] ***S. 2 g.*** Especialista em paleoecologia.

paleoetnologia ***S. f.*** V. *pale-etnologia.*

paleoetnológico ***Adj.*** V. *pale-etnológico.*

paleofitologia [De *pale(o)-* + *fitologia.*] ***S. f.*** Tratado das plantas fósseis.

paleofitológico [De *paleofitologia* + *-ico*[2].] ***Adj.*** Referente à paleofitologia.

paleofitólogo [De *paleofitolo-*, como em *paleofitologia*, + *-logo.*] ***S. m.*** Especialista em paleofitologia.

paleogéneo ***Adj.*** *Geol.* V. *paleogêneo.* [Uso freq. em P.]

paleogêneo [De *pale(o)-* + *-gen(o)-* + *-eo.*] ***Adj.*** *Geol.* Relativo às três primeiras épocas do período terciário; paleogênico. ~ V. *depósito —.*

paleogénico ***Adj.*** *Geol.* V. *paleogênico.* [Uso freq. em P.]

paleogênico [De *pale(o)-* + *-gen(o)-* + *-ico*[2].] ***Adj.*** *Geol.* Paleogêneo.

paleogeografia [De *pale(o)-* + *geografia.*] ***S. f.*** Estudo da configuração da superfície terrestre nas épocas geológicas passadas.

paleogeográfico [De *paleogeografia* + *-ico*[2].] ***Adj.*** Referente à paleogeografia.

paleogeógrafo [De *pale(o)-* + *geógrafo.*] ***S. m.*** Especialista em paleogeografia.

paleógnata [De *pale(o)-* + *-gnata*; tax. *Palaeognathae.*] ***S. f.*** *Zool.* Espécime das paleógnatas, superordem de aves neórnites caracterizadas pela ausência de carena e dotadas de asas rudimentares, sem capacidade de voo. As principais ordens na América do Sul são as reiformes e as tinamiformes, que compreendem as emas, jaós, macucos e perdizes.

paleógnato [De *pale(o)-* + *-gnato.*] ***Adj.*** *Zool.* Pertencente ou relativo às paleógnatas.

paleografar [De *paleografia* + *-ar*[2].] ***V. int.*** Estudar e/ou praticar a paleografia. [Pres. ind.: *paleografo*, etc. Cf. *paleógrafo.*]

paleografia [De *pale(o)-* + *-grafia.*] ***S. f.*** Ciência que tem por objeto o estudo das escritas antigas, em qualquer espécie de material, e que compreende a decifração, a descoberta de erros na transmissão (8), a datação de textos, a atribuição de lugar de origem e interpretação, além de ocupar-se da própria história da escrita. [Está intimamente relacionada a outras ciências, como a codicologia, a diplomática, a epigrafia e a papirologia.] [V. *braquigrafia.*]

paleográfico [De *paleografia* + *-ico*[2].] ***Adj.*** Respeitante à paleografia. ~ V. *edição —a.*

paleógrafo [De *pale(o)-*, como em *paleografia*, + *-grafo.*] ***S. m.*** 1. Especialista em paleografia. 2. Livro escolar

P

destinado ao aprendizado da leitura da letra manuscrita. [Cf. *paleografo*, do v. *paleografar*.]

paleoliteratura [De *pale(o)-* + *literatura*.] *S. f.* Literatura antiga.

paleolítico [De *pale(o)-* + *-lit(o)-* + *-ico*².] *Geol. Adj.* **1.** Relativo ou pertencente ao período paleolítico. ~ V. *período —*. ● *S. m.* **2.** O período paleolítico.

paleologia [De *pale(o)-* + *-logia*.] *S. f.* O estudo das línguas antigas.

paleológico [De *paleologia* + *-ico*².] *Adj.* Respeitante à paleologia.

paleólogo [De *pale(o)-*, como em *paleologia*, + *-logo*.] *Adj. S. m.* Que, ou aquele que é versado em paleologia.

paleomastodonte [De *pale(o)-* + *mastodonte*; tax. *Palaeomastodon*.] *S. m. Paleont.* **1.** Gênero de mamíferos proboscídeos em que os segundos incisivos de cada maxila consistiam em duas defesas curtas. Viveram no oligoceno, e seus vestígios foram encontrados em Faium (Egito); são considerados ancestrais dos mastodontes. **2.** Espécie ou espécime desse gênero.

paleonemertino [De *pale(o)-* + *nemertino*; tax. *Paleonemertini* ou *Paleonemertinea*.] *Zool. S. m.* **1.** Espécime dos paleonemertinos, ordem de animais nemertinos, ânoplos que têm os músculos do corpo em duas ou três camadas, a mais interna circular, e derme gelatinosa. ● *Adj.* **2.** Pertencente ou relativo a eles.

paleontologia [De *pale(o)-* + *-ont(o)-* + *-logia*.] *S. f.* **1.** Ciência que estuda animais e vegetais fósseis. **2.** Tratado relativo a essa ciência. ◆ **Paleontologia humana.** V. *paleantropologia*.

paleontológico [De *paleontologia* + *-ico*².] *Adj.* Relativo à paleontologia. ~ V. *jazida — a e sítio —*.

paleontologista [De *paleontologia* + *-ista*.] *S. 2 g.* Especialista em paleontologia; paleontólogo.

paleontólogo [De *paleonto-*, como em *paleontologia*, + *-logo*.] *S. m.* Paleontologista.

paleopterígio [De *pale(o)-* + *-pterígio*; tax. *Paleopterygii*.] *Zool. S. m.* **1.** Espécime dos paleopterígios, subclasse de animais metazoários, cordados, vertebrados, peixes osteíctes, de crânio cartilaginoso persistente, com um revestimento ósseo, cauda dificerca ou heterocerca, tegumento em geral com escamas ganoides não articuladas, e com canais ramificados para os vasos sanguíneos; condroganoides. ● *Adj.* **2.** Pertencente ou relativo a eles. [Sin. ger.: *condroganoide*.]

paleossiberiano [De *pale(o)-* + *siberiano*.] *Adj. Gloss.* Diz-se do conjunto de línguas não relacionadas, distribuídas pelo N.E. da Sibéria.

paleoterídeo [De *paleotério* + *-ideo*¹; tax. *Palaeotheriidae*.] *Paleont. S. m.* **1.** Espécime dos paleoterídeos, família de mamíferos perissodáctilos que viveram no eoceno e no mioceno da Europa e da América, e que parecem relacionar-se aos cavalos mas que, em alguns aspectos, lembram os tapires. ● *Adj.* **2.** Pertencente ou relativo a eles.

paleotério [De *pale(o)-* + *-tério*¹; tax. *Palaeotherium*.] *S. m. Paleont.* **1.** O gênero-tipo dos paleoterídeos. **2.** Espécie ou espécime desse gênero.

paleotípico [De *paleótipo* + *-ico*².] *Adj.* Relativo a paleótipo.

paleótipo [De *pale(o)-* + *-tipo*.] *S. m.* **1.** Documento muito antigo. **2.** *Desus.* Livro impresso antes de 1470. **3.** Incunábulo (3).

paleotropical [De *pale(o)-* + *tropical*.] *Adj. 2 g. Fitogeogr.* Relativo aos, ou próprio dos trópicos do Velho Mundo: *espécie paleotropical*.

paleozoico (ói) [De *pale(o)-* + *-zoico*.] *S. m. Geol.* **1.** Era paleozoica. ● *Adj.* **2.** V. *era — a*. ❖

paleozoologia [De *pale(o)-* + *zoologia*.] *S. f.* **1.** Ramo da paleontologia que estuda os animais fósseis. **2.** Tratado acerca dessa ciência.

paleozoológico [De *paleozoologia* + *-ico*².] *Adj.* Relativo à paleozoologia.

paleozoologista [De *paleozoologia* + *-ista*.] *S. 2 g.* Especialista em paleozoologia; paleozoólogo.

paleozoólogo [De *paleozoo-*, como em *paleozoologia*, + *-logo*.] *S. m.* Paleozoologista.

palerma [De or. obscura.] *Adj. 2 g. S. 2 g.* V. *tolo* (1 a 3 e 8).

palermar [De *palerma* + *-ar*².] *V. int. Bras.* Proceder ou discorrer como palerma.

palermice [De *palerma* + *-ice*.] *S. f.* Qualidade, ato ou dito de palerma.

palescência [Do v. lat. *pallescere*, 'empalidecer', + *-ência*.] *S. f.* V. *palidez*.

palestesia [Do gr. *pállein*, 'agitar vivamente', 'vibrar', + *-estes(i)-* + *-ia*¹.] *S. f. Neur.* Sensibilidade às vibrações.

palestésico [De *palestesia* + *-ico*².] *Adj. Neur.* Relativo à palestesia.

palestina [De *palestino*, poss.] *S. f. Tip.* Caráter tipográfico de corpo 22.

palestinense¹ *Adj. 2 g.* **1.** De, ou pertencente ou relativo a Palestina (AL e SP). ● *S. 2 g.* **2.** O natural ou habitante de Palestina.

palestinense² *Adj. 2 g.* **1.** De, ou pertencente ou relativo a Palestina de Goiás (GO). ● *S. 2 g.* **2.** O natural ou habitante de Palestina de Goiás.

palestinense³ *Adj. 2 g.* **1.** De, ou pertencente ou relativo a Palestina do Pará (PA). ● *S. 2 g.* **2.** O natural ou habitante de Palestina do Pará.

palestino [Do lat. *palaestinu*.] *Adj.* **1.** Da, ou pertencente ou relativo à Palestina (Ásia). ● *S. m.* **2.** O natural ou habitante da Palestina.

palestra [Do gr. *palaístra*, pelo lat. *palaestra*.] *S. f.* **1.** V. *conversação* (1). **2.** Conferência ou discussão sobre assunto cultural, científico, etc. **3.** *Ant.* Na Grécia e Roma antigas, lugar onde se faziam exercícios ginásticos.

palestrador (ô) [De *palestrar* + *-dor*.] *Adj.* **1.** Que palestra. ● *S. m.* **2.** Aquele que palestra, que é dado a palestrar; palestrante.

palestrante [De *palestrar* + *-nte*.] *S. 2 g.* **1.** Palestrador (2). **2.** Aquele que realiza palestra (2).

palestrar [Do lat. tard. *palaestrare*, 'exercitar-se na palestra (3)'.] *V. int.* **1.** Estar de, ou manter palestra; conversar, cavaquear. *T. i.* **2.** Conversar, falar: 📖 "Herculano trabalha todo o dia, mas às refeições palestra longamente com Garrett." (José Osório de Oliveira, *O Romance de Garrett*, p. 150.) *T. d.* **3.** *P. us.* Acompanhar (refeição, passeio, etc.) com palestra (1). [Sin. ger.: *palestrear*.]

palestrear [De *palestra* + *-ear*².] *V. int. T. i. T. d.* V. *palestrar*. [Conjug.: v. *frear*.]

palestriniano [Do antr. *Palestrina* + *-iano*.] *Adj.* Pertencente ou relativo a Giovanni Pierluigi da Palestrina (1524-1594), compositor italiano, ou próprio dele.

palestrita [Do gr. *palaistrítes*, pelo lat. *palaestrita*.] *S. 2 g. Ant.* Frequentador de palestra (3).

paleta (ê) [Do it. *paletta*, 'pequena pá'.] *S. f.* **1.** Placa oval ou retangular, em geral de madeira, que tem um orifício onde se enfia o polegar, e sobre a qual os pintores dispõem e misturam as tintas; palheta: 📖 "As tintas da sua paleta [de El Greco] possuem a graça estética, que é a inteligência da Beleza sobrenatural" (Antero de Figueiredo, *Toledo*, p. 104). **2.** *P. ext.* As características de colorido de um quadro, de um pintor, de uma escola; palheta, cor: 📖 "Os dedos são de jaspe modelado; / E as unhas... só podiam as paletas / De um chinês imitar-lhes o rosado." (Gonçalves Crespo, *Obras Completas*, p. 184). **3.** *Bras. S.* Escápula ou espáduas do animal, e, p. ext., das pessoas: 📖 "A perícia técnica afirmou que, pelo esqueleto, o cavalo tinha cinco anos; logo, era recém-domado; e, pelos ossos das paletas, muito longos, veloz." (M. Cavalcanti Proença, *Manuscrito Holandês*, p. 96. [Nesta acepç. é tb. us. no pl.] **4.** *P. ext.* Diferença que separa um cavalo de outro que lhe chegou junto à paleta, no final de um páreo. **5.** Estojo especialmente para sombras [v. *sombra* (28)]. **6.** *Bras. RS* V. *malha*⁴ (3). ● *S. m.* **7.** *Bras.* Intruso, desmancha-prazeres. ~ V. *paletas*.

paletada [Do esp. plat. *paletada*.] *S. f. Bras. RS* **1.** Choque ou golpe com a paleta (3) do animal. **2.** *Fig.* Arremetida, investida, acometida.

paletas (ê) [Pl. de *paleta*.] *S. f. pl.* Par de instrumentos, ger. de ébano ou de marfim, de que se servem os escultores para modelar em barro ou em cera. ~ V. *paleta*.

palete *S. m. Tec.* Plataforma de madeira sobre a qual se empilha carga a fim de transportar em bloco grande quantidade de material.

paleteador (ô) [De *paletear* + *-dor*.] *Adj. S. m. Bras. RS* Que, ou aquele que paleteia o cavalo.

paletear [De *paleta* + *-ear*².] *V. t. d. Bras. RS* **1.** Fincar as esporas em (animal) para que apresse o passo. **2.** Meter-se em (negócio alheio) com o fim de atrapalhar ou prejudicar. [Conjug.: v. *frear*.]

paleteira *S. f. Tec.* Transpaleteira.

paletem *Bras. S. 2 g.* **1.** *Etnôn.* Indivíduo dos paletens, povo indígena extinto que habitava a região situada entre os rios Corumbiara e Guaporé (RO). ● *Adj. 2 g.* **2.** Pertencente ou relativo a esse povo. [Tb. us. como *s. 2 g. e 2 n.* (com cap.) e *adj. 2 g. e 2 n.*]

paletó [Do fr. *paletot* < ingl. med. *paltok*, 'jaqueta', 'casaco de camponês'.] *S. m. Bras.* **1.** Casaco com bolsos externos, cujo comprimento vai até a altura dos quadris. [Com a calça e o colete compõe o terno masculino; com a saia, o costume feminino. Sin. pop. (em MG): *cabe*.] **2.** Peça do pijama, ou de veste análoga, semelhante ao paletó, e que recobre o tronco. [F. paral. (bras., pop.): *paletô*.] ◆ **Paletó de madeira.** *Bras. Gír.* Caixão funerário; pijama de madeira, envelope de madeira, paletó de pinho. **Paletó de pinho.** *Bras. Gír.* V. *paletó de madeira*. **Abotoar o paletó.** *Bras. Gír.* V. *morrer* (1). **Abotoar o paletó de.** *Bras. Gír.* V. *matar* (1). **Fechar o paletó.** *Bras. Gír.* V. *morrer* (1). **Fechar o paletó de.** *Bras. Gír.* V. *matar* (1). **Vestir o paletó de madeira.** *Bras. Gír.* V. *morrer* (1).

paletô *S. m. Bras. Pop.* V. *paletó*.

paletó-saco *S. m. Bras.* Paletó comum, que, ao contrário do jaquetão, não tem trespasse: 📖 "Fez roupas no seu preferido alfaiate do Recife .... e seguiu para a Capital Federal. Mas ali teria que fazer .... um terno de paletó-saco e um fraque" (Carlos de Gusmão, *Boca da Grota*, p. 37). [Pl.: *paletós-sacos* e *paletós-saco*.]

paletozeiro (tò) [De *paletó* + *-zeiro*.] *S. m. Bras.* Alfaiate que faz paletós.

palha [Do lat. *palea*.] *S. f.* **1.** *Bot.* Haste seca das poáceas (esp. cereais) despojada dos grãos, utilizada na indústria ou para forragem de animais domésticos. **2.** Porção ou paveias destas hastes; palhal: *enxergão de palha*; *embalagem com palha*. **3.** Substância semelhante à palha (1): *O bacalhau estava uma palha*. **4.** Tira seca e flexível de junco, taquara, vime ou outra planta, com que se tecem ou armam diversos tipos de objetos: *cadeira de palha*; *tapete de palha*; *chapéu de palha*. **5.** Palhinha (2). **6.** *Constr. Nav.* A grossura de um mastro, mastaréu, verga ou antena. **7.** *Fig.* Coisa de pouco valor; insignificância. V. *ninharia*. **8.** *Bras.* Canudinho de colmo, de plástico ou de papel, com que se sorvem refrescos. **9.** *Bras. MG* V. *tiguera*. **10.** *Bras. Gír.* Maconha de qualidade inferior. ● *Adj.* **11.** *Bras.* Ordinário, reles, ruim, sem valor. ◆ **Palha de aço.** Massa de fitas de aço emaranhadas usada como esfregão de cozinha ou para raspar o assoalho. **Palha de Itália.** Palha de uma espécie de trigo da Toscana, da qual se fazem chapéus, bolsas, etc. **Palha de milho.** As folhas e o folhelho da espiga de milho. **Palhas alhas.** As folhas secas dos alhos. **Dar palha a.** Enganar (alguém) com boas palavras. **Dormir nas palhas.** *Bras. S.* **1.** Não se acautelar; descuidar-se. **2.** Retardar uma providência. **Não levantar uma palha.** *Bras.* V. *não mexer uma palha*. **Não mexer uma palha.** **1.** Não fazer nada. **2.** Ser indolente, preguiçoso; ficar ocioso. **3.** Não prestar auxílio a, não ajudar. [Sin. ger.: *não levantar uma palha, não mover uma palha*.] **Não mover uma palha.** V. *não mexer uma palha*: 📖 "Conceição escarrapacha na cadeira e solta os meninos, eles pintam e bordam e mexem em tudo, ela não move uma palha." (Adélia Prado, *Os Componentes da Banda*, p. 62.) **Por dá cá aquela palha.** Por motivo frívolo; sem razão plausível: 📖 "— Sou muito esturrado ....! Exalto-me por dá cá aquela palha" (José Rodrigues Miguéis, *Gente da Terceira Classe*, p. 85). **Puxar palha.** *Bras. Pop.* V. *dormir* (1). **Puxar uma palha.** *Bras. Pop.* V. *dormir* (1).

palhabote [Do ingl. *pilot-boat*, 'bote do piloto'.] *S. m.* Antiga embarcação à vela, fundamentalmente igual ao atual iate: 📖 "as carcaças dos palhabotes, das barcas e dos iates" (Raul Brandão, *Os Pescadores*, p. 12).

palhaboteiro [De *palhabote* + *-eiro*.] *S. m.* Tripulante de palhabote.

palha-branca *S. f. Bras. Bot.* V. *babaçu*. [Pl.: *palhas-brancas*.]

palhaçada [De *palhaço* + *-ada*¹.] *S. f.* **1.** Ato ou dito de palhaço. **2.** Cena burlesca, ridícula ou divertida. **3.** Grupo de palhaços.

palhaçal [De *palhaço* + *-al*¹.] *Adj. 2 g.* Próprio de palhaço; ridículo, burlesco.

palhacarga [De *palha*, talvez.] *S. f.* Espécie de junça (1).

palhaço¹ [Do it. *pagliaccio*.] *S. m.* **1.** Artista que, em espetáculos circenses ou em outros, se veste de maneira grotesca e faz pilhérias e momices para divertir o público. **2.** Fantasia de palhaço: 📖 "Rasguei a minha fantasia, / o meu palhaço, cheio de laço e balão" (Lamartine Babo, na marcha carnavalesca *Rasguei a Minha Fantasia*). **3.** *Fig.* Pessoa que por atos ou palavras faz que os outros riam. **4.** *Pop.* Pessoa que só diz tolices ou faz papel ridículo; pessoa sem importância, títere. **5.** *Fig.* V. *fantoche* (3): *Não se pode confiar no que ele diz, é um palhaço*.

palhaço² [De *palha* + *-aço*.] *Adj.* Vestido ou feito de palha.

palhada [De *palha* + *-ada*¹.] *S. f.* **1.** Mistura de palha e de farelo, para dar aos animais. **2.** *Fig.* Estopada, palavrório. **3.** *Bras. SP* Capoeira fina; mato ralo. **4.** *Bras. MG* V. *tiguera*. ◆ **Bater palhada.** *Bras.* Operação agrícola consistente em colher as espigas de milho, quebrando os colmos, ou em arrancar estes, após a colheita, para preparo de nova plantação.

palha da costa *S. f. Bras.* Fibra retirada de uma palmeira do gên. ráfia, us. esp. na confecção de paramentos e objetos dos ritos afro-brasileiros. [Pl.: *palhas da costa*.] ☑

palha de arroz (ô) *S. f. Bras. Min.* V. *cianita*. [Pl.: *palhas de arroz*.] ☑

palha-de-guiné *S. f. Bras. Bot.* V. *capim-guiné*. [Pl.: *palhas-de-guiné*.]

palha de seda (ê) *S. f. Tec. Têx.* Tecido de seda pura, cuja trama lembra a do xantungue; seda-palha: 📖 "Vinha tabaréu do fundo do sertão comprar .... roupa de casimira, vestido de palha de seda para as mulheres." (Jorge Medauar, *Água Preta*, p. 119.) [Pl.: *palhas de seda*.] ☑

palhagem [De *palha* + *-agem*².] *S. f.* Montão de palha.

palhagudo [De *palha* + *agudo*.] ***Adj.*** De palha aguda, fina, cortante.

palhal [De *palha* + *-al*[1].] ***S. m.*** **1.** V. *palhoça* (1). **2.** Palha (2). **3.** *Bras. N. da Amaz.* Entre os canoeiros, grupo de palmeiras no meio das matas. [Var.: *palhar*.]

palhanense ***Adj. 2 g.*** **1.** De, ou pertencente ou relativo a Palhano (CE). ● ***S. 2 g.*** **2.** O natural ou habitante de Palhano.

palhar ***S. m.*** V. *palhal*.

palharesco (ê) ***Adj.*** De palha.

palheáceo [De *palha* + *-áceo*.] ***Adj.*** Semelhante a palha, na aparência ou na consistência.

palhegal ***S. m.*** Terra onde há muita palha.

palheirão [De *palheiro* + *-ão*[1].] ***S. m.*** **1.** Palheiro grande. **2.** Livro extenso e pouco claro. **3.** Aquele que fala de maneira confusa e prolixa. [Fem. da 3.ª acepç.: *palheirona*.]

palheireiro [De *palheiro* + *-eiro*.] ***S. m.*** **1.** Vendedor de palha. **2.** Aquele que arruma a palha em medas. **3.** Empalhador (2). ● ***Adj.*** **4.** Que arruma a palha em medas. **5.** Que vende palha.

palheiro [De *palha* + *-eiro*.] ***S. m.*** **1.** Lugar onde se guarda palha. **2.** V. *palhoça* (1). **3.** Armazém de madeira em que alguns salineiros recolhem o produto das marinhas. **4.** *Bras.* Cigarro de palha; cigarro crioulo. **5.** *Bras. N.E.* Os intestinos.

palheirona ***S. f.*** Fem. de *palheirão* (3).

palhento [De *palha* + *-ento*.] ***Adj.*** *Bras.* Em que há palha; cheio de palha.

palheta[1] (ê) [Alter. de *paleta*.] ***S. f.*** **1.** Qualquer lâmina ou espátula com aplicação especial. **2.** Cada uma das tábuas que formam as venezianas, permitindo a ventilação. **3.** Pau de jogar a pela. **4.** Pá de ventilador ou de objeto semelhante. **5.** Cada uma das peças metálicas, de formato adequado, fixadas na periferia de um rotor de turbina, que recebe impulsão de um fluido que se escoa, e assim movimenta o rotor. **6.** Lâmina ou placa que nas rodas hidráulicas serve de propulsor. **7.** Paleta (1 e 2). **8.** *Mús.* Lâmina metálica ou de madeira, us. na embocadura de vários instrumentos de sopro, ou nos jogos de lingueta do órgão, e cujas vibrações produzem um som tanto mais agudo quanto mais frequentes forem as batidas. **9.** *Mús.* Plectro (2). **10.** *Mús.* Varinha de madeira, forrada de camurça e talhada em forma de cunha, com que os afinadores de piano isolam certas cordas para afiná-las. [Pl.: *palhetas* (ê). Cf. *palheta* e *palhetas*, do v. *palhetar*.] ◆ **Palheta dupla.** *Mús.* Palheta feita com um par de lâminas que produzem sons em instrumentos de sopro como o fagote e o oboé. **Palheta simples.** *Mús.* Palheta feita com apenas uma lâmina, e us. para produzir som em instrumentos de sopro como a clarineta.

palheta[2] (ê) [De *palha* + *-eta* (ê).] ***S. m.*** *Bras. S. Vest.* V. *chapéu de palha*: "Percorri a avenida à procura de um vulto magro, de <u>palheta</u> e perfil antipático." (Antônio de Alcântara Machado, *Cavaquinho e Saxofone*, p. 347.) [Pl.: *palhetas* (ê). Cf. *palheta* e *palhetas*, do v. *palhetar*.]

palhetada [De *palheta*[1] + *-ada*[1].] ***S. f.*** **1.** Som produzido pela palheta[1] (8). **2.** Movimento da palheta[1] (3 a 6). ◆ **Em duas palhetadas.** Com muita facilidade e rapidez; sem demora; de pronto.

palhetão [De *palheta*[1] + *-ão*[1].] ***S. m.*** **1.** A parte da chave que movimenta a lingueta da fechadura; palhete. **2.** Palheta grande.

palhetar [De *palheta*[1], com infl. de *palito* (7) (q. v.), + *-ar*[2], poss.] ***V. t. i.*** **1.** Desfrutar, zombar, chacotear. ***Int.*** **2.** Conversar zombando. [F. paral.: *palhetear*. Pres. ind.: *palheto*, *palhetas*, *palheta*, etc.; pres. subj.: *palhete*, *palhetes*, etc. Cf. *palheta* (ê), pl. *palhetas* (ê), o antr. *Palheta* (ê), e *palhete* (ê), pl. *palhetes* (ê).]

palhete (ê) [De *palha* + *ete* (ê).] ***Adj. 2 g.*** **1.** Da cor da palha. ~ V. *vinho* —. ● ***S. m.*** **2.** Palhetão (1). **3.** V. *vinho palhete*. [Pl.: *palhetes* (ê). Cf. *palhete* e *palhetes*, do v. *palhetar*.]

palhetear [De *palheta*[1] + *-ear*[2].] ***V. t. i. Int.*** Palhetar. [Conjug.: v. *frear*.]

palhiça [De *palha* + *-iça*.] ***S. f.*** *Lus.* V. *coroça* (1).

palhiço [De *palha* + *-iço*.] ***S. m.*** **1.** Palha traçada ou moída. **2.** Palha miúda. ● ***Adj.*** **3.** Feito de palha: "No teto <u>palhiço</u> ia e vinha uma sombra" (Coelho Neto, *Banzo*, p. 188).

palhinha [De *palha* + *-inha*.] ***S. f.*** **1.** Pedacinho de palha. **2.** Tira fininha de junco seco com que se tecem assentos e encostos de cadeiras; palha. ● ***S. m.*** **3.** *Vest.* V. *chapéu de palha*. **4.** *Lus.* Canudinho (p. ex., de plástico) de sorver líquidos. **5.** *Bras.* Cigarro com envoltório de palha de milho: "preparava um <u>palhinha</u> e chupava-o a baforadas fortes e contínuas" (Pedro Nava, *Beira-Mar*, p. 36). **6.** *Bras. Pop.* Trecho de canção, de disco, etc.: *Vou cantar só uma <u>palhinha</u>.*

palhoça [Por *palhaça*, f. subst. de *palhaço*[2], com dissimilação.] ***S. f.*** **1.** Casa ou cabana coberta de colmo ou palha, encontrada nas regiões tropicais; palhal, palheiro. **2.** Tipo de choça de ramagens, de forma cilíndrica ou prismática quadrangular, cuja cobertura é separada das paredes. [Sin., nesta acepç.: *palhota*, *palhote* e (bras.) *caluje*. Cf. (nesta acepç.) *cabana*.] **3.** *Lus.* V. *coroça* (1).

palhoceiro [De *palhoça* + *-eiro*.] ***S. m.*** Aquele que faz palhoças.

palhocense ***Adj. 2 g.*** **1.** De, ou pertencente ou relativo a Palhoça (SC). ● ***S. 2 g.*** **2.** O natural ou habitante de Palhoça.

palhona [De *palha* + *-ona*[1].] ***S. f.*** *Bras. RS* Cadeira de palhinha ou de vime.

palhota [De *palha* + *-ota*[1].] ***S. f.*** **1.** V. *palhoça* (2): "Vira .... mulheres amarguradas .... que, corridas pelos insultos dos seus donos e vaiadas pelo povo, se acoitaram nas <u>palhotas</u>" (Castro Soromenho, *Rajada e Outras Histórias*, p. 118). **2.** *Lus.* V. *coroça* (1).

palhote [De *palha* + *-ote*[1].] ***S. m.*** V. *palhoça* (2): "As moças .... com os cipós floridos das trepadeiras fizeram festonadas, que pendiam das vergas do <u>palhote</u>." (Xavier Marques, *A Cidade Encantada*, p. 69.)

páli [Do sânscr. *pali* (*bhasa*), '(língua) canônica'.] ***S. m.*** *Gloss.* Antiga língua indo-ariana que se tornou a língua religiosa do budismo no S. da Índia e também no S.E. da Ásia, em especial em Mianmar (antiga Birmânia). [V. *prácrito*.]

paliação [De *paliar* + *-ção*.] ***S. f.*** Ato de paliar. [Cf. *paleação*.]

paliador (ô) [De *paliar* + *-dor*.] ***Adj. S. m.*** Que, ou aquele que palia.

palial [De *pálio*[2] + *-al*[1].] ***Adj. 2 g.*** *Anat.* De, ou relativo a pálio[2].

paliar [Do lat. tard. *palliare*, 'disfarçar', 'dissimular'.] ***V. t. d.*** **1.** Encobrir com falsa aparência; disfarçar, dissimular, encobrir: "Não <u>paliava</u> os abusos dos conventos, não cobria os defeitos dos monges, acusava mais severamente que ninguém a sua relaxação" (Almeida Garrett, *Viagens na Minha Terra*, p. 139). **2.** Tornar aparentemente menos duro, menos desagradável, etc.; atenuar na aparência; entreter: *Não resolveu o problema: <u>paliou</u>-o, sem convencer as pessoas envolvidas.* **3.** Tratar com paliativo (3); remediar provisoriamente; aliviar: "A medicina caseira <u>paliava</u> as febres." (Xavier Marques, *O Sargento Pedro*, p. 197.) ***Int.*** **4.** Usar de delongas; empregar paliativos. [Pres. ind.: *palio*, etc. Cf. *palear*, v., e *pálio*, s. m.]

paliativo [De *paliar* + *-tivo*.] ***Adj.*** **1.** Que serve para paliar. **2.** *Terap.* Que serve para acalmar, atenuar ou aliviar momentaneamente um mal; anódino: *remédio <u>paliativo</u>.* ● ***S. m.*** **3.** Qualquer tratamento que apenas fornece alívio, de duração variável, a um doente. **4.** Meio ou expediente usado com o fim de atenuar um mal ou procrastinar uma crise.

paliável [De *paliar* + *-vel*.] ***Adj. 2 g.*** Que pode ser paliado.

paliçada [Do provenç. ant. *palissada*, pelo esp. *palizada*.] ***S. f.*** **1.** Tapume feito com estacas fincadas na terra. **2.** Obstáculo feito para defesa militar: "Uma umidade fecunda de selva subia daquele vale, ... errava pelas chapadas, onde, à toa, repontavam as primeiras chaminés dos casais, à roda dos campos agricultados, que uma cautelosa <u>paliçada</u> cercava." (Pedro Calmon, *História da Casa da Torre*, p. 17.) **3.** Liça para torneios ou lutas.

paliçádico [De *paliçada* + *-ico*[2].] ***Adj.*** V. *mesofilo*.

palicur *Bras.* ***S. 2 g.*** **1.** *Etnôn.* Indivíduo dos palicures [ou (etnôn. bras.) *Aukuyene, *Aukwayene, *Palikur, *Palikuʼene], povo indígena extinto, da família linguística aruaque, que habitava a região do rio Uaçá e seus afluentes, no AM e na Guiana Francesa. ● ***Adj. 2 g.*** **2.** Pertencente ou relativo a esse povo.

palidecer [De *pálido* + *-ecer*.] ***V. t. d. Int.*** Tornar(-se) pálido; empalidecer.

palidez (ê) [De *pálido* + *-ez*.] ***S. f.*** Qualidade ou estado de pálido ou descorado; palor, palência, palescência.

pálido [Do lat. *pallidu*.] ***Adj.*** **1.** Diz-se da pele (esp. da tez) descorada. **2.** De cor pouco viva, fraca; desmaiado, descorado: *verde <u>pálido</u>.* **3.** Fraco, tênue, frouxo: *luz <u>pálida</u>; <u>pálido</u> efeito.* **4.** *Fig.* Sem animação; pouco expressivo: *<u>pálida</u> descrição; relato <u>pálido</u>.* [Sin. ger.: *palejante* e *palente*.]

palificação [De *palificar* + *-ção*.] ***S. f.*** Ato de palificar.

palificar [Do lat. *palus*, 'pau', + *-ificar*.] ***V. t. d.*** Segurar com estaca. [Conjug.: v. *trancar*.]

palilalia [De *pali(n)-* + *-lal(o)-* + *-ia*[1].] ***S. f.*** *Psiq.* Distúrbio da fala em que uma palavra ou frase é repetida constantemente, de maneira involuntária.

palilálico [De *palilalia* + *-ico*[2].] ***Adj.*** *Psiq.* De, ou relativo a palilalia.

palilho [Do esp. *palillo*, 'pauzinho'.] ***S. m.*** Rolo em que os tintureiros enfiam as meadas por enxugar.

palílias [Adapt. do lat. *palilia*.] ***S. f. pl.*** Festas em honra de Pales, uma das mais antigas divindades romanas, protetora dos pastores e dos rebanhos; realizavam-se em Roma no fim de abril e começavam, ao crepúsculo, com uma grande cerimônia de purificação.

▲ **palim-** Equiv. de *pali(n)-*.

palimpséstico [De *palimpsesto* + *-ico*[2].] ***Adj.*** Relativo a, ou próprio de palimpsesto.

palimpsesto [Do gr. *palímpsestos*, 'raspado novamente', pelo lat. *palimpsestu*.] ***S. m.*** **1.** Antigo material de escrita, principalmente o pergaminho, usado, em razão de sua escassez ou alto preço, duas ou três vezes [*duplo palimpsesto*], mediante raspagem do texto anterior. **2.** Manuscrito sob cujo texto se descobre (em alguns casos a olho desarmado, mas na maioria das vezes recorrendo a técnicas especiais, a princípio por processo químico, que arruinava o material, e depois por meio da fotografia, com o emprego de raios infravermelhos, raios ultravioleta ou luz fluorescente) a escrita ou escritas anteriores: "Inutilizei um caderno de papel almaço, e o primeiro rascunho, à força de rasuras, emendas, ... chamadas, interversões, acabou por ser para mim próprio o mais impenetrável <u>palimpsesto</u>." (Aquilino Ribeiro, *Lápides Partidas*, p. 120.) ◆ **Duplo palimpsesto.** V. *palimpsesto* (1).

▲ **pali(n)-** [Do gr. *palin-* < gr. *pálin*, adv.] ***El. comp.*** = 'de novo', 'de maneira repetida', 'em sentido inverso': *palíndromo* (< gr.), *palinfrasia*, *palingenesia*, *palinódia* (< gr.). [Equiv.: *palim-*: *palimpsesto* (< gr.).]

palindromia [Do gr. *palindromía*, 'curso no sentido inverso'.] ***S. f.*** *Med.* Recidiva ou recaída de uma doença.

palíndromo [Do gr. *palíndromos*.] ***Adj.*** *E. Ling.* **1.** Diz-se de frase ou palavra que, ou se leia da esquerda para a direita, ou da direita para a esquerda, tem o mesmo sentido, como, p. ex., *radar* e *Roma é amor*. ~ V. *verso* —. ● ***S. m.*** **2.** Frase ou verso palíndromo.

palinfrasia [De *pali(n)-* + *-fras(i)-* + *-ia*[1].] ***S. f.*** *Med.* Repetição mórbida de palavras ou de frases.

palingenesia [Do gr. *palingenesía*, pelo lat. tard. *palingenesia*.] ***S. f.*** *Filos.* **1.** V. *eterno retorno* (1). **2.** Segundo Schopenhauer (v. *schopenhaueriano*), renascimento sucessivo dos mesmos indivíduos.

palingenésico [De *palingenesia* + *-ico*[2].] ***Adj.*** Palingenético.

palingenético [De *palingen(esia)* + *-ético*.] ***Adj.*** Relativo à palingenesia; palingenésico.

palinódia [Do gr. *palinoidía*, pelo lat. tard. *palinodia*.] ***S. f.*** **1.** Poema que desdiz aquilo que se disse em outro. **2.** Retratação (1 a 3).

palinódico [De *palinódia* + *-ico*[2].] ***Adj.*** Relativo a palinódia.

palinodista [De *palinódia* + *-ista*.] ***S. 2 g.*** **1.** Pessoa que faz palinódias. **2.** Pessoa que se desdiz.

palinologia [Do rad. do gr. *palýnein*, 'cobrir de pó ou farinha', 'polvilhar', + *-logia*.] ***S. f.*** *Bot.* Parte da botânica dedicada ao estudo do pólen.

palinologista [De *palinologia* + *-ista*.] ***S. 2 g.*** *Bot.* Especialista em palinologia.

palinurídeo [Do tax. *Palinurus* (do lat. *Palinurus*) + *-ídeo*[1]; tax. *Palinuridae*.] *Zool.* ***S. m.*** **1.** Espécime dos palinurídeos, família de crustáceos decápodes, macruros, que compreende as lagostas. Diferenciam-se por apresentarem os urópodes da cauda não divididos em duas partes, como ocorre em outros crustáceos macruros. ● ***Adj.*** **2.** Pertencente ou relativo a eles.

palinuro [Do ficción. *Palinuro* (lat. *Palinurus*), piloto de Eneias.] ***S. m.*** *Poét.* Piloto, guia: "Deixando-me na rota começada / Entre recifes de ignorados mares, / Aqui o ferro lanço, malseguro, / Que é fácil naufragar sem <u>palinuro</u>." (João Penha, *Rimas*, p. 129.)

pálio[1] [Do lat. *palliu*.] ***S. m.*** **1.** *Ant.* Manto, capa. **2.** Sobrecéu portátil, com varas, que se conduz em cortejos e procissões, caminhando debaixo dele a pessoa festejada ou o sacerdote que leva a custódia: "De opa vermelha, os irmãos carregavam o <u>pálio</u> e, sob este, Padre Nazareno conduzindo o Santíssimo Sacramento." (José Condé, *Terra de Caruaru*, p. 88.) [Cf. *palio*, do v. *paliar*.]

pálio[2] [Do lat. cient. *pallium* < lat. *pallium*, 'manto', 'capa'.] ***S. m.*** **1.** *Anat.* O córtex cerebral durante seu período de desenvolvimento. **2.** *Zool.* Câmara em que se prende o manto dos moluscos. **3.** *Zool.* Na concha dos moluscos, a linha de inserção do manto. [Cf. *palio*, do v. *paliar*.]

paliobrânquio [Do lat. *pallium*, 'manto', 'capa', + *-brânquio*.] ***Adj.*** *Zool.* Que tem as brânquias cobertas de uma membrana carnuda.

palissandra [Do esp. *palo santo*, 'pau santo', pelo hol. *palissanten*, atual *palissander*, e pelo fr. *palissandre*.] ***S. f.*** *Bras. L. Bot.* Árvore bignoniácea (*Jacaranda mimosaefolia*) nativa do Brasil e muito cultivada como ornamento de ruas e praças, de folhas muito subdivididas e com folíolos pequenos, de flores azuis, vistosas e numerosas, e frutos que são síliquas com sementes aladas; carobaguaçu.

palitar [De *palito* + *-ar*[2].] ***V. t. d.*** **1.** Limpar (os dentes) com palito: "apareceu-me o velhote, ... sem colete, palitando os dentes." (Aluísio Azevedo, *Demônios*, p. 145). *Int. P.* 2. Limpar ou esgaravatar os dentes.

paliteiro[1] [De *palito* + *-eiro*.] *S. m.* 1. Vendedor e/ou fabricante de palitos. 2. Estojo de palitos.

paliteiro[2] [De *pauliteiro*, com síncope.] *S. m.* Pauliteiro.

palito [Alter. de **paulito*, dim. de *pau*.] *S. m.* 1. Pequena haste, ger. de madeira, dura e pontiaguda, us. para esgaravatar os dentes; esgaravatador. 2. Qualquer objeto que apresenta a forma de uma haste não muito longa. 3. Biscoito ou outra preparação culinária com esse formato: *palitos de queijo; palitos de chocolate.* 4. *Pop.* Fósforo (2). 5. *Fam.* Braço ou perna muito fina. 6. *Fig.* Pessoa muito magra: *Personagem célebre dos desenhos animados é a Olívia Palito.* 7. *Fig.* Pessoa que é objeto de divertimento dos outros.

palito-francês *S. m.* Biscoito (1) feito com massa de pão de ló, assado sobre papel e coberto de açúcar, e que é usado, em geral, no preparo de doces e tortas. [Pl.: *palitos-franceses*.]

paliúro [Do tax. *Paliurus* (do lat. *paliurus* < gr. *palíouros*).] *S. m. Bot.* 1. Pequeno gênero de arbustos ramnáceos espinhosos, dotados de pequenas flores cimosas e frutos lenhosos, alados. 2. Qualquer espécime desse gênero, como, p. ex., a *Paliurus australis* (v. *espinheiro-de-cristo*). 3. Qualquer espécime desse gênero.

palma[1] [Do lat. *palma*.] *S. f.* 1. *Anat.* Porção da face anterior de cada mão compreendida entre o punho e os quirodáctilos. 2. A parte do casco do cavalo que assenta sobre a ferradura. 3. *Fig.* Vitória, triunfo. ~ V. *palmas* e *palminhas*. ◆ **Conhecer como a palma da mão.** Conhecer perfeitamente: "Conhecia como a palma da mão todos os meandros da luta municipal" (José Sarney, *Norte das Águas*, p. 159). **Dar a palma a.** Considerar vencedor ou superior. **Levar a palma.** 1. Alcançar vitória. 2. Distinguir-se, sobressair, sobrelevar-se. **Levar a palma a.** Alcançar vitória sobre; avantajar-se a; sobrelevar: "Aí, na prioridade e no âmbito dos descobrimentos, ... a ocidental praia lusitana leva a palma à castelhana." (Ricardo Jorge, *Sermões dum Leigo*, p. 200.) **Trazer nas palmas das mãos.** Tratar com muito carinho, com todo o cuidado; trazer nas palminhas das mãos; paparicar.

palma[2] [Do tax. *Palmae*.] *S. f. Bot.* 1. V. *arecácea*. 2. Folha de palmeira.

palmácea [Do lat. *palma*, 'palmeira', + *-ácea*; tax. *Palmaceae*.] *S. f. Bot.* V. *arecácea*.

palmáceo [De *palmácea*, com var. suf. (v. *-áceo*).] *Adj. Bot.* V. *arecáceo*.

palmaciano *Adj.* 1. De, ou pertencente ou relativo a Palmácia (CE). ● *S. m.* 2. O natural ou habitante de Palmácia.

palma-cristi [Do lat. *palma Christi*, 'palmeira de Cristo'.] *S. f. Bras. Bot.* O mamoneiro, em alguns lugares. [Pl.: *palmas-cristi*.]

palmada [De *palma*[1] + *-ada*[1].] *S. f. Bras.* Pancada com a palma[1] (1).

palma-de-santa-rita [De *palma*[2] + *de* + o hag. *Santa Rita*.] *S. f. Bot.* Planta iridácea (*Gladiolus communis*) herbácea, com inflorescências de flores alvas ou róseas das quais nasce uma espata séssil, à maneira de cálice. [Pl.: *palmas-de-santa-rita*.]

palma-de-são-josé [De *palma*[2] + *de* + o hag. *São José*.] *S. f. Bot.* Planta liliácea (*Lilium longiflorum*) ornamental, de belas flores alvas e perfumadas; açucena, bastão-de-são-josé, copo-de-leite. [Pl.: *palmas-de-são-josé*.]

palmado [De *palma*[1] + *-ado*[1].] *Adj.* 1. *Bot.* De forma semelhante à da mão com os dedos abertos: *folha palmada*. 2. *Zool.* Diz-se do órgão ou membro de animal cuja estrutura é ligada por membrana ou cartilagem, como, p. ex., os pés dos patos e marrecos, os chifres dos alces, etc. 3. *Zool.* Dividido em lobos que partem de um centro comum.

palmal [Do lat. cient. *Palm-* (v. *palma*[2]) + *-al*[1].] *Adj. 2 g.* *Bot.* V. *arecal*.

palmale [Do tax. *Palmae* (v. *palma*[2]) + *-ale*; tax. *Palmales*.] *S. f. Bot.* V. *arecale*.

palmales *S. f. pl. Bot.* Ordem de plantas monocotiledôneas que compreende unicamente a família das palmáceas; príncipes.

palmar[1] [De *palma*[1] + *-ar*[1].] *Adj. 2 g.* Pertencente ou relativo a palma[1] (1). ~ V. *palmares*.

palmar[2] [Por palmal (de palma[2] + -al[1]), com dissimilação.] *Adj. 2 g.* Pertencente ou relativo à palma[2].

palmar[3] [Do lat. tard. *palmare*.] *Adj. 2 g.* 1. Que tem o comprimento de um palmo. 2. *Fig.* Muito evidente; palpável; grande, desmedido: *exagero palmar*; "Os erros de gramática dos redatores da *Gazeta de Notícias*, erros grosseiros, palmares, são apontados pela *Gazetinha*." (R. Magalhães Júnior, *Artur Azevedo e Sua Época*, p. 60).

palmar[4] [De *palma*[1] + *-ar*[2].] *V. t. d. T. d. e i.* V. *empalmar*.

palmarense[1] *Adj. 2 g.* 1. De, ou pertencente ou relativo a Palmares (PE). ● *S. 2 g.* 2. O natural ou habitante de Palmares.

palmarense[2] *Adj. 2 g.* 1. De, ou pertencente ou relativo a Palmares do Sul (RS). ● *S. 2 g.* 2. O natural ou habitante de Palmares do Sul.

palmarense[3] *Adj. 2 g.* 1. De, ou pertencente ou relativo a Palmares Paulista (SP). ● *S. 2 g.* 2. O natural ou habitante de Palmares Paulista.

palmares [Pl. de *palmar*[1].] *S. m. pl. Bras.* 1. Uma das regiões botânicas do Brasil setentrional, a qual abrange vastas zonas onde a vegetação predominante são palmeiras (babaçu, carnaúba, etc.). 2. Quilombo dos Palmares (q. v.). 3. *P. ext.* Negros que habitavam esse quilombo. ~ V. *palmar*.

→ **palmarès** [palma'ʀɛs] [Fr.] *S. m. 2 n.* 1. Lista de escritores, alunos, esportistas, etc., premiados. 2. Lista de vencedores de um concurso, competição, etc.

palmari *S. 2 g. Adj. 2 g.* V. *paumari*.

palmarino *Adj.* 1. De, ou pertencente ou relativo a União dos Palmares (AL). ● *S. m.* 2. O natural ou habitante de União dos Palmares.

palmário [De *palma*[2] + *-ário*.] *S. m.* 1. Estufa onde se criam palmeiras. 2. Coleção de palmeiras.

palmas [Pl. de *palma*[1].] *S. f. pl.* 1. Aplauso manifestado quando se bate com as palmas das mãos uma na outra. 2. Triunfo (9). ~ V. *palma* e *palminhas*.

palma-solense *Adj. 2 g.* 1. De, ou pertencente ou relativo a Palma Sola (SC). ● *S. 2 g.* 2. O natural ou habitante de Palma Sola. [Pl.: *palma-solenses*.]

▲ **palmati-** [Do lat. *palmātus, a, um*.] *El. comp.* = 'palma': *palmatifloro, palmatinérveo*.

palmaticomposto (mà... ô) [De *palmati-* + *composto*.] *Adj. Bot.* Diz-se da folha composta em que os folíolos se acham localizados no ápice do pecíolo comum.

palmatífido (mà) [De *palmati-* + *-fido*.] *Adj. Bot.* Diz-se de qualquer órgão foliáceo subdividido até perto do eixo, estando os segmentos no ápice.

palmatifloro (mà) [De *palmati-* + *-floro*.] *Adj. Bot.* Que tem corola palmatiforme.

palmatifoliado (mà) [De *palmati-* + *-foli-* + *-ado*[1].] *Adj. Bot.* Que tem folhas palmatiformes.

palmatiforme (mà) [De *palmati-* + *-forme*.] *Adj. 2 g. Bot.* Que tem forma de palma (1).

palmatilobado (mà) [De *palmati-* + *lobado*.] *Adj. Bot.* Lobado com os lobos reunidos no ápice.

palmatinérveo (mà) [De *palmati-* + *-nerv(i)-* + *-eo*.] *Adj. Bot.* Com nervuras que partem de um ponto central e divergem como os dedos da mão: *folha palmatinérvea*.

palmatipartido (mà) [De *palmati-* + *partido*.] *Adj. Bot.* De segmentos congregados junto ao ápice.

palmatissecto (mà) [De *palmati-* + *secto*.] *Adj. Bot.* Secto com os segmentos dispostos como os dedos da mão.

palmatoada [De *palmatoar* + *-ada*[1].] *S. f.* Pancada de palmatória; bolo: "estendia resignado a mão pequenina às palmatoadas estúpidas do mestre-escola." (Artur Azevedo, *Contos Possíveis*, p. 46).

palmatoar *V. t. d.* Dar palmatoadas em; castigar com palmatória. [Sin. (bras.): *palmatoriar*. Conjug.: v. *coroar*.]

palmatória [Do lat. tard. *palmatoria (ferula)*, 'férula de palmeira'.] *S. f.* 1. Pequena peça circular de madeira, não raro com cinco orifícios dispostos em cruz, e com um cabo, a qual servia, nas escolas, para castigar as crianças, batendo-lhes com ela na palma da mão. [Sin.: *férula* e (fam.) *pavana, maria-vitória, menina de cinco olhos, santa-vitória, santa-luzia*, sendo bras. os quatro últimos.] 2. Espécie de castiçal baixo, com prato, dotado de cabo ou de asa: "Sobre o lavatório de vinhático, numa palmatória de cristal, havia um coto de vela" (Coelho Neto, *Turbilhão*, p. 36). 3. *Constr. Nav.* Olhal que prende o turco ao costado do navio. 4. *Bras. Bot.* Designação comum a várias cactáceas do gênero *Opuntia*, esp. a *Opuntia monacantha*. [Cf. *palmatoria*, do v. *palmatoriar*.] ◆ **Palmatória do mundo.** *Bras.* Pessoa metida a moralista, que censura tudo e todos.

palmatoriar [De *palmatória* + *-ar*[2].] *V. t. d. Bras.* Palmatoar. [Pres. ind.: *palmatorio, palmatorias, palmatoria*, etc. Cf. *palmatória*.]

palmeado [Part. de *palmear*.] *Adj.* Acompanhado do bater de palmas; em que se batem palmas: *O cururu é uma dança palmeada e sapateada.*

palmeador (ô) [De *palmear* + *-dor*.] *Adj.* 1. Que palmeia, que aplaude batendo palmas. ● *S. m.* 2. Aquele que palmeia, que aplaude batendo palmas. 3. *Bras.* Indivíduo que palmeia terra; viajante, excursionista, explorador.

palmear [De *palma*[1] + *-ear*[2].] *V. t. d.* 1. Aplaudir batendo palmas. 2. Impelir com a mão (um barco). 3. *Bras.* Percorrer palmo a palmo, detidamente; trilhar, palmilhar: *O indianista palmeou, meses a fio, o interior de Goiás*; "Tempo virá em que este dilúvio termine ...., e a gente possa descer e palmear a Rua do Ouvidor e outros becos." (Machado de Assis, *A Semana*, II, p. 128). 4. Pegar, empunhar. 5. Desmanchar (o fumo) na palma da mão: "alisava a palha, picava o fumo, palmeava-o, enrolava o cigarro" (Nélson de Faria, *Bazé*, p. 101). 6. *Bras. Gír.* Furtar, roubar, abafar. *Int.* 7. Bater palmas, aplaudindo: "Uma noite assistira à representação de *Otelo*, palmeando até romper as luvas" (Machado de Assis, *A Mão e a Luva*, em *Obra Completa*, 1º vol., p. 324). [Conjug.: v. *frear*.]

palmeira [De *palma*[2] + *-eira*.] *S. f. Bot.* Denominação comum às plantas pertencentes à família das arecáceas. [Cf. *coqueiro*[1].] ~ V. *palmeiras*.

palmeira-de-leque *S. f. Bot.* V. *palmira*. [Pl.: *palmeiras-de-leque*.]

palmeira-de-palmira *S. f. Bot.* V. *palmira*. [Pl.: *palmeiras-de-palmira*.]

palmeira-do-azeite *S. f. Bras. Bot.* V. *dendezeiro*. [Pl.: *palmeiras-do-azeite*.]

palmeira-dos-brejos *S. f. Bras. Bot.* V. *buriti* (1). [Pl.: *palmeiras-dos-brejos*.]

palmeira-imperial *S. f. Bot.* Palmeira-real. [Pl.: *palmeiras-imperiais*.]

palmeira-indaiá *S. f. Bras. Bot.* V. *indaiá* (2). [Pl.: *palmeiras-indaiá*.]

palmeiral [De *palmeira* + *-al*[1].] *S. m.* 1. Quantidade mais ou menos considerável de palmeiras dispostas proximamente entre si. 2. Área ocupada por palmeiral (1). [Sin., nessas acepçs.: *palmar*.] ● *Adj. 2 g.* 3. De, ou próprio de palmeira: "a esveltez palmeiral" (Cruz e Sousa, *Obra Completa*, p. 743).

palmeira-laca *S. f. Bras. Bot.* Palmeira arecácea (*Cyrtostachys renda*) ornamental, de origem asiática, e cuja beleza provém sobretudo do gomo terminal colorido de vermelho vivo, que contrasta com o verde das folhas. [Pl.: *palmeiras-lacas* e *palmeiras-laca*.]

palmeira-leque *S. f. Bot.* V. *palmira*. [Pl.: *palmeiras-leques* e *palmeiras-leque*.]

palmeirandense *Adj. 2 g.* 1. De, ou pertencente ou relativo a Palmeirândia (MA). ● *S. 2 g.* 2. O natural ou habitante de Palmeirândia.

palmeira-palmira *S. f. Bot.* V. *palmira*. [Pl.: *palmeiras-palmiras* e *palmeiras-palmira*.]

palmeira-piaçaba *S. f. Bot.* Palmeira arecácea (*Leopoldinia piassaba*) originária da Colômbia, Venezuela e Brasil, de até 5m, estipe coroado por folhas pinadas ascendentes, de cuja base partem fibras castanho-avermelhadas com mais de 1m, que o recobrem; tais fibras são us. no fabrico de vassouras e escovas, as folhas se usam em coberturas de casas e do suco dos frutos obtém-se uma bebida, o xiquexique (5). [Sin.: *piaçaba, piaçaba-do-orenoco, piaçabeira, piaçaveira, xiquexique*. Pl.: *palmeiras-piaçabas* e *palmeiras-piaçaba*.]

palmeira-real *S. f. Bras. Bot.* Palmeira arecácea (*Oreodoxa oleracea*) ornamental, de grande tamanho e elegância, muito comum entre nós, que apresenta folhagem encimando o estipe liso e quase cilíndrico, e flores e frutos inconspícuos. [A primeira palmeira-real foi plantada por D. João VI (1767-1826), no Jardim Botânico do Rio de Janeiro.] [Sin.: *palmeira-imperial*. Pl.: *palmeiras-reais*.]

palmeiras *S. 2 g. e 2 n. Bras.* V. *palmeirense*[9] (3). ~ V. *palmeira*.

palmeira-sagu *S. f. Bot.* V. *sagueiro*. [Pl.: *palmeiras-sagus* e *palmeiras-sagu*.]

palmeirense[1] *Adj. 2 g.* 1. De, ou pertencente ou relativo a Palmeira (PR). ● *S. 2 g.* 2. O natural ou habitante de Palmeira.

palmeirense[2] *Adj. 2 g.* 1. De, ou pertencente ou relativo a Palmeira das Missões (RS). ● *S. 2 g.* 2. O natural ou habitante de Palmeira das Missões.

palmeirense[3] *Adj. 2 g.* 1. De, ou pertencente ou relativo a Palmeira d'Oeste (SP). ● *S. 2 g.* 2. O natural ou habitante de Palmeira d'Oeste.

palmeirense[4] *Adj. 2 g.* 1. De, ou pertencente ou relativo a Palmeira dos Índios (AL). ● *S. 2 g.* 2. O natural ou habitante de Palmeiras dos Índios.

palmeirense[5] *Adj. 2 g.* 1. De, ou pertencente ou relativo a Palmeirais (PI). ● *S. 2 g.* 2. O natural ou habitante de Palmeirais.

palmeirense[6] *Adj. 2 g.* 1. De, ou pertencente ou relativo a Palmeiras (BA e PI). ● *S. 2 g.* 2. O natural ou habitante de Palmeiras.

palmeirense[7] *Adj. 2 g.* 1. De, ou pertencente ou relativo a Palmeiras de Goiás (GO). ● *S. 2 g.* 2. O natural ou habitante de Palmeiras de Goiás.

palmeirense[8] *Adj. 2 g.* 1. De, ou pertencente ou relativo a Santa Cruz das Palmeiras (SP). ● *S. 2 g.* 2. O natural ou habitante de Santa Cruz das Palmeiras.

palmeirense[9] *Bras. Adj. 2 g.* 1. Pertencente ou relativo à Sociedade Esportiva Palmeiras (SP); periquito. 2. Que é torcedor ou jogador dessa agremiação; periquito. ● *S. 2 g.* 3. Membro, torcedor ou jogador dela; palmeiras, periquito.

palmeirim[1] [De *palmeira* + *-im*.] *S. m. Bras. Bot.* V. *anajá-mirim*.

palmeirim² [De *Palmeirim*, personagem de várias novelas de cavalaria.] *S. m. Ant.* Peregrino, estrangeiro, forasteiro; palmeiro.

palmeirinense *Adj. 2 g.* **1.** De, ou pertencente ou relativo a Palmeirina (PE). ● *S. 2 g.* **2.** O natural ou habitante de Palmeirina.

palmeirino *Adj.* **1.** De, ou pertencente ou relativo a Palmeira do Piauí (PI). ● *S. m.* **2.** O natural ou habitante de Palmeira do Piauí.

palmeiro¹ [De *palma¹* + *-eiro*.] *S. m. Ant.* V. *palmeirim²*: "O traje destes dous homens era o comum a todos os palmeiros ou peregrinos que naquela época visitavam a Terra Santa" (Arnaldo Gama, *O Balio de Leça*, p. 2).

palmeiro² [De *palmo* + *-eiro*.] *Adj.* Que mede cerca de um palmo.

palmeiropolitano *Adj.* **1.** De, ou pertencente ou relativo a Palmeirópolis (TO). ● *S. m.* **2.** O natural ou habitante de Palmeirópolis.

palmela *Bras. S. 2 g.* **1.** *Etnôn.* Indivíduo dos palmelas [ou (etnôn. bras.) *Palmella], povo indígena extinto, da família linguística caraíba, que habitava as margens dos rios Branco, Colorado e Meques (RO). ● *Adj. 2 g.* **2.** Pertencente ou relativo a esse povo.

palmelino *Adj.* **1.** De, ou pertencente ou relativo a Palmelo (GO). ● *S. m.* **2.** O natural ou habitante de Palmelo.

palmeloide (ói) [Do lat. cient. *palmella* + *-oide*.] *Adj. 2 g. Bot.* Diz-se de uma modalidade de colônia de algas que se multiplicam no interior de uma massa mucilaginosa, produzida por elas mesmas. ❖

palmense¹ *Adj. 2 g.* **1.** De, ou pertencente ou relativo a Palma (MG). ● *S. 2 g.* **2.** O natural ou habitante de Palma.

palmense² *Adj. 2 g.* **1.** De, ou pertencente ou relativo a Palmas (PR e capital do Estado do Tocantins). ● *S. 2 g.* **2.** O natural ou habitante de Palmas.

palmense³ *Adj. 2 g.* **1.** De, ou pertencente ou relativo a Santo Antônio do Palma (RS). ● *S. 2 g.* **2.** O natural ou habitante de Santo Antônio do Palma.

pálmer [Do antr. *Palmer*, inventor desse instrumento.] *S. m. Fís.* Instrumento com que se medem pequenas espessuras, baseado no parafuso micrométrico. [Pl.: *pálmeres*.]

palmeta (ê) [De *palma¹* + *-eta* (ê).] *S. f.* **1.** Espátula empregada para estender emplastros. **2.** V. *palmilha* (1). **3.** Cunha para fazer levantar ou abaixar a culatra das antigas peças de artilharia. **4.** Ornato cujo motivo é uma palma (1). **5.** *Bras.* Calço de ferro, com o feitio de palma, que se introduz nas frinchas produzidas pela ação do guio, e auxilia este na abertura das pedras.

▲ **palm(i)-** [Do lat. *palmi-* < lat. *palma, ae*.] *El. comp.* = 'palma¹' e 'palma²'; 'palma da mão': *palmácea, palmicheio, palmífero* (< lat.), *palmiforme, palmípede¹* (< lat.). [Equiv.: *-palmo*: *diapalmo*.]

palmicheio [De *palm(i)-* + *cheio*.] *Adj. Zool.* Diz-se do casco dos solípedes quando têm a face plantar convexa, excedendo o nível do bordo circular.

palmiê [Do fr. *palmier*.] *S. m. Cul.* Folhado (6) a que se dá a forma de palma¹ (1): "Raimundo Silva entrou .... e foi sentar-se a uma mesa por trás da montra onde se exibiam as seduções da doçaria habitual, os pastéis de nata, os palmiês, as cornucópias" (José Saramago, *História do Cerco de Lisboa*, p. 62).

➔ **palmier** [pal'mje] [Fr.] *S. m. Cul.* V. *palmiê*.

palmífero [Do lat. *palmiferu*.] *Adj.* **1.** Que produz palmeiras. **2.** Abundante em palmeiras.

palmiforme [De *palm(i)-* + *-forme*.] *Adj. 2 g.* Semelhante à palma (1).

palmilha [Do esp. *palmilla*.] *S. f.* **1.** Revestimento interior da sola do calçado; palmeta, soleta. **2.** Parte da meia sobre que assenta o pé. **3.** *Tec. Têx.* Certo tecido antigo.

palmilhadeira [De *palmilhar* + *-deira*.] *S. f.* Mulher que palmilha meias.

palmilhador (ô) [De *palmilhar* + *-dor*.] *S. m.* Aquele que palmilha [v. *palmilhar* (2)].

palmilhar [De *palmilha* + *-ar²*.] *V. t. d.* **1.** Pôr palmilha(s) em: "palmilhava sandálias" (Fialho d'Almeida, *O País das Uvas*, p. 254). **2.** Percorrer a pé; palmear: "Preferiu [Artur Azevedo] palmilhar, com os seus próprios recursos, as velhas veredas" (Josué Montello, *Artur Azevedo e a Arte do Conto*, p. 49). **3.** Calcar com os pés, ao andar. *Int.* **4.** Andar a pé.

palminervado [De *palm(i)-* + *nervado*.] *Adj. Bot.* Diz-se de folha em que, com a nervura principal, partem do pecíolo outras nervuras divergentes, à semelhança dos dedos, lembrando a palma da mão; palminérveo.

palminérveo [De *palm(i)-* + *-nerv(i)-* + *-eo*.] *Adj. Bot.* Palminervado.

palminhas [Pl. do dim. de *palma¹*.] *El. s. f. pl.* Us. nas loc. verb. *tratar nas palminhas* e *trazer nas palminhas*. ~ V. *palma* e *palmas*. ◆ **Tratar nas palminhas.** Tratar muito bem; tratar com muito carinho; trazer nas palminhas. "Inspirava verdadeiro pânico, era tratada nas palminhas e quando ela aparecia – minha avó, a prima Zezé ...., a Baronesa do Retiro se encolhiam .... ." (Pedro Nava, *Balão Cativo*, p. 32). **Trazer nas palminhas.** Tratar nas palminhas.

palminho [De *palmo* + *-inho¹*.] *El. s. m.* Us. nas expr. *um palminho de cara* e *um palminho de rosto*. ◆ **Um palminho de cara.** Rosto bonito e gracioso, de mulher ou de criança; um palminho de rosto, um palmo de cara, um palmo de rosto. **Um palminho de rosto.** V. *um palminho de cara*.

palminopolino *Adj.* **1.** De, ou pertencente ou relativo a Palminópolis (GO). ● *S. m.* **2.** O natural ou habitante de Palminópolis.

palmípede¹ [Do lat. *palmipede*.] *Adj. 2 g.* Que tem os dedos dos pés unidos por membrana.

palmípede² [Adapt. do tax. *Palmipedes*.] *Zool. Desus. S. m.* **1.** Espécime dos palmípedes, ordem heterogênea de animais metazoários, cordados, vertebrados, aves cujos dedos dos pés são unidos por membrana. ● *Adj. 2 g.* **2.** Pertencente ou relativo a eles.

palmira [Alter. de *palmeira*, poss.] *S. f. Bot.* Palmeira arecácea (*Borassus flabellifer*) de até 30m, nativa da Índia a Mianmar, de estipe rijo, folhas flabeliformes, verde-azuladas, us. no revestimento de tetos e em obras trançadas, frutos globosos, comestíveis após serem assados; a seiva é rica em açúcar e a madeira, resistente à água salgada, é us. no fabrico de jangadas. [Sin.: *acadiro, cibe* (guin.), *lantor, lontar* (mal.), *palmeira-de-leque, palmeira-de-palmira, palmeira-leque, palmeira-palmira, sibala, sivala*.]

palmital [De *palmito* + *-al¹*.] *S. m. Bras.* **1.** *Bot.* Palmeira arecácea que produz palmito. **2.** V. *pindobal* (2). **3.** Quantidade mais ou menos considerável de palmeiras que produzem palmitos dispostas proximamente entre si.

palmitalense *Adj. 2 g.* **1.** De, ou pertencente ou relativo a Palmital (PR e SP). ● *S. 2 g.* **2.** O natural ou habitante de Palmital.

palmitato [De *palmito* + *-ato²*.] *S. m. Quím.* Designação comum aos sais e ésteres do ácido palmítico.

palmiteiro [De *palmito* + *-eiro*.] *S. m.* **1.** *Bot.* V. *açaí* (1). **2.** Aquele que extrai o palmito: "Eles [os atos que agridem a natureza] vão dos desastres como .... o reator que se rompeu, deixando vazar radioatividade, ao trabalho contínuo dos palmiteiros em nosso litoral." (Inácio de Loiola Brandão, *Manifesto Verde*.)

palmitense¹ *Adj. 2 g.* **1.** De, ou pertencente ou relativo a Palmitinho (RS). ● *S. 2 g.* **2.** O natural ou habitante de Palmitinho.

palmitense² *Adj. 2 g.* **1.** De, ou pertencente ou relativo a Palmitos (SC). ● *S. 2 g.* **2.** O natural ou habitante de Palmitos.

palmiteso (ê) [De *palm(i)-* + *teso²*.] *Adj. Zool.* Diz-se do casco dos solípedes quando a superfície plantar é plana e ao nível do bordo inferior do casco.

palmítico [De *palmito* + *-ico²*.] *Adj. Quím.* ~ V. *ácido* —.

palmitina [De *palmito* + *-ina³*.] *S. f. Quím.* Éster palmítico do glicerol, sólido, gorduroso, incolor [fórm.: $C_{51}H_{98}O_6$].

palmito [De *palm(i)-* + *-ito¹*.] *S. m.* **1.** *Bot.* Gomo terminal, longo e macio, do caule das palmeiras, comestível em algumas espécies, sobretudo da *Euterpes edulis*. [Cf. *juçara* (1).] **2.** *Bras. Bot.* V. *açaí* (1). **3.** *Bras. Zool.* Peixe teleósteo, siluriforme, auquenipterídeo (*Auchenipterus nigripinnis*), distribuído pelo Amazonas, Paraná e Paraguai, de flancos cinza-azulados e cabeça com manchas ovais negras sobre um fundo verde-pardacento. Mede cerca de 19cm de comprimento.

palmito-amargoso (ô) *S. m. Bras. Bot.* V. *guariroba* (1). [Pl.: *palmitos-amargosos*.]

palmito-de-ferrão *S. m. Bras. Zool.* Peixe teleósteo, siluriforme, ageneiosídeo (*Ageneiosus valenciennesi*), distribuído por todo o Brasil. Tem barbilhão nasal curto e franjado. [Sin.: *peixe-palmito, mandubi*. Pl.: *palmitos-de-ferrão*.]

palmito-do-chão *S. m. Bras. Bot.* V. *indaiá* (2). [Pl.: *palmitos-do-chão*.]

palmito-juçara *S. m. Bras. Bot.* Juçara (1). [Pl.: *palmitos-juçaras* e *palmitos-juçara*.]

palmito-mole *S. m. Bras. Bot.* V. *açaí-do-alto-amazonas*. [Pl.: *palmitos-mole*.]

palmo [Do lat. *palmu*.] *S. m.* **1.** Unidade de comprimento que vai da ponta do polegar à do mínimo, estando a mão bem aberta. **2.** Antiga unidade de medida de comprimento, equivalente a oito polegadas [v. *polegada* (3)], ou seja, 22cm. ◆ **Palmo a palmo.** Gradualmente; pouco a pouco, a pouco e pouco. **Palmo brasileiro.** *Metrol.* Antiga unidade de comprimento equivalente a 0,2m, e que foi adotada no Brasil entre 1833 e 1862. **Palmo de terra.** Pequena extensão de terra. **Não enxergar um palmo adiante do nariz.** Ser muito ignorante e/ou muito curto de inteligência. **Um palmo de cara.** V. *um palminho de cara*. **Um palmo de rosto.** V. *um palminho de cara*.

▲ **-palmo** Equiv. de *palm(i)-*.

palmoira *S. f.* V. *palmoura*.

palmopolense *Adj. 2 g.* **1.** De, ou pertencente ou relativo a Palmópolis (MG). ● *S. 2 g.* **2.** O natural ou habitante de Palmópolis.

palmoura [De *palma¹*.] *S. f. Bras. Zool.* O pé das aves palmípedes: "boiando nas águas quietas .... dos lagos, raro em raro frisadas pelas palmouras dum cisne" (Coelho Neto, *A Conquista*, p. 1). [Var.: *palmoira*.]

palmouria [De *palmoura* + *-ia¹*.] *S. f. Ter.* Hemiteratia em que se observa, em mão ou em pé, dedos unidos por membrana, à semelhança da palmoura das aves.

➔ **palmtop** ['palmtɔp] [Ingl., lit., 'sobre a palma da mão, por analogia com *desktop* (q. v.).] *S. m. Inform.* Microcomputador portátil de tamanho reduzido, pequeno o bastante para ser acomodado na palma da mão. [Cf. *desktop* e *laptop*.]

paloma [Do esp. *paloma*.] *S. f.* **1.** *Bras. Gír.* Meretriz. [Tb. us. deprec.] **2.** *Ant.* Pomba (1).

palomba [Alter. de *paloma*.] *S. f. Marinh.* **1.** Novelo de mialhar. **2.** Espécie de ponto us. para coser as tralhas das velas, dos toldos, etc.; ponto de palomba.

palombadura [De *palombar* + *-dura*.] *S. f. Marinh.* Costura feita nas tralhas das velas, dos toldos, etc., com ponto de palomba.

palombar [De *palomba* + *-ar²*.] *V. t. d. Marinh.* Coser (uma tralha de vela, de toldo, etc.) com ponto de palomba.

palombeta (ê) [Var. de *palometa*.] *S. f. Bras. Zool.* Peixe teleósteo, perciforme, carangídeo (*Chloroscombrus chrysurus*), do Atlântico, desde a América do Norte até o rio da Prata, de dorso azulado, abdome prateado, mancha preta no opérculo e na base da cauda. Comprimento: até 30cm. A carne é de qualidade inferior. [Sin.: *carapau, juvá, vento-leste*.]

palombino [Do lat. *palumbinu*, 'de pombo bravo'.] *S. m.* Mármore branco, de grão muito fino, que se encontra em certos monumentos antigos.

palometa (ê) [Do esp. plat. *palometa*, dim. de *paloma*, 'pomba'.] *S. f. Bras. Zool.* V. *palombeta*.

palonço [Voc. express., poss.] *Adj. S. m.* Parvo, tolo, imbecil, pacóvio.

■ **PALOP** Sigla de *País Africano de Língua Oficial Portuguesa*.

palor (ô) [Do lat. *pallore*.] *S. m.* V. *palidez*: "Já da morte o palor me cobre o rosto" (Álvares de Azevedo, *Obras Completas*, I, p. 233).

palorado [Part. de *palorar*.] *Adj.* Empalidecido, pálido: "Um esboço de sorriso cavava mais o seu rosto magro e palorado pelas canseiras." (Reginaldo Guimarães, *Uma Blusa no Cais*, p. 14.)

palorar [De *palor* + *-ar²*.] *V. t. d. Int.* Tornar(-se) pálido; empalidecer.

palotes [Do mirandês *palotes*, 'pauzinhos'.] *S. m. pl.* Paus us. num tipo de dança popular portuguesa; paulitos.

palotinense *Adj. 2 g.* **1.** De, ou pertencente ou relativo a Palotina (PR). ● *S. 2 g.* **2.** O natural ou habitante de Palotina.

palpabilidade [De *palpável* + *-(i)dade*, seg. o padrão erudito.] *S. f.* Qualidade de palpável.

palpabilização [De *palpabilizar* + *-ção*.] *S. f.* Ato ou efeito de palpabilizar.

palpabilizador (ô) [De *palpabilizar* + *-dor*.] *Adj. S. m.* Que, ou aquele que palpabiliza.

palpabilizar [De *palpável* + *-izar*, seg. o padrão erudito.] *V. t. d.* Tornar palpável.

palpação [Do lat. *palpatione*, ou de *palpar* + *-ção*.] *S. f.* **1.** Ato de palpar; apalpação. **2.** *Med.* Forma de exame físico de doente, que consiste em aplicar os dedos, ou a palma, de uma ou de ambas as mãos, com pressão leve ou forte, em qualquer região do corpo humano, tateando-a, com o objetivo de perceber fenômenos normais ou patológicos nos elementos anatômicos que fazem parte daquela região.

palpadela [De *palpar* + *-dela*.] *S. f.* V. *apalpadela*.

palpar [Do lat. *palpare*.] *V. t. d. T. d. e i. P.* V. *apalpar*: "o Feiticeiro rodeia o corpo da criança, auscultá-o, palpa-o" (Melo Morais Filho, *Festas e Tradições Populares do Brasil*, p. 163).

palpator (ô) [Do lat. *palpator*; tax. *Palpatores*.] *Zool. S. m.* **1.** Espécime dos palpatores, subordem de animais invertebrados, artrópodes, opiliónidos, providos de olhos dorsais, placa genital, palpos delicados, com unha terminal fraca ou ausente; as fêmeas possuem um longo tubo ovopositor, colocando os ovos em madeira apodrecida ou húmus. ● *Adj.* **2.** Pertencente ou relativo a eles.

palpatório [De *palpar* + *-tório*.] *Adj. Med.* Relativo a palpação (2).

palpável [Do lat. tard. *palpabile*.] *Adj. 2 g.* **1.** Que se pode palpar, ver, sentir: *prova palpável*. **2.** *Fig.* Evidente, claro, patente, manifesto: *Os fatos foram relatados com palpável exagero.*

pálpebra [Do lat. *palpebra*.] *S. f. Anat.* Cada uma das duas pregas móveis, uma superior e outra inferior,

P

dotada de cílios, e que protege a superfície anterior de cada globo ocular.

palpebrado [De *pálpebra* + *-ado*[1].] *Adj.* Que tem pálpebras.

palpebral [Do lat. tard. *palpebrale.*] *Adj. 2 g.* De, relativo ou pertencente à pálpebra. ~ V. *cartilagem — e fenda —.*

palpebrite [De *pálpebra* + *-ite*[1].] *S. f. Oftalm.* V. *blefarite.*

palpígrado [Do lat. cient. *palpus* (v. *palpo*) + *-i-* + *-grado*[1]; tax. *Palpigradi.*] *Zool. S. m.* **1.** Espécime dos palpígrados, ordem de artrópodes aracnídeos, com os dois últimos segmentos torácicos livres, abdome segmentado, telso longo e pluriarticulado, respiração cutânea, e desprovidos de olhos. São de tamanho diminuto e vivem ger. debaixo de pedras. ● *Adj.* **2.** Pertencente ou relativo a eles.

palpitação [Do lat. *palpitatione.*] *S. f.* **1.** Ato de palpitar. **2.** Movimento desordenado, agitado; palpite. **3.** *Card.* Batimento cardíaco de que se tem consciência.

palpitante [Do lat. *palpitante*, part. pres. de *palpitare.*] *Adj. 2 g.* **1.** Que palpita; pálpito. **2.** Que apresenta vestígios de vida. **3.** *Fig.* De grande interesse; vivo, emocionante: *romance palpitante; história palpitante.* **4.** *Fig.* De interesse atual; que está na ordem do dia: *tema palpitante; reportagem palpitante.*

palpitar [Do lat. *palpitare.*] *V. int.* **1.** Ter palpitações; pulsar, bater: "Mas os corações estão parados e frios, e não mais palpitam dentro daqueles peitos de múmias." (Alphonsus de Guimaraens, *Obra Completa*, p. 119.) **2.** Ter agitação convulsiva (os músculos dos seres que acabam de sofrer morte violenta). **3.** Comover-se, sobressaltar-se: *Palpitou à vista do espetáculo horripilante.* **4.** Ondular; agitar-se. **5.** Renovar-se; renascer: *Novamente a esperança palpitou em sua alma. T. i.* **6.** Dar palpite(s): *Costuma palpitar em assuntos que lhe são estranhos.* **7.** Parecer; bacorejar: *Palpita-lhe que seria aquela a melhor solução. T. d.* **8.** Pressentir, supor. **9.** Procurar conhecer a opinião de; sondar, apalpar: *Palpitou o amigo, mas este fechou-se em copas.* [Pres. ind.: *palpito, palpitas*, etc. Cf. *pálpito*, adj.]

palpite [Dev. de *palpitar.*] *S. m.* **1.** V. *palpitação* (1 e 2). **2.** *Fig.* Pressentimento, suspeita; bacorejo. **3.** Intuição de ganho (em jogo). **4.** *Bras. Gír.* Dito ou opinião de quem se intromete, ou não entende do assunto; saque, peruada. **5.** *Bras. Turfe* Indicação de um cavalo como provável vencedor de um páreo.

palpiteiro [De *palpite* + *-eiro.*] *Adj. S. m. Bras.* Diz-se de, ou aquele que gosta de dar palpite (4).

pálpito [Dev. de *palpitar.*] *Adj.* Que tem palpitações; que palpita; palpitante. [Cf. *palpito*, do v. *palpitar.*]

palpitoso (ô) [De *palpite* + *-oso.*] *Adj.* **1.** *Bras. S. Pop.* Desejoso, apetitoso. **2.** *Bras. N.E. Pop.* Que tem atração sexual; sexualmente excitante: *moça palpitosa.*

palpo [Do lat. cient. *palpus* (< lat. *palpus*, 'afago').] *S. m. Zool.* **1.** Apêndice do maxilar e do lábio dos insetos. **2.** O segundo par de apêndices dos aracnídeos com que estes sujeitam suas presas para nelas inserir as quelíceras. ◆ **Em palpos de aranha.** V. *em papos de aranha.*

palpumá *Bras. S. 2 g.* **1.** *Etnôn.* Indivíduo dos palpumás, povo indígena extinto que habitava as margens do rio Juruá (AM). ● *Adj. 2 g.* **2.** Pertencente ou relativo a esse povo. [Tb. us. como *s. 2 g. e 2 n.* (com cap.) e *adj. 2 g. e 2 n.*]

palra [Dev. de *palrar.*] *S. f.* **1.** Fala, palavra, conversa. **2.** Tagarelice; loquacidade. [Sin. ger.: *palraria, pálrea, palrice, palração.*]

palração [De *palrar* + *-ção.*] *S. f.* V. *palra.*

palradeiro [De *palrar* + *-deiro.*] *Adj.* V. *palreiro*: *Não se cala um minuto: Que moça palradeira!*; "Rima o vento que açoita as densas ramalheiras, / E o canto festival das aves palradeiras." (Silva Ramos, *Pela Vida fora...*, p. 271.)

palrador (ô) [De *palrar* + *-dor.*] *Adj. S. m.* **1.** Que, ou aquele que palra. **2.** Tagarela, falador.

palrar [De *parlar*, com metátese.] *V. int.* **1.** Articular sons vazios de sentido; chalrar. **2.** Falar muito; tagarelar, parolar: "Uma delas .... palrava continuamente, numa garrulice infantil" (Domício da Gama, *Histórias Curtas*, p. 15). **3.** Conversar, palestrar. *T. d.* **4.** Dizer, proferir. **5.** Descobrir, revelar, patentear: *Sua animação palrava o contentamento que o possuía.* [F. paral.: *palrear.*]

palraria [De *palra* + *-aria.*] *S. f.* V. *palra.*

palratório [De *palrar* + *-tório.*] *S. m.* V. *locutório.*

pálrea *S. f.* V. *palra.*

palrear [De *palr(ar)* + *-ear*[2].] *V. int. T. d.* V. *palrar.* [Conjug.: v. *frear.*]

palreiro [De *palrar* + *-eiro.*] *Adj.* Que palra; palrador, palradeiro, tagarela: *meninos palreiros*; "E, de braço dado, atravessavam toda a chácara, unidos, palreiros, alegres, como dois namorados felizes." (Machado de Assis, *Contos sem Data*, p. 19); "Rufando as penas doiradas, / Vão as calhandras, palreiras, / Preando insetos, coitadas, / Por não ter um grão nas leiras!" (Bulhão Pato, *Livro do Monte*, p. 65).

palrice [De *palra* + *-ice.*] *S. f.* **1.** Ato ou efeito de palrar. **2.** V. *palra.*

paludamento [Do lat. *paludamentu.*] *S. m.* Manto branco ou purpúreo, que usavam os generais da antiga Roma e, depois, os imperadores: "S. Bernardo aparecia também, empunhando o báculo num braço de monge, donde caía um paludamento retinto em sangue." (Oliveira Martins, *A Vida de Nun'Álvares*, p. 278.)

palude [Do lat. *palude.*] *S. m.* V. *pântano.*

▲ **palud(i)-** [Do lat. *palus, ūdis.*] *El. comp.* = 'brejo', 'pântano': *paludícola* (< lat.), *paludismo.* [Equiv.: *-palud(i)-*: *impaludismo.*]

▲ **-palud(i)-** Equiv. de *palud(i)-*.

paludial [De *palud(i)-* + *-ial.*] *Adj. 2 g.* Relativo a, ou próprio de pauis ou lagoas; paludiano.

paludiano [De *palud(i)-* + *-iano.*] *Adj.* **1.** Paludícola. **2.** Paludial: "Pesava em tudo a maldição das doenças paludianas" (Alberto Rangel, *Quando o Brasil Amanhecia*, p. 267).

palúdico [De *palude* + *-ico*[2].] *Adj.* **1.** Relativo a palude. **2.** Relativo a paludismo.

paludícola [Do lat. tard. *paludicola.*] *Adj. 2 g.* Que vive nos charcos e lagoas; paludiano.

paludífero [Do lat. tard. *paludiferu.*] *Adj.* V. *paludoso* (1).

paludismo [De *palud(i)-* + *-ismo.*] *S. m. Med.* V. *malária.*

paludoso (ô) [Do lat. *paludosu.*] *Adj.* **1.** Em que há paludes ou lagoas; paludífero, palustre. **2.** Alagadiço, pantanoso, palustre.

paluguindão [Do mal. *palu-Kidong.*] *S. m.* Atabale tártaro.

palurdice [De *palúrdio* + *-ice.*] *S. f.* Qualidade, ato, dito ou modos de palúrdio; patetice.

palúrdio [Do esp. *palurdo.*] *Adj. S. m.* V. *tolo* (1 a 3 e 8): "Camilo [Camilo Castelo Branco].... chamava-me .... aos caixeiros românticos que se suicidavam por amor, aos palúrdios pais de famílias que matavam as filhas de desespero .... porque elas preferiam casar-se com bacharéis e não com quem eles queriam." (Gilberto Amado, *Minha Formação no Recife*, p. 95.)

➔ **palus** ['palos] [Lat.] *S. m. Astr.* Região plana, pouco profunda e, às vezes, luminosa, na superfície de um satélite ou de um planeta.

palustre [Do lat. *palustre.*] *Adj. 2 g.* **1.** V. *paludoso.* **2.** Relativo a pauis. **3.** Que vive em pauis ou lagoas. ~ V. *febre —.*

▲ **pam-** [Do gr. *pam-* (à frente de beta [b], mi [m], pi [p], ipsilo [y], fi [ph] e psi [ps]), do gr. *pan-* < *pâs, pâsa, pân.*] V. *pant(o)-.*

pama *Bras. S. 2 g.* **1.** *Etnôn.* Indivíduo dos pamas, povo indígena extinto que habitava a margem esquerda do rio Jaciparaná (RO). ● *Adj. 2 g.* **2.** Pertencente ou relativo a esse povo. [Tb. us. como *s. 2 g. e 2 n.* (com cap.) e *adj. 2 g. e 2 n.*]

pamana *Bras. S. 2 g.* **1.** *Etnôn.* Indivíduo dos pamanas, povo indígena extinto que habitava as margens dos rios Ituxi e Mucuim, afluentes da margem direita do rio Purus (AM). ● *Adj. 2 g.* **2.** Pertencente ou relativo a esse povo. [Tb. us. como *s. 2 g. e 2 n.* (com cap.) e *adj. 2 g. e 2 n.*]

pamastite [De *pam-* + *mastite.*] *S. f. Med.* Mastite que abrange toda a mama.

pamoá *Bras. S. 2 g.* **1.** *Etnôn.* Indivíduo dos pamoás, povo indígena extinto, da família linguística tucano, que habitava as nascentes do rio Papuri (AM). ● *Adj. 2 g.* **2.** Pertencente ou relativo a esse povo. [Tb. us. como *s. 2 g. e 2 n.* (com cap.) e *adj. 2 g. e 2 n.*]

pamonã [Do tupi.] *S. m. Bras. Cul.* Prato sertanejo preparado com farinha de milho ou de mandioca, e feijão, carne ou peixe; revirado.

pamonha [Do tupi.] *S. f. Bras.* **1.** Espécie de bolo feito de milho verde, leite de coco, manteiga, canela, erva-doce e açúcar, e cozido em tubos das folhas do próprio milho ou de folhas de bananeira, atados nas extremidades. ● *S. 2 g.* **2.** Pessoa mole, preguiçosa, inerte, desajeitada; pastelão, pamonha-azeda. ● *Adj. 2 g.* **3.** Diz-se de pamonha (2). **4.** *Fig.* Bobo, tolo, toleirão.

pamonha-azeda [De *pamonha* + o f. do adj. *azedo.*] *S. 2 g. Bras. SP Pop.* V. *pamonha* (2). [Pl.: *pamonhas-azedas.*]

pampa [Do quíchua *pampa*, 'planície', pelo esp. plat.] *Adj. 2 g. Bras.* **1.** Diz-se do animal de cara branca. **2.** Diz-se do cavalo malhado em todo o corpo. [Var., nessas acepçs.: *pampo.*] ● *S. m. e f.* **3.** Grande planície, coberta de vegetação rasteira, na região meridional da América do Sul. ~ V. *pampas.*

pampã *Bras. S. 2 g.* **1.** *Etnôn.* Indivíduo dos pampãs [ou (etnôn. bras.) *Pampan], povo indígena extinto, da família linguística botocuda, que habitava a margem direita do rio Jequitinhonha (MG) e as margens do rio Itanhaém (BA). ● *Adj. 2 g.* **2.** Pertencente ou relativo a esse povo.

pâmpano [Do lat. *pampinu*, pelo esp. *pámpano.*] *S. m.* **1.** Ramo tenro de videira; sarmento, parra. **2.** *Arquit.* Ornato que representa uma haste de vinha com parras e, muitas vezes, com uvas, us. em colunas salomônicas. **3.** *Bras.* V. *galhudo* (4).

pampanoso (ô) [De *pâmpano* + *-oso.*] *Adj.* **1.** Que tem pâmpanos. **2.** Cheio ou coberto de pâmpanos. [Sin. ger.: *pampíneo.*]

pamparra [Da loc. (*à*) *pampa* + *-arra*, poss.] *Adj. 2 g. Bras. PE Fam.* **1.** Excelente; grande. **2.** Gostoso, apetitoso; suculento. ◆ **À(s) pamparra(s).** *Bras. Gír.* V. *às pampas.* "Deitou falação, buscando provar que arreios velhos e abandonados existiam à pamparra" (Fernando Sabino, *O Grande Mentecapto*, p. 102).

pamparrear *V. int. Bras. Pop.* V. *mamparrear.* [Conjug.: v. *frear.*]

pamparrona *S. f. Bras. Zool.* V. *guaivira.*

pampas *El. s. f. pl.* Us. na loc. adv. *às pampas.* ~ V. *pampa.* ◆ **Às pampas.** Em grande quantidade ou intensidade; muito, à beça; às pamparras.

pampeiro [De *pampa* + *-eiro.*] *S. m.* **1.** *Bras.* Vento local que sopra das regiões meridionais da Argentina e pode alcançar o RS, onde é chamado *minuano*[1]. **2.** *Bras. S. Gír.* Conflito, briga, rixa, discussão. V. *rolo*[1] (16). **3.** *Bras. S.* Barulho, espalhafato, escarcéu: "O coronel fez um pampeiro dos diabos: | '— Agarrem esse bandido, botem já já no tronco.'" (M. Cavalcanti Proença, *Manuscrito Holandês*, p. 82.) **4.** Pampiano (2). ● *Adj.* **5.** **6.** Pampiano (1).

pampiano [De *pampa* + *-iano.*] *Bras. Adj.* **1.** Pertencente ou relativo ao pampa, à região dos pampas. ● *S. m.* **2.** O natural ou habitante dessa região. [Sin. ger.: *pampeiro.*]

pampilho [De or. obsc.] *S. m.* **1.** Garrocha terminada em aguilhão: "o campino veste-se de garridos trajes e ergue na mão um pampilho, o cetro do seu valor, o símbolo duma grandeza feita de graça e valentia." (Miguel Torga, *Portugal*, p. 108). **2.** *Bot.* Designação comum a diversas plantas asteráceas: *Chrysanthemum coronarium* (v. *margarida-amarela*), *Chrysanthemum segetum* (v. *estrela-de-ouro*), etc.

pampíneo [Do lat. *pampineu.*] *Adj.* **1.** Pampanoso. **2.** Relativo a pâmpano.

pamplegia [De *pam-* + *-pleg-* + *-ia*[1].] *S. f. Neur.* Paralisia de todo o corpo.

pamplégico [De *pamplegia* + *-ico*[2].] *Adj.* **1.** Referente a, ou que tem pamplegia. ● *S. m.* **2.** Aquele que tem pamplegia.

pamplo *S. m. Bras. Zool.* V. *pampo*[1] (1).

pampo[1] [F. red. de *pâmpano.*] *S. m. Bras.* **1.** *Zool.* Peixe teleósteo, perciforme, carangídeo (*Trachinotus carolinus*), do Atlântico da América do Norte até a Argentina, de dorso azul-cinéreo, abdome prateado e nadadeira anal com dois acúleos. Nada isolado, e sua carne é muito apreciada. [Var.: *pamplo.* Sin.: *semenduara, piraroba.*] **2.** *Zool.* V. *galhudo* (4). **3.** *Zool.* V. *cernambiguara.* **4.** Rebento tardio da cana-de-açúcar, pobre de sacarose, e que, embora cresça pouco, engrossa anormalmente.

pampo[2] *Adj.* V. *pampa* (1 e 2).

pampo-arabebéu *S. m. Bras. Zool.* V. *cernambiguara.* [Pl.: *pampos-arabebéus* e *pampos-arabebéu.*]

pampo-aracanguira (güi) *S. m. Bras. Zool.* V. *galhudo* (4). [Pl.: *pampos-aracanguiras* e *pampos-aracanguira.*] ❖

pampo-galhudo *S. m. Bras. Zool.* V. *galhudo* (4). [Pl.: *pampos-galhudos.*]

pampo-gigante [De *pampo*[1] + *gigante.*] *S. m. Bras. Zool.* V. *cernambiguara.* [Pl.: *pampos-gigantes.*]

pampo-riscado [De *pampo*[1] + *riscado.*] *S. m. Bras. Zool.* V. *galhudo* (4). [Pl.: *pampos-riscados.*]

pamprodáctilo [De *pam-* + *-pro-* + *-dá(c)tilo.*] *Adj. Zool.* Diz-se do pé das aves que tem os quatro dedos voltados para diante. [Var.: *pamprodátilo.*]

pamprodátilo *Adj. Zool.* V. *pamprodáctilo.*

pampsiquismo [De *pam-* + *-psiqu(e)-* + *-ismo.*] *S. m. Filos.* Doutrina segundo a qual toda matéria é viva e/ou possui uma natureza psíquica análoga à do espírito humano. [Cf. *animismo.*]

pampsiquista [De *pampsiquismo* + *-ista*, seg. o padrão gr.] *Adj. 2 g.* **1.** De, ou relativo a pampsiquismo. **2.** Que é adepto do pampsiquismo. ● *S. 2 g.* **3.** Adepto do pampsiquismo.

pan [Do tax. *Pan.*] *S. m. Zool.* **1.** Gênero de macacos pongídeos. **2.** Qualquer espécie desse gênero, como a *Pan troglodytes* (v. *chimpanzé*) e a Pan paniscus (v. *bonobo*). **3.** Qualquer espécime desse gênero.

▲ **pan-** [Do gr. *pan-* < gr. *pâs, pâsa, pân* (gen. *pantós, pásēs, pantós*).] V. *pant(o)-*. [Us. sempre com hífen à frente de vogal, ou de palavra iniciada por *h, m* e *n*, ou antes de elemento com existência prévia iniciado por *b* e *p*.]

pana *S. f. Bras.* Instrumento de percussão, dos índios bororos.

panã[1] [Do ior.] *S. m. Bras. Rel.* No processo de iniciação ao candomblé, rito de passagem cujo objetivo é reintegrar no mundo secular as iniciandas após seu período de reclusão, e que inclui, entre outras cerimônias, um leilão de frutas, doces, bebidas e de objetos feitos pelas iaôs, na chamada *quitanda das iaôs*.

panã[2] [De or. obsc.] *S. m. Bras.* **1.** *Bot.* Pequena árvore morácea (*Perebea concinna*) nativa do Brasil, de folhas oblongas, coriáceas, flores capitulares, geminadas ou fasciculadas, frutos agregados, e que encerra látex amarelo e brilhante; fornece boa madeira. **2.** O fruto dessa árvore: 📖 "Também era certo que os balainhos de taquara de Seu Martinho da Serra dos Fonsecas nos obsequiariam com a fruta de cada estação, assegurando-nos o suprimento de panã, murici e gabiroba" (Ciro dos Anjos, *A Menina do Sobrado*, p. 61). **3.** *SP Zool.* V. *patá*[1] (2).

panabásio [De *pan-* + *-a-* + *-bas(i)-* + *-io*[3].] *S. m. Min.* Mineral monométrico, composto essencialmente de cobre, antimônio e enxofre, explorado como minério de cobre, e que, às vezes, pode conter prata, como impureza; tetraedrita.

panaca [Voc. express., poss.] *Adj. 2 g. S. 2 g. Bras. Pop.* Diz-se de, ou indivíduo simplório.

panacarica [Do caribe *panacaricá*.] *S. f. Bras. N.* Toldo de palha de certas canoas. [Cf. *tamacarica*.]

panaceia (éi) [Do gr. *panákeia*, pelo lat. *panacea*.] *S. f.* **1.** Remédio para todos os males: 📖 "O campo e a praia, o ar do monte e o ar do mar são .... a universal panaceia para as moléstias endêmicas das grandes cidades, para as nevroses dos excitados de todas as espécies, ... para os doentes de todos os abusos do trabalho ou do prazer." (Ramalho Ortigão, *As Farpas*, I, p. 249). **2.** Preparado que tem certas propriedades gerais. **3.** *Fig.* Recurso sem nenhum valor empregado para remediar dificuldades. [Sin. (p. us.), nessas acepç.: *pancresto*.] **4.** *Bot.* V. *braço-de-preguiça*. **5.** *Bot.* V. *guatambu* (2). **6.** *Hist. Med.* Na mitologia grega, uma das quatro filhas de Asclépio (Esculápio, na mitologia romana), deus da Medicina, que prestava auxílio em ritos e alimentava serpentes sagradas, nos templos em que se efetuavam curas. [Nesta acepç., com cap.] ❖

panachê [Do fr.] *S. m. Cul.* Mistura de legumes diversos, picados e refogados.

panacheiro [De *penacheiro*, com assimilação.] *S. m. Bras. Bot.* V. *penacheiro*.

panaço [De *pano*[1] (5) + *-aço*.] *S. m. Bras.* Golpe de espada, facão ou sabre; panázio: 📖 "não se fechavam as vendas / sem primeiro se expulsarem os cachaceiros, / vezes até com panaços de facão" (Ascenso Ferreira, *Catimbó e Outros Poemas*, p. 58).

panacoçó [De or. caribenha, poss.] *S. m. Bras. Amaz. Bot.* Árvore fabácea (*Swartzia tomentosa*) da floresta úmida, de folhas penadas com cinco a sete folíolos ovados-oblongos, acuminados e rufitomentosos, flores com uma pétala orbicular e velutínea, congregando-se em racemos paucifloros, e cuja madeira, preto-violácea, estriada e bela, se usa na marcenaria e em objetos de adorno.

panacu [Do tupi.] *S. m.* V. *panacum*.

panacum [Var. de *panacu*.] *S. m. Bras.* **1.** Canastra. **2.** *Etnol.* Jamaxim.

panada [De *pano*[1] (7) + *-ada*[1].] *S. f. Bras. AM* Caminho que um barco percorre sem virar de bordo, com as velas do mesmo lado.

panado [Part. de *panar*[2].] *Adj.* **1.** Que tem farinha de rosca. **2.** Coberto ou passado em ovo e farinha de rosca. ~ V. *água —a*.

panadura [Voc. express.] *S. f.* Eixo da moenda de cana-de-açúcar.

pan-africanismo [De *pan-* + *africanismo*.] *S. m.* Doutrina ou sistema que procura realizar a unidade dos povos da África e, após a independência da maior parte dos Estados africanos, criar uniões e federações.

pan-africanista [De *pan-africanismo* + *-ista*.] *Adj. 2 g.* **1.** Relativo ao pan-africanismo. **2.** Que é adepto do pan-africanismo ou especialista nesse assunto. ● *S. 2 g.* **3.** Adepto do pan-africanismo ou especialista nesse assunto.

pan-africano [De *pan-* + *africano*.] *Adj.* Pertencente ou relativo a todas as nações africanas.

panaguaiú *Zool. S. m.* V. *agulha-branca*.

panal[1] [De *pano* + *-al*[1].] *S. m.* **1.** Pano onde se estende ou se envolve qualquer coisa. **2.** Vela de moinho.

panal[2] [Do arc. *pan*, 'pão', + *-al*[1].] *S. m.* **1.** Cada um dos rolos de madeira que se colocam sob a quilha da embarcação para mais facilmente movimentá-la em terra. **2.** Tapume de tábuas que resguarda a mó de cereais. **3.** *Fig.* Basbaque, tolo, palerma.

panamá [Do top. *Panamá*.] *S. m.* **1.** *Vest.* Chapéu panamá (q. v.): 📖 "já havia dois sujeitos de panamá, aba larga ...., confabulando a pequena distância" (Carlos Drummond de Andrade, *Fala, Amendoeira*, p. 261). **2.** *Tec. Têx.* Tecido de algodão, de seda artificial ou de fibra sintética, macio, encorpado e lustroso, esp. us. para ternos de verão, costumes de senhora e calças compridas. **3.** *Fig.* Administração ruinosa duma companhia cujos administradores buscam locupletar-se à custa dos acionistas. **4.** Roubalheira em empresa ou em repartição pública. **5.** *Bras. Bot.* V. *xixá*.

panambiense *Adj. 2 g.* **1.** De, ou pertencente ou relativo a Panambi (RS). ● *S. 2 g.* **2.** O natural ou habitante de Panambi.

panamenho [Do esp. *panameño*.] *Adj.* **1.** De, ou pertencente ou relativo ao Panamá (América Central); panamense e (lus.) panamiano. **2.** De, ou pertencente ou relativo a Panamá (GO). ● *S. m.* **3.** O natural ou habitante do Panamá (América Central); panamense e (lus.) panamiano. **4.** O natural ou habitante de Panamá (GO).

panamense [Do top. *Panamá* + *-ense*.] *Adj. 2 g. S. 2 g.* V. *panamenho* (1 e 3).

pan-americanismo [De *pan-americano* + *-ismo*.] *S. m.* **1.** Doutrina ou sistema estabelecido no séc. XIX e baseado na solidariedade de todos os países das Américas. **2.** Cooperação entre as nações americanas.

pan-americanista [De *pan-americanismo* + *-ista*.] *Adj. 2 g.* **1.** Relativo ao pan-americanismo. **2.** Que é adepto do pan-americanismo ou especialista neste assunto. ● *S. 2 g.* **3.** Adepto do pan-americanismo ou especialista nele.

pan-americanização [De **pan-americanizar* + *-ção*.] *S. f.* Aceitação ou adoção do pan-americanismo: 📖 "Toda tentativa de pan-americanização na base de uma renúncia às respectivas peculiaridades próprias é um desserviço à causa da verdadeira unidade americana." (Alceu Amoroso Lima, *A Realidade Americana*, p. 261.)

pan-americano *Adj.* Pertencente ou relativo a todas as nações da América.

panamiano [Do top. *Panamá* + *-iano*.] *Adj. Lus.* V. *panamenho* (1 e 3).

panapaná [Do tupi.] *S. m. Bras.* **1.** Migração de borboletas em certas épocas, que chega a formar verdadeiras nuvens: 📖 "Não raro nem comum é o vento nordeste sacudir uma onda interminável de borboletas alaranjadas, com laivos de açafrão nas asas impacientes .... . Diz-se apenas 'enxame de borboletas' mas é o panapaná, a migração em massa, miraculoso caudal" (Luís da Câmara Cascudo, *Canto de Muro*, p. 197). **2.** Bando de borboletas. **3.** *Zool.* V. *borboleta* (1). **4.** *Bot.* Feijão fabáceo (*Phaseolus peduncularis*) silvestre, que constitui uma trepadeira volúvel com flores vistosas e frutos capsulares que se abrem por duas fendas, e que não serve como alimento. [Cf. *panapanã*.]

panapanã [Do tupi.] *S. f. Bras. Zool.* V. *borboleta* (1). [Cf. *panapaná*.]

panar[1] [Do arc. *pan*, 'pão', + *-ar*[1].] *Adj. 2 g. Desus.* Relativo a pão (1).

panar[2] [Do arc. *pan*, 'pão', + *-ar*[2].] *V. t. d.* **1.** Passar em gema e clara misturadas, e em seguida na farinha de rosca, para fritar. **2.** Deitar pão torrado em (água), coando-o depois, para uso de doentes. **3.** Cobrir de pão ralado: 📖 "enquanto .... os camarões cozidos esperam tranquilos, ... ao lado das alfaces, das conservas de cenoura, do linguado para frigir, e da costeleta para panar." (Ramalho Ortigão, *As Farpas*, XI, p. 263).

panará *Bras. S. 2 g.* **1.** *Etnôn.* Indivíduo dos panarás [ou (etnôn. bras.) *Krenhakarore, *Krenakoré, *Kreen-Akore], povo indígena da família linguística jê, tronco macro-jê, que habita a região do alto rio Xingu e do rio Peixoto de Azevedo (MT). [Sin.: *índio-gigante*.] ● *Adj. 2 g.* **2.** Pertencente ou relativo a esse povo.

pan-arabismo [De *pan-* + *arabismo*.] *S. m.* Movimento político tendente a reunir os países de língua árabe e de civilização muçulmana numa grande comunidade de interesses. [Cf. *pan-islamismo*.]

pan-arabista [De *pan-arabismo* + *-ista*.] *Adj. 2 g.* **1.** Relativo ao, ou que é adepto do pan-arabismo. ● *S. 2 g.* **2.** Adepto do pan-arabismo.

panaria [Do arc. *pan*, 'pão', + *-aria*.] *S. f.* Tulha, celeiro.

panarício [Do lat. *panariciu*.] *S. m. Med.* V. *paroníquia*[2].

panário[1] [De *panar*[1] + *-io*[3].] *Adj.* Relativo a pão (1); panar.

panário[2] *S. m.* V. *panascal*.

panariz [Var. de *panarício*.] *S. m. Med.* V. *paroníquia*[2].

panasca *S. m. Lus. Chulo* Homossexual.

panascal [De *panasco* (1) + *-al*[1].] *S. m.* Extensão mais ou menos considerável de terreno coberta de panasco (1); panasqueira, panasqueiro, panário.

panasco [De or. obsc.] *S. m.* **1.** *Bot.* Erva apiácea (*Peucedanum satirum*) apropriada para pastagens. **2.** *Bras. PI* Certa zona de vegetação parecida com a do lacre, entre a região dos agrestes e a do carrasco ou da caatinga; panasqueiro.

panasqueira [De *panasco* + *-eira*.] *S. f.* V. *panascal*.

panasqueiro [De *panasco* + *-eiro*.] *S. m.* **1.** Panasco (2). **2.** V. *panascal*. **3.** Indivíduo de modos e/ou vestuários grosseiros. ● *Adj.* **4.** Diz-se de indivíduo de modos e/ou vestuários grosseiros.

panatela [Do esp. *panatela*, 'certo tipo de biscoito'.] *S. f.* Variedade de charuto de Havana, delgado e comprido.

panateneias (éi) [Do gr. *panathénaia*.] *S. f. pl.* Na antiga Atenas, festa anual celebrada em honra de Palas Atena, padroeira da cidade. ❖

panati *Bras. S. 2 g.* **1.** *Etnôn.* Indivíduo dos panatis, povo indígena extinto que habitava o S.O. do RN e o N.O. da PB. ● *Adj. 2 g.* **2.** Pertencente ou relativo a esse povo. [Tb. us. como *s. 2 g. e 2 n.* (com cap.) e *adj. 2 g. e 2 n.*]

panavueiro *S. m. Bras. PB* Grande facão, us. no corte da cana-de-açúcar: 📖 "Ia com ele aos partidos, às limpas com o eito grande, aos cortes com o panavueiro tinindo nas canas." (José Lins do Rego, *Banguê*, p. 10.)

pânax (cs) [Do tax. *Panax*.] *S. m. 2 n. Bot.* **1.** Gênero de ervas araliáceas que compreende seis espécies tropicais nativas da Ásia oriental e da América do Norte. **2.** Qualquer dessas espécies, como, p. ex., a *Panax schinseng*, chinesa, de folhas com cinco folíolos e umbelas com pequenas flores esverdeadas a que sucedem frutos bacáceos, vermelhos, e que é tb. conhecida como *ginseng*, assim como as espécies americanas, e a *P. quinquefolius*, planta herbácea silvestre americana, dotada de folhas com cinco folíolos, us. como substituta da *Panax schinseng* chinesa, e tb. conhecida como *ginsão* ou *jinsão*. **3.** Qualquer espécime desse gênero; *ginseng*.

panázio [De *pano*[1] (5) + *-ázio*, poss.] *S. m. Pop.* **1.** Pontapé (1). **2.** V. *bofetada* (1). **3.** *Bras.* Panaço. **4.** Estrondo de arma de fogo. **5.** Grande porção. V. *quantidade* (3).

panca [Do lat. vulg. *palanca*.] *S. f.* **1.** Alavanca de madeira. **2.** *Bras. Gír.* Pose (2). ◆ **Andar em pancas.** Andar muito azafamado. **Dar pancas.** *Bras.* **1.** Salientar-se em qualquer coisa. **2.** Causar admiração pela beleza e/ou elegância. **3.** Fazer brilhaturas. **4.** Dar que fazer. **Estar de pancas.** *Bras. S.* Sentir-se disposto à prática de desordens. **Tomar pancas.** Decidir-se a praticar desordens.

pança [Do lat. *pantice*, pelo esp. *panza*.] *S. f.* **1.** *Zool.* A primeira cavidade do estômago dos ruminantes; rúmen, rume. **2.** *Pop.* Barriga grande; barriga, pantura. ● *S. m.* **3.** *Bras. S.* Indivíduo ridículo.

pancada [De *panca* + *-ada*[1].] *S. f.* **1.** Choque, embate, batida; baque. **2.** Bordoada, chavascada. **3.** Agressão física por meio de socos, tapas, bordoadas, etc.; pregada: 📰 *Traz no corpo as marcas das pancadas que levou.* **4.** Nos relógios, som que indica as horas: 📰 *as 12 pancadas da meia-noite.* **5.** V. *pulsação* (2). **6.** *Fig.* Pressentimento (2). **7.** *Pop.* Mania, veneta, telha. **8.** *Bras.* Chuva violenta e súbita; pancada de água. **9.** *Bras. N.* Salto ou cachoeira a pique. ● *S. 2 g.* **10.** *Bras. Pop.* Pessoa amalucada, aluada. **11.** *Bras. Pop.* Pessoa grosseira, bruta, estourada. ● *Adj. 2 g.* **12.** *Bras. Pop.* V. *amalucado* (1). ◆ **Pancada de água.** *Bras.* Pancada (8). **Pancada do mar. 1.** *Lus.* Zona da costa, da foz dum rio ou da entrada dum porto, onde o mar se agita em vagas. **2.** *Bras. CE* V. *praia* (1). **Pancadas de Molière.** *Teatr.* Batidas rápidas no tablado do palco, em geral com um bastão de madeira, seguidas de três outras, lentamente compassadas, e que se destinam a avisar a plateia que o espetáculo vai começar. **Às três pancadas.** Desajeitadamente, extravagantemente. **De pancada. 1.** De golpe; de repente; de chofre. **2.** De uma só vez: 📖 "Cedros antigos, como os do Líbano, desabavam de pancada." (Rebelo da Silva, *Contos e Lendas*, p. 27.) **Esperar pela pancada.** *Pop.* Aguardar um fato ou acontecimento desagradável.

pançada [De *pança* + *-ada*[1].] *S. f.* **1.** *Chulo* Enchimento do estômago; barrigada, fartadela. **2.** Pancada na, ou com a pança.

pancadão [De *pancada* + *-ão*[1].] *S. m. Bras. Gír.* V. *peixão* (2): 📖 "Aquela mulher devia ter sido um pancadão no seu tempo! .... Quem dera a muitas novas um colo daqueles!..." (Aluísio Azevedo, *Casa de Pensão*, p. 85); "Quem te inventou, meu pancadão, / teve uma consagração" (Lamartine Babo, da marcha *O Teu Cabelo Não Nega*).

pancadaria [De *pancada* + *-aria*.] *S. f.* **1.** Muitas pancadas. V. *surra* (1). **2.** Desordem em que há pancadas. **3.** *Pop.* Conjunto de instrumentos de percussão, em bandas filarmônicas, etc.: 📖 "afinadinha, bem-sonante, expressiva — nos metais, nas palhetas, na pancadaria — que rica música!" (João da Silva Correia, *Farândola*, p. 70).

pancaio [Do lat. *panchaiu*.] *Adj.* **1.** De, ou pertencente ou relativo a Pancaia, cidade ao S. da Península Arábica, na região que se denominava *Arábia Feliz*. **2.** Diz-se do perfume do incenso, do bálsamo. ● *S. m.* **3.** O natural ou habitante de Pancaia. [F. paral.: *panqueu*.]

➔ **pancake** ['pænkejk] [Ingl.] *S. m.* Cosmético us. para cobrir a pele antes que esta receba a maquiagem (esp. a de longa duração); é us. para cobrir as imper-

P

feições da pele, tais como espinhas, rugas e linhas de expressão.

pancalismo [De *pan-* + *-cal(i)-* + *-ismo.*] ***S. m.*** *Filos.* Doutrina do filósofo norte-americano James M. Baldwin (1861-1934), segundo a qual o real se esgota no que é regido pelo belo.

pancararé *Bras.* ***S. 2 g.*** **1.** *Etnôn.* Indivíduo dos pancararés [ou (etnôn. bras.) *Pankararé], povo indígena que habita o município de Nova Glória (BA). ● ***Adj. 2 g.*** **2.** Pertencente ou relativo a esse povo.

pancararu *Bras.* ***S. 2 g.*** **1.** *Etnôn.* Indivíduo dos pancararus [ou (etnôn. bras.) *Pankararu], povo indígena que habita os municípios de Taracatu e Petrolândia (PE). ● ***Adj. 2 g.*** **2.** Pertencente ou relativo a esse povo.

pancárpia [Do gr. *pankarpía*, pelo lat. tard. *pancarpia* (subentende-se *corona*).] ***S. f.*** Coroa de flores.

pancaru *Bras.* ***S. 2 g.*** **1.** *Etnôn.* Indivíduo dos pancarus [ou (etnôn. bras.) *Pankaru], povo indígena que habita a BA. ● ***Adj. 2 g.*** **2.** Pertencente ou relativo a esse povo. [F. paral.: *pancararu.*]

➔ **pancetta** [pan'tʃet.ta] [It.] ***S. f.*** *Cul.* Barriga de porco curada e seca durante cerca de três meses, depois de temperada com sal, alho, pimenta-do-reino, noz-moscada, cravo, etc., e que é consumida sozinha ou esp. em molhos para pratos de massa.

pancismo [De *pança*[1] + *-ismo.*] ***S. m.*** *Bras.* Procedimento ou sistema daqueles que só pensam em vantagens ou proveitos imediatos.

panclastite [De *pan-* + *-clast(o)-* + *-ite*[2].] ***S. f.*** Composto explosivo, proveniente da ação do peróxido de azoto sobre vários corpos carbonatados.

pancloríneo [Do tax. *Panchlora* + *-in(o)-*[3] + *-eo*; tax. *Panchlorineae.*] *Zool.* ***S. m.*** **1.** Espécime dos pancloríneos, grupo de insetos blatários que compreende insetos conhecidos como baratas-cascudas (v. *barata-cascuda*). ● ***Adj.*** **2.** Pertencente ou relativo a eles.

pancontinental [De *pan-* + *continental.*] ***Adj. 2 g.*** Referente a, ou que se estende a todos os continentes: "A lusotropicologia é .... essa expansão dos valores fundamentais da cultura portuguesa que se transformou .... de cultura tanto europeia como latina em cultura pancontinental ou tropical." (Manuel Diegues Júnior, *Regiões Culturais do Brasil*, p. 4.)

pancosmismo [De *pan-* + *-cosm(o)-* + *-ismo.*] ***S. m.*** *Filos.* Doutrina que afirma a existência única deste mundo, excluindo-se qualquer entidade que o transcenda; panteísmo materialista.

pancrácio[1] [Do gr. *pankrátion*, pelo lat. *pancratiu.*] ***S. m.*** Na Grécia e na Roma antigas, combate ginástico que era uma combinação de luta livre com pugilato.

pancrácio[2] [De or. obscura.] ***S. m.*** *Pop.* V. *tolo* (8).

pancrealgia [De *pancre(o)-* + *-alg(o)-*[2] + *-ia*[1].] ***S. f.*** *Med.* Pancreatalgia.

pancreálgico [De *pancrealgia* + *-ico*[2].] ***Adj.*** Pancreatálgico.

pâncreas [Do gr. *pánkreas.*] ***S. m. 2 n.*** *Anat.* Grande órgão glandular situado por trás do estômago, e que mantém relação anatômica com o duodeno e com o baço. É glândula exócrina e endócrina, com acentuada influência tanto na digestão quanto em processos metabólicos, esp. em relação aos glicídios.

pancreatalgia [De *pancreat(o)-* + *-alg(o)-*[2] + *-ia*[1].] ***S. f.*** *Med.* Dor no pâncreas; pancrealgia.

pancreatálgico [De *pancreatalgia* + *-ico*[2].] ***Adj.*** *Med.* Relativo a pancreatalgia; pancreálgico.

pancreatectomia [De *pancreat(o)-* + *-ectom-* + *-ia*[1].] ***S. f.*** *Cir.* Ablação do pâncreas em extensão variável.

pancreatectómico ***Adj.*** *Cir.* V. *pancreatectômico.* [Uso freq. em P.]

pancreatectômico [De *pancreatectomia* + *-ico*[2].] ***Adj.*** *Cir.* Relativo à pancreatectomia.

pancreático [De *pancreat(o)-* + *-ico*[2].] ***Adj.*** **1.** Relativo ou pertencente ao pâncreas. **2.** Diz-se do suco segregado por ele. ~ V. *rânula —a.*

pancreatina [De *pancreat(o)-* + *-ina*[3].] ***S. f.*** *Quím.* Substância extraída do pâncreas do boi, ou do porco, isolada sob a forma de material pulverulento amarelado, contendo uma amilase, uma lipase e uma triptase.

pancreatite [De *pancreat(o)-* + *-ite*[1].] ***S. f.*** *Patol.* Inflamação do pâncreas.

pancreatítico [De *pancreatite* + *-ico*[2].] ***Adj.*** *Patol.* Relativo à pancreatite.

▲ **pancreat(o)-** [Do gr. *pánkreas, atos* < gr. *pân*, 'todo', 'tudo', + gr. *kréas, atos*, 'carne'.] ***El. comp.*** = 'pâncreas': *pancreatectomia.* [Equiv.: *-pancreat(o)-*, *pancre(o)-*: *gastropancreático; pancrealgia.*]

▲ **-pancreat(o)-** V. *pancreat(o)-.*

▲ **pancre(o)-** V. *pancreat(o)-.*

pancresto [Do gr. *pánchrestos*, pelo lat. *panchrestu.*] ***S. m.*** *P. us.* Panaceia (1 a 3).

pancromático [De *pan-* + *-cromat(o)-* + *-ico*[2].] ***Adj.*** ~ V. *filme —.*

pançudo [De *pança* + *-udo.*] ***Adj.*** **1.** Que tem grande pança; barrigudo. **2.** *Bras.* V. *parasito* (2). ● ***S. m.*** **3.** *Bras.* V. *parasito* (3).

pancurónio ***S. m.*** *Quím.* V. *pancurônio.* [Uso freq. em P.]

pancurônio [Voc. farmac.; ingl. *pancuronium.*] ***S. m.*** *Quím.* Cátion esteroidal, sintético, us. como miorrelaxante, sob forma de dibrometo [fórm. do dibrometo: $(C_{35}H_{60}N_2O_4)^{+2}(Br^-)_2$].

panda[1] ***S. f.*** *Pesc.* Boia de cortiça na tralha superior dos aparelhos de arrasto.

panda[2] [Do tax. *Panda* (de or. afr.).] ***S. f.*** *Bot.* **1.** Gênero-tipo das pandáceas. **2.** Espécie ou espécime desse gênero.

panda[3] [Do fr. *panda.*] ***S. m.*** *Zool.* Mamífero carnívoro (*Ailuropoda melanoluca*) muito parecido com os espécimes dos ursídeos, mas incluído entre os procionídeos, e cujos pelos, com manchas brancas e pretas, cobrem o corpo totalmente.

pandácea [Do tax. *Panda* (v. *panda*[2]) + *-ácea*; tax. *Pandaceae.*] ***S. f.*** *Bot.* Espécime das pandáceas, família de dicotiledôneas dialipétalas que constitui, sozinha, a ordem das pandales, e é representada, apenas, pela *Panda oleosa*, arvoreta dioica da África.

pandáceo [De *pandácea*, com var. suf. (v. *-áceo*).] ***Adj.*** *Bot.* Pertencente ou relativo às pandáceas.

pandacosta ***S. m.*** *Tec. Têx. Vest.* V. *pano da costa.*

pandal [Do tax. *Panda* (v. *panda*[2]) + *-al*[1].] ***Adj. 2 g.*** *Bot.* Pertencente ou relativo às pandales.

pandale [Do tax. *Panda* (v. *panda*[2]) + *-ale*; tax. *Pandales.*] ***S. f.*** *Bot.* Espécime das pandales, ordem de plantas floríferas que compreende apenas a família das pandáceas.

pandanácea [Do tax. *Pandanus* (v. *pandano*) + *-ácea*; tax. *Pandanaceae.*] ***S. f.*** *Bot.* Espécime das pandanáceas, família da ordem das pandanales que reúne três gêneros e cerca de 800 espécies de árvores e arbustos, e por vezes lianas, ger. epífitas, de folhas simples, xeromórficas, com extenso limbo aculeado, pequeninas flores paniculadas ou em espádices recemosos, e frutos bacáceos ou drupáceos, em capítulos. Ocorre nas regiões tropicais do Velho Mundo.

pandanáceo [De *pandanácea*, com var. suf. (v. *-áceo*).] ***Adj.*** *Bot.* Pertencente ou relativo às pandanáceas.

pandanal [Do tax. *Pandanus* (v. *pandano*) + *-al*[1].] ***Adj. 2 g.*** *Bot.* Pertencente ou relativo às pandanales.

pandanale [Do tax. *Pandanus* (v. *pandano*) + *-ale*; tax. *Pandanales.*] ***S. f.*** *Bot.* Espécime das pandanales, ordem de monocotiledôneas que compreende as ciclantáceas, as estemonáceas, as pandanáceas e as velloziáceas.

pandano [Do mal. *pándan*; tax. *Pandanus.*] ***S. m.*** *Bot.* **1.** O gênero-tipo das pandanáceas, que abrange árvores tropicais nativas, principalmente, da Malásia, de caule delgado, como o das palmeiras, com enormes raízes adventícias para sustentação, e galhos com coroa terminal de folhas ensiformes. **2.** Qualquer espécie desse gênero, como, p. ex., a *Pandanus utilis* ou *vacuá*, muito cultivada no Brasil como ornamental, de folhas grandes, lanceoladas e rígidas, cujas inflorescências são espigas compactas, de sexos separados, e cujos frutos, drupáceos, estão congregados em amplas infrutescências muito duras. **3.** Qualquer espécime desse gênero.

pândano ***S. m.*** *Bot.* V. *pandano.*

pandarana ***S. f.*** *Desus.* Pantana.

pandarecos [De or. obscura.] ***S. m. pl.*** Estilhas, frangalhos, destroços; pedaços. ◆ **Em pandarecos. 1.** Em pedaços; feito pedaços; em estilhas: *Com o acidente o carro ficou em pandarecos.* **2.** *Fig.* Em estado de exaustão; muito cansado. **3.** Muito abatido moralmente; aniquilado.

pandear [De *pando* + *-ear*[2].] ***V. t. d.*** Tornar pando, inflado, largo. [Conjug.: v. *frear.*]

pandecta [De *Pandectas.*] ***S. f.*** Espécie de caracteres tipográficos. ~ V. *Pandectas.*

pandectas [Do lat. tard. *Pandectae.*] ***S. f. pl.*** Digesto[2] (1). ~ V. *pandecta.* [Com cap.]

pandectista [De *pandectas* + *-ista.*] ***S. 2 g.*** Pessoa que comenta as *Pandectas* ou cumpre a doutrina delas: "Esses conhecimentos [das instituições antigas] lhe vieram [a Lacerda de Almeida].... mais da leitura de escritores de direito comum — direito romano atual — como Savigny e os pandectistas, do que de estudos propriamente romanísticos." (San Tiago Dantas, *Figuras de Direito*, p. 100.)

pândega [De or. obscura.] ***S. f.*** **1.** Folguedo ruidoso e alegre; brincadeira, folgança, folia. **2.** Estroinice, extravagância. **3.** Patuscada, comezaina. [Cf. *pandega*, do v. *pandegar.*]

pandegar [De *pândega* + *-ar*[2].] ***V. int.*** Andar em pândegas; farrear, estroinar. [Conjug.: v. *regar.* Pres. ind.: *pandego, pandegas, pandega*, etc. Cf. *pândego* e *pândega.*]

pândego [De *pândega.*] ***Adj.*** **1.** Que é amigo de pândegas. **2.** Que é engraçado e alegre. **3.** Próprio de pândego; que parece pândega, brincadeira; engraçado: *Tem um ar pândego; Conveceu-se de que é um grande poeta — chega a ser pândego.* ● ***S. m.*** **4.** Indivíduo pândego (1 e 2). [Cf. *pandego*, do v. *pandegar.*]

pandeireiro [De *pandeiro* + *-eiro.*] ***S. m.*** **1.** Fabricante de pandeiros. **2.** *Mús.* Pandeirista.

pandeireta (ê) [Do esp. *pandereta.*] ***S. f.*** *Mús.* Pequeno pandeiro: "E as raparigas do alto .... alçam-se na ponta dos pés, para ver .... o filho do *Choco* tocando a pandeireta com ademanes espanhóis." (José Vieira, *Sol de Portugal*, p. 157.)

pandeirista [De *pandeiro* + *-ista.*] ***S. 2 g.*** *Bras. Mús.* Tocador de pandeiro; pandeireiro.

pandeiro [Do esp. *pandero.*] ***S. m.*** **1.** *Mús.* Instrumento de percussão, composto de um aro circular de madeira guarnecido de soalhas, e sobre o qual se estica uma pele, que se tange batendo-a com a mão, com os cotovelos, nos joelhos e até nos pés; tambor basco. [Dim. irreg., nesta acepç.: *pandeireta.* V. *adufe.*] **2.** *Marinh.* Conjunto de voltas circulares sobrepostas umas às outras, de um cabo assim aduchado.

pandeiro de boi ***S. m.*** *Bras. PE Folcl. Mús.* Instrumento musical de percussão, us. nos pastoris e nos bumbas meu boi. [Pl.: *pandeiros de boi.*] ☑

pandeló ***S. m.*** V. *pão de ló*: "A poder de carícias e pandeló, a pouco e pouco logrou o afortunado Leandrinho captar a simpatia de Black" (Artur Azevedo, *Contos fora da Moda*, p. 84).

pandemia [Do gr. *pandemía.*] ***S. f.*** *Med.* Doença epidêmica amplamente difundida.

pandémico ***Adj.*** V. *pandêmico.* [Uso freq. em P.]

pandêmico [De *pandemia* + *-ico*[2].] ***Adj.*** Relativo a, ou que tem o caráter de pandemia. ~ V. *doença —a.*

pandemoníaco [De *pandemônio* + *-íaco.*] ***Adj.*** Relativo a pandemônio.

pandemónico ***Adj.*** V. *pandemônico.* [Uso freq. em P.]

pandemônico [De *pandemônico* + *-ico*[2].] ***Adj.*** Em que há pandemônio (3); tumultuoso.

pandemónio ***S. m.*** V. *pandemônio.* [Uso freq. em P.]

pandemônio [Do ingl. *Pandemonium* (< gr. *pân*, 'todo', + gr. *daímon*, 'demônio', + *-io*[3]), neologismo criado por Milton, poeta inglês (1608-1674), no seu *O Paraíso Perdido*, para designar o palácio de Satã.] ***S. m.*** **1.** Capital imaginária do Inferno. **2.** Reunião ou conluio de pessoas com o fito de fazer mal ou armar desordens. **3.** Tumulto, balbúrdia, confusão: "O nosso dever é dar ordem ao caos e ao pandemônio social do nosso tempo." (Viana Moog, *Uma Interpretação da Literatura Brasileira*, p. 79.)

pândias [Do gr. *Pándia.*] ***S. f. pl.*** Na antiguidade grega, festas religiosas que se celebravam na Ática, em homenagem a Zeus.

pandiculação [De *pandicular* + *-ção.*] ***S. f.*** Ato de alguém espreguiçar-se; espreguiçamento.

pandicular [Do lat. **pandiculare*, por *pandiculari*, 'espreguiçar-se'.] ***V. int.*** Espreguiçar-se.

pandilha [Do esp. *pandilla.*] ***S. f.*** **1.** Conluio entre diversas pessoas para ludibriar alguém. **2.** *Bras. S.* Grupo de animais. **3.** *Bras. S.* Bando de malfeitores; quadrilha. ● ***S. m.*** **4.** Indivíduo que toma parte em conluio ou pandilha; pandilheiro. **5.** Biltre, pulha, canalha; pandilheiro. ● ***Adj. 2 g.*** **6.** Próprio de pandilha (4 e 5): "era o horror de sentir aquelas frases em calão, pandilhas, afadistadas, como só Lisboa as pode criar" (Eça de Queirós, *Os Maias*, II, p. 287).

pandilhar [De *pandilha* + *-ar*[2].] ***V. int.*** Levar vida de pandilha (4 e 5); envilecer-se, aviltar-se, apandilhar-se.

pandilheiro [De *pandilha* + *-eiro.*] ***S. m.*** **1.** V. *pandilha* (4 e 5). **2.** V. *gatuno* (1).

pandinamismo [De *pan-* + *dinamismo.*] ***S. m.*** Sistema filosófico daqueles que sustentam a atividade essencial de tudo.

pando [Do lat. *pandu.*] ***Adj.*** **1.** Cheio, inflado, enfunado: *velas pandas*; "Fita as bandas que habito, fita e espera, / Que, enfim, verás, em trêmulos adejos, // Em cada ponta um beija-flor pegando / Ir o teu lenço pelo espaço voando / Pando, enfunado, côncavo de beijos." (Guimarães Passos, *Versos de um Simples*, p. 20.) **2.** Largo, amplo. **3.** Aberto e encurvado: *asas pandas.*

pandora [Do gr. *pandoûra* (no lat. *pandura* e no lat. tard. *pandoriu*).] ***S. f.*** **1.** Instrumento da família do alaúde, com 19 cordas metálicas, em voga nos sécs. XVI e XVII, e que, pelo fundo chato, se aproxima do sistro. **2.** Certa personagem mitológica. V. *boceta de Pandora.* **3.** *Astr.* Satélite de Saturno. [Com cap., nas acepçs. 2 e 3.]

pandorca ***S. f.*** V. *pandorga.*

pandorga [Do esp. *pandorga.*] ***S. f.*** **1.** Música desafinada e sem compasso. **2.** Mulher muito gorda, obesa; pantufa. **3.** *Bras.* V. *papagaio* (5): "O céu povoado de inquietas pandorgas. Outros meninos erguem-nas, o dia inteiro" (Osmã Lins, *Nove, Novena*, p. 46). ● ***S. m.*** **4.** *Bras.* V. *tolo* (8).

pandorgueiro [De *pandorga* + *-eiro.*] ***S. m.*** *Bras.* Aquele que faz e/ou solta pandorgas.

pandulhar [De *pandulho* + *-ar*[2].] *V. int.* Levantar a tralha do pandulho (1) a fim de tirar o peixe emalhado.

pandulho *S. m.* **1.** Pedaço de pano forte, cosido em forma de chouriço e cheio de pedras miúdas, que se cose na tralha inferior das redes de pescar, a fim de lastrá-las. **2.** *Bras.* Bandulho.

panduriforme [Do lat. *pandura*, 'pandora', + *-iforme*.] *Adj. 2 g.* ~ V. *folha* —.

pane [Do fr. *panne*.] *S. f.* **1.** Parada, por falha dos motores, de avião, automóvel, motocicleta, etc. **2.** Qualquer falha ou defeito em máquina ou sistema (elétrico, computacional, etc.). **3.** *Fig. Gír.* Branco (15). ◆ **Pane seca.** A causada por falta de combustível. ◆ **Dar pane** V. *entrar em pane.* **Entrar em pane. 1.** Apresentar falha ou defeito; parar de funcionar. **2.** Ficar sem condições de pensar, de raciocinar; ficar confuso, perturbado. [Sin. ger.: *dar pane, dar tilte, dar pau, fundir.*]

panegirical [De *panegírico* + *-al*[1].] *Adj. 2 g.* **1.** Referente a panegírico; panegirístico. **2.** V. *laudatório*. **3.** V. *panegírico* (3).

panegírico [Do gr. *panegyrikós*, pelo lat. *panegyricu*.] *S. m.* **1.** Discurso em louvor de alguém. **2.** *P. ext.* Elogio, louvor: "elogiou o enterro, e por último fez o panegírico do morto, uma grande alma, espírito ativo, coração reto" (Machado de Assis, *Dom Casmurro*, p. 347). ● *Adj.* **3.** Que contém louvor; laudatório, elogioso, encomiástico, panegirical.

panegirista [Do gr. *panegyristés*, pelo lat. tard. *panegyrista*.] *S. 2 g.* Pessoa que faz panegírico(s).

panegirístico [De *panegirista* + *-ico*[2].] *Adj.* Panegirical (1).

paneiro[1] [Do esp. *panero*.] *S. m.* **1.** Cesto de vime com alças. **2.** *Constr. Nav.* Espaço situado na parte de ré de uma embarcação miúda, guarnecido de bancadas em volta, para assento dos passageiros. **3.** Espécie de carruagem de verga. **4.** *Bras.* Folha de flandres na qual os pedreiros deitam a argamassa que estão utilizando. **5.** *Bras.* V. *tipiti* (1). **6.** *Bras. Amaz.* Cesto de tala de palmeira e trançado largo, ger. forrado de folhas: "entramos na *montaria*, levando .... um paneiro de farinha e um frasco de cachaça da boa" (Inglês de Sousa, *Contos Amazônicos*, p. 125).

paneiro[2] [De *pano*[1] + *-eiro*.] *S. m. Bras.* Cortineiro (2).

panejamento [De *panejar* + *-mento*.] *S. m.* **1.** Ato ou efeito de panejar. **2.** Vestes de figuras representadas em pintura ou em escultura. **3.** Dobras ou ondulações dessas vestes: "o Padre Eterno e Jesus [no quadro *A Glória*, de Ticiano], vestidos de túnicas azuis de grandes panejamentos, suspensos entre nuvens" (Fidelino de Figueiredo, *Entre Dois Universos*, p. 231). **4.** Disposição harmoniosa do tecido em decoração ou no vestuário.

panejar [De *pano* + *-ejar*.] *V. t. d.* **1.** Fazer panejamento (2 e 3) de. **2.** Pôr panos ou roupagens em. **3.** Fazer tremular; abanar, agitar: "Bandeiras multicores panejavam uma fila extensa de mastros enrolados de papel de seda, de serpentinas azuis, encarnadas e amarelas." (Peregrino Júnior, *A Mata Submersa e Outras Histórias da Amazônia*, p. 116); *O vento panejava as roupas nos varais. Int.* **4.** Abanar, agitar-se (vela, bandeira, etc.): *Velas panejavam ao vento.* **5.** *Marinh.* Bater a testa da vela, do lado de barlavento, quando a embarcação navega à bolina; grivar. [Conjug.: v. *pelejar*.]

panela [Do lat. *pannella, dim. do lat. vulg. *panna*, 'frigideira'.] *S. f.* **1.** Vasilha de barro ou de metal destinada à cocção de alimentos. **2.** O conteúdo desse recipiente: *Comeu uma panela de feijão.* **3.** *Fig.* V. *panelinha* (1 a 4). **4.** *Gír.* Nádegas, traseiro. **5.** *Bras.* Cavidade subterrânea onde as formigas depositam suas larvas. **6.** *Bras.* Lugar escavado pelos animais em um barreiro. [M. us. no pl.] **7.** *Bras.* Redemoinho, rodamoinho, sorvedouro, em arroios ou rios. **8.** *Bras.* Cárie grande. **9.** *Bras.* Feitiço, mandinga. **10.** *Bras. S.* Peça de ferro no solo e que serve de dormente dos trilhos das vias férreas. ◆ **Quebrar a panela.** *Bras. Fam.* Quebrar a tigela.

panelaço [De *panela* + *-aço*.] *S. m.* Manifestação coletiva ruidosa de protesto de natureza política ou social, em que se percutem utensílios de metal.

panelada [De *panela* + *-ada*[1].] *S. f.* **1.** Panela cheia. **2.** Grande porção de panelas. **3.** Ruído de ar nas mucosidades da laringe e dos brônquios. **4.** *Bras. N.E.* Prato semelhante ao cozido, e que se faz com mocotó, intestinos e alguns miúdos de boi, toucinho e verduras; bambiá.

panelão [De *panela* + *-ão*[1].] *S. m. Teatr.* Refletor portátil para iluminação difusa do palco, em forma de panela, constituído de uma só lâmpada, e que pode ter os mais variados tamanhos e ser ou não apoiado em tripé.

panelas *S. f. pl.* V. *panela* (6).

paneleiro [De *panela* + *-eiro*.] *S. m.* **1.** Fabricante de panelas de barro. **2.** Lugar onde se guardam panelas. **3.** *Lus. Gír.* Homossexual (3).

panelense *Adj. 2 g.* **1.** De, ou pertencente ou relativo a Panelas (PE). ● *S. 2 g.* **2.** O natural ou habitante de Panelas.

panelinha [De *panela* + *-inha*.] *S. f.* **1.** *Fig.* Conluio para fins pouco sérios. **2.** *Fig.* Grupo de políticos que, no poder, procuram obter vantagens individuais. **3.** *Fig.* Grupo literário muito fechado e unido, e dado ao elogio recíproco: "Faço versos, mas não tomo parte nessas panelinhas de elogio mútuo" (Aluísio Azevedo, *Casa de Pensão*, p. 117). **4.** Qualquer grupo muito fechado: *No colégio, os meninos mais velhos formavam uma panelinha inacessível aos demais.* [Sin. (nessas acepç.): *panela, igrejinha*.] **5.** *Fig.* Súcia, matula.

panema [Do tupi.] *Adj. 2 g. S. 2 g. Bras. N.* **1.** Que, ou quem é infeliz na caça e/ou na pesca. **2.** Que, ou quem é infeliz na vida; azarado, caipora. **3.** Que, ou quem é vítima de feitiço. [Antôn.: *marupiara*.]

➔ **panem et circenses** [panet kẽˈkenses] [Lat.] Pão e jogos de circo.

panenteísmo [De *pan-* + *-en-*, 'em', + *-te(o)-* + *-ismo*.] *S. m. Filos.* **1.** Sistema filosófico e teológico que vê todos os seres em Deus. [Cf. *panteísmo* e *pantiteísmo*.] **2.** Forma particular que deu ao panteísmo (q. v.) o filósofo alemão Karl Christian Friedrich Krause (1781-1832).

panenteísta [De *panenteísmo* + *-ista*.] *Adj. 2 g.* **1.** Relativo ao, ou que é sectário do panenteísmo. ● *S. 2 g.* **2.** Sectário dele.

pan-eslavismo [De *pan-* + *eslavismo*.] *S. m.* Sistema de união de todos os povos eslavos num só Estado. [Pl.: *pan-eslavismos*.]

pan-eslavista [De *pan-eslavismo* + *-ista*.] *Adj. 2 g.* **1.** Relativo ao pan-eslavismo. **2.** Que é partidário do pan-eslavismo. ● *S. 2 g.* **3.** Partidário do pan-eslavismo. [Pl.: *pan-eslavistas*.]

pan-estelar [De *pan-* + *estelar*.] *Adj. 2 g. Astr.* De, ou pertencente ou relativo a mais de uma estrela. [Pl.: *pan-estelares*.]

panete (ê) *S. m. Bras. Pop.* V. *cachaça* (1).

panetone [Do it. *panettone*.] *S. m.* Bolo de massa fermentada, feito com farinha de trigo, ovos, leite, manteiga, açúcar, frutas cristalizadas e passas.

panfletagem [De *panfletar* + *-agem*[2].] *S. f. Bras.* Ato ou efeito de panfletar.

panfletar [De *panfleto* (ê) + *-ar*[2].] *Bras. V. int.* **1.** Fazer panfletos. **2.** Distribuir panfletos [v. *panfleto* (3)], de propaganda comercial ou de propaganda eleitoral.

panfletário [De *panfleto* + *-ário*.] *Adj.* **1.** Próprio de panfleto. **2.** Que é autor de panfleto(s). **3.** *Fig.* Violento no dizer ou no escrever. ● *S. m.* **4.** Autor de panfleto(s); panfletista.

panfletista [De *panfleto* + *-ista*.] *S. 2 g.* Panfletário (4).

panfleto (ê) [Do ingl. *pamphlet*, pelo fr. *pamphlet*.] *S. m.* **1.** Pequeno escrito polêmico ou satírico, em estilo veemente. **2.** V. *folheto*. **3.** Folha de papel que traz impresso o nome de candidato a cargo eletivo, junto com o do respectivo partido e, por vezes, alguns dados sobre o candidato. **4.** Pequeno impresso de propaganda comercial.

panfobia [De *pan-* + *-fobia*.] *S. f. Psiq.* V. *pantofobia*.

panfóbico [De *panfobia* + *-ico*[2].] *Adj. S. m. Psiq.* V. *pantofóbico*.

pânfobo [De *pan-* + *-fobo*.] *Adj. S. m. Psiq.* V. *pantofóbico* (2 e 3).

pangaia [Do mal. *pinggang*.] *S. f. Lus.* Remo curto, de pá redonda, por vezes com uma pá em cada extremidade da haste.

pangaiar [De *pangaia* + *-ar*[2].] *V. int. Lus.* Remar com pangaia.

pangaio[1] [De or. afr., poss.] *S. m.* Embarcação alterosa, de proa lançada e popa caída, muita boca, bolineira, veloz, de boa estabilidade, com dois mastros que envergam velas bastardas, usada na África oriental e na Índia.

pangaio[2] [De or. obscura.] *S. m. Bras. Prov. port.* Mandrião; farrista, boêmio: "A hora é boa de virar pangaio, / no meio deste povaréu" (Mazinho e Aluísio de Oliveira, de uma marcha carnavalesca).

panga-panga *S. f. Moç. Bot.* Jambire: "Vagens secas de panga-panga tombavam do telhado" (Ascêncio de Freitas, *Carmem Era o Nome*, p. 54). [Pl.: *panga-pangas*.]

pangarave *Adj. 2 g. Bras. AL Pop.* Vil, desprezível, miserável.

pangaré [Do esp. plat. *pangaré*.] *Adj. 2 g. Bras. S. GO* **1.** Diz-se de equídeo ou muar cujo pelo é de um tom amarelado mais claro que o douradilho, mostrando-se como que desbotado no focinho, no baixo-ventre e nalgumas outras partes do corpo. ● *S. m. Bras.* **2.** Cavalo com essas características: "Come a ração no cocho de mangueira / Um velho pangaré." (Ricardo Gonçalves, *Ipês*, p. 44.) **3.** Cavalo manhoso, estragado. **4.** Cavalo reles.

pangasinã *S. m. Gloss.* Língua austronésia falada nas Filipinas.

pangeia (éi) [De *pan-* + *-ge(o)-* + *-ia*[1].] *S. f. Geol.* Continente antigo que, conforme certa teoria, era constituído pela reunião dos atuais continentes, os quais teriam surgido pela fissuração do bloco original. ❖

pangermanismo [De *pan-* + *germanismo*.] *S. m.* Sistema de união de todos os povos germânicos num Estado único.

pangermanista [De *pangermanismo* + *-ista*.] *Adj. 2 g.* **1.** Relativo ao, ou que é partidário do pangermanismo. ● *S. 2 g.* **2.** Partidário do pangermanismo.

panglossiano [Do ficción. *Pangloss-* + *-iano*.] *Adj.* **1.** Relativo ao Doutor Pangloss, personagem de *Cândido*, romance satírico de Voltaire (v. *voltairiano*), ou próprio dele. **2.** Que lembra o otimismo dessa personagem. **3.** Otimista (2 e 3) ● *S. m.* **4.** Otimista (4).

pango [De or. afr.] *S. m. Bras.* V. *maconha*: "Eram os pobres escravos que carpiam, no delírio do pango, saudades da cabana de seus pais e dos rios de sua terra." (Melo Morais Filho, *Festas e Tradições Populares do Brasil*, p. 398.)

pangolim [Do mal. *pengguling*, 'animal que se enrola'.] *S. m. Zool.* Mamífero asiático e africano (v. *folídotos*) que se enrola em forma de bola ao ser atacado.

panhame *Bras. S. 2 g.* **1.** *Etnôn.* Indivíduo dos panhames [ou (etnôn. bras.) *Panyame], povo indígena extinto, da família linguística maxacali, que habitava a região da cabeceira dos rios Mucuri e Suaçuí Grande (MG). ● *Adj. 2 g.* **2.** Pertencente ou relativo a esse povo.

pan-helénico *Adj.* V. *pan-helênico*. [Uso freq. em P. Pl.: *pan-helénicos*.]

pan-helênico [De *pan-* + *helênico*.] *Adj.* Relativo ao pan-helenismo; pan-helenista. [Pl.: *pan-helênicos*.]

pan-helenismo [De *pan-* + *helenismo*.] *S. m.* Sistema que visa à união de todos os gregos dos Bálcãs, das ilhas do Egeu e da Ásia Menor num só Estado. [Pl.: *pan-helenismos*.]

pan-helenista [De *pan-* + *helenista*.] *Adj. 2 g.* **1.** Pan-helênico. **2.** Que é partidário do pan-helenismo. ● *S. 2 g.* **3.** Partidário do pan-helenismo. [Pl.: *pan-helenistas*.]

▲ **pani-** [Do lat. *panis, is*.] *El. comp.* = 'pão': *panífero, panificar*.

pânico[1] [Do gr. *panikón* (subentende-se *deîma*, 'terror', terror que vem de Pã).] *Adj.* **1.** Relativo ao deus Pã. **2.** Que assusta sem motivo. **3.** Que suscita medo por vezes infundado e foge a um controle racional: *terror pânico*; "Pânico sobressalto quebrava violentamente a plácida monotonia da Corte" (Aluísio Azevedo, *Casa de Pensão*, p. 373). ● *S. m.* **4.** Medo que os antigos diziam ser causado pelo deus Pã. **5.** Susto ou pavor repentino, às vezes sem fundamento, que provoca uma reação desordenada, individual ou coletiva, de propagação rápida. **6.** *Psiq.* Crise aguda de ansiedade maciça e incontrolável, ger. acompanhada de sintomas físicos, como distúrbios respiratórios e aumento da atividade cardíaca.

pânico[2] [Adapt. do tax. *Panicum*.] *S. m. Bot.* **1.** Gênero de poáceas que reúne mais de 500 espécies, naturais de climas tropicais e subtropicais, algumas delas cultivadas como forrageiras, e outras como ornamentais. **2.** Qualquer espécie desse gênero como, p. ex., *Panicum maximum* (v. *capim-guiné*). **3.** Qualquer espécie desse gênero.

pan-iconografia [De *pan-* + *iconografia*.] *S. f.* Gravura em relevo sobre zinco.

pan-iconográfico [De *pan-iconografia* + *-ico*[2].] *Adj.* Referente à pan-iconografia.

panícula [Do lat. *panicula*.] *S. f. Bot.* Tipo de inflorescência que é um cacho composto, no qual os ramos vão decrescendo da base para o ápice, razão por que assume forma aproximadamente piramidal.

paniculado [De *panícula* + *-ado*[1].] *Adj. Bot.* **1.** Disposto em panícula: *flores paniculadas*. **2.** V. *panicular*.

panicular [De *panícula* + *-ar*[1].] *Adj. 2 g. Bot.* Que tem forma de panícula; paniculiforme, paniculado.

paniculiforme [De *panícula* + *-iforme*.] *Adj. 2 g. Bot.* V. *panicular*: *cimeira paniculiforme*.

paniculite [De *panículo* + *-ite*[1].] *S. f. Patol.* Inflamação de panículo adiposo; adiposite.

panículo [Do lat. tard. *panniculu*.] *S. m. Anat.* Camada delgada componente de uma estrutura (8). ◆ **Panículo adiposo.** *Anat.* Camada adiposa subcutânea.

panífero [De *pani-* + *-fero*.] *Adj.* Que produz cereais.

panificação [De *panificar* + *-ção*.] *S. f.* **1.** Fabricação de pão. **2.** *Bras.* V. *padaria* (1).

panificador (ô) [De *panificar* + *-dor*.] *S. m.* Fabricante de pão.

panificadora (ô) [Fem. de *panificador*.] *S. f. Bras.* V. *padaria* (1).

panificar [De *pani-* + *-ficar*.] *V. t. d.* Transformar (a farinha) em pão. [Conjug.: v. *trancar*.]

panificável [De *panificar* + *-vel*.] *Adj. 2 g.* Que pode ser panificado; de que se pode fazer pão: *farinha panificável*.

panifício [De *pani-* + *-fic(o)-*[1] + *-io*[2].] *S. m.* Fabrico de pão.

paniguado *S. m. P. us.* V. *apaniguado* (q. v.).

paninho [De *pano*[1] + *-inho*[1].] *S. m.* Pano[1] (1) fino de algodão: "E justamente entrava o Padre Soeiro, ... com o seu grande guarda-sol de paninhos e o seu breviário." (Eça de Queirós, *A Ilustre Casa de Ramires*, p. 54.)

pan-islâmico *Adj.* Referente ao pan-islamismo; pan-islamista.

pan-islamismo [De *pan-* + *islamismo*.] *S. m.* Movimento ou sistema religioso e político que visa a reunir os povos muçulmanos. [Cf. *pan-arabismo*.]

pan-islamista [De *pan-islamismo* + *-ista*.] *Adj. 2 g.* **1.** Pan-islâmico. **2.** Que é partidário do pan-islamismo. ● *S. 2 g.* **3.** Partidário dele.

panjabi [Do hindi *Pănjābī* < persa *Pănjāb*, 'os cinco rios' (Índia e, Paquistão).] *Adj. 2 g.* **1.** De, pertencente, ou relativo ao Panjab (Índia e Paquistão). ● *S. 2 g.* **2.** O natural ou habitante do Panjab. [Tb. us., nessas acepçs., como *adj. 2 g. e 2 n. e s. 2 g. e 2 n.*] ● *S. m.* **3.** *Gloss.* Língua indo-ariana falada nessa região. [É conhecida como a língua dos siques, embora ultrapasse esse grupo. Escrita no alfabeto gurmuqui na Índia e, no Paquistão, em alfabeto árabe.] [F. paral.: *punjabi*. Pl. (de 1 e 2): *panjabis, panjabi*.]

panléxico (cs) [De *pan-* + *-léxico*.] *S. m.* Dicionário universal.

panlogismo [De *pan-* + *-log(o)-* + *-ismo*.] *S. m. Filos.* Doutrina que afirma a possibilidade de racionalização total da realidade. [Cf. *logicismo*.]

pan-mixia (cs) [De *pan-* + *mix(o)-*[1] + *-ia*[1].] *S. f. Biol.* Em uma população, acasalamento não seletivo ou aleatório que resulta num alto grau de uniformidade genotípica.

pano[1] [Do lat. *pannu*.] *S. m.* **1.** *Tec. Têx.* V. *tecido* (3): "Panos vistosos nas janelas, flores e folhas juncando o chão." (Graciliano Ramos, *Caetés*, p. 215); *pano fino*; *pano para lençóis*; *pano de saco*. **2.** Cada um dos pedaços de tecido que, unidos, vão dar a largura de certas peças do vestuário: *uma saia em seis panos*. **3.** Qualquer porção de tecido embainhada ou com outra terminação, usada para fins domésticos e outros: *pano de bandeja*; *pano de pó*; *pano de cozinha*. **4.** Cada uma das peças ou tiras de pano, papel, plástico, etc., que, unidas no sentido longitudinal, formam um todo: *cortina de quatro panos*. **5.** A parte lateral; lado; face: *o pano de um muro, de um biombo*; *o pano do facão* (v. *panaço* e *panázio*). **6.** *Constr.* Porção de superfície plana de parede compreendida entre duas pilastras, barras, cantos, etc.: *Aquele pano vai ser pintado de azul.* **7.** *Constr.* Lanço de muralha, etc., em obra que tem mais de uma face. **8.** *Marinh.* Vela[1] (1): "Enfuna o vento o desfraldado pano" (Luís Guimarães, *Sonetos e Rimas*, p. 133). **9.** *Pop.* Manchas no rosto ou no corpo. [Sin. (lus.), nesta acepç.: *malha*.] **10.** *Med.* Vascularização anormal de córnea, ficando esta coberta, total ou parcialmente, como por um véu. **11.** *Teatr.* V. *pano de boca*: "A descida do pano marcava a passagem súbita da ilusão para a realidade." (Brito Broca, *Memórias*, p. 91.) **12.** *Teatr.* Palavra impressa na última página do texto de cada ato, ou de toda a peça, para indicar o seu término. ◆ **Pano cru.** Tecido de algodão que não foi corado após a tecedura. **Pano da chaminé.** A parte interior dela, fronteira e superior ao lar. **Pano de amostra.** Aquilo que se faz com o objetivo de provar de quanto se é capaz em relação ao fato em apreço: *É muito estudioso: a média 9 nos exames foi um pano de amostra.* **Pano de boca.** *Teatr.* A cortina ou tela situada na interseção do proscênio com a cena do palco italiano, e que serve para ocultar o ambiente cenográfico. [Tb. se diz apenas *pano*. Sin.: *cortina de boca* ou apenas *cortina*.] **Pano de chão.** Pano de algodão, absorvente, com que se limpa e/ou enxuga o chão. **Pano de ferro.** *Teatr.* Cortina de ferro. **Pano de fundo.** **1.** *Teatr.* A grande e última tela situada ao fundo do palco, e que também funciona como complementação do tema cenográfico iniciado pelos rompimentos [v. *rompimento* (3)]. **2.** *Teatr.* Rotunda (4). **3.** *P. ext.* Paisagem ou ambiente que serve de fundo a uma representação, fotografia, pintura, etc. **4.** *Fig.* Conjunto de acontecimentos sobre os quais se desenvolve uma ação. **Pano de prato.** Pano de algodão, linho, etc., us. para enxugar louça, panelas, etc. **Pano de varas.** Tecido grosseiro, feito ger. com a lã das ovelhas pretas. **Pano lento.** *Teatr.* Cortina lenta. **Pano patente.** Variedade de tecido de algodão. **Pano rápido.** *Teatr.* Cortina rápida. **Pano sagrado.** *Rel.* Qualquer pano posto em contato com as espécies sacramentais. **Panos mornos.** *Bras.* V. *panos quentes*. **Panos quentes.** *Bras.* Medidas com que se tenta substituir ou adiar uma solução; contemporização; panos mornos, trapos quentes. **Pano verde.** Mesa de jogo. **Abrir os panos.** *Bras. S. Pop.* V. *fugir* (1). **A pano cheio.** V. *a todo o pano*: "Sobre o imigo baixel a pano cheio / Caía a nau de seu comando..." (Almeida Garrett, *Camões*, Canto III, XII). **A todo o pano.** **1.** Com todas as velas abertas: "Eis-nos em alto-mar, a todo o pano!" (Fontoura Xavier, *Opalas*, p. 28.) **2.** Às carreiras; a toda a pressa. **3.** Com toda a força; a todo o transe. [Sin. ger.: *a pano cheio*.] **Dar pano para manga(s).** Dar que falar. **Por baixo do pano.** Sem aparecer; às escondidas; atrás da cortina; dissimuladamente: *Gosta de agir por baixo do pano.* **Ter pano para manga(s).** Dispor de todos os elementos necessários para fazer algo.

pano[2] *Gloss. S. m.* **1.** Família linguística cujos falantes se localizam principalmente no O. do AM, no Acre e no Peru. ● *Adj. 2 g.* **2.** Pertencente ou relativo a pano[2] (1).

panô [Do fr. *panneau*.] *S. m.* Painel[1] (4) decorativo de tecido liso, estampado com aplicações ou pintado, etc., com ou sem moldura, us. em paredes, para guarnição, complemento de cortina, etc.

pano da costa [De *pano*[1] + *da* + *costa* (da África).] *S. m.* **1.** *Tec. Têx.* Tecido de algodão, listrado, originário da África. **2.** *Vest.* Pano de algodão, colorido, que as negras, esp. as da BA, usam como xale: "Rua da União onde todas as tardes passava a preta das bananas / Com o xale vistoso de pano da costa" (Manuel Bandeira, *Estrela da Vida Inteira*, p. 116). [Var.: *pandacosta*. Pl.: *panos da costa*.] ☑

pano de telhado *S. m. Arquit.* V. *água* (12). [Pl.: *panos de telhado*.] ☑

panofobia [De *pan-* + *-o-* + *-fobia*.] *S. f. Psiq.* V. *pantofobia*.

panofóbico [De *panofobia* + *-ico*[2].] *Adj. S. m. Psiq.* V. *pantofóbico*.

panófobo [De *pan-* + *-o-* + *-fobo*.] *Adj. S. m. Psiq.* V. *pantofóbico* (2 e 3).

pan-oftalmite [De *pan-* + *oftalmite*.] *S. f. Oftalm.* Inflamação generalizada de olho(s).

pan-oftalmítico [De *pan-* + *oftalmite* + *-ico*[2].] *Adj. Oftalm.* Relativo à pan-oftalmite.

panóplia [Do gr. *panoplía*.] *S. f.* **1.** Armadura de cavaleiro da Idade Média. **2.** Escudo no qual se põem diferentes armas e com que se adornam paredes: "Nas paredes, preciosos e raros gobelinos, panos d'Ásia, de seda e ouro ..... E telas de artistas célebres ....; panóplias d'armas autênticas" (Coelho Neto, *A Conquista*, p. 2). **3.** Troféu (4). **4.** Casa de armas. **5.** Obra que versa sobre armaduras antigas.

pan-óptico [De *pan-* + *-óptico*.] *Adj.* Que permite uma visão total: *construção pan-óptica*.

panorama [De *pan-* + *-orama*; ingl. *panorama*.] *S. m.* **1.** Grande quadro circular cuja disposição permite que o espectador, no centro, veja os objetos como se do alto de uma montanha estivesse a observar todo o horizonte circunjacente. **2.** *P. ext.* Paisagem, vista. **3.** *Fig.* Visão ou observação de um assunto em toda a sua amplitude. **4.** *Teatr.* Grande tela semicircular, análoga ao ciclorama (q. v.), mas com elementos cenográficos pintados ou dispostos em perspectiva, admitindo também projeção luminosa. [V. *cenário* (5).]

panoramense *Adj. 2 g.* **1.** De, ou pertencente ou relativo a Panorama (SP). ● *S. 2 g.* **2.** O natural ou habitante de Panorama.

panorâmica [F. subst. do adj. *panorâmico*.] *S. f.* Exposição geral da obra de um artista plástico, um dramaturgo, um cineasta, um escritor, um arquiteto, etc.

panorâmico [De *panorama* + *-ico*[2].] *Adj.* Relativo a, ou da natureza do panorama: *tela panorâmica*; *cenário panorâmico*; *cenário panorâmico*; *visão panorâmica do romantismo*.

panorógrafo [De *pan-* + gr. *horân*, 'ver', + *-grafo*.] *S. m.* Instrumento com que se obtém com rapidez, em uma superfície plana, o desenvolvimento de uma vasta perspectiva circular. [No Volp. com hífen mas sem *h* (pan-orógrafo), quando o 2.º el é o v. gr. *horân*, 'ver'. A aglutinação, porém, segue o ex. de *panorama*.]

panorpato [Do tax. *Panorpa* + *-ato*[3]; tax. *Panorpatae*.] *S. m. Adj. Zool.* V. *mecóptero*.

panorpídeo [Do tax. *Panorpa* + *-ídeo*[1]; tax. *Panorpidae*.] *S. m. Adj. Zool.* V. *mecóptero*.

pan-osteíte [De *pan-* + *osteíte*.] *S. f. Patol.* Inflamação de todas as partes de um osso.

panqueca (é) [Do ingl. *pancake*.] *S. f. Bras.* **1.** *Cul.* Massa leve de farinha, leite e ovos que, depois de assada na chapa ou na frigideira, adquire forma aproximadamente circular, e que, em geral, se enrola com um recheio doce ou salgado. **2.** *Fig.* Descanso, lazer, ociosidade, vadiação.

panquense *Adj. 2 g.* **1.** De, ou pertencente ou relativo a Pancas (ES). ● *S. 2 g.* **2.** O natural ou habitante de Pancas.

panqueu [Do lat. *panchaeu*.] *Adj. S. m.* Pancaio: "E fundem-se nos ares / os perfumes panqueus das aras incendidas." (Antônio Feliciano de Castilho, *As Geórgicas*, p. 271.)

pânria [De or. obscura.] *S. f.* **1.** *Pop.* Mândria, preguiça, indolência, ociosidade. ● *S. 2 g.* **2.** Pessoa indolente e preguiçosa. [Cf. *panria*, do v. *panriar*.]

panriar [De *pânria* + *-ar*[2].] *V. int.* Viver na pânria, na ociosidade; preguiçar, mandriar, madracear. [Pres. ind.: *panrio, panrias, panria*, etc. Cf. *pânria*.]

pansexual (cs) [De *pan-* + *sexual*.] *Adj. 2 g.* Referente ao sexo em todos os aspectos.

pansexualismo (cs) [De *pan-* + *sexualismo*.] *S. m.* Doutrina que considera toda a atividade psíquica provinda do instinto sexual, que se manifesta apenas quando a criança nasce.

pansexualista (cs) [De *pansexualismo* + *-ista*.] *Adj. 2 g.* **1.** Relativo ao, ou que é adepto do pansexualismo. ● *S. 2 g.* **2.** Adepto do pansexualismo.

pansofia [De *pan-* + *-sofia*.] *S. f.* Ciência universal; todo o saber humano.

pansófico [De *pansofia* + *-ico*[2].] *Adj.* Relativo à pansofia.

panspermia [Do gr. *panspermía*, 'mistura de sementes de todas as espécies'.] *S. f.* Sistema daqueles segundo os quais os germes dos seres organizados se acham espalhados por toda parte, aguardando apenas circunstâncias favoráveis para se desenvolverem.

panspérmico [De *panspermia* + *-ico*[2].] *Adj.* Relativo à panspermia.

panspermista [De *panspermia* + *-ista*.] *Adj. 2 g.* **1.** Relativo à, ou que é partidário da panspermia. ● *S. 2 g.* **2.** Partidário dela.

pantafaçudo [De *pança* e *face* + *-udo*, poss.] *Adj.* **1.** Que tem bochechas grandes; bochechudo. **2.** *Fig.* Ridiculamente extravagante; monstruoso.

pantagruélico [Do ficcion. *Pantagruel* + *-ico*[2].] *Adj.* **1.** Relativo ou semelhante a, ou próprio de Pantagruel, personagem comilão criado por Rabelais (v. *rabelaisiano*). **2.** Abundante em comidas; digno de Pantagruel: *festim pantagruélico*; "com as mãos santamente cruzadas sobre o ventre cada vez mais espesso, ficava a digerir os seus banquetes pantagruélicos." (Xavier Marques, *As Voltas da Estrada*, p. 179).

pantagruelismo [Do ficcion. *Pantagruel* (v. *pantagruélico*) + *-ismo*.] *S. m.* **1.** Espécie de filosofia epicurista. **2.** Sistema daqueles que só se preocupam em beber e comer bem.

pantagruelista [De *pantagruelismo* + *-ista*.] *Adj. 2 g.* **1.** Relativo ao, ou que é partidário do pantagruelismo. ● *S. 2 g.* **2.** Partidário do pantagruelismo.

pantalão[1] [Do fr. *pantalon* (v. *pantalonas*).] *S. m.* **1.** Homem que usa pantalonas. **2.** Janota, peralta, peralvilho, casquilho.

pantalão[2] [Do ficcion. it. *Pantalone*, alter. do nome de *São Pantaleão*, santo muito popular em Veneza.] *S. m. Teatr.* Personagem-tipo ou máscara da *commedia dell'arte* e da antiga comédia francesa, que representa o protótipo do cidadão simples e pai bondoso, ou do velho avarento, crédulo, libertino, meticuloso, e sempre vítima do Arlequim, do Escapino, e de outras personagens; pantaleão.

pantaleão [De (*São*) *Pantaleão*.] *S. m.* Pantalão[2].

pantalha [Do esp. *pantalla*.] *S. f.* V. *abajur* (1): "Acendeu-se o lustre de muitas velas, luxo que a viscondessa acrescentava ao gás democrático nos candeeiros velados de pantalhas de cores." (Xavier Marques, *As Voltas da Estrada*, p. 28.)

pantalonada [Do fr. *pantalonnade*, de or. italiana (v. *pantalão*[2]).] *S. f. Teatr.* **1.** Farsa do teatro francês, cujas peripécias se desenvolvem em função da personagem Pantalão (v. *pantalão*[2]). **2.** *P. ext.* Comédia ou farsa burlesca.

pantalonas [Do fr. *pantalons*, pl. do fr. *pantalon* (s. m.), do ficcion. it. *Pantalone* (v. *pantalão*[2]).] *S. f. pl.* **1.** Calças (de homem): "burlescamente vestido de chita ou de cetim, com os ossos do corpo descarnado dançando dentro das pantalonas amplas e da blusa larga" (Olavo Bilac, *Ironia e Piedade*, p. 129). **2.** Calças compridas, de boca larga, que caem sobre os pés. **3.** Meia-calça de bailarinos, acrobatas, etc.

pantana [De *pântano*, mas conservando a prosódia etimológica.] *S. f. Fam.* **1.** Dissipação de haveres; ruína. **2.** Certo golpe de capoeira. ◆ **Dar com alguma coisa em pantana(s).** Arruiná-la: "e se o doudo do filho não mudar de rumo, há de dar com a família em pantanas!" (Aluísio Azevedo, *O Coruja*, p. 75). **Em pantana.** Em dificuldade. [Tb. us. no pl.]

pantanal [De *pântano* + *-al*[1].] *S. m.* **1.** Pântano grande. **2.** *Bras.* Zona geofísica de parte de MS, do MT e do Paraguai, na baixada do rio Paraguai, que abrange as terras baixas e as elevações e morros que por elas se espalham. [Com cap., nesta acepç.]

pantaneiro [De *pântano* + *-eiro*.] *Adj.* **1.** Do, pertencente ao Pantanal, ou próprio dele: "Pouco afeito à leitura no período pantaneiro .... agora me sinto pequeno ante os companheiros. Lanço-me, pois, a uma corrida apaixonada contra meu atraso livresco"

(Apolônio de Carvalho, *Vale a Pena Sonhar*, p. 37). **2.** *Bras. MT* Diz-se de uma raça bovina mato-grossense. ● *S. m.* **3.** O natural ou habitante do Pantanal (2). **4.** *Bras. MT* Criador de gado; fazendeiro.

pantanense *Adj. 2 g.* **1.** De, ou pertencente ou relativo a Pântano Grande (RS). ● *S. 2 g.* **2.** O natural ou habitante de Pântano Grande.

pantanizar [De *pântano* + *-izar*.] *V. t. d.* Transformar em pântano; apaular. [Sin., bras., N.E.: *abrejar*.]

pântano [Do top. *Pantanu* (paroxítono), de um lago da Apúlia (atualmente lagoa de Lesina), com hiperbibasmo. Em seu romance *Inocência* (1872), o Visconde de Taunay põe *pantano* na fala de uma personagem e diz, em nota de rodapé, ser esta a pronúncia normal no interior do Brasil.] *S. m.* **1.** Região inundada por águas estagnadas. **2.** Terras baixas e alagadiças. [Sin. ger.: *aguaçal, atolador, atoladouro, atoleiro, atoledo, bamburral, banhado, brejo, charco, charneca, enxurdeiro, lamaçal, lamaceiro, lameirão, marnel, palude, paul, tremedal*.]

pantanoso (ô) [De *pântano* + *-oso*.] *Adj.* **1.** Que tem pântanos. **2.** V. *paludoso* (2).

panteão [Do gr. *pántheion*, 'templo consagrado a todos os deuses', pelo lat. *pantheon*.] *S. m.* **1.** Templo arredondado que, na Grécia e na Roma antigas, era dedicado a todos os deuses. **2.** *P. ext.* O conjunto das divindades de uma religião politeísta. **3.** Monumento arquitetônico destinado a perpetuar a memória de homens famosos (heróis nacionais, artistas, estadistas, etc.), e que, em geral, contém seus restos mortais: *o panteão dos mortos da Segunda Guerra*. [F. paral.: *panteom, panteon*.]

pantear *V. t. d.* **1.** Caçoar, zombar, escarnecer, chacotear de. *Int.* **2.** Dizer futilidades. [Conjug.: v. *frear*.]

panteísmo [De *pan-* + *teísmo*.] *S. m. Filos.* **1.** Doutrina segundo a qual só Deus é real e o mundo é um conjunto de manifestações ou emanações. **2.** Doutrina segundo a qual só o mundo é real, sendo Deus a soma de tudo quanto existe. [Cf. *acosmismo, ateísmo*[1] e *teísmo*.] ◆ **Panteísmo materialista.** *Filos.* Pancosmismo.

panteísta [De *panteísmo* + *-ista*.] *Adj. 2 g.* **1.** Panteístico. **2.** Que é sectário do panteísmo. ● *S. 2 g.* **3.** Sectário dele.

panteístico [De *panteísta* + *-ico*[2].] *Adj.* Relativo ao, ou próprio do panteísmo; panteísta.

panteologia [De *pan-* + *-te(o)-* + *-logia*.] *S. f.* História de todos os deuses pagãos.

panteológico [De *panteologia* + *-ico*[2].] *Adj.* Referente à panteologia.

panteon [Do fr. *panthéon*.] *S. m.* Panteão. [A melhor grafia é *panteom*, mas a forma com *n* é a mais usada.]

pantera [Do gr. *pánther*, pelo lat. *phantera*; tax. *Panthera*.] *S. f.* **1.** *Zool.* Gênero de grandes mamíferos felídeos de cabeça arredondada, nariz curto, cauda longa, dotados de dentes muito afiados, maiores que os do leão; são muito fortes e extremamente ágeis. **2.** *Zool.* Qualquer espécie desse gênero, como, p. ex., a *Panthera pardus*, que habita a África e a Ásia [v. *leopardo* (1)]. **3.** *Zool.* Qualquer espécime desse gênero. **4.** *Bras. Pop. Zool.* Designação comum a algumas borboletas lepidópteras, geometrídeas, da nossa fauna. **5.** *Fig.* Pessoa irascível e/ou cruel. **6.** *Fig. Bras.* Mulher muito bela e atraente; tigresa.

pantérico [De *pantera* + *-ico*[2].] *Adj.* Pertencente ou relativo a, ou próprio de pantera: "Oh! como são sinistramente feios / Teus aspectos de fera, os teus meneios / Pantéricos, ó Mundo, que não sonhas!" (Cruz e Sousa, *Últimos Sonetos*, p. 128.)

panterino *Adj. S. m.* V. *botafoguense*[3].

panteu [Do gr. *pántheios*, 'comum a todos os deuses'.] *Adj.* Que reúne os símbolos ou atributos de muitas divindades.

▲ **panti-** [De *pant(o)-* + *-i-*.] V. *pant(o)-*.

pantim[1] [Do concani *pant'ti*.] *S. m. Luso-asiat.* Lamparina de barro ou de bronze.

pantim[2] *El. s. m. Bras.* Us. na loc. verb. *fazer pantim*. ◆ **Fazer pantim.** Contar boatos; dar notícias más, alarmantes ou aterradoras.

pantiteísmo [De *panti-* + *-te(o)-* + *-ismo*.] *S. m.* Sistema filosófico, que considera e vê a Deus em tudo. [V. *panenteísmo* (1) e *panteísmo*.]

pantiteísta [De *pantiteísmo* + *-ista*.] *Adj. 2 g.* **1.** Relativo ao, ou que é sectário do pantiteísmo. ● *S. 2 g.* **2.** Sectário do pantiteísmo.

▲ **pant(o)-** [Do gr. *panto-* < gr. *pantós*, genitivo de *pâs, pâsa, pân*.] *El. comp.* = 'tudo'; 'todos': *pantogamia, pantografia, pantólogo* (< gr.). [Equiv.: *pam-* (q. v.), *pan-, panti-, -pant(o)-, pasi-*: *pamplegia; pan-americano, pancontinental; pantiteísmo; apantóptero; pasigrafia*.]

▲ **-pant(o)-** V. *pant(o)-*.

pantodonte [De *pant(o)-* + *-odonte*; tax. *Pantodonta*.] *Paleont. S. m.* **1.** Espécime dos pantodontes, subordem extinta de mamíferos ungulados que viveram durante o paleoceno e o eoceno, esp. na América do Norte, e no oligoceno da Ásia. ● *Adj. 2 g.* **2.** Pertencente ou relativo a eles.

pantodontídeo [Do lat. cient. *Pantodont-* (do tax. *Pantodon*) + *-ídeo*[1]; tax. *Pantodontidae*.] *Zool. S. m.* **1.** Espécime dos pantodontídeos, família monoespecífica de peixes osteoglossiformes, cujo representante é o *Pantodon buchholzi* [v. *peixe-borboleta* (1)]. ● *Adj.* **2.** Pertencente ou relativo a eles.

pantofagia [Do gr. *pantophagía*.] *S. f.* Hábito de comer de tudo, indiscriminadamente.

pantofágico [De *pantofagia* + *-ico*[2].] *Adj.* Referente à pantofagia.

pantófago [Do gr. *pantophágos*.] *Adj.* Que come de tudo, vorazmente.

pantofobia [De *pant(o)-* + *-fobia*.] *S. f. Psiq.* Estado de ansiedade que induz o indivíduo a ter medo de tudo; panfobia, panofobia.

pantofóbico [De *pantofobia* + *-ico*[2].] *Psiq. Adj.* **1.** Relativo a pantofobia. **2.** Que sofre de pantofobia; pantófobo, pânfobo, panófobo. ● *S. m.* **3.** Aquele que sofre de pantofobia; pantófobo, pânfobo, panófobo. [Sin. ger.: *panfóbico, panofóbico*.]

pantófobo [De *pant(o)-* + *-fobo*.] *Adj. S. m. Psiq.* V. *pantofóbico* (2 e 3).

pantoftalmídeo [Do tax. *Pantophthalmus* + *-ídeo*[1]; tax. *Pantophthalmidae*.] *Zool. S. m.* **1.** Espécime dos pantoftalmídeos, família de insetos dípteros, braquíceros, moscas de grande tamanho, que podem atingir 50mm de comprimento, com larvas cilíndricas, e de cabeça esclerosada, que atacam a madeira das árvores vivas ou mortas. ● *Adj.* **2.** Pertencente ou relativo a eles.

pantogamia [De *pant(o)-* + *-gam(o)-* + *-ia*[1].] *S. f.* Modalidade de procriação em que os machos e as fêmeas, enquanto sentem a necessidade de reprodução, coabitam com quaisquer animais de sexo oposto ao seu.

pantogâmico [De *pantogamia* + *-ico*[2].] *Adj.* Relativo à pantogamia.

pantografia [De *pant(o)-* + *-grafia*.] *S. f.* Aplicação do pantógrafo.

pantográfico [De *pantografia* + *-ico*[2].] *Adj.* **1.** Referente à pantografia. **2.** Feito ou executado pelo pantógrafo. **3.** Diz-se de grade ou porta corrediça constituída por varetas metálicas articuladas que formam uma rede de losangos deformáveis, ao modo de um pantógrafo. ~ V. *porta —a*.

pantografista [De *pantógrafo* + *-ista*.] *S. 2 g.* Pessoa que utiliza em cópias o pantógrafo.

pantógrafo [De *pant(o)-* + *-grafo*.] *S. m.* Instrumento constituído por um paralelogramo articulado, e com que se podem copiar figuras, modificando-se à vontade a escala do desenho.

pantólogo [Do gr. *pantológos*, 'que fala sobre qualquer assunto'.] *S. m.* Aquele que sabe tudo; enciclopédia.

pantómetro *S. m.* V. *pantômetro*. [Uso freq. em P.]

pantômetro [De *pant(o)-* + *-metro*.] *S. m.* Instrumento us. para determinar ângulos e traçar linhas.

pantomima [Do gr. *pantómimos*, pelo lat. *pantomimu*, com mudança de gênero.] *S. f.* **1.** Arte ou ato de expressão por meio de gestos; mímica. **2.** *Teatr.* Peça de qualquer gênero, em que o(s) ator(es) se manifesta(m) simplesmente por gestos, expressões corporais ou fisionômicas, prescindindo da palavra e da música, que pode ser, também, sugerida por meio de movimentos; mímica. [Sin. ant.: *momo*. Cf. *cena muda* (1) e *mimodrama*.] **3.** *Fig. Pop.* Logro, embuste. **4.** *Pop.* Cena ridícula: palhaçada.

pantomimar [De *pantomima* + *-ar*[2].] *V. int.* **1.** Fazer pantomima. *T. d.* **2.** Lograr, enganar (alguém).

pantomimeiro [De *pantomima* + *-eiro*.] *S. m.* V. *mímico* (3).

pantomimice [De *pantomima* + *-ice*.] *S. f.* Ato ou dito de pantomimeiro.

pantomímico [Do lat. *pantomimicu*.] *Adj.* **1.** Relativo a pantomima. **2.** Em que entra a pantomima.

pantomimo [Do gr. *pantómimos*, pelo lat. *pantomimu*.] *S. m.* V. *mímico* (3).

pantomina *S. f. Pop.* V. *pantomima*.

pantominar *V. int. T. d. Pop.* V. *pantomimar*.

pantomineiro *S. m. Pop.* V. *pantomimeiro*.

pantominice *S. f. Pop.* V. *pantomimice*.

pantopelágico [De *pant(o)-* + *pelágico*.] *Adj. Zool.* Diz-se das aves que cruzam o alto-mar.

pantópode [De *pant(o)-* + *-pode*; tax. *Pantopoda*.] *S. m. Adj. 2 g. Zool.* V. *picnogônida*.

pantopolista [De *pant(o)-* + *-pol(i)-* + *-ista*.] *Adj. 2 g.* Referente a todas as cidades ou a todas as terras; cosmopolita.

pantóptero [De *pant(o)-* + *-ptero*.] *Adj. Zool.* Diz-se dos peixes que têm todas as barbatanas, exceto as ventrais.

pantoténico *Adj.* V. *pantotênico*. [Uso freq. em P.]

pantotênico *Adj. Quím.* ~ V. *ácido —*.

pantropical [De *pan-* + *tropical*.] *Adj. 2 g. Ecol.* Que habita qualquer região dos trópicos.

pantufa [Do fr. *pantoufle*, de or. obscura.] *S. f.* **1.** Pantufo[1] (1). **2.** *Fig.* Pandorga (2). **3.** *Ant.* Mulher rústica, mas muito enfeitada. **4.** *Ant.* Mulher muito enfeitada.

pantufada [De *pantufo*[1] + *-ada*[1].] *S. f.* Pancada com pantufo[1] (1).

pantufo[1] [De *pantufa*.] *S. m.* **1.** Chinelo de estofo encorpado, para agasalho; pantufa: "com os pés nus em pantufos de cetim" (Ramalho Ortigão, *As Farpas*, IX, p. 99). **2.** *Gír.* Homem gordo ou barrigudo.

pantufo[2] *S. m. Bras. SP Zool.* O cupim (1), quando ainda não tem asas e é branco; siriri.

pantum [Do mal. *pantun*.] *S. m. Poét.* Poema de origem malaia, em quadras, no qual o segundo e o quarto versos da primeira quadra são o primeiro e o terceiro da segunda, o segundo e o quarto desta são o primeiro e o terceiro da terceira, etc.; pantume. [São exemplos, em nossas letras, a "Serenata no Rio", de Alberto de Oliveira, e o "Pantum", de Olavo Bilac.]

pantume *S. m.* Pantum.

panturra [De or. incerta; poss. do cruz. entre o lat. *pantex*, 'pança', 'barriga', e o lat. *pandoriu*, 'certo alaúde', pela f. **pantúrria*.] *S. f.* **1.** V. *pança* (2). **2.** *Fig.* Prosápia, soberba, vaidade.

panturrilha [Do esp. *pantorrilla*, e, este, poss. do cruz. do lat. *pantex* com o lat. *pandoriu* (v. *panturra*).] *S. f.* **1.** Barriga da perna; sura: "Punha uma grande confiança no maciço dos seios .... e na carnação boleada das panturrilhas que bojavam premidas pelo elástico repuxado da liga." (Camilo Castelo Branco, *Sentimentalismo e História*, p. 252.) **2.** *Fig.* Chumaço que se põe sobre a barriga da perna, por dentro da meia: "as panturrilhas, as polainas de couro franjado nos joelhos, as jaquetas de pano de Saragoça com remendos de surrobeco pardo nos cotovelos surrados" (Antero de Figueiredo, *Toledo*, p. 141). [Seria melhor a grafia *panturrilha*.]

panzuá [De *pança*, poss.] *S. m. Bras. CE Pop.* Indivíduo corpulento, muito gordo.

paó *S. m.* **1.** *Bras. Zool.* V. *pavó*. **2.** *Bras. Rel.* No processo de iniciação ao candomblé, as palmas que as iniciandas, em retiro no roncó, usam para se comunicar com seus mentores; paô.

paô *S. m. Bras. Rel.* Paó (2).

pão [Do lat. *pane*.] *S. m.* **1.** Alimento feito de massa de farinha de trigo ou outros cereais, com água e fermento, de forma em geral arredondada ou alongada, e que é assado ao forno: *O pão é a base da alimentação de muitos povos*. **2.** *P. ext.* A massa crua do pão (1). **3.** Designação comum a certos cereais (o trigo, o milho, o centeio, a cevada, etc.): *semear o pão*. **4.** Qualquer massa mais ou menos compacta que lembra um pão (1), usada como alimento ou para outros fins: *pão de açúcar; pão de carne*; "Mamãe chama Emídio, da Chácara, e põe na cabeça dele a bacia de roupa e um pão de sabão." (Helena Morley, *Minha Vida de Menina*, p. 3). **5.** *Fig.* Aquilo que nutre; alimento, comida: "O pão nosso de cada dia nos dai hoje" (do *Padre-Nosso*). **6.** *Fig.* Meio de subsistência; sustento: *Trabalhava para garantir o pão das crianças*. **7.** A hóstia consagrada. **8.** *Bras. Gír.* Homem ou mulher bonita: "Era um pão de boa, aquela mulata." (Elsie Lessa, *A Dama da Noite*, p. 152.) [Nesta acepç., m. us. com relação a homens.] [Pl.: *pães*.] ◆ **Pão amanhecido.** V. *pão dormido*. **Pão árabe.** *Cul.* Pão ázimo, redondo e achatado, ger. servido com recheio; pão sírio, pita. **Pão ázimo.** Pão sem fermento: "Com estes nove fragmentos [da hóstia] — símbolos de nove Passos da Paixão de Jesus — forma o sacerdote, em cima da pátena rebrilhante, uma cruz branca, de pão ázimo." (Antero de Figueiredo, *Toledo*, p. 81.) **Pão da alma.** *Rel.* V. *eucaristia* (2). **Pão de açúcar.** *Bras.* Tronco de cone de açúcar branco que se forma ao aparar-se, internamente, a fôrma de açúcar dos engenhos banguês. **Pão de ajunta.** *Cul.* Pão de milho misturado com algum trigo. **Pão de fôrma.** *Cul.* Pão (1) de massa leve, ligeiramente salgado, ou adocicado, com a forma aproximada de um paralelepípedo, que se corta em fatias para fazer torradas, sanduíches, etc. **Pão de mel.** *Cul.* Pão (1) feito de farinha de trigo, mel, cravo, canela e noz-moscada. **Pão de munição.** Pão grosseiro, para ração de soldados. **Pão de sangue.** O que não tem mistura. **Pão de véspera.** V. *pão dormido*. **Pão do espírito.** *Fig.* A instrução. **Pão dormido.** Pão (1) do dia anterior, que se presta para certas preparações culinárias; pão amanhecido, pão de véspera: "Entrou na padaria direto ao balcão dos pães dormidos." (José Carlos Cavalcanti Borges, *O Assassino*, p. 32.) **Pão dos anjos.** *Rel.* V. *eucaristia* (2). **Pão eucarístico.** *Rel.* V. *eucaristia* (2). **Pão francês.** *Bras. Cul.* Pão (1) de forma oblonga e de diversos tamanhos, com alguns talhos na parte superior, e que é feito com farinha de trigo, fermento e sal. **Pão integral.** *Cul.* Pão (1) feito de farinha integral (2) e semolina. **Pão italiano.** Pão de consistência mais dura do que o pão francês e de forma arredondada. **Pão, pão, queijo,**

P

queijo. *Fam.* Sem rodeios ou subterfúgios; às claras; claramente: "Gosto dele, porque tem sempre me servido na horinha; é pão, pão, queijo, queijo, não fica na tapeação, na promessa, engabelando, como outros que conheço." (Ranulfo Prata, *Navios Iluminados*, p. 28.) **Pão preto.** *Cul.* Pão (1) de massa escura feita com farinha de centeio. **Pão sírio** *Cul.* V. *pão árabe.* **Pão vara.** *Bras. BA Cul.* Certo pão (1) muito comprido e fino. **A pão e água.** À míngua. **A pão e laranja.** Quase na miséria, ou na miséria: *estar, ficar, viver a pão e laranja.* **Bom como pão. 1.** Muito bom, generoso e simples. **2.** Bom como água. **Comer o pão que o Diabo amassou.** V. *comer da banda podre.* **Comer pão com banha.** *Bras. Chulo* Possuir mulher que acaba de ser possuída por outro. **Fazer pão grande.** *Bras. Pop.* Viver na indolência, na ociosidade. **O pão nosso de cada dia.** *Fig.* O que se faz ou acontece cotidianamente: *A leitura do jornal é o pão nosso de cada dia.* **Rente como pão quente.** *Bras. Fam.* Com toda a assiduidade ou pontualidade. **Tirar o pão da boca de.** Privar dos meios de subsistência.

pão-canoa *S. m. Bras.* Torrada feita com meio pão (1) pequeno, sem miolo, e cuja forma lembra a de uma canoa. [Pl.: *pães-canoas* e *pães-canoa.*]

pão-careca *S. m. Bras.* Espécie de pão francês de casca fina. [Pl.: *pães-carecas.*]

pão com rosca (ô) *S. m. Bras.* Casal ou amigos muito unidos. [Pl.: *pães com rosca.*] ☑

pão-de-açucarense *Adj. 2 g.* **1.** Pertencente ou relativo a Pão de Açúcar (AL). ● *S. 2 g.* **2.** O natural ou habitante de Pão de Açúcar. [Pl.: *pão-de-açucarenses.*]

pão de chumbo *S. m. Tip.* Pequena porção de metal-tipo com que se reabastece o crisol das compositoras desprovidas de alimentador automático. [Pl.: *pães de chumbo.*] ☑

pão-de-galinha *S. m. Bras. Zool.* Designação comum às larvas dos insetos coleópteros, escarabeídeos, que vivem no solo, alimentando-se de matéria orgânica e de raízes vegetais, e também nos cupinzeiros arbóreos e, sobretudo, em paus podres. [Sin.: *torresmo, joão-torresmo, capitão, bicho-gordo.* Pl.: *pães-de-galinha.*]

pão de ló *S. m. Cul.* Bolo muito leve e fofo, feito de farinha de trigo, ovos e açúcar: "E houve talhadas de melão, damascos, / E pão de ló molhado em malvasia." (Cesário Verde, *Obra Completa*, p. 115.) [Pl.: *pães de ló.*] ☑

pão de ló de festa *S. m. Bras.* V. *peru de festa.* [Pl.: *pães de ló de festa.*] ☑

pão-de-ló-de-mico [De *pão de ló* (q. v.) + *de* + *mico*[1].] *S. m. Bras. Bot.* V. *jatobá* (2). [Pl.: *pães-de-ló-de-mico.*]

pão de minuto da princesa *S. m. Bras. Cul.* Pãozinho caseiro, de preparo rápido, feito com farinha de trigo, manteiga, leite e fermento em pó: "E papo de anjo, ambrosia, tarecos, pão de minuto da princesa, ... que aparecia à mesa do café no caso de visitas imprevistas." (Marques Rebelo, *O Trapicheiro*, p. 462.) [Pl.: *pães de minuto da princesa.*] ☑

pão-de-pobre *S. m. Bras. SP Pop. Bot.* V. *mandioca* (1 e 2). [Pl.: *pães-de-pobre.*]

pão-durismo [De *pão-duro* + *-ismo.*] *S. m. Bras. Fam.* Qualidade ou ação de pão-duro; mesquinhez, sovinice, avareza. [Pl.: *pão-durismos.*]

pão-duro [De *pão* + *duro*[2], da alcunha de um avarento que se alimentava com o pão duro que lhe dava uma padaria.] *Bras. Fam.* ***Adj. 2 g. S. 2 g.*** **1.** V. *avaro* (1 e 3). ● *S. m.* **2.** Espátula us. para raspar molhos, massas, etc. de panela, vasilha, etc., seja para retirar o resíduo e colocá-lo noutro recipiente, seja para limpar este sem danificá-lo. [Pl.: *pães-duros.*]

pão-e-queijo [De *pão* + *e* (conj.) + *queijo.*] *S. m. Bot.* Planta primulácea (*Primulla officinalis*) herbácea, acaule cultivada como ornamental, e que é tb. medicinal. [Pl.: *pães-e-queijos.*]

pão-petrópolis *S. m. Bras.* Pão de fôrma, de massa um pouco adoçada, feito originariamente em Petrópolis (RJ). [Pl.: *pães-petrópolis.*]

pão-posto (ô) *S. m. Bot.* Planta asterácea (*Anacyclus radiatus*) anual, de caule ereto, piloso ou quase glabro, folhas penatissectas, e capítulos no ápice dos ramos, com flores amarelas. **2.** A sua flor. [Pl.: *pães-postos* (ó).]

pãozeira [De *pão* + *-zeira.*] *S. f. Bras.* Receptáculo onde se serve o pão à mesa.

pãozeiro [De *pão* + *-zeiro.*] *S. m. Bras. N.E.* Padeiro (2).

papa[1] [Do gr. *páppas*, pelo lat. tard. *papa.*] *S. m.* **1.** O sucessor de São Pedro na chefia da Igreja Católica; Pontífice Romano; Sumo Pontífice; Pontífice. [Ger. com cap.] **2.** *P. ext.* O chefe supremo de qualquer Igreja. **3.** *Fig.* Profissional ou teórico de grande prestígio, considerado infalível; ás: "Alexandre Dumas está a toda hora em grande voga. Não há muito Jean-Paul Sartre, então o papa do existencialismo, ressuscitava-lhe a peça *Kean*, dando-se assim nova ressonância ao nome ilustre." (Mário da Silva Brito, *Diário Intemporal*, p. 58.) [Fem.: *papisa* e *papesa* (q. v.).] ◆ **O Papa Negro.** Antonomásia do geral (10) dos jesuítas. **Ser mais papista que o papa.** Ocupar-se dos interesses de alguém de maneira mais extremada e radical do que ele próprio; mostrar-se intransigente, dogmático: "Caramba, Luís, não podes ser mais papista que o papa. Isto é África, é uma colônia e, por algum acaso do destino que não interessa agora julgar, nós somos os colonizadores e eles os colonizados." (Miguel Sousa Tavares, *Equador*, p. 300.)

papa[2] [Do lat. *pappa* ou *papa*, 'comida (na linguagem infantil)'.] *S. f.* **1.** Farinha cozida em água ou leite. [Cf. *mingau* (1 e 2).] **2.** Qualquer substância mole e desfeita, quando cozida. **3.** Qualquer sólido reduzido a consistência pastosa. **4.** *Bras. Gír.* Lábia[1] (2). **5.** *Bras. RS* V. *batata-inglesa.* **6.** *Bras. RS* Sopa ou purê de batata. **7.** *Bras. SE Pop.* Cobertor grosso, colcha de lã. ◆ **Papa de hemácias.** *Med.* Preparação terapêutica que consiste num concentrado de hemácias e se destina a quem precisar dessas células sem aumentar de modo significativo, ao mesmo tempo, a volemia, o que ocorreria numa transfusão de sangue total. **Papa de milho.** *Bras. MG RS* V. *canjica* (1). **Não ter papas na língua.** Falar com franqueza, sem reservas, doa a quem doer.

papá [Voc. onom.] *S. m.* **1.** Papai, na linguagem das criancinhas que principiam a falar; tatá. **2.** *Lus.* V. *papai* (1).

papa-açaí [De *papar* + *açaí.*] *S. m. Bras. Amaz. Zool.* Saurá. [Pl.: *papa-açaís.*]

papa-açorda (ô) *S. 2 g. Lus.* **1.** Indivíduo simples, bonachão. **2.** Indivíduo preguiçoso. [Pl.: *papa-açordas.*]

papa-areia [De *papar* + *areia.*] *S. 2 g. Bras. RS* Alcunha que os pelotenses dão aos rio-grandinos (v. *rio-grandino*). [Pl.: *papa-areias.*]

papa-arroz [De *papar* + *arroz.*] *S. m. Bras.* **1.** *Zool.* Ave passeriforme, fringilídea (*Sporophila nigricollis*), distribuída do RJ e MT para o N. Machos de coloração geral e coleira pretas, dorso cinzento-escuro, e garganta, peito, abdome e uropígio brancos. Fêmeas de cor parda tirante ao oliváceo-claro. Vivem em terrenos descampados e nutrem-se de sementes de capins. [Sin.: *papa-capim, gravatinha, coleiro-da-baía, coleiro-da-serra.*] **2.** *Zool.* V. *chupim* (1). **3.** *Zool.* V. *curió.* **4.** *Zool.* Peito-roxo. **5.** *Bras. Zool.* V. *polícia-inglesa* (1). **6.** Apelido que os piauienses dão aos maranhenses. [Pl.: *papa-arrozes.*]

papa-arroz-preto *S. m. Bras. Zool.* V. *tiziu.* [Pl.: *papa-arrozes-pretos.*]

papa-bode [De *papar* + *bode*[1].] *S. 2 g. Bras. Joc.* Piauiense (2). [Pl.: *papa-bodes.*]

papa-breu [De *papar* + *breu.*] *S. m. Bras. MA Zool.* V. *tatuzinho* (1). [Pl.: *papa-breus.*]

papa-cacau [De *papar* + *cacau.*] *S. m. Bras. Zool.* Ave psitaciforme, psitacídea (*Amazona festiva*), do Brasil oeste-setentrional, de coloração verde, fronte vermelha, sobrancelha e occipício azuis, dorso inferior encarnado, e rêmiges pretas marginadas de azul-escuro; tauá, tavuá. [Pl.: *papa-cacaus.*]

papa-capim [De *papar* + *capim.*] *S. m. Bras. Zool.* **1.** V. *papa-arroz* (1). **2.** V. *coleira*[1] (4). [Pl.: *papa-capins.*]

papa-capim-do-bico-vermelho *S. m. Bras. S. Zool.* Cigarra (7). [Pl.: *papa-capins-do-bico-vermelho.*]

papa-ceia [De *papar* + *ceia.*] *S. f. Bras. Pop.* V. *Vênus* (2): "O aparecer e desaparecer da papa-ceia e da estrela-d'alva (q. v.), nos ocasos de verão e nas madrugadas de inverno" (Raimundo Morais, *País das Pedras Verdes*, p. 149). [Pl.: *papa-ceias.*]

papa-coco (ô) [De *papar* + *coco* (ô).] *S. m. Bras. Zool.* V. *serelepe* (1). [Pl.: *papa-cocos.*]

papada [De *papo* + *-ada*[1].] *S. f.* Grande acúmulo de gordura na parte inferior da face e na parte anterior do pescoço. [Cf. *barbela* (2).]

papa-defunto [De *papar* + *defunto.*] *S. m. Bras.* **1.** Papa-defuntos. **2.** *Zool.* V. *tatupeba.* [Pl.: *papa-defuntos.*]

papa-defuntos [De *papar* + o pl. de *defunto.*] *S. m. 2 n. Bras. Gír.* Agenciador de enterros; papa-defunto, defunteiro.

papádego *S. m. Desus.* Papado.

papado [De *papa*[1] + *-ado*[2].] *S. m.* **1.** Dignidade de Papa[1] (1). **2.** O tempo do pontificado.

papador (ô) [De *papar* + *-dor.*] *Adj.* Que papa; comedor.

papafigo [Do esp. *papahigo*, poss.] *S. m. Marinh.* Vela redonda, inferior ou mais baixa, do mastro de traquete ou do mastro grande. [Cf. *papa-figo.*]

papa-figo [De *papar* + *figo.*] *S. m.* V. *papão*[1] (1). [Pl.: *papa-figos.* Cf. *papafigo.*]

papa-filas [De *papar* + o pl. de *fila.*] *S. m. 2 n. Bras.* Ônibus de capacidade extraordinariamente grande, que existiu na década de 50.

papa-fina [De *papa*[2] + o f. de *fino*[1].] *Adj. 2 g.* **1.** Saboroso; delicioso, excelente. **2.** *Fig.* Magnífico, excelente, de primeira qualidade: "Brasileiros .... visitavam o quarto da noiva, diziam que estava uma capela, coisa muito papa-fina, uma riqueza" (Camilo Castelo Branco, *Sentimentalismo e História*, p. 255). ● *S. m.* **3.** Indivíduo ridículo. [Pl.: *papas-finas.*]

papa-formigas [De *papar* + o pl. de *formiga.*] *S. m. 2 n. Bras. Zool.* **1.** Designação comum a várias espécies de aves passeriformes, formicariídeas, esp. as do gênero *Formicivora*, das matas brasileiras. **2.** Ave furnariídea (*Sclerurus rufigularis*), do oeste-setentrional do Brasil, ao S. do rio Amazonas, de coloração pardo-avermelhada, cauda enegrecida, uropígio, garganta e lados da cabeça vermelhos. **3.** V. *tamanduá* (1).

papa-fumo [De *papar* + *fumo.*] *S. m. Bras. Zool.* V. *cernambi* (1). [Pl.: *papa-fumos.*]

papagaiada [De *papagaio* + *-ada*[1].] *S. f. Bras. Pop.* **1.** Ostentação ou exibição exagerada e ridícula; papagaíce. **2.** Atitude para impressionar; fita, papagaíce.

papagaiado [De *papagaio* + *-ado*[1].] *Adj. Bras.* Diz-se do cavalo que, ao andar, inclina as patas dianteiras como que uma de encontro à outra.

papagaial [De *papagaio* + *-al*[1].] *Adj. 2 g.* Relativo a, ou próprio de papagaio (1).

papagaiar [De *papagaio* + *-ar*[2].] *V. int. T. d.* V. *paraguear.*

papagaíce [De *papagaio* + *-ice.*] *S. f.* V. *papagaiada.*

papagaiense *Adj. 2 g.* **1.** De, ou pertencente ou relativo a Papagaios (MG). ● *S. 2 g.* **2.** O natural ou habitante de Papagaios.

papagainho (a-í) [De *papagaio* + *-inho*[1].] *S. m. Bras. Zool.* Ave psitaciforme, psitacídea (*Eucinetus caica*), do extremo N. do Brasil, de coloração verde, cabeça preta, nuca parda e listrada, garganta e peito anterior pardo-oliváceos, rêmiges pretas marginadas de verde, e coberteiras das rêmiges da mão azuis.

papagainho-roxo *S. m. Bras. Zool.* V. *maitaca-roxa.* [Pl.: *papagainhos-roxos.*]

papagaio [Do ár. *babagā'i* (de or. obscura), poss.] *S. m.* **1.** *Zool.* Designação comum a várias espécies de psitaciformes, psitacídeos, esp. do gênero *Amazona*, com 11 espécies brasileiras, as quais, por via de regra, imitam bem a voz humana. [Sin.: *louro* e (bras.) *ajeru, ajuru, jeru, juru.*] **2.** *Bras. Zool.* V. *raia-pintada* (1). **3.** *Bras. Zool.* Nome comum aos peixes escarídeos. **4.** *Fig.* Pessoa que repete o que ouviu ou leu, sem compreender o sentido. **5.** *Fig.* Pessoa que fala muito; tagarela. **6.** Brinquedo que consiste em uma armação de varetas de bambu, ou de madeira leve, coberta de papel fino, e que, por meio de uma linha, se empina, mantendo-se no ar: "vi através das vidraças da escola, no claro azul do céu, ... um papagaio de papel, alto e largo, preso de uma corda imensa, que bojava no ar" (Machado de Assis, *Várias Histórias*, p. 214). [Sin. (nesta acepç.): *arraia, cafifa, pandorga, pipa, quadrado* (bras.), *raia, tapioca* (N.E.); *balde* (N.E.) (q. v.).] **7.** Parede ou tabique divisório entre sacadas. **8.** Cueiro triangular. **9.** Prateleira que se pendura à cabeceira da cama, onde se coloca lâmpada, relógio, etc. **10.** V. *patinho* (4). **11.** A parte da espora a que se prende a roseta. **12.** *Pop.* Nos meios comerciais, o título cambiário em que alguém intervém sem nenhum interesse, para favorecer a determinada pessoa. **13.** *Bras. RJ Encad.* Papeleta que se junta aos livros entregues ao encadernador, com instruções sobre a maneira de executar o trabalho. **14.** *Tip.* Bandeira (10). **15.** *Tip.* Auxílio que, nas oficinas de jornais, se presta ao linotipista empreiteiro, quando fortuitamente prejudicado em sua produção. **16.** *Bras. Gír. Desus.* Rádio[3] (2). **17.** *Bras.* Qualquer letra de câmbio ou promissória. **18.** *Bras.* Portaria com instruções dadas a funcionários pelos chefes de serviço. **19.** *Bras.* Pedaço de papel que se prende à extremidade duma folha escrita, para continuar nele o escrito. **20.** *Bras.* Licença provisória para guiar automóvel. ~ V. *papagaios.* ● ***Adj.*** **21.** *Bras. SP* Diz-se do cavalo que pisa com os pés voltados um para o outro. ● ***Interj.*** **22.** *Bras. Pop.* Indica forte espanto: "— Papagaio! — exclamou. — Nunca vi uma garagem tão pequena." (Herberto Sales, *Histórias Ordinárias*, p. 83.).

papagaio-caboclo *S. m. Bras. Zool.* V. *papagaio-do-peito-roxo.* [Pl.: *papagaios-caboclos.*]

papagaio-campeiro *S. m. Bras. Zool.* Ave psitaciforme, psitacídea (*Amazona ochrocephala*), do N.O. do Brasil e países vizinhos, de coloração geral verde, orla da fronte azul-esverdeada, o resto dela e o vértice amarelo-claros, bico negro e base da maxila encarnada. [Sin.: *aiuruapara, ajuruapara.* Pl.: *papagaios-campeiros.*]

papagaio-curraleiro *S. m. Bras. Zool.* V. *papagaio-do-peito-roxo.* [Pl.: *papagaios-curraleiros.*]

papagaio-da-serra *S. m. Bras. Zool.* Chorão[1] (7). [Pl.: *papagaios-da-serra.*]

papagaio-de-coleira *S. m. Bras. RS Zool.* V. *anacã.* [Pl.: *papagaios-de-coleira.*]

papagaio-de-peito-roxo *S. m. Bras. Zool.* Ave psitaciforme, psitacídea (*Amazona vinacea*), do S. de E. do Brasil, de coloração verde, bico escarlate na base e amarelo na ponta, fronte vermelha, garganta, lados do pescoço e peito arroxeados, com penas orladas de negro. Vive aos bandos e aprende a falar em cativeiro. [Sin.: *papagaio-caboclo, curraleiro, coraleiro, jurueba, papagaio-curraleiro.* Pl.: *papagaios-de-peito-roxo.*]

papagaio de pirata *S. m. Bras. Pop. Joc.* **1.** Indivíduo sem personalidade, que vive reproduzindo o que os outros dizem **2.** Indivíduo que se põe ao lado ou atrás de autoridade, artista, etc., só para aparecer em fotografia, televisão, etc. [Pl.: *papagaios de pirata.*]

papagaio-do-mangue *S. m. Bras. Zool.* Ave psitaciforme, psitacídea (*Amazona amazonica*), do N. e C. do Brasil e dos países limítrofes, de coloração verde, fronte, freio e sobrancelha azuis, vértice e faces amarelos, rêmiges azul-escuras, espelho encarnado, cauda verde com ponta amarelada, e lado inferior encarnado. [Sin.: *aiurucatinga, ajurucatinga, ajurucuruca, encontros-verdes, papagaio-poaieiro.* Pl.: *papagaios-do-mangue.*]

papagaio-grego (ê) *S. m. Bras. Zool.* V. *papagaio-verdadeiro.* [Pl.: *papagaios-gregos.*]

papagaio-poaieiro *S. m. Bras. Zool.* V. *papagaio-do-mangue.* [Pl.: *papagaios-poaieiros.*]

papagaio-preto *S. m. Bras. Zool.* Peixe escarídeo (*Scarus coelestinus*) do Atlântico ocidental, que ocorre da Bermuda e Flórida a São Paulo, com até 80cm de comprimento, coloração cinza a negra, com escamas com o centro azul, e placas dentárias verde-azuladas. [Pl.: *papagaios-pretos.* Sin.: *bodião-preto, bodião-una, papagaio-una.*]

papagaios [Pl. de *papagaio.*] *S. m. pl. Bras. Bot.* V. *balsamina* (1). ~ V. *papagaio.*

papagaio-una *S. m. Zool.* V. *papagaio-preto.* [Pl.: *papagaios-unas.*]

papagaio-urubu *S. m. Bras. Zool.* V. *periquito-urubu.* [Pl.: *papagaios-urubus* e *papagaios-urubu.*]

papagaio-verdadeiro *S. m. Bras. Zool.* Ave psitaciforme, psitacídea (*Amazona aestiva*), do Brasil oriental, de coloração geral verde, fronte azul, vértice, faces e garganta amarelos, encontro, espelho e parte basal da cauda encarnados e rêmiges enegrecidas. [Sin.: *ajuruetê, papagaio-grego.* Pl.: *papagaios-verdadeiros.*]

papagaísmo [De *papagaio* + *-ismo.*] *S. m.* Falação sem nexo, à toa, como que a de papagaio (1).

papagalho [Do hisp.-amer. *papagayo.*] *S. m.* Vento forte que sopra nas costas do México.

papa-gente [De *papar* + *gente.*] *S. 2 g.* **1.** Antropófago. **2.** *Pop.* V. *fantasma* (3). **3.** V. *papão*[1] (1). **4.** Pessoa iritadiça. [Pl.: *papa-gentes.*]

papa-goiaba [De *papar* + *goiaba.*] *S. 2 g. Bras. Pop.* O natural ou habitante de Campos (RJ), da Baixada Fluminense e, p. ext., de qualquer outra parte do estado do Rio de Janeiro. [Pl.: *papa-goiabas.*]

papagueador (ô) [De *paraguear* + *-dor.*] *Adj. S. m. Bras.* Que, ou aquele que papagueia, que decora as coisas e as repete sem compreendê-las.

papagueamento [De *papaguear* + *-mento.*] *S. m.* Ação ou efeito de papaguear; papagueio.

papaguear [De *papag(aio)* + *-ear*[2].] *V. int.* **1.** Falar como papagaio, sem nexo; palrar, tagarelar: "Somente o Felisberto, que a cólera do hóspede não conseguira fazer calar por muito tempo, papagueava, como de costume" (Inglês de Sousa, *O Missionário*, p. 376). *T. d.* **2.** Repetir sem ligar sentido ao que diz; dizer (coisas sem nexo). [F. paral.: *papagaiar.* Conjug.: v. *frear.*]

papagueio [Dev. de *papaguear.*] *S. m.* Papagueamento.

papa-hóstia [De *papar* + *-hóstia.*] *S. 2 g.* V. *papa-hóstias:* "— Oração não é castigo. Eu gosto de rezar. Pilão irritou-se. — Então reza, papa-hóstia!" (Homero Homem, *Menino de Asas*, p. 54.) [Pl.: *papa-hóstias.*]

papa-hóstias [De *papar* + o pl. de *hóstia.*] *S. 2 g. e 2 n.* Pessoa beata em demasia, que ouve numerosas missas, que comunga com grande frequência. [V. *carola*[1] (3).] [F. paral.: *papa-hóstia.*]

papai [De *papá*, com infl. de *pai.*] *S. m.* **1.** *Afric. Bras.* Tratamento que os filhos dão ao pai; pai, papá. **2.** *Bras. N.* Figura de velho de longa barba branca, que, nos clubes carnavalescos, se apresenta empunhando comprido bastão. **3.** *Zool.* V. *bagre-branco* (1). ◆ **Papai grande.** *Bras. Joc.* O presidente da República. **Papai Noel. 1.** Personagem lendária, representada por um velho de barbas brancas e roupas vermelhas que, na noite de Natal, distribui brinquedos e presentes. **2.** Indivíduo fantasiado de Papai Noel. [Sin. (lus.): *Pai Natal.* Cf., nessas acepçs., *papai-noel.*] [Do fr. *Père Noël*; literalmente, 'Pai Natal'.] **Brincar de papai e mamãe.** *Bras. Chulo* Ter relações carnais; copular. **O papai.** *Gír.* Eu; o degas: *Vocês podem acreditar na conversa, mas* o papai *não vai nessa onda.* [Vem muitas vezes seguid de *aqui.*] **O papai aqui.** V. *o papai:* "— Ai, minha Nossa Senhora! .... E agora, seu Fígaro?| — Agora, calma. Não se afobe que o papai aqui já pensou em tudo" (Cora Rónai Vieira e Paulo Rónai, *Aventuras de Fígaro*, p. 26.)

papaia [Do hisp.-amer. *papaya.*] *S. f. Bot.* **1.** V. *mamoeiro* (1). **2.** Mamão (5).

papaieira [De *papaia* + *-eira.*] *S. f. Bras. Cabo-verd. Bot.* V. *mamoeiro* (1).

papai e mamãe *S. m. 2 n. Bras. Chulo* A posição convencional do coito, na qual o homem cobre a mulher; mamãe e papai.

papaína [De *papaia* + *-ina*[3].] *S. f. Bioquím.* Enzima proteolítica presente no mamão e us. para amaciar carnes para alimentação.

papai-noel [De *Papai Noel.*] *S. m.* Presente de Natal. [Cf. *Papai Noel.* Pl.: *papais-noéis.*]

papa-isca [De *papar* + *isca.*] *S. m. Bras. Zool.* **1.** Bagre pimelodídeo (*Iheringichthys labrosus*) da bacia do rio Paraná, de coloração cinza-amarelada, boca pequena, barbilhões longos e finos, e comprimento até 24cm. Alimenta-se de detritos no lodo, de larvas e de vermes. [Sin.: *mandi-bicudo.*] **2.** V. *mandi-branco.* [Pl.: *papa-iscas.*]

papa-jantares [De *papar* + o pl. de *jantar* (s. m.).] *S. 2 g. e 2 n.* Pessoa que tem o costume de comer em casas alheias ou viver à custa de outrem; parasito, chupista.

papa-jerimum [De *papar* + *jerimum.*] *S. 2 g. Adj. 2 g. Bras. Joc.* Natalense (q. v.). [Pl.: *papa-jerimuns.*]

papal [De *papa*[1] + *-al*[1].] *Adj. 2 g.* Do Papa, ou relativo ou pertence a ele; papalino: *encíclica* papal; *insígnia* papal.

papa-lagarta [De *papar* + *lagarta.*] *S. f. Bras. Zool.* Designação comum a aves cuculiformes, cuculídeos, particularmente as espécies *Coccyzus melacoryphus*, distribuídas por quase todo o Brasil, de bico preto e estria preta em redor do olho, e *C. americanus*, do MT, de bico alaranjado com ponta preta e sem estria ao redor do olho. [Sin.: *cucu.* Pl.: *papa-lagartas.*]

papa-laranja [De *papar* + *laranja.*] *S. m. Bras. RS Zool.* V. *sanhaço* (1). [Pl.: *papa-laranjas.*]

papa-léguas [De *papar* + o pl. de *légua.*] *S. 2 g. e 2 n.* Pessoa que anda muito, que percorre grandes distâncias; andarilho.

papalino [De *papa*[1] + *-ino*[1].] *Adj.* **1.** Papal. ● *S. m.* **2.** Soldado do Papa.

papalvice [De *papalvo* + *-ice.*] *S. f.* **1.** Qualidade, ato, dito ou modos de papalvo. **2.** Grupo de papalvos.

papalvo [De *papo* + *alvo*, entre os caçadores, nome da codorniz, ave que não voa bem e, consequentemente, é morta com facilidade.] *S. m.* Indivíduo simplório, pateta [v. *tolo* (8)]: "coleção de objetos antigos, exposta à curiosidade dos papalvos e às lorpas considerações dos burgueses, mofada e tristonha." (Afonso Arinos, *Pelo Sertão*, p. 56).

papa-mamão [De *papar* + *mamão.*] *S. 2 g. Bras. Joc.* Alcunha antigamente dada aos olindenses pelos recifenses. [Pl.: *papa-mamões.*]

papa-mel [De *papar* + *mel.*] *S. f. Bras. Zool.* V. *irara.* [Pl.: *papa-méis* e *papa-meles.*]

papa-mico [De *papar* + *mico.*] *S. m. Bras. Zool.* V. *gavião-pega-macaco.* [Pl.: *papa-micos.*]

papamiê *Bras. S. 2 g.* **1.** *Etnôn.* Indivíduo dos papamiês, povo indígena extinto que habitava a região próxima ao rio Guaporé (RO). ● *Adj. 2 g.* **2.** Pertencente ou relativo a esse povo. [Tb. us. como *s. 2 g. e 2 n.* (com cap.) e *adj. 2 g. e 2 n.*]

papa-milhas [De *papar* + o pl. de *milha*[1].] *S. 2 g. e 2 n. Gír.* Pessoa, ou veículo que percorre ou viaja muitas milhas; viageiro: "Este é diverso, e verso, entre os turistas / papa-milhas errantes pela Terra" (Carlos Drummond de Andrade, *A Bolsa & a Vida*, p. 110).

papa-missas [De *papar* + o pl. de *missa.*] *S. 2 g. e 2 n.* V. *carola*[1] (3): "rompeu nestas palavras furiosas: — Beata! carola! papa-missas!" (Machado de Assis, *Dom Casmurro*, p. 53).

papa-mosca [Do v. *papar* + *mosca.*] *S. f. e m. Zool.* V. *papa-moscas.* [Pl.: *papa-moscas.*]

papa-moscas [De *papar* + o pl. de *mosca.*] *S. f. e m. 2 n.* **1.** *Bras. Zool.* Designação comum às espécies de aranhas salticídeas. São de tamanho reduzido, e conhecem-se mais de 3.000 espécies, em todo o mundo. [Sin.: *apanha-moscas, meirinho.*] ● *S. f. 2 n.* **2.** *Bras. RS Zool.* Ave passeriforme, insetívora, tiranídea (*Muscipipra vetula*), do Brasil Central, de coloração geral pardo-acinzentada, com cauda e asas pretas, retrizes longas com as margens exteriores brancas, e cauda bem comprida. Pertence ao grupo dos tiranídeos conhecidos como *tesouras*; papa-moscas-cinza. **3.** *Bot.* Apanha-moscas (2). ● *S. 2 g. e 2 n.* **4.** V. *tolo* (8).

papa-moscas-cinza *S. f. 2 n. Bras. Zool.* Papa-moscas (2).

papamóvel [De *papa*[1] + *móvel.*] *S. m. Bras.* Veículo automotor, à prova de balas, em que o Papa se locomove nas vias públicas: "Na visita à Grã-Bretanha o Papa usará dois papamóveis de modelos diferentes." (*Jornal do Brasil*, 26.05.1982.) [Pl.: *papamóveis.*]

papaná *Bras. S. 2 g.* **1.** *Etnôn.* Indivíduo dos papanás, povo indígena extinto que habitava a costa do ES. ● *Adj. 2 g.* **2.** Pertencente ou relativo a esse povo. [Tb. us. como *s. 2 g. e 2 n.* (com cap.) e *adj. 2 g. e 2 n.*]

papança [De *papar* + *-ança.*] *S. f.* Coisa de comer ou papar; comida, comezaina. [Sin. (bras., PE, ant.): *papandório.*]

papandório [De *papar.*] *S. m. Bras. PE Ant.* V. *papança.*

papanduvense *Adj. 2 g.* **1.** De, ou pertencente ou relativo a Papanduva (SC). ● *S. 2 g.* **2.** O natural ou habitante de Papanduva.

papangu [De *papar* + *angu.*] *S. m. Bras. N.E.* **1.** Aquele que usa fantasia no carnaval ou em reisados. **2.** Pessoa mascarada. **3.** Indivíduo moleirão, bobo, apalermado: "Nunca vi uma pessoa tão feia, com aquele corpanzil bambo de papangu." (José Lins do Rego, *Ficção Completa*, I, p. 149.)

papa-novenas [De *papar* + o pl. de *novena.*] *S. f. 2 n.* Beata fingida.

papão[1] [De *papar* + *-ão*[1].] *S. m.* **1.** *Folcl.* Monstro imaginário com que se faz medo às crianças. [Sin.: *bicho-papão, bitu, boitatá, coca* (ô), *coco* (ô), *cuca, imba, papa-gente* e (bras.) *manjaléu, mumuca, papa-figo, tutu.*] **2.** Pessoa ou objeto com que se procura atemorizar alguém.

papão[2] [De *papo*, f. red. de *papo de anjo*, + *-ão*[1].] *S. m. Bras. Cul.* Papo de anjo muito grande, servido numa só unidade, como sobremesa.

papa-ova [De *papar* + *ova.*] *S. f. Bras. Zool.* V. *papa-ovo* (1). [Pl.: *papa-ovas.*] ~ V. *papa-ovas.*

papa-ovas [De *papar* + o pl. de *ova.*] *S. f. 2 n. Bras. Zool.* V. *papa-ovo* (1). ~ V. *papa-ova.*

papa-ovo (ô) [De *papar* + *ovo.*] *S. f. Zool.* **1.** *Bras.* Reptil ofídio, colubrídeo (*Drymarchon corais*), arborícola, distribuído por todo o Brasil, de dorso pardo tendente ao pardo-escuro, abdome amarelo tendente ao negro, e comprimento de até 2m; chupa-ovo, papa-ova, papa-ovas, papa-pinto. ● *S. m.* **2.** *Bras. RS* V. *borralhara.* [Pl.: *papa-ovos.*]

papa-peixe [De *papar* + *peixe.*] *S. m. Bras.* **1.** *Zool.* V. *martim-pescador.* ● *S. 2 g.* **2.** *Joc.* V. *cuiabano* (2). [Pl.: *papa-peixes.*]

papa-pimenta [De *papar* + *pimenta.*] *S. m. Zool.* **1.** *Bras.* V. *potó*[2]. **2.** *Bras. BA* V. *trinca-ferro.* [Pl.: *papa-pimentas.*]

papa-pinto [De *papar* + *pinto.*] *Bras. Zool. S. f.* **1.** V. *papa-ovo* (1). ● *S. m.* **2.** V. *borralhara.* [Pl.: *papa-pintos.*]

papar [Do lat. *pappare.*] *V. t. d.* **1.** *Fam.* Comer (1): "Deu de sangrar gente no pé da goela e arrancar a língua para comer. Papou a língua de dois minhocões" (M. Cavalcanti Proença, *Manuscrito Holandês*, p. 196). **2.** *Fam.* Conseguir, lograr. **3.** *Fam.* Extorquir. **4.** *Bras. Chulo* V. *comer* (11). *T. d. e i. T. c. e i.* **5.** Papar (3): Papou*-lhe uma quantia considerável;* Papou*-lhe duzentos reais no jogo. Int.* **6.** Papar (1): *Chamou os filhos para* papar. [Pres. subj.: *pape, papeis*, etc. Cf. *papéis*, pl. de *papel.*] ◆ **Estar papando alto.** *Bras. Pop.* Estar metido em grandes cavações, grandes aventuras, em matéria de dinheiro ou de amores.

→ **paparazzi** [papa'ratsi] [It.] *S. m. pl.* Profissionais que se dedicam a tirar fotos indiscretas de pessoas conhecidas ou célebres: "Os paparazzi originais eram fotógrafos italianos de rua que se especializaram em expor os segredos de astros do cinema." (*Jornal do Brasil*, 02.09.1997.)

paparicar [De *paparico* + *-ar*[2].] *V. t. d.* **1.** Tratar com paparicos. **2.** Lambiscar (3). *Int.* **3.** Paparicar (2): *Não se alimentava bem; preferia* paparicar. [F. paral.: *apaparicar.* Conjug.: v. *trancar.*]

paparicho [De *papar* + *-icho.*] *S. m. Bras.* V. *petisco* (1).

paparico [De *papar* + *-ico.*] *S. m.* V. *paparicos.*

paparicos [Pl. de *paparico.*] *S. m. pl.* **1.** Mimos ou cuidados excessivos com que se tratam pessoas queridas ou doentes. **2.** V. *gulodice* (2). [Tb. us. no sing.]

papariense *Adj. 2 g. S. m.* V. *florestense*[2].

papariúba [Do tupi.] *S. m. Bot.* V. *marupá* (1).

paparoca [De *papar* + *-oca.*] *S. f. Fam.* Comida, comedoria, alimentação, papança: "Dias depois, a larva encontra na cola — deliciosa paparoca de sua predileção — o alimento de que necessita." (Eduardo Frieiro, *Os Livros Nossos Amigos*, p. 93.)

paparraz [Var. de *abarraz.*] *S. m. Bot.* Erva ranunculácea (*Delphinium staphysagria*) ramosa, exótica, porém cultivada como ornamental, de folhas vistosas, irregulares, com uma sépala prolongada em espora e reunidas em cachos densos e compridos, e cujo fruto é um folículo polispermo. [Outras var.: *albarraz, falparaz, falparraz.* Sin.: *erva-de-piolho, erva-piolheira, piolheira.*]

paparreta (ê) *S. 2 g. Adj. 2 g.* V. *paparrotão.*

paparriba [De *papo* + *arriba*[2].] *Adv. Ant.* De barriga para o ar; na ociosidade.

paparrotada *S. f.* **1.** Ato ou dito de paparrotão; bazófia, impostura, paparrotagem, paparrotice. **2.** V. *lavagem* (4).

paparrotagem *S. f.* **1.** V. *lavagem* (4). **2.** V. *paparrotada* (1): "A paparrotagem de dois ou três antigos

P

namorados dela aumentava a fama da morena pestanuda." (Nélson de Faria, *Tiziu e Outras Estórias*, p. 52.)

paparrotão [De *papar* + *arrotar* + *-ão*[1].] *S. m.* **1.** *Fam.* Impostor; parlapatão. • *Adj.* **2.** Vaidoso, e sem mérito; jactancioso. [Sin. ger.: *paparreta*. Fem.: *paparrotona*.]

paparrotear *V. int.* **1.** Dizer com paparrotice; alardear com impostura. *T. d.* **2.** Gabar-se de; alardear. [Conjug.: v. *frear*.]

paparrotice *S. f.* V. *paparrotada* (1).

paparrotona *S. f.* Fem. de *paparrotão* (q. v.).

p-á-pá-santa-justa *Adv.* Letra por letra; com exatidão e minúcia; completa e fielmente.

papa-santos [De *papar* + o pl. de *santo*.] *S. 2 g. e 2 n.* V. *carola*[1] (3).

papa-sebo (ê) [De *papar* + *sebo* (ê).] *S. m.* **1.** *Bras. Zool.* Ferreirinho (1). • *S. 2 g.* **2.** *Bras. RS Joc.* Alcunha que dão aos pelotenses os habitantes da margem da lagoa dos Patos. [Pl.: *papa-sebos*.]

papa-sururu [De *papar* + *sururu*.] *S. 2 g. Bras. Joc.* Alcunha que se dá aos alagoanos (v. *alagoano*). [Pl.: *papa-sururus*.]

papata [De *papar*; cf. *mamata*.] *S. f. Bras. S.* V. *negociata*.

papa-tabaco [De *papar* + *tabaco*.] *S. m.* **1.** *Zool.* Peixe traquinídeo (*Uranoscopus scaber*). **2.** *Fam.* Indivíduo que cheira muito rapé. [Pl.: *papa-tabacos*.]

papa-taoca [De *papar* + *taoca*.] *S. f. Bras. Zool.* Ave passeriforme, formicariídea (*Pyriglena leucoptera*), do S.E. do Brasil. O macho é preto, com mancha branca no meio do dorso, e nas asas duas faixas da mesma cor; a fêmea tem dorso pardo, lado ventral cinza, e cauda escura. Alimenta-se de insetos, sobretudo formigas, donde o nome popular. [Pl.: *papa-taocas*.]

papa-terra [De *papar* + *terra*.] *S. m.* **1.** *Bras. Bot.* V. *açucena-do-mato*. **2.** *Bras. Zool.* V. *mombucão*. **3.** *Bras. Zool.* Peixe cienídeo (*Menticirrhus americanus*), do Atlântico ocidental, desde o Texas à Argentina, de coloração cinza-prateada, com faixas transversais mais escuras, e no mento um barbilhão duro. Atinge até 45cm de comprimento. [Sin. (nesta acepç.): *betara, carametara, caramutara, embetara, judeu, papa-terra-de-assovio, papa-terra-de-mar-grosso, perna-de-moça, pescada-cachorro, sambetara, tambetara, tembetara, tremetara*.] **4.** *Bras. Zool.* V. *acará-diadema*. **5.** *Bras. Zool.* V. *curimbatá*. **6.** *Bras. Zool.* V. *castanha* (12). • *S. 2 g.* **7.** *Bras. Zool.* Pessoa dada à geofagia. [Pl.: *papa-terras*.]

papa-terra-de-assovio *S. m. Bras. SC Zool.* V. *papa-terra* (3). [Pl.: *papa-terras-de-assovio*.]

papa-terra-de-mar-grosso (ô) *S. m. Bras. SC Zool.* V. *papa-terra* (3). [Pl.: *papa-terras-de-mar-grosso*.]

papateruana *Bras. S. 2 g.* **1.** *Etnôn.* Indivíduo dos papateruanas, povo indígena extinto que habitava a margem direita do rio Madeira (AM). • *Adj. 2 g.* **2.** Pertencente ou relativo a esse povo. [Tb. us. como *s. 2 g. e 2 n.* (com cap.) e *adj. 2 g. e 2 n.*]

papável[1] [De *papar* + *-vel*.] *Adj. 2 g.* **1.** Que se pode papar ou comer. **2.** *Chulo* Que apetece sexualmente: *uma pequena papável*.

papável[2] [Do it. *papabile*.] *Adj. 2 g.* **1.** Diz-se do cardeal que tem probabilidade de ser eleito papa. **2.** *P. ext.* Diz-se de quem tem probabilidade de ser escolhido para determinado cargo, posto ou dignidade.

papa-vento [De *papar* + *vento*.] *S. m. Bras. Zool.* V. *camaleão*[1] (1 e 2). [Pl.: *papa-ventos*.]

papaverácea [Do tax. *Papaver* (do lat. *papaver, eris*, 'papoula') + *-ácea*; tax. *Papaveraceae*.] *S. f. Bot.* Espécime das papaveráceas, família de plantas floríferas, da ordem das readales, composta de ervas frequentemente laticíferas. Flores vistosas, corola com quatro pétalas, gineceu com dois a 16 carpelos; o fruto é uma cápsula ou aquênio. Uma dessas plantas, a dormideira (3), fornece a substância com que se produz o ópio; muitas delas são ornamentais. Conhecem-se umas 600 espécies, dos países temperados.

papaveráceo[1] [Do lat. *papaver, eris* + *-áceo*.] *Adj. Bot.* Que tem quatro pétalas sem unha e dispostas em dois verticilos (diz-se de corola).

papaveráceo[2] [De *papaverácea*, com var. suf. (v. *-áceo*).] *Adj. Bot.* Pertencente ou relativo às papaveráceas.

papaverina [Do tax. *Papaver*, gênero-tipo das papaveráceas (q. v.), + *-ina*[3].] *S. f. Quím.* Alcaloide encontrado no ópio e us. terapeuticamente como vasodilatador [fórm.: $C_{20}H_{21}NO_4$].

papazana [De *papar*.] *S. f.* Comezaina.

papeá-guaçu [Do tupi = 'fígado grande'.] *S. m. Bras. Bot.* **1.** V. *açoita-cavalo* (2). **2.** V. *tapeacuaçu*. [Pl.: *papeás-guaçus*.]

papeamento *S. m. Gloss.* V. *papiamento*.

papear [De *papo* + *-ear*[2].] *V. t. i.* **1.** Bater papo; conversar, cavaquear. *Int.* **2.** Falar muito; tagarelar, palrar, parolar. **3.** Gorjear, chilrar, chilrear: "Nos florões manuelinos da janela / Papeiam aves o seu ninho armando" (Gonçalves Crespo, *Obras Completas*, p. 311). [Conjug.: v. *frear*.]

papeata [De *papear*.] *S. f. Bras. MG S.* Exibição ridícula de sentimentos falsos: "Outros, numa papeata danada, ... levantavam os olhos para o céu: — Coitado do Joaquim-Mutamba!" (Nélson de Faria, *Bazé*, p. 43.)

papeateiro [De *papeata* + *-eiro*.] *Adj. S. m. Bras.* Diz-se de, ou aquele que é dado a papeatas.

papeira [De *papo* + *-eira*.] *S. f.* **1.** *Bras. Amaz.* Actinomicose do pescoço do boi e do carneiro. **2.** *Bras. N. N.E. Lus.* V. *parotidite epidêmica*. **3.** *Bras. Pop.* V. *tireomegalia*. **4.** *Bot.* Arbusto boragináceo (*Tournefortia lucidaphylla*) trepador, cujas pequenas flores se dispõem em racemos escorpioides, e cujos frutos são insignificantes.

papeiro[1] [De *papa*[2] + *-eiro*.] *S. m.* Vaso onde se cozem papas ou mingaus.

papeiro[2] *Adj. Bras.* Que tem papeira.

papéis [Pl. de *papel*.] *S. m. pl.* Documentos: *ter os papéis em ordem*. ~ V. *papel*. [Cf. *papeis*, do v. *papar*.]

papel[1] [Do gr. *pápyros*, pelo lat. *papyru* e pelo cat. *paper*.] *S. m.* **1.** Pasta de matéria fibrosa de origem vegetal, refinada e, quando necessário, branqueada, contendo cola, carga e, às vezes, corantes, a qual se reduz, manual ou mecanicamente, a folhas secas finas e flexíveis, bobinadas ou resmadas, us. para escrever, imprimir, desenhar, embrulhar, limpar e construir. [Classifica-se o papel, em geral, segundo: **a)** o processo de produção (*papel de fôrma* e *papel de máquina*); **b)** a natureza das fibras empregadas (*papel de trapos, papel de linho, papel de palha*, etc.); **c)** o acabamento dado à folha (*papel apergaminhado, papel acetinado, papel cuchê*, etc.); **d)** a destinação (*papel de escrever, papel de impressão, papel de embrulho*, etc.); **e)** certas procedências que indicam qualidade ou especialização (*papel da China, papel da Holanda, papel Oxford*, etc.). Os papéis podem ser, ainda, transformados, para empregos específicos (*papel betumado, papel-carbono, papel fotográfico*, etc.). Dim. irreg.: *papelete, papeleto*, e (deprec.) *papelico, papelinho, papelucho*.] **2.** Folha de papel escrita: *Este papel é a minuta do requerimento*. **3.** Parte que cada ator desempenha no teatro, no cinema, na televisão, etc. **4.** A personagem representada por um ator: *O papel de Hamlet não foi bem interpretado*. **5.** Atribuição de natureza moral, jurídica, técnica, etc.; desempenho, função: *O papel dos pais é apoiar os filhos*; "O papel do advogado é .... valorizar os argumentos da causa que lhe foi entregue." (Barbosa Lima Sobrinho, *Presença de Alberto Torres*, p. 59). **6.** Dinheiro em notas. **7.** *Econ.* Qualquer documento (ações, títulos de crédito, etc.), em geral negociável, que representa um valor; título, valor: *Este papel está muito valorizado*; "Cresce demanda por papéis brasileiros no euromercado." (*Gazeta Mercantil*, 26.08.1993). [Pl.: *papéis*. Cf. *papeis*, do v. *papar*.] ◆ **Papel acetinado.** *Ind. Pap.* Papel de escrever ou de impressão que passa por qualquer processo de acetinação, apresentando-se liso e com maior ou menor grau de brilho. [Cf. *papel apergaminhado*.] **Papel aéreo.** *Ind. Pap.* Papel muito fino, próprio para a correspondência que deve ser expedida por via aérea; papel de avião. **Papel almaço.** *Ind. Pap.* Papel forte, branco ou levemente azulado, próprio para documentos, registros públicos e mercantis, etc. [Tb. se diz apenas *almaço*.] **Papel apergaminhado.** *Ind. Pap.* Papel de impressão ou de escrever que não passa por processo de acetinação, conservando-se mate e levemente áspero. [Cf. *papel acetinado* e *papel pergaminho*.] **Papel argentado.** *Ind. Pap.* V. *papel de estanho* (2). **Papel asfaltado.** *Ind. Pap.* V. *papel betumado*. **Papel autográfico.** *Ind. Pap.* O que, destinado à técnica litográfica de transporte chamada *autografia*, recebe camada solúvel especial, composta principalmente de goma e gelatina. **Papel avergoado.** *Ind. Pap.* O que apresenta, com certa transparência, linhas horizontais e verticais, ditas *linhas-d'água*, produzidas pelos fios metálicos do fundo da fôrma, no caso do papel feito à mão, e pelo rolo filigranador, se fabricado por máquinas; papel vergê. **Papel betumado.** *Ind. Pap.* Papel entremeado com uma camada de betume e us. como envoltório impermeável no transporte de mercadorias; papel asfaltado, papel betuminado. **Papel betuminado.** *Ind. Pap.* V. *papel betumado*. **Papel bonde.** *Ind. Pap.* Papel forte, apergaminhado e bastante encolado, destinado originariamente, nos E.U.A., à impressão de ações, mas hoje us. sobretudo como papel de carta. **Papel bufã.** *Ind. Pap.* Papel leve e fofo, não acetinado, de largo uso na impressão de livros. **Papel calandrado.** *Ind. Pap.* Papel acetinado ou lustrado na calandra. **Papel comercial.** *Com.* **1.** Qualquer título de crédito (q. v.). **2.** V. *commercial paper*. **Papel contínuo.** *Ind. Pap.* Papel de máquina (q. v.), fabricado em tira de comprimento indeterminado, e enrolado em bobina; papel sem fim. **Papel crepom.** *Ind. Pap.* Papel de seda enrugado, us. na confecção de flores artificiais e de outros objetos de adorno: "Por toda a parte papel crepom, grude, ripas, tachas e pregos" (Pelópidas Soares, *Cordão dos Bichos*, p. 11). **Papel cuchê.** *Ind. Pap.* Papel revestido [v. *revestimento* (5)], de um ou de ambos os lados, por fina camada de composto mineral com aglutinantes e corantes, os quais dão à superfície da folha, após a acetinagem, um acabamento mais liso, brilhante ou menos fosco; papel gessado. **Papel da China.** *Ind. Pap.* Papel fino, sedoso, levemente amarelado e muito resistente, a princípio feito na China, com o córtice interno do bambu, e us., em especial, na tiragem manual de gravuras em madeira. [Tb. se diz apenas *china*.] **Papel da Holanda.** *Ind. Pap.* Certa variedade de papel avergoado, originalmente fabricado à mão na Holanda, e próprio para edições de luxo. [Tb. se diz apenas *holanda*.] **Papel da Índia.** *Ind. Pap.* Papel muito fino, opaco e resistente, tradicionalmente feito com fibras de algodão e linho, mas hoje, em geral, com simples mistura de pastas de sulfito e de sulfato, e cuja opacidade é acentuada quase sempre pela adição de óxido de titânio; papel Oxford, papel-bíblia. **Papel de alumínio.** *Metal.* Lâmina finíssima, de alumínio, usada na embalagem de certos produtos, como, p. ex., medicamentos, cigarros, queijos, ou de uso doméstico; papel-alumínio, papel laminado. **Papel de arroz.** *Ind. Pap.* Papel fino, obtido de palha de arroz e us. para mortalhas de cigarro. **Papel de avião.** *Ind. Pap.* Papel aéreo. **Papel de chupar.** *Ind. Pap.* V. *mata-borrão*. **Papel de embalagem.** *Ind. Pap.* Papel de embrulho, de boa qualidade, que também serve para confecção de embalagens. **Papel de embrulho.** *Ind. Pap.* Qualquer dos numerosos papéis, grosseiros ou finos, destinados a envoltório ou proteção de qualquer espécie de mercadoria. **Papel de escrever.** *Ind. Pap.* Qualquer dos papéis que, destinados a escrita com tinta, recebem colagem em grau apropriado. **Papel de estanho.** *Ind. Pap.* **1.** O que tem a superfície recoberta de fina camada de estanho e se usa como envoltório de certos produtos. **2.** *P. ext.* Qualquer papel com superfície de aparência metálica, para envoltórios; papel prateado, papel de prata, papel argentado, papel estanhado. **Papel de fantasia.** *Ind. Pap.* Papel de embrulho, ou outro, grosseiro ou fino, estampado com desenhos, geralmente em cores. **Papel de ferroprussiato.** *Ind. Pap.* Papel heliográfico sensibilizado com solução de ferrocianeto de potássio e citrato de ferro, e us. no processo de cianotipia. **Papel de fôrma.** *Ind. Pap.* Papel fabricado à mão, no utensílio (*fôrma*) apropriado ao colhimento da pasta contida na tina; papel de tina. [Cf. *papel de máquina*.] **Papel de gráfico.** *Ind. Pap. Desus.* Papel com a impressão de um conjunto de curvas coordenadas de um sistema, e que serve para o traçado de gráficos. **Papel de imprensa.** *Ind. Pap.* **1.** Papel de jornal. **2.** Papel de impressão. **Papel de impressão.** *Ind. Pap.* Qualquer dos numerosos papéis destinados à produção de livros, revistas e impressos em geral; papel de imprensa. [Cf. *papel de obra*.] **Papel de jornal.** *Ind. Pap.* Papel de impressão, pouco encolado e com alta percentagem de pasta mecânica, adequado ao custo e à rapidez da impressão de jornais; papel de imprensa. **Papel de linho.** *Ind. Pap.* Vulgarmente, uma espécie de papel gofrado cuja superfície imita o tecido de linho. **Papel de lustro.** *Ind. Pap.* V. *papel glacê*. **Papel de máquina.** *Ind. Pap.* Papel fabricado mecanicamente. [Cf. *papel de fôrma* e *papel contínuo*.] **Papel de obra.** *Ind. Pap.* Papel de impressão (q. v.) de primeira qualidade e em geral acetinado, us. em livros e outros impressos que exijam feitura esmerada. **Papel de palha.** *Ind. Pap.* Papel pouco resistente, amarelo e de aspecto grosseiro, obtido da palha de cereais. **Papel de parede.** *Ind. Pap.* Papel estampado, gofrado, etc., às vezes lavável, ou, ainda, impregnado com inseticidas, us. para forrar paredes; papel pintado. **Papel de prata.** *Ind. Pap.* V. *papel de estanho* (2). **Papel de probabilidade.** *Ind. Pap. Desus.* Papel de gráfico em que as curvas coordenadas se espaçam segundo uma distribuição normal de probabilidade. **Papel de seda.** *Ind. Pap.* Papel muito fino e flexível, frequentemente us. como envoltório de objetos delicados. **Papel de tina.** *Ind. Pap.* Papel de fôrma (q. v.). **Papel do Japão.** *Ind. Pap.* Papel velino, branco ou creme, forte e de superfície sedosa, primitivamente feito no Japão, com pasta obtida do córtice de certos vegetais, e us. na tiragem de gravuras e edições de luxo. [Tb. se diz apenas *japão*.] **Papel dúplex.** *Ind. Pap.* O que tem as faces de cores diferentes. **Papel esquadrado.** *Ind. Pap.* Papel quadriculado. **Papel estanhado.** *Ind. Pap.* V. *papel de estanho* (2). **Papel filigranado.** *Ind. Pap.* O que tem filigrana. **Papel Florpost.** *Ind. Pap.* Certa espécie de papel fino, para correspondência aérea ou cópias dactilográficas. **Papel fotográfico.** *Ind. Pap.* Papel com uma das faces coberta de substância fotossensível, us. para cópia fotográfica; papel sensibilizado, papel sensível. **Papel gessado.** *Ind. Pap.* Papel cuchê. **Papel glacê.** *Ind. Pap.* Papel de superfície muito lisa e brilhante, de aspecto esmaltado; papel lustroso, papel de lustro, papel-porcelana. **Papel gofrado.** *Ind. Pap.* Aquele cuja superfície apresenta relevo obtido pelo processo de gofragem. **Papel Havana.** *Ind. Pap.* Papel de embrulho de cor parda e baixa qualidade. **Papel H.D.** *Ind. Pap.* Papel de embalagem, com certo grau de resistência à tração, e fornecido em pequenas bobinas para colocação nos eixos de estantes apropriadas, em balcões de lojas. [As letras *H.D.* correspondem à expressão inglesa *heavy duty*, 'trabalho pesado'.] **Papel hectográfico.** *Ind. Pap.* Papel-carbono especial, cujo corante, em geral roxo, é solúvel em álcool, e que se usa para obter a matriz de escrito, mecanoscrito ou desenho que se deseja duplicar no hectógrafo. **Papel heliográfico.** *Ind. Pap.* Qualquer dos papéis preparados com solução sensibilizadora para decalque fotográfico de desenhos a traço, plantas, etc. [V. *heliografia*.] **Papel higiênico.** *Ind. Pap.* Papel delgado que se usa para limpeza depois da evacuação. **Papel ilustração.** *Ind. Pap.* O de superfície muito lisa e compacta, como o cuchê e o glacê, e que é apropriado à tiragem de clichês a meio-tom. **Papel imune.** *Edit.* Papel isento de tributação, destinado à impressão de livros, jornais e periódicos. **Papel Kraft.** *Ind. Pap.* Papel de embalagem, pardo e resistentíssimo, obtido da pasta de sulfato, e muito empregado na fabricação de sacos. **Papel laminado.** *Metal.* V. *papel de alumínio*. **Papel linha-d'água.** *Bras. Ind. Pap.* Qualquer dos papéis avergoados que se destinam exclusivamente, no Brasil, à impressão de livros e periódicos, com inteira isenção fiscal, servindo os traços transparentes, que o caracterizam, como meio de coibir contravenções. [Cf. *linha-d'água*.] **Papel litográfico.** *Ind. Pap.* V. *papel ofsete*. **Papel log-log.** *Ind. Pap. Desus.* Papel de gráfico em que nos dois eixos as escalas são logarítmicas. **Papel lustroso.** *Ind. Pap.* V. *papel glacê*. **Papel LWC.** Papel cuchê de baixa gramatura, muito utilizado na impressão de revistas. [Em ingl. *lightweight coated paper*.] **Papel machê.** *Ind. Pap.* Material constituído por pasta de papel, cola e óleo de linhaça, us. em moldagem e na fabricação de objetos leves. **Papel manilha.** *Bras. Ind. Pap.* Papel comum de embrulho, fabricado, em cores diversas e sem grandes requisitos de resistência, com mistura de aparas de papel e pasta mecânica. **Papel manilhinha.** *Ind. Pap.* Papel fino e acinzentado, fornecido em pequenas balas e us. para embrulhar gêneros alimentícios. **Papel marmoreado.** *Encad. Ind. Pap.* Papel cuja superfície imita a do mármore, e frequentemente us. pelos encadernadores na cobertura e nas guardas dos livros; papel marmorizado. [V. *marmoreação*.] **Papel marmorizado.** *Encad. Ind. Pap.* Papel marmoreado (q. v.). **Papel mata-borrão.** *Ind. Pap.* V. *mata-borrão* (1). **Papel metalizado.** *Ind. Pap.* Qualquer dos papéis tratados quimicamente e depois cobertos com pós metálicos, de modo que adquiram o aspecto de folhas de alumínio, bronze, etc. **Papel monolúcido.** *Ind. Pap.* O que é lustrado apenas de um lado, no secador monolúcido (q. v.). **Papel ofício.** *Ind. Pap.* Papel de formato ofício. **Papel ofsete.** *Ind. Pap.* Papel acentuadamente encolado, e livre de penugem, apto a receber a molhagem própria dos processos de ofsete e de litografia em geral; papel litográfico, papel sulfite. **Papel Oxford.** *Ind. Pap.* V. *papel da Índia*. **Papel parafinado.** *Ind. Pap.* Papel impermeabilizado com parafina e que se usa como envoltório de substâncias gordurosas. **Papel passento.** *Ind. Pap.* Papel não encolado, que um líquido repassa facilmente. **Papel pautado.** *Ind. Pap.* **1.** O que tem linhas horizontais impressas pela pautadora e se apresenta, por via de regra, em cadernos de cinco folhas no formato almaço. **2.** Papel, de formato alto ou largo, todo traçado com pautas. **Papel pelure.** *Ind. Pap.* Papel de trapo, extremamente fino e flexível, us. sobretudo em transportes litográficos e copiadores de cartas. **Papel pintado.** *Ind. Pap.* Papel de parede. **Papel prateado.** *Ind. Pap.* V. *papel de estanho* (2). **Papel quadriculado.** *Ind. Pap.* Papel com pautas horizontais e verticais, formando quadrículos; papel esquadrado. **Papel químico.** *Ind. Pap. Lus.* Papel-carbono. **Papel sem fim.** *Ind. Pap.* Papel contínuo. **Papel semilog.** *Ind. Pap. Desus.* Papel de gráfico em que uma das escalas é logarítmica e a outra, linear. **Papel sensibilizado.** *Ind. Pap.* V. *papel fotográfico*. **Papel sensível.** *Ind. Pap.* V. *papel fotográfico*. **Papel social.** *Sociol.* O conjunto de ações realizadas por um indivíduo em sua interação com outros indivíduos, tal como determinadas pela posição que ocupa na sociedade (v. *status*) e pelas expectativas daí decorrentes em relação a seu comportamento. [Para certos autores e correntes, é um conceito básico da análise sociológica, constituindo, segundo alguns, uma entidade social objetiva.] **Papel sulfite.** *Ind. Pap.* V. *papel ofsete*. **Papel supercalandrado.** *Ind. Pap.* Papel acetinado na supercalandra. **Papel telado.** *Ind. Pap.* Papel reforçado com uma espécie de gaze, que se cola a um dos lados. [Cf. *papel-tela*.] **Papel temático.** *E. Ling.* Relação funcional que se estabelece entre as unidades sintáticas da oração, como, p. ex., agente, paciente. **Papel timbrado.** *Ind. Pap.* Papel para correspondência particular, comercial ou oficial, encimado por timbre. **Papel vegetal.** *Ind. Pap.* **1.** Papel transparente para decalques, usualmente feito com pasta de sulfito e muito calandrado. **2.** Papel transparente, feito de polpa de linho ou cânhamo, sem branqueamento, sobre o qual se desenham plantas técnicas e de arquitetura, para posterior copiagem. **Papel velino.** *Ind. Pap.* Qualquer papel de escrever ou imprimir não avergoado. **Papel vergê.** *Ind. Pap.* Papel avergoado. **Papel zebrado.** *Ind. Pap.* Formulário contínuo, pautado, com listas zebradas, para facilitar a visualização das linhas impressas mais longas. **Confiar ao papel.** Escrever (aquilo que não se deseja exprimir de viva voz): *Confiou ao papel as suas angústias.* **De papel passado.** **1.** Segundo a exigência da lei. **2.** De pleno direito: "Sr. Bernardo Élis: | Não sois unicamente vós que tomais assento na cadeira nº 1. É também o vosso estado, a vossa terra. É Goiás. | Gratíssimo é este momento à Academia Brasileira .... . Vós a queríeis e lhe queríeis. E, porque muito a merecíeis, ela é vossa. Vossa, de papel passado." (Bernardo Élis e Aurélio Buarque de Holanda Ferreira, *Cadeira Um*, p. 59.) **Ficar no papel.** Não se realizar o que foi escrito; ser letra morta. **Pôr no papel.** Escrever (em geral compromisso, contrato, etc.).

papel[2] *S. 2 g.* **1.** *Etnôn.* Indivíduo dos papéis, um dos povos que habitam a Guiné-Bissau (África): "Os papéis tinham-na atraído a uma emboscada" (Fausto Duarte, *Foram Estes os Vencidos*, p. 169). ● *S. m.* **2.** *Gloss.* A língua falada pelos papéis. ● *Adj. 2 g.* **3.** Pertencente ou relativo aos papéis, ou à sua língua.

papelada [De *papel*[1] + *-ada*[1].] *S. f.* **1.** Grande porção de papéis. **2.** Conjunto de documentos. [Sin. ger.: *papelagem*.]

papelagem [De *papel*[1] + *-agem*[2].] *S. f.* Papelada.

papel-alumínio *S. m. Metal.* V. *papel de alumínio*. [Pl.: *papéis-alumínios* e *papéis-alumínio*.]

papelão [De *papel*[1] + *-ão*[1].] *S. m.* **1.** Cartão [v. *cartão* (1)] grosso, mais ou menos rígido, ou seja, na prática, o de espessura superior a meio milímetro. [V. *cartolina*.] **2.** *Fig.* Parlapatão, paspalhão. **3.** *Bras.* Conduta vergonhosa ou ridícula; fiasco, gafe. ◆ **Papelão ondulado.** Papelão formado pela colagem de folhas de papel grosso, alternamente corrugadas e planas, e destinado a processos diversos de embalagem; cartão ondulado. [V. *onduladeira*.]

papelaria [De *papel*[1] + *-aria*.] *S. f.* Estabelecimento onde se vendem papel e outros artigos de escritório.

papel-arroz (ô) *S. m. Bot.* Árvore-do-papel-de-arroz. [Pl.: *papéis-arrozes* e *papéis-arroz*. Cf. *papel de arroz*.]

papel-bíblia *S. m. Ind. Pap.* V. *papel da Índia*: "Venha depressa esse volume dos escritos do Cavaleiro de Oliveira, que deve deitar para as clássicas duas mil páginas de papel-bíblia dos escritores que real e materialmente escreveram" (Vitorino Nemésio, *Ondas Médias*, p. 169). [Pl.: *papéis-bíblias* e *papéis-bíblia*.]

papel-carbono *S. m. Ind. Pap.* Papel fino, recoberto de um ou ambos os lados por uma camada de cera com pigmento (geralmente fuligem), e usado para decalques. [Tb. se diz apenas *carbono*. Sin. (lus.): *papel químico*. Pl.: *papéis-carbonos* e *papéis-carbono*.]

papel-chave [De *papel*[1] + *chave*.] *S. m.* Participação fundamental em dado acontecimento, solução de questão, etc.: "Filho de ditador tem papel-chave." (Ariel Palacios, em *O Estado de S. Paulo*, 27.10.2009.) [Pl.: *papéis-chaves* e *papéis-chave*.]

papel-chupão *S. m. Ind. Pap.* V. *mata-borrão* (1). [Pl.: *papéis-chupões*.]

papeleira [De *papel*[1] + *-eira*.] *S. f.* Secretária de tampa inclinada e com gavetas para guardar papéis.

papeleiro [De *papel*[1] + *-eiro*.] *S. m.* **1.** Aquele que trabalha no fabrico de papel. **2.** Dono de papelaria. ● *Adj.* **3.** Relativo a papel.

papelejo (ê) [De *papel*[1] + *-ejo* (ê).] *S. m.* Papel sem importância; papelucho. [V. *papel* (1).]

papeleta (ê) [De *papel*[1] + *-eta* (ê).] *S. f.* **1.** Papel avulso. **2.** Edital, cartaz ou aviso que se afixa em lugar público. **3.** *P. us.* Documento comprovativo da identidade de serviçais; caderneta. **4.** *Med.* Em hospital, conjunto de informações sobre um paciente, escritas em folhas de papel cujas características variam; prontuário médico: "Entrou um enfermeiro com uma papeleta na mão e ficou a um canto a conversar em voz baixa com o chefe do plantão." (Érico Veríssimo, *Noite*, p. 128.) **5.** Nas repartições públicas, memorando interno. ● *S. m.* **6.** *Bras.* Súdito português que, após a Independência do Brasil, conservou a nacionalidade de origem e, por isso, trazia consigo um certificado ou papeleta, emitido pelo cônsul de seu país.

papelete (ê) [De *papel*[1] + *-ete* (ê).] *S. m.* V. *papel* (1).

papeleto (ê) [De *papel* + *-eto*[1].] *S. m.* V. *papel* (1).

papel-filtro *S. m.* Papel poroso, us. como filtro (1). [Pl.: *papéis-filtros* e *papéis-filtro*.]

papelico [De *papel*[1] + *-ico*[1].] *S. m.* Papel sem maior importância; escrito de pouco valor. V. *papel* (1).

papeliço [De *papel*[1] + *-iço*.] *S. m.* Pequeno embrulho de papel.

papelinho [De *papel*[1] + *-inho*[1].] *S. m.* V. *papel* (1).

papelismo [De *papel*[1] + *ismo*.] *S. m. Bras. Econ.* **1.** Doutrina que favorece um sistema monetário baseado no papel-moeda, sem lastro metálico. **2.** Prática de emissão monetária excessiva.

papelista [De *papel*[1] + *ista*.] *S. 2 g.* **1.** Pessoa que trata de papéis e/ou investiga documentos antigos. **2.** Arquivista. **3.** Adepto do papelismo (1). **4.** Pessoa manhosa, desfrutável. ● *S. 2 g.* **5.** Relativo ao papelismo (1 e 2), ou que é adepto do papelismo (1). **6.** Manhoso, desfrutável.

papel-manteiga *S. m.* Papel rugoso e passento com que outrora se embrulhava manteiga, e é hoje mais us. na feitura de desenhos, esboços, leiautes em arquitetura, programação visual, decoração, etc.; papel manteigueiro. [Pl.: *papéis-manteigas* e *papéis-manteiga*.]

papel-manteigueiro *S. m.* Papel-manteiga. [Pl.: *papéis-manteigueiros*.]

papel-moeda *S. m. Econ.* Cédula emitida pela autoridade monetária de um país, não conversível em metal precioso, e ger. de aceitação legalmente obrigatória como meio de pagamento. [Sin. ger.: *dinheiro-papel*. Pl.: *papéis-moedas* e *papéis-moeda*. Cf. *moeda-papel*.]

papel-mofado *S. m. Bras. Fig. Fam.* Homem casado; papel queimado: *Não olhe para ele, menina: é papel-mofado.* [Pl.: *papéis-mofados*.]

papelocracia [De *papel*[1] + *-o-* + *cracia*.] *S. f. Bras.* Sistema ou regime burocrático que depende de papelada.

papelório [De *papel*[1] + *ório*.] *S. m.* **1.** Montão ou porção de papéis, em geral sem importância: "E imaginava-o .... a pôr de lado, num fastio, as minudentes laudas daquele papelório epistolar." (Herberto Sales, *Dados Biográficos do Finado Marcelino*, p. 205.) **2.** *Bras. S.* Papel ridículo; fiasco, papelão.

papelote [De *papel*[1] + *-ote*[1].] *S. m. Bras.* **1.** *Gír.* Embrulhinho de cocaína ou de outra droga em pó. ~ V. *papelotes*. **2.** Pequeno embrulho de papel alumínio us., quando se faz mechas, para recobrir tufos de cabelo.

papelotes [Do fr. *papillotes*.] *S. m. pl.* Pedaços de papel em que se enrolam, para as frisar ou encrespar, pequenas mechas de cabelo: "já não mete os cabelos em papelotes para os trazer crespos sobre a testa." (Aluísio Azevedo, *Livro de uma Sogra*, p. 89). ~ V. *papelote*.

papel-pergaminho *S. m.* Pergaminho vegetal. [Pl.: *papéis-pergaminhos* e *papéis-pergaminho*. Cf. *papel apergaminhado*.]

papel-pigmento *S. m. Fotograv.* Papel que serve de veículo à camada de gelatina tornada semiopaca por adição de pigmento e sensibilizada com bicromato de amônio ou de potássio, na qual se copiam, sucessivamente, em chassi pneumático, a retícula e o diapositivo da imagem, ou da combinação texto-imagem, para transferência às placas ou aos cilindros de cobre, no processo de heliogravura. [Pl.: *papéis-pigmentos* e *papéis-pigmento*.]

papel-porcelana *S. m. Ind. Pap.* V. *papel glacê*. [Pl.: *papéis-porcelanas* e *papéis-porcelana*.]

papel-queimado *S. m. Bras. Fig. Fam.* Papel-mofado. [Pl.: *papéis-queimados*.]

papel-registro *S. m.* Papel resistente e de tom azulado, ger. empregado em livros de registro. [Pl.: *papéis-registros* e *papéis-registro*.]

papel-tela *S. m. Ind. Pap.* Papel entremeado com uma espécie de gaze muito resistente, feita de fios de seda, algodão, etc., e que, oferecendo notável resistência ao rasgamento, é us. no correio como invólucro de valores ou, algumas vezes e no caso dos tipos mais finos, na confecção de bilhetes de banco e selos postais. [Pl.: *papéis-telas* e *papéis-tela*. Cf. *papel telado*.]

papel-título *S. m. Teatr. Cin.* Papel desempenhado pelo ator que representa a personagem-título (q. v.). [Pl.: *papéis-títulos* e *papéis-título*.]

papelucho [De *papel*[1] + *-ucho*.] *S. m.* **1.** Papelejo. **2.** Pedaço de papel. **3.** Papel de embrulho. V. *papel* (1).

papelzinho [De *papel*[1] + *-zinho*.] *S. m.* Dim. de papel. [Pl.: *papeizinhos* (pèi).]

➔ **paper** ['pejpə] [Ingl.] *S. m.* Artigo (5) que relata resultado de pesquisa original, publicado em revista especializada ou incluído nos anais de congresso ou conferência em que tenha sido apresentado.

papesa (ê) *S. f.* V. *papisa*.

papiamento [Do pap. *papiamentu*.] *S. m. Gloss.* Crioulo (12) falado em Curaçao, Aruba e Bonaire (Antilhas Holandesas), e cuja base lexical inclui o português e o espanhol; curassês. [F. paral.: *papeamento*.]

P

papila [Do lat. *papilla*.] *S. f.* **1.** *Anat.* Designação genérica de formação (5) saliente e que se assemelha a mamilo (1). **2.** *Bot.* Excrescência, visível só com lentes muito fortes, da membrana ou parede das células vegetais epidérmicas, em forma de curto dedo de luva, e que se observa, p. ex., nas pétalas de rosa. **3.** *P. ext.* Qualquer elevação cônica. ◆ **Papila de nervo óptico.** *Anat.* Disco situado no polo posterior de cada olho e correspondente à entrada de nervo óptico e de vasos retinianos. **Papila ileal.** *Anat.* A que permite a passagem de matéria do íleo para o ceco e evita o refluxo do ceco para o íleo; valva ileocecal (denom. ant.), válvula ileocecal (denom. ant.). **Papila mamária.** *Anat.* Bico de mama.

papilar [De *papila* + *-ar*[1].] *Adj. 2 g.* **1.** Que tem papilas. **2.** Semelhante a papila. ~ V. *camada* —.

papilectomia [De *papil(o)-* + *-ectom-* + *-ia*[1].] *S. f. Cir.* Resseção de papila (1).

papilha [De *papo* + *-ilha*.] *S. f. Bras. RS* A barbela do galo.

papilheiro [De *papilha* + *-eiro*.] *Adj. Bras. RS* Diz-se do galo que, na rinha, faz presa na papilha do adversário.

papilho [De *pápus* + *-ilho*.] *S. m. Bot.* V. *pápus*.

papilhoso (ô) [De *papilho* + *-oso*.] *Adj. Bot.* Que tem papilhos.

▲ **papil(i)-** [Do lat. *papilla, ae*.] *El. comp.* = 'papila': *papiliforme, papiloma*. [Equiv.: *papilo-*: *papilorretinite*.]

papiliforme [De *papil(i)-* + *-forme*.] *Adj. 2 g.* Em forma de papila.

papílio [Do tax. *Papilio*.] *S. m. Zool.* **1.** O gênero-tipo dos papilionídeos, que reúne borboletas de rara beleza, de tamanho médio a grande, ger. de colorido brilhante, e cujas asas posteriores têm a forma de rabo de andorinha. As larvas segregam substância de odor desagradável, e constituem pragas de algumas fruteiras. Há cerca de 530 espécies. **2.** Espécie ou espécime desse gênero.

papilionáceo (pi) [Do lat. *papilio, onis*, 'borboleta' + *-áceo*.] *Adj.* **1.** Que tem forma de borboleta (1). **2.** Relativo a, ou próprio de borboleta (1). ~ V. *escudo* —.

papilionado [Do lat. *papilio, onis*, 'borboleta', + *-ado*[1].] *Adj. Bot.* Que tem a forma de uma borboleta.

papiliónida (pi) *S. m. Adj. 2 g. Zool.* V. *papiliônida*. [Uso freq. em P.]

papiliônida (pi) [Do lat. cient. *Papilion-* (v. *papilionídeo*) + *-ida*[1].] *S. m. Adj. 2 g. Zool.* V. *papilionídeo*.

papilionídeo (pi) [Do lat. cient. *Papilion-* (< tax. *Papilio* < lat. *papilio, onis*, 'borboleta') + *-ídeo*[1]; tax. *Papilionidae*.] *Zool. S. m.* **1.** Espécime dos papilionídeos, família de insetos lepidópteros, que têm antenas subcontíguas à base, abdome livre, asas largas, nervações salientes. ● *Adj.* **2.** Pertencente ou relativo a eles. [Sin. ger.: *papiliônida*.]

▲ **papilo-** [De *papil(i)-* + *-o-*.] Equiv. de *papil(i)-*.

papiloma [De *papil(i)-* + *-oma*[1].] *S. m. Patol.* **1.** Tumor benigno, de origem epitelial, que se apresenta ramificado ou lobulado, e que se desenvolve sobre tecido conjuntivo, e com pedículo vascular. **2.** Designação comum a verrugas, calos, condilomas, pólipos, vegetações, etc.

papilomatose [Do lat. cient. *papillomat-* + *-ose*[1].] *S. f. Patol.* Presença de múltiplos papilomas.

papilorretinite [De *papilo-* + *retina* + *-ite*[1].] *S. f. Oftalm.* Inflamação de papila de nervo óptico, e que se estende à retina.

papilotomia [De *papilo-* + *-tom(o)-* + *-ia*[1].] *S. f. Cir.* Seção de papila (1).

papiráceo [Do lat. *papyraceu*.] *Adj.* **1.** Semelhante ao papel. **2.** *Bot.* Delgado e consistente como papel: *pericarpo papiráceo*.

papíreo [De *papiro* + *-eo*.] *Adj.* Relativo ao papiro.

papiri [Var. de *tapiri* (q. v.).] *S. m. Bras. N.* Abrigo contra chuva, feito de folhas, na floresta e à margem de rios.

papirífero [Do lat. *papyriferu*, 'fértil em papiro'.] *Adj.* **1.** Diz-se das plantas cuja casca se utiliza ou se pode utilizar na fabricação do papiro. **2.** Que pode servir como papel.

papiro [Do gr. *pápyros*, pelo lat. *papyru*.] *S. m.* **1.** *Bot.* Grande erva ciperácea (*Cyperus papyrus*) rizomatosa e entouceirada, de caules altos e flexíveis, com catafilos na base e folhas aciculares em tufos, no ápice, entre as quais brotam pequenas espigas; é nativa da África central e do vale do Nilo, e cultivada noutros lugares como ornamental, e pela utilidade das hastes, outrora us. como material para a escrita. [Sin.: *papiro-do-egito, periperiaçu* (bras).] **2.** Suporte gráfico feito com as hastes dessa erva. **3.** Manuscrito antigo, feito de papiro: "Permitiu [o livro] que o saber, encantoado em meia dúzia de velhos papiros, ... pudesse correr mundo" (E. Roquete-Pinto, *Seixos Rolados*, p. 231). **4.** *Bras. RJ* Cola[1] (2) escrita, em geral um tanto extensa.

papiro-do-egito [De *papiro* + *do*[1] + o top. *Egito*.] *S. m. Bot.* V. *papiro* (1). [Pl.: *papiros-do-egito*.]

papirófago [De *papiro* + *-fago*.] *Adj. Zool.* Diz-se do inseto que come papel.

papirologia [De *papiro* + *-logia*.] *S. f.* Estudo dos papiros. [V. *papiro* (3).] [Cf. *codicologia, diplomática, epigrafia, paleografia*.]

papirológico [De *papirologia* + *-ico*[2].] *Adj.* Referente à papirologia.

papirologista [De *papirologia* + *-ista*.] *S. 2 g.* Papirólogo.

papirólogo [De *papiro* + *-logo*.] *S. m.* Especialista em papirologia.

papironga *S. f. Bras.* V. *logro* (2).

papisa [Do lat. tard. *papissa*.] *S. f.* **1.** Mulher que, segundo a lenda, teria sido investida do supremo pontificado, substituindo o Papa. **2.** *Fig.* Mulher muito influente na Igreja Católica. [Sin. ger.: *papesa*.]

papismo [De *papa*[1] + *-ismo*.] *S. m.* **1.** Influência ou predomínio dos Papas. **2.** A Igreja Católica, no dizer dos protestantes.

papista[1] [De *papar*.] *S. m.* **1.** *Zool.* Espécie de pequeno bagre do mar. **2.** *Bras. Fam.* V. *geófago* (2).

papista[2] [De *papa* + *-ista*.] *Adj. 2 g. S. 2 g.* **1.** Partidário da supremacia do Papa. **2.** Católico, na expressão dos protestantes.

papita *S. f. Mil.* Gás de combate constituído pela acroleína.

papo[1] [Dev. de *papar*.] *S. m.* **1.** *Zool.* V. *inglúvio*. **2.** *P. ext.* A parte do corpo das aves que, externamente, corresponde ao inglúvio: *O manto dos imperadores do Brasil era guarnecido de penas de papo de tucano.* **3.** *Bras.* Parte fofa e que não assenta bem, numa roupa malcortada, ou malfeita; saco, bolso, fole, tufo. **4.** *Pop.* Estômago; barriga, fole. **5.** *Pop.* Aumento de volume do pescoço, provocado por diversas causas, esp. o bócio. **6.** *Bras.* A parte dianteira da coronha do rifle ou do fuzil, sobre a qual se apoia o cano. **7.** *Fig. Fam.* Arrogância, soberba, bazófia. **8.** *Bras. Gír.* Conversa, conversação; bate-papo. **9.** *Bras. Gír.* A pessoa que conversa, dada à conversação; conversador: "havia bons companheiros de praia, bons amigos de bar, excelentes papos." (Rubem Braga, *Ai de Ti, Copacabana!*, pp. 87-88). ◆ **Papo de cerca-lourenço.** V. *conversa de cerca-lourenço*. **Papo furado.** *Bras. Gír.* **1.** V. *conversa fiada* (1). **2.** V. *conversa mole* (2). [Cf. *papo-furado*.] **Papo *on-line*.** *Inform.* V. *chat*. **Papo virtual.** *Inform.* V. *chat*. **Bater papo.** *Bras. Fam.* Conversar, papear; bater um papo, levar um papo, trocar uma ideia: "era um grande conversador e ficava batendo papo, uma conversa fiada que não tinha fim" (Antônio Carlos Vilaça, *A Descoberta do Morro*, p. 25). **Bater um papo.** *Bras. Fam.* V. *bater papo*: "se acaso regressava mais cedo, detinha-se na sala para bater um papo com as velhinhas" (Fernando Sabino, *O Homem Nu*, p. 93). **De papo amarelo.** Convicto, ortodoxo: "o Dr. Barbalho, germanófilo de papo amarelo, não havia de apreciar a medida." (Ciro dos Anjos, *A Menina do Sobrado*, p. 61). **De papo para o ar.** Sem fazer nada; desocupado, ocioso. **Estar no papo.** *Bras. Fam.* **1.** Ser superado ou superável (aquilo que constitui uma dificuldade): *A prova de matemática está no papo.* **2.** Constituir uma aspiração realizada ou realizável: *Este emprego está no papo.* **3.** Esgotar-se ou acabar-se, depois de ter sido vivido, gozado, usufruído: *Brincando, brincando, metade de novembro está no papo, e aí vem o Natal.* **Falar de papo cheio.** *Fam.* Queixar-se de alguma coisa, reclamar contra ela, tendo, em verdade, razões para atitude contrária; falar de barriga cheia: *Diz que a mulher não o trata com carinho, mas não há marido mais bem tratado que ele: fala de papo cheio.* **Levar um papo.** *Bras. Gír.* V. *bater papo*. **Ser um bom papo.** *Bras. Fam.* Ter conversa muito agradável.

papo[2] *S. m. Bot.* V. *pápus*.

papo-amarelo *S. m. Bras. N.E.* Rifle (particularmente o de calibre 44) que tem o papo (6) amarelo: "Depois, Virgulino [Lampião] juntou à *comblain* uma faca, um punhal, um bornal de balas e um rifle 'papo-amarelo'." (Luís Luna, *Lampião e Seus Cabras*, p. 30.) [Pl.: *papos-amarelos*.]

papo-branco *S. m. Bras. RS Zool.* Ave troquilídea (*Leucochloris albicollis*) de garganta, barriga e retrizes brancas e área peitoral verde em ambos os sexos. Habita do ES, MG até o RS, Paraguai e Argentina; beija-flor-de-papo-branco. [Pl.: *papos-brancos*.]

papoca [Dev. de *papocar*.] *S. f. Bras. N.E.* V. *borbulha* (4).

papocar [Do tupi = 'arrebentar'.] *V. int. Bras. N. N.E. MG* V. *pipocar* (1): "Papocavam .... bombinhas, busca-pés de tiro e traques de chio." (Nélson de Faria, *Tiziu e Outras Estórias*, p. 197); *O tumor papocou, e saiu muito pus.* [Conjug.: v. *trancar*. Normalmente é defect., conjugável só nas 3.as pess.]

papoco (ô) [Dev. de *papocar*.] *S. m. Bras. N.N.E. MG* Pipoco (q. v.): "Sabia escolher e preferiu logo [entre vários brinquedos] a metralhadora japonesa. Mas pensou que se cansaria depressa do seu papoco" (Carlos Drummond de Andrade, *Cadeira de Balanço*, p. 4). [Pl.: *papocos* (ô). Cf. *papoco*, do v. *papocar*.] ◆ **De papoco.** *Bras. Pop.* De primeira ordem; excelente, formidável; de truz: *Fez um discurso de papoco.*

papo de anjo *S. m. Cul.* Doce de ovos cujas gemas, batidas, são assadas em forminhas e, em seguida, mergulhadas na calda quente. [Pl.: *papos de anjo*.] ☑

papo-de-fogo (ô) *S. m. Bras. RJ Zool.* Ave troquilídea (*Clytolaema rubricauda*) de garganta vermelha, fronte e peito verdes cintilantes, dorso cor de canela, retrizes mais claras; ponto branco junto ao olho. As fêmeas e os machos jovens têm a parte inferior cor de canela e o dorso verde. Habita da BA, ES e MG a GO e RS; beija-flor-rubi. [Pl.: *papos-de-fogo*.]

papo-de-peru *S. m. Bras. Bot.* V. *serpentária*. [Pl.: *papos-de-peru*.]

papo de rola (ô) *S. m. Min.* Pirita irisada. [Pl.: *papos de rola*.] ☑

papo-firme *Adj. 2 g. S. 2 g. Bras. Gír.* Que, ou quem cumpre o prometido. [Pl.: *papos-firmes*. Antôn.: *papo-furado*.]

papo-furado *Adj. 2 g. S. 2 g. Bras. Gír.* Que, ou quem não cumpre o que diz. [Pl.: *papos-furados*. Antôn.: *papo-firme*. Cf. *papo furado*.]

papoila *S. f. Bot.* V. *papoula*.

papoila-de-espinho *S. f. Bot.* V. *papoula-de-espinho*. [Pl.: *papoilas-de-espinho*.]

papoila-do-méxico *S. f. Bot.* V. *papoula-do-méxico*. [Pl.: *papoilas-do-méxico*.]

papoila-do-são-francisco *S. f. Bot.* V. *papoula-do-são-francisco*. [Pl.: *papoilas-do-são-francisco*.]

papos de aranha *El. s. m.* Us. na loc. *em papos de aranha*. ◆ **Em papos de aranha.** Em estado de grande preocupação e/ou pressa; em situação difícil, embaraçosa: *estar, andar, ver-se em papos de aranha*; "o pobre Coruja via-se em papos de aranha com os nervos de Ernestina, cuja crise não fora tão passageira como afiançara aquele." (Aluísio Azevedo, *O Coruja*, p. 166). [A mudança de *papos* em *palpos*, numa expressão de origem popular como essa, constitui eruditismo pedante.] ☑

papo-seco (ê) *S. m. Lus.* V. *carcaça* (8). [Pl.: *papos-secos* (ê).]

paposo (ô) [De *papo* + *-oso*.] *Adj. Bot.* Que tem papilho ou *pápus*.

papoula [Do lat. vulg. **papavera*, por *papaver*, ou deste com infl. moçárabe.] *S. f. Bot.* **1.** Planta papaverácea (*Papaver rhoeas*) herbácea, de grandes flores coloridas, que cede látex, e que é cultivada em jardins como ornamental. **2.** Erva papaverácea (*Papaver somniferum*) que fornece substância da qual se obtém o ópio; dormideira e (ant.) anfião. [Var.: *papoila*.] [Var.: *papoila*.]

papoula-de-espinho *S. f. Bot.* V. *cardo-santo*. [Pl.: *papoulas-de-espinho*.]

papoula-do-méxico *S. f. Bot.* V. *cardo-santo*. [Pl.: *papoulas-do-méxico*.]

papoula-do-são-francisco *S. f. Bras. Bot.* V. *cânhamo-brasileiro*. [Pl.: *papoulas-do-são-francisco*.]

páprica [Do húng. *paprika*.] *S. f.* Tempero em pó, feito com pimentão vermelho.

papua [Do mal. *puwa puwa*.] *S. 2 g.* **1.** Indivíduo dos papuas, povo natural de Papua Nova Guiné, Vanuatu, Fiji, etc. ● *Adj. 2 g.* **2.** Pertencente ou relativo a papua (1). [Sin. ger.: *papuásio*.]

papuã [Do tupi, poss.] *S. m. Bras. Bot.* Capim-marmelada.

papuano *Adj. S. m. Gloss.* Indo-pacífico (2 e 3).

papuásio *S. m. Adj.* V. *papua*.

papuda [De *papo*[1] + *-ada*.] *S. f. Bras. PB Pop.* Aguardente adulterada com água.

papudinho [De *papudo* + *-inho*[1].] *S. m. Bras. Zool.* Peixe gasteropelecídeo (*Thoracocharax stellatus*) das bacias dos rios Amazonas, Orinoco e Paraguai, de coloração prateada com o dorso mais escuro, e até 9cm de comprimento.

papudo [De *papo* + *-udo*.] *Adj.* **1.** Que tem papo grande. **2.** Que tem papos ou pregas; empapuçado: "Boca flácida, descaída, olhos papudos, andar apertado, em passadinhas hirtas" (Maria Archer, *Fauno Sovina*, p. 7). **3.** *Fig.* Arredondado; saliente, proeminente. **4.** *Bras. Gír.* Que tem bom papo, conversação agradável; que é bom conversador. ● *S. m.* **5.** *Bras. Fam.* Indivíduo jactancioso, blasonador, bravateiro: *Conheceu, papudo?; Quero ver quem é o papudo que se mete aqui com o degas.* **6.** *Bras. Gír.* Aquele que tem bom papo (8); bom conversador.

papujar [De *papo*[1] + *-ujar*.] *V. int.* Produzir certo movimento e som formando bolhas sucessivas.

pápula [Do lat. *papula*.] *S. f. Derm.* Elevação cutânea eruptiva, sólida, circunscrita, comumente de pequena dimensão.

papular [De *pápula* + *-ar*[1].] *Adj. 2 g. Derm.* Constituído de pápulas, ou caracterizado pela presença delas.

papuloso (ô) [De *pápula* + *-oso*.] *Adj.* Que tem pápula(s).

papuo-neoguineense *Adj. 2 g. S. 2 g.* V. *papuo-novo-guineense.* [Pl.: *papuo-neoguineenses.*]

papuo-novo-guineense *Adj. 2 g.* **1.** Da, ou pertencente ou relativo à Papua Nova Guiné (Oceania). • *S. 2 g.* **2.** O natural ou habitante da Papua Nova Guiné. [Sin. ger.: *papuo-neoguineense.* Pl.: *papuo-novo-guineenses.*]

pápus [Do lat. *pappus*, 'a lanugem dos cardos'.] *S. m. Bot.* O cálice frutífero das asteráceas; papilho, papo.

paquê [Do fr. *paquet.*] *S. m. Tip.* Granel (2).

paqueiração [De *paqueirar* + *-ção.*] *S. f. Bras. Gír.* V. *paqueração.*

paqueirada [De *paqueiro* + *-ada*[1].] *S. f. Bras.* Grupo de paqueiros.

paqueirador (ô) [De *paqueirar* + *-dor.*] *Adj. S. m. Bras. Gír.* Paquerador.

paqueirar [De *paqueiro* + *-ar*[2].] *V. t. d. Int. Bras. Gír.* Paquerar.

paqueiro [De *paca* + *-eiro.*] *Adj. S. m. Bras.* **1.** Diz-se de, ou cão que sabe caçar pacas. **2.** Diz-se de, ou aquele que angaria serviços para outrem.

paquequerense *Adj. 2 g.* **1.** De, ou pertencente ou relativo a Paquequer Pequeno (RJ). • *S. 2 g.* **2.** O natural ou habitante de Paquequer Pequeno.

paquera [Dev. de *paquerar* (q. v.).] *Bras. Gír. S. f.* **1.** Paqueração. • *S. 2 g.* **2.** Pessoa que paquera; paquerador. • *Adj. 2 g.* **3.** Diz-se de quem paquera; paquerador.

paqueração [De *paquerar* (q. v.) + *-ção.*] *S. f. Bras. Gír.* Ato ou efeito de paquerar; paquera.

paquerador (ô) [De *paquerar* (q. v.) + *-dor.*] *Adj. S. m. Bras. Gír.* Paquera (2 e 3).

paquerar [Por *paqueirar* < *paqueiro* + *-ar*[2].] *Bras. Gír. V. t. d.* **1.** Tentar aproximação com (alguém), buscando namoro ou aventura amorosa; azarar. **2.** Observar atentamente; vigiar, espreitar. *Int.* **3.** Buscar namoro ou aventura amorosa; gavionar. **4.** Estar de sentinela; vigiar.

paquete [De or. obscura.] *S. m. Chapel.* O conjunto das várias qualidades de pelo que podem servir para fabricar chapéus. [Pl.: *paquetes.* Cf. *paquete* (ê) e pl. *paquetes* (ê).]

paquete (ê) [F. red. do ingl. *packet-boat.*] *S. m.* **1.** *Ant.* Embarcação ligeira, para transmissão de ordens e correspondência. **2.** *Ant.* Navio veloz e luxuoso, ordinariamente a vapor, para transporte rápido e regular de passageiros entre certos portos. **3.** *Bras.* Canoa à vela, us. no alto São Francisco para transporte de parte da carga deixada pelos navios a vapor nas margens dos rios, quando necessitam aliviar o peso para transpor a zona das corredeiras; leoba: "São pomposamente chamados de paquetes os botes de vela que fazem o serviço de comunicação entre as cidades de Juazeiro (Bahia) e Petrolina (Pernambuco)." (Leonardo Mota, *No Tempo de Lampião*, p. 101.) **4.** *Bras. N.E.* Jangada veloz, feita com paus de 1m de circunferência. **5.** *Bras.* V. *menstruação* (1). **6.** *Lus.* V. *contínuo* (4). [Pl.: *paquetes* (ê). Cf. *paquete* e pl. *paquetes.*]

paqueteiro[1] [De *paquê* (q. v.) + *-eiro*, seg. o padrão erudito.] *S. m. Tip.* **1.** Gráfico encarregado de atar os paquês. **2.** Estante onde se guardam os paquês; porta-paquê.

paqueteiro[2] [De *paquete* (ê) + *-eiro.*] *S. m. Bras.* Embarcadiço de paquete (3).

paquevira *S. f. Bras.* Alter. de *pacavira.*

▲ **paqui-** [Do gr. *pachy-* < gr. *pachýs, eîa, ý.*] *El. comp.* = 'espesso', 'grosso': *aquicefalia, paquiderme* (< fr. < gr.), *paquigástrico.*

paquiblefarose [De *paqui-* + *-blefar(o)-* + *-ose*[1].] *S. f. Med.* Espessamento palpebral.

paquicaule [De *paqui-* + *-caule.*] *Adj. 2 g. Bot.* Cujo tronco é muito espesso na base.

paquicefalia [De *paqui-* + *-cefal(o)-* + *-ia*[1].] *S. f. Patol.* Espessamento anormal de osso craniano.

paquicefálico [De *paquicefalia* + *-ico*[2].] *Adj.* Relativo a paquicefalia.

paquicéfalo [De *paqui-* + *-céfalo.*] *Adj.* Que tem as paredes do crânio espessas.

paquicefalossaurídeo (cè) [Do tax. *Pachycephalosaurus* + *-ídeo*; *Pachycephalosauridae.*] *Paleont. S. m.* **1.** Espécime dos paquicefalossaurídeos, família de dinossauros ornitísquios, ornitópodes, cuja cabeça era dotada de carapaça óssea, que viveram, poss. em grupos e em regiões montanhosas, no cretáceo superior. • *Adj.* **2.** Pertencente ou relativo a eles.

paquicefalossauro (cè) [De *paqui-* + *-cefal(o)-* + *-sauro*; tax. *Pachycephalosaurus.*] *S. m. Paleont.* **1.** Gênero de dinossauros paquicefalossaurídeos que devem ter surgido no cretáceo inferior da Europa, mas cujos espécimes mais conhecidos datam do cretáceo superior da América do Norte. **2.** Espécie ou espécime desse gênero.

paquidai *Bras. S. 2 g.* **1.** *Etnôn.* Indivíduo dos paquidais, povo indígena extinto da família linguística ianomâmi, que habitava a região da cabeceira do rio Araçá, afluente do rio Negro (AM). • *Adj. 2 g.* **2.** Pertencente ou relativo a esse povo. [Tb. us. como *s. 2 g. e 2 n.* (com cap.) e *adj. 2 g. e 2 n.*]

paquiderme [Do gr. *pachydermos*, pelo fr. *pachyderme.*] *Adj. 2 g.* **1.** Que tem a pele espessa. **2.** *Zool.* Diz-se de mamífero de grande porte, pele grossa, ungulado, tal como o elefante, o rinoceronte e o hipopótamo. • *S. m.* **3.** *Zool.* Animal paquiderme (2). **4.** *Fig. Pop.* Indivíduo estúpido (1 e 2).

paquidermia [Do gr. *pachydermía.*] *S. f. Derm.* Espessamento anormal da pele.

paquidérmico [De *paquidermia* + *-ico*[2].] *Adj.* **1.** Relativo ou pertencente aos paquidermes. **2.** Cuja pele é semelhante à dos paquidermes. **3.** *Bot.* Que tem cutícula, epiderme ou paredes espessas: *semente paquidérmica.* **4.** *Derm.* Relativo a paquidermia.

paquife [De or. obscura.] *S. m.* **1.** *Heráld.* Ornato em forma de folhagens que guarnece o escudo, saindo do elmo: "No escudo, formado por uma brica de prata, ... via-se um elmo também de prata, paquife de ouro e de azul" (José de Alencar, *O Guarani*, I, p. 84). **2.** Adorno arquitetônico de folhagens. **3.** Enfeite vistoso.

paquifilo [De *paqui-* + *-filo*[1].] *Adj. Bot.* Que tem folhas espessas.

paquigástrico [De *paqui-* + *-gastr(o)-* + *-ico*[2].] *Adj. Zool.* Que tem o ventre muito grosso.

paquimeninge [De *paqui-* + *meninge.*] *S. f. Anat.* Dura-máter.

paquimeningite [De *paquimeninge* + *-ite*[1].] *S. f. Neur.* Inflamação de dura-máter.

paquimeningítico [De *paquimeningite* + *-ico*[2].] *Adj.* Relativo a paquimeningite.

paquímetro [De *paqui-* + *-metro.*] *S. m.* Instrumento de precisão para medição de espessuras, diâmetros e pequenas distâncias.

paquinha [De *paca* + *-inha.*] *S. f. Zool.* V. *grilo-toupeira* (1).

paquinha-das-hortas *S. f. Bras. Zool.* V. *grilo-toupeira* (1). [Pl.: *paquinhas-das-hortas.*]

paquipleuris [De *paqui-* + *pleuris.*] *S. m. 2 n. Pneum.* Espessamento pleural, que pode ser localizado ou difuso, unilateral ou bilateral.

paquira [Do tax. *Pachira.*] *S. f. Bot.* V. *bômbax.*

paquirrino [Do gr. *pachyrhinus.*] *Adj. S. m.* Diz-se de, ou indivíduo de nariz grosso.

paquistanense *Adj. 2 g.* **1.** Do, ou pertencente ou relativo ao Paquistão (Ásia). • *S. 2 g.* **2.** O natural ou habitante do Paquistão. [Sin. ger.: *paquistanês.*]

paquistanês *Adj. S. m.* V. *paquistanense.* [Flex.: *paquistanesa* (ê), *paquistaneses* (ê), *paquistanesas* (ê).]

paquiteno [De *paqui-* + *-teno.*] *S. m. Citol. Genét.* Estágio da prófase da meiose I em que ocorre a condensação dos cromossomos homólogos, os quais formam uma tétrade.

paquítrico [Do gr. *pachýthrichos*, gen. de *pachýthrix.*] *Adj. Zool.* Que tem pelo espesso.

par [Do lat. *pare.*] *Adj. 2 g.* **1.** Igual, semelhante; parceiro, parelho. **2.** Que é representado por um número par: *dias pares.* **3.** Disposto simetricamente: *Os ouvidos são pares.* ~ V. *função —, número —* e *paridade —.* • *S. m.* **4.** *Mat.* Número par. **5.** O conjunto de duas pessoas: *um par harmonioso.* **6.** O marido e a mulher; casal. **7.** Na dança, o cavalheiro e a dama. **8.** Pessoa que dança, em relação àquela com quem dança. **9.** Num casal de animais, o macho e a fêmea: "um lindo par de borboletas brancas vinha sempre poisar no peitoril de sua janela" (Belmiro Braga, *Cantos e Contos*, p. 48). **10.** O conjunto de dois animais de tração: *Um belo par de éguas puxava a charrete.* [Cf., nesta acepç., *junta* (4) e *parelha* (1).] **11.** Peça de vestuário constituída de duas partes ou duas peças iguais: *um par de calças; um par de sapatos.* **12.** Conjunto de dois objetos semelhantes, um dos quais não se usa sem o outro: *um par de galhetas; um par de brincos.* **13.** Duas coisas da mesma espécie, conquanto uma possa servir sem a outra: *um par de cadeiras; um par de castiçais.* **14.** Duas ações semelhantes ou duas coisas ou seres da mesma espécie; parelha: *um par de coices; um par de imbecis.* **15.** Conjunto formado por dois órgãos simétricos: *um par de olhos.* **16.** Pessoa igual a outra em condição social. **17.** Antigamente, grão-vassalo do rei. **18.** Membro da Câmara dos Lordes, na Inglaterra. **19.** Número indeterminado, com sentido aumentativo: *Procurou-me um par de vezes para obter informações.* **20.** No baralho, duas cartas do mesmo número ou figura: *par de setes; par de reis.* **21.** *Esport.* No golfe, número convencionado de tacadas para que um buraco seja atingido e que pode variar de três a seis, de acordo com a distância do buraco. [A soma dos pares de todos os buracos do campo dá o par deste.] **22.** *Fís.* V. *conjugado* (7). [Pl.: *pares.* Cf. *Páris*, mit. e antr.] ◆ **Par a par.** V. *a par* (1 e 2): "num momento em que os cavalos troteavam juntos, par a par, arrancou uma flor que trazia no seio, atirou-lha" (Jaime d'Altavila, *Lógica de um Burro*, p. 143). **Par craniano.** *Anat.* V. *nervo craniano.* [Em linguagem médica é comum dizer simplesmente *par*, precedida, esta palavra, do número que lhe corresponde; assim, em vez de *nervo facial*, se diz apenas *sétimo par.*] **Par do reino.** *Ant.* Na monarquia portuguesa, cada um dos membros da Câmara alta. **Par e par.** V. *a par* (1 e 2). **Par em par.** De par em par: "Abri todas as portas par em par / Como asas a bater em revoada." (Florbela Espanca, *Sonetos Completos*, p. 183.) **Par físico.** *Astr.* Estrela dupla cujos componentes são realmente próximos no espaço, e que se reconhece pelo fato de seu movimento relativo ser orbital; dupla física. [Cf. *par óptico.*] **Par óptico.** *Astr.* Estrela dupla cuja proximidade dos componentes provém do efeito de perspectiva, sendo a distância à Terra, na realidade, inteiramente diferente. Reconhece-se um par óptico quando o movimento próprio (q. v.) de uma das duas estrelas é mensurável; neste caso o movimento relativo dos dois componentes é uma trajetória retilínea. [Cf. *par físico.*] **A par.** **1.** Ao lado um do outro; junto; de par: *Caminhavam a par;* "dois troncos de pinheiro deitados a par" (Patrícia Joyce, *A Maior Distância*, p. 142). **2.** Ao mesmo tempo. [Sin. ger.: *a par e par, par a par, par e par.*] **3.** *Econ.* V. *ao par.* **A par de.** **1.** Ao lado de; junto de; par de: *O pequeno caminhava a par de seu tio.* **2.** Ao lado de, em comparação com: "fugi, mas livres, / Que a par da liberdade tudo é nada" (Domingos José Gonçalves de Magalhães, *A Confederação dos Tamoios*, p. 116). **3.** Ao corrente de. [F. menos pref.: *ao par de.*] **Ao par.** *Econ.* Que tem a cotação de mercado igual ao valor nominal ou legal (diz-se de título de crédito, taxa de câmbio, etc.): "eis .... que a subida inesperada do partido conservador, firmando o crédito do Estado, elevou o papel-moeda, deixando o câmbio quase ao par" (Aluísio Azevedo, *O Coruja*, p. 251). **Ao par de.** A par de. **A par e par.** V. *a par* (1 e 2): "— Cantam a par e par / As aves, canta o bosque" (Alberto de Oliveira, *Poesias*, 4ª série, p. 41). **De par.** V. *a par* (1): "No momento em que ela [a inspiração do poeta romântico] se lhe revela ...., inspiração e expressão vão de par, indivíduo e universo consubstanciam-se, eu e não eu integram-se." (João Gaspar Simões, *Liberdade do Espírito*, p. 34.) **De par com.** Juntamente com; ao lado de: "De par com a antiguidade um dos aspectos mais interessantes e curiosos das adivinhas é a sua universalidade." (José Maria de Melo, *Enigmas Populares*, p. 16); "e no seu rosto agora, / De par com o orgulho antigo, há um pesar que o devora." (Alberto de Oliveira, *Poesias*, 3ª série, p. 80). **De par em par.** Escancaradamente; às escâncaras; par em par: "abriu de par em par as janelas" (Coelho Neto, *Turbilhão*, p. 140). **Estar a par.** Estar bem informado. **Sem par.** V. *pôquer.* [Cf. *sem-par.*]

para[1] [Do lat. *per* + *ad.*] *Prep.* Us. nos seguintes casos, entre outros: **1.** Introduz o complemento terminativo de verbos, substantivos e adjetivos que encerram ideia de direção, destino, fim, objetivo, relação: "Ficou-se a olhar para a casita pobre da sua Margarida" (Conde de Ficalho, *Uma Eleição Perdida*, p. 123); *Anda agora para Petrópolis;* "Para além a serra crescia em corcovas doces" (Eça de Queirós, *A Cidade e as Serras*, p. 203); "viera de Covilhã para caixeiro de uma loja na vila próxima" (Conde de Ficalho, *Uma Eleição Perdida*, p. 123). **2.** Indica sentimento, julgamento, opinião, concepção de alguém a respeito de outrem ou de algo: "Para alguém sou o lírio entre os abrolhos, / E tenho as formas ideais do Cristo" (Gonçalves Crespo, *Obras Completas*, p. 150); "Para Troeltsch, os séculos XVI e XVII não são Idade Média nem Idade Moderna: são a época confessional da história europeia e do mútuo roçamento de três fatores, o catolicismo, o luteranismo e o calvinismo, de que se origina o mundo moderno." (José Honório Rodrigues, *Teoria da História do Brasil*, pp. 115-116); "Para quem vive no comércio cotidiano dos livros, não pode haver, entre a morte e a vida, as mesmas fronteiras rigorosas que observamos no mundo dramático da realidade." (Augusto Meyer, *A Chave e a Máscara*, p. 67). **3.** Rege o predicativo do sujeito ou do objeto direto: *Foi nomeado para procurador do Estado; Elegeram-no para diretor duma companhia.* **4.** Faz parte de adjuntos ou oração que exprimem: **a)** lugar ao qual alguém ou algo se dirige, ou para onde volta a vista: "Foi para melhores climas" (Alberto de Oliveira, *Poesias*, 2ª série, p. 135); "O duque voltou para ao pé do leito." (Camilo Castelo Branco, *Livro Negro do Padre Dinis*, p. 148). **b)** lugar para onde alguém se dirige, sobretudo com ânimo de permanecer ou demorar-se (usando-se, em geral, no caso contrário, com o *v. ir*, a prep. *a*): *Vai para Santa Catarina;* "Ir viver para uma aldeia / A vida dos camponeses" (João Penha, *Ecos do Passado*, p. 122). **c)** sentido, direção: *Anda de boina caída para um lado; Andando, inclina-se um pouco para a direita.*

P

d) intuito, fim: "Para iludir minha desgraça, estudo." (Augusto dos Anjos, *Eu*, p. 108); "Chegava [João Ribeiro] do colégio e metia-se no quarto para estudar." (Joaquim Ribeiro, *9 Mil Dias com João Ribeiro*, p. 151). **e)** destinação, fim, ou fim, destino, fado: *Deu-lhe dinheiro para a viagem*; "Para tristezas, para dor nasceste." (Antero de Quental, *Sonetos*, p. 144). **f)** relação entre as quantidades, em matemática: *Três está para seis assim como quatro está para oito.* **g)** ideia de comparação ou proporção com outra pessoa ou coisa, ou de pessoa com coisa, ou vice-versa: *Sabe muito para a sua idade*; *A casa é boa demais para o preço*; "— Sessenta mil homens muita gente é para casa tão pequena" (Rebelo da Silva, *Contos e Lendas*, p. 173). **h)** condições, ocasião ou idade adequada para se fazer alguma coisa, ocupar um cargo, etc.: *É ignorante demais para cursar com proveito uma escola superior*; *É muito velho para a função que exerce.* **i)** aplicação, uso, emprego: *As mangas já estão boas para comer.* **j)** época ou ocasião em que se faz ou fará uma coisa, porém sempre com o sentido do futuro: *Guardou os caquis para o outro dia.* **l)** tempo futuro, próximo ou distante: *Faltam muitos anos para a conclusão da obra.*; "Falta pouco para meio-dia." (Visconde de Taunay, *Inocência*, p. 18). **m)** tempo próximo vindouro (tratando-se de semana ou de ano): *Para o ano haverá uma grande festa pública.*; "Foi-se [a mercadoria]... Esgotadinho! Só para a semana..." (Eça de Queirós, *A Relíquia*, p. 393). **n)** duração: *Há nesta casa frutas para uma semana.* **o)** disposição, determinação, intento, tendência (podendo, não raro, aqui, ser substituído por *a*): *Estava para deixar o emprego*; *Ficou pronto para viajar*; *Dispôs-se para enfrentar o perigo*; "Apestou-se, cedo, para a luta." (Euclides da Cunha, *Os Sertões*, p. 118); **p)** capacidade, pendor: *É homem para grandes façanhas*; *Não é pessoa para caçoadas.* **q)** preço: *Isto é livro para 100 reais.* **r)** quantidade ou quantia aproximada, incerta, ou que excede outra: *Tem aí para 8.500 livros*; *Possui para mais de três milhões.* **5.** E o elemento fundamental de umas poucas locuções adverbiais, prepositivas e conjuntivas: *para logo, para sempre, para todo o sempre*; *para com*; *para que.* [Cf. *para*, do v. *parar*.]

para[2] [Do V.C.I.] *Adj. 2 g. e 2 n. S. m. 2 n. Quím.* Diz-se de, ou qualquer derivado dissubstituído do benzeno em que os dois átomos de carbono que portam os substituintes estão diametralmente opostos. [Abrev.: *p.*]

▲ **par(a)-** [Do gr. *pará.*] *Pref.* = 'proximidade', 'ao lado de', 'ao longo de'; 'elemento acessório, subsidiário'; 'funcionamento desordenado ou anormal'; 'semelhante'; 'oposição': *paramilitar, paramorfismo; parassimpático, parafrenia, parageusia; paragênese; paradoxo.* [É seguido de hífen quando anteposto a palavra iniciada por *a* ou *h*: *para-apendicite/parapendicite, para-axial/paraxial* (em tais casos, apenas o 2º el. é flexionado na formação de plural); é grafado com *r* ou *s* duplicados quando anteposto a palavra iniciada por *r* ou *s*: *pararreumatismo, parassífilis.*] [Cf. para-[1].]

▲ **para-[1]** *Quím. Pref.* **1.** Designa 'um isômero *para*': *para-xileno.* [Nesta acepç. tb., como f. red.: *p-* (q. v.).] [Sempre us. com hífen posposto.] **2.** Indica 'que está intimamente relacionado com': *paraformaldeído.* [Neste uso, não se abrevia.] [Cf. *par(a)-*.]

▲ **para-[2]** [De *parar.*] *El. comp.* = 'que protege contra', 'que apara'. [É grafado sempre com hífen: *para-brisa, para-choque, para-lama, para-raios*, etc., em respeito à tradição lexicográfica; contudo o AOLP prescreve que os voc. *paraquedas, paraquedista* (e afins, *paraquedismo, paraquedístico*) passam a ser escritos sem hífen.] ❖

▲ **-para** V. *-paro.*

pará *S. m. Bras. RS Rel.* Certo culto religioso de influência afro-brasileira; batuque.

paraamboia (ói) [Do tupi = 'cobra do rio'.] *S. f. Bras. AM Zool.* V. *jararaca-verde.* ❖

para-axial [De *par(a)-* + *axial.*] *Adj. 2 g.* **1.** Situado ao longo de um eixo. **2.** *Ópt.* Diz-se de raio luminoso cuja inclinação em relação ao eixo óptico (2) é pequena. [Pl.: *para-axiais.*]

parábase [Do gr. *parábasis.*] *S. f. Teatr.* No antigo teatro grego, parte da tragédia ou da comédia em que um ou mais atores recobravam suas verdadeiras personalidades e se dirigiam aos espectadores, com observações, opiniões, esclarecimentos, críticas ou apelos, o que também podia ser feito pelo próprio autor: "Em *Os Acarneus*, a parábase concita o público a não abandonar o poeta" (Sábato Magaldi, *Temas da História do Teatro*, p. 51).

parabazane *Bras. S. 2 g.* **1.** *Etnôn.* Indivíduo dos parabazanes, povo indígena extinto que habitava a margem direita do rio Paraguai, a S.O. do MT. ● *Adj. 2 g.* **2.** Pertencente ou relativo a esse povo. [Tb. us. como *s. 2 g. e 2 n.* (com cap.) e *adj. 2 g. e 2 n.*]

parabélum [Do al. *Parabellum* < lat. *Si vis pacem, para bellum*, 'Se queres a paz, prepara-te para a guerra'.] *S. f. Bras.* Certa pistola automática, de procedência alemã: "Só me entrego na morte / De parabélum na mão." (Sérgio Ricardo, trilha sonora de *Deus e o Diabo na Terra do Sol.*)

parabém [De *para* + *bem* (3).] *S. m.* V. *parabéns*: "esse estado da alma que vê na inclinação do arbusto, tocado do vento, um parabém da flora universal, traz sensações mais íntimas e finas que qualquer outro." (Machado de Assis, *Dom Casmurro*, p. 117).

■ **paraben** [De *para(-hidroxi)ben(zoico).*] *Quím.* Sigla de ácido para-hidroxibenzoico, e us., tb., para os ésteres derivados dele.

parabenizar [De *parabém* + *-izar*, seg. o padrão erudito.] *V. t. d. Bras.* Apresentar parabéns a; felicitar: "Quando o menino nasce, a alegria é geral. A casa se enche de parentes, de vizinhos e de compadres que vêm olhar o recém-nascido, parabenizar os pais" (Mário Souto Maior, *Como Nasce um Cabra da Peste*, p. 71).

parabéns [Pl. de *parabém.*] *S. m. pl.* Felicitações, congratulações. [Tb. us. (raramente) no sing. Sin., p. us.: *emboras, prolfaça(s)* e (bras., gír.) *para-choques.*]

parabiju [Do tupi.] *S. m. Bras. SP Zool.* V. *bijupirá.*

parabiose [De *par(a)-* + *-bi(o)-* + *-ose*[1].] *S. f.* União de indivíduos vivos, quer natural, quer provocada por ato cirúrgico.

parabiótico [De *parabi(ose)* + *-ótico.*] *Adj.* Referente a, ou em que há parabiose.

parábola[1] [Do lat. *parabola* < gr. *parabolé.*] *S. f.* Narração alegórica na qual o conjunto de elementos evoca, por comparação, outras realidades de ordem superior: "Esta história mítica, cheia de símbolos, faz parte da seleção feita por Paulo Rónai e Aurélio Buarque de Holanda das lendas, fábulas, diálogos e apólogos, parábolas, paródias, textos que podem ser considerados a origem do conto universal." (Cecília Costa, em *O Globo*, 01.05.1999.)

parábola[2] [Do gr. *parabolé* < v. gr. *parabállein*, 'atirar para o lado', 'emparar', 'superpor'.] *S. f. Geom.* Lugar geométrico plano dos pontos equidistantes de um ponto fixo e de uma reta fixa de um plano. ◆ **Parábola cúbica.** *Mat.* Cônica cúbica em que os três pontos no infinito são coincidentes.

parabólica *S. f.* V. *antena parabólica.*

parabolicidade [De *parabólico* + *-(i)dade.*] *S. f.* Parabolismo.

parabólico [Do gr. *parabolikós.*] *Adj.* **1.** Semelhante ou relativo a parábola. **2.** *Bot.* Em forma de parábola, *i. e.*, oblongo, com a ponta arredondada e a base truncada: *folha parabólica.* ~ V. *antena —, cometa —, coordenadas —as, espelho —, espiral —a* e *velocidade —a.*

parabolismo [De *parábola*[2] + *-ismo.*] *S. m.* Qualidade ou caráter de parabólico; parabolicidade.

parabolista [De *parábola*[1] + *-ista.*] *S. 2 g.* **1.** Autor de parábolas (v. *parábola*[1]). **2.** Aquele que faz uso de parábola[1].

paraboloidal [De *paraboloide* + *-al*[1].] *Adj. 2 g.* Que tem a forma de paraboloide. ~ V. *coordenadas paraboloidais.*

paraboloide (ói) [De *parábola*[2] + *-oide.*] *Adj. 2 g.* **1.** Que tem forma de parábola geométrica. ● *S. m.* **2.** *Geom.* Superfície do segundo grau cujas seções retas são parábolas e elipses ou parábolas e hipérboles. ◆ **Paraboloide de revolução.** *Geom.* Superfície de segundo grau gerada por uma parábola que gira em torno do seu eixo de simetria. ❖

para-brisa [De *para-*[2] + *brisa.*] *S. m.* Vidro fixo colocado na parte dianteira do automóvel, que assegura ao motorista perfeita visibilidade e o protege contra o vento e a poeira. [Pl.: *para-brisas.*] ❖

paracambiense *Adj. 2 g.* **1.** De, ou pertencente ou relativo a Paracambi (RJ). ● *S. 2 g.* **2.** O natural ou habitante de Paracambi.

paracanã *Bras. S. 2 g.* **1.** *Etnôn.* Indivíduo dos paracanãs [ou (etnôn. bras.) *Parakanã], povo indígena da família linguística tupi-guarani, tronco tupi, que habita os municípios de Altamira, São Félix do Xingu, Itupiranga, Jacundá e Senador José Porfírio (PA). ● *Adj. 2 g.* **2.** Pertencente ou relativo a esse povo. [Sin. ger.: *paraitunga.*]

paração [De *parar* + *-ção.*] *S. f. Bras. RS* Paração de rodeio. ◆ **Paração de rodeio.** Ato de parar rodeio; paração. V. *rodeio.*

paracari [Do tupi.] *S. m. Bras. Bot.* V. *mentastro* (1).

paracarpo [De *par(a)-* + *-carpo.*] *S. m. Bot. P. us.* Ovário abortado.

paracatas [Alter. de *alparcatas*, pl. de *alparcata.*] *S. f. pl. Bras. RS* Sapatos grosseiros, de couro de garrão, usados na lavoura.

paracatuense *Adj. 2 g.* **1.** De, ou pertencente ou relativo a Paracatu (MG). ● *S. 2 g.* **2.** O natural ou habitante de Paracatu.

paracaúba [Do tupi.] *S. f. Bras. Bot.* Nome comum a diversas lauráceas do gênero *Ocotea* (v. *ocótea*).

paracaúba-doce *S. f. Bras. Amaz. Bot.* Árvore sapotácea (*Glycoxylon huberi*) da floresta inundável, que se caracteriza pela casca e lenho de sabor adocicado, pela madeira pardo-amarelado-rosada e moderadamente dura, e cujas bagas são doces e comestíveis. [Pl.: *paracaúbas-doces.*]

paracaxi [Do tupi.] *S. m. Bras. Amaz. Bot.* Árvore fabácea (*Pentaclethra filamentosa*) de folhas bipenadas, escuras e brilhantes, com 60 a 100 folíolos lineares, minutos, flores alvas, pequenas e organizadas em espigas cilíndricas, fruto que chega a 40cm, madeira avermelhada e dura, procurada para os barcos a vapor, e sementes que encerram perto de 50% de óleo comestível, sendo a casca tanífera. [Var.: *pracaxi, parauaxi, tarauaxi.*]

paracelsiano [Do antr. *Paracelso* (v. *paracelsismo*) + *-iano.*] *Adj. S. m.* V. *paracelsista.*

paracelsismo [Do antr. *Paracelso* + *-ismo.*] *S. m. Hist. Med.* O sistema médico de Paracelso (Philippus Aureolus Theofrastus Bombastus von Hohenheim, dito *Paracelsus*) [1493-1541], médico e sábio suíço, que verberou o galenismo (q. v.) e deu aos medicamentos minerais uma importância que dantes não tinham.

paracelsista [De *paracelsismo* + *-ista.*] *Adj. 2 g.* **1.** De, ou relativo a Paracelso ou ao paracelsismo. **2.** Que é adepto de Paracelso ou do paracelsismo. ● *S. 2 g.* **3.** Adepto de Paracelso ou do paracelsismo. [Sin. ger.: *paracelsiano.*]

paracentese [Do gr. *parakéntesis*, 'punção no flanco', pelo lat. *paracentese.*] *S. f. Cir.* Aspiração de líquido de uma cavidade por meio de punção.

paracentral [De *par(a)-* + *central.*] *Adj. 2 g.* Que fica ao lado ou próximo do centro.

paracetamol [Voc. farmac.] *S. m. Quím.* Amida aromática hidroxilada, us. como analgésico [fórm.: $C_8H_9NO_2$]. [Pl.: *paracetamóis.*]

para-choque [De *para-*[2] + *choque.*] *S. m.* **1.** Qualquer dispositivo destinado a amortecer choques. **2.** Barra ou lâmina de aço fixada horizontalmente à frente e na traseira dos automóveis para proteger a carroceria contra choques. **3.** Nas estradas de ferro, obstáculo fixo no qual vêm bater os vagões e locomotivas quando fazem manobras. [Pl.: *para-choques.*] ~ V. *para-choques.* ❖

para-choques *S. m. pl. Bras. Joc.* **1.** *Gír.* V. *parabéns.* **2.** *Chulo* Mamas, seios. ~ V. *para-choque.* ❖

para-chuva [De *para-*[2] + *chuva.*] *S. m.* V. *guarda-chuva.* [Pl.: *para-chuvas.*] ❖

paracianogénio *S. m. Quím.* V. *paracianogênio.* [Uso freq. em P.]

paracianogênio [De *para-*[1] + *cianogênio.*] *S. m. Quím.* Substância sólida e negra, um polímero do cianogênio.

paracientífico [De *par(a)-* + *científico.*] *Adj.* Que se aproxima ou está ligado ao que é científico.

paraciesia [De *par(a)-* + *-cies(e)-* + *-ia*[1].] *S. f. Obst.* Gravidez extrauterina.

paraciésico [De *paraciesia* + *-ico*[2].] *Adj.* Relativo a paraciesia.

paracinesia [De *par(a)-* + *-cines(i)-* + *-ia*[1].] *S. f. Neur.* Distúrbio de que resulta realização deformada de atos motores voluntários.

paracinético [De *paracin(esia)* + *-ético.*] *Adj.* Relativo a paracinesia.

paráclase [De *par(a)-* + *-clase.*] *S. f. Geol.* Falha[2].

paracletear [De *paracleto* (2) + *-ear*[2].] *V. t. d.* Sugerir a (alguém) o que deve responder. [Conjug.: v. *frear.*]

paracleto (é) [Do gr. *Parákletos*, pelo lat. tard. *Paracletu.*] *S. m.* **1.** *Teol.* Designação do Espírito Santo. [Com cap., nesta acepç.] **2.** Defensor, protetor, mentor.

paráclito [Do gr. *Parákletos*, pronunciado com iotacismo.] *S. m.* V. *paracleto.* [A prosódia correta seria *paraclito*, mas o uso consagrou *paráclito.*]

paracmástico [Do gr. *parakmastikós*, 'que começa a perder a força', 'o viço'.] *Adj. Med.* Que principia a diminuir (falando-se de doença).

paracoccidioidomicose [Do lat. cient. *paracoccidioidomycosis.*] *S. f. Patol.* Infecção, de alta letalidade, causada pela *Paracoccidiodes brasiliensis*, e que, iniciando-se no pulmão, se dissemina para a pele e mucosas, notadamente para a boca, podendo comprometer o tubo gastrintestinal, o baço e o fígado; doença de Lutz-Splendore-Almeida.

paracone [De *par(a)-* + *cone.*] *S. f. Paleont.* Cúspide anterior de dente molar, triangular, superior, e que ocorre em mamíferos primitivos.

paracora [De *par(a)-* + gr. *chóra*, 'espaço', 'extensão'.] *S. f. Fís.-Quím.* Parácora (q. v.).

parácora [Var. pros. de *paracora.*] *S. f. Fís.-Quím.* Propriedade aditivo-constitutiva de um líquido, que depende da tensão superficial e da densidade. [A melhor pronúncia é *paracora.*]

paracorola [De *par(a)-* + *corola.*] *S. f. Bot.* Espécie de corola pequena, situada por dentro da corola propriamente dita e formada por apêndices desta, como acontece nos narcisos.

paracristalino [De *par(a)-* + *cristalino.*] *Adj. Fís.* Diz-se de um líquido em que existe regularidade espacial na disposição de suas moléculas.
paracuri [Do tupi, poss.] *S. m. Bras. Bot.* V. *mentastro* (1).
paracuruense *Adj. 2 g.* **1.** De, ou pertencente ou relativo a Paracuru (CE). • *S. 2 g.* **2.** O natural ou habitante de Paracuru.
paracusia [De *par(a)-* + *-acus(i)-* + *-ia*[1].] *S. f. Otor.* Perversão do sentido da audição.
paracústico [De *par(a)-* + *acústico.*] *Adj. Otor.* Relativo a paracusia.
paracutaca [Do tupi.] *S. f.* **1.** *Bras. Amaz. Bot.* Árvore fabácea (*Swartzia duckei*) que habita a floresta pluvial, de madeira forte e leve, utilizada pelos índios na feitura de pequenas canoas e remos. **2.** *Bras. AM PA Zool.* V. *cauxi.*
paracuuba [Do tupi.] *S. f. Bras. Bot.* **1.** Grande árvore cesalpiniácea (*Mora paraensis*) nativa do Brasil, de tronco alto sustentado por numerosas sapopemas, folhas com pecíolo canaliculado, folíolos oblongos, ferrugíneos na face inferior, inflorescências com pequenas flores brancas, aromáticas, e frutos que são vagens mais ou menos falciformes; a madeira é dura, de boa qualidade. [Sin.: *paracuuba-branca.*] **2.** Árvore cesalpiniácea (*Dimorphandra macrostachya*) nativa da Amaz., de grossos ramos, folíolos coriáceos e flores espiciformes, reunidas em panículas; ataná. **3.** Paracuuba-da-terra-firme.
paracuuba-branca [De *paracuuba* + o f. de *branco.*] *S. f. Bras. Bot.* Paracuuba (1). [Pl.: *paracuubas-brancas.*]
paracuuba-da-terra-firme *S. f. Bras. Bot.* Árvore meliácea (*Trichilia lecointei*) nativa do Brasil, de pequenos folíolos alternos, flores em panículas tomentosas e madeira dura e pesada; paracuuba. [Pl.: *paracuubas-da-terra-firme.*]
parada [De *parar* + *-ada*[1].] *S. f.* **1.** Ato ou efeito de parar. **2.** Local onde se para; estância, paragem. **3.** Demora, pausa, interrupção, paralisação: *Um defeito na adutora ocasionou a parada no abastecimento de água.* **4.** Lugar onde para habitualmente um veículo coletivo; ponto: *parada de ônibus.* **5.** Ponto de uma linha ferroviária provido de plataforma para embarque e desembarque de passageiros, e que não interfere na circulação dos trens. [Cf. *estribo* (4) e *estação* (2).] **6.** Formatura militar para revista. **7.** Formatura e desfile das tropas de uma guarnição. **8.** Lance completo de um jogo. **9.** Quantia que se aposta ou se arrisca no jogo em cada lance: "indo e vindo, consultava-se: Se devia começar jogando forte, fazendo paradas atrevidas ....; se devia insistir no joguinho manhoso" (Coelho Neto, *Turbilhão*, p. 284). **10.** Ato de se defender de um golpe na esgrima. **11.** Golpe de capoeira. **12.** Antigo tributo; vida. **13.** *Bras. Gír.* Empresa ou situação difícil, árdua, penosa: *Amanhã, no remate do trabalho, teremos pela frente uma parada.* **14.** *Bras. Gír.* Pessoa ou animal rebelde, ou valente, difícil de ser levado: *Aquele pequeno é parada; Cavalo brabo, aquele: é uma parada.* **15.** *Bras. Gír.* Pessoa ou coisa muito bonita, muito atraente: *Com o tempo, a pequena feiosa tornou-se uma parada; A casa que ele construiu é uma parada.* **16.** *Bras. RS* Conversa fiada; fanfarronada. V. *fanfarrice* (2). **17.** *Bras. S.* Quantia pela qual se contrata uma carreira de animais. • *S. m.* **18.** *Bras. RS* Pessoa fanfarrona. ◆ **Parada cardíaca.** *Card.* Cessação ab-rupta de função cardíaca em que, estando normal a temperatura corporal, se observa perda de consciência em questão de segundos, e caso esta se prolongue por três ou quatro minutos, ocorrerá lesão cerebral irreversível. **Parada de sucessos.** *Mús. Rád. Telev.* Seleção de músicas que alcançaram maior popularidade ou vendagem, em determinado período; *hit parade.* **Parada federal.** *Bras. Gír.* Parada (13 e 14) muito dura, muito difícil; parada indigesta. **Parada indigesta.** *Bras. Gír.* Parada federal. **Aguentar a parada.** *Bras. Fam.* Aguentar a mão (1). **Topar a parada.** *Bras. Gír.* Aceitar ou enfrentar o desafio.
paradáctilo [De *par(a)-* + *-dá(c)tilo.*] *S. m. Zool.* A parte lateral dos dedos das aves. [Var.: *paradátilo.*]
paradão [De *parado* + *-ão*[1].] *Adj. S. m. Bras. Fam.* **1.** Paralítico. **2.** Diz-se de, ou pessoa inimiga de mover-se, de agir. [Fem.: *paradona.*]
paradátilo *S. m. Zool.* V. *paradáctilo.*
paradear [De *parada* (16) + *-ear*[2].] *V. int. Bras. RS* Conversar fiado; pregar mentiras; fanfarronear. [Conjug.: v. *frear.*]
paradeiro [De *parar* + *-deiro.*] *S. m.* **1.** Ponto em que alguma pessoa, animal, coisa, está ou para, ou vai parar: *Anda sumido, não sabemos do seu paradeiro; Qual o paradeiro do meu cavalo?; Ignoro o paradeiro do meu bom relógio.* **2.** *Bras. N.E. MG* Falta de movimento comercial; crise.
paradiafonia [De *par(a)-* + *-di(a)-* + *-fon(o)-* + *-ia*[1].] *S. f.* Mistura de conversas na origem de dois circuitos telefônicos; linha cruzada.
paradidático [De *par(a)-* + *didático.*] *Adj.* Diz-se de livros, material escolar, etc., que, sem serem propriamente didáticos, são utilizados para este fim.
paradigma [Do gr. *parádeigma*, pelo lat. tard. *paradigma.*] *S. m.* **1.** Modelo, padrão, estalão: "D. Luís de Meneses .... parece constituir o paradigma da síntese ideal .... entre a coragem militar e o academismo cultural." (António José Saraiva e Óscar Lopes, *História da Literatura Portuguesa*, pp. 455-456). **2.** Termo com o qual Thomas Kuhn (v. *kuhniano*) designou as realizações científicas (p. ex., a dinâmica de Newton ou a química de Lavoisier) que geram modelos que, por período mais ou menos longo e de modo mais ou menos explícito, orientam o desenvolvimento posterior das pesquisas exclusivamente na busca da solução para os problemas por elas suscitados. **3.** *E. Ling.* Conjunto de formas flexionais de uma palavra. **4.** *E. Ling.* Modelo para a flexão de uma dada classe de elementos: o verbo *amar* serve de paradigma à primeira conjugação. [V. *conjugação* e *declinação.*] **5.** *E. Ling.* Conjunto de elementos linguísticos que podem ocorrer nos mesmos ambientes. [Cf. *sintagma.*] ◆ **Paradigma defectivo.** *E. Ling.* Paradigma (3) a que faltam formas, como ocorre com os verbos defectivos portugueses.
paradigmal [De *paradigma* + *-al*[1].] *Adj. 2 g.* Paradigmático.
paradigmático [Do gr. *paradeigmatikós*, pelo lat. tard. *paradigmaticu.*] *Adj.* Relativo a, ou que encerra paradigma; paradigmal: "os mitos representam os modelos paradigmáticos estabelecidos por entes sobrenaturais e/ou a sociedade." (Bella Josef, *Jorge Luis Borges*, p. 119.)
paradiseídeo [Do tax. *Paradisaea* + *-ídeo*[1]; tax. *Paradisaeidae.*] *Zool. S. m.* **1.** Espécime dos paradiseídeos, família de aves passeriformes, arborícolas, que se alimentam de insetos, sapos, pequenos lagartos, sementes e frutos. Têm plumagem vivamente colorida e rara beleza, e habitam a Nova Guiné, Austrália e ilhas Molucas. São as aves-do-paraíso. • *Adj.* **2.** Pertencente ou relativo a eles.
paradisíaco [Do lat. tard. *paradisiacu.*] *Adj.* Pertencente ou relativo ao Paraíso, ou próprio dele; celeste, divino, edênico, paradísico.
paradísico [Do lat. tard. *paradisus* + *-ico*[2].] *Adj.* V. *paradisíaco.*
parado [Part. de *parar.*] *Adj.* **1.** Sem movimento; quieto. **2.** Fito, fixo: *olhar parado.* **3.** *Bras. N.E.* Diz-se de indivíduo sem animação; sem vida. **4.** *Pop.* Só; sem igual. [Us. em expr. como: *Está parado para bajular* (equivalente a: 'bajula como ninguém').] • *S. m.* **5.** *Esport.* V. *fixo* (10).
paradoiro [De *parar* + *-doiro*[2].] *S. m.* Paradouro (q. v.).
paradona *S. f. Bras.* Fem. de *paradão.*
parador (ô) [De *parar* + *-dor.*] *Adj.* **1.** Que para. **2.** Que para muitas vezes, com frequência: *trem parador.* **3.** *Bras. RS* Diz-se do cavaleiro que, quando o cavalo roda, *i. e.*, quando cai para a frente, consegue sair de pé. • *S. m.* **4.** *Bras. RS* Peão, ou outro campeiro, que auxilia a parar o rodeio nas estâncias. **5.** *Bras. RJ* Trem suburbano que, em seu percurso, para em todas as estações.
paradouro [De *parar* + *-douro*[2]; var. de *paradoiro.*] *S. m. Bras. RS* Lugar próximo da casa ou das mangueiras da estância, no qual o gado manso costuma passar a noite.
paradoxal (cs) [De *paradoxo* + *-al*[1].] *Adj. 2 g.* Que encerra paradoxo ou se funda em paradoxo: *dito paradoxal.*
paradoxalidade (cs) [De *paradoxal* + *-(i)dade.*] *S. f.* Qualidade de paradoxal; paradoxalismo.
paradoxalismo (cs) [De *paradoxal* + *-ismo.*] *S. m.* Paradoxalidade: "As suas ideias [de Fernando Pessoa (v. *pessoano*)] sobre poesia, no seu aparente paradoxalismo, contêm, afinal, a doutrina estética que irá culminar na sua obra de poeta." (João Gaspar Simões, *Vida e Obra de Fernando Pessoa*, I, p. 137.)
paradoxar (cs) [De *paradoxo* + *-ar*[2].] *V. int.* Dizer ou sustentar paradoxo(s): "Um literato em plena apoteose da crônica aclamada paradoxava num grupo, com ares íntimos e superiores." (João do Rio, *Vida Vertiginosa*, p. 171.)
paradoxismo (cs) [De *paradoxo* + *-ismo.*] *S. m. E. Ling.* V. *oximoro.*
paradoxista (cs) [De *paradoxo* + *-ista.*] *S. 2 g.* Pessoa dada a usar paradoxos.
paradoxo (cs) [Do gr. *parádoxon*, pelo lat. *paradoxon.*] *S. m.* **1.** Conceito que é ou parece contrário ao comum; contrassenso, absurdo, disparate: "Era um conversador admirável, adorável nos seus erros, ... nas suas opiniões revoltantes e belíssimas, nos seus paradoxos, nas suas *blagues.*" (Mário de Sá-Carneiro, *A Confissão de Lúcio*, p. 21.) **2.** Contradição, pelo menos na aparência: *A obsessão da velocidade e o congestionamento do trânsito são um dos paradoxos da vida moderna.* **3.** Figura (15) em que uma afirmação aparentemente contraditória é, no entanto, verdadeira. **4.** *Filos.* Afirmação que vai de encontro a sistemas ou pressupostos que se impuseram, como incontestáveis ao pensamento. [Cf., nesta acepç., *aporia* e *antinomia.*] **5.** *Lóg.* Dupla implicação entre uma proposição e sua negação, que caracteriza uma contradição insolúvel. [V. *paradoxos lógicos* e *paradoxos semânticos.*] **6.** *Lóg.* Dificuldade na conclusão de um raciocínio, seja pela vaguidade dos termos das suas proposições, seja pela insuficiência dos instrumentos lógicos formais. [V. *paradoxo do monte.*] ◆ **Paradoxo da implicação material.** *Lóg.* Paradoxo que decorre da definição de implicação material pela qual uma proposição falsa implica proposições verdadeiras ou proposições falsas e proposições verdadeiras podem ser implicadas por proposições verdadeiras ou proposições falsas. **Paradoxo das classes.** *Lóg.* Aquele dos paradoxos de Russell (q. v.) que mostra que, dadas as definições de classe normal e classe não normal (*i. e.*, as que não se incluem como elemento e as que se incluem como elemento), é impossível concluir se a classe de todas as classes normais *N* é ou não normal, pois é igualmente contraditório afirmar que *N* é uma classe que não se autoinclui ou que *N* é uma classe que se autoinclui. **Paradoxo do monte.** *Lóg.* Paradoxo (5) que consiste em pedir que se explique como *muitos* grãos de areia formam um *monte* de areia se um grão não forma um monte, nem dois grãos, nem três, etc. **Paradoxos de Russell.** *Lóg.* Os paradoxos lógicos das classes normais (q. v.), da propriedade impredicável e das relações, apresentados por B. Russell (v. *russelliano*). **Paradoxos lógicos.** *Lóg.* Designação dada pelo filósofo e matemático inglês Frank Plumpton Ramsey (1903-1930) aos paradoxos de Russell (q. v.), ao paradoxo do maior número natural, etc., que revelam que definições fundamentais de termos, conceitos, propriedades, ou relações da lógica ou da matemática podem levar a paradoxos. **Paradoxos semânticos.** *Lóg.* Designação dada pelo filósofo e matemático inglês Frank Plumpton Ramsey (1903-1930) aos paradoxos que, de modo não explícito, confundem os conceitos e suas referências, como, p. ex., o paradoxo de o mentiroso (v. *o mentiroso*). **Paradoxo socrático.** *Filos.* Tese socrática que afirma: "Ninguém faz o mal voluntariamente, mas por ignorância, pois a sabedoria e a virtude são inseparáveis."
paraélico [De *paraélio* + *-ico*[2].] *Adj. Fís.* De, ou relativo a paraélio.
paraélio [De *par(a)-* + *-(h)élio.*] *S. m. Fís.* Estado de um átomo de hélio em que os *spins* são antiparalelos, e que é um singleto. [Cf. *parélio.*]
paraense[1] (aên) *Adj. 2 g.* **1.** Do, ou pertencente ou relativo ao Estado do Pará. • *S. 2 g.* **2.** O natural ou habitante do Pará. [Sin. (bras., Amaz.), nesta acepç.: *paroara.*]
paraense[2] (aên) *Adj. 2 g.* **1.** De, ou pertencente ou relativo a Pará de Minas (MG). • *S. 2 g.* **2.** O natural ou habitante de Pará de Minas.
paraestatal [De *par(a)-* + *estatal.*] *Adj. 2 g. S. f.* Diz-se de, ou entidade criada por iniciativa governamental e que exerce atividade de interesse público, mas tem a natureza de instituição privada, como, p. ex., empresas públicas (Empresa de Correios e Telégrafos) e empresas de economia mista (Petrobras).
parafantasia [De *par(a)-* + *fantasia.*] *S. f.* Fantasia que ultrapassa o objeto visado e dá representações já pouco relacionadas com ele.
parafasia [De *par(a)-* + *-fas(e)-* + *-ia*[1]; fr. *paraphasie.*] *S. f. Psiq.* Forma de afasia que se caracteriza por erros de palavras ou pelo emprego inadequado delas, o que resulta na incompreensão daquilo que se diz.
parafernais [Pl. de *parafernal* < lat. med. *paraphernale* (*paraphernalis*, *e* < lat. tard. *parapherna* < gr. *parápherna*, de *pará*, 'além de', + *pherné*, 'dote').] *Adj.* ~ V. *bens* —.
parafernália [Do lat. med. *paraphernalia*, neutro pl. de *paraphernalis.*] *S. f.* **1.** Objetos de uso pessoal. **2.** Equipamento necessário a cada atividade humana: *a parafernália de um médico.* **3.** Pertences, acessórios; tralha.
parafilético [De *par(a)-* + *filético.*] *Adj. Biol.* Diz-se de grupo taxonômico que não inclui todos os descendentes de um ancestral comum.
parafilia [De *par(a)-* + *-filia.*] *S. f. Psiq.* Cada um de um grupo de distúrbios psicossexuais em que a excitação sexual é alcançada fora dos padrões sociais aceitos como normais, em que se incluem, por vezes, fantasias com objeto não humano, autossofrimento ou auto-humilhação, ou sofrimento ou humilhação, consentidos ou não, de parceiro, etc. [Deste grupo fazem parte o exibicionismo, o fetichismo, o *frottage*, a pedofilia, o masoquismo sexual, o sadismo sexual, o voyeurismo, etc.] [Sin. (desus.): *perversão sexual.*]
parafílico [De *parafilia* + *-ico*[2].] *Adj.* Relativo a parafilia.

parafimose [Do gr. *paraphímosis*.] *S. f. Urol.* Estrangulamento da base da glande do pênis pelo prepúcio estreitado e que se retraiu aquém da coroa (19) e não pode ser mobilizado para diante.

parafimósico [De *parafimose* + *-ico*[2].] *Adj.* Relativo à parafimose.

parafina [Do fr. *paraffine* < lat. *parum affinis*, 'pouco afim'.] *S. f. Quím.* **1.** Designação genérica dos hidrocarbonetos saturados. **2.** Material sólido, branco, translúcido, proveniente da destilação do alcatrão do petróleo, ou do alcatrão de madeira, constituído por uma mistura de hidrocarbonetos saturados e insaturados.

parafinação [De *parafinar* + *-ção*.] *S. f.* Parafinagem.

parafinado[1] [De *parafina* + *-ado*[1].] *Adj.* Parafínico.

parafinado[2] [Part. de *parafinar*.] *Adj.* **1.** Convertido em parafina. **2.** Misturado com parafina. **3.** Recoberto de parafina. ~ V. *papel —*.

parafinagem [De *parafinar* + *-agem*[2].] *S. f.* Ato ou efeito de parafinar; parafinação.

parafinar [De *parafina* + *-ar*[2].] *V. t. d.* **1.** Converter em parafina. **2.** Misturar com parafina. **3.** Revestir de parafina (vários produtos industriais).

parafinaria [De *parafina* + *-aria*.] *S. f.* Fábrica de velas de parafina.

parafínico [De *parafina* + *-ico*[2].] *Adj.* Da natureza da parafina; parafinado.

parafiscal [De *par(a)-* + *fiscal*.] *Adj. 2 g. Dir. Fin.* Que tem a natureza similar à de um tributo: diz-se, esp., de contribuições compulsórias, determinadas por lei, que são arrecadadas não pelo poder público mas diretamente por entidade beneficiária. Ex.: as contribuições a conselhos profissionais, como a Ordem dos Advogados.

parafiscalidade [De *parafiscal* + *-(i)dade*.] *S. f. Dir. Fin.* Qualidade ou condição de parafiscal.

paráfise [De *par(a)-* + *-fise*.] *S. f. Bot.* Hifa estéril que se encontra, entre os ascos e basídios, no himênio de fungos e liquens.

para-fogo (ô) [De *para-*[2] + *fogo*.] *S. m.* Peça móvel que se põe diante do fogo para desviar o calor; guarda-fogo. [Pl.: *para-fogos* (ó).] ❖

parafonia [De *par(a)-* + *-fon(o)-* + *-ia*[1].] *S. f. Med.* Alteração mórbida da voz.

parafónico *Adj.* V. *parafônico*. [Uso freq. em P.]

parafônico [De *parafonia* + *-ico*[2].] *Adj. Med.* Em que há parafonia, ou relativo a ela.

paraformaldeído [De *para-*[1] (2) + *formaldeído*.] *S. m. Quím.* Substância sólida, resultante da polimerização reversível do formaldeído, us. como desinfetante.

paráfrase [Do gr. *paráphrasis*, pelo lat. *paraphrase*.] *S. f.* **1.** Desenvolvimento do texto de um livro ou de um documento conservando-se as ideias originais; metáfrase. **2.** *E. Ling.* Modo diverso de expressar frase ou texto, sem que se altere o significado da primeira versão. **3.** Tradução livre ou desenvolvida. **4.** *Fam.* Comentário malevolente.

parafrasear [De *paráfrase* + *-ear*[2].] *V. t. d.* **1.** Traduzir ou explicar por meio de paráfrase. **2.** Explicar desenvolvendo. [Conjug.: v. *frear*.]

parafrasta [Do gr. *paraphrástes*, pelo lat. tard. *paraphrastes*.] *S. 2 g.* Autor de paráfrases.

parafrástico [Do gr. *paraphrastikós*.] *Adj.* Relativo a, ou que tem caráter de paráfrase.

parafrenia [De *par(a)-* + *-fren(o)-* + *-ia*[1].] *S. f. Psiq. Desus.* Transtorno mental em que há delírio crônico, de diferentes conteúdos, mas que permite, a despeito disso, uma adaptação social e profissional significativa.

parafrénico *Adj.* V. *parafrênico*. [Uso freq. em P.]

parafrênico [De *parafrenia* + *-ico*[2].] *Adj. Psiq.* Relativo a parafrenia.

parafusação [De *parafusar* + *-ção*.] *S. f.* Ato ou efeito de parafusar.

parafusado [Part. de *parafusar*.] *Adj.* **1.** Preso, atarraxado com parafuso. **2.** *Fig.* Parado; inerte.

parafusador (ô) [De *parafusar* + *-dor*.] *Adj. S. m.* Que, ou aquele que parafusa.

parafusar [De *parafuso* + *-ar*[2].] *V. t. d.* **1.** Fixar ou apertar por meio de parafuso(s) ou rosca(s); atarraxar, tarraxar. **2.** Esquadrinhar, especular, perscrutar. *T. i.* **3.** Pensar, cismar, meditar detidamente; matutar: *Parafusou longamente numa solução para o caso. Int.* **4.** Pensar, refletir, matutar: "E parafusava, sem se lhe deparar nada que apaziguasse um tanto as iras exasperadas, em fremente ebulição." (Visconde de Taunay, *Ao Entardecer*, p. 150.) [F. paral.: *aparafusar*.]

parafuso [De or. obscura.] *S. m.* **1.** Cilindro sulcado em hélice, e que se destina a ser introduzido, por meio de movimentos giratórios, em uma porca (2), sulcada do mesmo modo, mas na qual os sulcos correspondem às saliências do parafuso; parafuso de porca. **2.** Prego sulcado em hélice como o parafuso (1), com uma fenda na cabeça, à qual se adapta a chave de parafuso, e que se fixa à madeira ou a outro material resistente por meio de rotação e pressão; parafuso de fenda. **3.** A parte de qualquer objeto terminado em rosca como o parafuso: *o parafuso de uma prensa*. **4.** Rosca (1); tarraxa: *o parafuso de um brinco*. **5.** *Aer. Av.* Acrobacia aérea na qual o avião descreve uma espiral muito fechada em volta do seu eixo vertical de descida. **6.** *Bras. Cul.* Massa seca em forma de rosca ou espiral. [Sin. (it.): *fusilli*.] **7.** *Bras. PE Etnogr.* Passo de frevo em que o bailarino, com flexão total das pernas, se apoia de início em um pé, enquanto o outro se vira, permitindo o apoio de lado, arriando o corpo devagar. **8.** *Traum.* Peça metálica sulcada em hélice, empregada isoladamente ou para tornar estável placa óssea (q. v.) também metálica, visando-se, em ambos os casos, a fixar fragmentos de fratura (3). **9.** *Bras.* Certo golpe de capoeira; molinete. ◆ **Parafuso Allen.** O que tem na cabeça uma reentrância com as faces sextavadas. **Parafuso de Arquimedes.** Superfície helicoidal que, girando em torno do próprio eixo, serve para elevar líquidos. **Parafuso de fenda.** Parafuso (2). **Parafuso de porca.** Parafuso (1). **Parafuso micrométrico.** *Fís.* Parafuso de passo muito pequeno, regular e exato, por meio do qual se provocam deslocamentos pequeníssimos nas partes móveis de um instrumento. **Parafuso Philips.** O que tem na cabeça uma reentrância com a forma de uma cruzeta. **Parafuso sem fim.** Parafuso que engranza na periferia duma roda dentada e lhe transmite movimento quando gira. [Tem a propriedade de ser irreversível: a transmissão do movimento só se faz do parafuso para a roda dentada, sendo impossível transmiti-lo da roda dentada para o parafuso.] **Entrar em parafuso.** *Bras. Gír.* Ficar desorientado, baratinado. **Ter um parafuso de menos.** *Fam.* Ser aluado, meio desequilibrado mentalmente; ter um parafuso de mais; ter um parafuso frouxo; ter uma aduela de menos; ter uma aduela de mais; ter uma telha de menos, ter uma telha a mais. **Ter um parafuso de mais.** *Fam.* V. *ter um parafuso de menos*. **Ter um parafuso frouxo.** *Fam.* V. *ter um parafuso de menos*.

paragão [Do it. *paragone*.] *S. m.* Semelhança; comparação, confronto.

paragata [Alter. de *alpargata*.] *S. f. Bras. Pop.* V. *alpercata*.

paragem [De *parar* + *-agem*[2].] *S. f.* **1.** Ato de parar; parada. **2.** V. *parada* (2). **3.** Local onde alguém ou algo poderá encontrar-se: *O telegrama refere-se à paragem dos exploradores da cachoeira*. **4.** *Ant.* Parte do mar acessível à navegação. **5.** *Lus.* Lugar onde para um ônibus, bonde, etc., para subida e/ou descida de passageiros; ponto de parada: "nas ruas do centro, outros automóveis cruzavam-se, as paragens dos elétricos obrigavam o táxi a esperas que lhe pareciam não ter fim." (José-Augusto França, *Despedida Breve e Outros Contos*, p. 71).

paragénese *S. f. Petr.* V. *paragênese*. [Uso freq. em P.]

paragênese [De *par(a)-* + *-gênese*.] *S. f. Petr.* Associação de minerais constituídos pelo mesmo processo genético, quer numa rocha magmática, quer num veeiro hidrotermal.

paragenésico [De *paragênese* + *-ico*[2].] *Adj.* Paragenético.

paragenético [De *paragên(ese)* + *-ético*.] *Adj.* Relativo à, ou que se constitui mediante paragênese; paragenésico.

parageusia [De *par(a)-* + gr. *geûsis* + *-ia*[1].] *S. f. Neur.* Perversão do sentido do paladar.

paragêusico [De *parageusia* + *-ico*[2].] *Adj.* Relativo a parageusia.

paragnaisse [De *par(a)-* + *gnaisse*.] *S. m. Petr.* Gnaisse resultante do metamorfismo de antigos sedimentos (em contraposição ao *ortognaisse* [q. v.]).

paragoge [Do gr. *paragogé*, pelo lat. *paragoge*.] *S. f. E. Ling.* Figura (14) em que há adição de letra ou sílaba no fim de uma palavra; epítese. Ex.: *antes*, por *ante*; *quites* (f. errônea), por *quite*.

paragógico [De *paragoge* + *-ico*[2].] *Adj.* Em que há paragoge, ou resultante de paragoge: *A forma quites (no singular) é paragógica; o normal é* quite; *O s de quites é paragógico*. ~ V. *charada —a*.

paragominense *Adj. 2 g.* **1.** De, ou pertencente ou relativo a Paragominas (PA). ● *S. 2 g.* **2.** O natural ou habitante de Paragominas.

paragonar [Do it. *paragonare*.] *V. t. d.* Comparar, cotejar, assemelhar.

paragônia [Do tax. *Paragonia*.] *S. f. Bot.* **1.** Gênero monoespecífico de bignoniáceas, cuja espécie única habita o Brasil. **2.** A espécie desse gênero, a *Paragonia pyramidata* [v. *bejuco* (2)]. **3.** Qualquer espécime desse gênero, ou a sua flor.

paragonita [Do gr. *parágon*, 'desencaminhando', + *-ita*[3].] *S. f. Min.* Mineral monoclínico correspondente à moscovita sódica.

paragrafação [De *paragrafar* + *-ção*.] *S. f.* Ato ou efeito de paragrafar.

paragrafar [De *parágrafo* + *-ar*[2].] *V. t. d.* Dividir em parágrafos. [Sin. (ant.): *parrafar*. Pres. ind.: *paragrafo*, etc. Cf. *parágrafo*.]

paragrafia [De *par(a)-* + *-grafia*.] *S. f. Neur.* Distúrbio em que o paciente soletra errado ou escreve uma palavra por outra.

paragráfico [De *paragrafia* + *-ico*[2].] *Adj.* Relativo a paragrafia.

parágrafo [Do gr. *parágraphos*, pelo lat. *paragraphu*.] *S. m.* **1.** *E. Ling. Tip.* Unidade de texto escrito ger. assinalada pela mudança de linha e pelo recolhido (4), e cuja função é a de indicar serem as frases nela contidas o desenvolvimento de uma ideia, estando mais intimamente relacionadas entre si do que com as demais frases do texto. **2.** V. *alínea* (2). **3.** Sinal (§) que separa tais seções. [Sin. ger. (ant.): *párrafo*. Cf. *paragrafo*, do v. *paragrafar*.] ◆ **Parágrafo espanhol.** *Tip.* Aquele cuja última linha é centrada; triângulo espanhol. **Parágrafo francês.** *Tip.* Composição em sumário.

paragrama [De *par(a)-* + *-grama*.] *S. m.* Erro de grafia que consiste no emprego de uma letra por outra.

paragramatismo [Do gr. *paragrammatismós*.] *S. m.* Aliteração.

paraguá *Bras. S. 2 g.* **1.** *Etnôn.* Indivíduo dos paraguás, povo indígena extinto que habitava a região do rio Paraguaçu (MG). ● *Adj. 2 g.* **2.** Pertencente ou relativo a esse povo. [Tb. us. como *s. 2 g.* e *2 n.* (com cap.) e *adj. 2 g.* e *2 n.*]

paraguaçu *S. m. Bras. Zool.* V. *parauaçu*.

paraguaçuense[1] *Adj. 2 g.* **1.** De, ou pertencente ou relativo a Paraguaçu (MG). ● *S. 2 g.* **2.** O natural ou habitante de Paraguaçu.

paraguaçuense[2] *Adj. 2 g.* **1.** De, ou pertencente ou relativo a Paraguaçu Paulista (SP). ● *S. 2 g.* **2.** O natural ou habitante de Paraguaçu Paulista.

paraguai *S. f. Bras. Zool.* V. *maitaca-roxa*. [Cf. *Paraguai*, top.]

paraguaia *S. f. Bras. Bot.* V. *piriguara*[2].

paraguaiano *Adj.* **1.** Relativo ao rio Paraguai. **2.** *P. us.* Paraguaio (1). ● *S. m.* **3.** *P. us.* Paraguaio (2).

paraguaio *Adj.* **1.** Do, ou pertencente ou relativo ao Paraguai (América do Sul). ~ V. *sopa —a*. ● *S. m.* **2.** O natural ou habitante do Paraguai. [Sin. ger., p. us.: *paraguaiano*.]

paraguatã [Do caribe *parauatani*.] *S. f. Bras. Amaz. Bot.* Arbusto rubiáceo (*Sickingia tinctoria*) de 2 a 6m, da floresta pluvial, de folhas sésseis, pequenas, citrinas e agregadas em inflorescências glomeruliformes, e cuja casca fornece tinta vermelha.

para-hidrogénio *S. m. Quím.* V. *para-hidrogênio*. [Uso freq. em P.]

para-hidrogênio [De *para-*[1] + *hidrogênio*.] *S. m. Quím.* Hidrogênio em que os *spins* do próton e do elétron são antiparalelos. ❖

para-hidroxibenzoico (cs...ói) *Adj. Quím.* ~ V. *ácido —*. ❖

para-história (a-is) [De *par(a)-* + *história*.] *S. f.* O que se aproxima de, ou está ligado à história. ❖

paraíba[1] [Do tupi = 'variegado', + o tupi = 'árvore'.] *S. f. Bras. Bot.* V. *marupá* (1).

paraíba[2] [Do tupi = 'rio imprestável'.] *S. f.* **1.** *Bras. S.* Trecho de rio que não pode ser navegado. **2.** *Bras. Pop.* Lésbica. ● *S. m.* **3.** *Bras. Pop.* Operário de construção civil, não qualificado.

paraíba[3] *Bras. S. 2 g.* **1.** *Etnôn.* Indivíduo dos paraíbas [ou (etnôn. bras.) *Parahyba], povo indígena extinto que habitava a margem esquerda do rio Paraíba do Sul (RJ). ● *Adj. 2 g.* **2.** Pertencente ou relativo a esse povo.

paraibanense (a-i) *Adj. 2 g.* **1.** De, ou pertencente ou relativo a Paraibano (MA). ● *S. 2 g.* **2.** O natural ou habitante de Paraibano.

paraibano (a-i) *Adj.* **1.** Do, ou pertencente ou relativo ao Estado da Paraíba. ● *S. m.* **2.** O natural ou habitante da Paraíba.

paraibano-do-sul (a-i) *Adj.* **1.** De, ou pertencente ou relativo a Paraíba do Sul (RJ). ● *S. m.* **2.** O natural ou habitante de Paraíba do Sul. [Sin. ger.: *sul-paraibano*. Pl.: *paraibanos-do-sul*.]

paraibunense (a-i) *Adj. 2 g.* **1.** De, ou pertencente ou relativo a Paraibuna (SP). ● *S. 2 g.* **2.** O natural ou habitante de Paraibuna.

paraidrogénio (a-i) *S. m. Quím.* V. *paraidrogênio*. [Uso freq. em P.]

paraidrogênio (a-i) *S. m. Quím.* V. *para-hidrogênio*.

paraiense (a-i) *Adj. 2 g.* **1.** De, ou pertencente ou relativo a Paraí (RS). ● *S. 2 g.* **2.** O natural ou habitante de Paraí.

paraipabense (a-i) *Adj. 2 g.* **1.** De, ou pertencente ou relativo a Paraipaba (CE). ● *S. 2 g.* **2.** O natural ou habitante de Paraipaba.

paraisense[1] (a-i) *Adj. 2 g.* **1.** De, ou pertencente ou relativo a Paraíso (SC e SP). ● *S. 2 g.* **2.** O natural ou habitante de Paraíso.

paraisense[2] (a-i) ***Adj. 2 g. S. 2 g.*** V. *paraisense-do-norte.*

paraisense[3] (a-i) ***Adj. 2 g.*** **1.** De, ou pertencente ou relativo a Paraíso do Sul (RS). ● ***S. 2 g.*** **2.** O natural ou habitante de Paraíso do Sul.

paraisense[4] (a-i) ***Adj. 2 g.*** **1.** De, ou pertencente ou relativo a Paraíso do Tocantis (TO). ● ***S. 2 g.*** **2.** O natural ou habitante de Paraíso do Tocantins.

paraisense[5] (a-i) ***Adj. 2 g.*** **1.** De, ou pertencente ou relativo a Santana do Paraíso (MG). ● ***S. 2 g.*** **2.** O natural ou habitante de Santana do Paraíso.

paraisense[6] (a-i) ***Adj. 2 g.*** **1.** De, ou pertencente ou relativo a São João do Paraíso (MG). ● ***S. 2 g.*** **2.** O natural ou habitante de São João do Paraíso.

paraisense[7] (a-i) ***Adj. 2 g.*** **1.** De, ou pertencente ou relativo a São Sebastião do Paraíso (MG). ● ***S. 2 g.*** **2.** O natural ou habitante de São Sebastião do Paraíso.

paraisense-do-norte (a-i) ***Adj. 2 g.*** **1.** De, ou pertencente ou relativo a Paraíso do Norte (PR). ● ***S. 2 g.*** **2.** O natural ou habitante de Paraíso do Norte. [Sin. ger.: *paraisense*. Pl.: *paraisenses-do-norte.*]

paraíso [Do velho persa *paridaeza*, 'recinto circular', pelo hebr. *pardes*, pelo gr. *parádeisos* e pelo lat. *paradisu*, por via semierudita.] ***S. m.*** **1.** Lugar de delícias onde, ao que reza a Bíblia, Deus colocou Adão e Eva; Éden. **2.** Céu (6). **3.** *Fig. Fam.* Lugar aprazível, delicioso; Éden. ◆ **Paraíso fiscal.** *Econ.* País ou região onde, devido à baixa ou nula incidência de impostos, esp. do imposto de renda, e a outras facilidades, como a garantia de sigilo, é vantajoso aplicar capitais, fixar residência para efeitos tributários, etc.

paraisopolense (a-i) ***Adj. 2 g.*** **1.** De, ou pertencente ou relativo a Paraisópolis (MG). ● ***S. 2 g.*** **2.** O natural ou habitante de Paraisópolis.

paraisopolitano (a-i) ***Adj.*** **1.** De, ou pertencente ou relativo a Paraisópolis (MG). ● ***S. m.*** **2.** O natural ou habitante de Paraisópolis.

paraitunga (a-i) ***S. 2 g. Adj. 2 g.*** *Bras.* V. *paracanã*.

parajá [De *parar* + *já*.] ***S. f.*** *Bras.* V. *pirajá*.

paraju [Alter. de *maparajuba*, poss.] ***S. m.*** *Bras. Bot.* V. *maçaranduba* (6).

paraláctico [Do gr. *parallaktikós*.] ***Adj.*** Respeitante a paralaxe. [Var.: *paralático*.] ~ V. *desigualdade —a, elipse —a, libração —* e *régua —a*.

paralalia [De *par(a)-* + *-lal(o)-* + *-ia*[1].] ***S. f.*** *Neur.* Qualquer distúrbio da fala, notadamente a emissão de som que não o desejado, ou o uso, na fala, de um fonema em lugar de outro.

paralálico [De *paralalia* + *-ico*[2].] ***Adj.*** *Neur.* Referente a paralalia, ou que a tem.

para-lama [De *para-*[2] + *lama*[1].] ***S. m.*** Anteparo curvo, ou parte recurvada da carroçaria, que se situa por cima das rodas de veículos para proteger de respingos de lama, água ou detritos, quando o veículo se acha em movimento. [Sin., lus.: *guarda-lama*. Pl.: *para-lamas*.] ❖

paralampsia [Do gr. *parálampsis* + *-ia*[1].] ***S. f.*** *Oftalm.* Mancha branca em córnea.

paralâmptico ***Adj.*** Relativo à paralampsia.

paralático ***Adj.*** V. *paraláctico*.

paralaxe (cs) [Do gr. *parállaxis*.] ***S. f.*** **1.** Diferença aparente na localização de um corpo quando observado por diferentes ângulos. **2.** *Náut.* Correção que é necessário introduzir na altura de um astro em relação ao horizonte aparente para ter a sua altura em relação ao horizonte racional. [No caso do Sol, da Lua e dos planetas do sistema solar, seu valor é considerável; no caso das estrelas, é nulo.] **3.** *Astron.* Ângulo sob o qual seria visto de um astro um comprimento igual ao raio da Terra, no caso dos astros do sistema solar, ou o semieixo maior da órbita da Terra, no caso das estrelas. ◆ **Paralaxe ânua.** *Astr.* V. *paralaxe trigonométrica*. **Paralaxe anual.** *Astr.* V. *paralaxe trigonométrica*. **Paralaxe dinâmica.** *Astr.* Paralaxe de uma estrela binária, deduzida do conhecimento de sua órbita. **Paralaxe diurna.** *Astr.* Paralaxe de um astro do sistema solar. **Paralaxe espectroscópica.** *Astr.* Paralaxe de uma estrela, obtida indiretamente com o auxílio do diagrama Hertzprung-Russel (q. v.). **Paralaxe estatística.** *Astr.* Paralaxe de uma estrela, deduzida do estudo estatístico do movimento próprio de grande número de estrelas; paralaxe hipotética. **Paralaxe fotométrica.** *Astr.* Paralaxe de uma estrela, obtida da relação entre as suas magnitudes aparente e absoluta, a primeira das quais observada e a segunda deduzida de outra propriedade da estrela. **Paralaxe hipotética.** *Astr.* Paralaxe estatística. **Paralaxe horizontal.** *Astr.* Paralaxe quando o astro considerado está no horizonte. **Paralaxe secular.** *Astr.* Paralaxe de uma estrela, determinada pelo movimento de translação do sistema solar no decorrer de um século. **Paralaxe trigonométrica.** *Astr.* Paralaxe obtida diretamente pela análise da variação anual da direção de uma estrela, em virtude do movimento orbital da Terra; paralaxe ânua, paralaxe anual.

paraldeído [De *para-*[1] + *aldeído*.] ***S. m.*** *Quím.* Trímero do acetaldeído, líquido, incolor, com cheiro característico, us. como sedativo, hipnótico, e em sínteses orgânicas [fórm.: $C_6H_{12}O_3$].

paralela [F. subst. de *paralelo*.] ***Adj. (f.)*** **1.** *Geom.* Diz-se de duas retas que, situadas no mesmo plano, não têm ponto em comum. ● ***S. f.*** **2.** *Geom.* Reta que só tem em comum com outra um ponto no infinito. **3.** *Inform.* V. *interface paralela*. **4.** *Tên.* Vôlei Bola lançada paralelamente à linha lateral da quadra. ~ V. *paralelas*.

paralelas [Fem. pl. do adj. *paralelo*.] ***S. f. pl.*** **1.** Barras paralelas. **2.** *Tip.* Sinal que indica separação, representado por dois traços verticais [||]; barra dupla. **3.** *Tip.* Cada um dos dois pares de lâminas que governam os movimentos da caixa de matrizes da monotipo; compassos. ~ V. *paralela*.

paralelepipedal [De *paralelepípedo* + *-al*[1].] ***Adj. 2 g.*** Relativo a, ou que tem forma de paralelepípedo.

paralelepípedo [Do gr. *parallelepípedon*, pelo lat. tard. *parallelepipedu*.] ***S. m.*** **1.** *Geom.* Prisma cujas bases são paralelogramos; hexaedro cujas faces opostas são paralelas e congruentes. **2.** Designação vulgar do paralelepípedo reto ou retângulo. **3.** Pedra que tem esta forma e se usa no calçamento de ruas: 📖 "Na rua havia ainda grandes poças d'água, postas que os paralelepípedos, já enxutos, aparecessem muito brancos, lavados." (Coelho Neto, *Turbilhão*, p. 46.) [Sin. (em PE), nesta acepç.: *macaco*.] ◆ **Paralelepípedo oblíquo.** *Geom.* O que não é reto. **Paralelepípedo retângulo.** *Geom.* Paralelepípedo reto cujas bases são retângulos. **Paralelepípedo reto.** *Geom.* O que tem as arestas laterais perpendiculares à base.

paralelígero [De *paralelo* + *-i-* + *-gero*.] ***Adj. S. m.*** Diz-se de, ou aranha que tem os olhos em duas linhas paralelas.

paralelinérveo [De *paralelo* + *-i-* + *-nerv(i)-* + *-eo*.] ***Adj.*** *Bot.* Que tem nervuras paralelas.

paralelismo [De *paralelo* + *-ismo*.] ***S. m.*** **1.** Posição de linhas ou superfícies paralelas. **2.** *Fig.* Correspondência ou simetria entre duas ou mais coisas, comparável ao paralelismo das retas. **3.** Correspondência de ideias ou opiniões. **4.** *Arte Poét.* Repetição de ideias de estrofe a estrofe. **5.** *E. Ling.* Estruturação semelhante de orações ou sintagmas em sequência. ◆ **Paralelismo psicofísico.** *Filos.* Caráter das doutrinas que consideram que as manifestações do corpo e do espírito, embora pareçam diretamente articuladas, até mesmo, por relações de causa e efeito, na verdade, são absolutamente separadas, devendo-se a correspondência à intervenção de alguma entidade superior. [Cf. *ocasionalismo* e *harmonia preestabelecida*.]

paralelística [F. subst. de *paralelístico*.] ***S. f.*** *Arte Poét.* Cantiga de amigo (q. v.) na qual a mesma ideia se repete, com leve alteração, em estrofes de dois versos, em número par, seguidas de um refrão; cantiga paralelística.

paralelístico [De *paralelismo* + *-ist(a)-* + *-ico*[2].] ***Adj.*** **1.** Relativo a paralelismo. **2.** Que contém ou encerra paralelismo (4): 📄 *cantigas paralelísticas*. V. *paralelística*.

paralelização [De *paralelizar* + *-ção*.] ***S. f.*** Ato ou efeito de paralelizar.

paralelizar [De *paralelo* + *-izar*.] ***V. t. d.*** Tornar paralelo.

paralelo ***Adj.*** **1.** Diz-se de linhas ou superfícies equidistantes em toda a extensão. **2.** *Fig.* Que marcha a par de outro, ou progride na mesma proporção: 📖 "As duas repúblicas, Roma e Cartago, tinham origem pouco menos que simultânea e evolução quase paralela." (Aquilino Ribeiro, *Os Avós dos Nossos Avós*, p. 74); 📄 *O desenvolvimento físico da criança nos primeiros anos é paralelo ao desenvolvimento mental.* **3.** Análogo, semelhante. **4.** *Inform.* Relativo a, ou que realiza transferência ou processamento simultâneo das diversas partes ou unidades de um conjunto de informações. **5.** *Antrop.* Relativo a, ou que tem relação de parentesco pela qual um indivíduo está ligado a outro através de uma cadeia de relações de filiação e germanidade em que não figura nenhum par de germanos [v. *germano*[1] (3)] de sexo oposto. [Os parentes mais distantes, em relação aos quais a aplicação desse critério resulta ambígua, são classificados como paralelos conforme sejam assimilados terminologicamente aos parentes paralelos próximos (germanos dos pais, filhos de germanos ou os primos de primeiro grau). Cf. *cruzado*.] ~ V. *barras —as, câmbio —, contabilidade —a, esfera —a, forma —a, interface —a, mercado —, planos —s, porta —a, prima —a, primo —, processamento —, régua —a* e *vetores —s*. ● ***S. m.*** **6.** *Astr.* V. *círculo de latitude* (2). **7.** *Econ.* V. *mercado paralelo*: 📄 *Comprou dólares no paralelo.* **8.** *Fig.* Comparação, confronto, cotejo. **9.** *Geogr.* Cada um dos círculos menores da esfera perpendiculares ao meridiano. **10.** *Geom.* Numa superfície de revolução, círculo obtido pela interseção dela com um plano perpendicular ao eixo de rotação. ◆ **Paralelo celeste.** *Astr.* Paralelo de declinação. **Paralelo de declinação.** *Astr.* Lugar geométrico dos pontos da esfera celeste que têm a mesma declinação; paralelo celeste. **Paralelo de latitude.** *Astr.* V. *círculo de latitude* (2). **Paralelo geodésico.** *Mat.* Curva que intercepta ortogonalmente as geodésicas de uma superfície. [Do gr. *parállelos*, pelo lat. *parallelu*.]

paralelogramático [De *paralelogramo* + *-ático*.] ***Adj.*** Paralelogrâmico.

paralelogrâmico [De *paralelogramo* + *-ico*[2].] ***Adj.*** *Geom.* Que tem a forma de paralelogramo.

paralelogramo [Do gr. *parallelógrammon*, pelo lat. tard. *parallelogrammu*.] ***S. m.*** *Geom.* Quadrilátero plano cujos lados opostos são paralelos.

paralexia (cs) [De *par(a)-* + *-lex(i)-* + *-ia*[1].] ***S. f.*** *Neur.* Perturbação da capacidade de leitura, em que ocorre mudança de posição das letras e sílabas, produzindo confusão na palavra escrita.

paraléxico (cs) [De *paralexia* + *-ico*[2].] ***Adj.*** *Neur.* Referente a paralexia, ou que a tem.

paralheiro ***S. m.*** Recipiente em que, nos engenhos de açúcar, se baldeia o melaço.

parálico [Do gr. *parálios*, 'situado perto do mar', + *-ico*[2].] ***Adj.*** *Geol.* **1.** Diz-se do ambiente de sedimentação intermediário entre continente e mar, e que apresenta as características ora de um, ora de outro. **2.** Diz-se do depósito sedimentar que se forma nessa região.

paralinguístico (güis) [De *par(a)-* + *linguístico*.] ***Adj.*** *E. Ling.* Diz-se de tons de voz e de sons não linguísticos que acompanham a fala e que permitem saber o estado (2) em que o falante se encontra, *i. e.*, se ele está se sentindo bem ou mal, etc. ❖

parálio [Do gr. *parálios*, pelo lat. *paraliu*.] ***Adj.*** Próximo do mar; marítimo.

paralipómenos ***S. m. pl.*** V. *paralipômenos*. [Uso freq. em P.]

paralipômenos [Do gr. *Paraleipómena*, pelo lat. tard. *Paralipomena*.] ***S. m. pl.*** **1.** Parte da Bíblia que abrange toda a história sagrada até o exílio babilônico; Livro das Crônicas. **2.** *Fig.* Suplemento a qualquer obra literária.

paralipse [Do gr. *paráleipsis*.] ***S. f.*** *E. Ling.* Tipo de ironia em que se anuncia não falar de algo que será sutilmente revelado.

paralíptico ***Adj.*** Relativo à, ou em que há paralipse.

paralisação [De *paralisar* + *-ção*.] ***S. f.*** **1.** Ato ou efeito de paralisar(-se). **2.** Suspensão, interrupção, pausa, parada.

paralisado [Part. de *paralisar*.] ***Adj.*** **1.** Que foi atacado de paralisia. **2.** Parado, suspenso, interrompido: 📄 *Os trabalhos paralisados dão bem a ideia da situação da empresa.*

paralisante [De *paralisar* + *-nte*.] ***Adj. 2 g.*** Que paralisa: 📄 *gás paralisante*; *doença paralisante*.

paralisar [Do gr. *parálysis*, 'relaxamento', 'paralisia', + *-ar*[2].] ***V. t. d.*** **1.** Tornar paralítico; paraliticar: 📄 *O derrame cerebral paralisou o lado direito do pobre rapaz.* **2.** Tornar inerte; entorpecer: 📄 *O susto paralisou-o.* **3.** Enfraquecer a ação ou energia de; neutralizar. **4.** Fazer parar, cessar, o funcionamento de: 📄 *A falta de luz paralisou o comércio.* ***Int. P.*** **5.** Tornar-se paralítico; paraliticar(-se). **6.** Sofrer paralisia. **7.** Não progredir; estacionar.

paralisia [Do gr. *parálysis*, 'relaxamento', 'paralisia', + *-ia*[1].] ***S. f.*** **1.** *Med.* Perda de função motora em determinada parte do corpo. **2.** *P. ext. Med.* Perda de função sensorial. **3.** *Fig.* Falta de ação; marasmo, torpor, entorpecimento. ◆ **Paralisia agitante.** *Neur.* Denominação impr. dada à doença de Parkinson (q. v.). **Paralisia bilateral.** *Patol.* Diplegia. **Paralisia geral.** *Neur. Psiq.* Meningoencefalite difusa, de origem sifilítica, com manifestações mentais e neurológicas; paralisia geral progressiva, paralisia geral de alienados. **Paralisia geral de alienados.** *Neur. Psiq.* V. *paralisia geral*. **Paralisia geral progressiva.** *Neur. Psiq.* V. *paralisia geral*. **Paralisia infantil.** *Neur.* Moléstia infecciosa aguda, causada por vírus, e que ataca, de preferência, crianças e se caracteriza por paralisias seguidas de atrofia muscular; poliomielite anterior aguda, doença de Heine-Medin.

paraliteratura [De *par(a)-* + *literatura*.] ***S. f.*** Obra escrita que não se enquadra, propriamente, no conceito de literatura: desenho animado, ficção científica, escritos publicitários, etc.

paraliticamente (li) [Do f. de *paralítico* + *-mente*.] ***Adv.*** À maneira de paralítico; estaticamente.

paraliticar [De *paralítico* + *-ar*[2].] ***V. t. d. P.*** *P. us.* Tornar(-se) paralítico; paralisar-se. [Conjug.: v. *trancar*. Pres. ind.: *paralitico*, etc. Cf. *paralítico*.]

paralítico [Do gr. *paralytikós*, pelo lat. *paralyticu*.] ***Adj. S. m.*** Que, ou aquele que sofre de paralisia. [Sin. (bras., fam.): *paradão*. Cf. *paralitico*, do v. *paraliticar*.]

páralo [Do gr. *páralos*.] ***S. m.*** Embarcação sagrada dos atenienses, empregada apenas em serviço da religião ou do Estado.

paralogismo [Do gr. *paralogismós*, pelo lat. tard. *paralogismu*.] ***S. m. Lóg.*** Raciocínio que não é válido. [Cf. *sofisma*.]

paralúnio [De *par(a)-* + *-lun(i)-* + *-io*[3].] ***S. m. Astr.*** Halo que se forma ao redor do disco lunar.

para-luz [De *para-*[2] + *luz*.] ***S. m.*** V. *abajur* (1): 📖 "O homem político quase não se via, porque havia apenas o candeeiro protegido pelo para-luz de seda rubra e ele ficava recostado longe" (João do Rio, *Vida Vertiginosa*, p. 183). [Pl.: *para-luzes*.] ❖

paramagnético [De *par(a)-* + *magnético*.] ***Adj. Fís.*** Diz-se de um corpo cuja permeabilidade magnética relativa é maior que a unidade.

paramagnetismo [De *par(a)-* + *magnetismo*.] ***S. m. Fís.*** Propriedade das substâncias cuja suscetibilidade magnética é pequena e positiva, e que se magnetizam na direção de um campo externo.

paramarioba [Do tupi, poss.] ***S. f. Bras. Bot.*** V. *fedegoso* (2).

parambiju [Do tupi = 'biju peixe'.] ***S. m. Bras. PA Zool.*** V. *bijupirá*.

parambuense ***Adj. 2 g.*** 1. De, ou pertencente ou relativo a Parambu (CE). ● ***S. 2 g.*** 2. O natural ou habitante de Parambu.

paramécio [Do tax. *Paramecium*.] ***S. m. Zool.*** 1. Gênero de protozoários ciliados, holotríquios de corpo alongado ou ovoide. 2. Qualquer espécie desse gênero, como, p. ex., a *Paramecium caudatum*, dotada de sulco bucal afunilado na superfície oral, com orifício bucal na extremidade. 3. Qualquer espécime desse gênero.

paramédico [De *par(a)-* + *-médico*.] ***Adj.*** 1. Relativo à complementação de serviços médicos. 2. Que tem relação secundária com a medicina: 📖 "De sua atividade nas letras paramédicas, ficaram belas páginas" (Clementino Fraga Filho, *Ideias e Ideais*, p. 25). ● ***S. m.*** 3. Profissional com treinamento básico em atividade paramédica, como socorrista, técnico em enfermagem, etc.

paramentação [De *paramentar* + *-ção*.] ***S. f.*** Ato ou efeito de paramentar(-se).

paramentado [Part. de *paramentar*.] ***Adj.*** 1. Revestido com os paramentos. 2. Cheio de atavios; adornado, enfeitado, ornamentado.

paramentar [De *paramento* + *-ar*[2].] ***V. t. d.*** 1. Cobrir com paramentos. 2. Adornar, ornar, enfeitar, ataviar. ***P.*** 3. Vestir-se com os paramentos. 4. Adornar-se, ornar-se, enfeitar-se, ataviar-se. [F. paral.: *aparamentar*.]

paramenteiro [De *paramento* + *-eiro*.] ***S. m.*** Alfaiate de paramentos eclesiásticos.

paramento [Do lat. med. *paramentu*.] ***S. m.*** 1. Adorno, enfeite; ornato, atavio. 2. Face polida de pedra ou de madeira, própria para construção. 3. Superfície aparente de uma parede ou de um muro. ~ V. *paramentos*.

paramentos [Pl. de *paramento*.] ***S. m. pl.*** 1. Vestes litúrgicas: 📖 "Depois Macário [sacristão] tirara fora da cômoda os ricos paramentos sagrados de S. Rev.ma" (Inglês de Sousa, *O Missionário*, p. 102). 2. Alfaias das igrejas. ~ V. *paramento*. [Sin. ger.: *ornamentos*.]

parametamórfico [De *par(a)-* + *metamórfico*.] ***Adj.*** ~ V. *rocha* —*a*.

paramétrico[1] [De *parâmetro* + *-ico*[2].] ***Adj.*** De, ou relativo a parâmetro. ~ V. *equação* —*a* e *espaço* —.

paramétrico[2] [De *paramétrio* + *-ico*[2].] ***Adj.*** Do, ou relativo ao paramétrio.

paramétrio [De *par(a)-* + *-metr(o)-*[1] + *-io*[3].] ***S. m. Anat.*** Cada uma das duas lâminas ou bainhas formadas de tecido conjuntivo e miócitos lisos, e que se situam entre as camadas de cada ligamento largo, de cada lado do colo do útero e da porção superior da vagina. Dirigem-se às paredes laterais da bacia e constituem elementos de sustentação.

parametrite [De *paramétrio* + *-ite*[1].] ***S. f. Gin.*** Inflamação de paramétrio.

parâmetro [De *par(a)-* + *-metro*.] ***S. m.*** 1. ***Mat.*** Variável ou constante à qual, numa relação determinada ou numa questão específica, se atribui um papel particular e distinto do das outras variáveis ou constantes. 2. ***P. ext. Mat.*** Todo elemento cuja variação de valor modifica a solução dum problema sem lhe modificar a natureza. 3. ***P. ext.*** Padrão, escalão, craveira. 4. ***E. Ling.*** Variação possível de princípio (6) nas línguas existentes. ◆ **Parâmetro de desaceleração.** *Cosm.* Medida que serve para indicar a taxa de freagem da expansão do Universo. [Sin.: *constante de desaceleração*.]

paramilitar [De *par(a)-* + *militar*.] ***Adj. 2 g.*** Diz-se de corporações particulares de cidadãos, armados, fardados e adestrados, que não fazem parte do exército ou da polícia de um país: 📄 *A Guarda Nacional, organização paramilitar, prestou grandes serviços ao Brasil no tempo do Império.*

paramimia [De *par(a)-* + *-mim(o)-* + *-ia*[1].] ***S. f. Neur.*** Emprego de mímica que não condiz com o pensamento expressado.

paramímico [De *paramimia* + *-ico*[2].] ***Adj. Neur.*** Relativo a paramimia.

pará-minense ***Adj. 2 g.*** 1. De, ou pertencente ou relativo a Pará de Minas (MG). ● ***S. 2 g.*** 2. O natural ou habitante de Pará de Minas. [Pl.: *pará-minenses*.]

paramirinhense ***Adj. 2 g.*** 1. De, ou pertencente ou relativo a Paramirim (BA). ● ***S. 2 g.*** 2. O natural ou habitante de Paramirim.

paramnesia [De *par(a)-* + *-mnesia*.] ***S. f. Neur. Psiq.*** Paramnésia (q. v.).

paramnésia [Var. pros. de *paramnesia*.] ***S. f. Neur. Psiq.*** 1. Perturbação da memória em que as palavras são relembradas fora do seu significado exato. 2. Estado em que o indivíduo relembra fatos jamais acontecidos.

paramnésico [De *paramnésia* + *-ico*[2].] ***Adj.*** Relativo a paramnésia.

páramo [De or. pré-romana, pelo lat. *paramu*.] ***S. m.*** 1. Planície deserta: 📖 "O mar dorme tranquilo e sossegado, / E o céu daquele dia / É como infindo páramo azulado." (Gonçalves Crespo, *Obras Completas*, p. 73.) 2. ***P. ext.*** A abóbada celeste; o firmamento. 3. A porção alpina dos Andes. [Pl.: *páramos*. Cf. *paramos*, do v. *parar*.]

paramórfico [De *paramorfismo* + *-ico*[2], seg. o padrão erudito.] ***Adj.*** Relativo ao paramorfismo.

paramorfismo [De *par(a)-* + *-morf(o)-* + *-ismo*.] ***S. m.*** Transformação de um mineral em outro sem mudança de composição química, alternando-se apenas a estrutura cristalina.

paramotiense ***Adj. 2 g.*** 1. De, ou pertencente ou relativo a Paramoti (CE). ● ***S. 2 g.*** 2. O natural ou habitante de Paramoti.

paraná [Do tupi = 'semelhante ao mar'.] ***S. m. Bras. Amaz.*** 1. Braço de rio caudaloso, separado deste por uma ilha: 📖 "O *Justo Chermont* ora enfiava pelos estreitos 'paranás', tão ocultos nas margens que o barco dir-se-ia entrar na própria floresta, ora despachava para o céu os rolos do seu fumo em pleno centro do rio." (Ferreira de Castro, *A Selva*, p. 49.) 2. Canal que liga dois rios.

paranaboia (ói) [Do tupi.] ***S. m. Bras. MT Zool.*** Reptil ofídio, colubrídeo (*Oxibelis fulgidus*), das regiões equatorial e tropical do Brasil, de coloração azul-metálico vivo. [Cf. *bicuda* (1).] ❖

paranacitense ***Adj. 2 g.*** 1. De, ou pertencente ou relativo a Paranacity (PR). ● ***S. 2 g.*** 2. O natural ou habitante de Paranacity.

paranaense (nà) ***Adj. 2 g.*** 1. Do, ou pertencente ou relativo ao Estado do Paraná. [Sin. (no S.): *paranista*.] 2. De, ou pertencente ou relativo a Paraná (RN). ● ***S. 2 g.*** 3. O natural ou habitante daquele estado. [Sin. (no S.), nesta acepç.: *paranista* e *tinguí*.] 4. O natural ou habitante de Paraná (RN). [Cf. *paranãense*.]

paranãense ***Adj. 2 g.*** 1. De, ou pertencente ou relativo a Paranã (TO). ● ***S. 2 g.*** 2. O natural ou habitante de Paranã. [Cf. *paranaense*.]

paranaguaiú ***S. m. Zool.*** V. *agulha-branca* (1).

paranaí [Do tupi.] ***S. f. Bras. PA Zool.*** V. *maitaca-roxa*.

paranaibano (a-i) ***Adj.*** 1. De, ou pertencente ou relativo a Paranaíba (MS). ● ***S. m.*** 2. O natural ou habitante de Paranaíba.

paranaiguarense ***Adj. 2 g.*** 1. De, ou pertencente ou relativo a Paranaiguara (GO). ● ***S. 2 g.*** 2. O natural ou habitante de Paranaiguara.

paranaitense (a-i) ***Adj. 2 g.*** 1. De, ou pertencente ou relativo a Paranaíta (MT). ● ***S. 2 g.*** 2. O natural ou habitante de Paranaíta.

paranambuca [Do tupi.] ***S. f. Bras.*** Passagem entre recifes costeiros, ou entradas de um lagamar.

paraná-mirim [De *paraná* + *-mirim*.] ***S. m. Bras.*** 1. Paraná pequeno. 2. O menor dos dois braços em que um rio se divide. [Pl.: *paranás-mirins*.]

paranapanemense ***Adj. 2 g.*** 1. De, ou pertencente ou relativo a Paranapanema (SP). ● ***S. 2 g.*** 2. O natural ou habitante de Paranapanema.

paranapixana ***Bras. S. 2 g.*** 1. ***Etnôn.*** Indivíduo dos paranapixanas, povo indígena extinto que habitava a margem direita do rio Madeira (AM). ● ***Adj. 2 g.*** 2. Pertencente ou relativo a esse povo. [Tb. us. como *s. 2 g. e 2 n.* (com cap.) e *adj. 2 g. e 2 n.*]

paranapoemense ***Adj. 2 g.*** 1. De, ou pertencente ou relativo a Paranapoema (PR). ● ***S. 2 g.*** 2. O natural ou habitante de Paranapoema.

paranapuanense ***Adj. 2 g. S. 2 g.*** V. *paranapuense*.

paranapuense ***Adj. 2 g.*** 1. De, ou pertencente ou relativo a Paranapuã (SP). ● ***S. 2 g.*** 2. O natural ou habitante de Paranapuã. [Sin. ger.: *paranapuanense*.]

paranasal [De *par(a)-* + *-nas(i)-* + *-al*[1].] ***Adj. 2 g. Anat.*** Diz-se de formação (5) próxima a cavidade nasal. ~ V. *seio* —.

paranatamense ***Adj. 2 g.*** 1. De, ou pertencente ou relativo a Paranatama (PE). ● ***S. 2 g.*** 2. O natural ou habitante de Paranatama.

paranatinguense ***Adj. 2 g.*** 1. De, ou pertencente ou relativo a Paranatinga (MT). ● ***S. 2 g.*** 2. O natural ou habitante de Paranatinga.

paranaua ***Bras. S. 2 g.*** 1. ***Etnôn.*** Indivíduo dos paranauas [ou (etnôn. bras.) *Paranawa], povo indígena extinto, da família linguística catuquina, que habitava a margem esquerda do rio Gregório, afluente do Japurá (AM). ● ***Adj. 2 g.*** 2. Pertencente ou relativo a esse povo.

paranauate ***Bras. S. 2 g.*** 1. ***Etnôn.*** Indivíduo dos paranauates [ou (etnôn. bras.) *Paranawat], povo indígena extinto, do tronco linguístico tupi, que habitava a margem esquerda do rio Barão de Melgaço, na confluência com o rio Muqui (RO). ● ***Adj. 2 g.*** 2. Pertencente ou relativo a esse povo.

paranavaiense (a-i) ***Adj. 2 g.*** 1. De, ou pertencente ou relativo a Paranavaí (PR). ● ***S. 2 g.*** 2. O natural ou habitante de Paranavaí.

parança [De *parar* + *-ança*.] ***S. f.*** 1. Ato de parar. 2. Descanso, folga; pausa: 📖 "Seu fito era andar sem parança, chegar depressa." (João da Silva Correia, *Farândola*, p. 50.) 3. Demora, delonga.

paranéfrico [De *par(a)-* + *-nefr(o)-* + *-ico*[2].] ***Adj.*** Situado ao lado de rim.

paraneia (éi) ***S. f. Psiq.*** V. *paranoia*. ❖

paraneico (éi) ***Adj. S. m.*** V. *paranoico*. ❖

paraneuróptero [De *par(a)-* + *neuróptero* (q. v.); tax. *Paraneuroptera*.] ***S. m. Adj. Zool.*** V. *odonato*.

parangolé ***S. m. Bras. RJ Pop.*** Conversa fiada; lábia.

parangona [Dev. de *parangonar*.] ***S. f.*** 1. ***Tip.*** Alinhamento de tipos de corpo diverso. 2. ***Lus. Art. Gráf.*** Letra de corpo acima de 18 pontos. 3. ***Lus. Art. Gráf.*** Manchete.

parangonagem [De *parangonar* + *-agem*[2].] ***S. f. Tip.*** Ato ou efeito de parangonar.

parangonar [Do it. *paragonare*.] ***V. t. d. Tip.*** Combinar (tipos de corpos diferentes) em uma mesma linha, ger. reta, compensando as diferenças com material branco.

paranhense ***Adj. 2 g.*** 1. De, ou pertencente ou relativo a Paranhos (MS). ● ***S. 2 g.*** 2. O natural ou habitante de Paranhos.

paraninfar [De *paraninfo* + *-ar*[2].] ***V. t. d.*** Servir como paraninfo, no casamento, batismo, colação de grau, etc., de; apadrinhar: 📄 *Foi convidado para paraninfar a turma de bacharelandos.*

paranínfico [De *paraninfo* + *-ico*[2].] ***Adj.*** 1. Relativo a paraninfo. 2. De noivos.

paraninfo [Do gr. *paránymphos*, pelo lat. tard. *paranymphu*.] ***S. m.*** 1. ***Ant.*** Padrinho (1 e 2). 2. ***Fig.*** Padrinho (3). 3. Em certas solenidades, pessoa a quem se prestam homenagens e que, em geral, as retribui e agradece proferindo discurso; padrinho.

paranista ***Adj. 2 g. S. 2 g. Bras. S.*** V. *paranaense* (1 e 3).

paranoia (ói) [Do gr. *paránoia*, 'demência', 'loucura'.] ***S. f.*** 1. ***Psiq.*** Transtorno delirante (q. v.). [A f. *paraneia*, preferível, é p. us.] 2. ***P. ext. Gír.*** Mania de perseguição, ou de ver problema onde não há. 3. ***Gír.*** Maluquice, doideira. [Nas acepç. 2 e 3, tb. se diz apenas *noia* (gír).] ❖

paranoico (ói) [De *paranoia* + *-ico*[2].] ***Adj.*** 1. Relativo à, ou próprio da paranoia. 2. Que sofre de paranoia. ● ***S. m.*** 3. Aquele que dela sofre. [A. f. *paraneico*, preferível, é p. us.] ❖

paranormal [De *par(a)-* + *normal*.] ***Adj. 2 g.*** 1. Diz-se de pessoa a quem se atribuem grau de experiência e ações incomuns, fora do ordinário da capacidade humana de sentir e fazer. 2. Que está fora dos limites da experiência normal ou dos fenômenos explicáveis cientificamente: 📖 "O exame mais aprofundado dos fenômenos paranormais, como a telepatia, a percepção extrassensória e a *telekinesis*" (Mário da Silva Brito, *O Fantasma sem Castelo*, p. 41). ● ***S. 2 g.*** 3. Pessoa paranormal (1).

paranormalidade [De *paranormal* + *-(i)dade*.] ***S. f.*** Condição ou característica de paranormal.

parantropo (ô) [Do tax. *Paranthropus*.] ***S. m. Paleont.*** 1. Em algumas classificações, gênero cuja descrição corresponde à dos australopitecinos *Australopithecus robustus* e *A. bosei* (v. *australopiteco*); caracterizavam-se por terem enormes molares e pré-molares, e dentes dianteiros de tamanho reduzido. 2. Espécie ou espécime desse gênero.

paraolimpíadas [De *par(a)-* + *olimpíadas*.] ***S. f. pl.*** Olimpíadas disputadas apenas por portadores de necessidades especiais; realizam-se na mesma sede das Olimpíadas e logo após estas: 📄 *O Brasil só começou a participar das paraolimpíadas em 1972, na Alemanha.*

paraopebense ***Adj. 2 g.*** 1. De, ou pertencente ou relativo a Paraopeba (MG). ● ***S. 2 g.*** 2. O natural ou habitante de Paraopeba.

paraori ***Bras. S. 2 g.*** 1. ***Etnôn.*** Indivíduo dos paraoris [ou (etnôn. bras.) *Parahori], povo indígena extinto, da família linguística ianomâmi, que habitava a margem esquerda do rio Catrimani (RO). ● ***Adj. 2 g.*** 2. Pertencente ou relativo a esse povo. [Tb. us. como *s. 2 g. e 2 n.* (com cap.) e *adj. 2 g. e 2 n.*]

paraorvalho (pà) [De *par(a)-* + *orvalho*.] ***S. m. Astr.*** Cilindro que se coloca na parte anterior da objetiva de uma luneta astronômica para reduzir o seu resfriamento e protegê-la do orvalho.

parapará [Do tupi.] *S. m. Bras. Bot.* **1.** V. *morototó*. **2.** V. *caroba-do-mato* (1). **3.** Chapéu-de-sol (6).

parapátrico [De *par(a)-* + lat. *patria* (> *pátria*) + *-ico*^{2}.] ***Adj.*** *Biol. Ecol.* ~ V. *especiação — a.*

parapegma [Do gr. *parápegma*.] ***S. m.*** *Cronol.* **1.** Instrumento com o qual antigos astrônomos assinalavam o nascimento e o ocaso dos astros, e com o qual os astrólogos descreviam os signos e guiavam os seus cálculos. **2.** Calendário perpétuo que indicava o levante e o poente das estrelas, com previsões meteorológicas.

parapeitar [De *parapeito* + *-ar*^{2}.] ***V. t. d.*** Formar o parapeito de.

parapeito [Do it. *parapetto*.] ***S. m.*** **1.** *Constr.* Muro, parede, etc., que se eleva à altura do peito ou pouco menos. **2.** *Constr.* Peça de madeira ou de outro material que compõe a parte inferior de uma janela e serve de apoio a quem nela se debruça; peitoril. **3.** *Mil.* A parte superior duma trincheira de fortificação, destinada a resguardar os soldados que podem fazer fogo por cima dela.

parapente ***S. m.*** *Esport.* Paraquedas de forma retangular us. em competições esportivas de paraquedismo na qual os pontos são computados pelas manobras realizadas, tempo de permanência no ar e pouso no alvo.

parapentista [De *parapente* + *-ista*.] ***S. 2 g.*** *Esport.* Indivíduo que salta de parapente.

parapétalo [De *par(a)-* + *-pétalo*.] ***Adj.*** *Bot. P. us.* Diz-se das partes de uma corola quando são mais ou menos semelhantes às pétalas, porém situadas mais interiormente, como no heléboro.

parapeunense (e-u) ***Adj. 2 g.*** **1.** De, ou pertencente ou relativo a Parapeúna (RJ). • ***S. 2 g.*** **2.** O natural ou habitante de Parapeúna.

paraplegia [Do gr. *paraplegía*.] ***S. f.*** *Neur.* Paralisia dos membros inferiores e porção inferior do tronco (3).

paraplégico [Do gr. *paraplegikós*.] ***Adj.*** **1.** Relativo a, ou que tem paraplegia. • ***S. m.*** **2.** Aquele que a tem.

parapletênquima [De *par(a)-* + *pletênquima*.] ***S. m.*** *Micol.* Pletênquima em que as células das hifas estão densamente justapostas e soldadas, assemelhando-se a um genuíno tecido vegetal; pseudoparênquima.

parapodário [De *parápode* + *-ário*.] ***Adj.*** Que tem parápodes.

parápode [De *par(a)-* + *-pode*.] ***S. m.*** *Zool.* Cada um dos dois apêndices carnudos, localizados em cada segmento do corpo dos anelídeos, e que lhes servem para a locomoção; parapódio.

parapódio [Do lat. cient. *parapodium*.] ***S. m.*** *Zool.* Parápode (q. v.).

parapsicologia [De *par(a)-* + *psicologia*.] ***S. f.*** Ciência que estuda experimentalmente os fenômenos ditos ocultos (comunicação com o espírito dos mortos, dissociação da personalidade, comunicação telepática, etc.).

parapsicológico [De *parapsicologia* + *-ico*^{2}.] ***Adj.*** Referente a parapsicologia.

parapsicólogo [De *par(a)-* + *psicólogo*.] ***S. m.*** Especialista em parapsicologia.

parapsócido [Adapt. do tax. *Parapsocida*.] *Zool.* ***S. m.*** **1.** Espécime dos parapsócidos, subordem de insetos psocópteros, dotados de antenas, ger., com 15 a 47 segmentos, e tarso sempre trímero. • ***Adj.*** **2.** Pertencente ou relativo a eles.

parapuense ***Adj. 2 g.*** **1.** De, ou pertencente ou relativo a Parapuã (SP). • ***S. 2 g.*** **2.** O natural ou habitante de Parapuã.

paraquat [Voc. farmac.] ***S. m.*** *Quím.* Substância catiônica, extremamente tóxica, cujos sais são us. como herbicidas [fórm.: $(C_{12}H_{14}N_2)^{+2}$].

paraquedas [De *para-*^{2} + o pl. de *queda*.] ***S. m. 2 n.*** *Aer.* Aparelho, ger. em forma de guarda-chuva ou retangular, que serve para reduzir a velocidade da queda dos corpos no ar. ❖

paraquedismo [De *paraquedas* + *-ismo*.] ***S. m.*** *Bras.* **1.** Técnica do salto de paraquedas usada para fins militares, para salvamento, ou como esporte. **2.** Emprego sistemático do paraquedas. ❖

paraquedista [De *paraquedas* + *-ista*.] ***S. 2 g.*** **1.** Pessoa especializada em descidas em paraquedas. **2.** Militar que recebeu preparo para se atirar de paraquedas e combater na retaguarda inimiga ou em pontos estratégicos. **3.** Pessoa que faz paraquedismo. • ***Adj. 2 g.*** **4.** Que pratica o paraquedismo: *tropas paraquedistas.* ❖

paraquirodonte [Adapt. do tax. *Paracheirodon*.] ***S. m.*** *Zool.* **1.** Gênero de peixes caraciformes, caracídeos, de corpo fusiforme, com até 4cm, coloração vermelha intensa, faixas horizontais azul-metálicas, luminosas, que lembram néons [v. *néon* (2)], donde o seu nome vulgar, e que habitam a bacia amazônica; ornamentais, são muito procurados pelos aquariófilos. **2.** Qualquer espécie desse gênero, como, p. ex., a *Paracheirodon axelrodi* (v. *neon-cardinal*), a *P. innesi* (v. *neon-tetra*), e a *P. simulans* (v. *neon-verde*). **3.** Qualquer espécime desse gênero.

parar [Do lat. *parare*.] ***V. int.*** **1.** Cessar de andar, de mover-se, de falar; parar-se: "Para! Uma terra nova ao teu olhar fulgura! / Detém-te!" (Olavo Bilac, *Poesias*, p. 239.) **2.** Não ter seguimento; não continuar: *Por falta de auditório as conferências pararam.* ***T. c.*** **3.** Ficar em alguma coisa; não ir além: *Felizmente a sua curiosidade parou ali.* **4.** Deixar-se ficar (em algum lugar); fixar-se: *Comprou um automóvel, e já não para na fazenda.* **5.** Ficar suspenso ou imóvel; pairar: *Pesada nuvem parava sobre a região.* **6.** Chegar a, alcançar (determinado lugar): *É um lugar remoto, quase ninguém vai parar ali.* **7.** Apostar uma quantia ao jogo: *Parou 50 mil reais no valete, e os perdeu.* **8.** *Bras. RS* Tomar pousada; hospedar-se, albergar-se. **9.** Ficar; permanecer: *Não parou uma só pessoa na sala.* ***T. i.*** **10.** Cessar; deixar: *Não parou de chover, ontem*; "Quando pararam de lhe soprar a testa, de sacolejar-lhe o corpinho magro, Siá Maricota arrebatou-o dos braços da ama, saiu correndo, ... gritando que Pedrinho estava morrendo." (Nélson de Faria, *Tiziu e Outras Estórias*, p. 178). **11.** Ficar (em alguma coisa); não ir além: *Parou no comentário malicioso: não chegou à ofensa.* **12.** Consistir unicamente; limitar-se, restringir-se: *Sua obrigação não para em resguardar a propriedade.* ***T. d.*** **13.** Impedir de andar, de locomover-se; deter: *Vendo o obstáculo, parou o cavalo.* **14.** Interromper a marcha, o movimento de; deter, sofrear, estacar: *Parou subitamente o automóvel para não atropelar o pedestre*; "Comício pela aprovação das diretas para o Rio e reúne 800 mil pessoas na Candelária" (*Jornal do Brasil*, 11.04.1984). **15.** Fazer parar; sustar: *O Corpo de Bombeiros não conseguiu parar o incêndio.* **16.** Aparar, desviar: *parar um golpe.* **17.** Apostar^1 (1). ***Transobj.*** **18.** Tornar, converter: *O ambiente criminoso em que passou a infância parou-o, com o tempo, verdadeiro monstro.* ***P.*** **19.** Deixar de mover-se; cessar de andar. **20.** *Bras. RS* Tornar-se, fazer-se: "Falaram do estado do gado que se estava parando lindo" (Vieira Pires, *Querência*, pp. 43-44). [Pres. ind.: *paro, paras, para, paramos*, etc.; pres. subj.: *pare, pares*, etc. Cf. *para*, prep., *páramos*, pl. de *páramo* e *Páris*, mit. e antr.] ◆ **Parar com.** *Bras. Fam.* Não querer mais relações com, não mais suportar (alguém).

pararaca [Do tupi.] *Bras. MG SP GO* ***S. m.*** **1.** Lugar, nos rios, onde a água passa rápida e ruidosa sobre pedregulhos: "A água fazia uma pararaca forte, quase cachoeira, depois sossegava" (Carmo Bernardes, *Jurubatuba*, p. 47). • ***Adj. 2 g.*** **2.** Barulhento, palrador, tagarela.

para-raios [De *para-*^{2} + o pl. de *raio*.] ***S. m. 2 n.*** Sistema de condutores metálicos colocados nos pontos mais elevados de edificações e ligados à terra, com o fim de proporcionar um caminho mais fácil às descargas elétricas atmosféricas e evitar danos. ❖

parari [Do tupi.] *Bras.* ***S. f.*** *Zool.* V. *avoante.*

pararrosanilina [De *para-*^{1} + *rosanilina*.] ***S. f.*** *Quím.* Substância corante sintética, de cor vermelha arroxeada, relacionada com a fucsina e a violeta de genciana.

parartrema [Do gr. *parárthrema*.] ***S. m.*** *Med.* Luxação incompleta.

pararu [Do tupi.] ***S. m.*** *Bras. Zool.* Pomba-espelho.

parasanga [Do gr. *parasánges* (< persa *farsang*), pelo lat. *parasanga*.] ***S. f.*** Antiga medida itinerária persa equivalente a 3 milhas e 1/4, ou cerca de 5.250 metros.

parasceve [Do gr. *paraskeué*, 'preparativo', pelo lat. tard. *parasceue*.] ***S. f.*** **1.** Entre os judeus, a sexta-feira, dia em que se preparavam para celebrar o sábado. **2.** Na liturgia católica, a sexta-feira santa.

parasita ***S. m. Adj. 2 g.*** V. *parasito.*

▲ **-parasita** V. *parasit(o)-*.

parasitação [De *parasitar* + *-ção*.] ***S. f.*** Ato ou efeito de parasitar.

parasitado [De *parasito* + *-ado*^{1}.] ***Adj. S. m.*** Diz-se de, ou animal ou vegetal que é hospedeiro de parasito.

parasitar [De *parasito* + *-ar*^{2}.] ***V. int.*** **1.** Viver como parasito. ***T. d.*** **2.** Viver à custa de; explorar. [F. paral.: *parasitear*. Fut. do pret.: *parasitaria*, etc. Cf. *parasitária*, fem. de *parasitário*.]

parasitário [De *parasito* + *-ário*.] ***Adj.*** **1.** Relativo a parasito. **2.** Que tem propriedade(s), ou característica(s), de parasito (1). **3.** Que tem as características de parasito (2): *Adquiriu hábitos parasitários, já que nunca trabalhou.* [Fem.: *parasitária*. Cf. *parasitaria*, do v. *parasitar*.]

parasitarismo [De *parasitário* + *-ismo*.] ***S. m.*** V. *parasitismo.*

parasitear [De *parasito* + *-ear*^{2}.] ***V. int. T. d.*** Parasitar. [Conjug.: v. *frear*.]

▲ **parasiti-** V. *parasit(o)-*.

parasiticida [De *parasiti-* + *-cida*.] ***Adj. 2 g. S. m.*** Que, ou aquilo que destrói parasitos.

parasítico [Do lat. *parasiticu*.] ***Adj.*** **1.** Relativo a parasito. **2.** Causado por parasito: *doenças parasíticas.* **3.** *Ter.* De, ou relativo a parasítico (4). • ***S. m.*** **4.** *Ter.* O menor e menos desenvolvido de dois fetos gêmeos unidos que é alimentado pelo outro, dito autosito.

parasitífero [De *parasiti-* + *-fero*.] ***Adj.*** Que tem ou alimenta parasitos.

parasitismo [De *parasit(o)-* + *-ismo*.] ***S. m.*** **1.** Qualidade ou condição de parasito (1). **2.** Vida ou hábitos de parasito (2). [Sin. ger.: *parasitarismo*.] ◆ **Parasitismo fitofítico.** Parasitismo em que um vegetal parasita outro. **Parasitismo zoofítico.** Parasitismo em que um animal parasita um vegetal. **Parasitismo zoótico.** Parasitismo em que um animal parasita outro.

parasito [Do lat. *parasitu* < gr. *parásitos*.] ***S. m.*** **1.** Organismo que, pelo menos em uma fase de seu desenvolvimento, se encontra ligado à superfície ou ao interior de outro organismo, dito hospedeiro, do qual obtém a totalidade ou parte de seus nutrientes. **2.** Indivíduo que não trabalha, habituado a viver, ou que vive, à custa alheia. [Sin., nesta acepç.: *comedor, esponja* e (bras.) *gaudério, godero, gandulo, pançudo, papa-jantares, zangão, zângano*.] **3.** *Zool.* V. *chupim* (1). • ***Adj.*** **4.** Que nasce ou cresce em outros corpos organizados. **5.** Que vive à custa alheia; arrimadiço, pançudo. [A f. de maior uso é *parasita*.] ~ V. *janicéfalo —.*

▲ **parasit(o)-** [Do gr. *parásitos, os, on* < gr. *pará*, 'junto de', 'ao lado de', + gr. *sîtos, ou*, 'alimento' (v. *sito-*).] ***El. comp.*** = 'parasito': *parasitofobia, parasitologia.* [Equiv.: *parasiti-, -parasita, -parasito, -parasit(o)-*: *parasiticida, parasitífero; hemiparasita; ectoparasito, endoparasito, hemiparasito; hemiparasitismo.*]

▲ **-parasit(o)-** V. *parasit(o)-*.

▲ **-parasito** V. *parasit(o)-*.

parasitofobia [De *parasit(o)-* + *-fobia*.] ***S. f.*** *Psiq.* Medo patológico de parasito, ou de contrair moléstias parasitárias.

parasitofóbico [De *parasitofobia* + *-ico*^{2}.] *Psiq.* ***Adj.*** **1.** Relativo a parasitofobia. **2.** Que sofre de parasitofobia; parasitófobo. • ***S. m.*** **3.** Aquele que sofre de parasitofobia; parasitófobo.

parasitófobo [De *parasit(o)-* + *-fobo*.] ***Adj. S. m.*** *Psiq.* Parasitofóbico (2 e 3).

parasitologia [De *parasit(o)-* + *-logia*.] ***S. f.*** Estudo científico dos parasitos. ◆ **Parasitologia agrícola.** Ramo da agronomia que estuda os problemas causados por parasitos, esp. por pragas [v. *praga* (5)] à agricultura, e que pesquisa, tb., insetos que não se constituem em pragas.

parasitológico [De *parasitologia* + *-ico*^{2}.] ***Adj.*** Relativo a parasitologia.

parasitologista [De *parasitologia* + *-ista*.] ***S. 2 g.*** Especialista em parasitologia; parasitólogo.

parasitólogo [De *parasit(o)-* + *-logo*.] ***S. m.*** Parasitologista.

parasitose [De *parasita* + *-ose*^{1}.] ***S. f.*** *Patol.* Designação genérica das doenças ocasionadas pelas diferentes espécies de parasitas que infestam o homem e os animais, também conhecidas por moléstias parasitárias ou afecções parasitárias.

para-sol [De *para-*^{2} + *sol*.] ***S. m.*** **1.** V. *guarda-sol* (2). **2.** V. *guarda-chuva*. [Pl.: *para-sóis*.] ❖

para-sol-da-china [De *para-sol* + *da*^{1} + o top. *China*.] ***S. m.*** *Bot.* Árvore esterculiácea (*Sterculia platanifolia*) de origem asiática, e cultivada como ornamental. Folhas amplas, arredondadas, cordadas, de três a cinco lobos; flores pequenas, esverdeadas e dispostas em panículas terminais; o fruto é um grande folículo lenhoso. [Pl.: *para-sóis-da-china*.] ❖

parasselene ***S. m.*** V. *parasselênio.*

parasselénio ***S. m.*** V. *parasselênio.* [Uso freq. em P.]

parasselênio [De *par(a)-* + *-selen(o)-* + *-io*^{3}.] ***S. m.*** Meteoro luminoso que se mostra juntamente com halo e parece multiplicar a imagem da Lua.

parassematografia [De *par(a)-* + *-semat(o)-* + *-grafia*.] ***S. f.*** Heráldica.

parassematográfico [De *parassematografia* + *-ico*^{2}.] ***Adj.*** Referente a parassematografia; heráldico.

parassematógrafo [De *parassemato-*, como em *parassematografia*, + *-grafo*.] ***S. m.*** Especialista em parassematografia; heraldista.

parassífilis [De *par(a)-* + *sífilis*.] ***S. f. 2 n.*** *Med.* Designação sob que estão compreendidas afecções do sistema nervoso central tardias e bastante distintas, como, p. ex., a paralisia geral de alienados (q. v.), uma das principais delas.

parassifilítico [De *parassífilis* + *-ítico*.] ***Adj.*** Relativo a parassífilis.

parassimpático [De *par(a)-* + *simpático* (5).] ***S. m.*** *Anat.* V. *sistema nervoso autônomo.*

parassíntese [De *par(a)-* + *síntese*.] ***S. f.*** *E. Ling.* Formação de palavras por aglutinação simultânea de prefixo e sufixo. Ex.: *aflautar* (< *a-*^{2} + *flauta* + *-ar*^{2}); *enraivecer* (< *en-*^{2} + *raiva* + *-ecer*).

parassintético [De *parassínt(ese)* + *-ético*.] ***Adj.*** *E. Ling.* Relativo a, ou em que há parassíntese. ~ V. *derivação —.*

P

parassonia [De *par(a)-* + *-son(i)-* + *-ia*[1]; ingl. *parasomnia.*] *S. f. Psiq.* Distúrbio (3) em que eventos anormais como sonambulismo, pesadelos, etc., ocorrem em determinadas fases do sono.

parastaminia [De *par(a)-* + *-stamin(i)-* + *-ia*[1].] *S. f. Bot.* Estado dos estames abortados ou dos órgãos que, parecendo estames, não exercem as funções destes.

parastilo [De *par(a)-* + *-stilo*[1].] *S. m. Bot.* Pistilo abortado, ou órgão que parece pistilo mas não exerce as funções deste.

paratarso [De *par(a)-* + *-tarso.*] *S. m. Zool.* A parte lateral do tarso das aves.

parataxe (cs) [De *par(a)-* + *-taxe.*] *S. f. E. Ling.* **1.** Coordenação assindética: *Cheguei, vi, venci.* **2.** Orações interligadas sem o recurso às conjunções; justaposição.

parati[1] *S. m. Bras.* **1.** Cachaça fabricada em Parati (RJ). **2.** *P. ext.* V. *cachaça* (1): "tragava dois dedos de parati pra cortar a friagem" (Aluísio Azevedo, *O Cortiço*, p. 133).

parati[2] [Do tupi = 'peixe branco'.] *S. m. Bras. Zool.* Peixe teleósteo, perciforme, mugilídeo (*Mugil curema*), distribuído desde as costas africanas até as costas do Brasil, de coloração branca com salpicos nos flancos, nadadeiras dorsal e anal cobertas de escamas. Diferencia-se das tainhas pela ausência de listras no corpo. É pescado com rede de arrasto. [Sin.: *mondego, paratibu, parati-olho-de-fogo, pratibu, pratiqueira, solé.*]

parati-barbudo *S. m. Bras. Zool.* Barbado[1] (7). [Pl.: *paratis-barbudos.*]

paratibu *S. m. Bras. BA Zool.* V. *parati*[2].

paratiense *Adj. 2 g.* **1.** De, ou pertencente ou relativo a Parati (RJ). ● *S. 2 g.* **2.** O natural ou habitante de Parati.

paratífico [De *paratifo* + *-ico*[2].] *Adj.* Relativo ao paratifo, ou a bacilo que seja causa de infecção do grupo do paratifo (q. v.).

paratifo [De *par(a)-* + *tifo.*] *S. m. Med.* Doença infecciosa de que há mais de um tipo, causada por bactéria específica para cada um desses tipos.

paratifoide (ói) [De *par(a)-* + *tifoide.*] *Adj. 2 g.* Diz-se de infecção causada por qualquer dos sorotipos *Salmonella*, excetuada a *Salmonella typhy.* ❖

paratinguense *Adj. 2 g.* **1.** De, ou pertencente ou relativo a Paratinga (BA). ● *S. 2 g.* **2.** O natural ou habitante de Paratinga.

parati-olho-de-fogo *S. m. Bras. Zool.* V. *parati*[2]. [Pl.: *paratis-olho-de-fogo.*]

parátipo [De *par(a)-* + *-tipo.*] *S. m. Bot. Zool.* Espécime que o autor que determinou a espécie ou variedade, animal ou vegetal, menciona como igual ao tipo na descrição original.

paratiqueira [De *parati*[2].] *S. f. Bras. AM Zool.* Tainha pequena. [Cf. *pratiqueira.*]

paratireoide (ói) [De *par(a)-* + *tireoide.*] *S. f. Anat.* V. *glândula paratireóidea.* ❖

paratireóideo [De *par(a)-* + *tireóideo.*] *Adj. Anat.* ~ V. *glândula —a.*

paratiri *Bras. S. 2 g.* **1.** Indivíduo dos paratiris, povo indígena de RR. ● *Adj. 2 g.* **2.** Pertencente ou relativo a esse povo. [Tb. us. como *s. 2 g. e 2 n.* (com cap.) e como *adj. 2 g. e 2 n.*]

paratitlário [De *paratitlos* + *-ário.*] *S. m.* Autor de paratitlos.

paratitlos [Do gr. *parátitla.*] *S. m. pl.* Breve anotação ou comentário dos títulos do Digesto e de outras coletâneas de leis, para conhecimento de sua matéria e concatenação.

parátopo [De *par(a)-* + *-topo.*] *S. m. Imun.* Local, em molécula de anticorpo, a que se liga antígeno.

paratraqueal [De *par(a)-* + *traqueal.*] *Adj. 2 g.* **1.** *Bot.* Situado em torno dos vasos do lenho: *parênquima paratraqueal.* **2.** *Anat.* Diz-se de formação (5) situada lateralmente à traqueia.

paratropa [De *para(quedista)* + *tropa.*] *S. f. Mil.* Tropa de paraquedistas.

paratudal [De *paratudo* + *-al*[1].] *S. m. Bras. Amaz. MT* **1.** Quantidade mais ou menos considerável de paratudos dispostos proximamente entre si. **2.** Área ocupada por paratudal (1).

paratudo [De or. controv.] *S. m. Bot.* **1.** *Bras.* V. *falso-paratudo.* **2.** *Bras. SP* V. *boi-gordo.* **3.** V. *caraíba*[2] (1).

paraturá [Do tupi.] *S. m. Bras. Bot.* Poácea aquática (*Spartina brasiliensis*) cujo rizoma se fixa ao fundo da coleção líquida, ficando as folhas emersas, e que se caracteriza por ser um capim muito denso.

parau [Do dravídico *padavu.*] *S. m. Lus.* Antiga embarcação oriental, de mastros e remos de bambu, semelhante à fusta, e us. na guerra ou no comércio. [Var.: *paró.*]

parauá *Bras. S. 2 g.* **1.** *Etnôn.* Indivíduo dos parauás, povo indígena extinto que habitava a margem esquerda do alto rio Juruá (AM). ● *Adj. 2 g.* **2.** Pertencente ou relativo a esse povo. [Tb. us. como *s. 2 g. e 2 n.* (com cap.) e *adj. 2 g. e 2 n.*]

parauaçu [Do tupi.] *S. m. Bras. N. Zool.* Designação comum aos primatas cebídeos, gênero *Pithecia*, da Amaz. e Guianas, sendo as espécies mais comuns o *P. monacha*, do N., O. e S. do AM, e o *P. pithecia*, da região ao N. do rio Amazonas. Têm cauda longa, não preensora, totalmente coberta de pelos, polegar bem desenvolvido, face parcialmente coberta de pelos, e pelos na cabeça, formando capuz. Vivem em pequenos bandos. [Var. ou f. paral.: *paraguaçu.* Sin.: *cuxiú, macaco-cabeludo, piroculu.*]

parauamboia (ói) *S. f. Bras. PA Zool.* V. *piramboia.* ❖

parauana *Bras. S. 2 g.* **1.** *Etnôn.* Indivíduo dos parauanas, povo indígena extinto que habitava o PA. ● *Adj. 2 g.* **2.** Pertencente ou relativo a esse povo.

parauapebense *Adj. 2 g.* **1.** De, ou pertencente ou relativo a Parauapebas (PA). ● *S. 2 g.* **2.** O natural ou habitante de Parauapebas.

parauara [Do tupi.] *S. m. Bras.* Paroara.

parauatiti *Bras. S. 2 g.* **1.** *Etnôn.* Indivíduo dos parauatitis, povo indígena extinto que habitava as margens do rio Tapajós (PA). ● *Adj. 2 g.* **2.** Pertencente ou relativo a esse povo. [Tb. us. como *s. 2 g. e 2 n.* (com cap.) e *adj. 2 g. e 2 n.*]

parauaxi *S. m. Bras. Bot.* V. *paracaxi.*

parauense (a-u) *Adj. 2 g.* **1.** De, ou pertencente ou relativo a Paraú (RN). ● *S. 2 g.* **2.** O natural ou habitante de Paraú.

parauiana *Bras. S. 2 g.* **1.** *Etnôn.* Indivíduo dos parauianas, povo indígena extinto, da família linguística caraíba, que habitava a margem direita do rio Branco (RR). ● *Adj. 2 g.* **2.** Pertencente ou relativo a esse povo. [Tb. us. como *s. 2 g. e 2 n.* (com cap.) e *adj. 2 g. e 2 n.*]

paraunense (a-u) *Adj. 2 g.* **1.** De, ou pertencente ou relativo a Paraúna (GO). ● *S. 2 g.* **2.** O natural ou habitante de Paraúna.

paráuquene [De *par(a)-* + gr. *auchén, enos*, 'pescoço'; 'garganta'.] *S. m. Zool.* A parte lateral do pescoço dos mamíferos e das aves.

parável [Do lat. *parabile.*] *Adj. 2 g.* Que se obtém facilmente.

para-vento [De *para-*[2] + *vento.*] *S. m.* **1.** V. *guarda-vento*: "erguem-se um pouco .... para olhar, por cima dos para-ventos de vidros opacos, o interior barulhento desse pequeno cabaré." (Ribeiro Couto, *A Cidade do Vício e da Graça*, p. 83). **2.** Tipo de choça de ramagens constituído por uma série de galhos de árvores fixados no solo verticalmente ou obliquamente. [Pl.: *para-ventos.*] ❖

paraventral [De *par(a)-* + *ventral.*] *Adj. 2 g. Anat.* Situado lateralmente ao ventre.

paraviana *Bras. S. 2 g.* **1.** *Etnôn.* Indivíduo dos paravianas, povo indígena da família linguística caraíba, que habita a região do rio Branco (RR). ● *Adj. 2 g.* **2.** Pertencente ou relativo a esse povo. [Outra f.: *paravilhana*. Tb. us. como *s. 2 g. e 2 n.* (com cap.) e *adj. 2 g. e 2 n.*]

paravilhana *Bras. S. 2 g. Adj. 2 g.* Paraviana.

paraxial (cs) [De *par(a)-* + *axial.*] *Adj. 2 g. Ópt.* Diz-se do raio luminoso pouco inclinado em relação ao eixo óptico.

paraxim *Bras. S. 2 g.* **1.** *Etnôn.* Indivíduo dos paraxins, povo indígena extinto que habitava a margem esquerda do rio Suaçuí Grande (MG). ● *Adj. 2 g.* **2.** Pertencente ou relativo a esse povo. [Tb. us. como *s. 2 g. e 2 n.* (com cap.) e *adj. 2 g. e 2 n.*]

parazeiro [Do top. *Pará* + *-zeiro.*] *S. m. Bras.* Alcunha que dão aos paraenses, os goianos, tocantinenses e maranhenses que habitam a região do rio Tocantins.

parazinhense *Adj. 2 g.* **1.** De, ou pertencente ou relativo a Parazinho (RN). ● *S. 2 g.* **2.** O natural ou habitante de Parazinho.

parazoário [De *par(a)-* + *-zo(o)-* + *-ário*; tax. *Parazoa.*] *Zool. S. m.* **1.** Espécime dos parazoários, grupo de animais metazoários caracterizados por terem células digestivas numerosas, internas, flageladas. São as esponjas ou animais desprovidos de cavidade digestiva. ● *Adj.* **2.** Pertencente ou relativo a eles.

parazónio *S. m.* V. *parazônio.* [Uso freq. em P.]

parazônio [Do gr. *parazónion*, pelo lat. *parazoniu.*] *S. m.* Espada curta, com boldrié, us. por antigos gregos e romanos, e que é atributo das estátuas de Marte e dos heróis.

parboilização [De *parboilizar* + *-ção.*] *S. f.* **1.** Processo no qual um alimento (esp. cereais e vegetais) é pré-cozido, por imersão em água fervendo. **2.** *Restr.* Este processo no tratamento do arroz (2) para absorção, no grão, das vitaminas e sais minerais da casca. [Var. sincopada: *parbolização.*]

parboilizado [Part. de *parboilizar.*] *Adj.* Diz-se do arroz parcialmente cozido, em processo de parboilização. [Var. sincopada: *parbolizado.*]

parboilizar [Adapt. do ingl. (*to*) *parboil*, 'aferventar', pré-cozer'; ver *-izar.*] *V. t. d.* Realizar a parboilização de. [Var. sincopada.: *parbolizar.*]

parbolização *S. f.* V. *parboilização.*

parbolizado *Adj.* V. *parboilizado.*

parbolizar *V. t. d.* V. *parboilizar.*

parca[1] [Do mit. lat. *Parca.*] *S. f.* **1.** Cada uma das três deusas (Cloto, Láquesis e Átropos) que, consoante a mitologia, fiavam, dobavam e cortavam o fio da vida. **2.** *Fig.* A morte. [Com cap.]

parca[2] [Do aleúte, pelo ingl. *parka.*] *S. f.* **1.** Casaco com capuz, e que vai até as coxas, ou até os joelhos, ger. feito de pele (7), us. na região polar. **2.** *P. ext.* Casaco, ger. impermeável, semelhante à parca (1), para uso esportivo, militar, etc.

parceirada [De *parceiro* + *-ada*[1].] *S. f. Bras.* **1.** Conjunto de parceiros; parceiragem. **2.** Maneira de se distribuírem os parceiros, em certos jogos.

parceiragem [De *parceiro* + *-agem*[2].] *S. f. Bras.* Parceirada (1).

parceiro [Do lat. *partiariu*, por via pop.] *Adj.* **1.** Igual, semelhante, parelho, par. ● *S. m.* **2.** Aquele que está de parceria; comparte, quinhoeiro, sócio. **3.** V. *cúmplice* (2). **4.** Par, companheiro, consorte. **5.** Pessoa com quem se joga. **6.** *Pop.* Finório, espertalhão. ◆ **Parceiro comercial.** *Adm.* Empresa com a qual uma organização mantém algum tipo de cooperação que é benéfica para ambas, podendo ser um cliente, um fornecedor, um intermediário ou mesmo o fabricante de itens complementares.

parcel [Do esp. *placer.*] *S. m.* Escolho, recife, baixio: "O mar é semeado de parcéis onde a quebrança das vagas se faz com fragor horrendo" (João Ribeiro, *A Língua Nacional*, p. 197). [Pl.: *parcéis.*]

parcela [Do fr. *parcelle* < lat vulg. **particella*, dim. de *pars, partis*, 'parte'.] *S. f.* **1.** Pequena parte; fração, fragmento. **2.** *Mat.* Cada um dos elementos submetidos à operação de soma. [Cf. (nesta acepç.) *fator* (3).] **3.** *Bras. Liter. Pop.* V. *carretilha* (4).

parcela de dez *S. f. Bras. Liter. Pop.* V. *carretilha* (4). [Pl.: *parcelas de dez.*] ☑

parcelado[1] [De *parcel* + *-ado*[1].] *Adj.* Que tem parcéis.

parcelado[2] [Part. de *parcelar.*] *Adj.* **1.** Dividido em parcelas: *pagamento parcelado.* **2.** *Bras.* Dizia-se de exame ou prova feita separadamente, por disciplina.

parcelamento [De *parcelar* + *-mento.*] *S. m.* Ato, efeito ou maneira de parcelar[2]. ◆ **Parcelamento da terra.** *Urb.* Divisão de uma área de terreno em lotes [v. *lote*[1] (10)], sob a forma de desmembramento ou loteamento. **Parcelamento em condomínio.** *Urb.* Divisão de uma área de terreno em frações ideais, demarcadas ou não em áreas de uso privativo, e cujos acessos e vias de circulação internas são de propriedade e responsabilidade de condôminos.

parcelar[1] [De *parcela* + *-ar*[1].] *Adj. 2 g.* Feito ou dividido em parcelas.

parcelar[2] [De *parcela* + *-ar*[2].] *V. t. d. T. d. e c. T. d. e i.* Dividir em parcelas: *parcelar um pagamento; Parcelou a dívida em 15 prestações; Parcelou o pagamento em várias vezes.*

parceleiro [De *parcela* + *-eiro.*] *S. m.* Dono de uma parcela de terra.

parceria [Por **parceiria* < *parceiro* + *-ia*[1].] *S. f.* **1.** Reunião de pessoas para um fim de interesse comum; sociedade, companhia. **2.** *Bras.* Grupo de dois ou mais compositores de música popular. ◆ **Parceria agrícola. 1.** Sistema de produção agrícola em que o produto é repartido entre o proprietário da terra e o produtor direto. [Cf. *meação* (4) e *terça* (7).] **2.** *Jur.* Contrato que formaliza tal sistema e estipula suas condições, como a proporção de repartição do produto. **Parceria marítima.** *Jur.* Empresa em que se associam os condôminos de um navio para explorá-lo. **Parceria pecuária.** *Jur.* Contrato pelo qual se entregam animais a outrem para pastorear, tratar e criar, a troco de uma cota nos lucros. **Parceria rural.** A parceria agrícola e a pecuária.

parcha *S. f.* Casulo onde morreu de doença o bicho-da-seda.

parche [Do fr. ant. *parche.*] *S. m.* Pano barrado de unguento, ou embebido nalgum líquido, que se aplica sobre uma parte doente do corpo com o fim de combater dor ou inflamação; emplastro, curativo. [Var.: *parcho* e (pop.) *pacho.*]

parchear [De *parche* + *-ear*[2].] *V. t. d.* Pôr parche em. [Conjug.: v. *frear.*]

parcho *S. m.* V. *parche.*

parcial [Do lat. tard. *partiale.*] *Adj. 2 g.* **1.** Que faz parte de um todo. **2.** Que não é total: *resultado parcial; pagamento parcial.* **3.** Que se realiza por partes: *provas parciais.* **4.** Favorável a uma das partes, num litígio, numa questão, numa partida esportiva, etc.: *O árbitro mostrou-se parcial ao marcar aquela falta.* **5.** Que não julga ou não opina com isenção; injusto, partidário, apaixonado: *Não se pode discutir com ele: é muito parcial.* ~ V. *convés —, correlação —, derivada —, diferencial —, eclipse —, equação diferencial —, instalação —, pressão —, prova —.* ● *S. 2 g.* **6.** Partidário de alguém; sectário, correligionário.

• *S. f.* 7. Prova parcial: *O aluno fez boas parciais.* 8. V. *chave* (10).

parcialidade [Do lat. med. *partialitate.*] *S. f.* 1. Qualidade de parcial; parcialismo. 2. Paixão partidária; parcialismo. 3. Partido, facção.

parcialismo [De *parcial* + *-ismo.*] *S. m.* Parcialidade (1 e 2).

parcialização [De *parcializar* + *-ção.*] *S. f.* Ato ou efeito de parcializar(-se).

parcializar [De *parcial* + *-izar.*] *V. t. d.* 1. Tornar parcial. *T. d. e i.* 2. Associar (a um bando ou facção): *Tentaram parcializá-lo aos rebeldes. P.* 3. Abraçar o partido de alguém; aliar-se, associar-se; conjurar-se.

parciário [Do lat. tard. *partiariu*, por via semierudita.] *Adj.* 1. Que tem parte em algo; participante. • *S. m.* 2. Aquele que tem parte em algo; participante, quinhoeiro.

parcimónia *S. f.* V. *parcimônia*. [Uso freq. em P.]

parcimônia [Do lat. *parcimonia.*] *S. f.* 1. Qualidade de parco. 2. Ato ou costume de economizar, de poupar; economia: "Vivia com severa parcimônia dos seus 800 réis havidos da Santa Casa" (Camilo Castelo Branco, *A Brasileira de Prazins*, p. 148).

parcimonioso (ô) [De *parcimônia* + *-oso.*] *Adj.* V. *parco*.

parcíssimo [Do lat. *parcissimu.*] *Adj.* Superl. abs. sint. de *parco*.

parco [Do lat. *parcu.*] *Adj.* 1. Que poupa ou economiza; econômico, poupado. 2. Moderado nos gastos e na alimentação; simples, frugal, sóbrio. 3. Não abundante; simples, modesto, frugal, sóbrio: "só resta dizer que essa refeição foi das mais parcas da minha vida: um ovo, uma fatia de pão, uma xícara de chá." (Machado de Assis, *Memórias Póstumas de Brás Cubas*, p. 281). 4. Minguado, escasso: "enamorou-se de uma viúva, senhora de condição mediana e parcos meios de vida" (Id., *Quincas Borba*, p. 5); "Meus parcos vencimentos chegam-me apenas para os gastos essenciais" (Jorge Amado, *Os Velhos Marinheiros*, p. 273). [Sin. ger.: *parcimonioso*. Superl. abs. sint.: *parcíssimo*.]

pardacento [De *pardaço* + *-ento.*] *Adj.* Tirante a pardo; pardaço, pardento, pardilho, pardusco.

pardaço [De *pardo*² + *-aço.*] *Adj.* V. *pardacento*.

pardal [De or. incerta; poss. do gr. *párdolos*, 'certo pássaro' (< gr. *párdos*, 'leopardo', 'pantera', fonte tb. do lat. *pardus* [v. *pardo*¹]).] *S. m.* 1. *Zool.* Ave passeriforme, passerídea (*Passer domesticus*), da região paleártica, de coloração bruno-parda com tonalidades ferrugíneas. O macho tem mancha preta que abrange a garganta e o peito, e asas malhadas de preto com listras brancas; a fêmea, coloração uniforme, mais acastanhada. Alimenta-se de grãos e sementes de gramíneas, raramente de insetos e outros artrópodes e, nas cidades, aproveita restos de toda sorte; nidifica nas habitações humanas, e não se adapta a viver onde não habite o homem. Atualmente se acha disseminado por quase todo o Brasil. [Fem.: *pardoca* e *pardaloca*.] 2. *Bras.* V. *pardal eletrônico*. ◆ **Pardal eletrônico.** Equipamento eletrônico para detectar e registrar infrações de trânsito.

pardalada [De *pardal* + *-ada*¹.] *S. f.* Grande porção de pardais: "A casa tinha .... uns metros de quintal, recinto ensombrado de grandes árvores e todo chilreante de pardalada." (Fialho d'Almeida, *A Cidade do Vício*, p. 194.)

pardal-de-java *S. m. Zool.* V. *calafate* (3). [Pl.: *pardais-de-java*.]

pardaloca *S. f. Zool.* Fem. de *pardal*; pardoca.

pardau [Do sânscr. *pratapa.*] *S. m.* Moeda antiga da Índia portuguesa.

pardavasco [De *pardo*².] *Adj. S. m. Bras.* 1. Diz-se de, ou indivíduo de cor carregada, amulatado: "Sempre foi grandeza deles ter respeito pelas damas, fosse preta, branca ou pardavasca" (José Cândido de Carvalho, *O Coronel e o Lobisomem*, p. 102); "Novos convidados haviam chegado ao anoitecer com outro tocador, o Secundino, um pardavasco de vinte e poucos anos" (Alcides Maia, *Tapera*, p. 41). 2. Diz-se de, ou filho de negro com mulato. [P. us. como adj.]

pardento [De *pardo* + *-ento.*] *Adj.* V. *pardacento*.

pardieiro [Do lat. **parietinariu* < lat. *parietinae*, 'paredes arruinadas', 'ruínas'.] *S. m.* 1. Edifício em ruínas. 2. Casa ou edifício velho: "Embora tivéssemos realizado os exames vestibulares nas salas do andar térreo do velho pardieiro, onde funcionaram .... a estrebaria, senzala e manjedoura do sobrado, não éramos animais de canga, nem escravos" (Miécio Tati, *Rua do Tempo-Será*, p. 63).

pardilho [De *pardo*² + *-ilho.*] *Adj.* 1. V. *pardacento*. • *S. m.* 2. *Ant.* Espécie de pano pardo.

pardinhense *Adj. 2 g.* 1. De, ou pertencente ou relativo a Pardinho (SP). • *S. 2 g.* 2. O natural ou habitante de Pardinho.

pardo¹ [Do lat. *pardu.*] *S. m. Zool. Desus.* Leopardo.

pardo² [Do lat. (*leo*) *pardus* (por se considerar que *pardus* era um adj. referente às manchas de cor escura que distinguiriam o leopardo do leão), com infl. poss. do esp. ant. e port. *pardal* (q. v.), outro animal de cor parda, ou do gr. *párdalos* (v. *pardal*).] *Adj.* 1. De cor entre o branco e o preto; quase escuro. 2. De um branco sujo, duvidoso. 3. De cor pouco brilhante, entre o amarelo e o castanho: *papel pardo*. 4. Diz-se de qualquer dessas cores: *animal de cor parda*. 5. Mulato (5): *homem pardo*. ~ V. *algas —as*, *eminência —a*, *hematita —a* e *molho —*. • *S. m.* 6. A cor parda. 7. Mulato (1).

pardo-acinzentado *Adj.* 1. De um tom acinzentado de pardo. • *S. m.* 2. Essa cor. [Flex. do adj.: *pardo-acinzentados*, *pardo-acinzentada(s)*; pl. do s.m.: *pardos-acinzentados*.]

pardo-amarelado *Adj.* 1. De um tom amarelado de pardo. • *S. m.* 2. Essa cor. [Flex. do adj.: *pardo-amarelados*, *pardo-amarelada(s)*; pl. do s.m.: *pardos-amarelados*.]

pardo-avermelhado *Adj.* 1. De um tom avermelhado de pardo. [Pl.: *pardo-avermelhados*.] • *S. m.* 2. Essa cor. [Flex. do adj.: *pardo-avermelhados*, *pardo-avermelhada(s)*; pl. do s.m.: *pardos-avermelhados*.]

pardoca *S. f. Zool.* Pardaloca.

pardo-claro *Adj.* 1. De um tom claro de pardo. • *S. m.* 2. Essa cor. [Flex. do adj.: *pardo-claros*, *pardo-clara(s)*; pl. do s. m.: *pardos-claros*.]

pardo-escuro [De *pardo*² + *escuro*.] *Adj.* 1. De um tom escuro de pardo. • *S. m.* 2. Essa cor. [Flex. do adj.: *pardo-escuros*, *pardo-escura(s)*; pl. do s. m.: *pardos-escuros*.]

pardo-negro *Adj.* De cor parda tirante ao preto. [Pl.: *pardo-negros*.]

pardo-oliváceo *Adj.* 1. De um pardo tirante a oliváceo, a verde-escuro, ou com laivos oliváceos. • *S. m.* 2. Essa cor. [Flex. do adj.: *pardo-oliváceos*, *pardo-olivácea(s)*; pl. do s. m.: *pardos-oliváceos*.]

pardusco [De *pardo*² + *-usco*.] *Adj.* V. *pardacento*: "cabelo castanho riçado, ... nariz pequeno, olhos parduscos, muito vivos." (Xavier Marques, *Jana e Joel*, p. 139).

párea *S. f.* Régua us. para medir a altura de pipas e tonéis. [F. paral.: *pareia*. Cf. *pária*.] ~ V. *páreas*.

pareado [Part. de *parear*.] *Adj.* Medido ou aferido (pipa ou tonel) com a párea.

pareador (ô) [De *parear* + *-dor*.] *S. m.* Indivíduo que pareia.

parear [De *párea* + *-ar*².] *V. t. d.* Medir ou aferir (pipas, tonéis, etc.) com a párea. [Conjug.: v. *frear*.]

páreas¹ [Dev. de **pariar*, do lat. **pariare*, 'igualar', 'saldar dívidas'.] *S. f. pl.* Tributo que, em reconhecimento de vassalagem, um soberano ou um Estado pagava a outro. [Cf. *párias*, pl. de *pária*.] ~ V. *párea*.

páreas² [Do lat. **parere*, 'parir'.] *S. f. pl. Obst. P. us.* V. *secundinas*. [Cf. *párias*, pl. de *pária*.] ~ V. *párea*.

pareceiro [De *parceiro*, com epêntese.] *S. m. Pop.* V. *parceiro*.

parece-mas-não-é *S. f. 2 n. Bras. Bot.* V. *folha-de-sangue*.

parecença [De *parecer* + *-ença*.] *S. f.* 1. Semelhança, similitude; analogia. 2. Grau de conformidade entre pessoas que revelam traços idênticos (esp. fisionômicos): *Pela parecença via-se que eram irmãos*; "recordava episódios do tempo de Silvério, e Julieta .... ousou aludir à parecença do hóspede com o seu finado marido." (Coelho Neto, *Treva*, p. 174).

parecente [De *parecer* + *-nte*.] *Adj. 2 g.* Que parece; semelhante; parecido.

parecer [Do lat. vulg. **parescere*, incoativo de *parere*, 'aparecer'.] *V. pred.* 1. Ter semelhança com; dar ares de: *O grande lago, ao longe, parecia o oceano*. 2. Ter a aparência de: *O homem parece mais moço do que é*. 3. Ser aparentemente: *Parece esnobe, mas é pessoa de grandes qualidades*. *Int.* 4. Ser verossímil, crível, provável: *Parece que a tempestade vai cair*. 5. Representar-se na mente; afigurar-se, figurar-se: *Parece que esta solução é a melhor*. *T. i.* 6. Ser opinião ou parecer (de alguém): *Não quis dizer o que lhe parecia*. 7. Afigurar-se, figurar-se: *Aquela pareceu-lhe a pior hipótese*; "As estrelas pareciam-lhe outras tantas notas musicais fixadas no céu à espera de alguém que as fosse descolar" (Machado de Assis, *Várias Histórias*, pp. 65-66). *P.* 8. Ser semelhante, igual ou análogo; dar ares de; assemelhar-se. [Este verbo presta-se a dois tipos de construção: "ficou .... calada, com os olhos fitos no rochedo fronteiro, em cuja face escabrosa as sombras pareciam dançar" (Alexandre Herculano, *Eurico, o Presbítero*, p. 273); "no horizonte não se veem senão os topos pardo-azulados das serras do Algarve, que parece fugirem tanto quanto os cavaleiros caminham." (Id., *Lendas e Narrativas*, II, p. 87); "Parece estarem — tão sem movimento / Seus ramos vês — as árvores dormindo." (Alberto de Oliveira, *Poesias*, 2.ª série, p. 311). No primeiro exemplo, o sujeito de *pareciam* é *as sombras*; no segundo, o sujeito de *parece* é a oração *fugirem tanto*; no terceiro, é *estarem as árvores dormindo*.] [Conjug.: v. *aquecer*.] • *S. m.* 9. Aspecto fisionômico. 10. *P. ext.* Aparência, aspecto: *moça de belo parecer*; "Na margem oposta levantava-se, entre umas laranjeiras e uns oitizeiros, uma casa de bom parecer." (Franklin Távora, *O Cabeleira*, p. 250). 11. Modo de ver, de pensar; conceito, opinião, juízo. 12. Opinião fundamentada sobre determinado assunto, emitida por especialista: *O jurisconsulto cobra caro pelos seus pareceres*. [Cf., nesta acepç., *relatório* (4).]

parecerista [De *parecer* (11) + *-ista*.] *S. 2 g. Bras.* Indivíduo que formula pareceres.

pareci *Bras. S. 2 g.* 1. *Etnôn.* Indivíduo dos parecis [ou (etnôn. bras.) *Paresi], povo indígena da família linguística aruaque, que habita os municípios de Vila Bela da Santíssima Trindade, Diamantino, Tangará da Serra, Barra dos Bugres e Alto Paraguai (MT). • *Adj. 2 g.* 2. Pertencente ou relativo a esse povo. [Tb. us. como *s. 2 g. e 2 n.* (com cap.) e *adj. 2 g. e 2 n.*]

parecido [Part. de *parecer*.] *Adj.* Que se parece (a ou com); que tem semelhança: *Embora irmãos, não são parecidos*; *É muito parecido ao pai*; *Não é nada parecido com o irmão*. [V. *bem-parecido* e *malparecido*.]

pareciense *Adj. 2 g.* 1. De, ou pertencente ou relativo a Pareci Novo (RS). • *S. 2 g.* 2. O natural ou habitante de Pareci Novo.

paréctase [Do gr. *paréktasis*.] *S. f. E. Ling.* Adjunção de elementos fônicos, intermediários, para tornar eufônica uma palavra.

paredão [De *parede* + *-ão*¹.] *S. m.* 1. Grande parede. 2. Muro alto e muito espesso; muralha. 3. *Bras.* Ribanceira alta de um rio, muitas vezes talhada a pique. 4. *Bras. RS* Encosta ab-rupta de serra. 5. *Bras. PB* Cordão de recifes submersos.

parede (ê) [Do lat. *pariete*, pelo lat. vulg. *parete*.] *S. f.* 1. Obra de alvenaria ou de outro tipo, que forma os vedos externos e as divisões internas dos edifícios. 2. Tapume, tabique. 3. Tudo que veda qualquer espaço: *as paredes de um órgão, de um objeto*. 4. Greve (1). 5. *Anat.* Denominação genérica de formação que limita um órgão, cavidade, loja, etc. 6. *Bras. PB Pop.* Tira-gosto (q. v.). ◆ **Parede celular.** *Citol.* Camada rígida das células vegetais, e tb. das células de alguns protistas e da maioria dos procariotos, e que varia de composição. **Parede de duas vezes.** *Constr.* Aquela cuja espessura é igual ao dobro do comprimento de um tijolo. **Parede de meação.** *Constr.* V. *parede-meia*. **Parede de meia altura.** *Constr.* Meia parede. **Parede de meio-tijolo.** *Constr.* Parede frontal. **Parede de perpianho.** *Constr.* Perpianho. **Parede de pau a pique.** V. *pau a pique* (1). **Parede de pescoção.** *Constr.* V. *taipa de mão*. **Parede de um tijolo.** *Constr.* Parede dobrada (q. v.). **Parede de vez e meia.** *Constr.* Aquela cuja espessura é igual ao comprimento mais a largura de um tijolo. **Parede dobrada.** *Constr.* Aquela cuja espessura é igual ao comprimento de um tijolo, o qual equivale aproximadamente ao dobro da largura; parede de um tijolo. **Parede do infinito.** *Teatr.* 1. Infinito (9). 2. V. *ciclorama*. **Parede dupla.** *Constr.* Aquela que é composta de dois lanços delgados, paralelos e pouco separados, com câmara de ar de permeio, e que tem função isoladora, ou que serve para alojar folha de porta ou de janela de correr, etc. **Parede estruturada.** *Constr.* V. *parede mestra*. **Parede estrutural.** *Constr.* V. *parede mestra*. **Parede frontal.** *Constr.* Aquela cuja espessura é igual à largura de um tijolo; parede de meio-tijolo. **Parede medianeira.** *Constr.* V. *parede-meia*. **Parede mestra.** *Constr.* A que suporta o peso maior de uma construção; parede estruturada, parede estrutural. **Encostar (alguém) na parede.** *Bras.* V. *pôr a faca no peito de*. "Encostou-o na parede, até extorquir-lhe a confissão de que sentia desejo por ela" (Rubem Mauro Machado, *Lobos*, p. 161). **Falar com as paredes.** Falar com quem se recusa a ouvir. **Fazer parede.** 1. Unir-se a alguém para alcançar um objetivo. 2. *Bras. N.E.* Fazer esteira. **Imprensar contra a parede.** *Bras.* V. *pôr a faca no peito de*. **Meia parede.** *Constr.* Parede interna que não atinge o teto; parede de meia altura. **Levar à parede.** Vencer, derrotar (alguém), numa questão. **Pôr contra a parede.** *Bras.* V. *pôr a faca no peito de*. **Quarta parede.** *Teatr.* A parede imaginária que separa o palco da plateia. **Subir pelas paredes.** 1. Encolerizar-se, irritar-se. 2. Estar muito excitado sexualmente.

parede-cega *S. f. Constr.* Parede sem quaisquer aberturas (portas, janelas, etc.). [Pl.: *paredes-cegas*.]

parede-meia [De *parede* + o f. de *meio*¹.] *S. f. Constr.* Parede divisória entre prédios contíguos, pertencente em comum aos proprietários dos dois prédios. [Sin.: *parede de meação*, *parede medianeira*. F. paral.: *paredes-meias*. Pl.: *paredes-meias*.]

paredes-meias *S. f. pl.* Parede-meia.

paredinha [De *parede* + *-inha*.] *S. f. Bras. S.* Pé de parede.

P

paredismo [De *parede* + *-ismo*.] *S. m. Bras.* Utilização de greves ou paredes como instrumento reivindicatório ou de ação política ou social.
paredista [De *parede* + *-ista*.] *Adj. 2 g. S. 2 g.* Grevista.
paredro (é) [Do gr. *paredrós*, pelo lat. *paredru*, com alter. da tônica.] *S. m.* **1.** Mentor, conselheiro, guia. **2.** *Bras.* Dirigente de clube esportivo. **3.** V. *manda-chuva*.
paregoria [Do gr. *paregoría*, 'encorajamento', 'consolação', e, p. ext., 'remédio'.] *S. f. Terap.* Qualidade de paregórico.
paregórico [Do gr. *paregorikós*, pelo lat. tard. *paregoricu*.] *Adj.* Calmante, anódino. ~ V. *elixir —*.
pareia (êi) *S. f.* Párea (q. v.).
pareio [Dev. de *parear*.] *S. m.* Ato de parear.
parelha (ê) [De *parelho*.] *S. f.* **1.** Par de alguns animais, em especial muares e cavalares. [Cf. *par* (10) e *junta* (4).] **2.** Par (14). **3.** *Fam.* Pessoa ou coisa que emparelha com outra, que lhe é muito semelhante. **4.** Número igual de pontos, no jogo dos dados. **5.** Cepo, provido de dois ferros, usado para abrir o filete com que uma tábua há de emparelhar com outra. **6.** *Arte Poét.* Dístico ou estrofe de dois versos. **7.** *Turfe* Par de cavalos inscritos sob o mesmo número em uma carreira. **8.** *P. ext. Turfe* Grupo de cavalos nas mesmas condições. ◆ **Correr parelhas.** Igualar-se; rivalizar: *Os dois romancistas correm parelhas.* **Correr parelhas com.** Igualar-se a; rivalizar com: "Correndo parelhas com a malária, nas capitais, havia uma outra terrível causa de morte: a tuberculose" (Djalma Batista, *Da Habitabilidade da Amazônia*, p. 14).
parelha-trocada [De *parelha* + o f. de *trocado*, part. de *trocar*.] *S. f. Bras. PE* Certa dança sertaneja. [Pl.: *parelhas-trocadas*.]
parelheira [De *parelheiro*.] *S. f. Bras. RS Zool.* Reptil ofídio, colubrídeo (*Phylodryas schotti*), comum no Brasil, de coloração verde-oliva, com uma linha branca do lado do corpo e a região abdominal cinza. Arborícola, alimenta-se de toda sorte de pequenos vertebrados; mede até 1,50m de comprimento. [Sin.: *timburana*.]
parelheiro [De *parelha* + *-eiro*.] *S. m. Bras. S.* **1.** Cavalo ensinado a andar em parelhas. **2.** Cavalo tratado e cuidado para disputar corridas; compositor. **3.** *Turfe* Cavalo inscrito num páreo.
parelhense *Adj. 2 g.* **1.** De, ou pertencente ou relativo a Parelhas (RN). ● *S. 2 g.* **2.** O natural ou habitante de Parelhas.
parelho (ê) [Do lat. vulg. **pariculu*, dim. de *par*, 'igual'.] *Adj.* **1.** Semelhante, igual, parceiro, par. **2.** Pertencente à mesma parelha (2). **3.** Igual, uniforme: "O Desconhecido ficou a olhar interessado a cara do negro que, ao contrário das outras, reluzentes de suor, se conservava enxuta, dum preto parelho e profundo." (Érico Veríssimo, *Noite*, p. 25.) ● *S. m.* **4.** *Bras. SP Vest.* Roupa de homem (calças e paletó): "Ladislau vestido com parelho novo, mostrava-se nervoso e desajeitado, pois toda a vida só usara roupa de mateiro" (Francisco Marins, *... e a Porteira Bateu!*, p. 93). **5.** *Bras. RS* Campo que se estende plano, sem ondulações.
parélio [Do gr. *parélion*, pelo lat. *parelion*.] *S. m. Astr.* Meteoro luminoso que se mostra juntamente com o halo e parece multiplicar a imagem do Sol. [Cf. *paraélio*.]
parêmbole [Do gr. *parembolé*, pelo lat. *parembole*.] *S. f. E. Ling.* Espécie de parêntese em que o sentido da frase incidente apresenta relação direta com o assunto da frase principal.
parémia *S. f.* V. *parêmia*. [Uso freq. em P.]
parêmia [Do gr. *paroimía*, pelo lat. med. *paroemia*.] *S. f.* **1.** Breve alegoria. **2.** Provérbio, prolóquio.
paremíaco [Do gr. *paroimiakós*.] *Adj.* Referente a parêmia.
paremiógrafo [Do gr. *paroimía*, 'parêmia', + *-o-* + *-grafo*.] *S. m.* Autor e/ou colecionador de provérbios ou parêmias.
paremiologia [Do gr. *paroimía*, 'parêmia', + *-o-* + *-logia*.] *S. f.* **1.** Coleção de parêmias ou provérbios. **2.** Tratado acerca de parêmias.
paremiológico [De *paremiologia* + *-ico*[2].] *Adj.* Respeitante à paremiologia.
paremiologista [De *paremiologia* + *-ista*.] *S. 2 g.* Paremiólogo.
paremiólogo [De *paremio-*, como em *paremiologia*, + *-logo*.] *S. m.* Autor de paremiologia; especialista em paremiologia; paremiologista.
parencéfalo [Do gr. *parenkephalís*.] *S. m. Anat.* Cerebelo.
parencefalocele [De *parencéfalo* + *-cele*[1].] *S. f. Neur.* Saliência herniária produzida pelo cerebelo.
parénese *S. f.* V. *parênese*. [Uso freq. em P.]
parênese [Do gr. *paraínesis*, pelo lat. tard. *paraenese*.] *S. f.* Discurso moral; exortação.
parenética [F. subst. de *parenético*.] *S. f.* **1.** Eloquência sagrada. **2.** Coleção de discursos morais.
parenético [Do gr. *parainetikós*.] *Adj.* Respeitante à parênese.
parênquima [Do gr. tard. *parénchyma, atos*.] *S. m.* **1.** *Histol.* Tecido constituído de células destinadas a uma ou mais funções específicas: *parênquima pulmonar.* **2.** *Bot.* Tecido vegetal que forma a maior parte da massa dos vegetais, constituído de células isodiamétricas ou paralelepipedais, com paredes não lignificadas, que contêm pontoações simples. Relaciona-se, principalmente, com a armazenagem e distribuição de substâncias nutritivas.
parenquimático [De *parênquima* + *-ático*.] *Adj.* Parenquimatoso.
parenquimatoso (ô) [De *parenquimat-*, por *parênquima*, + *-oso*.] *Adj.* Pertencente ou relativo ao, ou da natureza do parênquima; parenquimático.
parenta *S. f.* Fem. de *parente*.
parentada [De *parente* + *-ada*[1].] *S. f.* V. *parentela*: "Peru aqui em casa é prato de festa, vem toda essa parentada do diabo..." (Mário de Andrade, *Contos Novos*, p. 93.)
parental [Do lat. *parentale*.] *Adj. 2 g.* Relativo a pai e mãe.
parentalha [De *parente* + *-alha*.] *S. f. Bras. Prov. port.* Parentela.
parentar *V. t. d. T. i. P. P. us.* V. *aparentar*[1].
parente [Do lat. *parente*, 'pai', 'mãe' (no pl., 'os pais').] *S. 2 g.* **1.** Pessoa que, em relação a outra(s), pertence à mesma família, quer pelo sangue, quer por casamento: *parente consanguíneo; parente por afinidade.* ● *S. m.* **2.** *Ant.* Pai (1). **3.** *Bras. AM PA* Forma de tratamento usada entre os caboclos. ● *Adj.* **4.** Que tem parentesco. **5.** Que pertence à mesma família. **6.** *Fig.* Semelhante, parecido. [Fem.: *parenta*.] ◆ **Parente afim.** **1.** Parente por casamento, parente não consanguíneo. **2.** *Antrop.* Indivíduo vinculado a outro por relação de afinidade (7). [Sin. ger.: *afim, parente por afinidade*.] **Parente de ligação.** *Antrop.* Numa genealogia, designação dada a qualquer parente que figura na cadeia de relações que liga dois indivíduos determinados. **Parente por afinidade.** Parente afim. **Parente uterino.** *Antrop.* Indivíduo ligado a outro por parentesco uterino (q. v.).
parentear [De *parente* + *-ear*[2].] *V. int. Ant.* Ter parentesco; ser parente. [Conjug.: v. *frear*.]
parenteiro [De *parente* + *-eiro*.] *Adj. S. m.* Que, ou aquele que é amigo dos parentes ou os protege.
parentela [Do lat. tard. *parentela*.] *S. f.* Os parentes, considerados em conjunto; parentalha, parentada.
parenteral [De *par(a)-* + *-enter(o)-* + *-al*[1].] *Adj. 2 g. Terap.* **1.** Diz-se de via que não o tubo digestivo utilizada para a administração de substâncias diversas (água, sais, glicose, aminoácido, medicamentos, etc.) a um paciente; parentérico. ~ V. *alimentação — e introdução —*. ● *S. f.* **2.** Essa via.
parentérico [De *par(a)-* + *-enter(o)-* + *-ico*[2].] *Adj. Terap.* Parenteral (1).
parentesco (ê) [De *parente* + *-esco*.] *S. m.* **1.** Qualidade de parente. **2.** Laços de sangue: *parentesco em linha direta; parentesco em linha colateral.* **3.** *Fig.* Origem comum: *parentesco linguístico.* **4.** Traços comuns; conexão, analogia, semelhança: *O ritmo do samba tem certo parentesco com a música africana.* ◆ **Parentesco afim.** **1.** *Dir. Civ.* Relação ou vínculo familiar com os parentes do cônjuge (v. *parente afim*). **2.** *Antrop.* V. *afinidade* (7). [Sin. ger.: *parentesco por afinidade*.] **Parentesco por afinidade.** V. *parentesco afim.* **Parentesco uterino.** *Antrop.* Relação de parentesco (entre indivíduos de qualquer sexo), traçada por linha exclusivamente feminina. [Cf. *agnação* e *cognação*.]
parêntese [Do gr. *parénthesis*, pelo lat. tard. *parenthese*.] *S. m.* **1.** *E. Ling.* Numa sentença, a inserção de uma unidade verbal que interrompe o fluxo da frase. **2.** *E. Ling.* Os sinais de pontuação (), que encerram essas unidades. [Tb. us. no pl. nesta acepç.] **3.** *Fig.* Desvio de assunto; digressão. **4.** *Mat.* Símbolo que se utiliza para agrupar os participantes de uma operação. ◆ **Parênteses retos.** Colchetes (q. v.). **Abrir parêntese.** **1.** Colocar na escrita o sinal (. **2.** Interromper um período ou uma narrativa para fazer uma digressão. **Fechar parêntese.** **1.** Pôr na escrita o sinal). **2.** Concluir uma digressão.
parênteses [Pl. de *parêntese*.] *S. m. 2 n.* V. *parêntese* (2).
parêntesis [Do gr. *parénthesis*, pelo lat. tard. *parenthesis*.] *S. m. 2 n.* V. *parêntese* (2).
parenteticamente (tè) [Do f. de *parentético* + *-mente*.] *Adv.* De modo parentético; entre parênteses.
parentético [De *parênt(ese)* + *-ético*.] *Adj.* **1.** Relativo a parêntese. **2.** Expresso em parêntese.
parentirso [Do gr. *parénthyrson*.] *S. m.* Estilo furioso das bacantes e foliões da Antiguidade.
pareô [Do taitiano.] *S. m. Vest.* **1.** Roupa estampada com grandes flores, com que as mulheres do Taiti (Oceania) envolvem o corpo **2.** *Bras.* Vestimenta de praia ou traje carnavalesco inspirado no pareô.
páreo [De *par* + *-eo*.] *S. m.* **1.** *Ant.* Corrida a cavalo ou a pé, em que dois indivíduos partem a par, ganhando um prêmio aquele que primeiro atinge a meta. **2.** *Turfe* Cada uma das disputas das reuniões de corridas de cavalos; carreira. **3.** O prêmio dessas corridas. **4.** *Fig.* Competição, emulação, disputa.
parequema [Do gr. *paréchema*.] *S. m. E. Ling.* Defeito de linguagem, consistente em principiar uma palavra com sílaba igual ou muito semelhante à última sílaba da palavra antecedente. Ex.: *cama macia; capa parda; sempre presente;* "alegre grilo" (João Penha, *Rimas*, p. 117).
paresia [Do gr. *páresis*, 'ação de relaxar'; 'atonia', + *-ia*[1].] *S. f. Neur.* Paralisia incompleta.
parésico [De *paresia* + *-ico*[2].] *Adj.* Relativo a, ou que sofre de paresia.
paresta *S. f. Cabo-verd.* Ameaça.
parestatal [De *par(a)-* + *estatal*.] *Adj. 2 g. S. f.* V. *paraestatal*.
parestesia [De *par(a)-* + *-estes(i)-* + *-ia*[1].] *S. f. Neur.* Distúrbio em que o paciente acusa sensações anormais (formigamento, picada, queimadura) não causadas por estímulo exterior ao corpo.
parestésico [De *parestesia* + *-ico*[2].] *Adj. Neur.* Relativo a parestesia.
parético [De *par(esia)* + *-ético*.] *Adj. Neur.* Relativo a paresia.
parga [De or. obsc.] *S. f.* **1.** Monte de palha e de trigo, disposto de sorte que o grão fique resguardado da chuva. **2.** Pilha, montão, rima, ruma.
pargasita [De top. *Pargas* + *-ita*[3].] *S. f. Min.* Mineral monoclínico do grupo dos anfibólios, variedade de hornblenda.
pargata [F. aferética de *alpargata*.] *S. f. Bras.* V. *alpercata*.
pargo [Do gr. *phágros*, pelo lat. *pagru*.] *S. m. Zool.* Peixe teleósteo, perciforme, esparídeo (*Pagrus pagrus*), do Mediterrâneo e costa da América, de coloração vermelha com reflexos dourados e pontos azuis esparsos, e nadadeiras amarelas. Alimenta-se de crustáceos e moluscos. [Sin., bras., RJ: *calunga*.]
pargo-branco *S. m. Bras. Zool.* V. *roncador* (4). [Pl.: *pargos-brancos*.]
pari [Do tupi.] *S. m. Bras.* Armadilha feita de talas e varas, com que se apanha peixe nos rios; paritá: "Havia um pari, onde se ia toda manhã bem cedo pisar as pedras limosas na água tão fria, apanhar peixes." (Rubem Braga, *Ai de Ti, Copacabana!*, p. 122.) [Pl.: *paris*. Cf. *maçará*, s. m. e *Páris*, mit. e antr.]
▲ **pari-** [Do lat. *par, paris*.] *El. comp.* = 'igual': *pariforme, parissílabo*.
▲ **-par(i)-** V. *-paro*.
pariá *S. m.* V. *pária*: "Ler a sina, mendigar, iludir e pilhar, eis a senha desses pariás vagabundos [os ciganos]" (Melo Morais Filho, *Quadros e Crônicas*, p. 81).
pária [Do tâmil *pareiyan*, 'tocador de bombo'.] *S. m.* **1.** *Filos.* No sistema hindu de castas, a mais baixa, constituída pelos indivíduos privados de todos os direitos religiosos ou sociais, quer pelo seu nascimento, quer pela sua exclusão da sociedade bramânica; sudra. [Cf. *brâmane* (2), *vaixá* e *xátria*.] **2.** Hindu pertencente a qualquer das castas inferiores. **3.** *Fig.* Homem excluído da sociedade: "Juntos do sólio e da opulência opima, / Mil párias disputando aos cães um osso" (Raimundo Correia, *Poesias*, p. 230). [*Pariá*, sendo a f. preferível, é, no entanto, desus. Cf. *párea*.]
pariambo [Do gr. *paríambos*, pelo lat. *pariambu*.] *S. m.* V. *pirríquio*.
pariana *Bras. S. 2 g.* **1.** *Etnôn.* Indivíduo dos parianas, povo indígena extinto que habitava a margem esquerda do rio Solimões, no AM e na Colômbia. ● *Adj. 2 g.* **2.** Pertencente ou relativo a esse povo. [Tb. us. como *s. 2 g. e 2 n.* (com cap.) e *adj. 2 g. e 2 n.*]
pariás *Bras. S. m. pl.* Dupla de índios xinguanos que, durante o cerimonial do quarup (q. v.) visitam as aldeias amigas convidando-as para participarem deste evento: "Uma semana antes do quarup, que durou três dias, duplas de pariás — embaixadores — partiram em direção às aldeias dos Iaualapiti, Uaura, etc..." (Edilson Martins, *Nossos Índios, Nossos Mortos*, p. 28.)
pariatã [Alter. de *periantã*.] *S. f. Bras. Amaz.* V. *matupá* (2).
pariato [De *par* + *-i-* + *-ato*[1].] *S. m.* Dignidade de par do reino.
paricá [Do tupi.] *S. m. Bras. Bot.* **1.** Árvore fabácea (*Piptadenia peregrina*) de até 30m, folhas penadas, inflorescências com flores insignificantes, e frutos leguminosos; tem casca grossa e verrucosa, rica em tanino, e a madeira pardo-avermelhada, bastante dura e resistente, us. em construção. **2.** V. *camboatã-branco*.

paricá-branco *S. m. Bras. Amaz. Bot.* Árvore fabácea (*Acacia polyphylla*) espinhosa, comum nas várzeas dos rios. As folhas têm 30 a 50 folíolos de 6mm; as flores agregam-se em glomérulos, que se ordenam em panículas; a madeira é pardo-amarelada, e malcheirosa quando úmida, servindo para polpa celulótica e tabuado; a casca encerra algum tanino. [Pl.: *paricás-brancos*.]

paricá-grande *S. m. Bras. Bot.* V. *fava-de-bolota* (1). [Pl.: *paricás-grandes*.]

parição [De *parir* + *-ção*.] *S. f.* **1.** Ato de parir; parto. **2.** *Bras. N.N.E.* Reprodução anual do gado.

paricá-preto (ê) *S. m. Bras. Bot.* Paricarana (1). [Pl.: *paricás-pretos*.]

paricarana (cà) [De *paricá* + *-rana*.] *S. f. Bras. Bot.* **1.** Árvore fabácea (*Acacia riparia*) mais ou menos escandente, de ampla dispersão, dotada de espinhos esparsos, folhas com muitos folíolos lineares, côncavos e de menos de 1cm, flores sésseis, insignificantes e organizadas em glomérulos, os quais se dispõem em panículas, e legume coriáceo de 10 a 20cm; paricá-preto. **2.** V. *barbatimão* (3).

paricazinho (cà) [De *paricá* + *-zinho*.] *S. m. Bras. Amaz. Bot.* **1.** Arbusto fabáceo (*Aeschynomene sensitiva*) que vive em terrenos alagadiços e margens de lagos, tem folhas que se fecham imediatamente quando tocadas, flores amarelas e com estrias rubras. Alcança uns 30cm de diâmetro na base do tronco e fornece uma medula muito branca e macia, com que se podem fazer boias e salva-vidas. **2.** V. *vinhático-do-campo*.

pariconhense *Adj. 2 g.* **1.** De, ou pertencente ou relativo a Pariconha (AL). ● *S. 2 g.* **2.** O natural ou habitante de Pariconha.

paricotó *Bras. S. 2 g.* **1.** *Etnôn.* Indivíduo dos paricotós [ou (etnôn. bras.) *Parikotó], povo indígena extinto, da família linguística caraíba, que habitava a região da cabeceira do rio Mapuera (N.O. do PA). ● *Adj. 2 g.* **2.** Pertencente ou relativo a esse povo.

parida [F. subst. de *parido*.] *S. f.* Mulher que pariu ou deu à luz recentemente.

paridade [Do lat. tard. *paritate*.] *S. f.* **1.** Qualidade de par ou igual; igualdade. **2.** Semelhança, parecença, analogia. **3.** Estado de câmbio ao par. **4.** Igualdade de remuneração entre níveis idênticos de profissões distintas. **5.** *Fís.* Propriedade duma função de onda, característica do seu comportamento na troca de sinal das coordenadas espaciais que envolve. **6.** *Mat.* Propriedade de ser par ou ímpar. [Sin., nesta acepç.: *parilidade*.] ◆ **Paridade ímpar.** *Fís.* A paridade duma função de onda que troca de sinal quando o sinal das coordenadas espaciais é trocado. **Paridade par.** *Fís.* A paridade duma função de onda que não troca de sinal quando o sinal das coordenadas espaciais é trocado.

parideira [De *parir* + *-deira*.] *Adj.* (*f.*) **1.** Que está em idade de parir. **2.** *Bras. N.N.E.* Que pare anualmente.

paridela [De *parir* + *-dela*.] *S. f. Pop.* V. *parto*[1] (1).

parídeo [Do tax. *Parus* (< lat. *parus*, 'certa ave') + *-ídeo*[1]; tax. *Paridae*.] *Zool. S. m.* **1.** Espécime dos parídeos, família de aves passeriformes, insetívoras, caracterizadas por terem o tarso ocreado (escamas anteriores), tegumento não ou indistintamente dividido em placas, a primeira das rêmiges da mão curta, cauda pouco mais comprida que a asa, plumagem escura, branca e preta. Apenas duas espécies dessa família paleártica vivem na Amazônia. ● *Adj.* **2.** Pertencente ou relativo a eles.

parido [Part. de *parir*.] *Adj.* **1.** Dado à luz. **2.** Que pariu recentemente: *mulher parida*; "Qual parida leoa fera e brava" (Luís de Camões, *Os Lusíadas*, IV, 36). ◆ **Ser parido por.** *Bras. N.E. Fam.* Ser muito cuidadoso com, extremamente dedicado a (alguém): *É muito parida pela neta.*

paridor (ô) [De *parir* + *-dor*.] *Adj.* Que pare muito (diz-se de mulher ou de fêmea).

parietal [Do lat. tard. *parietale*.] *Adj. 2 g.* **1.** Relativo a parede; parietário. **2.** Próprio para ser pendurado em parede; parietário: "Os quadros parietais coloriam-se, ... apresentavam cenas da Paixão e da vida dos santos" (Inglês de Sousa, *O Missionário*, p. 185). **3.** Relativo a, ou situado perto do osso parietal. ~ V. *decídua* —, *estrutura* —, *lobo* —, *osso* —, *peritônio* — e *pleura* —. ● *S. m.* **4.** *Anat.* Osso parietal.

parietária [Do tax. *Parietaria* (do lat. tard. *parietaria*).] *S. f. Bot.* **1.** Pequeno gênero de ervas urticáceas, vastamente distribuído pelo orbe, de folhas alternadas e pequenas flores verdoengas. **2.** Qualquer espécie desse gênero, como, p. ex., a *Parietaria officinalis* [v. *tiritana* (2)]. **3.** Qualquer espécime desse gênero.

parietário [Do lat. tard. *parietariu*.] *Adj.* **1.** Que cresce nas paredes. **2.** Parietal (1 e 2).

parietina [Do lat. bot. *parietina*.] *S. f.* Substância que se extrai do líquen *Parmelia parietina*.

pariforme [De *pari-* + *-forme*.] *Adj. 2 g.* Que tem forma igual.

parilidade [Do lat. tard. *parilitate*.] *S. f.* Paridade (6).

parinari [De or. indígena.] *S. m. Bras. Amaz. Bot.* Designação comum a duas árvores rosáceas (*Couepia chrysocalyx* e *Parinarium rodolphi*) habitantes da floresta pluvial, de folhas coriáceas, flores pequeninas em racemos, e frutos drupáceos, cujo mesocarpo é carnoso.

parinário [Do tax. *Parinarium* (de *parinari* [q. v.] + lat. cient. *-ium*).] *S. m. Bot.* **1.** Grande gênero de árvores e arbustos rosáceos sempre-verdes, que habitam regiões tropicais; são dotados de flores ger. exuberantes, alvas ou róseas, e frutos drupáceos, alguns deles edules. **2.** Qualquer espécie desse gênero, como, p. ex., a *Parinarium rudolphi* (v. *parinari*). **3.** Qualquer espécime desse gênero.

parintinense *Adj. 2 g.* **1.** De, ou pertencente ou relativo a Parintins (AM). ● *S. 2 g.* **2.** O natural ou habitante de Parintins.

parintintim *Bras. S. 2 g.* **1.** *Etnôn.* V. *cauaiua* (1). **2.** *Etnôn.* Indivíduo dos parintintins, povo indígena da família linguística tupi-guarani, tronco tupi, que habita os municípios de Humaitá, Auxiliadora (AM) e Porto Velho (RO). ● *Adj. 2 g.* **3.** Pertencente ou relativo a esse povo. **4.** V. *cauaiua* (2).

pariparoba [Do tupi.] *S. f. Bras. Bot.* **1.** V. *capeba* (1). **2.** V. *mático*.

➔ **pari passu** ['parẹ 'passo] [Lat.] A passo igual; simultaneamente.

paripenado (pà) [De *pari-* + *penado*[1].] *Adj.* ~ V. *folha* —*a*.

paripiranguense *Adj. 2 g.* **1.** De, ou pertencente ou relativo a Paripiranga (BA). ● *S. 2 g.* **2.** O natural ou habitante de Paripiranga.

paripueirense *Adj. 2 g.* **1.** De, ou pertencente ou relativo a Paripueira (AL). ● *S. 2 g.* **2.** O natural ou habitante de Paripueira.

pariquerense *Adj. 2 g.* **1.** De, ou pertencente ou relativo a Pariquerаçu (SP). ● *S. 2 g.* **2.** O natural ou habitante de Pariquerаçu.

pariqui *Bras. S. 2 g.* **1.** *Etnôn.* Indivíduo dos pariquis, povo indígena extinto que habitava a margem esquerda do rio Amazonas, na confluência com o rio Jatapu (AM). ● *Adj. 2 g.* **2.** Pertencente ou relativo a esse povo. [Tb. us. como *s. 2 g. e 2 n.* (com cap.) e *adj. 2 g. e 2 n.*]

parir [Do lat. *parere*.] *V. t. d.* **1.** Expelir do útero (feto, placenta e membranas fetais); dar à luz: "— Estás bonitona ..... Belos quadris ..... Deus te fez assim para parires uma ninhada de netos para o Barão." (Josué Montelo, *A Noite sobre Alcântara*, p. 159.) **2.** Produzir, gerar, engendrar: "Minha imaginação atormentada / Paria absurdos..." (Augusto dos Anjos, *Eu*, p. 37.) *Int.* **3.** Dar à luz o feto; dar à luz. [Sin., desus., nesta acepç.: *parturir*. Irreg. na 1ª pess. do sing. do pres. ind., *pairo*, e, portanto, em todo o pres. subj.: *paira*, *pairas*, etc. Ger. só se conjuga nas pess. em que ao *r* da raiz se segue a vogal *i*. Segunda pess. pl. do pres. ind.: *paris*. Cf. *Páris*, mit. e antr.]

pariri[1] *S. f. Bras.* **1.** *Bot.* V. *frutão*. **2.** *Zool.* V. *juriti-vermelha*.

pariri[2] *Bras. S. 2 g.* **1.** *Etnôn.* Indivíduo dos pariris, povo indígena extinto que habitava a margem esquerda do rio Pacajá (PA). ● *Adj. 2 g.* **2.** Pertencente ou relativo a esse povo. [Tb. us. como *s. 2 g. e 2 n.* (com cap.) e *adj. 2 g. e 2 n.*]

parisianismo [De *parisiano*[1] + *-ismo*.] *S. m.* Hábito, modo de ser, peculiaridade de linguagem, etc. próprios dos parisienses.

parisianista [De *parisianismo* + *-ista*.] *Adj. 2 g.* **1.** Relativo ao, ou próprio do parisianismo. **2.** Que é imitador do parisianismo. ● *S. 2 g.* **3.** Imitador dele.

parisianizar [De *parisiano*[1] + *-izar*.] *V. t. d.* **1.** Dar modos, costumes parisianos, ou parisienses, a. *Int.* **2.** Tomar feição parisiana.

parisiano[1] *Adj. S. m. P. us.* V. *parisiense*.

parisiano[2] *Adj.* **1.** De, ou pertencente ou relativo a Parísi (SP). ● *S. m.* **2.** O natural ou habitante de Parísi.

parisiense *Adj. 2 g.* **1.** De, ou pertencente ou relativo a Paris, capital da França. ● *S. 2 g.* **2.** O natural ou habitante de Paris. [Sin. p. us.: *parisiano*, *parisino*.]

parisino *Adj. S. m. P. us.* V. *parisiense*.

parissilábico [De *parissílabo* + *-ico*[2].] *Adj. E. Ling.* Relativo a parissílabo.

parissílabo [De *pari-* + *-sílabo*.] *Adj. E. Ling.* Diz-se dos substantivos e adjetivos latinos que têm o mesmo número de sílabas no nominativo e no genitivo.

paritá [Do tupi, poss.] *S. m. Bras.* Pari.

paritário [De *par* + o final de *majoritário*, *minoritário*.] *Adj.* **1.** Constituído por elementos pares a fim de estabelecer igualdade. **2.** Diz-se dos órgãos judicantes da Justiça do Trabalho (q. v.) em cuja constituição há vogais que representam, em pé de igualdade, a classe dos empregados e a dos empregadores.

parkeriácea [Do tax. *Parkeria* (do antr. [C. S.] *Parker*) + *-ácea*; tax. *Parkeriaceae*.] *S. f. Bot.* Espécime das parkeriáceas, família de pteridófitos caracterizada pelos esporângios esféricos, solitários sobre as nervuras, e com anel vertical e mais ou menos completo. Compreende simplesmente *Ceratopteris thalictroides*.

parkeriáceo [De *parkeriácea*, com var. suf. (v. *-áceo*).] *Adj. Bot.* Pertencente ou relativo às parkeriáceas.

➔ **parking** ['paɹkɪŋ] [Ingl.] *S. m.* Área de estacionamento.

parkinsoniano [Do antr. (*James*) *Parkinson*, médico ingl., + *-iano*.] *Adj.* **1.** Relativo a, ou que sofre de doença de Parkinson (q. v.) ou de síndrome de Parkinson (q. v.). ● *S. m.* **2.** *Neur.* Aquele que sofre dessa doença ou dessa síndrome.

parkinsonismo [Do antr. (*James*) *Parkinson* (v. *parkinsoniano*) + *-ismo*.] *S. m. Med.* Quadro mórbido semelhante ao da doença de Parkinson (q. v.).

parla [Dev. de *parlar*.] *S. f.* Conversa, falatório.

parlamentação [De *parlamentar*[2] + *-ção*.] *S. f.* Ato ou efeito de parlamentar[2].

parlamentar[1] [De *parlamento* + *-ar*[1].] *Adj. 2 g.* **1.** Pertencente ou relativo ao parlamento. ● *S. 2 g.* **2.** Membro de um parlamento.

parlamentar[2] [De *parlamento* + *-ar*[2].] *V. int. T. i.* **1.** Fazer ou aceitar proposta(s) acerca de negócios de guerra; tratar com delegação inimiga. **2.** *Fig.* Entrar em negociações; conferenciar: "chamou alguns parentes próximos para parlamentarem com o rebelde. Mandou-lhe, por eles, entregar a legítima de sua mãe" (Camilo Castelo Branco, *Doze Casamentos Felizes*, p. 205). [F. paral.: *parlamentear*. Fut. pret.: *parlamentaria*, etc. Cf. *parlamentária*, fem. de *parlamentário*.]

parlamentário [De *parlamento* + *-ário*.] *Adj.* **1.** Que parlamenta ou é próprio para parlamentar. ● *S. m.* **2.** Aquele que parlamenta. [Fem.: *parlamentária*. Cf. *parlamentaria*, do v. *parlamentar*.] **3.** Navio que conduz o oficial que vai parlamentar a bordo de navio inimigo.

parlamentarismo [De *parlamentar*[1] + *-ismo*.] *S. m.* Regime político em que o gabinete (q. v.), constituído pelos ministros de Estado, é responsável perante o parlamento, que através dele governa a nação.

parlamentarista [De *parlamentarismo* + *-ista*.] *Adj. 2 g.* **1.** Relativo ao parlamentarismo. **2.** Que é partidário dele. ● *S. 2 g.* **3.** Partidário do parlamentarismo.

parlamentarizar [De *parlamentar*[1] + *-izar*.] *V. t. d.* Tornar parlamentar[1].

parlamentear [De *parlamento* + *-ear*[2].] *V. int. T. i.* Parlamentar[2]. [Conjug.: v. *frear*.]

parlamento [Do ingl. *parliament*.] *S. m.* **1.** A(s) assembleia(s) ou a(s) câmara(s) legislativa(s), nos países constitucionais. **2.** Congresso (4) nacional. **3.** Antiga assembleia política e judiciária, na França.

parlanda [De *parlar*.] *S. f.* V. *parlenda*.

parlapassada [De *parla* + o f. do adj. *passado*.] *S. f. Bras. RS* Ajuste prévio; conluio, combinação.

parlapatão [De *parlar*.] *Adj. S. m.* Diz-se de, ou homem cheio de vaidade; mentiroso, impostor, fanfarrão. [M. us. como s. m. Fem.: *parlapatona*.]

parlapatear [De *parlapat(ão)* + *-ear*[2].] *V. int.* **1.** Proceder como parlapatão; blasonar. *T. d.* **2.** Alardear com impostura; bazofiar, blasonar, ostentar. [Conjug.: v. *frear*.]

parlapatice [De *parlapat(ão)* + *-ice*.] *S. f.* Modos, atos ou ditos de parlapatão.

parlapatona *S. f.* Fem. de *parlapatão* (q. v.).

parlapatório [Voc. express. a partir de *parlar* e *-tório*.] *S. m. Bras.* Falatório, palavrório, palanfrório, verborragia, verbiagem.

parlar *V. int. T. i.* V. *parolar*.

parlatório [De *parlar* + *-tório*.] *S. m.* **1.** V. *locutório*. **2.** Conversa, cavaco. **3.** Falatório, falario. **4.** Balcão, em edifício público, onde se apresentam autoridades: *o parlatório do Palácio do Planalto*.

parlenda [De *parlanda*, com dissimilação.] *S. f.* **1.** V. *palavreado* (1). **2.** Discussão importuna; desavença, rixa. **3.** Rimas infantis, em versos de cinco ou seis sílabas, para divertir, ajudar a memorizar, ou escolher quem fará tal ou qual brinquedo. Ex.: "Amanhã é domingo / pé de cachimbo"; "Um, dois, / feijão com arroz". [Var.: *parlenga* e (pop.) *perlenda*, *perlenga*.]

parlendar [De *parlenda* + *-ar*[2].] *V. int.* Parlengar.

parlenga *S. f.* V. *parlenda*.

parlengar [De *parlenga* + *-ar*[2].] *V. int.* Usar de parlenga; parlendar. [Conjug.: v. *largar*.]

parma [Do lat. *parma*.] *S. f.* Escudo circular que usavam os antigos soldados romanos.

parmeliácea [Do tax. *Parmelia* + *-ácea*; tax. *Parmeliaceae*.] *S. f. Bot.* Espécime das parmeliáceas, família de liquens cujo talo é foliáceo e que, ger., se prendem ao substrato por meio das rizinas de sua superfície inferior; habitam árvores, rochedos, etc., e têm distribuição cosmopolita, sendo encontrados nos mais variados climas.

parmeliáceo [De *parmeliácea*, com var. suf. (v. *-áceo*).] *Adj. Bot.* Pertencente ou relativo às parmeliáceas.

parmenidiano *Adj. Hist. Filos.* Pertencente, relativo, ou próprio de Parmênides de Eleia (v. *eleatismo*).

parmesã *S. f.* Fem. de *parmesão* (q. v.).

P

parmesão [Do it. *parmigiano*.] *Adj.* **1.** De, ou pertencente ou relativo a Parma (Itália). [Fem.: *parmesã*.] **2.** Diz-se de uma variedade de queijo de massa dura, própria para ser ralada, e de largo emprego na cozinha. [Originário de Parma, é esse queijo atualmente fabricado em muitos países.] ● *S. m.* **3.** O natural ou habitante de Parma. [Flex.: *parmesã, parmesãos, parmesãs*.] **4.** *Restr.* Queijo parmesão.

parnaguaense (guà) *Adj. 2 g.* **1.** De, ou pertencente ou relativo a Paranaguá (PI). ● *S. 2 g.* **2.** O natural ou habitante de Paranaguá. [Sin. ger.: *parnaguense*.]

parnaguense (güen) *Adj. 2 g. S. 2 g.* V. *parnaguaense*. ❖

parnaíba [Do top. *Parnaíba* (v. *parnaibano*[1]), poss.] *S. f.* **1.** *Bras. N.E.* V. *lambedeira* (3): "Ouvindo aquelas palavras ...., os dous malfeitores instintivamente bateram mãos das <u>parnaíbas</u>" (Franklin Távora, *O Cabeleira*, p. 27). **2.** *Bras. BA* Facão usado por açougueiros.

parnaibano[1] (a-i) *Adj.* **1.** De, ou pertencente ou relativo a Parnaíba (PI). ● *S. m.* **2.** O natural ou habitante de Parnaíba.

parnaibano[2] (a-i) *Adj.* **1.** De, ou pertencente ou relativo a Santana de Parnaíba (SP). ● *S. m.* **2.** O natural ou habitante de Santana de Parnaíba.

parnamirinense *Adj. 2 g.* **1.** De, ou pertencente ou relativo a Parnamirim (PE e RN). ● *S. 2 g.* **2.** O natural ou habitante de Parnamirim.

parnanguara *Adj. 2 g.* **1.** De, ou pertencente ou relativo a Paranaguá (PR). ● *S. 2 g.* **2.** O natural ou habitante de Paranaguá.

parnão [De *par* (2) + *não*.] *Adj. Pop.* Ímpar. [Var.: *pernão*.]

parnaramense *Adj. 2 g.* **1.** De, ou pertencente ou relativo a Parnarama (MA). ● *S. 2 g.* **2.** O natural ou habitante de Parnarama.

parnasianismo [De *parnasiano* + *-ismo*.] *S. m.* Escola ou doutrina dos parnasianos; parnaso.

parnasiano [De *parnaso* + *-iano*.] *Adj.* **1.** Pertencente ou relativo ao Parnaso (1). **2.** Diz-se dos partidários de uma escola poética que, em oposição ao lirismo romântico, cultivou uma poesia de feição mais objetiva e de notável apuro de forma. ● *S. m.* **3.** Poeta filiado a essa escola.

parnaso [Do top. gr. *Parnasós* ou *Parnassós*, montanha da Fócida (Grécia antiga), consagrada a Apolo e às Musas, pelo lat. *Parnasu*.] *S. m.* **1.** Morada simbólica dos poetas. **2.** *Fig.* A poesia. **3.** A classe dos poetas. **4.** Coleção de poesias de vários autores. V. *antologia* (2). **5.** O parnasianismo.

parnasso *S. m. Ant.* Parnaso.

▲ **-paro** [Do lat. *parĕre*, 'parir', 'gerar'; 'produzir'.] *El. comp.* = 'que pare', 'que produz': *germiníparo, multíparo*. [Equiv.: *-para, -par(i)-*: *secundípara; cissiparidade*.]

paró *S. m.* V. *parau*.

paroara [Var. de *parauara*.] *S. m.* **1.** *Zool. Bras.* V. *cardeal* (3). ● *S. 2 g.* **2.** *Bras. Amaz.* V. *paraense*. **3.** *Bras. N.* Nordestino que vive na Amazônia. **4.** *Bras. N.* Agenciador de trabalhadores para os seringais da Amazônia.

parobeense (êen) *Adj. 2 g.* **1.** De, ou pertencente ou relativo a Parobé (RS). ● *S. 2 g.* **2.** O natural ou habitante de Parobé.

pároco [Do lat. *parochu* < gr. *parochós*, 'fornecedor de víveres aos agentes que viajavam a serviço do Estado'.] *S. m.* Sacerdote encarregado de uma paróquia; vigário, cura, padre-cura.

paródia [Do gr. *parodía*, 'canto ao lado de outro', pelo lat. *parodia*.] *S. f.* **1.** Imitação cômica de uma composição literária. **2.** *P. ext.* Imitação burlesca. **3.** *Teatr.* Comédia satírica ou farsa em que se ridiculariza uma obra trágica ou dramática; arremedo. [Cf. *parodia*, do v. *parodiar*.]

parodiador (ô) [De *parodia* + *-dor*.] *Adj. S. m.* Parodista.

parodiar [De *paródia* + *-ar*[2].] *V. t. d.* **1.** Fazer paródia de; imitar cômica ou burlescamente: "Na juventude, chegou mesmo a compor versos e <u>parodiar</u> letras de músicas populares." (Otávio Issa, *Os Inquietos*, p. 3.) **2.** Imitar; arremedar, remedar: "poderia .... buscar no movimento de renovação artística do século XV o modelo inexpressivo e frio com que a decadência da fé religiosa <u>parodiava</u> a severa correção da forma greco-romana" (Inglês de Sousa, *O Missionário*, p. 184). [Pres. ind.: *parodio, parodias, parodia*, etc. Cf. *paródia*.]

paródico [De *paródia* + *-ico*[2].] *Adj.* **1.** Relativo a paródia. **2.** Próprio de, ou em que há paródia.

parodinia [De *par(a)-* + *-odin(o)-* + *-ia*[1].] *S. f. Obst.* V. *distocia*.

parodínico [De *parodinia* + *-ico*[2].] *Adj. Obst.* Relativo a parodinia.

parodista [De *paródia* + *-ista*.] *Adj. 2 g. S. 2 g.* Que, ou aquele que faz paródias; parodiador.

parodístico [De *parodista* + *-ico*[2].] *Adj.* Relativo a, ou próprio da paródia: "O primeiro romance em que Camilo [v. *camiliano*], posto que com o intuito ridicularizante e <u>parodístico</u>, se submete à nova escola naturalista é o *Eusébio Macário*, publicado em 1879." (Feliciano Ramos, *História da Literatura Portuguesa*, p. 502.)

párodo [Do gr. *párodos*.] *S. m. Teatr.* **1.** Na tragédia e na comédia do antigo teatro grego, a entrada do coro, declamando ou cantando, e executando simultaneamente movimentos coreográficos. **2.** Na Grécia antiga, cada uma das duas entradas laterais por onde os espectadores, e depois o coro, entravam no teatro.

parodonte [De *par(a)-* + *-odonte*.] *S. m.* **1.** *Anat.* Periodonto. **2.** *Odont.* Tubérculo gengival doloroso.

parodontídeo [Adapt. do tax. *Parodontidae*.] *Zool. S. m.* **1.** Espécime dos parodontídeos, família de peixes caraciformes, de corpo fusiforme, que ocorrem na América do Sul e no Panamá. ● *Adj.* **2.** Pertencente ou relativo a eles.

parodontite [De *par(a)-* + *-(o)dont(o)-* + *-ite*[1].] *S. f. Odont.* V. *periodontose*.

parodontose [De *par(a)-* + *-(o)dont(o)-* + *-ose*[1].] *S. f. Odont.* V. *periodontose*.

paroico (ói) [De *par(a)-* + *-oico*[1].] *Adj. Bot.* Caracterizado pela presença de anterídios e arquegônios na mesma ramificação, ficando os anterídios, ger., abaixo ou em volta dos arquegônios. [Cf. *heteroico*.] ❖

parol [Do esp. *perol*, 'tacho'.] *S. m.* **1.** *Bras.* Manjedoura, cocho. **2.** *Bras.* Recipiente onde se ajunta o caldo da cana, nos engenhos de açúcar: "o rio cuja água a certas horas do dia se precipitava clara como o sumo da cana espremida no <u>parol</u>" (Xavier Marques, *As Voltas da Estrada*, p. 138). **3.** *Bras. MG* Grande depósito de aguardente: "Depois de destilada [a cachaça], deve ficar cinco anos em <u>paróis</u> de cedro, umburana ou bálsamo." (Agripa Vasconcelos, *Fome em Canaã*, p. 63.) [Pl.: *paróis*.]

parola [Do it. *parola*, 'palavra'.] *S. f.* **1.** Conversa sem consequência ou compromisso; conversa fiada. **2.** Sequência de palavras ocas; palavreado, parlenda, palanfrório, paleio: "— 'Basta. Deixemos de <u>parola</u>. / Que queres tu, ó rapariga?'" (Martins Fontes, *Verão*, p. 179.) **3.** Tagarelice, trela. ● *S. m. Adj.* **4.** *Bras. Amaz.* V. *paroleiro*.

parolador (ô) [De *parolar* + *-dor*.] *Adj. S. m.* V. *paroleiro*.

parolagem [De *parolar* + *-agem*[2].] *S. f.* Ato de parolar; parolamento.

parolamento [De *parolar* + *-mento*.] *S. m.* Parolagem.

parolar [De *parola* + *-ar*[2].] *V. int. T. i.* Falar muito; tagarelar, parolear, parlar: "De tanto <u>parolar</u> a goela se me abrasa..." (Eugênio de Castro, *Obras Poéticas*, VI, p. 41.) [Var. sincopada: *parlar*.]

➔ **parole** [pa'ʀɔl] [Fr., 'palavra'.] *S. f. E. Ling.* V. *discurso* (4).

parole [Do it. *paroli*, pelo esp. *pároli*.] *S. m.* Em certos jogos, o dobro da parada (9) anterior. [F. paral.: *parolim*.] ◆ **Fazer parole.** No carteado, concordar (todos os jogadores) em receber nova dada de cartas.

parolear [De *parola* + *-ear*[2].] *V. int. T. i.* V. *parolar*. [Conjug.: v. *frear*.]

paroleiro [De *parola* + *-eiro*.] *Adj. S. m.* **1.** Que, ou aquele que gosta de parolas ou de estar à parola. **2.** Parlapatão, fanfarrão, embusteiro, mentiroso. [Sin. ger.: *parolador* e (bras., Amaz.) *parola*.]

parolice [De *parola* + *-ice*.] *S. f.* **1.** Ato ou efeito de parolar. **2.** Qualidade de paroleiro.

parolim *S. m.* V. *parole*.

parolo (ô) [Dev. de *parolar*.] *Adj. S. m. Lus.* Diz-se de, ou indivíduo bronco, rude.

paromologia [Do gr. *paromología*, 'concessão'.] *S. f. E. Ling.* Concessão da qual imediatamente se tira vantagem.

paromológico [De *paromologia* + *-ico*[2].] *Adj.* Referente à paromologia.

paronímia [Do gr. *paronymía*.] *S. f.* Qualidade de parônimo.

paronímico [De *paronímia* + *-ico*[2].] *Adj.* Parônimo (1).

parónimo *Adj. S. m.* V. *parônimo*. [Uso freq. em P.]

parônimo [Do gr. *parónymos*, pelo lat. tard. *paronymu*.] *Adj. E. Ling.* **1.** Diz-se das palavras que têm som semelhante ao de outras; paronímico: *descrição* e *discrição*; *onicolor* e *unicolor*; *vultoso* e *vultuoso*. ~ V. *charada —a*. ● *S. m.* **2.** Palavra parônima. [Cf. *homônimo, antônimo* e *sinônimo*.]

paroniquia [Do gr. *paronychía*.] *S. f. Med.* Paroníquia[2].

paroníquia[1] [Do tax. *Paronychia* (do gr. *paronychía*).] *S. f. Bot.* **1.** Gênero de plantas cariofiláceas que tinham, a crer os antigos, a virtude de curar o panarício. **2.** Espécie ou espécime desse gênero.

paroníquia[2] [Do gr. *paronychía*, pelo lat. *paronychia*.] *S. f. Med.* Inflamação que compromete os tecidos dispostos em torno de unha; panarício, panariz. [F. paral.: *paroniquia*.]

paroníquio [De *paroníquia*[2] + *-io*[3].] *Adj. Med.* Pertencente ou relativo a paroníquia[2].

paronomásia [Do gr. *paronomasía*, pelo lat. tard. *paronomasia*.] *S. f. E. Ling.* **1.** Semelhança entre palavras de línguas diferentes, que indica origem comum; adnominação. **2.** Emprego de palavras semelhantes no som, porém diversas na significação; agnominação. Ex.: "Todas nove nos braços o tomaram, / criando-o co seu <u>leite</u> no seu <u>leito</u>." (Luís de Camões, *Rimas*, p. 275); "Há um pinheiro <u>estático</u> e <u>extático</u>" (Rubem Braga, *Ai de Ti, Copacabana!*, p. 16).

paronomástico *Adj.* Respeitante à paronomásia.

paropsia [De *par(a)-* + *-opsia*.] *S. f. Oftalm.* Designação genérica de distúrbio visual.

paróquia [Do lat. tard. *parochia* < gr. *paroikía*, 'grupo de habitações vizinhas'.] *S. f.* **1.** *Ecles.* Divisão territorial de uma diocese sobre a qual tem jurisdição ordinária um sacerdote, o pároco. **2.** *Bras. Joc.* Cidade; localidade, bairro: *É uma das pequenas mais certinhas da <u>paróquia</u>.* **3.** *Bras. Pop.* Grupo, bando, turma: *Aquele cara não faz parte da minha <u>paróquia</u>.* [Cf. *paroquia*, do v. *paroquiar*.]

paroquial [De *paróquia* + *-al*[1].] *Adj. 2 g.* **1.** Relativo ou pertencente ao pároco, ou à paróquia. **2.** *Fig.* Que tem âmbito restrito; que é próprio de, ou limitado a local, campo de atividades, ou grupo específicos: "Considera-se isoladamente a arte do negro, a arte da mulher, a arte do homossexual, como se a criação fosse uma fraqueza <u>paroquial</u> e não uma força universal." (Cid Seixas, em *Revista Literária Blau*, julho de 1997.)

paroquialismo [De *paroquial* + *-ismo*.] *S. m.* **1.** Condição ou caráter de paroquial (2). **2.** Modo de agir ou pensar em que se dá importância ao que é próximo, local, particular.

paroquialista [De *paroquialismo* + *-ista*.] *Adj. 2 g.* **1.** Relativo a, ou próprio de paroquialismo. ● *S. 2 g.* **2.** Pessoa dada ao paroquialismo (2).

paroquiamento [De *paroquiar* + *-mento*.] *S. m.* Ação ou efeito de paroquiar.

paroquiano [De *paróquia* + *-ano*[1].] *Adj. S. m.* Que, ou aquele que habita na paróquia (1); freguês: "— Sr. Padre Dionísio, o dever dum bom <u>paroquiano</u> é prestigiar o seu pároco." (Manuel Ribeiro, *A Planície Heroica*, p. 193.)

paroquiar [De *paróquia* + *-ar*[2].] *V. t. d.* **1.** Administrar como pároco: <u>*paroquiar*</u> *uma freguesia. Int.* **2.** Exercer as funções de pároco. [Pres. ind.: *paroquio, paroquias, paroquia*, etc. Cf. *paróquia*.]

paroquiato [De *paróquia* + *-ato*[1].] *S. m. Bras.* **1.** Tempo em que um vigário administra, ou administrou uma paróquia. **2.** Paróquia: "e Padre Antônio entrevia .... um futuro vulgar de padre bem-comportado, preso à igreja duma vila de interior, numa colação perpétua, engordando na vadiação estúpida dum <u>paroquiato</u> aldeão" (Inglês de Sousa, *O Missionário*, p. 168).

parosmia [De *par(a)-* + *-osm(o)-*[1] + *-ia*[1].] *S. f. Neur.* Perversão do sentido do olfato.

parósmico [De *parosmia* + *-ico*[2].] *Adj. Neur.* Relativo a parosmia.

parótico [De *par(a)-* + *-ot(o)-* + *-ico*[2].] *Adj. Anat.* Diz-se de formação (5) situada perto de orelha.

parótida [Var. de *parótide*.] *S. f. Anat.* Cada uma de duas glândulas salivares, localizada adiante e abaixo de cada orelha.

parótide [Do gr. *parotís, ídos*, 'caxumba', pelo lat. *parotide*.] *S. f. Anat.* Parótida.

parotídeo [De *parótida* + *-eo*.] *Adj.* Relativo a parótida; parotidiano.

parotidiano [De *parótida* + *-iano*.] *Adj.* Parotídeo.

parotidite [De *parótida* + *-ite*[1].] *S. f. Patol.* Inflamação de parótida. ◆ **Parotidite epidêmica.** *Patol.* Doença contagiosa, causada por vírus, e que incide principalmente em criança, produzindo imunidade duradoura. [Sin.: *trasorelho*, (bras.) *caxumba* e, vulgarmente, *papeira* no N. do Brasil.]

par ou ímpar *S. m. Bras. Jog. Inf.* **1.** Jogo em que duas pessoas ocultam uma das mãos e contam até três, para mostrá-las em seguida e somar os dedos estirados, cabendo a vitória ao que adivinhar se par ou ímpar. **2.** *P. ext.* Artifício em que se simula este jogo e utilizado para saber qual de dois será o escolhido para determinada tarefa, ou prêmio, etc. [Pl.: *pares ou ímpares*.] ☑

paroxísmico (cs) [De *paroxismo* + *-ico*[2].] *Adj.* Relativo a paroxismo; paroxístico.

paroxismo (cs) [Do gr. *paroxysmós*, 'estimulação', 'excitação'; 'paroxismo (1)'.] *S. m.* **1.** *Med.* Estágio duma doença, ou dum estado mórbido, em que os sintomas se manifestam com maior intensidade. **2.** *Fig.* A exaltação máxima de uma sensação ou de um sentimento; auge, apogeu: "Às vezes, quando os seus gestos eram mais bruscos, o rosto assumia um <u>paroxismo</u> tal de pavor que ninguém se furtava à impressão terrificante de tal cena." (Medeiros e Albuquerque, *Contos Escolhidos*, p. 144.) ◆ **Paroxismo vulcânico.** *Geol.* A intensidade maior da atividade vulcânica. ~ V. *paroxismos*.

paroxismos (cs) [Pl. de *paroxismo*.] *S. m. pl.* Estertor de moribundo; vasca(s), agonia. ~ V. *paroxismo*.

paroxisticamente (cs) [Do f. de *paroxístico* + *-mente*.] ***Adv.*** De modo paroxístico; até o último grau.
paroxístico (cs) [Do gr. *paroxystikós*.] ***Adj.*** Paroxísmico.
paroxítono (cs) [Do gr. *paroxýtonos*.] ***Adj.*** *E. Ling.* **1.** Diz-se do vocábulo que tem o acento tônico na penúltima sílaba. [Sin., obsol.: *grave*.] • ***S. m.*** **2.** Palavra paroxítona.
párpado [Do esp. *párpado*, 'pálpebra'.] ***S. m.*** *Desus.* Pálpebra.
parque [Do fr. *parc* < lat. tard. *parricus*.] ***S. m.*** **1.** Bosque cercado onde há caça. **2.** Extensão de terreno arborizada e fechada que circunda uma propriedade, ou a ela está anexa: *o parque do castelo.* **3.** Região natural de um país ou de uma região posta pelo governo sob sua proteção legal a fim de preservar sua fisiografia, flora e fauna: *parque nacional, parque marinho.* **4.** *Aer.* Organização encarregada de fornecer suprimentos e proporcionar manutenção de natureza complexa a determinadas famílias de aeronaves, designadas pela autoridade competente. **5.** *Mil.* Lugar onde se guardam munições de guerra ou petrechos de artilharia, e onde são feitas as manutenções dos diversos materiais de emprego militar. **6.** *Bras.* Jardim público arborizado: *Todas as manhãs leva as crianças ao parque.* **7.** *Lus.* Cercado (7). ◆ **Parque gráfico.** Conjunto de estabelecimentos gráficos de uma instituição, cidade, estado ou país. **Parque industrial. 1.** Conjunto de indústrias de uma cidade, estado ou país. **2.** Área reservada pelo Estado à instalação de indústrias. **Parque infantil.** Local geralmente cercado e dotado de instalações próprias para a recreação de crianças. **Parque nacional.** Área natural demarcada pelo governo de um país, que a põe sob sua proteção a fim de conservar integralmente sua flora, fauna e belezas cênicas naturais. [No Brasil, essas áreas podem abrigar, apenas, atividades humanas que tenham objetivos educacionais, recreativos e científicos. Também se podem criar parques estaduais ou municipais, com finalidade semelhante.]
parquê ***S. m.*** *Constr.* Parquete (q. v.): "Dois compridos sofás brancos contra paredes brancas, em ângulo, chão de parquê nu" (Luís Fernando Veríssimo, *O Clube dos Anjos*, p. 21).
parqueamento [De *parquear* + *-mento*.] ***S. m.*** *Bras.* **1.** Ato ou efeito de parquear. **2.** Estacionamento (2). **3.** Método de adubação do solo com excremento de carneiro.
parquear [Do ingl. *(to) park* (v. *-ear*^{2}).] ***V. t. d.*** *Bras. Angl.* **1.** Delimitar local para parqueamento ou estacionamento de. **2.** Estacionar (5): "Esse homem havia parqueado o carro pouco adiante e com rapidez desembarcara." (Haroldo Maranhão, *As Peles Frias*, p. 158.) [Conjug.: v. *frear*.]
parquete (ê) [Do fr. *parquet*.] ***S. m.*** *Constr.* Soalho cujos tacos formam desenhos; parquê.
parquímetro [Do rad. de *parquear* + *-i-* + *-metro*, para traduzir o ingl. *parking meter*.] ***S. m.*** Aparelho para medir o tempo de permanência de automóvel.
parra [De or. obscura.] ***S. f.*** Ramo de videira; pâmpano: "Rodeado [Baco] de milhões de capros e silvanos, / Faunos cornutos, sátiros maganos, / Engrinaldados de racimos e de parras" (Martins Fontes, *Verão*, p. 49).
parrado [De *parra* + *-ado*^{1}.] ***Adj.*** Disposto em latada.
parrafar [De *párrafo* + *-ar*^{2}.] ***V. t. d.*** *Ant.* Dividir em párrafos; paragrafar. [Pres. ind.: *parrafo*, etc. Cf. *párrafo*.]
párrafo ***S. m.*** *E. Ling. Desus.* V. *parágrafo*. [Cf. *parrafo*, do v. *parrafar*.]
parrana [De or. obsc.] ***Adj. 2 g. S. 2 g.*** **1.** Que, ou quem anda maltrajado; gebo. **2.** Que, ou quem é indiferente ao progresso; molangueirão; retardatário.
parrança [Por **parlança*, com assimilação.] ***S. f.*** *Bras. AL Pop.* Fanfarronice, gabolice, jactância.
parranda [Do esp. plat. *parranda*.] ***S. f.*** *Bras. RS* **1.** Grupo de velhacos organizado para burlar incautos. **2.** Roubo, ladroeira.
parrar-se [De *parra* + *-ar*^{2} + *se*^{1}.] ***V. p.*** **1.** Cobrir-se de parras. **2.** Alastrar-se como a videira.
parreira [De *parra* + *-eira*.] ***S. f.*** *Bot.* **1.** Designação comum a certas plantas trepadeiras, esp. a videira. **2.** Videira cujos ramos se firmam, em geral, numa latada (1).
parreira-brava ***S. f.*** *Bras. Bot.* **1.** V. *abutua* (1). **2.** V. *parreira-do-mato*. [Pl.: *parreiras-bravas*.]
parreira-brava-do-rio [De *parreira* + o f. de *bravo*^{1} + *do*^{1} + *rio*.] ***S. f.*** *Bras. Bot.* **1.** Abutua-do-rio. [Pl.: *parreiras-bravas-do-rio*.]
parreira-do-mato ***S. f.*** *Bras. Bot.* Cipó menispermáceo (*Cissampelos pareira*) disperso por toda a zona tropical e comum no Brasil, de frutos pequenos e dispostos em cacho, e cuja raiz, grossa, tem uso na medicina popular; cipó-de-cobra, parreira-brava. [Pl.: *parreiras-do-mato*.]
parreiral [De *parreira* + *-al*^{1}.] ***S. m.*** Série de parreiras.
parrésia [Do gr. *parrhesía*, pelo lat. med. *parrhesia*.] ***S. f.*** *E. Ling.* Afirmação ousada; atrevimento oratório.
parrésico [De *parrésia* + *-ico*^{2}.] ***Adj.*** Referente à parrésia.
parricida [Do lat. *parricida*.] ***S. 2 g.*** **1.** Pessoa que matou o pai, mãe ou qualquer dos ascendentes. • ***Adj. 2 g.*** **2.** Que praticou o parricídio.
parricídio [Do lat. *parricidiu*.] ***S. m.*** Crime de parricida.
parrídeo [Do tax. *Parra* (< lat. *parra*, 'certa ave') + *-ídeo*^{1}; tax. *Parridae*.] ***S. m. Adj.*** *Zool.* V. *jacanídeo*.
parrilha ***S. f.*** **1.** Saragoça muito ordinária. • ***Adj. 2 g.*** **2.** Que cria muito sarmento.
parruá [Do fr. *paroir*.] ***S. m.*** Grande bastidor onde se colocam as peles para se alisar o carnaz.
parruda [De *parra* + *-uda*.] ***S. f.*** **1.** *Bras. Chulo* Mulher virgem. **2.** *Gír.* Negócio ilícito.
parrudo [De *parra* + *-udo*.] ***Adj.*** **1.** Rasteiro como as parras. **2.** *Fig.* Baixo e grosso: "um rapazelho de dezessete anos, moreno e parrudo" (Xavier Marques, *Jana e Joel*, p. 1). **3.** Forte, musculoso. • ***S. m.*** **4.** *Bras.* Alcunha depreciativa de português. V. *galego* (4).
parse ***Adj. 2 g. S. 2 g. S. m.*** V. *pársi*.
parsec [De *par(alaxe)* + ingl. *sec(ond)*, 'segundo'.] ***S. m.*** *Astr.* Unidade astronômica equivalente à distância de uma estrela cuja paralaxe seja de um segundo, e correspondente a 3,2616 anos-luz [símb.: *pc*]. [Pl.: *parsecs*.]
pársi [Do persa *parsi*, 'persa'.] ***Adj. 2 g.*** **1.** Pertencente ou relativo aos pársis, antigos persas zoroastristas que, para escapar às perseguições muçulmanas, emigraram e se estabeleceram na Índia, ou ao parsismo. **2.** Que é sectário do parsismo. • ***S. 2 g.*** **3.** Sectário dele. • ***S. m.*** **4.** *Gloss.* V. *persa* (3). [F. paral.: *parse*.]
parsismo [De *parsi* + *-ismo*.] ***S. m.*** **1.** Religião dos pársis. **2.** Costumes e usos dos pársis.
parta ***Adj. 2 g. S. 2 g.*** Parto^{2}.
partasana [Do it. *partigiana*, pelo fr. *pertuisane*.] ***S. f.*** **1.** *Ant.* Alabarda de infantaria, aguda e larga: "Engarfam-se as espadas nas espadas, as lanças nas lanças, as partasanas nas partasanas, os chuços nos chuços." (Antero de Figueiredo, *Toledo*, p. 121.) **2.** V. *tabua*. [Cf. *patrazana*.]
parte [Do lat. *parte*.] ***S. f.*** **1.** Elemento ou porção de um todo: *a parte superior de um móvel; a parte residencial da cidade; A enfermeira aplicou pomadas na parte ferida do corpo do doente.* **2.** Porção de um todo dividido; porção, quinhão: *Dividiu o dinheiro em partes iguais; Cada um receberá a sua parte na herança.* **3.** Divisão de uma obra: *Euclides da Cunha dividiu* Os Sertões *em três partes: a Terra, o Homem e a Luta.* **4.** Matéria de que se trata; assunto, ponto: *Nesta parte ele não tem razão.* **5.** Local, lugar, sítio: *Acompanha o velho amigo a toda parte.* **6.** Lado, banda: *O vento sopra da parte sul.* **7.** Atribuição, papel, função: *A parte dos pais é zelar pelo bem dos filhos.* **8.** *Dir. Proc.* Cada uma das pessoas que integram a relação processual como autor e réu. **9.** Cada uma das pessoas que celebram entre si um contrato; contratante: *Havendo perfeito acordo entre as partes, assinou-se a escritura.* **10.** Partido, causa, facção: *Uns poucos monarquistas negaram apoio à parte republicana.* **11.** Comunicação verbal ou escrita; participação: *Só deu parte de seu casamento a alguns amigos.* **12.** Denúncia de um crime, delito, transgressão de ordem ou de regulamento: *O capitão deu parte do soldado faltoso.* **13.** *Mús.* Cada um dos elementos componentes de uma partitura. **14.** *Mús.* Cada um dos elementos estruturais de determinadas composições, tais como a sonata, a sinfonia, etc. **15.** *Mús.* Parte cavada (q. v.). ~ V. *partes*. ◆ **Parte beneficiária.** *Econ.* Título negociável emitido por sociedade anônima, e que dá a seu titular direito de participação nos lucros anuais. **Parte cavada.** *Mús.* Texto, impresso ou manuscrito, extraído de uma partitura para várias vozes ou para vários instrumentos, e que corresponde a uma só voz ou a um só instrumento. [Tb. se diz apenas *parte*.] **Parte central.** *Bras. RS Chulo* O pênis. **Parte do discurso.** *E. Ling.* Cada uma das classes de palavras, estabelecidas com base em características de significado e de forma, como o tipo de flexão e de distribuição (12). [São elas: *nome, pronome, adjetivo, artigo, numeral, verbo, advérbio, conjunção, preposição, interjeição*.] [Sin.: *categoria gramatical; classe de palavras*.] **Parte ideal.** *Dir. Civ.* A fração que, num condomínio, representa simples relação numérica, correspondente ao direito de cada condômino, e que por meio da divisão ou da partilha pode concretizar-se e determinar-se em uma parte real. **Parte mole.** *Anat.* Qualquer local do corpo em que não há osso. **Partes do mundo.** As seis grandes massas de terra em que, por convenção, se divide o mundo: *América, Europa, Ásia, África, Oceania* e *Antártida*. **À parte. 1.** Isoladamente, particularmente, separadamente, ou isolado, particular, separado; de parte: *Chamou-o à parte para explicar o negócio; O caso merece um tratamento à parte.* **2.** Sem contar com; além de; fora, afora: *À parte os filhos, criava os sobrinhos órfãos.* **A parte do leão.** O melhor e/ou o maior quinhão ou parte: *O chefe do bando ficou com a parte do leão.* **Com parte de.** Fingindo: "Com parte de dar liberdade de opinião aos operários, cabalam às escondidas contra mim." (Amando Fontes, *Os Curumbas*, p. 62). **Da parte de.** A mandado de; por ordem de; por parte de: *Venho da parte de seus pais.* **Dar parte de. 1.** Mostrar-se, revelar-se: *Aguentou o rojão, sem dar parte de covarde;* "fiz uma carta ao Seu Deolindo Epaminondas, dando parte de doente .... e que ele avaliasse meu incômodo, minha mortificação." (Pedro Nava, *Beira-Mar*, p. 110). **2.** Fazer-se de; fingir-se: *Deu parte de cansado para não trabalhar.* **3.** Denunciar, delatar: *Deu parte do criminoso.* **Dar parte (de alguma coisa) a alguém.** Comunicar verbalmente ou por escrito: "O criado deu imediatamente parte à polícia, que empregou todas as diligências a ver se obtinha notícia do jovem doutor." (Machado de Assis, *Contos Esparsos*, p. 33.) **De parte. 1.** À distância; sem tomar parte ou se intrometer: *Conservou-se de parte durante a recepção.* **2.** Em caráter particular; particularmente, reservadamente; à parte: *Chamei-o de parte para tratar do delicado assunto.* **De parte a parte. 1.** Em reciprocidade; reciprocamente: "Chegadas as coisas a este ponto, o combate prolongou-se por bastante tempo, sustentado de parte a parte com igual denodo e perícia." (Júlio Dinis, *As Pupilas do Senhor Reitor*, p. 47.) **2.** De lado a lado: "e também aquela desventurada mulher que tendo repreendido o marido de descaminhos em que andava, lhe passou ele uma espada de parte a parte" (José Saramago, *Memorial do Convento*, [8ª ed.] p. 45). **Em parte.** Parcialmente. **Fazer parte de.** Ser um dos elementos ou figurantes de; participar de, ou em: *Fazem parte da comissão dois advogados.* **Ir por partes.** Considerar isoladamente cada aspecto da matéria que se examina; examinar metodicamente. **Por parte de.** V. *da parte de*. **Pôr de parte.** V. *pôr de lado*. **Ter parte com.** Estar de combinação com; estar mancomunado com; mancomunar-se com. **Ter parte em.** Tomar parte em. **Tomar à má parte.** Interpretar em mau sentido: "mas o dito foi tomado à má parte, andou de boca em boca, e muita gente redobrou os carinhos com um homem capaz de dizer coisas tão perversas." (Machado de Assis, *Contos sem Data*, p. 100). **Tomar parte em.** Ter participação em; participar de; ter parte em: *F. não tomou parte no crime.* **Vir com partes de.** Fingir.
parteira [De *parto* + *-eira*.] ***S. f.*** **1.** Mulher que, sem ser médica, assiste a parto, ajudando ou socorrendo parturiente. [Sin.: *obstetriz* e (fam.) *comadre, madama*.] **2.** *Bras. N.E. Pop.* Guarda-chuva velho e ordinário. **3.** *P. ext.* V. *guarda-chuva*.
parteiro [De *parto* + *-eiro*.] ***Adj.*** **1.** Diz-se de médico que assiste a parto ou que é especialista em obstetrícia. **2.** *Bras. N.E. Fam. Irôn.* Muito zeloso, extremoso em demasia e com sinceridade duvidosa: *João está muito parteiro com a sogra.* • ***S. m.*** **3.** Médico parteiro.
partejamento [De *partejar* + *-mento*.] ***S. m.*** Partejo (1).
partejar [De *parto* + *-ejar*.] ***V. t. d.*** **1.** Servir de parteiro ou parteira a. **2.** *Bras. N.E.* Adular, bajular. ***Int.*** **3.** Parir (3). **4.** Servir de parteiro ou parteira: "A Engrácia disse que partejava há trinta anos e nunca tinha visto uma coisa assim." (Helena Morley, *Minha Vida de Menina*, p. 53). [Conjug.: v. *pelejar*.]
partejo (ê) [Dev. de *partejar*.] ***S. m.*** **1.** Ato de partejar; partejamento. **2.** O ofício de parteira.
▲ **parteno-** [Do gr. *partheno-* < gr. *parthénos, ou*.] ***El. comp.*** = 'virgem', 'não fecundado': *partenogênese, partenologia, partenofobia, partenófobo*.
partenocarpia [De *parteno-* + *-carp(o)-* + *-ia*^{1}.] ***S. f.*** *Bot.* Formação de um fruto sem fecundação prévia dos óvulos, não havendo, portanto, sementes, ou sendo elas estéreis.
partenocárpico [De *partenocarpia* + *-ico*^{2}.] ***Adj.*** Relativo a, ou resultante de partenocarpia: *tomate partenocárpico.*
partenofilia [De *parteno-* + *-filia*.] ***S. f.*** *Psiq.* Inclinação exagerada por mulher virgem.
partenofílico [De *partenofilia* + *-ico*^{2}.] *Psiq.* ***Adj.*** **1.** Relativo a partenofilia. **2.** Que tem partenofilia; partenófilo. • ***S. m.*** **3.** Aquele que tem partenofilia; partenófilo.
partenófilo [De *parteno-* + *-filo*^{2}.] ***Adj. S. m.*** *Psiq.* Partenofílico (2 e 3).
partenofobia [De *parteno-* + *-fobia*.] ***S. f.*** *Psiq.* Medo mórbido de mulher virgem.
partenofóbico [De *partenofobia* + *-ico*^{2}.] *Psiq.* ***Adj.*** **1.** Relativo a partenofobia. **2.** Que sofre de partenofobia; partenófobo. • ***S. m.*** **3.** Aquele que sofre de partenofobia; partenófobo.
partenófobo [De *parteno-* + *-fobo*.] ***Adj. S. m.*** *Psiq.* Partenofóbico (2 e 3).

partenogénese *S. f. Biol.* V. *partenogênese.* [Uso freq. em P.]

partenogênese [De *parteno-* + *-gênese.*] *S. f. Biol.* Forma de reprodução sexual em que um óvulo se desenvolve sem ter havido fertilização; ocorre em algumas plantas e em invertebrados, especialmente em artrópodes. [Cf. *apomixia.*]

partenogenético [De *partenogên(ese)* + *-ético.*] *Adj.* **1.** Relativo a partenogênese. **2.** Em que ocorre partenogênese.

partenologia [De *parteno-* + *-logia.*] *S. f.* Estudo sobre a constituição e as doenças de mulheres virgens.

partenológico [De *partenologia* + *-ico*[2].] *Adj.* Relativo a partenologia.

partenomancia (cí) [De *parteno-* + *-mancia.*] *S. f.* Antiga arte de adivinhar se era ou não virgem uma mulher administrando-lhe uma bebida que ela não devia vomitar, ou cingindo-lhe ao pescoço uma fita que não podia ser tirada facilmente por cima da cabeça, caso a mulher estivesse pura.

partenomante [De *parteno-* + *-mante.*] *S. 2 g.* Pessoa que pratica ou praticava a partenomancia.

partenomântico *Adj.* Referente a partenomancia, ou a partenomante.

parténope *S. m.* V. *partênope.* [Uso freq. em P. Com cap.]

partênope [Do mit. gr. *Parthenópe*, pelo lat. *Parthenope.*] *S. m.* Pequeno planeta descoberto em Nápoles, em 1850. [Com cap.]

partenopeu [Do lat. *Parthenopeiu.*] *Adj.* **1.** Referente a Partênope, antiga cidade italiana, hoje Nápoles. **2.** *P. us.* V. *napolitano* (1). [Fem.: *partenopeia.*]

partenopídeo [Do tax. *Parthenope* (< lat. *parthenope*) + *-ídeo*[1]; tax. *Parthenopidae.*] *Zool. S. m.* **1.** Espécime dos partenopídeos, família de crustáceos decápodes, braquiúros, na qual se encontram caranguejos vulgarmente conhecidos como aranhas-do-mar ou santolas. ● *Adj.* **2.** Pertencente ou relativo a eles.

partes [Pl. de *parte.*] *S. f. pl.* **1.** Qualidades de uma pessoa; dotes, prendas. **2.** Os órgãos genitais externos; partes pudendas, partes secretas: "Andava-se a morrer de fome e sem um pedaço de niagem para cobrir as partes" (Alberto Rangel, *Lume e Cinza*, p. 168). **3.** *Bras.* Manhas, melindres, exigências: *pessoa cheia de partes.* ~ V. *parte.* ◆ **Partes moles.** *Anat.* Partes do corpo que não têm ossos. **Partes proporcionais.** *Mat.* Grandezas que estão entre si numa razão constante. **Partes pudendas.** V. *partes* (2). **Partes secretas.** V. *partes* (2).

partibilidade [De *partível* + *-(i)dade*, seg. o padrão erudito.] *S. f.* Qualidade de partível.

partição [Do lat. *partitione.*] *S. f.* **1.** Ato de partir, de dividir. **2.** *Álg.* Coleção de subconjuntos de um conjunto construídos de maneira que cada elemento do conjunto esteja apenas num subconjunto; decomposição. **3.** *Quím.* Fenômeno que consiste na distribuição de um soluto entre duas fases em contato (p. ex., dois solventes imiscíveis), de acordo com sua solubilidade e o volume em cada uma.

participação [Do lat. tard. *participatione.*] *S. f.* Ato ou efeito de participar: *participação de casamento;* "A participação da borracha no valor total das exportações elevou-se de 0,4 por cento, nos anos quarenta, para 15,0 por cento, nos noventa." (Celso Furtado, *Formação Econômica do Brasil*, p. 147). ◆ **Participação nos lucros.** *Econ.* Sistema em que os empregados têm parte nos lucros de uma empresa, a qual lhes distribui uma parcela dos ganhos mediante adição de salários e vencimentos e sem exigência de melhoria de produtividade.

participador (ô) [De *participar* + *-dor.*] *Adj. S. m.* V. *participante* (1).

participante [Do lat. *participante.*] *Adj. 2 g. S. 2 g.* **1.** Que, ou quem participa; participador, partícipe. **2.** Que, ou quem, em política ou noutra atividade, tem participação ativa. ~ V. *observação —.*

participar [Do lat. *participare.*] *V. t. d.* **1.** Fazer saber; informar, anunciar, comunicar: *Participou, em breves linhas, a sua renúncia; Os recém-casados participaram sua residência;* "Com modo solene e triste, / Participou / Que era obrigado a partir" (José Régio, *As Encruzilhadas de Deus*, p. 115). *T. d. e i.* **2.** Fazer saber; informar, anunciar, comunicar: "garotas participavam-lhe a outrora grata notícia de que, por indicação dos professores, estavam fazendo um trabalho sobre ele" (Carlos Drummond de Andrade, *Cadeira de Balanço*, p. 48); "Estela apareceu muito alegre participando ao esposo que a avó lhe mandara os canários" (Camilo Castelo Branco, *A Mulher Fatal*, p. 107). *T. i.* **3.** Ter ou tomar parte: "Ao ser convidado para padrinho de casamento, ia ponderar que há muito perdera a fé, não lhe ficava bem participar de ato religioso." (Id., *ib.*, p. 49); "Não pensava participar, ao menos naqueles momentos, de tantas intrigas palacianas" (Nélida Piñon, *A Força do Destino*, p. 35); "respondeu que assim mandara para defesa dos jesuítas, ameaçados da cólera popular, por haverem participado na conspiração contra o Rei." (J. Lúcio d'Azevedo, *O Marquês de Pombal e a Sua Época*, p. 20). **4.** Ter ou receber parcela de um todo: *Os empregados participam dos lucros da empresa.* **5.** Associar-se pelo pensamento ou pelo sentimento: *Exaltado, participava da indignação geral.* **6.** Ter traço(s) em comum, ponto(s) de contato, analogia(s): "O ataque aéreo realizado contra Sèvres em 1941 participa mais da natureza do sacrilégio." (Costa Rego, *Águas Passadas*, p. 408); "O romance de Camilo participa do folhetim, participa do panfleto, participa da crônica, participa do comentário, divagação ou confissão pessoal, ... e até participa do que chamamos, num sentido técnico e restrito, romance." (José Régio, *in* João Gaspar Simões, *Perspectiva da Literatura Portuguesa do Século XIX*, I, p. 181).

participativo [De *participar* + *-tivo.*] *Adj.* **1.** Relativo a participação. **2.** Caracterizado por, ou que favorece participação: *sistema participativo, democracia participativa.* ~ V. *administração —a.*

participável [Do lat. *participabile.*] *Adj. 2 g.* Que pode ser participado.

partícipe [Do lat. *participe.*] *Adj. 2 g. S. 2 g.* V. *participante* (1): "o Mercosul constitui o melhor instrumento possível — e para alguns partícipes o único possível — para sua conveniente inserção no sistema internacional." (Hélio Jaguaribe, em *Jornal do Brasil*, 10.08.1999). [Cf. *participe*, do v. *participar.*]

participial [Do lat. *participiale.*] *Adj. 2 g. E. Ling.* Relativo ao, ou da natureza do particípio.

particípio [Do lat. *participiu.*] *S. m. E. Ling.* Forma infinita do verbo, e que reúne características deste e do adjetivo. [Em port., o particípio é marcado pelo sufixo *-do* (*amado, comido, partido*).]

pártico [Do gr. *parthikós*, pelo lat. *parthicu.*] *Adj.* Pertencente ou relativo aos partos (v. *parto*[2]).

partícula [Do lat. *particula*, por via erudita.] *S. f.* **1.** Parte muito pequena. **2.** Corpo diminuto; corpúsculo: *partículas em suspensão num líquido.* **3.** Hóstia (sobretudo pequena). **4.** *E. Ling.* Palavra invariável que tem função gramatical, mas que não é facilmente classificada numa das partes do discurso. **5.** *E. Ling.* No estudo do sânscrito, palavra invariável. ◆ **Partícula alfa.** *Fís. Nucl.* Núcleo de hélio emitido em um processo radioativo ou acelerado convenientemente. [Tb. se diz apenas *alfa.*] **Partícula apassivadora.** *E. Ling.* O pronome *se*, na voz passiva sintética: *Tomaram-se as providências (= as providências foram tomadas).* **Partícula atômica.** *Fís.* Designação genérica de partículas que têm dimensões comparáveis às dimensões atômicas, como, p. ex., os íons. **Partícula beta.** *Fís. Nucl.* Elétron ou pósiton emitido num processo de desintegração nuclear, e possuidor de energia cinética. [Tb. se diz apenas *beta.*] **Partícula elementar.** *Fís. Part.* Partícula que se supõe fazer parte do conjunto de constituintes fundamentais da matéria. As partículas elementares são caracterizadas por um conjunto de números quânticos: massa, *isospin*, *spin*, paridade, carga elétrica, número leptônico, número bariônico, estranheza, charme, beleza e *top*. [Incluem-se nesta classe os léptons (q. v.), os mésons (q. v.), os bárions (q. v.), o fóton, os bósons *W* e *Z* e as respectivas antipartículas.] **Partícula estranha.** *Fís. Nucl.* Partícula elementar em que a estranheza não é nula. **Partícula fundamental.** *Fís. Nucl.* Partícula elementar. **Partícula subatômica.** *Fís.* Designação genérica de partículas cujas dimensões são muito menores que as de um átomo, como, p. ex., os elétrons, os prótons, etc. **Sagrada partícula.** *Rel.* A hóstia.

particulado [De *partícula* + *-ado*[1].] *Adj. Quím.* Diz-se de material reduzido a partículas.

particular [Do lat. *particulare.*] *Adj. 2 g.* **1.** Pertencente ou relativo apenas a certos seres vivos ou a certa(s) pessoa(s) ou coisa(s); peculiar, próprio, específico, especial: *A reflexão é uma característica particular do homem;* "Era um aposento suficientemente espaçoso, ..., e, embora sempre muito limpo, muito varrido e arrumado, com o cheiro particular às habitações de doentes." (José Veríssimo, *Cenas da Vida Amazônica*, pp. 102-103). **2.** De propriedade ou uso exclusivo de alguém; que não é de uso geral ou público; privativo: *carro particular; biblioteca particular.* **3.** Incomum; raro; singular: *talento particular.* **4.** Reservado, íntimo: *assunto particular; conversa particular.* **5.** Minucioso, minudente, pormenorizado. **6.** *Lóg.* Que não pertence a todos os indivíduos de uma espécie considerada, mas a alguns deles, ou, até, a um só deles. [Opõe-se, nesta acepç., a *geral* (5). Cf. *singular* (7).] ~ V. *avaria —, instrumento —, integral —, missa —, proposição —, solução —, testamento —* e *vida —.* ● *S. m.* **7.** Aquilo que é particular: *Seu raciocínio é falso, porque realça o particular e abandona o geral.* **8.** Caso ou circunstância especial: *Nesse particular nós nos entendemos.* **9.** Uma pessoa qualquer: *O carro atropelou um particular que ia passando.* **10.** O que é próprio do temperamento de cada um; singularidade, mania. **11.** *Bras.* Conversa em particular: "Mas na casa de minha Madrinha ela disse que queria um particular com a Comadre nem bem eu tinha tomado a bênção" (Odilo Costa Filho, *Histórias da Beira do Rio*, p. 143). ~ V. *particulares.*

particulares [Pl. de *particular.*] *S. m. pl.* Pormenores, minúcias, minudências, detalhes; particularidades: *Revelou muitos particulares da antiga administração.* ~ V. *particular.*

particularidade [De *particular* + *-(i)dade.*] *S. f.* **1.** Qualidade ou caráter de particular; particularismo. **2.** Peculiaridade, especialidade, singularidade, característica. **3.** Pormenor, minúcia, minudência.

particularismo [De *particular* + *-ismo.*] *S. m.* **1.** Particularidade (1). **2.** *Polít.* Posição de uma comunidade, de uma população, que procura conservar, dentro dum Estado ou duma Federação, suas características regionais, sua autonomia.

particularista [De *particular* + *-ista.*] *Adj. 2 g.* **1.** De, ou relativo a particularismo. **2.** *Polít.* Que é adepto do particularismo (2). ● *S. 2 g. Polít.* **3.** Adepto do particularismo (2).

particularização [De *particularizar* + *-ção.*] *S. f.* Ato ou efeito de particularizar(-se).

particularizadamente [Do f. de *particularizado* + *-mente.*] *Adv.* De maneira particularizada, minuciosa, minudenciosa, minudente.

particularizador (ô) [De *particularizar* + *-dor.*] *Adj. S. m.* Que, ou aquele que particulariza.

particularizante [De *particularizar* + *-nte.*] *Adj. 2 g.* Particularizador: "não ia [Camilo Castelo Branco (v. *camiliano*)] além dos lugares-comuns deslavados dum idílio arcádico: arvoredo, 'um acre aroma', ... Nenhuma nota concreta, particularizante." (Jacinto do Prado Coelho, *Introdução ao Estudo da Novela Camiliana*, p. 535).

particularizar [De *particular* + *-izar.*] *V. t. d.* **1.** Narrar ou referir com minúcia ou particularidade: *Particularizou os métodos que pretende usar em seu trabalho.* **2.** Fazer distinção ou menção especial de; nomear em particular: *Não particularizou ninguém, no seu elogio.* **3.** Caracterizar especialmente; especificar, individualizar, individuar: *Esta biografia particulariza aspectos psicológicos da vida do escritor. P.* **4.** Sobressair, distinguir-se, salientar-se; singularizar-se.

particularmente [De *particular* + *-mente.*] *Adv.* **1.** Em particular, a sós: *Queria conversar com o irmão particularmente.* **2.** Em especial, em particular: *Gostei muito do jantar, particularmente do vinho servido.* **3.** Mais do que o comum, do que o habitual: *Naquela noite, estava particularmente feliz.*

partida [De *partir* + *-ida*[3].] *S. f.* **1.** Ato de partir (8 e 9); saída. **2.** Em certos jogos, número de lanços [v. *lanço* (10)] ou de mãos [v. *mão* (17)] necessários para que um parceiro ganhe: *partida de gamão; partida de baralho.* **3.** Prélio esportivo: *partida de futebol, de tênis, de golfe.* **4.** Quantidade de mercadorias destinadas ao comércio: *uma partida de café, outra de uísque.* **5.** Lançamento completo de uma operação mercantil no livro chamado *diário.* **6.** Remessa de mercadorias. **7.** Reunião social e recreativa; serão, sarau: "À noite fez-se uma festinha, uma 'partida' como se dizia." (L. Lavenère, *O Padre Cornélio*, p. 57.) **8.** Grupo de gente armada ou desordeira; bando, quadrilha, súcia: *uma partida de ladrões e outra de maconheiros.* **9.** *Fam.* V. *peça* (16): *Há de pagar a partida que me pregou.* **10.** *Bras. RS* Pequena corrida de cavalo, que antecede a principal. **11.** *Bras. RS* Ensaio que os corredores fazem para a largada dos parelheiros. ◆ **Partidas dobradas.** Sistema de escrituração em que cada lançamento se faz ao mesmo tempo no *deve* de uma conta e no *haver* de outra. **Correr as setes partidas (do mundo).** Viajar muito: "Não obstante não andar proscrito, era homem que corria as sete partidas, oferecendo os seus serviços a este e àquele, com a esperança de que alguma hora o pusessem à testa de um exército." (Aquilino Ribeiro, *A Retirada dos Dez Mil*, p. 319.) **Perder a partida.** Sair-se mal, ou vencido, de alguma coisa. **Pregar partidas.** *Lus.* V. *pregar uma partida* (2): "Às vezes, a vida prega-nos partidas." (Antônio Silva Graça, *Viagem ao Fim da História*, p. 221.) **Pregar uma partida. 1.** Fazer uma pirraça, um acinte. **2.** Lograr, enganar. [Sin., nesta acepç.: *dar um bigode, pregar uma peça*, e (lus.) *pregar partidas.*]

partidão [De *partido* + *-ão*[1].] *S. m. Fam.* **1.** Bom arranjo. **2.** Boa colocação. **3.** Casamento vantajoso; noivo ou noiva rica. **4.** *Restr.* O antigo Partido Comunista Brasileiro enquadrado nas diretrizes da extinta U.R.S.S.

partidário [De *partido* + *-ário.*] *Adj.* **1.** De, ou relativo a partido (4): *política partidária.* **2.** Que é membro ou simpatizante de um partido (4): *político* *partidário*. **3.** Que segue uma ideia, uma escola, uma pessoa, etc.; sectário, sequaz: *os escritores partidários do modernismo; filósofos partidários de Kant.* ● ***S. m.*** **4.** Membro ou simpatizante de um partido (4). **5.** Aquele que segue uma ideia, uma escola, etc.; sectário, sequaz, adepto, prosélito.

partidarismo [De *partidário* + *-ismo*.] ***S. m.*** Paixão partidária; proselitismo.

partidarista [De *partidário* + *-ista*.] ***Adj. 2 g. S. 2 g.*** **1.** Que, ou quem segue um partido. **2.** Que, ou quem é apaixonado por um partido.

partidarização [De *partidarizar* + *-ção*.] ***S. f.*** Ato ou efeito de partidarizar.

partidarizar [De *partidário* + *-izar*.] ***V. t. d.*** **1.** Ligar (indivíduo, grupo, etc.) a partido; tornar partidário: *Estão tentando partidarizar a associação de moradores.* ***P.*** **2.** Filiar-se a grupo ou partido.

partido [Part. de *partir*.] ***Adj.*** **1.** Dividido em partes. **2.** Quebrado, fragmentado. ~ V. *folha —a*. ● ***S. m.*** **3.** Organização cujos membros programam e realizam uma ação comum com fins políticos e sociais; facção. **4.** Associação de pessoas unidas pelos mesmos interesses, ideais, objetivos; liga. **5.** Resolução, decisão; expediente: *Hesitou, sem saber que partido tomar.* **6.** Posição, lado, parte: *Na discussão, tomou o partido do primo.* **7.** Utilidade, proveito, vantagem, ganho: *tirar partido da situação.* **8.** Pessoa casadoura, considerada sob o aspecto financeiro ou social: "ele era um homem bonito, herdara do pai uma empresa e ampliara os negócios, um bom partido para qualquer mulher, mesmo tendo uma filha pequena para criar." (Rubem Fonseca, *Histórias de Amor*, p. 15). **9.** Vantagem dada em jogo. **10.** Contrato de serviços de advocacia com retribuição mensal fixa. **11.** *Arquit.* Na elaboração de um projeto, a decisão de escolha do projetista em relação às diretrizes formais dominantes da construção, e que constitui a síntese formal do espaço arquitetônico. **12.** *Turfe* Recurso ilícito (empurrão, puxão na rédea, fechada, etc.) de que um jóquei lança mão para derrotar adversário que lhe ofereça luta direta. **13.** *Bras.* Plantação de cana-de-açúcar em extensão de terreno mais ou menos considerável: "preparassem terra .... para os partidos de cana, porque chuva haveria na certa para criar lavoura com fartura." (José Lins do Rego, *Gregos e Troianos*, p. 172). ◆ **Tomar o partido (de):** Manifestar-se a favor de um dos lados, em questão controversa ou em disputa acirrada.

partido-alto ***S. m.*** Espécie de samba (v. *pagode*): "O pagode já existia com o nome de partido-alto, só que não era muito divulgado como é hoje." (Paulinho Beleza, pagodeiro e ex-passista, em *Última Hora*, 18.09.1986.)

partidor (ô) [De *partir* + *-dor*.] ***Adj.*** **1.** Que faz partilhas; repartidor. **2.** *Bras. RS* Diz-se do cavalo acostumado a fazer partidas, nas corridas. ● ***S. m.*** **3.** Aquele que faz partilhas; repartidor, divisor. **4.** O funcionário judicial que faz o cálculo das partilhas. **5.** *Bras. RS* A parte da cancha donde os cavalos fazem as partidas para as carreiras: "Ao comprido da cancha enfileirados / os gaúchos olhavam, dos dois lados, / os parelheiros já no partidor." (Vargas Neto, *Tropilha Crioula e Gado Xucro*, p. 63.)

partilha [Do lat. *particula*, por via pop.] ***S. f.*** **1.** Repartição dos bens duma herança. **2.** Divisão de lucros. **3.** V. *quinhão* (1). **4.** Divisão, repartição. **5.** *Fig.* Quinhão, dote, lote: *A glória foi a partilha do herói.*

partilhamento [De *partilhar* + *-mento*.] ***S. m.*** Ação de partilhar, ou o resultado desta ação.

partilhar [De *partilha* + *-ar*[2].] ***V. t. d.*** **1.** Fazer partilha de. **2.** Dividir em partes; repartir: *As crianças partilharam a merenda.* **3.** Tomar ou ter parte em; compartir, compartilhar: "a primeira mulher .... apiedou-se do primeiro homem, e quis partilhar os trabalhos e as dores daquele que fora criado por Deus para ser o seu escravo humilde" (Alphonsus de Guimaraens, *Obra Completa*, pp. 414-415). ***T. d. e i.*** **4.** Dividir em partes; dividir, repartir: *Partilhou sua herança com os pobres.* **5.** Dar, distribuir. **6.** Compartilhar; dividir: *Partilhou o apartamento com dois amigos.* ***T. i.*** **7.** Ter parte; participar: "Há uma só lei da Existência / sob a esfera luminosa: / partilham da mesma essência / homem, ave, estrela e rosa." (Augusto de Lima, *Poesias*, p. 55.)

partilhável [De *partilhar* + *-vel*.] ***Adj. 2 g.*** Que pode ser partilhado.

partimento [De *partir* + *-mento*.] ***S. m.*** **1.** Ato de partir. **2.** Repartição, divisão. **3.** Partida, saída.

➔ **parti pris** [paʁ'ti pʁi] [Fr.] Opinião preconcebida.

partir [Do lat. *partire*.] ***V. t. d.*** **1.** Dividir em partes; fazer em porções ou pedaços. **2.** Fazer em pedaços; quebrar, despedaçar: *Partiu a estatueta arrojando-a contra a parede.* **3.** Separar, dividir: *O rio Sena parte a cidade de Paris.* **4.** Fender; sulcar: *A embarcação partia as ondas.* ***T. d. e i.*** **5.** Repartir, distribuir: *Parte o que é seu pelos amigos*; "Porém, outros amigos tem o frade / Com quem partir sua bondade extrema" (Eugênio de Castro, *Obras Poéticas*, VI, p. 175). ***T. i.*** **6.** Tomar por base: *Para desculpar-se, parte de uma falsa alegação.* **7.** Originar-se, proceder; provir: *A ideia da homenagem partiu de um grupo de amigos.* **8.** Investir contra; atacar: *Partiu para o adversário, logo que a luta começou.* "Não chegou a dizer tudo. João partiu para ele. Serafim matou, mas para não morrer" (Odilo Costa Filho, *A Faca e o Rio*, p. 171). ***T. c.*** **9.** Partir (7): *O tiro partiu de local desconhecido.* **10.** Pôr-se a caminho; ir(-se), partir-se: "Deixando tudo, posição, família, negócios prósperos, Gauguin deseja pintar, e parte para Taiti, nos mares do Sul." (Santa Rosa, *Roteiro de Arte*, p. 19.) **11.** Ter origem ou começo; principiar, nascer: *Dali parte um ribeiro que, mais adiante, se transforma em rio caudaloso.* **12.** Ser limítrofe; confinar. ***Bit. c.*** **13.** Partir (10): *Partiu do Rio para São Paulo.* ***Int.*** **14.** Partir (10): "Mais belo que partir é regressar." (Onestaldo de Pennafort, *Poesias*, p. 211.) **15.** Ir-se embora; retirar-se, partir-se. **16.** V. *morrer* (1). ***P.*** **17.** Quebrar-se, romper-se: *Na queda, a costela partiu-se.* **18.** Pôr-se a caminho; ir(-se), partir: "buliçosas / velas, que o vento tépido enfunara, / se partiam das alvas praias para / o infinito das ondas misteriosas." (A. S. de Mendonça Júnior, *Poemas fora da Moda*, p. 20). **19.** Retirar-se, afastar-se, partir. **20.** Seguir viagem. **21.** V. *morrer* (1). ◆ **A partir de.** A começar de.

partista [De *parte* + *-ista*.] ***Adj. 2 g.*** *Bras.* **1.** Cheio de partes, de exigências, melindres; exigente, caprichoso; suscetível. **2.** Arisco; assustadiço.

partita [Do it. *partita*.] ***S. f.*** *Mús.* **1.** No começo do séc. XVII, qualquer peça escrita para instrumentos de teclado ou alaúde. **2.** Suíte de danças. **3.** Série de variações sobre um tema popular ou religioso, ou uma dessas variações. **4.** Sonata de câmara que agrupa diversas danças. [J. S. Bach (1685-1750) usou o termo ora como equivalente de *suíte*, ora para designar uma série de variações sobre corais para órgão.]

partitivo [Do fr. *partitif*.] ***Adj.*** **1.** Que reparte. **2.** *E. Ling.* Que limita a significação de uma palavra; segregativo. ~ V. *caso —*. ● ***S. m.*** *E. Ling.* **3.** Caso partitivo (q. v.). **4.** Denominação atribuída a determinadas construções com um objeto direto preposicionado que refere nome não contável ou que é considerado como tal: *Ele come do pão; João bebe do vinho.*

partitura [Do it. *partitura*.] ***S. f.*** *Mús.* Disposição gráfica, por extenso ou reduzida, de todas as partes vocais e instrumentais de uma composição, de modo que permita a sua leitura simultânea. ◆ **Partitura de canto e piano.** *Mús.* A que contém por extenso as partes de canto, e uma redução para piano das partes de orquestra.

partível [Do lat. *partibile*.] ***Adj. 2 g.*** Que pode ser partido.

parto[1] [Do lat. *partu*.] ***S. m.*** *Obst.* **1.** Processo de nascimento, no qual o feto, a placenta e as membranas fetais são expelidos do sistema genital materno. [Sin.: *parição, paridela, parturição,* (pop.) *aliviamento* e (pop., MG) *doença*.] **2.** *Fig.* Produto, invenção, obra: *o estranho parto de um espírito exaltado.* ◆ **Parto cesariano.** *Obst.* V. *cesariana*. **Parto cesário.** *Obst.* V. *cesariana*. **Parto da montanha.** Resultado insignificante dum esforço notório, intenso ou prolongado. **Parto induzido.** *Obst.* Aquele cujo trabalho é provocado por meios mecânicos, instrumentais ou medicamentosos. **Parto prematuro.** *Obst.* Aquele em que a expulsão do feto viável ocorre entre a 28ª e a 37ª semanas de gravidez, antes, pois, do término desta. **Ser um parto difícil.** Ser difícil, custoso, trabalhoso.

parto[2] [Do lat. *parthu*.] ***Adj.*** **1.** Da, pertencente ou relativo à Pártia, reino fundado por Arsaces c. 250 a. C., a L. da antiga Pérsia, e que se expandiria entre o mar Cáspio e o golfo Pérsico até a fronteira da Índia, região correspondente, *grosso modo*, ao atual Coraçã (Irã). ● ***S. m.*** **2.** O natural ou habitante da Pártia. **3.** *Gloss.* Língua iraniana da antiga Pártia. [Sin. ger.: *parta*.]

párton [Do ingl. *parton*.] ***S. m.*** *Fís. Part.* Partícula subnuclear, postulada na cromodinâmica quântica como constituinte de núcleons (q. v.) para explicar o comportamento destes em colisões com elétrons a altíssimas energias, e atualmente identificada com os *quarks*.

parturejar [Do lat. *partura*, 'parto', + *-ejar*.] ***V. t. d.*** Produzir ou dar à luz (muitas coisas). [Conjug.: v. *pelejar*.]

parturição [Do lat. *parturitione*.] ***S. f.*** *Obst.* V. *parto*[1] (1).

parturiente [Do lat. *parturiente*, part. pres. do lat. *parturire*.] *Obst.* ***S. f.*** **1.** Fêmea em trabalho de parto[1] (1). ● ***Adj. 2 g.*** **2.** Diz-se de parturiente (1). [Cf. *puérpera*.]

parturir [Do lat. *parturire*.] ***V. int.*** *Desus.* V. *parir* (3).

paru [Do tupi.] ***S. m.*** **1.** *Bras. Bot.* V. *cumaru* (1). **2.** *Bras. BA Zool.* Designação comum aos peixes marinhos estromateídeos, de que é tipo o paru-dourado *Seserinus paru*. **3.** *Bras. Zool.* Peixe teleósteo, perciforme, quetodontídeo (*Pomacanthus arcuatus*), do Atlântico, de coloração que varia do verde-amarelado ao arroxeado, escamas marginadas de amarelo, em meia-lua, sobre fundo preto, nadadeiras peitorais com mancha amarela na base, tendo os jovens cinco arcos amarelos distribuídos sobre o corpo. Comprimento: até 66cm. Sua pesca é feita com redes, pois recusa os anzóis. Alimenta-se de peixes pequenos, crustáceos e moluscos. [Sin.: *frade, gordinho, paru-beija-moça, paru-listrado, parumbeba, peixe-frade, perambeba*. V. *enxada* (3).]

paru-amarelo ***S. m.*** *Bras. Zool.* V. *jandaia* (3). [Pl.: *parus-amarelos*.]

paru-beija-moça ***S. m.*** *Bras. Zool.* V. *paru* (3). [Pl.: *parus-beija-moças*.]

paru-bicudo ***S. m.*** *Bras. Zool.* V. *jandaia* (3). [Pl.: *parus-bicudos*.]

paru-da-pedra ***S. m.*** *Bras. Zool.* Peixe teleósteo, perciforme, cetodontídeo (*Pomacanthus rathbuni*), do Atlântico. Espécie parecida com o paru (q. v.), do qual se diferencia, sobretudo, por detalhes anatômicos. [Sin.: *pretucano*. Pl.: *parus-da-pedra*.]

paru-doirado ***S. m.*** *Bras. Zool.* V. *paru-dourado*. [Pl.: *parus-doirados*.]

paru-dourado ***S. m.*** *Bras. Zool.* Peixe acantopterígio estromateídeo (*Seserinus paru*). [Var.: *paru-doirado*. Pl.: *parus-dourados*.]

parúlia ***S. f.*** *Odont.* V. *parúlide*.

parúlida[1] ***S. f.*** *Odont.* V. *parúlide*.

parúlida[2] [Do tax. *Parula* + *-ida*[1].] ***S. m. Adj. 2 g.*** *Zool.* V. *parulídeo*.

parúlide [Do gr. *paroulís, ídos*.] ***S. f.*** *Odont.* Abscesso gengival. [Var.: *parúlida* e *parúlia*.]

parulídeo [Do tax. *Parula* (< lat. *parus*, 'certa ave', + lat. cient. *-ula*) + *-ídeo*[1]; tax. *Parulidae*.] *Zool.* ***S. m.*** **1.** Espécime dos parulídeos, família de aves que, em classificações modernas, é considerada como a subfamília parulínea dos emberizídeos. ● ***Adj.*** **2.** Pertencente ou relativo a eles. [Sin. ger.: *parúlida*.]

parulíneo [Do tax. *Parulinae*.] *Zool.* ***S. m.*** **1.** Espécime dos parulíneos, subfamília de aves emberizídeas, canoras, insetívoras, que mudam a plumagem com as estações do ano, e habitam as três Américas. ● ***Adj.*** **2.** Pertencente ou relativo a eles.

paru-listrado ***S. m.*** *Bras. Zool.* V. *paru* (3). [Pl.: *parus-listrados*.]

parum ***S. m.*** *Bras. Zool.* V. *borboleta-listrada*.

parumbeba ***S. f.*** *Bras. Zool.* V. *paru* (3).

paru-mulato ***S. m.*** *Bras. Zool.* V. *borboleta-listrada*. [Pl.: *parus-mulatos*.]

paruru ***S. m.*** *Bras. Bot.* V. *axuá* (2).

parusia [Do gr. *parousía*.] ***S. f.*** *Teol.* Volta gloriosa de Jesus Cristo, no final dos tempos, para estar presente ao Juízo Final (q. v.).

parúsia ***S. f.*** *Teol.* V. *parusia*.

paru-soldado ***S. m.*** *Bras. Zool.* V. *soldado* (8). [Pl.: *parus-soldados* e *parus-soldado*.]

parva[1] [Fem. de *parvo* (1).] ***S. f.*** **1.** Refeição leve, que se toma antes do almoço ou em lugar dele. **2.** Pequena quantia em dinheiro.

parva[2] [Do esp. plat. *parva*.] ***S. f.*** *Bras. RS* Meda de forragem, de trigo ou de arroz.

parvajola ***S. 2 g.*** Pessoa parva; parvalhão.

parvalhão [De *parvo* + *-alhão*.] ***S. m.*** **1.** V. *parvoeirão*. **2.** Parvajola. [Fem.: *parvalhona*.]

parvalhice [De *parvo* + *-alh(o)-* + *-ice*.] ***S. f.*** V. *parvoíce* (1).

parvalhona ***S. f.*** Fem. de *parvalhão*.

➔ **parvenu** [paʁvə'ny] [Fr.] ***S. m.*** Indivíduo que atingiu situação superior à sua condição originária sem haver melhorado de maneiras. [Cf. *novo-rico*.]

parvidade [Do lat. *parvitate*.] ***S. f.*** **1.** V. *parvoíce* (2). **2.** Pequenez, pouquidade.

parvo [Do lat. *parvulu*, dim. de *parvus*, 'pequeno', por via pop.] ***Adj.*** **1.** Pequeno, limitado, apoucado. **2.** V. *tolo* (1 a 3). **3.** Próprio de parvo (2); que denota parvoíce: *procedimento parvo; resolução parva.* ~ V. *veia safena —a*. ● ***S. m.*** **4.** V. *tolo* (8). [Fem.: *parva* e *párvoa*; aum.: *parvalhão* e *parvoeirão*.]

párvoa [Do lat. *parvula*.] ***Adj. (f.)*** Fem. de *parvo* (q. v.): "Isto não é simplesmente criancice párvoa — é desgraça" (Camilo Castelo Branco, *Noites de Insônia*, III, p. 21).

parvoalho [De *parvo* + *-alho*.] ***S. m.*** *Bras.* V. *parvoeirão*.

parvoeira [De *parvo* + *-eira*.] ***S. f.*** V. *parvoíce* (1 e 2).

parvoeirão [De *parvo* + *-eirão*.] ***S. m.*** Indivíduo muito parvo. [Sin.: *parvalhão, toleirão*, e (bras.) *parvoalho*. Fem.: *parvoeirona*.]

parvoeirar [De *parvo* + *-eir(o)-* + *-ar*[2].] ***V. int.*** Parvoejar.

parvoeirona ***S. f.*** Fem. de *parvoeirão* (q. v.).

parvoejar [De *parvo* + *-ejar*.] ***V. int.*** Falar ou proceder como parvo; parvoeirar. [Conjug.: v. *pelejar*.]

parvoiçada (o-i) [De *parvoice* + *-ada*[1].] ***S. f.*** V. *parvoíce* (1): "O Barão Gros, ao ler em um dia .... mais triste uma parvoiçada insolente de um desses inimigos anônimos que muitas vezes nos esperam .... nas encruzilhadas da imprensa, suicidou-se." (Ramalho Ortigão, *Em Paris*, p. 84.)

parvoíce [De *parvo* + *-ice*.] *S. f.* **1.** Ato, dito ou escrito de parvo; parvalhice, parvoeira, parvoiçada, parvulez. **2.** Qualidade ou estado de parvo; parvidade, parvoeira, parvulez. **3.** V. *demência* (2).

parvónia [De *parvo* + a term. de top. como *Amazônia, Macedônia*, etc.] *S. f. Prov. port.* Região em que impera o atraso, interior pouco desenvolvido de um país: "No fundo contava que a polícia não andasse por nenhum modo abarbada com o recém-vindo da parvónia." (Aquilino Ribeiro, *Lápides Partidas*, p. 108.)

parvovirose [De *parvovír(us)* + *-ose*[1].] *S. f. Med. Veter.* Infecção causada por gênero de vírus da subfamília *Parvoviridae* que infecta o homem, outros mamíferos e aves. ◆ **Parvovirose canina.** *Veter.* Aquela que acomete os cães, ger. de modo fatal, e que se caracteriza por febre alta, vômito e diarreia.

parvulez (ê) [De *párvulo* + *-ez*.] *S. f.* **1.** Puerilidade (3). **2.** Idade infantil. **3.** V. *parvoíce* (1 e 2). [F. paral.: *parvuleza*.]

parvuleza (ê) [De *párvulo* + *-eza*.] *S. f.* Parvulez (q. v.).

párvulo [Do lat. *parvulu*, 'pequenino', por via erudita.] *S. m.* **1.** Criança (1). ● *Adj.* **2.** Pequenino (1). **3.** *Ant.* Parvo, idiota, tolo.

pascacice [De *pascácio* + *-ice*.] *S. f.* Qualidade, ato ou dito de pascácio.

pascácio [Do esp. *pascasio*.] *S. m.* V. *tolo* (8).

pascal[1] [Do lat. tard. *paschale*.] *Adj. 2 g.* Relativo à, ou próprio da Páscoa: "Cordeirinhos pascais, anjos, araras, flores" (Guerra Junqueiro, *A Velhice do Padre Eterno*, p. 224). ~ V. *preceito —, tempo —* e *tríduo —*. [F. paral.: *pascoal*.]

pascal[2] [Do antr. *Pascal* (v. *pascaliano*).] *S. m. Fís.* Unidade de medida de pressão no Sistema Internacional, igual à pressão de uma força de um *newton* distribuída uniformemente sobre uma superfície plana de área igual a um metro quadrado normal à sua direção [símb.: *Pa*. Pl.: *pascals*.]

pascaliano *Adj.* De, ou pertencente ou relativo a Blaise Pascal (1632-1662), filósofo e matemático francês, ou próprio dele; pascalino.

pascalina [Do fr. *pascaline*.] *S. f.* Máquina de calcular inventada por Blaise Pascal (v. *pascaliano*).

pascalino *Adj.* Pascaliano.

pascentar [Do lat. *pascente*, part. pres. de *pascere*, 'levar ao pasto', 'pascer', + *-ar*[2].] *V. t. d. T. d. e i. P.* Apascentar.

pascer [Do lat. *pascere*.] *V. t. d.* **1.** Pastar (3). **2.** Fazer pastar: "Se mal lhe parecia, bem pudera — Dizer-me que não era gosto seu — Pascer o gado meu pela ribeira" (Fr. Agostinho da Cruz, *Obras*, p. 38). **3.** Dar prazer a; deliciar, recrear: *Pasciam os olhos na bela paisagem*; "alguns financeiros ...., vagueando ao acaso como fartos e luxuosos carneiros de concurso, pascendo os olhos satisfeitos na contemplação dos seus belos domínios" (Ramalho Ortigão, *As Farpas*, I, p. 282). *Int. P.* **4.** Pastar; apascentar-se: *As vacas pasciam, quietas*; "Passei por essas plácidas colinas / e vi das nuvens, silencioso, o gado / pascer nas solidões esmeraldinas." (Cecília Meireles, *Obra Poética*, p. 649). **5.** Alimentar-se, nutrir-se. **6.** Deleitar-se, deliciar-se, recrear-se: "Os seus olhos de imigrante pasciam na doce redondeza do panorama." (Graça Aranha, *Canaã*, p. 1); "Tinha tudo que falta às belezas estatuárias, em que se pascem os olhos do homem, mais artista que apaixonado." (Camilo Castelo Branco, *Doze Casamentos Felizes*, p. 209). [Defect., não conjugável na 1ª pess. sing. do pres. ind. nem, pois, no pres. subj. Pres. ind.: *pasces, pasce*, etc. Cf. o pres. subj. do v. *passar* e o s. m. *passe*.]

pascigo [De *pascer*.] *S. m.* V. *pasto* (1 e 2): "encaminhou o rebanho do pascigo para o curral" (Alberto Braga, *Novos Contos*, p. 177).

pascigoso (ô) [De *pascigo* + *-oso*.] *Adj.* Abundante em pascigos.

páscoa [Do hebr. *pesach* pelo gr. *Páscha*, pelo lat. láss. *Pascha*.] *S. f.* **1.** Na época pré-mosaica, festa da primavera de pastores nômades. **2.** *Rel.* Festa anual dos hebreus, transformada em memorial de sua saída do Egito. **3.** *Rel.* Festa anual dos cristãos, que comemora a ressurreição de Cristo e é celebrada no primeiro domingo depois da lua cheia do equinócio de março. [V. *ano litúrgico*.] **4.** *Bras.* O cumprimento do preceito pascal, sobretudo quando feito coletivamente: *páscoa das filhas de maria; páscoa dos militares*. [V. *ano litúrgico*. Nas acepç. 2 e 3, com cap. Cf. *pascoa* (ô), do v. *pascoar*.]

pascoal [De *páscoa* + *-al*[1].] *Adj. 2 g.* Pascal[1].

pascoar [De *páscoa* + *-ar*[2].] *V. int.* Celebrar a Páscoa. [Conjug.: v. *coroar*. Pres. ind.: *pascoo, pascoas* (ô), *pascoa* (ô), etc. Cf. *páscoa*.]

pascoela [De *páscoa* + *-ela*.] *S. f.* O domingo imediato ao da Páscoa; quasímodo.

pascoense (pàs) [Do esp. *pascuense*.] *Adj. 2 g.* **1.** Relativo à ilha de Páscoa (Chile), assim denominada por ter sido descoberta no domingo de Páscoa de 1722, ou ao pascoense (2). ● *S. m.* **2.** *Gloss.* Rapanui.

pascoinha (o-í) [De *páscoa* + *-inha*.] *S. f. Bot.* Arbusto asteráceo (*Coronilla glauca*) procedente da Europa, cultivado pelo seu valor ornamental, e que tem cinco a sete folíolos obovados, obtusos e glaucos, sendo as flores amarelas fortemente perfumadas e ordenadas em umbelas.

➔ **pas de deux** [padə'dø] [Fr.] *S. m.* Balé ou parte de um balé para dois bailarinos.

pasé *Bras. S. 2 g.* **1.** *Etnôn.* Indivíduo dos pasés, povo indígena extinto, da família linguística aruaque que habitava à margem esquerda do rio Içá, a margem direita do rio Solimões, na confluência com o rio Tefé (AM) e na Colômbia. ● *Adj. 2 g.* **2.** Pertencente ou relativo a esse povo. [Tb. us. como *s. 2 g. e 2 n.* (com cap.) e *adj. 2 g. e 2 n.*]

■ **Pasep** Sigla de *Programa de Formação do Patrimônio do Servidor Público*.

➔ **pashmina** ['pæʃminə] [Ingl., do persa *pashm*, 'lã de cabra do Himalaia'] *S. f.* **1.** *Tec. Têx.* Fio obtido da lã de certa cabra do Himalaia, mais fino que o do *cashmere*. **2.** *Vest.* Manta tecida com esse fio, us. sobre vestidos ou outras peças de vestuário.

▲ **pasi-** [Do gr. *pasi-* < *pâs, pâsa, pân*.] V. *pant(o)-*.

pasigrafar [De *pasigrafia* + *-ar*[2].] *V. t. d. Int.* Escrever em pasigrafia.

pasigrafia [De *pasi-* + *-grafia*.] *S. f. E. Ling.* **1.** Sistema de escrita que pode ser compreendido por leitores de diferentes línguas nativas, como no caso de línguas internacionais que fazem uso de notação musical, ou de símbolos matemáticos. **2.** Qualquer língua escrita artificial que pode ser entendida internacionalmente.

pasigráfico [De *pasigrafia* + *-ico*[2].] *Adj.* Referente à pasigrafia.

pasistenografia [De *pasi-* + *-(e)sten(o)-* + *-grafia*.] *S. f. Desus.* V. *taquigrafia*.

pasistenotaquigrafia [De *pasi-* + *-(e)sten(o)-* + *taquigrafia*.] *S. f. Desus.* V. *taquigrafia*.

pasmaceira *S. f.* **1.** Pasmo idiota; admiração tola. **2.** Apatia, indolência.

pasmado[1] *S. f. Bras. PE* Faca de ponta, de boa têmpera e artisticamente trabalhada, feita na povoação de Pasmado (PE).

pasmado[2] [Part. de *pasmar*.] *Adj.* **1.** Admirado, surpreendido, espantado. **2.** Sem vivacidade; inexpressivo, apalermado. **3.** *Bras. Pop.* Que sofreu espasmo. ● *S. m.* **4.** *Bras.* Pau ou mourão que permanece de uma porteira ou cancela.

pasmar [De *pasmo*[1] + *-ar*[2].] *V. t. d.* **1.** Causar pasmo ou admiração a. *T. d. e i.* **2.** Fixar (os olhos, a vista, etc.); fitar prolongadamente: *Pasmou os olhos naquela beleza deslumbrante*. *Int.* **3.** Ficar pasmado, assombrado, estupefato; admirar-se profundamente: *Ante o espetáculo inédito, pasmou*. **4.** Ficar parado, inerte. *T. i.* **5.** Pasmar (3): "O professor pasmou da inesperada reconciliação" (João de Araújo Correia, *Terra Ingrata*, p. 181). *P.* **6.** Ficar embasbacado, admirado, estupefado. **7.** Admirar-se; sobressaltar-se. [Part.: *pasmado* e (sobretudo no Brasil) *pasmo* (q. v.).]

pasmatório [De *pasmar* + *-tório*.] *S. m.* **1.** Grande pasmo. **2.** Praça ou lugar onde permanecem ou vagueiam ociosos: "o que não diriam dele nos pasmatórios da Rua do Ouvidor, nas conversações à mesa?" (Machado de Assis, *Páginas Recolhidas*, p. 122).

pasmo[1] [Do gr. *spasmós*, pelo lat. *spasmu*, no lat. vulg. *pasmu*, com dissimilação.] *S. m.* **1.** Assombro; espanto, admiração. **2.** Desfalecimento; desmaio.

pasmo[2] [Part. irreg. de *pasmar*.] *Adj.* Assombrado, espantado, pasmado: "com os cabelos erriçados, os olhos pasmos, e o corpo hirto, contemplava uma visão que o arrastava e espavoria ao mesmo tempo." (José de Alencar, *O Tronco do Ipê*, p. 292); "o grupo dos bem-aventurados, ... que, entoando hinos gratos, vão, pasmos e felizes, subindo a ladeira sagrada que leva ao seio de Cristo-Deus" (Antero de Figueiredo, *D. Pedro e D. Inês*, pp. 196-197); "Olhos pasmos no Além, eu cismo longamente" (Anrique Paço d'Arcos, *Estrada sem Fim*, p. 29).

pasmoso (ô) [De *pasmo*[1] + *-oso*.] *Adj.* Que produz pasmo; assombroso; admirável.

paspalhão [Voc. onom.] *Adj. S. m.* V. *tolo* (1 a 3 e 8). [Sin. (do s. m.): *paspalho*. Fem.: *paspalhona*.]

paspalhice [De *paspalho* + *-ice*.] *S. f.* Ato, dito ou escrito de paspalhão; tolice.

paspalho [Voc. onom.] *S. m.* **1.** Paspalhão. **2.** Pessoa inútil; espantalho.

paspalhona *S. f.* Fem. de *paspalhão* (q. v.).

páspalo [Do tax. *Paspalum*.] *S. m. Bot.* **1.** Gênero de poáceas que abrange cerca de 330 espécies nativas de regiões temperadas e subtropicais, esp. das Américas, e que são características dos pampas. **2.** Qualquer espécie desse gênero, como, p. ex., a *Paspalum repens* (v. *membeca*). **3.** Qualquer espécime desse gênero.

pasquim [Do it. ant. *pasquino*, do it. *Paschino*, Pasquino, nome, em Roma, de uma estátua de gladiador, na qual se fixavam libelos e sátiras.] *S. m.* **1.** Sátira afixada em lugar público. **2.** Jornal ou panfleto difamador. **3.** *P. ext. Deprec.* Jornaleco. [Sin.: *pasquinada*.]

pasquinada [De *pasquim* + *-ada*[1], seg. o padrão erudito.] *S. f.* **1.** Pasquim. **2.** Difamação escrita em pasquim (2).

pasquinagem [De *pasquinar* + *-agem*[2].] *S. f.* **1.** Ato de pasquinar. **2.** Hábito de pasquineiro. **3.** Difamação por escrito em papéis avulsos, como, p. ex., pasquins, jornais, manifestos.

pasquinar [De *pasquim* + *-ar*[2], seg. o padrão erudito.] *V. t. d.* **1.** Satirizar (alguém) por meio de pasquins. *Int.* **2.** Fazer pasquins.

pasquineiro [De *pasquim* + *-eiro*, seg. o padrão erudito.] *Adj. S. m.* Autor ou redator de pasquim; difamador.

passa [Do lat. *passa*, 'estendida', 'seca ao sol' (subentende-se *uva*).] *S. f.* Fruta seca, esp. uva. [Cf. *passo*[4].]

passa-altas *Adj. 2 g. e 2 n. Eletrôn.* ~ V. *filtro —*.

passa-baixas *Adj. 2 g. e 2 n. Eletrôn.* ~ V. *filtro —*.

passabenense *Adj. 2 g.* **1.** De, ou pertencente ou relativo a Passabém (MG). ● *S. 2 g.* **2.** O natural ou habitante de Passabém.

passacale [Do esp. *pasa calle*, canção que 'passa pela rua', poss.] *S. f.* **1.** *Mús.* No fim do séc. XVI e início do séc. XVII espanhol, espécie de serenata acompanhada pelo tamborim e pela flauta. **2.** *Mús.* A partir de 1640, dança de corte, em compasso ternário. [Var.: *pasacalha*.] **3.** *Mús.* Forma instrumental de origem espanhola, primeiramente em compasso binário, e depois em ternário, em andamento lento: *A grande passacale em dó menor de J. S. Bach (1685-1750) é um monumento da música*. [Semelhante à chacona, seu tema simples, curto e obrigatoriamente cadencial, pode, contudo, ser transportado do baixo às vozes intermediárias ou à voz mais aguda, quando na chacona ele permanece, em princípio, no baixo contínuo.]

passacalha *S. f.* V. *passacale*.

passa-culpas [De *passar* + o pl. de *culpa*.] *S. 2 g. e 2 n.* Pessoa que desculpa com facilidade, que é muito indulgente: "Detestava o povo desordeiro, mas detestava ainda mais o oficial, supondo-o passa-culpas, um relaxadão." (João de Araújo Correia, *Cinza do Lar*, p. 52.)

passada [De *passo* ou de *passar* + *-ada*.] *S. f.* **1.** Movimento dos pés para andar; passo. **2.** *Bras.* Ida rápida (a um lugar); estada por pouco tempo (nesse lugar): *De manhã ele sempre dá uma passada lá em casa*. **3.** Antiga medida de quatro palmos. **4.** Assentada, vez: *Decidiu numa passada*. **5.** *Guin.* Notícia de um acontecimento: "Contou a passada até ao fim, sem omitir nenhum pormenor. Às vezes repetia-se, claro, mas não era por causa de dificuldades de dizer o que sentia." (Abdulai Sila, *Mistida*, p. 140.) ~ V. *passadas*.

passadas [Pl. de *passada*.] *S. f. pl.* Diligências, esforços. ~ V. *passada*.

passadeira [De *passar* + *-deira*.] *S. f.* **1.** Tapete longo e estreito, feito de estofo, ou de outro material, que se estende nas escadas, corredores, etc., para se passar sobre ele. **2.** Alpondras. **3.** Espécie de filtro us. nos engenhos de açúcar. **4.** Anel por onde passa a gravata. **5.** *Artilh.* Aparelho us. para avaliar o calibre das peças de artilharia. **6.** *Marinh. Desus.* Cabo de massa alcatroado, de três cordões, cuja bitola vai de 25 a 44mm. **7.** *Bras. Mar. G.* Cada uma das ombreiras especiais que se usavam com a casaca e a sobrecasaca. **8.** *Bras.* Mulher que passa roupa a ferro; engomadeira. **9.** *Bras.* Máquina de passar (8 e 47). **10.** *Bras. RJ* Estabelecimento onde se passam roupas a ferro, em poucos minutos, por processos mecânicos. **11.** *Lus.* Faixa de pedestres (q. v.).

passa-dez [De *passar* + *dez*.] *S. m. 2 n.* Jogo de dados no qual se perde quando se tira número superior a dez.

passadiço [De *passar* + *-(d)iço*[2].] *S. m.* **1.** Passagem externa que liga dois edifícios; passagem. **2.** Corredor ou galeria de comunicação. **3.** Passeio lateral das ruas; calçada. **4.** *Bras. Constr. Nav.* Superestrutura do navio, onde permanecem o comandante, o oficial de quarto e o homem do leme quando o navio está navegando, e de onde se dirige a manobra dele; ponte de comando: "Quando o comandante do Apolo se dirigia da câmara para o passadiço, ... ao passar pelo corpo da guarda, ... aí já encontrara o João Raimundo em ferros" (Eugênio de Castro [o brasileiro], *Terra à vista*, p. 99). ● *Adj.* **5.** Transitório, passageiro.

passadio [De *passar*.] *S. m.* Alimentação diária: "A julgar pelo que nos conta o memorialista [Gilberto Amado], em sua casa a mesa era farta, à velha moda brasileira, o passadio bom" (Homero Sena, *Gilberto Amado e o Brasil*, p. 7).

passadismo [De *passado* + *-ismo.*] ***S. m.*** **1.** Culto do passado. **2.** *Liter. Filos. Polít.* Qualquer das doutrinas que preconizam expressões do passado histórico.

passadista [De *passado* + *-ista.*] ***Adj. 2 g.*** **1.** Referente ao passado ou ao passadismo. **2.** Que venera o passado. **3.** Que é adepto do passadismo. • ***S. 2 g.*** **4.** Pessoa que venera o passado. **5.** Adepto do passadismo.

passado [Part. de *passar.*] ***Adj.*** **1.** Que passou; decorrido, pretérito: *tempo passado; coisas passadas.* **2.** Que acaba de passar; imediatamente anterior; findo: *o século passado; o ano passado.* **3.** Velho, envelhecido: *uma solteirona passada;* "Ouvi dizer que Dasdores, ... já passada, magrinha e zerê, espera ser pedida a qualquer momento." (Nélson de Faria, *Tiziu e Outras Estórias,* p. 159). **4.** Antiquado, obsoleto: *gíria passada.* **5.** Pouco nítido; esmaecido: *lembranças passadas.* **6.** Varado de fome; faminto em alto grau: *Passara uma semana sem comer: estava passado.* **7.** Diz-se do fruto em começo de putrefação. **8.** Diz-se de carne ou peixe nas mesmas condições; sentido. **9.** Seco ao forno ou sol (fruto). **10.** Cozido ou assado (alimento): *carne bem passada.* **11.** Atordoado, aturdido, estonteado: *O goleiro ficou passado com a agressividade do adversário.* **12.** Encabulado, enfiado; sem graça: *Tamanha indiscrição deixou-o passado.* **13.** *Bras. N.E.* Ladino, esperto; passado na casca do alho, passado na casca do angico, passado pelo corrimboque do Diabo. **14.** *Bras. S.* Atrevido, saliente, confiado. ~ V. *águas —as.* • ***S. m.*** **15.** No quadro geral do tempo, o momento em que se deu determinado acontecimento: *A ação da peça situa-se no passado.* **16.** O que sucedeu anteriormente; o tempo que passou: *evocar o passado.* **17.** O que se fez ou disse anteriormente; a vida passada: *O passado desse homem é duvidoso.* **18.** *Bras. N.E.* V. *baixo* (26). ~ V. *passados.* ◆ **Passado absoluto.** *Fís.* No contínuo espaço-tempo, região limitada pelo cone de luz e na qual a coordenada tempo é negativa.

passadoiro[1] [De *passar* + *-doiro*[2].] ***S. m.*** Passadouro[1] (q. v.).

passadoiro[2] [De *passar* + *-doiro*[1].] ***Adj.*** Passadouro[2] (q. v.).

passador (ô) [De *passar* + *-dor.*] ***Adj.*** **1.** Que passa ou faz passar. **2.** Desencaminhador, corrutor. **3.** Intrigante, mexeriqueiro, enredeiro. • ***S. m.*** **4.** Aquele que passa ou faz passar. **5.** Desencaminhador, corrutor. **6.** Intrigante, mexeriqueiro. **7.** Trocador de coisas falsas por verdadeiras. **8.** Coador, filtro. **9.** Utensílio de cozinha dotado de furos por onde se espremem batatas, legumes, etc. **10.** Pregador usado para prender o cabelo. **11.** Argola ou alça por onde passa um cinto, uma fita, etc. **12.** Armação com pregador, por meio da qual se prende ao peito a fita de uma condecoração. **13.** Emitente ou sacador (de cheque). **14.** Pequena barra de aço que, colocada através de uma junta de pavimento rígido, serve para transferir parte da carga que atua sobre uma placa de concreto a outra placa separada dela pela junta. **15.** *Bras.* Aquele que leva o gado às feiras. **16.** *Bras. S.* Peça dos arreios, feita de tiras de couro, com a qual se apertam várias partes dos mesmos arreios.

passados [Pl. de *passado.*] ***S. m. pl.*** Os antepassados. ~ V. *passado.*

passadouro[1] [De *passar* + *-douro*[2], var. de *passadoiro*[1].] ***S. m.*** **1.** Lugar onde se passa; passagem. **2.** Ponto de passagem; comunicação.

passadouro[2] [De *passar* + *-douro*[1]; var. de *passadoiro*[2].] ***Adj.*** Que passa breve.

passa-faixa ***Adj. 2 g. e 2 n.*** *Eletrôn.* ~ V. *filtro —.*

passa-fiquense ***Adj. 2 g.*** **1.** De, ou pertencente ou relativo a Passa e Fica (RN). • ***S. 2 g.*** **2.** O natural ou habitante de Passa e Fica. [Pl.: *passa-fiquenses.*]

passa-fora [De *passar* + *fora.*] ***Interj.*** **1.** Us. para enxotar cães. **2.** Indica repulsão ou desprezo.

passagear ***V. t. d.*** Passajar. [Conjug.: v. *frear.*]

passageira [De *passagem* + *-eira.*] ***S. f.*** *Bras. S.* Barca de passagem.

passageiro [Do fr. ant. *passagier,* atual *passager.*] ***Adj.*** **1.** Diz-se de um local por onde passa muita gente. **2.** Transitório, efêmero: *mal passageiro; efeito passageiro.* **3.** De pouca importância; ligeiro, insignificante: *erro passageiro.* • ***S. m.*** **4.** Pessoa que viaja num veículo; viajante: *passageiro de automóvel, de trem, de avião.* **5.** *Bras.* Canoeiro que dá passagem nos rios mediante paga.

passageiro-quilómetro ***S. m.*** V. *passageiro-quilômetro.* [Uso freq. em P. Pl.: *passageiros-quilómetros* e *passageiros-quilómetro.*]

passageiro-quilômetro ***S. m.*** Unidade de medida de transporte coletivo, equivalente ao transporte de um passageiro à distância de um quilômetro. [Pl.: *passageiros-quilômetros* e *passageiros-quilômetro.*]

passagem [Do fr. *passage.*] ***S. f.*** **1.** Ato ou efeito de passar(-se): *Diversas povoações assinalaram a passagem dos bandeirantes por aquela região.* **2.** Local por onde se passa; passadouro: *Nos primeiros tempos da colônia, o caminho entre Santos e São Paulo era passagem obrigatória para os viajantes que demandavam o planalto.* **3.** Ligação, comunicação; passo, passadouro: *Os excursionistas descobriram uma passagem entre os dois vales, que reduzia muito o percurso.* **4.** Passadiço (1). **5.** Corredor ou peça estreita (numa casa). **6.** Importância com que o passageiro paga o transporte em qualquer veículo. **7.** O bilhete que dá direito a viagem. **8.** Ponteado com que se tapa buraco ou rasgão em qualquer tecido. **9.** Trecho de uma obra citada; passo. **10.** Passo, situação, conjuntura; acontecimento, episódio, fato; caso. **11.** Mudança, transição: *passagem de idade; passagem de tons.* **12.** *Mús.* Trecho de uma obra musical, ou grupo de notas, ou desenho melódico. **13.** *Mús.* Fragmento de escala que o executante introduz, a seu bel-prazer, em uma peça vocal ou instrumental, a fim de ornar a melodia. [Cf., nesta acepç., *variação* (6).] **14.** *Bras. N.* Trecho de rio. [Cf. *passajem,* do v. *passajar.*] ◆ **Passagem de modelos.** *Lus.* Desfile de modas. **Passagem de nível.** Trecho de rua ou de rodovia que atravessa uma ferrovia ao mesmo nível desta. **Passagem de tempo.** *Cosm.* Variável particular do tempo, e que é a diretriz de uma variedade de espaço-tempo. **Passagem inferior.** Passagem subterrânea sob uma estrada ou qualquer via pública. **Passagem meridiana.** *Astr.* Posição de um astro quando, em seu movimento diurno, cruza o meridiano superior do lugar (*passagem meridiana superior*) ou o meridiano inferior (*passagem meridiana inferior*); meridiana. **Passagem meridiana inferior.** *Astr.* V. *passagem meridiana.* **Passagem meridiana superior.** *Astr.* V. *passagem meridiana.* **Passagem superior.** Viaduto que passa sobre uma estrada ou qualquer via pública. **De passagem.** Sem maior exame ou detença; por alto: "Não pude examinar bastante atentamente todos os estabelecimentos pios, e cito apenas os nomes de alguns, colhidos de passagem e ao acaso." (Ramalho Ortigão, *A Holanda,* p. 112.) **Estar de passagem.** Estar por pouco tempo; não se demorar. **Fazer passagem.** *Bras.* V. *morrer* (1). **Passar de passagem.** *Turfe* Passar (o cavalo), ultrapassando, por um adversário, sem dificuldade alguma; passar de viagem. **Ter passagem pela polícia.** Já ter sido alguém detido e fichado.

passagense[1] ***Adj. 2 g.*** **1.** De, ou pertencente ou relativo a Passagem (PB e RN). • ***S. 2 g.*** **2.** O natural ou habitante de Passagem.

passagense[2] ***Adj. 2 g.*** **1.** De, ou pertencente ou relativo a Passagem Franca (MA). • ***S. 2 g.*** **2.** O natural ou habitante de Passagem Franca.

passajar [De *passag(em)* + *-ar*[2].] ***V. t. d.*** Dar passagens ou pontos em (roupa), a fim de consertá-la; passagear: "escolhia, a seu lado, as roupas que ainda valia a pena passajar." (Joaquim Paço d'Arcos, *Carnaval e Outros Contos,* p. 20). [Pres. subj.: *passaje, passajes, passaje, passajemos, passajeis, passajem.* Cf. *passagem.*]

passal [De *passo*[1] + *-al*[1].] ***S. m.*** **1.** Terreno cultivado, anexo à residência de um pároco ou de um prelado e pertencente a ela. **2.** Antiga medida agrária; destro.

passamanar [De *passamanes* + *-ar*[2].] ***V. t. d.*** Guarnecer ou adornar de passamanes ou de passamanaria; apassamanar.

passamanaria [De *passamanes* + *-aria.*] ***S. f.*** **1.** Designação comum a certos tipos de tecido trabalhado ou entrançado com fio grosso, em geral de seda (passamanes, galões, franjas, borlas, etc.), e destinado ao acabamento ou adorno de roupas, cortinas, móveis, etc.: "Esse corpo perfeito que ele vestiu de soberbo veludo cor de fogo e passamanarias de prata, — envolto em rústico burel." (Antero de Figueiredo, *Toledo,* p. 160.) **2.** Ofício de quem executa esses trabalhos. **3.** Fábrica ou loja de passamanaria.

passamaneiro [De *passamanes* + *-eiro.*] ***S. m.*** Fabricante ou vendedor de passamanes ou passamanaria.

passamanes [Do fr. *passements,* do pl. do fr. *passement.*] ***S. m. pl.*** Fitas ou galões entretecidos a prata, ouro ou seda: "ricos gibões, calças, roupetas e ferragoulos alastrados de passamanes dum gosto duvidoso." (Conde de Sabugosa, *Embrechados,* p. 29).

passamento [De *passar* + *-mento.*] ***S. m.*** **1.** Morte (1): "nenhuma outra pessoa da família apareceu ou mandou à casa de Aurélia, durante a enfermidade da mãe, e depois do passamento." (José de Alencar, *Senhora,* p. 224). **2.** Agonia de moribundo. **3.** *Bras. N.E. Pop.* V. *síncope* (1).

passa-moleque [De *passar* + *moleque.*] ***S. m.*** *Bras.* Engano, logro; perfídia. [Pl.: *passa-moleques.*]

passanito ***S. m.*** *Bras. Fam.* Homem insignificante; indivíduo qualquer.

passa-noite [De *passar* + *noite.*] ***S. m.*** *Moç.* Feiticeiro noturno: "Não foi bem o meu corpo que levaram. São coisas de passa-noites. Levaram o meu espírito para lá quando eu dormia." (Paulina Chiziane, *Balada de Amor ao Vento,* p. 39.) [Pl.: *passa-noites.*]

passante [De *passar* + *-nte.*] ***Adj. 2 g.*** **1.** Que passa, excede, vai além de. ~ V. *banda —* e *faixa —.* • ***S. 2 g.*** **2.** Indivíduo que vai passando. V. *transeunte.* ◆ **Passante de.** Mais de; mais do que: "Grande parte desta força, passante de duzentos homens, era composta de caboclos" (Franklin Távora, *Lourenço,* p. 42); "passante já de duas horas de espera, surgiu o comerciante com escassa ração de milho no fundo de um alqueire" (João da Silva Correia, *Farândola,* p. 50); *Sua biblioteca tem passante de 10.000 volumes.*

passa-pé [Do fr. *passe-pied,* do v. fr. *passer,* 'passar', e do s. m. *pied,* 'pé'.] ***S. m.*** Antiga dança, em compasso ternário, que foi incluída nas suítes instrumentais entre a sarabanda e a giga[2] (3). [Como caráter, lembra o minueto, do qual difere por um andamento mais vivo, sempre atacado sobre o terceiro tempo do compasso. Pl.: *passa-pés.*]

passa-piolho [De *passar* + *piolho.*] ***S. m.*** *Pop.* Talhe de barba, de uma orelha à outra, por sob o queixo. [Pl.: *passa-piolhos.*]

passaporte [Do fr. *passeport.*] ***S. m.*** **1.** Documento oficial que autoriza alguém a sair do país, e que serve como identificação e garantia aos que viajam. **2.** V. *salvo-conduto* (1). **3.** *Fam.* Licença franca e ampla.

passa-quatrense[1] ***Adj. 2 g.*** **1.** De, ou pertencente ou relativo a Passa-Quatro (MG). • ***S. 2 g.*** **2.** O natural ou habitante de Passa-Quatro. [Pl.: *passa-quatrenses.*]

passa-quatrense[2] ***Adj. 2 g.*** **1.** De, ou pertencente ou relativo a São Miguel do Passa-Quatro (GO). • ***S. 2 g.*** **2.** O natural ou habitante de São Miguel do Passa-Quatro. [Pl.: *passa-quatrenses.*]

passar [Do lat. tard. *passare,* do lat. *passus,* 'passo'.] ***V. t. d.*** **1.** Percorrer de um lado para outro; atravessar, transpor: *Passou a ponte para chegar ao seu destino.* **2.** Ir além de; deixar para trás: *Quando caiu em si, já passara a fronteira.* **3.** Ir além de; transpor, ultrapassar: "Os trabalhos científicos do Mestre [Antônio Austregésilo] passaram as fronteiras" (Deolindo Couto, *Vultos e Ideias,* p. 72). **4.** Mover; movimentar: *passar páginas.* **5.** Aplicar; colocar: *Caiu e passou arnica.* **6.** Furar de lado a lado; perfurar, trespassar, transfixar: *A espada passara-lhe as entranhas.* **7.** Ir de uma para a outra margem de (mar, rio). **8.** Coar através de peneira ou joeira; peneirar, joeirar: *Passou a farinha para limpá-la.* **9.** Filtrar; coar: "A avó, rezando as ave-marias de mais um terço, sumiu na cozinha, para passar um café." (Oto Lara Resende, *Boca de Inferno,* p. 108.) **10.** Alisar (roupa) com ferro de passar; passar a ferro: "Aos domingos, quando éramos crianças, Naná nos levava à missa das oito. Passava os vestidos de véspera, saíamos de casa exibindo limpeza." (Maria Julieta Drummond de Andrade, *A Busca,* p. 75.) **11.** Marcar (determinada tarefa): *A professora passou um novo exercício.* **12.** Estudar; ler: *O aluno passou a matéria da prova.* **13.** Ensaiar; estudar: *O maestro passou a música.* **14.** Expedir, despachar: *passar ordens; passar um telegrama.* **15.** Sofrer, padecer, suportar: *passar tristezas, aflições.* **16.** Gozar, desfrutar; levar: *Passa uma boa vida.* **17.** Pôr em circulação: *Passou dinheiro falso.* **18.** Distribuir entre várias pessoas, vendendo: *passar bilhetes de rifa.* **19.** Cozinhar, assar ou grelhar (carne, peixe, etc.): *passar um bife.* **20.** Verificar se está exata, recontar (uma quantia). **21.** Digitar, datilografar, etc. (laudas): *Passa 50 páginas por dia.* **22.** *Mar.* Fazer, efetuar: *passar um botão; passar mostra.* **23.** *Marinh.* Pôr, colocar: *passar talhas no turco.* **24.** *Bras. Esport.* Lançar (a bola) para um companheiro de equipe. **25.** *Bras.* Contrabandear (1): "Eles, os que passam diamantes, contrabandistas do porto, matam-se uns aos outros." (Adonias Filho, *Luanda Beira Bahia,* p. 72.) **26.** *Chulo* Ter relações sexuais com; passar na cara. ***T. d. e i.*** **27.** Transmitir, legar: *Passou aos filhos e netos o seu bom nome.* **28.** Passar às mãos; entregar: *Passou a carta ao amigo.* **29.** Passar (5): *Gostava de passar mostarda no pão.* **30.** Alcançar; estender: *— Passe-me, por favor, aquele livro.* **31.** Dirigir; endereçar: *Passou-lhe uma boa repreensão.* **32.** Passar (11): *O professor passou-lhe muitos exercícios.* **33.** Firmar; estabelecer: *Passou a procuração para o filho.* **34.** *Bras. Fut.* Passar (24): *O jogador passou a bola para o atacante.* ***T. c.*** **35.** Ir de um lugar (para outro): *Estamos no Grajaú, passemos ao Andaraí.* **36.** Introduzir-se; penetrar: *O vento passava pela fresta da porta.* **37.** Circular; viajar: *Estava de férias e passou pelo Rio.* **38.** Vincular-se; ligar-se por certo tempo: *Muitos alunos passaram por esta escola e deixaram saudades.* **39.** Consumir, levar (tempo): *Passou três semanas fora.* ***T. i.*** **40.** Transmitir-se; transferir-se; transitar: *A fazenda passou a novos donos;* "a realeza passava naturalmente para a classe das instituições a que Herbert Spencer chamou cerimoniais, como os troféus, ... os títulos, etc." (Joaquim Nabuco, *Minha Formação,* p. 22). **41.**

Incorporar-se; ingressar: *Tiradentes passou à história.* **42.** Mostrar-se ou aparecer momentaneamente: *Um sorriso passou por seus lábios.* **43.** Adotar um procedimento ou atitude diversa de anterior: "A Lourença, ... sempre mais alarmada a cada novo acesso, passou a teimar com Mestre Severino, todas as vezes que o ar lhe faltava: — Vá ao doutor." (Josué Montelo, *Cais da Sagração*, p. 11.) **44.** Ser aprovado em exame ou concurso: "Passei em latim, na segunda época, sabe Deus como!" (Marques Rebelo, *A Mudança*, p. 69.) **45.** Ser promovido, elevado a (cargo ou categoria superior): *Passou a coronel.* ***T. d. e c.*** **46.** Introduzir, enfiar: *Passou um arame pelo orifício.* **47.** Deslizar; correr: *Tinha o hábito de passar a mão pelos cabelos.* **48.** Fazer passar por; submeter: *Torrou o café e passou-o no pilão.* **49.** Circundar; rodear: *Passou o braço pela cintura da namorada.* ***Bit. i.*** **50.** Mudar (de situação, carreira, profissão, etc.): *Passou de aluno a professor.* **51.** Mudar (de estado de humor): *Costuma passar de melancólico a exuberante.* **52.** Transferir-se; mudar: *Os encargos passaram do pai para o filho.* ***Bit. c.*** **53.** Mudar (de lugar): *Passou do apartamento para a nova casa.* ***Int.*** **54.** Percorrer um lugar sem nele se deter; transitar, perpassar: *Passou, a galope, um desconhecido*; "Grupos de cavaleiros passavam em tropel de apocalipse" (Homero Homem, *Cabra das Rocas*, p. 11). **55.** Correr; rolar: *O rio passa, murmurante.* **56.** Deixar de existir; acabar; desaparecer; ir-se: *Passam grandes impérios, nascem outros.* **57.** Escapar, fugir: *Passou a ocasião.* **58.** V. *morrer* (1). **59.** Ser aprovado em exame ou concurso: *Quase todos os candidatos passaram.* **60.** Circular, propagar-se: *A notícia passou com muita rapidez.* **61.** Em jogos carteados, não jogar em um lance. **62.** Decorrer, transcorrer: "Nem falta o murmúrio da água para sugerir, pela voz dos símbolos, / Que a vida passa! que a vida passa! / E a mocidade vai acabar!" (Manuel Bandeira, *Estrela da Vida Inteira*, p. 92); "Em Israel, o passado não passa; torna-se mais profuso." (Cecília Meireles, *Eternidade de Israel*, p. 19); "As horas passam." (Clóvis Ramalhete, *O Anjo Torto*, p. 23). **63.** Ser exibido, apresentado: *Este filme já passou.* **64.** Ser votado, aprovado: *O Governo quer que o projeto passe no Congresso.* **65.** Ser sofrível, tolerável: *O almoço não está bom, mas passa.* **66.** Ser relevada uma falta: *Por esta vez, passa, mas, se fizer outra, vai apanhar.* **67.** Decorrer, suceder, acontecer, ocorrer; passar-se: *Não sabia do que passava.* **68.** Mudar de situação ou profissão. **69.** Alisar roupa com ferro de passar; passar a ferro: *A empregada lava e passa muito bem.* **70.** *Bras.* Começar (a fruta) a apodrecer. **71.** *Bras. Fut.* Lançar a bola para um companheiro de equipe: "Ele tem dois companheiros livres. É só passar. Mas não passa. O brasileiro avança. Um drible." (Orígenes Lessa, *A Desintegração da Morte*, p. 98.) ***P.*** **72.** Acontecer, suceder, decorrer: *Saiu para ver o que se passava na rua*; "Que se passa em cada casa, dentro de cada ser, no fundo de cada poço?" (Raul Brandão, *Húmus*, p. 66). **73.** Decorrer, transcorrer: *Passaram-se três meses do nosso último encontro.* **74.** Mudar de residência. **75.** Bandear-se, desertar: *Passou-se para as tropas inimigas.* **76.** Dirigir-se, encaminhar-se. **77.** Mudar de partido; bandear-se. [Pres. ind.: *passo*, etc.; pret. perf.: *passei, passaste, passou*, etc.; m.-q.-perf.: *passara*, etc.; pres. subj.: *passe, passes, passe, passemos, passeis, passem*. Cf. *paço*, s. m., *pássara*, s. f., os top. *Paçô* e *Paçó*, e o pres. ind. do v. *pascer*.] ◆ **Passar baixo.** Passar mal; experimentar dificuldades de vida; viver em situação má, por deficiência de recursos ou de saúde. **Passar bem. 1.** Gozar de boa saúde. **2.** Alimentar-se com iguarias finas e abundantes. **Passar de.** Ir além; ultrapassar; exceder: *É proibido passar dos 80km; Já passava das 8h, quando ele acordou; Prudente, não passa do aperitivo.* **Passar de largo.** Passar a distância, de longe, sem se aproximar; passar ao largo. **Passar desta para melhor.** V. *morrer* (1). **Passar para trás. 1.** Auferir qualquer vantagem que normalmente caberia a (outrem); preferir. **2.** Enganar, lograr, ludibriar. **3.** *Bras. Fam. Pop.* Ser infiel a; trair: *Há muito que ela passa o marido para trás; Diz-se o melhor dos maridos, e volta e meia passa para trás a mulher.* **Passar por.** Ser submetido a; sofrer: *Passo por golpes terríveis.* **Passar por cima de. 1.** Não levar em consideração; não fazer caso de; não dar importância a. **2.** Não levar em conta a autoridade de um superior. **3.** Obter uma promoção que normalmente caberia a alguém mais qualificado. **Passar raspando.** *Bras.* Ser aprovado em exame ou concurso com a nota mínima. **Não passar daqui.** Ficar só entre nós; manter-se em segredo: "– Mas, olha! Isto que não passe daqui. Imagina que papel faria eu, se viessem a saber que..." (Aluísio Azevedo, *Filomena Borges*, p. 111.) **Não passar de.** Não ser mais do que; não ser senão; ser apenas: "Sonha-se rei [o poeta], vê-se rico, / mais rico do que um nababo, / e, entretanto, as mais das vezes, / não passa de um pobre-diabo." (Júlio Auto da Cruz Oliveira, *ap.* Ad. Marroquim, *Terra das Alagoas*, p. 264.) **Não se passar para.** Não assumir certa atitude por julgar que ela não condiz com seu nome, situação, princípios, etc.

pássara [Fem. de *pássaro*.] *S. f. Bras. PE* V. *perua* (1). [Us. como eufemismo entre matutos, que julgam pouco decente a palavra *perua*. Cf. *passara*, do v. *passar*.]

passarada [De *pássaro* + *-ada*[1].] *S. f.* **1.** Porção de pássaros: "A passarada irrequieta descanta pelas frondes gotejantes" (Euclides da Cunha, *Os Sertões*, p. 75). **2.** Os pássaros. [Sin. ger.: *passaredo, passarinhada*.]

passaralho [De *pássaro* + *caralho*.] *S. m. Bras. Gír. RJ* Demissão em massa de empregados.

passarão [De *pássaro* + *-ão*[1].] *S. m.* **1.** Ave grande: "Dava ideia de avantesma ou então passarão antediluviano" (João da Silva Correia, *Farândola*, p. 31). **2.** *Zool. Bras.* V. *jaburu-moleque*. **3.** *Lus. Gír.* Indivíduo velhaco, espertalhão.

passaredo (ê) [De *pássaro* + *-edo*.] *S. m.* V. *passarada*: "O passaredo alegre a revoar em bando" (Bulhão Pato, *Livro do Monte*, p. 4).

passareira [De *pássaro* + *-eira*.] *S. f.* Gaiola grande, onde se criam pássaros; aviário.

passarela [Do fr. *passerelle*.] *S. f. Bras.* **1.** Ponte para pedestres, em geral estreita, construída sobre ruas ou estradas. **2.** No teatro de revistas, estrado que separa a plateia do poço da orquestra, e sobre o qual as coristas executam certos números. **3.** Caminho elevado, longo e por vezes sinuoso, sobre o qual desfilam modelos [v. *modelo* (9)] e candidatas a concursos de beleza.

passarinha [De *pássara*, fem. de *pássaro*, + *-inha*.] *S. f.* **1.** O baço de qualquer animal. **2.** *Gír.* As partes pudendas da mulher. **3.** *Bras. N.E.* Nervura mediana da enxada. ◆ **Bater a passarinha a.** *Bras. Pop.* Ter desejo ou palpite de alguma coisa. [A loc. é m. us. em frases negativas.]

passarinhada [De *passarinho* + *-ada*[1].] *S. f.* **1.** V. *passarada*: "passarinhada de penas vivas e cantoria alegre" (Simões Lopes Neto, *Contos Gauchescos e Lendas do Sul*, p. 311). **2.** *Bras.* Corcovo que a montaria dá por efeito de susto; passarinhão. **3.** *Bras. RS Cul.* Comida feita de passarinho com polenta.

passarinhagem [De *passarinho* + *-agem*[2].] *S. f.* Caça de pássaros.

passarinhão *S. m. Bras.* Passarinhada (2).

passarinhar [De *passarinho* + *-ar*[2].] *V. int.* **1.** Caçar pássaros. **2.** Vadiar, vagabundear, vagabundar. **3.** *Bras.* Espantar-se (a cavalgadura): "A besta passarinhara, saltando de banda." (Nélson de Faria, *Cabeça-Torta*, p. 63.) **4.** *Bras. S.* Mover (o cavalo) a cabeça dum lado para outro, impedindo, assim, que lhe ponham o freio ou o buçal, ou lhe toquem nas orelhas. **5.** *Bras. Chulo* V. *bolinar* (2). ***T. d.*** **6.** *Bras. Chulo* V. *bolinar* (4).

passarinheiro [De *passarinho* + *-eiro*.] *S. m.* **1.** Caçador, criador ou vendedor de pássaros. ● ***Adj.*** **2.** *Bras.* Diz-se do cavalo que é dado a passarinhar: "Mas onde arranjaste tu este quartau passeiro e passarinheiro que se vai derretendo na estrada depois da grande caminhada que traz da vila?" (Franklin Távora, *O Cabeleira*, p. 163.)

passarinho [De *pássaro* + *-inho*[1].] *S. m.* **1.** Pássaro; pequena ave. **2.** Cria de passarinho (1). **3.** *Bras.* Pequena ave, esp. a de gaiola. ◆ **Morrer como um passarinho.** Morrer sem experimentar sofrimento físico. **Ver passarinho verde.** *Fam.* Us. para referir-se a alguém que se mostra muito alegre, mesmo que sem razão aparente: "Compreendeu que as damas eram felizes, e, tendo o uso de pensar alto, disse piscando o olho, enquanto elas entravam no carro: | – Aquelas duas viram passarinho verde com certeza." (Machado de Assis, *Esaú e Jacó*, p. 10.)

passarinho-de-verão *S. f. Bras. Zool.* V. *príncipe*[1] (8). [Pl.: *passarinhos-de-verão*.]

passariúva [De or. tupi, poss.] *S. f. Bras. Bot.* Árvore cesalpiniácea (*Sclerolobium denudatum*) da floresta densa, cujas flores se ordenam em cachos amarelados e têm as pétalas lineares; seus frutos são coriáceos e levam apenas uma semente dura; a madeira não tem préstimo.

pássaro[1] [Do lat. *passere*, 'pardal', pelo lat. vulg. *passare* e **passaru*.] *S. m.* **1.** *Zool.* Pequena ave. [Sin. (bras.): *passarinho*.] **2.** *Pop.* Homem finório, astuto; pássaro-bisnau. ◆ **Não ser pássaro que voe em bando.** *Bras. N.E. Fam.* Ter personalidade própria; distinguir-se dos demais.

pássaro[2] [Adapt. do tax. *Passeres*, a partir de *pássaro*[1].] *S. m. Zool.* Espécime dos pássaros, subordem dos passeriformes, que abrange os típicos pássaros canoros, dotados de sistema vocal especializado.

pássaro-angu *S. m. Bras. Zool.* V. *japacanim* (2). [Pl.: *pássaros-angus* e *pássaros-angu*.]

pássaro-bisnau *S. m. Pop.* Pássaro[1] (2). [F. red.: *bisnau*. Pl.: *pássaros-bisnaus*.]

passaroco (ô) [De *pássaro*.] *S. m. Bras. SP Pop.* Tristeza, melancolia.

pássaro-de-fandango *S. m. Bras. Zool.* V. *uirapuru* (1). [Pl.: *pássaros-de-fandango*.]

pássaro-de-fogo *S. m. Bras. Bot.* Caité-vermelho. [Pl.: *pássaros-de-fogo*.]

passarola [De *pássaro* + *-ola*[1].] *S. f.* **1.** Ave grande. **2.** *Bras.* Designação que se deu ao aeróstato (q. v.): "Temos de construir aqui uma forja, temperar os ferros, se não até o peso da passarola os fará vergar" (José Saramago, *Memorial do Convento*, [8ª ed.] p. 92).

passarolo (ô) *S. m.* Pássaro grande.

pássaro-preto *S. m. Bras. Zool.* Ave emberizídea icterínea (*Gnorimopsar chopi*), do Brasil central e este-meridional, Bolívia, Paraguai, Uruguai e N. da Argentina, com até 25cm de comprimento, coloração inteiramente preta, penas estreitas e pontiagudas na cabeça, e canto melodioso. Frequenta pastos, plantações e matas e não põe ovos em ninho alheio. [Sin.: *arranca-milho, arumará, arumaru, chupão, chupim, graúna, melro, vira-bosta, vira-bosta-mau, vira-campo*. Pl.: *pássaros-pretos*.]

pássaro-preto-soldado *S. m. Zool.* V. *chupim-do-brejo*. [Pl.: *pássaros-pretos-soldados* e *pássaros-pretos-soldado*.]

passa-tempense *Adj. 2 g.* **1.** De, ou pertencente ou relativo a Passa Tempo (MG). ● ***S. 2 g.*** **2.** O natural ou habitante de Passa Tempo. [Pl.: *passa-tempenses*.]

passatempo [De *passar* + *tempo*.] *S. m.* Divertimento, diversão, entretenimento.

passa-triense *Adj. 2 g.* **1.** De, ou pertencente ou relativo a Passa-Três (RJ). ● ***S. 2 g.*** **2.** O natural ou habitante de Passa-Três. [Pl.: *passa-trienses*.]

passa-tudo *Adj. 2 g. e 2 n. Eletrôn.* ~ V. *filtro —*.

passavante [De *passar* + *avante*.] *S. m.* Espécie de arauto da casa real.

passável [De *passar* + *-vel*.] *Adj. 2 g. Bras.* **1.** Tolerável, sofrível, razoável. **2.** Mais ou menos de acordo com o que se quer ou deseja; aceitável.

passa-vintense *Adj. 2 g.* **1.** De, ou pertencente ou relativo a Passa-Vinte (MG). ● ***S. 2 g.*** **2.** O natural ou habitante de Passa-Vinte. [Pl.: *passa-vintenses*.]

passe [Dev. de *passar*.] *S. m.* **1.** Licença, permissão, autorização. **2.** Permissão para ir dum lugar a outro. **3.** Bilhete de trânsito, gratuito ou não, ou com abatimento, concedido por empresa de transporte coletivo. **4.** *Rel.* No espiritismo, movimento de mãos, ou sopro, sobre alguém, e que se supõe transmitir energia. **5.** *Taur.* Ato de passar um touro à capa. **6.** *Bras. Esport.* No futebol, no basquete e em outros jogos, ato de passar a bola a um companheiro de equipe bem colocado para recebê-la. **7.** *Bras. Fut.* Contrato de vinculação exclusiva de um atleta profissional a um clube. [Cf. *pasce*, do v. *pascer*.] ~ V. *passes*. ◆ **Passe de mágica. 1.** Gesto que, por sua rapidez ou perícia, torna possível aos prestidigitadores fazer aparecer ou desaparecer objetos, ou mudá-los de lugar ou aspecto, iludindo, de maneira inexplicável, a vigilância do espectador. **2.** *Fig.* Qualquer ação que não parece ter explicação lógica.

passeado [Part. de *passear*.] *Adj.* Percorrido em passeio: *alameda muito passeada*. ~ V. *vinho —*.

passeadoiro [De *passear* + *-doiro*[2].] *S. m.* Passeadouro (q. v.).

passeador (ô) [De *passear* + *-dor*.] *Adj. S. m.* Que, ou aquele que passeia muito; passeante.

passeadouro [De *passear* + *-douro*[2]; var. de *passeadoiro*.] *S. m.* **1.** Lugar onde se passeia. **2.** O ato de passear muito.

passeante [De *passear* + *-nte*.] *Adj. 2 g. S. 2 g.* **1.** Passeador. **2.** Que, ou quem se entrega à vadiagem.

passear [De *passo* + *-ear*[2].] *V. int.* **1.** Ir a algum lugar, ou mover-se, andar a passo, com o fim de entreter-se, divertir-se, tomar ar ou fazer exercício: "jamais o fora buscar um domingo à tarde para passear, para respirar um pouco de ar livre." (Inglês de Sousa, *O Missionário*, p. 56). ***T. d.*** **2.** Conduzir a algum lugar para que se entretenha, se divirta, tome ar, ou faça exercício: *Após o jantar passeou a filha.* **3.** Carregar, passeando: "Toda a noite o Esteves embalava o filho nos braços. Se os gritos eram maiores, a mãe levantava-se e passeava-o pelo quarto." (Maria Archer, *Fauno Sovina*, p. 100.) **4.** Percorrer em passeio (2): *Passeou as ruas principais da cidadezinha*; "Voltou a passear a sala em todos os sentidos" (Inglês de Sousa, *O Missionário*, p. 85). **5.** Fazer percorrer em passeios: *Passeou o seu exército, recebendo aplausos.* **6.** Fazer andar devagar (cavalgadura), montando-a ou levando-a à mão. **7.** Exibir, ostentar, estadear: *Gostava de passear a sua opulência*; "Eram as formas várias de um mal, que .... passeava as suas vestes de arlequim, em derredor da espécie humana." (Machado de Assis, *Memórias Póstumas de Brás Cubas*, p. 24). **8.** Dirigir (o olhar, o pensamento, etc.) vagarosamente, ora para um lado, ora para outro. **9.** Espalhar, difundir, divulgar, propalar: *Por onde ia, passeava as novas ideias.* ***T. c.*** **10.** Mover-se devagar; fluir, deslizar: *O regato passeava, sereno, entre as pedras;* "Clarissa desce do estrado e começa a passear por entre as classes" (Érico Veríssimo, *Música ao Longe*, p. 11). **11.** Passear (2): *Passeou o amigo doente pelo jardim.* [Conjug.: v. *frear*.]

passeata ***S. f.*** **1.** Pequeno passeio; volta, giro. **2.** *Bras.* Marcha coletiva realizada em sinal de regozijo, reivindicação ou protesto cívicos, ou de uma classe; caminhada.

passeio [Dev. de *passear*.] ***S. m.*** **1.** Ato ou efeito de passear: *Levou as crianças a passeio; Deu um passeio.* **2.** O percurso de certa extensão de caminho, para exercício ou por divertimento. **3.** Lugar onde habitualmente se passeia: *Os arredores do Rio têm passeios belíssimos.* **4.** Caminho um pouco elevado que ladeia as ruas junto às casas e se destina ao trânsito dos pedestres; calçada. **5.** Distância curta: *Do hotel até o centro da cidade era um passeio.* **6.** *Turfe* Vitória muito fácil de um cavalo sobre seus competidores. **7.** Aquilo que se conquista sem esforço, em que se obtém vitória facílima: *Sua eleição para o Senado foi um passeio; Constituiu verdadeiro passeio a sua entrada para a Academia.*

passeira [De *passa* + *-eira*.] ***S. f.*** **1.** Lugar onde se expõem frutas ao sol para que sequem. **2.** Lugar onde se guardam passas.

passeiro [De *passo* + *-eiro*.] ***Adj.*** **1.** Que anda a passo. **2.** *Fig.* Vagaroso, mole, negligente. **3.** *Bras. N.E.* Diz-se do cavalo que tem bom passo: "Mas onde arranjaste tu este quartau passeiro .... que se vai derretendo na estrada depois da grande caminhada que traz da vila?" (Franklin Távora, *O Cabeleira*, p. 163); "um cavalo solteirão passeiro, e pronto de boca, tanto para o freio como para o milho." (Amadeu de Queirós, *Os Casos do Carimbamba*, p. 124). **4.** Diz-se do cavalo que tem certa variedade do baixo, do meio ou do esquipado. • ***S. m.*** **5.** *Bras. RS* Homem que, mediante pagamento, dá passagem, nos passos dos arroios, em canoa ou balsa. [Cf. *paceiro*.]

passense ***Adj. 2 g.*** **1.** De, ou pertencente ou relativo a Passos (MG). • ***S. 2 g.*** **2.** O natural ou habitante de Passos.

passento [De *passar* + *-ento*.] ***Adj.*** Diz-se de qualquer substância que é facilmente embebida por um líquido; bíbulo. ~ V. *papel —*.

→ **passe-partout** [paspaʁ'tu] [Fr.] ***S. m.*** **1.** Fita de papel (vendida em rolos), que se cola em redor de uma fotografia ou desenho à guisa de moldura. **2.** Peça que se adapta às seringas de injeção a fim de possibilitar a aplicação de agulhas de quaisquer calibres. **3.** Chave para todas as fechaduras.

passe-passe [De *passar* + *passar*.] ***S. m.*** V. *prestidigitação*. [Pl.: *passes-passes* e *passe-passes*.]

passerídeo [Adapt. do tax. *Passeridae*.] *Zool.* ***S. m.*** **1.** Espécime dos passerídeos, família de aves passeriformes, onívoras, de bico forte e cônico, e canto pouco desenvolvido. Ex.: pardal. • ***Adj.*** **2.** Relativo ou pertencente a eles.

passeriforme [Do lat. *passer, eris*, 'pardal', + *-iforme*; tax. *Passeriformes*.] *Zool.* ***S. m.*** **1.** Espécime dos passeriformes, ordem de aves neórnites, neógnatas, de porte pequeno ou médio, com a unha do hálux mais forte que a do dedo mediano anterior, e os três dedos anteriores livres. No grupo se inclui a grande maioria das aves conhecidas, com quatro subordens, 82 famílias e mais de 5.000 espécies. • ***Adj. 2 g.*** **2.** Pertencente ou relativo a eles.

passes [Pl. de *passe*.] ***S. m. pl.*** Ato de passar as mãos repetidamente ante os olhos de uma pessoa para magnetizá-la, ou sobre parte doente de uma pessoa para curá-la. [Cf. *pasces*, do v. *pascer*.] ~ V. *passe*.

▲ **passi-** [Do V.C.I. *passi-* < lat. *passio, ōnis*.] V. *passion-*.

passibilidade [Do lat. tard. *passibilitate*.] ***S. f.*** Qualidade de passível. [Cf. *passividade*.]

passiflora [Do tax. *Passiflora* (do lat. *passi-*, do lat. *passio, onis*, 'paixão', + lat. cient. *-flora*).] ***S. f.*** *Bot.* **1.** O gênero-tipo das passifloráceas, que reúne trepadeiras nativas das regiões tropicais da América, dotadas de folhas simples, ou lobadas, e flores exuberantes, ou vermelhas, ou brancas, ou purpúreas, com cálice de verticilo curto, quatro a cinco pétalas, uma corona e numerosos estames monadelfos, na base, seguidos de frutos polposos, ger. edules. **2.** Qualquer espécie desse gênero, como, p. ex., a *Passiflora quadrangularis* (v. *maracujá-açu*). **3.** Qualquer espécime desse gênero.

passiflorácea [Do tax. *Passiflora* (v. *passiflora*) + *-ácea*; tax. *Passifloraceae*.] ***S. f.*** *Bot.* Espécime das passifloráceas, família de violales que compreende 17 gêneros e cerca de 570 espécies, em sua maioria de lianas, mas tb. de árvores e arbustos, facilmente caracterizadas pela estrutura floral e pelos frutos, designados, coletivamente, como *maracujás*; folhas ger. íntegras ou palmadas, dispostas em espiral, flores ger. hermafroditas, solitárias ou cimosas, e frutos bacáceos ou capsulares, ger. edules.

passifloráceo [De *passiflorácea*, com var. suf. (v. *-áceo*).] ***Adj.*** *Bot.* Pertencente ou relativo às passifloráceas.

passifloreo [De *passiflora* + *-eo*.] ***Adj.*** *Bot.* Referente ou semelhante à passiflora.

passilargo [De *passo* + *-i-* + *largo*.] ***Adj.*** Que dá ou tem passos largos.

→ **passim** ['passẹ(m)] [Lat., 'por aqui e ali'.] ***Adj.*** Us. posposto ao título de uma obra citada para indicar que nela se encontrarão referências em vários trechos.

passinhar [De *passinho* + *-ar*[2].] ***V. int.*** Dar passinhos; andar com passinhos.

passinho [Dim. de *passo*[1].] ***S. m.*** Passo pequeno, curto. ◆ **Cada passinho.** *Bras. SP Pop.* A cada passo; a todo instante.

▲ **passio-** V. *passion-*.

passiofilia [De *passio-* + *-filia*.] ***S. f.*** V. *sadomasoquismo*.

passiofílico [De *passiofilia* + *-ico*[2].] ***Adj.*** **1.** Relativo a passiofilia. **2.** Que tem passiofilia; passiófilo. • ***S. m.*** **3.** Aquele que tem passiofilia; passiófilo.

passiófilo [De *passio-* + *-filo*[2].] ***Adj. S. m.*** Passiofílico (2 e 3).

▲ **passion-** [Do lat. *passio, ōnis*.] ***El. comp.*** = 'sofrimento'; 'paixão': *passionário, passioneiro*. [Equiv.: *passi-, passio-*: *passiflora; passiofilia*.]

passional [Do lat. tard. *passionale*.] ***Adj. 2 g.*** **1.** Relativo a paixão (1 a 3). **2.** Suscetível de paixão. **3.** Causado por paixão: *crime passional*. • ***S. m.*** **4.** Livro que contém a narração da Paixão de Cristo; passionário, passioneiro.

passionalidade [De *passional* + *-(i)dade*.] ***S. f.*** Qualidade de passional.

passionalismo [De *passional* + *-ismo*.] ***S. m.*** Estado ou condição de passional.

passionário [De *passion-* + *-ário*.] ***S. m.*** V. *passional* (4).

passioneiro [De *passion-* + *-eiro*.] ***S. m.*** V. *passional* (4).

passirense ***Adj. 2 g.*** **1.** De, ou pertencente ou relativo a Passira (PE). • ***S. 2 g.*** **2.** O natural ou habitante de Passira.

passista [De *passo*[1] + *-ista*.] ***S. 2 g.*** *Bras.* **1.** *N.E.* Dançarino de frevo. **2.** *RJ* Pessoa que dança o samba com muita agilidade e graça, destacando-se do conjunto dos sambistas, esp. nos desfiles das escolas de samba.

passiva [F. subst. do adj. *passivo*.] ***S. f.*** *E. Ling.* A voz passiva.

passivador (ô) [De *passivar* + *-dor*.] ***Adj. S. m.*** *Tec. Quím.* Diz-se de, ou substância que produz passividade (3) em um metal.

passivar [De *passivo* + *-ar*[2].] ***V. t. d.*** **1.** Tornar passivo, inerte, indiferente. **2.** *E. Ling.* Apassivar. **3.** *Fís.-Quím.* Provocar a passividade de (um metal).

passível [Do lat. tard. *passibile*.] ***Adj. 2 g.*** **1.** Que pode experimentar sensações e emoções, ou sofrer certos efeitos: *passível de dor; passível de alegria; geleira passível de deslocamento.* **2.** Que está ou fica exposto a penas ou sanções: *passível de multa;* "O sertanejo entende a justiça a seu modo. Acha que castigar o indivíduo que o injuriou foi praticar ato meritório e não passível de pena." (Gustavo Barroso, *Terra de Sol*, p. 138). [Pl.: *passíveis*.]

passividade [Do lat. tard. *passivitate*.] ***S. f.*** **1.** Qualidade de passivo. **2.** *Filos.* Qualidade ou estado do paciente (10). [Cf., nesta acepç., *atividade*.] **3.** *Quím.* Estado de certos metais (ferro, níquel, cobalto, etc.) que não reagem na presença de agentes oxidantes fortes por terem a superfície recoberta por um filme inativo. [Cf. *passibilidade*.]

passivo [Do lat. *passivu*.] ***Adj.*** **1.** Que sofre ou recebe uma ação ou impressão: *atitude passiva; comportamento passivo.* **2.** Que não atua; inerte; indiferente, apático: *criança passiva; resignação passiva.* **3.** *Bras. Pop.* Diz-se daquele que, na cópula homossexual, sofre a penetração. ~ V. *algolagnia —a, articulador —, circuito —, componente —, dispersão —a, filtro —, fumante —; imunidade —a, intelecto —, resistência —a, satélite —, telemarketing —, transporte molecular —, verbo —, voz —a, voz —a analítica* e *voz —a sintética*. • ***S. m.*** **4.** Conjunto de dívidas e obrigações de uma pessoa ou empresa. **5.** *Cont.* Num balanço (7), o conjunto de contas que registra a origem dos recursos da empresa: capital próprio, financiamentos, etc. [Cf., nesta acepç., *ativo* (13).] **6.** *Bras. Pop.* Aquele que é passivo (3). ◆ **Passivo ambiental.** *Ecol.* O conjunto dos danos causados pela atividade humana (poluição, desmatamento, etc.) ao meio ambiente. **Passivo circulante.** *Cont.* Parte do passivo (4) que registra as dívidas e obrigações da empresa que vencem até o exercício seguinte; passivo exigível a curto prazo. **Passivo exigível.** *Cont.* Parte do passivo (4) que registra as dívidas e obrigações da empresa. **Passivo exigível a curto prazo.** *Cont.* Passivo circulante. **Passivo exigível a longo prazo.** *Cont.* Parte do passivo (4) que registra as dívidas e obrigações da empresa que vencem além do exercício seguinte. **Passivo não exigível.** *Com.* Patrimônio líquido (q. v.).

passo[1] [Do lat. *passu*.] ***S. m.*** **1.** Ato de deslocar o ponto de apoio do corpo de um pé para o outro, por meio de movimentos para a frente, para trás ou para os lados: *os primeiros passos de uma criança; Nem mais um passo!* **2.** O espaço percorrido a cada um desses movimentos: *A casa ficava a 50 passos da estação.* **3.** O ato de andar; andamento, marcha: "dispôs-se a andar, estugou o passo, atravessou a rua" (Machado de Assis, *Várias Histórias*, p. 63). **4.** Modo de andar: *passo gingado; passos incertos;* "Caminhando [o sertanejo], mesmo a passo rápido, não traça trajetória retilínea e firme. Avança celeremente num bambolear característico" (Euclides da Cunha, *Os Sertões*, p. 115). **5.** Conjunto de passos [v. *passo* (1)] e outros movimentos corporais que, na dança, constituem uma unidade, ou um modelo capaz de ser repetido. **6.** O ruído dos passos: *Ouvi passos no jardim.* **7.** Vestígio ou sinal de pés no chão; pegada. **8.** A marcha de um animal. **9.** Tipo de andadura, mais ou menos lenta, do cavalo: *O animal partiu a passo e depois seguiu a trote.* **10.** Caso, passagem; episódio, acontecimento: *Sucedeu um passo inesperado.* **11.** Conjuntura, circunstância; situação: *Naquele passo, já não sabia o que pensar.* **12.** Ato, negócio, assunto: *É um passo muito sério na vida.* **13.** Iniciativa, resolução: *Ninguém o forçou a dar esse passo.* **14.** Passagem (9): *O delírio de Brás Cubas é um dos passos mais célebres de Machado de Assis.* **15.** *Geom.* Numa hélice, distância entre dois pontos cujos ângulos polares diferem de dois p radianos. **16.** *Mil.* Cada uma das diferentes maneiras de uma tropa marchar. **17.** *Bras.* Lugar, no rio ou arroio, de passagem habitual. **18.** *Bras.* Durante o período colonial, depósito, no litoral, de pau-brasil ou de açúcar. **19.** *Bras. Fam.* Caso divertido. **20.** *Bras. PE AL* Movimentos de dança muito variados, particularmente vivos e caprichosos, feitos ao som do frevo e outras marchas carnavalescas típicas: *Ninguém, como ele, sabe fazer o passo!* [Pl.: *passos*. Cf. *paço*, s. m., e *Paços*, antr.] ◆ **Passo a passo.** A passos vagarosos; lentamente; a passo e passo: "Homens caminhavam passo a passo, como convalescentes" (Coelho Neto, *Turbilhão*, p. 58). **Passo de cágado.** Passo muito vagaroso. **Passo de estrada.** Modo de andar, de um cavalo, vagaroso e ritmado. **Passo de ganso.** *Mil.* Passo (16) adotado em paradas por alguns exércitos, como, p. ex., o alemão, o chileno, o paraguaio e o argentino. **Passo de urubu malandro.** *Bras.* Passo que semelha o andar lento do urubu. **Passo grave.** Passo (16) cadenciado de tropa(s) em continência. **Passo oblíquo.** Passo em diagonal. **Passo ordinário.** Andadura cadenciada, us. em deslocamento militar, na qual se mantém velocidade que corresponda ao passo normal de pedestre. **A passo.** Lentamente, devagar: "saudou gentilmente a viscondessa e com igual gentileza foi correspondido. Prosseguiu a passo, ladeando o carro e alongando a conversa." (Xavier Marques, *As Voltas da Estrada*, p. 8). **A passo e passo.** Passo a passo. **A passos largos.** Rapidamente, apressadamente: *Sua situação familiar está piorando a passos largos; Caminha a passos largos.* **A passos lentos.** *Fig.* Vagarosamente, lentamente: *A construção progredia a passos lentos.* **A cada passo.** Frequentemente. **Andar sobre os passos de.** V. *seguir os passos de*: "o neto do velho Zé Paulino andava sobre os passos do seu avô, passando nos peitos as negrinhas púberes da senzala." (José Lins do Rego, *Banguê*, p. 28). **Ao mesmo passo.** Ao mesmo tempo; a um só tempo. **Ao passo que.** **1.** À medida que; ao mesmo tempo que; à proporção que; enquanto, quando: "Pequenos cogumelos, ao passo que devoram os tecidos dos insetos, semeiam os seus esporos mortais." (Osmã Lins, *Nove, Novena*, p. 188.) **2.** Mas, contudo; enquanto: *É feia, ao passo que a irmã é bonita.* **Apertar o passo.** **1.** Andar mais depressa; aumentar a velocidade do andar; firmar o passo. **2.** Fazer algo mais rápido: *Ao saber que ia ter visitas, apertou o passo na arrumação da casa.* **Ceder o passo a.** **1.** Deixar passar, por civilidade: *Embora tivesse pressa, cedeu o passo à moça.* **2.** *Fig.* Reconhecer a superioridade de (alguém). **3.** Cessar, acabar(-se), dando lugar a (outra coisa): "aquela preocupação vai cedendo o passo a questões muito mais importantes" (E. Roquete-Pinto, *Seixos Rolados*, p. 119). **Dar passos por.** **1.** Tomar providências tendentes a (um fim). **2.** Envidar esforços por (alguma coisa). **Dar um passo maior do que a perna.** Tentar fazer algo acima da sua capacidade. **Firmar o passo.** Apertar o passo. **Marcar passo.** **1.** Movimentar os pés sem sair do lugar. **2.** *Fig.* Não melhorar, não progredir na carreira, no emprego, etc: "a técnica desenvolvendo-se graças à importação de encenadores estrangeiros, mas a dramaturgia nacional marcando passo" (Hermilo Borba Filho, *O Cavalo da Noite*, p. 134). **Mau passo. 1.** Procedimento de quem se deixa seduzir: "Não lhe tenho amor, não me sinto atraído por ela, por isso não encontro justificativa em mim mesmo para arrastá-la, como se diz, a um mau passo." (Lima Barreto, *Diário Íntimo*, p. 197.) **2.** Comportamento reprovável, atitude irrefletida; mau negócio: " – Este é o nosso castigo, minha cara irmã. Fugimos de casa de nosso pai... Por mais que me queira persuadir, foi um mau passo que demos." (Martins Pena, *As Solteiras Casadas*.) **Passos contados.** V. *favas contadas*: "Daí até a violência exercida sobre a moça eram passos contados." (Aquilino Ribeiro, *Andam Faunos pelos Bosques*, p. 144.) **Primeiros passos.** V. *prelúdio* (1). **Seguir os passos de.** Imitar o exemplo de; andar sobre os passos de; seguir as pegadas de. **Trocar o passo.** Andar sem firmeza por estar bêbedo.

passo^{2} [Dev. de *passar*.] *S. m.* **1.** V. *desfiladeiro* (1). **2.** Distância entre dois dentes de uma engrenagem. **3.** Vão entre as espiras de um parafuso. **4.** Antiga unidade de medida de comprimento, equivalente a cinco pés [v. *pé* (17)], ou seja, 1,65m. [Pl.: *passos*. Cf. *paço*, s. m., e *Paços*, antr.]

passo^{3} [Do lat. *passu*, part. pass. de *pati*, 'sofrer', 'suportar'.] *S. m.* Cada um dos episódios da Paixão de Cristo: *Nos Passos de Congonhas a figura de Cristo é da autoria do Aleijadinho.* [Nesta acepç., escreve-se com cap. Pl.: *passos*. Cf. *paço*, s. m., e *Paços*, antr.]

passo^{4} [Do lat. *passu*, part. pass. de *pandere*, 'estender', 'secar ao sol'.] *Adj.* Diz-se de fruto passado, seco: *uvas passas*; "uma vez partidos os liames de devoção que nos prendem a alguma coisa ou a alguém, resta chocho, como figo passo, o excedente da nossa personalidade sobrevivente ao cataclismo." (João da Silva Correia, *Farândola*, p. 15). [Cf. *passa*. Pl.: *passos*. Cf. *paço*, s. m., e *Paços*, antr.]

passo-fundense *Adj. 2 g.* **1.** De, ou pertencente ou relativo a Passo Fundo (RS). • *S. 2 g.* **2.** O natural ou habitante de Passo Fundo. [Sin. ger.: *serrano*. Pl.: *passo-fundenses*.]

passo-maiense *Adj. 2 g.* **1.** De, ou pertencente ou relativo a Passo Maia (SC). • *S. 2 g.* **2.** O natural ou habitante de Passo Maia. [Pl.: *passo-maienses*.]

passómetro *S. m.* V. *passômetro*. [Uso freq. em P.]

passômetro [De *passo^{1}* + *-metro*.] *S. m.* Podômetro.

passo-sobradense *Adj. 2 g.* **1.** De, ou pertencente ou relativo a Passo do Sobrado (RS). • *S. 2 g.* **2.** O natural ou habitante de Passo do Sobrado. [Pl.: *passo-sobradenses*.]

passo-torrense *Adj. 2 g.* **1.** De, ou pertencente ou relativo a Passo de Torres (SC). • *S. 2 g.* **2.** O natural ou habitante de Passo de Torres. [Pl.: *passo-torrenses*.]

→ **pasta** ['pasta] [It.] *S. f. Cul.* **1.** Qualquer massa (6) salgada. **2.** Iguaria feita com essa massa.

pasta [Do lat. tard. *pasta* < gr. *páste*, 'molho misturado com farinha', < v. gr. *páttein*, 'derramar'.] *S. f.* **1.** Porção de matéria sólida pulverulenta (farinha, amido, gesso, cimento, barro, etc.) ligada ou amassada com líquido ou gordura, e que se caracteriza por sua plasticidade. [Cf. *massa* (1).] **2.** Substância de consistência mole, resultante da mistura de matérias sólidas e líquidas: *Os ovos batidos com o açúcar formaram uma pasta amarelada.* [Cf., nessas acepçs., *massa* (1).] **3.** Porção pouco espessa de pasta (1): *A enfermeira aplicou sobre a contusão uma pasta aquecida.* **4.** Qualquer pasta (1) de uso doméstico para limpeza ou conservação: *pasta detergente*; *pasta dentifrícia*. **5.** Qualquer preparação culinária que tenha consistência de pasta (1 e 2); patê: *pasta de galinha*; *pasta de presunto*. **6.** Pomada, creme. **7.** Porção de matéria sólida aglutinada por substância líquida ou viscosa: *Depois da sauna o cabelo transformou-se numa pasta.* **8.** Porção de metal fundido e ainda não trabalhado. **9.** Espécie de bolsa chata de couro ou de plástico, com divisões ou sem elas, destinada a transportar livros, documentos, etc. **10.** Cartolina ou papel grosso dobrado de jeito que nele se possam guardar ou classificar papéis, documentos, desenhos, etc. **11.** *Art. Plást.* A massa de tinta que o pintor prepara na palheta para aplicar na tela. **12.** *Encad.* Cada um dos dois retângulos de cartão que formam a capa do livro encadernado. **13.** *Encad.* Cada uma das duas partes dessa capa; plano. **14.** *Farm.* Sacaróleo semissólido. [Designa, atualmente, forma farmacêutica para uso externo, semelhante a pomada.] **15.** *Ind. Pap.* Composto de fibras, oriundas de madeira ou de outra fonte fibrosa, mecânica ou quimicamente tratadas, diluídas em água, e com que se fabrica o papel; polpa; massa. **16.** *Inform.* Diretório (9), ger. representado pelo ícone de uma pasta (13) de arquivamento em interfaces gráficas. **17.** *Petr.* V. *base* (30). **18.** *Fig.* Cargo de ministro de Estado. ◆ **Pasta mecânica.** *Ind. Pap.* A que se obtém pela desintegração da madeira por processos puramente mecânicos. **Pasta mecanoquímica.** *Ind. Pap.* A que se obtém pela desintegração mecânica da madeira, que recebeu antes uma impregnação de produto químico; pasta mecanoquímica. **Pasta para rolos.** *Tip.* Massa para rolos. **Pasta química.** *Ind. Pap.* Pasta de fibras de celulose obtida, ao se submeter a madeira, no cozinhador, a ação química. **Pasta semiquímica.** *Ind. Pap.* Pasta mecanoquímica. **Pasta 007 (zero zero sete).** Pasta (9) pequena, retangular, ger. de couro, para documentos, etc. [Sin. (ingl.): *attaché case*.]

pastagem [De *pastar* + *-agem^{2}*.] *S. f.* **1.** V. *pasto* (2). **2.** Erva própria para o gado pastar; pasto.

pastar [Do lat. vulg. *pastare*, freq. de *pascere*, 'pascer'.] *V. int.* **1.** Comer (o gado) erva não ceifada; pascer; pastejar: "Os bois pastam e o menino menor dorme" (José Godói Garcia, *O Caminho de Trombas*, p. 173); "Embaixo, na mais próxima planície, / Pasta um cavalo esplêndido da Arábia." (Augusto dos Anjos, *Eu*, p. 70). **2.** *Fig.* Não progredir; padecer: *Sem muita sorte, vive a pastar.* *T. d.* **3.** Comer a erva de; pascer: "Uma vaca surpreendida naquela nesga do solo continuava a pastar muito tranquila o capim viçoso" (José de Alencar, *O Sertanejo*, p. 213); "Vai, mísero cavalo lazarento, / Pastar longas campinas livremente" (Nicolau Tolentino de Almeida, *Obras Poéticas*, I, p. 49). **4.** Dar pasto a; fazer nutrir-se em pasto. **5.** Levar ao pasto; pastorear. *T. i.* **6.** Deliciar-se, comprazer-se: *Seus olhos pastam na beleza da namorada.* [Pres. subj.: *paste*, *pasteis*, etc. Cf. *pastéis*, pl. de *pastel*.]

pastaria [De *pasto* + *-aria*.] *S. f. Bras.* Campo de pastagem; pastio, pasto.

pasteira [De *pasto* + *-eira*.] *Adj.* (*f.*) *S. f. Bras. Vale do S. Francisco* Diz-se da, ou a vaca dócil, que vive mais nas imediações da casa da fazenda do que nos cerrados.

pasteiro [De *pasto* + *-eiro*.] *S. m. Bras. RS* Vendedor de pasto (1).

pastejar [De *pasto* + *-ejar*.] *V. int.* **1.** Pastar (1). *T. d.* **2.** *Bras. RS* Pastorear. [Conjug.: v. *pelejar*.]

pastejo (ê) [Dev. de *pastejar*.] *S. m.* Ato de pastejar (1).

pastel^{1} [Do fr. ant. *pastel* (atual *pâté*), fonte tb. do esp. *pastel*.] *S. m.* **1.** *Cul.* Iguaria feita com massa de farinha de trigo, estendida com rolo e cortada em pequenas porções, que são dobradas sobre um recheio salgado ou doce, depois fritas, cozidas ou assadas ao forno. **2.** *Tip.* Caracteres tipográficos misturados e confundidos. **3.** *Fam.* Pessoa indolente. **4.** *Bras. Gír.* Pessoa maçante, cacete, chata. [Pl.: *pastéis*. Cf. *pasteis*, do v. *pastar*.] ◆ **Pastel de Santa Clara.** *Cul.* Doce de origem portuguesa feito com gemas de ovos e açúcar e envolto em massa folhada bem fina.

pastel^{2} [Do it. *pastello*.] *S. m. Art. Plást.* **1.** Bastão feito com giz a que se adicionam pigmentos de várias cores. **2.** Técnica de pintura sobre papel, papelão ou pano, em que se usam esses bastões, de modo que as pequenas partículas de cor, ao aderirem ao suporte, sejam facilmente sobrepostas e permitam delicados esbatidos, que conferem à obra aspecto aveludado, de iluminação clara: *Os pintores do período rococó empregavam o pastel na feitura de retratos.* **3.** Quadro ou desenho feito com essa técnica: *Os pastéis de Degas influenciaram os impressionistas.* • *Adj. 2 g. e 2 n.* **4.** Diz-se das cores tênues e suaves que lembram os tons do pastel (1). **5.** Que tem uma dessas cores: *vestido pastel.* [Pl. do s. m.: *pastéis*. Cf. *pasteis*, do v. *pastar*.]

pastelada [De *pastel^{2}* + *-ada^{1}*.] *S. f.* **1.** Mancha que lembra a das pinceladas utilizadas para pintar pastel^{2} (3). **2.** Borradura, borrão.

pastelado [De *pastel^{2}* + *-ado^{1}*.] *S. f.* **1.** Mancha em forma de pastel. **2.** Borradura, borrão.

pastelão [De *pastel^{1}* + *-ão^{1}*.] *S. m.* **1.** Grande pastel (1). **2.** Empadão. **3.** *Cin.* Comédia-pastelão. **4.** *Bras. S.* Indivíduo moleirão; pamonha.

pastelaria [De *pastel^{1}* + *-aria*.] *S. f.* **1.** O conjunto dos doces e salgados que se preparam com diversos tipos de massa (6) para pronto consumo. **2.** Estabelecimento onde se preparam ou vendem essas iguarias; pasteleiro.

pastel-dos-tintureiros [De *pastel^{1}* + o pl. de *do^{1}* + o pl. de *tintureiro*.] *S. m. Bot.* Erva bianual (*Isatis tinctoria*) brassicácea, nativa na Europa, de folhas lanceoladas e sésseis, flores pequenas, amarelas e dispostas em racemos congregados em panículas, fruto indeiscente, e que fornece matéria corante azul, outrora importante; é, hoje, us. em cosmetologia. [Pl.: *pastéis-dos-tintureiros*.]

pasteleiro [De *pastel^{1}* + *-eiro*.] *S. m.* **1.** Pessoa que faz e/ou vende pastelaria (1). **2.** Pastelaria (2): "ela oferecia ramos de cravos e violetas à porta de um pasteleiro, à rua da Sofia." (Coelho Neto, *Treva*, pp. 15-16). **3.** *Bras. RJ Gír.* Revisor que deixa, nas provas, passar pastéis [v. *pastel^{1}* (2)].

pastelista [De *pastel^{2}* + *-ista*.] *S. 2 g.* Pessoa que desenha ou pinta a pastel.

pasteuriano [Do antr. (*Louis*) *Pasteur* + *-iano*.] *Adj.* **1.** Relativo ou pertencente ao químico e biólogo francês Louis Pasteur (1822-1895), ou próprio dele, ou de suas pesquisas e descobertas. **2.** Que é seu admirador e/ou profundo conhecedor de sua obra. • *S. m.* **3.** Admirador e/ou profundo conhecedor da obra de Louis Pasteur.

pasteurização [De *pasteurizar* + *-ção*; fr. *pasteurisation*.] *S. f.* **1.** Ato ou efeito de pasteurizar. **2.** *Hig.* Processo pelo qual um determinado produto (o leite, p. ex.) é aquecido a temperaturas elevadas por tempo relativamente prolongado, e, em seguida, submetido a resfriamento súbito, obtendo-se, assim, apenas a morte dos germes patogênicos, sem alterar o sabor e a qualidade do produto. **3.** *Fig.* Adaptação de obra musical, literária, etc., a moldes mais comerciais, de modo a facilitar a sua disseminação pelos meios de comunicação de massa.

pasteurizadeira [De *pasteurizar* + *-deira*.] *S. f. Bras.* Pasteurizador.

pasteurizado [Part. de *pasteurizar*.] *Adj.* Que foi submetido ao processo de pasteurização: *leite pasteurizado*.

pasteurizador (ô) [De *pasteurizar* + *-dor*.] *S. m.* Aparelho para pasteurizar. [Sin., bras.: *pasteurizadeira*.]

pasteurizar [Do fr. *pasteuriser* < antr. fr. (*Louis*) *Pasteur* (1822-1895) + suf. fr. *-iser* (v. *-izar*).] *V. t. d.* Fazer a pasteurização (2) de: "o serviço sanitário, como medida de higiene, não permitia que eu fizesse presente desse leite aos meus empregados, sem pasteurizá-lo." (Nélson Palma Travassos, *O Porco, Esse Desconhecido*, p. 15). [F. paral.: *pastorizar*, que os puristas preconizam, mas é quase desus.]

pastiçal [Do esp. plat. *pastizal* < v. esp. *pastar* (v. *pastar*).] *S. m. Bras. RS* Lugar onde o pasto é abundante.

pastichar [De *pasticho* + *-ar^{2}*.] *V. int.* **1.** Fazer um pasticho. *T. d.* **2.** Fazer pasticho de.

pastiche *S. m.* V. *pasticho*.

pasticho [Do fr. *pastiche* < it. *pasticcio*.] *S. m.* **1.** Obra literária ou artística imitada servilmente de outra. **2.** *Mús.* Espécie de representação lírica composta de árias, duetos, etc., tirados de várias óperas, com o fim de reunir num só espetáculo, em rápida sucessão, os seus números de maior êxito. [Não é necessário que os trechos escolhidos sejam do mesmo compositor.]

pastifício [Do ítalo-paulista *pastificio*.] *S. m. Bras. SP* Fábrica de massas alimentícias.

pastilha [Do esp. *pastilla* (< lat. vulg. *pastella*), fonte tb. fr. *pastille*, do cat. *pastilha* e do it. *pastiglia*.] *S. f.* **1.** *Farm.* Sacaróleo sólido, de forma circular, elíptica ou retangular, que contém substância(s) medicamentosa(s). **2.** Bala, rebuçado. **3.** *Bord.* Bordado em ponto cheio que lembra pastilha (1). **4.** *Constr.* Cada uma de um conjunto de pecinhas de cerâmica ou de vidro, iguais, chatas, de formato quadrado, ou retangular, ou hexagonal, etc., que, ordenadas e coladas em uma folha de papel, se aplicam sobre massa fresca, no revestimento de paredes e pisos. **5.** *Lus.* V. *pastilha elástica*. ◆ **Pastilha de freio.** *Autom.* Placa metálica com a face revestida de material áspero, a qual, pressionada contra o freio de disco, abranda o movimento da roda; pastilha de fricção. **Pastilha de fricção.** *Autom.* Pastilha de freio. **Pastilha elástica.** *Lus.* Goma de mascar: "ele tinha a maior dificuldade em segui-la nos seus monossílabos nasalados, entremeados de pastilha elástica" (Vasco Graça Moura, *Partida de Sofonisba às Seis e Doze da Manhã*, p. 54). [Tb. se diz apenas *pastilha*.]

pastilhamento [De *pastilhar* + *-mento*.] *S. m.* **1.** *Bras.* Ato ou efeito de pastilhar (1). **2.** *Tec.* Operação de obterem-se pastilhas com base em material pulverulento, pela ação de compressão, auxiliada por agentes aglomerantes e lubrificantes.

pastilhar [De *pastilha* + *-ar^{2}*.] *V. int.* **1.** *Bras. Bord.* Bordar em ponto caseado, formando pastilhas, bicos ou recortes. [Cf. *festonar*.] *T. d.* **2.** *Tec.* Transformar (material pulverulento) em pastilhas. **3.** Revestir (chão, parede, etc.) de pastilha (4).

pastilheiro [De *pastilha* + *-eiro*.] *S. m. Bras.* Vaso de madeira ou de metal, para preparo de pastilhas.

pastinha [De *pasta* + *-inha*.] *S. f. Bras.* Penteado em que os cabelos são puxados sobre o rosto ou a testa, formando uma onda.

pastio [De *pasta* + *-io^{2}*.] *S. m.* **1.** Ação de pastar. **2.** Campo em que há pastagem; pasto: "Ainda a aragem dos pastios vinda / Úmida sopra." (Alberto de Oliveira, *Poesias*, 3ª série, p. 279.)

pasto [Do lat. *pastu*.] *S. m.* **1.** Erva para alimento do gado; pastagem. **2.** Terreno em que há pasto (1), onde se pastoreiam os animais. [Sin.: *pastio*, *pascigo*, *pastagem* e (bras.) *pastaria*, *pastorador*, *pastoreio*, *pastoreiro*, *comedia*.] **3.** Alimento, comida. **4.** *Fig.* Alimento espiritual. **5.** Regozijo, satisfação. **6.** Tema, objeto, assunto: *O incidente deu pasto a diversos boatos.*

pastor (ô) [Do lat. *pastore.*] *S. m.* **1.** Guardador de gado; pegureiro. **2.** Sacerdote protestante. **3.** *Fig.* Guardião ou mentor espiritual: *pastor de almas.* **4.** *Bras. BA RS* V. *garanhão* (1). **5.** Cão que tem aptidão para a guarda de rebanhos. ● *Adj.* **6.** Que pastoreia: *povos pastores.* [Flex.: *pastora* (ô), *pastores* (ô), *pastoras* (ô). Cf. *pastora, pastoras* e *pastores*, do v. *pastorar.*]

pastora (ô) *S. f.* **1.** Fem. de *pastor*. **2.** Pastorinha (1 e 2). [Pl.: *pastoras* (ô). Cf. *pastora* e *pastoras*, do v. *pastorar.*]

pastorador (ô) [De *pastorar* + *-dor.*] *S. m. Bras. N.E.* V. *pasto* (2).

pastoral [Do lat. *pastorale.*] *Adj. 2 g.* **1.** Relativo a, ou próprio de pastor; pastoril. **2.** Próprio dos pastores espirituais: *autoridade pastoral; cruz pastoral.* **3.** Relativo ao campo; campestre, pastoril: "O mosteiro foi .... durante os primeiros tempos tão revoltos da monarquia o grande foco da pacífica vida pastoral, do trabalho agrícola" (Ramalho Ortigão, *As Farpas*, I, p. 235). ● *S. f.* **4.** Circular[1] (5) dirigida aos padres ou aos fiéis pelo Papa ou por um bispo. **5.** V. *écloga.* **6.** Composição instrumental ou vocal (6/8, 9/8 ou 12/8), de caráter idílico, e cuja parte cantante reproduz o som e as melodias da cornamusa dos pastores. **7.** *Teatr.* Tipo de representação dramática, de argumento lendário ou pastoral, que se originou na Itália e preparou a criação da ópera.

pastor-alemão *S. m. Cinol.* Cão originário da Alemanha, de constituição robusta, altura entre 0,55m e 0,65m, dentadura forte, orelhas pontudas, largas na base e voltadas para a frente, e pelagem preta, cinza-amarelada ou cinza-clara; tem as características do pastor (5) e é de grande utilidade como cão de guarda, guia de cegos, portador de mensagens e rastreador. [Sin.: *cão-policial, policial* e (lus.) *cão-polícia*. Pl.: *pastores-alemães.*]

pastorar [De *pastor* + *-ar*[2].] *V. t. d.* **1.** Pastorear (2). **2.** *Bras. N.E. Fig.* Vigiar, espreitar (alguém). **3.** Estar à espera de (alguém). [F. paral.: *apastorar*. Pres. ind.: *pastoro, pastoras, pastora*, etc.; pres. subj.: *pastore, pastores*, etc. Cf. *pastora* (ô), *pastoras* (ô) e *pastores* (ô), flex. de *pastor.*]

pasto-rasteiro *S. m. Bras. Bot.* V. *fedegoso* (2). [Pl.: *pastos-rasteiros.*]

pastoreação [De *pastorear* + *-ção.*] *S. f.* Ato de pastorear.

pastoreador (ô) [De *pastorear* + *-dor.*] *S. m. Bras.* **1.** Aquele que pastoreia o gado. **2.** Lugar onde se pastoreia: "Ouvia o gado saindo para o pastoreador, os chocalhos batendo" (José Lins do Rego, *Banguê*, p. 20). [Sin. ger., no RS: *pastorejador.*]

pastorear [De *pastor* + *-ear*[2].] *V. int.* **1.** Guiar ao pasto: "No silêncio tilintavam os chocalhos dum rebanho de cabras negras, que um árabe ia pastoreando, nu como um S. João." (Eça de Queirós, *A Relíquia*, p. 125.) *T. d.* **2.** Guardar (o gado) no pasto; pastorar: "amanhando terras e pastoreando gados" (Gustavo Barroso, *Terra do Sol*, p. 142). **3.** Governar eclesiasticamente: "criado o Bispado de Mariana, Padre Antônio foi designado para pastorear as ovelhas .... do Arraial da Segunda Espera" (Antônio Celso, *A Porta de Jerusalém*, p. 21); *O Papa pastoreia os católicos de todo o mundo.* **4.** Governar, dirigir, guiar. [Sin. nas acepçs. 2 a 4, no RS: *pastorejar*. Conjug.: v. *frear.*]

pastoreio [Dev. de *pastorear.*] *S. m.* **1.** Atividade ou indústria pastoril. **2.** *Bras.* V. *pasto* (2): *O Negrinho do Pastoreio é figura lendária do folclore gaúcho.* **3.** *Bras.* O gado que se pastoreia. [Sin., no RS: *pastorejo.*]

pastoreiro [De *pastor* + *-eiro.*] *S. m. Bras. BA* V. *pasto* (2).

pastorejador (ô) [De *pastorejar* + *-dor.*] *S. m. Bras. RS* Pastoreador.

pastorejar [De *pastor* + *-ejar.*] *V. t. d. Bras. RS* **1.** Pastorear (2 a 4). **2.** *Fig.* Arrastar a asa a; cortejar, requestar. [Conjug.: v. *pelejar.*]

pastorejo (ê) [Dev. de *pastorejar.*] *S. m. Bras. RS* Pastoreio.

pastorela [Do fr. *pastourelle* < fr. ant. *pastour* (atual *pasteur*, 'pastor') + suf. fr. *-elle.*] *S. f. Teatr.* Antigo diálogo pastoril, figurado entre uma pastora e um cavaleiro. [Cf. *écloga.*]

pastorício [Do lat. *pastoriciu*, por via erudita.] *Adj.* Relativo a pastores ou ao pastoreio (1); pastoril.

pastoril [De *pastor* + *-il*[1].] *Adj. 2 g.* **1.** De, ou pertencente ou relativo a, ou próprio de pastor; pastoral, pegural. **2.** Pastorício. **3.** *Fig.* Campestre, rústico, bucólico: "as suas *Novelas do Minho* [de Camilo Castelo Branco], em vez dum pacífico enlevo à sombra dos arvoredos, pastoris cenas de amor a prefaciar as do litógrafo Júlio Dinis, rangem como turbulentas paixões entre o céu e a terra" (Miguel Torga, *Portugal*, p. 13). ● *S. m.* **4.** Pequena representação dramática, composta de várias cenas (*jornadas*), durante as quais se sucediam cantos, danças, partes declamadas e louvações, e que se realizava diante do presépio, entre o dia de Natal e o de Reis, para festejar o nascimento de Jesus. [Cf., nesta acepç., *auto-pastoril.*] **5.** *Bras. N.E.* Folguedo popular dramático, que se representa em um tablado ao ar livre, e em que há uma personagem masculina, o Velho, que conta anedotas, pilheria com os espectadores, vende prendas em leilão, tudo entressachado com cantos e danças de uma meia dúzia de personagens femininas, as pastoras; pastorinhas.

pastorinha [De *pastora* + *-inha.*] *S. f. Bras.* **1.** Cada uma das figuras femininas dos pastoris. **2.** Cada uma das sambistas e cantoras das escolas de samba. [Sin., nessas acepçs.: *pastora.*] **3.** *Bras. N.E.* No bumba meu boi, personagem que representa a menina ou adolescente muitas vezes proprietária de boi que se perde e é por ela procurado. ~ V. *pastorinhas.*

pastorinhas [Pl. de *pastorinha.*] *S. f. pl. Bras. N.E.* Pastoril (5). ~ V. *pastorinha.*

pastorizar *V. t. d. P. us.* V. *pasteurizar.*

pastos-bonense *Adj. 2 g.* **1.** De, ou pertencente ou relativo a Pastos Bons (MA). ● *S. 2 g.* **2.** O natural ou habitante de Pastos Bons. [Pl.: *pastos-bonenses.*]

pastosidade [De *pastoso* + *-(i)dade.*] *S. f.* Qualidade ou estado de pastoso.

pastoso (ô) [De *pasta* + *-oso.*] *Adj.* **1.** Que se acha em estado ou tem consistência de pasta (2); semilíquido, semissólido: *Substância pastosa.* **2.** Viscoso, pegajoso; xaroposo: *líquido pastoso.* ~ V. *voz —a.*

pastrana *Adj. 2 g.* **1.** Pastrano (2). ● *S. 2 g.* **2.** Pastrano (4). **3.** *Bras. Pop.* Indivíduo desbriado, desavergonhado.

pastrano [Do antr. (*Juan de*) *Pastrana*, gramático do séc. XV, < top. *Pastrana* (Espanha).] *Adj.* **1.** Relativo a Juan de Pastrana, autor de gramática latina de grande circulação na Europa dos séculos XV e XVI, à sua obra, ou aos seus seguidores. [Pastrana e seus seguidores foram menosprezados pelos gramáticos humanistas sob a alegação de apresentarem latim grosseiro.] **2.** *Fig.* Rústico, grosseiro; pastrana. ● *S. m.* **3.** *Desus.* Aluno novato, principiante em gramática latina: "Se acaso ouvir dizer: Fora pastrano / Vá andando, não se dê por entendido..." (Antônio Duarte Serrão, *Macarrônea latino-portuguesa*, p. 416.) **4.** Indivíduo pastrano (2); pastrana.

pata[1] [Voc. onom.] *S. f. Zool.* **1.** A fêmea do pato. **2.** *Bras.* Tubarão-martelo carcarrinídeo (*Sphyrna tiburo*), do Atlântico ocidental (da Nova Inglaterra ao S. do Brasil) e do Pacífico oriental (da Califórnia ao Equador). Coloração cinza-clara no dorso e esbranquiçada inferiormente; comprimento: até 1,5m. Alimenta-se de crustáceos, peixes e moluscos e forma cardume. [Sin.: *cação-martelo, cação-panã, cação-rodela, cambeva-pata, martelo, panã.*]

pata[2] [Da mesma or. incerta que o esp. *pata*; poss. de or. onom.] *S. f.* **1.** Pé de animal. **2.** *Bras. Marinh.* Extremidade do braço da âncora, que termina na unha. **3.** *Chulo* Pé grande; pé. ◆ **À pata.** A pé. **Meter a pata. 1.** *Bras. RS* Cometer gafe. **2.** Estragar uma situação.

▲ **-pata** [Do gr. *-pathḗs, ḗs, és* (como no gr. *polypathḗs*, 'sujeito a diversas afecções') < gr. *páthos, eos-ous* < gr. *páschein*, 'experimentar', 'suportar', 'sofrer' (*ă*, no radical).] *El. comp.* = 'que sofre', 'que experimenta (sofrimento)'; 'que sofre de doença, mal, ou afecção'; 'que exerce ou se utiliza de certo tipo de tratamento' (*alopata, homeopata, isopata*): *frenopata, hemeropata, neuropata.* [A pronúncia correta dos voc. formados com este elemento é a proparoxítona, mas o uso consagrou a acentuação paroxítona, donde a variação prosódica: *acrópata/acropata, adenópata/adenopata, alópata/alopata, cardiópata/cardiopata*, etc. Não há, entretanto, registro das formas proparoxítonas *homeópata, psicópata* e *sociópata*. V. *pato-.*]

pataca [Da mesma or. incerta que o esp. *pataca.*] *S. f.* **1.** *Bras.* Moeda antiga de prata, do valor de 320 réis. **2.** Quantia equivalente a essa moeda. **3.** *Fig.* V. *dinheiro* (5 e 7). **4.** *Bras. Zool.* V. *cubiú.* **5.** *Zool.* V. *alma-de-gato* (1). **6.** Antiga unidade monetária, e moeda, de Macau e Timor.

patacão [Da mesma or. incerta que o esp. *patacón.*] *S. m.* **1.** Designação comum a várias antigas moedas portuguesas, brasileiras, espanholas e sul-americanas: "um filho ou uma filha, se ele o tivesse, era como receber um patacão de ouro." (Machado de Assis, *Histórias sem Data*, p. 133). **2.** Antiga moeda portuguesa, de cobre, do valor de 40 réis, que, com o tempo, passou a chamar-se *pataco*. **3.** *Bras.* Moeda antiga, de prata, de dois mil-réis. [No RS, pelo menos, a palavra designava tb. as cédulas de igual valor.] **4.** *Bras.* Moeda antiga brasileira, de prata, do valor de 960 réis. **5.** Relógio de algibeira, muito grande; cebolão. **6.** *Fig.* Idiota, parvo, estúpido. **7.** *Bras. SP Pop.* Patela do joelho.

patacho[1] [Do esp. *patache*, f. afrancesada (atual fr. *patache*) do esp. ant. *pataxe* de or. incerta.] *S. m.* Antigo navio a vela, de mastreação constituída de gurupés e dois mastros: o de vante, mastro de brigue, e o de ré, mastro de lúgar, com velas de entremastros: "A princípio o patacho aguentou-se valentemente nas águas, em meio dos vagalhões que o cobriam. Mas um mastaréu rebentou inesperadamente" (Virgílio Várzea, *Mares e Campos*, p. 13).

patacho[2] *S. m. Bras. N.* Facão de lâmina curta e larga.

pata-choca [De *pata*[1] + o f. de *choco*[2] (ô).] *S. m.* **1.** *Chulo* Servente de sacristia. **2.** *Bras. Pop.* Soldado da antiga Guarda Nacional. **3.** *Bras.* Carro pesado. ● *S. f.* **4.** Mulher gorda, de andar pesado e movimentos vagarosos. **5.** *Bras. BA Zool.* V. *surucuá-de-barriga-amarela.* [Pl.: *patas-chocas.*]

pataco [Var. de *pataca.*] *S. m.* **1.** V. *patacão* (2): "esperou uma eternidade, vendo dentro do postigo duas mãos lentas e moles arranjar laboriosamente os patacos dum troco." (Eça de Queirós, *Os Maias*, II, p. 30). **2.** *Fig.* Homem estúpido.

pataço [De *pata*[2] + *-aço.*] *S. m. Bras. S.* Coice ou pancada com a pata; patada violenta.

patacoada [De *pataco* (2) + *-oada.*] *S. f.* **1.** Coisa que não se leva a sério; disparate; tolice, desconchavo. **2.** Brincadeira, chocarrice: "Contenta-se com pouca coisa: cenários vistosos, um leve tom de sentimento numa cena fugitiva, muita patacoada cômica e apoteoses nos finais de atos" (Ribeiro Couto, *A Cidade do Vício e da Graça*, pp. 37-38). **3.** Ostentação ridícula; bazófia, jactância, patarata. **4.** *Bras.* Mentira, peta, lorota.

patacori *S. m. Bras. MA Rel.* Saudação feita a Ogum.

patacudo [De *pataca* + *-udo.*] *Adj.* Que tem muita pataca (3); rico. V. *ourudo.*

patada [De *pata*[2] + *-ada*[1].] *S. f.* **1.** Pancada com a pata. **2.** Pancada com a planta do pé. **3.** *Fig.* Ação indecorosa, tola ou grosseira. **4.** *Fam.* Ingratidão. ◆ **Dar patada.** *Fam.* Cometer ato de ingratidão ou grosseria. **Levar patada.** *Fam.* Ser vítima de ato de ingratidão ou grosseria.

pata-d'água *S. f. Bras. BA Zool.* V. *biguá.* [Pl.: *patas-d'água.*]

pata de elefante *S. f.* **1.** Motivo (7) de forma octogonal que aparece na decoração de certos tapetes orientais. **2.** *Bras.* Calça de boca reta e muito larga. [Pl.: *patas de elefante.*] ☑

pata-de-vaca [De *pata*[2] + *de* + *vaca.*] *S. f. Bras. RS Bot.* V. *mororó* (2). [Pl.: *patas-de-vaca.*]

patagão [Do esp. *patagón.*] *Adj. S. m.* Patagônio.

patagial [De *patágio* + *-al*[1].] *Adj. 2 g. Zool.* Diz-se de estrutura ligada a patágio, ou que o forma.

patágio [Do lat. cient. *patagium* < lat. *patagium*, 'franja'.] *S. m. Zool.* **1.** Membrana alar, de que são dotados os morcegos. **2.** Membrana fina e larga que liga os membros anteriores e posteriores dos dermópteros, e que lhes permite dar longos saltos, como se estivessem voando.

patagónio *Adj. S. m.* V. *patagônio.* [Uso freq. em P.]

patagônio *Adj.* **1.** Da, ou pertencente ou relativo à Patagônia (Argentina). ● *S. m.* **2.** O natural ou habitante da Patagônia. [Sin. ger.: *patagão.*]

patalear [Do esp. plat. *patalear.*] *V. int. Bras. RS* Dar com as patas; patear; espernear: "Maria Altina encostou o rebenque no matungo, que, do lance que trazia costa abaixo, se foi, feito, ao tremedal, onde se afundou até as orelhas e começou a patalear, num desespero!..." (Simões Lopes Neto, *Contos Gauchescos e Lendas do Sul*, p. 145.) [Conjug.: v. *frear.*]

pataluco [De or. obsc.] *S. m. Bot.* Erva ranunculácea (*Ranunculus sceleratus*) de apreciável valor ornamental, nativa na Europa, de folhas herbáceas, alternas e polimorfas, flores vistosas, com numerosos estames e carpelos, e dispostas em panículas, cujos frutos são pequenos aquênios; sardônia.

patamar[1] [De or. incerta.] *S. m.* **1.** Espaço mais ou menos largo no alto de uma escada ou entre dois lanços de escadas; tabuleiro: "O Borba subiu até o patamar da escada" (Artur Azevedo, *Contos Possíveis*, p. 141). [Cf. *pataréu* e *patim*[1].] **2.** Trecho de estrada de ferro horizontal. **3.** *Fig.* O mais alto grau, ou um dos graus mais altos.

patamar[2] [Do mal. *pattamari.*] *S. m. Ant.* Portador, estafeta, postilhão; andarilho.

patamaz *Adj. 2 g. S. 2 g. Chulo* **1.** Diz-se de, ou aquele que é falso beato; santarrão. **2.** Idiota, néscio, toleirão.

patamona *Bras. S. 2 g.* **1.** *Etnôn.* Indivíduo dos patamonas [ou (etnôn. bras.) *Kapon], povo indígena de família linguística caraíba, que habita RR e a Guiana. ● *Adj. 2 g.* **2.** Pertencente ou relativo a esse povo. [Tb. us. como s. *2 g.* e *2 n.* (com cap.) e *adj. 2 g.* e *2 n.*]

patanisca [De or. obsc.] *S. f. Lus.* Isca de bacalhau, envolta em farinha, e frita; petanisca.

patão[1] [De *pata*[2] + *-ão*[1].] *S. m.* Tamanco rústico.

patão[2] [De *pato*[1] + *-ão*[1].] *S. m. Bras. Zool.* V. *mergulhão* (5).

pataquada [De or. incerta, poss. express. a partir de *pato.*] *S. f. Bras.* **1.** Ato ou dito tolo, idiota ou fútil. **2.**

P

Brincadeira sem graça ou grosseira; palhaçada, sacanagem (chulo).

pataqueiro [De *pataco* (*c* = *qu*) + *-eiro*.] ***Adj.* 1.** Que se vende a *pataco* (1). **2.** Diz-se do jogo em que se arrisca pouco dinheiro (outrora, dinheiro de cobre). **3.** *Fig.* Muito barato; ordinário, reles: "Flutuava na atmosfera o aroma quente das mimosas e acácias em flor, de mistura com o cheirete pegadiço dos lencinhos de mão, encharcados de essências pataqueiras." (Aquilino Ribeiro, *Lápides Partidas*, p. 134.) ● ***S. m.* 4.** *Bras.* Homem rico. **5.** *Bras.* Ator sem importância; mau ator; canastrão. **6.** *Bras.* Comprador ambulante que ia de feira em feira. **7.** *Bras. N.E. Pej.* Apelido que dão os cassacos das estradas de ferro aos trabalhadores de eito nos engenhos de açúcar.

pataquera (güe) [Do tupi.] ***S. m.*** *Bras.* **1.** *Zool.* Pequeno peixe (*Pristignathus martii*). **2.** *Bot.* V. *pataquitera*. ❖

pataquinha ***S. f.*** *Bras.* Certa espécie de pomba.

pataquitera [Do tupi.] ***S. f.*** *Bras. Bot.* Designação comum a duas ervas escrofulariáceas (*Conobea aquatica* e *C. scoparioides*) que habitam as águas dos riachos, e são prostradas, de folhas moles, serreadas, flores solitárias, axilares, pequenas e azuis, sendo o fruto uma cápsula globosa, minuta. [Var.: *pataquera*.]

patarata [Do esp. *patarata*.] ***S. f.* 1.** Ostentação ridícula; mentira jactanciosa; patacoada. ● ***S. 2 g.* 2.** Pessoa que diz pataratas, patarateiro: "O primo Gamboa é um patarata sem juízo, que te diz essas coisas para te desfrutar." (Camilo Castelo Branco, *A Queda dum Anjo*, p. 185.) **3.** Pessoa tola, afetada, pedante, fútil: "Era uma meia dúzia de pataratas sem categoria, que ali andavam como cata-ventos ao sabor da nortada" (João da Silva Correia, *Farândola*, p. 22).

pataratar [De *patarata* + *-ar*^{2}.] ***V. int. T. i.*** V. *pataratear*.

pataratear [De *patarata* + *-ear*^{2}.] ***V. int. T. i.* 1.** Dizer pataratas ou patranhas. **2.** Bazofiar, blasonar. [Sin. ger.: *pataratar*. Conjug.: v. *frear*.]

patarateiro [De *patarata* + *-eiro*.] ***Adj.* 1.** Que diz pataratas. ● ***S. m.* 2.** Aquele que as diz; patarata.

pataratice [De *patarata* + *-ice*.] ***S. f.*** Ato ou dito de patarata (2); pataratismo.

pataratismo [De *patarata* + *-ismo*.] ***S. m.* 1.** Hábitos ou dito de patarata (2); pataratice. **2.** Os pataratas.

pataréu ***S. m.*** *Ant.* Pequeno patamar^{1}; patim. [Cf. *patamar*^{1} (1).]

patarrás [Do it. *paterasso* ou *patarazzo*.] ***S. m.*** *Constr. Nav.* Qualquer dos cabos ou correntes usados para impedir que o gurupés, o pau da bujarrona ou o pau da giba se movam horizontalmente, o pau de surriola para ré, e os turcos de embarcação miúda girem à volta do seu eixo. [Pl.: *patarrases*.]

patati-patatá [Voc. onom.] ***S. m.*** *Bras.* E assim por diante; etc. [Us. quando não se quer continuar enumeração longa.]

patativa [Do tupi.] ***S. f.*** *Bras.* **1.** *Zool.* Ave passeriforme, fringilídea (*Sporophila plumbea*), distribuída do N.E. ao PR e a países limítrofes. Coloração geral cinzenta, asas e cauda pretas, e espelho branco. É considerada boa cantora. **2.** *Zool.* Ave passeriforme, fringilídea (*S. falcirostris*), da faixa costeira do Brasil este-meridional; patativa-do-sertão. **3.** *Fig.* Pessoa faladora. **4.** *Fig.* Cantor de voz maviosa. ◆ **Patativa do Norte.** Antonomásia de Epitácio Pessoa (1865-1942), político e jurista brasileiro.

patativa-do-sertão ***S. f.*** *Bras. SP Zool.* Patativa (2). [Pl.: *patativas-do-sertão*.]

patativoso (ô) [De *patativa* + *-oso*.] ***Adj.*** Suave, harmonioso, melodioso, como o canto da patativa (1).

patau [De *pato*^{1}.] ***S. m.*** Homem parvo, simplório, ignorante. V. *tolo* (8).

patauá [Do tupi, poss.] ***S. m.*** *Bras. Amaz. Bot.* Palmeira arecácea (*Oenocarpus bataua*) peculiar à floresta pluvial, que alcança uns 15m de altura, cujas drupas, fervidas em água, fornecem 8 a 10% de um óleo muito apreciado na Amaz. para fins culinários, e que dá, também, uma espécie de piaçava. [Var.: *batauá*, *putauá*.]

patavina [Do lat. *patavina* (v. *patavino*).] ***Pron. indef.*** Coisa nenhuma; nada: "Da gramática apenas lhe ficaram de cor algumas regras, sem que ele compreendesse patavina do que elas definiam." (Aluísio Azevedo, *Casa de Pensão*, p. 20.)

patavino [Do lat. *patavinus, a, um*.] ***Adj.* 1.** De, ou pertencente ou relativo a Pádua (Itália). ● ***S. m.* 2.** O natural ou habitante de Pádua. [Sin. ger.: *paduano*.]

pataxó *Bras.* ***S. 2 g.* 1.** *Etnôn.* Indivíduo dos pataxós, povo indígena da família linguística maxacali, tronco macro-jê, habitante dos municípios de Prado, Porto Seguro, Santa Cruz de Cabrália, Pau Brasil, Itaju da Colônia e Itabuna (BA) e da Fazenda Guarani, município de Carmésia (MG). ● ***Adj. 2 g.* 2.** Pertencente ou relativo a esse povo. [Tb. us. como *s. 2 g. e 2 n.* (com cap.) e *adj. 2 g. e 2 n.*]

pataxó hã hã hãe *Bras.* ***S. 2 g.* 1.** *Etnôn.* Indivíduo dos pataxós hã hã hães, povo indígena da família linguística maxacali, tronco macro-jê, habitante dos municípios de Pau Brasil, Itaju da Colônia e Itabuna (BA). ● ***Adj. 2 g.* 2.** Pertencente ou relativo a esse povo. [Pl.: *pataxós hã hã hães*; tb. us. como *s. 2 g. e 2 n.* (com cap.) e *adj. 2 g. e 2 n.*] ❄

patchuli [Do tâmil *patch*, 'verde', e *ilai*, 'folha', pelo fr. *patchouli*.] ***S. m.*** *Bot.* **1.** Erva lamiácea (*Pogostemum heyneanus* ou *P. patchouly*) nativa da Índia, de folhas opostas das quais se extrai óleo volátil muito aromático, us. em perfumaria. **2.** V. *vetiver*.

➔ **patchwork** ['pætʃwɚk] [Ingl.] ***Adj. 2 g.*** *Tec. Têx.* Diz-se do tecido feito com retalhos retangulares de tecidos de cores ou estampados diferentes, cosidos entre si, ou do tecido com estampado que repete o motivo acima. [O desenho deles é o mesmo de certos panos de crochê ou de retalhos feitos com pedaços retangulares de material de cores diversas.]

pate [Do fr. *pat*, poss. do fr. *patte*, com infl. do fr. *mat*, 'mate^{1} (2)'.] ***Adj. 2 g. S. m.*** *Bras.* No jogo de xadrez, diz-se da, ou a situação em que um dos reis não pode sair do lugar e, não dispondo o seu partido de outra pedra que possa mover-se, a partida termina por empate.

patê [Do fr. *pâté* < fr. *pâte* < lat. tard. *pasta* (v. *pasta*).] ***S. m.*** *Cul.* **1.** Designação comum a diversas preparações culinárias de consistência pastosa e sabor marcante, feitas com carne ou com fígado, ou com carnes defumadas, etc., a que se adiciona toucinho, e que são cozidas lentamente. **2.** Terrina (2). **3.** Pasta (5).

pateada [De *patear* + *-ada*^{1}.] ***S. f.*** Ato de patear; pateadura.

pateadura [De *patear* + *-dura*.] ***S. f.*** Pateada.

patear^{1} [De *pata*^{2} + *-ear*^{2}.] ***V. t. d.* 1.** Reprovar, manifestar desagrado, batendo com os pés no chão. ***Int.* 2.** Bater com as patas. [Sin. (nesta acepç.), no RS: *patalear*.] **3.** Bater com os pés no chão, em sinal de reprovação ou desagrado. [Conjug.: v. *frear*.]

patear^{2} [De or. incerta.] ***V. int.* 1.** Dar-se por vencido; sucumbir. **2.** Ter mau êxito; ser malsucedido. [Conjug.: v. *frear*.]

➔ **pâté de foie gras** [pɑ'te də fwa gʁa] [Fr.] ***S. m.*** Patê (1) feito com fígado de ganso ou pato, esp. engordados.

patego (ê) [De *pato*^{1} (2).] ***Adj. S. m.* 1.** Pateta, simplório, lorpa [v. *tolo* (1 a 3 e 8)] : "Inculcava-o [ao soneto] como prenda de valor inestimável a pateguinhos que miravam e remiravam os versos meio desconfiados." (João de Araújo Correia, *Terra Ingrata*, p. 171.) **2.** Que, ou aquele que é grosseiro, rústico, labrego, lapuz.

pateguice [De *patego* + *-ice*.] ***S. f.*** Qualidade, ação ou dito de patego.

pateiro [De *pato*^{1} + *-eiro*.] ***S. m.* 1.** Guardador ou criador de patos. **2.** Frade leigo que era encarregado da copa de um convento. **3.** *Bras. Bot.* Certa poácea da flora paulista. **4.** *Bras.* Cão de caça ensinado a trazer as aves caídas na água. **5.** *Bras.* Cercado onde se criam patos. ● ***Adj.* 6.** *Bras.* Diz-se de pateiro (4).

patejar [De *pato*^{1} + *-ejar*.] ***V. int.* 1.** *P. us.* Patinhar (1 e 3): "Pequeninos, nus, ... patejavam na estrumeira borrifados de lama sob o voo zoante das moscas." (Coelho Neto, *Rei Negro*, p. 8.) ***T. d.* 2.** Deixar impressões de patas, ou como que de patas, em: "Rastros de onças patejavam os úmidos caminhos" (Coelho Neto, *Treva*, p. 250). [Conjug.: v. *pelejar*.]

patela [Do lat. *patella*, dim. do lat. *patera*, 'pátera'.] ***S. f.* 1.** *Anat.* Cada um dos dois ossos situados adiante da articulação do fêmur com a tíbia homolateral. [Sin.: *rótula* (ant. denom.) *rodela*^{1} (pop.).] **2.** *Zool.* Segmento da pata dos aracnídeos, compreendido entre o fêmur e a tíbia. **3.** *Zool.* Na maioria dos mamíferos e em alguns reptis e aves, osso situado à frente da articulação do joelho nos membros traseiros, inserido num tendão muscular que encolhe o membro.

patelar [De *patel(i)-* + *-ar*^{2}.] ***Adj. 2 g.*** *Anat.* Da, ou relativo à patela (1). [Sin. (ant. denom.).: *rotular*, *rotuliano*.] ~ V. *reflexo* — e *tendão* —.

▲ **patel(i)-** [Do lat. *patĕlla, ae* (v. *patela*).] ***El. comp.*** = 'prato'; 'patela': *patelar*, *pateliforme*.

pateliano [De *patela* + *-iano*.] ***Adj.*** *Anat.* Pertencente ou relativo a patela.

pateliforme [De *patel(i)-* + *-forme*.] ***Adj. 2 g.*** Que tem forma de prato.

patena ***S. f.*** V. *pátena*.

pátena [Do gr. *patáne*, pelo lat. *patena* (var. de *patina*).] ***S. f.*** *Lit.* Disco metálico dourado, que serve para cobrir o cálice e receber a hóstia: "Padre futuro, estavas assim diante dela como de um altar, sendo uma das faces a Epístola e a outra um Evangelho. A boca podia ser o cálix, os lábios a pátena." (Machado de Assis, *Dom Casmurro*, p. 42.) [Cf. *pátina*.]

patense ***Adj. 2 g.* 1.** De, ou pertencente ou relativo a Patos de Minas (MG). ● ***S. 2 g.* 2.** O natural ou habitante de Patos de Minas.

patente [Do lat. *patente*.] ***Adj. 2 g.* 1.** Aberto, franqueado, acessível: *lugar patente*; *porta patente*; "Uma entrada particular, sempre patente aos juristas validos, ... facilitava a estes .... o acesso àquela espécie de santuário" (Alexandre Herculano, *O Monge de Cister*, II, p. 7). **2.** Claro, evidente, manifesto: *erro patente*; *verdade patente*. **3.** *Bot.* Que forma ângulo muito aberto com o caule ou ramo, ficando quase plano; pátulo: *pétala patente*; *folha patente*. ~ V. *carta* —, *pano* — e *talha* —. ● ***S. f.* 4.** Documento que atesta o privilégio legal concedido a uma invenção: *A empresa tirou patente do novo modelo.* **5.** Documento que encerra designação para posto militar: "Ah, o Capitão, homem de verdade, possuía patente, das legítimas." (Ciro dos Anjos, *A Menina do Sobrado*, p. 100.) **6.** Carta patente (q. v.). **7.** *Fig.* Posto (militar). **8.** Diploma de membro de confraria. **9.** Contribuição paga pelos que ingressam numa corporação. **10.** *Bras. PR a RS* V. *latrina* (1).

patenteabilidade [De *patenteável* (*patenteabil-*) + *-(i)dade*, seg. o padrão erudito.] ***S. f.*** Qualidade, caráter ou condição do que é patenteável.

patenteação [De *patentear* + *-ção*.] ***S. f.*** Ato ou efeito de patentear.

patenteado [Part. de *patentear*.] ***Adj.* 1.** Tornado patente; evidenciado, demonstrado. **2.** Registrado como patente (4): *produto patenteado*.

patenteador (ô) [De *patentear* + *-dor*.] ***Adj. S. m.*** Que, aquilo ou aquele que patenteia.

patenteamento [De *patentear* + *-mento*.] ***S. m.*** Ato ou efeito de patentear, de evidenciar.

patentear [De *patente* + *-ear*^{2}.] ***V. t. d.* 1.** Tornar patente, manifesto; franquear, mostrar, evidenciar: *O grande romancista patenteou, a pedido de admiradores, muitos segredos de sua arte*; "Espertalhões .... que tinham sido seus rendeiros, já .... patenteavam uma prosperidade crescente." (José Régio, *Histórias de Mulheres*, p. 96). **2.** Tornar claro, evidente: *Timbrou em patentear sua opinião.* **3.** Registrar como patente (4): *patentear uma invenção.* ***T. d. e i.* 4.** Tornar patente; mostrar, evidenciar: *Patenteei-lhe as minhas intenções.* **5.** Abrir, franquear: *O governo patenteou os portos do país a todas as nações.* ***P.* 6.** Tornar-se patente, claro, evidente; mostrar-se ao espírito; mostrar-se, evidenciar-se: "Eça de Queirós é um dos artistas em cuja obra mais claramente se patenteia a influência do seu meio." (Ramalho Ortigão, *As Farpas*, II, p. 210.) [Sin. ger.: *patentizar*. Conjug.: v. *frear*.]

patenteável [De *patentear* + *-vel*.] ***Adj. 2 g.*** Que pode ser patenteado.

patentizar [De *patente* + *-izar*.] ***V. t. d. T. d. e i. P.*** Patentear(-se).

➔ **pater** ['patɛr̄] [Lat.] ***S. m.*** *Antrop.* Aquele que é social ou legalmente reconhecido como pai de determinado indivíduo e a quem é atribuído tal papel, e que pode, ou não, ser o genitor. [Cf. *genitor* (3).]

patera [Do fr. *patère* < lat. *patera* (v. *pátera*).] ***S. f.*** Espécie de escápula, mais ou menos ornamental, da qual pendem as braçadeiras das cortinas. [Cf. *pátera*.]

pátera [Do lat. *pater*.] ***S. f.*** Espécie de taça us. nos sacrifícios antigos: "E, erguendo a pátera florida, / Diante da sala comovida, / Declama: — 'A César, longa vida!'" (Martins Fontes, *Verão*, p. 86.) [Cf. *patera*.]

➔ **pater familias** ['patɛr̄ fa'milẹas] [Lat.] Pai de família.

paterino [Do lat. *pater*, 'pai', a primeira palavra do padre-nosso + *-ino*^{1}.] ***S. m.*** Indivíduo dos paterinos, heréticos que só admitiam uma oração, o padre-nosso.

paternal [De *paterno* + *-al*^{1}.] ***Adj. 2 g.* 1.** De, ou próprio de pai; paterno: *carinho paternal*; *cuidados paternais*. **2.** Como de um pai: *Recebia do velho mestre atenção paternal*. **3.** *Fig.* Benévolo, benigno, complacente.

paternalidade [De *paternal* + *-(i)dade*.] ***S. f.*** Qualidade ou caráter de paternal.

paternalismo [De *paternal* + *-ismo*.] ***S. m.* 1.** Regime baseado na autoridade paterna. **2.** Sistema de relações entre o chefe e os seus subordinados segundo uma concepção patriarcal ou paternal da autoridade. **3.** *P. ext.* Em política, tendência a dissimular o excesso de autoridade sob a forma de proteção.

paternalista [De *paternalismo* + *-ista*.] ***Adj. 2 g.* 1.** Relativo ao, ou que é adepto do paternalismo. ● ***S. 2 g.* 2.** Adepto do paternalismo.

paternalístico [De *paternalista* + *-ico*^{2}.] ***Adj.*** Relativo ao, ou que é próprio do paternalismo.

paternidade [Do lat. tard. *paternitate*.] ***S. f.* 1.** Qualidade ou condição de pai: *A paternidade encheu-o de alegria.* **2.** Relação de parentesco que vincula o pai a seu(s) filho(s): *reconhecimento de paternidade*. **3.** Tratamento que se dava aos religiosos: *Vossa Paternidade*. **4.** *Edit.* Autoria de obra intelectual em direitos autorais. ◆ **Paternidade civil.** A que resulta da adoção.

paterno [Do lat. *paternu*.] ***Adj.* 1.** Do pai: *vulto paterno*; *traços paternos*. **2.** Próprio do pai; paternal: *autoridade paterna*. **3.** Relativo ao pai, ou aos pais; pátrio. **4.** Relativo à pátria.

páter-nóster [Das primeiras palavras da oração latina *Pater noster*, 'Padre nosso'.] *S. m. Bras.* Série de anzóis colocados, com iscas, em diversas alturas. [Pl.: *páter-nósteres*.]

patesca (ê) [De *pato*[1], poss.] *S. f.* **1.** *Marinh.* Poleame de laborar, us. para dar retorno a cabos, e que é semelhante ao moitão, ferrado, com gato de tornel, tendo na alça uma peça que, quando levantada, deixa gornir o cabo pelo seio. ● *S. m.* **2.** *Bras. Gír. Mar.* Marinheiro que permanece a maior parte do tempo a bordo e tem grande amor à profissão. [Cf. *marambaia*.] ● *Adj. (f.)* **3.** Diz-se da roda inteiriça.

patescaria [De *patesca* + *-aria*.] *S. f. Bras. Gír.* **1.** Ato ou procedimento de patesca (2). **2.** Piquenique ou excursão realizados por via marítima.

pateta [De *pato*.] *Adj. 2 g. S. 2 g.* V. *tolo* (1 a 3 e 8).

patetar [De *pateta* + *-ar*[2].] *V. int.* **1.** Fazer ou dizer patetices. **2.** Titubear, vacilar, hesitar. [Sin. ger., bras.: *patetear*.]

patetear [De *pateta* + *-ear*[2].] *V. int. Bras.* Patetar. [Conjug.: v. *frear*.]

patetice [De *pateta* + *-ice*.] *S. f.* Ato ou dito de pateta; tolice, parvoíce, palurdice.

pateticismo [De *patético* + *-ismo*.] *S. m.* Qualidade de patético.

patético [Do gr. *pathetikós*, pelo lat. tard. *patheticu*.] *Adj.* **1.** Que comove a alma, despertando um sentimento de piedade ou tristeza; confrangedor, tocante: "Quando vai embriagado para o mar, ... chora de entusiasmo no meio da borrasca e faz discursos patéticos ao oceano." (Ramalho Ortigão, *As Praias de Portugal*, p. 114.) **2.** Que revela forte emoção; apaixonado: *apelo patético; gesto patético.* **3.** Trágico, sinistro, cruel: *O quadro patético dos retirantes não lhe saía da memória.* ~ V. *acento* — e *nervo* —. ● *S. m.* **4.** Aquilo que é patético. **5.** *Anat.* V. *nervo patético.*

patetola [De *pateta* + *-ola*[1].] *S. 2 g. Adj. 2 g. Pej.* Diz-se de, ou pessoa muito pateta; toleirão.

➔ **páthos** ['paθos] [Gr.] *S. m. 2 n.* V. *patos.*

pati [Do tupi.] *S. m. Bras.* **1.** *Bot.* V. *coco-da-quaresma.* **2.** *Zool.* Designação comum a certos bagres pimelodídeos, especialmente ao *Luciopimelodus pati* [v. *piracatinga* (1)].

▲ **-patia** [Do gr. *-pátheia, as* < gr. *-pathḗs, ḗs, és* (v. *-pata* e *-ia*[1]).] *El. comp.* = 'maneira de sentir', 'sensibilidade a'; 'sofrimento', 'mal', 'doença', 'afecção', 'doença ou afecção de (certo órgão)': *simpatia* (< gr.), *telepatia, antropopatia; naupatia; cardiopatia, encefalopatia, oftalmopatia, pneumopatia.* [V. *-pato*.]

pati-bastardo *S. m. Bras. Zool.* Piracatinga (1). [Pl.: *patis-bastardos*.]

patibular [De *patíbulo* + *-ar*[1].] *Adj. 2 g.* **1.** Relativo a patíbulo: *punição patibular.* **2.** *Fig.* Que tem aspecto de criminoso ou dá a impressão de o ser: *cara patibular.* **3.** Que traz à ideia o crime ou o remorso.

patíbulo [Do lat. *patibulu*.] *S. m.* **1.** Estrado ou lugar onde os condenados sofrem a pena capital (forca, guilhotina, decapitação): "Rolara do patíbulo a cabeça do grande chanceler Don Álvaro de Luna" (J. Carlos Lisboa, *Isabel, a do Bom Gosto*, p. 12). **2.** V. *forca* (1). [Sin. ger.: *cadafalso*.]

pático [Do gr. *pathikós*, pelo lat. *pathicu*.] *Adj. Poét.* Devasso, libidinoso, libertino.

patiense *Adj. 2 g.* **1.** De, ou pertencente ou relativo a Pati do Alferes (RJ). ● *S. 2 g.* **2.** O natural ou habitante de Pati do Alferes.

patifa *S. f.* V. *patife.*

patifão [De *patife* + *-ão*[1].] *S. m.* Grande patife; tratante, velhaco; patifório.

patifaria [De *patife* + *-aria*.] *S. f.* Ato de patife; maroteira, velhacada.

patife [De or. obscura.] *Adj. S. m.* **1.** Desavergonhado, descarado, insolente. **2.** Tratante, velhaco, maroto. **3.** *Bras.* Tímido, fraco, pusilânime, covarde. [Fem.: *patifa*.]

patifório [De *patife* + *-ório*.] *S. m. Fam.* V. *patifão.*

patiguá [Do tupi.] *S. m. Bras.* Cesto de palha onde os índios guardam as suas redes.

patilha [Do esp. *patilla*, poss.] *S. f.* **1.** Fio de prata ou de ouro, achatado. **2.** Parte posterior e um tanto elevada do selim. **3.** Peça que na bicicleta assenta sobre a roda e a impede de mover-se. **4.** *Constr. Nav.* Prolongamento da quilha para ré do cadaste, sobre o qual se apoia o pé da madre do leme, nas embarcações em que o leme tem de trabalhar afastado do cadaste (como, p. ex., nas de uma só hélice). **5.** *Lus. Fam.* Costeleta (3) [M. us., nesta acepç., no pl.].

patilhão *S. m. Constr. Nav.* **1.** Grosso pranchão que liga o beque à quilha. **2.** Peça que se acrescenta à quilha de algumas embarcações para torná-las mais estáveis ou diminuir-lhes o abatimento.

patim[1] *S. m.* **1.** Pequeno patamar[1] (1); pataréu: "algumas noites, ... sucede-me não encontrar o meu periódico junto do castiçal que me espera no patim da entrada" (Ramalho Ortigão, *Em Paris*, p. 166). **2.** Parte inferior de um trilho ferroviário, que se apoia nos dormentes e é neles fixada.

patim[2] [Do fr. *patin*.] *S. m.* **1.** Calçado cuja sola é dotada de uma lâmina vertical, para deslizar no gelo; chapim. **2.** Patim de rodas. ◆ **Patim de rodas.** Peça munida de quatro rodinhas, que se adapta ao sapato, para rolar sobre pavimento liso. [Tb. se diz apenas *patim*.]

pátina [Do fr. *patine* < it. *patina* < lat. *patina* (ĭ).] *S. f.* **1.** Nas pinturas, oxidação das tintas ou do verniz pela ação do tempo e sua gradual transformação pela ação da luz: *a pátina dourada de um quadro.* **2.** Camada de cor esverdeada que se forma no cobre ou no bronze depois de longa exposição à umidade atmosférica ou por tratamento com ácidos. **3.** Depósito que se forma na superfície de objetos ou edifícios antigos, dando-lhes uma coloração especial: *a pátina das estátuas; a pátina das catedrais.* **4.** Colorido que se dá artificialmente a certos objetos para envelhecê-los ou decorá-los: *a pátina de um objeto de prata.* **5.** *Fig.* Envelhecimento: *A pátina dos anos não prejudicou a beleza daquela mulher.* [Cf. *patina*, do v. *patinar*, e *pátena*.]

patinação [De *patinar*[1] + *-ção*.] *S. f. Bras.* **1.** Patinagem[1]. **2.** Lugar onde se patina (v. *patinar*[1]). ◆ **Patinação artística.** *Esport.* Modalidade esportiva que se baseia numa série de coreografias sobre patins.

patinado [Part. de *patinar*[2].] *Adj.* Revestido de pátina.

patinador (ô) [De *patinar*[1] + *-dor*.] *Adj. S. m.* Que, ou aquele que patina, que faz patinagem[1].

patinagem[1] [De *patinar*[1] + *-agem*[2].] *S. f.* Ato ou exercício de patinar[1]; patinação.

patinagem[2] [De *patinar*[2] + *-agem*[2].] *S. f.* Ação ou efeito de patinar[2].

patinar[1] [De *patim* + *-ar*[2], seg. o padrão erudito.] *V. int.* Deslizar sobre patins. [Pres. ind.: *patino, patinas, patina*, etc. Cf. *pátina*.]

patinar[2] [De *pátina* + *-ar*[2].] *V. t. d.* Recobrir de pátina (4). [Pres. ind.: *patino, patinas, patina*, etc. Cf. *pátina*.]

patinar[3] *V. int.* V. *patinhar* (3 e 4): *O carro atolou-se e ficou patinando; Sua candidatura a prefeito patina.* [Pres. ind.: *patino, patinas, patina*, etc. Cf. *pátina*.]

patinete [Do fr. *patinette* < fr. *patin* (v. *patim*[2]).] *S. f.* Brinquedo infantil, constituído por uma estrutura vertical e outra horizontal, sobre duas rodas, na qual a criança pousa um dos pés, dando impulso com o outro. [Sin. (lus.): *trotinete*.]

patinhagem [De *patinhar* + *-agem*[2].] *S. f.* Ação de patinhar (3).

patinhar [De *pato*[1] + *-inhar*.] *V. int.* **1.** Agitar a água à maneira dos patos; bater com os pés ou as mãos na água. **2.** Andar, mover-se, pisando (em água, neve, lama, etc.): "Patinhávamos havia muito tempo na lama" (Veiga Miranda, *Pássaros que Fogem...*, p. 81); "Já as legiões romanas patinhavam no lodo do rio" (Aquilino Ribeiro, *Os Avós dos Nossos Avós*, p. 147). [Sin., nessas acepç.: *patejar*.] **3.** Moverem-se as rodas de (veículo automóvel) girando, sem imprimir deslocamento ao veículo, por falta de aderência: *O carro atolou-se e ficou patinhando.* **4.** *P. ext.* Não ir à frente; não progredir. [Var., nas acepç. 3 e 4: *patinar*.]

patinho [De *pato*[1] + *-inho*[1].] *S. m.* **1.** V. *tolo* (8): *Mete-se a espertalhão, e não passa de um patinho.* **2.** Carne da perna traseira do boi em sua parte interna. **3.** Certo jogo popular. **4.** Vaso de vidro, plástico ou metal, feito de maneira que os doentes do sexo masculino possam urinar sem deixar o leito. [Sin.: *papagaio* e (bras.) *compadre*.] ◆ **Cair como um patinho.** Deixar-se iludir ou lograr.

patinho-d'água *S. m. Bras. Zool.* V. *ipequi.* [Pl.: *patinhos-d'água*.]

patinho-de-igapó *S. m. Bras. AM Zool.* V. *ipequi.* [Pl.: *patinhos-de-igapó*.]

pátio [Da mesma or. incerta que o esp. *patio*, o cat. *pati*, e o occitânico *pàtu, pàti*.] *S. m.* **1.** Recinto, ger. lajeado, para o qual dá entrada a porta principal de algumas casas. **2.** Espaço descoberto fechado por muro ou por outro tipo de construção, anexo a um edifício: *As crianças brincavam no pátio do colégio.* **3.** Recinto descoberto no interior de um edifício: *o pátio de um convento.* **4.** *Aer.* Recinto descoberto em um aeródromo terrestre, destinado a acomodar aeronaves para fins de embarque de passageiros, carga ou descarga, reabastecimento de combustível, estacionamento ou manutenção. **5.** Espaço descoberto cercado de edifícios. **6.** Recinto junto às estações ferroviárias, onde as locomotivas manobram. **7.** Átrio, vestíbulo. **8.** *Teatr.* Designação genérica dos antigos teatros portugueses e espanhóis; pátio de comédias: "O palco [das representações cênicas] era o pátio, recinto formado pelos diversos pavilhões do paço, dispostos em retângulo, e coberto pelo céu estrelado." (Pe. Arlindo Ribeiro da Cunha, *A Língua e a Literatura Portuguesa*, p. 200.) ◆ **Pátio de comédias.** *Teatr.* Pátio (7).

patioba *S. f. Bras. Zool.* V. *jararaca-verde.*

➔ **pâtisserie** [patis'ʀi] [Fr.] *S. f.* Pastelaria (1) francesa, ou de tipo francês.

patiti *Bras. S. 2 g.* **1.** *Etnôn.* Indivíduo dos patitis, povo indígena extinto que habitava a margem direita do rio Colorado (RO). ● *Adj. 2 g.* **2.** Pertencente ou relativo a esse povo. [Tb. us. como *s. 2 g. e 2 n.* (com cap.) e *adj. 2 g. e 2 n.*]

patível [Do lat. *patibile* < v. lat. *pati*, 'sofrer', (v. *passo*[3]).] *Adj. 2 g.* Que se pode sofrer; tolerável.

pato[1] [T. onom.] *S. m.* **1.** *Zool.* Ave anseriforme, anatídea, esp. os de grande porte. [V. *pato-do-mato, pato-de-crista, capororoca, cisne-de-pescoço-preto*.] **2.** Iguaria feita com o pato[1] (1). **3.** *Pop.* V. *tolo* (8). **4.** *Bras.* Mau jogador. **5.** *Bras. N.E.* Pedaço de charque correspondente à paleta. [Cf. *pacto*.] ~ V. *patos.* ◆ **Pato rouco.** *Bras. S.* Pessoa de voz rouquenha.

pato[2] [De *pacto*, poss.] *El. s. m.* Us. na expr. *pagar o pato.* ~ V. *patos.* ◆ **Pagar o pato.** *Fam.* **1.** Sofrer as consequências de algo. **2.** Pagar as despesas.

pato[3] *Bras. S. 2 g.* **1.** *Etnôn.* Indivíduo dos patos, povo indígena caiapó que habitava as margens da lagoa dos Patos (RS). ● *Adj. 2 g.* **2.** Pertencente ou relativo a esse povo. [Tb. us. como *s. 2 g. e 2 n.* (com cap.) e *adj. 2 g. e 2 n.*] [Cf. *pacto*.] ~ V. *patos.*

▲ **pato-** [Do gr. *patho-* < gr. *páthos, eos-ous*.] *El. comp.* = 'sofrimento'; 'doença': *patogenia, patologia.* [Equiv.: *-pata* (q. v.), *-patia* (q. v.), *-pat(o)-*: *cardiopático*.]

▲ **-pat(o)-** V. *pato-*.

patoá [Do fr. *patois*, 'dialeto', 'pronúncia', de or. controversa.] *S. m. E. Ling.* **1.** Designação comum a vários dialetos franceses, como, entre outros, o picardo e o normando. **2.** Dialeto (3). **3.** Variante associada a falantes provenientes das camadas sociais mais baixas, falada em área geográfica restrita. [Por ter conotação pejorativa acentuada, vem sendo muito pouco utilizado nos estudos linguísticos.] [Cf. *patuá*.]

pato-argentino [De *pato*[1] + *argentino*.] *S. m. Bras. RS Zool.* V. *pato-do-mato.* [Pl.: *patos-argentinos*.]

pato-arminho [De *pato*[1] + *arminho*.] *S. m. Bras. Zool.* **1.** Capororoca. **2.** Cisne-de-pescoço-preto. [Pl.: *patos-arminhos* e *patos-arminho*.]

pato-branquense *Adj. 2 g.* **1.** De, ou pertencente ou relativo a Pato Branco (PR). ● *S. 2 g.* **2.** O natural ou habitante de Pato Branco. [Pl.: *pato-branquenses*.]

pato-bravo [De *pato*[1] + *bravo*.] *S. m. Zool.* V. *pato-do-mato.* [Pl.: *patos-bravos*.]

pato-castelhano [De *pato*[1] + *castelhano*.] *S. m. Bras. Zool.* V. *pato-de-crista.* [Pl.: *patos-castelhanos*.]

pato-crioulo [De *pato*[1] + *crioulo*.] *S. m. Bras. Zool.* V. *pato-do-mato.* [Pl.: *patos-crioulos*.]

pato-de-caiena [De *pato*[1] + *de* + *caiena*.] *S. m. Bras. Amaz. Zool.* V. *pato-de-crista.* [Pl.: *patos-de-caiena*.]

pato-de-crista [De *pato*[1] + *de* + *crista*.] *S. m. Zool.* Ave anseriforme, anatídea (*Sarkidiornis sylvicola*), distribuída da Venezuela à Argentina, em águas interiores. Coloração dorsal preta, com lustro esverdeado e purpúreo, cabeça e pescoço brancos pintados de preto, parte inferior branca, e cauda pardo-escura. [Sin.: *pato-de-caiena, putrião, pato-castelhano.* Pl.: *patos-de-crista*.]

pato-do-mato [De *pato*[1] + *do*[1] + *mato*.] *S. m. Bras. Zool.* Ave anseriforme, anatídea (*Cairina moschata*), que ocorre do S. do México ao N. da Argentina, em águas interiores. Cabeça e parte inferior do corpo pardo-escuras; parte superior preta com lustro esverdeado e purpúreo, e coberteiras superiores das asas, brancas. [Sin.: *pato-crioulo, pato-bravo, cairina, pato-argentino.* Pl.: *patos-do-mato*.]

patoense[1] *Adj. 2 g.* **1.** De, ou pertencente ou relativo a Patos (PB). ● *S. 2 g.* **2.** O natural ou habitante de Patos.

patoense[2] *Adj. 2 g.* **1.** De, ou pertencente ou relativo a São João dos Patos (MA). ● *S. 2 g.* **2.** O natural ou habitante de São João dos Patos.

patofobia [De *pato-* + *-fobia*.] *S. f. Psiq.* V. *nosofobia.*

patofóbico [De *patofobia* + *-ico*[2].] *Adj. S. m. Psiq.* V. *nosofóbico.*

patófobo [De *pato-* + *-fobo*.] *Adj. S. m. Psiq.* V. *nosofóbico* (2 e 3).

patogénese *S. f. Patol.* V. *patogênese.* [Uso freq. em P.]

patogênese [De *pato-* + *gênese*.] *S. f. Patol.* V. *patogenia.*

patogenesia [De *patogênese* + *-ia*[1].] *S. f. Patol.* V. *patogenia.*

patogenético [De *patogén(ese)* + *-ético*.] *Adj.* V. *patogênico* (1).

patogenia [De *pato-* + *-genia*.] *S. f. Patol.* Estudo dos mecanismos por que se desenvolvem as moléstias; patogênese, patogenesia, nosogenia.

patogénico *Adj.* V. *patogênico.* [Uso freq. em P.]

patogênico [De *pato-* + *gen(o)-* + *-ico*[2].] *Adj.* **1.** Relativo a patogenia ou patogênese; patógeno, patogenético: *mecanismo patogênico.* **2.** Capaz de produzir doenças: *bactéria patogênica.*

patogenista [De *patogenia* + *-ista*.] *S. 2 g.* Especialista em patogenia.

patógeno [De *pato-* + *-geno*.] *Adj.* 1. V. *patogênico* (1). ● *S. m.* 2. Organismo patogênico, causador de doenças.

patognomonia [De *patognomon-*, como em *patognomônico* (< gr.), + *-ia*[1].] *S. f. Med.* Estudo dos sinais e/ou sintomas considerados como sendo característicos duma doença.

patognomónico *Adj. Med.* V. *patognomônico*. [Uso freq. em P.]

patognomônico [Do gr. *pathognomonikós*.] *Adj. Med.* 1. Referente a patognomonia. 2. Diz-se de sinal e/ou sintoma tido(s) como característico(s) de uma doença; diacrítico.

➔ **patois** [pa'twa] [Fr.] *S. m. E. Ling.* V. *patoá.*

patola[1] [De *pata*[2] + *-ola*[1].] *S. f.* 1. A pata preênsil dos caranguejos, siris, etc. 2. *Marinh.* Gato especial, de escape, fortemente preso ao convés, e destinado a aboçar a amarra da âncora e libertá-la rapidamente quando necessário. 3. *Gír.* Mão (1).

patola[2] [De *pato*[1] + *-ola*[1].] *S. 2 g. Adj. 2 g.* V. *tolo* (1 a 3 e 8).

patolar [De *patola*[1] + *-ar*[2].] *V. t. d. Bras.* 1. *Gír.* Segurar firmemente com a mão; aferrar. 2. *Gír.* Bolinar com a mão. 3. V. *abecar.*

patologia [De *pato-* + *-logia*.] *S. f. Med.* Ramo da medicina que se ocupa da natureza e das modificações estruturais e/ou funcionais produzidas por doença no organismo.

patológico [De *patologia* + *-ico*[2].] *Adj.* Relativo a patologia.

patologista [De *patologia* + *-ista*.] *S. 2 g. Med.* Especialista em patologia.

pato-manco [Calque do ingl. *lame duck*.] *S. m.* 1. Indivíduo ineficiente. 2. Empresa pouco rentável ou deficitária. 3. Político em fim de mandato, e que por isso mesmo perdeu muito do seu crédito e da sua autoridade: 📖 "E que caso sobreviva passe a funcionar como um pato-manco na presidência do Senado." (Ricardo Noblat, em *O Globo*, 03.07.2009.) [Pl.: *patos-mancos*.]

patomania [De *pato-* + *-mania*.] *S. f. Psiq.* Preocupação obsessiva com doença.

patomaníaco [De *patomania* + *-íaco*.] *Psiq. Adj.* 1. Relativo a patomania. 2. Que tem patomania; patômano. ● *S. m.* 3. Aquele que tem patomania; patômano.

patómano *Adj. S. m.* V. *patômano*. [Uso freq. em P.]

patômano [De *pato-* + *-mano*[1].] *Adj. S. m. Psiq.* Patomaníaco (2 e 3).

pato-marinho [De *pato*[1] + *marinho*.] *S. m. Bras. RS Zool.* V. *pinguim*[1]. [Pl.: *patos-marinhos*.]

patomimese [De *pato-* + gr. *mímesis*, 'imitação'.] *S. f. Med.* Patomimia.

patomimia [De *pato-* + *-mim(o)-* + *-ia*[1].] *S. f. Med.* Simulação mórbida de doença ou sintoma; patomimese.

patonomia [De *pato-* + *-nom(o)-* + *-ia*[1].] *S. f. Med.* Conjunto de leis respeitantes às doenças.

patonómico *Adj. Med.* V. *patonômico*. [Uso freq. em P.]

patonômico [De *patonomia* + *-ico*[2].] *Adj. Med.* Referente a patonomia.

pato-pataca *S. m. Bras. Zool.* V. *alma-de-gato* (1). [Pl.: *patos-patacas*.]

patorá [De or. obsc.] *S. m. Bras. Bot.* Erva poácea forrageira; patorá-das-praias.

patorá-das-praias [De *patorá* + o pl. de *da*[1] + o pl. de *praia*.] *S. m. Bras. Bot.* Patorá. [Pl.: *patorás-das-praias*.]

patoral *S. m. Bras. SC* Terreno pantanoso e coberto de mangues.

pato-real *S. m. Zool.* V. *adem*. [Pl.: *patos-reais*.]

patorra (ô) [De *pata*[2] + *-orra*.] *S. f. Fam.* Pata ou pé muito grande.

patos[1] [Do gr. *páthos*.] *S. m. 2 n.* O patético expresso na fala, em escritos, acontecimentos, etc.: 📄 *o patos das tragédias gregas*. ~ V. *pato*.

patos[2] *Bras. S. 2 g. e 2 n.* 1. Indivíduo dos patos, povo indígena extinto que habitava o S.E. de SC. [Com cap.] ● *Adj. 2 g. e 2 n.* 2. Pertencente ou relativo a esse povo. [Tb. us. como *s. 2 g. e 2 n.* (com cap.) e *adj. 2 g. e 2 n.*]

patota [Var. de *batota*.] *S. f. Bras.* 1. Batota[1] (1). 2. Negócio duvidoso; ladroeira. 3. *Gír.* Grupo, bando.

patotada [De *patota* + *-ada*[1].] *S. f. Bras.* 1. Grande patota (1). 2. Série de patotas.

patoteiro [De *patota* + *-eiro*.] *Adj. S. m. Bras.* Diz-se de, ou aquele que faz patotas; batoteiro.

patranha [Do esp. *patraña*, alter do esp. ant. *pastraña*.] *S. f.* 1. Grande peta[2] (1). V. *mentira* (1). 2. História mentirosa; história; patranhada: 📖 "Ele põe-se lá a inventar patranhas e ela, a tola, ... ouve tudo muito séria e fiada" (Júlio Dinis, *A Morgadinha dos Canaviais*, p. 310).

patranhada [De *patranha* + *-ada*[1].] *S. f.* 1. Série de patranhas. 2. História cheia de mentiras; patranha.

patranhar [De *patranha* + *-ar*[2].] *V. int.* Inventar patranhas.

patranheiro [De *patranha* + *-eiro*.] *Adj. S. m.* Que, ou aquele que inventa patranhas.

patrão [Do lat. *patronu*, por via pop.] *S. m.* 1. Chefe ou proprietário de estabelecimento, fábrica, etc., em relação aos empregados; empregador. 2. *P. ext.* O chefe de um escritório, de uma repartição. 3. O dono da casa em relação aos empregados domésticos, ou outros; amo, senhor. 4. Senhor, chefe, cavalheiro: 📄 — *Tudo em ordem, patrão?* [Us. em geral como vocativo.] 5. *Mar. Merc.* Aquele que comanda embarcação de pesca: 📖 "esbarraram com o velho José Alexandre, patrão daquela baleeira" (Virgílio Várzea, *Histórias Rústicas*, p. 82). 6. Nos barcos de regata, aquele que dirige o leme e comanda o ritmo das remadas. 7. Patrono, protetor. 8. *Pop.* Tratamento de respeito dado por pessoas humildes a pessoas de condição social superior, ou, às vezes, tratamento simplesmente carinhoso ou afetuosamente irônico dado a pessoas de igual condição. 9. Seringalista (q. v.). [Fem.: *patroa*.]

patrão-mor *S. m. Bras.* 1. Funcionário diretor de certos serviços ou oficinas do Estado. 2. *Mar. G.* Oficial-auxiliar esp. encarregado do serviço marítimo dos arsenais de marinha e capitanias de portos. [Pl.: *patrões-mores*.]

patrasana [Do it. *partigiano*, 'partidário'.] *S. m.* 1. Qualquer sujeito. 2. Indivíduo gordo e bonacheirão. [Cf. *partasana*.]

patrazana *S. f.* V. *patrasana*.

▲ **patr(i)-** [Do lat. *pater, patris*.] *El. comp.* = 'pai', 'padre': *patrilinear, patrilocal*. [Equiv.: *padro-, -patr(i)-, patro-: padrófilo; filopatria; patrologia*.]

▲ **-patr(i)-** V. *patr(i)-*.

pátria [Do lat. *patria*.] *S. f.* 1. O país onde nascemos; torrão natal; terra. 2. Província, cidade, vila ou aldeia natal. 3. A terra dos pais. 4. Lugar de origem; origem, berço: 📄 *O Brasil é a pátria do frevo*. 5. Lugar onde se encontra uma grande quantidade de coisas de um determinado gênero: 📄 *Ouro Preto é a pátria das igrejas barrocas*. 6. Terra que se considera como a preferida, a melhor: 📄 *Sua pátria era o lugar onde estavam seus filhos*. 7. Região ou clima apropriado para certos animais. ● *Adj. 2 g.* 8. *Bras. RS* Sem dono, ou pertencente ao Estado. [Diz-se dos animais.] ~ V. *pátrias*. ◆ **Salvar a pátria.** Resolver uma dificuldade, tirar de um aperto: 📖 "Mais uma vez, foi o meu companheiro de noite que salvou a pátria." (Carlos Heitor Cony, *Pilatos*, p. 84.)

pátria-amada [De *pátria* + o f. do adj. *amado*.] *S. m.* 1. *Bras. Deprec.* Patrioteiro (2). 2. *Bras.* Voluntário civil na revolução paulista de 1932. 3. *Bras. RJ* Comissário de polícia. [Pl.: *pátrias-amadas*.]

patriada [De *pátrias* + *-ada*[1].] *S. f. Bras. RS* Ação ou rebelião malograda, como a dos pátrias (1).

patriarca [Do gr. *patriárches*, pelo lat. tard. *patriarcha*.] *S. m.* 1. Chefe de família, entre os povos antigos, esp. os do Antigo Testamento. 2. Velho venerando cercado de família numerosa. 3. *P. ext.* Chefe de família exemplar. 4. Prelado de algumas grandes dioceses. 5. Chefe da Igreja grega. 6. Designação comum aos primeiros instituidores dalgumas ordens religiosas. ◆ **O patriarca da Independência.** Antonomásia de José Bonifácio de Andrada e Silva (1763-1838).

patriarcado [De *patriarca* + *-ado*[2]; lat. med. *patriarchatu*.] *S. m.* 1. Dignidade ou jurisdição de patriarca. 2. Diocese dirigida por um patriarca. 3. Regime social em que o pai exerce autoridade preponderante. 4. *Antrop. Restr.* Regime social que tem regra de descendência (q. v.) de tipo patrilinear (2), casamentos patrilocais, herança e sucessão determinadas pelo lado masculino, e família patripotestal.

patriarcal [De *patriarca* + *-al*[1]; lat. tard. *patriarchale*.] *Adj. 2 g.* 1. Relativo a, ou próprio de patriarca ou de patriarcado: 📄 *dignidade patriarcal; sistema patriarcal*. 2. *P. ext.* Respeitável, venerando. 3. *P. ext.* Pacífico, bondoso. 4. *Sociol. Hist.* Relativo à concentração de poder e de prestígio na figura do patriarca. [Emprega-se a qualificação principalmente com referência a um tipo de organização da família, característico de certas épocas e povos, como, p. ex., na Antiguidade Clássica.] ~ V. *sé —*. ● *S. f.* 5. Igreja com cadeira patriarcal; sé patriarcal.

patriarcalidade [De *patriarcal* + *-(i)dade*.] *S. f.* O conjunto dos patriarcas; os patriarcas.

patriarcalismo [De *patriarcal* + *-ismo*.] *S. m.* 1. Comportamento ou estilo de vida patriarcal. 2. Influência social dos patriarcas.

patriarcalista [De *patriarcalismo* + *-ista*.] *Adj. 2 g.* 1. Relativo ao patriarcalismo. 2. Que é adepto ou simpatizante dele. ● *S. 2 g.* 3. Adepto ou simpatizante do patriarcalismo.

pátrias [Pl. de *pátria*.] *S. m. pl.* 1. Designação dos índios e outros naturais das Missões que invadiram o RS em 1816, sob as ordens de Artigas. 2. *P. ext.* Os argentinos, em geral. ~ V. *pátria*.

patrícia [F. subst. do adj. *patrício*.] *S. f. Bras. N.E. Pop.* V. *cachaça* (1).

patriciado [Do lat. *patriciatu*, por via semierudita.] *S. m.* 1. Entre os romanos, estado ou condição de patrício. 2. A classe nobre; a aristocracia, a nobreza. [F. paral.: *patriciato*.]

patriciato [Do lat. *patriciatu*, por via erudita.] *S. m.* Patriciado (q. v.).

patricinha [Do dim. do antr. *Patrícia*.] *S. f. Bras. Joc.* Jovem do sexo feminino, que se veste com esmero e, ger., tem comportamento consumista.

patrício [Do lat. *patriciu*.] *Adj.* 1. Relativo à classe dos nobres, entre os romanos. 2. Nobre, aristocrático: 📖 "Eram [Hamilton e Jefferson] dois temperamentos opostos, o patrício de modos populares e o plebeu de modos patrícios" (Alceu Amoroso Lima, *A Realidade Americana*, p. 131). 3. Distinto, elegante. 4. Conterrâneo, compatriota. ● *S. m.* 5. Indivíduo da classe dos nobres, na antiga Roma. 6. Aristocrata, nobre: 📖 "Eram dois temperamentos opostos, o patrício de modos populares e o plebeu de modos patrícios" (Alceu Amoroso Lima, *A Realidade Americana*, p. 131). 7. Compatriota, conterrâneo: 📖 "Francisca Júlia da Silva, a patrícia nossa, ... já escrevia versos aos quatorze anos." (Machado de Assis, *A Semana*, II, p. 399.)

patrilateral (pà) [De *patr(i)-* + *lateral*.] *Adj. 2 g. Antrop.* Diz-se de, ou relativo a parentesco pelo lado paterno. [Cf. *matrilateral*.]

patrilateralidade (pà) [De *patrilateral* + *-(i)dade*.] *S. f.* Condição ou caráter de patrilateral. [Cf. *matrilateralidade*.]

patrilinear (pà) [De *patr(i)-* + *linear*.] *Adj. 2 g. Antrop.* 1. Relativo aos parentes pela linha masculina; agnático. 2. Relativo a, ou que envolve descendência (2) pela linha paterna. [Cf. *matrilinear* e *cognático*.]

patrilinearidade (pà) [De *patrilinear* + *-(i)dade*.] *S. f.* Caráter ou condição de patrilinear. [Cf. *matrilinearidade*.]

patrilocal (pà) [De *patr(i)-* + *local*.] *Adj. 2 g. Antrop.* Relativo a regra ou costume institucionalizado, ou a padrão de residência a eles associado, segundo o qual um novo casal, após o casamento, passa a viver na localidade (casa, aldeia, acampamento, etc.) do pai do marido. [Opõe-se a *matrilocal*; cf. *uxorilocal*, *virilocal*.]

patrilocalidade (pà) [De *patrilocal* + *-(i)dade*.] *S. f.* 1. Caráter ou condição de patrilocal. 2. Padrão, ou regra de residência, patrilocal.

patrimoniado [De *patrimônio* + *-ado*[1].] *Adj.* Que tem ou recebeu patrimônio.

patrimonial [Do lat. tard. *patrimoniale*.] *Adj. 2 g.* Relativo ou pertencente a patrimônio.

patrimonialismo [Do ingl. *patrimonialism*.] *S. m.* Confusão dos bens públicos com os privados: 📖 "Uma das mais graves distorções da vida pública brasileira é o patrimonialismo .... pelo qual os poderosos de ocasião manipulam os instrumentos de Estado com finalidades privadas." (*O Globo*, 11.06.2008.)

patrimonialista [Do ingl. *patrimonialist*.] *Adj. 2 g.* 1. Do, ou relativo ao patrimonialismo. 2. Que defende ou pratica o patrimonialismo. ● *S. 2 g.* 3. Pessoa patrimonialista (2).

patrimonialístico [De *patrimonialista* + *-(i)co*[2].] *Adj.* Relativo a patrimonialismo ou a patrimonialista (3).

património *S. m.* V. *patrimônio*. [Uso freq. em P.]

patrimônio [Do lat. *patrimoniu*.] *S. m.* 1. Herança paterna. 2. Bens de família. 3. Dote dos ordinandos. 4. Bem, ou conjunto de bens culturais ou naturais, de valor reconhecido para determinada localidade, região, país, ou para a humanidade, e que, ao se tornar(em) protegido(s), como, p. ex., pelo tombamento[2], deve(m) ser preservado(s) para o usufruto de todos os cidadãos: 📄 *Os bens culturais e naturais de valor universal excepcional, como as cidades de Ouro Preto, Olinda e o Parque Nacional do Iguaçu, são incluídos na Lista do Patrimônio Mundial da Unesco*; 📖 "A ideia de posse coletiva como parte do exercício da cidadania inspirou a utilização do termo patrimônio para designar o conjunto de bens de valor cultural que passaram a ser propriedade da nação, ou seja, do conjunto de todos os cidadãos." (Maria Cecília Londres Fonseca, *O Patrimônio em Processo*, p. 58). 5. *Fig.* Riqueza: 📄 *patrimônio moral, cultural, intelectual*. ◆ **Patrimônio líquido.** *Cont.* Conjunto dos recursos dos sócios ou acionistas aplicados numa empresa, abrangendo o capital inicial, reservas e lucros retidos; passivo não exigível.

pátrio [Do lat. *patriu*.] *Adj.* 1. Pertencente ou relativo à pátria: 📄 *solo pátrio; história pátria*; 📖 "vereis um novo exemplo / De amor dos pátrios feitos valerosos / Em versos devulgado numerosos." (Luís de Camões, *Os Lusíadas*, I, 9); "Que diversas que são, Marília, as horas, / que passo na masmorra imunda e feia, / dessas horas felices, já passadas / na tua pátria aldeia!" (Tomás Antônio Gonzaga, *Marília de Dirceu*, p. 119). 2. Relativo ou pertencente aos pais; paterno. ~ V. *adjetivo —* e *poder —*.

patriota [Do lat. tard. *patriota* < gr. *patriótes.*] ***S. 2 g.* 1.** Pessoa que ama a pátria e procura servi-la. **2.** Compatriota, patrício. ● ***S. m.* 3.** *Bras. PE* Partidário da revolução pernambucana de 1817 e/ou da de 1824. **4.** *Bras. RS* Designação comum aos soldados das forças irregulares do governo na revolução de 1893. ● ***S. f.* 5.** *Bras. Gír.* Mulher de seios muito grandes.

patriotada [De *patriota* + *-ada*[1].] ***S. f.* 1.** *Bras.* Alarde jactancioso de patriotismo. **2.** *Bras.* Rebelião infrutífera. **3.** *Bras.* Multidão de patriotas. **4.** *Bras. RS* O conjunto dos patriotas [v. *patriota* (4)].

patrioteiro [De *patriota* + *-eiro.*] ***Adj.*** *Deprec.* **1.** Que alardeia patriotismo. ● ***S. m.* 2.** Aquele que o alardeia; pátria-amada.

patriotice [De *patriota* + *-ice.*] ***S. f.*** *Deprec.* **1.** Mania patriótica. **2.** Falso patriotismo.

patriótico [Do lat. *patrioticu.*] ***Adj.* 1.** Que revela amor à pátria; cívico: *demonstração patriótica.* **2.** Relativo a, ou próprio de patriota.

patriotismo [De *patriota* + *-ismo*; fr. *patriotisme.*] ***S. m.* 1.** Amor da pátria; sentimento de profunda compreensão, e consequente observância, dos deveres cívicos; apego e/ou admiração às coisas da pátria, da nação. **2.** Qualidade de patriota. **3.** *Bras. Chulo Desus.* Mamas grandes.

patripassianismo (pà) ***S. m.*** *Rel.* Monarquianismo.

patripotestal (pà) [De *patr(i)-* + rad. lat. *potest-* (< lat. *potestas, atis*, 'força', 'poder'), + *-al*[1].] ***Adj. 2 g.*** Relativo a, ou caracterizado por concentração da autoridade familiar na pessoa do pai. [Cf. *matripotestal.*]

patripotestalidade (pà) [De *patripotestal* + *-(i)dade.*] ***S. f.*** Caráter ou condição de patripotestal.

patrística [Do lat. ecles. *patristica* (subentendendo-se *theologia*).] ***S. f.*** Ciência que tem por objeto a doutrina dos Santos Padres e a história literária dessa doutrina.

patrístico ***Adj.*** Referente à patrística.

patrizar [De *pátria* + *-izar.*] ***V. int.*** *Ant.* **1.** Servir à pátria. **2.** Ser patriota.

▲ **patro-** V. *patr(i)-*.

patroa (ô) [Do lat. *patrona*, por via semierudita.] ***S. f.* 1.** Mulher do patrão. **2.** Dona de casa. **3.** A dona de um estabelecimento comercial. **4.** *Pop.* Esposa. **5.** *Pop.* Tratamento dado a uma senhora por pessoas de condição social inferior.

patroar [De *patrão* + *-ar*[2], com desnasalação.] ***V. t. d.* 1.** *Bras.* Dirigir (uma embarcação) como patrão (5): *Gosta de patroar seu barco.* ***Int.* 2.** Dirigir uma embarcação como patrão (5): *Patroa muito bem.* [Conjug.: v. *coroar.*]

patrocinado [Part. de *patrocinar.*] ***Adj. S. m.*** Que, ou aquele que recebe patrocínio; protegido, favorecido.

patrocinador (ô) [De *patrocinar* + *-dor.*] ***Adj.* 1.** Que patrocina. ● ***S. m.* 2.** Aquele que patrocina. **3.** *Bras.* Pessoa ou empresa que custeia um programa de televisão, de rádio, etc., para fins de propaganda.

patrocinar [Do lat. **patrocinare* < lat. *patrocinari.*] ***V. t. d.* 1.** Dar patrocínio a; proteger; beneficiar; favorecer, defender; patronear: *Excelente advogado patrocina a sua causa*; "Vem a Mordoma, igual às suas companheiras, / Erguendo a Santa Cruz, que patrocina os lares" (Conde de Monsaraz, *Musa Alentejana*, p. 64). **2.** Custear (programa de televisão, de rádio, ou evento, competição, etc.) para fins de propaganda. **3.** Pagar certa quantia a (personalidade, atleta, equipe desportiva, etc.), para usar seu nome e imagem com fins de propaganda.

patrocinense[1] ***Adj. 2 g.* 1.** De, ou pertencente ou relativo a Patrocínio (MG). ● ***S. 2 g.* 2.** O natural ou habitante de Patrocínio.

patrocinense[2] ***Adj. 2 g.* 1.** De, ou pertencente ou relativo a Patrocínio do Muriaé (MG). ● ***S. 2 g.* 2.** O natural ou habitante de Patrocínio do Muriaé.

patrocinense[3] ***Adj. 2 g.* 1.** De, ou pertencente ou relativo a Patrocínio Paulista (SP). ● ***S. 2 g.* 2.** O natural ou habitante de Patrocínio Paulista.

patrocinense[4] ***Adj. 2 g.* 1.** De, ou pertencente ou relativo a São Jorge do Patrocínio (PR). ● ***S. 2 g.* 2.** O natural ou habitante de São Jorge do Patrocínio.

patrocínio [Do lat. *patrociniu.*] ***S. m.* 1.** Proteção, amparo, auxílio; patronagem, patronato. **2.** A ação de dar ou receber auxílio financeiro, material, ou de serviços, para a conquista de prêmio, título, etc., ou para a realização de algo. **3.** Aquilo que se dá ou recebe em patrocínio (2): *Recebeu um patrocínio de cem mil reais.* **4.** *Restr.* Custeio de um programa de televisão, rádio, etc., para fins de propaganda

patrol [Do ingl. *patrol.*] ***S. f.*** *Bras.* V. *niveladora.* [Pl.: *patróis.*]

patrola [Var. de *patrol.*] ***S. f.*** *Bras. MG* V. *niveladora.*

patrolar [De *patrol* + *-ar*[2].] ***V. int.*** *Bras.* Abrir ou nivelar estrada(s) com patrol.

patrolista [De *patrol* + *-ista.*] ***S. 2 g.*** *Bras.* Pessoa que opera patrol.

patrologia [De *patro-* + *-logia.*] ***S. f.* 1.** Conhecimento da vida e das obras dos Padres da Igreja. **2.** Tratado a respeito deles. **3.** Coleção dos seus escritos.

patrológico [De *patrologia* + *-ico*[2].] ***Adj.*** Relativo a patrologia.

patrologista [De *patrologia* + *-ista.*] ***S. 2 g.*** Especialista em patrologia; patrólogo.

patrólogo [De *patro-* + *-logo.*] ***S. m.*** Patrologista.

patromoria ***S. f.*** *Bras.* Repartição dirigida por patrão-mor.

patrona[1] [Do lat. *patrona*, por via semierudita.] ***S. f.*** Protetora, padroeira.

patrona[2] [Do al. *Patrone.*] ***S. f.* 1.** V. *cartucheira.* **2.** *Bras. N.* Bolsa de couro dos sertanejos; patuá. **3.** *Bras. P. ext. Etnogr.* Cesto de estrutura rígida, provido de aba ou tampa e de alça, de formato retangular, oval ou redondo, us. entre povos indígenas brasileiros para guardar e transportar objetos pessoais. **4.** *Bras. Zool. N.E.* V. *jararacuçu.*

patronado [Do lat. *patronatu*, por via semierudita.] ***S. m.*** V. *patronato.*

patronagem [De *patrono* + *-agem*[2].] ***S. f.*** V. *patrocínio* (1).

patronal [Do lat. tard. *patronale.*] ***Adj. 2 g.* 1.** Relativo a, ou próprio de patrão (1): *interesses patronais; política patronal.* **2.** Constituído por patrões: *a classe patronal.* ~ V. *sindicato —*.

patronato [Do lat. tard. *patronatu*, por via erudita.] ***S. m.* 1.** V. *patrocínio* (1). **2.** Autoridade de patrão. **3.** Padroado. **4.** Instituição de assistência onde se abrigam e educam menores; pensionato. **5.** Estabelecimento oficial ou particular, que se destina a proporcionar aos liberados condicionais os meios necessários à sua readaptação à vida social. [Var.: *patronado.*]

patronear [De *patrão* + *-ear*[2], seg. o padrão erudito.] ***V. t. d.* 1.** Servir de patrono a. **2.** Dirigir como patrão. **3.** V. *patrocinar.* ***Int.* 4.** Tomar ares de patrão. [Conjug.: v. *frear.*]

→ **patronesse** [patʁɔ'nɛs] [Fr.] ***S. f.*** Senhora que organiza ou patrocina festa ou campanha de beneficência.

patronímico [Do gr. *patronymikós*, pelo lat. tard. *patronymicu.*] ***Adj.* 1.** Relativo a pai, esp. quanto a nomes de família: *O Oliveira de seu nome é patronímico.* **2.** Diz-se do sobrenome derivado do nome do pai ou de um antecessor: *Fernandes e Rodrigues são sobrenomes patronímicos.* ● ***S. m.* 3.** Sobrenome derivado do nome do pai: *Rodrigues* (filho de Rodrigo); *Dias* (filho de Dídaco); *Atrida* (filho de Atreu). **4.** *P. ext. Neol.* Nome designativo de uma linhagem: *Antoninos* (dinastia romana); *Braganças* (dinastia portuguesa). [Cf. *matronímico.*]

patronita [Do antr. (*Antenor Rizo-*) *Patrona*, mineralogista peruano, + *-ita*[3].] ***S. f.*** *Min.* Sulfeto de vanádio.

patrono [Do lat. *patronu*, por via erudita.] ***S. m.* 1.** V. *padroeiro* (2). **2.** Advogado, em relação a seus clientes. **3.** Na antiga Roma, o senhor, em relação aos seus libertos. **4.** *Bras.* Escritor, artista ou cientista, sob a égide do qual estão as diversas cadeiras, nas academias e instituições congêneres: *A cadeira nº 23 da Academia Brasileira de Letras, da qual Machado de Assis é o fundador, tem como patrono José de Alencar.* **5.** *Bras.* Chefe militar ou personalidade civil escolhida como figura tutelar de uma força armada, de uma arma, de uma unidade, etc., cujo nome mantém vivas tradições militares e o culto cívico dos heróis: *Caxias é o patrono do Exército, Tamandaré é o patrono da Marinha e Santos Dumont é o patrono da Aeronáutica.*

patruicídio (u-i) [Do lat. *patruus*, 'tio paterno', + *-i-* + *-cídio.*] ***S. m.*** Assassínio de tio paterno.

patrulha [Do fr. *patrouille.*] ***S. f.* 1.** Patrulhamento. **2.** Ronda de soldados. **3.** *Mar. G.* Grupamento de navios e/ou aeronaves incumbidos de patrulhar. **4.** Grupo de pessoas que fazem a ronda (1), zelando pela manutenção da ordem, ou que procuram localizar pessoas em perigo, etc. **5.** *Deprec.* Pequeno grupo de políticos. **6.** *Deprec.* Bando de vadios; corja, súcia. **7.** *Bras.* Subdivisão de uma companhia de escoteiros ou de bandeirantes. [V. *bandeirante* (2).] ◆ **Parar patrulha.** *Bras. RS* Responder a uma agressão ou ofensa; revidar, resistir.

patrulhado [Part. de *patrulhar.*] ***Adj.* 1.** Guarnecido de, ou vigiado por patrulha (1): *O trecho patrulhado da costa era um abrigo seguro.* **2.** *Fig.* Que foi, ou é vítima de patrulhamento [v. *patrulhar* (3)] : "Fui um homem muito patrulhado..." (Evandro Lins e Silva, *O Salão dos Passos Perdidos*, p. 307.)

patrulhamento [De *patrulhar* + *-mento.*] ***S. m.*** Ato ou efeito de patrulhar.

patrulhar [De *patrulha* + *-ar*[2]; fr. *patrouiller.*] ***V. t. d.* 1.** Guarnecer ou vigiar com patrulhas. **2.** Rondar em patrulha. **3.** *Fig.* Acompanhar, fiscalizando, o comportamento de alguém, exigindo-lhe obediência estrita a certos princípios ou normas, ou para ver se comete algum deslize: *Sempre teve o hábito de patrulhar os companheiros.* **4.** *Mil.* Percorrer sistematicamente (uma área ou zona de passagem provável do inimigo), para detectá-lo e obter informes acerca da composição, atividades, etc., da área ou zona. ***Int.* 5.** Fazer ronda em patrulha.

patrulheiro [De *patrulha* + *-eiro.*] ***S. m.* 1.** Aquele que patrulha. **2.** *Mar. G.* Pequeno navio de guerra destinado a patrulhar áreas marítimas não distantes do litoral, com o fim de prevenir ataques ou incursões do inimigo.

patrulhense ***Adj. 2 g.* 1.** De, ou pertencente ou relativo a Santo Antônio da Patrulha (RS). ● ***S. 2 g.* 2.** O natural ou habitante de Santo Antônio da Patrulha.

patrulhinha [De *patrulha* + *-inha.*] ***S. f.*** *Bras.* Automóvel da polícia militar, us. em patrulhamento: "Caminhei até a avenida e avistei uma patrulhinha." (Luís Eduardo Soares, *Meu Casaco de General*, p. 26.)

patuá [De *pataúá*, com síncope.] ***S. m.* 1.** *Bras.* Balaio (1). **2.** *Bras.* Patrona (2). **3.** V. *bentinhos.* [Cf. *patoá.*]

patuá-balaio ***S. m.*** *Bras. N.* Caixa com divisões para matalotagem. [Pl.: *patuás-balaios* e *patuás-balaio.*]

patudo [De *pata*[2] + *-udo.*] ***Adj.*** Que tem patas ou pés grandes.

patuense ***Adj. 2 g.* 1.** De, ou pertencente ou relativo a Patu (RN). ● ***S. 2 g.* 2.** O natural ou habitante de Patu.

patuleia (éi) [Por *patoleia*, de *patola.*] ***S. f.* 1.** Alcunha do partido popular que se organizou em Portugal em 1836. **2.** *P. ext.* V. *ralé* (1). ● ***S. m.* 3.** Membro daquele partido; pé-fresco. ❖

pátulo [Do lat. *patulu.*] ***Adj.* 1.** *Poét.* Patente, aberto, franqueado. **2.** *Bot.* Patente (3): *râmulos pátulos.*

paturé ***S. m.*** *Bras. Zool.* V. *paturi.*

patureba [De or. indígena.] ***S. m.* 1.** *Bras.* V. *mulato-velho.* **2.** *Bras. Zool.* O produto do cruzamento do pato[1] com a marreca. **3.** *Bras. N.E. Pop.* Indivíduo simplório. [V. *tolo* (8).]

paturi [Do tupi.] ***S. m.*** *Bras. Zool.* Ave anseriforme, anatídea (*Nomonyx dominicus*), distribuída do S. dos E.U.A. até o N. e L. da Argentina, de dorso ferrugíneo raiado de preto, cabeça, faces e mento pretos, meio do dorso inferior, cauda e rêmiges pardo-escuros, e espelho branco nas asas. A fêmea é mais pálida, com a cabeça pintada de preto. [Var.: *paturé*, sin.: *marrequinha, tururu.*]

paturi-do-mato ***S. m.*** *Bras. CE Zool.* V. *marreca-toicinho.* [Pl.: *paturis-do-mato.*]

patuscada [De *patusco* + *-ada*[1].] ***S. f.* 1.** Ajuntamento festivo de pessoas para comer e beber; comedela, comedoria, comezaina. **2.** Pândega, folgança, farra.

patuscar [De *patusco* + *-ar*[2].] ***V. int.*** Andar em patuscadas; pandegar, farrear. [Conjug.: v. *trancar.*]

patusco [De or. obscura.] ***Adj.* 1.** Que gosta de patuscadas: "Boa e patusca viúva! Amava o riso e a folga" (Machado de Assis, *Várias Histórias*, p. 61). **2.** Brincalhão, divertido; engraçado. **3.** Ridículo, extravagante. ● ***S. m.* 4.** Indivíduo patusco. **5.** Pachola (2).

pau [Do lat. *palu.*] ***S. m.* 1.** Qualquer pedaço de madeira (lasca, haste, madeira, tábua, etc.). **2.** Qualquer madeira: *perna de pau; colher de pau.* **3.** Cacete, bastão, cajado. **4.** *P. ext.* Castigo corporal; pancada, surra: *O cachorro latiu, pau nele.* **5.** Ripa, vara, vareta. **6.** Viga, trave. **7.** Chifre, corno. **8.** Mastro, haste: *pau de bandeira.* **9.** Qualquer pedaço de substância sólida semelhante a um pau (1): *pau de chocolate; pau de baunilha; canela em pau.* **10.** *Constr. Nav.* Designação genérica de certas vergônteas e hastes que não fazem parte da mastreação: *pau da bandeira; pau do jeque; pau de surriola; pau de carga.* **11.** *Bras. Gír.* Reprovação em exame; bomba: *Levou pau em matemática.* **12.** *Afric. Bras. N.E. Pop.* Qualquer árvore. **13.** *Bras. Jorn.* O ponto de exclamação, entre os revisores. **14.** *Bras. Mar. G. Gír.* Serviço de quarto ou de dia: *estar de pau das oito ao meio-dia.* **15.** *Pop.* Real, ou escudo, ou outra moeda qualquer: *Paguei 20 paus por este livro.* **16.** *Bras. Chulo* O pênis. **17.** *Bras. Gír.* V. *rolo*[1] (16). ● ***Adj. 2 g.* 18.** *Bras. Fam.* V. *maçante* (1): *pessoa pau; livro pau.* **19.** Embaraçoso, incomodativo: *É muito pau despedir um empregado!* ~ V. *paus.* ◆ **Pau a pau.** *Bras.* Em pé de igualdade; taco a taco: *A partida foi disputada pau a pau; Na discussão, mostraram-se pau a pau.* **Pau à toa.** *Bras. Amaz.* Designação dada pelos caboclos a plantas cujos nomes ignoram. **Pau com formiga.** *Bras. N.E.* Coisa difícil; situação embaraçosa. **Pau da venta.** *Bras. N.E. Pop.* Pau do nariz. **Pau de jabutis.** *Bras. N.* Cinco jabutis amarrados a uma vara (como são vendidos). **Pau de surriola.** *Constr. Nav.* Cada um dos paus que, com o navio ancorado ou amarrado à boia[1], se dispõem perpendicularmente ao costado, para neles se amarrarem as embarcações miúdas: "Lampejam sinais, içam-se as escadas dos portalós, prolongam-se os paus de surriola, escapam-se das chaminés nuvens de vapor..." (Eugênio de Castro [o brasileiro], *Terra à Vista*, p. 7.) [Ger. há um pau de surriola em cada bordo. Tb. se diz apenas *surriola.*] **Pau do nariz.** *Bras. N.E. Pop.* O septo nasal; pau da venta. **Pau roliço.** *Constr.* A madeira na forma

P

natural, cilíndrica, de troncos e galhos. **A dar com um pau.** Em grande quantidade. : "– .... Não terá quartos, não terá, mas quartos arranjam-se a dar com um pau, é questão de consultar os anúncios do jornal." (Aquilino Ribeiro, *Lápides Partidas*, p. 22.) **Abrir nos paus.** *Bras. Pop.* V. *fugir* (1 e 2). **Assentar o pau em.** *Bras.* V. *meter o pau em* (1). **Baixar o pau em.** *Bras. Pop.* V. *baixar o sarrafo em.* "Por favor, leve a gente daqui, nós somos estudantes e a polícia está baixando o pau em todo o mundo..." (Ana Maria Machado, *Tropical Sol da Liberdade*, p. 76); "Realmente, logo entraram os guardas na cela, armados de cassetetes. Baixaram o pau em todos." (Carlos Heitor Cony, *Pilatos*, p. 122). **Bater no pau.** *Bras. Fam.* V. *isolar* (5). **Cantar o pau.** Haver briga, surra, pancadaria: *Houve um fuzuê dos diabos, o pau cantou.* **Chutar o pau da barraca.** *Bras. Gír.* V. *descer o morro*: "Irritado porque Pelé foi contra a sua sugestão de escalar Edmundo, em vez de Müller, para a seleção brasileira, Romário chutou o pau da barraca. 'Pelé não tem que dar palpite'." (Revista *Veja*, 16.03.1994.) **Dar nos paus.** V. *fugir* (1 e 2): "O Lucas dava nos paus e não havia quem lhe botasse o olho em riba." (Cardoso de Oliveira, *Dois Metros e Cinco*, p. 268.) **Dar pau.** V. *entrar em pane.* **Dar por paus e por pedras. 1.** Delirar: "– .... Descoberta a tua ideia, não tens mais que defendê-la; então escreverás, escreverás sem cessar; publicarás tudo que te vier à cabeça a respeito de tua causa; darás por paus e por pedras; falarás de tudo e de todos, até que sejas um homem perfeitamente conhecido, e o imperador te chame para junto de seu trono." (Aluísio Azevedo, *Filomena Borges*, p. 172.) **2.** Praticar desatinos, atos estapafúrdios: "mas esse moço .... pecava por inteiro desconhecimento do Rio de Janeiro, de forma que, apesar de ter alguma inteligência, andou dando por paus e por pedras, cego, tonto, numa descontinuidade de esforços de causar riso e pena." (Lima Barreto, *Histórias e Sonhos*, 2ª vol., p. 166.) **3.** Enfurecer-se; virar onça, ficar uma fera: "Quando Quincas de Barros soube da venda do Itu, deu por paus e por pedras. Gritou que Carlos de Sá Meneses era um moleque" (José Cândido de Carvalho, *Olha para o Céu, Frederico!*, p. 63). **De pau feito.** *Lus. Pop.* **1.** De pênis ereto. **2.** De caso pensado, e por acinte. **Entrar no pau.** *Pop.* Ser espancado. **Falar ao pau de.** *Bras. Chulo* **1.** Excitar sexualmente. **2.** Despertar entusiasmo em. **Jogar com pau de dois bicos.** Defender ora uma, ora outra de duas ideias opostas, com o fim de agradar às duas partes. **Levantar a pau.** *Bras. N.E.* Erguer do chão (as reses que caem de inanição, quando das secas) por meio de varais passados sob o ventre. **Levar pau.** *Bras.* Ser reprovado em exame. **Matar a pau.** *Bras. Pop.* Agir com grande eficiência. **Meter o pau.** *Bras.* Trabalhar com afinco. **Meter o pau em. 1.** Espancar, surrar, esbordoar; tocar o pau em, assentar o pau em. **2.** *Bras. Fam.* Falar mal de; censurar vivamente; meter o bacalhau em, meter a ronca em, meter a taca em: "Naquele tempo era bonito e revelava uma boa qualidade de gosto literário meter o pau nos escritores e poetas passadistas." (Carlos Moliterno, *Notas sobre Poesia Moderna em Alagoas*, p. 44.) **3.** Reprovar em exame. **4.** Esbanjar, dissipar, malbaratar, malgastar: "Era um pândego o nosso homem, que após haver metido o pau numa fortuna, esbanjou uma herança em grossas pagodeiras bem pagas na Europa." (Cornélio Pires, *Quem Conta um Conto...*, p. 111.) **Mostrar com quantos paus se faz uma cangalha.** *Bras. CE* Mostrar com quantos paus se faz uma canoa. **Mostrar com quantos paus se faz uma canoa.** *Bras.* Dar uma lição, um corretivo; mostrar com quantos paus se faz uma cangalha. **Nem a pau.** *Bras. Gír.* De modo nenhum; em absoluto; nem morto; nem amarrado, nem a tiro. **Passar pelo pau do canto.** *Obsol.* Obter a nota mais baixa em exame ou concurso. **Pegar no pau furado.** *Bras. Gír.* **1.** Ser sorteado para o exército. **2.** Ir lutar em uma guerra. **Quebrar um pau.** *Bras. Pop.* **1.** Discutir acirradamente. **2.** Brigar com violência. **Ser pau para toda obra. 1.** Servir para tudo; prestar-se a tudo. **2.** Aplicar-se a muitas e diferentes coisas. **Tocar o pau em.** *Bras. Fam.* V. *meter o pau em* (1).

pau-amarelo *S. m. Bot.* **1.** *Bras. Amaz.* Árvore rutácea (*Euxylophora paraensis*) da mata úmida, cuja madeira, amarelo-citrina, é das melhores para obras internas de luxo e mobiliário fino, sendo as folhas simples e obovadas, as flores amareladas, perfumadas e paniculadas, os frutos cápsulas pilosas com cerca de 2cm, e cinco lóculos. **2.** V. *arapoca.* [Pl.: *paus-amarelos.*]

pauana *Bras. S. 2 g.* **1.** *Etnôn.* Indivíduo dos pauanas, povo indígena extinto que habitava a margem direita do rio Solimões (AM). • *Adj. 2 g.* **2.** Pertencente ou relativo a esse povo. [Tb. us. como *s. 2 g. e 2 n.* (com cap.) e *adj. 2 g. e 2 n.*]

pau a pique *S. m.* **1.** *Bras. Angol. Cabo-verd. Guin. Moç. Santom.* Parede feita de ripas ou varas entrecruzadas e de barro; taipa. [No Brasil tb. se diz *parede de pau a pique.*] **2.** *Bras. N.E.* Cerca feita de esteios fortes fincados a uma distância muito pequena uns dos outros; cerca de pau a pique. [Pl.: *paus a pique.*]

pauatê *Bras. S. 2 g.* **1.** *Etnôn.* Indivíduo dos pauatês, povo indígena extinto que habitava a região do rio Ji-paraná (RO). • *Adj. 2 g.* **2.** Pertencente ou relativo a esse povo. [Tb. us. como *s. 2 g. e 2 n.* (com cap.) e *adj. 2 g. e 2 n.*]

pau-azevim *S. m. Bot.* V. *azevinho.* [Pl.: *paus-azevins* e *paus-azevim.*]

pau-bala *S. m. Bot.* V. *carrapeta* (2). [Pl.: *paus-balas* e *paus-bala.*]

pau-bálsamo *S. m. Bras. Bot.* V. *cabriúva* (1). [Pl.: *paus-bálsamos* e *paus-bálsamo.*]

pau-branco *S. m. Bras. Bot.* V. *catanduba* (1). [Pl.: *paus-brancos.*]

pau-brasil *S. m. Bot.* Árvore cesalpiniácea (*Caesalpinia echinata*) de matas mais ou menos secas, e cuja madeira é vermelho-alaranjada e depois vermelho-violácea, pesada, dura e incorruptível; arabutã, brasil, brasilaçu, brasilete, brasileto, brasil-rosado, ibirapitanga, orabutã, pau-de-pernambuco, pau-de-tinta, pau-pernambuco, pau-rosado, sapão. [O nome da nação brasileira provém dela, que era objeto de intenso comércio nos tempos coloniais em virtude do corante vermelho que se extraía do seu lenho e servia para tingir tecidos e fabricar tinta de escrever. Hoje é árvore rara. Pl.: *paus-brasis* e *paus-brasil.*]

pau-brasilense *Adj. 2 g.* **1.** De, ou pertencente ou relativo a Pau-Brasil (BA). • *S. 2 g.* **2.** O natural ou habitante de Pau-Brasil. [Pl.: *pau-brasilienses.*]

pau-cachorro *S. m. Bras. Bot.* **1.** V. *louro-pardo.* **2.** V. *ipê-roxo* (2). [Pl.: *paus-cachorros* e *paus-cachorro.*]

pau-caixão *S. m. Bras. Bot.* **1.** V. *jequitibá* (2). **2.** V. *jequitibá-rosa* (2). [Pl.: *paus-caixões* e *paus-caixão.*]

pau-caixeta *S. m. Bras. Bot.* V. *caxeta.* [Pl.: *paus-caixetas* e *paus-caixeta.*]

pau-campeche *S. m. Bot.* V. *campeche.* [Pl.: *paus-campeches* e *paus-campeche.*]

pau-candeia *S. m. Bras. Bot.* Casca-preta. [Pl.: *paus-candeias* e *paus-candeia.*]

pau-canela *S. m. Bot.* V. *canela*[1] (1). [Pl.: *paus-canelas* e *paus-canela.*]

pau-canudo *S. m. Bras. Bot.* V. *sapucainha* (1). [Pl.: *paus-canudos* e *paus-canudo.*]

pau-cardoso (ô) *S. m. Bras. L. Bot.* Feto ciateáceo (*Alsophila atrovirens*) arborescente, da floresta pluvial, que alcança vários metros de altura e tem o caule cheio de reentrâncias, e cujas folhas, muito grandes e recortadas, se localizam no ápice caulinar, de sorte que a planta lembra uma palmeira. [Pl.: *paus-cardosos* e *paus-cardoso.*]

pau-carga *S. m. Bras. Bot.* **1.** Arvoreta flacourtiácea (*Casearia usucaris*) de frutos comestíveis e raízes que são tidas como medicinais. **2.** V. *jequitibá* (2). **3.** V. *jequitibá-rosa* (2). [Pl.: *paus-cargas* e *paus-carga.*]

pau-casca-de-anta *S. f. Bras. Bot.* V. *casca-de-anta* (1). [Pl.: *paus-cascas-de-anta.*]

→ **pauca, sed bona** ['pawka sed 'bona] [Lat.] Poucas [obras], porém boas.

pau-cavalo *S. m. Bras. Bot.* Árvore verbenácea (*Vitex nigrum*) de madeira útil. [Pl.: *paus-cavalos* e *paus-cavalo.*]

pau-cetim *S. m. Bras. Bot.* **1.** Árvore apocinácea (*Aspidosperma eburneum*) da floresta úmida, de flores pequenas, dispostas em cimeiras, e cujos frutos são folículos lenhosos. A madeira é amarelo-pardacento-rosada, forte e resistente, podendo ser empregada em construção civil e obras internas. **2.** V. *pau-marfim* (2). **3.** V. *guatambu* (2 e 3). [Pl.: *paus-cetins* e *paus-cetim.*]

pau-cheiroso (rô) *S. m. Bot.* **1.** V. *agáloco* (1 e 2). **2.** *Bras.* V. *guatambu* (2). [Pl.: *paus-cheirosos* (ró).]

▲ **pauci-** [Do lat. *paūcus, a, um.*] *El. comp.* = 'pouco': *pauciflоro, paucisseriado.*

paucifloro [De *pauci-* + *-floro.*] *Adj. Bot.* Que tem poucas flores; rarifloro: *espiga paucíflora.*

paucíloquo [De *pauci-* + *-loquo.*] *Adj. P. us.* Diz-se daquele que é de poucas palavras.

pauciovulado [De *pauci-* + *-ovul(i)-* + *-ado*[1].] *Adj. Zool.* Diz-se de animal (fêmea) que tem pequeno número de óvulos.

paucirradiado [De *pauci-* + *-radi(o)-* + *-ado*[1].] *Adj. Bot.* Diz-se das flores compostas, que têm reduzido número de raios.

paucisseriado [De *pauci-* + *seriado.*] *Adj. Bot.* Dividido em poucas séries.

pau-cobra *S. m. Bot.* V. *anabi.* [Pl.: *paus-cobras* e *paus-cobra.*]

pau-comprido *S. m. Constr.* V. *cumeeira* (3). [Pl.: *paus-compridos.*]

pau-coral *S. m. Bot.* V. *flor-de-coral* (2). [Pl.: *paus-corais* e *paus-coral.*]

pau-cravo [De *pau* + *cravo*[1].] *S. m. Bras. Bot.* V. *louro-cravo.* [Pl.: *paus-cravos* e *paus-cravo.*]

pau-d'água *S. m. Bras.* **1.** *Bot.* V. *pau-de-goma.* **2.** *Bot.* Coqueiro-de-vênus (1). **3.** V. *ébrio* (8): "Do vício [de beber] não se lembrava mais. Para muitos aquilo era fogo de palha, porque Zé Lourenço fora pau-d'água de fazer arruaça" (Francisco Julião, *Cachaça*, p. 46). [Pl.: *paus-d'água.*]

pau-da-guiné [De *pau* + *da*[1] + o top. *Guiné.*] *S. m. Bras. Bot.* V. *tipi.* [Pl.: *paus-da-guiné.*]

pau-d'alhense *Adj. 2 g.* **1.** De, ou pertencente ou relativo a Pau-d'Alho (PE). • *S. 2 g.* **2.** O natural ou habitante de Pau-d'Alho. [Pl.: *pau-d'alhenses.*]

paudalhense *Adj. 2 g. S. 2 g.* V. *pau-d'alhense.*

pau-d'alho *S. m. Bras. Bot.* **1.** Árvore fitolacácea (*Gallesia integrifolia* ou *G. gorarema*) de até 40m, nativa do Brasil e do Peru, de folhas glabras, coriáceas, flores esverdeadas, paniculadas, e frutos que são sâmaras com sementes comprimidas; todas as partes da planta exalam forte cheiro de alho, e a madeira, de textura média, é us. em pequenas obras [Sin.: *burarema, gorarema, guararema, guarema, ibirarema, pau-d'alho-verdadeiro, pau-de-mau-cheiro.*] **2.** V. *cipó-d'alho* (2). [Pl.: *paus-d'alho.*]

pau-d'alho-do-campo *S. m. Bras. Bot.* Pau-marfim (4). [Pl.: *paus-d'alho-do-campo.*]

pau-d'alho-falso *S. m. Bras. Bot.* Árvore fitolacácea (*Seguieria langsdorffii*) de até 16m, de folhas simples, coriáceas, glabras, inflorescências em panículas terminais, com flores amarelo-esverdeadas. Ocorre do S. da BA a SC. [Sin.: *pau-fedorento.* Pl.: *paus-d'alho-falsos.*]

pau-d'alho-verdadeiro *S. m. Bras. Bot.* V. *pau-d'alho* (1). [Pl.: *paus-d'alho-verdadeiros.*]

pau-da-preguiça *S. m. Bras. Bot.* V. *embaúba* (1 e 2). [Pl.: *paus-da-preguiça.*]

pau-d'arco *S. m. Bras. Bot.* V. *ipê* (1): "– Hoje pela manhã já havia na mata alguns paus-d'arco com flores." (Graciliano Ramos, *S. Bernardo*, p. 169.) [Pl.: *paus-d'arco.*]

pau-d'arco-amarelo *S. m. Bras. Bot.* Árvore bignoniácea (*Tabebuia serratifolia*) da mata úmida, empregada em obras externas, cujas folhas têm cinco folíolos serreados, de flores amarelas, vistosas e dispostas em conjuntos umbeliformes, sendo os frutos longas cápsulas e a madeira pardo-olivácea e extremamente dura; ipê-amarelo, peúva-amarela, opa. [Pl.: *paus-d'arco-amarelos.*]

pau-d'arco-do-campo *S. m. Bras. Bot.* V. *caraíba*[2] (1). [Pl.: *paus-d'arco-do-campo.*]

pau-d'arco-roxo *S. m. Bras. Bot.* V. *ipê-roxo* (2). [Pl.: *paus-d'arco-roxos.*]

pau-d'arquense *Adj. 2 g.* **1.** De, ou pertencente ou relativo a Pau-d'Arco (PA e TO). • *S. 2 g.* **2.** O natural ou habitante de Pau-d'Arco. [Pl.: *pau-d'arquenses.*]

pau-da-serra *S. m. Bras. Bot.* V. *farinha-seca* (8). [Pl.: *paus-da-serra.*]

pau-de-águia *S. m. Bot.* V. *agáloco* (2). [Pl.: *paus-de-águia.*]

pau-de-águila *S. m. Bot.* V. *agáloco* (2). [Pl.: *paus-de-águila.*]

pau de amarrar égua *S. m. Bras. SP Pop.* Indivíduo desmoralizado, que a tudo se presta. [Pl.: *paus de amarrar égua.*]

pau-de-arara *S. m. Bot.* V. *fava-de-bolota* (2). [Pl.: *paus-de-arara.* Cf. *pau de arara.*]

pau de arara *Bras. S. m.* **1.** Pau us., no interior, para transportar, amarradas, araras e outras aves. **2.** Instrumento de tortura: pau roliço que, depois de ser passado entre ambos os joelhos e cotovelos flexionados, é suspenso em dois suportes, ficando o torturado de cabeça para baixo e como que de cócoras. **3.** Caminhão coberto, com varas longitudinais na carroceria, às quais os passageiros se agarram, e usado principalmente no transporte de retirantes nordestinos para SP, MG e RJ: "um 'pau de arara' capotando na estrada e uma porção de vítimas semeadas na ribanceira." (Clarival do Prado Valadares, *Riscadores de Milagres*, p. 31). • *S. 2 g.* **4.** Retirante que viaja num desses caminhões: "O Nordeste é .... um laboratório de aflições. Esse espetáculo de legiões de paus de arara, que demandam o Sul e por aqui se espalham famintos, ... continua a ser uma síndrome grave de enfermidade social." (Povina Cavalcanti, *Vida e Obra de Jorge de Lima*, p. 138.) **5.** *P. ext. Pej.* Qualquer nordestino. [Pl.: *paus de arara.* Cf. *pau-de-arara.*]

pau de arrasto *S. m. Bras. RS* Pau pesado que se coloca nas pastagens para nele atar à soga o cavalo enquanto estiver pastando. [Pl.: *paus de arrasto.*]

pau-de-balsa *S. m. Bras. Bot.* Árvore bombacácea (*Ochroma lagopus* ou *O. pyramidale*) comum nas florestas pluviais de vários países sul-americanos, cuja madeira, muito leve e macia, é ideal para a fabricação de balsas; tem flores brancas ou brancacentas e frutos capsulares com sementes envoltas em paina. [Sin.: *balsa, pau-de-jangada.* Pl.: *paus-de-balsa.*]

pau-de-bálsamo *S. m. Bot.* V. *bálsamo-de-tolu.* [Pl.: *paus-de-bálsamo.*]

pau-de-bicho *S. m. Bras. Bot.* **1.** V. *camacã*[2] **2.** Curupitã (1). [Pl.: *paus-de-bicho.*]

pau-de-boto [De *pau* + *de* + *boto*[1] (ô).] *S. m. Bras. Amaz. Bot.* Arvoreta fabácea (*Lonchocarpus denudatus*) vulgar nas margens dos campos de várzea, de folhas com cinco a sete folíolos ovados, flores violáceo-claras dispostas em racemos paucifloros, e cuja madeira, amarelo-pardacenta e de odor desagradável, é de pouca utilidade. [Pl.: *paus-de-boto.*]

pau-de-bugre *S. m. Bras. RS Bot.* **1.** V. *aroeira-de-bugre.* **2.** V. *acauá.* [Pl.: *paus-de-bugre.*]

pau de cabeleira *S. m.* **1.** Alcoviteiro (1). **2.** Pessoa que acompanha namorados. **3.** Espécie de cabide em forma de cabeça, onde se colocam e penteiam cabeleiras e perucas. [Sin., nas duas 1ªs acepç., no N.E. do Brasil: *colete-curto.* Pl.: *paus de cabeleira.*] ☑

pau-de-cachimbo *S. m. Bras. Bot.* **1.** V. *sapucainha* (1). **2.** V. *jequitibá* (2). [Pl.: *paus-de-cachimbo.*]

pau-de-caixa *S. m. Bras. Bot.* Árvore voquisiácea (*Vochysia tucanorum*) das matas pluviais, que tem duras folhas obtusas, flores amarelas, ornamentais e dispostas em cachos longos, frutos que são cápsulas lenhosas com sementes aladas, e cuja madeira, conquanto mole, é de alguma serventia para usos locais. [Sin.: *barriga-d'água, cinzeiro, congonha-cachimbo, muriá, pau-de-tucano, fruta-de-tucano* e (RJ) *murici.* Pl.: *paus-de-caixa.*]

pau-de-cangalha *S. m. Bras. S. Bot.* Arvoreta simplocácea (*Symplocos parviflora*) da floresta atlântica, que tem folhas de ovadas a elípticas, obtusas, arredondadas na base e serruladas, flores minutas e organizadas em racemos unifloros ou trifloros e cujo fruto é uma pequena drupa obvoide; sete-sangrias. [Pl.: *paus-de-cangalha.*]

pau-de-cantil *S. m. Bras. Bot.* V. *camboatã-de-folha--grande.* [Pl.: *paus-de-cantil.*]

pau-de-carga *S. m. Bras. Bot.* V. *jequitibá-rosa* (2). [Pl.: *paus-de-carga.* Cf. *pau de carga.*]

pau de carga *S. m. Constr. Nav.* Forte vergôntea de madeira, ou tubo de aço, com uma das extremidades apoiada ao pé de um mastro ou de uma coluna, e a outra aguentada por amantilhos, constituindo, assim, um aparelho de força para suspender grandes pesos; lança. [Pl.: *paus de carga.* Cf. *pau-de-carga.*] ☑

pau de catarro *S. m. Bras. Pop.* Caixa de catarro. [Pl.: *paus de catarro.*] ☑

pau-de-cinzas *S. m. Bras.* Árvore (*Clethra brasiliensis*) da família das cletáceas, de folhas alternas, elípticas, tomentosas na face inferior, e pequenas flores branco-amareladas, dispostas em racemos. [Pl.: *paus-de-cinzas.*]

pau-de-cobra *S. m. Bras. Amaz. Bot.* V. *anabi.* [Pl.: *paus--de-cobra.*]

pau-de-colher (é) *S. m. Bot.* **1.** *Bras. L.* Árvore apocinácea (*Peschiera lacta*) lactescente, da mata pluvial e da restinga, que tem folhas verticiladas e moles, flores alvas e vistosas, de corola torcida e estames inclusos, e cujos frutos são folículos verrucosos, cujas sementes têm arilo carnoso e vermelho. **2.** *Bras. N.E.* Bom-nome. [Pl.: *paus-de-colher.*]

pau-de-cortiça *S. m. Bras. Bot.* V. *xixá.* [Pl.: *paus-de--cortiça.*]

pau-de-cubiú *S. m. Bras. Amaz. Bot.* Árvore icacinácea (*Clavapetalum elatum*) da floresta densa e úmida, cuja casca, quando fresca, tem cheiro peculiar na porção interna, e cuja madeira, pardo-avermelhada, é de boa qualidade. [Pl.: *paus-de-cubiú.*]

pau-de-cumanã *S. m. Bras. Bot.* Arbusto euforbiáceo (*Euphorbia phosphorea*) cactiforme, desprovido de folhas, e rico em látex que é cáustico e fosforescente; o caule, suculento e anguloso, tem inúmeros artículos verdes, e as flores são diminutas. [Tb. se diz apenas *cumanã.* Pl.: *paus-de-cumanã.*]

pau de cumeeira *S. m. Constr.* V. *cumeeira* (3). [Pl.: *paus de cumeeira.*] ☑

pau-de-cutia *S. m. Bras. Bot.* Árvore rutácea (*Esenbeckia grandiflora*) nativa dos estados do RJ e de MG até o RS, de folhas coriáceas, simples e acuminadas, flores branco-esverdeadas, inconspícuas, frutos que são cápsulas recobertas de pontas duras, e madeira citrina, de boa qualidade; canela-de-cutia, cutia. [Pl.: *paus-de-cutia.*]

pau-de-digestão *S. m. Bras.* Designação que davam os bandeirantes a certas raízes silvestres. [Pl.: *paus-de--digestão.*]

pau-de-embira *S. m. Bras. Bot.* V. *coajerucu.* [Pl.: *paus--de-embira.*]

pau-de-espeto (ê) *S. m. Bras. Bot.* V. *camboatã-branco.* [Pl.: *paus-de-espeto.*]

pau-de-esteira *S. m. Bras. Bot.* V. *balata*[2] (2). [Pl.: *paus--de-esteira.*]

pau de fita *S. m. Bras. PR SC* Baile de roda em torno de um poste de que pendem várias fitas coloridas, as quais, seguras pelos dançarinos, se entretecem, formando complicadas tranças. [Pl.: *paus de fita.*] ☑

pau de fogo (ô) *S. m. Bras. Gír.* Arma de fogo, esp. revólver; pau de fumo, pau de fumaça. [Pl.: *paus de fogo* (ô).] ☑

pau-de-formiga *S. m. Bras. Bot.* V. *formigueiro* (6). [Pl.: *paus-de-formiga.*]

pau de fumaça *S. m. Bras. Gír.* V. *pau de fogo.* [Pl.: *paus de fumaça.*] ☑

pau de fumo *S. m.* **1.** *Bras. S. Deprec.* Homem negro. **2.** *Bras. Pop.* V. *pau de fogo.* [Pl.: *paus de fumo.*] ☑

pau de gasolina *S. m. Bras.* V. *querosene* (2). [Pl.: *paus de gasolina.*] ☑

pau-de-goma *S. m. Bras. C.O. Bot.* Árvore voquisiácea (*Vochysia thyrsoidea*) amplamente dispersa em campos e cerrados, de folhas rígidas, que amarelam ao secar, flores amarelas e racemosas, e cuja madeira, quando ferida, deixa escorrer uma goma semelhante à goma-arábica; gomeira, pau-d'água. [Pl.: *paus-de-goma.*]

pau-de-guiné *S. m. Bras. Bot.* Arvoreta anonácea (*Annona acutiflora*) própria de lugares úmidos, que tem folhas compridas e acuminadas, flores trímeras e solitárias, e cujos frutos, múltiplos, são grandes e baciformes. [Pl.: *paus-de-guiné.*]

pau-de-incenso *S. m. Bras.* V. *bálsamo-de-tolu.* [Pl.: *paus-de-incenso.*]

pau-de-jangada *S. m. Bras. Bot.* **1.** V. *pau-de-balsa.* **2.** Árvore tiliácea (*Apeiba tibourbou*) nativa das Antilhas à América do Sul, de folhas pecioladas, tomentosas na página superior, grandes flores amarelas, paniculadas, e fruto capsular coriáceo; fornece madeira branca e leve, us. na construção de jangadas. [Sin.: *jangadeira.*] **3.** V. *sananduva* (2). [Pl.: *paus-de-jangada.*]

pau-de-lacre *S. m. Bras. Bot.* **1.** Lacre[2]. **2.** Arvoreta clusiácea (*Vismia latifolia*) da floresta pluvial, de folhas coriáceas, brilhantes e com nervuras aproximadas, e que cede uma resina purgativa us. para pintura. [Pl.: *paus-de-lacre.*]

pau-de-macaco *S. m. Bras. Bot.* V. *bacupari-miúdo* (1). [Pl.: *paus-de-macaco.*]

pau-de-malho *S. m. Bras. L. Bot.* V. *sapuva.* [Pl.: *paus--de-malho.*]

pau-de-mastro *S. m. Bras. Amaz. Bot.* Árvore voquisiácea (*Qualea caerulea*) da floresta pluvial, de folhas coriáceas com nervuras cerradas e flores grandes, azuis e vistosas, e cujo fruto é uma cápsula lenhosa com sementes aladas, tendo a madeira razoável utilidade. [Pl.: *paus-de-mastro.*]

pau-de-mau-cheiro *S. m. Bras. Bot.* V. *pau-d'alho* (1). [Pl.: *paus-de-mau-cheiro.*]

pau-de-mocó *S. m. Bras. Bot.* Árvore fabácea (*Tipuana speciosa*) nativa do Brasil, Bolívia e Argentina, de grandes folhas com folíolos oblongos, flores amarelas não muito aparentes, frutos samariformes com uma ou mais sementes aladas, madeira útil, e que é muito us. em arborização. [Sin.: *acácia-argentina, mocó, pau-mocó, tipa, tipa-branca, tipu.* Pl.: *paus-de--mocó.*]

pau-de-mutambo *S. m. Bras. Bot.* V. *camacã*[2]. [Pl.: *paus--de-mutambo.*]

pau-de-novato *S. m. Bras. Bot.* V. *taxizeiro.* [Pl.: *paus--de-novato.*]

pau-de-óleo *S. m. Bras. N.E. MG Bot.* V. *copaíba.* [Pl.: *paus-de-óleo.*]

pau-de-pente *S. m. Bras. Bot.* V. *pau-pereira* (1). [Pl.: *paus-de-pente.*]

pau-de-pernambuco *S. m. Bras. Bot.* V. *pau-brasil.* [Pl.: *paus-de-pernambuco.*]

pau-de-porco (ô) *S. m. Bras.* V. *catingueira*[2]. [Pl.: *paus--de-porco* (ô).]

pau-de-praga *S. m. Bras.* V. *cordão-de-frade.* [Pl.: *paus--de-praga.*]

pau-de-quiabo *S. m. Bras. Amaz.* Arvoreta da família das lauráceas (*Ocotea bofo*), mais comum na Amazônia não brasileira, de folhas oblongas, acuminadas e reticulado-venosas, flores insignificantes, que se agregam em panículas pubescentes e acinzentadas, e cujo fruto é uma pequena baga cupulada. [Sin.: *canela-gosmenta.* Pl.: *paus-de-quiabo.*]

pau-de-rato *S. m. Bras. Bot.* V. *catingueira*[2]. [Pl.: *paus--de-rato.*]

pau-de-remo *S. m. Bras. Bot.* **1.** Arvoreta estiracácea (*Styrax acuminatum*) de folhas acuminadas e nervosas, flores vistosas, e cuja casca, ferida, solta uma resina semelhante ao estoraque europeu. **2.** V. *buranhém* (1). [Pl.: *paus-de-remo.*]

pau-de-rosas *S. m. Bras. Bot.* **1.** Árvore litrácea (*Physocalymma scaberrimum*) nativa do Brasil, de até 10m, folhas coriáceas, obovadas, flores purpúreas, e cuja madeira, de ótima qualidade, é us. em marcenaria de luxo; cega-machado, grão-de-porco, pau-rosa, quebra-facão, sebastião-de-arruda. **2.** V. *pau-rosa* (1). [Pl.: *paus-de-rosas.*]

pau-de-sabão *S. m. Bras. Bot.* V. *tamburi* (1). [Pl.: *paus--de-sabão.*]

pau-de-salsa *S. m. Bras. Amaz. Bot.* Arvoreta mimosácea (*Calliandra surinamensis*) comum nas capoeiras e campinas, de folhas bipenadas, com folíolos pequenos, flores pequenas mas dotadas de longos estames vermelhos semelhantes a belos penachos ou esponjas, e madeira amarelada, útil. [Pl.: *paus-de-salsa.*]

pau-de-sândalo *S. m. Bras. Bot.* V. *fava-de-bolota* (1). [Pl.: *paus-de-sândalo.*]

pau-de-santo *S. m. Bras. Bot.* V. *canjerana* (2). [Pl.: *paus-de-santo.*]

pau-de-sassafrás *S. m. Bras. S. Bot.* V. *canela-sassafrás.* [Tb. se diz apenas *sassafrás.* Pl.: *paus-de-sassafrás.*]

pau de sebo (ê) *S. m. Bras. Pop.* V. *mastro de cocanha,* em *mastro.* [Pl.: *paus de sebo* (ê). Cf. *pau-de-sebo.*] ☑ notas 1 e 2

pau-de-sebo (ê) *S. m. Bras. Bot.* Arvoreta euforbiácea (*Sapium sebiferum*) lactescente, originária da China e aclimada no Brasil, e que cede dos frutos uma gordura e das sementes um óleo tóxico. [Pl.: *paus-de--sebo* (ê). Cf. *pau de sebo.*]

pau-de-seda (ê) *S. m. Bras. Bot.* Calabura. [Pl.: *paus--de-seda.*]

pau-de-semana *S. m. Bras. Bot.* Murici-cascudo. [Pl.: *paus-de-semana.*]

pau de semente *S. m. Bras. RS* V. *ganzá* (1). [Pl.: *paus de semente.*] ☑

pau-de-serra *S. m. Bras. Bot.* V. *farinha-seca* (8). [Pl.: *paus-de-serra.*]

pau-de-sobre *S. m. Bras. Bot.* V. *faia*[1] (2). [Pl.: *paus-de--sobre.*]

pau-de-tamanco *S. m. Bras. Bot.* V. *caxeta.* [Pl.: *paus--de-tamanco.*]

pau-de-tinta *S. m. Bras. Bot.* V. *pau-brasil.* [Pl.: *paus--de-tinta.*]

pau-de-tucano *S. m. Bras. Bot.* V. *pau-de-caixa.* [Pl.: *paus-de-tucano.*]

pau-de-viola [De *pau* + *de* + *viola*[1].] *S. m. Bras. Amaz. Bot.* **1.** Arvoreta verbenácea (*Cytharexylon cinereum*) notável pelo belo aspecto que apresenta quando carregada de cachos de frutos, pequenas bagas rubras, sucosas, copiosíssimas, e cuja madeira serve para marcenaria, caixotaria e caixas sonoras. **2.** V. *caxeta.* [Pl.: *paus-de-viola.*]

pau de virar tripa *S. m.* **1.** Vara longa e fina para virar as tripas dos animais antes de levá-las a secar. **2.** *Pop.* Pessoa muito magra e alta. [Pl.: *paus de virar tripa.*] ☑

pau-doce (ô) *S. m. Bras. Bot.* **1.** V. *buranhém* (1). **2.** V. *monésia.* [Pl.: *paus-doces* (ô).]

pau-do-chapado *S. m. Bras. Bot.* V. *copiúva.* [Pl.: *paus--do-chapado.*]

pau-do-serrote *S. m. Bot.* Planta fabácea (*Hoffmanseggia glandulosa*) nativa da América do Sul, com folhas imparipenadas e legumes sésseis, retos e comprimidos. [Pl.: *paus-do-serrote.*]

pau-em-ser (ê) *S. m. Bras. S. Bot.* Árvore de mate[2] que ainda não foi podada. [Pl.: *paus-em-ser.*]

pau-fedorento *S. m. Bras. Bot.* Pau-d'alho-falso. [Pl.: *paus-fedorentos.*]

pau-ferrense *Adj. 2 g.* **1.** De, ou pertencente ou relativo a Pau dos Ferros (RN). • *S. 2 g.* **2.** O natural ou habitante de Pau dos Ferros. [Pl.: *pau-ferrenses.*]

pau-ferro *S. m.* **1.** *Bras. L. N.E. Bot.* Árvore cesalpiniácea (*Caesalpinia ferrea*) comum nas matas pluviais e nas caatingas, que tem o tronco manchado de claro e escuro, folíolos pequenos muito ornamentais, os frutos são legumes lisos, perfumados e ricos em tanino, e a madeira é extremamente dura; jucá[1]. **2.** V. *aderno* (1). [Pl.: *paus-ferros* e *paus-ferro.*]

pau-formiga *S. m. Bras. Bot.* V. *taxizeiro.* [Pl.: *paus--formigas* e *paus-formiga.*]

pau-forquilha *S. m. Bras. Bot.* V. *acarirana.* [Pl.: *paus--forquilhas* e *paus-forquilha.*]

pau-furado *S. m. Bras.* Espingarda. [Pl.: *paus-furados.*]

pau-guiné *S. m. Bras. Bot.* V. *tipi.* [Pl.: *paus-guinés* e *paus-guiné.*]

pauiniense (au-i) *Adj. 2 g.* **1.** De, ou pertencente ou relativo a Pauini (AM). • *S. 2 g.* **2.** O natural ou habitante de Pauini.

pauixana (au-i) *S. 2 g. Adj. 2 g. Bras.* V. *pauxiana.*

paul (a-úl) [Do lat. *palude,* pela f. metatética **padule.*] *S. m.* V. *pântano:* 📖 "O trabalho desta grande exploração agrícola .... foi de tal modo dirigido e executado que em cerca de dez anos estavam enxutos os paúis, dessangradas as terras, canalizadas e reguladas as águas por motores a vento ao modo holandês" (Ramalho Ortigão, *Costumes e Perfis,* p. 166). [Pl.: *pauis* (a-ú).]

paula-candense *Adj. 2 g.* **1.** De, ou pertencente ou relativo a Paula Cândido (MG). • *S. 2 g.* **2.** O natural ou habitante de Paula Cândido. [Pl.: *paula-candenses.*]

paulada [De *pau* + *-l-* + *-ada*[1].] *S. f.* Pancada com pau; cacetada.

paula-freitense *Adj. 2 g.* **1.** De, ou pertencente ou relativo a Paula Freitas (PR). • *S. 2 g.* **2.** O natural ou habitante de Paula Freitas. [Sin. ger.: *freitense.* Pl.: *paula-freitenses.*]

paulama [De *pau* + *-l-* + *-ama.*] *S. f. Bras.* **1.** Grande porção de paus; pauzama. **2.** Madeira que atravanca os roçados após a queima. [Cf. *coivara.*]

P

paula-sousa *S. m. Bras. SP* Chumbo grosso para caça: "Não acreditava em Curupira. (Eu quero só ver a cara do Curupira, quando eu meter um paula-sousa no nariz dele...)" (Rute Guimarães, *Água Funda*, p. 125.) [Pl.: *paula-sousas.*]

paulatino [Do adv. lat. *paulatim*, 'sucessivamente'.] *Adj.* **1.** Feito aos poucos. **2.** Lento, vagaroso: *a execução paulatina de uma tarefa.*

paulense[1] *Adj. 2 g.* **1.** De, ou pertencente ou relativo a Monsenhor Paulo (MG). ● *S. 2 g.* **2.** O natural ou habitante de Monsenhor Paulo.

paulense[2] *Adj. 2 g. S. 2 g.* V. *frontinense.*

paulense[3] *Adj. 2 g.* **1.** De, ou pertencente ou relativo a São Francisco de Paula (RS). ● *S. 2 g.* **2.** O natural ou habitante de São Francisco de Paula. [Sin. ger.: *serrano.*]

pauliceia (éi) *S. f.* A cidade de São Paulo, capital do estado homônimo: "Foi num bar da Pauliceia/ E mais ou menos à meia-/ Noite que Ela entrou na ceia." (Fontoura Xavier, *Opalas*, p. 67.) [Com cap.] ✣

pauliceiense (èi) *Adj. 2 g.* **1.** De, ou pertencente ou relativo a Pauliceia (SP). ● *S. 2 g.* **2.** O natural ou habitante de Pauliceia.

paulificação [De *paulificar* + *-ção.*] *S. f. Bras.* V. *paulificância.*

paulificador (ô) [De *paulificar* + *-dor.*] *Adj.* **1.** Que paulifica, caceteia; paulificante. ● *S. m.* **2.** O que paulifica, caceteia.

paulificância [De *paulificar* + *-ância.*] *S. f. Bras.* Maçada, caceteação, paulificação.

paulificante [De *paulificar* + *-nte.*] *Adj. 2 g. Bras.* V. *maçante* (1); paulificador.

paulificar [De *pau* + *-l-* + *-ificar.*] *V. t. d. Int. Bras.* Importunar, maçar, aborrecer, cacetear, amolar. [Conjug.: v. *trancar.*]

pau-limão *S. m. Bras.* Arbusto (*Rhus arboricens*) da família das rutáceas, de folhas ger. alternas, folíolos ovais, luzidios, e flores dispostas em panículas terminais; fruto globoso, piriforme, preto ou vermelho. Fornece resina com odor de limão. [Pl.: *paus-limões e paus-limão.*]

paulina [Do antr. *Paulo*, do Papa Paulo III (1468-1549), + *-ina*[1].] *S. f.* **1.** Breve de excomunhão cominatória. **2.** *Fam.* V. *praga* (1).

paulinense *Adj. 2 g.* **1.** De, ou pertencente ou relativo a Paulínia (SP). ● *S. 2 g.* **2.** O natural ou habitante de Paulínia.

paulínia *S. f. Bot.* V. *paullínia.*

pau-liso *S. m. Bras. Bot.* V. *pau-marfim* (2). [Pl.: *paus-lisos.*]

paulista[1] *Adj. 2 g.* **1.** Do, ou pertencente ou relativo ao Estado de São Paulo; bandeirante. **2.** *Fig.* Teimoso, birrento, turrão. **3.** *Bras. RS* Muito desconfiado. ~ V. *forro —, quartel — e reboco —.* ● *S. 2 g.* **4.** O natural ou habitante daquele estado; bandeirante. **5.** *Fig.* Pessoa teimosa, birrenta. ● *S. m.* **6.** Religioso da Ordem de S. Paulo. **7.** *Bras. S. da BA* Amansador de burros.

paulista[2] *S. f. Bras. AL SE BA* V. *lagarto* (4).

paulista-das-missões *Adj. 2 g.* **1.** De, ou pertencente ou relativo a São Paulo das Missões (RS). ● *S. 2 g.* **2.** O natural ou habitante de São Paulo das Missões. [Pl.: *paulistas-das-missões.*]

paulistanense *Adj. 2 g.* **1.** De, ou pertencente ou relativo a Paulistana (PI). ● *S. 2 g.* **2.** O natural ou habitante de Paulistana. [Sin. ger.: *paulistano.*]

paulistânia [De *paulistano* + *-ia*[2].] *S. f.* A região onde se encontra a cidade de São Paulo, e a área sob sua influência. [Com cap.]

paulistano[1] *Adj.* **1.** Da, ou pertencente ou relativo à cidade de São Paulo, capital do Estado de São Paulo. ● *S. m.* **2.** O natural ou habitante da cidade de São Paulo.

paulistano[2] *Adj.* **1.** De, ou pertencente ou relativo a Paulistas (MG). ● *S. m.* **2.** O natural ou habitante de Paulistas.

paulistano[3] *Adj. S. m.* V. *paulistense.*

paulistano[4] *Adj. S. m.* V. *paulistanense.*

paulistense *Adj. 2 g.* **1.** De, ou pertencente ou relativo a Paulista (PB e PE). ● *S. 2 g.* **2.** O natural ou habitante de Paulista. [Sin. ger.: *paulistano.*]

paulistinha *S. f. Bras. Zool.* V. *querê-querê* (1).

paulistismo [De *paulista*[1] (4) + *-ismo.*] *S. m.* Qualidade ou caráter de paulista[1] (4): "Vamos fugir de .... gentes cheias de vozes e de gesticulação ..... Vamos exercer o nosso paulistismo famoso, em sua expressão maior" (Mário de Andrade, *Os Filhos da Candinha*, p. 52).

pauliteiro [De *paulito* + *-eiro.*] *S. m.* Cada um daqueles que tomam parte na dança dos paulitos ou dos palotes. [Var.: *paliteiro*[2].]

paulito [De *pau* + *-l-* + *-ito*[1], poss.] *S. m.* Pequeno pau que serve de fito no jogo de bilhar, no da malha e noutros. ~ V. *paulitos.*

paulitos [Pl. de *paulito.*] *S. m. pl.* Palotes. ~ V. *paulito.*

paulivense *Adj. 2 g.* **1.** De, ou pertencente ou relativo a São Paulo de Olivença (AM). ● *S. 2 g.* **2.** O natural ou habitante de São Paulo de Olivença.

pau-lixa *S. m. Bras. Bot.* Subarbusto verbenáceo (*Lippia urticoides*) comum em lugares abertos e secos, de folhas pequenas, serreadas, coriáceas, e aromáticas quando esmagadas, e flores também pequenas, alvas e tubulosas. [Pl.: *paus-lixas e paus-lixa.*]

paullínia [Do tax. *Paullinia* (do antr. [*Simon*] *Paulli* [-1680], botânico dinamarquês, + lat. *-inus* [v. *-ino*[1]] + lat. cient. *-ia* [v. *-ia*[2]]).] *S. f. Bot.* **1.** Gênero de trepadeiras sapindáceas, lenhosas, que habitam a América tropical, de folhas compostas, flores irregulares e cápsulas piriformes. **2.** Qualquer espécie desse gênero, como, p. ex., a *Paullinia cupana* [v. *guaraná* (1)]. **3.** Qualquer espécime desse gênero.

paulo-afonsino *Adj.* **1.** De, ou pertencente ou relativo a Paulo Afonso (BA). ● *S. m.* **2.** O natural ou habitante de Paulo Afonso. [Pl.: *paulo-afonsinos.*]

paulo-fariense *Adj. 2 g.* **1.** De, ou pertencente ou relativo a Paulo de Faria (SP). ● *S. 2 g.* **2.** O natural ou habitante de Paulo de Faria. [Pl.: *paulo-farienses.*]

paulo-jacintense *Adj. 2 g.* **1.** De, ou pertencente ou relativo a Paulo Jacinto (AL). ● *S. 2 g.* **2.** O natural ou habitante de Paulo Jacinto. [Pl.: *paulo-jacintenses.*]

paulo-lopense *Adj. 2 g.* **1.** De, ou pertencente ou relativo a Paulo Lopes (SC). ● *S. 2 g.* **2.** O natural ou habitante de Paulo Lopes. [Pl.: *paulo-lopenses.*]

paulo-pires *S. m. Bras. MG Zool.* V. *joão-bobo.* [Pl.: *paulos-pires e paulo-pires.*]

paulo-ramense *Adj. 2 g.* **1.** De, ou pertencente ou relativo a Paulo Ramos (MA). ● *S. 2 g.* **2.** O natural ou habitante de Paulo Ramos. [Pl.: *paulo-ramenses.*]

pau-mamão *S. m. Bras. C.O. Bot.* Cambota-brava. [Pl.: *paus-mamões e paus-mamão.*]

pau-mandado *S. m.* Pessoa subserviente, que faz tudo quanto lhe mandam: "Vinham o juiz, o Taguató, dois paus-mandados fingindo de fiscais, um cabo de polícia e quatro praças." (M. Cavalcanti Proença, *Manuscrito Holandês*, p. 141.) [Pl.: *paus-mandados.*]

pau-marfim *S. m. Bras. Bot.* **1.** Árvore opiliácea (*Agonandra brasiliensis*) nativa do Brasil, de folhas elípticas, pequenas flores esverdeadas, em inflorescências, frutos drupáceos oblongos, com sementes oleíferas; amarelão, amora-do-mato, canudo, guararema, marfim, marfinzeiro, pau-marfim-verdadeiro, quina-de-veado, tatu. **2.** Árvore rutácea (*Balfourodendron riedelianum*) de tronco retilíneo, folhas trifolioladas, pequenas flores brancas e frutos alados; ocorre no Brasil do MS ao RS, e em áreas vizinhas, e sua madeira, de cor clara, é muito us. em carpintaria e em marcenaria. [Sin.: *farinha-seca, gramixanga, gramixinga, guaratala, guataia, guatambu, guaximinga, guamixinga, guamuxinga, marfim, pau-cetim, pau-liso, pequiá-mamão*] **3.** Pequena árvore conarácea (*Connarus fulvus*) nativa do Brasil, de folhas compostas e flores paniculadas. **4.** Árvore esterculiácea (*Melochia umbellata*) de madeira clara, us. em carpintaria, e cuja casca tem propriedades desobstruentes; pau-d'alho-do-campo. [Pl.: *paus-marfins e paus-marfim.*]

pau-marfim-verdadeiro *S. m. Bras. Bot.* V. *pau-marfim* (1). [Pl.: *paus-marfins-verdadeiros e paus-marfim-verdadeiros.*]

paumari *Bras. S. 2 g.* **1.** *Etnôn.* Indivíduo dos paumaris, povo indígena da família linguística arauá, que habita a margem esquerda do rio Purus (AM). ● *Adj. 2 g.* **2.** Pertencente ou relativo a esse povo. [Tb. us. como *s. 2 g. e 2 n.* (com cap.) e *adj. 2 g. e 2 n.*]

paumelenho *Bras. S. 2 g.* **1.** *Etnôn.* Indivíduo dos paumelenhos, povo indígena que habita as localidades de Limoeiro e Porto Murtinho, município de Costa Marques, no limite com a reserva biológica do Guaporé (RO). ● *Adj. 2 g.* **2.** Pertencente ou relativo a esse povo. [Tb. us. como *s. 2 g. e 2 n.* (com cap.) e *adj. 2 g. e 2 n.*]

pau-mocó *S. m. Bras. Bot.* V. *pau-de-mocó.* [Pl.: *paus-mocós.*.]

pau-mole *S. m. Bras. Bot.* V. *cássia-grande.* [Pl.: *paus-moles.*]

pau-mulato *S. m. Bot.* **1.** *Amaz.* Árvore rubiácea (*Calycophyllum spruceanum*) própria das várzeas do rio Amazonas, que se caracteriza pelo tronco retilíneo e revestido de lisa casca parda. Tem folhas obovadas, com ápice agudo, flores e cápsulas pequeninas, e madeira branca e útil em marcenaria e no fabrico de polpa para papel. [Sin.: *mulateiro.*] **2.** V. *quataquiçaua.* [Pl.: *paus-mulatos.*]

pau-mulato-da-terra-firme *S. m. Bras. Amaz. Bot.* Árvore da família das rubiáceas (*Capirona decorticans*), cuja casca se desprende em grandes e delgadas lâminas, cujas folhas são oblongas, obtusas, glabras e amplas, sendo as flores violáceas, tubulosas, vistosas, organizadas em panículas terminais, e o fruto uma cápsula lenhosa com sementes aladas. [Pl.: *paus-mulatos-da-terra-firme.*]

pau-negro (ê) *S. m. Bras. Bot.* V. *coração-de-negro* (1). [Pl.: *paus-negros* (ê).]

pau-novo *S. m. Bras.* Árvore (*Sessea brasiliensis*) de 15 a 16m de altura, da família das solanáceas, de tronco direito e cilíndrico de até 50cm de diâmetro, folhas alternas, pecioladas, e flores esverdeadas, tubiformes, e frutos capsulares, cilíndricos. [Pl.: *paus-novos.*]

pau-papel *S. m. Bras. GO Bot.* Arvoreta melastomatácea (*Tibouchina papyrifera*) natural da Serra Dourada (GO), de folhas curvinérveas e vistosas flores violáceas, e que se caracteriza pelo fato de a casca desdobrar-se em numerosas folhas delgadas, acentuadamente parecidas com papel; árvore-do-papel. [Pl.: *paus-papéis e paus-papel.*]

pau-paraíba *S. m. Bras. Bot.* V. *caxeta.* [Pl.: *paus-paraíbas e paus-paraíba.*]

pau-para-toda-obra (tô) *S. m. Bras. Bot.* V. *pau-pereira* (1). [Pl.: *paus-para-toda-obra.* Cf. *pau para toda obra.*]

pau para toda obra (tô) *S. m.* **1.** Pessoa que se presta para tudo. **2.** Coisa que serve para tudo. [Pl.: *paus para toda obra.* Cf. *pau-para-toda-obra.*] ☑

pau-para-tudo *S. m. Bras. Bot.* V. *chapada* (6). [Pl.: *paus-para-tudo.*]

pau-pereira [De *pau* + o tupi = 'casca tirada (para medicamento)'.] *S. m. Bras. Bot.* **1.** Árvore apocinácea (*Geissospermum laeve*) da floresta pluvial, de folhas pequeninas, e cuja casca, amarela, extraordinariamente amarga, contém vários alcaloides e tem acentuadas propriedades hipotensoras. [Sin.: *pau-de-pente, pau-para-toda-obra, pinguaciba.*] **2.** V. *acariranа.* **3.** V. *folha-de-bolo* (2). **4.** V. *guatambu* (2). [Var.: *pau-pereiro.* Pl.: *paus-pereiras e paus-pereira.*]

pau-pereiro *S. m. Bras. Bot.* V. *pau-pereira.* [Pl.: *paus-pereiros e paus-pereiro.*]

paupérie [Do lat. *pauperie.*] *S. f.* Miséria, pauperismo.

pauperismo [Do ingl. *pauperism* (< lat. *pauper*, 'pobre', + ingl. *-ism* [v. *-ismo*]), pelo fr. *paupérisme.*] *S. m.* **1.** Miséria, penúria, pobreza, paupérie. **2.** *Sociol.* Fenômeno que se caracteriza pelo estado de pobreza extrema de uma comunidade.

pauperização [De *pauperizar* + *-ção.*] *S. f.* Ato ou efeito de pauperizar(-se); empobrecimento.

pauperizado [Part. de *pauperizar.*] *Adj.* Que se pauperizou; empobrecido: "da numerosa gente média, como nenhuma pauperizada nas cidades e nos campos e como nenhuma degradada" (Gilberto Freire, *Joaquim Nabuco*, p. 41).

pauperizador (ô) [De *pauperizar* + *-dor.*] *Adj. 2 g.* Pauperizante.

pauperizante [De *pauperizar* + *-nte.*] *Adj. 2 g.* Que pauperiza, que causa empobrecimento; pauperizador.

pauperizar [Do lat. *pauper*, 'pobre', + *-izar.*] *V. t. d. P.* Empobrecer.

pau-pernambuco [De *pau* + o top. *Pernambuco.*] *S. m. Bras. Bot.* V. *pau-brasil.* [Pl.: *paus-pernambucos e paus-pernambuco.*]

paupérrimo [Do lat. *pauperrimu.*] *Adj.* Superl. abs. sint. de *pobre*; pobríssimo.

pau-piaçaba *S. m. Bras. Bot.* V. *piaçaba* (1). [Pl.: *paus-piaçabas e paus-piaçaba.*]

pau-pintado *S. m. Bras. Bot.* V. *angelim-coco.* [Pl.: *paus-pintados.*]

pau-podre *S. m. Bras. Bot.* V. *farinha-seca* (7). [Pl.: *paus-podres.*]

pau-pombo *S. m. Bras. Bot.* Árvore anacardiácea (*Tapirira guianensis*) muito difundida por todo o País, de folhas penadas, flores muito pequenas, dispostas em grandes inflorescências, e cujo fruto é uma drupa minuta, quase negra. A casca é tanífera, e a madeira, pardo-rosada, só serve para caixotaria. [Pl.: *paus-pombos e paus-pombo.*]

pau-preto (ê) *S. m. Bras.* **1.** *Bot.* Árvore fabácea (*Dalbergia latifolia*) de ampla dispersão na área tropical, cujas flores são pequeninas e densamente agrupadas, cujos frutos são sâmaras, sendo a madeira, muito escura e resistente, boa para mobiliário e objetos de luxo. **2.** *Bot.* V. *cabiúna-do-campo.* **3.** Poste que serve para marcar distâncias, nos hipódromos. [Pl.: *paus-pretos* (ê).]

paúra [Do it. *paura.*] *S. f. Bras.* Medo, pavor.

pau-rainha *S. m. Bras. Amaz. Bot.* Árvore fabácea (*Centrolobium paraense*) da floresta pluvial, facilmente caracterizada pelos legumes providos de longos aculeos muito duros e pungentes, e cuja madeira é rajada de amarelo e pardo-avermelhado, sendo tida como excelente para construção civil e naval. **2.** V. *conduru-de-sangue.* [Pl.: *paus-rainhas e paus-rainha.*]

pau-rei *S. m. Bras. Bot.* V. *maperoá.* [Pl.: *paus-reis e paus-rei.*]

▲**paur(o)-** [Do gr. *paûros, on.*] *El. comp.* = 'em pequeno número'; 'curto[2]', 'pequeno'; 'raro': *paurometabólico, paurópode.*

pau-rodado *S. m. Bras. MT GO* Alcunha que se dá aos forasteiros que ali procuram fixar residência. [Pl.: *paus-rodados*.]

paurometabólico [De *paur(o)-* + *metabólico*.] *S. m. Adj. Zool.* V. *heterometabólico*.

paurópode [De *paur(o)-* + *-pode*; tax. *Pauropoda*.] *Zool. S. m.* **1.** Espécime dos paurópodes, subclasse de animais miriápodes, progoniados, que têm corpo cilíndrico, pequeno, com 11 ou 12 segmentos e nove ou 10 pares de patas, antenas com três artículos, terminadas por filamentos, e abertura genital no terceiro segmento. ● *Adj. 2 g.* **2.** Pertencente ou relativo a eles.

pau-rosa *S. m.* **1.** *Bras. Bot.* Árvore laurácea (*Aniba rosaeodora*) de certas áreas da floresta amazônica. A madeira encerra um precioso óleo essencial, cujo componente fundamental é o linalol, de grande emprego em perfumaria, sendo a extração feita mediante destilação com vapor de água. As folhas são largas e coriáceas; as flores, insignificantes. [Sin.: *pau-de-rosas, pau-rosa-do-oiapoque*.] **2.** V. *pau-de-rosas* (1). [Pl.: *paus-rosas* ou *paus-rosa*.]

pau-rosado *S. m. Bras. Bot.* V. *pau-brasil*. [Pl.: *paus-rosados*.]

pau-rosa-do-oiapoque [De *pau-rosa* + *do* + o top. *Oiapoque*.] *S. m. Bras. Bot.* V. *pau-rosa* (1). [Pl.: *paus-rosas-do-oiapoque* e *paus-rosa-do-oiapoque*.]

pau-rosa-fêmea *S. m. Bras. Bot.* V. *caraná-branca*. [Pl.: *paus-rosas-fêmeas*.]

pau-roxo (ô) *S. m. Bras. Bot.* **1.** Árvore cesalpiniácea (*Peltogyne lecointei*) da mata úmida. O lenho caracteriza-se por ser pardo-escuro, mas torna-se roxo após o corte. Bifoliolada, flores minutas, fruto indeiscente e obovado, com ligeira asa, e madeira de valor para trabalhos finos e custosos. [Sin.: *amarante, pau-roxo-da-terra*.] **2.** V. *guarabu* (1). **3.** V. *quataquiçaua*. [Pl.: *paus-roxos* (ô).]

pau-roxo-da-terra *S. m. Bras. Bot.* V. *pau-roxo* (1). [Pl.: *paus-roxos-da-terra*.]

paus [Pl. de *pau*.] *S. m. pl.* Um dos quatro naipes [v. *naipe* (1)], preto, que se figura com o desenho de um trevo de três pontas: *nove de __paus__*. ~ V. *pau*.

pausa [Do gr. *paûsis*, pelo lat. *pausa*.] *S. f.* **1.** Interrupção temporária de ação, movimento ou som. **2.** Vagar, lentidão: *Enquanto falava, caminhava com __pausa__ pelo quarto.* **3.** Intervalo entre as vigas de um madeiramento. **4.** Peça dos regadores de jardim, cônica e cheia de furos; crivo, ralo. **5.** *E. Ling.* Interrupção no fluxo do discurso (4). **6.** *Mús.* Cada um dos sinais gráficos que indicam o valor (4), *i. e.*, a duração dos silêncios de um trecho musical, e aos quais correspondem as notas [v. *nota* (18)] : *__pausa__ de semibreve; __pausa__ de mínima*, etc. **7.** *E. Ling.* Silêncio, breve ou longo, que se produz em uma enunciação. [Cf. *pontuação* (3).] ◆ **Pausa cômica.** *Teatr.* V. *alívio cômico*. **Pausa não preenchida.** *E. Ling.* Pausa silenciosa. **Pausa potencial.** *E. Ling.* Aquela que existe como possibilidade entre palavras ou sintagmas. **Pausa preenchida.** *E. Ling.* Pausa (5) que reflete a hesitação do falante por meio de marcas como *hã, bem*: *Eles... hã... como direi... fugiram.* **Pausa silenciosa.** *E. Ling.* Pausa (5) marcada por silêncio; pausa não preenchida.

▲ **-pausa** [Do lat. *pausa, ae* < gr. *paûsis, eōs*, 'cessação', 'fim'.] *El. comp.* = 'cessação', 'fim'; 'limite'; em *Astron.*, 'fronteira entre duas zonas que envolvem um corpo celeste': *entrepausa, menopausa, aeropausa, magnetopausa, neutropausa, tropopausa*.

pausadamente [Do f. de *pausado* + *-mente*.] *Adv.* De modo pausado; devagar.

pausado [Part. de *pausar*.] *Adj.* **1.** Lento, vagaroso: *gestos __pausados__; passo __pausado__.* **2.** Em que o ritmo é lento; cadenciado: "Escutando-lhe a voz doce e __pausada__, / Mil venturas colhi dos lábios dela" (Gonçalves Dias, *Obras Poéticas*, I, p. 92); *Fez uma leitura __pausada__ de seus poemas.* ● *Adv.* **3.** De modo pausado; pausadamente: "e passou a falar __pausado__, com superlativos." (Machado de Assis, *Dom Casmurro*, p. 82).

pausagem [De *pausa* + *-agem*².] *S. f.* Madeiramento em que há pausas [v. *pausa* (3)].

pau-sândalo *S. m. Bras.* V. *sândalo* (2). [Pl.: *paus-sândalos* e *paus-sândalo*.]

pau-santo *S. m.* **1.** *Bras. Bot.* Arvoreta clusiácea (*Kielmeyera coriacea*) muito comum nos cerrados, de folhas grandes e duríssimas, flores amplas e lindamente alvas ou rosadas, e frutos que são cápsulas. Produz boa cópia de cortiça, utilizável após moagem e agregação com cola, formando laminados isolantes para geladeiras. O povo costumava recolher tal produto e vendê-lo às fábricas. [Sin.: *folha-santa*.] **2.** V. *canjerana* (2). [Pl.: *paus-santos*.]

pausar [Do lat. *pausare*.] *V. int.* **1.** Fazer pausa (1). **2.** Descansar, repousar. *T. d.* **3.** Fazer pausa em; tornar pausado, vagaroso, lento: *Procurava lembrar-se do fato, __pausando__ as palavras.* **4.** Demorar, retardar: *__Pausou__ a resposta, procurando ganhar tempo.*

pauta[1] [Do lat. *pacta*, pl. de *pactum* (v. *pacto*).] *S. f.* **1.** O conjunto de linhas horizontais e paralelas produzidas no papel pela pautadora ou pelo fio de pauta. **2.** Cada uma dessas linhas. [Cf. *risco*[1] (5).] **3.** Folha com linhas paralelas nitidamente impressas, que se põe debaixo do papel de escrever, para guiar a mão. **4.** *Mús.* Sistema de uma a cinco linhas (ou mais) horizontais, paralelas e equidistantes, sobre as quais e entre as quais se escrevem as notas musicais; pentagrama. **5.** Lista, relação, rol. **6.** Ordem do dia. **7.** Tarifa aduaneira. **8.** *Bras.* Nos meios de comunicação e divulgação, roteiro dos fatos que devem ser dados pela reportagem, e que apresentam um resumo do assunto, no caso de suíte[1] (6), e a indicação ou sugestão sobre como deve o tema ser tratado. **9.** Relação das datas e dos feitos que deverão ser julgados por um juiz ou um tribunal. **10.** Lista das cotações fixadas nas bolsas [v. *bolsa*[1] (7)].

pauta[2] *S. f. Bras. N.E. Pop.* V. *pacto* (1): *ter __pauta__ com o Tinhoso.* [Tb. us. no pl.]

pautação [De *pautar* + *-ção*.] *S. f.* Ato ou efeito de pautar.

pautadeira [De *pautar* + *-deira*.] *S. f. Art. Gráf.* Pautadora.

pautado [Part. de *pautar*.] *Adj.* **1.** Riscado com traços paralelos: *caderno __pautado__.* **2.** Relacionado, arrolado. **3.** Regular[1], metódico. ~ V. *papel*[1] —.

pautador (ô) [De *pautar* + *-dor*.] *S. m.* Gráfico que se ocupa no trabalho de pautação.

pautadora (ô) [De *pautar* + *-dora*.] *S. f. Art. Gráf.* Máquina que, por meio de discos (*máquina de discos*) ou de penas (*máquina de penas*), faz a pautação e o riscado do papel; pautadeira.

pautal [De *pauta*[1] + *-al*[1].] *Adj. 2 g.* **1.** Relativo à pauta[1]. **2.** Consignado na pauta[1], esp. na alfândega.

pautar [De *pauta*[1] + *-ar*[2].] *V. t. d.* **1.** Riscar (o papel) com pautadora. **2.** Pôr em pauta ou rol; relacionar: *__pautar__ os assuntos de uma reunião.* **3.** Tornar moderado ou metódico; regular, regularizar, moderar: "inclinando a fronte calva e __pautando__ as maneiras com afetada compostura, desdobrou .... um exemplar do *Espelho do Norte*" (Xavier Marques, *As Voltas da Estrada*, p. 33); *__pautar__ despesas.* *T. d. e i.* **4.** Regular, dirigir, orientar: *__Pauta__ o seu comportamento pelo dos companheiros.* *P.* **5.** Guiar-se; orientar-se: *__Pautava-se__ pelo pai.*

pauteação [De *pautear* + *-ção*.] *S. f. Bras. S. Pop.* Ato de pautear. [Sin. (em MT): *mapiação, mapiagem*.]

pautear *V. int. Bras. S. Pop.* V. *tagarelar* (1). [Conjug.: v. *frear*.]

pauteiro [De *pauta*[1] + *-eiro*.] *S. m. Jorn.* Aquele que faz a pauta[1] (8).

pautero [Do criol.] *S. 2 g. Guin.* Vidente; adivinho: "deve ser a única pessoa que conhece bem este mundo. Tanto mundo de preto como mundo de branco. Se calhar, ela deve ser __pautero__!" (Abdulai Sila, *A Última Tragédia*, p. 29).

pau-terra *S. m. Bras. Bot.* **1.** V. *dedaleira-preta*: "um __pau-terra__ copudo e retorcido" (Afonso Arinos, *Lendas e Tradições Brasileiras*, p. 30). **2.** Cascudo[2] (7). [Pl.: *paus-terras* e *paus-terra*.]

pau-terra-do-campo *S. m. Bras. Bot.* V. *ariauá*. [Pl.: *paus-terras-do-campo* e *paus-terra-do-campo*.]

pau-terra-do-cerrado *S. m. Bras. Bot.* V. *ariauá*. [Pl.: *paus-terras-do-cerrado* e *paus-terra-do-cerrado*.]

pau-terra-do-mato *S. m. Bras. Bot.* V. *itapiúna*. [Pl.: *paus-terras-do-mato* e *paus-terra-do-mato*.]

pau-velho *S. m. Bras. Bot.* V. *cássia-grande*. [Pl.: *paus-velhos*.]

pau-vermelho *S. m. Bras. Bot.* **1.** V. *bálsamo-de-tolu*. **2.** V. *canafístula* (3). [Pl.: *paus-vermelhos*.]

pau-vintém *S. m. Bras. Bot.* V. *baquerubu*. [Pl.: *paus-vinténs* e *paus-vintém*.]

pau-violeta (ê) *S. m. Bras. Bot.* V. *guarabu* (1). [Pl.: *paus-violetas* (ê) e *paus-violeta*.]

pauxi *Bras. S. 2 g.* **1.** *Etnôn.* Indivíduo dos pauxis, denominação dada a dois povos indígenas, atualmente extintos, um da família linguística caraíba, que habitava próximo ao rio Trombetas (a oeste do PA), e outro do tronco linguístico tupi, que habitava a foz do rio Xingu (PA). ● *Adj. 2 g.* **2.** Pertencente ou relativo a esses povos. [Tb. us. como *s. 2 g. e 2 n.* (com cap.) e *adj. 2 g. e 2 n.*]

pauxiana *Bras. S. 2 g.* **1.** *Etnôn.* Indivíduo dos pauxianas, povo indígena extinto, da família linguística caraíba, que habitava a região dos rios Demini, Catrimani e Mucajaí (AM e RR). ● *Adj. 2 g.* **2.** Pertencente ou relativo a esse povo. [Tb. us. como *s. 2 g. e 2 n.* (com cap.) e *adj. 2 g. e 2 n.* Var.: *pauixana, pajana, poiana* e *baiana*.]

pauxinara *Bras. S. 2 g.* **1.** *Etnôn.* Indivíduo dos pauxinaras, povo indígena da Amaz. ● *Adj. 2 g.* **2.** Pertencente ou relativo a esse povo. [Tb. us. como *s. 2 g. e 2 n.* (com cap.) e *adj. 2 g. e 2 n.*]

pauzama [De *pau* + *-z-* + *-ama*.] *S. f. Bras. SP Pop.* Paulama (1).

pauzinhos [Pl. de *pauzinho*, dim. de *pau*.] *S. m. pl. Fam.* Mexerico, intriga. ◆ **Mexer os pauzinhos. 1.** Enredar, intrigar. **2.** Empregar os meios necessários para obter bom resultado em um negócio ou pretensão; tecer os pauzinhos, tocar os pauzinhos: "Gomes Aguiar era amigo do senador Vitor Freitas, que provavelmente é um dos que __mexem os pauzinhos__ para ele." (Rubem Fonseca, *Agosto*, p. 44.) **Tecer os pauzinhos.** V. *mexer os pauzinhos*. **Tocar os pauzinhos.** V. *mexer os pauzinhos*.

pavacaré [De or. tupi, poss.] *S. m. Bras. Zool.* V. *linguarudo* (3).

pavana [Do it. *pavana*, poss. pelo esp. *pavana*.] *S. f.* **1.** No começo do séc. XVI, dança de corte, provavelmente de origem italiana, em compasso binário ou quaternário, andamento lento e majestoso: "Dança a __pavana__ a corte" (Júlio Dantas, *Sonetos*, p. 9). **2.** Depois de 1600, peça instrumental, com as características dessa dança, e ger. seguida pela galharda. **3.** V. *descompostura* (2). **4.** *Bras.* V. *palmatória* (1). ◆ **Tocar a pavana.** Espancar, zurzir.

pavão [Do lat. *pavone*.] *S. m.* **1.** *Zool.* Grande ave galinácea, fasianídea, cujo macho apresenta crista, plumagem brilhante azul ou verde, e grandes plumas caudais com manchas oculares iridescentes e que podem abrir-se sob a forma de grande leque. **2.** *Bras. Zool.* V. *pavó*. **3.** *Astr.* Constelação austral, ao S. do Oitante, a O. da Ave-do-paraíso e do Altar, ao N. do Telescópio e do Índio, e a L. deste último. [Com cap., nesta acepç.] **4.** *Fig.* Indivíduo vaidoso, presunçoso. **5.** *Bras.* No jogo do bicho (q. v.), o 19º grupo (14), que abrange as dezenas 73, 74, 75 e 76, e corresponde ao número 19.

pavão-de-mato-grosso (ô) *S. m. Bras. Zool.* V. *uiramembi* (1). [Pl.: *pavões-de-mato-grosso*.]

pavão-do-mato *S. m. Zool.* **1.** *Bras. Amaz.* V. *uiramembi* (1). **2.** *Bras. RS* V. *pavó*. [Pl.: *pavões-do-mato*.]

pavão-do-pará *S. m. Bras. Zool.* V. *pavãozinho-do-pará*. [Pl.: *pavões-do-pará*.]

pavão-papa-moscas *S. m. Bras. Zool.* V. *pavãozinho-do-pará*. [Pl.: *pavões-papa-moscas*.]

pavão-preto (ê) *S. m. Bras. MT Zool.* V. *uiramembi* (1). [Pl.: *pavões-pretos* (ê).]

pavãozinho [De *pavão* + *-zinho*.] *S. m. Bras. Zool.* V. *pavãozinho-do-pará*.

pavãozinho-do-mato *S. m. Bras. Zool.* V. *surucuá-de-barriga-amarela*. [Pl.: *pavõezinhos-do-mato*.]

pavãozinho-do-pará *S. m. Bras. Zool.* Ave gruiforme, euripigídea (*Eurypyga helias*), do N. do Brasil e dos países limítrofes. Vive junto dos rios ou lagos, onde constrói seu ninho de barro, e alimenta-se de insetos e outros artrópodes. A coloração é muito complexa: cinzento-pálida no dorso, com linhas brancas e pretas transversais, cauda com linhas transversais pretas; a asa, quando aberta, mostra bela mancha ocelar ferrugínea, semelhante à de certas borboletas. Vive bem em cativeiro, onde, se lhe derem ambiente próprio, reproduz regularmente. É uma das aves mais representativas da Amaz. [Sin.: *pavão-do-pará, pavão-papa-moscas, pavãozinho*. Pl.: *pavõezinhos-do-pará*.]

pavê [Do fr. *pavé*, subst. do part. pass. do v. fr. *paver*, 'calçar'; 'cobrir completamente'.] *S. m.* Doce feito de palitos franceses, em geral embebidos em licor e dispostos em camadas entremeadas de uma pasta de chocolate, ou de outro ingrediente, gemas e manteiga. ~ V. *pavês*.

paveia [De or. obscura.] *S. f.* **1.** V. *gavela*: "Nem a __paveia__ fulva, em montes, já se presta, / Pela altura do sol, ao descansar da sesta!" (Bulhão Pato, *Livro do Monte*, p. 44.) **2.** Molho, braçada, feixe. **3.** Pequenos montes de mato roçado.

pavejar [De *paveia* + *-ar*[2], com palatalização.] *V. int.* **1.** Colher paveias. **2.** Reunir a palha ou o feno em paveias [v. *paveia* (2)]. **3.** Roçar o mato e reuni-lo em paveias [v. *paveia* (3)].

pavena *Adj. 2 g. Bras. RS* Turbulento, ventana, puava. V. *valentão* (1).

paveramense *Adj. 2 g.* **1.** De, ou pertencente ou relativo a Paverama (RS). ● *S. 2 g.* **2.** O natural ou habitante de Paverama.

pavês [Do it. *pavese*, de or. incerta.] *S. m.* **1.** Escudo grande. **2.** *Ant. Constr. Nav.* Proteção contra os tiros do inimigo, feita nas bordas das embarcações, com tábuas e outros materiais. [Nesta acepç. é m. us. no pl.] **3.** *Ant. Constr. Nav.* Balaustrada que guarnecia por ante à ré o cesto da gávea. **4.** *Marinh.* Balaustrada ou anteparo de chapa fina, existente no ninho de pega, para resguardo do pessoal. [Pl.: *paveses* (ê). Cf. *paveses*, do v. *pavesar*.] ~ V. *pavê*.

pavesa (ê) *S. f.* Sopa de preparo rápido, que leva, em cada prato, uma fatia de pão e um ovo cru recoberto de parmesão, sobre os quais se derrama caldo de carne fervendo. [Pl.: *pavesas* (ê). Cf. *pavesa*, do v. *pavesar*.]

P

pavesada [De *pavês* + *-ada*[1].] ***S. f.*** Guarnição ou resguardo feito de paveses; pavesadura.

pavesado [Part. de *pavesar*.] ***Adj.*** Guarnecido de paveses.

pavesadura [De *pavesada* + *-ura*.] ***S. f.*** Pavesada.

pavesar [De *pavês* + *-ar*[2].] ***V. t. d.*** Empavesar (1). [Pres. ind.: *paveso*, *pavesas*, etc.; pres. subj.: *pavese*, *paveses*, etc. Cf. *pavesa* (ê), pl. *pavesas* (ê) e *paveses* (ê), pl. de *pavês*, e s. m. pl.]

paveses (ê) [Pl. de *pavês*.] ***S. m. pl.*** *Ant.* Pavês (2). [Cf. *paveses*, do v. *pavesar*.]

pavião ***Adj.*** Diz-se do cavalo de má andadura.

pávido [Do lat. *pavidu*.] ***Adj.*** **1.** Que tem pavor; assombrado, aterrorizado, apavorado: "Ela fitava-o, pávida, de mãos no peito. Repetia com insistência que não sabia o que aquilo era." (Armindo Rodrigues, *A Vida perto de Nós*, p. 95.) **2.** Medroso, receoso, assustado.

pavilhão [Do fr. *pavillon*.] ***S. m.*** **1.** Construção leve, de madeira ou de outro material, ger. destinada a servir de abrigo; quiosque. **2.** Construção desmontável; tenda, barraca. **3.** Construção isolada que faz parte de um conjunto de edifícios, ou independente dele: *pavilhão de isolamento*; *pavilhão de caça*. **4.** Parte de um edifício construída como anexo ao seu corpo principal. **5.** Edifício, provisório quase sempre, em feiras ou exposições, sobretudo internacionais, no qual se exibem os produtos e/ou as peculiaridades de um país, ou dados de várias espécies acerca de determinada matéria: *O pavilhão da França na Exposição de 1922 do Rio de Janeiro foi doado à Academia Brasileira de Letras para sua sede.* **6.** V. *caramanchão*. **7.** Sobrecéu da cama. **8.** Cortina do sacrário. **9.** V. *bandeira* (1). **10.** *Fig.* Símbolo de uma nacionalidade: *Os navios de Duclerc traziam o pavilhão francês.* **11.** *Acúst.* Espécie de campânula, nos antigos fonógrafos, nas cornetas acústicas, nos alto-falantes, etc., para ampliar o som. **12.** *Anat.* Designação genérica de dilatação em extremidade de conduto (2). **13.** *Mús.* A parte inferior, mais larga, do tubo de alguns instrumentos de sopro (metais), e cuja largura é calculada de modo que se assegure a exatidão dos harmônicos; campana. ◆ **Pavilhão de orelha.** *Anat.* A parte exterior do canal auditivo externo; pavilhão de ouvido (denom. ant.). **Pavilhão de ouvido.** *Anat.* V. *pavilhão de orelha*.

pavimentação [De *pavimentar* + *-ção*.] ***S. f.*** **1.** Ato de pavimentar. **2.** V. *pavimento* (2). **3.** *Constr.* V. *piso* (3).

pavimentado [Part. de *pavimentar*.] ***Adj.*** Que se pavimentou; que recebeu pavimentação: *estradas pavimentadas*.

pavimentar [De *pavimento* + *-ar*[2].] ***V. t. d.*** Fazer o pavimento de.

pavimento [Do lat. *pavimentu*.] ***S. m.*** **1.** *Constr.* V. *piso* (3): "Em vão a procurava readquirir, essa bendita humildade, sobre o pavimento de velhos tijolos remendados" (Inglês de Sousa, *O Missionário*, p. 188). **2.** Estrutura aplicada à superfície de ruas, rodovias, aeroportos, etc., e constituída de uma ou várias camadas de material capaz de resistir às tensões determinadas pelo rodar dos veículos e melhorar as condições de rolamento destes; pavimentação. **3.** *Arquit.* O conjunto das dependências de um edifício situadas num mesmo nível; andar: "As casas, em geral de um só pavimento, ... eram externamente caiadas" (Xavier Marques, *As Voltas da Estrada*, p. 13). ◆ **Pavimento flexível.** *Constr.* Pavimento não rígido, constituído de material pétreo ou de solo estabilizado ou selecionado, e cujo revestimento é, em geral, de asfalto. **Pavimento rígido.** *Constr.* Pavimento pouco deformável, em geral constituído de placas de concreto. **Pavimento térreo.** *Constr.* Pavimento (3) situado ao nível do solo; rés do chão.

pavio [Do lat. vulg. **papilu*, alter. do cláss. *papyru*.] ***S. m.*** **1.** Torcida[2] (1). **2.** Rolo de cera que envolve uma torcida. ◆ **Ter o pavio curto.** *Bras. Fam.* Ser arrebatado, impulsivo, explosivo; irritar-se facilmente.

pá-virada [De *pá*[1] + o f. do adj. *virado*.] ***S. 2 g.*** *Bras. CE* Pessoa da pá virada (q. v.). [Pl.: *pás-viradas*.]

pavloviano ***Adj.*** **1.** Pertencente, relativo a, ou próprio de Ivan Ilitch Pavlov (1846-1936), fisiologista russo, famoso pela teoria dos reflexos condicionados. **2.** Que é adepto das concepções de Pavlov, ou profundo conhecedor da sua obra. ● ***S. m.*** **3.** Seguidor de suas concepções, ou profundo conhecedor de sua obra.

pavó [De *pavão*, poss.] ***S. m.*** *Bras. SP MG Zool.* Ave passeriforme, cotingídea (*Pyroderus scutatus*), do S. do Brasil, de coloração preta, com a garganta e parte do peito escarlates. Vive nas matas virgens, alimenta-se de frutas em geral, e sua voz é um sopro característico. [Var.: *paó*. F. paral.: *pavô*. Sin.: *pavoa*, *pavão-do-mato*, *pavão*.]

pavô ***S. m.*** *Bras. Zool.* V. *pavó*.

pavoa[1] (ô) ***S. f.*** *Zool.* A fêmea do pavão.

pavoa[2] (ô) ***S. f.*** *Bras. ES Zool.* V. *pavó*.

pavoá ***S. f.*** *Bras. Bot.* V. *aguapé*[2] (1).

pavoã ***S. f.*** *Bras. Bot.* Erva pontederiácea (*Eichhornia paniculata*) que flutua nas águas fundas e se fixa nas águas rasas, tem grandes folhas macias e moles, e belas flores azuis, que se agrupam em cachos terminais.

pavoense[1] ***Adj. 2 g.*** **1.** De, ou pertencente ou relativo a Pavão (MG). ● ***S. 2 g.*** **2.** O natural ou habitante de Pavão.

pavoense[2] ***Adj. 2 g.*** **1.** De, ou pertencente ou relativo a Vila Pavão (ES). ● ***S. 2 g.*** **2.** O natural ou habitante de Vila Pavão.

pavonáceo [De *pavão* + *-áceo*, seg. o padrão erudito.] ***Adj.*** Pavonaço.

pavonaço [De *pavonáceo*, com síncope.] ***Adj.*** Da cor da violeta; pavonáceo: "Mesurado, donairosíssimo, diserto, dameja, corteja, galanteia, ... enquanto um Monsenhor *virtuose* toca, ... ao canto da sala, toda forrada de tela purpureada, ou brocatel pavonaço, o minuete de Exaudet, com palavras de Favart" (Martins Fontes, *Fantástica*, p. 141).

pavonada [De *pavão* + *-ada*[1], seg. o padrão erudito.] ***S. f.*** **1.** O ato de o pavão abrir a cauda em leque. **2.** *Fig.* Jactância, vaidade, presunção. V. *fanfarrice* (2).

pavoneamento [De *pavonear* + *-mento*.] ***S. f.*** Ato ou efeito de pavonear(-se).

pavonear [De *pavão* + *-ear*[2], seg. o padrão erudito.] ***V. int.*** **1.** Caminhar com ares soberbos, à maneira do pavão, que passeia abrindo a cauda em leque. ***T. d.*** **2.** Mostrar, exibir, com vaidade; ostentar: *Pavoneava pelos salões seu rico vestido.* **3.** Enfeitar de coisas vistosas; ornar com garridice. ***P.*** **4.** Mostrar-se, exibir-se, com vaidade: *Pavoneava-se na festa.* **5.** Ensoberbecer-se; ufanar-se; vangloriar-se: "Este velho desterrado .... em um canto do mundo, numa aldeia ignorada, era mais sábio na sua humildade, do que muitos que se pavoneiam de lidos e eruditos." (Rebelo da Silva, *Contos e Lendas*, p. 15). **6.** Enfeitar-se, adornar-se, ataviar-se. [Conjug.: v. *frear*.]

pavonense ***Adj. 2 g. S. 2 g.*** V. *santa-ceciliense*.

pavonesco (ê) [De *pavão* + *-esco*, seg. o padrão erudito.] ***Adj.*** Vaidoso, presunçoso.

pavor (ô) [Do lat. *pavore*.] ***S. m.*** **1.** Grande susto ou medo; terror: *A criança teve pavor dos mascarados*; *Vivia amargurado, com pavor das doenças.* **2.** Aversão: *Tem pavor a desonestos.*

pavorosa [F. subst. do adj. *pavoroso*.] ***S. f.*** **1.** Notícia apavorante. **2.** Boato de revolta. **3.** *Bras. MA Pop.* V. *ambulância* (3).

pavoroso (ô) [De *pavor* + *-oso*.] ***Adj.*** **1.** Que infunde pavor. **2.** Medonho, horrível, horroroso. **3.** *Fig.* Diz-se de dor, sofrimento ou sentimento tão forte ou intenso como algo que causa pavor: *Sentiu uma ansiedade pavorosa*; "Acordei de madrugada sentindo uma dor pavorosa" (Walcyr Carrasco, *Anjo de Quatro Patas*, p. 119).

pavulagem ***S. f.*** *Bras. Amaz.* V. *pabulagem*.

pávulo [Var. de *pábulo*.] ***Adj. S. m.*** *Bras. Amaz.* Fanfarrão, gabola(s), pábulo.

pavuna [Do tupi = 'lugar escuro'.] ***S. f.*** *Bras. S.* Vale fundo e escarpado.

pavunva *Bras.* ***S. 2 g.*** **1.** *Etnôn.* Indivíduo dos pavunvas, povo indígena extinto que habitava a região do rio São Miguel, afluente do rio Guaporé (MT). ● ***Adj. 2 g.*** **2.** Pertencente ou relativo a esse povo. [Sin. ger.: *vanhame*, *huanhame*. Tb. us. como *s. 2 g. e 2 n.* (com cap.) e *adj. 2 g. e 2 n.*]

paxá [Do turco *pãxã*, *bãxã* (título que equivale, no Ocidente, a 'Excelência', pelo ant. *pachá*, que veio a tomar aquela forma por infl. francesa).] ***S. m.*** **1.** Título dos governadores de províncias do antigo Império Otomano, ainda us. em países dele oriundos, para designar altas autoridades civis e militares, embora oficialmente abolido na Turquia em 1934 e no Egito em 1953. **2.** *Fig. Pop.* Indivíduo poderoso e insolente; mandão. **3.** *Fig. Pop.* Indivíduo que leva uma vida faustosa e indolente. **4.** *Fig. Pop.* Homem que tem várias amantes; sultão. [F. paral.: *baxá*.]

paxalato [De *paxá* + *-l-* + *-ato*[1].] ***S. m.*** Governo ou território da jurisdição de um paxá (1). [F. paral.: *baxalato*.]

paxalizar [De *paxá* + *-l-* + *-izar*.] ***V. t. d.*** **1.** Dar maneiras ou ares de paxá a. ***Int.*** **2.** Proceder como paxá.

paxaxo [De or. cigana.] ***S. m.*** *Bras. Pop.* Pé largo.

paxicá [Do tupi.] ***S. m.*** *Bras. Amaz.* Iguaria gordurosíssima, feita com o fígado da tartaruga cortado em quadradinhos e preparado na própria casca do animal.

paxila (cs) [Do lat. cient. *paxilla* < lat. *paxillus*, 'estaca', 'escora'.] ***S. f.*** Placa com uma coluna calcária, em cuja extremidade há um tufo de espinhos ou bastonetes calcários, característica de certos asteroides.

paxiloso (cs... ô) [Adapt. do tax. *Paxillosa*.] *Zool.* ***S. m.*** **1.** Espécime dos paxilosos, em algumas classificações, ordem que compreende animais metazoários, equinodermos, asteroides, cuja superfície dorsal é revestida de paxilas e que são dotados de pés ambulacrários, sem ventosas; pedicelárias ausentes, ou pouco abundantes. ● ***Adj.*** **2.** Pertencente ou relativo a eles.

paxiúba [Do tupi.] ***S. f.*** *Bras. Amaz. Bot.* Palmeira arecácea (*Iriartea exorriza*) habitante dos igapós, e que mede entre 10 e 15m de altura. O estipe é sustentado por um pedestal de raízes aéreas tão ásperas e duras que servem de ralo, e a madeira é escura e fibrosa. [Sin., no MT: *castiçal*.]

paxiúba-barriguda [De *paxiúba* + o f. de *barrigudo*.] ***S. f.*** *Bras. Amaz. Bot.* Palmeira arecácea (*Iriartea ventricosa*) de belo porte, que vai até 30m. Perto do meio apresenta uma dilatação muito grande; na base tem um pedestal de raízes-escoras, sobre as quais se sustenta o tronco; as folhas chegam a 6m; as flores são unissexuais; e os frutos, globosos e verdes, medem 2 a 3cm de diâmetro. [Pl.: *paxiúbas-barrigudas*.]

paxiubarana (xi-u) [De *paxiúba* + *-rana*.] ***S. f.*** *Bras. Amaz. Bot.* Árvore clusiácea (*Tovomita triflora*) da floresta pluvial, que tem folhas coriáceas e flores alvas em cimeiras tricótomas, e cujo fruto é uma baga leitosa, servindo a madeira para obras internas e carvão.

➔ **pax Octaviana** [paks ɔktavẹ'ana] [Lat.] Grande sossego, semelhante àquele que o mundo romano desfrutou no tempo do imperador Otávio (63 a. C.-14 d. C.).

paxorô [Do ior.] ***S. m.*** *Bras. Rel.* Espécie de cajado de prata ou outro metal prateado, adornado de arandelas com pingentes e encimado frequentemente por um pássaro, que é atributo de Oxalufã.

➔ **pax Romana** [paks r̄ɔ'mana] [Lat.] A paz gerada pelas armas, ou por autoritarismo, como a que ocorria entre os povos dominados por Roma.

pax-vóbis (cs) [Do lat. *pax vobis*, 'a paz (esteja) convosco'.] ***S. m. 2 n.*** *Bras.* Indivíduo simplório, bonacheirão, e de boa paz; paz de alma.

➔ **pay-per-view** [pej pɚ vjuw] [Ingl.] ***S. m.*** *Telev.* **1.** V. *televisão por demanda*. **2.** Programação especial de televisão a cabo liberada ao assinante mediante pagamento adicional.

paz [Do lat. *pace*.] ***S. f.*** **1.** Ausência de lutas, violências ou perturbações sociais; tranquilidade pública; concórdia, harmonia: *O respeito às leis assegura a paz de uma comunidade.* **2.** Ausência de conflitos entre pessoas; bom entendimento; entendimento, harmonia: *Vive em paz com os vizinhos e colegas.* **3.** Ausência de conflitos íntimos; tranquilidade de alma; sossego: *Goza de paz absoluta.* **4.** Situação de um país que não está em guerra com outro: *Grandes são os benefícios das épocas de paz.* **5.** Restabelecimento de relações amigáveis entre países beligerantes; cessação de hostilidades: *Breve foi a paz entre os dois países.* **6.** Tratado de paz: *assinar a paz.* **7.** Ausência de agitação ou ruído; repouso, silêncio, sossego: *a paz do campo.* [Pl.: *pazes*. Cf. *pás*, pl. de *pá*[1].] ◆ **Paz podre.** Sossego profundo. **Fazer as pazes.** Reconciliar-se; fumar o cachimbo da paz. **Jogar à paz.** Jogar bastante a fim de saldar as contas com o parceiro. **Ser de boa paz.** Ter índole pacífica.

pazada (pà) [De *pá*[1] + *-zada*.] ***S. f.*** **1.** Aquilo que se pode conter numa pá: *uma pazada de terra*; "baque surdo de pazadas de areia molhada" (Moreira Campos, *Os Doze Parafusos*, p. 31). **2.** Pancada com a pá. **3.** Pancada, bordoada.

paz de alma ***S. 2 g.*** Pax-vóbis. [Pl.: *pazes de alma*.] ☑

pazear [De *paz* + *-ear*[2].] ***V. int.*** **1.** Estabelecer paz ou harmonia. **2.** Jogar à paz (v. esta loc.) para desempate. [Conjug.: v. *frear*.]

paziguar ***V. t. d. P.*** V. *apaziguar*. [Conjug.: v. *averiguar*.]

■ **Pb** *Quím.* Símb. de *chumbo*.

■ **PB**[1] Sigla do Estado da Paraíba.

■ **PB**[2] *Art. Gráf.* Abrev. de *perfect binding*.

■ **pc** Símb. de *parsec* (q. v.).

■ **PC** [Sigla do ingl. *p(ersonal) c(omputer)*, 'computador pessoal'.] Sigla que designa computador com arquitetura similar à desenvolvida originalmente pela empresa norte-americana IBM, e que oferece compatibilidade entre sistemas operacionais, *hardwares* e aplicativos [v. *clone* (4)].

■ **PCR** [Acrôn. do ingl. *Polymerase Chain Reaction*.] *Bioquím.* Reação em cadeia da polimerase (q. v.).

■ **Pd** *Quím.* Símb. de *paládio*.

■ **PDE** Abrev. *Plano de Desenvolvimento da Educação*.

■ **PDV** Sigla de *Programa de Demissão Voluntária*.

■ **PE** Sigla do Estado de Pernambuco.

pé [Do lat. *pede*.] ***S. m.*** **1.** *Anat.* Cada uma das duas extremidades inferiores, uma em cada membro inferior, constituídas de tarso, metatarso, e falanges dos pododáctilos, respectivas articulações, e partes moles que recobrem as ósseas: *pé grande*; *pé dolorido*; *pé chato*; *os dedos do pé*. [Assenta no chão e permite a postura vertical e a marcha.] **2.** V. *pata*[2] (1 e 3). **3.** V. *chispe*. **4.** Pedestal; base: *o pé de uma escultura, de uma coluna.* **5.** A parte inferior de um objeto por meio da qual ele se sustenta: *o pé da mesa*; *o pé do copo.* **6.** A parte (da cama) oposta à cabeceira. 7. Pedúnculo de flor ou de fruto. 8. Pecíolo. 9. Cada exemplar individual de uma planta: *um pé de couve; um pé de café.* 10. O que fica da uva depois de extraído o primeiro vinho. 11. Profundidade da água (do mar, de rio, etc.) em relação à altura de uma pessoa, de modo que o pé toque no chão e a cabeça fique de fora: *Esta piscina não tem pé para criança.* 12. *Fig.* Motivo, ensejo; pretexto: *Sempre achava pé para faltar aos compromissos.* 13. *Fig.* Estado de um negócio, de uma empresa, de um acontecimento, ou de um relacionamento: *Não sei em que pé está a compra do apartamento; Em que pé está o namoro dos dois?* 14. *Bibliogr.* A parte inferior do livro ou da página. 15. *Arte Poét.* Parte em que se divide o verso metrificado. 16. Na Grécia e na Roma antigas, unidade de medida linear equivalente a 0,296m. 17. Unidade de medida linear anglo-saxônica, de 12 polegadas, equivalente a cerca de 30,48cm do sistema métrico decimal. 18. Antiga unidade de medida de comprimento, equivalente a 12 polegadas [v. *polegada* (3)], ou seja, 33cm. 19. *Tip.* A base do tipo, dividida ao meio pelo canal. 20. *Bras. Liter. Pop.* Verso[1] (1): "Os mais antigos versos sertanejos eram as 'quadras'. Diziam-nos 'verso de quatro'. Subentendia-se 'pés' que para o sertanejo não é a acentuação métrica mas a linha." (Luís da Câmara Cascudo, *Vaqueiros e Cantadores*, p. 11.) 21. *Bras. Pop.* A parte inferoposterior da cabeleira: *Pediu ao barbeiro que lhe fizesse o pé arredondado.* 22. *Bras. PB* V. *caiporismo*. [Pl.: *pés*; dim.: *pezinho* (è). Cf. *pês*, pl. de *pê*; *pez* (ê), s. m.; e *pezinho* (ê), dim. de *pê*.] ◆ **Pé ante pé.** Devagar, cautelosamente; na ponta dos pés; nas pontas dos pés: "Cheguei solerte, pé ante pé, negaceando" (Hugo de Carvalho Ramos, *Tropas e Boiadas*, p. 6); "Saiu da alcova pé ante pé" (Camilo Castelo Branco, *Vulcões de Lama*, p. 22). **Pé chato.** *Ort.* Deformidade oriunda do achatamento de um ou mais arcos do pé. **Pé de anjo.** *Bras. Fam.* Pé grande. [Cf. *pé de anjo*, s.m.] **Pé de apoio.** Aquele sobre o qual, num dado momento, se sustenta o corpo. **Pé de árvore.** *Bras. Pop.* V. *pé de pau*. **Pé de arvoredo.** *Bras. Pop.* V. *pé de pau*. **Pé de mato.** *Bras. Pop.* V. *pé de pau*. **Pé de pau.** *Bras. Pop.* Qualquer árvore; pé de árvore, pé de arvoredo, pé de mato: "lagoa do Cipó, de águas mais verdes do que a mataria em redor, quando as chuvas de inverno levantam broto novo em tudo o que é pé de pau." (João Felício dos Santos, *João Abade*, p. 110). [Cf. *pé-de-pau*.] **Pé na tábua.** Expr. com que se estimula alguém a dirigir veículo com maior velocidade, ou a terminar tarefa, etc. mais depressa. **Pé torto.** *Ort.* V. *talipe*. **Abrir no pé.** *Bras. MG Pop.* V. *fugir* (1 e 2). **Abrir o pé.** *Bras. MG Pop.* V. *fugir* (1 e 2). **A pé. 1.** Com os próprios pés [v. *pé* (1)]: *andar a pé; viajar a pé.* [Sin. (bras., gír.): *no calcante*.] **2.** Em posição vertical; ereto: "De um salto o rapaz pôs-se a pé, tirou a carapuça, e coçando a cabeça aproximou-se." (Maria Amália Vaz de Carvalho, *Contos e Fantasias*, p. 195.) **A pé de.** Servido precariamente de; desprovido de: *O dono da casa está a pé de cozinheira.* **A pé de galo. 1.** *Marinh.* Diz-se da amarra da âncora quando se encontra em posição vertical, antes de a âncora desunhar do fundo. **2.** *Bras. Mar. G.* Diz-se do serviço feito inteiramente de pé, sem que o que o faz se sente ou se ampare em nenhum encosto, em momento algum. **A pé firme.** Com firmeza: "O Dr. Cordeiro, que tinha a paixão dos cargos, ... sorriu imperceptivelmente, mas recusou a pé firme, durante cinco minutos." (Machado de Assis, *Contos sem Data*, pp. 140-141). **Ao pé da letra.** À letra. **Ao pé de. 1.** Perto de; junto de: "Cumprimentou-me, sentou-se ao pé de mim, falou da lua e dos ministros" (Machado de Assis, *Dom Casmurro*, p. 1). **2.** Em comparação ou confronto com: "Como tudo isto é pequenino e imundo / Ao pé daquelas pequeninas flores." (Luís Murat, *Ondas*, I, p. 103.) **Ao pé do ouvido.** Em segredo; discretamente. **A pé quedo.** V. *de pé* (1): "Barco que aproasse à ilha, esperava-o a pé quedo, no porto, com o coração em frêmitos." (Xavier Marques, *A Cidade Encantada*, p. 60.) **Apertar o pé.** Apressar o passo; apressar-se. **Arredar pé.** Sair do lugar onde se está, afastar-se: "Não arredava pé do quartinho cheio de fumaça, onde Luísa fazia comida para os trabalhadores." (Ciro dos Anjos, *A Menina do Sobrado*, p. 29.) **Atirar no (seu) próprio pé.** Agir contra os seus próprios interesses, prejudicar a si mesmo; dar um tiro no pé, serrar o galho em que está sentado. [Cf. *tiro no pé*.] **Bater o pé.** Bater pé. **Bater pé.** Mostrar-se insubmisso; recalcitrar; bater o pé. **Botar o pé no mundo.** *Bras. Pop.* V. *fugir* (1 e 2). **Cair de pé.** *Bras.* Manter-se combativo, íntegro, digno, em face da derrota, ou de má situação na vida: *Cartago, derrotada, caiu de pé; Sofreu horrores, coitado, porém caiu de pé.* **Com o pé atrás.** Com desconfiança ou reserva. **Com o pé direito.** De maneira feliz; com boa sorte; bem: "O romancista de *Vila dos Confins* [Mário Palmério] entra na literatura com o pé direito." (Paulo Rónai, *Encontros com o Brasil*, p. 171.) **Com o pé esquerdo.** De maneira infeliz; com azar; mal: *entrar com o pé esquerdo (numa empresa, negócio, carreira, etc.)*; "Comecei com o pé esquerdo meu primeiro dia de professor." (Ciro dos Anjos, *Abdias*, p. 5). **Com o pé no estribo.** *Bras.* De partida, prestes a partir. **Com os pés nas costas.** *Bras.* De olhos fechados (2). **Com pés de lã.** Sorrateiramente; em pés de lã: "Ali a dois passos, no mármore negro, surge-nos um trabalhador em repouso — e andamos com pés de lã para não perturbar-lhe o sono." (Graciliano Ramos, *Viagem*, p. 67.) **Com um pé nas costas.** *Bras. Fam.* Com grande facilidade; sem o menor esforço; de letra; com uma perna às costas. **Dar com o pé no mundo.** V. *fugir* (1 e 2): "Na verdade o que queriam era dar com o pé no mundo enquanto havia tempo." (Freitas Cavalcanti, *A Profecia das Águas*, p. 31.) **Dar no pé.** *Bras. Gír.* V. *fugir* (1 e 2): "ele sentiu que a barra estava ficando pesada, e deu no pé." (Carlos Drummond de Andrade, *De Notícias & Não Notícias Faz-Se a Crônica*, p. 7). **Dar pé.** *Bras. Pop.* **1.** Ser raso (mar, rio, etc.) o suficiente para que se toque o fundo com os pés, ficando a cabeça fora da água; ter pé. **2.** *Bras. Gír.* Ser possível ou cabível: *Amanhã não dá pé, iremos depois.* [Tb. se diz apenas *dar*.] **Dar um tiro no pé.** V. *atirar no (seu) próprio pé*. **De pé. 1.** Em posição vertical; ereto, firme; a pé quedo, em pé. **2.** Conforme o combinado, o acertado, o comprometido. **3.** Firme, sem se afastar de situação ou ponto de vista dantes assumido. **De pé atrás.** Com prevenção ou desconfiança; de má vontade: "Sereno, que anteriormente já recebera de pé atrás aquele elemento estranho na direção da casa ...., nesse dia foi ao ponto de rosnar, em franca hostilidade" (Antônio Versiani, *Viola de Queluz*, p. 20). [Cf. *pé-atrás*.] **De quatro pés.** De quatro. **Do pé para a mão. 1.** De um momento para outro; inesperadamente: "— Olhem o felizardo! Então vai meter-se em cobreira grossa, tornar-se do pé para a mão capitalista graúdo .... . Duzentos contos de pancada!" (Visconde de Taunay, *Ao Entardecer*, p. 166). **2.** Logo, prontamente. **Em pé.** V. *de pé* (1). **Em pé de guerra.** Estado de tensão ou preparo psíquico, material, que precede a declaração do estado de beligerância. **Em pé de igualdade.** No mesmo plano, grau ou nível; de igual para igual: *Em matéria de cultura estão em pé de igualdade.* **Em pés de lã.** Com pés de lã. **Encher o pé.** *Bras. Fut.* Chutar com muita força. **Encostado ao pé da imbaúba.** *Bras. N.E. Fam.* Preguiçoso, indolente. **Estar com o pé no estribo.** Estar prestes a partir, ou a deixar um cargo, etc. **Estar com os pés na cova.** Estar perto da morte. **Fazer pé atrás. 1.** Recuar para firmar-se. **2.** *Fig.* Preparar-se para resistir. **Ficar no pé de.** *Bras. Fam.* Ficar rente a (alguém) insistindo em algo, aborrecendo, importunando. **Ficar no pé de alguém.** *Bras.* Importunar insistentemente. **Ir aos pés.** *Bras. RS Pop.* V. *defecar* (5). **Ir e vir num pé só.** *Bras. Pop.* Não demorar senão o mínimo indispensável; ir e voltar com a máxima rapidez; ir num pé e vir no outro; ir num pé e voltar no outro. **Ir num pé e vir no outro.** V. *ir e vir num pé só*. **Ir num pé e voltar no outro.** *Bras. Fam.* V. *ir e vir num pé só*: "Era costume me dizer que 'ele ia num pé e voltava no outro', tão rápido agia no levar uma carta e trazer dela a resposta." (Nélson de Faria, *Tiziu e Outras Estórias*, p. 123.) **Ir num pé só.** *Bras. Fam.* Ir a algum lugar com toda a rapidez. **Jurar de pés juntos.** Afirmar peremptoriamente. **Lamber os pés de.** Adular, lisonjear, bajular. **Largar do pé.** *Bras. Fam.* Deixar de ser importuno: "— Como é o teu nome? — perguntei, e fiquei ainda mais puto porque agora ela não ia mais largar do meu pé." (Caio Fernando Abreu, *Pedras de Calcutá*, p. 30.) **Meter o pé no atoleiro.** *Bras.* Arruinar-se; meter o pé no lodo. **Meter o pé no lodo.** Meter o pé no atoleiro. **Meter o pé no mundo.** *Bras. Pop.* V. *fugir* (1 e 2). **Meter os pés.** Desprezar, rejeitar; humilhar. **Meter os pés pelas mãos. 1.** Atrapalhar-se, atordoar-se, confundir-se, na execução de uma tarefa, de uma atividade qualquer. **2.** Praticar inconveniências; cometer disparate ou gafe: "Eu precisava me concentrar para não meter os pés pelas mãos." (José J. Veiga, *Os Pecados da Tribo*, p. 75.) **Não arredar pé. 1.** Não afastar-se de um lugar. **2.** *Fig.* Não ceder em sua opinião; não transigir. **Não chegar aos pés de.** Ser muito inferior a; não chegar aos calcanhares de; não chegar às solas dos sapatos de: *É culto, mas não chega aos pés do irmão*; "O meu carneiro Jasmim, do engenho, nem chegava aos pés daquele canário que foi o meu maior orgulho de menino." (José Lins do Rego, *Meus Verdes Anos*, p. 345); "Eu desenhava isto, ele desenhava aquilo, mas o meu desenho não chegava aos pés do dele." (Cândido Mota Filho, *Contagem Regressiva*, p. 212). **Não pôr o pé em ramo verde.** Não pisar em ramo verde. **Não ter pé nem cabeça.** Não fazer sentido; ser um absurdo: "Às vezes o bom senso me puxava as orelhas: | — Baixa o fogo, sendeiro. Isso não tem pé nem cabeça." (Graciliano Ramos, *S. Bernardo*, p. 156.) **Negar a pés juntos.** Insistir terminantemente na negativa: "Você o que quer é consultar a uma pessoa. Rigorosamente, eram duas pessoas ...., mas eu neguei a pés juntos que quisesse consultar ninguém." (Machado de Assis, *Dom Casmurro*, p. 271). **Passar o pé adiante da mão.** Exceder-se em liberdades; desmandar-se. **Pegar no pé.** *Bras. Fam.* Mostrar-se muito insistente, importuno. **Pegar pelo pé.** *Bras. Fam.* Apanhar de surpresa; surpreender. **Perder o pé.** Perder pé. **Perder pé.** Encontrar-se imerso em água que não tem pé (11); perder o pé. **Pisar no pé de.** *Bras.* **1.** Provocar, desafiar. **2.** Ferir com palavra ou atitude. **Pôr (o) pé em ramo verde 1.** Fazer ou dizer uma inconveniência, infringir uma regra por descuido ou atrevimento **2.** Fazer o que quer, agir com liberdade: "restava levar os fasces às comarcas do Norte, donde irrompiam as hordas que não deixavam pôr pé em ramo verde o colono do Sul" (Aquilino Ribeiro, *Os Avós dos Nossos Avós*, p. 260). **Pôr o pé na estrada.** Iniciar uma jornada, viajar. **Pôr os pés em terra.** Desembarcar; pôr pé em terra. **Pôr pé em terra.** V. *pôr os pés em terra*. **Pôr pé(s) em.** Chegar a um lugar: "Como retruque, Aníbal, onde punha pé, destruía." (Aquilino Ribeiro, *Os Avós dos Nossos Avós*, pp. 156-157.) **Sofrer que só pé de cego.** *Bras. N.E. Pop.* Sofrer muitíssimo. **Tanto se paga sentado como de pé.** Diz-se a quem não se senta, mesmo havendo cadeira disponível. **Ter os pés fincados na terra.** Ser objetivo, realista; ter os pés na terra, ter os pés no chão. **Ter os pés na terra.** V. *ter os pés fincados na terra*. **Ter os pés no chão.** V. *ter os pés fincados na terra*. **Ter pé. 1.** Ter capacidade de andar muito. **2.** Ter pé (11); dar pé. **Ter pés de barro.** *Fig.* Ter base inconsistente, a despeito da aparência de solidez: "– Minha indústria tem pés de barro." (José Cândido de Carvalho, *Olha para o Céu, Frederico!*, p. 46.) **Ter um pé na África.** V. *ter um pé na cozinha*. **Ter um pé na cozinha.** Descender de negros; ter um pé na África. **Tirar o pé da lama.** Sair de uma situação inferior; melhorar de vida; subir de posição; tirar o pé do lodo. **Tirar o pé do lodo. 1.** V. *tirar o pé da lama*. **2.** *Bras. MA Fut.* Conseguir chutar a bola, numa partida, depois de muito tempo sem o fazer. **Tomar pé.** Tocar com os pés o fundo da água. **Tomar pé em.** Inteirar-se de (um problema, uma situação, uma nova condição): *Antes de assumir a chefia, pediu alguns dias para tomar pé na situação.* **Um pé lá, outro cá.** Com extrema rapidez; com a maior ligeireza possível. **Um pé no saco.** *Chulo* Um saco (12). "Achava coquetel um pé no saco" (Ana Maria Machado, *Alice e Ulisses*, p. 9).

pê *S. m.* A letra *p*. [Pl.: *pês*; dim.: *pezinho* (ê). Cf. *pez* (ê), s. m.; *pés*, pl. de *pé*; *pezinho* (è), dim. de *pé*.]

■ **PEA** *Econ.* Sigla de *População Economicamente Ativa* (q. v.).

peã [Do gr. dórico *Paián*, pelo lat. *Paean*.] *S. m.* **1.** Hino em honra de Apolo, na antiguidade grega. **2.** Canto de guerra, de vitória, de festas: "e me levantarei eu, sadio e robusto, ... sacudindo o tirso folhudo, e entoando o peã da vitória?" (Carlos Magalhães de Azeredo, *Ariadne*, p. 56). [Cf. *piã*.]

peabiruense *Adj. 2 g.* **1.** De, ou pertencente ou relativo a Peabiru (PR). ● *S. 2 g.* **2.** O natural ou habitante de Peabiru.

peaça [De *peia* + *-aça*.] *S. f.* Correia ou peia que prende, pelos chifres, o boi à canga.

peadoiro [De *pear* + *-doiro*[2].] *S. m.* Peadouro (q. v.).

peador (ô) *S. m. Bras.* V. *peadouro*.

peadouro [De *pear* + *-douro*[2]; var. de *peadoiro*.] *S. m. Bras.* Lugar em que se peiam as cavalgaduras. [Var. (bras.): *peador*.]

peagâmetro [De *pH* (peagá) + *-metro*.] *S. m. Fís.-Quím.* Nome usual dado ao *medidor de pH*; peagômetro.

peagem [Do fr. *péage*, poss. do lat. **pedaticu*, 'direito de passagem'.] *S. f. Ant.* V. *pedágio* (1).

peagômetro *S. m. Fís.-Quím.* V. *peagômetro*. [Uso freq. em P.]

peagômetro [De *pH* (peagá) + *-o-* + *-metro*.] *S. m. Fís.-Quím.* Peagâmetro.

peal [De *pé* + *-al*[1].] *S. m.* Escarpim.

pealação [De *pealar* + *-ção*.] *S. f. Bras. RS* Ato de pealar; pealo.

pealador (ô) [Do esp. plat. *pealador*.] *S. m. Bras. RS* **1.** Aquele que peala. **2.** Gaúcho que sabe pealar bem.

pealar [Do esp. plat. *pealar*.] *V. t. d. Bras. RS* **1.** Prender (o animal) atirando-lhe o pealo. **2.** *Fig.* Armar cilada a; enganar. [Var.: *apealar*.]

pealo [Do esp. plat. *peal*.] *S. m. Bras. RS* **1.** Laço que se atira ao cavalo, ou a outro animal, quando vai à disparada; reborquiada. **2.** Pealação. ◆ **Pealo de cucharra.** *Bras. RS* Golpe de laço que se dá por baixo das mãos do animal. **Pealo de sobrecostilhas.** *Bras. RS* Golpe de laço sobre as costelas do animal. **Pealo de sobrelombo.** *Bras. RS* Golpe de laço que se atira

P

aberto sobre o lombo, fazendo-o decair até prender as mãos. **Errar o pealo.** *Bras. RS* **1.** Enganar-se, sair-se mal de uma tentativa. **2.** Não obter uma vantagem aparentemente fácil; errar o vau. **Passar pealo em.** *Bras. RS* Enganar, lograr, burlar.

peanha [Do lat. *pedanea* < lat. *pede*, 'pé'.] *S. f.* **1.** Pequeno pedestal sobre o qual assenta imagem, cruz, busto, estátua, etc.: "Não prometia a luz dos olhos porque de pouco serviria ao santo, de pé sobre a peanha doirada" (Pina de Morais, *Sangue Plebeu*, p. 120); "Pelos cunhais dos jazigos trepavam heras, alongando compadecidamente os braços verdes à peanha da cruz que os encimava." (Fialho d'Almeida, *O País das Uvas*, p. 296). **2.** *Ant. Constr. Nav.* Travessa de madeira que, nas galés, ficava por baixo dos bancos dos remadores, e onde se fixavam as correntes que prendiam os forçados.

peão[1] [Do lat. vulg. *pedone.*] *S. m.* **1.** Pedestre (4). **2.** Soldado de infantaria; infante[1]. **3.** No jogo do xadrez (q. v.), peça de movimento limitado, a qual se desloca só para a frente, de casa em casa, à exceção do seu primeiro movimento, no qual pode deslocar-se uma ou duas casas: "diria à bela Miranda que jogasse comigo o xadrez, um jogo delicioso, ... imagem da anarquia, onde a rainha come o peão, o peão come o bispo, o bispo come o cavalo, ... e todos comem a todos." (Machado de Assis, *A Semana*, II, pp. 46-47). **4.** *P. ext.* V. *plebeu* (2). [Pl.: *peões, peães.* Fem.: *peona, peoa.* Cf. *pião.*]

peão[2] [Do esp. plat. *peón.*] *S. m.* **1.** *Bras.* Amansador de cavalos, burros e bestas. **2.** *Bras.* Condutor de tropa: "E repercutiam sonoros nas quebradas os gritos dos peões tangendo a tropa" (Alcides Maia, *Tapera*, p. 58). **3.** *Bras.* Ajudante de boiadeiro. **4.** *Bras.* Trabalhador rural. **5.** *Bras. Amaz.* Indivíduo recrutado, em geral em outros Estados, como mão de obra para as grandes empresas radicadas na Amazônia. **6.** *Bras. RS* Serviçal de estância; conchavado, índio. **7.** *Bras. Constr.* Servente de obra. [Pl.: *peões, peães.* Fem.: *peona, peoa.* Cf. *pião.*]

peãozada [De *peão*[2] + *-zada.*] *S. f.* Conjunto de peões [v. *peão*[2]].

pear [De *peia* + *-ar*[2].] *V. t. d.* **1.** Lançar peia(s) a. **2.** Prender com peia(s). **3.** Embaraçar; impedir; estorvar: *Os compromissos sociais peavam-lhe as atividades intelectuais;* "A seu lado, conspícuo, empertigado, fato novo a pear-lhe os gestos, o marido tentava vãmente sofrear-lhe o choro com um gaguejar de palavras de consolação" (José Gomes Ferreira, *O Mundo dos Outros*, p. 128). [Conjug.: v. *frear.* Cf. *piar.*]

pearceíta (pir) [Do antr. (*Richard*) *Pearce* (1837-1927), engenheiro metalúrgico norte-americano, + *-ita*[2].] *S. f. Min.* Mineral monoclínico, sulfoarsenieto de prata, podendo conter cobre.

pé-atrás *S. m. Bras.* Prevenção, desconfiança: "gente aberta, sem pé-atrás." (José J. Veiga, *A Hora dos Ruminantes*, p. 23). [Cf. *de pé atrás.* Pl.: *pés-atrás.*]

■ **P & B** Preto e branco (q. v.).

peba[1] [F. red. de *tatupeba.*] *S. m. Bras. Zool.* V. *tatupeba.* ◆ **Pegar um peba.** *Bras. N.E.* Levar um tombo; cair.

peba[2] *Adj. 2 g. Bras. N.E.* Reles, ordinário.

▲ **-peba** [Do tupi *pewa.*] *El. comp.* = 'chato': *carapeba, carapicupeba.* [Equiv.: *-beba, -béua, -beva, -péua, -peva*: *capimbeba, cambéua, cambeva, marrecapéua, taraguirapeva.*]

pebado [Do tupi = 'chato', + *-ado*[1].] *Adj. Bras. CE Pop.* **1.** Frustrado, malogrado. **2.** Muito dificultado.

pebolim *S. m. Bras.* Futebol totó.

pebrina [Do fr. *pébrine* < provenç. *pebrino.*] *S. f.* Doença do bicho-da-seda, causada pelo mixosporídeo *Mosema hombycis.*

pebrotério [Do tax. *Poebrotherium.*] *S. m. Paleont.* **1.** Gênero de camelídeos do oligoceno da América do Norte, que tinham o tamanho de uma gazela, pescoço longo, pernas delgadas, tendo sido, poss., velozes corredores, e pés com apenas dois dedos, dotados de casco; a mandíbula era alongada, com maxilares diferenciados, *i. e.*, projetados para frente, como nos camelos atuais, o que lhes possibilitava morder as plantas, bem próximo à raiz. **2.** Espécie ou espécime desse gênero.

peça [Do céltico **pettia*, 'pedaço'.] *S. f.* **1.** Parte ou pedaço de um todo indiviso. **2.** Cada uma das partes ou elementos de um conjunto, de um mecanismo, de uma coleção: *uma peça de roupa, de mobiliário, de relógio; peça numismática.* **3.** Qualquer objeto que forma uma unidade completa; exemplar: *Esta sopeira é a peça mais bonita do serviço da Companhia das Índias.* **4.** V. *acessório* (8): *peça de automóvel, de avião.* **5.** Porção de fazenda tecida de uma vez. **6.** Objeto de metal precioso, ou joia. **7.** Pedra ou figura, em jogo de tabuleiro. **8.** Compartimento ou divisão de uma casa. **9.** Moeda portuguesa antiga, de ouro. **10.** Documento que faz parte de processo. **11.** Artefato (1). **12.** Trabalho literário ou artístico: *O poema "O Caçador de Esmeraldas", de Bilac, é uma bela peça.* **13.** *Teatr.* Texto e/ou representação teatral: *Prefiro peças a filmes.* **14.** Animal abatido em caça. **15.** Peça de artilharia; boca de fogo. **16.** *Fig.* Engano, embuste, logro, ludíbrio, partida: "— Eu imagino que o cavalheiro que tendes em casa, é um meu amigo, e eu queria pregar-lhe uma peça..." (Camilo Castelo Branco, *Livro Negro de Padre Dinis*, p. 221.) **17.** *Fig.* Pessoa de tendências más. **18.** *Market.* Qualquer obra de criação para campanha de propaganda ou de promoção como anúncio de jornal, comercial de TV, cartaz, *jingle*, brinde, *display*, etc. **19.** *Bras.* Coisa ou animal bonito. **20.** *Bras. S.* O pênis do cavalo ou do asno. ◆ **Peça anatômica.** *Anat. Patol.* Parte dum cadáver convenientemente dissecada e preparada, e que se emprega no estudo da anatomia ou da patologia. **Peça característica.** Peça musical de caráter descritivo. **Peça cirúrgica.** *Cir.* Peça do organismo que, retirada cirurgicamente, é estudada em vários aspectos (macroscópico, microscópico, histoquímico, etc.), com fins diagnósticos [v. *diagnóstico*[1] (2)]. **Peça de arquitetura.** *Maç.* Discurso, relato ou trabalho escrito, lido dentro de um templo maçônico. **Peça de artilharia.** Qualquer armamento usado pela artilharia, especialmente canhão, obus, morteiro; boca de fogo. [Tb. se diz apenas *peça.*] **Peça de reposição.** Sobressalente (2). **Peça de resistência. 1.** Peça musical cheia de dificuldades, que pode dar a medida do artista. **2.** Aquilo em que alguém se destaca; o forte. **Peça secretora.** *Bioquím.* Componente secretor (q. v.). **Ficar na peça.** *Bras. Fam.* V. *ficar para tia.* **Pregar uma peça.** V. *pregar uma partida* (2).

pecabilidade [De *pecável* + *-(i)dade*, seg. o padrão erudito.] *S. f.* Qualidade de pecável.

pecadaço [De *pecado* + *-aço.*] *S. m. Pop.* Grande pecado.

peça da índia *S. f. Ant.* Unidade de medida de carregamento de escravos. [Nos carregamentos para o Brasil, contavam-se as peças pelo critério das idades: *um bom negro*, de 18 a 35 anos; *dois velhos*, de 35 a 40 anos; *duas crias de pé*, de 4 a 8 anos; *1,5 molecão* ou *moleca*, de 8 a 18 anos. A medida pelo número de indivíduos era expressa em cabeças.] [Sin. (ant.): *peça do brasil.* Pl.: *peças da índia.*]

pecadilho [Do esp. *pecadillo.*] *S. m.* Pecado leve; culpa sem importância.

pecado [Do lat. *peccatu.*] *S. m.* **1.** *Rel.* Transgressão de preceito religioso. **2.** *P. ext.* Falta, erro; culpa, vício: *os pecados da juventude.* **3.** Maldade, crueldade: *É um pecado exigir tanto de uma criança.* **4.** Pena, lástima, tristeza: *Que pecado não ir à praia num dia tão lindo!* [Dim. irreg.: *pecadilho.*] ◆ **Pecado capital.** *Rel.* Cada um dos sete vícios ou faltas graves catalogados pela Igreja católica na Idade Média, e que fazem parte da tradição cristã. [São eles: *avareza, gula, inveja, ira, luxúria, orgulho* e *preguiça.*] **Pecado mortal.** *Rel.* Na doutrina cristã, o que viola a lei de Deus em matéria grave e leva à danação da alma. **Pecado original.** *Rel.* O pecado de Adão e Eva, transmitido a todos os seus descendentes, que nascem em estado de culpa. **Pecado venial.** *Rel.* Na doutrina cristã, o que enfraquece a graça (9) sem a destruir. **Dos meus pecados.** V. *dos pecados*: "todos os dias se juntam tamanhos bandos de graúnas, que é um barulho dos meus pecados." (Visconde de Taunay, *Inocência*, p. 58). **Dos pecados.** Terrível, espantoso, extraordinário; dos meus pecados.

peça do brasil *S. f. Ant.* V. *peça da índia.* [Pl.: *peças do brasil.*]

pecador (ô) [Do lat. *peccatore.*] *Adj. S. m.* **1.** Que, ou aquele que peca; pecante. **2.** Que, ou aquele que tem certos defeitos ou vícios. **3.** *Rel.* Que, ou aquele que confessa os pecados; penitente. [Aum. (do s. m.): *pecadoraço.*]

pecadora (ô) [Fem. de *pecador.*] *S. f.* **1.** Mulher que pecou. **2.** *Obsol.* Mulher que infringiu os princípios da castidade.

pecadoraço [De *pecador* + *-aço.*] *S. m.* Grande pecador.

pecadoramente [Do f. de *pecador* + *-mente.*] *Adv.* De maneira a levar ao pecado, à transgressão de preceitos religiosos; pecaminosamente.

pecaminosidade [De *pecaminoso* + *-(i)dade.*] *S. f.* Qualidade ou caráter de pecaminoso.

pecaminoso (ô) [Do lat. ecles. *peccamine*, 'pecado', + *-oso.*] *Adj.* **1.** Relativo ao pecado: *assunto pecaminoso.* **2.** Da natureza do pecado: *desejo pecaminoso; mentira pecaminosa.* **3.** Em que há pecado: *costumes pecaminosos;* "o mistério, o arranjo da cestinha, o ar dos próprios morangos, ... todas essas cousas davam ao negócio um aspecto imoral e pecaminoso" (Machado de Assis, *Quincas Borba*, pp. 51-52).

peçanhense *Adj. 2 g.* **1.** De, ou pertencente ou relativo a Peçanha (MG). ● *S. 2 g.* **2.** O natural ou habitante de Peçanha.

pecante [Do lat. *peccante.*] *Adj. 2 g. S. 2 g.* **1.** Que, ou quem peca habitualmente; pecador. **2.** Que, ou quem tem baldas ou defeitos.

pecapara [Do tupi = 'pato de pernas tortas'.] *S. f.* **1.** *Bras. Zool.* V. *ipequi.* **2.** *Bras. CE* Papagaio (5) pequeno e estreito, de uma única haste horizontal, que o torna côncavo e sem rabada.

pecaparra [Var. de *pecapara.*] *S. f. Bras. Zool.* V. *ipequi.*

peça-problema *S. f. Teatr.* Peça que se caracteriza pela exposição e desenvolvimento, sem sugerir ou apresentar soluções, de problemas e crises, e em que personagens representam as várias forças em conflito. [Pl.: *peças-problemas* e *peças-problema.*]

pecar[1] [Do lat. *peccare.*] *V. int.* **1.** Cometer pecado; transgredir lei religiosa ou preceito da Igreja: "Quando acabou de pecar, meditou no pecado." (Tristão da Cunha, *Histórias do Bem e do Mal*, p. 107.) **2.** Cometer qualquer falta. **3.** Ser condenável, censurável: *Peca por excesso de zelo. T. i.* **4.** Cometer pecado: *Pecaram contra a lei de Deus.* **5.** Cometer erro, falta; errar: *Peca contra as boas maneiras.* **6.** Faltar (a qualquer regra moral ou disciplinar). **7.** Incorrer, incidir, cair: *Peca frequentemente em solecismos.* [Conjug.: v. *trancar.* Pres. ind.: *peco, pecas, peca*, etc. Cf. *peco* (ê), s. m. e adj., as flex. *peca* (ê), *pecas* (ê).]

pecar[2] [De *peco* + *-ar*[2].] *V. int.* Tornar-se peco. [Conjug.: v. *trancar.* Pres. ind.: *peco, pecas, peca*, etc. Cf. *peco* (ê), s. m. e adj., as flex. *peca* (ê), *pecas* (ê).]

pecari [Do *caribe*, poss. pelo esp. *pécari* ou *pecarí.*] *S. m. Bras. Zool.* V. *caititu* (1).

pé-cascudo *S. m. Bras. Pop.* V. *diabo* (2). [Pl.: *pés-cascudos.*]

pecatifobia [Do lat. *peccatum, i*, 'falta', 'pecado', + *-fobia.*] *S. f. Psiq.* Medo patológico de pecar; pecatofobia.

pecatifóbico [De *pecatifobia* + *-ico*[2].] *Psiq. Adj.* **1.** Relativo a pecatifobia. **2.** Que sofre de pecatifobia; pecatífobo, pecatófobo. ● *S. m.* **3.** Aquele que sofre de pecatifobia; pecatífobo, pecatófobo. [Sin. ger.: *pecatofóbico.*]

pecatífobo [Do lat. *peccatum, i*, 'falta', 'pecado', + *-fobo.*] *Adj. S. m. Psiq.* V. *pecatifóbico* (2 e 3).

pecatofobia [Do lat. *peccatum* + *-fobia.*] *S. f. Psiq.* V. *pecatifobia.*

pecatofóbico [De *pecatofobia* + *-ico*[2].] *Adj. S. m. Psiq.* V. *pecatifóbico.*

pecatófobo [Do lat. *peccatum* + *-fobo.*] *Adj. S. m. Psiq.* V. *pecatifóbico* (2 e 3).

pecável [De *pecar* + *-vel.*] *Adj. 2 g.* Sujeito a pecar.

→ **peccavi** [pɛk'kavɛ] [Lat., 'pequei'.] Exclamação do rei Davi (na tradução da Vulgata) em resposta à censura do profeta Natão. Us. por quem reconhece haver procedido mal. [Com cap.]

pecém *Adj. 2 g. Bras. AM* Penso, torto; desequilibrado.

peceta[1] (ê) [De *peça* + *-eta* (ê).] *S. f.* Pequena peça.

peceta[2] (ê) [Do esp. plat. *peceta.*] *S. m. Bras. RS* **1.** Tratante, velhaco. **2.** Cavalo pequeno e feio, sem valor.

pecha [Do esp. *pecha.*] *S. f.* Defeito, falha, imperfeição; balda: "Por minha parte, aceito cordialmente a irrogação da pecha de pessimista. É um defeito, de que me lisonjeio." (Tobias Barreto, *Filosofia e Crítica*, p. 254.)

pechada [Do esp. plat. *pechada.*] *S. f. Bras. S.* **1.** Embate de dois cavaleiros que correm em direções opostas. **2.** Choque, encontrão, encontro. **3.** *Gír.* V. *facada* (3). [Cf. *peixada.*]

pechador (ô) [Do esp. plat. *pechador.*] *Adj. S. m. Bras. S.* Que, ou aquele que costuma dar pechadas.

pechar [Do esp. plat. *pechar.*] *V. t. d. Bras. S.* **1.** Dar encontrão em; abalroar. **2.** Pedir dinheiro a. *P.* **3.** Esbarrar-se, encontrar-se.

pechblenda [Do al. *Pechblende.*] *S. f. Min.* Uraninita.

→ **pêche melba** [pɛʃ mɛl'ba] [Fr., do fr. *pêche*, 'pêssego', + antr. *Melba*, de *Nellie Melba*, soprano australiana (1861-1931) criadora da iguaria.] Uma das metades de um pêssego em compota, servida com sorvete de baunilha.

pechincha [De or. incerta.] *S. f.* **1.** Grande conveniência ou vantagem. **2.** Lucro inesperado e/ou imerecido. **3.** Qualquer coisa muito barata. [Sin., nesta acepç.: *galinha-morta, achado* e (lus.) *oxaria.*]

pechinchar [De *pechincha* + *-ar*[2].] *V. t. d.* **1.** Ganhar, obter, inesperada ou imerecidamente. **2.** Regatear (1): *Tanto pechinchou a mercadoria que a comprou pela metade do preço. Int.* **3.** Receber vantagens inesperadas ou imerecidas. **4.** Comprar muito barato. **5.** V. *regatear* (7).

pechincheiro [De *pechincha* + *-eiro.*] *Adj. S. m.* Que, ou aquele que pechincha ou procura pechinchas.

pechiringar *V. int. Bras.* **1.** Dar qualquer coisa com mesquinharia. **2.** Arriscar pouco dinheiro no jogo. [Conjug.: v. *largar.*]

pechisbeque [Do antr. (*Christopher*) *Pinchbeck*, relojoeiro inglês.] *S. m.* V. *ouropel*: "Eram raparigas da plebe, de saia e torço, argolões de pechisbeque nas orelhas; negras cintilantes de cordões de ouro e figas de prata" (Xavier Marques, *O Feiticeiro*, p. 340).

pechoso (ô) [De *pecha* + *-oso*.] ***Adj.*** **1.** Que tem pecha. **2.** Que acha pecha em tudo; caturra: "Poderá achar nesses escritos alguma rara cacofonia, de que nem o <u>pechoso</u> Virgílio se pôde esquivar, como notou Servius" (José de Alencar, *Obra Completa*, IV, pp. 942-943).

pecilandria [De *pecil(o)-* + *-andr(o)-* + *-ia*[1].] ***S. f.*** *Zool.* Tipo de polimorfismo em machos da mesma espécie, devido ao desenvolvimento variado dos caracteres sexuais secundários.

peciliida [Do tax. *Poecilia* + *-ida*[1].] ***S. m.*** ***Adj. 2 g.*** *Zool.* V. *peciliídeo*.

peciliídeo [Do tax. *Poecilia* (< gr. *poikilía*, 'variedade', 'diversidade') + *-ídeo*[1]; tax. *Poeciliidae*.] *Zool.* ***S. m.*** **1.** Espécime dos peciliídeos, família de peixes actinopterígios, ciprinodontes, que compreende pequenos peixes, ger. de água doce, apesar de algumas espécies serem encontradas em pântanos junto à costa marítima, como a Poecilia vivipara. ● ***Adj. 2 g.*** **2.** Pertencente ou relativo a eles. [Sin. ger.: *peciliida*.]

pecilítico [De *pecil(o)-* + *-lit(o)-* + *-ico*[2].] ***Adj.*** *Petr.* Relativo às, ou próprio das rochas magmáticas que apresentam vários cristais diminutos caoticamente incluídos num cristal maior, de natureza mineralógica diversa. [Diz-se da textura dessas rochas.]

▲ **pecil(o)-** [Do gr. *poikil-*, *poikilo-* < gr. *poikílos*, *ē*, *on*.] ***El. comp.*** = 'diverso'; 'variado'; 'variegado': *pecilandria*, *pecilocromático*, *pecilocrômico*, *pecilotérmico*.

pecilocromático [De *pecil(o)-* + *-cromat(o)-* + *-ico*[2].] ***Adj.*** V. *pecilocrômico*.

pecilocrómico ***Adj.*** V. *pecilocrômico*. [Uso freq. em P.]

pecilocrômico [De *pecil(o)-* + *-crom(o)-* + *-ico*[2].] ***Adj.*** Pintado de várias cores; variegado, matizado, pecilocromático.

pecilogonia [De *pecil(o)-* + *-gon(o)-*[2] + *-ia*[1].] ***S. f.*** *Biol.* Particularidade que apresentam algumas espécies de animais invertebrados, tais como as ascídias, os crustáceos e os insetos, de se desenvolverem de duas formas diferentes, de acordo com a quantidade de reserva nutritiva do ovo e as condições do meio ambiente.

pecilotermia [De *pecil(o)-* + *-term(o)-* + *-ia*[1].] ***S. f.*** Ectotermia.

pecilotérmico [De *pecil(o)-* + *-term(o)-* + *-ico*[2].] ***Adj.*** ***S. m.*** V. *ectotérmico*.

peciolação [De **peciolar* (< *pecíolo* + *-ar*[2]) + *-ção*.] ***S. f.*** *Bot.* **1.** Formação do pecíolo. **2.** Natureza ou feição peciolar.

pecioláceo [De *pecíolo* + *-áceo*.] ***Adj.*** *Bot.* Diz-se dos botões cujas escamas são constituídas de pecíolos abortados, como sucede com a nogueira.

peciolado[1] [De *pecíolo* + *-ado*[1].] ***Adj.*** *Bot.* Que tem pecíolo; peciolar. ~ V. *folha —*.

peciolado[2] [Do lat. *petiolus*, 'pezinho', + *-ado*[3]; tax. *Petiolata*.] ***Adj.*** ***S. m.*** *Zool.* V. *clistogastro*.

peciolar [De *pecíolo* + *-ar*[1].] ***Adj. 2 g.*** *Bot.* **1.** Relativo a, ou que tem forma de pecíolo: *glândula <u>peciolar</u>*. **2.** Peciolado[1].

pecioleano [De *pecíolo* + *-eano*.] ***Adj.*** *Bot.* Diz-se dos órgãos resultantes da degeneração do pecíolo.

pecíolo [Do lat. cient. *petiolus* < lat. *petiolus*, 'pezinho'.] ***S. m.*** **1.** *Bot.* Haste que sustenta o limbo da folha e a une à bainha ou diretamente ao ramo; pé. **2.** *Zool.* Nos insetos, segmento abdominal delgado que liga o abdome ao tórax.

peciolulado [De *peciólulo* + *-ado*[1].] ***Adj.*** *Bot.* Provido de peciólulo.

peciolular [De *peciolulo* + *-ar*[1].] ***Adj. 2 g.*** *Bot.* Relativo ou pertencente ao peciólulo.

peciólulo [De *pecíolo* + *-ulo*.] ***S. m.*** *Bot.* Haste que sustenta um folíolo numa folha composta, e que é quase sempre muito curta.

peco (ê) [De or. incerta.] ***S. m.*** **1.** Mal que faz definhar os vegetais; definhamento: "Conversávamos tranquilamente: .... Daqueles fortes calores que iam queimando a uva toda, ... do <u>peco</u> que tinha dado nos abrunhos." (Conde de Ficalho, *<u>Uma Eleição Perdida</u>*, p. 228). **2.** Indivíduo peco (5). ● ***Adj.*** **3.** Que não medrou. **4.** Que definhou: "Para frutos não concorre / Este vale ingrato e seco, / Um se enruga murcho e <u>peco</u>, / Outro morre ainda em flor." (Manuel Inácio da Silva Alvarenga, *ap.* Sérgio Buarque de Holanda, *Antologia dos Poetas Brasileiros da Fase Colonial*, II, p. 127.) **5.** *Fig.* Néscio, bronco. [Flex. do adj.: *peca* (ê), *pecas* (ê), *pecos* (ê). Cf. *peca*, *pecas* e *peco* do v. *pecar*.]

peconha [Do tupi.] ***S. f.*** *Bras. N.* Laço de corda ou de embira preso ao tronco das árvores sem ramos para nele se colocarem os pés a fim de subir. [Cf. *peias*.]

peçonha [Do lat. *potione*.] ***S. f.*** **1.** Secreção venenosa dalguns animais; veneno. **2.** *Fig.* Malícia, maldade.

peçonhento [De *peçonha* + *-ento*.] ***Adj.*** **1.** Que tem peçonha (1); venenoso. **2.** *Fig.* Que tem, ou em que há peçonha (2); pérfido, intrigante, venenoso.

pécora[1] [Do it. *pecora*.] ***S. f.*** *Deprec.* Meretriz.

pécora[2] [Adapt. do tax. *Pecora* < lat. *pecura*, pl. de *pecus*, *oris*, 'gado'.] *Zool.* ***S. 2 g.*** **1.** Espécime dos pécoras, subordem de mamíferos ruminantes, artiodáctilos, cuja dentadura apresenta falta de incisivos superiores e, em alguns casos, tb. de caninos superiores. Têm dois dedos funcionais em cada membro, e a maioria dos machos apresenta chifres. São os veados, as girafas, os bois, os carneiros, etc. ● ***Adj. 2 g.*** **2.** Pertencente ou relativo a eles.

pecorear [Do lat. *pecus*, *pecoris*, 'gado', + *-ear*[2].] ***V. int.*** *Ant.* Passar a noite no campo, ao relento, como o gado na malhada. [Conjug.: v. *frear*.]

➔ **pecorino** [peko'rino] [It.] ***S. m.*** *Cul.* Queijo de leite de ovelha (*pecora*, em italiano), que apresenta pelo menos quatro tipos diferentes, o romano, de massa mais dura e sabor mais picante e salgado, o sardo, o siciliano e o toscano.

pé-coxinho ***S. m.*** *Lus.* V. *amarelinha*[2]. [Pl.: *pés-coxinhos*.]

pécten [Do tax. *Pecten*.] ***S. m.*** *Zool.* **1.** Gênero de moluscos pelecípode que apresenta as valvas sob a forma de leques franjados. **2.** Espécie ou espécime desse gênero. [Pl.: *pectens* e *péctenes*.]

péctico [Do fr. *pectique* < gr. *pektikós*, 'que coagula'.] ***Adj.*** *Bioquím.* Diz-se de polímeros encontrados nos vegetais, de natureza glicídica, hidrolisáveis, formando material gelificado.

pectina [De *péct(ico)* + *-ina*[3]; fr. *pectine*.] ***S. f.*** **1.** *Bot.* Substância componente das lamelas médias das membranas vegetais. **2.** *Quím.* Substância extraída de frutos e raízes vegetais, e que é um pó branco, mistura de hidratos de carbono, facilmente gelificável.

pectinado [De *pectin(i)-* + *-ado*[1].] ***Adj.*** Em forma de pente: *antenas <u>pectinadas</u>*. ~ V. *folha —a*.

pectinase [De *pectina* + *-ase*.] ***S. f.*** *Bioquím.* Enzima que catalisa o desdobramento das matérias pécticas, fornecendo material que assume com facilidade o estado de um gel.

pectíneo [De *pectin(i)-* + *-eo*.] ***Adj.*** **1.** Que tem forma de pente; pectiniforme. **2.** Relativo a pente ou púbis.

▲ **pectin(i)-** [Do lat. *pecten*, *inis*.] ***El. comp.*** = 'pente': *pectinicórneo*, *pectiniforme*.

pectinibrânquio[1] [De *pectin(i)-* + *-brânquio*.] ***Adj.*** *Zool.* Diz-se de peixe que tem brânquias pectiniformes.

pectinibrânquio[2] [Adapt. do tax. *Pectinibranchia*.] *Zool.* ***S. m.*** **1.** Espécime dos pectinibrânquios, ordem de animais moluscos, gastrópodes, prosobrânquios, de ctenídios com filamentos dispostos em uma única fileira, um sifão, um órgão copulador e coração com uma só aurícula. ● ***Adj.*** **2.** Pertencente ou relativo a eles.

pectinicórneo [De *pectin(i)-* + *-corn(i)-* + *-eo*.] ***Adj.*** *Zool.* Que tem cornos ou antenas pectiniformes.

pectiniforme [De *pectin(i)-* + *-forme*.] ***Adj. 2 g.*** Pectíneo (1).

pectinolítico [De *pectina* + *-o-* + *(hidro)lítico*.] ***Adj.*** *Biol.* Diz-se de ser vivo capaz de digerir a pectina e desdobrá-la.

pectólita [Do gr. *pektós*, 'coagulado', + *-lita*.] ***S. f.*** *Min.* Mineral monoclínico, silicato ácido de sódio e cálcio.

pectoral [Do lat. *pectorale*.] ***Adj. 2 g.*** *P. us.* Peitoral (1 e 2).

▲ **pectori-** [Do lat. *pectus*, *ŏris*.] ***El. comp.*** = 'peito': *pectoriloquia*.

pectoriloquia [De *pectori-* + *-loqu(o)-* + *-ia*[1].] ***S. f.*** *Pneum.* Percepção distinta, mediante a ausculta do tórax, das palavras normalmente articuladas. ◆ **Pectoriloquia afônica.** *Pneum.* Percepção distinta, à ausculta torácica, de palavra cochichada, que se transmite através de derrame pleural seroso mas, não, através de derrame purulento.

pectoriloquo [De *pectori-* + *-loquo*.] ***Adj.*** *Med.* Que apresenta pectoriloquia.

pecuária [F. subst. do adj. *pecuário*.] ***S. f.*** Arte e indústria do tratamento e criação do gado.

pecuário [Do lat. *pecuariu*.] ***Adj.*** **1.** Relativo a gados. ~ V. *parceria —a*. ● ***S. m.*** **2.** Criador ou tratador do gado; pecuarista.

pecuarista [De *pecuária* + *-ista*.] ***S. 2 g.*** *Bras.* **1.** Pessoa que entende de pecuária, ou que a ela se dedica: "Não sei se os fazendeiros de Uberaba estão levando avante a ideia de erigir um monumento ao zebu. Espero .... que os prósperos <u>pecuaristas</u> do Triângulo .... não tenham desistido de tão generoso empreendimento" (A. S. de Mendonça Júnior, *Jornal da Província*, p. 29). **2.** Pecuário (2).

peçuelos (ê) [Do esp. plat. *pezuelos*.] ***S. m. pl.*** *Bras. RS* Espécie de alforje, repartido ao meio, que se põe à garupa e serve para o transporte de roupas e doutros objetos.

peculador (ô) [Do lat. *peculatore*.] ***S. m.*** Aquele que comete peculato.

peculatário [De *peculato* + *-ário*.] ***S. m.*** Funcionário acusado de peculato.

peculato [Do lat. *peculatu*, do lat. *pecus*, 'gado'; em certa época, foi o gado a base das fortunas.] ***S. m.*** Delito praticado pelo funcionário público que, tendo, em razão do cargo, a posse de dinheiro, valor, ou qualquer outro móvel, público ou particular, deles se apropria, ou os desvia, em proveito próprio ou alheio, ou que, embora não tenha posse desses bens, os subtrai ou concorre para que sejam subtraídos, usando das facilidades que seu cargo proporciona: "uma vez definitivamente rasgado o antigo véu de hipocrisia que, sob o nefando regímen extinto, encobria os <u>peculatos</u>, os subornos, as depredações e as tranquibérnias do governo, a todos os contribuintes é hoje dado contemplar a ilibada e inconcussa pureza de cada um dos ministros" (Ramalho Ortigão, *Últimas Farpas*, pp. 75-76).

peculiar [Do lat. *peculiare*.] ***Adj. 2 g.*** **1.** Relativo a pecúlio. **2.** Que é atributo particular de uma pessoa ou coisa; especial, próprio: *gesto <u>peculiar</u>*; *característica <u>peculiar</u>*; "Impulsivo e estouvado, ingênuo e humilde — sua <u>peculiar</u> natureza humana [de Austro-Costa] era sempre imprevista e dominadora" (Valdemar Lopes, *Austro-Costa, Poeta da Província*, p. 25).

peculiaridade [Do lat. tard. *peculiaritate*.] ***S. f.*** Qualidade ou circunstância peculiar, característica; particularidade: *Há no feitio dele <u>peculiaridades</u> estranhas*.

peculiarizar [De *peculiar* + *-izar*.] ***V. t. d. P.*** Ser peculiar; tornar(-se) peculiar.

pecúlio [Do lat. *peculiu*.] ***S. m.*** **1.** O total das economias acumuladas para uso em período posterior; mealheiro: *Deixou um <u>pecúlio</u> para os filhos*. **2.** Qualquer reserva de dinheiro. **3.** Bens, propriedades. **4.** Conjunto de coisas, notícias ou apontamentos relativos a certo assunto ou especialidade. [Var., p. us.: *pegulho*[1].]

pecúnia [Do lat. *pecunia*.] ***S. f.*** V. *dinheiro* (5): "Ficou-me a dever seis moedas; — mas esta diminuta migalha de <u>pecúnia</u> desaparece na copiosa onda de saber histórico com que fecundou o meu espírito." (Eça de Queirós, *A Relíquia*, p. 95.)

pecuniário [Do lat. *pecuniariu*.] ***Adj.*** Relativo a, ou representado por dinheiro.

pecunioso (ô) [Do lat. *pecuniosu*.] ***Adj.*** Cheio de pecúnia; endinheirado, dinheiroso, opulento, rico: "tinha uma mulher bonita e de algum modo prendada, mas sobretudo <u>pecuniosa</u>, que era para ele o essencial." (Machado de Assis, *Contos sem Data*, p. 152).

■ **Ped** *Mús.* Abrev. de *pedal* (5).

pedaçaria [De *pedaço* + *-aria*.] ***S. f.*** Montão de pedaços [v. *pedaço* (1)]; destroços.

pedaço [Do gr. *pittákion*, pelo lat. *pittacium*, e pelo lat. vulg. *pitacciu*.] ***S. m.*** **1.** Qualquer quantidade, separada ou não de uma substância sólida, de um todo; bocado, porção, fragmento, naco: *um <u>pedaço</u> de terra, de pão, de tecido*. **2.** Pequeno espaço de tempo: *Esperei-os um <u>pedaço</u>, e não vieram*. **3.** *Fig.* Trecho, passo, passagem: *Leia outra vez este <u>pedaço</u>*. **4.** *Bras. Pop.* Mulher benfeita de corpo; peixão; pedaço de mau caminho. **5.** *Bras.* Grande espaço de tempo: *Puxa! demorou um <u>pedaço</u>*; *Fiquei lá um bom <u>pedaço</u>*. ◆ **Pedaço de mau caminho.** *Bras. Pop.* **1.** Indivíduo mau, perigoso. **2.** V. *pedaço* (4): *Aquela mulher é um <u>pedaço de mau caminho</u>*. **Aos pedaços.** **1.** Desfeito, desmantelado. **2.** Rasgado, despedaçado. **3.** Quebrado, partido. **4.** *Fig.* Cansado, derreado. **A pedaços.** Aqui e ali; a espaços. **Estar caindo aos pedaços.** **1.** Ser muito velho, doente ou malconservado. **2.** Achar-se exausto; estar caindo pelas tabelas. **Fazer em pedaços.** **1.** Desfazer, destruir. **2.** Rasgar, romper. **3.** Quebrar, partir. **Passar um mau pedaço.** *Bras. Pop.* V. *comer da banda podre*.

pedado[1] [Do lat. *pedatu*.] ***Adj.*** *Bot.* Diz-se de órgãos foliáceos que se dispõem ao longo de um suporte, ficando mais ou menos paralelos entre si. ~ V. *folha —a*.

pedado[2] [De *ped(i)-* + *-ado*[3]; tax. *Pedata*.] *Zool.* ***S. m.*** **1.** Espécime dos pedados, segundo alguns autores, ordem de metazoários, equinodermos, holoturoides, com pés ambulacrários, dispostos em filas longitudinais ou distribuídos irregularmente na superfície do corpo. ● ***Adj.*** **2.** Pertencente ou relativo a eles.

pedágio [Do lat. vulg. **pedaticu*, pelo it. *pedaggio*.] ***S. m.*** *Bras.* **1.** Tributo cobrado pelo direito de passagem por uma via de transporte terrestre, como uma estrada, uma ponte, um túnel, etc. [Sin.: (ant.): *peagem*.] **2.** *P. ext.* Local onde se paga esse tributo; passagem. [Sin. ger. (lus.): *portagem*.]

pedagogia [Do gr. *paidagogía*.] ***S. f.*** **1.** *Educ.* Teoria e ciência da educação e do ensino. **2.** Conjunto de doutrinas, princípios e métodos de educação e instrução que tendem a um objetivo prático. **3.** O estudo dos ideais de educação, segundo uma determinada concepção de vida, e dos meios (processos e técnicas) mais eficientes para efetivar estes ideais. **4.** Profissão ou prática de ensinar.

pedagógico [Do gr. *paidagogikós*.] ***Adj.*** **1.** Da, ou respeitante à pedagogia: *métodos <u>pedagógicos</u>*; *Sua*

P

exposição é perfeitamente pedagógica. **2.** Conforme a pedagogia. ~ V. *gramática —a, oficina —a, planejamento —* e *projeto —*.

pedagogismo [De *pedagogo* + *-ismo*.] ***S. m.*** **1.** Sistema ou processo dos pedagogos. **2.** Exclusivismo no que se refere à pedagogia. **3.** Aplicação indiscriminada de doutrinas pedagógicas, sem base experimental ou científica.

pedagogista [De *pedagogia* + *-ista*.] ***S. 2 g.*** **1.** Especialista em pedagogia. **2.** Pesquisador e divulgador de assuntos de educação e ensino.

pedagogo (ô) [Do gr. *paidagogós*, pelo lat. *paedagogu*.] ***S. m.*** **1.** Aquele que aplica a pedagogia, que ensina; professor, mestre, preceptor. **2.** Prático da educação e do ensino. **3.** *Fam.* Aquele que se julga com o direito de censurar os outros.

pé-d'água *S. m. Bras.* V. *aguaceiro* (1). [Pl.: *pés-d'água*.]

pedal [Do lat. *pedale*.] ***S. m.*** **1.** *Mús.* No piano, cada uma das alavancas de metal sobre as quais o executante apoia os pés, quer para suspender a ação dos abafadores e permitir que todas as cordas vibrem livremente (pedal direito ou dos abafadores), quer para diminuir a intensidade dos sons (pedal esquerdo ou surdina). **2.** *Mús.* Cada uma das alavancas de metal colocadas no soco da harpa, que acionam o mecanismo interior e permitem ao executante fazer as alterações. **3.** *Mús.* Cada uma das sapatas que acionam os foles dos harmônios. **4.** *Mús.* No órgão, cada uma das teclas que formam a pedaleira. **5.** *Mús.* Em harmonia, um ou mais sons que fazem obrigatoriamente parte de um acorde e se sustentam ou se repetem com persistência por dois, três ou mais compassos, e até por toda uma peça musical. [Geralmente esse som está no registro grave, e quase sempre é a tônica (*pedal de tônica*), ou a dominante (*pedal de dominante*) ou de ambas (*duplo pedal*), e pode conter ornamentos, pulos de oitava, etc.] **6.** Peça mecânica de comando ou de transmissão, que é acionada com o pé: 🗎 *pedal de bicicleta, de automóvel, de avião, de máquina de costura.* **7.** *Aer.* Componente do avião, por meio do qual o piloto aciona os freios (no solo) e o leme de direção (em voo). ◆ **Pedal de dominante.** *Mús.* V. *pedal* (5). **Pedal de tônica.** *Mús.* V. *pedal* (5). **Duplo pedal.** *Mús.* V. *pedal* (5).

pedalada [De *pedalar* + *-ada*[1].] ***S. f.*** Cada impulso que se imprime ao pedal.

pedalagem [De *pedalar* + *-agem*[2].] ***S. f.*** Ato de pedalar.

pedalar [De *pedal* + *-ar*[2].] ***V. t. d.*** **1.** Mover ou acionar o pedal de: 📖 "janto com Hubert e sua esposa, uma senhora franzina .... que esta tarde vi pelas ruas de Claremont pedalando bravamente a sua bicicleta" (Érico Veríssimo, *A Volta do Gato Preto*, p. 298). ***Int.*** **2.** Mover os pedais de qualquer máquina: 📖 "Parece-me vê-la ainda à sua máquina de costura, as pernas pedalando com cadência" (Reginaldo Guimarães, *Uma Blusa no Cais*, p. 45). **3.** Andar de bicicleta.

pedaleira [De *pedal* + *-eira*.] ***S. f.*** *Mús.* Mecanismo semelhante a um teclado de madeira, colocado na parte inferior do consolo do órgão, ou na parte dianteira inferior do cravo, e acionado pelos pés do executante. [Tb. foi aplicado, mas sem continuidade, a certos pianos.]

pedaleiro [De *pedal* + *-eiro*.] ***S. m.*** O conjunto dos pedais dos velocípedes, que compreende todo o maquinismo que lhes diz respeito.

pedaliácea [Do tax. *Pedalium* (do gr. *pedálion*, 'leme') + *-ácea*; tax. *Pedaliaceae*.] ***S. f.*** *Bot.* Espécime das pedaliáceas, família de plantas da ordem das escrofulariales, cujas vistosas flores são zigomorfas e levam androceu didínamo, têm o ovário bilocular ou quadrilocular, e fruto capsular ou drupáceo. São plantas herbáceas de folhas opostas, das quais há umas 60 espécies, sobretudo tropicais, poucas brasileiras.

pedaliáceo [De *pedaliácea*, com var. suf. (v. *-áceo*).] ***Adj.*** *Bot.* Pertencente ou relativo às pedaliáceas.

pedalinérveo [Do lat. *pedalis, e*, 'pedal', + *-nerv(i)-* + *-eo*.] ***Adj.*** *Bot.* Diz-se das folhas em que a base do limbo lança duas ou mais nervuras principais muito divergentes, tendo cada uma delas nervuras secundárias, paralelas entre si.

pedalinho [De *pedal* + *-inho*[1].] ***S. m.*** *Bras.* Pequeno barco movido a pedais.

pedâneo [Do lat. *pedaneu*.] ***Adj.*** **1.** Dizia-se dos juízes que, nas vilas e aldeias, julgavam de pé. **2.** Não letrado.

pedantaria [De *pedante* + *-aria*.] ***S. f.*** V. *pedantismo*.

pedante [Do it. *pedante*.] ***Adj. 2 g.*** **1.** Que se expressa exibindo conhecimentos que realmente não possui; parlapatão, impostor, vaidoso, pretensioso. **2.** Que ostenta erudição afetada e livresca; afetado, amaneirado, rebuscado. ● ***S. 2 g.*** **3.** Pessoa pedante.

pedantear [De *pedante* + *-ear*[2].] ***V. int.*** Alardear sabedoria que não se tem; mostrar-se pedante. [Conjug.: v. *frear*.]

pedanteria [De *pedante* + *-eria*.] ***S. f.*** V. *pedantismo*.

pedantesco (ê) [Do it. *pedantesco*.] ***Adj.*** Em que há, ou que revela pedantismo; enfático: 🗎 *linguagem pedantesca.*

pedantice [De *pedante* + *-ice*.] ***S. f.*** V. *pedantismo*.

pedantismo [De *pedante* + *-ismo*.] ***S. m.*** Qualidade, ato, dito ou maneiras de pedante; pedantaria, pedanteria, pedantice.

pedantocracia [De *pedante* + *-o-* + *-cracia*.] ***S. f.*** Governo ou influência do pedantismo ou das mediocridades ambiciosas.

pedantocrata [De *pedante* + *-o-* + *-crata*.] ***Adj. 2 g. S. 2 g.*** Que, ou quem pertence à pedantocracia.

pedantocrático [De *pedantocrata* + *-ico*[2].] ***Adj.*** Referente à pedantocracia.

pedarquia [De *ped(o)-* + *-arquia*.] ***S. f.*** Governo de crianças.

pedárquico [De *pedarquia* + *-ico*[2].] ***Adj.*** Relativo à pedarquia.

pedartículo [De *ped(i)-* + *artículo*.] ***S. m.*** *Anat. Impr.* V. *pododáctilo*.

▲ **pedati-** [Do lat. *pedātus, a, um*.] ***El. comp.*** = 'que tem pés'; 'peciolado': *pedatífido, pedatissecto*.

pedatífido [De *pedati-* + *-fido*.] ***Adj.*** *Bot.* ~ V. *folha —a*.

pedatinérveo [De *pedati-* + *-nerv(i)-* + *-eo*.] ***Adj.*** Que tem nervuras dispostas, de ambos os lados da folha, de maneira cimosa, lembrando uma folha pedada.

pedatipartido [De *pedati-* + *partido*.] ***Adj.*** *Bot.* ~ V. *folha —a*.

pedatissecto [De *pedati-* + *-secto*.] ***Adj.*** *Bot.* ~ V. *folha —a*.

pedatrofia [De *ped(o)-* + *atrofia*.] ***S. f.*** *Patol.* V. *atrepsia* (1).

pedauca [Do fr. *pédauque*.] ***S. f.*** Figura de mulher, com pés de pata, que se encontra nalguns monumentos medievais e representava, segundo se dizia, a rainha Berta, mãe de Carlos Magno.

▲ **-pede** V. *ped(i)-*.

pé de alferes *S. m. Fam.* V. *namoro* (1): 📖 "De noite, no baile, começaram de pé de alferes. O cabra bebeu além da conta e andou tomando adiantamentos com a mulatinha." (M. Cavalcanti Proença, *Manuscrito Holandês*, p. 80.) [Pl.: *pés de alferes*.] ◆ **Fazer pé de alferes a.** V. *namorar* (1). ☑

pé de altar *S. m.* Rendimento que os párocos auferem dos casamentos, batizados, enterros, etc. [Pl.: *pés de altar*.] ☑

pé de amigo *S. m. Bras. S.* Peia que prende o animal por três pés (as mãos e um pé), impedindo o coice. [Pl.: *pés de amigo*.] ☑

pé de anjo *S. m. Bras.* Tênis (2) branco. [Pl.: *pés de anjo*. Cf. *pé de anjo*, loc.] ☑

pé de atleta *S. f. Derm.* Micose superficial crônica da pele do(s) pé(s), devida a fungos das espécies *Tricophyton* ou *Epudermophyton floccosum*. [Pl.: *pés de atleta*.] ☑

pé de banco *S. m. Bras.* Lugar raso em canal de rio navegável. [Pl.: *pés de banco*.] ☑

pé-de-bezerro *S. m. Bras. Bot.* V. *taioba* (1). [Pl.: *pés-de-bezerro*.]

pé de bode *S. m. Bras. N.E. MG* Sanfona de oito baixos. [Pl.: *pés de bode*.] ☑

pé de boi *S. m.* **1.** *Fam.* Pessoa aferrada a costumes antigos, que desdenha inovações. **2.** *Bras. Fam.* Pessoa muito trabalhadora, cumpridora das suas obrigações: 📖 "Teresa era ainda um pé de boi no trabalho, e ele também dava conta de um bom eito." (Guido Vilmar Sassi, *São Miguel*, p. 29.) [Pl.: *pés de boi*.] ☑ notas 1 e 2

pé-de-boi *S. m. Bot.* V. *mororó* (2). [Pl.: *pés-de-boi*.]

pé de burro *S. m. Bras. N.E. Pop.* Fumo de qualidade inferior. [Pl.: *pés de burro*.] ☑ notas 1 e 2

pé-de-burro *S. m. Bot.* V. *açafrol* (1). [Pl.: *pés-de-burro*.]

pé de cabra *S. m.* **1.** Alavanca de ferro cuja extremidade é fendida à semelhança de um pé de cabra. [Sin. (bras., RJ): *truncha*.] **2.** *Bras. Pop.* V. *diabo* (2). [Pl.: *pés de cabra*.] ☑ notas 1 e 2

pé-de-cabra *S. m. Bot.* Salsa-da-praia. [Pl.: *pés-de-cabra*.]

pé de cachorro *S. m.* **1.** *Bras. ES* Indivíduo reles, sem importância. **2.** *Bras.* Pessoa feia ou pouco atraente. [Pl.: *pés de cachorro*.] ☑

pé de cana [De *pé* + *de* + *cana*[1].] *S. m. Bras. Pop.* V. *ébrio* (8). [Pl.: *pés de cana*.] ☑

pé de carneiro [De *pé* + *de* + *carneiro*[1].] *S. m.* **1.** *Constr. Nav.* Qualquer peça ou parte da estrutura de uma embarcação que tenha forma de coluna. **2.** Rolo pé de carneiro. [Pl.: *pés de carneiro*.] ☑

pé de chinelo *S. m. Bras. Gír.* **1.** V. *pé de poeira* (2). **2.** Marginal (6) pouco perigoso: 📖 "Os ladrões, considerados pela polícia paulista como pés de chinelo (sem importância) foram detidos" (*Correio da Manhã*, 26.03.1971). **3.** V. *bunda-mole*. [Pl.: *pés de chinelo*.] ☑

pé de chumbo *S. m.* **1.** Indivíduo grosseiro, pesado. **2.** *Bras.* V. *galego* (4). **3.** *Bras.* Pessoa que não progride na vida, apesar de tudo lhe ser favorável; zé-ninguém. [Pl.: *pés de chumbo*.] ☑ notas 1 e 2

pé-de-chumbo *S. m. Bras. Bot.* V. *cardeal-do-brasil*. [Pl.: *pés-de-chumbo*.]

pé de escada *S. m. Bras. PE* Pequeno estabelecimento ou negócio instalado ao pé de uma escada. [Pl.: *pés de escada*.] ☑

pé de galinha *S. m.* **1.** Conjunto de rugas no canto externo dos olhos. **2.** *Encad.* Rugas que ficam num ângulo do caderno por defeito de dobragem. **3.** *Bras. Constr. Nav.* Qualquer peça ou parte da estrutura de uma embarcação constituída de dois ou três braços (ou hastes) convergentes, e destinada a sustentar um eixo, haste, etc. [Pl.: *pés de galinha*.] ☑ notas 1 e 2

pé-de-galinha *S. m. Bras. Bot.* V. *capim-de-burro*. [Pl.: *pés-de-galinha*.]

pé-de-galo [De *pé* + *de* + *galo*[1].] *S. m. Bot.* Lúpulo (1). [Pl.: *pés-de-galo*.]

pé de gancho *S. m. Bras.* V. *diabo* (2). [Pl.: *pés de gancho*.] ☑

pé de garrafa *S. m. Bras.* Personagem mitológico, invisível, mas reconhecível pelo rastro semelhante ao fundo de uma garrafa, o qual aos gritos, que se vão amiudando e afinal parecem partidos de todas as direções, angustia e desorienta os caçadores na floresta, que não conseguem encontrar o caminho de volta. [Pl.: *pés de garrafa*.] ☑

pé-de-gato *S. m. Bras. Bot.* Erva asterácea (*Antenaria dioica*) proveniente da Europa e Ásia, inteiramente recoberta de pilosidade alvacenta, que tem folhas espatuladas, flores tubulosas, unissexuais e ordenadas em capítulos solitários, e não é espécie vistosa. [Pl.: *pés-de-gato*.]

pé-de-meia [De *pé* + *de* + *meia*[1].] *S. m.* Mealheiro, pecúlio, economias. [Pl.: *pés-de-meia*.]

pé de mesa *S. m. Bras. Chulo* **1.** Membro viril muito avantajado. **2.** Indivíduo que o tem: 📖 "o morenaço, o bonitão, com certeza um pé de mesa" (Jorge Amado, *Dona Flor e Seus Dois Maridos*, p. 389). [Pl.: *pés de mesa*.] ☑

pé de moleque [De *pé* + *de* + *moleque*[1].] *S. m.* **1.** *Bras. Cul.* Doce de consistência sólida, feito com açúcar ou rapadura e fragmentos de amendoim torrado: 📖 "Tabuleiros de negras velhas .... se estendiam em frente ao circo, vendo-se sobre os panos brancos .... bolinhos de frango, amendoim, pé de moleque, e mil guloseimas amontoadas em ordem." (Cornélio Pires, *Quem Conta um Conto...*, p. 100.) **2.** *Bras. N.E. Cul.* Bolo preparado com a massa de mandioca puba, coco e açúcar. **3.** *Bras. MG RJ C.O.* Calçamento feito com pedras de formato irregular: 📖 "Em ruas de Parati, calçadas com pés de moleque, escorrem filetes de água preta, suja." (*Jornal do Brasil*, 24.01.1982.) [Pl.: *pés de moleque*.] ☑

pé de negro *S. m. Bras. MG* Broa de fubá assada no borralho e envolvida em folhas verdes de bananeira. [Pl.: *pés de negro*.] ☑

pé de oiro *S. m. Bras.* V. *pé de ouro*. [Pl.: *pés de oiro*.] ☑

pé de ouro *S. m. Bras. Fig.* Pé de valsa. [Var.: *pé de oiro*. Pl.: *pés de ouro*.] ☑

pé de ouvido *S. m. Bras. SP* Murro no pé do ouvido. [Pl.: *pés de ouvido*.] ☑

pé de parede *S. m. Bras. N.E.* Jogo de aposta entre meninos, no qual um níquel é atirado ao pé de uma parede, ganhando o parceiro que o puser mais perto dela. [Sin. Bras. S.: *paredinha*. Pl.: *pés de parede*.] ☑

pé de pato [De *pé* + *de* + *pato*[1].] *S. m.* **1.** *Bras. Pop.* V. *diabo* (2). **2.** *Bras.* Calçado de borracha, em forma de pé de pato, que os nadadores e mergulhadores adaptam aos pés para se deslocarem com rapidez maior dentro da água. [Sin.: *nadadeira* e (lus.) *barbatana*. Pl.: *pés de pato*.] ☑

pé-de-pau *S. f. Bras. Zool.* V. *guarapu* (1). [Pl.: *pés-de-pau*. Cf. *pé de pau*.]

pé de pavão *S. m. Bras.* **1.** Pé feio ou aleijado. **2.** *Fig.* Defeito físico, que aquele que o tem procura ocultar. [Pl.: *pés de pavão*.] ☑

pé de peia (êi) *S. m. Bras. N.E. Pop.* V. *diabo* (2). [Pl.: *pés de peia*.] ☑

pé de poeira *S. m. Bras.* **1.** Alcunha de soldado da infantaria. 📖 "Por último, ... arrastava-se o capitão Batatinhas, ... praguejando contra o papel de pé de poeira que o destino lhe reservara naquela campanha – a ele, um oficial da cavalaria divisionária!" (Fernando Sabino, *O Grande Mentecapto*, p. 221.) **2.** Indivíduo de ínfima condição social; plebeu; pé de chinelo. [Pl.: *pés de poeira*.] ☑

pé de rabo *S. m. Bras. N.E. Chulo* Nádegas, ancas, traseiro, rabo: 📖 "escorregava-lhe a mão pelos quartos amplos, com um piscar cínico: – Isto é que é um pé de rabo, menino!" (Moreira Campos, *Portas Fechadas*, p. 247). ☑

pederasta [Do gr. *paiderastés*.] ***S. m.*** Aquele que é dado à pederastia. [Sin., bras., N.: *tobeiro*.]

pederastia [Do gr. *paiderastía*.] ***S. f.*** **1.** Contato sexual entre um homem e rapaz bem jovem. **2.** *P. ext.* Homossexualismo masculino. [Cf., nesta acepç., *uranismo* (2).]

pederástico [Do gr. *paiderastikós*.] *Adj.* Relativo à pederastia, ou a pederasta(s).

pedernal [Por *pedren-* (< lat. *petrinu*, 'pétreo', < gr. *pétrinos*) + *-al*¹, com metátese.] *S. m.* **1.** V. *pederneira*. **2.** Veio de pederneira. **3.** Rocha viva. ● *Adj. 2 g.* **4.** Relativo a pedra; pétreo.

pederneira [Do lat. vulg. **petrinariu*.] *S. f.* Pedra muito dura, que produz faíscas, quando ferida com um fragmento de aço; sílex, pedernal, pedra de fogo: 📖 "E estendendo-se ao pé duma azinheira / Petisca-va o fuzil na pederneira" (Conde de Monsaraz, *Musa Alentejana*, p. 105).

pederneirense *Adj. 2 g.* **1.** De, ou pertencente ou relativo a Pederneiras (SP). ● *S. 2 g.* **2.** O natural ou habitante de Pederneiras.

pé-de-serrense *Adj. 2 g.* **1.** De, ou pertencente ou relativo a Pé de Serra (BA). ● *S. 2 g.* **2.** O natural ou habitante de Pé de Serra. [Pl.: *pé-de-serrenses*.]

pedessista *Adj. 2 g.* **1.** Relativo ao, ou que é partidário ou simpatizante do PDS (Partido Democrático Social). ● *S. 2 g.* **2.** Partidário ou simpatizante do PDS.

pedestal [Do it. *piedistallo*, pelo fr. *piédestal*.] *S. m.* **1.** Peça de pedra, de metal, ou de madeira, que sustenta uma estátua, uma coluna, etc.; base. **2.** Soco, supedâneo, peanha. **3.** V. *plinto* (2).

pedestre [Do lat. *pedestre*.] *Adj. 2 g.* **1.** Que anda ou se acha a pé. **2.** Que se faz a pé. **3.** *Fig.* Humilde, modesto. ~ V. *estátua* —. ● *S. 2 g.* **4.** Pessoa que anda a pé; peão. ● *S. m.* **5.** *Bras. S.* Soldado de polícia do Rio de Janeiro antigo: 📖 "Com o fim de manter a ordem, um ou mais pedestres, munidos de grossas chibatas, guarneciam a ronda" (Melo Morais Filho, *Festas e Tradições Populares do Brasil*, p. 173).

pedestrianismo [Do ingl. *pedestrianism*.] *S. m.* Esporte que consiste em grandes marchas a pé.

petedídeo [Do tax. *Pedetes* (< gr. *pedetés*, 'saltador') + *-ídeo*¹; tax. *Pedetidae*.] *Zool. S. m.* **1.** Espécime dos pedetídeos, família de mamíferos roedores da África austral, do porte de uma pequena lebre, e de carne tida como muito saborosa. ● *Adj.* **2.** Pertencente ou relativo a eles.

pedetista *Adj. 2 g.* **1.** Relativo ao, ou que é partidário ou simpatizante do PDT (Partido Democrático Trabalhista). ● *S. 2 g.* **2.** Partidário ou simpatizante do PDT.

pé de valsa *S. m. Bras. Fam.* Dançarino consumado; pé de ouro: 📖 "fora emérito dançarino, pé de valsa conhecido nos seus tempos de Pensão Monte Carlo" (Jorge Amado, *Os Velhos Marinheiros*, p. 255). [Pl.: *pés de valsa*.] ☑

pé de vento *S. m.* **1.** Ventania repentina, de curta duração. **2.** *Bras.* Vento forte; tufão, furacão. [Pl.: *pés de vento*.] ☑

▲ **ped(i)-** [Do lat. *pes, pedis*.] *El. comp.* = 'pé': *pedartículo, pediforme*. [Equiv.: *pedo-*¹, *-pede*, *-ped(i)-*: *pedômetro*; *flambelípede*; *ludopédio*.]

▲ **-ped(i)-** *El. comp.* V. *ped(i)-*.

▲ **-pedia** [Do gr. *-paideía* (como no gr. *propaideía*, 'educação preliminar') < gr. *paideía, as*, 'educação das crianças'.] *El. comp.* = 'educação'; 'correção': *ortopedia, zoopedia*. [V. *-ia*¹.]

pediatra [De *ped(o)-* + *-iatra*.] *S. 2 g.* Especialista em pediatria.

pediatria [De *ped(o)-* + *-iatria*.] *S. f.* Ramo da medicina que se ocupa das doenças das crianças em todos os seus aspectos.

pediátrico [De *pediatra* + *-ico*².] *Adj.* Referente à pediatria.

pedicelado [De *pedicelo* + *-ado*¹.] *Adj. Bot.* Dotado de pedicelo: 📄 *flor pedicelada*. [Opõe-se a *séssil* (3).]

pedicelária [De *pedicelo* + *-ária*.] *S. f.* Pequeno órgão provido de glândulas de peçonha, que nos asteroides é séssil e termina em dois ramos em forma de pinça, às vezes sem glândulas peçonhentas, e nos equinoides é pedunculado e com três ramos terminais.

pedicelo [Do lat. cient. *pedicellus*, do dim. do lat. *pediculus*, 'pequeno pé'.] *S. m. Bot.* Haste que sustenta a flor.

pediculado¹ [Do lat. *pediculatu*.] *Adj. Bot.* Provido de pedículo (3): 📄 *esporângio pediculado*.

pediculado² [Do lat. *pediculus*, 'pezinho', + *-ado*³; tax. *Pediculati*.] *Zool. S. m.* **1.** Espécime dos pediculados, ordem de peixes actinopterígios, com a primeira nadadeira dorsal cefálica, as nadadeiras ventrais jugulares ou ausentes, aberturas branquiais muito reduzidas, atrás da base da peitoral. São peixes de profundidade. ● *Adj.* **2.** Pertencente ou relativo a eles.

pediculicida [De *pedículo* + *-i-* + *-cida*.] *Adj. 2 g.* Diz-se de, ou preparado químico que mata pedículos.

pediculídeo [Do tax. *Pediculus* (< lat. *pediculus*, 'piolho') + *-ídeo*¹; tax. *Pediculidae*.] *Zool. S. m.* **1.** Espécime dos pediculídeos, família de insetos anopluros que reúne os piolhos mais conhecidos, como o da cabeça e o do corpo do homem, cujos ovos, denominados lêndeas, se fixam nos cabelos ou nas costuras das roupas. Hematófagos, podem transmitir doenças, entre eles o tifo exantemático. ● *Adj.* **2.** Pertencente ou relativo a eles.

pedículo¹ [Do lat. *pediculu*, 'pezinho'.] *S. m.* **1.** *Anat.* Conjunto formado por vasos e nervos que fornecem, total ou parcialmente, vascularização e inervação a um órgão. [Em certos órgãos (p. ex., o rim), o conjunto inclui, também, ducto especial, pelo qual escoa produto elaborado por esse órgão.] **2.** *Anat.* Numa vértebra, cada uma de duas porções, uma de cada lado, que unem, ambas, a massa apofisária ao corpo vertebral. **3.** *Bot.* Qualquer haste que sustenta um órgão ou parte vegetal que não seja folha, flor e inflorescência. [Assim, não é lícito confundir *pecíolo*, *pedicelo* e *pedúnculo* — entre si e com *pedículo*. Cf. *pedúnculo*.] **4.** *Patol.* Porção afilada de um tumor ou neoformação, que serve de elemento de implantação numa formação (5).

pedículo² [Do tax. *Pediculus* < lat. *pediculus*, 'piolho'.] *S. m. Zool.* **1.** O gênero-tipo dos pediculídeos. **2.** Qualquer espécie desse gênero como, p. ex., a *Pediculus humanus*, que se alimenta de sangue humano e é importante vetor do tifo epidêmico e de outras doenças. **3.** Qualquer espécime desse gênero.

pediculose [Do tax. *Pediculus*, gênero-tipo, + *-i-* + *-ose*¹.] *S. f. Med.* **1.** Infestação por piolhos pediculídeos, principalmente pela espécie *Pediculus humanus*. **2.** Cada uma das manifestações mórbidas determinadas pela pediculose (1) em certas partes do corpo: 📄 *pediculose inguinal*, *pediculose pubiana*.

pedicura *S. 2 g.* V. *pedicure*.

pedicure [Do fr. *pedicure*.] *S. 2 g.* **1.** Aquele ou aquela que se dedica aos cuidados e embelezamento dos pés. **2.** *Restr.* Calista. [Var.: *pedicura, pedicuro*.]

pedicuro *S. m.* V. *pedicure*.

pedida [De *pedir* + *-ida*³.] *S. f.* **1.** A carta que cada jogador vai pedindo, em certos jogos de azar. **2.** *Bras. Pop.* Sugestão, indicação, providência ou pedido considerado conveniente, oportuno, satisfatório: 📄 — *Que é que vai comer? Polvo? Boa pedida!*; *A alteração no trânsito foi uma boa pedida*.

pedido [Do lat. *petitu*.] *S. m.* **1.** Ato de pedir; solicitação. **2.** A coisa pedida. **3.** V. *rogo* (1). **4.** Pedido de casamento. **5.** Solicitação de compra; encomenda. **6.** Procura de mercadoria: 📄 *A fábrica fechou por falta de pedidos*. ● *Adj.* **7.** Rogado, solicitado, suplicado. ~ V. *missa* —*a*.

pedidor (ô) [Do lat. *petitore*.] *Adj.* **1.** Que pede; pedinte. ● *S. m.* **2.** Aquele que pede; pedinte, peticionário.

pediforme [De *ped(i)-* + *-forme*.] *Adj. 2 g.* Que tem forma de pé.

pedigolho (ô) [Var. de *pedigonho*.] *S. m.* V. *pedinchão* (2).

pedigonho *S. m.* V. *pedinchão* (2).

➔ **pedigree** ['pɛdɪgri:] [Ingl.] *S. m.* Registro de uma linha de ancestrais (de cachorros ou de cavalos, sobretudo).

pedilúvio [De *ped(i)-* + lat. *luvio* < v. lat. *luere*, 'lavar', à maneira de *dilúvio* e outros voc.] *S. m.* Banho dos pés.

pedímano [De *ped(i)-* + *-mano*².] *Adj. S. m. Zool.* Diz-se de, ou animal como, p. ex., o gambá, que apresenta as extremidades anteriores sob a forma de mãos.

pedimento [De *pedir* + *-mento*.] *S. m.* Petição, súplica.

pedincha [Dev. de *pedinchar*.] *S. f.* **1.** Ato de pedinchar; pedinchamento. ● *S. 2 g.* **2.** *Bras.* V. *pedinchão* (2). ● *Adj. 2 g.* **3.** *Bras. S.* V. *pedinchão* (1).

pedinchamento [De *pedinchar* + *-mento*.] *S. m.* V. *pedincha* (1).

pedinchão [De *pedincha* + *-ão*¹.] *Adj.* **1.** Que pedincha; pedincha, pedinheiro, gandulo. ● *S. m.* **2.** Aquele que pedincha. [Sin., nesta acepç.: *pedintão, pedigolho, pedigonho, pidão, pidonho* e (bras., S.) *pedincha, pedinheiro, gandulo*. Fem.: *pedinchona*.]

pedinchar [De *pedir*.] *V. t. d. Int.* Pedir com impertinência ou lamúria; pedir muito: 📖 "Tinha por todas as crianças a mesma ternura: eram entes fracos que não se sabiam defender, como os velhinhos que tremem no vão das portas, pedinchando esmolas" (Coelho Neto, *Obra Seleta*, I, p. 748); 📄 *Habituou-se a pedinchar*. [Sin.: *pedinhar*.]

pedincharia [De *pedinchar* + *-ia*¹.] *S. f.* V. *pedinchice*.

pedincheira [De *pedinchar* + *-eira*.] *S. f. Bras.* V. *pedinchice*.

pedinchice [De *pedinchar* + *-ice*.] *S. f.* **1.** Hábito de pedinchar. **2.** Ato de pedinchar continuamente. [Sin. ger.: *pedincharia* e (bras.) *pedincheira*.]

pedinchona *S. f.* Fem. de *pedinchão* (q. v.).

pedinhar [De *pedir* + *-inhar*.] *V. t. d. Int.* V. *pedinchar*.

pedinheiro [De *pedinhar* + *-eiro*.] *Adj. S. m.* V. *pedinchão* (1 e 2).

pedinornito [Do gr. *pedinós*, 'que habita uma planície', + *-ornito*.] *Adj. Zool.* Diz-se das aves que vivem nas planícies.

pedintão [De *pedinte* + *-ão*¹.] *S. m.* V. *pedinchão* (2). [Fem.: *pedintona*.]

pedintaria [De *pedinte* + *-aria*.] *S. f.* A classe dos pedintes; mendicidade.

pedinte [Do lat. *petiente*, pela f. **petinte*.] *Adj. 2 g.* **1.** Que pede; pedidor. **2.** Que mendiga. ● *S. 2 g.* **3.** Pessoa que pede; pedidor. **4.** Pessoa que mendiga. [Aum.: *pedintão* e *pedinchão*.]

pedintona *S. f.* V. *pedintão*.

▲ **pedio-** [Do gr. *pedíon, ou*.] *El. comp.* = 'plano', 'planície'; 'campo': *pediopatia*.

pediónomo *Adj. Zool.* V. *pediônomo*. [Uso freq. em P.]

pediônomo [Do gr. *pedionómos*, 'que habita as planícies'.] *Adj. Zool.* Que vive nos campos.

pediopatia [De *pedio-* + *-patia*.] *S. f. Med.* Perturbação resultante de ação da terra, do solo, do lugar onde o paciente permaneceu, atuando ou repousando.

pediopático [De *pediopatia* + *-ico*².] *Adj. Med.* Relativo a pediopatia.

pedioso (ô) [De *ped(i)-* + *-oso*.] *Adj. Anat.* Relativo ou pertencente a pé (1).

pedipalpo [Adapt. do tax. *Pedipalpi*.] *Zool. S. m.* **1.** Espécime dos pedipalpos, ordem de artrópodes aracnídeos, de abdome segmentado, preso ao cefalotórax por um pedículo, quelíceras bissegmentadas, patas anteriores às vezes extraordinariamente alongadas, e dois pares de pulmões. São noturnos e algumas espécies, cavernícolas. ● *Adj.* **2.** Pertencente ou relativo a eles.

pedir [Do lat. **petire*, por *petere*.] *V. t. d.* **1.** Rogar que conceda; solicitar: 📄 *pedir um emprego*; *pedir perdão*. **2.** Suplicar, implorar. **3.** Exigir, reclamar: 📄 *A dureza do júri pedia a condenação do réu*. **4.** Requerer, demandar: 📄 *pedir satisfações*; *O assunto pedia discrição absoluta*. **5.** Querer, necessitar: 📄 *Sua fome pede uma lauta refeição*. **6.** Impelir para; induzir a; clamar por: 📄 *A grande injustiça pedia vingança*. **7.** Solicitar em casamento; pedir a mão de. *T. d. e i.* **8.** Rogar; solicitar: 📄 *Peço-lhe este favor*. **9.** Suplicar, implorar; rogar: 📖 "Encerra em ti tua tristeza inteira. / E pede humildemente a Deus que a faça / Tua doce e constante companheira..." (Manuel Bandeira, *Estrela da Vida Inteira*, p. 46.) **10.** Exigir, reclamar: 📖 "O cristianismo pede o máximo ao homem, que em geral só quer dar o mínimo." (Murilo Mendes, *O Discípulo de Emaús*, p. 89.) *T. i.* **11.** Fazer pedido (por outrem); interceder: 📄 *Egoísta, não pede por ninguém*. *T. c. e i.* **12.** Exigir como preço do que vende; pôr como preço: 📄 *Pede cem mil pelo apartamento*. *Int.* **13.** Fazer pedidos, súplica, solicitação: 📖 "entre a turba Hipérides assoma, / Defende-lhe a inocência, exclama, exora, pede, / Suplica, ordena, exige..." (Olavo Bilac, *Poesias*, p. 78); 📄 *Tem a mania de pedir*. **14.** Rogar a Deus; orar. [Irreg. Pres. ind.: *peço, pedes, pede, pedimos, pedis, pedem*; pres. subj.: *peça, peças, peça, peçamos, peçais, peçam*.]

pé-direito *S. m.* **1.** *Arquit. Constr.* Altura livre de um andar de edifício, medida do piso ao teto: 📖 "Larga escadaria dava acesso a esse apartamento, no primeiro andar, abrindo numa antecâmara ligada à sala de jantar, de pé-direito muito alto" (Melo Nóbrega, *O Soneto de Arvers*, p. 15). **2.** *Constr.* Pilar ou muro sobre o qual assenta um arco, uma abóbada, ou uma armação de madeira ou de cantaria: 📖 "os pés-direitos, transformados em colunas agrupadas, atiravam-se para o alto a sustentar o peso formidável das arcadas em místico trifólio." (Inglês de Sousa, *O Missionário*, p. 185). **3.** *Bras.* Partes laterais de uma *lapa*¹ (4). [Pl.: *pés-direitos*.] ◆ **Pé-direito de abóbada.** *Arquit.* V. *encontro* (6).

peditório [Do lat. *petitoriu*.] *S. m.* **1.** Ato de pedir a várias pessoas, para fins de caridade, religião, ou outros. **2.** Súplica insistente e repetida.

▲ **ped(o)-** [Do gr. *paid-, paido-* < gr. *pais, paidós*.] *El. comp.* = 'criança': *pediatria, pedófobo*. [Equiv.: *-ped(o)-*: *litopédio*.]

▲ **pedo-**¹ V. *ped(i)-*.

▲ **pedo-**² [Do gr. *pédon, ou*.] *El. comp.* = 'solo': *pedologia*².

▲ **-ped(o)-** Equiv. de *ped(o)-*.

pedofilia [De *ped(o)-* + *-filia*.] *S. f. Psiq.* Parafilia que se caracteriza por desejo recorrente de práticas sexuais e de fantasias sexuais com crianças pré-púberes e adolescentes.

pedofílico [De *pedofilia* + *-ico*².] *Psiq. Adj.* **1.** Relativo a, ou que sofre de pedofilia. **2.** Próprio de pedófilo (1). ● *S. m.* **3.** Aquele que sofre de pedofilia.

pedófilo [Do gr. *paidóphilos*.] *Adj. S. m.* Diz-se de, ou aquele que sofre de pedofilia.

pedofobia [De *ped(o)-* + *-fobia*.] *S. f.* Aversão às crianças.

pedofóbico [De *pedofobia* + *-ico*².] *Psiq. Adj.* **1.** Relativo a pedofobia. **2.** Que tem pedofobia; pedófobo. ● *S. m.* **3.** Aquele que tem pedofobia; pedófobo.

pedófobo [De *ped(o)-* + *-fobo*.] *Adj. S. m.* Pedofóbico (2 e 3).

pedogénese *S. f.* V. *pedogênese*. [Uso freq. em P.]

pedogênese[1] [De *ped(o)-* + *-gênese.*] *S. f. Biol.* Reprodução precoce, que ocorre em larvas ou em ninfas; pedopartenogênese.

pedogênese[2] [De *pedo-*[2] + *-gênese.*] *S. f. Geol.* Processo natural de formação do solo, que inclui interação de material, tempo, atividade biológica, clima, etc.

pedologia[1] [De *ped(o)-* + *-logia.*] *S. f.* Estudo natural e integral da criança, sob o aspecto biológico, o antropológico e o psicológico.

pedologia[2] [De *pedo-*[2] + *-logia.*] *S. f.* Edafologia.

pedológico[1] [De *pedologia*[1] + *-ico*[2].] *Adj.* Relativo à pedologia[1].

pedológico[2] [De *pedologia*[2] + *-ico*[2].] *Adj.* Relativo à pedologia[2]; edafológico.

pedólogo[1] [De *pedo-*[2] + *-logo.*] *S. m.* Especialista em pedologia[1].

pedólogo[2] [De *ped(o)-*[2] + *-logo.*] *S. m.* Edafólogo.

pedometria [De *pedo-*[1] + *-metria.*] *S. m.* Emprego do pedômetro.

pedométrico [De *pedometria* + *-ico*[2].] *Adj.* Referente à pedometria.

pedómetro *S. m.* V. *pedômetro.* [Uso freq. em P.]

pedômetro [De *pedo-*[1] + *-metro.*] *S. m.* Instrumento com que se contam os passos de quem marcha; conta-passos.

pedomorfismo [De *ped(o)-* + *-morf(o)-* + *-ismo.*] *S. m. Biol.* Persistência dos caracteres juvenis no ser adulto.

pedomorfose [De *ped(o)-* + *-morf(o)-* + *-ose*[1].] *S. f. Biol.* Modificação filogenética que consiste na retenção de caracteres juvenis em indivíduos adultos.

pedonecrofilia [De *ped(o)-* + *necrofilia.*] *S. f. Psiq.* Forma de necrofilia em que a relação sexual desejada é com cadáver de criança.

pedonecrofílico [De *pedonecrofilia* + *-ico*[2].] *Psiq. Adj.* **1.** Relativo a pedonecrofilia. **2.** Que sofre de pedonecrofilia; pedonecrofílo. ● *S. m.* **3.** Aquele que sofre de pedonecrofilia; pedonecrófilo.

pedonecrófilo [De *ped(o)-* + *necrófilo.*] *Adj. S. m. Psiq.* Pedonecrofílico (2 e 3).

pedopartenogénese *S. f. Biol.* V. *pedopartenogênese.* [Uso freq. em P.]

pedopartenogênese [De *ped(o)-* + *partenogênese.*] *S. f. Biol.* Pedogênese[1].

pedótriba [Do gr. *paidotríbes.*] *S. m.* Entre os antigos gregos, professor de ginástica.

pedotrofia [De *ped(o)-* + *-trofia.*] *S. f.* Parte da puericultura que se ocupa da nutrição infantil.

pedotrófico [De *pedotrofia* + *-ico*[2].] *Adj.* Relativo à pedotrofia.

pedótrofo [De *ped(o)-*, como em *pedotrofia*, + *-trofo.*] *S. m.* Indivíduo que ensina e/ou pratica a pedotrofia.

pedra [Do gr. *pétra*, pelo lat. *petra.*] *S. f.* **1.** Matéria mineral dura e sólida, da natureza das rochas: *bloco de pedra; encosta de pedra.* **2.** Fragmento dessa matéria: *as pedras de um rio, de um caminho.* **3.** Qualquer variedade dessa matéria: *uma pedra calcária; uma pedra de ágata.* **4.** Essa matéria, usada para um fim particular: *casa de pedra; panela de pedra.* **5.** Montanha de pedra; rocha, rochedo: *escalar uma pedra.* **6.** Lápide sepulcral. **7.** Pedra preciosa, ou falsa, usada em joalheria e bijuteria: *Caiu a pedra do anel.* **8.** Retângulo de ardósia com moldura, usado (raramente, hoje) para nele se escrever. **9.** *P. ext.* V. *quadro* (4). **10.** Pedaço de qualquer substância sólida e dura: *uma pedra de sal; uma pedra de sabão; uma pedra de gelo.* **11.** As pedras de gelo do granizo: *Ontem choveu pedra.* **12.** Peça de certos jogos: *pedra de gamão.* **13.** Peça de alguns jogos de azar, como o loto, o bingo, etc: *Quando cantaram a pedra 20, ganhou o prêmio.* **14.** No charadismo, v. *chave* (10). **15.** *Litogr.* V. *pedra litográfica.* **16.** *Bot.* Corpo duro que se forma no mesocarpo dos frutos. **17.** *Constr.* Fragmento de rocha de diâmetro máximo compreendido entre 7,6cm e 25cm. **18.** *Med.* Cálculo (4). **19.** *Bras.* Cálice de chope. **20.** *Bras. BA* Diamante grande. **21.** *Bras. BA* Número sorteado no jogo do bicho. **22.** *Fig.* Pessoa muito estúpida, bem pouco inteligente: *Este menino nada aprende, é uma pedra!* **23.** O que é duro, insensível, empedernido: *coração de pedra; olhar de pedra.* ~ V. *pedras.* **24.** *Bras. Gír.* Pequeno bloco de *crack*, ou de maconha prensada. ◆ **Pedra afeiçoada.** *Constr.* Pedra trabalhada para um determinado fim. [Cf. *pedra aparelhada.*] **Pedra alectória.** A que se pensava existir no fígado ou na moela dos galos, e da qual se contavam prodígios. **Pedra amarroada.** *Constr.* Pedra de mão. **Pedra angular. 1.** A fundamental, que faz ângulo de um edifício. **2.** *Fig.* Base, fundamento. **Pedra aparelhada.** *Constr.* Pedra afeiçoada (q. v.), com uma ou mais faces regularizadas de modo especial. **Pedra britada.** *Constr.* Brita. **Pedra bruta.** *Maç.* Pedra simbólica em que trabalham os aprendizes [v. *aprendiz* (3)]. **Pedra calcária.** Calcário[1] (3). **Pedra cúbica.** *Maç.* Pedra simbólica em que trabalham os companheiros [v. *companheiro* (6)]. **Pedra de amolar.** Quartzito ou arenito de cimento silicoso duro, ou outra pedra de características similares, usados para afiar instrumentos cortantes. **Pedra de ara.** Pedra sagrada do centro do altar: "... Já Cristo baixou do céu à pedra de ara do altar." (Antero de Figueiredo, *Toledo*, p. 82.) **Pedra de brunir.** *Encad.* V. *brunidor de ágata.* **Pedra de cantaria.** *Constr.* V. *cantaria* (1). **Pedra de escândalo.** Pessoa ou coisa que é motivo de escândalo ou discórdia. **Pedra de isqueiro.** Pederneira usada em isqueiro. **Pedra de lioz.** *Constr.* Pedra calcária, compacta, abundante em Portugal, e que, no período colonial, vinha para o Brasil, servindo de lastro nos navios; pedra do reino. **Pedra de toque. 1.** Jaspe ou qualquer outra pedra dura e escura empregada pelos joalheiros para avaliar a pureza dos metais. **2.** *Fig.* Meio de avaliar, de aferir: "A pedra de toque do poder e força de interpretação das realidades (que outra cousa não é o gênio poético), essa pedra de toque é a poesia da natureza." (Antero de Quental, *Prosas*, I, p. 378.) **Pedra do reino.** *Constr.* Pedra de lioz. **Pedra filosofal. 1.** *Alq.* Fórmula secreta que os alquimistas tentavam descobrir para transmudar metais comuns em ouro; adamo. [V. *alquimia.*] **2.** *Fig.* Coisa difícil de descobrir ou de realizar. **Pedra fina.** Pedra não preciosa que, por sua beleza e durabilidade, se usa em joalheria e bijuteria, sendo comumente qualificada de *semipreciosa.* **Pedra fundamental.** Pedra que é assentada, em geral com solenidade, para encerrar uma ata ou outros documentos, jornais do dia, moedas, etc., e que marca o início de uma construção; primeira pedra. **Pedra insossa.** A que entra sem argamassa na construção duma parede; pedra seca, pedra sossa. **Pedra lascada.** Pedra quebrada grosseiramente, e da qual se serviam os homens do período paleolítico. **Pedra lavrada.** A que é submetida ao aparelhamento de uma ou mais faces, ou talhada em lavores. **Pedra litográfica.** *Litogr.* Calcário homogêneo, finamente granulado, amarelado ou acinzentado, composto quase só de carbonato de cálcio, e que se mostra especialmente apto para receber a preparação (4) destinada a transformá-lo em superfície impressora. [Tb. se diz apenas *pedra*; sin.: *calcário litográfico.*] **Pedra no sapato.** Empecilho que incomoda constantemente; estorvo. **Pedra polida. 1.** Pedra trabalhada que serviu, no período neolítico, para a fabricação de armas e utensílios. **2.** *Maç.* Pedra simbólica em que trabalham os mestres [v. *mestre* (16)]. **Pedra portuguesa.** *Constr.* Pedra quebrada em pequenos cubos irregulares, ger. de calcário e basalto, pretos e brancos, us. em calçamento para compor mosaicos. **Pedra preciosa.** Mineral de brilho e coloração especiais, valioso por sua raridade e dureza, e que se lapida para ser usado em joalheria; pedra, gema. [Algumas dessas pedras, como, p. ex., o rubi, a esmeralda, a safira, são símbolos de profissões.] **Pedra refratária.** Material natural ou artificial que resiste a alta temperatura. **Pedra rolada.** V. *seixo rolado.* **Pedra seca.** V. *pedra insossa.* **Pedra semipreciosa.** V. *pedra fina.* **Pedra sossa.** V. *pedra insossa.* **Botar uma pedra em cima de.** Pôr termo a (assunto ou questão desagradável, constrangedor); encerrar definitivamente; liquidar, enterrar; pôr uma pedra em cima de. **Com a pedra no sapato. 1.** Acautelado, prevenido, de sorte que não se deixe empreender: *estar, ficar, andar com a pedra no sapato.* **2.** Desconfiado, receoso, suspeitoso. **Com quatro pedras na mão.** Com atitudes ou palavras agressivas; agressivamente. **De pedra e cal. 1.** Muito seguro e unido: *O muro está de pedra e cal.* **2.** Firme em uma deliberação ou compromisso: *Continua irredutível, de pedra e cal.* **3.** Com absoluta certeza; seguramente, indubitavelmente: *Estarei às 10 horas em sua casa, de pedra e cal.* **Dormir como uma pedra.** Dormir profundamente. **E lá vai pedra.** V. *e lá vai fumaça*: *Tem 50 anos e lá vai pedra.* **Não deixar pedra sobre pedra.** Arrasar inteiramente; destruir. **Pôr uma pedra em cima de.** V. *botar uma pedra em cima de.* **Primeira pedra.** Pedra fundamental. **Ser de pedra.** Ser insensível, empedernido. **Ser uma pedra no sapato.** Ser um estorvo, um empecilho que incomoda constantemente. **Uma pedra no caminho.** *Fig.* Empecilho; obstáculo.

pedra-azulense *Adj. 2 g.* **1.** De, ou pertencente ou relativo a Pedra Azul (MG). ● *S. 2 g.* **2.** O natural ou habitante de Pedra Azul. [Pl.: *pedra-azulenses.*]

pedra-belense *Adj. 2 g.* **1.** De, ou pertencente ou relativo a Pedra Bela (SP). ● *S. 2 g.* **2.** O natural ou habitante de Pedra Bela. [Pl.: *pedra-belenses.*]

pedra-braba *S. 2 g. Bras. RS Gír.* Pessoa má, traiçoeira. [Pl.: *pedras-brabas.*]

pedra-branquense *Adj. 2 g.* **1.** De, ou pertencente ou relativo a Pedra Branca (CE e PB). ● *S. 2 g.* **2.** O natural ou habitante de Pedra Branca. [Pl.: *pedra-branquenses.*]

pedrada [De *pedra* + *-ada*[1].] *S. f.* **1.** Ato de arremessar uma pedra. **2.** Pancada com pedra. **3.** *Fig.* Insulto, ofensa. **4.** *Bras. Fut.* Cacetada (3). ◆ **E lá vai pedrada.** *Bras. Pop.* V. *e lá vai fumaça.*

pedra-d'água *S. f.* Variedade de quartzo que contém ar e água. [Pl.: *pedras-d'água.*]

pedra da lídia [De *pedra* + *da* + top. ant. *Lídia* (Ásia Menor).] *S. f.* Lidita. [Pl.: *pedras da lídia.*]

pedra da lua *S. f.* Adulária. [Pl.: *pedras da lua.*]

pedra das amazonas *S. f. Bras. Amaz.* V. *muiraquitã.* [Pl.: *pedras das amazonas.*]

pedra de fogo *S. f.* V. *pederneira.* [Pl.: *pedras de fogo.*]

pedra de mão [De *pedra* + *de* + *mão*[1].] *S. f. Constr.* Pedra bruta, quebrada a marrão, de dimensões tais que possa ser manuseada; pedra amarroada. [Pl.: *pedras de mão.*]

pedra de raio *S. f.* **1.** V. *meteorito* (1). **2.** Sílex neolítico. **3.** *Bras.* Itá. [Pl.: *pedras de raio.*]

pedra de santana [De *pedra* + *de* + *Sant'Ana.*] *S. f. Bras.* Entre os garimpeiros, pirita epigenizada em limonito. [Pl.: *pedras de santana.*]

pedrado [De *pedra* + *-ado*[1].] *Adj.* **1.** Empedrado (1). **2.** V. *pedrês* (1).

pedra do pará [De *pedra* + *do* + top. *Pará.*] *S. f. Bras.* V. *jacaré* (11). [Pl.: *pedras do pará.*]

pedra do sol *S. f.* Oligoclasita com inclusões de hematita micácea. [Pl.: *pedras do sol.*]

pedra e cal *S. m. 2 n. Bras.* Prato rústico, mistura de arroz, feijão e carne-seca: "Às cinco horas da manhã seguinte, estavam de pé e prontos para seguir caminho, já com um valente lastro de 'pedra e cal', nome que dão os tropeiros a uma mistura de feijão, arroz e carne-seca" (J. M. Cardoso de Oliveira, *Dois Metros e Cinco*, p. 301).

pedra-ferro *S. f.* **1.** *Bras.* O basalto. **2.** *Bras. SE* Arenito silicificado muito duro. [Pl.: *pedras-ferros* e *pedras-ferro.*]

pedra-foguense *Adj. 2 g.* **1.** De, ou pertencente ou relativo a Pedras de Fogo (PB). ● *S. 2 g.* **2.** O natural ou habitante de Pedras de Fogo. [Pl.: *pedra-foguenses.*]

pedra-grandense *Adj. 2 g.* **1.** De, ou pertencente ou relativo a Pedra Grande (RN). ● *S. 2 g.* **2.** O natural ou habitante de Pedra Grande. [Pl.: *pedra-grandenses.*]

pedra-ímã *S. f.* Ímã natural; magnetita. [Pl.: *pedras-ímãs* e *pedras-ímã.*]

pedra-infernal *S. f.* Nitrato de prata cristalizado que serve para cauterizar. [Pl.: *pedras-infernais.*]

pedral [De *pedra* + *-al*[1].] *Adj. 2 g.* **1.** Relativo a pedra. **2.** V. *pedrês* (1). ● *S. m.* **3.** *Bras. Amaz.* Amontoado de rochas e pedras que embaraçam a navegação; pedraria.

pedra-lavradense *Adj. 2 g.* **1.** De, ou pertencente ou relativo a Pedra Lavrada (PB). ● *S. 2 g.* **2.** O natural ou habitante de Pedra Lavrada. [Pl.: *pedra-lavradenses.*]

pedra-lipes [De *pedra* + top. *Lipes* (Bolívia).] *S. f.* O vitríolo azul (sulfato de cobre). [Pl.: *pedras-lipes.*]

pedralvense *Adj. 2 g.* **1.** De, ou pertencente ou relativo a Pedralva (MG). ● *S. 2 g.* **2.** O natural ou habitante de Pedralva.

pedra-mármore *S. f.* Mármore (3) polido: "Dona Genoveva repousou o ferro de engomar em cima da pedra-mármore, murmurando." (Reginaldo Guimarães, *Uma Blusa no Cais*, p. 60.) [Pl.: *pedras-mármores* e *pedras-mármore.*]

pedra-molense *Adj. 2 g.* **1.** De, ou pertencente ou relativo a Pedra Mole (SE). ● *S. 2 g.* **2.** O natural ou habitante de Pedra Mole. [Pl.: *pedra-molenses.*]

pedranceira *S. f.* Monte de pedras: "Vi-me náufrago, retido para sempre num navio de pedra grudado como desconforme craca na pedranceira da ilhota." (Monteiro Lobato, *Urupês, Outros Contos e Coisas*, p. 11.)

pedranopolense *Adj. 2 g.* **1.** De, ou pertencente ou relativo a Pedranópolis (SP). ● *S. 2 g.* **2.** O natural ou habitante de Pedranópolis.

pedra-noventa *S. 2 g.* Aquele que é bom caráter, gente boa: "O velho Manuel das Couves, um perigoso, hoje de cabelo branco, arrumado e mamando aluguéis lá pelos lados do Grajaú, era um pedra-noventa." (João Antônio, *Leão de Chácara*, p. 6.) [Pl.: *pedras-noventa.*]

pedra-olar [De *pedra* + *olar*, hápax moldado em *ola*[2].] *S. f.* Variedade de talco mole e fácil de trabalhar. [Pl.: *pedras-olares.*]

pedra-pomes [De *pedra* + lat. vulg. *pomice* (cláss. *pumice*).] *S. f.* **1.** Lava extremamente vesicular, cujo aspecto semelha o da espuma. **2.** Pedra seca, leve e porosa, para polir objetos e limpar ou amaciar a pele. [Pl.: *pedras-pomes.*]

pedra-pretense *Adj. 2 g.* **1.** De, ou pertencente ou relativo a Pedra Preta (MT e RN). ● *S. 2 g.* **2.** O natural ou habitante de Pedra Preta. [Pl.: *pedra-pretenses.*]

pedraria [De *pedra* + *-aria.*] *S. f.* **1.** Porção de pedras de cantaria. **2.** Porção de pedras preciosas, ou de pedras que imitam estas: *um cinto de pedrarias.* [Nesta acepç. é us. geralmente no pl.] **3.** *Bras.* Pedral (3).

pedras [Pl. de *pedra*.] *S. f. pl. Bras. RS* V. *boleadeiras.* ~ V. *pedra.*

pedra-sabão *S. f. Bras.* Variedade de esteatita, muito usada em MG para esculturas e ornatos arquitetônicos: 📖 "Que relicário Congonhas! Aqueles profetas do Aleijadinho em pedra-sabão ao luar!" (Agripino Grieco, *Amigos e Inimigos do Brasil*, p. 292.) [Pl.: *pedras-sabões* e *pedras-sabão*.]

pedras-grandense *Adj. 2 g.* **1.** De, ou pertencente ou relativo a Pedras Grandes (SC). ● *S. 2 g.* **2.** O natural ou habitante de Pedras Grandes. [Pl.: *pedras-grandenses*.]

pedra-ume[1] [Do lat. *petra*, 'pedra', + *alumen*, 'alume', com aglut. (*petralumen*) e, depois, sonorização, síncope e desnasalação.] *S. f. Bras. Amaz. Bot.* V. *cambuí* (2). [Pl.: *pedras-umes*.]

pedra-ume[2] [F. red. de *pedra-ume-caá*.] *S. f. Bras. Amaz. Bot.* V. *cambuí* (2). [Pl.: *pedras-umes*.]

pedra-ume-caá *S. f. Bras. Amaz. Bot.* V. *cambuí* (2). [Pl.: *pedras-umes-caás* e *pedras-umes-caá*.]

pedra-verde *S. f. Bras. Amaz.* V. *muiraquitã.* [Pl.: *pedras-verdes*.]

pedregal [De *pedra-* + *-eg-* (como no esp. *pedregal*, no cat. *pedregar*, no occitânico *peiregal*, no cat. *pedregós* e no occitânico *peiregous*), de formação incerta, + *-al*[1].] *S. m.* Lugar onde há muitas pedras. [Cf. *pedregulhal*.]

pedregoso (ô) [De *pedreg-* (< *pedra* + *-eg-*), como em *pedregal* (q. v.), + *-oso*.] *Adj.* Em que há muitas pedras. [Sin.: *pedrento*, *pedroso*, *lapidoso* e (bras.) *pedreguento*, *empedrouçado*.]

pedreguento [De *pedreg-* (< *pedra* + *-eg*), como em *pedregal* (q. v.), + *-ento*.] *Adj. Bras.* V. *pedregoso.*

pedregulhal [De *pedregulho* + *-al*[1].] *S. m.* Terreno em que há pedregulhos; pedregal. [Cf. *pedregal*.]

pedregulhense *Adj. 2 g.* **1.** De, ou pertencente ou relativo a Pedregulho (SP). ● *S. 2 g.* **2.** O natural ou habitante de Pedregulho.

pedregulhento [De *pedregulho* + *-ento*.] *Adj.* Que tem muitos pedregulhos.

pedregulho [De *pedreg-* (< *pedra* + *-eg-*), como em *pedregal* (q. v.), + *-ulho*.] *S. m.* **1.** Pedra grande; penedo. **2.** *Bras.* Quantidade de pedras miúdas. **3.** *Bras.* Calhaus ou seixos que se tiram do fundo dos rios. **4.** *Constr.* Parte constituinte dos solos cujas partículas têm diâmetros compreendidos entre 4,8mm e 76mm.

pedreira [Do lat. **petraria*, ou de *pedra* + *-eira*.] *S. f.* **1.** Rocha ou outro lugar de onde se extrai pedra. **2.** *Bras. SC* Trecho muito pedregoso, em uma estrada. ◆ **Ser pedreira.** *Bras.* Ser carne de pescoço (q. v.).

pedreirense[1] *Adj. 2 g.* **1.** De, ou pertencente ou relativo a Pedreira (SP). ● *S. 2 g.* **2.** O natural ou habitante de Pedreira.

pedreirense[2] *Adj. 2 g.* **1.** De, ou pertencente ou relativo a Pedreiras (MA). ● *S. 2 g.* **2.** O natural ou habitante de Pedreiras.

pedreirinho [De *pedreiro* + *-inho*[1].] *S. m. Zool.* Ave passeriforme hirundinídea (*Cotyle riparia*).

pedreiro [Do lat. *petrariu*, ou de *pedra* + *-eiro*.] *S. m.* **1.** Indivíduo que trabalha em obras de pedra e cal; alvanel. **2.** Antiga peça de artilharia que arremessava projetis de pedras; roqueira. **3.** *Bras. Zool.* V. *joão-de-barro.* **4.** *Bras. Zool.* V. *joão-bobo.* **5.** *BA Chulo* Aquele que se casa com mulher não virgem; tapa-buracos.

pedreiro-livre [De *pedreiro* (trad. do fr. *maçon*) + *livre*.] *S. m.* V. *maçom* (2). [Pl.: *pedreiros-livres*.]

pedrense[1] *Adj. 2 g.* **1.** De, ou pertencente ou relativo a Conceição das Pedras (MG). ● *S. 2 g.* **2.** O natural ou habitante de Conceição das Pedras.

pedrense[2] *Adj. 2 g.* **1.** De, ou pertencente ou relativo a Pedra (PE). ● *S. 2 g.* **2.** O natural ou habitante de Pedra.

pedrento [De *pedra* + *-ento*.] *Adj.* **1.** Que tem aspecto de pedra. **2.** Diz-se do céu quando nele se veem estratos [v. *estrato* (2)] ou cúmulos [v. *cúmulo* (3)]; pererento: 📖 "Entre nuvens esgarçadas / No céu pedrento flutua / A triste, a pálida lua / Das baladas." (Vicente de Carvalho, *Poemas e Canções*, p. 109.) **3.** V. *pedregoso.* **4.** Diz-se dos frutos cuja polpa contém pedras [v. *pedra* (16)].

pedrês [De *pedra* + *-ês*.] *Adj. 2 g.* **1.** Salpicado de preto e branco na cor. [Sin.: *pedrado*, *pedral* e (bras.) *pererento*.] **2.** Carijó[1] (1). [Pl.: *pedreses* (ê).] ~ V. *fecho* —.

pedrinha [De *pedra* + *-inha*.] *S. f. Bras.* Uma das pedras que estira a rede do xaréu.

pedrinhense[1] *Adj. 2 g.* **1.** De, ou pertencente ou relativo a Doutor Pedrinho (SC). ● *S. 2 g.* **2.** O natural ou habitante de Doutor Pedrinho.

pedrinhense[2] *Adj. 2 g.* **1.** De, ou pertencente ou relativo a Pedrinhas (SE). ● *S. 2 g.* **2.** O natural ou habitante de Pedrinhas.

pedrinhense[3] *Adj. 2 g.* **1.** De, ou pertencente ou relativo a Pedrinhas Paulista (SP). ● *S. 2 g.* **2.** O natural ou habitante de Pedrinhas Paulista.

pedrisco [De *pedra* + *-isco*[2].] *S. m.* **1.** Granizo (1) miúdo. **2.** *Constr.* Material proveniente do britamento de pedra, com diâmetros compreendidos entre 0,075mm e 4,8mm.

pedrista (è) [De *pedra* + *-ista*.] *S. m.* **1.** *Bras. BA* Grande comprador de diamantes. **2.** *Bras. MG* Pessoa que negocia com pedras preciosas e/ou semipreciosas.

pedrista (ê) [Do antr. *Pedro* + *-ista*.] *Adj. S. m.* Que, ou aquele que era partidário de D. Pedro IV de Portugal (I do Brasil) (1798-1834).

pedritense *Adj. 2 g.* **1.** De, ou pertencente ou relativo a Dom Pedrito (RS). ● *S. 2 g.* **2.** O natural ou habitante de Dom Pedrito.

pedro-afonsino *Adj.* **1.** De, ou pertencente ou relativo a Pedro Afonso (TO). ● *S. m.* **2.** O natural ou habitante de Pedro Afonso. [Pl.: *pedro-afonsinos*.]

pedro-alexandrense *Adj. 2 g.* **1.** De, ou pertencente ou relativo a Pedro Alexandre (BA). ● *S. 2 g.* **2.** O natural ou habitante de Pedro Alexandre. [Pl.: *pedro-alexandrenses*.]

pedro-avelinense *Adj. 2 g.* **1.** De, ou pertencente ou relativo a Pedro Avelino (RN). ● *S. 2 g.* **2.** O natural ou habitante de Pedro Avelino. [Pl.: *pedro-avelinenses*.]

pedro-botelho [Do antr. *Pedro* + antr. *Botelho*.] *S. m. Fig.* V. *diabo* (2): 📖 "As mulheres do bairro concordavam com os vizinhos, achando que o malvado tinha mesmo de se haver, afinal, com Pedro-Botelho — o homem dos quintos dos infernos" (Amadeu de Queirós, *Os Casos do Carimbamba*, p. 26). [Pl.: *pedros-botelhos*.]

pedro-gomense *Adj. 2 g.* **1.** De, ou pertencente ou relativo a Pedro Gomes (MS). ● *S. 2 g.* **2.** O natural ou habitante de Pedro Gomes. [Pl.: *pedro-gomenses*.]

pedroiço *S. m.* Pedrouço.

pedro-leopoldense *Adj. 2 g.* **1.** De, ou pertencente ou relativo a Pedro Leopoldo (MG). ● *S. 2 g.* **2.** O natural ou habitante de Pedro Leopoldo. [Pl.: *pedro-leopoldenses*.]

pedrolino *S. m. Teatr.* Personagem-tipo da *commedia dell'arte*, que representa o jovem romântico e apaixonado. [V. *pierrô*.]

pedronense *Adj. 2 g.* **1.** De, ou pertencente ou relativo a Pedrão (BA). ● *S. 2 g.* **2.** O natural ou habitante de Pedrão.

pedro-osoriense *Adj. 2 g.* **1.** De, ou pertencente ou relativo a Pedro Osório (RS). ● *S. 2 g.* **2.** O natural ou habitante de Pedro Osório. [Pl.: *pedro-osorienses*.]

pedro-riano *Adj.* **1.** De, ou pertencente ou relativo a Pedro do Rio (RJ). ● *S. m.* **2.** O natural ou habitante de Pedro do Rio. [Pl.: *pedro-rianos*.]

pedro-segundense *Adj. 2 g.* **1.** De, ou pertencente ou relativo a Pedro Segundo (PI). ● *S. 2 g.* **2.** O natural ou habitante de Pedro Segundo. [Pl.: *pedro-segundenses*.]

pedroso (ô) [Do lat. *petrosu*.] *Adj.* **1.** Que tem a natureza ou a consistência da pedra; lapídeo, lapidoso. **2.** V. *pedregoso.*

pedro-teixeirense *Adj. 2 g.* **1.** De, ou pertencente ou relativo a Pedro Teixeira (MG). ● *S. 2 g.* **2.** O natural ou habitante de Pedro Teixeira. [Pl.: *pedro-teixeirenses*.]

pedroucento [De *pedrouço* + *-ento*.] *Adj.* **1.** Cheio de pedrouços. **2.** Que tem aspecto de pedra; pedrento.

pedrouço *S. m.* Montão de pedras; pedroiço.

pedro-velhense *Adj. 2 g.* **1.** De, ou pertencente ou relativo a Pedro Velho (RN). ● *S. 2 g.* **2.** O natural ou habitante de Pedro Velho. [Pl.: *pedro-velhenses*.]

pedunculado [De *pedúnculo* + *-ado*[1].] *Adj.* **1.** *Bot.* Que tem pedúnculo; pedunculoso: 📄 *cacho pedunculado.* **2.** *Zool.* Provido de pedúnculo (3).

peduncular [De *pedúnculo* + *-ar*[1].] *Adj. 2 g.* Relativo a pedúnculo.

pedúnculo [Do lat. cient. *pedunculus* (do lat. *pediculus*, 'pezinho'.] *S. m.* **1.** *Anat.* Designação genérica de agrupamento de neurofibras que transitam entre duas áreas no sistema nervoso central. **2.** *Bot.* Haste que sustenta uma flor, fruto ou inflorescência: 📖 "De clorofila carregada, quase glauca, com pedúnculos exteriores e floridos, que se erguem do fundo palustre acima das bordas, essa ninfeia [a vitória-régia].... é .... o agasalho dos ofídios, dos quelônios, ... que debaixo dela se abrigam." (Raimundo Morais, *Na Planície Amazônica*, p. 27.) [Cf. *pedículo*.] **3.** *Zool.* Suporte de qualquer órgão animal. ◆ **Pedúnculo cerebral.** *Anat.* Nome comum a várias estruturas cerebrais que se compõem apenas de substância branca em forma de faixa.

pedunculoso (ô) [De *pedúnculo* + *-oso*.] *Adj.* **1.** Pedunculado. **2.** Que tem longo pedúnculo.

pé-duro *S. m.* **1.** *Bras. BA* Trabalhador rural. **2.** *Bras. S.* V. *caipira* (1). **3.** *Bras. S. C.O.* Sujeito mal-educado; casca-grossa. **4.** *Bras. BA Deprec.* Pequeno fazendeiro analfabeto da zona cacaueira. **5.** *Bras. S. C.O.* Gado (bovino ou cavalar) que não é de raça. [Pl.: *pés-duros*. Tb. us. (menos) como adj.]

pê-efe [Das iniciais de *prato feito*.] *S. m. Bras.* V. *almoço comercial.* [Pl.: *pê-efes*.]

peeira [Do lat. *pedaria*.] *S. f. Lus.* Ulceração da pele, entre as unhas, no gado bovino e no cavalar. [Cf. *pieira*.]

➔ **peeling** ['pijlɪŋ] [Ingl.] *S. m. Cir. Plást.* Raspagem de pele, mediante o uso de dermátomo ou de preparado químico.

pê-eme [Da sigla *P. M.*] *Bras. S. f.* **1.** A polícia militar: 📄 *Está detido na pê-eme.* ● *S. 2 g.* **2.** Soldado da Polícia Militar; policial militar. [Pl.: *pê-emes*.]

peemedebista *Adj. 2 g.* **1.** Relativo ao, ou que é partidário ou simpatizante do PMDB (Partido do Movimento Democrático Brasileiro). ● *S. 2 g.* **2.** Partidário ou simpatizante do PMDB. [F. paral.: *pemedebista*.]

pé-encarnado *S. m. Bras. N.E. Zool.* V. *inhambuxororó.* [Pl.: *pés-encarnados*.]

pé-fresco *S. m.* **1.** *Lus.* Aquele que não é nobre; plebeu, democrata. **2.** Homem ou menino que anda descalço. **3.** Patuleia (3). [Pl.: *pés-frescos*.]

pé-frio *S. m.* **1.** *Bras. Pop.* Pessoa sem sorte no jogo ou nos negócios, e cujo caiporismo contagia os outros. **2.** *Bras. Pop.* Sujeito azarento, azarado. [Antôn., nestas acepçs.: *pé-quente*.] **3.** *Bras. Pop.* V. *caiporismo.* **4.** *Bras. S. Pop.* Indivíduo tímido, medroso, covarde. [Pl.: *pés-frios*.]

pega[1] [Dev. de *pegar*.] *S. f.* **1.** Ato ou efeito de pegar. **2.** Cabo ou asa por onde se pega um objeto. **3.** Ato de agarrar o touro com as mãos: 📄 *pega de rabo; pega de cara.* **4.** *Fig.* Discussão acalorada; desavença, disputa: 📖 "Também ele arranjara uma 'pega' com o rendeiro da *Ribeirinha*, por causa dum corte de pinhal." (Eça de Queirós, *A Ilustre Casa de Ramires*, p. 126.) [Nesta acepç. é do gên. m. no Brasil.] **5.** *Tip.* Propriedade inerente aos rolos tipográficos, de se prestarem em maior ou menor grau à aderência da tinta. **6.** *Bras. Constr.* Fenômeno pelo qual uma cal ou um cimento adere aos agregados a que serve de aglomerante, dando início, mais ou menos rapidamente, ao processo de endurecimento da argamassa ou do concreto assim formado. [Sin., nesta acepç. (lus.): *presa*.] **7.** *Bras.* Recrutamento forçado. **8.** Logro, cilada. ● *S. m.* **9.** *Bras.* V. *pega*[1] (4). **10.** *Bras.* Travação de luta; briga, pega-pega v. *rolo*[1] (16)] : 📖 "Os irmãos eram rapazes exigentes e ásperos, cheios de saúde, e, portanto, de brutalidades e pegas." (José Régio, *Histórias de Mulheres*, p. 169.) **11.** *Bras. Gír.* Corrida (6) clandestina de automóvel, em via pública; racha. **12.** *Bras. PB* V. *tapa*[2] (4). [Pl.: *pegas*. Cf. *pega* (ê) e pl. *pegas* (ê).] ● *Interj.* **13.** Grito de perseguição a ladrão ou qualquer malfeitor; agarra.

pega[2] [Do lat. *pedica*, 'laço que prende os pés'.] *S. f.* Braga de ferro com a qual se prendiam os pés dos escravos fugitivos. [Pl.: *pegas*. Cf. *pega* (ê) e pl. *pegas* (ê).]

pega (ê) [Do lat. *pica*, com infl. de *pegar*.] *S. f.* **1.** *Zool.* Ave europeia, corvídea (*Pica pica*), de coloração preta, tendendo ao verde no dorso, flancos, abdome e baixo dorso brancos, asas azuis, e coberteiras primárias verdes. **2.** Mulher palreira. **3.** *P. ext.* Qualquer mulher. **4.** Raça de jumentos. **5.** *Constr. Nav. Ant.* Forte peça de madeira presa no galope do mastro real dos antigos veleiros, e na qual enfurnava o mastaréu. **6.** *Bras. Zool.* V. *encontro* (11). **7.** *Bras. Zool.* V. *gralha-do-campo.* **8.** *Bras. Zool.* V. *pintassilgo-da-mata.* [Pl.: *pegas* (ê). Cf. *pega* e *pegas*, do v. *pegar* e s. f.] ~ V. *pegas* (ê).

pega-brasas [De *pegar* + o pl. de *brasa*.] *S. m. 2 n. Bras.* Espécie de tenaz feita de arame torcido, para pegar brasas e acender cigarros.

pega-caboclo [De *pegar* + *caboclo*[1].] *S. m. Bras. SP Pop.* V. *pega-rapaz.* [Pl.: *pega-caboclos*.]

pegação [De *pegar* + *-ção*.] *S. f. Bras. Gír.* Bolinagem, esfregação: 📖 "Patrice Bowman, 30, conheceu William Kennedy Smith em *Au Bar*, um bar de pegação em Palm Beach, Flórida." (Paulo Francis, em *O Estado de S. Paulo*, 08.12.1991.)

pegada[1] [Do lat. **pedicata* < lat. *pede*, 'pé'.] *S. f.* **1.** Vestígio que o pé deixa no solo; passo: 📄 *As pegadas do ladrão deram a chave para esclarecer o crime.* **2.** *Fig.* Sinal, vestígio, pista, rasto. [Sin. ger.: *peugada*.]

pegada[2] [De *pegar* + *-ada*[1].] *S. f. Bras. Fut.* **1.** Lance em que o goleiro impede que a bola entre na rede, apanhando-a nas mãos. **2.** Empenho de uma equipe na tentativa de tomar a bola do adversário. ◆ **Seguir as pegadas de.** V. *seguir os passos de.*

pegadeira [De *pegar* + *-deira*.] *S. f. Tip.* V. *pinça* (8).

pegadiço [De *pegar* + *-(d)iço*[2].] *Adj.* **1.** Que se pega com facilidade; pegativo. **2.** *Fig.* Contagioso, pegativo: 📖 "Os artistas nascem, mas a arte lhes ministra os necessários conhecimentos práticos para evitarem as ciladas do mau gosto pegadiço" (José Oiticica, *Curso de Literatura*, p. 56). **3.** *Fig.* Importuno, maçador; pegajoso.

pegadilha [De *pegar*.] *S. f.* **1.** Discussão acalorada; alteração. **2.** Dissensão, desavença. **3.** Pretexto para briga; peguilho, peguilha.

pegadinha [De *pegada*, ato ou efeito de *pegar* (22), + *-inha*.] *S. f.* Brincadeira ou farsa, ger. televisiva, com fins cômicos, de gosto duvidoso, que envolve alguém numa situação artificial, quase sempre inusitada e constrangedora.

pegadio [De *pegar* + *-dio*.] *S. m. Bras. N.E.* Apego a alguém; amizade, afeição.

pegado [Part. de *pegar*.] *Adj.* **1.** Colado, grudado; preso: *No caderno há uma página pegada.* **2.** Junto, unido: *várias flores pegadas, num ramalhete.* **3.** Contíguo, vizinho: "Um cachorro latiu no quintal pegado" (João Pacheco, *Negra a Caminho da Cidade*, p. 12); *casa pegada.* **4.** Ligado, chegado, amigo: *Meu primo é muito pegado com o senador.* **5.** *Fig.* Preso, firme: *homem pegado a seus princípios.* **6.** *Fig.* Diz-se da comida que se queimou na panela: *carne pegada.* **7.** Diz-se da planta que criou raízes. **8.** *Fig.* Contínuo, ininterrupto: *chuva pegada; conversa pegada.* **9.** *Bras. Fam.* V. *embriagado* (1).

pegadoiro [De *pegar* + *-doiro*².] *S. m.* Pegadouro (q. v.).

pega-do-norte [De *pega* (ê) + *do* + *Norte*.] *S. f. Bras. RJ Zool.* V. *tietinga.* [Pl.: *pegas-do-norte.*]

pegador (ô) [De *pegar* + *-dor*.] *Adj.* **1.** Que pega. • *S. m.* **2.** Aquele que pega. **3.** Trabalhador de forcado. **4.** *Bras. Zool.* V. *rêmora* (2 e 3). **5.** *Bras.* V. *esconde-esconde.* **6.** *Bras.* V. *pique*¹ (3): "Não quero emprestar um fio branco ao seu bigode, se lembro agora o que fazia o jornalista de menos de vinte anos ...., enquanto eu brincava de pegador e empinava papagaios." (Fernando Sabino, *Medo em Nova Iorque. A Cidade Vazia*, p. 62.)

pegadouro [De *pegar* + *-douro*²; var. de *pegadoiro*.] *S. m.* Parte dum objeto pela qual se lhe pega; cabo.

pega-fogo [De *pegar* + *fogo*.] *S. m. Bras. S.* V. *fandango* (6). [Pl.: *pega-fogos.*]

pega-frango [De *pegar* + *frango*.] *S. f. Bras. MG Pop. Vest.* V. *calça pega-frango.* [Pl.: *pega-frangos.*]

pega-gelo [De *pegar* + *gelo*.] *S. m. Bras.* Pinça própria para pegar e servir gelo. [Pl.: *pega-gelos.*]

pegajento [De *pegar* + *-j-* + *-ento*.] *Adj. Bras.* V. *pegajoso.*

pegajoso (ô) [De *pegar* + *-j-* + *-oso*.] *Adj.* **1.** Que pega ou adere com facilidade; viscoso: "E eu vou andando, cheio de chamusco, / Com a flexibilidade de um molusco, / Úmido, pegajoso e untuoso ao tacto!" (Augusto dos Anjos, *Eu*, p. 81.) **2.** *Fig.* Maçante, cacete, pegadiço. [Sin.: *pegajento, peganhento, peguenhento, peguento.*]

pega-ladrão [De *pegar* + *ladrão*.] *S. m.* **1.** *Bras.* Dispositivo que prende alfinetes de gravata, broches e outros objetos que se usam espetados na roupa, e serve para evitar sejam roubados ou perdidos. **2.** *Bras.* Qualquer dispositivo mecânico ou elétrico para dar alarma. [Pl.: *pega-ladrões.*]

pega-mão [De *pegar* + *mão*¹.] *S. m. Bras. S.* Mala portátil. [Pl.: *pega-mãos.*]

pega-marreco [De *pegar* + *marreco*.] *S. m. Bras. N. N.E. Vest.* V. *calça pega-marreco.* [Pl.: *pega-marrecos.*]

pegamassa [De *pegar* + *massa*¹.] *S. f. Bot.* V. *bardana* (1).

pegamassa-menor *S. f. Bot.* V. *bardana-menor.* [Pl.: *pegamassas-menores.*]

pegamasso [Var. de *pegamassa*.] *S. m.* **1.** Massa de grudar. **2.** *Fig. Fam.* Indivíduo importuno, maçante, cacete.

pega-moleque [De *pegar* + *moleque*.] *S. m. Bras. RJ* Trepa-moleque (5). [Pl.: *pega-moleques.*]

peganhento [De *pegar*.] *Adj.* V. *pegajoso.* [Var.: *peguenhento.*]

pegão¹ [De *pé* + *-g-* + *-ão*¹.] *S. m.* **1.** Grande pilar ou suporte. **2.** *Lus. Constr.* Encontro (8): "Se de fato reassentou praça [Camões] àquela altura, os três anos de serviço, sob o ponto de vista cronológico, ajustam-se como pegões duma ponte ligando margem a margem na sua vida." (Aquilino Ribeiro, *Luís de Camões*, II, p. 104.) **3.** Grande pé de vento: "Aos primeiros assomos da seguinte aurora, a parede estava arrasada. Os vizinhos ouviram o ruído da assolação, e cuidaram que a derribara um pegão de vento." (Camilo Castelo Branco, *Novelas do Minho*, IV, p. 67.)

pegão² [De *pegar* + *-ão*³.] *S. m. Bras. S. Prov. port.* Pequeno rasgão na roupa.

pega-panelas [De *pegar* + o pl. de *panela*.] *S. m. 2 n.* Utensílio usado para proteger as mãos quando se pegam panelas.

pega-pega [Da 3ª pess. do sing. do pres. ind. de *pegar*, repetida.] *S. m.* **1.** *Bras. Bot.* V. *carrapicho* (3). **2.** *Bot.* V. *bardana-menor.* **3.** Conflito, disputa, briga, pega. V. *rolo*¹ (16). **4.** *Bras.* Prisão em massa. **5.** *Bras.* V. *pique*¹ (3). [Pl.: *pegas-pega* e *pegas-pegas.*]

pega-pinto [De *pegar* + *pinto*.] *S. m. Bras.* **1.** *Bot.* V. *agarra-pinto.* **2.** *Zool.* V. *gavião-carijó.* [Pl.: *pega-pintos.*]

pega pra capar [De *pegar* + *pra* + *capar*.] *S. m. 2 n. Bras. Pop.* Altercação, briga, tumulto, pega, deus nos acuda: "Da janela do sobrado, Zuzu, o Venturoso, acompanhava com curiosidade os acontecimentos. | — É um pega pra capar — disse. | A velha Marieta surgiu: | — Que está acontecendo na calçada da Igreja, mano? | — Outra daquelas confusões que a Babi Matoso gosta de armar." (José Condé, *Como uma Tarde em Dezembro*, p. 17.) ☑

pegar [Do lat. *picare*, 'untar de pez'.] *V. t. d.* **1.** Fazer aderir; colar, grudar: *Pôs a carta no correio sem pegar os selos.* **2.** Agarrar, prender, segurar: *Pegou descuidado a louça, deixando-a cair; Correu e pegou o fugitivo; O goleiro pegou a bola tranquilamente.* **3.** Adquirir (enfermidade) por contágio, por debilidade orgânica, etc. **4.** Adquirir, contrair, criar: *pegar um mau hábito.* **5.** Subir ou instalar-se em (uma viatura qualquer), para nela viajar; tomar: "Poucos dias depois peguei o trem para Três Lagoas." (Raul Bopp, *Putirum*, p. 196); "tratei de pegar o primeiro vapor do Loide que passava, para regressar a Belém." (Id., *ib.*, p. 217). **6.** Apanhar, pescar: *Já ia desistir da pesca, quando pegou um belo robalo.* **7.** Buscar, apanhar: *Vá pegar o meu terno na tinturaria.* **8.** Perceber, compreender, pescar: *Pega facilmente tudo quanto lhe ensinam.* **9.** Chegar a tempo de estar presente a, ou tomar parte em; chegar à hora de: *Saiu tarde, e quase não pegou a solenidade; O engarrafamento do trânsito não lhe permitiu pegar a sessão; Indo agora, ainda pego o almoço.* **10.** V. *alcançar* (9): "ainda peguei a Lapa, com os cabarés, mulheres e malandros famosos, cafés ruidosos" (Nestor de Holanda, *Memórias do Café Nice*, p. 153); *Pegou o Rio do Encilhamento; Não é nada moço, ainda pegou a saia-balão.* **11.** Conseguir, obter, alcançar: *Pegou um bom emprego; É um malandro: pega boas mulheres.* **12.** Chegar a; atingir, alcançar: "Estava pegando um século quando entrou a caducar." (Graciliano Ramos, *Angústia*, p. 11); "O café pegava preço, o açúcar também, e todo ano eram novas levas de colonos a vir caçar serviço na fazenda." (Mário Palmério, *Chapadão do Bugre*, p. 25). **13.** Captar som, imagem: *Minha TV não pega todos os canais.* **14.** Ser atingido por; receber: *Pegou muita chuva no caminho.* **15.** Atacar; investir: *O boi da cara preta não pega ninguém.* **16.** Ganhar, lucrar; abiscoitar: *Pegou uma bolada na transação.* **17.** Aceitar fazer, comprometer-se a realizar (um trabalho ou tarefa): *Por falta de tempo, não pegou a tradução que o editor lhe ofereceu.* **18.** Abranger, compreender: *O volume V daquela história pega o século XVI e parte do XVII.* **19.** Ser condenado a: "Estripador de Yorkshire pega prisão perpétua" (*Jornal do Brasil*, 23.05.1981). **20.** Ser alvo de (prêmio ou punição): *Pegou um prêmio na loteria;* "Pegara vinte anos de cadeia, tivera de vender tudo, dar tudo para pagar advogado" (Odilo Costa Filho, *A Faca e o Rio*, p. 170). **21.** Seguir por (determinada direção): *Dobre à direita e pegue a Avenida Rio Branco.* **22.** Pôr alguém em situação difícil ou embaraçosa: *A prova pegou os alunos que não estudaram.* **23.** *Bras. N.E. Pop. Fam.* Fazer o parto de (criança); aparar: *A parteira já pegou três filhos do meu amigo.* ***T. c.*** **24.** Pegar (16): "— Boa tarde, mestre Zé, Dona Sinhá hoje pegou quatro mil-réis no coelho." (José Lins do Rego, *Fogo Morto*, p. 40.) **25.** Pegar (19): *Pegou 30 anos de cadeia.* **26.** Ser ou estar contíguo; confinar; convizinhar: *A casa pega com o convento.* **27.** Fixar-se, agarrar-se: *O xarope pegou no fundo do vidro.* ***T. d. e i.*** **28.** Receber; adquirir, por imitação, emulação, etc.: *Pegou do irmão a mania das coleções.* **29.** Transmitir, comunicar, por influência: *O pai pegou-lhe o gosto das boas leituras.* **30.** Apanhar de improviso; surpreender: *Pegou o ladrão em pleno furto.* ***T. d. e c.*** **31.** Fazer aderir; colar, grudar: *Pegou os selos na carta.* ***T. i.*** **32.** Agarrar; segurar; tomar: *Pegou no que era seu e foi-se embora;* "Rápido pegou outra vez das cartas e baralhou-as bem" (Machado de Assis, *Várias Histórias*, p. 15). **33.** Ser vizinho, próximo, semelhante, análogo; convizinhar: "havia nos gestos de Gonçalves alguma cousa que pegava com o respeito." (Machado de Assis, *Relíquias de Casa Velha*, p. 120). **34.** Começar, principiar, entrar: "persignou-se, levantou-se e pegou a vestir a roupa." (Bernardo Élis, *Veranico de Janeiro*, p. 34). **35.** Principiar a fazer, a executar: *Ainda não peguei no trabalho que há um mês me encomendaram.* ***Int.*** **36.** Ficar aderente; colar-se, grudar-se: *O melado, onde cai, pega.* **37.** Lançar ou criar raízes (uma planta): *O caquizeiro que eu plantei pegou.* **38.** Agarrar-se, fixar-se. **39.** Generalizar-se, difundir-se: *Certas modas não pegam.* **40.** Funcionar; trabalhar: *Está frio e o carro não pega.* **41.** Produzir resultado; surtir efeito; colar: *Seu estratagema não pegou.* **42.** Ser acreditado; ser levado a sério: *Arranje outra conversa, esta não pega!* **43.** Inflamar-se; acender: *A fogueira demorou a pegar.* **44.** Ser contagioso: *Evite o Carlos: aquela doença pega.* **45.** Ficar difícil; complicar-se: "Aqui [no Acre] os madeireiros ainda não chegaram. Do outro lado [no Peru], a coisa pega. Estão matando índio adoidado." (José Carlos Meireles, em *Folha de S.Paulo*, 02.06.2008.) **46.** Aderir ou grudar a recipiente: *Ao ser cozido, o arroz pegou.* **47.** *Bras. Mar. G.* Sair mal (um empreendimento): *O exercício pegou, já que a munição foi insuficiente.* ***P.*** **48.** Ficar aderente; unir-se. **49.** Comunicar-se, transmitir-se. **50.** Limitar-se, confinar-se. **51.** Procurar arrimo, proteção, em; apegar-se: *Denunciado, pegou-se com todos os santos.* **52.** *Desus.* Não querer andar (animal); empacar. **53.** *Bras. BA* Encontrar diamantes. **54.** Discutir; brigar: *Os torcedores do Fluminense pegaram-se por causa da escalação do time; Os marginais pegaram-se e um saiu ferido.* [Conjug.: v. *regar*, mas tem dois part.: *pegado* e *pego*. Pres. ind.: *pego, pegas, pega,* etc. Part.: *pegado* e *pego* (é) ou *pego* (ê). Cf. *pego* (ê), *pega* (ê), e *pegas* (ê), e o antr. *Pegas* (ê).] ◆ **Pegar bem.** *Bras. Gír.* Ser (ação, dito, atitude, etc.) bem recebido ou aceito: *O discurso pegou bem.* [Antôn.: *pegar mal.*] **Pegar de.** Segurar, empunhar: "À noite pegou da cesta e saiu para o trabalho." (Nélio Reis, *Subúrbio*, p. 62.) **Pegar mal.** *Bras. Gír.* Ser (ação, dito, atitude, etc.) mal recebido ou mal aceito: *Essa medida pegou mal.* [Antôn.: *pegar bem.*] **Pegar-se a.** Valer-se de. **Pegar-se com a.** Implicar com (alguém). **Pegar pesado.** Ser intransigente ou rude ou mesmo agressivo: *A oposição promete pegar pesado na CPI.* **É pegar ou largar.** Expr. us. para indicar que não se faz abatimento no preço da mercadoria, ou não se alteram as condições de uma transação.

pega-rapaz [De *pegar* + *rapaz*.] *S. m. Bras.* **1.** Pequena mecha de cabelo recurvada e pegada à testa ou aos lados do rosto, junto às orelhas; vírgula, belezinha. **2.** Cacho de cabelo pendente sobre a testa: "Cabelos esticados, com pega-rapazes e enfeitados de flores" (Melo Nóbrega, *O Soneto de Arvers*, p. 54). [Sin., em SP: *pega-caboclo*. Pl.: *pega-rapazes.*]

pegas¹ (ê) [Do antr. *Pegas* (ê), de Manuel Álvarez Pegas (1635-1696), jurisconsulto português.] *S. m. 2 n. Fam.* Rábula; chicaneiro. [Cf. *pegas*, do v. *pegar* e pl. de *pega*.] ~ V. *pega* (ê).

pegas² (ê) *Bras. S. 2 g.* **1.** *Etnôn.* Indivíduo dos pegas, povo indígena extinto que habitava a margem do rio Piranhas, a oeste da PB. • *Adj. 2 g.* **2.** Pertencente ou relativo a esse povo. [Tb. us. como *s. 2 g. e 2 n.* (com cap.) e *adj. 2 g. e 2 n.*] [Cf. *pegas*, do v. *pegar* e pl. de *pega*.] ~ V. *pega* (ê).

pégaso [Do gr. *Pégasos*, pelo lat. *Pegasu*.] *S. m.* **1.** Cavalo alado da mitologia grega. **2.** *Astr.* Constelação boreal, de vasta área, ao N. do Aquário e ao S. de Andrômeda e do Cisne. [Com cap.]

pegativo [De *pegar* + *-tivo*.] *Adj. Bras.* **1.** Que pega com facilidade. **2.** Contagioso. [Sin. ger.: *pegadiço.*]

pega-varetas [De *pegar* + o pl. de *vareta*.] *S. m. 2 n. Bras.* Jogo de palitos coloridos, com diversos valores: o jogador apoia os palitos num plano, larga-os, e tenta retirá-los, um a um, sem tocar nos outros, pois, se estes se mexerem, deve somar os pontos feitos e passar a vez ao parceiro, que repetirá a operação.

pegmatito [De *pegmat(o)-* + *-ito*².] *S. m.* **1.** *Obsol.* O granito gráfico. **2.** Rocha, geralmente filonar, de composição idêntica à do granito, e na qual os indivíduos mineralógicos, quartzo e feldspato, muito desenvolvidos, se acham interpenetrados.

▲ **pegmat(o)-** [Do gr. *p gma, atos*.] ***El. comp.*** = 'concreção'; 'aglomeração': *pegmatito.*

pego¹ [Do gr. *pélagos*, pelo lat. *pelagu*, por via pop.] *S. m.* **1.** A parte mais funda de um rio, lago, etc.; poção, poço. **2.** Pélago (1). **3.** Lagamar (1). **4.** *Fig.* Voragem, abismo, pélago: *o pego das paixões;* "Eugênio entrou para o salão mergulhado num pego de dor, de vergonha, de terror" (Bernardo Guimarães, *O Seminarista*, p. 67). [Pl.: *pegos*. Cf. *pego* (ê) e pl. *pegos* (ê).]

pego² *Bras.* Part. irreg. de *pegar*; pegado: "Que faz um passarinho fora da gaiola? | — Às vezes não sabe mais voar, e é pego de novo" (Carlos Drummond de Andrade, *Contos de Aprendiz*, p. 65). [F. paral.: *pego* (ê).]

pego (ê) *Bras.* Pego²: "torna-se [o porco] sem-vergonha, caradura, chorão, quando pego em flagrante furto ou invasão consciente das plantações" (Nélson Palma Travassos, *O Porco, Esse Desconhecido*, p. 17). [No texto, que é de 1964, portanto da época do acento diferencial, está "pêgo".] [Pl.: *pegos* (ê). Cf. *pego*, do v. *pegar* e s. m., e o pl. *pegos.*]

▲ **pego-** [Do gr. *pēgḗ, ês* + *-o-*.] ***El. comp.*** = 'fonte', 'água corrente': *pegomancia.*

pegomancia (cí) [De *pego-* + *-mancia*.] *S. f.* Adivinhação que se fazia olhando o movimento das águas das fontes.

pegomante [De *pego-* + *-mante*.] *S. 2 g.* Pessoa que praticava a pegomancia.

pegomântico *Adj.* Relativo a pegomancia, ou a pegomante.

peguaba *S. f. Bras. Zool.* V. *beguaba.*

peguano (u-a) [Do top. *Pegu* + *-ano*¹.] *Adj.* **1.** De, ou pertencente ou relativo ao Pegu (atual Mianmar, antiga Birmânia, na Ásia). ● *S. m.* **2.** O natural ou habitante do Pegu.

pegueiro [Do lat. vulg. **picariu* < lat. *pice*, 'pez'.] *S. m.* Fabricante de pez.

peguenhento [Var. de *peganhento*, com assimilação.] *Adj.* V. *pegajoso.*

peguento [De *pegar* + *-ento*.] *Adj.* V. *pegajoso*: "Saía lá pra fora, no terreiro, e sentava, tristezinho da vida, as lágrimas secas peguentas semelhando remela, nos olhos e no rosto" (Alaor Barbosa, *Picumãs*, p. 23).

peguilha [De *pega*¹ + *-ilha*.] *S. f.* **1.** Começo de altercação ou desordem; pretexto de briga; peguilho, pegadilha. **2.** Dito provocante. [Sin. ger., (desus.): *pegulho*.]

peguilhar [De *peguilha* + *-ar*².] *V. int.* Travar questiúnculas; provocar disputa: "Tem o sangue a ferver! .... Tem peguilhado por tudo! Não estou para a aturar, não estou!" (Eça de Queirós, *O Primo Basílio*, p. 196.)

peguilhento [De *peguilhar* + *-ento*.] *Adj.* Que gosta de peguilhar, ou tem o hábito de fazê-lo.

peguilho [De *pegar* + *-ilho*.] *S. m.* **1.** Aquilo que pega ou cola. **2.** Embaraço, obstáculo, óbice. **3.** V. *peguilha* (1).

peguinhar [De *pega*¹ + *-inhar*.] *V. t. d.* **1.** Contrariar; provocar. *Int.* **2.** Fazer provocação; meter-se com alguém; implicar.

peguira *S. f. Bras. Zool.* V. *beguaba.*

pegulho¹ *S. m. P. us.* V. *pecúlio.*

pegulho² [De *pega*¹ + *-ulho*.] *S. m. Desus.* Peguilha.

pegural [Do lat. *pecorale*.] *Adj. 2 g.* **1.** Relativo ou pertencente a pegureiro; pastoril, pegureiro. **2.** Relativo ao rebanho.

pegureiro [Do lat. *pecorariu*.] *S. m.* **1.** Guardador de gado; pastor: "Passavam, a clamar, furiosos pegureiros, / Procurando o ladrão que as reses lhes roubara" (Eugênio de Castro, *Obras Poéticas*, IV, p. 166). **2.** *Bras.* Cão de gado. **3.** *Bras.* Cão de caça. ● *Adj.* **4.** V. *pegural* (1).

peia (êi) [De *pede*, 'pé'.] *S. f.* **1.** Prisão de corda ou de ferro que segura os pés das bestas; trabalho. **2.** *Marinh.* Qualquer cabo ou corrente com que se amarra, a bordo, um objeto, para evitar que se desloque com o jogo da embarcação. **3.** *Fig.* Embaraço, impedimento, estorvo, empecilho. **4.** *Bras.* V. *chicote* (1). **5.** *Bras. Chulo* O pênis. ~ V. *peias*. ◆ **Ser peia.** *Bras. PE AL Pop.* Ser coisa muito difícil, árdua, complexa.

▲ **-peia** [Do gr. *-poiía*, pelo lat. *-poeia*.] *El. comp.* = 'ato de fazer', 'criação': *melopeia* (q. v.). ❖

peia-boi [De *pear* + *boi*.] *S. m. Bras. CE* V. *chicote* (1). [Pl.: *peia-bois*.]

peias [Pl. de *peia*.] *S. f. pl. Bras. N.E.* Ligas de corda ou de couro que se põem nos pés para trepar no coqueiro. [Cf. *peconha*.] ~ V. *peia*.

peidar [De *peido* + *-ar*².] *Chulo V. int.* **1.** Dar peido(s). *P.* **2.** Peidar involuntária e repetidamente.

peido [Do lat. *peditu*.] *S. m. Chulo* Ventosidade emitida pelo ânus; traque, pum, pu: "as meninas iam fazer a sesta enquanto a gente ficava na varanda se divertindo com peidos estrepitosos" (Carlos Lacerda, *A Casa do Meu Avô*, p. 53).

peido-alemão *S. m. Bras. Chulo* Barbantinho cheiroso (q. v.). [Pl.: *peidos-alemães*.]

peido do meio [De *peido* + *do* + *meio*¹.] *S. m. Bras. BA Pop.* Pessoa metediça, enxerida. [Pl.: *peidos do meio*.] ☑

peidorrada *S. f. Chulo* Ato de peidar muito.

peidorreiro *Adj. S. m. Chulo* Diz-se de, ou aquele que peida.

➔ **peignoir** [pɛɲ'waʀ] [Fr.] *S. m.* V. *penhoar*.

peiote [Do náuatle *peyotl*, pelo esp. do México *peyote*.] *S. m. Bot.* V. *mescal*.

peiotismo [De *peiote* + *-ismo*.] *S. m.* Culto religioso nativista e intertribal de povos indígenas norte-americanos, baseado no consumo coletivo do mescal.

peiotista [De *peiotismo* + *-ista*.] *Adj. 2 g.* **1.** Relativo a peiotismo. ● *S. 2 g.* **2.** Adepto ou participante desse culto.

peirciano *Hist. Filos. Adj.* **1.** Pertencente, relativo a, ou próprio do filósofo norte-americano Charles Sanders Peirce (1839-1894), um dos fundadores do pragmatismo. **2.** Que é adepto das concepções de Charles Peirce, ou profundo conhecedor de sua obra. ● *S. m.* **3.** Seguidor de suas concepções, ou profundo conhecedor da obra peirciana.

peita [Do arc. *peito* < lat. *pactu*, 'pacto'.] *S. f.* **1.** Antigo tributo pago por aqueles que não eram fidalgos. **2.** Dádiva feita com o intento de subornar; suborno, corrupção: "Com peitas, ouro e dádivas secretas / Conciliam da terra os principais" (Luís de Camões, *Os Lusíadas*, VIII, 53). **3.** O crime de receber peita (2).

peitada [De *peito* + *-ada*¹.] *S. f. Bras.* Pancada no peito, ou com o peito.

peitama [De *peito* + *-ama*.] *S. f.* V. *peitaria* (1): "Estava sentada, junto da futura sopraninho, uma senhora, matrona posuda, toda peitama e papadas" (Gilberto Amado, *Depois da Política*, p. 156).

peitar¹ [De *peita* + *-ar*².] *V. t. d.* **1.** Procurar corromper com dádivas; subornar com peitas; subornar. **2.** *Ant.* Pagar; satisfazer.

peitar² [De *peito* + *-ar*².] *V. t. d.* Enfrentar corajosamente, no peito: *Apesar de franzino, peitou o assaltante.*

peitaria [De *peito* + *-aria*.] *S. f. Bras. Chulo* **1.** Mamas volumosas; peitama: "— Meu Deus, as crianças — e uma senhora gorda na ponta da mesa levou a mão à peitaria." (Fernando Sabino, *O Homem Nu*, p. 48.) **2.** Tórax muito desenvolvido.

peitavento [Aglut. de *peito a vento*.] *Adv.* Com o peito contra o vento.

peiteira [De *peito* + *-eira*.] *S. f. Bras.* Peça dos arreios que cinge o peito do cavalo.

peiteiro [De *peitar* + *-eiro*.] *Adj.* **1.** Que peita ou suborna. ● *S. m.* **2.** Aquele que peita. **3.** *Ant.* Aquele que pagava peita.

peitica [Do tupi.] *S. f.* **1.** *Bras. Zool.* V. *saci* (2). **2.** *Bras. Amaz. Zool.* V. *maria-é-dia* (2). **3.** *Bras. N.E.* Pilhéria insistente e de mau gosto; impertinência. **4.** *Bras. N.E.* Pessoa importuna.

peitilho [De *peito* + *-ilho*.] *S. m.* **1.** Aquilo que reveste o peito. **2.** Parte de certas roupas, fixa ou removível, que cobre o peito: *o peitilho da camisa; peitilho de rendas*; "Vem do passeio matinal, de blusa / de seda azul, com flores no peitilho" (Maranhão Sobrinho, *Papéis Velhos*, p. 17).

peito [Do lat. *pectus* (*pectoris*), neutro, > *peitos* > *peito*.] *S. m.* **1.** A parte do tronco que contém os pulmões e o coração; tórax. **2.** A parte anterior e externa do tórax: "Livre filho das montanhas, / Eu ia bem satisfeito, / Da camisa aberto o peito" (Casimiro de Abreu, *Obras*, p. 94); *ave de peito branco*. **3.** A mama feminina: *dar o peito à criança*. **4.** O peitilho de certas camisas de homem: *camisa de peito duro*. **5.** Os órgãos respiratórios: *É fraco do peito; Sofre do peito*. **6.** A parte inferior do tórax dos animais de talho: *carne de peito*. **7.** A parte anterior do tórax das aves que é esp. rica em carne: *peito de galinha, de codorna*. **8.** *Fig.* Coragem, ânimo, valor: *É uma iniciativa que exige muito peito*. **9.** *Fig.* Alma, coração: "Aos montes ensinando, e às ervinhas, / O nome que no peito escrito tinhas." (Luís de Camões, *Os Lusíadas*, III, 58); "Oh! tão frágil mulher, peito tão forte!" (Odilo Costa Filho, *Cantiga Incompleta*, p. 95). ◆ **Peito aberto.** Coração franco e sincero. **Peito de prova.** V. *couraça* (1). **Peito do pé.** A região dorsal do pé. **Aberto dos peitos.** *Bras.* Diz-se do animal de sela, de carga ou de tiro que, após grandes esforços, tem os músculos peitorais relaxados e cai facilmente. **Abrir dos peitos.** **1.** *Bras.* Cansar, afrouxar, amolecer, arrebentar(-se), por excesso de esforço. **2.** *Bras. PA N.E.* Praticar um ato imprevisto de generosidade. **Abrir o peito.** Revelar os sentimentos com toda a lealdade. **A peito.** Com decisão; com boa vontade. **A peito descoberto.** De modo corajoso e franco; com desassombro. **A peito feito.** Com ousadia, com firmeza, com decisão; de peito feito: "as forças adversas não eram de acometer a peito feito" (Aquilino Ribeiro, *Os Avós dos Nossos Avós*, p. 199). **Bater no(s) peito(s).** Demonstrar arrependimento; arrepender-se. **Comer o peito da franga.** *Bras. MG Pop.* Alcançar uma vitória; comer o peito da franga com molho pardo. **Comer o peito da franga com molho pardo.** *Bras. MG Pop.* Comer o peito da franga. **Criar ao peito.** Amamentar. **De peito aberto.** De modo franco, leal, sincero; com franqueza absoluta; sem rodeios ou segunda intenção: "até que era uma boa ideia alguém ir lá de peito aberto, olhar, conversar, tirar tudo a limpo." (José J. Veiga, *A Hora dos Ruminantes*, p. 16). **De peito feito.** V. *a peito feito*: "Pegou a descalçar as botas. E entrou – de peito feito." (Guimarães Rosa, *Primeiras Estórias*, p. 68.) **Doente do peito.** *Bras. Pop.* Acometido pela tuberculose; fraco do peito, fraco, tuberculoso. **Do peito.** Muito querido; do coração: *amigo do peito*. **Esquentar o peito.** *Bras. Pop.* V. *embriagar* (4). **Fraco do peito.** *Bras. Pop.* V. *doente do peito*. **Lavar o peito.** **1.** Desabafar, desafogar-se. **2.** Desagravar-se, desforrar-se, vingar-se. **Levar a peito.** Tomar a peito. **Matar no peito.** *Bras. Fut.* Parar a trajetória da bola usando o peito como escudo. **Meter os peitos.** *Bras. Gír.* Atirar-se a uma empresa com decisão. "Então chamava o compadre Roxo e metia os peitos na maior roça de São José das Cajazeiras" (Odilo Costa Filho, *Histórias da Beira do Rio*, p. 137). **Molhar o peito.** *Bras. Pop.* V. *embriagar* (4). **No peito.** *Bras. Gír.* V. *no peito e na raça*. **No peito e na raça.** *Bras. Gír.* **1.** V. *na marra*. **2.** Com vigor; com energia. [Tb. se diz apenas *no peito*, ou *na raça*.] **Passar nos peitos.** *Bras. Chulo* V. *passar na cara*: "o neto do velho Zé Paulino andava sobre os passos do seu avô, passando nos peitos as negrinhas púberes da senzala." (José Lins do Rego, *Banguê*, p. 28.) **Pôr peito a.** Procurar levar a cabo; enfrentar. **Ter peito.** Ser corajoso; ter raça (2). **Tomar a peito.** Interessar-se vivamente por; interessar-se por; levar a peito.

peito de forno [De *peito* + *de* + *forno*.] *S. m. Bras. Amaz. Cul.* Picado de tartaruga temperado com limão, sal e pimenta, espalhado no próprio casco do animal e recoberto de uma camada finíssima de farinha-d'água, sendo assim levado ao forno. [Pl.: *peitos de forno*.] ☑

peito de moça *S. m. Bras. BA* Espécie de pão doce redondo e pontudo. [Pl.: *peitos de moça*.] ☑ notas 1 e 2

peito-de-moça *S. m. Bras. Bot.* V. *berinjela*. [Pl.: *peitos-de-moça*.]

peito-ferido [Voc. onom.] *S. m. Bras. BA Zool.* V. *saci* (2). [Pl.: *peitos-feridos*.]

peitogueira [De *peito*.] *S. f. Ant.* **1.** Tosse. **2.** Rouquidão.

peito-largo *S. m.* **1.** *Bras. N.E.* Ordenança (3). **2.** V. *capanga* (4). [Pl.: *peitos-largos*.]

peitoral [Do lat. *pectorale*.] *Adj. 2 g.* **1.** Do peito. **2.** Que faz bem ao peito (5): *Este xarope é peitoral.* [F. paral. (p. us.), nessas acepçs.: *pectoral*.] ● *S. m.* **3.** *Anat.* Cada um dos dois músculos (*grande peitoral* e *pequeno peitoral*) existentes em cada metade da parede torácica anterior. **4.** Medicamento contra mal do peito (5). **5.** Correia que cinge o peito do cavalo. **6.** A parte anterior e externa do peito da cavalgadura. **7.** Parte do hábito religioso, feminino ou masculino, que cobre o peito: "Esse pescoço e esse colo mimosos, ... — estão agora encobertos com o soqueixo e o peitoral de linho branco das humildes claristas." (Antero de Figueiredo, *Toledo*, p. 160.) **8.** *Bras. N.E.* Guarda-peito. ◆ **Grande peitoral.** *Anat.* V. *peitoral* (3). **Pequeno peitoral.** *Anat.* V. *peitoral* (3).

peitoril [Do lat. **pectorile*.] *S. m.* **1.** *Constr.* Parapeito (2): "Subia à cadeira, debruçando-se no peitoril da janela que dava diretamente para fora" (Macedo Miranda, *As Três Chaves*, p. 27). **2.** Pedra que forma o limiar da boca dos fornos de pão.

peito-roxo *S. m. Bras. Amaz. Zool.* Ave passeriforme, fringilídea (*Oryzoborus angolensis torridus*), da Amaz. O macho é preto, com espelho branco na asa; a fêmea tem dorso pardo, parte inferior pardo-avermelhada, e pescoço mais claro. Alimenta-se de sementes de capins e costuma frequentar arrozais. [Sin.: *papa-arroz*. Cf. *curió*. Pl.: *peitos-roxos*.]

peitorrear *V. int.* Emitir, ao falar, sons roucos do peito, em consequência de bronquite, etc. [Conjug.: v. *frear*.]

peitudo [De *peito* + *-udo*.] *Adj.* **1.** De peito grande e forte. **2.** *Bras.* V. *valentão* (1). **3.** *Bras. Prov. port.* Diz-se de mulher de mamas ou peitos grandes: "as meninas do Manuel do Carmo, Chico Lisboa e Maneta, umas roxas peitudas e bundudas que se comprimiam pelos cantos das cercas" (Bernardo Élis, *Veranico de Janeiro*, p. 24). ● *S. m.* **4.** *Bras. Pop.* Parte do lombo da cavalgadura; suadouro. **5.** *Bras.* V. *valentão* (3). **6.** *Bras.* Bom cantador; trovador.

peiú [Do tupi = 'soprar'.] *Adj. 2 g. Bras. AM* **1.** Convencido; cheio de vento; cheio de si. **2.** Gordo; inchado.

peiudo (ei-ú) [De *peia* + *-udo*.] *Adj. Bras. N.E. Chulo* Que tem grande peia (5). ❖

peixada [De *peixe* + *-ada*¹.] *S. f. Bras.* **1.** *Cul.* Prato de peixe cozido ou guisado: "Vão obrigar uma criatura assim a deglutir uma peixada de escabeche e meio cento de laranjas!" (Graciliano Ramos, *Linhas Tortas*, p. 75.) **2.** Grande porção de peixe cozido. [Cf. *pechada*.]

peixamento [De *peixar* + *-mento*.] *S. m. Bras.* Ato ou efeito de peixar: *peixamento de uma represa.*

peixão [De *peixe* + *-ão*¹.] *S. m.* **1.** Grande peixe. **2.** *Pop.* Mulher corpulenta, vistosa e de formas tentadoras; pancadão, pedaço. **3.** *Bras. Pop.* Mulher bonita.

peixar [De *peixe* + *-ar*².] *V. t. d. Bras.* Promover a piscicultura em (lago, açude, etc.).

peixaria [De *peixe* + *-aria*.] *S. f.* Estabelecimento onde se vende peixe.

peixe [Do lat. *pisce*.] *S. m.* **1.** *Zool.* Designação comum aos animais cordados, gnatostomados, aquáticos, com nadadeiras sustentadas por meio de raios ósseos, pele ger. coberta de escamas, coração com uma só aurícula, e aberturas nasais que não se comunicam com a boca e que respiram por brânquias. **2.** *Bras. Fam.* Peixinho. ~ V. *peixes*. ◆ **Peixe de couro.** *Bras. Zool.* Designação comum aos peixes actinopterígios, siluriformes, de pele lisa ou revestida de placas ósseas, com os barbilhões mentais dispostos aos pares. São os bagres e os cascudos. **Como o peixe na água.** À vontade; no seu elemento: *Em matemática, o rapaz está como o peixe na água*. **Falar aos peixes.** *Gír. Mar. G.* V. *vomitar* (11). **Mudo como um peixe.** Inteiramente mudo; absolutamente calado. **Não ser nem peixe nem carne.** Não ter opinião pró nem contra; não ter ou não tomar partido; não se definir. **Não ser nenhum peixe podre.** Não merecer desprezo; ter o seu valor, o seu merecimento. **Não ter nada com o peixe.** Ser alheio à peleja, à discussão, ao caso de

P

que se trata. **Vender o seu peixe. 1.** Tratar dos seus interesses com habilidade. **2.** Expor a sua opinião, o seu ponto de vista; manifestar-se.

peixe-agulha *S. m. Zool.* **1.** Peixe belonídeo (*Strongylura timucu*), do atlântico ocidental (da Flórida ao Sul do Brasil), de coloração prateada, com o dorso escuro, e cerca de 50cm de comprimento. [Sin.: *acarapindá, carapiá, petimbuaba, timicu, timucu.*] **2.** V. *agulha-crioula.* **3.** V. *agulha-branca* (1). **4.** V. *agulhão* (3). [F. red: *agulha.* Pl.: *peixes-agulhas* e *peixes-agulha.*]

peixe-agulha-d'água-doce *S. m. Bras. Zool.* Pirapucu (2). [Pl.: *peixes-agulhas-d'água-doce* e *peixes-agulha-d'água-doce.*]

peixe-anjo *S. m. Zool.* V. *peixe-morcego.* [Pl.: *peixes-anjos* e *peixes-anjo.*]

peixe-aranha *S. m. Zool.* Designação comum a duas espécies de peixes traquinídeos (*Trachius vipera*). [Pl.: *peixes-aranhas* e *peixes-aranha.*]

peixe-arqueiro *S. m. Zool.* Peixe perciforme, toxotídeo, capaz de caçar insetos atingindo-os com um jato de água. [Pl.: *peixes-arqueiros* e *peixes-arqueiro.*]

peixe-beijador (ô) *S. m. Zool.* Peixe helostomatídeo (*Helostoma temmincki*) ornamental, originário do Sudeste Asiático (Malásia, Bornéu, Sumatra, Java e Tailândia), de corpo ovalado, com até 30cm de comprimento, em tons de branco ao rosado ou de cinza ao esverdeado, com brilho iridescente, e nadeiras transparentes; beijador. [O nome provém do hábito de tocarem-se, frequentemente, pelos lábios carnudos. Pl.: *peixes-beijadores.*]

peixe-boi *S. m. Bras. Zool.* Mamífero sirênio, triquequídeo (*Trichechus inunguis*), das bacias do Orinoco e do Amazonas. Tem vida exclusivamente aquática, coloração cinza-escuro, pele lisa, corpo roliço, com as extremidades anteriores transformadas em nadadeiras, cauda achatada em forma de remo, e é desprovido de extremidades posteriores. O crânio apenas com dentes molares, seis a oito em cada ramo maxilar. Alimenta-se de gramíneas, sobretudo da canarana. Sua carne é boa. Podem-se extrair cerca de 200 quilos de azeite de cada animal adulto. A fêmea é chamada *peixe-mulher* (p. us.). [Sin.: *guaraguá, manati.* Pl.: *peixes-bois* e *peixes-boi.*]

peixe-boiense *Adj. 2 g.* **1.** De, ou pertencente ou relativo a Peixe-Boi (PA). • *S. 2 g.* **2.** O natural ou habitante de Peixe-Boi. [Pl.: *peixe-boienses.*]

peixe-borboleta *S. m. Bras. Zool.* **1.** Peixe pantodontídeo (*Pantodon buchholzi*), ornamental, de rios da África ocidental, com cerca de 10cm de comprimento, de corpo achatado em cima e embaixo e abaulado nas laterais; tem a boca ampla, as nadadeiras peitorais e ventrais grandes, a dorsal pequena e próxima à cauda e a anal chanfrada nos machos e arredondada nas fêmeas. Sua coloração vai do pardo ao verde-acinzentado, com matizes marrons; os raios das nadadeiras são mesclados de anéis escuros e claros. Alimenta-se de insetos, sendo capaz de pequenos voos, fora d'água, para capturá-los. **2.** V. *borboleta-branca.* **3.** V. *borboleta-listrada.* **4.** V. *sapopema* (2). [Pl.: *peixes-borboletas* e *peixes-borboleta.*]

peixe-boto [De *peixe* + *boto*[2].] *S. m. Zool.* Designação comum aos cetáceos odontocetos, delfinídeos (marinhos) e platanistídeos (fluviais). [Tb. se diz apenas *boto.* Sin.: *assoprador.* Pl.: *peixes-botos* e *peixes-boto.*]

peixe-cabra *S. m. Zool.* V. *cabrinha* (1). [Pl.: *peixes-cabras* e *peixes-cabra.*]

peixe-cachimbo *S. m. Zool.* **1.** Designação comum a peixes singnatídeos, marinhos e fluviais, de corpo alongado e fino, recoberto por placas ósseas, nadadeira dorsal pequena, caudal flabelada e focinho tubular, que termina numa boca pequena e estreita. [Sin.: *agulha-do-mar.*] **2.** Peixe singnatídeo (*Micrognathus crinitus*) do Atlântico ocidental (das Bermudas a Santa Catarina), de até 15cm de comprimento. Frequenta embocaduras de rios. **3.** Peixe singnatídeo (*Syngnathus folletti*) do Atlântico ocidental (do Ceará ao Uruguai), de coloração marrom a bege com o ventre mais claro, e que alcança cerca de 25cm de comprimento. [Pl.: *peixes-cachimbos* e *peixes-cachimbo.*]

peixe-cachorro *S. m. Zool.* **1.** Designação comum a peixes caracídeos, carnívoros, esp. dos gêneros *Acestrorhynchus* e *Hidrolycus*, que se caracterizam pelos dentes caninos pontudos e pela boca oblíqua. [Sin.: *cachorra, dentudo, anicauera, pirantera.*] **2.** *Bras.* Peixe caracídeo (*Rhaphiodon vulpinus*), das bacias do Prata e do Amazonas, com até 70cm de comprimento. Tem dois grandes dentes caninos, inseridos na mandíbula e perfurando a maxila, e coloração cinza-prateada. Alimenta-se de outros peixes. [Sin.: *icanga, pirá-andirá, pirapucá, pirapucu, saicanga, saranha, taiabucu, tajabucu, tambicu, timbucu, tamucu.*] **3.** Peixe caracídeo (*Acestrorhynchus lacustris*) das bacias do S. Francisco, do Prata e do Paraná, de até 30cm, de coloração esbranquiçada, com uma mancha escura na base da nadadeira caudal. **4.** *Bras.* Dentudo-dourado. **5.** *Bras. PA* Carataí (1). **6.** *Bras.* V. *cangati* (1). [Pl.: *peixes-cachorros* e *peixes-cachorro.*]

peixe-cadela *S. m. Bras. Zool.* Peixe caracídeo (*Galeocharax humeralis*) carnívoro, de coloração prateada, das bacias do Prata e Paraíba do Sul, do alto Amazonas e da Bolívia. Alcança até 28cm, apresenta dois dentes caninos longos, e costuma abrigar na boca pequenos crustáceos parasitas, que lhe vivem agarrados na língua. [Sin.: *peixe-prata, peixe-cigarra, cigarra, dentudo-pintado.* Pl.: *peixes-cadelas* e *peixes-cadela.*]

peixe-cigarra *S. m. Bras. Zool.* V. *peixe-cadela.* [Pl.: *peixes-cigarras* e *peixes-cigarra.*]

peixe-cirurgião *S. m. Zool.* V. *barbeiro* (7). [Pl.: *peixes-cirurgiões* e *peixes-cirurgião.*]

peixe-cobra [De *peixe* + *cobra*[1].] *S. m. Zool.* V. *muçum.* [Pl.: *peixes-cobras* e *peixes-cobra.*]

peixe-coelho *S. m. Zool.* V. *quimera* (5). [Pl.: *peixes-coelhos* e *peixes-coelho.*]

peixe-de-briga *S. m. Zool.* Pequeno peixe belontiídeo (*Betta splendens*) de coloração variável e nadadeiras longas, muito comum em aquários. Não obtém da água o oxigênio que necessita e emerge frequentemente para respirar na superfície, por meio de órgão especializado, o labirinto (q. v.). [Pl.: *peixes-de-briga.*]

peixe-de-enxurrada *S. m. Bras. Zool.* V. *tambuatá* (1 e 2). [Pl.: *peixes-de-enxurrada.*]

peixe-de-manilha *S. m. Bras. Zool.* V. *cuiú-cuiú* (2 e 3). [Pl.: *peixes-de-manilha.*]

peixe-de-são-pedro *S. m. Bras. Zool.* V. *galo-do-fundo.* [Pl.: *peixes-de-são-pedro.*]

peixe-diabo *S. m. Bras. Zool.* **1.** V. *peixe-pescador.* **2.** V. *jamanta*[1]. [Pl.: *peixes-diabos* e *peixes-diabo.*]

peixe-disco *S. m. Bras. Zool.* V. *acará-disco.* [Pl.: *peixes-discos* e *peixes-disco.*]

peixe-do-mato *S. m. Bras. Zool.* V. *tambuatá* (1 e 2). [Pl.: *peixes-do-mato.*]

peixe-do-paraíso *S. m. Zool.* Pequeno peixe belontiídeo (*Macropodus opercularis*), de coloração geral prateada, com listras verticais vermelhas; originário do S.O. da Ásia, é cultivado em aquários. [Pl.: *peixes-do-paraíso.*]

peixe-doutor *S. m. Bras. Zool.* **1.** Peixe antenariídeo (*Histrio histrio*), do Atlântico, de coloração amarela ornada de pardo, flancos e abdome pontilhados de branco, cabeça provida de pedúnculos, e o primeiro acúleo da nadadeira dorsal bifurcado no ápice. **2.** V. *barbeiro* (7). [Pl.: *peixes-doutores.*]

peixe-elefante *S. m. Bras. Zool.* **1.** V. *quimera* (5). **2.** Designação de peixes mormirídeos. [Pl.: *peixes-elefantes* e *peixes-elefante.*]

peixe-elétrico *S. m. Bras. Zool.* V. *poraquê.* [Pl.: *peixes-elétricos.*]

peixe-escorpião *S. m. Zool.* V. *mangangá* (1). [Pl.: *peixes-escorpiões* e *peixes-escorpião.*]

peixe-espada *S. m. Zool.* **1.** Peixe triquiurídeo (*Trichiurus lepturus*), do Atlântico, que ocorre desde a Virgínia (E.U.A.) até a Argentina. Coloração prateada; corpo comprimido, longo, pontiagudo, terminado em apêndice filiforme; nadeira dorsal que se estende da cabeça à extremidade posterior do corpo, com 130 raios, e nadadeira caudal ausente. Frequenta o fundo do mar, onde se alimenta de outros peixes. **2.** V. *espadarte.* **3.** Peixe peciliídeo (*Xephophorus helleri*), com até 12cm de comprimento e coloração variável; o macho tem nadadeira caudal prolongada em forma de espada e a anal transformada em gonopódio. Originário do México, é muito popular em aquários. **4.** V. *carapó.* [Tb. se diz apenas *espada.* Pl.: *peixes-espadas* e *peixes-espada.*]

peixe-flor *S. m. Bras. Zool.* V. *amboré.* [Pl.: *peixes-flores* e *peixes-flor.*]

peixe-folha *S. m. Bras. Zool.* **1.** Peixe actinopterígio, perciforme, nadídeo (*Monocirrhus polyacanthus*), da Amaz. e Guianas, de forma arredondada, corpo mais claro na metade anterior, duas faixas alongadas mais escuras partindo dos olhos, e mento com pequeno barbilhão. Costuma permanecer e nadar com a cabeça para baixo, mimetizando folhas. Atinge de 5 a 6cm de comprimento, alimenta-se de outros peixes, e em aquário vive bem, comendo barrigudinhos. [Sin.: *piracaá, piracará.*] **2.** V. *prejereba.* [Pl.: *peixes-folhas* e *peixes-folha.*]

peixe-frade *S. m. Bras. Zool.* V. *paru* (3). [Pl.: *peixes-frades* e *peixes-frade.*]

peixe-frito *S. m. Bras. BA* **1.** *Zool.* Designação comum a duas espécies de aves do gênero *Dromococcyx*: a *D. phasianellus* e a *D. pavoninus*, ambas de grande parte do Brasil. A *D. phasianellus* tem dorso cinzento-escuro, peito amarelado, parte ventral branca, e cabeça e topete castanhos. Alimenta-se de insetos e costuma colocar seus ovos em ninhos de outras aves. **2.** *Zool.* V. *saci* (2). **3.** *Gír.* Pequeno automóvel. [Pl.: *peixes-fritos.*]

peixe-galo [De *peixe* + *galo*[1].] *S. m.* **1.** Designação comum a peixes carangídeos de corpo comprimido, verticalmente alongado, e cauda furcada. **2.** *Zool.* Peixe carangídeo (*Selene vomer*) do Atlântico ocidental (do Maine [E.U.A.] ao Uruguai), de coloração prateada com o dorso azulado, fronte quase vertical, e primeiro raio das nadadeiras dorsal e anal muito longo. É encontrado, em cardumes, em águas costeiras, próximo ao fundo, e alimenta-se de moluscos, crustáceos e pequenos peixes. [Sin.: *alfaquim, capão, galo-bandeira, galo-de-fita, galo-de-penacho, galo-do-alto, galo-do-morro, testudo.*] **3.** *Zool.* V. *galo-branco.* **4.** *Zool.* V. *borboleta-branca.* [Pl.: *peixes-galos* e *peixes-galo.*]

peixe-galo-do-brasil *S. m. Bras. Zool.* V. *aracanguira.* [Pl.: *peixes-galos-do-brasil* e *peixes-galo-do-brasil.*]

peixe-gato *S. m. Bras. BA ES Zool.* **1.** V. *mapará* (2). **2.** V. *garoupa-gato.* [Pl.: *peixes-gatos* e *peixes-gato.*]

peixeira [De *peixe* + *-eira.*] *S. f.* **1.** Vendedora de peixe. **2.** *Bras. N.E.* Faca empregada para cortar peixe. **3.** *Bras. N.E.* Facão curto e muito cortante: 📖 "à falta de um pau puxou sua <u>peixeira</u> e de um só golpe certeiro partiu a cobra em duas." (Hélio Galvão, *Cartas da Praia*, p. 56). **4.** *Bras. S.* Travessa onde se serve o peixe.

peixeirada [De *peixeira* + *-ada*[1].] *S. f. Bras. N.E.* Golpe dado com a peixeira (3): 📖 "A disputa .... muitas vezes originava exaltação de ânimos e não raro a coisa terminando em pancadaria, com alguém esticado no chão, vítima de <u>peixeirada</u>." (José Condé, *Como uma Tarde em Dezembro*, p. 10.)

peixeiro [De *peixe* + *-eiro.*] *S. m.* **1.** Vendedor de peixe. **2.** *Bras.* V. *santista*[2] (3).

peixe-japonês *S. m. Zool.* Peixe ciprinídeo (*Carassius auratus*) de coloração originariamente verde-oliva, embora haja, atualmente, espécies de cores variadas; tem nadadeira dorsal única e caudal bifurcada, e mede cerca de 25cm. Originário do L. da Ásia, alimenta-se de plantas e pequenos invertebrados e pode viver muitos anos, sendo comum em aquários. [Pl.: *peixes-japoneses.*]

peixe-lagarto *S. m. Bras. Zool.* Peixe actinopterígio, mictoliforme, sinodontídeo (*Synodus, intermedius*), da costa leste do Brasil, de coloração amarelada e 40cm de comprimento. Tem o corpo alongado, as nadadeiras ventrais relativamente grandes, e o focinho lembra o do lagarto. Alimenta-se de outros peixes e crustáceos. [Sin.: *lagarto-do-mar, calango.* Pl.: *peixes-lagartos* e *peixes-lagarto.*]

peixe-lanceta *S. m. Zool.* Anfioxo. [Pl.: *peixes-lancetas.*]

peixe-lenha *S. m. Bras. Zool.* V. *surubim-mena* (1 e 2). [Pl.: *peixes-lenhas* e *peixes-lenha.*]

peixelim *S. m.* Peixe miúdo do mar.

peixe-lua *S. m. Zool.* Peixe actinopterígio, plectógnato, molídeo (*Mola mola*), do Atlântico, de corpo discoide, prateado, dorso azulado, estrias azuis transversais sobre os lados do focinho e atravessando os olhos, e nadadeiras dorsal e ventral situadas na parte posterior. Chega a medir 2,5m e a pesar 900kg. [Sin.: *peixe-roda.* Pl.: *peixes-luas* e *peixes-lua.*]

peixe-macaco *S. m. Bras. Zool.* Peixe actinopterígio, perciforme, eleotrídeo (*Eleotris pisonis*), do Atlântico, de coloração oliváceo-escura, uniforme, e até 17cm de comprimento. Tem hábitos sedentários e frequenta, também, a água doce. [Pl.: *peixes-macacos* e *peixes-macaco.*]

peixe-martelo *S. m.* **1.** *Zool.* V. *chapéu-armado* (2). **2.** V. *patá*[1] (2). **3.** V. *tubarão-martelo* (2). [Pl.: *peixes-martelos* e *peixes-martelo.*]

peixe-moela *S. f. Bras. Zool.* V. *barbado*[1] (6). [Pl.: *peixes-moelas* e *peixes-moela.*]

peixe-morcego [De *peixe* + *morcego*[2].] *S. m. Zool.* Peixe teleósteo, pediculado, oncocefalídeo (*Oncocephalus longirostris*), do Atlântico, de dorso terroso e abdome brancacento. O corpo apresenta feitio de sapo na parte anterior e é pisciforme na posterior; nadadeiras ventrais, utilizadas para caminhar na lama, pediformes, e as peitorais lembram asas. É peixe de profundidade. [Tb. se diz apenas *morcego.* Sin.: *peixe-anjo.* Pl.: *peixes-morcegos* e *peixes-morcego.*]

peixe-mulher *S. m. Bras. P. us. Zool.* A fêmea do peixe-boi. [Pl.: *peixes-mulheres* e *peixes-mulher.*]

peixe-negro *S. m. Bras. Zool.* V. *mandi-bandeira.* [Pl.: *peixes-negros.*]

peixense *Adj. 2 g.* **1.** De, ou pertencente ou relativo a Peixe (TO). • *S. 2 g.* **2.** O natural ou habitante de Peixe.

peixe-palmito *S. m. Bras. Zool.* V. *palmito-de-ferrão.* [Pl.: *peixes-palmitos* e *peixes-palmito.*]

peixe-pano [Trad. do ingl. *ragfish.*] *S. m. Zool.* Peixe icosteídeo (*Icosteus aenigmaticus*) do Pacífico norte, de corpo comprimido, esqueleto quase inteiramente cartilaginoso, com a forma juvenil muito diferente da adulta; pode alcançar mais de 2m de comprimento e o nome comum advém da sua flacidez. [Pl.: *peixes-panos* e *peixes-pano.*]

peixe-papagaio *S. m. Bras. Zool.* Peixe lamprídídeo (*Lampris guttatus*) de corpo ovalado, pelágico, de ampla distribuição em mares temperados e tropicais, de coloração azul-escura na região superior e azul-clara ou rosa-prateada na inferior, com muitas manchas brancas, e nadadeiras de um vermelho vivo. Pode atingir 2m de comprimento e sua carne é muito apreciada. [Pl.: *peixes-papagaios* e *peixes-papagaio.*]

peixe-pegador (ô) *S. m. Bras. Zool.* V. *rêmora* (2 e 3). [Pl.: *peixes-pegadores.*]

peixe-pena [De *peixe* + *pena*^{1}.] *S. m. Zool.* Peixe esparídeo (*Callamus penna*), de corpo comprido e ovoide, com um pequeno osso sobre o qual se move o segundo acúleo da nadadeira anal. Tem a forma de uma pena de escrever, e ocorre do S. da Flórida ao S. do Brasil. [Pl.: *peixes-penas* e *peixes-pena.*]

peixe-pescador *S. m. Bras. Zool.* Peixe actinopterígio, pediculado, lofídeo (*Lophius gastrophysus*), da costa brasileira. Coloração cinzenta com manchas negras; comprimento de 1 a 2m. Tem sobre o focinho um pedúnculo terminado em dilatação foliácea, usado para atrair outros peixes e capturá-los para sua alimentação. Extremamente voraz, pode engolir presas quase do seu próprio tamanho. [Sin.: *peixe-diabo, diabo-marinho, lófio.* Pl.: *peixes-pescadores.*]

peixe-piolho *S. m. Zool.* V. *rêmora* (2 e 3). [Pl.: *peixes-piolhos* e *peixes-piolho.*]

peixe-porco *S. m. Bras. Zool.* **1.** Peixe actinopterígio, plectógnato, monacantídeo (*Monacanthus hispidus*), do Atlântico, desde a América do Norte até o RJ, de coloração cinérea, irregularmente manchada de amarelo-oliváceo, escamas pequenas, de aspecto granuloso, e um grande espeto ereto atrás da cabeça. Sua carne não é venenosa, como o povo crê. [Sin.: *negro-mina.*] **2.** Gudunho. [Pl.: *peixes-porcos* e *peixes-porco.*]

peixe-prata *S. m. Bras. Zool.* V. *peixe-cadela.* [Pl.: *peixes-pratas* e *peixes-prata.*]

peixe-prego *S. m. Bras. Zool.* V. *enchova-preta.* [Pl.: *peixes-pregos* e *peixes-prego.*]

peixe-preto *S. m. Bras. Zool.* V. *mandi-bandeira.* [Pl.: *peixes-pretos.*]

peixe-purgativo *S. m. Bras. Zool.* V. *enchova-preta.* [Pl.: *peixes-purgativos.*]

peixe-rato *S. m. Bras. Zool.* V. *ubarana-rato.* [Pl.: *peixes-ratos* e *peixes-rato.*]

peixe-rei *S. m. Bras. Zool.* **1.** Peixe aterinídeo (*Xenomelaniris brasiliensis*) de águas costeiras salgadas e salobras e tb. de rios costeiros, da Venezuela ao Sul do Brasil; tem cerca de 15cm de comprimento, coloração esbranquiçada com faixa lateral prateada, e forma cardumes. [Sin.: *mamarreis, manjuba, pipitinga, varapau.*] **2.** Peixe aterinídeo (*Odontesthes bonaeriensis*) de água doce, de corpo fusiforme, coloração prateada, com o dorso azulado, e uma faixa tb. prateada nos flancos; alcança cerca de 50cm de comprimento e é encontrado do Sul do Brasil à Argentina. **3.** Peixe aterinídeo (*Odontesthes argentinensis*) de coloração esbranquiçada, com uma faixa prateada nos flancos, e dorso amarelado, do Atlântico ocidental (de São Paulo à Argentina); mamarreis. **4.** V. *bijupirá.* [Pl.: *peixes-reis* e *peixes-rei.*]

peixe-remo *S. m. Zool.* Peixe condrósteo, poliodontídeo, que se caracteriza pelo focinho em forma de remo, com função desconhecida; tem grande esqueleto cartilaginoso e alimenta-se de plâncton. [Pl.: *peixes-remos* e *peixes-remo.*]

peixe-roda *S. m. Zool.* Peixe-lua. [Pl.: *peixes-rodas* e *peixes-roda.*]

peixes [Do lat. *pisces.*] *S. m. pl.* **1.** *Astr.* A 12ª constelação do zodíaco, situada no hemisfério norte, a 1h de ascensão reta e 15° de declinação norte. **2.** *Astrol.* O 12º signo do zodíaco, relativo aos que nascem entre 19 de fevereiro e 20 de março. [Sin., nessas acepçs.: *Pisces.* Com cap.] ~ V. *peixe.*

peixe-sapo *S. m. Bras. Zool.* **1.** V. *pacamão* (1). **2.** Bagre-sapo (2). [Pl.: *peixes-sapos* e *peixes-sapo.*]

peixe-serra *S. m.* Nome comum às espécies de peixes elasmobrânquios pristídeos (*Pristis microdon, P. pectinatus* e *P. cuspidatus*) dos mares tropicais, de coloração cinza-escura, mais clara no abdome, cabeça provida de um longo rostro, ou serra, que atinge até 2m de comprimento. Certos indivíduos podem alcançar cerca de 7m de extensão. Vivem no fundo das águas, mais comumente em águas costeiras e no estuário dos grandes rios. [Sin.: *araguaguá, araguaguai.* Pl.: *peixes-serras* e *peixes-serra.*]

peixe-soldado *S. m. Bras. Zool.* Peixe cetodontídeo (*Holacanthus tricolor*). [Pl.: *peixes-soldados* e *peixes-soldado.*]

peixe-sono *S. m. Bras. Zool.* V. *prejereba.* [Pl.: *peixes-sonos* e *peixes-sono.*]

peixe-trombeta *S. m. Zool.* **1.** Peixe aulostomídeo (*Aulostomus maculatus*) do Atlântico ocidental (da Flórida ao S.E. do Brasil), de até 90cm de comprimento. É capaz de mudar de cor, adotando a postura vertical, de cabeça para baixo, para se confundir com antozoários, e assim capturar peixes, crustáceos, etc. **2.** Peixe fistulariídeo (*Fistularia tabacaria*) da costa atlântica, de forma alongada, cilíndrica, de dorso pardacento e ventre mais claro, com uma série de manchas azuis da cabeça à nadadeira dorsal e tb. no focinho e nos flancos; a nadadeira caudal, furcada, tem longo filamento central. A cabeça ocupa uma terça parte do corpo, que pode atingir até 2m de comprimento. [Sin., nesta acepç.: *agulheta, cachimbau, agulhão-trombeta, petimbo.*] [F. red.: *trombeta.* Pl.: *peixes-trombetas* e *peixes-trombeta.*]

peixe-vermelho *S. m. Zool.* Peixe teleósteo, cipriniforme, ciprinídeo (*Carassius auratus auratus*), originário da China, cuja coloração varia do vermelho ao dourado, tendendo ao amarelo nas nadadeiras. É uma das espécies mais antigas em aquários, uma das primeiras criadas pelo homem, e atinge até 25cm de comprimento. Há numerosas variedades, que de ordinário recebem nomes populares. [Pl.: *peixes-vermelhos.* Cf. *cabeça-de-leão, cabeça-de-tomate, cauda-de-véu, mira-céu* (1) e *telescópio* (5).]

peixe-voador *S. m. Zool.* **1.** Peixe exocetídeo (*Exocoetus volitans*) pelágico, difundido em áreas tropicais e subtropicais dos oceanos, de dorso azul-iridescente e ventre branco; nadadeiras peitorais acinzentadas e ponteadas com tal desenvolvimento que lhe permitem dar pequenos voos próximo à superfície da água; holandês. **2.** Peixe dactilopterídeo (*Dactylopterus volitans*) das costas do Atlântico, que vive nos fundos arenosos ou argilosos; alcança cerca de 45cm, tem a cabeça rodeada por couraça óssea e rematada por escudo nucal que se prolonga em pontas agudas, a coloração é variável, mas ger. com o dorso marrom, com muitas manchas azuis, ventre claro, com manchas irregulares avermelhadas, nadadeiras peitorais grandes e aliformes, manchadas de azul e com listras azul-brilhantes próximo à base. Alimenta-se de pequenos crustáceos e outros invertebrados, usando a parte anterior das nadadeiras peitorais para localizá-los; quando ameaçado ergue as nadadeiras peitorais, para aparentar tamanho superior ao real e assim afugentar possíveis predadores. [Sin.ger.: *cajaléu, coió, coró, santo-antônio, pirabebe, voador-cascudo, voador-de-pedra.* Tb. se diz apenas *voador.* Pl.: *peixes-voadores.*]

peixe-zebra *S. m. Bras. Zool.* Bandeira-paulista. [Pl.: *peixes-zebras* e *peixes-zebra.*]

peixinho [De *peixe* + *-inho*^{1}.] *S. m.* **1.** Pequeno peixe. **2.** *Bras. Fam.* Pessoa que é favorita de outrem, gozando, assim, de certas regalias; peixe. **3.** *Esport.* No vôlei, jogada defensiva em que o atleta, para alcançar a bola antes que esta toque no chão, mergulha em sua direção, com o corpo e os membros esticados. **4.** *Fut.* Lance em que o jogador mergulha rente ao chão para tentar cabecear a bola.

peixote [De *peixe* + *-ote*^{1}.] *S. m.* Peixe de tamanho médio. [Cf. *pexote.*]

peixotense *Adj. 2 g.* **1.** De, ou pertencente ou relativo a Peixoto de Azevedo (MT). ● *S. 2 g.* **2.** O natural ou habitante de Peixoto de Azevedo.

peja (ê) [Dev. de *pejar.*] *S. f.* **1.** O ato de pejar (6). [Antôn.: *botada*^{2} (4).] **2.** O término dos trabalhos da safra.

pejado [Part. de *pejar.*] *Adj.* **1.** Que sente pejo; envergonhado, acanhado. **2.** Repleto, carregado, cheio. **3.** Diz-se de mulher ou doutra fêmea em estado de gestação.

pejamento [De *pejar* + *-mento.*] *S. m.* **1.** Ato ou efeito de pejar(-se). **2.** Aquilo que peja ou embaraça; estorvo.

pejar [De or. obscura.] *V. t. d.* **1.** Encher; carregar. **2.** Estorvar, impedir, embaraçar: *Caixas amontoadas pejavam a passagem. T. d. e i.* **3.** Encher, carregar: *A cena pejava-lhe a memória com tristes lembranças. T. i.* **4.** Causar pejo, vergonha ou vexame: *A censura pejou-lhe vivamente. Int.* **5.** Ficar prenhe, grávida; engravidar, gravidar, conceber. **6.** *Bras.* Parar (o engenho de açúcar) de moer. [Antôn., nesta acepç.: *botar.*] *P.* **7.** Embaraçar-se, estorvar-se. **8.** Recear; hesitar: *Não se pejou de eliminar o adversário.* **9.** Acanhar-se por modéstia ou por timidez; envergonhar-se, correr: "E quantos fidalgos havia que não se pejavam de casar com mulheres que tinham sido barregãs de outros!..." (Antero de Figueiredo, *Leonor Teles*, p. XXVIII.) [Var.: *apejar.* Conjug.: v. *pelejar.*]

peji [Do ioruba *pe*, 'reunir', e *ji*, 'presentear', ou *pejo*, 'reunir'.] *S. m. Bras. Rel.* No candomblé, altar dos orixás: "Quando ele se ocultou no santuário, ... todos os cágados como que chamados por uma voz secreta começaram a rojar em direção do peji." (Xavier Marques, *O Feiticeiro*, p. 155.)

pejo (ê) [Dev. de *pejar.*] *S. m.* **1.** Pudor (1): "Valente, como era, chorou sem ter pejo" (Gonçalves Dias, *Obras Poéticas*, II, p. 34). **2.** *Ant.* Acanhamento, timidez; vergonha. **3.** *Ant.* Impedimento, estorvo.

pejorar [Do lat. *pejorare.*] *V. t. d. P. us.* **1.** Tornar pior. **2.** Rebaixar, depreciar, aviltar.

pejorativo [De *pejorar* + *-tivo.*] *Adj.* **1.** Diz-se de vocábulo que expressa desaprovação, depreciação ou significação desagradável. [O sufixo *-ês*, p. ex., quando designa um jargão^1 (3) e não um glossônimo, tem uso pejorativo: *economês, politiquês.*] **2.** Diz-se de vocábulo que adquiriu ou tende a adquirir significação torpe, obscena. **3.** Diz-se de tal significação: *Usou a palavra* moleque *em sentido pejorativo.*

pejoso (ô) [De *pejo* + *-oso.*] *Adj. P. us.* Pejado, envergonhado; acanhado.

pejuçarense *Adj. 2 g.* **1.** De, ou pertencente ou relativo a Pejuçara (RS). ● *S. 2 g.* **2.** O natural ou habitante de Pejuçara.

▲ **-pel** Equiv. de *pel(o)-.*

pela^1 (é) [Do lat. vulg. *pilella, dim. de *pila*, pelo arc. *peela.*] *S. f.* **1.** Bola, especialmente a de borracha, usada para jogar ou brincar. **2.** Bola usada no jogo da pela. **3.** Jogo da pela. **4.** Jogralesa: "O som destes instrumentos semibárbaros .... marcava o compasso às danças dos jograis e das pelas ou jogralesas, de que também há memórias." (Alexandre Herculano, *O Monge de Cister*, II, p. 259.) **5.** *Fig.* V. *joguete* (1). [Pl.: *pelas* (é). Cf. *pela* (ê) e *pelas* (ê), flex. de *pelo*^{1} (ê).] ❖

pela^2 (é) [Dev. de *pelar.*] *S. f.* **1.** Cada camada de cortiça, nos sobreiros. **2.** Ato de pelar^2. [Pl.: *pelas* (é). Cf. *pela* (ê) e *pelas* (ê), flex. de *pelo*^{1} (ê).] ❖

pela (ê) [Aglut. da prep. *per* e do art. arc., fem., *la* (a^2).] Fem. de pelo (1 a 3) (q. v.). [Pl. *pelas* (ê). Cf. *pela* (é), s. f., pl. *pelas* (é), e *pela* (é) e *pelas* (é), do v. *pelar.*]

pelada^1 [F. subst. do adj. *pelado*^{1}.] *S. f.* **1.** Campo de serra. **2.** *Patol.* Afecção das regiões pilosas, particularmente o couro cabeludo, a qual se manifesta por placas de alopecia arredondadas ou ovais.

pelada^2 [De *pela*^{1} + *-ada*^{1}, poss.] *S. f. Bras.* **1.** Jogo de futebol ligeiro, sem número certo de jogadores, em geral entre garotos ou amadores, e que se realiza em campo improvisado. [Sin.: *racha.*] **2.** Partida de futebol mal jogada ou sem maior interesse. ◆ **Bater uma pelada.** *Bras.* Jogar pelada^2 (1).

peladão [De *pelado* + *-ão*^{1}.] *Adj. Fam.* Completamente nu; pelado: *Depois de sair peladona na revista, ficou famosa.*

peladeiro [De *pelada*^{2} + *-eiro.*] *S. m. Bras.* Jogador de pelada^2 (1).

pelado^1 [Part. de *pelar*^{1}.] *Adj.* **1.** A que tiraram o pelo. **2.** Que não tem pelo. **3.** Calvo, careca. **4.** *Fam.* Finório, espertalhão. ~ V. *morro —.* ● *S. m.* **5.** *Bras. S.* V. *rapador*^{1}.

pelado^2 [Part. de *pelar*^{2}.] *Adj.* **1.** A que se tirou a pele; esfolado. **2.** A que se tirou a casca. **3.** *Fig.* Sem dinheiro; pobre, miserável. **4.** *Bras. Fam.* Nu, desnudo, despido: "afastando-se, apareceu de corpo inteiro aos olhos da mulher, esquecendo-se de que estava pelado." (Fernando Sabino, *Medo em Nova Iorque. A Cidade Vazia*, p. 120). ● *S. m.* **5.** Indivíduo pobre, sem dinheiro.

pelador^1 (ô) [De *pelar*^{1} + *-dor.*] *Adj.* **1.** Que pela ou tira o pelo. ● *S. m.* **2.** Aquele que pela ou tira o pelo. **3.** *Bras. RS* V. *rapador*^{1}.

pelador^2 (ô) [De *pelar*^{2} + *-dor.*] *Adj.* *S. m.* Que, ou aquele que pela ou tira a pele.

peladura^1 [De *pelar*^{1} + *-dura.*] *S. f.* **1.** Ato ou efeito de pelar^1. **2.** V. *alopecia.*

peladura^2 [De *pelar*^{2} + *-dura.*] *S. f.* **1.** Ato de pelar^2. **2.** *Bras. RS* Susto, sobressalto. **3.** *Bras. RS* Desgraça, desastre.

pelagem [De *pelo*^{2} + *-agem*^{2}.] *S. f.* O pelo dos animais; pelame.

pelagianismo [De *pelagiano* + *-ismo.*] *S. m.* A doutrina de Pelágio (séc. V), heresiarca inglês, a qual nega o pecado original e a corrupção da natureza humana e, consequentemente, a necessidade do batismo.

pelagianista [De *pelagiano* + *-ista.*] *Adj. 2 g.* **1.** Pelagiano. **2.** Seguidor do pelagianismo. ● *S. 2 g.* **3.** Aquele que é seguidor da doutrina de Pelágio.

pelagiano [De *Pelágio* (v. *pelagianismo*) + *-ano*^{1}.] *Adj.* Pertencente ou relativo ao pelagianismo, ou a Pelágio, cuja doutrina combatia aguerridamente a de Santo Agostinho [v. *agostiniano* (1)]; pelagianista.

pelágico [Do gr. *pelagikós*, pelo lat. *pelagicu.*] **Adj.** V. *pelágio* (1). ~ V. *depósito —, região —a, rio —* e *vida —a.*

pelágio [Do gr. *pelágios*, pelo lat. *pelagiu.*] **Adj.** **1.** Relativo a pélago; oceânico, pelágico. **2.** Que ocorre nos mares: *rios pelágios.*

▲ **pelag(o)-** [Do gr. *pélagos, eos-ous* (ă).] *El. comp.* = 'mar alto', 'oceano': *pelagografia, pelagoscopia, pelagoscópio.*

pélago [Do *pélagos*, pelo lat. *pelagu*, por via erudita.] *S. m.* **1.** Mar profundo; abismo marítimo; pego. **2.** Mar alto; oceano. **3.** *Fig.* Abismo, profundidade, imensidade; pego: *um pélago de sofrimentos;* "No período da vida em que o coração da mulher se abre às paixões há duas épocas distintas. A primeira é aquela em que, tímida e inexperiente, ela se embriaga nesse pélago de vagas aspirações de um

P

amor sem objeto" (Alexandre Herculano, *O Monge de Cister*, II, p. 142).

pelagografia (è) [De *pelag(o)-* + *-grafia*.] *S. f.* No antigo conceito de geografia, o estudo dos mares.

pelagográfico (è) [De *pelagografia* + *-ico*[2].] *Adj.* Referente à pelagografia.

pelagoscopia (è) [De *pelag(o)-* + *-scop-* + *-ia*[1].] *S. f.* Arte de examinar o fundo das águas.

pelagoscópico (è) [De *pelagoscopia* + *-ico*[2].] *Adj.* Referente à pelagoscopia.

pelagoscópio (è) [De *pelag(o)-* + *-scópio*.] *S. m.* Instrumento com que se observa o fundo das águas.

pelagra [Do it. *pellagra*.] *S. f. Patol.* Avitaminose causada por deficiência de niacina, e que se caracteriza por eritema das partes descobertas do corpo, perturbações digestivas e distúrbios psíquicos.

pelagroso (ô) [De *pelagra* + *-oso*.] *Adj.* **1.** Referente a, ou que tem pelagra. ● *S. m.* **2.** O doente de pelagra.

pelame[1] [De *pelo*[2] + *-ame*.] *S. m.* Pelagem.

pelame[2] [De *pele* + *-ame*.] *S. m.* **1.** Porção de peles; pelaria, courama. **2.** A pele dos animais. **3.** Tanque em que se curtem peles.

pelanca [De *pele*.] *S. f.* **1.** Pele flácida e pendente; pele: "puxava a camisa, guardava as <u>pelancas</u> dos peitos e, com um grunhido, chamava o cão e partia resmungando o seu canto monótono" (Coelho Neto, *Sertão*, p. 29). **2.** Carne magra e engelhada. [Var., nessas acepç.: *pelanga* e *pelhanca*; sin.: *pelangana*.] **3.** *Bras.* Peso de carne de má qualidade; pele. ● *S. m.* **4.** *Bras. Gír.* Repórter antigo.

pelanco [De *pelanca*.] *S. m. Bras. N.E.* **1.** Passarinho novo. **2.** *Fig.* Rapazinho, garoto, fedelho.

pelancudo [De *pelanca* + *-udo*.] *Adj.* Que tem pelancas.

pelanga *S. f.* V. *pelanca* (1 e 2).

pelangana [De *pelanga*.] *S. f.* V. *pelanca* (1 e 2).

pela-porco [De *pelar* + *porco*.] *S. m. Bras. PB Pop.* Barbeiro (1) de feira livre. [Pl.: *pela-porcos*.] ✣

pelar[1] [De *pelo*[2] + *-ar*[2].] *V. t. d.* **1.** Tirar o pelo a. *P.* **2.** Ficar sem pelo. [Pres. ind.: *pelo (é)*, *pelas (é)*, *pela (é)*, etc. Cf. *pelo*[1] *(ê)*, flex. *pela (ê)*, *pelas (ê)*, e *pelo*[2] *(ê)*, s. m.]

pelar[2] [De *pele* + *-ar*[2].] *V. t. d.* **1.** Tirar a pele ou casca de. **2.** *Gír.* Depenar (4). **3.** *Bras. RS* Desembainhar (a espada ou o facão). [Sin., no N.E., nesta acepç.: *desfolhar*.] *Int.* **4.** *Bras.* Atingir temperatura elevadíssima, capaz de, ou quase capaz de, ao simples contacto, tirar a pele: "Faltava-lhe a arma que destruía esses monstros [tubarões] : uma abóbora <u>pelando</u>, no fogareiro de bordo." (Reginaldo Guimarães, *Uma Blusa no Cais*, p. 27.) *P.* **5.** Ficar sem pele. **6.** Despir-se, desnudar-se. **7.** *Fig.* Gostar muito: *O Rodrigo <u>se pela</u> por mariscos*; "O homem tinha um fraco: <u>pelava-se</u> pela canja!" (D. João da Câmara, *Contos*, p. 136). [Pres. ind.: *pelo (é)*, *pelas (é)*, *pela (é)*, etc. Cf. *pelo*[1] *(ê)*, flex. *pela (ê)*, *pelas (ê)*, e *pelo*[2] *(ê)*, s. m.]

pelargônico *Adj. Quím.* V. *pelargônico*. [Uso freq. em P.]

pelargônico [De *pelargônio* + *-ico*[2].] *Adj. Quím.* ~ V. *ácido* —.

pelargónio *S. m. Bot.* V. *pelargônio*. [Uso freq. em P.]

pelargônio [Do tax. *Pelargonium*.] *S. m. Bot.* **1.** Grande gênero de geraniáceas nativas do S. da África, dotadas de flores exuberantes, em vários tons de vermelho, ou brancas, e que se caracterizam pelo cálice em forma de espora (4) e pela corola irregular. **2.** Qualquer espécie desse gênero, como, p. ex., a *Pelargonium grandiflorum*, cultivada como ornamental, de flores odoríferas e cujas folhas são tb. aromáticas; é impr. chamada *gerânio* ou *gerânio-ferradura*. **3.** Qualquer espécime desse gênero, ou a sua flor.

pelaria [De *pele* + *-aria*.] *S. f.* **1.** V. *pelame*[2] (1). **2.** Indústria do preparo de peles. **3.** V. *peleteria*.

pelásgico [Do gr. *pelasgikós*.] *Adj.* Pertencente ou relativo aos pelasgos.

pelasgo [Do lat. *pelasgu*.] *S. m.* Indivíduo dos pelasgos, primitivos habitantes da Grécia e das ilhas do Mediterrâneo oriental.

pele [Do lat. *pelle*.] *S. f.* **1.** *Anat.* Órgão que recobre o corpo humano externamente, consistindo em epiderme e derme, e situado sobre tecidos subcutâneos. [Sin.: *derma* e (pop.) *couro*.] **2.** *Pop.* A camada mais externa da pele (1); epiderme. **3.** *Zool.* Órgão que recobre externamente o corpo da grande maioria dos animais vertebrados. **4.** Cútis, tez: *Não é bonita, mas tem uma linda <u>pele</u>.* **5.** V. *pelanca* (1). **6.** Couro[1] (2). **7.** Partes coriáceas e nervosas que se encontram nas carnes comestíveis; pelanca. **8.** A pele de um animal separada do corpo: *É de La Fontaine a fábula acerca do lobo vestido com a <u>pele</u> da ovelha.* **9.** A pele de certos animais, dotada de pelos finos, sedosos e abundantes, preparada industrialmente para ser usada na fabricação de agasalhos, ou como ornamento ou guarnição de certas peças do vestuário. **10.** Odre (1). **11.** Peça de vestuário, ou manta, feita ou forrada de pele (9): *A atriz usava uma <u>pele</u> de raro valor.* **12.** A casca de certos frutos e legumes: *a <u>pele</u> do pêssego.* **13.** *Fig.* A própria pessoa; o próprio corpo: *sentir na <u>pele</u>* (q. v.); *defender a <u>pele</u>.* **14.** *Fam.* Cutícula (2). **15.** *Bras. PA* O disco achatado da borracha bruta, tal como é apresentada à venda, depois de preparada nos seringais. **16.** *Bras. Gír.* Pelega. **17.** Pele da unha. ◆ **Pele anserina.** *Med.* **1.** Pele rugosa consequente a doença. **2.** Pele arrepiada fisiologicamente, pelo medo, pelo frio, etc. **Pele da unha.** Cutícula (2). [Tb. se diz apenas *pele*. Sin.: *pelinha*.] **Pele de vidro.** *Arquit.* Elemento de vedação externa à estrutura do edifício feito de grandes painéis de vidro colados com silicone e caixilharia especial, não aparente pelo lado de fora. **Pele e osso.** Diz-se de pessoa ou animal muito magro. **Cair na pele de.** *Bras. Pop.* Zombar ou escarnecer de; gozar. **Cortar na pele de.** Falar mal de (alguém); difamar; tosar na pele de. **Estar na pele de.** Estar na posição, situação, etc., ocupada por (alguém); estar no lugar de. **Salvar a pele.** *Bras.* **1.** Esquivar-se da responsabilidade em mau ato; livrar-se de castigo ou reprimenda. **2.** Salvar a cabeça (1). **Sentir na pele.** Ressentir-se profundamente de (alguma coisa); sofrer na própria carne; sentir na própria pele. **Sentir na própria pele.** V. *sentir na pele*. **Tirar a pele a.** Explorar, defraudar (alguém); tirar a pele de. **Tirar a pele de.** Tirar a pele a. **Tosar na pele de.** Cortar na pele de.

peleador (ô) [Do esp. plat. *peleador*.] *Adj. S. m. Bras. SC RS* Brigão; turbulento.

pelear [Do esp. plat. *pelear*.] *V. int. Bras. SC RS* Brigar, lutar, batalhar, pelejar: "Ele pinchou-se, a espada reverberando na mão. <u>Peleamos</u> um mundo de tempo." (Tito Carvalho, *Bulha d'Arroio*, p. 10.) [Conjug.: v. *frear*.]

pelebreu *S. m. Bras. PI CE* Pinto pelado.

pelecânida [Do tax. *Pelecanus* + *-ida*[1].] *S. m. Adj. 2 g. Zool.* V. *pelicanídeo*.

pelecanídeo [Do tax. *Pelecanus* (< lat. tard. *pelecanus*, 'pelicano') + *-ídeo*[1]; tax. *Pelecanidae*.] *S. m. Adj. Zool.* V. *pelicanídeo*.

pelecaniforme [Do tax. *Pelecanus* (v. *pelecanídeo*) + *-iforme*; tax. *Pelecaniformes*.] *S. m. Adj. 2 g. Zool.* V. *pelicaniforme*[2].

pelechar [Do esp. plat. *pelechar*.] *V. int. Bras. RS* Mudar o pelo (o animal). [Conjug.: v. *fechar*.]

pelecho (ê) [Do esp. plat. *pelecho*.] *S. m. Bras. RS* Ato ou efeito de pelechar.

▲ **pelec(i)-** [Do gr. *pélekys, eōs*.] *El. comp.* = 'machado': *pelecípode*, *pelecoide*.

pelecípode [De *pelec(i)-* + *-pode*; tax. *Pelecipoda*.] *Zool. S. m.* **1.** Espécime dos pelecípodes, classe de moluscos, que têm o corpo revestido por concha de duas valvas laterais, com charneira dorsal, sola pediosa em forma de machado, protraída do lado ventral quando o animal está em movimento, e desprovido de cabeça. São as ostras e os mexilhões. ● *Adj. 2 g.* **2.** Pertencente ou relativo a eles. [Sin. ger.: *acéfalo*, *bivalve*, *lamelibrânquio*.]

pelecoide (ói) [De *pelec(i)-* + *-oide*.] *Adj. 2 g.* Que tem forma de machado. ✣

pele de lixa *S. f. Bras. RS* Varíola confluente. [Pl.: *peles de lixa*.] ☑

pele de ovo *S. f. Tec. Têx.* Tecido de algodão natural ou sintético, muito fino e macio, usado sobretudo em roupas de recém-nascidos. [Pl.: *peles de ovo*.] ☑

pelega (ê) [De *pelego*.] *S. f. Bras. Gír.* Cédula de dinheiro; pele: "Uma carteira bem recheada: muitas <u>pelegas</u> de cinquenta, de cem, de duzentos." (Guido Vilmar Sassi, *Piá*, p. 94.)

pelegada[1] [De *pelega* + *-ada*[1].] *S. f. Bras. S.* Muitas pelegas; pelegama.

pelegada[2] [De *pelego* + *-ada*[1].] *S. f. Bras. RS* **1.** Grande porção ou partida de pelegos [v. *pelego* (1 e 2)]; pelegama. **2.** Porção de pelegos [v. *pelego* (4 e 5)]. **3.** Os pelegos.

pelegama[1] [De *pelega* + *-ama*.] *S. f. Bras. S.* Pelegada[1].

pelegama[2] [De *pelego* + *-ama*.] *S. f. Bras. RS* Pelegada[2] (1).

pelego (ê) [Do esp. *pellejo*.] *S. m.* **1.** *Bras.* A pele do carneiro com a lã: "Trazia o sertanejo .... na garupa a maleta de <u>pelego</u> de carneiro" (José de Alencar, *O Sertanejo*, p. 36). **2.** *Bras.* Essa pele, usada nos arreios à maneira de xairel. **3.** *Bras.* Tapete feito dessa pele. **4.** *Bras. Deprec.* Designação comum aos agentes mais ou menos disfarçados do Ministério do Trabalho nos sindicatos operários. **5.** *Bras. Fig.* Pessoa subserviente; capacho. **6.** *RS* Passo errado nas danças gaúchas.

pelego-branco *S. m. Bras. RS* Alcunha que os habitantes da fronteira dão aos do N. do Estado, especialmente aos do município de Taquari. [Pl.: *pelegos-brancos*.]

peleguear [De *pelego* + *-ear*[2].] *V. int. Bras. RS* **1.** Trabalhar em pelegos. **2.** Bater com um pelego na cabeça do potro, quando este se acha preso ao palanque, a fim de tirar-lhe os sestros ou fazê-lo perder o medo ao homem. **3.** Errar na dança, fazendo pelego (6). [Conjug.: v. *frear*.]

peleguismo [De *pelego* + *-ismo*.] *S. m. Bras.* Procedimento ou atitude de pelego (4 e 5).

peleia (êi) [Do esp. plat. *pelea*.] *S. f.* **1.** Pugilato, contenda, peleja, briga. **2.** Combate entre forças beligerantes; batalha, peleja. *Bras. SC RS*

peleiro [De *pele* + *-eiro*.] *S. m.* Preparador e/ou vendedor de peles. [Sin., gal.: *peleteiro*.]

peleja (ê) [Dev. de *pelejar*.] *S. f.* **1.** Ato de pelejar. **2.** Combate, luta, batalha. **3.** Briga, contenda, desavença. **4.** *Bras. Liter. Pop.* Desafio (4).

pelejado [Part. de *pelejar*.] *Adj.* Que é fruto de peleja; duramente disputado.

pelejador (ô) [De *pelejar* + *-dor*.] *Adj. S. m.* **1.** Que, ou aquele que peleja. **2.** Trabalhador, lidador, batalhador. **3.** Brigão, brigalhão.

pelejar [De *pelo*[2] + *-ejar*, poss.] *V. int.* **1.** Batalhar; combater, lutar, pugnar: *O Duque de Caxias <u>pelejou</u> na Revolução Farroupilha, na Balaiada e na Guerra do Paraguai.* [Sin., bras., SC e RS: *pelear*.] **2.** Sustentar certas doutrinas verbalmente ou por escrito; discutir. **3.** Estar em desacordo; desavir-se. *T. i.* **4.** Batalhar, combater, lutar, pugnar: *Glória a quantos <u>pelejam</u> pela paz!* **5.** Estar em desacordo; desavir-se. **6.** *Bras.* Insistir, instar, com obstinação: *<u>Pelejou</u> para obter um emprego*; *<u>Pelejou</u> com o amigo para entrar na sociedade, mas em vão.* *T. d.* **7.** Travar luta, combate, etc., em favor de: "já ouço o hino vitorioso, que há de aclamar .... a crença e a tenacidade de todos os que <u>pelejam</u> e <u>pelejarem</u> esta nobre campanha de patriotismo." (Olavo Bilac, *Últimas Conferências e Discursos*, p. 206); *<u>Pelejou</u> duras pelejas.* [O segundo e do radical é fechado nas f. rizotônicas: pres. ind.: *pelejo (ê)*, *pelejas (ê)*, *peleja (ê)*, *pelejam (ê)*; pres. subj.: *peleje (ê)*, *pelejes (ê)*, *peleje (ê)*, *pelejem (ê)*; imperat.: *peleja (ê)*, *peleje (ê)*, *pelejem (ê)*.]

pelém [De or. obsc.] *S. 2 g.* Pessoa muito magra e de saúde débil: "José Dias, ... , que já não estudava por causa das memórias nocivas à sua saúde fraca, um <u>pelém</u>." (Camilo Castelo Branco, *A Brasileira de Prazins*, p. 27).

peleria [De *pele* + *-eria*.] *S. f.* V. *peleteria*.

pelerine [Do fr. *pèlerine*.] *S. f.* **1.** Capa[1] (1) longa, em geral godê e com fendas para os braços. **2.** Capa[1] (1) curta que cobre os ombros e a parte superior do corpo.

peletaria *S. f. Bras.* V. *peleteria*.

peleteiro [Do fr. *pelletier*.] *S. m. Bras. Gal.* Peleiro.

peleteria [Do fr. *pelleterie*.] *S. f. Bras. Gal.* Estabelecimento onde se confeccionam abrigos de pele ou se vendem peles (8 e 10) e peliças. [Var.: *peletaria*. Sin. (vernacularmente preferíveis, mas p. us. no Brasil): *pelaria*, *peleria*.]

peletizado [Part. de *peletizar*.] *Adj.* Que se peletizou.

peletizar [Do ingl. *pellet* + *-izar*.] *V. int.* Transformar em *pellet*.

pé-leve *S. m. Bras. BA* Indivíduo reles; vadio. [Pl.: *pés-leves*.]

pele-vermelha *S. 2 g.* **1.** Indivíduo dos peles-vermelhas, designação comum aos povos aborígines dos E.U.A., e originária do costume de ungirem corpo e rosto de matéria corante vermelha. ● *Adj. 2 g.* **2.** Pertencente ou relativo aos peles-vermelhas. [Pl.: *peles-vermelhas*.]

pelhanca *S. f.* V. *pelanca* (1 e 2).

pelhancaria [De *pelhanca* + *-aria*.] *S. f.* Quantidade de pelhancas.

peliagudo *Adj. Bras. S.* **1.** Que ameaça ter más consequências; arriscado, perigoso. **2.** Incerto, duvidoso.

pelica [De *pele* + o f. de *-ico*[1].] *S. f.* Pele fina, curtida e preparada para luvas, calçados, etc.

peliça [Do lat. *pellicea*, 'feita de pele'.] *S. f.* Peça de vestuário, ou colcha, feita ou forrada de peles [v. *pele* (8)] finas e macias: "Tipo de inglesa. Recoberta de <u>peliças</u> exageradas, excessivas, mas elegantíssima." (Jaime Adour da Câmara, *Oropa, França e Bahia*, p. 17.)

pelicânida [De *pelicano* (por *Pelecanus*, tax.) + *-ida*[1].] *S. m. Adj. 2 g. Zool.* V. *pelicanídeo*.

pelicanídeo [De *pelicano* (por *Pelecanus*, tax.) + *-ídeo*[1]; v. *pelecanídeo*.] *Zool. S. m.* **1.** Espécime dos pelicanídeos, família de aves pelicaniformes, caracterizadas por terem o bico largo e muito desenvolvido, o corpo grosso, com pernas curtas, e pescoço longo, com uma bolsa membranácea muito grande abaixo do bico. São os pelicanos. ● *Adj.* **2.** Pertencente ou relativo a eles. [Sin. ger.: *pelecânida*, *pelecanídeo*, *pelicânida*.]

pelicaniforme[1] [De *pelicano* + *-iforme*.] *Adj. 2 g.* Que tem forma ou aspecto de pelicano (1).

pelicaniforme[2] [De *pelicano* (por *Pelecanus*, tax.) + *-iforme*; v. *pelecaniforme*.] *Zool. S. m.* **1.** Espécime das pelicaniformes, ordem de aves neórnites, neógnatas. São aquáticas, de pernas curtas, pés estéganos, narinas vestigiais ou ausentes, e uma bolsa ou saco gular, exceto nas espécies tropicais. São os pelicanos e os atobás. ● *Adj. 2 g.* **2.** Pertencente ou relativo a eles. [Sin. ger.: *pelecaniforme*, *totipalmado*.]

pelicano [Do lat. *pelicanu*; tax. *Pelecanus*.] ***S. m. Zool.*** **1.** Gênero de aves aquáticas pelicanídeas. **2.** Qualquer espécie desse gênero, como, p. ex., a *Pelecanus occidentalis*, de dorso marrom tirante ao pardo, tectrizes cinzentas, parte da cabeça branca, e que habita a costa atlântica da América desde a Carolina do Sul (E.U.A.) até o N. do Brasil, alimentando-se de peixes, sendo vulgarmente conhecida como *pelicano-pequeno*. **3.** Qualquer espécime desse gênero.

pelicano-pequeno ***S. m.*** *Zool.* V. *pelicano* (2). [Pl.: *pelicanos-pequenos*.]

peliceiro [De *peliça* + *-eiro*.] ***S. m.*** *Ant.* Curtidor de peles: "uma massa compacta de milhares de homens, mercadores, peliceiros, ... calafates, petintais" (Antero de Figueiredo, *Leonor Teles*, pp. 83-84).

pelico [De *pele* + *-ico*^{1}.] ***S. m.*** **1.** Traje de pastor, feito de peles de carneiro. **2.** *Pop.* Envoltório do feto no ventre materno; secundina. [Cf. *Pélico*, antr.]

pelicossáurio (è) [Adapt. do tax. *Pelycosauria*.] *Paleont.* ***S. m.*** **1.** Espécime dos pelicossáurios. • ***Adj.*** **2.** Pertencente ou relativo a eles.

pelicossáurios (è) ***S. m. pl.*** Ordem de reptis sinápsidos caracterizados por terem uma membrana, na região dorsal, originada das apófises vertebrais. Eram carnívoros, ou herbívoros, e constituíram as formas ancestrais dos atuais mamíferos; viveram do carbonífero superior até o permiano inferior. Ex.: o dicinodonte.

película [Do lat. *pellicula*.] ***S. f.*** **1.** Camada muito delgada que envolve ou recobre certas substâncias. **2.** Pele ou membrana muito fina. **3.** *Med.* Pedacinhos da epiderme que se desprendem por efeito de febre, queimadura, etc. **4.** V. *filme* (2).

pelicular [De *película* + *-ar*^{1}.] ***Adj. 2 g.*** *Bot.* Diz-se do perispermo constituído de uma lâmina delgada, como o das plantas lamiáceas.

pelincho ***S. m.*** *Bras. Zool.* V. *anu-branco*.

pelinha [De *pele* + *-inha*.] Película em volta da unha: *Fez a unha tão mal que deixou um monte de pelinhas.*

pelintra ***Adj. 2 g. S. 2 g.*** **1.** Que, ou quem é maltrajado, mas tem pretensões a fazer figura. **2.** Diz-se de, ou pessoa pobre e malvestida. **3.** V. *maltrapilho* (1 e 2). **4.** V. *avaro* (1). **5.** Que, ou quem é safado, descarado. **6.** *Bras.* Que, ou quem é afetado de maneiras, ou muito requintado no trajar; peralta.

pelintrão [De *pelintra* + *-ão*^{1}.] ***S. m.*** *Pop.* V. *maltrapilho* (2). [Fem.: *pelintrona*.]

pelintrar [De *pelintra* + *-ar*^{2}.] ***V. t. d.*** Reduzir à condição de pelintra (1 e 2).

pelintraria [De *pelintra* + *-aria*.] ***S. f.*** Chusma de pelintras.

pelintrice [De *pelintra* + *-ice*.] ***S. f.*** **1.** Qualidade ou caráter de pelintra. **2.** Ato de pelintrar. **3.** Sovinice, avareza.

pelintrona ***S. f.*** Fem. de *pelintrão* (q. v.).

peliqueiro [De *pelica* + *-eiro*.] ***S. m.*** **1.** Aquele que trabalha em pelica. **2.** Vendedor de pelicas.

pelitrapo [De *pel(intra)* + *trapo*, poss.] ***S. m.*** *P. us.* V. *maltrapilho* (2).

→ **pellet** ['pɛlət] [Ingl.] ***S. m.*** **1.** Produto mineral prensado e apresentado em forma de pequenas bolas. **2.** Produto químico prensado e apresentado em forma de pequenas bolas ou drágeas; lentilha.

pelletierina [Do antr. (*Pierre Joseph*) *Pelletier* (1788-1842), químico francês, + *-ina*^{3}.] ***S. f.*** *Quím.* **1.** Mistura de alcaloides extraídos da romãzeira e us. como anti-helmíntico. **2.** Alcaloide encontrado na romãzeira [fórm.: $C_8H_{15}NO$].

pelmatozoário (èl) [Do lat. cient. *pelmato-* (< gr. *pélma, atos*, 'plantadospés') + *-zo(o)-* + *-ário*; tax. *Pelmatozoa*.] *Paleont. Zool.* ***S. m.*** **1.** Espécime dos pelmatozoários, subfilo de equinodermos, fixos por pendúculo durante toda a vida, ou somente no período larvário; o ânus situa-se na superfície ventral, próximo à boca, que é rodeada por tentáculos. Compreende um grande número de espécies fósseis, e um menor número de espécies que persiste atualmente. [V. *crinoide*.] • ***Adj.*** **2.** Pertencente ou relativo a eles.

pelo^{1} (ê) [De *per* + *lo (o*^{2}*)*.] **1.** Aglut. da prep. *per* e do art. arc. *lo (o)*: "Sem responderem, lá se iam / As andorinhas pelo ar" (Raimundo Correia, *Poesias*, p. 140). [Flex.: *pela (ê), pelos (ê), pelas (ê)*. Cf. *pelo*^{2} *(ê)*, s. m., pl. *pelos (ê)*; *pela (é)*, s. f., pl. *pelas (é)*; e *pelo (é), pelas (é), pela (é)*, do v. *pelar*.] **2.** *Antiq.* Aglut. da prep. *per* e do pron. pess. complementar, arc., *lo (o)*: "conta-se que nos primeiros tempos .... não pudera [o Pe. Antônio Vieira] fazer grandes progressos, pelo não ajudar a memória, rude e pesada" (João Francisco Lisboa, *Obras*, IV, p. 10). [Flex.: *pela (ê), pelos (ê), pelas (ê)*. Cf. *pelo*^{2} *(ê)*, s. m., pl. *pelos (ê)*; *pela (é)*, s. f., pl. *pelas (é)*; e *pelo (é), pelas (é), pela (é)*, do v. *pelar*.] **3.** Aglut. da prep. *per* e do pron. dem. masc., arc., *lo (o)*: *Troquei meu relógio pelo de João*; "E escuta-se, ao luar, / A mãe do Pescador, rezando a ladainha / Pelos que andam, Senhor! sobre as águas do Mar..." (Antônio Nobre, *Só*, p. 141). [Flex.: *pela (ê), pelos (ê), pelas (ê)*. Cf. *pelo*^{2} *(ê)*, s. m., pl. *pelos (ê)*; *pela (é)*, s. f., pl. *pelas (é)*; e *pelo (é), pelas (é), pela (é)*, do v. *pelar*.] **4.** Aglut. da prep. *per* e do pron. dem. neutro, arc., *lo (o)*: *Pelo que vejo, ela não virá.* [Cf. *pelo*^{2} *(ê)*, s. m., e *pelo (é)*, do v. *pelar*.] **5.** O por; aquilo por: *Pelo que eu me bateria é pela educação do povo.* [Cf. *pelo*^{2} *(ê)*, s. m., e *pelo (é)*, do v. *pelar*.]

pelo^{2} (ê) [Do lat. *pilu*.] ***S. m.*** **1.** *Anat.* Cada um dos apêndices filamentosos da pele, compostos de ceratina. **2.** *Zool.* O conjunto dos pelos de um animal: *o pelo do cão, do cavalo*, etc. **3.** Cabelo (1 e 2). **4.** Penugem (1). **5.** *Bot.* Cada um dos filamentos curtos, ou muito curtos, derivados das células epidérmicas, e que recobrem diversas partes de vegetais, apresentando diferentes formas e funções. [Pl.: *pelos* (ê). Cf. *pelo* (é), do v. *pelar*, e *pelo*^{1} (ê), pl. *pelos* (ê).] ◆ **Pelo capitado.** *Bot.* Pelo glanduloso. **Pelo de camelo.** *Tec. Têx.* Tecido muito macio, de pelo de camelo misturado com lã, e da cor bege desse animal. **Pelo glandular.** *Bot.* Pelo que se transforma por inteiro numa glândula, podendo até não ter forma que sugira pelo. **Pelo glanduloso.** *Bot.* Pelo que termina por uma esférula cheia de líquido por ele segregado; pelo capitado. **Pelo malpighiáceo.** *Bot.* Pelo constituído de dois ramos horizontais colocados sobre curta base, lembrando agulha de bússola, e que ocorre nas malpighiáceas e sapotáceas. **Pelo tapado.** *Bras. RS* A pelagem do cavalo quando é de uma cor uniforme e não classificada como cor clara. **Dar pelo.** *Bras. MG Pop.* **1.** Deixar-se montar em pelo (a cavalgadura). **2.** Deixar-se explorar, sugar, por excesso de bondade ou complacência. **Em pelo.** **1.** Nu, despido; pelado; em pelote: "Na escola, eu estava distraído. Só via Dona Laura em pelo." (Povina Cavalcanti, *Volta à Infância*, p. 48.) **2.** *Bras.* Sem sela ou cangalha. **Ir ao pelo a.** Bater em (alguém). **Manso de em pelo.** *Bras. RS* Diz-se do cavalo que se deixa montar sem a sela ou sem os arreios. **Nu em pelo.** *Bras. Fam.* Completamente nu; inteiramente despido; nuelo. **Viajar de pelo a pelo.** *Bras. RS* Viajar sem mudar de montaria. **Vir a pelo.** Vir a propósito. ❖

▲ **pel(o)-** [Do gr. *pēlo-* < gr. *pēlós, oû*.] ***El. comp.*** = 'lama', 'lodo'; *p. ext.* 'matéria depositada': *pelomancia*. [Equiv.: *-pel*: *sapropel*.]

pelo-de-arame ***S. m.*** *Cinol.* Cão de raça inglesa, cor de canela, ou preto com manchas avermelhadas, e que apresenta pelame espesso e duro como arame. [Pl.: *pelos-de-arame*.] ❖

pelo de rato ***S. m.*** *Zool.* Cavalo de pelo cinzento, semelhante ao do rato: "Atrás, o açougueiro montado no seu pelo de rato, a vara a chocalhar, o ferrão açulando." (Bariani Ortêncio, *Vão dos Angicos*, p. 111.) [Pl.: *pelos de rato*. Na 1ª impress. da 5ª ed. do Volp, com hífen; corrigido em errata virtual; correção questionável, seg. a Base XV do AOLP.] ❖

pelo-de-urso ***S. m.*** *Bot.* Pequena planta liliácea (*Mondo japonicum*) cespitosa, de rizoma curto e espesso, folhas lineares, coriáceas, verde-escuras, pequeninas flores alvas em racemos, e fruto bacáceo, azul-turquesa; tem a aparência de gramínea, e com ela se formam gramados, esp. em lugares sombrios. [Sin.: *grama-preta*. Pl.: *pelos-de-urso*.] ❖

peloirada ***S. f.*** V. *pelourada*.

peloirinho ***S. m.*** V. *pelourinho*.

peloiro ***S. m.*** V. *pelouro*.

pelomancia (cí) [De *pel(o)-* + *-mancia*.] ***S. f.*** Adivinhação pela observação da lama.

pelomante [De *pel(o)-* + *-mante*.] ***S. 2 g.*** Pessoa que pratica a pelomancia.

pelomântico ***Adj.*** Relativo a pelomancia, ou a pelomante.

pelomedúsida [Do tax. *Pelomedusa* + *-ida*^{1}.] ***S. m. Adj. 2 g.*** *Zool.* V. *pelomedusídeo*.

pelomedusídeo [Do tax. *Pelomedusa* + *-ídeo*^{1}; tax. *Pelomedusidae*.] *Zool.* ***S. m.*** **1.** Espécime dos pelomedusídeos, família de reptis quelônios pleurodiros que habitam a África e as regiões tropicais da América do Sul. • ***Adj.*** **2.** Pertencente ou relativo a eles. [Sin. ger.: *pelomedúsida*.]

peloponésio [Do gr. *peloponnésios*, pelo lat. *peloponnesiu*.] ***Adj.*** **1.** Do, ou pertencente ou relativo ao Peloponeso (península do S. da Grécia). • ***S. m.*** **2.** Natural ou habitante do Peloponeso.

peloria [Do gr. *péloros*, 'monstruoso', + *-ia*^{1}.] ***S. f.*** *Bot.* Anomalia floral que consiste no desenvolvimento de simetria actinomorfa em espécies zigomorfas, e que é frequente no gênero linária (q. v.), das escrofulariáceas.

pelórico [De *peloria* + *-ico*^{2}.] ***Adj.*** *Bot.* Da, ou relativo à peloria. *forma pelórica*; *variedade pelórica*.

pelo-sinal ***S. m.*** **1.** *Rel.* Oração que acompanha o ato de persignar-se (q. v.): "Alguma pessoa tinha ensinado a ele rezar jaculatória e fazer o pelo-sinal." (João Guimarães Rosa, *Corpo de Baile*, I, p. 371.) **2.** *Bras. Liter. Pop.* Espécie de pé-quebrado em que se aproveitam como verso final de cada quadra (o de pé-quebrado) palavras do pelo-sinal (1). [Pl.: *pelos-sinais*.]

peloso (ô) [De *pelo*^{2} + *-oso*.] ***Adj.*** **1.** Que tem pelos; piloso. **2.** Peludo (1).

pelossauro [Do tax. *Pelosaurus*.] ***S. m.*** *Paleont.* **1.** Gênero de dinossauros saurópodes, de até 24m de comprimento, que habitaram o S. da Inglaterra no jurássico, e que se relacionavam aos braquiossáurios e aos supersauros. **2.** Espécie ou espécime desse gênero.

pelota^{1} [Do esp. *pelota* < fr. (ant.) *pelote*.] ***S. f.*** **1.** Bola ou pela pequena. **2.** Bola de metal. **3.** Aparelho cirúrgico para compressões. **4.** Almofada de funda herniária. **5.** *Chapel.* Almofada usada pelos chapeleiros para alisarem os chapéus depois de engomados. **6.** *Bras.* Bolota de barro endurecido usada como projetil para o bodoque. **7.** *Bras.* Qualquer objeto com a forma de pequena bola: *uma pelota de lã, de papel, etc.* **8.** *Bras.* A bola de futebol. **9.** *Bras.* Pelota basca. **10.** *Bras. S. Chulo* Testículo. [Dim., irreg.: *pelotilha*. Cf. *pilota*, do v. *pilotar* e s. f.] ◆ **Pelota basca.** Jogo no qual participam dois ou quatro jogadores munidos de uma espécie de pá com a qual arremessam a bola contra uma parede frontal, num local especialmente preparado. [Tb. se diz apenas *pelota*. Cf. *frontão* (2).] **Dar pelota a.** *Bras. Gír.* Dar importância a; dar bola a; dar atenção a. **Não dar pelota a.** *Bras.* Não ligar importância a.

pelota^{2} [Do esp. plat. *pelota*.] ***S. f.*** *Bras. RS MT* Embarcação ligeira, tosca e pequena, feita de um couro de boi inteiriço, e utilizada para transportar passageiros de uma à outra margem de um rio. [Cf. *pilota*, do v. *pilotar*, e s. f.]

pelotaço [De *pelota*^{1} + *-aço*.] ***S. m.*** *Bras.* Grande pelotada. [V. *bomba* (23).]

pelotada [De *pelota*^{1} + *-ada*^{1}.] ***S. f.*** *Bras.* Chute (1).

pelotão^{1} [Do fr. *peloton*.] ***S. m.*** **1.** Cada uma das três partes em que se divide uma companhia de soldados. **2.** *Fig.* Grande quantidade de pessoas; multidão: "viria um pelotão de repórteres e cinegrafistas, autoridades isolariam o local" (Carlos Drummond de Andrade, *Cadeira de Balanço*, p. 149).

pelotão^{2} [De *pelota*^{1} + *-ão*^{1}.] ***S. m.*** Grande pelota^{1} (1 e 2).

pelotar ***S. m.*** *Bras.* V. *pelotário*. [Cf. *pilotar*.]

pelotário [Do basco, pelo esp. *pelotari*.] ***S. m.*** Jogador de pelota. [Var. apocopada: *pelotar*.]

pelote^{1} [De *pele* + *-ote*^{1}.] ***S. m.*** **1.** *Vest.* Antigo casaco sem mangas que se trazia por baixo da capa ou do tabardo: "Nos Paços de Medranhos .... passavam eles as tardes desse inverno, engelhados nos seus pelotes de camelão" (Eça de Queirós, *Contos*, p. 129). **2.** Antiga roupa curta de mulher. ◆ **Em pelote.** Nu, despido; em pelo: "E, ao Sol do meio-dia, os banhos em pelote." (Antônio Nobre, *Só*, p. 52.)

pelote^{2} [Do fr. *pelote* < lat. vulg. **pilotta*, dim. do lat. *pila*, 'bola'.] ***S. m.*** *Bras.* Pequena pelota^{1} (1) de pelos ou fios.

peloteador (ô) [De *pelotear* + *-dor*.] ***Adj. S. m.*** Que, ou aquele que peloteia.

pelotear [De *pelota*^{1} + *-ear*^{2}.] ***V. t. d.*** Açoitar, maltratar. [Conjug.: v. *frear*. Cf. *pilotear*.]

peloteiro [De *pelota*^{1} + *-eiro*.] ***S. m.*** Aquele que faz ou vende pelotas.

pelotense ***Adj. 2 g.*** **1.** De, ou pertencente ou relativo a Pelotas (RS). • ***S. 2 g.*** **2.** O natural ou habitante de Pelotas.

peloterapia [De *pel(o)-* + *-terapia*.] ***S. f.*** *Terap.* Terapia pelo uso de terra ou de lama.

peloterápico [De *peloterapia* + *-ico*^{2}.] ***Adj.*** *Terap.* Relativo a peloterapia.

pelotica [De *pelota*^{1} + o f. de *-ico*^{1}.] ***S. f.*** **1.** Bolinha com que os pelotiqueiros fazem habilidades. **2.** Ato de habilidade manual ou de prestidigitação. **3.** *Fig.* Travessura, traquinice, arte. **4.** *Fig.* Trapaça, chicana.

pelotilha [De *pelota*^{1} + *-ilha*.] ***S. f.*** Pequena pelota^{1}.

pelotiqueiro [De *pelotica* + *-eiro*.] ***S. m.*** **1.** Indivíduo que faz peloticas; malabarista. **2.** V. *saltimbanco* (3). **3.** Trapaceiro, trampolineiro.

pelotização ***S. f.*** *Metal.* Tratamento a que se submete um minério visando a aglomerar suas partículas a fim de propiciar maior facilidade em operações metalúrgicas subsequentes.

pelourada [De *pelouro* + *-ada*^{1}.] ***S. f.*** Tiro de pelouro. [Var.: *peloirada*. Cf. *pilourada* e *pilorada*.]

pelourinho [Do fr. *pilori*, poss. do lat. med. *pillorium*.] ***S. m.*** **1.** Coluna de pedra ou de madeira, em praça ou lugar público, junto da qual se expunham e castigavam criminosos: "Fez-se a consagração do novo município, segundo o velho uso português, plantando na praça principal o pelourinho, símbolo da autoridade e da justiça." (João Ribeiro, *História do Brasil*, pp. 240-241.) **2.** *Cabo-verd.* Mercado (1): "tinha vindo vender peixe no pelourinho municipal." (Nicolau de Tope Vermelho, *Ponto & Vírgula*, nº 10/11, p. 36). [Var.: *peloirinho*.]

pelouro [De *pela*[1].] *S. m.* **1.** *Ant.* Bala de ferro ou de pedra, esférica, empregada antigamente em peças de artilharia. **2.** *Ant.* Bola de cera na qual se incluía um papel com o voto do eleitor. **3.** Cada um dos ramos da administração de uma cidade afetos aos vereadores da câmara municipal. [Var.: *peloiro.*] **4.** *Lus. Fig.* Competência, alçada: *Tal facto foge a meu pelouro.* ~ V. *pelouros.*

pelouros [Pl. de *pelouro.*] *S. m. pl.* Certo jogo de meninos. ~ V. *pelouro.*

➔ **pelouse** [pə'luz] [Fr.] *S. f. Turfe* Parte gramada de um hipódromo diante da pista de corridas, em geral situada nas sociais.

pelta [Do gr. *pélte,* pelo lat. *pelta.*] *S. f.* Pequeno escudo crescentiforme, usado pelos trácios e por outros povos antigos.

peltado [De *pelt(i)-* + *-ado*[1].] *Adj.* **1.** Em forma de escudo; escutiforme. **2.** *Bot.* Diz-se de órgão plano cuja haste de sustentação se insere na face inferior, na região central ou em qualquer outro ponto que não seja a margem.

peltasta [Do gr. *peltastés,* pelo lat. *peltasta.*] *S. m.* Soldado de infantaria que usava a pelta, entre os gregos.

▲ **pelt(i)-** [Do lat. *pelta, ae* < gr. *péltē, ēs.*] Equiv. de *pelt(o)-.*

peltiforme [De *pelti-* + *-forme.*] *Adj. 2 g. Bot.* Em forma de pequeno escudo: *apotécio peltiforme.*

▲ **pelt(o)-** [Do gr. *péltē, ēs.*] *El. comp.* = 'pelta': *peltasta* (< gr.). [Equiv.: *pelti-*: *peltiforme.*]

➔ **peluche** [pe'lyʃ] [Fr.] *S. f. Lus.* Pelúcia (1).

pelúcia [Do fr. *peluche,* poss.] *S. f.* **1.** *Tec. Têx.* Tecido de lã, seda, algodão, fibra sintética, etc., com um lado felpudo e outro liso, e que apresenta pelos mais longos e mais ralos que os do veludo. [Sin. (lus.): *peluche.*] **2.** Pelugem, pelos. **3.** *Fig.* Revestimento vegetal que lembra a pelúcia (1) pela maciez real ou aparente; alcatifa: "O pé grácil e nu .... alisava apenas a verde pelúcia que vestia a terra com as primeiras águas" (José de Alencar, *Iracema,* p. 51).

pelúcido [Do lat. *pellucidu,* 'transparente', 'diáfano'.] *Adj.* Que admite a passagem máxima da luz sem difusão ou distorção; translúcido. ~ V. *zona —a.*

pelucioso (ô) [De *pelúcia* + *-oso.*] *Adj.* Que tem pelúcia, ou a ela se assemelha.

peludear [De *peludo* (7) + *-ear*[2].] *V. int. Bras. S.* Lutar para, com muito trabalho e dificuldade, retirar uma carreta dum atoleiro. [Cf. *tirar um peludo.* Conjug.: v. *frear.*]

peludo [De *pelo*[2] + *-udo.*] *Adj.* **1.** Que tem muito pelo; peloso: "Mãos peludas, ombros grandes" (Ciro de Matos, *Os Brabos,* p. 25). **2.** Coberto de pelo. **3.** *Fig.* Bisonho, desconfiado, acanhado. **4.** *Bras.* V. *sortudo* (1). **5.** *Bras.* Diz-se do animal que não é de raça. **6.** *Bras. AM* V. *irritável*[1] (1). • *S. m.* **7.** *Bras. RS* Empregado de circo de cavalinhos incumbido de tirar da cena os objetos deixados pelos artistas. **8.** *Bras. Pop.* Pileque, porre, bebedeira: *Tomou um peludo.* **9.** *Bras. RS Zool.* V. *tatupeba.* ◆ **Tirar um peludo.** *Bras. RS* Retirar a muito custo um veículo de um atoleiro ou buraco onde as suas rodas ficaram presas. [Cf. (nesta acepç.): *peludear.*]

pelugem [De *pelo*[2] + *-ugem.*] *S. f.* Conjunto de pelos.

peluginoso (ô) [De *pelugem* + *-oso.*] *Adj.* Que tem pelugem ou pelos.

➔ **pelure** [pə'lyʁ] [Fr.] *Adj.* ~ V. *papel —.*

pelve [Do lat. *pelve.*] *S. f. Anat.* **1.** Designação genérica de qualquer formação (5) ou estrutura (11) em forma de bacia. **2.** *Restr.* Bacia (12). ◆ **Pelve renal.** *Anat.* Bacinete (1). **Pequena pelve.** Porção da pelve (1) situada inferiormente a um plano que passa através das linhas ileopectíneas.

▲ **pelv(i)-** [Do lat. *pēlvis, is.*] *El. comp.* = 'bacia', 'pelve': *pelviforme, pelvímetro.* [Equiv.: *-pelv(i)-*: *cefalopélvico.*]

▲ **-pelv(i)-** Equiv. de *pelv(i)-.*

pelviano [De *pelv(i)-* + *-iano.*] *Adj.* Pélvico.

pélvico [De *pelv(i)-* + *-ico*[2].] *Adj.* Pertencente ou relativo a pelve; pelviano. ~ V. *cavidade —a* e *cintura —a.*

pelviforme [De *pelv(i)-* + *-forme.*] *Adj. 2 g.* Que tem forma de bacia ou taça.

pelvimetria [De *pelv(i)-* + *-metria.*] *S. f. Anat. Med. Obst.* Mensuração das dimensões e da capacidade duma pelve.

pelvimétrico [De *pelvimetria* + *-ico*[2].] *Adj.* Relativo a pelvimetria.

pelvímetro [De *pelv(i)-* + *-metro.*] *S. m. Anat. Obst.* Instrumento us. na pelvimetria.

pélvis [Do lat. *pelvis.*] *S. f. 2 n. Anat.* V. *pelve.*

pema [F. red. de *camuripema.*] *S. m. Bras. BA Zool.* V. *camurupim.*

pemba [Do quimbundo *mpemba,* 'caulim', poss.] *S. f.* **1.** *Bras. Rel.* Giz misturado com cola, us. para riscar pontos (v. *ponto riscado*). **2.** *Bras. Gír.* O pênis. **3.** *Angol.* Caulim com que o quimbanda risca ou marca algo, para afastar os maus espíritos: "estenderam então uma esteira, e o quimbanda, depois de riscar com pemba um banquinho, colocou-o em cima dela." (Óscar Ribas, *Uanga,* p. 196). **4.** *Angol.* Feitiço (3): "Que a pemba é mesmo dela e que agora já não manda mais na chuva nem nada. Falam até que tu és uma feiticeira mentirosa." (Manuel Rui, *Rioseco,* p. 392.)

pemedebista *Adj. 2 g. S. 2 g.* Peemedebista.

pena[1] [Do lat. *penna.*] *S. f.* **1.** Cada uma das peças que revestem o corpo das aves; pluma: "Fala! / — rede de penas onde a minha alma se embala!" (Gilca da Costa Melo Machado, *Poesias,* p. 61.) **2.** Tubo córneo oriundo da pena de algumas aves, e preparado para com ele se escrever: "Nũa mão sempre a espada, e noutra a pena" (Luís de Camões, *Os Lusíadas,* V, 79). **3.** Pequena lâmina de metal, terminada em ponta, que, adaptada a uma caneta, serve para escrever ou desenhar. [Sin., lus.: *aparo.*] **4.** *Fig.* O instrumento da escrita. **5.** *Fig.* Trabalhos de escrita: *viver da pena.* **6.** *Fig.* A classe dos escritores: *um expoente da pena.* **7.** *Fig.* A maneira de escrever; estilo, cálamo: *a pena machadiana.* **8.** *Fig.* Autor, escritor: *Este rapaz é uma pena brilhante.* **9.** Parte espalmada da bigorna. ◆ **Pena de ouro.** Escritor ou jornalista brilhante, talentoso. **Ao correr da pena.** De maneira espontânea, sem preocupar-se com o estilo. **Enfeitar-se com penas de pavão.** Fazer bonito com o mérito dos outros. **Pegar na pena.** Principiar a escrever. **Uma pena.** Muito leve (coisa ou pessoa).

pena[2] [Do gr. *poiné,* pelo lat. *poena.*] *S. f.* **1.** Castigo, punição: "A rainha D. Maria I, por um ato de clemência, comutou as penas de quase todos em extermínio para a África, e só um, o *Tiradentes,* subiu ao patíbulo" (João Ribeiro, *Histórias do Brasil,* p. 311). **2.** Sofrimento, padecimento, aflição: "Quem ama inventa as penas em que vive" (Olavo Bilac, *Poesias,* p. 44). **3.** Piedade, compaixão, dó: "Donzela, deixa tua aia, / Tem pena do meu penar." (Manuel Bandeira, *Estrela da Vida Inteira,* p. 26.) **4.** Mágoa, desgosto, tristeza. **5.** *Dir. Penal* Punição imposta pelo Estado ao delinquente ou contraventor, mediante processo judicial, em razão de crime ou contravenção que tenham cometido. **6.** *Dir. Civ.* Sanção de caráter civil, fiscal ou administrativo, pecuniária ou não, em razão de infração prevista em lei, ou em contrato, para o caso das relações civis; cláusula penal. ◆ **Pena acessória.** *Bras. Jur.* Aquela que, em certos casos, acompanha a reclusão ou detenção, e que consiste em perda de função pública, interdições de direito e publicação da sentença condenatória. **Pena capital.** Pena de morte; pena mortal; pena última. **Pena de talião. 1.** Pena antiga pela qual se vingava o delito, infligindo ao delinquente o mesmo dano ou mal que ele praticara. **2.** Aplicação ou imposição dessa pena. [Tb. se diz apenas *talião*; sin. ger.: *lei de talião, retaliação, talionato.* — Atenção: escreve-se *talião,* com minúscula, pois não é nome próprio.] **Pena mortal.** V. *pena capital.* **Pena última.** V. *pena capital.* **A duras penas.** Com extraordinário esforço, com grande afã. **Poucas penas.** Pouco ou nenhum interesse que desperta determinado assunto ou fato. **Rico de pena e bico.** Diz-se de quem quer passar por rico sem o ser. **Sob pena de. 1.** Incorrendo na pena de. **2.** Expondo-se às consequências de. **Valer a pena.** Merecer o sacrifício ou o trabalho que custa.

pena[3] [Do celta *penn,* 'cabeça', 'cabeço', pelo lat. *pinna,* 'ameia'.] *S. f.* **1.** *Ant.* Penha. **2.** *Marinh.* V. *penol.*

penação [De *penar* + *-ção.*] *S. f.* Ato de penar.

penáceo [De *pena*[1] + *-áceo.*] *Adj. Bot. Zool.* Semelhante a uma pena[1] (1). [Cf. *pináceo.*]

penacheiro [De *penacho* + *-eiro.*] *S. m. Bras. Bot.* **1.** Arbusto mirtáceo (*Callistemon speciosus*) de folhas lanceoladas e coriáceas, flores com longos estames vermelhos, brilhantes, aglomerados em espigas, e cujo fruto é uma pequena cápsula globosa. **2.** Árvore mirtácea (*Callistemon rigidum*) de folhas lineares, agudas, coriáceas, e flores de cálice pubescente e estames amarelos. [Var.: *panacheiro.*]

penacho [Do it. *pennacchio.*] *S. m.* **1.** Conjunto de penas para adorno de chapéus, capacetes, etc.; plumeiro, pluma, garçotas. **2.** Crista, poupa. **3.** *Fig.* Governo, comando, direção. **4.** *Fig.* Ostentação; brilho. **5.** Vanglória, jactância. **6.** *Arquit.* Parte triangular de abóbada que sustenta a volta de uma cúpula.

penachudo [De *penacho* + *-udo.*] *Adj.* Que tem penacho; ornado de penacho.

pé na cova *Bras. Burl. S. m.* **1.** Indivíduo muito doente, magro, ou de aspecto cadavérico. **2.** Abono pago pelo seguro social àqueles que, havendo completado o tempo de serviço requerido, ficam aguardando a conclusão do processo de aposentadoria. [Pl.: *pés na cova.*] ☑

penada [De *pena*[1] + *-ada*[1].] *S. f.* **1.** Traço de pena[1] (2 e 3). **2.** Tinta que a pena toma de cada vez. **3.** Palavras escritas com uma pena. **4.** *Caligr.* Traço ininterrupto que compõe letra, palavra ou ornamento: *laçaria de uma só penada.* ◆ **Dar uma penada por.** Intervir em favor de: *Deu uma penada por João, e o delegado mandou soltá-lo imediatamente.*

pena-d'água *S. f. Bras.* **1.** Antiga medida usada em partilhas de água, da grossura, aproximadamente, de uma pena de pato. **2.** Orifício de restrição de pressão colocado na tubulação de entrada para controlar o abastecimento doméstico de água. **3.** Taxa fixa paga pelo fornecimento de água aos prédios, independentemente da quantidade consumida. [Pl.: *penas-d'água.*]

pena de ouro *S. 2 g. Desus.* Pessoa que escreve com exatidão e elegância. [Pl.: *penas de ouro.*] ☑

penado[1] [De *pena*[1] + *-ado*[1].] *Adj.* **1.** Que tem penas [v. *pena*[1] (1)]; emplumado. **2.** *Bot.* Diz-se de órgão foliáceo cujos folíolos, inseridos ao longo do pecíolo comum, lembram uma pena[1] (1); pinado. ~ V. *folha —a.*

penado[2] [Part. de *penar.*] *Adj.* **1.** Que está penando; padecente. ~ V. *alma —a.* • *S. m.* **2.** Aquele que está penando; padecente: "A bala pegou em cheio na nuca do preso, ele num giro e num fim. O militar brandiu a machadinha, e descendo do cavalo decepou a cabeça do penado." (Fernando Ramos, *Os Enforcados,* p. 168.)

penafidelense *Adj. 2 g.* **1.** De, ou pertencente ou relativo a Penafiel (Portugal). • *S. 2 g.* **2.** O natural ou habitante de Penafiel.

penafiel [Do top. *Penafiel.*] *S. m. Etnogr.* Dança e ária popular do N. de Portugal. [Pl.: *penafiéis.*]

penafortense *Adj. 2 g.* **1.** De, ou pertencente ou relativo a Penaforte (CE). • *S. 2 g.* **2.** O natural ou habitante de Penaforte.

penagris [De *pena*[1] + *gris.*] *S. m.* Penugem ou plumagem parda. [Pl.: *penagrises.*]

penal[1] [De *pena*[1] + *-al*[1].] *S. m. Bras. MG PR* Estojo onde se guardam penas, lápis, borracha, etc.

penal[2] [Do lat. *poenale.*] *Adj. 2 g.* **1.** Relativo a penas judiciais [v. *pena*[2] (5 e 6)] : *legislação penal.* **2.** Relativo às leis penais: *código penal.* **3.** Que comina penas: *ação penal.* ~ V. *ação —, cláusula —, contravenção —* e *direito —.*

penalidade [De *penal* + *-(i)dade.*] *S. f.* **1.** Conjunto ou sistema de penas impostas pela lei. **2.** Natureza de pena. **3.** Pena, castigo, punição. ◆ **Penalidade máxima.** *Fut.* Pênalti.

penalista [De *penal*[2] + *-ista.*] *S. 2 g.* Especialista em direito penal; criminalista.

penalística [De *penalista* + *-ica.*] *S. f.* Teoria e doutrina das penas criminais.

penalização [De *penalizar* + *-ção.*] *S. f.* Ato ou efeito de penalizar, de infligir pena a.

penalizado [Part. de *penalizar.*] *Adj.* **1.** Que se penalizou. **2.** V. *desgostoso.*

penalizar [De *penal*[2] + *-izar.*] *V. t. d.* **1.** Causar pena ou desgosto a; pungir; afligir, desgostar: "Também o penalizavam os resultados da última guerra com Castela, por as coisas não terem ido por diante" (Antero de Figueiredo, *Leonor Teles,* p. 232). **2.** Infligir pena a: *O juiz penalizou o time.* *P.* **3.** Sentir grande pena ou desgosto, aflição: "César esperou da nervosa e delicada criatura alguma efusão derivativa. E como Augusta continuasse a olhá-lo passivamente, pareceu-lhe que havia traído aquele pensamento humilhante. Penalizou-se." (Xavier Marques, *As Voltas da Estrada,* pp. 140-141.)

penalogia [De *pena*[2] + *-logia.*] *S. f.* Parte da ciência penal que estuda os problemas filosóficos, sociológicos e jurídicos respeitantes ao fundamento e aplicação das penas, como medida de repressão ou defesa da sociedade.

penalógico [De *penalogia* + *-ico*[2].] *Adj.* Referente à penalogia.

penalogista [De *penalogia* + *-ista.*] *S. 2 g.* Especialista em penalogia. [Sin., bras.: *penálogo.*]

penálogo [De *pena-,* como em *penalogia,* + *-logo.*] *S. m. Bras.* Penalogista.

pênalti [Do ingl. *penalty,* 'penalidade'.] *S. m. Fut.* **1.** Falta máxima, dentro da grande área (q. v.), cometida por jogador que defende, e que é punida por um tiro direto, sem barreira, a 11 metros do gol. **2.** Esse tiro. [Sin. ger.: *penalidade máxima.*]

penalvense *Adj. 2 g.* **1.** De, ou pertencente ou relativo a Penalva (MA). • *S. 2 g.* **2.** O natural ou habitante de Penalva.

penamar *Adj. (f.)* Diz-se da pérola de pouco brilho.

penanguba [De or. tupi, poss.] *S. f. Bras. L. Bot.* Árvore fabácea (*Machaerium pedicellatum*) da floresta pluvial, caracterizada pela madeira escura, muito forte e resistente, que pode ser usada em móveis, e cujos frutos são sâmaras com asas coriáceas.

penante *S. m. Gír.* V. *chapéu*[1] (1): "Atacara rijamente o penante de abas largas, estragado e sebento. Que era uma vergonha trazer aquilo na cabeça..." (João Alphonsus, *Totônio Pacheco,* p. 96.)

penapolense *Adj. 2 g.* **1.** De, ou pertencente ou relativo a Penápolis (SP). • *S. 2 g.* **2.** O natural ou habitante de Penápolis.

penar [De *pena*[2] + *-ar*[2].] *V. int.* **1.** Sofrer pena, dor, aflição; ter pesares; padecer: *Aflige-se quando vê alguém a* *penar*: "O homem nasceu livre como nasceu bom e próprio para ser feliz: e todavia por toda a parte está escravizado, e pena sob essa escravidão." (Eça de Queirós, *Ecos de Paris*, p. 182); "ouvi-lo pena e dói." (Gonçalves Crespo, *Obras Completas*, p. 357). ***T. d.*** **2.** Causar dor ou pena a; fazer padecer ou sofrer; afligir, desgostar. **3.** Expiar, purgar: *penar os pecados.* **4.** Sofrer, padecer: "Quantas penúrias, / Quantos perigos, desalentos, sustos / Em viageiras fadigas se hão penado, / Este momento só, esta alegria, / Oh! quão sobejo as paga." (Almeida Garrett, *Camões*, I, p. 19.) ***P.*** **5.** Afligir-se, entristecer-se, padecer, penar. [Pres. subj.: *pene, penes*, etc. Cf. *pêni, pênis* e *pinar*.] • ***S. m.*** **6.** Padecimento, sofrimento: "Donzela, deixa tua aia, / Tem pena do meu penar." (Manuel Bandeira, *Estrela da Vida Inteira*, p. 26.)

penaroso (ô) [De *penar* + *-oso*.] ***Adj. Bras. RS Prov. port.*** **1.** Que causa pena[2]; penoso; pungente: "era tão penaroso o sofrer daqueles velhos, que não diziam nada, que a gente entendia tudo." (Simões Lopes Neto, *Contos Gauchescos e Lendas do Sul*, p. 229). **2.** V. *pesaroso* (2): "Desanimado e penaroso, compôs o cavalo e montou" (Id., *ib.*, p. 315).

penates [Do lat. *penates*.] ***S. m. pl.*** **1.** Deuses domésticos dos pagãos. **2.** *Fig.* A casa paterna; a família, o lar: "no meio da tarde, já febril, decidi regressar a penates" (José Gomes Ferreira, *O Mundo dos Outros*, p. 39).

▲ **penati-** [Do lat. *pennātus, a, um*.] ***El. comp.*** = 'que tem penas [v. *pena*[1]], ou cujo feitio as lembra'; 'penado[1]', 'emplumado': *penatífido*.

penatífido [De *penati-* + *-fido*.] ***Adj. Bot.*** Diz-se de órgão foliáceo de nervação penada, e cujos bordos são recortados de forma que as fendas atinjam, no máximo, a metade do limbo; pinatífido. ~ V. *folha —a*.

penatilobado [De *penati-* + *lobado*.] ***Adj. Bot.*** ~ V. *folha —a*.

penatinérveo [De *penati-* + *-nerv(i)-* + *-eo*.] ***Adj. Bot.*** Que tem nervuras secundárias ordenadas de cada lado da nervura central.

penatipartido [De *penati-* + *partido*.] ***Adj. Bot.*** ~ V. *folha —a*.

penatissecto [De *penati-* + *secto*.] ***Adj. Bot.*** ~ V. *folha —a*.

penatuláceo [Do tax. *Pennatula* (do f. do lat. *pennatulus*, 'que tem asas pequenas') + *-áceo*; tax. *Pennatulacea*.] *Zool.* ***S. m.*** **1.** Espécime dos penatuláceos, ordem de cnidários alcionários, que formam colônia carnosa, com um pólipo axial longo e numerosos pólipos dimórficos laterais, acima do esqueleto nu, com espículas calcárias. • ***Adj.*** **2.** Pertencente ou relativo a eles.

penca [De or. obscura.] ***S. f.*** **1.** Conjunto ou esgalho de flores ou frutos. **2.** *Fig.* V. *narigão* (2). **3.** *Fig.* V. *quantidade* (3): *uma penca de filhos.* **4.** *Bras.* Espécie de balangandã. **5.** *Bras.* Carreira (12) na qual tomam parte muitos cavalos. ◆ **Penca de chaves.** Argola ou chaveiro com diversas chaves. **Em penca.** *Bras.* Em grande quantidade: "Apinhou-se gente em penca nas janelas e sacadas" (Augusto Meyer, *No Tempo da Flor*, p. 17).

➔ **pence** [pens] [Ingl.] ***S. m. pl.*** Pl. de *penny* (port. *pêni* [q. v.]), quando designa quantia, usando-se o pl. *pennies* para designar moedas.

pence [Do fr. *pince*.] ***S. f.*** Pequena prega que vai afinando gradativamente, quer nos dois sentidos quer em um só, feita no avesso do tecido, para ajustar ou amoldar ao corpo as diferentes partes de um vestuário; pinça.

pencenê [Do fr. *pince-nez*.] ***S. m.*** Pincenê.

pencó ***Adj. 2 g. S. 2 g. Bras.*** V. *coxo* (1 e 4).

pencudo [De *penca* + *-udo*.] ***Adj. Fam.*** Narigudo.

pendanga[1] [De *pender*, poss.] ***S. f. Desus.*** **1.** Coisa que se usa continuamente para diversos fins. **2.** Ocupação acessória.

pendanga[2] ***S. f. Bras.*** V. *pendenga*.

➔ **pendant** [pã'dã] [Fr.] ***S. m.*** Objeto de arte destinado a figurar simetricamente com outro. ◆ **Fazer pendant (a).** Fazer simetria com; estar em correspondência com; formar par com: "Fazia-lhe [a uma oleografia do Sagrado Coração] *pendant* um retrato cheio das suíças, também floridas, do Coronel Germano." (Pedro Nava, *Beira-Mar*, p. 379.)

pendão [Do esp. *pendón*.] ***S. m.*** **1.** V. *bandeira* (1): "Auriverde pendão de minha terra, / Que a brisa do Brasil beija e balança" (Castro Alves, *Obra Completa*, p. 283). **2.** Guião (1 e 2). **3.** V. *galhardete* (3). **4.** *Fig.* Emblema ou símbolo de um partido, de uma causa: *Os pernambucanos levantaram o pendão da resistência contra os holandeses.* **5.** Inflorescência masculina do milho: "os pés de milho com seus pendões inclinados e suas corpulentas espigas" (Franklin Távora, *O Cabeleira*, p. 222).

pendas ***S. f. pl. Bras. PE*** V. *prendas*.

pendência [De *pender* + *-ência*; it. *pendenza*.] ***S. f.*** **1.** Contenda, litígio, conflito; briga: "Nas publicações a pedido dos jornais no tempo do Império quanta gente vinha espontaneamente expor 'a S. M. o Imperador e ao público' a origem, a história e a discussão das suas dificuldades domésticas, dos seus conflitos e pendências com vinhos" (Domício da Gama, *Histórias Curtas*, p. II). [Var., pop. (nesta acepç.): *pendenga*.] **2.** V. *litígio* (1). **3.** Tempo durante o qual uma causa ou um recurso está pendente ou correndo. [Cf. *pendencia*, do v. *pendenciar*.]

pendenciador (ô) [De *pendenciar* + *-dor*.] ***Adj. S. m.*** Brigão, rixador.

pendenciano ***Adj.*** **1.** De, ou pertencente ou relativo a Pendências (RN). • ***S. m.*** **2.** O natural ou habitante de Pendências. [Sin. ger.: *pendenciense*.]

pendenciar [De *pendência* + *-ar*[2].] ***V. int. T. i.*** Ter pendência ou conflito; brigar, contender. [Pres. ind.: *pendencio, pendencias, pendencia*, etc. Cf. *pendência*, s. f., e *Pendências*, top.]

pendenciense ***Adj. 2 g. S. 2 g.*** V. *pendenciano*.

pendenga [De *pendência*.] ***S. f. Bras. Pop.*** **1.** V. *pendência* (1). **2.** Discussão, bate-boca. **3.** Desinteligência; quizila. [Var.: *pendanga*[2].]

pendente [Do lat. *pendente*.] ***Adj. 2 g.*** **1.** Que pende; pêndulo. **2.** Pendurado, suspenso. **3.** Caído, descaído: *braços pendentes.* **4.** Inclinado, oblíquo: *O espelho pendente refletia a sala.* **5.** Ainda não colhido (fruto). **6.** Que está para acontecer; iminente: *ameaça pendente.* **7.** Tendente, inclinado. **8.** Dependente, subordinado: *O resultado do concurso estava pendente da contagem de pontos.* **9.** Que está por decidir: *assunto pendente; negócio pendente.* **10.** Com a atenção fixa; atento (1): *Os torcedores estavam pendentes dos movimentos do jogador.* • ***S. m.*** **11.** Pingente (2). • ***S. f.*** **12.** *Arquit.* Cada uma das seções triangulares ou trapezoidais situadas nos quatro ângulos de uma base quadrada da qual se eleva uma cúpula; perchina, trompa. **13.** *Bras. RS* V. *vertente* (3).

➔ **pendentif** [pãdã'tif] [Fr.] ***S. m.*** Joia que se usa dependurada em colar, em corrente, ao pescoço.

pendepender [De *pender*, repetido.] ***V. int.*** Pender continuamente: "E partiu, no passo ronceiro da mula cambeta, pendependendo no arção" (Hugo de Carvalho Ramos, *Tropas e Boiadas*, p. 9).

pender [Do lat. *pendere*.] ***V. int.*** **1.** Estar pendurado ou suspenso; estar pendente: *O corpo do enforcado pendia, sinistro; O lustre pendia sobre a mesa*; "Parecia-lhe que os lírios, cheios de orgulho imperial, se retraíam ao avistá-lo, pendiam das hastes ricas ao senti-lo aproximar-se" (Alphonsus de Guimaraens, *Obra Completa*, p. 398). **2.** Estar ou ficar em posição inclinada; inclinar-se, descair: *Com a ventania, os arbustos pendiam*; "as espadas em bainhas lavradas pendem de soberbos talins." (Rebelo da Silva, *Contos e Lendas*, p. 175). **3.** Estar para cair; estar ameaçado de próxima ruína. ***T. i.*** **4.** Ter tendência, inclinação, propensão: *O jovem pende para as letras.* **5.** Depender (1): *O destino da nação pendia das palavras de seu chefe.* **6.** Ter propensão; ter predileção; propender: *Pendia para uma resolução imediata.* **7.** Estar disposto, inclinado ou meio resolvido: *Pendia a demitir o auxiliar, porém mudou de parecer.* ***T. d.*** **8.** Fazer cair; inclinar: *Pendeu o rosto.* **9.** Fazer descair, murchando (flores, frutos). ***P.*** **10.** Encostar-se, apoiar-se, arrimar-se: *Pendeu-se à bengala.* **11.** Inclinar-se, descair.

penderica [De *pender*.] ***S. f.*** Qualquer coisa pendente; penduricalho. [F. paral.: *pendericó*.]

pendericalho [De *penderica* ou *pendericó* + *-alho*.] ***S. m.*** V. *penduricalho*.

pendericó ***S. m.*** V. *penderica*.

penderucalho [Var. de *pendericalho*.] ***S. m.*** V. *penduricalho*.

pendoado [Part. de *pendoar*.] ***Adj. Bras.*** Diz-se do milho florado, que deitou pendão (5).

pendoar ***V. int. Bras.*** Apendoar (3): "De vez em quando, nalgum rincão pedregoso, verdejavam milhos curtos, mas viçosos, pendoando por sobre as folhas caídas." (José Vieira, *Sol de Portugal*, pp. 136-137.) [Conjug.: v. *coroar*.]

pendor (ô) [De *pend(er)* + *-or*.] ***S. m.*** **1.** Declive ou alive; inclinação, rampa: "E as casas brancas – que feliz paisagem! – / Pelo pendor da serra se derramam..." (Raimundo Correia, *Poesias*, p. 18.) **2.** Propensão, inclinação, tendência: "Distinguiu-se ainda [Gonçalves Ledo] pelo pendor ao liberalismo" (Afonso d'E. Taunay, *Grandes Vultos da Independência Brasileira*, p. 43); *É notável o seu pendor para as ciências.* **3.** *Geol.* Inclinação das camadas em uma região dobrada.

pendorada [De *pendor* + *-ada*[1].] ***S. f.*** Série de pendores ou encostas. [Cf. *pendurada*, do v. *pendurar* e f. do adj. *pendurado*.]

➔ **pen drive** [pen draɪv] [Ingl.] ***S. m. Inform.*** Dispositivo de memória removível que normalmente é conectado a uma porta USB do computador.

pêndula [De *pêndulo*.] ***S. f.*** **1.** Relógio de pêndulo, que pode ser pendurado na parede ou assentado no chão: "a pêndula marcava uma hora e quarenta minutos" (José de Alencar, *Lucíola*, p. 63). **2.** *Astr.* Pêndula astronômica. **3.** Pêndulo (2) de relógio: "Todo esse conjunto .... revelava a pulsação da vida no baloiço da pêndula, na contagem dos segundos ou na toada musical das horas" (Josué Montelo, *A Luz da Estrela Morta*, p. 13). ◆ **Pêndula astronômica.** *Astr.* Relógio astronômico, cuja regularidade se baseia na oscilação de um pêndulo. [Tb. se diz apenas *pêndula*.] **Pêndula horizontal.** *Geofís.* Instrumento idealizado, em 1831, pelo padre católico alemão Lorenz Hengler (1806-1858), e aperfeiçoado depois, em 1872, pelo astrônomo alemão Johann Zöllner (1834-1882), o qual, empregando o método do espelho girante de Poggendorf, construiu uma pêndula horizontal que possibilitou as primeiras observações de real valor científico relativas aos movimentos lentos de deformação do solo. [As *pêndulas horizontais* são particularmente utilizadas no estudo da maré terrestre.] **Pêndula média.** *Astr.* Pêndula astronômica que marca o tempo médio. **Pêndula sideral.** *Astr.* Pêndula astronômica que marca o tempo sideral.

pendulação [De *pendular*[2] + *-ção*.] ***S. f.*** Ato de pendular: "O relógio da sala bate compenetrado as sete badaladas, e recomeça a pendulação sempre igual — pleque-pleque — lá se vão tantos anos." (Nélio Reis, *O Rio Corre para o Mar*, p. 8.)

pendular[1] [De *pêndulo* + *-ar*[1].] ***Adj. 2 g.*** **1.** Relativo ao, ou próprio do pêndulo: "Um frouxo movimento pendular / O nosso voo lírico entorpece: / Ou lúgubre queixume, ou riso alvar..." (Carlos Queirós, *Breve Tratado de Não Versificação*, p. 13.) **2.** V. *oscilante* (1). ~ V. *movimento —*.

pendular[2] [De *pêndulo* + *-ar*[2].] ***V. int.*** **1.** Oscilar ou mover-se à maneira de pêndulo (1). ***T. d.*** **2.** Mover como pêndulo. [Sin. ger.: *pendulear*.]

pendulear [De *pêndulo* + *-ear*[2].] ***V. int. T. d.*** Pendular[2]. [Conjug.: v. *frear*.]

pendulifloro (ên) [De *pêndulo* (1) + *-ifloro*.] ***Adj. Bot.*** Diz-se das plantas cujas flores são pendentes.

pendulifoliado (ên) [De *pêndulo* (1) + *-i-* + *-foli-* + *-ado*[1].] ***Adj.*** Diz-se das plantas que têm as folhas pendentes.

pêndulo [Do lat. *pendulu*, 'pendente'.] ***Adj.*** **1.** Pendente (1): "Enfim... Nas verdes pêndulas ramadas / Cantai, pássaros!" (Alberto de Oliveira, *Poesias*, 1ª série, p. 186.) • ***S. m.*** **2.** Corpo pesado, suspenso por intermédio de uma haste ou fio em um ponto situado acima do seu centro de gravidade, de tal modo que lhe seja possível oscilar livremente. **3.** Oscilador mecânico us. para a conservação da hora. **4.** *Fís.* Sistema que pode girar em torno de um eixo horizontal e efetuar oscilações periódicas. ◆ **Pêndulo balístico.** *Fís.* Pêndulo físico de grande inércia que se utiliza para medição da velocidade de projetis. **Pêndulo cicloidal.** *Fís.* Pêndulo em que um pequeno corpo suspenso de uma haste descreve arcos de cicloide. **Pêndulo composto.** *Fís.* O que é constituído por um corpo móvel em torno de um eixo horizontal; pêndulo físico. **Pêndulo de Foucault.** *Cronol.* Dispositivo desenvolvido em 1851 pelo físico francês Léon Foucault (1819-1868) para demonstrar a rotação da Terra sobre seu eixo, por intermédio do deslocamento do plano de oscilação de um pêndulo. **Pêndulo esférico.** *Fís.* O que é constituído por um corpo constrangido a se mover sobre uma superfície esférica. **Pêndulo físico.** *Fís.* Pêndulo composto. **Pêndulo ideal.** *Fís.* Pêndulo simples. **Pêndulo simples.** *Fís.* O que é constituído por um ponto material suspenso a um fio inextensível e sem massa; pêndulo ideal.

pendura [Dev. de *pendurar*.] ***S. f.*** **1.** Ato ou efeito de pendurar(-se); dependura. **2.** Coisa pendurada, pendente; dependura. • ***S. 2 g.*** **3.** *Bras. Gír.* Pessoa que penhora ou pendura algo na Caixa Econômica. ◆ **Na pendura.** *Bras. Pop.* Sem dinheiro; na pindaíba; na dependura.

pendurado [Part. de *pendurar*.] ***Adj.*** **1.** Preso pela parte de cima e solto pela parte de baixo; suspenso, pendente. **2.** *Fig.* Colocado no alto, como que pendente: *Veem-se no morro várias casas penduradas.* **3.** *Bras. Gír.* Deixado a crédito; fiado: *compra pendurada.* **4.** *Bras. Gír.* Endividado. **5.** *Bras. Gír.* Que se empenhou, que se hipotecou; posto no prego. • ***S. m.*** **6.** *Bras. SP* Terreno em declive fortíssimo, muito íngreme. [Fem.: *pendurada*. Cf. *pendorada*.]

pendural [De *pendura* + *-al*[1].] ***S. m.*** A viga ou barrote que do vértice da asna cai sobre a linha.

pendurar [Do lat. vulg. **pendulare* < lat. *pendulu*, 'pendente'.] ***V. t. d.*** **1.** Suspender (alguma coisa) em lugar elevado, prendendo-a em cima de modo que não toque no chão: *Pendurou a gaiola de sorte que o gato não a alcançasse.* **2.** Fitar, fixar (os olhos, a vista). **3.** *Bras.* Pôr no prego; empenhar. **4.** *Bras. Pop.* Não pagar (uma conta): *Como estava sem dinheiro, pendurou a despesa.* ***T. d. e c.*** **5.** Prender, colocar

P

(em lugar alto): "Elisiário despiu a sobrecasaca, ... e foi pendurá-la a um prego, porque o cabide estava cheio." (Machado de Assis, *Páginas Recolhidas*, p. 26); "pendurei a seu pescoço a medalha da Independência" (Joaquim Manuel de Macedo, *Os Romances da Semana*, p. 14); *Pendurou o paletó no cabide*; "Os cachos dionisíacos [de uvas] eram como joias, ... e mulheres moças penduravam das orelhas bagadas delas" (Pina de Morais, *Sangue Plebeu*, pp. 80-81). *T. d. e i.* 6. Pendurar (2): *Pendurou os olhos no quadro. P.* 7. Estar suspenso, pendente; pender. 8. Estar colocado a grande altura: *A cidadezinha pendura-se no alto da montanha.* 9. Estar na dependência; depender. 10. Ficar preso; fixar-se: *Os olhos da menina penduraram-se na travessa de brigadeiros.* 11. Ficar por muito tempo em; não largar; agarrar-se, grudar-se: "E [a tia] pendurara-se no telefone, numa larga conferência com a avó, que morava na Cidade Alta." (Homero Homem, *Cabra das Rocas*, p. 45.) [Sin. ger.: *dependurar*. Antôn. (de 1 a 5): *despendurar*.]

penduricalho [Var. de *pendericalho*, com infl. de *pendurar*.] *S. m.* 1. Coisa pendente, para ornato; pingente, balangandã. 2. V. *berloque*. 3. *Burl.* Condecoração (2 e 3). [F. paral.: *penderucalho*; var.: *pendurucalho*.]

pendurucalho *S. m.* V. *penduricalho*.

pene [Do lat. *pene*.] *S. m.* V. *pênis*. [Pl.: *penes*. Cf. *pêni*, s. m., *pênis*, s. m., e *pênis*, pl. de *pêni*.]

▲ **pen(e)-** [Do lat. *paene* ou *pene*.] *El. comp.* = 'quase': *peneplanície*; *península*.

▲ **-pene** *El. comp.* V. *pen(i)-*.

peneácea [Do tax. *Penaea* (do antr. [*Pierre*] *Pena*, botânico francês do séc. XVI) + *-ácea*; tax. *Penaeaceae*.] *S. f. Bot.* Espécime das peneáceas, família de plantas floríferas, da ordem das mirtales, formada de arbustos de folhas opostas e flores solitárias. Ocorrem somente na África austral.

peneáceo [De *peneácea*, com var. suf. (v. *-áceo*).] *Adj. Bot.* Pertencente ou relativo às peneáceas.

penedal [De *penedo* + *-al*[1].] *S. m.* Penedia (1): "onde a rocha formava um patamar invisível do fundo e de cima, para resvalar depois em mais brusca ladeira até ao penedal caótico e cortante" (José Rodrigues Miguéis, *Onde a Noite se Acaba*, p. 50).

penedense *Adj. 2 g.* 1. De, ou pertencente ou relativo a Penedo (AL e RJ). ● *S. 2 g.* 2. O natural ou habitante de Penedo.

penedia [De *penedo* + *-ia*[1].] *S. f.* 1. Reunião de penedos; penedal. 2. Rocha, rochedo: "canteiro de flores maravilhosas escondido nas anfractuosidades da penedia bruta" (Afonso Arinos, *Lendas e Tradições Brasileiras*, p. 116). [F. paral. (p. us.): *penedio*.]

penedio *S. m. P. us.* V. *penedia*: "Do penedio agreste a doçaina do pastor respondia com a ária bucólica ao coro místico" (Coelho Neto, *Obra Seleta*, p. 776).

penedo (ê) [De *pena*[3] + *-edo*.] *S. m.* 1. Grande rocha; fraga, rochedo. 2. Penha escarpada; penhasco. 3. Calhau grande; pedregulho, fraga.

penego (ê) [De *pena*[1] (1) + *-ego* (ê).] *S. m.* Travesseiro ou almofada cheia de penas.

peneídeo [Do tax. *Peneus*, *Penaeus* + *-ídeo*[1]; tax. *Peneidae*, *Penaeidae*.] *Zool. S. m.* 1. Espécime dos peneídeos, família de crustáceos decápodes, macruros, caracterizados por apresentarem pinças nos três primeiros pares de patas, mas o terceiro par não é maior que os dois primeiros. São os camarões, dos quais algumas espécies das regiões tropicais e subtropicais podem atingir até 25cm. ● *S. m.* 2. Pertencente ou relativo a eles.

peneira [Do lat. vulg. **panaria*, de *pane*, 'pão'.] *S. f.* 1. Objeto, geralmente circular, com caixilho de madeira ou de metal, com o fundo formado de fios entrançados, de tela, taquara, crina ou metal, e empregado para separar substâncias reduzidas a fragmentos (moídas, britadas, trituradas, etc.), retendo as partes mais grossas. [Sin. (lus.): *rede*.] 2. Crivo, joeira. 3. *Bras. Fig.* Seleção, crivo: "Botei na peneira, você não passou" (Monsueto, no samba *Mora na Filosofia*). 4. *Bras.* Tela metálica transversalmente colocada nas chaminés das locomotivas para impedir, tanto quanto possível, a saída das faíscas. 5. *Bras.* V. *chuvisco* (1). 6. *Bras. RS Vest.* V. *chapéu de palha*.

peneiração [De *peneirar* + *-ção*.] *S. f.* Ato ou tarefa de peneirar; peneiramento, peneirada.

peneirada [De *peneirar* + *-ada*[1].] *S. f.* 1. V. *peneiração*. 2. O que se peneira duma vez.

peneiradamente [Do f. de *peneirado* + *-mente*.] *Adv.* De modo peneirado ou saracoteado; com saracoteio: "desconjuntando-se em rebulir obsceno, agachando-se peneiradamente" (Coelho Neto, *Rei Negro*, pp. 62-63).

peneirado [Part. de *peneirar*.] *Adj.* 1. Que passou por peneira. 2. Próprio de quem se peneira ou saracoteia: *andar peneirado*. 3. Que passou, ou como que passou, pela peneira: *farinha peneirada*; "Uma chuva miúda, peneirada, batida de vento, entrava pela janela" (Coelho Neto, *Turbilhão*, p. 212).

peneirador (ô) [De *peneirar* + *-dor*.] *Adj. S. m.* Que, ou aquele que peneira.

peneiragem [De *peneirar* + *-agem*[2].] *S. f.* Ato de separar o carvão da terra, no balão (11).

peneiramento [De *peneirar* + *-mento*.] *S. m.* 1. V. *peneiração*. 2. *Sociol.* Processo de classificação social que antecede, não raro, o de seleção, e segundo o qual as variantes se especializadas em funções e serviços diversos; classificação. 3. *Quím.* Ensaio simples ou seleção preliminar a que se submete um conjunto de substâncias que possam servir a uma dada aplicação.

peneirar [De *peneira* + *-ar*[2].] *V. t. d.* 1. Fazer passar pela peneira. 2. Fazer ou deixar passar através de si; coar, filtrar: "Entro às vezes na selva que peneira / Orvalho e sol, como um dourado crivo." (Alberto de Oliveira, *Poesias*, 1ª série, p. 132.) 3. Agitar na peneira, para separar a casca. 4. Mover em saracoteio; saracotear: "No ar arrufa o pandeiro, / Todo enfeitado de fitas, / A morena peneirando / Redondas formas bonitas." (Melo Morais Filho, *Cantos do Equador*, p. 53.) *Int.* 5. *Bras.* V. *chuviscar*: "chovia — peneirava — uma chuvinha miúda, triste e constante" (Machado de Assis, *Memórias Póstumas de Brás Cubas*, p. 2). 6. *Bras.* Pairar, no voo, batendo as asas. 7. *Bras. N.E.* Assistir da rua a bailes e outras festas realizadas dentro de casa; fazer sereno. *P.* 8. Bambolear(-se), saracotear-se, ao andar. 9. *Bras. RS* Sacudir-se todo (o potro que está sendo domado), saindo aos pinotes.

peneirável [De *peneirar* + *-vel*.] *Adj. 2 g.* Que pode ser peneirado.

peneireiro [De *peneira* + *-eiro*.] *S. m.* 1. Fabricante e/ou vendedor de peneiras. 2. Aquele que trabalha com peneira.

peneiro *S. m.* Peneira (1) grande, usada em algumas padarias para separar a farinha.

penejado [Part. de *penejar*.] *Adj.* Diz-se de desenho feito à pena.

penejar [De *pena*[1] + *-ejar*.] *V. t. d.* 1. Escrever (1). 2. Desenhar à pena. [Conjug.: v. *pelejar*.]

penela [De *pena*[3] + *-ela*.] *S. f.* Penha (2) pequena.

peneplanície [De *pen(e)-* + *planície*.] *S. f. Geol.* Superfície plana ou levemente inclinada, formada por processos erosivos cuja natureza é controversa; peneplano.

peneplanizado [Part. de *peneplanizar*.] *Adj.* Diz-se de terreno que a erosão tornou plano ou quase plano.

peneplanizar [De *peneplano* + *-izar*.] *V. t. d.* Tornar plano ou quase plano (um terreno): *A erosão peneplanizou larga faixa de terra.*

peneplano [De *pene-* + *plano*.] *S. m.* Peneplanície.

penereiro *S. m.* Ave falconídea (*Falco tinnunculus*) da Europa, África e Ásia, com cerca de 30 a 35cm de comprimento, e que se alimenta ger. de pequenos mamíferos, aves, reptis e invertebrados. O macho tem cabeça, cauda, e rêmiges cinza, dorso marrom--avermelhado com manchas marrom-escuras, e partes inferiores claras; a fêmea tem coloração castanha com manchas marrons no dorso. [Sin.: *francelho*, *penereiro-vulgar*, *rebanho*.]

penereiro-das-torres *S. m. Lus. Zool.* V. *francelho* (4). [Pl.: *penereiros-das-torres*.]

penereiro-vulgar *S. m. Lus. Zool.* V. *penereiro*. [Pl.: *penereiros-vulgares*.]

penetra [Dev. de *penetrar*.] *S. 2 g.* 1. Pessoa petulante, atrevida, insolente. 2. *Bras. Gír.* Pessoa que entra em bailes, festas, cinemas, teatros, etc., sem convite ou bilhete de entrada. [Sin., nesta acepç.: *emboca* (N.E.) e *bicão* (S.).] 3. Pessoa presumida, que se gaba de saber tudo. 4. *Lus.* Janota. 5. *Lus.* Pessoa esperta, viva.

penetrabilidade [De *penetrável* + *-(i)dade*, seg. o padrão erudito.] *S. f.* Qualidade de penetrável.

penetração [Do lat. *penetratione*.] *S. f.* 1. Ato ou efeito de penetrar. 2. *P. ext.* Facilidade de compreensão; perspicácia, sagacidade, acuidade: *espírito de grande penetração*. 3. *Constr.* Medida da consistência de solos ou de certos materiais de construção, expressa pela profundidade a que penetra num corpo de prova uma agulha-padrão, sob condições especificadas de peso, tempo e temperatura. 4. *Fig.* Capacidade de atingir o mais fundo do pensamento, dos sentimentos, das ideias de uma pessoa ou de um grupo: *penetração nas massas*.

penetrador (ô) [Do lat. *penetratore*.] *Adj.* V. *penetrante*.

penetrais [Adapt. do lat. *penetralia*.] *S. m. pl.* A parte mais íntima; o interior.

penetrância [De *penetrar* + *-ância*; ingl. *penetrance*.] *S. f. Genét.* Proporção em que um gene expressa determinado fenótipo, e que representa um conceito quantitativo da expressão gênica (q. v.).

penetrante [Do lat. *penetrante*.] *Adj. 2 g.* 1. Que penetra. 2. *Fig.* Pungente, doloroso: *A expressão penetrante da mulher revelava grande sofrimento.* 3. *Fig.* Muito vivo ou intenso: *frio penetrante*. 4. *Fig.* Arguto, agudo, sagaz, perspicaz: *inteligência penetrante*; *análise penetrante*. [Sin., p. us.: *penetrador*, *penetrativo*.]

penetrar [Do lat. *penetrare*.] *V. t. d.* 1. Passar para dentro de; transpor, entrar, atravessar, invadir: *As águas pluviais penetram o solo.* 2. Passar através de; atravessar: *A espada penetrou-lhe o peito.* 3. Chegar ao íntimo de; repassar. 4. Chegar a perceber; compreender: "— Bem, irás entendendo aos poucos a minha filosofia; no dia em que a houveres penetrado inteiramente, ah! nesse dia terás o maior prazer da vida, porque não há vinho que embriague como a verdade." (Machado de Assis, *Quincas Borba*, p. 11.) 5. Descobrir, descortinar: *Tentou, em vão, penetrar o mistério.* 6. Introduzir (o pênis) na vagina ou no ânus. *T. d. e i.* 7. Tornar pleno, cheio; encher, repassar: *Suas palavras penetraram o ânimo dos ouvintes de profundo respeito. T. c.* 8. Introduzir-se, entrar: *Penetrou entre as tropas acampadas.* 9. Embrenhar-se, meter-se, internar-se. 10. Insinuar-se; atingir: *O dramático apelo não lhe penetrou na alma. P.* 11. Convencer-se intimamente; compenetrar-se, capacitar-se, persuadir-se: *Penetrou-se, por fim, da conveniência de seu afastamento.* 12. Deixar-se possuir; tomar-se: *Penetraram-se de vivo temor.* 13. Deixar-se penetrar, absorver; imbuir-se, impregnar-se: "corre a observar a sociedade, a penetrar-se dela, onde ela é mais original, mais complexa, ... — em Paris e em Londres" (Eça de Queirós, *Ecos de Paris*, p. 5).

penetrativo [De *penetrar* + *-tivo*.] *Adj.* V. *penetrante*.

penetrável [Do lat. *penetrabile*.] *Adj. 2 g.* Que pode ser penetrado.

penetrómetro *S. m.* V. *penetrômetro*. [Uso freq. em P.]

penetrômetro [De *penetr(ar)* + *-o-* + *-metro*.] *S. m.* Instrumento para medir, por penetração, a consistência de sólidos, tais como materiais de construção, plásticos, solos, etc.

pênfigo [Do gr. *pémphix*, *igos*, 'sopro', 'aquilo que incha como que por sopro'; 'pústula'.] *S. m. Derm.* Designação comum a várias dermatoses autoimunes que se caracterizam pelo aparecimento de grupos de bolhas que se sucedem e, uma vez absorvidas, deixam manchas cutâneas fragmentadas; ponfólige. ◆ **Pênfigo foliáceo.** *Derm.* Dermatose de evolução crônica e que se apresenta com erupção cutânea vesicular, com descamação.

pengó *S. m. Bras. N.* 1. V. *tolo* (8). 2. Sujeito malvestido. ● *S. 2 g.* 3. V. *coxo* (1). ● *Adj. 2 g.* 4. V. *coxo* (4).

penha [Do esp. *peña*.] *S. f.* 1. Grande massa de rocha isolada e saliente, penhasco, penedo. 2. Rocha, fraga: "Uma rua de pedra por onde a cada momento eu esperava ver descer o pastor Viriato. O baiano subia aquelas penhas com um desembaraço que me espantava." (Davi Nasser, *Portugal, Meu Avozinho*, p. 14.) [Dim. irreg.: *panela*; sin., ant.: *pena*.]

penhascal [De *penhasco* + *-al*[1].] *S. m.* Penhasqueira: "os broncos / Penhascais do deserto, o rio, a selva, os troncos" (Alberto de Oliveira, *Poesias*, 2ª série, p. 247).

penhasco [Do esp. *peñasco*.] *S. m.* 1. Penha elevada. 2. Rochedo escarpado e extenso: "Neste cimo de serra, entre as arestas / Dos penhascos" (Alberto de Oliveira, *Poesias*, 2ª série, p. 363).

penhascoso (ô) [De *penhasco* + *-oso*.] *Adj.* Abundante em penhascos: "cortava pelo espinhaço das serras, descia as abas penhascosas dos contrafortes alcantilados" (Gustavo Barroso, *Terra de Sol*, p. 134).

penhasqueira [De *penhasco* + *-eira*.] *S. f.* Série de penhascos; penhascal.

penhense *Adj. 2 g.* 1. De, ou pertencente ou relativo a Penha (SC). ● *S. 2 g.* 2. O natural ou habitante de Penha.

penhoar [Do fr. *peignoir*.] *S. m. Vest.* Peça caseira de vestuário feminino, de talhe confortável, em geral aberta na frente, usada sobre a roupa de dormir ou a roupa de baixo, ou para se ficar à vontade; robe, quimono: "foi abrir a porta assim mesmo como estava, de penhoar e rolinhos no cabelo." (Maria Julieta Drummond de Andrade, *O Valor da Vida*, p. 178).

penhor (ô) [Do lat. *pignore*.] *S. m.* 1. Direito real que vincula coisa móvel, ou mobilizável, a uma dívida, como garantia do pagamento desta. 2. A coisa móvel ou mobilizável que constitui essa garantia, em geral entregue ao credor. 3. *Fig.* Garantia, segurança, prova: "Se o penhor dessa igualdade conseguimos conquistar com braço forte" (Francisco Osório Duque Estrada e Francisco Manuel da Silva, *Hino Nacional Brasileiro*). 4. Espécie de jogo popular. [Pl.: *penhores* (ô). Cf. *penhores*, do v. *penhorar*.]

penhora [Dev. de *penhorar*.] *S. f.* 1. Apreensão judicial de bens, valores, dinheiro, direitos, etc., pertencentes ao devedor executado, em quantidade bastante para garantir a execução. 2. *P. ext.* Execução judicial por quantia determinada. ◆ **Penhora no rosto dos autos.** *Jur.* Aquela que se faz em direitos do executado constantes de ação pendente em juízo, e que é lavrada pelo escrivão na face externa da primeira folha dos respectivos autos.

penhorabilidade [De *penhorável* + *-(i)dade*, seg. o padrão erudito.] *S. f.* Qualidade de penhorável.

penhorado [Part. de *penhorar*.] *Adj.* **1.** Tomado em penhor. **2.** Apreendido por penhora. **3.** *Fig.* Grato, reconhecido.

penhorante [De *penhorar* + *-nte*.] *Adj. 2 g.* Que penhora, torna agradecido, obriga a reconhecimento.

penhorar [Do lat. vulg. *pignorare*, por *pignerare*.] *V. t. d.* **1.** Dar em garantia ou penhor; empenhar. **2.** Efetuar a penhora de; apreender em virtude de processo executivo. **3.** *Fig.* Dar motivo de gratidão a; tornar agradecido; obrigar: *A fidelidade do amigo, naquela hora difícil, penhorou-o.* **4.** Impor gratidão a; cativar. *T. d. e i.* **5.** Exigir por obrigação; impor: *A lisura dos juízes penhorou-lhes respeito.* **6.** Garantir, afiançar: *Cristo penhorou aos que o seguiram a salvação de suas almas.* *P.* **7.** Mostrar-se reconhecido, grato. **8.** Dar-se por vencido; render-se: *Penhorou-se àquelas sábias palavras.* [Pres. subj.: *penhore, penhores*, etc. Cf. *penhores* (ô), pl. de *penhor*, s. m.]

penhorável [De *penhorar* + *-vel*.] *Adj. 2 g.* Que pode ser penhorado.

penhorista [De *penhor* + *-ista*.] *Adj. 2 g.* **1.** Referente a penhores. ● *S. 2 g.* **2.** Dono de casa de penhores.

▲ **pen(i)-** [Do lat. *penna, ae*.] *El. comp.* = 'pena[1]': *penífero* (< lat.), *peniforme, peninérveo.* [Equiv.: *-pene, -pen(i)-*: *angustipene, fuscipene; alternipenado.*]

▲ **-pen(i)-** V. *pen(i)-*.

pêni [Do ingl. *penny*.] *S. m.* Moeda divisionária que até 1971 representou a duodécima parte do xelim[1] (1), e corresponde atualmente à centésima parte da libra (5). [Pl.: *pênis*. Cf. *pene* e *penes*, do v. *penar*.]

▲ **-penia** [Do gr. *penía*, 'pobreza'.] *El. comp.* = 'diminuição'; 'falta'; 'deficiência de': *eosinopenia, leucopenia.* [Equiv.: *penio-*: *peniomania.*]

peniano [De *pênis* + *-iano*.] *Adj. Anat.* Relativo ou pertencente ao pênis.

penicada [De *penico* + *-ada*[1].] *S. f. Pleb.* Porção de urina ou de excremento contida num penico. [Cf. *pinicada*.]

▲ **penicil(i)-** [Do lat. *penicillus, i*.] *El. comp.* = 'pincel': *peniciliforme, penicilina.*

peniciliforme (ci) [De *penicil(i)-* + *-forme*.] *Adj. 2 g.* Que tem forma de pincel.

penicilina [Do ingl. *penicillin* <lat. cient. *Penicillium*, 'designação genérica de uma bactéria' (< lat. *penicillus*), + ingl. *-in* (*-ina*[3]).] *S. f.* **1.** *Quím.* Grupo de substâncias formado no crescimento de certos fungos (*Penicillium* e outros), com acentuada ação antibiótica. **2.** Designação comum aos medicamentos fabricados com esta substância: *Tomou penicilina e melhorou.*

penicilinado [De *penicilina* + *-ado*[1].] *Adj.* Que contém penicilina.

penico [De or. obscura.] *S. m. Pop.* V. *urinol* (1). [Aum.: *penicão*. Cf. *pinico*, do v. *pinicar*, e s. m., *penico* e *pinicão*.] ◆ **Penico do mundo.** *Bras. RJ* Região extremamente pluviosa. **Pedir penico.** *Bras. Gír.* **1.** Acovardar-se, amedrontar-se. **2.** Mostrar-se fraco, vencido. [Sin. ger.: *pedir arrego, pedir bexiga; arregar-se*.]

pénico *Adj. S. m.* V. *pênico*. [Uso freq. em P.]

pênico [Do lat. *poenicu*.] *Adj. S. m.* V. *cartaginês*. [Cf. *penico*, s. m., e *pinico*, do v. *pinicar* e s. m.]

penífero [Do lat. *penniferu*.] *Adj.* Que tem penas; penígero, penudo. [Cf. *pinífero*.]

peniforme [De *pen(i)-* + *-forme*.] *Adj. 2 g.* Que tem forma de pena. [Cf. *piniforme*.]

penígero [Do lat. *pennigeru*.] *Adj.* V. *penífero*. [Cf. *pinígero*.]

penina [De *peninita*, com síncope.] *S. f. Min.* Mineral monoclínico do grupo das cloritas, silicato hidratado de alumínio, ferro e magnésio; peninita.

peninervado [De *pen(i)-* + *-nerv(i)-* + *-ado*[1].] *Adj.* ~ V. *folha —a*.

peninérveo [De *pen(i)-* + *-nerv(i)-* + *-eo*.] *Adj.* ~ V. *folha —a*.

peninita [Do top. **Peninos*, por região dos Alpes peninos (Europa) + *-ita*[2].] *S. f. Min.* Penina.

península [De *pen(e)-* + lat. *insula*, 'ilha'.] *S. f.* Porção de terra cercada de água por todos os lados, menos um, pelo qual se liga a outra terra. [Sin., ant.: *quersoneso*.]

peninsular [De *península* + *-ar*[1].] *Adj. 2 g.* **1.** Pertencente ou relativo a península. ● *S. 2 g.* **2.** O natural ou habitante de uma península. **3.** *Restr.* O natural ou habitante da Península Ibérica.

▲ **penio-** [Do gr. *penía*, 'pobreza', + *-o-*[1].] Equiv. de *-penia*.

peniomania [De *penio-* + *-mania*.] *S. f. Psiq.* Perturbação mental em que o indivíduo imagina que está reduzido à pobreza.

peniomaníaco [De *peniomania* + *-íaco*.] *Psiq. Adj.* **1.** Relativo a peniomania. **2.** Que tem peniomania; peniômano. ● *S. m.* **3.** Aquele que sofre de peniomania; peniômano.

peniómano *Adj. S. m. Psiq.* V. *peniômano*. [Uso freq. em P.]

peniômano [De *penio-* + *-mano*[1].] *Adj. S. m. Psiq.* Peniomaníaco (2 e 3).

penipotente [Do lat. *pennipotente*.] *Adj. 2 g. Poét.* **1.** Que voa muito. **2.** Que tem asas muito vigorosas.

peniqueira [De *penico* + *-eira*.] *S. f. Pop.* Caixa ou mesa de cabeceira para guardar penico.

pénis *S. m. 2 n.* V. *pênis*. [Uso freq. em P.]

pênis [Do lat. *penis*, 'pincel'.] *S. m. 2 n. Anat.* O órgão copulador do macho; falo, fálus, pene. [Cf. *penes*, do v. *penar*, e *pêni*s, pl. de *pêni*.]

peniscar *V. int.* Comer pouco, sem apetite; beliscar; pepinar. [Conjug.: v. *trancar*.]

penisco *S. m.* **1.** Semente de pinheiro-bravo. **2.** Porção de pinhão miúdo.

penisqueiro [De *peniscar* + *-eiro*.] *Adj.* Que penisca.

penisseto [Do tax. *Pennisetum* (do lat. *penni-* [v. *pen(i)-*] + lat. *seta*, [v. *set(i)-*[1]]).] *S. m. Bot.* **1.** Grande gênero de poáceas do Velho Mundo, dotadas de invólucro eriçado que encima os pedicelos articulados da espigueta. **2.** Qualquer espécie desse gênero, como, p. ex., a *Pennisetum purpureum* (v. *capim-elefante*). **3.** Qualquer espécime desse gênero.

penitência [Do lat. *poenitentia*.] *S. f.* **1.** Arrependimento ou pesar por falta cometida; contrição; metanoia. **2.** Expiação dessa falta. **3.** Incômodo, fadiga, sacrifício. **4.** Aflição, tormento. **5.** *Rel.* Virtude cristã que leva ao arrependimento pelos próprios pecados, visto que constituem ofensa aos desígnios divinos. **6.** *Rel.* Ato de expiação dos pecados, assumido por iniciativa pessoal, ou por indicação da Igreja ou de seus delegados. **7.** *Rel.* O sacramento que consiste na acusação contrita dos próprios pecados, feita a um ministro legítimo da Igreja ou a seus delegados, a fim de obter o perdão divino ou a absolvição; confissão. **8.** *Rel.* A absolvição tomada como sinal de perdão. [Cf. *penitencia*, do v. *penitenciar*.]

penitenciado [Part. de *penitenciar*.] *Adj. S. m.* Diz-se de, ou aquele a quem se cominou a pena de penitência.

penitencial [Do lat. *poenitentiale*.] *Adj. 2 g.* **1.** Relativo a penitência; penitenciário. **2.** *Fig.* Desolado, lúgubre. ~ V. *multa —*. ● *S. m.* **3.** Ritual das penitências.

penitencialismo [De *penitencial* + *-ismo*.] *S. m.* Espírito ou propósito de penitência, de arrependimento.

penitenciar [De *penitência* + *-ar*[2].] *V. t. d.* **1.** Impor penitência a: *O sacerdote penitenciou-o com três padre-nossos.* **2.** Expiar, pagar: "Depois de penitenciar tão tragicamente o seu crime, no mesmo sepulcro onde vivera com um morto, foi Jacob sepultado." (Alphonsus de Guimaraens, *Obra Completa*, p. 419.) *P.* **3.** Castigar-se por culpa cometida, arrependendo-se. **4.** Fazer sacrifícios para expiação dos pecados. [Pres. ind.: *penitencio, penitencias, penitencia*, etc.; fut. pret.: *penitenciaria*, etc. Cf. *penitência*, s. f., *penitenciaria*, s. f., e *penitenciário*, fem. de *penitenciário* e s. f.]

penitenciaria [De *penitência* + *-aria*.] *S. f.* Tribunal pontifício no qual se resolvem os negócios da privada competência do Papa. [Cf. *penitenciária*, fem. de *penitenciário* e s. f., e *penitenciaria*, do v. *penitenciar*.]

penitenciária [De *penitência* + *-ária*.] *S. f.* Estabelecimento oficial a que se recolhem os condenados à pena de reclusão ou detenção, os quais, no decorrer do cumprimento da sentença, ficam sujeitos a trabalho remunerado e, mediante medidas progressivamente aplicadas, recebem assistência para sua reeducação e readaptação social. [Cf. *penitenciaria*, do v. *penitenciar* e s. f.]

penitenciário[1] [De *penitência* + *-ário*.] *Adj.* **1.** Penitencial (1). **2.** Relativo às penitenciárias: *sistema penitenciário*. ● *S. m.* **3.** Indivíduo preso em penitenciária. **4.** Aquele que impõe penitência. [Fem.: *penitenciária*. Cf. *penitenciaria*, do v. *penitenciar* e s. f.]

penitenciário[2] [De *penitenciaria*, com var. suf. (v. *-ário*).] *S. m.* Cardeal que preside a penitenciaria pontifícia.

penitenciarista [De *penitenciária* + *-ista*.] *S. 2 g.* Jurista especializado na ciência penitenciária.

penitencieiro [De *penitência* + *-eiro*.] *S. m.* **1.** Cardeal que é membro da penitenciaria. **2.** Frade ou padre confessor, em certas igrejas ou capelas.

penitente [Do lat. *poenitente*.] *Adj. 2 g.* **1.** Que se arrepende. **2.** Que faz penitência ou confissão de seus pecados. ● *S. 2 g.* **3.** Pessoa que se arrepende. **4.** Pessoa que faz penitência ou confissão dos pecados. **5.** Pessoa que acompanha procissões como penitente (3).

➔ **penne** ['pen.ne] [It.] *S. f. pl. Cul.* Massa com a forma de um tubo de cerca de 2cm, com as pontas cortadas obliquamente.

peno [Do lat. *poenu*.] *Adj. S. m.* V. *cartaginês*.

pé no chão [De *pé* + *no*[1] + *chão*.] *S. m.* **1.** *Bras.* V. *caipira* (1). ● *Adj. 2 g.* **2.** Que pensa e procede com realismo[1] (2), de acordo com a realidade, sem deslumbramentos ou ilusões: "um sujeito pé no chão, talentoso, trabalhador, que entende de seu ofício" (Ana Maria Bahiana, em *O Globo*, 11.08.2000). [Pl.: *pés no chão*.] ☑

penol [Do esp. *penol*.] *S. m. Marinh.* **1.** A extremidade livre da caranguejа; o lais da caranguejа; pena. **2.** A extremidade livre do pau de carga. [Pl.: *penóis*.]

penosa [De *pena*[1] + o f. de *-oso*.] *S. f.* **1.** *Gír.* Galinha (1) (especialmente magra): "Preparava-se [o remédio] como caldo de galinha, só que usando rã em vez da penosa." (Pedro Nava, *Baú de Ossos*, p. 328.) **2.** *Bras. AL Pop.* V. *perua* (1).

penoso (ô) [De *pena*[2] + *-oso*.] *Adj.* **1.** Que causa pena ou sofrimento: *assunto penoso.* **2.** Que incomoda: *sensação penosa; impressão penosa.* **3.** Que produz dor; doloroso: *tratamento penoso.* **4.** Difícil, complicado: *estudo penoso; pesquisa penosa.*

pensabundo [De *pensar* + *-bundo*.] *Adj.* V. *pensativo*: "A fama desse talento alastrou então por toda a academia — que, vendo Pacheco sempre pensabundo, já d'óculos, austero nos seus passos, ... percebia ali um grande espírito que se concentra e se retesa todo em força íntima." (Eça de Queirós, *A Correspondência de Fradique Mendes*, p. 179.)

pensado [Part. de *pensar*.] *Adj.* Que se ponderou pelo raciocínio; raciocinado: *atos pensados.*

pensador (ô) [De *pensar* + *-dor*.] *Adj.* **1.** Que pensa, que reflete. **2.** Que pensa alguém, que faz curativo em alguém. **3.** Diz-se de parceiro que recebe animais para os fins estipulados na parceria pecuária. ● *S. m.* **4.** Aquele que pensa, que reflete. **5.** Aquele que tem ideias ou faz observações novas, profundas ou pessoais, sobre determinados problemas. [Cf., nesta acepç., *filósofo* (2).] **6.** Aquele que pensa ou faz curativos. **7.** O parceiro que recebe animais para os fins estipulados na parceria pecuária (q. v.).

pensadura [De *pensar* + *-dura*.] *S. f.* Ato de pensar (12) uma criança.

pensamentar [De *pensamento* + *-ar*[2].] *V. int.* V. *pensar* (1 a 3).

pensamentear [De *pensamento* + *-ear*[2].] *V. int.* V. *pensar* (1 a 3): "ao subir [Mário de Andrade] a Ladeira de São Francisco — a que lhe tirava o fôlego — tivera boa ideia para um estudo, parara em meio ao percurso e a anotara, como fazia habitualmente sempre que andava pelas ruas pensamenteando." (Mário da Silva Brito, *Ângulo e Horizonte*, p. 121). [Conjug.: v. *frear*.]

pensamento [De *pensar* + *-mento*.] *S. m.* **1.** Ato ou efeito de pensar, refletir, meditar; processo mental que se concentra nas ideias: *O nosso pensamento abrange quanto vemos, sentimos ou compreendemos.* **2.** Faculdade de pensar logicamente: *Tinha o pensamento voltado para a solução do problema.* **3.** Poder de formular conceitos: *O pensamento de Einstein revolucionou a física do século XX.* **4.** Aquilo que é pensado; o produto do pensamento; ideia: *Os tímidos precisam ser estimulados com pensamentos otimistas;* "Noite, vão para ti meus pensamentos, / Quando olho e vejo, à luz cruel do dia, / Tanto estéril lutar, tanta agonia" (Antero de Quental, *Sonetos*, p. 145). **5.** Reflexão, meditação: *estar absorto em pensamentos.* **6.** Mente, intelecto, espírito: *A civilização é produto do pensamento humano.* **7.** Fantasia, sonho, imaginação: *Perdido em pensamentos, não sentiu passar as horas.* **8.** Lembrança, recordação, ideia: *O pensamento do tempo passado foi a inspiração e tema da obra de Proust;* "Pensa em mim, como em ti saudoso penso, / Quando a lua no mar se vai doirando: / Pensamento de mãe é como incenso / Que os anjos do Senhor beijam passando." (Álvares de Azevedo, *Obras Completas*, I, p. 313). **9.** Modo de pensar; ponto de vista; opinião: *Você não agiu de acordo com o pensamento de sua família.* **10.** Cuidado; solicitude, preocupação: *É objeto constante de seu pensamento a educação dos filhos.* **11.** Esperança, expectativa, ideia: *O pensamento de ganhar na bolsa quase o levou à ruína.* **12.** Frase que encerra um conceito moral, ou tema que dá matéria para reflexão: *o pensamento do dia.* **13.** A ideia, o tema, o núcleo de uma obra: *É complexo o pensamento do poema* Invenção de Orfeu, *de Jorge de Lima.* **14.** O produto intelectual de um determinado indivíduo, grupo, país, ou época: *o pensamento de Aristóteles; o pensamento científico moderno.* **15.** *Filos.* Atividade psíquica que abarca os fenômenos cognitivos, distinguindo-se do sentimento e da vontade.

pensante [Do lat. *pensante*.] *Adj. 2 g.* Que pensa; que faz uso da razão.

pensão [Do lat. *pensione*, 'pagamento'.] *S. f.* **1.** Renda paga periodicamente a alguém: *pensão de aposentadoria, de invalidez.* **2.** Foro (ô) (1). **3.** Quantia paga pela educação e sustento de aluno em colégio interno. **4.** Pequeno hotel de caráter familiar. **5.** *Fig.* Encargo, ônus, obrigação. **6.** *Fig.* Trabalho, preocupação, cuidado. **7.** *Bras.* Fornecimento regular de comida a domicílio. **8.** Benefício pago aos dependentes após a morte do segurado.

P

pensar [Do lat. *pensare.*] *V. int.* **1.** Formar ou combinar no espírito pensamentos ou ideias: *O homem é um animal que pensa;* "Pensar exige dedicação integral." (Guilherme Figueiredo, *Despropósitos*, p. 43). **2.** Fazer reflexões; refletir, raciocinar: *Diz o que lhe vem à cabeça, sem antes pensar.* **3.** Reflexionar, refletir; meditar, cismar: "Em nada mais penses. Ama. / Melhor que pensar — é amar." (Alberto de Oliveira, *Póstuma*, p. 71); *Com um olhar longínquo, ficava horas a pensar.* [Sin., p. us., nessas acepç.: *pensamentar, pensamentear.*] *T. i.* **4.** Fazer tenção; tencionar, cogitar: "Os antigos, embora interessados na coleção e interpretação dos fatos literários, nunca pensaram em organizar panoramas históricos das suas literaturas." (Oto Maria Carpeaux, *História da Literatura Ocidental*, 1º vol., p. 15.) **5.** Estar preocupado; ter cuidado: *Não pensa no seu trabalho.* **6.** Lembrar-se; imaginar: "Pensa em mim, como em ti saudoso penso, / Quando a lua no mar se vai doirando" (Álvares de Azevedo, *Obras Completas*, I, p. 313). **7.** Meditar; refletir, reflexionar: "Fiquei pensando em como o avião é elemento aglutinador, capaz de igualar os seres, transformando-os num bloco unitário" (Maria Julieta Drummond de Andrade, *Um Buquê de Alcachofras*, p. 14). *T. d.* **8.** Avaliar pelo raciocínio; julgar, imaginar: *Que pensará ele se souber da tua invenção?;* "Não pensava participar .... de tantas intrigas palacianas" (Nélida Piñon, *A Força do Destino*, p. 35). **9.** Delinear mentalmente; meditar: "Nessa hora de monólogos sublimes, / A companhia dos ladrões da noite, / Buscando uma taverna que os açoite, / Vai pela escuridão pensando crimes." (Augusto dos Anjos, *Eu*, p. 27); *Tal era o seu ódio que pensou dar cabo do assassino.* **10.** Imaginar, supor: *Não pensei que ele fosse tão generoso;* "Pensei que assim ia ser com você." (Homero Homem, *Cabra das Rocas*, p. 17). **11.** Dar ração a (animal). **12.** Cuidar ou tratar convenientemente de: "Os fradinhos correm a defender os franceses, a pensar os feridos" (Antero de Figueiredo, *Jornadas em Portugal*, p. 353); "As grandes mãos da sombra evangélicas pensam / As feridas que a vida abriu em cada peito." (Manuel Bandeira, *Estrela da Vida Inteira*, p. 14). **13.** Pôr penso[1] (2) em. **14.** Dar penso[1] (3) a. [Pres. subj.: *pense, ... penseis, pensem.* Cf. *pênseis*, pl. de *pênsil*, adj. 2 g.] ● *S. m.* **15.** Pensamento, opinião. **16.** Tino, prudência. ◆ **Pensar alto.** Raciocinar em voz alta, transmitindo ou não o(s) pensamento(s). **Pensar grande.** Ter ambição: "Macabea encontra seu ídolo em Olímpico de Jesus, também nordestino, e que pensa grande: quer ser deputado federal pela Paraíba." (Moacir Scliar, *Saturno nos Trópicos*, p. 240.)

pensata [Do it. *pensata*, 'ideia', 'pensamento'.] *S. f. Jorn.* Pequeno texto opinativo publicado ao lado de uma notícia ou reportagem em jornal que tem por objetivo comentá-la.

pensativo [De *pensar* + *-tivo*.] *Adj.* Absorto em pensamentos; meditativo, absorto, pensabundo, penseroso.

pensável [Do lat. *pensabile.*] *Adj. 2 g.* Que pode ser pensado; que pode ocorrer ao pensamento; imaginável.

penseroso (ô) [Do it. *pensieroso.*] *Adj.* V. *pensativo*: "sua atitude penserosa [era] tão tranquila que, ao primeiro olhar, ninguém, por certo, lhe daria uma alma" (Coelho Neto, *Sertão*, p. 101).

pênsil [Do lat. *pensile.*] *Adj. 2 g.* **1.** Suspenso, pendurado: "Puxando a ponta de um barbante pênsil de um buraco feito na porta, ela consegue abri-la sem dificuldade." (Ana Elisa Gregori, *Os Barões da Candeia*, p. 17.) **2.** Construído sobre abóbadas ou colunas. ~ V. *ponte* —. [Pl.: *pênseis*. Cf. *penseis*, do v. *pensar*.]

pensionar [De *pensão* + *-ar*², seg. o padrão erudito.] *V. t. d.* **1.** Dar ou pagar pensão a. **2.** Sobrecarregar com trabalhos. *T. d. e i.* **3.** Impor cargo ou pensão: *O mosteiro pensionou-o em 10 missas; S. M. vai pensioná-los com a décima* [v. *décima* (3)]. [Fut. pret.: *pensionaria*, etc. Cf. *pensionária*, fem. de *pensionário*.]

pensionário [De *pensão* + *-ário*, seg. o padrão erudito.] *Adj.* **1.** Relativo a pensão. ● *S. m.* **2.** *P. us.* Pensionista (2). [Fem.: *pensionária*. Cf. *pensionaria*, do v. *pensionar*.]

pensionato [De *pensão* + *-ato*¹, seg. o padrão erudito.] *S. m.* **1.** Internato (1). **2.** Casa que recebe pensionistas. **3.** Patronato (4).

pensioneiro [De *pensão* + *-eiro*, seg. o padrão erudito.] *Adj.* Que paga pensão.

pensionista [De *pensão* + *-ista*, seg. o padrão erudito.] *Adj. 2 g.* **1.** Que recebe pensão, especialmente do Estado. ● *S. 2 g.* **2.** Pessoa que recebe uma pensão, especialmente do Estado; pensionário. **3.** *Bras.* Pessoa que mora em pensão. **4.** *Bras.* Pessoa que recebe pensão de alimento. ● *S. f.* **5.** Recolhida ou noviça que paga pensão no convento.

penso¹ [Dev. de *pensar* (v. acepç. 11 a 14).] *S. m.* **1.** Tratamento, sustento, limpeza, curativo, de crianças ou animais. **2.** Curativo (2 e 3): "Soltara .... a pressa esquiva, a mão subitamente recolhida, sangrando. Fizera um penso com a camisa, até chegar em casa, onde a mãe, desvelada e sábia, tomara sob os seus cuidados o ferimento." (Herberto Sales, *Histórias Ordinárias*, pp. 170-171.) **3.** Ração para o gado. ◆ **Penso higiênico.** V. *tampão vaginal*. **Penso rápido.** *Lus.* V. *bandeide*.

penso² [Do lat. *pensu*, do sup. do v. lat. *pendere*, 'estar pendente'.] *Adj. Bras.* **1.** Pendido, inclinado: "Costumava [José de Alencar] orar com a cabeça um tanto pensa para a direita" (Visconde de Taunay, *Reminiscências*, p. 82); "Através dos vidros que os isolavam de nós, um mar de cabeças pensas sobre velhas carteiras." (Francisco Inácio Peixoto, *Passaporte Proibido*, p. 23). **2.** De mau jeito.

▲ **pent-** *El. comp. Quím.* **1.** Indica cadeia de cinco átomos de carbono, em grupamento ou substância: *pentil, pentano*. [Ocorre, tb., como infixo *-pent-*, na nomenclatura de compostos orgânicos (*neopentano*).]

▲ **-pent-** *El. comp. Quím.* **1.** V. *pent-*. **2.** Designa, na nomenclatura sistemática dos elementos transférmicos (q. v.), a presença do dígito 5 no número atômico do elemento. Ex.: *unilpêntio*.

penta¹ *Adj. 2 g. e 2 n. S. 2 g. e 2 n.* V. *pentacampeão*.

penta² *S. m.* V. *pentacampeonato*.

▲ **pent(a)-** [Do gr. *penta-* < gr. *pénte*.] *El. comp.* = 'cinco': *pentacampeão, pentandro*. [Equiv.: *-pent(a)-*: *tiopental*.]

▲ **-pent(a)-** Equiv. de *pent(a)-*.

pentacampeã *S. f.* Fem. de *pentacampeão* (q. v.).

pentacampeão [De *pent(a)-* + *campeão*.] *Adj. S. m.* **1.** Diz-se de, ou indivíduo, equipe, grupo, etc., que foi campeão por cinco vezes (consecutivas ou não) em competição ou modalidade esportiva, artística, ou cultural, ou em concurso: *O Real Madri foi pentacampeão na Copa dos Campeões da Europa (1956, 57, 58, 59 e 1960).* **2.** *Restr.* Diz-se de, ou indivíduo que participou da conquista de um pentacampeonato. [F. red.: *penta*. Fem.: *pentacampeã*.]

pentacampeonato [De *pent(a)-* + *campeonato*.] *S. m.* **1.** Campeonato (2) obtido por um mesmo disputante pela quinta vez. **2.** Aquele que é conquistado pela quinta vez consecutiva. [F. red.: *penta*.]

pentacanto [De *pent(a)-* + *-acanto*.] *Adj. Zool.* Diz-se de peixe que tem cinco raios espinhosos nas nadadeiras.

pentacapsular [De *pent(a)-* + *capsular*.] *Adj. 2 g. Bot.* Que tem cinco cápsulas; quinquecapsular.

pentacarpelar [De *pent(a)-* + *carpelar*.] *Adj. 2 g. Bot.* Diz-se do ovário ou do fruto formado por cinco carpelos.

pentaceno [De *pent(a)-* + *-aceno*.] *S. m. Quím.* Hidrocarboneto pentacíclico aromático, de cor azul, cujas moléculas podem ser consideradas como formadas por cinco anéis benzênicos fundidos em configuração linear [fórm.: $C_{22}H_{14}$].

pentacêntrico [De *pent(a)-* + *-centr(o)-* + *-ico*².] *Adj.* Que tem cinco centros.

pentacontaedro [Do gr. *pentékonta*, 'cinquenta', + *-edro*.] *S. m. Geom.* Poliedro de 50 faces.

pentacontágono [Do gr. *pentékonta*, 'cinquenta', + *-gono*.] *S. m. Geom.* Polígono de 50 lados. [A pronúncia correta seria *pentacontagono*, v. *-gono*.]

pentacórdio [Var. de *pentacordo* < gr. *pentáchordon*, pelo lat. *pentachordu*.] *S. m. Mús.* **1.** Instrumento de cinco cordas. **2.** Entre os gregos, sistema de cinco sons conjuntos que formavam uma quinta justa.

pentacordo *S. m. Mús.* Pentacórdio (q. v.).

pentacosaedro [De *pent(a)-* + *(i)cosaedro*.] *S. m. Geom.* Poliedro de 25 faces.

pentacoságono [De *pent(a)-* + *(i)coságono*.] *S. m. Geom.* Polígono de 25 lados. [A pronúncia correta seria *pentacosagono*, v. *-gono*.]

pentacosiomedimno [Do gr. *pentakosiomédimnos*.] *S. m.* Na Atenas da época de Sólon, cidadão da primeira classe, cujo rendimento alcançava pelo menos 500 medimnos, e ao qual estavam reservadas as mais altas magistraturas, o arcontado e a tesouraria.

pentacótomo [Do gr. *pentákis*, 'cinco vezes', + *-o-* + *-tomo*.] *Adj. Bot.* Que se divide em cinco partes.

pentáculo [Do lat. med. *pentaculu*.] *S. m.* **1.** Estrela de cinco pontas, feita com um traçado contínuo, formando ao centro um pentágono regular, e à qual se atribuem virtudes mágicas e talismânicas. **2.** Qualquer dos diversos símbolos do ocultismo semelhantes, por seu traçado contínuo, ao verdadeiro pentáculo. [Sin. ger.: *pentalfa*. Cf. *pentagrama* (2).]

pentadáctilo [Do gr. *pentadáktylos*, pelo lat. *pentadactylu*.] *Adj.* **1.** *Zool.* Que tem cinco dedos. **2.** *Bot.* Que tem cinco divisões (tratando-se de folhas). [Var.: *pentadátilo*.]

pentadátilo *Adj. Zool. Bot.* V. *pentadáctilo*.

pentadecaedral [De *pentadeacaedro* + *-al*¹.] *Adj. 2 g.* Pentadecaédrico.

pentadecaédrico [De *pentacaedro* + *-ico*².] *Adj.* **1.** Que tem a forma do pentadecaedro. **2.** Relativo ao pentadecaedro. [Sin. ger.: *pentadecaedral*.]

pentadecaedro [De *pent(a)-* + *decaedro*.] *S. m. Geom.* Poliedro de 15 faces.

pentadecagonal [De *pentadecágono* + *-al*¹.] *Adj. 2 g.* **1.** Que tem a forma do pentadecágono. **2.** Relativo ao pentadecágono.

pentadecágono [De *pent(a)-* + *decágono*.] *S. m. Geom.* Polígono de 15 lados. [A pronúncia correta seria *pentadecagono*, v. *-gono*.]

pentadelfo [De *pent(a)-* + *-adelfo*.] *Adj. Bot.* Diz-se dos estames reunidos em cinco fascículos.

pentadieno [De *pent(a)-* + *dieno*.] *S. m. Quím.* Qualquer dieno com cinco átomos de carbono [fórm.: C_5H_8].

pentaedral [De *pentaedro* + *-al*¹.] *Adj. 2 g.* Pentaédrico.

pentaédrico [De *pentaedro* + *-ico*².] *Adj.* Que tem a forma do pentaedro, ou relativo a ele; pentaedral.

pentaedro [De *pent(a)-* + *-edro*.] *S. m. Geom.* Poliedro de cinco faces.

pentafeno [De *pent(a)-* + *-feno*.] *S. m. Quím.* Hidrocarboneto pentacíclico, aromático, isômero do pentaceno, cujas moléculas têm configuração angular [fórm.: $C_{22}H_{14}$].

pentafilácea [Do lat. cient. *Pentaphylac-* (do tax. *Pentaphylax*) + *-ácea*; tax. *Pentaphylacaceae*.] *S. f. Bot.* Espécime das pentafiláceas, família de plantas floríferas da ordem das sapindales, composta de uma espécie arbórea do gênero *Pentaphylax*, de Hong-Kong (China).

pentafiláceo [De *pentafilácea*, com var. suf. (v. *-áceo*).] *Adj. Bot.* Pertencente ou relativo às pentafiláceas.

pentafilo [De *pent(a)-* + *-filo*¹.] *Adj. Bot.* Que tem cinco folhas ou cinco folíolos.

pentafólio [De *pent(a)-* + *-fólio*.] *S. m. Geom.* Rosácea com cinco folhas.

pentagonal [De *pentágono* + *-al*¹.] *Adj. 2 g.* **1.** Referente a pentágono. **2.** Que tem cinco lados.

pentágono [Do gr. *pentágonos*, pelo lat. *pentagonu*.] *S. m. Geom.* Polígono de cinco lados. [A pronúncia correta seria *pentagono*, v. *-gono*.]

pentagrama [Do gr. *pentágrammon*, pelo fr. *pentagramme*.] *S. m.* **1.** *Mús.* Pauta de cinco linhas em que são dispostas as notas musicais. **2.** Figura ou símbolo formado por cinco letras ou sinais, e ao qual se atribuem poderes mágicos: "O 5 resplandece nas cinco pontas do pentagrama, o mais famoso símbolo das artes mágicas, a estrela da sorte e do exorcismo." (Augusto Meyer, *A Forma Secreta*, p. 158.) [Cf. *pentáculo*.] **3.** *Geom.* O pentágono regular estrelado, usado como distintivo pelos pitagóricos.

pentaleno [De *pent(a)-* + *-aleno*.] *S. m. Quím.* Hidrocarboneto bicíclico, totalmente insaturado, cujas moléculas são formadas por dois anéis fundidos, cada um com cinco átomos de carbono [fórm.: C_8H_6].

pentalfa *S. m.* V. *pentáculo*.

pentâmero [Do gr. *pentamerés*.] *Adj.* **1.** Que tem cinco divisões. **2.** *Bot.* Diz-se de flor em que as partes de cada verticilo são inseridas em número de cinco, ou em múltiplos de cinco, como ocorre na maioria das dicotiledôneas.

pentâmetro [Do gr. *pentámetros*, pelo lat. *pentametru*.] *Adj. S. m.* ~ V. *verso* —.

pentamidina [De *pent(a)-* + *amidina*.] *S. f. Quím.* Substância cristalina, aromática, com dois grupos amidina, usada no tratamento de tripanossomíase e leishmaniose [fórm.: $C_{19}H_{24}N_4O_2$].

pentanamina [Do ingl. *pentanamine* (de *pentane* + *amine*).] *S. f. Quím.* Amina saturada, líquida, de odor irritante [fórm.: $C_5H_{13}N$]; amilamina.

pentandria [De *pentandro* + *-ia*¹.] *S. f. Bot.* Ocorrência de cinco estames [v. *estame* (3)]. [Cf. *pentândria*.]

pentândria [Do lat. cient. *Pentandria*.] *S. f. Bot.* O conjunto de vegetais pentandros, no sistema de Lineu (v. *lineano*). [Cf. *pentandria*.]

pentandro [De *pent(a)-* + *-andro*.] *Adj. Bot.* Que apresenta pentandria: *flor pentandra.*

pentangular [De *pent(a)-* + *angular*.] *Adj. 2 g.* Que tem cinco ângulos; quinqueangular.

pentano [De *pent(a)-* + *-ano*².] *S. m. Quím.* Qualquer hidrocarboneto saturado, com cinco átomos de carbono, esp. o linear, líquido de baixo ponto de ebulição, inflamável [fórm.: C_5H_{12}].

pentanoico (ói) *Adj. Quím.* ~ V. *ácido* —. ❖

pentanol [De *pentano* + *-ol*².] *S. m. Quím.* V. *álcool pentílico*. [Pl.: *pentanóis*.]

pentapétalo [De *pent(a)-* + *-pétalo*.] *Adj. Bot.* Diz-se da corola formada de cinco pétalas distintas.

pentápole [Do gr. *pentápolis*, pelo lat. *pentapole*.] *S. f.* **1.** União política e aliança de cinco cidades. **2.** Território que abrange cinco cidades.

pentáptico [De *pent(a)-* + gr. *ptyché*, 'dobra', 'prega', + *-ico*².] *S. m.* V. *tábula* (2).

pentarca [De *pent(a)-* + *-arca*¹.] *S. m.* Membro de uma pentarquia.

pentarcado [De *pentarca* + *-ado*².] *S. m.* **1.** Dignidade ou funções de pentarca. **2.** A duração dessas funções.

pentarquia [Do gr. *pentarchía*.] *S. f.* Governo exercido por cinco chefes.

pentárquico [De *pentarquia* + *-ico*[2].] ***Adj.*** Relativo à pentarquia.
pentarreme [De *pent(a)-* + o final de *Quinquerreme, birreme,* etc.] ***S. f.*** Quinquerreme.
pentaspermo [Do lat. *pent(a)-* + *-spermo.*] ***Adj.*** *Bot.* Diz-se do fruto que contém cinco sementes.
pentassílabo [Do lat. *pentasyllabu.*] *E. Ling.* ***Adj.*** **1.** Que tem cinco sílabas. • ***S. m.*** **2.** Vocábulo ou verso pentassílabo.
pentastilo [De *pent(a)-* + *-stilo*[2].] ***S. m.*** *Arquit.* Pórtico ou edifício com cinco colunas no frontispício.
pentastómida ***S. m. Adj. 2 g.*** *Zool.* V. *pentastômida.* [Uso freq. em P.]
pentastômida [Do tax. *Pentastomum* + *-ida*[1]; tax. *Pentastomida.*] *Zool.* ***S. m.*** **1.** Espécime dos pentastômidas, subfilo ou classe de animais artrópodes, cujo corpo é mole, vermiforme, segmentado, tendo a extremidade anterior dois pares de ganchos ao lado da boca, com os quais se fixam nas vias respiratórias, ou no fígado, de mamíferos. • ***Adj. 2 g.*** **2.** Pertencente ou relativo a eles. [Sin. ger.: *linguatúlida.*]
pentateuco [Do gr. *Pentáteuchos* (de *pent(a)-* + *teûchos,* 'livro'), pelo lat. *Pentateuchu.*] ***S. m.*** Os cinco primeiros livros do Velho Testamento, atribuídos a Moisés: o *Gênese,* o *Êxodo,* o *Levítico,* o *Números* e o *Deuteronômio*; Torá. [Com cap.]
pentatlo [Do gr. *pénthathlon,* pelo lat. *pentathlu.*] ***S. m.*** **1.** O conjunto dos cinco exercícios atléticos principais, entre os antigos gregos: corrida, arremesso do disco, salto, lançamento do dardo e luta. **2.** Concurso de atletismo que consta desses exercícios.
pentatónico ***Adj.*** *Mús.* V. *pentatônico.* [Uso freq. em P.]
pentatônico [De *pent(a)-* + *-ton(o)-* + *-ico*[2].] ***Adj.*** *Mús.* Que tem cinco sons: *escala pentatônica.*
pentavalente [De *pent(a)-* + *valente.*] ***Adj. 2 g.*** *Quím.* Que tem cinco valências.
pente [Do lat. *pecten, inis.*] ***S. m.*** **1.** Instrumento feito de tartaruga, osso, matéria plástica, etc., com dentes muito próximos, presos a uma barra, e que serve para alisar, desembaraçar, ajeitar ou limpar os cabelos. **2.** Objeto análogo, mais curto e de dentes mais longos, que se utiliza para prender o cabelo. **3.** Caixilho com aberturas perpendiculares pelas quais passam os fios duma teia. **4.** Instrumento de ferro com que os cardadores cardam a lã. **5.** *Bord.* Utensílio de bordadeira com que se limpam bordados de ponto alto. **6.** Peça onde se encaixam as balas das armas automáticas; pente de balas. **7.** *Anat.* Porção anterior da pelve, que no adulto está recoberta de pelos: "Em meio do pente, / A concha bivalve / Num mar de escarlata." (Manuel Bandeira, *Estrela da Vida Inteira,* p. 162.) **8.** *Tip.* Cada uma das duas lâminas (*pente superior* e *pente inferior*) que servem de guias às varetas que acionam os escapes da linotipo. **9.** *Encad.* Utensílio com que os encadernadores dão aspecto ondulado ao banho de marmoreação. **10.** *Art. Gráf.* Barra com punções perfuradoras, da picotadeira. **11.** *Lus.* V. *leque* (7). ~ V. *pentes.* ◆ **Pente de balas.** Pente (6). **Pente inferior.** *Tip.* V. *pente* (8). **Pente superior.** *Tip.* V. *pente* (8).
penteação [De *pentear* + *-ção.*] ***S. f.*** Ação ou efeito de pentear(-se); penteadura.
penteadeira [De *pentear* + *-deira.*] ***S. f.*** **1.** *Bras.* Pequena mesa com espelho e gavetas, na qual se encontram utensílios com que as mulheres se penteiam e se pintam. **2.** *Tec. Têx.* Equipamento têxtil cuja função é retirar as fibras mais curtas e as impurezas como casca, etc., que não foram eliminadas do algodão, etc., em processos anteriores.
penteadela [De *pentear* + *-dela.*] ***S. f.*** Ato ou efeito de pentear(-se) ligeiramente e/ou às pressas.
penteado [Part. de *pentear.*] ***Adj.*** **1.** Composto ou alisado com o pente (cabelo). **2.** Alisado, desemaranhado. **3.** Que compôs ou penteou os próprios cabelos: *Anda sempre penteado.* ~ V. *fio* —. • ***S. m.*** **4.** Arranjo do cabelo: *O penteado singelo ia-lhe muito bem.* **5.** Maneira especial de cortar ou arranjar os cabelos: *A atriz apareceu com um penteado feito com o auxílio de duas perucas.* **6.** A arte de pentear os cabelos: *O figurino tem uma ótima seção dedicada ao penteado.*
penteador (ô) [De *pentear* + *-dor.*] ***Adj.*** **1.** Que penteia. • ***S. m.*** **2.** Cabeleireiro (2). **3.** Roupão (q. v.) ou espécie de toalha que se põe nos ombros de quem se penteia ou corta o cabelo: "e empoou-se, e perfumou-se, e enfiou camisa, anágua e penteador" (Aluísio Azevedo, *O Cortiço,* p. 198).
penteadura [De *pentear* + *-dura.*] ***S. f.*** Penteação.
pentear [Do lat. *pectinare.*] ***V. t. d.*** **1.** Compor, alisar ou limpar (os cabelos) com o pente: "umas [moças] penteiam as tranças, / outras tangem pensamentos" (Cecília Meireles, *Obra Poética,* p. 988). **2.** Compor, alisar ou limpar os cabelos de: "Há muitas casas parisienses onde uma criada, só, compra, cozinha, ... veste e despe a senhora, penteia-a, frisa-a, faz-lhe os vestidos" (Ramalho Ortigão, *Em Paris,* p. 163). **3.** Alisar; desemaranhar: *Penteava com os dedos os pelos do animal.* **4.** *Tec. Têx.* Passar (fios) pela penteadeira (2). **5.** *Bras. Gír.* Polir, melhorar, aperfeiçoar (um texto). ***P.*** **6.** Compor os próprios cabelos: "Passou ao banho, vestiu-se, penteou-se" (Machado de Assis, *Quincas Borba,* p. 123). **7.** Pretender, desejar; preparar-se: "Isto dizia um sujeito grave, que se penteia para ser deputado, a outro que já o foi" (Pedro Ivo, *Contos,* p. 123). [Conjug.: v. *frear.*]
pentearia [De *pente* + *-e-* + *-aria.*] ***S. f.*** Oficina ou estabelecimento de penteeiro.
penteável [De *pentear* + *-vel.*] ***Adj. 2 g.*** Que se pode pentear.
pentecostal [Do lat. *pentecostale.*] ***Adj. 2 g.*** **1.** Relativo ou pertencente a Pentecostes, ou ao pentecostismo. **2.** Pentecostalista. • ***S. 2 g.*** **3.** Pentecostalista.
pentecostalismo [De *pentecostal* + *-ismo.*] ***S. m.*** *Rel.* Pentecostismo.
pentecostalista [De *pentecostalismo* + *-ista.*] ***Adj. 2 g. S. 2 g.*** Que, ou quem é adepto ou seguidor do pentecostismo. [Sin.: *pentecostal* (2 e 3).]
pentecostense ***Adj. 2 g.*** **1.** De, ou pertencente ou relativo a Pentecoste (CE). • ***S. 2 g.*** **2.** O natural ou habitante de Pentecoste.
pentecostes [Do gr. *pentekosté,* pelo lat. *pentecoste, es.*] ***S. m.*** *Rel.* **1.** Festa judaica que comemora a ocasião em que Deus entregou o Decálogo a Moisés. **2.** Festa cristã celebrada 50 dias depois da Páscoa em comemoração da descida do Espírito Santo sobre os apóstolos. [V. *ano litúrgico.*] [Nas duas acepçs., com cap.]
pentecostismo [De *Pentecostes* + *-ismo.*] ***S. m.*** *Rel.* Movimento religioso que, no início do séc. XX, partindo dos E.U.A., se desenvolveu fora do protestantismo tradicional; pentecostalismo.
pente-de-macaco ***S. m.*** *Bras. Bot.* **1.** Cipó bignoniáceo (*Pithecoctenium echinatum*) de ampla dispersão, caracterizado pelos frutos compridos e largos, revestidos de longos espinhos, pelo quê dão a ideia de pentes primitivos, e que têm sementes grandes e com asas membranáceas. **2.** V. bagaceira[2]. [Pl.: *pentes-de-macaco.*]
pente dos bichos ***S. m.*** *Pop.* Pente-fino (1). [Pl.: *pentes dos bichos.*] ☑
penteeira [De *pente* + *-eira.*] ***S. f.*** *Bras. Bot.* V. *sambaíba-de-minas-gerais.*
penteeiro [De *pente* + *-eiro.*] ***S. m.*** Fabricante e/ou vendedor de pentes.
pente-fino ***S. m.*** **1.** *Bras.* Pente pequeno, de dentes finos, para limpar a cabeça de piolhos, caspa, etc. [Sin. (pop.): *pente dos bichos.*] **2.** *Bras. Fam.* Indivíduo finório, velhaco, espertalhão, que de tudo tira proveito. **3.** *Bras. Fig.* Pessoa que procura os menores defeitos em tudo quanto examina. **4.** *Bras. Gír.* Vassoura (7). **5.** *Bras. Fig.* Peneira, crivo, triagem: *O gerente passou os candidatos pelo pente-fino.* [Pl.: *pentes-finos.*] ◆ **Passar o pente-fino em.** *Bras.* Submeter a crivo rigoroso.
pentelha (ê) ***S. f.*** *Bras. Chulo* Fem. de *pentelho* (3).
pentelhação [De *pentelhar* + *-ção.*] ***S. f.*** *Bras. Chulo* Ato ou efeito de pentelhar; amolação, chateação.
pentelhar [De *pentelho* + *-ar*[2].] ***V. t. d. Int.*** *Chulo* Amolar, chatear: "mandei que consultasse a parte de trás da revista; .... Ela disse que preferia perguntar. Me pentelhar, falei." (Lívia Garcia-Rosa, *Solo feminino,* p.111); *É o tipo de coisa que só serve para pentelhar.* [Conjug.: v. *aparelhar.*]
pentelho (ê) [Do lat. **pectiniculu,* dim. de *pecten* (v. *pente* [7]).] ***S. m.*** *Chulo* **1.** Cada um dos pelos que cobrem o pente (7). **2.** O conjunto desses pelos. **3.** *Bras.* Indivíduo maçante, aborrecido, chato. [Fem., nesta acepç.: *pentelha.*]
pentelhudo [De *pentelho* + *-udo.*] ***Adj.*** *Chulo* Que tem pentelho em abundância.
pentélico [Do gr. *pentelikós,* pelo lat. *pentelicu.*] ***Adj.*** **1.** Diz-se do mármore do monte Pentélico, em Atenas, apreciadíssimo pelos escultores: "Em pentélico mármore esculpido, / Pla finura das linhas, bem revela / Ser um pé de mulher, deusa ou napeia" (Eugênio de Castro, *Obras Poéticas,* X, p. 154). • ***S. m.*** **2.** O mármore dessa procedência: "Era dessas figuras talhadas em pentélico, de um lavor nobre, rasgado e puro, tranquilamente bela, como as estátuas, mas não apática nem fria." (Machado de Assis, *Memórias Póstumas de Brás Cubas,* p. 175.)
pentem ***S. m.*** *Ant.* **1.** Pente (1): "Aquelas [náiades], / soltas e ondadas as madeixas lúcidas / que o pentem não bruniu!" (Antônio Feliciano de Castilho, *Os Fastos,* I, p. 45.) **2.** Instrumento musical.
penteno [De *pent(a)-* + *-eno*[2].] ***S. m.*** *Quím.* Qualquer alceno com cinco átomos de carbono [fórm.: C_5H_{10}].
pentes [Pl. de *pente.*] ***S. m. pl.*** *Zool.* Órgãos ventrais dos escorpiões, com função sensorial, situados logo atrás das patas. ~ V. *pente.*
pentiforme [De *pente* + *-iforme.*] ***Adj. 2 g.*** Em forma de pente.
▲ **pentil-** *Quím.* ***El. comp.*** Indica a presença de grupo pentila.
pentila [De *pent(a)-* + *-ila*[2].] ***S. f.*** *Quím.* Grupo monovalente $-C_5H_{11}$, derivado do pentano; amila.
pentílico [De *pentila* + *-ico*[2].] ***Adj.*** *Quím.* Diz-se de composto cuja molécula contém pentila; amílico. ~ V. *álcool* —.
pentimento [Do it.] ***S. m.*** *Art. Plást.* O aparecimento, em tela (4), de pintura(s) ou desenho(s) feito(s) anteriormente.
pentlandita [Do antr. (*Joseph Barclay*) *Pentland* (1797-1873), naturalista irlandês, + *-ita*[3].] ***S. f.*** *Min.* Mineral monométrico bronzeado, de brilho metálico, sulfeto de ferro e níquel.
pentódio [De *pent(a)-* + *-od(o)-*[2] + *-io*[3].] ***S. m.*** *Eletrôn.* V. *pentodo.*
pentodo (ô) [De *pent(a)-* + *-odo.*] ***S. m.*** *Eletrôn.* Válvula eletrônica com cinco eletrodos.
pêntodo ***S. m.*** *Eletrôn.* V. *pentodo.* [No Brasil o voc. é us., em geral, como paroxítono.]
pentose [De *pent(a)-* + *-ose*[2].] ***S. f.*** *Quím.* Ose com cinco átomos de carbono.
pentóxido (cs) [De *pent(a)-* + *óxido.*] ***S. m.*** *Quím.* Qualquer óxido que contenha na sua molécula cinco átomos de oxigênio.
penudo [De *pena*[1] + *-udo.*] ***Adj.*** V. *penífero.*
penugem [De *pena*[1] + *-ugem.*] ***S. f.*** **1.** As penas, pelos ou cabelos que nascem primeiro. **2.** Pelo macio e curto. **3.** V. *buço* (1). **4.** Frouxel (1). **5.** O conjunto de pequenos pelos que revestem os diversos órgãos vegetais. [Cf. *penujem,* do v. *penujar.*]
penugento [De *penugem* + *-ento.*] ***Adj.*** Cheio ou coberto de penugem.
penujar [De *penugem* + *-ar*[2].] ***V. int.*** Começar a cobrir-se de penugem. [3ª pess. pl. do pres. subj.: *penujem.* Cf. *penugem.*]
pénula ***S. f.*** *Ant.* V. *pênula.* [Uso freq. em P.]
pênula [Do lat. *paenula.*] ***S. f.*** *Ant.* Manto, capa.
penúltimo [Do lat. *penultimu.*] ***Adj.*** Que antecede imediatamente o último.
penumbra [De *pen(e)-* + *-umbra.*] ***S. f.*** **1.** Sombra incompleta, produzida por um corpo que não intercepta de todo os raios luminosos. **2.** *P. ext.* Meia-luz. **3.** *Art. Plást.* Zona de transição entre a luz e a sombra. **4.** *Astr.* Espaço de meia sombra que envolve o cone de sombra de um astro do sistema solar, e de onde só uma parte do disco solar é visível. **5.** Parte periférica de mancha solar, cuja estrutura é, aproximadamente, radial. **6.** *Fig.* Retraimento; insulamento; meia obscuridade: *Greta Garbo viveu muitos anos na penumbra.*
penumbral [De *penumbra* + *-al*[1].] ***Adj. 2 g.*** Que produz penumbra (4). ~ V. *eclipse* —.
penumbrar [De *penumbra* + *-ar*[2].] *Bras.* ***V. t. d.*** **1.** Produzir penumbra em; escurecer parcialmente: *O cair da tarde penumbrava o salão.* ***Int.*** **2.** Produzir penumbra: "Penumbrava o lusco-fusco. / Acendeu prestes a lâmpada" (Alberto de Oliveira, *Poesias,* 3ª série, p. 146).
penumbrento [De *penumbra* + *-ento.*] ***Adj.*** Penumbroso.
penumbroso (ô) [De *penumbra* + *-oso.*] ***Adj.*** **1.** Em que há penumbra: *sala penumbrosa.* **2.** De, ou próprio de penumbra: "O próprio sol .... coava-se através das árvores que davam aos pátios um tom penumbroso e conventual" (A. S. de Mendonça Júnior, *Jornal de Província,* p. 65). [Sin. ger.: *penumbrento.*]
penúria [Do lat. *penuria.*] ***S. f.*** **1.** Pobreza extrema; indigência, miséria: "Era tanoeiro de ofício, natural do Rio de Janeiro, onde teria morrido na penúria e na obscuridade, se somente exercesse a tanoaria." (Machado de Assis, *Memórias Póstumas de Brás Cubas,* p. 7.) **2.** Privação do necessário; escassez, falta, pobreza: *penúria de alimentos, de recursos, de informações.*
penurioso (ô) [De *penúria* + *-oso.*] ***Adj.*** **1.** Em que há penúria: *existência penuriosa.* **2.** Que padece penúria: *um casal de velhinhos penuriosos.*
penutiano ***Adj. S. m.*** *Gloss.* Diz-se de, ou o grupo de línguas indígenas norte-americanas que se estende pelo O. do Canadá à América Central.
peoa (ô) [Fem. de *peão.*] ***S. f.*** *Bras. S.* Peona.
peona ***S. f.*** *Bras. S.* Fem. de *peão*; peoa.
peonada [Do esp. plat. *peonada.*] ***S. f.*** *Bras. S.* Grande número de peões (v. *peão*[2]); peonagem.
peonagem[1] [De *peão*[1] + *-agem*[2].] ***S. f.*** **1.** Os peões [v. *peão*[1] (1)]. **2.** Soldados de infantaria [v. *peão*[1] (2)].
peonagem[2] [Do esp. lat. *peonage.*] ***S. f.*** *Bras. S.* Peonada (q. v.).
peónia ***S. f.*** *Bot.* V. *peônia.* [Uso freq. em P.]
peônia [Do lat. *paeonia* (do gr. *paionía*); tax. *Paeonia.*] ***S. f.*** *Bot.* **1.** Gênero de ervas perenes e de subarbustos ranunculáceos, nativos sobretudo da Europa e da Ásia, e que são dotados de raízes grossas ou tuberosas, folhas recortadas, flores dobradas e frutos foliculares. **2.** Qualquer espécie desse gênero, como, p. ex., a *Paeonia officinalis,* erva alta, nativa da Euro-

P

pa e cultivada pelo valor ornamental que deriva das grandes flores, de pétalas obovadas, e das folhas discolores, subdivididas, e com segmentos lanceolados. 3. Qualquer espécime desse gênero, ou a flor dele.

pepé [De *pé*, repetido.] *Adj. 2 g. S. 2 g. Bras. SP Pop.* V. *coxo* (1 e 4).

peperómia *S. f. Bot.* V. *peperômia.* [Uso freq. em P.]

peperômia [Do tax. *Peperomia.*] *S. f. Bot.* 1. Grande gênero de plantas piperáceas, herbáceas, epífitas ou trepadeiras, de folhas suculentas, flores com dois estames e anteras confluentes, e dispostas em espigas; é cultivada como ornamental pela folhagem delicada, porém vistosa. 2. Qualquer espécie desse gênero, como, p. ex., a *Peperomia sandersii*, de caule curto, mas dotada de grandes pecíolos vermelho-escuros, e folhas peltadas, de cor verde-azul de tom escuro, e listras prateadas. 3. Qualquer espécime desse gênero.

→ **peperonata** [pepero'nata] [It.] *S. f. Cul.* Guarnição feita com pimentões cortados em tiras finas, cebola, alho, azeite e tomate.

pepéua [Do tupi = 'chata'.] *S. f. Bras. Zool.* V. *boipeva.*

pepeva [Do tupi = 'chata'.] *S. f. Bras. C.O. Zool.* V. *boipeva.*

pepinal [De *pepino* + *-al*[1].] *S. m.* 1. Quantidade mais ou menos considerável de pepineiros dispostos proximamente entre si; pepineira. 2. Área ocupada por pepinal (1). [Sin. ger.: *pepineira.*]

pepinar [De *pepino* + *-ar*[2], poss.] *V. t. d. Bras.* 1. Cortar em pedacinhos; picar. 2. Fazer muitos furos em. 3. Comer aos poucos, sem apetite, devagar; debicar; beliscar: *Ao almoço, mal* __*pepinou*__ *alguns bocados. Int.* 4. Comer aos poucos, sem apetite, devagar; peniscar, beliscar.

pepineira[1] [De *pepino* + *-eira.*] *S. f.* 1. Pepinal. 2. *Bot.* V. *pepineiro.*

pepineira[2] [Do fr. *pepinière.*] *S. f.* 1. V. *viveiro* (3). 2. *Fig.* Fonte de proventos sem maior trabalho; mamata, pechincha. 3. *Pop.* Pândega, patuscada, farra.

pepineiro [De *pepino* + *-eiro.*] *S. m. Bot.* Trepadeira cucurbitácea (*Cucumis sativus*) muito cultivada para obtenção dos frutos, que são alongados e crassos, ricos em água, e se comem em salada e conserva; pepino. [F. paral.: *pepineira.*]

pepino [Do esp. *pepino*, poss.] *S. m.* 1. O fruto do pepineiro. 2. *Bot.* V. *pepineiro.*

pepino-de-papagaio *S. m. Bras. Amaz. Bot.* Trepadeira cucurbitácea (*Gurania multiflora*) provida de gavinhas, com folhas grandes, profundamente partidas, segmentos agudos e pilosos, flores unissexuais, que se agregam em umbelas globosas e fruto elipsoide, liso, com 6 a 7cm, carnoso e polispermo. [Pl.: *pepinos-de-papagaio.*]

pepino-do-mar *S. m. Zool.* Animal marinho, do filo dos equinodermos, classe dos holoturoides, de forma alongada, com um esqueleto de espículas microscópicas inseridas na pele. As espículas são de dois tipos: as mais profundas, que ajudam a formar o esqueleto, e as externas, mais grossas, e ásperas, que permitem a locomoção. [O pepino-do-mar, desidratado, é utilizado como alimento pelos asiáticos. Pl.: *pepinos-do-mar.*]

pepino-do-mato *S. m. Bras. Amaz. Bot.* Arvoreta apocinácea (*Ambellania tenuiflora*) da mata úmida, de folhas ovado-lanceoladas e amplas, flores (em número de 4 a 6) que se congregam em inflorescências cimosas, e fruto que lembra um pepino pela forma e tamanho; é leitoso, e contém uma polpa comestível, doce e algo ácida. [Pl.: *pepinos-do-mato.*]

pepista *Adj. 2 g. Bras.* 1. Relativo ao, ou que era partidário ou simpatizante do PP (Partido Popular), extinto, em 1981, por incorporação ao PMDB (Partido do Movimento Democrático Brasileiro). ● *S. 2 g.* 2. Partidário ou simpatizante do PP.

pepita [Do esp. *pepita.*] *S. f.* Grão ou palheta de metal nativo, particularmente de ouro: "Voltando dos mergulhos nos poços profundos, muitos deles traziam em cada mão escalavrada grãozinhos dourados, __pepitas__ miúdas, pedrinhas faiscantes." (Nélson de Faria, *Bazé*, p. 117.) [Cf. *pipita*, do v. *pipitar.*]

peplo [Do gr. *péplos*, pelo lat. *peplu.*] *S. m.* Túnica sem mangas que os antigos traziam presa ao ombro por fivela: "Lá, num jardim de sonho, entre frescos rosais / e fontes canoras, te chama, / suave e bela no seu __peplo__ cor de flama, / fronte e olhos num fulgor de estrelas imortais, / a tua amiga fiel" (Carlos Magalhães de Azeredo, *Vida e Sonho*, p. 66).

peplómero *S. m. Microbiol.* V. *peplômero.* [Uso freq. em P.]

peplômero [De *peplo* + *-mero.*] *S. m. Microbiol.* Protuberância, ger. composta de glicoproteínas, encontrada na superfície do invólucro lipoproteico de alguns vírus que se apresentam encapsulados.

peplosfera [Do gr. *péplos*, 'tecido', 'manto', + *-sfera.*] *S. f. Geofís.* Região turbulenta da atmosfera, situada abaixo de 3km de altitude.

peplospausa [De *peplos-*, por *peplosfera*, + *-pausa.*] *S. f. Geofís.* Região da atmosfera situada acima da peplosfera.

peponídeo [Do gr. *pépon*, 'melão', + *-ídeo*[1].] *Bot. Adj.* 1. Diz-se do fruto carnoso como a baga, porém oriundo de um ovário ínfero com três a cinco carpelos, no qual as placentas são tão desenvolvidas que enchem totalmente a cavidade. É peculiar às cucurbitáceas. ● *S. m.* 2. Esse fruto; pepônio.

pepónio *S. m. Bot.* V. *pepônio.* [Uso freq. em P.]

pepônio *S. m. Bot.* Peponídeo (2).

▲ **peps(i)-** [Do gr. *pépsis, eōs.*] *El. comp.* = 'digestão': *pepsia, pepsina.*

pepsia [De *peps(i)-* + *-ia*[1].] *S. f. Fisiol.* O conjunto dos fenômenos da digestão.

pepsina [De *peps(i)-* + *-ina*[3].] *S. f. Quím.* Enzima do suco gástrico capaz de catalisar a hidrólise de proteínas.

peptase [De *pept(o)-* + *-ase.*] *S. f. Bioquím.* Designação genérica das proteases que desdobram os polipeptídeos em aminoácidos.

péptico [Do gr. *peptikós.*] *Adj.* 1. Relativo a pepsina. 2. Relativo a digestão. 3. *Pop.* Que auxilia a digestão dos alimentos. ~ V. *úlcera —a.*

peptidase [De *peptíd(eo)* + *-ase.*] *S. f. Bioquím.* Enzima que atua na decomposição de peptídeos.

peptídeo [De *pept(o)-* + *-ídeo*[2].] *S. m. Quím.* Peptídio.

peptidérgico *Adj.* ~ V. *fibra —a.*

peptídico [De *peptídio* + *-ico*[2].] *Adj. Quím.* Próprio de, ou relativo a peptídio. ~ V. *ligação —a.*

peptídio [De *pept(o)-* + *-ídio*[2]; al. *Peptid.*] *S. m. Quím.* Qualquer substância (p. ex., proteínas e certos hormônios) formada por dois ou mais aminoácidos unidos por ligações peptídicas (q. v.).

peptidoglicano [De *peptíd(i)o* + *glicano.*] *S. m. Bioquím.* Biopolímero constituído por heteropolissacarídeos unidos covalentemente por pequenos peptídios, e que forma a estrutura da parede celular das bactérias.

peptização [De *peptizar* + *-ção.*] *S. f. Fís.-Quím.* Formação de um coloide pela desagregação ou dissolução parcial das partículas de um precipitado, realizada por um agente químico.

peptizante [De *peptizar* + *-nte.*] *Adj. 2 g. Fís.-Quím.* Que peptiza.

peptizar [De *pept(o)-* + *-izar.*] *V. t. d. Fís.-Quím.* Provocar a formação dum coloide a partir de (um precipitado).

▲ **pept(o)-** [Do gr. *péptein* ou *péssein.*] *El. comp.* = 'fazer cozinhar'; 'fazer fermentar'; 'digerir'; 'digestão': *péptico* (< gr.). [Equiv.: *-pept(o)-*: *eupéptico.*]

▲ **-pept(o)-** Equiv. de *pept(o)-.*

▲ **pepton-** [De *peptona.*] *Quím. El. comp.* = 'peptona': *peptonúria, peptonuria, peptonizar.*

peptona [Do al. *Pepton* < gr. *peptón*, f. neutra de *peptós*, 'cozido, ou que se pode cozinhar'.] *S. f. Quím.* Proteína solúvel em água e ácidos, não coagulável pelo calor, e resultante da degradação de outra proteína de maior massa molecular.

peptonizado [Part. de *peptonizar.*] *Adj. Quím.* Combinado com, ou convertido em peptona.

peptonizar [De *pepton-* + *-izar.*] *V. t. d. Quím.* 1. Converter em peptona. 2. Combinar com peptona.

peptonuria [De *pepton-* + *-uria.*] *S. f. Patol.* V. *peptonúria.*

peptonúria [De *pepton-* + *-úria.*] *S. f. Patol.* Teor de peptona na urina. [F. paral.: *peptonuria.*]

pepuíra [Do tupi = 'pés ou pernas curtas'.] *S. f. Bras. SP* Galinha pouco desenvolvida, nanica.

pepuxi *Bras. S. 2 g.* 1. *Etnôn.* Indivíduo dos pepuxis, povo indígena extinto que habitava as margens do rio Tocantins (PA). ● *Adj. 2 g.* 2. Pertencente ou relativo a esse povo. [Tb. us. como *s. 2 g. e 2 n.* (com cap.) e *adj. 2 g. e 2 n.*]

pé-quebrado *S. m. Bras. Liter. Pop.* Composição poética, quase sempre satírica, formada por quadras em que os três primeiros versos são heptassílabos e o quarto de medida inferior (ordinariamente de três sílabas), rimando o segundo com o terceiro verso e o quarto com o primeiro da quadra imediata. As quadras de pé-quebrado são muito empregadas no pelo-sinal (2), no padre-nosso (3), na ave-maria (3), na salve-rainha (2) e no testamento de judas. [Pl.: *pés-quebrados.*]

pequena [F. subst. do adj. *pequeno.*] *S. f.* 1. *Pop.* Mocinha, rapariga. 2. *Bras. Fam.* Menina (1). 3. *Bras.* Namorada (1).

pequenada [De *pequeno* + *-ada*[1].] *S. f.* 1. Porção de crianças. 2. *Fam.* V. *filharada.*

pequenez (ê) [De *pequeno* + *-ez.*] *S. f.* 1. Qualidade de pequeno. 2. Meninice, infância. 3. Pequena estatura. 4. *Fig.* Mesquinhez; insignificância; modéstia: *a* __*pequenez*__ *da esmola, do presente.* 5. *Fig.* Pouca elevação intelectual ou moral: __*pequenez*__ *do espírito, de sentimentos.* [F. paral.: *pequeneza.* Pl.: *pequenezes* (ê). Cf. *pequinês* e pl. *pequineses.*]

pequeneza (ê) [De *pequeno* + *-eza.*] *S. f.* Pequenez: "Que vida não transborda de P.[e] Saulo! E de Luisita Veras, superior às __pequenezas__ que a rodeiam!" (Geraldo França de Lima, *Branca Bela*, p. 157.) [Pl.: *pequenezas* (ê). Cf. *pequinesa* e *pequinesas*, flex. de *pequinês.*]

pequenininho [De *pequenino* + *-inho*[1].] *Adj.* Muito pequeno.

pequenino [De *pequeno* + *-ino*[2].] *Adj.* 1. Muito pequeno (q. v.). ~ V. *evangelho —.* ● *S. m.* 2. Menino, criança: *Deixai vir a mim os* __*pequeninos*__ *— disse Jesus.* 3. *P. us.* Pedacinho. ~ V. *pequeninos.*

pequeninos [Pl. de *pequenino.*] *S. m. pl.* Os humildes, os pequenos. ~ V. *pequenino.*

pequenito [De *pequeno* + *-ito*[1].] *Adj.* Muito pequeno (q. v.): "Tertuliano estava sentado numa cadeira, ... rodeado pelos filhos, o olhar fixo no mais __pequenito__" (Artur Azevedo, *Contos fora da Moda*, p. 16).

pequenitote [De *pequenito* + *-ote*[1].] *Adj.* 1. Muito pequenino (q. v.). ● *S. m.* 2. Menino pequenino.

pequeno [Do lat. vulg. *pitinnu*, associado a uma raiz expressiva *pikk-*, 'pequenez'.] *Adj.* 1. Pouco extenso: *caminho* __*pequeno*__*; sala* __*pequena*__. 2. De tamanho diminuto: *cachorro* __*pequeno*__*; carro* __*pequeno*__. 3. Diz-se de quem está na infância, de quem é muito novo: *Perdeu o pai quando* __*pequeno*__. 4. De baixa estatura: *homem* __*pequeno*__. 5. Pouco apreciável; de pouco valor: *oferta* __*pequena*__*;* __*pequeno*__ *sacrifício.* 6. Que não se distingue pela fortuna ou condição; modesto: __*pequeno*__ *comerciante.* 7. Limitado, acanhado, mesquinho: __*pequeno*__ *de sentimentos.* [Dim.: *pequenino, pequenito, pequenote, pequerrucho, pequetito.* Comparativo de inferioridade: *menor* e *mais pequeno.* Superl. abs. sint.: *pequeníssimo, mínimo.* O comparativo *mais pequeno*, além de corretíssimo, é, decerto, m. us. em Portugal, na linguagem escrita e mais ainda, talvez, na falada, do que *menor.* Daremos dele, aqui, quatro exemplos, aos quais se poderiam acrescentar muitas dezenas, de autores portugueses e brasileiros antigos e modernos: "Este orbe que primeiro vai cercando / Os outros __mais pequenos__" (Luís de Camões, *Os Lusíadas*, X, p. 81); "lá no __mais pequeno__ recinto .... há paz íntima, há o Céu" (Alexandre Herculano, *Eurico, o Presbítero*, p. 92); "quando era __mais pequeno__, metia a cara no vidro, e via o cocheiro .... escanchado na mula da esquerda" (Machado de Assis, *Dom Casmurro*, p. 249); "Amo-te até nas coisas __mais pequenas__." (Manuel Bandeira, *Estrela da Vida Inteira*, p. 449.)] ~ V. *amostra —a, —a área, —a burguesia, —a cabotagem, café —, caixa —a, —a circulação, —a indústria, —os lábios, mar —, —peitoral, —planeta, —psoas, rabecão —, veia safena —a, — veículo, verso — alcaico* e *pequenos.* ● *S. m.* 8. V. *menino* (1). 9. V. *namorado* (4).

pequeno-almoço *S. m. Lus.* Desjejum; café da manhã: "Na hora seguinte há uma rotina que se cumpre quase automaticamente. Fazer o __pequeno-almoço__ .... e preparar dois sacos com comida para as crianças." (José Pacheco Pereira, *O Nome e a Coisa*, p. 35.) [Pl.: *pequenos-almoços.*]

pequeno-burguês *Adj.* Pertencente ou relativo à pequena burguesia: "Nasceu [Franz Kafka] em 1883 em Praga, filho de família __pequeno-burguesa__, dessa nacionalidade incerta, germano-checo-judia, característica dos meios intelectuais dessa cidade." (Oto Maria Carpeaux, *A Cinza do Purgatório*, p. 151.) [Flex.: *pequeno-burguesa* (ê), *pequeno-burgueses* (ê), *pequeno-burguesas* (ê).]

pequeno-caixão-de-defunto *S. m. Bras. Zool.* Nome popular do inseto lepidóptero, papilionídeo (*Papilio lycophron*), praga das folhas de plantas novas. As lagartas têm cor verde-sujo, com faixa irregular branca de pontinhos roxos sobre o corpo, e atacam plantas cítricas. V. *papílio.* [Pl.: *pequenos-caixões-de-defunto.*]

pequenos [Pl. de *pequeno.*] *S. m. pl.* 1. A classe inferior da sociedade; os humildes. 2. Os meninos e as meninas: *Com quem vão ficar os* __*pequenos*__*?* ~ V. *pequeno.*

pequenota [De *pequeno* + *-ota*[1].] *Adj. (f.) S. f.* Fem. de *pequenote.*

pequenote [De *pequeno* + *-ote*[1].] *Adj.* 1. Um tanto pequeno (q. v.). ● *S. m.* 2. Meninote, rapazola. [Fem.: *pequenota.*]

pé-quente *S. m. Bras. Pop.* 1. Pessoa que tem sorte no jogo, nos negócios, na vida. [Antôn.: *pé-frio.*] 2. Motorista que abusa da velocidade. [Pl.: *pés-quentes.*]

pequeriense *Adj. 2 g.* 1. De, ou pertencente ou relativo a Pequeri (MG). ● *S. 2 g.* 2. O natural ou habitante de Pequeri.

pequerrucho[1] *Adj. S. m.* Muito pequeno (q. v.).

pequerrucho[2] [Do al. *Fingerhut.*] *S. m. Bras. PR* V. *dedal* (1).

pequetito *Adj. Bras.* Muito pequeno (q. v.).

pequi[1] [Do tupi.] *S. m. Bras. C. Bot.* 1. Árvore cariocarácea (*Caryocar brasiliense*) muito grossa e própria dos cerrados. Tem folhas trifolioladas e tomentosas, flores enormes com muitos estames compridos, frutos drupáceos, oleaginosos e aromáticos, estimados como condimento para arroz e para fabricar licor, e madeira amarela, que também poderia ser utilizada. [Sin.: *pequizeiro*.] 2. O fruto do pequi[1] (1).

pequi[2] *S. m. Zool.* V. *ipequi*.

pequiá [Do tupi.] *S. m.* 1. *Bras. Amaz. Bot.* Grande árvore cariocarácea (*Caryocar villosum*) da floresta pluvial amazônica, que difere do pequi pelos folíolos mais finos, ovado-oblongos, acuminados e sésseis, já que os frutos e a madeira são semelhantes. 2. *Bras. RJ* Cestinho de taquara.

pequiá-amarelo *S. m. Bras. Bot.* 1. Árvore cariocarácea (*Caryocar nuciferum*) nativa das Guianas e do Brasil, de folhas acuminadas, grandes flores em racemos e frutos drupáceos de casca espessa e lenhosa, cujas sementes fornecem óleo alimentar e industrial. 2. Árvore apocinácea (*Aspidosperma cuspa*) nativa do Brasil, de racemos verrucosos e folhas glabras; fornece boa madeira. [Sin.: *pequiá-de-folha-larga*, *peroba-de-folha-larga*.] 3. V. *guatambu* (3). [Pl.: *pequiás-amarelos*.]

pequiá-branco *S. m. Bras. Bot.* V. *guatambu* (3). [Pl.: *pequiás-brancos*.]

pequiá-de-folha-larga [De *pequiá* + *de* + *folha*[1] + o f. de *largo*.] *S. m. Bras. Bot.* V. *pequiá-amarelo* (2). [Pl.: *pequiás-de-folha-larga*.]

pequiá-doce *S. m. Bras. Bot.* V. *guatambu* (4). [Pl.: *pequiás-doces*.]

pequiagra [Do gr. *pêchys*, 'cotovelo', + *-agra*.] *S. f. Med.* Dor gotosa em cotovelo.

pequiá-mamão *S. m. Bras. Bot.* V. *pau-marfim* (2). [Pl.: *pequiás-mamões* e *pequiás-mamão*.]

pequiá-marfim *S. m. Bras. Bot.* V. *guatambu* (3). [Pl.: *pequiás-marfins* e *pequiás-marfim*.]

pequice [De *peco* + *-ice*.] *S. f.* 1. Ato ou dito de *peco* (2); tolice, frioleira; sandice. 2. Birra, teimosia, caturrice.

pequiense *Adj. 2 g.* 1. De, ou pertencente ou relativo a Pequi (MG). ● *S. 2 g.* 2. O natural ou habitante de Pequi.

pequinês *Adj.* 1. De, ou pertencente ou relativo a Pequim (China). 2. *Cinol.* Diz-se de uma raça muito antiga de pequenos cães oriundos da China, de pelagem longa, lisa e abundante e de colorido variável, focinho achatado e olhos proeminentes. 3. Diz-se de uma raça de patos. ● *S. m.* 4. O natural ou habitante de Pequim. 5. *Cinol.* Cão pequinês. 6. Pato pequinês. [Flex.: *pequinesa* (ê), *pequineses* (ê), *pequinesas* (ê). Cf. *pequenez*, pl. *pequenezes*, e *pequeneza*, pl. *pequenezas*.]

pequira *Adj. 2 g. S. m. Bras.* V. *piquira*.

pequito [De *pequenito*.] *S. m. Bras.* Criança, pequenino, pequerrucho.

pequizeirense *Adj. 2 g.* 1. De, ou pertencente ou relativo a Pequizeiro (TO). ● *S. 2 g.* 2. O natural ou habitante de Pequizeiro.

pequizeiro [De *pequi*[1] + *-zeiro*.] *S. m. Bras. Bot.* V. *pequi*[1] (1).

per [Do lat. *per*.] *Prep. Ant.* Por. V. *pelo* (1 a 3).

▲ **per-** [Do lat. *per*.] *Pref.* = 'movimento através'; 'proximidade'; 'intensidade', 'totalidade': *perfoliado*; *perpassar*; *perdurar* (< lat.). [Em Quím.: 1. Indica saturação, por um dado elemento, de todas as valências de uma substância, exceto aquelas que formam o esqueleto molecular desta: *per-hidrofenantreno*. 2. Indica presença de um elemento em seu estado de valência máxima: *ácido perclórico*.]

pera[1] [Do lat. *per*, 'por', + *ad*, 'a'.] *Prep. Ant.* Para. [Cf. *pera*, s. f., *Pera*, top., *pera* (ê), s. f., e *Pera* (ê), antr.] ❖

pera[2] *S. f. Ant.* Pedra. [Pl.: *peras*. Cf. *pera*, prep.; *pera* (ê), s. f., pl. *peras* (ê); e *Pera* (ê), antr.] ❖

pera (ê) [Do lat. *pira*, pl. de *pirum*, 'pera'.] *S. f.* 1. O fruto da pereira, de polpa ger. macia. É largo na base, e vai afinando para o ápice. 2. *P. ext.* Objeto piriforme, de borracha, com diversos usos em medicina. 3. Porção de barba, não muito longa, que se deixa crescer no queixo. 4. Pequena peça alongada, que contém um interruptor elétrico: "Carregou na pera de eletricidade e logo, bruscamente, o quarto escureceu." (Urbano Tavares Rodrigues, *A Noite Roxa*, p. 73.) 5. *Esport.* No pugilismo, artefato em forma de pera (ê) (1), preso ao teto, que é us. no treinamento do pugilista. [Tb. se usa, nesta acepç., o ingl. *punching ball*.] [Pl.: *peras* (ê). Cf. *pera*, prep.; *pera*, s. f., pl. *peras*; e *Pera*, top.] ❖

peracarídeo [Do gr. *péra*, 'sacola', 'bolsa', + gr. *karís*, *ídos* ou *ídos*, 'certo caranguejo do mar', + *-eo*; tax. *Peracarida*.] *S. m. Zool.* 1. Espécime dos peracarídeos, divisão de crustáceos malacostráceos, talvez a maior de todas. Habitam águas salgadas, doces e salobras. [V. *isópode*.] ● *Adj.* 2. Pertencente ou relativo a eles.

➔ **per accidens** [perˈ ˈakkedens] [Lat.] *Filos.* V. *por acidente*.

peracético *Adj. Quím.* ~ V. *ácido* —.

pé-rachado *S. m. Bras. RS* V. *pé-rapado*. [Pl.: *pés-rachados*.]

perácido [De *per-* + *ácido*.] *S. m. Quím.* Qualquer oxiácido que contém o grupo -O-O-H.

perada [De *pera* + *-ada*[1].] *S. f.* 1. Doce de peras. 2. Vinho de peras.

peragalo [Do tax. *Peragale*.] *S. m. Zool.* 1. Gênero de mamíferos, insetívoros, de pequeno porte, orelhas grandes e semelhantes aos musaranhos. 2. Qualquer uma de suas três espécies, distribuídas por toda a Austrália. 3. Qualquer espécime desse gênero.

peragração [Do lat. *peragratione*.] *S. f. Astr.* Revolução de um astro em torno de um ponto do zodíaco.

peragratório [Do lat. *peragratus*, part. pass. de *peragrare*, 'percorrer (em viagem)', + *-ório*.] *Adj.* 1. Que percorre ou serve para percorrer. 2. Relativo a peragração: *mês peragratório*.

peral [De *pera* + *-al*[1].] *S. m.* 1. Quantidade mais ou menos considerável de pereiras dispostas proximamente entre si; pereiral. 2. Área ocupada por peral (1). [Sin., nessas acepçs.: *pereiral*.] ● *Adj. 2 g.* 3. Semelhante ou relativo a pera.

peralta [Do antr. *Peralta*, de famoso aventureiro espanhol do séc. XIX.] *S. 2 g.* 1. Pessoa afetada nas maneiras ou no vestir; janota, peralvilho. 2. *Bras.* Indivíduo ocioso, vadio. 3. *Bras.* Menino travesso, traquina(s). ● *Adj. 2 g.* 4. *Bras.* Travesso, traquina(s).

peraltar [De *peralta* + *-ar*[2].] *V. int.* Peraltear.

peraltear [De *peralta* + *-ear*[2].] *V. int.* Ter vida de peralta; peraltar. [Conjug.: v. *frear*.]

peraltice [De *peralta* + *-ice*.] *S. f.* 1. Qualidade de peralta. 2. Ato ou vida de peralta. [Sin. ger.: *peraltismo*, *peralvilhice*.]

peraltismo [De *peralta* + *-ismo*.] *S. m. Bras.* 1. V. *peraltice*. 2. Os peraltas.

peralvilhada [De *peralvilho* + *-ada*[1].] *S. f.* 1. Porção de peralvilhos. 2. Os peralvilhos.

peralvilhar [De *peralvilho* + *-ar*[2].] *V. int.* Ser ou mostrar-se peralvilho.

peralvilhice [De *peralvilho* + *-ice*.] *S. f.* V. *peraltice*.

peralvilho [De or. incerta.] *S. m.* Peralta, janota, casquilho: "era um peralvilho da pior laia, que gastava em passeios e ceatas a fortuna do pai" (Machado de Assis, *Contos sem Data*, p. 89).

perambeba *S. m. Bras. Zool.* V. *paru* (3).

perambeira *S. f. Bras.* Precipício; abismo: "quando a noite fechou deveras ...., só Noss'enhor sabe por que não acompanhei o compadre para o outro mundo, rodando por alguma perambeira" (Afonso Arinos, *Histórias e Paisagens*, p. 12). [F. paral.: *pirambeira*.]

perambulação [De *perambular* + *-ção*.] *S. f. Bras.* Ato de perambular; perambulagem.

perambulagem [De *perambular* + *-agem*[2].] *S. f.* Perambulação.

perambulante [De *perambular* + *-nte*.] *Adj. 2 g.* Que perambula.

perambular [Do lat. *perambulare*.] *V. int. Bras.* V. *vaguear*[1] (1 e 2): "Perambulou sem destino, procurando não se sabe se o fantasma de um moço ...., ou simplesmente um emprego, ... um lugar para dormir." (Fernando Sabino, *Medo em Nova Iorque. A Cidade Vazia*, p. 127.)

perambulatório [De *perambular* + *-tório*.] *Adj. Bras.* Relativo a perambulação: *hábito perambulatório*.

perante [De *per* + *ante*.] *Prep.* Na presença de; diante de; ante: "Perante a Morte empalidece e treme." (Cruz e Sousa, *Últimos Sonetos*, p. 95); "Uma cólera surda fervia em mim, perante aquele espetáculo indecoroso." (Domingos Monteiro, *Histórias das Horas Vagas*, p. 109).

pé-rapado *S. m. Bras.* Homem de condição humílima; pobretão: "Vejo, disse ele com algum acanhamento, que o doutor não é nenhum pé-rapado, mas nunca é bom facilitar..." (Visconde de Taunay, *Inocência*, p. 50). [Tb. se diz apenas *rapado*. Sin. (no RS): *pé-rachado*. Pl.: *pés-rapados*.]

perapeunense (e-u) *Adj. 2 g.* 1. De, ou pertencente ou relativo a Perapeúna (RJ). ● *S. 2 g.* 2. O natural ou habitante de Perapeúna.

perau [Do tupi = 'caminho falso'.] *S. m. Bras.* 1. Declive rápido do fundo do mar ou de um rio, junto à costa ou à margem; pego. 2. *Bras.* Barranco, itambé: "Mas continuava ininterruptamente / A chuva. Em lamaçais com as enxurradas / E em peraus fundos mudam-se as estradas." (Alberto de Oliveira, *Poesias*, 2.ª série, p. 276.) 3. *Bras.* V. *precipício* (1). 4. *Bras. RS* Declive áspero que dá para um rio ou para um arroio.

pera uva e maçã *S. f. 2 n. Jog. Inf.* Brincadeira de salão em que as moças se afastam para os rapazes combinarem a sós os gestos que irão corresponder às palavras *pera*, *uva* e *maçã* (aperto de mãos, abraço ou beijo), devendo, na volta, dizer a cada rapaz que as interpela qual das três prefere. ☑

perbenzoico (ói) *Adj. Quím.* ~ V. *ácido* —. ❖

perca [Do tax. *Perca*.] *S. f. Zool.* 1. Gênero-tipo dos percídeos. 2. Qualquer espécie deste gênero, como, p. ex., a *Perca fluviatilis*, com até 40 cm de comprimento, de dorso acinzentado, lados verde-prateados, com seis ou mais faixas verticais, e superfície ventral branco-prateada. 3. Qualquer espécime desse gênero.

perca (ê) [Dev. de *perder*.] *S. f. Pop.* Perda, prejuízo, dano.

percal [Var. de *percale*.] *S. m. Tec. Têx.* Tecido leve e macio, feito com fio penteado de algodão, com ligamento tafetá, us. na confecção de roupas de cama.

percalçar [De *percalço* + *-ar*[2].] *V. t. d. Ant.* Lucrar, ganhar, alcançar. [Conjug.: v. *laçar*.]

percalço [Dev. do lat. vulg. *percaptiare < lat. *capere*, 'tomar', com infl. de *encalçar*.] *S. m.* 1. Lucro, rendimento, proventos. 2. Vantagem fortuita; proveito. 3. Transtorno, dificuldade: "Poderia jactar-se de não ter cruzado os braços, nem haver temido os percalços da tarefa ingente." (Alberto Rangel, *Fura-Mundo!*, p. 354.) 4. Estorvo próprio de uma profissão, estado, etc.: *os percalços do matrimônio*; "Como ficava cego de todo a jogar, fácil era lográ-lo. No propósito de preservá-lo de tão ruins percalços, a mulher, pelas festas, não o largava um instante." (Aquilino Ribeiro, *Quando ao Gavião Cai a Pena*, p. 138).

percale [Do fr. *percale*.] *S. m.* Percal (q. v.): "Simples engomadeiras .... abandonam o percale dos vestidinhos baratos, e aparecem nas lojas embonecadas como senhoras" (Fialho d'Almeida, *Pasquinadas*, p. 262).

percalina [Do fr. *percaline*.] *S. f. Tec. Têx.* Tecido de algodão, leve e forte, usualmente de uma só cor e de superfície lustrosa, empregado sobretudo em encadernação.

➔ **per capita** [perˈ ˈkapeta] [Lat., 'por cabeça'.] Para cada indivíduo.

percarbonato [De *per-* + *carbonato*.] *S. m. Quím.* Designação genérica dos sais que contêm o ânion HCO_4^-, ou de carbonatos que estão combinados ao peróxido de hidrogênio, na forma de peridratos.

percebe (ê) *S. m. Zool.* Perceve. [Pl.: *percebes* (ê). Cf. *percebe* e *percebes*, do v. *perceber*.]

perceber [Do lat. *percipere*, 'apoderar-se de', 'apreender pelos sentidos'.] *V. t. d.* 1. Adquirir conhecimento de, por meio dos sentidos: *Apesar do estado de fraqueza, procurava perceber o que se passava.* 2. Formar ideia de; abranger com a inteligência; entender, compreender: *Achou confusa a fala do conferencista, não percebendo o seu conteúdo.* 3. Conhecer, distinguir; notar: *Percebeu o embaraço de seu interlocutor e mudou de assunto.* 4. Ouvir (1): *Não conseguia perceber os sons.* 5. Ver bem. 6. Ver ao longe; divisar, enxergar: *Percebia a espiral de fumaça que saía dentre o arvoredo.* 7. Receber (ordenado, honorários, lucros, vantagens, etc.): *Este trabalhador percebe o salário por quinzena.* *T. c.* 8. Perceber (7): "Ganhava salário miserável, percebendo dois mil-réis por légua andada" (Nélson de Faria, *Tiziu e Outras Estórias*, pp. 133-134). [Pres. ind.: *percebo* (ê), *percebes*, *percebe*, etc. Cf. *percebe* (ê) e pl. *percebes* (ê).]

percebimento [De *perceber* + *-imento*.] *S. m.* Ato de perceber.

percebível [De *perceber* + *-ível*.] *Adj. 2 g. P. us.* Perceptível: "Riscava-se o oriente de dúbias linhas vermelhas, prenúncio mal percebível da manhã" (Visconde de Taunay, *Inocência*, p. 213).

perceção *S. f.* V. *percepção*. [Uso próprio de P.] ⊙

percentagem [Do lat. *per centum*, 'por cento', + *-agem*[2]; ingl. *percentage*.] *S. f.* 1. Parte proporcional calculada sobre uma quantidade de 100 unidades: *Aumentou a percentagem de alunos dos cursos de inglês.* 2. Taxa de juros, de comissão, etc., sobre um capital de 100 unidades: *percentagem nos lucros.* [F. paral.: *porcentagem*; sin.: *percentualidade*.]

percentil *Adj. 2 g.* 1. Referente a uma propriedade percentual. ~ V. *amplitude* — e *intervalo* —. ● *S. m.* 2. *Estat.* Centil (1).

percentual [Do lat. *per centum*, 'por cento', + *-ual*.] *Adj. 2 g.* 1. Relativo a percentagem. ● *S. m.* 2. Taxa, percentagem.

percentualidade [De *percentual* + *-(i)dade*.] *S. f.* V. *percentagem*.

percepção [Do lat. *perceptione*.] *S. f.* Ato, efeito ou faculdade de perceber. [Cf. *apercepção*.]

perceptibilidade [Do lat. med. *perceptibilitate*.] *S. f.* 1. Qualidade de perceptível. 2. Faculdade de perceber.

perceptível [Do lat. med. *perceptibile*.] *Adj. 2 g.* Que se pode perceber. [Sin., p. us.: *percebível*.]

perceptividade [De *perceptível* + *-(i)dade*.] *S. f.* Qualidade de perceptivo.

perceptivo [Do lat. *perceptus* (v. *perceptível*) + *-ivo*.] *Adj.* 1. Relativo à percepção. 2. Que tem a faculdade de perceber.

percepto [Do lat. *perceptu*.] *Adj.* 1. Recebido ou colhido pela percepção; percebido. ● *S. m.* 2. O conteúdo de uma percepção, aquilo que se percebeu.

perceptual *Adj.* Da, ou relativo a percepção.

P

percetibilidade *S. f.* V. *perceptibilidade.* [Uso próprio de P.] ⊙

percetível *Adj. 2 g.* V. *perceptível.* [Uso próprio de P.] ⊙

percetividade *S. f.* V. *perceptividade.* [Uso próprio de P.] ⊙

percetivo *Adj.* V. *perceptivo.* [Uso próprio de P.] ⊙

percetual *Adj. 2 g.* V. *perceptual.* [Uso próprio de P.] ⊙

perceve (ê) [Var. de *percebe* < b.-lat. *pollicipede.*] *S. m. Zool.* Marisco de água salgada (*Lepas anatifera*), que vive agarrado às rochas e corpos submersos por um comprido pedúnculo comestível; anatifa, anatifo.

percevejada [De *percevejo* + *-ada*[1].] *S. f.* Porção de percevejos.

percevejão [De *percevejo* + *-ão*[1].] *S. m. Bras. BA Zool.* V. *barbeiro* (6).

percevejo (ê) [De or. obscura.] *S. m. Zool.* **1.** Designação comum aos insetos hemípteros cujas asas anteriores são metade córneas e metade membranosas (*hemiélitros*), e cujo sistema bucal é sugador. Dividem-se em fitófagos, hematófagos e predadores. Atualmente se conhecem mais de 22.000 espécies. **2.** Preguinho de cabeça chata, para fixar papel, tecido, plástico, etc.

percevejo-das-plantas *S. m. Bras. Zool.* Designação comum aos insetos hemípteros fitófagos, especialmente os de grande porte, encontrados geralmente sobre os vegetais. [Sin.: *percevejo-do-mato, piapé.* Pl.: *percevejos-das-plantas.*]

percevejo-de-cama *S. m. Bras. Zool.* Inseto hemíptero, cimicídeo, gênero *Cimex*, cosmopolita. As espécies mais comuns no Brasil são *C. hemipterus* e *C. lectularius.* Na primeira, os bordos das cerdas do pronoto e dos hemiélitros são lisos; na segunda, tais cerdas apresentam rebarbas num dos bordos. Ambas são noturnas, escondendo-se durante o dia nas fendas e orifícios dos muros e móveis, principalmente nas camas. [Sin.: *percevejo-de-casa, percevejo-do-comércio.* Pl.: *percevejos-de-cama.*]

percevejo-de-casa *S. m. Bras. Zool.* V. *percevejo-de--cama.* [Pl.: *percevejos-de-casa.*]

percevejo-do-comércio *S. m. Bras. Zool.* V. *percevejo--de-cama.* [Pl.: *percevejos-do-comércio.*]

percevejo-do-mato *S. m. Bras. Zool.* V. *percevejo-das--plantas.* [Pl.: *percevejos-do-mato.*]

percevejo-do-sertão *S. m. Bras. BA Zool.* V. *barbeiro* (6). [Pl.: *percevejos-do-sertão.*]

percevejo-gaudério *S. m. Bras. BA Zool.* V. *barbeiro* (6). [Pl.: *percevejos-gaudérios.*]

percevejoso (ô) [De *percevejo* + *-oso.*] *Adj.* Cheio de percevejos: *catre percevejoso.*

percha[1] [Do fr. *perche.*] *S. f.* **1.** Vara comprida, de madeira, para exercício de ginastas. **2.** *Ant. Constr. Nav.* Designação genérica de peças de madeira empregadas como vigas.

percha[2] *S. f. Quím.* V. *guta-percha.*

percherão [Do fr. *percheron.*] *Adj.* **1.** De, ou pertencente ou relativo a Perche (França). **2.** Diz-se, especialmente, de certa raça de cavalos dessa região. ● *S. m.* **3.** O natural ou habitante de Perche. **4.** Cavalo percherão.

perchina [De *percha*[1] + *-ina*[1].] *S. f. Arquit.* V. *pendente* (12).

percídeo [Do tax. *Perca* (< lat. *perca*, 'perca'[1]) + *-ídeo*[1]; tax. *Percidae.*] *Zool. S. m.* **1.** Espécime dos percídeos, família de peixes perciformes de água doce, com 10 gêneros e cerca de 160 espécies, do hemisfério norte. As espécies apresentam duas nadadeiras dorsais, que são ou separadas ou estreitamente unidas. ● *Adj. 2 g.* **2.** Pertencente ou relativo a eles.

perciforme [Do tax. *Perca* + *-iforme*; tax. *Perciformes.*] *S. m. Zool.* **1.** Espécime dos perciformes, ordem de peixes teleósteos, a maior dos peixes, com cerca de 156 famílias, a maioria delas marinhas, muitas fluviais e outras com ciclo de vida fluvial e marinho. ● *Adj. 2 g.* **2.** Pertencente ou relativo a eles. [Sin. ger.: *percomorfo.*]

percingir [De *per-* + *cingir.*] *V. t. d.* Cingir ou abarcar fortemente. [Conjug.: v. *dirigir.*]

percinta [De *per-* + *cinta.*] *S. f. Marinh.* Tira de lona ou de brim, em geral alcatroada, que se enrola em volta de um cabo antes de forrá-lo; precinta.

percintado [Part. de *percintar.*] *Adj. Marinh.* Diz-se de cabo em que se enrolou percinta. [Cf. *precintado.*]

percintar [De *percinta* + *-ar*[2].] *V. t. d. Marinh.* Enrolar percinta em (um cabo). [Cf. *precintar.*]

perclorato [De *per-* + *clorato.*] *S. m. Quím.* Qualquer sal do ácido perclórico.

percloreto (ê) [De *per-* + *cloreto.*] *S. m. Quím. Obsol.* Designação comum aos cloretos correspondentes à valência máxima de um metal.

perclórico [De *per-* + *clórico.*] *Adj. Quím.* ~ V. *ácido* —.

percluso [Do fr. *perclus.*] *Adj.* Impossibilitado de exercer as funções da locomoção: "um velho esquimó, mais que percluso das pernas, caduco de todo" (Aquilino Ribeiro, *Arcas Encoiradas*, p. 66).

percoide (ói) [De *perca*[1] + *-oide.*] *Adj. 2 g.* Semelhante à perca. ✣

percolação [Do lat. *percolatione.*] *S. f. Quím.* Operação de passar um líquido através de um meio para filtrá--lo ou para extrair substâncias desse meio.

percolador (ô) [De *percolar* + *-dor.*] *S. m.* Equipamento em que se efetua uma percolação.

percolar [Do lat. *percolare.*] *V. t. d.* Efetuar a percolação de.

percomorfo [Do tax. *Perca* + *-o-* + *-morfo*; tax. *Percomorphi.*] *S. m. Adj. Zool.* V. *perciforme.*

percopsiforme [Do tax. *Percopsiformes.*] *Zool. S. m.* **1.** Espécime dos percopsiformes, ordem de peixes teleósteos, de água doce, com 3 famílias e 9 espécies, 4 delas cavernícolas, da América do Norte. ● *Adj. 2 g.* **2.** Pertencente ou relativo a eles.

percorrer [Do lat. *percurrere.*] *V. t. d.* **1.** Correr ou andar por; visitar em grande extensão ou em vários sentidos: *Nestes três meses pretende percorrer a França e a Itália.* **2.** Passar por, ou ao longo de: "Blocos e mais blocos percorriam as ruas cantando 'Ai, seu Mé', 'Quebra, quebra, guabiraba', ou 'Iaiá, me deixa eu subir nesta ladeira'" (Hermano Requião, *Itapagipe*, p. 109). **3.** Esquadrinhar, investigar; explorar: *Inconstante, percorreu vários setores do conhecimento humano sem se deter em nenhum. T. c.* **4.** Perfazer, completar: *Percorreu 5km a pé.*

percuciência [De *percuciente* + *-ia*[2], seg. o padrão analógico.] *S. f.* Qualidade de percuciente.

percuciente [Do lat. *percutiente.*] *Adj. 2 g.* **1.** Que percute. **2.** Agudo, penetrante, profundo: *observação percuciente*; "sentia a mirada percuciente e aguda do homem incidindo sobre mim." (Domingos Monteiro, *Histórias Castelhanas*, p. 90).

percurso [Do lat. tard. *percursu.*] *S. m.* **1.** Ato ou efeito de percorrer. **2.** Espaço percorrido; trajeto: *o percurso de um peregrino; o percurso de um ônibus.* **3.** Movimento, deslocação: *o percurso de um planeta.* **4.** Itinerário, roteiro: *o percurso da viagem.*

percussão [Do lat. *percussione.*] *S. f.* **1.** Ato ou efeito de percutir. **2.** Choque ou embate de dois corpos. **3.** *Dir. Tribut.* Incidência fiscal direta sobre o contribuinte. [Cf., nesta acepç., *incidência* (3).] **4.** *Med.* Forma de exame físico, de que há técnicas diversas, e que consiste em aplicar a uma área pequenos golpes, com extremidade de quirodáctilo, borda de mão ou instrumento próprio, para, de acordo com o fim em vista, obter sons que podem ser normais ou anormais, ou pesquisar normalidade ou anormalidade de reflexo (12). **5.** O conjunto dos instrumentos de percussão (q. v.). ◆ **Percussão imediata.** *Med.* Percussão (4) em que não se emprega plessímetro. **Percussão mediata.** *Med.* Percussão (4) que se faz mediante o uso de plessímetro.

percussionismo [De *percussão* (*percussion-*) + *-ismo*, seg. o padrão erudito.] *S. m.* Arte de tocar instrumentos de percussão.

percussionista [De *percussão* + *-ista*, seg. o padrão erudito.] *S. 2 g. Bras.* Tocador de instrumento de percussão: "o percussionista Paulinho da Costa, escolhido o melhor músico de sua especialidade este ano" (Zózimo Barroso do Amaral, em *Jornal do Brasil*, 11.12.1980).

percussor (ô) [Do lat. *percussore.*] *Adj.* **1.** Que percute; percutidor. ● *S. m.* **2.** Aquele ou aquilo que percute; percutidor. **3.** Peça metálica acicular, que percute uma cápsula fulminante, para transmitir fogo à pólvora.

percutâneo [De *per-* + *cutâneo.*] *Adj. Med.* Que se faz através da pele intata.

percutidor (ô) [De *percutir* + *-dor.*] *Adj. S. m.* Percussor (1 e 2).

percutir [Do lat. *percutere.*] *V. t. d.* **1.** Bater ou tocar fortemente em; ferir: "Os cascos das mulas percutiam o lajedo do caminho velho." (Domingos Monteiro, *Contos do Natal*, p. 17); "O falcão continuava vivo, leve, eufórico e numa excitação desafiante, percutia com a asa a cabeça vagarosa de Raca." (Luís da Câmara Cascudo, *Canto de Muro*, p. 113). *T. c.* **2.** Repercutir (4): *O estrondo percutiu em todo o casarão.*

percutível [De *percutir* + *-vel.*] *Adj. 2 g.* Que se pode percutir, ou próprio para ser percutido: *instrumento de cordas percutíveis.*

perda (ê) [Do lat. *perdita*, 'perdida', pela f. **perdeda*, com haplologia.] *S. f.* **1.** Ato ou efeito de perder. **2.** Privação de alguma coisa que se possuía: *perda de fortuna, de propriedade.* **3.** Privação da presença de alguém; ausência, falta, desaparecimento: *a perda de um colaborador, de um chefe.* **4.** *P. ext.* Morte, falecimento, desaparição: *Doeu-lhe fundo a perda do amigo.* **5.** Extravio, sumiço: *a perda de documentos, de uma quantia.* **6.** Destruição, ruína, aniquilamento: *a perda de vidas, de material.* **7.** O ato ou fato de deixar de ganhar: *a perda de uma batalha, de um jogo, de uma oportunidade.* **8.** Decréscimo, diminuição: *perda de velocidade, de altura.* **9.** Danação, perdição: *a perda de uma alma.* [Sin. (nessas acepçs.): *perdida.*] **10.** *Aer. Aerom. Av.* Estol. ◆ **Perdas e danos.** Prejuízos sofridos pelo credor em consequência de concreta diminuição do seu patrimônio e também pela cessação de lucros que normalmente deveria ter percebido. **Em pura perda.** Com o pior resultado possível.

perdão [Dev. do arc. *perdõar.*] *S. m.* **1.** Remissão de pena; de dívida, etc; indulto. **2.** *Ét.* Renúncia de pessoa ou instituição à adesão às consequências punitivas que seriam justificáveis em face de uma ação que, em níveis diversos, transgride preceitos jurídicos, religiosos, morais ou afetivos vigentes. ● *Interj.* **3.** Fórmula de polidez com que se pede desculpa.

perdedoiro [De *perder* + *-doiro*[1].] *S. m.* Perdedouro (q. v.).

perdedor (ô) [De *perder* + *-dor.*] *Adj. S. m.* **1.** Que, ou aquele que perde (num jogo, disputa, etc.). **2.** *Angl. Fig.* Diz-se de, ou indivíduo fracassado. [Poss. calque (2) do ingl. *looser.*]

perdedouro [De *perder* + *-douro*[1]; var. de *perdedoiro.*] *Adj.* Que faz perder. [Var.: *perdedoiro.*]

perde-ganha [De *perder* + *ganhar.*] *S. m. 2 n.* Ganha--perde.

perder [Do lat. *perdere.*] *V. t. d.* **1.** Ser privado de (coisa que se possuía); ficar sem o domínio, a propriedade, a posse de. **2.** Cessar de ter; deixar de sentir: *Perdeu o gosto pela música.* **3.** Ficar parcialmente e/ou temporariamente privado de: *Com a idade, perdeu a eloquência; Perderam a saúde*; "E, depois de cruzar o talher no prato, acrescentou: – Perdi o apetite, meu caro" (Garcia Redondo, *A Choupana das Rosas*, p. 5). **4.** Ficar privado, para sempre ou por muito tempo, da companhia, presença ou amizade de: "Pouco terá visto Isabel .... do mundo de renovações em que viveu Don Juan II, já que aos três anos de idade perdeu o pai." (J. Carlos Lisboa, *Isabel, a do Bom Gosto*, p. 11); "Em 1980 o Brasil perdeu Vinícius de Morais, Cartola, Nélson Rodrigues, Almirante, Otávio de Faria." (*Jornal do Brasil*, 09.01.1981). **5.** Sofrer perda, dano, prejuízo ou detrimento em: *Nada perderá neste negócio.* **6.** Emagrecer: *Perdeu a metade do peso depois do acidente.* **7.** Deixar fugir; não aproveitar: *perder uma oportunidade.* **8.** Sofrer o prejuízo de: *Perdeu muito dinheiro no investimento.* **9.** Ter mau êxito, malograr-se, em; colher mau resultado de: *perder uma questão judiciária.* **10.** Esquecer em lugar de que não se tem lembrança; sumir: *Perdeu o casaco durante a viagem.* **11.** Deixar de viajar em (um veículo) por não chegar na hora própria ao ponto de partida ou ao lugar de parada: *Por apenas alguns minutos de atraso, perdeu o trem; Perdeu o avião.* **12.** Causar a ruína moral de; perverter; corromper: *As más companhias perderam-no.* **13.** *Restr.* Seduzir, desonrar (ger. para o concubinato ou prostituição): "pois não consta que deitasse a perder alguma dessas centenas de moças pobres que se consideram felizes quando os fidalgos as levam à vereda da desonra." (Camilo Castelo Branco, *Novelas do Minho*, I, p. 292). **14.** Deixar de presenciar, de ver ou de ouvir: *perder um espetáculo.* **15.** Não fazer bom uso ou proveito de; desperdiçar, esperdiçar, malbaratar: *perder tempo.* **16.** Passar sem dormir, em claro: *Perdeu noites de sono.* **17.** Dar cabo de; arruinar: *As enchentes perderam a colheita.* **18.** Deixar de reter na memória; esquecer, olvidar: *Com o tempo, perdeu os ensinamentos recebidos na escola.* **19.** Ser vencido em: *perder um jogo; perder uma guerra.* **20.** Não chegar a dar à luz: *A mulher perdeu a criança. T. i.* **21.** Ficar vencido; ser derrotado; não vencer: *Meu time perdeu para o Flamengo; A Argentina perdeu do Brasil. T. c.* **22.** Perder (8): *Perdeu 100 reais na transação.* **23.** Perder peso; emagrecer: *Fez dieta e perdeu 5 quilos. Int.* **24.** Valer menos: *As ações da bolsa de valores perderam na última semana.* **25.** Sofrer dano ou prejuízo. **26.** Passar a uma condição pior; desmerecer. **27.** Ficar vencido: *Na II Guerra Mundial, os países do Eixo perderam.* **28.** Cessar de fruir certas vantagens. *P.* **29.** Perder todos os seus poderes; arruinar-se. **30.** Tornar-se inútil; frustrar--se. **31.** Desaparecer; extraviar-se. **32.** Deixar de ser visível; desaparecer; sumir: "Depois, uma estradinha que corre, ondulando como uma cobra, e se perde longe no horizonte." (Érico Veríssimo, *Música ao Longe*, p. 9.) **33.** Confundir-se; desordenar-se. **34.** Atrapalhar-se, confundir-se: *Por um lapso de memória, perdeu-se no discurso.* **35.** Cessar, extinguir-se (som). **36.** Cair em desgraça; desgraçar-se: "Perdi meu pai. Perdi minha mãe. Perdi-me." (Mário da Silva Brito, *Conversa Vai, Conversa Vem*, p. 10.) **37.** Absorver-se, engolfar-se, mergulhar: "Clarissa perde-se em divagações." (Érico Veríssimo, *Música ao Longe*, p. 11); *Perdeu-se em reflexões.* **38.** Não se lembrar ou não encontrar o caminho de volta ou ida para algum lugar: *Os jovens perderam-se na floresta.* **39.** *Bras. Pop.* Entregar-se à prostituição; cair na vida. [Irreg. na 1ª pess. sing. do pres. ind.: *perco* (ê), e, portanto, em todo o pres. subj.: *perca, percas, perca, percamos, percais, percam.*]

perdição [Do lat. tard. *perditione.*] *S. f.* **1.** Ato ou efeito de perder(-se): "Meu nome, – dir-lhes-ei a seu tempo. Idade... Perdi a idade! E não me arrependo da perdição..." (Jorge de Lima, *Salomão e as Mulheres*, p. 10.) **2.** Desgraça, ruína, estrago, desastre, perda: *a perdição da esquadra; a perdição dos grevistas.* **3.** Condenação às penas eternas; danação: *perdição da alma.* **4.** Desonra, descrédito, imoralidade, desregramento: *A perdição da filha o levou ao suicídio.* [Sin. (p. us.), nessas acepç.: *perdimento.*] **5.** *Fam.* Aquilo a que não se pode resistir; tentação: *Estes doces são uma perdição.*

perdíceo [Do lat. *perdice*, 'perdiz', + *-eo.*] *Adj.* Pertencente, relativo ou semelhante à perdiz.

perdida[1] [Do lat. *perdita*, por via semierudita, ou de *perder* + *-ida*[3].] *S. f.* **1.** V. *perda* (1 a 9). **2.** *Bras.* Errada (1).

perdida[2] [F. subst. do adj. *perdido.*] *S. f.* Meretriz.

perdidiço *Adj.* Fácil de ser perdido; muito sujeito a perder-se.

perdido [Part. de *perder.*] *Adj.* **1.** Sumido, desaparecido: *joia perdida.* **2.** Extraviado, desencaminhado: *carta perdida; bala perdida.* **3.** Disperso, difuso: *os acordes perdidos na noite.* **4.** Seduzido, pervertido: *juventude perdida.* **5.** Imoral, devasso, libertino: *É um sujeito viciado, perdido.* **6.** Destruído, irrecuperável: *navio perdido; amizade perdida.* **7.** Sem esperança ou salvação: *Tudo está perdido.* **8.** Cuja morte é inevitável: *doente perdido.* **9.** Extremamente apaixonado: *Está perdido pela noiva;* "A Lulu era perdida por bailes" (Lúcio de Mendonça, *Esboços e Perfis*, p. 141). **10.** Aflito, ansioso: *Andava perdido pelo quarto.* **11.** Distante, longínquo: *lugar perdido.* **12.** Diz-se de projetil que, durante troca de tiros, atinge pessoa ou coisa alheia ao fato: "Mulher é ferida por bala perdida no Rio Comprido." (*O Globo*, 02.09.2004.) **13.** *P. ext.* Diz-se de tiro dado a esmo. ~V. *alma —a, elo —, horas —as, manga —a, sentinela —a* e *unha —a.* • *S. m.* **14.** Qualquer coisa perdida. ~ V. *perdidos.*

perdidos [Pl. de *perdido.*] *S. m. pl. Art. Gráf.* Restos da tiragem, representados por folhas de refugo e maculaturas. ~ V. *perdido.*

perdidoso (ô) [De *perdida* + *-oso.*] *Adj. Ant.* **1.** Que sofreu perda ou perdida. **2.** V. *prejudicial* (1).

perdigão [Do lat. vulg. **perdicone*, aum. de *perdice*, 'perdiz'.] *S. m. Zool.* **1.** O macho da perdiz. **2.** V. *codorna-buraqueira.* **3.** *Bras. SP* Ave gruiforme, ralídea (*Micropygia schomburgkii chapmani*), do Brasil central e meridional, de dorso pardo, com numerosas manchas ovoides brancas marginadas de preto, as coberteiras da asa avermelhadas, e a asa bastarda também avermelhada.

perdigoteiro [De *perdigoto* + *-eiro.*] *Adj. S. m. Bras.* Diz-se de, ou indivíduo que, ao falar, lança perdigotos nos interlocutores.

perdigoto (ô) [Do lat. vulg. **perdiccottu*, dim. de *perdice*, 'perdiz'.] *S. m.* **1.** Filhote de perdiz. **2.** *Pop.* Salpico de saliva que alguém lança quando fala. **3.** *Bras. SP GO* Certo tipo de chumbo de caça. [Pl.: *perdigotos* (ó).]

perdigueiro [Do lat. vulg. **perdicariu* < *perdice*, 'perdiz'.] *Adj.* **1.** Que caça perdizes. • *S. m.* **2.** Designação comum a diferentes espécies de cães de estatura variável, focinho curto, orelhas grandes e pendentes e com marcada aptidão para a caça, em especial a de perdizes.

perdiguense *Adj. 2 g.* **1.** De, ou pertencente ou relativo a Perdigão (MG). • *S. 2 g.* **2.** O natural ou habitante de Perdigão.

perdimento [De *perder* + *-imento.*] *S. m. P. us.* V. *perdição* (1 a 4): "Sei que ela sempre foi meu perdimento, / então por medo e agora por pecado." (Martins Napoleão, *Oleiro Cego*, p. 45.)

perdita [De *per-* + *dita*[1].] *Adv. Ant.* Porventura, acaso.

perdível [De *perder* + *-ível.*] *Adj. 2 g.* **1.** Que se pode perder. **2.** Cujo lucro ou bom resultado é incerto.

perdiz [Do gr. *pérdix*, pelo lat. *perdice.*] *S. f. Zool.* Ave tinamiforme, tinamídea (*Rhynchotus rufescens*), distribuída pelos cerrados e caatingas de todo o Brasil ao S. do rio Amazonas. Tem coloração avermelhada, com matizes amarelos e ferrugíneos, penas dorsais listradas de preto, e garganta esbranquiçada. É muito procurada para caça e esta se faz de agosto a setembro, período em que estão piando, ou em outras épocas, com auxílio de cães perdigueiros. Alimenta-se de toda a sorte de grãos e artrópodes de modo geral, ingerindo também folhas tenras. Vive e nidifica no solo. [Masc.: *perdigão.* Sin.: *inhambuapé, inhapupê, nhampupê, napopé.*]

perdiz-do-mar *S. f. Zool.* Designação popular para aves glareolídeas, caradriiformes, esbeltas, de pés e bico curtos, plumagem marrom tirante a cinza, ventre branco, colar preto, cauda bifurcada, asas longas e pontudas; são insetívoras, halófilas, habitam regiões pantanosas e nidificam no solo. Ocorrem na Europa, África, Ásia e Austrália. As duas espécies mais conhecidas são as europeias *Glareola pratincola* e *G. melanoptera.* [Sin.: *andorinha-dos-pântanos* e *galinha-da-areia.* Pl.: *perdizes-do-mar.*]

perdizense *Adj. 2 g.* **1.** De, ou pertencente ou relativo a Perdizes (SP). • *S. 2 g.* **2.** O natural ou habitante de Perdizes.

perdizinha-do-campo *S. f. Bras. RJ Zool.* Ave passeriforme, fringilídea (*Embernagra platensis*), do Brasil este-meridional, de dorso pardo-oliváceo, o abdome plúmbeo-claro, os flancos ocráceos e a asa amarelo-esverdeada. Vive em lugares descampados e se alimenta de sementes de capins. [Sin.: *sabiá-do-banhado.* Pl.: *perdizinhas-do-campo.*]

perdoabilidade [De *perdoável* (*perdoabil-*) + *-(i)dade*, seg. o padrão erudito.] *S. f.* Qualidade ou condição do que é perdoável.

perdoador (ô) [De *perdoar* + *-dor.*] *Adj. S. m.* Que, ou aquele que perdoa com facilidade.

perdoar [Do lat. tard. *perdonare.*] *V. t. d.* **1.** Desculpar, absolver, remitir (pena, culpa, dívida, etc.). **2.** Poupar; evitar: *Não perdoou gastos para educar o filho.* **3.** Conformar-se com; aceitar: *Invejoso, não perdoava o sucesso do colega.* **4.** Conceder perdão a; desculpar. *T. d. e i.* **5.** Desculpar, absolver, remitir: *Perdoa aos amigos todas as ofensas;* "Byron nunca pôde perdoar à sorte o tê-lo feito coxo de nascença" (Carlos Magalhães de Azeredo, *Homens e Livros*, p. 10). *T. i.* **6.** Conceder perdão, desculpa; remitir as faltas: *Cristo perdoou a seus flageladores;* "Carlota abriu e leu: – 'Perdoei-lhe um dia e amei-a sempre. Sei que padeceu muito; posso enxugar-lhe as lágrimas, se algumas lhe restam.'" (Machado de Assis, *Contos sem Data*, p. 162.) *Int.* **7.** Conceder perdão ou desculpa: *É rancoroso, não perdoa.* *P.* **8.** Poupar-se. [É muito corrente, embora irregular, o uso deste verbo com objeto direto de pessoa: "Olhei para ela e disse que a perdoava." (Machado de Assis, *Contos Avulsos*, p. 95.) Conjug.: v. *coroar.*]

perdoável [De *perdoar* + *-vel.*] *Adj. 2 g.* Merecedor ou suscetível de perdão.

perdoe (ô) [Da 2ª pess. sing. imperat. de *perdoar.*] *S. f. Bras. AL* Espécie de bolsa grande e ordinária, em geral de palha, onde os mendigos guardam os gêneros que lhes dão de esmola, e também us. por outras pessoas, sobretudo como depósito de mercadorias adquiridas em feiras.

perdonense *Adj. 2 g.* **1.** De, ou pertencente ou relativo a Bom Jesus dos Perdões (SP). • *S. 2 g.* **2.** O natural ou habitante de Bom Jesus dos Perdões.

perdulário [De *perder.*] *Adj. S. m.* Que, ou aquele que gasta em excesso; dissipador, esbanjador, gastador; extravagante.

perdularismo [De *perdulário* + *-ismo.*] *S. m.* Qualidade ou ato de perdulário.

perdurabilidade [De *perdurável* + *-(i)dade*, seg. o padrão erudito.] *S. f.* Qualidade ou caráter de perdurável.

perduração [Do lat. med. *perduratione.*] *S. f.* Ato de perdurar; duração longa.

perdurante [De *perdurar* + *-nte.*] *Adj. 2 g.* Que perdura: "Por que então o perdurante ostracismo de Marques Rebelo?" (Álvaro Costa e Silva, em *Jornal do Brasil*, 29.03.2008.)

perdurar [Do lat. *perdurare.*] *V. int.* **1.** Durar muito. **2.** Continuar a existir; permanecer, persistir, subsistir. *T. c.* **3.** Perdurar (2): *Seu trabalho perdurou até o ano passado.*

perdurável [Do lat. tard. *perdurabile.*] *Adj. 2 g.* Suscetível de durar muito, de perdurar; duradouro, durável.

pereba [Do tupi.] *S. f. Bras.* **1.** Lesão cutânea imprecisa. **2.** *Bras.* V. *escabiose* (1). **3.** Pequena ferida. **4.** Ferida de mau caráter, de crosta duríssima. [Var.: *pereva, bereba, bereva.*]

perebagem [De *pereba* + *-agem*[2].] *S. f. Bras. N.E.* **1.** Porção de perebas. **2.** As perebas.

perebento [De *pereba* + *-ento.*] *Adj. Bras.* Que tem perebas.

perecedoiro [De *perecer* + *-doiro*[1].] *S. m.* Perecedouro (q. v.).

perecedor (ô) *Adj.* V. *perecedouro.*

perecedouro [De *perecer* + *-douro*[1]; var. de *perecedoiro.*] *Adj.* **1.** Que há de perecer. **2.** Findável, morredouro, mortal. [Sin.: *perecível, perituro.* Var.: *perecedor.*]

perecer [Do lat. vulg. **periscere*, incoativo de *perire*, 'morrer'.] *V. int.* **1.** Deixar de existir; ter fim; acabar, findar: *Não encontrando eco nos meios governamentais, o projeto pereceu.* **2.** V. *morrer* (1). **3.** Ser destruído, assolado ou devastado. [Conjug.: v. *aquecer.*]

perecibilidade [De *perecível* + *-(i)dade*, seg. o padrão erudito.] *S. f.* Qualidade ou caráter de perecível: "Oh perecibilidade das situações políticas estáveis!" (Gilberto Amado, *Depois da Política*, p. 1.)

perecimento [De *perecer* + *-imento.*] *S. m.* **1.** Ato de perecer. **2.** Esgotamento, depauperamento, extenuação. **3.** Extinção, destruição, extermínio. **4.** Decadência, definhamento.

perecível [De *perecer* + *-ível.*] *Adj. 2 g.* Sujeito a perecer, a extinguir-se; perecedouro: *bens perecíveis; amor perecível.*

peregrim *S. m. Ant.* V. *peregrino*[1] (5).

peregrinação [Do lat. *peregrinatione.*] *S. f.* **1.** Ato de peregrinar. **2.** Viagem a lugares santos ou de devoção; romaria.

peregrinador (ô) [Do lat. *peregrinatore.*] *Adj. S. m.* V. *peregrinante.*

peregrinante [Do lat. *peregrinante.*] *Adj. 2 g. S. 2 g.* Que, ou quem peregrina; peregrino, peregrinador.

peregrinar [Do lat. *peregrinare.*] *V. int.* **1.** Viajar ou andar por terras distantes; correr por diferentes partes. **2.** Ir em romaria por lugares santos ou de devoção. *T. c.* **3.** Ir em romaria: *Peregrinou durante anos pela Terra Santa; Já peregrinou a Lourdes.* *T. d.* **4.** Andar em peregrinação por. **5.** Percorrer, viajando.

peregrinismo [De *peregrino* + *-ismo.*] *S. m.* **1.** *E. Ling.* Emprego de vocábulo ou frase estranha à língua vernácula, ou de uso raro; estrangeirismo. **2.** *Bras.* Raridade, excelência.

peregrino[1] [Do lat. *peregrinu.*] *Adj.* **1.** Que peregrina. **2.** Estranho, estrangeiro. **3.** De bondade ou beleza rara. **4.** Excelente, raro, extraordinário, excepcional: "Conta-se que era D. Francisco [D. Francisco Manuel de Melo] amoroso da Condessa de Vila Nova, mulher de peregrina formosura" (Afrânio Peixoto, *Poeira da Estrada*, p. 200); "Como um cheiro de céu, na muda noite / Errava da ipomeia da montanha / A peregrina essência delicada." (Alberto de Oliveira, *Poesias*, 3ª série, p. 77). • *S. m.* **5.** Aquele que peregrina, que faz peregrinação (2); romeiro, peregrinante, peregrinador. [Var., ant., nesta acepç.: *peregrim.*]

peregrino[2] *S. m. Zool.* V. *falcão-peregrino.*

pereiorá [Do tupi.] *S. m. Bras. Bot.* V. *casca-preciosa* (2).

pereira [De *pera* (ê) + *-eira.*] *S. f. Bot.* **1.** Árvore rosácea (*Pyrus communis*) originária do hemisfério norte e cultivada universalmente pelos excelentes frutos edules, que são uma espécie de baga múltipla, visto procederem de vários pistilos de uma mesma flor. **2.** *Bras.* V. *acarirana.*

pereira-barretense *Adj. 2 g.* **1.** De, ou pertencente ou relativo a Pereira Barreto (SP). • *S. 2 g.* **2.** O natural ou habitante de Pereira Barreto. [Pl.: *pereira-barretenses.*]

pereira-brava [De *pereira* + o f. de *bravo*[1].] *S. f. Bot.* V. *catapereiro.* [Pl.: *pereiras-bravas.*]

pereira-do-campo *S. f. Bot.* Cabacinha-do-campo. [Pl.: *pereiras-do-campo.*]

pereira-do-japão *S. f. Bot.* Variedade de marmeleiro (*Pyrus japonica*). [Pl.: *pereiras-do-japão.*]

pereiral [De *pereira* + *-al*[1].] *S. m.* Peral (1 e 2).

pereirense[1] *Adj. 2 g.* **1.** De, ou pertencente ou relativo a Pereiras (SP). • *S. 2 g.* **2.** O natural ou habitante de Pereiras.

pereirense[2] *Adj. 2 g.* **1.** De, ou pertencente ou relativo a Pereiro (CE). • *S. 2 g.* **2.** O natural ou habitante de Pereiro.

pereiro [De *pero*[1] + *-eiro*, ou de *pereira.*] *S. m.* **1.** *Bot.* Árvore euforbiácea (*Pera glabrata*) nativa do Brasil, de folhas íntegras, alternas, flores amarelas e frutos capsulares. **2.** *Bot.* V. *guatambu* (2 e 3). **3.** *Bras. N.E. Bot.* Árvore apocinácea (*Aspidosperma pyrifolium*) de pequeno porte, comum nas caatingas, de pequenas folhas e folículos, e sem utilidade como fonte de lenha. **4.** *Bras. CE* V. *aguilhada.*

pereiro-amarelo *S. m. Bras. Bot.* V. *guatambu* (3). [Pl.: *pereiros-amarelos.*]

pereiro-da-caatinga *S. m. Bras. Bot.* Pitiá (1). [Pl.: *pereiros-da-caatinga.*]

pereiro-da-praia *S. m. Bras. Bot.* V. *guatambu* (3). [Pl.: *pereiros-da-praia.*]

pereiro-da-restinga *S. m. Bras. Bot.* V. *guatambu* (3). [Pl.: *pereiros-da-restinga.*]

perempção [Do lat. tard. *peremptione.*] *S. f. Bras. Jur.* Modo por que se extingue uma relação processual civil (ou penal, caso a ação pertença privativamente à vítima), por causas taxativas em lei, e que se fundam, por via de regra, na inércia, no desinteresse ou na emulação do autor (ou querelante). [Cf. *decadência* (5).]

perempto [Do lat. *peremptu.*] *Adj. Jur.* Extinto por perempção.

peremptoriedade [De *peremptóri(o)* + *-edade.*] *S. f.* Qualidade de peremptório.

peremptório [Do lat. tard. *peremptoriu.*] *Adj.* **1.** Que perime. **2.** Terminante, decisivo: *ordem peremptória;* "Todo esse discurso não me saiu assim, de vez, enfiado naturalmente, peremptório .... mas aos pedaços, mastigado, em voz um pouco surda e tímida." (Machado de Assis, *Dom Casmurro*, p. 75).

perenal [De *perene* + *-al*¹.] *Adj. 2 g.* V. *perene* (1 a 3): "'*O Bem e o Mal*' [romance camiliano] é um perenal idílio" (Ramalho Ortigão, *Primeiras Prosas*, p. 186).

perendengues [Voc. onom.] *S. m. pl. Bras. Ant.* Penduricalhos para ornato; berloques: "Camargo agitou entre as mãos os perendengues do relógio" (Machado de Assis, *Helena*, p. 117).

perene [Do lat. *perenne.*] *Adj. 2 g.* **1.** Que dura muitos anos. **2.** Que não acaba; perpétuo, imperecível, imperecedouro, eterno. **3.** Incessante, contínuo, ininterrupto: *fonte perene*; "De longe, em perene murmúrio, vinha docemente o choro da cascata." (Coelho Neto, *Miragem*, p. 123). [Sin., nessas acepçs.: *perenal.*] **4.** *Bot.* Que vive mais de dois anos: *erva perene.* ~ V. *filosofia* —.

▲ **pereni-** [Do lat. *perennis, e.*] *El. comp.* = 'que dura', 'duradouro', 'perene': *perenibrânquio, perenifólio.*

perenibrânquio [De *pereni-* + *-brânquio*; tax. *Perennibranchiata.*] *S. m. Adj. Zool.* V. *proteído.*

perenidade [Do lat. *perennitate.*] *S. f.* Qualidade de perene.

perenifólio [De *pereni-* + *-fólio.*] *Adj. Bot.* Cujas folhas não caem antes de as novas estarem já desenvolvidas: *árvore perenifólia.* [Opõe-se a *caducifólio.*]

perenizar [De *perene* + *-izar.*] *V. t. d. P.* Tornar(-se) perene.

perentoriedade *S. f.* V. *peremptoriedade.* [Uso próprio de P.] ⊙

perentório *Adj.* V. *peremptório.* [Uso próprio de P.] ⊙

perequê *S. m. Bras. S. Pop.* **1.** Discussão, barulho, briga: "Se Sílvia der com a língua nos dentes, vamos ter perequê." (Antônio Olavo Pereira, *Marcoré*, p. 14.) **2.** V. *rolo*¹ (16).

perequeté [Do tupi, poss.] *Adj. 2 g. Bras. Pop.* **1.** Faceiro, elegante; emperiquitado. **2.** Saliente nos modos. [Var.: *prequeté.*]

perereca [Do tupi = 'ir aos saltos'.] *S. f.* **1.** *Bras. Zool.* Designação comum aos anfíbios anuros, arborícolas, de ventosas nos dedos, sobretudo os da família dos hilídeos. O número de espécies de pererecas no Brasil sobe a mais de 80. [Sin.: *rela, raineta, tanoeiro.*] **2.** *Bras. Zool.* V. *mosquito*¹ (1). **3.** *Bras. Gír.* V. *garrucha* (3). **4.** *Bras. Pop.* Pequeno rádio de pilha. **5.** *Bras. Pop.* Vulva. ● *S. 2 g.* **6.** *Bras.* Pessoa ou animal pequeno e buliçoso. ● *Adj. 2 g.* **7.** Diz-se de pessoa ou animal pequeno e buliçoso.

perereca-azul *S. f. Bras. Zool.* Anfíbio anuro, hilídeo (*Phyllomedusa bicolor*), do N. do Brasil e Guianas, de dorso verde-azulado, ventre branco com tons purpúreos e dedos purpúreos com ponta branca. Comprimento: 11cm. [Pl.: *pererecas-azuis.*]

pererecar [De *perereca* + *-ar*².] *V. int. Bras.* **1.** Andar de um lado para outro; desnortear-se, desorientar-se; aturdir-se, atrapalhar-se: "Lalino Salãthiel pererecava ali por perto" (João Guimarães Rosa, *Sagarana*, p. 100). **2.** *Bras. RS* Dar saltos ou pulos (o pião). **3.** Nos jogos de pife-pafe, biriba e buraco, dubiedade, por parte de jogador, na compra de uma das cartas descartadas pelo parceiro da direita. [Conjug.: v. *trancar.* Cf. *piriricar.*]

perereca-verde *S. f. Bras. Zool.* Anfíbio anuro, hilídeo (*Phyllomedusa burmeisteri*), do Brasil oriental e meridional, de coloração geral verde-azulada, a parte inferior parda, levemente cárnea, com pintas claras, uma pinta em cada ângulo ocular e outras na superfície do braço. Comprimento: até 8cm. [Pl.: *pererecas-verdes.*]

perereco [De *perereca.*] *S. m.* **1.** *Bras. SP Pop.* Briga cheia de peripécias; conflito. ~ V. *rolo*¹ (16). **2.** *Bras. RJ Gír.* Dança desenfreada do maxixe.

pererenga *S. f. Bras. PA Mús.* V. *médio* (9).

pererento [Poss. por **perento* < *pêra* + *-ento.*] *Adj. Bras.* **1.** V. *pedrês* (1). **2.** Salpicado de pintas brancas. **3.** *Bras. PR* Pedrento (2).

➔ **perestroika** [pereˈstrojkə] [Rus.] *S. f.* Reforma do sistema político e financeiro da União Soviética proposta por Leonid Brezhnev (1906-1982) em 1979 e realizada (1985-1991) por Mikhail Gorbachev (1931-). [Cf. *glasnost.*]

pereva *S. f. Bras.* V. *pereba.*

➔ **per fas et nefas** [per̃ fas et neˈfas] [Lat., 'pelo permitido e pelo proibido'.] Por todos os meios; por fás e por nefas.

perfazer [De *per-* + *fazer.*] *V. t. d.* **1.** Completar o número ou o valor de; completar, atingir: "Certo indivíduo houve, que a título de empréstimo lhe tomou quantias mui avultadas, perfazendo o total de três contos de réis pelo mínimo." (Pᵉ. Silvério Gomes Pimenta, *Vida de D. Antônio Ferreira Viçoso*, p. 341.) **2.** Acabar de fazer; levar a cabo; concluir: *Mal conseguiu perfazer a longa obra.* **3.** Executar, fazer: "O brilho do sol no mar, as ondas perfazendo uma longa curva esbranquiçada" (Autran Dourado, *Nove Histórias em Grupos de Três*, p. 51). *T. c.* **4.** Perfazer (1): *Vestiu o filho de azul até perfazer sete anos; Rifou o relógio, para perfazer os R$ 100,00 que devia ao contraventor.* [Irreg. Conjug.: v. *fazer.*]

perfazimento [De *perfazer* + *-imento.*] *S. m. P. us.* Ato ou efeito de perfazer.

perfeccional [Do lat. *perfectione*, 'perfeição', + *-al*¹.] *Adj. 2 g.* Relativo a perfeição.

perfeccionismo [Do lat. *perfectione*, 'perfeição', + *-ismo.*] *S. m.* **1.** Tendência obsessivamente exagerada para atingir a perfeição na realização de alguma coisa. **2.** *Filos.* Caráter de doutrina moral ou religiosa que prescreve a busca da perfeição, sendo esta concebida conforme o modelo por ele determinado. Ex.: doutrina cristã, estoica, budista, etc.

perfeccionista [De *perfeccionismo* + *-ista.*] *Adj. 2 g.* **1.** Relativo ao, ou que tem ou denota perfeccionismo. ● *S. 2 g.* **2.** Pessoa que o tem.

perfecional *Adj. 2 g.* V. *perfeccional.*

➔ **perfect binding** [ˈpəːfikt ˈbajndɪŋ] [Ingl.] *Art. Gráf.* Sistema de acabamento em que, sucessivamente, se processam as seguintes operações: os cadernos são organizados e acertados (formando o miolo); o miolo é cortado nas quatro direções; a lombada é fresada e recebe a cola; a capa é ajustada ao miolo; o conjunto é refilado nos lados, exceto na lombada. [Com cap. Abrev.: *PB.*]

perfectibilidade [De *perfectível* + *-(i)dade*, seg. o padrão erudito.] *S. f.* Qualidade de perfectível.

perfectível [Do lat. *perfectus*, 'perfeito', + *-ível.*] *Adj. 2 g.* Suscetível de perfeição ou de aperfeiçoamento.

perfectivo [Do lat. *perfectivu.*] *Adj.* **1.** Que perfaz. **2.** Que mostra ou denota perfeição. **3.** *E. Ling.* Relativo a aspecto perfectivo (q. v.). ~ V. *aspecto* —. ● *S. m.* **4.** *E. Ling.* Aspecto perfectivo (q. v.). [Cf. *imperfectivo.*]

perfeição [Do lat. *perfectione.*] *S. f.* **1.** O conjunto de todas as qualidades; a ausência de quaisquer defeitos: *a perfeição do ser absoluto.* **2.** O máximo de excelência a que uma coisa pode chegar; primor, correção: *a perfeição de um soneto; a perfeição de um gráfico.* **3.** O maior grau de bondade ou virtude a que pode alguém chegar; pureza: *perfeição de caráter, de sentimentos.* **4.** O mais alto grau de beleza a que pode chegar alguém ou algo: *perfeição de traços, de formas.* **5.** Execução sem falhas, perfeita: *a perfeição de um objeto; a perfeição de uma interpretação musical.* **6.** Precisão (5). **7.** Requinte, apuro, esmero: *a perfeição de uma roupa, de uma decoração.* **8.** Mestria, perícia: *a perfeição de um artista, de um aviador.* **9.** *Filos.* Estado do que é perfeito.

perfeiçoar [De *perfeição* + *-ar*², com desnasalação.] *V. t. d. P. P. us.* V. *aperfeiçoar.* [Conjug.: v. *coroar.*]

perfeitamente [Do fem. de *perfeito* + *-mente.*] *Adv.* **1.** De modo perfeito; correta e/ou perfeitamente. **2.** Muito: *Sua promoção é perfeitamente provável.* **3.** Exprime aceitação, afirmação, concordância ou permissão; sim: *O senhor pode terminar o relatório antes de sair? – Perfeitamente.* **4.** De modo completo, total, pleno; muito bem: *Você entendeu o que ele disse? – Perfeitamente.*

perfeito [Do lat. *perfectu*, 'feito até o fim', 'acabado, terminado'.] *Adj.* **1.** Que reúne todas as qualidades concebíveis: *Para os crentes, Deus é perfeito.* **2.** Que atingiu o mais alto grau numa escala de valores; incomparável, único, sem-par: *amizade perfeita; beleza perfeita.* **3.** Que corresponde precisamente a um conceito ou padrão ideal: *corpo perfeito; entrosamento perfeito.* **4.** Ótimo, excelente, irrepreensível: *jantar perfeito; cozinheira perfeita.* **5.** Executado ou fabricado da melhor maneira possível; sem defeito; primoroso, impecável: *O carro saiu da oficina perfeito.* **6.** Que não deixa margem a dúvidas; cabal, rigoroso: *prova perfeita; explicação perfeita.* **7.** Completo, total, acabado, rematado, perfeito: *ordem perfeita; uma perfeita idiotice.* **8.** *Bot.* Que tem os caracteres distintivos totalmente desenvolvidos: *flores perfeitas.* **9.** *E. Ling.* Diz-se de tempo verbal que exprime ação ou estado já passado em relação a certa época. **10.** *E. Ling.* Relativo a aspecto perfeito (q. v.). **11.** *Filos.* Diz-se do que, em qualquer domínio, não pode ser superado quanto à completa realização, seja com relação à própria essência, seja com relação a um modelo ou objeto determinado. ~ V. *aspecto —, associação —a, conjunto —, concorrência —a, cubo —, difusor —, gás —, número —* e *quadrado —*. ● *S. m.* **12.** *E. Ling.* Aspecto perfeito (q. v.).

perficiente [Do lat. *perficiente.*] *Adj. 2 g.* V. *perfeito* (7).

perfídia [Do lat. *perfidia.*] *S. f.* Ação ou qualidade de pérfido; deslealdade, traição.

pérfido [Do lat. *perfidu.*] *Adj.* **1.** Que mente à fé jurada; fementido; traidor, desleal; infiel. **2.** Que denota ou envolve perfídia; falso, enganador, traiçoeiro: *maneiras pérfidas; pérfida esperança.*

perfil [Do occitânico ant. *perfil* < occitânico *perfilar.*] *S. m.* **1.** Contorno do rosto de uma pessoa vista de lado: *um perfil grego.* **2.** O aspecto ou a representação gráfica dum objeto que é visto só de um lado. **3.** Contorno, silhueta: *o perfil das montanhas.* **4.** Descrição de uma pessoa em traços mais ou menos rápidos. **5.** Desenho que representa o corte perpendicular dum edifício ou dum objeto, mostrando os detalhes relativos a tal seção. **6.** O ato de alinhar, de perfilar tropas. **7.** Contorno de uma moldura em relação a uma seção transversal dela. **8.** *Arquit.* Representação gráfica de seção transversal de um edifício, ou de parte dele. **9.** *Constr. Nav.* Peça de metal laminada, cuja seção reta tem forma de *L, T, I, U* ou *Z.* **10.** *Constr.* A seção transversal de vigas de aço ou de outro material. ◆ **Perfil de risco.** *Econ.* Classificação de investidor quanto à sua predisposição para correr riscos. **Perfil do solo.** Corte vertical feito no solo, desde a superfície até o material original ou rocha matriz que lhe deu origem, com o fim de o estudar física e quimicamente. **De perfil.** De lado; de flanco: "Duas mulheres numa: tinha o rosto / Gordo de frente, magro de perfil." (Manuel Bandeira, *Estrela da Vida Inteira*, p. 244.)

perfilado [Part. de *perfilar.*] *Adj.* **1.** Posto de perfil. **2.** Que se perfilou. **3.** *Mil.* Em posição de sentido.

perfilamento [De *perfilar* + *-mento.*] *S. m.* **1.** Ato ou efeito de perfilar(-se). **2.** *Metal.* Torneamento no qual a ferramenta se desloca segundo uma trajetória retilínea radial ou axial, visando à obtenção de uma forma definida, determinada pelo seu perfil.

perfilar [De *perfil* + *-ar*².] *V. t. d.* **1.** Traçar ou fazer o perfil de. **2.** Pôr em linha, alinhar (soldados). **3.** Aprumar entre o braço e o corpo (a arma). **4.** Endireitar, aprumar: *perfilar o corpo. T. d. e i.* **5.** Pôr em paralelo; comparar: *É difícil perfilar Teixeira de Pascoais com Fernando Pessoa. P.* **6.** Pôr-se direito, aprumado; endireitar-se: *Perfilou-se ante o coronel.*

perfil-diagrama *S. m. Fitogeogr.* Maneira de representar, em escala sobre papel milimetrado, uma formação vegetal arbórea: derrubadas as árvores após as mensurações de distância e altura, são estas medidas uma por uma, identificadas e lançadas no papel, e obtém-se um desenho que é uma representação esquemática da vegetação estudada. [Pl.: *perfis-diagramas* e *perfis-diagrama.*]

perfilhação [De *perfilhar* + *-ção.*] *S. f.* **1.** Ato ou efeito de perfilhar; perfilhamento. **2.** V. *adoção* (2).

perfilhador (ô) [De *perfilhar* + *-dor.*] *Adj. S. m.* Que, ou aquele que perfilha.

perfilhamento [De *perfilhar* + *-mento.*] *S. m.* **1.** Perfilhação (1). **2.** V. *adoção* (2).

perfilhar [De *per-* + *filho* + *-ar*².] *V. t. d.* **1.** Receber legalmente como filho; filiar, filhar: "Ele pretendia enriquecer muito mais, casando com a Salvina, perfilhando-lhe as duas filhas generosamente" (Gustavo Barroso, *Mississípi*, p. 90). **2.** *Dir. Civ.* Reconhecer voluntariamente (filho havido fora do casamento), no registro de nascimento, mediante instrumento público ou particular a ser arquivado em cartório, ou por manifestação direta perante juiz. **3.** Adotar, defender, abraçar, filhar (uma teoria, um princípio). *Int.* **4.** *Bot.* Emitir rebentos (a planta).

perfiloplastia [De *perfil* + *-o-* + *-plast(o)-* + *-ia*¹.] *S. f. Cir. Plást.* Intervenção cirúrgica plástica embelezadora ou restauradora de qualquer local do perfil corporal.

perfluorodecalina *S. f. Quím.* Qualquer de duas substâncias líquidas, us. como solvente, que são derivadas de decalina por substituição de todos os átomos de hidrogênio desta por flúor [fórm.: $C_{10}F_{18}$].

perfluxo (cs) [De *per-* + *fluxo.*] *S. m.* Fluxo abundante de humores.

perfolhada [De *per-* + *folha* + *-ada*¹.] *S. f. Bot.* Pequeno arbusto apiáceo (*Bupleurum intermedium*) nativo na Europa e ocasional nos trópicos, de folhas simples, inteiras, coriáceas, flores pequeninas, dispostas em umbelas compostas, e frutos inconspícuos.

perfolhado [De *per-* + *folha* + *-ado*¹.] *Adj.* ~ V. *folha —a.*

perfolhear [De *per-* + *folhear*; criação de Nélson Vaz.] *V. t. d. Neol.* Folhear com atenção, demoradamente. [Conjug.: v. *frear.*]

perfoliação [De **perfoliar* (< *per-* + *-foli-* + *-ar*²) + *-ção.*] *S. f.* Ato ou efeito de se tornar perfoliado.

perfoliado [De *per-* + *-foli-* + *-ado*¹.] *Adj. Bot.* Diz-se da folha que é atravessada pelo ramo, ficando este nela incluído.

performance [Do ingl. *performance* (do v. ingl. [*to*] *perform* + *-ance*).]) *S. f.* **1.** Atuação, desempenho: *Sua performance foi notável; conseguiu quebrar o próprio recorde.* **2.** Espetáculo no qual o artista fala e age por conta própria. [Cf., nesta acepç., *performer.*] **3.** Qualquer atividade artística que, inspirada nas artes cênicas, se apresenta como evento transitório, e que pode incluir dança, música, poesia, e até mesmo cinema, ou televisão, ou vídeo. **4.** *Esport.* O desempenho de um desportista (ou de um cavalo de corrida) em cada uma de suas exibições. [V. *desempenho.*]

performático [De *perform(ance)* + *-ático.*] *Adj.* **1.** Relativo a *performance.* **2.** Que faz *performances* [v. *performance* (2 e 3)]: "Figura mais performática do governo Lula, Gilberto Gil renuncia ao Ministério da Cultura." (Revista *Veja*, 06.08.2008).

➔ **performer** [pɚ'fɔɪmɚ] [Ingl.] *S. 2 g.* Indivíduo que realiza *performance* (2) em que, além de ator, é cantor, dançarino e mímico (3). [Diferentemente do ator que, no teatro, interpreta a personagem que lhe é atribuída, o *performer* cria o próprio papel.]

perfulgência [De *perfulgente* + *-ia*[2], seg. o padrão analógico.] *S. f.* Qualidade de perfulgente.

perfulgente [Do lat. *perfulgente.*] *Adj. 2 g.* Brilhantíssimo, resplendecente: "pôde [João de Deus] alumiar-se, desde a antecâmara da morte, a um intenso clarão com que nunca sonhara: o resplendor perfulgente da glória." (Silva Ramos, *Pela Vida fora...*, p. 143).

perfumado [Part. de *perfumar.*] *Adj.* Que tem ou exala perfume; cheiroso, aromático, oloroso, olente: "Mr. Bauer é um homem baixo, pálido, de cara feminina e larga, ... asseado, perfumado, delicado, e com voz assombrosa." (Eça de Queirós, *Notas Contemporâneas*, p. 8.)

perfumador (ô) [De *perfumar* + *-dor.*] *Adj.* **1.** Que perfuma; perfumante. ● *S. m.* **2.** Recipiente onde se queimam perfumes.

perfumadura [De *perfumar* + *-dura.*] *S. f.* Ato de perfumar.

perfumante [De *perfumar* + *-nte.*] *Adj. 2 g.* Perfumador (1).

perfumar [De *per-* + *fumar.*] *V. t. d.* **1.** Espalhar perfume em ou sobre; impregnar de aroma: *Perfumou os cabelos após o banho.* **2.** Encher de perfume; tornar odorífero, aromático: "E só havia paz no interior dos muros dos mosteiros, em cujos pátios .... as pombas voavam em redor da margela do poço e cresciam os jasmineiros e as roseiras, perfumando o ar." (Gustavo Barroso, *Livro dos Milagres*, p. 27.) *P.* **3.** Pôr perfume em si mesmo.

perfumaria [De *perfume* + *-aria.*] *S. f.* **1.** Fábrica ou loja de perfumes [v. *perfume* (2)]. **2.** Os perfumes. **3.** *Bras. Pop.* Bebida não alcoólica, ou que, sendo-o, é muito doce. **4.** *Bras. Fam.* Coisa sem importância: *Vamos ao essencial: o resto é perfumaria;* "A única dor que existe é a de cotovelo. As outras dores, físicas ou morais, são conversa fiada, perfumaria!" (Nélson Rodrigues, *100 Contos Escolhidos. A Vida Como Ela É*, II, p. 47). **5.** *Bras. Chulo* V. *roçado* (6).

perfume [Dev. de *perfumar.*] *S. m.* **1.** Cheiro agradável e penetrante exalado de uma substância aromática; aroma, fragrância: *o perfume do jasmim, da baunilha.* **2.** Produto de preparação caseira ou industrial, feito de essências aromáticas, e us. para perfumar a pele, as roupas, etc.: *um vidro de perfume.* **3.** Composição odorífera empregada na preparação de licores, iguarias, etc. **4.** *Fig.* Suavidade, doçura.

perfumista [De *perfume* + *-ista.*] *S. 2 g.* Fabricante e/ou vendedor de perfumes.

perfumoso (ô) [De *perfume* + *-oso.*] *Adj.* Que exala perfume; perfumado, cheiroso, odorífero.

perfunctório [Do lat. *perfunctoriu.*] *Adj.* Que se faz como simples rotina funcional, e não por necessidade ou visando a um fim útil; superficial, ligeiro: "Como orador sagrado, Macedo deveu a popularidade de que gozou a um falso brilho no fundo das ideias, e sobretudo a essa instrução perfunctória que começa a invadir a capital e que é mais danosa às letras do que a ignorância." (Alexandre Herculano, *Opúsculos*, IX, p. 15.) [Var.: *perfuntório.*]

perfuntório *Adj.* V. *perfunctório.*

perfuração [De *perfurar* + *-ção.*] *S. f.* Ato ou efeito de perfurar.

perfurado [Part. de *perfurar.*] *Adj.* Que tem furo(s); furado. ~ V. *cartão* —.

perfurador (ô) [De *perfurar* + *-dor.*] *Adj.* **1.** Que perfura; perfurante, perfurativo. ● *S. m.* **2.** Aquilo que perfura ou é próprio para perfurar.

perfuradora (ô) [F. subst. do adj. *perfurador.*] *S. f. Bras.* **1.** Máquina para perfurar cartões, fichas, etc. **2.** Perfuratriz.

perfurante [De *perfurar* + *-nte.*] *Adj. 2 g.* V. *perfurador* (1): "olhar frio e perfurante, aos trinta e seis anos Javert é o retrato cuspido e escarrado de seu avô." (Jô Soares, *O Homem que Matou Getúlio Vargas*, p. 90). ~ V. *úlcera* —.

perfurantemente [De *perfurante* + *-mente.*] *Adv.* De modo perfurante; provocando perfuração: "E fere-me [a palavra], fina, obscura, / funda, perfurantemente" (Abgar Renault, *A Outra Face da Lua*, p. 24).

perfurar [Do lat. *perforare.*] *V. t. d.* **1.** Fazer furo(s) em; penetrar, furar: "dois negros possantes perfuravam o chão com alavancas pesadas e pontudas. Findo esse trabalho, fincava-se o clássico mastro" (Melo Morais Filho, *Festas e Tradições Populares do Brasil*, p. 168). **2.** Realizar a perfuração de; cavar: *A empresa perfurou muitos poços de petróleo.*

perfurativo [De *perfurar* + *-tivo.*] *Adj.* V. *perfurador* (1).

perfuratriz *S. f.* Máquina dotada de broca, destinada a perfurar o solo; perfuradora: "ver o asfalto rachando sob o impacto da perfuratriz é uma beleza que não tive quando menino." (Carlos Drummond de Andrade, *Fala, Amendoeira*, p. 204).

perfurável [De *perfurar* + *-vel.*] *Adj. 2 g.* Que se pode perfurar.

perfurocortante (pèr) [De *perfur(ar)* + *-o-* + *cortante.*] *Adj. 2 g.* Que tem ponta e gume; que perfura e corta ao mesmo tempo: *instrumento perfurocortante.*

perfusão [Do lat. *perfusione.*] *S. f. Med.* Passagem de líquido (inclusive sangue) através dum órgão.

pergamináceo [Do lat. *pergaminu*, 'pergaminho', + *-áceo.*] *Adj.* **1.** Que tem o aspecto de pergaminho; membranáceo. **2.** Que é feito de pergaminho: *códice pergamináceo.* [F. paral.: *pergaminháceo.*]

pergaminháceo [De *pergaminho* + *-áceo.*] *Adj.* V. *pergamináceo.*

pergaminharia [De *pergaminho* + *-aria.*] *S. f.* Comércio ou indústria de pergaminheiro.

pergaminheiro [De *pergaminho* + *-eiro.*] *S. m.* Indivíduo que prepara e/ou vende pergaminho.

pergaminho [Do lat. tard. *pergaminu*, 'de Pérgamo'.] *S. m.* **1.** Pele de cabra, de ovelha ou de outro animal, macerada em cal, raspada e polida, para servir de material de escrita, e também de encadernação. [A técnica, originada no Oriente, foi aperfeiçoada em Pérgamo, daí recebendo a denominação.] **2.** Manuscrito em pele assim tratada, e cuja utilização determinou a forma de códice que passou a ter o livro manuscrito. [V. *velino.*] **3.** *Bras.* Diploma de curso superior. ~ V. *pergaminhos.* ◆ **Pergaminho vegetal.** Papel que tem o aspecto e a resistência do pergaminho, e se obtém pelo tratamento a ácido sulfúrico das folhas fabricadas com celulose pura; papel-pergaminho.

pergaminhos [Pl. de *pergaminho.*] *S. m. pl. Fig.* Títulos de nobreza: "Fidalga entre todas, com pergaminhos históricos de incomparável nobreza ...., a França estava, na Europa, entre as velhas monarquias aristocráticas, com o ar embaraçado de uma merceeira entre duquesas!" (Eça de Queirós, *Ecos de Paris*, p. 114.) ~ V. *pergaminho.*

pergaminhoso (ô) [De *pergaminho* + *-oso.*] *Adj.* Que tem o aspecto e/ou a consistência do pergaminho; semelhante a ele; apergaminhado.

pergídeo [Do tax. *Perga* + *-ídeo*[1]; tax. *Pergidae.*] *Zool.* *S. m.* **1.** Espécime dos pergídeos, família de insetos himenópteros, que apresentam antenas de seis a nove segmentos, ramificadas ou plumosas, e esporões tibiais simples. As larvas, no último estágio, alimentam-se de esterco seco, sendo com frequência ingeridas pelos porcos, que com isso se envenenam, donde vem a denominação mata-porcos, que a elas se dá no *RS.* ● *Adj.* **2.** Pertencente ou relativo a eles.

pérgola *S. f.* V. *pérgula.*

pérgula [Do it. *pergola.*] *S. f.* **1.** Passeio ou abrigo, em jardins, feito de duas séries de colunas paralelas, e que serve de suporte a trepadeiras: "preferia [Ferdinando Paolieri].... deter-se num banco de jardim citadino, sob uma pérgula amável, junto a um cântaro espumante, a ir extraviar-se num desses vilarejos de província adormecida" (Agripino Grieco, *O Sol dos Mortos*, p. 69). **2.** *Arquit.* Estrutura horizontal composta de vigamento regular sustentado por pilares, que se constrói como um teto vazado, em área externa de uma edificação. [Seria preferível a grafia *pérgola.*]

pergunta [Dev. de *perguntar.*] *S. f.* **1.** Palavra ou frase com que se interroga; interrogação. **2.** Quesito, questão: *A prova constava de 10 perguntas sobre história do Brasil.* ◆ **Pergunta de algibeira.** Pergunta, em geral de resposta difícil, feita com o intuito de confundir o interpelado.

perguntador (ô) [De *perguntar* + *-dor.*] *Adj.* *S. m.* **1.** Que, ou aquele que pergunta. **2.** Que, ou aquele que é dado a perguntar; curioso, indagador.

perguntante [De *perguntar* + *-nte.*] *S. 2 g.* Pessoa que faz perguntas, que interroga.

perguntar [Do lat. vulg. **praecunctare.*] *V. t. d.* **1.** Fazer pergunta(s) a; interrogar, inquirir: *A polícia perguntou quase todos os presentes.* **2.** Propor (uma questão); indagar, investigar: *Não quis perguntar a razão de semelhante mudança.* *T. d. e i.* **3.** Solicitar (informação); inquirir, indagar: *Perguntou-lhe o seu nome.* *T. i.* **4.** Fazer pergunta: *Pergunte a quem possa informar.* **5.** Solicitar informação; indagar, inquirir: "a baronesa lembrou-se do *Tomnay*, o galgo da condessa; perguntou por *Tomnay*." (Eça de Queirós, *Os Maias*, II, p. 80); "E perguntava sobre os últimos inventos / Agrícolas." (Cesário Verde, *Obra Completa*, p. 117). *Bit. i.* **6.** Inquirir, indagar: "O feitor perguntava-lhe pela tarefa, em que pé estava ela" (Silva Guimarães, *Os Borrachos*, p. 6). *Int.* **7.** Fazer pergunta; pedir ou buscar esclarecimentos: *Curioso, tem a mania de perguntar.* *P.* **8.** Perguntar a si mesmo; indagar de si próprio: "até hoje me pergunto como é que tive coragem de ir ver o vigário." (Oto Lara Resende, *O Braço Direito*, p. 6); "Quando à noite me sento no toucador para tirar a maquiagem pergunto-me se fui eu que envelheci ou foi o espelho do quarto." (Lobo Antunes, *O Esplendor de Portugal*, p. 48).

perguntativamente [Do f. de *perguntativo* + *-mente.*] *Adv.* De modo perguntativo; em tom de pergunta; interrogativamente: "Como ninguém da roda jogasse xadrez, todos me olharam perguntativamente." (Monteiro Lobato, *Urupês, Outros Contos e Coisas*, p. 485.)

perguntativo [De *perguntar* + *-tivo.*] *Adj.* Que encerra uma pergunta.

peri[1] [Do persa *pari.*] *S. m.* Certo gênio benfazejo da mitologia persa. [Cf. *piri.*]

peri[2] [Do tupi = 'junco'.] *S. m.* **1.** *Bras.* Sulco formado pelo escoamento de águas em declive. **2.** *Bras. MT* A parte baixa de terreno alagada pelas águas de um rio. [Cf. *piri.*]

▲ **peri-** [Do gr. *perí.*] *Pref.* = 'movimento em torno', 'posição em torno': *perianto, pericondro, peridídimo, periscópio.* [É seguido de hífen quando anteposto a palavra iniciada por *h* ou *i*: *peri-ilese* (em tais casos, apenas o 2º el. é flexionado na formação do plural); é grafado com *r* ou *s* duplicados quando anteposto a palavra iniciada por *r* ou *s*: *perirrenal, perissístole.*]

periacto [Do gr. *periáktos.*] *S. m. Teatr.* No antigo teatro grego, cada um dos prismas triangulares giratórios executados com madeira e tela, em cujas três faces se pintavam diferentes cenários, e que eram providos de um eixo central que permitia o movimento giratório das faces, para mudanças rápidas de ambientação cênica. [Cf. *telaro.*]

periambo [Do lat. *periambu.*] *S. m.* V. *pirríquio.*

periamidaliano *Adj. Otor.* V. *periamigdaliano.* [Uso próprio de P.] ⊙

periamigdaliano [De *peri-* + *amígdala* + *-iano.*] *Adj. Otor.* Que está ou se forma ao redor de tonsila: *abscesso periamigdaliano.* [Var.: *periamidaliano.*]

perianal [De *peri-* + *anal.*] *Adj. 2 g. Anat.* Que circunda ou envolve o ânus.

periândrico [De *peri-* + *-andr(o)-* + *ico*[2].] *Adj. Bot.* Situado ao redor dos estames.

periantã [Do tupi.] *S. m. Bras. Amaz.* **1.** Lugar onde há peris (v. *peri*[2]). **2.** Camalote. **3.** V. *matupá* (2).

periantado [De *perianto* + *-ado*[1].] *Adj. Bot.* Provido de perianto: *flor periantada.*

perianto [De *peri-* + *-anto.*] *S. m. Bot.* O conjunto dos verticilos protetores da flor. Consta de cálice e corola, não devendo ser confundido com o *perigônio* (q. v.).

periantopódio [De *perianto* + *-pod(o)-* + *-io*[3].] *S. m. Bot.* Porção inferior do tubo periantal, que é concrescente com a base dos estiletes. Ocorre nas fragáceas.

periapical [De *peri-* + *ápice* + *-al*[1].] *Adj. 2 g. Odont.* Diz-se de região que circunda o ápice da raiz dentária.

periarterite [De *peri-* + *artéria* + *-ite*[1].] *S. f. Patol.* Inflamação das camadas externas de uma artéria e do tecido em sua volta. ◆ **Periarterite nodosa.** *Patol.* V. *poliarterite nodosa.*

periastro [De *peri-* + *astro.*] *S. m. Astr.* Ponto da órbita de um astro em que ele se encontra mais próximo de outro astro, em torno do qual gravita. [Aplica-se, em geral, ao caso das estrelas binárias.] [Cf. *apoastro.*]

periblema [Do gr. *períblema*, 'vestimenta'.] *S. m. Bot.* Conjunto de células meristemáticas do ponto vegetativo do caule ou da raiz, as quais dão origem aos tecidos da casca.

periblepsia [De *peri-* + *-bleps-* + *-ia*[1].] *S. f. Med.* Olhar inquieto de indivíduo delirante.

periblépticoo [De *periblepsia* + *-ico*[2], seg. o padrão erudito.] *Adj. Med.* Relativo a periblepsia, ou que a apresenta.

períbolo [Do gr. *períbolos*, pelo lat. tard. *peribolu.*] *S. m.* **1.** Terreno, geralmente arborizado, que, na Antiguidade, rodeava um templo. **2.** Área livre entre um edifício e o muro que o circunda. **3.** Adro (1).

pericardiário [De *pericárdio* + *-ário.*] *Adj. Anat.* V. *pericárdico.*

pericárdico [De *pericárdio* + *-ico*[2].] *Adj. Anat.* **1.** Relativo a pericárdio. **2.** Que se forma no pericárdio. [Sin. ger.: *pericardiário, pericardino.*]

pericardino [De *pericárdio* + *-ino*[1].] *Adj.* V. *pericárdico.*

pericárdio [Do lat. cient. *pericardium* < gr. *perikárdion.*] *S. m. Anat.* Saco externamente fibroso e internamente seroso, que reveste por fora o coração.

pericardite [De *pericárdio* + *-ite*[1].] *S. f. Card.* Inflamação do pericárdio.

pericardítico [De *pericardite* + *-ico*[2].] *Adj.* Relativo a pericardite.

pericário [De *peri-* + *-cário.*] *S. m. Histol.* Corpo celular de neurônio.

pericárpico [De *pericarpo* + *-ico*[2].] *Adj.* Relativo ou pertencente ao pericarpo: *parede pericárpica.*

pericarpo [De *peri-* + *-carpo*.] *S. m. Bot.* O fruto em si, com exclusão das sementes; a parede de um fruto. [O *pericarpo* comporta, nos frutos bem desenvolvidos, três partes, de dentro para fora: *endocarpo*, *mesocarpo* e *epicarpo* (q. v.).]

pericecal [De *peri-* + *-cec(o)-* + *-al*[1].] *Adj. 2 g. Anat.* Situado em torno do ceco.

pericementite [De *pericemento* + *-ite*[1].] *S. f. Odont.* Inflamação de pericemento.

pericemento [De *peri-* + *cemento*.] *S. m. Odont.* Formação (5) de tecido conjuntivo e que circunda as raízes dentárias, mantendo os dentes em seus alvéolos.

pericentral [De *peri-* + *-centr(o)-* + *-al*[1].] *Adj. 2 g.* Situado interiormente, em volta de alguma coisa: *O peritônio é uma membrana pericentral.*

pericêntrico [De *peri-* + *-centr(o)-* + *-ico*[2].] *Adj.* Situado em torno de um centro.

pericentro [De *peri-* + *centro*.] *S. m. Astr.* O ponto mais próximo do centro, na órbita de um corpo celeste.

perícia [Do lat. *peritia*.] *S. f.* **1.** Qualidade de perito. **2.** Habilidade, destreza. **3.** Vistoria ou exame de caráter técnico e especializado (v. *peritagem*). **4.** Conjunto de peritos (ou um só) que faz essa vistoria: *A perícia está fazendo investigações sobre o crime.* **5.** Conhecimento, ciência.

pericial [De *perícia* + *-al*[1].] *Adj. 2 g.* **1.** Relativo a perícia. **2.** Da perícia (3); feito ou apresentado por ela: *laudo pericial.*

pericíclico [De *peri-* + *-cicl(o)-* + *-ico*[2].] *Adj.* Relativo ou pertencente ao periciclo: *fibras pericíclicas.* ~ V. *reação —a*.

periciclo [Do gr. *períkyklos*, 'circunferência'.] *S. m. Bot.* Camada de células parenquimatosas, quase sempre única, que está entre o cilindro central e a endoderme, seja no caule, seja na raiz. [O *periciclo* é região formadora de raízes, e pode ter fibras lignificadas e celulóticas, às vezes importantes na indústria, como as do linho.]

pericistite [De *peri-* + *-cist(o)-* + *-ite*[1].] *S. f. Urol.* Inflamação dos tecidos que cercam a bexiga.

pericistítico [De *pericistite* + *-ico*[2].] *Adj.* Relativo a pericistite.

periclásio [De *peri-* + *-clas(i)-* + *-ico*[2].] *S. m. Min.* Mineral monométrico, óxido de magnésio; periclasita.

periclasita [De *peri-* + *-clas(i)-* + *-ita*[3].] *S. f. Min.* V. *periclásio*.

periclinal [Do gr. *periklinés*, 'inclinado de todos os lados', + *-al*.] *Adj. 2 g.* **1.** *Geom.* Que, a partir do centro, se inclina em direção a todos os pontos da circunferência. **2.** *Geol.* Diz-se das camadas geológicas que se orientam tomando a forma cônica. [Cf. *anticlinal*.]

periclíneo [De *peri-* + *-clin(o)-*[2] + *-eo*.] *Adj.* **1.** *Bot.* Periclínico. ● *S. m.* **2.** *Min.* Lei de geminação que ocorre entre os feldspatos triclínicos.

periclínico [De *peri-* + *-clin(o)-*[2] + *-ico*[2].] *Adj. Bot.* Diz-se da parede celular que é paralela à superfície do órgão ao qual pertence; periclíneo. Há duas: uma externa e uma interna.

pericliniforme [De *periclino* + *-iforme*.] *Adj. 2 g. Bot.* Que tem forma de periclino.

periclinita [De *peri-* + *-clin(o)-*[2] + *-ita*[3].] *S. f. Min.* Variedade de albita (plagioclásio) geminada conforme a lei do periclíneo (2).

periclino [Do gr. *periklinés*, 'inclinado de todos os lados'.] *S. m. Bot.* Reunião de brácteas imbricadas e dispostas ao redor de uma porção de flores insertas em um receptáculo comum, como ocorre nas dálias.

periclitação [Do lat. *periclitatione*.] *S. f.* Ato ou efeito de periclitar. ◆ **Periclitação da vida ou saúde de outrem.** *Jur.* Ato de pôr a vida ou saúde de alguém em perigo.

periclitância [De *periclitante* + *-ia*², seg. o padrão analógico.] *S. f.* Estado de periclitante.

periclitante [Do lat. *periclitante*.] *Adj. 2 g.* Que periclita, que corre perigo: *situação periclitante; saúde periclitante.*

periclitar [Do lat. **periclitare*, por *periclitari*.] *V. int.* Correr perigo; estar em perigo; perigar: *Sua vida periclita, ameaçada que foi por aquele bandido;* "Essa era a sua [de Nabuco de Araújo] qualidade principal de político: adaptar os meios aos fins e não deixar periclitar o interesse social maior por causa de uma doutrina ou de uma aspiração." (Joaquim Nabuco, *Minha Formação*, pp. 189-190).

pericolecistite [De *peri-* + *-col(e)-* + *-cist(o)-* + *-ite*[1].] *S. f. Patol.* Inflamação dos tecidos em torno da vesícula biliar.

pericolecistítico [De *pericolecistite* + *-ico*[2].] *Adj.* Relativo a pericolecistite.

pericolpite [De *peri-* + *-colp(o)-* + *-ite*[1].] *S. f. Gin.* Inflamação dos tecidos em torno da vagina.

pericôndrio [De *peri-* + *-condr(o)-* + *-io*[3].] *S. m. Anat. Histol.* Bainha de tecido conjuntivo que recobre a superfície de uma cartilagem.

pericondrite [De *pericôndrio* + *-ite*[1].] *S. f. Ort.* Inflamação de pericôndrio.

pericondrítico [De *pericondrite* + *-ico*[2].] *Adj.* Relativo a pericondrite.

pericondro [De *peri-* + *-condro*.] *S. m. Anat. Histol.* V. *pericôndrio*.

perícope [Do gr. *perikopé*, 'ação de cortar em volta', 'seção'.] *S. f.* **1.** Extrato de um livro usado para transcrição ou para outro fim. **2.** *Restr.* Trecho da Bíblia escolhido para leitura durante o culto, ou como tema de sermão.

pericoronite [De *peri-* + *-coron(i)-* + *-ite*[1].] *S. f. Odont.* Inflamação à volta de coroa dentária incompletamente irrompida.

pericote [Dim. do esp. *perico*, 'antigo penteado'.] *S. m. Bras. SP* V. *cocó*[1].

pericraniano [De *peri-* + *crânio* + *-ano*[1].] *Adj.* Situado em volta do crânio.

pericrânio [De *peri-* + *crânio*; lat. cient. *pericraneum*.] *S. m. Anat.* Periósteo craniano.

periculosidade [Do lat. *periculosus*, 'perigoso', + *-(i)dade*.] *S. f.* **1.** Estado ou qualidade de perigoso. **2.** *Dir. Trab.* Condição laboral que expõe o trabalhador a riscos à sua saúde ou integridade física, em razão de seu contato permanente com materiais perigosos. **3.** *Jur.* Conjunto de circunstâncias que indicam a probabilidade de alguém praticar ou tornar a praticar um crime.

peridental [De *peri-* + *-dent(i)-* + *-al*[1].] *Adj. 2 g.* Situado em volta de dente.

periderme [De *peri-* + *-derme*.] *S. f. Bot.* O conjunto dos tecidos que formam a casca externa das plantas floríferas de índole lenhosa.

peridérmico [De *periderme* + *-ico*[2].] *Adj.* Relativo ou pertencente a periderme, ou que nela ocorre: *lesão peridérmica.*

peridesmo [De *peri-* + *-desmo*.] *S. m. Anat.* Membrana que envolve ligamento (3).

perididimite [De *perididimo* + *-ite*[1].] *S. f. Urol.* Inflamação de perididimo.

perididimítico [De *perididimite* + *-ico*[2].] *Adj.* Relativo a perididimite.

perididimo [De *peri-* + *-dídimo*.] *S. m. Anat.* Túnica vaginal do(s) testículo(s).

perídio [Do lat. cient. *peridium* (do gr. *perídion*, 'bolsinha', dim. do gr. *péra*, 'bolsa').] *S. m. Micol.* Envoltório do aparelho esporífero (corpo de frutificação) de fungos.

periodiscal [De *peri-* + *-disc(i)-* + *-al*[1].] *Adj. 2 g. Bot.* Diz-se dos estames que se inserem à volta da base de um disco.

peridotito [De *peridoto* + *-ito*[2].] *S. m. Petr.* Rocha eruptiva granular constituída essencialmente de olivina (q. v.).

peridoto [Do fr. *péridot*.] *S. m. Petr.* Olivina.

peridrato [De *per-* + *(h)idrato*.] *S. m. Quím.* Composto que contém uma ou mais moléculas de peróxido de hidrogênio, análogo aos hidratos.

peridrofenantreno [De *per-* + *(h)idro(genado)* + *fenantreno*.] *S. m. Quím.* Hidrocarboneto saturado, que pode existir em várias formas isoméricas, que resulta da hidrogenação total do fenantreno [fórm.: $C_{14}H_{24}$].

perídromo [Do gr. *perídromos*.] *S. m. Arquit.* Espaço coberto que rodeia um edifício.

peridural [De *peri-* + *dura(-máter)* + *-al*[1].] *Adj. 2 g.* Diz-se do que circunda a dura-máter. ~ V. *anestesia —*.

periecos [Do gr. *períoikoi*, 'moradores nas cercanias'.] *S. m. pl.* **1.** Na Grécia antiga, cidadãos livres, mas sem direitos políticos plenos, que serviam no exército espartano e tinham o monopólio da indústria e do comércio. **2.** *Astr.* Habitantes da Terra que vivem no mesmo paralelo de latitude, mas em longitudes que diferem entre si 12 horas; periscios. [Cf. *antecos* e *antípoda*.]

periegese [Do gr. *periégesis*, pelo lat. tard. *periegese*.] *S. f.* Descrição de uma região, de um país.

periegético [Do gr. *periegetikós*.] *Adj.* Que apresenta a descrição geográfica de uma região, de um país: *guia periegético do Algarve.*

periélio [De *peri-* + *-(h)élio*.] *S. m. Astr.* **1.** O ponto de menor afastamento de um astro do sistema solar no seu movimento de translação em torno do Sol, e que ocorre em janeiro. [Opõe-se a *afélio*.] ● *Adj.* **2.** Do periélio, ou relativo a ele. ~ V. *distância —a*.

periergia [Do gr. *periergía*, 'excesso de cuidado'.] *S. f.* Apuro excessivo de linguagem.

periferia [Do gr. *periphéreia*, 'circunferência', pelo lat. tard. *peripheria*.] *S. f.* **1.** Superfície ou linha que delimita externamente um corpo; contorno, âmbito: *periferia de uma praça, de uma cidade.* **2.** *Geom.* Contorno de uma figura geométrica curvilínea. **3.** *Geom.* Superfície de um sólido. **4.** *Bot.* Extremidade marginal da folha. **5.** *Fig.* Contorno; vizinhança, proximidade: *A explicação não é completa: fica na periferia do problema.* **6.** O conjunto dos países subdesenvolvidos, em oposição aos desenvolvidos, estes vistos como o *centro* do sistema econômico mundial. **7.** *Urb. Bras.* Numa cidade, a região mais afastada do centro urbano, em geral carente em infraestrutura e serviços urbanos, e que abriga os setores de baixa renda da população.

periférico [De *periferia* + *-ico*[2].] *Adj.* **1.** De, ou relativo à periferia. **2.** Situado na periferia (1): *bairros periféricos.* **3.** *Bot.* Diz-se do perispermo quando envolve e oculta o embrião. ~ V. *dispositivo —*, *neurofibromatose —a* e *sistema nervoso —*. **4.** Que não é ou não ocupa posição nuclear: *vocábulo periférico.* **5.** Que não é fundamental ou essencial; secundário: *assunto periférico.* ● *S. m.* **6.** Dispositivo periférico (q. v.).

periflebite [De *peri-* + *flebite*.] *S. f. Patol.* Inflamação que compromete tecidos dispostos em torno de veia, ou a camada externa desta.

periflebítico [De *periflebite* + *-ico*[2].] *Adj. Patol.* Relativo a periflebite.

perifoco [De *peri-* + *foco*.] *S. m. Astr.* Apside de uma órbita elíptica, no qual o astro secundário se acha mais próximo do centro de forças.

periforme [De *pera* + *-iforme*.] *Adj. 2 g.* Piriforme.

perífrase [Do gr. *periphrasis*, pelo lat. *periphrase*.] *S. f.* **1.** V. *circunlóquio*: "O estilo de Matias Aires é simples, puro e claro. Sente-se que, escrevendo, o pensamento abundante e poderoso não lhe permitia delongas, perífrases, volteios, variações" (Andrade Murici, *O Suave Convívio*, p. 120). **2.** *E. Ling.* Perífrase morfológica (q. v.). **3.** *E. Ling.* Designação de alguém ou de algo por construção que dê relevo a uma de suas qualidades, e não por seu nome. [Ex.: *a luz de minha vida* em lugar de *meu amor*.] ◆ **Perífrase lexical.** *E. Ling.* V. *circunlóquio*. **Perífrase morfológica.** *E. Ling.* Expressão de uma relação gramatical pela utilização de uma sequência de palavras e, não, por afixação, como no caso das conjugações perifrásticas. [Tb. se diz apenas *perífrase*.]

perifrasear [De *perífrase* + *-ear*[2].] *V. t. d.* **1.** Explicar ou expor por perífrase. *Int.* **2.** Fazer uso de perífrase. [Conjug.: v. *frear*.]

perifrástico [Do gr. *periphrastikós*.] *Adj. E. Ling.* Respeitante a, ou que encerra perífrase.

perigador (ô) [De *perigar* + *-dor*.] *Adj. P. us.* **1.** Que ameaça perigo. **2.** Em que há perigo; perigoso.

perigaláctico [De *peri-* + *galáctico*.] *Adj. Astr.* Diz-se do ponto mais próximo do centro da galáxia, na órbita de uma estrela.

perigalho [De esp. *perigallo*, poss.] *S. m.* **1.** Pele do queixo ou do pescoço descaída por magreza ou velhice; pelanca. [Cf. *barbela* (1).] **2.** *Bras. Marinh.* Cabo ou teque usado para suspender o espinhaço dos toldos.

perigar [De *perigo* + *-ar*[2].] *V. int.* Periclitar: "Conceder-lhe entrar alta noite, a hora que ninguém o visse, para que a sua honra não perigasse" (Camilo Castelo Branco, *D. Luís de Portugal*, pp. 11-12). [Conjug.: v. *largar*.]

perigeu [Do gr. *perígeios*; fr. *périgée*.] *S. m. Astr.* Ponto da órbita de um astro em torno da Terra, no qual esse astro se encontra mais próximo do centro do nosso planeta. [Antôn.: *apogeu*.]

periginia [De *perígino* + *-ia*[1].] *S. f. Bot.* Estado ou disposição de perígino.

perígino [De *peri-* + *-gino*.] *Adj. Bot.* Inserido em torno do ovário quando o receptáculo é profundo: *flor perígina.*

perigo [Do lat. *periculu*.] *S. m.* **1.** Circunstância que prenuncia um mal para alguém ou para alguma coisa: *evitar o perigo; temer o perigo; expor seu patrimônio ao perigo.* **2.** Aquilo que provoca tal circunstância; risco: *Os entorpecentes são um perigo para a sociedade.* **3.** Estado ou situação que inspira cuidado; gravidade: *É um mal sem perigo.* **4.** *Bras. Gír.* Mulher tentadora, provocante. **5.** *Jur.* Situação de fato da qual decorre o temor de uma lesão física ou moral a uma pessoa ou de uma ofensa aos direitos dela. ◆ **A perigo.** *Bras. Gír.* **1.** Sem dinheiro; pindaíba. **2.** *P. ext.* Em qualquer situação difícil. [Sin. ger.: *na pior*.] **3.** *Chulo* Sem fazer sexo por muito tempo.

perigônico *Adj. Bot.* V. *perigônico*. [Uso freq. em P.]

perigônico [De *perigônio* + *-ico*[2].] *Adj. Bot.* Relativo ou pertencente ao perigônio: *peça perigônica.*

perigónio *S. m. Bot.* V. *perigônio*. [Uso freq. em P.]

perigônio [De *peri-* + *-gon(o)-*[2] + *-io*[3].] *S. m. Bot.* Verticilo protetor formado somente de um círculo de peças, ou de mais de um, todas elas iguais, não podendo, assim, ser confundido com perianto (q. v.). [As peças do *perigônio* chamam-se *tépalas*.]

perígono [De *peri-* + *-gono*.] *S. m. Geom.* Ângulo ou arco de 360°. [A pronúncia correta seria *perigono*, v. *-gono*.]

perigordino [Do top. *Périgord* + *-ino*[1].] *Adj.* **1.** Do, ou pertencente ou relativo ao Périgord (região do S.O. da França). ● *S. m.* **2.** O natural ou habitante dessa região.

perigosa [F. subst. de *perigoso*.] *S. f. Bras. PB Pop.* V. *cachaça* (1).

perigosidade [De *perigoso* + *-(i)dade*.] *S. f. Lus.* Periculosidade: "o Estado-Maior da Armada tem procurado.... 'sensibilizar os utentes, chamar a atenção para a perigosidade de certos actos, procurar o equilíbrio de interesses'." (*Diário Popular*, Lisboa, 27.07.1983).

perigoso (ô) [Do lat. *periculosu*, por via pop.] *Adj.* **1.** Em que há perigo; arriscado: *cruzamento perigoso.* **2.** Que causa ou ameaça perigo: *ferida perigosa; arma perigosa.* **3.** *Jur.* Que apresenta periculosidade.

perígrafo [Do gr. *perigraphé*, 'contorno', 'esboço'.] *S. m. Anat.* Inserção tendinosa dos músculos retos do abdome.

perigual [De *per* + *igual*.] *Adv. Ant.* Por igual; igualmente.

periguete [De *perigo* + *-ete*.] *S. f. Bras. Gír.* **1.** Aquela que não tem namorado. **2.** Aquela que, buscando um par ou não, dá em cima de todos ou fica com vários, sem, no entanto, namorar ninguém.

perileno [De *per-* + *-ileno*.] *S. m. Quím.* Hidrocarboneto pentacíclico, aromático, cujas moléculas podem ser consideradas como formadas por dois naftalenos fundidos, cada um por dois lados, simetricamente, a um benzeno [fórm.: $C_{20}H_{12}$].

perilha [De *pera* + *-ilha*.] *S. f.* Ornato piriforme.

perilinfa [De *peri-* + *-linfa*.] *S. f. Anat.* Líquido que se encontra entre labirinto ósseo e labirinto membranoso.

perilo [De or. incerta.] *S. m.* Remate piramidal, muito agudo.

perilustre [Do lat. *perillustre*.] *Adj. 2 g. P. us.* Ilustríssimo.

perimedular [De *peri-* + *medula* + *-ar*[1].] *Adj. 2 g. Anat.* Situado à volta de medula.

perimetral [De *perímetro* + *-al*[1].] *Adj. 2 g.* Perimétrico.

perimetria [De *perímetro* + *-ia*[1].] *S. f. Geom.* Medida do perímetro.

perimétrico [De *perímetro* + *-ico*[2].] *Adj.* Relativo ou pertencente a perímetro; perimetral.

perimétrio [De *peri-* + *-metr(o)-*[1] + *-io*[3].] *S. m. Anat.* Camada serosa que envolve incompletamente o útero.

perimetrite [De *perimétrio* + *-ite*[1].] *S. f. Gin.* Inflamação do perimétrio.

perímetro [Do gr. *perímetros*, pelo lat. *perimetru*.] *S. m.* **1.** *Geom.* Contorno de uma figura limitada por segmentos de curvas. **2.** *Geom.* Medida do contorno de uma figura. [Com relação à circunferência, o voc. *perímetro* traduz-se por *comprimento*.] **3.** Linha que limita uma determinada área ou região: *perímetro urbano.* ◆ **Perímetro molhado.** Nas canalizações, a parte do perímetro de uma seção transversal em contato com o líquido.

perimir [Do lat. *perimere*.] *V. t. d.* Pôr termo a, extinguir (ação ou instância judicial).

perimiriense *Adj. 2 g. S. 2 g.* V. *perimirinense*.

perimirinense *Adj. 2 g.* **1.** De, ou pertencente ou relativo a Perimirim (MA). ● *S. 2 g.* **2.** O natural ou habitante de Perimirim.

perimísio [De *peri-* + *-mis-* + *-io*[3].] *S. m. Anat. Histol.* Bainha de tecido conjuntivo frouxo que circunda cada feixe de fibras musculares.

perimólise [Adapt. do ingl. *perimolysis*, f. abrev. do ingl. *perimylolysis*.] *S. f. Odont.* Erosão dos tecidos mineralizados de dente por ataques químicos prolongados e frequentes, e que não envolvem a ação de bactérias. [É comumente observada em anorexia nervosa e noutras condições em que há regurgitação crônica. Sin.: *erosão dental*.]

perinã [Do tupi.] *S. m. Bras. Bot.* V. *cana-de-macaco* (1 e 2).

perinã [De or. indígena.] *S. m. Bras. Bot.* V. *anajá* (1).

perinasal [De *peri-* + *-nas(i)-* + *-al*[1].] *Adj. 2 g.* ~ V. *seio* —.

perinatal [De *peri-* + *natal*.] *Adj. 2 g. Obst.* Diz-se dos períodos imediatamente anterior e posterior ao parto.

perinatalogia [De *perinatal* + *-logia*[1].] *S. f.* Ramo da medicina que se ocupa do feto e do recém-nascido durante o período perinatal.

perineal [De *perine(o)-* + *-al*[1].] *Adj. 2 g.* Relativo ou pertencente a períneo.

perinefrite [De *peri-* + *-nefr(o)-* + *-ite*[1].] *S. f. Patol.* Inflamação do conjunto de tecidos que envolve cada um dos rins. [Cf. *nefrite*.]

perinefrítico [De *perinefrite* + *-ico*[2].] *Adj.* Referente a perinefrite.

▲ **perine(o)-** [Do gr. *períneos, ou*.] *El. comp.* = 'períneo': *perineal, perineocele, perineorrafia, perineotomia*.

períneo [Do lat. cient. *perineum* < gr. *períneos*.] *S. m. Anat.* Espaço que, no homem, está compreendido entre a raiz do pênis e o ânus e que, na mulher, se situa entre a porção mais inferior dos grandes lábios e o ânus.

perineocele (ì) [De *perine(o)-* + *-cele*[1].] *S. f. Patol.* Hérnia situada entre o reto e a próstata, no homem, e entre o reto e a vagina, na mulher.

perineocélico (ìn) [De *perineocele* + *-ico*[2].] *Adj.* Relativo a perineocele.

perineoplastia (ìn) [De *perine(o)-* + *-plast(o)-* + *-ia*[1].] *S. f. Cir.* Intervenção plástica no períneo.

perineorrafia (ìn) [De *perine(o)-* + *-raf(i)-* + *-ia*[1].] *S. f. Cir.* Sutura para reparo de ruptura perineal.

perineorráfico (ìn) [De *perineorrafia* + *-ico*[2].] *Adj. Cir.* Relativo a perineorrafia.

perineotomia (ìn) [De *perine(o)-* + *-tom(o)-* + *-ia*[1].] *S. f. Cir.* Incisão em períneo.

perineotómico (ìn) *Adj. Cir.* V. *perineotômico*. [Uso freq. em P.]

perineotômico (ìn) [De *perineotomia* + *-ico*[2].] *Adj. Cir.* Relativo a perineotomia.

perineu [Do gr. *perínaion*, pelo lat. tard. *perinaeon*.] *S. m. Anat.* V. *períneo*.

perineuro [De *peri-* + *neuro*.] *S. m. Histol. Anat.* Bainha de tecido conjuntivo que circunda cada feixe de fibras de nervo periférico.

periocular [De *peri-* + *-ocul(i)-* + *-ar*[1].] *Adj. 2 g. Anat.* Situado em redor de um olho ou de cada um deles.

periodeuta [Do lat. tard. *periodeuta*.] *Adj. 2 g.* ~ V. *médico* —.

periódica [F. subst. do adj. *periódico*.] *S. f. E. Ling. Desus.* Conjunção periódica.

periodical [De *periódico* + *-al*[1].] *Adj. 2 g. Deprec.* Referente a periódicos, ou a periodistas ou jornalistas.

periodicidade [De *periódico* + *-(i)dade*.] *S. f.* **1.** Qualidade do que é periódico. **2.** *Edit.* Intervalo de tempo previsto entre duas edições sucessivas de um periódico. [Pode ser regular quando o intervalo de tempo é predeterminado, ou irregular, quando não se pode prever o intervalo.]

periodicista [De *periódico* + *-ista*.] *S. 2 g. P. us.* V. *periodista*.

periódico [Do gr. *periodikós*, pelo lat. *periodicu*.] *Adj.* **1.** Relativo ou pertencente a período: *O caráter periódico de um fenômeno.* **2.** Que se repete com intervalos regulares: *chuvas periódicas.* **3.** Que apresenta certos fenômenos ou sintomas em horas ou dias certos: *doença periódica.* ~ V. *classificação —a, cometa —, conjunção —a, dízima —a, dízima —a composta, dízima —a simples, movimento —, publicação —a* e *tabela —a*. ● *S. m.* **4.** Publicação periódica; jornal.

periodiqueiro [De *periódico* + *-eiro*.] *S. m. Deprec.* V. *periodista*.

periodismo [De *período* + *-ismo*.] *S. m.* **1.** Estado daquilo que é sujeito a movimentos periódicos. **2.** Jornalismo (2): "Quis .... o acaso que um jovem repórter do velho jornal, que a essa altura sofrera uma reforma de base e impunha modernas técnicas de periodismo, descobrisse o fio da meada." (Macedo Miranda, *As Três Chaves*, p. 76).

periodista [De *periódico* + *-ista*, seg. o padrão erudito.] *S. 2 g.* Pessoa que escreve em periódicos. [Sin.: *periodicista* (p. us.) e *periodiqueiro* (deprec.).]

periodização [De *periodizar* + *-ção*.] *S. f.* **1.** Ato ou efeito de periodizar. **2.** *E. Ling.* Classificação de uma língua em períodos, segundo características estruturais que perduraram durante certo tempo. [Em geral, a *periodização* atribui às línguas períodos arcaico ou antigo, médio, clássico e moderno, mas pode procurar estabelecer estágios mais antigos, como, p. ex., uma pré-língua (q. v.). Por vezes, a periodização se faz por século, classificando os períodos, p. ex., em *quinhentista, setecentista*.]

periodizar [De *período* + *-izar*.] *V. t. d.* **1.** Dividir em períodos. **2.** Expor em períodos.

período [Do gr. *períodos*, 'circuito', pelo lat. *periodu*.] *S. m.* **1.** O tempo transcorrido entre duas datas ou dois fatos mais ou menos marcantes: *o período da ocupação holandesa em Pernambuco; o período da incubação de uma doença;* "Einstein concebeu sua teoria da relatividade generalizada no período de 1912 a 1915" (Ronaldo Rogério de Freitas Mourão, *Astronomia e Astronáutica*, p. 53). **2.** Qualquer intervalo de tempo, mais ou menos longo, determinado ou indeterminado: *período de adaptação; período de crise; período de uma doença.* **3.** Período (2), marcado por certas características gerais, e que se subdivide em épocas, fases, etc.: *o período colonial; os períodos pré-históricos; Este retrato foi tirado no último período de sua vida.* **4.** Época, fase: *o período da dentição; o período áureo de Atenas.* **5.** Estação, quadra; tempo, época: *No período do frio as andorinhas voam para o Sul.* **6.** *Mat.* O conjunto de algarismos que se repetem, numa dízima periódica. **7.** *E. Ling.* Oração absoluta ou reunião de orações que formam sentido completo. [V. *coordenação* (3), *correlação* (5), *justaposição* (6), *subordinação* (3).] **8.** *Fís.* Num fenômeno periódico, tempo necessário para a realização de um ciclo; intervalo de tempo que, num fenômeno periódico, separa a passagem do sistema por dois estados idênticos [símb.: *T*]. **9.** *Fís. Nucl.* Meia-vida. **10.** *Geol.* Divisão de cada uma das eras [V. *era* (7)], e que se subdivide em épocas [V. *época* (12)]. [Cronologicamente, assim se classificam os períodos: § na *era proterozoica*: **a)** *período azoico*: aquele em que não há vestígio de vida (tb. chamado *período arqueano*); **b)** *período pré-cambriano*: aquele em que surgem os primeiros sinais de vida rudimentar (tb. chamado *período algonquiano*); § na *era paleozoica*: **c)** *período cambriano*: aquele em que aparecem os equinodermos, foraminíferos e trilobites; **d)** *período ordoviciano*: o que se caracteriza pelo desenvolvimento gradativo da fauna, sem ultrapassar os crustáceos; **e)** *período siluriano*: o que se caracteriza pelo progresso dos crustáceos, atingindo os trilobites o seu maior desenvolvimento, e pelo aparecimento dos peixes antracodermos e dos escorpiões; **f)** *período devoniano*: o que se caracteriza, na fauna, pelo aparecimento dos braquiópodes, vermes, insetos miriápodes, peixes (seláquios e ganoides), e, na flora, pela predominância dos criptógamos vasculares; **g)** *período carbonífero*: o que se caracteriza, na fauna, pela ampliação do número de invertebrados e surgimento dos batráquios e reptis, e, na flora, pelas grandes dimensões a que chegam os criptógamos (quase 30mm), e pelo aparecimento dos fanerógamos e dos gimnospermos; **h)** *período permiano*: aquele em que, na fauna, ocorre o desaparecimento dos trilobites, o desenvolvimento dos cefalópodes, batráquios, peixes e reptis, e na flora, a substituição dos criptógamos vasculares pelos gimnospermos (para alguns autores, os dois últimos períodos constituem o antracolítico); § na *era mesozoica*: **i)** *período triásico*: o que se caracteriza pela presença dos grandes sáurios aquáticos e terrestres; **j)** *período jurássico*: o que se caracteriza pelo aparecimento dos animais de transição entre reptis e aves (arqueópterix); **l)** *período cretáceo*: aquele em que, na fauna, aparecem os primeiros mamíferos, de pequeno porte (marsupiais), e, na flora, se nota o progresso dos gimnospermos (coníferas) e o surgimento dos angiospermos mono e dicotiledôneos; § na *era cenozoica*: **m)** *período terciário*: aquele em que se observa intensa atividade do núcleo central, frequentes mudanças da crosta terrestre e extinção completa dos grandes sáurios, ao passo que os reptis, peixes e aves assumem um aspecto semelhante ao atual, e os mamíferos, sobretudo os ruminantes e proboscídeos, adquirem grande porte, e no fim do qual surgem os primeiros símios antropomorfos; **n)** *período quaternário*: aquele em que o clima, a fauna e a flora são semelhantes aos de hoje, e que é caracterizado pelo aparecimento do homem.] **11.** *Mat.* O menor dos valores, *T*, para os quais uma função periódica $f(x)$ obedece à relação $f(x) = f(x + T)$. **12.** *Mús.* Sucessão de grupos melódicos (frase) que formam um todo coerente. **13.** *Quím.* Conjunto de elementos em que a camada eletrônica mais externa é a mesma. [V. *tabela periódica*.] **14.** *Bras.* V. *menstruação* (1). ◆ **Período anomalístico.** *Astr.* V. *revolução anomalística*. **Período do antracolítico.** *Paleont.* Aquele formado pela reunião do carbonífero e do permiano. **Período arqueano.** *Geol.* V. *período* (10). [Tb. se diz apenas *arqueano*.] **Período axial.** *Astr.* Período que leva um objeto celeste para completar uma rotação ao redor do seu eixo. **Período azoico.** *Geol.* V. *período* (10). [Tb. se diz apenas *azoico*.] **Período calcolítico.** *Geol.* Período de transição entre o neolítico e a idade do bronze; período eneolítico. **Período cambriano.** *Geol.* V. *período* (10). [Tb. se diz apenas *cambriano*.] **Período carbonífero.** *Geol.* V. *período* (10). [Tb. se diz apenas *carbonífero*.] **Período composto por coordenação.** *E. Ling.* V. *período* (7). **Período composto por coordenação e subordinação.** *E. Ling.* V. *período* (7). **Período composto por subordinação.** *E. Ling.* V. *período* (7). **Período cretáceo.** *Geol.* V. *período* (10). [Tb. se diz apenas *cretáceo*.] **Período da pedra lascada.** *Geol.* V. *período paleolítico*. **Período da pedra polida.** *Geol.* V. *período neolítico*. **Período de incubação.** *Med.* Espaço de tempo entre a penetração de um microrganismo patogênico no corpo até o aparecimento dos sintomas da doença. [Tb. se diz apenas *incubação*.] **Período de latência.** *Fisiol.* Período de aparente inatividade, tal como o que ocorre entre o início de estimulação e o início de uma resposta. [Tb. se diz apenas *latência*.] **Período devoniano.** *Geol.* V. *período* (10). [Tb. se diz apenas *devoniano*.] **Período draconítico.** *Astr.* V. *revolução draconítica*. **Período eolítico.** *Geol.* O período mais antigo do paleolítico. **Período eneolítico.** *Geol.* V. *período calcolítico*. **Período intermitótico.** *Citol.* Interfase. **Período jurássico.** *Geol.* V. *período* (10). [Tb. se diz apenas *jurássico*.] **Período lunissolar.** *Astr.* Ciclo que reconduz, depois de um certo número de anos, a lua nova ao mesmo dia do mês, e cada dia do mês ao mesmo dia da semana. **Período menstrual.** Tempo de duração do fluxo menstrual; menstruação. **Período mesolítico.** Período pré-histórico intermediário, com características culturais próprias do paleolítico e do

P

neolítico, ocorrido no final do plistoceno, após as últimas glaciações. [Tb. se diz apenas *mesolítico*.] **Período neolítico.** *Geol.* Período do holoceno em que os vestígios culturais do homem pré-histórico se caracterizam pela presença de artefatos de pedra polida (ainda não era utilizado o bronze) e pelo aparecimento da agricultura; período da pedra polida; idade da pedra polida. [Tb. se diz apenas *neolítico*.] **Período nódico.** *Astr.* V. *revolução draconítica*. **Período orbital.** *Astr.* Intervalo de tempo em que um astro completa uma revolução na sua órbita. **Período ordoviciano.** *Geol.* V. *período* (10). [Tb. se diz apenas *ordoviciano*.] **Período paleolítico.** *Geol.* Período pré-histórico que principia no final do plistoceno (q. v.), com o aparecimento dos mais antigos fósseis humanos, e se caracteriza pela presença de artefatos de osso e/ou de pedra fragmentada ou lascada, datando do final deste período notáveis desenhos e pinturas rupestres; divide-se este período em 3 fases: inferior, médio e superior, conforme os graus de complexidade dos artefatos; período da pedra lascada; idade da pedra lascada. [Tb. se diz apenas *paleolítico*.] **Período permiano.** *Geol.* V. *período* (10). [Tb. se diz apenas *permiano*.] **Período permocarbonífero.** *Geol.* Reunião dos períodos permiano e carbonífero do paleozoico [v. *era paleozoica*]. **Período pré-cambriano.** *Geol.* V. *período* (10). [Tb. se diz apenas *pré-cambriano*.] **Período quaternário.** *Geol.* V. *período* (10). [Tb. se diz apenas *quaternário*.] **Período sideral.** *Astr.* Tempo gasto por um planeta ou satélite para completar uma revolução em torno do seu corpo celeste primário, conforme é visto deste, e tendo uma estrela como referência. **Período siluriano.** *Geol.* V. *período* (10). [Tb. se diz apenas *siluriano*.] **Período simples.** *E. Ling.* O que é formado por uma única oração. **Período sinódico.** *Astr.* V. *revolução sinódica*. **Período terciário.** *Geol.* V. *período* (10). [Tb. se diz apenas *terciário*.] **Período triádico.** *Geol. Obsol.* Período triásico. **Período triásico.** V. *período* (10). [Tb. se diz apenas *triásico*.] **Período undecenal.** *Astr.* Intervalo de onze anos característico do ciclo de atividade solar.

periodontal [De *periodonto* + *-al*[1].] *Adj. Odont.* Relativo a periodonto.

periodontia [De *peri-* + *-odont(o)-* + *-ia*[1].] *S. f. Odont.* Ramo da odontologia que se ocupa das periodontopatias.

periodontista [De *periodontia* + *-ista*.] *S. 2 g. Odont.* Especialista em periodontia.

periodontite [De *periodonto* + *-ite*[1].] *S. f. Odont.* Inflamação do periodonto. V. *periodontose*.

periodonto [De *peri-* + *-odonto*.] *S. m. Odont.* Conjunto formado pelo cemento (3), osso em que está implantado cada dente, formação ligamentar disposta em torno deste, e gengiva.

periodontoclasia [De *periodonto* + *-clas(i)-* + *-ia*[1].] *S. f. Odont.* Degeneração de periodonto.

periodontopatia [De *peri-* + *-(o)dont(o)-* + *-patia*.] *S. f. Odont.* Qualquer condição mórbida do periodonto.

periodontose [De *periodonto* + *-ose*[1].] *S. f. Odont.* Lesão degenerativa de periodonto e que se origina em uma ou em mais de uma estrutura periodontal, com destruição de tecido (5). [Sin.: *parodontite, parodontose, periodontite*.]

perioftalmia [De *peri-* + *-(o)ftalm(o)-* + *-ia*[1].] *S. f. Oftalm.* Inflamação de tecidos em torno do(s) olho(s).

perioftálmico [De *perioftalmia* + *-ico*[2].] *Adj.* **1.** Relativo a perioftalmia. **2.** Relativo ou pertencente à região que rodeia cada globo ocular.

perioníquio [De *peri-* + *-oniqu(i)-* + *-io*[3].] *S. m. Zool.* Tecido marginal que envolve a unha dos mamíferos.

periórbita [De *peri-* + *órbita*.] *S. f. Anat.* Periósteo que reveste cada cavidade orbitária.

periorbitário [De *peri-* + *orbitário*.] *Adj.* Diz-se do que cerca uma órbita (1, 2 e 4).

periorquite [De *peri-* + *-orqu(i)-* + *-ite*[1].] *S. f. Urol.* Inflamação de túnica vaginal do testículo (q. v.).

periósseo [De *peri-* + *ósseo*.] *S. m. Anat. Histol.* Periósteo.

periostal [De *periost(e)-* + *-al*[1].] *Adj. 2 g.* V. *periosteal*.

▲ **periost(e)-** Equiv. de *periosteo-*.

periosteal [De *periost(e)-* + *-al*[1].] *Adj. 2 g. Anat. Histol.* Relativo ou pertencente a periósteo; periostal.

periosteíte [De *periost(e)-* + *-ite*[1].] *S. f. Patol.* Inflamação de periósteo; periostite.

▲ **periosteo-** [Do gr. *periósteon*, pelo lat. tard. *periosteon*.] *El. comp.* = 'periósteo: *periosteófito, periosteotomia*. [Equiv.: *periost(e)-*; *periosteíte*.]

periósteo [Do gr. *periósteon*, pelo lat. tard. *periosteon*.] *S. m. Anat. Histol.* Bainha de tecido conjuntivo que reveste externamente os ossos; periósseo.

periosteófito [De *periosteo-* + *-fito*.] *S. m. Patol.* Formação óssea que se origina de periósteo.

periosteose [De *periost(e)-* + *-ose*[1].] *S. f. Patol.* Neoformação óssea em volta dum osso; periostose.

periosteotomia (òs) [De *periosteo-* + *-tom(o)-* + *-ia*[1].] *S. f. Cir.* Incisão de periósteo.

periosteotômico (òs) *Adj.* V. *periosteotômico*. [Uso freq. em P.]

periosteotômico (òs) [De *periosteotomia* + *-ico*[2].] *Adj.* Referente a periosteotomia.

periósticо [De *periost(e)-* + *-ico*[2].] *Adj.* V. *periosteal*.

periostite [De *periost(e)-* + *-ite*[1].] *S. f. Patol.* V. *periosteíte*.

periostose [De *periost(e)-* + *-ose*[1].] *S. f. Patol.* Periosteose.

perióstraco [De *peri-* + *-óstraco*.] *S. m. Zool.* Epiderme das conchas.

periovular [De *peri-* + *-ovul(i)-* + *-ar*[1].] *Adj. 2 g. Biol.* Que envolve óvulo.

periparoba [Var. de *pariparoba*.] *S. f. Bras. Bot.* **1.** V. *capeba* (1). **2.** V. *mático*.

peripatético [Do gr. *peripatetikós*, 'que gosta de passear', pelo lat. *peripateticu*.] *Adj.* **1.** *Filos.* Aristotélico (1 e 2). **2.** *Restr.* Pertencente ou relativo a peripatetismo. **3.** Que se ensina passeando. **4.** *Fig.* Exagerado na expressão, nos gestos. ~ V. *escola —a*. ● *S. m.* **5.** Aristotélico (3): 📖 "Consultamos .... todos os escolásticos, todos os platônicos, todos os peripatéticos, todos os epicuristas" (Ramalho Ortigão, *As Farpas*, II, p. 37).

peripatetismo [De *peripatético* + *-ismo*, seg. o padrão erudito.] *S. m. Hist. Filos.* **1.** Aristotelismo (1). **2.** *Restr.* O conjunto das doutrinas dos filósofos que, na Antiguidade, se inspiraram no aristotelismo. [V. *alexandrismo*. Sin. ger.: *escola peripatética*.]

peripatetizar [De *peripatético* + *-izar*, seg. o padrão erudito.] *V. int.* Passear, lecionando, ou falando em tom professoral: 📖 "o Dr. Mendes Pimentel e o Desembargador Rafael Magalhães (Platão e Sócrates) peripatetizam ao anoitecer, rumo ao Cinema Odeon." (Carlos Drummond de Andrade, *A Bolsa & a Vida*, p. 178).

perípato[1] [Do gr. *perípatos*, 'passeio'.] *S. m.* O sistema filosófico de Aristóteles (v. *aristotélico*).

perípato[2] [Do tax. *Peripatus* < gr. *perípatos*, 'ação de caminhar', 'passeio'.] *S. m. Zool.* **1.** Gênero de animais onicóforos, de 1,5cm até 15cm de comprimento, revestidos de pele seca, fina, flexível e levemente quitinosa e corpo segmentado. De hábitos noturnos, procuram lugares úmidos e habitam as regiões temperadas do hemisfério sul. **2.** Qualquer espécie ou espécime desse gênero.

peripecia *S. f.* Peripécia (q. v.).

peripécia [Do gr. *peripéteia*, 'incidente'.] *S. f.* **1.** Lance de narrativa, peça teatral, poema, etc., que altera a face das coisas, e modifica a ação e a situação dos personagens: 📖 "É verdade que à primeira vista parece estranho que um poema, que nasceu nos braços da alegria e da festividade, exija de sua natureza uma peripécia sanguinolenta" (Correia Garção, *Obras Poéticas e Oratórias*, p. 434). **2.** *Fam.* Sucesso imprevisto; incidente; aventura: 📖 "Interessou-me aquele rosto enrugado e macilento, em que julguei descobrir vestígios de um passado cheio de peripécias e vicissitudes." (Artur Azevedo, *Contos Cariocas*, p. 152.) [O étimo postula a f. *peripecia*, mas o uso consagrou *peripécia*.]

peripériaçu (...i) [Do tupi.] *S. m. Bras. Bot.* V. *papiro* (1).

peripetinga *S. f. Bras. Zool.* V. *peripetunga*.

peripetunga [Do tupi, poss.] *S. f. Bras. Zool.* Peixe caracídeo (*Brycon reinhardti*), da bacia do rio São Francisco, com até 29cm de comprimento; peripetinga, piraputanga. [É apreciado na pesca esportiva de linha.]

peripiema [Do gr. *peripýema*.] *S. m. Patol.* Supuração em redor de um órgão.

peripilário [Adapt. do tax. *Peripylaria*.] *Zool. S. m.* **1.** Espécime dos peripilários, subordem de protozoários radiolários, com a placa central com numerosos poros uniformemente distribuídos, e desprovidos de esqueleto silicoso. ● *Adj.* **2.** Pertencente ou relativo a eles.

peripitinga [Do tupi.] *S. f. Bras. Zool.* Certo peixe fluvial.

periplanar [De *peri-* + *plano* + *-ar*[1].] *Adj. 2 g. Quím.* Diz-se de arranjo existente quando, para quatro átomos sequencialmente ligados, o plano definido pelos três primeiros átomos forma um ângulo diedro de 0°, ou de 180°, com o plano definido pelos três últimos átomos.

periplanona [Do tax. *Periplan(eta) (americana)* + *(cet) ona*.] *S. m. Quím.* Qualquer de duas cetonas cíclicas, terpênicas, insaturadas (periplanona A, fórm.: $C_{15}H_{20}O_2$, e periplanona B, fórm.: $C_{15}H_{20}O_3$), que são feromônios sexuais da barata comum (*Periplaneta americana*).

periplasto [De *peri-* + *-plasto*.] *S. m. Biol.* **1.** Parte periférica de célula. **2.** *Zool.* Nos protozoários mastigóforos, membrana muito fina que recobre o corpo celular (q. v.) e que impede a emissão de pseudópodes.

périplo [Do gr. *períplous*, pelo lat. *periplu*.] *S. m.* **1.** Navegação à volta de um continente: 📖 *périplo africano*; 📖 "Magalhães caiu, quando eram passados os transes gloriosos daquele circuito aventuroso de milhares de léguas, o qual não ousariam nem sequer fantasiar como poema os que admiraram na Antiguidade os périplos de Cílax e de Hanon, e os que contaram a famosa expedição dos Argonautas." (Latino Coelho, *Fernão de Magalhães*, p. 212). **2.** Relação de uma viagem desse gênero.

peripneumonia [De *peri-* + *pneumonia*.] *S. f. Pneum. Obsol.* Inflamação em torno de pulmão.

peripneumónico *Adj. S. m.* V. *peripneumônico*. [Uso freq. em P.]

peripneumônico [De *peripneumonia* + *-ico*[2].] *Adj.* **1.** Relativo a, ou que tem peripneumonia. ● *S. m.* **2.** Aquele que tem peripneumonia.

peripolar [De *peri-* + *polar*.] *Adj. 2 g.* Situado em volta do polo.

peripomonga [Do tupi = 'junco pegajoso'.] *S. f. Bras. Bot.* **1.** V. *maçambará*. **2.** V. *arroz-bravo*.

periproctite [De *peri-* + *-proct(o)-* + *-ite*[1].] *S. f. Proct.* Inflamação dos tecidos que envolvem o reto.

periproctítico [De *periproctite* + *-ico*[2].] *Adj. Proct.* Relativo a periproctite.

periprocto [De *peri-* + *-procto*.] *S. m. Zool.* Nos equinodermos, área que rodeia o ânus; apresenta-se coberta por uma membrana resistente em que pequenas placas calcárias ficam ligeiramente encobertas.

períptero [Do gr. *perípteron*, pelo lat. *peripteron*.] *S. m. Arquit.* Edifício que em todo o derredor tem colunas isoladas.

periquécio [Do lat. cient. *perichaetium*.] *S. m. Bot.* O conjunto dos filoides que protegem os arquegônios ou anterídios dos musgos. É facilmente identificável por assumir a forma de pequena rosa verde, sobretudo quando está no ápice dos raminhos (cauloides).

periquita[1] [Do top. *Quinta da Cova da Periquita*, Port.] *S. f.* **1.** *Vitic.* Casta de uva tinta, comum em Portugal. ● *S. m.* **2.** *Enol.* Vinho produzido com essa uva. [Sin. ger.: *castelão-francês, joão-santarém*.]

periquita[2] [De *periquito*[1].] *S. f. Bras. N.N.E. Chulo* V. *vulva*: 📖 "Vi a periquita da prima e aquilo me arrastou para a libertinagem da casa dos carros." (José Lins do Rego, *Meus Verdes Anos*, p. 110.)

periquitamboia (ói) *S. f. Bras. Amaz. Zool.* V. *araramboia*. ✤

periquitão *S. m. Zool.* Jandaia-de-cabeça-azul.

periquitar [De *periquito* + *-ar*[2].] *V. int. Bras. Fam.* Andar com os pés para dentro.

periquiteira [De *periquito*[1] + *-eira*.] *S. f. Bras. Bot.* **1.** Pequena árvore bixácea (*Cochlospermum orinocense*) de grandes flores amarelas e de frutos capsulares que contêm uma espécie de paina. **2.** V. *butuá-de-corvo*. **3.** V. *camacã*[2].

periquiteira-do-campo *S. f. Bras. Bot.* V. *butua-de-corvo*. [Pl.: *periquiteiras-do-campo*.]

periquitinho [De *periquito*[1] + *-inho*[1].] *S. m. Bras. Zool.* V. *tuim*.

periquito[1] [Do esp. *periquito*.] *S. m.* **1.** *Bras. Zool.* Ave psitaciforme, psitacídea (*Tirica chiriri*), de larga distribuição geográfica, de coloração verde, com parte das coberteiras superiores maiores da asa amareladas e as coberteiras das rêmiges da mão azuis; tuixiriri. **2.** *Bras.* V. *integralista* (2). **3.** *Bras.* V. *palmeirense*[9]. **4.** *Bras.* Chupão (7). **5.** *Bras. Amaz. Bot.* Erva amarantácea (*Alternanthera paronychioides*) reptante, que cobre amplas extensões nas praias de lama, expostas durante o verão, de flores pequeninas, secas por natureza e agregadas em inflorescências compactas. **6.** *Bras. N.E.* Pequeno candeeiro de folha de flandres, com torcida de algodão embebida em querosene; alcoviteiro, bibiano, corriqueiro, fifó, mexeriqueiro. **7.** *Bras. N. N.E. Pop. Chulo* V. *vulva*. ● *Adj.* **8.** *Bras.* V. *palmeirense*[9]. ◆ **Não valer o que um periquito rói.** *Bras. Pop.* Não valer nada: 📖 "S. Bernardo não vale o que um periquito rói." (Graciliano Ramos, *S. Bernardo*, p. 21.)

periquito[2] [Do esp. *periquillo*.] *S. m.* **1.** *Bras.* Nó que se dá com o próprio cabelo na cabeça dos meninos. **2.** *Bras. Amaz.* Nó que se dá nas extremidades das mortalhas dos indigentes. **3.** *Bras. SP* V. *cocó*[1].

periquito-da-campina *S. m. Bras. Zool.* V. *periquito-de-asa-branca*. [Pl.: *periquitos-da-campina*.]

periquito-d'anta *S. m. Bras. Zool.* **1.** V. *periquito-urubu*. **2.** V. *marianita*. [Pl.: *periquitos-d'anta*.]

periquito-da-serra *S. m. Bras. Zool.* Ave psitaciforme, psitacídea (*Pyrrhura leucotis griseipectus*), da Serra de Baturité, no CE. Tem peito cinzento, coberteiras das rêmiges primárias azuis, alto da cabeça pardacento, nuca azul-esverdeada, dorso rubro da região escapular à cauda, coberteiras auriculares brancacentas, a curva da asa rubra e o vértice cor de sépia. Alimenta-se de bagas, frutos e sementes em geral. [Pl.: *periquitos-da-serra*.]

periquito-de-asa-branca *S. m. Bras. Zool.* Ave psitaciforme, psitacídea (*Tirica virescens*), do E. do Peru, Guiana, baixo Amazonas, desde o Jamundá e o Tapajós até o delta amazônico, e L. do PA. Coloração geral verde, coberteiras superiores maiores da asa amarelas, coberteiras das rêmiges da mão azuis, e as rêmiges do braço amarelo-claras. [Sin.: *periquito-da-campina, juparaba.* Pl.: *periquitos-de-asa-branca.*]

periquito-de-cabeça-preta *S. m. Bras. Zool.* Ave psitaciforme, psitacídea (*Pionites melanocephalus*), do N. do rio Amazonas, de coloração geral verde, com alto da cabeça e rêmiges pretas, nuca alaranjada, garganta, coxas e coberteiras inferiores da cauda amarelas, e abdome branco; maipuré. [Pl.: *periquitos-de-cabeça-preta.*]

periquito-de-cabeça-suja *S. m. Zool.* V. *jandaia-de-cabeça-azulada.* [Pl.: *periquitos-de-cabeça-suja.*]

periquito-de-são-joão *S. m. Bras. Zool.* V. *periquito-do-espírito-santo.* [Pl.: *periquitos-de-são-joão.*]

periquito-de-testa-amarela *S. m. Bras. Zool.* V. *periquito-estrela.* [Pl.: *periquitos-de-testa-amarela.*]

periquito-do-espírito-santo *S. m. Bras. Zool.* Designação comum a várias espécies de aves psitaciformes, psitacídeas, do gênero *Forpus boie*, especialmente *F. modestus* e *F. passerinus*, esta com cinco subespécies no Brasil. O macho do primeiro é verde, com a fronte e lados da cabeça amarelados, dorso inferior, rêmiges e coberteiras superiores maiores da asa azuis; a fêmea é verde. [Sin.: *periquito-santo, periquito-de-são-joão.* Pl.: *periquitos-do-espírito-santo.*]

periquito-estrela *S. m. Bras. Zool.* Ave psitaciforme, psitacídea (*Brotogeris sanctithomae*), do N.E. do Brasil e E. do Equador e do Peru, de coloração verde, com a fronte, a parte anterior do vértice e uma mancha atrás do olho amarelas. [Sin.: *periquito-de-testa-amarela, estrelinha.* Pl.: *periquitos-estrelas* e *periquitos-estrela.*]

periquito-gangarra *S. m. Bras. PB Zool.* Periquito comum nas caatingas do N.E. (*Aratinga cactorum*). [Pl.: *periquitos-gangarras* e *periquitos-gangarra.*]

periquito-real *S. m. Bras. Zool.* V. *cuiú-cuiú* (1). [Pl.: *periquitos-reais.*]

periquito-rei *S. m. Zool.* **1.** *Bras. Amaz.* V. *jandaia.* **2.** *Bras. RJ* V. *cuiú-cuiú* (1). [Pl.: *periquitos-reis.*]

periquito-santo *S. m. Bras. Zool.* V. *periquito-do-espírito-santo.* [Pl.: *periquitos-santos.*]

periquito-tapuia *S. m. Bras. Zool.* V. *tiriba.* [Pl.: *periquitos-tapuias.*]

periquito-urubu *S. m. Bras. Zool.* Ave psitaciforme, psitacídea (*Gypopsitta vulturina*), do E. do PA e margem direita do baixo Amazonas. Tem coloração geral verde, cabeça nua, nuca e garganta amarelas, marginadas de preto, peito amarelo tirante a oliváceo, encontro alaranjado, coberteiras inferiores das asas vermelhas, rêmiges pretas marginadas de azul e parte inferior com tom azulado. [Sin.: *papagaio-urubu, periquito-d'anta, piripiri, urubu-paraguá.* Pl.: *periquitos-urubus* e *periquitos-urubu.*]

periquito-vassoura *S. m. Bras. Zool.* V. *tuim.* [Pl.: *periquitos-vassouras* e *periquitos-vassoura.*]

periquito-verdadeiro *S. m. Bras. Zool.* Ave psitaciforme, psitacídea (*Tirica tirica*), do E. do Brasil, de coloração verde, axilas e lados do tórax amarelos, coberteiras azuis, e as duas rêmiges medianas com centro azul. Vive em bandos e frequenta as matas. [Pl.: *periquitos-verdadeiros.*]

perísciо [De *periscios.*] *S. m. Astr.* Ponto da superfície terrestre situado nos círculos árticos, de tal sorte que a sombra de uma haste vertical pode estar em todas as direções em um plano horizontal no decorrer do mesmo dia. ~ V. *periscios.*

periscios [Do gr. *periskioi*, 'que dão sombra para todos os lados'.] *S. m. pl.* **1.** *Astr.* Periecos (2). **2.** *Geogr.* Habitantes das zonas glaciais, que no mesmo dia veem projetar-se a sombra para todos os lados do horizonte. [Cf. *antíscios.*] ~ V. *periscio.*

periscópico [De *periscópio* + *-ico*^{2}.] *Adj.* **1.** Relativo ao periscópio. **2.** Diz-se das lentes que têm uma das faces plana ou côncava e a outra convexa. **3.** Que permite ver em toda a volta do horizonte, em todas as direções. ~ V. *cota —a.*

periscópio [De *peri-* + *-scópio.*] *S. m.* Instrumento óptico que permite ver por cima de um obstáculo, usado especialmente nos submarinos, nas trincheiras, etc.

perisperma [De *peri-* + *-sperma.*] *S. m. Bot.* Tecido de reserva originário do nucelo, que se forma em certas sementes, e que pode coexistir com o endosperma.

perispermado [De *perisperma* + *-ado*^{1}.] *Adj. Bot.* Que tem perisperma (diz-se de semente).

perispérmico [De *perisperma* + *-ico*^{2}.] *Adj. Bot.* Que tem perisperma.

perispirítico [De *perispírito* + *-ico*^{2}.] *Adj.* Referente a perispírito; perispiritual.

perispírito [De *peri-* + *espírito.*] *S. m. Rel.* Organismo homogêneo que desempenha, conforme os espíritas, todas as funções da vida psíquica ou da vida separada do corpo, funções essas correspondentes, na vida terrena, a outros tantos sentidos.

perispiritual [De *perispírito* + *-ual.*] *Adj. 2 g.* Perispirítico.

perispômeno *Adj. S. m. E. Ling.* V. *perispômeno.* [Uso freq. em P.]

perispômeno [Do b.-lat. *perispomenu*, 'vocábulo com acento circunflexo', < gr. *perispoménos.*] *E. Ling. Adj.* **1.** Que leva acento circunflexo na última sílaba. • *S. m.* **2.** Vocábulo perispômeno.

perisporângio [De *peri-* + *esporângio.*] *S. m. Bot. Desus.* Indúsio (2).

perissístole [De *peri-* + *sístole.*] *S. f. Fisiol.* Intervalo entre a sístole e a diástole.

perissistólico [De *perissístole* + *-ico*^{2}.] *Adj.* Respeitante a perissístole.

perissodáctilo [Adapt. do tax. *Perissodactyla.*] *Zool. S. m.* **1.** Espécime dos perissodáctilos, ordem de animais mamíferos, ger. de grande porte; têm membros alongados, dedos em número ímpar, cada um revestido de um casco córneo, e estômago simples. São os cavalos, as antas e os rinocerontes. • *Adj.* **2.** Pertencente ou relativo a eles. [Var.: *perissodátilo.*]

perissodátilo *S. m. Adj. Zool.* V. *perissodáctilo.*

perissologia [Do gr. *perissología.*] *S. f.* Vício de linguagem que consiste em repetir várias vezes, por palavras diferentes, um pensamento já enunciado.

perissológico [De *perissologia* + *-ico*^{2}.] *Adj.* Relativo a, ou em que há perissologia.

peristalse [De *peri-* + gr. *stálsis*, 'ação de enviar'.] *S. f. Fisiol. Med.* Movimento vermiforme, progressivo, da musculatura de órgãos ocos, e que impulsiona para diante o conteúdo desses órgãos, em certos casos (fezes, urina), eliminando-o para o exterior; peristaltismo. [Sin.: *movimento peristáltico.* Cf. *aperistalse.*]

peristáltico [Do gr. *peristaltikós*, 'compressor'.] *Adj.* Relativo à, ou próprio da peristalse. ~ V. *bomba —a* e *movimento —.*

peristaltismo [De *peristáltico* + *-ismo*, seg. o padrão erudito.] *S. m. Fisiol. Med.* Peristalse. [Cf. *aperistaltismo.*]

perístase [Do gr. *perístasis*, pelo lat. *peristase.*] *S. f. E. Ling.* O assunto completo de um discurso, com todos os seus pormenores.

peristerídeo [Do gr. *peristerós* + *-ídeo*^{1}.] *Zool. S. m.* **1.** Espécime dos peristerídeos, família de aves columbiformes, caracterizadas pelo tarso do mesmo comprimento ou mais comprido que o dedo anterior médio. Regime alimentar semelhante ao dos columbídeos. São as rolinhas e as juritis. • *Adj.* **2.** Pertencente ou relativo a eles.

peristilo [Do gr. *perístylon*, pelo lat. *peristylu.*] *S. m.* Galeria de colunas em volta de um pátio ou de um edifício: "Pinta-a enfim — não em vasto peristilo / De capitéis coríntios, mas naquela / Sóbria feição do estilo dórico, estilo / Que, por mais simples, é mais próprio dela" (Raimundo Correia, *Poesias*, p. 35).

perístole [Do gr. *peristolé*, 'ação de envolver'.] *S. f. Biol.* Capacidade que tem o estômago de adaptar-se ativamente à massa dos alimentos ingeridos.

perístoma [De *peri-* + *-stoma.*] *S. m.* **1.** *Bot.* Conjunto de dentes que se insere no bordo superior, livre, da cápsula dos musgos, e que regula a saída dos esporos, conforme a umidade do ar circundante. Pode ser simples, ou duplo (com duas séries de dentes). **2.** *Zool.* Região em torno, ou próximo, da boca ou cavidade oral; peristômio.

peristomático [De *perístoma* + *-ático.*] *Adj.* Relativo ou pertencente ao, ou próprio do perístoma: *dente peristomático.*

peristômio *S. m. Zool.* V. *peristômio.* [Uso freq. em P.]

peristômio [De *peri-* + *-stom(o)-* + *-io*^{3}.] *S. m. Zool.* **1.** Cavidade da cabeça da mosca, onde se recolhe a tromba. **2.** Espessura duma concha univalve, na direção da sua abertura. **3.** Perístoma.

peritagem [De *perito* + *-agem*^{2}.] *S. f.* Exame ou vistoria feita por perito(s) [v. *perito* (5 e 6)]; perícia.

peritalo [De *peri-* + *-talo.*] *S. m. Bot.* Porção marginal, mais jovem e de cor diferente, do talo liquênico.

peritécio [De *peri-* + *-técio.*] *S. m. Bot.* Órgão produtor de ascos, que está mergulhado no talo e só se abre por um orifício. É próprio de fungos ascomicetos e de liquens.

peritético [De *peri-* + gr. *tektikós*, 'solúvel'.] *S. m. Fís.-Quím.* Sólido binário que se decompõe ao fundir, e cuja temperatura de fusão não é nem um máximo nem um mínimo na curva de fusão.

peritibense *Adj. 2 g.* **1.** De, ou pertencente ou relativo a Peritiba (SC). • *S. 2 g.* **2.** O natural ou habitante de Peritiba.

peritiflite [De *peri-* + *-tifl(o)-* + *-ite*^{1}.] *S. f. Cir. Desus.* Peritonite pericecal.

peritiflítico [De *peritiflite* + *-ico*^{2}.] *Adj.* Relativo a peritiflite.

perito (í) [Do lat. *peritu.*] *Adj.* **1.** Experimentado, experiente, prático, versátil: "Lavradeira perita, bordava a branco, a matiz e a ouro" (Coelho Neto, *Rei Negro*, p. 41); *É pessoa perita em radiotelegrafia.* **2.** Sábio, douto, erudito, sabedor: *Compareceram ao congresso alguns historiadores peritos em egiptologia.* **3.** Hábil, destro, fino, sagaz: *O comerciante escolheu um advogado perito em direito trabalhista.* • *S. m.* **4.** Aquele que é sabedor ou especialista em determinado assunto; experto: "Tratava-se de Mr. Brown, o mais célebre perito do *British Museum* em matéria de porcelanas do Oriente" (Joaquim Paço d'Arcos, *O Navio dos Mortos e Outras Novelas*, p. 273). **5.** Aquele que se acha habilitado para fazer perícia (3). **6.** Aquele que é nomeado judicialmente para exame ou vistoria.

perito-contador (ô) *S. m.* Contador especializado em efetuar perícia de escritas contábeis. [Pl.: *peritos-contadores.*]

peritoneal [De *peritoneu* + *-al*^{1}.] *Adj. 2 g.* Peritonial.

peritoneoscopia (tô) [De *peritôneo* + *-scop-* + *-ia*^{1}.] *S. f. Med.* Exame endoscópico da cavidade abdominal depois de insuflada; celioscopia, peritonioscopia.

peritoneu [Do lat. tard. *peritonaeu.*] *S. m. Anat.* V. *peritônio.*

peritonial [De *peritônio* + *-al*^{1}.] *Adj. 2 g.* Relativo ou pertencente ao peritônio; peritoneal. ~ V. *cavidade — e diálise —.*

peritónio *S. m. Anat.* V. *peritônio.* [Uso freq. em P.]

peritônio [Do gr. *peritónion.*] *S. m. Anat.* Membrana serosa que reveste, internamente, as cavidades abdominal e pélvica (*peritônio parietal*) e, externamente, as vísceras contidas nessas cavidades (*peritônio visceral*). ◆ **Peritônio parietal.** *Anat.* V. *peritônio.* **Peritônio visceral.** *Anat.* V. *peritônio.*

peritonioscopia (tô) *S. f. Med.* V. *peritoneoscopia.*

peritonite [De *peritônio* + *-ite*^{1}.] *S. f. Patol.* Inflamação do peritônio.

peritonização [De *peritonizar* + *-ção.*] *S. f. Cir.* Ação de peritonizar.

peritonizar [De *peritônio* + *-izar.*] *V. t. d. Cir.* Recobrir com peritônio (área traumatizada acidental ou cirurgicamente).

peritorácico [De *peri-* + *torácico.*] *Adj. Anat.* Situado à volta do tórax.

perítrico [De *peri-* + *-trico.*] *Adj. Bot.* Que tem pelos em todo o contorno: *bacilo perítrico.*

peritríquio [De *peri-* + *-triqu(i)-* + *-io*^{3}; tax. *Peritrichia.*] *Zool. S. m.* **1.** Espécime dos peritríquios, ordem de animais protozoários, euciliados, providos de uma fileira de cílios adorais, que principia à esquerda do peristômio, dirigindo-se para a direita. • *Adj.* **2.** Pertencente ou relativo aos peritríquios.

perituro [Do lat. *perituru.*] *Adj.* **1.** V. *perecedouro.* **2.** Que vai perecer.

perivascular [De *peri-* + *vascular.*] *Adj. 2 g. Anat.* Situado em torno de vaso sanguíneo.

perivisceral [De *peri-* + *-viscer(o)-* + *-al*^{1}.] *Adj. 2 g. Anat. Patol.* Situado ou ocorrente em torno de víscera(s).

periviscerite [De *peri-* + *-viscer(o)-* + *-ite*^{1}.] *S. f. Patol.* Inflamação em torno de víscera(s).

perivitelino *Adj.* ~ V. *espaço —.*

perjurar [Do lat. *perjurare.*] *V. t. d.* **1.** Abjurar (1 e 2). *T. i.* **2.** Jurar falso: *Não perjures ao Céu, sê fiel ao que juraste.* *Int.* **3.** Quebrar o juramento; jurar falso: *Não se envergonhe de perjurar.*

perjúrio [Do lat. *perjuriu.*] *S. m.* **1.** Ato ou efeito de perjurar. **2.** Juramento falso.

perjuro [Do lat. *perjuru.*] *Adj. S. m.* Que, ou aquele que perjura, que falta à fé jurada.

perla *S. f. Ant. Pop.* Pérola: "ondas de azul e prata em cada rio, / as perlas e os rubis de tuas fontes" (Tomás Ribeiro, *D. Jaime*, p. 4).

perlado [De *perla* + *-ado*^{1}.] *Adj.* Que tem forma ou aparência de pérola; perolado. ~ V. *filete —.*

perlar [De *perla* + *-ar*^{2}.] *V. t. d.* **1.** Dar forma ou aparência de pérola a. **2.** Tornar como que revestido de pérolas: "Dantas se agitava, o suor lhe perlava a fronte marmórea." (Gilberto Amado, *Depois da Política*, p. 134.) [F. paral.: *perolar.*]

perlário [Do tax. *Perla* + *-ário*; tax. *Perlaria.*] *S. m. Adj. Zool.* V. *plecóptero.*

perlasso [Do al. *Perlasche*, 'cinza de pérola'.] *S. m. Quím. Desus.* Designação comercial comum às potassas mais puras e brancas.

perlavar [Do lat. *perlavare.*] *V. t. d.* **1.** Lavar totalmente; abluir, purificar. *T. d. e i.* **2.** Limpar; livrar: *A absolvição do réu perlavou a sua dignidade de desonrosas implicações.*

perlenda *S. f. Pop.* V. *parlenda.*

perlenga *S. f. Pop.* V. *parlenda*: "o dissídio prolongava-se e o tempo urgia. Interveio então, e cortou a perlenga, ... o Marquês de Barbacena" (Darci Azambuja, *A Prodigiosa Aventura*, p. 8).

perleúdo [De *per* + *leúdo*, part. arc. de *ler.*] *Adj. Deprec.* Muito lido; muito sabedor.

perlífero [De *perla* + *-ífero*.] *Adj.* Que produz ou contém pérolas; perolífero.

perliquitete (ê) *Adj.* Espevitado, pretensioso, pernóstico.

perlita [De *perla* (= pérola) + *-ita*[3].] *S. f.* **1.** *Geol. Ind.* Vidro vulcânico perlítico ou material dele feito, us., p. ex., em refratários, filtros, etc. **2.** *Metal.* Tipo de aço formado por lamelas de ferrita e cementita.

perlítico [De *perla* + *ítico*.] *Adj.* **1.** Diz-se de estrutura semelhante à da pérola, caracterizada por camadas concêntricas, e peculiar ao vidro vulcânico, e originada em virtude de contração durante o resfriamento. **2.** *Metal.* Próprio de, ou relativo a perlita (2).

perlitização [De *perlitizar* + *-ção*.] *S. f. Metal.* Tratamento térmico de peças de aço, visando à transformação da austenita em perlita (2).

perlitizar [De *perlita* + *-izar*.] *V. t. d. Metal.* Realizar a perlitização de.

perlonga [Dev. de *perlongar*.] *S. f.* Demora capciosa; delonga, adiamento.

perlongante [De *perlongar* + *-nte*.] *Adj. 2 g.* Que perlonga.

perlongar [De *per-* + *longo* + *-ar*[2].] *V. t. d.* **1.** Ir ao longo de; costear: *A embarcação perlonga vários estados litorâneos.* **2.** Estender-se ao longo de: "Verdes mares, que brilhais como líquida esmeralda aos raios do sol nascente, perlongando as alvas praias ensombradas de coqueiros" (José de Alencar, *Iracema*, p. 49). **3.** Demorar, dilatar; adiar. *T. c.* **4.** Mover-se paralelamente; ir em sentido paralelo: *O viandante perlongava com o rio.* [Conjug.: v. *largar*.]

perlongo [De *per-* + *longo*.] *S. m. Bras.* **1.** Telhado em declive. **2.** Cada um dos lados do perlongo (1).

perlóptero [Do tax. *Perla* + *-ptero*.] *S. m. Adj. Zool.* V. *plecóptero*.

perlustração [De *perlustrar* + *-ção*.] *S. f.* Ato de perlustrar.

perlustrador (ô) [De *perlustrar* + *-dor*.] *Adj. S. m.* Que, ou aquele que perlustra.

perlustrar [Do lat. *perlustrare*.] *V. t. d.* **1.** Percorrer com a vista, observando, examinando; observar diligentemente. **2.** Correr ou andar por; correr, percorrer: "parecia-lhe que .... uns animálculos desconhecidos perlustravam seu corpo em carreira vertiginosa." (Afonso Arinos, *Pelo Sertão*, p. 25). **3.** Percorrer, visitar: "Perlustrando as criptas de abomináveis defuntos da história moderna, cita a morte horrenda dos perseguidores da religião." (Camilo Castelo Branco, *Maria da Fonte*, p. 330.)

perluxidade (cs) [De *perluxo* + *-(i)dade*.] *S. f. Pop.* Qualidade de perluxo.

perluxo (cs) [Alter. de *prolixo*.] *Adj. Pop.* **1.** Demorado; prolixo. **2.** Vaidoso, presumido.

→ **permafrost** [ˈpɜːməfrɔst] [Ingl., de *permanent* + *frost*.] *S. m.* Nas regiões frias, camada do solo permanentemente congelada.

permanecente [De *permanecer* + *-nte*.] *Adj. 2 g.* Que permanece; duradouro; estável.

permanecer [Do lat. **permanescere*, incoativo de *permanere*.] *V. pred.* **1.** Continuar a ser ou ficar; conservar-se: "tão profundamente francesa é Joana d'Arc, que permanece absolutamente francesa, mesmo naqueles estados d'alma que são mais alheios ao gênio da França" (Eça de Queirós, *Cartas Familiares e Bilhetes de Paris*, p. 3); "Não suportei permanecer parada: precisava andar" (Geraldo França de Lima, *Branca Bela*, p. 82). *T. i.* **2.** Persistir, perseverar, insistir: *Permanece na ideia de ausentar-se. T. c.* **3.** Demorar-se, ficar; continuar: *Veio por uma semana, e permaneceu três meses.* **4.** Continuar a estar, ficar, etc.: *Ela ainda permanece lá, em Muri? Int.* **5.** Continuar existindo; durar; existir: *Morreram-lhe quase todos os parentes, e ele permanece.* [Conjug.: v. *aquecer*.]

permanecido [Part. de *permanecer*.] *Adj.* Que permanece; que continua existindo: "Oh dorme, antigo ser permanecido, / lúcido ser, agudo ser terrível, / ó sempre antecedente sagitário!" (Jorge de Lima, *Obra Completa*, I, p. 731.)

permanência [Do lat. *permanentia*.] *S. f.* **1.** Ato de permanecer; demora, estada: *Minha permanência na Europa foi de três semanas.* **2.** Estado ou qualidade daquilo que continua por longo tempo; continuidade, constância: *a permanência de uma enfermidade, de um mal-entendido.*

permanente [Do lat. *permanente*.] *Adj. 2 g.* **1.** Que permanece; contínuo, ininterrupto; constante: *uma dor permanente; sessão permanente.* **2.** Duradouro, durável: *As pregas desta saia são permanentes.* **3.** Que tem organização estável: *residência permanente; conselho permanente.* **4.** *Cont.* Diz-se do grupo do balanço patrimonial que demonstra a aplicação de recursos em bens e direitos destinados a investimentos societários, intangíveis, imobilizados e diferidos. ~ V. *crime —, dente —, exército —, gás —* e *via —*. • *S. m.* **5.** *Bras.* Cartão ou senha que permite ao seu possuidor ingressar graciosamente nas casas de diversões, viajar também de graça nas viaturas de determinada companhia, etc. **6.** *Bras.* Soldado do corpo dos permanentes (q. v.): "Fora porteiro de diversas ordens religiosas, ... depois permanente de polícia" (Aluísio Azevedo, *O Coruja*, p. 17). • *S. m. e f.* **7.** *Bras.* Ondulação artificial do cabelo, relativamente duradoura. ~ V. *permanentes*.

permanentes [Pl. de *permanente*.] *S. m. pl. Bras.* Os antigos soldados da Guarda Nacional, com os quais se formaram os primeiros corpos de polícia. ~ V. *permanente*.

permanentismo [De *permanente* + *-ismo*.] *S. m.* Caráter do que é permanente; condição do que é constante, persistente.

permanganato *S. m. Quím.* Qualquer sal com o ânion monovalente MnO_4^-.

permeabilidade [De *permeável* + *-(i)dade*, seg. o padrão erudito.] *S. f.* **1.** Qualidade de permeável. **2.** *Fís.* Quociente do módulo da indução magnética pela intensidade do campo magnético.

permeabilização [De *permeabilizar* + *-ção*.] *S. f.* Ação ou efeito de permeabilizar(-se).

permeabilizar [De *permeável* + *-izar*, seg. o padrão erudito.] *V. t. d. P.* Tornar(-se) permeável.

permeação [De *permear* + *-ção*.] *S. f.* Ação ou efeito de permear. ◆ **Permeação em gel.** *Quím.* V. *cromatografia por permeação em gel*.

permeâmetro [De *permear* + *-metro*.] *S. m. Fís.* Instrumento com que se mede a permeabilidade dum material ferromagnético.

permeância [De *permear* + *-ância*.] *S. f. Fís.* Num circuito magnético, o inverso da relutância do circuito.

permear [Do lat. *permeare*.] *V. t. d.* **1.** Penetrar, atravessar, traspassar, trespassar: *Belos brincos permeavam as orelhas da dama;* "O interesse pelo feitio excepcional do homem permeou a escuridão que se me espessara no ânimo." (Gilberto Amado, *Depois da Política*, p. 139). *T. d. e i.* **2.** Fazer passar pelo meio; entremear: *Os botocudos furam o lábio inferior e os lóbulos da orelha, permeando-os de botoques. T. i.* **3.** Estar de permeio; interpor-se. *Int.* **4.** Vir, sobrevir. [Conjug.: v. *frear*.]

permeável [Do lat. tard. *permeabile*.] *Adj. 2 g.* Que se pode permear; que pode ser repassado ou transpassado; que deixa passar: *Essa parede é permeável ao som.* ~ V. *terreno —*.

permeio [De *per-* + *meio*.] *Adv. P. us.* No meio; de permeio: "Deu-me uma cadeira, e, com o balcão permeio, falou-me longamente de si" (Machado de Assis, *Memórias Póstumas de Brás Cubas*, p. 117). ◆ **De permeio. 1.** Entre (pessoas ou coisas); no meio: *Falavam a pequena distância um do outro, apenas com a mesa de permeio;* "Tenho diante de mim .... este mundo e o nada. Não te metas de permeio, que já não tens razão de ser." (Raul Brandão, *Húmus*, p. 83). **2.** No meio; de mistura: *Comprei um cesto de laranjas, e vieram algumas tangerinas de permeio.* **3.** Neste entremeio; neste ínterim; entretanto, entrementes: *Trabalhou muito, viajou terras e terras, e, de permeio, amou intensamente.*

permiano [Do top. *Perm* + *-iano*.] *Adj.* **1.** De, ou pertencente ou relativo a Perm (Rússia). ~ V. *período —*. • *S. m.* **2.** Língua uralo-altaica, do grupo ugro-finlandês. **3.** *Geol.* Período permiano.

→ **permifrost** [ˈpɜːmɪfrɔst] [Ingl.] *S. m. Ecol.* Solo impermeável, permanentemente congelado, próprio das regiões árticas e subárticas.

permil [De *per* + *mil*.] *S. m. Estat.* Qualquer das separatrizes que dividem a área de uma distribuição de frequência em domínios de área igual a múltiplos inteiros de um milésimo da área da distribuição.

permissão [Do lat. *permissione*.] *S. f.* **1.** Ato ou efeito de permitir; consentimento, licença, autorização. **2.** *E. Ling.* Figura pela qual se deixa aos ouvintes ou adversários a decisão de algo.

permissibilidade [De *permissível* + *-(i)dade*, seg. o padrão erudito.] *S. f.* Qualidade do que é permissível.

permissionária [De *permissão* + *-ária*, seg. o padrão erudito.] *S. f. Econ.* Sociedade corretora esp. admitida em pregão de bolsa de valores, da qual não possui título patrimonial.

permissionário [De *permissão* + *-ário*, seg. o padrão erudito.] *Adj. S. m.* Que, ou aquele que recebeu licença; licenciado: *Os militares permissionários visitaram as famílias.*

permissível [Do lat. *permissus*, part. pass. de *permittere*, 'permitir', + *-ível*.] *Adj. 2 g.* Que pode ser permitido; admissível, lícito.

permissividade [De *permissivo* + *-(i)dade*.] *S. f.* **1.** Qualidade de permissivo. **2.** *Eletr.* Produto da constante dielétrica de um material pela permissividade do vácuo; razão entre o módulo do vetor deslocamento elétrico em um material e o módulo do campo elétrico. ◆ **Permissividade do vácuo.** *Eletr.* Fator numérico que aparece na expressão analítica da lei de Coulomb, e que pode assumir diferentes valores e dimensões, conforme o sistema de unidades de medida adotado para exprimir as grandezas elétricas. **Permissividade dos costumes.** *Ét.* Num dado período, o afrouxamento das restrições das normas prescritivas de comportamentos sociais relativos às relações sexuais, familiares ou profissionais, à moda, aos espetáculos, às atitudes em público, e em que se configura a institucionalização de novos padrões comportamentais.

permissivismo [De *permissivo* + *-ismo*.] *S. m.* Tendência, propensão à permissividade.

permissivista [De *permissivo* + *-ista*.] *Adj. 2 g.* De, ou relativo a permissivismo.

permissivo [Do lat. *permissus*, part. pass. de *permittere* (v. *permitir*) + *-ivo*.] *Adj.* **1.** Que dá permissão; tolerante, indulgente: *pais permissivos.* **2.** Que envolve permissão: *a atitude permissiva desta época.*

permissor (ô) [Do lat. tard. *permissore*.] *Adj.* **1.** Que permite; permitidor, permissório. **2.** Que envolve permissão; permissório.

permissório [Do lat. *permissus* (v. *permissivo*) + *-ório*.] *Adj.* V. *permissor*.

permistão [Do lat. *permixtione*.] *S. f.* Mistura; confusão.

permisto [Do lat. *permixtu*.] *Adj.* Muito misturado; confundido; amalgamado.

permitido [Part. de *permitir*.] *Adj.* ~ V. *banda*[2] *— a e transição — a*.

permitidor (ô) [De *permitir* + *-dor*.] *Adj.* V. *permissor* (1).

permitir [Do lat. *permittere*.] *V. t. d.* **1.** Dar liberdade, poder ou licença para; consentir em: *Não permitiram a publicação da obra sem prévia censura.* **2.** Dar lugar, ocasião, a: *A sua intervenção permitiu a vitória.* **3.** Admitir, tolerar: *As transações não permitiam demora. T. d. e i.* **4.** Dar liberdade, poder ou licença para; consentir: *Não lhe permitirei que viaje; Permito-lhe a saída.* **5.** Autorizar a fazer uso de: *Seu dietista permite-lhe o açúcar.* **6.** Dar, conceder: *Permite-me, Senhor, uma vida tranquila.* **7.** Tornar possível: "A atenção dedicada ao fenômeno linguístico, considerado em si mesmo, permitiu a Machado de Assis aproveitá-lo ao máximo em sua obra de ficção." (Maria Nazaré Lins Soares, *Machado de Assis e a Análise da Expressão*, p. 99.) *P.* **8.** Tomar a liberdade de: *Permitiu-se alguns comentários satíricos.*

permocarbonífero [De *perm(iano)* + *-o-* + *carbonífero*.] *Adj. S. m.* ~ V. *período —*.

permuta [Dev. de *permutar*.] *S. f.* **1.** V. *troca* (2): *permuta de selos entre colecionadores; permuta de prisioneiros.* **2.** *Fig.* Comunicação recíproca; permutação: *permuta de ideias, de informação.* **3.** *Citol. Genét.* Troca de material genético entre cromossomos homólogos; diassintomia, entrecruzamento, permutação e (ingl.) *crossing over*.

permutabilidade [De *permutável* + *-(i)dade*, seg. o padrão erudito.] *S. f.* Qualidade de permutável.

permutação [Do lat. *permutatione*.] *S. f.* **1.** Ato ou efeito de permutar. V. *troca* (2). **2.** V. *substituição* (2). **3.** Transposição dos elementos de um todo para se obter uma nova combinação; permuta. **4.** *E. Ling.* Substituição de uma letra por outra; permuta. **5.** *Mat.* Mudança de ordem entre dois elementos. **6.** *Álg.* Bijeção de um conjunto em si mesmo. **7.** *Citol. Genét.* V. *permuta* (3). ◆ **Permutação cíclica.** *Álg.* Num conjunto ordenado, permutação em que cada elemento é substituído pelo seu sucessor, e o último pelo primeiro; permutação circular; ciclo. **Permutação circular.** *Álg.* V. *permutação cíclica*.

permutador (ô) [De *permutar* + *-dor*.] *Adj. S. m.* Que, ou aquele que permuta.

permutar [Do lat. *permutare*.] *V. t. d. T. d. e i. T. d. bit. i.* Dar mutuamente; trocar: *Os noivos permutaram as alianças;* "fez-se lavrador, plantou, colheu, permutou o seu produto por boas e honradas patacas" (Machado de Assis, *Memórias Póstumas de Brás Cubas*, p. 7); *Permutou alguns livros por revistas com o amigo.*

permutativo [De *permutar* + *-tivo*.] *Adj.* Referente a permuta.

permutável [Do lat. tard. *permutabile*.] *Adj. 2 g.* Que pode ser permutado.

perna [Do lat. *perna*.] *S. f. Anat.* **1.** A parte de cada um dos membros inferiores do corpo humano compreendida entre joelho e tornozelo. **2.** *P. ext.* Cada um dos membros inferiores do corpo humano destinados à sustentação ou à locomoção: *No acidente fraturou as duas pernas.* **3.** Cada um dos membros locomotores de certos animais (mamíferos, aves, insetos, etc.). **4.** Qualquer haste ou prolongamento de coisa que se bifurca, se ramifica ou se irradia: *as pernas dum compasso, duma chave gráfica, duma estrela.* **5.** Designação comum a várias peças que servem de suporte a um objeto: *as pernas duma cadeira, duma mesa.* **6.** A haste de qualquer letra. **7.** Cada uma das partes da calça que corresponde a uma perna: 📖 "Vestia uma batina surrada e curta, abaixo da qual apareciam as pernas das calças" (Lúcio de Mendonça, *Esboços e Perfis*, p. 61). **8.** *Constr.* Cada um dos lados da asna. **9.** *Bras. N.E.* Parceiro, companheiro. **10.** *Teatr.* Bastidor de tecido, que se destina a impedir a visão da coxia e a delimitar a área cênica. ◆ **Perna artificial.** *Ort.* Aparelho ortopédico usado para substituir uma perna amputada. **Perna de pau.** Peça de madeira que se adapta a um toco de perna para permitir a locomoção. [Cf. *pernas de pau*, loc., *perna-de-pau*, s.m., e *perna de pau*, s. 2 g.] **Perna mecânica.** *Ort.* Perna artificial dotada de certo número de movimentos. **Pernas de cercar frango.** *Bras. Fam.* Pernas arqueadas para os lados. **Pernas de maçarico.** *Bras.* Canelas de maçarico. **Pernas de pau.** Andas (1). [Cf. *perna de pau* (loc.), *perna-de-pau*, s.m., e *perna de pau*, s. 2 g.] **Pernas, para que te quero!** *Fam.* Exclamação (gramaticalmente incorreta) que indica a ação de fugir correndo ante um perigo. **Abrir as pernas.** *Bras. Chulo* **1.** Entregar-se fisicamente (a mulher). **2.** *Bras. P. ext.* Ceder, transigir sob pressão; capitular, acovardar-se. **3.** *Bras. Esport.* Jogar mal de propósito, para que o adversário ganhe. **À perna solta.** À vontade; descansadamente. **Bater pernas.** *Bras. Fam.* Andar à toa; passear ociosamente; vaguear; trocar pernas: 📖 "Fazia já vinte dias que batíamos pernas pelo Rio." (Ribeiro Couto, *Prima Belinha*, p. 50.) **Bolear a perna.** *Bras. S.* Apear-se, ou montar a cavalo. **Cerrar perna.** *Bras. RS* Fazer o cavalo parar de súbito. **Com uma perna às costas.** V. *com um pé nas costas*: 📖 "os montanheses da Lusitânia vinham periodicamente pilhar com uma perna às costas, quase sem quebrar uma lança." (Aquilino Ribeiro, *Os Avós dos Nossos Avós*, p. 268.) **Comer (alguém) por uma perna.** V. *passar a perna em*: 📖 "– Que aquela praça era uma cova de Caco, uma Calábria, disse ele ao saber da notícia, um dia de manhã: que comiam o fazendeiro por uma perna; que misturavam o café bom, mandado por ele, com o café de refugo" (Júlio Ribeiro, *A Carne*, p. 81). **Dar à perna.** Andar depressa. [Cf. *dar às pernas*.] **Dar às pernas.** V. *fugir*. (1 e 2). [Cf. *dar à perna*.] **Desenferrujar as pernas.** *Bras.* Estirar as pernas. **Em cima da perna.** *Bras.* V. *em cima da coxa*: 📄 *Fez o trabalho em cima da perna.* **Estar, ficar, etc. trocando as pernas.** *Gír.* Ficar excessivamente embriagado, ou dopado. **Estirar as pernas.** Espairecer; desenferrujar as pernas. **Fazer uma perna. 1.** Tomar o lugar de parceiro no jogo. **2.** Entrar em uma negociação; conluiar-se. **Fugir com quantas pernas tinha** Escapar com a maior rapidez possível: 📖 "Se por acaso ouvia vozes ou passos de gente que se aproximava, subia acima da parede, descalçava os socos, batia com um no outro e largava a fugir com quantas pernas tinha." (Miguel Torga, *Novos Contos da Montanha*, p. 41.) **Não ir lá das pernas.** *Fam.* **1.** Não ir adiante; não fazer progressos: 📄 *Aquele namoro não vai lá das pernas.* **2.** Não sair-se bem nalguma tarefa ou propósito: 📄 *Nos estudos o menino não vai lá das pernas.* **Não ter pernas.** Não ter força nas pernas. **Passar a perna em alguém.** Agir deslealmente em prejuízo de alguém; lográ-lo, enganá-lo; comer alguém por uma perna. **Ter à perna.** Ser perseguido ou maçado por (alguém). **Ter boas pernas.** Estar em condições de andar muito. **Trocar as pernas.** Andar em zigue-zague (por cansaço ou embriaguez). **Trocar pernas.** V. *bater pernas*: 📖 "Eu andava inquieto, trocando pernas, ia à cidade e voltava a qualquer pretexto ou sem nenhum" (Autran Dourado, *Nove Histórias em Grupos de Três*, p. 166).

pernaça [De *perna* + *-aça*.] *S. f. Pop.* V. *pernão*[1].

pernaço [De *perna* + *-aço*.] *S. m. Pop.* V. *pernão*[1].

pernada [De *perna* + *-ada*[1].] *S. f.* **1.** Passada larga. **2.** As primeiras e mais fortes ramificações das árvores. **3.** Pequeno braço de rio. **4.** Pancada com a perna. **5.** *Bras. Marinh.* Cada uma das seções de um cabo, corrente, etc., que se estendem numa direção definida, distinta das demais seções. **6.** *Bras.* Caminhada longa. **7.** *Bras. Cap.* Jogo ginástico, praticado principalmente na BA e no RJ, de ritmo marcado pela mesma orquestra da capoeira, e que é uma simplificação desta: os jogadores, de pés juntos, procuram derrubar-se mutuamente com golpes da coxa, do joelho, da perna ou do pé. [Sin.: *bate-coxa, batuque, batuque-boi*.] **8.** V. *rasteira* (1). **9.** *Bras. PE Etnogr.* Passo do frevo que lembra a capoeira, e em que o dançarino dá um salto para elevar o corpo e lançar a perna em todas as direções, com giros contínuos. **10.** *Esport.* Movimento das pernas, em natação.

perna-de-moça *S. f. Bras. Zool.* **1.** V. *papa-terra* (3). **2.** V. *pescada-branca* (4). [Pl.: *pernas-de-moça*.]

perna de pau *Bras. S. 2 g.* **1.** Perneta (2). **2.** Jogador de futebol que não tem qualidades ou habilitações para esse jogo. **3.** *Fam.* Pessoa medíocre ou desajeitada em algum trabalho ou profissão. [Pl.: *pernas de pau*. Cf. *perna-de-pau*, s.m., *perna de pau* e *pernas de pau*, loc.] ☑ notas 1 e 2

perna-de-pau *S. m. Zool.* Maçarico (1). [Pl.: *pernas-de-pau*. Cf. *perna de pau*, s. 2 g., *perna de pau* e *pernas de pau*, loc.]

perna de serra *S. f. Bras.* Peça de madeira usada em construções. [Pl.: *pernas de serra*.] ☑

perna de xis *S. m. Bras. Pop.* Cambaio (5). [Pl.: *pernas de xis*.] ☑

perna-lavada *S. f. Bras. Zool.* V. *tovacuçu*. [Pl.: *pernas-lavadas*.]

pernalta [De *perna* + o f. de *alto*[2].] *S. f.* **1.** Espécime das pernaltas, designação antiga dos animais metazoários, cordados, vertebrados, aves, cujas pernas são longas, desprovidas de penas sobre o tarso e a porção inferior da perna. O grupo, muito heterogêneo, compreende, atualmente, as ordens dos ciconiiformes, caradriiformes e gruiformes. ● *Adj. 2 g.* **2.** Pertencente ou relativo a elas. **3.** V. *pernalto*.

pernalteiro [De *pernalto* + *-eiro*.] *Adj.* V. *pernalto*.

pernalto [De *perna* + *alto*.] *Adj.* Que tem pernas altas; pernalta, pernalteiro, pernaltudo.

pernaltudo [De *pernalto* + *-udo*.] *Adj.* V. *pernalto*.

perna-manca *S. f. Bras.* Travessa de madeira. [Pl.: *pernas-mancas*.]

pernambucana [F. subst. do adj. *pernambucano*.] *S. f. Bras.* **1.** Faca de ponta [v. *lambedeira* (3)] : 📖 "de repente, tirando a pernambucana da cinta, ia pular no Benício." (Bernardo Élis, *Ermos e Gerais*, p. 20). **2.** *Bras. BA* Cachaça (1) de boa qualidade.

pernambucano *Adj.* **1.** Do, ou pertencente ou relativo ao Estado de Pernambuco. ● *S. m.* **2.** O natural ou habitante de Pernambuco.

pernambucos [Do top. *Pernambuco*.] *El. s. m. pl. Bras. RS* Us. na loc. *estar nos pernambucos*. ◆ **Estar nos pernambucos.** Achar-se à vontade, a gosto, na situação desejada.

pername [De *perna* + *-ame*.] *S. m. Bras. Pop.* V. *pernão*[1].

pernão[1] [De *perna* + *-ão*[1].] *S. m.* Perna grossa. [Sin., pop.: *pernaça, pernaço, pernona* e (no Brasil) *pername*.]

pernão[2] *Adj. Pop.* V. *parnão*.

perné *S. m. Bras. BA* Certo barco de pesca.

pernear [De *perna* + *-ear*[2].] *V. int.* **1.** V. *espernear* (1): 📖 "A criança passava fome, frio e desamparo, vagindo e perneando na sua canastra." (Camilo Castelo Branco, *Vulcões de Lama*, p. 121.) **2.** Dar pulos; pular, saltar. [F. paral.: *pernejar*. Conjug.: v. *frear*.]

pernegudo [De *perna*.] *Adj. Bras.* **1.** V. *pernilongo* (1). ● *S. m.* **2.** Indivíduo pernegudo: 📖 "Envergava o pernegudo a japona de pano um tanto surrado" (Alberto Rangel, *Fura-Mundo!*, p. 22).

perneira [De *perna* + *-eira*.] *S. f.* **1.** Doença que ataca as pernas dos bois. **2.** *Bras. N.E.* Calça de couro ajustada ao corpo, usada pelos vaqueiros. V. *couros*. **3.** *Bras. MG* Beribéri. ~ V. *perneiras*. **4.** *Vest.* V. *polaina*.

perneiras [Pl. de *perneira*.] *S. f. pl. Bras.* **1.** Peças de couro ou pano grosso, ou tiras de pano grosso, que envolvem as pernas para protegê-las. **2.** Espécie de botas usadas pelos soldados e habitantes do interior e do sertão. **3.** *Vest.* V. *polaina* [Tb. us. no sing.] ~ V. *perneira*.

pernejar [De *perna* + *-ejar*.] *V. int.* Pernear. [Conjug.: v. *pelejar*.]

perneta (ê) [De *perna* + *-eta* (ê).] *S. f.* **1.** Perna pequena. ● *S. 2 g. Bras.* **2.** Pessoa a quem falta uma perna, ou que tem defeito numa das pernas; perna de pau.

pernetear[1] [De *perna*, com possível infl. de *perneta*.] *V. int. Bras.* Bater muito com as patas. [Conjug.: v. *frear*.]

pernetear[2] [De *perneta* + *-ear*[2].] *V. int. Bras. RS* Mancar, claudicar. [Conjug.: v. *frear*.]

perniaberto [De *perna* + *-i-* + *aberto*.] *Adj.* Que tem as pernas afastadas, abertas.

pernibambo [De *perna* + *-i-* + *bambo*.] *Adj. Bras.* Que tem pernas bambas: 📖 "A quem encontrei foi o Zé Herculino, liquefeito e pernibambo, que, com insistentes acenos e exclamações, me convidou à sua mesa" (Ciro dos Anjos, *A Menina do Sobrado*, p. 349).

pernície [Do lat. *pernicie*.] *S. f.* Estrago, destruição, ruína.

perniciosa [F. subst. de *pernicioso*.] *S. f.* V. *malária*.

perniciosidade [De *pernicioso* + *-(i)dade*.] *S. f.* Qualidade de pernicioso.

pernicioso (ô) [Do lat. *perniciosu*.] *Adj.* Mau, nocivo, ruinoso; perigoso: 📄 *influência perniciosa*.

pernicurto [De *perna* + *-i-* + *curto*.] *Adj.* Que tem pernas curtas: 📖 "O moço guerreiro .... tem uma perna fraturada, e a cruel operação que teve de sofrer deixou-o estropiado, pernicurto e coxo para o resto de sua vida." (Eduardo Frieiro, *O Alegre Arcipreste*, p. 131.) [Antôn.: *pernigrande, pernilongo*.]

pernigordo (ô) [De *perna* + *-i-* + *gordo*.] *Adj.* Que tem as pernas gordas, muito cheias.

pernigrande [De *perna* + *-i-* + *grande*.] *Adj. 2 g.* V. *pernilongo* (1). [Antôn.: *pernicurto*.]

pernigrosso (ô) [De *perna* + *-i-* + *grosso*.] *Adj.* Que tem as pernas grossas. [Flex.: *pernigrossa, pernigrossos* (ó), *pernigrossas*.]

pernil [De *perna* + *-il*[1].] *S. m.* **1.** A parte mais delgada da perna do porco e doutros animais. **2.** Perna magra. **3.** *Bras.* Coxa de quadrúpede comestível, especialmente a do porco. ◆ **Esticar o pernil.** V. *morrer* (1).

pernilongo [De *perna* + *-i-* + *longo*.] *Adj.* **1.** Que tem pernas longas; pernigrande, pernudo, pernegudo. [Antôn.: *pernicurto*.] ● *S. m.* **2.** *Bras. Zool.* Ave caradriiforme, recurvirrostros (*Himantopus h. melanurus*), do Chile, Argentina, Uruguai, Paraguai, e grande parte do Brasil: RS, MT, SP, MG e BA. Coloração geral preta, com a cabeça e lado inferior brancos, e uma faixa da mesma cor do pescoço ao dorso. Vive em lagoas e terrenos alagadiços. [Sin.: *bico-revolto*.] **3.** *Bras. Zool.* V. *mosquito*[1] (1).

pernilongo-rajado *S. m. Zool.* Mosquito raiado de preto e branco (*Aedes aegypti*), transmissor da febre amarela e de dengue. [Pl.: *pernilongos-rajados*.]

pérnio [Do lat. *pernio* (nom.).] *S. m. Derm.* Lesão cutânea caracterizada por eritema localizado, e por tumefação pastosa subcutânea, e causada por exposição ao frio e à umidade; observam-se também prurido e sensação de queimação. Compromete, ger., mãos, pés, orelhas e face em crianças, pernas e pododáctilos em mulheres, e mãos e quirodáctilos em homens.

perno [Do cat. *pern*.] *S. m.* Pequeno eixo cilíndrico de vários maquinismos.

pernoca [De *perna* + *-oca*.] *S. f. Fam.* Perna (1 e 2), especialmente perna gorda.

pernoita [Dev. de *pernoitar*.] *S. f.* V. *pernoitamento*. [F. paral.: *pernouta*.]

pernoitamento [De *pernoitar* + *-mento*.] *S. m.* Ato ou efeito de pernoitar. [F. paral.: *pernoutamento*. Sin.: *pernoita* e (bras.) *pernoite*.]

pernoitar [Do lat. *pernoctare*.] *V. int.* Ficar durante a noite; passar a noite; tomar pousada (6); dormir: 📄 *Insistiu com os viajantes para que pernoitassem ali.* [F. paral.: *pernoutar*.]

pernoite [Dev. de *pernoitar*.] *S. m. Bras.* V. *pernoitamento*: 📖 "Desci em Posadas, capital do Território de Missiones, para um pernoite. Dia seguinte, retomei o expresso de Assunção." (Raul Bopp, *Putirum*, p. 189.) [F. paral.: *pernoute*.]

pernona [De *perna* + *-ona*[1].] *S. f.* V. *pernão*[1].

pernosticidade [De *pernóstico* + *-(i)dade*.] *S. f. Bras.* Pernosticismo.

pernosticismo [De *pernóstico* + *-ismo*.] *S. m. Bras.* Qualidade ou maneiras de pernóstico; pernosticidade.

pernosticizar [De *pernóstico* + *-izar*.] *V. t. d. P.* Tornar(-se) pernóstico, presumido, pedante.

pernóstico [Do s. ant. *pronóstico*, 'indivíduo petulante, espevitado', com troca de prefixo, poss.] *Adj. Pop.* **1.** Presumido, afetado, pretensioso, pedante; pronóstico. **2.** Espevitado, repontão. **3.** *Bras.* Diz-se de pessoa que gosta de empregar termos difíceis, os quais, frequentemente, desconhece. ● *S. m.* **4.** Indivíduo pernóstico; pronóstico.

pernouta [Dev. de *pernoutar*.] *S. f.* V. *pernoita*.

pernoutamento *S. m.* V. *pernoitamento*.

pernoutar *V. int.* V. *pernoitar*.

pernoute [Dev. de *pernoutar*.] *S. m.* V. *pernoite*.

pernudo [De *perna* + *-udo*.] *Adj.* V. *pernilongo* (1).

pero [De *peró* (q. v.).] *Conj. Ant.* **1.** Porém, mas. **2.** Ainda que; mesmo que. [Cf. *pero* (ê).]

pero[1] (ê) [De *pera* (ê).] *S. m.* **1.** Variedade de maçã, fruto do pereiro (1). **2.** *Lus.* Variedade de maçã pequena do Ribatejo (Portugal). **3.** *Lus.* Variedade de pera (1), pequena. [Pl.: *peros* (ê). Cf. *pero*, conj., e *Pero* (ê), antr.] ❖

pero[2] (ê) [Do antr. *Pero* (ê), *Pedro*.] *S. m. Bras.* Nos tempos coloniais, designação que davam os índios aos portugueses. [Pl.: *peros* (ê). Cf. *pero*.] ❖

peró [Do lat. tard. *per hoc*, 'por isso', 'portanto', 'no entanto'.] *Conj. Arc.* Pero (q. v.).

peroba [Do tupi = 'casca amargosa'.] *S. f. Bras.* **1.** *Bot.* Nome comum a diversas árvores apocináceas e bignoniáceas cuja madeira é de boa qualidade, em especial as do gênero *Aspidosperma* (v. *aspidosperma*); perobeira. **2.** *Bot.* V. *guatambu* (2). **3.** Trabalho, serviço, ocupação: 📖 "Lá na fazenda o trabalhador mais desgraçado está convencido de que, se deixar a peroba, o serviço emperra." (Graciliano Ramos, *S. Bernardo*, p. 68.) ● *S. 2 g.* **4.** *Fam.* V. *maçante* (2). **5.** *Pop.* V. *galalau*. ● *Adj. 2 g.* **6.** *Fam.* V. *maçante* (1).

peroba-amarela *S. f. Bot.* V. *peroba-de-campos*. [Pl.: *perobas-amarelas*.]

peroba-amargosa *S. f. Bot.* V. *peroba-rosa*. [Pl.: *perobas-amargosas*.]

peroba-cetim *S. f. Bras. Bot.* V. *guatambu* (2). [Pl.: *perobas-cetins* e *perobas-cetim*.]

peroba-de-campos *S. f. Bras. L. Bot.* Grande árvore bignoniácea (*Paratecoma peroba*) da mata do N. do ES e do Centro da BA, cujas folhas têm cinco folíolos serreados e cujas flores têm dois estames apenas,

P

sendo os frutos ensiformes e lenhosos, e a madeira, amarela, dura e resistente, de grandíssima utilidade. [Sin.: *peroba-amarela, ipê.* Pl.: *perobas-de-campos.*]

peroba-de-folha-larga [De *peroba* + *de* + *folha*[1] + o f. de *largo*[2].] *S. f. Bras. Bot.* V. *pequiá-amarelo* (2). [Pl.: *perobas-de-folha-larga.*]

peroba-do-campo *S. f. Bras. Bot.* V. *guatambu* (2). [Pl.: *perobas-do-campo.*]

perobal [De *peroba* + *-al*[1].] *S. m.* 1. *Bras.* Quantidade mais ou menos considerável de perobas dispostas proximamente entre si. 2. Área ocupada por perobal (1).

peroba-rosa *S. f. Bras. L. S. Bot.* Grande árvore apocinácea (*Aspidosperma polyneuron*) das matas pluviais, de folhas coriáceas e com múltiplas nervuras muito aproximadas, flores dispostas em glomérulos, frutos que são pequenos folículos, e madeira róseo-amarelada, forte e resistente, de extraordinária utilidade. [Sin.: *peroba-amargosa, sobro.* Pl.: *perobas-rosas.*]

peroba-tambu *S. f. Bras. Bot.* V. *guatambu* (3). [Pl.: *perobas-tambus* e *perobas-tambu.*]

perobeação [De *perobear* + *-ção.*] *S. f. Bras. Gír.* Ato ou efeito de perobear; caceteação, maçada.

perobear [De *peroba* + *-ear*[2].] *V. t. d. Bras. Gír.* Importunar, maçar, macetear, chatear. [Conjug.: v. *frear.*]

perobeira [De *peroba* + *-eira.*] *S. f. Bras. Bot.* Peroba (1).

perobinha [De *peroba* + *-inha.*] *S. f. Bras. Bot.* 1. Árvore fabácea (*Sweetia elegans*) que cresce dispersa pelos cerrados, de folhas penadas e coriáceas, pequeninas flores racemosas e frutos leguminiformes; joão-correia, perobinha-do-campo. 2. V. *chapada* (6).

perobinha-do-campo *S. f. Bras. Bot.* V. *perobinha* (1). [Pl.: *perobinhas-do-campo.*]

perobo [De or. obsc.] *S. m. Bras. Gír.* Homossexual masculino.

pero-botelho [Do antr. *Pero Botelho.*] *S. m. Bras. CE Pop.* V. *diabo* (2). [Pl.: *peros-botelhos.*] ❖

pérola [Do lat. vulg. **pernula*, dim. de *perna*, 'certo tipo de ostra', pelo it. **perla*, com suarabácti.] *S. f.* 1. Glóbulo duro, brilhante e nacarado, que se forma nas conchas de alguns moluscos bivalves. [Sin., p. us.: *margarita.*] 2. Conta feita desse glóbulo, e que se usa em objetos de adorno: *anel de pérola.* 3. A cor da pérola (1). 4. *Fig.* Pessoa de grandes qualidades morais. 5. *Fig.* Gota de água; camarinha, lágrima: *as pérolas do orvalho; Duas pérolas rolavam-lhe da face.* 6. *Bot.* Gema das plantas lenhosas, envolvida em catafilos imbricados. [F. paral. (ant. e pop.): *perla.*] ● *Adj. 2 g. e 2 n.* 7. Que tem a cor da pérola: "Estou de saia pérola e de blusa verde, estampada com rododendros negros." (Osmã Lins, *Nove, Novena*, p. 25.) 8. Diz-se dessa cor: *lenço de cor pérola.* 9. *Farm.* Cápsula gelatinosa, esférica ou ovoide que contém substância medicamentosa líquida ou volátil. [Cf. *perola*, do v. *perolar*, e *pérula.*] ~ V. *pérolas.* ◆ **Deitar pérolas a porcos.** 1. Favorecer, obsequiar, a quem não o merece. 2. Dizer coisas finas, preciosas, a quem não é capaz de as entender.

perolado [De *pérola* + *-ado*[1].] *Adj.* Perlado: "O leite na mesa de cabeceira cobriu-se todo de uma nata perolada." (Lia Luft, *A Asa Esquerda do Anjo*, p. 107.)

perolandense *Adj. 2 g.* 1. De, ou pertencente ou relativo a Perolândia (GO). ● *S. 2 g.* 2. O natural ou habitante de Perolândia.

pérola-oestense *Adj. 2 g.* 1. De, ou pertencente ou relativo a Pérola d'Oeste (PR). ● *S. 2 g.* 2. O natural ou habitante de Pérola d'Oeste. [Sin. ger.: *perolense*[2]. Pl.: *pérola-oestenses.*]

perolar [De *pérola* + *-ar*[2].] *V. t. d.* Perlar. [Pres. ind.: *perolo, perolas, perola*, etc. Cf. *pérola*, s. f., e *Pérola*, antr.]

pérolas [Pl. de *pérola.*] *S. f. pl.* Filete perlado (q. v.). ~ V. *pérola.*

pérola-vegetal *S. f. Bras. Bot.* Arbusto ou arvoreta euforbiácea (*Phyllanthus nobilis*) das florestas pluviais, que tem folhas lanceoladas ou elípticas e acuminadas, flores mínimas, unissexuais e pouco numerosas, e cujo fruto é uma cápsula subglobosa. [Sin.: *castelo.* Pl.: *pérolas-vegetais.*]

peroleira [Do esp. *perulero.*] *S. f.* Vasilha afunilada, própria para guardar azeitonas.

perolense[1] *Adj. 2 g.* 1. De, ou pertencente ou relativo a Pérola (PR). ● *S. 2 g.* 2. O natural ou habitante de Pérola.

perolense[2] *Adj. 2 g. S. 2 g.* V. *pérola-oestense.*

perolífero [De *pérola* + *-ífero.*] *Adj.* Perlífero.

perolino [De *pérola* + *-ino*[1].] *Adj.* De pérola.

perolizar [De *pérola* + *-izar.*] *V. t. d.* Dar cor ou aparência de pérola a.

peromedusa [Do lat. cient. *pero-* (< gr. *péra*, 'sacola', 'bolsa') + *medusa*[2]; tax. *Peromedusae.*] *S. f. Zool.* Coronada.

peroneal [De *perônеo* + *-al*[1].] *Adj. 2 g. Anat.* Relativo ou pertencente a perôneo.

peróneo *S. m. Lus. Anat. Ant. denom.* V. *perôneo.* [Uso freq. em P.]

perôneo [Do lat. cient. *peroneus* (do lat. *perone*, 'espécie de bota que recobria parte da perna').] *S. m. Anat. Denom. ant.* V. *fíbula.*

peroneu *S. m. Anat. Denom. ant.* V. *fíbula.*

perónio[1] *S. m. Lus. Anat.* V. *perônio*[1]. [Uso freq. em P.]

perónio[2] *S. m. Zool.* V. *perônio*[2]. [Uso freq. em P.]

perônio[1] *S. m. Anat. Denom. ant.* V. *fíbula.*

perônio[2] [Do lat. cient. *peronium.*] *S. m. Zool.* Trato epitelial modificado situado entre a borda da umbrela e a base de um tentáculo, em algumas hidromedusas.

peronismo *S. m.* 1. Pensamento ou ação política de Juan Domingo Perón (1895-1974), três vezes presidente da Argentina (1946, presidente eleito; 1949, ditador; 1951, reeleito). 2. Adesão ao peronismo, ou simpatia por ele.

peronista [De *peronismo* + *-ista.*] *Adj. 2 g.* 1. Relativo ao, ou próprio do peronismo. 2. Que é partidário dele. ● *S. 2 g.* 3. Partidário do peronismo (1).

peróptero [Do gr. *perós*, 'privado do uso de um membro', + *-ptero.*] *Adj. S. m. Zool.* Diz-se de, ou peixe sem nadadeiras ventrais.

peroração [Do lat. *peroratione.*] *S. f.* 1. *E. Ling.* A parte final de um discurso; epílogo. 2. *E. Ling.* Pequeno discurso. 3. *Mús.* A última parte de uma sinfonia.

perorador (ô) [De *perorar* + *-dor.*] *Adj.* 1. Que perora. ● *S. m.* 2. Aquele que perora. 3. Orador (1).

perorar [Do lat. *perorare.*] *V. int.* 1. Terminar um discurso: *O vereador perorou irritado.* 2. Discursar pretensiosamente: *O orador, muito pedante, perorou insuportavelmente.* *T. i.* 3. Falar com afetação: *Os demagogos peroram às massas.* *T. d.* 4. Falar a favor de; defender, advogar: *Mártires morreram perorando a independência.*

perovskita [Do antr. (*L. A.*) *Perovski* (1792-1856), estadista russo, + *-ita*[3].] *S. f. Min.* Mineral isométrico, óxido de cálcio e titânio, mineral-minério de titânio.

▲ **peroxi-** (cs) *Quím. El. comp.* Indica presença do grupo divalente -O-O-.

peroxidar (cs) [De *per-* + *oxidar.*] *V. t. d.* Oxidar no mais alto grau. [Pres. ind.: *peroxido*, etc. Cf. *peróxido.*]

peroxidase (cs) [De *peróxido* + *-ase.*] *S. f. Bioquím.* Qualquer das enzimas que catalisam a formação e a destruição de peróxidos.

peróxido (cs) [De *per-* + *óxido.*] *S. m. Quím.* 1. Qualquer substância, orgânica ou inorgânica, que contém o grupo -O-O-, ou este grupo. 2. *Restr.* Qualquer substância orgânica que contém o grupo R-O-O-R (onde R é alquila ou arila), ou este grupo. [Cf., nesta acepç., *hidroperóxido.*] 3. Função da química orgânica que se caracteriza pelo grupo funcional peróxido (2). [Cf. *peroxido*, do v. *peroxidar.*] ◆ **Peróxido de hidrogênio.** *Quím.* Líquido um pouco mais viscoso e mais denso que a água, fortemente oxidante, instável quando puro, cujas soluções aquosas diluídas são a *água oxigenada.*

peroxissomo (cs) [De *peroxi-* + *-somo.*] *S. m. Citol.* Organela rica em enzimas e encontrada em células de vegetais e de animais.

▲ **peroxo-** (cs) *Quím. El. comp.* F. alternativa de *peroxi-.*

perpassante [De *perpassar* + *-nte.*] *Adj. 2 g.* Que perpassa.

perpassar [De *per-* + *passar.*] *V. t. i. T. c.* 1. Passar junto ou ao longo: *Perpassou pelo velho e não o reconheceu; Perpassou pela casa rapidamente.* 2. Roçar de leve: *Uma brisa perpassou pelos pares que dançavam no jardim; Um vento fresco perpassava nas folhagens.* *T. d. e c.* 3. Fazer correr ou roçar: *Perpassou os dedos pelos cabelos da noiva.* *Int.* 4. Seguir certa direção; percorrer um caminho sem se deter; passar: *A procissão perpassa, seguida por devotos.* 5. Passar, escoar-se (o tempo); decorrer: *Perpassaram, lentos, meses e anos.* *T. d.* 6. Deixar atrás ou do lado; postergar, preterir: *perpassar um compromisso.*

perpassável [De *perpassar* + *-vel.*] *Adj. 2 g.* 1. Que se pode passar, percorrer, transpor; passável. 2. Desculpável, tolerável.

perpendicular [Do lat. tard. *perpendiculare.*] *Adj. 2 g.* 1. *Geom.* Diz-se de qualquer configuração geométrica cuja interseção com outra forma um ângulo reto. ● *S. f.* 2. Linha perpendicular. 3. Qualquer configuração geométrica perpendicular.

perpendicularidade [Do lat. med. *perpendicularitate.*] *S. f.* Qualidade ou posição de perpendicular.

perpendículo [Do lat. *perpendiculu.*] *S. m.* Fio de prumo.

perpetração [Do lat. tard. *perpetratione.*] *S. f.* Ato ou efeito de perpetrar.

perpetrador (ô) [Do lat. tard. *perpetratore.*] *Adj. S. m.* Que, ou aquele que perpetra.

perpetrar [Do lat. *perpetrare*, 'fazer inteiramente', 'levar a cabo'.] *V. t. d.* 1. Cometer, praticar (ato condenável): "os crimes da Inquisição .... só transitoriamente afetaram o prestígio da confissão religiosa que os perpetrou, porque as sociedades humanas não desfrutam do privilégio aristocrático da vergonha e a sua memória depressa cansa" (Fidelino de Figueiredo, *Entre Dois Universos*, p. 107). 2. Perfazer, realizar.

perpétua [F. subst. do adj. *perpétuo.*] *S. f. Bot.* 1. Arbusto asteráceo (*Helichrysum lancifolium*) oriundo da África ou Ásia, e cultivado pelo valor ornamental, de folhas lanceoladas e estreitas e capítulos magnos, solitários e amarelos. 2. Planta amarantácea (*Gomphrena globosa*) semiereta, muito ramificada, dotada de folhas simples, elípticas, pilosas, e pequenas inflorescências globosas, roxas ou creme, muito duráveis devido às pétalas rijas, e que se podem utilizar em arranjos florais após secarem; perpétua-roxa, suspiro. 3. A flor dessa planta: "Saudades roxas e perpétuas cobriam o túmulo singelo" (José de Alencar, *O Tronco do Ipê*, p. 194). [Cf. *perpetua*, do v. *perpetuar.*]

perpetuação [Do lat. med. *perpetuatione.*] *S. f.* Ato ou efeito de perpetuar(-se); perpetuamento: "A noite, alma nutriz da volúpia e do sono, / Perpetuação da vida e iniciação do nada..." (Olavo Bilac, *Tarde*, p. 11.)

perpétua-do-mato *S. f. Bras. Bot.* Macela-do-mato. [Pl.: *perpétuas-do-mato.*]

perpetuador (ô) [De *perpetuar* + *-dor.*] *Adj.* 1. Que perpetua; perpetuante. ● *S. m.* 2. Aquele que perpetua.

perpetuamento [De *perpetuar* + *-mento.*] *S. m.* Perpetuação.

perpetuante [De *perpetuar* + *-nte.*] *Adj. 2 g.* Que perpetua; perpetuador.

perpetuar [Do lat. *perpetuare.*] *V. t. d.* 1. Tornar perpétuo; fazer durar sempre, ou por muito tempo; eternizar: *Criou Deus o homem, mas não lhe perpetuou a vida; Alguns pretendem perpetuar a desordem.* 2. Multiplicar, reproduzindo ou por geração; propagar: *Os animais de porte gigantesco não conseguiram perpetuar a espécie.* 3. Dar fama imorredoura a; eternizar na memória dos homens; imortalizar: *Os pintores renascentistas perpetuaram sua técnica e sensibilidade;* "O maire (prefeito municipal) de Clochemerle quer deixar uma obra que lhe perpetue o nome." (Costa Rego, *Águas Passadas*, p. 273). *T. d. e i.* 4. Manter para sempre; conservar-se: *Os membros do Partido Monarquista pretendem perpetuar o rei no poder.* 5. Transmitir para sempre: *Os gregos perpetuaram sua glória à posteridade.* *P.* 6. Durar sempre; eternizar-se: *As instituições não se perpetuam, amoldam-se às necessidades do progresso;* "E é como jornalista que passa [Justiniano José da Rocha] à História, e se perpetua na memória dos brasileiros." (Elmano Cardim, *Justiniano José da Rocha*, p. 11). 7. Transmitir-se de geração em geração: *Os traços de caráter não se perpetuam de pai para filho.* 8. Multiplicar-se, reproduzindo por geração; propagar-se: *Segundo a Bíblia, o homem não se perpetuará para sempre.* [Pres. ind.: *perpetuo, perpetuas, perpetua*, etc. Cf. *perpétuo*, adj., fem. *perpétua*, o s. f. *perpétua*, e os antr. *Perpétuo* e *Perpétua.*]

perpétua-roxa [De *perpétua* + o f. de *roxo.*] *S. f. Bot.* V. *perpétua* (2). [Pl.: *perpétuas-roxas.*]

perpetuidade (u-i) [Do lat. *perpetuitate.*] *S. f.* 1. Qualidade do que é perpétuo. 2. Duração perpétua. 3. Duração muitíssimo longa; eternidade: *Fez-me esperar uma perpetuidade.*

perpétuo [Do lat. *perpetuu.*] *Adj.* 1. Incessante, contínuo, ininterrupto: *movimento perpétuo.* 2. Que dura sempre; eterno; eternal: *degredo perpétuo; jazigo perpétuo.* 3. Diz-se de cargo ou função vitalícia: *É secretário perpétuo da Academia.* 4. Frequente, constante, contínuo: *Andam em perpétuas discussões.* ~ V. *calendário —.* [Cf. *perpetuo*, do v. *perpetuar.*]

perpianho [Do esp. *perpiaño.*] *S. m. Constr.* Cantaria que tem toda a largura duma parede e quatro faces aparelhadas; parede de perpianho.

perplexão (cs) [Do lat. tard. *perplexione.*] *S. f.* V. *perplexidade*: "Policarpo Golfão, em silêncio ouvindo-o, em silêncio continuou, com um ar de perplexão." (Herberto Sales, *Os Pareceres do Tempo*, p. 175.)

perplexidade (cs) [Do lat. tard. *perplexitate.*] *S. f.* Estado ou qualidade de perplexo; perplexidez, perplexão.

perplexidez (cs... ê) *S. f.* V. *perplexidade.*

perplexo (cs) [Do lat. *perplexu*, 'emaranhado' e, daí, 'indeciso'.] *Adj.* 1. Indeciso, duvidoso, hesitante, irresoluto: "As suas cartas desta época mostram Antero em grande incerteza sobre os caminhos que se lhe abriam na vida, perplexo, hesitante, numa 'eterna flutuação'" (José Bruno Carneiro, *Antero de Quental*, I, p. 232). 2. Espantado, admirado, atônito: *Ficou perplexo com a notícia do suicídio do amigo.*

perponte [Var. de *perpunto.*] *S. m.* Antigo gibão acolchoado, us. por guerreiros. [Var.: *perponto.*]

perponto *S. m.* V. *perponte.*

perpunto [Do lat. *perpunctu*, 'picado de um lado ao outro', pelo cat. *perpunt* e pelo esp. *perpunte*.] *S. m.* V. *perponte*.

perquirente [De *perquirir* + *-ente*.] *Adj. 2 g. S. 2 g.* V. *perquiridor*.

perquirição [De *perquirir* + *-ção*.] *S. f.* Ato ou efeito de perquirir. [F. paral.: *perquisição*.]

perquiridor (ô) [De *perquirir* + *-dor*.] *Adj.* **1.** Que perquire. • *S. m.* **2.** Aquele que perquire. [Sin. ger.: *perquirente*, *perquisidor*.]

perquirir [Do lat. *perquirere*.] *V. t. d.* **1.** Investigar com escrúpulo; inquirir minudentemente; pesquisar, indagar, perscrutar, esquadrinhar: *Foi Machado de Assis o romancista brasileiro que melhor perquiriu as profundezas da alma humana*; "Médicos perquiriram-lhe o consciente e o inconsciente e .... aquele fundo de alma a lhe subir à tona deixava-a com modos de rio revolvido, latejante de incontáveis coisas." (Helena Silveira, *Mulheres frequentemente*, p. 65). *Int.* **2.** Investigar, esquadrinhar, perscrutar.

perquisição [Do lat. tard. *perquisitione*.] *S. f.* Perquirição.

perquisidor (ô) [Do lat. *perquisitore*.] *Adj. S. m.* V. *perquiridor*.

perquisitivo [Do lat. *perquisitus*, part. pass. de *perquirere*, 'perquirir', + *-ivo*.] *Adj.* Relativo a, ou em que há perquisição.

perra (ê) [Do esp. *perra*.] *S. f.* Cadela (1).

perradial [De *perrádio* + *-al*[1].] *Adj. 2 g.* De, ou relativo a perrádio.

perrádio [Do lat. cient. *perradius*.] *S. m. Zool.* Um dos quatro raios principais primários dos cnidários.

perraria [De *perro* + *-aria*.] *S. f.* V. *pirraça* (2).

perreiro [Do esp. *perrero*.] *S. m. Bras. Prov. port.* **1.** Guarda de matilha. **2.** Enxota-cães.

perremismo *Bras. S. m.* **1.** O ideário do PRM (Partido Republicano Mineiro), agremiação política extinta em 1965; o programa, o espírito desse partido. **2.** Filiação a esse partido, ou simpatia por ele.

perremista *Bras. Adj. 2 g.* **1.** Relativo ao PRM, ou ao perremismo (1). **2.** Que é partidário ou simpatizante do PRM. • *S. 2 g.* **3.** Partidário ou simpatizante do PRM.

perrengada [De *perrengue* + *-ada*[1].] *S. f. Bras. S.* Grupo de indivíduos covardes, perrengues.

perrengagem [De *perrengar* + *-agem*[2].] *S. f. Bras.* Qualidade ou ação de perrengue.

perrengar [De *perrengue* + *-ar*[2].] *V. int. Bras.* Perrenguear. [Conjug.: v. *largar*.]

perrengue [Do esp. *perrengue*.] *Adj. 2 g.* **1.** *Bras.* Covarde, medroso, pusilânime. **2.** *Bras.* Fraco, desalentado; lerdo. **3.** *Bras.* Imprestável, ruim. **4.** *Bras.* Teimoso, birrento. **5.** *Bras.* Que sofre de manqueira crônica; capenga. **6.** *Bras. S.* Diz-se do animal que não presta para o serviço. • *S. 2 g.* **7.** *Bras.* Pessoa ou animal perrengue: "— Vai-te, perrengue! Um homem que se deixa amarrar pela barba, não é homem, não é homem!" (Hugo de Carvalho Ramos, *Tropas e Boiadas*, p. 59.) • *S. m.* **8.** *Bras. RJ Gír.* Bate-boca, altercação, confusão: "Em compensação não será Humphrey Bogart quem resolverá seus perrengues na vida, não é mesmo?" (Flávio Moreira da Costa, *Nem Todo Canário é Belga*, p. 75.) **9.** *Bras. Gír.* Situação difícil; aperto: *Passei o maior perrengue no fim do mês.*

perrenguear [De *perrengue* + *-ear*[2].] *V. int. Bras.* **1.** Mostrar-se perrengue (1); perrengar. **2.** Andar adoentado, fraco ou perrengue (2); perrengar: *Não perrengueia jamais: tem uma saúde de ferro.* [Conjug.: v. *frear*.]

perrepismo *Bras. S. m.* O ideário do PRP (Partido Republicano Paulista), agremiação política extinta em 1965; o programa, o espírito desse partido.

perrepista *Bras. Adj. 2 g.* **1.** Relativo ao PRP, ou ao perrepismo (1). **2.** Que é partidário ou simpatizante do PRP. • *S. 2 g.* **3.** Partidário ou simpatizante dele.

perrexil [Do esp. *perejil*, 'salsa'.] *S. m.* **1.** Aquilo que estimula o apetite; aperitivo. **2.** Certa casta de uva branca portuguesa.

perrice [De *perro*[1] + *-ice*.] *S. f.* **1.** V. *pirraça* (2). **2.** Mau humor; caturrice, zanga.

perro (ê) [Do esp. *perro*.] *S. m.* **1.** Cão[1] (1). **2.** *Deprec.* Homem vil; canalha. • *Adj.* **3.** Difícil de abrir e fechar; emperrado; resistente: *portão perro*. **4.** *Fig.* Obstinado, teimoso, pertinaz. ◆ **São como um perro.** Muito saudável, que vende saúde: "Na manhã seguinte o menino, são como um perro, já acordava reclamando comida" (Pedro Nava, *Balão Cativo*, p. 157).

perruma [De *perro* + *-uma*.] *S. f.* Pão ordinário feito de farelo, que se dá aos cães.

perruno [Do esp. *perruno*.] *Adj.* Do, pertencente, ou relativo ao cão; canino: "por que haveríamos de rejeitar violentamente as impuridades alheias, neste caso de natureza perruna, portanto bem mais inocente que a outra, dos humanos" (José Saramago, *História do Cerco de Lisboa*, p. 70).

persa [Do lat. *persa*.] *Adj. 2 g.* **1.** Da, ou pertencente ou relativo à antiga Pérsia (atual Irã, Ásia); pérseo, pérsico, persiano, pérsio (v. *iraniano*). • *S. 2 g.* **2.** O natural ou habitante da Pérsia; persiano, pérsio (v. *iraniano*). • *S. m.* **3.** *Gloss.* Língua indo-europeia do grupo iraniano falada no Irã e no Afeganistão; farsi, pársi, parse, dari. **4.** *Gloss.* Vocábulo dessa língua. [Cf. *pálavi* (1).] ◆ **Persa médio.** *Gloss.* Pálavi (1).

➔ **persaeculasaeculorum** [perˈsajkulasajkoˈloro(m)] [Lat.] Pelos séculos dos séculos; para sempre.

persa-tadjique *S. m. Gloss.* Tadjique (4).

perscrutação [Do lat. *perscrutatione*.] *S. f.* Ato ou efeito de perscrutar.

perscrutador (ô) [Do lat. tard. *perscrutatore*.] *Adj. S. m.* Que, ou aquele que perscruta.

perscrutar [Do lat. *perscrutare*.] *V. t. d.* **1.** Investigar minuciosamente; indagar com escrúpulo; perquirir: *A polícia perscrutou a vida do suspeito*; "o inseto perscruta, com inveja dos sábios, o ignorado mundo dos infinitamente pequenos" (Antônio Feliciano de Castilho, *Amor e Melancolia*, p. 382). **2.** Procurar devassar o futuro de: *Os astrólogos perscrutam o homem, o mundo e seu destino.* **3.** Procurar conhecer; estudar, sondar, penetrar: *perscrutar os mistérios da religião. Int.* **4.** Investigar, indagar com escrúpulo; esquadrinhar, perquirir: "e o homem, nu e desarmado, armava-se e vestia-se, construía o tugúrio e o palácio, a rude aldeia e Tebas de cem portas, criava a ciência, que perscruta, e a arte, que enleva" (Machado de Assis, *Memórias Póstumas de Brás Cubas*, p. 26). [Pret. imperf. ind.: *perscrutava*, ... *perscrutáveis*, *perscrutavam*. Cf. *perscrutáveis*, pl. de *perscrutável*.]

perscrutável [De *perscrutar* + *-vel*.] *Adj. 2 g.* Que pode ser perscrutado.

➔ **per se** [peɾ se] [Lat.] *Filos.* Por si (2).

pérsea [Do tax. *Persea* (do lat. *persea*).] *S. f. Bot.* **1.** Gênero de árvores e arbustos lauráceos dotados de folhas alternas, espessas, pequenas flores paniculadas, com nove estames, e fruto carnoso, monospérmico. Habitam, ger., regiões tropicais. **2.** Qualquer espécie desse gênero, como, p. ex., a *Persea americana* (v. *abacateiro*). **3.** Qualquer espécime desse gênero.

persecução [Do lat. *persecutione*.] *S. f.* Perseguição (1).

persecutório [Do lat. *persecutus*, part. pass. de *persequi*, 'perseguir', + *-ório*.] *Adj.* **1.** Em que há, ou que envolve perseguição: *delírio persecutório*. **2.** Próprio para perseguir.

perseguição [De *perseguir* + *-ção*.] *S. f.* **1.** Ato ou efeito de perseguir; persecução. **2.** Tratamento injusto e cruel infligido com encarniçamento: *as perseguições sofridas pelos cristãos*.

perseguida [F. subst. do adj. *perseguido*.] *S. f. Bras. Chulo* A vulva.

perseguido [Part. de *perseguir*.] *Adj. S. m.* Que, ou aquele que é objeto de perseguição.

perseguidor (ô) [De *perseguir* + *-dor*.] *Adj.* **1.** Que persegue. • *S. m.* **2.** Indivíduo ou animal que persegue.

perseguir [Do lat. **persequere*, por *persequi*.] *V. t. d.* **1.** Seguir de perto; ir ao encalço de; acossar: *Otávio perseguiu Marco Antônio e Cleópatra implacavelmente, até liquidá-los.* **2.** Incomodar com súplicas repetidas; importunar: *Após a eleição, os cabos eleitorais perseguiram o deputado, pleiteando empregos.* **3.** Incomodar, importunar: *O telefone não para de tocar; persegue-o dia e noite.* **4.** Fazer punir; castigar: *A lei não persegue religiosos por professarem a sua fé.* **5.** Vexar com violência; atormentar, torturar, flagelar: *Alguns imperadores romanos perseguiram os cristãos.* **6.** Buscar realizar ou conquistar: *perseguir ideais; Insaciável, persegue um cargo no alto escalão.* **7.** Procurar adquirir: *Persegue esta fita há meses. P.* **8.** Perseguir a si próprio: "Tempo, vais para trás ou para diante? / O passado carrega a minha vida / Para trás e eu de mim fugi distante, // Ou existir é uma contínua ida / E eu me persigo nunca me alcançando?" (Dante Milano, *Poesias*, p. 23.) [Irreg. Conjug.: v. *seguir*.]

perseidade [Do lat. escolástico *perseitate* (de *per se*, 'por si').] *S. f. Filos.* Na escolástica, a qualidade do que existe por si [v. *per si* (3)].

persentir [Do lat. *persentire*.] *V. t. d.* Sentir intimamente, profundamente, penetrantemente. [Irreg. Conjug.: v. *sentir*. Cf. *pressentir*.]

pérseo [Do top. *Pérsia* + *-eo*.] *Adj.* V. *persa* (1). [Cf. *pérsio*.]

perseu [Do lat. *Perseus*.] *S. m. Astr.* Constelação do hemisfério boreal, próxima a Andrômeda e Auriga, e cuja estrela principal é Algol. [Com cap.]

persevão [De or. incerta.] *S. m.* Tábua inferior do coche, onde o passageiro apoia os pés.

perseverança [Do lat. *perseverantia*.] *S. f.* Qualidade ou procedimento de perseverante; pertinácia, constância, firmeza.

perseverante [Do lat. *perseverante*.] *Adj. 2 g.* Que persevera.

perseverar [Do lat. *perseverare*.] *V. t. i.* **1.** Conservar-se firme e constante; persistir, prosseguir, continuar: *Quem persevera em seus propósitos acaba vencendo; Por que perseverar no erro? Pred.* **2.** Continuar a ser ou ficar; manter-se, permanecer, conservar-se, persistir: *Os soldados perseveraram corajosos em face do perigo. Int.* **3.** Conservar a sua força ou ação; continuar, perdurar, subsistir, persistir: *O doente foi medicado, mas a febre perseverou.* **4.** Ter ou mostrar perseverança, firmeza; permanecer sem mudar ou sem variar de intento: "Disseram-lhe que no amor a perseverança vencia tudo, e ele perseverou até se tornar insuportável" (Ramalho Ortigão, *Primeiras Prosas*, p. 300).

persiana [Do fr. *persienne*.] *S. f.* Caixilho de tabuinhas móveis, que se coloca por fora das janelas ou das sacadas para resguardar do sol ou impedir que se devasse o interior das casas: "A cidade estaria ciente e, por trás das persianas corridas, olhos curiosos acompanhariam o desfile." (Renard Pérez, *Os Sinos. O Tombadilho*, p. 111.)

persiano [Do top. *Pérsia* + *-ano*[1].] *Adj. S. m.* V. *persa* (1 e 2).

persicária [Do tax. *Persicaria* (do lat. medic. *persicaria*).] *S. f. Bot.* **1.** Gênero de poligonáceas com espécies ger. herbáceas, por vezes aquáticas, muitas delas cultivadas ou como ornamentais, ou como medicinais, ou como alimentícias. **2.** Qualquer espécie ou espécime desse gênero.

persicária-mordaz [De *persicária* + *mordaz*.] *S. f. Bot.* V. *erva-de-bicho* (1). [Pl.: *persicárias-mordazes*.]

pérsico [Do gr. *persikós*, pelo lat. *persicu*.] *Adj.* V. *persa* (1). ~ V. *estátua —a*.

persigal [De *presigo* + *-al*[1], com metátese.] *S. m.* **1.** Pocilga, curral, chiqueiro. **2.** Manada de porcos.

persignação [De *persignar* (-*se*) + *-ção*.] *S. f.* Ato de persignar-se.

persignar-se [Do lat. *per signum*, palavras iniciais do texto litúrgico pronunciado por quem se persigna, + *-ar*[2] + *se*[1], ou do lat. *persignare*, 'registrar', + *se*[1].] *V. p.* **1.** Fazer com o polegar da mão direita três cruzes, uma na testa, outra na boca e outra no peito, pronunciando a fórmula litúrgica: "Pelo sinal da Santa Cruz, livrai-nos Deus, Nosso Senhor, dos nossos inimigos". **2.** Persignar-se (1) e benzer-se, fazendo o sinal da cruz: "Aterrada, a rapariga persignou-se, algumas vezes, ... rezou depressa pelo morto e seguiu o vivo." (Tristão da Cunha, *Histórias do Bem e do Mal*, p. 39); "Tudo moroso, pachorrento e triste, nas tardes quentes que a noite fecha rapidamente, quando na Sé batem as ave-marias, os homens se descobrem e as mulheres se persignam." (Graça Aranha, *Obra Completa*, p. 553).

pérsio [Do top. *Pérsia* + *-io*[3].] *Adj. S. m.* V. *persa* (1 e 2). [Cf. *pérseo*.]

persistência (sis) [De *persistir* + *-ência*.] *S. f.* **1.** Qualidade ou ato de persistente. **2.** Perseverança, constância, pertinácia.

persistente (sis) [Do lat. *persistente*.] *Adj. 2 g.* **1.** Que persiste; pertinaz, contumaz, constante. **2.** *Bot.* Diz-se de folhas que subsistem durante o inverno, ainda que murchas, *i. e.*, que não são decíduas nas estações frias. [Cf. *caduco* (5).] **3.** *Ecol.* Diz-se de poluente que permanece ativo no ambiente sem degradar-se, como, p. ex., o plástico. ~ V. *cálice —*.

persistir (sis) [Do lat. *persistere*.] *V. t. i.* **1.** Ser constante, perseverar, continuar, prosseguir, insistir: "Os que persistem em considerar a religião, a arte e a ciência como compartimentos estanques, pouco avançarão no conhecimento do universo." (Murilo Mendes, *O Discípulo de Emaús*, p. 105.) *Pred.* **2.** Continuar a ser ou ficar; permanecer, manter-se, conservar-se, perseverar: *Todos persistiram calados, inabaláveis. Int.* **3.** Existir; durar, perdurar: *Persistem as guerras e as discórdias.*

persolver [Do lat. *persolvere*.] *V. t. d.* Pagar ou solver inteiramente; desobrigar-se de: *Conseguiu persolver suas dívidas.*

personagem [Do fr. *personnage*.] *S. f. e m.* **1.** Pessoa notável, eminente, importante; personalidade, pessoa. **2.** Cada um dos papéis que figuram numa peça teatral ou filme, e que devem ser encarnados por um ator ou uma atriz; figura dramática. **3.** *P. ext.* Cada uma das pessoas que figuram em uma narrativa, romance, poema ou acontecimento. **4.** *P. ext.* Ser humano representado em uma obra de arte: *O guerreiro é a personagem mais expressiva do quadro.*

personagem-tipo *S. f. e m. Teatr.* Personagem que representa um tipo padrão de comportamento; máscara. [Pl.: *personagens-tipos* e *personagens-tipo*.]

personagem-título *S. f. e m.* Personagem cujo nome é o título de um romance, peça teatral, filme, etc.: *Quincas Borba é o personagem-título do ro-*

P

mance Quincas Borba, *de Machado de Assis.* [Pl.: *personagens-títulos* e *personagens-título.*]

➔**persona grata** [pɛr'sona 'grata] [Lat., 'pessoa bem-vinda, bem-aceita'.] *S. f.* **1.** Na linguagem diplomática, indica que uma pessoa será recebida com prazer pelo governo junto ao qual foi despachada como representante diplomático. [Cf. *agrément.*] **2.** *P. ext.* Pessoa recebida com simpatia, com agrado, por alguém ou por alguma entidade.

▲**personal(i)-** [Do lat. *personalis, e.*] *El. comp.* = 'pessoal': *personalidade* (< lat. tard.), *personalizar.*

personalidade [Do lat. tard. *personalitate.*] *S. f.* **1.** Caráter ou qualidade do que é pessoal; pessoalidade. **2.** O que determina a individualidade duma pessoa moral. **3.** O elemento estável da conduta de uma pessoa; sua maneira habitual de ser; aquilo que a distingue de outra: *São grandes amigos, apesar de terem personalidades inteiramente diversas.* **4.** Traços típicos; originalidade: *criatura banal, sem personalidade.* **5.** V. *personagem* (1). **6.** *Jur.* Aptidão, reconhecida pela ordem jurídica, para exercer direitos e contrair obrigações. V. *pessoa* (6). **7.** *Psiq.* O conjunto das características cognitivas, afetivas, volitivas e físicas que distinguem um indivíduo. ◆ **Personalidade anancástica.** *Psiq.* Personalidade obsessivo-compulsiva (q. v.). **Personalidade antissocial.** *Psiq.* A que se caracteriza, fundamentalmente, por desrespeito e violação das regras sociais, o que resulta em conflito com a sociedade, já que o indivíduo, ao não observar suas obrigações em relação a outros indivíduos, revela intolerância, egoísmo, falta de empatia e de autocensura. [Sin.: *personalidade psicopática, personalidade sociopática, sociopatia.*] **Personalidade borderline.** *Psiq.* Distúrbio de personalidade caracterizado por instabilidade da autoestima, do humor (4) e das relações interpessoais, ocorrendo frequentes atos impulsivos e autolesivos, ira descontrolada, sensação de tédio, ameaça de suicídio, etc. [Sin.: *personalidade limítrofe.*] **Personalidade de base.** *Sociol.* Configuração psicológica própria dos membros de uma determinada sociedade, e que se manifesta por um certo estilo de vida. **Personalidade jurídica.** *Jur.* Aptidão que a lei atribui a uma entidade coletiva para ser titular de direitos e obrigações; personalidade moral. **Personalidade limítrofe.** *Psiq.* Personalidade *borderline.* **Personalidade moral.** *Jur.* Personalidade jurídica. **Personalidade narcisista.** *Psiq.* Distúrbio de personalidade que se caracteriza por um padrão inflexível de grandiosidade, presunção, arrogância e, ger., falta de empatia. **Personalidade obsessivo-compulsiva.** *Psiq.* Distúrbio de personalidade que se caracteriza por um padrão inflexível de perfeccionismo, ordem, preocupação com detalhes, regras e controle. [Sin.: *personalidade anancástica.*] **Personalidade psicopática.** *Psiq.* V. *personalidade antissocial.* **Personalidade sociopática.** *Psiq.* V. *personalidade antissocial.*

personalismo [De *personal(i)-* + *-ismo.*] *S. m.* **1.** Qualidade do que é pessoal, subjetivo. **2.** Conduta de quem refere tudo a si próprio: *indivíduo de personalismo onipotente.* **3.** *Filos.* Doutrina segundo a qual a pessoa é o tema central da reflexão. **4.** *Filos.* Doutrina inspirada em Leibniz (v. *leibniziano*), segundo a qual o mundo é constituído por uma totalidade de espíritos finitos que, no seu conjunto, formam uma ordem ideal, em que cada um deles conserva sua autonomia. **5.** *Filos.* Doutrina cujos representantes principais foram Emmanuel Mounier (1905-1950), filósofo nascido em Grenoble (França), e Nicolai Berdiaeff (1874-1948), filósofo e místico russo, que, embora concebendo o ser humano em sua individualidade como um valor absoluto, considera que esse valor não é independente nem superior ao do relacionamento do indivíduo com a coletividade e com a natureza, mas por intermédio desse relacionamento se expressa e se perfaz. [O personalismo toma corpo nas cruzadas ético-políticas que afirmam a necessidade do aprimoramento moral do indivíduo como panaceia para a cura de todos os males político-sociais.] **6.** *Polít.* Fenômeno caracterizado pela concentração da unidade da força eleitoral e do prestígio de um partido na pessoa de um chefe carismático.

personalíssimo [Do lat. *personalissimu.*] *Adj.* Superl. abs. sint. de *pessoal*; pessoalíssimo. ~ V. *direito* —.

personalista [De *personal(i)-* + *-ista.*] *Adj. 2 g.* **1.** Pessoal, subjetivo; personalístico: *interpretação personalista de um fato.* **2.** Egocêntrico. **3.** Relativo ao, ou próprio do personalismo (3 a 5). **4.** Que é partidário do personalismo (3 a 5). ● *S. 2 g.* **5.** Pessoa egocêntrica. **6.** Partidário do personalismo (3 a 5).

personalístico [De *personal(i)-* + *-ist(a)-* + *-ico²*.] *Adj.* V. *personalista* (1).

personalização [De *personalizar* + *-ção.*] *S. f.* Ato ou efeito de personalizar.

personalizado [Part. de *personalizar.*] *Adj.* **1.** Alterado segundo especificações fornecidas pelo usuário. **2.** Diz-se de documento ou papel de uso pessoal que leva o nome do seu dono ou usuário: *cheque personalizado.* **3.** Feito segundo o gosto do freguês: *móveis personalizados.*

personalizante [De *personalizar* + *-nte.*] *Adj. 2 g.* Que personaliza.

personalizar [De *personal(i)-* + *-izar.*] *V. t. d.* **1.** Atribuir qualidades de pessoa a; personificar: *As religiões orientais personalizavam as forças da natureza.* **2.** Nomear ou indicar a pessoa de: *Contou o milagre sem personalizar o santo.* **3.** Dar caráter pessoal a; tornar pessoal: *Os políticos não deveriam personalizar divergências impessoais.* **4.** *Inform.* Definir as características ou os parâmetros de [equipamento ou programa (9)], para que atenda às exigências de um usuário específico. **5.** *Restr.* Configurar (a interface de programa [9] para uso específico ou pessoal). *Int.* **6.** Fazer alusões injuriosas; lançar indiretas: *Tem o mau costume de personalizar: jamais fala claro.*

▲**person(i)-** [Do lat. *persona, ae.*] *El. comp.* = 'máscara'; 'personagem'; 'pessoa', 'indivíduo': *personificar.*

personificação [De *personificar* + *-ção.*] *S. f.* **1.** Ato ou efeito de personificar. **2.** Pessoa que representa ou evoca uma coisa abstrata ou inanimada; expressão: *Harpagão é a personificação da avareza; O gaúcho, em seu traje regional, é a personificação dos pampas.* **3.** Pessoa que representa um princípio, uma ideia, uma qualidade, etc.: "Homero é a personificação da Grécia ao triunfar sobre a Ásia" (Antero de Quental, *Prosas,* I, p. 66). **4.** *E. Ling.* V. *prosopopeia* (1).

personificar [De *person(i)-* + *-ficar.*] *V. t. d.* **1.** Considerar como pessoa; atribuir qualidades de pessoa a; personalizar: *Os gregos personificavam os seus deuses.* **2.** Representar por meio duma pessoa; pessoalizar: *O diretor do filme pretende personificar o Sol.* **3.** Ser a personificação, o modelo de: *A separação de poderes e o voto universal personificam a democracia liberal.* **4.** Representar simbolicamente; simbolizar, exprimir: *A cena em que o mundo parece rodopiar personifica bem o caos interior da personagem. T. d. e i.* **5.** Exprimir (por um tipo); representar (na figura de uma pessoa): *O diretor procurou personificar no artista principal a sua própria visão céptica do mundo.* [Conjug.: v. *trancar.*]

perspéctico [Do lat. *perspectus,* part. pass. de *perspicere,* 'ver através', + *-ico²*.] *Adj.* V. *perspectivo.* [Var.: *perspético.*]

perspectiva [Do lat. *perspectiva.*] *S. f.* **1.** Arte de representar os objetos sobre um plano tais como se apresentam à vista. **2.** Pintura que representa paisagens e edifícios a distância. **3.** Aspecto dos objetos vistos de uma certa distância; panorama: "Quão tristonhos e acanhados lhe pareceram .... os horizontes e os outeiros de Congonhas do Campo à vista das risonhas campinas e largas perspectivas da fazenda paterna!" (Bernardo Guimarães, *O Seminarista,* p. 97.) **4.** Aparência, aspecto: "Ele [o homem] gosta de se contemplar, através da Saudade, — essa distância espiritual, que dá perspectiva eterna ao seu frágil ser transitório." (Teixeira de Pascoais, *Obras Completas,* VII, p. 115.) **5.** Aspecto sob o qual uma coisa se apresenta; ponto de vista: *Numa perspectiva egoística, tais atos não são condenáveis.* **6.** Expectativa, esperança, probabilidade: *A perspectiva de uns dias de folga calmou-lhe os nervos.* [Var.: *perspetiva.*] ◆ **Em perspectiva.** *Fig.* Esperado no futuro.

perspectivação [De *perspectivar* + *-ção.*] *S. f.* Ato ou efeito de perspectivar. [Var.: *perspetivação.*]

perspectivar [De *perspectiva* + *-ar²*.] *V. t. d.* Pôr em perspectiva: *perspectivar um objeto para desenho.* [Var.: *perspetivar.*]

perspectivismo [De *perspectiva* + *-ismo*; al. *Perspektivismus.*] *S. m. Filos.* Doutrina de Nietzsche (v. *nietzschiano*), segundo a qual todo conhecimento é relativo às necessidades e especialmente às necessidades vitais do ser que conhece. [Var.: *perspetivismo.*]

perspectivista [De *perspectivismo* + *-ista.*] *Adj. 2 g.* **1.** Relativo ao, ou que é adepto do perspectivismo. ● *S. 2 g.* **2.** Adepto do perspectivismo. [Var.: *perspetivista.*]

perspectivo [Do lat. tard. *perspectivu.*] *Adj.* Relativo a perspectiva; perspéctico. [Var.: *perspetivo.*]

perspectógrafo *S. m.* Quareógrafo.

perspético [Var. de *perspéctico* (q. v.).] *Adj.* V. *perspectivo.*

perspetiva *S. f.* V. *perspectiva.*

perspetivação *S. f.* V. *perspectivação.*

perspetivar *V. t. d.* V. *perspectivar.*

perspetivismo *S. m. Filos.* V. *perspectivismo.*

perspetivista *Adj. 2 g. S. 2 g.* V. *perspectivista.*

perspetivo *Adj.* V. *perspectivo.*

perspicácia [Do lat. *perspicacia.*] *S. f.* **1.** Qualidade de perspicaz. **2.** Agudeza de espírito; sagacidade.

perspicacidade [Do lat. tard. *perspicacitate*; fr. *perspicacité.*] *S. f.* Perspicácia: "Maquiavel expunha o seu sistema, ou arte de governar as sociedades humanas, com fleuma e tal perspicacidade e distância psicológica do observado para o observando" (Aquilino Ribeiro, *O Príncipe Perfeito,* p. 13).

perspicacíssimo [Do lat. tard. *perspicacissimu.*] *Adj.* Superl. abs. sint. de *perspicaz.*

perspicaz [Do lat. *perspicace.*] *Adj. 2 g.* **1.** Que vê bem; que observa; penetrante. **2.** Dotado de agudeza de espírito, ou que denota essa qualidade; fino, sagaz; observador: *homem perspicaz; observação perspicaz; olhar perspicaz.* **3.** Inteligente, talentoso. [Sin. ger.: *perspícuo.* Superl. abs. sint.: *perspicacíssimo.*]

perspicuidade (u-i) [Do lat. *perspicuitate.*] *S. f.* Qualidade de perspícuo.

perspícuo [Do lat. *perspicuu.*] *Adj.* **1.** Que se pode ver nitidamente; claro, nítido, evidente, manifesto: "ainda é hoje [a ciência hipocrática] um monumento admirável de perspícua investigação." (Latino Coelho, *A Oração da Coroa,* p. CCCXLIX). **2.** Perspicaz.

perspiração [De *perspirar* + *-ção.*] *S. f.* Ato ou efeito de perspirar.

perspirante [De *perspirar* + *-nte.*] *Adj. 2 g.* Que perspira.

perspirar [Do lat. *perspirare.*] *V. int.* **1.** Transpirar, de forma sensível ou não: *O doente perspirou, preocupando os médicos. T. d.* **2.** Perceber por determinados indícios; pressentir, entrever: *O repórter perspirou a anormalidade política.*

perspiratório [De *perspirar* + *-tório.*] *Adj. Med.* Resultante da perspiração.

perstrição [Do lat. tard. *perstrictione,* 'constrição, aperto (pelo frio)', 'resfriamento'.] *S. f. Cir.* Ligadura ou compressão de vaso[1] (6).

persuadição [De *persuadir* + *-ção.*] *S. f. P. us.* V. *persuasão.*

persuadimento [De *persuadir* + *-mento.*] *S. m.* V. *persuasão.*

persuadir [Do lat. *persuadere.*] *V. t. d. e i.* **1.** Levar a crer ou a aceitar: "Uma ocasião, ardendo ele em febre, a mulher o persuadiu de que estava perfeitamente bom" (José de Alencar, *Sonhos d'Ouro,* p. 176). **2.** Decidir (a fazer algo); convencer; induzir: "entre os refugos da filial, havia uma porção de frascos de perfumes franceses, já pelo meio, a evaporarem. Não consegui persuadir a freguesia a levá-los, nem mesmo por preço irrisório." (Ciro dos Anjos, *Explorações no Tempo,* p. 212). **3.** Mover, induzir, aconselhar: *Persuadiu os rebeldes à rendição.* **4.** Fazer adquirir certeza; obrigar a convencer-se: *Os últimos acontecimentos persuadiram o governo do estado de calamidade. T. d.* **5.** Dispor a fazer, a praticar; decidir, determinar: *A prática religiosa nem sempre persuade o bem.* **6.** Determinar a vontade de; convencer: *Ninguém conseguiu persuadir o teimoso.* **7.** Mostrar a conveniência de; aconselhar, indicar; apontar: *Os conselheiros persuadiram a assinatura da paz. Int.* **8.** Levar o convencimento ao ânimo de alguém; induzir à persuasão; convencer: *O arrazoado não persuadiu. P.* **9.** Adquirir persuasão ou convicção; convencer-se: "Persuadira-se de que já estava condenado ao inferno" (Inglês de Sousa, *O Missionário,* p. 65). **10.** Mostrar-se pronto ou disposto; decidir-se, resolver-se: *A viúva não se persuadiu a casar de novo.* **11.** Estar ciente; formar juízo; tomar conhecimento: *Os réus devem persuadir-se do processo.* [Antôn.: *dissuadir.*]

persuadível [De *persuadir* + *-vel.*] *Adj. 2 g.* Que pode ser persuadido, ou facilmente persuadido.

persuasão [Do lat. *persuasione.*] *S. f.* **1.** Ato ou efeito de persuadir(-se). **2.** Convencimento por meio do discurso, da argumentação. **3.** Convicção, certeza. [Sin. ger.: *persuadimento* e (p. us.) *persuadição.*]

persuasiva [F. subst. de *persuasivo.*] *S. f.* Habilidade ou talento de persuadir.

persuasível [Do lat. *persuasibile.*] *Adj. 2 g.* V. *persuasivo.*

persuasividade [De *persuasivo* + *-(i)dade.*] *S. f.* Qualidade ou caráter de persuasivo.

persuasivo [Do lat *persuasus,* part. pass. de *persuadere,* 'persuadir', + *-ivo.*] *Adj.* Que persuade; persuasível, persuasório, persuasor, suasivo, suasório. [Antôn.: *dissuasivo, dissuasório.*]

persuasor (ô) [Do lat. tard. *persuasore.*] *Adj.* **1.** V. *persuasivo.* ● *S. m.* **2.** Aquele que persuade.

persuasória [F. subst. de *persuasório.*] *S. f.* Motivo ou razão persuasiva ou persuasória.

persuasório [Do lat. tard. *persuasoriu.*] *Adj.* V. *persuasivo.*

persulfato [De *per-* + *-sulf(o)-* + *-ato²*.] *S. m. Quím.* Qualquer sal do ácido persulfúrico.

persulfúrico *Adj. Quím.* ~ V. *ácido* —.

pertença [Do lat. *pertinentia.*] *S. f.* **1.** Pertence. **2.** Domínio (5): *Tais assuntos são pertenças da literatura.* **3.** Atribuição, poder: *A resolução a esse respeito é* *pertença do diretor administrativo.* **4.** *Lus.* Propriedade: "O Saias .... habitava uma moradia outrora pertença de uma abastada e conhecida família." (Antônio Silva Graça, *Viagem ao Fim da História*, p. 110.) [Sin., p. us.: *pertinência.*]

pertence [Dev. de *pertencer.*] ***S. m.*** Declaração que se faz em certos títulos, designando a pessoa a quem se transmite a propriedade deles. [Var.: *pertença* (q. v.).] ~ V. *pertences.*

pertencente [De *pertencer* + *-nte.*] ***Adj. 2 g.*** **1.** Que pertence a alguém ou a alguma coisa. **2.** V. *pertinente* (1): *assuntos pertencentes à administração pública.*

pertencer [Do lat. **pertinescere*, incoativo de *pertinere.*] ***V. t. i.*** **1.** Ser propriedade de: *Aquelas terras pertencem ao Estado;* "São sempre iguais na idade os deuses e as quimeras. / O poeta é um deus também. Pertence-lhe o infinito." (Félix Pacheco, *Poesias*, p. 63). **2.** Ser parte de: *Usa palavras que não pertencem ao português;* "O conto pertence a uma camada mais velha da literatura do que o romance." (Oto Maria Carpeaux, *A Cinza do Purgatório*, p. 95). **3.** Dizer respeito; ter relação; referir-se, reportar-se, concernir: *Relatou fatos que pertenciam à Proclamação da República.* **4.** Ser devido ou merecido; caber: *A vaga pertencia ao mais antigo.* **5.** Ser próprio ou característico de; ser peculiar a: *A inteligência pertence ao homem.* **6.** Ser de jurisdição ou obrigação de alguém; caber, competir, tocar, incumbir: *A educação das crianças espartanas pertencia ao Estado.* [Conjug.: v. *vencer.*]

pertences [Pl. de *pertence.*] ***S. m. pl.*** **1.** Aquilo que faz parte de alguma coisa, que lhe pertence; pertenças: *um estojo de viagem com todos os seus pertences.* **2.** Objetos de uso pessoal: *Tinha como pertences um grande chapéu, dois leques, cigarros e várias pulseiras.* **3.** *Bras. SP* Rodelas de crochê usadas antigamente sob bibelôs ou jarros. [P. us. no sing.] ~ V. *pertence.*

pertencimento [De *pertencer* + *-imento.*] ***S. m.*** **1.** Ato ou efeito de pertencer. **2.** *Fig.* Sentimento de pertencer a um lugar, a um grupo ou de fazer parte de sua história.

pertentar [De *per-* + *tentar.*] ***V. t. d.*** Tentar de novo, ou repetidamente: "com tardo auxílio / tenta a morte vencer; pertenta, e balda, / quantos lhe ocorrem, médicos segredos" (Antônio Feliciano de Castilho, *As Metamorfoses*, p. 98).

pértiga [Do lat. *pertica.*] ***S. f.*** **1.** Vara, varapau. [Var.: *pírtiga.*] **2.** Vara com um saquinho de gaze numa das extremidades, que se utiliza para pulverizar fungicidas e inseticidas sobre as plantas. [Var. (nas duas acepçs.): *pértigo.*]

pértigo ***S. m.*** V. *pértiga.*

pertinácia [Do lat. *pertinacia.*] ***S. f.*** Qualidade, caráter ou ação de pertinaz.

pertinacíssimo [Do lat. *pertinacissimu.*] ***Adj.*** Superl. abs. sint. de *pertinaz.*

pertinaz [Do lat. *pertinace.*] ***Adj. 2 g.*** Muito tenaz; obstinado, persistente, teimoso, pervicaz: *É pertinaz como poucos, alcança quanto deseja;* "E isto trazia conjuntamente outra ideia, que nesses últimos dias já o atravessara, pertinaz e torturante" (Eça de Queirós, *Os Maias*, II, p. 165). [Superl. abs. sint.: *pertinacíssimo.*]

pertinência [Do lat. *pertinentia.*] ***S. f.*** **1.** Qualidade ou condição de pertinente. **2.** *P. us.* V. *pertença.*

pertinente [Do lat. *pertinente.*] ***Adj. 2 g.*** **1.** Relativo, referente, concernente, respeitante, pertencente: "É que .... o problema desdobra-se em dois. Um pertinente à elaboração da obra, outro relativo à sua impressão." (Luís Viana Filho, *Rui & Nabuco*, p. 135.) **2.** Que vem a propósito; próprio, apropositado: *Suas razões são muito pertinentes;* "em virtudes cívicas, em moral doméstica, a nossa decadência .... atesta que temos levado a obra da reformação além dos limites pertinentes" (Franklin Távora, *O Cabeleira*, p. 197). **3.** Importante, relevante, válido: "Miranda disse cousas pertinentes acerca da música moderna e antiga" (Machado de Assis, *Várias Histórias*, p. 122); *Até hoje a mensagem do Evangelho é pertinente para os cristãos.* [Cf. *apertinente.*]

pertita [Do top. *Perth* (Canadá) + *-ita*[3].] ***S. f. Min.*** Intercrescimento de ortoclásio e albita.

perto [De or. incerta.] ***Adv.*** **1.** A pequena distância; junto de; próximo: *Não enxerga bem, nem perto nem longe.* **2.** Dentro de um futuro próximo; brevemente: *Perto findará o ano.* ● ***Adj. 2 g.*** **3.** Próximo, vizinho: *Mora num sítio perto.* ~ V. *pertos.* ◆ **Perto de. 1.** A pequena distância de; próximo de (no espaço ou no tempo): *Plantaram perto da casa árvores frutíferas; Está perto da morte.* **2.** Cerca de; aproximadamente: *Morou em Paris perto de três anos; Gastei perto de 100 reais.* **3.** A ponto de; quase: *Fulo de raiva, esteve perto de destruir tudo à sua volta.* **4.** Em comparação com; em confronto com: "O tipo louro / Vale um tesouro, / Mas perto do moreno / É café pequeno." (Antônio Nássara e Alberto Ribeiro, na marcha *Tipo 7.*) **Ao perto.** V. *de perto* (1): "ela estava à janela, quando passou ao perto um grupo de boêmios e cachaceiros" (Lêdo Ivo, *Ninho de Cobras*, p. 107); "Ao perto, o viajante entristece: este capricho inglês, alimentado com o dinheiro do comércio de panos, e de inspiração vitoriana, mostra a fugacidade dos revivalismos." (José Saramago, *Viagem a Portugal*, p. 172). **De perto. 1.** A pouca distância; ao perto; junto, vizinho: *Conversavam bem de perto.* **2.** *Fig.* Intimamente; profundamente: *Conheço-a bem de perto; Conhece de perto a história do Brasil.*

pertos [Pl. subst. do adj. *perto.*] ***S. m. pl.*** **1.** Objetos próximos. **2.** Qualidades que se descobrem estando junto às pessoas ou objetos que as têm: *os pertos da pintura.* ~ V. *perto.*

pertransido (zi) [Part. de *pertransir.*] ***Adj.*** Atravessado de lado a lado; traspassado, transpassado.

pertransir (zi) [Do lat. tard. *pertransire.*] ***V. t. d.*** Transir totalmente; atravessar de lado a lado; traspassar, transpassar.

pertucho ***S. m.*** Portucho (q. v.).

pertuito [Do lat. *pertuitu.*] ***S. m.*** **1.** Passagem estreita. **2.** Furo, buraco, orifício.

perturbabilidade [De *perturbável* (*perturbabil-*) + *-(i)dade*, seg. o padrão erudito.] ***S. m.*** Qualidade, caráter ou condição de perturbável.

perturbação [Do lat. *perturbatione.*] ***S. f.*** **1.** Ato ou efeito de perturbar(-se). **2.** Estado de quem se acha perturbado: *Enquanto falavam, era visível sua perturbação.* **3.** Perplexidade, hesitação, embaraço: *perturbação do espírito.* **4.** Transtorno, desordem, confusão, tumulto: *perturbações na esfera social.* **5.** Tontura, estonteamento, vertigem. **6.** Alteração das características físicas que se verifica em qualquer ponto de um meio, como, p. ex., uma variação de densidade, de temperatura, dos campos elétrico e magnético. **7.** *Astr.* Desvio do movimento ideal de um astro em torno de outro, causado pela atração gravitacional de um terceiro astro. **8.** *Patol.* Distúrbio, de intensidade variável, no desempenho de uma função física ou psíquica: *perturbação respiratória; perturbação mental.* ◆ **Perturbação astral.** *Astr.* Marca superficial do planeta Júpiter, observada pela primeira vez em 1901, a qual se encontra nas latitudes austrais do planeta e tem um movimento de rotação superior ao dos outros objetos da mesma região.

perturbado [Part. de *perturbar.*] ***Adj.*** **1.** Que sofreu perturbação. **2.** Desnorteado, alucinado, desvairado.

perturbador (ô) [Do lat. *perturbatore.*] ***Adj.*** **1.** Que perturba; perturbativo, perturbatório, perturbante. ~ V. *corpo —.* ● ***S. m.*** **2.** Aquele que perturba.

perturbante [De *perturbar* + *-nte.*] ***Adj. 2 g.*** V. *perturbador* (1): "Lídia, a trigueira hostil, severa e dura, / E Fábia, a de olhos perturbantes, lassos" (Eugênio de Castro, *Obras Poéticas*, II, p. 40).

perturbar [Do lat. *perturbare.*] ***V. t. d.*** **1.** Causar perturbação a ou em; alterar, mudar, modificar, desarranjar: *As erupções vulcânicas perturbam a composição do solo.* **2.** Causar embaraço ou perturbação a; constituir dificuldade para; embaraçar, atrapalhar, estorvar: *Acidentes perturbaram a execução do plano.* **3.** Provocar vergonha, embaraço, em; envergonhar, confundir, embaraçar: *O relato das próprias façanhas perturba os homens modestos.* **4.** Pôr em movimento desordenado; agitar, abalar: *Netuno perturba os mares.* **5.** Causar abalo ou comoção a; abalar, desassossegar, comover: *Sua morte súbita perturbou os amigos.* **6.** Fazer perder a serenidade de espírito; embaraçar, atrapalhar: *As vaias não perturbaram o orador.* **7.** Pôr fim a (sossego, tranquilidade, paz); cortar, interromper: *Ninguém perturbou o silêncio.* **8.** Criar desordem em: *Sua interferência tem perturbado o bom andamento dos fatos.* **9.** Desnortear; desorientar: *O trauma perturbou-lhe a razão.* **10.** Provocar tonteira ou atordoamento em; aturdir, atordoar, estontear, desnortear, desorientar: *O choque provocado pela má notícia perturbou-o.* ***Int.*** **11.** Causar perturbação, atordoamento: "Os perfumes do Rio de Janeiro, desde os do mar até os das montanhas, perturbam, enfeitiçam." (Martins Fontes, *Nós, as Abelhas*, p. 16.) ***P.*** **12.** Perder a serenidade de espírito; atrapalhar-se, atarantar-se, embaraçar-se: *O orador não se perturbou com os apartes.* **13.** Sentir vergonha ou pejo; envergonhar-se, corar, ruborizar: *Perturbou-se ante a presença da mulher.* **14.** Sofrer perturbação ou alteração; alterar-se, modificar-se: *A realidade física perturba-se com frequência.*

perturbativo [Do lat. tard. *perturbativu.*] ***Adj.*** V. *perturbador* (1).

perturbatório [De *perturbar* + *-tório.*] ***Adj.*** **1.** V. *perturbador* (1). **2.** Próprio para, ou capaz de perturbar: *Irado, lançou-lhe palavras perturbatórias.* **3.** Oscilante, oscilatório.

perturbável [De *perturbar* + *-vel.*] ***Adj. 2 g.*** Que se pode perturbar; sujeito a perturbação. [Pl.: *perturbáveis.* Cf. *perturbáveis*, do v. *perturbar.*]

pertuso [Do lat. *pertusu*, 'furado', 'vazado'.] ***Adj. Bot.*** Diz-se da folha que tem algumas perfurações.

peru[1] [De or. incerta; poss. do top. *Peru.*] ***S. m.*** **1.** *Zool.* Grande ave meleagridídea (*Meleagris gallopavo*) doméstica, originária da América do Norte, com plumagem castanho-escura com reflexos verde-metálicos, cabeça e pescoço nus, providos de carúnculas erécteis. A fêmea tem postura de 16 até 20 ovos anuais, com incubação de 29 até 31 dias. Fornecem carne extremamente apreciada. **2.** Prato preparado com essa ave. **3.** *Bras.* No jogo do bicho (q. v.), o 20º grupo (14), que abrange as dezenas 77, 78, 79 e 80, e corresponde ao número 20. **4.** *Bras.* Mirão, sobretudo nos jogos de carta. **5.** *Bras.* Namorado ridículo. **6.** *Bras.* Barco da roça. **7.** *Bras. Chulo* O pênis. **8.** *Bras. Gír.* Indivíduo que gosta de dar palpites. **9.** *Bras. Gír. Desus.* Cédula de 20 cruzeiros. ◆ **Peru de roda.** Peru (1) que forma com a cauda uma espécie de leque: "Ela nunca viu homem, e por isso anda aqui feito galinho de terreiro, ou peru de roda" (Franklin Távora, *O Cabeleira*, p. 42). **Não enjeitar peru por carregado.** *Bras. N.E. Pop.* Não fugir a perigos; gostar de encrencas, de topar paradas.

peru[2] ***S. m.*** Língua indígena falada no Peru (América do Sul).

perua [Fem. de *peru*[1].] ***S. f.*** **1.** *Zool.* A fêmea do peru. [Sin., bras., pop.: *pássara* (PE) e *penosa* (AL).] **2.** *Pop.* V. *bebedeira* (1). **3.** *Bras.* V. *caminhonete*: "Chegou uma perua abarrotada de meninos, colegas e professoras do rapazinho que ia estudar na capital." (Nélson de Faria, *Cabeça-Torta*, p. 91.) **4.** *Bras. SP P. ext.* Automóvel fechado de médio porte, de traseira longa, us. no transporte de passageiros (lícita ou ilicitamente), esp. nos grandes centros. **5.** *Bras. Chulo* Meretriz. **6.** *Bras. AL Pop.* Mistura de aguardente com caldo de cana. **7.** *Bras.* Mulher de aparência e comportamento exagerados.

peruação [De *peruar* + *-ção.*] ***S. f.*** *Bras.* Ação de peruar; aperuação.

perua-choca [De *perua* + o f. de *choco*[2].] ***S. f.*** *Bras. Zool.* V. *surucuá-de-barriga-amarela.* [Pl.: *peruas-chocas.*]

peruada [De *peruar* + *-ada*[1].] ***S. f.*** *Bras. Gír.* Ato de peruar (1 e 4); palpite.

peruagem [De *perua* + *-agem*[2].] ***S. f.*** **1.** Comportamento ou hábito de perua (7). **2.** Conjunto de peruas [v. *perua* (7)].

peruana *Bras.* ***S. 2 g.*** **1.** *Etnôn.* Indivíduo dos peruanas, povo indígena extinto que habitava as margens do rio Branco (RR). ● ***Adj. 2 g.*** **2.** Pertencente ou relativo a esse povo. [Tb. us. como *s. 2 g. e 2 n.* (com cap.) e *adj. 2 g. e 2 n.*]

peruano ***Adj.*** **1.** Do, ou pertencente ou relativo ao Peru (América do Sul). ● ***S. m.*** **2.** O natural ou habitante do Peru. [Sin. (p. us.), nessas acepçs.: *peruviano.*] **3.** *Bras. N.E. Zool.* Espécie de galinha de pescoço pelado.

peruar [De *peru*[1] + *-uar.*] ***V. int.*** *Bras.* **1.** Observar um jogo, dando palpites: *Quando joga, não admite que peruem.* **2.** Rondar bisbilhoteiramente alguma coisa: *Os ladrões peruaram antes de agir.* **3.** Cortejar, requestar; namorar. ***T. d.*** **4.** Assistir a (um jogo), dando palpites: *Não gosta que lhe peruem o jogo.* [Var.: *aperuar.*]

peruca [Do fr. *perruque.*] ***S. f.*** V. *cabeleira*[1] (2).

peru de festa [De *peru*[1] + *de* + *festa.*] ***S. m.*** *Fam.* Pessoa demasiado assídua a festas e divertimentos; arroz-doce de festa; arroz-doce de pagode, arroz de festa, ariri de festa, pão de ló de festa. [Pl.: *perus de festa.* Cf. *nariz de folha.*] ☑

peru-de-sol [De *peru*[1] + *de* + *sol.*] ***S. m.*** *Bras. BA Zool.* V. *surucuá-de-barriga-amarela.* [Pl.: *perus-de-sol.*]

peru-do-mato [De *peru*[1] + *do*[1] + *mato.*] ***S. m.*** *Bras. MG Zool.* V. *jacutinga* (1). [Pl.: *perus-do-mato.*]

peruibense (u-i) ***Adj. 2 g.*** **1.** De, ou pertencente ou relativo a Peruíbe (SP). ● ***S. 2 g.*** **2.** O natural ou habitante de Peruíbe.

peruinho-do-campo [De *peruinho*, dim. de *peru*[1], + *do*[1] + *campo.*] ***S. m.*** *Bras. Zool.* V. *caminheiro* (5). [Pl.: *peruinhos-do-campo.*]

pérula [Do lat. *perula*, 'sacola'.] ***S. f.*** *Bot.* O conjunto das escamas que protegem as gemas dormentes de certas árvores. [Cf. *pérola.*]

perum [De *peru*[1], com nasalação.] ***S. m.*** *Ant. Pop. Zool.* Peru[1] (1).

peruqueiro [De *peruca* + *-eiro.*] ***S. m.*** Profissional que confecciona perucas.

peruruca [Var. de *pururuca.*] ***S. f.*** *Bras.* Espécie de milho.

perusino ***Adj.*** **1.** De, ou pertencente ou relativo a Perúsia (Itália). ● ***S. m.*** **2.** O natural ou habitante de Perúsia.

peruviano [Do fr. *péruvien.*] ***Adj. S. m.*** *P. us.* V. *peruano* (1 e 2).

P

peruzinho-do-campo [De *peruzinho*, dim. de *peru*[1], + *do*[1] + *campo*.] *S. m. Bras. Zool.* V. *caminheiro* (5). [Pl.: *peruzinhos-do-campo*.]

pervagante [De *pervagar* + *-nte*.] *Adj. 2 g.* Que pervaga.

pervagar [Do lat. **pervagare*, por *pervagari*.] *V. t. d.* **1.** Percorrer em diversas direções; atravessar, cruzar: *Os bandeirantes pervagaram o interior brasileiro. T. c. Int.* **2.** Andar a esmo ou sem destino; errar, vagar, vaguear: "Pervagar nos caminhos / estrelados de hortênsias, e quaresmas abertas..." (Adelmar Tavares, *Poesias Completas*, p. 168); *Solitário, vive a pervagar.* [Conjug.: v. *largar*.]

pervencer [Do lat. *pervincere*.] *V. t. d.* Vencer inteiramente; esmagar, destruir, aniquilar. [Conjug.: v. *vencer*.]

perversão [Do lat. *perversione*.] *S. f.* **1.** Ato ou efeito de perverter(-se). **2.** Corrupção, desmoralização, depravação. **3.** Alteração, transtorno: *perversão do olfato, do gosto.* **4.** *Med.* Desvio ou perturbação de uma função normal, sobretudo no terreno psíquico. ◆ **Perversão sexual.** *Psiq. Desus.* Parafilia.

perversidade [Do lat. *perversitate*.] *S. f.* **1.** Qualidade de perverso; fereza. **2.** Índole ferina ou ruim.

perversivo [Do lat. *perversus*, part. pass. de *pervertere*, 'perverter', + *-ivo*.] *Adj.* V. *pervertedor* (1).

perverso [Do lat. *perversu*.] *Adj.* **1.** Que tem malíssima índole; muito mau; malvado. **2.** Que revela perversão: *hábitos perversos.* ● *S. m.* **3.** Indivíduo perverso.

perversor (ô) [Do lat. *perversus*, part. pass. de *pervertere*, 'perverter', + *-sor*.] *Adj.* e *S. m.* V. *pervertedor*.

pervertedor (ô) [De *perverter* + *-dor*.] *Adj.* **1.** Que perverte; perversivo, perversor. ● *S. m.* **2.** Aquele que perverte; perversor.

perverter [Do lat. *pervertere*.] *V. t. d.* **1.** Tornar perverso ou mau; corromper, depravar, desmoralizar: *As más companhias perverteram-no.* **2.** Realizar mudança, alteração, em; alterar, transtornar: *Os invasores persas impunham-se, mas sem perverterem a ordem institucional dos povos subjugados.* **3.** Tomar em mau sentido; desvirtuar, deturpar, desfigurar, malsinar: *Costuma perverter, de caso pensado, o que ouve. P.* **4.** Tornar-se perverso; corromper-se, desmoralizar-se, depravar-se: *A sociedade romana perverteu-se ao assimilar as riquezas dos povos mediterrâneos.*

pervertido [Part. de *perverter*.] *Adj.* **1.** Que se perverteu. **2.** Depravado; desmoralizado, corruto. ● *S. m.* **3.** Indivíduo pervertido.

pervicácia [Do lat. *pervicacia*.] *S. f.* Qualidade de pervicaz.

pervicacíssimo *Adj.* Superl. abs. sint. de *pervicaz*.

pervicaz [Do lat. *pervicace*.] *Adj. 2 g.* V. *pertinaz*. [Superl. abs. sint.: *pervicacíssimo*.]

pervígil [Do lat. *pervigile*.] *S. 2 g.* Pessoa que não dorme. [Pl.: *pervígeis*.]

pervigília [Do lat. tard. *pervigilia*.] *S. f.* Vigília prolongada: "Honra .... a Seabra Fagundes .... e a Temístocles Marcondes Ferreira, ... Carlos A. Dunshee de Abranches e José Maria MacDowell da Costa, solidários colaboradores dos cuidados e desvelos, das vigílias e pervigílias com que nos entregamos à penosa mas nobilitante tarefa de redigir o projeto hoje transformado em lei." (Neemias Gueiros, *A Advocacia e o Seu Estatuto*, p. 18.)

pervinca [Do lat. *pervinca*.] *S. f. Bot.* Erva apocinácea (*Vinca minor*) perene, nativa da Europa, de folhas pilosas, flores azuis, ou rosas, ou alvas, e frutos foliculares; congorsa, congorsa-menor, vincapervinca.

pervinco *S. m. Ant.* Parente muito próximo.

pérvio [Do lat. *perviu*.] *Adj.* Que dá passagem; transitável, franco, patente: *floresta pérvia.* [Antôn.: *impérvio*, *ínvio*.]

pés [Pl. de *pé*.] *El. s. m. pl.* Us. na loc. adv. *pés e pelo*. [Cf. *pez*, s. m., e *pês*, pl. de *pê* e f. apocopada de *pese* (ê), do v. *pesar*.] ◆ **Pés e pelo.** A pé e descalço; pesepelo.

pesa-ácido [Da 3.ª pess. sing. do pres. ind. de *pesar* + *ácido*.] *S. m.* Areômetro para medição da densidade de líquidos mais densos que a água. [Pl.: *pesa-ácidos*.]

pesa-cartas [Da 3.ª pess. sing. do pres. ind. de *pesar* + o pl. de *carta*.] *S. m. 2 n.* Pequeno aparelho que indica o peso das cartas.

pesada [F. subst. do adj. *pesado*.] *S. f.* **1.** Aquilo que se pesa de uma vez numa balança. **2.** Pesagem (1). **3.** *Fís.* Operação em que se mede o peso ou a massa de um corpo. [Cf. *pezada* (è).] ◆ **Da pesada.** *Bras. Pop.* **1.** Que enfrenta qualquer situação; disposto a tudo. **2.** Que infunde respeito ou receio quer por ser poderoso, quer porque faz parte de grupo agressivo, radical. **3.** Que envolve crime de natureza grave: "– Aproveitei a ida lá dentro e vi coisas. Acho que o negócio é da pesada. Além da droga, eles têm armas." (Carlos Heitor Cony, *Pilatos*, p. 184.)

pesadão [De *pesado* + *-ão*[1].] *Adj.* **1.** Muito pesado. **2.** Que anda a custo em virtude da gordura; molangueirão. [Fem.: *pesadona*.]

pesadelar [De *pesadelo* + *-ar*[1].] *Adj. 2 g.* Relativo a, ou próprio de pesadelo: "Página desenvolvida com lógica rigorosa, ... não dá a impressão de um momento pesadelar na vida real do personagem" (Augusto Meyer, *Machado de Assis*, p. 31).

pesadelo (ê) [De *pesado* + *-elo*.] *S. m.* **1.** Agitação ou opressão durante o sono, causada por sonhos aflitivos. **2.** Mau sonho. **3.** Letargo, marasmo. **4.** *Fig.* Pessoa ou coisa importuna, molesta ou enfadonha.

pesado [Part. de *pesar*.] *Adj.* **1.** Que tem muito peso. **2.** Cuja densidade é elevada; denso: *atmosfera pesada.* **3.** Em que há iminência de aborrecimento, de complicação, de perigo, etc.; tenso, carregado: *ambiente pesado.* **4.** Trabalhoso, árduo, difícil: *Viveu pesados anos no exílio.* **5.** Prolixo, cansativo, enfadonho, fastidioso: *estilo pesado.* **6.** Lento, vagaroso. **7.** Falto de elegância e leveza; desairoso: *Tem um andar pesado.* **8.** Cheio de ornatos; carregado, sobrecarregado: *arquitetura pesada.* **9.** Indelicado, grosseiro, ofensivo: *piada pesada.* **10.** Que exige dispêndio de força física: *trabalhos pesados.* **11.** Profundo (8): *sono pesado.* **12.** *Pop.* Difícil de ser digerido: *comida pesada.* **13.** *Bras.* Diz-se da mulher em adiantado estado de gravidez. **14.** *Bras. Gír.* Com peso (24); sem sorte; azarento, azarado, caipora. **15.** *Bras. RS* Diz-se de pessoa importante, poderosa; de peso. ~ V. *água —a*, *indústria —a*, *infantaria —a*, *luto —*, *óleo —*, *peso —*, *quark —*, *raia —a* e *sono —*. ● *S. m.* **16.** *Bras. Gír.* Indivíduo pesado (14), azarado, caipora. **17.** *Bras. Fam.* Trabalho que exige esforço, difícil: *Não gosta de pegar no pesado.*

pesador (ô) [De *pesar* + *-dor*.] *Adj.* **1.** Que pesa. ● *S. m.* **2.** Aquele que pesa, avalia o peso de. **3.** Aquilo que serve para pesar ou calcular o peso de algo.

pesadume [De *pesado* + *-ume*.] *S. m.* **1.** Peso, carga, carregamento. **2.** Azedume, acrimônia, aspereza. **3.** Tristeza, desgosto, pesar: "Camilo [Camilo Castelo Branco] nem sempre consegue fugir de si mesmo, ... quando tenta viver as aventuras imaginárias da sua ficção; o peso íntimo arrasta-o a um desequilíbrio, e então a sua extraordinária agilidade de criador entra em conflito com o pesadume, a queixa, o remordimento." (Augusto Meyer, *A Chave e a Máscara*, p. 69.)

pesa-filtro [De *pesar* + *filtro*.] *S. m. Quím.* Pequeno frasco de vidro, de boca larga e tampa de vidro, esmerilhada, usado para pesagem de substâncias ao abrigo do ar e da umidade. [Pl.: *pesa-filtros*.]

pesagem [De *pesar* + *-agem*[2].] *S. f.* **1.** Ato ou operação de pesar; pesada. **2.** Lugar, num hipódromo, onde se pesam os jóqueis, antes de cada páreo. **3.** Repesagem (2).

pesa-leite [Da 3.ª pess. sing. do pres. ind. de *pesar* + *leite*.] *S. m.* V. *lactômetro*. [Pl.: *pesa-leites*.]

pesa-licor [Da 3.ª pess. do sing. do pres. ind. de *pesar* + *licor*.] *S. m.* Areômetro para medição da densidade de líquidos menos densos que a água, especialmente soluções alcoólicas. [Pl.: *pesa-licores*.]

pêsame [De *pesa* (ê), 3.ª pess. do sing. do pres. ind. de *pesar*, na acepç. de 'causar mágoa', + *me*.] *S. m. P. us.* V. *pêsames*: "o pobre Dâmaso estava saudando a senhora condessa, gravemente, funebremente. E o bom Gouvarinho não quis deixar de lhe ir dar logo .... o seu pêsame." (Eça de Queirós, *Os Maias*, II, p. 34).

pêsames [Pl. de *pêsame*.] *S. m. pl.* Expressão de condolência sobretudo pela morte de alguém; condolências, sentimentos. [Tb. us. (pouco) no sing.]

pesa-papéis [Da 3.ª pess. do sing. do pres. ind. de *pesar* + o pl. de *papel*.] *S. m. 2 n.* Pequeno objeto pesado que se põe sobre os papéis para evitar que se espalhem; peso.

pesar [Do lat. *pensare*, v. frequentativo de *pendere*, 'pendurar (os pratos da balança, para ver o peso)'.] *V. t. d.* **1.** Determinar ou avaliar o peso de; pôr na balança para conhecer o peso; abalançar: *O freguês mandou pesar o arroz.* **2.** Avaliar, com a mão, o peso de; sopesar: *O comerciante pesou a mercadoria e calculou-a nuns 15 quilos.* **3.** Examinar atentamente; considerar, calcular, ponderar: "A História o julgará [a Getúlio Vargas], pesando tudo o que ele fez de bom e de mau" (Augusto Frederico Schmidt, *As Florestas*, p. 214). **4.** Calcular prévia e minuciosamente o alcance, as consequências de; medir: *O político habilidoso pesa cada palavra, cada ação. T. i.* **5.** Fazer carga; recair: *Pesam sobre eles todos os encargos da família.* **6.** Ter ou exercer influência; influenciar: *Suas palavras muito pesaram na minha resolução.* **7.** Causar mágoa, desgosto, pesar: *Pesa-lhe ver o amigo em má situação.* **8.** Causar arrependimento, remorso: *Pesam-lhe as palavras sacrílegas ditas em momento de ira.* **9.** Ser lançado ou dirigido; recair: *O castigo pesa sobre os culpados. T. c.* **10.** Pesar (1): *O comerciante pesou 10 quilos de farinha.* **11.** Ter certo peso: *A criança pesa 25 quilos. T. i.* **12.** Causar mágoa, mal-estar, incômodo, sofrimento, etc., como se pesasse: *Pesava a seus filhos o dissabor da separação; Pesa-lhe ver a miséria de seu povo. Int.* **13.** Pesar (11): *Todos os corpos pesam.* **14.** Ser pesado; pesar muito: *Este móvel não pesa, será fácil deslocá-lo.* **15.** Produzir mal-estar, incomodar, abater, como se pesasse, se fizesse carga: *Esta paisagem, monótona e triste, pesa*; "Uma atmosfera de chumbo, de luto e gelo, pesa sobre as nossas cabeças." (Mateus de Albuquerque, *Da Arte e do Patriotismo*, p. 190). **16.** Constituir como que um peso na alma; ser pesado, molesto: "As minhas noites pesam de amargura / E a neve cai sobre os meus tristes dias!" (Luís Guimarães [filho], *Pedras Preciosas*, p. 105.) *P.* **17.** Verificar o próprio peso: *Pesei-me e notei que emagreci.* **18.** Equilibrar-se, suspender-se no ar; sopesar-se: *Os urubus pesam-se de asas abertas como verdadeiros planadores.* **19.** Ter pesar, tristeza, ou piedade; compadecer-se, condoer-se, doer-se. [Pres. ind.: *peso*, *pesas*, *pesa* etc.; pres. subj.: *pese*, etc. Cf. *pesa* e *pesa* (ê), *pese* e *pese* (ê), *peso* e *peso* (ê); nas acepç. 7 e 8 só é us. nas 3.ªs pess., e tem o *e* fechado nas formas rizotônicas: *pesa* (ê), *pese* (ê).] ● *S. m.* **20.** Sentimento, tristeza, desgosto, consternação: "Estendeu-se até esta semana o pesar causado pela morte de Júlio Ribeiro." (Raul Pompeia, *Crônicas* 4, p. 22.) ◆ **Pesar de.** Apesar de; a despeito de: "enfim posso, / Curvado a teus pés, dizer-te, / Que não cessei de querer-te, / Pesar de quanto sofri." (Gonçalves Dias, *Obras Poéticas*, I, p. 343). **Apesar dos pesares.** Apesar de tudo: "Mesmo num lugar como Paris, que apesar dos pesares procura preservar a imagem histórica, os cafés de Léon-Paul Fargue não foram os cafés de Alphonse Daudet" (Paulo Mendes Campos, *Os Bares Morrem numa Quarta-Feira*, p. 10). **Em que pese a.** **1.** Ainda que custe, doa, pese, a (alguém); mau grado seu: *O emprego de o que em orações interrogativas é corretíssimo, em que pese a certos gramaticões.* **2.** *P. ext.* Apesar de; não obstante: "Ele [Tavares Bastos] foi mais do que uma esperança, foi uma ardente afirmação, em que pese a prematuração da morte." (Carlos Pontes, *Tavares Bastos*, p. 360); "Em que pese a necessidade de estrutura e de unidade para um romance, *A Noite no Espelho* [de Heitor Marçal] está muito acima da média do atual romance brasileiro." (Fausto Cunha, *Situações da Ficção Brasileira*, p. 50). [Atenção: o *e* de *pese*, a rigor, é fechado, conquanto seja comuníssimo ouvi-lo aberto.]

pesaroso (ô) [De *pesar* (20) + *-oso*.] *Adj.* **1.** Que tem, ou em que há pesar. **2.** Arrependido, contrito, penaroso.

pesca [Dev. de *pescar*.] *S. f.* **1.** Ato ou prática de pescar; pescaria: *ir à pesca.* **2.** Arte de pescar; pescaria. **3.** Aquilo que se pescou. **4.** Ato de tirar alguma coisa da água. **5.** *P. ext.* Procura, investigação, pesquisa. ◆ **Pesca de farracho.** V. *farracho* (1). **Pesca submarina.** Caça submarina.

pescada [F. subst. de *pescado*.] *S. f. Zool.* **1.** Designação comum a várias espécies de peixes cienídeos, esp. as do gênero *Cynoscion*. **2.** V. *pescada-foguete*. **3.** V. *pescadinha* (2). ◆ **Arrotar pescada.** Diz-se de quem gosta de fazer-se de rico, importante ou culto: "– .... Sempre a arrotar pescada, a este felizardo só falta cartola e bengala." (Aquilino Ribeiro, *Estrada de Santiago*, p. 114.)

pescada-amazônica *S. f. Bras. Zool.* V. *pescada-branca* (2). [Pl.: *pescadas-amazônicas*.]

pescada-banana *S. f. Bras. RJ Zool.* Peixe cienídeo (*Nebris microps*) do Atlântico ocidental, da Venezuela ao S.E. do Brasil, de coloração geral acinzentada, com o dorso mais escuro e o ventre esbranquiçado, e que atinge até 40cm de comprimento. [Sin.: *maria-mole*, *pescada-rosa*, *socozinho*. Pl.: *pescadas-bananas* e *pescadas-banana*.]

pescada-branca *S. f. Bras. Zool.* **1.** Peixe cienídeo (*Cynoscion virescens*) do Atlântico ocidental, do Panamá ao S.E. do Brasil, de coloração prateada, fosca, dorso oliváceo e ventre branco. Comprimento: até 90cm. [Sin.: *cambucu*, *corumbeba*, *corvina*, *pescadinha-do-reino*, *pescada-do-reino*, *pescada-cambuci*, *pescada-cambucu*, *pescada-de-dente*, *pescada-legítima*, *rabo-seco*.] **2.** Peixe cienídeo (*Plagioscion squamosissimus*) de coloração azul-prateada, com até 60cm de comprimento, originário da bacia Amazônica e hoje amplamente disseminado no Brasil; corvina, pescada-amazônica, pescada-do-piauí. **3.** Peixe cienídeo (*Cynoscion steindachneri*) do Atlântico ocidental, da Guiana ao N. do Brasil, de coloração geral esbranquiçada, e dorso acinzentado, e com até 110cm de comprimento; pescada-comum, pescada-jaguara, pescada-verdadeira. **4.** Peixe cienídeo (*Cynoscion leiarchus*) do Atlântico ocidental, do Panamá ao S.E. do Brasil, de coloração prateada e dorso acinzentado, e com até 60cm de comprimento. [Sin.: *corumbeba*, *perna-de-moça*, *pescada-perna-de-moça*, *pescada-marmota*, *pescada-pequena*, *pescada-de-rede*. Pl.: *pescadas-brancas*.]

pescada-cachorro *S. f. Bras. Zool.* V. *papa-terra* (3). [Pl.: *pescadas-cachorros* e *pescadas-cachorro*.]

pescada-cambuci *S. f. Bras. Zool.* V. *pescada-branca* (1). [Pl.: *pescadas-cambucis* e *pescadas-cambuci*.]

pescada-cambucu *S. f. Bras. Zool.* **1.** V. *pescada-branca* (1). **2.** V. *pescada-foguete*. [Pl.: *pescadas-cambucus* e *pescadas-cambucu*.]

pescada-chata *S. f. Bras. Zool.* V. *pescadinha* (2). [Pl.: *pescadas-chatas*.]

pescada-comum *S. f. Bras. Zool.* V. *pescada-branca* (3). [Pl.: *pescadas-comuns*.]

pescada-de-alto-mar *S. f. Bras. Zool.* V. *pescadinha* (2). [Pl.: *pescadas-de-alto-mar*.]

pescada-de-angola *S. f. Bras. Zool.* V. *enchova-preta*. [Pl.: *pescadas-de-angola*.]

pescada-de-dente *S. f. Bras. Zool.* V. *pescada-branca* (1). [Pl.: *pescadas-de-dente*.]

pescada-de-rede *S. f. Bras. Zool.* **1.** V. *pescada-branca* (4). **2.** V. *pescada-foguete*.

pescada-do-piauí *S. f. Bras. Zool.* V. *pescada-branca* (2). [Pl.: *pescadas-do-piauí*.]

pescada-do-reino *S. f. Bras. Zool.* V. *pescada-branca* (1). [Pl.: *pescadas-do-reino*.]

pescada-foguete *S. f. Bras. Zool.* Peixe cienídeo (*Macrodon ancylodon*), do Atlântico ocidental, da Venezuela à Argentina, de coloração geral prateada, com dorso azul-esverdeado e ventre esbranquiçado, e com até 45cm de comprimento. [Sin.: *cambucu, dentuça, goete, juruapara, pescada, pescada-cambucu, pescada-de-rede, pescadinha, pescadinha-de-alto-mar, pescadinha-verdadeira*. Pl.: *pescadas-foguetes* e *pescadas-foguete*.]

pescada-jaguara *S. f. Bras. Zool.* V. *pescada-branca* (3). [Pl.: *pescadas-jaguaras* e *pescadas-jaguara*.]

pescada-legítima *S. f. Bras. ES Zool.* V. *pescada-branca* (1). [Pl.: *pescadas-legítimas*.]

pescada-marmota *S. f. Zool.* V. *pescada-branca* (4). [Tb. se diz apenas *marmota*. Pl.: *pescadas-marmotas* e *pescadas-marmota*.]

pescada-olhuda *S. f. Zool.* V. *maria-mole* (6). [Pl.: *pescadas-olhudas*.]

pescada-pequena *S. f. Zool.* V. *pescada-branca* (4). [Pl.: *pescadas-pequenas*.]

pescada-perna-de-moça *S. f. Bras. Zool.* V. *pescada-branca* (4). [Pl.: *pescadas-pernas-de-moça* e *pescadas-perna-de-moça*.]

pescada-polacha *S. f. Zool.* Peixe gadídeo (*Gadus pollachius*). [Pl.: *pescadas-polachas* e *pescadas-polacha*.]

pescada-preta *S. f. Bras. Zool.* Peixe cienídeo (*Plagioscion auratus*) da bacia amazônica, e de rios do Peru e das Guianas, vivendo ger. em estuários. Tem coloração geral prateada com o dorso mais escuro, e nadadeiras dorsal e anal tb. escuras. [Pl.: *pescadas-pretas*.]

pescadaria [De *pescado* + *-aria*.] *S. f.* Praça onde se vende peixe.

pescada-rosa *S. f. Bras. Zool.* V. *pescada-banana*. [Pl.: *pescadas-rosas* e *pescadas-rosa*.]

pescada-verdadeira *S. f. Bras. Zool.* V. *pescada-branca* (3). [Pl.: *pescadas-verdadeiras* .]

pescadinha [De *pescada* + *-inha*.] *S. f.* **1.** *Zool.* Designação comum a muitas espécies de peixes cienídeos. **2.** Peixe cienídeo (*Isopisthus parvipinnis*) do Atlântico ocidental, da Costa Rica à Santa Catarina, de coloração prateada e dorso azulado, e com até 25cm de comprimento. Caracteriza-se por apresentar a dorsal espinhosa bem afastada da mole. [Sin.: *dentuça, goete, gorete, pescada, pescada-chata, pescada-de-alto-mar, tortinha*.] **3.** V. *pescada-foguete*.

pescadinha-branca *S. f. Bras. Zool.* V. *goete* (1). [Pl.: *pescadinhas-brancas*.]

pescadinha-de-alto-mar *S. f. Bras. Zool.* V. *pescada-foguete*. [Pl.: *pescadinhas-de-alto-mar*.]

pescadinha-do-reino *S. m. Bras. Zool.* V. *pescada-branca* (1). [Pl.: *pescadinhas-do-reino*.]

pescadinha-verdadeira *S. f. Bras. Zool.* V. *pescada-foguete*. [Pl.: *pescadinhas-verdadeiras*.]

pescado [Part. de *pescar*.] *Adj.* **1.** Que se pescou: *Vi duas baleias pescadas.* ● *S. m.* **2.** Qualquer peixe (ou outro animal aquático) que se pesca para fins alimentares.

pescado-aratanha *S. m. Bras. Zool.* V. *roncador* (3). [Pl.: *pescados-aratanhas* e *pescados-aratanha*.]

pescador (ô) [Do lat. *piscatore*.] *Adj.* **1.** Que pesca. **2.** Pesqueiro (2): *barco pescador.* ● *S. m.* **3.** Aquele que pesca: "Pescadores a pescar / Com a linha cheia de anzóis!" (Antônio Nobre, *Só*, p. 27.) [Sin.: em AL, *seribeiro*; no RJ e SP, *piraquara*.] **4.** Peixeiro.

pesca-em-pé [Da 3ª pess. do sing. do pres. ind. de *pescar* + *em* + *pé*.] *S. m. 2 n. Bras. Zool.* V. *maçarico* (4).

pescanço [De *pescar*.] *S. m. Fam.* O ato de espreitar o jogo de um parceiro.

pescante [Do esp. *pescante*.] *S. m.* Boleia de diligência[2]: "em triunfo o queria passear por todo esse norte da Europa no pescante de sua sege de posto." (Almeida Garrett, *Obras Completas*, I, p. 121).

pescar [Do lat. *piscare*.] *V. t. d.* **1.** Apanhar na água (peixe). **2.** Apanhar na água por processo semelhante ao da pesca de peixes: *pescar pérolas.* **3.** Retirar da água, como que pescando: "o avião precipitou-se no mar, a pouca distância da costa de Flórida ..... E ali ....., na negra noite, começaram a pescar os cadáveres de passageiros e tripulantes." (Érico Veríssimo, *A Volta do Gato Preto*, p. 11). **4.** Inquirir cautelosamente, sondar, averiguar, perquirir: *O verdadeiro cientista pesca na ciência os segredos do Universo.* **5.** Conseguir ardilosamente; apanhar, pegar: "Para consolar-se da perda do americano .... e também do prejuízo nas ações, Miss pescou um banqueiro pançudo" (Garcia Redondo, *A Choupana das Rosas*, p. 35). **6.** *Pop.* Apanhar, alcançar, atingir. **7.** *Pop.* Ver de relance e sem intenção: *O rapaz pescou o crime quando passou de carro.* **8.** *Pop.* Surpreender em flagrante; dar flagrante em: *A polícia pescou o gatuno roubando uma senhora.* **9.** *Pop.* Perceber, entender, compreender: *Ninguém pescou o sentido do livro*; "Nada podendo pescar da conversa entre os cinco, o autor prefere sair com o Ricardo Luz" (Cardoso de Oliveira, *Dois Metros e Cinco*, p. 12). *T. i.* **10.** Ter conhecimentos, noções; entender, petiscar: *Não pesca de astronomia. Int.* **11.** Ocupar-se da pesca: "Pescadores a pescar / Com a linha cheia de anzóis!" (Antônio Nobre, *Só*, p. 27.) **12.** *Bras.* Colar, filar, em provas ou exames: *Nenhum aluno pescou.* **13.** *Bras.* Cochilar, sentado, erguendo de súbito a cabeça derreada pelo sono. [Conjug.: v. *trancar*.]

pescarejo (ê) [De *pescar* + *-ejo*.] *Adj. P. us.* V. *pesqueiro* (1).

pescarez (ê) [De *pescar*.] *Adj. P. us.* V. *pesqueiro* (1).

pescaria [De *pescar* + *-aria*.] *S. f.* **1.** Pesca (1 e 2). **2.** Indústria da pesca. **3.** Grande quantidade de peixe. **4.** *Bras. Gír.* Cola em provas ou exames. ◆ **Pescaria de corrico.** *Bras.* Corrico.

pesca-siri [De *pescar* + *siri*.] *S. f. Bras. Pop. Vest.* V. *calça pesca-siri*. [Pl.: *pesca-siris*.]

pescaz *S. m.* Cunha que liga o arado à rabiça.

pescoçada [De *pescoço* + *-ada*[1].] *S. f.* Pancada no pescoço; pescoção, cachação.

pescoção [De *pescoço* + *-ão*[1].] *S. m.* **1.** V. *pescoçada*. **2.** *P. ext.* Sopapo, tapona, tabefe.

pescoceador (ô) [De *pescocear* + *-dor*.] *Adj. Bras. S.* V. *pescoceiro* (1 e 2).

pescocear [De *pescoço* + *-ear*[2].] *V. t. d. Bras. S.* **1.** Dar pescoção ou cachação em. *Int.* **2.** Dar com o pescoço a um lado e outro (o cavalo, quando lhe querem pôr o buçal ou o freio). **3.** *Fig.* Esquivar-se manhosamente a pagar dívidas, a cumprir promessas, a assumir compromissos ou cumprir os assumidos; marombar. [Conjug.: v. *frear*.]

pescoceiro [De *pescoço* + *-eiro*.] *Adj.* **1.** *Bras. S.* Diz-se do cavalo que pescoceia (2); pescoceador. **2.** *Bras. S. Fig.* Indivíduo que pescoceia [v. *pescocear* (3)]; pescoceador. **3.** *Bras. SP Pop.* Falador, loquaz.

pescocinho [De *pescoço* + *-inho*[1].] *S. m.* Gola branca, móvel, das batinas dos eclesiásticos. [Cf. *cabeção* (3).]

pescoço (ô) [De um **poscoço* (de que faz parte o pref. *pos-*), por dissimilação.] *S. m.* **1.** *Anat.* A parte do corpo que liga a cabeça ao tronco; colo. **2.** *P. ext.* Garganta (1). **3.** *P. ext.* Gargalo: "por um pequeno arredondamento no bojo de um pote, ... no pescoço mais ou menos esguio de uma moringa, nos desenhos decorativos, ... as artesãs identificam suas peças." (Regina Lacerda, *Papa-Ceia*, p. 100). **4.** *Turfe* Diferença correspondente ao tamanho aproximado de um pescoço, que distancia um cavalo de outro, no final de um páreo. [Pl.: *pescoços* (ô), no Brasil; sobretudo *pescoços* (ó), em Portugal.] ◆ **Até o pescoço.** Até o máximo; pelo pescoço: *Está, de dívidas, até o pescoço.* **Pelo pescoço.** Até o pescoço: *Está pelo pescoço de dívidas.*

pescoçudo [De *pescoço* + *-udo*.] *Adj.* Que tem o pescoço grosso e/ou comprido.

pescotapa [De *pescoço* + *tapa*.] *S. m. Bras. Gír.* Pescoção, sopapo.

pés de lebre *S. m. pl.* Carris recurvados que acompanham o centro do cruzamento das linhas férreas e determinam a mudança de direção dos trens. ☑

pesebre [Do esp. *pesebre*.] *S. m.* Lugar destinado, na manjedoura, a cada cavalgadura.

pesepelo (ê) *Adv.* Pés e pelo (q. v.).

peseta (ê) [Do esp. *peseta*.] *S. f.* **1.** Moeda espanhola, de prata, cujo valor e peso variaram segundo as épocas. **2.** Antiga unidade monetária, e moeda, da Espanha e Andorra, substituída pelo euro.

pesga (ê) [Dev. de *pesgar*.] *S. f.* Ato ou efeito de pesgar. [Pl.: *pesgas* (ê). Cf. *pesga* e *pesgas*, do v. *pesgar*.]

pesgada [De *pesgar* + *-ada*[1].] *S. f.* Ato de pesgar.

pesgar [Do lat. **picicare* < lat. *pix, picis*, 'pez'.] *V. t. d.* Barrar interiormente com pez (as vasilhas de barro próprias para a fermentação da uva). [Conjug.: v. *largar*. Pres. ind.: *pesgo, pesgas, pesga*, etc. Cf. *pesga* (ê), pl. *pesgas* (ê), e *pisgar-se*.]

pés no chão *S. m. 2 n.* Homem que anda descalço, que é paupérrimo, de ínfima condição social: "aquele pés no chão, aquele inofensivo maluco do Largo da Glória é um sarcasmo animado, uma sátira palpitante contra a indiferença geral." (Olavo Bilac, *Crítica e Fantasia*, p. 165). ☑

peso (ê) [Do lat. *pensu*.] *S. m.* **1.** *Fís.* Força que age sobre um corpo nas vizinhanças de um astro como a Terra, ou de outro corpo celeste de grande massa e que resulta da atração universal; o produto da massa de um corpo pela aceleração da gravidade. [Cf. *massa* (15).] **2.** Força que um corpo exerce sobre qualquer obstáculo que se oponha diretamente à sua queda. **3.** Medida dessa força em unidades determinadas. **4.** Qualidade de um corpo pesado: *Esta criança é de mais peso que a outra.* **5.** Qualquer objeto pesado: *Não aguento carregar este peso.* **6.** Tudo que faz pressão. **7.** Carga, carregamento: *Dirija com cuidado: o caminhão está transportando muito peso.* **8.** Sólido de metal de formato especial que serve para avaliar na balança a massa de um corpo. **9.** Pesa-papéis. **10.** Em atletismo, objeto esférico de metal que é lançado a distância. **11.** V. *haltere*. **12.** Grande pedra do lagar, ligada pelo fuso à viga. **13.** Antiga moeda de prata espanhola. **14.** Unidade monetária, e moeda, da Argentina, Bolívia [v. *boliviano* (3)], Chile, Colômbia, Cuba, Guiné-Bissau, México, República Dominicana e República das Filipinas, dividida em 100 centavos, e do Uruguai, dividida em 100 centésimos. **15.** Indisposição, mal-estar: *Não se sente bem, está com um peso no estômago.* **16.** *Esport.* Cada uma das categorias do boxe: (no profissional) *mínimo* (até 47,627kg), *mosca ligeiro* (até 48,988kg), *mosca* (até 50,802kg), *supermosca* (até 52,163kg), *galo* (até 53,524kg), *supergalo* (até 55,338kg), *pena* (até 57,153kg), *superpena* (até 58,967kg), *leve* (até 61,235kg), *superleve* (até 63,503kg), *meio-médio* (até 66,525kg), *supermeio-médio* (até 69,853kg), *médio* (até 72,575kg), *supermédio* (até 76,204kg), *meio-pesado* (até 79,379kg), *cruzador* (até 86,183kg), *pesado* (+ 86,183kg); (no amador) *mosca ligeiro* (até 48kg), *mosca* (até 51kg), *galo* (até 54kg), *pena* (até 57kg), *leve* (até 60kg), *meio-médio ligeiro* (até 64kg), *meio-médio* (até 69kg), *médio* (até 75kg), *meio-pesado* (até 81kg), *pesado* (até 91kg), *superpesado* (+ 91kg). **17.** *Mat.* Parâmetro com que, em várias operações matemáticas, se multiplicam certas grandezas para dar-lhes maior ou menor importância; ponderação. **18.** *Tip.* Força (20). **19.** *Fig.* Tudo quanto incomoda, molesta, fatiga, preocupa ou abate; carga, fardo: *ter um peso na consciência; estar sentindo o peso dos anos; o peso da responsabilidade.* **20.** *Fig.* Encargo, ônus: *ser um peso para a família.* **21.** Importância, valia, valor, mérito: *Seus trabalhos são de pouco peso.* **22.** *Fig.* Influência, prestígio, autoridade: *Procure-o: é pessoa de muito peso.* **23.** *Fig.* Impulso, ímpeto, força: *A polícia não conteve o peso da multidão.* **24.** *Bras.* V. *caiporismo*. **25.** *Bras.* Porção determinada de carne, nos açougues. **26.** *Bras. N.E.* Calço de pedra que se põe sob outra maior, para deixar pega, quando se deseja tombá-la. [Pl.: *pesos* (ê). Cf. *peso*, do v. *pesar*.] ◆ **Peso aderente.** A parcela do peso de um veículo transmitida por suas rodas motrizes à superfície de rolamento. **Peso atômico.** *Fís.-Quím.* V. *massa atômica*. **Peso cruzador.** *Esport.* V. *peso* (16). **Peso específico.** *Fís.* Peso da unidade de volume de um corpo. **Peso leve.** *Esport.* V. *peso* (16). **Peso médio.** *Esport.* V. *peso* (16). **Peso meio-médio.** *Esport.* V. *peso* (16). **Peso meio-médio ligeiro.** *Esport.* V. *peso* (16). **Peso meio-pesado.** *Esport.* V. *peso* (16). **Peso mínimo.** *Esport.* V. *peso* (16). **Peso molecular.** *Fís.-Quím.* Massa molecular. **Peso morto. 1.** Peso de um veículo ou de um aparelho que absorve parte do trabalho útil. **2.** Aquilo que não tem utilidade ou que, além de não a ter, é dispendioso. **3.** *Fig.* Indivíduo que nada faz e vive à custa dos seus pais ou de outrem; parasito. **Peso orbital.** *Astron.* Peso total da fração de um veículo espacial colocado em órbita. **Peso pesado.** *Esport.* V. *peso* (16). **Peso próprio.** *Constr.* A parte da carga permanente suportada por uma estrutura, e devida exclusivamente ao peso da própria estrutura. **Peso superleve.** *Esport.* V. *peso* (16). **Peso supermédio.** *Esport.* V. *peso* (16). **Peso supermeio-médio.** *Esport.* V. *peso* (16). **Peso superpesado.** *Esport.* V. *peso* (16). **A peso de ouro.** Por preço elevadíssimo; muito caro: *Comprou uns livros raros a peso de ouro; O antiquário vende a peso de ouro*; "hoje vendem-se os palmos [de terrenos] a peso de ouro" (Antônio Álvares Pereira Coruja, *Antigualhas*, p. 28). **De peso. 1.** De chofre e/ou com grande violência: *A chuva caiu de peso, impedindo-nos de prosseguir.* **2.** De valor sólido, ponderável: *argumento de peso.* **Em peso.** Na totalidade: *O Rio em peso compareceu à festa*; "E a Câmara em

P

peso, por todos os votos menos um, votou um crédito suplementar de cinco contos de réis." (Ramalho Ortigão, *As Farpas*, II, p. 11). **Prematuro de peso.** Diz-se de, ou criança, prematura ou não, que nasceu pesando menos de 2,5kg. **Ter dois pesos e duas medidas.** Julgar diferentemente situações iguais ou análogas; agir sem equidade. **Valer o seu peso em ouro.** Ser muito bom, precioso; valer muitíssimo.

peso-galo *S. m. Esport.* V. *peso* (16). [Tb. se diz apenas *galo*. Pl.: *pesos-galos* e *pesos-galo*.]

peso-mosca *S. m. Esport.* V. *peso* (16). [Tb. se diz apenas *mosca*. Pl.: *pesos-moscas* e *pesos-mosca*.] ◆ **Peso-mosca ligeiro.** *Esport.* V. *peso* (16).

peso-pena *S. m. Esport.* V. *peso* (16). [Tb. se diz apenas *pena*. Pl.: *pesos-penas* e *pesos-pena*.]

peso-supergalo *S. m. Esport.* V. *peso* (16). [Tb. se diz apenas *supergalo*. Pl.: *pesos-supergalos* e *pesos-supergalo*.]

peso-supermosca *S. m. Esport.* V. *peso* (16). [Tb. se diz apenas *supermosca*. Pl.: *pesos-supermoscas* e *pesos-supermosca*.]

peso-superpena *S. m. Esport.* V. *peso* (16). [Tb. se diz apenas *superpena*. Pl.: *pesos-superpenas* e *pesos-superpena*.]

pespegar [F. dissimilada de **pospegar* < *pos-* + *pegar*, poss.] *V. t. d. e i.* **1.** Assentar com violência ou energia; assestar, impingir, aplicar: *Pespegou um murro no atrevido*; *Pespegue-lhe um beijo e fugi.* **2.** Aplicar, colocar, pôr: *Pespegou um remendo no rasgão da calça.* **3.** Dizer, contar (mentira) como se fosse verdade; impingir, aplicar. [Conjug.: v. *regar*. Pres. ind.: *pespego*, etc. Cf. *pespego* (ê).]

pespego (ê) *S. m.* Empecilho, estorvo. [Pl.: *pespegos* (ê). Cf. *pespego*, do v. *pespegar*.]

pespontar [De *pospontar*, com dissimilação.] *V. t. d.* **1.** Dar pesponto em; coser a pesponto: *pespontar uma costura.* *Pred.* **2.** Ter presunção, vaidade; vangloriar-se, presumir, timbrar: *Muitos ignorantes pespontam de sábios.* [Sin. ger.: *pespontear*.]

pesponteado [Part. de *pespontear*.] *Adj.* **1.** Cosido a pesponto. **2.** *Fig.* Feito com todo o apuro.

pespontear [De *pespontar*, com mudança de suf. (v. *-ear*[2]).] *V. t. d. Pred.* V. *pespontar*. [Conjug.: v. *frear*.]

pesponto [Dev. de *pespontar*.] *S. m.* **1.** *Bord.* V. *ponto-atrás*. **2.** Costura externa, feita à máquina com pontos graúdos que lembram o pesponto (1), e cujo fim é prender ou ornamentar a parte costurada. [Sin. ger.: *posponto*.]

pesporrência *S. f.* Exibição de autoridade; arrogância, pedantismo.

pesque e pague [De *pescar* + *e* + *pagar*.] *S. m. 2 n.* Local de lazer com um grande criadouro de peixes, de água natural (lago, lagoa, etc.) ou artificial (açude, etc.), no qual se pesca e ao sair se paga por aquilo que se pescou.

pesqueira [De *pesca* + *-eira*.] *S. f.* **1.** Lugar onde há armações de pesca. **2.** Armação de pesca.

pesqueirense *Adj. 2 g.* **1.** De, ou pertencente ou relativo a Pesqueira (PE). ● *S. 2 g.* **2.** O natural ou habitante de Pesqueira.

pesqueiro [De *pesca* + *-eiro*.] *Adj.* **1.** Referente à pesca: *indústria pesqueira.* [Sin., p. us: *pescarejo*, *pescarez*.] **2.** Que serve para pescar; pescador: *embarcação pesqueira.* ● *S. m.* **3.** Fio com aselha em uma das extremidades e anzol na outra. **4.** Lugar que serve para comedouro, viveiro ou abrigo para peixes. **5.** *Bras.* Ramadas lançadas ao mar com o fim de atrair e juntar peixes. **6.** *Bras. S.* Lugar onde se pesca: "Chamas, talvez, ao seu posto... / Quem? algum camaroeiro / Retardado e maldisposto / A seguir para o pesqueiro?" (Vicente de Carvalho, *Poemas e Canções*, p. 200.) ◆ **Estragar o pesqueiro.** *Bras. SP Pop.* Atrapalhar, confundir, perturbar.

pesque-pague [De *pescar* + *pagar*.] *S. m. 2 n.* V. *pesque e pague*.

pesquim *S. m. Lus. Mad.* Defeito.

pesquisa [Do esp. *pesquisa*.] *S. f.* **1.** Ato ou efeito de pesquisar. **2.** Indagação ou busca minuciosa para averiguação da realidade; investigação, inquirição. **3.** Investigação e estudo, minudentes e sistemáticos, com o fim de descobrir ou estabelecer fatos ou princípios relativos a um campo qualquer do conhecimento: *pesquisa química*; *pesquisa arqueológica.* **4.** Qualquer pesquisa de opinião, com fins eleitorais ou não: "— Além do mais — dizia um —, você está apoiando o candidato que segundo as pesquisas só tem um por cento de chance de vencer." (Fernando Sabino, *Zélia, uma Paixão*, p. 91.) ◆ **Pesquisa de campo.** V. *de campo*. **Pesquisa de mercado.** Levantamento e análise de informações referentes às tendências e preferências dos consumidores, em geral visando a facilitar as vendas de um produto. **Pesquisa de motivação.** A que tem por fim conhecer mais em profundidade a reação psicológica do público a um dado produto, marca, acontecimento ou serviço. **Pesquisa de opinião.** Levantamento de dados sobre as opiniões do público, ou de certo grupo, acerca de determinado assunto. **Pesquisa e desenvolvimento.** Conjunto de atividades visando à introdução de inovações técnicas no processo produtivo (novos produtos, métodos de produção, materiais, etc.), abrangendo desde a concepção inicial até os testes de sua utilização efetiva. **Pesquisa operacional.** Conjunto de técnicas de análise de problemas de otimização, em economia e administração, com uso de métodos matemáticos.

pesquisador (ô) [De *pesquisar* + *-dor*.] *Adj. S. m.* Que, ou aquele que pesquisa.

pesquisamento [De *pesquisar* + *-mento*.] *S. m.* Afã de pesquisar; espírito de pesquisa.

pesquisar [De *pesquisa* + *-ar*[2].] *V. t. d.* **1.** Buscar com diligência; inquirir, perquirir; investigar: *Estão pesquisando, na cidadezinha, as origens humildes do célebre escritor.* **2.** Informar-se a respeito de; indagar, esquadrinhar, devassar: *O tribunal pesquisou a vida dos réus.* *Int.* **3.** Fazer pesquisas: "Aurélio andava adoentado e raramente subia à roleta, passando os dias .... na Biblioteca, pesquisando, escavando assuntos para novelas e poemas." (Coelho Neto, *Turbilhão*, p. 226.)

pessanhense *Adj. 2 g.* **1.** De, ou pertencente ou relativo a Pessanha (MG). ● *S. 2 g.* **2.** O natural ou habitante de Pessanha.

pessário [Do lat. tard. *pessariu*.] *S. m. Gin.* Aparelho de borracha que pode ter formas diversas, e cujo grau de flexibilidade é variável, usado para a contenção de órgãos pélvicos, como, p. ex., o útero, e, outrora, como instrumento anticoncepcional.

pessebismo *Bras. S. m.* **1.** O ideário do PSB (Partido Socialista Brasileiro); o programa, o espírito desse partido. **2.** Filiação a esse partido, ou simpatia por ele.

pessebista *Bras. Adj. 2 g.* **1.** Relativo ao PSB, ou ao pessebismo (1). **2.** Que é partidário ou simpatizante do PSB. ● *S. 2 g.* **3.** Partidário ou simpatizante dele.

pessedismo *Bras. S. m.* **1.** O ideário do PSD (Partido Social Democrático), agremiação política brasileira; o programa, o espírito desse partido. **2.** Filiação a esse partido, ou simpatia por ele.

pessedista *Bras. Adj. 2 g.* **1.** Relativo ao PSD, ou ao pessedismo (1). **2.** Que é partidário ou simpatizante do PSD. ● *S. 2 g.* **3.** Partidário ou simpatizante dele.

pêssega [De *pêssego*.] *S. f. Lus. Pop.* **1.** Moça bonita, atraente, graciosa, tentadora. **2.** V. *amante*[2] (4): "— Vens? | — Não, não vou. Hoje não janto em casa. | E em voz de confidência: | — Vou jantar com uma pêssega." (José Gomes Ferreira, *O Mundo dos Outros*, p. 92.)

pessegada [De *pêssego* + *-ada*[1].] *S. f.* Doce de pêssego.

pessegal [De *pêssego* + *-al*[1].] *S. m.* **1.** Quantidade mais ou menos considerável de pessegueiros dispostos proximamente entre si. **2.** Área ocupada por pessegal (1).

pêssego [Do lat. *persicu(m) (malum)*, 'maçã da Pérsia'.] *S. m.* O fruto do pessegueiro.

pêssego-do-mato *S. m. Bras. Bot.* V. *acá* (1). [Pl.: *pêssegos-do-mato*.]

pessegueiro [De *pêssego* + *-eiro*.] *S. m. Bot.* Árvore rosácea (*Prunus persica*) cultivada como frutífera mercê dos excelentes frutos. Floresce sem folhas, enchendo-se de pequenas e belas flores rosadas; os frutos são drupas com mesocarpo carnoso, edule, e endocarpo muito duro.

pessegueiro-da-índia [De *pessegueiro* + *da*[1] + o top. *Índia*.] *S. m. Bot.* Árvore ebenácea (*Diospyrus philippensis*) de até 15m, de folhas oblongas, e frutos avermelhados, aveludados e edules, e madeira de cerne negro própria para marcenaria. [Pl.: *pessegueiros-da-índia*.]

pessegueiro-do-mato *S. m. Bras. Bot.* Cereja-do-rio-grande. [Pl: *pessegueiros-do-mato*.]

pessepismo *Bras. S. m.* **1.** O ideário do PSP (Partido Social Progressista), agremiação política brasileira; o programa, o espírito desse partido. **2.** Filiação a esse partido, ou simpatia por ele.

pessepista *Bras. Adj. 2 g.* **1.** Relativo ao PSP, ou ao pessepismo (1). **2.** Que é partidário ou simpatizante do PSP. ● *S. 2 g.* **3.** Partidário ou simpatizante dele.

pessimismo [De *péssimo* + *-ismo*.] *S. m.* **1.** Disposição de espírito que leva o indivíduo a encarar tudo pelo lado negativo, a esperar de tudo o pior. **2.** *Filos.* Caráter das doutrinas metafísicas ou morais que afirmam a supremacia do mal sobre o bem e costumam levar à adoção de uma atitude geral de escapismo, imobilismo ou conformismo, quer seja o mal considerado a privação dos meios de conservação da vida (alimentação, abrigo, etc.), quer seja considerado a privação dos meios de expansão e desenvolvimento espiritual. [Opõe-se a *otimismo*.]

pessimista [De *pessimismo* + *-ista*.] *Adj. 2 g.* **1.** Que tem ou revela pessimismo: *um escritor pessimista*; *visão pessimista do mundo*; *opinião pessimista.* **2.** Relativo ao pessimismo ou aos seus sectários: *filosofia pessimista.* ● *S. 2 g.* **3.** Pessoa pessimista. **4.** Partidário do pessimismo (2).

pessimístico [De *pessimista* + *-ico*[2].] *Adj.* Relativo ao pessimismo, ou aos pessimistas [v. *pessimista* (2)].

péssimo [Do lat. *pessimu*.] *Adj.* Superl. abs. sint. de *mau*; malíssimo.

pessoa (ô) [Do lat. *persona*.] *S. f.* **1.** Homem ou mulher. **2.** V. *personagem* (1): *O bispo era a primeira pessoa da cidade.* **3.** V. *individualidade* (2): *A pessoa dele era motivo de chacota.* **4.** *E. Ling.* Categoria gramatical que indica o participante de uma situação, distinguindo emissor(es), destinatário(s), e aquele(s) ou aquilo de que se fala, que são, respectivamente, a primeira, a segunda e a terceira pessoas. [V. *exclusivo* (3), *inclusivo* (2), *obviativo*.] **5.** *Filos.* Cada ser humano considerado na sua individualidade física ou espiritual, portador de qualidades que se atribuem exclusivamente à espécie humana, quais sejam, a racionalidade, a consciência de si, a capacidade de agir conforme fins determinados e o discernimento de valores. **6.** *Jur.* Ser ao qual se atribuem direitos e obrigações. ◆ **Pessoa coletiva.** V. *pessoa jurídica*. **Pessoa complexa.** V. *pessoa jurídica*. **Pessoa fictícia.** V. *pessoa jurídica*. **Pessoa física.** Pessoa natural. **Pessoa interposta.** A que, sem ter legítimo interesse, aparece num ato jurídico como parte, a fim de ocultar o verdadeiro interessado, que, por motivos quase sempre ilícitos, não quer aparecer; presta-nome. **Pessoa jurídica.** Entidade jurídica resultante dum agrupamento humano organizado, estável, e que visa a fins de utilidade pública ou privada e é completamente distinta dos indivíduos que a compõem, sendo capaz de exercer direitos e contrair obrigações, tais como a União, cada um dos estados ou municípios (pessoas jurídicas de direito público), e as sociedades civis, mercantis, pias, fundações, etc. (pessoas jurídicas de direito privado); pessoa coletiva, pessoa complexa, pessoa fictícia, pessoa moral. **Pessoa moral.** V. *pessoa jurídica*. **Pessoa natural.** O ser humano considerado singularmente, como sujeito de direitos; pessoa física. **Pessoas divinas.** *Teol.* As três pessoas da Santíssima Trindade [v. *trindade* (1)] : o Pai, o Filho e o Espírito Santo. **Como uma só pessoa.** V. *como um só homem*: "A multidão se levantou como se fora uma só pessoa. E conservou um silêncio religioso." (Jorge Amado, *Jubiabá*, p. 11.) **Em pessoa. 1.** Pessoalmente: "A mãe teria notícias dela todos os dias e havia de lhe aparecer em pessoa duas vezes por semana." (Aluísio Azevedo, *Casa de Pensão*, p. 250.) **2.** Representado ou simbolizado em um indivíduo: *Joana é a bondade em pessoa*; "Ele, Paulo, era a alegria em pessoa e a hospitalidade." (Pedro Nava, *Beira-Mar*, p. 46). **Ser a segunda pessoa de.** Ser o substituto mais categorizado, o auxiliar mais importante, o braço direito de: *F. é a segunda pessoa do diretor.* **Uma pessoa.** Eu, nós; a gente: *Está uma pessoa a descansar em sua casa, e vem um desocupado importuná-la.*

pessoal [Do lat. *personale*.] *Adj. 2 g.* **1.** Relativo ou pertencente a pessoa: *liberdades pessoais.* **2.** Concernente ou peculiar a uma só pessoa; individual, particular: *objeto de uso pessoal*; *gesto pessoal*; *convite pessoal.* **3.** Que é de propriedade duma certa pessoa: *fortuna pessoal.* **4.** Reservado, particular, íntimo: *assunto estritamente pessoal*; *recordações pessoais.* [Superl. abs. sint.: *pessoalíssimo* e *personalíssimo*.] ~ V. *computador —*, *direito —*, *falta —*, *favorecimento —*, *garantia —*, *infinitivo —*, *lei —*, *pronome —* e *venda —*. ● *S. m.* **5.** Conjunto de pessoas que exercem diferentes funções ou serviços em qualquer núcleo de trabalho: *O pessoal da empresa abrange desde economistas até faxineiros.* **6.** *Bras.* A turma; os amigos; a família: *Ontem o pessoal reuniu-se lá em casa.* ● *S. f.* **7.** *Basq.* Falta pessoal (q. v.).

pessoalidade [De *pessoal* + *-(i)dade*.] *S. f.* Personalidade (1).

pessoalíssimo *Adj.* Superl. abs. sint. de *pessoal*; personalíssimo.

pessoalização [De *pessoalizar* + *-ção*.] *S. f.* Ação ou efeito de pessoalizar; personificação.

pessoalizar [De *pessoal* + *-izar*.] *V. t. d.* Personificar (2).

pessoalizável [De *pessoalizar* + *-vel*.] *Adj. 2 g.* Que pode ser pessoalizado.

pessoalmente [De *pessoal* + *-mente*.] *Adv.* **1.** Em pessoa; sem intermediário ou representante: *O pai resolveu ir pessoalmente à escola do filho.* **2.** Em pessoa, em carne e osso: *Depois de anos de relacionamento virtual, iriam se conhecer pessoalmente.*

pessoano *Adj.* **1.** Relativo, ou pertencente ao escritor português Fernando Pessoa (1888-1935), ou próprio dele. **2.** Que é seu admirador, e/ou conhecedor profundo de sua obra. ● *S. m.* **3.** Admirador e/ou conhecedor profundo da obra de Fernando Pessoa.

pessoense[1] *Adj. 2 g.* **1.** De, ou pertencente ou relativo a Coronel João Pessoa (RN). ● *S. 2 g.* **2.** O natural ou habitante de Coronel João Pessoa.

pessoense[2] *Adj. 2 g.* **1.** De, ou pertencente ou relativo a João Pessoa, capital do Estado da Paraíba. • *S. 2 g.* **2.** O natural ou habitante de João Pessoa.

pestana [Da mesma or. incerta ou e esp. *pestaña*; poss. de or. pré-romana.] *S. f.* **1.** *Anat.* Cada pelo e orla palpebral; cílio, celha. **2.** Tira cosida a uma peça de vestuário e guarnecida de asas, a qual serve para abotoar sem que se notem os botões: "os sapatos, ... eram ainda de cabedal português com pestanas que lhe subiam pelos tornozelos" (Cornélio Pena, *A Menina Morta*, p. 29). **3.** Debrum de costura. **4.** *Art. Gráf.* Recorte de papel, cartolina, etc., colado à margem das páginas de certos livros, para constituir índice de dedo. **5.** *Art. Gráf.* Aba com que se fecha o envelope; fecho. **6.** *Tip.* Bandeira (9). **7.** Nos instrumentos de cordas, pequeno filete, de madeira ou de marfim, próximo do cravelhal, e sobre o qual as cordas passam a igual distância umas das outras. **8.** *Bras.* Posição, nos instrumentos de corda, como o violão, o violino, etc., na qual se prendem todas as cordas com o índice da mão esquerda aplicado sobre o braço do instrumento. **9.** *Bras. Constr. Nav.* Meia calha metálica que se fixa no costado, por cima da parte superior de vigia, para impedir que nela penetre a água que eventualmente escorrer pelo costado. [Sin., lus. (nesta acepç.): *telha*.] **10.** *Bras.* Vegetação arbórea à margem dos rios e lagos. ◆ **Queimar as pestanas.** Estudar muito. **Tirar uma pestana.** *Fam.* Cochilar, dormitar; tirar uma soneca.

pestanear [De *pestana* + *-ear*[2].] *V. int. P. us.* V. *pestanejar*. [Conjug.: v. *frear*.]

pestanejante [De *pestanejar* + *-nte*.] *Adj. 2 g.* Que pestaneja.

pestanejar [De *pestana* + *-ejar*.] *V. int.* **1.** Mover as pestanas; abrir e fechar os olhos; piscar: "abriu o dorminhoco as pálpebras, pestanejou com a claridade do dia, esfregou os olhos" (José de Alencar, *O Sertanejo*, p. 76). **2.** Tremeluzir, cintilar (estrelas): "nos espaços pestanejavam as estrelas com brilho bastante amortecido" (Visconde de Taunay, *Inocência*, pp. 213-214). [Sin. ger., p. us.: *pestanear*. Conjug.: v. *pelejar*.] ◆ **Sem pestanejar.** Sem manifestar qualquer dúvida, e incontinênti.

pestanejo (ê) [Dev. de *pestanejar*.] *S. m.* Ato de pestanejar: "cruzava diante dela, regirando, os olhos fincados nos olhos de Rosinha, sem pestanejos." (Tito Carvalho, *Bulha d'Arroio*, p. 160).

pestanudo [De *pestana* + *-udo*.] *Adj.* Que tem grandes pestanas: "Esbelta, viva, grandes olhos movediços, pestanudos." (Rodrigo Otávio, *Contos de Ontem e de Hoje*, p. 207.)

peste [Do lat. *peste*, 'calamidade', 'flagelo'.] *S. f.* **1.** Doença contagiosa grave; epidemia, pestilência. **2.** Qualquer epidemia caracterizada por uma grande de mortandade; pestilência: "Os anos matam e dizimam tanto / Como as inundações e como as pestes..." (Olavo Bilac, *Poesias*, p. 180.) **3.** *Med.* Doença infecciosa, essencialmente do rato, causada pelo bacilo de Yersin, e que por meio da pulga se transmite ao homem, assumindo, neste, uma de duas formas: a *bubônica* (em que há o aparecimento de tumefações ganglionares denominadas, popularmente, *bubões*), e a *pneumônica* (que se desenvolve com um quadro clínico típico de pneumonia lobar). A primeira dessas formas é benigna, e a segunda acarreta a morte, praticamente, em todos os casos. **4.** Pessoa corruptora. **5.** *Fig.* Pessoa má, ou rabugenta. [Tb. us., nesta acepç., como s. 2 g.] **6.** *Fig.* Pestilência (2). **7.** *Fig.* Coisa funesta, perniciosa. • *S. 2 g.* **8.** *Bras. Pop.* Pessoa má, ou rabugenta: "— Só deixarei a Bahia quando matar aquele peste." (Adonias Filho, *Luanda, Beira Bahia*, p. 64.) ◆ **Peste bubônica.** *Patol.* V. *peste* (3). [Sin.: *febre de caroço*. Tb. se diz apenas *bubônica*.] **Peste pneumônica.** *Patol.* V. *peste* (3). **Da peste.** *Bras. Pop.* **1.** De causar espanto ou medo; espantoso; terrível; do diabo: *A discussão acabou num rolo da peste.* **2.** Diz-se de coisa ou pessoa muito má, ou, ao contrário, ótima, excelente, extraordinária; dos diabos: *Passei fome, com aquela comida da peste; Que sujeito malvado da peste!; É um cabra bom da peste.* **Pra peste.** *Bras. N.E. Pop.* Em grande quantidade, ou com grande intensidade: *No baile havia gente pra peste; Choveu pra peste.*

pesteado [Part. de *pestear*.] *Adj. Bras.* **1.** Atacado de peste. **2.** *P. ext.* Doente, enfermo.

pestear [De *peste* + *-ear*[2].] *V. t. d.* **1.** Empestar (1 e 2). *Int.* **2.** *Bras.* Ser o animal atacado de peste: *O gado não vacinado arrisca-se a pestear e morrer.* [Conjug.: v. *frear*.]

pesteira [De *peste* + *-eira*.] *S. f. Bras. RS* Doença, achaque.

pesticida [Do ingl. *pesticide*.] *Adj. 2 g. S. m.* Diz-se de, ou substância que combate a praga (5).

pestiferar [De *pestífero* + *-ar*[2].] *V. t. d.* Tornar pestífero; empestar. [Pres. ind.: *pestifero*, etc. Cf. *pestífero*.]

pestífero [Do lat. *pestiferu*.] *Adj.* **1.** Que produz peste; pestilento: *vírus pestífero.* **2.** *Fig.* Danoso, nocivo, pernicioso, corrutor. • *S. m.* **3.** *Med.* Doente de peste. [Cf. *pestifero*, do v. *pestiferar*.]

pestilência [Do lat. *pestilentia*.] *S. f.* **1.** Peste (1 e 2). **2.** Mal contagioso. **3.** *Fig.* Mau cheiro; fedor, peste.

pestilencial [De *pestilência* + *-al*[1].] *Adj. 2 g.* V. *pestilento*: "o cheiro adocicado da sua pomada dominou o odor pestilencial que vinha do canil." (Lúcio Cardoso, *O Desconhecido*, p. 62).

pestilencioso (ô) [Do lat. tard. *pestilentiosu*.] *Adj.* V. *pestilento*.

pestilente [Do lat. *pestilente*.] *Adj. 2 g.* V. *pestilento*: "Por que rompe no azul do puro amor / O sopro do desejo pestilente?" (Antero de Quental, *Sonetos*, p. 312.)

pestilento [Do lat. tard. *pestilentu*.] *Adj.* **1.** Que tem o caráter de, ou que é próprio de peste, ou que a lembre: *febre pestilenta; cheiro pestilento.* **2.** Infectado de peste: *navio pestilento.* **3.** Pestífero (1). **4.** Que tem cheiro infecto; mefítico. **5.** *Fig.* Que corrompe ou desmoraliza: *vício pestilento.* [F. paral.: *pestilente*. Sin. ger.: *pestilencial, pestilencioso*.]

pestilo [Do lat. vulg. **pestellu* (por **pestulu* < lat. *pessulu*, 'ferrolho'), pelo galego *pestelo* e pelo esp. *pestillo*.] *S. m.* Aldraba ou tranqueta de porta. [Cf. *pistilo*.]

→ **pesto** ['pesto] [It.] *S. m. Cul.* Molho da culinária genovesa, feito com manjericão, azeite, alho, queijo *pecorino* e pinhõezinhos.

pestologia [De *peste* + *-o-* + *-logia*.] *S. f.* Ramo da ciência que estuda as pestes em todos os seus aspectos.

pestológico [De *pestologia* + *-ico*[2].] *Adj.* Relativo a pestologia.

pestólogo [De *pesto-*, como em *pestologia*, + *-logo*.] *S. m.* Especialista em pestologia.

pestoso (ô) [De *peste* + *-oso*.] *Adj. S. m.* Doente de peste, especialmente da peste bubônica.

pé-sujo *S. m. Bras. RJ* Botequim de ínfima categoria; lata de lixo. [Pl.: *pés-sujos*.]

peta[1] (ê) [Do gr. *pítta*, 'pez', pelo lat. **pitta*.] *S. f.* **1.** Mancha em olho de cavalo. **2.** Cunha cortante nas costas do podão ou do sacho. **3.** Prolongamento de madeira usado para evitar que o vidro se risque. [Pl.: *petas* (ê). Cf. *peta* e *petas*, do v. *petar*.]

peta[2] (ê) [De or. obscura.] *S. f.* **1.** V. *mentira* (1): "Como os grandes mentirosos, que acabam acreditando nas próprias petas, o charlatão de classe é o que se convence da autenticidade das suas burlas." (Walter Benevides, *Da Arte de Ter Clínica*.) **2.** *Bras. N.N.E. Cul.* Espécie de biscoito leve de mandioca. **3.** *Bras. BA Cul.* Mentira-carioca. [Pl.: *petas* (ê). Cf. *peta* e *petas*, do v. *petar*.]

▲ **peta-** *Pref.* **1.** Que, anteposto ao nome duma unidade de medida, forma o nome de uma unidade derivada 10^{15} vezes a primeira [símb.: *P*]. Ex.: 1 peta-hertz = 1 pHz. **2.** *Inform.* Anteposto ao nome de uma unidade empregada em sistemas binários, indica multiplicação dessa unidade por 2^{50} (aproximadamente 1,125 quadrilhão) [símb: *P*]. Ex.: 2 petabytes = 2 PB.

▲ **-peta** Equiv. de *-peto*.

petaguar *S. 2 g. Adj. 2 g. Bras.* V. *potiguar* (2 e 4).

peta-hertz [De *peta-* + *hertz*.] *S. f.* Unidade de medida de frequência, igual a 10^{15} Hz [símb.: *PHz*]. ❖

pétala [Do gr. *pétalon*, pelo lat. tard *petalu*.] *S. f. Bot.* Cada uma das peças que constituem a corola das flores. São alvas ou diversamente coloridas, livres entre si ou concrescidas, e muitas, desiguais. [A f. classicamente usada é masculina: *pétalo*.]

▲ **-pétala** V. *petal(o)-*.

petalado [De *petal(o)-* + *-ado*[1].] *Adj. Bot.* Que tem pétala(s).

petalhada [De *peta*[2] + *-alhada*.] *S. f. Bras.* Porção de petas [v. *peta*[2] (1)]; mentirada.

petaliforme (pè) [De *petal(o)-* + *-iforme*.] *Adj. 2 g.* Que tem forma de pétala; petalino.

petalino [De *petal(o)-* + *-ino*[1].] *Adj.* **1.** Relativo ou pertencente a pétala. **2.** Petaliforme.

petálio [Do gr. *petalon*, 'folha (de nardo)', + *-io*[3].] *S. m.* Unguento de folhas de nardo.

petalismo [Do gr. *petalismós*.] *S. m.* Ostracismo (1) que se praticava em Siracusa, assim denominado porque os sufrágios eram inscritos em folhas de oliveira.

petalita [De *petal(o)-* + *-ita*[3].] *S. f. Min.* Mineral monoclínico, silicato de alumínio e lítio.

▲ **petal(o)-** [Do gr. *pétalon*, 'folha de planta', 'de flor'.] **El. comp.** = 'pétala': *petaloide, petalomania*. [Equiv.: *-pétala, -petal(o)-, -pétalo*: *coripétala; apetalia; apetalifloro, apopétalo, epipétalo*.]

▲ **-petal(o)-** V. *petal(o)-*.

pétalo [Do gr. *pétalon*.] *S. m. Bot.* V. *pétala*.

▲ **-pétalo** V. *petal(o)-*.

petaloide (ói) [De *petal(o)-* + *-oide*.] *Adj. 2 g. Bot.* Semelhante a, ou em forma de pétala: *sépala petaloide.* ❖

petalomania (pè) [De *petal(o)-* + *-mania*.] *S. f. Bot.* Multiplicação anormal das pétalas.

petanisca *S. f. Lus.* Patanisca.

petar [De *peta*[2] (1) + *-ar*[2].] *V. int.* Dizer petas [v. *peta*[2] (1)]; mentir, petear. [Pres. ind.: *peto, petas, peta*, etc. Cf. *peta* (ê), pl. *petas* (ê), e *peto* (ê).]

petardar [De *petardo* + *-ar*[2].] *V. t. d.* Fazer saltar com petardos; petardear: *petardar uma porta.*

petardear [De *petardo* + *-ear*[2].] *V. t. d.* Petardar. [Conjug.: v. *frear*.]

petardeiro [De *petardo* + *-eiro*.] *S. m.* Aquele que faz ou aplica petardos.

petardo [Do fr. *pétard*.] *S. m.* **1.** Engenho explosivo, portátil, para destruir obstáculos; bomba. **2.** Pequena peça de fogo de artifício que rebenta com estampido. **3.** *Bras. Fut.* V. *bomba* (23).

petaurista [Do gr. *petauristés*, pelo lat. *petaurista*.] *S. 2 g.* Entre os antigos romanos, equilibrista ou funâmbulo.

petauro [Do gr. *pétauron*, pelo lat. *petauru*.] *S. m.* **1.** Na antiga Roma, roda com um eixo, colocada horizontalmente, na qual os petauristas (v. *petaurista*) mostravam suas habilidades. **2.** Trampolim de que os petauristas se serviam para lançar-se ao ar.

peté [Do ior.] *S. m. Bras. Rel.* Comida predileta de Oxum, feita de inhame, cebola e camarão seco, da consistência do vatapá.

petear [De *peta*[2] + *-ear*[2].] *V. int.* V. *petar*. [Conjug.: v. *frear*.]

petebismo *S. m.* **1.** O ideário do PTB (Partido Trabalhista Brasileiro); o programa, o espírito desse partido. **2.** Filiação a esse partido, ou simpatia por ele.

petebista *Adj. 2 g.* **1.** Relativo ao PTB, ou ao petebismo (1). **2.** Que é partidário ou simpatizante do PTB. • *S. 2 g.* **3.** Partidário ou simpatizante dele.

peteca [Do tupi = 'bater'.] *S. f. Bras.* **1.** Espécie de pequena bola achatada e leve, feita de couro ou de outro material, e guarnecida de penas longas reunidas em molho, e que se lança ao ar com a palma das mãos. [No N.E., fazem-na com a palha e o cabelo do milho, e chamam-lhe *bola de milho*. Cf. *volante* (8).] **2.** *P. ext.* Objeto semelhante, feito de plástico, borracha, cortiça, etc., que se joga com raquete. **3.** *Fig.* Joguete de escárnio. **4.** *N.E.* V. *atiradeira*. **5.** *PA* V. *gude*. ◆ **Deixar a peteca cair.** *Bras.* Vacilar; falhar. **Não deixar a peteca cair** *Bras.* Não vacilar, não falhar, no cumprimento de uma tarefa, de uma missão, etc.

petecada [De *peteca* + *-ada*[1].] *S. f.* **1.** *Bras.* Uma jogada com peteca. **2.** Pancada com a peteca. **3.** Pedrada com a peteca (4).

petecar [De *peteca* + *-ar*[2], poss.] *V. t. d. P.* Empetecar(-se). [Conjug.: v. *trancar*.]

petegar *V. t. d.* Cortar com a peta[1] (ê) (2): *petegar árvores.* [Conjug.: v. *regar*.]

peteiro [De *peta*[2] (1) + *-eiro*.] *Adj. S. m.* Que, ou aquele que diz petas; patranheiro, mentiroso.

peteleca *S. f. Bras. Pop.* V. *bofetada* (1). [Cf. *peteleco*.]

petelecada [De *peteleco* + *-ada*[1].] *S. f. Bras.* V. *peteleco*.

peteleco [De or. express.] *S. m. Bras.* Pancada com a ponta do dedo médio, firmada, para o golpe, no polegar, e dada geralmente nas orelhas. [Sin.: *peteleque, petelecada, picotê, teco* e (na BA) *chá de burro*. Cf. *peteleca*.]

peteleque *S. m. Bras.* V. *peteleco*.

petema *S. m. Bras.* V. *petume*.

petequear [De *peteca* + *-ear*[2].] *V. int. Bras.* Jogar peteca. [Conjug.: v. *frear*.]

petéquia [Do it. *petecchia* < lat. *impetigo, inis*.] *S. f. Med.* Cada uma das pequenas manchas vermelhas ou purpúreas, não salientes, que surgem na pele ou em membranas mucosas, devido às hemorragias intradérmicas ou submucosas. No seu curso evolutivo, essas manchas passam a azuis ou amarelas.

petequial [De *petéquia* + *-al*[1].] *Adj. 2 g.* Relativo a petéquia(s), ou que a(s) tem.

peteribi [De or. obsc.] *S. m. Bras. Bot.* **1.** V. *claraíba* (1). **2.** V. *louro-pardo*.

petiçada [De *petiço* + *-ada*[1].] *S. f. Bras. RS* Porção de petiços.

petição[1] [Do lat. *petitione*.] *S. f.* **1.** Ato de pedir. **2.** V. *rogo* (1). **3.** Requerimento (2). ◆ **Petição de princípio.** *Filos.* Paralogismo que consiste em apoiar-se uma demonstração sobre a tese que se pretende demonstrar. [Cf. *dialelo* e *círculo vicioso*.] **Em petição de miséria.** Em estado deplorável, miserável: *Está mal de vida, em petição de miséria; A casa está em petição de miséria, só falta cair.*

petição[2] [De *petiço* (q. v.) + *-ão*[1].] *S. m. Bras.* Petiço corpulento. [Fem.: *petiçona*.]

peticego [De *peto*[1] (ê) + *cego*.] *Adj. S. m.* Que, ou aquele que tem vista curta.

peticionar [De *petição*[1] + *-ar*[2], seg. o padrão erudito.] *V. int. T. i.* Fazer petição[1] (3); requerer: *O réu tem o direito de peticionar em causa própria; O funcionário peticionou ao diretor.* [Fut. pret.: *peticionaria*, etc. Cf. *peticionária*, fem. de *peticionário*.]

peticionário [De *petição* + *-ário*, seg. o padrão erudito.] *S. m.* **1.** Aquele que faz petição; requerente. **2.** *Jur.*

P

Aquele que apresenta petição em juízo. [Fem.: *peticionária*. Cf. *peticionaria*, do v. *peticionar*.]

petiço [Do esp. plat. *petiso*.] *S. m. Bras. S.* **1.** Cavalo pequeno, curto, baixo: "vi toda a minha vida, desde pequenino. Desde o tempo em que era guri e ia à venda do Tico, num petiço tordilho." (Darci Azambuja, *Coxilhas*, pp. 57-58). **2.** *P. ext.* Pessoa de pequena estatura. [Dim.: *petiçote*, fem.: *petiçota*; aum.: *petição*, fem.: *petiçona*.]

petiçona *S. f. Bras. S.* Fem. de *petição*² (q. v.).

petiçota [De *petiço* + *-ota*¹.] *S. f. Bras. S.* Fem. de *petiçote* (q. v.).

petiçote [De *petiço* + *-ote*¹.] *S. m. Bras.* Petiço de pequeno porte.

petidina [Voc. farmac.] *S. f. Quím.* Meperidina.

petigris [Do fr. *petit-gris*.] *S. m. 2 n. Zool.* Variedade de esquilo cinzento, de cuja pele se fazem agasalhos.

petiguar *S. 2 g. Adj. 2 g. Bras.* V. *potiguar* (1 e 3).

petima *S. f. Bras.* V. *petume*.

petimbo *S. m. Bras. Zool.* V. *peixe-trombeta* (2).

petimbuaba [Do tupi = 'cachimbo'.] *S. m. Bras. Zool.* V. *peixe-agulha* (1).

petimetre [Do fr. *petit-maître*.] *Adj. S. m.* Diz-se de, ou indivíduo vestido com apuro exagerado; janota ridículo.

petinga [Do tupi = 'de pele branca'.] *S. f. Zool.* **1.** Sardinha miúda. **2.** Peixe miúdo, que se usa como isca. [Cf. *pitinga*.]

petingada [De *petinga* + *-ada*¹.] *S. f. Mad.* Conversa ou palavreado repetido ou importuno.

petintal *S. m. Ant. Mar. G.* **1.** Carpinteiro especializado na construção de galés. **2.** Carpinteiro-calafate que servia a bordo das galés.

petipé *S. m.* **1.** Escala ou régua com divisões, utilizada por arquitetos. **2.** Escala de reduções em mapas e cartas.

petisca *S. f. Jog. Inf.* Brinquedo de meninos, em que se lançam pedrinhas a uma moeda posta no chão, ganhando-a aquele que lhe acertar.

petiscador (ô) [De *petiscar* + *-dor*.] *Adj. S. m.* Que, ou aquele que é dado a petiscar; lambiscador.

petiscar [De *petisco* + *-ar*².] *V. int.* **1.** Comer petisco (1). **2.** Comer um pouco, provando ou saboreando; provar: *Petiscou tanto que acabou não almoçando.* **3.** Beliscar (8). *T. i.* **4.** Tocar, provando ou saboreando: *O velho mal petiscava na comida.* **5.** Ter conhecimentos superficiais ou rudimentares; entender, pescar: *petiscar de matemática.* *T. d.* **6.** Comer pouco e sem apetite; beliscar: *O doente está sem apetite: petisca o alimento e logo o rejeita.* **7.** Ferir (lume) com o fuzil na pederneira: "Acabavam de triscar um fuzil não mui distante e petiscar fogo do isqueiro." (José de Alencar, *O Sertanejo*, p. 73.) [Conjug.: v. *trancar*.]

petisco [De or. obscura.] *S. m.* **1.** Iguaria saborosa, preparada com esmero. [Sin.: *acepipe*, *petisqueira*, *pitéu* e (bras.) *paparicho*, *quitute*.] **2.** Porção de salgadinhos, canapés, batatas fritas, etc. **3.** Fuzil (4) para ferir lume na pederneira. **4.** *Fam.* Indivíduo ridiculamente pretensioso.

petisqueira [De *petisco* + *-eira*.] *S. f. Pop.* **1.** V. *petisco* (1). **2.** Casa de pasto; restaurante. **3.** *Bras. N.N.E.* V. *guarda-comida*.

petisqueiro [De *petisco* (1) + *-eiro*.] *S. m. Bras. N.N.E.* V. *guarda-comida*.

petisquice [De *petisco* (3) + *-ice*.] *S. f. Fam.* Qualidade de petisco (3).

petisseco (ê) [De *seco*.] *Adj.* Murcho, peco, entanguido.

petista *Adj. 2 g.* **1.** Relativo ao, ou que é partidário ou simpatizante do PT (Partido dos Trabalhadores). • *S. 2 g.* **2.** Partidário ou simpatizante dele.

→ **petit-four** [pəti'fuʀ] [Fr.] *S. m. Cul.* Docinho ou biscoitinho, simples ou recheado, seco ou fresco, ger. servido como acompanhamento de chá ou café.

→ **petit gâteau** [petiga'to] [Fr., 'bolinho'.] *S. m. Cul.* Pequeno bolo de chocolate com recheio cremoso e casca crocante, inventado nos E.U.A. mas batizado com nome francês.

petitinga [De or. tupi, poss.] *S. f. Bras. Zool.* Pequeno peixe de rio ou de mar.

petitório¹ [Do adj. lat. (tard.) *petitoriu*.] *Adj.* Relativo a pedido ou a petição. ~ V. *ação —a*.

petitório² [Do s. lat. (tard.) *petitoriu*, por via erudita.] *S. m. Jur.* A parte da petição inicial em que o autor, após haver deduzido a exposição dos fatos e do direito, formula o seu pedido ou pretensão.

→ **petit-pois** [pəti'pwa] [Fr.] *S. m.* Ervilha sem casca.

→ **petit-suisse** [pəti'sɥis] [Fr.] *S. m.* Queijo cremoso e fresco de leite de vaca, enriquecido com creme; liso e homogêneo, não salgado, tem a forma de um pequeno cilindro de 30g e é ger. comido com açúcar, mel ou geleia.

petiz [Do fr. *petit*.] *Adj. 2 g. Fam.* **1.** Que é criança; pequeno. • *S. m.* **2.** Menino, guri, garoto.

petizada [De *petiz* + *-ada*¹.] *S. f.* **1.** *Fam.* Os petizes. **2.** Reunião de petizes.

peto *El. s. m.* Us. na loc. *de peto*. [Cf. *peto* (ê).] ◆ **De peto.** De propósito; expressamente.

peto¹ (ê) [De or. obscura.] *Adj.* V. *estrábico* (2). [Pl.: *petos* (ê). Cf. *peto*, do v. *petar* e el. s. m.]

peto² (ê) [De *petar*.] *Adj.* V. *maçante* (1). [Pl.: *petos* (ê). Cf. *peto*, do v. *petar* e el. s. m.]

▲ **-peto** [Do lat. *petĕre*.] *El. comp.* = 'que se dirige para': *centrípeto*. [Equiv.: *-peta*: *calcípeta*.]

petrarquesco (ê) [Do it. *petrarchesco*.] *Adj.* V. *petrarquiano*.

petrarquiano [Do antr. *Petrarca* + *-iano*.] *Adj.* **1.** Relativo ou pertencente a Francesco Petrarca (1304-1374), poeta e humanista italiano, ou próprio dele. • *S. m.* **2.** Grande admirador e/ou profundo conhecedor da obra de Petrarca. [Sin. ger.: *petrarquesco* e *petrarquista*.]

petrarquismo [Do antr. *Petrarca* + *-ismo*.] *S. m.* Imitação da maneira poética de Petrarca (v. *petrarquiano*).

petrarquista [Do it. *petrarchista*.] *Adj. 2 g.* **1.** V. *petrarquiano*: "A concepção petrarquista nunca o abandonou [a Luís de Camões] de todo." (Capistrano de Abreu, *Ensaios e Estudos*, 1ª série, p. 157.) • *S. 2 g.* **2.** V. *petrarquiano*. **3.** Imitador da maneira poética de Petrarca.

petrarquizante [De *petrarquizar* + *-nte*.] *Adj. 2 g.* Escrito à maneira de Petrarca (v. *petrarquiano*); que propende para o petrarquismo: "O seu realismo [de Lourenço de Médicis] inclui tudo, alma e corpo, tem algo de homérico. Daí certos traços naturalistas no meio das petrarquizantes *Selve d'amore*" (Oto Maria Carpeaux, *História da Literatura Ocidental*, I-A, p. 434).

petrarquizar [Do antr. *Petrarca* + *-izar*.] *V. int.* Poetar ou escrever ao jeito de Petrarca (v. *petrarquiano*).

petrechar [Do esp. *pertrechar*.] *V. t. d.* Prover de petrechos; preparar, aparelhar, aperceber, apetrechar: *O general petrechou as tropas; O capitão petrechou o navio.* [Conjug.: v. *fechar*.]

petrecho (ê) [Do esp. *pertrechos*.] *S. m.* **1.** Qualquer munição ou instrumento de guerra. **2.** Qualquer objeto necessário à execução de algo; apresto. [Mais us. no pl. Var.: *apetrecho*.]

petreco *S. m. Bras. Pop.* Indivíduo sem profissão.

petrel [Do ingl. *petrel* ou do fr. *pétrel*.] *S. m. Zool.* Designação comum às aves procelariídeas ou hidrobatídeas, que frequentam os oceanos, se alimentam de peixes ou de refugos dos navios e nidificam em ilhas isoladas. [Pl.: *petréis*.]

pétreo [Do lat. tard. *petreu*.] *Adj.* **1.** De pedra; petroso. **2.** Com aparência ou resistência de pedra; petroso. **3.** Relativo a pedra; pedernal. **4.** *Fig.* Insensível, duro, desumano. [Sin. ger.: *sáxeo*.]

▲ **petr(i)-** [Do lat. *pĕtra*, *ae*.] *El. comp.* = 'rochedo', 'pedra': *pétreo*, *petrificar*.

petrificação [De *petrificar* + *-ção*.] *S. f.* **1.** Ato ou efeito de petrificar(-se). **2.** Processo de substituição dos constituintes orgânicos por minerais; mineralização.

petrificador (ô) [De *petrificar* + *-dor*.] *Adj.* Que petrifica; petrífico, petrificante.

petrificante [De *petrificar* + *-nte*.] *Adj. 2 g.* V. *petrificador*.

petrificar [De *petr(i)-* + *-ficar*.] *V. t. d.* **1.** Converter em pedra; empedernir, lapidificar. **2.** Tornar duro, insensível, desumano; empedernir: *O sofrimento prolongado petrifica as pessoas.* **3.** Tornar imóvel de estupefação; aterrar, assombrar, imobilizando: *A violência de sua atitude petrificou os presentes.* *P.* **4.** Converter-se em pedra; lapidificar-se: *As matérias orgânicas petrificaram-se, constituindo as rochas orgânicas.* **5.** Tornar-se duro, insensível, desumano, empedernir-se. **6.** Ficar imóvel ou estupefato de susto ou medo; paralisar-se de susto ou medo: *As crianças petrificaram-se ao aparecimento do monstro.* [Conjug.: v. *trancar*. Pres. ind.: *petrifico*, etc. Cf. *petrífico*.]

petrífico [De *petr(i)-* + *-fico*.] *Adj.* V. *petrificador*. [Cf. *petrifico*, do v. *petrificar*.]

petrina [Do lat. **pectorina* < lat. *pectus*, *oris*, 'peito'.] *S. f. Ant.* **1.** Mama, peito. **2.** Cinto com fivelas. **3.** Cinta, cintura.

▲ **petro-** [Do gr. *petro-* < gr. *pétra*, *as*.] *El. comp.* = 'rocha': *petrografia*; *petrologia*.

■ **Petrobras** Sigla de *Petróleo Brasileiro S. A.*

petrodólar [De *petr(óleo)* + *-o-* + *dólar*.] *S. m. Econ.* Dólar proveniente da venda de petróleo, sobretudo pelos países árabes, especialmente quando aplicado no mercado financeiro internacional. [Pl.: *petrodólares*.]

petrogênese [De *petro-* + *-gênese*.] *S. f. Petr.* Ramo da petrologia que trata da origem das rochas, esp. das rochas ígneas.

petrogenético [De *petrogên(ese)* + *-ético*.] *Adj. Petr.* De, ou relativo a petrogênese.

petróglifo [De *petro-* + *-glifo*.] *S. m.* V. *gravura rupestre*.

petrografia [De *petro-* + *-grafia*.] *S. f.* **1.** Estudo descritivo e sistemático das rochas. **2.** V. *pintura rupestre*.

petrográfico [De *petrografia* + *-ico*².] *Adj.* Relativo à petrografia. ~ V. *província —a*.

petrógrafo [De *petro-*, como em *petrografia*, + *-grafo*.] *S. m.* Especialista em petrografia.

petrolandense *Adj. 2 g.* **1.** De, ou pertencente ou relativo a Petrolândia (PE e SC). • *S. 2 g.* **2.** O natural ou habitante de Petrolândia.

petrolaria [De *petról(eo)* + *-aria*.] *S. f.* Refinaria de petróleo.

petrolear [De *petróleo* + *-ar*².] *V. t. d.* Derramar petróleo em, sobretudo para atear incêndio: *Os incendiários petrolearam um barracão.* [Conjug.: v. *frear*.]

petroleira [De *petróleo* + *-eira*.] *S. f.* Empresa que se dedica à pesquisa, exploração, produção, ao refino e à comercialização do petróleo.

petroleiro [De *petról(eo)* + *-eiro*.] *Adj.* **1.** Referente a petróleo: *indústria petroleira.* **2.** De, ou pertencente ou relativo ao transporte do petróleo: *frota petroleira*; "terminais petroleiros das ilhas da baía" (em *Jornal do Brasil*, "Revista de Domingo", 23.09.1982). **3.** Que é produtor de petróleo: *país petroleiro.* • *S. m.* **4.** *Mar. Merc.* Navio-petroleiro (q. v.). **5.** *Bras.* Empregado da indústria de petróleo. **6.** Aquele que emprega petróleo como meio de destruição; terrorista, petrolista. **7.** *Fig.* Extremista, revolucionário, petrolista.

petróleo [Do lat. med. *petroleu*, *i. e.*, *petra* + *oleum*, 'óleo de pedra'; fr. *pétrole*.] *S. m.* **1.** Combustível líquido natural constituído quase só de hidrocarbonetos, e que se encontra preenchendo os poros de rochas sedimentares, formando depósitos muito extensos. [Sin., bras.: *óleo*.] **2.** *Lus.* Querosene; petróleo de iluminação: "ela não dispunha de tempo, porque o petróleo esgotava-se e o vidro da luz escurecia." (Lídia Jorge, *A Manta do Soldado*, p. 17). ◆ **Petróleo de iluminação.** *Lus.* Petróleo (2).

petrolífero [De *petról(eo)* + *-ífero*.] *Adj.* **1.** Do, ou relativo ao petróleo. **2.** Que contém ou produz petróleo. ~ V. *lençol —*.

petrolinense¹ *Adj. 2 g.* **1.** De, ou pertencente ou relativo a Petrolina (PE). • *S. 2 g.* **2.** O natural ou habitante de Petrolina.

petrolinense² *Adj. 2 g.* **1.** De, ou pertencente ou relativo a Petrolina de Goiás (GO). • *S. 2 g.* **2.** O natural ou habitante de Petrolina de Goiás.

petrolista [De *petról(eo)* + *-ista*.] *S. 2 g.* **1.** Pessoa que trabalha em refinaria de petróleo. **2.** V. *petroleiro* (6 e 7).

petrologia [De *petro-* + *-logia*.] *S. f. Geol.* Estudo da origem, transformações, estrutura, composição, etc., das rochas.

petrológico [De *petrologia* + *-ico*².] *Adj.* Referente à petrologia.

petrólogo [De *petro-*, como em *petrologia*, + *-logo*.] *S. m.* Especialista versado em petrologia.

petromax (cs) [Nome comercial.] *S. f. 2 n.* Certo tipo de lampião a querosene, com camisa (6): "folhinha de mês na parede, despertador em cima de armário, petromax presa num prego" (Fernando Ramos, *Os Enforcados*, p. 152).

petromízon [Do tax. *Petromyzon*.] *S. m. Zool.* **1.** O gênero-tipo dos petromizonídeos. **2.** Qualquer espécie desse gênero, como, p. ex., a *Petromyzon marinus* (v. *lampreia*) e a *P. fluvialis*, ou lampreia-dos-rios. **3.** Qualquer espécime desse gênero.

petromizonídeo [Do tax. *Petromyzonidae*.] *Zool. S. m.* **1.** Espécime dos petromizonídeos, pequena família de ciclostomados petromizoniformes que tem a boca circundada por grande funil suctorial, ventral, provido de numerosos dentes córneos, sete pares de fendas branquiais que se abrem separadamente, e saco nasal dorsal, sem ligação com a boca. São as lampreias e formas afins. • *Adj.* **2.** Pertencente ou relativo a eles.

petromizoniforme [Do tax. *Petromyzoniformes*.] *Zool. S. m.* **1.** Espécime dos petromizoniformes, ordem de vertebrados destituídos de mandíbula, que inclui, apenas, os petromizonídeos. • *Adj. 2 g.* **2.** Pertencente ou relativo a eles.

petromizonte [Adapt. do tax. *Petromyzontes*.] *Zool. S. m.* **1.** Espécime dos petromizontes, ordem de animais cordados, ciclostomados, marinhos ou de água doce, que têm a boca circundada por grande funil suctorial, ventral, provido de numerosos dentes córneos, sete pares de fendas branquiais que se abrem separadamente, e saco nasal dorsal, sem ligação com a boca. São as lampreias e formas afins. • *Adj. 2 g.* **2.** Pertencente ou relativo a eles.

petrópolis [Do top. *Petrópolis* (RJ).] *S. m. 2 n. Gír.* Bastão grosso antigamente usado pelos agentes de polícia: "Surge à porta da rua o pai austero, / Armado de um petrópolis bem grosso" (Artur Azevedo, *Sonetos e Peças Líricas*, p. 53).

petropolitano *Adj.* **1.** De, ou pertencente ou relativo a Petrópolis (RJ). • *S. m.* **2.** O natural ou habitante de Petrópolis.

petroquímica [De *petr(óleo)* + *-o-* + *química*.] *S. f.* Ciência, técnica ou indústria dos produtos químicos derivados do petróleo: 📖 "Vendas caem 40% e petroquímicas acumulam estoques." (*Jornal do Brasil*, 19.07.1981.)

petroquímico [De *petroquímica*, com var. suf. (v. *-ico*[2]).] *Adj.* **1.** Referente à petroquímica. ● *S. m.* **2.** Especialista em petroquímica.

petroselino [Do gr. *petrosélinon*, pelo lat. *petroselinu*; tax. *Petroselinum*.] *S. m. Bot.* **1.** Pequeno gênero de plantas apiáceas, herbáceas, glabras, de caules delgados, folhas partidas e pequenas flores alvas, em umbelas. **2.** Qualquer espécie desse gênero, como, p. ex., a *Petroselinum sativum* (v. *salsa*) e a *P. sativum* var. *crispum* ou salsa-crespa. **3.** Qualquer espécime desse gênero.

petrosite [De *petroso* + *-ite*[1].] *S. f. Patol.* Inflamação da porção petrosa de osso temporal.

petroso (ô) [Do lat. *petrosu*.] *Adj.* **1.** V. *pétreo* (1 e 2). **2.** *Anat.* Diz-se de uma das porções que constituem cada osso temporal.

➔ **pet shop** [pɛt ʃɔp] [Ingl.] *S. m. e f.* Estabelecimento no qual se comercializam produtos alimentícios (ração, pastas, biscoitos, etc.), remédios, acessórios, etc. ou a prestação de serviços para animais domésticos de pequeno porte.

petulância [Do lat. *petulantia*.] *S. f.* Qualidade, ato ou modos de petulante; ousadia, atrevimento.

petulante [Do lat. *petulante*.] *Adj. 2 g.* **1.** Atrevido, ousado, insolente: 📖 "Numa delas [janelas], muito graciosa nos seus dezoito anos de seios petulantes, uma jovem que tinha evidente simpatia pelo meu *Buick* a prestações." (Orígenes Lessa, *João Simões Continua*, p. 63.) **2.** V. *desavergonhado*. ● *S. 2 g.* **3.** V. *desavergonhado*.

petum *S. m. Bras.* V. *petume*.

petume [Do tupi.] *S. m. Bras.* **1.** Designação tupi do tabaco (1). **2.** V. *fumo*[1] (6). [Var.: *petema*, *petima*, *petum*.]

petúnia [Do tupi, pelo fr. *pétun*, 'petúnia'; tax. *Petunia*.] *S. f. Bot.* **1.** Gênero de plantas solanáceas, herbáceas, sul-americanas, de caules e folhagens viscidos e pubescentes, dotadas de flores abundantes, infundibuliformes ou crateriformes, e são cultivadas como ornamentais. **2.** Qualquer espécie desse gênero, como, p. ex., a *Petunia violacea*, cultivada pela beleza das grandes flores roxas, cuja corola é infundibuliforme, e que, apesar de ter pequeno porte, floresce densamente. **3.** Espécie ou espécime desse gênero.

péua *S. 2 g. Adj. 2 g. Bras.* V. *taconhapé*.

▲ **-péua** V. *-peba*.

peucédano [Do gr. *peukédanon*, pelo lat. *peucedanu*; tax. *Peucedanum*.] *S. m. Bot.* **1.** Gênero de grandes apiáceas, dicotiledôneas, muito ramificadas, nativas dos prados europeus. **2.** Qualquer espécie desse gênero, como, p. ex., a *Peucedanum officinale* (v. *funcho-de-porco*). **3.** Qualquer espécime desse gênero.

peúga [Do lat. **peduca* < lat. *pes, pedis*, 'pé'.] *S. f. Lus.* **1.** Meia curta de homem ou mulher. **2.** *Ant.* Sapato.

peugada (e-u) [De *peúga*, poss.] *S. f.* Pegada[1], vestígio; rasto: 📖 "E na peugada do burro, esbaforido e como doido, seguia agora o lavrador" (Trindade Coelho, *Os Meus Amores*, p. 86).

peul (e-úl) *Adj. 2 g. S. m. Gloss.* Diz-se de, ou a língua nigero-congolesa falada no Senegal, e também em Gâmbia, Mali e Mauritânia (África).

peumo [Do tax. *Peumus* (do araucano *péumo*, 'boldo').] *S. m. Bot.* **1.** Gênero de arbustos monimiáceos sempre-verdes originários do Chile, dotados de folhas revolutas, coriáceas, elípticas ou ovais. **2.** Qualquer espécie desse gênero, como, p. ex., a *Peumus boldus* (v. *boldo*). **3.** Qualquer espécime desse gênero.

peúva [Do tupi = 'árvore da casca'.] *S. f. Bras. SP MT* **1.** *Bot.* V. *ipê* (1). ● *S. 2 g.* **2.** *Bras. SP* V. *maçante* (2).

peúva-amarela *S. f. Bras. Bot.* V. *pau-d'arco-amarelo*. [Pl.: *peúvas-amarelas*.]

peuvação (e-u) [De **peuvar* (< *peúva* + *-ar*[2]) + *-ção*.] *S. f. Bras. SP* Maçada, caceteação, chateação.

peuval (e-u) [De *peúva* (1) + *-al*[1].] *S. m. Bras. MT* **1.** Quantidade mais ou menos considerável de peúvas dispostas proximamente entre si. **2.** Área ocupada por peuval (1).

peúva-roxa [De *peúva* + o f. de *roxo*.] *S. f. Bras. Bot.* **1.** V. *ipê-roxo* (2). **2.** V. *ipê-rosa* (2). [Pl.: *peúvas-roxas*.]

peva [De *peba*[1].] *S. f.* Raça de galinha de pernas curtas.

▲ **-peva** V. *-peba*.

pevide [Do lat. *pituita*, pela forma **pipita*.] *S. f.* **1.** Semente de vários frutos carnosos: 📄 *pevide de melão*; *pevide de tomate*. **2.** Película mórbida na língua de algumas aves, que lhes impede beber, causando-lhes a morte se não for retirada. **3.** Massa de farinha de trigo, etc., com a forma de pevide de melão. **4.** Parte carbonizada da torcida ou pavio; morrão. **5.** *Patol.* Disartria na qual o paciente tem dificuldade, ou até impossibilidade, de pronunciar o *r*. **6.** *Bras. ES RJ Pop.* V. *cachaça* (1). **7.** *Gír.* V. *ânus*.

pevidoso (ô) [De *pevide* + *-oso*.] *Adj.* Que tem pevide (5).

pevinha [De *peva*.] *S. f. Bras.* Cão pequeno.

pevitada *S. f.* Porção de pevides (especialmente de melancia) pisadas e diluídas em água.

▲ **-pex-** (cs) [Do gr. *pêxis, eōs*.] *El. comp.* = 'fixação': *despexia*; *histeropexia*; *retopexia*.

■ **p. ex.** Abrev. de *por exemplo* (q. v.).

pexeti *Bras. S. 2 g.* **1.** *Etnôn.* Indivíduo dos pexetis, povo indígena extinto que habitava as margens do rio Tocantins (PA). ● *Adj. 2 g.* **2.** Pertencente ou relativo a esse povo. [Tb. us. como *s. 2 g. e 2 n.* (com cap.) e *adj. 2 g. e 2 n.*]

pexorim *S. m. Bras. Bot.* V. *pixurim*.

pexotada [De *pexote* + *-ada*[1].] *S. f.* **1.** Ação de pexote; má jogada. **2.** Falta cometida por inexperiência e/ou ignorância.

pexote [Do chin. *pe xot*, 'não sei' (expressão de jogo us. em Macau, Ásia).] *S. 2 g.* **1.** Pessoa que joga mal; inexperiente: 📖 "— Jogo a leite de pato .... não dá arrepios na gente, nem faz usura em ninguém. | Ria-se dos pexotes e recolhia os tentos ganhos..." (Nélson de Faria, *Tiziu e Outras Estórias*, p. 126.) **2.** Novato, principiante. **3.** Menino novo; criança. ● *S. m.* **4.** *Bras.* Pequena broca usada para abrir pequenos furos nas pedras, ou para dividi-las pelas fendas produzidas pela explosão da dinamite. [Cf. *peixote*.]

pez (ê) [Do lat. *pice*.] *S. m.* Designação comum a substâncias betuminosas, sólidas ou semissólidas, naturais ou artificiais, resíduo da destilação de líquidos densos, de alcatrões, etc.; piche: 📖 "Inutilmente Pilatos abanou a túnica embebida em pez inflamado" (Alberto Rangel, *Livro de Figuras*, p. 182). [Pl.: *pezes* (ê). Cf. *breu*, e *pês*, pl. de *pé* e f. apocopada de *pese* (ê), do v. *pesar*; *peses* (ê) e *peses*, desse v.; e *pés*, pl. de *pé*.] ◆ **Pez mineral.** Betume (1).

pezada (è) [De *pé* + *-zada*.] *S. f. Bras.* Pancada forte com o pé. [Cf. *pesada*, fem. de *pesado* e s. f.]

pez de borgonha [De *pez* + *de* + top. *Borgonha* (França).] *S. m.* A resina do abeto. [Pl.: *pezes de borgonha*.] ☑

pezenho [De *pez* + *-enho*.] *Adj.* Que tem a cor do pez.

pezinho (è) [De *pé* + *-zinho*.] *S. m.* **1.** Dim. de *pé*. **2.** *Bras.* Pé muito pequeno.

pezudo [De *pé* + *-zudo*.] *Adj.* Que tem pés grandes.

pezunho [De *pé*.] *S. m.* **1.** V. *chispe*. **2.** *Burl.* Pé grande e malfeito.

■ **pH** *Quím.* Sigla de *potencial hidrogeniônico* (q. v.).

■ **Ph.D.** [Abrev. do lat. *Philosophiae Doctor*, 'doutor em filosofia'.] *S. m.* **1.** Doutor (1). **2.** *Bras.* Sumidade (3).

phillipsita (fi) [Do antr. (*William*) *Phillips* (1775-1828), mineralogista inglês, + *-ita*[3].] *S. f. Min.* Mineral monoclínico, silicato hidratado de potássio, cálcio e alumínio.

➔ **physis** ['fisis] [Gr.] *S. f. Hist. Filos.* V. *físis*.

pi [Do gr. *peî, pî*, pelo lat. tard. *pi*.] *S. m.* **1.** A 16ª letra do alfabeto grego (Π, π), correspondente ao nosso *p*. **2.** *Mat.* Número pi. **3.** *Fís. Nucl.* V. *píon*.

■ **PI** Sigla do Estado do Piauí.

pia [Do lat. *pila*, 'almofariz'.] *S. f.* **1.** Vaso de pedra para líquidos. **2.** Lavabo, lavatório. **3.** *Bras.* Bacia, ger. de louça, pedra ou de metal, com água encanada e esgoto e que, muitas vezes, é dotada de moldura plana (que lhe dá acabamento), para o serviço de cozinha, banheiro, etc. [Sin. (lus.) nesta acepç.: *lava-loiças*.] **4.** Concavidade nas pedras, na qual se acumula a água das chuvas. ◆ **Pia batismal.** Grande vaso de pedra onde se verte a água utilizada no batismo. [Cf. *pia-batismal*.] **Cagar na pia.** *Bras. Chulo* Procurar chamar atenção sobre si a qualquer custo. **Salgado que só pia.** *Bras. N.E. Fam.* Salgado em excesso.

piá [Do tupi = 'coração', 'estômago', 'entranhas'.] *S. m.* **1.** *Bras.* Índio jovem. **2.** *Bras.* Mestiço jovem de branco com índio; pequeno caboclo. **3.** *Bras.* V. *menino* (1). **4.** *Bras. SC RS* Qualquer menor que não é branco e trabalha como peão de estância. **5.** *Bras. MA Zool.* V. *alma-de-gato* (1).

piã [Do tupi = 'pele erguida', 'tumor'.] *S. m. Bras. Patol.* V. *bouba* (1). [Cf. *peã*.]

piaba [Do tupi = 'pele manchada'.] *S. f.* **1.** *Bras. Zool.* Designação comum a várias espécies de peixes caraciformes; piava, piau, aracu. **2.** *Bras. Zool.* *Aracu-pintado* (1). **3.** *Bras. Zool.* V. *aracu-branco*. **4.** *Bras. N.E. Zool.* V. *lambari* (1). **5.** *Bras. PE* Pequena quantia. **6.** *Bras. PE* Coisa de pouca importância.

piaba-da-lagoa *S. f. Bras. Zool.* V. *tambiú*. [Pl.: *piabas-da-lagoa*.]

piaba-do-rabo-amarelo *S. f. Bras. Zool.* V. *tambiú*. [Pl.: *piabas-do-rabo-amarelo*.]

piabanha [Do tupi = 'o que é manchado'.] *S. f. Bras. Zool.* **1.** Peixe caracídeo (*Brycon carpophagus*) das bacias dos rios Amazonas, Orinoco e Paraná, de até 40cm de comprimento, de coloração prateada com o dorso mais escuro. **2.** Peixe caracídeo (*Brycon opalinus*) da bacia do rio Paraíba do Sul, com até 26cm de comprimento, de coloração prateada, plúmbea no dorso, e nadadeiras amareladas. [Sin., nesta acepç.: *pirapitinga*.] **3.** Peixe caracídeo (*Brycon piabanha*) da bacia do rio Paraíba do Sul, de coloração prateada, com o dorso mais escuro e máculas róseas ao longo da linha lateral. Comprimento: até 50cm.

piabar [De *piaba* (3) + *-ar*[2].] *V. int. Bras.* **1.** Arriscar pouca coisa: 📄 *Negociante que piaba não enriquece.* **2.** Fazer, no jogo, lances pequenos. **3.** Pedir dinheiro emprestado, no jogo; apiabar. *T. d.* **4.** Procurar saber; indagar, perquirir: 📄 *piabar a verdade.*

piaba-rapadura *S. f. Bras. Zool.* V. *matupiri* (1). [Pl.: *piabas-rapaduras* e *piabas-rapadura*.]

piaba-rodoleira *S. f. Bras. Zool.* V. *tambiú*. [Pl.: *piabas-rodoleiras*.]

pia-batismal *S. f. Bras. Bot.* Planta orquidácea (*Coryanthes maculata*) ornamental, originária da Guiana, que vive epifiticamente nas matas. As flores têm forma exótica e reúnem-se em racemos pendentes; as sépalas e pétalas são amarelo-claras; as folhas, grossas e lanceoladas. [Pl.: *pias-batismais*. Cf. *pia batismal*.]

piaba-torta [De *piaba* + o f. de *torto*.] *S. f. Bras. Zool.* V. *timburetinga*. [Pl.: *piabas-tortas*.]

piabeiro [De *piaba* + *-eiro*.] *S. m. Bras. Amaz.* Pescador artesanal (3), esp. aquele que faz coleta de peixes ornamentais: 📖 "Um dos amigos, o Corel, agora exportava peixes ornamentais. Tio Ran era pago para fazer contatos e negociar com os piabeiros do Negro." (Milton Hatoum, *Cinzas do Norte*, p. 270.)

piabinha [De *piaba* + *-inha*.] *S. f. Bras. Zool.* **1.** Designação comum a várias espécies de peixes caracídeos, especialmente as formas de pequeno porte do gênero *Hyphessobrycon*. **2.** Peixe caracídeo (*Hyphessobrycon parvellus*) comum no S.E. brasileiro e tb. na Bahia, de coloração clara com mancha na cauda. Comprimento: até 3cm. **3.** Peixe caracídeo (*Hyphessobrycon piabinhas*) encontrado em rios cearenses, de cor prateada e uniforme. Comprimento: até 3,5cm. [Var.: *piavinha*.]

piabuçu [De *piaba* + *-uçu*.] *S. f. Bras. Zool.* **1.** Designação comum, em certas regiões, às piabas de porte avantajado. **2.** V. *saguiru*.

piaçá *S. f. Bras. Bot.* V. *piaçaba*.

piaçaba [Do tupi.] *S. f. Bras. Bot.* **1.** Palmeira arecácea (*Attalea funifera*) brasileira, de estipe liso e cilíndrico, folhas eretas, verde-escuras, de cujo pecíolo se extraem fibras us. na feitura de vassouras, escovas, etc.; os frutos são comestíveis. [Sin.: *coqueiro-piaçaba*, *japeraçaba*, *pau-piaçaba*, *piaçabeira*, *piaçaveira*.] **2.** V. *palmeira-piaçaba*. **3.** A fibra que se obtém dessas palmeiras. [Var.: *piaçava* e *piaçá*.]

piaçaba-brava [De *piaçaba* + o f. de *bravo*[1].] *S. f. Bras. Bot.* Piaçabarana. [Pl.: *piaçabas-bravas*.]

piaçaba-do-orenoco [De *piaçaba* + *do*[1] + o top. *Orenoco*.] *S. f. Bras. Bot.* V. *palmeira-piaçaba*. [Pl.: *piaçabas-do-orenoco*.]

piaçabal [De *piaçaba* + *-al*[1].] *S. m. Bras.* **1.** Quantidade mais ou menos considerável de piaçabas dispostas proximamente entre si. **2.** Área ocupada por piaçabal (1).

piaçabarana [De *piaçaba* + *-rana*.] *S. f. Bras. Bot.* Palmeira arecácea (*Elaeis odora* ou *Barcella odora*) nativa do Brasil, de ocorrência rara; tem folhas pinadas e flores de odor enjoativo, que atraem insetos e abelhas; piaçaba-brava.

piaçabeira [De *piaçaba* + *-eira*.] *S. m. Bras. Bot.* V. *piaçaba* (1). **2.** V. *palmeira-piaçaba*.

piaçabuçuense *Adj. 2 g.* **1.** De, ou pertencente ou relativo a Piaçabuçu (AL). ● *S. 2 g.* **2.** O natural ou habitante de Piaçabuçu.

piacaense (cà) *Adj. 2 g.* **1.** De, ou pertencente ou relativo a Piacá (GO). ● *S. 2 g.* **2.** O natural ou habitante de Piacá.

piacatuense *Adj. 2 g.* **1.** De, ou pertencente ou relativo a Piacatu (SP). ● *S. 2 g.* **2.** O natural ou habitante de Piacatu.

piaçava *S. f. Bras. Bot.* V. *piaçaba*.

piaçaveira [De *piaçava* + *-eira*.] *S. m. Bras. Bot.* **1.** V. *piaçaba* (1). **2.** V. *palmeira-piaçaba*.

piacó [Var. de *piaçoca*.] *S. f. Bras. Zool.* V. *jaçanã* (1).

pia-cobra [De *piar* + *cobra*[1].] *S. m. Bras. Zool.* Ave passeriforme, compsotlipídea (*Geothlypis aequinoctialis cuculata*) do Brasil este-setentrional e central, com cabeça, nuca, retrizes, cauda e dorso cinzento-esverdeados, uma estria negra, larga, que parte do bico, passando pela região ocular, e atinge a região auricular, e garganta, peito, abdome e uropígio amarelo-limão. Alimenta-se de insetos e outros artrópodes, não desdenhando frutas. [Sin.: *canário-do-brejo*, *canário-do-sapé*. Pl.: *pia-cobras*.]

piaçoca [Do tupi.] *S. f. Bras. Zool.* V. *jaçanã* (1). [Var. apocopada: *piacó*.]

piacular [Do lat. *piaculare*.] *Adj. 2 g. Ant.* Expiatório.

piáculo [Do lat. *piaculu*.] *S. m. Ant.* **1.** Sacrifício expiatório. **2.** Crime, delito.

P

piacururu [F. dissimilada de *piracururu* (q. v.).] ***S. m.*** *Bras. SP Zool.* V. *bagre-sapo* (5).

piada [F. subst. de *piado*, part. de *piar*.] ***S. f.*** **1.** V. *pio*[1] (1). **2.** V. *estertor* (1). **3.** Dito engraçado e espirituoso; pilhéria, chiste. **4.** Chalaça picante. **5.** V. *picuinha* (2). **6.** Conversa fiada; lorota. ◆ **Ter piada.** *Lus.* **1.** Ser engraçado. **2.** Ser interessante, curioso.

piadade [Do lat. *pietate*.] ***S. f.*** *Ant. Pop.* Piedade.

piadeira [De *piar* + *-deira*.] ***S. f.*** **1.** *Bras. Zool.* V. *irerê*. **2.** V. *estertor* (1).

piá de prédio ***S. m.*** *Bras. S.* Piá-pançudo. [Pl.: *piás de prédio*.] ☑

piadinha [De *piada* + *-inha*.] ***S. f.*** **1.** *Pop.* Piada leve. **2.** Alusão irônica.

piadista [De *piada* (3, 4 e 5) + *-ista*.] ***Adj. 2 g. S. 2 g.*** Que, ou quem diz ou cria piadas.

piado [Part. de *piar*.] ***S. m.*** **1.** V. *pio*[1] (2). **2.** V. *estertor* (1).

piadoso (ô) ***Adj.*** *Ant. Pop.* Piedoso: "agora vejo / Que tu me vens buscar. Beijo estas mãos / Reais tão piadosas" (Antônio Ferreira, *Obras Completas*, II, pp. 260-261).

piadô-zaua [Do forro[2].] ***S. m. 2 n.*** *Santom.* Curandeiro cujo diagnóstico se baseia na observação das urinas: "os piadô-zaua foram visitados com assiduidade, as suas receitas cumpridas com escrupuloso cuidado" (Sacramento Neto, *Peneta*, p. 48).

piaga ***S. m.*** *Bras.* V. *pajé* (1): "E os campos talados, / E os arcos quebrados, / e os piagas coitados / já sem maracás" (Gonçalves Dias, *Obras Poéticas*, II, p. 23).

pialhar [De *piar* + *-alhar*.] ***V. int.*** **1.** Piar muito. **2.** Falar muito, produzindo som semelhante ao piar dos pássaros: "O nevoeiro dissipara-se, e nos charcos do adro patinhavam garotos, pialhando como pardais." (José Rodrigues Miguéis, *Gente da Terceira Classe*, p. 253.)

pia-máter [Do lat. *pia mater*, 'mãe piedosa'.] ***S. f.*** *Anat.* A mais interna das membranas (meninges) que envolvem o encéfalo e a medula espinhal. V. *meninge*. [Pl.: *pias-máteres*.]

piampara ***S. f.*** *Bras. Zool.* V. *piapara*.

piançar [De *pianço* + *-ar*[2].] ***V. t. i.*** *Bras.* Desejar ardentemente; ansiar, anelar, almejar. [Conjug.: v. *laçar*.]

pianço [F. nasalada de um **piaço*, de *piar*.] ***S. m.*** *Bras.* V. *estertor* (1).

piancoense (ò) ***Adj. 2 g.*** **1.** De, ou pertencente ou relativo a Piancó (PB). • ***S. 2 g.*** **2.** O natural ou habitante de Piancó.

pianeiro [De *piano*[1] + *-eiro*.] *Bras.* ***S. m.*** **1.** *Deprec.* Mau pianista. **2.** Pianista que toca em casas de diversão, em cinemas, etc.: *As cinematecas passam filmes mudos com música de pianeiro.*

pianépsias [Adapt. do gr. *Pyanépsia*.] ***S. f. pl.*** Na antiga Atenas, festas em honra do deus Apolo, celebradas no mês de pianépsion, assim chamadas porque nelas se comia uma papa de favas.

pianépsio ***S. m.*** *Cronol.* V. *pianépsion*.

pianépsion [Do gr. *Pyanepsión*.] ***S. m.*** *Cronol.* O quarto mês do calendário grego, com 30 dias, que correspondia aproximadamente ao mês de outubro do calendário gregoriano.

pianice [De *piano*[1] + *-ice*.] ***S. f.*** *Deprec.* Mania de tocar piano[1].

pianino [Do it. *pianino*.] ***S. m.*** Piano de armário (q. v.) de pequenas dimensões.

pianíssimo [Do it. *pianissimo*.] *Mús.* ***Adv.*** **1.** Muito piano[2]. [Ger. us. em partituras, como indicação para execução.] [Abrev.: *pp* ou *ppp*.] • ***S. m.*** **2.** Passagem executada com pouquíssima sonoridade.

pianista [De *piano*[1] + *-ista*.] ***S. 2 g.*** **1.** *Mús.* Pessoa que sabe tocar, ou que toca piano[1]. **2.** *Pop.* Indivíduo que frauda o resultado de votação acionando tecla de painel de votação para votar por pessoa ausente.

pianística [F. subst. de *pianístico*.] ***S. f.*** *Mús.* Arte e técnica de tocar piano[1], ou de compor peças para esse instrumento.

pianístico [De *pianista* + *-ico*[2].] ***Adj.*** *Mús.* Relativo ou próprio de piano[1], de pianista, da pianística, ou do repertório para piano: *efeitos pianísticos; peça pianística.*

piano[1] [F. red. do it. *pianoforte*.] ***S. m.*** *Mús.* **1.** Instrumento musical de cordas percutíveis por martelos de madeira revestidos de feltro, munido de teclado de 88 teclas, que abrange sete oitavas, e pedais com funções específicas, e dotado de uma caixa de ressonância onde se estendem as cordas. **2.** O pianista de uma orquestra ou de outro conjunto. ◆ **Piano de armário.** *Mús.* Piano[1] (1) cujas cordas e caixa de ressonância são verticais. **Piano de cauda.** *Mús.* Piano[1] (1) que tem a caixa de ressonância ansiforme, construída horizontalmente e dotada de tampa que se levanta para ampliar a sonoridade. **Piano de válvulas.** *Constr. Nav.* Conjunto dos volantes de comando de diversas válvulas semelhantes, reunidos em um mesmo bloco, para facilidade de instalação e de manobra das válvulas. **Piano de vidro.** *Mús.* V. *celesta*. **Piano mecânico.** *Mús.* Piano[1] (1) cujo teclado é acionado quer por meio de pedais colocados na frente do instrumento ou no seu interior, quer por meio de uma manivela. **Piano mudo.** *Mús.* Pequeno piano[1] (1) sem cordas, destinado a exercícios dos dedos. **Piano transpositor.** *Mús.* Piano[1] (1) com teclado móvel, como o do harmônio, e que permite uma transposição de um semitom a alguns tons. **Tocar piano.** *Bras. Gír.* Tirar as impressões digitais: "'agora, vamos tocar piano' – e o policial sujou-lhe os dedos de tinta para os sinais datiloscópios." (Permínio & Lúcio Asfora, *Confidências no Largo da Segunda-Feira*, p. 111).

piano[2] ***S. 2 g. Adj. 2 g.*** *Bras.* V. *tiriió*.

piano[3] [Do it. *piano*.] ***Adv.*** **1.** *Mús.* Suavemente, com pouca força. [Ger. us. em partituras, como indicação para execução.] [Abrev.: *p*.] **2.** *Fig.* Pausadamente, devagar. • ***S. m.*** **3.** *Mús.* Passagem executada suavemente, com pouca sonoridade.

piano-bar ***S. m.*** Bar[1] (3) com música de piano[1] (1): "ir ao cinema antes das 15h, pagando apenas Cr$ 100, ou a um piano-bar ou a restaurantes que não cobram consumação mínima." (*Jornal do Brasil*, 30.07.1982). [Pl.: *pianos-bares*.]

pianocotó *Bras.* ***S. 2 g.*** **1.** *Etnôn.* Indivíduo dos pianocotós [ou (etnôn. bras.) *Pianokotó], povo indígena extinto, da família linguística caraíba, que habitava a margem esquerda do rio Anamu e as margens dos rios Erepecuru e Marapi, no N. do PA e no Suriname. • ***Adj. 2 g.*** **2.** Pertencente ou relativo a esse povo.

piano de cuia [De *piano*[1] + *de* + *cuia*.] ***S. m.*** *Bras. BA Mús.* V. *cabaça*[1] (4). [Pl.: *pianos de cuia*.] ☑

pianoforte [Do it. *pianoforte*.] ***S. m.*** *Mús. Ant.* Piano[1] (1).

pianola [Do ingl. *pianola*, marca registrada.] ***S. f.*** *Mús.* Piano[1] (1) mecânico, com as cordas verticais, baseado no sistema pneumático.

pião[1] [Var. de *peão*.] ***S. m.*** **1.** Brinquedo piriforme, com uma ponta de ferro, que gira impulsionado por um cordel, enrolado, nele, ou por meio de uma mola. **2.** Haste da escada de caracol; pilarete. **3.** *Bot.* V. *pinhão* (2). **4.** *Constr. Nav.* Eixo em torno do qual gira uma peça ou dispositivo: *pião do cabrestante; pião da verga.* **5.** *Turfe* Parte de um hipódromo, em geral ajardinada e tratada, circunscrita pela pista de corridas, e à qual o espectador às vezes tem acesso; pião do prado. **6.** *Bras. Cap.* Floreio (6) que consiste num giro, executado apenas com a cabeça no chão. **7.** *Bras. AL* Tipo de pisca-pisca com feitio de um pião[1] (1). **8.** *Lus.* Cavalo de pau (3). [Cf. *peão*.] ◆ **Pião de mão.** *Bras. Cap.* Pião[1] (6) executado com apenas uma das mãos no chão. **Pião do prado.** *Turfe* Pião[1] (5). **Fazer pião em.** Girar apoiando-se em determinado objeto ou determinado ponto, ou tomando-o como referência. **Tomar o pião na unha.** *Bras.* Enfrentar situação difícil, caótica, desesperadora, etc., com decisão e sentimento de responsabilidade; pegar o touro pelos chifres: "Todos perceberam a alusão, minha avó ia tendo um troço, tia Berta, furiosa, tomou o pião na unha e como um desaforo do Antônio e do Joãozinho com ela também." (Pedro Nava, *Balão Cativo*, p. 61.)

pião[2] ***S. m.*** *Lus. Fís. Part.* V. *píon*.

piapai *Bras.* ***S. 2 g.*** **1.** *Etnôn.* Indivíduo dos piapais [ou (etnôn. bras.) *Piapay], povo indígena extinto que habitava a região da margem esquerda do rio Curuá (AM). • ***Adj. 2 g.*** **2.** Pertencente ou relativo a esse povo.

piá-pançudo ***S. m.*** *Bras. S.* Jovem mimado, que não assume responsabilidades; piá de prédio. [Pl.: *piás-pançudos*.]

piapara [Do tupi.] ***S. f.*** *Bras. Zool.* **1.** Peixe anostomídeo (*Leporinus conirostris*) das bacias dos rios Paraguai, Paraná, Paraíba e Doce, cujo corpo tem faixas transversais escuras, em forma de X ou Y, em número variável entre 8 e 11, e comprimento de até 16cm; piau-vermelho, boga. **2.** Peixe anostomídeo (*Leporinus elongatus*) de coloração prateada, com três manchas escuras nas laterais, com até 80cm de comprimento e peso de até 6kg, das bacias dos rios Paraná e São Francisco. Alimenta-se de vegetais e de toda a sorte de detritos da água, e é muito estimado para pesca esportiva de linha. [Var.: *piampara* e *pirapara*.]

piapé ***S. m.*** *Bras. SP Zool.* V. *percevejo-das-plantas*.

pia-pouco [De *piar* + *pouco*.] ***S. m. 2 n.*** *Bras. Amaz. Zool.* V. *tucano-de-peito-branco*.

piar[1] [Da onom. *pi* + *-ar*[2].] ***V. int.*** **1.** Dar pios [v. *pio*[1] (1)]: "Noites de junho. O caburé com frio, / Ao luar, sobre o arvoredo, piando, piando..." (Da Costa e Silva, *Sangue*, p. 41.) **2.** *Gír.* Falar, conversar: *Não piou durante a reunião.* ***T. d.*** **3.** Soltar, emitir, piando: *A coruja piou funestos agouros;* "Olhai a triste coruja a piar desgraças..." (Teixeira de Pascoais, *D. Carlos*, p. 10.) **4.** *Gír.* Em jogo de cartas, dar a dica do jogo do parceiro ou do próprio. [Cf. *pear*.]

piar[2] *Lus. Gír. Desus. no Brasil* ***V. int.*** **1.** Beber vinho. **2.** Ingerir (bebida alcoólica). [Cf. *pear*.]

piara ***S. f.*** **1.** Bando de animais. **2.** Grupo de animais do mesmo tamanho, da mesma idade, ou da mesma parição: "Comer pão negro, pão duro, / Beber o leite das piaras." (Augusto Gil, *Luar de Janeiro*, p. 96.) **3.** Multidão de gente. [Cf. *peara*, do v. *pear*.]

piaremia [Do gr. *píar*, 'gordura', + *-emia*.] ***S. f.*** *Med.* Lipemia.

piarémico ***Adj.*** V. *piarêmico*. [Uso freq. em P.]

piarêmico [De *piaremia* + *-ico*[2].] ***Adj.*** Referente a piaremia.

piartrose [De *pi(o)-* + *-artr(o)-* + *-ose*[1].] ***S. f.*** *Patol.* Pus dentro de cavidade articular.

piastra [Do it. *piastra*.] ***S. f.*** **1.** Moeda de prata, de valor variável, corrente em vários países. **2.** Unidade monetária, e moeda, do antigo Vietnã do Sul, dividida em 100 cêntimos. **3.** Moeda divisionária que representa a centésima parte da libra (6).

piatãense ***Adj. 2 g.*** **1.** De, ou pertencente ou relativo a Piatã (BA). • ***S. 2 g.*** **2.** O natural ou habitante de Piatã. [Sin. ger.: *piatanense*.]

piatanense ***Adj. 2 g. S. 2 g.*** V. *piatãense*.

piau [Do tupi = 'pele manchada'.] ***S. m.*** **1.** *Bras. Zool.* V. *piaba* (1). **2.** *Bras. Gír.* V. *surra* (1). **3.** *Bras. SP Pop.* Logro, embuste: *passar um piau.*

piau-da-lagoa ***S. m.*** *Bras. Zool.* V. *tambiú*. [Pl.: *piaus-da-lagoa*.]

piauense ***Adj. 2 g.*** **1.** De, ou pertencente ou relativo a Piau (MG). • ***S. 2 g.*** **2.** O natural ou habitante de Piau.

piauí [Do top. *Piauí*.] ***Adj.*** **1.** *Bras.* Diz-se de um tipo de gado bovino de pequeno porte e dotado de cornos desenvolvidos. • ***S. m.*** **2.** *Bras.* Gado piauí. **3.** *Bras.* Cambindas. ◆ **Fazer piauí.** *Bras. N.E.* Levantar e torcer o sabugo da cauda de uma rês, para derrubá-la ou encostá-la ao mourão a fim de ser facilmente ferrada.

piauiense (au-i) ***Adj. 2 g.*** **1.** Do, ou pertencente ou relativo ao Estado do Piauí. • ***S. 2 g.*** **2.** O natural ou habitante do Piauí. [Sin. ger. (gír. pej.): *piauizeiro*.]

piauizeiro (au-i) [Do top. *Piauí* + *-zeiro*.] ***Adj. S. m.*** *Bras. Gír. Pej.* Piauiense.

piau-verdadeiro ***S. m.*** *Bras. Zool.* Peixe anostomídeo (*Leporinus piau*) do CE, com duas manchas negras arredondadas nos flancos e faixas escuras, em número de 15 ou 16, no dorso. Alimenta-se de substâncias vegetais e animais, e é utilizado em piscicultura. [Pl.: *piaus-verdadeiros*.]

piau-vermelho ***S. m.*** *Bras. Zool.* V. *piapara* (1). [Pl.: *piaus-vermelhos*.]

piava [Var. de *piaba*.] ***S. f.*** *Bras. Zool.* V. *piaba* (1).

piava-verdadeira ***S. f.*** *Bras. Zool.* Peixe anostomídeo (*Leporinus bimaculatus*), dos rios Amazonas, Tocantins e Paraíba, de coloração cinza-prateada com duas máculas escuras de cada lado do corpo. É uma das maiores espécies do gênero, muito apreciada para pesca esportiva. [Pl.: *piavas-verdadeiras*.]

piavinha [De *piava* + *-inha*.] ***S. f.*** *Bras. Zool.* V. *piabinha*.

pia-vovó [Voc. onom.] ***S. m.*** *Bras. Zool.* V. *vovô* (2). [Pl.: *pia-vovós*.]

piazada (i-à) [De *piá-* + *-zada*.] ***S. f.*** *Bras.* Porção de piás.

■ **PIB** *Econ.* Sigla de *Produto Interno Bruto*: "Com o 8º PIB do mundo, o Brasil tem mais da metade da população na pobreza" (*Jornal do Brasil*, 08.08.1999); "A carga tributária brasileira corresponde a 32% do PIB, a mais alta da América Latina" (Id., 08.08.1999).

pica[1] [Dev. de *picar*.] ***S. f.*** **1.** Lança antiga; pique[1]. **2.** *Chulo* O pênis. [Var., chula e eufêmica, nesta acepç.: *piça*.] **3.** *Lus.* Injeção (8). ~ V. *picas*.

pica[2] [Do lat. *pica*, 'pega' (ê).] ***S. f.*** Transtorno (5) caracterizado por hábito de ingerir substâncias não alimentares. ~ V. *picas*.

piça ***S. f.*** *Chulo* V. *pica*[1] (2).

picaço [Do esp. plat. *picazo*.] ***Adj.*** **1.** *Bras.* Diz-se do equídeo escuro com testa ou pés brancos. [Cf. *malacara*.] **2.** *Bras.* Equídeo com essas características: "O seu picaço começou a espumar na tábua do pescoço onde roça a rédea" (Darci Azambuja, *Coxilhas*, p. 11). • ***S. m.*** **3.** *Bras. SP S. de MG Zool.* V. *carrapato-estrela* (1). **4.** *Bras. RS* Trem de ferro. ◆ **Picaço bragado.** *Bras. RS* Cavalo malhado de branco.

picaçu [Do tupi = 'pomba'.] ***S. m.*** *Bras. Zool.* V. *pomba-legítima*.

picada[1] [De *picar* + *-ada*[1].] ***S. f.*** **1.** Ato ou efeito de picar(-se). **2.** Ferida feita com objeto pontiagudo. **3.** Mordedura de inseto ou de cobra. **4.** Bicada (1). **5.** *Pop.* Facada; navalhada. [Sin., nessas acepçs.: *picadura*.] **6.** Sangria (em cavalo). **7.** Mergulho de avião em ângulo a pique. **8.** *Fig.* Sofrimento ou desgosto moral. **9.** *Bras. Angol. Cabo-verd. Guin. Moç. Santom.* Atalho estreito, aberto no mato a golpes de facão; pique: "Atravessou primeiro por uma estreita picada .... a pequena capoeira que limitava os campos do marido." (José Veríssimo, *Cenas da Vida Amazônica*, p. 276.)

picada[2] [De *pico*[1] + *-ada*[1].] ***S. f.*** V. *pico*[1] (3).

picadão [De *picada*[1] + *-ão*[1].] ***S. m.*** *Bras.* Grande picada[1] (9).

picadeira [De *picar* + *-deira*.] *S. f.* **1.** Ferro de picar as mós. **2.** Pequeno martelo com dois gumes. **3.** Pequena lança de ferro utilizada na limpeza das fornalhas. **4.** *Bras. PE* Cortadeira (4). **5.** *Lus. Etnogr.* Mulher que faz o cartão da renda de bilros e o pinta com a cor de açafrão, risca o desenho e perfura os moldes.

picadeiro [De *picar* + *-deiro*.] *S. m.* **1.** Local onde se adestram cavalos, se fazem exercícios ou se ministram ensinamentos de equitação; picaria. **2.** Área circular e central do circo, onde os artistas realizam suas exibições. **3.** Cepo sobre o qual os tanoeiros encurvam as aduelas. **4.** *Constr. Nav.* Cada uma das peças de ferro com cobertura de madeira que formam um berço ou leito sobre o qual descansa o casco do navio, quando em construção, ou quando em reparo, em seco. **5.** *Constr. Nav.* Suporte de madeira ou de metal onde assenta uma embarcação miúda, quando em seco. **6.** *Bras. N.E.* Monte de cana ou de lenha picada, cortada: "Chupar cana no picadeiro do engenho e chupar caboje no plantio da safra nova." (Carlos de Gusmão, *Boca da Grota*, p. 4.)

picadela [De *picada*[1] + *-ela*.] *S. f.* Picada[1] (1 a 5) ligeira.

picadense *Adj. 2 g.* **1.** De, ou pertencente ou relativo a Picada Café (RS). ● *S. 2 g.* **2.** O natural ou habitante de Picada Café.

picadinho [De *picado* + *-inho*[1].] *Adj.* **1.** Um tanto picado. **2.** *Pop.* Que se melindra com facilidade. ● *S. m.* **3.** *Bras. Cul.* Qualquer prato de carne cortada em pedacinhos ou passada na máquina, podendo ou não ter molho; picado. **4.** *Bras. Etnogr.* Puladinho.

picado [Part. de *picar*.] *Adj.* **1.** Coberto de picadas [v. *picada*[1] (2 a 5)]. **2.** Marcado com pintas ou sinais. **3.** Ferido com picadas [v. *picada*[1] (2 a 5)]; espicaçado. **4.** Rasgado ou cortado em pedacinhos: *papel picado.* **5.** Diz-se do mar agitado, com pequenas ondas; encapelado: "Estavam fora da barra, o mar estava picado e o Ventura tremia." (D. João da Câmara, *Contos*, p. 78.) **6.** Diz-se do voo em que o nariz do avião se inclina para baixo. **7.** Diz-se do avião em tal situação. [Cf., nas acepç. 6 e 7, *cabrado*.] **8.** *Fig.* Melindrado, irritado, ofendido. **9.** Diz-se, em geral, de bebida (particularmente do caldo de cana) um pouco azeda: "Bebia garapa, mas preferia-a picada." (Júlio Ribeiro, *A Carne*, p. 38.) **10.** *Bras.* Levemente embriagado. ~ V. *voo* ~. ● *S. m.* **11.** Aspereza duma superfície picada: *o picado da pedra.* **12.** *Cul.* Picadinho (3). **13.** *Bras. N.E.* Sarapatel (1). **14.** Recorte na extremidade de certas peças de vestuário. **15.** *Bras. N.N.E.* V. *baixo* (26). **16.** *Bras. RJ* Cacundê.

picador (ô) [De *picar* + *-dor*.] *Adj.* **1.** Que pica. ● *S. m.* **2.** Aquele ou aquilo que pica. **3.** Aquele que ensina equitação ou amestra cavalos. **4.** Aquele que pica o touro, nas touradas, para enfurecê-lo. **5.** *Bras.* Picotador. **6.** *Bras.* Aquele que abre picada[1] (9). **7.** *Bras.* Indivíduo que retalha baleias arpoadas.

picadura [De *picar* + *-dura*.] *S. f.* V. *picada*[1] (1 a 5).

pica-flor [De *picar* + *flor*.] *S. m. Bras. Zool.* V. *beija-flor*. [Pl.: *pica-flores*.]

pica-fumo [De *picar* + *fumo*.] *S. m.* **1.** *Bras.* Cavalo de andadura incômoda e irregular. **2.** *Bras. S.* V. *avaro* (3). **3.** *Bras. S.* Canivete (1). **4.** *Aer. Exérc. Gír.* Oficial ocupante dos primeiros postos da carreira. ● *Adj.* **5.** *Bras. S.* V. *avaro* (1). [Pl.: *pica-fumos*.]

picagem [De *picar* + *-agem*[2].] *S. f.* **1.** Pterofagia. **2.** O conjunto de dentes, filetes e ranhuras de uma lima.

piçamá *S. m. Bras.* Certo utensílio culinário.

picamento [De *picar* + *-mento*.] *S. m.* Ato de picar(-se).

pica-milho [De *picar* + *milho*.] *S. m.* **1.** Broeiro (3). **2.** *Fig.* Pessoa ordinária, de baixa classe. [Pl.: *pica-milhos*.]

picana [Do esp. plat. *picana*.] *S. f. Bras. MT RS* V. *aguilhada*.

picandó [Var. de *piçandu*.] *S. m. Bras. Bot.* **1.** V. *ariri*[1] (1). **2.** V. *buri-da-praia*.

piçandu [Do tupi amazonense.] *S. m. Bras. Bot.* V. *ariri*[1] (1).

picanear [Do esp. plat. *picanear*.] *V. t. d. Bras. MT RS* Ferir (o boi) com a picana; aguilhoar, espicaçar, aferretoar. [Conjug.: v. *frear*.]

picanha [De *picar*.] *S. f. Bras. RS* **1.** A parte posterior da região lombar da rês. **2.** A carne dessa região. **3.** *Cul.* Prato preparado com essa carne.

picante [De *picar* + *-nte*.] *Adj. 2 g.* **1.** Que pica. **2.** Que excita ou irrita o paladar: *tempero picante.* **3.** *Fig.* Malicioso e/ou mordaz; salgado: *piada picante; picantes epigramas.* ● *S. m.* **4.** Aquilo que estimula ou que provoca o apetite.

picão[1] [De *picar* + *-ão*[2].] *S. m.* **1.** Espécie de escopro com ponta, para lavrar pedra. **2.** V. *picareta* (1). **3.** Sacho para picar milho. **4.** Ferrão da aguilhada. **5.** *Bras. Bot.* Nome comum a várias ervas asteráceas, como, p. ex., a *Cosmos sulphureus* ou *Bidens sulphurea* (v. *picão-grande*), a *Bidens rubifolia* (v. *picão-amarelo*), e a *Bidens graveolens* (v. *amor-de-negro*).

picão[2] [De *pica*[1] + *-ão*[1].] *S. m. Bras. Chulo* Indivíduo, em geral bem-apessoado, que atrai invulgarmente as mulheres.

picão-açu [De *picão*[1] + *-açu*.] *S. m. Bras. Bot.* V. *picão-grande*. [Pl.: *picões-açus*.]

picão-amarelo [De *picão*[1] + *amarelo*.] *S. m. Bras. Bot.* Erva asterácea (*Bidens rubifolia*) perene, muito ramificada, escandente quando dispõe de suporte, nativa do Brasil; tem folhas opostas, compostas, de margens denteadas, e inflorescências capituliformes, amarelas, em grupos ou solitárias, terminais ou axilares. [Pl.: *picões-amarelos*.]

picão-branco *S. m. Bras. Bot.* Fazendeiro (5). [Pl.: *picões-brancos*.]

picão-da-praia [De *picão*[1] + *da*[1] + *praia*.] *S. m. Bras. Bot.* **1.** Erva asterácea (*Acanthospermum australe*) anual, originária da América tropical, que tem folhas oblongas e pubérulas, capítulos terminais e pedúnculos longos, e cujos frutos são aquênios tetragonais. Utilizam-se, na medicina popular, folhas e raízes desta espécie no combate à diarreia, malária, e outras doenças. **2.** V. *carrapicho-da-praia*. [Pl.: *picões-da-praia*.]

picão-de-flor-grande [De *picão*[1] + *de* + *flor* + *grande*.] *S. m. Bras. Bot.* V. *picão-grande*. [Pl.: *picões-de-flor-grande*.]

picão-do-grande [De *picão*[1] + *do*[1] + *grande*.] *S. m. Bras. Bot.* V. *picão-grande*. [Pl.: *picões-do-grande*.]

picão-grande [De *picão*[1] + *grande*.] *S. m. Bras. Bot.* Planta asterácea (*Cosmos sulphureus* ou *Bidens sulphurea*) anual, ereta, originária do México mas muito disseminada no Brasil; tem folhas compostas, pilosas, e flores reunidas em capítulos grandes, simples ou dobrados, ger. alaranjados. [Sin.: *cosmo-amarelo, picão-açu, picão-uçu, picão-de-flor-grande, picão-do-grande*. Pl.: *picões-grandes*.]

picão-uçu [De *picão*[1] + *-uçu*.] *S. m. Bras. Bot.* V. *picão-grande*. [Pl.: *picões-uçus*.]

picãozeiro [De *picão*[1] + *-zeiro*.] *S. m. Bras.* Terreno onde cresce com abundância o picão[1] (5).

picapara [Do tupi = 'pato curvo, de pescoço comprido'.] *S. f. Bras. Zool.* V. *ipequi*.

pica-pau [De *picar* + *pau*.] *S. m.* **1.** *Zool.* Designação comum a aves piciformes, picídeas, bastante numerosas no Brasil, com cerca de 55 espécies e várias subespécies. São aves trepadoras com dois dedos para a frente e dois para trás, a cauda frequentemente com retrizes endurecidas e pontudas, bico forte, usado para perfurar a madeira, e língua muito longa, com que retira as larvas dos insetos, seu alimento preferido. A maioria das espécies nidifica em ocos de paus ou em buracos, em galerias que elas mesmas perfuram. [Sin., nesta acepç.: *ipecu, carapina, pinica-pau*.] **2.** *Folcl.* Reisado de origem sergipana. **3.** Soldado de polícia. **4.** Lazarina (2). **5.** *Bras. SP* Na zona do rio Paraná, pequena serraria. **6.** *Bras. RS* Alcunha que os rebeldes rio-grandenses de 1893 davam aos republicanos ou legalistas. [Pl.: *pica-paus*.]

pica-pau-amarelo [De *pica-pau* + *amarelo*.] *S. m. Bras. Zool.* Ave piciforme, picídea (*Crocomorphus flavus*), do O., N.E. e E. do Brasil, de coloração amarela, asas pardas, cauda preta, e macho com estria malar encarnada; ipecutauá. [Pl.: *pica-paus-amarelos*.]

pica-pau-anão [De *pica-pau* + *anão*.] *S. m. Bras. Zool.* Picapauzinho. [Pl.: *pica-paus-anões*.]

pica-pau-branco [De *pica-pau* + *branco*.] *S. m. Bras. Zool.* Birro-branco. [Pl.: *pica-paus-brancos*.]

pica-pau-carijó [De *pica-pau* + *carijó*.] *S. m. Bras. Zool.* Ave piciforme, picídea (*Chrysoptilus melanochloros*), do S.E. do Brasil. Tem coloração geral verde-amarela, com faixas pretas transversais dos lados do dorso, manchas arredondadas no abdome, fronte e vértice negros, nuca vermelha, face branco-amarelada, rêmiges escuras e uropígio amarelo. [Pl.: *pica-paus-carijós e pica-paus-carijó*.]

pica-pau-de-cabeça-amarela [De *pica-pau* + *de* + *cabeça* + o f. de *amarelo*.] *S. m. Bras. Zool.* Ave piciforme, picídea (*Celeus flavescens*), do S.E. do Brasil, caracterizada pela cabeça provida de um longo topete de penas amarelas. Corpo preto; uropígio amarelo; penas do dorso e da asa com barras amarelas. Alimenta-se de insetos, preferindo cupins e formigas. [Sin.: *joão-velho, ipecuati*. Pl.: *pica-paus-de-cabeça-amarela*.]

pica-pau-de-cabeça-vermelha [De *pica-pau* + *de* + *cabeça* + o f. de *vermelho*[1].] *S. m. Bras. Zool.* Ave piciforme, picídea (*Phloeoceastes robustus*), do S.E. do Brasil, de coloração geral amarelada com faixas escuras na porção inferior, asas e cauda negras, pescoço, cabeça e topete vermelhos, motivo de seu nome popular. Vive nas matas, alimenta-se de insetos e larvas, e bate nas árvores como se fosse autêntico lenhador. [Sin.: *pica-pau-soldado, pica-pau-grande*. Pl.: *pica-paus-de-cabeça-vermelha*.]

pica-pau-de-penacho [De *pica-pau* + *de* + *penacho*.] *S. m. Bras. Zool.* Ave piciforme, picídea (*Scapaneus rubricollis*), do extremo N. do Brasil, de coloração preta, cabeça, pescoço, peito, abdome e parte da barba interior das retrizes vermelhos, tendo a fêmea fronte e faces brancas. [Pl.: *pica-paus-de-penacho*.]

pica-pau-do-campo [De *pica-pau* + *do*[1] + *campo*.] *S. m. Bras. Zool.* Ave piciforme, picídea (*Colaptes campestris*), do C. e S.E. do Brasil, especialmente das regiões de cerrados. Tem o alto da cabeça e garganta pretos, lados da cabeça, fita nucal e peito anterior amarelos, dorso pardo, listrado de branco, uropígio branco e parte inferior listrada de pardo. [Sin.: *pica-pau-malhado, chã-chã*. Pl.: *pica-paus-do-campo*.]

pica-pau-doirado [De *pica-pau* + *doirado*.] *S. m. Bras. Zool.* V. *pica-pau-dourado*. [Pl.: *pica-paus-doirados*.]

pica-pau-do-mato-virgem [De *pica-pau* + *do*[1] + *mato* + *virgem*.] *S. m. Bras. Zool.* Ave piciforme, picídea (*Tripsurus flavifrons*), do S.E. do Brasil, de dorso, asas e cauda pretos, uropígio e coberteiras superiores da cauda brancos, fronte e garganta amarelas, vértice, nuca e peito vermelhos. Frequenta matas virgens e se alimenta de insetos. [Sin.: *benedito, ridídico*. Pl.: *pica-paus-do-mato-virgem*.]

pica-pau-dourado [De *pica-pau* + *dourado*.] *S. m. Bras. Zool.* Ave piciforme, picídea (*Piculus aurulentus*), do S.E. do Brasil, de dorso oliváceo, parte inferior esbranquiçada e com faixas transversais negras, garganta amarelo-ouro, alto da cabeça vermelho, retrizes e rêmiges pretas com faixas pardas tirantes a encarnado. Na fêmea, só a nucá é vermelha. Vive em matas e capoeiras, nidificando em ocos de árvores mortas. [Var.: *pica-pau-doirado*. Pl.: *pica-paus-dourados*.]

pica-pau-fura-laranja [De *pica-pau* + *furar* + *laranja*.] *S. m. Bras. Zool.* Ave piciforme, picídea (*Veniliornis affinis ruficeps*), da Amaz., de coloração geral olivácea, parte superior do corpo pintada de encarnado, alto da cabeça vermelho (macho), fita nucal amarela, asas, parte da cauda e região abdominal listradas de esbranquiçado. Costuma frequentar pomares, tendo predileção por laranjas (donde o nome popular), e alimenta-se também de insetos. [Tb. se diz apenas *fura-laranja*. Pl.: *pica-paus-fura-laranjas*.]

pica-pau-grande [De *pica-pau* + *grande*.] *S. m. Bras. Zool.* V. *pica-pau-de-cabeça-vermelha*. [Pl.: *pica-paus-grandes*.]

pica-pau-malhado [De *pica-pau* + *malhado*.] *S. m. Bras. Zool.* V. *pica-pau-do-campo*. [Pl.: *pica-paus-malhados*.]

pica-pau-soldado [De *pica-pau* + *soldado*.] *S. m. Bras. Zool.* V. *pica-pau-de-cabeça-vermelha*. [Pl.: *pica-paus-soldados e pica-paus-soldado*.]

pica-pau-vermelho [De *pica-pau* + *vermelho*.] *S. m. Bras. Zool.* V. *arapaçu*. [Pl.: *pica-paus-vermelhos*.]

picapauzinho [De *pica-pau* + *-zinho*.] *S. m. Bras. Zool.* Designação comum a várias espécies de aves piciformes, picídeas, gênero *Picummus*, que compreende formas de tamanho muito pequeno, com os mesmos hábitos dos demais pica-paus; pica-pau-anão. [O 1º el. é um v., o Volp., porém, registra sem hífen este voc.]

picape [Do ingl. *pickup*.] *S. f.* V. *pickup* (3): "cerca de 42% dos compradores de picapes pequenas eram proprietários de automóveis." (*Jornal do Brasil*, 29.05.1999).

pica-peixe [De *picar* + *peixe*.] *S. m.* **1.** *Zool.* V. *martim-pescador*. **2.** *Constr. Nav.* Haste presa transversalmente ao conjunto do gurupés, pau da bujarrona e pau da giba, para impedir que ele se arqueie ou quebre com o esforço das velas de proa; pau de pica-peixe. [Pl.: *pica-peixes*.]

pica-ponto [De *picar* + *ponto*.] *S. m.* Espécie de sovela com que sapateiros e correeiros marcam o local do ponto. [Pl.: *pica-pontos*.]

picar [De uma base *pik*, 'golpe', existente em diversas línguas, + *-ar*[2].] *V. t. d.* **1.** Ferir ou furar com objeto pontiagudo ou perfurante; espicaçar: *O cavaleiro picou o animal.* **2.** Ferir ou morder com o ferrão: *As abelhas picaram a criança.* **3.** Ferir (o touro) com farpa; farpear. **4.** Cravar o arpão ou arpéu em; arpear: *Os pescadores picaram uma baleia.* **5.** Ferir com o bico; bicar: *Os urubus picam a carniça.* **6.** Abrir buraquinhos em; moer, traçar: *As traças picaram os livros.* **7.** Reduzir a pequenos fragmentos; cortar em pedacinhos: *picar frutas para a salada*; "alisava a palha, picava o fumo, palmeava-o, enrolava o cigarro" (Nélson de Faria, *Bazé*, p. 101). **8.** Produzir sensação acre ou queimante em; fazer arder: *Esta pimenta pica muito a língua.* **9.** Crivar de pequenos orifícios com instrumento de ponta. **10.** Fazer (tatuagem) com agulhas ou com máquina apropriada. **11.** Causar grande dor moral a; pungir, molestar, magoar: *O arrependimento picava-lhe o coração.* **12.** Comunicar ânimo, entusiasmo, estímulo, a; animar, estimular, excitar: *As vitórias retumbantes picaram as tropas mais desalentadas.* **13.** Tornar rápido ou mais rápido, apressar, apertar, estugar (o passo): "seguia picando o passo, na direção do Largo da Carioca, para entrar num tílburi."

(Machado de Assis, *Várias Histórias*, p. 12). **14.** Correr no encalço de; perseguir, acossar: *O general picou os inimigos na retirada.* **15.** *Fig.* Atacar rapidamente, retirando-se em seguida; aguilhoar, espicaçar: *Os fanáticos de Antônio Conselheiro picavam as tropas governamentais, evitando o combate frontal.* **16.** Provocar irritação em; irritar, encolerizar: *A desobediência picou-lhe o ânimo.* **17.** Apropriar-se fraudulentamente de; roubar, furtar, surripiar: *picar um objeto.* **18.** Causar comichão em: *A sarna picou sua pele.* **19.** Impelir (a bola de bilhar) com o taco quase a prumo. **20.** Cobrir o lance que outrem oferecera por (objeto leiloado): *O velho esperto picou o automóvel, arrematando-o.* **21.** Lavrar com picão[1] (1): *picar um bloco de mármore.* **22.** *Marinh.* Bater, com raspa ou picadeira, a ferrugem de (uma chapa ou peça de ferro). **23.** *Marinh. Ant.* Cortar a golpes de machado (amarra da âncora, um mastro, etc.), em situação de emergência. *Int.* **24.** Ferir; machucar: *Embora as rosas sejam belas, seus espinhos picam.* **25.** Picar (2): *Somente as fêmeas dos mosquitos picam.* **26.** Dar de esporas; esporear o animal: *O cavaleiro picou e saiu a galope.* **27.** Morder a isca: *O lambari picou e foi fisgado.* **28.** Produzir comichão ou coceira: *A urticária pica muito.* **29.** Aumentar de preço; tornar-se mais caro; encarecer: *O arroz picou.* **30.** *Aer. Av.* Voar (o avião) baixando o nariz em direção a terra: *O avião picou, mas não aterrou logo.* [Cf., nesta acepç., *cabrar.*] *P.* **31.** Ferir-se com objeto pontiagudo; espetar-se: *A moça desajeitada picou-se na agulha.* **32.** Sentir-se ofendido; melindrar-se, ofender-se, magoar-se: *O digno homem picou-se ao receber os insultos.* **33.** Fazer alarde; gabar-se, jactar-se, vangloriar-se: *Só os tolos se picam de pequeninas vitórias.* **34.** Tornar-se revolto, agitado; enfurecer-se, encrespar-se, encapelar-se: *Pica-se o mar, afundando navios.* **35.** *Bras. Gír.* Tomar pico[1] (7); carpar-se. [Conjug.: v. *trancar.* M.-q.-perf.: *picara*, etc. Cf. *pícara*, fem. de *pícaro.*]

picarço *Adj. S. m. Bras. Prov. port.* V. *pigarço.*

picardia [Do esp. *picardía.*] *S. f.* **1.** Ação de pícaro. **2.** Pirraça, partida. **3.** Desfeita, desconsideração.

picardo [Do fr. *picard.*] *Adj.* **1.** Da, ou pertencente ou relativo à Picardia (França). ● *S. m.* **2.** O natural ou habitante da Picardia. **3.** *Gloss.* Dialeto do francês falado nessa região.

picaré *S. m. Bras. SP* Rede de pesca empregada no litoral santista.

picaresco (ê) [Do esp. *picaresco.*] *Adj.* **1.** Burlesco, cômico, ridículo; pícaro: "dava grandes risadas, ouvindo de uma dama bisbilhoteira anedotas e aventuras picarescas de certa senhora, de quem já se falava à boca pequena." (Afonso Arinos, *Pelo Sertão*, p. 149). **2.** *Liter.* Diz-se do gênero literário de origem espanhola (sécs. XVI e XVII) que tem como protagonista o pícaro (5).

picareta (ê) [De *picar* + *-eta* (ê).] *S. f.* **1.** Instrumento de ferro, de duas pontas, usado para escavar terra, arrancar pedras, etc.; picão, alvião. ● *S. m.* **2.** *Bras. MG RS Vest.* V. *chapéu de palha.* ● *S. 2 g.* **3.** *Bras.* Pessoa que usa de expedientes ou embustes para alcançar favores. ● *Adj. 2 g.* **4.** *Bras.* Diz-se de pessoa assim. [Pl.: *picaretas* (ê). Cf. *picareta* e *picaretas*, do v. *picaretar.*]

picaretagem [De *picareta* + *-agem*[2].] *S. f. Bras.* Expediente ou embuste do picareta (3).

picaretar [De *picareta* + *-ar*[2].] *V. int. Bras.* Agir como picareta (3); fazer picaretagem. [Pres. ind.: *picareto, picaretas, picareta*, etc. Cf. *picareta* (ê), pl. *picaretas* (ê).]

picaria [De *picar* + *-ia*[1].] *S. f.* **1.** Arte de equitação: "Tinham os marqueses um filho .... que cantava bem à viola tonadilhos espanhóis e espotrejava cavalos como um mestre de picaria." (Júlio Dantas, *Abelhas Doiradas*, p. 89.) **2.** Picadeiro (1).

pícaro [Do esp. *pícaro.*] *Adj.* **1.** Ardiloso, astuto, velhaco, patife, vigarista. **2.** Fino, esperto, sagaz. **3.** V. *picaresco* (1). ● *S. m.* **4.** Indivíduo pícaro: "Quantos bêbados, vagabundos, jogadores, jactanciosos, pícaros, velhacos, libertinos, ... o são pela inferioridade mórbida do caráter, pela degeneração psíquica que lhes vieram do berço, e se incrementaram com a má educação!" (A. Austregésilo, *Obras Completas*, I, p. 392.) **5.** *Liter.* Tipo de personagem travessa, bufona, ardilosa, que vive de expedientes, a expensas de outrem. [Fem.: *pícara.* Cf. *picara*, do v. *picar.*]

picaroto[1] (ô) [De *pico*[1].] *S. m.* V. *cume* (1).

picaroto[2] (ô) *Adj.* **1.** Da, ou pertencente ou relativo à ilha do Pico (Açores). ● *S. m.* **2.** O natural ou habitante dessa ilha.

piçarra [Do esp. *pizarra.*] *S. f.* **1.** *Geol.* Qualquer rocha sedimentar argilosa estratificada, endurecida. **2.** Terra misturada com areia e pedra; cascalho. [Sin., bras., nesta acepç.: *tapururuca.*] **3.** Pedreira, penedia. **4.** *Bras.* A última parte dos terrenos das lavras diamantíferas. **5.** *Bras. N.* Solo laterítico muito empregado no revestimento do leito de estradas. [Var.: *piçarro.*]

piçarral [Do esp. *pizarral.*] *S. m.* Lugar onde há piçarra em abundância.

piçarramento [De *piçarrar* + *-mento.*] *S. m. Bras. N.* Ato, operação ou efeito de piçarrar.

piçarrar [De *piçarra* + *-ar*[2].] *V. t. d. Bras. N.* Revestir (o leito de uma estrada) de piçarra.

piçarreira [De *piçarra* + *-eira.*] *S. f. Bras. N.* Jazida de piçarra.

piçarrense *Adj. 2 g.* **1.** De, ou pertencente ou relativo a Piçarras (SC). ● *S. 2 g.* **2.** O natural ou habitante de Piçarras.

piçarrento [De *piçarra* + *-ento.*] *Adj.* Piçarroso.

piçarro *Adj. Bras. CE Gír.* Famoso, notável.

piçarro *S. m.* V. *piçarra*: "Pisavam sem cuidados, os pés acostumados às pedrinhas do piçarro." (Permínio Asfora, *Vento Nordeste*, p. 43.)

piçarroso (ô) [Do esp. *pizarroso.*] *Adj.* Abundante em, ou da natureza da piçarra; piçarrento.

picas [Pl. de *pica*[1].] *Pron. indef. Bras. Chulo* Coisa nenhuma; nada: *O cargo é honorífico, não lhe rende picas, e ainda lhe dá muita dor de cabeça.* ~ V. *pica.*

piças [F. eufemística de *picas.*] *Interj. Bras. Chulo* Designa irritação.

picassiano [Do antr. *Picasso* + *-iano.*] *Adj.* **1.** Pertencente ou relativo ao pintor espanhol Pablo Ruiz y Picasso (1881-1973), ou próprio dele ou de sua obra ou estilo. ● *S. m.* **2.** Grande admirador e/ou profundo conhecedor da obra de Picasso, e/ou seguidor de qualquer de seus estilos.

picatoste [Do esp. *picatoste.*] *S. m. Cul.* Iguaria de carne de carneiro, ovos e pão ralado.

picaú [Do tupi, poss.] *S. m. Bras. Zool.* Pomba (1).

picaúro *S. m. Bras. Zool.* V. *pomba-legítima.*

pícea [Do tax. *Picea.*] *S. f. Bot.* **1.** Gênero das pináceas que reúne cerca de quarenta espécies nativas das regiões frias do hemisfério norte, muito semelhantes aos abetos; são cultivadas como ornamentais, pela madeira e pela polpa. **2.** Qualquer espécie desse gênero, como, p. ex., a *Picea abies* [v. *abeto-falso*]. **3.** Qualquer espécime desse gênero.

picega (é) *S. 2 g. Bras.* Pessoa míope, vesga, que enxerga mal.

picentino [Do lat. *picentinu.*] *S. m.* **1.** Indivíduo dos picentinos, povo montanhês da antiga Itália central. V. *sabelo* (1). **2.** O natural ou habitante de Piceno, hoje Marca de Ancona (Itália). ● *Adj.* **3.** Pertencente ou relativo a Piceno, ou aos picentinos.

píceo [Do lat. *piceu.*] *Adj.* **1.** Da natureza do, ou semelhante ao pez. **2.** Que produz pez. **3.** Negro azeviche. [Cf. *písceo.*]

pichação [De *pichar* + *-ção.*] *Bras. S. f.* **1.** Ato ou efeito de pichar; pichamento. **2.** Dístico, em geral de caráter político, escrito em muro de via pública.

pichado [Part. de *pichar.*] *Bras. Adj.* **1.** Em que há pichação (2): *paredes pichadas.* **2.** Que é alvo de pichação (1); criticado.

pichador (ô) [De *pichar* + *-dor.*] *Adj. S. m. Bras.* Diz-se de, ou aquele que picha.

pichamento [De *pichar* + *-mento.*] *S. m. Bras.* Pichação (1).

pichar [De *piche* + *-ar*[2].] *Bras. V. t. d.* **1.** Aplicar piche em; untar com piche: *Pichou a laje para impermeabilizá-la.* **2.** Escrever (dizeres políticos, mensagens cifradas de gangues, etc.) em muros ou paredes: *Os candidatos estão pichando as siglas de seus partidos.* **3.** Escrever, sobretudo, dizeres políticos, em: *pichar um muro.* **4.** *Gír.* V. *espinafrar* (2). *Int. Gír.* **5.** Falar mal; maldizer, tesourar: *Tem o mau costume de pichar.* [Pres. ind.: *picho, pichas, picha*, etc.; pres. subj.: *piche, piches, ... picheis, pichem.* Cf. *pixa*, s. m. e adj. 2 g., e *pichéis*, pl. de *pichel.*]

pichardismo [Do antr. *(Manuel Severo) Pichardo*, aventureiro sul-americano, + *-ismo.*] *S. m. Jur.* Crime contra a economia popular, que consiste em obter ou tentar obter ganhos ilícitos, mediante especulações ou processos fraudulentos com promessa de devolução, após certo tempo, de dinheiro de mercadorias vendidas.

piche [Do ingl. *pitch.*] *S. m.* Substância negra, resinosa, muito pegajosa, obtida da destilação do alcatrão ou da terebintina; pez.

pichel [Do fr. ant. *pichier* (atual *pichet*).] *S. m.* **1.** Antiga vasilha empregada para tirar vinho das pipas ou dos tonéis. **2.** Vaso antigo, geralmente de estanho, para beber vinho: "sentavam-se os grupos comendo as petisqueiras, regadas pelo vinho dos pichéis e das borrachas" (José Loureiro Botas, *Maré Alta*, p. 118). [Sin. ger.: *picho.* Pl.: *pichéis.* Cf. *picheis*, do v. *pichar.*]

pichelaria [De *pichel* + *-aria.*] *S. f.* **1.** Oficina de picheleiro. **2.** Ofício ou obra de picheleiro.

picheleiro [De *pichel* + *-eiro.*] *S. m.* **1.** Fabricante de pichéis. **2.** Fabricante e/ou vendedor de obras de folha de flandres: "Prometo .... escrever a favor do comércio, da indústria, da agricultura, ... dos picheleiros, ... dos violeiros, dos pedestres, e mais entidades, que se oferecerem à minha pena." (Machado de Assis, *Crônicas*, I, pp. 235-237.)

pichelingue [Do esp. *pechelingue*, 'pirata', < top. *Flessingue* ou *Vliissinger* (Holanda).] *S. m. Pop. Desus.* **1.** Larápio, gatuno, ratoneiro. **2.** Corsário, pirata.

pichilinga *S. f. Bras. AL Fam.* Coisa muito pequenina.

pichititinho *Adj. Bras. Fam.* Pequenininho, pequenito: *guri pichititinho*; "A mulata só queria / que Seu Manuel lhe desse / uma nauzinha daquelas, / inda a mais pichititinha" (Ascenso Ferreira, *Catimbó e Outros Poemas*, p. 165).

picho [Der. regress. de *pichel.*] *S. m.* Pichel.

picholeio [Do esp. plat. *picholeo.*] *S. m. Bras. RS* Jogo de cartas, ou de outra coisa qualquer, que em geral se improvisa nas ramadas e barracas, no intervalo das carreiras no campo.

pichororé [Voc. onom.] *S. m. Bras. Zool.* V. *joão-teneném.*

pichorra[1] (ô) [De *picho* + *-orra.*] *S. f.* **1.** Pichel com bico. **2.** Pequeno cântaro de barro com bico. **3.** *Bras. Pop. Zool.* V. *égua* (1). ◆ **Mijar fora da pichorra.** *Bras. RS* Não cumprir à risca (um dever, uma obrigação, uma determinação, etc.).

pichorra[2] (ô) *Bras. SP S. f.* **1.** Preguiça, lassidão, indolência. ● *S. 2 g.* **2.** Covarde, poltrão. ● *Adj. 2 g.* **3.** Indivíduo pichorra[1] (2).

pichoso (ô) [De or. incerta.] *Adj.* Cuidadoso, caprichoso: "Ambrosina tinha-lhe profundo asco, apesar da justa fama que o cercava de muito pichoso na escolha da roupa íntima, e de bom gastador com mulheres" (Aluísio Azevedo, *A Condessa Vésper*, p. 348).

pichuleta (ê) *S. f. Bras. PE* O membro genital da criança.

picica *S. m.* **1.** *Bras. CE Pop.* Meninote, fedelho: "Ganhou-o pra acabar de criar, quando o picica ainda estava com fiapo de baeta no embigo." (Manuel Lobato, *Garrucha 44*, p. 72.) ● *S. 2 g. Bras. N.* **2.** Pessoa de muito baixa estatura. **3.** Coisa insignificante.

picídeo [Do tax. *Picus* (< lat. *picus*, 'certa ave') + *-ídeo*[1]; tax. *Picidae.*] *Zool. S. m.* **1.** Espécime dos picídeos, família de aves piciformes, caracterizadas por terem o bico direito, forte, de comprimento médio, plumagem às vezes de cores vivas, mas não brilhantes. Alimentam-se de larvas de insetos e de toda a sorte de artrópodes. Existem algumas espécies frugívoras. São os pica-paus. ● *Adj.* **2.** Pertencente ou relativo a eles.

piciforme[1] [Do lat. *pix, picis*, 'pez', + *-iforme.*] *Adj. 2 g.* Semelhante ao pez. [Cf. *pisciforme.*]

piciforme[2] [Do tax. *Picus* (< lat. *picus*, 'certa ave') + *-iforme*; tax. *Piciformes.*] *Zool. S. m.* **1.** Espécime dos piciformes, aves neórnites, neógnatas, de porte médio ou pequeno, pés zigodáctilos, retrizes em número de 12, se moles, e em número de 11, se rígidas e pontudas. São os tucanos, os araçaris e os pica-paus. ● *Adj. 2 g.* **2.** Pertencente ou relativo a eles. [Cf. *pisciforme.*]

➔ **pickup** ['pɪkəp] [Ingl.] *S. m.* **1.** Dispositivo eletromagnético que nos toca-discos transforma as vibrações mecânicas da agulha em vibrações elétricas; cápsula fonográfica; sonocaptor. **2.** *P. ext.* Toca-discos. ● *S. f.* **3.** Camioneta dotada de boleia e carroceria aberta à maneira dos caminhões.

picles [Do ingl. *pickles.*] *S. m. pl.* Legumes conservados em vinagre, usados como acepipe ou condimento.

picnaspídio [De *picn(o)-* + *-aspid(i)-* + *-io*[3].] *Adj. Zool.* ~ V. *tarso* ~.

pícnico [De *picn(o)-* + *-ico*[2].] *Adj. S. m.* Na tipologia de Kretschmer [Ernst Kretschmer (1888-1964), psiquiatra alemão], diz-se do, ou o tipo corporal de formas arredondadas, baixo e reforçado, e membros relativamente curtos, correspondente ao caráter ciclotímico.

picnídio [De *picn(o)-* + *-ídio*[3].] *S. m. Micol.* Órgão variado, entre fungos e liquens, cuja função é gerar esporos especiais destinados à propagação das respectivas espécies.

▲ **picn(o)-** [Do gr. *pyknο-* < gr. *pyknós, ḗ, ón*] *El. comp.* = 'denso', 'compacto', 'espesso': *pícnico, picnômetro.* [Equiv.: *-picn(o)-*: *isopícnico.*]

▲ **-picn(o)-** Equiv. de *picn(o)-*.

picnogónida *S. m. Adj. 2 g. Zool.* V. *picnogônida.* [Uso freq. em P.]

picnogônida [Do tax. *Pycnogonum* + *-ida*[1]; tax. *Pycnogonida.*] *Zool. S. m.* **1.** Espécime dos picnogônidas, classe de artrópodes de porte pequeno, delgado, com quatro pares de patas de oito segmentos, terminados em garras, e boca adaptada para sucção, provida de tromba. São marinhos, vivendo até a 4.000m de profundidade. ● *Adj. 2 g.* **2.** Pertencente ou relativo a eles. [Sin. ger.: *pantópode.*]

picnometria [De *picn(o)-* + *-metria.*] *S. f.* Medição da densidade dos corpos pelos picnômetros.

picnométrico [De *picnometria* + *-ico*[2].] *Adj.* Referente a picnometria.

picnómetro *S. m. Fís.* V. *picnômetro.* [Uso freq. em P.]

picnômetro [De *pic(o)-* + *-metro.*] *S. m. Fís.* Frasco aferido destinado à medição de massa específica de sólidos ou líquidos.

picnose [Do gr. *pýknosis*, 'ação de espessar'.] *S. m.* **1.** *Biol.* Destruição do núcleo da célula, em que ocorrem a condensação e a fragmentação da cromatina. **2.** *Patol.* Degeneração celular em que se verifica encolhimento do núcleo e condensação da cromatina, apresentando-se esta como massa sólida e sem estrutura.

picnostilo [Do gr. *pyknóstylos*, pelo lat. *pycnostylos*.] *S. m. Arquit.* **1.** Pequeno intercolúnio. **2.** Edifício cujas colunas apresentam pequeno intervalo entre si.

pico[1] [Dev. de *picar.*] *S. m.* **1.** Ponta aguda; bico. **2.** Espinho, acúleo. **3.** Cume agudo de monte; picada, picoto. **4.** *Pop.* Pequena quantidade. **5.** *Fig.* Sabor picante ou ácido; pique: *vinho com um certo pico.* **6.** Chiste, graça; malícia. **7.** *Bras. Gír.* Dose de entorpecente injetável com seringa, de uma vez. **8.** *Bras. N.* Pelo (ê) de alguns vegetais, que produz comichão. **9.** *Bras.* Pico[2] (1 a 3): *pico de audiência.* **10.** *Bras.* Pique[2] (1): *pico de audiência.* ◆ **Pico central.** *Astr.* Monte situado no centro de uma cratera lunar. **Tomar (um) pico.** *Bras. Gír.* Aplicar em si mesmo pico[1] (7). [Sin.: (lus.): *chutar-se, tomar baque.*]

pico[2] *Adv.* Um pouco mais: *meio-dia e pico.* [Us. antecedido sempre da conj. *e.*]

▲ **pico-** [Do V.C.I. *pico-*, poss. do it. *piccolo*, 'pequeno', ou do esp. *pico*, 'pequena quantidade', ambos de uma raiz expressiva.] *Pref.* **1.** Anteposto ao nome de uma unidade, forma o nome de uma unidade derivada 10^{-12} vezes a primeira [símb.: *p*]. Ex.: *picofarad.* **2.** Ocorre tb. em voc. científicos com a noção de 'pequeno', 'ínfimo': *picornavírus.*

picoense *Adj. 2 g.* **1.** De, ou pertencente ou relativo a Picos (PI). ● *S. 2 g.* **2.** O natural ou habitante de Picos.

picofarad [De *pico-* + *farad.*] *S. m. Eletr.* Unidade de capacitância, igual a 10^{-12} farad [símb.: *pF*].

picola [De *picar* + *-ola*[1].] *S. f.* Pequeno picão empregado para trabalho de pedra iniciado com o picão, *i. e.*, para alisá-la.

picolé [De or. express.] *S. m.* **1.** *Bras.* Sorvete solidificado em uma das extremidades dum pauzinho, e que se toma segurando-o pela outra extremidade. [Sin., bras.: *dolé.*] **2.** *Bras. RJ Pop.* Caixa do Correio, que é fixada a um pequeno poste, em via pública ou prédios do Estado.

picolina [Do lat. *pic-* (< lat. *pix, picis*, 'pez') + *-ol-*[2] + *-ina*[3].] *S. f. Quím.* Designação de qualquer dos três isômeros da metilpiridina, líquidos, incolores, usados na indústria de vernizes e tintas [fórm.: C_6H_7N].

picolínico *Adj. Quím.* ~ V. *ácido —.*

picornavirídeo [De *picornavírus* + *-ídeo*[1]; tax. *Picornaviridae.*] *Microbiol. S. m.* **1.** Espécime dos picornavirídeos, família de vírus de ARN (q. v.), de ínfimas dimensões, com nove gêneros, entre eles o *rinovírus* e o *enterovírus.* ● *Adj.* **2.** Pertencente ou relativo a eles.

picornavírus [De *pico-* + ingl. *r(ibo)n(ucleic) a(cid)* (v. *ARN*) + *vírus*; ingl. *picornavirus.*] *S. m. 2 n. Microbiol.* Qualquer vírus picornavirídeo, muitos deles patogênicos para o homem e outros animais.

picoso (ô) [De *pico*[1] + *-oso.*] *Adj.* **1.** Que tem picos. **2.** Que pica; picante. **3.** Que termina em pico[1] (1).

picota[1] [De *pico*[1].] *S. f. Ant.* **1.** Pau a prumo que se usava como pelourinho. **2.** *Ant. Mar.* Alavanca que dava movimento ao êmbolo da bomba de esgotar porão.

picota[2] *S. f. Bras. Amaz. Zool.* V. *galinha-d'angola.*

picotadeira [De *picotar* + *-deira.*] *S. f.* Picotadora.

picotado [Part. de *picotar.*] *Adj. Bras.* **1.** Em que há picote[3]: *estampilha picotada.* **2.** Perfurado com picotador: *ingresso picotado.*

picotador (ô) [De *picotar* + *-dor.*] *S. m. Bras.* Instrumento com que se furam ou cortam bilhetes de passagem ou de ingresso; picador.

picotadora (ô) [De *picotar* + *-dora.*] *S. f.* Máquina dotada de pente (10), que produz uma série de pequenas perfurações nos impressos que devem ter partes destacáveis; picotadeira.

picotagem [De *picotar* + *-agem*[2].] *S. f.* Ato ou efeito de picotar.

picotante [De *picotar* + *-nte.*] *Adj. 2 g.* Que picota ou fere; irritante, ferino.

picotar [De *picote*[3] + *-ar*[2].] *V. t. d. Bras.* **1.** Perfurar (papel, etc.) com picotadora ou com o fio de picote; fazer picote[3] em. **2.** Inutilizar (bilhetes de passagem ou ingresso), perfurando-os com o picador. [Pres. ind.: *picoto*, etc. Cf. *picoto* (ô).]

picote[1] [Do esp. *picote.*] *S. m.* Certo pano grosseiro.

picote[2] [Do fr. *picot.*] *S. m.* Ponto de rendaria; pequena argola de linha que se usa em rendas finas.

picote[3] [De *pico*[1] + *-ote*[1].] *S. m. Bras.* **1.** Recorte denteado dos selos postais, talões, blocos de papel, etc. **2.** Sequência de pequenas perfurações feitas em folhas, blocos, etc., para facilitar a separação das partes que devem ser destacadas manualmente.

picote[4] *S. m. Bras. Chulo* Cópula, coito.

picotê *S. m. Bras. Pop.* V. *peteleco.*

picotilho [Do esp. *picotillo.*] *S. m.* Picote[1] menos grosseiro e de melhor qualidade.

picoto (ô) [De *pico*[1].] *S. m.* **1.** V. *pico*[1] (3): "parecia ter-se condensado em seus olhos o azul que escorre do céu sobre os montes, com os picotos cobertos de neve" (Aquilino Ribeiro, *Cinco Réis de Gente*, p. 262). **2.** Pirâmide ou marco geodésico. [Pl.: *picotos* (ô). Cf. *picoto*, do v. *picotar.*]

picrato [De *picr(o)-* + *-ato*[2].] *S. m. Quím.* Qualquer sal do ácido pícrico.

pícrico [De *picr(o)-* + *-ico*[2].] *Adj. Quím.* ~ V. *ácido —.*

▲ **picr(o)-** [Do gr. *pikrós, á, ón.*] *El. comp.* = 'ácido'; 'amargo': *pícrico.*

pictografia [Do lat. *pictus*, part. de *pingere*, 'pintar', + *-o-* + *-grafia.*] *S. f.* Sistema de escrita de natureza icônica, baseada em representações bastante simplificadas dos objetos da realidade.

pictográfico [De *pictografia* + *-ico*[2].] *Adj.* Respeitante a, ou representado mediante pictografia.

pictograma [Do lat. *pictus*, part. de *pingere*, 'pintar', + *-o-* + *-grama.*] *S. m.* Qualquer signo utilizado em pictografia.

pictorial [Do lat. *pictorius*, 'de pintor', + *-al*[1].] *Adj. 2 g.* V. *pictórico.*

pictórico [Do lat. *pictore*, 'pintor', + *-ico*[2].] *Adj.* Referente a, ou próprio da pintura; pictorial, pitoresco, pictural.

pictural [Do lat. *pictura*, 'pintura', + *-al*[1].] *Adj. 2 g.* V. *pictórico.*

picuá [Do tupi.] *S. m. Bras.* **1.** Cesto, balaio, samburá, patuá. **2.** Saco de lona ou de algodão para levar roupa ou comida: "Crescêncio já estava na cidade, já vinha de volta, a carne no picuá dependurado na garupa" (João Pacheco, *Negra a Caminho da Cidade*, p. 28). **3.** Peça cilíndrica e oca, para guardar diamantes, feita de um gomo de taquara, de chifre, de osso ou doutra substância, e fechada à rolha na extremidade aberta: "Diamantes e ouro foram trazidos de Grão-Mogol, apanhados nas velhas catas quando .... dos socavões e gupiaras saíam arrobas de pepitas e picuás atochados de pedras de primeira água." (Nélson de Faria, *Tiziu e Outras Estórias*, p. 126.) ~ V. *picuás.*

picuaba [De or. tupi, poss.] *S. f. Bras. PE* Reboco de argamassa de cimento, areia e qualquer matéria colorante, com o qual se imita cantaria de pedra.

picuar [De *picuá* + *-ar*[2].] *V. t. d. Bras.* **1.** Guardar em picuá. **2.** Acumular, arrecadar, entesourar: *O velho picuou todas as suas economias.* [Conjug.: v. *averiguar.*]

picuás [Pl. de *picuá.*] *S. m. pl. Bras.* Móveis, trastes, trens. ~ V. *picuá.*

picuçaroba [De or. tupi.] *S. m. Bras. Zool.* **1.** V. *pomba-amargosa.* **2.** V. *pomba-legítima.*

picudo [De *pica*[1] + *-udo.*] *Adj. S. m. Bras. Chulo* Diz-se de, ou aquele cujo membro viril é avantajado.

piçudo [De *piça* + *-udo.*] *Adj. Chulo* Furioso, enraivecido, indignado.

picuense *Adj. 2 g.* **1.** De, ou pertencente ou relativo a Picos (PI). ● *S. 2 g.* **2.** O natural ou habitante de Picos.

picueta (ê) [De *picar.*] *S. f.* V. *picuinha* (2).

picuetada [De *picueta* + *-ada*[1].] *S. f. Bras.* V. *picuinha* (2).

picuí [Do tupi = 'pombinha'.] *S. m. Bras. Amaz. Zool.* Ave columbiforme, columbídea (*Columbina p. picui*), distribuída do S. do Amazonas ao RS, de dorso pardo-acinzentado, fronte esbranquiçada, occipício cinzento, parte inferior vináceo-clara, garganta, meio do abdome e crisso brancos, uma fita azul-escura nas coberteiras superiores menores da asa. Alimenta-se de grãos em geral, especialmente de sementes de capim. [Sin.: *picuipeom, picuí-caboclo, pomba-rola.*]

picuí-caboclo [De *picuí* + *caboclo.*] *S. m. Bras. Zool.* V. *picuí.* [Pl.: *picuís-caboclos.*]

picuiense (u-i) *Adj. 2 g.* **1.** De, ou pertencente ou relativo a Picuí (PB). ● *S. 2 g.* **2.** O natural ou habitante de Picuí.

picuim (u-ím) *Adj. 2 g.* **1.** Diz-se de cabelo muito crespo. ● *S. 2 g.* **2.** Pessoa que tem esse cabelo.

picuinha (u-i) *S. f.* **1.** O primeiro pio das aves. **2.** Dito ou alusão picante; remoque, piada, picueta, picuetada. **3.** Provocação, pirraça.

picuipeba (u-i) [Do tupi = 'pombinha', + *-peba.*] *S. m. Bras. Zool.* V. *rola-azul.*

picuipeom (u-i) *S. m. Bras. Zool.* V. *picuí.*

picuipinima (u-i) [De *picuí* + *-pinima.*] *S. m. Bras. Zool.* V. *fogo-pagou.*

picula *S. f. Bras.* Jogo de crianças análogo ao da cabra-cega: "Os meninos brincavam de picula, correndo sem cessar de um lado para outro." (Reginaldo Guimarães, *Uma Blusa no Cais*, p. 53); "ali, na minha infância ...., eu mesmo brincara de picula e polícia e ladrão com meus primos" (Dias Gomes, *Apenas um Subversivo*, p. 165).

picum[1] [Alter. de *pico*[1].] *S. m. Bras. BA* Cume, pico.

picum[2] *S. m. Bras. PA* V. *apicum.*

picumã [Do tupi.] *S. m. Bras.* **1.** V. *fuligem.* **2.** Teia de aranha enegrecida pela fuligem: "O teto, de telha-vã, com as vigas fuliginosas, como carbonizadas, estava colgado de flocos negros de picumã." (Coelho Neto, *Obra Seleta*, I, p. 197); "A caliça das paredes lasca-se enegrecida, suja de fuligem, com pingentes de picumã." (Gustavo Barroso, *Terra de Sol*, p. 193). **3.** *Gír.* V. *carapinha* (1). [Var.: *pucumã*; sin. ger.: *taticumã* (q. v.).]

pidão *Adj. S. m. Bras.* Que, ou aquele que pede muito. V. *pedinchão* (2). [Fem. *pidona.*]

→ **pidgin** ['pɪdʒɪn] [Ingl.] *S. m. E. Ling.* V. *pídgin.*

pídgin [Do ingl. *pidgin.*] *S. m. E. Ling.* Código (12) que não tem falantes nativos, sempre utilizado, portanto, como segunda língua (q. v.), e que resulta do contato entre grupos falantes de línguas diferentes; língua de comércio, língua de contato. [Tradicionalmente, os pídgins são classificados pela língua lexificadora (q. v.), ger. a do grupo social dominante: *pídgin de base portuguesa, pídgin de base inglesa.*] [Cf. *crioulo* (12).] ◆ **Pídgin de forte.** *E. Ling.* Aquele que surge em consequência da edificação de um forte numa área colonial. [Cf. *pídgin de plantação.*] **Pídgin de plantação.** *E. Ling.* Aquele que surge em áreas coloniais de cultivo agrícola, em virtude da arregimentação de mão de obra em diferentes regiões, reunindo, pois, grande número de falantes de línguas diferentes. **Pídgin escandinavo de sinais.** *Gloss.* Língua de sinais (q. v.) que existe apenas como segunda língua para a intercomunicação de falantes de línguas de sinais da Dinamarca, Finlândia, Noruega e Suécia (Europa). **Pídgin estável.** *E. Ling.* Aquele que alcançou o estágio em que as soluções individuais são preteridas em favor do estabelecimento de normas sociais. **Pídgin expandido.** *E. Ling.* Pídgin com maior poder linguístico referencial e não referencial, o que passa a permitir a sua utilização em contextos cada vez mais amplos.

pidginização [De **pidginizar* (< *pídgin* + *-izar*) + *-ção.*] *S. f. E. Ling.* Processo de formação de um pídgin, que pode alcançar diferentes estágios de complexidade gramatical. [V. *jargão*[1] (4), *pídgin estável, pídgin expandido.*]

pidona *S. f.* Fem. de *pidão* (q. v.).

pidonho *Adj. S. m.* V. *pedinchão* (2).

→ **pièce de résistance** [pjes dəʁezis'tɑ̃s] [Fr., 'peça de resistência'.] *Loc. s. f.* **1.** O prato principal de uma refeição. **2.** Realização fora do comum.

piedade [Do lat. *pietate.*] *S. f.* **1.** Amor e respeito às coisas religiosas; religiosidade; devoção. **2.** Pena dos males alheios; compaixão, dó, comiseração: "Tende piedade dos leprosos, / dos que são execrados como Judas!" (Jorge de Lima, *Obra Completa*, I, p. 252.)

piedadense *Adj. 2 g.* **1.** De, ou pertencente ou relativo a Piedade (SP). ● *S. 2 g.* **2.** O natural ou habitante de Piedade.

→ **pied-de-poule** [pje də pul] [Fr., 'pé de galinha'.] *S. m. Tec. Têx.* Tecido com padronagem geométrica, quadriculada, que imita pequenos pés de galinha.

piedmontita [Do top. *Piedmont*, f. inglesa do it. *Piemonte*, + *-ita*[3].] *S. f.* Piemontita.

piedoso (ô) [Do lat. med. *pietosu.*] *Adj.* Que tem piedade.

piegas [De or. obscura.] *Adj. 2 g. e 2 n.* **1.** Diz-se de quem se embaraça com bagatelas. **2.** Que é ridiculamente sentimental: *É um sujeito piegas, comove-se à toa.* **3.** Próprio de piegas; em que há pieguice: *história piegas.* ● *S. 2 g. e 2 n.* **4.** Pessoa piegas.

piegueiro [De *piegas* + *-eiro.*] *Adj. Bras.* **1.** Dócil, meigo. **2.** Acariciador, acariciante, caricioso.

pieguice [De *piegas* + *-ice.*] *S. f.* **1.** Qualidade de piegas. **2.** Modos, ato ou dito de piegas. [Sin. ger.: *pieguismo.*]

pieguismo [De *piegas* + *-ismo.*] *S. m.* Pieguice.

pieira [De *pio* + *-eira.*] *S. f.* V. *estertor* (1). [Cf. *peeira.*]

piela [De *piar*[2].] *S. f. Pop.* V. *bebedeira* (1).

pielite [De *piel(o)-* + *-ite*[1].] *S. f. Patol.* Inflamação de pelve renal, em cujo quadro clínico figuram febre, dor e sensibilidade lombares, eliminação de sangue ou pus pela urina, alterações digestivas, dor causada pela flexão de coxa.

▲ **piel(o)-** [Do gr. *pýelos*, ou (𝔊).] *El. comp.* = 'cavidade'; 'pelve': *pielite, pielonefrite.* [Equiv.: *-piel(o)-*: *cistopielite.*]

▲ **-piel(o)-** Equiv. de *piel(o)-.*

pielografia [De *piel(o)-* + *-grafia.*] *S. f. Radiol.* Visualização radiológica de rins, ureteres e bexiga, após administração de contraste (7) por via intravenosa (*pielografia intravenosa* ou *descendente*), ou de rins, ureteres e, eventualmente, bexiga, após introdução de contraste, em sentido ascendente, por cateterização ureteral (*pielografia ascendente* ou *retrógrada*).

P

◆ **Pielografia ascendente.** *Radiol.* V. *pielografia.* **Pielografia descendente.** *Radiol.* V. *pielografia.* **Pielografia intravenosa.** *Radiol.* V. *pielografia.* **Pielografia retrógrada.** *Radiol.* V. *pielografia.*

pielográfico [De *pielografia* + *-ico*².] *Adj.* Relativo a pielografia.

pielonefrite [De *piel(o)-* + *-nefr(o)-* + *-ite*¹.] *S. f. Nefr.* Pielite acompanhada de nefrite.

pielonefrítico [De *pielonefrite* + *-ico*².] *Adj. Nefr.* Relativo a pielonefrite.

pielonefrose [De *piel(o)-* + *-nefr(o)-* + *-ose*¹.] *S. f. Nefr.* Doença de rim e da pelve renal correspondente.

pielonefrótico [De *pielonefr(ose)* + *-ótico*.] *Adj. Nefr.* Referente a pielonefrose.

piémese *S. f. Med.* V. *piêmese.* [Uso freq. em P.]

piêmese [De *pi(o)-* + gr. *émesis*, 'vômito'.] *S. f. Med.* Vômito purulento.

piemia [De *pi(o)-* + *-emia*.] *S. f. Patol.* Septicemia acompanhada de numerosos focos secundários de supuração.

piémico *Patol. Adj.* V. *piêmico.* [Uso freq. em P.]

piêmico [De *piemia* + *-ico*².] *Patol. Adj.* Relativo a piemia.

piemonte [Do top. *Piemonte* (Itália).] *S. m.* **1.** *Geol.* Região situada entre a montanha e a planície. **2.** *Geol.* Depósito sedimentar que, formado no sopé das montanhas, passa gradualmente aos depósitos aluviais, e se constitui, em geral, de blocos não arredondados e malselecionados, de mistura com partículas mais finas.

piemontês *Adj.* **1.** De, ou pertencente ou relativo ao Piemonte (Itália). ● *S. m.* **2.** O natural ou habitante do Piemonte. [Flex.: *piemontesa* (ê), *piemonteses* (ê), *piemontesas* (ê).] **3.** *Gloss.* Língua românica (tb. classificada como dialeto), com muita influência do francês, falada nessa região. **4.** *Gloss.* Vocábulo dessa língua.

piemontita [Do top. *Piemonte* (Itália) + *-ita*³.] *S. f. Min.* Mineral monoclínico, magnesífero, do grupo dos epídotos; piedmontita.

pienense *Adj. 2 g.* **1.** De, ou pertencente ou relativo a Pien (PR). ● *S. 2 g.* **2.** O natural ou habitante de Pien.

pientíssimo [Do lat. *pientissimu.*] *Adj.* Superl. abs. sint. de *pio*³.

pier [Do ingl. *pier.*] *S. m.* Molhe especialmente destinado a servir de cais acostável. [Pl.: *píeres.*]

➔ **piercing** [pɪəsɪŋ] [Ingl.] *S. m.* **1.** Ato ou prática de perfurar a língua ou a pele (ger. do rosto, mas ainda dos mamilos, do umbigo e, por vezes, até dos genitais) para ali introduzir uma peça de metal esterilizado. **2.** A peça inserida. [Aport. lus.: *pírcingue.*]

pierídeo [Do tax. *Pieris* (< gr. *Pieris*, 'musa piéria') + *-ídeo*¹; tax. *Pieridae.*] *Zool. S. m.* **1.** Espécime dos pierídeos, família de insetos lepidópteros, a qual compreende borboletas de tamanho médio e pequenas, brancas ou amareladas, com manchas pretas, muito abundantes, nas margens das asas. ● *Adj.* **2.** Pertencente ou relativo a eles.

piérides [Do gr. *Pierídes*, pelo lat. *Pierides.*] *S. f. pl.* As musas.

piério [Do gr. *piérios*, pelo lat. tard. *pieriu.*] *Adj. Poét.* Relativo ou pertencente às piérides, ou à poesia.

➔ **pierogi** [pjɛˈrɔgi] [Pol.] *S. m. Cul.* Pastel cozido feito com farinha e ovos, o qual pode ser recheado de diversas maneiras: carne, ger. de porco, ricota ou queijo *cottage*, batata, repolho fresco ou azedo, cogumelo, cebola, etc.

pierrete [Do fr. *pierrette.*] *S. f.* **1.** Mulher fantasiada com o traje feminino análogo ao do pierrô (1). **2.** Fantasia de pierrete (1).

pierrô [Do fr. *pierrot.*] *S. m.* **1.** *Teatr.* Personagem originário da comédia italiana, ingênuo e sentimental, transportado para o teatro francês e depois para o da pantomima, e cuja indumentária (casaco e calça muito amplos) é ornada de pompons e de grande gola franzida. **2.** Fantasia de carnaval que é a reprodução do vestuário de tal personagem.

▲ **-piese** [Do gr. *piesis*, *eōs.*] *El. comp.* = 'pressão': *hiperpiese, hipopiese.*

pietismo [Do fr. *piétisme.*] *S. m.* **1.** Movimento de intensificação da fé, nascido na Igreja Luterana alemã no séc. XVII. **2.** *P. ext.* Ato de afirmar a superioridade das verdades da fé sobre as verdades da razão.

pietista [Do fr. *piétiste.*] *Adj. 2 g.* **1.** Relativo ao pietismo. **2.** Que é partidário do pietismo. ● *S. 2 g.* **3.** Partidário dele.

piezelectricidade *S. f. Fís.* V. *piezeletricidade.*

piezeléctrico *Adj. Fís.* V. *piezelétrico.*

piezeletricidade [De *piez(o)-* + *eletricidade*; fr. *piézo-électricité.*] *S. f. Fís.* Fenômeno observado em cristais anisotrópicos nos quais deformações mecânicas provocam polarizações elétricas seguindo determinadas direções.

piezelétrico [De *piez(o)-* + *elétrico.*] *Adj.* Relativo à piezeletricidade. ~ V. *cristal —.*

piezo [F. red. de *piezoelétrico.*] *S. m. Fís.* Unidade de medida de pressão, no Sistema MTS: a pressão exercida por uma força de um estênio que age perpendicular e uniformemente sobre uma área de um metro quadrado. Vale 10^3 N/m² [símb.: *pz*].

▲ **piez(o)-** [Do gr. *piézein*, 'comprimir'.] *El. comp.* = 'que comprime', 'que pressiona': *piezeletricidade, piezômetro.*

piezometria [De *piez(o)-* + *-metria.*] *S. f.* Ramo da física que estuda a compressibilidade dos líquidos.

piezométrico [De *piezometria* + *-ico*².] *Adj.* Concernente a piezometria. ~ V. *altura —a.*

piezómetro *S. m. Fís.* V. *piezômetro.* [Uso freq. em P.]

piezômetro [De *piez(o)-* + *-metro.*] *S. m. Fís.* Instrumento para medir a compressibilidade de líquidos em pressões elevadas.

pifa *S. m. Bras. Pop.* Pifão; porre: "O jovem sacerdote toma um pifa de lança-perfume mas o escândalo provém de mim." (Antônio Callado, *Quarup*, p. 272.)

pifado [Part. de *pifar.*] *Adj. Bras. Gír.* Quebrado, avariado, escangalhado.

pífano [Var. de *pífaro*, com infl. de *tímpano.*] *S. m. Mús.* V. *pífaro*: "Os guizos dos pandeiros / Dão risadas no ar; os pífanos dão gritos" (Conde de Monsaraz, *Musa Alentejana*, p. 66).

pifão *S. m. Pop.* V. *bebedeira* (1).

pifar *V. t. d. Fam.* **1.** Beber em demasia: *O rapaz pifou aguardente e passou mal.* *T. d. e i.* **2.** Subtrair fraudulentamente; furtar, roubar, bifar: *Um malandro pifou à pobre mulher todo o salário.* *Int.* **3.** *Bras. Pop.* Não surtir o efeito esperado; falhar, gorar: *O projeto pifou*; "Quando o jornal pifou, mudou de dono, e Marisa foi para *O Globo*" (Rubem Braga, *em* Marisa Raja Gabaglia, *Milho pra Galinha, Mariquinha*, p. 06). **4.** *Bras. Pop.* Sofrer avaria; deixar de funcionar; quebrar, avariar-se: *O automóvel pifou*; "Se o limpador [do caminhão] pifa, o cigarro que o homem fuma é esfregado sobre o vidro, para que deslizem os pingos de chuva, sem prejudicar a visão do motorista." (Marcos Vinícios Vilaça, *Em Torno da Sociologia do Caminhão*, p. 19). **5.** *Bras. Pop.* V. *morrer* (1).

pífaro [Do médio alto-al. *Pifer.*] *S. m. Mús.* **1.** *Ant.* Espécie de flautim militar, com seis orifícios, que os soldados tocavam juntamente com o tambor, e que produzia sons agudos e estridentes. **2.** O tocador desse instrumento. **3.** Espécie de oboé italiano, com nove orifícios, usado pelos músicos ambulantes dos Abruzos (Itália). **4.** *Bras.* Instrumento rústico, semelhante ao pífaro (1 e 3), usado ainda hoje, sobretudo em conjuntos musicais populares; flauta: "Deitado na relva, Eliezer embeiçava o pequeno pífaro e dele tirava sons ciciantes e nostálgicos" (Eduardo Frieiro, *O Mameluco Boaventura*, pp. 52-53). **5.** *Ant.* Espécie de cornamusa italiana. [Var.: *pífano* (por infl. de *tímpano*) e *pifre*, *pife* (pop.).]

pife¹ *S. m. Bras. Pop.* V. *pífaro.*

pife² *S. m.* V. *pife-pafe.*

pife-pafe [Voc. onom.] *S. m. Bras.* Jogo de cartas em que tomam parte, usualmente, cinco a nove pessoas, com dois baralhos de 52 cartas, das quais recebe nove cada pessoa, e no qual não se permite arriar na mesa combinações de trincas e sequências a não ser para bater, o que pode ser feito com qualquer descarte adversário, mesmo fora da vez. [F. red.: *pife.* Pl.: *pife-pafes.*]

pífio [Do esp. *pifia*, 'golpe em falso no bilhar'.] *Adj.* Reles, grosseiro, ordinário, vil: "deprime-me a monótona estupidez estatuária de cruzes, calvários, Cristos, colunas truncadas e anjos chorando, como se a morte, nivelando os mortos, só merecesse moldes pífios e convencionais" (Marques Rebelo, *O Trapicheiro*, p. 138).

pifonista [De *pifão* + *-ista*, seg. o padrão erudito.] *Adj. 2 g. S. 2 g.* Que, ou aquele que ingere bebida alcoólica em demasia.

pif-paf [Voc. onom.] *S. m.* V. *pife-pafe.*

pifre *S. m. Pop.* V. *pífaro.*

pigalgia [De *pig(o)-* + *-alg(o)-*² + *-ia*¹.] *S. f. Med.* Dor em nádega.

pigálgico [De *pigalgia* + *-ico*².] *Adj.* Relativo a pigalgia.

pigarço *Adj. S. m.* Diz-se de, ou equídeo de cor grisalha: "aconteceu que o 'Zé Velino' atravessou a estrada montado no seu reforçado pigarço." (João Sarmento Pimentel, *Memórias do Capitão*, p. 27). [Var. (bras. e prov. lus.): *picarço.*]

pigarra [Var. de *pigarro.*] *S. f. Bras.* Gosma (1) peculiar das galinhas; gogo (ô). [Cf. *pigarro.*]

pigarrar [De *pigarro* + *-ar*².] *V. int.* V. *pigarrear.*

pigarrear [De *pigarro* + *-ear*².] *V. int.* **1.** Ter pigarro; tossir com pigarro: "Passam velhos, lentos, encurvados, tossindo e pigarreando." (Eduardo Frieiro, *O Mameluco Boaventura*, p. 71.) **2.** Procurar desembaraçar da garganta o pigarro; limpar a garganta, temperar a garganta. [F. paral.: *pigarrar.* Conjug.: v. *frear.*]

pigarrento [De *pigarro* + *-ento.*] *Adj.* **1.** Que tem pigarro, que pigarreia; pigarroso. **2.** Que pode causar pigarro.

pigarro [De or. obscura.] *S. m.* Embaraço na garganta produzido pela aderência de mucosidades ou por outro fator, e que se procura desobstruir produzindo ruído característico. [Cf. *pigarra.*]

pigarroso (ô) [De *pigarro* + *-oso.*] *Adj.* **1.** Pigarrento (1). **2.** Produzido por pigarro.

pigeonita [Do top. *Pigeon (Point)* (E.U.A.) + *-ita*³.] *S. f. Min.* Mineral monoclínico, silicato de magnésio, ferro e cálcio do grupo dos piroxênios.

pigídio [Do lat. cient. *pygidium* < gr. *pygídion*, dim. de *pygé*, 'parte traseira', 'anca'.] *S. m. Zool.* **1.** Placa do último segmento abdominal de alguns insetos. **2.** Segmento anal, ou o último segmento visível, observável em vários animais, principalmente nos anelídeos quetópodes, nos insetos e nos trilobites.

pigmalionismo [Do antr. *Pigmalião*, escultor lendário da Grécia antiga, + *-ismo*, seg. o padrão erudito.] *S. m. Psiq.* Parafilia que consiste na satisfação da libido por meio de estátuas ou outras obras do gênero, feitas pelo próprio indivíduo.

pigmentação [De *pigmentar* + *-ção.*] *S. f.* **1.** Formação e acumulação, normal ou patológica, de pigmento em certos pontos do organismo animal ou vegetal. **2.** Coloração produzida por um pigmento.

pigmentado [De *pigmento* + *-ado*¹.] *Adj.* Que tem pigmento.

pigmentar¹ [De *pigmento* + *-ar*¹.] *Adj. 2 g.* Relativo a pigmento.

pigmentar² [De *pigmento* + *-ar*².] *V. t. d.* **1.** Dar a cor da pele a. **2.** *P. ext.* Dar cor a; colorir: *pigmentar uma tela.* *P.* **3.** Adquirir determinada cor por pigmentação. [Fut. pret.: *pigmentaria*, etc. Cf. *pigmentária*, fem. de *pigmentário.*]

pigmentário [Do lat. *pigmentariu.*] *Adj.* De, ou relativo a pigmento. [Fem.: *pigmentária.* Cf. *pigmentaria*, do v. *pigmentar.*]

pigmento [Do lat. *pigmentu*, 'cor para pintar'.] *S. m.* **1.** Designação comum a várias substâncias, de natureza diversa, que dão coloração aos líquidos ou aos tecidos vegetais ou animais que as contêm: *pigmento da pele*; *pigmento biliar*, etc. **2.** Substância pulverulenta, sólida, insolúvel num veículo, us. para dar cor e poder de cobertura a uma tinta.

pigmeu [Do gr. *pygmaîos*, 'da altura de um côvado', pelo lat. *pygmaeu.*] *Adj.* **1.** Que é de estatura muito baixa; anão: "Ninguém se contenta com a estatura que Deus lhe deu: e não há homem tão pigmeu, ou tão formiga, que não aspire a ser gigante." (Pe. Antônio Vieira, *Sermões*, II, pp. 252-253.) **2.** *Fig.* De talento ou cultura insignificante. **3.** *P. ext.* Sem grandeza; pequenino, mesquinho: *espírito pigmeu*; "Almas pigmeias! Deus subjuga-as, cinge-as / À imperfeição!" (Augusto dos Anjos, *Eu*, p. 28). ● *S. m.* **4.** Indivíduo pertencente a certas etnias de homens muito pequenos (estatura inferior a 1,50m) da África central. **5.** *Deprec.* Indivíduo pigmeu. [Fem.: *pigmeia.*]

pignoratício [Do lat. tard. *pignoraticiu.*] *Adj.* Relativo a penhor. ~ V. *cédula —a*, *credor —* e *endosso —.*

▲ **pig(o)-** [Do gr. *pygo-* < gr. *pygḗ*, *ês(ȳ).*] *El. comp.* = 'nádega'; 'parte traseira': *pigalgia*; *pigostílio.* [Equiv.: *-pig(o)-*, *-pigo*: *esteatopigia*; *amblípigo.*]

▲ **-pig(o)-** V. *pig(o)-.*

▲ **-pigo** V. *pig(o)-.*

pigópode [De *pig(o)-* + *-pode*; tax. *Pygopodes.*] *S. m. Adj. 2 g. Zool.* V. *podicipediforme.*

pigopodídeo [Do tax. *Pygopus* + *-ídeo*; tax. *Pygopodidae.*] *Zool. S. m.* **1.** Espécime dos pigopodídeos, família de reptis escamados, sáurios, que apresentam ausência dos membros anteriores, sendo os posteriores reduzidos a apêndices escamosos. Inofensivos, nutrem-se de insetos, e têm a forma de diminutas serpentes e, por isso, impropriamente denominados lagartinhos-cobras. Existem 13 espécies na Austrália, Nova Guiné e Papua e são capazes de mimetismo. ● *Adj.* **2.** Pertencente ou relativo a eles.

pigostílio [De *pig(o)-* + *-stil(o)-*² + *-io*³.] *S. m. Zool.* O cóccix das aves; pigostilo.

pigostilo [De *pig(o)-* + *-stilo*².] *S. m. Zool.* Pigostílio.

piguancha *S. f.* **1.** *Bras. RS* Caboclinha de vida fácil; china, chinoca. **2.** *Bras. SP Zool.* V. *égua* (1). [Var.: *biguancha.*]

piina [De *pi(o)-* + *-ina*³.] *S. m. Quím.* Proteína existente no pus.

píssimo *Adj.* Pientíssimo.

pijama [Do persa *pa-jama*, 'cobertura das pernas', pelo hind. *pae-jama*, pelo ingl. *pyjama* e pelo fr. *pyjama.*] *S. m. e f.* **1.** Calças largas e leves, us. pelas mulheres em certas regiões da Índia. **2.** Vestuário caseiro ou para dormir, amplo e leve, constituído de casaco e calças. ◆ **Pijama de madeira.** *Bras. Gír.* V. *paletó de madeira.* **De pijama.** *Bras. Burl.* Diz-se de oficial-general que ascendeu ao generalato na ocasião de passar para a reserva (em virtude de lei especial que lhe dava esse direito): *general de pijama*. **Vestir o pijama de madeira.** *Bras. Gír.* V. *morrer* (1).

pijerecu [De or. afr.] *S. m. Bras. Bot.* V. *coajerucu.*

pijin *S. m. Gloss.* Pídgin de base inglesa falado nas Ilhas Salomão (Oceania), relacionado ao písin (q. v.) e ao bislamá; neossalomônico.

pila[1] [F. red. de *pilantra* (4), poss.] *S. m.* Indivíduo desocupado ou inútil.

pila[2] *S. f. e m. Pop.* **1.** V. *dinheiro* (5): "Nunca lambi espora pra ter os meus dez pilas na guaiaca." (Tito Carvalho, *Bulha d'Arroio*, p. 100.) ● *S. f.* **2.** *Lus.* Pênis de criança.

▲ **-pila** V. *pilo-*[1].

pilado [Part. de *pilar*[2].] *Adj.* **1.** Pisado com o pilão; socado. **2.** Descascado no pilão. **3.** Seco ao fumo.

pilador (ô) [De *pilar* + *-dor*.] *Adj. S. m.* Que, ou aquele que pila.

pilano [Do lat. *pilanu*.] *S. m.* Na Roma antiga, soldado armado de pilo.

pilantra [De *pelintra*, poss.] *Bras. Gír. Adj. 2 g.* **1.** Que gosta de apresentar-se bem, mas não tem recursos bastantes para isso: "Lá vem ele. E ganjento, pilantra: roupinha de brim amarelo, vincada a ferro; chapéu tombado de banda, lenço e caneta no bolsinho do jaquetão abotoado" (Mário Palmério, *Vila dos Confins*, p. 9). **2.** Diz-se de pessoa de mau caráter, desonesta. ● *S. 2 g.* **3.** Pessoa pilantra (2): "Ele se casara com a inglesa de cachos por causa de dinheiro, tio Maximiliano não passava de um pilantra." (Lígia Fagundes Teles, *O Jardim Selvagem*, p. 29.) ● *S. m.* **4.** Entre gatunos, malandro reles ou desprezível.

pilantragem [De *pilantra* + *-agem*[2].] *S. f. Bras. Gír.* Ato próprio de pilantra.

pilão [De *pilar*[2] + *-ão*[2].] *S. m.* **1.** Mão de almofariz. **2.** Maço dos moinhos onde se pisa o papel, a casca de carvalho, a massa da pólvora, etc. **3.** Designação comum a diversos instrumentos que servem para bater, triturar, calcar. **4.** Peso cursor da balança romana. **5.** Pão de açúcar (q. v.) de forma cônica. **6.** *Expl.* O conjunto dos furos convenientemente localizados em rochas, para desmonte a fogo ou para abertura de túneis, galerias e poços. **7.** *Afric. Bras.* Gral de pau rijo, us. para descascar e triturar arroz, café, milho, etc.: "a gente acordava aqui com os pilões batendo. Eram as donas de casa madrugadoras, pilando o milho" (Hélio Galvão, *Cartas da Praia*, p. 51). **8.** *Bras.* Fermentação de tabaco. **9.** *Bras. SP* Cavalo ou burro trotador. **10.** *Bras. SP* V. *boia-fria* (1).

pilão-arcadense *Adj. 2 g.* **1.** De, ou pertencente ou relativo a Pilão Arcado (BA). ● *S. 2 g.* **2.** O natural ou habitante de Pilão Arcado. [Pl.: *pilão-arcadenses*.]

pilar[1] [Do esp. *pilar*.] *S. m.* Coluna simples, sem ornatos, de seção poligonal, que constitui elemento vertical da estrutura de uma construção. [Dim. irreg.: *pilarete* (ê).] ◆ **Pilar cintado.** *Arquit.* Pilar cilíndrico feito de concreto armado com cintamento.

pilar[2] [Do lat. tard. *pilare*, 'apoiar', 'segurar com força'.] *V. t. d.* **1.** Pisar ou moer no pilão; pisar, apiloar: "De primeiro a gente acordava aqui com os pilões batendo. Eram as donas de casa madrugadoras, pilando o milho" (Hélio Galvão, *Cartas da Praia*, p. 51). **2.** Descascar no pilão: *pilar arroz.* **3.** Pôr a secar ao fumo (castanhas).

pilarense[1] *Adj. 2 g.* **1.** Do, ou pertencente ou relativo a Pilar (PB e AL). ● *S. 2 g.* **2.** O natural ou habitante de Pilar.

pilarense[2] *Adj. 2 g.* **1.** Do, ou pertencente ou relativo a Pilar do Sul (SP). ● *S. 2 g.* **2.** O natural ou habitante de Pilar do Sul.

pilarense[3] *Adj. 2 g.* **1.** De, ou pertencente ou relativo a Pilar de Goiás (GO). ● *S. 2 g.* **2.** O natural ou habitante de Pilar de Goiás.

pilarete (ê) [De *pilar*[1] + *-ete* (ê).] *S. m.* **1.** Pequeno pilar[1]. **2.** Pião[1] (2).

pilarte *S. m.* Antiga moeda portuguesa, de prata.

pilastra [Do it. *pilastro*.] *S. f.* Coluna, ger. de seção quadrada, que fica adaptada à fachada de um prédio ou embutida numa parede.

pilcha [Do esp. plat. *pilcha*.] *S. f. Bras. RS* **1.** V. *dinheiro* (5). **2.** Adorno, adereço; joia. **3.** Qualquer objeto de algum valor, como, p. ex., anéis, roupas, arreios de animal.

pilchudo [De *pilcha* + *-udo*.] *Adj. Bras. RS* **1.** Que tem muitas ou boas pilchas. **2.** Endinheirado, ricaço.

pilé [Do fr. *pilé*, part. pass. de *piler*, 'triturar'.] *Adj. S. m.* Diz-se do, ou o açúcar cristalizado em fragmentos ou pedras.

pílea [Do tax. *Pilea*, do lat. *pileus*, i, 'barrete', 'gorro', pela forma de uma secção do perianto.] *S. f. Bot.* **1.** Gênero de ervas urticáceas que habitam regiões tropicais, ger. destituídas de pelos urticantes, e dotadas de folhas opostas e flores axilares esverdeadas. **2.** Qualquer espécie desse gênero, como, p. ex., a *Pilea serpyllifolia* [v. *beldroega* (1)]. **3.** Qualquer espécime desse gênero.

pileca *S. f. Pop.* Cavalgadura ordinária e escanzelada: "Junto às rodas passou choutando, numa pileca branca, o correio agaloado." (Eça de Queirós, *Os Maias*, II, p. 409.)

pilecado [De *pileque*[2] + *-ado*[1].] *Adj. Bras. Pop.* V. *embriagado* (1).

píleo [Do lat. *pileu*.] *S. m.* **1.** Barrete de feltro, perfeitamente ajustado à cabeça, que era us. pelos antigos romanos nas saturnais e noutras solenidades. **2.** Barrete de bispos ou cardeais. **3.** *Micol.* A porção esporígena dos fungos agaricales; chapéu, orelha-de-pau. [Cf., nesta acepç., *aparelho esporífero*.] **4.** *Zool.* O lado superior da cabeça das aves.

pileque[1] *S. m. Bras.* Argola de borracha.

pileque[2] [De or. obscura.] *S. m. Bras.* V. *bebedeira* (1). ◆ **Suspender um pileque.** *Bras. RS Pop.* V. *embriagar* (4).

pilequinho [De *pileque*[2] + *-inho*[1].] *S. m. Bras.* Bebedeira ocasional, não muito forte, que deixa a pessoa amável e bem-humorada.

pileta (ê) [Do esp. plat. *pileta*.] *S. f. Bras. RS* Tanque ou pia.

pilha [Dev. de *pilhar*.] *S. f.* **1.** Ruma de coisas dispostas umas sobre as outras: *pilha de roupa.* **2.** Caixas que contêm outras mais pequenas, metidas umas dentro das outras. **3.** Pilhagem (1). **4.** Larápio, ratoneiro, gatuno. **5.** Certo jogo de cartas ou dados. **6.** *Fís.-Quím.* Pilha eletroquímica. **7.** *Bras. Pop.* Indivíduo nervoso, frenético, irritado. **8.** *Lus. Pop.* Lanterna (2). ◆ **Pilha ácida.** *Fís.-Quím.* Pilha seca. **Pilha alcalina.** *Fís.-Quím.* Pilha semelhante à pilha seca, porém dotada de anodo de zinco poroso e eletrólito contendo hidróxido de sódio ou potássio, em vez de cloreto de amônio. **Pilha atômica.** *Fís. Nucl.* V. *reator nuclear.* **Pilha de combustível.** *Quím.* Pilha eletroquímica em que a reação global é uma reação de combustão, como, p. ex., a do hidrogênio. **Pilha eletroquímica.** *Fís.-Quím.* Sistema que transforma energia química em elétrica à custa de reações que se passam em dois eletrodos metálicos imersos em uma solução, ou em diferentes soluções; pilha voltaica. [Tb. se diz apenas *pilha*. Sin.: *bateria*.] **Pilha seca.** *Fís.-Quím.* Pilha (6) constituída por um tubo cilíndrico externo de zinco (que é o anodo) e um cilindro central de grafita (que é o catodo) e, entre os dois, uma pasta de dióxido de manganês, pó de carvão e cloreto de amônio, que serve de eletrólito, além de um separador de papel. [Fornece voltagem de 1,5V, não é recarregável, e é a pilha mais comum, tradicionalmente usada em lanternas e rádios portáteis, etc. Sin.: *pilha ácida*.] **Pilha voltaica.** *Fís.-Quím.* Pilha eletroquímica. **Às pilhas.** Em grande quantidade, força ou intensidade; à beça. **Botar ou pôr pilha em.** *Bras. Gír.* Induzir alguém a uma ação. **Estar ou ser uma pilha (de nervos).** Estar ou ser muito nervoso; estar com ou ter os nervos à flor da pele.

pilhagem [De *pilhar* + *-agem*[2].] *S. f.* **1.** Ato ou efeito de pilhar; pilha. **2.** Aquilo que se pilhou. **3.** Furto praticado pelas tropas que ocupam cidades conquistadas em combates; saque.

pilhante [De *pilhar* + *-nte*.] *Adj. 2 g. S. 2 g.* Que, ou quem pilha; gatuno.

pilhar [Do it. *pigliare*.] *V. t. d.* **1.** Haver às mãos; obter, conseguir, alcançar: *Pilhou, afinal, o cargo tão acalentado.* **2.** Subtrair fraudulentamente; furtar, roubar, surripiar: *O malandro vivia de pilhar indefesas senhoras.* **3.** Submeter a saque[2]; despojar com violência devastadora; saquear: *Os romanos pilhavam as cidades vencidas.* **4.** Ser acometido por; apanhar: *pilhar uma gripe.* **5.** Aparecer inopinadamente diante de; surpreender: *A polícia pilhou os gatunos de madrugada.* ***Transobj.*** **6.** Deparar-se com; encontrar, surpreender, apanhar: *Não conseguia pilhar a jovem sozinha.* ***P.*** **7.** Conseguir chegar a encontrar-se (em certo lugar, estado ou condição): *Os soldados correram desabaladamente quando se pilharam fora do cerco; Trabalhou desde criança, mas na velhice pilhou-se abastado.*

pilheira [De *pilha* + *-eira*.] *S. f.* **1.** Lugar onde há coisas empilhadas. **2.** Lugar, junto à lareira, onde se amontoam cinzas.

pilheiro [De *pilhar* + *-eiro*.] *S. m.* Depósito de água para qualquer serviço.

pilhéria [De or. obscura.] *S. f.* **1.** V. *piada* (2). **2.** V. *graça* (6). [Cf. *pilheria*, do v. *pilheriar*.]

pilheriador (ô) [De *pilheriar* + *-dor*.] *Adj. S. m.* Que, ou aquele que é dado a pilheriar.

pilheriar [De *pilhéria* + *-ar*[2].] *V. int. T. i.* Fazer pilhéria; galhofar; zombar; troçar: "Vendo-se assim mimada por tão grandes homens de seu tempo, Marie [Marie-Antoinette Elizabeth] costumava dizer, pilheriando, que seus amigos a tornariam imortal." (Melo Nóbrega, *O Soneto de Arvers*, p. 53); *Brincalhão, pilheria com todo o mundo.* [Pres. ind.: *pilherio, pilherias, pilheria*, etc. Cf. *pilhéria*.]

pilhérico [De *pilhéria* + *-ico*[2].] *Adj. Bras.* **1.** Que diz ou faz pilhérias; pilheriador. **2.** Engraçado, espirituoso. **3.** Irônico, zombeteiro, chistoso.

pilheta (ê) [De *pilha* + *-eta* (ê).] *S. f.* Espécie de selha; gamela.

pilhote [De *pilha*.] *S. m.* Pequena pilha.

▲ **pili-** [Do lat. *pilus, i*.] ***El. comp.*** = 'pelo': *pilífero*[1], *piliforme*. [Equiv.: *pilo-*[2], *-pil(o)-*, *-pilo*[2]: *pilonidal; hialopilítico; rarípilo* (< lat.).]

pilífero [De *pili-* + *-fero*.] *Adj. Bot.* Provido de pelos ou tricomas; piloso: *zona pilífera.*

piliforme [De *pili-* + *-forme*.] *Adj. 2 g.* Que tem forma de pelo.

pilípede [De *pili-* + *-pede*.] *Adj. 2 g. Zool.* Que tem pelos nos pés.

pilipino *S. m. Gloss.* Forma padrão do tagalo (2), e que recebeu essa denominação após a independência das Filipinas (Sudeste Asiático), em 1946. [Cf. *filipino*[1] (3).]

pilo [Do lat. *pilu*.] *S. m.* Entre os antigos romanos, espécie de dardo pesado.

▲ **pilo-**[1] [Do gr. *pýlē, ēs*.] ***El. comp.*** = 'porta', 'orifício', 'passagem': *pilômetro*. [Equiv.: *-pila, -pilo*[1]: *micrópila; micrópilo*.]

▲ **pilo-**[2] V. *pili-*.

▲ **-pil(o)-** V. *pili-*.

▲ **-pilo**[1] V. *pilo-*[1].

▲ **-pilo**[2] V. *pili-*.

piló *S. m. Bras. GO Zool.* V. *anu-branco*.

piloada [De *pilão* + *-ada*[1], com desnasalação.] *S. f.* Pancada com pilão.

pilocarpina [Do tax. *Pilocarp(us)* + *-ina*[3].] *S. f. Quím.* Alcaloide líquido extraído do jaborandi, e empregado em medicina; jaborandina [fórm.: $C_{11}H_{16}N_2O_2$].

pilocarpo [Do tax. *Pilocarpus*.] *S. m. Bot.* **1.** Gênero de árvores rutáceas que reúne cerca de 22 espécies nativas de regiões tropicais das Américas, e que encerram alcaloides. **2.** Qualquer espécie desse gênero como, p. ex., a *Pilocarpus jaborandi* [v. *jaborandi* (2)]. **3.** Qualquer espécime desse gênero.

piloense *Adj. 2 g. S. 2 g.* V. *pilonense*.

pilõezinhense *Adj. 2 g.* **1.** De, ou pertencente ou relativo a Pilõezinhos (PB). ● *S. 2 g.* **2.** O natural ou habitante de Pilõezinhos.

piloia (ói) *S. f. Bras. Pop.* V. *cachaça* (1). ❖

pilómetro *S. m. Urol.* V. *pilômetro*. [Uso freq. em P.]

pilômetro [De *pilo-*[1] + *-metro*.] *S. m. Urol.* Instrumento com que se mede o grau de obstrução em cada orifício ureteral da bexiga.

pilone *S. m. Arquit.* Pilono.

pilonense *Adj. 2 g.* **1.** De, ou pertencente ou relativo a Pilões (PB e RN). ● *S. 2 g.* **2.** O natural ou habitante de Pilões. [É menos boa a grafia oficial, na PB, *piloense*.]

pilonidal [De *pilo-*[2] + *-nid(o)-* + *-al*[1].] *Adj. 2 g.* Que contém pelo(s). ~ V. *cisto* —.

pilono [Do gr. *pylṓn*.] *S. m. Arquit.* Pórtico de templo egípcio, com a forma de duas pirâmides truncadas, entre as quais fica a entrada; pilone.

pilorada *S. f. Bras. N.E. Pop.* Cacetada, bordoada. [Cf. *pilourada* e *pelourada*.]

pilórico [De *piloro* + *-ico*[2].] *Adj.* Relativo a piloro.

piloro [Do gr. *pylōrós*, 'guarda da porta'.] *S. m. Anat.* Orifício de comunicação do estômago com o duodeno.

pilorriza *S. f. Bot.* Coifa (5) na extremidade da raiz.

pilosidade [Do lat. med. *pilositate*.] *S. f.* **1.** Qualidade de piloso. **2.** Formação de pelos.

pilosismo [De *piloso* + *-ismo*.] *S. m. Med.* Desenvolvimento anormal de pelos em um ponto onde ger. não crescem, ou crescem pouco.

pilosiúsculo [De *piloso* + *-i-* + *-úsculo*.] *Adj. Bot.* Dotado de pelos curtos, ou em número reduzido: *folha pilosiúscula; sépala pilosiúscula.*

piloso (ô) [Do lat. *pilosu*.] *Adj.* **1.** Que tem pelos; peludo: "a cortina, abrindo-se de todo, mostrou-lhe um desconhecido enorme, varão piloso, dos que o latino certifica serem ou valentes ou amorosos." (Tristão da Cunha, *Histórias do Bem e do Mal*, p. 107). **2.** *Bot.* Pilífero[1]: *folha pilosa*. ~ V. *folículo* —.

pilósulo [De *piloso* + *-ulo*.] *Adj.* Um tanto piloso.

pilota [De *pilar*[2], poss.] *S. f. Pop.* **1.** Estafa resultante de haver andado muito. **2.** Perda, prejuízo. **3.** Derrota[1] (1): *levar uma pilota no jogo.* **4.** Crítica severa. [Cf. *pelota*.]

pilotado [Part. subst. de *pilotar*.] *S. m. Turfe* O cavalo conduzido por um jóquei.

pilotagem [De *pilotar* + *-agem*[2].] *S. f.* Arte, profissão ou serviços de piloto.

pilotar *V. t. d.* **1.** Governar ou dirigir como piloto: *pilotar um navio, um avião;* "Como se sabe, Darke de Matos pereceu em lamentável desastre, pilotando o seu próprio avião." (Vivaldo Coaraci, *Paquetá*, p. 106); "A viagem triunfante de Pedro Teixeira, ... guiado pelos índios nheengaíbas, deve-se certamente aos geógrafos botânicos da grande nação selvagem, ... que pilotavam as igarités da expedição pela rosa dos ventos do helianto." (Raimundo Morais, *Na Planície Amazônica*, pp. 45-46). **2.** Dirigir, guiar (veículos): *pilotar um carro de corridas.* **3.** *Turfe* Conduzir, montar (cavalo ou égua de corrida). ***Int.*** **4.** Exercer as funções de piloto (1 a 4): "Danilo, vara em punho, falava que o seu gosto era estar longe, viajando ao lado de um primo no mar da Contracosta aprendendo a pilotar." (Dalcídio Jurandir, *Três Casas e um Rio*, p. 35.) [Sin. ger.: *pilotear.* Pres. ind.: *piloto, pilotas, pilota,* etc. Cf. *piloto* (ô), s. m.; *Piloto* (ô), antr.; *pelota,* s. f., pl. *pelotas; Pelotas,* top.; e *pelotar,* v.]

pilotável [De *pilotar* + *-vel.*] ***Adj. 2 g.*** Que se pode pilotar.

pilotaxítico (cs) [De *pilo-*² + *-tax(i)-* + *-ítico;* ingl. *pilotaxitic.*] ***Adj.*** Que apresenta textura constituída apenas por micrólitos aciculares, sem vidro intersticial (diz-se de certas larvas).

pilotear¹ [De *piloto* + *-ear*².] ***V. t. d. Int.*** Pilotar. [Conjug.: v. *frear.* Cf. *pelotear.*]

pilotear² [De *piloto* + *-ar*².] ***V. t. d.*** **1.** *Fam.* Dar pilota ou estafa em: *A marcha piloteou as tropas.* **2.** Vencer moralmente, acompanhando a vitória com zombarias: *O intelectual presunçoso gosta de pilotear os menos capazes.* **3.** Corrigir criticando; dar quinau em. [Conjug.: v. *frear.* Cf. *pelotear.*]

piloteiro [De *piloto* + *-eiro.*] ***S. m.*** *Bras. MS GO* V. *prático* (7).

→ **pilotis** [pilo'ti] [Fr.] ***S. m. pl.*** *Arquit.* O conjunto das colunas que sustentam uma edificação, deixando área livre para circulação no pavimento térreo.

piloto (ô) [Do gr. bizantino **pedótes,* 'timoneiro', pelo it. *piloto.*] ***S. m.*** **1.** *Mar. Merc.* Aquele que dirige a navegação e a manobra de uma embarcação mercante, subordinado ao comandante. **2.** *Ant.* V. *prático* (7). **3.** *Aer.* Pessoa que dirige uma aeronave. **4.** *P. ext.* Aquele que dirige embarcação qualquer. **5.** *Fig.* Guia, dirigente, diretor. **6.** *Telev.* Pequena luz vermelha sobre a câmara que, ao acender, indica a transmissão de uma imagem. **7.** *Telev. Rád.* Programa demonstrativo e experimental de uma série a ser produzida. **8.** *Bras.* Motorista que participa de provas automobilísticas. **9.** *Bras. Turfe* Jóquei. **10.** *Bras. Zool.* Peixe actinopterígio, perciforme, carangídeo (*Naucrates ductor*), dos mares tropicais e subtropicais, inclusive do Mediterrâneo. Coloração olivácea ou verde-marinho, com faixas transversais escuras, abdome claro, e acúleos muito curtos, que substituem a primeira nadadeira dorsal. É pelágico, acompanhando com frequência navios e tubarões, razão dos nomes *ductor* e *piloto.* [Sin., nesta acepç.: *romeiro, remeiro.*] **11.** *Bras. Zool.* Peixe actinopterígio, perciforme, carangídeo (*Seriola falcata*), muito semelhante ao piloto (10), distinguindo-se dele por ter a primeira nadadeira dorsal pequena. **12.** *Bras.* Nos aquecedores a gás, bico que permanece aceso, ou que se acende em primeiro lugar, e a partir do qual a chama se propaga aos demais bicos. **13.** *Bras.* V. *zarolho* (4). **14.** *Bras. RS* Agrimensor (1). **15.** Modelo e/ou campo de experimentação para métodos ou processos inovadores. [Nesta acepç., posposto a outro substantivo, tem valor adjetivo.] ● ***Adj. 2 g. e 2 n.*** **16.** *Bras.* V. *zarolho* (1). [Pl.: *pilotos* (ô). Cf. *piloto,* do v. *pilotar.*] ◆ **Piloto automático.** *Aer. Av.* Dispositivo que assegura a pilotagem sem que intervenha a tripulação. **Piloto de prova.** Especialista que testa os novos modelos de aviões, carros de corrida, etc.

piloura ***S. f.*** *Bras. N.E. Pop.* **1.** V. *síncope* (1). **2.** Loucura ou acesso de loucura.

pilourada [De *piloura* + *-ada*¹.] ***S. f.*** *Bras. N. Pop.* Ação de louco; loucura, doidice, maluquice. [Cf. *pelourada* e *pilorada.*]

pilrete (ê) ***S. m.*** Homem pequeníssimo; homúnculo.

pilriteiro [De *pilrito* + *-eiro.*] ***S. m.*** *Bot.* Arvoreta rosácea (*Crataegus oxyacantha*) ornamental, procedente da Europa e África, que tem espinhos grossos e compridos, folhas arredondadas ou ovadas, com três a cinco lobos e serruladas, flores congregadas em corimbos vistosos, e cujo fruto, o pilrito, é drupa vermelha.

pilrito ***S. m.*** O fruto do pilriteiro.

pílula [Do lat. *pilula,* 'bolinha'.] ***S. f.*** **1.** *Farm.* Forma farmacêutica (q. v.) sólida, para uso por via oral. **2.** *Fig.* Coisa desagradável. **3.** *Pop.* Logro, burla, mentira. **4.** Pílula anticoncepcional. ~ V. *pílulas.* ◆ **Dourar a pílula.** Procurar fazer que alguém aceite uma coisa desagradável ou prejudicial, usando de palavras amáveis, lisonjeiras, ou de qualquer expediente hábil e brando; ensebar a bola. **Engolir a pílula. 1.** Suportar sem protesto coisa desagradável: *Disse o que queria, e o outro engoliu a pílula direitinho.* **2.** Deixar-se enganar, lograr, ger. por meio de palavras melífluas: *Dei uma desculpa mal convincente, e ele engoliu a pílula.*

pilulador (ô) [De **pilular* (< *pílula* + *-ar*²) + *-dor.*] ***S. m.*** Instrumento empregado para dividir em pílulas a massa pilular.

pilular [De *pílula* + *-ar*¹.] ***Adj. 2 g.*** **1.** Que tem forma de, ou é da natureza da pílula. **2.** Que pode ser dividido em pílulas: *massa pilular.*

pílulas [Pl. de *pílula.*] ***Interj.*** Designa enfado ou reprovação; bolas; ora sebo; ora pílulas: *Pílulas! Isso não é novidade.* ~ V. *pílula.* ◆ **Ora pílulas.** V. *pílulas.*

piluleiro [De *pílula* + *-eiro.*] ***S. m.*** *Bras.* **1.** Vaso ou utensílio em que se preparam pílulas. **2.** Fabricante de pílulas.

pilungada [De *pilungo* + *-ada*¹.] ***S. f.*** *Bras. S.* Porção ou grupo de pilungos.

pilungo [Cruz. de *pileca* com *matungo,* poss.] ***S. m.*** *Bras. S.* Cavalo imprestável, ruim; matungo.

pi-mais ***S. m.*** *Fís. Nucl.* Méson de massa 139,57MeV/c², *isospin* 1, *spin* nulo, paridade negativa, carga elétrica igual à do próton, composto de um *quark* u e de um *antiquark* d [simb.: π+]. [Pl.: *pis-mais.*]

pimárico ***Adj.*** *Quím.* ~ V. *ácido* —.

pimba¹ ***S. f.*** *Bras. BA* V. *bimba*² (3).

pimba² ***Interj.*** Exprime acontecimento imprevisto e/ou que marca o desfecho de uma ação: *O automóvel derrapou e — pimba! — bateu no poste.*

pimbar ***V. t. d.*** *Bras.* Dar socos em; socar.

pimbinha ***S. f.*** *Bras. BA Fam.* V. *bimba*² (1).

pimélico [De *pimel(o)-* + *-ico*².] ***Adj.*** *Quím.* ~ V. *ácido* —.

▲ **pimel(o)-** [Do gr. *pimelḗ, ês.*] ***El. comp.*** = 'gordura': *pimélico, pimelose.*

pimelodídeo [Do gr. *pimelṓdes,* 'que se assemelha à gordura', + *-ídeo*¹; tax. *Pimelodidae.*] *Zool.* ***S. m.*** **1.** Espécime dos pimelodídeos, grande família de peixes siluriformes, com mais de 50 gêneros e 300 espécies, das Américas Central e do Sul, que reúne bagres fluviais, com três pares de barbilhões, nadadeira adiposa, a dorsal com grande espinho, e a caudal ger. bifurcada. Ex.: surubim. ● ***Adj.*** **2.** Pertencente ou relativo a eles.

pimelose [De *pimel(o)-* + *-ose*¹.] ***S. f.*** *Med.* Obesidade.

pimelótico [De *pimel(ose)* + *-ótico.*] ***Adj.*** Relativo à pimelose.

pi-menos ***S. m.*** *Fís. Nucl.* Antipartícula (q. v.) do pi-mais (q. v.), composta de um *quark* d e de um *antiquark* u [simb.: π−]. [Pl.: *pis-menos.*]

pimenta [Do lat. *pigmenta,* 'drogas', 'suco de plantas', 'condimento', pl. de *pigmentum,* 'cor para pintar'.] ***S. f.*** **1.** *Bot.* Designação comum a diversas plantas piperáceas e solanáceas; pimenteira. **2.** O fruto de qualquer dessas plantas. **3.** *Fig.* Brejeirice, malícia, ronha: *uma história com muita pimenta.* **4.** *Fig.* Erotismo, lubricidade. **5.** *Bras.* Pessoa colérica, briguenta, geniosa. **6.** *Bras.* Pessoa má. **7.** *Bras.* Pessoa muito viva, irrequieta, levada: *Este menino é uma pimenta.* **8.** *Bras.* Cavalo bom corredor, fogoso, irrequieto. **9.** *Bras. O. de SP Zool.* Pequeno carrapato. **10.** *Bras. Zool.* V. *potó*².

pimenta-apuã ***S. f.*** *Bras. Bot.* V. *pimenta-malagueta.* [Pl.: *pimentas-apuãs* e *pimentas-apuã.*]

pimenta-buenense ***Adj. 2 g.*** **1.** De, ou pertencente ou relativo a Pimenta Bueno (RO). ● ***S. 2 g.*** **2.** O natural ou habitante de Pimenta Bueno. [Pl.: *pimenta-buenenses.*]

pimenta-cumarim ***S. f.*** *Bras. Bot.* V. *pimenta-malagueta.* [Pl.: *pimentas-cumarins* e *pimentas-cumarim.*]

pimenta-da-áfrica [De *pimenta* + *da*¹ + o top. *África.*] ***S. f.*** *Bras. Bot.* Planta anonácea (*Xylopia aethiopica*) originária Abissínia e Serra Leoa (África). [Us. no candomblé, no preparo de comidas votivas, e em trabalhos (v. *trabalho* [20]) e adivinhações.] [Sin.: *atarê, pimenta-da-costa, pimenta-da-guiné, cariva.* Pl.: *pimentas-da-áfrica.*]

pimenta-da-costa ***S. f.*** *Bras. Bot.* V. *pimenta-da-áfrica.* [Pl.: *pimentas-da-costa.*]

pimenta-da-guiné ***S. f.*** *Bras. Bot.* V. *pimenta-da-áfrica.* [Pl.: *pimentas-da-guiné.*]

pimenta-da-índia ***S. f.*** *Bot.* V. *pimenta-do-reino.* [Pl.: *pimentas-da-índia.*]

pimenta-da-jamaica [De *pimenta* + *da*¹ + o top. *Jamaica.*] ***S. f.*** *Bot.* Árvore mirtácea (*Pimenta officinalis*) nativa da América Central e do México, de folhas elípticas, agudas e coriáceas, flores pequenas e cimosas, e cujas bagas imaturas dessecadas, fortemente aromáticas, constituem apreciada especiaria. [Pl.: *pimentas-da-jamaica.*]

pimenta-de-bugre ***S. f.*** *Bras. C.O. Bot.* Pimenta-de-macaco. [Pl.: *pimentas-de-bugre.*]

pimenta-de-cheiro ***S. f.*** *Bras. Bot.* V. *pimenta-malagueta.* [Pl.: *pimentas-de-cheiro.*]

pimenta-de-fruto-ganchoso ***S. f.*** *Bras. Bot.* V. *aperta-ruão* (2). [Pl.: *pimentas-de-fruto-ganchoso.*]

pimenta-de-galinha ***S. f.*** *Bras. Bot.* V. *erva-moura* (1). [Pl.: *pimentas-de-galinha.*]

pimenta-de-macaco ***S. f.*** *Bras. Bot.* Árvore anonácea (*Xylopia grandiflora* ou *X. aromatica*) muito distribuída nos cerrados, de folhas lanceoladas e coriáceas, flores grandes, alvas e com três pétalas, e cujos frutos são folículos lenhosos que, como as pequenas sementes negras, têm acentuado aroma, podendo ser us. para condimentar carne; pimenta-de-bugre. [Pl.: *pimentas-de-macaco.*]

pimenta-do-mato ***S. f.*** *Bras. Bot.* **1.** V. *capeba-cheirosa.* **2.** V. *fruto-de-morcego.* [Pl.: *pimentas-do-mato.*]

pimenta-do-reino [De *pimenta* + *do*¹ + *reino* (4).] ***S. f.*** *Bot.* **1.** Trepadeira piperácea (*Piper nigrum*) introduzida e intensamente cultivada no Brasil por japoneses, cujas flores são mínimas e se ordenam em espigas, bem como os frutos amarelos, que, dessecados e livres da película, constituem a pimenta. **2.** O fruto dessa planta, seco ou moído. [Pl.: *pimentas-do-reino.* Sin. ger.: *pimenta-da-índia.*]

pimenta-dos-índios ***S. f.*** *Bras. Bot.* **1.** V. *capeba-cheirosa.* **2.** Nhandi (1). **3.** V. *fruto-de-morcego.* [Pl.: *pimentas-dos-índios.*]

pimental [De *pimenta* + *-al*¹.] ***S. m.*** **1.** Quantidade mais ou menos considerável de pimenteiras dispostas proximamente entre si. **2.** Área ocupada por pimental (1).

pimenta-malagueta ***S. f.*** *Bras. Bot.* **1.** Pequeno arbusto solanáceo (*Capsicum frutescens*) nativo de regiões tropicais das Américas, de folhas ovais, acuminadas, e frutos bacáceos fusiformes, muito picantes, us. como condimento. **2.** O fruto dessa planta. [Tb. se diz apenas *malagueta.* Sin. ger.: *cumari, cumarim, cumbari, cumbarim, jindungo* (angol.), *ndongo* (angol.), *nedungo* (angol.), *pimenta-apuã, pimenta-cumarim, pimenta-de-cheiro, piripíri* (guin.). Pl.: *pimentas-malaguetas* e *pimentas-malagueta.*]

pimenta-negra ***S. f.*** *Bot.* Pimenta-do-reino cujos frutos foram colhidos imaturos. [Pl.: *pimentas-negras.*]

pimentão [De *pimenta* + *-ão*¹.] ***S. m.*** **1.** *Bot.* Erva solanácea (*Capsicum annuum*) alta, muitíssimo cultivada como hortaliça. Os enormes frutos verdes ou vermelhos (tb. com variedades amareladas, alaranjadas, roxas ou brancas) doces ou picantes, contêm inúmeras sementes discoides e são alimentares, servindo, ainda, para preparar um pó vermelho, a páprica, a partir dos frutos vermelhos. [Sin. (lus.) *pimento* e (guin.) *piripíri.*] **2.** *Bras. Zool.* V. *bico-de-pimenta.* **3.** *Lus.* Pimentão (1) vermelho, picante. ◆ **Um pimentão.** Com a pele muito vermelha por queimadura solar ou por rubor; um camarão, rubro: *Voltou da praia um pimentão; Ficou um pimentão ao ouvir as admoestações intempestivas.*

pimentão-doce ***S. m.*** *Bot.* Ginjeira-da-terra (2). [Pl.: *pimentões-doces.*]

pimenteira [De *pimenta* + *-eira.*] ***S. f.*** **1.** *Bot.* Pimenta (1). **2.** Pequeno recipiente de levar pimenta à mesa; pimenteiro.

pimenteira-da-américa [De *pimenteira* + *da*¹ + o top. *América.*] ***S. f.*** *Bras. Bot.* **1.** V. *aroeira* (1). [Pl.: *pimenteiras-da-américa.*]

pimenteira-do-peru ***S. f.*** *Bras. Bot.* V. *aroeira* (1). [Pl.: *pimenteiras-do-peru.*]

pimenteirense ***Adj. 2 g.*** **1.** De, ou pertencente ou relativo a Pimenteiras (PI). ● ***S. 2 g.*** **2.** O natural ou habitante de Pimenteiras.

pimenteiro [De *pimenta* + *-eiro.*] ***S. m.*** **1.** *Bras. Bot.* Árvore verbenácea (*Vitex agnuscastus*) exótica e cultivada, de folhas digitadas, flores com corola bilabiada, e que se arrumam em cimeiras tricótomas, e fruto drupáceo, com o cálice ampliado; alecrim-de-angola. **2.** Pimenteira¹ (2).

pimentelense ***Adj. 2 g.*** **1.** De, ou pertencente ou relativo a Mendes Pimentel (MG). ● ***S. 2 g.*** **2.** O natural ou habitante de Mendes Pimentel.

pimentense ***Adj. 2 g.*** **1.** De, ou pertencente ou relativo a Pimenta (MG). ● ***S. 2 g.*** **2.** O natural ou habitante de Pimenta.

pimento [De *pimenta.*] ***S. m.*** *Lus.* V. *pimentão* (1). ◆ **Pimento morrone.** *Lus.* Pimentão vermelho, doce.

pimpão¹ [Voc. onom., poss.] ***S. m.*** *Bras. CE Pop.* Arma de fogo.

pimpão² [De *pimpar* + *-ão*¹.] ***Adj. S. m.*** **1.** V. *fanfarrão.* **2.** Vaidoso, jactancioso. **3.** Garrido, janota, engalanado. [Fem.: *pimpona.*]

pimpar ***V. int.*** **1.** Fazer-se de pimpão², arrotar valentia; pimponar: *O covardão pimpa diante dos fracos.* **2.** Exibir pompa; ostentar riqueza; luxar, pompear, pimponar: *Os novos-ricos gostam de pimpar.* **3.** Levar vida faustosa ou divertida; divertir-se. **4.** Ter importância; fazer figura; aparecer, figurar: *Nem sempre os grandes artistas pimparam em vida.*

pimpilim ***S. m.*** Pimenta longa.

pimpinela [Do tax. *Pimpinella.*] ***S. f.*** *Bot.* **1.** Gênero de plantas apiáceas herbáceas. **2.** Qualquer espécie desse gênero, como, p. ex., a *Pimpinella anisum* [v. *anis* (1)]. **3.** Qualquer espécime desse gênero.

pimpleu ***S. m.*** Pequena garrocha enfeitada, no toureio.

pimpolhar [De *pimpolho* + *-ar*².] ***V. int.*** **1.** Ter pimpolho ou rebento; rebentar, abrolhar. **2.** Aumentar em número; reproduzir-se, multiplicar-se, proliferar: *Os coelhos pimpolham com enorme rapidez.* [Pres. ind.: *pimpolho,* etc. Cf. *pimpolho* (ô).]

pimpolho (ô) [Do esp. *pimpollo*.] *S. m.* **1.** *Bot.* Rebento da videira; sarmento, vergôntea. **2.** *Fig.* Meninote taludo, bem desenvolvido. **3.** Criança pequena e robusta. [Pl.: *pimpolhos* (ô). Cf. *pimpolho*, do v. *pimpolhar*.]

pim-pom *S. m.* V. *pingue-pongue*. [Pl.: *pim-pons*.]

pimpona *S. f.* Fem. de *pimpão*[2].

pimponar [De *pimpão*[2] + *-ar*[2], seg. o padrão erudito.] *V. int.* Mostrar-se pimpão[2]; pimpar, pimponear.

pimponear *V. int.* V. *pimponar*. [Conjug.: v. *frear*.]

pimponete (ê) [Dim. de *pimpão*[2].] *S. m. Fam.* Janota ridículo; petimetre.

pimponice [De *pimpão*[2] + *-ice*, seg. o padrão erudito.] *S. f.* Ato ou modos de pimpão[2]. V. *fanfarrice* (2).

pina [Do lat. *pinna*, 'ameia'; 'pá da roda de moinho'; 'pena de ave'.] *S. f.* **1.** Cada uma das peças que constituem a circunferência da roda de um veículo. [Cf., nesta acepç., *camba*[1] (1).] **2.** *Bot.* Segmento de uma folha bipenada, formado de um eixo secundário com folíolos ao longo. [Não é sin. de *folíolo*.]

piná *S. f. Bras. Bot.* V. *açaí* (1).

pinaça [Do esp. *pinaza*.] *S. f.* **1.** *Lus.* Antiga embarcação de boca aberta, a remo ou à vela, usada no transporte de carga e na pesca. [Documentos do séc. XVII rezam de pinaças que faziam longas viagens, visto como, ao tornarem ao reino, tocavam em portos do Brasil.] **2.** Grande embarcação de fundo chato, us. para transporte no rio Ganges (Índia). **3.** Corda para levantar o cepo dos macacos [v. *macaco* (4)].

pinácea [Do tax. *Pinus* (do lat. *pinus*, 'pinheiro') + *-ácea*; tax. *Pinaceae*.] *S. f. Bot.* Espécime das pináceas, família de gimnospermas da classe das coníferas, caracterizada pelos estames com dois sacos polínicos e carpelos diferenciados em duas porções. Uns e outros se agregam em cones ou estróbilos. Sementes aladas, em geral. Há umas 220 espécies, quase todas arbóreas, de folhas aciculares; formam amplas florestas no hemisfério norte; não ocorrem no Brasil, mas, aqui, são muito us. em reflorestamentos, para produção de madeira, bem como na fabricação de polpa celulósica, sobretudo no caso das espécies do gênero *Pinus*.

pináceo [De *pinácea*, com var. suf. (v. *-áceo*).] *Adj. Bot.* Pertencente ou relativo às pináceas. [Cf. *penáceo*.]

pinacoide (ói) [Do gr. *pinakoeidés*, 'em forma de prancha'.] *S. m. Crist.* Conjunto de duas faces paralelas e equivalentes, que constitui uma forma aberta, por se tratar de duas faces apenas. ❖

pinacol [Do gr. *pinakoeidés*, 'em forma de prancha', + *-ol*[3].] *S. m. Quím.* **1.** Substância cristalina, glicol produzido pela redução da acetona, acompanhada por dimerização [fórm.: $C_6H_{14}O_2$]. **2.** Qualquer glicol em que duas hidroxilas estão ligadas a carbonos terciários adjacentes. [Pl.: *pinacóis*.]

pinacolona [De *pinacol* + *-ona*[2].] *S. f. Quím.* Substância líquida, de odor semelhante ao da cânfora, cetona formada a partir do pinacol (1) [fórm.: $C_6H_{12}O$].

pinacoteca [Do gr. *pinakothéke*, 'depósito de quadros', pelo lat. *pinacotheca*.] *S. f.* **1.** Museu de pintura. **2.** Coleção de quadros: 📖 "Hoje o nosso patrício [Diocleció Redig de Campos] é um dos maiores críticos e historiadores de arte de todo o mundo, especializado naquilo que o Vaticano (de cuja pinacoteca é um dos dois conservadores) chama Fase Moderna, e que vai do fim da Idade Média ao fim do Renascimento." (Afonso Arinos de Melo Franco, *A Alma do Tempo*, p. 43.)

pináculo [Do lat. tard. *pinnaculu*.] *S. m.* **1.** O ponto mais alto de um edifício, etc.; píncaro. **2.** V. *cume* (1). **3.** *Fig.* O mais alto grau; o auge.

pinado [Do lat. cient. *pinnatus* (do lat. *pinna*, 'pluma', + lat. *-atus*).] *Adj.* **1.** Que lembra uma pluma, ou uma pena. **2.** *Bot.* Penado[1] (2). ~ V. *folha –a*.

pinafres *S. m. pl. Bras. PE* Desarranjos indeterminados em motor de automóvel.

pinano [De *pin(eno)* + *-ano*[2].] *S. m. Quím.* Alcano bicíclico, terpenoide, com estrutura em ponte [fórm.: $C_{10}H_{18}$].

pinante *S. m. Bras.* **1.** Garoto. **2.** Menino que trabalha em construções civis como servente, em especial nas construções de estradas, como guia das carrocinhas de aterro.

pinar [De *pino* + *-ar*[2].] *V. t. d.* **1.** *Bras.* Meter pinos em. **2.** *Bras. PB Pop.* Estabelecer contatos lascivos durante uma dança. [Cf. *penar*.]

pinaré *Bras. S. 2 g.* **1.** *Etnôn.* Indivíduo dos pinarés, povo indígena extinto que habitava a margem esquerda do rio Pelotas (RS). ● *Adj. 2 g.* **2.** Pertencente ou relativo a esse povo. [Tb. us. como *s. 2 g. e 2 n.* (com cap.) e *adj. 2 g. e 2 n.*]

pinatífido [Do lat. cient. *pinnatifidus*.] *Adj. Bot.* Penatífido.

pinaúma *S. f. Bras. BA Zool.* V. *ouriço-do-mar*.

pinaxame *S. m. Bras. Zool.* V. *acará-bererê*.

pinázio [De *pina*.] *S. m. Constr.* **1.** Cada uma das fasquias que nos caixilhos das portas e janelas seguram e separam os vidros. **2.** Cada uma das peças de cantaria que ladeiam as chaminés de uma cozinha. **3.** Cada uma das tábuas verticais que amparam a horizontal, onde assentam os pés, no degrau de uma escada.

pinça [Do fr. *pince*, pelo esp. *pinzas*.] *S. f.* **1.** Instrumento constituído de duas hastes rígidas que funcionam como alavancas articuladas, e usado para segurar, apertar ou arrancar sob pressão. **2.** A parte inferoanterior do casco do cavalo. **3.** A parte da ferradura correspondente a essa parte do casco. **4.** Pence. **5.** *Zool.* Apêndice preênsil de certos artrópodes, como, p. ex., as quelas que têm os crustáceos e os escorpionídeos. **6.** *Cir.* Instrumento metálico empregado para apertar, manter numa posição ou aproximar tecidos. **7.** *Tip.* Instrumento com que o tipógrafo retira tipos da fôrma para emendá-la e que é, ger., encimado por um cravador. **8.** *Tip.* Cada uma das peças metálicas que, nas máquinas cilíndricas, prendem a folha de papel, para a margeação; dente, unha, pegadeira. ◆ **Pinça hemostática** *Cir.* Instrumento cirúrgico, de que há vários tipos, e que se destina a evitar ou a sustar hemorragia. [Tb. se diz apenas *hemostática*.]

pinçamento [De *pinçar* + *-mento*.] *S. m.* Ato ou efeito de pinçar.

pinçar [De *pinça* + *-ar*[2].] *V. t. d.* **1.** Prender ou apertar com pinça, ou como com pinça. **2.** *Bras. PE* Apanhar (peixe); pescar, fisgar. **3.** *Bras. MG* Tirar com pinça os pelos de: 📄 *pinçar as sobrancelhas*. **4.** *Bras.* Tomar ao acaso certo número de (exemplos, casos, etc.) que comprovam determinada opinião, com o fito de ilustrá-la. [Conjug.: v. *laçar*. Pres. subj.: *pince*, ... *pinceis*, *pincem*. Cf. *pincéis*, pl. de *pincel*.]

píncaro [De or. obscura.] *S. m.* **1.** V. *cume* (1): 📖 "O interior das florestas e as largas planuras medidas com a vista do píncaro dos montes são também espetáculo igualmente solene" (Ramalho Ortigão, *Em Paris*, p. 12). **2.** Pináculo (1).

pincel [Do cat. *pincell*, pelo arc. *pinzel*.] *S. m.* **1.** Objeto constituído de um tufo de pelos ou de fibras fixado na extremidade dum cabo, e que se usa para espalhar tintas, verniz, cola, etc. **2.** Espécie de pincel de cabo curto, próprio para ensaboar a cara, ao barbear; pincel de barba. **3.** Pincel (1) de cabo curto, de fibras macias e de espessura variada, utilizado, em maquiagem, para espalhar o pó, o *blush*, etc. **4.** *Fig.* A pintura (7): 📄 *o pincel da Renascença*. **5.** *Fig.* A maneira de pintar de cada artista: 📄 *Tem um pincel muito forte*. **6.** *Fig.* O próprio pintor, em relação às suas obras: 📄 *Portinari é um excelente pincel*. **7.** *Bot.* Planta asterácea (*Emilia flammea*) anual cujas flores, em capítulos escarlates ou alaranjados, lembram pequenos pincéis; é nativa das regiões tropicais das Américas, e cultivadas como ornamental e pela madeira. **8.** *Ópt.* Conjunto de raios luminosos mais ou menos divergentes. **9.** *Bras. MA Fut.* V. *drible*. [Pl.: *pincéis*. Cf. *pinceis*, do v. *pinçar*.] **10.** *Bras. Chulo* Pênis. ◆ **Pincel de barba.** Pincel (2). **Pincel de luz.** Feixe de luz extremamente fino, de incidência punctiforme.

pincelada [De *pincel* + *-ada*[1].] *S. f.* Traço ou toque de pincel; pincelagem.

pincelagem [De *pincelar* + *-agem*[2].] *S. f.* **1.** Pincelada. **2.** Ação de pincelar (3); embrocação.

pincelamento [De *pincelar* + *-mento*.] *S. m.* Ato ou efeito de pincelar.

pincelar [De *pincel* + *-ar*[2].] *V. t. d.* **1.** Aplicar o pincel em: 📄 *pincelar um objeto para tirar-lhe a poeira*. **2.** Pintar com o pincel: 📄 *pincelar um muro, uma parede*. **3.** Aplicar medicamento líquido em (a garganta, p. ex.), mediante movimentos semelhantes ao toque de pincel.

pinceleiro [De *pincel* + *-eiro*.] *S. m.* **1.** Fabricante e/ou vendedor de pincéis. **2.** Vaso onde se lavam pincéis.

pincenê [Do fr. *pince-nez*.] *S. m.* Óculos sem haste que uma mola prende no nariz: 📖 "Um velho de pincenê, folheando papéis, parecia não ouvir a narração de uma portuguesa chorosa" (Ribeiro Couto, *Prima Belinha*, p. 158). [F. paral.: *pencenê*.]

➔ **pince-nez** [pẽs ne] [Fr.] *S. m.* V. *pincenê*.

➔ **pince-sans-rire** [pẽs sã ʁiʁ] [Fr.] Gozador com ar sério.

pincha-cisco [De *pinchar* + *cisco*.] *S. m. Bras. Zool.* Vira-folhas. [Pl.: *pincha-ciscos*.]

pinchar [Do esp. *pinchar*.] *V. t. d. e c.* **1.** Impelir, fazendo saltar; empurrar, derrubar: 📄 *Pinchou-a da escada*. **2.** Atirar com ímpeto; lançar com força; arremessar, apinchar: 📖 "E chegou a sonhar .... que ele a pusera à força num caixão azul .... e .... a pinchara a uma cova muito fria." (Valdomiro Silveira, *Os Caboclos*, p. 151.) *T. d. e i.* **3.** Pinchar (2): 📄 *Malvado, pinchou uma pedra no animalzinho*. *T. c.* **4.** Descer, ou subir, saltando; saltar, pular: 📄 *Pinchou do muro; O peão pinchou para o lombo do potro*. *Int.* **5.** Saltar, pular, folgando; dar pulos de alegria. *P.* **6.** Saltar, pular; atirar-se: 📖 "saia eu daqui suja... e me vou logo e logo pinchar ao rio." (Visconde de Taunay, *Ao Entardecer*, p. 61).

pincho[1] [Dev. de *pinchar*.] *S. m.* **1.** Pulo, salto, cabriola. **2.** *Bras. PA* Jogo semelhante à malha.

pincho[2] [Do esp.] *S. m. Bras. S. Gír.* **1.** Pequeno pé de cabra (1). **2.** Alfinete de gravata. **3.** V. *rufião* (3). **4.** *Lus.* Brochete (1 e 2).

pinchote *S. m.* Pequeno ponteiro (5).

pinçote *S. m. Marinh.* Nas canas do leme constituídas por duas peças ligadas em cotovelo, é aquela em que o timoneiro segura. [A outra é a *cana*.]

pinda *S. f. Bras. Gír.* V. *pindaíba* (4).

pindá [Do tupi = 'anzol'.] *S. m. Bras.* **1.** Entre os indígenas, anzol (1). **2.** *Zool.* V. *ouriço-do-mar*.

pindacuema [Do tupi.] *S. f.* **1.** *Bras. N.* Certo tipo de espinhel. **2.** *Bras. SP* Certa rede de pesca.

pindaíba [Do tupi.] *S. f. Bras.* **1.** Corda feita de palha de coqueiro. **2.** *Bot.* V. *coajerucu*. **3.** *Bot.* V. *benjoeiro* (2). **4.** *Bot.* Arbusto anonáceo (*Guateria vilosissima*) nativo do Brasil, de folhas lanceoladas e frutos comestíveis; embira-de-caçador, embiratanha. **5.** Falta de dinheiro. [F. red., nesta acepç.: *pinda*. Var.: *pindaíva*. Sin.: *arrebentação, dureza, prontidão, quebradeira, quebreira*.] ◆ **Na pindaíba.** *Bras. Gír.* Sem dinheiro; a nenhum; a zero; duro: 📄 *Não posso contribuir para a festa: estou na pindaíba*.

pindaibal (a-i) [De *pindaíba* + *-al*[1].] *S. m. Bras.* **1.** Quantidade mais ou menos considerável de pindaíbas dispostas proximamente entre si. **2.** Área ocupada por pindaibal (1).

pindaiense (a-i) *Adj. 2 g.* **1.** De, ou pertencente ou relativo a Pindaí (BA). ● *S. 2 g.* **2.** O natural ou habitante de Pindaí.

pindaíva *S. f. Bras.* V. *pindaíba*.

pindamonhangabense *Adj. 2 g.* **1.** De, ou pertencente ou relativo a Pindamonhangaba (SP). ● *S. 2 g.* **2.** O natural ou habitante de Pindamonhangaba.

pindapoia (ói) [Do tupi = 'pescar'.] *S. f. Bras. BA* Anzol de espera. ❖

pindá-preto (ê) *S. m. Bras. Zool.* Variedade de ouriço-do-mar, preto, comestível, que vive em locas nas pedras da costa marítima (*Echinometria subangularis*). [Pl.: *pindás-pretos*.]

pindareense (eèn) *Adj. 2 g.* **1.** De, ou pertencente ou relativo a Pindaré-Mirim (MA). ● *S. 2 g.* **2.** O natural ou habitante de Pindaré-Mirim.

pindárico [Do gr. *pindarikós*, pelo lat. *pindaricu*.] *Adj.* **1.** Pertencente ou relativo a Píndaro (c. 520-420 a. C.), poeta lírico grego, ou próprio dele: 📄 *odes pindáricas*. **2.** À imitação ou à maneira poética de Píndaro: 📄 *estilo pindárico*. V. *pindarismo*. **3.** *Fam.* Excelente, magnífico.

pindarismo [Do antr. *Píndaro* + *-ismo*.] *S. m.* Imitação do gênero poético de Píndaro (v. *pindárico*), *i. e.*, a prática de um lirismo empolado e obscuro.

pindarista [De *pindarismo* + *-ista*.] *Adj. 2 g.* **1.** Respeitante ao gênero pindárico. **2.** Que fala em estilo empolado: 📄 *orador pindarista*. ● *S. 2 g.* **3.** Indivíduo pindarista (2). **4.** Adulador, bajulador.

pindarizar [Do antr. *Píndaro* (v. *pindárico*) + *-izar*.] *V. t. d.* **1.** Louvar pomposa ou exageradamente. *Int.* **2.** Fazer versos, poetar como Píndaro (v. *pindárico*).

pindá-siririca [Do tupi.] *S. m. Bras. AM* **1.** Disfarce do anzol (*pindá*) com penas de cores. **2.** Anzol com isca artificial e linha curta. [Pl.: *pindás-siriricas* e *pindás-siririca*.]

pindauaca [Do tupi.] *S. f. Bras. AM* Anzol pendente não de vara, porém de canoa em movimento.

pindaubuna (a-u) *S. f. Bras. Bot.* V. *benjoeiro* (2).

pindaúva [Var. de *pindaíba*.] *S. f. Bras. Bot.* V. *coajerucu*.

pindauvuna (a-u) *S. f. Bras. Bot.* V. *benjoeiro* (2).

pindoba [Do tupi.] *S. f. Bras. Bot.* **1.** Nome comum a diversas palmáceas do gênero Attalea (v. *ataleia*). **2.** V. *anajá-mirim*. **3.** V. *catulé* (1). [Var.: *pindova*.]

pindobaçuense *Adj. 2 g.* **1.** De, ou pertencente ou relativo a Pindobaçu (BA). ● *S. 2 g.* **2.** O natural ou habitante de Pindobaçu.

pindobal [De *pindoba* + *-al*[1].] *S. m. Bras.* **1.** Mata de pindobas. **2.** Floresta de palmeiras de coco-de-macaco (babaçu), quando ainda pouco desenvolvidas. [Var.: *pindoval*. Sin.: *palmital*.]

pindobeira [De *pindoba* + *-eira*.] *S. f. Bras. Bot.* V. *fruta-de-anel*.

pindobense *Adj. 2 g.* **1.** De, ou pertencente ou relativo a Pindoba (AL). ● *S. 2 g.* **2.** O natural ou habitante de Pindoba.

pindocar *V. t. d.* **1.** *Bras.* Descaskar grãos de (milho). **2.** *Bras. SC* Pôr (o milho seco) de molho, para tirar-lhe a película. [Conjug.: v. *trancar*.]

pindonga *S. f. Bras.* Mulher que é dada a sair muito, a pindongar.

pindongar [De *pindonga* + *-ar*[2].] *V. int.* **1.** *Bras.* Andar fora de casa com muita frequência; sair muito. **2.** *Bras. PR* Estar de bom juízo. [Nesta acepç., us. ger. em orações negativas. Conjug.: v. *largar*.]

pindopeua [Do tupi.] *S. f. Bras.* Nas tapagens de pesca, parede chata lateral, feita de palmas.

P

pindorama [De or. tupi.] *S. m. Bras.* 1. Região ou país das palmeiras. 2. Nome que dão ao Brasil as gentes ando-peruanas e pampianas. [Com cap., nesta acepç.]

pindoramense *Adj. 2 g.* 1. De, ou pertencente ou relativo a Pindorama (SP). ● *S. 2 g.* 2. O natural ou habitante de Pindorama.

pindoramense-do-tocantins *Adj. 2 g.* 1. De, ou pertencente ou relativo a Pindorama do Tocantins (TO). ● *S. 2 g.* 2. O natural ou habitante de Pindorama do Tocantins. [Pl.: *pindoramenses-do-tocantins*.]

pindoretamense *Adj. 2 g.* 1. De, ou pertencente ou relativo a Pindoretama (CE). ● *S. 2 g.* 2. O natural ou habitante de Pindoretama.

pindova *S. f. Bras. Bot.* V. *pindoba*: "os três estão ali, no arrasta-pé da Ribeira, a lamparina grande alumiando da cumeeira aos cantos, no varandão armado nos caibros de tucum, nas ripas de carnaúba e coberto de pindova" (José Sarney, *Norte das Águas*, p. 22).

pindoval *S. m. Bras.* V. *pindobal*.

pineal [Do lat. *pinea*, 'pinha', + *-al*[1].] *Adj. 2 g.* 1. Que tem a forma de pinha. 2. Píneo (1). ~ V. *glândula — e olho —*.

pineco *S. m. Mad.* Bisalho, pintainho.

pinel [Do nome de pronto-socorro psiquiátrico do Rio de Janeiro, *Hospital Pinel*, assim batizado em homenagem ao psiquiatra francês Philippe Pinel (1745-1826).] *S. 2 g. Bras. Gír.* Pessoa adoidada, amalucada. [Pl.: *pinéis*.] ◆ **Ficar pinel.** *Bras. Gír.* Ficar louco; enlouquecer, endoidar, pinelar.

pinelar [De *pinel* + *-ar*[2].] *V. int. Bras. Gír.* V. *ficar pinel*.

pineno [Do tax. *Pin(us)*, gênero-tipo, + *-eno*[2].] *S. m. Quím.* Qualquer de dois monoterpenos bicíclicos insaturados (α-pineno e β-pineno), cujos esqueletos são como o do pinano, e que são constituintes importantes da terebintina [fórm.: $C_{10}H_{16}$].

píneo [Do lat. *pineu*.] *Adj.* 1. Relativo ao pinheiro; pineal. 2. Feito de pinho: *móvel píneo*.

pinéu *S. m. Bras. BA Zool.* V. *tiziu*.

pinga [De *pingo*[1].] *S. f.* 1. V. *gota* (1): *uma pinga de água*. 2. Gole, golo, trago: "Assim entregue o boi à multidão, os laçadores subiram até à casa do Vidal, a tomar uma pinga da bebida." (Virgílio Várzea, *Histórias Rústicas*, pp. 161-162.) 3. *Pop.* Vinho (1). 4. *Bras. Pop.* Bebida alcoólica, sobretudo aguardente [v. *cachaça* (1)] : "Depois, passamos do chope ao conhaque, e do conhaque à pinga" (Ciro dos Anjos, *A Menina do Sobrado*, p. 349). 5. *Bras. Gír. P. ext.* Bêbedo, ébrio. 6. *Bras. MG* Goteira do telhado: "E chovia dentro de casa, nas camas, com pingas que atravessavam o leve cobertor." (Eduardo Frieiro, *Feijão, Angu e Couve*, p. 120.) ● *S. m.* 7. *Pop.* Homem sem dinheiro; pelintra. ● *Adj.* 8. *Pop.* Diz-se do pinga (7). ◆ **Ficar sem pinga de sangue.** Ficar pálido de susto, de dor, etc.: "Sofia, ao ler o nome de Carlos Maria, ficou sem pinga de sangue" (Machado de Assis, *Quincas Borba*, p. 193). **Na pinga.** *Bras. Pop.* Em estado de embriaguez: *estar, andar, viver na pinga*.

pingaço [De *pingo*[2] + *-aço*.] *S. m. Bras. S.* Cavalo muito bom e bonito.

pingada [De *pingo*[2] + *-ada*[1].] *S. f. Bras. RS* Porção de pingos.

pingadeira [De *pingar* + *-deira*.] *S. f.* 1. Vaso onde se recolhe o líquido que escorre da carne, ao assar. 2. Série de pingos [v. *pingo*[1] (1)]. 3. *Constr.* Sulco ou saliência longitudinal feitos nos elementos em balanço das fachadas de uma edificação (parapeitos, cimalhas, etc.), destinados a desviar as águas pluviais, impedindo, assim, que escorram ao longo das paredes. 4. Coisa que pinga. 5. *Pop.* Negócio que vai rendendo sempre e aos poucos. 6. *Pop.* Despesa continuada. 7. *Pop.* V. *menstruação* (1). 8. *Pop.* V. *gonorreia*.

pingado [Part. de *pingar*.] *Adj.* 1. Cheio de pingos: *O orvalho deixou as folhas pingadas*. 2. *Pop.* V. *embriagado* (1). 3. *Bras.* Diz-se do café a que se adiciona um pouco de leite, ou vice-versa. 4. *Bras.* Diz-se do arroz ao qual se mistura um pouco de feijão. ● *S. m.* 5. Café a que se adicionou um pouco de leite.

pingadoiro [De *pingar* + *-doiro*[2].] *S. m.* Pingadouro (q. v.).

pingadouro [De *pingar* + *-douro*[2]; var. de *pingadoiro*.] *S. m.* Parte saliente de uma cornija, destinada a fazer escoar as águas pluviais a uma distância conveniente da base do edifício.

pinga-fogo [De *pingar* + *fogo*.] *S. m. Bras.* 1. Indivíduo valentão, desordeiro, provocador. 2. *Gír.* V. *revólver*. 3. A primeira parte da sessão da Câmara dos Deputados, quando se permitem curtos pronunciamentos sem inscrição prévia: "Ontem, também, no 'pinga-fogo' (parte da sessão da Câmara destinada a breves discursos e comunicações de deputados, sem direito a apartes), o Sr. Irã Saraiva .... acusou o Ministro Golberi do Couto e Silva" (*Jornal do Brasil*, 23.04.1981). [Pl.: *pinga-fogos*.]

pingalim [Alter. de *bengalim*, dim. de *bengala*, poss.] *S. m.* Chicote fino e comprido, usado pelos cocheiros para incitar os animais: "De espaço em espaço, ... as linhas dos pingalins zimbravam o ar por cima da burrama carregada." (Xavier Marques, *As Voltas da Estrada*, p. 47.) [Var.: *pinguelim*.]

pingante [De *pingar* + *-nte*.] *Adj. 2 g.* 1. Que pinga. ● *S. m.* 2. Indivíduo muito pobre, miserável, pobretão.

pingão [De *pingar*.] *S. m.* Homem miserável e imundo.

pinga-pinga [Da 3ª pess. do sing. do pres. ind. de *pingar*, repetida.] *Bras. Adj. 2 g. e 2 n.* 1. Diz-se de avião que pousa em vários aeroportos, entre o ponto inicial e o final da sua linha, para embarcar e/ou desembarcar passageiros. ● *S. m.* 2. Avião pinga-pinga. 3. Aquilo que pinga ou rende aos poucos sucessivamente: *Este negócio é um excelente pinga-pinga*. [Pl. do s. m.: *pinga-pingas e pingas-pingas*.]

pingar [Do lat. vulg. **pendicare* < lat. *pendere*, 'pender'.] *V. t. d.* 1. Deitar pingos ou borrifos em; borrifar, respingar. 2. Deitar ou verter aos pingos; gotejar: *O coador pingava o café*; "Os bigodes pingavam neve." (Machado de Assis, *A Semana*, II, p. 253); "As árvores, imitando sombras de árvores paradas no ar, e a folhagem molhada pingando orvalho..." (Amadeu de Queirós, *João*, p. 154). *Int.* 3. *Bras.* Deixar passageiros em vários pontos da viagem: *O avião demora, porque vai pingando*; *O ônibus pinga muito*. 4. Cair ou escorrer aos pingos; gotejar: *O sangue pingou até exaurir-se*. 5. Começar a chover; chover brandamente; peneirar. 6. Render a pouco e pouco: *O capital empregado está pingando*; *O negócio pinga*. 7. *Bras.* Ser vendido pouco a pouco, lentamente: *O livro não é nenhum* best-seller, *mas vai pingando*. [Sin. (bras., S.): *pingotear*. Conjug.: v. *largar*. Pres. subj.: *pingue*, ..., *pingueis*, *pinguem*. Cf. *pingueis*, pl. de *pinguel*.]

pingarada [De *pingo* + *-arada*.] *S. f.* Grande quantidade de pingos; chuvarada.

pingente [De *pingar* + *-nte*, com infl. de *pendente*, poss.] *S. m.* 1. Pequeno objeto pendente, em geral com a forma de pingo: *colar com pingente*; "ao estalo do comutador elétrico, cintilaram os pingentes de cristal do grande lustre sobre a mesa" (Josué Montelo, *O Fio da Meada*, p. 54). 2. Brinco (1) pendente; pendente: "Crioulas .... de rutilantes pingentes nas orelhas fuscas" (Leôncio Correia, *A Boêmia do Meu Tempo*, p. 29). 3. V. *pendurical ho* (1): "cabelos riçados na testa e nos lados, grandes brincos cujos pingentes desciam até à raiz do pescoço." (Pedro Nava, *Beira-Mar*, p. 326). 4. *Bras.* Passageiro que viaja no estribo de um bonde ou pendurado em qualquer veículo: "Não havia táxis, os bondes se arrastavam pesados de pingentes, e a cada minuto crescia o movimento." (Malu de Ouro Preto, *Siri na Noite sem Lua*, p. 36.)

pingo[1] [Dev. de *pingar*.] *S. m.* 1. V. *gota* (1). 2. Banha de porco derretida; pingue: "quatro perus de recheio atiravam pro ar as pernas mutiladas, afogados em túberas reluzentes de pingo e polpa de tomate." (Fialho d'Almeida, *À Esquina*, p. 98). 3. Gota, especialmente de gordura: *Sua gravata está manchada com dois pingos*. 4. Pequena porção de solda com que se tapam os orifícios de vasilhas rotas. 5. Mucosidade nasal. 6. *Bras.* Porção ínfima: *Só quero um pingo de arroz*. 7. *Bras. Edit.* Ponto (7) (entre os revisores de texto). ~ V. *pingos*. ◆ **Pingo de gente.** Criança ou adulto de estatura insignificante. **Pôr os pingos nos is.** Pôr os pontos nos is.

pingo[2] [Do esp. plat. *pingo*.] *S. m. Bras. S.* Cavalo bom, bonito e corredor.

pingo-d'água [De *pingo*[1] + *de* + *água*.] *S. m. Bras.* 1. Designação dada pelos garimpeiros ao quartzo hialino e ao topázio incolor rolados. 2. V. *informação* (11). [Pl.: *pingos-d'água*.]

pingolada [De *pingolar* + *-ada*[1].] *S. f.* 1. Ato de pingolar. 2. *Chulo* Cópula (2).

pingolar [De *pingo*[1], com infl. de *gole*, + *-ar*[2], poss.] *V. t. d.* 1. Bebericar (bebidas alcoólicas). *T. i. Int.* 2. *Chulo* Copular (2).

pingoleta (ê) [De *pinga*.] *S. f.* Pequena porção de qualquer bebida alcoólica.

pingolim [De *pingo* + *-l-* + *-im*.] *S. m. Joc.* O pênis.

pingos *S. m. pl. Bras. Edit.* Reticências (entre os revisores de texto). ~ V. *pingo*.

pingoso (ô) [De *pingo*[1] + *-oso*.] *Adj.* Que pinga ou deita pingos.

pingotear *V. t. d. Int. Bras. RS* Pingar. [Conjug.: v. *frear*.]

pinguaciba [Do tupi, poss.] *S. f. Bras. Bot.* V. *pau-pereira* (1).

pinguço [De *pinga* (4) + *-uço*.] *Adj. Bras. N.E. S. Pop.* 1. V. *embriagado* (1). 2. Diz-se dos olhos do bêbedos contumazes ou de quem está com muito sono: *Mesmo com os olhos pinguços, a criança faz manha para não ir dormir*. ● *S. m.* 3. *Bras. MG* Indivíduo dado à pinga (3 e 4); pingueiro, cachaceiro.

pingue [Do lat. *pingue*, 'gordo'.] *Adj. 2 g.* 1. Gordo, gorduroso. 2. Fértil, fecundo; produtivo; rendoso, lucrativo: "quarenta contos de renda em pingues terras de pão, azeite e gado." (Eça de Queirós, *Contos*, p. 87). 3. Abundante, farto: "A uma hora é o jantar, sério e pingue. A quinta tudo fornece prodigamente" (Id., *A Correspondência de Fradique Mendes*, p. 216). 4. Polpudo, vultoso. ● *S. m.* 5. Pingo[1] (2).

pingueiro [De *pinga* + *-eiro*.] *Adj. S. m.* Diz-se de, ou indivíduo dado à pinga (3 e 4); bêbedo.

pinguel [De *pinguela*, talvez.] *S. m.* Peça pela qual se desarma uma armadilha. [Pl.: *pinguéis*. Cf. *pingueis*, do v. *pingar*.]

pinguela [De *pingar*, poss.] *S. f.* 1. Tronco ou prancha que serve de ponte sobre um rio. 2. Pauzinho com que se arma o laço para apanhar aves; pinguelo. 3. Gancho com que se armam ratoeiras.

pinguelear [De *pinguela* + *-ear*[2].] *V. int. Bras.* Pular de um lado para outro, como os macacos nas árvores: *O menino, contente, pulou, gritou, pingueleou*. [Conjug.: v. *frear*.]

pinguelim[1] *S. m.* V. *pingalim*.

pinguelim[2] *S. m. Bras. RJ* Espécie de roleta provida de uma agulha que indica o número sorteado.

pinguelo [Var. de *pinguela* (2).] *S. m.* 1. Pinguela (2). 2. *Bras.* V. *gatilho* (1): "A ordem foi continuar no jirau e esperar que a cutia voltasse .... para puxar o pinguelo da fogo-central." (M. Cavalcanti Proença, *Manuscrito Holandês*, p. 156.) 3. *Bras. Chulo* O pênis. 4. *Bras. N.E. Chulo* Clitóris. 5. *Bras. N.* Antiga designação do partido liberal monárquico e de seus sectários.

pingue-pongue [Do ingl. *ping-pong*; voc. onom.] *S. m. Esport.* Jogo que consiste em arremessar sobre uma rede, com uma pequena raquete, uma bola de celuloide, para o lado oposto de uma mesa, de modo que a bola toque na área do adversário, a quem cabe devolvê-la após um só toque na mesa, sob pena de perder um ponto; tênis de mesa. [Pl.: *pingue-pongues*.]

pinguim[1] (güim) [Do fr. *pingouin* (fr. ant. *pinguin*) < neerl. *pinguin*.] *S. m. Zool.* Ave esfenisciforme, esfeniscídea (*Spheniscus magellanicus*), marinha, das costas pacíficas e atlânticas da América meridional, e que atinge frequentemente até o ES. Tem as asas atrofiadas e as pernas colocadas muito atrás, cabeça preta, com uma faixa branca estendendo-se até o pescoço, dois colares negros, um largo e um estreito, sobre o pescoço e o peito, e bico com mancha vermelha na base. Alimenta-se de peixes, vive a maior parte do tempo no oceano e nidifica no polo sul. [Sin.: *naufragado*, *pato-marinho*.] ✣

pinguim[2] (güim) [Do tax. (*Bromelia*) *pinguin*.] *S. m. Bot.* Erva bromeliácea (*Bromelia pinguim*) rígida, cujas folhas são compridas, duras, aculeadas nas margens e pontudas, e cujas flores se organizam em cachos, bem como os frutos, que são bagas amarelas e de sabor excessivamente ácido. ✣

pinguinho [De *pingo*[1] + *-inho*[1].] *S. m. Bras. Fam.* 1. Pequena quantidade; pingo. 2. Coisa pequena ou insignificante; ninharia. ◆ **Pinguinho de gente.** 1. Criança pequena. 2. Pessoa de baixa estatura.

pinguipedídeo [Adapt. do tax. *Pinguipedidae*.] *Zool. S. m.* 1. Espécime dos pinguipedídeos, família de peixes crossopterígios, perciformes, marinhos, de corpo alongado, cabeça, focinho e maxilas sem escamas, e o resto do corpo com escamas ctenoides. Ex.: o namorado. ● *Adj.* 2. Pertencente ou relativo a eles.

pinguruto [Voc. expressivo, que lembra *cocoruto*.] *S. m. Bras. N.* V. *cume* (1).

pinha [Do lat. *pinea*, 'pinha' (1).] *S. f.* 1. O fruto, geralmente cônico, do pinheiro e doutras coníferas. 2. O fruto da pinheira [v. *fruta-de-conde* (1)]. 3. *Bot.* V. *pinheira*. 4. *Bot.* V. *coração-de-boi* (1). 5. Qualquer objeto semelhante à pinha (1): *pinha de cerâmica, de opalina*. 6. Babado nas partes laterais das meias. 7. Cacho ou magote de coisas ou pessoas: "quando, ao entrar numa praça, surgiram a seus olhos pinhas de povo ...., Jana, mais sobressaltada, pensou em Joel" (Xavier Marques, *Jana e Joel*, pp. 133-134). 8. *Arquit.* Ornato que imita uma pinha (1), us. em arremates superiores de pilares, balcões, portões, e noutros motivos de coroamento (4). 9. *Marinh.* Entrelaçamento feito no chicote de um cabo com as extremidades dos cordões, para enfeite ou para impedir que o chicote escape de um olhal ou de um gorne de poleame. [Recebe vários nomes, segundo a maneira como é feito: *pinha singela*, *pinha dobrada*, *pinha de colhedor*, *pinha de boca*, *pinha de rosa*, etc.]

pinhaense *Adj. 2 g.* 1. De, ou pertencente ou relativo a Pinhais (PR). ● *S. 2 g.* 2. O natural ou habitante de Pinhais.

pinhal [De *pinho* (2) + *-al*[1].] *S. m.* Quantidade mais ou menos considerável de pinheiros dispostos proximamente entre si; pinheiral, pinheirame. [Sin. (bras., RS): *catanduval*.] ◆ **Pinhal de Azambuja.** *Lus.*

Lugar, casa ou repartição onde se perpetram muitas ladroeiras.

pinhalãoense *Adj. 2 g. S. 2 g.* V. *pinhalense*[3].

pinhalense[1] *Adj. 2 g.* 1. De, ou pertencente ou relativo a Pinhal (SP e RS). • *S. 2 g.* 2. O natural ou habitante de Pinhal.

pinhalense[2] *Adj. 2 g.* 1. De, ou pertencente ou relativo a Espírito Santo do Pinhal (SP). • *S. 2 g.* 2. O natural ou habitante de Espírito Santo do Pinhal.

pinhalense[3] *Adj. 2 g.* 1. De, ou pertencente ou relativo a Santo Antônio do Pinhal (SP). • *S. 2 g.* 2. O natural ou habitante de Santo Antônio do Pinhal. [Sin. ger.: *pinhalãoense.*]

pinhal-grandense *Adj. 2 g.* 1. De, ou pertencente ou relativo a Pinhal Grande (RS). • *S. 2 g.* 2. O natural ou habitante de Pinhal Grande. [Pl.: *pinhal-grandenses.*]

pinhalonense *Adj. 2 g.* 1. De, ou pertencente ou relativo a Pinhalão (PR). • *S. 2 g.* 2. O natural ou habitante de Pinhalão.

pinhão [Do esp. *piñón.*] *S. m.* 1. Cada uma das sementes contidas na pinha de vários pinheiros. 2. *Bras. Bot.* V. *mandubiguaçu.* 3. *Bras. Mec.* Engrenagem com reduzido número de dentes; de duas engrenagens acopladas, a que tem o menor número de dentes. 4. *Bras.* A menor engrenagem, num trem de engrenagem. 5. *Bras.* Peça do diferencial dos automóveis. 6. *Arquit.* Gablete. • *Adj. 2 g. e 2 n.* 7. *Bras. S.* De cor vermelha, semelhante à do pinhão (1): *calças pinhão*; "— Correu notícia que ele tinha largado um poldrinho libuno, mais um burro pinhão" (Valdomiro Silveira, *Os Caboclos*, p. 32).

pinhão-de-purga *S. m. Bras. Bot.* V. *mandubiguaçu.* [Pl.: *pinhões-de-purga.*]

pinhão-do-paraguai [De *pinhão* + *do*[1] + *top.* Paraguai (*América do Sul*).] *S. m. Bras. Bot.* V. *mandubiguaçu.* [Pl.: *pinhões-do-paraguai.*]

pinhãoense *Adj. 2 g.* 1. De, ou pertencente ou relativo a Pinhão (PR e SE). • *S. 2 g.* 2. O natural ou habitante de Pinhão.

pinha-queimadeira *S. f. Bras. Bot.* Arbusto euforbiáceo (*Cnidoscolus urens*) lactescente, espinhoso e urente, de folhas lobadas e membranáceas, e flores apétalas dispostas em cimeiras axilares. O fruto é um tricoco, e as sementes são ricas em óleo purgativo e tóxico. [Pl.: *pinhas-queimadeiras.*]

pinhé [Voc. onom, poss.] *S. m. Bras. SP Zool.* V. *gavião-carrapateiro.*

pinheira [De *pinha* + *-eira.*] *S. f. Bras. Bot.* Arvoreta anonácea (*Annona squamosa*) cultivada como frutífera em razão dos deliciosos frutos bacáceos, ricos em polpa doce e delicada, e de flores grandes, carnosas e trímeras no perianto; ateira, fruta-de-conde, pinha.

pinheiral [De *pinheiro* + *-al*[1].] *S. m.* V. *pinhal.*

pinheirame [De *pinheiro* + *-ame.*] *S. m.* V. *pinhal.*

pinheirense[1] *Adj. 2 g.* 1. De, ou pertencente ou relativo a João Pinheiro (MG). • *S. 2 g.* 2. O natural ou habitante de João Pinheiro.

pinheirense[2] *Adj. 2 g.* 1. De, ou pertencente ou relativo a Pinheiro (MA). • *S. 2 g.* 2. O natural ou habitante de Pinheiro.

pinheirense[3] *Adj. 2 g.* 1. De, ou pertencente ou relativo a Pinheiro Machado (RS). • *S. 2 g.* 2. O natural ou habitante de Pinheiro Machado.

pinheirense[4] *Adj. 2 g.* 1. De, ou pertencente ou relativo a Pinheiro Preto (SC). • *S. 2 g.* 2. O natural ou habitante de Pinheiro Preto.

pinheirense[5] *Adj. 2 g.* 1. De, ou pertencente ou relativo a Pinheiros (ES). • *S. 2 g.* 2. O natural ou habitante de Pinheiros.

pinheirinhense *Adj. 2 g.* 1. De, ou pertencente ou relativo a Pinheirinho do Vale (RS). • *S. 2 g.* 2. O natural ou habitante de Pinheirinho do Vale.

pinheirinho [De *pinheiro*[1] + *-inho*[1].] *S. m. Bras. Bot.* Árvore podocarpácea (*Podocarpus lambertii*) da floresta atlântica, de folhas rígidas, lineares e pontudas, flores masculinas dispostas em pequeninos cones, que se agrupam em fascículos, e semente globosa, com endosperma farináceo. A madeira é semelhante à do pinheiro-do-paraná. [Sin.: *pinheiro-bravo, pinheiro-comum.*]

pinheirinho-d'água *S. m. Bras. Bot.* V. *cavalinho-d'água.* [Pl.: *pinheirinhos-d'água.*]

pinheirismo *Bras. S. m.* 1. Partido político do General Pinheiro Machado (1852-1915), político sul-rio-grandense. 2. Sua influência na política estadual e federal.

pinheirista [De *pinheirismo* + *-ista.*] *Bras. Adj. 2 g.* 1. Relativo ao, ou que é partidário do pinheirismo. • *S. 2 g.* 2. Partidário dele.

pinheiro[1] [Do b.-lat. *pinariu* (do lat. *pinus*).] *S. m.* 1. *Bot.* Designação comum a várias coníferas, como, p. ex., as do gênero *Pinus* – exóticas e algumas invasoras no Brasil; pinho. [Sin.: *pinho.*] • *Adj.* 2. *Bras.* Diz-se de rês que tem chifres direitos.

pinheiro[2] [F. red. de *pinheiro-do-paraná.*] *S. m. Bras. Bot.* V. *araucária* (2).

pinheiro[3] [De or. incerta.] *S. m. Bras. RS* Modalidade de fandango.

pinheiro-brasileiro [De *pinheiro*[1] + *brasileiro.*] *S. m. Bot.* V. *pinheiro-do-paraná.* [Pl.: *pinheiros-brasileiros.*]

pinheiro-bravo [De *pinheiro*[1] + *bravo*[1].] *S. m. Bot.* 1. V. *pinheirinho.* 2. V. *pinho-de-riga.* [Pl.: *pinheiros-bravos.*]

pinheiro-comum [De *pinheiro*[1] + *comum.*] *S. m. Bot.* 1. V. *pinheirinho.* 2. V. *pinho-de-riga.* [Pl.: *pinheiros-comuns.*]

pinheiro-da-escócia [De *pinheiro*[1] + *da*[1] + o top. *Escócia.*] *S. m. Bot.* V. *pinho-de-riga.* [Pl.: *pinheiros-da-escócia.*]

pinheiro-da-noruega [De *pinheiro*[1] + *da*[1] + o top. *Noruega.*] *S. m. Bot.* V. *abeto-falso.* [Pl.: *pinheiros-da-noruega.*]

pinheiro-de-riga [De *pinheiro*[1] + *de* + o top. *Riga.*] *S. m. Bot.* V. *pinho-de-riga.* [Pl.: *pinheiros-de-riga.*]

pinheiro-do-canadá [De *pinheiro*[1] + *do* + top. *Canadá* (América do Norte).] *S. m. Bot.* Cipreste (1). [Pl.: *pinheiros-do-canadá.*]

pinheiro-do-norte *S. m. Bot.* V. *pinho-de-riga.* [Pl.: *pinheiros-do-norte.*]

pinheiro-do-paraná [De *pinheiro*[1] + *do*[1] + top. *Paraná.*] *S. m. Bras. Bot.* Árvore araucariácea (*Araucaria angustifolia*) de folhas pequenas e aciculares, que habita as florestas e campos do S. do Brasil; pinho-do-paraná, pinheiro-brasileiro, curi. [V. *araucária.* F. red.: *pinheiro.* Pl.: *pinheiros-do-paraná.*]

pinheiro-larício *S. m. Bot.* V. *alerce* (2). [Pl.: *pinheiros-larícios.*]

pinheiro-machado [Do antr. *Pinheiro Machado* (v. *pinheirismo*).] *S. m. Bras. MG C.O.* Revólver de calibre 44. [Pl.: *pinheiros-machados.*]

pinheiro-marítimo *S. m. Bot.* Árvore pinácea (*Pinus maritima*) existente na região mediterrânea. [Pl.: *pinheiros-marítimos.*]

pinheiro-rasteiro *S. m. Bot.* Arbusto cupressáceo (*Juniperus horizontalis*) prostrado, lenhoso, natural dos E.U.A., com densa ramagem rasteira, baixa, de folhas escamiformes, verde-azuladas. [Pl.: *pinheiros-rasteiros.*]

pinheiro-silvestre *S. m. Bot.* V. *pinho-de-riga.* [Pl.: *pinheiros-silvestres.*]

pinheiro-suíço *S. m. Bot.* V. *pínus* (2). [Pl.: *pinheiros-suíços.*]

pinhém *S. m. Bras. Zool.* V. *gavião-carrapateiro.*

pinhé-pinhé *S. m. Jog. Inf.* Brincadeira de crianças em que cada uma, com leve beliscão, segura as costas da mão duma companheira, formando-se aos poucos uma escadinha de mãos, balançada devagar, para se desfazer de súbito, quando alguém grita: "Pinhé, pinhé!" [Pl.: *pinhés-pinhés.*]

pinhiforme [De *pinha* + *-iforme.*] *Adj. 2 g. Bras.* Que tem forma de pinha (1); piniforme.

pinho [Do lat. *pinu.*] *S. m.* 1. *Bot.* Pinheiro[1] (1). 2. A sua madeira. 3. *Bras. Pop. Mús.* V. *violão* (1). ◆ **Chorar no pinho.** *Bras.* Tocar viola ou violão.

pinhoada [De *pinho* + *-oada.*] *S. f.* Confeito ou pasta comestível, feita de mel e de pinhões.

pinho-de-riga [De *pinho* + *de* + top. *Riga.*] *S. m. Bot.* Árvore pinácea (*Pinus sylvestris*) que atinge até 35m, com folhas geminadas e estróbilos estreitos, nativa do O. e do N. da Europa e Ásia; é de grande importância econômica, não só pela ótima madeira, mas pelo fato de ter anéis de crescimento harmonicamente ordenados que propicia sua utilização na confecção de instrumentos musicais de excelente qualidade e tb. pela resina, que fornece a terebintina. [Sin.: *pinheiro-da-escócia, pinheiro-bravo, pinheiro-comum, pinheiro-de-riga, pinheiro-do-norte, pinheiro-silvestre.* Pl.: *pinhos-de-riga.*]

pinho-do-brejo *S. m. Bras. L. Bot.* Árvore magnoliácea (*Talauma ovata*) que habita lugares muito úmidos nas matas, de folhas coriáceas e frutos grandes, lenhosos, duros, com numerosas sementes; magnólia-branca. [Pl.: *pinhos-do-brejo.*]

pinho-do-paraná [De *pinho* + *do*[1] + o top. *Paraná.*] *S. m. Bras. Bot.* V. *pinheiro-do-paraná.* [Pl.: *pinhos-do-paraná.*]

pinhoela [De or. obsc.] *S. f. Tec. Têx.* Antigo tecido de seda com círculos aveludados.

pinhola *S. f.* Canzil; cangalho.

pinhum *S. m. Bras. Zool.* V. *pium.*

▲ **pin(i)-** [Do lat. *pīnus, i* ou *us.*] *El. comp.* = 'pinheiro', 'pinha': *pínico, piniforme.*

▲ **pini-** [Do lat. *pinna, ae.*] *El. comp.* = 'pluma', 'barbatana': *pinípede.*

pinicada [De *pinicar* + *-ada*[1].] *S. f. Bras.* 1. Ação ou efeito de pinicar. 2. Pinição. [Cf. *penicada.*]

pinicão [De *pinicar* + *-ão*[1].] *S. m. Bras.* Beliscão; pinicada. [Cf. *penicão*, aum. de *penico.*]

pinica-pau [De *pinicar* + *pau.*] *S. m.* 1. *Bras. N.N.E. Zool.* V. *pica-pau* (1). 2. *Bras. N.E. Folcl.* Personagem do bumba meu boi (q. v.), agitado e impertinente, representado por um ator vestido com uma estilização multicolorida dessa ave. [Pl.: *pinica-paus.*]

pinicar *V. t. d.* 1. *Bras.* Ferir com o bico; bicar, picar. 2. Dar belisco ou beliscão em; beliscar: *Pinicou o menino levado.* 3. Produzir comichão ou ardor em; picar: *O capim pinica a pele.* 4. Cutucar, futucar. 5. *Bras. S.* Fincar as esporas em; esporear: *pinicar o cavalo.* 6. *Bras. N.E.* Piscar (1): *pinicar os olhos.* [Conjug.: v. *trancar.* Pres. ind.: *pinico*, etc. Cf. *penico* e *pínico.*]

pinico *S. m. Bras. Pop.* 1. Ponta aguda. 2. Bico[1] (1). [Cf. *pínico* e *penico.*]

pínico [De *pin(i)-* + *-ico*[2].] *Adj.* Referente ao pinheiro. [Cf. *pinico*, do v. *pinicar*, e s. m.]

pinífero [Do lat. *piniferu.*] *Adj. Poét.* Pinígero. [Cf. *penífero.*]

piniforme [De *pin(i)-* + *-forme.*] *Adj. 2 g.* Pinhiforme. [Cf. *peniforme.*]

pinígero [Do lat. *pinigeru.*] *Adj. Poét.* 1. Que produz pinheiros. 2. Plantado de pinheiros. [Sin. ger.: *pinífero.* Cf. *penígero.*]

pinima [Do tupi.] *S. f. Bras. Gír.* 1. Coisa ruim ou fatal; praga. 2. Birra, embirrância, implicância. [Var.: *pinimba.*]

▲ **-pinima** [Do tupi *pi'nima.*] *El. comp.* = 'pintado': *amorepinima, aracupinima.*

pinimba *S. f. Bras. Gír.* V. *pinima*: "Sei de muita gente que não gosta do que ele [José Condé] escreve, por pinimba, inveja e até por motivos talvez razoáveis." (Carlos Heitor Cony, *Da Arte de Falar Mal*, p. 139.)

pinípede [De *pini-* + *-pede*; tax. *Pinnipedia.*] *Zool. S. m.* 1. Espécime dos pinípedes, subordem de animais metazoários, cordados, vertebrados, mamíferos, carnívoros, marinhos, de membros curtos e achatados, com os dedos ligados por membrana. Compreende famílias que não são próximas, no sentido evolutivo, sendo a classificação baseada nas similaridades resultantes de um mecanismo de convergência: dedos totalmente palmares, com membros remiformes. Ex.: leões-marinhos, morsas e focas. • *Adj. 2 g.* 2. Pertencente ou relativo a eles.

pino[1] [Do lat. *pinu*, 'pinheiro'.] *S. m.* 1. Prego de pinho ou de cana usado por sapateiros. 2. Peça, em geral cilíndrica e alongada, que se introduz em orifícios de duas ou mais peças para estabelecer entre elas uma união fixa ou articulada. 3. Peça que firma as duas asas de uma dobradiça e lhes serve de eixo. 4. Haste de válvula, em motor de explosão. 5. Posição vertical do corpo com a cabeça para baixo sobre as palmas das mãos. 6. O ponto mais alto a que chega o Sol; o zênite. 7. *Fig.* O ponto mais alto; auge. 8. *Eletr.* Terminal elétrico de forma cilíndrica, que serve para fazer ligações rápidas. ◆ **Pino banana.** *Eletr.* Pino cujo aspecto lembra o de uma banana. **A pino.** A prumo; verticalmente: *sol a pino*; "A Lua estava a pino, o céu puríssimo" (Lúcio de Mendonça, *Esboços e Perfis*, p. 168). **Bater pino.** 1. *Mec.* Bater (o pino da válvula) no bloco, produzindo som intermitente por não estar o motor bem regulado. 2. *Bras. Pop. Fig.* Achar-se mal, física ou moralmente: *Ando preocupado com ele: está batendo pino já faz uns meses.* 3. Ter reduzida capacidade vital por efeito dos anos: *Depois dos 50 muita gente começa a bater pino.*

pino[2] *Bras. S. 2 g.* 1. *Etnôn.* Indivíduo dos pinos, povo indígena extinto que habitava a região da margem direita do rio Oiapoque (AP). • *Adj. 2 g.* 2. Pertencente ou relativo e esse povo. [Tb. us. como *s. 2 g. e 2 n.* (com cap.) e *adj. 2 g. e 2 n.*]

pinocitose [Do gr. *pínein*, 'beber', + *-cit(o)-* + *-ose*[1].] *S. f. Biol.* Mecanismo de penetração de fluidos em célula através de invaginação da membrana celular, com a formação de vesículas internas.

pinocitótico [De *pinocit(ose)* + *-ótico.*] *Adj. Citol.* De, pertencente ou relativo a pinocitose.

pinoguaçu *S. m. Bras. Bot.* V. *mamoeiro* (1).

pinoia (ói) *S. f.* 1. Mulher elegante e de vida airada. 2. *Bras.* Coisa reles, sem valor. 3. *Bras.* Aborrecimento, caceteação, amolação; chateação: *Que pinoia, está chovendo!* 4. Mau negócio; engano, logro. *Pop.* • *S. m.* 5. *Bras. MT* Pessoa fraca, sem préstimo. • *Adj. 2 g.* 6. *Bras. MT* Diz-se de pinoia (5). ❖

pinópsida [Do tax. *Pinopsida.*] *Bot. S. f.* 1. Espécime das pinópsidas, classe de gimnospermas tb. conhecidas como *coníferas*, e que inclui 9 famílias, 70 gêneros e cerca de 600 espécies de árvores lenhosas e ramificadas e cujas folhas, escamiformes ou lineares, têm canais resiníferos, assim como o córtex e, por vezes, o lenho. • *Adj. 2 g.* 2. Pertencente ou relativo a elas. [Sin. ger.: *taxópsida.*]

➔ **pinotage** ['pɪnətɑʒ] [Ingl.] *S. m. Vitic.* 1. Casta de uva tinta cultivada na África do Sul, que é um cruzamento da *pinot-noir* com a *cinsault.* 2. *Enol.* Vinho produzido com essa uva.

pinote [De *pino* + *-ote*[1].] *S. m.* 1. Salto que a cavalgadura dá, escoiceando. 2. Salto, cabriola, pulo; pirueta. 3. *Bras. Gír.* Fuga, evasão. 4. Passeio breve; volta.

P

◆ **Dar um pinote.** *Bras. Gír.* Fugir da cadeia; escapulir: *Tentou dar um pinote, mas foi agarrado.*

pinotear [De *pinote* + *-ear*[2].] *V. int.* Dar pinote(s); saltar, pular, escoiceando: *Cavalo bravo pinoteia muito;* "o bando resfolegante de animais apareceu daí a pouco, pinoteando, relinchando" (Afonso Arinos, *Pelo Sertão*, p. 88). [Conjug.: v. *frear*.]

→ **pinot gris** [pi'no gʁi] [Fr.] *S. m.* **1.** *Vitic.* Casta nobre de uva branca, cultivada sobretudo na Alsácia (v. *alsaciano*), e com a qual se produz o *tokay* (q. v.). **2.** *Enol.* Vinho produzido com essa uva.

→ **pinot-meunier** [pi'no mœ'nje] [Fr.] *S. m. Vitic.* Casta nobre de uva tinta, cultivada sobretudo na Champagne (região a leste de Paris).

→ **pinot-noir** [pi'no nwaʁ] [Fr.] *S. m.* **1.** *Vitic.* Casta nobre de uva tinta, cultivada sobretudo na Borgonha (v. *borgonhês*) e na Champagne (região a leste de Paris). **2.** *Enol.* Vinho rosado alsaciano feito com essa uva.

→ **pinscher** ['pinʃeʁ] [Al.] *S. m. Cinol.* Cão de porte médio, originário da Alemanha, de cabeça longa e estreita, pescoço comprido, orelhas retas, pelo liso e brilhante. [A variedade anã desse cão é chamada *miniatura pinscher*.] [Com cap.]

→ **pint** [pajnt] [Ingl.] *S. m.* Quartilho (2).

pinta[1] [Dev. de *pintar*.] *S. f.* **1.** Pequena mancha; salpico, pingo. **2.** Pequena mancha escura, artificial ou não, na cútis; sinal. **3.** *Med.* Treponematose em que a pele apresenta manchas, ou brancas, ou azuis, ou violetas, ou cor de café, ou vermelhas, e que é causada pela *Treponema carateum*, supondo-se que seja, habitualmente, transmitida por contato de pessoa a pessoa. **4.** *Pop.* Aparência, aspecto; fisionomia, feição: *A pinta do rapaz é ótima.* **5.** *Bras.* Sinal, indício: *Está com pinta de chover.* **6.** *Bras.* Padrão[1] (4). **7.** *Bras.* Amostra de jazida aurífera. ◆ **Pinta do olho.** *Bras.* Expressão do olhar. **Conhecer pela pinta.** *Bras.* Conhecer à primeira vista, por certos sinais e/ou modos.

pinta[2] *S. f.* **1.** A fêmea do pinto (1). **2.** *Bras. N.E. Pop.* Pênis, principalmente de menino.

pinta[3] [Do fr. *pinte*.] *S. f.* Antiga medida portuguesa.

pinta[4] *S. f. Bras. Gír.* V. *pinta-brava*.

pinta-brava [De *pinta*[1] (3) + o f. de *bravo*.] *S. 2 g. Bras.* Pessoa suspeita; mau elemento; cafajeste. [Tb. se diz apenas *pinta*. Pl.: *pintas-bravas*.]

pinta-cega [De *pinta*[2] + o f. de *cego*.] *S. f.* **1.** *Zool.* V. *bacurau* (1). • *S. m.* **2.** *Bras. PE Pop.* Indivíduo curto da vista. [Pl.: *pintas-cegas*.]

pinta-cuia [Da 3ª pess. do sing. do pres. ind. de *pintar* + *cuia*.] *Adj. S. m. Bras. Pop.* V. *monte-alegrense*[1]. [Pl.: *pinta-cuias*.]

pintada[1] [F. subst. do adj. *pintado*.] *S. f. Zool.* **1.** *Bras.* V. *galinha-d'angola*. **2.** AP V. *coleira-do-norte*.

pintada[2] *S. f. Bras. Zool.* V. *onça-pintada*.

pintada[3] *S. f. Bras. Zool.* V. *raia-pintada*.

pintadense *Adj. 2 g.* **1.** De, ou pertencente ou relativo a Pintadas (BA). • *S. 2 g.* **2.** O natural ou habitante de Pintadas.

pintadinho *S. m. Zool.* V. *cação-pinto*.

pintado[1] [Part. de *pintar*.] *Adj.* **1.** Representado por meio de pintura. **2.** Coberto de tinta: *parede pintada.* **3.** Que tem cores; colorido: *O papel pintado alegrou o corredor da casa.* **4.** Cheio de pintas; mosqueado: *É sardento, tem o rosto pintado.* **5.** Perfeito, excelente. **6.** Muito parecido; idêntico, igual: *É o pai pintado.* **7.** *Bras. BA* Audacioso, atrevido. ~ V. *papel* —. • *S. m.* **8.** *Ant.* Chita (1). **9.** *Bras.* Pessoa capaz de determinada coisa. **10.** *Bras.* Almoço de roceiro: feijoada, milho pilado, toicinho e carne-seca de porco. ◆ **Nem pintado.** *Fam.* De maneira nenhuma, de modo algum: "Com uns reparto de boa mente a tigela da sopa, com outros nem pintado gostaria de acompanhar." (Aquilino Ribeiro, *Andam Faunos pelos Bosques*, p. 223.)

pintado[2] *S. m. Bras. Zool.* **1.** V. *surubim-pintado*. **2.** V. *bagre-amarelo* (3).

pintagol [De *pintassilgo*, poss.] *S. m. Bras. Zool.* Exemplar híbrido, resultante do cruzamento do pintassilgo (*Spinus magellanicus icttericus*) (macho) com o canário (*Serinus canarius*) (fêmea); arlequim. [Pl.: *pintagóis*.]

pintainhada (a-i) [De *pintainho* + *-ada*[1].] *S. f.* Porção de pintainhos.

pintainhar (a-i) [De *pintainho* + *-ar*[2].] *V. int.* Imitar o pio e os modos dos pintainhos.

pintainho (a-í) [Dim. irreg. de *pinto*.] *S. m.* Pinto (1) ainda ou quase implume. [Sin., bras.: *pipio*.]

pintalegrete (ê) [De *pintar* + *alegre* + *-ete* (ê), poss.] *Adj. S. m.* **1.** Casquilho, janota, peralta. **2.** Diz-se de, ou indivíduo pedante, vaidoso, presumido. [Sin. ger.: *pintão*.]

pintalgado [Part. de *pintalgar*.] *Adj.* Sarapintado, variegado, mosqueado.

pintalgar [De *pintar*.] *V. t. d.* **1.** Pintar de cores variegadas; sarapintar, mosquear, matizar: *A natureza pintalgas penas de várias aves;* "a lombada de morros pintalga de verde-esmeralda, verde-garrafa, verde-mar, ... pintalga o azulado opalino do dia." (Lima Barreto, *Diário Íntimo*, p. 72). *P.* **2.** Mostrar-se pintado de cores variegadas, pintalgado: "Os laranjais recendiam, as copas das árvores pintalgavam-se, nas águas branqueavam os lírios." (Coelho Neto, *Banzo*, p. 212.) [Conjug.: v. *largar*.]

pinta-monos [Da 3ª pess. do sing. do pres. ind. de *pintar* + o pl. de *mono*.] *S. m. 2 n.* Mamarracho (1).

pinta-no-cabo [De *pinta*[1] (2) + *no*[1] + *cabo*[2].] *S. f. Bras. Zool.* Marimbá. [Pl.: *pintas-no-cabo*.]

pintão[1] [De *pinto* + *-ão*[1].] *S. m.* Pinto crescido. [Fem.: *pintona*.]

pintão[2] *Adj. Bras. S.* **1.** Diz-se do fruto que principia a amadurecer, que está pintando. **2.** Mestiço. **3.** V. *pintalegrete*. [Fem.: *pintona*.]

pintar [Do v. frequentativo lat. **pinctare* < lat. **pinctu*, por *pictus*, part. de *pingere*, 'pintar'.] *V. t. d.* **1.** Representar por traços ou cores; figurar: *pintar uma paisagem;* "Pintou [o Grão-Vasco], numa adega, um Baco pançudo escachado numa pipa." (José Vieira, *Sol de Portugal*, p. 73). **2.** Recobrir de tinta; colorir; cobrir de cor: *pintar uma parede.* **3.** Executar por meio de pintura: *pintar um painel.* **4.** Cobrir de figuras, mediante pintura: *Miguel Ângelo pintou o teto da Capela Sistina.* **5.** Dar colorido a; colorir: *As hortênsias pintaram as ruas da cidade serrana.* **6.** Representar por escrito; escrever, grafar: "Pessoas de posição e escritores, como Rebelo da Silva e Camilo, dizem *angorá*, com acento tônico na última sílaba e pintando, na escrita, um acento agudo em cima do *a* dessa última sílaba!" (Mário Barreto, *De Gramática e de Linguagem*, I, p. 202.) **7.** Descrever, por escrito ou oralmente, de maneira minuciosa e fiel; retratar: *Eça de Queirós pinta excelentemente as suas personagens.* **8.** Enganar com astúcia a; iludir; lograr, burlar, embaçar. **9.** *Bras.* Dar mostras de ter (algo) ocultamente ou em potência: *Aquela chapada pinta lavra de ouro; Esta festa pinta briga.* *T. i.* **10.** V. *pintar o sete*. *Int.* **11.** Tomar cor; começar a colorir-se: *O pêssego pintou cedo.* **12.** Começar a encanecer: *Seus cabelos pintaram muito cedo.* **13.** Começar a encanecer, a ficar de cabelos brancos: "Negro quando pinta tem três vezes trinta" (prov.). **14.** Surgir ou começar a surgir: *O navio pinta ao longe.* **15.** Praticar a arte ou exercer a profissão de pintor: "Deixando tudo, posição, família, negócios prósperos, Gauguin deseja pintar, e parte para Taiti, nos mares do sul." (Santa Rosa, *Roteiro de Arte*, p. 19.) **16.** Saber pintar; ser capaz de o fazer. **17.** *Bras.* Dar (um terreno) indícios de riqueza aurífera. **18.** *Bras.* Dar sinais de boa produção, de boa atuação; mostrar-se promissor; prometer. **19.** *Bras.* Dar indícios de ser bom ou mau, vantajoso ou desvantajoso, etc.; cheirar: *O seu negócio está pintando bem, mas o meu pinta pessimamente; Os entendimentos entre as duas potências estão pintando mal.* **20.** *Bras. Gír.* Comparecer a algum lugar; aparecer: *O Geraldo não pintou por aqui hoje.* **21.** *Bras. RS* Dar mostra (o gado invernado) de que está principiando a engordar: *O fazendeiro vendeu a boiada antes de pintar.* **22.** *Bras.* V. *pintar o sete*. **23.** Manifestar-se, apresentar-se, surgir, aparecer: "Pintou uma chance legal / Um lance lá na capital / Nem tem que ter ginasial / Meu amor." (Chico Buarque de Holanda e Roberto Menescal, na canção *Bye bye Brasil*.) *Transobj.* **24.** Fazer a descrição; descrever: "Fala-se tanto no Rio!... Pintam-no tão grande, tão bonito, que o pobre provinciano, ao chegar aqui, logo sofre uma terrível decepção!..." (Aluísio Azevedo, *Casa de Pensão*, p. 95.) *Transobj. ind.* **25.** Fazer a descrição; descrever: "que fora ela .... que a enganara, a pintar-lhe muito alegre a vida daquele inferno onde se via presa." (Camilo Castelo Branco, *História e Sentimentalismo*, p. 227). **26.** Representar mentalmente; representar, figurar, imaginar, conceber: *Heráclito pintava a matéria como fogo.* *P.* **27.** Aplicar cosméticos no rosto; maquilar-se: *Já no antigo Egito as mulheres se pintavam;* "As mulheres se pintam que parecem mascaradas" (José Carlos Cavalcanti Borges, *Padrão G*, p. 22). **28.** Pintar o corpo e o rosto com tintas, em geral para fins guerreiros ou festivos (os indígenas). **29.** Tornar-se evidente; patentear-se, revelar-se, manifestar-se, estampar-se: *Pinta-se-lhe no rosto o sofrimento.* **30.** Dar ares de; parecer: *O rapaz pinta-se-me inteligente e estudioso.* **31.** Prestar-se às mil maravilhas; ser ótimo, excelente: *O homem pinta-se para a função.* **32.** Fazer bem, ser bom (um remédio). ◆ **Pintar e bordar.** *Bras. Fam.* **1.** V. *pintar o sete* (1). "Conceição escarrapacha na cadeira e solta os meninos, eles pintam e bordam e mexem em tudo, ela não move uma palha." (Adélia Prado, *Os Componentes da Banda*, p. 62.) **2.** Deitar e rolar (1). **Ao pintar.** Na melhor ocasião; no momento propício. **A pintar.** Como convém; em condições ideais: "Para um passeio matinal a cavalo, o Engenho Velho era bairro a pintar, com suas casuarinas sombreando as chácaras e cochichando segredos" (Miécio Tati, *O Mundo de Machado de Assis*, p. 43).

pintarada [De *pinto* + *-arada*.] *S. f.* Grande porção de pintos [v. *pinto* (1)].

pintarroxo (ô) [Do esp. *pintarrojo*.] *S. m. Zool.* Pássaro fringilídeo, que vive na Europa e cujo canto é muito suave.

pintassilgo [Do arc. *pintassirgo*, de or. controversa.] *S. m. Zool.* **1.** *Bras.* Ave passeriforme, fringilídea (*Spinus magellanicus icttericus*), distribuída da BA para o S., de dorso oliváceo, cabeça, garganta, asas e cauda pretas, espelho, base da cauda e lado inferior amarelos. [É muito estimado como pássaro de gaiola, dando, quando cruzado com o canário-do-reino, um híbrido chamado *pintagol*. Alimenta-se de sementes de capim. Var., bras.: *pintassilva*; sin.: *pintassilgo-do-campo*.] **2.** *Bras.* Ave passeriforme, traupídea (*Hemithraupis guira nigrigula*), da Amaz., macho verde-oliváceo, dorso baixo e peito alaranjado-vivo, sobrancelha, meio do abdome e crisso amarelos, e garganta e lados da cabeça pretos. **3.** *Lus.* Ave passeriforme, fringilídea (*Fringilla spinus*), de coloração geral amarelo-esverdeada.

pintassilgo-da-mata *S. m. Bras. Zool.* Ave passeriforme, traupídea (*Cissopis leveriana major*), distribuída por quase todo o País. Coloração geral preta; lado inferior e dorso baixo, brancos; dorso alto, branco-acinzentado; orlas da cauda e das asas, brancas. Vive nas matas. Por sua cor e pelo grande comprimento da cauda costuma ser, impr., denominado *pega* (ê). [Sin.: *anicavara*, *pintassilgo-da-mata-virgem*, *prebixim*, *sabiatinga*. Pl.: *pintassilgos-da-mata*.]

pintassilgo-da-mata-virgem *S. m. Bras. Zool.* V. *pintassilgo-da-mata*. [Pl.: *pintassilgos-da-mata-virgem*.]

pintassilgo-do-brejo *S. m. Bras. Zool.* **1.** V. *chupim-do-brejo*. **2.** V. *japacanim* (2). [Pl.: *pintassilgos-do-brejo*.]

pintassilgo-do-campo *S. m. Bras. Zool.* V. *pintassilgo* (1). [Pl.: *pintassilgos-do-campo*.]

pintassilva [De *pintassilgo*, com infl. do antr. *Silva*, poss.] *S. f. Bras. Zool.* V. *pintassilgo* (1).

pinteiro [De *pinto* + *-eiro*.] *S. m.* **1.** *Bras.* Gaiola ou cercado para criação de pintos incubados artificialmente. **2.** *Bras. N.E.* Aquele que faz pintos (v. *fazer pinto*). • *Adj.* **3.** *Bras. N.E.* Que faz pintos (v. *fazer pinto*).

pinto [De uma raiz onom. *pitt*, pela f. *pito*.] *S. m.* **1.** *Zool.* Filhote da galinha ainda novo; franguinho. [Cf. *pintainho*.] **2.** *Zool.* V. *cação-pinto*. **3.** *Ant.* Certa moeda portuguesa. **4.** *Gír.* Criança (1). **5.** *Chulo* O pênis. ◆ **Comer como pinto e cagar como pato.** *Bras.* Ganhar pouco e gastar muito. **Como um pinto.** Inteiramente a pingar, de tão molhado; num pinto: *Pegou chuva grossa, e ficou como um pinto.* **Fazer pinto.** *Bras. N.E.* Fazer (empregado doméstico, por via de regra) pequenos furtos nas compras diárias. **Num pinto.** Como um pinto: *Pegou um toró brabo, está num pinto.* **Ser pinto.** *Bras.* **1.** Não oferecer nenhuma dificuldade ou obstáculo; não constituir problema; ser muito fácil: *Andar 50km para ele é pinto.* **2.** Ser ou valer muito pouco, quase nada: *Por mais que Paulo saiba matemática, para o Fernando ele é pinto.* [Sin. ger.: *ser canja*, *ser sopa*.]

pinto-calçudo [De *pinto* + *calçudo*.] *S. m. Bras.* **1.** Menino cujas calças aderem às pernas, ou que usa as calças caindo sobre o sapato. **2.** Menino que principia a usar calças compridas. **3.** Pessoa deselegante, cuja roupa como que está sempre a cair-lhe do corpo. [Pl.: *pintos-calçudos*.]

pinto-d'água *S. m. Bras. Zool.* V. *frango-d'água* (1). [Pl.: *pintos-d'água*.]

pinto-do-mato *S. m. Bras. Zool.* **1.** Ave passeriforme, formicariídea (*Myrmornis torquata*), do Brasil oeste-setentrional, de dorso pardo pintado de vermelho e preto, alto da cabeça e cauda vermelhos, e garganta preta marginada de branco. Na fêmea a garganta e o crisso são vermelhos. **2.** V. *tauoca*. [Pl.: *pintos-do-mato*.]

pintona *S. f.* Fem. de *pintão*.

pintor (ô) [Do lat. vulg. **pictore*, por *pictore*, 'pintor', com infl. de *pintar*.] *S. m.* **1.** Indivíduo que sabe ou exerce a arte da pintura. **2.** Aquele que pinta: *pintor de paredes.* **3.** *Fig.* Escritor que narra com grande exatidão. **4.** *Lus.* Indivíduo trapaceiro. ◆ **Pintor de liso.** Pintor de paredes.

pintor-verdadeiro *S. m. Bras. Zool.* Ave passeriforme, traupídea (*Tangara fastuosa*), do N.E., de cabeça e pescoço verde-azulados, fronte e dorso superior pretos, dorso baixo, margens das rêmiges secundárias externas alaranjado-brilhantes, asas e cauda marginadas de purpúreo, o meio da garganta preto, abdome azul-purpúreo-escuro e cauda preta. [Pl.: *pintores-verdadeiros*.]

pintosa [F. subst. de *pintoso*.] *S. f. Bras. Chulo* Homossexual masculino exibicionista.

pintoso (ô) [De (*boa*) *pinta* + *-oso*.] *Adj. Bras. Gír.* Diz-se de indivíduo de boa pinta, bonito e elegante.

pintura [Do lat. vulg. **pinctura*, por *pictura*.] *S. f.* **1.** Ato ou efeito de pintar(-se). **2.** Profissão de pintor. **3.** Revestimento de uma superfície com matéria corante. **4.** Colorido, cor: *Nos quartos é preferível uma pintura clara.* **5.** V. *quadro* (3). **6.** Maquilagem (1). **7.** *Art. Plást.* A arte e a técnica de aplicar tintas sobre uma superfície plana a fim de representar figuras, formas abstratas, etc., em quadros, painéis ou outras composições, tendo a cor como elemento básico. **8.** *Art. Plást.* A obra de arte assim realizada. **9.** *Art. Plást.* O conjunto de tais obras de arte: *A pintura renascentista caracteriza-se pelo emprego da perspectiva.* **10.** *Fig.* Descrição minuciosa e evocativa, escrita ou verbal. **11.** *Fig.* Pessoa ou coisa muito bonita. ◆ **Pintura a óleo. 1.** A que é feita com pigmentos diluídos num solvente, em especial óleo de linhaça, aplicados com pincel, espátula sobre tela, papel, madeira, etc. **2.** O quadro pintado com essa técnica. [Tb. se diz, nessa acepç., apenas *óleo*.] **Pintura a têmpera.** *Art. Plást.* **1.** A que se faz com pigmentos dissolvidos num adstringente, como cola ou clara de ovo, o que facilita a adesão da matéria pictórica ao suporte. **2.** O mural ou o quadro em que se emprega essa técnica. [Tb. se diz, nesta acepç., apenas *têmpera*.] **Pintura de boneca.** A que se faz com pedaço de pano embebido em líquido próprio para brunir e envernizar. **Pintura de cavalete.** *Art. Plást.* A que, por suas dimensões, é facilmente transportável; quadro de cavalete. **Pintura de gênero.** *Art. Plást.* Representação de cenas do cotidiano, de caráter anedótico, desprovida de qualquer simbolismo ou transcendência. **Pintura gestual.** *Art. Plást.* Pintura abstrata que reflete na tela, ou em outro suporte, o gesto único, característico do artista. **Pintura mural.** *Art. Plást.* A que é feita diretamente sobre uma parede, ou nela aplicada. [Tb. se diz apenas *mural*.] **Pintura rupestre.** Sinais e figuras pintados pelos primitivos em rochedos e paredes de cavernas; petrografia. [Cf. *pictografia* e *gravura rupestre*.]

pinturesco (ê) [De *pintura* + *-esco*, com infl. de *pitoresco*.] *Adj.* V. *pitoresco*: "A ilha de Santa Catarina, mais nítida agora à visão, num rendado pinturesco de montes esmeraldinos, passava lentamente, para o norte, no correr da singradura." (Virgílio Várzea, *Nas Ondas*, p. 146.)

pinturilado [Part. de *pinturilar*.] *Adj.* Que se pinturilou: "Assim, o homem, quando chega à velhice, ou é o sepulcro caiado do Evangelho, ou é a velha barraca pinturilada .... dum teatro de feira." (Santo-Tirso, *De rebus pluribus*, p. 102.)

pinturilar [De *pintura*.] *V. t. d. Int.* Pintar sem arte, sem escolher tintas, ao acaso.

pínula [Do lat. *pinnula*, 'peninha', 'asinha'.] *S. f.* **1.** Peça laminar, com uma fenda ou um furo, nos extremos da alidade, e que serve para fazer alinhamentos. **2.** *Bot.* Segmento de folha tripenada, formado de folíolos ao longo de um eixo. **3.** *Zool.* Pequeno ramo lateral dos braços dos crinoides.

pinulado [De *pínula* + *-ado*[1].] *Adj. Bot.* Provido de pínula.

➔ **pin-up** ['pɪnʌp] [Ingl.] *S. f.* Representação da mulher e, eventualmente, do homem, em pose erótica, utilizada em impressos, como calendários, cartazes, etc.

pínus [Do tax. *Pinus*] *S. m. 2 n. Bot.* **1.** Gênero das pináceas que abrange cerca de 93 espécies monoicas, de longas folhas aciculares e madeira resinosa; ocorrem nas regiões temperadas do hemisfério norte, nas da América Central à do Sul, e em Sumatra e Java. São cultivadas desde a Antiguidade, esp. pela madeira e pela polpa, us. no fabrico de papel, e por fornecerem substâncias resinosas us. na indústria farmacêutica e noutras. **2.** Qualquer espécie desse gênero, como, p. ex., a *Pinus sylvestris* (v. *pinho-de-riga*). **3.** Qualquer espécime desse gênero.

➔ **pin-yin** [pɪn ɪn] [Chinês, 'escrita fonética'.] *S. m. Graf.* Sistema de escrita introduzido na China em 1958 como parte da reforma linguística chinesa, e que utiliza as letras do alfabeto latino para a difusão da variedade padrão, o *mandarim*. [Atualmente é o mais us., tendo suplantado o sistema *Wade-Giles* (q. v.), mais conhecido no Ocidente. Daí a dupla grafia para nomes chineses familiares: pelo sistema *Wade-Giles* temos, com algumas adaptações ao português, *Cantão, Pequim, Mao Tsé-tung*; os mesmos nomes em *pin-yin* são grafados, respectivamente, *Guangzhou, Beijing, Mao Zédong*.]

pio[1] [Voc. onom.] *S. m.* **1.** Voz característica de muitas aves e animais, como, p. ex., o mocho, o pardal, o morcego, o pinto; piada, piado, pipiar, pipilar, pipitar. **2.** Som que imita essa voz. **3.** *Bras.* Instrumento ou assobio que imita o pio das aves.

pio[2] [De *pia*.] *S. m.* Pia grande, na qual se pisam uvas.

pio[3] [Do lat. *piu*.] *Adj.* **1.** Que tem piedade; piedoso, devoto. **2.** Que revela piedade ou caridade; caritativo, caridoso: *ação pia.* ~ V. *estabelecimento* —. [Superl. abs. sint.: *pientíssimo, piíssimo*.]

▲ **pi(o)-** [Do gr. *pýonou pyæon, ou*.] *El. comp.* = 'pus': *piartrose, piorreia*. [Equiv.: *-pi(o)-*: *apioide*.]

▲ **-pi(o)-** Equiv. de *pi(o)-*.

pió [Do lat. *pediola* < lat. *pes, pedis*, 'pé'.] *S. f.* Armadilha, esparrela. [Pl. *piós* e *pioses*.] ~ V. *piós*.

pioca [V. *tapiocano*.] *S. 2 g. Bras.* V. *caipira* (1).

piocada [De *pioca* + *-ada*[1]] *S. f. Bras.* Reunião de piocas; caipirada, matutada.

piócito [De *pi(o)-* + *-cito*.] *S. m. Patol.* Célula de pus.

piodermia [De *pi(o)-* + *-derm(o)-* + *-ia*[1].] *S. f. Derm.* Piodermite.

piodermite [De *pi(o)-* + *-derm(o)-* + *-ite*[1].] *S. f. Derm.* Qualquer dermopatia purulenta; piodermia.

pio-dozense *Adj. 2 g.* **1.** De, ou pertencente ou relativo a Pio XII (MA). ● *S. 2 g.* **2.** O natural ou habitante de Pio XII. [Pl.: *pio-dozenses*.]

piogénese *S. f. Patol.* V. *piogênese*. [Uso freq. em P.]

piogênese [De *pi(o)-* + *-gênese*.] *S. f. Patol.* Produção de pus.

piogénico *Adj.* V. *piogênico*. [Uso freq. em P.]

piogênico [De *pi(o)-* + *-gen(o)-* + *-ico*[2].] *Adj.* Que gera pus: *germe piogênico*.

pioié *Bras. S. 2 g.* **1.** *Etnôn.* Indivíduo dos pioiés, povo indígena extinto, da família linguística tucano, que habitava próximo aos rios Napo e Putumaio (AM). ● *Adj. 2 g.* **2.** Pertencente ou relativo a esse povo. [Tb. us. como *s. 2 g. e 2 n.* (com cap.) e *adj. 2 g. e 2 n.*]

piola [Do esp. plat. *piola*.] *S. f.* **1.** *Bras. RS* Barbante, cordel, cordão. **2.** *Bras. RS* Qualquer pedaço de corda. **3.** *Bras. N.E.* V. *guimba*.

piolhada [De *piolho* + *-ada*[1].] *S. f.* Porção de piolhos; piolheira, piolharia, piolhama.

piolhama [De *piolho* + *-ama*.] *S. f. Bras. S.* V. *piolhada*.

piolhar [De *piolho* + *-ar*[2].] *V. int. Bras.* Criar piolhos: *O cabelo piolhou.*

piolharia [De *piolho* + *-aria*.] *S. f.* **1.** V. *piolhada*. **2.** *Fig.* Pobreza extrema; miséria.

piolheira [De *piolho* + *-eira*.] *S. f.* **1.** V. *piolhada*. **2.** *Fig.* Habitação imunda; pocilga. **3.** *Fig.* Conjunto de coisas imundas e miseráveis. **4.** *Bot.* V. *paparraz*. **5.** *Pop.* Negócio pouco rendoso.

piolhento [De *piolho* + *-ento*.] *Adj.* **1.** Que tem piolhos; coberto de piolhos. **2.** Propício à criação de piolhos. **3.** *P. ext.* Muito sujo; imundo: *Miserável, vivia num ambiente piolhento e fétido.* [Sin. ger.: *piolhoso*.] ● *S. m.* **4.** Indivíduo piolhento.

piolho (ô) [Do lat. vulg. *peduculu*, var. do lat. cláss. *pediculus*, dim. de *pes, pedis*, 'pé'.] *S. m.* **1.** *Zool.* Designação comum aos insetos malófagos mastigadores e anopluros sugadores, ectoparasitos de vertebrados, desprovidos de asas. [Sin., fam.: *bicho*.] **2.** *Bras. Zool.* Designação imprópria de certos ácaros de ninhos, coccídios e afídeos de plantas. **3.** *Tip.* Pequeno erro tipográfico, que escapa à revisão. **4.** *Bras. Bot.* Arvoreta ou arbusto flacourtiáceo (*Casearia parviflora*) latamente disperso pela América tropical, de folhas elípticas ou lanceoladas, acuminadas, serreadas, com pontos translúcidos, e flores pequenas, esbranquiçadas e cimosas, sendo o fruto uma cápsula subglobosa de cerca de 1cm de diâmetro. [Pl.: *piolhos* (ó).]

piolho-branco *S. m. Bras. Zool.* Inseto homóptero, orteziídeo (*Orthezia praelonga*), praga de plantas cítricas, entre outras. Tem na parte posterior do corpo um saco cereocalcário, com aspecto de cauda mais ou menos alongada. [Pl.: *piolhos-brancos*.]

piolho-da-cabeça *S. m. Bras. Zool.* Inseto anopluro, pediculídeo (*Pediculus humanus humanus*), cosmopolita. Ectoparasito do homem, vive normalmente na cabeça, onde deposita, sob forma de lêndeas, até 300 ovos durante o seu período de vida, que varia entre seis e oito semanas. Comprimento: 1,6 a 2,7mm. Transmite doenças infecciosas, entre as quais o tifo exantemático. [Pl.: *piolhos-da-cabeça*. V. *piolho-do-homem*.]

piolho-das-virilhas *S. m. Zool.* V. *chato* (5). [Pl.: *piolhos-das-virilhas*.]

piolho-de-cação *S. m. Bras. Zool.* V. *rêmora* (2 e 3). [Pl.: *piolhos-de-cação*.]

piolho-de-cobra *S. m. Bras. Zool.* V. *embuá*. [Pl.: *piolhos-de-cobra*.]

piolho-de-galinha *S. m. Bras. Zool.* Designação comum aos insetos malófagos que vivem como ectoparasitos das galinhas. São mastigadores, em geral de coloração branca, e alojam-se permanentemente entre as penas do hospedeiro. Alimentam-se de escamações da pele e resíduos das penas. [Pl.: *piolhos-de-galinha*.]

piolho-de-onça *S. m. Bras. Amaz. Zool.* V. *formiga-chiadeira*. [Pl.: *piolhos-de-onça*.]

piolho-de-planta *S. m. Bras. Zool.* **1.** V. *pulgão*. **2.** V. *cochonilha*. [Pl.: *piolhos-de-planta*.]

piolho-de-são-josé *S. m. Bras. Zool.* **1.** Inseto homóptero, diaspidídeo (*Diaspidotus perniciosus*), praga de numerosas plantas cultivadas, sobretudo rosáceas arborescentes, na região meridional do Brasil. Introduzido da China, é tido por uma das maiores pragas agrícolas dos E.U.A. **2.** Inseto homóptero, coccídeo (*Quadraspidotus perniciosus*), originário da China, hoje cosmopolita. Ataca diversas plantas, sendo muito nocivo às rosáceas (pereiras, macieiras) arborescentes. Sua presença produz vermelhidão da casca das plantas, nas partes adjacentes do escudo ou escama. A fêmea tem corpo ovalado, amarelo. [Sin. ger.: *escama-chinesa, escama-de-são-josé*. Pl.: *piolhos-de-são-josé*.]

piolho-de-tubarão *S. m. Bras. Zool.* V. *rêmora* (2 e 3). [Pl.: *piolhos-de-tubarão*.]

piolho-de-urubu *S. m. Bras. CE Zool.* V. *cazuza*. [Pl.: *piolhos-de-urubu*.]

piolho-do-cafeeiro *S. m. Bras. PR Zool.* V. *piolho-vermelho*. [Pl.: *piolhos-do-cafeeiro*.]

piolho-do-homem *S. m. Bras. Zool.* Designação comum a duas subespécies de piolhos anopluros, pediculídeos, que vivem no corpo humano. [Pl.: *piolhos-do-homem*. V. *piolho-da-cabeça* e *muquirana*.]

piolho-do-mar *S. m. Bras. Pop. Zool.* Piolho-dos-peixes. [Pl.: *piolhos-do-mar*.]

piolho-do-púbis *S. m. Zool.* V. *chato* (5). [Pl.: *piolhos-do-púbis*.]

piolho-dos-coelhos *S. m. Zool.* Piolho sugador comum (*Haemodipsus ventricosus*) que infesta coelhos e outros roedores, e que transmite o agente causador de doenças infecciosas similares à peste (3) que incidem, primariamente, em roedores, mas tb. no homem. [Pl.: *piolhos-dos-coelhos* (ó).]

piolho-dos-peixes *S. m. Bras. Pop. Zool.* Designação de diversos crustáceos cimotoídeos isópodes, parasitos de peixes marinhos; piolho-do-mar. [Pl.: *piolhos-dos-peixes*.]

piolho-dos-vegetais *S. m. Bras. Zool.* **1.** V. *pulgão*. **2.** V. *cochonilha*. [Pl.: *piolhos-dos-vegetais*.]

piolho-farinhento *S. m. Bras. Zool.* V. *pseudococcídeos*. [Pl.: *piolhos-farinhentos*.]

piolho-ladro *S. m. Lus. Zool.* V. *chato* (5). [Pl.: *piolhos-ladros*.]

piolho-mastigador *S. m. Bras. Zool.* Inseto malófago. Vive nas penas das aves e nos mamíferos, e alimenta-se de escamas epidérmicas, pelos e outras substâncias ou excreções da pele. [Pl.: *piolhos-mastigadores*.]

piolhoso (ô) [De *piolho* + *-oso*.] *Adj.* **1.** V. *piolhento* (1 a 3). **2.** *Lus. Gír.* De qualidade inferior; chinfrim: "Arranjei um apartamento minúsculo, um bocado piolhoso, mas via-se o mar da janela" (Clara Pinto Correia, *Ponto Pé de Flor*, p. 32).

piolho-sugador *S. m. Bras. Zool.* Inseto anopluro, ectoparasito de mamíferos, de sistema bucal sugador. Alimenta-se exclusivamente de sangue dos seus hospedeiros e, não raro, transmite doenças contagiosas. [Pl.: *piolhos-sugadores*.]

piolho-verde *S. m. Bras. Zool.* V. *cochonilha-verde*. [Pl.: *piolhos-verdes*.]

piolho-vermelho *S. m. Bras. PR Zool.* Inseto homóptero, coccídeo (*Cerococcus parahybensis*), praga dos cafeeiros. Tem o aspecto de pequenino ouriço, e lança uma secreção avermelhada que depois se torna escura. [Pl.: *piolhos-vermelhos*. Sin.: *piolho-vermelho-do-cafeeiro, piolho-do-cafeeiro, vermelho-do-cafeeiro* e apenas *vermelho*.]

piolho-vermelho-da-macieira *S. m. Bras. RS Zool.* V. *pulgão-lanígero*. [Pl.: *piolhos-vermelhos-da-macieira*.]

piolho-vermelho-do-cafeeiro *S. m. Bras. PR Zool.* V. *piolho-vermelho*. [Pl.: *piolhos-vermelhos-do-cafeeiro*.]

piom-piom [Voc. onom.] *S. m. Bras. Zool.* V. *cancã*[2] (1). [Pl.: *piom-pions*.]

▲ **-pio(n)-** [Do gr. *piõn, píon, píon* (gen. *píonos*), 'gordo'.] *El. comp.* = 'gordura': *oligopionia*.

píon [Do ingl. *pi(-més)on*.] *S. m. Fís. Part.* Designação genérica de méson com massa da ordem de 140 MeV/c^2, *isospin* 1, *spin* nulo, paridade negativa, com três estados de carga elétrica; méson pi; pi [símb.: *p*]. [Foi descoberto em 1947 por Lattes, Occhialini e Powell, em emulsões fotográficas especiais expostas a raios cósmicos (q. v.).]

pionefrose [De *pi(o)-* + *-nefr(o)-* + *-ose*[1].] *S. f. Urol.* Supuração de parênquima renal, com perda de função que pode ser, até mesmo, total.

pioneirismo [De *pioneiro* + *-ismo*.] *S. m.* Caráter ou qualidade de pioneiro, de precursor.

pioneiro [Do fr. *pionnier*, 'soldado sapador', 'explorador de sertões'.] *S. m.* **1.** Explorador de sertões; o primeiro que abre ou descobre caminho através de região desconhecida. **2.** *Fig.* Precursor (5): "Garrett .... é o grande pioneiro da escola e da psicologia romântica entre nós" (Alvaro J. da Costa Pimpão, *Gente Grada*, p. 1). ● *Adj.* **3.** Diz-se de obra, serviço, iniciativa, ideia, etc., que se antecipa ou abre caminho a outros iguais ou similares: *instituição pioneira; empreendimento pioneiro.*

P

pionense *Adj. 2 g.* **1.** De, ou pertencente ou relativo a Pio Nono (RJ). ● *S. 2 g.* **2.** O natural ou habitante de Pio Nono.

piongo *Adj. Bras. N.E.* V. *capiongo* (1).

pio-nonense *Adj. 2 g.* **1.** De, ou pertencente ou relativo a Pio IX (PI). ● *S. 2 g.* **2.** O natural ou habitante de Pio IX. [Pl.: *pio-nonenses.*]

pio-nono [Do antr. *Pio*, do Papa Pio IX.] *S. m. Bras. BA Cul.* V. *rocambole* (1). [Pl.: *pios-nonos.*]

pio-pio *S. m.* **1.** Qualquer ave, principalmente galinácea. *Bras. Inf.* [De *pio*[1], repetido.] *Interj.* **2.** Voz com que se chamam os galináceos. [Cf. *pi-pi* e *pipio.*] [Na 1ª impress. da 5ª ed. do Volp., sem hífen; corrigido em errata virtual.] ❄

pior [Do lat. *pejore*, pelo arc. *peyor.*] *Adj. 2 g.* **1.** Comp. super. de *mau*; mais mau: *Este livro é pior do que o seu; É o pior pintor que existe.* ● *S. m.* **2.** Aquilo que é inferior a tudo o mais. **3.** O que é inconveniente ou insensato mais que outras coisas: *Estamos cansados, com fome, e o pior é ficarmos expostos ao mau tempo.* ● *S. f.* **4.** El. us. nas loc. *levar a pior* e *na pior.* ● *Adv.* **5.** Comp. de *mal*: mais mal; de modo pior; piormente: *Vive pior que os seus amigos;* "tal foi a página inicial daquele livro, que tinha de sair mal composto e pior brochado." (Machado de Assis, *Relíquias de Casa Velha*, p. 6). [Antôn.: *melhor.* V. observações em *melhor.*] ◆ **Levar a pior.** Ser derrotado numa contenda. **Na pior. 1.** *Bras.* V. *a perigo*: "Já paguei a vaga dele na Prado Júnior quando ele tava na pior, catando mosquito" (Flávio Moreira da Costa, *Nem Todo Canário É Belga*, p. 75). **2.** *Bras. Gír.* Na fossa (q. v.).

piora [Dev. de *piorar.*] *S. f.* Ato ou efeito de piorar; pioramento, pioria. **2.** Transição para pior estado ou condição. [Sin. ger.: *pioramento, pioria* e *piorada* (bras., pop.).]

piorada [De *piorar* + *-ada*[1].] *S. f. Bras. Pop.* V. *piora.*

pioramento [De *piorar* + *-mento.*] *S. m.* V. *piora.*

piorar [Do lat. tard. *pejorare.*] *V. t. d.* **1.** Tornar pior; pôr em pior estado; agravar, empiorar: *As medicações erradas pioraram a doença.* *Int.* **2.** Tornar-se ou pôr-se pior; empiorar: "Seu Amaro adoecera, seu Amaro piorava, seu Amaro morrera." (João Clímaco Bezerra, *O Homem e Seu Cachorro*, p. 31.)

pioria [De *pior* + *-ia*[1].] *S. f.* **1.** O fato de ser pior. **2.** V. *piora.* [Cf. *piuria.*]

piorno (ô) [Do esp. *piorno.*] *S. m. Bot.* Denominação comum a várias espécies de fabáceas do gênero *Retama* (v. *retama*), como, p. ex., a *Retama sphaerocarpa* (ou *piorno-amarelo*), a *R. monosperma* (ou *piorno-branco*) e, ainda, do gênero *Genista* (v. *genista*), como a *G. florida* ou *piorno-dos-tintureiros*; são arbustos espinhosos, ou não, de flores amarelas, ou brancas, odoríferas.

piorno-amarelo *S. m. Bot.* V. *piorno.* [Pl.: *piornos-amarelos.*]

piorno-branco *S. m. Bot.* V. *piorno.* [Pl.: *piornos-brancos.*]

piorno-dos-tintureiros *S. m. Bot.* V. *piorno.* [Pl.: *piornos-dos-tintureiros.*]

pioró [Voc. onom., decerto.] *S. m. Bras. SP Zool.* Ave passeriforme, traupídea (*Pyrrhocoma ruficeps*), do Brasil este-meridional. O macho tem coloração plúmbea, a cabeça castanho-avermelhada e a fronte negra; a fêmea é acinzentada, com a cabeça pardo-pálida. [Sin.: *cabecinha-castanha.*]

piorra (ô) [De *pião*, poss.] *S. f.* **1.** Pião pequeno; pitorra: "A moeda tilinta nas lajes, por um breve segundo rodopia como uma piorra" (Érico Veríssimo, *Noite*, pp. 208-209). **2.** Zorra[1] (3).

piorreia (éi) [Do gr. *pyórrhoia.*] *S. f. Med.* Eliminação de pus. ◆ **Piorreia alveolar dentária.** *Odont.* Processo inflamatório purulento do periósteo dentário, acompanhado de necrose alveolar evolutiva e frouxidão dentária. ❖

piorreico (éi) [De *piorreia* + *-ico*[2].] *Adj.* Relativo a piorreia. ❖

piós [De *pió.*] *S. m.* Correia com que se prendem as aves de volataria pelos pés. [Pl.: *pioses.*] ~ V. *pió.*

▲ **-piose** [Do gr. *pýōsis, eōs.*] *El. comp.* = 'supuração': *facopiose, nefropiose.*

pipa[1] [Do lat. vulg. **pipa*, 'flautinha' (< *pipare*, 'piar').] *S. f.* **1.** Vasilha bojuda, de madeira, para vinho e outros líquidos. **2.** Antiga unidade de medida de capacidade para líquidos equivalente a 15 almudes, *i. e.*, 4,972 hectolitros. **3.** *Pop.* Pessoa baixa e gorda. **4.** *Bras. Pop.* V. *ébrio* (8). **5.** *Bras.* V. *papagaio* (5).

pipa[2] [Do tax. *Pipa.*] *S. f. Zool.* **1.** Gênero de anfíbios pipídeos. **2.** Qualquer espécie desse gênero, como, p. ex., a *Pipa pipa* (v. sapo-aru). **3.** Qualquer espécime desse gênero.

pipal [Do concani *pimpal.*] *S. m. Bot.* Árvore morácea (*Ficus indica*) procedente da Ásia tropical, cujas folhas, coriáceas, têm nervuras pouco salientes, e que possui receptáculos sésseis, apinhados, globosos, com 8mm, vermelho-amarelados, não emitindo raízes nos ramos.

pipar *V. int. Bras. Gír.* Fumar *crack* (q. v.).

piparote [Do esp. *papirote*, pela f. *paparote*, com dissimilação.] *S. m.* Pancada que se dá com a cabeça do dedo médio ou do índice apoiada sobre o polegar e soltando-se com força; tálitro.

piparotear [De *piparote* + *-ear*[2].] *V. int.* Dar piparotes. [Conjug.: v. *frear.*]

pipeirense *Adj. 2 g.* **1.** De, ou pertencente ou relativo a Pipeiras (RJ). ● *S. 2 g.* **2.** O natural ou habitante de Pipeiras.

▲ **piper-** [Do lat. *piper, ĕris.*] *El. comp.* = 'pimenta': *piperina.*

píper [Do tax. *Piper.*] *S. m. Bot.* **1.** Gênero de piperáceas que abrange cerca de 2.000 espécies de lianas, arbustos e pequenas árvores com frutos drupáceos monospérmicos, de mesocarpo fino e odor penetrante. São naturais de regiões tropicais, sendo muitas delas cultivadas como ornamentais, ou como condimento. **2.** Qualquer espécie desse gênero, como, p. ex., a *Piper nigrum* [v. *pimenta-do-reino* (1)]. **3.** Qualquer espécime desse gênero.

piperácea [Do tax. *Piper* (do lat. *piper, eris*, 'pimenta') + *-ácea*; tax. *Piperaceae.*] *S. f. Bot.* Espécime das piperáceas, família de plantas da ordem das piperales, composta de ervas, arbustos e algumas trepadeiras, de folhas alternas, inflorescências em espigas densas, flores nuas, com um a 10 estames e ovário unilocular, e cujos frutos são bagas ou nozes. Só o gênero *Piper* encerra umas 700 espécies; e o *Paperomia*, mais de 1.000, basicamente tropicais, sendo o Brasil muito bem aquinhoado. A pimenta-do-reino é a espécie mais importante.

piperáceo [De *piperácea*, com var. suf. (v. *-áceo*).] *Adj. Bot.* Pertencente ou relativo às piperáceas.

piperal [Do tax. *Piper* (v. *piperácea*) + *-al*[1].] *Adj. 2 g. Bot.* Pertencente ou relativo às piperales.

piperale [Do tax. *Piper* (v. *piperácea*) + *-ale*; tax. *Piperales.*] *S. f. Bot.* Espécime das piperales, ordem de plantas dicotiledôneas, arquiclamídeas, de flores aclamídeas, inconspícuas e ordenadas em espigas cerradas. Compreende as saururáceas, piperáceas e clorantáceas.

piperazina [De *piper-* + *-az(o)-* + *-ina*[3].] *S. f. Quím.* **1.** Substância cristalina, derivada da pirazina por hidrogenação e que é us. como anti-helmíntico [fórm.: $C_4H_{10}N_2$]. **2.** Designação genérica de certos derivados da piperazina (1).

piperidina [De *piper-* + *-idina.*] *S. f. Quím.* Substância heterocíclica, líquida, com odor amoniacal e apimentado, derivada da piridina por hidrogenação [fórm.: $C_5H_{11}N$].

piperileno *S. m. Quím.* Qualquer de dois dienos conjugados, lineares, isômeros (cis-piperileno e trans-piperileno) e que são líquidos e incolores [fórm.: C_5H_8].

piperina [De *piper-* + *-ina*[3].] *S. f. Quím.* Alcaloide encontrado na pimenta-do-reino, cristalino [fórm.: $C_{17}H_{19}O_3N$].

piperitona [Do lat. cient. *piperita* (< tax. *Eucalyptus piperita*) + *-ona*[2].] *S. f. Quím.* Cetona monoterpênica insaturada, derivada da mentona, cujo enantiômero levogiro ocorre no óleo de eucalipto [fórm.: $C_{10}H_{16}O$].

piperonal [De *piper(ina)* + *-on(a)-* + *-al*[2].] *S. m. Quím.* Aldeído aromático de cheiro agradável, us. como perfume; heliotropina [fórm.: $C_8H_6O_3$].

pipeta (ê) [Do fr. *pipette.*] *S. f.* **1.** Bomba utilizada nas adegas, formada por um tubo que se introduz no batoque dos tonéis com vinho e se retira tapando-se-lhe com o dedo o orifício superior; tubo para transvasar líquidos. **2.** *Quím.* Tubo de vidro com as extremidades afiladas, em que se recolhe, por aspiração, um líquido, a fim de medir-lhe com precisão o volume. [Cf. *pipeta*, do v. *pipetar.*]

pipetar [De *pipeta* + *-ar*[2].] *V. t. d.* Retirar (líquido) com a pipeta. [Pres. ind.: *pipeto, pipetas, pipeta*, etc. Cf. *pipeta* (ê).]

pi-pi [De *pio*[1]; voc. onom.] *S. m.* **1.** *Lus. Inf.* Qualquer ave, especialmente galinácea. ● *Interj.* **2.** Voz com que se chamam os galináceos. [No Brasil a f. mais us. é *pio-pio.*]

pipi[1] [Do tupi.] *S. m. Bras. Bot.* Mucuracaá.

pipi[2] [Do fr. *pipi* < fr. *pisser*, 'urinar'.] *S. m.* **1.** *Inf.* O órgão sexual feminino, ou o masculino, das crianças. **2.** *Bras. Inf.* V. *urina.* ◆ **Fazer pipi.** Urinar (1).

pipia [Dev. de *pipiar.*] *S. f.* **1.** Pequena flauta pastoril, feita geralmente da cana do trigo ou da cevada, com que se produz um som estridente que imita o canto de pássaros, a fim de atraí-los: "Na frente .... iam arautos a soar trombetas e pipias" (Antero de Figueiredo, *Leonor Teles*, p. 242). [Cf. *avena*[1].] ● *S. 2 g.* **2.** Pessoa míope.

pipião *Bras. S. 2 g.* **1.** *Etnôn.* Indivíduo dos pipiões, povo indígena extinto que habitava o sertão de PE. ● *Adj. 2 g.* **2.** Pertencente ou relativo a esse povo. [Tb. us. como *s. 2 g. e 2 n.* (com cap.) e *adj. 2 g. e 2 n.*]

pipiar [Do lat. *pipiare*, 'dar vagidos'.] *V. int.* **1.** Piar (as aves). **2.** Produzir som semelhante à voz das aves: *O velho asmático pipiava, ofegante.* **3.** Tocar pipia (1). *T. d.* **4.** Dizer em voz semelhante ao pipio: *Pipiou palavras amigas.* ● *S. m.* **5.** V. *pio*[1] (1). [Sin. ger.: *pipilar* e *pipitar.*]

pipídeo [Do tax. *Pipa* + *-ídeo*[1]; tax. *Pipidae.*] *Zool. S. m.* **1.** Espécime dos pipídeos, família de anfíbios aglossos, aquáticos de forma ligeiramente achatada. Têm pele rugosa com tentáculos sensoriais nas extremidades dos dedos. ● *Adj.* **2.** Pertencente ou relativo a eles.

pipilante [Do lat. *pipilante.*] *Adj. 2 g.* Que pipila; pipitante.

pipilar [Do lat. *pipilare.*] *V. int. T. d.* **1.** V. *pipiar*: "estranhei .... não ouvir .... pipilarem as cambaxirras defronte das janelas" (Aluísio Azevedo, *Pegadas*, p. 115); "Pássaros saltavam de um lado para outro, pipilando um madrigal." (Machado de Assis, *Quincas Borba*, p. 239). ● *S. m.* **2.** V. *pio*[1] (1): *Gosto de ouvir o pipilar dos passarinhos.*

pipilo [Dev. de *pipilar.*] *S. m.* V. *pipio* (1).

pipio [Dev. de *pipiar.*] *S. m.* **1.** Ato de pipiar[1]; pipilo, pipito. **2.** *Bras.* Pintainho. [Na 5ª ed. do Volp., com hífen; corrigido em errata. Cf. *pio-pio.*]

pi-piô [Voc. onom., poss.] *S. m. Bras. Zool.* V. *vi-vió.* [Pl.: *pi-piôs.*] ❄

pipipã *Bras. S. 2 g.* **1.** *Etnôn.* Indivíduo dos pipipãs, povo indígena extinto que habitava a margem direita do rio Moxotó (PE). ● *Adj. 2 g.* **2.** Pertencente ou relativo a esse povo. [Tb. us. como *s. 2 g. e 2 n.* (com cap.) e *adj. 2 g. e 2 n.*]

pipira [Do tupi.] *S. f.* **1.** *Bras. Zool.* Designação comum a várias aves passeriformes, traupídeas, e especialmente as dos gêneros *Tachyphonus* e *Ramphocelus*, de coloração preta com partes avermelhadas. São frugívoras, e vivem bem em cativeiro quando alimentadas com frequência. [Sin.: *bico-de-prata, jacapá, tié-sangue.*] **2.** *Bras. MA PI* Moça empregada como operária em fábrica de tecidos.

pipira-encarnada *S. f. Bras. Amaz. Zool.* Ave passeriforme, traupídea (*Ramphocelus nigrogularis*). Coloração geral encarnado-viva; lados da cabeça, mento, dorso alto, asas, cauda e meio do abdome pretos (macho) ou pardo-enegrecidos (fêmea). Alimenta-se de frutas e de insetos. [Pl.: *pipiras-encarnadas.*]

pipiral [De *pipira* (2) + *-al*[2].] *S. m. Bras. MA PI* **1.** Bairro onde moram pipiras [v. *pipira* (2)]. **2.** Reunião ou baile de pipiras.

pipira-preta (ê) *S. m. Bras. Amaz. Zool.* V. *guarandi.* [Pl.: *pipiras-pretas.*]

pipiri [Do tupi.] *S. m. Bras. Bot.* Erva ciperácea (*Rynchospora setacea*) graminiforme, que preenche densamente áreas alagadiças. Fixa-se por meio de um rizoma, e tem longas folhas coriáceas, lineares e pontudas, e flores insignificantes, reunidas em panículas bracteadas.

pipirioca [Do tupi = 'junco de casa'.] *S. m. Bras. Bot.* Erva ciperácea (*Ciperus sanguineo-fuscus*) graminoide, própria de lugares muito úmidos, que tem uma inflorescência compacta, inserida no ápice de um escapo longo, e folhas lineares.

pipistrelo [Do tax. *Pipistrellus* < it. *pipistrello.*] *S. m. Zool.* **1.** Gênero de pequeninos morcegos vespertilionídeos, de distribuição quase cosmopolita. **2.** Qualquer espécie desse gênero, como, p. ex., a *P. pipistrellus*, ou *nóctula.* **3.** Qualquer espécime desse gênero.

pipitante [De *pipitar* + *-nte.*] *Adj. 2 g.* Que pipita; pipilante.

pipitar *V. int. T. d.* **1.** V. *pipiar*: "As aves que pipitam docemente" (Gonçalves Dias, *Obras Poéticas*, I, p. 203). ● *S. m.* **2.** V. *pio*[1] (1). [Pres. ind.: *pipito, pipitas, pipita*, etc. Cf. *pepita*, s. f., e *Pepita*, antr.]

pipitinga [Var. de *pititinga*, por assimilação.] *S. f. Bras. Zool.* **1.** V. *manjuba* (1). **2.** V. *peixe-rei* (1).

pipito [Dev. de *pipitar.*] *S. m. Bras.* V. *pipio* (1).

pipiu *S. m.* **1.** *Bras. PB Fam.* A vulva. **2.** *Bras. RJ Fam. Inf.* O pênis.

pipo [De *pipa.*] *S. m.* **1.** Pipa pequena; barril. **2.** Tubo por onde se extrai o líquido contido em certas vasilhas. **3.** *Bras. AM PA MA* V. *chupeta* (2).

pipoca [Do tupi = 'estalando a pele'.] *S. f. Bras.* **1.** O grão de milho rebentado ao calor do fogo. [Sin., no PA: *pororoca.*] **2.** *Bras. Pop.* V. *borbulha* (4). **3.** *Gír.* Processo criminal: *Aquele cara responde a cinco pipocas por latrocínio.* **4.** *Bras. Zool.* V. *cisticerco.* ~ V. *pipocas.*

pipocação [De *pipocar* + *-ção.*] *S. f. Bras.* Pipocamento.

pipocamento [De *pipocar* + *-mento.*] *S. m. Bras.* Ato ou efeito de pipocar; pipocação.

pipocar [De *pipoca* + *-ar*[2].] *V. int. Bras.* **1.** Arrebentar, estourar, estalar, como pipoca (1); espocar, espipocar, papocar, popocar, pipoquear: "Foi Arandu embicar a igarité e pipocou o foguetório com muitos vivas ao herói" (M. Cavalcanti Proença, *Manuscrito Holandês*, p. 223); "sopra as brasas, avivando o fogo, fagulhas saem pipocando, diluem-se na luz do dia." (Juarez Barroso, *Mundinha Panchico e o Resto do Pessoal*, p. 115); *A pústula pipocou.* **2.** Ferver em borbotões; escachoar. **3.** Surgir ou aparecer de repente: "Por toda parte, pipocam insubordinações." (Vilas-Boas Correia, em *Jornal do Brasil*, 01.09.1983.) **4.** *Fut.* Mostrar-se receoso. **5.** *Mar.* Aparecer de repente acima do horizonte: *O farol pipocou na hora prevista.* **6.** No gerúndio, precedido de *estar* ou *vir*, significa 'estar prestes a chegar ou a ocorrer': *F. chega por estes dias, está pipocando; Vêm por aí duas vagas pipocando, e numa delas você será aproveitado.* [Conjug.: v. *trancar*. Pres. ind.: *pipoco*, etc. Cf. *pipoco* (ô).]

pipocas [Pl. de *pipoca*.] *Interj.* V. *bolas* (4). ~ V. *pipoca*. ◆ **Ora pipocas.** V. *bolas* (4).

pipoco (ô) [Dev. de *pipocar*.] *S. m. Bras.* **1.** Ato ou efeito de pipocar; estalo, estampido. **2.** Ruído daquilo que pipoca ou explode. [Var., nessas acepç.: *papoco* (ô).] **3.** V. *rolo*[1] (16). **4.** *Gír.* Tiro: *Para acabar com a confusão, o policial sacou a arma e deu dois pipocos para o alto.* [Pl.: *pipocos* (ô). Cf. *pipoco*, do v. *pipocar*.]

pipoqueamento [De *pipoquear* + *-mento*.] *S. m. Bras. S.* Ação de pipoquear; estouro, estampido.

pipoquear [De *pipoca* + *-ear*[2].] *V. int. Bras. S.* V. *pipocar* (1): "E pipoqueou a fuzilaria em cima da camelada!" (Simões Lopes Neto, *Contos Gauchescos e Lendas do Sul*, p. 183); "A chuva pipoqueou cerrada no zinco." (Ciro Martins, *Paz nos Campos*, p. 16). [Conjug.: v. *frear*.]

pipoqueira [De *pipoca* + *-eira*.] *S. f. Bras.* **1.** Panela ou outro recipiente onde se põem grãos de milho para fazer pipocas. **2.** Máquina ou aparelho para fazer pipoca.

pipoqueiro [De *pipoca* + *-eiro*.] *S. m. Bras.* Vendedor de pipocas.

piprídeo [Do tax. *Pipridae*.] *S. m. Zool.* **1.** Espécime dos piprídeos, família de aves passeriformes, exclusivamente neotropicais; têm porte pequeno, bico largo e curto, asas e cauda curtas, são frugívoras, e habitam matas e capoeiras. **2.** Pertencente ou relativo a eles.

pipuíra [Do tupi.] *Bras. Adj. 2 g.* **1.** Diz-se de certa raça de galinha: "mandou arrear a melhor besta de sela que tinha, ... e riscou o chão ...., nem bem o galo pipuíra .... acabou de bater as asas e cantar pela terceira vez." (Valdomiro Silveira, *Os Caboclos*, p. 68). ● *S. 2 g.* **2.** Galinha ou galo dessa raça.

pipuiruçu (u-i) [De *pipuíra* + *-uçu*.] *Bras. Adj. 2 g.* **1.** Diz-se de certa raça de galinhas ou galos. ● *S. 2 g.* **2.** Exemplar dessa raça.

pique[1] [Dev. de *picar*.] *S. m.* **1.** Lança antiga. **2.** Sabor picante; acidez, pico. **3.** *Bras. Jog. Inf.* Brinquedo infantil em que uma criança tem de pegar alguma das outras antes que esta chegue a certo ponto determinado — o *pique*. [Sin., bras., nesta acepç.: *angapanga*, *maria-macumbé*, *pegador*, *pega-pega*.] **4.** *Bras. P. ext.* O local que os que estão brincando de pique têm de alcançar antes de serem pegados. [Sin., no MA, nesta acepç.: *ganzola* e (lus.) *coito*.] **5.** *Bras.* Buraquinho como que feito por instrumento pontiagudo. **6.** *Bras.* Pequeno corte. **7.** *Bras.* Pequeno corte dado no tecido na parte interna das costuras, para facilitar a queda ou os arremates. **8.** *Bras.* Pirraça, acinte; prevenção. **9.** *Bras.* Picada[1] (9). [No AM usam-se expressões como *pôr as árvores em piques* = abrir trilhos ou picadas que rapidamente vão ter a elas.] **10.** *Bras. SP* Corte que se dá nas orelhas de animal doméstico para diferençá-lo de outros, ou para melhor o assinalar. ◆ **A pique.** Verticalmente; a prumo: *amarra a pique*; "via-se à margem direita do rio uma casa larga e espaçosa, construída sobre uma eminência e protegida de todos os lados por uma muralha de rocha cortada a pique." (José de Alencar, *O Guarani*, I, p. 82). **A pique de.** **1.** Em risco de. **2.** A ponto de: *Esteve a pique de enlouquecer*; "Seguiu-se um alto silêncio, durante o qual estive a pique de entrar na sala" (Machado de Assis, *Dom Casmurro*, p. 10). **Bater pique.** **1.** Chegar em primeiro lugar ao pique (4). **2.** Passar rapidamente por um lugar: *Bateu pique na exposição e em seguida foi ao cinema.* **De pique.** *Bras.* De propósito; por teimosia; por pique. **Ir a pique.** **1.** Afundar-se (a embarcação); ir ao fundo. **2.** *Fig.* Arruinar-se. **Por pique.** De pique.

pique[2] [Do ingl. *peak*.] *S. m.* **1.** O mais alto grau; o ponto mais elevado; o auge; pico: *Ontem o calor chegou ao pique.* **2.** Grande disposição ou entusiasmo; garra. **3.** Grande movimento; agitação, tumulto; pico: *Toma o ônibus na hora de maior pique.*

piquê [Do fr. *piqué*.] *S. m. Tec. Têx. Jacquard* com desenhos de pequenos losangos em alto-relevo.

pique-baixo *S. m. Jog. Inf.* Pique[1] (3) em que não é considerado pego quem, ao se ver em perigo, abaixar o corpo. [Pl.: *piques-baixos*.]

pique-cola *S. m. Jog. Inf.* Pique[1] (3) em que todo jogador tocado pelo perseguidor deve parar no lugar onde foi alcançado e assim permanecer, *colado*, até ser salvo por algum companheiro que lhe toque no corpo, passando a pegador quem for colado três ou cinco vezes. [Pl.: *piques-colas* e *piques-cola*.]

pique-esconde [De *pique*[1] + *esconder*.] *S. m. 2 n.* V. *esconde-esconde*.

piqueiro [De *picar* + *-eiro*.] *S. m.* **1.** *Ant.* Homem armado de pique ou lança. **2.** *Taur.* Indivíduo que pica touros com vara curta. **3.** *Bras. AM* Auxiliar do mateiro na abertura de estradas. [V. *pique*[1] (9).]

piquenique [Do ingl. *picnic*.] *S. m.* Excursão festiva no campo, em geral entre pessoas de várias famílias e com refeição, para a qual, ordinariamente, cada um leva a sua parte. [Sin., bras., RS: *jerra*.]

pique-rabo-emenda *S. m. 2 n. Jog. Inf.* Brincadeira infantil em que dois participantes vão girando uma corda grande, para que os demais nela entrem, um a um, em sucessão rápida e ininterrupta, deem três pulos, dizendo: — "Pique, rabo, emenda" — e saiam depressa.

piquerobiense *Adj. 2 g.* **1.** De, ou pertencente ou relativo a Piquerobi (SP). ● *S. 2 g.* **2.** O natural ou habitante de Piquerobi.

piqueta (ê) *S. f.* V. *pique*ve (4). [Pl.: *piquetas* (ê). Cf. *piqueta* e *piquetas*, do v. *piquetar*.]

piquetagem [De *piquetar* + *-agem*[2].] *S. f.* Ato ou efeito de piquetar.

piquetar [De *piqueta* + *-ar*[2].] *V. t. d.* Cravar piquetas em (um terreno). [Pres. ind.: *piqueto*, *piquetas*, *piqueta*, etc.; pres. subj.: *piquete*, *piquetes*, etc. Cf. *piqueta* (ê), pl. *piquetas* (ê); *piquete* (ê), pl. *piquetes* (ê), e *Piquete* (ê), top.]

piquet-carneirense *Adj. 2 g.* **1.** De, ou pertencente ou relativo a Piquet Carneiro (CE). ● *S. 2 g.* **2.** O natural ou habitante de Piquet Carneiro. [Pl.: *piquet-carneirenses*.]

piquete (ê) [Do fr. *piquet*.] *S. m.* **1.** Troço de soldados que formam guarda avançada. **2.** Porção de tropa, a cavalo, incumbida de guarda de honra, etc. **3.** Porção de empregados a quem toca certo serviço por turno. **4.** Pequena estaca, de madeira ou metálica, que se crava no terreno para marcar com exatidão um ponto importante em trabalho topográfico. [Var., nesta acepç.: *piqueta*.] **5.** *Bras. Fig.* Pessoa que a cada momento está sendo solicitada por outro trabalho. **6.** *Bras.* Grupo de pessoas que se posta à entrada de fábricas, empresas, estabelecimentos de ensino, etc., para impedir a entrada de outras, por ocasião de greve. **7.** *Bras. MG* Pequeno pasto ou plantação. **8.** *Bras. RS* Pequeno potreiro, próximo das habitações, onde se recolhem os animais para serviços diários. **9.** *Bras. RS* Cavalo que está permanentemente pronto para qualquer necessidade nas estâncias; piqueteiro. [Pl.: *piquetes* (ê). Cf. *piquete* e *piquetes*, do v. *piquetar*.]

piquetear [De *piquete* + *-ear*[2].] *V. t. d. Bras. RS* Arrear com muita frequência (um ou mais cavalos), usando-os para todo serviço, às vezes com o fim de os amansar. [Conjug.: v. *frear*.]

piqueteiro [De *piquete* + *-eiro*.] *S. m.* **1.** *Bras.* Aquele que participa de um piquete (6). **2.** *Bras. RS* Piquete (9).

piquetense *Adj. 2 g.* **1.** De, ou pertencente ou relativo a Piquete (SP). ● *S. 2 g.* **2.** O natural ou habitante de Piquete.

piquira [Do tupi = 'pele tenra'; 'pequeno'.] *Adj. 2 g.* **1.** *Bras.* Diz-se de equídeo de pequena estatura. **2.** *Fig.* Diz-se de sujeito insignificante. **3.** Diz-se de peixe miúdo. ● *S. m.* **4.** Equídeo de pequena estatura: "O filho mais novo, de cinco anos, ... ainda teve jeito de lhe pedir um piquira lazão de crina branca" (Valdomiro Silveira, *Os Caboclos*, p. 68). **5.** *Fig.* Sujeito insignificante. **6.** *Bras. SP Zool.* Designação comum às espécies de lambaris muito pequenos. [Sin., nesta acepç.: *lambari-piquira*, *tambi*.] **7.** *Bras. Zool.* Designação comum a peixes pequenos, entre 3 e 5cm de comprimento. **8.** *Bras. Zool.* Peixe caracídeo (*Holoshestes pequira*) de até 5cm de comprimento, das bacias dos rios Paraná e Paraguai. [Var.: *pequira*.]

piquirão [De *piquira* + *-ão*[1].] *S. m. Bras. Zool.* **1.** Peixe caracídeo (*Bryconops alburnoides*), das bacias dos rios Amazonas e Orinoco. Comprimento: até 15cm; tem dentição forte, semelhante à dos piaus. [Sin., nesta acepç.: *amaiaripucu*.] **2.** Peixe caracídeo (*Notropocharax difficilis*) da bacia do rio Paraguai, de coloração pálida e cerca de 9cm de comprimento.

piquitinga [Do tupi = 'pele recortada, lanhada'.] *S. f. Bras. Zool.* V. *enchova* (2).

pira[1] [Do gr. *pyrá*, pelo lat. *pyra*.] *S. f.* **1.** Fogueira onde se queimavam, ou queimam, cadáveres. **2.** *P. ext.* Qualquer fogueira. **3.** *Fig.* Lugar onde alguma coisa é submetida a prova; crisol.

pira[2] [Do tupi = 'pele'.] *S. f. Med.* V. *escabiose*.

pira[3] *El. s. m.* Us. na loc. *dar o pira*. ◆ **Dar o pira.** *Bras. Gír.* **1.** Ir-se embora; sair; dar o fora. **2.** V. *fugir* (1 e 2).

▲ **pira-** V. *pirá-*.

▲ **-pira** V. *pirá-*.

pirá[1] [Do tupi.] *S. m. Bras. Zool.* Peixe (1).

pirá[2] *S. m. Bras. Zool.* V. *pirá-tamanduá* (1).

▲ **pirá-** [Do tupi *pirá*.] *El. comp.* = 'peixe': *pirá-andirá*. [Equiv.: *pira-*, *-pirá*: *piracaá*, *piracanjuba*, *araripirá*.]

▲ **-pirá** V. *pirá-*.

piraã *Bras. S. 2 g.* **1.** *Etnôn.* Indivíduo dos piraãs [ou (etnôn. bras.) *Pirahã, *Mura-pirahã], povo indígena da família linguística mura, que habita os municípios de Humaitá e Auxiliadora (AM). ● *Adj. 2 g.* **2.** Pertencente ou relativo a esse povo.

piraaca [Do tupi.] *S. m. Bras. Zool.* V. *cangulo* (1).

pirá-andirá [De *pirá-* + o tupi = 'morcego'.] *S. m. Bras. Zool.* V. *peixe-cachorro* (2). [Pl.: *pirás-andirás* e *pirás-andirá*.]

piraba [Do tupi, poss.] *S. f. Bras. Zool.* Peixe caracídeo (*Triportheus auritus*) dos rios Amazonas e Araguaia, de coloração prateada, nadadeira caudal com raio central mais longo que os demais, e porte reduzido; arauari, arauiri, aravari, auari, avari.

pirá-bandeira [De *pirá-* + *bandeira*.] *S. m. Bras. Zool.* V. *bagre-bandeira*. [Pl.: *pirás-bandeiras* e *pirás-bandeira*.]

pirabebe [De *pira* + o tupi = 'voar'.] *S. m. Bras. Zool.* V. *peixe-voador*.

pirabense *Adj. 2 g.* **1.** De, ou pertencente ou relativo a São João de Pirabas (PA). ● *S. 2 g.* **2.** O natural ou habitante de São João de Pirabas.

pirabiju *S. m. Bras. Zool.* V. *bijupirá*.

piraboca [Do tupi.] *S. f. Bras. Zool.* V. *pirajica*.

piracá [De *pira-* + *-cá*.] *S. m. Bras. Zool.* V. *prejereba*.

piracaá [De *pira-* + *-caá*.] *S. m. Bras. Zool.* V. *peixe-folha* (1). [Var.: *piracará*.]

piracaiense *Adj. 2 g.* **1.** De, ou pertencente ou relativo a Piracaia (SP). ● *S. 2 g.* **2.** O natural ou habitante de Piracaia.

piracajara [Do tupi.] *S. m. Bras. Amaz. Zool.* V. *surubim-pintado*.

piracambucu [Do tupi.] *S. m. Bras. Zool.* V. *surubim-rajado*.

piracanjuba [Do tupi.] *S. f. Bras. Zool.* V. *piracanjuva*.

piracanjubense *Adj. 2 g.* **1.** De, ou pertencente ou relativo a Piracanjuba (GO). ● *S. 2 g.* **2.** O natural ou habitante de Piracanjuba.

piracanjuva [Var. de *piracanjuba*.] *S. f. Bras. Zool.* **1.** Peixe caracídeo (*Brycon orthotaenia*) da bacia do rio São Francisco, que pode atingir até 80cm e cerca de 10kg; matrinxã, piracanjuva-arrepiada, piracanjuvira. **2.** V. *matrinxã* (3). **3.** V. *pirapitinga* (1).

piracanjuva-arrepiada [De *piracanjuva* + o f. de *arrepiado*.] *S. f. Bras. Zool.* V. *piracanjuva*. [Pl.: *piracanjuvas-arrepiadas*.]

piracanjuvira *S. f. Bras. Zool.* V. *piracanjuva*.

piração [De *pirar* + *-ção*.] *S. f. Bras. Gír.* Estado ou condição de pirado; loucura, doidice. ◆ **Ser uma piração.** *Bras. Gír.* Ser extraordinário, excelente.

piracará [Var. de *piracaá*.] *S. m. Bras. Zool.* V. *peixe-folha* (1).

piracatinga [De *pira-* + *catinga*[1].] *S. 2 g. Bras. Zool.* **1.** Bagre pimelodídeo (*Luciopimelodus pati*) das bacias dos rios Branco e Prata, com cerca de 1m de comprimento, coloração geral amarelo-parda, com máculas escuras difusas; abdome branco-prateado; nadadeira adiposa, com cerca de 1/3 do comprimento do corpo; barbilhões bem desenvolvidos. [Sin: *pati-bastardo*.] **2.** Fidalgo (7).

piracema [Do tupi = 'sair peixe'.] *S. f.* **1.** *Bras. Amaz.* Cardume de peixes. **2.** *Bras. Amaz.* A época em que os grandes cardumes de peixes arribam para as nascentes dos rios: "logo aos primeiros repiquetes da cheia, tivéramos o espetáculo das piracemas. Jaraquis, pirapitingas, pacus e curimatás abandoam-se por essa época e, descendo dos lagos e igarapés, enfiam pelas correntes caudalosas em demanda das suas cabeceiras, onde vão talvez à procriação." (Gastão Cruls, *4 Romances*, p. 160). **3.** Época de desova; curso. **4.** *Bras. SP* O rumor que fazem os peixes ao subir para a nascente, nessa época: "Quase chorava de alegria ao recordar o guaiú das piracemas, em dezembro, ... e imitar o ronco dos bagres, o canto fino das pirapitingas, o resmungado das saricangas e das ferreiras, o baque dos campineiros na volta dos pulos, o remexer da miuçalha, com os focinhos igualados, em cardumes barulhentos." (Valdomiro Silveira, *Nas Serras e nas Furnas*, p. 120.)

piracicaba [De *pira-* + o tupi = 'deslizando'.] *S. f. Bras. SP* Lugar que, tendo uma cachoeira ou qualquer outro acidente natural, impede a passagem do peixe, sendo, assim, excelente pesqueiro.

piracicabano *Adj.* **1.** De, ou pertencente ou relativo a Piracicaba (SP). ● *S. m.* **2.** O natural ou habitante de Piracicaba.

piracicabense *Adj. 2 g.* **1.** De, ou pertencente ou relativo a Rio Piracicaba (MG). ● *S. 2 g.* **2.** O natural ou habitante de Rio Piracicaba.
piracuca *S. f. Bras. Zool.* V. *garoupa-verdadeira* (1).
piracuí [De *pira-* + o tupi = 'farinha'.] *S. m. Bras. AM* Farinha de peixe. [Var.: *piracuim.*]
piracuim (u-ím) *S. m. Bras. AM* V. *piracuí.*
piraçununguense *Adj. 2 g.* **1.** De, ou pertencente ou relativo a Piraçununga (SP). ● *S. 2 g.* **2.** O natural ou habitante de Piraçununga.
piracuruquense *Adj. 2 g.* **1.** De, ou pertencente ou relativo a Piracuruca (PI). ● *S. 2 g.* **2.** O natural ou habitante de Piracuruca.
piracururu [De *pira-* + o tupi = 'sapo'.] *S. m. Bras. Zool.* **1.** V. *pacamão* (1). **2.** V. *bagre-sapo* (5).
piracururuca [De *pira-* + o tupi = 'ronco'.] *S. m. Bras. AM* Ruído forte de peixes, ou seja, a passagem de cardumes de um a outro igarapé, quando das enchentes.
pirado [Part. de *pirar.*] *Adj.* Que pirou; amalucado, adoidado.
piraém [De *pirá-* + o tupi = 'vazio'.] *S. m. Bras. Amaz.* O pirarucu, quando salgado e seco.
piragaia *S. f. Bras. Bot.* V. *piriguara*[2].
pirágua [Do caraíba, pelo esp. plat. *piragua.*] *S. f. Bras. RS* Embarcação feita de tábuas, empregada no alto Uruguai para transporte de erva-mate e de outros artigos.
piraguaia *S. f. Bot.* V. *piriguara*[2].
piraguara [De *pira-* + o tupi = 'que come'.] *S. f. Bras.* **1.** *Zool.* Piriguara[1]. [Var. (nesta acepç.): *piraguaia.*] **2.** V. *caipira* (1).
piraí [Do tupi.] *S. m. Bras.* **1.** Azorrague de couro cru: 📖 "Há obra de três anos, tiveram um pequeno desentendimento, ele lhe deu uma surra de piraí, mandou-a .... ir pros infernos." (Antônio Versiani, *Viola de Queluz*, p. 99.) **2.** Designação indígena de peixes de pequeno porte. [Cf. *pirai*, do v. *pirar.*]
piraiapeva (a-i) [Do tupi.] *S. f. Bras. Zool.* V. *pirauaca.* [Var.: *pirajapeva.*]
piraíba [De *pira-* + o tupi = 'que não presta'.] *S. f. Bras. Zool.* Bagre pimelodídeo (*Brachyplatystoma filamentosum*) amazônico, de cabeça e boca muito grandes, a maxila mais avantajada que a mandíbula. É o maior peixe de couro do Brasil, chegando a medir 3m e a pesar acima de 150kg. A coloração geral é acinzentada, ou bronzeada, com o ventre claro. Os indivíduos jovens são denominados *filhotes.* [Sin.: *bagre-branco, piratinga, piranambu, tubarão-de-água-doce.*] ◆ **Puxar piraíba.** *Bras. Amaz. Pop.* V. *pegar traíra.*
piraiense[1] (a-i) *Adj. 2 g.* **1.** De, ou pertencente ou relativo a Piraí (RJ). ● *S. 2 g.* **2.** O natural ou habitante de Piraí.
piraiense[2] (a-i) *Adj. 2 g.* **1.** De, ou pertencente ou relativo a Piraí do Norte (BA). ● *S. 2 g.* **2.** O natural ou habitante de Piraí do Norte.
piraiense[3] (a-i) *Adj. 2 g.* **1.** De, ou pertencente ou relativo a Piraí do Sul (PR). ● *S. 2 g.* **2.** O natural ou habitante de Piraí do Sul.
pirajá [Aglut. da expr. *para já*, com dissimilação, poss.] *S. m. Bras.* Aguaceiro rápido e súbito, comum nos trópicos e na região da costa situada entre os Abrolhos e o cabo de Santo Agostinho: 📖 "já não olhava as vagas; volvia o mortiço olhar para a nuvem negra do pirajá" (Eugênio de Castro [o brasileiro], *Terra à Vista*, p. 95); "o despenho de um pirajá violento e aluvial." (Xavier Marques, *Jana e Joel*, p. 91). [Var.: *parajá.*]
pirajaguara [De *pira-* + o tupi = 'cão'.] *S. m. Bras. Amaz. Zool.* V. *tucuxi.*
pirajapeva [Var. de *piraiapeva.*] *S. f. Bras. Zool.* V. *pirauaca.*
pirajeba *S. f. Bras.* V. *prejereba.*
pirajica [De or. tupi.] *S. f. Bras. Zool.* Peixe actinopterígio, perciforme, cifosídeo (*Kyphosus sectatrix*), do Atlântico, desde Cuba até o RJ, de coloração uniformemente prateada, com a região frontal e as nadadeiras denegridas. Vive no fundo, em lugares pedregosos, alimentando-se de vegetais. [Sin.: *quara, piraboca.*]
piraju [Var. de *pirajuba.*] *S. m. Bras. Zool.* V. *dourado* (8 e 9).
pirajuba [De *pira-* + *-juba.*] *S. f. Bras. Zool.* V. *dourado* (8 e 9). [Var. apocopada: *piraju.*]
pirajubense *Adj. 2 g.* **1.** De, ou pertencente ou relativo a Pirajuba (MG). ● *S. 2 g.* **2.** O natural ou habitante de Pirajuba.
pirajuense *Adj. 2 g.* **1.** De, ou pertencente ou relativo a Piraju (SP). ● *S. 2 g.* **2.** O natural ou habitante de Piraju.
pirajuiense (u-i) *Adj. 2 g.* **1.** De, ou pertencente ou relativo a Pirajuí (SP). ● *S. 2 g.* **2.** O natural ou habitante de Pirajuí.
pirajupeva [De *pira-* + o tupi = 'amarelo', + *-peva.*] *S. f. Bras. Zool.* V. *surubim-mena* (1).
piramapu *S. m. Bras. Zool.* V. *barbado*[1] (6).
pirambé [Var. de *pirambeba*, com apócope.] *S. f. Bras. Zool.* Peixe caracídeo (*Serrasalmus spilopleura*) da bacia do rio Guaporé, cujos adultos têm coloração prateada, com a região ventral amarelo-ouro; piranha-pequena.
pirambeba [De or. tupi.] *S. f. Bras. Zool.* Peixe caracídeo (*Serrasalmus brandtii*), da bacia do rio São Francisco. [Var.: *pirambeva, pirampeba.* Sin.: *piranha-da-lagoa.* Cf. *pirambé.*]
pirambeira *S. f. Bras.* V. *perambeira.*
pirambeva *S. f. Bras. Zool.* V. *pirambeba.*
piramboia (ói) [De *pira-* + *-boia.*] *S. f. Bras. Zool.* Peixe dipnoico, lepidossirenídeo (*Lepidosiren paradoxa*), das bacias Amazônica e do Paraguai. Coloração cinza-olivácea, com manchas negras irregulares; o corpo é revestido de pequenas escamas, com dois pares de apêndices vermiculares e olhos muito pequenos. Comprimento: até 1,20m. Vive em lugares pantanosos ou em águas rasas, passando de uma estação chuvosa à outra enterrado na lama. [Var. e sin.: *parauamboia, trairaboia, trairamboia, pirarucuboia.*] ✥
pirambu [Do tupi.] *S. m. Zool.* **1.** *Bras. BA* V. *sargo-de-beiço.* **2.** *Bras. N.* V. *corcoroca* (1 e 2).
pirambucu [De *pira-* + o tupi = 'comprido'.] *S. m. Bras. Zool.* **1.** Bagre pimelodídeo (*Pseudoplatystoma tigrinum*), com cerca de 1,30m de comprimento, da bacia dos rios Amazonas e Orinoco, de coloração que vai do amarelado ao cinza-claro, com listras escuras pelo corpo; caparari, coruto. **2.** V. *surubim-rajado.*
pirambuense *Adj. 2 g.* **1.** De, ou pertencente ou relativo a Pirambu (SE). ● *S. 2 g.* **2.** O natural ou habitante de Pirambu.
piramembeca *S. f. Bras. Zool.* V. *goete* (1).
pirametara *S. f. Bras. Zool.* V. *salmonete.*
piramidal [De *pirâmide* + *-al*[1].] *Adj. 2 g.* **1.** Em forma de pirâmide. **2.** *Fig. Desus.* Extraordinário, colossal, estupendo: 📖 "São pilhas piramidais de laranjas globosas e doiradas" (Martins Fontes, *Terras da Fantasia*, p. 57); 📄 *um talento piramidal.* **3.** Da, ou relativo à pirâmide (3). ~ V. *feixe* — e *tronco* —.
pirâmide [Do egípcio *pi-mar*, pelo gr. *pyramís, ídos* e pelo lat. *pyramide.*] *S. f.* **1.** *Geom.* Poliedro em que uma das faces é um polígono qualquer e as outras são triângulos com um vértice comum. **2.** Monumento em forma de pirâmide quadrangular. **3.** *Anat.* Termo genérico que designa formação (5) pontuda ou semelhante a cone. ◆ **Pirâmide bulbar.** Cada uma de duas formações arredondadas, localizadas uma de cada lado da fissura mediana anterior do bulbo raquiano, e constituída de fibras motoras que, provenientes do córtex cerebral, se dirigem ao bulbo raquiano e à medula espinhal. **Pirâmide de terra.** *Geol.* Coluna de terra que suporta um bloco de pedra que a protege da erosão. **Pirâmide oblíqua.** *Geom.* A que não é reta. **Pirâmide orbitária.** *Anat.* Forma sob que se apresenta cada uma das duas cavidades orbitárias, e que se assemelha a uma pirâmide de base quadrangular, de paredes ósseas. **Pirâmide quadrada.** *Geom.* Aquela cuja base é um quadrado. **Pirâmide regular.** *Geom.* Pirâmide reta cuja base é um polígono regular. **Pirâmide reta.** *Geom.* Pirâmide em que a reta perpendicular à base e que passa pelo vértice encontra a base no seu centroide. **Pirâmide truncada.** *Geom.* V. *tronco de pirâmide.*
piramidografia (âm) [Do gr. *pyramís, ídos*, 'pirâmide', + *-grafia.*] *S. f.* Descrição de pirâmides.
piramidográfico (âm) [De *piramidografia* + *-ico*[2].] *Adj.* Referente à piramidografia.
piramidon [Voc. farmac.] *S. m. Quím. Desus.* Nome comercial da aminopirina (q. v.).
pirampeba *S. f. Bras. Zool.* V. *pirambeba.*
piramutá *S. m. Bras. Zool.* V. *piramutaba.*
piramutaba [Do tupi.] *S. f. Bras. Zool.* Bagre pimelodídeo (*Brachyplatystoma vaillantii*) das bacias dos rios Amazonas e Orinoco, e de rios da Guiana e do N.E. do Brasil, de coloração cinza-azulada e barbilhões maxilares e caudais longos. Comprimento: até 1,20m. [Espécie de valor comercial, porém ameaçada pela pesca excessiva.] [Sin.: *branquinho, mulher-ingrata.* Var.: *piramutava, piramutaua, piramutá.*]
piramutaua *S. f. Bras. Zool.* V. *piramutaba.*
piramutava *S. f. Bras. Zool.* V. *piramutaba.*
piranambu [De *pira-* + *nambu.*] *S. m. Bras. Amaz. Zool.* **1.** V. *piraíba.* **2.** V. *barbado*[1] (6). [Var., nesta acepç.: *piranampu.*]
piranampu [Var. de *piranambu.*] *S. m. Bras. Zool.* V. *barbado*[1] (6).
pirandelliano [Do antr. *Pirandello* + *-iano.*] *Adj.* **1.** Relativo ou pertencente ao escritor italiano Luigi Pirandello (1867-1936), ou próprio dele. **2.** Que é seu admirador e/ou profundo conhecedor de sua obra. ● *S. m.* **3.** Admirador e/ou profundo conhecedor da obra desse escritor.
piranema *S. m. Bras. Zool.* V. *olho-de-cão.*
piranga[1] [De or. obsc.] *Adj. 2 g.* **1.** *Pop.* Pobre, reles, pelintra. ● *S. m.* **2.** Indivíduo piranga. ● *S. f.* **3.** Falta de dinheiro; pobreza, quebradeira, pindaíba: 📄 *Perdeu o emprego, e vive na piranga.*
piranga[2] [Do tupi.] *Adj. 2 g.* **1.** *Bras.* Vermelho, encarnado. ● *S. m.* **2.** *Bras.* Barro vermelho. ● *S. f.* **3.** *Bras. Amaz. Bot.* Arvoreta bignoniácea (*Arrabidaea chica*) com que os índios preparavam um corante vermelho para a pele. As folhas, fermentadas e cozidas, produziam o corante, que, insolúvel em água, era dissolvido em óleo de andiroba. [Sin., nesta acepç.: *carajuru, chica, cipó-cruz, guajuru.*] **4.** *Bras. Amaz.* V. *sabiá-laranjeira.*
▲ **-piranga** [Do tupi *pi'rãga.*] *El. comp.* = 'vermelho': *itapiranga.*
pirangagem [De *pirang-*, como em *pirangueira*, + *-agem*[2].] *S. f. Bras. PB* Atitude ou procedimento de pirangueiro[1] (3) (q. v.).
pirangar [De *piranga*[1] + *-ar*[2].] *V. int. Pop.* **1.** Pedir ou viver de esmolas; mendigar, esmolar. *T. d. T. d. e i.* **2.** *Bras. PB* V. *filar* (4, 7, 8, 11 e 13). [Conjug.: v. *largar.*]
pirangueiro[1] [De *piranga*[1] + *-eiro.*] *Adj.* **1.** Reles, desprezível, ridículo. **2.** *Bras. Mar. Merc.* Diz-se de navio de cabotagem, geralmente velho e em mau estado. ● *S. m.* **3.** *Bras. PB* Indivíduo aproveitador da boa-fé alheia. **4.** *Bras. Mar. Merc.* Navio pirangueiro.
pirangueiro[2] *Bras. Adj.* **1.** Apaixonado pela pesca de anzol, ou adestrado nela. ● *S. m.* **2.** Indivíduo apaixonado por esse tipo de pesca, ou nele adestrado; barriga-verde: 📖 "Muitos pirangueiros esfregam folhas verdes nas suas linhas de pescar." (Nélson de Faria, *Tiziu e Outras Estórias*, p. 25.)
piranha [Do tupi = 'corta a pele'.] *S. f. Bras.* **1.** *Zool.* Designação comum a várias espécies de peixes actinopterígios, caraciformes, caracídeos, gêneros *Pygocentrus*, *Pygopristis* e *Serrasalmus*, conhecidos como carnívoros, extremamente vorazes, com dentes numerosos e cortantes. Demonstram predileção especial por animais sangrantes, tornando perigosos os rios ou lagos onde vivem. Ao todo, 15 espécies são conhecidas no Brasil, variando o tamanho entre 18 e 45cm. Seus dentes são usados pelos índios para cortarem cabelos, cordas, e para uso doméstico em geral. **2.** *Bras. GO Etnogr.* Dança de roda infantil, em que a figura do centro deve executar o que os outros brincantes ordenam. **3.** *Bras. PA Zool.* V. *tesoura* (7). **4.** *Bras. Gír.* Mulher que, sem ser necessariamente meretriz, leva vida licenciosa; piranhuda, pistoleira, bocetinha. **5.** *Bras. Pop.* Prendedor de cabelos dentеado, de plástico e molas fortes.
piranha-caju *S. f. Bras. Zool.* V. *piranha-vermelha.* [Pl.: *piranhas-cajus* e *piranhas-caju.*]
piranha-da-lagoa *S. f. Bras. Zool.* V. *pirambeba.* [Pl.: *piranhas-da-lagoa.*]
piranha-doce *S. f. Bras. Zool.* Peixe caracídeo (*Serrasalmus maculatus*) da bacia dos rios Amazonas, Paraná e Paraguai, muito parecida com a pirambé, com a qual é costumeiramente confundida. [Pl.: *piranhas-doces.*]
piranha-mapará *S. f. Bras. Amaz. Zool.* Peixe actinopterígio, caraciforme, caracídeo (*Pygopristis denticulatus*), da Amaz. e Guianas. [Pl.: *piranhas-maparás* e *piranhas-mapará.*]
piranha-pequena *S. f. Bras. Zool.* Pirambé. [Pl.: *piranhas-pequenas.*]
piranha-preta *S. f. Bras. Zool.* Peixe actinopterígio, caraciforme, caracídeo (*Pygocentrus piraya*), do rio São Francisco, de dorso oliváceo-escuro e abdome mais claro. É uma das maiores espécies do gênero. [Sin.: *rodoleira.* Pl.: *piranhas-pretas.*]
piranha-vermelha *S. f. Bras. Zool.* Peixe actinopterígio, caracídeo (*Pygocentrus nattereri*), das bacias do Amazonas, Paraná e São Francisco, de coloração cinza-clara, com a região do mento vermelha. É espécie muito comum e causa grande destruição nos peixes presos em anzóis ou redes. [Sin.: *piranha-caju, coicoa, chupita.* Pl.: *piranhas-vermelhas.*]
piranheira [De or. tupi.] *S. f. Bras. Amaz. Bot.* Árvore euforbiácea (*Piranhea trifoliata*) que habita a floresta pluvial e produz madeira de boa qualidade, mas inteiramente sem préstimo.
piranheiro *Adj.* **1.** De, ou pertencente ou relativo a Piranhas (BA). ● *S. m.* **2.** O natural ou habitante de Piranhas.
piranhense[1] *Adj. 2 g.* **1.** De, ou pertencente ou relativo a Piranhas (AL e GO). ● *S. 2 g.* **2.** O natural ou habitante de Piranhas.
piranhense[2] *Adj. 2 g.* **1.** De, ou pertencente ou relativo a Jardim de Piranhas (RN). ● *S. 2 g.* **2.** O natural ou habitante de Jardim de Piranhas.
piranhense[3] *Adj. 2 g.* **1.** De, ou pertencente ou relativo a São José de Piranhas (PB). ● *S. 2 g.* **2.** O natural ou habitante de São José de Piranhas.
piranhuda [De *piranha* + o f. de *-udo.*] *S. f. Bras. Gír.* V. *piranha* (4).

pirania *Bras. S. 2 g.* **1.** *Etnôn.* Indivíduo dos piranias [ou (etnôn. bras.) *Piranya], povo indígena extinto da família linguística caraíba, que habitava a margem esquerda do rio Jatapu (AM). ● *Adj. 2 g.* **2.** Pertencente ou relativo a esse povo.

piraniampu [De *pira-* + o tupi = 'nambu'.] *S. m. Bras. Zool.* V. *barbado*[1] (6).

piranjiense *Adj. 2 g.* **1.** De, ou pertencente ou relativo a Piranji (SP). ● *S. 2 g.* **2.** O natural ou habitante de Piranji.

pirano [De *pir(o)-* + *-ano*[2].] *S. m. Quím.* Substância líquida, éter cíclico cujo anel tem seis átomos, com duas insaturações, do qual existem dois isômeros [fórm.: C_5H_6O].

piranose [De *pirano* + *-ose*[2].] *S. f. Quím.* Forma cíclica de certas oses, na qual existe um anel de seis átomos, sendo um de oxigênio, semelhante ao do pirano, porém totalmente saturado.

piranosídeo [De *piranose* + *-ídeo*[2].] *S. m. Quím.* Qualquer substância que se pode considerar semelhante a, ou derivada de, uma piranose.

piranosídico [De *piranosídeo* + *-ico*[2].] *Adj. Quím.* Próprio de, ou relativo a piranose.

pirantera *S. f. Bras. Zool.* V. *peixe-cachorro* (1).

pirão [Do tupi.] *S. m.* **1.** *Bras. Angol. Cabo-verd.* Papa grossa, feita de farinha de mandioca escaldada: "Quando Calhambeque veio depor diante de Almi um prato de <u>pirão</u> e peixe seco, este voltou a cara para o lado." (Manuel dos Santos Lima, *As Lágrimas e o Vento*, p. 105.) **2.** *Angol.* Caldo de peixe temperado com óleo de palma e acompanhado de farinha de mandioca: "contempla o tom alaranjado do <u>pirão</u>." (Óscar Ribas, *Uanga*, p. 254). **3.** *Cabo-verd.* Farinha de mandioca: "Seus olhos tristes / cobertos / dessa expressão precoce de renúncia / namoram sacos abertos / do <u>pirão</u> tentador / que há nas lojas à venda..." (Jorge Barbosa, *Poesias I*, p. 90.) **4.** *Bras. Pop.* Mulher jovem e bonita; uva.

piraoba [Do tupi.] *S. m. Bras.* Designação indígena das chuvas de outubro, no N.E. conhecidas por *chuvas de caju*; piroaba.

pirão na unha *S. 2 g. Bras. BA Pop.* V. *avaro* (3). [Pl.: *pirões na unha*.] ☑

pirapamenho *Adj.* **1.** De, ou pertencente ou relativo a Santana de Pirapama (MG). ● *S. m.* **2.** O natural ou habitante de Santana de Pirapama.

pirapanema [De *pira-* + o tupi = 'imprestável'.] *S. m. Bras.* Trecho de rio onde o peixe é escasso.

pirapara *S. f. Bras. Zool.* V. *piapara*.

pirapebebe [Do tupi.] *S. m. Bras. Zool.* Espécie de peixe-voador (*Trigla volitans*).

pirapema [De *pira-* + o tupi = 'anguloso'.] *S. f. Bras. Zool.* **1.** V. *olho-de-cão*. **2.** V. *camurupim*.

pirapemense *Adj. 2 g.* **1.** De, ou pertencente ou relativo a Pirapemas (MA). ● *S. 2 g.* **2.** O natural ou habitante de Pirapemas.

pirapetinguense *Adj. 2 g.* **1.** De, ou pertencente ou relativo a Pirapetinga (MG). ● *S. 2 g.* **2.** O natural ou habitante de Pirapetinga.

pirapeua [De *pira-* + *-péua*.] *S. f. Bras. Zool.* V. *surubim-mena*.

pirapéua [De *pira-* + *-péua*.] *S. f. Bras. Zool.* V. *surubim-mena* (1).

pirapeuaua [Do tupi.] *S. f. Bras. Zool.* V. *surubim-mena* (1).

pirapiranga [De *pira-* + *-piranga*, poss.] *S. f. Bras. Zool.* V. *garoupa-gato*.

pirapitanga [Do tupi = 'peixe vermelho'.] *S. f. Bras. Zool.* Piraputanga.

pirapitinga [Do tupi = 'peixe branco'.] *S. f. Bras. Zool.* **1.** Peixe caracídeo (*Brycon nattereri*) de até 30cm de comprimento, das bacias dos rios São Francisco e Paraná. [Sin.: *piracanjuva*. Var.: *trapitinga*, *tarapitinga*.] **2.** Piabanha (2).

pirapoense (ò) *Adj. 2 g.* **1.** De, ou pertencente ou relativo a Pirapó (RS). ● *S. 2 g.* **2.** O natural ou habitante de Pirapó.

piraporense[1] *Adj. 2 g.* **1.** De, ou pertencente ou relativo a Pirapora (MG). ● *S. 2 g.* **2.** O natural ou habitante de Pirapora.

piraporense[2] *Adj. 2 g.* **1.** De, ou pertencente ou relativo a Pirapora do Bom Jesus (SP). ● *S. 2 g.* **2.** O natural ou habitante de Pirapora do Bom Jesus.

pirapozense (ò) *Adj. 2 g.* **1.** De, ou pertencente ou relativo a Pirapozinho (SP). ● *S. 2 g.* **2.** O natural ou habitante de Pirapozinho.

pirapucá [De or. tupi.] *S. m. Bras. Zool.* V. *peixe-cachorro* (2).

pirapucu [De *pira-* + o tupi = 'comprido'.] *S. m. Bras. Zool.* **1.** Peixe ctenolucídeo (*Boulengerella cuvieri*) de distribuição amazônica, de coloração prateada com reflexos amarelados, dorso mais escuro, preto ou marrom, e que pode atingir cerca de 90cm de comprimento. [Sin.: *bicuda, bicudo, dente-de-cão*.] **2.** Peixe belonídeo (*Potamorrhaphis guianensis*) fluvial, da Amaz. e do Paraguai, de coloração verde-clara, translúcida, maxilares providos de dentes em toda a extensão, prolongados em rostro, o inferior um pouco mais longo, e nadeiras dorsal e anal muito atrás, situadas abaixo e acima do pedúnculo caudal; peixe-agulha-d'água-doce. **3.** V. *peixe-cachorro* (2).

pirapuia [De or. tupi.] *S. f. Bras. Zool.* V. *juruva*.

piraputanga [Var. de *pirapitanga*.] *S. f. Bras. Zool.* **1.** V. *matrinxã* (2 e 3). **2.** V. *peripetunga*.

piraquara [Do tupi = 'pescaria'.] *S. 2 g. Bras.* **1.** Alcunha que se dá aos habitantes das margens do rio Paraíba do Sul (RJ e SP). **2.** *Bras. Fig.* V. *caipira* (1). ● *S. m.* **3.** *Bras. RJ SP* V. *pescador* (3).

piraquarense *Adj. 2 g.* **1.** De, ou pertencente ou relativo a Piraquara (PR). ● *S. 2 g.* **2.** O natural ou habitante de Piraquara.

piraquém [Do tupi.] *S. m. Bras.* Espécie de coco (ô).

piraquenanã *S. m. Bras. Zool.* V. *acará-bandeira*.

piraquera (qüe) [De *pirá-* + o tupi = 'dormindo'.] *S. f. Bras. AM* Pescaria noturna com auxílio de fachos, servindo-se o pescador sobretudo da fisga. ❖

piraquiba *S. f. Bras. Zool.* V. *rêmora* (2 e 3).

pirar [Do cigano *pirar*, 'ir', 'correr', 'fugir'.] *V. int. Gír.* **1.** Retirar-se à socapa; safar-se, esgueirar-se, escapar-se, escapulir-se; dar o pira; pirar-se: *<u>Pirou</u> sem se despedir de ninguém.* **2.** V. *fugir* (1). **3.** *Bras.* Perder o contato com a realidade, em consequência do uso excessivo de droga (3). **4.** *Bras.* Enlouquecer, endoidar, endoidecer: "viva o prazer/ o som/ o estrondo de uma onda/ na arrebentação/ enquanto eu <u>piro</u> à sua espera na esfera do chão." (Antônio Cícero e Adriana Calcanhoto, da canção *Asas*). *P.* **5.** V. *pirar* (1 e 2). [Imperat.: *pira, pire, piremos, pirai, pirem*. Cf. *piraí*, s. m., e *Piraí*, top.]

pirarara [De or. tupi.] *S. f. Bras. Zool.* Bagre pimelodídeo (*Phractocephalus hemiliopterus*) da região amazônica. Tem dorso castanho-escuro, flancos amarelos, ventre esbranquiçado, nadadeira caudal vermelha e as outras escuras, com manchas vermelhas. Comprimento de até 1,30m. [Sin.: *uarara, cajaro, laitu, toraí*.]

pirargirita [De *pir(i)-* + *-argir(o)-* + *-ita*[3].] *S. f. Min.* Mineral trigonal, sulfeto de antimônio e prata.

piraroba [De *pira-* + o tupi = 'amargo'.] *S. f. Bras. Zool.* V. *pampo*[1] (1).

pirarucu [Do tupi = 'peixe vermelho'.] *S. m. Bras. Zool.* Peixe osteoglossídeo (*Arapaima gigas*), da bacia amazônica. Coloração escura com partes avermelhadas, sobretudo na porção posterior do corpo e nos flancos; nadadeiras dorsal e anal situadas na extremidade posterior do corpo; escamas muito grandes e ásperas; e comprimento de até 2,5m, peso de até 150kg. É o maior peixe fluvial de escamas. A pesca é feita com anzóis ou com arpão. A língua é usada para ralar o guaraná, e a escama para lixar unhas. Defende seus alevinos recolhendo-os na boca. A carne, fresca, salgada ou seca, é muito apreciada. Atualmente se usa tb. para piscicultura. [Sin.: *anato, bodeco*.]

pirarucuboia (ói) [De *pirarucu* + *-boia*.] *S. m. Bras. PA Zool.* V. *piramboia*. ❖

pirata [Do gr. *peiratés*, pelo lat. *pirata*; it. *pirata*.] *S. 2 g.* **1.** Bandido que cruza os mares só com o fito de roubar. [Cf. *corsário* (2).] **2.** *P. ext.* Ladrão, gatuno. **3.** Indivíduo que comete pirataria (3), que não respeita os direitos de autoria ou de reprodução que vigoram sobre determinadas obras ou produtos (literários, musicais, de informática, etc.), seja produzindo, ou utilizando cópias ilegais dessas obras ou produtos. **4.** Indivíduo que usa produto pirateado. ● *S. m.* **5.** *Bras.* Namorador, sedutor. **6.** Sujeito audacioso, tratante, espertalhão, malandro. ● *Adj. 2 g.* **7.** Diz-se de programa de computador, fita de vídeo, livro, etc., produzido por meio de pirataria (3). **8.** Diz-se de estação de rádio ou de TV que opera sem autorização, ou de programa, etc., por ela veiculado. ~ V. *edição —a*.

piratagem [De *pirata* + *-agem*[2].] *S. f.* V. *pirataria*.

pirá-tamanduá [De *pirá* + *tamanduá*.] *S. m. Bras. Zool.* **1.** Bagre pimelodídeo (*Conorhynchos conirostris*) da bacia do rio São Francisco, de dorso azulado e ventre brancacento, e focinho afilado, lembrando o do tamanduá. Atinge até 1m de comprimento. [Tb. se diz apenas *pirá*.] **2.** Peixe apteronotídeo (*Orthosternachus tamandua*) da bacia amazônica, de coloração rósea, corpo lateramente comprimido, nadadeira anal que se estende ao longo do ventre, focinho longo e fino, filamento peculiar na parte posterior do dorso, e comprimento de até 70cm. [Pl.: *pirás-tamanduás e pirás-tamanduá*.]

piratantã [De or. tupi.] *S. m. Bras. Zool.* Peixe actinopterígio, caraciforme, caracídeo (*Copeina arnoldi*), da Amaz., Guianas e Colômbia, de coloração rósea, tornando-se vermelha no dorso e nas nadadeiras dorsal e caudal durante o período reprodutivo. Comprimento: 6 a 7cm. É espécie utilizada para aquários.

pirá-tapioca [De *pirá* + *tapioca*.] *S. f. Bras. Zool.* Peixe actinopterígio, caraciforme, caracídeo (*Roeboides myersil*), da Amaz., de coloração cinza-prateada com mácula negra atrás do opérculo, acima da linha lateral, nadadeira anal bastante desenvolvida, e a adiposa reduzida. [Pl.: *pirás-tapiocas* e *pirás-tapioca*.]

piratapuia *Bras. S. 2 g.* **1.** *Etnôn.* Indivíduo dos piratapuias [ou (etnôn. bras.) *Piratapuya, *Piratapuyo], povo indígena da família linguística tucano, que habita a região do alto rio Negro conhecida como Boca do Cachorro (N.O. do AM e Colômbia). ● *Adj. 2 g.* **2.** Pertencente ou relativo a esse povo. [Tb. us. como *s. 2 g. e 2 n.* (com cap.) e *adj. 2 g. e 2 n.*]

pirataria [De *pirata* + *-aria*.] *S. f.* **1.** Ação ou vida de pirata. [Cf. *corso*[1] (2).] **2.** *P. ext.* Roubo, extorsão. [Sin., nessas acepç.: *piratagem*.] **3.** Ato ou efeito de piratear (2).

pirateado [Part. de *piratear*.] *Adj.* Que é fruto de pirataria (2 e 3): "Os leitores que mandarem o xerox da primeira página de uma história <u>pirateada</u> ganharão uma revista da Record." (*Folha de S.Paulo*, 16.09.1991.)

piratear [De *pirata* + *-ear*[2].] *V. t. d.* **1.** Roubar como pirata: *Muitos navios ingleses <u>piratearam</u> ouro espanhol.* **2.** Copiar (programa de computador, material audiovisual ou fonográfico, etc.), sem autorização do autor ou sem respeito aos direitos de autoria e cópia, ger. para fins de comercialização ilegal ou para uso pessoal. **3.** Vender ou repassar (o resultado dessa cópia): *Há vários ambulantes que <u>pirateiam</u> fitas e CDs pelas calçadas da cidade.* ***Int.*** **4.** Levar vida de pirata; viver de pirataria. **5.** Roubar como pirata: *Ingleses, flamengos e franceses <u>piratearam</u> nas costas brasileiras no século XVI.* **6.** Fazer ou utilizar (cópia ilegal de obra artística, produto comercial, etc.). [Conjug.: v. *frear*.]

pirático [Do lat. *piraticu*.] *Adj.* Relativo a, ou próprio de pirata.

piratinga [De *pira-* + *-tinga*.] *S. f. Bras. Amaz. Zool.* V. *piraíba*.

piratiniense *Adj. 2 g.* **1.** De, ou pertencente ou relativo a Piratini (RS). ● *S. 2 g.* **2.** O natural ou habitante de Piratini.

piratiningano[1] *Adj.* **1.** De, ou pertencente ou relativo a Piratininga (SP). ● *S. m.* **2.** O natural ou habitante de Piratininga.

piratiningano[2] [Do top. *Piratininga* + *-ano*[1].] *Adj. S. m. P. us.* V. *paulista*[1] (1 e 4).

piratubano *Adj. 2 g.* **1.** De, ou pertencente ou relativo a Piratuba (SC). ● *S. 2 g.* **2.** O natural ou habitante de Piratuba.

piraú [De or. tupi, poss.] *S. f. Bras. Zool.* V. *pomba-trocal* (1).

pirauaca [Do tupi.] *S. f. Bras. Zool.* Bagre pimelodídeo (*Sorubimichthys planiceps*) da bacia dos rios Amazonas e Orinoco, de coloração cinza-clara salpicada de pequenas manchas escuras, cabeça achatada, olhos na parte superior, maxila prolongada em forma de bico de pato, barbilhões com a parte basal ossificada e encurvada, e cerca de 35cm de comprimento. [Sin.: *piraiapeva, pirajapeva*.]

piraubano (a-u) *Adj.* **1.** De, pertencente ou relativo a Piraúba (MG). ● *S. m.* **2.** O natural ou habitante de Piraúba.

piraúna [De *pira-* + *-una*.] *S. f. Bras. Zool.* **1.** Peixe actinopterígio, perciforme, cienídeo (*Pogonias cromis*), do Atlântico ocidental, desde Long Island (E.U.A.) até a Argentina. A coloração geral é plúmbeo-escura, com nadadeiras escuras, lábios vermelhos, vários barbilhões curtos no mento e um ferrão antes da nadadeira anal; os jovens têm quatro a cinco estrias escuras. Alimenta-se de mariscos e ostras, frequenta regiões de mangue e emite sons semelhantes ao rufar de um tambor. Os exemplares jovens recebem o nome de *burriquete*. [Sin.: *miragaia, miraguaia, vaca, quindunde*.] **2.** V. *garoupinha*.

pirauxi [Do tupi.] *S. m. Bras. Amaz. Bot.* Arvoreta rosácea (*Couepia paraensis*) da floresta pluvial, de folhas oblongas, acuminadas, coriáceas e esbranquiçadas embaixo, flores organizadas em panículas acinzentadas e pubescentes, e fruto elipsoide, curvo e rígido, com 2,5cm.

pirazina [De *pir(o)-* + *azina*.] *S. f. Quím.* Substância heterocíclica aromática, cujo anel de seis átomos possui dois nitrogênios diametralmente opostos [fórm.: $C_4H_4N_2$].

pirazol [De *pir(o)-* + *-az(o)-* + *-ol*[2].] *S. m. Quím.* Substância cristalina, isômero do imidazol, com os dois átomos de nitrogênio adjacentes [fórm.: $C_3H_4N_2$]. [Pl.: *pirazóis*.]

pirazolidina [Comb. de *pirazol* + *-idr(o)-* + *-ina*[3].] *S. f. Quím.* Substância heterocíclica, que é um derivado saturado do pirazol [fórm.: $C_3H_8N_2$].

pirazolina [De *pirazol* + *-ina*[3].] *S. f. Quím.* Substância heterocíclica, derivada do pirazol por hidrogenação parcial [fórm.: $C_3H_8N_2$].

pírcingue *S. m. Lus.* V. *piercing*.

pirê *S. m. Cul.* V. *purê*.
pirelectricidade *S. f. Fís.* V. *pireletricidade*.
pireléctrico *Adj.* V. *pirelétrico*.
pireletricidade [De *pir(i)-* + *eletricidade*.] *S. f. Fís.* Separação de cargas elétricas em certos cristais, quando aquecidos.
pirelétrico [De *pir(i)-* + *elétrico*.] *Adj.* Relativo à pireletricidade.
pireliómetro *S. m.* V. *pireliômetro*. [Uso freq. em P.]
pireliômetro [De *pir(i)-* + *-(h)elio-* + *-metro*.] *S. m.* Instrumento com que se mede a radiação solar.
pirenaico [Do lat. *pyrenaicu*.] *Adj.* Dos Pireneus, cordilheira entre a França e a Espanha; pireneu.
pireneu [Do lat. *pyrenaeu*.] *Adj.* Pirenaico. [Fem.: *pireneia*.]
pireno[1] [Do gr. *pyrén, ênos*, 'caroço de fruta'.] *S. m. Bot.* Putâmen.
pireno[2] [De *pir(o)-* + *-eno*[2].] *S. m. Quím.* Hidrocarboneto aromático tetracíclico, cujas moléculas podem ser consideradas como sendo dois naftalenos fundidos, com três lados comuns [fórm.: $C_{16}H_{10}$].
▲ **piren(o)-** [Do gr. *pyrén, ênos* (ȳ).] *El. comp.* = 'caroço', 'putâmen'; 'nucléolo': *pirenocarpo, pirenoide* (< gr.).
pirenocarpo [De *piren(o)-* + *-carpo*.] *S. m. Bot.* **1.** Fruto dotado de putâmen ou pireno. • *Adj.* **2.** Diz-se da planta que tem fruto com putâmen.
pirenoide (ói) [Do gr. *pyrenoeidés*, 'em forma de caroço'.] *Adj. 2 g.* **1.** Semelhante a um caroço. • *S. m.* **2.** *Bot.* Corpúsculo incolor, proteico, que se localiza no interior dos cromatóforos das algas verdes, e que em geral está circundado por um depósito de grãos de amilo. ❖
pirenopolino *Adj.* **1.** De, ou pertencente ou relativo a Pirenópolis (GO). • *S. m.* **2.** O natural ou habitante de Pirenópolis.
pirento [De *pira*[2] + *-ento*.] *Adj. Bras. N.* Diz-se do animal atacado de pira[2]; sarnento: "O mormaço subia da poeira, das pedras, da maré seca, dos cachorros pirentos, dos porcos na rua" (Dalcídio Jurandir, *Três Casas e um Rio*, p. 375).
pirera [De *pireras*.] *Adj. 2 g. Bras. Gír.* Mole, brando. ~ V. *pireras*.
pireras [Do tupi = 'couro de animal morto'.] *S. f. pl. Bras. AM* Mamas pendentes, chatas e flácidas; peitos caídos. ~ V. *pirera*.
pires[1] [De or. oriental; poss.] *S. m. 2 n.* Pratinho sobre o qual se põe a chávena ou a xícara.
pires[2] [Do antr. *Pires*.] *Adj. 2 g. 2 n. Lus. Pop.* De mau gosto, de gosto duvidoso; ridículo, pífio: "Mas o que nos vinculava principalmente era o horror que tínhamos ao reles; ao lugar-comum; ao conceito e gosto pires." (Aquilino Ribeiro, *Lápides Partidas*, p. 86).
pires-ferreirense *Adj. 2 g.* **1.** De, ou pertencente ou relativo a Pires Ferreira (CE). • *S. 2 g.* **2.** O natural ou habitante de Pires Ferreira. [Pl.: *pires-ferreirenses*.]
piresino *Adj.* **1.** De, ou pertencente ou relativo a Pires do Rio (GO). • *S. m.* **2.** O natural ou habitante de Pires do Rio.
pirético [Do gr. *pyretikós*.] *Adj. Med.* Febril (2).
▲ **piret(o)-** [Do gr. *pyretós, oû* (ȳ).] *El. comp.* = 'ardor', 'febre': *piretologia, piretoterapia*. [Equiv.: *-piret(o)-*: *apirético*.]
▲ **-piret(o)-** Equiv. de *piret(o)-*.
piretogénese *S. f. Patol.* V. *piretogênese*. [Uso freq. em P.]
piretogênese [De *piret(o)-* + *-gênese*.] *S. f. Patol.* Origem e mecanismo de produção de febre.
piretogenético [De *piretogên(ese)* + *-ético*.] *Adj.* Relativo a piretogênese.
piretologia [De *piret(o)-* + *-logia*.] *S. f. Med.* Estudo ou tratado acerca das febres.
piretológico [De *piretologia* + *-ico*[2].] *Adj.* Referente a piretologia.
piretoterapia [De *piret(o)-* + *-terapia*.] *S. f. Terap.* Tratamento de uma doença pela elevação da temperatura do doente.
piretoterápico [De *piretoterapia* + *-ico*[2].] *Adj.* Relativo a piretoterapia.
piretrina [De *píretro* + *-ina*[3].] *S. f. Quím.* Qualquer de certas substâncias isoladas das flores do píretro, ésteres derivados do ácido crisantêmico, inseticidas: piretrina I, fórm.: $C_{21}H_{28}O_3$; piretrina II, fórm.: $C_{22}H_{28}O_5$.
píretro [Do tax. *Pyrethrum*.] *S. m. Bot.* **1.** Gênero de plantas asteráceas incluído, atualmente, no gênero *Chrysanthemum*. **2.** Qualquer espécie desse gênero, como, p. ex., a *Chrysanthemum cinerariaenum* ou *Tanacetum cinerariaefolium* cultivada no RS, e que tem propriedades inseticidas, fornecendo droga a partir dos capítulos dessecados e pulverizados, que contêm piretrina como substância ativa. **3.** Qualquer espécime desse gênero.
piretroide (ói) [De *píretro* + *-oide*.] *Quím. Adj. 2 g.* **1.** Próprio de, ou relativo a píretro ou a piretroide (2). • *S. m.* **2.** Derivado (ger. éster) do ácido crisantêmico (q. v.). ❖
pirex (cs) *S. m. 2 n.* Marca registrada de determinado vidro e/ou utensílio de vidro resistente ao calor.
pírex (cs) *S. m. 2 n.* Borossilicato (2).
pirexia (cs) [Do gr. *pýrexis*, 'acesso febril', + *-ia*[1].] *S. f. Med.* **1.** Estado febril. **2.** Febre[1] (1): "Um dia sucumbiu-lhe o organismo ao insulto de uma dessas violentas pirexias que a ciência batiza com mil nomes" (Carlos de Laet, *O Frade Estrangeiro e Outros Escritos*, p. 33).
piri [Do tupi = 'junco'.] *S. m. Bras. N. Bot.* Espécie de junco ciperáceo (*Rynchospora cephalotes*) que cresce nos terrenos pantanosos, e do qual se fazem esteiras; piripiri. [Cf. *peri*, s. m., e *Peri*, antr.]
▲ **pir(i)-** [Do gr. *pyr-, pyri-* < gr. *pyær, pyrós*.] V. *piro-*.
▲ **piri-** [Do lat. *pirum, i*.] *El. comp.* = 'pera': *piriforme*.
▲ **-pir(i)-** V. *piro-*.
piriaenses (i-à) *Adj. 2 g.* **1.** De, ou pertencente ou relativo a Nova Esperança do Piriá (PA). • *S. 2 g.* **2.** O natural ou habitante de Nova Esperança do Piriá.
piribita [Alter. de *jeribita*.] *S. f. Bras. PB Pop.* V. *cachaça* (1).
pírico [De *pir(i)-* + *-ico*[2].] *Adj.* **1.** Da pira[1]. **2.** Do fogo.
piridazina [De *pirid(ina)* + *azina* (1).] *S. f. Quím.* Substância heterocíclica aromática, isômero da pirazina com dois átomos de nitrogênio em posições adjacentes [fórm.: $C_4H_4N_2$].
piridina [De *pir(o)-* + *-idina*.] *S. f. Quím.* Composto heterocíclico, líquido, incolor, de cheiro desagradável, extraído do alcatrão do carvão e usado como solvente [fórm.: C_5H_5N].
piridoxina (cs) [De *pirid(ina)* + *-ox(o)-* + *-ina*[3].] *S. f. Quím.* Substância cristalina, heterocíclica, que é uma das vitaminas do complexo vitamínico B [fórm.: $C_8H_{11}NO_3$].
pirífora [De *pir(i)-* + *-foro*.] *S. f. Bras. Zool.* V. *pirilampo*.
piriforme [De *piri-* + *-forme*.] *Adj. 2 g.* Em forma de pera; periforme.
piriguá [Do tupi, poss.] *S. m. Bras. Zool.* V. *anu-branco*.
piriguara[1] *S. f. Bras. Zool.* Reptil ofídio, colubrídeo (*Helicops leopardina*), do C.O., N.E. e N. do Brasil, cuja coloração é manchada de negro. Mede pouco mais de meio metro de comprimento. [F. paral.: *piraguara*.]
piriguara[2] [De or. incerta.] *S. f. Bras. L. S. Bot.* Cipó violáceo (*Anchietea salutaris*) nativo da floresta atlântica, de folhas moles, membranáceas, flores aromáticas e amarelas, frutos que são cápsulas grandes, aladas, com sementes; goza de grande estima popular por serem as raízes consideradas purgativas e eméticas, e a parte aérea dada como antissifilítica. [Sin.: *cipó-suma, paraguaia, piragaia, piraguaia, puruuara*.]
pirilampagem [De *pirilampo* + *-agem*[2].] *S. f. Bras.* V. *fantasma* (3).
pirilampar [De *pirilampo* + *-ar*[2].] *V. int. Bras.* V. *pirilampear*. [Normalmente, é defectivo, conjugável só nas 3.as pess.]
pirilampear [De *pirilampo* + *-ear*[2].] *V. int. Bras.* Brilhar como pirilampo; pirilampar, pirilampejar: "Nem desse lustre aí suspenso, áureo e sutil / Pirilampeia um só dentre os pingentes mil." (Alberto de Oliveira, *Poesias*, 2.ª série, p. 86); "Alma de prata das estrelas / Pirilampeia na penumbra" (Raul Bopp, *Putirum*, p. 146). [Conjug.: v. *frear*. Normalmente, é defectivo, conjugável só nas 3.as pess.]
pirilampejar [De *pirilampo* + *-ejar*.] *V. int. Bras.* V. *pirilampear*. [Conjug.: v. *pelejar*. Normalmente, é defectivo, conjugável somente nas 3.as pess.]
pirilâmpico [De *pirilampo* + *-ico*[2].] *Adj.* Que luz como um pirilampo; fosforescente.
pirilampo [Do gr. *pyrilampís*.] *S. m. Zool.* Inseto coleóptero, lampirídeo ou elaterídeo, que apresenta órgãos fosforescentes localizados na parte inferior dos segmentos abdominais. São, por via de regra, de cores pouco vistosas, alguns amarelados ou pardo-claros, com faixas negras, de cabeça grande, arredondada na frente; dão grandes saltos quando colocados de costas. As larvas são predadoras, alimentando-se de madeira em decomposição ou de raízes e base dos caules das plantas. A fosforescência decorre-lhes de uma reação entre um fermento e outras substâncias químicas: "pousavam faiscando, desapareciam — eram pirilampos erradios que fugiam ao clarão do luar." (Coelho Neto, *Treva*, p. 75). [Sin.: *vaga-lume, caga-lume, caga-fogo, cudelume, luzecu, luze-luze, lampíride, lampírio, lampiro, lumeeira, lumeeiro, mosca-de-fogo, noctiluz, pirífora, salta-martim, uauá*. Desses sin., vários são bras., e alguns lus.]
pirílio [De *pir(ano)* + *-il-* + *-io*[3].] *S. m. Quím.* Cátion aromático, relacionado ao pirano [fórm.: $C_5H_5O^+$].
pirimidina [Comb. de *piridina* e *amidina*.] *S. f. Quím.* **1.** Substância heterocíclica aromática, isômero da pirazina com dois átomos de nitrogênio separados por um de carbono, da qual se podem considerar derivadas três das bases nitrogenadas encontradas nos ácidos nucleicos, a citosina, a timina e a uracila [fórm.: $C_4H_4N_2$]. **2.** Qualquer substância que se pode considerar relacionada ou derivada da pirimidina; substância pirimidínica.
pirimidínico [De *pirimidina* + *-ico*[2].] *Adj. Quím.* Próprio da, ou relativo à pirimidina.
pirinola [Do esp. *perinola*.] *S. f.* Rapa[1] (1).
piripaense (pà) *Adj. 2 g.* **1.** De, ou pertencente ou relativo a Piripá (BA). • *S. 2 g.* **2.** O natural ou habitante de Piripá.
piripaque [De or. express.] *S. m. Bras. Pop.* **1.** Mal-estar físico que ocorre de repente. **2.** Faniquito, chilique.
piripiri[1] [Do tupi.] *S. m. Bras. Bot.* Piri: "as crianças sentadas em fresca esteira de piripiri" (Raul Lima, *O Fio do Tempo*, p. 127).
piripiri[2] *S. m. Bras. Zool.* V. *periquito-urubu*.
piripíri (pí) [Do suaíle = 'pimenta', poss.] *S. m. Guin.* **1.** *Bot.* V. *pimenta-malagueta*. **2.** *Bot.* V. *pimentão* (1). **3.** Molho ou condimento feito com piripíri (1 e 2).
piripiriense *Adj. 2 g.* **1.** De, ou pertencente ou relativo a Piripiri (PI). • *S. 2 g.* **2.** O natural ou habitante de Piripiri.
piriquitá *S. m. Bras. AM Bot.* V. *jequiriti*.
piriquitete (ê) *Adj. 2 g. Bras. N. Fam.* Bem trajado, com decência e apuro, mas sem ostentação.
piriquiti [Do tupi.] *S. m. Bras. Bot.* **1.** V. *coquilho* (1). **2.** V. *jequiriti*.
piriri [Do tupi.] *S. m. Bras.* **1.** *Bot.* Canudo-de-pito (3). **2.** V. *diarreia*: "— Torresmo em demasia faz mal, meu filho. Pode dar piriri..." (Nélson de Faria, *Cabeça-Torta*, p. 38.)
piririca [Do tupi.] *S. f. Bras.* **1.** Pequena corredeira (1). **2.** Ondulação à tona da água, produzida pelos peixes. • *Adj. 2 g.* **3.** Áspero como lixa. **4.** Sem modos; sirigaita, perereca.
piriricar [De *piririca* + *-ar*[2].] *V. int. Bras.* **1.** Ondular ou encrespar-se de leve (a superfície da água do rio). **2.** Produzir leve tremura ou ondulação na água: *O peixe saltou piriricando.* **3.** *Fig.* Enrugar a testa em demonstração de zanga: *O homem piriricou, dizendo que não aceitava desculpas.* *T. d.* **4.** *Bras.* Provocar abalo ou comoção em; tocar, abalar, comover: *A notícia piriricou todos os amigos.* [Conjug.: v. *trancar*. Cf. *pererecar*.]
piririgua [Do tupi.] *S. m. Bras. Amaz. Zool.* V. *saci* (2).
pirita [De *pir(i)-* + *-ita*[3].] *S. f. Min.* Mineral monométrico, sulfeto de ferro, usado na fabricação de ácido sulfúrico, e que, por sua cor amarela e brilho metálico, recebe a denominação popular de *ouro dos trouxas*.
▲ **pirit(i)-** [Do gr. *pyrítes, ou*, 'espécie de pedra da qual se extrai o cobre', pelo lat. *pyrites*.] *El. comp.* = 'pirita': *pirita* (< gr.), *piritífero, piritiforme, piritoso*.
piritibano *Adj.* **1.** De, ou pertencente ou relativo a Piritiba (BA). • *S. m.* **2.** O natural ou habitante de Piritiba.
piritífero [De *pirit(i)-* + *-fero*.] *Adj.* Que contém pirita; piritoso.
piritiforme [De *pirit(i)-* + *-forme*.] *Adj. 2 g.* Que tem forma de pirita.
piritoso (ô) [De *pirit(i)-* + *-oso*.] *Adj.* Piritífero.
pirizal [De *piri* + *-zal*.] *S. m. Bras.* **1.** Terreno onde é abundante o piri; juncal. **2.** Área ocupada por pirizal (1).
▲ **pir(o)-** [Do gr. *pyro-* < gr. *pyær, pyrós*.] *El. comp.* = 'fogo'; 'calor'; 'calor da febre', 'febre'; 'ardor de um sentimento': *pirofobia; piroscópio; pirogênio; piroplasma*. [Equiv.: *-pira, pir(i)-, -pir(i)-*: *neurópira, pireliômetro, pírico, pirita* (< gr.); *antipirina*. Cf. *piro-*.]
▲ **piro-** [Do gr. *pyær, pyrós*.] *Quím.* *El. comp.* Indica ácido obtido de um ortoácido por perda de uma molécula de água, para cada duas moléculas de ortoácido. [Tb. us. para sais e ésteres derivados desse ácido: *ácido pirofosfórico, pirofosfato*. Sempre sem hífen. Cf. *pir(o)-*.]
piroaba *S. f. Bras.* V. *piraoba*.
piroantimoniato *S. m. Min.* Composto mineral de piroantimonita e um óxido alcalino ou alcalinoterroso.
piroantimonita *S. f. Min.* Estibina parcialmente oxidada [fórm.: $2Sb_2S_3Sb_2O_3$].
pirobalística [De *piro-* + *balística*.] *S. f.* Arte de calcular o alcance das armas de fogo.
pirobalístico [De *pirobalística*, com var. suf. (v. *-ico*[2]).] *Adj.* Respeitante a pirobalística.
pirobetume *S. m. Quím.* Betume que se obtém por destilação seca.
pirobo (ô) *S. m. Bras. N.E. Pej.* Efeminado (6).
piroca [Do tupi = 'calvo'.] *Adj. 2 g.* **1.** *Bras. AM* Calvo, careca. **2.** *Bras. N.* V. *avaro* (1). • *S. f.* **3.** *Bras. Chulo* Pênis de menino. **4.** *Bras. Chulo* O pênis.
pirocar [De *piroca* + *-ar*[2].] *V. int.* **1.** *Bras. AM* Tornar-se calvo ou piroca; encalvecer: *Começou a pirocar aos 30 anos.* **2.** *Bras. AM* Perder a pele, casca ou cabelo; esfolar: *O cachorro, atacado de raiva, pirocou.* *T. d.* **3.** *Bras. Chulo* Copular com. [Conjug.: v. *trancar*.]
pirocatecol [De *pir(o)-* + *catecol*.] *S. m. Quím.* Substância cristalina, incolor, solúvel em água e álcool,

que é um difenol, com duas hidroxilas em carbonos adjacentes de um anel benzênico, e é usada como antisséptico, em fotografia e na indústria de corantes; pirocatequina, ácido pirocatequínico, catecol [fórm.: $C_6H_6O_2$]. [Pl.: *pirocatecóis.*]

pirocatequina *S. f. Quím.* V. *pirocatecol.*

pirocatequínico *Adj. Quím.* ~ V. *ácido —.*

piroclástico [De *piro-* + *-clast(o)-* + *-ico*[2].] *Adj. Geol.* Diz-se dos sedimentos originários das atividades vulcânicas explosivas, das quais provêm fragmentos de vários tamanhos, desde poeiras até blocos, que se vão depositar, formando os depósitos piroclásticos.

piroclímax (cs) [De *piro-* + *clímax.*] *S. m. 2 n. Fitogeogr.* Vegetação cuja fisionomia e estrutura são devidas à ação deletéria do fogo periódico. [Na opinião de muitos, o cerrado é um piroclímax.]

pirocloro [De *piro-* + *-cloro.*] *S. m. Min.* Mineral monométrico, fluorniobato e titanato de cálcio e sódio, que pode ser uma fonte de tório.

piroculu [De or. indígena.] *S. m. Bras. Amaz. Zool.* **1.** V. *parauaçu.* **2.** Cuxiú-de-nariz-branco.

piroelectricidade *S. f. Fís.* V. *piroeletricidade.*

piroeléctrico *Adj.* V. *piroelétrico.*

piroeletricidade [De *piro-* + *eletricidade.*] *S. f. Fís.* V. *pireletricidade.*

piroelétrico [De *piro-* + *elétrico.*] *Adj.* V. *pirelétrico.*

pirófago [De *piro-* + *-fago.*] *S. m.* Prestidigitador que simula engolir fogo.

pirofilita [Do ingl. *pyrophyllite* (v. *pir(o)-*, *-fil(o)-*[1] e *-ita*[3]).] *S. f. Min.* Mineral monoclínico, silicato de alumínio hidratado, branco, verde ou cinza, de brilho perlado.

pirófilo [De *piro-* + *-filo*[2].] *Adj. Ecol.* Que se beneficia com o calor do fogo das queimadas de vegetação: *semente pirófila.* [O cerrado é uma vegetação pirófila: rebrota vigorosamente após as queimadas.]

pirófito [De *piro-* + *-fito.*] *S. m. Ecol.* Vegetal pirófilo.

pirofobia [De *piro-* + *-fobia.*] *S. f. Psiq.* Horror doentio ao fogo.

pirofóbico [De *pirofobia* + *-ico*[2].] *Psiq. Adj.* **1.** Relativo a pirofobia. **2.** Que sofre de pirofobia; pirófobo. • *S. m.* **3.** Aquele que sofre de pirofobia; pirófobo.

pirófobo [De *piro-* + *-fobo.*] *Adj. S. m. Psiq.* Pirofóbico (2 e 3).

pirofórico [De *pir(o)-* + *-for(o)-* + *-ico*[2].] *Adj. Quím.* Que se inflama espontaneamente.

piróforo [Do gr. *pyrophóros.*] *Adj.* **1.** Inflamável (1). • *S. m.* **2.** *Quím.* Substância pirofórica.

pirofosfato [De *pir(o)-* + *fosfato.*] *S. m. Quím.* Qualquer sal ou éster do ácido pirofosfórico.

pirofosfórico [De *pir(o)-* + *fosfórico.*] *Adj. Quím.* ~ V. *ácido —.*

piroga [Do caraíba *piragua,* pelo esp. *piragua,* ou poss. pelo fr. *pirogue.*] *S. f.* Antiga embarcação indígena, esguia e aberta, feita de um tronco de árvore escavado a fogo: "— Tomadas de pavor, dando contra os baixios, / As pirogas dos teus fugiam pelo mar..." (Olavo Bilac, *Poesias,* p. 260.)

pirogalol [De *pirogál(ico)* + *-ol*[2].] *S. m. Quím.* Composto aromático, fenol derivado do benzeno por substituição de três hidrogênios, em carbonos adjacentes, por hidroxilas, us. para absorver oxigênio [fórm.: $C_6H_6O_3$]. [Pl.: *pirogalóis.*]

pirogenação [De **pirogenar* (< *piro-* + *-gen(o)-* + *-ar-*[2]) + *-ção.*] *S. f.* Reação que se produz com o concurso do fogo.

pirogénese *S. f. Fís.* V. *pirogênese.* [Uso freq. em P.]

pirogênese [De *piro-* + *-gênese.*] *S. f. Fís.* Produção de calor.

pirogenético [De *pirogên(ese)* + *-ético.*] *Adj.* Referente à pirogênese.

pirogénico *Adj.* V. *pirogênico.* [Uso freq. em P.]

pirogênico [De *piro-* + *-gen(o)-* + *-ico*[2].] *Adj.* Produzido pelo calor, ou pela ação dele.

pirogénio *S. m. Med.* V. *pirogênio.* [Uso freq. em P.]

pirogênio [De *piro-* + *-gen(o)-* + *-io*[3].] *S. m. Med.* Substância originada em células vivas, que produz elevação de temperatura corporal.

pirogravado [Part. de *pirogravar.*] *Adj.* Gravado ou desenhado com ponta incandescente: "Os regalos, expostos à vista das jovens, iam desde frascos de osso pirogravados, recipientes de ébano, prata, ... , até manuscritos, alguns originários das primeiras escolas religiosas de Bagdá." (Nélida Piñon, *Vozes do Deserto,* p. 56.)

pirogravar [De *pir(o)-* + *gravar.*] *V. t. d. Int.* Gravar ou desenhar com ponta incandescente.

pirogravura [De *piro-* + *gravura.*] *S. f.* **1.** Arte de desenhar ou gravar com ponta incandescente. **2.** Desenho feito dessa maneira.

pirola *S. f. Bras. CE Chulo* O pênis.

pirolácea [Do tax. *Pyrola* + *-ácea;* tax. *Pyrolaceae.*] *S. f. Bot.* Espécime das piroláceas, família de plantas floríferas, da ordem das ericales, composta de ervas verdes ou sem clorofila, saprofíticas, de folhas alternas e flores solitárias ou racemosas. Existem apenas umas 35 espécies, do hemisfério boreal.

piroláceo [De *pirolácea,* com var. suf. (v. *-áceo*).] *Adj. Bot.* Pertencente ou relativo às piroláceas.

pirólatra [De *piro-* + *-latra.*] *S. 2 g.* Pessoa que pratica a pirolatria; adorador do fogo.

pirolatria [De *piro-* + *-latria.*] *S. f.* Adoração do fogo.

pirolátrico [De *pirolatria* + *-ico*[2].] *Adj.* Relativo a pirolatria, ou a pirólatra.

pirolenhoso (ô) [De *piro-* + *lenhoso.*] *Adj. Quím.* Diz-se de material proveniente, ou resultante, da ação do calor sobre a madeira.

pirólise [De *piro-* + *-lise.*] *S. f. Quím.* Decomposição pelo calor.

pirolisita *S. f. Min.* Pirolusita (q. v.).

pirolito [De *pirlito,* por *pilrito,* com epêntese.] *S. m.* Certo estribilho popular. [Cf. *pirulito.*]

pirologia [De *piro-* + *-logia.*] *S. f.* Tratado sobre o fogo.

pirológico [De *pirologia* + *-ico*[2].] *Adj.* Concernente a pirologia.

pirolusita [Var. de *pirolisita* < *piro-* + *-lis(e)-* + *-ita*[3].] *S. f. Min.* Mineral ortorrômbico, preto, opaco, óxido de manganês, minério de manganês, empregado como oxidante nas indústrias de vidros, para os tornar límpidos.

piromancia (cí) [De *piro-* + *-mancia.*] *S. f.* Adivinhação por meio de fogo.

piromania [De *piro-* + *-mania.*] *S. f. Psiq.* Impulso mórbido para atear fogo, para provocar incêndio.

piromaníaco [De *piromania* + *-íaco.*] *Psiq. Adj.* **1.** Relativo a piromania. **2.** Que tem piromania; pirômano. • *S. m.* **3.** Aquele que tem piromania; pirômano.

pirómano *Adj. S. m. Psiq.* V. *pirômano.* [Uso freq. em P.]

pirômano [De *piro-* + *-mano*[1].] *Adj. S. m. Psiq.* Piromaníaco (2 e 3).

piromante [De *piro-* + *-mante.*] *S. 2 g.* Pessoa que pratica a piromancia.

piromântico *Adj.* Referente a piromancia, ou a piromante.

pirometalurgia [De *piro-* + *metalurgia.*] *S. f.* Designação genérica dos processos metalúrgicos que ocorrem em temperaturas elevadas e nos quais o calor é agente importante para o desenvolvimento das reações químicas entre os materiais envolvidos.

pirometalúrgico [De *pirometalurgia* + *-ico*[2].] *Adj.* Relativo a pirometalurgia.

pirometria [De *piro-* + *-metria.*] *S. f.* Arte de avaliar as altas temperaturas.

pirométrico [De *pirometria* + *-ico*[2].] *Adj.* Referente a pirometria, ou ao pirômetro.

pirómetro *S. m.* V. *pirômetro.* [Uso freq. em P.]

pirômetro [De *piro-* + *-metro.*] *S. m.* Instrumento para medição de temperatura mediante a radiação emitida por um sistema aquecido.

piromorfita [De *piro-* + *-morf(o)-* + *-ita*[3].] *S. f. Min.* Mineral hexagonal, clorofosfato de chumbo, minério pobre de chumbo.

pirona [De *pir(ano)* + *-ona*[2].] *S. f. Quím.* Substância cristalina, cetona derivada do pirano, da qual há dois isômeros [fórm.: $C_5H_4O_2$].

pironga *S. f. Bras. Bot.* V. *urupê.*

pironomia [De *piro-* + *-nom(o)-* + *-ia*[1].] *S. f.* Arte de regular a temperatura nas reações químicas.

pironómico *Adj.* V. *pironômico.* [Uso freq. em P.]

pironômico [De *pironomia* + *-ico*[2].] *Adj.* Respeitante a pironomia.

piroplasma [De *piro-* + *-plasma.*] *S. m. Zool.* Parasito de aspecto piriforme, encontrado no sangue dos animais domésticos, e que produz certa moléstia febril de forma aguda.

piroplasmíase [Do tax. *Piroplasma* + *-íase.*] *S. f. Veter.* Piroplasmose.

piroplasmose [Do tax. *Piroplasma* + *-ose*[1].] *S. f. Veter.* Zoonose parasitária produzida por protozoários do gênero *Piroplasma* (ou *Babesia*) em animais domésticos; piroplasmíase.

piropo[1] [Do gr. *pyropós,* 'com aspecto de fogo' (subentende-se *líthos,* 'pedra').] *S. m.* **1.** A cor do fogo. **2.** *Min.* Mineral monométrico vermelho-escuro, do grupo das granadas, constituído essencialmente de silicato de alumínio e magnésio.

piropo[2] [Do lat. *pyropu.*] *S. m.* Liga usada pelos antigos, com quatro partes de cobre e uma de ouro.

piropo (ô) *S. m. Lus. Fam.* Galanteio, elogio, esp. o dirigido a uma mulher.

piroquetagem [De *piroquete* + *-agem*[2].] *S. f.* Atitude, modos ou caráter de piroquete.

piroquete [Alter. de *espiroqueta,* poss.] *S. 2 g. Bras. Gír.* **1.** Pessoa ruidosa, agitada, irrequieta. **2.** Pessoa que emite opiniões levianas; palpiteiro.

pirosca *S. f. Bras. MG* V. *gude.*

piroscópio [De *piro-* + *-scópio.*] *S. m.* Instrumento que, regulado para determinado grau térmico, indica que a temperatura atingiu esse grau.

pirose [Do gr. *pýrosis,* 'ação de queimar'.] *S. f. Med.* Sensação de queimação que se inicia em situação retrosternal e se propaga, geralmente, em ondas sucessivas, até a faringe, estando acompanhada de eructação ácida e de aumento de salivação. [Sin.: *azia,* e (bras., PR) *cremor.*]

pirosfera [De *piro-* + *-sfera.*] *S. f. Geol.* Camada interior, ígnea, do globo terrestre, compreendida entre o nife e a crosta superior, e onde se originam as lavas do vulcão.

pirosférico [De *pirosfera* + *-ico*[2].] *Adj.* Concernente a pirosfera.

piroso (ô) *Adj. Lus. Pop.* **1.** De mau gosto; cafona. • *S. m. Lus. Pop.* **2.** Indivíduo piroso.

pirosómido *S. m. Adj. Zool.* V. *pirosômido.* [Uso freq. em P.]

pirosômido [Do tax. *Pyrosoma* + *-ido*[3]; tax. *Pyrosomidae.*] *Zool. S. m.* **1.** Espécime dos pirosômidos, ordem de tunicados taliáceos, sem configuração larvar, que formam colônia tubular, compacta. Têm bandas musculares presentes apenas na extremidade do corpo, fendas branquiais altas e numerosas (até 50), e são fosforescentes. • *Adj.* **2.** Pertencente ou relativo a eles.

pirote *S. m. Bras.* V. *cocó*[1].

pirotecnia [De *piro-* + *-tecn(o)-* + *-ia*[1].] *S. f.* **1.** Arte de empregar o fogo ou os explosivos. **2.** O conjunto dos conhecimentos necessários para preparar os fogos de artifício.

pirotécnico [De *pirotecnia* + *-ico*[2].] *Adj.* **1.** Referente a pirotecnia. ~ V. *artefato —, chuva —a* e *pólvora —a.* • *S. m.* **2.** Fabricante de fogos de artifício.

pirotério [Adapt. do tax. *Pyrotheria.*] *Paleont. S. m.* **1.** Espécime dos pirotérios, subordem de ungulados amblípodes que habitaram a América do Sul no oligoceno. Tinham o porte dos atuais elefantes e eram dotados de trombas, de defesas em forma de cinzel desenvolvidas a partir dos incisivos, e de molares semelhantes aos dos elefantes de hoje; no entanto, nenhum elo os prende a esses animais, já que surgiram, e desapareceram, confinados à América do Sul. • *Adj.* **2.** Pertencente ou relativo a eles.

pirótico [Do gr. *pyrotikós.*] *Adj.* Que cauteriza.

piroxénio (cs) *S. m. Min.* V. *piroxênio.* [Uso freq. em P.]

piroxênio (cs) [De *piro-* + *-xen(o)-* + *-io*[3].] *S. m. Min.* Designação comum aos minerais do grupo dos piroxênios, formado por silicatos de magnésio, ferro, cálcio, por vezes também alumínio e sódio, raramente puros, na maior parte das vezes em misturas isomorfas.

piroxenito (cs) [De *piroxênio* + *-ito*[2].] *S. m. Geol.* Rocha magmática constituída essencialmente por piroxênios.

piroxila (cs) [De *piro-* + *-xila.*] *S. f. Expl.* Piroxilina.

piroxilina (cs) [De *piro-* + *-xil(o)-* + *-ina*[3].] *S. f. Expl.* Variedade de nitrocelulose com baixo teor de nitrogênio; piroxila.

pirpiritubense *Adj. 2 g.* **1.** De, ou pertencente ou relativo a Pirpirituba (PB). • *S. 2 g.* **2.** O natural ou habitante de Pirpirituba.

pirraça [De or. obscura.] *S. f.* **1.** Coisa feita de propósito com o intuito de contrariar, agastar, aborrecer, amolar. **2.** Acinte, desfeita, partida, perraria, perrice.

pirraçar [De *pirraça* + *-ar*[2].] *V. int.* **1.** Fazer pirraça; contrariar, pirracear. *T. d.* **2.** Fazer pirraça a; contrariar de caso pensado: *A criança, ressentida, procurou pirraçar a mãe.* [Sin. ger.: *pirracear.* Conjug.: v. *laçar.*]

pirracear [De *pirraça* + *-ear*[2].] *V. int. T. d.* Pirraçar: "o fazendeiro recomendou, pediu insistido — e o caboclo, só de ruim, desatende, pirraceia." (Mário Palmério, *Vila dos Confins,* p. 140). [Conjug.: v. *frear.*]

pirraceiro [De *pirraça* + *-eiro.*] *Adj. S. m.* Pirracento.

pirracento [De *pirraça* + *-ento.*] *Adj. S. m.* Que, ou aquele que é dado a fazer pirraças; pirraceiro.

pirralhada [De *pirralho* + *-ada*[1].] *S. f. Bras.* Conjunto de pirralhos; pequenada, gurizada.

pirralho [De or. incerta.] *S. m. Bras. Prov. port.* **1.** Menino pequeno; criança, guri. **2.** Indivíduo de baixa estatura.

pírrica [Do gr. *pyrríche,* pelo lat. *pyrrhicha.*] *S. f.* Dança guerreira, de origem dórica, que se dançava tanto em Atenas quanto em Esparta (Grécia antiga), e na qual os homens eram exercitados desde a infância, a fim de prepararem-se para enfrentar os combates: "O divino Homero .... acreditava que a tomada de Troia se deu devido à maneira impecável por que os gregos, em combate, dançaram a pírrica." (Martins Fontes, *A Dança,* pp. 14-15.)

pirríquio [Do gr. *pyrríchios* (subentendendo-se *poús,* 'pé'), pelo lat. *pyrrhichiu.*] *S. m. Arte Poét.* Pé de verso grego ou latino constituído de duas sílabas breves; pariambo, periambo.

pirrófita *S. f. Bot.* V. *pirrófito.*

pirrófito [Adapt. do tax. *Pyrrophyta.*] *Bot. S. m.* **1.** Espécime dos pirrófitos, divisão do reino vegetal que reúne algas que são, em sua maioria, marinhas, unicelulares, e têm dois flagelos desiguais; ger. apresentam placas de celulose sobre a membrana celular, tendo a xantofila como seu pigmento predominante. Muitos deles são bioluminescentes. ● *Adj.* **2.** Pertencente ou relativo a eles.

pirrol [Do gr. *pyrrhós*, 'cor de fogo', + *-ol*[3].] *S. m. Quím.* Composto heterocíclico, cujo anel tem quatro átomos de carbono e um de nitrogênio, líquido incolor, de odor semelhante ao do clorofórmio, e que é base muito fraca [fórm.: C_4H_5N]. [Pl.: *pirróis*.]

pirrola (ô) *S. f. Bras. MG Pop.* Pênis de menino.

pirrólico [De *pirrol* + *-ico*[2].] *Adj.* Próprio de, ou relativo a pirrol.

pirrolidina [De *pirrol* + *-idina*.] *S. f. Quím.* Substância líquida, de cheiro desagradável, resultante da hidrogenação do pirrol; tetraidropirrol [fórm.: C_4H_9N].

pirrolidona [De *pirrolid(ina)* + *-ona*[2].] *S. f. Quím.* Substância líquida, cetona derivada da pirrolidina, e que é usada como solvente e na fabricação de polímeros [fórm.: C_4H_7NO].

pirrolina [De *pirrol* + *-ina*[3].] *S. f. Quím.* Qualquer de três substâncias líquidas isômeras, de cheiro desagradável, resultantes da hidrogenação parcial do pirrol [fórm.: C_4H_7N].

pirronice [De *pirron-*, como em *pirronismo*, + *-ice*.] *S. f.* **1.** Qualidade, ato, atitude ou dito de pirrônico. **2.** Desconfiança sistemática. **3.** Obstinação acintosa.

pirrónico *Adj. S. m.* V. *pirrônico*.

pirrônico [De *pirronismo* + *-ico*[2], seg. o padrão erudito.] *Adj. S. m.* **1.** Que, ou aquele que segue o pirronismo (1). **2.** *P. ext.* Que, ou aquele que duvida de tudo. **3.** *Fam.* Teimoso, obstinado.

pirronismo [Do antr. *Pírron* + *-ismo*.] *S. m.* **1.** *Filos.* Doutrina de Pírron de Élida (c. 365- c. 275 a. C.), filósofo grego, e de seus seguidores, caracterizada pelo ceticismo radical. [Cf. *cepticismo* (1 e 2).] **2.** *P. ext.* Hábito de duvidar de tudo. **3.** *Fam.* Teimosia, obstinação.

pirronizar [De *pirrônico* + *-izar*, seg. o padrão erudito.] *V. int.* Proceder como pirrônico (1); ser ou mostrar-se céptico.

pirrotita [Do gr. *pyrrhótes*, 'avermelhado', 'cor de fogo', + *-ita*[3].] *S. f. Min.* Mineral hexagonal, cor de bronze, de brilho metálico, magnético, sulfito de ferro, e que pode ser minério de níquel quando este se encontra em quantidade apreciável como impureza.

pírtiga [Var. de *pértiga*.] *S. f.* **1.** *Ant.* Vara, varapau. **2.** Cabeçalho de carro.

pírtigo [Var. de *pírtiga*.] *S. m.* Vara do mangual.

piruá [Do tupi = 'empola'.] *S. m. Bras.* Grão de milho que não rebenta ao ser feita a pipoca; mururu.

pirucaia [De or. tupi.] *S. f. Bras. PE Zool.* V. *oveva*.

pirueta (ê) [Do fr. *pirouette*.] *S. f.* **1.** Volta do cavalo sobre uma das mãos. **2.** Rodopio sobre um pé. **3.** Pulo, salto, cabriola. [Pl.: *piruetas* (ê). Cf. *pirueta* e *piruetas*, do v. *piruetar*.]

piruetar [De *pirueta* + *-ar*[2].] *V. int.* **1.** Fazer pirueta (1): *O cavalo piruetou, derrubando a moça.* **2.** Dar cambalhotas ou cabriolas; cabriolar, cambalhotar: *O palhaço piruetava, divertindo as crianças.* [Sin. ger.: *piruetear*. Pres. ind.: *pirueto*, *piruetas*, *pirueta*, etc. Cf. *pirueta* (ê) e o pl. *piruetas* (ê).]

piruetear [De *pirueta* + *-ear*[2].] *V. int.* Piruetar: "Lalino piruetеava, com risco de cair, conforme dava todos os vivas." (João Guimarães Rosa, *Sagarana*, p. 109.) [Conjug.: v. *frear*.]

pirulito [De *pirolito*, poss.] *S. m. Bras.* **1.** Cone de mel escuro e solidificado preso na extremidade de um palito, por onde se pega para consumi-lo. **2.** Qualquer bala (4) na extremidade de um palito, que se chupa, segurando-o pela extremidade livre. [Sin. (lus.), nessas acepç.: *chupa-chupa*.] **3.** *Fig.* Pessoa muito magra. **4.** *Inf.* Pênis de menino. **5.** *Chulo* O pênis. **6.** *Art. Gráf.* Delaminação do papel, seguida de enrolamento em espiral da porção delaminada, causada por colagem deficiente, corte com faca cega ou serrilhada, etc. [Cf. *pirolito*.]

pirupiru [Do tupi.] *S. m. Bras. Zool.* Ave caradriiforme, hematopodídea (*Haematopus ostralegus palliatus*), das costas pacíficas da América, do S. do México ao Panamá, e das costas atlânticas desde os E.U.A. Coloração preta na cabeça e pescoço, cinzento-escura no dorso, asas e cauda, tendo esta a ponta preta; peito, abdome, coberteiras maiores das asas e coberteiras exteriores, brancas; bico amarelo, com cerca de 8cm. Alimenta-se de artrópodes aquáticos, vermes e, até, vegetais. [Sin.: *baiacu*, *baiagu*, *batuíra-do-mar-grosso*, *bejaqui*.]

piruruca [Var. de *pururuca*.] *S. f. Bras. MG* V. *canjica* (4).

piruvato [De *pirúv(ico)* + *-ato*[2].] *S. m. Quím.* Qualquer sal ou éster do ácido pirúvico.

pirúvico *Adj. Quím.* ~ V. *ácido* — e *álcool* —.

■ **PIS** Sigla de *Plano de Integração Social*.

pisa [Dev. de *pisar*.] *S. f.* **1.** Ato de pisar. **2.** V. *surra* (1): "Quando acabava a pisa, que me deixava moída, as carnes roxas, nosso bem-querer durava a semana toda" (Nélson de Faria, *Tiziu e Outras Estórias*, p. 22). **3.** Maceração das uvas no lagar, feita com os pés ou por processo mecânico. **4.** *Bras. BA* Operação que consiste em revolver com os pés as bagas de cacau que secam ao sol, para lhes dar polimento. ● *S. m.* **5.** *Bras. Gír.* A arte de roubar em lojas. **6.** *Bras. Gír.* V. *pisante*. ◆ **Trabalhar no pisa.** *Bras. Gír.* Roubar em lojas.

pisada [De *pisar* + *-ada*[1].] *S. f.* **1.** Pegada, rastro. **2.** V. *pisadela*. **3.** *Bras. N.E.* Andadura de cavalo. **4.** *Bras. N.E.* Rojão, diapasão, andamento: *A dança está boa, e nesta pisada eu vou até o amanhecer.*

pisadeira [De *pisar* + *-deira*.] *S. f. Bras. Etnogr.* Velha feia, magra, que para amedrontar as crianças dizem achar-se no telhado e vir sentar-se-lhes no peito quando choram.

pisadela [De *pisar* + *-dela*.] *S. f.* Ato ou efeito de pisar; pisada, pisão.

pisado [Part. de *pisar*.] *Adj.* **1.** Calcado, esmagado. **2.** Contundido, magoado.

pisador (ô) [De *pisar* + *-dor*.] *Adj. S. m.* Que, ou aquele que pisa.

pisadura [De *pisar* + *-dura*.] *S. f.* **1.** Vestígio de pisadas. **2.** V. *equimose*. **3.** *Bras. N.E.* Ferida no lombo dos animais; matadura.

pisa-flores [Da 3ª pess. do sing. do pres. ind. de *pisar* + o pl. de *flor*.] *S. m. 2 n. Lus. Pop.* V. *salta-pocinhas* (1).

pisa-mansinho [Da 3ª pess. do sing. do pres. ind. de *pisar* + *mansinho*, adv., dim. de *manso*.] *Adj. 2 n. S. m. 2 n.* Que, ou aquele que é dissimulado, sonso.

pisano *Adj.* **1.** De, ou pertencente ou relativo a Pisa (Itália). ● *S. m.* **2.** O natural ou habitante de Pisa.

pisante [De *pisar* + *-nte*.] *S. m. Bras. Gír.* Calçado, sapato; calcante, pisa. ~ V. *pisantes*.

pisantes *S. m. pl. Bras.* Os pés. ~ V. *pisante*.

pisão [De *pisar* + *-ão*[3].] *S. m.* **1.** Máquina em que se aperta e bate o pano, para torná-lo mais consistente e tapado. **2.** *Bras.* V. *pisadela*. **3.** *Bras. Cap.* Golpe traumatizante aplicado com a planta do pé.

pisar [Do lat. *pinsare*, 'bater', 'pilar', 'moer'.] *V. t. d.* **1.** Pôr o(s) pé(s) sobre; tocar com o(s) pé(s): *Sentia emoção em pisar de novo o solo pátrio.* **2.** Passar ou andar por cima de: "Pelo mundo vagueando, / Juntos os Alpes subimos, / Estranhas terras pisando." (Domingos José Gonçalves de Magalhães, *Suspiros Poéticos e Saudades*, p. 281); *Os soldados pisavam cuidadosos o terreno minado.* **3.** Esmagar com os pés; calcar; espezinhar: *pisar as uvas para fazer o vinho.* **4.** Triturar ou moer no pilão; pilar, trilhar: *pisar o café.* **5.** Comprimir até rebentar ou achatar; esmagar, calcar, amolgar: *Uma pedra enorme rolou, pisando casas e pessoas.* **6.** Causar pisadura ou contusão em; magoar, contundir, moer: *As pancadas pisaram-lhe todo o corpo.* **7.** Quebrantar (o corpo), por meio de jejuns, cilícios, etc.; submeter a maceramento; macerar: *Alguns ascetas medievais penitenciavam-se pisando o corpo.* **8.** Tratar com desprezo; desprezar, espezinhar: *Orgulhoso, pisa amigos e inimigos.* **9.** Atacar o bom nome ou os preceitos de; ofender, injuriar, melindrar: *Publicações meramente pornográficas pisam a tradição cultural.* **10.** Dominar física ou moralmente; vencer, abater, subjugar: *A modéstia acaba pisando a arrogância.* **11.** Pôr os pés, entrar, em; percorrer, atravessar: *Os bandeirantes pisaram o interior do Brasil, alargando-lhe as fronteiras.* **12.** Insistir em (um assunto); repetir várias vezes, repisar: *Os primeiros capítulos do livro pisam o mesmo tema.* **13.** Calcar, passando por cima; atropelar: *O automóvel pisou um cão.* **14.** Desfazer os torrões de; esterroar, desterroar: *Garimpeiros pisavam ribanceiras à cata de ouro.* **15.** *Bras.* Causar pisadura (3) em (o animal): *Ajeitou a sela para não pisar o potro.* *Int.* **16.** Mover-se com os pés no chão; andar, caminhar: "Foi andando à toa, num contentamento enorme. Pisava firme" (Jorge Medauar, *Água Preta*, p. 207). **17.** *Bras.* Acelerar veículo automóvel; acelerar: *A estrada era ótima, e ele pisou.* **18.** *Bras. Gír.* V. *fugir* (1 e 2). *T. i.* **19.** Pôr o(s) pé(s) no chão; andar, caminhar: *Vai ligeiro, como quem sabe onde pisa.*

pisa-verdes [De *pisar* + o pl. de *verde* (12).] *S. 2 g. e 2 n.* V. *salta-pocinhas*.

pisca[1] [Do esp. *pizca*.] *S. f.* **1.** Coisa extremamente pequena. **2.** Grãozinho, grânulo: "Reluz no saibro ou pedra a pisca de ouro, / Ou diamante, talvez" (Alberto de Oliveira, *Poesias*, 3ª série, p. 284). **3.** Pó[1] (1). **4.** Fagulha, faúlha.

pisca[2] [Voc. onom.] *Interj. Bras.* Voz para açular os cães.

pisca-alerta [De *piscar* + *alerta*.] *S. m. 2 n.* **1.** Nos automóveis, utilitários, caminhões, coletivos e ônibus, dispositivo de sinalização localizado nas lanternas dianteiras e nas traseiras (ou próximo a elas), o qual, piscando, é us. para sinalizar que o veículo está parado ou que há algum perigo ou emergência à frente. **2.** Nas motos, este dispositivo é adaptado à estrutura do veículo. [Este é, seg. o CTB, o uso correto deste acessório.]

piscação [De *piscar* + *-ção*.] *S. f.* **1.** *Desus.* V. *piscadela*. **2.** Sucessão de piscadelas.

piscadela [De *piscar* + *-dela*.] *S. f.* **1.** Ato ou efeito de piscar. **2.** Sinal que se faz piscando. [Sin. ger.: *piscamento*; *piscação* (desus.); *piscado* (bras.).]

piscado *S. m. Bras.* V. *piscadela*.

piscainhar (a-i) [De *piscar* + *-inhar*.] *V. int.* Piscar ou tremeluzir frouxamente.

piscamento [De *piscar* + *-mento*.] *S. m.* V. *piscadela*.

piscante [De *piscar* + *-nte*.] *Adj. 2 g.* V. *pisco*[2] (1).

pisca-pisca [Da 3ª pess. do sing. do pres. ind. de *piscar*, repetida.] *S. 2 g.* **1.** *Fam.* Pessoa que tem o cacoete de piscar continuamente. ● *S. m.* **2.** Ato ou movimento de piscar seguidamente, de pisca-piscar. **3.** Farol que acende e apaga sem cessar, na sinalização do trânsito. **4.** Seta (3). **5.** Nos automóveis, farolete que, piscando, indica mudança de direção na marcha do veículo. **6.** *Jog. Inf.* Jogo de salão em que alguns participantes se sentam em roda, deixando vazia uma cadeira, enquanto outros se postam atrás de cada cadeira, inclusive a desocupada, com os braços para trás, vigiando o companheiro sentado para impedir que corra a ocupar o lugar vago, atendendo ao piscar de olhos de quem está sem parceiro. **7.** *Mar.* Escote[2]. [Pl.: *pisca-piscas* e *piscas-piscas*.]

pisca-piscar [Da 3ª pess. do sing. do pres. ind. de *piscar* + *piscar*.] *V. int.* Piscar repetidas vezes: *O farol pisca-piscava ao longe*; "Abriu os olhos, mas esses, meio cerrados, pisca-piscando, tornaram a fechar-se com força." (Hugo de Carvalho Ramos, *Tropas e Boiadas*, p. 75). [Conjug.: v. *trancar*.]

piscar [De or. express.] *V. t. d.* **1.** Fechar e abrir rapidamente (os olhos): *Pisca os olhos quando começa a irritar-se.* *T. d. e i.* **2.** Dar sinal, piscando: "houve um instante em que teve a impressão exata de que ele sorrira cinicamente e lhe piscara o olho direito." (José Condé, *Como uma Tarde em Dezembro*, p. 132). *Int.* **3.** Fechar e abrir rapidamente os olhos: *O homem piscava nervosamente.* **4.** *Fig.* Brilhar intermitentemente; tremeluzir: *As estrelas piscavam no firmamento.* *P.* **5.** Trocar sinais piscando os olhos: *Os dois amigos piscaram-se, como tinham convencionado.* [Conjug.: v. *trancar*.] ● *S. m.* **6.** Ato de piscar. ◆ **Num piscar de olhos.** Num abrir e fechar de olhos.

piscativo [Do lat. *piscatus*, part. de *piscare*, 'pescar', + *-ivo*.] *Adj. Desus.* Piscatório.

piscatória [F. subst. de *piscatório*.] *S. f. Arte Poét.* Composição poética em que aparecem como personagens pescadores ou homens do mar.

piscatório [Do lat. *piscatoriu*.] *Adj.* Respeitante à pesca ou aos pescadores. [Sin., desus.: *piscativo*.]

písceo [Do lat. *pisceu*.] *Adj.* Relativo ou pertencente a peixe. [Cf. *píceo*.]

pisces [Do lat. *pisces*.] *S. m. pl.* **1.** *Astr.* Peixes (1). **2.** Peixes (2). [Com cap.]

▲ **pisci-** [Do lat. *piscis, is*.] *El. comp.* = 'peixe': *piscicultura*, *pisciforme*.

pisciano [Do lat. *Pisces*, 'Peixes', + *-iano*.] *S. m. Astrol.* **1.** Indivíduo nascido sob o signo de Peixes ou Pisces. ● *Adj.* **2.** Diz-se de, ou pertencente ou relativo a pisciano (1).

piscicaptura [De *pisci-* + *captura*.] *S. f.* Ação de apanhar peixes; pesca.

piscicultor (ô) [De *pisci-* + *-cultor*.] *S. m.* Aquele que se entrega à piscicultura.

piscicultura [De *pisci-* + *-cultura*.] *S. f.* Arte de criar e multiplicar os peixes.

pisciforme [De *pisci-* + *-forme*.] *Adj. 2 g.* Que tem forma de peixe: "No largo tanque, nas ruidosas fontes, / .... / .... Tritões flutuam, pisciformes deias, / Crocodilos, esfinges, minotauros" (Araújo Porto-Alegre, *Colombo*, p. 240). [Cf. *piciforme*.]

piscina [Do lat. *piscina*, 'viveiro de peixes'.] *S. f.* **1.** Reservatório de água onde se costumavam criar peixes. **2.** Tanque para banho, lavagem de roupa ou bebedouro de gado. **3.** Tanque artificial para natação. **4.** Pia de batismo. **5.** *Fig.* O sacramento da penitência. ◆ **Piscina curta.** *Esport.* Piscina (3) com 25m de comprimento e pelo menos 21m de largura, usada em torneios de natação. **Piscina de saltos.** *Esport.* Piscina profunda, dotada de trampolim, usada em torneios de saltos ornamentais. **Piscina olímpica.** *Esport.* Piscina (3) com 50m de comprimento e, pelo menos, 21m de largura, ger. pouco profunda, na qual se realizam torneios de natação. **Piscina probática.** Piscina ao pé do templo de Jerusalém, na qual se guardava água para lavar os animais destinados ao sacrifício.

piscinal [Do lat. tard. *piscinale*.] *Adj. 2 g.* Que vive em piscina.

piscinão [De *piscina* + *-ão*[1].] *S. m. Bras. RJ* Grande piscina de uso público.

piscívoro [De *pisci* + *-voro*.] ***Adj.*** Que se alimenta de peixe.

pisco[1] [Do quíchua.] ***S. m.*** Certa aguardente peruana de uva, muito estimada.

pisco[2] [Dev. de *piscar*.] ***Adj.*** **1.** Que pisca os olhos; piscante, pisqueiro. **2.** Diz-se do(s) olho(s) de quem pisca frequentemente: 📖 "Teatros alegres, onde se acotovelam francesinhas perfumadas, de olhos piscos circulados de olheiras provocantes" (Olavo Bilac, *Ironia e Piedade*, p. 119).

píscola ***S. f. Lus.*** Dois ou mais arados que lavram juntos.

piscosidade [De *piscoso* + *-(i)dade*.] ***S. f.*** Qualidade de piscoso: 📖 "o que mais atrai o interesse dos pescadores .... é a extrema piscosidade dessas ilhas [as Cagarras]." (Cleusa Maria, em *Jornal do Brasil*, 03.01.1982).

piscoso (ô) [Do lat. *piscosu*.] ***Adj.*** Em que há muito peixe: 📄 *rio piscoso*; 📖 "Os mares piscosos traziam a fartura, e alentavam a costeagem" (J. Capistrano de Abreu, *Capítulos de História Colonial*, p. 101).

pisgar-se [De or. obsc.] ***V. p.*** Retirar-se à socapa; escapar-se, escapulir-se, safar-se, pirar(-se). V. *fugir* (1 e 2). [Conjug.: v. *largar*. Cf. *pesgar*.]

▲ **pisi-** [Do lat. *pisum* < gr. *píson, ou*.] Equiv. de *pis(o)-*.

pisiforme [De *pisi-* + *-forme*.] ***Adj. 2 g.*** Do tamanho e da forma da ervilha. ~ V. *osso* —.

písin ***S. m. Gloss.*** Pídgin de base inglesa falado em Papua Nova Guiné (Oceania).

piso[1] [Dev. de *pisar*.] ***S. m.*** **1.** Modo de andar. **2.** Terreno em que se anda. **3.** *Constr.* Revestimento, com material apropriado, do solo (ou parte de uma construção) onde se pisa; chão, pavimento, pavimentação: 📄 *piso de ladrilhos, de mármore.* **4.** *Arquit. Constr.* V. *andar* (22). **5.** A face dos degraus onde se pisa. **6.** Propina ou dote que pagam as freiras ao entrarem no convento. **7.** *Bras. Dir. Trab.* Piso salarial. **8.** *Bras. CE* Pisada, pegada, rastro. ◆ **Piso elevado.** *Constr.* Piso de estrutura autoportante, situado a pequena altura do pavimento, e que permite a instalação de cabos, eletrodutos e tubulações sob ele. **Piso salarial.** *Bras. Dir. Trab.* Remuneração mínima fixada para uma categoria, ou para certos profissionais, por convenção ou acordo coletivo de trabalho, ou ainda por lei; salário mínimo profissional. [Tb. se diz apenas *piso*.]

piso[2] [Do tax. *Pisum*.] ***S. m. Bot.*** **1.** Gênero de ervas das fabáceas, muitas delas escandentes, dotadas de folhas compostas, com folíolos dispostos em pares, e flores zigomorfas cuja disposição petalina é característica. **2.** Qualquer espécie desse gênero, como, p. ex., a *Pisum sativum* [v. *ervilha* (1)]. **3.** Qualquer espécime desse gênero.

▲ **pis(o)-** [Do gr. *písos, ou*, ou *pisós, ôu*, ou *píson, ou*.] ***El. comp.*** = 'ervilha': *pisólito*. [Equiv.: *pisi-*: *pisiforme*.]

pisoador (ô) [De *pisoar* + *-dor*.] ***S. m.*** Aquele ou aquilo que pisoa; pisoeiro.

pisoagem [De *pisoar* + *-agem*[2].] ***S. f.*** Pisoamento.

pisoamento [De *pisoar* + *-mento*.] ***S. m.*** Ato de pisoar; pisoagem.

pisoar [De *pisão* + *-ar*[2], com desnasalação.] ***V. t. d.*** Apertar e bater (o pano) com o pisão (1); apisoar. [Conjug.: v. *coroar*.]

pisoeiro [De *pisoar* + *-eiro*.] ***S. m.*** Pisoador.

pisolítico [De *pisólito* + *-ico*[2].] ***Adj. Geol.*** **1.** Pertencente ou relativo ao, ou da natureza do pisólito. **2.** Constituído de pisólitos.

pisólito [De *pis(o)-* + *-lito*.] ***S. m. Geol.*** **1.** Concreção pisiforme, maior que a dum oólito. **2.** Rocha calcária constituída por concreções desse tipo.

pisoteado [Part. de *pisotear*.] ***Adj.*** Calcado com os pés; espezinhado.

pisotear [Do esp. plat. *pisotear*.] ***V. t. d. Bras. S.*** **1.** Esmagar com os pés; calcar, pisar, espezinhar: 📄 *pisotear as uvas*; 📖 "derrubei cruzes, pisoteei ramos, calquei sepulturas!..." (Simões Lopes Neto, *Contos Gauchescos e Lendas do Sul*, p. 297). **2.** *Fig.* Rebaixar moralmente; humilhar, vexar: 📄 *Sua ostentação pisoteia os que dele se aproximam.* [Conjug.: v. *frear*.]

pisoteio [Do esp. plat. *pisoteo*.] ***S. m. Bras. S.*** Ação de pisotear.

pisqueiro [De *piscar* + *-eiro*.] ***Adj.*** V. *pisco*[2] (1).

pisquila ***S. 2 g. Bras. Fam.*** Pessoa franzina e de pequena estatura.

pissasfáltico [De *pissasfalto* + *-ico*[2].] ***Adj.*** Relativo ao, ou da natureza do pissasfalto.

pissasfalto [Do gr. *pissásfaltos*, pelo lat. *pissasphaltu*.] ***S. m.*** Mistura de pez e betume, à qual se adicionava suco de cedro, e que os romanos e outros povos usavam para embalsamar os cadáveres.

pisseta (ê) ***S. f. Quím.*** Vaso de vidro ou de plástico, fechado, provido de um tubo afilado de saída, por onde se pode fazer escoar, mediante compressão, o líquido que encerra (em geral, água destilada), e que se usa para lavar precipitados.

píssico [De *psico(pata)*, com epêntese e hiperbibasmo.] ***Adj. S. m. Bras. RJ Gír.*** Diz-se de, ou indivíduo amalucado, adoidado.

pissitar [Voc. onom.] ***V. int.*** **1.** Soltar a voz (o estorninho). ● ***S. m.*** **2.** A voz, o grito dessa ave.

pista [Do it. *pista*, poss. pelo fr. *piste*.] ***S. f.*** **1.** V. *vestígio*. **2.** *P. ext.* Encalço, procura: 📄 *Passou o dia todo na pista dos fugitivos, sem os encontrar.* **3.** *Fig.* Indicação, orientação: 📄 *Vou dar uma pista — veja se descobre o que aconteceu.* **4.** Recinto circular dentro do qual os cavalos correm, nos exercícios de equitação. **5.** A parte do hipódromo onde correm os cavalos. **6.** Lugar onde se pratica atletismo. **7.** *Aer.* Faixa de um aeródromo (q. v.) especialmente preparada para o pouso e decolagem de aeronaves. **8.** Pista de rolamento: 📖 "De lá se toma uma pequena estrada de uma só pista até Lafaiete." (Fernando Sabino, *A Companheira de Viagem*, p. 55.) **9.** Estrado ou parte de salão reservado a danças: 📄 *Os pares rodopiavam na pista ao som da orquestra.* **10.** *Bibliot.* Relação, na ficha principal, dos cabeçalhos secundários pelos quais deve a obra ser representada no catálogo. ◆ **Pista de rolamento. 1.** A parte de uma rodovia ou de uma rua sobre a qual os veículos circulam. **2.** Num aeroporto, via preparada para que nela os aviões façam táxi (v. *fazer táxi*). [Tb. se diz apenas *pista*.] **Pista sonora.** *Son.* Trilha sonora (3). **Dar na pista.** *Bras. Gír.* V. *fugir* (1 e 2). **Fazer a pista.** *Bras. Gír.* **1.** Ir-se embora; sair. **2.** V. *fugir* (1 e 2).

pistacha ***S. f. Bot.*** V. *pistácia* (2 e 3).

pistache [Do fr. *pistache*.] ***S. m. Bot.*** **1.** O fruto da pistácia, noz que contém uma única semente, oblonga, esverdeada, edule. [Sin., lus.: *alfóstica, alfóstico*.] **2.** Essa semente, de sabor delicado, us. em cozinha e em confeitaria, esp. no preparo de sorvetes. [Var. e f. paral.: *pistacho* e *pistácio*.]

pistacho ***S. m. Bot.*** **1.** V. *pistácia* (2 e 3). **2.** V. *pistache*.

pistácia [Do tax. *Pistacia* (do lat. *pistacia*).] ***S. f. Bot.*** **1.** Pequeno gênero de árvores anacardiáceas, nativas do S. da Europa, da Ásia, e da América do Norte, dotadas de folhas simples, pinadas, pequenas flores apétalas, dioicas, e frutos drupáceos. **2.** Qualquer espécie desse gênero, como, p. ex., a *Pistacia vera* (v. *alfóstico*) e a *P. lentiscus* (v. *aroeira-da-praia*) nativas da região mediterrânea, cujo fruto é uma noz (v. *pistache*). **3.** Qualquer espécime desse gênero. [Var., nas acepç. 2 e 3: *pistacha, pistacho*.] [Sin., lus.: *alfostigueiro*.]

pistácio [Do lat. *pistaciu*.] ***S. m. Bot.*** V. *pistache*.

pistacita [De *pistácio* + *-ita*[3].] ***S. f. Min.*** Epídoto.

pistão ***S. m.*** Pistom (q. v.).

pistilado [De *pistilo* + *-ado*[1].] ***Adj. Bot.*** Provido de pistilo; pistiloso: 📄 *flor pistilada*.

pistilar [De *pistilo* + *-ar*[1].] ***Adj. 2 g. Bot.*** Relativo ou pertencente ao pistilo: 📄 *nectário pistilar*.

pistilo [Do lat. *pistillu*, 'mão de pilão'.] ***S. m. Bot.*** Unidade do gineceu (2), formada de ovário, estilete e estigma. [Quando o gineceu é apocárpico, há mais de um pistilo.] [Cf. *pestilo*.]

pistiloso (ô) [De *pistilo* + *-oso*.] ***Adj. Bot.*** Pistilado.

pistola [Do tcheco *pistal*, pelo al. *Pistole* e pelo fr. *pistole*.] ***S. f.*** **1.** Arma de fogo portátil, leve, de cano muito curto, e que se maneja com uma só mão. [Sin. (bras., gír.): *fria*. Cf. *revólver*.] **2.** Canudo de fogo de artifício que dispara glóbulos luminosos: 📖 "Espocaram novas pistolas, correram pelos pés 'espanta-coiós', restos de fogueiras .... foram acesos." (Dalcídio Jurandir, *Três Casas e Um Rio*, p. 113.) **3.** Aparelho de ar comprimido, em forma de pistola, empregado para pulverizar tinta ou verniz. **4.** Moeda de ouro espanhola. **5.** Antiga moeda francesa que valia 10 francos. **6.** *Bras. MG RJ Chulo* O pênis. [Dim. irreg.: *pistoleta, pistolete, pistolim*.] ◆ **Pistola automática.** Pistola (1) que realiza automaticamente as operações de ejeção e realimentação. Seu funcionamento automático baseia-se no aproveitamento da expansão dos gases formados com a combustão de carga de projeção dos projetis. Em geral, dispõe de culatra móvel e, eventualmente, de mecanismo que permite o fogo automático intermitente ou contínuo; seu depósito de projetis é removível, e tem o nome vulgar de *pente*. [Tb. se diz apenas *automática*.] **Pistola fogo-central.** *Bras.* Fogo-central.

pistolaço [De *pistola* + *-aço*.] ***S. m. Bras.*** Pistolada.

pistolada [De *pistola* + *-ada*[1].] ***S. f.*** Tiro de pistola. [Sin. (bras.): *pistolaço*.]

pistolagem [De *pistol(eiro)* + *-agem*[2].] ***S. f. Bras. Pop.*** **1.** Ação de pistoleiro. **2.** Grupo de pistoleiros, de assassinos profissionais.

pistolão[1] [De *pistola* + *-ão*[1].] ***S. m.*** Espécie de fogo de artifício.

pistolão[2] [Do lat. *epistolam*, 'epístola', 'carta', lido como ox. em vez de proparoxítono, com aférese.] ***S. m.*** **1.** Empenho ou recomendação de pessoa importante. **2.** Pessoa que faz esse empenho ou recomendação. [Sin. ger.: *cunha*.]

pistoleira [Fem. de *pistoleiro*.] ***S. f. Bras. Gír.*** V. *piranha* (4).

pistoleiro [De *pistola* + *-eiro*.] ***S. m.*** **1.** Facínora, bandido. **2.** V. *capanga* (4). **3.** Assassino profissional.

pistoleta [De *pistola* + *-eta* (ê).] ***S. f.*** **1.** V. *pistolete* (1). **2.** Espécie de jogo de bisca entre dois parceiros.

pistolete (ê) [De *pistola* + *-ete* (ê).] ***S. m.*** **1.** Pequena pistola (1); pistoleta, pistolim: 📖 "trabuco a tiracolo e adaga à cinta, além dos pistoletes nos coldres, completavam o equipamento destes indivíduos" (José de Alencar, *O Sertanejo*, p. 28). **2.** Tipo de broca usada em trabalhos de minas.

pistolim [De *pistola* + *-im*.] ***S. m.*** V. *pistolete* (1).

pistoludo [De *pistola* + *-udo*.] ***Adj. Bras. MG RJ Chulo*** Que tem pistola (6) grande; picudo.

pistom [Do fr. *piston*.] ***S. m.*** **1.** Êmbolo (1). **2.** *Mús.* Dispositivo permanente, em certos instrumentos de metal (trompas, trompetes, trombones, etc.), que assegura a justeza da afinação e permite que o instrumentista, alongando o tubo do instrumento, produza todos os graus da escala cromática. **3.** *Mús.* Trompete de pistons [v. *pistom* (2)]. **4.** *Mús.* Tocador de pistom (3); pistonista. [F. paral.: *pistão*.]

pistonista [De *pistom* + *-ista*, seg. o padrão erudito.] ***S. 2 g. Mús.*** V. *pistom* (4).

pita[1] [Do quíchua *pita*, 'fio fino', pelo hisp.-amer.] ***S. f.*** **1.** Fio ou fios da folha da piteira[1] (1). **2.** Trança desses fios. **3.** *Bot.* V. *piteira*[1] (1 e 2). **4.** *Bot.* V. *iúca-elefante*.

pita[2] [Do gr. mod. *pita*.] ***S. f. Cul.*** V. *pão árabe*.

pitá ***Bras. S. 2 g.*** **1.** *Etnôn.* Indivíduo dos pitás, povo indígena extinto que habitava a margem esquerda do rio Paraíba do Sul (RJ). ● ***Adj. 2 g.*** **2.** Pertencente ou relativo a esse povo. [Tb. us. como *s. 2 g. e 2 n.* (com cap.) e *adj. 2 g. e 2 n.*]

pitaco [De or. incerta.] ***S. m.*** A opinião de alguém sobre algo, que, em geral, não lhe diz respeito; palpite.

pitada [De uma base **pitt*, 'pequenez', + *-ada*[1].] ***S. f.*** **1.** Porção de pós, particularmente de rapé, que se toma entre o polegar e o índice para cheirar; narigada. **2.** *P. ext.* Pequena porção de uma coisa; ponta.

pitadear [De *pitada* + *-ear*[2].] ***V. int. P.*** **1.** Tomar pitada(s) de rapé. ***T. d.*** **2.** Sorver (rapé) pelo nariz. **3.** Acompanhar com pitada (1). [Conjug.: v. *frear*.]

pitador (ô) [De *pitar* + *-dor*.] ***S. m. Bras.*** Fumador, fumante.

pitagórico [Do gr. *pythagorikós*, pelo lat. *pythagoricu*.] ***Adj.*** **1.** *Filos.* Pertencente ou relativo a Pitágoras ou ao pitagorismo (q. v.), ou próprio daquele ou deste. **2.** Que é seguidor ou adepto do pitagorismo. ~ V. *escola* —*a* e *número* —. ● ***S. m.*** **3.** Seguidor ou adepto do pitagorismo; pitagorista.

pitagorismo [Do antr. *Pitágoras* + *-ismo*.] ***S. m. Filos.*** Conjunto de doutrinas e regras de vida atribuídas a Pitágoras de Samos (séc. VI-V a. C.), filósofo e matemático grego, e a seus seguidores, os pitagóricos, que, dos sécs. VI ao IV a. C., organizados em comunidades filosófico-religiosas multiplicadas pela Magna Grécia, constituíram a chamada *escola itálica* ou *escola pitagórica*. Define-se o pitagorismo por duas tendências: a místico-moralista, ligada ao orfismo e ao xamanismo, e a filosófico-matemática, de que resultou brilhante acervo de conhecimentos aritméticos, geométricos, astronômicos e acústicos, integrados pelo descobrimento de correspondências numéricas entre as várias ordens de realidade.

pitagorista [De *pitagorismo* + *-ista*.] ***S. 2 g.*** Pitagórico (3).

pitaguar ***S. 2 g. Adj. 2 g. Bras.*** V. *potiguar* (1 e 3).

pitaguara [De or. indígena.] ***S. f. Bras. Bot.*** V. *quina-do-mato*.

pitaguari ***Bras. S. 2 g.*** **1.** *Etnôn.* Indivíduo dos pitaguaris, povo indígena que habita o CE. ● ***Adj. 2 g.*** **2.** Pertencente ou relativo a esse povo. [Tb. us. como *s. 2 g. e 2 n.* (com cap.) e *adj. 2 g. e 2 n.*]

pitaia [Do lat. cient. *Pitahaya*.] ***S. f. Bot.*** **1.** Cactácea (*Hylocereus undatus*) terrestre ou epífita, de caule suculento, que habita áreas de clima seco, tropical ou subtropical; suas flores se abrem à noite, e os seus frutos, edules, arredondados e ger. avermelhados, têm escamas proeminentes e polpa branca ou vermelha, adocicada, com pequenas sementes pretas. É mundialmente cultivada. **2.** O fruto dessa planta. [Sin. ger.: *fruta-do-dragão, saborosa* (bras.).]

pitaica [Do tupi.] ***S. f. Bras. Amaz. Bot.*** Árvore fabácea (*Swartzia platygyne*) da floresta pluvial, de tronco profundamente sulcado, e cuja madeira é branca, de dureza média, e serve para lenha.

pitança [Do lat. vulg. **pietantia* < lat. *pietate*, 'comida que se dá por piedade'.] ***S. f.*** **1.** Ração diária. **2.** Prato extraordinário, servido só em dias de festas. **3.** Pensão, mesada. **4.** Esmola da missa. **5.** *P. ext.* O comer; comida.

pitanceiro [De *pitança* + *-eiro*.] ***S. m. Ant.*** O distribuidor das rendas de um convento.

pitanga [Do tupi = 'vermelho'.] ***S. f. Bras.*** O fruto da pitangueira. ◆ **Chorar pitangas.** *Bras. S.* Pedir insistentemente, lamuriando-se, algo que é negado. **Uma pitanga.** Uma ova, uma brisa: 📖 "– .... Então a nota é

P

dele só. Que história é essa de vocês querem dividir com ele? Dividir uma pitanga". (Carlos Drummond de Andrade, *O Poder Ultrajovem*, p. 49.)

pitangaçu *S. m. Bras. Zool.* V. *bem-te-vi-do-bico-chato.*

pitanga-da-praia *S. f. Bras. L. Bot.* Arvoreta ou arbusto mirtáceo (*Eugenia pitanga*) cujos frutos, bacáceos e sucosos, são apreciados, e cujas folhas são coriáceas, acuminadas e algo odoríferas. [Pl.: *pitangas-da-praia.*]

pitangão [De *pitanga* + *-ão*¹.] *S. m. Bras. L. S. Bot.* Arvoreta mirtácea (*Eugenia edulis*) semelhante à pitanga-da-praia.

pitanga-traíra *S. f. Bras. Bot.* Árvore mirtácea (*Eugenia trahyra*) nativa do Brasil, de ramos cilindriformes, folhas oblongas, com pontos translúcidos, e flores piriformes, tomentosas. [Pl.: *pitangas-traíras* e *pitangas-traíra.*]

pitangatuba [Do tupi = 'abundância de pitangas'.] *S. f. Bras. Bot.* **1.** Subarbusto mirtáceo (*Phyllocalyx edulis*) peculiar à restinga, piloso, de folhas ovadas, curtamente acuminadas, cartáceas e revolutas, flores solitárias e pequenas, bagas elipsoides, angulosas, amarelas, ácidas e edules, e que atinge até 1m de altura. **2.** V. *pitangueira* (1).

pitangola *S. f. Bras. Zool.* V. *olho-de-boi* (4).

pitanguá [Do tupi.] *S. m. Bras. BA Zool.* **1.** V. *bem-te-vi-do-bico-chato.* **2.** V. *bem-te-vi-de-coroa.*

pitanguá-açu [De *pitanguá* + *-açu.*] *S. m. Bras. Amaz. Zool.* V. *bem-te-vi-de-coroa.* [Pl.: *pitanguás-açus.*]

pitangueira [De *pitanga* + *-eira.*] *S. f. Bot.* **1.** Planta mirtácea (*Eugenia uniflora*) cujo porte varia de subarbusto, nas proximidades do mar, a árvore; é originária do Brasil, tem folhas delgadas, luzidias, aromáticas, flores alvas, em pedúnculos axilares, e frutos bacáceos, vermelhos ou roxos, muito saborosas. [Sin.: *ibipitanga, pitangatuba, pitangueira-comum.*] **2.** Arbusto mirtáceo (*Eugenia sulcata*) nativo do Brasil, de pequenas folhas luzidias cuja infusão tem uso antidiarreico; os frutos são bagas globosas, aromáticas e edules. **3.** Arbusto mirtáceo (*Eugenia pitanga*) nativo de SP ao RS, de folhas elípticas, glabras e aromáticas, flores alvas e frutos bacáceos, vermelhos e angulosos. **4.** V. *acapu.*

pitangueira-comum *S. f. Bras. Bot.* V. *pitangueira* (1). [Pl.: *pitangueiras-comuns.*]

pitangueirense *Adj. 2 g.* **1.** De, ou pertencente ou relativo a Pitangueiras (SP). • *S. 2 g.* **2.** O natural ou habitante de Pitangueiras.

pitanguense *Adj. 2 g.* **1.** De, ou pertencente ou relativo a Pitanga (PR). • *S. 2 g.* **2.** O natural ou habitante de Pitanga.

pitanguiense *Adj. 2 g.* **1.** De, ou pertencente ou relativo a Pitangui (MG). • *S. 2 g.* **2.** O natural ou habitante de Pitangui.

pitar [Do tupi = 'tomar o tabaco'.] *Bras. Santom. V. t. d.* **1.** Aspirar o fumo ou tabaco de; fumar: "alinhavam-se na sala, ... sem ânimo de conversar, sem se atreverem a pitar o cigarro" (Inglês de Sousa, *O Coronel Sangrado*, p. 273). *Int.* **2.** Aspirar fumo de cigarro, cachimbo, etc.; fumar: *Deixou de pitar, a conselho médico.* [3ª pess. pl. do pres. subj.: *pitem.* Cf. *pitém.*]

pitauá [Do tupi.] *S. m. Bras. Amaz. Zool.* V. *bem-te-vi-de-coroa.*

➔ **pitboy** ['pɪtbɔj] [Formação vernácula, a partir do ingl. *pit* (*bull*) e (*play*)*boy* ou *boy.*] *S. m.* Jovem do sexo masculino, ger. de corpo musculoso, de comportamento agressivo.

➔ **pit bull** ['pɪtbʊl] [Ingl.] *S. m. Cinol.* Cão muito forte e agressivo, originário do cruzamento de diversas raças de *terrier* (q. v.).

pitcairnês [Do top. *Pitcairn* (ilha do Pacífico) + *-ês.*] *S. m. Gloss.* **1.** Crioulo (12) de base inglesa falado na ilha Pitcairn cuja origem remonta ao motim no navio *HMS Bounty* (1789). [V. *norfolquês.*] **2.** Vocábulo do pitcairnês.

➔ **pitch** [pɪtʃ] [Ingl., do ingl. médio *pich* (do ingl. arc. *pic.* < anglo-normando *piche* < lat. *pix, icis.*] *S. f. e m. Esport.* No golfe, tacada alta em que a bola rola pouco depois de chegar ao chão, no *green.*

pite [Do ingl. *pit.*] *S. m. Eng. Ind.* V. *cratera* (6).

pitecantropo (trô) [De *pitec(o)-* + *-antropo*; lat. cient. *Pitecanthropus*, t. forjado, em 1868, pelo naturalista alemão Ernst Haeckel (1834-1919), em 1868, para designar uma criatura hipotética que faria o elo entre o macaco antropoide e o homem.] *S. m. Paleont.* Mamífero primata com características de símio e de hominídeo.

pitecantropoide (ói) [De *pitecantropo* + *-oide.*] *Adj. 2 g. Paleont.* Semelhante a pitecantropo. ❖

pitecelóbio [Do tax. *Pithecellobium.*] *S. m. Bot.* **1.** Gran- de gênero de árvores e arbustos mimosáceos, dotados de folhas bipenadas e flores pedunculadas dispostas em capítulos axilares. **2.** Qualquer espécie desse gênero, como, p. ex., a *Pithecellobium tortum* [v. *jurema* (1)]. **3.** Qualquer espécime desse gênero.

▲ **pitec(o)-** [Do gr. *píthēkos, ou.*] *El. comp.* = 'macaco': *pitecantropo.* [Equiv.: *-piteco*: *antropopiteco.*]

▲ **-piteco** Equiv. de *pitec(o)-.*

pitecoide (ói) [Do gr. *pithekoidés.*] *Adj. 2 g.* Semelhante ou referente ao macaco. ❖

pitecomorfo [De *pitec(o)-* + *-morfo.*] *Adj.* Que tem aparência de macaco.

piteira¹ [De *pita* + *-eira.*] *S. f.* **1.** *Bras. Bot.* Grande erva agavácea (*Fourcroya gigantea*) rosulada, de origem mexicana, mas já subespontânea no Brasil, e cujas folhas, grossas, longas e aceradas, fornecem boas fibras. A inflorescência é enorme panícula, que alcança vários metros, e, em vez de fruto, produz uma multidão de bolbilhos, que servem à propagação vegetativa. [Sin., nesta acepç.: *pita*, (cabo-verd.) *carrapato.*] **2.** *Bot.* Planta agavácea (*Agave americana*) de folhas lanceoladas, com espinhos nas margens e no ápice, e de flores amarelo-esverdeadas; abecedária, agávea, aloé, aloé-dos-cem-anos, babosa, babosa-brava, pita. **3.** *Gír.* Aguardente de figo. **4.** *P. ext.* V. *bebedeira* (1).

piteira² [De *pitar* + *-eira.*] *S. f. Bras.* V. *boquilha* (1).

piteireiro [De *piteira*¹ + *-eiro.*] *Adj. S. m. Pop.* Que, ou aquele que tem por hábito embriagar-se; bêbedo, bêbado.

pitém *S. m.* Pequena escavação ou entalhe que se faz em uma viga para o prego que há de segurá-la entrar mais fundo e fixá-la melhor. [Cf. *pitem*, do v. *pitar.*]

pitéu [De or. obsc.] *S. m.* **1.** *Fam.* V. *petisco* (1): "os pitéus da mesa suculenta do vigário" (Inglês de Sousa, *O Missionário*, p. 36). **2.** Mulher muito atraente, sedutora; uva: "Pequenina, é verdade – 1,52 metro e nunca passaria disso –, mas um pitéu: seios de granito, quadris anchos, pernas grossas e firmes, Cármen já estava pronta desde a adolescência. (Ruy Castro, *Cármen*, pp. 20-21.) **3.** *Bras. PE* Galopeado¹.

piti [F. red. de *pitiatismo.*] *S. m. Bras. Pop.* Ataque histérico.

pitiá [De or. tupi.] *S. m. Bras. Bot.* **1.** Árvore apocinácea (*Aspidosperma ulei*) nativa da Venezuela e do Brasil, de folhas membranáceas, pubescentes na página inferior, e folículos piriformes; pereiro-da-caatinga. **2.** V. *guatambu* (3).

pítia [Do gr. *pythía*, pelo lat. *pythia.*] *S. f.* Sacerdotisa de Apolo, a qual pronunciava oráculos em Delfos (Grécia antiga); pitonisa.

pitiático [De *pit(o)-*¹ + *-iat(o)-* + *-ico*².] *Adj.* Relativo ao pitiatismo.

pitiatismo [De *pit(o)-*¹ + *-iat(o)-* + *-ismo.*] *S. m. Psiq.* Designação dada por Joseph Babinski (1857-1932) aos distúrbios secundários da histeria, rigorosamente subordinados aos ditos *primários.* [Cf. *histeria.*]

piticaia [Var. de *pitigaia* (q. v.), poss.] *S. m. Bras. MA Zool.* V. *camarão-verdadeiro.*

pítico [Do gr. *pithikós*, pelo lat. *pythicu.*] *Adj.* **1.** Relativo à pítia. **2.** Relativo a Apolo Píton. [Cf. *jogos píticos.*]

pitigaia [Do tupi; talvez de *pitinga* (3), com desnasalação.] *S. m. Bras. MA Zool.* V. *camarão-verdadeiro.*

pitiguar *S. 2 g. Adj. 2 g. Bras.* V. *potiguar* (1 e 3).

pitiguara *S. 2 g. Adj. 2 g. Bras.* V. *potiguar* (1 e 3): "O cristão com um gesto ordenou silêncio ao chefe pitiguara." (José de Alencar, *Iracema*, p. 105.)

pitiguari [Voc. onom.] *S. m. Bras. N.E. Zool.* V. *gente-de-fora-vem-aí.*

pitiguirra *S. m. Bras. AL Zool.* Pitinguirra.

pitimba *S. f. Bras.* Mal-estar; achaque.

pitimbado [De *pitimba* + *-ado*¹.] *Adj. Bras.* Que tem pitimba; achacado, indisposto.

pitimboia (ói) [Do tupi.] *S. f.* **1.** *Bras.* Aparelho usado para auxiliar a pesca dos camarões. **2.** *Bras. AL* Curral de pesca. ❖

pitimbuense *Adj. 2 g.* **1.** De, ou pertencente ou relativo a Pitimbu (PB). • *S. 2 g.* **2.** O natural ou habitante de Pitimbu.

pitinga [Do tupi = 'de casca branca'.] *Adj. 2 g.* **1.** *Bras.* Branco, claro. **2.** *Bras. AM* Diz-se da cuia que ainda não foi tinta. [Cf., nesta acepç., *cuiapitinga.*] **3.** *Bras. CE Zool.* Diz-se de certa espécie de camarão. • *S. f.* **4.** *Bot. Bras.* V. *criciúma.* [Cf. *petinga.*]

pitinguirra [De *pitinga* (1), poss.] *S. m. Bras. AL Zool.* Camarão miúdo; pitiguirra.

pitiríase [Do gr. *pityríasis.*] *S. f. Derm.* Designação comum a diversas dermatoses caracterizadas pela produção de escamas que se esfarelam.

pititinga [Do tupi.] *S. f. Bras. N.E. Zool.* **1.** V. *manjuba* (1). **2.** V. *enchova* (2). [Var.: *pipitinga.*]

pitiú [Do tupi.] *S. m.* **1.** *Bras. Amaz.* Cheiro forte, característico do peixe; cheiro de maresia: *Fiquei com as mãos que é só pitiú, de limpar os peixes.* [Var.: *pitium, pituí.*] **2.** *Bras. PA Zool.* V. *tracajá.*

pitium (i-úm) *S. m. Bras. Amaz.* V. *pitiú* (1).

pito¹ [Do gr. *píthos.*] *S. m.* Na Grécia antiga, vaso grande de cerâmica grosseira para guardar vinho ou cereais; os mais antigos deles datam da época minoica.

pito² [Dev. de *pitar.*] *S. m.* **1.** *Bras.* Cachimbo (1): "Dina, calma, sempre a fumar o seu pito, sacudiu a cabeça negativamente." (Coelho Neto, *Sertão*, p. 48.) **2.** *Bras.* O tubo de borracha por onde se enche a bola de futebol. **3.** *Bras. S.* Cigarro: "Calados, acenderam os pitos e puseram-se a fumar." (Coelho Neto, *Banzo*, p. 95.) **4.** *Bras. S.* Cavalo muito magro. **5.** *Santom.* Flauta rústica: "Os tambores em ritmo cadenciado serviam de base aos sons aflautados dos pitos" (Sacramento Neto, *Tonga Sofia*, p. 100). ◆ **De pito aceso.** *Bras. S.* Em estado de excitação; agitado, assanhado. **Sossegar o pito.** *Bras. S. Fam.* V. *abaixar o facho*: *Você já brincou demais: agora sossegue o pito.*

pito³ *S. m. Bras. Fam.* V. *repreensão* (1).

pito⁴ *S. m. Bras. MG Zool.* V. *libélula* (1).

▲ **pit(o)-**¹ [Do gr. *peithṓ, óos-oûs.*] *El. comp.* = 'persuasão': *pitiático, pitiatismo.*

▲ **pit(o)-**² [Do gr. *píthos, ou.*] *El. comp.* = 'pito', 'grande jarro para guardar vinho ou cereais': *pitometria.*

▲ **pito-** [Do gr. *pítta, ēs.*] *El. comp.* = 'pez': *pitosporácea, pitosporáceo, pitósporo.*

pitó *S. m.* **1.** *Bras. Amaz.* V. *cocó.* **2.** *Bras. PB Pop.* Carazinho feito com os dedos no cabelo.

pitoca [Var. de *piroca*, com infl. de *pito*¹, poss.] *S. f. Bras.* Pênis de criança.

pitoco¹ (ô) [De *pito*².] *S. m. Bras. N.* Pedaço de cachimbo; cachimbo quebrado. [Pl.: *pitocos* (ô).]

pitoco² (ô) *Adj.* **1.** *Bras. S.* Que tem rabo curto. **2.** *Bras. S.* V. *suru* (1). **3.** *Bras. RS Fig.* Diz-se daquele a quem falta uma das falanges dos dedos. **4.** *Bras. RS* Diz-se de objetos normalmente longos aos quais falta um pedaço. **5.** *Bras. RS* Pequeno, curto.

pito-de-saci [De *pito*² + *de* + *saci.*] *S. m. Bras. Zool.* Designação comum a várias espécies de insetos dípteros, sirfídeos, comuns em flores de crucíferas e outras plantas. As larvas desses insetos são predadoras de pulgões. [Pl.: *pitos-de-saci.*]

pitom [Do ingl. *piton.*] *S. m. Montanh.* Em montanhismo, peça em forma de prego, com um anel numa das extremidades, usada para perfurar rocha, ou para nela se prender corda.

pitomba [Do tupi.] *S. f. Bras.* **1.** O fruto da pitombeira. **2.** *Gír.* Tapa, bofetada, sopapo, pitombada. **3.** *Fut.* Chute forte; pelotaço. [Var.: *pitombo.*]

pitombada [De *pitomba* + *-ada*¹.] *S. f. Bras.* **1.** Golpe resultante do arremesso de pitomba ou caroço de pitomba. **2.** V. *pitomba* (2).

pitombarana [Do tupi = 'semelhante a pitomba'.] *S. f. Bras. Amaz. Bot.* V. *fruta-de-anel.*

pitombeira [De *pitomba* + *-eira.*] *S. f. Bras. N.E. a L. Bot.* Árvore sapindácea (*Talisia esculenta*) de folhas ovado-oblongas ou lanceoladas e mais ou menos obtusas, flores alvas, pequenas, arrumadas em compridas e finas panículas terminais, fruto (a pitomba) que é uma baga com 25mm, e sementes com arilo carnoso e comestível. [F. paral.: *pitombeiro.*]

pitombeira-da-baía [De *pitombeira* + *da* + o top. *Bahia.*] *S. f. Bras. Bot.* Curuiri. [Pl.: *pitombeiras-da-baía.*]

pitombeiro [De *pitomba* + *-eiro.*] *S. m. Bras. Bot.* V. *pitombeira.*

pitombo *S. m. Bras.* V. *pitomba.*

pitometria [De *pit(o)-*² + *-metria.*] *S. f.* Medição da capacidade dos tonéis.

pitométrico [De *pitometria* + *-ico*².] *Adj.* Relativo à pitometria.

pitómetro *S. m.* V. *pitômetro.* [Uso freq. em P.]

pitômetro [De *pit(o)-*² + *-metro.*] *S. m.* Instrumento para medir capacidade dos tonéis.

pitomorfo [De *pit(o)*²+ *-morfo.*] *Adj.* Que tem forma de tonel.

píton¹ [Do mit. gr. *Pýthon*, pelo lat. *Python.*] *S. m.* **1.** *Mit.* Serpente monstruosa morta por Apolo. **2.** Na Antiguidade, adivinho que previa o futuro.

píton² [Do tax. *Python* < mit. gr. *Pýthon.*] *S. m. Zool.* Gênero de serpentes não venenosas da família dos boídeos (q. v.). **2.** Espécie ou espécime desse gênero.

pitónico *Adj.* V. *pitônico.* [Uso freq. em P.]

pitônico [Do gr. *pythonikós*, pelo lat. *pythonicu.*] *Adj.* **1.** Relativo ou pertencente a píton. **2.** Nigromântico, mágico.

pitonisa [Do lat. *pythonissa*, com infl. de *sacerdotisa.*] *S. f.* **1.** Fem. de *píton*¹ (2). **2.** Pítia. [F. paral.: *pitonissa.*]

pitonissa *S. f.* V. *pitonisa.*

pitora [De or. obsc.] *S. f. Lus.* Fatias de lombo fritas com toucinho e condimentadas com pimenta.

pitoresco (ê) [Do it. *pittoresco.*] *Adj.* **1.** V. *pictórico.* **2.** Próprio para ser pintado. **3.** Divertido, recreativo. **4.** Graciosamente original. **5.** *Fig.* Imaginoso, cintilante, vivo. • *S. m.* **6.** Aquilo que é pitoresco: "Pela beleza natural, pelo pitoresco da paisagem, pela salubridade do clima .... Paquetá sempre exerceu poderosa atração sobre os espíritos sensíveis a essas influências." (Vivaldo Coaraci, *Paquetá*, p. 121.) [F. paral.: *pinturesco* (q. v.).]

pitorra (ô) *S. f.* **1.** Piorra (1). • *S. 2 g.* **2.** Pessoa baixa e gorda. • *S. f.* **3.** *Bras. Amaz.* Criancinha.

pitosga *Pop. Adj. 2 g.* **1.** Que vê pouco; pisco dos olhos; míope: 📖 "E saiu fora a contemplar o moleque novamente. — É zambro, murmurou. E creio que também pitosga." (Eduardo Frieiro, *O Mameluco Boaventura*, p. 17.) ● *S. 2 g.* **2.** Pessoa que pisca os olhos habitualmente; cegueta.

pitosporácea [Do tax. *Pittosporum* + *-ácea*; tax. *Pittosporaceae*.] *S. f. Bot.* Espécime das pitosporáceas, família de plantas da ordem das rosales, constituída de arbustos, arvoretas e trepadeiras com folhas alternas. Só existem umas 200 espécies, do Velho Mundo; algumas são cultivadas no Brasil como ornamentais.

pitosporáceo [De *pitosporácea*, com var. suf. (*-áceo*).] *Adj. Bot.* Pertencente ou relativo às pitosporáceas.

pitósporo [Do tax. *Pittosporum*.] *S. m. Bot.* **1.** Gênero de pitosporáceas que abrange cerca de 150 espécies nativas de regiões tropicais das Américas, do S. da África à Nova Zelândia e de ilhas do Pacífico, muitas delas cultivadas pela madeira e para arborização urbana. **2.** Qualquer espécie desse gênero, como, p. ex., a *Pittosporum tennuifolium* [v. *incenso* (4)]. **3.** Qualquer espécime desse gênero.

pitote *S. m. Bras. SP* V. *cocó*.

pitu [Do tupi = 'casca escura'.] *S. m. Bras. Zool.* **1.** Designação comum às espécies de camarões palemonídeos, especialmente *Macrobrachium carcinus*, de água doce, de coloração esbranquiçada (exceto o cefalotórax e os quatro pares de patas posteriores, que são pardo-escuros), rostro serrilhado, com 14 a 16 dentes, o abdome grosso e do mesmo comprimento do cefalotórax. Chega a 48cm, destacando-se as pinças, muito desenvolvidas, que, juntamente com outras partes, têm carne saborosa. [Sin: *camarão-d'água-doce*.] **2.** V. *camarão-castanho*.

pituá [Do fr. *putois*.] *S. m.* Pincelzinho feito de sedas finas, usado por douradores.

pituã [Do tupi.] *S. m. Bras. Zool.* V. *bem-te-vi* (1).

pituba [Do tupi.] *Bras. Adj. 2 g.* **1.** Diz-se da pessoa covarde, medrosa, fraca. ● *S. m.* **2.** Ladrão de cavalo.

pituí *S. m. Bras.* **1.** Suor fétido; bodum, inhaca, morrinha. **2.** V. *pitiú* (1). [Var.: *pituim*.]

pituim (u-ím) *S. m. Bras.* V. *pituí*: 📖 "parou numa casa de esquina onde dançavam coco ..... Vinha um pituim enjoativo .... lá de dentro" (Jorge de Lima, *Calunga*, p. 25).

pituíta [Do lat. *pituita*.] *S. f. Med. Obsol.* **1.** Na Antiguidade, secreção mucosa que se acreditava ser produzida pelo encéfalo e eliminada pelo nariz. **2.** Secreção mucosa glutinosa.

pituitária (u-i) [F. subst. de *pituitário*.] *S. f. Anat.* **1.** Membrana mucosa que reveste parcialmente as narinas, por dentro. **2.** V. *hipófise*.

pituitário (u-i) [De *pituíta* + *-ário*.] *Adj.* **1.** Relativo à, ou que tem o caráter da pituíta. **2.** Relativo à pituitária (1 e 2). ~ V. *glândula —a* e *membrana —a*.

pituitoso (u-i... ô) [Do lat. *pituitosu*.] *Adj.* Cheio ou abundante de pituíta.

pitura [De *pito*[1].] *S. f. Bras.* V. *fumo* (6).

piturisca *S. f. Bras. AL Chulo* Meretriz.

piúca [Do tupi, poss.] *S. f. Bras. S.* **1.** Pau seco que se esfarela, tornando-se muito combustível. **2.** Tronco meio carbonizado.

piuiense (i-u-i) *Adj. 2 g.* **1.** De, ou pertencente ou relativo a Piui (MG). ● *S. 2 g.* **2.** O natural ou habitante de Piui.

pium (i-úm) [Do tupi = 'o que come a pele'.] *S. m. Bras. Amaz. Zool.* V. *borrachudo* (2). [Var.: *pinhum*.]

piumense (i-u) *Adj. 2 g.* **1.** De, ou pertencente ou relativo a Piúma (ES). ● *S. 2 g.* **2.** O natural ou habitante de Piúma.

piúna [Do tupi = 'pele negra'.] *S. f. Bras. Bot.* **1.** Nome comum a diversas mirtáceas do gênero *Psidium*. **2.** V. *ipê-roxo* (2).

piunense (i-u) *Adj. 2 g.* **1.** De, ou pertencente ou relativo a Pium (TO). ● *S. 2 g.* **2.** O natural ou habitante de Pium.

piuria [De *pi(o)-* + *-uria*.] *S. f. Med.* V. *piúria*. [Cf. *pioria*.]

piúria [De *pi(o)-* + *-úria*.] *S. f. Med.* Emissão de urina purulenta. [F. paral.: *piuria*. Cf. *pioria*.]

piúrico [De *piúria* + *-ico*[2].] *Adj.* Relativo a piúria.

piverada [Do it. *piverada*.] *S. f.* Refogado em que entra sal, azeite, vinagre, alho e pimenta: 📰 *galinha de piverada*.

pivete [Do esp. *pebete*.] *S. m.* **1.** Substância aromática que se queima para perfumar: 📖 "a poesia .... recende o almíscar e o pivete dos toucadores." (Latino Coelho, *Cervantes*, p. 49). **2.** Criança esperta. **3.** *Bras. Gír.* Menino ladrão e/ou que trabalha para ladrões: 📖 "os pivetes que sonham ser grandes criminosos" (Lêdo Ivo, *A Morte do Brasil*, p. 10). [Sin. (bras., AL), nesta acepç.: *maloqueiro*.]

piveteiro [De *pivete* + *-eiro*.] *S. m.* Vasilha onde se põe ou queima o pivete (1).

pivô [Do fr. *pivot*.] *S. m.* **1.** *Odont.* Suporte que penetra na raiz de dente artificial. **2.** *Fig.* Sustentáculo, base, suporte. **3.** *Fig.* Agente principal: 📰 *o pivô do crime*. **4.** *Constr.* Peça roliça como a espiga do prego, encaixada com folga em outra peça, para formarem uma junção giratória. **5.** *Esport.* No futsal e no basquete, jogador mais avançado que joga, na maior parte do tempo, de costas para o gol, ou para a cesta do adversário, e que tem a função de municionar os companheiros de equipe, ou de finalizar a jogada.

pivoca *Bras. S. 2 g.* **1.** *Etnôn.* Indivíduo dos pivocas, povo indígena extinto que habitava GO. ● *Adj. 2 g.* **2.** Pertencente ou relativo a esse povo. [Tb. us. como *s. 2 g. e 2 n.* (com cap.) e *adj. 2 g. e 2 n.*]

pivotante [Do fr. *pivotant*.] *Adj. 2 g.* **1.** *Arquit. Constr.* Que gira em torno de pivô (4). **2.** *Mec.* Diz-se de qualquer peça capaz de girar em torno de um ponto fixo. ~ V. *janela — e raiz —*.

pivotar [De *pivô* + *-ar*[2], seg. o padrão erudito.] *V. t. d. Arquit. Constr.* Fazer girar em torno de pivô (4).

pixa *S. m. Adj. 2 g. Bras. Pop.* V. *pixaim*. [Cf. *picha*, do v. *pichar*.]

pixaim (a-ím) [Do tupi.] *S. m. Bras.* **1.** V. *carapinha* (1): 📖 "A Ana Triste, com seu pixaim repuxado para as orelhas, à força de pente, ... encostara-se ao balcão" (Valdomiro Silveira, *Os Caboclos*, p. 33). ● *Adj. 2 g.* **2.** V. *encarapinhado*: 📖 "Sei que era uma exposição [de mulheres] — gordas e magras, cabelo liso e pixaim." (Humberto Crispim Borges, *Cacho de Tucum*, p. 61.)

pixanxão *S. m. Bras. Zool.* V. *pixoxó* (1 e 2).

pixarro *S. m. Bras. Zool.* Ave passeriforme, fringilídea (*Saltator similis*), do Brasil central e este-meridional, de cabeça e dorso negros, tirantes ao oliváceo, asa verde, abdome cinzento, garganta branca com larga faixa negra, e sobrancelha branca; pixororém, tico-tico-guloso, tico-tico-do-mato, bico-de-ferro.

pixaucó *Bras. S. 2 g.* **1.** *Etnôn.* Indivíduo dos pixaucós [ou (etnôn. bras.) *Pixaukó], povo indígena extinto que habitava a região situada entre os rios Surumu e Tacutu (RR). ● *Adj. 2 g.* **2.** Pertencente ou relativo a esse povo.

pixé [Do tupi = 'cheiro de couro queimado'.] *S. m.* **1.** *Bras. N.* Mau cheiro. ● *Adj. 2 g.* **2.** *Bras.* Diz-se da comida ou de outra coisa que tem fumaça.

➔ **pixel** ['piksəl] [Ingl., derivado de *picture element*, 'elemento de imagem', < *pix* [pl. de *pic*, abrev. de *picture*] + *el(ement)*.] *S. m. Inform.* A menor unidade gráfica de uma imagem matricial, e que só pode assumir uma única cor por vez. [É o tamanho ou extensão do pixel que determina o grau de resolução da imagem: quanto menor for aquele, maior será esta.] [Aport.: *píxel*. Pl. do ingl.: *pixels*.]

píxel *S. m. Inform.* V. *pixel*. [Pl.: *píxeis*.]

pixéu [De *pixé*, poss.] *S. m. Bras. BA Chulo* As partes pudendas da mulher.

pixi [Voc. onom.] *S. m. Bras. MG RJ SP* V. *urina*.

pixica *S. f. Bras. Zool.* Formiga das menores, lenta nos movimentos, que vive nos frutos de certas sapotáceas no S. da BA, e cujo contato com a pele origina prurido e sensação de queimadura.

píxide (cs) [Do gr. *pyxís, ídos*, 'caixa de remédio', pelo lat. *pyxide*, 'caixinha', 'cofrinho'; 'estojo de instrumentos'.] *S. f.* **1.** Vaso cilíndrico de pouca altura, com tampa, que era us. pelos gregos e romanos para guardar produtos de toalete, remédios ou joias. **2.** *P. ext. Lit.* Vaso onde se guardam as hóstias ou partículas consagradas: 📖 "foi visto .... o prior em grandes vestes, nimbado entre clarões de círios e a fumarada dos turíbulos, tendo nas mãos a píxide maravilhosa." (Fialho d'Almeida, *O País das Uvas*, p. 222).

pixídio (cs) [Do gr. *pyxídion*, 'caixinha'.] *S. m. Bot.* Fruto capsular que se abre por uma fenda transversal, desprendendo-se a porção superior, dita *opérculo*. São exemplos típicos a sapucaia, o jequitibá e o eucalipto.

pixirica [Do tupi.] *S. f. Bras. Bot.* Arbusto melastomatáceo (*Clidemia hirta*) da mata úmida, de folhas macias, com nervuras curvas e pouco numerosas, flores pequenas e pouco aparentes, e cujos frutos são bagas minutas.

pixispixi *Bras. S. 2 g.* **1.** *Etnôn.* Indivíduo dos pixispixis, povo indígena extinto que habitava o PA. ● *Adj. 2 g.* **2.** Pertencente ou relativo a esse povo. [Tb. us. como *s. 2 g. e 2 n.* (com cap.) e *adj. 2 g. e 2 n.*]

pixito *S. m. Bras. MS* O pênis.

pixororém [Voc. onom.] *S. m. Bras. Zool.* V. *pixarro*.

pixotada *S. f.* V. *pexotada*.

pixote *S. m.* V. *pexote*.

pixoxó [Voc. onom.] *S. m. Bras. Zool.* **1.** Ave passeriforme, fringilídea (*Sporophila frontalis*), que ocorre do RJ ao RS, de dorso verde-oliváceo, brancacenta na parte inferior, com duas faixas amarelas nas asas e uma estria branca, característica, na sobrancelha. **2.** Ave passeriforme, fringilídea (*Haplospiza unicolor*), do S.E. do Brasil, de coloração cinzento-escura o macho, e tirante ao verde, uniforme, a fêmea. [Ambas as espécies frequentam os arrozais, onde causam danos. Sin., nessas acepç.: *pixanxão, xanxão*.] **3.** Ave passeriforme, fringilídea (*Sporophila leucoptera leucoptera*), do Brasil central; cigarra.

pixuá [Do tupi.] *S. m.* **1.** *Bras. Bot.* Erva euforbiácea (*Euphorbia portulacoides*) prostrada, lactescente, de folhas sésseis, pequenas, com 2cm, obovadas, cartilaginosas na margem, flores em pequenas umbelas, cápsulas minutíssimas. **2.** *Bras. RS* Fumo forte e de má qualidade.

pixuna [Do tupi = 'pele negra', 'casca negra'.] *S. f.* **1.** *Bras. Zool.* Espécie de pequeno rato; camundongo selvagem: 📖 "um canto de pássaro, um alto pio d'ave de rapina, um guincho de pixuna, tudo é triste" (Gustavo Barroso, *Terra de Sol*, p. 11). **2.** *Bras. Amaz. Bot.* Arvoreta poligonácea (*Coccoloba pixuna*) da floresta úmida, de folhas amplas, coriáceas, rígidas, flores congregadas em longos cachos, e frutos pequenos, vermelho-escuros ou quase negros, azedos, porém agradáveis ao paladar.

pixundé *S. m. Bras. Amaz. Zool.* V. *poraquê*.

pixundu *S. m. Bras. Amaz. Zool.* V. *poraquê*.

pixunxu *S. m. Bras. Amaz. Zool.* V. *poraquê*.

pixurim [Do tupi.] *S. m. Bras. Amaz. Bot.* **1.** Árvore laurácea (*Licaria puchurymajor*) da floresta pluvial, cujos frutos contêm uma semente que encerra 2,5% de um óleo volátil rico em safrol e eugenol, além de gorduras. **2.** O fruto dessa árvore, também chamado *noz-do-pará*. [Var.: *pexorim, puxiri, puxuri*.]

pixurum *S. m. Bras. RS* V. *mutirão* (1).

pi-zero *S. m. Fís. Nucl.* Méson de massa 134,97 MeV/c^2, *isospin* 1, *spin* nulo, paridade negativa, carga elétrica nula, composto de uma mistura de pares *quark-antiquark u* e *d* [símb.: π^0]. [Pl.: *pis-zero*.]

pizicato [Do it. *pizzicato*, 'beliscado'.] *Mús. Adj.* **1.** Diz-se do modo de fazer vibrar as cordas dos instrumentos de arco, não com o arco, mas de preferência com o polegar ou o indicador da mão direita, ou com o indicador da mão esquerda. ● *S. m.* **2.** Esse modo. **3.** Trecho para ser executado desse modo. [Tb. se us. o it. *pizzicato*. Abrev.: *pizz*.]

■ **pizz** Abrev. de *pizicato*.

➔ **pizza** ['pitsa] [It.] *S. f.* Comida italiana feita com massa de pão, de forma em geral arredondada e achatada, sobre a qual se dispõem camadas de mozarela, tomates, enchovas, etc., temperadas com orégão. ◆ **Acabar em pizza.** *Bras. Gír.* Resultar em nada: 📰 *Todo aquele inquérito sobre a roubalheira acabou em pizza*.

➔ **pizzaiolo** [pit.tsa'jɔlo] [It.] *S. m. Cul.* Profissional especializado no preparo de *pizzas*.

pizzaria (tsa) [De *pizza* + *-aria*.] *S. f. Bras.* Restaurante especializado em pizza.

➔ **pizzicato** [,pit.tsi'kato] [It.] *S. m. Mús.* V. *pizicato*: 📖 "Juntava-se ali, noite por noite, um grupo de pessoas mais ou menos melômanas, e eu, que pouco mais trazia no ouvido além do *pizzicato* da caninha verde." (Aquilino Ribeiro, *Lápides Partidas*, p. 108.)

■ **pK** *Quím.* Logaritmo decimal do inverso da constante de dissociação de um ácido ou de uma base.

pla F. sincopada de *pela*[1]: 📖 "Pla sombra que dás no chão / E de hora a hora varia / Se mede a minha ambição, / Hora a hora, dia a dia..." (Augusto Gil, *O Craveiro da Janela*, p. 79.)

plá *S. m. Bras. Gír.* **1.** V. *dica*. **2.** Conversa, papo.

placa [Do neerl. médio *placke*, pelo fr. *plaque*.] *S. f.* **1.** Chapa ou lâmina de material resistente: 📰 *placa metálica; placa óssea*. **2.** Escápula fixa, na parede, em piano, etc., cujo braço suporta vela, lâmpada ou candeeiro. **3.** *Bras. N.E.* Esse candeeiro: 📖 "Uma placa iluminando a sala de jantar" (Adalberon Cavalcanti Lins, *Curral Novo*, p. 406); "Perpétua, mande acender as placas." (Jorge Amado, *Tieta do Agreste*, p. 115). **4.** Placa (1) de metal colocada de modo visível na parte traseira e dianteira de um automóvel, com seu número de licenciamento; chapa. **5.** Chapa fornecida pela administração pública, como sinal da concessão de certas licenças ou autorizações. **6.** *P. ext.* Qualquer dessas licenças ou autorizações. **7.** *Pop.* Condecoração, broche ou qualquer ornamento semelhante a uma placa. **8.** *Eletr.* V. *eletrodo* (2). **9.** *Eletrôn.* Eletrodo de uma válvula, que tem potencial positivo em relação ao emissor de elétrons e por onde a corrente elétrica penetra na válvula. **10.** *Grav.* Lâmina de metal cortada em tamanhos convenientes, aplainada e polida, que serve como fôrma nos processos de gravura; chapa, matriz. **11.** *Inform.* Placa (1) de circuito impresso, ger. feita de uma base de resina plástica com circuitos em cobre incrustados na resina, com componentes eletrônicos (resistores, transistores, capacitores, circuitos integrados, etc.) soldados nos circuitos, e que dispõe de um conector externo que permite acoplá-la funcionalmente a outro equipamento eletrônico, como, p. ex., um computador. **12.** *Mil.* Reparo de morteiro constante apenas de uma chapa metálica muito grossa com

P

munhoneiras. ◆ **Placa basilar.** Placa da carapaça dos equinodermos, situada perto do ápice da haste dos crinoides ou que constitui o disco apical dos equinoides. **Placa crivada.** *Bot.* A parte especializada da parede de um elemento de tubo crivoso, a qual pode compreender uma área crivada única ou várias muito próximas, neste último caso com ordenação escalariforme ou reticulada. **Placa de crescimento.** *Anat. Histol.* V. *fise*. **Placa dérmica.** *Zool.* Designação das placas que formam um estojo, onde se encerram os quelônios, composto de duas partes: a dorsal (*carapaça*) e a ventral (*plastrão*). **Placa de expansão.** *Inform.* Placa (11) que aumenta a capacidade de um computador ou lhe acrescenta novos recursos, como, p. ex., os de um fax-modem. **Placa de memória.** *Inform.* Placa de expansão com *chips* de RAM, e que serve para aumentar a capacidade de armazenamento da memória principal de um computador. **Placa de perfuração.** *Bot.* Parte perfurada da parede de um elemento de vaso, podendo ser simples, multiperfurada, reticulada ou escalariforme. **Placa de Soleil.** *Ópt.* Biquartzo. **Placa envolvente.** *Art. Gráf.* Placa fina, de metal ou de plástico, levemente mordaçada em relevo, e que se adapta ao cilindro da prensa, para impressão tipográfica, em geral pelo processo de ofsete seco. **Placa equatorial.** *Citol.* Estrutura formada pelo conjunto de cromossomos durante a metáfase, quando estes adotam uma orientação radial no plano equatorial da célula. [Sin.: *placa metafásica*.] **Placa fria.** Chapa fria. **Placa gular.** *Zool.* Peça óssea que, nos peixes osteíctes mais primitivos, protege as brânquias, garganta e maxilar inferior. **Placa infrabasilar.** Placa perradial dos crinoides, abaixo da basilar. **Placa madrepórica.** Madreporita. **Placa metafásica.** *Citol.* Placa equatorial. **Placa motora.** *Histol.* V. *junção mioneural*. **Placa neural.** *Embr.* Estrutura que se forma a partir do espessamento mediano de ectoderma e que originará o sistema nervoso central. **Placa óssea.** *Traum.* Placa metálica com perfurações destinadas à penetração de parafusos [v. *parafuso* (7)], e us. para imobilizar fragmentos ósseos resultantes de fratura (3). **Placa tectônica.** *Geogr.* Cada um dos grandes segmentos externos da crosta terrestre, que se deslocam lentamente sobre a parte inferior, mais plástica, interagindo nas bordas com outros segmentos vizinhos, o que origina vulcanismo, sismos, etc.: "o Brasil tem poucos terremotos. Estamos localizados quase no meio de uma grande placa tectônica, distante de seus limites, onde os terremotos são mais frequentes e extraordinariamente maiores." (Alberto Veloso, em *Folha de S.Paulo*, 24.04.2008.)

placá [Do forro^2.] *S. m. Santom. Cul.* Peixe-voador defumado, que se consome com acompanhamento de arroz: "Quando bem fumado, apresenta a rigidez de placa de madeira, pelo que toma o nome significativo de placá e aguenta-se assim meio ano." (Francisco José Tenreiro, *A Ilha de São Tomé* (Estudo Geográfico), p. 140.)

placabilidade [Do lat. *placabilitate*.] *S. f.* Qualidade de placável.

placa-mãe *S. f. Inform.* Placa (11) principal de um computador, que contém conectores diversos, entre os quais o destinado à instalação do microprocessador central (CPU), circuitos de barramento para conexão de placas de expansão, como, p. ex., placas de captura de vídeo, interfaces MIDI, etc., e outros componentes. [Pl.: *placas-mães* e *placas-mãe*.]

placar^1 [Do fr. *placard*.] *S. m.* **1.** Venera, condecoração. **2.** *Bras.* Marcador (3 e 4). **3.** *Bras.* V. *escore*.

placar^2 [Do lat. *placare*.] ***V. t. d. Int. P.*** V. *aplacar*. [Conjug.: v. *trancar*.]

placar^3 [Do fr. *plaquer*, 'pôr (contra uma parede)', 'atirar (para o chão)'.] ***V. int.*** *Moç.* Atirar-se para o chão, protegendo-se; aplacar: "Tentaram refugiar-se por detrás dumas das viaturas estacionadas na berma da rua. Placaram." (Lina Magaia, *Duplo Massacre em Moçambique*, p. 108.) [Var.: *aplacar^2*. Conjug.: v. *trancar*.]

placável [Do lat. *placabile*.] ***Adj. 2 g.*** Que se pode aplacar.

placê [Do fr. *placé*.] *S. m. Turfe* **1.** Colocação de um cavalo pelo menos em segundo ou em terceiro lugar. **2.** Sistema de apostas no qual o jogador acerta, caso o cavalo escolhido chegue, pelo menos, em segundo ou em terceiro lugar. **3.** O rateio pago em tal sistema de apostas. ◆ **Pagar placê.** *Turfe* Chegar (o cavalo) pelo menos em segundo lugar.

placebo [Subst. do lat. *placebo*, 1ª pess. do sing. do fut. ind. de *placere*, 'agradar'.] *S. m. Farm.* Forma farmacêutica sem atividade, cujo aspecto é idêntico ao de outra farmacologicamente ativa. [Dessa forma, caso o placebo provoque algum resultado, este será, apenas, de natureza psicológica.]

placenta [Do lat. cient. *placenta* < lat. *placenta*, 'bolo (folhado)'.] *S. f.* **1.** *Embr.* Órgão discoide, localizado no útero, constituído por uma porção fetal e por uma porção materna, e que tem funções metabólicas de transferência de substâncias e de secreção endócrina. **2.** *Bot.* Tecido da folha carpelar sobre o qual se desenvolvem os óvulos, que ali ficam inseridos. [Sin., p. us., nesta acepç.: *trofosperma*.] ◆ **Placenta prévia.** *Med.* A que se situa entre o ducto cervical e o feto, dificultando, assim, a expulsão deste.

placentação [De **placentar* (< *placenta* + *-ar^2*) + *-ção*.] *S. f.* **1.** *Embr.* Formação de placenta. **2.** *Bot.* Disposição da placenta no ovário, a qual pode ser de vários tipos.

placentário [De *placenta* + *-ário*.] ***Adj.*** **1.** *Embr.* Relativo ou pertencente à placenta. ● ***S. m.*** **2.** *Bot.* A parte do fruto constituída pela reunião de numerosas placentas. **3.** *Zool.* Mamífero em que se desenvolve placenta.

placidez (ê) [De *plácido* + *-ez*.] *S. f.* Qualidade ou estado de plácido; serenidade, tranquilidade; sossego.

placidiano ***Adj.*** **1.** De, ou pertencente ou relativo a Plácido de Castro (AC). ● ***S. m.*** **2.** O natural ou habitante de Plácido de Castro.

plácido [Do lat. *placidu*.] ***Adj.*** **1.** Sereno, tranquilo: "Longe da turba egoísta, que os meus gozos / Afeleia e envenena, / Leva-me a um doce e plácido recesso" (Raimundo Correia, *Poesias*, p. 40); "Ouviram do Ipiranga as margens plácidas / De um povo heroico o brado retumbante" (Osório Duque Estrada, em *Hino Nacional Brasileiro*). **2.** Manso, sossegado. **3.** Pacífico, brando.

placitar [Do lat. *placitare*.] ***V. t. d. P.*** *us.* Dar o plácito (1) a; aprovar. [Pres. ind.: *placito*, etc. Cf. *plácito*, s. m.]

plácito [Do lat. *placitu*.] *S. m.* **1.** Beneplácito; aprovação. **2.** Promessa de vida casta feita pelos bispos. **3.** Pacto, promessa. [Cf. *placito*, do v. *placitar*.] ~ V. *plácitos*.

plácitos [Pl. de *plácito*.] *S. m. pl. Desus.* Máximas, aforismos. ~ V. *plácito*.

▲ **plac(o)-** [Do gr. *plak-*, *plako-* < gr. *pláx*, *plakós*.] ***El. comp.*** = 'superfície plana'; 'placa'; 'prato'; 'chato': *placóforo*. [Equiv.: *-plac(o)-*: *poliplacóforo*.]

▲ **-plac(o)-** Equiv. de *plac(o)-*.

placodermo [Adapt. do tax. *Placodermi*.] *Paleont. S. m.* **1.** Espécime dos placodermos, classe de peixes do paleozoico, dotados de estrutura mandibular primitiva e que tinham o corpo protegido por couraça de grandes placas ósseas. ● ***Adj.*** **2.** Pertencente ou relativo a eles.

placóforo [De *plac(o)-* + *-foro*.] *S. m. Adj. Zool.* V. *poliplacóforo*.

placoide (ói) [De *plac(o)-* + *-oide*.] ***Adj. 2 g.*** *Zool.* Diz-se das escamas quadrangulares dos elasmobrânquios. ❖

plaga [Do lat. *plaga*, 'extensão de terra'.] *S. f. Poét.* **1.** Região, país: "O Viriato ia louco por avistar as suas plagas natais" (Virgílio Várzea, *Nas Ondas*, p. 257). **2.** Trato de terreno.

plagal [Do lat. ecles. *plaga* + *-al^1*.] ***Adj. 2 g.*** ~ V. *modo* —.

plagiado [Part. de *plagiar*.] ***Adj. S. m.*** Que, ou aquele que foi vítima de plágio.

plagiador (ô) [De *plagiar* + *-dor*.] *S. m.* Plagiário.

plagiar [De *plágio* + *-ar^2*.] ***V. t. d.*** **1.** Assinar ou apresentar como seu (obra artística ou científica de outrem). **2.** Imitar (trabalho alheio): *As pequenas semelhanças no tema não comprovam que o autor tenha plagiado o conhecido escritor francês.* [Pres. ind.: *plagio*, etc.; fut. do pret.: *plagiaria*, etc. Cf. *plágio*, s. m., e *plagiária*, fem. de *plagiário*.]

plagiariamente (già) [Do f. de *plagiário* + *-mente*.] ***Adv.*** À maneira de plagiário: "pensar com a cabeça, em vez de pensar plagiariamente." (Monteiro Lobato, *A Barca de Gleyre*, p. 143).

plagiário [Do lat. *plagiariu*.] *S. m.* Indivíduo que plagia; plagiador. [Fem.: *plagiária*. Cf. *plagiaria*, do v. *plagiar*.]

plagiato [Do lat. *plagiatu*.] *S. m.* Plágio.

plagiedro [De *plagi(o)-* + *-edro*.] ***Adj.*** *Crist.* Diz-se do cristal que tem facetas oblíquas.

▲ **plagi(o)-** [Do gr. *plágios, a, on*.] ***El. comp.*** = 'oblíquo', 'transversal', 'inclinado': *plagiedro*, *plagiocéfalo*, *plagióstomo^1*.

plágio [Do gr. *plágios*, 'trapaceiro'; 'oblíquo', pelo lat. tard. *plagiu*.] *S. m.* Ato ou efeito de plagiar; plagiato. [Cf. *plagio*, do v. *plagiar*.]

plagiocefalia (plà) [De *plagi(o)-* + *-cefal(o)-* + *-ia^1*.] *S. f. Antropom.* Aspecto assimétrico da cabeça, decorrente de soldadura anômala das suturas cranianas.

plagiocéfalo (plà) [De *plagi(o)-* + *-céfalo*.] ***Adj. S. m.*** *Antropom.* Que, ou aquele que apresenta plagiocefalia.

plagioclásio (plà) [De *plagi(o)-* + *-clas(i)-* + *-io^3*.] *S. m. Min.* Série de minerais triclínicos do grupo dos feldspatos, que se obtêm por meio de misturas isomorfas de albita e anortita em todas as proporções. São estes os termos intermediários: *oligoclásio*, *andesita*, *labradorita* e *bytownita*.

plagiopatagial (plà) [De *plagiopatágio* + *-al^1*.] ***Adj. 2 g.*** *Zool.* Relativo ao, ou situado no plagiopatágio.

plagiopatágio (plà) [De *plagi(o)-* + *patágio*.] *S. m. Zool.* Membrana aliforme, situada entre os flancos e o bordo posterior do corpo, unindo os membros anteriores e posteriores, e que possibilita o voo dos quirópteros e a planação dos dermópteros.

plagióstomo^1 [De *plagi(o)-* + *-stomo*.] ***Adj.*** Que tem a boca oblíqua e transversal.

plagióstomo^2 [Adapt. do tax. *Plagiostomi*.] *Zool. S. m.* **1.** Espécime dos plagióstomos, ordem de peixes cartilaginosos, heterocercos, de cabeça alongada em rostro e boca ventral. ● ***Adj.*** **2.** Pertencente ou relativo a eles.

plaina (ã) [Fem. de *plaino* (q. v.).] *S. f.* **1.** Instrumento usado pelos carpinteiros para alisar madeira. **2.** V. *niveladora*.

plainar [De *plaina* + *-ar^2*.] ***V. t. d. P.*** V. *aplainar*: "Logo que chega, limpa as maravalhas, reúne as ferramentas, e começa a plainar a madeira." (O. G. Rego de Carvalho, *Rio Subterrâneo*, p. 80.)

plainete (ê) [De *plaina* + *-ete* (ê).] *S. m.* Instrumento para cinzelar metais.

plaino [F. epentética de *plano*, com um *i* não explicado.] *S. m.* **1.** V. *planície*: "o amplo, infinito plaino das paisagens ermas e dos chapadões desertos" (Herman Lima, *Garimpos*, p. 13). ● ***Adj.*** **2.** Plano (1): "A estrada era já plaina" (João de Araújo Correia, *Cinza do Lar*, p. 32).

plana [De *plano*.] *S. f.* Categoria; classe: "figura de primeira plana, a discreta Henriqueta Lisboa, de Minas Gerais." (Carlos Drummond de Andrade, *Passeios na Ilha*, p. 209).

planado [Part. de *planar*.] ***Adj.*** ~ V. *voo* —.

planador (ô) [De *planar* + *-dor*; fr. *planeur*.] *S. m. Aer. Av.* **1.** Avião ou aeromodelo desprovido de aparelhos de propulsão, e cuja sustentação se faz mediante reação aerodinâmica em superfícies que se conservam fixas durante o voo. **2.** Competição de voo livre, categoria planador.

planaltense^1 ***Adj. 2 g.*** **1.** De, ou pertencente ou relativo a Planalto (BA, PR, RS e SP). ● ***S. 2 g.*** **2.** O natural ou habitante de Planalto. [Sin. ger. (PR): *planaltino*.]

planaltense^2 ***Adj. 2 g.*** **1.** De, ou pertencente ou relativo a Novo Planalto (GO). ● ***S. 2 g.*** **2.** O natural ou habitante de Novo Planalto.

planáltico [De *planalto* + *-ico^2*.] ***Adj.*** **1.** Referente a planalto. **2.** Que tem planaltos.

planaltinense^1 ***Adj. 2 g.*** **1.** De, ou pertencente ou relativo a Planaltina (GO). ● ***S. 2 g.*** **2.** O natural ou habitante de Planaltina.

planaltinense^2 ***Adj. 2 g.*** **1.** De, ou pertencente ou relativo a Planaltina do Paraná (PR). ● ***S. 2 g.*** **2.** O natural ou habitante de Planaltina do Paraná.

planaltinense^3 ***Adj. 2 g.*** **1.** De, ou pertencente ou relativo a Planaltino (BA). ● ***S. 2 g.*** **2.** O natural ou habitante de Planaltino.

planaltino ***Adj. S. m.*** V. *planaltense^1*.

planalto [De *plano* + *alto*.] *S. m.* Grande extensão de terreno plano ou pouco ondulado, elevado, cortado por vales nele encaixados. [Sin.: *achada*, *planura*, *lhanura*, *altiplanura*, *altiplano*, *altoplano*, *chapada*, *platô*, *plató*, *rechã*, *rechão*, *rechano* e (bras.) *araçari*, *araxá*, *chã*, *chamusco*, *tabuleiro*.] ◆ **O Planalto.** O Palácio do Planalto, em Brasília (DF), onde o presidente da República despacha [v. *despachar* (13)].

planalto-alegrense ***Adj. 2 g.*** **1.** De, ou pertencente ou relativo a Planalto Alegre (SC). ● ***S. 2 g.*** **2.** O natural ou habitante de Planalto Alegre. [Pl.: *planalto-alegrenses*.]

planar^1 [De *plano* + *-ar^1*.] ***Adj. 2 g.*** ~ V. *circuito* —.

planar^2 [Do fr. *planer*.] ***V. int.*** **1.** Voar (a aeronave) sustentada apenas pela ação das asas, sem interferência do motor. **2.** Pairar (2): "Um urubu na praia / luta contra o vento. / Paira, plana sobre os quintais de areia" (H. Dobal, *A Cidade Substituída*, p. 14). **3.** Pairar (4): "Dentre os papagaios que, nos ares infestados de varíola, planam serenos, surgiu a Novidade, o Acontecimento." (Osmã Lins, *Nove, Novena*, p. 50.) [Fut. do pret.: *planaria*, etc. Cf. *planária*.]

planária [Do tax. *Planaria* (< lat. tard. *planarius*, 'da planície').] *S. f. Zool.* **1.** Gênero de platelmintos, turbelários, tricládidas, de epiderme ciliada, com numerosas glândulas mucosas, boca ventral e desprovida de ventosas, e cujo ciclo evolutivo é direto, sendo algumas espécies capazes de reproduzir assexuadamente. São marinhos ou de água doce, podendo viver também em lugares úmidos. **2.** Qualquer espécie desse gênero. **3.** Qualquer espécime desse gênero; lesma. [Cf. *planaria*, do v. *planar*.]

plancha [Do fr. *planche*.] *S. f.* Prancha.

planchada^1 [De *plancha* + *-ada^1*.] *S. f. Bras. PR a RS* Pranchada.

planchada^2 [De *planchar* + *-ada^1*.] *S. f. Bras. RS* Ato ou efeito de planchar(-se).

planchador (ô) [De *planchar* + *-dor*.] ***Adj. Bras. PR a RS*** Que facilmente se plancha ou plancheia; plancheador.

planchar [De *plancha* + *-ar*[2].] ***V. int. P. Bras. PR a RS*** Escorregar com as quatro patas, caindo de lado (o cavalo, com cavaleiro ou sem ele); planchear.

plancheador (ô) [De *planchear* + *-dor*.] ***Adj. Bras. PR a RS*** Planchador.

planchear [De *plancha* + *-ear*[2].] ***V. int. P. Bras. PR a RS*** Planchar. [Conjug.: v. *frear*.]

plancto ***S. m. Biol.*** Plâncton.

plâncton [Do gr. *planktón*, neutro do gr. *planktós, é, ón*, 'errante', 'instável'; al. *Plankton*.] ***S. m. Biol.*** Comunidade de pequenos animais (*zooplâncton*) e vegetais (*fitoplâncton*) que vivem em suspensão nas águas doces, salobras e marinhas. O plâncton das águas doces diz-se *limnoplâncton*; o das águas salobras, *hifalmiroplâncton*; e o das salgadas, *haloplâncton*. [F. paral.: *plancto*.]

planctônico ***Adj. Bot.*** V. *planctônico*. [Uso freq. em P.]

planctônico [De *plâncton* + *-ico*[2].] ***Adj. Bot.*** Relativo ou pertencente ao plâncton ou plancto, ou da natureza dele: *clorofila planctônica*.

planctonte [De *plânct(on)* + *-onte*.] ***S. m. Bot.*** Organismo planctônico.

planctotrófico [De *plancto* + *-trofo-* + *-ico*[2].] ***Adj. Ecol.*** Diz-se de animal que se alimenta de organismos planctônicos.

planeado [Part. de *planear*.] ***Adj.*** V. *planejado*: "Tudo decorreu de acordo com o planeado" (Antônio Silva Graça, *Viagem ao Fim da História*, p. 62).

planear [De *plano* + *-ear*[2].] ***V. t. d.*** Planejar: "porque .... o fim da sua vida não foi juntar dinheiro, mas correr mundo, planear empresas .... e sonhar, sobretudo sonhar." (Raul Brandão, *Memórias*, II, pp. 246-247). [P. us. no Brasil. Conjug.: v. *frear*.]

planejado [Part. de *planejar*.] ***Adj.*** Que obedece a planejamento; planificado, planeado. ~ V. *obsolescência —a*.

planejador (ô) [De *planejar* + *-dor*.] ***Adj.*** **1.** Diz-se de órgão, serviço ou seção que planeja. ● ***S. m.*** **2.** Aquele que planeja; especialista na elaboração de planejamentos.

planejamento [De *planejar* + *-mento*.] ***S. m.*** **1.** Ato ou efeito de planejar. **2.** Trabalho de preparação para qualquer empreendimento, segundo roteiro e métodos determinados; planificação: *o planejamento de um livro, de uma comemoração*. **3.** Processo que leva ao estabelecimento de um conjunto coordenado de ações (pelo governo, pela direção de uma empresa, etc.) visando à consecução de determinados objetivos. **4.** Elaboração de planos ou programas governamentais, especialmente na área econômica e social: *Ministério do Planejamento*. **5.** *Adm.* Processo organizacional de criação de um plano, utilizando previsões e a elaboração de cenários que ajudem e definir as melhores ações a serem tomadas para se obter os objetivos pretendidos. ◆ **Planejamento pedagógico.** *Educ.* Elaboração de um plano ou de um conjunto de metas e ações relativas à educação escolar.

planejar [De *plano* + *-ejar*.] ***V. t. d.*** **1.** Fazer o plano ou planta de; projetar, traçar: *Um bom arquiteto planejará o edifício*. **2.** Fazer o planejamento de; elaborar um plano ou roteiro de; programar, planificar: *planejar um roubo*. **3.** Fazer tenção ou resolução de; tencionar, projetar: "Mesmo antes do dia nascer, levantara-se, planejando uma vistoria aos serviços" (Nélson de Faria, *Cabeça-Torta*, p. 135). [Sin ger.: *planear*. Conjug.: v. *pelejar*.]

planeta [Do b.-lat. *planeta*.] ***S. f.*** Casula sacerdotal. [Pl.: *planetas*. Cf. *planeta* (ê) e pl. *planetas* (ê).]

planeta (ê) [Do gr. *planétes*, 'errante', pelo lat. tard. *planeta*.] ***S. m.*** **1.** *Astr.* Corpo celeste sem luz própria, com massa suficiente para que sua gravidade permita que assuma uma forma quase esférica e que gira ao redor de uma estrela em uma órbita cuja vizinhança foi desimpedida de outros corpos celestes devido à sua própria atração gravitacional. [Os planetas que giram em torno do Sol constituem com outros astros (*planetas-anões, asteroides, cometas, meteoritos, satélites* e *poeira interplanetária*) o sistema solar, e são, pela ordem de afastamento do Sol: Mercúrio, Vênus, Terra, Marte, Júpiter, Saturno, Urano e Netuno.] **2.** *Restr.* O planeta que habitamos; a Terra: "andou esse extravagante inglês [Cook] pisando todos os areais, ... galgando todos os montes, ouvindo todos os idiomas e correndo todos os andurriais do planeta" (Olavo Bilac, *Crítica e Fantasia*, p. 150). [Pl.: *planetas* (ê). Cf. *planeta* e pl. *planetas*.] ◆ **Planeta exterior.** *Astr.* Planeta superior. **Planeta inferior.** *Astr.* Cada um dos planetas (Mercúrio e Vênus) cuja órbita é interior à órbita da Terra; planeta interior. **Planeta interior.** *Astr.* Planeta inferior. **Planeta intramercurial.** *Astr.* Vulcano. **Planeta joviano.** *Astr.* Qualquer um dos planetas gigantes (q. v.). [M. us. no pl.] **Planetas gigantes.** *Astr.* Os planetas Júpiter, Saturno, Urano e Netuno. **Planeta superior.** *Astr.* Cada um dos planetas — Marte, Júpiter, Saturno, Urano e Netuno — cuja órbita é exterior à órbita da Terra; planeta exterior. **Planeta telúrico.** *Astr.* Cada um dos quatro primeiros planetas do sistema solar (Mercúrio, Vênus, Terra e Marte), que possui massa fraca e densidade média muito forte. **Planeta vermelho.** *Astr.* V. *Marte*. **Pequeno planeta.** *Astr.* V. *asteroide* (3).

planeta-anão ***S. m. Astr.*** Corpo celeste muito semelhante a um planeta, já que orbita em torno de uma estrela e tem forma quase esférica, mas que não conseguiu com sua força gravitacional desimpedir a vizinhança de sua órbita de outros corpos celestes. [Excluem-se desta definição os satélites.] [Pl.: *planetas-anões* e *planetas-anão*.]

planetário [De *planeta* (ê) + *-ário*.] ***Adj.*** **1.** Relativo ou pertencente aos planetas. ~ V. *aberração —a, disco —, nebulosa —a* e *sistema —*. ● ***S. m.*** **2.** Anfiteatro em cúpula, dotado de mecanismo mediante o qual se transmite à assistência a situação e o movimento do sistema solar.

planetesimal ***S. m. Astr.*** Corpo sólido hipotético de pequenas dimensões que se teria formado quando a nebulosa protossolar se colapsou em um disco e se fragmentou.

planetocêntrico [De *planeta* (ê) + *-o-* + *-centr(o)-* + *-ico*[2].] ***Adj. Astr.*** Relativo ao centro de um planeta. ~ V. *coordenadas —as, latitude —a, longitude —a* e *posição —a*.

planetografia [De *planeta* (ê) + *-o-* + *-grafia*.] ***S. f.*** Estudo dos planetas; planetologia.

planetográfico [De *planetografia* + *-ico*[2].] ***Adj.*** Referente à planetografia; planetológico. ~ V. *coordenadas —as, latitude —a* e *longitude —a*.

planetoide (ói) [De *planeta* (ê) + *-oide*.] ***S. m. Astr.*** V. *asteroide*[1] (2). ❖

planetologia [De *planeta* (ê) + *-o-* + *-logia*.] ***S. f.*** Planetografia.

planetológico [De *planetologia* + *-ico*[2].] ***Adj.*** Referente à planetologia; planetográfico.

planetologista [De *planetologia* + *-ista*.] ***S. 2 g.*** Planetólogo.

planetólogo [De *planeto-*, como em *planetologia*, + *-ico*[2].] ***S. m.*** Astrônomo especialista em planetologia ou planetografia; planetologista.

planeza (ê) [De *plano* + *-eza*.] ***S. f.*** Estado ou qualidade de plano.

plangência [De *planger* + *-ência*.] ***S. f.*** Qualidade ou estado de plangente.

plangente [Do lat. *plangente*.] ***Adj. 2 g.*** **1.** Que chora. **2.** Lastimoso; triste: "a sua voz plangente tem um tom de melancolia sentimental, levemente minhota." (Ramalho Ortigão, *As Farpas*, XI, p. 19); "Ah! plangentes violões dormentes, mornos, / Soluços ao luar, choros ao vento..." (Cruz e Sousa, *Faróis*, p. 58).

planger [Do lat. *plangere*.] ***V. int.*** **1.** Derramar lágrimas, lamentando-se; chorar: "Isto é a vida; não há planger, nem imprecar, mas aceitar as cousas .... com seus ônus e percalços" (Machado de Assis, *Papéis Avulsos*, p. 88); *Os amigos do morto plangiam comovidos*. **2.** Soar tristemente; chorar: *Plangem tristes violinos*; "Um sino plange. A sua voz ritma o murmúrio / Do rio, e isso parece a voz da solidão." (Manuel Bandeira, *Estrela da Vida Inteira*, p. 14). ***T. d.*** **3.** Soar, tocar, fazer ouvir, tristemente: *Os sinos plangem as ave-marias*; "Plangem as campanas monacais baladas" (Martins Fontes, *Verão*, p. 238); "Plangem os cavos relógios góticos / As badaladas da meia-noite." (Id., *ib.*, p. 241). [Conjug.: v. *tanger*.]

▲ **plani-** [Do lat. *planus, a, um*.] ***El. comp.*** = 'plano': *planifólio, planisfério*.

planície [Do lat. *planitie*.] ***S. f.*** **1.** Grande porção de terreno plano. [Sin.: *campina, plano, plaino, planura, lhanura, chanura* e (bras.) *vereda, chão-parado, praino*.] **2.** *Astr.* V. *planitia*.

planiço [De *plano* + *-iço*, ou alter. de *planície*.] ***S. m. Bras.*** Planície ou várzea de extensão algo considerável, nas terras altas ou baixas.

planicórneo [De *plani-* + *-corn(i)-* + *-eo*.] ***Adj. Zool.*** Que tem cornos achatados.

planificação [De *planificar* + *-ção*.] ***S. f.*** **1.** Ato ou efeito de planificar (1). **2.** Planejamento (2 e 3).

planificado [Part. de *planificar*.] ***Adj.*** Que obedece a uma planificação; planejado. ~ V. *economia —a*.

planificar [De *plani-* + *-ficar*.] ***V. t. d.*** **1.** Reduzir a um plano (6). **2.** Projetar num plano (os vários acidentes de uma perspectiva): *planificar uma região*. **3.** Estabelecer um plano ou roteiro para; programar, planejar, planear: *O comerciante planificará as vendas deste ano*. **4.** Submeter a plano (10). **5.** *Mat.* Determinar a área de (uma superfície). [Conjug.: v. *trancar*.]

planificável [De *planificar* + *-vel*.] ***Adj. 2 g.*** Que se pode planificar.

planifólio [De *plani-* + *-fólio*.] ***Adj. Bot.*** Que tem folhas planas.

planiforme [De *plani-* + *-forme*.] ***Adj. 2 g.*** Que tem forma plana ou achatada; chato.

planiglobo (ô) [De *plani-* + *globo*.] ***S. m. P. us.*** Planisfério.

planigrafia [De *plani-* + *-grafia*.] ***S. f. Med.*** V. *tomografia*.

plani-impressão [De *plani-* + *impressão*.] ***S. f. Art. Gráf.*** Impressão com fôrma plana, em prensa de platina ou prensa plano-cilíndrica; impressão plana. [Pl.: *plani-impressões*. Cf. *rotoimpressão*.] ❖

planilha [Do hisp.-amer. *planilla*.] ***S. f.*** **1.** *Tip.* Cada uma das duas páginas de uma carteira de identidade; espelho. **2.** Folha impressa, padronizada, em cujas colunas se registram os cálculos de levantamentos topográficos. **3.** *P. ext.* Qualquer formulário impresso onde se lançam informações padronizadas. **4.** V. *planilha eletrônica*. ◆ **Planilha eletrônica.** *Inform.* Tipo de programa que organiza dados em forma tabular, e permite estabelecer entre eles relações definidas como fórmulas lógicas e matemáticas. [Tb. se diz apenas *planilha*.]

planimetragem [Por *planimetriagem* < *planimetria* + *-agem*[2].] ***S. f.*** Aplicação da planimetria a um terreno.

planimetria [De *plani-* + *-metria*.] ***S. f.*** Levantamento topográfico destinado a fornecer as medidas do terreno plano, *i. e.*, a projeção horizontal dos pontos significativos da área levantada.

planimétrico [De *planimetria* + *-ico*[2].] ***Adj.*** Relativo à planimetria.

planímetro [De *plani-* + *-metro*.] ***S. m. Mat.*** Instrumento com que se mede a área de uma figura plana.

planipene[1] [De *plani-* + *-pene*.] ***Adj. 2 g. Zool.*** Que tem pousas ou asas planas.

planipene[2] [Adapt. do tax. *Planipennia*.] ***Zool. S. m.*** **1.** Espécime dos planipenes, subordem de insetos neurópteros, com dois pares de asas transparentes com veias ramificadas próximo à margem e cujas larvas têm sistema bucal sugador. ● ***Adj. 2 g.*** **2.** Pertencente ou relativo a eles. [Sin. ger.: *hemerobiiforme*.]

planisférico [De *planisfério* + *-ico*[2].] ***Adj.*** Relativo a planisfério.

planisfério [De *plani-* + *-sfer(o)-* + *-io*[3].] ***S. m.*** **1.** Representação duma esfera ou globo em um plano. **2.** *Restr.* Mapa que representa toda a superfície terrestre ou celeste em um plano retangular. [Sin., p. us.: *planiglobo*.] **3.** *Astr.* Analema.

planista [De *plano* + *-ista*.] ***Adj. 2 g. S. 2 g. Bras. N.E.*** Que, ou quem arquiteta planos, estratagemas.

➔ **planitia** [pla'nitea] [Lat.] ***S. f. Astr.*** Área lisa e baixa na superfície de planetas ou de satélites.

plano ***Adj.*** **1.** Liso, sem desigualdades. **2.** Que tem a superfície plana: *terreno plano; vidro plano*. **3.** *Fig.* Claro, simples; fácil. ~ V. *geometria —a, impressão —a, máquina —a, onda —a, prensa —a, seção —a, tecido — tecelagem —, treliça —* a e *trigonometria —a*. ● ***S. m.*** **4.** Qualquer superfície plana limitada, tomada isoladamente ou em relação a outras: *um plano elevado; planos paralelos*. **5.** V. *planície*: "Corre o ribeiro suave / Pela terra brandamente, / Se o plano condescendente / Dele se deixa regar" (Laurindo Rabelo, *Poesias Completas*, p. 44). **6.** Representação gráfica, numa dada escala, da estrutura ou da organização de algo em três dimensões; planta: *Consultou o plano do teatro e escolheu boas localidades*. **7.** Mapa (1) de cidade, região, rede de transportes, vias de comunicação, etc., em grande escala: *Tem na parede o plano de Paris*. **8.** Projeto (4): *Ele próprio fez o plano de sua residência*. **9.** Projeto ou empreendimento com fim determinado: "adquiriu [Charles Nodier] fama de conspirador, havendo .... participado, realmente, de planos sediciosos" (Melo Nóbrega, *O Soneto de Arvers*, p. 12). **10.** Conjunto de métodos e medidas para a execução de um empreendimento: *Osvaldo Cruz estabeleceu um plano para a erradicação da febre amarela*. **11.** Conjunto de ações governamentais a serem adotadas, visando determinado objetivo: *plano de metas; plano plurianual de investimentos; plano nacional de educação*. **12.** Arranjo ou disposição de uma obra: *o plano de Guerra e Paz, de Tolstoi*. **13.** *Fig.* Nível; tom, caráter. **14.** *Fig.* Situação, posição, categoria: *Vaidoso, quer estar sempre em primeiro plano; O concurso de misses é hoje assunto de segundo plano*. **15.** *Fig.* Intento, propósito, desígnio; projeto: *Seu plano é dar aos filhos a instrução que não pôde receber*. **16.** *Art. Plást.* Plano (4) imaginário, perpendicular à linha de visão do observador, que, numa pintura ou num desenho, dá, por efeito da perspectiva, a noção de profundidade e distância. **17.** *Cin. Telev.* Unidade de um filme compreendida entre dois cortes. **18.** A área de um quadro filmado em relação a um assunto. [Cf., nesta acepç., *plano americano, plano médio, primeiríssimo plano, plano geral*, etc.] **19.** A profundidade em que se encontra um assunto filmado: *O personagem está em segundo plano*. **20.** *Encad.* Pasta (13). **21.** *Geom.* Superfície que contém inteiramente qualquer reta que une dois de seus pontos. ◆ **Plano americano.** *Cin. Telev.* Plano com enquadramento dos personagens a meio-corpo. [Cf. *plano-médio*.] **Plano complexo.** *Mat.* Plano em que se associa a cada ponto um número complexo. **Plano contingencial** *Adm.* Plano realizado para a eventualidade de situações de desastre, com pouca probabilidade de ocorrência, mas para as quais é importante estar preparado. **Plano coordenado.** *Mat.* Qualquer dos planos das três famílias que definem um sistema cartesiano de coordenadas. **Plano da eclíptica.** *Astr.* Plano da órbita da Terra ao redor do Sol. **Plano de aula.** *Educ.* Projeto em que se define os objetivos a serem perseguidos e métodos utilizados para atingi-los. **Plano de Argand.** *Mat.* Plano em que só existe um sistema de coordenadas cartesianas em que a abscissa é a parte real de um complexo e a ordenada, a parte imaginária. **Plano de curvatura.** *Mat.* Plano osculador. **Plano de geminação.** *Crist.* V. *macla*. **Plano de incidência.** *Ópt.* Plano definido por um raio luminoso incidente sobre uma superfície e pela perpendicular a essa superfície no ponto de incidência. **Plano de onda.** *Fís.* Plano determinado, num instante dado, pelos vetores elétrico (ou deslocamento elétrico) e magnético duma onda eletromagnética. **Plano de polarização.** *Ópt.* Plano perpendicular ao de vibração do vetor elétrico em um raio luminoso plano-polarizado. **Plano de reflexão.** *Ópt.* Plano definido pelo raio refletido por uma superfície e pela perpendicular a essa superfície no ponto de reflexão. **Plano de saúde.** Seguro de saúde. **Plano de vibração.** *Ópt.* Plano que contém o vetor elétrico de um raio luminoso plano-polarizado. **Plano diretor.** *Urb.* Instrumento básico de planejamento de uma cidade e que dispõe sobre sua política de desenvolvimento, ordenamento territorial e expansão urbana. [Segundo a Constituição Brasileira, o plano diretor, aprovado por Câmara municipal, é obrigatório para cidades com mais de 20.000 habitantes.] **Plano em traços.** *Maç.* Relatório escrito. **Plano focal.** *Fot.* Plano que é paralelo ao da lente e que contém o foco primário (q. v.). **Plano galáctico.** *Astr.* Plano em cujas proximidades está concentrada a maior parte dos componentes de uma galáxia. **Plano geral.** *Cin. Telev.* Grande plano. **Plano ideal.** *Geom. Projet.* V. *plano impróprio*. **Plano impróprio.** *Geom. Projet.* Conjunto de todos os pontos impróprios e retas impróprias; plano ideal, plano no infinito. **Plano inclinado. 1.** *Fís.* Máquina simples, constituída, na sua forma fundamental, por uma superfície rígida, plana, que faz um ângulo oblíquo em relação ao plano horizontal. **2.** *Arquit.* Rampa suavemente inclinada que substitui a escada na ligação entre andares. **Plano invariável.** *Fís.* Plano perpendicular ao vetor momento angular dum corpo que gira livremente com apenas um ponto fixo, e que é determinado univocamente pelas condições iniciais do movimento. **Plano médio.** *Cin. Telev.* Plano em que se enquadram os personagens de corpo inteiro. **Plano meridiano.** *Astr.* Plano que contém o eixo do mundo e a vertical de um lugar. **Plano no infinito.** *Geom. Projet.* V. *plano impróprio*. **Plano normal.** *Mat.* Plano perpendicular à tangente a uma curva num ponto dado. **Plano osculador.** *Mat.* Plano que contém o círculo osculador a uma curva; plano de curvatura. **Plano piloto.** *Bras.* Planejamento básico de uma obra, ao qual deverão ajustar-se todas as instalações e construções. **Plano radical.** *Geom.* Lugar geométrico dos pontos de igual potência em relação a duas superfícies esféricas. **Plano sagital.** *Anat.* Plano ou secção anteroposterior que se situa paralelamente ao plano medial do corpo. **Planos conjugados.** *Ópt.* Num sistema óptico, planos perpendiculares ao eixo óptico, que passam, respectivamente, por um ponto-objeto e pelo correspondente ponto-imagem. **Planos paralelos.** *Geom.* Planos que só têm em comum uma reta no infinito. **Planos principais.** *Ópt.* Numa lente, dois planos conjugados que têm aumento lateral positivo e unitário. **Plano supergaláctico.** *Cosm.* Plano aparente de simetria que passa através do aglomerado de galáxias da Virgem, região onde estão concentradas as mais brilhantes galáxias do cosmo. **Plano tangente.** *Mat.* Plano que contém todas as tangentes a uma superfície num ponto dado. **De plano. 1.** De pronto; prontamente. **2.** Sumariamente. **Grande plano.** *Cin. Telev.* Plano em que se enquadram os personagens e uma grande parte do cenário ou paisagem; plano geral. **Grande primeiro plano.** *Cin. Telev.* Plano em que se isola um detalhe; primeiríssimo plano. **Médio longo plano.** *Cin. Telev.* Plano entre os planos médio e geral. **Primeiríssimo plano.** *Cin. Telev.* Grande primeiro plano (q. v.). **Primeiro plano.** *Cin. Telev.* V. *close-up*. **Salso plano.** *Poét.* O mar; salso argento: "De pé, no salso plano, / O longo mastro, a interrogar o arcano / Do horizonte infinito, alto se apruma." (Alberto de Oliveira, *Poesias*, 4ª série, p. 237.) [Do lat. *planu*.]

▲**plano-** [Do gr. *plánē*, *ēs*.] *El. comp.* = 'ação de vagar, de errar'; 'desvio': *planomania*, *planômano*.

plano-cilíndrico [De *plano* + *cilíndrico*.] *Adj.* ~ V. *impressão —a* e *prensa —a*. [Pl.: *plano-cilíndricos*.] ❖

plano-côncavo *Adj.* Que tem uma superfície plana e outra côncava. [Pl.: *plano-côncavos*.] ~ V. *lente —a*.

plano-convexo (cs) *Adj.* Que tem uma superfície plana e outra convexa. [Pl.: *plano-convexos*.] ~ V. *lente —a*.

planogameta (ê) [De *plano-* + *-gameta*.] *S. m. Biol. Desus.* Gameta provido de motilidade.

planografia [De *plano* + *-grafia*.] *S. f.* **1.** Qualquer processo de gravura ou de fotogravura cuja placa não apresenta diferenças de superfície, retendo a tinta nas partes que recebem tratamento químico adequado. [V. *gravura em plano*, *impressão de plano* e *fotogravura em plano*.] **2.** Arte de desenhar planos.

planográfico [De *planografia* + *-ico*².] *Adj.* Relativo à planografia e à impressão planográfica. ~ V. *impressão —a*.

planógrafo [De *plano* + *-grafo*.] *S. m.* Aparelho para tirar cópias de fotografias.

planomania [De *plano-* + *-mania*.] *S. f. Psiq.* Impulso de vagar¹ (1) livremente.

planomaníaco [De *planomania* + *-íaco*.] *Psiq. Adj.* **1.** Relativo a planomania. **2.** Que tem planomania; planômano. ● *S. m.* **3.** Aquele que tem planomania; planômano.

planómano *Adj. S. m. Psiq.* V. *planômano*.

planômano [De *plano-* + *-mano*¹.] *Adj. S. m. Psiq.* Planomaníaco (2 e 3).

plano-paralelo *Adj.* Que tem superfícies planas paralelas. [Pl.: *plano-paralelos*.]

plano-polarizado [De *plano* + *polarizado*.] *Adj. Fís.* Diz-se de radiação eletromagnética que tem invariável o plano de vibração. ~ V. *luz —a*. [Pl.: *plano-polarizados*.] ❖

plano-rotativo [De *plano* + *rotativo*.] *Adj.* ~ V. *prensa —a*. [Pl.: *plano-rotativos*.] ❖

plano-sequência *S. f. Cin.* Reunião de vários enquadramentos em um mesmo plano por meio de movimentos de câmera. [Pl.: *planos-sequências* e *planos-sequência*.]

planqueta (ê) *S. f. Ant.* Peça empregada em combates navais para desmastrear navios.

planta¹ [Do lat. *planta*.] *S. f.* **1.** *Bot.* Ser vivo que pertence ao Reino *plantae* (q. v.) e que, na maioria das classificações, é qualquer dos organismos vegetais verdes, *i. e.*, que contêm clorofila. [Em algumas classificações antigas, tb. os fungos e as bactérias são considerados plantas.] **2.** *Anat.* Parte do pé que assenta no chão. **3.** *P. ext.* Pé (1). **4.** *Arquit.* Desenho da projeção horizontal de um objeto, terreno, de parte de uma construção, etc. **5.** *Bras. N.E.* Plantação, plantio. **6.** *Bras.* V. *soca* (2). ◆ **Planta baixa.** *Arquit.* Representação gráfica do corte horizontal de um edifício, e que passa, ger., acima do plano dos peitoris das janelas. **Planta de localização.** *Arquit. Urb.* Representação gráfica da posição exata de um terreno, e que compreende a região onde está localizado, com logradouros e terrenos vizinhos. **Planta de sol.** *Ecol.* Heliófito. **Planta topográfica.** Representação gráfica, convencional e minuciosa, de uma pequena área da superfície terrestre; carta topográfica.

planta² [Do ingl. *plant*.] *S. f.* Instalação produtiva; fábrica.

plantação [Do lat. *plantatione*.] *S. f.* **1.** Ato ou efeito de plantar²; plantio. **2.** Terreno plantado; plantio. **3.** *P. ext.* Aquilo que se plantou: *Com a seca a plantação morreu toda.*

plantado [Part. de *plantar*.] *Adj.* **1.** Diz-se de terreno em que se fez plantação: *Percorreu toda a parte plantada do sítio.* **2.** Firme, arraigado.

plantador (ô) [Do lat. tard. *plantatore*.] *Adj. S. m.* Que ou o que planta.

plantaginácea [Do lat. cient. *Plantagin-* (do tax. *Plantago*, do lat. *plantago*, *inis*, 'tanchagem') + *-ácea*; tax. *Plantaginaceae*.] *S. f. Bot.* Espécime das plantagináceas, família de plantas da ordem das plantaginales, composta de ervas de folhas alternas e minutas flores em espigas. Corola inconspícua e seca; ovário súpero; fruto: pixídio ou núcula. Compreende umas 300 espécies, sendo raras as brasileiras. A *plantago major*, cosmopolita, é a única comum, inclusive nas ruas das cidades.

plantagináceo [De *plantaginácea*, com var. suf. (v. *-áceo*).] *Adj. Bot.* Pertencente ou relativo às plantagináceas.

plantaginal [Do lat. cient. *Plantagin-* (v. *plantaginácea*) + *-al*¹.] *Adj. 2 g. Bot.* Pertencente ou relativo às plantaginales.

plantaginale [Do lat. cient. *Plantagin-* (v. *plantaginácea*) + *-ale*; tax. *Plantaginales*.] *S. f. Bot.* Espécime das plantaginales, ordem de plantas dicotiledôneas, metaclamídeas, caracterizada pelas flores actinomorfas e tetrâmeras. Só inclui a família plantaginácea.

planta-misteriosa [De *planta* + o f. de *misterioso*.] *S. f. Bras. Bot.* Arbusto berberidáceo (*Nandina domestica*) que se caracteriza por ter folhas tripenadas, fato raro. É encontrado, entre nós, ocasionalmente, em jardins, como planta ornamental, cuja graça procede das folhas amplamente subdivididas. [Sin.: *fruta-de-cachorro*. Pl.: *plantas-misteriosas*.]

plantão [Do fr. *planton*.] *S. m.* **1.** Serviço policial distribuído cada dia a um soldado, dentro da respectiva caserna, companhia, etc. **2.** O soldado que fica em tal serviço. **3.** Horário de serviço escalado para determinado profissional exercer suas atividades em delegacia, hospital, etc. **4.** Quarto (5). **5.** Serviço noturno ou em dia ou horas normalmente sem expediente em redações de jornais, hospitais, fábricas, etc. **6.** Pessoa incumbida de tal serviço; plantonista: "O senhor é o plantão, doutor veterinário?" (João Uchoa Cavalcanti Neto, *O Menino*, p. 35.) ◆ **De plantão.** *Fig.* À espera.

plantar¹ [Do lat. *plantare*.] *Adj. 2 g. Anat.* Relativo à planta (2).

plantar² [Do lat. *plantare*.] *V. t. d.* **1.** Meter (um vegetal) na terra para aí enraizar: *plantar árvores.* **2.** Realizar a semeadura de; semear, cultivar: *Os camponeses plantaram trigo e cevada.* **3.** Fazer plantação em; amanhar: *plantar uma roça.* **4.** Preparar (a terra) para a plantação; cultivar, amanhar, arrotear. **5.** Fincar verticalmente na terra: *plantar estacas.* **6.** Dispor na terra: *Nivelou o terreno e plantou as estacas.* **7.** Incentivar o desenvolvimento de; propagar, semear, disseminar; implantar: *plantar a cultura, as belas-artes; plantar ódios.* **8.** Introduzir no ânimo; sugerir, insinuar, instilar, implantar: *Os missionários buscavam extirpar o paganismo e plantar a doutrina cristã.* **9.** Empreender o estabelecimento ou fundação de; estabelecer, fundar, instituir, edificar, implantar: *Os fenícios plantaram Cartago.* **10.** *Jorn.* Publicar (notícia), eventualmente falsa, com outro objetivo que não o de informar. **11.** Colocar (droga, etc.) num local, com intuito de incriminar alguém: "Quando eles [os policiais] plantam a droga, você sabe como é difícil explicar, depois, na delegacia." (Luís Eduardo Soares, *Meu Casaco de General*, p. 26.) *T. d. e c.* **12.** Fazer estacionar; deixar parado; fixar, estabelecer: *O oficial plantou cada soldado na sua posição.* **13.** Assentar, colocar, erigir: *Plantou no local do crime um cruzeiro.* **14.** Fazer entrar, ou nascer; insinuar, instilar, incutir: *Aquela moça plantava amor nos corações dos homens.* *T. d. e i.* **15.** *Pop.* Aplicar; dar: *Plantou um soco no rosto do adversário.* *Int.* **16.** Preparar a terra para a plantação: "Fez-se lavrador, plantou, colheu, permutou o seu produto por boas e honradas patacas" (Machado de Assis, *Memórias Póstumas de Brás Cubas*, p. 7). *P.* **17.** Ficar parado ou estacionado; estacionar: *Plantaram-se imóveis diante do cortejo.* **18.** Deixar-se ficar por longo tempo (à maneira da planta que se arraiga num determinado lugar): *Plantou-se a meu lado e pôs-se a conversar.* [Pres. subj.: *plante*, ... *planteis*, *plantem*. Cf. *plantéis*, pl. de *plantel*.]

planta-telégrafo *S. f. Bot.* Subarbusto fabáceo (*Desmodium gyrans*) de folhas trifoliadas, flores purpúreas ou violáceas, racemosas, dispostas em panículas terminais, e legume pubescente; apresenta o fenômeno curioso de os folíolos moverem-se em várias direções, de acordo com a luz solar. [Sin.: *feijão-telefone*. Pl.: *plantas-telégrafos* e *plantas-telégrafo*.]

➔ **plantation** [plæn'teiʃin] [Ingl.] *S. f.* Grande propriedade agrícola na qual se cultivam produtos tropicais, ger. para exportação.

plantear [De *planta* (4) + *-ear*².] *V. t. d. P. us.* Desenhar ou fazer a planta de (uma construção); planejar, projetar, traçar. [Conjug.: v. *frear*.]

plantel [Do esp. plat. *plantel*.] *S. m. Bras. MG S.* **1.** *Zootec.* Grupo de animais de boa raça (em especial bovinos e equinos) que o criador conserva para a reprodução. **2.** Grupo de animais de raça fina, selecionada: "O plantel de Virgílio era bem renomado entre os conhecedores. Seus reprodutores puros, importados da Holanda, cruzavam com as fêmeas aclimatadas na serra, dando crias que não se diferençavam dos animais estrangeiros." (Afonso Arinos de Melo Franco, *A Alma do Tempo*, p. 389.) **3.** *Bras. S.* Grupo de atletas, ou coristas, ou técnicos, etc., que são os mais capazes em sua profissão: "O triste é quando .... o foca permanece foca a vida toda, como um marginal ou peça sobressalente no plantel profissional e humano de uma redação." (Valdemar Cavalcanti, *Jornal Literário*, p. 53.) [Pl.: *plantéis*. Cf. *planteis*, do v. *plantar*.]

▲**plant(i)-** [Do lat. *planta*, *ae*.] *El. comp.* = 'planta'; 'ser vivo do reino vegetal'; 'parte do pé que assenta no chão': *plântula*, *plantígrado*.

plantígrado [De *plant(i)-* + *-grado*[1].] *Zool.* **Adj. S. m.** Diz-se de, ou animal que anda sobre as plantas dos pés.

plantio [De *plantar* + *-io*[2].] **S. m.** Plantação (1 e 2).

plantonista [De *plantão* + *-ista*, seg. o padrão erudito.] **S. 2 g.** *Bras.* Plantão (6).

plântula [De *planta* + *-ula*.] **S. f.** *Bot.* **1.** Embrião em desenvolvimento, após a germinação da semente; planta recém-nascida. **2.** V. *embrião* (2).

planturoso (ô) [Do fr. *plantureux*.] **Adj.** *Gal.* **1.** Volumoso; crescido. **2.** Abundante; copioso.

plânula [Do lat. med. *planula*.] **S. f.** *Zool.* Forma larval planctônica de certos corais.

planura [De *plano* + *-ura*.] **S. f. 1.** V. *planalto*. **2.** V. *planície*: "Na sua planura fofa e ubérrima, na melodia dos seus chocalhos e na harmonia da sua cor, a terra ribatejana é um grito de felicidade incontida no corpo da tristeza lusa." (Miguel Torga, *Portugal*, p. 109.) **3.** Lugar plano: "o mar é uma planura cinzenta e espessa coberta por uma fosforescência irreal" (Luís Fernando Veríssimo, *O Jardim do Diabo*, p. 21.)

plaqué **S. m.** V. plaquê. [Uso próprio de P.]

plaquê [Do fr. *plaqué*.] **S. m. 1.** Folha de metal, mais ou menos delgada e em geral amarela ou da cor do ouro, com a qual se revestem certos objetos ou ornatos de metal ordinário. **2.** Metal ordinário com que se fabricam objetos de adorno imitantes a objetos de ouro.

plaqueamento [De **plaquear* (< *placa* + *-ear*[2]) + *-mento*.] **S. m.** *Bras.* Colocação de placas orientadoras do trânsito.

plaqueta (ê) [Do fr. *plaquette*.] **S. f. 1.** Livro de poucas páginas e aspecto gráfico apurado, e que ger. é uma obra literária. [F. paral.: *plaquete*.] **2.** Peça de joalheria semelhante a uma medalha, mas que não tem forma circular. **3.** Pequena placa de metal. **4.** *Bras. Autom.* Pequena placa (1) metálica que, nos veículos automóveis, se sobrepõe à placa (4), destinada a comprovar o pagamento anual da licença. ◆ **Plaqueta sanguínea.** *Histol.* Corpúsculo anucleado, derivado de megacariócito, específico de mamíferos e relacionado com o processo de coagulação do sangue.

plaquete **S. f.** Plaqueta (1).

▲ **-plas(i)-** [Do gr. *plásis, eōs*.] *El. comp.* = 'ação de dar forma, de modelar'; 'formação': *hipoplasia, leucoplasia.*

plasma [Do gr. *plásma*, 'obra modelada', pelo lat. *plasma*, 'criatura'.] **S. m. 1.** *Histol.* A parte líquida coagulável do sangue, na qual se acham, em suspensão, os glóbulos sanguíneos. [Cf. *soro*.] **2.** *Min.* Variedade verde-escura de calcedônia. **3.** *Fís.* Gás rarefeito com elétrons e íons positivos livres, mas cuja carga espacial é nula. ◆ **Plasma germinativo.** *Biol.* A linhagem das células que dá origem a um gameta. **Plasma intersticial.** *Histol.* V. *líquido intersticial*. **Plasma sanguíneo.** *Histol.* V. *plasma* (1).

▲ **plasma-** V. *plasm(o)-*.

▲ **-plasma** [Do lat. cient. *-plasma* < gr. *plásma, atos*.] V. *plasm(o)-*.

plasmação [Do lat. tard. *plasmation*.] **S. f.** Ato ou efeito de plasmar.

plasmado [Part. de *plasmar*.] **Adj.** Feito, organizado, constituído, modelado.

plasmador (ô) [Do lat. tard. *plasmatore*.] **Adj. S. m.** Diz-se de, ou aquele que plasma.

plasmagel [De *plasma-* + *gel*.] **S. m.** *Biol.* Estado gelatinoso do citoplasma da célula, que ocorre de maneira característica na porção periférica das amebas.

plasmalema [De *plasma-* + *-lema*[1].] **S. f.** *Biol.* A membrana celular.

plasmar [Do lat. tard. *plasmare*.] **V. t. d. 1.** Modelar em gesso, em barro, etc.: *O escultor plasmou várias imagens.* **2.** Dar forma a; afeiçoar, modelar: "Passou a plasmar o barro e foi a mão do próprio Sardoeira o que ele primeiro modelou." (Coelho Neto, *Treva*, p. 16.)

plásmase [De *plasm(o)-* + *-ase*.] **S. f.** *Bioquím.* Diástase que coagula as substâncias albuminoides dos plasmas.

plasmassol [De *plasma-* + *sol*, por solução.] **S. m.** *Biol.* Estado em que o citoplasma da célula se apresenta mais líquido que gelatinoso. [Pl.: *plasmassóis*.]

plasmático [Do gr. *plasmatikós*.] **Adj.** Relativo ao, ou do plasma; plásmico.

▲ **plasmat(o)-** V. *plasm(o)-*.

▲ **-plasmat(o)-** V. *plasm(o)-*.

plásmico [De *plasm(o)-* + *-ico*[2].] **Adj.** Plasmático.

plasmídeo [De *plasm(o)-* + *-ídeo*[3].] **S. m.** *Genét.* Molécula circular do ácido desoxirribonucleico não integrada ao cromossomo bacteriano capaz de autorreplicação.

plasmídio [De *plasm(o)* + *-ídio*[2].] **S. m.** *Bioquím.* V. *plasmídeo*.

▲ **plasm(o)-** [Do gr. *plásma, atos*.] *El. comp.* = 'plasma'; 'protoplasma', 'citoplasma'; 'protozoário': *plasmase, plasmólise, plasmodesma*. [Equiv.: *plasma-, -plasma, plasmat(o)-, -plasmat(o)-, -plasm(o)-*: *plasmagel, plasmalema; piroplasma; plasmático; citoplasmático; histoplasmose*.]

▲ **-plasm(o)-** V. *plasm(o)-*.

plasmócito [De *plasm(o)-* + *-cito*.] **S. m.** *Histol.* Célula do tecido conjuntivo que é um linfócito B, e cuja função é a produção de anticorpos; numerosos em locais sujeitos à penetração de bactérias e de proteínas estranhas e em áreas em que existe inflamação crônica.

plasmodesma [De *plasm(o)-* + *-desma*.] **S. m.** *Citol. Bot.* Cada um dos canais que atravessam as paredes de células vegetais vizinhas, comunicando diretamente seus citoplasmas.

plasmodesmo [De *plasm(o)-* + *-desmo*.] **S. m.** *Citol.* V. *plasmodesma*.

plasmodiídeo [Do tax. *Plasmodium* + *-ídeo*[1]; tax. *Plasmodiidae*.] *Microbiol.* **S. m. 1.** Espécime dos plasmodiídeos, família de protozoários hemosporídios, que abrange os parasitos da malária, e que se distingue pela alternância entre o sistema sanguíneo dos vertebrados e o sistema digestório dos mosquitos; só tem um gênero (v. *plasmódio*), e este, uma só espécie. ● **Adj. 2.** Pertencente ou relativo a eles.

plasmódio[1] [Do lat. cient. *plasmodium*.] **S. m.** *Bot.* Massa de protoplasma multinucleada, móvel, e cuja forma lembra a da ameba, que constitui o talo dos fungos, nos mixomicetos.

plasmódio[2] [Do tax. *Plasmodium*.] **S. m.** *Microbiol.* **1.** O gênero-tipo dos plasmodiídeos (q. v.), cujo esquizonte, luniforme ou esférico, parasita hemáceas e gametas, nos vertebrados; são os agentes etiológicos da malária. **2.** Espécie ou espécime desse gênero.

plasmodiocarpo (mò) [De *plasmódio* + *carpo*.] **S. f.** Frutificação dos mixomicetos na qual se conserva a forma reticular ou venenosa dos plasmódios.

plasmódromo [Adapt. do tax. *Plasmodroma*.] **S. m.** *Zool.* **1.** Espécime dos plasmódromos, subfilo de protozoários que se locomovem por intermédio de pseudópodes ou flagelos. São os sarcodíneos, os flagelados e os esporozoários. ● **Adj. 2.** Pertencente ou relativo a eles.

plasmoide (ói) [De *plasma* (3) + *-oide*.] **S. m.** *Fís.* Plasma animado com velocidade de translação. ❖

plasmólise [De *plasm(o)-* + *-lise*.] **S. f.** *Citol.* Contração, por perda de água, do protoplasma de célula viva, quando esta é colocada em meio hipertônico.

plasmolítico [De *plasmól(ise)-* + *-ítico*.] **Adj.** Referente a plasmólise.

plasmopausa [De *plasmo-*, por *plasmosfera*, + *-pausa*.] **S. f.** *Geofís.* Limite externo da plasmosfera, caracterizado por um brusco decréscimo da densidade eletrônica.

plasmosfera [De *plasm(o)-* + *-sfera*.] **S. f.** *Geofís.* Zona interna da magnetosfera, onde a densidade eletrônica está nitidamente mais elevada que na zona externa.

plasta [Do esp. plat. *plasta*.] **S. f.** *Bras.* Pessoa inútil, moleirona.

▲ **-plasta** V. *plast(o)-*.

plastada **S. f.** Porção de qualquer coisa de consistência branda, espalhada, e como que achatada.

plastia [De *plast(o)-* + *-ia*[1].] **S. f.** *Cir.* Intervenção destinada a reparar ou a restaurar um órgão.

plástica [Do lat. tard. *plastica* < gr. *plastiké*.] **S. f. 1.** Arte de plasmar, amoldar, modelar, etc. **2.** *Cir.* Cirurgia plástica. **3.** *P. ext.* Operação (4) plástica. **4.** A conformação geral do corpo humano: "Falta-lhe [ao sertanejo] a plástica impecável, o desempenho, a estrutura corretíssima das organizações atléticas." (Euclides da Cunha, *Os Sertões*, p. 114.)

plasticidade [De *plástico* + *-(i)dade*.] **S. f.** Estado ou qualidade daquilo que é plástico.

plasticização [De *plasticizar* + *-ção*.] **S. f.** Ação ou efeito de plasticizar.

plasticizar [De *plástico* + *-izar*.] **V. t. d. 1.** Dar expressão plástica, deformada, a; conformar, configurar: *As imagens dessoterradas plasticizavam a índole naturalista do povo grego.* **2.** Plastificar (1).

plástico [Do gr. *plastikós*, 'relativo às dobras de argila', pelo lat. *plasticu*, 'que modela'.] **Adj. 1.** Relativo à plástica. **2.** Que tem propriedade de adquirir determinadas formas sensíveis, por efeito de uma ação exterior: *O barro é um material plástico.* **3.** *Art. Plást.* Diz-se do relacionamento expressivo (numa obra de arte) dos elementos sensíveis (cores, formas, linhas, volume, etc.). **4.** Diz-se de artista que se dedica às artes plásticas. **5.** *P. ext.* Que tem características de beleza e harmonia: *os aspectos plásticos da paisagem carioca.* **6.** *Cir.* Relativo à cirurgia plástica. ~ V. *cirurgia —a, cirurgião —, clichê —, deformação —a, escoamento —, estéreo —, massa —a, matéria —a* e *telha —a.* ● **S. m. 7.** V. *matéria plástica*.

plastídio [Do gr. *plástis, idos*, 'a que forma, a que modela', 'autora', + *-io*[3].] **S. m.** *Bot.* Organela membranosa com capacidade de autorreplicação, somente encontrada em células vegetais, atuando em processos metabólicos; cromatóforo, leucito, plasto. [V. *leucoplastídio*.]

plastificação [De *plastificar* + *-ção*.] **S. f.** Ato ou efeito de plastificar.

plastificado [Part. de *plastificar*.] **Adj.** Que se plastificou.

plastificador (ô) [De *plastificar* + *-dor*.] **Adj.** Que plastifica: *aparelho plastificador.*

plastificadora (ô) [De *plastificar* + *-dora*.] **S. f. 1.** *Art. Gráf.* Máquina para fazer aderir ao papel, cartão, etc., a película de plástico transparente. **2.** *Bras.* Estabelecimento especializado em plastificação.

plastificante [De *plastificar* + *-nte*.] **Adj. 2 g. S. 2 g. 1.** Que, ou aquilo que plastifica. ● **S. m. 2.** *Constr.* Aditivo que aumenta a resistência de um concreto por permitir, sem prejuízo da trabalhabilidade, reduzir a água da mistura.

plastificar [De *plasti-*, por *plástico*, + *-ficar*.] **V. t. d. 1.** Tornar plástico; plasticizar. **2.** Cobrir (papel, cartão, tecido, etc.) com película de celofane ou de outro plástico transparente que se faz aderir na plastificadora. [Conjug.: v. *trancar*.]

plastilina [De *plast(o)-* + *-il-* + *-ina*[1].] **S. f.** Espécie de argila muito plástica, empregada em modelagem.

plasto [Do gr. *plastós*.] **S. m.** *Bot.* V. *plastídio*.

▲ **plast(o)-** [Do gr. *plasto-* < gr. *plastós, ḗ, ón*, adj. verbal do gr. *plássein* ou *pláttein*.] *El. comp.* = 'modelar', 'moldar'; 'matéria feita ou formada de': *plastia*. [Equiv.: *-plast(o)-, -plasta, -plasto*: *rinoplastia; sonoplasta; cloroplasto*.]

▲ **-plast(o)-** V. *plast(o)-*.

▲ **-plasto** V. *plast(o)-*.

plastoquinona [De *plast(o)-* + *(ubi)quinona*.] **S. f.** *Quím.* Qualquer de certas substâncias que têm estruturas e função semelhantes às ubiquinonas.

plastotipia [De *plast(o)-* + *-tip(o)-* + *-ia*[1].] **S. f.** *Tip.* **1.** Processo de estereotipia pelo qual se produzem clichês de borracha ou de matéria plástica. **2.** Clichê obtido por esse processo; clichê plástico; estéreo plástico.

plastotípico [De *plastiotipia* + *-ico*[2].] **Adj.** Relativo à plastotipia.

plastrão [Do fr. *plastron*.] **S. m.** Plastrom (q. v.).

plastrom [Do fr. *plastron*.] **S. m. 1.** Gravata larga, cujas pontas se cruzam obliquamente. **2.** Peitilho de camisa. **3.** Almofada de esgrimista. **4.** *Ant.* Peça do corselete (1). **5.** *Zool.* Escudo ósseo ventral dos quelônios. [F. paral.: *plastrão*.]

plataforma [Do fr. *plate-forme*.] **S. f. 1.** Área plana horizontal, mais ou menos alteada. **2.** Terraço, eirado. **3.** Estrado na parte posterior ou anterior de alguns carros. **4.** Vagão (1) raso. **5.** Área de cimento ou estrado de madeira, elevada mais ou menos à altura do piso dos vagões, para facilitar o embarque ou desembarque de passageiros ou de carga nas estradas de ferro. **6.** Tabuleiro circular que se move em torno de um eixo, para deslocar vagões de estrada de ferro. **7.** Rampa de onde se lançam foguetes ou outros projetis. **8.** Construção de terra, madeira ou aço para assentar a artilharia. **9.** Superfície regularizada, obtida por terraplenagem, sobre a qual se assenta uma via férrea com seus dormentes e lastro. **10.** Qualquer peça que lembra uma plataforma (1): *Continuam em moda os sapatos com plataforma.* **11.** *Fig. Pop.* Aparência, simulacro. **12.** Programa administrativo ou de trabalho, ou reivindicatório, anunciado em discurso solene por candidato a cargo eletivo. **13.** *Inform.* Arquitetura (9) ou padrão de um tipo de computador, ou de sistema operacional. ◆ **Plataforma continental.** *Ocean.* Zona imersa que declina suavemente, a começar da praia até o talude continental, e que, por convenção, se estende até a isóbata de 200m (embora nem sempre o talude se apresente a partir dessa profundidade); banqueta continental, plataforma submarina. **Plataforma de abrasão.** A que é formada pelo trabalho erosivo prolongado do mar sobre a costa. **Plataforma de petróleo.** Estrutura fixada no fundo do mar, destinada a prover uma base estável sobre a água, para daí se perfurarem poços de petróleo ou de gás. **Plataforma espacial.** *Astr.* Estação espacial. **Plataforma submarina.** *Ocean.* V. *plataforma continental*.

platal [Do esp. plat. *platal*.] **S. m.** *Bras. RS* Vultosa soma de dinheiro.

plataleídeo [Do tax. *Platalea* + *-ídeo*[1]; tax. *Plataleidae*.] *Zool.* **S. m. 1.** Espécime dos plataleídeos, família de aves ardeiformes, de bico muito alargado na extremidade, lembrando uma espátula ou colher. Vivem aos bandos, em locais onde haja terrenos alagadiços ou praias lamacentas. São os colhereiros. ● **Adj. 2.** Pertencente ou relativo a eles.

platanácea [Do tax. *Platanus* (do lat. *platanus*, 'plátano') + *-ácea*; tax. *Platanaceae*.] **S. f.** *Bot.* Espécime das platanáceas, família de plantas floríferas, da ordem das rosales, constituída de árvores cujas grandes folhas são palmadas ou lobadas e levam estípulas concrescentes, e cujas flores, insignificantes, são

P

unissexuais, reunidas em inflorescências compactas, globosas. Abrange umas poucas espécies, do gênero *Platanus*, da zona temperada; entre nós, cultiva-se, no S., a *Platanus occidentalis*.

platanáceo [De *platanácea*, com var. suf. (v. *-áceo*).] ***Adj. Bot.*** Pertencente ou relativo às platanáceas.

platanista [Do tax. *Platanista*.] ***S. f. Zool.*** **1.** O gênero-tipo dos platanistídeos. **2.** Qualquer espécie desse gênero, como, p. ex., a *Platanista gangetica* ou *Susu gangetica*, cetáceo cego, semelhante ao golfinho, que habita os grandes rios da Índia. **3.** Qualquer espécime desse gênero.

platanistídeo [Do tax. *Platanista* (< lat. *platanista*, 'certo peixe do rio Ganges') + *-ídeo*[1]; tax. *Platanistidae*.] ***Zool. S. m.*** **1.** Espécime dos platanistídeos, família de mamíferos cetáceos, odontocetos, com corpo alongado, rostro fino, vértebras cervicais livres e nadadeiras peitorais muito largas. Alimentam-se de pequenos peixes, crustáceos e moluscos, e habitam as embocaduras dos grandes rios e baías, ou águas doces. Ex.: botos e toninhas. ● ***Adj.*** **2.** Pertencente ou relativo a eles.

plátano [Do lat. *platanus* < gr. *plátanos*; tax. *Platanus*.] ***S. m. Bot.*** **1.** O gênero-tipo das platanáceas, que reúne grandes árvores nativas da América do Norte, da Europa Oriental e da Ásia, e que se caracterizam pelo córtex descamante; são dotados de grandes folhas decíduas, ger. palmatilobadas, de flores em capítulos, e sementes globulares. **2.** Qualquer espécie desse gênero, como, p. ex., o *Platanus orientalis*, do S.E. da Europa e da Índia, que pode alcançar 30m de altura e 10m de diâmetro. **3.** Qualquer espécime desse gênero.

plateia (éi) [Do fr. *platée*.] ***S. f.*** **1.** O espaço destinado aos espectadores em um teatro, cinema ou auditório. **2.** *Fig.* Os espectadores ou assistentes [v. *público* (9)] que se encontram na plateia (1). ❖

platelminte [De *plat(i)-* + *-(h)elminte*; tax. *Plathelminthes*.] ***S. m. Adj. 2 g. Zool.*** V. *platelminto*.

platelminto [De *plat(i)-* + *-(h)elminto*; tax. *Plathelminthes*.] ***Zool. S. m.*** **1.** Espécime dos platelmintos, filo de animais acelomados, de simetria bilateral, corpo achatado, foliáceo ou em forma de fita, segmentado ou não, e tubo digestivo (quando presente) desprovido de ânus. Algumas espécies são de vida livre (os turbelários), mas na maioria são parasitos (os trematódeos e os cestóideos). ● ***Adj.*** **2.** Pertencente ou relativo a eles. [F. paral.: *platelminte*, *plati-helminte*, *plati-helminto*.]

platense [Do esp. *platense*.] ***Adj. 2 g. S. 2 g.*** V. *platino*.

plateresco (ê) [Do esp. *plateresco*.] ***Adj. S. m. B.-Art.*** Diz-se do, ou o estilo artístico ornamental, empregado especialmente em arquitetura, que surgiu na Espanha durante o Renascimento, desenvolvendo-se no período barroco, e cuja característica é a desfiguração dos cânones clássicos pelo acréscimo de vários elementos de decoração.

▲ **plat(i)-** [Do gr. *platýs, eîa, ý*.] ***El. comp.*** = 'chato', 'plano', 'largo': *platidáctilo*, *platirrostro*.

platibanda [Do fr. *plate-bande*.] ***S. f.*** **1.** *Arquit.* Mureta de alvenaria maciça ou vazada, construída no topo das paredes externas de uma edificação, contornando-a acima da cobertura, e que se destina a proteger ou camuflar o telhado e compor ornamentalmente a fachada: 📖 "De dia, desde o arrebol, / calçadas, jardins, varandas, / telhados e platibandas / eram lavados de sol." (Onestaldo de Pennafort, *Poesias*, p. 202.) **2.** Grade de ferro, ou muro, que limita um terraço, etc. **3.** Bordadura de canteiros de jardim.

platicarpo [De *plat(i)-* + *-carpo*.] ***S. m. Bot.*** Fruto achatado.

platicefalia [De *platicéfalo*[1] + *-ia*[1].] ***S. f. Anat. Antropom.*** Qualidade ou estado de platicéfalo.

platicefálico [De *platicefalia* + *-ico*[2].] ***Adj.*** Relativo a platicefalia.

platicéfalo[1] [De *plat(i)-* + *-céfalo*.] ***Adj.*** **1.** Que tem cabeça chata. **2.** Cuja parte superior é achatada. ● ***S. m.*** **3.** *Anat. Antropom.* Indivíduo de cabeça chata.

platicéfalo[2] [Do tax. *Platycephalus*.] ***S. m. Zool.*** **1.** Gênero de peixes actinopterígios, triglídeos, de cabeça mais ou menos achatada e espinhosa, dos mares temperados e quentes; cobrem-se, parcialmente, de areia e ficam imóveis à espera de suas vítimas. **2.** Espécie ou espécime desse gênero.

platicério [Do tax. *Platycerium*.] ***S. m. Bot.*** **1.** Gênero de polipodiáceas originárias das regiões tropicais do Velho Mundo e que são, em sua maioria, epífitas; têm grandes frondes lobadas que, ger., lembram chifres de veado. **2.** Qualquer espécie desse gênero, como, p. ex., a *Platycerium bifurcatum* (v. *samambaia-chifre-de-veado*). **3.** Qualquer espécime desse gênero.

platicténio ***S. m. Adj. Zool.*** V. *platictênio*. [Uso freq. em P.]

platictênio [De *plat(i)-* + *-cten(o)-* + *-io*[3]; tax. *Platyctenea*.] ***Zool. S. m.*** **1.** Espécime dos platictênios, ordem de animais ctenóforos, tentaculados, de corpo comprimido no eixo que parte da boca até alcançar forma achatada própria para reptação, grandemente modificada. As formas larvárias são parasitas de tunicados. ● ***Adj.*** **2.** Pertencente ou relativo a eles.

platicúrtico [De *platicurt(ose)* + *-ico*[2].] ***Adj. Estat.*** Diz-se da curva de frequência (q. v.) mais achatada que a curva de Gauss.

platicurtose [De *plat(i)-* + *curtose*.] ***S. f. Estat.*** Propriedade de uma curva de frequência ou de probabilidade na qual a curtose é menor que três, e que, por isso, é mais achatada que a curva normal de probabilidade.

platidáctilo [De *plat(i)-* + *-dá(c)tilo*.] ***Adj. Zool.*** Que tem dedos achatados ou largos. [Var.: *platidátilo*.]

platidátilo ***Adj. Zool.*** V. *platidáctilo*.

platielminte [De *plat(i)-* + *-(h)elminte*; tax. *Platyelminthes*.] ***S. m. Adj. 2 g. Zool.*** V. *platelminto*.

platielminto [De *plat(i)-* + *-(h)elminto*; tax. *Platyhelminthes*.] ***S. m. Adj. Zool.*** V. *platelminto*.

platiglosso [De *plat(i)-* + *-glosso*.] ***Adj. Zool.*** Que tem língua larga.

plati-helminte [Adapt. do tax. *Platyelminthes*.] ***S. m. Adj. 2 g. Zool.*** V. *platelminto*. ❖

plati-helminto [De *plat(i)-* + *-(h)elminto*.] ***S. m. Adj. Zool.*** V. *platelminte*. ❖

platilobado [De *plat(i)-* + *-lob(o)-* + *-ado*[1].] ***Adj.*** Que apresenta segmentos ou lobos achatados.

platilobulado [De *plat(i)-* + *lobulado*.] ***Adj.*** Que tem lóbulos ou segmentos largos.

platina[1] [Do esp. *platina*.] ***S. f. Quím.*** Elemento de número atômico 78, metálico, branco-prateado, denso, dúctil e maleável, muito nobre, usado em ligas preciosas e com aplicações científicas [símb.: *Pt*]. ◆ **Platina nativa.** *Min.* V. *políxeno*.

platina[2] [Do fr. *platine*.] ***S. f.*** **1.** Presilha ou pestana em que os soldados de infantaria seguram as correias. **2.** Peça metálica, achatada e em geral recoberta de platina, empregada em diversos aparelhos submetidos a corrente elétrica. **3.** *Mar.* Peça metálica ou de couro, recoberta de pano, na qual se pregam os galões ou as divisas indicativas do posto ou da graduação do militar, assim como o distintivo da sua especialidade, e que se usa em cada ombro, nalguns uniformes. [M. us. no pl., nesta acepç.] **4.** *Ópt.* Num microscópio, suporte sobre o qual se coloca o portador do objeto, e que tem dispositivos que lhe permitem a movimentação. **5.** *Tip.* Peça plana de ferro que, revestida da almofada, exerce, nas prensas de platina, a pressão contra a fôrma.

platinado[1] [De *platina*[1] + *-ado*[1].] ***Adj.*** Que contém platina[1].

platinado[2] [Part. de *platinar*.] ***Adj.*** **1.** Que se platinou [v. *platinar* (1)]. **2.** Diz-se do cabelo de um louro quase branco que lembra a platina, ou da pessoa cujo cabelo tem essa cor: 📝 *uma loura platinada*. ● ***S. m.*** **3.** A cor da platina. **4.** A cor dos cabelos platinados. **5.** *Autom.* Dispositivo de motor a gasolina, destinado a interromper de súbito a corrente que atravessa um circuito elétrico, e assim chamado porque as duas peças que se afastam para interromper o circuito são platinadas.

platinador (ô) [De *platinar* + *-dor*.] ***S. m.*** Aquele que platina.

platinagem [De *platinar* + *-agem*[2].] ***S. f.*** Ato ou operação de platinar.

platinar [De *platina*[1] + *-ar*[2].] ***V. t. d.*** **1.** Recobrir de platina mediante processos eletroquímicos. **2.** Branquear com uma mistura de estanho ou de mercúrio. **3.** *P. ext.* Dar o tom ou o brilho da platina a: 📝 *platinar os cabelos*.

platinense[1] ***Adj. 2 g.*** **1.** De, ou pertencente ou relativo a Platina (SP). ● ***S. 2 g.*** **2.** O natural ou habitante de Platina.

platinense[2] ***Adj. 2 g.*** **1.** De, ou pertencente ou relativo a Santo Antônio da Platina (PR). ● ***S. 2 g.*** **2.** O natural ou habitante de Santo Antônio da Platina.

platineuro [De *plat(i)-* + *-neuro*.] ***Adj. Bot.*** Que tem nervuras largas e achatadas.

platino [Do esp. *platino*.] ***Adj.*** **1.** Da, ou pertencente ou relativo à região do rio da Prata (América do Sul). ● ***S. m.*** **2.** O natural ou habitante dessa região. [Sin.: *platense*, *rio-platense*.]

platinotipia [De *platina*[1] + *-o-* + *-tip(o)-* + *-ia*[1].] ***S. f.*** Processo de impressão fotográfica em chapas revestidas de sais de platina.

platinotípico [De *platinotipia* + *-ico*[2].] ***Adj.*** Referente à platinotipia.

plátipo [Do lat. cient. *Platypus* < gr. *platýpous*.] ***S. m. Zool.*** V. *ornitorrinco*[2] (2).

platípode[1] [De *plat(i)-* + *-pode*.] ***Adj. 2 g. Bot.*** Cujo pedúnculo é largo ou chato.

platípode[2] [Adapt. do tax. *Platypoda*.] ***Zool. S. m.*** **1.** Espécime dos platípodes, subordem de animais metazoários, moluscos, gastrópodes, estreptoneuros, pectinibrânquios, de pé achatado ventralmente, pelo menos na frente, e maxilas, em geral, presentes. ● ***Adj. 2 g.*** **2.** Pertencente ou relativo a eles.

platirrinia [De *plat(i)-* + *-rin(o)-* + *-ia*[1].] ***S. f. Antropom.*** Qualidade ou estado de platirrino[1]. [Cf. *leptorrinia* e *mesorrinia*.]

platirrínico [De *plat(i)-* + *-rin(o)-* + *-ico*[2].] ***Adj. Antropom.*** V. *platirrino*[1] (1).

platirrínio [De *plat(i)-* + *-rin(o)-* + *-io*[3].] ***Adj. Antropom.*** V. *platirrino*[1] (1).

platirrino[1] [De *plat(i)-* + *-rino*.] ***Antropom. Adj.*** **1.** Diz-se de indivíduo de índice nasal elevado, *i. e.*, superior a 53, e, por conseguinte, nariz alargado em relação ao comprimento; platirrínico, platirrínio. [Cf. *leptorrino* e *mesorrino* (1).] ● ***S. m.*** **2.** Indivíduo platirrino[1] (1).

platirrino[2] [Adapt. do tax. *Platyrrhina*.] ***Zool. S. m.*** **1.** Espécime dos platirrinos, superfamília de primatas antropoides, que se caracteriza pelo septo nasal largo, 36 dentes, e, amiúde, por uma cauda preênsil. Inclui numerosas espécies americanas. ● ***Adj.*** **2.** Pertencente ou relativo aos platirrinos (q. v.).

platirrostro (ô) [De *plat(i)-* + *-rostro*.] ***Adj. Zool.*** Que tem bico ou focinho largo.

platispermo [De *plat(i)-* + *-spermo*.] ***Adj. S. m. Bot.*** Diz-se do, ou o fruto que tem semente chata.

platitude [Do lat. *platus*, 'plano, sem relevo', + *-itude*.] ***S. f.*** **1.** Qualidade ou caráter de uniforme, monótono, enfadonho. **2.** Qualidade ou caráter de banal, trivial, insulso. **3.** Qualidade ou caráter de medíocre ou inexpressivo; mediocridade.

platiúro [Do gr. *platýouros*.] ***Adj. Zool.*** Que tem cauda chata.

plató [Var. de *platô*.] ***S. m.*** V. *planalto*: 📖 "nos altos platós catarinenses de Lajes, Curitibanos e S. Joaquim" (Oliveira Viana, *Pequenos Estudos de Psicologia Social*, p. 51).

platô [Do fr. *plateau*.] ***S. m.*** **1.** V. *planalto*. [Var. pros., nesta acepç.: *plató*.] **2.** *Mec.* Na embreagem de discos de fricção, o disco dotado de molas compressoras sob cuja ação ele transmite a força do motor à(s) roda(s) de tração.

platônia [Do tax. *Platonia*.] ***S. f. Bot.*** **1.** Gênero de clusiáceas que habitam a América do Sul, dotadas de folhas opostas, penadas, e exuberantes flores róseas, ger. solitárias e marginais, a que sucedem frutos bacáceos globosos, edules, monospérmicos. **2.** Qualquer espécie desse gênero, como, p. ex., a *Platonia insignis* (v. *bacuri*[1]). **3.** Qualquer espécime desse gênero.

platónico ***Adj. S. m.*** V. *platônico*. [Uso freq. em P.]

platônico [Do gr. *platonikós*, pelo lat. *platonicu*.] ***Adj.*** **1.** Relativo ou pertencente a Platão (v. *platonismo*), ou próprio desse filósofo, ou de sua doutrina. **2.** Que é sectário do platonismo. **3.** *P. ext.* Alheio a interesses ou gozos materiais; ideal, casto. ~ V. *amor* —. ● ***S. m.*** **4.** Sectário do platonismo. **5.** *P. ext.* Indivíduo platônico.

platonismo ***S. m. Filos.*** Doutrina de Platão (429-347 a. C.), filósofo grego, e de seus seguidores, caracterizada principalmente pela teoria das ideias (q. v.) e pela preocupação com os temas éticos, visando toda a meditação filosófica ao conhecimento do Bem, conhecimento este que se supõe suficiente para a implantação da justiça entre os Estados e entre os homens.

platuro [Do tax. *Platurus*.] ***S. m. Zool.*** **1.** Gênero de ofídios proteróglifos, hidrofilídeos, que habitam os oceanos Índico e Pacífico; são serpentes ovovivíparas, venenosas, marinhas, que apresentam narinas com válvulas e a cauda achatada, em forma de remo. Alimentam-se de peixes e há cerca de cinquenta espécies. **2.** Espécie ou espécime desse gênero.

plaudir [Do lat. *plaudere*.] ***V. t. d. P. P. us.*** V. *aplaudir*.

plauditivo [De *plaudir* + *-tivo*.] ***Adj. P. us.*** Que plaude; encomiástico.

plausibilidade [De *plausível* + *-(i)dade*, seg. o padrão erudito.] ***S. f.*** Qualidade de plausível.

plausível [Do lat. *plausibile*.] ***Adj. 2 g.*** **1.** Que merece aplauso: 📖 "Os modernos teóricos da Poesia são às vezes muito engenhosos e fazem esforços plausíveis para o cabal assédio da criação poética." (Eduardo Frieiro, *Torre de Papel*, p. 111.) **2.** Razoável, aceitável, admissível.

plaustro [Do lat. *plaustru*.] ***S. m. Poét.*** Carro descoberto: 📖 "Orna-lhe fulva pedraria o manto / Régio; tiram-lhe o plaustro resplendente / Nédias parelhas e possantes urcos..." (Raimundo Correia, *Poesias*, p. 74.)

plautiano [Do antr. *Plauto* + *-iano*.] ***Adj.*** Plautino.

plautino ***Adj.*** Pertencente ou relativo a Tito Máccio Plauto (235-184 a. C.), comediógrafo romano, próprio dele ou de seu estilo; plautiano: 📖 "Difere o caráter do Sósia camoniano do do Sósia plautino." (Hernâni Cidade, em *Luís de Camões, Obras Completas*, III, p. XVII.)

➔ **play** [plej] [Ingl.] ***S. m. Bras.*** V. *playground*.

➔ **playback** [ˈplejbæk] [Ingl.] ***S. m.*** Processo de sonorização que utiliza gravação prévia de trilha sonora (diálogo, música, acompanhamento, etc.).

➔ **playboy** [ˈplejbɔj] [Ingl.] ***S. m.*** Homem, geralmente jovem, rico e ocioso, que se entrega a uma vida social intensa, ao convívio de belas mulheres, aos esportes, etc.

➔ **player** [ˈplejɚ] [Ingl.] ***S. m.*** V. *CD-player*.

➔ **playground** [ˈplejgɪæwnd] [Ingl.] ***S. m.*** Local destinado à recreação infantil, aparelhado com brinquedos [v. *brinquedo* (1)] e/ou equipamentos de ginástica. [F. red.: *play*.]

plebe [Do lat. *plebe*.] ***S. f.* 1.** Entre os romanos, a classe popular, por oposição ao patriciado. **2.** O povo, por oposição aos nobres. **3.** V. *povo* (6). **4.** *Deprec.* V. *zé-povinho*.

plebécula [Do lat. *plebecula*.] ***S. f.*** A baixa plebe; a ralé (q. v.).

plebeico (éi) [Do lat. *plebeiu*, 'plebeu', + *-ico*^{2}.] ***Adj.*** Plebeu (1). ❖

plebeidade (e-i) [De *pleb(eu)* + *-eidade*.] ***S. f.*** Qualidade de plebeu; plebeísmo.

plebeísmo [De *plebe* + *-ismo*.] ***S. m.* 1.** Plebeidade. **2.** Modos, usos, frases, palavras, de uso exclusivo da plebe.

plebeizar (e-i) [De *plebe* + *-izar*.] ***V. t. d. P. Bras.*** Tornar(-se) plebeu. [Conjug.: v. *ajuizar*.]

plebeu [Do lat. *plebeiu*.] ***Adj.* 1.** Pertencente ou relativo à, ou próprio da plebe; plebeico. ● ***S. m.* 2.** Homem da plebe. [Sin.: *peão* e (bras.) *pé de poeira*. Fem.: *plebeia*.]

plebiscitar [De *plebiscito* + *-ar*^{2}.] ***V. t. d.*** Submeter a plebiscito. [Fut. pret.: *plebiscitaria*, etc. Cf. *plebiscitária*, fem. de *plebiscitário*.]

plebiscitariamente (tà) [Do f. de *plebiscitário* + *-mente*.] ***Adv.*** De modo plebiscitário; por meio, ou como que por meio, de plebiscito: 📖 "Assim, Junqueiro [Guerra Junqueiro (1850-1923)] pode ser, plebiscitariamente, o maior poeta nacional contemporâneo" (Vitorino Nemésio, *Conhecimento de Poesia*, p. 160).

plebiscitário [De *plebiscito* + *-ário*.] ***Adj.*** Respeitante a plebiscito.

plebiscito [Do lat. *plebiscitu*.] ***S. m.* 1.** Na Roma antiga, decreto do povo reunido em comícios. **2.** Modernamente, resolução submetida à apreciação do povo. **3.** Voto do povo, por sim ou não, sobre uma proposta que lhe seja apresentada.

▲ **plec(o)-** [Do gr. *plékein*.] ***El. comp.*** = 'entrançar'; 'entrelaçar'; 'dispor', 'arrumar': *plecóptero*.

plecolepídio [De *plec(o)-* + *-lepid(o)-* + *-io*^{3}.] ***Adj. Bot. Zool.*** Que apresenta as escamas soldadas em conjunto.

plecóptero [De *plec(o)-* + *-ptero*; tax. *Plecoptera*.] ***Zool. S. m.* 1.** Espécime dos plecópteros, ordem de insetos, pterigotos, de sistema bucal mastigador, às vezes ausente nos adultos. São hemimetabólicos, de asas membranosas, providas de numerosas nervuras, sendo as posteriores dobradas longitudinalmente. De vida curta, as ninfas são carnívoras, aquáticas, e vivem em regiões pedregosas. Os adultos vivem perto de cursos de água. ● ***Adj.* 2.** Pertencente ou relativo a eles. [Sin. ger.: *perlóptero*, *perlário*.]

▲ **plect(o)-** [Do gr. *plektós, ḗ, ón*, adj. verbal de *plékein*, 'trançar', 'entrelaçar', 'juntar'.] ***El. comp.*** = 'trançado', 'entrelaçado', 'ajustado': *plectógnato*, *plectóptero*.

plectógnato [De *plect(o)-* + *-gnato*; tax. *Plectognathi*.] ***Zool. S. m.* 1.** Espécime dos plectógnatos, ordem de peixes, actinopterígios, de corpo revestido de escamas irregulares, formando, às vezes, um estojo ósseo, dentes reunidos em placas, e nadadeiras ventrais atrofiadas ou ausentes. De aspecto bizarro, habitam os mares temperados e quentes, e algumas espécies têm a propriedade de inchar a pele, como ocorre com os baiacus. ● ***Adj.* 2.** Pertencente ou relativo a eles.

plectóptero [De *plect(o)-* + *-ptero*; tax. *Plectopera*.] ***S. m. Adj. Zool.*** V. *efemeróptero*.

plectro [Do gr. *plêktron*, 'coisa com que se bate', pelo lat. *plectru*.] ***S. m.* 1.** *Ant.* Varinha de madeira, ouro ou marfim, para fazer vibrar as cordas da lira: 📖 "Nas tranças idália murta, / Inglório plectro na mão, / Vem pois, Musa, e em verso humilde / Cantemos a escravidão!" (Antônio Feliciano de Castilho, *Os Amores*, I, p. 43.) **2.** Espécie de unha de marfim, de tartaruga, de osso, de prata ou, modernamente, de plástico, com que se vibram as cordas de certos instrumentos (bandolim, cavaquinho, guitarra, banjo, etc.); palheta. **3.** Pedacinho da parte dura, das penas de ganso ou de corvo, ou de couro ou plástico, montado em pequenos dispositivos chamados *saltadores* [v. *saltador* (4)], utilizado para fazer vibrar as cordas do cravo. **4.** *Fig.* Inspiração poética; poesia.

plectróptero [Do gr. *plêktron*, 'plectro', + *-ptero*; tax. *Plectropterus*.] ***S. m.* 1.** Gênero de aves anseriformes, de grande porte, com bico forte que apresenta uma carúncula frontal, plumagem de tom preto esverdeado, com marchas brancas; têm cerca de 1m de comprimento e 2m de envergadura, e habitam regiões pantanosas. **2.** Espécie ou espécime desse gênero.

▲ **-pleg-** [Do gr. *plēgḗ, ês*.] ***El. comp.*** = 'paralisia': *faringoplegia*, *pneumoplegia*.

plêiada ***S. f.*** V. *plêiade*.

plêiade [Sing. de *plêiades*.] ***S. f.* 1.** *Astr.* Cada uma das estrelas do aglomerado das Plêiades. [Com cap.] **2.** *Fig.* Reunião de sete pessoas ilustres. **3.** Reunião ou grupo de homens ou poetas célebres, etc.: 📖 "Da plêiade dos primeiros padres que aportaram à nova conquista com Tomé de Sousa e Duarte da Costa, entre eles dois principalmente se distinguiram, Nóbrega e Anchieta." (João Ribeiro, *História do Brasil*, p. 99.) [Var.: *plêiada*.] ~ V. *plêiades*.

plêiades [Do gr. *pleiádos*, pelo lat. *pleiades*.] ***S. f. pl.*** *Astr.* Grupo de sete estrelas visíveis a olho desarmado, que fazem parte do aglomerado galáctico situado na constelação do Touro. [Com cap. Sin., pop.: *sete-estrelo*, *sete-cabrinhas*.] ~ V. *plêiade*.

▲ **pleio-** Equiv. de *plio-*.

pleiocásio ***S. m. Bot.*** V. *pliocásio*.

pleiofilia [De *pleio-* + *-fil(o)-*^{1} + *-ia*^{1}.] ***S. f. Bot.*** V. *pliofilia*.

pleiofílico [De *pleiofilia* + *-ico*^{2}.] ***Adj. Bot.*** V. *pliofílico*.

pleiotropia [De *pleio-* + *-tropia*.] ***S. f. Genét.*** Capacidade de ser um único gene responsável, no fenótipo de um organismo, por múltiplos efeitos que, aparentemente, não se relacionam. [A melhor f., porém menos us., é *pliotropia*.]

pleiotrópico [De *pleiotropia* + *-ico*^{2}.] ***Adj. Genét.*** Relativo à pleiotropia. [A melhor f., porém menos us., é *pliotrópico*.]

pleistoceno ***Adj.*** V. *plistoceno*.

pleiteação [De *pleitear* + *-ção*.] ***S. f.*** Ação de pleitear; disputa.

pleiteador (ô) [De *pleitear* + *-dor*.] ***Adj. S. m.*** Pleiteante.

pleiteante [De *pleitear* + *-nte*.] ***Adj. 2 g. S. 2 g.*** Que, ou quem pleiteia; pleiteador.

pleitear [De *pleito* + *-ear*^{2}.] ***V. t. d.* 1.** Questionar em juízo; litigar, requerer: 📄 *pleitear o despejo dos inquilinos*. **2.** Falar a favor de; sustentar em discussão; defender, disputar: 📖 "Natividade queria um filho, Santos, uma filha, e cada um pleiteava a sua escolha com tão boas razões, que acabavam trocando de parecer." (Machado de Assis, *Esaú e Jacó*, p. 24.) **3.** Fazer por conseguir; esforçar-se, empenhar-se por; diligenciar: 📄 *pleitear um bom emprego*. **4.** Tornar objeto de pleito ou discussão; disputar, discutir, contestar: 📄 *Não resolveu assunto antes de pleiteá-lo por horas seguidas*. **5.** Ir a concurso; concorrer a; disputar: 📄 *Seis candidatos pleiteiam uma única vaga de senador*; 📖 "partiu [Cipião] a toda a pressa para Roma a pleitear a eleição de senador" (Aquilino Ribeiro, *Os Avós dos Nossos Avós*, p. 203). ***Int.* 6.** Ter pleito ou discussão com alguém; discutir, disputar: 📄 *Pleiteiam há dois anos, sem chegar a acordo*. ***T. i.* 7.** Competir em mérito, força, etc.; rivalizar, ombrear: 📄 *Nossos arquitetos pleiteiam com os melhores do mundo*. [Conjug.: v. *frear*.]

pleito [Do fr. ant. *plait*, pelo esp. *pleito*.] ***S. m.* 1.** Questão em juízo; demanda; litígio. **2.** Debate, discussão. **3.** V. *eleição* (3). ◆ **Pleito eleitoral.** V. *eleição* (3).

plenamente [Do f. de *pleno* + *-mente*.] ***Adv.* 1.** De modo pleno; de todo; inteiramente. ● ***S. m.* 2.** *Obsol.* Grau de aprovação em exames, compreendido entre as notas 6 e 9 (em escala de 0 a 10).

plenária [F. subst. do adj. *plenário*.] ***S. f.*** Sessão plenária.

plenário [Do lat. tard. *plenariu*.] ***Adj.* 1.** Pleno, completo. ~ V. *indulgência —a*. ● ***S. m.* 2.** Qualquer assembleia ou tribunal que reúne em sessão todos (ou quase todos) os seus membros; pleno. **3.** *P. ext. Bras.* O local onde este se reúne.

plenarista [Do fr. *plein air*, 'ar livre', + *-ista*.] ***Adj. 2 g. S. 2 g.*** *Art. Plást.* Pintor que faz os seus trabalhos ao ar livre, em face da natureza, e não dentro de ateliê.

▲ **pleni-** [Do lat. *plēnus, a, um*.] ***El. comp.*** = 'pleno', 'cheio': *plenicórneo*, *plenipotência*. [O AOLP prescreve o uso do hífen nos casos de anteposição deste pref. a palavra iniciada por *h* ou *i*; é escrito com *r* ou *s* duplicados quando anteposto a palavra iniciada por *r* ou *s*: *plenirrostro*.]

plenicórneo [De *pleni-* + *-corn(i)-* + *-eo*.] ***Adj. Zool.*** Diz-se dos animais que têm os cornos cheios.

plenificar [De *pleni-* + *-ficar*.] ***V. t. d.* 1.** Tornar pleno; preencher. **2.** *Bras. Obsol.* Dar plenamente (2) a (um examinando). [Conjug.: v. *trancar*.]

plenilunar [De *plenilúnio* + *-ar*^{1}.] ***Adj. 2 g.*** Do, ou relativo ao plenilúnio; plenilunário.

plenilunário [De *plenilúnio* + *-ário*.] ***Adj.*** Plenilunar.

plenilúnio [Do lat. *pleniluniu*.] ***S. m.*** Lua cheia: 📖 "Plenilúnio de maio em montanhas de Minas! / Canta, ao longe, uma flauta e um violoncelo chora. / Perfuma-se o luar nas flores das campinas" (Augusto de Lima, *Poesias*, p. 185).

plenipotência [De *pleni-* + *potência*.] ***S. f.*** Pleno poder; poder absoluto.

plenipotenciário [De *plenipotência* + *-ário*.] ***Adj.* 1.** Que tem plenos poderes. ~ V. *ministro —*. ● ***S. m.* 2.** Enviado de um governo ou de um soberano, que leva plenos poderes para celebrar negociações junto de outro governo ou soberano.

plenirrostro [De *pleni-* + *-rostro*.] ***Adj. Zool.*** Que tem o bico inteiro, não denteado nem chanfrado.

plenitude [Do lat. *plenitudine*.] ***S. f.*** Qualidade ou estado de pleno. ◆ **Em plenitude.** Em plena ou máxima extensão, brilho, glória, etc.: 📄 *Seu talento está em plenitude*; *É uma beleza em plenitude*.

pleno [Do lat. *plenu*.] ***Adj.* 1.** Cheio, repleto: 📖 "Maio que chega num doce raio, / Pleno de rosas e de alegria" (B. Lopes, *Val de Lírios*, p. 41). **2.** Completo, inteiro, absoluto; cabal: 📖 "Nessa madrugada, às quatro horas, em plena escuridão, Carlos cerrara de manso o portão da Rua de S. Francisco." (Eça de Queirós, *Os Maias*, II, p. 488.) **3.** Perfeito, acabado. **4.** Diz-se do arco cuja flecha é igual à metade do vão. ~ V. *arco —*, *aval —*, *— emprego*, *endosso —*, *letra —a*, *mar —*, *mês —*, *—s poderes*, *propriedade —a* e *tribunal —*. ● ***S. m.* 5.** Plenário (2). **6.** *Restr.* Tribunal pleno: 📖 "Eu tinha três sessões por semana: uma do pleno e duas da turma. Mas frequentemente .... havia uma extraordinária do pleno." (Evandro Lins e Silva, *O Salão dos Passos Perdidos* — Depoimento ao CPDOC, p. 385.) **7.** *Cronol.* Mês pleno (q. v.), no calendário israelita. ◆ **A pleno.** Completamente, plenamente: 📖 "É qual undosa torrente / Que aos vates de todo o mundo / Farta a pleno a sede ardente" (Antônio Feliciano de Castilho, *Os Amores*, III, p. 59).

pleno-emprego ***S. m.*** V. *pleno emprego*.

▲ **pleo-** [Do gr. ático *plēōn, ōn, on*.] ***El. comp.*** = 'mais numeroso', 'em maior número': *pleocroísmo*. [V. *pleio-*.]

pleocroísmo [De *pleo-* + *-cro(a)-* + *-ismo*.] ***S. m.* 1.** *Min.* Propriedade que têm os cristais birrefringentes coloridos de absorver seletivamente os raios luminosos conforme a direção em que estes os atravessam, determinando, assim, diferença nas cores, consoante a direção em que são os cristais examinados. **2.** *Ópt.* Dicroísmo.

pleomórfico [De *pleo-* + *-morf(o)-* + *-ico*^{2}.] ***Adj. Biol.*** De, ou relativo a pleomorfismo.

pleomorfismo [De *pleo-* + *-morf(o)-* + *-ismo*.] ***S. m. Biol.*** Ocorrência de duas ou mais formas estruturais, durante o ciclo vital de um organismo.

pleomorfo [De *pleo-* + *-morfo*.] ***Adj. Biol.*** Que apresenta pleomorfismo.

pleonasmo [Do gr. *pleonasmós*, 'superabundância', pelo lat. tard. *pleonasmu*.] ***S. m.* 1.** *E. Ling.* Redundância de termos que em certos casos têm emprego legítimo, para conferir à expressão mais vigor, ou clareza. Ex.: *Vi com estes olhos que a terra há de comer*; 📖 "Vi claramente visto o lume vivo / Que a marítima gente tem por santo" (Luís de Camões, *Os Lusíadas*, V, 18); "entraram no coche, carruagem sua especial dele." (Camilo Castelo Branco, *O Judeu*, I, p. 117); "A vida continua. É seu ofício dela." (Antônio Carlos Vilaça, *O Anel*, p. 99). **2.** *E. Ling.* Vício de linguagem, em que há excesso de palavras para expressar algo com pouca clareza; circunlóquio, circunlocução. **3.** Superfluidade, inutilidade.

pleonástico [Do gr. *pleonastikós*.] ***Adj.*** Em que há pleonasmo; redundante.

pleorama [Do v. gr. *pleîn*, 'navegar', + *-orama*.] ***S. m.*** Instrumento em que quadros movediços se desenrolam aos olhos do espectador dando-lhe a impressão de que ele se desloca como se estivesse num barco que vai singrando a margem de um rio.

pleorâmico [De *pleorama* + *-ico*^{2}.] ***Adj.*** Referente a pleorama.

plerocercoide (ói) [Do gr. *pléres*, 'pleno', 'cheio', 'repleto', + *-o-* + *-cerc(o)-* + *-oide*.] ***S. f. Zool.*** Designação comum às formas larvares dos animais platelmintos, cestódeos, de aspecto sólido, alongadas, em forma de fita, com a extremidade anterior invaginada e destituídas de vesícula. O ciclo evolutivo faz-se através de dois hospedeiros intermediários, geralmente um crustáceo e um peixe. ❖

pleroma [Do lat. cient. *pleroma* < lat. tard. *pleroma*, 'plenitude', < gr. *pléroma*, 'tudo o que completa'.] ***S. m. Bot.*** Zona central da região de crescimento longitudinal (ponto vegetativo) do caule ou da raiz, que dará origem aos tecidos do cilindro central.

plerose [Do gr. *plérosis*, 'ação de encher', 'saciedade'.] ***S. f. Med.*** Recuperação, do ponto de vista nutricional, como ocorre após doença.

plerótico [Do gr. *plerotikós*, 'suplementar', pelo lat. *pleroticu*.] ***Adj.* 1.** Relativo a plerose. ● ***S. m.* 2.** Medicamento que servia para favorecer a regeneração dos tecidos nas chagas.

▲ **plesi(o)-** [Do gr. *plēsíos, a, on*.] ***El. comp.*** = 'próximo': *plesiossauro*.

plesiossaurídeo [Do tax. *Plesiosaurus* (v. *plesiossauro*) + *-ídeo*[1]; tax. *Plesiosauridae*.] *Paleont. S. m.* **1.** Espécime dos plesiossaurídeos, família de reptis sauropterígios que compreendia os plesiossauros e outros gêneros próximos. ● *Adj.* **2.** Pertencente ou relativo a eles.

plesiossauro [De *plesi(o)-* + *-sauro*; tax. *Plesiosaurus*.] *S. m. Paleont.* **1.** Gênero de reptis plesiossaurídeos, marinhos, de pescoço longo e crânio pequeno, patas dianteiras e traseiras transformadas em nadadeiras, olhos grandes e laterais, dentes pontiagudos. Viveram na Europa, no jurássico inferior. **2.** Qualquer espécie, ou espécime desse gênero.

▲ **plessi-** V. *plesso-*.

plessimetria [De *plessi-* + *-metria*.] *S. f. Med.* Emprego do plessímetro; plessometria.

plessimétrico [De *plessimetria* + *-ico*[2].] *Adj. Med.* Referente à plessimetria; plessométrico.

plessímetro [De *plessi-* + *-metro*.] *S. m. Med.* Instrumento formado por pequena placa que é golpeada, na percussão mediata; plessômetro.

▲ **plesso-** [Do gr. *pléssein* ou *pléttein*, 'bater', 'ferir'; 'chocar'.] *El. comp.* = 'choque', 'ferimento'; 'paralisia': *plessômetro*. [Equiv.: *plessi-, -pless(o)-*: *plessímetro, eletroplessão*.]

▲ **-pless(o)-** V. *plesso-*.

plessometria [De *plesso-* + *-metria*.] *S. f. Med.* Plessimetria.

plessométrico [De *plessometria* + *-ico*[2].] *Adj. Med.* Plessimétrico.

plessómetro *S. m. Med.* V. *plessômetro*. [Uso freq. em P.]

plessômetro [De *plesso-* + *-metro*.] *S. m. Med.* Plessímetro.

pletênquima [De *plet(o)-* + *-ênquima*.] *S. m. Micol.* Falso tecido dos fungos, formado pelo entrelaçamento de suas hifas.

pletismografia [Do gr. *plethysmós*, 'aumento', + *-grafia*[1].] *S. f. Angiol.* Registro das modificações de tamanho numa parte do corpo, decorrentes de fenômenos circulatórios que ocorrem nelas.

pletismógrafo [Do gr. *plethysmós*, 'aumento', + *-grafo*.] *S. m. Angiol.* Instrumento com que se realiza pletismografia.

▲ **plet(o)-** [Do gr. *pletho-* < gr. *pláthos, eos-ous*, 'grande quantidade'.] *El. comp.* = 'em (grande) quantidade': *pletênquima*. [Equiv.: *-plet(o)-*: *parapletênquima*.]

▲ **-plet(o)-** V. *plet(o)-*.

pletora (ó) [Do gr. *plethóre*.] *S. f.* **1.** *Med.* Congestão generalizada; aumento do volume sanguíneo, que provoca distensão anormal dos vasos sanguíneos. **2.** *Fig.* Indisposição ou mal-estar de quem tem excesso de vida, de atividade. **3.** Superabundância qualquer, que produz efeito nocivo. **4.** *Fig.* Superabundância, exuberância: "A poesia de Stecchetti é simples e musical, ... e certos acentos seus, de suavidade enternecida, contrastantes com a pletora léxica e os arroubos peninsulares do seu contemporâneo Carducci, pagão e bárbaro mal diluído no cristianismo, lhe garantiram longa popularidade e numerosas reedições." (Martins Napoleão, *Pequena Antologia de Poemas Alheios*, p. 49.)

pletórico [Do gr. *plethorikós*, 'que regurgita sangue ou humores'.] *Adj.* **1.** Que tem pletora. **2.** Relativo a pletora. **3.** Estuante, exuberante.

pleura [Do gr. *pleurá*, 'lado', 'flanco'.] *S. f.* **1.** *Anat.* Dupla membrana serosa que envolve cada um dos pulmões externamente, e a cavidade torácica internamente. **2.** *Zool.* A parte lateral do tórax dos insetos formada por lâminas ou placas quitinosas, que une o tergo com o esterno. ◆ **Pleura parietal.** *Anat.* Porção de pleura que reveste internamente a cavidade torácica. **Pleura visceral.** *Anat.* Porção de pleura que reveste externamente cada plumão.

▲ **-pleura** V. *pleur(o)-*.

pleural [De *pleura* + *-al*[1].] *Adj. 2 g.* Relativo ou pertencente a pleura. ~ V. *cavidade* —.

pleuris [Do lat. tard. *pleurise*, de or. grega.] *S. m. Pneum.* V. *pleurisia*.

pleurisia [Do fr. ant. *pleurisie*.] *S. f. Pneum.* Inflamação pleural; pleurite, pleuris.

pleurite [Do gr. *pleurîtis* (*nósos*), 'doença do lado', *i. e.*, 'doença da pleura', pelo lat. *pleurite* (nom.).] *S. f. Pneum.* V. *pleurisia*.

pleurítico [Do gr. *pleuritikós*, pelo lat. *pleuriticu*.] *Adj.* **1.** Relativo a pleurisia, ou provocado por ela. **2.** Que sofre de pleurisia. ● *S. m.* **3.** *Pneum.* Aquele que sofre desse mal.

▲ **pleur(o)-** [Do lat. cient. *pleur-, pleuro-* < gr. *pleurá, âs*.] *El. comp.* = 'lado'; 'flanco'; 'pleura'; 'lateral'; 'pleural': *pleurodinia, pleurodonte; pleuropneumonia*. [Equiv.: *-pleura, -pleur(o)-, -pleuro*: *somatopleura; odontopleurose; oligopleuro*.]

▲ **-pleur(o)-** V. *pleur(o)-*.

▲ **-pleuro** V. *pleur(o)-*.

pleurocárpico [De *pleurocarpo* + *-ico*[2].] *Adj. Bot.* Pleurocarpo.

pleurocarpo [De *pleur(o)-* + *-carpo*.] *Adj. Bot.* Diz-se do musgo cujos esporogônios são inseridos nos flancos do caule, em vez de no ápice; pleurocárpico. [Opõe-se a *acrocarpo*.]

pleurocele [De *pleur(o)-* + *-cele*[1].] *S. f. Med.* Saliência herniária de pleura.

pleurodinia [De *pleur(o)-* + *-odin(o)-* + *-ia*[1].] *S. f. Med.* Dor paroxística por processo inflamatório de músculos intercostais, ou por irritação de espaço pleural. ◆ **Pleurodinia epidêmica.** *Patol.* Infecção aguda, virótica, em que há, além de fenômenos gerais, como febre, anorexia e mal-estar, dor súbita e intensa na área de inserção do músculo diafragma, e que se agrava pelos movimentos respiratórios.

pleurodínico [De *pleurodinia* + *-ico*[2].] *Adj. Med.* Referente a pleurodinia.

pleurodiro [Adapt. do tax. *Pleurodira*.] *Zool. S. m.* **1.** Espécime dos pleurodiros, grande grupo de tartarugas de água doce cujo pescoço não é retrátil, mas pode curvar-se, lateralmente, sob a parte dianteira da carapaça. Ex.: a tartaruga-do-amazonas. ● *Adj.* **2.** Pertencente ou relativo a eles.

pleurodonte [De *pleur(o)-* + *-odonte*.] *Adj. 2 g.* **1.** *Zool.* Diz-se de animal que tem os dentes implantados lateralmente na parte interna dos maxilares, como, p. ex., os lagartos. ● *S. m.* **2.** *Zool.* Animal pleurodonte. **3.** Dente pequeno e cônico, implantado em sulco de bordo maxilar, observado em reptis.

pleuroftalmo [De *pleur(o)-* + *-oftalmo*.] *Adj. S. m. Zool.* Diz-se de, ou molusco prosobrânquio, cujos olhos estão colocados no bordo esquerdo dos tentáculos.

pleurógono [Adapt. do tax. *Pleurogona*.] *S. m.* **1.** Espécime dos pleurogonos, ordem de animais cordados, tunicados, ascidiáceos, de corpo indiviso, glândula neural ger. dorsal ou lateral em relação ao gânglio, gônada dupla, ou em maior número, nas paredes laterais do manto, e as larvas, quase sempre, com um órgão sensorial na cabeça. ● *Adj.* **2.** Pertencente ou relativo a eles.

pleuronectídeo [Do tax. *Pleuronectes*, gênero-tipo, + *-ídeo*[1]; tax. *Pleuronectidae*.] *Zool. S. m.* **1.** Espécime dos pleuronectídeos, família de peixes crossopterígios, com opérculo que apresenta bordo livre, e com nadadeiras pélvicas simétricas. Nos indivíduos adultos, os olhos estão sempre do lado direito do corpo, e a nadadeira dorsal começa acima, ou atrás do olho superior. São os linguados. ● *Adj.* **2.** Pertencente ou relativo a eles.

pleuronecto [De *pleur(o)-* + *-necto*; tax. *Pleuronectes*.] *S. m. Zool.* **1.** Gênero-tipo dos pleuronectídeos (q. v.). **2.** Espécie ou espécime desse gênero.

pleuropneumonia [De *pleur(o)-* + *pneumonia*.] *S. f. Pneum.* Inflamação simultânea de pulmão e da pleura correspondente.

pleuropneumónico *Adj. Pneum.* V. *pleuropneumônico*. [Uso freq. em P.]

pleuropneumônico [De *pleuropneumonia* + *-ico*[2].] *Adj. Pneum.* Relativo a pleuropneumonia.

pleuropterígio [De *pleur(o)-* + *-pterígio*; tax. *Pleuropterygii*.] *Paleont. S. m.* **1.** Espécime dos pleuropterígios, ordem de pequenos peixes elasmobrânquios do devoniano, que inclui o gênero cladosseláquio (q. v.). Tinham de 5 a 7 fendas branquiais, aletas pares e triangulares de base larga. ● *Adj.* **2.** Pertencente ou relativo a eles.

pleuropulmonar [De *pleur(o)-* + *pulmonar*.] *Adj. 2 g. Anat.* Pertencente ou relativo a pleura e pulmão.

pleurorrizo [De *pleur(o)-* + *-rizo*.] *Adj. Bot.* Diz-se do embrião dotado de cotilédones aplicados um contra o outro, e cuja radícula se localiza lateralmente ao longo do bordo deles.

pleurotomariídeo [Do tax. *Pleurotomaria* + *-ídeo*[1]; tax. *Pleurotomariidae*.] *Paleont. Zool. S. m.* **1.** Espécime dos pleurotomariídeos, família de moluscos gastrópodes, prosobrânquios, marinhos, abundantes na era paleozoica, a partir do cambriano, e da qual ainda existem algumas espécies nos mares do Japão e das Antilhas. ● *Adj.* **2.** Pertencente ou relativo a eles.

pleurotremado [Adapt. do tax. *Pleurotremata*.] *Zool. S. m.* **1.** Espécime dos pleurotremados, subordem de peixes cordados, elasmobrânquios, seláquios, de corpo alongado e cilíndrico, com cinco a sete pares de fendas branquiais laterais, nadadeira caudal heterocerca, e que se locomovem por meio da cauda. São os tubarões em geral. ● *Adj.* **2.** Pertencente ou relativo a eles. [Sin. ger.: *esqualóideo*.]

pleusto *S. m. Ecol.* Plêuston.

plêuston [Do ingl. *pleuston*.] *S. m. Ecol.* Conjunto de organismos vegetais e animais que flutua à superfície da água, tendo uma parte do corpo emersa, e que se desloca ao sabor do vento. [Var.: *pleusto*.]

plévia [Alter. de *plebe*, poss.] *S. f. Bras. RS* **1.** Gente ruim, ordinária. **2.** V. *ralé* (1).

plexo (cs) [Do lat. tard. *plexu*, 'enlaçamento'.] *S. m.* **1.** *Anat.* Denominação genérica de rede de vasos, nervos e, no sistema nervoso autônomo, de nervos e gânglios. **2.** *Fig.* Encadeamento, entrelaçamento. ◆ **Plexo celíaco.** *Anat.* Plexo solar. **Plexo coroide.** *Anat.* Conjunto de pregas vasculares de pia-máter existente em cada ventrículo lateral cerebral, e que tem papel na produção de líquido cerebroespinhal. **Plexo solar.** *Anat.* Conjunto de gânglios e filetes nervosos cuja forma lembra uma teia de aranha, pertencente ao setor simpático do sistema nervoso autônomo, e situado por diante da parte superior do segmento abdominal da artéria aorta; plexo celíaco.

plica [Do lat. cient. *plica* < v. lat. *plicare*, 'dobrar'.] *S. f.* **1.** *Anat.* Prega (5): "Seixas permaneceu imóvel como uma estátua; apenas duas plicas profundas sulcaram-lhe as faces desde o canto dos olhos até a comissura dos lábios." (José de Alencar, *Senhora*, p. 233.) **2.** *E. Ling. P. us.* Acento agudo. **3.** *E. Ling.* Sinal análogo a este ('), que se antepõe à sílaba tônica de uma palavra na sua representação prosódica por meio do alfabeto fonético internacional. Ex.: *pleo'nazmu* (pleonasmo). **4.** *Mat.* Sinal gráfico que se coloca ao alto e à direita de uma letra: *b'* (lê-se *bê linha*).

plicado [Part. de *plicar*.] *Adj. Bot.* Pregueado longitudinalmente como leque: *folha plicada*.

plicar [Do lat. *plicare*, 'dobrar'.] *V. t. d.* **1.** Fazer pregas em; preguear, pregar, franzir: *plicar uma saia*. **2.** Pôr, ou apor plica (2 a 4) ou plicas em. [Conjug.: v. *trancar*.]

plicatura [Do lat. *plicatura*.] *S. f.* **1.** Prega, dobra. **2.** *Cir.* Encurtamento de um órgão, como, p. ex., estômago, mediante ato cirúrgico.

plicipene [Adapt. do tax. *Plicipennes*.] *S. m. Adj. 2 g. Zool.* V. *tricóptero*.

plinto [Do gr. *plínthos*, pelo lat. *plinthu*.] *S. m.* **1.** *Arquit.* Peça quadrangular que serve de base a um pedestal ou a uma coluna. **2.** Soco ou pedestal de estátua: "Nos altos plintos negros, pelos cantos da casa, grandes figuras de mármore estendiam mantos e mãos translúcidos, e olhavam umas para as outras com tão profunda intensidade nas pupilas brancas e tão expressivo movimento no curvo lábio arregaçado que imaginávamos estarem conversando" (Cecília Meireles, *Giroflê, Giroflá*, pp. 20-21). [Sin., nas aceps. 1 e 2: *alaque*.] **3.** *Lus. Ginást.* Cavalo (9).

▲ **plio-** [Do gr. *pleîon, ŏn, on*.] *El. comp.* = 'mais numeroso', 'em maior número': *pliocásio, plioceno*. [Equiv. (menos pref.): *pleio-*: *pleiofilia*. V. *pleo-*.]

pliocásio [De *plio-* + gr. *chásis*, 'divisão', + *-io*[3].] *S. m. Bot.* Inflorescência cimosa em que abaixo do eixo principal, terminado por uma flor, surgem três ou mais ramos laterais, cada um dos quais se ramificando, em geral, do mesmo modo.

pliocénico *Adj.* V. *pliocênico*. [Uso freq. em P.]

pliocênico [De *plioceno* + *-ico*[2].] *Adj.* Relativo ao plioceno.

plioceno [De *plio-* + *-ceno*[1].] *Adj. S. m.* ~ V. *época* —*a*.

pliofilia [De *plio-* + *-fil(o)-*[1] + *-ia*[1].] *S. f. Bot.* Aumento anormal do número de folíolos numa folha composta; pleiofilia.

pliofílico [De *pliofilia* + *-ico*[2].] *Adj. Bot.* Relativo a pliofilia; pleiofílico.

pliossauro [Do tax. *Pliosaurus*.] *S. m. Paleont.* **1.** Gênero de reptis sauropterígios, marinhos, próximos aos plesiossauros, e que compreende espécies mais avultadas, podendo atingir até 12 metros de comprimento. Viveram nos mares da França, no jurássico. **2.** Espécie ou espécime desse gênero.

pliotropia [De *plio-* + *-tropia*.] *S. f. Genét.* V. *pleiotropia*.

pliotrópico [De *pliotropia* + *-ico*[2].] *Adj. Genét.* V. *pleiotrópico*.

plissado [Part. de *plissar*.] *Adj. Cost.* **1.** Em que se fez plissê: *saia plissada*; "Os vestidinhos curtos, pregueados ou plissados" (Autran Dourado, *As Imaginações Pecaminosas*, p. 35). ● *S. m.* **2.** Plissê.

plissagem [Do fr. *plissage*.] *S. f.* Operação de plissar.

plissamento [Do fr. *plissement*.] *S. m. Geol.* Dobra[1] (3).

plissar [Do fr. *plisser*.] *V. t. d. Cost.* Fazer plissê ou plissado em: *plissar uma blusa*.

plissê [Do fr. *plissé*.] *S. m.* Série de pregas feitas num tecido, em geral com máquina própria para marcá-las e que, graças à ação do calor, não se desmancham; plissado.

plistocénico *Adj.* V. *plistocênico*. [Uso freq. em P.]

plistocênico [De *plistoceno* + *-ico*[2].] *Adj.* Relativo ao plistoceno.

plistoceno [Do gr. *pleîstos*, 'o mais (numeroso)', + *-ceno*[1].] *Adj. S. m.* ~ V. *época* —*a*.

plo F. sincopada de *pelo*, us. em poesia (muito pouco no Brasil) e para reproduzir a linguagem oral (talvez em Portugal somente): "Plas costas, torrentes de ouro, / Plo rosto, rios de prata..." (Eugênio de Castro, *Obras Poéticas*, III, p. 134); *Plo que vejo, não queres ir*. [Flex.: *pla, plos, plas*.]

ploceídeo [Do tax. *Ploceus* (< gr. *plokeús*, 'que trança, entrança') + *-ídeo*[1]; tax. *Ploceidae*.] *Zool. S. m.* **1.** Espécime dos ploceídeos, família de aves passeriformes, caracterizadas por terem a planta dos tarsos sem escudos e as narinas situadas em posição elevada no bico. ● *Adj.* 2. Pertencente ou relativo a eles.

▲ **-ploide** (ói) *El. comp.* = Em adj., 'condição relativa ao grau de multiplicação de grupos de cromossomos no cariótipo'; em subst., 'indivíduo de célula com grupos de cromossomos com determinado grau de multiplicação no cariótipo', indicado pelo radical a que se acrescenta: *poliploide; alotetraploide.* [Do suf. gr. *-ploos* (< *diplóos*, 'duplo') + *-oide.*] ❖

ploidia *S. f. Genét.* O número *n* de conjuntos de cromossomos de um indivíduo.

ploimo [Adapt. do tax. *Ploima*, do gr. *plóïmos*, 'próprio para a navegação'.] *Zool. S. m.* 1. Espécime dos ploimos, ordem de animais metazoários, rotíferos, cujos adultos nadam livremente e são providos de cauda forquilhada e, às vezes, retrátil. ● *Adj.* 2. Pertencente ou relativo a eles.

plosão *S. f. E. Ling.* Liberação súbita do ar que se segue à oclusão.

plosiva [F. subst. de *plosivo*.] *S. f. E. Ling.* Consoante plosiva (q. v.).

plosivo *Adj. E. Ling.* ~ V. *consoante —a.*

plotador (ô) [De *plotar* + *-dor.*] *Adj. S. m.* Diz-se de, ou dispositivo capaz de plotar (1), de marcar os pontos que formam um gráfico do desenho. [Cf. *plotter*.]

plotadora [De *plotar* + *-dora.*] *S. f.* V. *plotter.*

plotagem [De *plotar* + *-agem*[2].] *S. f. Bras. Mar.* Ato ou efeito de plotar (2).

plotar [Do ingl. *(to) plot.*] *V. t. d.* 1. *Mat.* Locar (3). 2. *Bras. Mar.* Locar (2) numa carta náutica a posição de (embarcação, aeronave, alvo, etc.).

plotiniano *Adj.* Pertencente ou relativo a Plotino (v. *neoplatonismo*) ou próprio dele.

➔ **plotter** [plɔtə'] [Ingl.] *S. m. Inform.* Dispositivo dotado de pinos ou canetas especiais para representação gráfica de dados de um computador, e capaz de imprimir documentos de grande extensão (ger. diagramas e plantas). [Tb. se usam as adaptações *plotador* e *plotadora*, e o correspondente *traçador gráfico*.]

plugar [Do ingl. *(to) plug* + *-ar*[2].] *V. t. d.* Ligar (aparelho eletrodoméstico, luz, etc.) a uma tomada. [Conjug.: v. *largar*.]

plugue [Do ingl. *plug.*] *S. m.* Peça com um, dois ou mais pinos, que penetra na tomada, estabelecendo a ligação elétrica.

pluma [Do lat. *pluma.*] *S. f.* 1. Pena[1] (1). 2. *Restr.* Pluma (1) usada como adorno, especialmente a do avestruz. 3. V. *penacho* (1). 4. Pena de escrever. 5. *Marinh.* Guardim (2).

plumaceiro [De *plumaço* + *-eiro.*] *S. m.* 1. Aquele que prepara ou vende plumas. 2. Aquele que faz plumaços.

plumachado [De *plumacho* + *-ado*[1].] *Adj.* Que ostenta plumacho (1).

plumacho [Alter. de *plumaço* (q. v.).] *S. m.* 1. Plumagem (1 e 2). 2. Adorno de plumas para enfeitar cavalos. 3. *Ant.* Travesseiro cheio de penas.

plumaço [Do lat. med. *plumaciu*, 'leito de penas'.] *S. m.* V. *plumacho.*

plumagem [De *pluma* + *-agem*[2].] *S. f.* 1. O conjunto das penas duma ave; plumacho, plumaço. 2. Penas para adorno; plumacho, plumaço. ◆ **Bater a bela plumagem.** *Fam.* V. *bater a linda plumagem*: "tinha já resolvido não ficar ali nem mais um dia. Era fazer as malas e bater quanto antes a bela plumagem!" (Aluísio Azevedo, *Casa de Pensão*, p. 68). **Bater a linda plumagem.** *Fam.* 1. V. *fugir* (1 e 2). 2. Ir-se embora; desaparecer. [Sin. ger.: *bater a bela plumagem*.]

plumão [De *pluma* + *-ão*[2].] *S. m.* Penacho de plumas.

plumar [Do lat. *plumare.*] *V. t. d.* Adornar de plumas; empenar, emplumar, plumejar: *plumar um chapéu.* [Fut. pret.: *plumaria*, etc. Cf. *plumaria*, fem. de *plumário* e s. f.]

plumária [F. subst. de *plumário*.] *S. f.* Arte plumária (q. v.): "é na plumária que encontramos a atividade mais eminentemente artística dos nossos índios" (Darci Ribeiro e Berta G. Ribeiro, *Arte Plumária dos Índios Caapor*, p. 12). [Cf. *plumaria*, do v. *plumar*.]

plumário [Do lat. *plumariu*, por via erudita.] *Adj.* 1. Relativo a, ou constituído de plumas: "estilos plumários." (Darci Ribeiro e Berta G. Ribeiro, *Arte Plumária dos Índios Caapor*, p. 16); "ornato plumário" (Id., *ib.*, p. 58). 2. Diz-se da arte cuja matéria-prima são plumas: "A arte plumária dos índios do Brasil apresenta certas uniformidades essenciais" (Id., *ib.*, p. 15). 3. Referente a, ou próprio dessa arte: "os ornamentos plumários raras vezes foram objeto de estudos etnológicos ou artísticos" (Id., *ib.*, p. 12). ● *S. m.* 4. Entre os antigos, bordador que representava em tela, por meio de agulha, várias figuras, particularmente aves. [Fem.: *plumária.* Cf. *plumaria*, do v. *plumar*.]

plumbagina [Do lat. *plumbagine*, 'lavra ou mina de chumbo'.] *S. f.* Substância mineral escura, da qual se fazem lápis; grafita.

plumbaginácea [Do lat. cient. *Plumbagin-* (do tax. *Plumbago*, v. *plumbago, inis*, 'mina de chumbo') + *-ácea*; tax. *Plumbaginaceae*.] *S. f. Bot.* Espécime das plumbagináceas, família de plantas da ordem das plumbaginales, formada por ervas e arbustos com inflorescências variadas. Corola não raro vistosa; estilete com cinco ramos estigmáticos; fruto seco, indeiscente e monospérmico. Há umas 260 espécies, na maioria halófilas, uma delas brasileira; a *Plumbago capensis*, da África, é muito comum em nossos jardins.

plumbagináceo [De *plumbaginácea*, com var. suf. (v. *-áceo*).] *Adj. Bot.* Pertencente ou relativo às plumbagináceas.

plumbaginal [Do lat. cient. *Plumbagin-* (v. *plumbaginácea*) + *-al*[1].] *Adj. 2 g. Bot.* Pertencente ou relativo às plumbaginales.

plumbaginale [Do lat. cient. *Plumbagin-* (v. *plumbaginácea*) + *-ale*; tax. *Plumbaginales*.] *S. f. Bot.* Espécime das plumbaginales, ordem de dicotiledôneas metaclamídeas, que compreende unicamente a família das plumbagináceas.

plumbaginoso (ô) [Do lat. *plumbagine*, 'mina de chumbo' + *-oso.*] *Adj.* Que tem chumbo.

plumbago [Do tax. *Plumbago* (do lat. *plumbago, inis*, 'mina de chumbo').] *S. m. Bot.* 1. O gênero-tipo das plumbagináceas, que abrange ervas, arbustos e trepadeiras lenhosas vastamente distribuídas pelas regiões de clima quente; têm folhas alternas, sésseis, e flores crateriformes, azuladas, violáceas, róseas ou vermelhas, dispostas em espigas curtas ou em cimeiras. 2. Qualquer espécie desse gênero, como, p. ex., a *Plumbago auriculata* (v. *bela-emília*). 3. Qualquer espécime desse gênero, ou a sua flor.

plumbato [Do lat. *plumbatu*, 'guarnecido de chumbo'.] *Adj.* Diz-se dos antigos diplomas que traziam selo de chumbo.

plumbear [De *plumbo* + *-ear*[2].] *V. t. d.* Dar aparência ou cor de chumbo a: *Nuvens sombrias plumbearam o céu.* [Conjug.: v. *frear*.]

plúmbeo [Do lat. *plumbeu.*] *Adj.* 1. De chumbo. 2. Da cor do chumbo: "Quando se embruscava o tempo a paisagem mudava: o céu pardacento, carregado de nuvens plúmbeas, como que se abaixava, como que queria afogar a terra." (Júlio Ribeiro, *A Carne*, p. 11.) 3. Relativo a chumbo; plúmbico. 4. *Fig.* Pesado, tristonho, soturno: "Iam os dias assim, longos e plúmbeos, num chafurdar de mágoas contundidas" (Fialho d'Almeida, *O País das Uvas*, p. 267).

▲ **plumb(i)-** [Do lat. *plŭmbum, i.*] *El. comp.* = 'chumbo': *plúmbico, plumbífero.*

plúmbico [De *plumb(i)-* + *-ico*[2].] *Adj.* 1. Plúmbeo (3). 2. Plumbífero. 3. *Quím.* Referente a, ou próprio de compostos do chumbo tetravalente.

plumbífero [De *plumb(i)-* + *-fero.*] *Adj.* Que contém chumbo; plúmbico.

plumbismo [De *plumb(i)-* + *-ismo.*] *S. m. Med.* Envenenamento pela absorção ou ingestão de chumbo ou de um de seus sais, causando grave comprometimento do estado geral (anorexia, perda de peso), do sistema digestório (cólica intestinal, constipação), do sistema nervoso (insônia, cefaleia, tonteira, irritabilidade, encefalopatia [principalmente em crianças]), etc.

plumboso (ô) [Do lat. *plumbosu.*] *Adj.* 1. Que encerra o chumbo, em especial o chumbo divalente. 2. *Quím.* Relativo a, ou próprio de compostos de chumbo divalente.

▲ **-plume** Equiv. de *plum(i)-*.

plumeiro [Do lat. *plumariu*, por via pop.] *S. m.* V. *penacho* (1).

plumejar [De *pluma* + *-ejar.*] *V. t. d.* 1. V. *plumar.* *Int.* 2. Encher-se de plumas. [Conjug.: v. *pelejar*.]

plúmeo [Do lat. *plumeu.*] *Adj. Poét.* 1. Relativo a plumas. 2. Que tem plumas; emplumado: "Bicos da cor do ferro ou bronze afiando / À competência, vai ao sol no poente / Dizendo o adeus da tarde o plúmeo bando." (Alberto de Oliveira, *Poesias*, 3ª série, p. 243.) 3. Feito ou estofado de plumas: "Deixai os plúmeos leitos / Onde o espírito lânguido desmaia!" (Guerra Junqueiro, *A Musa em Férias*, p. 192.)

plumetis [Do fr. *plumetis.*] *S. m. 2 n.* Cassa de salpicos.

▲ **plum(i)-** [Do lat. *plūma, ae.*] *El. comp.* = 'pluma', 'pena[1] (1)'; 'asa': *plumícolo, plumista.* [Equiv.: *-plume*: *biplume*.]

plumícolo [De *plum(i)-* + *-colo.*] *Adj.* Que tem plumas no pescoço.

plumierídeo [Do tax. *Plumiera* + *-ideo*[1].] *S. m. Quím.* Agoniadina.

plumilha [De *pluma* + *-ilha.*] *S. f.* 1. Pequena pluma para enfeite. 2. Pequeno adorno semelhante a uma pluma.

plumípede [De *plum(i)-* + *-pede.*] *Adj. 2 g. Zool.* Diz-se de aves que tem os pés cobertos de penas.

plumista [De *plum(i)-* + *-ista.*] *S. 2 g.* 1. Pessoa que negocia com plumas ou as prepara para o comércio. 2. Artista que se dedica à arte plumária: "Aqui, se apresenta ao plumista o problema específico das artes gráficas, a necessidade de dividir o campo decorativo para 'pintar' desenhos geométricos (nos brincos) ou 'descrever' o motivo (nos tembetás, pingentes e medalhões dos colares)." (Darci Ribeiro e Berta G. Ribeiro, *Arte Plumária dos Índios Caapor*, p. 35.)

plumitivo [Do fr. *plumitif.*] *S. m. Deprec.* 1. Jornalista. 2. V. *escritor.*

plumoso (ô) [Do lat. *plumosu.*] *Adj.* 1. Que tem plumas: "Se ledos gorjeiam / Plumosos cantores" (Barão de Paranapiacaba, *Poesias Escolhidas*, p. 141). 2. Em forma de pluma. 3. *Bot.* Provido de curtas ramificações laterais: *pelo plumoso; estigma plumoso.*

plúmula [Do lat. *plumula*, 'peninha'.] *S. f.* 1. Pena pequena. 2. *Bot.* Gema terminal do embrião das plantas floríferas que fica entre os cotilédones, e de cujo crescimento procede o caule.

plumular [De *plúmula* + *-ar*[1].] *Adj. 2 g. Bot.* Relativo ou semelhante à plúmula: *folha plumular.*

plumuliforme (ùm) [De *plúmula* + *-iforme.*] *Adj. 2 g. Bot.* Que tem forma de pluma ou pena.

plural [Do lat. *plurale.*] *Adj. 2 g.* 1. Diz-se do número gramatical que indica mais de um. 2. Que contém mais de um. 3. *Fig.* Diversificado, variado. ~ V. *voto —.* ● *S. m.* 4. *E. Ling.* No sistema numeral [v. *número* (9)] de algumas línguas, a referência gramatical a várias unidades. [Cf. *dual, singular, trial*.] ◆ **Plural de modéstia.** *E. Ling.* Emprego do pron. pess. *nós*, em lugar do *eu*, com o qual alguém, modestamente, procura diminuir a sua participação em ato ou obra dignos, ou supostamente dignos, de louvor; plural majestático. **Plural majestático.** *E. Ling.* 1. Emprego do pron. pess. *nós* em lugar de *eu*, habitual nas mensagens do trono. 2. Plural de modéstia.

➔ **pluralia tantum** [plo'ralia 'tantõm] [Lat., 'só plurais'.] *Loc. subst. E. Ling.* Os substantivos que só se empregam no plural. Ex: *endoenças; férias* (dias de descanso).

pluralidade [Do lat. tard. *pluralitate.*] *S. f.* 1. O maior número; o geral. 2. Grande número; multiplicidade. 3. Qualidade atribuída a mais de uma pessoa ou coisa. 4. Qualidade do que é plural. ◆ **Pluralidade de causas.** *Filos.* Admissão de que a explicação de um fenômeno possa exigir o concurso de mais de uma causa.

pluralismo [De *plural* + *-ismo.*] *S. m.* 1. *Filos.* Admissão de uma diversidade de princípios ou de substâncias para explicar o universo. [Cf. *dualismo* e *monismo*.] 2. *Med.* Linha terapêutica da homeopatia (1) que adota o emprego de mais de um medicamento para a mesma doença e para cada doente. 3. *Polít.* Doutrina que admite a coexistência de uma pluralidade de partidos políticos, com iguais direitos ao exercício do poder público, segundo procedimentos de eleição juridicamente estabelecidos. [Opõe-se à doutrina do partido único.] 4. Concepção que toma como modelo ideal de sociedade aquela formada por vários centros de poder que concorrem para limitar o poder estatal.

pluralista [De *pluralismo* + *-ista.*] *Adj. 2 g.* 1. Referente ao pluralismo. 2. Que é adepto do pluralismo. ● *S. 2 g.* 3. Adepto do pluralismo. 4. Homeopata que adota o pluralismo (4).

pluralização [De *pluralizar* + *-ção.*] *S. f.* Ato ou efeito de pluralizar.

pluralizado [Part. de *pluralizar.*] *Adj.* 1. Posto no plural; usado no plural. 2. Repetido, reiterado.

pluralizar [De *plural* + *-izar.*] *V. t. d.* 1. Pôr ou usar no plural: *Para pluralizar a palavra cônsul, acrescenta-se-lhe es; Falando ou escrevendo, gosta de pluralizar os vocábulos.* 2. Aumentar em número; multiplicar: *As negociatas pluralizaram fortunas.* 3. Tornar plural.

▲ **pluri-** [Do lat. *plus, plūris.*] *El. comp.* = 'muitos', 'vários': *pluricelular, plurissecular.* [O AOLP prescreve o uso do hífen nos casos de anteposição deste pref. a palavra iniciada por *h* ou *i*; é escrito com *r* ou *s* duplicados quando anteposto a palavra iniciada por *r* ou *s*: *plurirracial, plurissecular*.]

plurianual [De *pluri-* + *anual.*] *Adj. 2 g.* Referente a vários anos, em geral mais de três: "Os orçamentos plurianual e anual puseram em relevo a atuação do Ministro do Planejamento" (Carlos Castelo Branco, em *Jornal do Brasil*, 02.09.1971).

plurianualidade [De *plurianual* + *-(i)dade.*] *S. f.* Qualidade ou condição de plurianual.

pluriarticulado [De *pluri-* + *articulado.*] *Adj.* Que tem muitas articulações.

pluricelular [De *pluri-* + *celular*.] ***Adj. 2 g.*** *Biol.* Composto de mais de uma célula; multicelular: *pelo pluricelular; fungo pluricelular.*

pluriciliado [De *pluri-* + *ciliado*.] ***Adj.*** *Bot.* Que tem vários cílios [v. *cílio* (2)].

plurideísmo [De *pluri-* + *deísmo*.] ***S. m.*** Atitude ou crença de quem aceita ou venera muitos deuses: “três elementos típicos do plurideísmo pagão” (Fernando Pessoa, *Páginas Íntimas e de Autointerpretação*, p. 264).

pluridentado [De *pluri-* + *-dent(i)-* + *-ado*^{1}.] ***Adj.*** Que tem muitos dentes.

pluridimensional [De *pluri-* + *dimensão* + *-al*^{1}, seg. o padrão erudito.] ***Adj. 2 g.*** Multidimensional.

pluridisciplinar [De *plur(i)-* + *disciplinar*^{1}.] ***Adj. 2 g.*** **1.** Referente ou pertencente a diversas disciplinas de um mesmo campo disciplinar. **2.** Referente ou pertencente a vários campos disciplinares interligados ou inter-relacionados.

pluridisciplinaridade [De *pluridisciplinar* + *-(i)dade*.] ***S. f.*** *Pedag.* **1.** Qualidade ou caráter de pluridisciplinar. **2.** Processo plural, que integra a variedade de disciplinas ou pluralidade dos campos disciplinares para aprofundar um conhecimento, um saber. [É a justaposição de disciplinas de um mesmo campo disciplinar.]

plurifloro [De *pluri-* + *-floro*.] ***Adj.*** *Bot.* Que tem muitas flores.

plurilateral [De *pluri-* + *lateral*.] ***Adj. 2 g.*** **1.** Que tem muitos lados. **2.** *Jur.* Diz-se do ato jurídico que se constitui pela manifestação da vontade de várias partes.

plurilateralismo [De *plurilateral* + *-ismo*.] ***S. m.*** Caráter ou qualidade de plurilateral.

plurilingue ***Adj. 2 g.*** V. *plurilíngue* [Uso freq. em P.]

plurilíngue (güe) [De *pluri-* + *-língue*.] ***Adj. 2 g.*** **1.** Relativo a diversas línguas. **2.** V. *poliglota* (1 e 2). ❖

plurilinguismo (güis) [De *plurilíngue* + *-ismo*.] ***S. m.*** *E. Ling.* Multilinguismo: “Ao leitor desprevenido espanta o plurilinguismo de alguns textos [de Anchieta]. Cenas são representadas em português, outras em castelhano e ainda muitos diálogos são travados em tupi.” (Sábato Magaldi, *Panorama do Teatro Brasileiro*, p. 18.) ❖

plurilobulado ***Adj.*** Multilobulado.

plurilocular [De *pluri-* + *locular*.] ***Adj. 2 g.*** Subdividido em vários compartimentos ou lojas ou lóculos; multilocular: *ovário plurilocular.*

plurinominal [De *pluri-* + *nominal*.] ***Adj. 2 g.*** Que tem muitos nomes.

plurinucleado [De *pluri-* + *-nucl(e)(i)-* + *-ado*^{1}.] ***Adj.*** *Citol.* Multinucleado.

pluriovulado [De *pluri-* + *-ovul(i)-* + *-ado*^{1}.] ***Adj.*** *Bot.* Provido de vários óvulos: *ovário pluriovulado.*

pluripartidário [De *pluri-* + *partidário*.] ***Adj.*** **1.** Relativo a mais de um partido (3). **2.** Pluripartidarista (1).

pluripartidarismo [De *pluripartidário* + *-ismo*.] ***S. m.*** Regime político que admite a formação legal de vários partidos.

pluripartidarista [De *pluripartidarismo* + *-ista*.] ***Adj. 2 g.*** **1.** Relativo ao pluripartidarismo; pluripartidário. **2.** Que é adepto do pluripartidarismo, ou que o defende: *político pluripartidarista; tese pluripartidarista.* • ***S. 2 g.*** **3.** Adepto do pluripartidarismo.

pluripartido [De *pluri-* + *partido*.] ***Adj.*** *Bot.* Diz-se do órgão que se apresenta dividido em numerosas partes.

pluripétalo [De *pluri-* + *-pétalo*.] ***Adj.*** *Bot.* V. *polipétalo.*

plurirracial [De *pluri-* + *racial*.] ***Adj. 2 g.*** Diz-se de população que se constitui de indivíduos de diversas raças (etnias).

plurissecular [De *pluri-* + *secular*.] ***Adj. 2 g.*** Multissecular.

plurissegmentado [De *pluri-* + *segmento* + *-ado*^{1}.] ***Adj.*** Que tem muitos segmentos.

plurissegmental [De *pluri-* + *segmental*.] ***Adj. 2 g.*** *E. Ling.* V. *suprassegmental* (1).

plurisseriado [De *pluri-* + *seriado*.] ***Adj.*** Disposto em muitas séries.

plurivalente [De *pluri-* + *valente*.] ***Adj. 2 g.*** Polivalente.

plurivalve [De *pluri-* + *-valve*.] ***Adj. 2 g.*** *Bot.* Multivalve.

plurívoco [Do lat. tard. *plurivocu*.] ***Adj.*** Diz-se de palavra, conceito ou atributo que admite várias significações; multívoco. [Opõe-se a *unívoco* (1).]

→ **plush** [plʌʃ] [Ingl.] ***S. m.*** *Tec. Têx.* Tecido aveludado de algodão ou de lã, com textura um tanto elástica.

plutão [Do mit. gr. *Ploúton, onos* (> lat. *Pluto, onis*), ‘deus dos infernos’.] ***S. m.*** **1.** *Poét.* O fogo. **2.** *Astr.* Planeta-anão descoberto em 1930, com três satélites e menor do que a nossa Lua. [Devido à excentricidade de sua órbita, dos 248 anos do seu percurso ao redor do Sol, 20 deles permanece Plutão antes da órbita de Netuno.] [Com cap.]

plutarco [Do antr. *Plutarco* (50-120 d. C.), historiador e moralista grego.] ***S. m.*** *Fig.* Cronista ou biógrafo de vidas ilustres.

plúteo^{1} [Do lat. *pluteu*.] ***S. m.*** *Arquit.* Parede que fecha o espaço entre duas colunas.

plúteo^{2} [Do lat. cient. *Pluteus*.] ***S. m.*** *Zool.* A forma larval microscópica, ciliada e de simetria bilateral, dos ofiúros e dos ouriços-do-mar.

pluto [Do gr. *ploûtos*.] ***S. m.*** *Poét.* A riqueza, ou o poder decorrente dela.

▲ **pluto-** [Do gr. *plouto-* < gr. *ploûtos, ou*.] ***El. comp.*** = ‘riqueza’: *plutocracia* (< gr.), *plutonomia.*

plutocracia [Do gr. *ploutokratía*.] ***S. f.*** **1.** Influência do dinheiro. **2.** Preponderância dos homens ricos. [Sin., bras., nessas acepçs.: *milionocracia*.] **3.** *Sociol.* Dominação da classe capitalista, detentora dos meios de produção, circulação e distribuição de riquezas, sobre a massa proletária, mediante um sistema político e jurídico que assegura àquela classe o controle social e econômico.

plutocrata [De *pluto-* + *-crata*.] ***S. 2 g.*** Pessoa influente e preponderante pelo seu dinheiro: “Deixá-lo, porém, ó charra geração de plutocratas, que não é com raciocínios de banqueiro que se há de condenar semelhante perdulário.” (Raimundo Correia, *Poesia Completa e Prosa*, p. 488.)

plutocraticismo [De *plutocrático* + *-ismo*.] ***S. m.*** V. *plutocracia.*

plutocrático [De *plutocrata* + *-ico*^{2}.] ***Adj.*** Relativo ou pertencente a plutocrata, ou a plutocracia.

plutocratismo [De *plutocrata* + *-ismo*.] ***S. m.*** O sistema plutocrático.

plutomania [De *pluto-* + *-mania*.] ***S. f.*** *Psiq.* **1.** Ilusão, de um indivíduo, de que é rico. **2.** Preocupação patológica com riqueza.

plutomaníaco [De *plutomania* + *-íaco*.] *Psiq.* ***Adj.*** **1.** Relativo a plutomania. **2.** Que tem plutomania; plutômano. • ***S. m.*** **3.** Aquele que tem plutomania; plutômano.

plutómano ***Adj. S. m.*** *Psiq.* V. *plutômano.* [Uso freq. em P.]

plutômano [De *pluto-* + *-mano*^{1}.] ***Adj. S. m.*** *Psiq.* Plutomaníaco (2 e 3).

plutoniano [De *Plutão* (*pluton-*) + *-iano*, seg. o padrão erudito.] ***Adj.*** Relativo ou pertencente ao planeta-anão Plutão; plutônico.

plutónico ***Adj.*** V. *plutônico.* [Uso freq. em P.]

plutônico [De *Plutão* + *-ico*^{2}, seg. o padrão erudito.] ***Adj.*** Plutoniano. ~ V. *rocha —a.*

plutónio^{1} ***Adj. S. m.*** V. *plutônio*^{1}. [Uso freq. em P.]

plutónio^{2} ***Adj.*** V. *plutônio*^{2}. [Uso freq. em P.]

plutônio^{1} [De *Plutão* + *-io*^{3}, seg. o padrão erudito.] ***S. m.*** *Quím.* Elemento de número atômico 94, artificial, radioativo, fissionável, metálico [símb.: *Pu*].

plutônio^{2} [Do gr. *ploutónios*, pelo lat. *plutoniu*.] ***Adj.*** Relativo a Plutão, deus dos infernos.

plutonismo [De *Plutão* + *-ismo*, seg. o padrão erudito.] ***S. m.*** *Geol.* Conjunto de fenômenos magmáticos profundos aos quais se deve a formação dos batólitos e doutras intrusões que frequentemente se relacionam com a orogenia.

plutonomia [De *pluto-* + *-nom(o)-* + *-ia*^{1}.] ***S. f.*** *P. us.* Economia política.

plutonómico ***Adj.*** V. *plutonômico.* [Uso freq. em P.]

plutonômico [De *plutonomia* + *-ico*^{2}.] ***Adj.*** Referente à plutonomia.

pluvial [Do lat. *pluviale*.] ***Adj. 2 g.*** **1.** Da, ou relativo à chuva; pluviátil: *água pluvial;* “todas as águas perenes, todas as torrentes pluviais estão dirigidas, encanadas, por calhas de pedras, de tijolos de juntas tomadas, por bicames de madeira.” (Júlio Ribeiro, *A Carne*, p. 136). **2.** *Bot.* Que habita ou ocorre em regiões muito chuvosas; ombrófilo: *floresta pluvial.* • ***S. m.*** **3.** *Lit.* V. *capa de asperges*: “Onde havia paramentos sacerdotais, véu de cálice, sudário, pluvial, que traduzissem na tonalidade uma delicadeza de cores igual àquela?” (Aquilino Ribeiro, *Dom Frei Bertolameu*, p. 37.)

pluviátil [Do lat. tard. *pluviatile*.] ***Adj. 2 g.*** Pluvial (1). [Pl.: *pluviáteis*.]

▲ **pluvio-** [Do lat. *pluvia, ae* + *-o-*.] ***El. comp.*** = ‘chuva’: *pluviômetro.*

plúvio [Do lat. *pluviu*.] ***S. m.*** *Poét.* Nuvem carregada de chuva.

pluviógrafo [De *pluvio-* + *-grafo*.] ***S. m.*** Instrumento que registra a quantidade, duração e intensidade da chuva caída em determinado lugar.

pluviograma [De *pluvio-* + *-grama*.] ***S. m.*** *Meteor.* Gráfico que mostra a precipitação pluviométrica em determinada região ao longo do tempo; hietograma.

pluviometria [De *pluvio-* + *-metria*.] ***S. f.*** Ramo da climatologia que se ocupa da distribuição das chuvas em diferentes épocas e regiões; hietometria.

pluviométrico [De *pluviometria* + *-ico*^{2}.] ***Adj.*** Relativo à pluviometria; hietométrico.

pluviómetro ***S. m.*** V. *pluviômetro.* [Uso freq. em P.]

pluviômetro [De *pluvio-* + *-metro*.] ***S. m.*** Instrumento usado para medir a quantidade de chuva caída em determinado lugar e em determinado tempo; hietômetro, udômetro: “Retirava a fita do heliógrafo, examinava o barômetro, o anemômetro, abria a torneirinha do pluviômetro, recolhia as gotas de sereno ao tubo de vidro graduado” (Nélson de Faria, *Cabeça-Torta*, p. 118).

pluvioso^{1} (ô) [Do fr. *pluviôse*.] ***S. m.*** *Cronol.* V. *calendário republicano.*

pluvioso^{2} (ô) [Do lat. *pluviosu*.] ***Adj.*** *Poét.* Chuvoso: “Foi bem fecunda, a estação pluviosa!” (Camilo Pessanha, *Clepsidra e Outros Poemas*, p. 219); “corria para o comboio, que, apenas parou, no meio do negrume da tarde pluviosa, parecia querer fugir para lugar enxuto.” (João de Araújo Correia, *Cinza do Lar*, pp. 39-40).

■ **p.m.** Abrev. de *post meridiem* (q. v.).

■ **Pm** *Quím.* Símb. de *promécio.*

■ **PM** ***S. m.*** Sigla de *Polícia Militar.*

■ **PNB** *Econ.* Sigla de *Produto Nacional Bruto.*

■ **PND** Sigla de *Plano Nacional de Desenvolvimento.*

▲ **-pneia** [Do lat. *-pnoea* < gr. *-pnoia* < gr. *pnoiá* < gr. *pnoé*, ‘sopro’, < gr. *pneîn*, ‘respirar’.] ***El. comp.*** = ‘respiração’; ‘relativo a (palavra em *-pneia*)’, ‘relativo a, ou que apresenta (certo tipo de respiração)’: *braquipneia, hiperpneia, hipopneia, taquipneia.* [Equiv.: *-pneico*: *dispneico* (< gr.), *eupneico*.] ❖

▲ **-pneico** [Do gr. *-pnoikós, é, ón* (como no gr. *dyspnoïkós*) < gr. *-pnoia*.] V. *-pneia.* ❖

pneu [F. red. de *pneumático* (3).] ***S. m.*** **1.** Pneumático (4). **2.** *Bras.* Excesso de gordura localizada na cintura.

pneu-balão ***S. m.*** Pneumático de grande seção transversal, e que, pouco inflado, amortece o choque. [Pl.: *pneus-balões* e *pneus-balão*.]

pneuma [Do gr. *pneûma*, ‘sopro’, ‘alento’, pelo lat. tard. *pneuma*.] ***S. m.*** *Hist. Med.* Na Antiguidade, essência espiritual invisível e intangível, de conceituação difícil. Admitia-se que se formasse com base no ar, ou com auxílio deste. [Era considerado pelos pneumatistas (v. *pneumatista*) como espírito vital, atribuindo-se-lhe a natureza de calor inato, funções respiratórias, circulatórias e nutricionais. O conceito *pneuma* era, na realidade, uma mistura de noções religiosas, filosóficas e científicas.]

pneumática [F. subst. do adj. *pneumático*.] ***S. f.*** Ciência que estuda as propriedades físicas do ar e dos outros gases.

pneumático [Do gr. *pneumatikós*, pelo lat. tard. *pneumaticu*.] ***Adj.*** **1.** Relativo ao ar. **2.** Diz-se de máquina, aparelho ou dispositivo que funciona graças à energia proporcionada pelo ar comprimido: *freio pneumático; broca pneumática.* **3.** *Zool.* Nas aves, diz-se de osso sem medula e cheio de ar, o que diminui o peso e facilita o voo. ~ V. *chassi —, martelete —* e *tubo —.* • ***S. m.*** **4.** Aro de borracha, inflado por ar comprimido, com que se revestem rodas de veículos. [F. red.: *pneu*.] **5.** *Zool.* Osso pneumático (3).

pneumatista [De *pneumat(o)-* + *-ista*.] ***S. 2 g.*** *Hist. Med.* Adepto da seita médica que, na Antiguidade, atribuía ao pneuma diversas funções orgânicas.

▲ **pneumato-** [Do gr. *pneûma, atos*.] ***El. comp.*** = ‘sopro’, ‘ar’; ‘gás’; ‘espírito’: *pneumatóforo*; *pneumatólise*; *pneumatologia.*

pneumatocisto [De *pneumato-* + *-cisto*.] ***S. m.*** *Bot.* Vesícula cheia de ar, flutuadora, de vários tipos de algas pardas.

pneumatóforo [De *pneumato-* + *-foro*.] ***Adj.*** **1.** *Biol.* Que contém ar. • ***S. m.*** **2.** *Bot.* Raiz com função respiratória, que muda a direção normal de seu desenvolvimento, aflorando à superfície, em busca de oxigênio. [Tais raízes são comuns em regiões pantanosas.] **3.** *Zool.* Vesícula cheia de ar que serve de flutuador para as colônias de cnidários.

pneumatólise [De *pneumato-* + *-lise*.] ***S. f.*** *Petr.* Ação de emanações gasosas provenientes do magma sobre outra rocha, ou sobre o próprio magma já consolidado em suas partes periféricas, e da qual provém a transformação de minerais já formados ou a formação de novos minerais.

pneumatologia [De *pneumato-* + *-logia*.] ***S. f.*** Tratado dos espíritos, dos seres intermediários que formam a ligação entre Deus e o homem.

pneumatológico [De *pneumatologia* + *-ico*^{2}.] ***Adj.*** Referente à pneumatologia.

pneumatologista [De *pneumatologia* + *-ista*.] ***S. 2 g.*** Especialista em pneumatologia; pneumatólogo.

pneumatólogo [De *pneumato-* + *-logo*.] ***S. m.*** Pneumatologista.

pneumatose [Do gr. *pneumátosis*.] ***S. f.*** *Patol.* Presença de gás, no corpo, em localização anormal.

pneumectomia [De *pneum(o)-* + *-ectom-* + *-ia*^{1}.] ***S. f.*** *Cir.* Ablação de pulmão, em extensão variável.

pneumectómico ***Adj.*** *Cir.* V. *pneumectômico.* [Uso freq. em P.]

pneumectômico [De *pneumectomia* + *-ico*^{2}.] ***Adj.*** *Cir.* Relativo a pneumectomia.

▲ **pneum(o)-** V. *pneumon-.*

▲-pneum(o)- V. *pneumon-*.

pneumoartrografia [De *pneum(o)-* + *-artr(o)-* + *-grafia*.] *S. f. Radiol.* Exame radiológico que permite visualizar cavidade articular, mediante a introdução local de meio de contraste e insuflação de ar.

pneumobrânquio [De *pneum(o)-* + *-brânquio*.] *Adj. Zool.* Diz-se dos peixes que respiram por brânquias e pulmões.

pneumocele [De *pneum(o)-* + *-cele*[1].] *S. f. Patol.* **1.** Hérnia que contém parte de pulmão. **2.** Tumor ou formação saciforme que contém gás, em especial a tumoração gasosa escrotal. **3.** Cisto pulmonar de paredes finas, e cuja evolução é ger. benigna.

pneumocélico [De *pneumocele* + *-ico*[2].] *Adj. Patol.* Relativo a pneumocele.

pneumococcia *S. f. Patol.* Pneumococia.

pneumococia [De *pneumococo* + *-ia*[1].] *S. f. Patol.* Infecção por pneumococo.

pneumocócico [De *pneumococia* + *-ico*[2].] *Adj. Bacter.* Relativo a pneumococo, ou a pneumococia.

pneumococo [Do *pneum(o)-* + *-coco*.] *S. m. Microbiol.* Bactéria estreptococácea (*Streptococcus pneumoniae*), agente etiológico, no homem, de diversas infecções (pneumonia, sinusite, meningite, otite, etc.).

pneumoconiose [De *pneum(o)-* + *-con(i)-*[2] + *-ose*[1].] *S. f. Pneum.* Pneumopatia devida à inalação de pó ou poeira, e da qual existem várias formas, segundo o tipo de material inalado (berilo, asbesto, carvão, etc.).

pneumogástrico [De *pneum(o)-* + *-gastr(o)-* + *-ico*[2].] *Adj. Anat.* **1.** Comum ao pulmão e ao estômago. ~ V. *nervo —*. ● *S. m.* **2.** Nervo pneumogástrico (q. v.).

pneumografia [De *pneum(o)-* + *-grafia*.] *S. f.* **1.** *Anat.* Descrição morfológica dos pulmões. **2.** *Fisiol.* Registro, mediante o uso de pneumógrafo, de movimentos respiratórios.

pneumógrafo [De *pneum(o)-* + *-grafo*.] *S. m. Fisiol.* Instrumento com que se realiza pneumografia (2).

pneumograma [De *pneum(o)-* + *-grama*.] *S. m. Fisiol.* Registro gráfico de movimentos respiratórios.

pneumólise [De *pneum(o)-* + *-lise*.] *S. f. Cir.* Operação para libertar um pulmão de aderências inflamatórias com a parede torácica.

pneumolitíase [De *pneum(o)-* + *litíase*.] *S. f. Pneum.* Pneumopatia caracterizada pelo aparecimento de concreção ou de concreções pulmonar(es).

pneumolítico [De *pneumól(ise)* + *-ítico*.] *Adj. Cir.* Relativo a pneumólise.

pneumologia [De *pneum(o)-* + *-logia*.] *S. f.* **1.** Tratado ou estudo acerca dos pulmões. **2.** Ramo da medicina que se ocupa do estudo, em todos os seus aspectos, das doenças pleuropulmonares; pneumonologia.

pneumológico [De *pneumologia* + *-ico*[2].] *Adj.* Relativo a pneumologia; pneumonológico.

pneumologista [De *pneumologia* + *-ista*.] *S. 2 g.* Especialista em pneumologia (2); pneumólogo, pneumonologista.

pneumólogo [De *pneum(o)-* + *-logo*.] *S. m.* V. *pneumologista*.

pneumómetro *S. m. Fís.* V. *pneumômetro*. [Uso freq. em P.]

pneumômetro [De *pneum(o)-* + *-metro*.] *S. m. Fís.* Instrumento para medir a pressão dum fluido em movimento.

▲ pneumon- [Do gr. *pneúmōn, onos*.] *El. comp.* = 'pulmão': *pneumonalgia*. [Equiv.: *pneum(o)-*, *-pneumon-*, *-pnêumone*: *pneumectomia*; *monopneumôneo*; *dipnêumone*, *monopnêumone*.]

▲-pneumon- V. *pneumon-*.

pneumonalgia [De *pneumon-* + *-o-* + *-alg(o)-*[2] + *-ia*[1].] *S. f. Patol.* Dor em pulmão.

pneumonálgico [De *pneumonalgia* + *-ico*[2].] *Adj. Patol.* Relativo a pneumonalgia.

▲-pnêumone V. *pneumon-*.

pneumonia [Do gr. *pneumonía*.] *S. f. Pneum.* Inflamação pulmonar que pode ser devida a bactérias, vírus, fungos, irritação por substância química, ou ser de natureza alérgica. [Sin., p. us.: *pulmonia* e *pulmonite*.] ◆ **Pneumonia aguda.** *Pneum.* Denominação comum a pneumonias de causas diversas e cuja evolução é aguda. **Pneumonia dupla.** *Patol.* A que compromete ambos os pulmões. **Pneumonia fibrinosa.** *Pneum.* A que se caracteriza por copiosa exsudação de fibrina nas vias aéreas. **Pneumonia lobar.** *Pneum.* A que afeta um ou mais lobos pulmonares.

pneumónico *Adj. S. m.* V. *pneumônico*. [Uso freq. em P.]

pneumônico [Do gr. *pneumonikós*.] *Adj.* **1.** *Pneum.* Relativo a, ou que sofre de pneumonia. ~ V. *peste —a*. ● *S. m.* **2.** *Pneum.* Aquele que sofre de pneumonia.

pneumonite [De *pneumon-* + *-ite*[1].] *S. f. Pneum.* Inflamação pulmonar.

pneumonologia [De *pneumon-* + *-o-* + *-logia*.] *S. f.* Pneumologia (2).

pneumonológico [De *pneumonologia* + *-ico*[2].] *Adj.* Pneumológico.

pneumonologista [De *pneumonologia* + *-ista*.] *S. 2 g.* V. *pneumologista*.

pneumopatia [De *pneum(o)-* + *-patia*.] *S. f. Pneum.* Qualquer doença pulmonar.

pneumopático [De *pneumopatia* + *-ico*[2].] *Adj. Pneum.* Relativo a pneumopatia.

pneumopericárdico [De *pneumopericárdio* + *-ico*[2].] *Adj.* Pertencente ou relativo ao pneumopericárdio.

pneumopericárdio [De *pneum(o)-* + *pericárdio*.] *S. m. Patol.* Presença de ar na cavidade pericárdica.

pneumoperitónio *S. m. Patol. Radiol.* V. *pneumoperitônio*. [Uso freq. em P.]

pneumoperitônio [De *pneum(o)-* + *peritônio*.] *S. m. Patol. Radiol.* Presença de ar na cavidade peritonial, seja de origem patológica (como, p. ex., na perfuração de estômago), seja como resultado de introdução proposital de ar na cavidade peritonial para facilitar exame radiológico dessa cavidade.

pneumoplegia [De *pneum(o)-* + *-pleg-* + *-ia*[1].] *S. f. Obsol. Med.* Paralisia pulmonar.

pneumoplégico [De *pneumoplegia* + *-ico*[2].] *Adj. Obsol. Med.* Referente a pneumoplegia.

pneumopleurisia [De *pneum(o)-* + *pleurisia*.] *S. f. Pneum.* Inflamação de pulmão e de pleura correspondente.

pneumopleurítico [De *pneumopleur(isia)* + *-ítico*.] *Adj. Pneum.* Relativo a pneumopleurisia.

pneumorragia [De *pneum(o)-* + *-ragia*.] *S. f. Pneum.* Hemorragia de origem pulmonar.

pneumorrágico [De *pneumorragia* + *-ico*[2].] *Adj. Pneum.* Relativo a pneumorragia.

pneumotomia [De *pneum(o)-* + *-tom(o)-* + *-ia*[1].] *S. f. Cir.* Incisão cirúrgica em pulmão.

pneumotómico *Adj. Cir.* V. *pneumotômico*. [Uso freq. em P.]

pneumotômico [De *pneumotomia* + *-ico*[2].] *Adj. Cir.* Relativo a pneumotomia.

pneumotórax (cs) [De *pneum(o)-* + *-tórax*.] *S. m. 2 n. Pneum.* Introdução devida a causa patológica, ou produzida intencionalmente, de ar ou de gases inertes em cavidade pleural. [A f. preferível, *toracopneumia*, é desus.] ◆ **Pneumotórax artificial.** *Pneum.* O que é empregado como tratamento de pneumopatias, especialmente da tuberculose; pneumotórax terapêutico. **Pneumotórax terapêutico.** *Pneum.* Pneumotórax artificial (q. v.).

▲ pnigo- [Do gr. *pnigos, eos-ous*.] *El. comp.* = 'canícula'; 'abafação', 'sufocação': *pnigofobia*, *pnigófobo*.

pnigofobia [De *pnigo-* + *-fobia*.] *S. f. Psiq.* Medo mórbido de morrer por asfixia.

pnigofóbico [De *pnigofobia* + *-ico*[2].] *Adj. Psiq.* **1.** Relativo a pnigofobia. **2.** Que sofre de pnigofobia; pnigófobo. ● *S. m.* **3.** Aquele que sofre de pnigofobia; pnigófobo.

pnigófobo [De *pnigo-* + *-fobo*.] *Adj. S. m. Psiq.* Pnigofóbico (2 e 3).

■ **Po** *Quím.* Símb. de *polônio*.

pó[1] [Do lat. *pulvis* > lat. vulg. **pulvus* > lat. vulg. **pulu* > *poo*.] *S. m.* **1.** Tenuíssimas partículas de terra seca, ou de qualquer outra substância, que cobrem o solo, se depositam nos aposentos ou se elevam na atmosfera; poeira, polvilho. **2.** Qualquer substância reduzida a pó: *pó de café*; *canela em pó*. **3.** *Farm.* Forma farmacêutica em que uma substância medicamentosa se apresenta em estado de grande desagregação. **4.** *Bras. Gír.* Cocaína em pó; poeira, brilho. **5.** *Bras. N.* V. *rapé*. **6.** *Fig.* Coisa sem valor. [Pl.: *pós*. Cf. *pô* e *pós* (prep.).] ~ V. *pós*. ◆ **Pó de faca.** *Bras.* Pó de polir metais. V. *trípole*. **Pó de múmia.** *Hist. Med.* Pó supostamente resultante de moagem de múmia, e tido como dotado de propriedades terapêuticas, encontrado principalmente nas boticas da Idade Média. **Morder o pó.** **1.** Cair morto. **2.** Cair por terra. **3.** *Fig.* Ser vencido; derrotado.

pó[2] *S. m.* V. *pó de arroz* (1). [Cf. *pô*.]

pô *Interj. Bras. Chulo* V. *porra* (4): "Um pouco mais de respeito pelos vivos, pô!" (Lígia Fagundes Teles, *A Disciplina do Amor*, p. 104.) [Cf. *pó*.]

poá [Do fr. *pois*.] *S. m.* Pinta redonda, ponto: *tecido de fundo azul com poá branco*.

poácea [Do tax. *Poa* + *-ácea*; tax. *Poaceae*.] *S. f.* Espécime das poáceas, família da ordem das ciperales, ou das glumifloras, que reúne cerca de 668 espécies e 9.500 gêneros de plantas herbáceas e rizomatosas, ger. perenes, conhecidas vulgarmente como *capins* e *bambus*. O caule, característico pelos nós bem salientes, chama-se *colmo*; as flores, hermafroditas, são insignificantes e envoltas em bractéolas paleáceas, ditas glumelas, por fora das quais há duas brácteas semelhantes, as *glumas*. Há três estames e um ovário súpero e uniovulado. Somam cerca de 6.000 espécies, distribuídas por todo o orbe. Numerosas são as de valor econômico: milho, trigo, arroz, cana, aveia, etc. [Sin. desus.: *gramínea*, *graminácea*.]

poáceo [De *poácea*, com var. suf. (v. *-áceo*).] *Adj. Bot.* Pertencente ou relativo às poáceas. [Sin. desus.: *gramíneo*, *gramináceo*.]

poaçu [Do tupi = 'mão grossa ou grosseira', 'a mão esquerda'.] *S. m. Bras. N. Tec. Têx.* Espécie de tecido de algodão, nalgumas tribos amazônicas.

poaense (à) *Adj. 2 g.* **1.** De, ou pertencente ou relativo a Poá (SP). ● *S. 2 g.* **2.** O natural ou habitante de Poá.

poaia [Do tupi.] *S. f. Bras.* **1.** *Bot.* V. *ipecacuanha*. ● *S. 2 g.* **2.** Pessoa sem graça, desenxabida, enjoada.

poaia-do-campo *S. f. Bras. L. Bot.* Erva rubiácea (*Richardia scabra*) rasteira, us. pelo povo em lugar da ipecacuanha, de folhas pequenas e ásperas, e flores e frutos inconspícuos. [Pl.: *poaias-do-campo*.]

poaieiro [De *poaia* + *-eiro*.] *S. m.* **1.** *Bras.* Indivíduo que se entrega à colheita da poaia. **2.** *Bras. MT Zool.* V. *vi-vió*.

poalha [De *pó*[1] + *-alha*.] *S. f.* Poeira leve em suspensão no ar; polilha: "Na poalha de oiro que cai do céu, descubro um risco indeciso: é a terra." (Raul Brandão, *Os Pescadores*, p. 34.)

poatevino [Aportug. do fr. *poitevin*.] *Adj.* **1.** Relativo ao Poitou (região do O. da França). ● *S. m.* **2.** O natural ou habitante dessa região. **3.** *Gloss.* Dialeto do francês falado nessa região.

pobié *Bras. S. 2 g.* **1.** *Etnôn.* Indivíduo dos pobiés [ou (etnôn. bras.) *Pobyé], povo indígena extinto, da família linguística jê, tronco macro-jê, que habitava as margens do rio Grajaú (MA). ● *Adj. 2 g.* **2.** Pertencente ou relativo a esse povo.

pobre [Do lat. *paupere*.] *Adj. 2 g.* **1.** Que não tem o necessário à vida. **2.** Cujas posses são inferiores à sua posição ou condição social. **3.** Que revela pobreza: *Tinha um aspecto pobre*. **4.** Pouco produtivo: *terra pobre*. **5.** Maldotado, pouco favorecido: *pobre de inteligência*. **6.** Digno de lástima; que inspira compaixão: *É uma pobre mulher*. [Superl. abs. sint.: *pobríssimo* e *paupérrimo*.] ~ V. *gás — e rimas —s*. ● *S. 2 g.* **7.** Pessoa pobre. **8.** Mendigo, pedinte. [Aum.: *pobretão*. Dim.: *pobrezinho*, *pobrinho*, *pobrete*.] ◆ **Pobre de Cristo.** Pessoa de condição muito humilde, e/ou paupérrima: "— E essa nega? indagou o caboclo com voz surda. | — Coitada da pobre de Cristo! .... Para que havia ela de fazer mal à Ana Rosa? com que fim?" (Coelho Neto, *Sertão*, p. 183.) **Pobre de espírito.** Pessoa simplória, ingênua, parva, tola. **Dos pobres.** *Irôn.* Diz-se do que é de qualidade inferior, posto em confronto com o bom ou excelente: *É metido a orador — um Rui Barbosa dos pobres*.

pobre-diabo *S. m.* **1.** Sujeito sem importância, sem eira nem beira. **2.** Homem inofensivo ou sem personalidade. [Pl.: *pobres-diabos*.]

pobrerio [Do esp. plat. *pobrerío*.] *S. m. Bras. RS* **1.** Porção de pobres. **2.** Pobreza (3): "porque logo o ganhador mandou distribuir .... côvados de baeta e baguais e deu o resto, de mota, ao pobrerio." (Simões Lopes Neto, *Contos Gauchescos e Lendas do Sul*, p. 330).

pobretão [De *pobre* + *-t-* + *-ão*[1].] *S. m.* **1.** Aquele que é muito pobre; pé-rapado. **2.** Indivíduo que mendiga sem necessidade. **3.** Pobre que pretende passar por abastado. [Fem.: *pobretona*.]

pobrete (ê) [De *pobre* + *-ete* (ê).] *Adj. 2 g.* **1.** Um tanto pobre. ● *S. m.* **2.** Homem digno de compaixão, mísero, desgraçado.

pobretona *S. f.* Fem. de *pobretão*.

pobreza (ê) [De *pobre* + *-eza*.] *S. f.* **1.** Estado ou qualidade de pobre. **2.** Falta do necessário à vida; penúria, escassez. **3.** A classe dos pobres: "era um mãos-rotas para a pobreza" (Luís de Magalhães, *O Brasileiro Soares*, p. 23).

pobríssimo *Adj.* Superl. abs. sint. de *pobre*; paupérrimo: "É pobríssimo; e rico a mais não ser / Não lhe aceitava um óbolo sequer." (João de Deus, *Campo de Flores*, II, p. 270.)

poca [Do tupi.] *S. f. Bras. Bot.* Taquara de que se fazem cestos.

poça (ô ou ó) [De *poço*.] *S. f.* **1.** Depressão natural do terreno, de pouca fundura, com água. **2.** Cova artificial, larga e não muito funda, onde se represa água nascente para regas. [Cf. *possa*, do v. *poder*.]

poça (ô) *Interj. Bras. Pop.* V. *puxa*[2]. [Cf. *possa*, do v. *poder*.]

pocadinho *S. m. Pop.* V. *poucadinho*.

pocado [Part. de *pocar*.] *Adj. Bras. Pop.* Que pocou; rebentado.

poção[1] [Do lat. *potione*.] *S. f.* **1.** *Farm.* Hidrólio que contém medicamento dissolvido ou em suspensão, para ser administrado por via oral. **2.** Qualquer bebida.

poção[2] [De *poço* + *-ão*[1].] *S. m. Bras.* Lugar, no leito de um igarapé, rego ou lago, onde é maior a profundidade.

poçãoense *Adj. 2 g.* **1.** De, ou pertencente ou relativo a Poção (PE). ● *S. 2 g.* **2.** O natural ou habitante de Poção.

P

poção-pedrense *Adj. 2 g.* **1.** De, ou pertencente ou relativo a Poção de Pedras (MA). • *S. 2 g.* **2.** O natural ou habitante de Poção de Pedras. [Pl.: *poção-pedrenses.*]

pocar [Do tupi = 'arrebentar', de or. onom.] *V. int. Bras. Pop.* **1.** V. *pipocar* (1): "o jereré estava meio puído, mas servia .... . Havia três dias pocara — um rombo desgraçado, que não o deixava pescar." (Ricardo Ramos, *Terno de Reis*, p. 37). *T. d.* **2.** Bater com força em; rebentar. [Conjug.: v. *trancar*. Normalmente é defect., só conjugável nas 3.as pess.]

poceirão [De *poço* ou *poça* + *-eirão*.] *S. m.* Grande poço ou poça; lamaçal: "a cada momento o pé encontra um tremedal, terra empapada, ... poceirão escondido sob a courama da erva ou do mato." (Aquilino Ribeiro, *Aldeia*, p. 272).

poceiro [De *poço* + *-eiro*.] *S. m.* **1.** Cesto para lavagem de lã. **2.** Cesto vindimo; cabano. **3.** Cavador de poços ou poças. [Cf. *posseiro* e *puceiro*.]

pocema [Do tupi = 'mão saindo'.] *S. f. Bras.* **1.** Grito de guerra: "Estrugem longe; ecoam pela mata / As pocemas da guerra que enfurece." (José de Alencar, *Obra Completa*, IV, p. 591.) **2.** Canto selvagem: "dispartidos em dois grupos e entoando uma pocema alegre, foram ladear-lhe o trono, postando-se imediatamente atrás das amazonas." (Gastão Cruls, *4 Romances*, p. 153). **3.** Vozearia, algazarra, clamor.

pocense *Adj. 2 g.* **1.** De, ou pertencente ou relativo a Poço das Trincheiras (AL). • *S. 2 g.* **2.** O natural ou habitante de Poço das Trincheiras.

pochade [Do fr. *pochade*.] *S. f.* **1.** *Gal.* Pintura executada sumariamente, em algumas pinceladas. **2.** *P. ext.* Obra (artística, literária, teatral, etc.) de estilo ligeiro, feita com rapidez ou apenas esboçada.

pochete [Do fr. *pochette*.] *S. f.* Bolsa pequena que se leva a tiracolo ou presa a cinto.

pocilga [Do arc. *porcilga < porco.] *S. f.* **1.** Curral de porcos: "viu que um pegureiro, que guardava uma vara de animais imundos, os que queria encerrar na pocilga; e por mais que porfiou com um pau, e com a funda, ... nunca pôde; até que enfadado levantou a voz, e disse: 'Porcos, entrai na pocilga, como os advogados entram no Inferno.' " (P.e Manuel Bernardes, *Os Últimos Fins do Homem*, p. 134). **2.** Casa ou lugar imundo; cortelho, cortelha.

pocinhense *Adj. 2 g.* **1.** De, ou pertencente ou relativo a Pocinhos (PB). • *S. 2 g.* **2.** O natural ou habitante de Pocinhos.

→ **pocket book** ['pạkɨt bʊk] [Ingl.] *Edit.* V. *livro de bolso*.

poço (ô) [Do lat. *puteu*.] *S. m.* **1.** Cavidade funda, aberta na terra, a fim de atingir o lençol aquífero mais próximo da superfície. **2.** Grande buraco, ger. circular e murado, cavado na terra, para acumular água. **3.** Pego[1] (1). **4.** V. *claraboia*. **5.** Espaço no qual circula o elevador. **6.** *Geol.* Perfuração que se faz no solo. **7.** *Constr. Nav.* Espaço entre o castelo ou o tombadilho e a superestrutura central, em um navio mercante. **8.** *Mar.* O local de maior profundidade, num ancoradouro. **9.** *P. ext.* Aquilo que é profundo; abismo. **10.** *Teatr.* V. *orquestra* (7). [Pl.: *poços* (ó). Cf. *posso*, do v. *poder*.] ◆ **Poço artesiano.** Poço natural ou artificial em que a água é impelida naturalmente até à superfície do solo, dispensando bombeamento. **Poço da orquestra.** *Teatr.* V. *orquestra* (7). **Poço de potencial.** *Fís.* Qualquer região de um diagrama de energia em que o potencial é um mínimo e sensivelmente menor que a energia na região que lhe é vizinha. **Poço de visita.** Entrada que permite a inspeção e a limpeza de uma galeria de águas pluviais. **Poço surgente.** Poço onde a água subterrânea aflora naturalmente, sem a necessidade de bombeamento. **Ser um poço de.** Ter (uma qualidade) em alto grau, exageradamente: *É um poço de vaidade*; "O padre era um poço de ciência e um milagre de concisão" (Machado de Assis, *Contos Avulsos*, p. 93).

poço-antense *Adj. 2 g.* **1.** De, ou pertencente ou relativo a Poço das Antas (RS). • *S. 2 g.* **2.** O natural ou habitante de Poço das Antas. [Pl.: *poço-antenses.*]

poço-branquense *Adj. 2 g.* **1.** De, ou pertencente ou relativo a Poço Branco (RN). • *S. 2 g.* **2.** O natural ou habitante de Poço Branco. [Pl.: *poço-branquenses.*]

poçoca [Var. de *paçoca*.] *S. f. Bras. N. Pop.* V. *mentira* (1).

poçoense *Adj. 2 g.* **1.** De, ou pertencente ou relativo a Poções (BA). • *S. 2 g.* **2.** O natural ou habitante de Poções.

poço-fundense *Adj. 2 g.* **1.** De, ou pertencente ou relativo a Poço Fundo (MG). • *S. 2 g.* **2.** O natural ou habitante de Poço Fundo. [Pl.: *poço-fundenses.*]

poconeano (nè) *Adj.* **1.** De, ou pertencente ou relativo a Poconé (MT). • *S. m.* **2.** O natural ou habitante de Poconé. [Sin. ger.: *poconeense.*]

poconeense (èên) *Adj. 2 g. S. 2 g.* Poconeano.

poço-redondense *Adj. 2 g.* **1.** De, ou pertencente ou relativo a Poço Redondo (SE). • *S. 2 g.* **2.** O natural ou habitante de Poço Redondo. [Pl.: *poço-redondenses.*]

poços-caldense *Adj. 2 g.* **1.** De, ou pertencente ou relativo a Poços de Caldas (MG). • *S. 2 g.* **2.** O natural ou habitante de Poços de Caldas. [Pl.: *poços-caldenses.*]

poço-verdense *Adj. 2 g.* **1.** De, ou pertencente ou relativo a Poço Verde (SE). • *S. 2 g.* **2.** O natural ou habitante de Poço Verde. [Pl.: *poço-verdenses.*]

pocranense *Adj. 2 g.* **1.** De, ou pertencente ou relativo a Pocrane (MG). • *S. 2 g.* **2.** O natural ou habitante de Pocrane.

poçuca *S. 2 g. Bras. S.* Pessoa que poçuqueia; filante, poçuqueador.

poculiforme [Do lat. *poculus*, 'copo', + *-iforme*.] *Adj. 2 g. Bot.* Em forma de copo: *corola poculiforme*.

poçuqueador (ô) [De *poçuquear* + *-dor*.] *Adj. S. m. Bras. S.* Que, ou aquele que poçuqueia.

poçuquear [De *poçuca* + *-ear*[2].] *V. t. d. Bras. S.* Pedir emprestado; filar: *Poçuqueou a camisa do irmão.* [Conjug.: v. *frear*.]

poda [Dev. de *podar*.] *S. f.* **1.** Ato ou efeito de podar; podadura. **2.** Corte de ramos das plantas; desbaste, podadura. **3.** *P. ext.* A época própria para se podar; podadura. ◆ **Fazer a poda de.** *Fam.* Falar mal de; tosar na pele de.

pó da china *S. m. Bras. Pop. Quím.* O pentaclorofenato de sódio, pó branco, muito tóxico e agressivo, usado como fungicida, herbicida, desinfetante e na indústria de papel, de manipulação perigosa [fórm.: C_6Cl_5ONa]. ☑

podadeira [De *podar* + *-deira*.] *S. f.* V. *podão* (2).

podador (ô) [Do lat. *putatore*.] *Adj.* **1.** Que poda. • *S. m.* **2.** Aquele que poda. **3.** *Zool.* Pequeno coleóptero (*Chalcodermus bondari*) que poda as pontas dos galhos do algodoeiro.

podadura [De *podar* + *-dura*.] *S. f.* V. *poda* (1 a 3).

podagra [Do gr. *podágra*, pelo lat. *podagra*, por via erudita.] *S. f. Reum.* Dor em pododáctilo, causada por gota[1] (6).

podagrária [De *podagra* + *-ária*.] *S. f. Bot.* Erva apiácea (*Aegopodium podagraria*) nativa da Europa, que cresce à sombra, e cultivada pelas folhas, us. contra a podagra e tb. como verdura.

podagrento [De *podagra* + *-ento*.] *Adj.* Que sofre de podagra; podágrico, gotoso: "Vi o bicho podagrento espichar as cartas, todo ofegante, soprando." (Gilberto Amado, *Depois da Política*, p. 155.)

podágrico [De *podagra* + *-ico*[2].] *Adj.* **1.** Relativo a podagra. **2.** V. *podagrento*.

podal [De *pod(o)-* + *-al*[1].] *Adj. 2 g. Anat.* Relativo a pé (1).

podálico [De *podal* + *-ico*[2].] *Adj.* **1.** Que se efetua por meio do pé. **2.** Do lado dos pés.

podão [De *podar* + *-ão*[2].] *S. m.* **1.** Espécie de foice, de cabo curto, afiadíssima, usada para cortar madeira, podar árvores, abrir picada, etc. **2.** Tesoura para podar; podadeira, podoa: "Egídio não andaria afastado porque sobre o murozinho de pedra solta ficara pousado o seu cântaro, o seu podão e a sua enxada." (Eça de Queirós, *Contos*, p. 144.) **3.** *Fig.* Pessoa trôpega, sem forças, desajeitada.

podar [Do lat. *putare*.] *V. t. d.* **1.** Cortar ramos de (plantas); desbastar: *podar uma árvore.* **2.** Cortar, aparar (folhas, ramos, etc.): "Aprendeu a subir pelos longos caules com o auxílio dum cinturão de corda; e ele próprio, facão na mão, podava folhas, derrubava cocos." (Vasconcelos Maia, *O Leque de Oxum*, p. 43.) **3.** *Fig.* Tornar menos basto ou espesso; cortar, desbastar: *podar o cabelo.* **4.** *Fig.* Pôr limites a; tirar os excessos de, dar forma, como que podando: *Buscava podar o caráter do afilhado.* **5.** *Fig.* Criar empecilhos a; prejudicar: *Podava-lhe as ações mais por invídia do que por interesse.* **6.** *Bras. SP Autom. Gír.* Ultrapassar (um carro, a outro), tomando-lhe a frente num golpe de direção; cortar: *O ônibus podou o fusca.* [Fut. pret.: *podaria*, etc. Pres. subj.: *pode, podes, pode, podemos, podeis, podem*. Cf. *podária*, s. f., e *pôde, pudemos*, do v. *poder*.]

podargídeo [Do tax. *Podargus* (< gr. *pódargos*, 'que tem os pés brancos'; 'que tem os pés ágeis') + *-ídeo*[1]; tax. *Podargidae*.] *Zool. S. m.* **1.** Espécime dos podargídeos, família de aves caprimulgiformes de bico curvo e largo, penas marrons, cinzentas ou pretas e cauda longa; têm hábitos noturnos, alimentam-se de insetos e pequenos mamíferos, e nidificam nas forquilhas das árvores. Há dois gêneros com 13 espécies, distribuídas do Sudeste Asiático à Austrália. • *Adj.* **2.** Pertencente ou relativo a eles.

podária [De *pod(o)-* + *-ária*.] *S. f. Mat.* Curva podária (q. v.). [Cf. *podaria*, do v. *podar*.]

podário [De *pod(o)-* + *-ário*.] *Adj. Mat.* ~ V. *curva —a*.

→ **podcast** ['pɑd͵kæst] [Ingl., de *(i)Pod* + *(broad)cast*.] *S. m.* Arquivo eletrônico de áudio e de vídeo utilizado para veicular material jornalístico, música, etc.

▲ **-pode** V. *pod(o)-*.

pó de arroz *S. m.* **1.** Pó finíssimo que se aplica à epiderme do rosto, para absorver a gordura da pele e dar certa coloração à cútis. [Tb. se diz apenas *pó*.] • *S. 2 g.* **2.** *Bras. RJ* V. *fluminense*[2]. • *Adj. 2 g.* **3.** *Bras. RJ* V. *fluminense*[2]. [Pl.: *pós de arroz*.] ☑

podécio [Do lat. cient. *podetium*.] *S. m. Bot.* Porção do talo das cladoniáceas que se eleva para sustentar, no ápice, os apotécios. Pode ser ramificado, cilíndrico, infundibuliforme, etc.

pó de mico *S. m. Bras.* O revestimento, pruriente, da vagem da *Mucuna pruriens* (v. *pó-de-mico*), extraído e posto a secar. [Pl.: *pós de mico*.] ☑ notas 1 e 2

pó-de-mico *S. m. Bot.* Planta fabácea (*Mucuna pruriens*) herbácea, cujas vagens têm revestimento piloso que causa prurido; fava-café. [Pl.: *pós-de-mico*.]

podengo [De or. incerta.] *S. m.* Cão para a caça de coelhos: "Um podengo, corrido de longe, veio latindo." (Garibaldino de Andrade, *O Sol e a Nuvem*, p. 70.)

pó de pedra [De *pó*[1] + *de* + *pedra*.] *S. m. Constr.* Material proveniente do britamento de pedra, com diâmetros máximos inferiores a 0,075mm. [Pl.: *pós de pedra*.] ☑

poder [Do lat. vulg. *potere, calcado nas f. *potes, potest* e outras de *posse*.] *V. t. d.* **1.** Ter a faculdade de: *O soberano podia determinar, a seu gosto, a política do Estado.* **2.** Ter possibilidade de, ou autorização para: *As crianças não podem assistir a determinados espetáculos.* **3.** Estar arriscado ou exposto a; arriscar-se, expor-se a: *Quem não cuida da saúde pode morrer cedo.* **4.** Ter ocasião, ter oportunidade, meio de; conseguir: *Com as grades reforçadas, a fera não poderá escapar.* **5.** Ter força para: *O halterofilista pode erguer 150 quilos.* **6.** Ter calma, paciência, para: *Apressado, não pôde esperar cinco minutos.* **7.** Ter força de ânimo, energia de vontade, para: *Não podia esconder a vergonha que sentia.* **8.** Ter o direito, a razão, o motivo de: *Pelo que presenciou, podia afirmar que fora um acidente.* **9.** Ter vigor, robustez, saúde ou capacidade para aguentar, para suportar, etc.: *É alérgico: não pode usar lã; Não pode ver sangue.* **10.** Ter ocasião ou oportunidade de: *Naquela festa eu pude conhecer vários homens ilustres.* ***Int.*** **11.** Ter possibilidade. **12.** Dispor de força ou autoridade: *Os homens que podem devem governar bem o País.* **13.** Ter força física ou moral; ter influência, valimento. ***T. i.*** **14.** Ter força, robustez, capacidade, para suspender, aguentar, suportar: *A criança não podia com o peso.* **15.** Ter grande influência ou poder sobre: *Ninguém pode com este traquinas.* [Irreg. Pres. ind.: *posso, podes, pode, podemos*, etc.; perf.: *pude, pudeste, pôde, pudemos, pudestes, puderam*; m.-q.-perf.: *pudera, puderas*, etc.; fut. pres.: *poderei, poderás*, etc.; pres. subj.: *possa, possas*, etc.; imperf.: *pudesse, pudesses*, etc.; fut.: *puder, puderes*, etc.; ger.: *podendo*. Cf. *poço* (ô), s. m.; *pôde*, do v. *poder*, e *pode*, deste v. e do v. *podar*; *pudemos*, do v. *poder*, e *podemos*, deste v. e do v. *podar*; *poça*, s. f.; *poder* e *puder*; *poderes* (ê), do v. *poder* e pl. do s. *podere*, e *poder*, e *puderes* do mesmo v.; e, ainda, *pudendo*, adj. Não se conjuga no imperativo, embora o tenha feito o P.e Antônio Vieira: "Se quereis ser onipotentes, podei somente o justo, o lícito, e não queirais poder o ilícito, e injusto." (*Sermões*, VI, p. 309.)] • *S. m.* **16.** Direito de deliberar, agir e mandar. **17.** Faculdade, possibilidade. **18.** Vigor, potência. **19.** Autoridade, soberania, império. **20.** Domínio, influência, força. **21.** Posse, jurisdição. **22.** Eficácia, efeito, virtude: *Extraordinário o poder deste remédio.* **23.** Recurso, meios. **24.** Capacidade, aptidão: *Tem o poder de dissimular.* **25.** O governo de um Estado: *poder monárquico; poder constitucional.* **26.** *P. ext.* O poder (25) considerado segundo suas formas e manifestações: *Os três poderes (o executivo, o judiciário e o legislativo) são independentes e se harmonizam entre si.* **27.** Grande quantidade; grande número: *um poder de gente*; "Foi logo um poder de balas, caindo de todos os lados, ... zunindo a esmo sobre as cabeças tontas." (Albertino Moreira, *Boca-Pio*, p. 36); "primeiro que lá se chegasse ainda era preciso andar... Era um poder de passos e paciência" (Trindade Coelho, *Os Meus Amores*, p. 51). **28.** *Estat.* Probabilidade associada a uma região crítica, e cujo complemento é a probabilidade de se cometer um erro de tipo II. **29.** *Filos.* Segundo algumas correntes filosóficas atuais, potência exercida de modo difuso, e não necessariamente explícito, pelo conjunto das relações sociais sobre os indivíduos, e que lhes impõe determinações que regulam seus modos de ser: comportamentos, interesses, ideologias, etc. [Pl.: *poderes*. Cf. *puderes*, do v. *poder*.] ~ V. *poderes*. ◆ **Poder aéreo.** A força aérea nacional e sua infraestrutura de apoio. **Poder aquisitivo.** *Econ.* Capacidade que tem um grupo social, um indivíduo, uma unidade monetária, etc., de comprar mercadorias e serviços; poder de compra: *O poder aquisitivo da moeda diminui com a inflação; As camadas de menor poder aquisitivo gastam a maior parte de sua renda com alimentação.* **Poder calorífico.** *Fís.* Medida de quantidade de energia térmica liberada pela combustão da unidade de peso de um combustível. **Poder combatente.** *Mil.* A combinação de efetivos, mobilidade, apoio de fogo e habilidade ou capacidade tática de uma força ou de um conjunto de unidades militares, navais e/ou aéreas. **Poder constituinte.** *Jur.* Designação dada à assembleia que representa o povo para elaboração, promulgação e alteração da constituição. **Poder de barganha.** *Adm.* Capacidade de uma das partes envolvidas em uma negociação fazer prevalecer os seus argumentos ou pontos de vista, exercendo influência sobre as demais e, normalmente, obtendo vantagem para si. **Poder de cobertura.** **1.** *Art. Gráf.* Grau de opacidade das tintas. **2.** *Pint.* Capacidade de uma tinta de recobrir uma superfície mascarando-a completamente. **Poder de compra.** *Econ.* Poder aquisitivo. **Poder de fogo.** **1.** Capacidade destrutiva de uma arma de fogo ou de um conjunto delas. **2.** *P. ext.* Capacidade destrutiva de grupo ou indivíduo armado: *o poder de fogo da polícia.* **Poder dispersor.** *Ópt.* Dispersão relativa. **Poder emissivo.** *Fís.* Radiância energética. **Poder de barganha.** *Adm.* Capacidade de uma das partes envolvidas em uma negociação fazer prevalecer os seus argumentos ou pontos de vista, exercendo influência sobre as demais e, normalmente, obtendo vantagem para si. **Poder espiritual.** Autoridade eclesiástica. **Poder executivo.** *Jur.* Aquele que, segundo a organização constitucional do Estado, tem a seu cargo a execução das leis, bem como o governo e a administração dos negócios públicos. [Tb. se diz apenas *executivo*. Cf. *poder judiciário* e *poder legislativo*.] **Poder jovem.** O conjunto dos jovens, a juventude, como força atuante e participante. **Poder judiciário.** *Jur.* Aquele a que, segundo a organização constitucional do Estado, compete determinar e assegurar a aplicação das leis que garantem os direitos individuais. [Tb. se diz apenas *judiciário*. Cf. *poder executivo* e *poder legislativo*.] **Poder legislativo.** *Jur.* Aquele a que, segundo a organização constitucional do Estado, compete elaborar as leis. [Tb. se diz apenas *legislativo*. Cf. *poder executivo* e *poder judiciário*.] **Poder marítimo.** Capacidade que tem uma nação de utilizar, na guerra, as vias marítimas, e de negar o uso delas aos navios inimigos. [Inclui, pois, não somente a sua marinha de guerra, mas também a sua marinha mercante, os seus estaleiros de construção e de reparos navais, e outros elementos que concorrem para aquela capacidade.] **Poder moderador.** Nos regimes representativos, o quarto poder do Estado (abolido no Brasil com o advento da República), que faculta ao soberano intervir, com funções fiscalizadoras, em determinados assuntos próprios dos outros poderes, assegurando-lhes, dentro dos limites constitucionais, o devido equilíbrio. **Poder nacional.** Conjunto de condições políticas e psicossociais, e de recursos econômicos e militares, de que uma nação dispõe para alcançar e manter, tanto no âmbito interno quanto no campo internacional, seus objetivos nacionais, a despeito dos antagonismos que se lhe oponham. **Poder naval.** A marinha de guerra nacional e sua infraestrutura de apoio imediato. **Poder negro.** Movimento com que os negros visam a atingir a igualdade social por meio do poder político, alcançado com a união da sociedade negra em instituições culturais e políticas especificamente de negros. **Poder público.** **1.** O conjunto dos órgãos investidos de autoridade para realizar os fins do Estado. **2.** Administração pública; o governo. **Poder rotatório.** *Fís.* Medida do desvio angular que uma substância opticamente ativa imprime ao plano de vibração de um feixe de radiação plano-polarizado. **Poder separador.** *Ópt.* Medida da capacidade de um instrumento óptico de produzir imagens distintas, de pontos muito próximos. **Poder temporal.** **1.** O poder do Papa como soberano territorial. **2.** Autoridade civil. **Poderes constituídos.** Os poderes executivo, legislativo e judiciário, considerados globalmente como órgãos da soberania nacional. **A poder de.** Com o auxílio ou emprego de; à força de; à custa de: *Tudo alcança a poder de trabalho.* **Pátrio poder.** O conjunto dos direitos e deveres dos pais em relação às pessoas e bens dos filhos menores. **Plenos poderes.** Carta branca (q. v.).

podere [Do gr. *podéres*, pelo lat. *podere*.] ***S. f.*** Longa túnica sacerdotal, que descia até os pés, entre os antigos; espécie de hábito talar. [Pl.: *poderes*. Cf. *puderes*, do v. *poder*.]

poderes (ê) [Pl. de *poder*.] ***S. m. pl.*** Procuração (1). ~ V. *poder*.

poderio [De *poder* + *-io*[2].] ***S. m.*** **1.** Grande poder. **2.** Autoridade, domínio, poder.

poderoso (ô) [De *poder* + *-oso*.] ***Adj.*** **1.** Que tem poder. **2.** Que exerce poderio. **3.** Que tem influência, valimento; influente. **4.** Que produz grande efeito; intenso, enérgico: *medicação poderosa.* **5.** Que demove, dissuade. ~ V. *poderosos*.

poderosos [Pl. subst. de *poderoso*.] ***S. m. pl.*** Indivíduos que têm grande poder ou influência, com base na riqueza ou na posição social. ~ V. *poderoso*.

pó de sapato [De *pó*[1] + *de* + *sapato*.] ***S. m.*** Pó escuro, produzido pela fuligem ou pela combustão de certas substâncias, como, p. ex., o marfim, e que entra na composição da graxa, servindo para diferentes usos; negro de fumo. [Pl.: *pós de sapato*.]

podestade [Do lat. *potestate*.] ***S. m.*** O primeiro magistrado, nas cidades centrais e setentrionais da Itália, na Idade Média: "Condestáveis, podestades, gonfaloneiros, comissários, capitães-generais e cabos-d'esquadra, balistários, escopeteiros e lanceiros franceses encontravam-se nesse vestíbulo, enchendo-o com a animação de seu trânsito mesclado e febricitante." (Alberto Rangel, *Livro de Figuras*, p. 96.) [Cf. *potestade*.]

podiatria [De *pod(o)-* + *-iatria*.] ***S. f. Med.*** Ramo da medicina destinado à prevenção e ao tratamento de doenças que incidem em um ou em ambos os pés; (*impr.*) *quiropodia*. [Baseia-se em estudos anatômicos, patológicos, e em procedimentos conservadores ou cirúrgicos.]

pódice [Do lat. *podice*.] ***S. m.*** **1.** O ânus. **2.** As nádegas.

podicípede [Do lat. *podex*, *icis*, 'ânus'; 'nádega', + *-i-* + *-pede*.] ***Adj. 2 g. Zool.*** Diz-se de algumas aves que têm os pés junto ao ânus.

podicipedídeo [Do lat. cient. *Podiciped-* (< tax. *Podiceps*) + *-ídeo*[1]; tax. *Podicipedidae*.] ***Zool. S. m.*** **1.** Espécime dos podicipedídeos, família de aves podicipediformes, caracterizadas por terem os dedos marginados por uma membrana, porém não reunidos por ela. Vivem na água, alimentando-se de peixes e artrópodes aquáticos. São os mergulhões. ● ***Adj.*** **2.** Pertencente ou relativo a eles. [Sin. ger.: *colimbídeo*.]

podicipediforme (ci) [Do lat. cient. *Podiciped-* (< tax. *Podiceps*) + *-iforme*; tax. *Podicipediformes*.] ***Zool. S. m.*** **1.** Espécime dos podicipediformes, ordem de aves neórnites, neógnatas, de pernas situadas muito atrás, patela grande, três dedos anteriores unidos na base por uma membrana, que se prolonga até a ponta dos dedos em orla chata, asas curtas, cauda formada por penugem e desprovida de retrizes. São os mergulhões. ● ***Adj. 2 g.*** **2.** Pertencente ou relativo a eles. [Sin. ger.: *colimbiforme*, *pigópode*.]

pódio [Do gr. *pódion*, 'pequeno pé', 'pequena base', pelo lat. *podiu*.] ***S. m.*** **1.** Muro baixo que, nos anfiteatros romanos, circundava a arena, separando-a das arquibancadas. **2.** Tribuna junto ao pódio (1), para alojar o imperador e personagens grados. **3.** *Arquit.* Na fachada de uma edificação, espécie de pedestal destinado a suportar pilares, em geral com plinto e cornija. **4.** *Arquit.* Piso (3) elevado, que se destina a pôr em destaque parte de um ambiente. [Cf., nesta acepç., *jirau* (5).] **5.** *Esport.* Nos estádios, plataforma onde os concorrentes classificados nos primeiros lugares são apresentados ao público e onde ger. recebem medalhas, troféus, etc. com que são premiados. **6.** *Mús.* Estrado para regente de orquestra. **7.** *Zool.* Projeção do sistema ambulacrário dos equinodermos, terminada, geralmente, em pequena ventosa.

▲ **-pódito** [Do V.C.I. *-podite*.] ***El. comp.*** = 'segmento': *endopódito*, *exopódito*.

▲ **pod(o)-** [Do gr. *pod-*, *podo-* < gr. *poús*, *podós*.] ***El. comp.*** = 'pé': *podal*, *podofalange*. [Equiv.: *-pod(o)-*, *-pode*, *-podo*: *atelopodia*; *artrópode*; *balípodo*.]

▲ **-pod(o)-** V. *pod(o)-*.

▲ **-podo** V. *pod(o)-*.

podoa (ô) ***S. f.*** V. *podão* (2).

podobrânquia [De *pod(o)-* + *-brânquia*.] ***S. f. Zool.*** Brânquia cuja inserção aparente é no primeiro segmento das patas, como ocorre nos crustáceos decápodes.

podocarpácea [Do tax. *Podocarpus* (v. *pod(o)-* e *-carpo*) + *-ácea*; tax. *Podocarpaceae*.] ***S. f. Bot.*** Espécime das podocarpáceas, família de plantas gimnospermas, da classe das coníferas, formada de arbustos e árvores do hemisfério austral. Os estames têm dois sacos polínicos; e o pólen, vesículas aeríferas que o fazem flutuar no ar; carpelos com um só óvulo; semente drupácea; folhas escamiformes ou lineares. Há umas 90 espécies, sendo apenas duas brasileiras.

podocarpáceo [De *podocarpácea*, com var. suf. (v. *-áceo*).] ***Adj. Bot.*** Pertencente ou relativo às podocarpáceas.

podocarpo [De *pod(o)-* + *-carpo*; tax. *Podocarpus*.] ***S. m.*** **1.** *Bot.* O gênero-tipo das podocarpáceas, que inclui árvores e arbustos de folhas ger. coriáceas, flores masculinas solitárias ou fasciculadas, as femininas com uma ou mais escamas carpelares, e frutos carnosos. **2.** Espécie, ou espécime desse gênero.

podocnémis ***S. f. 2 n. Zool.*** V. *podocnêmis*. [Uso freq. em P.]

podocnêmis [Do tax. *Podocnemis*.] ***S. f. 2 n. Zool.*** **1.** Gênero de tartarugas, quase todas sul-americanas, ao qual pertence a *Podocnemis unifilis*, que vive nos afluentes do Amazonas, e a *Podocnemis madagascariensis*. **2.** Espécie ou espécime desse gênero.

pododáctilo [De *pod(o)-* + *-dá(c)tilo*.] ***S. m. Anat.*** Dedo de pé. [Sin.: (impr.) *pedartículo* e (desus.) *artelho*. Var.: *pododátilo*.]

pododátilo ***S. m. Anat.*** V. *pododáctilo*.

pododigital [De *pod(o)-* + *-digit(i)-* + *-al*[1].] ***Adj. 2 g. Anat.*** Relativo ou pertencente a(os) dedo(s) do(s) pé(s).

podofalange [De *pod(o)-* + *falange*.] ***S. f. Anat. Desus.*** Falange de pododáctilo.

podofalangeta (ê) [De *pod(o)-* + *falangeta*.] ***S. f. Anat. Desus.*** Falangeta de pododáctilo.

podofalanginha [De *pod(o)-* + *falanginha*.] ***S. f. Anat. Desus.*** Falanginha de pododáctilo.

podofilino [De *podofilo* + *-ino*[1]; tax. *Podophyllum*.] ***S. m.*** Resina purgativa extraída de *Podophyllum peltatum*, berberidácea norte-americana.

podofilo [De *pod(o)-* + *-filo*[1].] ***S. m. Bot.*** Arbusto berberidáceo (*Podophyllum peltatum*) ornamental, nativo na América do Norte, que produz frutos comestíveis. É importante a resina purgativa que dele se extrai, usada com o nome de *podofilino*.

podoftalmo [De *pod(o)-* + *-oftalmo*; tax. *Podophtalma*.] ***Zool. S. m.*** **1.** Espécime dos podoftalmos, em algumas classificações, divisão de metazoários, artrópodes, crustáceos, malacostráceos, providos de olhos pedunculados e de uma carapaça cefalotorácica. São os esquizópodes, os estomatópodes e os decápodes. ● ***Adj.*** **2.** Pertencente ou relativo a eles. [Sin. ger.: *toracostráceo*.]

podogónio ***S. m. Adj. Zool.*** V. *podogônio*. [Uso freq. em P.]

podogônio [De *pod(o)-* + *-gon(o)-*[2] + *-io*[3]; tax. *Podogona*.] ***Zool. S. m.*** **1.** Espécime dos podogônios, ordem de artrópodes aracnídeos, com cefalotórax articulado ao abdome em quase toda a largura, o abdome com uma série de placas em mosaico, olhos ocultos pelo cuculo, e órgão copulador do macho no terceiro par de patas. ● ***Adj.*** **2.** Pertencente ou relativo a eles. [Sin. ger.: *ricinúleo*.]

podologia [De *pod(o)-* + *-logia*.] ***S. f. Ort.*** Ramo da ortopedia que se dedica ao estudo, diagnóstico, prevenção e tratamento das afecções que acometem os pés.

podometragem [De *podômetro* + *-agem*[2].] ***S. f. Bras.*** Avaliação de distância percorrida, por meio do podômetro.

podometrar [De *podômetro* + *-ar*[2].] ***V. t. d. Bras.*** Medir com o podômetro. [Pres. ind.: *podometro*, etc. Cf. *podômetro*.]

podométrico [De *podômetro* + *-ico*[2].] ***Adj.*** Relativo ao podômetro.

podómetro ***S. m.*** V. *podômetro*. [Uso freq. em P.]

podômetro [De *pod(o)-* + *-metro*.] ***S. m.*** Instrumento de bolso para contagem dos passos percorridos por um caminhante; passômetro: "durante 25 anos, andou [Max Hubner] com um podômetro que, registrando os seus passos, mostrou a diminuição da sua atividade física pelo avanço da idade." (A. da Silva Melo, *Estados Unidos. Prós & Contras*, p. 207). [Cf. *podometro*, do v. *podometrar*.]

podospermo [De *pod(o)-* + *-spermo*.] ***S. m. Bot. Desus.*** Funículo (3).

podostemácea [Do tax. *Podostemum* + *-ácea*; tax. *Podostemaceae*.] ***S. f. Bot.*** Espécime das podostemáceas, família de plantas floríferas, da ordem das podostemales. O organismo é taliforme, achatado ou laminar, as folhas são dísticas, as flores, insignificantes, envolvidas numa espatela, e o fruto é capsular. Vivem sobre rochas mergulhadas na água corrente, e possuem raízes assimiladoras. [Conhecem-se perto de 180 espécies tropicais, muitas das quais brasileiras.]

podostemáceo [De *podostemácea*, com var. suf. (v. *-áceo*).] ***Adj. Bot.*** Pertencente ou relativo às podostemáceas.

podostemal [Do tax. *Podostemum* (v. *podostemácea*) + *-al*[1].] ***Adj. 2 g. Bot.*** Pertencente ou relativo às podostemales.

podostemale [Do tax. *Podostemum* + *-ale*; tax. *Podostemales*.] ***S. f. Bot.*** Espécime das podostemales, ordem de plantas dicotiledôneas arquiclamídeas, de flores hermafroditas, e que apenas inclui as podostemáceas.

podoteca [De *pod(o)-* + *teca*[2].] ***S. f. Zool.*** O tarso das aves quando revestido de placas córneas.

podrão [De *podre* + *-ão*[1].] ***Adj. Bras. CE Pop.*** Péssimo. [Fem.: *podrona*.]

podre (ô) [Do lat. *putre*.] ***Adj. 2 g.*** **1.** Em decomposição; deteriorado; corrupto. **2.** Fétido, malcheiroso; infecto. **3.** *Fig.* Pervertido, contaminado. **4.** *Fig.* Extremamente cansado; exausto. ~ V. *burgo* —, *linha* —, *massa* —, *moeda* — e *paz* —. ● ***S. m.*** **5.** A parte putrefata de alguma coisa. **6.** *Fig.* O lado fraco ou condenável. **7.** *Bras. GO* Ouro nativo de cor escura. ● ***S. f.*** **8.** V. *furada* (2): "Deixa comigo. Estou querendo me livrar disso. Desde o princípio achei que era uma

P

podre." (Rubem Fonseca, *Histórias de Amor*, p. 130.) ~ V. *podres*. ◆ **Podre de.** Em alto grau; muitíssimo: *podre de rico; podre de chique; podre de cansado;* "— Mas ele vai ser podre de feliz comigo!" (Lígia Fagundes Teles, *O Jardim Selvagem*, p. 13).

podredoiro [De *podre* + *-doiro*².] *S. m.* Podredouro (q. v.).

podredouro [De *podre* + *-douro*²; var. de *podredoiro*.] *S. m.* 1. Lugar onde apodrecem quaisquer substâncias. 2. Lugar onde existe muita podridão; monturo, podrigueira.

podres (ô) [Pl. de *podre*.] *S. m. pl.* Máculas; defeitos; vícios. ~ V. *podre*.

podricalho [De *podrico, dim. de podre, + *-alho*.] *Adj.* 1. Sem energia; preguiçoso, moleirão, molangueirão. ● *S. m.* 2. Coisa podre.

podrida *S. f.* V. *olha-podrida*.

podridão [De *podre* + *-idão*.] *S. f.* 1. Estado de podre. 2. *Fig.* Desmoralização; corrupção; devassidão; sânie. [Sin. ger.: *podriqueira*.]

podridão-parda [De *podridão* + o f. de *pardo*².] *S. f. Bras. Bot.* Moléstia causada por um fungo que ataca os frutos do cacaueiro, e que é responsável pela perda de grande parte da produção; mela, geada. [Pl.: *podridões-pardas*.]

podrido [Part. de *podrir < lat. *putrere*.] *Adj.* Apodrecido, podre, putrefato: "As moças ao serão, entre o fiar palreiro, / também têm da invernia indício bem certeiro, / quando o candil de barro entra a espirrar, e estira / os podridos morrões." (Antônio Feliciano de Castilho, *As Geórgicas*, p. 51); "Bem cego e bem surdo aquele que não veja nem ouça a sociedade velha a estalar e desconjuntar-se em seu podrido arcaboiço." (Aquilino Ribeiro, *Alemanha Ensanguentada*, pp. 159-160).

podrigueira *S. f. Bras.* V. *podredouro* (2).

podriqueira *S. f. Bras.* V. *podridão*.

podrura [De *podre* + *-ura*.] *S. f.* 1. *Ant.* Podridão. 2. *Bras. PE Fig.* Pessoa sem préstimo, ociosa, moleirona.

podura [Do tax. *Podura*.] *S. f. Zool.* 1. O gênero-tipo dos podurídeos, insetos ápteros, saltadores, de pequeno porte, e de corpo cilíndrico; vivem sob pedras. 2. Espécie ou espécime desse gênero.

podurídeo [Do tax. *Podura* (gênero-tipo) + *-ídeo*¹; tax. *Poduridae*.] *Zool. S. m.* 1. Espécime dos podurídeos, família de insetos colêmbolos que reúne o gênero Podura e assemelhados. ● *Adj.* 2. Pertencente ou relativo a eles.

poduro [De *pod(o)-* + *-uro*.] *Adj. Zool.* Diz-se de inseto que se apoia na cauda para se locomover.

poduromorfo [Do tax. *Podura* + *-o-* + *-morfo*; *Poduromorpha*.] *Zool. S. m.* 1. Espécime dos poduromorfos, seção de insetos colêmbolos que têm o tergo do protórax piloso e semelhante aos outros segmentos do corpo. ● *Adj.* 2. Pertencente ou relativo a eles.

poedeira (o-e) [Do ant. *poer*, 'pôr', + *-deira*.] *Adj. (f.)* Diz-se da galinha que já põe, ou que põe muitos ovos: "Tivera o intuito de empolgar uma galinha .... poedeira, que soubera existir no quintal do Trancoso..." (Cândido Jucá [filho], *Noite Insone*, p. 86.) [Cf. *puideira*.]

poedoiro (o-e) [Do ant. *poer* + *-doiro*².] *S. m.* Poedouro (q. v.).

poedor (ô) [Do ant. *poer*, 'pôr', + *-dor*.] *Adj.* Que põe ovos (diz-se de animal).

poedouro (o-e) [Do ant. *poer* + *-douro*²; var. de *poedoiro*.] *S. m.* 1. Trapos ou fios que se usavam no tinteiro para conservar a tinta embebida neles. 2. Trapo embebido em tintas, do qual se servem os pintores. 3. Trapo dobrado pelo qual passa o fio da meada que se doba.

poeira [De *pó*¹ + *-eira*.] *S. f.* 1. Terra seca pulverizada; pó. 2. *P. ext.* O solo, o chão. 3. *Fam.* Vaidade, presunção, jactância. 4. *Bras.* V. *ralé* (1). 5. *Bras. Gír.* V. *pó* (4). ● *S. m.* 6. *Bras.* Cinema de ínfima ordem; pulgueiro: "Nas feiras e armazéns, pechinchava sempre. Preferia esperar pelos filmes nos 'poeiras'." (Lêdo Ivo, *O Flautim*, p. 52.) ● *Adj.* 7. *Bras.* Diz-se de cinema de ínfima ordem. 8. *Bras.* Diz-se de indivíduo brigão, irascível, irritadiço. [Cf. *puera*.] ◆ **Poeira cósmica.** *Astr.* Partículas de matéria de fraca densidade, existente nos espaços interstelar, intergaláctico e interplanetário. [Cf. *matéria interstelar*.] **Poeira meteórica.** *Astr.* Meteoroide de dimensões muito pequenas. **Poeira meteorítica.** *Astr.* Meteoroide de dimensões muito inferiores a um décimo de milímetro. **Poeira vulcânica.** *Geol.* Produto sólido reduzido a pó e lançado por vulcão em erupção. **Baixar a poeira.** Tornar-se clara uma situação; assim que os ânimos ou a confusão em relação a algo tiver passado. **Dar poeira.** *Bras. Gír.* Passar (um automóvel) à frente de outro, deixando-o distanciado. **Fazer poeira.** *Bras. Gír.* Provocar desordem. **Levantar poeira.** *Bras. Gír.* Mostrar-se fanfarrão; bazofiar.

poeirada [De *poeira* + *-ada*¹.] *S. f.* 1. Grande porção de pó ou de poeira. 2. Nuvem de pó. [Sin. (no RS), nessas acepçs.: *polvadeira*.] 3. *Fig.* Presunção, pretensão, vaidade. 4. *Bras. Pop.* Rumor, barulho, tumulto, sem consequências graves.

poeiramento [De *poeirar* + *-mento*. Cf. *empoeiramento*, de *empoeirar*.] *S. m.* V. *polvilhação*.

poeirar [De *poeira* + *-ar*².] *V. t. d.* 1. Empoeirar. 2. Polvilhar.

poeirento [De *poeira* + *-ento*.] *Adj.* 1. Que tem poeira; coberto de pó; poento, polvoroso, pulveroso, pulverulento. 2. *Fig.* Antigo, antiquado.

poejo (ê) [Do lat. *pulegiu, puleiu*.] *S. m. Bot.* Erva lamiácea (*Mentha pulegium*) cultivada no Brasil como planta aromática, de delgados ramos prostrados e folhas pequenas, fortemente odoríferas quando esmagadas, e que cedem um óleo rico em mentol. A reprodução é vegetativa, por meio de pedaços de ramos: "Nos quintais, canteiros de couve-gigante, os temperos, macela-galega, poejo" (Antônio Celso, *A Porta de Jerusalém*, p. 23).

poema [Do gr. *poíema*, 'o que se faz', pelo lat. *poema*.] *S. m.* 1. Obra em verso. 2. Composição poética de certa extensão, com enredo. [Dim. irreg., nessas acepçs.: *poemeto*.] 3. *P. ext.* Epopeia (1). 4. *Mús.* Composição de estrutura livre, para instrumento único ou instrumento solista. ◆ **Poema dramático.** *Teatr.* Designação genérica das peças e espetáculos nos quais os elementos psicológicos, dramáticos, visuais, musicais, coreográficos, etc., convergem para o simbólico, o fantástico, o lírico. **Poema sinfônico.** *Mús.* Peça orquestral em um só movimento, de caráter descritivo e de forma muito livre.

poematicamente (mà) [Do f. de *poemático* + *-mente*.] *Adv.* De maneira poemática; como em um poema.

poemático [Do gr. *poiematikós* < gr. *poíema, atos*, 'poema'.] *Adj.* Referente a, ou próprio de poema.

poematizar [De *poemat-*, como em *poemático*, + *-izar*.] *V. t. d.* Dar forma de poema a.

põe-mesa [De *pôr* + *mesa*.] *S. f. Bras. N.E. Zool. Pop.* V. *louva-a-deus*. [Pl.: *põe-mesas*.]

poemeto (ê) [De *poema* + *-eto*¹.] *S. m. Arte Poét.* Poema (1 e 2) curto.

poente [Do lat. *ponente*.] *Adj. 2 g.* 1. Que põe; que se põe. 2. Diz-se do Sol quando está no ocaso. ● *S. m.* 3. *Astr. Geogr.* V. *oeste* (1 e 2). 4. O pôr do sol; o ocaso.

poento [De *pó*¹ + *-ento*.] *Adj.* Poeirento (1): "Eu deixo a vida como deixa o tédio / Do deserto, o poento caminheiro" (Álvares de Azevedo, *Obras Completas*, I, p. 122).

poer [Do lat. *ponere*.] *V. t. d. Ant.* Pôr.

▲ **-poese** [Do gr. *-poíesis* < gr. *poíesis, eōs*.] *El. comp.* = 'formação', 'criação': *eritropoese, galactopoese*. [O ditongo gr. *-oi-* passa a *-o-* em latim; gr. *poíesis* > lat. *poesis*.]

poesia [Do gr. *poíesis*, 'ação de fazer algo', pelo lat. *poese*, + *-ia*¹.] *S. f.* 1. Arte de escrever em verso. 2. Composição poética de pequena extensão. 3. Entusiasmo criador; inspiração. 4. Aquilo que desperta o sentimento do belo. 5. O que há de elevado ou comovente nas pessoas ou nas coisas. 6. Encanto, graça, atrativo. ◆ **Poesia pura.** *Arte Poét.* Corrente da poesia moderna que renuncia à expressão de sentimentos individuais e ao material anedótico.

poesia de sete *S. f. Bras. Liter. Pop.* Estrofe de sete versos heptassílabos, com o esquema rimático ABCBDDB; obra de sete pés. [Pl.: *poesias de sete*.] ☑

poeta [Do gr. *poietés*, 'aquele que faz', pelo lat. *poeta*.] *S. m.* 1. Aquele que tem faculdades poéticas e se consagra à poesia; aquele que faz versos. [Sin. (eruditos): *aedo* e *vate*.] 2. Aquele que tem imaginação inspirada. 3. Aquele que devaneia ou tem caráter idealista. 4. *Bras. Gír.* Qualquer indivíduo. 5. *Bras. MG* Indivíduo loquaz, bem-falante. [Fem.: *poetisa*; deprec.: *poetaço, poetastro*. Cf. *poeta*, do v. *poetar*.] ◆ **Poeta de água doce.** 1. Poeta que em seus versos celebra um rio. 2. Mau poeta. 3. Poeta muito jovem. **Poeta de bancada.** *Bras. N.E.* Poeta popular. **O Poeta Negro.** Antonomásia de Cruz e Sousa (1861-1898), poeta brasileiro.

poetaço [De *poeta* + *-aço*.] *S. m.* Mau versejador; poetastro.

poetagem [De *poeta* + *-agem*².] *S. f. Bras. MG* 1. Loquacidade, verbosidade. 2. *Bras. SP Pop.* Invencionice, mentira.

poetar [Do lat. tard. *poetare*.] *V. t. d.* 1. Cantar em verso: *Camões poetou as navegações portuguesas.* *Int.* 2. Fazer versos; versejar, poetizar: "Todos os moços, quando chegam à idade de amar e de poetar, associam a ideia do amor à ideia da morte." (Olavo Bilac, *Conferências Literárias*, p. 48.)

poetastro [De *poeta* + *-astro*.] *S. m.* V. *poetaço*.

poética [Do gr. *poietiké*, f. de *poietikós*, pelo lat. *poetica*.] *S. f.* 1. Arte de fazer versos. 2. Teoria da versificação. 3. *Liter.* Crítica literária que trata da natureza, da forma e das leis da poesia. 4. *Liter.* Estudo ou tratado sobre a poesia ou a estética. 5. *Liter.* Estilo da poesia de uma época, de uma região ou de um poeta.

poético [Do gr. *poietikós*, pelo lat. *poeticu*.] *Adj.* 1. Relativo a, ou próprio da poesia. 2. Que encerra poesia. 3. Que inspira; inspirador. ~ V. *função —a* e *licença —a*.

▲ **-poético** [Do gr. *-poiētikós* < gr. *poiētikós, ḗ, ón*.] *El. comp.* = 'que produz', 'que cria', 'que forma': *hematopoético*. [O ditongo gr. *-oi-* passa a *-o-* em latim: gr. *poiētikós* > lat. *poeticus*.]

poético-musical *Adj. 2 g.* 1. Relativo a poesia e a música. 2. Que participa da natureza de uma e da de outra. [Pl.: *poético-musicais*.]

poetificar [De *poeta* + *-ificar*.] *V. t. d.* 1. Poetizar (1). 2. Inspirar poesia a. [Conjug.: v. *trancar*.]

poetisa [De *poeta* + *-isa*.] *S. f.* Mulher que faz poesias. [Cf. *poetiza*, do v. *poetizar*.]

poetismo [De *poeta* + *-ismo*.] *S. m.* Os poetas.

poetização [De *poetizar* + *-ção*.] *S. f.* Ato de poetizar.

poetizar [De *poético* + *-izar*, seg. o padrão erudito.] *V. t. d.* 1. Tornar poético; poetificar: "No campo de Viana a verdura da vegetação suaviza a luz; a água doce do rio .... poetiza a natureza como nas regiões dos lagos." (Ramalho Ortigão, *As Farpas*, I, p. 39.) *Int.* 2. Fazer versos; versejar, poetar: "poetizava por natureza, como as flores dimanam cheiros" (Machado de Assis, *Crônicas*, I, p. 347). [Pres. ind.: *poetizo, poetizas, poetiza*, etc. Cf. *poetisa*.]

poetoide (ói) [De *poeta* + *-oide*.] *S. m. Deprec.* V. *poetaço*. ❖

pogoníase [De *pogon(o)-* + *-íase*.] *S. f. Med.* 1. Crescimento exagerado da barba. 2. Desenvolvimento da barba em uma mulher.

pogônio [Do lat. cient. *pogonium* ou *pogonion* (do gr. *pogónion*, 'pequena barba').] *S. m. Odont.* O ponto mais anterior do plano sagital mandibular.

▲ **pogon(o)-** [Do gr. *pṓgōn, ōnos*.] *El. comp.* = 'barba', 'pelo': *pogoníase, pogonópode*. [Equiv.: *-pogon(o)-*: *ceratopogonídeo*.]

▲ **-pogon(o)-** V. *pogon(o)-*.

pogonóforo [De *pogon(o)-* + *-foro*.] *Adj. Zool.* Diz-se do animal que tem pelos no focinho, à maneira de barba.

pogonópode [De *pogon(o)-* + *-pode*.] *Adj. 2 g. Zool.* Que tem os pés cobertos de pelos.

➔ **pogrom** [pɔ'grɔm] [Russo, 'destruição total', 'devastação'; 'massacre'.] *S. m.* 1. Na Rússia czarista, agitação ou tumulto de grande violência, dirigidos contra uma comunidade, classe ou minoria. 2. Ataque organizado contra uma comunidade judaica, com grande destruição e, ger., morticínio, insuflado ou tolerado pelas autoridades oficiais: "sempre penso assim: escapamos do pogrom, escapamos dos fornos crematórios dos nazistas, então tudo é lucro, não é mesmo?" (Moacir Scliar, *A Majestade do Xingu*, p. 190). 3. *P. ext.* Ataque ou tumulto semelhante, em outros países da Europa central e oriental.

poia (ói) *S. f. Bras. MG Pop.* Pessoa moleirona, preguiçosa, indolente. [Cf. *poia* (ôi).] ❖

poia (ôi) [De *poio*.] *S. f.* 1. Pão alto, ou bolo grande, de trigo. 2. O pão que se deixa ao dono do forno, ou ao forneiro, em retribuição da cozedura da fornada. [Cf. *poia*, do v. *poiar* e *poia* (ói), s. f.]

poiá *S. m. Bras.* Fogão rústico, formado de pedras sobre as quais assentam as panelas. [Cf. *poial*.]

poial [De *poio* + *-al*¹.] *S. m.* 1. Lugar onde se põe ou assenta alguma coisa. [Sin., ant.: *pojo*.] 2. Assento de pedra na entrada de uma casa, junto às paredes, e nos muros das entradas: "Enquanto o barqueiro, comido e refeito, ... descia o poial da casa para ir rever o barco, ... a velha agitava com toda a força os braços secos, passando um esfregão no couro encarquilhado de umas botinas velhas." (Xavier Marques, *Jana e Joel*, pp. 14-15.) [Sin. ger.: *poio*. Cf. *poiá*.]

poiana *S. 2 g. Adj. 2 g. Bras.* V. *pauxiana*.

poianaua *Bras. S. 2 g.* 1. *Etnôn.* Indivíduo dos poianauas [ou (etnôn. bras.) *Poyanawa], povo indígena da família linguística pano, que habita o seringal Barão, no município de Cruzeiro do Sul (AC). ● *Adj. 2 g.* 2. Pertencente ou relativo a esse povo.

poiar [De *poio* + *-ar*².] *V. t. d.* 1. Colocar ou dispor (algo) de modo que fique firme: *Os egípcios construíram as pirâmides poiando pedra por pedra.* *Int.* 2. Apoiar-se, escorar-se, para subir: *Trôpego, o velho poiava tentando alcançar o topo da escada.* 3. Subir a lugar elevado: *O animal ferido tentava poiar, porém caía a cada metro de aclive vencido.* [Conjug.: v. *apoiar*. Pres. ind.: *poio, poias, poia*, etc. Cf. *poia*. (ô)]

poixá *Bras. S. 2 g.* 1. *Etnôn.* Indivíduo dos poixás [ou (etnôn. bras.) *Poyixá], povo indígena extinto, da família linguística botocudo, que habitava as margens do rio São Mateus, divisa entre MG e ES. ● *Adj. 2 g.* 2. Pertencente ou relativo a esse povo.

poilão [Do cabo-verd. e do criol. *polon*, com ditongação.] *S. m. Cabo-verd. Guin. Bot.* V. *sumaúma* (1): "Ai noites de Assomada / do longínquo rumor dos poilões / e da branca mensagem envolvendo / o voo das garças e dos milhafres" (José Luís Hopffer C. Almada, *Assomada Nocturna*, p. 24).

➔ **poilu** [pwa'ly] [Fr.] *S. m.* Soldado francês da linha de frente, na I Guerra Mundial.

poinsétia (o-in) [Do tax. *Poinsettia* (do antr. [*Joel R.*] *Poinsett* [1799-1851], diplomata norte-americano, + lat. cient. *-ia*, v. *-ia*²).] *S. f. Bot.* **1.** Em algumas classificações, gênero de plantas euforbiáceas, herbáceas, lenhosas, dotadas de folhas alternas, e flores cimosas, inconspícuas, esverdeadas, de exuberante colorido. **2.** Espécie ou espécime desse gênero.

➔ **point-break** [pɔjnt bɹejk] [Ingl.] *S. m. Surf.* Praia onde as ondas quebram sobre um fundo permanente, seja de pedras, seja de recifes de corais.

➔ **pointer** ['pɔjntɚ] [Ingl.] *S. m. Cinol.* Cão de caça de pelagem macia, branca com manchas negras ou castanhas, orelhas grandes, longas e pendentes, cauda longa e afilada, focinho largo, e que é dotado de faro agudo e velocidade na corrida. [Cf. *perdigueiro* (2).]

poio [Do gr. *pódion*, 'pequeno pé', 'suporte duma sacada', pelo lat. *podiu*, por via pop.] *S. m.* Poial.

poiquilítico *Adj. Petr. Impr.* V. *pecilítico*.

➔ **pois** [pwa] [Fr., 'ervilha'.] *S. m. Tec. Têx.* Qualquer tecido com estampa de bolinhas dispostas em espaços regulares.

pois [Do lat. *post*, 'depois', 'detrás'.] *Conj.* **1.** À vista disso; por conseguinte; portanto, logo: *Está doente, não podendo, pois, viajar.* [Nesta acepç. é, por via de regra, pospositivo.] **2.** Diante disso, nesse caso; então, pois então, ora: *— Seu companheiro o enganou? Pois rompa com ele.* **3.** Mas, porém, entretanto, no entanto: *— Estou muito bem de vida. | Pois eu, meu caro, ando na miséria.* **4.** Visto que; porque, porquanto; pois que: "Não descende o cobarde do forte; / Pois choraste, meu filho não és." (Gonçalves Dias, *Obras Poéticas*, II, p. 31); "Os latinos não conservaram a ficção poética do canto melodioso da cigarra, pois o increpavam de rouco, desagradável" (Alberto Faria, *Acendalhas*, p. 71). **5.** Antecede, não raro, uma pergunta: *Você falou comigo, pois não falou?* ● *Adv.* **6.** *Lus.* Indica assentimento, aprovação; pois sim; sim: "Parece que dão sorte quando aparecem de noite.' | 'Os besouros?' | 'Pois. Na minha terra dizem que é bom sinal aparecer um bicho destes.'" (José Cardoso Pires, *Jogos de Azar*, pp. 32-33.) ◆ **Pois então.** V. *pois* (2). **Pois que.** V. *pois* (4): "Pois que a tanta vileza chegaste, / Que em presença da morte choraste, / Tu, cobarde, meu filho não és." (Gonçalves Dias, *Obras Poéticas*, II, p. 32); "E pois que és meu filho, / Meus brios reveste" (Id., *ib.*, p. 43). [Cf. *pois quê*.] **Pois quê.** Designa espanto: *Pois quê! estás eleito?* [Cf. *pois que*.]

poisa *S. f.* V. *pousa*.

poisada *S. f.* V. *pousada*.

poisadia *S. f.* V. *pousadia*.

poisa-mão [De *poisar* + *mão*.] *S. m.* V. *pousa-mão*. [Pl.: *poisa-mãos*.]

poisar *V. t. d. T. d e c. T. c. T. d. e i. Int. P.* V. *pousar*: "— A casa da serra? | — Não convém. | Um caso muito especial, pelos vistos. | Poiso o telefone com uma sensação de alívio e de segurança" (Fernanda Botelho, *Lourenço É Nome de Jogral*, p. 228); "Um lindo par de borboletas brancas vinha sempre poisar no peitoril de sua janela" (Belmiro Braga, *Cantos e Contos*, p. 48).

poise [Do antr. *Poise(uille)* (v. *poiseuille*).] *S. m. Fís. Obsol.* Unidade c.g.s. de medida de viscosidade: é a viscosidade dum fluido em que o gradiente de velocidade, sob uma tensão tangencial de um dine por centímetro quadrado, é igual a um centímetro por segundo por centímetro de afastamento perpendicular ao plano de deslizamento. Equivale a 10^{-3} Pa [símb.: *P*].

poiseiro *S. m.* V. *pouseiro*.

➔ **poiseuille** [pwa'zœj] [Fr., do antr. (*Jean-Louis Marie*) *Poiseuille* (1799-1869), fisiologista francês.] *S. m. Fís.* Unidade SI de viscosidade, igual à viscosidade de um fluido cujo gradiente de velocidade, sob uma tensão tangencial de um newton por metro quadrado, é de um metro por segundo por metro de afastamento normal ao plano de deslizamento.

poisio *S. m. Adj.* V. *pousio*.

poiso *S. m.* V. *pouso*. ~ V. *posos*.

poisos [Pl. de *poiso*.] *S. m. pl.* V. *pousos*. ~ V. *poiso*.

poita [Var. de *pouta* < franco *pauta*, 'pata', 'garra'.] *S. f.* Corpo pesado que se usa nas pequenas embarcações, em vez de âncora, para fundear: "conta que, pescando numa chata com a poita no fundo, qualquer peixe se lhe enrodilhou na corda e arrastou o barco" (Raul Brandão, *As Ilhas Desconhecidas*, p. 239).

poitar [Var. de *poutar* < *pouta* + *-ar*².] *V. t. d.* **1.** Segurar com a poita. **2.** *Bras.* Parar (a canoa) em meio a rio ou mar: *Poitou a canoa para pescar na correnteza.* **3.** *Bras. Mar. G. Gír.* Lançar ao fundo do mar: *Poitou o boné do comandante, em represália à punição que lhe aplicara.* *Int.* **4.** Lançar âncora; ancorar, fundear: *O navio poitou na baía.*

poitevino [Do fr. *poitevin*.] *Adj. S. m.* V. *poatevino*.

pojadoiro [De or. incerta.] *S. m.* V. *pojadouro*.

pojadouro [De or. incerta.] *S. m.* V. *chã* (2). [Var.: *pojadoiro*.]

pojante *Adj. 2 g. Ant.* Que navega bem ou com vento de feição. [Cf. *pujante*.]

pojar¹ [Do lat. vulg. **podiare* < lat. *podium*, 'pojo'.] *V. int.* **1.** Saltar em terra; desembarcar: "os guerreiros .... correm sobre as ondas nas ligeiras pirogas e pojam na praia" (José de Alencar, *Iracema*, p. 127). *T. d.* **2.** Deixar em terra; tirar de uma embarcação; desembarcar. [Pres. ind.: *pojo*, etc. Cf. *pojo* (ô) e *pujar*.]

pojar² *V. t. d.* **1.** Fazer subir; elevar, levantar: *pojar a voz.* *Int.* **2.** Tornar-se tumefato; intumescer, inchar: *As tetas da cabra pojavam.* [Pres. ind.: *pojo*, etc. Cf. *pojo* (ô) e *pujar*.]

pojo (ô) [Dev. de *pojar*¹.] *S. m. Ant.* **1.** Lugar de desembarque. **2.** Poial (1). [Pl.: *pojos* (ô). Cf. *pojo*, do v. *pojar*.]

pojucano *Adj. S. m.* V. *pojuquense*.

pojuquense *Adj. 2 g.* **1.** De, ou pertencente ou relativo a Pojuca (BA). ● *S. 2 g.* **2.** O natural ou habitante de Pojuca. [Sin.: *pojucano*.]

pola (ó) *S. f.* V. *surra* (1). [Pl.: *polas* (ó). Cf. *pola* (ô), pl. *polas* (ô); e *pola* (u), pl. *polas* (u).] ❖

pola (ô) [Do lat. *pullu*, com mudança de declinação.] *S. f. Bot.* Ramo novo de árvore; rebento, renovo. [Pl.: *polas* (ô). Cf. *pola* (ó), pl. *polas* (ó), e *pola* (u), pl. *polas* (u).] ❖

pola (u) [De *por* + arc. *la* (v. *a*²); fem. de *polo* (u).] *Ant. Pop.* **1.** Aglut. da prep. *por* e do art. arc., fem., *la* (*a*): "Por esmolas que tiraram pola terra, ... ajuntaram duzentos pardaus" (Fernão Mendes Pinto, *Peregrinação*, I, p. 25); "Andamos muito seguros / pola vila, e fora dela" (Joam Roiz de Castel Branco, *ap.* Garcia de Resende, *Cancioneiro Geral*, tomo III, p. 126). **2.** Aglut. da prep. *por* e do pron. arc., fem., *la* (*a*): *Lutei pola trazer comigo, e nada consegui.* **3.** Aglut. da prep. *por* e do pron. dem. arc., fem., *la* (*a*): *Responde pola sua tarefa, não polas alheias.* [Pl.: *polas*. Cf. *pola* (ó), pl. *polas* (ó), e *pola* (ô), pl. *polas* (ô). Pronuncia-se, mais ou menos, *pula* (v. nota final em *polo* [u]).]

polaca¹ [F. subst. do adj. *polaco*.] *S. f.* **1.** Dança de andamento moderado e caráter pomposo, originária da Polônia. **2.** Música para essa dança. **3.** *Pej.* A Constituição do Brasil promulgada a 10.11.1937. **4.** *Bras. Chulo Desus.* Meretriz.

polaca² [Do cat. *pollaca*.] *S. f. Marinh.* **1.** Vela que, em caso de mau tempo, enverga num estai especial de reforço ao estai do traquete, chamado *enque* ou *estai da polaca*; vela de estai do traquete. **2.** Antigo navio à vela, de mastreação constituída de gurupés e três mastros inteiriços — os dois de vante com três velas redondas, e o de ré com vela latina quadrangular: "era um velho conviva da casa, pois a frequentava desde os dezoito anos, quando aí aportara, pela primeira vez, como piloto de uma polaca portuguesa" (Virgílio Várzea, *Nas Ondas*, p. 21).

polaciuria [Do gr. *pollákis*, 'muitas vezes', + *-uria*.] *S. f. Med.* V. *polaciúria*.

polaciúria [Do gr. *pollákis*, 'muitas vezes', + *-úria*.] *S. f. Med.* Emissão frequente de urina, sendo eliminada, de cada vez, pequena quantidade. [F. paral.: *polaciuria*. Sin.: *tamuria*.]

polaciúrico [De *polaciúria* + *-ico*².] *Adj. Med.* Relativo a polaciúria.

polaco [Do pol. *polak*, pelo fr. *polaque*.] *Adj. S. m.* V. *polonês*.

polaina (ai ou ãi) [Do fr. ant. *polaine*.] *S. f.* Polainas (q. v.).

polainado (ai ou ãi) [De *polaina* + *-ado*¹.] *Adj.* Que traz ou usa polainas.

polainas (ai ou ãi) [Pl. de *polaina*.] *S. f. pl.* Peças de vestuário que protegem a parte inferior da perna e a superior do pé, e se usam por cima do calçado. [Tb. us. no sing. *Sin: perneiras* e *perneira*]

polaqueiro [De *polaco* + *-eiro*.] *Adj. Bras. PR* De mau gosto; berrante: *roupa polaqueira.*

polar [De *polo* + *-ar*¹.] *Adj. 2 g.* **1.** Dos polos. **2.** Que fica junto aos polos, ou na direção do polo. **3.** *Quím.* Diz-se de substância que possui grande constante dielétrica. **4.** *Quím.* Diz-se de ligação covalente formada entre dois átomos de eletronegatividades muito diferentes, ou de grupos que contenham tais ligações. ~ V. *aurora —, calota —, círculos —es, coordenadas —es, corpúsculo —, distância —, efeito —, eixo —, estrela —, frente —, glóbulo —, ligação —, molécula —, projeção —, raio —, satélite —, sequência — norte, simetria —, sistema —* e *zona —*. ● *S. m.* **5.** V. *estrela polar*.

polaridade [De *polar* + *-(i)dade*.] *S. f. Eletr.* **1.** Propriedade que caracteriza o sentido da passagem de corrente elétrica por um terminal de um circuito elétrico, e, portanto, o seu potencial em relação a outro ponto. **2.** *Quím.* Propriedade de polar (molécula, substância, ligação).

polarimetria [De *polar* + *-i-* + *-metria*.] *S. f. Fís.-Quím.* Análise de substâncias opticamente ativas, baseada na medição do desvio angular do plano de vibração de uma radiação plano-polarizada que as atravessa.

polarimétrico [De *polarimetria* + *-ico*².] *Adj.* Referente à polarimetria, ou ao polarímetro.

polarímetro [De *polar* + *-i-* + *-metro*.] *S. m. Ópt.* Instrumento com que se mede o desvio angular do plano de vibração de uma radiação plano-polarizada que atravessa um corpo de substância opticamente ativa.

polariscopia [De *polar* + *-i-* + *-scop-* + *-ia*¹.] *S. f. Ópt.* Observação de objetos à luz polarizada.

polariscópico [De *polariscopia* + *-ico*².] *Adj.* Relativo à polariscopia, ou ao polariscópio.

polariscópio [De *polar* + *-i-* + *-scópio*.] *S. m. Ópt.* Instrumento para observação de objetos à luz polarizada.

polarizabilidade [De *polarizável* + *-(i)dade*, seg. o padrão erudito.] *S. f. Fís.* Quociente entre os módulos do momento de dipolo induzido numa molécula e o da intensidade do campo elétrico que induz.

polarização [De *polarizar* + *-ção*.] *S. f.* **1.** *Fís.* Fenômeno apresentado por uma radiação eletromagnética em que o plano de vibração permanece constante. **2.** *Eletr.* Estabelecimento duma diferença de potencial elétrico entre dois eletrodos. **3.** *Eletr.* Num dielétrico, momento de dipolo por unidade de volume; polarização elétrica. **4.** *Eletrôn.* Tensão de polarização (q. v.). **5.** *Fís.-Quím.* Conjunto de fenômenos elétricos e químicos ocorrentes quando a um eletrodo, em um sistema eletroquímico, se atribui um potencial elétrico. **6.** *Fig.* Divisão em dois campos antagônicos: "Mais assustada fiquei quando, em São Paulo, começaram as manifestações contra João Goulart e os sindicatos. A polarização agora era evidente. Um confronto seria questão de dias." (Moacir Scliar, *Mãe Judia, 1964*, p. 91.) ◆ **Polarização circular.** *Ópt.* A de um raio luminoso em que o vetor elétrico gira com velocidade angular uniforme em torno da direção de propagação. **Polarização direta.** *Eletrôn.* Numa junção PN, aplicação de uma tensão externa, de modo que a região com dopagem tipo P fique com potencial positivo relativamente à região com dopagem tipo N. **Polarização elétrica.** *Eletr.* Polarização (3). **Polarização elíptica.** *Ópt.* Estado de um raio luminoso em que a extremidade do vetor elétrico descreve uma hélice cilíndrica elíptica com eixo na direção de propagação. **Polarização inversa.** *Eletrôn.* Numa junção PN, aplicação de uma tensão externa, de modo que a região com dopagem tipo N fique com potencial positivo relativamente à região com dopagem tipo P; polarização reversa. **Polarização reversa.** *Eletrôn.* Polarização inversa (q. v.).

polarizado [Part. de *polarizar*.] *Adj.* Que sofreu polarização. ~ V. *luz —a, luz circularmente —a* e *luz elipticamente —a*.

polarizador (ô) [De *polarizar* + *-dor*.] *Adj.* **1.** Que polariza. ● *S. m.* **2.** Aquilo ou aquele que polariza.

polarizante [De *polarizar* + *-nte*.] *Adj. 2 g.* Que polariza.

polarizar [De *polar* + *-izar*.] *V. t. d.* **1.** Sujeitar à polarização: *polarizar um raio luminoso.* **2.** Chamar sobre si; fazer convergir para si; atrair; concentrar: *O desenvolvimento industrial polariza as atenções dos economistas.* **3.** *Eng. Elétr.* Atribuir potenciais elétricos distintos a (dois eletrodos). **4.** *Eletrôn.* Aplicar tensão de polarização a (um dispositivo). **5.** *Opt.* Fixar o plano de vibração do vetor elétrico de (um raio luminoso). *P.* **6.** Concentrar-se (para um determinado objetivo): *Certas vidas polarizaram-se na religião.*

polarizável [De *polarizar* + *-vel*.] *Adj. 2 g.* Que pode ser polarizado.

polarografia [De *polar(ização)* + *-o-* + *-grafia*.] *S. f. Fís.-Quím.* Técnica de investigação qualitativa ou quantitativa de soluções, baseada no comportamento de eletrodos polarizados.

polarográfico [De *polarografia* + *-ico*².] *Adj.* Referente à polarografia.

polarograma [De *polar(ização)* + *-o-* + *-grama*.] *S. m. Fís.-Quím.* Curva representativa da variação do potencial de um eletrodo polarizado numa análise polarográfica.

polaron [De *polar* + *-on*.] *S. m. Fís.* Num dielétrico, o conjunto formado por um elétron e pela deformação que ele causa na rede do dielétrico.

polca [De or. eslava, pelo al. *Polka*.] *S. f.* **1.** Dança da Boêmia [v. *boêmio* (1)], em compasso binário e andamento alegre, muito em voga nos meados do séc. XIX. **2.** Música para essa dança.

polca-mancada *S. f. Bras. RS* Polca (1) usada outrora no campo, acompanhada de cantigas. [Pl.: *polcas-mancadas*.]

polcar [De *polca* + *-ar*².] *V. int.* Dançar polca: "estourou, depois duma ceia de peixe — à hora em que

P

defronte, na casa do Dr. Godinho, que fazia anos, se polcava com alarido." (Eça de Queirós, *O Crime do Padre Amaro*, p. 1). [Conjug.: v. *trancar*.]

pôlder [Do hol. *polder*.] *S. m.* Planície que, inundada ou sujeita a inundação pelo mar ou rios, é protegida por diques e dessecada continuamente com o fim de torná-la utilizável na agricultura e/ou na habitação. [Grande parte do território da Holanda é constituído de pôlderes. Pl.: *pôlderes*.]

poldra[1] (ô) [Fem. de *poldro*.] *S. f.* Égua nova.

poldra[2] (ô) *S. f.* Alter. de *alpondra* (v. *alpondras*).

poldra[3] [De *pola* (ô), poss.] (ô) *S. f.* **1.** Pola (ô). **2.** Vara[1] (1) de videira, que serve para transplantação ou para mergulhia.

poldril [De *poldro* + *-il*[1].] *S. m.* V. *potril*.

poldro (ô) [Do lat. vulg. **pullitru* < lat. *pullus*, 'animal jovem'.] *S. m.* Potro (1): "metia-se no mato, ou andava cercando os magotes para montar nos poldros brabos" (José de Alencar, *O Sertanejo*, p. 106).

▲ **-pole** V. *poli-*[2].

polé [Do esp. *polé*.] *S. f.* **1.** Antigo instrumento de tortura: "E o Inquisidor apontou .... para o fundo do aposento, onde se espalhavam as polés, uma roda eriçada de farpas" (Alberto Rangel, *Quando o Brasil Amanhecia*, p. 255). **2.** Tormento que consistia em pendurar o torturado, com uma corda grossa de cânhamo, pelos pulsos e pelas mãos, com pesos de ferro presos nos pés. **3.** *Marinh.* Poleame de laborar constituído de duas caixas sobrepostas a topo e com os eixos das suas rodas dispostos paralelamente ou perpendicularmente um em relação ao outro.

poleá [Do malaiala *pulayan*.] *S. m.* Pária, pariá; poleár: "Um poleá que a viu, espantado e tristonho, / Um poleá lhe perguntou: / 'Mosca, esse refulgir, que mais parece um sonho, / Dize, quem foi que to ensinou?'" (Machado de Assis, *Poesias Completas*, p. 314.)

poleame [De *polé* + *-ame*.] *S. m. Marinh.* **1.** Conjunto de todas as peças (moitões, cadernais, patescas, bigotas, etc.) destinadas à passagem ou ao retorno de cabos: *o poleame da embarcação.* **2.** Qualquer dessas peças: "artigos e coisas concernentes a navios ...., tais como cabos e poleame de toda a ordem, folhas de cobre, ... agulhas de palombar" (Virgílio Várzea, *Histórias Rústicas*, p. 93). ◆ **Poleame de laborar.** *Marinh.* Poleame com roldana(s) nas quais correm os cabos de manobra. **Poleame surdo.** *Marinh.* Poleame com uma ou mais aberturas, sem roldana(s), por onde passam os cabos fixos.

polear[1] *S. m.* V. *poleá*.

polear[2] [De *polé* + *-ar*[2].] *V. t. d.* **1.** Torturar com polé (1): *A Inquisição poleava os hereges.* **2.** *Fig.* Afligir muito; angustiar, atormentar: *A incerteza poleava-o.* [Conjug.: v. *frear*.]

polearia [De *pole-*, como em *poleiro*, + *-aria*.] *S. f.* A arte ou profissão do poleeiro.

poleeiro [De *pole-*, como em *poleame*, + *-eiro*.] *S. m.* Fabricante de poleame.

polegada [Do lat. vulg. **pullicata* < lat. *pollex, icis*, 'dedo polegar'.] *S. f.* **1.** Medida aproximadamente igual à do comprimento da segunda falange do polegar (1); úncia. **2.** Medida inglesa de comprimento, equivalente a 25,4mm do sistema métrico decimal. [Abrev.: *in*; símb.: " (nesta acepç.)] **3.** Antiga medida de unidade de comprimento, equivalente a 2,75cm. ◆ **Polegada cúbica.** Volume equivalente a 16,387cm^3. [Abrev.: *cu in*; símb.: in^3.] **Polegada quadrada.** Área equivalente a 6,4516cm^2. [Abrev.: *sq in*; símb.: in^2.]

polegar [Do lat. *pollicare*, 'que tem uma polegada de extensão'.] *S. m.* **1.** V. *dedo polegar* (1): "a flecha caminha sobre o polegar da mão esquerda, que segura o arco." (Júlio Dantas, *Abelhas Doiradas*, p. 210). **2.** *P. ext. Zool.* Dedo oposto aos demais, nas aves. **3.** *Zool.* V. *álula*. ● *Adj. 2 g.* **4.** Diz-se de, ou pequena vara de poda, só com um, dois ou três olhos. ~ V. *dedo —*.

poleiro [De *polo* + *-eiro*.] *S. m.* **1.** Vara onde as aves pousam e dormem, na gaiola ou na capoeira. **2.** *Fig.* Posição elevada, de mando, autoridade. **3.** *Bras.* V. *torrinha*. **4.** *Bras. S.* Animal (9) velho que todos ocupam.

polem *S. m.* V. *pólen*.

polemarco [Do gr. *polémarchos*.] *S. m.* O chefe supremo do exército, entre os gregos antigos.

polemarquia [Do gr. *polemarchía*.] *S. f.* Cargo, dignidade ou função de arconte polemarco.

polemárquico [De *polemarco* + *-ico*[2].] *Adj.* Relativo a arconte polemarco, ou a polemarquia.

polémica *S. f.* V. *polêmica*. [Uso freq. em P.]

polêmica [F. subst. do adj. *polêmico*.] *S. f.* Debate oral; questão, controvérsia. [Dim. deprec. (irreg.): *polemícula*. Cf. *polemica*, do v. *polemicar*.]

polemicar [De *polêmica* + *-ar*[2].] *V. int. T. i.* Polemizar. [Conjug.: v. *trancar*. Pres. ind.: *polemico*, *polemicas*, *polemica*, etc. Cf. *polêmico* e *polêmica*.]

polémico *Adj.* V. *polêmico*. [Uso freq. em P.]

polêmico [Do gr. *polemikós*, 'que concerne à guerra', 'guerreiro'; fr. *polémique*.] *Adj.* Relativo ou próprio de polêmica. [Cf. *polemico*, do v. *polemicar*.]

polemícula [De *polêmica* + *-ula*.] *S. f.* Polêmica insignificante, chinfrim.

polemismo [De *polêmica* + *-ismo*, seg. o padrão erudito.] *S. m.* Mania de polêmica.

polemista [Do gr. *polemistés*.] *Adj. 2 g. S. 2 g.* Que, ou quem trava polêmicas, é dado a questionar, discute bem.

polemístico [De *polimista* + *-ico*[2].] *Adj.* Relativo a, ou próprio de polêmica, ou de polemista.

polemizar [De *polêmico* + *-izar*, seg. o padrão erudito.] *V. int. T. i.* Travar polêmica; polemicar: "Não vale a pena polemizar em resposta a esta argumentação." (Fidelino de Figueiredo, *Entre Dois Universos*, p. 106); *A oposição não quer polemizar com os governistas.*

▲ **polemo-** [Do gr. *pólemos, ou*, 'choque' 'tumulto de combate', 'guerra'.] *El. comp.* = 'batalha': 'guerra': *polemografia, polemologia*.

polemografia [De *polemo-* + *-grafia*.] *S. f.* Descrição de uma batalha, ou de uma guerra.

polemologia [De *polemo-* + *-logia*.] *S. f.* Estudo da guerra como fenômeno social autônomo.

polemológico [De *polemologia* + *-ico*[2].] *Adj.* Relativo à polemologia.

polemoniácea [Do tax. *Polemonium* (gênero-tipo) + *-ácea*; tax. *Polemoniaceae*.] *S. f. Bot.* Espécime das polemoniáceas, família de plantas da ordem das solanales, composta de ervas e trepadeiras com folhas alternas e flores solitárias ou cimosas. Flores pentâmeras, com gineceu tricarpelar; fruto capsular. Existem perto de 270 espécies, dos climas temperados; a *Cobaea scandens*, bela trepadeira de amplas flores, é a única introduzida no Brasil, onde é subespontânea.

polemoniáceo [De *polemoniácea*, com var. suf. (v. *-áceo*).] *Adj. Bot.* Pertencente ou relativo às polemoniáceas.

pólen [Do lat. *pollen*.] *S. m. Bot.* Espécie de fina poeira que esvoaça das anteras das plantas floríferas (fanerógamas) ou dos estróbilos masculinos (gimnospermas), e cuja função é fecundar os óvulos, representando, assim, o elemento masculino da sexualidade vegetal (o gametófito masculino). O envoltório externo, muito resistente, pode ser liso, mas, por via de regra, é complicadamente ornamentado. [Var.: *polem*. Pl.: *polens*.]

polenose [Do ingl. *pollinosis* ou *pollenosis*.] *S. f. Med.* V. *rinite alérgica*.

polenta [Do it. *polenta*.] *S. f. Cul.* Massa ou pasta de farinha de milho com água e sal, escaldada ao fogo, à qual se pode adicionar manteiga e queijo. [Cf. *angu* (1).]

polesinense *Adj. 2 g.* **1.** De, ou pertencente ou relativo a São João do Polesine (RS). ● *S. 2 g.* **2.** O natural ou habitante de São João do Polesine.

pólex (cs) [Do lat. *pollex*.] *S. m. 2 n.* V. *dedo polegar* (1).

polha (ô) [Do esp. *polla*.] *S. f.* **1.** Franga. **2.** *Ant.* Galinha (1). **3.** *Fig.* Moça, rapariga.

polhastro [Do esp. *pollastro*.] *S. m.* **1.** Grande frango. **2.** *Fig.* Rapagão; mocetão. **3.** Sujeito espertalhão.

▲ **poli-**[1] [Do gr. *poly-* < gr. *polýs, pollḗ, polý; polloû, ês, oû*.] *El. comp.* = 'muitos', 'diversos': *poliartrite, politeísmo*. [É seguido de hífen quando anteposto a palavra iniciada por *h* ou *i*: *poli-hídrico, poli-hidrite, poli-insaturado* (em tais casos, apenas o 2º el. é flexionado na formação do plural); é grafado com *r* ou *s* duplicados quando anteposto a palavra iniciada por *r* ou *s*: *polirritmia, polissemia*.]

▲ **poli-**[2] [Do gr. *pólis, eõs*.] *El. comp.* = 'cidade': *policlínica*[2]. [Equiv.: *-pole, -pol(i)-, -polis*: *megalópole; pantepolista; própolis* (q. v.).]

▲ **-pol(i)-** V. *poli-*[2].

polia[1] [Do fr. *poulie*.] *S. f.* Roda presa a um eixo, e cuja circunferência, cavada ou não de um canal, recebe uma correia da qual uma das extremidades é aplicada à força e a outra à resistência: "sempre que ouvia a crepitação das correias nas polias ...., murmurava, com ódio e nojo: 'Lá está a besta mastigando!'" (Coelho Neto, *Turbilhão*, p. 10).

polia[2] [Alter. de *polilha*.] *S. f. Bras. Zool.* Designação comum a numerosas larvas de insetos coleópteros, dermestídeos, densamente pilosas, que se criam em várias substâncias orgânicas, sobretudo em couro e toucinho, e muito particularmente às larvas do besourinho *Dermestes*. [Os pelos, mais ou menos alongados, principalmente os dos tergitos, formam, em geral, tufos laterais ou na extremidade posterior do corpo. Sin.: *punilha*.]

poliacanto [De *poli-*[1] + *-acanto*.] *Adj. Bot.* Que tem muitos espinhos.

poliacetal *S. f. Quím.* V. *polioximetileno*.

poliácido [De *poli-*[1] + *ácido*.] *S. m. Quím.* Ácido complexo que contém diversos grupos ácidos.

políada [De *poli-*[1] + *-ada*[1].] *S. f. Mat.* Operador formado pela justaposição de vários vetores. [Cf. *díada, tríada* e *tétrada*.]

poliadelfia [De *poli-*[1] + *-adelf(o)-* + *-ia*[1].] *S. f. Bot.* Soldadura dos estames, pelos filetes, em vários feixes.

poliadélfico [De *poliadelfia* + *-ico*[2].] *Adj.* Referente à poliadelfia.

poliadelfo [Do gr. *polyádelphos*.] *Adj. Bot.* Que apresenta poliadelfia: *androceu poliadelfo.*

poliadição [De *poli-*[1] + *-adição*.] *S. f. Quím.* Reação de formação de polímero, na qual os terminais das cadeias poliméricas em crescimento se adicionam sequencialmente aos monômeros (que contêm insaturação ou ciclo), até que haja terminação: *O polietileno se forma por poliadição.*

poliádico [De *políada* + *-ico*[2].] *S. m. Mat.* Soma de duas ou mais políadas.

poliálcool [Do *poli-*[1] + *álcool*.] *S. m. Quím.* Substância que possui vários grupamentos da função álcool. [Pl.: *polialcoóis*.]

poliamida [De *poli-*[1] + *amida*.] *S. f. Quím.* Classe de compostos resultantes da polimerização de aminoácidos ou pela condensação de ácidos com mais de uma carboxila com aminas com mais de um grupo amina.

poliandria [Do gr. *polyandría*, 'qualidade ou condição de poliandro'; v. *poli-*[1], *andr(o)-* e *-ia*[1].] *S. f.* **1.** União conjugal com mais de um homem, simultaneamente. **2.** *Antrop.* Regra ou ideal de casamento, ou costume socialmente institucionalizado, segundo o qual dois ou mais homens (ger. irmãos ou primos) podem casar-se com a mesma mulher. **3.** *Bot.* A existência de estames numerosos em uma flor.

poliândria [Do tax. *Polyandria*.] *S. f. Bot.* Em antigas classificações, grupo de plantas cujas flores são hermafroditas e têm estames acima de 20.

poliândrico[1] [De *poli-*[1] + *-andr(o)-* + *-ico*[2].] *Adj.* V. *poliandro*.

poliândrico[2] [De *poliândria* + *-ico*[2].] *Adj. Bot.* Relativo ou pertencente a poliândria.

poliandro [Do gr. *polýandros*; v. *poli-* e *-andro*.] *Adj.* **1.** Que tem mais de um marido. **2.** *Antrop.* Relativo a, ou caracterizado pela prática da poliandria (2). **3.** *Bot.* Que tem muitos estames. [Sin. ger.: *poliândrico*[1].]

polianteia (éi) [Do gr. *polyanthéa*.] *S. f.* V. *miscelânea* (2): "A 15 de maio, a primeira página [do jornal cearense *O Pão*] lhe era dedicada [a Xavier de Castro], e a edição de 30 de maio foi uma tocante polianteia, em que todos os prosaístas e poetas firmavam versos e artiguetes em honra do delicado bardo cearense." (Leonardo Mota, *A "Padaria Espiritual"*, p. 144.) ❖

polianteico (éi) [De *polianteia* + *-ico*[2].] *Adj.* Referente a polianteia. ❖

polianto [Do gr. *polyanthés*.] *Adj. Bot.* Provido de muitas flores.

poliaptidão [De *poli-*[1] + *aptidão*.] *S. f.* Aptidão múltipla.

poliaquénio *S. m. Bot.* V. *poliaquênio*. [Uso freq. em P.]

poliaquênio [De *poli-*[1] + *aquênio*.] *S. m. Bot.* Fruto constituído de muitos aquênios congregados numa unidade.

poliarquia [Do gr. *polyarchía*.] *S. f.* Governo exercido por muitos.

poliárquico [De *poliarquia* + *-ico*[2].] *Adj.* Relativo a poliarquia.

poliarterite [De *poli-*[1] + *arterite*.] *S. m. Patol.* **1.** Inflamação concomitante de várias artérias. **2.** V. *poliarterite nodosa*. ◆ **Poliarterite nodosa.** *Patol.* Doença que apresenta manifestações clínicas diversas, causada por alterações inflamatórias difusas de pequenas artérias. [Tb. se diz apenas *poliarterite*. Sin., obsol.: *periarterite nodosa*.]

poliarticular [De *poli-*[1] + *articular*[1].] *Adj. 2 g.* ~ V. *reumatismo — agudo*.

poliartrite [De *poli-*[1] + *artrite*.] *S. f. Patol.* Inflamação concomitante de várias articulações.

poliartrítico [De *poliartrite* + *-ico*[2].] *Adj. Patol.* Relativo a poliartrite.

polibásico [De *poli-*[1] + *-bas(i)-* + *-ico*[2].] *Adj. Quím.* **1.** Diz-se de ácido que cede diversos prótons por molécula, em solução. **2.** Diz-se de base que cede diversas hidroxilas por molécula, em solução. ~ V. *ácido —*.

policarbonato [De *poli-*[1] + *carbonato*.] *S. m. Quím.* Substância polimérica, copolímero de bisfenol A com fosgênio, que é um plástico muito resistente, rígido e transparente, us. em embalagens, utensílios domésticos, etc.

policarboxílico (cs) [De *poli-*[1] + *carboxila* + *-ico*[2].] *Adj. Quím.* Diz-se de substância que tem na sua molécula várias carboxilas.

policárpico [De *poli-*[1] + *-carp(o)-* + *-ico*[2].] *Adj. Bot.* **1.** Que tem muitos carpelos. **2.** Que floresce durante muitos anos. [Opõe-se a *monocárpico* (2).]

policarpo [Do gr. *polýkarpos*.] *Adj. Bot.* Que tem ou produz muitos frutos.

pólice [Do lat. *pollice*.] *S. m.* V. *dedo polegar* (1).

policêntrico [De *poli-*[1] + *-centr(o)-* + *-ico*[2].] ***Adj. Geom.*** Diz-se de curva formada por diversos arcos de circunferência, cada qual com um centro. ~ V. *abóbada —a.*

polichinelo [Do fr. *polichinelle* < napolitano *Pulecenella*, personagem da comédia italiana.] ***S. m.* 1.** *Teatr.* Antiquíssimo personagem-tipo, cujas origens remontam ao teatro latino, e que alcança maior desenvolvimento na *commedia dell'arte*, caracterizado pelo nariz longo, pela corcunda, barriga grande, barrete e roupas multicoloridas, e pela fala tremida e esganiçada. [O feitio moral do polichinelo varia de país para país: o francês é falsamente heroico e fanfarrão; o alemão, tolo; o inglês, astuto e sinuoso.] **2.** Indivíduo ou títere que representa esse personagem. **3.** *Fig.* Homem apalhaçado e/ou sem dignidade; palhaço.

polícia [Do gr. *politeía*, pelo lat. *politia*.] ***S. f.* 1.** Conjunto de leis ou regras impostas ao cidadão com o fito de assegurar a moral, a ordem e a segurança públicas. **2.** A corporação que engloba os órgãos e instituições incumbidos de fazer respeitar essas leis ou regras, e de reprimir e perseguir o crime. **3.** Os membros de tal corporação. **4.** Boa ordem; disciplina, ordem. **5.** *Ant.* Civilização; cultura. **6.** Fiscalização, inspeção, profilaxia. **7.** *Tip.* Lista em que o fundidor estabelece a proporção de letras e sinais que devem constituir uma fonte de tipos, para composição em determinada língua. ● ***S. m.* 8.** Policial (2). [Cf. *policia*, do v. *policiar*.] ◆ **Polícia aduaneira.** Polícia encarregada de vigiar os portos, aeroportos, e a costa, a fim de evitar que entrem ou saiam do país mercadorias contrabandeadas. **Polícia militar.** *Bras.* Corporação policial dos Estados e do Distrito Federal, cuja atribuição é manter a segurança e a ordem internas, e que é organizada e armada nos moldes do Exército nacional, do qual é força auxiliar e reserva. **Polícia naval.** *Bras. Mar.* Fiscalização exercida pelas capitanias de portos sobre as embarcações mercantes, o pessoal marítimo e as construções efetuadas em terrenos de marinha, no sentido de obrigá-los ao cumprimento das normas legais referentes à segurança das embarcações e à segurança da navegação. **Polícia política.** Órgão policial encarregado da defesa ou preservação do regime político vigente num Estado. **Polícia rodoviária.** Polícia que patrulha ou vigia as estradas. **Casar na polícia.** *Bras.* **1.** Casar obrigado por mandado judicial. **2.** Casar em prazo muito curto. [Sin. ger.: *casar na capelinha verde.*]

policiado [Part. de *policiar.*] ***Adj.* 1.** Guardado pela polícia ou segundo os regulamentos dela. **2.** Civilizado, bem-educado. **3.** Sem excessos; equilibrado, comedido, morigerado.

polícia e ladrão ***S. m. 2 n. Jog. Inf.*** Brincadeira infantil dramatizada em que dois grupos se perseguem, tentando os policiais aprisionar o maior número possível de ladrões, os quais, por sua vez, procuram rendê-los sob a ameaça de armas. ☑

polícia-inglesa ***S. m.* 1.** *Bras. Zool.* Ave emberizídea icterínea (*Leistes militaris*) da Amazônia, tendo o macho cerca de 17cm de comprimento, coloração negra, com garganta, parte do peito e encontro das asas vermelhos. A fêmea, um pouco menor, é parda, com o peito com tons avermelhados. [Sin.: *flamenguinho, papa-arroz, pipira-do-campo, puxa-verão, rouxinol-do-campo.*] **2.** Ave emberizídea icterínea (*Leistes superciliaris*), distribuída do N.E. e C. do Brasil até a Bolívia, Paraguai, N. da Argentina e Uruguai. O macho, com coloração e tamanho semelhantes ao *L. militaris*, tem estria superciliar branca, e a fêmea é marrom com manchas pretas e estria superciliar amarelada. [Pl.: *polícias-inglesas.*]

policial [De *polícia* + *-al*[1].] ***Adj. 2 g.* 1.** Relativo a, ou próprio da polícia, ou que serve a seus fins: *assuntos policiais; inquérito policial; cão policial.* ~ V. *cão —, inquérito — militar* e *romance —.* ● ***S. 2 g.* 2.** Indivíduo pertencente a polícia (2); polícia. ● ***S. m.* 3.** *Cinol.* V. *pastor-alemão.* ◆ **Policial militar.** V. *pê-eme.*

policialesco (ê) [De *policial* + *-esco.*] ***Adj. Bras.*** Relativo a polícia, ou a romance policial, ou próprio dela ou dele.

policiamento [De *policiar* + *-mento.*] ***S. m.*** Ato ou efeito de policiar(-se).

policiar [De *polícia* + *-ar*[2].] ***V. t. d.* 1.** Vigiar, em cumprimento de leis ou regulamentos policiais: *Homens bem armados policiam a cidade.* **2.** Vigiar com cuidado e interesse; zelar: *O vizinho policiará a casa em sua ausência.* **3.** Dar ou transmitir civilização a; civilizar: *policiar povos primitivos.* **4.** Impedir que se manifeste; reprimir, conter, moderar: *É impetuoso, mas costuma policiar as suas ações.* ***P.* 5.** Dominar-se, conter-se, refrear-se, evitando a indiscrição ou outra manifestação inconveniente: "Aires policia-se a si mesmo, analisa, critica a própria expressão ou a alheia, defende-se contra toda forma de linguagem figurada ou de ênfase." (Maria Nazaré Lins Soares, *Machado de Assis e a Análise da Expressão*, p. 95); "policiou-se para não sorrir." (Macedo Miranda, *As Três Chaves*, p. 57). [Pres. ind.: *policio, policias, policia*, etc. Cf. *polícia*, s. f.]

policiável [De *policiar* + *-vel.*] ***Adj. 2 g.*** Que pode ser policiado.

policitação [Do lat. *pollicitatione.*] ***S. f.* 1.** Promessa ou oferecimento. **2.** Proposta ou oferta de negócio feita a alguém, pendente de aceitação, mas que, salvo poucas exceções, obriga desde logo o proponente.

policitado [Do lat. *pollicitatu.*] ***S. m.*** Aquele a quem se faz uma policitação.

policitante [Do lat. *pollicitante.*] ***S. 2 g.*** Pessoa que formula uma policitação; proponente.

policitemia [De *poli-*[1] + *-cit(o)-* + *-emia.*] ***S. f. Patol.*** Alteração sanguínea de que há formas primitivas e secundárias (estas últimas, p. ex., na hipóxia e em tumores diversos), e que se caracteriza por aumento grande e absoluto da quantidade de hemácias circulantes.

policitémico ***Adj. Patol.*** V. *policitêmico.* [Uso freq. em P.]

policitêmico [De *policitemia* + *-ico*[2].] ***Adj. Patol.*** Relativo a policitemia.

policladia [De *poli-*[1] + *-clad(o)-* + *-ia*[1].] ***S. f. Bot.*** Produção de um número anormal de ramos em uma planta.

policládio [De *poli-*[1] + *-clad(o)-* + *-io*[3]; tax. *Polycladida.*] *Zool.* ***S. m.* 1.** Espécime dos policládios, ordem de animais platelmintos, turbelários, providos de tubo digestivo com várias ramificações irregulares. São marinhos, algumas espécies pelágicas, e medem até 150mm de comprimento. ● ***Adj.* 2.** Pertencente ou relativo a eles.

policlínica[1] [De *poli-*[1] + *clínica*; fr. *polyclinique.*] ***S. f. Med.*** Hospital onde se tratam doenças de todos os tipos, que conta com todas as especialidades.

policlínica[2] [De *poli-*[2] + *clínica*; fr. *policlinique.*] ***S. f. Med.*** Hospital da cidade.

policlínico [De *poli-*[1] + *clínico.*] ***S. m. Med.*** V. *generalista* (2).

policloreto (ê) ***El. s. m.*** us. na loc. *policloreto de vinila.* ◆ **Policloreto de vinila.** *Quím.* Polímero preparado a partir do cloroeteno, empregado para embalagens, fios condutores de eletricidade, etc. [Sigla: *PVC.* Sin. (impr.): *cloreto de polivinila.*]

polícomo [Do gr. *polýkomos.*] ***Adj.*** Que tem muitos cabelos.

policondensação [De *poli-*[1] + *condensação.*] ***S. f. Quím.*** Reação que leva à formação de um polímero mediante as sucessivas condensações entre monômeros bifuncionais: *O poliéster se forma por policondensação.*

policónico ***Adj.*** V. *policônico.* [Uso freq. em P.]

policônico [De *poli-*[1] + *-con(i)-* + *-ico*[2].] ***Adj.*** Que tem muitos cones.

policórdio [De *policordo* + *-io*[3].] ***S. m.*** Policordo.

policordo [Do gr. *polýchordos*, 'que tem muitas cordas'.] ***S. m.*** Antigo instrumento musical, que se tocava com arco; policórdio.

policotilar [De *poli-*[1] + *-cotil(o)-* + *-ar*[1].] ***Adj. 2 g. Zool.*** Diz-se de animal que apresenta muitas ventosas.

policresto [Do gr. *polýchrestos.*] ***Adj.*** Que tem numerosas aplicações: *substância policresta.*

policromado [Part. de *policromar.*] ***Adj.*** V. *multicolor*: "Painéis de azulejos em azul e branco ou policromados estendem-se pelos corredores" (*Jornal do Brasil*, 17.03.1971).

policromar [De *policromo* + *-ar*[2].] ***V. t. d.*** Tornar policromo; policromizar.

policromático [De *policromo* + *-ático.*] ***Adj.*** Que tem várias cores ou várias radiações com diferentes comprimentos de onda.

policromia [De *policromo* + *-ia*[1].] ***S. f.* 1.** Estado de um corpo em que há diferentes cores. **2.** Conjunto de várias cores. **3.** *Art. Gráf.* Qualquer processo de impressão em que se empreguem mais de três cores. **4.** *Art. Gráf.* Estampa obtida por esse processo. [Cf., nas acepçs. 3 e 4, *tricromia.*]

policromizar [De *policromo* + *-izar.*] ***V. t. d.*** Policromar.

policromo [Do gr. *polýchromos.*] ***Adj.*** V. *multicolor*: "Muitos destes móveis são de uma elegância de formas, de uma pureza de estilo, de uma finura de acabamento, que se não excede. Alguns são incrustados de flores policromas." (Ramalho Ortigão, *A Holanda*, p. 312.)

policultor (ô) [De *poli-*[1] + *-cultor.*] ***S. m.*** Indivíduo que pratica a policultura.

policultura [De *poli-*[1] + *-cultura.*] ***S. f.*** Cultura de muitos produtos agrícolas em determinada área. [Opõe-se a *monocultura.*]

polidactilia [De *poli-*[1] + *-dactil(o)-* + *-ia*[1].] ***S. f. Ter.*** Anomalia de desenvolvimento que consiste em ter o indivíduo número de quirodáctilos ou pododáctilos superior ao normal. [Var.: *polidatilia.*]

polidáctilo [Do gr. *polydáktylos.*] ***Adj. S. m.*** Que, ou quem apresenta polidactilia.

polidatilia ***S. f. Ter.*** V. *polidactilia.*

polidátilo ***Adj. S. m.*** V. *polidáctilo.*

polidesmóideo [De *poli-*[1] + *-desm(o)-* + *-oide*; tax. *Polydesmoidea.*] *Zool.* ***S. m.* 1.** Espécime dos polidesmóideos, ordem de artrópodes miriápodes, diplópodes, com 19 a 22 somitos, o macho com gonópodes formados pelo primeiro ou pelos dois pares de pernas do sétimo somito, e desprovidos de glândulas sericígenas na extremidade do abdome. ● ***Adj.* 2.** Pertencente ou relativo a eles.

polidez (ê) [De *polido* + *-ez.*] ***S. f.* 1.** Qualidade ou estado de polido. **2.** Delicadeza, cortesia, civilidade, urbanidade. **3.** *E. Ling.* Indicação dessas qualidades no discurso, através da escolha do tom de voz, de formas de tratamento mais ou menos formais [*você* vs. *o senhor/seu* (1), e ainda o chamamento pelo prenome ou pelo sobrenome], ou de marcadores como *por favor, por gentileza*, etc.

polidipsia [Do gr. *polýdipsos*, 'muito sedento', + *-ia*[1].] ***S. f. Med.*** Sede excessiva; hidromania.

polidípsico [De *polidipsia* + *-ico*[2].] ***Adj. Med.*** Relativo a polidipsia.

polidisperso [De *poli-*[1] + *disperso.*] ***Adj. Quím.*** Diz-se de polímero cujas cadeias abrangem uma faixa ampla de massas moleculares.

polido [Part. de *polir.*] ***Adj.* 1.** Alisado, liso. **2.** Lustroso, luzidio, brunido, envernizado. **3.** Atencioso, delicado, cortês, civilizado, civil: "Muito cortês, sinceramente polido, recebeu-me Sua Mercê à porta da rua" (Luís Guimarães, *Samurais e Mandarins*, p. 11). ~ V. *pedra —a.*

polidontia [De *poli-*[1] + *-(o)dont(o)-* + *-ia*[1].] ***S. f. Med.*** Presença de dentes em número superior ao normal.

polidor (ô) [Do lat. *politore.*] ***Adj.* 1.** Que pule. ● ***S. m.* 2.** Aquele ou aquilo que pule; brunidor.

polidoro ***S. m. Bras. GO*** Soldado de polícia.

polidromo [De *poli-*[1] + *-drom(o)-* + *-ico*[2].] ***Adj. Zool.*** Diz-se de peixe migrante que, durante o seu ciclo vital, realiza várias viagens para os locais de reprodução (v. *isopor*).

polidura [Do lat. *politura.*] ***S. f.*** Ato ou efeito de polir.

poliedral [De *poliedro* + *-al*[1].] ***Adj. 2 g.*** Poliédrico.

poliédrico [De *poliedro* + *-ico*[2].] ***Adj.*** Que tem a forma de, ou referente a poliedro; poliedral. ~ V. *alvenaria —a, ângulo —* e *superfície —a.*

poliedro [Do gr. *polýedros.*] ***S. m. Geom.*** Sólido limitado por polígonos planos. ◆ **Poliedro côncavo.** *Geom.* O que pode ser dividido em duas ou mais partes por um plano que contém uma das suas faces. **Poliedro convexo.** *Geom.* O que está inteiramente de um dos lados de qualquer plano que contém uma das suas faces. **Poliedro regular.** *Geom.* Poliedro convexo cujas faces são polígonos regulares iguais e cujos ângulos sólidos são todos iguais. **Poliedro simples.** *Geom.* Poliedro maciço, topologicamente equivalente a uma esfera.

polielectrólito [De *poli-*[1] + *electrólito.*] ***S. m.*** Polieletrólito.

polieletrólito [De *poli-*[1] + *eletrólito*; var. de *polielectrólito.*] ***S. m. Quím.*** Composto macromolecular que contém diversos grupamentos ionizáveis.

poliembrionia [De *poli-*[1] + *embrionia.*] ***S. f. Biol.*** Segmentação do zigoto com formação de vários embriões (geralmente do mesmo sexo).

poliesportivo [De *poli-*[1] + *esportivo.*] ***Adj.* 1.** Que envolve diversas modalidades de esporte: *competição poliesportiva.* **2.** Que é próprio para a prática de vários esportes: *estádio poliesportivo.*

poliéster [De *poli-*[1] + *éster.*] ***S. m. Quím.*** Qualquer polímero com grupos ésteres na cadeia principal, ger. obtido pela reação de um diácido com álcool di-hidroxilado. [Pl.: *poliésteres.*] **2.** *Tec. Têx.* Fibra sintética muito us. na indústria de tecidos para substituir o algodão, em virtude do seu baixo custo.

poliestireno [De *poli-*[1] + *estireno.*] ***S. m. Quím.*** Estireno polimerizado, que pode ser produzido sob forma rígida, para uso em peças e utensílios domésticos, ou sob forma celular, para uso em embalagens e isolantes térmicos (v. *isopor*).

polietileno [De *poli(merização)* + *etileno.*] ***S. m. Quím.*** Substância obtida pela polimerização do etileno, termoplástica, translúcida, flexível, com importantes e variadas aplicações.

polifagia [Do gr. *polyphagía.*] ***S. f.*** Qualidade de polífago[1].

polífago[1] [Do gr. *polyphágos.*] ***Adj.*** Onívoro.

polífago[2] [Adapt. do tax. *Polyphaga.*] *Zool.* ***S. m.* 1.** Espécime dos polífagos, subordem de coleópteros que têm o primeiro urosternito inteiro (não dividido pelos quadris posteriores), o segundo e o terceiro não soldados na linha mediana, e os tarsos em peça única. ● ***Adj.* 2.** Pertencente ou relativo a eles.

polifásico [De *poli-*[1] + *-fas(i)-* + *-ico*[2].] ***Adj.*** ~ V. *corrente —a.*

polifibra [De *poli-*[1] + *fibra.*] ***S. f. Quím.*** Fibra têxtil, natural ou artificial, constituída por diversos filamentos.

polifilético [De *poli-*[1] + *filético*[1].] *Adj. Biol.* Que se origina de vários troncos, ou seja, que não evolveu a partir de um único organismo primitivo.

polifilia [De *polifilo* + *-ia*[1].] *S. f. Bot.* **1.** Ocorrência ou condição de polifilo (1). **2.** Aumento do número de peças de um verticilo floral.

polifílico [De *polifilia* + *-ico*[2].] *Adj. Bot.* Relativo a polifilia, ou a polifilo.

polifilo [Do gr. *polýphyllos*.] *Adj. S. m. Bot.* **1.** Diz-se de, ou vegetal de muitas folhas. **2.** Que ou o que apresenta polifilia.

polifiodonte [De *poli-*[1] + rad. gr. *phy-*, do v. gr. *phýein*, 'dar nascimento'; 'produzir', + *-odonte*.] *Adj. 2 g. S. m. Zool.* Diz-se de, ou animal que durante a vida apresenta sucessivas dentições, como, por ex., o tubarão, o jacaré, o lagarto, etc. [Cf. *difiodonte* e *monofiodonte*.]

polifito [Do gr. *polýphytos*.] *Adj. Bot.* **1.** Relativo a, ou próprio de muitas plantas. **2.** Diz-se dos gêneros que compreendem numerosas plantas.

polifobia [De *poli-*[1] + *-fobia*.] *S. f. Psiq.* Medo patológico de múltiplas coisas.

polifóbico [De *polifobia* + *-ico*[2].] *Psiq. Adj.* **1.** Relativo a polifobia. **2.** Que sofre de polifobia; polífobo. ● *S. m.* **3.** Aquele que sofre de polifobia; polífobo.

polífobo [De *poli-*[1] + *-fobo*.] *Adj. S. m. Psiq.* Polifóbico (2 e 3).

polifonia [Do gr. *polyphonía*.] *S. f. Mús.* **1.** Entre os gregos antigos, reunião de vozes ou de instrumentos. **2.** Simultaneidade de várias melodias que se desenvolvem independentemente, mas dentro da mesma tonalidade.

polifónico *Adj.* V. *polifônico*. [Uso freq. em P.]

polifônico [De *polifonia* + *-ico*[2].] *Adj.* **1.** *Mús.* Relativo a, ou em que há polifonia. **2.** Diz-se do eco que repete o som várias vezes. **3.** Diz-se do sinal taquigráfico que representa vários fonemas. **4.** Diz-se do sistema que emprega sinais polifônicos. ~ V. *canção —a* e *missa —a*.

poliformaldeído [Do ingl. *polyformaldehyde*.] *S. m. Quím.* V. *polioximetileno*.

polifuncional [De *poli-*[1] + *funcional*.] *Adj. 2 g.* **1.** Multifuncional. **2.** *Quím.* Diz-se de composto que tem mais de uma função química.

polígala [Do tax. *Polygala* < lat. *polygala*, 'certa erva'.] *S. f. Bot.* **1.** Gênero-tipo das poligaláceas (q. v.). **2.** Qualquer espécie desse gênero como, p. ex., a *Polygala senega*, erva norte-americana, cujas raízes, ricas em saponina, são consideradas medicinais, e cujas flores e frutos são insignificantes, aquelas dispostas em racemos terminais. **3.** Qualquer espécime desse gênero.

poligalácea [Do tax. *Polygala* (v. *polígala*) + *-ácea*; tax. *Polygalaceae*.] *S. f. Bot.* Espécime das poligaláceas, família de plantas da ordem das geraniales, formada de ervas e arbustos, raramente arvoretas ou trepadeiras, de folhas alternas, flores racemosas, zigomorfas, corola com uma das pétalas dotada de um apêndice laciniado, filetes soldados, fruto capsular ou drupáceo. Existem umas 800 espécies, temperadas e tropicais; só o gênero *Polygala* (v. *polígala*) engloba metade desse número; muitas se dispersam pelo Brasil.

poligaláceo [De *poligalácea*, com var. suf. (v. *-áceo*).] *Adj. Bot.* Pertencente ou relativo às poligaláceas.

poligamia [De *poli-*[1] + *-gam(o)-* + *-ia*[1]; gr. eclesiástico *polygamía*.] *S. f.* **1.** Estado ou condição de polígamo. **2.** União conjugal de um indivíduo com vários outros, simultaneamente. **3.** *Antrop.* Costume socialmente regulado, ou regra ou ideal de casamento que permite ou prescreve esse tipo de união. **4.** *Bot.* Coexistência de flores unissexuais e hermafroditas numa mesma espécie, podendo-se, assim, ter numa planta flores hermafroditas, masculinas e femininas. [Antôn.: *monogamia*.]

poligâmico [De *poligamia* + *-ico*[2].] *Adj.* Polígamo (1 e 2). [Antôn.: *monogâmico*.]

polígamo [De *poli-*[1] + *-gamo*; gr. tard. *polýgamos*.] *Adj.* **1.** Que tem mais de um cônjuge ao mesmo tempo. **2.** Relativo a poligamia (2 e 3), ou caracterizado por ela: *casamento polígamo; sociedade polígama.* [Sin., nessas acepçs.: *poligâmico*.] **3.** *Bot.* Que apresenta poligamia: *arbusto polígamo.* ● *S. m.* **4.** Aquele que tem mais de um cônjuge ao mesmo tempo. [Antôn.: *monógamo*.]

poligamodioico (ói) [De *polígamo* + *dioico*[1].] *Adj. Bot.* Diz-se do vegetal que, sendo monoico, apresenta, também, flores hermafroditas. ❖

poligastricidade [De *poligástrico* + *-(i)dade*.] *S. f. Zool.* Qualidade de poligástrico.

poligástrico [De *poli-*[1] + *-gastr(o)-* + *-ico*[2].] *Adj. Zool.* Que tem muitos estômagos.

poligenia [De *poli-*[1] + *-genia*.] *S. f. Genét.* Condição do caráter (11) determinado por vários genes.

poligénico *Adj. Genét.* V. *poligênico*. [Uso freq. em P.]

poligênico [De *poligenia* + *-ico*[2].] *Adj. Genét.* Relativo a poligenia, ou que a apresenta.

poligenismo [De *poli-*[1] + *-gen(o)-* + *-ismo*.] *S. m.* **1.** Qualquer hipótese ou teoria que afirma que determinada entidade, ser ou conjunto de seres não tem origem única e resulta de múltiplos processos, independentes entre si, de formação ou desenvolvimento. **2.** *Antrop.* Hipótese ou teoria segundo a qual a humanidade não tem uma origem comum, e que sustenta que os diversos grupos humanos pré-históricos, ou as supostas raças da humanidade atual descendem de espécies distintas. [O poligenismo, corrente principalmente no século XIX, tornou-se obsoleto com a aceitação da teoria darwiniana da evolução.]

poligenista [De *poligenismo* + *-ista*.] *Adj. 2 g.* **1.** Relativo ao, ou próprio do poligenismo. ● *S. 2 g.* **2.** Adepto ou proponente do poligenismo.

polígeno [De *poli-*[1] + *-geno*.] *Adj.* Que produz muito. [Cf. *polígino*.]

poliginia [De *poli-*[1] + *-gin(o)-* + *-ia*[1].] *S. f.* **1.** Estado, ou qualidade, ou prática de polígino; casamento de homem com muitas mulheres. **2.** *Antrop.* Costume, regra ou ideal de casamento, que permite ou prescreve esse tipo de união. **3.** *Bot.* Existência de muitos pistilos. [Cf. *poliandria*.] ◆ **Poliginia sororal.** *Antrop.* Prática ou costume social, ou o regime matrimonial nele baseado, em que um homem pode casar-se com duas ou mais mulheres irmãs entre si. [Tb. se usa, impr., *sororato*.]

polígino [De *poli-*[1] + *-gino*.] *Adj.* **1.** Que tem mais de uma mulher como cônjuge. **2.** Relativo à poliginia (2 e 3), ou caracterizado por ela. **3.** *Bot.* Que tem muitos pistilos em cada flor: *gineceu polígino.* ● *S. m.* **4.** Indivíduo polígino (1). [Cf. *poliandro*, *polígamo* e *polígeno*.]

poliglota [Do gr. *polýglottos*.] *Adj. 2 g.* **1.** Que sabe ou fala muitas línguas; multilíngue, plurilíngue. **2.** Que está escrito em muitas línguas; poliglótico, multilíngue, plurilíngue. ● *S. 2 g.* **3.** Pessoa que sabe ou fala muitas línguas.

poliglótico [De *poliglota* + *-ico*[2].] *Adj.* **1.** Poliglota (2). **2.** Relativo a poliglota.

poliglotismo [De *poliglota* + *-ismo*.] *S. m.* **1.** Qualidade de poliglota: "puxava as rezas e ladainhas num latinório levado da breca e que o Padre Eterno, apesar do seu poliglotismo, custaria bem a entender." (Visconde de Taunay, *Ao Entardecer*, p. 83). **2.** Facilidade de falar muitas línguas.

poligonácea [Do tax. *Polygonum* (do gr. *polýgonon*, 'certa planta') + *-ácea*; tax. *Polygonaceae*.] *S. f. Bot.* Espécime das poligonáceas, família de plantas floríferas, da ordem das poligonales, que se caracteriza pela longa bainha estipular, dita ócrea (q. v.). A maioria são plantas herbáceas e, menos vezes, arbustos e trepadeiras. Inflorescências multifloras, flores pequeninas. Há cerca de 1.000 espécies por todo o mundo; uma delas, o amor-agarradinho, é muito cultivada entre nós.

poligonáceo [De *poligonácea*, com var. suf. (v. *-áceo*).] *Adj. Bot.* Pertencente ou relativo às poligonáceas.

poligonal[1] [De *polígono* + *-al*[1].] *Adj. 2 g.* **1.** Relativo ao polígono. **2.** Que tem muitos ângulos. **3.** Que tem por base um polígono. ~ V. *linha — e setor —*. ● *S. f. Geom.* **4.** Linha poligonal.

poligonal[2] [Do lat. cient. *Polygon-* (v. *poligonale*) + *-al*[1].] *Adj. 2 g. Bot.* Pertencente ou relativo às poligonales.

poligonale [Do tax. *Polygonum* (v. *poligonácea*) + *-ale*; tax. *Polygonales*.] *S. f. Bot.* Espécime das poligonales, ordem de vegetais dicotiledôneos arquiclamídeos que compreende unicamente a família das poligonáceas.

poligônfio [De *poli-*[1] + gr. *gomphíos*.] *Adj. Zool.* Diz-se de animal que apresenta grande número de dentes molares.

polígono [Do gr. *polygonon*, pelo lat. *polygonu*.] *S. m.* **1.** *Geom.* Linha poligonal fechada. **2.** *Geom.* Região plana limitada por uma linha poligonal fechada. **3.** Figura que determina a forma geral de uma praça de guerra. [A pronúncia correta seria *poligono*, v. *-gono*.] ◆ **Polígono de frequência.** *Estat.* Poligonal que representa, num diagrama cartesiano, uma distribuição de frequência. **Polígono de tiro.** *Mil.* Lugar onde se testam bocas de fogo, projetis, cargas de projeção, etc.; campo de provas. **Polígono equiângulo.** *Geom.* O que tem todos os ângulos iguais. **Polígono equilátero.** *Geom.* O que tem todos os lados iguais. **Polígono esférico.** *Geom.* Região de uma superfície esférica limitada por três ou mais arcos de grandes círculos. **Polígono estrelado.** *Geom.* Polígono cujos ângulos são, alternadamente, reentrantes e salientes. **Polígono geodésico.** *Topogr.* Numa superfície, polígono formado por geodésicas que se interceptam duas a duas. **Polígono mistilíneo.** *Geom.* O que tem alguns lados retos e outros curvilíneos. **Polígono regular.** *Geom.* O que tem todos os lados e todos os ângulos iguais; polígono simultaneamente equilátero e equiângulo.

poligórdio [Do tax. *Polygordius*.] *S. m. Zool.* **1.** Gênero de pequenos vermes arquianelídeos, cilíndricos, sem cerdas ou parápodes, com dois tentáculos cefálicos. Marinhos, vivem ao longo das praias costeiras. **2.** Espécie ou espécime desse gênero.

poligrafar [De *polígrafo* + *-ar*[2].] *V. t. d.* Escrever com o polígrafo (2). [Pres. ind.: *poligrafo*, etc. Cf. *polígrafo*.]

poligrafia [Do gr. *polygraphía*.] *S. f.* **1.** Coleção de obras diversas, literárias ou científicas. **2.** Conjunto de conhecimentos vários. **3.** Qualidade de quem é polígrafo.

poligráfico [De *poligrafia* + *-ico*[2].] *Adj.* Diz-se do estabelecimento cujas atividades abrangem diversos ramos das artes gráficas.

polígrafo [Do gr. *polygráphos*.] *S. m.* **1.** Aquele que escreve acerca de matérias diversas: "Foi Alberto Pimentel um dos polígrafos mais fecundos da última geração romântica" (P.ᵉ Arlindo Ribeiro da Cunha, *A Língua e a Literatura Portuguesa*, p. 557). **2.** Maquinismo que, movendo muitas penas, produz muitas cópias simultâneas do mesmo escrito. **3.** V. *copiógrafo*. **4.** V. *polímata*. **5.** Instrumento que registra diversos fenômenos fisiológicos (pressão arterial, movimentos respiratórios, etc.), usado ger. como detector de mentira(s). **6.** *Bras.* V. *apostila* (5). [Cf. *poligrafo*, do v. *poligrafar*.]

poligrama [De *poli-*[1] + *-grama*.] *S. m.* Taquigrama formado por dois ou mais sinais.

poligrâmico [De *poligrama* + *-ico*[2].] *Adj.* Diz-se do sistema taquigráfico que emprega sinais polifônicos.

poli-hidroxilado (cs) [De *poli-*[1] + *hidroxila* + *-ado*[1].] *Adj. Quím.* Em cuja estrutura molecular se encontram muitas hidroxilas. ❖

poli-insaturado [De *poli-*[1] + *insaturado*.] *Adj. Quím.* Em cuja estrutura molecular se encontram várias insaturações. ❖

poli-isobuteno [De *poli-*[1] + *isobuteno*.] *S. m. Quím.* Substância polimérica, cujo monômero é o isobuteno. ❖

poli-isopreno [De *poli-*[1] + *isopreno*.] *S. m. Quím.* Material sintético obtido pela polimerização do isopreno, muito parecido com a borracha natural. ❖

polilépide [De *poli-*[1] + *-lépide*.] *Adj. 2 g. Bot.* Que tem muitas escamas.

polilha [Do esp. *polilla*.] *S. f.* **1.** Pó finíssimo; poalha. **2.** Espécie de traça[1].

polimastigino [Do lat. cient. *Polymastig-* (< tax. *Polymastix* < gr. *poly-* [v. *poli-*[1]] + gr. *mástix, igos*, 'chicote') + *-ino*[3]; tax. *Polymastigina*.] *Zool. S. m.* **1.** Espécie dos polimastiginos, ordem de zoomastiginos, cujo corpo apresenta três ou mais flagelos. São holozoicos ou saprozoicos. Alimentam-se de substâncias orgânicas em decomposição ou não, e são, na maioria, parasitos ou comensais da cavidade intestinal e de outros órgãos de invertebrados e vertebrados. ● *Adj.* **2.** Pertencente ou relativo a eles.

polimastigóforo [De *poli-*[1] + *-mastig(o)-* + *-foro*.] *Adj. S. m. Zool.* Diz-se de, ou protozoário com vários flagelos formando tufos.

polímata [Do gr. *polymathés*.] *S. 2 g.* Aquele que estudou ou sabe muitas ciências; polígrafo, polímate.

polímate *S. 2 g.* V. *polímata*.

polimatia [Do gr. *polymathía*.] *S. f.* Instrução extensa e variada.

polimático [De *polimatia* + *-ico*[2].] *Adj.* Relativo a, ou que tem polimatia.

polimentar [De *polimento* + *-ar*[2].] *V. t. d.* Dar polimento a; polir.

polimento [De *polir* + *-mento*.] *S. m.* **1.** Ato ou efeito de polir. **2.** *Fig.* Aprimoramento, finura: *É boa moça, mas não tem polimento.* **3.** Couro envernizado de que se fazem calçados; verniz.

polimerase [De *polímero* + *-ase*.] *S. f. Bioquím.* Qualquer de várias enzimas que catalisam a produção (*in vitro* ou *in vivo*) de ácidos nucleicos, a partir dos precursores adequados e em presença de uma pequena quantidade inicial do ácido nucleico que será produzido.

polimérico [De *polímero* + *-ico*[2].] *Adj. Quím.* Próprio de, ou relativo a polímero.

polimerídeo [De *poli-*[1] + *-mer(o)-*[1] + *-ídeo*[1].] *Adj. S. m. Zool.* Diz-se de, ou animal metazoário, artiozoário cuja forma é complexa, constituída por segmentos sucessivos ou metâmeros.

polimerização [De *polimerizar* + *-ção*.] *S. f. Quím.* Processo em que moléculas de uma, duas, ou mais substâncias (o monômero, ou os monômeros) se unem para formar estrutura de peso molecular múltiplo do das unidades iniciais e, em geral, elevado (o polímero).

polimerizado [Part. de *polimerizar*.] *Adj. Quím.* Em que houve polimerização.

polimerizador (ô) [De *polimerizar* + *-dor*.] *Adj. S. m. Quím.* Que, ou aquilo que promove polimerização.

polimerizar [De *polímero* + *-izar*.] *V. t. d. Quím.* Transformar (um monômero) em polímero.

polímero [Do gr. *polymerés*.] *S. m. Quím.* Composto formado por sucessivas aglomerações de grande número de moléculas fundamentais. Ex.: o polietileno, formado pela aglomeração de centenas de milhares de moléculas de etileno; um poliéster, formado pela união de moléculas alternadas de glicol e diácido. ◆ **Polímero atáctico.** *Quím.* Polímero em que não há ordenação regular das unidades monômeras. **Polímero isotáctico.** *Quím.* O que tem unidades monômeras assimétricas, mas orientadas de igual maneira em cada uma das cadeias elementares. **Polímero sindiotáctico.** *Quím.* Polímero com unidades monômeras assimétricas, orientadas assimetricamente, nas cadeias elementares vizinhas. **Polímero táctico.** *Quím.* Aquele em que as unidades monômeras estão regularmente orientadas, formando cadeias com ordenação constante.

polimetilênico [De *poli-*[1] + *metileno* + *-ico*[2].] *Adj.* Que possui cadeia formada por muitos grupos metileno unidos.

polimetria [De *poli-*[1] + *-metria*.] *S. f.* **1.** Qualidade de polimétrico. **2.** *Arte Poét.* Emprego de versos polimétricos [v. abonação em *polimétrico* (2)].

polimétrico [De *polimetria* + *-ico*[2].] *Adj. Arte Poét.* **1.** Formado de versos de várias medidas: 📄 *poema polimétrico; As poesias de Mário Pederneiras são, na maioria, polimétricas.* **2.** Diz-se de versos de várias medidas: 📖 "O poema ['Paisagem Noturna', de Manuel Bandeira] é feito em versos assimetricamente polimétricos. Se a combinação de versos de várias medidas é processo antiquíssimo, não se pode dizer que a assimetria seja excludente da polimetria." (Emanuel de Morais, *Manuel Bandeira*, p. 12.)

polímnico [Do mit. gr. *Polýmnia*, 'a musa da retórica', + *-ico*[2].] *Adj.* Respeitante à retórica. [Cf. *polínico*.]

polimodalidade [De *poli-*[1] + *modalidade*.] *S. f. Mús.* Superposição de melodias pertencentes cada uma a um modo diferente.

polimórfico [De *polimorfo* + *-ico*[2].] *Adj.* Diz-se de substância que apresenta polimorfismo (2).

polimorfismo [De *polimorfo* + *-ismo*.] *S. m.* **1.** *Bot.* Existência de órgãos ou plantas com diversas formas. [O polimorfismo foliar significa que um vegetal apresenta folhas de vários tipos morfológicos.] **2.** *Quím.* Fenômeno apresentado por substâncias que cristalizam em diferentes sistemas [v. *sistema* (16)]. **3.** *Genét.* Ocorrência simultânea, numa população, de genomas que apresentam variações nos alelos de um mesmo lócus, resultando, por vezes, em diferentes fenótipos, cada um com uma frequência determinada. **4.** *Zool.* Propriedade que têm certas espécies de animais de apresentarem formas diferentes de acordo com a função a ser desempenhada. [Ocorre, p. ex., nos insetos himenópteros onde há rainha, operárias, soldados, etc.]

polimorfo [Do gr. *polýmorphos*.] *Adj.* **1.** Que se apresenta sob numerosas formas; multiforme: 📖 "Talento polimorfo, Eduardo [Eduardo Guimaraens] tem explorado, até agora, e às vezes com sucesso, todos os gêneros literários, exceto o romance." (João Pinto da Silva, *Fisionomias de "Novos"*, p. 40.) **2.** Sujeito a variar de forma. **3.** *Bot.* Que apresenta polimorfismo: 📄 *fruto polimorfo.* [Uma espécie polimorfa apresenta características distintas em diferentes lugares.] [Sin. ger.: *multiforme*.]

polimorfonuclear [De *polimorfo* + *núcleo* + *-ar*[1].] *Histol. Adj. 2 g.* **1.** Diz-se de célula cujo núcleo se apresenta sob forma de lóbulos, ou dividida de tal maneira que dá a impressão de ser múltipla. ● *S. m.* **2.** Leucócito polimorfonuclear.

polinemídeo [Do tax. *Polynemus* + *-ídeo*[1]; tax. *Polynemidae*.] *Zool. S. m.* **1.** Espécime dos polinemídeos, família de peixes crossopterígios, perciformes, na qual as nadadeiras peitorais se dividem em duas partes, sendo a inferior composta de raios longos e filamentosos. De distribuição universal, habitam as costas dos mares tropicais e subtropicais. Ex.: o barbado. ● *Adj.* **2.** Pertencente ou relativo a eles.

polinésio *S. m.* **1.** Indivíduo dos polinésios, povo nativo da Polinésia (um dos três grandes agrupamentos das ilhas do Pacífico), de cor parda, estatura elevada e cabelos finos. **2.** O natural ou habitante da Polinésia. **3.** *Gloss.* Um dos subgrupos do malaio-polinésio (q. v.). ● *Adj.* **4.** Pertencente ou relativo à Polinésia, ou aos polinésios.

polineurite [De *poli-*[1] + *neurite*.] *S. f. Neur.* Inflamação simultânea de vários nervos; polinevrite.

polineurítico [De *polineurite* + *-ico*[2].] *Adj. Neur.* Relativo a polineurite; polinevrítico.

polinevrite [De *poli-*[1] + *nevrite*.] *S. f. Neur.* Polineurite.

polinevrítico [De *polinevrite* + *-ico*[2].] *Adj. Neur.* Polinevrite; polineurítico.

▲ **polin(i)-** [Do lat. *pollen* ou *pollis, inis*.] *El. comp.* = 'pólen': *polínico, polinífago*.

polínia [De *polin(i)-* + *-ia*[2].] *S. f. Bot.* Massa que congrega, nas orquidáceas e asclepiadáceas, os grãos do pólen.

polínico [De *polin(i)-* + *-ico*[2].] *Adj. Bot.* Que contém pólen. ~ V. *tubo* —. [Cf. *polímnico*.]

polinífago [De *polin(i)-* + *-fago*.] *Adj.* Que se nutre de pólen.

polinífero [De *polin(i)-* + *-fero*.] *Adj.* Que contém pólen.

polínio [De *polin(i)-* + *-io*[3].] *S. m. Bot.* Massa de pólen aglutinado, transportável por pássaros e insetos, que se encontra nas anteras das orquídeas e das asclepiadáceas.

polinização [De *polinizar* + *-ção*.] *S. f. Bot.* Transporte do grão de pólen da antera para o estigma. [Pode-se dar dentro de uma flor (*autogamia*), ou entre flores distintas, que não raro estão bem afastadas uma da outra (*alogamia*). O pólen é veiculado pela água, ou pelo vento, ou por animais, entre os quais se distingue uma multidão de insetos, ditos *polinizadores*.]

polinizador (ô) [De *polinizar* + *-dor*.] *Adj. S. m.* Diz-se de, ou animal (especialmente inseto) que poliniza.

polinizar [De *polin(i)-* + *-izar*.] *V. t. d.* **1.** Realizar a polinização de. *Int.* **2.** Propiciar polinização.

polinomial [De *polinômio* + *-al*[1].] *Adj. 2 g. Mat.* De, ou relativo a polinômio; polinômico. ~ V. *equação* — .

polinômico [De *polinômio* + *-ico*[2].] *Adj. Mat.* Polinomial.

polinômio *S. m.* V. *polinômio*. [Uso freq. em P.]

polinômio [De *poli-*[1] + *(bi)nômio*.] *S. m. Álg.* Forma algébrica racional inteira. [Ex: um polinômio com 3 variáveis (*x, y, z*) contém apenas termos da forma geral $ax^py^qz^r$, onde o coeficiente *a* é um número real, e os expoentes *p, q* e *r* são números inteiros.] ◆ **Polinômio de primeiro grau** (com uma variável, *x*). *Álg.* Aquele que tem a forma geral: $ax + b$, onde *a* e *b* são coeficientes reais. **Polinômio de segundo grau** (com uma variável, *x*). *Álg.* Aquele que tem a forma geral: $ax^2 + bx + c$, onde *a, b* e *c* são coeficientes reais. **Polinômio diádico.** *Mat.* Diádico. **Polinômio inteiro.** *Álg.* O que só contém potências naturais da variável. **Polinômio mônico.** *Álg.* O que tem o coeficiente da maior potência igual à unidade. **Polinômio redutível.** *Álg.* Polinômio que, num corpo, pode ser fatorado em polinômios de menor grau com coeficientes pertencentes a esse corpo. **Polinômios idênticos.** *Álg.* Aqueles cujos coeficientes das potências do mesmo grau são iguais. **Polinômios ortogonais.** *Álg.* Dois polinômios cujo produto tem a integral, sobre um certo domínio, igual a zero.

polinuclear [De *poli-*[1] + *núcleo* + *-ar*[1].] *Adj. 2 g.* Que tem mais de um núcleo.

polinucleotídeo [De *poli-*[1] + *nucleotídeo*.] *S. m. Quím.* Biopolímero resultante da condensação de muitos nucleotídeos.

polinucleotídico *Adj. Citol. Genét.* ~ V. *cadeia —a*.

▲ **polio-** [Do gr. *poliós, á, ón*.] *El. comp.* = 'cinzento' (indica relação com a substância cinzenta do sistema nervoso): *poliomielite; poliose*[1] (< gr.).

pólio[1] [Do gr. *pólion*, pelo lat. *polion*.] *S. m. Bot.* Erva lamiácea (*Teucrium polium*) medicinal, semelhante ao maro (q. v.).

pólio[2] *S. f. Bras. Patol.* **1.** V. *poliomielite*. **2.** V. *poliomielite anterior aguda*.

▲ **-pólio** [Do gr. *-pólion*(< gr. *pōlein*, 'vender'), como em *monopólio* (< gr.).] *El. comp.* = 'direito à venda'; 'venda': *duopólio, oligopólio*.

polioencefalite [De *polio-* + *encefalite*.] *S. f. Patol.* Inflamação da substância cinzenta encefálica.

polioencefalítico [De *polioencefalite* + *-ico*[2].] *Adj. Patol.* Relativo a polioencefalite.

polioftalmo [De *poli-*[1] + *-oftalmo*.] *Adj. Zool.* Diz-se de animal que possui numerosos olhos.

poliomielite [De *polio-* + *-miel(o)-* + *-ite*[1].] *S. f. Patol.* Inflamação da substância cinzenta da medula espinhal. [F. red.: *pólio*.] ◆ **Poliomielite anterior aguda.** *Patol.* V. *paralisia infantil*. [Tb. se diz apenas *pólio*.]

poliomielítico [De *poliomielite* + *-ico*[2].] *Adj. Patol.* Relativo a poliomielite.

poliónimo *Adj.* V. *poliônimo*. [Uso freq. em P.]

poliônimo [Do gr. *polyónymos*, pelo lat. *polyonymu*.] *Adj.* Que tem muitos nomes; que pode ser nomeado de várias maneiras.

poliope [Do gr. *polyopés*.] *S. 2 g. Oftalm.* Pessoa que sofre de poliopia.

poliopia [De *poli-*[1] + *-opia*.] *S. f. Oftalm.* Percepção de mais de uma imagem de um único objeto, podendo ocorrer com apenas um dos olhos ou com ambos.

poliópico [De *poliopia* + *-ico*[2].] *Adj. Oftalm.* Relativo a poliopia.

poliorama [De *poli-*[1] + *-orama*.] *S. m.* Espécie de panorama em que os quadros móveis, interpenetrando-se, mudam de contornos e se transfiguram aos olhos do observador.

poliorcética [F. subst. de *poliorcético*.] *S. f.* Arte de fazer cercos militares.

poliorcético [Do gr. *poliorketikós*.] *Adj.* Respeitante à poliorcética.

poliorquia [De *poli-*[1] + *-orqu(i)-* + *-ia*[1].] *S. f. Urol.* A existência de mais de dois testículos em um homem.

poliórquico [De *poliorquia* + *-ico*[2].] *Adj.* Relativo a poliorquia.

poliose[1] [Do gr. *políosis*.] *S. f. Med.* Embranquecimento precoce dos pelos.

poliose[2] [De *poli-*[1] + *-ose*[2].] *S. f. Quím.* V. *polissacarídeo*.

polioximetileno (cs) [De *poli-*[1] + *-ox(i)-* + *metileno*.] *S. m. Quím.* Polímero feito por polimerização do aldeído fórmico, e que é formado pela repetição de unidades $[-CH_2O-]$; é us. na fabricação de pequenas peças, aproveitando seu baixo coeficiente de atrito, e para a indústria de alimentos. [Sin.: *acetal* (impr.), *poliacetal, poliformaldeído*.]

polipedia [Do gr. *polypaidía*.] *S. f. Obst.* Gravidez com vários fetos.

polipédico [De *polipedia* + *-ico*[2].] *Adj.* Referente a polipedia.

polipeiro [De *pólipo* + *-eiro*.] *S. m.* **1.** Reunião de pólipos. **2.** Habitação de pólipos que vivem agrupados.

polipeptídico [De *polipeptídio* + *-ico*[2].] *Adj.* De, ou relativo a polipeptídio.

polipeptídio [De *poli-*[1] + *peptídio*.] *S. m. Quím.* Peptídio com muitos resíduos de aminoácidos.

polipétalo [De *poli-*[1] + *-pétalo*.] *Adj. Bot.* **1.** Que tem muitas pétalas. **2.** *Desus.* Dotado de pétalas livres entre si. [Sin. ger.: *pluripétalo, multipétalo*.]

polipiforme [De *pólipo* + *-iforme*.] *Adj. 2 g.* Que tem forma de pólipo.

poliplacóforo [De *poli-*[1] + *-plac(o)-* + *-foro*; tax. *Polyplacophora*.] *Zool. S. m.* **1.** Espécime dos poliplacóforos, ordem de moluscos, anfineuros, de corpo revestido por concha dividida em oito placas ou loricas, sola pediosa grande, achatada. Vivem em rochas, especialmente nas costas rasas. ● *Adj.* **2.** Pertencente ou relativo a eles. [Sin. ger.: *loricado, placóforo*.]

poliploide (ói) [De *poli-*[1] + *-ploide*.] *Adj. 2 g. Biol.* Diz-se de organismo, célula ou núcleo celular que tem duas vezes ou mais o número haploide de cromossomos característico da espécie. ❖

poliploidia [De *poliploide* + *-ia*[1].] *S. f. Biol.* Situação genética de núcleo celular, célula, ou organismo, em que há dois ou mais conjuntos de cromossomos.

pólipo [Do gr. *polýpous*, 'polvo', 'pólipo', pelo lat. *polypu*, por via erudita.] *S. m.* **1.** *Patol.* Neoformação pediculada que surge de membrana mucosa. **2.** *Zool.* Cnidário ger. sedentário cujo corpo, de consistência mole, é cilíndrico e oco, e fixa-se ao substrato (5) por uma das extremidades, e é dotado de boca circundada por tentáculos [v. *tentáculo* (2)] na outra. [Entre os sifonóforos, o pólipo modifica-se de forma a ter vida colonial pelágica.]

polípode [De *poli-*[1] + *-pode*.] *Adj. 2 g.* Que tem muitos pés.

polipodiácea [Do tax. *Polypodium* (do lat. *polypodium*) + *-ácea*; tax. *Polypodiaceae*.] *S. f. Bot.* Espécime das polipodiáceas, família de pteridófitos, da ordem das eufilicales, caracterizada pelos esporângios com anel vertical incompleto, que se abrem por uma fenda transversal. Reúnem-se em grande número, formando os soros, com indúsio ou sem ele. A maioria é herbácea, mas há formas de tamanho avantajado; comumente possuem rizoma escamoso. Há em todo o orbe perto de 3.000 espécies, numerosas das quais brasileiras. A samambaia cultivada é o exemplo mais comum.

polipodiáceo [De *polipodiácea*, com var. suf. (v. *-áceo*).] *Adj. Bot.* Pertencente ou relativo às polipodiáceas.

polipódio[1] [Do gr. *polypódion*, pelo lat. *polypodiu*.] *Adj.* Multípede.

polipódio[2] [Do tax. *Polypodium*.] *S. m. Bot.* **1.** Gênero de polipodiáceas de frondes penatífidas ou penadas, rizoma piloso, soros nus e circulares. **2.** Qualquer espécie desse gênero, como, p. ex., a *Polypodium persicifolium* (v. *samambaia-de-metro*). **3.** Qualquer espécime desse gênero.

polipoide (ói) [De *pólipo* + *-oide*.] *Adj. 2 g.* **1.** De, relativo a, ou semelhante a pólipo. **2.** Cujo corpo tem forma de pólipo (diz-se de cnidário).❖

poliporácea (ói) [Do tax. *Polyporus* (do gr. *polýporos*, 'que tem muitas passagens') + *-ácea*; tax. *Polyporaceae*.] *S. f. Micol.* Espécime das poliporáceas, família de fungos basidiomicetos, que tem por gênero-tipo o *Polyporus*, parasita de árvores.

poliporáceo [De *poliporácea*, com var. suf. (v. *-áceo*).] *Adj. Micol.* Pertencente ou relativo às poliporáceas.

poliposo (ô) [Do lat. tard. *polyposu*.] *Adj.* Da natureza de pólipo (1).

poliprisma [De *poli-*[1] + *-prisma*.] *S. m. Ópt.* Prisma constituído pela justaposição de vários outros, opticamente acoplados, ou constituindo peça única.

polipropileno [De *poli-*[1] + *propileno*.] *S. m. Quím.* Substância polimérica, plástico us. em películas e fibras, cujo monômero é o propeno.

P

poliprótico *Adj. Quím.* ~ V. *ácido* —.

poliprotodonte [De *poli-*^{1} + *-prot(o)-* + *-odonte*; tax. *Polyprotodontia.*] *Zool. S. m.* **1.** Espécime dos poliprotodontes, subordem de metazoários, cordados, mamíferos, metatérios, marsupiais, providos de quatro ou cinco pequenos dentes incisivos superiores e dois ou três inferiores de cada lado, sendo os caninos grandes e os molares dotados de cúspides. São os marsupiais carnívoros. ● *Adj. 2 g.* **2.** Pertencente ou relativo a eles.

políptico [Do gr. *polýptychos*, pelo lat. tard. *polyptychu.*] *Adj.* **1.** Dizia-se, em Roma, das placas chamadas *tábulas* [v. *tábula* (2)]. ● *S. m.* **2.** V. *tábula* (2). **3.** *Art. Plást.* Conjunto de quatro ou mais quadros [v. *quadro* (3)] independentes, porém subordinados ao mesmo tema. [Cf., nesta acepç., *tríptico* (1).] **4.** Retábulo com diversos compartimentos fixos ou móveis.

poliptoto [Do gr. *polýptoton*, pelo lat. tard. *polyptoton.*] *S. m. E. Ling.* Emprego, em um período, de uma palavra sob várias formas gramaticais. Ex.: *Trabalhar, trabalhei, porém antes não houvesse trabalhado.*

poliptóton *S. m.* V. *poliptoto.*

poliqueta (ê) [De *poli-*^{1} + *-queta*; tax. *Polychaeta.*] *Zool. S. m.* **1.** Espécime dos poliquetas, classe de animais marinhos, anelídeos, de segmentação distinta, anéis com parápodes e numerosas cerdas, região cefálica evidente, com tentáculos, e sexos, em geral, separados. ● *Adj. 2 g.* **2.** Pertencente ou relativo a eles.

polir [Do lat. *polire.*] *V. t. d.* **1.** Tornar lustroso, friccionando; brunir, lustrar: "ela a esfregar soalhos, ela a polir metais" (José Régio, *Histórias de Mulheres*, p. 65). **2.** Aplicar polimento ou verniz em; envernizar: *polir um móvel.* **3.** Dar ou transmitir civilização a; civilizar: *polir uma tribo indígena.* **4.** Tornar polido, delicado, cortês; educar: *A escola pule as crianças; O moço poliu as maneiras.* **5.** Tornar perfeito; aprimorar, esmerar: *polir o estilo.* **6.** Esfregar a superfície de (pedra, madeira, metal, etc.) com o fim de remover-lhe as asperezas e torná-la lisa e brilhante. *P.* **7.** Tornar-se polido ou lustroso: *O piso pule-se mais ainda ao reflexo da luz.* **8.** Tornar-se perfeito, primoroso; aperfeiçoar-se, aprimorar-se: *Pela biografia do escritor, vê-se claramente como se lhe poliu o estilo.* [Irreg. Pres. ind.: *pulo, pules, pule, polimos, polis, pulem*; imperat.: *pule, pula, pulamos, poli, pulam*; pres. subj.: *pula, pulas, pula, pulamos, pulais, pulam.*]

polirribossomo [De *poli-*^{1} + *ribossomo.*] *S. m. Citol.* Conjunto formado por uma molécula de RNA-m e os ribossomos a ela ligados, us. para sintetizar proteínas; polissomo.

polirritmia [De *poli-*^{1} + *ritmo* + *-ia*^{1}.] *S. f. Mús.* Emprego simultâneo de duas ou mais estruturas rítmicas diferentes na composição musical.

polirrítmico [De *poli-*^{1} + *ritmo* + *-ico*^{2}.] *Adj.* **1.** Que tem diversos ritmos. **2.** Que tem o ritmo muito variado. **3.** *Mús.* Relativo à polirritmia.

polirrizo [Do gr. *polýrrhizos.*] *Adj. Bot.* Que tem muitas raízes.

▲ **-polis** V. *poli-*^{2}.

polispermático [De *polisperma* + *-ático.*] *Adj. Bot.* V. *polispérmico.*

polispermia [De *poli-*^{1} + *-sperm(o)-* + *-ia*^{1}.] *S. f. Biol.* Penetração de vários espermatozoides no óvulo ao dar-se a fecundação.

polispérmico [De *polispermo* + *-ico*^{2}.] *Adj. Bot.* Que tem muitas sementes; polispermático, polispermo: *cápsula polispérmica.*

polispermo [Do gr. *polýspermos.*] *Adj. Bot.* V. *polispérmico.*

polísporo [De *poli-*^{1} + *-sporo.*] *S. m. Bot.* Esporo que é produzido em grande número nos esporângios de certas rodofíceas.

polissacarídeo [De *poli-*^{1} + *sacarídeo.*] *S. m. Quím.* Carboidrato que fornece por hidrólise outros carboidratos de menor massa molecular, e que constituem a sua molécula mediante ligações efetuadas através de átomos de oxigênio; glicana, glicano, poliose.

polissacarídico [De *polissacarídeo* + *-ico*^{2}.] *Adj.* De, ou relativo a polissacarídeo.

polissecular [De *poli-*^{1} + *secular.*] *Adj. 2 g.* V. *multissecular.*

polissemia [Do lat. cient. *polysemia* < gr. *polýsemos*, 'que tem muitas significações', + lat. cient. *-ia* (v. *-ia*^{1}).] *S. f. E. Ling.* O ter uma palavra muitas significações: "Quando um termo se usa com várias acepções diz-se que há polissemia." (M. Said Ali, *Meios de Expressão e Alterações Semânticas*, p. 83.)

polissémico *Adj.* V. *polissêmico.* [Uso freq. em P.]

polissêmico [De *polissemia* + *-ico*^{2}.] *Adj.* Referente a polissemia; que tem mais de um significado.

polissialia [De *poli-*^{1} + *-sial(o)-* + *-ia*^{1}.] *S. f. Med.* V. *sialorreia.*

polissiálico [De *polissialia* + *-ico*^{2}.] *Adj.* Relativo a polissialia.

polissilábico [De *polissílabo* + *-ico*^{2}.] *Adj.* **1.** Relativo a polissílabo (1). **2.** Que tem mais de uma sílaba; polissílabo.

polissílabo [Do gr. *polysýllabos*, pelo lat. tard. *polysyllabu.*] *E. Ling. S. m.* **1.** Palavra que tem mais de uma sílaba, e especialmente mais de três. ● *Adj.* **2.** Polissilábico (2).

polissilogismo [De *poli-*^{1} + *silogismo.*] *S. m. Lóg.* Encadeamento de um ou mais silogismos de modo que a conclusão de cada um deles passa a ser uma das premissas do próximo. [Cf. *prossilogismo* e *epissilogismo.*]

polissilogístico [De *polissilogismo* + *-ist(a)-* + *-ico*^{2}.] *Adj.* Relativo ao polissilogismo.

polissindético [De *polissíndeto* + *-ico*^{2}.] *Adj.* Em que há polissíndeto. [Cf. *assindético* e *sindético.*]

polissíndeto [Do gr. tard. *polysýndeton.*] *S. m. E. Ling.* Espécie de pleonasmo que consiste em repetir uma conjunção maior número de vezes do que o exige a ordem gramatical. Ex.: "E zumbia, e voava, e voava, e zumbia." (Machado de Assis, *Poesias Completas*, p. 314); "Contra a destruição se aferra à vida, e luta, / E treme, e cresce, e brilha, e afia o ouvido, e escuta / A voz, que na soidão só ele escuta, — só" (Olavo Bilac, *Poesias*, p. 269); "Tua irmã é carinhosa, e doce, e meiga, e casta, e consoladora." (Eça de Queirós, *Prosas Bárbaras*, p. 5); "O amor que a exalta e a pede e a chama e a implora." (Manuel Bandeira, *Estrela da Vida Inteira*, p. 13); "Mão gentil, mas cruel, mas traiçoeira, / Vibrou-se o golpe." (Alberto de Oliveira, *Poesias*, 1.ª série, p. 302); "Não é este edifício obra de reis, ... mas nacional, mas da gente portuguesa" (Alexandre Herculano, *Lendas e Narrativas*, I, p. 243). [F. paral.: *polissíndeton*. Cf. *assíndeto* e *síndeto.*]

polissíndeton *S. m.* V. *polissíndeto.*

polissíntese [De *poli-*^{1} + *síntese.*] *S. f. E. Ling.* Combinação de grande número de morfemas, quer lexicais, quer gramaticais, numa única palavra.

polissintético [De *polissínt(ese)* + *-ético.*] *Adj. E. Ling.* Referente a polissíntese. ~ V. *língua* —*a*.

polissomia [De *poli-*^{1} + *-som(o)-* + *-ia*^{1}.] *S. f. Genét.* Ocorrência de um cromossomo três ou mais vezes numa célula ou num organismo.

polissómico *Adj. Genét.* V. *polissômico.* [Uso freq. em P.]

polissômico [De *polissomia* + *-ico*^{2}.] *Adj. Genét.* Relativo a polissomia, ou que a apresenta.

polissomo [De *poli-*^{1} + *-somo.*] *S. m. Citol.* Polirribossomo.

polissonografia [De *poli-*^{1} + **sonografia*, 'registro do sono'.] *S. f. Fisiol.* Registro, durante noite(s) inteira(s) e com instrumento apropriado, de diversos fenômenos (cardíacos, respiratórios, neurológicos, musculares, oculares) que, no seu conjunto, demonstram que o sono é constituído por uma sequência de fases, as quais, por sua vez, se agrupam em ciclos.

polissulfeto (ê) [De *poli-*^{1} + *sulfeto.*] *S. f. Quím.* Sulfeto que contém vários átomos de enxofre, diretamente ligados, na fórmula molecular.

polista [De *polo*^{2} + *-ista.*] *S. 2 g. Bras.* Jogador de polo^2.

polistelia [De *poli-*^{1} + *estelo* + *-ia*^{1}.] *S. f. Bot.* A existência de vários estelos individualizados, *i. e.*, cada um com seu periciclo e endoderma particulares.

polistélico [De *polistelia* + *-ico*^{2}.] *Adj. Bot.* Relativo a, ou em que há polistelia: *caule polistélico.*

polistémone *Adj. 2 g. Bot.* V. *polistêmone.* [Uso freq. em P.]

polistêmone [De *poli-*^{1} + *-stêmone.*] *Adj. 2 g. Bot.* Que tem estames em número superior ao dobro de pétalas.

polistilo [Do gr. *polýstylos*(*ȳ*).] *Adj.* **1.** Que tem muitas colunas: "A portada da igreja, de arco tricêntrico firmado em pilares polistilos de meio-relevo, era o mais claro testemunho da idade provecta do presbitério." (Alexandre Herculano, *Lendas e Narrativas*, II, p. 121.) ● *S. m.* **2.** Edifício com numerosas colunas.

polistomatídeo [Do lat. cient. *Polystomat-* (< tax. *Polystoma*) + *-ídeo*^{1}; tax. *Polystomatidae.*] *Zool. S. m.* **1.** Espécime dos polistomatídeos, família de trematódeos monogenéticos dotados de inúmeras ventosas e, ger., dois ganchos quitinosos, na parte posterior do corpo. ● *Adj.* **2.** Pertencente ou relativo a eles.

polístomo [De *poli-*^{1} + *-stomo*; tax. *Polystomaa.*] *S. m. Zool.* **1.** O gênero-tipo dos polistomatídeos, que abrange várias espécies de trematódeos monogenéticos com mais de duas ventosas, de ciclo evolutivo direto, sem hospedeiro intermediário, e ger. ectoparasitos. **2.** Espécie ou espécime desse gênero.

politaina *S. m. Bras. MG* Certo jogo de azar: "O que lhes vale é o jogo da politaina de dia e o de trinta e um de noite." (Helena Morley, *Minha Vida de Menina*, p. 33.)

politálamo [De *poli-*^{1} + *-tálamo*; tax. *Polythalamia.*] *Zool. S. m.* **1.** Espécime dos politálamos, subclasse ou ordem de protozoários foraminíferos que apresentam a carapaça dividida internamente por septos, formando câmaras independentes. ● *Adj.* **2.** Pertencente ou relativo a eles.

politburo [Do russo *politbyuro* < *politicheskoe byuro*, 'agência política'.] *S. m.* Órgão político do Partido Comunista da antiga U.R.S.S., entre 1917 e 1952.

politeama [De *poli-*^{1} + gr. *théama*, 'espetáculo'.] *S. m. Teatr.* Casa de espetáculos para diversos gêneros de representações.

politécnica [F. subst. de *politécnico.*] *S. f.* Escola politécnica.

politécnico [Do gr. *polýtechnos*, 'hábil em muitas artes', + *-ico*^{2}; fr. *polytechnique.*] *Adj.* **1.** Que abrange numerosas artes ou ciências. **2.** Diz-se da escola onde se estuda engenharia.

politeico (éi) [Do gr. *polýtheos*, 'que adora muitos deuses', + *-ico*^{2}.] *Adj.* Relativo ao, ou próprio do politeísmo. ❖

politeísmo [De *poli-*^{1} + *teísmo*^{1}; fr. *polythéisme.*] *S. m.* Religião em que há pluralidade de deuses. [Cf. *monoteísmo* e *henoteísmo.*]

politeísta [De *poli-*^{1} + *teísta*; fr. *polythéiste.*] *Adj. 2 g.* **1.** Politeístico. **2.** Que professa o politeísmo. ● *S. 2 g.* **3.** Pessoa que o professa.

politeístico [De *politeísta* + *-ico*^{2}.] *Adj.* Referente ao politeísmo; politeísta.

politenia [De *poli-*^{1} + *-ten(o)-* + *-ia*^{1}.] *S. f. Biol.* Em cromossomo, reduplicação de cromonemas, sem que haja a separação em cromossomos-filhos distintos.

politênico [De *politenia* + *-ico*^{2}.] *Adj. Biol.* Relativo a politenia.

politetrafluoroetileno [De *poli-*^{1} + *tetrafluoroetileno.*] *S. m. Quím.* Substância polimérica, extremamente inerte, us. em revestimentos antiaderentes, fitas de vedação, etc.. [Sigla: *PTFE.*]

política [F. subst. de *político.*] *S. f.* **1.** Ciência dos fenômenos referentes ao Estado; ciência política. **2.** Sistema de regras respeitantes à direção dos negócios públicos. **3.** Arte de bem governar os povos. **4.** Conjunto de objetivos que enformam determinado programa de ação governamental e condicionam a sua execução. **5.** Princípio doutrinário que caracteriza a estrutura constitucional do Estado. **6.** Posição ideológica a respeito dos fins do Estado. **7.** Atividade exercida na disputa dos cargos de governo ou no proselitismo partidário. **8.** Habilidade no trato das relações humanas, com vista à obtenção dos resultados desejados. **9.** *P. ext.* Civilidade, cortesia. **10.** *Fig.* Astúcia, ardil, artifício, esperteza. [Cf. *politica*, do v. *politicar.*] ◆ **Política comercial.** *Econ.* Conjunto de ações do governo relativas ao comércio, e em especial ao comércio exterior do país. **Política de campanário.** A que se concentra na defesa de interesses restritos ou apenas locais: "A política de campanário introduziu a sua garra nesta contenda de propriedade." (Camilo Castelo Branco, *Novelas do Minho*, I, p. 300.) **Política de rendas.** *Econ.* Conjunto de ações do governo no sentido de influir no processo de fixação de salários e preços, em geral com o propósito de prevenir ou combater a inflação. **Política econômica.** *Econ.* Conjunto de ações do governo destinadas a influir nas decisões dos agentes econômicos, visando à consecução de determinados objetivos. **Política fiscal.** *Econ.* Conjunto de ações do governo referentes a seu orçamento, e que inclui a fixação de impostos e a do nível dos gastos públicos. **Política monetária.** *Econ.* Conjunto de ações do governo sobre o sistema monetário, que inclui o controle da oferta de moeda e a regulamentação da atividade dos bancos.

politicagem [De *político* + *-agem*^{2}.] *S. f. Deprec.* **1.** Política (4 a 7) mesquinha, estreita, de interesses pessoais. **2.** O conjunto dos políticos pouco escrupulosos, desonestos. [Sin. ger.: *politicalha, politicaria, politique, politiquismo.*]

politicalha [De *política* + *-alha.*] *S. f. Deprec.* V. *politicagem.*

politicalhão [De *politicalho* + *-ão*^{1}.] *S. m. Deprec.* V. *politiqueiro* (5). [Fem.: *politicalhona.*]

politicalheiro [De *politicalho* + *-eiro.*] *Adj. Deprec.* Relativo à política.

politicalho [De *político* + *-alho.*] *S. m. Deprec.* V. *politiqueiro* (5).

politicalhona *S. f. Deprec.* Fem. de *politicalhão.*

politicamente [Do f. de *político* + *-mente.*] *Adv.* **1.** De modo político. **2.** Em termos políticos, ou segundo a política.

politicante [De *politicar* + *-nte.*] *Adj. 2 g. S. 2 g. Deprec.* V. *politiqueiro* (2 e 5).

politicão [De *político* + *-ão*^{1}.] *S. m. Pop.* Grande político.

politicar [De *político* + *-ar*^{2}.] *V. int.* **1.** Tratar ou ocupar-se de política: *Deputados e senadores politicam dia e noite.* **2.** Discorrer acerca de política. [Conjug.: v. *trancar*. Pres. ind.: *politico, politicas, politica*, etc. Cf. *político* e *política.*]

politicaria [De *política* + *-aria.*] *S. f. Deprec.* V. *politicagem.*

politicastro [De *político* + *-astro.*] *S. m. Deprec.* V. *politiqueiro* (5).

politicismo [De *político* + *-ismo.*] ***S. m.*** Caráter do que é político.

político [Do gr. *politikós*, pelo lat. *politicu.*] ***Adj.*** **1.** Relativo à, ou próprio da política. **2.** Relativo aos negócios públicos. **3.** Que trata ou se ocupa de política. **4.** Delicado, polido, cortês. **5.** *Fig.* Esperto, astuto. ~ V. *direito —, economia —a, estado —, geografia —a, liberalismo —, maioridade —a, marketing —, ordem —a, polícia —a* e *teatro —.* ● ***S. m.*** **6.** Aquele que trata ou se ocupa de política; estadista. **7.** *Fig.* Indivíduo político, astuto, esperto. [Cf. *politico*, do v. *politicar.*] ◆ **Estar político com.** *Bras. Pop.* Estar zangado, de relações cortadas, com (alguém).

político-administrativo ***Adj.*** Relativo ou pertencente à política e à administração. [Flex.: *político-administrativa, político-administrativos, político-administrativas.*]

político-económico ***Adj.*** V. *político-econômico.* [Uso freq. em P. Pl.: *político-económicos.*]

político-econômico ***Adj.*** Relativo ou pertencente à política e à economia. [Flex.: *político-econômica, político-econômicos, político-econômicas.*]

politicoide (ói) [De *político* + *-oide.*] ***Adj. 2 g. S. 2 g.*** *Deprec.* V. *politiqueiro* (2 e 5). ❖

politicologia (ìt) [De *político* + *-logia.*] ***S. f.*** Estudo da política; ciência política.

politicológico (ìt) [De *politicologia* + *-ico*^{2}.] ***Adj.*** Relativo à politicologia.

politicólogo [De *política* + *-o-*^{1} + *-logo.*] ***S. m.*** Especialista em ciências políticas; politólogo.

politicomania [De *político* + *-mania.*] ***S. f.*** Paixão ou mania de política.

politicomaníaco (ìt) [De *politicomania* + *-íaco.*] ***Adj.*** **1.** Relativo a politicomania. **2.** Que tem politicomania; politicômano. ● ***S. m.*** **3.** Aquele que tem politicomania; politicômano.

politicómano ***Adj. S. m.*** V. *politicômano.* [Uso freq. em P.]

politicômano [De *político* + *-mano*^{1}.] ***Adj. S. m.*** Politicomaníaco (2 e 3).

político-pedagógico ***Adj.*** *Educ.* **1.** Que diz respeito à pedagogia como instrumento e força de ordem política. **2.** Que diz respeito à política de ensino de um governo ou de uma instituição de ensino. [Flex.: *político-pedagógicos, político-pedagógica(s).*]

político-religioso ***Adj.*** Que é próprio da política e da religião. [Pl.: *político-religiosos.*]

político-social ***Adj. 2 g.*** Relativo ou pertencente à política e à sociedade. [Pl.: *político-sociais.*]

politípico [De *poli-*^{1} + *-tip(o)-* + *-ico*^{2}.] ***Adj.*** *Bot. Zool.* Que inclui muitos tipos ou subdivisões (diz-se, esp., de gênero que tem muitas espécies); politípico. [Opõe-se a *monotípico.*]

polítipo [De *poli-*^{1} + *-tipo.*] ***Adj.*** *Bot. Zool.* Politípico.

politiqueiro [De *política* + *-eiro.*] ***Adj.*** *Deprec.* **1.** Diz-se daquele que se ocupa muito com a política partidária. **2.** Diz-se daquele que, em política, usa de processos menos corretos, faz politicagem; politicante, politicoide. **3.** *P. ext.* Diz-se de indivíduo intrigante, mexeriqueiro. ● ***S. m.*** **4.** Aquele que é politiqueiro (1). **5.** Indivíduo politiqueiro (2); politicalhão, politicalho, politicante, politicastro, politicoide, politiquete, politiquilho. **6.** *P. ext.* Indivíduo politiqueiro (3).

politiquete (ê) [De *político* + *-ete* (ê).] ***S. m.*** *Deprec.* **1.** V. *politiqueiro* (5). **2.** Político de pouca ou nenhuma importância.

politiquice [De *política* + *-ice.*] ***S. f.*** *Deprec.* **1.** Ato de politiqueiro. **2.** V. *politicagem.*

politiquilho [De *político* + *-ilho.*] ***S. m.*** *Deprec.* V. *politiqueiro* (5).

politiquismo [De *política* + *-ismo.*] ***S. m.*** *Deprec.* V. *politicagem.*

politização [De *politizar* + *-ção.*] ***S. f.*** Ato ou efeito de politizar(-se).

politizado [Part. de *politizar.*] ***Adj.*** **1.** Que tem consciência de seus deveres e direitos políticos, e se acha habilitado a exercê-los: "Rever provas, paginar, idealizar um frontispício eram operações que lhe mereciam [a Lélio Landucci] tanto apreço quanto o debate sobre os rumos da arte no mundo politizado de hoje." (Carlos Drummond de Andrade, *Fala, Amendoeira*, pp. 239-240.) **2.** Que tem conhecimento mais aprofundado da política e procura exercer papel atuante no processo político de seu país.

politizar [De *política* + *-izar*, seg. o padrão grego; ingl. (*to*) *politize.*] ***V. t. d.*** **1.** Incutcar a (certas classes ou categorias sociais) ou a (indivíduos dessas classes) a consciência dos deveres e direitos políticos dos cidadãos que as compõem, preparando-os para o livre exercício deles: *politizar os trabalhadores.* ***P.*** **2.** Tornar-se consciente dos deveres e dos direitos políticos; tornar-se politicamente consciente: *Politizou-se, participando de movimentos estudantis.*

politizável [De *politizar* + *-vel.*] ***Adj. 2 g.*** Que pode ser politizado.

politólogo ***S. m.*** Politicólogo.

politomia [De *poli-*^{1} + *-tom(o)-* + *-ia*^{1}.] ***S. f.*** **1.** Divisão de um assunto, de uma classificação, etc., em várias partes. **2.** Divisão sucessiva duma coisa em mais de duas partes. [Cf. *dicotomia* (1).]

politómico ***Adj.*** V. *politômico.* [Uso freq. em P.]

politômico [De *poli-*^{1} + *-tom(o)-* + *-ico*^{2}.] ***Adj.*** **1.** Relativo a politomia. **2.** Diz-se duma classificação homógrafa em relação a mais de um atributo.

politonalidade [De *poli-* + *tonalidade.*] ***S. f.*** *Mús.* Processo de composição musical em que se usam concomitantemente duas ou mais tonalidades.

politonar [De *poli-*^{1} + *-ton(o)-* + *-ar*^{2}.] ***V. t. d. Int.*** *Bras.* Cantar em vários tons: "À distância as vozes macias das meninas politonavam: / Roseira dá-me uma rosa / Craveiro dá-me um botão" (Manuel Bandeira, *Estrela da Vida Inteira*, p. 115).

politraumatismo [De *poli-*^{1} + *traumatismo.*] ***S. m.*** *Med.* Traumatismo em que há comprometimento de mais de um segmento do corpo.

politraumatizado [De *poli-*^{1} + *traumatizado.*] ***Adj.*** *Med.* Que sofreu politraumatismo.

polítrico [Do gr. *polýtrikos.*] ***Adj.*** Que tem muitos pelos.

politrofia [Do gr. *polytrophía.*] ***S. f.*** *Med.* Nutrição excessiva.

politrófico [De *politrofia* + *-ico*^{2}.] ***Adj.*** Relativo à politrofia.

politrópica ***S. f.*** *Fís.* V. *transformação politrópica.*

politrópico [De *poli-*^{1} + *-trop(o)-* + *-ico*^{2}.] ***Adj.*** *Fís.* ~ V. *transformação —a.*

poliuretana (i-u) ***S. f.*** *Quím.* V. *poliuretano.*

poliuretano (i-u) [De *poli-*^{1} + *uretano.*] ***S. m.*** *Quím.* Substância polimérica e sintética que tem o grupo característico -($NHCO_2$)- na cadeia do polímero.

poliuria (i-u) [De *poli-*^{1} + *-uria.*] ***S. f.*** *Med.* V. *poliúria.*

poliúria [De *poli-*^{1} + *-úria.*] ***S. f.*** *Med.* Secreção excessiva de urina. [F. paral.: *poliuria.*]

poliúrico [De *poliúria* + *-ico*^{2}.] ***Adj.*** *Med.* Referente à poliúria.

polivalência [De *polivalente* + *-ia*^{2}, seg. o padrão analógico.] ***S. f.*** Qualidade do que é polivalente.

polivalente [De *poli-*^{1} + *valente.*] ***Adj. 2 g.*** **1.** Que é eficaz em vários casos diferentes; versátil. **2.** Que oferece diversas possibilidades de aplicação ou emprego: *palavra polivalente.* **3.** *Med.* Diz-se dos produtos biológicos (soros, vacinas) que combatem, ou protegem contra vários agentes patogênicos. **4.** Diz-se dos sinais taquigráficos ou estenogramas que podem representar valores ou palavras distintas. ~ V. *lógica —.*

políxeno (cs) [Do gr. *polýxenos*, 'que recebe muitos hóspedes'.] ***S. m.*** *Min.* Mineral monométrico, liga de platina, ferro, irídio, ósmio e outros metais, modernamente chamado *platina nativa.*

polizoário [De *poli-*^{1} + *-zo(o)-* + *-ário*; tax. *Polyzoa.*] ***S. m. Adj.*** *Zool.* **1.** V. *eucestódeo.* **2.** V. *briozoário.*

polizoicidade [De *polizoico* + *-(i)dade.*] ***S. f.*** *Zool.* Qualidade de polizoico.

polizoico (ói) [De *poli-*^{1} + *-zoico.*] ***Adj.*** *Zool.* Diz-se dos animais que vivem em colônias. ❖

polmaço ***S. m.*** *Bras. N.E.* Nevoeiro denso.

polmão ***S. m.*** *Pop.* Inchação, tumor, fleimão. [Cf. *pulmão.*]

polme [Do lat. vulg. **pulmen.*] ***S. m.*** Massa um pouco líquida. [Cf. *polmo* (1).]

polmo (ô) [De *polme.*] ***S. m.*** **1.** Turvação causada em um líquido pela presença de corpúsculos estranhos: "A canilha estava no fim, com muito polmo no fundo" (José J. Veiga, *Os Pecados da Tribo*, p. 42). [Cf. *polme.*] **2.** *Bras. BA* Resíduo do cascalho.

polo *Ant.* ***Prep.*** **1.** Aglut. da prep. *por* e do art., arc., *lo (o)*: "Polo muito grande desejo que el-Rei tinha do descobrimento da Índia" (Garcia de Resende, *Crônica dos Valerosos e Insignes Feitos del-Rei Dom João II*, p. 94); "— É um passo [pássaro] que tem polo sertão, a acauã" (Manuel de Oliveira Paiva, *Dona Guidinha do Poço*, p. 82); "Polo amor de Deus, Seu major capitão, meus cobres..." (Bernardo Élis, *Veranico de Janeiro*, p. 27). [Flex.: *pola, polos, polas.* Cf. *polo* (ô), pl. *polos* (ô), e *polo* (ó), pl. *polos* (ó).] **2.** Aglut. da prep. *por* e do pron. pess. complementar masc., arc., *lo (o)*: "O batel de Coelho foi depressa / Polo tomar" (Luís de Camões, *Os Lusíadas*, V, 32). [Flex.: *pola, polos, polas.* Cf. *polo* (ô), pl. *polos* (ô), e *polo* (ó), pl. *polos* (ó).] **3.** Aglut. da prep. *por* e do pron. dem. masc., arc., *lo (o)*: "E posto de joelhos fez devota oração polos que o acabavam de afrontar com tanta exorbitância." (Fr. Luís de Sousa, *Vida de D. Fr. Bartolomeu dos Mártires*, II, p. 36); *Tudo fez por seus amigos, sobretudo polo que estava mais necessitado.* [Flex.: *pola, polos, polas.* Cf. *polo* (ô), pl. *polos* (ô), e *polo* (ó), pl. *polos* (ó).] **4.** Aglut. da prep. *por* e do pron. dem. neutro, arc., *lo (o)*: "por esmolas que tiraram pola terra e polo que também deram de suas casas, ajuntaram duzentos pardaus" (Fernão Mendes Pinto, *Peregrinação*, I, p. 25). [Cf. *polo* (ô) e *polo* (ó). Sendo *polo* e, naturalmente, as flex. *pola, polos, polas*, indicadas nas acepçs. anteriores, dissílabos átonos; o *o* da sílaba inicial não é aberto nem fechado, mas reduzido, pronunciando-se, aproximadamente, como *u.*]

polo^{1} (ó) [Do gr. *pólos*, 'eixo em torno do qual uma coisa gira', pelo lat. *polu.*] ***S. m.*** **1.** Cada uma das extremidades do eixo imaginário sobre o qual a Terra executa o seu movimento de rotação. [Há o *polo norte* ou *ártico* e o *polo sul* ou *antártico.*] **2.** Designação comum às regiões glaciais vizinhas dessas extremidades. **3.** Face ou aspecto oposto a outro: *os dois polos de uma questão.* **4.** *Fig.* O que dirige ou encaminha; norte, guia. **5.** *Mat.* Ponto singular de uma função de variável complexa, que se torna regular multiplicando-se a função por uma potência inteira de um binômio do primeiro grau na variável. **6.** *Biol.* Região distinta, situada em cada extremidade de eixo do núcleo da célula, da própria célula ou de organismo embrionário. **7.** *Eletr.* Qualquer dos terminais de um gerador elétrico. **8.** *Eletr.* Qualquer das cargas de um dipolo elétrico. **9.** *Fís.* Polo magnético. **10.** *Geom.* Centro de inversão (q. v.). **11.** *Ópt.* Vértice da calota que constitui a superfície duma lente ou dum espelho esféricos. [Pl.: *polos* (ó). Cf. *polo* (ô), pl. *polos* (ô).] ◆ **Polo aboral.** *Zool.* Polo oposto ao orifício bucal em animais inferiores. **Polo antártico.** V. *polo* (1). **Polo ártico.** V. *polo* (1). **Polo celeste.** *Astr.* Cada um dos polos do equador celeste, orientados, ambos, no sentido da rotação da Terra, sendo o *polo celeste positivo* chamado de *polo norte*, e o *polo celeste negativo* de *polo sul.* **Polo celeste negativo.** *Astr.* V. *polo celeste.* **Polo celeste positivo.** *Astr.* V. *polo celeste.* **Polo elevado.** *Astr.* Polo da esfera celeste situado acima do horizonte, e cuja altura é sempre igual à latitude do lugar de onde ele é observado. **Polo frio.** *Astr.* Os pontos mais frios em cada hemisfério. **Polo geomagnético.** *Geofís.* Um dos dois pontos da superfície terrestre em que a inclinação magnética é igual a 90°. Pode ser o polo geomagnético N. ou o S., segundo se ache no hemisfério boreal ou no austral. [Os polos geomagnéticos não são diametralmente opostos, nem se mantêm fixos na superfície terrestre. Sin.: *polo magnético terrestre* ou simplesmente *polo magnético.*] **Polo magnético.** **1.** *Fís.* Num ímã, qualquer das partes de onde divergem ou para onde convergem as linhas de força do seu campo magnético. [Tb. se diz apenas *polo.*] **2.** *Geofís.* V. *polo geomagnético.* **Polo magnético terrestre.** *Geofís.* V. *polo geomagnético.* **Polo negativo.** *Eletr.* Numa fonte geradora de corrente elétrica, o polo por onde entra a corrente; terminal de uma fonte geradora de corrente ou de tensão elétrica que está no potencial mais baixo. [Tb. se diz apenas *negativo.*] **Polo norte.** **1.** V. *polo* (1). **2.** *Astr.* V. *polo celeste.* **Polo positivo.** *Eletr.* Numa fonte geradora de corrente elétrica, o polo por onde sai a corrente da fonte; terminal de uma fonte geradora de corrente elétrica ou de tensão elétrica que está no potencial mais elevado. [Tb. se diz apenas *positivo.*] **Polo sul.** **1.** V. *polo* (1). **2.** *Astr.* V. *polo celeste.* **Passar de um polo a outro.** Mudar de assunto para outro muito ou inteiramente diverso, numa conversação. ❖

polo^{2} (ó) [De uma língua asiática, pelo ingl. *polo.*] ***S. m.*** *Esport.* Esporte em que duas equipes de quatro jogadores a cavalo tentam fazer gols, utilizando tacos de 1,30m para golpear a bola. [Pl.: *polos* (ó). Cf. *polo* (ô), pl. *polos* (ô).] ◆ **Polo aquático.** *Esport.* Jogo disputado entre duas equipes de sete jogadores em uma piscina, e cujo objetivo é fazer entrar a bola no gol do adversário. ❖

polo (ô) [Do lat. *pullu.*] ***S. m.*** Falcão, açor ou gavião que não chega a ter um ano. [Pl.: *polos* (ô). Cf. *polo*, pl. *polos*; e *polo* (ó), pl. *polos* (ó).] ❖

polodia [Do gr. *pólos*, 'polo^{1}', + *-od(o)-*^{2} + *-ia*^{1}.] ***S. f.*** *Fís.* Curva que, juntamente com a herpolodia, determina o movimento de um corpo que gira livremente com um ponto fixo.

polografia [Do gr. *pólos*, 'céu', + *-grafia.*] ***S. f.*** *Astr.* Descrição do céu.

polográfico [De *polografia* + *-ico*^{2}.] ***Adj.*** Concernente a polografia.

poloide (ói) [De *polo*^{1} + *-oide.*] ***S. f.*** *Astr.* Curva descrita pelo movimento do polo sobre a superfície terrestre, e que se compõe de espirais irregulares de amplitude variável, e cujo ponto central aproximativo tem sido escolhido convencionalmente como origem do sistema de coordenadas retangulares ao qual se relaciona o polo instantâneo. ❖

polonês [Do fr. *polonais.*] ***Adj.*** **1.** Da, ou pertencente ou relativo à Polônia (Europa). ● ***S. m.*** **2.** O natural ou habitante da Polônia. **3.** *Gloss.* Língua eslava falada na Polônia. V. *eslavo* (1). **4.** Vocábulo dessa língua. [Sin. ger.: *polônio, polaco.* Este último, f. tradicional, mais vernáculo, tem hoje, no fem., conotação pejorativa. Flex.: *polonesa* (ê), *poloneses* (ê), *polonesas* (ê).]

polonesa (ê) [Do fr. *polonaise.*] ***S. f.*** **1.** Dança originária da Polônia, em compasso ternário e andamento de

P

marcha, com ligeiro acento no primeiro tempo. **2.** Música para essa dança. **3.** Mulher natural da Polônia; polaca.

poloniense *Adj. 2 g.* **1.** De, ou pertencente ou relativo a Poloni (SP). ● *S. 2 g.* **2.** O natural ou habitante de Poloni.

polônio[1] *Adj. S. m.* V. *polônio*[1]. [Uso freq. em P.]

polônio[2] *S. m. Quím.* V. *polônio*[2]. [Uso freq. em P.]

polônio[1] *Adj. S. m.* V. *polonês.*

polônio[2] [Do lat. cient. *polonium* < top. lat. med. *Polonia* (a Polônia, pátria de Maria Slodowska Curie [1867-1934], cientista que o descobriu).] *S. m. Quím.* Elemento de número atômico 84, radioativo, metálico [símb.: *Po*].

polonização [De *polonizar* + *-ção.*] *S. f.* Ato de polonizar.

polonizar [Do top. *Polônia* (v. *polonês*) + *-izar.*] *V. t. d.* Dar feição polonesa a.

polpa (ô) [Do lat. *pulpa.*] *S. f.* **1.** Carne musculosa, sem ossos nem gorduras. **2.** A parte carnosa dos frutos, raízes, etc. **3.** *Anat.* Polpa dentária (q. v.). **4.** *P. ext.* Massa, pasta. **5.** *Fig.* Importância, substância, valor: *obra de polpa.* **6.** *Ind. Pap.* Pasta (15). ◆ **Polpa dentária.** *Anat.* Tecido conjuntivo altamente vascularizado e inervado, que se situa em cavidade pulpar. [Tb. se diz apenas *polpa.*]

polpação [De **polpar* (< *polpa* + *-ar*[2]) + *-ção.*] *S. f. Ind. Pap.* Transformação da matéria-prima na polpa com que se fabrica o papel.

→ **polpetta** [pol'pet.ta] [It.] *S. m. Cul.* Carne moída que, depois de condimentada e ger. ligada com ovo, é frita ou cozida em forma de almôndega ou hambúrguer.

polposo (ô) [De *polpa* + *-oso.*] *Adj.* Que tem abundância de polpa; carnudo, polpudo: "E sei que .... o nosso polposo âmago e a nossa medula foi-se alcalinando, até de todo converter-se em grés .... calcária" (Aluísio Azevedo, *Pegadas*, p. 155).

polpudo [De *polpa* + *-udo.*] *Adj.* **1.** V. *polposo*: "Vê como tua boca se parece / Às polpudas romãs que o sol aquece!" (Ronald de Carvalho, *Poemas e Sonetos*, p. 70.) **2.** Diz-se de negócio muito rendoso. **3.** Considerável, vultoso: *Ganhou na transação a polpuda quantia de 20 milhões.* [Cf. *poupudo.*]

polquista [De *polca* + *-ista.*] *S. 2 g. Adj. 2 g.* Dançador de polca.

→ **poltergeist** [pɔlto̩gajst] [Al.] *S. m.* Fantasma que se manifesta fazendo barulho e criando desordem. [Pl.: *Poltergeister.*] [Com cap.]

poltofagia [Do gr. *póltos*, 'mingau', + *-fag(o)-* + *-ia*[1].] *S. f. Fisiol.* Mastigação de alimentos até que se transformem em polme.

poltranaz [De *poltrão* + *-az*, irregularmente.] *S. m.* Grande poltrão (1).

poltrão [Do it. *poltrone.*] *S. m.* **1.** Indivíduo covarde ou medroso. [Aum. irreg.: *poltranaz.*] ● *Adj.* **2.** Que não tem coragem; covarde. **3.** Diz-se do animal que, solto, engorda e se torna preguiçoso. [Fem.: *poltrona.*]

poltrona[1] [Do it. *poltrona.*] *S. f.* **1.** Grande cadeira de braços, ordinariamente estofada. [Sin. (lus.): *cadeirão.*] **2.** Sela com arções baixos. **3.** *Bras.* Cadeira de plateia, em teatros e cinemas.

poltrona[2] *S. f.* Fem. de *poltrão.*

poltronaria [De *poltrão* + *-aria*, seg. o padrão erudito.] *S. f.* Qualidade ou procedimento de poltrão; poltronice.

poltronear [De *poltrão* + *-ear*[2], seg. o padrão erudito.] *V. int.* Portar-se como poltrão; dar mostras de poltronice; acovardar-se, intimidar-se. [Conjug.: v. *frear.* Cf. *poltronear-se.*]

poltronear-se [De *poltrona*[1] + *-ear*[2] + *-se*[1].] *V. p.* Recostar-se em poltrona; refestelar-se, repoltrear-se. [Conjug.: v. *frear.* Cf. *poltronear.*]

poltronice [De *poltrão* + *-ice*, seg. o padrão erudito.] *S. f.* Poltronaria.

polução [Do lat. *pollutione*, por via erudita.] *S. f.* **1.** Poluição. **2.** *Urol.* Emissão involuntária de esperma. [Cf., nesta acepç., *ejaculação* (5).]

polucional [De *polução* + *-al*[1], seg. o padrão erudito.] *Adj. 2 g.* Relativo a polução.

poluente [Do lat. *polluente.*] *Adj. 2 g.* Que polui; poluidor: "ação depredatória excessiva ou poluente" (*O Estado de S. Paulo*, 10.12.1971). ● *S. m.* **2.** Qualquer agente que polui, que altera as condições de um ecossistema.

poluição (u-i) [Do lat. *pollutione*, por via pop.] *S. f.* **1.** Ato ou efeito de poluir(-se). **2.** *Ecol.* Contaminação e consequente degradação do meio natural causadas por agentes químicos, detritos domésticos, industriais, etc. [F. paral.: *polução.*] ◆ **Poluição luminosa.** Efeito provocado pela difusão de luzes da iluminação pública de grandes metrópoles nas partículas suspensas da atmosfera, nos arredores das áreas urbanas.

poluído [Part. de *poluir.*] *Adj.* Em que houve ou há poluição.

poluidor (u-i... ô) [De *poluir* + *-dor*, seg. o padrão erudito.] *Adj.* Poluente.

poluir [Do lat. *polluere.*] *V. t. d.* **1.** Sujar, corromper, tornando prejudicial à saúde: *As leis tentam impedir que fábricas e veículos continuem poluindo o ambiente.* **2.** Sujar, macular: "Quem poluiu, quem rasgou os meus lençóis de linho, / onde esperei morrer, – meus tão castos lençóis?" (Camilo Pessanha, *Clepsidra e Outros Poemas*, p. 203.) **3.** Manchar ou macular a honra, o lustre, a dignidade de; profanar, deslustrar, corromper, desdourar, conspurcar: *poluir homens de bem. P.* **4.** Cometer ação infamante; corromper-se, perverter-se: *Homens como este não se poluem por dinheiro.* [Conjug.: v. *atribuir.*]

poluível [De *poluir* + *-vel.*] *Adj. 2 g.* Que se pode poluir.

poluto [Do lat. *pollutu.*] *Adj.* Manchado, maculado, corrompido: "Num mundo escuro e poluto se desentendem os amantes" (Álvaro Pacheco, *A Matéria do Sonho*).

pólux (cs) [Do mit. lat. *Pollux.*] *S. m. e f. Astr.* Nome tradicional da estrela beta dos Gêmeos. [Cf. *Castor* (3). Com cap.]

polvadeira [Do esp. plat. *polvadera.*] *Bras. RS S. f.* **1.** Poeirada (1 e 2): "e o cachorrinho .... troteava miúdo e ligeiro dentro da polvadeira rasteira que as patas do flete levantavam." (Simões Lopes Neto, *Contos Gauchescos e Lendas do Sul*, p. 128). ● *S. m.* **2.** Indivíduo turbulento ou desordeiro, mas covarde. **3.** V. *valentão* (3).

polvarim *S. m. Expl.* V. *polvorim.*

polvarinho *S. m. Expl.* V. *polvorinho*: "Um embornal de milho fresco... Um polvarinho de pólvora seca..." (Albertino Moreira, *Boca-Pio*, p. 71.)

polvilhação [De *polvilhar* + *-ção.*] *S. f.* Ato ou efeito de polvilhar; polvilhamento, poeiramento.

polvilhamento [De *polvilhar* + *-mento.*] *S. m.* V. *polvilhação.*

polvilhar [De *polvilho* + *-ar*[2].] *V. t. d.* **1.** Cobrir de pó; salpicar de pó; enfarinhar, empoar: *Usou enxofre para polvilhar a plantação. T. d. e i.* **2.** Cobrir, tornar recoberto (de pó): *polvilhar a comida de sal*; "limpava as latrinas, espalhava desinfetantes, ... polvilhava as vias de um pó branco e misterioso." (José Rodrigues Miguéis, *Gente da Terceira Classe*, p. 66). [Sin. ger.: *apolvilhar.*]

polvilheiro [De *polvilhar* + *-eiro.*] *S. m. Bras.* Fabricante de polvilho.

polvilho [Do esp. *polvillo.*] *S. m.* **1.** Pó fino. **2.** Farinha amilácea finíssima, que se obtém da mandioca. **3.** Amido (2). **4.** *Bras.* Tapioca ou goma. ~ V. *polvilhos.*

polvilhos [Pl. de *polvilho.*] *S. m. pl.* **1.** Pó para branquear o cabelo. **2.** Qualquer substância em pó, de aplicação medicamentosa, culinária, etc. ~ V. *polvilho.*

polvo (ô) [Do gr. *polýpous*, 'polvo'; 'pólipo', pelo lat. *polypu*, por via pop.] *S. m. Zool.* Designação comum aos moluscos cefalópodes, octópodes, caracterizados por terem oito tentáculos circundando a abertura bucal córnea, com o feitio de bico de papagaio, e corpo formado por um saco ovoide desprovido de concha; têm tb. uma bolsa tintória cuja tinta serve para turvar a água e facilitar-lhes a fuga. Os mais abundantes pertencem ao gênero *Octopus*, e são comuns no Brasil, especialmente a espécie *O. tehuechus*, que raro chega a 1m. As grandes espécies, com até 12m de comprimento, são conhecidas apenas na Austrália.

pólvora [Do cat. *pólvora*, pelo esp. *pólvora.*] *S. f.* **1.** Mistura (*pólvora mecânica*) ou composto químico (*pólvora química*) explosível, us. como carga de propulsão ou de arrebatamento em projetis, bombas, minas, etc. **2.** Qualquer das substâncias explosivas empregadas para carregar armas de fogo. **3.** *Expl.* V. *baixo explosivo.* **4.** *Bras. Zool.* Designação comum a mosquitos pequeníssimos e muito incômodos. ◆ **Pólvora chocolate.** *Expl. Ant.* Variedade de pólvora negra usada em armas de longo alcance. **Pólvora de atirar.** *Expl.* Polvorim (1). **Pólvora de base dupla.** *Expl.* A constituída de um composto de nitrocelulose e nitroglicerina. **Pólvora de base simples.** *Expl.* A constituída de nitrocelulose. [Tem o inconveniente de ser muito instável.] **Pólvora mecânica.** *Expl.* A constituída de elementos misturados, que não se combinam quimicamente; p. ex., a pólvora negra. **Pólvora negra.** Substância explosiva constituída pela mistura de salitre, carvão e enxofre. **Pólvora pirotécnica.** *Expl.* A que se utiliza em fogos de artifício e usualmente provém de resíduos da fabricação de outros tipos de pólvora. **Pólvora química.** *Expl.* A constituída de elementos que se combinam quimicamente, como, p. ex., o algodão-pólvora ou a nitrocelulose. **Pólvora seca.** Carga (12) sem projetil, que provoca, apenas, estampido. **Pólvora sem fumaça.** *Expl.* Pólvora química, sobretudo de base dupla, que, diversamente da pólvora negra, quase não produz fumaça ao inflamar-se. **Brincar com pólvora.** Não ligar importância a perigos; arriscar-se, expor-se. **Descobrir a pólvora.** Ter pressuposta originalidade.

pólvora com farinha *Adj. 2 g. e 2 n. Tec. Têx.* Sal e pimenta. ☑

polvorada [De *pólvora* + *-ada*[1].] *S. f.* Explosão ou fumaça de pólvora.

polvorento [Do esp. *polvoriento.*] *Adj.* Que se desfaz em pó.

polvorim [Do esp. *polvorín.*] *S. m. Expl.* **1.** Pólvora negra, de grãos muito finos; pólvora de atirar. **2.** Pó que sai da pólvora [Var.: *polvarim.*]

polvorinho [De *pólvora* + *-inho*[1].] *S. m.* Utensílio onde se leva pólvora para a caça: "o Bermudes ofereceu-lhes um presente de cinco espingardas com suas chumbeiras e polvorinhos" (Aquilino Ribeiro, *Portugueses das Sete Partidas*, p. 80). [Var. dissimilada: *polvarinho.*]

polvorosa [Do esp. *polvorosa*, 'poeirenta'.] *S. f. Pop.* **1.** Grande atividade; azáfama, rebuliço, roda-viva. **2.** Agitação, perturbação, tumulto. ◆ **Em polvorosa. 1.** Tomado de grande agitação, pressa, azáfama. **2.** Muito desarrumado; desarranjado, desorganizado: *Ao retornar, encontrou a casa em polvorosa.*

polvoroso (ô) [Do esp. *polvoroso.*] *Adj.* Poeirento, poento, pulverulento.

poma [De *pomo.*] *S. f.* **1.** Mama de mulher; pomo, seio: "a espalda, o busto / E as torres de marfim das pomas nuas" (Raimundo Correia, *Poesias*, p. 75). **2.** *Fig.* Qualquer esfera ou bola.

▲ **poma-** [Do gr. *pôma, atos.*] *El. comp.* = 'o que serve para cobrir, tampar'; 'tampa'; 'opérculo': *pomadasídeo.* [Equiv.: *-pom(o)-*, *-pomo*: *centropomídeo*; *gimnopomo*, *macropomo.*]

pomacentrídeo [Do tax. *Pomacentrus* + *-ídeo*[1]; tax. *Pomacentridae.*] *Zool. S. m.* **1.** Espécime dos pomacentrídeos, família de peixes perciformes, marinhos, de corpo ovalado e comprimido, com 28 gêneros e cerca de 360 espécies, sendo muitas delas de colorido vivo, apreciadas pelos aquariófilos. Ex.: querê-querê. ● *Adj.* **2.** Pertencente ou relativo a eles.

pomada [Do it. *pomata*, pelo fr. *pomade.*] *S. f.* **1.** *Farmac.* Forma farmacêutica, ou de perfumaria, veiculada por banha ou substância(s) sucedânea(s), e de consistência semissólida; como forma farmacêutica contém, ger., substância(s) medicamentosa(s). **2.** *Bras.* Vaidade, presunção. **3.** *Bras.* V. *mentira* (1).

pomadasídeo [Do tax. *Pomadasys* (< gr. *poma, atos*, 'tampa', + gr. *dasýs*, 'felpudo', 'denso', 'espesso') + *-ídeo*[1]; tax. *Pomadasydae.*] *S. m. Adj. Zool. Desus.* V. *hemulídeo.*

pomadear [De *pomada* + *-ear*[2].] *V. int. P. Bras.* Mostrar-se cheio de pomada ou presunção; proceder como pomadista ou presunçoso: *Pomadeia-se com um diploma comprado.* [Conjug.: v. *frear.*]

pomadista [De *pomada* + *-ista.*] *Adj. 2 g. S. 2 g. Bras.* **1.** Diz-se de, ou pessoa pedante, vaidosa, presunçosa. **2.** V. *mentiroso* (1 e 4).

pomar [Do b.-lat. *pomare*, por *pomariu.*] *S. m.* **1.** Arvoredo frutífero. **2.** Terreno onde crescem numerosas árvores frutíferas.

pomarada [De *pomar* + *-ada*[1].] *S. f.* Reunião de pomares.

pomareiro [De *pomar* + *-eiro.*] *Adj.* **1.** Referente a pomar. **2.** Que cuida de pomares. ● *S. m.* **3.** Cultivador ou guarda de pomar.

pomatomídeo [Do tax. *Pomatomidae.*] *Zool. S. m.* **1.** Espécime dos pomatomídeos, família de peixes perciformes, marinhos, do Atlântico, Índico e Pacífico, com duas nadadeiras dorsais, peitorais com uma mancha negra na base, boca ampla e dentes fortes. Ex.: enchova. ● *Adj. 2 g.* **2.** Pertencente ou relativo a eles.

pomba [Do lat. *palumba.*] *S. f.* **1.** *Zool.* Designação comum a todas as aves columbiformes, columbídeas, de voo possante, bico coberto de cera na base, e granívoras. Constroem ninhos muito toscos, de gravetos na maioria. A espécie doméstica é a *Columba civia domestica*, criada para servir de alimento e como pombo-correio. [Sin.: *picaú.*] **2.** Vasilha de cobre para a qual se passa o caldo limpo da cana, nos engenhos de açúcar. **3.** *Bras. N.E. Pop.* O pênis. **4.** *Bras. S. C.O. Pop.* A vulva. ● *Interj.* **5.** *Gír.* Pombas. ~ V. *pombas.* ◆ **Pomba sem fel.** Pessoa ingênua, sem maldade. [Us. muitas vezes ironicamente.]

pomba-amargosa [De *pomba* + o f. de *amargoso.*] *S. f. Bras. Zool.* Designação comum a algumas espécies de pombas columbídeas, particularmente a *Columba plumbea*, de plumagem quase incolor, mais ou menos cinzenta; pomba-de-santa-cruz, pomba-santa-cruz, pomba-preta, picuçaroba, caçuiroba, caçuirova. [Pl.: *pombas-amargosas.*]

pomba-cabocla [De *pomba* + o f. de *caboclo*[1].] *S. f. Bras. Zool.* V. *juriti-vermelha.* [Pl.: *pombas-caboclas.*]

pomba-cascavel *S. f. Bras. Zool.* V. *fogo-pagou.* [Pl.: *pombas-cascavéis* e *pombas-cascavel.*]

pomba-de-arribação *S. f. Bras. Zool.* V. *avoante.* [Pl.: *pombas-de-arribação.*]

pomba-de-bando *S. f. Bras. Zool.* V. *avoante.* [Pl.: *pombas-de-bando.*]

pomba-de-santa-cruz *S. f. Bras. Zool.* V. *pomba-amargosa.* [Pl.: *pombas-de-santa-cruz.*]

pomba-do-ar *S. f. Bras. MG SP Zool.* V. *pomba-legítima.* [Pl.: *pombas-do-ar.*]

pomba-do-cabo [De *pomba* + *do* + o top. *Cabo* (da Boa Esperança).] *S. f. Bras. Zool.* Ave procelariiforme, procelariídea (*Daption capensis*), do Atlântico e Pacífico meridionais; de coloração branca, com a cabeça negra e as asas negras com duas manchas brancas. Nidifica na região antártica, e alimenta-se de peixes. [Sin.: *feixas-fradinho.* Pl.: *pombas-do-cabo.*]

pomba-do-sertão *S. f. Bras. Zool.* V. *avoante.* [Pl.: *pombas-do-sertão.*]

pomba-espelho *S. f. Bras. Zool.* Ave columbiforme, columbídea (*Claravis geoffroyi*), do S.E. do Brasil e países limítrofes, de coloração geral cinzento-escura, retrizes das asas ornadas de larga fita violeta, rêmiges e cauda quase negras, abdome e uropígio esbranquiçados; a fêmea é pardo-amarelada. Alimenta-se de sementes e pequenos frutos. [Sin.: *pararu.* Pl.: *pombas-espelhos* e *pombas-espelho.*]

pomba-galega *S. f. Bras. CE Zool.* V. *pomba-legítima.* [Pl.: *pombas-galegas.*]

pomba-gemedeira *S. f. Bras. RJ Zool.* V. *pomba-legítima.* [Pl.: *pombas-gemedeiras.*]

pombagira *S. f. Bras. Rel.* V. *pombajira.*

pombajira [De uma língua banta.] *S. f. Bras. Rel.* Companheira de Exu. [Com cap.]

pombal [De *pombo* + *-al*[1].] *S. m.* **1.** Casa ou local onde se recolhem ou criam pombos. **2.** *P. ext.* Local procurado por bando de avoantes para postura, bebida e alimentação. **3.** *Bras. Pop.* Prédio cuja arquitetura (3) lembra a de um pombal (1). **4.** *Bras. Pop. Pej.* Conjunto de prédios populares.

pomba-legítima *S. f. Bras. Zool.* Ave columbiforme, columbídea (*Columba rufina sylvestris*), do Paraguai, N. da Argentina e quase todo o Brasil até a margem direita do rio Amazonas. A plumagem é multicolor, com penas marginadas de escuro, exceto no pescoço e vértice, que são esverdeados com brilho metálico. [Sin.: *caçaroba, caçarova, galega, picaçu, picaúro, picuçaroba, pomba-do-ar, pomba-galega, pomba-gemedeira, pomba-pucaçu, pucaçu, saroba, sarova.* Pl.: *pombas-legítimas.*]

pombalense[1] *Adj. 2 g.* **1.** De, ou pertencente ou relativo a Pombal (PB). • *S. 2 g.* **2.** O natural ou habitante de Pombal.

pombalense[2] *Adj. 2 g.* **1.** De, ou pertencente ou relativo a Ribeira do Pombal (BA). • *S. 2 g.* **2.** O natural ou habitante de Ribeira do Pombal.

pomba-lesa [De *pomba* (3) + o f. de *leso.*] *S. m.* **1.** *Bras. PB PE* Indivíduo sexualmente impotente. **2.** *Bras. PB* Tolo, abobado, imbecil. [Pl.: *pombas-lesas.*]

pombalino *Adj.* Relativo ao, ou próprio do primeiro Marquês de Pombal, Sebastião José de Carvalho e Melo (1699-1782), estadista português, ou à sua época.

pomba-pararu *S. f. Bras. Zool.* V. *rola-azul.* [Pl.: *pombas-pararus* e *pombas-pararu.*]

pomba-pedrês *S. f. Bras. Zool.* V. *pomba-trocaz.* [Pl.: *pombas-pedreses.*]

pomba-preta *S. f. Bras. Zool.* V. *pomba-amargosa.* [Pl.: *pombas-pretas.*]

pomba-pucaçu *S. f. Bras. Zool.* V. *pomba-legítima.* [Pl.: *pombas-pucaçus* e *pombas-pucaçu.*]

pomba-rola *S. f. Bras. Zool.* V. *picuí.* [Pl.: *pombas-rolas* e *pombas-rola.*]

pombas *Interj. Gír.* Indica admiração, espanto, surpresa ou irritação; pomba: 📖 "Sou um homem descasado, <u>pombas</u>!" (José Carlos Oliveira, em *Jornal do Brasil*, 19.10.1980.) ~ V. *pomba.*

pomba-santa-cruz *S. f. Bras. Zool.* V. *pomba-amargosa.* [Pl.: *pombas-santa-cruz.*]

pomba-trocal *S. f. Bras. Zool.* **1.** Ave columbiforme, columbídea (*Columba speciosa*), do México, América Central e quase todo o Brasil; de plumagem multicor, penas do pescoço marginadas de cor escura, cabeça e dorso pardo-avermelhados, e nuca, garganta e peito com brilho cúpreo. [Tb. se diz apenas *trocal.* Sin.: *rola-pedrês, piraú, torcaz.*] **2.** V. *pomba-trocaz.* [Pl.: *pombas-trocais* e *pombas-trocal.*]

pomba-trocaz *S. f. Bras. Zool.* Ave columbiforme, columbídea (*Columba picazuro*), do C. e L. da América meridional, de coloração pardo-acinzentado-violácea, com penas orladas de branco, o que lhe dá uma aparência escamosa, e abdome plúmbeo. Vive em bandos, e é uma das maiores pombas brasileiras, muito popular no N.E., onde recebe o nome de *asa-branca.* [Outros sin.: *jacaçu, pomba-pedrês, pomba-trocal.* Pl.: *pombas-trocazes.*]

pombe *S. m. Moç.* Bebida fermentada, feita de farinha de milho, sorgo, meixoeira, ou doutros cereais: 📖 "o milho serve de tudo, desde a massa que alimenta ao <u>pombe</u> que embebeda." (Aníbal Aleluia, *Mbelele e Outros Contos*, p. 122).

pombear [Alter. de *pombeirar* (q. v.).] *V. int. Bras.* **1.** Trabalhar como pombeiro[2]. *T. d.* **2.** Seguir no encalço de; perseguir: 📄 *A polícia <u>pombeou</u> os cangaceiros.* **3.** Observar às ocultas; espionar, espreitar: 📄 *Escondido entre os arbustos, <u>pombeava</u> os assaltantes.* [Sin. ger.: *pombeirar.* Conjug.: v. *frear.*]

pombeira *S. f. Bras.* V. *âncora* (1).

pombeirar [De *pombeiro*[2] + *-ar*[2].] *V. int. T. d. Bras.* V. *pombear.*

pombeiro[1] [Do quimb. *pumbelu.*] *S. m.* Negociante ou emissário que atravessava os sertões comerciando com indígenas.

pombeiro[2] *S. m. Bras.* Espião da polícia.

pombeiro[3] [De *pombo* + *-eiro.*] *Adj.* **1.** Diz-se de uma variedade miúda de milho branco. • *S. m.* **2.** *Bras.* Vendedor ambulante de pombos, galinhas, etc. **3.** *Bras. N.E.* Revendedor de peixe.

pombinha [De *pomba* + *-inha.*] *S. f.* **1.** Carne em redor da cauda e das nádegas das reses. **2.** *Bras. S. Pop.* As partes pudendas da mulher; pomba. **3.** *Bot.* Fruta-de-pomba (1).

pombinha-das-almas *S. f. Bras. SP Zool.* Designação comum às aves passeriformes, tiranídeas, do gênero *Xolmis,* especialmente *X. velata,* com ampla distribuição no Brasil, de coloração geral cinzenta, asas pretas com espelho branco e cauda branca com larga fita preta. São comuns nas regiões descampadas, sobretudo nos cerrados, e alimentam-se apenas de insetos. [Sin.: *mocinha-branca, primavera.* Cf. *lavandeira* (2) e *maria-branca.* Pl.: *pombinhas-das-almas.*]

pombinho [De *pombo* + *inho*[1].] *Adj.* Diz-se duma variedade de trigo.

pombinhos [Pl. de *pombinho* (de *pombo* + *-inho*[1]).] *S. m. pl.* Casal de apaixonados, ger. recém-casados ou prestes a casar; dois-pombinhos: 📄 *A madrinha quis saber como estavam os <u>pombinhos</u>.*

pombo [Do lat. *palumbu.*] *S. m.* **1.** *Zool.* O macho da pomba (1). **2.** *Bras. ES RJ* Charuto usado nas cerimônias das macumbas. **3.** *Bras. CE Pop.* Invólucro de fezes lançado à rua. [Sin., nesta acepç., em AL e MG: *pombo sem asa.*] • *Adj.* **4.** *Bras.* Diz-se do cavalo branco.

pombo-anambé *S. m. Bras. Zool.* V. *anambé-açu.* [Pl.: *pombos-anambés* e *pombos-anambé.*]

pomboca [De *boboca,* poss.] *Adj. 2 g. S. 2 g. Bras. N.E. Fam.* Diz-se de, ou pessoa moleirona, incapaz. [M. us. como s. 2 g.]

pombo-correio *S. m.* **1.** Variedade de pombo (1) que se utiliza para levar comunicações e correspondência. **2.** *Fig.* Aquele que faz o papel de pombo-correio (1), levando mensagens de uma pessoa a outra. [Pl.: *pombos-correios* e *pombos-correio.*]

pomboense *Adj. 2 g.* **1.** De, ou pertencente ou relativo a Pombos (PE). • *S. 2 g.* **2.** O natural ou habitante de Pombos.

pombo-passageiro *S. m. Zool.* Ave columbídea, extinta, da América do Norte. [Pl.: *pombos-passageiros.*]

pombo sem asa *S. m.* **1.** *Bras. AL MG Pop.* V. *pombo* (3). **2.** *Bras. RS* Pedra que se arremessa; pedrada. [Pl.: *pombos sem asa.*] ☑

pomeranense *Adj. 2 g. S. 2 g.* V. *pomerânio.*

pomerânio *Adj.* **1.** Da, ou pertencente ou relativo à Pomerânia (Polônia), região que no decurso da história foi objeto de disputa entre a Prússia, a Suécia e a Polônia. • *S. m.* **2.** O natural ou habitante da Pomerânia. [Sin., nessas acepçs.: *pomerano, pomeranense.*] **3.** *Gloss.* Dialeto do baixo alemão falado nessa região. [Em virtude da imigração, é falado no Brasil, em algumas áreas do Espírito Santo, Rondônia, Santa Catarina e Rio Grande do Sul.] **4.** Vocábulo desse dialeto.

pomerano *Adj. S. m.* V. *pomerânio.*

pomerodense *Adj. 2 g.* **1.** De, ou pertencente ou relativo a Pomerode (SC). • *S. 2 g.* **2.** O natural ou habitante de Pomerode.

→ **pomerol** [pɔme'ʁɔl] [Fr.] *S. m. Enol.* Bordô tinto de qualidade produzido numa área contígua à do *saint-émilion* (q. v.).

▲ **pomi-** [Do lat. *pōmum, i.*] ***El. comp.*** = 'fruta', 'pomo': *pomicultura.* [Equiv.: *pomo-*: *pomologia.*]

pomicultor (ô) [De *pomi-* + *-cultor.*] *S. m.* Aquele que se dedica à pomicultura.

pomicultura [De *pomi-* + *-cultura.*] *S. f.* Cultura das árvores frutíferas.

pomífero [De *pomi-* + *-fero.*] *Adj.* Que tem ou produz pomos.

pomiforme [De *pomi-* + *-forme.*] *Adj. 2 g. Bot.* Semelhante a uma maçã; maliforme: 📄 *baga <u>pomiforme</u>.*

→ **pommard** [po'maʁ] [Fr.] *S. m. Enol.* Borgonha tinto de qualidade, produzido na comuna de *Pommard.*

pomo [Do lat. *pomu.*] *S. m.* **1.** *Bot.* Fruto complexo, carnoso e indeiscente, com a parte central subdividida em lojas (v. *loja*[2]) coriáceas correspondentes ao número de carpelos, e em cuja constituição toma parte, além do ovário, o receptáculo, que forma a porção carnosa comestível. Ex.: a maçã, a pera, o marmelo. **2.** *Poét.* V. *poma* (1). ◆ **Pomo de discórdia.** Coisa ou pessoa que origina discórdia.

▲ **pomo-** Equiv. de *pomi-.*

▲ **-pomo** V. *poma-.*

pomo de adão [De *pomo* + *de* + antr. *Adão* (v. *adâmico*).] *S. m. Anat.* V. *proeminência laríngea*: 📖 "inglês de sapatos brancos e cachimbo, com o <u>pomo de adão</u> saliente como um bico" (Marques Rebelo, *A Mudança*, p. 231). [Tb. se diz apenas *adão.* Pl.: *pomos de adão.*] ☑

pomologia [De *pomo-* + *-logia.*] *S. f.* O estudo das árvores frutíferas.

pomológico [De *pomologia* + *-ico*[2].] *Adj.* Referente à pomologia.

pomólogo [De *pomo-* + *-logo.*] *S. m.* Especialista em pomologia.

pomona [Do mit. lat. *Pomona.*] *S. f.* **1.** *Mit.* Deusa dos pomares. **2.** *Poét.* O outono.

pompa [Do gr. *pompé,* 'procissão', pelo lat. *pompa,* 'séquito', 'cortejo', 'procissão'.] *S. f.* **1.** Aparato suntuoso e magnífico; ostentação, bizarria. **2.** Grande luxo; fausto, gala.

pompeano *Adj.* **1.** De, ou pertencente ou relativo a Pompéu (MG). • *S. m.* **2.** O natural ou habitante de Pompéu.

pompeante [De *pompear* + *-nte.*] *Adj. 2 g.* Que pompeia.

pompear [De *pompa* + *-ear*[2].] *V. t. d.* **1.** Expor vaidosamente; ostentar, brilhar: 📄 *As mulheres <u>pompeavam</u> caras joias;* 📖 "<u>Pompeava</u> Felisberto Caldeira .... a riqueza deslumbradora do contrato .... para a extração dos diamantes" (Afonso Arinos, *Pelo Sertão*, p. 137). *Int.* **2.** Exibir pompa; ostentar riqueza; pimpar, pimponar: 📄 *Os ricos <u>pompeiam</u> nos grandes salões.* **3.** Exibir viço ou beleza; brilhar: 📄 *<u>Pompeiam</u> praias e matas, no verão.* [Conjug.: v. *frear.* Pres. ind.: *pompeio, pompeias, pompeia, pompeamos, pompeais, pompeiam.* Cf. *Pompeia,* top. e antr.]

pompeiano (èi) *Adj.* **1.** De, ou pertencente ou relativo a Pompeia (SP). • *S. m.* **2.** O natural ou habitante de Pompeia.

pompeuense *Adj. 2 g.* **1.** De, ou pertencente ou relativo a Senador Pompeu (CE). • *S. 2 g.* **2.** O natural ou habitante de Senador Pompeu.

pompilídeo [Do tax. *Pompilus* (< gr. *pompílos,* 'que conduz'; 'certo peixe que seguia as embarcações') + *-ídeo*[1]; tax. *Pompilidae.*] *Zool. S. m.* **1.** Espécime dos pompilídeos, família de insetos himenópteros, que compreende vespas caçadoras de aranhas, de corpo delgado, pernas longas e cheias de espinhos, de cor escura e asas cinzentas ou amareladas, e em geral com 3cm de comprimento. Atacam as aranhas, paralisando-as, e depositam seus ovos sobre elas, que servirão de repasto às larvas. • *Adj.* **2.** Pertencente ou relativo a eles.

pompom [Do fr. *pompon.*] *S. m.* **1.** Borla de fios curtos de seda, algodão, lã, etc., cortados em forma esférica, usada como enfeite. **2.** Objeto análogo para pôr pó de arroz na pele.

pomposidade [De *pomposo* + *-(i)dade.*] *S. f.* Qualidade ou caráter de pomposo.

pomposo (ô) [Do lat. *pomposu.*] *Adj.* Em que há, ou que revela pompa. ~ V. *viola —.*

pômulo [Do lat. *pomulu.*] *S. m.* Maçã do rosto: 📖 "aquele insignificante rosto moreno, um tanto chupado, aqueles <u>pômulos</u> salientes" (Aluísio Azevedo, *Casa de Pensão*, p. 12).

poncã *S. m. Bras.* Tipo de tangerina originária do Japão, hoje cultivada no Brasil, sobretudo em São Paulo, por japoneses, e que se caracteriza pelas dimensões avantajadas e casca muito frouxa.

ponçador (ô) [De *ponçar* + *-dor.*] *S. m. Grav.* Disco de metal com furos cônicos que conduzem areia e água, munido de cabo vertical que se empunha para fazê-lo girar sobre a pedra litográfica a fim de aparelhá-la, alisá-la ou limpá-la.

ponçagem [De *ponçar* + *-agem*[2].] *S. f. Grav.* Ato ou efeito de ponçar.

ponçar [Do fr. *poncer* < fr. *ponce,* 'pedra-pomes'.] *V. t. d. Grav.* Passar pedra-pomes ou ponçador na pedra litográfica, a fim de aparelhá-la e alisá-la, ou, ainda, limpá-la, *i. e.,* anular em sua superfície a imagem anteriormente gravada. [Conjug.: v. *laçar.* Cf. *granir.*]

ponchaço [De *poncho* + *-aço.*] *S. m. Bras. S.* **1.** Pancada com poncho. **2.** Grande porção de coisas ou de dinheiro. [Sin. ger.: *ponchada.*]

ponchada [De *poncho* + *-ada*[1].] *S. f. Bras. S.* Ponchaço.

ponche[1] [Do hid. *pãc,* 'cinco' (cinco ingredientes) (< sânscr. *pañca*), pelo ingl. *punch.*] *S. m.* **1.** Bebida feita com aguardente, rum ou conhaque, sumo e casca de limão, chá, açúcar, etc. **2.** *Bras.* Bebida feita, em geral, com vinho, água mineral e frutas picadas. **3.** *Bras. N.E.* Refresco de frutas: 📖 "Do loiro caju, / Anália, bebamos / O <u>ponche</u> gostoso, / Que aviva o prazer" (José da Natividade Saldanha, *ap.* Sérgio

P

Buarque de Holanda, *Antologia dos Poetas Brasileiros da Fase Colonial*, II, p. 267).

ponche[2] *S. m. Bras. SP* V. *poncho*.

poncheira [De *ponche*[1] + *-eira*.] *S. f.* Vaso onde se faz e/ou serve o ponche[1].

poncho [Do araucano *pontho* ou do esp. *pocho*, 'descorado', pelo esp. plat. *poncho*.] *S. m. Bras. S.* Capa quadrangular, de lã grossa, com uma abertura no meio, pela qual se passa a cabeça. [Var., em SP: *ponche*.] ◆ **Poncho do pobre.** *Bras. S.* O Sol; poncho dos pobres. **Poncho dos pobres.** *Bras. S.* Poncho do pobre. **Forrar o poncho.** *Bras. S.* Ter bom lucro; ganhar muito dinheiro. **Passar por baixo do poncho.** *Bras. S.* Passar às escondidas; contrabandear. **Pisar no poncho de.** *Bras. S.* V. *sacudir o poncho de*. **Sacudir o poncho de.** *Bras. S.* 1. Ofender, insultar. 2. Desafiar, provocar. [Sin. ger.: *pisar no poncho de*.]

poncho-pala *S. m. Bras. RS* Poncho leve; pala. [Pl.: *ponchos-palas*.]

ponciense *Adj. 2 g.* 1. De, ou pertencente ou relativo a Jirau do Ponciano (AL). ● *S. 2 g.* 2. O natural ou habitante de Jirau do Ponciano.

➔ **poncif** [põ'sif] [Fr.] *S. m.* Trabalho banal, sem originalidade.

ponçó [Do fr. *ponceau*, 'da cor vermelho-viva da papoula'.] *Adj. 2 g. Ant.* 1. De cor vermelha como fogo. 2. Diz-se dessa cor. ● *S. m.* 3. Essa cor.

ponderabilidade [De *ponderável* + *-(i)dade*, seg. o padrão erudito.] *S. f.* Qualidade de ponderável.

ponderação [Do lat. *ponderatione*.] *S. f.* 1. Ato ou efeito de ponderar. 2. Reflexão, meditação, consideração: *Depois de longa ponderação, resolveu aceitar a proposta.* 3. Tino, prudência, juízo, circunspeção, bom senso: *Confie na ponderação do rapaz.* 4. Importância, relevância, peso: *tema de grande ponderação.* 5. *Mat.* Atribuição de peso (17) a uma variável. 6. *Mat.* Peso (17): *Os preços dos gêneros alimentícios têm ponderação alta, no cálculo do índice do custo de vida para famílias de baixa renda.*

ponderado [Part. de *ponderar*.] *Adj.* 1. Que tem ou denota ponderação (2 e 3): *pessoa sensata, ponderada; argumentos ponderados*; "Resolvia tudo por bem, com palavras e atos ponderados" (Marques Rebelo, *Marafa*, p. 33). 2. *Mat.* Diz-se de cálculo em que há ponderação (5) das variáveis, ou de seu resultado: *média ponderada.*

ponderador (ô) [Do lat. *ponderatore*.] *Adj. S. m.* Que, ou aquele que pondera.

ponderal [Do lat. *pondus*, *eris*, 'peso', + *-al*[1].] *Adj. 2 g.* Relativo a peso.

ponderar [Do lat. *ponderare*.] *V. t. d.* 1. Examinar com atenção e minúcia; apreciar maduramente; considerar, medir, pesar: *O relator só dará parecer depois de ponderar cada argumento.* 2. Expor, alegar (coisa importante, que merece reflexão, ponderação): *Ponderara que a abdicação seria humilhante.* 3. Ter em consideração; considerar: *Ponderai o possível resultado de cada ato antes de o praticar.* 4. *Mat.* Atribuir pesos para extração de uma média (a uma grandeza ou uma função). *T. d. e i.* 5. Dizer em defesa de uma opinião; alegar, observar: *Experiente, ponderou aos jovens que atentassem para a História.* *T. i.* 6. Pensar muito; refletir, meditar: *Ponderamos sobre a proposta antes de qualquer resolução.*

ponderativo [De *ponderar* + *-tivo*.] *Adj.* Que faz ponderar.

ponderável [Do lat. *ponderabile*.] *Adj. 2 g.* 1. Que se pode ponderar. 2. Que merece ponderação (2). 3. Que pode ser pesado: *Esse gás não é ponderável.*

ponderoso (ô) [Do lat. *ponderosu*.] *Adj.* 1. Que tem peso (1); pesado: "enchia ele uma ou duas páginas à luz do ponderoso candeeiro de latão amarelo de três bicos" (Rebelo da Silva, *Contos e Lendas*, p. 9). 2. Importante, relevante: *cargo ponderoso; negociação ponderosa.* 3. Digno de atenção; notável: *Chopin tem obras de ponderosos efeitos pianísticos.* 4. Grave, sério: *Escreveu uma ponderosa obra sobre economia.* 5. Que impressiona; convincente: *argumento ponderoso.*

pondra *S. f. Pop.* V. *alpondras*.

pônei *S. m.* V. *pônei*. [Uso freq. em P.]

pônei [Do ingl. *pony* (< fr. ant. *poulenet*, dim. de *poulain*, 'potro', pelo fr. *poney*.] *S. m.* Cavalo da Bretanha, pequeno, porém ágil e fino: "os cães mansos, os gatos amimalhados, os pequenos pôneis de sela" (Ramalho Ortigão, *Pela Terra Alheia*, II, p. 189). [Var. pros.: *ponei*.]

ponente [Do lat. *ponente*, por via erudita.] *Adj. 2 g. S. m. Poét.* Poente: "Amarelado o sol, e túrbido o ponente; / Nublada, toda em volta, a lua no crescente" (Bulhão Pato, *Livro do Monte*, p. 18).

poneríneo [Adapt. do tax. *Ponerinae*.] *Zool.* *S. m.* 1. Espécime dos poneríneos, subfamília de insetos himenópteros, formicídeos, que se caracterizam por possuir o pedículo do abdome com um segmento e uma constrição distinta entre o primeiro e o segundo segmento do gáster. ● *Adj.* 2. Pertencente ou relativo a eles.

ponfólige [Do gr. *pomphólyx*, 'bolha de ar ou de água', pelo lat. *pompholige*.] *S. f. Patol.* Pênfigo.

ponga *S. f.* 1. *Bras. N.* Jogo de dados que se faz em um quadrilátero de madeira ou de papel dividido por duas diagonais e duas perpendiculares que se cruzam. 2. *Bras. MA* V. *punga*[2]. 3. *Bras. Zool.* V. *sabiá-laranjeira*. [Pl.: *pongas*. Cf. *ponga* e *pongas*, do v. *pongar*.]

pongaiense (a-i) *Adj. 2 g.* 1. De, ou pertencente ou relativo a Pongaí (SP). ● *S. 2 g.* 2. O natural ou habitante de Pongaí.

pongar [Var. de *bongar*.] *V. t. d. Bras. N.E.* Subir para (o bonde ou outro veículo) em movimento. [Conjug.: v. *largar*. Pres. ind.: *pongo*, *ponga*, *pongas*, etc. Cf. *ponga*, s. f., e *pongas*, pl.]

pongídeo [Do tax. *Pongo*, 'gênero-tipo', + *-ídeo*[1]; tax. *Pongidae*.] *Zool.* *S. m.* 1. Espécime dos pongídeos, família de simiiformes que reúne os grandes macacos, incluindo os gêneros *Pongo* (v. *pongo*), *Gorila* (v. *gorila*) e *Pan* (v. *pan*). São primatas essencialmente florestais, herbívoros, têm caninos e pré-molares fortes, são trepadores e andadores quadrúmanos, têm o tronco curto e o peito largo, braços, mãos e pés longos, sendo os braços mais longos que os pés, e dedo grande do pé oponível, o que possibilita o transporte de objetos, e gestação e parto semelhantes aos dos humanos. A caixa craniana é alta e arredondada, são catarrinos, têm pequenas órbitas, próximas entre si, o focinho é prognata, com grandes pré-maxilares convexos, e são destituídos de cauda. São ditos *antropomorfos* pelos inúmeros caracteres físicos e fisiológicos muito próximos aos dos humanos. ● *Adj.* 2. Pertencente ou relativo a eles.

pongo[1] [Do mal. *pongo*.] *S. m. Zool.* V. *chimpanzé*.

pongo[2] [Do tax. *Pongo*.] *S. m. Zool.* 1. O gênero-tipo dos pongídeos. 2. A única espécie desse gênero, a *Pongo pygmaeus* (v. *orangotango*). 3. Qualquer espécime desse gênero.

pongó *Adj. 2 g. S. 2 g. Bras. RS* V. *tolo* (1 a 3, e 8).

ponhar [De *ponho*, 1ª pess. do sing. pres. ind. de pôr, + *-ar*[2].] *V. t. d. T. d. e c. T. d. e i. Bras. S. C.O. Pop.* Pôr: "Só aquela carijó rabona é que ponhou um ovo, ontem..." (Telmo Vergara, *Contos da Vida Breve*, p. 210); "— A gente não tem é cômodo adonde ponhar o desinfeliz..." (Bernardo Élis, *Ermos e Gerais*, p. 10); "quem não me der esmola eu quebro de manguara, porque ninguém tem coragem de me ponhar a mão" (Valdomiro Silveira, *Os Caboclos*, p. 76).

ponjé *S. m. Tec. Têx.* V. *ponjê*.

ponjê [Do ingl. *poongee* (antes, ingl. *paunche*, este, poss. do chin. do N. *pun-chi*, 'tear', var. do mandarim *punki*, 'tecelagem feita em casa'), pelo fr. *pongée* (atual *pongé*).] *S. m. Tec. Têx.* Tecido leve, do tipo do tussor, feito de lã e seda. [Var. pros.: *ponjé*.]

▲ **pono-** [Do gr. *pónos*, *ou*.] *El. comp.* = 'trabalho fatigante': *ponofobia*, *ponófobo*.

ponofobia [De *pono-* + *-fobia*.] *S. f. Psiq.* Medo patológico de trabalho; indolência (3) mórbida.

ponofóbico [De *ponofobia* + *-ico*[2].] *Psiq.* *Adj.* 1. Relativo a ponofobia. 2. Que sofre de ponofobia; ponófobo. ● *S. m.* 3. Aquele que sofre de ponofobia; ponófobo.

ponófobo [De *pono-* + *-fobo*.] *Adj. S. m. Psiq.* Ponofóbico (2 e 3).

ponom [De or. indígena, poss.] *S. m. Bras. MA Zool.* V. *água-viva* (2).

ponta [Do lat. *puncta*, 'estocada'.] *S. f.* 1. A parte ou o ponto em que alguma coisa termina; extremidade: *ponta de uma rua, de uma corda, de uma linha.* 2. Extremidade aguçada; bico: *ponta de faca, de sapato.* 3. Extremidade estreita, delgada: *a ponta do dedo; a ponta do lápis.* 4. O princípio ou fim de uma série. 5. Bico[1] (4). 6. Extremidade em ângulo; canto: *a ponta de um lenço; a ponta da mesa.* 7. Vértice (3): *a ponta duma pirâmide, dum telhado.* 8. Qualquer saliência que tenha ponta (2, 3, 5 e 6): *escultura cheia de pontas.* 9. Chifre, corno, chavelho. 10. V. *guimba*. 11. *Fig.* Um pouco; pontinha: *uma ponta de febre; ponta de malícia.* 12. *P. ext.* Pitada (2): *uma ponta de sal e outra de pimenta.* 13. *Geogr.* Ponta de terra. 14. *Grav.* Estilete de metal, pouco aguçado, com que o gravador a água-forte desenha sobre o verniz, descobrindo o metal; agulha. [Cf. *choupa*[1] (3) e *ponta-seca*.] 15. *Cin. Teatr. Telev.* Papel curto, ou de importância secundária, ao qual por vezes não corresponde texto algum; figuração: "De pequena estatura, rechonchudo, fazia também pontas nas comédias." (Brito Broca, *Memórias*, p. 90.) 16. *Cin. Teatr. Telev.* V. *extra*[1] (4). 17. *Tip.* V. *cravador* (3). 18. *Bras.* Pequena porção de animais. 19. *Bras.* Lugar de um rio onde a passagem é difícil. 20. *Bras.* Evidência, destaque, voga; glória: *andar, estar, viver na ponta.* 21. *Bras.* Renda com um dos lados em pontas ou bicos, ou em curvas. [Cf. *entremeio* (3).] 22. *Bras.* Biqueira reforçada da sapatilha de bailarina. 23. *Bras.* Atitude da bailarina que faz evoluções apoiando os artelhos retesados na ponta da sapatilha, de jeito que o pé fique praticamente em posição vertical. 24. *Bras. Fut.* A parte lateral do campo mais afastada do centro. 25. *Bras. Fut.* Jogador que ocupa a posição de ponta-direita (q. v.) ou ponta-esquerda (q. v.); ponteiro. 26. *Bras.* Sobra de material, como, p. ex., tecido e madeira. 27. *Guin.* Propriedade rural, de pequena ou de grande extensão: "Na verdade, o doutor Macedo, além de bolanha extensa e linda, plantada de arroz, tinha uma ponta coberta de coqueiros" (João Ferreira, *Uanê: Narrativa Africana*, p. 60). ~ V. *pontas*. ◆ **Ponta de diamante.** *Arquit.* V. *bico de diamante*. **Ponta de estoque.** Resto ou final de material estocado. [Cf. *ponta de estoque*, s.f.] **Ponta de terra.** *Geogr.* Cabo que se estreita à medida que avança sobre o mar; ponta. **Ponta dos trilhos.** Lugar onde termina uma estrada de ferro. **Aguentar as pontas.** *Bras. Gír.* Aguentar a mão. **Andar na ponta.** Vestir-se com esmero; luxar: *Depois que acertou na loteria esportiva, só anda na ponta.* **Da ponta.** *Bras. Gír.* V. *da pontinha*. **De ponta a ponta.** Do princípio ao fim; de cabo a rabo. **De ponta com.** *Bras.* De relações estremecidas com (alguém); zangado: *andar, estar, viver de ponta com várias pessoas*; "o Firmo andava sempre de ponta com os companheiros e, mais de uma vez, o descante acabou varrido à faca" (Coelho Neto, *Sertão*, p. 153). **Em pontas de pé.** V. *pé ante pé*: "Em pontas de pé, dissimulando o tilintar das rosetas no cachorro das esporas, Zeca Menino alcançou o alpendre, a banda, desamarrou a mula estradeira" (Hugo de Carvalho Ramos, *Tropas e Boiadas*, p. 8). **Na ponta da unha.** Com rapidez. **Na ponta do pé.** V. *pé ante pé*. **Na ponta dos pés.** V. *pé ante pé*: "O garçom adiantou-se na ponta dos pés, como se evitasse fazer barulho." (Oto Lara Resende, *O Retrato na Gaveta*, p. 21.) **Nas pontas dos pés.** V. *pé ante pé*. **Pegar uma ponta.** *Bras. N.E.* V. *namorar* (9). **Saber na ponta da língua.** Ter (lição, assunto, etc.) perfeitamente sabido, estudado, compreendido; saber nas pontas dos dedos, ter na ponta dos dedos: *Sabe a matéria de português na ponta da língua.* **Saber nas pontas dos dedos.** V. *saber na ponta da língua*. **Segurar as pontas.** Aguentar o rojão. **Ter na ponta dos dedos.** V. *saber na ponta da língua*: "E Mrs. Oswald, que, como boa protestante que era, tinha a Escritura na ponta dos dedos, continuou por este modo, acentuando as palavras" (Machado de Assis, *A Mão e a Luva*, em *Obra Completa*, 1º vol., p. 332.) **Tomar de ponta.** Embirrar com (uma pessoa); trazer de ponta. **Trazer de ponta.** Tomar de ponta.

pontá *Bras.* *S. 2 g.* 1. *Etnôn.* Indivíduo dos pontás, povo indígena extinto que habitava a região próxima ao rio Salitre (N. da BA). ● *Adj. 2 g.* 2. Pertencente ou relativo a esse povo. [Tb. us. como *s. 2 g. e 2 n.* (com cap.) e *adj. 2 g. e 2 n.*]

ponta-cabeça *El. s. f.* Us. na loc. adv. *de ponta-cabeça*. ◆ **De ponta-cabeça.** *Bras.* De cabeça para baixo: *uma queda de ponta-cabeça*; "queria .... atirar-se ao tecto e cair de ponta-cabeça ao soalho, dando um salto no espaço, como um funâmbulo adestrado." (João Pacheco, *Negra a Caminho da Cidade*, p. 20).

pontaço [Do esp. plat. *puntazo*.] *S. m. Bras. S.* V. *pontoada*: "Creio que havia uns oito, dez ou mais pontaços de faca no corpo da infeliz" (Érico Veríssimo, *Noite*, p. 129).

pontada [De *ponta* + *-ada*[1].] *S. f.* 1. Dor aguda e rápida; ferroada. 2. V. *pontoada*. ◆ **Pontada no vazio.** *Pop.* Suposta dor na região anterolateral e inferior do abdome.

ponta de estoque *S. f.* Loja que vende aquilo que sobra de material (como retalhos de tecidos, pedaços de madeira) ou de peças de fim de estoque. [Pl.: *pontas de estoque*. Cf. *ponta de estoque*, loc.] ☑

ponta de lança *S. 2 g. Fut.* Elemento avançado que, num ataque ou numa investida, é capaz de penetrar no campo adversário: *O jogador tem qualidades que o destacam como ponta de lança do time.* [Pl.: *pontas de lança*.] ☑

ponta de rama *S. f. Bras.* O filho mais novo; o caçula; fim de rama, fim de safra, rapa de tacho. [Pl.: *pontas de rama*.] ☑

ponta-direita *S. 2 g. Fut. Bras.* Jogador de futebol que ocupa a extremidade direita da linha de avantes ou linha dianteira; extrema-direita. [Sin., lus.: *extremo-direito*. Pl.: *pontas-direitas*.]

ponta-esquerda *S. 2 g. Fut. Bras.* Jogador de futebol que ocupa a extremidade esquerda da linha de avantes ou linha dianteira; extrema-esquerda. [Sin., lus.: *extremo-esquerdo*. Pl.: *pontas-esquerdas*.]

ponta-grossense *Adj. 2 g.* 1. De, ou pertencente ou relativo a Ponta Grossa (PR). ● *S. 2 g.* 2. O natural ou habitante de Ponta Grossa. [Pl.: *ponta-grossenses*.]

pontal [De *ponta* + *-al*[2].] *S. m.* 1. *Constr. Nav.* Altura da embarcação entre a quilha e o convés principal.

2. Ponta de terra ou penedia que penetra um pouco no mar ou no rio. 3. Pontalete (1) de madeira serrada longitudinalmente.

pontalense[1] *Adj. 2 g.* 1. De, ou pertencente ou relativo a Pontal (SP). • *S. 2 g.* 2. O natural ou habitante de Pontal.

pontalense[2] *Adj. 2 g.* 1. De, ou pertencente ou relativo a Pontal do Araguaia (MT). • *S. 2 g.* 2. O natural ou habitante de Pontal do Araguaia.

pontaletar [De *pontalete* + *-ar*[2].] *V. t. d.* Segurar com pontaletes. [Pres. subj.: *pontalete, pontaletes*, etc. Cf. *pontalete* (ê), pl. *pontaletes* (ê).]

pontalete (ê) [De *pontal* + *-ete* (ê).] *S. m.* 1. *Constr.* Barrote ou peça de metal com que se escoram edifícios, pavimentos, etc. 2. Apoio em que descansa o braço dos andores, nas procissões. [Pl.: *pontaletes* (ê). Cf. *pontalete* e *pontaletes*, do v. *pontaletar*.]

pontalindense *Adj. 2 g.* 1. De, ou pertencente ou relativo a Pontalinda (SP). • *S. 2 g.* 2. O natural ou habitante de Pontalinda.

pontalinense *Adj. 2 g.* 1. De, ou pertencente ou relativo a Pontalina (GO). • *S. 2 g.* 2. O natural ou habitante de Pontalina.

pontanense *Adj. 2 g.* 1. De, ou pertencente ou relativo a Pontão (RS). • *S. 2 g.* 2. O natural ou habitante de Pontão.

pontão[1] [Do lat. *pontone*.] *S. m.* 1. Plataforma flutuante que, por si, ou ligada a outras, forma uma ponte. 2. Pequena ponte. 3. Pequeno viaduto em estradas. 4. *Bras. AM* Barcaça que vai de reboque e serve como pontão (1).

pontão[2] [De *ponta* + *-ão*[1].] *S. m.* 1. Espeque ou escora. 2. Extensão de mato, comprida e estreita, que avança em meio do campo.

pontapé [De *ponta* + *pé*.] *S. m.* 1. Pancada com a ponta do pé; panázio, chute. 2. *Fig.* Ofensa, ultraje. 3. *Fig.* Ato de ingratidão. 4. *Fig.* Contratempo, azar. ◆ **Dar um pontapé na bunda (de).** *Bras. Chulo* Despedi-lo, demiti-lo: "abrem uma sindicância e te dão um pontapé na bunda. Demitido a bem do serviço público." (Rubem Fonseca, *Agosto*, p. 63.) **Dar um pontapé em.** *Bras. Pop.* Dar o fora em alguém; romper relacionamento (3), ger. de maneira inesperada.

pontapear [De *pontapé* + *-ar*[2].] *V. t. d.* Dar pontapés em. [Conjug.: v. *frear*.]

ponta-pedrense *Adj. 2 g.* 1. De, ou pertencente ou relativo a Ponta de Pedras (PA). • *S. 2 g.* 2. O natural ou habitante de Ponta de Pedras. [Pl.: *ponta-pedrenses*.]

ponta-poranense *Adj. 2 g.* 1. De, ou pertencente ou relativo a Ponta Porã (MS). • *S. 2 g.* 2. O natural ou habitante de Ponta Porã. [Pl.: *ponta-poranenses*.]

ponta-preta [De *ponta* + o f. de *preto*.] *S. f. Bras. Bot.* 1. Planta bromeliácea (*Vriesia bituminosa*) ger. epífita, de folhas laminares, largas, rijas, dispostas em roseta densa, de viva cor verde, tendo, no ápice, pequenas manchas escuras tirantes ao roxo, e inflorescências eretas, espiciformes, vermelhas. [Pl.: *pontas-pretas*.]

pontar[1] [De *ponta* + *-ar*[2].] *V. t. d.* V. *apontar* (1). [Pres. subj.: *ponte, pontes, ..., ponteis*, etc. Cf. *pontéis*, pl. de *pontel*.]

pontar[2] [De *apontar*[2], com aférese.] *V. t. d.* 1. Apontar[2] (8): "Uma noite eu estava pontando uma cena entre Luísa e Tancredo, sentado no tamborete alto debaixo da cúpula" (Hermilo Borba Filho, *Margem das Lembranças*, p. 44). *Int.* 2. Apontar[2] (9). [Pres. subj.: *ponte, pontes, ponteis*, etc. Cf. *pontéis*, pl. de *pontel*.]

pontareco *S. m.* 1. Ponto de costura grande e malfeito. 2. Pontarelo.

pontarelo *S. m.* Ponto grande e saliente, na costura. [Sin., bras.: *pontareco*.]

pontaria [De *ponto* + *-aria*.] *S. f.* 1. Ato de assestar, de apontar. 2. Ação de colocar uma arma de fogo na direção da linha de mira. 3. *P. ext.* Habilidade de acertar num alvo; mira: *A vida dele dependia da pontaria do mocinho.* ◆ **Dormir na pontaria.** *Bras.* Fazer pontaria demorada antes de atirar. **Fazer pontaria.** Visar o alvo.

pontas [Pl. de *ponta*.] *S. f. pl. Bras.* Cabeceiras de rio ou de arroio. ~ V. *ponta*.

ponta-seca [De *ponta* + o f. do adj. *seco*.] *S. f.* 1. Instrumento com ponta afiada, de aço ou de diamante, usado pelo gravador para sulcar diretamente o metal, no processo de gravura a entalhe que tem esse nome. [Cf. *ponta* (14).] 2. Gravura à ponta-seca. 3. A perna do compasso de desenho que não é dotada de lápis ou tira-linhas. [Pl.: *pontas-secas*.]

pontavante [De *ponte* + *avante*.] *S. f. Ant. Constr. Nav.* Ponte ou anteparo na proa do navio.

ponte [Do lat. *ponte*.] *S. f.* 1. Construção destinada a estabelecer ligação entre margens opostas de um curso de água ou de outra superfície líquida qualquer. [Dim. irreg.: *pontícula* e *pontilhão* (q. v.). Cf. *viaduto*.] 2. *Anat.* Porção do sistema nervoso central situada entre o bulbo raquiano e o mesencéfalo; protuberância anular. [Sin., desus.: *ponte de Varólio*.] 3. *Bras. Cap. Ginást.* Posição que um indivíduo assume ao estender o corpo para trás, com as costas voltadas para o solo, formando um arco com o apoio das mãos e dos pés. 4. *Eng. Elétr.* Circuito elétrico de medida em que um componente faz a ligação entre dois pontos cujos potenciais são iguais, quando nos outros componentes circulam correntes que guardam entre si relações bem determinadas. 5. *Odont.* Peça de prótese dentária que se prende por meio de uma placa a dois ou mais dentes naturais, podendo ser fixa ou móvel. 6. *Fig.* Qualquer elemento que estabelece ligação, contato, comunicação ou transição entre pessoas ou coisas: *Professores, tentemos criar uma ponte entre nós e os discípulos; Não há uma ponte por onde se possam relacionar as duas ocorrências.* 7. *Quím.* Átomo, ou grupo de átomos sequencialmente ligados, que une dois átomos, não adjacentes, membros de um ciclo, o que resulta numa estrutura bicíclica em que dois anéis compartilham mais de dois átomos. [Por extensão, e para fins de nomenclatura segundo certas regras, pode-se considerar que dois ciclos fundidos contêm uma ponte com zero átomos.] 8. *Ant. Constr. Nav.* Cada uma das cobertas de um navio. ◆ **Ponte aérea.** *Bras.* Serviço aéreo comercial regular e muito intenso, entre cidades. **Ponte afogada.** Ponte (1) cujo tabuleiro pode, eventualmente, ser coberto pelas águas de grandes cheias. **Ponte branca.** *Constr.* Estrutura provisória, em geral de madeira rústica, montada para facilitar a construção de uma ponte definitiva. **Ponte de CA.** *Eng. Elétr.* Ponte de medida cuja fonte de alimentação é de corrente alternada. **Ponte de capacitância.** *Eng. Elétr.* A que se destina a medir a capacitância de um componente. **Ponte de CC.** *Eng. Elétr.* Ponte de medida cuja fonte de alimentação é de corrente contínua. **Ponte de comando.** *Lus. Constr. Nav.* Passadiço (4). **Ponte de condutividade.** *Fís.-Quím.* Ponte de CA especialmente indicada para medir a resistência ou a condutividade duma solução eletrolítica. **Ponte de dissulfeto.** *Bioquím.* Ligação covalente que se forma, mediante oxidação, entre as sulfidrilas de dois resíduos de cisteína, na mesma cadeia ou em diferentes cadeias peptídicas, dando origem a um resíduo de cistina. **Ponte de Einstein-Rosen.** *Astr.* Conexão no espaço-tempo entre dois universos distintos, unidos por uma singularidade; buraco de minhoca (q. v.). **Ponte de fio.** *Eng. Elétr.* Ponte de resistência bastante simples, na qual o braço de medida é constituído por um simples fio sobre o qual corre um contato elétrico móvel. **Ponte de frequência.** *Eng. Elétr.* Tipo de ponte cujas equações de equilíbrio são função da frequência e cujas impedâncias são conhecidas. **Ponte de hidrogênio.** *Quím.* Ligação de hidrogênio (q. v.). **Ponte de indutância.** *Eng. Elétr.* A que se destina a medir a indutância dum componente elétrico. **Ponte de resistência.** *Eng. Elétr.* A que se destina a medir a resistência dum componente elétrico. **Ponte de safena.** *Cir.* Intervenção cirúrgica em que se objetiva ultrapassar um ou vários segmentos arteriais coronários obliterados ou estenosados, mediante a colocação de um ou mais enxertos entre a porção ascendente da artéria aorta e artéria(s) coronária(s), além da zona de obliteração ou de estenose. [O material do enxerto é constituído por segmentos da veia safena interna retirados do próprio doente.] **Ponte de sal.** *Fís.-Quím.* Coluna de eletrólito com que se ligam dois eletrodos para eliminar ou diminuir o potencial de junção líquida. **Ponte de Varólio.** *Anat. Desus.* V. *ponte* (2). **Ponte de viés.** *Lus.* Ponte esconsa. **Ponte do nariz.** Formação resultante da junção dos dois nasais [v. *nasal* (3)]. **Ponte esconsa.** Ponte (1) cuja direção é oblíqua à do curso de água que transpõe. [Sin., lus.: *ponte de viés*.] **Ponte giratória.** Ponte (1) móvel em torno de um eixo vertical. **Ponte intercelular.** *Citol.* Comunicação citoplasmática entre células vizinhas. **Ponte levadiça.** Ponte (1) móvel em torno de um eixo horizontal. [Tb. se diz apenas *levadiça*.] **Ponte levante.** Ponte (1) móvel, cujo tabuleiro se pode elevar paralelamente a si mesmo. **Ponte metálica.** Ponte (1) cuja superestrutura é constituída de peças de aço laminado. **Ponte mista.** Ponte (1) destinada a dar passagem tanto a uma rodovia como a uma ferrovia. **Ponte modulante.** *Mús.* Na sonata bitemática, passagem de transição, que prepara a entrada do segundo tema. **Ponte móvel.** Ponte (1) cujo tabuleiro se pode deslocar para interromper a ligação ou para permitir a passagem de embarcações. **Ponte pênsil.** Ponte (1) cujo tabuleiro é sustentado por cabos ancorados; ponte suspensa. **Ponte suspensa.** Ponte pênsil. **Em ponte.** *Quím.* Diz-se de substância, molécula ou estrutura, que contém ponte (7).

ponteado [Part. de *pontear*[1].] *Adj.* 1. Marcado ou coberto com pontinhos; pontilhado. • *S. m.* 2. Traçado ou desenho representado apenas por pontinhos. 3. *Bras.* Certo toque de viola.

ponte-altense[1] *Adj. 2 g.* 1. De, ou pertencente ou relativo a Ponte Alta (SC). • *S. 2 g.* 2. O natural ou habitante de Ponte Alta. [Pl.: *ponte-altenses*.]

ponte-altense[2] *Adj. 2 g.* 1. De, ou pertencente ou relativo a Ponte Alta do Bom Jesus (TO). • *S. 2 g.* 2. O natural ou habitante de Ponte Alta do Bom Jesus. [Pl.: *ponte-altenses*.]

ponte-altense-do-tocantins *Adj. 2 g.* 1. De, ou pertencente ou relativo a Ponte Alta do Tocantins (TO). • *S. 2 g.* 2. O natural ou habitante de Ponte Alta do Tocantins. [Pl.: *ponte-altenses-do-tocantins*.]

pontear[1] [De *ponto*[1] + *-ear*[2].] *V. t. d.* 1. Marcar com pontos; pontilhar: *pontear uma linha.* 2. Marcar com pontos de costura ou com alinhavo: *pontear um vestido.* 3. *Mús.* Colocar os dedos nos pontos de (instrumento de corda dotado de ponto ou de trastos), enquanto a mão direita dedilha; tanger, tocar; dedilhar. 4. *Mús.* Dedilhar (cordas de instrumento): "Uma viola só, de repente, ficou gemendo no silêncio. Ponteava-lhe as cordas mão segura de caboclo" (Albertino Moreira, *Boca-Pio*, p. 62). [Conjug.: v. *frear*.]

pontear[2] [De *ponta* + *-ear*[2].] *V. t. d. Bras. Turfe* Disputar (corrida, competição, etc.), mantendo-se no primeiro lugar: "Ilo ponteou a carreira, mas terminou no último posto." (*Correio da Manhã*, Rio, 01.02.1969.) [Conjug.: v. *frear*.]

pontear[3] [De *pont-*, por **ponteirar* (< *ponteiro*[2] + *-ar*[2]), + *-ear*[2].] *V. int. T. d. Bras. S. Fazer o ofício de ponteiro*[2] *(6); ir à frente da tropa para guiar: Sabia pontear como ninguém mais; Ponteava a tropa pelos campos.* [Conjug.: v. *frear*.]

ponte-branquense *Adj. 2 g.* 1. De, ou pertencente ou relativo a Ponte Branca (MT). • *S. 2 g.* 2. O natural ou habitante de Ponte Branca. [Pl.: *ponte-branquenses*.]

ponte-canal *S. f.* Ponte (1) destinada a dar passagem a uma canalização; aqueduto. [Pl.: *pontes-canais*.]

ponte de água *S. f. Bras. BA* Correnteza forte em uma volta de rio. [Pl.: *pontes de água*.] ☑

pontederiácea [Do tax. *Pontederia* (do antr. [*Giulio*] *Pontedera* [-1757], botânico italiano) + *-ácea*; tax. *Pontederiaceae*.] *S. f. Bot.* Espécime das pontederiáceas, família da ordem das commelinales, composta de ervas aquáticas, muitas delas flutuantes, de flores zigomorfas e hermafroditas, ovário súpero, e fruto capsular. Há cerca de seis gêneros e 32 espécies tropicais, e o Brasil possui várias; algumas são consideradas daninhas e outras são cultivadas pelas partes comestíveis, ou como ornamentais.

pontederiáceo [De *pontederiácea*, com var. suf. (v. *-áceo*).] *Adj. Bot.* Pertencente ou relativo às pontederiáceas.

ponteio [Dev. de *pontear*[1].] *S. m.* 1. Ato ou efeito de pontear[1]. 2. *Mús.* Composição instrumental de forma livre inspirada na maneira de pontear os instrumentos de corda: *o "Ponteio" de Lourenço Fernandez, para violão.*

ponteira [De *ponta* + *-eira*.] *S. f.* 1. Peça de metal que reveste a extremidade inferior de bengalas, guarda-chuvas, etc. 2. Peça de metal que reforça a bainha das armas brancas. 3. Haste de aço, terminada em ponta, que se adapta a certas ferramentas. 4. Extremidade postiça que tem a piteira ou boquilha, e na qual se introduzem os cigarros ou charutos. 5. *Bras.* Fio ou cordão especial que se usa na extremidade dos relhos a fim de que estalem quando brandidos. 6. *Bras.* A última colheita de algodão. [Cf., nesta acepç., *baixeira* e *meeira*.] 7. *Bras. Cap.* Golpe traumatizante aplicado com o extremo da planta do pé.

ponteiro[1] [De *ponto*[1] + *-eiro*.] *Adj.* 1. *Ant.* De boa pontaria; certeiro. • *S. m.* 2. Pequena haste com que se aponta em livros, quadros, etc. 3. Espécie de agulha de metal que indica, nos quadrantes dos relógios, as horas, minutos e segundos. 4. *P. ext.* Qualquer agulha ou haste móvel, terminada em ponta, que percorre o mostrador dum aparelho a fim de fornecer indicação: *o ponteiro de um velocímetro, de um barômetro.* 5. Instrumento de canteiro ou de escultor, usado para desbastar pedras. 6. Peça ou lâmina para ferir as cordas de alguns instrumentos. 7. *Inform.* Variável que remete a outra por intermédio de endereçamento de memória. [Em gerenciamento de banco de dados, o ponteiro remete à posição de um registro dentro do arquivo.] 8. *Bras. RJ Folcl.* Punhal usado nas cerimônias da macumba. ◆ **Ponteiro do mouse.** V. *cursor do* mouse. **Acertar os ponteiros.** 1. Combinar um plano comum de ação. 2. Chegar a um acordo, a um entendimento. [Sin. ger.: *acertar os relógios*.]

ponteiro[2] [De *ponta* + *-eiro*.] *Adj.* 1. Diz-se do cão que se desmanda, não obedecendo ao caçador. 2. Diz-se da espingarda que, ao ser apontada, se equilibra mal, pendendo para a ponta. 3. *Bras. PE* Diz-se do cavalo doente, defeituoso. ~ V. *vento* –. • *S. m.* 4. *Bras.* Aquele que ponteia (v. *pontear*[2]) uma corrida ou competição. 5. *Bras. Fut.* V. *ponta* (25). 6. *Bras. S.*

O peão ou campeiro que vai na frente ou na ponta da tropa a fim de a conter e guiar; chamador. **7.** *Bras. S. Fig.* Aquele que dá mau exemplo. ◆ **Ponteiro de tabela.** O clube que numa série de jogos de campeonato ocupa o primeiro lugar.

pontel [Do cat. *puntill*, pelo esp. *puntel*.] ***S. m.*** Haste com que se segura o vidro quando se caldeia. [Pl.: *pontéis*. Cf. *ponteis*, do v. *pontar*.]

ponte-limense ***Adj. 2 g.*** **1.** De, ou pertencente ou relativo a Ponte de Lima (Portugal). ● ***S. 2 g.*** **2.** O natural ou habitante de Ponte de Lima. [Pl.: *ponte-limenses*.]

ponte-novense ***Adj. 2 g.*** **1.** De, ou pertencente ou relativo a Ponte Nova (MG). ● ***S. 2 g.*** **2.** O natural ou habitante de Ponte Nova. [Pl.: *ponte-novenses*.]

pontense ***Adj. 2 g.*** **1.** De, ou pertencente ou relativo a São João da Ponte (MG). ● ***S. 2 g.*** **2.** O natural ou habitante de São João da Ponte.

ponte-pretense ***Adj. 2 g.*** **1.** De, ou pertencente ou relativo a Ponte Preta (RS). ● ***S. 2 g.*** **2.** O natural ou habitante de Ponte Preta. [Pl.: *ponte-pretenses*.]

ponte-serradense ***Adj. 2 g.*** **1.** De, ou pertencente ou relativo a Ponte Serrada (SC). ● ***S. 2 g.*** **2.** O natural ou habitante de Ponte Serrada. [Pl.: *ponte-serradenses*.]

pontes-gestalense ***Adj. 2 g.*** **1.** De, ou pertencente ou relativo a Pontes Gestal (SP). ● ***S. 2 g.*** **2.** O natural ou habitante de Pontes Gestal. [Pl.: *pontes-gestalenses*.]

ponte-suela (ê) [Do esp. *pontezuela*, 'pontinha'.] ***S. f.*** *Bras. RS* Penduricalho de enfeite que se põe no freio do cavalo. [Pl.: *pontes-suelas*.]

pontevedrino ***Adj.*** **1.** De, ou pertencente ou relativo a Pontevedra (Espanha). ● ***S. m.*** **2.** O natural ou habitante de Pontevedra.

pontiagudo [De *ponta* + *-i-* + *agudo*.] ***Adj.*** Que termina em ponta aguçada; pontudo, bicudo: "os pés calçam balugas pontiagudas, ornadas e armadas de acicates lanceolares." (Júlio Dantas, *Abelhas Doiradas*, p. 210).

pôntico [Do gr. *pontikós* (< gr. *póntos*, 'mar', especialmente o mar Negro, ou *Pontus Euxinus*), pelo lat. *ponticu*.] ***Adj.*** **1.** Relativo ao mar Negro. **2.** Relativo às montanhas que se elevam ao N. de Anatólia (Turquia), junto ao mar Negro. **3.** Relativo ao antigo reino de Ponto, no N.E. da Ásia Menor. **4.** *Gloss.* Relativo a um dialeto subpadrão do grego moderno. ● ***S. m.*** **5.** *Gloss.* O grego pôntico (q. v.).

pontícula [Do lat. *ponticulu*, com adapt. ao gênero de *ponte*.] ***S. f.*** Dim. de *ponte* (1). [Cf. *pontilhão*.]

pontificado [Do lat. *pontificatu*.] ***S. m.*** **1.** Dignidade de pontífice. **2.** Tempo durante o qual se exerce essa dignidade. [Sin. ger.: *papado*.]

pontifical [Do lat. *pontificale*.] ***Adj. 2 g.*** **1.** Relativo ou pertencente a pontífice, ou aos pontífices. **2.** Respeitante à dignidade episcopal. [Sin. ger.: *pontificial* e *pontifício*.] ~ V. *missa* —. ● ***S. m.*** **3.** Livro que contém os ritos que devem ser observados por pontífices ou bispos. **4.** Capa comprida que se usa na celebração de certas cerimônias religiosas.

pontificante [Do lat. *pontificante*.] ***Adj. 2 g.*** **1.** Que pontifica. ● ***S. 2 g.*** **2.** O sacerdote que pontifica.

pontificar [De *pontífice* + *-ar*[2].] ***V. int.*** **1.** Exercer pontificado. **2.** Celebrar missa usando o pontifical (4). **3.** Falar ou escrever com ênfase, em tom categórico: "Trancara-se [D. Pedro I] no círculo isolante de um gabinete secreto, onde pontificavam singularíssimos personagens" (Euclides da Cunha, *À margem da História*, p. 250). [Conjug.: v. *trancar*.]

pontífice [Do lat. *pontifice*.] ***S. m.*** **1.** *Ecles.* Dignitário eclesiástico (bispo, arcebispo, patriarca). **2.** *Ecles.* O Papa [v. *papa*[1] (1)]. **3.** Sacerdote da religião romana. **4.** Ministro do culto de uma religião. **5.** *Fig.* Chefe de seita, sistema ou escola. ◆ **Pontífice romano.** V. *papa*[1] (1). **Sumo Pontífice.** V. *papa*[1] (1).

pontificial [De *pontifície* + *-ial*.] ***Adj. 2 g.*** V. *pontifical* (1 e 2).

pontifício [Do lat. *pontificiu*.] ***Adj.*** **1.** V. *pontifical* (1 e 2). **2.** Próprio de pontífice, ou dele procedente. ~ V. *cadeira* —*a*.

pontilha [De *ponta* + *-ilha*.] ***S. f.*** **1.** Ponta muito aguda. **2.** Franja de prata ou de ouro, delgada e estreita. **3.** Espiguilha. **4.** Arma curta e pontiaguda para ferir o touro, nas touradas. **5.** *Tip.* Agulha com que os tipógrafos desencravam o olho dos tipos.

pontilhado [Part. de *pontilhar*.] ***Adj.*** **1.** Marcado ou coberto com pontinhos; ponteado. ● ***S. m.*** **2.** Agrupamento de pequenos pontos. **3.** *Art. Plást.* Pintura, desenho ou gravura executada com pontos. [Cf., nesta acepç., *pontilhismo* e *pontilhista*.] **4.** *Bras. PE Etnogr.* Passo do frevo em que o dançarino, com a perna direita semiflexionada, cruzando a esquerda no joelho e tocando o chão com o calcanhar, dá um salto mudando o pé e a direção, marcando o ritmo.

pontilhão [Dim. irreg. de *ponte*.] ***S. m.*** Pequena ponte (1), de vão total inferior a cerca de uma dezena de metros: "uma igrejinha / Um sino, um rio, um pontilhão e um carro / De três juntas bovinas que ia e vinha / Rinchando alegre, carregando barro." (B. Lopes, *ap.* Álvaro Lins e Aurélio Buarque de Holanda, *Roteiro Literário de Portugal e do Brasil*, II, p. 241). [Cf. *pontícula*.]

pontilhar [De *ponto*[1] + *-ilh(o)-* + *-ar*[2].] ***V. t. d.*** **1.** Marcar com pontinhos; pontear, pontoar. **2.** Desenhar a pontos; granir: *pontilhar um perfil.*

pontilheiro [De *pontilha* + *-eiro*.] ***S. m.*** Indivíduo que pica touros com pontilha ou agulhão.

pontilhismo [Do fr. *pointillisme*.] ***S. m.*** *Art. Plást.* **1.** Processo de pintar por pequenas manchas nítidas, justapostas, em geral de cores puras e que se baseia na vibração luminosa obtida pelo contraste dessas cores. [Cf. *ponto* (40).] **2.** A escola que adota esse processo. [Sin. ger.: *puntilismo*. Cf. *divisionismo*.]

pontilhista [De *pontilhismo* + *-ista*.] ***Adj. 2 g.*** **1.** Pertencente ou relativo ao pontilhismo. ● ***S. 2 g.*** **2.** Pintor que adota o pontilhismo. **3.** Desenhista ou gravador que adota o pontilhado (3). [Sin. ger.: *puntilista*. Cf. *divisionista*.]

pontilho [De *ponto*[1] + *-ilho*.] ***S. m.*** *Mús.* V. *tom* (18).

pontilhoso (ô) [De *ponto*[1] + *-ilh(o)-* + *-oso*.] ***Adj.*** **1.** Exigente em minúcias e casos de honra. **2.** Que se ofende com facilidade.

pontinha [De *ponta* + *-inha*.] ***S. f.*** **1.** Ponta (11): *uma pontinha de inveja, de vaidade.* **2.** Birra, contenda, questão. ◆ **Da pontinha.** *Bras. Gír.* Que agrada, que é bom, bonito ou gostoso; da ponta, da pontinha da orelha; daqui. **Da pontinha da orelha.** V. *da pontinha*.

pontinho [De *ponto*[1] + *-inho*[1].] ***S. m.*** *Bras.* Jogo carteado, semelhante ao pife-pafe, porém com curinga, e em que cada parceiro começa com 99 pontos [v. *ponto*[1] (17)] e tem como objetivo livrar-se de todas as cartas da mão, podendo até arriá-las sobre as cartas dos jogos dos outros parceiros, pois dos 99 pontos iniciais será descontada a soma de todas as que não tiverem sido arriadas, ganhando o jogador que ficar por último. ~ V. *pontinhos*.

pontinhos [Pl. de *pontinho*.] ***S. m. pl.*** V. *reticências*. ~ V. *pontinho*.

pontino [Do lat. *pontinu*.] ***Adj.*** Relativo ou pertencente à região pantanosa da província romana, hoje saneada.

➔ **pont-l'évêque** [põ le'vɛk] [Fr.] ***S. m.*** *Cul.* Queijo de leite de vaca de consistência lisa e macia fabricado na Normandia (v. *normando*).

ponto[1] [Do gr. *póntos*, pelo lat. *punctu*.] ***S. m.*** **1.** Picada produzida com a agulha que se enfia no tecido, couro, plástico, etc., para passar o fio de costura, bordado, etc.: *Só faltam alguns pontos para terminar o vestido.* **2.** *Cost.* Porção de linha compreendida entre dois furos. **3.** *P. ext. Cost.* Cada uma das laçadas de linha ou de lã feitas no tricô ou no crochê; malha. **4.** *Bord.* Designação comum aos diversos tipos de nós ou laçadas feitos com agulha ou sem ela em renda, macramé, etc. **5.** *Cost.* Cerzidura em meia ou em tecido. **6.** Pequeno sinal semelhante ao que a ponta de um lápis imprime no papel: *Os pontos pretos indicam, no mapa, cidades principais.* **7.** Sinal de pontuação com que se encerra um período; ponto final. **8.** Sinal idêntico, us. em abreviaturas [ponto abreviativo] e sobre o *i* e o *j*. **9.** Manchazinha arredondada: *A alergia deixou uns pontos vermelhos na pele da criança.* **10.** Lugar fixo e determinado: *Não sei em que ponto do mapa fica essa cidade.* **11.** V. *ponto de parada* (1): *Costuma tomar o ônibus naquele ponto.* **12.** Livro, cartão, folha, onde se registra a entrada e saída diária do trabalho: *Esqueceu-se de assinar o ponto; Bateu o ponto na hora exata.* **13.** Cada um dos espaços em que está dividida a craveira do sapateiro ou a do luveiro: *O sapato deve ser maior um ponto.* **14.** *P. ext. Fig.* Grau pelo qual se mede algum valor, por acréscimo ou diminuição: *As relações entre eles não melhoraram um ponto.* **15.** *Cul.* Grau de consistência que se dá ao açúcar em calda. **16.** Cada um dos pontos ou pintas marcadas nos dados, peças de dominó, etc., e que lhes indicam o valor. **17.** Unidade de valor relativa a cartas de baralho ou a outros elementos de certos jogos: *No biriba o ás vale 15 pontos.* **18.** Cada uma das unidades que, numa competição, se obtêm como vantagem sobre o adversário: *Pela contagem de pontos, o Flamengo estava em primeiro lugar no campeonato carioca.* **19.** Cada uma das unidades de um número variável que se convenciona tomar como objetivo em certos jogos: *uma partida de bilhar em 100 pontos; uma partida de biriba em 2.000 pontos.* **20.** Em certos jogos de azar, como, p. ex., a loto, o bingo, a loteria esportiva, cada uma das unidades marcadas pelo jogador, segundo normas fixadas para atingir um total preestabelecido, sem o qual não é possível vencer: *Muitas pessoas fizeram os 13 pontos exigidos para ganhar na loteria esportiva.* **21.** Em certos jogos de azar, como o bacará, o grupo de pessoas que jogam contra a banca (8), ou as cartas tiradas contra esta. **22.** Sinal que se dá para marcar o tempo: *Ao ponto dado, os cavalos arrancaram.* **23.** Unidade que, nas bolsas de valores, exprime a variação dos índices [v. *índice* (9)]: *Estes papéis subiram cinco pontos em um mês.* **24.** Grau de merecimento (em lição, exame, comportamento, etc.): *O professor tirou-lhe um ponto na nota.* **25.** Parte de um assunto, de uma ciência, arte, etc.: *Pontos importantíssimos da psicologia foram abordados por Freud.* **26.** *P. ext.* Em exames ou concursos, a matéria tirada à sorte para sobre ela responder ou discorrer o aluno ou o candidato: *Estudara bem o ponto sorteado, e fez ótimo exame.* **27.** *Teatr.* Auxiliar de cena que, fora da vista do público, vai recordando aos atores, em voz baixa, suas respectivas falas; apontador: "era o ponto; um homem colocado naquele alçapão, coberto por uma pequena cúpula, bem em frente do palco, encarregado de dizer para os artistas o que eles deviam repetir em cena." (Brito Broca, *Memórias*, p. 91). **28.** *Fig.* Assunto, matéria: *Não é esse o ponto em discussão.* **29.** *Fig.* Grau de adiantamento, altura em que se acha algum trabalho, empreendimento, etc.: *Em que ponto anda o livro que você está escrevendo?; Não sei em que ponto está o divórcio de X.* **30.** *Fig.* Lance; momento. **31.** Caso, problema ou questão importante, em que se tem vivo empenho: *O ponto é lutar, lutar até vencer.* **32.** *Fig.* Termo, fim; parada, suspensão; ponto final: *Morreu, chegou ao ponto do seu padecimento; É preciso pôr um ponto nessa mania de criticar os outros.* **33.** *Cir.* Porção de fio firmada por um nó, deixada numa estrutura (11) ou num órgão depois de se efetuar a introdução e retirada da agulha que a conduzia, a fim de promover a união dos tecidos. [Pode ser ou não removido, conforme a natureza ou a situação do material empregado.] **34.** *Geom.* Configuração geométrica sem dimensão, e que se caracteriza por sua posição; ponto geométrico. **35.** *Geom.* Elemento com que se definem axiomaticamente as propriedades dum espaço. **36.** *Marinh.* Cada um dos modos por que se entretece um fio ou uma linha para coser lona ou outro tecido utilizando agulha de coser. **37.** *Mús.* A célula primária da notação neumática. **38.** *Mús.* Régua de madeira escura, que acompanha a forma e o comprimento do braço dos instrumentos de cordas, e sobre a qual os dedos do executante comprimem as cordas. V. *trasto*. **39.** *Náut.* A posição, na carta náutica, de uma embarcação que está navegando. **40.** *Pint.* Pequena mancha de cor. [Cf. *pontilhismo*.] **41.** *Tip.* Unidade tipométrica básica (a sexta parte da linha) equivalente a 0,3759mm no sistema Didot e a 0,351mm no sistema anglo-norte-americano. **42.** *Telev. Teatr. Cin.* Recurso utilizado para passar a ator, apresentador, locutor, etc. — durante a apresentação de espetáculo ou de programa de TV — deixa, orientação, texto de *script*, etc. [Cf., nesta acepç., *dália*[2].] **43.** *Bras.* Lugar, geralmente nas vias públicas, onde artigos ou serviços estão à disposição do freguês: *ponto de jornais, de frutas; ponto de táxi.* **44.** *Bras. Rel.* Ponto cantado (q. v.): "Pontos de macumba, em um outro canto, ao som do violão." (Adonias Filho, *Luanda Beira Bahia*, p. 57.) **45.** *Bras. Rel.* Ponto riscado (q. v.). ◆ **Ponto aberto.** *Bord.* Ponto de bordado em que se abrem orifícios arredondados, arrematados com um ponto cerrado previamente demarcado com alinhavo. **Ponto abreviativo.** V. *ponto*[1] (8). **Ponto alto.** Ponto básico de crochê, cuja sucessão constitui uma carreira, na qual a linha, depois de introduzida num ponto da parte tecida, é passada por uma laçada e pela alça do ponto anterior, para formar um novo ponto. **Ponto americano.** *Tip.* Ponto anglo-norte-americano. **Ponto anfidrômico.** *Ocean.* Ponto da superfície do mar em que é nula a oscilação da maré. **Ponto anglo-norte-americano.** *Tip.* O que serve de base ao sistema anglo-norte-americano; ponto americano. **Ponto anguloso.** *Mat.* Numa curva, o ponto em que as tangentes à esquerda e à direita são diferentes. **Ponto cantado.** *Bras. Rel.* Cada um dos cantos religiosos particulares de cada entidade (6), us. para invocá-las, homenageá-las, enquanto incorporadas, e saudá-las, quando partem do corpo do médium. **Ponto cardeal.** *Geogr.* Designação comum às direções da rosa dos ventos que apontam para norte, sul, leste e oeste. **Ponto cego.** **1.** *Anat.* Em cada retina, área por onde penetra nervo óptico, assim chamada por não existirem, no local, receptores sensoriais, não havendo, portanto, resposta à estimulação. **2.** Num veículo automóvel, área que não se pode avistar por meio dos retrovisores. **Ponto central.** Lugar onde se podem reunir com maior facilidade aqueles que moram em sítios diferentes. **Ponto cheio.** *Bord.* Ponto de bordado feito com pontos paralelos muito próximos, executados sobre um risco (monogramas, bolas, folhas, etc.) previamente recheado com ponto de alinhavo, de maneira que o trabalho fique com um aspecto firme e igual. **Ponto colateral.** *Geogr.* Designação comum às direções da rosa dos ventos que são bissetrizes de cada dois pontos cardeais consecutivos, *i. e.*, nordeste, sudeste, sudoeste e noroeste. **Ponto crítico. 1.** *Fís.* Estado de um fluido em que a temperatura e a pressão são, respectivamente, a temperatura crítica e a pressão crítica. **2.** *Aer.* Um ponto na linha de aproximação final e na altitude crítica, no qual deve ser iniciada a arremetida (q. v.) da aeronave, caso não se aviste o solo para prosseguir a descida e efetuar o pouso. **Ponto culminante. 1.** V. *cume* (1): *O ponto culminante do Brasil é o pico da Neblina, com 3.014m de altitude.* **2.** *Fig.* Auge, apogeu. **Ponto cuspidal.** *Geom.* V. *cúspide* (7). **Ponto de acumulação.** *Mat.* Ponto em cuja vizinhança arbitrária qualquer existe sempre pelo menos um ponto de um conjunto; ponto-limite. **Ponto de afloramento.** *Fís.* Ponto marcado em areômetros e noutros instrumentos, e que a superfície dos líquidos deve rasar. **Ponto de apoio. 1.** Ponto sobre o qual uma alavanca se firma. **2.** *Fig.* Tudo o que sustenta, auxilia; arrimo, proteção. **3.** Obstáculo natural ou artificial, ou região fortificada, que coloca um exército em campanha ao abrigo de um movimento envolvente do adversário. **Ponto de areia.** *Bord.* Conjunto de pequenos pontos de bordado que cobrem uma superfície, lembrando areia espalhada. **Ponto de aumento.** *Mús.* O ponto que se escreve à direita da figura musical para aumentá-la em metade do seu valor. **Ponto de autoignição.** A menor temperatura em que os vapores emitidos por um combustível líquido, quando em mistura com o ar atmosférico, se inflamam espontaneamente. [É uma importante característica, condicionadora das medidas de segurança que se devem tomar com relação ao combustível.] **Ponto de bainha.** *Cost.* Ponto com que se prende uma bainha ou um tecido aplicado sobre outro, e que consta de um ponto na peça embainhada e outro na bainha, que deve ter a borda dobrada. **Ponto de bala.** *Cul.* Ponto (15) de calda em que esta, depois de fria, adquire consistência pastosa e se dissolve lentamente na boca. [Cf. *em ponto de bala*.] **Ponto de bolha.** *Fís.-Quím.* Temperatura em que, sob pressão constante, principia a ebulição de um líquido. **Ponto de cadeia.** *Bord.* Ponto de bordado em que a linha forma pequenas alças que se encadeiam, e que, em geral, deve seguir os traços de um risco. **Ponto de canutilho.** *Bord.* Ponto de bordado em que o fio é enrolado várias vezes na agulha e fixado a uma certa distância do ponto inicial, tomando a forma de canutilho (2). **Ponto de cedência.** *Fís.* O menor valor da tensão que, aplicada a um sólido, lhe provoca uma deformação plástica. **Ponto de condensação.** *Fís.* Temperatura em que, sob pressão constante, um vapor começa a condensar-se reversivelmente. **Ponto de condição.** *Constr.* Ponto obrigado (v. esta loc.) por efeito de deliberação prévia, geralmente em virtude de se tratar de localidade que vai ser servida pela estrada. **Ponto de congelação.** *Fís.* Temperatura em que, sob pressão constante, principia a cristalização reversível da água numa solução aquosa. **Ponto de contato.** Ponto em que se comunicam coisas ou pessoas. **Ponto de cristalização.** *Fís.* Ponto de solidificação. **Ponto de cruz.** Ponto de bordado ou de tapeçaria com o aspecto de pequenas cruzes que, agrupadas, vão formar um desenho. **Ponto de descontinuidade.** *Mat.* No domínio de uma função, ponto em que ela não é contínua. [Tb. se diz apenas *descontinuidade*.] **Ponto de diminuição.** *Mús.* Ponto que, colocado por cima ou por baixo das notas, indica o destacado e, na execução, faz que a nota perca uma parte do seu valor. **Ponto de ebulição.** *Fís.* **1.** Temperatura em que, sob pressão constante, um líquido está em equilíbrio com bolhas do vapor. **2.** Ponto normal de ebulição. **Ponto de equilíbrio.** *Econ.* V. *break-even point*. **Ponto de espadana.** *Cul.* O ponto da calda do açúcar em que ela, ao ser levantada, com a espátula, cai ao modo de fita. **Ponto de espinha.** Ponto russo. **Ponto de estrangulamento.** A parte crítica de um problema, a qual, uma vez resolvida, abre caminho para a solução do todo. **Ponto de fase.** *Fís. Estat.* Qualquer ponto do espaço de fase. **Ponto de festonê.** *Bord.* Ponto de bordado, feito da esquerda para a direita, em que a linha é trabalhada cerradamente em posição perpendicular ao risco e presa em alça na extremidade em que sai a agulha, formando um acabamento sólido, capaz de ser cortado sem esgarçar o tecido. [Pode ser reto ou formando festão, grega, etc., e usa-se como ornamento ou como acabamento. Tb. se diz apenas *festonê*; sin.: *caseado*.] **Ponto de fluidez.** A menor temperatura em que um óleo é capaz de escorrer ao ser derramado. [É uma característica importante quando se trabalha com óleo em temperaturas frígidas.] **Ponto de fuga.** *Geom.* Ponto de convergência das linhas paralelas numa perspectiva cônica. **Ponto de fulgor.** *Quím.* A menor temperatura em que os vapores emitidos por um combustível líquido, quando em mistura com o ar atmosférico, se inflamam em presença de uma chama, sem, no entanto, continuarem queimando quando a chama é afastada. [É uma importante característica, condicionadora das medidas de segurança que se devem tomar em relação ao combustível.] **Ponto de fusão.** *Fís.* Temperatura em que, sob pressão constante, ocorre a fusão reversível de um sólido. **Ponto de gota.** *Quím.* Temperatura em que uma substância graxa ou pastosa, submetida ao aquecimento em condições controladas, principia a gotejar. **Ponto de haste.** *Bord.* Ponto de bordado, geralmente destinado a seguir o traçado de um risco, e que tem o aspecto de uma corda enrolada. **Ponto de honra. 1.** Questão de dignidade, de melindre. **2.** Suscetibilidade, brio, pundonor. **Ponto de ignição.** *Quím.* A menor temperatura em que os vapores emitidos por um combustível líquido, quando em mistura com o ar atmosférico, se inflamam em presença de uma chama e continuam queimando, mesmo depois de afastada a chama. [É uma importante característica, condicionadora das medidas de segurança a tomar com o combustível.] **Ponto de impacto.** Ponto final da trajetória de um projetil, em que este se choca com o alvo ou com um obstáculo que o intercepta. **Ponto de inflexão.** *Mat.* Inflexão (4). **Ponto de Libra.** *Astr.* Interseção da eclíptica com o equador, na qual o Sol, em seu movimento aparente anual, passa do hemisfério norte para o sul; equinócio do outono. **Ponto de luz.** *Arquit. Constr.* Cada um dos pontos da rede elétrica de uma edificação destinados à instalação de lâmpadas. **Ponto de marca.** Espécie de ponto de cruz pequeno, usado para marcar roupa. **Ponto de meia.** Ponto básico de tricô em que a agulha direita é introduzida de um modo na ida e de outro na volta, de sorte que o direito fique liso, com aspecto de pequenas espinhas verticais, e o avesso todo ondeado. [É o tecido característico do jérsei.] **Ponto de meia potência.** *Eletrôn.* V. *frequência de meia potência*. **Ponto de mira.** Vértice do prisma colocado na parte anterior e superior do cano da arma, e que, ao apontar esta, deve o atirador fazer coincidir com o entalhe da alça de mira, para obter o enquadramento do alvo; vértice de mira. **Ponto de nó.** *Bord.* Ponto de bordado em que o fio é enrolado cerca de três vezes na agulha e fixado bem próximo do ponto inicial, de maneira que tome o aspecto de um nó em relevo. **Ponto de orvalho.** *Fís.* Temperatura em que o ar úmido se torna saturado de vapor de água quando resfriado sob pressão constante. **Ponto de osculação.** *Mat.* Cúspide (7) em que as duas tangentes coincidem. **Ponto de palomba.** *Marinh.* Palomba (2). **Ponto de parada. 1.** Lugar onde os veículos coletivos param a fim de receber e/ou deixar passageiros; parada. [Tb. se diz apenas *ponto*.] **2.** *Mat.* Numa curva, ponto singular em que só existe tangente à esquerda ou à direita. **Ponto de Paris.** *Bord.* Ponto de bordado, usado para aplicações [v. *aplicação* (8)], e em que a linha, firmando a fazenda aplicada, ao jeito de bainha, delimita o desenho formado por ela. **Ponto de passagem.** *Constr.* Ponto obrigado (q. v.) em virtude das características topográficas da região, como gargantas, travessias de cursos de água, etc. **Ponto de ramificação.** *Inform.* Numa rotina, ponto em que se testam várias alternativas de processamento; ramificação. **Ponto de referência.** Coisa, lugar, fato (ou, excepcionalmente, pessoa) que constitui um dado, um elemento básico, para orientação, percepção, julgamento, recordação, memorização, etc.: *Para não se perder, tomou como ponto de referência a igreja*; "A jindiba, ... para o menino, era o centro de tudo. O mar e as colinas tinham nela o ponto de referência." (Adonias Filho, *Luanda Beira Bahia*, p. 9); "Tobias Barreto, homem do povo, representa um ponto singular de referência para o estudo de vários aspectos da sociedade brasileira, na segunda metade do século XIX." (Hermes Lima, *Tobias Barreto*, p. 1); "Ele era o dono da tabacaria. / Um ponto de referência de quem sou. / Eu passava ali de noite e de dia. / Desde ontem a cidade mudou." (Fernando Pessoa, *Poesias de Álvaro de Campos*, p. 44). **Ponto de reparo.** *Med.* Qualquer formação anatômica utilizada, isoladamente ou não, como orientadora de manobra médica. **Ponto de repouso.** *Automat.* Ponto quiescente. **Ponto de reversão.** *Mat.* V. *cúspide* (7). **Ponto de seção.** Lugar que limita uma subdivisão de preço de passagens nos itinerários dos veículos coletivos urbanos (bondes, ônibus, etc.). **Ponto de sela.** *Mat.* Numa superfície, o ponto em que o plano tangente divide a superfície em duas partes; uma que lhe fica de um lado, e a outra, do outro. **Ponto de simetria.** *Geom.* V. *centro de simetria*. **Ponto de solidificação.** *Fís.* Temperatura em que, sob pressão constante, ocorre a cristalização reversível de um líquido; ponto de cristalização. **Ponto de sombra.** Ponto de bordado cruzado, feito pelo avesso em tecido transparente, de sorte que a linha seja apenas delineada pelo direito, formando o cruzamento desse ponto uma superfície opaca, que determina o risco desejado. **Ponto de telhado.** *Arquit.* A relação entre a altura do pendural e o comprimento da linha da tesoura (6), tomada sobre os eixos respectivos das peças. **Ponto de tomada.** *Arquit. Constr.* Cada um dos pontos da rede elétrica de uma edificação destinados à instalação de tomada. **Ponto de transição.** *Fís.* Temperatura em que, sob pressão constante, ocorre um equilíbrio entre duas fases de um sistema. **Ponto de tricô.** Ponto básico de tricô, que se executa, na ida e na volta, introduzindo-se a agulha da mão direita na alça formada na outra agulha, sempre na mesma posição, do que resultam carreiras iguais, no avesso e no direito, com aspecto ondulado; ponto simples. **Ponto de universo.** *Fís.* Ponto no contínuo espaço-tempo. **Ponto de vaporização.** *Fís.* Temperatura em que, sob pressão constante, um líquido está em equilíbrio com o seu vapor. **Ponto de vista. 1.** Ponto escolhido por um pintor ou por um desenhista para melhor observação de um objeto, sobretudo para colocá-lo em perspectiva. **2.** Lugar alto donde se descortina amplo horizonte. **3.** *Fig.* Maneira de considerar ou de entender um assunto ou uma questão; ótica, perspectiva. **4.** *Liter.* Recurso literário que visa a situar o narrador no âmbito da obra literária. **Ponto Didot.** *Tip.* O que serve de base ao sistema Didot. **Ponto do telhado.** *Arquit.* Inclinação da água do telhado. **Ponto duplo.** *Mat.* Ponto múltiplo de ordem dois. **Ponto eletrônico. 1.** *Cin. Teatr. Telev.* Ponto (42) que emprega emissão de rádio para comunicação. [Cf. *prompter*.] **2.** O aparelho que permite a recepção dessas imagens em cena. [Tb. se diz apenas *ponto*.] **Ponto estacionário.** *Astr.* Ponto da trajetória aparente de um planeta, em que ele parece não se mover em relação às estrelas fixas; o que corresponde à mudança do seu movimento de direto para retrógrado, ou vice-versa. **Ponto exterior.** *Mat.* Ponto que tem pelo menos uma vizinhança cuja interseção com um conjunto é vazia. **Ponto facultativo.** Dia em que é facultativo o trabalho nas repartições públicas. **Ponto final. 1.** Ponto[1] (7). **2.** *Fig.* Ponto[1] (32). **3.** Expressão usada para indicar que não se admite réplica a uma determinação, que se dá um assunto por encerrado: *Faça o que lhe mando, e ponto final.* **4.** Terminal de uma linha de transportes coletivos: *O ponto final deste ônibus é no Posto Seis, em Copacabana.* **Ponto fixo.** *Fís.* Temperatura de um sistema que pode ser reproduzida fácil e precisamente, e serve como referência numa escala de temperatura. **Ponto fraco.** Calcanhar de aquiles. **Ponto gama.** *Astr.* V. *ponto vernal*. **Ponto geométrico.** *Geom.* Ponto (34). **Ponto ideal.** *Geom. Projet.* V. *ponto impróprio*. **Ponto imagem.** *Ópt.* Ponto que é a imagem de outro formada por um sistema óptico. **Ponto impróprio.** *Geom. Projet.* O que tem pelo menos uma coordenada infinita; ponto infinito, ponto ideal. **Ponto infinito.** *Geom. Projet.* V. *ponto impróprio*. **Ponto interior.** *Mat.* Num conjunto, ponto para o qual existe uma vizinhança cuja interseção com o conjunto não é vazia. **Ponto inverso.** *Geom.* Qualquer dos dois pontos cujas distâncias a um terceiro ponto fixo sobre uma reta que os une têm um produto constante. **Ponto isoelétrico.** *Bioquím.* Valor do pH de uma solução em que um dado aminoácido existe exclusiva ou predominantemente sob forma de íon dipolar, neutro. **Ponto isolado.** *Mat.* Ponto de uma curva que tem pelo menos uma vizinhança onde não existe outro ponto da curva. **Ponto material.** *Fís.* Ponto geométrico a que se atribui massa. **Ponto morto.** *Autom.* **1.** Posição da alavanca de mudança em que o motor fica desligado da transmissão; ponto neutro: "— Ponha a alavanca em ponto morto. Isto! Ligue a máquina..." (Herberto Sales, *Histórias Ordinárias*, p. 86.) **2.** Cada uma das duas posições em que o êmbolo de uma máquina alternativa ou motor de combustão interna ou à gasolina inverte o movimento, no seu curso alternativo. **Ponto múltiplo.** *Mat.* Numa curva, ponto em que há mais de uma tangente. **Ponto negro.** *Lus.* V. *cravo*[2] (3). **Ponto neutro.** *Autom.* Ponto morto (1). **Ponto nodal.** *Mat.* Numa curva, ponto duplo em que as tangentes são distintas; ponto duplo em que o hessiano é positivo; nó. **Ponto normal de ebulição.** *Fís.* Ponto de ebulição sob pressão de uma atmosfera. [Tb. se diz apenas *ponto de ebulição*.] **Ponto objeto.** *Ópt.* Ponto de onde partem os raios luminosos para formar a imagem num sistema óptico. **Ponto obrigado.** *Constr.* Local por onde uma estrada deverá obrigatoriamente passar. **Ponto ordinário.** *Mat.* **1.** Numa curva, aquele em que a tangente existe e é única. **2.** Numa superfície, aquele em que o plano tangente existe e é único. [Sin. ger.: *ponto regular, ponto simples*.] **Ponto pacífico.** Aspecto de uma questão sobre o qual não há controvérsia ou discordância. **Ponto por ponto.** Particularizadamente, minuciosamente: *A questão foi*

P

debatida ponto por ponto. **Ponto principal.** *Ópt.* Numa lente, ponto de interseção dum plano principal com o eixo óptico. **Ponto quiescente.** *Automat.* Estado de um sistema em que o mecanismo de controle está em repouso; ponto de repouso. **Ponto regular.** *Mat.* V. *ponto ordinário.* **Ponto riscado.** *Bras. Rel.* Conjunto de sinais simbólicos desenhados com pemba de cores variadas que identificam a entidade (6) que se incorporou no médium, ou que são us. para invocá-la. **Ponto russo.** Ponto de bordado feito alternadamente à direita e à esquerda de uma linha central, parecendo uma sequência de ramificações; ponto de espinha. **Pontos antinodais.** *Ópt.* Num sistema óptico, par de pontos para o qual o aumento angular é igual a menos um. **Pontos antiprincipais.** *Ópt.* Num sistema óptico, par de pontos para o qual o aumento transversal é igual a menos um. **Pontos conjugados.** *Ópt.* Num sistema óptico, par de pontos em que um é a imagem do outro, e vice-versa. **Pontos de acompanhamento.** *Tip.* V. *pontos de condução.* **Pontos de carreira.** *Tip.* V. *pontos de condução.* **Pontos de condução.** Num índice, tabela ou similar, sequência de pontos que mantêm o olhar do leitor na mesma linha, ligando as palavras aos algarismos postos na margem oposta da página. **Pontos de reticência.** V. *reticências.* **Pontos de suspensão.** V. *reticências.* **Ponto simples. 1.** Ponto de tricô (q. v.). **2.** *Mat.* V. *ponto ordinário.* **Ponto singular.** *Mat.* O que não é ordinário; singularidade. **Pontos nodais.** *Ópt.* Par de pontos para os quais o aumento angular dum sistema óptico é igual à unidade. **Ponto solsticial.** *Astr.* Cada um dos dois pontos da eclíptica mais distantes do equador. Um corresponde à constelação de Câncer; o outro, à do Capricórnio. **Ponto triplo.** *Fís.* Estado de um sistema em que coexistem, em equilíbrio termodinâmico, três fases diferentes. **Ponto umbilical.** *Mat.* Numa superfície, ponto em que a curvatura normal é a mesma em qualquer direção. **Ponto vernal.** *Astr.* Interseção da eclíptica com o equador, na qual o Sol, em seu movimento aparente anual, passa do hemisfério sul para o norte; equinócio da primavera; ponto gama. **Aí é que bate o ponto.** V. *aí é que são elas*: "– Pois aí é que bate o ponto! Trata-se de arranjar os modos de abri-lo por dentro, sem que ela o saiba, compreende?" (Aluísio Azevedo, *Filomena Borges*, p. 61.) **Ao ponto.** *Cul.* Diz-se de carne[1] (3) medianamente assada: *bife ao ponto.* **A ponto de.** Prestes ou próximo a; em perigo de; a pique de: *Esteve a ponto de afogar-se; Acha-se a ponto de morrer.* **A ponto que.** V. *de maneira que*: "Concordava em ficar, mas ia falando do pai e de minha mãe, da falta de notícias nossas, disto e daquilo, a ponto que nos arrufamos um pouco." (Machado de Assis, *Dom Casmurro*, p. 290.) **Assinar o ponto. 1.** Inscrever o nome no livro de ponto. **2.** *Fig.* Passar rapidamente em um local onde se costuma ir. **3.** *Fig.* Fazer coisa que se faz diariamente, com muita frequência: *Antes de ir para o trabalho, assina o ponto na livraria.* **4.** *Fig. Fam.* Cumprir obrigação sexual. **Com todos os pontos e vírgulas.** Com todos os efes e erres. **De ponto em branco. 1.** Com apuro, com esmero: "vestem as negrinhas de ponto em branco para aquela *mise-en-scène*." (França Júnior, *Folhetins*, p. 526.) **2.** Inteiramente (armado): "Eis que entra outro formosíssimo mancebo de galharda estatura, armado de ponto em branco, com espada nua e reluzente na mão" (P.[e] Manuel Bernardes, *Vários Tratados*, II, p. 422). **De ponto fixo.** *Bras. S. Pop.* Diretamente; em rumo certo. **Dormir no ponto.** *Bras. Fam.* **1.** Tardar a tomar providência em defesa dos próprios interesses; não agir no momento oportuno; perder boa oportunidade. **2.** Deixar-se enganar, ludibriar. [Sin. ger.: *dormir de touca.*] **Em ponto.** Exatamente, precisamente: *Partiu às oito em ponto.* **Em ponto de bala. 1.** *Bras. Gír.* Preparado ou adestrado para exame, prova, competição, etc. **2.** *Bras. Gír.* Em ótimo estado de conservação ou funcionamento: "– Amanhã o carro está pronto. Vai ficar em ponto de bala" (Haroldo Maranhão, *A Estranha Xícara*, p. 140). **3.** *Bras. Chulo* Em estado de excitação sexual; arreitado. **4.** Diz-se da mulher já em idade própria para o coito, na puberdade. [Cf. *ponto de bala.*] **Em ponto morto.** Na banguela (q. v.). **Em ponto pequeno.** Em miniatura, em proporções reduzidas, em pequena escala: "– .... É [a Rua do Ouvidor] a sociedade humana em ponto pequeno." (Machado de Assis, *Contos Avulsos*, p. 231.) **Entregar os pontos.** *Bras. Gír.* Reconhecer a própria derrota; dar-se por vencido. **Fazer ponto em.** Estacionar habitualmente em (determinado lugar), ou frequentar com muita assiduidade (esse lugar): *O bicheiro faz ponto na praça; Costuma fazer ponto na casa do primo.* **Ir ao ponto de.** *Irôn.* Ter a capacidade de. **Não dar ponto sem nó.** Ser interesseiro; não fazer nada sem visar a algum interesse; não meter prego sem estopa: "Ouvindo-a [a burra] ornear, o Monge compreendeu o intuito da dona, que não dava ponto sem nó, e foi-lhe deitar de comer." (Aquilino Ribeiro, *Cinco Réis de Gente*, p. 314.) **Pôr ponto a.** Terminar, acabar, concluir. **Pôr os pontos nos is.** Explicar-se de maneira clara e minuciosa, sem omissões ou disfarces; pôr os pingos nos is: "– Pois bem, disse ele animando-se de súbito. Vamos pôr os pontos nos is. Quanto é que vai ficar recebendo?" (João Alphonsus, *Eis a Noite!*, p. 124.) **Subir de ponto.** Aumentar, crescer.

ponto[2] [Do gr. *póntus* pelo lat. *pontu.*] *S. m. Desus.* Mar[1] (1).

pontoação [De *pontoar* + *-ção.*] *S. f.* **1.** Os pontos da epiderme de certos animais. **2.** *Bot.* Lacuna da parede secundária da célula, aberta internamente para o lúmen, e que consta, essencialmente, de cavidade da pontoação e membrana da pontoação. [Cf. *pontuação.*] ◆ **Pontoação areolada.** *Bot.* Pontoação característica do lenho das plantas vascularizadas, e na qual a membrana aparece, quando vista de face, parcialmente recoberta pela parede secundária da célula. **Pontoação guarnecida.** *Bot.* Pontoação areolada cuja cavidade é total ou parcialmente revestida de projeções da parede celular. **Pontoação simples.** *Bot.* Pontoação cuja cavidade se torna mais larga ou não durante o crescimento em espessura da parede secundária da célula.

pontoada [De *ponta* + *-oada.*] *S. f.* Golpe com a ponta ou ponteira de um objeto; pontada, pontação: "arremessavam contra o seu pobre estômago pontoadas de lança, que o faziam gemer e estorcer sobre o leito de pau-preto." (Eça de Queirós, *A Ilustre Casa de Ramires*, p. 72). [Cf. *pontuada*, fem. de *pontuado.*]

pontoado [Part. de *pontoar.*] *Adj.* **1.** Marcado com pontos; pontilhado. **2.** *Bot.* Diz-se do conjunto de pontoações ou dos pares de pontoações. [Cf. *pontuado.*]

pontoar [De *ponto*[1] + *-oar.*] *V. t. d.* **1.** Marcar com ponto[1]; pontilhar. **2.** Apontoar[1]. *Int.* **3.** Marcar pontos [v. *ponto*[1] (18)]: *No Grande Prêmio de Monza, Airton Sena não pontoou.* [Conjug.: v. *coroar.* Cf. *pontuar.*]

ponto-atrás *S. m. Bord. Cost.* Ponto de costura ou bordado em que a agulha entra no pano um pouco atrás do lugar onde saiu, formando, pelo direito, uma linha contínua de pontos sucessivos; pesponto, posponto. [Pl.: *pontos-atrás.*]

ponto-cego [De *ponto*[1] + *cego.*] *S. m.* **1.** Posição do espelho retrovisor de automóvel ou motocicleta na qual o ângulo de visão é menor, o que impossibilita a percepção daquilo (outro veículo ou algum objeto) que estiver a dada distância. **2.** *P. ext.* A área fora do campo de visão de quem dirige. [Pl.: *pontos-cegos.*]

ponto de admiração *S. m.* V. *sinal de pontuação.* [Pl.: *pontos de admiração.*] ☑

ponto de exclamação *S. m.* V. *sinal de pontuação.* [Pl.: *pontos de exclamação.*] ☑

ponto de interrogação *S. m.* V. *sinal de pontuação.* [Pl.: *pontos de interrogação.*] ☑

ponto de venda [De *ponto*[1] + de + venda.] *S. m. Market.* Local em que uma ou mais empresas expõem e comercializam produtos ou a prestação de serviços. [Cf. *marketing direto.*] [Pl.: *pontos de venda.*] ☑

ponto e vírgula *S. m.* Sinal de pontuação (;) que indica uma pausa mais forte que a da vírgula e menos que a do ponto final. [Pl.: *ponto e vírgulas* e *pontos e vírgulas.* Parece-nos preferível a 1.[a] f. de pl., preconizada por Nélson Vaz.] ☑

ponto-falso *S. m. Cir.* Pedaço de esparadrapo ou de outra matéria adesiva que se aplica sobre uma ferida para unir-lhe os bordos. [Pl.: *pontos-falsos.*]

ponto-limite [De *ponto*[1] + *limite.*] *S. m. Mat.* Ponto de acumulação (q. v.). [Pl.: *pontos-limites* e *pontos-limite.*]

pontoneiro [De *pontão*[1] + *-eiro*, seg. o padrão erudito.] *S. m.* **1.** Soldado que trabalha na construção de pontes militares. **2.** Construtor de pontões.

ponto-novense *Adj. 2 g.* **1.** De, ou pertencente ou relativo a Ponto Novo (BA). ● *S. 2 g.* **2.** O natural ou habitante de Ponto Novo. [Pl.: *ponto-novenses.*]

pontoso (ô) [De *ponto*[1] + *-oso.*] *Adj. P. us.* Escrupuloso em pontos de honra; brioso, pundonoroso.

pontuação [De *pontuar* + *-ção.*] *S. f.* **1.** Ato ou efeito de pontuar. **2.** Colocação dos sinais ortográficos na escrita. **3.** *E. Ling.* Sistema de sinais que indica, na língua escrita, o maior ou menor grau de coesão entre unidades do texto, e que pode ainda, numa relação complexa, transcrever elementos prosódicos da fala. [Cf. *pontoação.*]

pontuado [Part. de *pontuar.*] *Adj.* **1.** Marcado por meio de pontos. **2.** Que se pontuou; em que se fez a pontuação; marcado com os sinais de pontuação. [Fem.: *pontuada.* Cf. *pontoado*, adj.; e *pontoada*, fem. de *pontoado* e s. f.]

pontual [De *ponto*[1] + *-ual.*] *Adj. 2 g.* **1.** Exato, preciso, regular (com relação ao tempo). **2.** Que chega, parte, ou cumpre as obrigações, à hora marcada. **3.** Que executa trabalhos ou leva a efeito compromissos no tempo combinado; brioso, fiel: *A costureira é pontual na entrega dos vestidos.* **4.** Que é feito à hora marcada ou dentro do prazo combinado: *pagamento pontual; almoço pontual.* **5.** Que tem a natureza ou as propriedades de um ponto geométrico. **6.** Constituído por, ou reduzido a um ponto: *imagem pontual.* **7.** *E. Ling.* Relativo a aspecto pontual (q. v.). ~ V. *aspecto —, defeito — e fonte —.* ● *S. f.* **8.** *Mat.* Série de pontos dispostos em linha reta. ● *S. m.* **9.** *E. Ling.* Aspecto pontual (q. v.).

pontualidade [De *pontual* + *-(i)dade.*] *S. f.* **1.** Qualidade de pontual (1 a 4). **2.** Exatidão no cumprimento dos deveres ou compromissos; rigor. ◆ **Pontualidade britânica.** Pontualidade inglesa. **Pontualidade inglesa.** Pontualidade absoluta; pontualidade britânica.

pontuar [De *ponto*[1] + *-uar.*] *V. t. d.* **1.** Usar a pontuação em; marcar com pontuação: *pontuar corretamente um texto.* **2.** *P. ext.* Marcar; caracterizar: *A música suave pontuou a cerimônia.* *Int.* **3.** Fazer uso da pontuação: *O menino aprendeu a pontuar.* [Part.: *pontuado*; fem.: *pontuada.* Cf. *pontoar* e *pontoada.*]

pontudo [De *ponta* + *-udo.*] *Adj.* **1.** Em ponta. **2.** Que tem ponta. **3.** Bicudo, aguçado, pontiagudo. **4.** Que tem a superfície cheia de pontas; eriçado, áspero. **5.** *Fig.* Agressivo, áspero, ofensivo.

pontusal [Do fr. *pontuseau* (de or. desconhecida), pronunciado erroneamente.] *S. m. Ind. Pap.* **1.** Cada um dos fios metálicos que, no sentido da largura, a espaços de dois a três cm e cruzando com as vergaturas, integram o tear da fôrma usada na fabricação manual do papel. **2.** Cada uma das linhas, mais nítidas e afastadas que as vergaturas, marcadas na folha ainda úmida por esses fios, e que se veem por transparência, nos papéis avergoados.

ponxirão *S. m. Bras. O. de SP* V. *mutirão* (1).

➔ **poodle** [ˈpuwdəl] [Ingl.] *S. m. Zool.* Designação comum a certos cães de tamanhos e cores variáveis, focinho retangular, orelhas pendentes e pelagem crespa e macia; inteligentes e bons caçadores, podem ser também cães de estimação.

➔ **pool** [puwl] [Ingl.] *S. m.* **1.** Associação de empresas do mesmo ramo com o propósito de eliminar a concorrência, fixar preços e repartir os lucros. **2.** Unidade administrativa que presta determinado serviço a toda uma organização: *pool de datilografia.* **3.** Conjunto de pessoas ou entidades que unem esforços ou recursos para alcançar um objetivo comum.

➔ **pop** [pɑp] [Ingl., f. red. de *popular*, 'popular'.] *Adj. 2 g. e 2 n.* **1.** Que apresenta ou emprega elementos de gosto popular típico da cultura urbana ocidental da segunda metade do século XX. **2.** Diz-se de um tipo de música popular, originalmente anglo-norte-americana e com elementos folclóricos modernizados (como no *blues*, no *rock* e na música *country*), em que se usam, caracteristicamente, a guitarra e outros instrumentos com amplificação elétrica, e que se disseminou a partir da década de 1950 pelos meios de comunicação de massa (discos, rádio, televisão). **3.** *P. ext.* Diz-se de criação artística ou cultural concebida e produzida com vistas à sua comercialização e consumo, dentro dos padrões da indústria cultural (q. v.). **4.** Relativo a *pop art* (q. v.).

popa [Do lat. *popa.*] *S. m.* Sacerdote de categoria inferior que, nos templos romanos, cuidava do fogo, dos vasos, do incenso, etc., e levava a vítima até o altar para sacrificá-la; vitimário. [Pl.: *popas.* Cf. *popa* (ô), s. f., pl. *popas* (ô); *Popa* (ô), astr.; e *poupa*, *poupas*, do v. *poupar* e s. f.]

popa (ô) [Do lat. **puppa*, por *puppe*, por analogia com *prora*, 'proa'.] *S. f.* **1.** Parte posterior da embarcação. [Antôn.: *proa* (1).] **2.** *Bras.* V. *nádegas.* **3.** *Bras. N.E.* Corcovo, upa. [Pl.: *popas* (ô). Cf. *popas*, s. m., pl. *popas*, e *poupa*, *poupas*, do v. *poupar*, e s. f.] ◆ **Dar uma popa.** *Bras. PB Pop.* Censurar com violência.

popança (ô) [De *popa* (ô) + *-ança.*] *S. f. Bras. Gír.* V. *nádegas.* [Cf. *poupança.*]

popão [De *popa* (ô) + *-ão*[1].] *S. m. Bras. Pop.* Traseiro de rês.

➔ **pop art** [pɑp aɹt] [Ingl., abrev. de *popular art.*] *Art. Plást.* Movimento surgido depois da II Guerra Mundial e que, a partir de investigações acerca da cultura popular urbana, se valeu de produtos de consumo e de imagens retiradas da mídia como meio de expressão. Por ser figurativo, apresenta-se como alternativa à grande penetração da arte abstrata, e desfrutou de grande voga na década de 1960, tendo influenciado não só as artes plásticas, como tb. as artes decorativas.

pope [Do gr. ecles. *páppos*, pelo russo *pop.*] *S. m.* Sacerdote do rito grego: "Um jovem pope e sua negra batina sobem a escadaria do Palácio das Armas" (Francisco Inácio Peixoto, *Passaporte Proibido*, p. 107).

popeiro [De *popa* (ô) + *-eiro.*] *Adj.* **1.** *Bras. PB Pop.* Irascível, irritadiço, zangadiço. ● *S. m.* **2.** *Bras.* Piloto de canoa fluvial que a maneja sentado na popa (1). 3. *Bras. PB* Indivíduo popeiro (1).

popelina [Do fr. *popeline.*] *S. f. Tec. Têx.* Tecido lustroso, de algodão, para vestes femininas, camisas de homem, etc.: "Nesse dia [o dia da festa dos Remédios] não há homem .... que não gaste seu bocado nos leilões ....; nem há mulher, senhora ou moça-dama que não arrote grandeza, pelo menos seu vestidinho novo de popelina." (Aluísio Azevedo, *O Mulato*, pp. 95-96.)

➔ **popeline** [pɔpə'lin] [Fr.] *S. f.* Popelina.

poperi [De or. indígena, poss.] *S. m. Bras.* Barraca provisória na qual os seringueiros da Amazônia defumam o látex depois de extraído.

pópilas *Interj. Angol.* Exprime espanto, surpresa, impaciência, irritação: "Pópilas a vida é só uma!" (Boaventura Cardoso, *Dizanga Dia Muenhu*, p. 61.)

póplite [Do lat. *poplite.*] *S. m. Anat.* A região posterior de joelho; jarrete.

poplíteo [De *póplite* + *-eo.*] *Adj. Anat.* Pertencente a póplite. ~ V. *músculo* —.

popô [De *popa* (ô).] *S. m. Bras.* 1. V. *nádegas.* • *S. 2 g.* 2. Mina-popô (1).

popocar [De *pocar*, ou var. de *pipocar.*] *V. int.* V. *pipocar* (1). [Normalmente é defect., conjugável só nas 3.as pess. Conjug.: v. *trancar.*]

popperiano *Adj.* 1. Pertencente, relativo a ou próprio de Karl Popper (1902-1994), filósofo da ciência austríaco, famoso por seus questionamentos metodológicos. 2. Que é adepto das concepções de Karl Popper ou profundo conhecedor de sua obra. • *S. m.* 3. Seguidor de suas concepções ou profundo conhecedor de sua obra.

popuca *Adj. 2 g. Bras.* De pouca resistência; frágil, fraco.

populaça [De *popul(o)-* + *-aça.*] *S. f.* 1. V. *ralé* (1). 2. Agrupamento mais ou menos numeroso de pessoas das classes populares; populacho: *A populaça ameaçava invadir o recinto.*

população [Do lat. *populatione.*] *S. f.* 1. O conjunto de habitantes de um território, de um país, de uma região, de uma cidade, etc.: *Portugueses, negros e índios constituíam basicamente a população do Brasil colonial.* 2. O número desses habitantes: *A população do globo duplicou entre 1750 e 1900; O Brasil tem uma população de mais de 150 milhões de habitantes.* 3. Conjunto de pessoas pertencentes a uma determinada categoria num total de habitantes: *a população operária, a escolar; a população ativa de uma região; a população italiana de São Paulo.* 4. *Astr.* População estelar (q. v.). 5. *Ecol.* Grupo de indivíduos da mesma espécie vivendo no mesmo local. 6. *Estat.* Conjunto de elementos com determinada característica em comum, cujas propriedades podem ser estudadas a partir de subconjuntos (amostras); universo. ◆ **População economicamente ativa.** V. *força de trabalho* (2). **População estelar.** *Astr.* Conjunto de corpos celestes com características muito semelhantes entre si. [Tb. se diz apenas *população.*]

populacho [Do it. *popolaccio.*] *S. m.* 1. V. *ralé* (1). 2. Populaça (2).

populacional [De *população* + *-al*¹, seg. o padrão erudito.] *Adj. 2 g.* 1. Respeitante a população: *decréscimo populacional.* 2. Demográfico: *densidade populacional.*

popular [Do lat. *populare.*] *Adj. 2 g.* 1. Do, ou próprio do povo: *hábitos populares.* 2. Relativo ao povo, ou que o compõe: "a tirania da massa popular .... é tão intolerável como qualquer outra." (Álvaro Lins, *A Glória de César e o Punhal de Brutus*, p. 167). 3. Que provém do povo: "A polícia .... usou até brucutu — conhecido carro de combate a manifestações populares" (Walter Pinheiro, em *O Globo*, 27.07.1999). 4. Criado, expressado e transmitido pelo povo: *dança popular.* 5. Comum ou usual entre o povo: *linguagem popular*; "A quinta edição do Dicionário de Morais, em 1884, e João Ribeiro, ... precatam o leitor contra a sintaxe popular, entre nós, custo a crer, custo a ler " (Mário Barreto, *Últimos Estudos*, p. 127). 6. Aceito ou promovido por muitos, ou pela maioria: *crença popular.* 7. Composto por pessoas da comunidade: *júri popular.* 8. Democrático (3): *governo popular.* 9. Vulgar, trivial, ordinário; plebeu: "Eram [Hamilton e Jefferson] dois temperamentos opostos, o patrício de modos populares e o plebeu de modos patrícios" (Alceu Amoroso Lima, *A Realidade Americana*, p. 131). 10. Feito para o povo (2 e 6): *bibliotecas populares; habitações populares.* 11. *Restr.* Diz-se do produto específico para o consumo popular (1), feito sem elementos supérfluos, desnecessários ao seu bom funcionamento ou à sua utilização, e que se destina, graças ao seu baixo custo, a uma parcela maior da população: *carro popular*; "Objetos de couro, desde os magníficos chapéus de custosa fabricação até os arreios de animais, as alparcatas, estas últimas pioneiras da indústria de calçados populares" (Sousa Barros, *Cercas Sertanejas*, p. 24). 12. Agradável ao povo; que tem as simpatias dele: *A Festa da Uva é uma comemoração popular.* 13. Conhecido por muitos; que goza de notoriedade: *É artista muito popular no Nordeste.* 14. Que goza do apreço ou da admiração de muitos; querido por muitos ou por um determinado grupo: *Ela é popular na escola.* 15. Entre o povo: "Modificando o panorama brasileiro, em que o intérprete principal assegurava o prestígio popular da apresentação, ... Os Comediantes transferiram para o encenador o papel de vedeta." (Sábato Magaldi, *Panorama do Teatro Brasileiro*, p. 193). ~ V. *aura* —, *casa* —, *democracia* —, *economia* —, *edição* —, *etimologia* —, *nome* —, *república* —, *sabedoria* — e *teatro* —. • *S. m.* 16. Homem do povo: *Um popular foi ferido no choque de automóveis.* 17. *Bras.* Carro popular (11). ~ V. *populares.*

populares [Pl. de *popular.*] *S. m. pl.* Os partidários do povo; os democratas. ~ V. *popular.*

popularesco [De *popular* + *-esco.*] *Adj.* De caráter popular (5).

popularidade [Do lat. *popularitate.*] *S. f.* 1. Qualidade de quem ou do que é popular. 2. Estima geral.

populário [De *popul(o)-* + *-ário.*] *S. m. Bras.* V. *folclore*: "Assim apareceram, canhestras, ... as manifestações líricas iniciais, traduzidas nas redondilhas do populário gauchesco." (Moisés Velinho, *Letras da Província*, p. 71.)

popularismo [De *popular* + *-ismo.*] *S. m.* Escola da poesia moderna (especialmente na Espanha) que imita as formas de poesia popular.

popularização [De *popularizar* + *-ção.*] *S. f.* Ato ou efeito de popularizar(-se).

popularizante [De *popularizar* + *-nte.*] *Adj. 2 g.* Que populariza ou serve para popularizar: "Com a força popularizante que envolve o início de sua atuação dramática, chega Miguel [de Cervantes Saavedra], através das bufonadas correntes ...., à realização de um primor: os 'entremezes', a saber: o seu 'teatro menor'." (J. Carlos Lisboa, *O Teatro de Cervantes*, p. 17.)

popularizar [De *popular* + *-izar.*] *V. t. d.* 1. Tornar popular, conhecido ou estimado pelo povo: *A campanha eleitoral popularizou o candidato.* 2. Propagar entre o povo; divulgar: *A propaganda popularizou o produto*; "Esta razão supõe que o *Buscapié* fora escrito como hoje se escreve um folhetim panegírico, ou um reclamo artificioso num jornal para acelerar a extração de um livro, ou popularizar rapidamente um mau autor." (Latino Coelho, *Cervantes*, p. 128). 3. Tornar corrente, conhecido, entre o povo: *O filme popularizou a obra clássica*; "Eu espero, para o admirar [a Gambetta], que um mestre o imortalize na tela e o popularize pela litografia." (Eça de Queirós, *Ecos de Paris*, p. 31). *P.* 4. Granjear popularidade: *O jovem político popularizou-se.*

popularizável [De *popularizar* + *-vel.*] *Adj. 2 g.* Que se pode popularizar; suscetível de tornar-se popular: "A poesia só é popularizável na medida em que se limita a exprimir, em sínteses incisivas, os lugares-comuns da emoção e do instinto." (Adolfo Casais Monteiro, *De Pés Fincados na Terra*, p. 298.)

populeão [Do fr. *populéum* < lat. med. *populeum (unguentum)*, 'unguento do povo', < lat. *populus*, 'povo'.] *S. m.* Unguento em que entram beladona, folhas de papoula, etc.

popúleo [Do lat. *populeu.*] *Adj. Poét.* Relativo ao álamo ou ao choupo.

populinense *Adj. 2 g. S. 2 g.* V. *populino.*

populino *Adj.* 1. De, ou pertencente ou relativo a Populina (SP). • *S. m.* 2. O natural ou habitante de Populina. [Sin. ger.: *populinense.*]

populismo [De *popul(o)-* + *-ismo.*] *S. m.* 1. Gênero literário que procura os seus temas no povo. 2. *Ciênc. Pol.* Ação política que toma como referência e fonte de legitimidade o povo como massa, cujos interesses pretende representar. 3. *Pej.* Essa ação política de caráter paternalista e demagógico. 4. *Bras.* Simpatia pelo povo.

populista [De *popul(o)-* + *-ista.*] *Adj. 2 g.* 1. Que é amigo do povo. 2. Diz-se de certo gênero literário em que se descreve com simpatia a vida do povo, ou que nele busca os seus temas. 3. Diz-se do escritor que cultiva esse gênero. 4. *Bras.* Relativo a populismo. 5. Que é adepto do populismo.

▲ **popul(o)-** [Do lat. *popŭlus, i.*] *El. comp.* = 'povo': *populista.*

pópulo [Do tax. *Populus* (do lat. *populus, i*, 'choupo').] *S. m. Bot.* 1. Gênero de árvores salicáceas originárias das regiões temperadas do hemisfério norte; têm flores amentíferas, vistosas, que surgem antes do desenvolvimento completo das folhas, e são cultivadas como ornamentais, ou pela madeira, utilíssima. [Sin.: *álamo, choupo.*] 2. Qualquer espécie desse gênero, como, p. ex., a *Populus alba* (v. *choupo-branco*). 3. Qualquer espécime desse gênero.

populoso (ô) [Do lat. *populosu.*] *Adj.* Muito povoado; com população numerosa.

➔ **pop-up** ['pɔpʌp] [Ingl.] *S. m. Inform.* Na *Web*, janela, ger. indesejada, destinada a exibir propaganda.

poqueca [Do tupi.] *S. f. Bras. PA* V. *moqueca.*

pôquer [Do ingl. *poker.*] *S. m.* 1. Cada uma das diversas modalidades do jogo de cartas, de origem norte-americana, para dois ou mais parceiros, em que estes apostam sobre o valor real ou fictício das cartas que recebem. [O objetivo é ter a mão (17) mais alta, conforme a seguinte ordem: *royal straight flush* (cinco cartas do mesmo naipe, em sequência máxima); *straight flush* (cinco cartas do mesmo naipe, em sequência); *four* (quatro cartas do mesmo valor, como, p. ex., quatro damas); *flush* (cinco cartas do mesmo naipe); *full hand* (uma trinca e um par, ganhando quem tiver a trinca mais alta); *sequência* (cinco cartas seguidas, independentemente de naipe); *trinca*; *dois pares*; *um par*; e *sem par*, quando vence quem tiver as cartas mais altas.] 2. Pôquer fechado. [Pl.: *pôqueres.*] ◆ **Pôquer aberto.** Modalidade de pôquer em que apenas a primeira das cinco cartas distribuídas aos jogadores é coberta, fazendo-se as apostas ao final de cada mão; estique-pôquer. **Pôquer canadense.** Variante do pôquer em que cada jogador recebe duas cartas, e mais cinco são colocadas, cobertas, no centro da mesa, fazendo-se as apostas após a abertura de cada uma das cartas. **Pôquer de dados.** Jogo com cinco dados, em cujas bases estão impressas as cartas do baralho, do nove ao ás, e cujas combinações são as mesmas do pôquer (1). **Pôquer fechado.** Modalidade de pôquer em que os jogadores podem descartar até quatro das cinco cartas recebidas e receber outras tantas do distribuidor. [Tb. se diz apenas *pôquer.*]

por [Do lat. *pro*, com metátese resultante da infl. de *per.*] *Prep.* 1. Partícula usada em numerosíssimos casos, entre os quais os seguintes: **a)** Serve para juntar ao verbo, adjetivo ou substantivo que a antecede o complemento terminativo que lhe determina a significação: *O menino saiu sem que o pai desse por isto; Trocou a casa por um apartamento; É cordial por natureza.* **b)** Rege o predicativo do sujeito ou do objeto direto: *Esteve por escrevente num cartório; Alberto de Oliveira passa por grande poeta; Todos o têm por sábio.* **c)** Rege especialmente o agente da voz passiva: "Repetidos [os brados] por muitas vozes, ... formavam um ruído medonho." (Alexandre Herculano, *O Bobo*, p. 261.) **d)** Entra na formação de adjuntos ou de orações que indicam: 2. Motivo determinante; causa, motivo, razão: "porque a ela pertencia o trono por um costume gradualmente introduzido" (Alexandre Herculano, *O Bobo*, p. 2); "Por teu amor, vaguei nas ruínas leprosas. / Por ti, uivei, chorei..." (Gomes Leal, *A Mulher de Luto*, p. 181). 3. Fim, destino, propósito, tenção, desejo: "Durante quinze anos lutou por conservar intacta a independência da terra que lhe chamava rainha" (Alexandre Herculano, *O Bobo*, p. 10); "Morro, e por dar-te mais gosto, / Vou morrendo devagar" (Domingos Caldas Barbosa, *ap.* Sérgio Buarque de Holanda, *Antologia dos Poetas Brasileiros da Fase Colonial*, I, p. 285); "correndo o campo com um molho de arnica, pisava a planta por extrair-lhe o suco." (Afonso Arinos, *Pelo Sertão*, p. 42); "Mordia, por não rir, o lábio úmido e langue" (Menotti del Picchia, *As Máscaras*, p. XI). 4. Meio ou intervenção: "sorriu-se segunda vez .... e por um gesto gracioso exprimiu ao prelado o desejo de principiar a visita." (Rebelo da Silva, *De noite Todos os Gatos São Pardos*, p. 79); *Tudo consegue por intercessão de amigos poderosos.* 5. O agente intermediário: "Por esse mesmo diretor tive conhecimento de um caso bizarro que inicialmente não aceitei fosse verdadeiro" (José Paulo Moreira da Fonseca, *Breves Memórias de Alexandros Apollônios*, p. 55). 6. Expediente, recurso, maneira, forma: *Chegou ao posto por adulações e intrigas.* 7. Lugar através do qual se passa, corre ou entra, ou por cima do qual alguém ou algo desliza ou se estende: "Nós ambos, mesquinhos, / Por ínvios caminhos, / Cobertos d'espinhos / Chegamos aqui!" (Gonçalves Dias, *Obras Poéticas*, II, p. 24); "Ela andou por aqui; andou." (Luís Delfino, *Íntimas e Aspásias*, p. 11). 8. Lugar onde se está de passagem: *Na próxima semana, ele estará por Londres.* 9. Duração limitada ou indeterminada de tempo: "Joaquim, do Adro, tinha o gozo daquela água, por um número determinado de horas." (Pedro Ivo, *Contos*, p. 24); "Havia adoecido e estivera no hospital por uma semana." (Osvaldo França Júnior, *Um Dia no Rio*, p. 49); "Amo-te até nas coisas mais pequenas. / Por toda a vida." (Manuel Bandeira, *Estrela da Vida Inteira*, p. 449); "Por anos, a dama e o cavaleiro viveram em boa paz e união." (Alexandre Herculano, *Lendas e Narrativas*, II, p. 49); *D. Pedro II governou o Brasil por 49 anos.* 10. O momento da ação, do fato: *Foi por uma dessas belas tardes* *de verão que ele a conheceu*; "Era por uma noite escura e fria de abril." (Camilo Castelo Branco, *A Queda dum Anjo*, p. 163). **11.** Época aproximativa: *Chegou ao Brasil por 1955.* **12.** Continuação, sequência, prosseguimento, no tempo ou no espaço: *É preciso trabalhar de verdade, dagora por diante.* **13.** O preço: *Comprei este livro por um preço exorbitante.* **14.** Unidade, em sentido distributivo: *O jantar no restaurante sai muito caro por pessoa.* **15.** Circunstância, condição, estado de coisa, que envolve ou em que se dá um fato: "Bela! dizia eu, como um navio à vela, / para um país polar, por um silêncio amigo." (Gomes Leal, *Claridades do Sul*, p. 188.) **16.** Troca, permuta; substituição: *Permutou seu relógio de parede novo por um antigo; Trocou por um maior o seu caderno de apontamentos.* **17.** Reciprocidade: *É notória a paixão dos dois um pelo outro.* **18.** Altura a que chega uma coisa: *Estavam quase afogando-se, com água pelo pescoço.* **19.** Número aproximado: *Sua biblioteca anda já por 20.000 volumes; Seu patrimônio orça por 2 milhões de reais.* **20.** Favor, defesa, proteção: *Os cavaleiros medievais pelejam por suas damas.* **21.** Amizade, amor: *É louco por sua mulher e filhos.* **22.** Condição de representante ou procurador; em nome de: *Compareceu por si e por seu chefe; Falou por todos os presentes.* **23.** Padrão, estalão, modelo; norma: "aferindo tudo por esse padrão, procedia em conformidade com ele." (Alexandre Herculano, *O Bobo*, p. 4). **24.** Em nome de (nas fórmulas de protesto ou de pedido): *Jurou por Deus que era inocente; Por teus filhos te peço perdão.* **25.** Em honra de; em homenagem a; pela vida ou saúde de: "Gritando o céu tocavam, / Dizendo em alta voz: 'Real, real, / Por Afonso, alto Rei de Portugal'." (Luís de Camões, *Os Lusíadas*, III, 46.) **e)** Entra na formação de numerosas locuções adverbiais, prepositivas e conjuntivas: *por cima, por baixo, por fora, por então, por certo; por sobre, por entre, por meio de, por causa de, por mais que, por menos que.* **f)** Quando se lhe segue infinitivo, indica não achar-se ainda realizado o ato ou estado expresso no verbo, e é, por vezes, negativa, equivalendo a *sem*: *Há muitas novidades por acontecer; Já vai longa esta exposição, e ainda fica muito por dizer.*

pôr [Do lat. *ponere.*] ***V. t. d. e c.*** **1.** Colocar (em algum lugar); depor: *pôr o copo sobre a mesa; Deus pôs o homem na Terra.* **2.** Colocar, firmando ou apoiando; apoiar, firmar, pousar: *pôr o pé no degrau.* **3.** Instalar; estabelecer: *Pôs o aquecedor no banheiro.* **4.** Fazer entrar; introduzir, conduzir: *Seus méritos literários o puseram na Academia.* **5.** Fazer penetrar, ou nascer; incutir, infundir, instilar: "Tão temerosa vinha [a nuvem] e carregada, / Que pôs nos corações um grande medo" (Luís de Camões, *Os Lusíadas*, V, 38). **6.** Colocar próximo ou chegado; aproximar, levar, chegar: *Pôs a taça à boca.* **7.** Colocar em posição adequada; descansar, apoiar: *Pôs a cabeça na almofada.* **8.** Guardar (em lugar seguro); meter, depositar: *Pôs o dinheiro no banco; Pôs as joias no cofre.* **9.** Fazer inclusão de; incluir, inserir: *Ponha meu nome na relação.* **10.** Elevar, erguer: *Pôs os mestres nas alturas.* **11.** Voltar, virar (numa certa posição ou direção): *O aviso manda pôr esta face para cima.* **12.** Pôr por escrito; escrever, apor: *pôr a assinatura num documento.* **13.** Colocar (enfeite, adorno): *Pôs galões dourados na fantasia.* **14.** Deitar, misturando: *pôr sal no molho.* ***T. d. e i.*** **15.** Arrastar, impelir (a uma determinada situação); reduzir, deixar: *Campos Sales pôs as finanças do Brasil em boa situação.* **16.** Fazer mudar ou trocar; converter, transformar: *A ambição põe homens capazes em avarentos improdutivos.* **17.** Fazer recair, atribuir, imputar: *Não lhe ponham a culpa de tudo.* **18.** Fazer consistir; concentrar: *Põe todo o esforço na felicidade dos filhos;* "Sê todo em cada coisa. Põe quanto és / No mínimo que fazes." (Fernando Pessoa, *Odes de Ricardo Reis*, p. 289). **19.** Dar (nome); colocar: *Pôs-lhe o nome de Ricardo, em homenagem ao avô.* **20.** Dirigir (para alguém, ou algum lugar); pousar; fixar, cravar, pregar: *Pôs a vista na moça, e depois no céu azul.* **21.** Atribuir (defeito, falha): *Põe defeito em obras consideradas clássicas.* **22.** Apresentar como objeção ou oposição; opor: *Os técnicos puseram sérias dúvidas ao projeto.* **23.** Dar, obrigando a aceitar; aplicar, impor: *Os governantes puseram uma constituição ao povo.* **24.** Expor; propor: *O professor pôs várias questões para os alunos.* **25.** Colocar (em determinado grau de importância); classificar: *Põe a riqueza em primeiro lugar.* **26.** Apresentar à vista; expor: *pôr um objeto à venda.* **27.** Passar (para outra forma, em outra língua); traduzir, trasladar: *pôr uma frase em alemão.* **28.** Restituir, devolver: *Põe para cá o que te emprestei.* **29.** Usar habitualmente; aplicar: *A menina põe ruge em si e na amiga.* **30.** Colocar (em cartaz, em cena); exibir, apresentar: *pôr uma peça de teatro em cartaz.* **31.** Estabelecer (em emprego, função ou ofício); colocar: *Pôs todos os parentes no serviço público.* **32.** Fazer recair; determinar, sentenciar: *As leis põem várias penas contra os falsários.* **33.** Fazer passar; passar (a outrem); deixar, legar: *O dinheiro, ele o pôs a seus parentes.* ***T. c. e i.*** **34.** Arriscar, apostando; apostar: *Pôs 20 reais no macaco.* **35.** Gastar, consumir, despender (tempo): *O navio pôs dois meses na travessia.* **36.** Dar em contribuição ou auxílio; contribuir com: *Ponho só 20 reais para as despesas.* ***T. d.*** **37.** Abrir ao público; estabelecer, montar, instalar: *pôr uma loja de roupas.* **38.** Empreender a construção de; levantar, edificar, erigir: *pôr cidades; pôr monumentos.* **39.** Usar como vestimenta e/ou como adorno; vestir: *Pôs uma camisa verde e uma gravata preta;* "põe teu vestido de tisso, / bracelete, anel, colar." (Cecília Meireles, *Obra Poética*, p. 843). **40.** Fazer aplicação de; aplicar: *A enfermeira pôs compressas.* **41.** Apresentar como oposição ou objeção; opor: *pôr argumentos.* **42.** Introduzir nos pés, nas mãos ou nas pernas; calçar: *pôr meias; pôr luvas.* **43.** Assentar ou firmar no solo: *O cão põe bem a pata doente.* **44.** Aceitar por hipótese; admitir, supor, pressupor: *Pondo que seja verdade sua alegação, ainda assim ele se sai mal.* **45.** Afirmar solenemente; afiançar, assegurar: *Ponho que ninguém me desobedecerá.* **46.** Levar a cabo a instituição de; instituir, estipular: *pôr uma lei, um regulamento.* **47.** Preparar de modo que se possa utilizar; arranjar, dispor: *pôr a mesa; pôr o automóvel.* **48.** Fazer descrição de; descrever, contar, narrar: *Não há tempo para pôr os fatos minuciosamente.* **49.** Deitar (ovos) no ninho: *Esta semana a galinha não pôs ovos.* **50.** Lançar por escrito; escrever: *Não ponha mais nenhuma palavra.* **51.** Referir-se a; citar, apresentar: *Deu a regra e pôs vários exemplos.* **52.** Deixar de lado; largar, depor: *Os vencidos puseram as armas.* **53.** Empregar, usar, ao escrever: *Lamenta que a lei não permita pôr o acento diferencial; Põe os sinais de pontuação devidos.* ***Transobj.*** **54.** Fazer alcançar (função pública); tornar, eleger: *O Estado pôs 15 representantes por deputados.* **55.** Dar nome; chamar, nomear, denominar: *Chamou Pedro ao filho mais velho e pôs João o mais novo.* **56.** Ter na conta; considerar, reputar, classificar: *Experimentado, pôs de ingênuos os argumentos.* ***Int.*** **57.** Deitar ovos no ninho: "meia-água de zinco do forno onde se cozinhavam as polentas e as galinhas punham" (Silva Guimarães, *Os Borrachos*, p. 57). **58.** Decidir-se a fazer alguma coisa; propor-se: *Os cargos foram oferecidos, mas ninguém pôs.* **59.** Fazer propósito; planejar alguma coisa: "O homem põe e Deus dispõe" (prov.). ***P.*** **60.** Colocar-se (em certo local ou posição); postar-se, situar-se: *pôr-se de pé.* **61.** Permanecer (em determinada situação); ficar, postar-se: *pôr-se de vigia.* **62.** Dar começo (a uma ação); começar, principiar: *Pôs-se a trabalhar; Pôs-se a rir;* "E estávamos nós dois; eu e minh'alma, ali; / eu sentado, ela em frente; e pus-me a interrogá-la..." (Marcelo Gama, *Via-Sacra e Outros Poemas*, p. 32). **63.** Desaparecer no ocaso: "Do alto da torre romana da Floresta Negra vi pôr-se o sol além dos Vosges" (Salvador de Mendonça, em Lúcio de Mendonça, *Esboços e Perfis*, p. VI); *No inverno o Sol se põe cedo.* **64.** Passar a ser; tornar-se, fazer-se: *Quando a avistou, suas faces puseram-se vermelhas.* **65.** Ficar (em situação perigosa); expor-se: *Ponho-me em grande risco por você.* **66.** Colocar roupa; vestir-se, trajar-se: *Pôs-se de gala para ir ao teatro.* **67.** Chegar (a uma determinada situação); reduzir-se: *Ele próprio se pôs na miséria.* **68.** Colocar-se hipoteticamente; imaginar-se, supor-se: *Pondo-se no meu lugar, que faria você?* **69.** Passar ao estado de: *pôr-se aos choros; pôr-se aos gritos.* [Pres. ind.: *ponho, pões, põe, pomos, pondes, põem*; imperf.: *punha, punhas*, etc.; perf.: *pus, puseste, pôs*, etc.; m.-q.-perf.: *pusera, puseras*, etc.; fut. pres.: *porei, porás*, etc.; fut. pret.: *poria, porias*, etc.; imperat.: *põe, ponde*, etc.; pres. subj.: *ponha, ponhas*, etc.; imperf.: *pusesse, pusesses*, etc.; fut.: *puser, puseres*, etc.; ger.: *pondo*; part.: *posto* (ô). Cf. *por*, prep.; *porém*, conj.; *pós*, prep.; e *posto*, do v. *postar*.] • ***S. m.*** **70.** *Astr.* O ocaso (1). ◆ **Pôr acrônico.** *Astr.* O pôr de um astro quando o Sol nasce. **Pôr cósmico.** *Astr.* O pôr de um astro que ocorre simultaneamente com o do Sol; pôr helíaco. **Pôr helíaco.** *Astr.* Pôr cósmico.

poracá [Do tupi = 'colher', 'caçar', 'pescar'.] ***S. m.*** *Bras. RJ* Cesto grande para pesca.

poracé [Do tupi = 'dançar'.] ***S. m. e f.*** *Bras. Etnogr.* Dança religiosa dos índios, ao som do maracá, do tambor e da flauta: "Das festas religiosas e sacrifícios [dos tupis] eram inseparáveis as danças chamadas poracés, as quais deviam ser acompanhadas de bebidas fermentadas, de fumar-se muito tabaco ou seus equivalentes, e dos sons de muitos instrumentos." (Visconde de Porto Seguro, *História Geral do Brasil*, I, p. 45); "Bárbara poracé, banzo africano, / E soluços de trova portuguesa." (Olavo Bilac, *Tarde*, p. 18).

poranduba [Do tupi = 'pergunta', 'notícia', 'informação'.] ***S. f.*** *Bras.* História; notícia; relação: "— Irovi está me ouvindo e parou no remanso para escutar minha poranduba." (M. Cavalcanti Proença, *Manuscrito Holandês*, p. 251.)

poranga ***S. f.*** *Bras. Zool.* V. *inhambuanhanga.*

porangaba [Do tupi = 'beleza'.] ***S. f.*** *Bras. Bot.* V. *chá-de-bugre* (1).

porangabense ***Adj. 2 g.*** **1.** De, ou pertencente ou relativo a Porangaba (SP). • ***S. 2 g.*** **2.** O natural ou habitante de Porangaba.

porangatuense ***Adj. 2 g.*** **1.** De, ou pertencente ou relativo a Porangatu (GO). • ***S. 2 g.*** **2.** O natural ou habitante de Porangatu.

porangueiro [De *porongo*[1] + *-eiro*, com dissimilação.] ***S. m.*** *Bot.* V. *porongo*[1] (1).

poranguense ***Adj. 2 g.*** **1.** De, ou pertencente ou relativo a Poranga (CE). • ***S. 2 g.*** **2.** O natural ou habitante de Poranga.

porão [Do lat. *planu*, 'plano', pelo port. arc. *prão*, com suarabácti.] ***S. m.*** **1.** *Constr. Nav.* Qualquer espaço compreendido entre o convés mais baixo e o teto do duplo-fundo, ou entre o convés mais baixo e o fundo (quando a embarcação não tem duplo-fundo). **2.** *Constr. Nav.* Nos navios mercantes, cada um dos grandes espaços estanques situados entre o duplo-fundo e uma coberta, e destinados à arrumação da carga. **3.** *Bras.* Parte da habitação entre o chão e o assoalho ou laje do pavimento térreo, ger. utilizado como depósito, por não apresentar condições de habitabilidade. **4.** *Bras.* Parte de uma casa entre o chão e o primeiro pavimento: *porão habitável.* **5.** *Teatr.* A parte inferior, subterrânea ou não, da caixa de cena. **6.** *Bras. Gír.* Cada um dos bolsos traseiros ou laterais da calça, em que se costuma guardar dinheiro. ◆ **Ir para o porão.** Sair de cartaz (peça teatral).

poraquê [Do tupi = 'o que faz dormir', 'o que entorpece'.] ***S. m.*** *Bras. Zool.* Peixe electroforídeo (*Electrophorus electricus*), da Amaz., de coloração negra tendente ao chocolate-escuro, salpicada de pequenas manchas amarelas, vermelhas ou branco-sujo, que tem nadadeiras peitorais pequenas, e a anal que percorre grande extensão do abdome. Há exemplares em que a parte abdominal anterior à nadadeira é vermelha. É capaz de gerar descarga elétrica, às vezes letal, para imobilizar presas e como meio de defesa, e tem o hábito de vir periodicamente à tona para respirar: "Agora, à noite, mais na sua imaginação que na água, passavam ilhas de vaga-lumes e saúvas, ... a cabeça de um jacaré adormecido e um poraquê, o peixe-elétrico" (Dalcídio Jurandir, *Três Casas e Um Rio*, p. 9). [Var.: *puraquê*. Sin.: *enguia-elétrica, muçum-de-orelha, peixe-elétrico, pixundé, pixundu, pixunxu.*]

porca [Do lat. *porca.*] ***S. f.*** **1.** A fêmea do porco. **2.** Pequena peça de ferro, em geral sextavada ou quadrada, munida de furo em espiral que se atarraxa na extremidade de parafuso cilíndrico. **3.** Certo jogo de meninos.

porcada [De *porco* + *-ada*[1].] ***S. f.*** **1.** V. *vara de porcos.* **2.** V. *porcaria* (3).

porcagem [De *porco* + *-agem*[2].] ***S. f.*** *Bras. S.* Estrumação do campo por animais.

porcalhada [De *porco* + *-alhada.*] ***S. f.*** V. *porcaria* (1).

porcalhão [De *porco* + *-alhão.*] ***Adj. S. m.*** **1.** Que, ou aquele que é muito porco, imundo. **2.** Que trabalha mal; trapalhão. **3.** V. *porqueira* (6 e 7). [Fem.: *porcalhona.*]

porcalhona ***S. f.*** Fem. de *porcalhão* (q. v.).

porção [Do lat. *portione.*] ***S. f.*** **1.** Parte de alguma coisa; bocado, parcela, fração. **2.** Quantidade (1) limitada de alguma coisa; dose: *Esta porção de açúcar é suficiente para adoçar o café.* **3.** *Anat.* Designação genérica de parte de órgão ou de estrutura (11). **4.** *Bras.* V. *quantidade* (3). [Dim.: *porciúncula.*] ◆ **Porção cervical supravaginal.** *Anat.* Porção do colo do útero que não faz saliência na vagina.

porcaria [De *porco* + *-aria.*] ***S. f.*** **1.** Ato ou estado do que é porco; porcalhada, porqueira. **2.** Imundície, sujidade, porqueira. **3.** *Fig.* Coisa malfeita ou ruim; porcada, porqueira. **4.** Grande porção de porcos. **5.** *Fig.* Palavra ou dito sujo, grosseiro ou obsceno. **6.** Aquilo que não tem valor. **7.** Aquilo que é ruim ou malfeito. • ***S. 2 g.*** **8.** V. *porqueira* (6 e 7). • ***Adj. 2 g.*** **9.** Que não tem valor: *livro porcaria.* ◆ **Uma porcaria.** Muito ruim; péssimo; uma miséria: *O filme era uma porcaria.*

porcariada [De *porcaria* + *-ada*[1].] ***S. f.*** **1.** *Bras. Prov. port.* Grande porcaria ou imundície. **2.** *Bras. Deprec.* Coisa muito malfeita ou muito ruim.

porcariço [Do esp. *porquerizo*, poss.] ***S. m.*** Porqueiro (1): "Deram uma bíblia ao ganha-pão, ao porcariço, ao bufarinheiro, e por esse fato constituíram-no teólogo, santo-padre e, até, concílio." (Alexandre Herculano, *Lendas e Narrativas*, II, p. 203.)

porcelana [Do it. *porcellana*.] *S. f.* **1.** Variedade de cerâmica dura, branca e translúcida, mais ou menos fina, preparada essencialmente com caulim, podendo ser ou não vitrificada. **2.** Objeto feito com esse produto: "Mas logo à mesa voltavam, / que a fome bem pouco espera, / e os seus olhos descansavam / em porcelanas da China / e cristais da Baviera" (Carlos Pena Filho, *Memórias do Boi Serapião*, p. 14). **3.** *Bot.* V. *beldroega-pequena*. **4.** *Bras. S. da BA* Tigela (de porcelana ou de outra substância).

porcelânico [De *porcelana* + *-ico*[2].] *Adj.* De, ou relativo a porcelana.

porcelanita [De *porcelana* + *-ita*[2].] *S. f.* Argila endurecida pelo cozimento, ou fundida por magma quente, ou por combustão de carvão em contato com a argila.

porcelanizado [Part. de *porcelanizar* (< *porcelana* + *-izar*).] *Adj.* Que tem aspecto da porcelana (1): "o restante da maquilagem mantém a sobriedade das cores claras porcelanizadas" (Iesa Rodrigues, em *Jornal do Brasil*, 20.03.1985).

porcelionídeo [Do lat. cient. *Porcellion-* (< tax. *Porcellio* < lat. *porcellio, onis*, 'certo inseto') + *-ídeo*[1]; tax. *Porcellionidae*.] *Zool. S. m.* **1.** Espécime dos porcelionídeos, família de crustáceos malacostráceos, isópodes, terrestres, com o primeiro par de antenas sem ramificação e com o segundo par bissegmentado. ● *Adj.* **2.** Pertencente ou relativo a eles.

porcentagem [Da loc. *por cento* + *-agem*[1].] *S. f.* V. *percentagem*: "Em 1900 os negros formavam 11,6% da população norte-americana; em 1910, essa porcentagem desceu a 10,7." (E. Roquete-Pinto, *Seixos Rolados*, pp. 58-59.)

porcino [Do lat. *porcinu*.] *Adj.* **1.** V. *suíno* (1): "querendo criar porcos, precisava agir de maneira superior. Precisava estudar a ciência da criação porcina" (Nélson Palma Travassos, *O Porco, Esse Desconhecido*, p. 17). **2.** Relativo a porco, ou que o lembra.

porcionário [De *porção* + *-ário*, seg. o padrão erudito.] *S. m.* **1.** Aquele que tem ou recebe uma porção (1) ou qualquer pensão ou renda. **2.** Benefício eclesiástico.

porcionista [De *porção* + *-ista*, seg. o padrão erudito.] *S. 2 g.* Aluno que num colégio paga a sua educação ou sustento.

porciúncula [Do lat. *porticuncula*.] *S. f.* **1.** Pequena porção; porçãozinha. **2.** Jubileu da Ordem de S. Francisco. **3.** O primeiro convento dessa ordem.

porciunculense (i-un) *Adj. 2 g.* **1.** De, ou pertencente ou relativo a Porciúncula (RJ). ● *S. 2 g.* **2.** O natural ou habitante de Porciúncula.

porco (ô) [Do lat. *porcu*.] *S. m.* **1.** Mamífero bunodonte, artiodáctilo, não ruminante, com 44 molares, caninos curvos e incisivos inferiores alongados, formando uma pá; patas curtas com quatro dedos revestidos por cascos, cabeça de perfil triangular e focinho cartilaginoso. Origina-se do javali, porém existente quase em toda parte como animal doméstico, e sua carne é bastante apreciada; cerdo. [Sin., lus., nesta acepç.: *chico*.] **2.** *P. ext.* Carne de porco. **3.** Prato preparado com ela. **4.** *Fig.* Indivíduo sujo, imundo. **5.** V. *diabo* (2). **6.** *Bras. CE* V. *bebedeira* (1). **7.** *Bras.* No jogo do bicho (q. v.), o 18º grupo (14), que abrange as dezenas 69, 70, 71 e 72, e corresponde ao número 18. ● *Adj.* **8.** Sujo, imundo. **9.** Grosseiro, torpe; obsceno. [Aum. (com referência a pessoas): *porcalhão*. Flex.: *porcos* (ó), *porca(s)* (ó).] ◆ **Montar num porco.** *Bras. S.* Encabular, envergonhar-se. **Passar de porco a porqueiro.** Melhorar de situação, de condição, de vida. **Tomar um porco.** *Bras. CE Pop.* V. *embriagar* (4).

porco-africano *S. m. Zool.* V. *facoquero* (2). [Pl.: *porcos-africanos*.]

porco-bravo *S. m. Zool.* V. *javali*. [Pl.: *porcos-bravos*.]

porco-da-terra *S. m. Zool.* V. *orictéropo* (2 e 3). [Pl.: *porcos-da-terra*.]

porco-do-mato *S. m. Bras. Zool.* Designação impropriamente dada aos taiaçuídeos *queixada* (q. v.) e *caititu* (q. v.). Diferem do porco doméstico por terem cauda atrofiada, cerdas mais longas e mais rijas, apenas dois incisivos superiores e seis molares, e (o que é neles mais típico) uma glândula dorsal próxima da garupa que secreta uma substância oleosa com cheiro de almíscar. Vivem em bandos, às vezes de algumas dezenas de indivíduos, e alimentam-se de toda sorte de frutos e raízes da mata. [Pl.: *porcos-do-mato*.]

porco-espim *S. m. Zool.* V. *porco-espinho*. [Pl.: *porcos-espins*.]

porco-espinho *S. m.* **1.** *Zool. Impr.* Ouriço-cacheiro. **2.** *Zool.* Mamífero roedor histricomorfo, histricídeo, que não ocorre na região neotrópica. São animais da Europa e da África, de pelos transformados em longos espinhos. **3.** *Bras. Fig.* Pessoa difícil, complicada, intratável. [Var.: *porco-espim*. Pl.: *porcos-espinhos*.]

porco-formigueiro *S. m. Zool.* **1.** V. *orictéropo* (2 e 3). [Pl.: *porcos-formigueiros*.]

porco-montês *S. m. Zool.* V. *javali*. [Pl.: *porcos-monteses*.]

porco-sujo *S. m. Pop.* V. *diabo* (2). [Pl.: *porcos-sujos*.]

pôr do sol *S. m.* Crepúsculo vespertino; crepúsculo, ocaso: "Luares, pores do sol, cousas que morrem breve" (Alphonsus de Guimaraens, *Obra Completa*, p. 99). [Pl.: *pores do sol*.]

porecamecra *Bras. S. 2 g.* **1.** *Etnôn.* Indivíduo dos porecamecras [ou (etnôn. bras.) *Porekamekra], povo indígena extinto, da família linguística timbira, tronco macro-jê, que habitava as margens do rio Tocantins (MA e TO). ● *Adj. 2 g.* **2.** Pertencente ou relativo a esse povo.

porecatuense *Adj. 2 g.* **1.** De, ou pertencente ou relativo a Porecatu (PR). ● *S. 2 g.* **2.** O natural ou habitante de Porecatu.

porejante [De *porejar* + *-nte*.] *Adj. 2 g.* Que poreja ou ressuma.

porejar [De *poro* + *-ejar*.] *V. t. d.* **1.** Exsudar poros; suar, ressudar: "Tiãozinho sentiu-se acovardado, a pele porejando suor gelado" (Nélson de Faria, *Tiziu e Outras Estórias*, p. 34). **2.** Deixar cair gota a gota; destilar, ressumar: *O teto porejou a água da chuva.* *T. c.* **3.** Sair; verter; destilar: *A água porejava da nascente.* *Int.* **4.** Sair pelos poros: *O suor poreja no corpo quente.* [Conjug.: v. *pelejar*.]

porém [Do lat. *proinde*, 'por conseguinte', pelo arc. *porende*, 'por isso', com apócope.] *Conj.* **1.** Contudo; mas; todavia. [Corretíssimo é o emprego da conjunção *porém* em começo de período. É fato da língua, facilmente documentável desde a fase arcaica (p. ex., Joam Roiz de Castel Branco em *Cancioneiro Geral de Garcia de Resende*, III, p. 122; e Gomes Eanes de Azurara, *Crônica do Descobrimento e Conquista de Guiné*, pp. 3, 38, 70, 80) até os nossos dias. Só em uma das obras do seiscentista Manuel Bernardes, clássico dos maiores (*Nova Floresta*, 5 vols.), podem encontrar-se mais de 300 exemplos; às vezes vêm dois exemplos, e, muito raro, três, numa mesma página.] ● *S. m.* **2.** *Bras.* Empecilho, obstáculo, óbice. **3.** *Bras.* Lado mau; aspecto negativo; inconveniente: "a inteligência do rapaz clareou, que foi aquela beleza. Deu-se, porém, uma remandiola, porque não há nada de bom neste mundo que não tenha o seu porém." (Horácio de Almeida, em *Revista das Academias de Letras*, nº 78, p. 122). [Nesta acepç., é ger. us. na loc. *ter o seu porém* (como se vê no exemplo citado) ou *ter os seus poréns*.] [Cf. *porem* (ô), do v. *pôr*.]

por-favor-me-pegue *S. m. 2 n. Bras. Zool.* Na Ilha da Trindade, peixe de uns 30cm de comprimento, muito abundante, e que é pescado com balde pelos marinheiros que servem ali: "Nossa atenção foi desviada para um cardume de por-favor-me-pegue, que escureceu a água em volta de nós, com sua vestimenta negra e seu palmo e meio de comprimento; ignoro seu nome de batismo, por isso o chamo por-favor-me-pegue, nome com que os marinheiros o celebrizaram, pela facilidade de o pescarem." (Moacir C. Lopes, *Maria de Cada Porto*, p. 75.)

porfia [Do lat. *perfidia*, por via pop.] *S. f.* **1.** Discussão ou contenda de palavras; polêmica. **2.** Insistência, pertinácia, teima, obstinação: *A porfia de Fleming levou-o a descobrir a penicilina.* **3.** *Fig.* Competição, rivalidade; disputa: *A porfia dos dois tenistas deu grande interesse ao jogo.* ◆ **À porfia. 1.** À competência; com rivalidade; em disputa pela primazia: "Devaneamos à porfia sobre aquelas eras, tão sedutoras, que todos as recordam como se as houveram desfrutado." (Antônio Feliciano de Castilho, *Os Amores*, I, p. 27.) **2.** Sem descanso ou trégua; sem cessar; sucessivamente: "Todos à porfia corriam a socorrer os infelizes atacados pela cólera" (Joaquim Manuel de Macedo, *Os Romances da Semana*, p. 4).

porfiada [De *porfiar*[2] + *-ada*[1].] *S. f. Pesc.* Cosedura que une umas às outras as testas das redes por meio de um fio passado nas malhas.

porfiado [Part. de *porfiar*[1].] *Adj.* **1.** Em que houve porfia. **2.** Pertinaz, perseverante, obstinado. **3.** Renhido, disputado.

porfiador (ô) [De *porfiar*[1] + *-dor*[1].] *Adj. S. m.* Que, ou aquele que porfia, que é teimoso, contumaz, pertinaz.

porfiar[1] [De *porfia* + *-ar*[2].] *V. int.* **1.** Discutir acaloradamente; contender, debater, altercar: *Porfiaram horas seguidas, sem chegar a acordo.* *T. i.* **2.** Debater com ardor; discutir, altercar: *porfiar com alguém.* **3.** Fazer empenho; teimar, insistir, obstinar-se: *Porfiava em seus propósitos;* "Resta a durez desta inclinação / de buscar a ventura, / porfiando em seguir o que nos foge, / com esforçado passo (e sem fortuna)." (Marli de Oliveira, *Antologia Poética*, p.156). **4.** Competir, rivalizar, concorrer: *Este escritor porfia com os melhores prosadores da língua.* *Bit. i.* **5.** Competir, rivalizar: "Entre dois homens que o fado / Juntou, nenhum deles diz, / Mas cada um há porfiado / Com o outro em ser mais feliz." (Raimundo Correia, *Poesias*, p. 194.) *T. d.* **6.** Fazer por obter; disputar: *porfiar um cargo.* **7.** Empenhar-se em; travar: *porfiar questões.*

porfiar[2] [De *por* + *fio* + *-ar*[2].] *V. t. d.* **1.** Guarnecer com fio (cabo ou linha). **2.** Coser (cabos ou tralhas) com um fio ou cabo mais delgado.

pórfido [Do it. *porfido* (v. etim. de *pórfiro*).] *S. m.* V. *pórfiro*: "Nem mármores, nem pórfidos luzentes / Nos alizares brilham." (Correia Garção, *Obras Poéticas e Oratórias*, p. 125.)

porfina [De *porfi(ri)na*.] *S. f. Quím.* Substância que contém quatro anéis pirrólicos que fazem parte de um macrociclo, da qual se podem considerar derivadas as porfirinas [fórm.: $C_{20}H_{14}N_4$].

porfioso (ô) [De *porfia* + *-oso*.] *Adj.* **1.** Em que há porfia. **2.** Amigo de porfiar; persistente, teimoso. **3.** Contínuo, constante, aturado: "Deploro, meu amigo, o que deploras / Com porfiosa dor, com dor interna" (Bocage, *Poesias*, p. 33).

porfiria [De *porfi(ina)* + *-ia*[1].] *S. f. Med.* Qualquer uma de um grupo de perturbações do metabolismo das porfirinas, caracterizadas por aumento significativo de formação e de excreção delas, ou de seus precursores.

porfírico [De *pórfiro* + *-ico*[2].] *Adj. Petr.* Diz-se da textura de rocha magmática que apresenta fenocristais disseminados numa pasta vítrea ou finamente cristalizada.

porfirina [Do gr. *porphýra*, 'púrpura', + *-ina*[3].] *S. f. Quím.* Cada um dos grupos vermelho-escuros ou púrpura-escuros de derivados da porfina, isentos de ferro ou de magnésio, que existem universalmente no protoplasma e compõem os pigmentos respiratórios de animais e plantas.

porfirítico [Do lat. med. *porphyriticu*.] *Adj.* ~ V. *textura —a.*

porfirização [De *porfirizar*[1] + *-ção*.] *S. f.* Ato ou efeito de porfirizar[1].

porfirizar[1] [De *pórfiro* + *-izar*.] *V. t. d.* Reduzir a pó muito fino em pórfiro ou noutra rocha.

porfirizar[2] [Do antr. *Porfírio*, poss.] *V. t. d. Fig.* Negar, argumentando; refutar: *porfirizar as heresias.*

pórfiro [Do lat. med. *porphyriu* (fonte tb. do fr. *porfire* e *porfie*, e do it. *porfiro* e *porfido*), do lat. *porphyrites* < gr. *porphyrítēs* (*líthos*) 'pedra purpúrea', < gr. *porphýra*, 'púrpura'; o nome alude à cor.] *S. m.* **1.** *Petr.* Designação comum às rochas extrusivas e aos diques que se apresentam com textura porfirítica. **2.** *P. ext.* Qualquer mármore que apresenta cristais muito brancos, em contraste com o fundo: "O Imperador [Napoleão] voltou a Paris, e agora jaz num soberbo túmulo de pórfiro da Sibéria" (Martins Fontes, *Terras da Fantasia*, p. 222). **3.** Utensílio de farmácia destinado a pulverizar substâncias. [F. paral.: *pórfido* (q. v.).]

porfiroblástico [De *pórfiro* + *-blast(o)-* + *-ico*[2].] *Adj.* ~ V. *textura —a.*

porfiroide (ói) [Do gr. *porphyroeidés*.] *Adj. 2 g.* ~ V. *textura —.* ❖

▲ **pori-** V. *por(o)-*.

poricida [De *pori-* + *-cida*.] *Adj. 2 g. Bot.* Que se abre por meio de poros: *cápsula poricida; antera poricida.*

porífero[1] [De *pori-* + *-fero*.] *Adj.* Que tem poros.

porífero[2] [Adapt. do tax. *Porifera*.] *Zool. S. m.* **1.** Espécime dos poríferos, ramo de parazoários, que têm simetria bilateral, formas variadas, esqueleto interno formado por espículas silicosas ou calcárias, ou fibras de espongina, e a superfície do corpo com numerosos poros ligados a canais ou câmaras revestidos por células flageladas ou coanócitos. São as esponjas marinhas ou de água doce, todas sésseis. ● *Adj.* **2.** Pertencente ou relativo a eles. [Sin. ger.: *espongiário*.]

poriomania [Do gr. *poreía*, 'ação de andar', + *-o-* + *-mania*.] *S. f. Psiq.* Impulso a perambular, afastando-se de casa; automatismo ambulatório.

poriomaníaco [De *poriomania* + *-íaco*.] *Psiq. Adj.* **1.** Relativo a poriomania. **2.** Que tem poriomania; poriômano. ● *S. m.* **3.** Aquele que tem poriomania; poriômano.

poriómano *Adj. S. m. Psiq.* V. *poriômano*. [Uso freq. em P.]

poriômano [De *porio-*, como em *poriomania*, + *-mano*[1].] *Adj. S. m. Psiq.* Poriomaníaco (2 e 3).

pormenor [Da loc. *por menor*.] *S. m.* Circunstância particular; particularidade, minúcia, minudência, miudeza: *Descreveu a situação com todos os pormenores.*

pormenorização [De *pormemorizar* + *-ção*.] *S. f.* Ato ou efeito de pormenorizar: "Aquele .... misto de sentimentalidade amorável e justeza de pormenorização a que nos habituou Camilo em cenas patéticas bem diversas" (José Régio, em João Gaspar Simões, *Perspectiva da Literatura Portuguesa do Século XIX*, p. 202).

pormenorizado [Part. de *pormenorizar*.] ***Adj.*** Referido, descrito com pormenores; minuciado, minudenciado, detalhado: "quiseram ver os livros, verificar os balanços; obter explicações pormenorizadas a respeito dos débitos incobráveis" (João da Silva Correia, *Farândola*, p. 116).

pormenorizador (ô) [De *pormenorizar* + *-dor*.] ***Adj. S. m.*** Que, ou aquele que pormenoriza, que se detém nos pormenores: "o mais pormenorizador [dos romancistas brasileiros modernos], o que leva a análise psicológica mais longe, é Otávio de Faria." (Mário de Andrade, *O Empalhador de Passarinho*, p. 137).

pormenorizar [De *pormenor* + *-izar*.] ***V. t. d.*** Referir, descrever, minuciosa ou pormenorizadamente; expor os pormenores de; minudenciar, minuciar; particularizar: *pormenorizar um acontecimento.*

pormenorizável [De *pormenorizar* + *-vel*.] ***Adj. 2 g.*** Que se pode pormenorizar.

porneia (éi) [Do gr. *porneía*.] ***S. f.*** Devassidão, libertinagem. ✤

▲ **porno-** [Do gr. *porno-* < gr. *pórnē, ēs*.] ***El. comp.*** = 'prostituta'; 'prostituição'; 'obscenidade': *pornocracia, pornografia.*

pornô[1] ***Adj. 2 g. e 2 n.*** *Bras. Pop.* **1.** V. *pornográfico*: *cinema pornô.* ● ***S. m.*** **2.** Peça ou filme pornográfico: "O autor desconhecido de 'O Mate Saboroso' — um dos primeiros pornôs do cinema, roçou a criação de gênio sem percebê-la" (Pedro Nava, *Galo das Trevas*, p. 214).

pornô[2] ***S. f.*** V. *pornochanchada.*

pornochanchada [De *porno(grafia)* + *chanchada*.] ***S. f.*** *Bras.* Chanchada (1) pornográfica. [F. red.: *pornô*.]

pornocracia [De *porno-* + *-cracia*.] ***S. f.*** Influência das cortesãs no governo.

pornocrático [De *pornocracia* + *-ico*[2], seg. o padrão erudito.] ***Adj.*** Referente à, ou próprio da pornocracia.

pornofonia [De *porno-* + *-fon(o)-* + *-ia*[1].] ***S. f.*** *Bras. Neol.* Palavra ou expressão obscena; palavrão: "O açougueiro ignorante ferrava e gritava as suas pornofonias tão comuns naquela lida." (Bariani Ortêncio, *Vão dos Angicos*, p. 111.) [Cf. *pornografia*.]

pornografar [De *porno-* + *-graf(o)-* + *-ar*[2].] ***V. t. d.*** **1.** Descrever pornograficamente. **2.** Descrever (atos ou episódios obscenos). [Pres. ind.: *pornografo*, etc. Cf. *pornógrafo*.]

pornografia [Do gr. *pornográphos*, 'autor de escritos pornográficos', + *-ia*[1].] ***S. f.*** **1.** Tratado acerca da prostituição. **2.** Figura(s), fotografia(s), filme(s), espetáculo(s), obra literária ou de arte, etc., relativos a, ou que tratam de coisas ou assuntos obscenos ou licenciosos, capazes de motivar ou explorar o lado sexual do indivíduo. **3.** Devassidão, libidinagem. [Cf. *pornofonia*.]

pornográfico [De *pornografia* + *-ico*[2].] ***Adj.*** **1.** Relativo à pornografia (2 e 3). **2.** Que pratica, ou em que há pornografia (3). [F. red. (bras., pop.): *pornô*.]

pornografismo [De *pornográfico* + *-ismo*, seg. o padrão erudito.] ***S. m.*** **1.** Caráter pornográfico. **2.** Gosto da pornografia.

pornógrafo [Do gr. *pornográphos*.] ***S. m.*** **1.** Aquele que se ocupa de pornografia. **2.** Aquele que pinta ou descreve obscenidades. [Cf. *pornografo*, do v. *pornografar*.]

pornografomania [De *porno-* + *-graf(o)-* + *-mania*.] ***S. f.*** *Psiq.* Tendência patológica a escrever obscenidades.

pornografomaníaco [De *pornografomania* + *-íaco*.] *Psiq.* ***Adj.*** **1.** Relativo a pornografomania. **2.** Que tem pornografomania; pornografômano. ● ***S. m.*** **3.** Aquele que tem pornografomania; pornografômano.

pornografômano ***Adj. S. m.*** *Psiq.* V. *pornografômano*. [Uso freq. em P.]

pornografômano [De *porno-* + *-graf(o)-* + *-mano*[1].] ***Adj. S. m.*** *Psiq.* Pornografomaníaco (2 e 3).

poro [Do gr. *póros*, 'passagem', pelo lat. *poru*, 'canal'.] ***S. m.*** **1.** *Anat.* Designação genérica de cada um dos minúsculos orifícios do corpo: *poro gustativo, poro acústico externo.* **2.** *Anat.* Poro sudorífero (q. v.). **3.** Cada um dos interstícios hipotéticos entre as moléculas do corpo. **4.** Cada um dos pequenos orifícios ou interstícios em certas matérias sólidas: *os poros da madeira.* **5.** *Bot.* Qualquer orifício muito estreito num órgão ou parte vegetal. Ex.: a abertura dos peritécios de fungos e liquens, a dos grãos de pólen, a da parede de muitas células. **6.** *Bot.* Vaso ou traqueoide vascular visto em seção transversal. ◆ **Poro de envoltório nuclear.** *Citol.* Canal proteico, localizado em envoltório nuclear, que estabelece e controla o intercâmbio de moléculas entre o interior do núcleo e do citoplasma. **Poro germinativo.** *Bot.* Abertura da exina dos grãos de pólen, pela qual se exterioriza o tubo polínico. **Poro solar.** *Astr.* Pequena mancha na superfície do Sol, o menor dos acidentes visíveis ali. **Poro sudorífero.** *Anat.* Orifício de canal de glândula sudorípara, situado na superfície cutânea. [Tb. se diz apenas *poro*.] **Suar por todos os poros.** V. *suar em bica.*

▲ **por(o)-** [Do gr. *poro-* < gr. *póros, ou*.] ***El. comp.*** = 'passagem', 'poro'; 'que se move'; 'que se desloca': *porócito, porogamia.* [Equiv.: *pori-, -por(o)-, -poro*: *poricida; biporoso, osteoporose; megalóporo*.]

▲ **poro-** [Do gr. *pôros, ou*.] ***El. comp.*** = 'concreção'; 'calo': *porocele.*

▲ **-por(o)-** V. *por(o)-*.

▲ **-poro** [Do gr. *-poros* < gr. *póros*, 'passagem'.] V. *por(o)-*.

porocefálido [Do tax. *Porocephalus* (v. *por(o)-* e *-céfalo*) + *-ida*[1]; tax. *Porocephalida*.] *Zool.* ***S. m.*** **1.** Espécime dos porocefálidos, ordem de artrópodes pentastomídeos, que têm ganchos bucais com fulcro ou ramo basal; abertura genital anterior no macho e posterior na fêmea; desenvolvimento indireto, com hospedeiro intermediário. ● ***Adj.*** **2.** Pertencente ou relativo a eles.

porocele [De *poro-* + *-cele*[1].] ***S. f.*** *Cir.* Hérnia escrotal em que se nota que as camadas que recobrem o(s) testículo(s) estão espessadas e endurecidas.

porocélico [De *porocele* + *-ico*[2].] ***Adj.*** Referente a porocele.

porócito [De *por(o)-* + *-cito*.] ***S. m.*** *Zool.* Célula chata, perfurada, das esponjas.

porocotó *Bras.* ***S. 2 g. Adj. 2 g.*** V. *purucotó*.

porogamia [De *por(o)-* + *-gam(o)-* + *-ia*[1].] ***S. f.*** *Bot.* Penetração do tubo polínico no óvulo através da micrópila. É o caso geral nos fanerógamos. [Sin.: *acrogamia*. Opõe-se a *calazogamia*.]

porogâmico [De *porogamia* + *-ico*[2].] ***Adj.*** *Bot.* Relativo à porogamia; acrogâmico.

porongo[1] [Do quíchua *poronco*, 'vaso de barro com o gargalo estreito e comprido', pelo esp. plat. *porongo*.] ***S. m.*** **1.** *Bras. L. N.E. Bot.* Trepadeira cucurbitácea (*Lagenaria vulgaris*) originária da África e subespontânea no Brasil, que fornece enormes frutos ocos e de casca dura, com os quais o povo do interior faz as cuias e as cabaças; porongueiro, porangueiro, cabaça, calabaça. **2.** Cuia ou cabaça feita do fruto do porongo; cabaça, calabaça. [Var.: *purunga, purungo*.]

porongo[2] ***S. m.*** *Bras. SE Pop.* V. *cachaça* (1).

porongudo [De *porongo*[1] + *-udo*.] ***Adj.*** *Bras. RS* Diz-se do cavalo que tem nos membros uma grande exostose, que lembra uma cuia ou porongo.

porongueiro [De *porongo*[1] + *-eiro*.] ***S. m.*** *Bras. Bot.* V. *porongo*[1] (1).

pororoca[1] [Do tupi = 'estrondar'.] ***S. f.*** **1.** *Bras.* Macaréu de alguns metros de altura, grande efeito destruidor e forte estrondo, que ocorre próximo à foz do Amazonas e de alguns rios do MA; mupororoca: "Assim que começou a fase da lua cheia, chegou também a pororoca ..... De repente, ouviu-se um estrondo distante. Parecia que o mar tinha se quebrado. Surgiu depois, no horizonte fluvial, um vagalhão imenso, como um Niágara avançando rio adentro. Vinha arrebentando tudo. Destruía o que encontrava pela frente. Solapava .... as ribanceiras das ilhas. Fatias de terra molhada escorregavam, como uma mole, dentro d'água." (Raul Bopp, *Putirum*, p. 206.) [As ondas menores que acompanham a onda principal chamam-se *banzeiros*.] **2.** *Bras. PA* Pipoca (1).

pororoca[2] [F. abrev. de *capororoca*.] ***S. f.*** **1.** *Bras. Zool.* V. *anta*[2] (1). **2.** Designação comum a várias mirsináceas do gênero *Myrsine*. **3.** *Bot.* V. *itu*.

pororocar [De *pororoca*[1] + *-ar*[2].] ***V. int.*** *Bras.* Produzir pororocas (o rio): *O Amazonas pororoca na foz.* [Conjug.: v. *trancar*. Defect., conjugável só nas 3ªs pess.]

pororom *Bras. S.* ***Adj. 2 g.*** **1.** Diz-se de fruta atrofiada ou de qualidade ruim. ● ***S. m.*** **2.** Fruta atrofiada ou de qualidade ruim. **3.** V. *tamboeira* (1).

porosidade [Do lat. med. *porositate*.] ***S. f.*** **1.** Qualidade de poroso. **2.** A relação entre o volume de vazios e o volume total do solo, ou de um material.

porosimetria [De *poroso* + *-i-* + *-metria*.] ***S. f.*** Atividade que consiste em medir a porosidade de materiais.

porosímetro [De *poroso* + *-i-* + *-metro*.] ***S. m.*** Instrumento para caracterização de materiais porosos, medindo volume total e distribuição de poros.

poroso (ô) [De *poro* + *-oso*.] ***Adj.*** **1.** Que tem poros. **2.** *Fig.* Predisposto, tendente, propenso: "Interesse nervoso. Mas, por quê? Por uma terrível e íntima coerência comigo, a obstinação minuciosíssima das naturezas porosas à solidão." (Antônio Carlos Vilaça, *O Nariz do Morto*, p. 127.)

porquanto [De *por* + *quanto*.] ***Conj.*** Por isso que; visto que; porque: *Não foi premiado, porquanto a isso não fez jus.*

porque [De *por* + *que*.] ***Conj.*** Designa causa; em razão de que; pelo motivo de; porquanto: "Eu canto porque o instante existe / e a minha vida está completa." (Cecília Meireles, *Obra Poética*, p. 4.) [Cf. *por que, por quê* e *porquê*.]

porquê [De *por* + *quê*.] ***S. m.*** Causa, motivo, razão: "proclamavam Castilho príncipe dos poetas e seu mestre — e ninguém dizia o porquê." (Antônio Salgado Júnior, em João Gaspar Simões, *Perspectiva da Literatura Portuguesa do Século XIX*, p. 80). [Cf. *porque, por quê* e *por que*.]

porqueira [De *porco* + *-eira*.] ***S. f.*** **1.** Curral de porcos. **2.** Casa imunda. **3.** V. *porcaria* (1 a 3). **4.** Mulher que trata de porcos. **5.** *Bras. S. Pop.* V. *rolo*[1] (16). ● ***S. 2 g.*** **6.** *Bras. S. Deprec.* Pessoa desprezível, ou que é julgada ou tratada como tal: *Lá vem esse porqueira querendo botar banca.* **7.** *Bras. S. Fam.* Pessoa, especialmente criança, sem juízo, turbulenta ou irresponsável. [Sin., nas acepç. 6 e 7: *porcaria, porcalhão, porcalhona*.]

porqueiro [De *porco* + *-eiro*.] ***S. m.*** **1.** Guardador de porcos; porcariço. ● ***Adj.*** **2.** V. *suíno*[1] (1). **3.** Diz-se de uma espécie de abóbora e de uma espécie de couve.

porquinho [De *porco* + *-inho*[1].] ***S. m.*** **1.** Bacorinho. **2.** Molho de fibras de linho.

porquinho-da-índia ***S. m.*** *Zool.* Cobaia (1). [Pl.: *porquinhos-da-índia*.]

porra (ô) [De *porro*.] ***S. f.*** **1.** *Ant.* Clava com saliência arredondada num dos extremos. **2.** *Chulo* O pênis. **3.** *Bras. S. Chulo* V. *esperma*. **4.** *Chulo* Coisa, negócio: "Um dia aceitaria um daqueles tantos convites para assaltar ônibus, padaria, táxi, qualquer porra..." (Paulo Lins, *Cidade de Deus*, p. 12); *Que porra é essa?* ● ***Interj.*** **5.** *Bras. Chulo* Exprime enfado, impaciência, desagrado, etc. [Var. (eufemicamente apocopada), nesta acepç.: *pô*.]

porráceo [Do lat. *porraceu*.] ***Adj.*** Que tem a cor esverdeada do porro (1).

porrada[1] [De *porra* + *-ada*[1].] ***S. f.*** **1.** *Chulo* Pancada com cacete. **2.** *Chulo* Pancada, bordoada (lit. ou fig.): "As fotos mostravam centenas de jovens de cara para o chão, deitados pelo meio de soldados ...., distribuindo botinadas na cabeça, ... mijando na cara dos estudantes deitados .... a brutalidade das cenas .... o exagero sórdido e odioso daquilo tudo .... foi uma porrada na cabeça da cidade" (Ana Maria Machado, *Tropical Sol da Liberdade*, p. 76). **3.** *Bras.* V. *quantidade* (3). "se tudo corresse bem, se arranjasse um emprego, logo, logo compraria uma máquina e uma porrada de lentes." (Paulo Lins, *Cidade de Deus*, p. 12).

porrada[2] [De *porro* + *-ada*[1].] ***S. f.*** *Ant.* Qualquer guisado em que entrem porros.

porradinha [De *porrada*[1] + *-inha*.] ***S. f.*** *Bras. Gír.* Cachaça com guaraná.

porrado [De *porre* + *-ado*[1].] ***Adj.*** *Bras.* Que está no porre. V. *embriagado* (1).

porral [De *porro* + *-al*[1].] ***S. m.*** **1.** Quantidade mais ou menos considerável de porros dispostos proximamente entre si. **2.** Área ocupada por porral (1).

porra-louca ***S. 2 g. Adj. 2 g.*** *Bras. Chulo* Pessoa, ou diz-se de pessoa, que age de maneira inconsequente, irrefletida, que não tem noção de responsabilidade. [Pl.: *porras-loucas*.]

porra-louquice [De *porra-louca* + *-ice*.] ***S. f.*** *Bras. Chulo* Qualidade, ato ou dito de porra-louca; porra-louquismo. [Pl.: *porra-louquices*.]

porra-louquismo [De *porra-louca* + *-ismo*.] ***S. m.*** *Bras. Chulo* Porra-louquice. [Pl.: *porra-louquismos*.]

porrão [Do esp. *porrón*.] ***S. m.*** **1.** Pote ou vasilha de barro, comumente bojuda e de boca e fundo estreitos: "objetos de cerâmica (moringas, quartinhas, alguidares, panelas, frigideiras, porrões e talhas)" (Hermano Requião, *Itapagipe*, p. 92). **2.** *Fig.* Homem baixo e atarracado.

porre [Der. regress. de *porrão*, poss.] ***S. m.*** **1.** *Bras. Pop.* Bebedeira (1) ou embriaguez por outra droga que não o álcool (3). **2.** *Bras. PA* Copo ou dose de cachaça. **3.** *Bras. Gír.* Enfadonho, maçante, chato.

porrecto [Do lat. *porrectu*, 'estendido', 'alongado'.] ***Adj.*** *Bot.* Estendido horizontalmente: *pétala porrecta.*

porreiro ***Adj.*** *Lus. Pop.* **1.** Afável, simples e prestativo. **2.** Muito bonito; lindo. **3.** Bom, excelente. [Sin. bras., nas acepç. 2 e 3: *porreta, caceteiro*.]

porreta (ê) ***Adj. 2 g.*** *Bras. Pop.* Porreiro (2 e 3).

porretaço [De *porrete* + *-aço*.] ***S. m.*** Porretada: "Derreia-os a porretaços ou a taquaraços da frecharia." (Alberto Rangel, *Fura-Mundo!*, pp. 326-327.)

porretada [De *porrete* + *-ada*[1].] ***S. f.*** Pancada com porrete (1); porretaço.

porrete (ê) [De *porra* + *-ete* (ê).] ***S. m.*** **1.** Cacete com uma das extremidades arredondada. **2.** V. *cacete* (1). **3.** *Bras.* Coisa (sobretudo remédio) eficaz e decisiva: "ninguém poderia negar a eficácia das virtuosas águas no combalido organismo. Aquilo fora um porrete" (Cândido Jucá [filho], *Noite Insone*, p. 11).

porrigem [Do lat. *porrigine*.] ***S. f.*** *Patol.* Tinha[1] (1).

porriginoso (ô) [De *porrigem* + *-oso*, seg. o padrão erudito.] ***Adj.*** Que tem porrigem, ou semelhante a ela.

porrilhão [De *porra* + *-ilhão*.] ***S. m.*** *Pop.* Grande quantidade: "A produção de um porrilhão de substâncias orgânicas .... poderia ser grandemente facilitada ....

com a criação desses animais transgênicos." (João Ubaldo Ribeiro, *O Sorriso do Lagarto*, p. 195.)

porrinha [De *porra* + *-inha*.] *S. f. Bras.* Jogo em que os parceiros encerram na mão certo número (entre 0 e 3) de moedas ou palitos de fósforo, para depois, um a um, tentarem adivinhar o total; basquete de bolso, jogo de palitinhos.

porrista [De *porre* + *-ista*.] *Adj. 2 g. S. 2 g. Bras.* Que, ou quem é dado a porres; ébrio.

porro (ô) [Do lat. *porru*.] *S. m.* **1.** *Bot.* Erva liliácea (*Allium porrum*) de origem europeia e cultivada no S. do Brasil. **2.** O bolbo e as folhas dessa planta, empregados na culinária, sobretudo como condimento. [Tb. se usa, nessas acepç., *alho-porro* e *alho-poró*.] **3.** Espécie de calo que se forma no lugar duma fratura.

porta [Do lat. *porta*.] *S. f.* **1.** Abertura em parede, ao nível do solo ou de um pavimento, para dar entrada ou saída: *porta de uma sala, de uma casa, de uma povoação.* **2.** Peça de madeira ou de metal que gira sobre gonzos e fecha essa abertura: *porta entalhada; porta pintada.* **3.** Peça com que se fecham certos móveis, veículos, objetos, etc., à maneira de porta (2): *a porta do oratório; a porta do automóvel.* **4.** Sala, casa, edifício, etc., a que pertence uma determinada porta (2): *Anda de porta em porta.* **5.** Local onde as margens de um rio são estreitas ou alcantiladas. **6.** Outrora, na Ásia, palácio de um monarca. **7.** *Fig.* Ponto por onde se entra ou sai de algum lugar. **8.** *Fig.* Ponto por onde se passa para atingir outro mais distante: *No século XVI Lisboa tornou-se a porta do comércio com o Oriente.* **9.** *Fig.* Maneira de sair de uma dificuldade; solução, recurso, saída: *Encontrou no casamento a porta para seus problemas financeiros.* **10.** *Fig.* Meio de acesso: *O ensino médio bem ministrado é a porta para alto rendimento universitário.* **11.** *Anat.* Veia porta (q. v.). **12.** *Eletrôn.* Eletrodo de certos dispositivos, como, p. ex., capacitor MOS, transistor de efeito de campo e tiristor; eletrodo-porta. **13.** *Inform.* Conector que serve para interligar periféricos, ou outro computador, a um computador. **14.** *Inform.* Conexão virtual com que programas se comunicam e trocam dados. ◆ **Porta analógica.** *Eletrôn.* Dispositivo, ou circuito, que produz um sinal de saída apenas durante um intervalo especificado do sinal de entrada, sinal de saída esse que é função linear do sinal de entrada. **Porta automática.** *Arquit.* Porta que tem comando por sensor, o qual permite sua movimentação pela aproximação de pessoas ou objetos móveis. **Porta basculante.** *Arquit.* Porta com um ou mais batentes móveis, acionados por básculo (2), que proporciona a entrada de ar e luz sem se lhe devassar o interior. **Porta corrediça.** *Arquit.* Porta de correr. **Porta da rua é serventia da casa.** **1.** Diz-se a quem, contrariado, ameaça retirar-se. **2.** Diz-se, num momento de conflito, a pessoa (ger. familiar ou conhecido) insatisfeita ou descontente com certa circunstância domiciliar. [Sin. ger.: *porta da rua, serventia da casa; a porta da rua é serventia da casa.*] **Porta da rua, serventia da casa.** V. *porta da rua é serventia da casa*: "– E se quiser, saia, porta da rua, serventia da casa." (Pedro Nava, *Balão Cativo*, p. 98.) **Porta de correr.** *Arquit.* Porta cuja abertura é feita por meio de deslizamento, no sentido horizontal, da peça de vedação; porta corrediça. **Porta de enrolar.** *Arquit.* Porta metálica cuja peça de vedação desliza verticalmente em trilhos. **Porta de entrada de borboleta.** *Arquit.* V. *porta giratória.* **Porta de pião central.** *Arquit.* V. *porta giratória.* **Porta de sanfona.** *Arquit.* Porta de couro, ou de outro material flexível, que se fecha ou abre mediante retração ou extensão orientadas por pequenos trilhos; porta sanfonada. **Porta de vaivém.** *Arquit.* Porta dotada de molas especiais que lhe permitem abrir-se para dentro e para fora. [Tb. se diz apenas *vaivém* (q. v.).] **Porta dobrável.** *Arquit.* Porta composta por vedamentos leves, articulados entre si, apoiados sobre rodízios, dispostos na parte superior dela ou nas suas laterais. **Porta do leme.** *Constr. Nav.* Parte plana do leme, a qual, atuando sobre o fluxo de água consequente à translação da embarcação, obriga esta a guinar. **Porta falsa.** *Arquit.* Porta disfarçada numa parede ou num muro. **Porta giratória.** *Arquit.* Porta composta por três ou quatro folhas que se interceptam no centro do vão, e são presas por um eixo vertical em torno do qual giram; porta de entrada de borboleta, porta de pião central. **Porta lógica.** *Eletrôn.* Dispositivo, ou circuito, que tem duas ou mais entradas e uma única saída, a qual é chaveada entre dois níveis discretos de tensão (nível lógico baixo e nível lógico alto), dependendo da função lógica aplicada aos sinais de entrada. **Porta pantográfica.** *Arquit. Constr.* Porta constituída por barras metálicas articuladas, dispostas de modo a formarem um gradeado retrátil. **Porta paralela.** V. *interface paralela.* **Porta real.** *Teatr.* A principal das cinco entradas dos cenários clássicos grego e romano, situada ao centro, e por onde entravam e saíam as personagens mais destacadas das tragédias. [Cf. *hospitália*.] **Porta sanfonada.** *Arquit.* Porta de sanfona. **Porta serial.** V. *interface serial.* **Portas adentro.** Dentro de casa; no interior. **A porta da rua é serventia da casa.** V. *porta da rua é serventia da casa.* **A portas cerradas.** Sem participação do público, sem testemunhas, em segredo; a portas fechadas; de portas cerradas, de portas fechadas: "Na Inglaterra seria impossível admitir a uma agregação de oficiais, fossem quais fossem, o direito de julgar a portas cerradas uma querela susceptível de resolver-se em penas infamantes" (Rui Barbosa, *Cartas de Inglaterra*, p. 28). **A portas fechadas.** V. *A portas cerradas.* **Arrombar uma porta aberta.** **1.** Fazer trabalho inútil. **2.** Deter-se na explicação de coisa evidente ou demasiado fácil. **Bater à boa porta.** Pedir a quem se acha em condições de atender. **Bater à má porta.** Pedir a quem é incapaz de atender ou se recusa a fazê-lo. **Bater à porta de alguém.** *Fig.* Recorrer a auxílio alheio. **Bater com a porta.** Fechar a porta com violência. **Bater em todas as portas.** Procurar auxílio em toda a parte. **Casado atrás da porta.** *Bras.* Amancebado, amasiado, amigado. **Dar com a porta na cara de.** **1.** Negar-se a receber (alguém). **2.** Despedir (alguém). **3.** Desfeitear (alguém) em público. **Deixar uma porta aberta.** Não eliminar todas as possibilidades de entendimento. **De porta em porta.** De casa em casa: *Vendia livros de porta em porta.* **De portas cerradas.** V. *A portas cerradas.* **De portas fechadas.** V. *A portas cerradas.* **Entre duas portas.** *Fig.* Com pressa, de passagem: "Aulo, com um orgulho risonho, contou-me, entre duas portas, como tinha conseguido capturar Arsena." (Mário de Carvalho, *Um Deus Passeando pela Brisa da Tarde*, p. 103.) **Entre portas.** À entrada da casa; no limiar. **Errar de porta.** Tomar o bonde errado (q. v.). **Estar à/na porta.** *Fig.* Estar perto, estar quase chegando: *O verão está à porta.* **Fechar as portas.** Encerrar atividade comercial, definitivamente. **Fora de portas.** *Lus.* Fora da cidade, ou vila; nos arrabaldes. **Jogar de porta.** Evitar perder a primeira cartada no jogo do monte. **Não saber a/em que porta bater.** Não saber a quem recorrer. **Pedir por portas.** Mendigar de casa em casa. **Por portas secretas.** Por portas travessas. **Por portas travessas.** Por meios ocultos, indiretos, menos lícitos; graças a intermediários; por portas secretas: "A mulata soube por portas travessas da infidelidade do amigo e seus ciúmes tropicais quase a sufocaram de raiva." (Gustavo Barroso, *A Ronda dos Séculos*, p. 266.) **Sublime Porta.** O governo turco ao tempo dos sultões. **Surdo como uma porta.** Extremamente surdo.

porta-aviões [De *portar*[1] + o pl. de *avião*.] *S. m. 2 n. Impr.* Navio-aeródromo.

porta-bagagem [De *portar*[1] + *bagagem*.] *S. m.* **1.** Porta-malas **2.** V. *bagageiro* (5). [Pl.: *porta-bagagens*.]

porta-balcão [De *porta* + *balcão*.] *S. f. Bras. Arquit.* Porta-janela que se abre sobre balcão (1). [Pl.: *porta-balcões* e *portas-balcão*.]

porta-bandeira [De *portar*[1] + *bandeira*.] *S. m.* **1.** Oficial que conduz a bandeira do regimento. [Sin. (ant.), nesta acepç.: *alferes*.] ● *S. 2 g.* **2.** Pessoa que leva uma bandeira em solenidade ou desfile. **3.** Porta-estandarte (2): "Procura a porta-bandeira / E põe a turma em fileira" (Herivelto Martins, no samba *Laurindo*). [Pl.: *porta-bandeiras*.]

porta-baquetas [De *portar*[1] + o pl. de *baqueta*.] *S. m. 2 n.* Chapa de metal, com dois cilindros, nos quais se enfiam as baquetas quando não se está tocando o tambor.

porta-batel [De *portar*[1] + *batel*.] *S. m. Mar.* Flutuador destinado a fechar um dique seco pelo lado do mar, para o que é levado até o portal do dique, aí ajustado e alagado, fechando, assim, o dique, que em seguida é esgotado. A operação inversa consiste em alagar o dique, e logo depois esgotar o porta-batel, que flutua e é retirado do portal do dique. [Pl.: *porta-batéis*.]

portabilidade [De *portável* (*portabil-*) + *-(i)dade*, seg. o padrão erudito.] *S. f.* **1.** Qualidade do que é portável[2], tranportável. **2.** V. *portabilidade numérica.* **3.** *Inform.* Capacidade que um *hardware* ou um *software* possui de ser conectado a diferentes tipos de computadores. ◆ **Portabilidade numérica.** A faculdade ou possibilidade legal que tem o cliente de serviço de telefonia fixa ou móvel de manter o mesmo número telefônico, desde que na mesma área local (se fixo) ou de registro (se móvel), independentemente da operadora de serviço.

porta-cabos [De *portar*[1] + o pl. de *cabo*[3].] *S. m. 2 n. Mar.* Foguetão com que se arremessa do navio de socorro uma retenida para bordo de uma embarcação encalhada.

porta-cartas [De *portar*[1] + o pl. de *carta*.] *S. m. 2 n.* Bolsa em que o carteiro transporta cartas; carteira.

porta-cartões [De *portar*[1] + o pl. de *cartão*.] *S. m. 2 n.* Caixa, etc., onde se guardam cartões de visita.

porta-chapas [De *portar*[1] + o pl. de *chapa*.] *S. m. 2 n. Fot. Fotograv.* Dispositivo de certas máquinas fotográficas, onde fica a chapa sensibilizada.

porta-chapéus [De *portar*[1] + o pl. de *chapéu*.] *S. m. 2 n.* **1.** Chapeleira (2). **2.** *Bras.* Cabide para chapéus.

porta-chaves [De *portar*[1] + o pl. de *chave*.] *S. m. 2 n.* Chaveiro[1] (3).

porta-cigarros [De *portar*[1] + o pl. de *cigarro*.] *S. m. 2 n.* Cigarreira.

porta-clavina [De *portar*[1] + *clavina*.] *S. m.* Peça de couro que suspende a clavina. [Pl.: *porta-clavinas*.]

porta-cocheira [De *porta* + *cocheira*.] *S. f.* Porta ou portão largo de uma habitação, por onde passam carros: "Pela porta-cocheira, trafegam os serviçais que entram e saem, ocupados em seus misteres." (Eduardo Frieiro, *O Mameluco Boaventura*, p. 97.) [Pl.: *portas-cocheiras*.]

porta-colo [Alter. de *protocolo*.] *S. m.* Pasta de estudante. [Pl.: *porta-colos*.]

portada [De *porta* + *-ada*[1].] *S. f.* **1.** Grande porta, em geral com ornatos; portal, pórtico: *As portadas das igrejas barrocas brasileiras são tratadas em pedra-sabão.* **2.** V. *fachada principal.* **3.** *Bibliogr.* Página de rosto ornamental, especialmente a gravada com motivos arquitetônicos, etc. [Sin., nesta acepç.: *folha de rosto gravada, página de rosto gravada, frontispício* e (p. us.) *rosto gravado*.]

portador (ô) [Do lat. *portatore*.] *Adj.* **1.** Que porta ou conduz, ou traz consigo, ou em si: "As necessidades da guerra e da caça sugeriram o uso, entre as populações primitivas de todos os continentes, de flechas portadoras de venenos." (Paulo E. de Berredo Carneiro, *O 'Curare', Veneno das Flechas na Amazônia*, p. 21.) ~ V. *onda —a.* ● *S. m.* **2.** Aquele que porta ou conduz: *portador de armas, de notícias, de moléstia infecciosa.* **3.** Aquele que, em nome de outrem, leva a qualquer destino carta, encomenda, etc. **4.** Possuidor de títulos ou documentos que devem ser pagos a quem os apresente. **5.** *Fís.* Num semicondutor, a entidade (elétron ou buraco) por meio da qual se faz o transporte de carga elétrica; portador de carga. **6.** *E. Ling.* Suporte (4). **7.** *Bras.* Carregador (2). ◆ **Portador de carga.** *Fís.* Portador (5). **Portador de necessidades educativas especiais.** *Educ.* V. *portador de necessidades especiais.* **Portador de necessidades especiais.** *Educ.* Indivíduo que apresenta, em caráter permanente ou temporário, algum tipo de deficiência física, sensorial, cognitiva, ou múltipla, ou condutas típicas (v. *conduta típica*), ou altas habilidades (q. v.), necessitando, por isso, de recursos especializados para desenvolver mais plenamente o seu potencial e/ou superar, ou minimizar, suas dificuldades. [No contexto escolar, costuma ser chamado *portador de necessidades educativas especiais*.] **Portador majoritário.** *Eletrôn.* Num semicondutor dopado, portador (5) que, estatisticamente, ocorre em maior número, como resultado dos processos de geração e recombinação de elétrons e buracos. **Portador minoritário.** *Eletrôn.* Num semicondutor dopado, portador (5) que, estatisticamente, ocorre em menor número, como resultado dos processos de geração e recombinação de elétrons e buracos. **Ao portador.** **1.** Em que não figura o nome a quem se destina (diz-se de carta ou documento). **2.** Diz-se de cheque ou título, em que não figura o nome da pessoa para a qual foi emitido; pagável, portanto, àquele que o apresentar.

portadora (ô) [F. subst. do adj. *portador*.] *S. f. Telec.* Onda portadora (q. v.).

porta e janela *S. f. Bras.* Casa de uma porta e uma janela: "Os olhos de Mariana .... dão com o carro funerário, negro, quatro penachos, recolhendo um corpo envolto em lençol, na porta e janela aos fundos da casa de Sinhazinha Dourado." (Josué Montelo, *Os Degraus do Paraíso*, p. 24.) [Pl.: *porta e janelas*. Cf. *meia-morada* e *morada-inteira*.]

porta-emendas [De *portar*[1] + o pl. de *emenda*.] *S. m. 2 n. Tip.* Espécie de componedor de madeira usado para transportar os tipos necessários às emendas de máquina.

porta-enxerto [De *portar*[1] + *enxerto*.] *S. m.* V. *cavalo*[1] (3). [Pl.: *porta-enxertos*.]

porta-espaços [De *portar*[1] + o pl. de *espaço*.] *S. m. 2 n. Art. Gráf.* Eixo onde se colocam os discos e os espaços da pautadora.

porta-espada [De *portar*[1] + *espada*.] *S. m.* Peça localizada no lado esquerdo do selim, e que serve para suspender e segurar a espada. [Pl.: *porta-espadas*.]

porta-estandarte [De *portar*[1] + *estandarte*.] *S. 2 g.* **1.** Pessoa que conduz o estandarte. **2.** *Bras. RJ* Moça que, nos desfiles, leva o estandarte das escolas de samba, fazendo graciosas evoluções; porta-bandeira. [Pl.: *porta-estandartes*.]

P

porta-flores [De *portar*[1] + o pl. de *flor.*] *S. m. 2 n.* Floreira (1).

porta-fólio [De *portar*[1] + *fólio.*] *S. m.* **1.** Pasta de cartão usada para guardar papéis, desenhos, estampas, etc.; portfólio **2.** *P. ext.* Material diverso que se utiliza para apresentação profissional ou comercial; portfólio. [Pl.: *porta-fólios*. Cf. *book* e *composite.*]

porta-frasco [De *portar*[1] + *frasco.*] *S. m.* Cordão onde pendura o polvorinho quem vai à caça. [Pl.: *porta-frascos.*]

portagão [De *porta* + *-g-* + *-ão*[1].] *S. m.* Porta de dique ou represa; comporta.

porta-garrafas [De *portar*[1] + o pl. de *garrafa.*] *S. m. 2 n.* Caixa de madeira ou de plástico destinada ao transporte de garrafas, e provida de compartimentos onde estas são acondicionadas.

portageiro [De *portagem* + *-eiro.*] *S. m.* Cobrador dos direitos de portagem.

porta-gelo [De *portar*[1] + *gelo.*] *S. m.* Caixa onde se deposita gelo, revestida ou feita de material isolante capaz de conservá-lo. [Pl.: *porta-gelos.*]

portagem [Do fr. *portage.*] *S. f. Lus.* **1.** V. *pedágio* (1). **2.** V. *pedágio* (2): "Finalmente a portagem. Outra vez. Hoje é a vez quatro mil cento e sessenta que passa a portagem nos últimos nove anos" (José Pacheco Pereira, *O Nome e a Coisa*, p. 37).

porta-guardanapos [De *portar*[1] + o pl. de *guardanapo.*] *S. m. 2 n.* **1.** Peça em que se dispõem guardanapos (em geral de papel) para utilização à mesa, nos balcões dos bares, etc. **2.** Argola ou envelope de pano para guardar, individualmente, os guardanapos usados às refeições.

porta-janela [De *porta* + *janela.*] *S. f. Arquit.* Janela que desce até o solo e que se abre sobre balcão, varanda, sacada, terraço, jardim, etc., funcionando como porta. [Sin.: *janela francesa*. Pl.: *portas-janelas* e *portas-janela.*]

porta-joias (ói) [De *portar*[1] + o pl. de *joia.*] *S. m. 2 n.* Pequeno vaso, caixa, cofre, etc., onde se guardam joias; guarda-joias. ❖

porta-jornais [De *portar*[1] + o pl. de *jornal.*] *S. m. 2 n.* Peça ou utensílio onde se depositam jornais.

portal [De *porta* + *-al*[1].] *S. m.* **1.** A porta principal, ou o conjunto das portas principais, dum edifício nobre, ou de templo, em geral artisticamente ornamentadas; pórtico, portela, portador: *o portal de Notre Dame.* **2.** *Constr.* V. *marco*[1] (5). **3.** *Inform.* Sítio cuja página inicial oferece ao usuário serviços como correio eletrônico, *chats*, informações e *links* para outras páginas da *Web*. ● *Adj. 2 g.* **4.** *Anat.* Pertencente ou relativo à veia porta.

porta-lanterna [De *portal*[1] + *lanterna.*] *S. m.* Peça metálica das bicicletas, ligada à haste do garfo da roda dianteira. [Pl.: *porta-lanternas.*]

porta-lápis [De *portar*[1] + *lápis.*] *S. m. 2 n.* **1.** Lapiseira. **2.** Peça que se adapta ao lápis para melhor utilizá-lo na escrita ou no desenho.

portalegrense *Adj. 2 g.* **1.** De, ou pertencente ou relativo a Portalegre (Portugal e RN). ● *S. 2 g.* **2.** O natural ou habitante de Portalegre. [Cf. *porto-alegrense.*]

porta-lenços [De *portar*[1] + o pl. de *lenço.*] *S. m. 2 n.* Utensílio próprio para guardar lenços.

porta-leque [De *portar*[1] + *leque.*] *S. m.* Utensílio onde se traz o leque. [Pl.: *porta-leques.*]

porta-livros [De *portar*[1] + o pl. de *livro.*] *S. m. 2 n.* Correia com fivela, que os estudantes usam para transportar livros.

portaló [Do cat. *portaló.*] *S. m. Constr. Nav.* Abertura feita na borda, ou passagem na balaustrada, ou, ainda, abertura feita no costado de navio mercante de grande porte, por onde o pessoal entra a bordo e sai de bordo, ou por onde passa a carga leve: "Então revive, mais coordenado e mais nítido aos nossos olhos, o alegre movimento de um tombadilho: os botes que chegam ao portaló; os amigos que se despedem; os beijos que se trocam; as malas que se içam para bordo" (Ramalho Ortigão, *Banhos de Caldas e Águas Minerais*, p. 274). [Nos navios de guerra brasileiros, o portaló de boreste é considerado portaló de honra.]

porta-luvas [De *portar*[1] + o pl. de *luva.*] *S. m. 2 n.* Pequeno compartimento, em geral na parte direita do painel dos automóveis, para guardar documentos e pequenos objetos.

porta-maça [De *portar*[1] + *maça.*] *S. m.* V. *maceiro* (2). [Pl.: *porta-maças.*]

porta-machado [De *portar*[1] + *machado.*] *S. m.* Soldado munido de machado, para trabalhos de sapa. [Pl.: *porta-machados.*]

porta-malas [De *portar*[1] + o pl. de *mala.*] *S. m. 2 n.* A parte dum veículo destinada ao transporte de bagagem; porta-bagagem.

porta-marmita [De *portar*[1] + *marmita.*] *S. m.* Caixa de folha de flandres na qual se levam as marmitas do rancho para os soldados que se acham de serviço fora do quartel. [Pl.: *porta-marmitas.*]

portamento [Do it. *portamento.*] *S. m. Mús.* **1.** Modo de execução, quer vocal, quer instrumental, que consiste em ligar dois sons separados por um intervalo grande, em geral ascendente, passando rápido por todas as notas intermediárias. [Cf. *glissando* (1 e 2).] **2.** Ornamento melódico que consiste na rápida antecipação da nota real.

porta-mitra [De *portar*[1] + *mitra.*] *S. m. Ecles.* Eclesiástico que, em certas solenidades, leva nas mãos a mitra do prelado. [Pl.: *porta-mitras.*]

porta-morteiro *S. m.* Veículo aparelhado de morteiros. [Pl.: *porta-morteiros.*]

portância [Do fr. *portance.*] *S. f.* Componente vertical de sustentação da aeronave em voo, *i. e.*, a força que, opondo-se diretamente ao peso da aeronave, a mantém no ar.

porta-negativo [De *portar*[1] + *negativo.*] *S. m. Tip.* Caixilho que encerra as matrizes intercambiáveis da monofoto, constituídas de negativos que contêm letras de cerca de oito pontos, as quais podem ser reduzidas ou ampliadas, para composição em filme, mediante sistemas de objetivas, prismas e espelhos. [Pl.: *porta-negativos.*]

portanense *Adj. 2 g.* **1.** De, ou pertencente ou relativo a Portão (RS). ● *S. 2 g.* **2.** O natural ou habitante de Portão.

porta-níqueis [De *portar*[1] + *níquel*[1].] *S. m. 2 n. Bras.* Pequena bolsa em que se levam moedas. [Sin., no RS: *niqueleira.*]

porta-novas [De *portar*[1] + o pl. de *nova.*] *S. 2 g. e 2 n.* **1.** Aquele que gosta de dar novidades; noveleiro, novidadeiro. **2.** Indivíduo bisbilhoteiro, mexeriqueiro.

portante [De *portar*[1] + *-nte.*] *Adj. 2 g.* Que porta ou leva.

portanto [De *por* + *tanto.*] *Conj.* Logo; por conseguinte; consequentemente: *Seu carro está ruim, portanto não viaje nele.*

portão [De *porta* + *-ão*[1].] *S. m.* **1.** Porta grande; portada. **2.** Porta de madeira ou de ferro, ger. trabalhada, que dá acesso ao jardim ou ao quintal de uma casa. **3.** *P. ext.* A porta da rua. **4.** *Bras.* Barranco alto na região do rio São Francisco.

porta-objeto [De *portar*[1] + *objeto.*] *S. m.* Lâmina retangular de vidro, sobre a qual se coloca o objeto que vai ser observado por microscópio. [Pl.: *porta-objetos.*]

porta-original [De *portar*[1] + *original.*] *S. m. Tip.* Divisório (5). [Pl.: *porta-originais.*]

porta-página [De *portar*[1] + *página.*] *S. m. Tip.* Papel forte, dobrado várias vezes, no qual o tipógrafo transporta granéis ou páginas de composição. [Sin. (p. us.): *porta-paquê*. Pl.: *porta-páginas.*]

porta-paquê [De *portar*[1] + *paquê.*] *S. m. Tip.* **1.** *P. us.* Porta-página. **2.** Paqueteiro[1] (2). [Pl.: *porta-paquês.*]

porta-paz [De *portar*[1] + *paz.*] *S. m.* Quadro com uma cruz ou imagem, que se dá a beijar por ocasião de certas missas; osculatório. [Pl.: *porta-pazes.*]

porta-pedra [De *portar*[1] + *pedra.*] *S. m.* Pequeno instrumento onde se põe a substância que serve para cauterizar. [Pl.: *porta-pedras.*]

porta-penas [De *portar*[1] + o pl. de *pena*[1].] *S. m. 2 n.* Tubo em que se encaixam as penas para escrever; caneta.

porta-pneumático [De *portar*[1] + *pneumático.*] *S. m.* Acessório do automóvel onde se guardam pneumáticos de sobressalente. [Pl.: *porta-pneumáticos.*]

porta-pontas [De *portar*[1] + o pl. de *ponta.*] *S. m. 2 n. Grav.* Haste em que se fixa a ponta do água-fortista, quando não constitui instrumento inteiriço. [V. *ponta* (14).]

portar[1] [Do lat. *portare.*] *V. t. d.* **1.** Carregar consigo; levar, conduzir: *Um menino portava encomendas.* *T. i.* **2.** *Marinh.* Exercer esforço de tração sobre alguma coisa: *O navio está portando pela amarra.* *T. d. e i.* **3.** *Inform.* Adaptar (programa) para que possa ser executado em uma plataforma computacional diferente. *Int.* **4.** *Marinh.* Achar-se (um cabo) submetido a esforço de tração: *O cabo está portando.* *P.* **5.** Agir, proceder (de certa maneira); haver-se, comportar-se: "O pequeno, enquanto se achou novato em casa do padrinho, portou-se com toda a sisudez e gravidade" (Manuel Antônio de Almeida, *Memórias de um Sargento de Milícias*, p. 119). [Pres. ind.: *porto*, etc. Cf. *porto* (ô), s. m., e *Porto* (ô), antr. e top.]

portar[2] [De *porto*[1] + *-ar*[2].] *V. int.* **1.** *Desus.* Chegar ao porto; fundear, aportar: *O navio portará pela manhã.* **2.** Ir ter a determinado lugar: *A expedição portará em dois meses.* [Pres. ind.: *porto*, etc. Cf. *porto* (ô), s. m., e *Porto* (ô), antr. e top.]

porta-rede [De *portar*[1] + *rede.*] *S. m. Pesc.* Barco que, em pescarias de alto-mar, conduz a rede. [Pl.: *porta-redes.*]

porta-relógio [De *portar*[1] + *relógio.*] *S. m.* Utensílio onde se acomoda o relógio quando está fora do bolso. [Pl.: *porta-relógios.*]

porta-retícula [De *portar*[1] + *retícula.*] *S. m. Fotograv.* Caixilho que sustenta a retícula, nas câmaras fotográficas destinadas aos processos fotomecânicos. [Pl.: *porta-retículas.*]

porta-retratos [De *portar*[1] + o pl. de *retrato.*] *S. m. 2 n.* Moldura (1) de metal, ou madeira, ou couro, etc., ou armação análoga, em geral com um fundo, e com um tampo de vidro, plástico, etc., na qual se põem fotografias sobre os móveis.

porta-revistas [De *portar*[1] + o pl. de *revista.*] *S. m. 2 n.* Pequeno móvel ou receptáculo, onde se colocam revistas, jornais, etc.

portaria [De *porta* + *-aria.*] *S. f.* **1.** Vestíbulo de edifício, ou de estabelecimento ou de repartição onde há, de ordinário, um porteiro ou pessoa encarregada de prestar informações, receber correspondência, etc. **2.** Porta principal de convento. **3.** Átrio de convento. **4.** Documento de ato administrativo de qualquer autoridade pública, que contém instruções acerca da aplicação de leis ou regulamentos, recomendações de caráter geral, normas de execução de serviço, nomeações, demissões, punições, ou qualquer outra determinação de sua competência. **5.** *Ant.* Cargo ou ofício de porteiro. **6.** *Bras. Restr.* Ato escrito da autoridade judicial ou policial, em que, excepcionalmente, se articula acusação contra alguém, por prática de contravenção, encetando-se com ela a ação penal de ofício.

porta-seios [De *portar*[1] + o pl. de *seio.*] *S. m. 2 n.* V. *sutiã*: "Abrindo a blusa, despi o porta-seios, atraí para mim sua cabeça, com as duas mãos." (Osmã Lins, *Nove, Novena*, p. 66.)

porta-sementes [De *portar*[1] + o pl. de *semente.*] *S. m. 2 n. Bot.* **1.** Planta cultivada, em especial para produção de sementes. **2.** Árvore que se poupa ao corte, nos matos, para colher semente; árvore-mãe, sementão.

portátil [De *portar*[1] + term. de voc. como *volátil.*] *Adj. 2 g.* **1.** De fácil transporte: *máquina de escrever portátil*; "o livro grosso .... transformou-se ...., dividiu-se em *cadernetas*, voluminho portátil" (Latino Coelho, *Tipos Nacionais*, p. 81). **2.** De pequeno volume e/ou pouco peso. **3.** Que se pode armar e desarmar, sendo, pois, mais ou menos facilmente transportável: *altar portátil.* [Pl.: *portáteis.*]

porta-toalhas [De *portar*[1] + o pl. de *toalha.*] *S. m. 2 n. Bras.* Cabide ou haste disposta horizontalmente para nela se pendurarem toalhas nos banheiros e lavabos.

portável[1] [Do fr. *portable.*] *Adj. 2 g. Jur.* **1.** Diz-se da obrigação ou dívida que se tem de pagar no domicílio do credor. **2.** Diz-se do pagamento que assim se faz.

portável[2] [Do lat. *portabile.*] *Adj. 2 g.* Que se pode portar ou levar.

porta-voz [De *portar*[1] + *voz.*] *S. m.* **1.** Instrumento semelhante a uma trombeta, usado para reforçar a voz de quem fala por ele. ● *S. 2 g.* **2.** *Fig.* Pessoa que fala, não raro oficialmente, em nome de outrem. [Pl.: *porta-vozes.*]

porte [Dev. de *portar*[1].] *S. m.* **1.** Ato de conduzir ou trazer. **2.** Transporte, carga. **3.** Preço de transporte ou de franquia de correspondência. **4.** Aspecto físico; aparência. **5.** O modo por que alguém apresenta o corpo; apresentação, atitude, postura: *um porte altivo.* **6.** Modo de se comportar; comportamento. **7.** *Fig.* Importância, valor, vulto, alcance: *empresa de grande porte.* **8.** *Bot.* Aspecto e tamanho: *planta de porte arbóreo.* **9.** *Mar. Merc.* Diferença entre o deslocamento leve e o deslocamento em plena carga de um navio mercante; peso necessário, compreendendo passageiros, tripulação, combustível e mantimentos, para levar um navio mercante do calado mínimo ao calado máximo. [Cf., nesta acepç., *tonelagem de arqueação.*]

portear [De *porte* + *-ear*[2].] *V. t. d.* Selar devidamente (carta ou qualquer correspondência postal). [Conjug.: v. *frear.*]

→ **porte-bonheur** [pɔʀt bɔnœʀ] [Fr.] *S. m. 2 n.* Objeto a que se atribui a faculdade de tornar feliz quem o usa ou possui; mascote.

porteira [Fem. de *porteiro*[1].] *S. f.* **1.** Mulher encarregada de porta ou portaria. **2.** Mulher de porteiro. **3.** Portão de entrada em propriedades rurais. **4.** Cancela (1).

porteirense *Adj. 2 g.* **1.** De, ou pertencente ou relativo a Porteiras (CE). ● *S. 2 g.* **2.** O natural ou habitante de Porteiras.

porteirinhense *Adj. 2 g.* **1.** De, ou pertencente ou relativo a Porteirinha (MG). ● *S. 2 g.* **2.** O natural ou habitante de Porteirinha.

porteiro[1] [De *porta* + *-eiro.*] *S. m.* Homem que guarda porta ou portaria; guarda-portão. ◆ **Porteiro dos auditórios.** *Jur.* Serventuário da justiça incumbido de apregoar e abrir e encerramento das audiências, afixar editais, e apregoar nas audiências, hastas públicas e licitações.

porteiro[2] [De *porte* + *-eiro.*] *S. m. Ant.* Cobrador de direitos reais.

porteiro-eletrônico [De *porteiro*[1] + *eletrônico.*] *S. m.* Num edifício, mecanismo eletrônico instalado para permitir a comunicação verbal entre a portaria, ou cada uma de suas unidades, e alguém que pretende entrar. [Pl.: *porteiros-eletrônicos*.]

porteiro-mor [De *porteiro* + *mor*[1].] *S. m.* O principal dos porteiros. [Pl.: *porteiros-mores*.]

portela [Do lat. *portella*, por *portula*.] *S. f.* **1.** V. *portal* (1). **2.** Ângulo ou cotovelo de estrada ou de caminho. **3.** Passagem estreita entre montes. **4.** *Ant.* Pequena porta.

portelandense *Adj. 2 g.* **1.** De, ou pertencente ou relativo a Portelândia (GO). • *S. 2 g.* **2.** O natural ou habitante de Portelândia.

portelense[1] *Adj. 2 g.* **1.** De, ou pertencente ou relativo a Portel (PA). • *S. 2 g.* **2.** O natural ou habitante de Portel.

portelense[2] *Adj. 2 g.* **1.** De, ou pertencente ou relativo a Tenente Portela (RS). • *S. 2 g.* **2.** O natural ou habitante de Tenente Portela.

portelense[3] *Bras. Adj. 2 g.* **1.** Pertencente ou relativo ao Grêmio Recreativo Escola de Samba Portela. • *S. 2 g.* **2.** Membro ou grande admirador dessa escola de samba.

portenho [Do esp. *porteño*.] *Adj.* **1.** De, ou pertencente ou relativo a Buenos Aires, capital da República Argentina. • *S. m.* **2.** O natural de Buenos Aires. [Sin. ger.: *buenairense*, *bonaerense*.]

portense *Adj. 2 g.* **1.** De, ou pertencente ou relativo a Porto Esperidião (MT). • *S. 2 g.* **2.** O natural ou habitante de Porto Esperidião.

portento [Do lat. *portentu*.] *S. m.* **1.** Coisa ou sucesso maravilhoso; prodígio: "Daquela estátua de Apolo, / portento de formosura, / faze, Batilo, o meu bem" (Antônio Feliciano de Castilho, *A Lírica de Anacreonte*, p. 83). **2.** Pessoa de inteligência e/ou saber incomuns.

portentoso (ô) [Do lat. *portentosu*.] *Adj.* **1.** Que tem o caráter de portento; maravilhoso, prodigioso, assombroso. **2.** Insólito, raro, extraordinário. **3.** Talentoso e/ou inteligente e/ou culto em altíssimo grau.

porte-pago *S. m.* Serviço especial oferecido pelo correio, que elimina a necessidade de selagem. [Pl.: *portes-pagos*.]

portfólio [Do ingl. *portfolio*, alter. do it. *portafoglio*.] *S. m.* **1.** V. *porta-fólio*. **2.** *Econ.* Carteira (8).

pórtico [Do lat. *porticu*.] *S. m.* **1.** *Arquit.* Galeria com colunata ou arcada, construída na entrada de um edifício. **2.** V. *portal* (1): "o pórtico é baixo, obrigando a arriar o andor à saída, levantar de novo no adro" (M. Cavalcanti Proença, *Uniforme de Gala*, p. 41). **3.** *Astron.* Estrutura em forma de pórtico, com plataforma em diversos níveis, utilizada para erigir mísseis, antes do lançamento.

portilha [De *porta* + *-ilha*.] *S. f. Desus.* Seteira (2).

portilho [De *porto*[1] + *-ilho*.] *S. m.* Pequeno porto[1] (1 a 5).

portimonense *Adj. 2 g.* **1.** De, ou pertencente ou relativo a Portimão (Portugal). • *S. 2 g.* **2.** O natural ou habitante de Portimão.

portinhola [De *porta* + *-inha* + *-ola*[1].] *S. f.* **1.** Pequena porta. **2.** Espécie de pestana ou tira de pano para resguardar a abertura da algibeira. **3.** Braguilha (1). **4.** *Constr. Nav.* Abertura retangular, feita na borda ou no costado de navio, para permitir atirar com canhões, lançar torpedos, etc., ou para dar passagem a pequena carga. **5.** *Constr. Nav.* Aba que fecha tal abertura, ou o portaló.

porto[1] (ô) [Do lat. *portu*.] *S. m.* **1.** *Ant.* Lugar que dá passagem, entrada por terra. **2.** *Ant.* V. *passo*[2] (1). **3.** *Ant.* Abertura ou passagem na mata, por onde a caça costuma transitar e onde se postam os caçadores à espreita. **4.** Lugar da costa ou em um rio, lagoa, etc., que, por oferecer às embarcações certo abrigo, lhes permite fundear ou amarrar e estabelecer contatos ou comunicações com a terra: *Para fugir ao temporal, demandou o porto, onde fundeou e passou a noite.* **5.** Cidade, vila ou povoação que tem junto um porto marítimo, fluvial ou lacustre: *Santos é um bom porto.* **6.** *Fig.* Lugar de descanso ou refúgio. **7.** *Bras.* Praia de rio, lago ou lagoa: *As lavadeiras dirigiam-se ao porto com suas trouxas.* [Pl.: *portos* (ó); dim. irreg.: *portilho*. Cf. *porto*, do v. *portar*.] ◆ **Porto aberto.** V. *porto franco*. **Porto franco.** Aquele em que se pode exercer livremente o comércio internacional, sem pagamento de direitos ou taxas alfandegárias; porto aberto, porto livre. **Porto livre.** V. *porto franco*.

porto[2] (ô) *S. m.* V. *vinho do Porto*: "A canha e o porto avivavam os jogadores." (Ciro Martins, *Paz nos Campos*, p. 10.) [Cf. *porto*, do v. *portar*.]

porto-acrense *Adj. 2 g.* **1.** De, ou pertencente ou relativo a Porto Acre (AC). • *S. 2 g.* **2.** O natural ou habitante de Porto Acre. [Pl.: *porto-acrenses*.]

porto-alegrense[1] *Adj. 2 g.* **1.** De, ou pertencente ou relativo a Porto Alegre, capital do Estado do Rio Grande do Sul. • *S. 2 g.* **2.** O natural ou habitante de Porto Alegre. [Pl.: *porto-alegrenses*. Cf. *portalegrense*.]

porto-alegrense[2] *Adj. 2 g.* **1.** De, ou pertencente ou relativo a Porto Alegre do Norte (MT). • *S. 2 g.* **2.** O natural ou habitante de Porto Alegre do Norte. [Pl.: *porto-alegrenses*.]

porto-alegrense-do-tocantins *Adj. 2 g.* **1.** De, ou pertencente ou relativo a Porto Alegre do Tocantins (TO). • *S. 2 g.* **2.** O natural ou habitante de Porto Alegre do Tocantins. [Pl.: *porto-alegrenses-do-tocantins*.]

porto-amazonense *Adj. 2 g.* **1.** De, ou pertencente ou relativo a Porto Amazonas (PR). • *S. 2 g.* **2.** O natural ou habitante de Porto Amazonas. [Pl.: *porto-amazonenses*.]

porto-belano *Adj. S. m.* Porto-belense [Pl.: *porto-belanos*.]

porto-belense *Adj. 2 g.* **1.** De, ou pertencente ou relativo a Porto Belo (SC). • *S. 2 g.* **2.** O natural ou habitante de Porto Belo. [Sin. ger.: *porto-belano*. Pl.: *porto-belenses*.]

porto-calvense *Adj. 2 g.* **1.** De, ou pertencente ou relativo a Porto Calvo (AL). • *S. 2 g.* **2.** O natural ou habitante de Porto Calvo. [Pl.: *porto-calvenses*.]

porto-estrelense *Adj. 2 g.* **1.** De, ou pertencente ou relativo a Porto Estrela (MT). • *S. 2 g.* **2.** O natural ou habitante de Porto Estrela. [Pl.: *porto-estrelenses*.]

porto-felicense *Adj. 2 g.* **1.** De, ou pertencente ou relativo a Porto Feliz (SP). • *S. 2 g.* **2.** O natural ou habitante de Porto Feliz. [Pl.: *porto-felicenses*.]

porto-firmense *Adj. 2 g.* **1.** De, ou pertencente ou relativo a Porto Firme (MG). • *S. 2 g.* **2.** O natural ou habitante de Porto Firme. [Pl.: *porto-firmenses*.]

porto-folhense *Adj. 2 g.* **1.** De, ou pertencente ou relativo a Porto da Folha (SE). • *S. 2 g.* **2.** O natural ou habitante de Porto da Folha. [Pl.: *porto-folhenses*.]

porto-franquino *Adj.* **1.** De, ou pertencente ou relativo a Porto Franco (MA). • *S. m.* **2.** O natural ou habitante de Porto Franco. [Pl.: *porto-franquinos*.]

porto-gauchense (a-u) *Adj. 2 g.* **1.** De, ou pertencente ou relativo a Porto dos Gaúchos (MT). • *S. 2 g.* **2.** O natural ou habitante de Porto dos Gaúchos. [Pl.: *porto-gauchenses*.]

porto-lucenense *Adj. 2 g.* **1.** De, ou pertencente ou relativo a Porto Lucena (RS). • *S. 2 g.* **2.** O natural ou habitante de Porto Lucena. [Pl.: *porto-lucenenses*.]

porto-mauense *Adj. 2 g.* **1.** De, ou pertencente ou relativo a Porto Mauá (RS). • *S. 2 g.* **2.** O natural ou habitante de Porto Mauá. [Pl.: *porto-mauenses*.]

porto-mosense *Adj. 2 g. S. 2 g.* V. *porto-mozense*.

porto-mozense *Adj. 2 g.* **1.** De, ou pertencente ou relativo a Porto de Moz (PA). • *S. 2 g.* **2.** O natural ou habitante de Porto de Moz. [Pl.: *porto-mozenses*.]

porto-pedrense *Adj. 2 g.* **1.** De, ou pertencente ou relativo a Porto de Pedras (AL). • *S. 2 g.* **2.** O natural ou habitante de Porto de Pedras. [Pl.: *porto-pedrenses*.]

porto-realense *Adj. 2 g.* **1.** De, ou pertencente ou relativo a Porto Real (RJ). • *S. 2 g.* **2.** O natural ou habitante de Porto Real. [Pl.: *porto-realenses*.]

porto-riquenho [Do esp. *portorriqueño*.] *Adj.* **1.** De, ou pertencente ou relativo a Porto Rico (Antilhas). • *S. m.* **2.** O natural ou habitante de Porto Rico. [Pl.: *porto-riquenhos*. Sin.: *porto-riquense*.]

porto-riquense *Adj. 2 g.* **1.** De, ou pertencente ou relativo a Porto Rico (PR). **2.** V. *porto-riquenho* (1). • *S. 2 g.* **3.** O natural ou habitante de Porto Rico (PR). **4.** V. *porto-riquenho* (2). [Sin. ger. (só aplicável ao do PR): *portuense*. Pl.: *porto-riquenses*.]

porto-seco [De *porto*[1] + *seco*.] *S. m. Bras. RJ* Armazém de grande sortimento de mercadorias, secos, molhados e tecidos; espécie de bazar. [Pl.: *portos-secos*.]

porto-segurense *Adj. 2 g.* **1.** De, ou pertencente ou relativo a Porto Seguro (BA). • *S. 2 g.* **2.** O natural ou habitante de Porto Seguro. [Pl.: *porto-segurenses*.]

porto-unionense *Adj. 2 g.* **1.** De, ou pertencente ou relativo a Porto União (SC). • *S. 2 g.* **2.** O natural ou habitante de Porto União. [Pl.: *porto-unionenses*.]

porto-velhense *Adj. 2 g.* **1.** De, ou pertencente ou relativo a Porto Velho, capital do Estado de Rondônia. • *S. 2 g.* **2.** O natural ou habitante de Porto Velho. [Pl.: *porto-velhenses*.]

porto-vera-cruzense *Adj. 2 g.* **1.** De, ou pertencente ou relativo a Porto Vera Cruz (RS). • *S. 2 g.* **2.** O natural ou habitante de Porto Vera Cruz. [Pl.: *porto-vera-cruzenses*.]

porto-vitoriense *Adj. 2 g.* **1.** De, ou pertencente ou relativo a Porto Vitória (PR). • *S. 2 g.* **2.** O natural ou habitante de Porto Vitória. [Pl.: *porto-vitorienses*.]

porto-waltense *Adj. 2 g.* **1.** De, ou pertencente ou relativo a Porto Walter (AC). • *S. 2 g.* **2.** O natural ou habitante de Porto Walter. [Pl.: *porto-waltenses*.]

porto-xavierense *Adj. 2 g.* **1.** De, ou pertencente ou relativo a Porto Xavier (RS). • *S. 2 g.* **2.** O natural ou habitante de Porto Xavier. [Pl.: *porto-xavierenses*.]

→ **portrait-charge** [pɔʀ'tʀɛ ʃaʀʒ] [Fr.] *S. m.* Retrato caricatural.

→ **port-salut** [pɔʀ sa'ly] [Fr., marca registrada.] *S. m. Cul.* Queijo de leite de vaca pasteurizado, de sabor forte e adocicado e crosta lavada, fabricado em Mayenne (O. da França).

portuário [De *porto*[1] + *-uário*.] *Adj.* **1.** Relativo a porto[1] (4). • *S. m.* **2.** Indivíduo que trabalha no porto. **3.** Funcionário do serviço portuário.

portucho [Var. de *pertucho* < it. *pertugio*.] *S. m.* Cada um dos orifícios da fieira dos ourives.

portuense[1] *Adj. 2 g.* **1.** Do, ou pertencente ou relativo ao Porto (Portugal e PI). • *S. 2 g.* **2.** O natural ou habitante do Porto. [Sin. ger. (só aplicável ao do PR): *porto-riquense*; (deprec.), como s. m., e só aplicável ao de Portugal: *tripeiro*.]

portuense[2] *Adj. 2 g.* **1.** De, ou pertencente ou relativo a Porto Nacional (TO). • *S. 2 g.* **2.** O natural ou habitante de Porto Nacional.

portuense[3] *Adj. 2 g.* **1.** De, ou pertencente ou relativo a Senhora do Porto (MG). • *S. 2 g.* **2.** O natural ou habitante de Senhora do Porto.

portuga [F. red. de *português*.] *S. 2 g. Bras. Deprec.* Português (2): "muito haverá que dizer noutra parte sobre a missa das nove e esses portugas que nos roubavam namoradas." (Ciro dos Anjos, *A Menina do Sobrado*, p. 47). [V. *galego* (4).]

portugalizar [Do top. *Portugal* + *-izar*.] *V. t. d.* Conferir o caráter português a.

português [Do lat. vulg. *portucalense*.] *Adj.* **1.** De, ou pertencente ou relativo a Portugal, ou a português (3). ~ V. *guitarra —a* e *pedra —a*. • *S. m.* **2.** O natural ou habitante de Portugal. [Sin., nesta acepç., *portuga* (deprec.) e *caputo* (angol.).] **3.** *Gloss.* Língua românica oficial de Portugal, do Brasil, de Angola, Cabo Verde, Guiné-Bissau, Moçambique, São Tomé e Príncipe e Timor-Leste, também falada nas ex-colônias portuguesas Goa (Índia) e Macau (China), e que serviu de base lexical a diversos crioulos [v. *crioulo* (12)] da Ásia, da África, da América e da Oceania. [Apresenta duas variedades tidas como padrão: a do Brasil, restrita a este país, e a de Portugal, oficial para os outros seis. Em virtude da imigração, é ainda falada em diversos outros países, tais como o Canadá, a França, os E.U.A., a Alemanha.] [V. *falar* (29) e *codialeto*.] [Flex.: *portuguesa* (ê), *portugueses* (ê), *portuguesas* (ê). Cf. *portuguesas*, *portuguesa* e *portugueses*, do v. *portuguesar*.] ◆ **Falar em bom português.** Falar português claro (q. v.). **Falar português claro.** Dizer as coisas como são, ou como deveriam ser, com toda a franqueza; falar em bom português.

portuguesar [De *português* + *-ar*[2].] *V. t. d. P. P. us.* Aportuguesar. [Pres. ind.: *portugueso*, *portuguesas*, *portuguesa*, etc.; pres. subj.: *portuguese*, *portugueses*, etc. Cf. *portuguesa* (ê), *portuguesas* (ê), *portugueses* (ê), flex. de *português*.]

→ **português-basu** [portu'ges 'basu] [Cristão, 'português baixo'.] *S. m. Gloss. Deprec.* V. *cristão* (5).

portuguesismo [De *português* + *-ismo*.] *S. m.* **1.** *E. Ling.* Locução ou idiotismo próprio da língua portuguesa. **2.** Modismo próprio da linguagem do português lusitano; lusitanismo. **3.** Caráter distintivo do português e/ou de Portugal. **4.** Sentimento de amor a Portugal, ao seu povo, e/ou às coisas portuguesas.

portulaca [Do tax. *Portulaca*.] *S. f.* **1.** *Bot.* O gênero-tipo das portulacáceas, ervas suculentas nativas, ger., de regiões tropicais, dotadas de flores efêmeras, amarelas, róseas, vermelhas, brancas ou purpúreas, com quatro a seis pétalas. **2.** Qualquer espécie desse gênero, como, p. ex., a *Portulaca halimoides* [v. *beldroega* (2)]. **3.** Qualquer espécime desse gênero.

portulacácea [Do tax. *Portulaca* + *-ácea*; tax. *Portulacaceae*.] *S. f. Bot.* Espécime das portulacáceas, família da ordem das cariofilales composta de ervas suculentas cujas flores, hermafroditas e actinomorfas, são ger. vistosas, cujos estames são variáveis em número, e que têm ovário súpero e fruto capsular. Existem umas 600 espécies, na maioria americanas, e poucas brasileiras, como a onze-horas e a beldroega, vulgares entre nós, embora não nativas.

portulacáceo [De *portulacácea*, com var. suf. (v. *-áceo*).] *Adj. Bot.* Pertencente ou relativo às portulacáceas.

portulano [Do it. *portolano*, 'catálogo de portos'.] *S. m. Ant. Náut.* **1.** Espécie de roteiro em que os navegadores da Antiguidade descreviam os pormenores das costas marítimas que descobriam ou frequentavam. [No começo os portulanos abrangiam apenas o Mediterrâneo; estenderam-se depois ao mar Negro, N.O. da costa africana e costa ocidental da Europa até Flandres e as Ilhas Britânicas.] **2.** Mapa adaptado às necessidades da navegação marítima, no qual os pontos do litoral eram localizados por meio dos rumos magnéticos e das distâncias que se estimavam percorridas (donde a imprecisão dos contornos litorâneos neles representados), e que não levava graduações de latitude nem de longitude, mas apresentava linhas de rumo que irradiavam de vários pontos distribuídos pela superfície do mapa: "alcançando além da terra / ignota região lunar,

/ na perturbadora rota / que antigos não palmilharam / mas ficou traçada em branco / nos mais velhos portulanos / e no pó dos marinheiros / afogados em mar alto." (Carlos Drummond de Andrade, *Reunião*, p. 172). [V. *carta rumada*. Cf. *carta de marear*.]

portunhol [De *portu(guês)* + *(espa)nhol*.] *S. m. Burl.* **1.** O resultado da mistura dos códigos (q. v.) português e espanhol. **2.** No aprendizado do espanhol por um falante nativo do português, nível de interlíngua bem distante da língua-alvo. **3.** Vocabulário e fraseologia basicamente pertencentes ao português acrescidos de alguns traços da fonologia e de palavras do espanhol, utilizados por um falante nativo de português que não domina aquela língua.

portunídeo [Do tax. *Portunidae*.] *Zool. S. m.* **1.** Espécime dos portunídeos, família de crustáceos malacostráceos, decápodes, de corpo redondo, oval, no sentido transversal, ou quadrado; o quinto par de pernas é adaptado ao nado, lembrando remos largos e achatados, que se movem formando um oito; algumas espécies usam as patas para cavar; são os mais hábeis nadadores, dentre os crustáceos, e podem mover-se para a frente, para trás e para os lados, com rapidez. ● *Adj.* **2.** Pertencente ou relativo a eles.

portuoso (ô) [Do lat. *portuosu*.] *Adj.* Que tem muitos portos [v. *porto*[1] (4)].

poruca [Do tupi = 'deslocado', 'desconjuntado', poss.] *S. f. Bras.* Peneira onde se escolhe o café em grão.

porunga *S. f. Bras.* Vaso de couro, para líquidos.

poruti *S. f. Bras.* Ave apodiforme, apodídea (*Reinarda squamata*), distribuída de MG para o N., até a Venezuela, de coloração preto-azulada, com as penas marginadas de branco, a parte inferior do corpo branca, com sombreado preto, e cauda fundamente recortada. [Sin.: *taperá-rabo-de-tesoura*.]

porventura [De *por* + *ventura*.] *Adv.* Acaso; por acaso: "Porventura, meu Deus, estarei louco?!" (Augusto dos Anjos, *Eu*, p. 112.)

porvindoiro [De *por* + *vindoiro*.] *S. m.* V. *porvindouro*.

porvindoiros [Pl. de *porvindoiro*.] *S. m. pl.* V. *porvindouros*.

porvindouro [De *por* + *vindouro*.] *Adj.* Que há de vir; futuro. ~ V. *porvindoiros*. [F. paral.: *porvindoiro*.]

porvindouros [Pl. de *porvindouro*.] *S. m. pl.* Vindouros, pósteros. ~ V. *porvindouro*. [F. paral.: *porvindoiros*.]

porvir [De *por* + *vir*.] *S. m.* Tempo que há de vir; o futuro: "Era o porvir — em frente do passado" (Castro Alves, *Poesias Escolhidas*, p. 110).

▲ **pos-** [Do lat. *post*.] *Pref.* = 'posterioridade', 'após': *poscéfalo*; *posfácio*. [Equiv., quando não aglutinado: *pós-*:*pós-dorsal*, *pós-glacial*.]

pós [Do lat. *post*.] *Prep.* Após. [Cf. *pôs*, do v. *pôr*.]

▲ **pós-** Equiv. de *pos-*. [É sempre seguido de hífen porque o 1º el. termina acentuado graficamente; por tratar-se de prefixação, apenas o 2º el. é flexionado na formação do plural: *pós-bíblico*: *pós-bíblicos*.]

pós-adolescência [De *pós-* + *adolescência*.] *S. f.* Período imediatamente posterior ao da adolescência.

posar [De *pose* + *-ar*[2].] *V. int.* **1.** Pôr-se em atitude conveniente para ser representado numa obra de arte (escultura, pintura, fotografia, etc.); servir de modelo. **2.** Ser posudo: *Era um homem simples, mas hoje, milionário, posa de modo ridículo.* ***T. i.*** **3.** Posar (1): *Posou para o escultor.* ***Pred.*** **4.** Assumir atitude, modos, ares; bancar: "Tinha [Custódio Mesquita] prazer em ajudar. Não se exibia com isso. Não posava de bom; era bom, mesmo." (Nestor de Holanda, *Memórias do Café Nice*, p. 194.) [Pres. subj.: *pose*, etc. Cf. *pose* (ô), s. f., *pouse*, do v. *pousar*, e este verbo.]

pós-auricular [De *pós-* + *auricular*.] *Adj. 2 g.* Que fica atrás de pavilhão de orelha; retroauricular. [Pl.: *pós-auriculares*.]

pós-barroco [De *pós-* + *barroco*.] *Adj.* **1.** Posterior ao período barroco: "O 'grande estilo' de Haller [Albrecht von Haller (1708-1777)] é menos pré-classicista do que pós-barroco" (Oto Maria Carpeaux, *História da Literatura Ocidental*, III, p. 1.408). **2.** Do, ou relativo ao estilo pós-barroco.

pós-bíblico [De *pós-* + *bíblico*.] *Adj.* Posterior aos tempos bíblicos (em geral referidos no Antigo Testamento).

pós-boca [De *pós-* + *boca* (ô).] *S. f. Anat. Desus.* A parte posterior da boca. [Pl.: *pós-bocas*. Opõe-se a *anteboca*.]

poscefálico [De *poscéfalo* + *-ico*[2].] *Adj. Desus.* Relativo ou pertencente ao poscéfalo.

poscéfalo [De *pos-* + *-céfalo*.] *S. m. Anat. Desus.* A parte posterior da cabeça.

poscênio [Do lat. *postceniu*.] *S. m. Teatr.* A parte do teatro que fica atrás da cena ou do palco; bastidores.

pós-classicista [De *pós-* + *classicista*.] *Adj. 2 g.* Posterior ao classicismo.

pós-colonial [De *pós-* + *colonial*.] *Adj. 2 g.* **1.** Posterior à época colonial ou ao colonialismo. **2.** *Restr.* Posterior ao domínio ou administração colonial; que sucede à independência de países e nações anteriormente (ger. até o século XX) ocupados e governados por alguns países ocidentais, como Espanha, Inglaterra, França, Portugal e E.U.A. **3.** *Liter.* Relativo a uma corrente ou tendência que, na crítica literária (ger. de inspiração pós-estruturalista), analisa formas de pensamento e de escrita que preservam a marca da dominação colonial.

pós-conciliar [De *pós-* + *conciliar*.] *Adj. 2 g.* Posterior a um concílio.

pós-crioulo [De *pós-* + *crioulo* (12).] *S. m. E. Ling.* Qualquer das fases de um contínuo pós-crioulo (q. v.).

pós-data [De *pós-* + *data*.] *S. f.* Data posta num documento, e que é posterior à data real.

pós-datado [Part. de *pós-datar*.] *Adj.* Em que se colocou pós-data. [Antôn.: *antedatado*. Cf. *pré-datado*.]

pós-datar [De *pós-* + *datar*.] *V. t. d.* Pôr pós-data em: *pós-datar um documento*. [Antôn.: *antedatar*. Cf. *pré-datar*.]

pós-diluviano [De *pós-* + *diluviano*.] *Adj.* Posterior ao dilúvio de que reza a Bíblia (1). [Antôn.: *antediluviano*.]

pós-dorsal [De *pós-* + *dorsal*.] *Adj. 2 g. Anat. Impr.* Situado atrás das costas.

pós-doutorado [De *pós-* + *doutorado*.] *S. m. Educ.* Curso de especialização ou estágio de treinamento ou de trabalho em instituição de ensino superior, que se caracteriza pela busca de aprimoramento e consolidação de conhecimentos, feito por quem já tem título de doutor; pós-doutoramento. [Pl.: *pós-doutorados*.]

pós-doutoramento [De *pós-* + *doutoramento*.] *S. m. Educ.* **1.** Conclusão do curso de pós-doutorado. **2.** Pós-doutorado.

pós-doutorando [De *pós-doutorando*.] *S. m. Educ.* Aquele que faz pós-doutorado. [Pl.: *pós-doutoramentos*.]

pose (ô) [Do fr. *pose*.] *S. f. Gal.* **1.** Postura do corpo; maneira, posição. **2.** Postura estudada, artificial. [Sin., bras., N.E.: *cancha*.] **3.** Ato de servir de modelo a um artista. **4.** *Fot.* Tempo de exposição que ultrapassa 1/20 de segundo. **5.** *Fot.* Designação corrente da unidade de medida de filme fotográfico vendido em cartucho; exposição. [Têm, ger., 36, 24 ou 12 poses, ou seja, podem comportar 36, 24 ou 12 fotografias.] [Cf. *pose*, do v. *posar*; e *pouse*, do v. *pousar*.]

pós-eleitoral [De *pós-* + *eleitoral*.] *Adj. 2 g.* Diz-se do período subsequente a uma eleição, ou de fato ocorrente nesse período.

pós-escrito [Do lat. med. *postscriptum*.] *Adj.* **1.** Escrito depois. **2.** Escrito no fim. ● *S. m.* **3.** Aquilo que se escreve no fim duma carta depois de assinada, e que não ocorrera ou não convinha juntar com o assunto principal: "redigia [D. Pedro I].... uma carta em que a própria D. Domitila adscrevia um pós-escrito" (Alberto Rangel, *D. Pedro Primeiro e a Marquesa de Santos*, p. 145). [Abrev. (do lat., e m. us.): *PS* (q. v.). Cf. *apostila* (4).]

posfaciar [De *posfácio* + *-ar*[2].] *V. t. d.* Pôr posfácio em. [Pres. ind.: *posfacio*, etc. Cf. *posfácio*.]

posfácio [De *pos-* + *-fácio*, como em *prefácio*.] *S. m.* Advertência posta no fim de um livro. [Antôn.: *prefácio* (1) (q. v.). Cf. *posfacio*, do v. *posfaciar*.]

pós-fixado [De *pós-* + *fixado*.] *Adj. Econ.* Diz-se de investimento, como, p. ex., caderneta de poupança, cujo rendimento inclui correção monetária, calculada ao final do prazo de aplicação. [Cf. *pré-fixado*.]

pós-frontal [De *pós-* + *fronte* + *-al*[1].] *S. m. Zool.* Osso situado atrás e acima da órbita ou, em répteis, do escudo frontal.

pós-futuro [De *pós-* + *futuro*.] *S. m.* Tempo (poeticamente imaginado) posterior ao futuro.

pós-gênero [De *pós-* + *gênero*.] *S. m. Liter.* Cada um dos vários gêneros literários a partir do séc. XIX, até então divididos em lírico, épico e dramático.

pós-glacial [De *pós-* + *glacial*.] *Adj. 2 g. Geol.* Diz-se de época que se segue a uma época glacial. ~ V. *idade* —.

pós-graduação [De *pós-* + *graduação*.] *S. f. Educ.* Grau de ensino superior, para aqueles que já concluíram o curso de graduação, e que visa a formar e aperfeiçoar pessoal docente para o ensino de nível superior, estimular o desenvolvimento da pesquisa científica e tecnológica, e proporcionar o treinamento de técnicos de alto padrão.

pós-graduado [De *pós-* + *graduado*.] *Adj.* **1.** Que fez o curso de pós-graduação. **2.** De, ou relativo a pós-graduação: "dentre essas instituições, avulta a universidade, ... com as suas escolas de cultura geral, os seus cursos profissionais superiores, os seus estudos especializados, seus cursos pós-graduados, de doutorado e de aperfeiçoamento" (Anísio Teixeira, *A Universidade e a Liberdade Humana*, p. 26). ● *S. m.* **3.** Aquele que fez o curso de pós-graduação.

pós-graduando [De *pós-* + *graduando*.] *S. m.* Aquele que está prestes a receber pós-graduação.

pós-graduar [De *pós-* + *graduar*.] *V. t. d.* **1.** Conferir o título de pós-graduado a. ***P.*** **2.** Adquirir esse título.

pós-guerra [De *pós-* + *guerra*.] *S. m.* Após-guerra: "o mundo exaurido do pós-guerra" (Lúcio Costa, em *Jornal do Brasil*, 04.02.1981).

posição [Do lat. *positione*.] *S. f.* **1.** Lugar (lit. ou fig.) onde alguém ou algo está colocado: "fico me perguntando quantas coisas faria se estivesse na posição dela... quantas viagens, quantos empreendimentos!" (Adriana Lisboa, *Os Fios da Memória*, p. 67). **2.** O lugar (lit. ou fig.) próprio, certo ou natural de, ou que compete a algo ou a alguém: "A posição geográfica de Portugal destinava-o à vida marítima" (Capistrano de Abreu, *Capítulos de História Colonial*, p. 67); *A posição do giclê não era aquela*. **3.** Maneira como algo ou alguém está disposto; disposição: *Não gostou da posição dos móveis*. **4.** *Restr.* O modo como o corpo, ou uma de suas partes, encontra-se, ou é posto em dado momento: *A má posição amorteceu-lhe os membros*; "Quem se coloca em posição horizontal, depois de vencidas umas estiradas léguas, adormece com certeza." (Visconde de Taunay, *Inocência*, p. 44). **5.** Posição (4), determinada por regras, práticas ou métodos específicos. **6.** O lugar ou a condição de um elemento perante outros: "A posição a que pode aspirar a língua portuguesa em África é naturalmente a de uma segunda língua" (Celso Cunha, *Língua, Nação e Alienação*, p. 86). **7.** Conjunto de circunstâncias (em que algo ou alguém se encontra); condição, situação, estado: "A alma, se o vento lha fizera dobrar, para logo retomou a posição dos outros dias" (Machado de Assis, *Iaiá Garcia*, p. 280). **8.** Situação de indivíduo ou grupo, no mundo, na sociedade, quanto ao nível social, ao cargo, posto, ou função, ou patrimônio, etc., de que dispõe: *Ocupa alta posição nas letras nacionais*; *Sua posição no Banco é invejável*; *Suas maneiras não condizem com a posição que tem*. **9.** *P. ext.* Posição (8) alta, de grande prestígio: "Pessoas de posição e escritores, como Rebelo da Silva e Camilo, dizem angorá, com acento tônico na última sílaba" (Mário Barreto, *De Gramática e de Linguagem*, I, p. 202). **10.** Emprego ou trabalho remunerado, ger. considerado como estável: *Perguntou-me se não lhe arrumava uma posição na firma*. **11.** O que alguém propõe ou afirma; tese, teoria. **12.** Disposição de espírito; ponto de vista, opinião: "O professor Gudin [Eugenio Gudin], por exemplo, tinha uma posição intelectualmente combativa contra os subsídios para a indústria" (Elio Gaspari, em *O Globo*, 21.06.2000). **13.** Atitude ou maneira de pensar, agir ou conduzir-se a respeito de certa coisa: *Aliciou os partidos a assumirem posições contrárias*; *O apoio dos amigos avigorou a posição que assumira*. **14.** *Esport.* Posição (6) que um desportista deve ocupar em campo, quadra, pista, etc., de acordo com a função ou conjunto de funções que deva desempenhar. **15.** *Med.* Posição (4) corporal adotada por paciente, espontaneamente ou por orientação médica, para alcançar maior conforto em certas condições, ou para facilitar a realização de manobra diagnóstica ou terapêutica. **16.** *Mil.* Terreno mais ou menos apropriado para ataque ou defesa. **17.** *Mil.* Posição (5) do corpo na ordem-unida, como, p. ex., a posição de sentido, a posição de descansar, a posição à vontade em forma. **18.** *Mús.* A disposição das notas de um acorde nas diferentes vozes da polifonia. **19.** *Mús.* Na técnica dos instrumentos de cordas dedilháveis ou de arco, a posição (5) da mão sobre o braço do instrumento. **20.** *Mús.* No trombone, cada um dos vários graus de extensão da vara. **21.** *Prop.* Local ou ponto de inserção de uma peça (18) em jornal, revista, programação de TV ou rádio, etc. [Cf., nesta acepç., *página determinada* e *página indeterminada*.] ◆ **Posição de descansar.** Posição (5) em que o militar, conservando-se na formatura, mantém os músculos relaxados, as pernas separadas, as mãos cruzadas às costas. **Posição de sentido.** Posição (5) em que o militar, de calcanhares unidos e juntando as palmas das mãos à coxa, cabeça ereta, com o queixo encolhido e o peito saliente, assume atitude de contração muscular intensa, dentro do ritual da ordem-unida militar. **Posição estimada.** **1.** *Aer.* Posição de uma aeronave calculada com base na velocidade, duração e direção do percurso, a partir da última posição conhecida. **2.** *Náut.* Cada uma das posições da embarcação sucessivamente plotadas numa carta náutica, tomando-se por base os rumos e as distâncias navegadas, como indicados pela agulha e pelo hodômetro. **Posição geocêntrica.** *Astr.* Posição de um astro, tomando como referência o centro da Terra. **Posição geodésica.** *Topogr.* Latitude e longitude das estações topográficas secundárias, determinadas por triangulação, em relação às das estações principais, e levando-se em conta a forma especial da Terra (*geoide*). **Posição heliocêntrica.** *Astr.* Posição de um astro, tomando como referência o centro do Sol. **Posição observada.** *Náut.* **1.** A posição da embarcação plotada numa carta náutica, tomando-se por base a determinação de marcações simultâneas de pontos geográficos representados na carta e identificados no terreno. **2.** A posição da embarcação determinada pela observação do Sol, da Lua, de determinados planetas ou determinadas estrelas. **Posição planetocêntrica.** *Astr.* Posição de um astro, tomando como referência o centro de um planeta. **Posição supina.** *Não gostou da posição dos móveis. Anat. Med.* Em relação à mão, aquela em que a palma está voltada para adiante, ou para cima; em relação ao pé, aquela em que há elevação da borda medial; em relação ao corpo, aquela em que o indivíduo está deitado sobre o dorso (1). **Posição topocêntrica.** *Astr.* Posição (6) de um astro, tomando como referência um observador que está na superfície da Terra. **Estar em posição de** Estar em condições de; poder: *Ele não está em posição de recusar auxílio.*

posicional [De *posição* + *-al*[1], seg. o padrão erudito.] *Adj. 2 g.* De, ou relativo a posição: "No primeiro verso, de entoação exclamativa, mas pausada, aparece em realce posicional a palavra *esta*." (Celso Cunha, *Língua e Verso*, p. 72.)

posicionamento [De *posicionar* + *-mento*.] *S. m.* **1.** Ato ou efeito de posicionar(-se). **2.** *Market.* Estratégia de *marketing* que objetiva criar, para o público-alvo, percepção diferenciada de uma marca, empresa, pessoa, produto, serviço, etc., em relação a seus concorrentes: *A emissora X assume o posicionamento de segunda em audiência, atrás somente da emissora Y.* **3.** *P. ext. Market.* A percepção que o público tem de determinada marca, empresa, pessoa, produto, serviço, etc., em relação a seus concorrentes. [Cf., nas acepç. (2 e 3), *imagem*.]

posicionar [De *posição* + *-ar*[2], seg. o padrão erudito.] *V. t. d.* **1.** Pôr em posição. *P.* **2.** Tomar posição; situar-se: "O Bispo posicionava-se bem acima dos outros dois, de acordo com seu próprio julgamento, uma vez que humildade não era o seu forte." (Lustosa da Costa, *Sobral do Meu Tempo*, p. 82.)

posídeo *S. m. Cronol.* V. *posídeon*.

posídeon [Do gr. *Poseideón*.] *S. m. Cronol.* O sexto mês do calendário grego, com 30 dias, que correspondia aproximadamente ao mês de dezembro do calendário gregoriano.

posidônias [Adapt. do gr. *Poseidónia*.] *S. f. pl.* Na antiga Atenas, festas em honra de Posídon, o deus do mar, celebradas no final do mês de posídeon.

pós-impressionismo [De *pós-* + *impressionismo*.] *S. m. Art. Plást.* Período que sucedeu ao impressionismo e durante o qual ocorreram as primeiras manifestações artísticas que originaram as novas correntes de pintura do séc. XX, como, p. ex., o expressionismo, o fovismo, o cubismo.

pós-impressionista [De *pós-impressionismo* + *-ista*.] *Adj. 2 g.* **1.** Relativo ao pós-impressionismo. **2.** Diz-se de artista (sobretudo pintor) desse movimento. • *S. 2 g.* **3.** Artista (sobretudo pintor) pós-impressionista.

positivação [De *positivar* + *-ção*.] *S. f.* Ato ou efeito de positivar.

positivar [De *positivo* + *-ar*[2].] *V. t. d.* **1.** Tornar positivo; reduzir às condições da realidade: *positivar um negócio.* **2.** *Fot.* Tirar cópia positiva de (um negativo). *P.* **3.** Tornar-se ou mostrar-se positivo, evidente, indiscutível: "Positivam-se os caracteres da família. Retraída, impetuosa." (Geraldo França de Lima, *Jazigo dos Vivos*, p. 89.)

positividade [De *positivo* + *-(i)dade*.] *S. f.* Estado ou qualidade do que ou de quem é positivo.

positivismo [Do fr. *positivisme*.] *S. m. Filos.* **1.** Doutrina de Auguste Comte (v. *comtiano*), caracterizada, sobretudo, pela orientação antimetafísica e antiteológica que pretendia imprimir à filosofia, e por preconizar como válida unicamente a admissão de conhecimentos baseados em fatos e dados da experiência; comtismo. **2.** *P. ext.* Caráter das doutrinas inspiradas em A. Comte que fundamentam o conhecimento em dados empíricos cujo teor subjetivo ger. acaba por ser privilegiado (sensacionismo, intuicionismo, simbolismo, etc.), muitas vezes, levando ao agnosticismo, ao relativismo ou ao misticismo. ◆ **Positivismo lógico.** *Filos.* **1.** Movimento doutrinário do chamado Círculo de Viena, fundado em 1924 por Moritz Schlick (1882-1936), filósofo alemão, e que reuniu os filósofos alemães Philipp Franck (1884-1956), Otto Neurath (1882-1945), Rudolf Carnap (1891-1970), Hans Reichenbach (1891-1935), os filósofos austríacos Friedrich Waismann (1896-1959), Ludwig Wittgenstein (v. *wittgensteiniano*), Hans Hahn (1880-1934), e outros, que, na tradição de Gottlob Frege (v. *fregiano*) e de B. Russell (v. *russelliano*), desenvolvem a análise lógica da linguagem científica associando o enfoque empirístico do positivismo ao formalismo lógico-matemático. **2.** *P. ext.* Movimento doutrinário de pensadores de língua inglesa, entre outros, dos filósofos ingleses Alfred Jules Ayer (1910-1989), George Edward Moore (1873-1958) e Gilbert Ryle (1900-1976) e do matemático e filósofo norte-americano Willard van Orman Quine (1908), caracterizado principalmente pelo fisicismo, pela crítica da linguagem e pela adoção do método axiomático. [Sin. ger.: *neopositivismo, empirismo científico* e *empirismo lógico*. Cf. *filosofia analítica*.]

positivista [Do fr. *positiviste*.] *Adj. 2 g.* **1.** Respeitante à filosofia do positivismo, ou que dela é adepto. • *S. 2 g.* **2.** Adepto da filosofia positivista. [Cf. *comtista*.]

positivo [Do lat. tard. *positivu*.] *Adj.* **1.** Que não admite dúvida; indiscutível, evidente: *um fato positivo; resposta positiva.* **2.** Real, efetivo, verdadeiro; certo, seguro: *o aspecto positivo de uma questão; Não há nada positivo quanto à data da inauguração.* **3.** Baseado nos fatos e na experiência: *conhecimento positivo.* **4.** Sem rodeios; direto, objetivo; prático: *discurso positivo.* **5.** Afirmativo, construtivo: *crítica positiva.* **6.** Confiante, otimista: *pensamento positivo.* **7.** Derivado da vontade, e não da natureza das coisas. **8.** Que exprime grandeza superior a zero. **9.** *E. Ling.* Diz-se do grau que, no substantivo, indica a dimensão normal dos seres, e no adjetivo exprime simplesmente a qualidade. ~ V. *aceleração —a, ângulo —, carga —a, carga elétrica —a, cristal —, direção —a, direito —, elétron —, feedback —, figura —a, filme —, geotropismo —, infinito —, inteiro —, número —, ocular —a, polo —, polo celeste —, raios —s, sentido —, sinal —* e *valor —*. • *S. m.* **10.** Aquilo que é certo, claro, real, útil. **11.** Imagem fotográfica em que as luzes e as sombras são iguais às do original, e não invertidas, como sucede no negativo. **12.** *Eletr.* Polo[1] positivo. **13.** *Mat.* Número positivo. **14.** *Mús.* Pequeno órgão medieval, apoiado sobre um jogo de pés. [Cf., nesta acepç., *regal* (1).] **15.** *Mús.* Um dos teclados manuais do órgão. **16.** *Bras.* Mensageiro, portador. **17.** Indivíduo encarregado de determinada missão. • *Adv.* **18.** *Bras. Pop. Fam.* Sim (1).

pósiton *S. m. Fís. Nucl.* V. *pósitron*.

positrão *S. m. Lus. Fís. Nucl.* V. *pósitron*. [Pl.: *positrões*.]

pósitron [De *posi-* (f. red. de *positivo*) + *-tron* (< *elétron*); t. introduzido em 1933 por C. D. Anderson, que descobriu esta partícula em 1932.] *S. m. Fís. Nucl.* Antipartícula (q. v.) do elétron, a qual tem massa e *spin* iguais aos do elétron, mas carga elétrica igual, e de sinal contrário; elétron positivo [simb.: e+].

positrónio *S. m. Fís. Part.* V. *positrônio*. [Uso freq. em P.]

positrônio [De *pósitron* + *-io*[3].] *S. m. Fís. Part.* Estado ligado (q. v.) de um elétron e de um pósitron, que forma um sistema neutro de vida curta e apresenta níveis de energia semelhantes ao átomo de hidrogênio.

pós-larva *S. f. Zool.* Estágio do desenvolvimento de crustáceos no qual surgem os apêndices do tronco; acantossoma. [Pl.: *pós-larvas*.]

poslimínio [Do lat. *postliminiu*.] *S. m.* **1.** *Ant.* Restituição de direitos civis a quem os tinha perdido por ausência ou cativeiro. **2.** *Jur.* Anulação dos atos da administração do inimigo durante a ocupação de um território ou país.

poslúdio [De *pos-* + o final de *prelúdio*.] *S. m. Mús.* Conclusão musical de uma cerimônia religiosa, ou de uma composição vocal ou instrumental, que se caracteriza pela grande liberdade de construção.

pós-maturação [De *pós-* + *maturação*.] *S. f. Bot.* Conjunto de fenômenos que se processam em certas sementes após o seu desprendimento da planta-mãe, e que consistem na preparação do embrião para a germinação, que não ocorrerá caso as condições tanto internas como externas não sejam favoráveis. [Embora o embrião pareça maduro, a semente permanece em período de latência até que o de pós-maturação seja completado.]

pós-medieval [De *pós-* + *medieval*.] *Adj. 2 g.* Posterior à Idade Média.

pós-meridiano [Do lat. *postmeridianu*.] *Adj.* Posterior ao meio-dia. [Antôn.: *antemeridiano*.]

pós-modernidade [De *pós-moderno* + *-(i)dade*.] *S. f.* **1.** Condição ou caráter de pós-moderno. **2.** A época pós-moderna [v. *pós-moderno* (1)].

pós-modernismo [De *pós-* + *modernismo*.] *S. m.* Corrente que, nas artes, literatura, arquitetura, ou na filosofia e nas ciências humanas, defende a validade dos princípios pós-modernos.

pós-modernista [De *pós-modernismo* + *-ista*.] *Adj. 2 g.* **1.** Referente ao pós-modernismo. • *S. 2 g.* **2.** Adepto ou seguidor do pós-modernismo.

pós-moderno [De *pós-* + *moderno*.] *Adj.* **1.** Que, nas últimas décadas do séc. XX, adota uma postura descomprometida, independente, em face das transformações profundas ocorridas na ordem socioeconômica: *o ecletismo e o inusitado são traços correntes na cultura pós-moderna.* **2.** *Art. Plást.* Relativo a, ou próprio de qualquer criação artística que reabilita e adota a complexidade, a contradição, a ironia, a mistura de estilos e de gêneros, por oposição às referências de pureza, de integridade, que ainda dominam a crítica de arte moderna.

posologia [Do gr. *posón*, 'quantidade', + *-logia*.] *S. f. Terap.* Indicação da(s) dose(s) em que deve(m) ser aplicado(s) medicamento(s).

posológico [De *posologia* + *-ico*[2].] *Adj.* Referente a posologia.

pós-operatório [De *pós-* + *operatório*.] *Adj. Cir.* **1.** Que ocorre após uma intervenção cirúrgica: *estado pós-operatório; problema pós-operatório.* **2.** Diz-se do período que decorre desde o término de uma intervenção cirúrgica até que se prescindam dos cuidados ministrados pelo cirurgião ou por seus auxiliares. ~ V. *acidente —*. • *S. m.* **3.** O período pós-operatório.

pós-opercular [De *pós-* + *opercular*.] *Adj. 2 g. Zool.* Situado depois do opérculo.

posoquéria [Do tax. *Posoqueria* (de or. indígena).] *S. f. Bot.* **1.** Gênero de pequenas árvores rutáceas, de folhas opostas, ovadas, coriáceas, grandes, e numerosas flores alvas ou creme, muito aromáticas, e fruto bacáceo e coriáceo. **2.** Qualquer espécie desse gênero, como a *Posoqueria latifolia* (v. *açucena-do-mato*) e a *P. palustris* (v. *aimará*). **3.** Qualquer espécime desse gênero, ou a flor dele.

pós-orbital [De *pós-* + *órbita* + *-al*[1].] *S. m. Zool.* Osso situado atrás e abaixo do pós-frontal, em muitos reptis, e que forma parte do limite da órbita.

pós-pago *Adj.* **1.** Diz-se de linha telefônica em que se paga posteriormente pelas ligações feitas, ger. de mês em mês. **2.** Diz-se de aparelho próprio para esse tipo de linha. • *S. m.* **3.** Essa linha ou aparelho. [Pl.: *pré-pagos*.]

pós-parnasiano [De *pós-* + *parnasiano*.] *Adj. S. m.* Diz-se de, ou poeta, ou poesia posteriores ao parnasianismo: "Como poeta, meu pai foi um pós-parnasiano com um pé no simbolismo." (Vinícius de Morais, *Para Viver um Grande Amor*, p. 37.)

pospasto [De *pos-* + *pasto*.] *S. m.* V. *sobremesa*: "estavam reunidos no alpendre, de palito à boca os velhos, saboreando o pospasto de há pouco" (Afonso Arinos, *Pelo Sertão*, p. 87).

pospelo (ê) [De *pos-* + *pelo*[2].] *S. m.* **1.** Em direção contrária à do pelo. **2.** Violência, força. ◆ **A pospelo.** **1.** Em direção contrária à do pelo. **2.** *Fig.* Ao revés; ao contrário; a contrapelo; ao arrepio: "Se cursarmos a pospelo a nossa história, encontramos a mesma cegueira nos quebra-quilos infensos ao sistema métrico" (João Ribeiro, *Cartas Devolvidas*, pp. 209-210). **3.** Com violência; à força.

pós-perna [De *pós-* + *perna*.] *S. f.* A parte superior da perna da besta, desde o curvejão ao quadril.

pós-pídgin [De *pós-* + *pídgin*.] *S. m. E. Ling.* Qualquer das fases de um contínuo pós-pídgin (q. v.).

pospontar *V. t. d.* Coser a posponto: "Achou-a na barraca, sentada, ... a cabeça inclinada sobre a almofada chata de costura, onde tinha pregado a ombreira de uma camisa, que pospontava." (José Veríssimo, *Cenas da Vida Amazônica*, pp. 68-69.)

posponto [Dev. de *pospontar*.] *S. m.* V. *pesponto* (1 e 2).

pospor [Do lat. *postponere*.] *V. t. d.* **1.** Pôr depois: *Deixou o texto como estava — não pospôs a observação solicitada.* **2.** Deixar para depois; adiar, preterir, delongar, procrastinar: *pospor uma decisão.* **3.** Não fazer caso de; pôr de parte; desprezar, desdenhar, postergar: *O historiador deve analisar o fato em si, pospondo seus interesses pessoais.* ***T. d. e i.*** **4.** Pospor (1): *É importante saber quando se deve pospor os pronomes aos verbos.* **5.** Ter em menos conta; não preferir: *Tiradentes pospôs a vida à Pátria.* [Antôn.: *antepor*. Conjug.: v. *pôr*.]

posposição [De *pospor* + *-ição*, seg. o padrão *pôr* (< lat. *ponere*): *posição* (< lat. *positione*).] *S. f.* **1.** Ato ou efeito de pospor. [Antôn.: *anteposição*.] **2.** *E. Ling.* Partícula que segue o nome, o pronome ou outra unidade por ela regida. [Cf. *aposição* (5) e *preposição* (2).]

pospositiva [F. subst. do adj. *pospositivo*.] *S. f. E. Ling.* O segundo elemento de um ditongo, ou o terceiro de um tritongo. [Cf. *prepositiva*.]

pospositivo [Do lat. tard. *postpositivu*.] *Adj.* **1.** Que se pospõe. [Antôn.: *antepositivo*.] **2.** *E. Ling.* Diz-se das palavras que não se empregam no princípio da frase, e das partículas denominadas *sufixos*. **3.** *E. Ling. Desus.* Diz-se da preposição que segue o nome por ela regido.

posposto (ô) [Part. de *pospor*.] *Adj.* **1.** Posto depois. **2.** Omitido, preterido, desprezado, postergado.

pós-prandial [De *pós-* + *prandial*.] *Adj. 2 g.* **1.** Diz-se do período que se segue a uma refeição. **2.** Diz-se do que ocorre nesse período.

pós-produção [De *pós* + *produção*.] *S. f. Cin. Telev.* Designação do conjunto de atividades que se seguem ao trabalho básico da filmagem ou gravação (criação de efeitos visuais, elaboração de trilha sonora, edição de imagem e de som, etc.). [Cf. *pré-produção*.]

pós-romano [De *pós-* + *romano*.] ***Adj.*** Posterior ao Império Romano ou à dominação dos romanos.

possança [De *possante*.] ***S. f.*** **1.** Poder, força, vigor; pujança. **2.** *Geol.* Espessura dum estrato geológico ou de uma série de camadas, dum dique ou dum veeiro, medida pela perpendicular às suas paredes laterais; pujança.

possante [Do v. lat. *posse* (v. *posse*) + *-ante* (v. *-nte*).] ***Adj. 2 g.*** **1.** Que tem possança; vigoroso, forte; poderoso. **2.** Grandioso, majestoso.

posse [Do v. lat. *posse*, 'ser capaz', 'poder', subst.] ***S. f.*** **1.** Detenção de uma coisa com o objetivo de tirar dela qualquer utilidade econômica. **2.** Estado de quem frui uma coisa ou a tem em seu poder. **3.** Investidura em cargo público, ou função gratificada, ou posto honorífico, etc.: *Amanhã será a posse do novo diretor da Biblioteca Municipal.* **4.** *P. ext.* A solenidade da investidura em cargo público, função gratificada, posto honorífico, etc.: *A posse do novo acadêmico revestiu-se de grande pompa.* **5.** *E. Ling.* Indicação gramatical de relação de 'propriedade', 'pertinência', entre possuidor e possuído. [Cf. *alienável* e *inalienável*.] **6.** *Bras. MG MT* Área correspondente a uma légua quadrada. ~ V. *posses*.

possear [De *posse* + *-ear*[2].] ***V. t. d.*** *Bras. Jur.* Tomar posse de, ocupar (terra devoluta): *Os camponeses possearam extensas regiões.* [Conjug.: v. *frear*.]

posseiro [De *posse* + *-eiro*.] ***Adj. S. m.*** **1.** *Jur.* Que, ou aquele que está na posse legal de imóvel ou imóveis indivisos. • ***S. m.*** **2.** *Bras.* Aquele que posseia. [Cf. *poceiro* e *puceiro*.]

possense[1] ***Adj. 2 g.*** **1.** De, ou pertencente ou relativo a Posse (GO). • ***S. 2 g.*** **2.** O natural ou habitante de Posse.

possense[2] ***Adj. 2 g.*** **1.** De, ou pertencente ou relativo a Santo Antônio de Posse (SP). • ***S. 2 g.*** **2.** O natural ou habitante de Santo Antônio de Posse.

posses [Pl. de *posse*.] ***S. f. pl.*** **1.** Haveres, bens, cabedais. **2.** Meios de vida. **3.** Aptidão, capacidade. [Sin. ger.: *possibilidades*.] ~ V. *posse*. ◆ **De posses.** Endinheirado, abastado: *É homem de posses.*

possessão [Do lat. *possessione*.] ***S. f.*** **1.** V. *colônia*[1] (4). **2.** Estado ou condição em que o corpo e/ou a mente de um indivíduo são supostamente possuídos ou dominados por uma entidade (um ser, força, ou divindade) que lhes é externa, ou que não se manifesta habitualmente nas atividades da vida diária. [A possessão, considerada como experiência de natureza psicológica e social, pode ser verificada individual ou coletivamente, e ter caráter inesperado, ou estar submetida a algum tipo de controle ritual; em diversas sociedades e culturas, figura como episódio ou experiência central da vida religiosa.] [Cf. *transe* (7).] **3.** *Rel. Restr.* Nas religiões afro-brasileiras, ato em que o iniciado ou filho de santo recebe o seu orixá, tornando-se o seu cavalo e materializando a divindade.

possessibilidade [De *possessível* + *-(i)dade*, seg. o padrão erudito.] ***S. f.*** Qualidade de possessível.

possessível [Do lat. *possessus*, 'possuído', + *-ível*.] ***Adj. 2 g.*** Que pode ser possuído.

possessividade [De *possessivo* + *-(i)dade*.] ***S. f.*** **1.** Qualidade ou característica de possessivo. **2.** Sentimento exacerbado de posse.

possessivo [Do lat. *possessivu*.] ***Adj.*** **1.** Que tem exacerbado sentimento de posse. **2.** *E. Ling.* Diz-se de forma linguística que indica posse, como *meu*, *teu*, *dele*. ~ V. *pronome –*. • ***S. m.*** **3.** Indivíduo possessivo (1). **4.** *E. Ling.* O pronome possessivo. **5.** *E. Ling.* O caso genitivo (q. v.).

possesso [Do lat. *possessu*, 'possuído'.] ***Adj.*** **1.** Possuído do Demônio; endemoninhado. **2.** Tomado de ira; furioso, encolerizado. • ***S. m.*** **3.** Indivíduo endemoninhado, possesso.

possessor (ô) [Do lat. *possessore*.] ***Adj.*** **1.** Que possui. • ***S. m.*** **2.** Aquele que possui. **3.** Cada um dos colonos, ou indivíduos pelos quais, entre os romanos, se repartiam terras conquistadas.

possessório [Do lat. tard. *possessoriu*.] ***Adj.*** **1.** Respeitante ou inerente à posse. **2.** *Jur.* Diz-se do juízo onde são movidas as ações de posse. ~ V. *ação –a*. • ***S. m.*** **3.** *Jur.* O juízo possessório.

possibilidade [Do lat. tard. *possibilitate*.] ***S. f.*** Qualidade de possível. ~ V. *possibilidades*.

possibilidades [Pl. de *possibilidade*.] ***S. f. pl.*** Posses. ~ V. *possibilidade*.

possibilitar [Do lat. tard. *possibilitate*, 'possibilidade', + *-ar*[2], com haplologia.] ***V. t. d. T. d. e i.*** **1.** Tornar possível: *Só um tratamento demorado possibilitará sua cura*; "porque tal bispo não admite em seu coração a mais mínima sombra de ódio, e só possibilita a entrada nele à humildade, ... aos mais delicados afetos paternais" (Franklin Távora, *O Cabeleira*, p. 56); *O oxigênio possibilita a vida aos seres humanos.* **2.** Apresentar como possível.

possidónio [Do antr. *Possidónio*, alcunha dada pelos jornais lisboetas a certo deputado.] ***S. m.*** *Lus.* O que é convencional, corriqueiro: "O pior inimigo da palavra escrita é o lugar-comum, o possidónio, o refervido, resultantes do hábito, da vicieira de falar, do maria vai com as outras." (Aquilino Ribeiro, *Lápides Partidas*, p. 123.)

pós-simbolista [De *pós-* + *simbolista*.] ***Adj. 2 g.*** *Liter.* **1.** Posterior ao simbolismo. **2.** Diz-se de escritor pertencente à fase posterior ao simbolismo. • ***S. 2 g.*** **3.** Escritor pertencente a essa fase. [Antôn.: *pré-simbolista*.]

possível [Do lat. *possibile*.] ***Adj. 2 g.*** **1.** Que pode ser, acontecer ou praticar-se. • ***S. m.*** **2.** Aquilo que é possível: *O médico fez o possível para salvá-lo.* **3.** *Filos.* Do ponto de vista lógico, o que não implica contradição. **4.** *Filos.* Do ponto de vista físico, quer o que satisfaz às condições gerais da experiência, quer o que não está em contradição com nenhum fato ou lei empiricamente estabelecida, quer o que é mais ou menos provável. **5.** *Filos.* Do ponto de vista moral, o que não contraria nenhuma norma moral. [Cf., nas acepçs. 3, 4 e 5: *impossível* (8 e 9).]

pós-socrático [De *pós-* + *socrático*.] ***Adj.*** Posterior a Sócrates (v. *socrático*): *a filosofia pós-socrática.*

possuído [Part. de *possuir*.] ***Adj.*** **1.** De que se tem ou frui a posse. **2.** Possuído do demônio; endemoninhado. **3.** *Bras. Gír.* Cheio de si; soberbo, enfatuado. ~ V. *possuídos*.

possuidor (u-i... ô) [De *possuir* + *-dor*.] ***Adj.*** **1.** Que possui; possuinte. • ***S. m.*** **2.** Aquele que possui.

possuídos [Pl. subst. de *possuído*.] ***S. m. pl.*** **1.** Bens, haveres. **2.** *Bras. N.N.E. Chulo* As partes genitais. ~ V. *possuído*.

possuinte (u-ín) [De *possuir* + *-nte*.] ***Adj. 2 g.*** Possuidor (1).

possuir [Do lat. **possidire*, por *possidere*.] ***V. t. d.*** **1.** Ter ou reter em seu poder; ter a posse de; deter: *Afirma que não possui o documento procurado.* **2.** Ter, conter; contar: "Nenhum país da Europa possui mais belos túmulos do que Portugal." (Ramalho Ortigão, *As Farpas*, I, p. 229.) **3.** Ter como propriedade; ser proprietário de: *Possui uma bela casa.* **4.** Fruir a posse de; gozar, desfrutar de; fruir: *O atleta possui uma saúde de ferro.* **5.** Ter o gozo de; desfrutar: *Possui alto cargo administrativo.* **6.** Ter em si; conter, encerrar: *O trabalho possuía falhas gritantes*; "Um mistério de Amor que eu não resolvo / Possui teu ser" (Da Costa e Silva, *Sangue*, p. 60). **7.** Ser naturalmente dotado de: *Este moço possui habilidades.* **8.** Ter o domínio de (estado ou região); dominar, subjugar: *Roma possuiu o Mediterrâneo.* **9.** Dominar moralmente; empolgar: *Maus pensamentos possuíam aquele homem*; "Possuía-o todo um desejo louco e inadiável de tê-la já nos braços" (Herman Lima, *Tijipió*, p. 145). **10.** Ter cópula com (um indivíduo): "a intensidade das carícias o exacerbou a ponto de tentar possuí-la ali mesmo, na praça." (Fernando Sabino, *Medo em Nova Iorque. A Cidade Vazia*, pp. 123-124.) ***P.*** **11.** Deixar-se convencer; convencer-se, compenetrar-se, imbuir-se: *Em 1889, só pequena parte do povo brasileiro se possuíra das ideias republicanas.* **12.** Deixar-se dominar: *Os romeiros possuíram-se de fervor.* [Conjug.: v. *atribuir*.]

posta[1] [Fem. de *posto*, part. de *pôr*.] ***S. f.*** **1.** Pedaço de peixe. **2.** Pedaço, talhada. **3.** *Fam.* Emprego rendoso. **4.** *Bras.* Pessoa moleirona. ◆ **Posta de sangue.** Porção de sangue coalhado. **Arrotar postas de pescada.** *Fam.* Jactar-se, vangloriar-se, arrotar.

posta[2] [Do it. *posta*.] ***S. f.*** **1.** Posto de parada outrora situado nas estradas, de espaço a espaço, onde se efetuava a muda dos cavalos das diligências e outros veículos, ou do serviço de correio. **2.** O correio (2) e/ou sua administração.

postagem [De *postar*[2] + *-agem*[2].] ***S. f.*** *Bras.* Ato ou efeito de postar[2].

postal[1] [Do fr. *postal*.] ***S. m.*** V. *cartão-postal*.

postal[2] [De *posta*[2] + *-al*[1].] ***Adj. 2 g.*** Relativo ao correio. ~ V. *caixa –*, *franquia –*, *mala –*, *marco –*, *reembolso –* e *selo –*.

postalista [De *postal*[2] + *-ista*.] ***S. 2 g.*** *Bras.* Funcionário da repartição dos correios: "O postalista Edésio Arruda – funcionário dos Correios e Telégrafos do Recife – acabara de colocar a aliança de noivado no dedo de Queridinha" (José Condé, *Como uma Tarde em Dezembro*, p. 20).

postar[1] [De *posto*[1] + *-ar*[2].] ***V. t. d. T. d. e c.*** **1.** Pôr (alguém) num lugar ou posto: *postar um vigia atento*; *O proprietário postou um vigilante na frente da loja.* ***P.*** **2.** Permanecer muito tempo; colocar-se, pôr-se: *Os homens postaram-se na rua.* [Pres. ind.: *posto*, etc. Cf. *posto* (ô), do v. *pôr* e s. m.]

postar[2] [De *posta*[2] + *-ar*[2].] ***V. t. d.*** *Bras.* Pôr (carta, postal, impresso, etc.) na caixa do correio: *O contínuo postará a carta.*

posta-restante [De *posta*[2] + *restante*.] ***S. f.*** **1.** Indicação que se escreve no envelope de uma carta para significar que ela deve permanecer na repartição do correio até que a reclamem. **2.** Lugar onde ficam, no correio, as cartas com essa indicação. **3.** O serviço postal que efetua entrega de correspondências com indicativo de posta-restante (1). [Pl.: *postas-restantes*.]

poste [Do lat. *poste*, 'ombreira da porta', 'porta'.] ***S. m.*** **1.** Pau cravado verticalmente no chão. **2.** Haste de madeira, ferro ou cimento, presa verticalmente no solo para servir de suporte a isoladores ou acumuladores sobre os quais se apoiam cabos de eletricidade, telefônicos, fios telegráficos, etc., ou de suporte, nas cidades, às luzes para iluminação urbana. **3.** Pilar de portada. **4.** Espécie de coluna à qual se prendiam os criminosos, expondo-os à ignomínia pública. **5.** *Bras. Pop.* Candidato inexpressivo, ou pouco conhecido, cuja candidatura é bancada por governante, ou político, com grande popularidade: "[A] dupla Aécio Neves-Fernando Pimentel .... promete se desdobrar nos últimos dias na tentativa de salvar seu poste." (Renata Lo Prete, em *Folha de S.Paulo*, 21.10.2008). **6.** *Bras. Fut.* A trave do gol.

▲ **post(e)-** [Do gr. *pósthe, es*.] ***El. comp.*** = 'prepúcio': *postectomia*, *postite*. [Equiv.: *-post(e)-*: *apostia*.]

▲ **-post(e)-** Equiv. de *post(e)-*.

posteação [De *postear* + *-ção*.] ***S. f.*** *Bras.* V. *posteamento*.

posteamento [De *postear* + *-mento*.] ***S. m.*** *Bras.* **1.** Ato ou efeito de postear. **2.** Série de postes colocados para determinado fim: "os objetos imersos em penumbra e maldefinidos pela luz difusa do posteamento espaçado lhe despertavam o interesse, como tudo o que era vago." (Samuel Rawet, *Os Sete Sonhos*, pp. 115-116). [Sin. ger.: *posteação*.]

postear [De *poste* + *-ear*[2].] ***V. t. d.*** *Bras.* Colocar postes em (logradouros públicos, estradas, etc.). [Conjug.: v. *frear*.]

postectomia [De *post(e)-* + *-ectom-* + *-ia*[1].] ***S. f.*** *Urol.* Intervenção cirúrgica que consiste em retirar excesso de prepúcio; circuncisão. [Cf. *circuncisão* (2).]

postectómico ***Adj.*** V. *postectômico*. [Uso freq. em P.]

postectômico [De *postectomia* + *-ico*[2].] ***Adj.*** Relativo a postectomia.

posteirada [De *posteiro* + *-ada*[1].] ***S. f.*** *Bras. S.* Conjunto de posteiros.

posteiro [De *posto*[1] + *-eiro*.] ***S. m.*** *Bras. S.* **1.** Homem que mora no limite ou divisa de uma fazenda. **2.** O vigia do gado.

postejar [De *posta*[1] + *-ejar*.] ***V. t. d.*** Partir em postas; espostejar: *postejar um peixe.* [Conjug.: v. *pelejar*.]

postema ***S. m.*** F. aferética de *apostema*.

postemão [De *postema* + *-ão*[2].] ***S. m.*** *Veter.* Navalha de alveitar usada para abrir apostemas.

postemar ***V. t. d. Int. P.*** V. *apostemar*.

posteplastia [De *post(e)-* + *-plast(o)-* + *-ia*[1].] ***S. f.*** *Urol.* Operação plástica no prepúcio.

pôster [Do ingl. *poster*.] ***S. m.*** **1.** Cartaz de tamanho reduzido que se usa com fins decorativos: *Usa pôsteres* art-nouveau *na decoração do quarto.* **2.** Ampliação fotográfica semelhante a um pôster (1). [Pl.: *pôsteres*.]

postergabilidade [De *postergável* (*postergabil-*) + *-(i)dade*, seg. o padrão erudito.] ***S. f.*** Qualidade ou característica do que é postergável.

postergação [De *postergar* + *-ção*.] ***S. f.*** Ato ou efeito de postergar; postergamento.

postergado [Part. de *postergar*.] ***Adj.*** Preterido, esquecido; desprezado.

postergador (ô) [De *postergar* + *-dor*.] ***Adj. S. m.*** Que, ou aquele que posterga.

postergamento [De *postergar* + *-mento*.] ***S. m.*** Postergação.

postergar [Do lat. med. *postergare*.] ***V. t. d.*** **1.** Deixar atrás ou em atraso; preterir: *Alcançou a presidência da firma postergando os colegas.* **2.** Não fazer caso de; desprezar, desdenhar, pospor: *Interessado pela causa pública, posterga as conveniências pessoais.* **3.** Deixar de cumprir; violar, transgredir, infringir: *Posterga normas estabelecidas.* **4.** Adiar, pospor. "ter-se-ia .... caído em bizantinas divergências, que, por mais idôneas que fossem, postergariam ao infinito a conclusão do anteprojeto." (Antônio Houaiss, *Crítica Avulsa*, p. 210.) [Embora etimologicamente errônea, esta acepç. (4) é muito us., poss. por infl. de *pospor* (2).] [Conjug.: v. *largar*.]

postergável [De *postergar* + *-vel*.] ***Adj. 2 g.*** Que se pode postergar; adiável.

posteridade [Do lat. *posteritate*.] ***S. f.*** **1.** Série de indivíduos procedentes da mesma origem. **2.** Os vindouros; as gerações futuras. **3.** O tempo futuro. **4.** Celebridade ou glorificação futura.

posterior (ô) [Do lat. *posteriore*.] ***Adj. 2 g.*** **1.** Que vem ou está depois; ulterior. **2.** Situado atrás, ou que ficou atrás. [Antôn., nessas acepçs.: *anterior*.] **3.** *E. Ling.* Diz-se de som cujo ponto de articulação

(q. v.) se situa do palato mole para trás. ~ V. *consoante —, fachada —, vogal —.* ● *S. f.* **4.** *E. Ling.* Consoante posterior (q. v.). **5.** *E. Ling.* Vogal posterior (q. v.). ● *S. m.* **6.** *Pop.* As nádegas.

posterioridade [Do lat. med. *posterioritate.*] *S. f.* Caráter ou situação do que é posterior.

▲ **postero-** [Do lat. *postĕrus, a, um.*] ***El. comp.*** = 'posterior, posterioridade': *posteroexterior.*

póstero [Do lat. *posteru.*] ***Adj.*** Futuro, porvindouro: 📖 "tão sublime conformar-se com os terríveis golpes por ele [o destino] vibrados, apelando, a um tempo, para a justiça póstera dos homens e para Deus!" (Visconde de Taunay, *Reminiscências*, p. 167). ~ V. *pósteros.*

posteroexterior [De *postero- + exterior.*] ***Adj. 2 g.*** Que está atrás e por fora. ❊ nota 1

posteroinferior [De *postero- + inferior.*] ***Adj. 2 g.*** Que está atrás e por baixo. ❊ nota 1

posterointerior [De *postero- + interior.*] ***Adj. 2 g.*** Que está atrás e por dentro. ❊ nota 1

posterolateral [De *postero- + lateral.*] ***Adj. 2 g.*** Que está atrás e do lado. ❊ nota 1

posteromedial [De *postero- + medial.*] ***Adj. 2 g.*** Que está atrás e no meio. ❊ nota 1

pósteros [Pl. de *póstero.*] ***S. m. pl.*** As gerações que hão de suceder à atual. ~ V. *póstero.*

posterossuperior [De *postero- + superior.*] ***Adj. 2 g.*** Que está atrás e por cima. ❊ nota 1

pós-textual [De *pós- + textual.*] ***Adj. 2 g.*** Numa publicação, diz-se de cada um dos elementos que sucedem ao texto propriamente dito, como, p. ex., anexos, apêndice, bibliografia, colofão, etc. [Pl.: *pós-textuais.*]

postiço [Do lat. vulg. *appositiciu.*] ***Adj.*** **1.** De pôr e tirar. **2.** Acrescentado a obra já concluída. **3.** Colocado artificialmente. **4.** Que não é natural. ~ V. *acento —.*

postigo [Do lat. *posticu* (subentende-se *ostiu*), 'porta traseira'.] ***S. m.*** **1.** Pequena porta. **2.** Abertura quadrangular em porta ou janela, que permite observar sem as abrir: 📖 "O diálogo .... era travado em uma antiga sala, vasta e pouco alumiada por estreitas janelas, cujas vidraças de postigo mal deixavam coar o dia." (Rebelo da Silva, *Contos e Lendas*, p. 57.) **3.** Tampa de gateiras, escovéns, vigias, etc., nas embarcações.

postígrafo [De *posto*[1] *+ -i- + (telé)grafo.*] ***S. f. Bras.*** Posto que transmite sinais pelo sistema telegráfico.

postila [Da expr. do lat. escolástico *post illa* (*verba auctoris*), 'após aquelas palavras do autor'.] ***S. f.*** **1.** V. *apostila* (5). **2.** Comentário, explicação, explanação. **3.** Explicação ditada pelo professor e escrita pelo aluno.

postilhão [Do it. *postiglione.*] ***S. m.*** **1.** Homem que transportava a cavalo notícias e correspondências. **2.** Boleeiro de mala-posta. **3.** *P. ext.* Mensageiro (3).

postimária [Alter. de *postremo* (q. v.) + *-ária.*] ***S. f.*** Termo, fim.

postimeiro [Alter. de *postremeiro.*] ***Adj.*** V. *postremo.*

postite [De *post(e)- + -ite*[1].] ***S. f.*** *Urol.* Inflamação do prepúcio.

postítico [De *postite + -ico*[2].] ***Adj.*** Relativo a postite.

postlimínio [Do lat. *postliminiu.*] ***S. m.*** V. *poslimínio.*

➔ **post meridiem** [pɔstmeˈɾidje(m)] [Lat.] Depois do meio-dia. [Abrev.: *p. m.*]

➔ **post mortem** [pɔstˈmoɾtɛ(m)] [Lat., 'depois da morte'.] Além do túmulo; na outra vida.

posto[1] (ô) [Do lat. *postu.*] ***S. m.*** **1.** Lugar onde se acha colocada uma pessoa ou uma coisa. **2.** Estação ou alojamento de tropas ou guardas policiais. **3.** Cargo; dignidade. **4.** *Bras.* Grau hierárquico de oficial (12). [Cf. *graduação* (4).] **5.** Lugar que cada um deve ocupar no desempenho de suas funções. **6.** *Bras.* Estabelecimento ou repartição subordinada a um órgão central, e que se destina ao atendimento público: 📄 *posto de saúde; posto de venda de ingressos.* **7.** *Bras.* Estabelecimento equipado para a venda de gasolina, álcool, óleos, lubrificantes, etc.: 📖 "Estávamos num posto de gasolina, à saída de Belo Horizonte." (Fernando Sabino, *A Companheira de Viagem*, p. 56.) [Sin. lus.: *gasolineira.*] **8.** *Bras.* Cada um dos graus hierárquicos da carreira diplomática: 📄 *Foi promovido ao posto de primeiro-secretário.* **9.** *Bras.* Local, no estrangeiro, onde os funcionários diplomáticos exercem as suas funções: 📄 *Foi transferido do posto em Barcelona, e agora serve em Brasília.* **10.** *Bras. S.* Moradia primitiva nos campos afastados de uma estância ou de uma fazenda, e quase sempre só habitada no tempo de tirar leite e fazer queijo. [Pl.: *postos.* Cf. *posto*, do v. *postar.*] ◆ **Posto avançado.** *Mil.* Posto instalado à frente de uma tropa estacionada, para protegê-la de uma surpresa do inimigo. **Posto de comando.** *Mil.* Local onde o comando exerce as suas atividades. **Posto de guarda.** Lugar onde se colocam pessoas, especialmente soldados, com o fim de guardar, vigiar ou combater. **Posto de monta.** *Zootec.* Estabelecimento onde se mantêm animais de raça, selecionados, do sexo masculino, para cobertura de fêmeas que ali são levadas com o fim de melhorar os rebanhos; estação de monta. **Posto meteorológico.** Estabelecimento onde há um conjunto de instrumentos que servem para observações dos fenômenos meteorológicos, em determinado lugar ou região. [Sin.: *estação meteorológica.*] **A postos. 1.** *Mil.* Preparado para, à primeira advertência, resistir a um perigo ou tomar a ofensiva. **2.** Pronto para iniciar uma atividade: 📄 *Desde cedo a equipe médica estava a postos.*

posto[2] (ô) [Part. de *pôr.*] ***Adj.*** **1.** Colocado, apresentado, disposto, plantado. **2.** Diz-se do Sol quando desaparece no horizonte. [Flex.: *posta, postos, postas.* Cf. *posto*, do v. *postar.*] ~ V. *fogo — e mãos —as.* ● ***Conj.*** **3.** V. *posto que*: 📖 "Como caráter, fazia-lhe a mãe grandes elogios, e eram fundados, posto fossem de mãe." (Machado de Assis, *Ressurreição*, p. 32.) ◆ **Posto que.** Ainda que; se bem que; embora; posto: 📖 "Teve excelente recepção, posto que a viúva, sem deixar de ser cortês e graciosa, parecia um pouco reservada e preocupada." (Machado de Assis, *Ressurreição*, pp. 50-51.)

posto-chave ***S. m.*** Posto[1] (1) de importância primordial para o bom desempenho de certas tarefas ou funções. [Pl.: *postos-chaves* e *postos-chave.*]

postónico ***Adj.*** *E. Ling.* V. *postônico.* [Uso freq. em P.]

postônico [De *pós- + tônico.*] ***Adj.*** *E. Ling.* Diz-se de vogal ou de sílaba que vem após a vogal ou a sílaba tônica de uma palavra. [Antôn.: *pretônico, antetônico.*] ~ V. *sílaba —a* e *vogal —a.*

pós-tônico ***Adj.*** *E. Ling.* V. *postônico.*

pós-traumático [De *pós + traumático.*] ***Adj.*** Que decorre de trauma físico ou psíquico: 📄 *É comum a ocorrência de estresse pós-traumático entre os veteranos de guerra.* [Pl.: *pós-traumáticos.*]

postre [Do esp. *postre.*] ***S. m.*** V. *sobremesa*: 📖 "Ergue-se o Rei, e finaliza o postre / Co' um brinde extremo aos campeões da Ibéria, / E a seus novos vassalos" (Araújo Porto-Alegre, *Colombo*, p. 33).

postreiro [Do esp. *postrero.*] ***Adj.*** *Ant.* V. *postremo.*

postremeiro [De *postremo + -eiro*, ou alter. de *postrimeiro.*] ***Adj.*** V. *postremo.*

postremo [Do lat. *postremu.*] ***Adj.*** Último, derradeiro, extremo, postimeiro, postremeiro, postrimeiro (ant.), postreiro (ant.) e postumeiro (ant).

postres [Pl. de *postre.*] ***S. m. pl.*** V. *sobremesa.*

postrídio [Do adv. lat. *postridie.*] ***S. m.*** O dia seguinte.

postrimeiro [Do esp. *postrimero.*] ***Adj.*** *Ant.* V. *postremo.*

➔ **postscript** [ˈpɔstskɹipt] [Ingl. < lat. *postscriptum* (q. v.).] ***S. m.*** *Inform.* Linguagem formal para descrição gráfica precisa de documentos, que se tornou um padrão em editoração eletrônica. [Us. posposto a substantivos, com função adjetiva e ideia de 'uso ou compatibilidade com as especificações dessa linguagem': 📄 *impressora* postscript, *fonte* postscript.]

➔ **postscriptum** [pɔstˈskɹipto(m)] [Lat.] V. *pós-escrito.* [Abrev.: *PS.*]

postulação [Do lat. *postulatione.*] ***S. f.*** Ato de postular; solicitação.

postulado [Do lat. *postulatu.*] ***S. m.*** **1.** *Filos.* Proposição não evidente nem demonstrável, que se admite como princípio de um sistema dedutível, de uma operação lógica ou de um sistema de normas práticas. **2.** Fato ou preceito reconhecido sem prévia demonstração: 📄 *Esse postulado emana de uma profunda convicção.* **3.** Tempo de exercício e provações que antecede o noviciado das comunidades religiosas. [Cf. *pustulado.*] ◆ **Postulado das paralelas.** *Geom.* Postulado de Euclides. **Postulado de Euclides** (o quinto). *Geom.* Aquele que propõe: "Se se traçar uma secante a duas retas coplanares e a soma dos ângulos internos de um mesmo lado da secante for menor que dois ângulos retos, as duas retas se interceptam num ponto situado nesse lado da secante"; postulado das paralelas.

postulante [Do lat. *postulante.*] ***Adj. 2 g. S. 2 g.*** **1.** Que, ou quem postula. **2.** Que, ou quem cumpre o período de postulado, nas comunidades religiosas.

postular [Do lat. *postulare.*] ***V. t. d.*** **1.** Pedir com instância; suplicar, rogar, implorar: 📄 *Postulou o perdão.* **2.** Requerer, documentando a alegação: 📄 *O advogado postulou a soltura do preso.* **3.** Tomar como postulado (1). **4.** Solicitar, ou mesmo exigir, a implementação de: 📄 *O ministro postula medidas radicais e inovadoras.* ***T. d. e i.*** **5.** Pedir com instância; suplicar, rogar, implorar: 📄 *Postulava aos presentes que dessem crédito às suas palavras.*

postumária [De *póstumo* (*i. e., tempos póstumos*) + *-ária.*] ***S. f.*** Os tempos que sobrevêm à morte de alguém.

postumeiro [De *póstumo + -eiro.*] ***Adj.*** *Ant.* V. *postremo.*

póstumo [Do lat. *postumu*, 'último', 'derradeiro'.] ***Adj.*** **1.** Nascido após a morte do pai: 📄 *uma criança póstuma.* **2.** Posterior à morte de alguém: 📄 *honras póstumas.* **3.** Publicado após a morte do autor: 📄 *obra póstuma.* [Cf. a acepç. que tem o voc. na loc. *endosso póstumo.*] ~ V. *endosso —, falência —a, filho —* e *obra —a.*

postura [Do lat. *positura.*] ***S. f.*** **1.** Posição do corpo ou de uma parte dele: 📄 *uma postura cômoda; a postura da cabeça.* **2.** Modo de manter o corpo ou de compor os movimentos dele; atitude: 📄 *a postura de uma bailarina.* **3.** Aspecto físico ou expressão fisionômica: 📖 "Os olhos encovados e a postura / Medonha e má" (Luís de Camões, *Os Lusíadas*, V, 39). **4.** *Obsol.* Pintura ou outro artifício para embelezamento do rosto. **5.** Ato ou efeito de pôr ovos: 📄 *Entre certos animais, a postura ocorre na água.* **6.** A época da postura (5). **7.** Preceito municipal escrito, que obriga os munícipes a cumprirem certos deveres de ordem pública. **8.** *Fig.* Ponto de vista; maneira de pensar e agir; atitude: 📄 *a postura liberal daquele político.* **9.** Posição clássica no sistema ioga; ássana. ~ V. *posturas.* ◆ **Postura exofítica.** *Zool.* Diz-se da postura (5) feita pelos odonatos, os quais, mergulhando seguidamente a ponta do abdome na água, soltam os ovos, que se espalham na superfície ou vão para o fundo.

postural [De *postura + -al*[1].] ***Adj. 2 g.*** Relativo a, ou próprio de postura (2).

posturas [Pl. de *postura.*] ***S. f. pl.*** Conjunto de preceitos municipais, geralmente codificados: 📄 *código de posturas.* ~ V. *postura.*

postureiro [De *postura + -eiro.*] ***S. m.*** *Obsol.* Vendedor de posturas para embelezamento.

posudo [De *pose + -udo.*] ***Adj. S. m.*** *Bras. Gír.* Que, ou aquele que faz ou tem pose (2), que é cheio de pose (2), cheio de si; canchudo: 📖 "— Mas o povo daqui é meio besta, fechado, posudo." (Gustavo Barroso, *Mississípi*, p. 99.)

pós-védico [De *pós- + védico.*] ***Adj.*** Posterior aos tempos védicos.

pós-venda ***S. f.*** *Market.* Etapa posterior à efetivação da venda, que pesquisa, junto ao cliente, a qualidade dos serviços prestados, a satisfação com o produto ou serviço adquirido, etc. [Cf. *fidelização.*]

pós-verbal [De *pós- + verbal.*] ***Adj. 2 g. S. m.*** *E. Ling.* Deverbal.

potaba [Do tupi = 'o que a mão colhe'.] ***S. f.*** *Bras. N.E.* **1.** Presente, dádiva, mimo. **2.** Legado[1]. **3.** V. *gorjeta*[1] (2). **4.** Isca para apanhar pitu. [Var.: *potava.*]

potabilidade [De *potável + -(i)dade*, seg. o padrão erudito.] ***S. f.*** Qualidade de potável.

potâmide [Do gr. *potameís, ídos*, pelo lat. tard. *potamide.*] ***S. f.*** *Mit.* Ninfa dos rios.

potamita [De *potam(o)- + -ita*[2].] ***Adj. 2 g.*** Que vive nos rios.

▲ **potam(o)-** [Do gr. *potamo-* < gr. *potamós, oû.*] ***El. comp.*** = 'rio': *potamita, potamografia.*

potamobentónico ***Adj.*** *Biol.* V. *potamobentônico.* [Uso freq. em P.]

potamobentônico ***Adj.*** *Biol.* Diz-se de organismo que vive no fundo de rios e riachos.

potamofobia [De *potam(o)- + -fobia.*] ***S. f.*** *Psiq.* Medo patológico de rio, de correntes de água.

potamofóbico [De *potamofobia + -ico*[2].] *Psiq.* ***Adj.*** **1.** Relativo a potamofobia. **2.** Que sofre de potamofobia; potamófobo. ● ***S. m.*** **3.** Aquele que sofre de potamofobia; potamófobo.

potamófobo [De *potam(o)- + -fobo.*] ***Adj. S. m.*** *Psiq.* Potamofóbico (2 e 3).

potamogetonácea [Do tax. *Potamogeton + -ácea*; tax. *Potamogetonaceae.*] ***S. f.*** *Bot.* Espécime das potamogetonáceas, família da ordem das naiadales que reúne dois gêneros e cerca de 90 espécies de ervas aquáticas de distribuição cosmopolita. Tem folhas espiraladas, pequenas flores tetrâmeras, hermafroditas, em espigas carnosas, e pequenos frutos drupáceos, ger. emersos.

potamogetonáceo [De *potamogetonácea*, com var. suf. (v. *-áceo*).] ***Adj.*** *Bot.* Pertencente ou relativo às potamogetonáceas.

potamografia [De *potam(o)- + -grafia.*] ***S. f.*** Potamologia.

potamográfico [De *potamografia + -ico*[2].] ***Adj.*** Relativo a potamografia; potamológico.

potamologia [De *potam(o)- + -logia.*] ***S. f.*** A parte da geografia que estuda os rios; potamografia.

potamológico [De *potamologia + -ico*[2].] ***Adj.*** Relativo a potamologia; potamográfico.

potamologista [De *potamologia + -ista.*] ***S. 2 g.*** Especialista em potamologia; potamólogo.

potamólogo [De *potam(o)- + -logo.*] ***S. m.*** Potamologista.

potamonímia [De *potamônimo + -ia*[2].] ***S. f.*** Estudo linguístico ou histórico da origem dos potamônimos.

potamonímico [De *potamônimo + -ico*[2].] ***Adj.*** Relativo a potamonímia, ou aos potamônimos.

potamónimo ***S. m.*** V. *potamônimo.* [Uso freq. em P.]

potamônimo [De *potam(o)- + -ônimo.*] ***S. m.*** Nome próprio de rios, lagos, etc.

potassa [Do al. *Pottasche*, 'cinza de panela'.] ***S. f.*** Hidróxido de potássio; potassa cáustica. ◆ **Potassa cáus-**

tica. Potassa. **Potassa do comércio.** Carbonato de potássio impuro.

potássico [De *potássio* + *-ico*[2].] *Adj.* **1.** Relativo ao potássio. **2.** Em cuja composição entra o potássio.

potássio [Do lat. científico *potassium*.] *S. m. Quím.* Elemento de número atômico 19, pertencente aos metais alcalinos, branco-prateado, pouco denso e muito mole [símb.: *K*].

potava *S. f. Bras. N.E.* Var. de *potaba*.

potável [Do lat. tard. *potabile*.] *Adj. 2 g.* Que se pode beber; que é bom para se beber. ~ V. *água* —.

pote [Do prov. *pot*.] *S. m.* **1.** Grande vaso de barro para líquidos. **2.** Vasilha de barro, louça ou metal com diferentes formas e/ou dimensões. **3.** Recipiente de louça, vidro, etc., de largo bocal: *pote de geleia; de pomada.* **4.** Antiga unidade de medida de capacidade para líquidos, equivalente a seis canadas, *i. e.*, 15,972 litros. **5.** *Burl.* Pessoa atarracada. **6.** *Bras. N.E. GO Pop.* V. *cadeia* (3). ◆ **A potes.** V. *a cântaros*: "Chovia a potes." (D. João da Câmara, *Contos*, p. 136.) **De pote.** *Bras. Pop.* Em estado de gravidez: *estar de pote; ficar de pote.* **Encher o pote.** *Bras. N.E. Pop.* Soltar-se em impropérios contra alguém; dizer-lhe desaforos.

poteense (èen) *Adj. 2 g.* **1.** De, ou pertencente ou relativo a Poté (MG). ● *S. 2 g.* **2.** O natural ou habitante de Poté.

poteia (éi) [Do fr. *potée*.] *S. f.* Óxido de estanho reduzido a pó, usado para polir espelhos e outros objetos. ✧

potem *Bras. S. 2 g.* **1.** *Etnôn.* Indivíduo dos potens, povo indígena extinto, da família linguística botocudo, que habitava região situada entre os rios Mucuri e São Mateus (MG). ● *Adj. 2 g.* **2.** Pertencente ou relativo a esse povo. [Tb. us. como *s. 2 g. e 2 n.* (com cap.) e *adj. 2 g. e 2 n.*]

potência [Do lat. *potentia*.] *S. f.* **1.** Qualidade de potente; poderio, poder. **2.** Vigor, força. **3.** Autoridade, domínio. **4.** Faculdade (da alma). **5.** Vigor ou capacidade sexual. **6.** Capacidade de realizar. **7.** Força aplicada à realização de certo efeito. **8.** Pessoa muito importante e/ou poderosa. **9.** Nação soberana dotada de poderio. **10.** *Mat.* Produto de *n* fatores iguais. **11.** *Filos.* Caráter do que pode ser produzido, ou produzir-se, mas que ainda não existe. **12.** *Filos.* Fonte original da ação. **13.** *Filos.* Possibilidade de produzir mudanças originadas em causas e finalidades externas ou internas. **14.** *Fís.* Num sistema gerador ou absorvedor de energia, a energia produzida ou consumida por unidade de tempo. **15.** *Geom.* O produto constante das distâncias de um ponto fixo às interseções de uma reta que passa por ele e encontra uma circunferência de círculo ou uma esfera. **16.** *Maç.* Obediência (6). **17.** *Med.* Capacidade de ter, o homem, relação sexual. **18.** *Ópt.* O inverso da distância focal duma lente; convergência. [Cf. *potencia*, do v. *potenciar*.] ◆ **Potência aparente.** *Eletr.* Em um circuito de corrente alternada, o produto da tensão eficaz pela corrente eficaz quando o fator de potência é igual à unidade. **Potência ativa.** *Eletr.* A potência que em média é fornecida por ou consumida em um circuito de corrente alternada, e que é igual ao produto da tensão eficaz pela corrente eficaz e pelo fator de potência; potência real, potência verdadeira. **Potência de um ponto em relação a um círculo.** *Geom.* O produto constante das distâncias de um ponto fixo às interseções de uma reta que passa por ele e encontra uma circunferência de círculo ou uma esfera. **Potência real.** *Eletr.* V. *potência ativa*. **Potência reativa.** *Eletr.* Num circuito de corrente alternada, o produto da tensão eficaz pela corrente eficaz e pelo fator reativo. **Potência verdadeira.** *Eletr.* V. *potência ativa*. **Elevar a uma potência.** *Mat.* Multiplicar (uma quantidade) por si mesma tantas vezes quantas forem as unidades da potência.

potenciação [De *potenciar* + *-ção*.] *S. f. Mat.* Elevação a potências. [V. *potência* (10).]

potencial [Do lat. med. *potentiale*.] *Adj. 2 g.* **1.** Respeitante à potência. **2.** Virtual, possível. **3.** *Filos.* Que está em potência. [Opõe-se a *atual* (4) e *virtual* (4).] ~ V. *energia* —, *escoamento* —, *infinito* — e *pausa* —. ● *S. m.* **4.** Poder ou força potencial: "Esses dois núcleos, o de Paris e o de Varsóvia, ... estabeleciam o dever de acudir com todo o seu potencial militar em caso de 'agressão'" (Fidelino de Figueiredo, *Entre Dois Universos*, p. 88). **5.** *Expl.* Trabalho máximo produzido pela unidade de massa de um explosivo. **6.** *Fís.* Designação comum a uma classe de funções de diversas variáveis cujas derivadas parciais são parâmetros ou funções importantes de um campo. **7.** *Fís.* Potencial elétrico. ◆ **Potencial aceleração.** *Fís.* A função *F* definida por: grad *F* = *-a*, onde *a* é o vetor aceleração associado ao movimento de um fluido. **Potencial de contato.** *Fís.* Diferença de potencial elétrico desenvolvida entre dois metais diferentes em contato direto. **Potencial de decomposição.** *Fís.-Quím.* O menor potencial que, aplicado a um eletrodo de um sistema eletroquímico, provoca uma passagem de corrente elétrica com densidade de corrente apreciavelmente grande. **Potencial de deposição.** *Fís.-Quím.* O potencial elétrico em que, num catodo metálico imerso numa solução, começa a ocorrer a deposição de íons do mesmo metal. **Potencial de escoamento.** *Fís.* Tensão elétrica que se estabelece quando um líquido é forçado a escoar-se através dum capilar. **Potencial de excitação.** *Fís.* Diferença de potencial necessária para acelerar um elétron e comunicar-lhe energia suficiente para excitar até um nível determinado um átomo ou uma molécula que se achava no estado normal. **Potencial de ionização.** *Fís.* Num sistema atômico neutro, a energia mínima necessária para separar o sistema num elétron e num íon positivo. **Potencial de junção líquida.** *Fís.-Quím.* Diferença de potencial que se estabelece na interface de dois eletrólitos diferentes postos em contato. **Potencial de oxidação.** *Fís.-Quím.* Potencial de um eletrodo medido em relação a outro tomado como padrão, quando nele ocorre uma oxidação. **Potencial de oxirredução.** *Fís.-Quím.* Potencial elétrico de um eletrodo em que ocorre uma reação de oxirredução. **Potencial de redução.** *Fís.-Quím.* O de um eletrodo em que ocorre uma reação de redução. **Potencial de ruptura.** *Eletr.* A maior tensão elétrica que pode ser aplicada a um condutor sem provocar a formação duma descarga disruptiva; tensão de ruptura. **Potencial de sedimentação.** *Fís.-Quím.* Diferença de potencial elétrico que se estabelece quando numa coluna vertical ocorre a sedimentação de uma suspensão. **Potencial elétrico.** *Fís.* Função de um campo elétrico, igual, em cada ponto, ao trabalho necessário para trazer do infinito ao ponto uma carga elétrica positiva e unitária. [Tb. se diz apenas *potencial*.] **Potencial eletrocinético.** *Fís.-Quím. P. us.* Potencial zeta. **Potencial eletrodinâmico.** *Fís.* Qualquer dos potenciais associado a um campo eletromagnético; potencial escalar. **Potencial eletroquímico.** *Fís.-Quím.* O trabalho necessário para trazer um mol de uma espécie química do infinito até o interior de uma fase, e que inclui forças coulombianas e interações químicas. **Potencial eletrostático.** *Fís.* A função potencial associada a uma carga elétrica em repouso. **Potencial escalar.** *Fís.* Potencial eletrodinâmico. **Potencial gravitacional.** *Fís.* Potencial newtoniano. **Potencial hidrogeniônico.** *Quím.* Logaritmo decimal do inverso da atividade dos íons hidrogênio numa solução; pH. [As soluções ácidas têm pH menor que 7; as básicas, maior que 7; e as neutras, em torno de 7.] **Potencial magnético.** *Fís.* Função cujo gradiente é igual ao negativo da intensidade de um campo magnético irrotacional. **Potencial newtoniano.** *Fís.* Função escalar de ponto cujo gradiente coincide com o campo de forças gravitacionais associado a uma distribuição de massas no espaço; potencial gravitacional. **Potencial químico.** *Fís.-Quím.* A função de Gibbs parcial molar de um componente num sistema. **Potencial vetor.** *Fís.* Função vetorial cujo rotacional é igual ao vetor indução magnética dum campo magnético. **Potencial velocidade.** *Fís.* Função cujo gradiente é igual ao negativo do vetor velocidade de um campo. **Potencial zeta.** *Fís.-Quím.* Parte do potencial elétrico existente numa interface sólido-líquida, que condiciona os fenômenos eletrocinéticos; potencial eletrocinético. **Em potencial.** Como possibilidade ou probabilidade de realização ou aproveitamento; como virtualidade: *O Brasil apresenta grandes riquezas em potencial.*

potencialidade [Do lat. med. *potentialitate*.] *S. f.* **1.** Qualidade de potencial. **2.** Potencial (4): "Como haveríamos de alcançar qualquer noção de uma realidade fenomenal que está fora da alçada das potencialidades da nossa condição mental?" (Fidelino de Figueiredo, *Entre Dois Universos*, p. 225.)

potencializador (ô) [De *potencializar* + *-dor*.] *Adj. S. m.* Que, ou aquilo que potencializa.

potencializar [De *potencial* + *-izar*.] *V. t. d.* Tornar potente; reforçar.

potenciar [De *potência* + *-ar*[2].] *V. t. d. Mat.* Elevar (qualquer quantidade) a uma potência. [Pres. ind.: *potencio, potencias, potencia*, etc. Cf. *potência*.]

potenciometria [De *potência* + *-o-* + *-metria*.] *S. f. Fís.-Quím.* Técnica de análise quantitativa baseada na medida de potenciais elétricos associados a sistemas eletroquímicos.

potenciométrico [De *potenciometria* + *-ico*[2].] *Adj.* Relativo ao potenciômetro, ou à potenciometria.

potenciómetro *S. m. Eng. Elétr.* V. *potenciômetro*. [Uso freq. em P.]

potenciômetro [De *potência* + *-o-* + *-metro*.] *S. m. Eng. Elétr.* **1.** Instrumento para medir diferenças de potencial elétrico em condições de quase reversibilidade do sistema. **2.** Resistor com um cursor central móvel, e que pode servir como divisor de tensão.

potengiense[1] *Adj. 2 g.* **1.** De, ou pertencente ou relativo a Potengi (CE). ● *S. 2 g.* **2.** O natural ou habitante de Potengi.

potengiense[2] *Adj. 2 g.* **1.** De, ou pertencente ou relativo a São Paulo do Potengi (RN). ● *S. 2 g.* **2.** O natural ou habitante de São Paulo do Potengi.

potenjiense[1] *Adj. 2 g. S. 2 g.* V. *potengiense*[1].

potenjiense[2] *Adj. 2 g. S. 2 g.* V. *potengiense*[2].

potentado [Do lat. *potentatu*.] *S. m.* **1.** Príncipe soberano de grande autoridade e/ou poder material: "A bordo vinha uma águia. Era um presente / Que um potentado, — um certo rei do Oriente, / Mandava a outro" (Luís Guimarães, *Sonetos e Rimas*, p. 13). **2.** *P. ext.* Pessoa muito influente e/ou poderosa. [Sin. ger.: *potestade*.]

potente [Do lat. *potente*.] *Adj. 2 g.* **1.** Que pode. **2.** Que tem a faculdade de fazer ou produzir algo. **3.** Que tem poderio ou importância. **4.** Violento, enérgico. **5.** Rude, áspero, rijo. **6.** *Med.* Diz-se de quem é sexualmente pleno.

potenteia (éi) [Do lat. *potent(ia)*, 'potência', + *-eia*, para trad. o fr. *potencée*.] *S. f. Heráld.* Ornato em forma de cruz vazada cujas hastes são rematadas por retângulo. ✧

potentilha [Do tax. *Potentilla* (do lat. med.).] *S. f. Bot.* **1.** Grande gênero de plantas herbáceas e arbustos rosáceos, abundantes em regiões temperadas, de folhas penadas ou palmadas, flores amarelas, purpúreas, ou brancas, com cálice bracteado e cinco pétalas, e fruto que consiste em pequeninos aquênios sobre um receptáculo seco. **2.** Qualquer espécie desse gênero, como, p. ex., a *Potentilla reptans* ou *cinco-em-rama*. **3.** Qualquer espécime desse gênero.

poterna [Do fr. *poterne*.] *S. f.* Porta falsa, ou galeria subterrânea, que permite sair secretamente duma praça fortificada.

potestade [Do lat. *potestate*, por via semierudita.] *S. f.* **1.** Poder, potência. **2.** Potentado. **3.** *P. ext.* A divindade. [Cf. *podestade*.] ~ V. *potestades*.

potestades [Pl. de *potestade*.] *S. f. pl. Rel.* Os anjos da sexta hierarquia. ~ V. *potestade*.

potestativo [Do lat. *potestativu*.] *Adj.* **1.** Revestido de poder. **2.** *Jur.* Diz-se do direito que, uma vez exercido por seu titular, produz efeito na esfera jurídica de outrem, sem que este possa ou deva fazer qualquer coisa, senão sujeitar-se.

poti [Do tupi.] *S. m. Zool. Bras.* Camarão (1).

potiche [Do fr. *potiche*.] *S. m.* Vaso de porcelana decorada, arredondado e em geral com tampa, e cujos primeiros exemplares são de origem chinesa.

potici [De *potosi*.] *S. m. Bras. Pop.* Grande quantidade; quantidade, abundância, superabundância, cópia.

potiguar [Do tupi = 'comedor de camarão'.] *S. 2 g.* **1.** *Etnôn.* V. *potiguara* (1). **2.** V. *rio-grandense-do-norte*. ● *Adj. 2 g.* **3.** V. *potiguara* (2). **4.** V. *rio-grandense-do-norte*. [Var., nas acepç. 1 e 3: *petiguar, pitaguar, pitiguar, pitiguara* e *potiguara*.]

potiguara *Bras. S. 2 g.* **1.** *Etnôn.* Indivíduo dos potiguaras, povo indígena do tronco linguístico tupi, que habita a costa da PB. ● *Adj. 2 g.* **2.** Pertencente ou relativo a esse povo. [Tb. us. como *s. 2 g. e 2 n.* (com cap.) e *adj. 2 g. e 2 n.*]

potimirim [Do tupi = 'camarão pequeno'.] *S. m. Bras. Zool.* V. *camarão-rosa*.

➔ **potin** [pɔ'tẽ] [Fr.] *S. m.* Notícia maliciosa sobre alguém ou algum fato; mexerico, bisbilhotice.

potinense *Adj. 2 g.* **1.** De, ou pertencente ou relativo a Potim (SP). ● *S. 2 g.* **2.** O natural ou habitante de Potim.

potiraguense (güen) *Adj. 2 g.* **1.** De, ou pertencente ou relativo a Potiraguá (BA). ● *S. 2 g.* **2.** O natural ou habitante de Potiraguá. ✧

potirendabano *Adj.* **1.** De, ou pertencente ou relativo a Potirendaba (SP). ● *S. 2 g.* **2.** O natural ou habitante de Potirendaba.

potiretamense *Adj. 2 g.* **1.** De, ou pertencente ou relativo a Potiretama (CE). ● *S. 2 g.* **2.** O natural ou habitante de Potiretama.

potitinga [De *poti* + *-tinga*.] *S. m. Bras. Zool.* V. *camarão-rosa*.

potiúna [Do tupi = 'camarão preto'.] *S. m. Bras. Zool.* Espécie de camarão cinza.

poto [Do lat. *potu*.] *S. m. Poét.* Bebida (1).

▲ **poto-** [Do gr. *pótos, ou*, 'ação de beber'; 'bebida'.] *El. comp.* = 'bebida': *potomania, potômano*.

potó[1] [Do concani.] *S. m.* Espada de dois gumes, usada em certas festividades na Índia.

potó[2] [Do tupi.] *S. m. Bras. Amaz. Zool.* Inseto coleóptero, estafilinídeo, gênero *Paederus*, cuja secreção, de propriedades cáusticas e vesicantes, produz lesões na pele, como eritema, prurido, vesiculação e ulceração, às vezes extensas e numerosas, rebeldes ao tratamento: "Registra-se .... na Amazônia um inseto, irmão da formiga até nas asas que cria e perde. Da variedade dos himenópteros, alaranjado, rajado de preto, ... chama-se potó." (Raimundo Morais, *Na*

Planície Amazônica, p. 152). [Sin.: *potó-pimenta*, *pimenta*, *papa-pimenta*, *burrico*, *trepa-moleque*.]

potoca *S. f. Bras.* V. *mentira* (1): "E vira com seus olhos crueldades que, contadas, pareciam potoca, exagero." (Jorge Medauar, *Água Preta*, p. 166.)

potocar[1] [De *potó*[1] + *-c-* + *-ar*[1].] *S. m.* Aquele que maneja o potó[1].

potocar[2] [De *potoca* + *-ar*[2].] *V. int. Bras.* Dizer potocas; mentir, lorotar. [Conjug.: v. *trancar*.]

potomania [De *poto-* + *-mania*.] *S. f. Psiq.* Vontade anormal de beber, embora, na realidade, não exista sede.

potomaníaco [De *potomania* + *-íaco*.] *Psiq. Adj.* **1.** Relativo a potomania. **2.** Que tem potomania; potômano. ● *S. m.* **3.** Aquele que tem potomania; potômano.

potômano [De *poto-* + *-mano*[1].] *Adj. S. m.* Potomaníaco (2 e 3).

potómetro *S. m.* V. *potômetro*. [Uso freq. em P.]

potômetro [De *poto-* + *-metro*.] *S. m. Bot.* Dispositivo us. para medir a taxa de transpiração de um vegetal, numa determinada unidade de tempo.

potó-pimenta *S. m. Bras. Zool.* V. *potó*[2]. [Pl.: *potós-pimentas* e *potós-pimenta*.]

potoqueiro [De *potoca* + *-eiro*.] *Adj. S. m. Bras.* V. *mentiroso* (1 e 4).

potoquista [De *potoca* + *-ista*.] *Adj. 2 g. S. 2 g. Bras.* V. *mentiroso* (1 e 4).

potosi [Do top. *Potosi*, cidade boliviana famosa por suas ricas minas de prata.] *S. m. Fig.* Grande fonte de riqueza; tesouro.

potosino *Adj.* **1.** De, ou pertencente ou relativo a Potosi (Bolívia). ● *S. m.* **2.** O natural ou habitante de Potosí.

➔ **pot-pourri** [popu'ʁi] [Fr.] *S. m.* **1.** *Mús.* Miscelânea de trechos tirados de diversas canções ou outras peças musicais. [Sin. (ingl.): *medley*.] **2.** Mistura de coisas heterogêneas.

potra (ô) [Fem. de *potro*.] *S. f.* **1.** *Zool.* Égua (1) nova. **2.** Hérnia intestinal. **3.** *Bot.* Doença dos vegetais, caracterizada por saliências nodosas na haste e na raiz de algumas plantas hortenses. **4.** *Bras. S.* Felicidade, ventura, sorte. **5.** *Bras. S.* Ares de importância; arrogância, soberba, empáfia.

potrada [De *potro* + *-ada*[1].] *S. f. Bras. S.* Conjunto ou porção de potros; potraria.

potranca *S. f. Bras.* Fem. de *potranco* (q. v.).

potrancada [De *potranco* + *-ada*[1].] *S. f. Bras.* Porção de potrancos ou potrancas.

potranco [De *potro*.] *S. m. Bras.* Potro de menos de dois anos. [Sin.: *potrilho* (q. v.), *potreco*. Fem.: *potranca*.]

potraria [De *potro* + *-aria*.] *S. f. Bras. S.* Potrada.

potreação [De *potrear* + *-ção*.] *S. f. Bras. S.* Ação de potrear; potreada.

potreada [De *potrear* + *-ada*[1].] *S. f. Bras. S.* Potreação.

potreador (ô) [De *potrear* + *-dor*.] *Adj. S. m. Bras. S.* Que, ou aquele que potreia ou dirige a potreação.

potrear [De *potro* + *-ear*[2].] *V. t. d. Bras. S.* **1.** Arrebanhar (gado cavalar), com violência, do campo do proprietário. **2.** Arrebanhar (gado cavalar bravio) com o fim de o amansar. **3.** Desafiar com motejos: *O valentão vive potreando os mais fracos.* *Int.* **4.** Ficar encolerizado; irar-se, encolerizar-se. **5.** Ralhar com ares de valente: *Gosta de potrear sem razão.* **6.** Reagir, espumando. [Conjug.: v. *frear*. Pres. ind.: *potreio*, *potreias*, *potreia*, etc. Cf. *potreia*.]

potreco [De *potro* + *-eco*[1].] *S. m. Bras. S.* V. *potranco*.

potreia (éi) *S. f.* **1.** Bebida desagradável ou estragada. **2.** *P. ext.* Coisa que não presta. [Cf. *potreia*, do v. *potrear*.] ❖

potreiro [De *potro* + *-eiro*.] *S. m.* **1.** Negociante de potros e de gado para a cavalaria e tiro. **2.** *Bras.* V. *potril*. **3.** *Bras. S.* Lugar cercado, pouco extenso, nos arredores duma estância, no qual se guardam os animais empregados nos trabalhos quotidianos (cavalos de montaria, vacas de leite, etc.) e os animais doentes que necessitam cuidados diários. ● *Adj.* **4.** ~ V. *campo* —.

potril [Do esp. *potril*.] *S. m.* Pátio ou alpendre onde se guardam potros para adestrar. [Sin.: *poldril* e (bras.) *potreiro*.]

potrilha [De *potra* (2) + *-ilha*.] *S. m.* **1.** Indivíduo potroso. **2.** *Deprec.* Bisbórria, pobre-diabo.

potrilhada [De *potrilho* + *-ada*[1].] *S. f. Bras. S.* Porção de potrilhos.

potrilho [De *potro* + *-ilho*.] *S. m. Bras. S.* V. *potranco*. [Não se usa no fem.]

potro (ô) [Do lat. vulg. **pulletru*, derivado de *pullu*, 'animal novo'; v. *poldro*.] *S. m.* **1.** *Zool.* Cavalo novo, até aos quatro anos; poldro. **2.** Cavalo de madeira, no qual se torturavam os acusados ou condenados; ecúleo. **3.** *Bras. RS* Cavalo, novo ou não, ainda não domado ou somente com alguns galopes. [Pl.: *potros* (ó).]

potroso (ô) [De *potra* + *-oso*.] *Adj.* Que tem potra (2).

poturu *S. 2 g. Adj. 2 g. Bras.* V. *zoé*.

pouca [De *pouco*.] *S. f.* V. *pouco*[2] (3): "Do cântaro, que tens, dá-me uma pouca d'água" (Francisca Júlia, *Esfinges*, p. 14). ~ V. *poucas*.

poucachinho *Adv. S. m.* V. *poucochinho*: "Quem mais ama mais padece; / Eu hei de amar poucachinho." (Antônio Boto, *As Canções*, p. 100.)

poucadinho [Cruz. de *pou(co)* e *(bo)cadinho*.] *S. m. Bras. Pop.* V. *bocadinho*.

poucas *El. s. f. pl.* Us. na loc. *dizer poucas e boas*. ~ V. *pouca*. ◆ **Dizer poucas e boas.** *Fam.* Dizer verdades muito duras.

pouca-vergonha [Do f. de *pouco*[2] (1) + *vergonha*.] *S. f.* **1.** Falta de vergonha. **2.** Ato vergonhoso e imoral; tratantada, patifaria, maroteira. [Pl.: *poucas-vergonhas*.]

pouco[1] *S. m.* V. *pouco-caso*. Us. na loc. *fazer pouco de*. ◆ **Fazer pouco de. 1.** Desprezar, menosprezar, desdenhar. **2.** Zombar, mofar, escarnecer de. **Daqui a pouco.** Dentro de instantes; em breve.

pouco[2] [Do lat. *paucu*.] *Adj.* **1.** Em pequena quantidade; escasso, reduzido. [Superl. abs. sint.: *pouquíssimo*.] ● *Pron. indef.* **2.** Algo (coisa ou indivíduo) em quantidade ou em grau menor do que o habitual ou o esperado: *Tinha pouco que nos oferecer, mas o fez de bom grado; Dizem que 'muitos serão chamados, mas poucos os escolhidos'.* ● *S. m.* **3.** Aquilo que é em pequena quantidade; bagatela. ● *Adv.* **4.** Não muito; insuficientemente: *Estuda pouco, e é pouco inteligente.* [Superl. abs. sint., nesta acepç.: *pouquíssimo*.] [Cf. *pouca* e *poucas*.] ◆ **Pouco a pouco. 1.** Em pequenas porções: "dos fatos que lhe pareciam sair de remoto e esquecido passado" (Coelho Neto, *Obra Seleta*, I, p. 793). **2.** Com breves intervalos; de espaço a espaço. [Sin. ger.: *a pouco e pouco*, *aos poucos*, *pouco e pouco*.] **Pouco e pouco.** V. *pouco a pouco*: "via com enlevos .... surgir pouco e pouco do vulto da menina a imagem rediviva da mulher" (José de Alencar, *Til*, p. 182). **Pouco mais ou menos.** Aproximadamente, proximamente: *Tem 50 anos, pouco mais ou menos.* **Aos poucos.** V. *pouco e pouco*: "aos poucos, a cada quarteirão vencido, as gorduras dela iam se derretendo" (Pedro Nava, *Baú de Ossos*, p. 107). **A pouco e pouco.** V. *pouco a pouco*: "Natividade não foi logo, logo, assim; a pouco e pouco é que veio sendo vencida" (Machado de Assis, *Esaú e Jacó*, p. 20). **Daqui a pouco.** Dentro de instantes; em breve. **Dentro em pouco.** Dentro de pouco tempo. **Por pouco.** V. *por um triz*: *Por pouco não morreu.*

pouco-caso *S. m.* Desprezo, desdém: "Ora era uma [mulher] que se aborrecia da minha fidelidade, ora era outra que eu magoava com uma inconstância e um pouco-caso mais fingidos que reais." (Miroel Silveira, *Bonecos de Engonço*, p. 27.) [F. red.: *pouco* (q. v.). Pl.: *poucos-casos*.]

poucochinho [Dim. irreg. de *pouco*.] *Pron. indef.* **1.** Muito pouco: "O nariz tem a aresta um poucochinho larga" (Gonçalves Crespo, *Obras Completas*, p. 432). ● *S. m.* **2.** Pequena quantidade. [Var.: *poucachinho*.]

➔ **pouilly-fuissé** [pu'ji fɥi'se] [Fr.] *S. m. Enol.* Borgonha branco seco (*chardonnay*) produzido no Mâconnais.

➔ **pouilly fumé** [pu'ji fy'me] [Fr.] *S. m. Enol.* Vinho branco seco (*sauvignon*) produzido na margem direita do rio Loire.

poupa[1] [Do lat. *upupa*.] *S. f.* **1.** *Zool.* Pássaro semelhante à pega. **2.** Tufo de pena que adorna a cabeça de algumas aves; crista, penacho: "O galo-da-campina ergue a poupa escarlate fora do ninho." (José de Alencar, *Iracema*, p. 57.) **3.** Topete (1). [Pl.: *poupas*. Cf. *popa* (ô), pl. *popas* (ô); *Popa* (ô), astr., e *popa*, pl. *popas*.]

poupa[2] [Dev. de *poupar*.] *S. f.* Poupança. [Pl.: *poupas*, Cf. *popa* (ô), pl. *popas* (ô); *Popa* (ô), astr., e *popa*, pl. *popas*.]

poupado [Part. de *poupar*.] *Adj.* Que é dado a poupar, que não é gastador; econômico, parcimonioso.

poupador (ô) [De *poupar* + *-dor*.] *Adj. S. m.* Que, ou aquele que poupa.

poupança [De *poupar* + *-ança*.] *S. f.* **1.** Economia, parcimônia: "Elvira era a própria cozinheira, um pouco por economia, um nem sempre bem disfarçado instinto de poupança" (Lêdo Ivo, *O Flautim*, p. 53). **2.** *Econ.* A parte da renda pessoal ou da renda nacional que não é gasta em consumo. **3.** *Fam.* Sovinice, mesquinhez, avareza. **4.** *Bras.* Caderneta de poupança. [Cf. *popança* (ô).]

poupão [De *poupar* + *-ão*[2].] *Adj. Bras. CE Pop.* **1.** Diz-se do boi que, no carro ou na bolandeira, se esquiva, poupando-se ao trabalho. **2.** Diz-se de indivíduo que se poupa ao trabalho, que é encostado.

poupar [Do lat. *palpare*.] *V. t. d.* **1.** Gastar com moderação ou economia; despender com parcimônia; não desperdiçar; economizar: *poupar dinheiro*; *poupar energia*. **2.** Deixar escapar; não fazer uso de; desaproveitar, desperdiçar, perder: *Não poupa nenhuma oportunidade de ganhar dinheiro.* **3.** Ser tolerante com; indulgenciar; perdoar: *Não poupou os inimigos.* **4.** Tratar com clemência; não fazer mal a; respeitar: *Os invasores não pouparam velhos nem crianças*; "De tanta formosura eis o que resta! / A doença ninguém poupa." (Conde de Monsaraz, *Musa Alentejana*, p. 189). **5.** Pôr de lado; não tratar de; pospor: *É um erro poupar as tarefas mais árduas.* *T. d. e i.* **6.** Fazer que não despenda; evitar: *A confissão do réu poupou trabalho à polícia.* **7.** Pôr a salvo; esquivar, subtrair: *poupar alguém de desgostos*; *Poupei-o a decepções*; "poupem-me, quando morto, à sepultura: odeio / A cova, escura e fria." (Vicente de Carvalho, *Poemas e Canções*, p. 223). **8.** Não tirar, não suprimir, estando a ponto de fazê-lo: *Poupou a vida aos vencidos*; "O tempo, que tudo rói, poupou a Artur Azevedo o gênio bom e amorável, dando-lhe cem anos sem lhe dar a velhice." (Josué Montelo, *Artur Azevedo e a Arte do Conto*, p. 64). **9.** Deixar de aplicar: *Não poupará castigo aos culpados.* *Int.* **10.** Viver com economia; economizar; amealhar: "Trabalhai, poupai, acumulai, sabereis quanto podeis." (Marquês de Maricá, *Máximas, Pensamentos e Reflexões*, p. 56.) *P.* **11.** Deixar de realizar ou cumprir; esquivar-se, eximir-se, furtar-se: *poupar-se a uma obrigação*; "Para poupar-se a comentários dessa ordem, vindos de todos os lados. Teresa fechava-se ainda mais nas suas cismas e cogitações" (Gastão Cruls, *De Pai a Filho*, p. 31). [Pres. ind.: *poupo*, *poupas*, *poupa*, etc. Cf. *popa* (ô), pl. *popas* (ô); *Popa* (ô), astr.; e *popa*, pl. *popas*.]

poupudo [De *poupa*[1] + *-udo*.] *Adj.* Que tem poupa[1] (2). [Cf. *polpudo*.]

pouquidade [De *pouco* + *-(i)dade*.] *S. f.* **1.** Pequena porção. **2.** Pequenez, exiguidade. **3.** Insignificância, ninharia: "abre mão de pequenas polêmicas ...., não malbarates em pouquidades o talento que Deus te concedeu" (Machado de Assis, *Crônicas*, I, p. 137). [Sin. ger.: *pouquidão*.]

pouquidão [De *pouco* + *-idão*.] *S. f.* V. *pouquidade*: "Tinham o quartel num lugarejo que, pela dispersão e pouquidão das casas, escapara até ali à foiçada da artilharia." (Aquilino Ribeiro, *Caminhos Errados*, p. 186.)

pouquinho [De *pouco* + *-inho*[1].] *S. m.* Muito pouca coisa; quase nada; poucachinho, poucochinho.

pouquíssimo *Adj. Adv.* Superl. abs. sint. de *pouco*[2] (1).

➔ **pour épater le bourgeois** [puʁ epa'te le buʁ'ʒwa] [Fr.] Para escandalizar o burguês (3).

pousa [Dev. de *pousar*.] *S. f.* **1.** Ato de pousar. **2.** Lugar onde se pousa a carga para descansar. [Var.: *poisa*.]

pousada [De *pousar* + *-ada*[1].] *S. f.* **1.** Ato ou efeito de pousar. **2.** Hospedagem, alojamento, pousadia: *Tinha por hábito não negar pousada em seu sítio.* **3.** Hospedaria, albergue: *Todas as pousadas da região estão lotadas.* **4.** Residência, domicílio. **5.** Choupana, cabana. **6.** *Bras.* Lugar que serve de pouso por uma noite. [Var.: *poisada*.]

pousadia *S. f.* V. *pousada* (2). [Var.: *poisadia*.]

pousa-mão [De *pousar* + *mão*[1].] *S. m.* Suporte em que o litógrafo ou o fotogravador apoiam a mão enquanto desenham ou fazem retoques. [Var.: *poisa-mão*. Pl.: *pousa-mãos*. Cf. *cavalete* (6).]

pousar [Do lat. *pausare*.] *V. t. d.* **1.** Pôr, depor, assentar, colocar em algum lugar: *Terminado o café, pousou a xícara*; *O viajante pousou as malas.* *T. d. e c.* **2.** Colocar, firmando ou apoiando; pôr, firmar, apoiar: *pousar o pé no estribo.* **3.** Dirigir (para algum lugar); cravar, pregar: *A moça, envergonhada, pousou os olhos no chão.* *T. c.* **4.** Estar assente ou colocado; repousar: *Os castiçais pousavam na mesa.* **5.** Descer, baixar, pousando [v. *pousar* (12 a 14)]: *O helicóptero pousou na base aérea*; "A mosca esvoaçou brevemente no ar, pousou na beira dum dos castiçais" (Érico Veríssimo, *Noite*, p. 69). **6.** Fixar residência; morar, residir, estabelecer-se, fixar-se: *Os nômades não pousam em nenhuma região.* **7.** Passar a noite; pernoitar: *Cansados, resolveram pousar no caminho.* *T. d. e i.* **8.** Dirigir ou fixar; cravar, pregar: *Pousou os olhos no amigo.* **9.** Fazer tocar de leve; dar levemente: *O namorado pousou um beijo na face da pequena.* *Int.* **10.** Recolher-se em pousada ou casa onde passar a noite; pernoitar, abrigar-se, albergar-se, hospedar-se, pousar-se: *À noite chegaremos ao hotel e pousaremos.* **11.** Parar, geralmente para descanso: *A tropa andou três dias sem pousar.* **12.** *Aer. Av.* Descer à terra (avião, helicóptero); aterrar, aterrissar: *O avião pousará às 15 horas.* **13.** *Aer. Av.* Descer a uma superfície de água (hidravião); amerissar. [Cf., nas acepç. 12 e 13: *decolar*.] **14.** Descer (as aves, os insetos) tocando o solo, a água, ou outro pouso: *Os pombos pousaram.* *P.* **15.** V. *pousar* (10): *Os viajantes pousaram-se num pequeno albergue.* [Var. *poisar*. Pres. subj.: *pouse*, etc. Cf. *pose* (ô), s. f., *pose*, do v. *posar*, e este verbo.]

pouseiro [De *pousar* + *-eiro*.] *S. m. Desus.* Nádegas. [Var.: *poiseiro*.]

P

pousio [De *pouso* + *-io*[2].] *S. m.* 1. Interrupção do cultivo da terra por um ou mais anos. 2. Terra cuja cultura foi interrompida para que se tornasse mais fértil. ● *Adj.* 3. Não cultivado; inculto. [Var.: *poisio*.]

pouso [Dev. de *pousar*.] *S. m.* 1. Ato ou efeito de pousar. 2. Lugar onde alguém ou algo pousa, se coloca, costuma estar ou descansar. 3. Ancoradouro, fundeadouro. 4. A mó de baixo, nas azenhas. [Var.: *poiso*.] ~ V. *pousos*.

pouso-alegrense *Adj. 2 g.* 1. De, ou pertencente ou relativo a Pouso Alegre (MG). ● *S. 2 g.* 2. O natural ou habitante de Pouso Alegre. [Pl.: *pouso-alegrense*.]

pouso-altense *Adj. 2 g.* 1. De, ou pertencente ou relativo a Pouso Alto (MG). ● *S. 2 g.* 2. O natural ou habitante de Pouso Alto. [Pl.: *pouso-altenses*.]

pouso-novense *Adj. 2 g.* 1. De, ou pertencente ou relativo a Pouso Novo (RS). ● *S. 2 g.* 2. O natural ou habitante de Pouso Novo. [Pl.: *pouso-novenses*.]

pouso-redondense *Adj. 2 g.* 1. De, ou pertencente ou relativo a Pouso Redondo (SC). ● *S. 2 g.* 2. O natural ou habitante de Pouso Redondo. [Pl.: *pouso-redondenses*.]

pousos [Pl. de *pouso*.] *S. m. pl.* Travessas de madeira sobre as quais assenta a quilha do navio nos estaleiros. [Var.: *poisos*.] ~ V. *pouso*.

pouta *S. f.* Poita (q. v.).

poutar [De *pouta* + *-ar*[2].] *V. t. d. Int.* Poitar (q. v.).

povão [De *povo* + *-ão*[1].] *S. m. Bras.* V. *zé-povinho*.

povaréu [De *povo* + *-aréu*.] *S. m.* 1. Grande multidão. 2. V. *ralé* (1).

poveiro *Adj.* 1. De, ou pertencente ou relativo a Póvoa de Varzim (Portugal). ● *S. m.* 2. O natural ou habitante de Póvoa de Varzim. [Cf. *povoeiro*.]

povileu [Dim. irreg. de *povo* (q. v.).] *S. m. Deprec.* V. *ralé* (1).

povinho [De *povo* + *-inho*[1].] *S. m.* V. *zé-povinho*.

povo (ô) [Do lat. *populu*.] *S. m.* 1. Conjunto de indivíduos que falam a mesma língua, têm costumes e hábitos idênticos, afinidade de interesses, uma história e tradições comuns. [Cf., nesta acepç., *nação* (1).] 2. Os habitantes de uma localidade ou região: *É alegre o povo do Rio.* 3. V. *povoado* (2): "Combinara na fazenda dormir num pequeno povo, a três léguas de Cacimbas." (José Vieira, *Vida e Aventura de Pedro Malasarte*, pp. 279-280.) 4. Aglomeração de gente; multidão: *O povo, enfurecido, quase linchou o malfeitor.* 5. O conjunto das pessoas que constituem o corpo de uma nação, que se submetem às mesmas leis: *governo do povo, para o povo, pelo povo*; "A praça! A praça é do povo / Como o céu é do condor" (Castro Alves, *Obra Completa*, p. 352). 6. O conjunto das pessoas pertencentes às classes menos favorecidas; plebe: *O povo de Paris tomou a Bastilha em 1789.* 7. V. *ralé* (1). 8. *Fig.* Grande número; quantidade. 9. *Bras.* A família: *Meu povo é todo do Ceará.* 10. *Bras. P. ext.* As pessoas que nos cercam; os colegas, os amigos, os companheiros; gente: *— Meu povo é ordeiro, dona — explicou o que parecia ser o chefe do grupo.* [Pl.: *povos* (ó); aum.: *povaréu* (q. v.), dim. deprec.: *povileu, povoléu*.] ~ V. *povos*. ◆ **Povos naturais.** *Etnol.* Povos ou sociedades que têm pouco desenvolvimento técnico e/ou meios reduzidos para dominar a natureza; povos primitivos, sociedades primitivas. **Povos primitivos.** *Etnol.* V. *povos naturais*.

póvoa *S. f.* V. *povoado* (2). [Cf. *povoa* (ô), do v. *povoar*.]

povoação [De *povoar* + *-ção*.] *S. f.* 1. Ato ou efeito de povoar; povoamento: *A povoação do lugar fez-se demoradamente: os colonos foram chegando aos poucos.* 2. Os habitantes de um determinado lugar ou região: *A povoação do Pantanal é predominantemente indígena.* 3. Lugar povoado: *A povoação, de simples vila, passara a florescente cidade.* 4. V. *povoado* (2). 5. *Bras. Amaz.* Porção de seringueiras reunidas na floresta.

povoado [Part. de *povoar*.] *Adj.* 1. Em que se formou povoação. ● *S. m.* 2. Pequena aglomeração urbana; lugarejo, vila, aldeia, povoação, povo, póvoa: *De povoados à beira-mar nasceram modernas cidades.*

povoador (ô) [De *povoar* + *-dor*.] *Adj.* 1. Que povoa. ● *S. m.* 2. Aquele que povoa. 3. Colono que emigra para povoar ou cultivar outras terras.

povoamento [De *povoar* + *-mento*.] *S. m.* 1. Povoação (1). 2. Grupo numeroso de árvores de uma mata, que é objeto de exploração ou de tratamento florestal.

povoar [De *povo* + *-oar*.] *V. t. d.* 1. Formar povoação em; prover de habitantes; tornar habitado: *Os descobridores trataram de povoar a terra.* 2. Habitar, ocupar: *Os colonos portugueses povoaram o Brasil.* 3. Ajuntar-se, amontoar-se, aglomerar-se em: *Os pombos povoavam a praça. T. d. e i.* 4. Disseminar (animais) para reprodução em: *povoar de peixes um lago.* 5. Tornar cheio; encher; dotar, prover: *povoar de árvores um campo; povoar a cidade de escolas.* 6. Infundir (sentimentos ou ideias) abundantemente em (o coração, a mente, etc.): *Vive a povoar a mente de sonhos. P.* 7. Encher-se (de coisas incorpóreas): *Seu ânimo povoara-se de esperança.* [Conjug.: v. *coroar*. Pres. ind.: *povoo, povoas* (ô), *povoa* (ô), etc. Cf. *póvoa*, s. f., *Póvoa*, top., e *Póvoas*, antr.]

povoeiro [De *povo* + *-oeiro*.] *S. m. Bras. RS* Designação dada pelos camponeses aos habitantes de um povoado, vila ou cidade. [Cf. *poveiro*.]

povoléu [Dim. de *povo* (q. v.).] *S. m. Deprec.* V. *ralé* (1).

povos [Pl. de *povo*.] *S. m. pl.* As nações. ~ V. *povo*.

poxa (ô) *Interj. Bras. Pop.* Puxa[2] (q. v.): "E não dormiu um segundo, pensando naquela coisinha humana no frio da terra, e ele preso, processado, poxa!" (Carlos Drummond de Andrade, *Fala, Amendoeira*, p. 253); "— Poxa, seu! Até pareço mulher!" (Vinícius de Morais, *Para Viver um Grande Amor*, p. 188).

poxeti *Bras. S. 2 g.* 1. *Etnôn.* Indivíduo dos poxetis [ou (etnôn. bras.) *Pocheti], povo indígena extinto, do tronco linguístico tupi, que habitava a região entre os rios Araguaia e Tocantins (TO). ● *Adj. 2 g.* 2. Pertencente ou relativo a esse povo.

poxoreano *Adj.* 1. De, ou pertencente ou relativo a Poxoréu (MT). ● *S. m.* 2. O natural ou habitante de Poxoréu. [Sin. ger.: *poxorense*.]

poxorense *Adj. 2 g. S. 2 g.* Poxoreano.

poxvirídeo [Do tax. *Poxvirus* + *-ídeo*[1]; tax. *Poxviridae*.] *Microbiol. S. m.* 1. Espécime dos poxvirídeos, família de vírus ger. de formato oval, que são partículas que contêm genoma com duas cadeias de ADN, as quais se replicam nas células citoplasmáticas, e que infectam animais vertebrados e invertebrados. São vírus como o da varíola e o do molusco contagioso (q. v.). ● *Adj.* 2. Pertencente ou relativo a eles.

poxvírus (cs) [Do ingl. *pox*, 'doença eruptiva', + *vírus*.] *S. m. 2 n. Microbiol.* Vírus que tem, entre outras, a característica geral de originar vesicopústulas.

pozeira (pò) [De *pó* + *-zeira*.] *S. f. Bras.* Recipiente, geralmente de cristal, prata, louça, etc., para pó de arroz.

pozolana [Do it. *pozzolana* < lat. *puteolanu(m pulverem)*.] *S. f.* Produto de origem piroclástica, que se encontra nas imediações de Pozzuoli (Itália), e que, misturado com cal, se usa como cimento hidráulico.

pozolânico [De *pozolana* + *-ico*[2].] *Adj.* Referente à pozolana, ou da natureza dela.

■ **pp** Abrev. de *pianíssimo* (1).

■ **ppm** *Quím.* Sigla de *parte por milhão*, que é uma medida de concentração expressa pelas partes em peso de uma certa substância presentes em um milhão de partes em peso de um sistema.

■ **ppp** [Abrev. de *pontos por polegada quadrada*.] *Edit. Eletrôn.* Medida que indica a resolução (9) de uma imagem impressa ou a capacidade de um equipamento de produzir imagem com determinada resolução: *impressora de 600 ppp.*

■ **Pr** *Quím.* Símb. de *praseodímio*.

■ **PR** Sigla do Estado do Paraná.

pra[1] Contr. da prep. *para*: "Deixa-me os lábios teus, rubros de encanto, / Somente pra os meus beijos." (Junqueira Freire, *Contradições Poéticas*, p. 192); "Se a mulher era o diabo, pra que bebeu / essa jurema que é o beijo seu!" (Ascenso Ferreira, *Catimbó e Outros Poemas*, p. 77); "— Põe pra lá, marroeiro" (João Guimarães Rosa, *Sagarana*, p. 36).

pra[2] Contr. de *pra*[1] com o art. def. fem., ou o pron. dem. *a*: "Vim pra missa..." (João Guimarães Rosa, *Sagarana*, p. 261); *Vou levar uma lembrança pra quem está doente.* [A rigor, constituindo, como constitui, um monossílabo tônico terminado em *a*, devia ser acentuado.]

praça [Do gr. *plateîa* (subentende-se *hodós*), 'rua larga', pelo lat. *platea*.] *S. f.* 1. Lugar público cercado de edifícios; largo. 2. Mercado; feira. 3. O conjunto das instituições comerciais e financeiras de uma cidade. 4. Leilão (1). 5. *Mil.* Indivíduo que, na hierarquia militar (q. v.), se situa abaixo de segundo-tenente: "Uns fugiam à prisão; outros cuidavam em defender a casa. Mas as praças, loucas de cólera, ... iam invadindo e quebrando tudo" (Aluísio Azevedo, *O Cortiço*, p. 185). 6. Praça-forte. 7. Alarde, ostentação. 8. Em restaurante ou estabelecimento similar, o espaço que abrange as mesas servidas por cada um dos garçons. 9. *Bras. Constr. Nav.* Designação dada, a bordo, a qualquer compartimento onde haja instalações de máquinas: *praça de caldeiras; praça de carregamento; praça de máquinas.* [Sin., lus., nesta acepç.: *casa*.] 10. *Bras. Mar. Merc.* Espaço utilizável para transporte de carga, em um navio mercante. 11. *Bras. Pop.* Pessoa velhaca: *Que praça me saiu o rapaz que você me apresentou!* 12. *Bras.* Cidade, especialmente a capital. 13. *Guin.* Cidade (1): "Não raro os surpreendemos, carrancudos e sombrios, nas ruas das 'praças' grandes." (Afonso Correia, *Bacomé Sambu*, p. 79.) ● *S. m.* 14. *Bras.* Soldado de polícia [v. *mata-cachorro* (2)]: "Severo mandou que Sargento Odilon e mais dois praças revistassem as selas, os baixeiros, os suadouros." (Bernardo Élis, *O Tronco*, p. 148.) 15. Praça (5). ● *S. 2 g.* 16. Militar sem graduação ou posto. ◆ **Praça de armas.** 1. Local destinado a exercícios ou revistas militares, à formatura das tropas de uma guarnição. 2. Terreno à frente de um saliente, no traçado de fortificação abaluartado e poligonal, entre o caminho coberto e o parapeito, onde se pode fazer a concentração de tropas para uma surtida ou outra operação ofensiva. 3. Parte das trincheiras em que se reúnem, durante um cerco, as tropas destinadas a repelir as surtidas do defensor. 4. Lugar onde se acha o depósito principal dos víveres e das munições do exército, e para onde as tropas podem retirar-se, em caso de necessidade. [Cf. *praça-d'armas*.] **Praça de pré.** *Ant.* Militar que não tinha patente de oficial. **Assentar praça.** 1. Fazer-se soldado; Alistar-se. 2. *Bras. MG Pop.* Cair na vida; prostituir-se. [Tb. se diz, nas 2 acepçs., *sentar praça*.] **Fazer praça de.** Fazer alarde de; estadear: "não fazes praça de generosidade ou largueza; acenas com o razoável, com a justa medida das coisas" (Carlos Drummond de Andrade, *Fala, Amendoeira*, p. 167). **Sentar praça.** Assentar praça: "Firmino deixou a rua, cresceu, sentou praça na Polícia." (Fran Martins, *Dois de Ouros*, p. 18.)

praça-d'armas *S. m. Bras. Mar. G.* Refeitório dos oficiais, assim chamado porque era aí, em cabides dispostos ao longo de suas anteparas, que outrora se guardavam as armas portáteis de que dispunham os navios de guerra. [Pl.: *praças-d'armas*. Cf. *praça de armas*.]

praça de guerra *S. f.* 1. Fortaleza ou cidade fortificada, devidamente armada e preparada para defesa militar. 2. *Fig.* Local preparado para oferecer resistência a investidas de força. [Pl.: *praças de guerra*.] ☑

praça-forte *S. f.* Vila ou cidade fortificada; praça. [Pl.: *praças-fortes*.]

pracari [De or. obsc.] *S. m. Bras. Bot.* V. *fava-de-bolota* (2).

pracata *S. f.* V. *alpercata*.

pracaxi [De *paracaxi*, com síncope.] *S. f. Bras. Amaz. Bot.* V. *paracaxi*.

pracear [De *praça* + *-ear*[2].] *V. t. d.* Pôr em praça; fazer leilão de; leiloar: *pracear um espólio.* [Conjug.: v. *frear*.]

praceiro [De *praça* + *-eiro*.] *Adj.* 1. Relativo a praça. 2. Público, manifesto, patente.

pracejar [De *praça* + *-ejar*.] *V. t. d.* Fazer praça ou alarde de; alardear, ostentar: *pracejar riqueza.* [Conjug.: v. *pelejar*.]

praciano [De *praça* + *-iano*.] *Adj. S. m. Bras.* 1. Que, ou aquele que mora na praça, *i. e.*, na cidade (ordinariamente a capital): "a bancada provincial, ... seria eleita segundo critério de proporcionalidade destinado a impedir que a maioria de interioranos impusesse sua vontade aos pracianos". (Evaldo Cabral de Melo, *A Outra Independência*, p. 118) 2. Diz-se de, ou indivíduo de maneiras finas, corteses, mesmo que resida no sertão.

pracinha [De *praça* (14) + *-inho*[1].] *S. m. Bras.* Soldado da Força Expedicionária Brasileira, na II Guerra Mundial (1939-1945).

pracista [De *praça* + *-ista*.] *S. 2 g.* 1. Vendedor duma companhia em determinada praça; zangão. 2. Pessoa do campo que tem alguma educação e já frequentou cidades. 3. *Bras. RS* Designação, muitas vezes desdenhosa, dada pelos homens do campo aos da cidade.

prácrito [Do sânscr. *prakrta* (*bhāsā*), 'língua natural, vulgar'.] *S. m. Gloss.* Qualquer das línguas do grupo indo-ariano da antiga Índia, que não o sânscrito, as quais estão na origem do páli e das línguas modernas do N. da Índia.

pracuuba *S. f. Bras. Bot.* V. *paracuuba*.

pradaria [De *prado* + *-aria*.] *S. f.* 1. Série de prados. 2. Grande planície: "Veem-se ao longe os trigos ondulando... / Maio sorri na pradaria bela." (Gonçalves Crespo, *Obras Completas*, p. 311.) 3. *Fitogeogr.* Tipo de cobertura vegetal formado de gramíneas com plantas herbáceas ou subarbustivas, de árvores raras, e que é comum nas áreas temperadas: "Pascoli é uma paisagem alpestre de inverno, duma calma e pureza divinas, com a neve diluída na luz, ... salpicando a pradaria verde em que pasta a pachorrentíssima vacada." (Aquilino Ribeiro, *Alemanha Ensanguentada*, p. 252.)

pradense[1] *Adj. 2 g.* 1. De, ou pertencente ou relativo a Antônio Prado (RS). ● *S. 2 g.* 2. O natural ou habitante de Antônio Prado.

pradense[2] *Adj. 2 g.* 1. De, ou pertencente ou relativo ao Prado (BA). ● *S. 2 g.* 2. O natural ou habitante do Prado.

pradense[3] *Adj. 2 g.* 1. De, ou pertencente ou relativo a Prados (MG). ● *S. 2 g.* 2. O natural ou habitante de Prados.

pradense-de-minas *Adj. 2 g.* 1. De, ou pertencente ou relativo a Antônio Prado de Minas (MG). ● *S. 2 g.* 2. O natural ou habitante de Antônio Prado de Minas. [Pl.: *pradenses-de-minas*.]

prado [Do lat. *pratu*.] *S. m.* **1.** Campo coberto de plantas herbáceas que servem para pastagem; campo relvoso; pasto. **2.** Campina[1] (1). **3.** Hipódromo.

pradopolitano *Adj.* **1.** De, ou pertencente ou relativo a Pradópolis (SP). • *S. m.* **2.** O natural ou habitante de Pradópolis.

pradoso (ô) [De *prado* + *-oso*.] *Adj.* **1.** Em que há prados. **2.** Semelhante a prado; que lembra um prado.

➔ **praetium aestimationis** ['prajtẹo ajstẹmatẹ'ones] [Lat.] *S. m.* Valor estimativo.

pra-frente [De *pra* + *frente*.] *Adj. 2 g. e 2 n. Bras. Gír.* **1.** Que é muito moderno em relação ao comum dos padrões vigentes: "Escolhia-os [os livros, para oferta às alunas] com o maior rigor, pois naquele tempo era assim. Ninguém diria então o que .... disse um pai bem atual, bem pra-frente: '— Menina, leia e veja se é romance que sua mãe possa ler'." (Genolino Amado, *O Reino Perdido*, p. 131.) **2.** *P. ext.* Exótico, excêntrico, extravagante. **3.** V. *incrementado* (3). [Sin. ger.: *prafrentex*.]

prafrentex (técs) [De *pra-frente*.] *Adj. 2 g. e 2 n. Bras. Gír.* V. *incrementado* (3): "Menininhas prafrentex que se cuidem, porque galinha velha é que dá bom caldo." (Marisa Raja Gabaglia, *Milho pra Galinha, Mariquinha*, p. 16.)

praga [Do lat. *plaga*.] *S. f.* **1.** Imprecação de males contra alguém. [Sin.: *maldição*, *jura*, e (fam.) *paulina*.] **2.** *P. ext.* Grande desgraça; calamidade. **3.** Pessoa ou coisa importuna. **4.** Abundância de coisas nocivas ou desagradáveis. **5.** Designação comum aos insetos e moléstias que atacam as plantas e os animais. **6.** *Ant.* Chaga (1). **7.** *Bot. Bras.* Erva daninha. ◆ **Rogar praga a.** Fazer imprecação contra (alguém).

pragal [De *praga* (7) + *-al*[1].] *S. m.* Terreno árido onde crescem apenas algumas plantas bravias.

pragana [De *praga* + *-ana*[1].] *S. f.* **1.** Barba de espiga de cereais; aresta. **2.** V. *rabeira* (2).

praganoso (ô) [De *pragana* + *-oso*.] *Adj.* Diz-se de cereal que tem pragana.

pragata [Alter. de *alpargata*.] *S. f. Bras. Pop.* V. *alpercata*.

pragmática [F. subst. do adj. *pragmático*.] *S. f.* **1.** Conjunto de regras ou fórmulas para as cerimônias da corte ou da Igreja. **2.** *P. ext.* O conjunto das normas formais e rigorosas da etiqueta. **3.** *E. Ling.* Estudo dos fatores contextuais que determinam os usos linguísticos nas situações de comunicação. **4.** *Semiol.* O estudo da origem dos usos e dos efeitos dos signos, objetivando, em especial, a relação entre o signo e o seu usuário.

pragmaticismo [De *pragmático* + *-ismo*.] *S. m. Filos.* Pragmatismo (2).

pragmático [Do gr. *pragmatikós*, 'relativo aos atos que se devem praticar', pelo lat. *pragmaticu*.] *Adj.* **1.** Referente ou conforme à pragmática. **2.** Relativo ao pragmatismo; pragmatista. **3.** Suscetível de aplicações práticas; voltado para a ação: *medidas pragmáticas*. ~ V. *competência —a*.

pragmatismo [Do ingl. *pragmatism*.] *S. m. Filos.* **1.** As doutrinas de C. S. Peirce (v. *peirciano*), W. James (v. *jamesiano*[1]), J. Dewey (v. *deweyano*) e do literato alemão Friedrich J. C. Schiller (1759-1805), cuja tese fundamental é que a verdade de uma doutrina consiste no fato de que ela seja útil e propicie alguma espécie de êxito ou satisfação. **2.** *Restr.* Caráter próprio do pragmatismo de C. S. Peirce (v. *peirciano*) que afirma que o conceito que temos de um objeto nada mais é que a soma dos conceitos de todos os efeitos concebíveis como decorrentes das implicações práticas que podemos conceber para o referido objeto; pragmaticismo. [Cf. *ativismo* (2), *humanismo* (1) e *naturalismo* (5).]

pragmatista [Do ingl. *pragmatist*.] *Adj. 2 g.* **1.** Pragmático (2). **2.** Que é partidário do pragmatismo. • *S. 2 g.* **3.** Partidário dele.

praguá *S. f. Bras. Bot.* Folha-dourada-da-praia.

praguari *S. m. Bras. Zool.* V. *preguari*.

praguejado [Part. de *praguejar*.] *Adj. Bras.* **1.** Atacado de praga (5): "Encontra tudo revirado, as roças praguejadas, os pastos sem bichos; a família espalhada..." (Nélson de Faria, *Tiziu e Outras Estórias*, p. 135.) **2.** Enfezado, mofino, doentio.

praguejador (ô) [De *praguejar* + *-dor*.] *Adj. S. m.* Que, ou aquele que prageja.

praguejamento [De *praguejar* + *-mento*.] *S. m.* Ação ou efeito de praguejar.

praguejar [De *praga* + *-ejar*.] *V. int.* **1.** Dizer pragas ou imprecações; amaldiçoar, imprecar. **2.** *Bras.* Encher-se (o terreno) de pragas ou vegetais daninhos: *O campo praguejou*. **3.** *Bras.* Existir em grande abundância; abundar: "Nos campos prageja a caça miúda das perdizes, codornas e nhambus." (Mário Palmério, *Vila dos Confins*, p. 5.) *T. i.* **4.** Lançar pragas; imprecar: "M.me Brizard arrepelava-se, praguejando contra o maldito caiporismo que a perseguia ultimamente." (Aluísio Azevedo, *Casa de Pensão*, p. 249); "Saíra o pai de manhã, para o quartel, a praguejar contra a tropa" (Joaquim Paço d'Arcos, *Carnaval e Outros Contos*, p. 85). **5.** Dizer mal: *praguejar de alguém*. *T. d.* **6.** Vociferar contra; maldizer, amaldiçoar: *A mãe praguejou os assassinos do filho*; "Praguejei meus negros dias, / Dias de pranto, e de dor" (Nicolau Tolentino de Almeida, *Obras Poéticas*, II, p. 140). [Conjug.: v. *pelejar*.]

praguento [De *praga* + *-ento*.] *Adj.* **1.** Que prageja; que costuma dizer pragas. **2.** Maldizente, difamador.

praguicida [De *praga* (5) + *-i-* + *-cida*.] *Adj. 2 g. S. m.* Diz-se de, ou substância usada para eliminar pragas.

praia [Do lat. tard. *plagia*.] *S. f.* **1.** Orla da terra, em declive suave, ordinariamente coberta de areia, e que confina com o mar: *as belas praias do Nordeste*. [Sin., bras.: *fralda do mar*; *pancada do mar*.] **2.** Qualquer extensão do leito dos rios que forma coroas ou ilhas rasas, as quais ficam a descoberto quando as águas baixam muito. **3.** Praia (1) frequentada por banhistas. **4.** Cidade situada à beira-mar e dotada de praia: *fazer uma estação de praia*. **5.** *Bras. RS* A cancha na charqueada, onde se esquarteja a rês. ◆ **Praia de tempestade.** *Bras. RN a AL* Aquela cujos materiais são lançados pelas ondas formadas pelas tempestades além do alcance das vagas comuns. **Praia de viração.** *Bras. Amaz. GO* Praia frequentada por tartarugas, que ali põem seus ovos, e onde, por isso, se efetua a viração (6). **Ser a praia de (alguém).** Ser um lugar a que alguém esteja acostumado; ser da sua preferência ou do seu hábito: *O esporte é a praia da maioria dos jovens*. [Mais us. na f. negativa.]

praia-grandense *Adj. 2 g.* **1.** De, ou pertencente ou relativo a Praia Grande (SC e SP). • *S. 2 g.* **2.** O natural ou habitante de Praia Grande. [Pl.: *praia-grandenses*.]

praiano[1] [De *praia* + *-ano*[1].] *Bras. S. m.* **1.** Habitante da praia ou do litoral; praieiro: "Para pescar à linha as garoupas, usam os praianos iscas apodrecidas" (E. Roquete-Pinto, *Seixos Rolados*, p. 325). [Sin., bras., SP: *caiçara*.] **2.** *Bras.* V. *santista*[2] (3). • *Adj.* **3.** Relativo a, ou próprio da praia; praieiro: "cantigas praianas" (Vicente de Carvalho, *Poemas e Canções*, p. 196). **4.** Situado em praia, à beira-mar; litorâneo, praieiro: "Nem rumor da natureza, / Nem eco da voz humana / Perturba a infinita calma, / A solitária tristeza / Da pobre vila praiana." (Id., *ib.*, p. 196.) **5.** *Bras.* V. *santista*[2] (1 e 2).

praiano[2] *Adj.* **1.** De, ou pertencente ou relativo a Balneário Camboriú (SC). • *S. m.* **2.** O natural ou habitante de Balneário Camboriú.

praiano[3] *Adj.* **1.** De, ou pertencente ou relativo a Praia Norte (TO). • *S. m.* **2.** O natural ou habitante de Praia Norte. [Sin. ger.: *praia-nortense*.]

praia-nortense *Adj. 2 g. S. 2 g.* V. *praiano*[3]. [Pl.: *praia-nortenses*.]

praieiro [De *praia* + *-eiro*.] *S. m. Bras.* **1.** Praiano[1] (1). **2.** Rebelde da revolução pernambucana de 1848, dita *Revolução Praieira*. • *Adj.* **3.** V. *praiano*[1] (3 e 4). **4.** Diz-se do Partido Liberal, a que pertenciam esses rebeldes, e que se opunha ao Partido Conservador — o *guabiru* ou *miguelista*.

prainhense (a-i) *Adj. 2 g.* **1.** De, ou pertencente ou relativo a Prainha (PA). • *S. 2 g.* **2.** O natural ou habitante de Prainha.

praino [Alter. de *plaino*.] *S. m. Bras. RS* V. *planície*.

prairial [Do fr. *prairial*.] *S. m. Cronol.* V. *calendário republicano*.

prajá [De *pra*[1] + *já*.] *S. m. Bras. Cul.* Doce de melaço e ovos.

pralina [Do fr. *praline*.] *S. f.* Amêndoa confeitada.

pramana [Do sânscr., 'medida'.] *S. m.* No hinduísmo, critério de verdade, regra de raciocínio.

prana [Do sânscr. *prana*, 'repartição'.] *S. m. Rel.* O princípio (2) da vida, segundo a doutrina teosófica.

prancha [Alter. de *plancha*.] *S. f.* **1.** Grande tábua, grossa e larga; tabuão. **2.** *Mar.* Espécie de ponte, ger. de madeira, posta entre embarcações e cais, ou entre duas embarcações atracadas uma na outra, para trânsito de pessoal. **3.** Circular que uma loja maçônica envia às outras. **4.** *Grav.* Bloco de madeira, inteiriço ou formado de várias peças solidamente coladas, aparelhado para constituir a fôrma xilográfica; taco. **5.** *P. ext.* Qualquer gravura (3). **6.** *Bibliogr. Gal.* Estampa (8). **7.** *Bras.* Vagão ferroviário aberto de todos os lados, essencialmente reduzido ao seu estrado, e destinado ao transporte de automóveis, caminhões e cargas volumosas indivisíveis. **8.** *Bras. Esport.* Peça chata e alongada, originalmente feita de madeira e, atualmente, de material sintético, de feitio arredondado numa das extremidades e pontudo na outra, e que se destina à prática do surfe. **9.** *Bras. Esport.* Pequena peça, ger. retangular, feita de material flutuante, e que é us. em aulas de natação e em treinamento de nadadores. **10.** *Bras. Gír.* Pé grande espalmado; lancha. **11.** *Bras. RJ* Tipo de embarcação fluvial, provida de velas triangulares, que navega no baixo rio Paraíba do Sul. **12.** *Bras. SP* Recusa a pedido de casamento; tábua. **13.** *Bras. MT* Embarcação de proa lançada, bordos largos e salientes, com uma cobertura chata de tábuas, impelida à vara ou à vela, e usada para transporte de carga em alguns rios da bacia do Paraguai. **14.** *Bras. S.* Embarcação constituída de um casco de canoa aberto ao meio no sentido longitudinal, completado com duas ou três grossas tábuas, cavernas, borda-falsa e proa e popa postiças. [Var.: *plancha*.] ◆ **De prancha.** *Bras.* Com a folha da espada ou do sabre.

pranchada [De *prancha* + *-ada*[1].] *S. f.* **1.** Pancada com prancha (1). **2.** Pancada a toda a largura da folha de espada ou de sabre. **3.** Tampo de chumbo para resguardo do ouvido da peça de artilharia.

pranchão [De *prancha* + *-ão*[1].] *S. m.* **1.** Grande prancha. **2.** *Surf.* Prancha de surfe muito comprida, usada nos primeiros anos do esporte.

pranchar [De *prancha* + *-ar*[2].] *V. t. d. Bras.* Dar pranchadas em; pranchear.

pranchear [De *prancha* + *-ear*[2].] *V. int.* **1.** *Bras. Prov. port.* Cair de lado; estender-se ao comprido: *O cavalo pranchou na lama*. *T. d.* **2.** Pranchar. [Conjug.: v. *frear*.]

pranchenteiro [De *prancha* + *-eiro*.] *S. m. Bras. MT* Remador de prancha (13).

pranchetá (ê) [De *prancha* + *-eta* (ê).] *S. f.* **1.** Pequena prancha. **2.** Instrumento topográfico para levantamento de plantas. **3.** Tábua ou mesa própria para desenhar. **4.** *Bras.* Pequena prancha (1) usada como suporte para escrever.

planchitano *Adj.* **1.** De, ou pertencente ou relativo a Pranchita (PR). • *S. m.* **2.** O natural ou habitante de Pranchita.

prandial [De *prândio* + *-al*[1].] *Adj. 2 g.* Relativo a refeição.

prândio [Do lat. *prandiu*, 'almoço'.] *S. m. Poét.* Jantar; banquete.

prantar *V. t. d. T. d. e c. T. c. Int. P. Ant. Pop.* Plantar[2].

prantaria [De *pranto* + *-aria*.] *S. f. Bras. S. Pop.* Prantina.

pranteadeira [De *prantear* + *-deira*.] *S. f. Ant.* Mulher que pranteia; carpideira.

pranteado [Part. de *prantear*.] *Adj.* Que é objeto de pranto; lastimado, lamentado, chorado.

pranteador (ô) [De *prantear* + *-dor*.] *Adj. S. m.* Que, ou aquele que pranteia.

prantear [De *pranto* + *-ear*[2].] *V. t. d.* **1.** Verter pranto por; deplorar; lastimar, lamentar: *prantear um morto*. *Int. T. i.* **2.** Verter lágrimas; chorar: "Nos ais do sofrimento inda mais bela / Pranteando sobre uma alma que pranteia" (Álvares de Azevedo, *Obras Completas*, I, p. 313); *Pranteou pelo amado que partiu*. *P.* **3.** Lastimar os próprios males; chorar. [Conjug.: v. *frear*.]

prantina [De *pranto* + *-ina*[1].] *S. f. Bras. N.N.E. Pop.* Choro copioso; prantaria: "Os recrutas caminhavam sob um sol ardente, seguidos das mães, das irmãs e das noivas, que soluçavam alto, numa prantina desordenada" (Inglês de Sousa, *Contos Amazônicos*, p. 26).

pranto [Do lat. *planctu*.] *S. m.* **1.** Choro, lágrimas: "De repente do riso fez-se o pranto" (Vinícius de Morais, *Poesias Completas*, p. 266). **2.** Lamentação, queixa. **3.** *Arte Poét.* Antiga poesia elegíaca em que se lamentava a morte de pessoa ilustre. ◆ **Debulhar-se em pranto.** Chorar muito.

prase *S. m.* V. *prásino* (2).

praseodímio *S. m. Quím.* Elemento de número atômico 59, metálico, pertencente aos lantanídeos, usado em algumas ligas [símb.: *Pr*].

prásino [Do gr. *prásinos*, 'verde claro', pelo lat. *prasinu*.] *Adj.* **1.** *P. us.* Verde (1). • *S. m.* **2.** A esmeralda.

prasiodímio [Do gr. *prásios* ou *prásinos*, 'verde-claro', + *-didim(o)-* + *-io*[3], com haplologia.] *S. m. Quím.* V. *praseodímio*.

prata [Do b.-lat. *plata*, 'lâmina de metal'.] *S. f.* **1.** *Quím.* Elemento de número atômico 47, metálico, branco-brilhante, denso, maleável e dúctil, utilizado em numerosas ligas preciosas [símb.: *Ag*]. **2.** Moeda, baixela ou qualquer objeto feito com esse metal. **3.** *Bras.* V. *dinheiro* (5). ◆ **Prata da casa.** Os recursos próprios: *Fez a pesquisa com a prata da casa, sem pedir a ajuda de ninguém*. [Tb. se diz *prata de casa*.] **Prata de casa.** Prata da casa. **Prata de lei.** A que tem o teor determinado por lei, e que varia segundo cada país. **Prata dourada.** Prata recoberta de uma douradura de cor tirante a vermelho. [Sin., fr.: *vermeil*.] **Prata fulminante.** *Expl.* Sal de prata do ácido fulmínico, instável e explosivo.

pratada [De *prato* + *-ada*[1].] *S. f.* **1.** Aquilo que um prato contém. **2.** Prato cheio.

pratalhada [De *prato* + *-alhada*.] *S. f.* **1.** Porção de comida que enche um prato. **2.** Prataria[2]: *Há uma pratalhada para lavar*.

pratalhaz [De *prato* + *-alhaz*.] *S. m.* **1.** Prato repleto de qualquer iguaria. **2.** V. *pratarraz*.

P

pratapolense *Adj. 2 g.* **1.** De, ou pertencente ou relativo a Pratápolis (MG). • *S. 2 g.* **2.** O natural ou habitante de Pratápolis.

prataria[1] [De *prata* + *-aria.*] *S. f.* Conjunto de objetos ou utensílios de prata.

prataria[2] [De *prato* + *-aria.*] *S. f.* Porção de pratos; pratalhada.

pratarrão [De *prato* + *-arrão.*] *S. m.* V. *pratarraz*: "Trouxeram primeiro o caldo verde, fumegando e cheirando nos pratarrões pintados de ramagens azuis." (José Vieira, *Sol de Portugal*, p. 45.)

pratarraz [De *prato* + *-arraz.*] *S. m.* Prato grande; pratalhaz, pratarrão, pratázio: "E... vamos almoçar! rematou, vendo já sobre o couro no chão o pratarraz de feijão com gordura e carne da ovelha." (Cardoso de Oliveira, *Dois Metros e Cinco*, p. 364.)

pratázio [De *prato* + *-ázio.*] *S. m.* V. *pratarraz*: "não comera pratázios de arroz bem cozido ....?" (Visconde de Taunay, *Ao Entardecer*, p. 43).

prateação [De *pratear* + *-ção.*] *S. f.* **1.** Ato ou efeito de pratear; prateadura. **2.** Processo us. na eliminação de germes de água potável, e que consiste em revestir vaso de barro com prata coloidal, que é, aos poucos, disseminada na água em quantidades muito pequenas, mas o suficiente para eliminar microrganismos.

prateado [Part. de *pratear.*] *Adj.* **1.** Coberto de folhas de prata ou de uma solução de prata; argentado. **2.** *Fig.* Branco e brilhante como a prata. ~ V. *papel —*. • *S. m.* **3.** Cor ou tonalidade de prata. **4.** Aquilo que é prateado: *Os prateados da igreja estavam perdendo o brilho.* **5.** *P. ext.* As próprias folhas de prata, ou a solução de prata: *O prateado do jarro gastou-se.* **6.** A cor da prata.

prateador (ô) [De *pratear* + *-dor.*] *Adj. S. m.* Que, ou aquele que prateia; argentador.

prateadura [De *pratear* + *-dura.*] *S. f.* Prateação (1).

pratear [De *prata* + *-ear*[2].] *V. t. d.* **1.** Revestir de uma camada de prata: *pratear um objeto de latão.* **2.** Dar a cor e o brilho da prata a; argentar: "Brancuras de luz da manhã prateiam as águas quietas" (Cruz e Sousa, *Obra Completa*, p. 406); "Cai a noite do céu desfeita em pirilampos... / Uma lua de maio anda a pratear os campos." (Olegário Mariano, *Toda uma Vida de Poesia*, I, p. 29). [Conjug.: v. *frear.*]

prateira [De *prata* + *-eira.*] *S. f.* Armário ou lugar onde se guarda baixela de prata.

prateiro [De *prata* + *-eiro.*] *S. m.* **1.** Artesão que fabrica objetos de prata. **2.** Comerciante que vende esses objetos.

pratel [Do fr. ant. *platel.*] *S. m. Ant.* Prato pequeno. [Pl.: *pratéis.*]

prateleira [De *pratel* (q. v.) + *-eira.*] *S. f.* **1.** Tábua, ou espécie de estante, onde se colocam pratos. **2.** Cada uma das tábuas horizontais e interiores dum armário ou de uma estante. [F. paral. (p. us.): *prateleiro.*] ◆ **Prateleira de cima.** *Bras. BA* Mercadoria de boa qualidade. **Ir para a prateleira.** *Bras. MA Fam.* V. *ficar para tia.*

prateleiro[1] [De *pratel* (q. v.) + *-eiro.*] *S. m. P. us.* Prateleira.

prateleiro[2] *S. m. Bras.* V. *pratilheiro.*

pratense[1] [Do lat. *pratum*, 'prado', + *-ense.*] *Adj. 2 g.* Que vive nos campos não cultivados; pratícola: *erva pratense.*

pratense[2] *Adj. 2 g.* **1.** De, ou pertencente ou relativo a Prata (PB e MG). • *S. 2 g.* **2.** O natural ou habitante de Prata.

pratense[3] *Adj. 2 g.* **1.** De, ou pertencente ou relativo a Águas da Prata (SP). • *S. 2 g.* **2.** O natural ou habitante de Águas da Prata.

pratense[4] *Adj. 2 g.* **1.** De, ou pertencente ou relativo a Nova Prata (MG e PB). • *S. 2 g.* **2.** O natural ou habitante de Nova Prata.

pratense[5] *Adj. 2 g.* **1.** De, ou pertencente ou relativo a Prata do Piauí (PI). • *S. 2 g.* **2.** O natural ou habitante de Prata do Piauí.

pratense[6] *Adj. 2 g.* **1.** De, ou pertencente ou relativo a Nova Prata do Iguaçu (PR). • *S. 2 g.* **2.** O natural ou habitante de Nova Prata do Iguaçu.

▲ **prat(i)-** [Do lat. *prātum, i.*] *El. comp.* = 'prado': *pratícola.*

pratiano *Adj. 2 g.* **1.** De, ou pertencente ou relativo a São Domingos do Prata (MG). • *S. 2 g.* **2.** O natural ou habitante de São Domingos do Prata.

pratibu [De or. tupi, poss.] *S. m. Bras. BA* V. *parati*[2].

prática [Dev. de *praticar.*] *S. f.* **1.** Ato ou efeito de praticar. **2.** Uso, experiência, exercício. **3.** Rotina; hábito. **4.** Saber provindo da experiência; técnica. **5.** Aplicação da teoria. **6.** Discurso rápido; conversação; conferência. **7.** Licença concedida a navegantes para comunicarem com um porto ou uma cidade. **8.** *Filos.* Práxis (2). [Cf. *pratica*, do v. *praticar.*] ◆ **Pôr em prática.** V. *pôr em ação.*

praticabilidade [De *praticável* + *-(i)dade*, seg. o padrão erudito.] *S. f.* Qualidade de praticável.

praticagem [De *prático* (7) + *-agem*[2].] *S. f.* **1.** *Mar.* Ação de conduzir embarcações através de áreas restritas, com base no conhecimento minucioso dos acidentes hidrográficos de tais áreas; navegação de praticagem: "senhor supremo, espécie de tzar marujo, que o era de fato para tudo a bordo, à exceção da praticagem em si mesma" (Virgílio Várzea, *Nas Ondas*, p. 41). **2.** O conjunto de práticos de determinada área.

praticamente [Do f. de *prático* + *-mente.*] *Adv.* **1.** De modo prático. **2.** Quase, aproximadamente: *Comeu praticamente tudo sozinho.* **3.** Faltando pouco para; por um pouco: *Estão praticamente casados; Ele praticamente foi expulso da casa dos sogros.*

praticante [De *praticar* + *-nte.*] *Adj. 2 g. S. 2 g.* **1.** Que, ou quem pratica, quem se vai exercitando em alguma profissão. **2.** Que ou quem frequenta regularmente estabelecimento religioso e segue as regras de sua religião: "Ele quer saber se você vai à igreja aos domingos. Se é católico praticante', disse Guedes." (Rubem Fonseca, *Histórias de Amor*, p. 59.)

praticar [Do b.-lat. *practicare*, 'agir, tratar com as gentes'.] *V. t. d.* **1.** Levar a efeito; fazer, realizar, cometer, executar: *praticar um roubo; praticar uma operação.* **2.** Atuar profissionalmente ou como amador em; exercer, exercitar: *praticar o magistério; praticar a medicina.* **3.** Expor ou exprimir por palavras; dizer, proferir: *praticar um sermão.* **4.** Manter relações ou trato com; tratar, frequentar: "Há vinte e dois anos conheço e pratico Manuel Bandeira, e ainda não me arrependi de o ter procurado." (Carlos Drummond de Andrade, *Passeios na Ilha*, p. 139.) **5.** Converter em obra; obrar, perfazer, realizar: *Vasco da Gama praticou o sonhado descobrimento do caminho marítimo para as Índias.* **6.** Tratar com intimidade, familiaridade ou amizade; conversar: *Costuma praticar pessoas ilustres.* **7.** Ler ou estudar constantemente; manusear: *praticar obras literárias.* **8.** Fazer (determinado esporte, ou modalidade esportiva), ger. com frequência e dedicação: *praticar capoeira, judô, natação, etc. T. d. e i.* **9.** Pregar; ensinar: *Pratica a religião aos pagãos.* **10.** Treinar; procurar adquirir prática ou experiência: *Praticou a medicina com um famoso cirurgião. T. i.* **11.** Manter conversação; falar, conversar: "Conheci muito esse tal de Piano — disse o Neca, o qual, descendo do mocho furado posto do lado de dentro da janela da sala, veio praticar com o par de mendigos." (Bernardo Élis, *Veranico de Janeiro*, pp. 79-80); "Lado a lado, praticando de coisas e lousas, vamos reparando na veniaga exposta, em especial os gordíssimos adens" (Aquilino Ribeiro, *Alemanha Ensanguentada*, p. 156). **12.** Ter relações ou trato: *praticar com escritores.* **13.** Procurar adquirir prática ou experiência: *Pratica com um famoso cirurgião. Int.* **14.** Adquirir experiência: *Trabalha de graça para praticar.* **15.** Manter conversação ou palestra; conversar, conferenciar, falar: "Vulna, Brandt e Prescot praticavam a um canto da saleta." (Jorge de Lima, *Salomão e as Mulheres*, p. 163.) **16.** *Mar.* Exercer o ofício de prático (7). [Conjug.: v. *trancar*. Pres. ind.: *pratico, praticas, pratica*, etc. Cf. *prático*, adj. e s. m., e *prática*, s. f.]

praticável [De *praticar* + *-vel.*] *Adj. 2 g.* **1.** Que se pode praticar ou pôr em prática. **2.** Que pode dar passagem; transitável; viável. • *S. m.* **3.** *Teatr.* Cada um dos elementos cenográficos tridimensionais e móveis (como, p. ex., estrado, plataforma, esquadria, armação, suporte), utilizados para compor o cenário e para que neles os atores se movimentem.

praticidade [De *prático* + *-(i)dade.*] *S. f.* Qualidade do que é prático.

prático [Do gr. *praktikós*, 'capaz de agir', pelo lat. *practicu.*] *Adj.* **1.** Relativo à prática. **2.** Experiente, perito. **3.** Que encara as coisas pelo lado positivo. **4.** Que visa a fins utilitários; funcional: *móveis práticos.* **5.** *Filos.* Que determina a conduta; que prescreve o que deve ser. ~ V. *astronomia —a* e *razão —a.* • *S. m.* **6.** Homem experimentado. **7.** *Náut.* Homem que conhece minuciosamente os acidentes hidrográficos de áreas restritas, e que com esses conhecimentos conduz embarcação através dessas áreas. [Sin., nesta acepç.: *piloto* e (bras., MS e GO) *piloteiro.*] **8.** *Bras.* Aquele que exerce profissão liberal sem ser diplomado. [Cf. *pratico*, do v. *praticar.*]

pratícola [De *prat(i)-* + *-cola*[1].] *Adj. 2 g.* **1.** Pratense[1]. **2.** Relativo à cultura dos prados.

praticultor (ô) [De *prat(i)-* + *-cultor.*] *S. m.* Aquele que se ocupa de, ou é especialista em praticultura.

praticultura [De *prat(i)-* + *-cultura.*] *S. f.* **1.** Cultura dos prados. **2.** Parte da agricultura que trata em especial de pastos e forragens.

pratilheiro [De *prato* + *-ilh(o)-* + *-eiro.*] *S. m.* Instrumentista que bate ou percute os pratos em uma banda ou orquestra. [Sin., bras.: *prateleiro.*]

pratinhense *Adj. 2 g.* **1.** De, ou pertencente ou relativo a Pratinha (MG). • *S. 2 g.* **2.** O natural ou habitante de Pratinha.

pratinho [De *prato* + *-inho*[1].] *S. m. Fig.* Aquilo ou aquele que serve de objeto de zombaria, maledicência ou entretenimento; joguete.

pratió *Bras. S. 2 g.* **1.** *Etnôn.* Indivíduo dos pratiós, povo indígena extinto que habitava o N. de PE. • *Adj. 2 g.* **2.** Pertencente ou relativo a esse povo. [Tb. us. como *s. 2 g. e 2 n.* (com cap.) e *adj. 2 g. e 2 n.*]

pratiqueira [De *paratiqueira*, com síncope.] *S. f. Bras. N.N.E. Zool.* V. *parati*[2]. [Cf. *paratiqueira.*]

prato [Do fr. *plat.*] *S. m.* **1.** Vaso de louça ou de metal comumente circular, em que se serve a comida. **2.** O principal de uma refeição. **3.** Cada uma das iguarias de que se compõe uma refeição. **4.** *P. ext.* Alimentação, comida. **5.** Concha de balança. **6.** Peça de vários maquinismos, em forma de prato. [Aum.: *pratalhaz, pratarraz, pratarrão* e *pratázio*; dim. irreg. (ant.): *pratel.*] **7.** *Mús.* Instrumento de percussão semelhante a um prato (q. v.), ger. feito de metal, e que se toca aos pares (um prato batendo no outro) ou é percutido com baqueta ou vassourinha de metal. • *Adj.* **8.** Chato, plano: *queijo prato*; "A negra trouxe a dieta da patroa ....: pão de glúten, ovo cozido, queijo prato, abacate e melancia" (Marques Rebelo, *O Simples Coronel Madureira*, p. 146). ◆ **Prato comercial.** V. *almoço comercial.* **Prato de borbulhamento.** *Eng. Ind.* Prato horizontal, com calotas e condutos, no qual, em uma torre de destilação, ficam em contato o líquido e o vapor; bandeja de borbulhamento. **Prato de resistência.** **1.** Prato (2) muito substancial. **2.** O principal de uma refeição. **3.** *Fig.* A obra ou o feito principal, ou o mais louvado, de um escritor, um artista, um desportista, etc. **Prato feito.** **1.** Conjunto de elementos ou fatos como que preparados para determinado fim: *Não lhe foi difícil resolver a questão: já encontrou o prato feito.* **2.** V. *almoço comercial.* **Comer no mesmo prato.** Compartilhar os mesmos hábitos, ter as mesmas atitudes; comungar nas mesmas ideias. **Cuspir no prato em que comeu.** V. *sujar a água que bebe.* **Pôr em pratos limpos.** Esclarecer por inteiro (assunto controvertido, intriga, etc.): *Como havia muitos implicados, foi impossível pôr em pratos limpos a origem do conflito.* [Cf. *tirar a limpo.*] **Ser bom prato para.** Ser ótimo para, vir a calhar a; ser um prato feito para: "e de caminho vão-se rindo à nossa custa, bom prato somos para galhofas estrangeiras" (José Saramago, *Memorial do Convento*, [8ª ed.] p. 83). **Ser um prato feito para.** V. *ser bom prato para.*

pravidade [Do lat. *pravitate.*] *S. f. P. us.* Ruindade, maldade, perversidade.

pravo [Do lat. *pravu.*] *Adj. P. us.* **1.** Injusto, incorreto. **2.** Mau, perverso, infame: "e eis pelo castelo passa, / na ausência do castelão, / um vilão que bem levava / sua feia e prava tenção." (Onestaldo de Pennafort, *Romanceiro*, p. 23); "Continuam as intrigas, os boatos, as insinuações, todas as coisas pecas e pequenas, parvas ou pravas que a ambição levanta e que a política suscita" (Ramalho Ortigão, *Correio de Hoje*, II, p. 109).

praxe [Do gr. *prâxis*, 'ação'.] *S. f.* Aquilo que se pratica habitualmente; rotina, uso, prática, pragmática. [Pl.: *praxes*. Cf. *práxis* (cs).]

▲ **prax(i)-** (cs) [Do gr. *prâxis, eōs.*] *El. comp.* = 'ação'; 'realização'; 'função'; 'prática': *praxiterapia.* [Equiv.: *-prax(i)-*: *miopraxia.*]

▲ **-prax(i)-** (cs) Equiv. de *prax(i)-*.

práxis (cs) [Do gr. *prâxis*, 'ação'.] *S. f. 2 n.* **1.** Atividade prática; ação, exercício, uso. **2.** *Filos.* No marxismo, o conjunto das atividades humanas tendentes a criar as condições indispensáveis à existência da sociedade e, particularmente, à atividade material, à produção; prática. [Cf. *praxes*, pl. de *praxe.*]

praxismo (cs) [De *práxis* + *-ismo.*] *S. m.* A prática da práxis.

praxista (cs) [De *prax(i)-* + *-ista.*] *Adj. 2 g.* **1.** Que conhece e/ou segue as praxes. • *S. 2 g.* **2.** Pessoa praxista. **3.** *Restr.* Pessoa versada em direito processual; processualista.

praxiterapia (cs) [De *prax(i)-* + *-terapia.*] *S. f. Psiq.* Técnica de tratamento que utiliza o trabalho como terapia; ergoterapia. [Cf. *terapia ocupacional.*]

praxiterápico (cs) [De *praxiterapia* + *-ico*[2].] *Adj. Psiq.* Relativo à praxiterapia.

prazente [De *prazer* + *-nte.*] *Adj. 2 g. Ant.* Que praz ou apraz; aprazível.

prazentear [De *prazente* + *-ear*[2].] *V. t. d.* **1.** Tratar com adulação ou lisonja; adular, lisonjear, bajular: *prazentear os poderosos. Int.* **2.** Mostrar-se prazenteiro ou alegre; gracejar. [Conjug.: v. *frear.*]

prazenteio [Dev. de *prazentear*.] *S. m.* Ato de prazentear; adulação, bajulação, lisonja.

prazenteiro [De *prazente* + *-eiro*.] *Adj.* **1.** Que tem ou revela prazer; alegre, festivo, jovial. **2.** Afável; simpático.

prazer [Do lat. *placere*.] *V. t. i.* **1.** Causar prazer ou satisfação; agradar, aprazer, comprazer: *Passeemos um pouco, se isto lhe praz*; "Praza a Deus que o noivado não sequestre / Ao nosso afeto o carinhoso mestre." (Silva Ramos, *Pela Vida fora...*, p. 270). [Defect. Conjug.: v. *aprazer*. Só se conjuga nas 3.as pess.; na 3.ª pess. sing. do pres. ind. perde o *e* da terminação: *praz*.] ● *S. m.* **2.** Sensação ou sentimento agradável, harmonioso, que atende a uma inclinação vital; alegria, contentamento, satisfação, deleite: *Caminhar na praia é um prazer; o prazer da leitura.* **3.** Disposição cortês, afável; agrado; satisfação: *A diretoria do clube tem o prazer de convidar os novos sócios para uma reunião informal.* **4.** Distração, divertimento, diversão: *Vive num turbilhão de prazeres.* **5.** Gozo[1] (4).

prazeroso (ô) [De *prazer* + *-oso*.] *Adj. Bras.* Cheio de prazer; alegre, jovial, prazenteiro.

prazimento [De *prazer* + *-imento*.] *S. m.* Agrado, prazer, aprazimento.

prazível [De *prazer* + *-ível*.] *Adj. 2 g. P. us.* Aprazível.

praz-me [De *praz*, do v. *prazer*, + *me*.] *S. m. 2 n.* **1.** *Ant.* Beneplácito, consentimento. **2.** Despacho a um requerimento.

prazo [Do lat. *placitu*, 'agradado', (subentende-se *dies*), 'dia aprovado'.] *S. m.* **1.** Tempo determinado. **2.** Espaço de tempo durante o qual deve realizar-se alguma coisa. **3.** Prédio (1 a 3) enfitêutico; aforamento. ◆ **A prazo.** *Econ.* Com pagamento futuro, que pode se dar de uma só vez ou em prestações; a crédito: *Comprei minha televisão a prazo.* [Cf. *à vista*.] **Curto prazo.** *Econ.* Período de tempo inferior ao longo prazo (q. v.). **Longo prazo.** *Econ.* Período de tempo suficientemente longo para que a capacidade de produção, de uma empresa ou indústria, ou de toda a economia, possa variar.

prazo-dado [De *prazo* + o adj. *dado*[2].] *S. m.* **1.** Encontro combinado; entrevista. **2.** Lugar onde se dá esse encontro, ou pretexto para ele: "O jantar é em Paris o prazo-dado para a reunião dos amigos, que o trabalho separa durante o dia." (Ramalho Ortigão, *Em Paris*, p. 106.) [Pl.: *prazos-dados*.]

▲ **pre-** [Do lat. *prae*.] *Pref.* = 'anterioridade': *preexistir*. [Equiv., quando não aglutinado: *pré-*; *pré-história*.]

pré [Do fr. *prêt*.] *S. m. Ant.* O vencimento diário de um soldado: "nenhum dinheiro lhe parecia [ao cartaginês] tão mal-empregado como o pré que dava à tropa" (Aquilino Ribeiro, *Os Avós dos Nossos Avós*, p. 53). [Atualmente não se usa essa palavra, e sim *diária*.]

▲ **pré-** Equiv. de *pre-*. [É sempre seguido de hífen porque o 1.º el. termina acentuado graficamente; por tratar-se de prefixação, apenas o 2.º el. é flexionado na formação do plural: *pré-adolescente*: *pré-adolescentes*.]

preá [De *apereá*, com aférese e síncope.] *S. m. e f.* **1.** *Bras. Zool.* Designação comum às espécies de mamíferos roedores caviídeos, gênero *Cavia*, esp. a *Cavia aperea*, que ocorre de PE para o S. **2.** *Bras. Zool.* Designação comum a três espécies do gênero *Galea*, comuns no N. e no N.E., de dorso manchado de amarelo-sujo e preto, variando com as espécies, e superfície ventral branca, tendente ao amarelo-sujo. Vivem nos capinzais à beira de córregos, lagoas e rios, saindo ao anoitecer, e se alimentam de gramíneas. [Sin., nessas acepç.: *bengo*.] ● *S. 2 g.* **3.** *Bras. N.E.* Indivíduo que toma parte em divertimentos sem gastar. ● *S. m.* **4.** *Bras. Mar. G.* Marinheiro bisonho.

preaca *S. f. Bras.* Açoite de couro cru em tiras trançadas, para tanger animais. V. *chicote* (1). [Cf. *priaca*.]

preacada [De *preaca* + *-ada*[1].] *S. f. Bras.* Golpe com preaca; chicotada.

preação [De *prear* + *-ção*.] *S. f.* Ato ou efeito de prear.

preá-da-índia *S. f. Bras. SE Zool.* V. *cobaia*. [Pl.: *preás-da-índia*.]

pré-adâmico [De *pré-* + *adâmico*.] *Adj.* Anterior a Adão.

pré-adolescência [De *pré-* + *adolescência*.] *S. f.* Período que precede a adolescência; puberdade.

pré-adolescente [De *pré-* + *adolescente*.] *Adj. 2 g. S. 2 g.* Que, ou aquele que está próximo da adolescência.

preador (ô) [De *prear* + *-dor*.] *Adj. S. m.* Que, ou aquele que preia, que aprisiona: "Organizados militarmente para se defender dos ataques de berberes preadores de escravos, esses reinos [sudaneses] passaram a empreender razias contra os vizinhos mais débeis, para trocá-los com os cameleiros por armas, cavalos e objetos de prestígio" (Alberto da Costa e Silva, *A Enxada e a Lança*, p. 255.)

pré-agónico *Adj.* V. *pré-agônico*. [Uso freq. em P.]

pré-agônico [De *pré-* + *agônico*.] *Adj.* Que antecede a agonia ou a morte: *estado pré-agônico*.

pré-ajustado [Part. de *pré-ajustar*.] *Adj.* ~ V. *guiamento* —.

pré-ajustar [De *pré-* + *ajustar*.] *V. t. d. T. d. e i. Int.* Ajustar previamente.

pré-alegar [De *pre-* + *alegar*.] *V. t. d.* Alegar com antecipação: *Pré-alegou justificativas para a futura acusação.* [Conjug.: v. *regar*.]

preamar [Da loc. lat. *plena mare*, 'mar cheio'.] *S. f.* V. *maré alta*: *O instante e a altura da preamar variam de dia para dia e de lugar para lugar, segundo diversos fatores.* [Antôn.: *baixa-mar*.]

preambulação [De *preambular*[2] + *-ção*.] *S. f.* Ato ou efeito de preambular[2].

preambular[1] [De *preâmbulo* + *-ar*[1].] *Adj. 2 g.* **1.** Respeitante a preâmbulo. **2.** Que serve ou tem forma de preâmbulo.

preambular[2] [Do lat. *praeambulare*.] *V. t. d.* Fazer o preâmbulo ou a introdução de; prefaciar, proemiar: *preambular um romance.* [Pres. ind.: *preambulo*, etc. Cf. *preâmbulo*.]

preâmbulo [Do lat. *praeambulu*.] *S. m.* **1.** V. *prefácio* (1). **2.** Preliminar (3). **3.** A parte preliminar de uma lei, decreto ou diploma na qual o soberano anuncia a sua promulgação. **4.** Palavras ou atos que precedem as coisas definitivas. **5.** *Mús.* Prelúdio (5). [Cf. *preambulo*, do v. *preambular*.] ◆ **Sem mais preâmbulos.** De pronto; sem demora; entrando logo no assunto; sem preâmbulos: "aconteceu que um frequentador da casa, ... uma noite, sem mais preâmbulos, disse à Serafina, em presença da mãe, que estava encarregado de a pedir em casamento para um primo dele" (Lúcio de Mendonça, *Esboços e Perfis*, p. 102). **Sem preâmbulos.** V. *sem mais preâmbulos*: "— Empresta-me o teu fato preto! bradei num ímpeto e sem preâmbulos." (Artur Azevedo, *Contos Possíveis*, p. 12.)

pré-amplificador [De *pré-* + *amplificador*.] *S. m. Eletrôn.* Amplificador que, num circuito, antecede o amplificador principal.

pré-anestésico *Impr. Anest. S. m.* **1.** Medicação pré-anestésica. ● *Adj.* **2.** ~ V. *medicação* —*a*.

pré-antepenúltimo [De *pré-* + *antepenúltimo*.] *Adj.* Anterior ao antepenúltimo.

pré-antessaber [De *pré-* + *ante-* + *saber*.] *V. t. d.* Saber com grande antecedência: "Eu digo: sente, pressente, / Pré-sabe, pré-antessabe..." (João de Deus, *Campo de Flores*, II, p. 123.) [Conjug.: v. *saber*.]

preanunciação [De *preanunciar* + *-ção*.] *S. f.* Ato de preanunciar.

preanunciado [Part. de *preanunciar*.] *Adj.* Anunciado de antemão.

preanunciar [De *pre-* + *anunciar*.] *V. t. d.* Anunciar previamente; prenunciar: *Nuvens negras prenunciam chuva.*

preaquecer [De *pre-* + *aquecer*.] *V. t. d.* Aquecer de antemão. [Conjug.: v. *aquecer*.]

preaquecimento [De *preaquecer* + *-imento*.] *S. m.* Ação de preaquecer.

prear [Do lat. **praedare*, por *praedari*.] *V. t. d.* **1.** Tornar prisioneiro ou cativo; prender, aprisionar: *Os bandeirantes preavam índios*; "Quem tantos imigos / Em guerras preou?" (Gonçalves Dias, *Obras Poéticas*, I, p. 24). *Int.* **2.** Fazer presa: *Os vencedores saquearam a vila e prearam à vontade.* [Conjug.: v. *frear*.]

pré-ariano [De *pré-* + *ariano*.] *Adj.* Anterior aos arianos.

pré-aviso [De *pré-* + *aviso*.] *S. m.* Aviso prévio; comunicação antecipada.

pré-barroco [De *pré-* + *barroco*.] *Adj.* **1.** Anterior ao período barroco. **2.** Do, ou relativo ao estilo pré-barroco.

prebenda [Do lat. *praebenda*, 'coisas que devem ser dadas'.] *S. f.* **1.** Rendimento de um canonicato: "um arcipreste, muitos cônegos e vários tercenários, vivendo todos fartamente das suas prebendas, visitas e igrejas pingues." (Antero de Figueiredo, *Jornadas em Portugal*, p. 188). **2.** O canonicato. **3.** *P. ext.* Renda eclesiástica: "Entrando no mosteiro, ... fazendo-se mestre em teologia, ou doutor em decretos, podia aspirar-se a uma grossa prebenda nalguma catedral ou colegiada bem pingue de rendimentos" (Latino Coelho, *Cervantes*, p. 53). **4.** *Fig.* Ocupação rendosa e de pouco trabalho. V. *sinecura*. **5.** *Bras.* Encargo ou tarefa desagradável, ingrata.

prebendado [Part. de *prebendar*.] *Adj. S. m.* Que, ou aquele a quem se conferiu prebenda ou prebendaria.

prebendar [De *prebenda* + *-ar*[2].] *V. t. d.* Conferir prebenda ou prebendaria a.

prebendaria [De *prebend-*, como em *prebendeiro*, + *-aria*.] *S. f.* Cargo ou ofício de prebendeiro.

prebendeiro [De *prebenda* + *-eiro*.] *S. m.* Arrematante de prebendas ou das rendas de um bispado.

prebixim *S. m. Bras. Zool.* V. *pintassilgo-da-mata*.

prebostado [De *preboste* + *-ado*[2].] *S. m.* Cargo de preboste.

prebostal [De *preboste* + *-al*[1].] *Adj. 2 g.* Relativo ou pertencente a preboste.

preboste [Do cat. *prebost*, 'preposto do soberano'.] *S. m.* **1.** Antigo magistrado da justiça militar. **2.** Designação comum a diversos antigos funcionários reais e senhoriais.

pré-burguês [De *pré-* + *burguês*.] *Adj.* Anterior ao aparecimento da burguesia (1): "Só em países que ainda se encontravam em fase pré-burguesa, as ideias econômico-psicológicas da *Enciclopédia* eram inadmissíveis." (Oto Maria Carpeaux, *História da Literatura Ocidental*, III, p. 1510.)

pré-cabraliano [De *pré-* + o antr. *Cabral* + *-iano*.] *Adj. Bras.* Anterior a Pedro Álvares Cabral, à sua chegada ao Brasil, que a ele se deve; pré-cabralino: *era pré-cabraliana*.

pré-cabralino [De *pré-* + *cabralino*.] *Adj. Bras.* Pré-cabraliano.

precação [Do lat. *precatione*.] *S. f.* Rogação, rogativa, súplica, deprecação. [Cf. *precaução*.]

pré-cambriano [De *pré-* + *cambriano*.] *Geol. S. m.* **1.** Período pré-cambriano. ● *Adj.* **2.** ~ V. *período* —.

pré-candidato [De *pré-* + *candidato*.] *S. m.* Aquele que pleiteia ser escolhido em convenção de partido político como candidato a um cargo eletivo. [Pl.: *pré-candidatos*.]

pré-candidatura [De *pré-* + *candidatura*.] *S. f.* A candidatura ou a condição de pré-candidato: "O deputado Fernando Gabeira (PV-RJ) lançou ontem sua pré-candidatura a prefeito do Rio" (Lydia Medeiros, em *O Globo*, 12.03.2008).

precantar [Do lat. *praecantare*.] *V. t. d.* Vaticinar em versos.

precariedade [De *precári(o)* + *-edade*.] *S. f.* Qualidade ou estado de precário.

precário [Do lat. *precariu*, 'concedido por mercê revogável'.] *Adj.* **1.** Difícil, minguado, estreito. **2.** Escasso, raro, pouco, insuficiente: "O que me impressionou foi ver, mesmo à luz precária, as mulheres com lágrimas rolando pelo rosto" (Macedo Miranda, *As Três Chaves*, p. 38). **3.** Incerto, vário, contingente; inconsistente: "És precária e veloz, Felicidade. / Custas a vir, e, quando vens, não te demoras." (Cecília Meireles, *Obra Poética*, p. 13.) **4.** Pouco durável; insustentável: *poderio precário*. **5.** Delicado, débil: *saúde precária*.

preçário [De *preço* + *-ário*.] *S. m. Lus.* Relação de preços.

precarista [De *precár(io)* + *-ista*.] *S. 2 g. Jur.* Pessoa que possui a título precário.

pré-carnavalesco [De *pré-* + *carnavalesco*.] *Adj.* Um pouco anterior ao período do carnaval: "Nos bailes pré-carnavalescos a animação promete esquecer os altos preços dos ingressos" (*Jornal do Brasil*, 20.02.1981).

pré-carolíngio *Adj.* Anterior a Carlos Magno ou ao período carolíngio.

precatado [Part. de *precatar*.] *Adj.* Que tem ou denota precaução; acautelado, cauto, cauteloso, precauto, precavido, prevenido, prudente.

precatar [De *percatar*, com troca do prefixo.] *V. t. d.* **1.** Pôr de precaução; pôr de sobreaviso; prevenir, precaver, acautelar: *O ronco dos motores precatou as tropas*. *T. d. e i.* **2.** Pôr de sobreaviso ou precaução; prevenir, precaver, acautelar: *A tentativa de ataque precatou o país contra os invasores*; "A quinta edição do Dicionário de Morais, ano 1884, e João Ribeiro, ... precatam o leitor contra a sintaxe popular, entre nós, *custo a crer, custo a ler*" (Mário Barreto, *Últimos Estudos*, p. 127). *P.* **3.** Tomar cuidado; acautelar-se, precaver-se: *Todos se precataram, esperando o pior*; "Deve [a França] precatar-se contra os especuladores." (Costa Rego, *Águas Passadas*, p. 266). **4.** Dar fé, advertir-se de alguma coisa; perceber: *Quando se precatou, já estava na miséria.* **5.** Estar ou ficar pronto ou resolvido; dispor-se; preparar-se: *Precate-se para o pior.*

precatória [F. subst. do adj. *precatório*.] *S. f.* V. *carta precatória*: "Nem se lembravam mais de brigas, quando o delegado de Pombal recebeu uma precatória do Rio Grande do Norte, ... mandando prender os Calados." (Gustavo Barroso, *Heróis e Bandidos*, pp. 177-178.)

precatório [Do lat. *precatoriu*.] *Adj.* **1.** Em que se pede algo; rogatório. ~ V. *carta* —*a*. ● *S. m.* **2.** Documento precatório. [Cf. *precautório*.]

precaução [Do lat. *praecautione*.] *S. f.* **1.** Disposição ou medida antecipada que visa a prevenir um mal; prevenção. **2.** Cautela, cuidado. [Cf. *precação*.]

precaucionar-se [De *precaução* + *-ar*[2] + *se*[1], seg. o padrão erudito.] *V. p.* Acautelar-se antecipadamente; premunir-se, precaver-se.

precautelar [De *pre-* + *cautelar*[2].] *V. t. d. T. d. e i. P.* V. *precaver*.

P

precauto [Do lat. *praecautu.*] ***Adj.*** V. *precatado.*

precautório [Do lat. *praecautus*, part. pass. de *praecavere*, 'precaver', + *-ório.*] ***Adj.*** Que envolve precaução. [Cf. *precatório.*]

precaver [Do lat. *praecavere.*] ***V. t. d.*** **1.** Acautelar com antecipação; prevenir, precatar: *Dirija com cuidado, para precaver acidentes.* ***T. d. e i.*** **2.** Pôr de sobreaviso; precatar: *Medicou-se para precaver o organismo contra a gripe.* ***P.*** **3.** Tomar cuidado; acautelar-se, precatar-se: "cauteloso .... em perscrutar a marcha dos fatos, em precaver-se contra as intrigas" (Lima Barreto, *Numa e a Ninfa*, p. 177). **4.** Estar ou ficar pronto ou resolvido; preparar-se: *Confessou-se, precavendo-se para a morte.* [Sin. ger.: *precautelar.* Defect., conjugável só nas f. arrizotônicas, que são regulares. Assim, faz no pres. ind.: *precavemos, precaveis.* Raro se usa sem o pron. reflexivo.]

precavidamente [Do f. de *precavido* + *-mente.*] ***Adv.*** De modo precavido; por precaução: "escondi precavidamente o caderno debaixo da túnica" (José J. Veiga, *Os Pecados da Tribo*, p. 19).

precavido [Part. de *precaver.*] ***Adj.*** V. *precatado.*

prece [Do lat. *prece.*] ***S. f.*** **1.** V. *rogo* (2). **2.** *P. ext.* Pedido instante; súplica.

precedência [Do lat. *praecedentia.*] ***S. f.*** **1.** Qualidade de precedente; precessão. **2.** Preferência; primazia: *Em certos países, nas cerimônias oficiais, o núncio apostólico tem precedência sobre os demais diplomatas.* [Cf. *procedência* e *procidência.*]

precedente [Do lat. *praecedente.*] ***Adj. 2 g.*** **1.** Que precede; antecedente. [Cf. *procedente* e *procidente.*] ● ***S. m.*** **2.** Fato ou circunstância considerados em relação de anterioridade a outros de natureza igual ou semelhante. **3.** Deliberação ou procedimento que serve de critério ou pretexto a práticas posteriores semelhantes.

preceder [Do lat. *praecedere.*] ***V. t. d.*** **1.** Ir, vir, estar adiante de; anteceder: *Na língua inglesa o adjetivo precede o substantivo.* **2.** Pagar antes de: *O devedor precedeu o vencimento.* **3.** Chegar antes de: *O vencedor precedeu muito o segundo colocado.* **4.** Existir antes de; viver em época anterior a: *César precedeu Tibério.* **5.** Suceder ou ocorrer antes de; anteceder: *Tristes acontecimentos precederam a queda do rei.* ***T. i.*** **6.** Apresentar qualidade superior; avantajar-se: *A arte grega precede à romana.* **7.** Preceder (5): *A tempestade precede à bonança.* ***Int.*** **8.** Vir antes; anteceder. ***T. d. e i.*** **9.** Fazer vir ou aparecer antes; anteceder: *Precedeu o livro de uma nota explicativa.* [Cf. *proceder.*]

preceito [Do lat. *praeceptu.*] ***S. m.*** **1.** Regra de proceder; norma. **2.** Ensinamento, doutrina. **3.** Ordem, determinação, prescrição. **4.** *Bras. Cap.* Momento em que os dois capoeiras se agacham, em silêncio, diante dos músicos, antes de começar a luta. ◆ **Preceito pascal.** *Rel.* Obrigação de comungar pela Páscoa. **A preceito. 1.** Com todas as regras. **2.** Por miúdo; minuciosamente, particularizadamente: "Dava tudo para conseguir desmontar este meu mecanismo psicológico de poeta. Gostava de saber a preceito o que se passa cá por dentro." (Miguel Torga, *Diário*, IX, p. 153.)

preceituação [De *preceituar* + *-ção.*] ***S. f.*** Ação ou efeito de preceituar.

preceituador (ô) [De *preceituar* + *-dor.*] ***Adj. S. m.*** Que, ou aquele que preceitua.

preceitual [De *preceito* + *-al*[1].] ***Adj. 2 g.*** De, ou relativo a preceito.

preceituar [De *preceito* + *-ar*[2].] ***V. t. d.*** **1.** Estabelecer como preceito; ordenar, determinar: *preceituar normas;* "Era um sussurro largo e profundo na pequena ermida, respondendo à voz do sacerdote que, terminado o ofício, preceituava orações pelos que andavam nas ondas do mar." (Xavier Marques, *Jana e Joel*, p. 46). ***Int.*** **2.** Estabelecer regras; dar ordens ou instruções: *Ao Legislativo cabe preceituar.*

preceituário [De *preceito* + *-uário.*] ***S. m.*** Coleção ou conjunto de preceitos, de regras ou normas.

pré-céltico [De *pré-* + *céltico.*] ***Adj.*** Anterior aos celtas.

precentor (ô) [Do lat. *praecentore.*] ***S. m.*** **1.** Chefe de orquestra, entre os antigos. **2.** Cantor de salmos diante da arca, entre os hebreus.

preceptivo [Do lat. *praeceptivu.*] ***Adj.*** **1.** Em que há preceito. **2.** Que tem forma ou natureza de preceito.

preceptor (ô) [Do lat. *praeceptore.*] ***S. m.*** **1.** Aquele que ministra preceitos ou instruções; aio, mestre, mentor. **2.** Professor encarregado da educação de crianças no lar. **3.** *Ant.* Mestre ou comendador de ordem militar.

preceptoral [De *preceptor* + *-al*[1].] ***Adj. 2 g.*** Próprio de preceptor.

preceptoria [De *preceptor* + *-ia*[1].] ***S. f.*** **1.** Qualidade ou cargo de preceptor. **2.** Prebenda ou rendimento aplicado a professores ou magistrados.

precessão [Do lat. *praecessione.*] ***S. f.*** **1.** Ato ou efeito de preceder; precedência, antecedência. **2.** *Astr.* Movimento retrógrado do nodo de uma órbita sobre um plano de referência móvel. **3.** *Fís.* Movimento de rotação do eixo de rotação de um corpo rígido que gira e está sujeito à ação de um conjugado externo. [Cf. *procissão* e *prossissão.*] ◆ **Precessão dos equinócios.** *Astr.* Movimento cíclico dos equinócios ao longo da eclíptica, na direção oeste, causado pela ação perturbadora do Sol e da Lua sobre a dilatação equatorial da Terra, e que tem um período de cerca de 26.000 anos.

precetivo ***Adj.*** V. *preceptivo.* [Uso próprio de P.] ⊙

precetor (ô) ***S. m.*** V. *preceptor.* [Uso próprio de P.] ⊙

precetoral ***Adj. 2 g.*** V. *preceptoral.* [Uso próprio de P.] ⊙

precetoria ***S. f.*** V. *preceptoria.* [Uso próprio de P.] ⊙

pré-científico [De *pré-* + *científico.*] ***Adj.*** Anterior à ciência.

precificação [De *precificar* + *-ção.*] ***S. f.*** Ato ou efeito de precificar; apreçamento.

precificar [De *preço* + *-ificar.*] ***V. t. d.*** Atribuir preço a; apreçar: *O mercado precifica o maior risco de investimentos pouco seguros.* [Conjug.: v. *trancar.*]

precingir [Do lat. *praecingere.*] ***V. t. d.*** **1.** Ligar com cinta; cingir, precintar. **2.** Cercar, rodear, cingir. [Conjug.: v. *dirigir.*]

precinta [De *precinto* < lat. *praecinctu.*] ***S. f.*** **1.** Cinta, faixa. **2.** Pano para cilhas. **3.** *Marinh.* Percinta (q. v.). [Cf. *pressinta*, do v. *pressentir.*]

precintado [Part. de *precintar.*] ***Adj.*** **1.** Atado ou cingido com precinta. **2.** Rodeado, cercado, circundado. **3.** Forrado, coberto, revestido. [Cf. *percintado.*]

precintar [De *precinto* + *-ar*[2].] ***V. t. d.*** **1.** Atar ou cingir com precintas; precingir. **2.** Rodear, cercar, circundar: *Um traço vermelho precinta os substantivos do texto.* ***T. d. e i.*** **3.** Forrar, cobrir, revestir: *Precintou a carga de faixas resistentes.* [Pres. ind.: *precinto, precintas, precinta*, etc. Cf. *pressinto, pressintas, pressinta* do v. *pressentir*, e *percintar.*]

precinto [Do lat. *praecinctu*, part. pass. de *praecingere*, 'cingir'.] ***S. m.*** Precinta (q. v.). [Cf. *pressinto*, do v. *pressentir.*]

preciosa [F. subst. de *precioso.*] ***S. f.*** *Bras. BA Pop.* A vulva.

preciosidade [Do lat. *pretiositate.*] ***S. f.*** **1.** Qualidade de precioso. **2.** Aquilo que é precioso: "— Oh! .... Deixa disso! reclamava Pombinha, estorcendo-se em cócegas, e deixando ver preciosidades de nudez fresca e virginal" (Aluísio Azevedo, *O Cortiço*, p. 195).

preciosismo [De *precioso* + *-ismo.*] ***S. m.*** Delicadeza ou sutileza excessiva no falar e no escrever, particularmente a que se usava nos salões literários da França no séc. XVII.

preciosista [De *precioso* + *-ista.*] ***Adj. 2 g.*** De, ou relativo a preciosismo.

precioso (ô) [Do lat. *pretiosu.*] ***Adj.*** **1.** De grande preço: *joia preciosa.* **2.** Magnífico, suntuoso, rico, finíssimo: *Tinha o palácio preciosas alfaias.* **3.** A que se dá vivo apreço: *amizade preciosa.* **4.** De grande importância; valiosíssimo: *colaboração preciosa.* **5.** Presumido, afetado, amaneirado: *estilo precioso.* ~ V. *— líquido, pedra —a* e *—a rubiácea.*

precipício [Do lat. *praecipitiu.*] ***S. m.*** **1.** Lugar escarpado, íngreme, alcantilado. **2.** Despenhadeiro, abismo. **3.** *Fig.* Grave perigo. **4.** *Fig.* Grande desgraça; ruína, perdição. **5.** *Bras. MG* V. *finca* (3).

precipitação [Do lat. *praecipitatione.*] ***S. f.*** **1.** Ato ou efeito de precipitar(-se). **2.** Pressa irrefletida. **3.** *Quím.* Processo em que se forma um sólido insolúvel numa solução. ◆ **Precipitação atmosférica.** Fenômeno pelo qual a nebulosidade atmosférica se transforma em água, formando o orvalho, a neve, o granizo e a chuva. **Precipitação radioativa.** *Fís. Nucl.* Tombamento de nuclídeos radioativos formados numa explosão nuclear sobre a superfície terrestre.

precipitado [Part. de *precipitar.*] ***Adj.*** **1.** Que não reflete; inconsiderado, imprudente. **2.** Apressado, açodado, arrebatado. ● ***S. m.*** **3.** Indivíduo que procede sem refletir, ou açodadamente. **4.** *Quím.* Sólido que se forma e se deposita no seio de uma solução líquida.

precipitante [Do lat. *praecipitante.*] ***Adj. 2 g.*** **1.** Que precipita. ● ***S. m.*** **2.** Reagente químico com que se obtém um precipitado.

precipitar [Do lat. *praecipitare.*] ***V. t. d. e i.*** **1.** Atirar, lançar, arremessar (em situação desfavorável): *O jogo precipitou-o na miséria.* **2.** Levar, arrastar (a aventuras, perigos): *O espírito aventureiro precipitou-o no cenário político.* ***T. d. e c.*** **3.** Lançar ou arrojar (de lugar elevado); despenhar: *O assassino precipitou o corpo do alto do edifício.* **4.** Lançar ou arrojar (em precipício, em lugar profundo); abismar: *Precipitou o objeto ao mar.* **5.** Atirar, impelir com violência: *O explosivo precipitou-o contra a parede.* ***T. d.*** **6.** Tornar mais rápido; apressar, acelerar: *precipitar o passo.* **7.** Fazer chegar antes do tempo; antecipar: *precipitar os fatos.* **8.** Pronunciar com rapidez: *Nervoso, precipitava as palavras.* ***Int.*** **9.** *Quím.* Formar precipitado (4). ***P.*** **10.** Atirar-se ou lançar-se de cima para baixo; abismar-se: *Acuados, os guerreiros precipitaram-se na ribanceira.* **11.** Correr desabaladamente: *Os automóveis precipitavam-se na pista.* **12.** Lançar-se com força e ímpeto; arrojar-se, atirar-se, arremessar-se: "Precipitou-se então o animal com fúria cega e irresistível." (Rebelo da Silva, *Contos e Lendas*, p. 178); "De repente deu com Raimundo e precipitou-se para ele de braços abertos." (Aluísio Azevedo, *O Mulato*, p. 235); *O mar precipita-se contra as pedras.* **13.** Chegar ou ocorrer antes do tempo; antecipar-se: *Com as ocorrências políticas, os acontecimentos precipitaram-se.* **14.** Proceder com excessiva precipitação; apressar-se: *Precipitou-se e pôs tudo a perder.* **15.** Cair impetuosamente; despenhar-se: *A cachoeira precipita-se de grandes alturas.* **16.** Atirar-se (em situação desfavorável); arremessar-se: *Precipitou-se ela própria na perdição.* **17.** Vir, proceder, provir, rápida e tumultuosamente: *Os invasores precipitaram-se do Norte.* [Pres. subj.: *precipite*, etc. Cf. *precípite*, adj. 2 g.]

precipitável [De *precipitar* + *-vel.*] ***Adj. 2 g.*** Que se pode ou deve precipitar.

precípite [Do lat. *praecipite.*] ***Adj. 2 g.*** **1.** Arriscado a precipitar-se; precipitoso. **2.** Apressado, rápido, veloz. [Cf. *precipite*, do v. *precipitar.*]

precipitoso (ô) [De *precípite* + *-oso.*] ***Adj.*** **1.** Em que há precipícios ou despenhadeiros. **2.** Precípite (1). **3.** *Fig.* Arrojado, temerário, impetuoso. **4.** Impaciente, precipitado.

precípuo [Do lat. *praecipuu.*] ***Adj.*** Principal, essencial: "Há um trabalho de fôlego de grande repercussão nos estudos do folclore — o que deriva da necessidade de regularizar o trabalho pelo ritmo, donde a fonte precípua da cantiga, como medida de ordem e suavidade nos próprios exercícios de esforço físico." (João Ribeiro, *O Folclore*, p. 223.)

precisado [Part. de *precisar.*] ***Adj.*** Necessitado, carecente, carente, pobre.

precisamente [Do f. de *preciso* + *-mente.*] ***Adv.*** **1.** De modo preciso ou exato. **2.** Exatamente, tal e qual.

precisão [Do lat. *praecisione.*] ***S. f.*** **1.** Carência daquilo que é preciso, necessário, ou útil. **2.** Urgência, necessidade. **3.** Exatidão de cálculos. **4.** Rigor sóbrio de linguagem; concisão. **5.** Funcionamento sem falhas; perfeição: *a precisão de um relógio.* **6.** Regularidade na execução; exatidão. ◆ **De precisão.** Apropriado para cálculos, registros, etc., rigorosamente exatos: *relógio de precisão; balança de precisão.* **Fazer precisão.** *Bras. N.E. Fam. Pop.* Fazer necessidade. [Cf. *defecar* (5).]

precisar [De *preciso* + *-ar*[2].] ***V. t. d.*** **1.** Indicar com exatidão; particularizar, distinguir, especializar: *Não sabe precisar a época de sua primeira viagem.* **2.** Ter precisão ou necessidade de; carecer, necessitar: "deu-lhe dez tostões, recomendando-lhe que, quando precisasse algum dinheiro, viesse procurá-lo." (Machado de Assis, *Quincas Borba*, pp. 180-181); "Celeste aluno, / Precisamos conselho em tal perigo" (Manuel Odorico Mendes, *Ilíada de Homero*, p. 125); *Precisa espairecer.* **3.** Citar ou mencionar especialmente: *A testemunha precisou o criminoso.* **4.** Tornar preciso, exato, eficiente: *Precisou a balança da mercearia, conforme o pedido dos fiscais.* ***T. i.*** **5.** Ter necessidade; carecer, necessitar: "Precisávamos de um empregado para ajudar na limpeza da repartição e servir café." (Maria Julieta Drummond de Andrade, *Um Buquê de Alcachofras*, p. 27); *Precisa de dinheiro.* ***Int.*** **6.** Ser pobre, necessitado: *Trabalha porque precisa.* **7.** Ter precisão ou necessidade: *Afoba-se sem precisar.* **8.** Ser preciso ou necessário: *Não precisa inquietarem-se: ele está chegando;* "Só excepcionalmente colhia uma [rosa] para dar à visita (e precisava que essa visita fosse de prol ....)" (Pedro Nava, *Balão Cativo*, p. 22). ***P.*** **9.** Tornar-se ou mostrar-se preciso, definito, exato: "Os traços comuns desse grupo são um tanto fugidios e vagos. Não se delineiam, não se precisam, não se fixam. É que o fluminense é, na verdade, uma transição social" (Oliveira Viana, *Populações Meridionais do Brasil*, p. 57).

preciso [Do lat. *praecisu*, 'cortado pela extremidade'.] ***Adj.*** **1.** Necessário; urgente. **2.** Exato, certo, definido. **3.** Claro, categórico, terminante: *Fez uma declaração precisa, sem subterfúgios.* **4.** Resumido, lacônico: *estilo preciso.*

precitado [De *pre-* + *citado.*] ***Adj.*** Citado anteriormente.

precito [Do lat. *praescitu*, 'sabido de antemão'; segundo certa doutrina, os réprobos se acham de antemão condenados.] ***Adj. S. m.*** Réprobo, condenado, maldito: "Pouco importava que o gênio de Virgílio e o módulo grego, de vez em quando, o acordasse [a Dante] desse pesadelo, e fizesse emergir das sombras, aonde havia o ranger de dentes e o desespero eterno do precito, as estátuas belas de Francesca de Rimini e de Beatriz" (Araripe Júnior, *Ibsen*, p. 41).

preclaridade [De *preclaro* + -*(i)dade*.] *S. f.* Qualidade de preclaro.

preclaro [Do lat. *praeclaru*.] *Adj.* **1.** Ilustre, notável, famoso, brilhante, claro: *o preclaro jurista*; "esteve [Alexandre de Gusmão] na Bahia entregue aos cuidados de seu padrinho, preclaro fundador do Colégio da Cachoeira, do qual adotou integralmente o nome" (Visconde de Carnaxide, *D. João V e o Brasil*, p. 25). **2.** Formoso, belo.

pré-clássico [De *pré-* + *clássico*.] *Adj.* Anteclássico.

preclávio [Do lat. *praeclaviu*.] *S. m.* A parte da toga romana que ficava antes do laticlavo.

precluir [Do lat. *praecludere*, 'fechar', 'obstruir'; 'proibir', 'vedar'.] *V. int. Jur.* Ser (uma faculdade processual) atingida por preclusão. [Conjug.: v. *atribuir*, mas é defect., só us. nas 3.as pess.]

preclusão [Do lat. *praeclusione*.] *S. f.* **1.** *E. Ling.* Contato prévio de dois órgãos para a produção dum fonema explosivo, como, p. ex., *b* e *p*. **2.** *Jur.* Perda do direito de praticar um ato processual, ou em razão do decurso do prazo fixado para o seu exercício, ou em decorrência da prática de outro ato incompatível com o pretendido, ou ainda em razão de já haver sido praticado anteriormente. [Fala-se, respectivamente, em preclusão temporal, lógica e consumativa.]

preclusivo [Do lat. *praeclusus*, part. pass. de *praecludere*, 'fechar', 'obstruir'; 'vedar', + -*ivo*.] *Adj.* Que envolve ou produz preclusão.

preço (ê) [Do lat. *pretiu*.] *S. m.* **1.** O valor pecuniário de algo, ou aquele que lhe é atribuído, temporariamente ou não, quando da sua venda ou compra, ou da sua oferta ou procura; quantidade de dinheiro necessária para comprar uma unidade de mercadoria ou pagar por um serviço; expressão monetária de valor: *Vendeu o sapato pelo preço mínimo; A queda dos preços preocupou os comerciantes*; "Nas altas do preço de vida, ... não restava ao plebeu outro recurso que não fosse apelar para o agiota." (Aquilino Ribeiro, *Os Avós dos Nossos Avós*, p. 69); "O preço dele é noventa cruzeiros, mas para você, que é freguês, faço por cinquenta." (Adovaldo Fernandes Sampaio, *O Sol na Rede*, p. 23). **2.** Relação de troca de um bem por outro. **3.** Aquilo que deve ser feito, dado, etc., para que algo seja obtido ou mantido: *A falta de privacidade é o preço da fama.* **4.** Compensação, recompensa, prêmio. **5.** Castigo, punição. **6.** Importância, merecimento, valia. **7.** Perfeição, excelência, quilate. ◆ **Preço administrado.** *Econ.* O que é fixado por arbítrio do vendedor, e não pela interação da oferta e da procura: *As indústrias monopolistas têm preços administrados.* **Preço constante.** *Estat.* Numa série temporal de dados econômicos, cada um dos preços relativos a um dado período, mantidos constantes para efeito de comparação: *A preços constantes, a renda per capita brasileira em 1988 foi inferior à de 1987.* [Opõe-se a *preço corrente* (2).] **Preço corrente. 1.** *Econ.* O efetivamente observado no mercado; preço de mercado. **2.** *Estat.* Numa série temporal de dados econômicos, os preços efetivamente observados, em cada período: *O valor da produção em 1990 está expresso em preços correntes.* [Opõe-se, nesta acepç., a *preço constante*.] **Preço de capa.** Preço de um livro para o consumidor. **Preço de exercício.** *Econ.* O que se fixa, para a compra ou venda futura, num contrato de opção (4). **Preço de mercado.** *Econ.* Preço corrente (1). **Preço social.** *Econ.* Preço que reflete o custo social (q. v.) de um bem ou de um fator de produção, em oposição a seu preço de mercado. [Sin. (ingl.): *shadow price*.] **A preço de banana.** *Bras.* Muito barato; a preço vil: *Vendeu seus livros a preço de banana*; "Contavam .... de terras adquiridas a preço de banana, sob ameaça de clavinote e punhal" (Jorge Amado, *Teresa Batista Cansada de Guerra*, p. 66). **A qualquer preço.** *Fig.* Apesar das circunstâncias e das consequências; independentemente do que aconteça; custe o que custar. **Justo preço.** *Jur.* Valor de uma coisa estabelecido por estimativa pericial ou técnica, ou pelas cotações oficiais da bolsa. **Vender pelo preço de fatura.** *Bras. AL* Contar um fato (em geral escandaloso) tal como o ouviu de outrem, sem exagerar nada: *Estou vendendo pelo preço de fatura — explicou o maledicente ante a dúvida do ouvinte.*

precoce [Do lat. *praecoce*.] *Adj. 2 g.* **1.** Prematuro, antecipado; temporão. **2.** Diz-se das pessoas com determinadas faculdades prematuramente desenvolvidas: *criança precoce*. ~ V. *demência* — e *ejaculação* —.

precoceno [De *precoce* + -*eno*[2].] *S. m. Quím.* Qualquer de certas substâncias (p. ex., precoceno I, fórm.: $C_{12}H_{14}O_2$ e precoceno II, fórm.: $C_{13}H_{16}O_3$) que induzem metamorfose antecipada em insetos.

precocidade [De *precoce* + -*(i)dade*.] *S. f.* Qualidade de precoce ou prematuro.

preço da noiva *S. m. Antrop.* Os presentes oferecidos pelo noivo e seus parentes à família da noiva, e que, em diversas sociedades, são considerados como elemento indispensável ao estabelecimento da união matrimonial, associados a conjuntos variáveis de regras e costumes. [Cf. *serviço da noiva*. Pl.: *preços da noiva*.] ☑

precogitação [Do lat. tard. *praecogitatione*.] *S. f.* Ação de precogitar; premeditação.

precogitar [Do lat. *praecogitare*.] *V. t. d.* Cogitar antes; premeditar: *precogitar um crime.*

precógnito [Do lat. *praecognitu*.] *Adj.* Conhecido antes; previsto.

pré-colombiano [De *pré-* + *colombiano*.] *Adj.* Anterior ao descobrimento da América por Cristóvão Colombo (1436-1506), navegador genovês a serviço da Espanha.

pré-coma [De *pré-* + *coma*[2].] *S. m. e f. Med.* O estado pré-comatoso.

pré-comatoso (ô) [De *pré-* + *comatoso*.] *Adj. Med.* Que antecede a coma[2] (1): *estado pré-comatoso.*

preconceber [De *pré-* + *conceber*.] *V. t. d.* **1.** Conceber antecipadamente; planear ou idear com antecipação: *Preconceberam com todo o cuidado o plano do assalto.* **2.** Supor com antecipação.

preconcebido [Part. de *preconceber*.] *Adj.* **1.** Concebido de antemão; premeditado. **2.** Concebido ou planeado sem maior reflexão, sem fundamento sério: *ideias preconcebidas.*

preconceito [De *pre-* + *conceito*.] *S. m.* **1.** Conceito ou opinião formados antecipadamente, sem maior ponderação ou conhecimento dos fatos; ideia preconcebida. **2.** Julgamento ou opinião formada sem se levar em conta o fato que os conteste; prejuízo. **3.** *P. ext.* Superstição, crendice; prejuízo. **4.** *P. ext.* Suspeita, intolerância, ódio irracional ou aversão a outras raças, credos, religiões, etc.: *O preconceito racial é indigno do ser humano.*

preconceitual [De *preconceito* + -*ual*.] *Adj. 2 g.* Que tem caráter de preconceito, ou é nele fundado.

preconceituoso [De *preconceito* + -*uoso*.] *Adj. S. m.* Que, ou aquele que tem preconceito(s).

pré-conciliar [De *pré-* + *conciliar*[1].] *Adj. 2 g.* Que antecede um concílio; um pouco anterior a um concílio.

precondição [De *pre-* + *condição*.] *S. f.* Condição prévia.

preconício [T. proposto por Antônio de Castro Lopes, (1827-1901), filólogo brasileiro.] *S. m. Bras. P. us.* Reclamo, propaganda, divulgação.

preconização [De *preconizar* + -*ção*.] *S. f.* **1.** Ato ou efeito de preconizar. **2.** *Ecles.* Declaração, em consistório pontifício, de que um eclesiástico nomeado para um bispado ou para outro benefício tem as condições exigidas para esse fim.

preconizador (ô) [De *preconizar* + -*dor*.] *Adj. S. m.* Que, ou aquele que preconiza.

preconizar [Do lat. tard. *praeconizare*.] *V. t. d.* **1.** Fazer a preconização (2) de. **2.** Apregoar com louvor; louvar, elogiar, lisonjear: *Vive a preconizar os filhos.* **3.** Aconselhar ou recomendar com louvor; divulgar, propagar: *preconizar ideias novas; preconizar a prática do bem*; "Deu-me comprimidos, fez-me ingerir mais líquidos, preconizou um purgante salino" (Marques Rebelo, *O Trapicheiro*, p. 318). *Transobj.* **4.** Apregoar com louvor; apregoar, propalar: "Com este monge desvelara-se a fama preconizando-o orador primaz da ordem igualmente no púlpito que nas assembleias eleitorais." (Camilo Castelo Branco, *Mosaico e Silva de Curiosidades*, p. 92.)

pré-consciente [De *pré-* + *consciente*.] *S. m. Psicol.* O conjunto dos processos psíquicos latentes, mas disponíveis, *i. e.*, aptos a se tornarem conscientes, como, p. ex., as lembranças.

pré-constitucional [De *pré-* + *constitucional*.] *Adj. 2 g.* Anterior ao período constitucional, à constituição.

pré-contrato [De *pré-* + *contrato*.] *S. m.* Antecontrato.

pré-coracoide (ói) [De *pré-* + *coracoide*.] *S. m. Zool.* Cada um de dois ossos na região que corresponde às clavículas rudimentares, nas aves casuariiformes. ❖

precordial [Do lat. *praecordia*, 'diafragma', + -*al*[1].] *Adj. 2 g. Anat.* Relativo ou pertencente à região que fica adiante do coração, ou nela situado.

precórdio [De *pré-* + -*cord(o)-* + -*io*[3].] *S. m. Anat.* Área anterior ao coração.

pré-cozido [De *pré-* + *cozido*.] *Adj.* Cozido de antemão.

pré-cristão [De *pré-* + *cristão*.] *Adj.* Anterior ao cristianismo. [Flex.: *pré-cristã, pré-cristãos, pré-cristãs*.]

precursor (ô) [Do lat. *praecursore*.] *Adj.* **1.** Que vai adiante. **2.** Que anuncia um sucesso, ou a chegada de alguém. **3.** Que precede: *Eram as chuvas precursoras do inverno nos trópicos.* **4.** Que faz prever, prepara os atos, o surto de outras figuras. ~ V. *destacamento* —. ● *S. m.* **5.** Aquele que é precursor (1, 2 e 4); batedor: "Sem discussão possível, cabe a Friedrich Bouterwek o título de precursor da nossa historiografia literária" (Guilhermino César, *Bouterwek*, p. 6). **6.** *Quím.* Intermediário (5) que, numa rota sintética ou biossintética, precede uma substância ou grupo de substâncias. ◆ **O precursor de Cristo.** S. João Batista.

predação [Do lat. tard. *praedatione*.] *S. f.* **1.** Ação de predador; destruição. **2.** *Ecol.* Interação entre espécies onde um animal se alimenta de outro organismo.

predador (ô) [Do lat. *praedatore*.] *Adj. S. m.* **1.** Que, ou aquele que destrói ou devora. **2.** *Ecol.* Diz-se de, ou organismo livre que depende de predação (2) para sobreviver. ◆ **Predador herbívoro.** *Ecol.* Animal que se alimenta de vegetais. **Predador verdadeiro.** *Ecol.* Animal que se alimenta de outro animal.

predar [Do lat. **praedare* (no lugar do depoente *praedari*), por via erudita.] *V. t. d.* **1.** Caçar. **2.** Abater (11). **3.** *Ecol.* Matar (ser vivo de outra espécie) para dele se alimentar. **4.** *Ecol.* Alimentar-se de (a prole ou ovos de outro animal). **5.** *Ecol.* Comer (um fruto), sem preservar-lhe a semente.

pré-datado [Part. de *pré-datar*.] *Adj.* A que se após data futura; datado de antemão. [Cf. *antedatado* e *pós-datado*.] ~ V. *cheque* — e *telegrama* —.

pré-datar [De *pré-* + *datar*.] *V. t. d.* Pôr data futura em; datar de antemão: *pré-datar um cheque.* [Cf. *antedatar* e *pós-datar*.]

predatório [Do lat. *praedatoriu*.] *Adj.* **1.** Pertencente ou relativo a predador. **2.** Que gera destruição: "A nossa guerra é com o modelo predatório que empobrece o povo e destrói a biodiversidade" (Carlos Minc, em *O Globo*, 11.06.2008). **3.** Respeitante a roubos ou a piratas. **4.** *Restr.* Referente a navios de corsários.

predecessor (ô) [Do lat. tard. *praedecessore*.] *S. m.* Antecessor.

predefinição [De *predefinir* + -*ção*.] *S. f.* **1.** Ato ou efeito de predefinir. **2.** Predestinação, prognóstico.

predefinir [De *pre-* + *definir*.] *V. t. d.* Definir ou determinar com antecipação: *Ninguém predefine a vida de um homem.*

predestinação [Do lat. tard. *praedestinatione*.] *S. f.* **1.** Ato ou efeito de predestinar; predefinição, prognóstico. **2.** *Teol.* Determinação formada por Deus de conduzir os justos à vida eterna.

predestinacionismo [De *predestinação* + -*ismo*, seg. o padrão erudito.] *S. m.* Doutrina teológica segundo a qual os acontecimentos, desde toda a eternidade, foram predeterminados pela vontade divina, sendo todos os homens, de antemão, eleitos ou condenados.

predestinado [Part. de *predestinar*.] *Adj.* **1.** Destinado de antemão; fadado. **2.** Que é eleito de Deus; que é santo. ● *S. m.* **3.** O que é destinado de antemão. **4.** Aquele que é eleito de Deus; santo.

predestinar [Do lat. *praedestinare*.] *V. t. d. e i.* **1.** Destinar com antecipação: *A natureza não predestina espécie alguma à eternidade.* **2.** *Teol.* Escolher desde toda a eternidade (os justos): *Deus predestinou os justos para o Céu.* **3.** Destinar ou reservar a grandes feitos: *A História predestinou Alexandre para as grandes conquistas.*

predeterminação [De *predeterminar* + -*ção*.] *S. f.* Ato ou efeito de predeterminar.

predeterminado [Part. de *predeterminar*.] *Adj.* Que se predeterminou.

predeterminante [De *predeterminar* + -*nte*.] *Adj. 2 g.* Que predetermina.

predeterminar [De *pre-* + *determinar*.] *V. t. d.* Determinar com antecipação: *predeterminar o resultado de uma partida de futebol.*

predial [De *prédio* + -*al*[1].] *Adj. 2 g.* Respeitante a prédios. ~ V. *imposto* —.

prédica [Dev. de *predicar*.] *S. f.* **1.** V. *sermão* (1): "Um dia, achando-me em Westminster à hora de principiar a prédica, vi o templo encher-se quase repentinamente de gente." (Ramalho Ortigão, *John Bull*, p. 232.) **2.** Discurso; oração. [Cf. *predica*, do v. *predicar*.]

predicação [Do lat. *praedicatione*.] *S. f.* **1.** V. *sermão* (1). **2.** *E. Ling.* Atribuição de propriedades (como lugar, ação, qualidade) aos seres ou aos objetos. [Cf., nesta acepç., *argumento* (10).] **3.** *Lóg.* V. *juízo de predicação*. [Cf., nesta acepç., *inerência* (2).]

predicado [Do lat. *praedicatu*, 'de que já se falou'.] *S. m.* **1.** Qualidade, característica; atributo. **2.** Dote, prenda, virtude: *É pessoa cheia de predicados.* **3.** *E. Ling.* Elemento da oração que declara algo sobre outro, que é o sujeito (11). [Essa terminologia tem origem na identificação da oração com uma proposição lógica, e veio a substituir, ainda na Idade Média, a tradicional denominação de aposto (4).] **4.** *Lóg.* Atributo (9).

predicador (ô) [Do lat. *praedicatore*.] *Adj.* **1.** Predicante (1). ● *S. m.* **2.** Predicante (2 e 3). **3.** *E. Ling.* O verbo.

predical [De *prédica* + -*al*[1].] *Adj. 2 g.* Referente a prédica, a sermão.

predicamental [De *predicamento* + -*al*[1].] *Adj. 2 g.* Relativo a predicamento.

predicamentar [De *predicamento* + *-ar*^{2}.] ***V. t. d.*** Dar predicamento a; classificar, graduar: *predicamentar um médico.*

predicamento [Do lat. *praedicamentu.*] ***S. m.*** **1.** Categoria, classe, graduação: "Hoje não há lugarejo elevado ao predicamento de vila que não tenha o seu periódico." (Antônio Álvares Pereira Coruja, *Antigualhas*, p. 29); "Os tolos passam muitas vezes por acesso a velhacos, e procuram neste predicamento indenizar-se com usura das perdas que sofreram no primeiro estado." (Marquês de Maricá, *Máximas, Pensamentos e Reflexões*, p. 26). **2.** *Lóg.* Categoria (8).

predicante [Do lat. *praedicante.*] ***Adj. 2 g.*** **1.** Que predica. • ***S. 2 g.*** **2.** Pessoa que predica. **3.** Pregador protestante. [Sin. ger.: *predicador.*]

predição [Do lat. *praedictione.*] ***S. f.*** Ato ou efeito de predizer; profecia; vaticínio. [Cf. *prodição.*]

predicar [Do lat. *praedicare*, 'dizer diante de todos'.] ***V. t. d.*** **1.** Fazer indicação de; aconselhar, indicar, pregar. **2.** *E. Ling.* Atribuir um predicado a um sintagma nominal. [Conjug.: v. *trancar*. Pres. ind.: *predico, predicas, predica*, etc. Cf. *prédica*, s. f.]

predicativo [Do lat. tard. *praedicativu.*] *E. Ling.* ***Adj.*** **1.** Diz-se de complemento de um verbo de ligação, expresso ou subentendido: *João é feio*; *A mulher considerou o vendedor (e ele é) desonesto.* **2.** Que funciona como predicativo. ~ V. *adjetivo —, frase —a* e *verbo —.* • ***S. m.*** **3.** Esse complemento.

predicatório [Do lat. tard. *praedicatoriu.*] ***Adj.*** Encomiástico, lisonjeiro. [Cf. *predicáveis*, do v. *predicar.*]

predicáveis ***S. m. pl.*** *Lóg.* Segundo Aristóteles (v. *aristotelismo*) os modos como as palavras se referem aos objetos e que são: a definição, o próprio, o gênero e o acidente.

predicável [Do lat. *praedicabile.*] ***Adj. 2 g.*** Que se pode aconselhar ou pregar.

predileção [Do lat. **praedilectione* < lat. *prae*, 'diante de', + lat. *dilectio, onis*, 'amor', 'preferência'; fr. *prédilection.*] ***S. f.*** **1.** Gosto ou amizade preferente por algo ou por alguém; preferência. **2.** Afeição extremosa.

prediletamente [Do f. de *predileto* + *-mente.*] ***Adv.*** Com predileção; de preferência, preferentemente.

predileto [Do lat. **praedilectu* < lat. *prae*, 'diante de', + lat. *dilectus*, 'amado', 'querido'.] ***Adj.*** **1.** Que é querido com predileção; preferido. • ***S. m.*** **2.** Indivíduo predileto.

pré-diluviano [De *pré-* + *diluviano.*] ***Adj.*** Antediluviano.

prédio [Do lat. *praediu*, 'propriedade rústica'.] ***S. m.*** **1.** Propriedade imóvel. **2.** V. *prédio rústico.* **3.** V. *prédio urbano.* **4.** Casa; edifício (1 e 2). ◆ **Prédio rústico.** Prédio (1) que se destina à exploração agrícola. [Tb. se diz apenas *prédio.*] **Prédio urbano.** Prédio (1) destinado à moradia, esteja ou não no perímetro urbano. [Tb. se diz apenas *prédio.*]

predisponência ***S. f.*** Ato ou efeito de predispor(-se); predisposição.

predisponente [De *pre-* + *disponente.*] ***Adj. 2 g.*** **1.** Que predispõe. **2.** Que favorece o aparecimento de sintoma ou doença.

predispor [De *pre-* + *dispor.*] ***V. t. d. T. d. e i. P.*** Dispor(-se) com antecipação; preparar(-se): *Tinha de ausentar-se, e predispôs todo o plano dos negócios*; "O ar fresco nos predispunha a um bom repasto regado a vinho da Macedônia." (José Lins do Rego, *Gregos e Troianos*, p. 122); "Pode-se calcular o efeito dessa triste nova ..... Não só alarmou os crédulos, como predispôs o espírito público para ostensivos e futuros desagravos." (Raimundo Morais, *País das Pedras Verdes*, p. 278); *Predispôs-se a trabalhar com afinco.* [Irreg. Conjug.: v. *pôr*, (q. v.).]

predisposição [De *pre-* + *disposição.*] ***S. f.*** **1.** Ato de predispor(-se). **2.** Vocação, tendência, pendor, inclinação, propensão: "Esses três desligamentos forçados, ... criaram nessa sensibilidade delicada predisposição ao alheamento" (Barreto Filho, *Introdução a Machado de Assis*, p. 11).

predisposto (ô) [Do lat. *praedispositu.*] ***Adj.*** **1.** Que tem predisposição. **2.** Disposto com antecedência. • ***S. m.*** **3.** Indivíduo predisposto a um mal físico ou mental.

pré-dissociação [De *pré-* + *dissociação.*] ***S. f.*** *Fís.* Transição molecular não radioativa, decorrente da existência de estados excitados com energia superior à de dissociação da molécula.

predito [Do lat. *praedictu.*] ***Adj.*** Dito ou citado anteriormente.

predizer [Do lat. *praedicere.*] ***V. t. d. T. d. e i.*** Dizer antecipadamente; vaticinar; profetizar, prognosticar: *Nostradamus predisse acontecimentos futuros*; *Predisseram-lhe toda a sua desgraça.* [Irreg. Conjug.: v. *dizer.*]

prednisolona [Voc. farmac.] ***S. f.*** *Quím.* Esteroide corticoide, sintético, us. em medicina [fórm.: $C_{21}H_{28}O_5$].

prednisona [Voc. farmac.] ***S. f.*** *Quím.* Esteroide corticoide, semelhante à prednisolona, us. em medicina [fórm.: $C_{21}H_{26}O_5$].

predominação [De *predominar* + *-ção.*] ***S. f.*** Ato ou efeito de predominar; predominância, predomínio.

predominador (ô) [De *predominar* + *-dor.*] ***Adj. S. m.*** Que, ou aquele que predomina.

predominância [De *predominar* + *-ância.*] ***S. f.*** Qualidade de predominante; predomínio, predominação.

predominante [De *predominar* + *-nte.*] ***Adj. 2 g.*** **1.** Que predomina; predominador. **2.** *E. Ling.* Diz-se do acento mais forte de uma palavra, e da sílaba ou vogal em que ele recai.

predominar [De *pre-* + *dominar.*] ***V. int.*** **1.** Ser o primeiro em domínio ou influência: *Predominaram os mais fortes.* **2.** Dominar muito; prevalecer: "A propriedade privada, dentro do sistema que predominava, na metrópole, trouxe-a o português para o Brasil nas primeiras caravelas" (Manuel Diegues Júnior, *Regiões Culturais do Brasil*, p. 69). **3.** Ser, estar, fazer-se ver, em maior quantidade ou intensidade; sobressair: *O azul predomina neste painel.* ***T. d.*** **4.** Exercer domínio sobre; sobrepujar, vencer: *Napoleão não conseguiu predominar o universo russo.*

predomínio [De *pre-* + *domínio.*] ***S. m.*** **1.** Domínio principal; preponderância, supremacia, superioridade. **2.** Influência, influxo.

pré-dorsal [De *pré-* + *dorsal.*] ***Adj. 2 g.*** *Anat. Desus.* Situado no pré-dorso.

pré-dorso [De *pré-* + *dorso.*] ***S. m.*** *Anat. Desus.* A parte anterior do dorso.

pré-eclampsia [De *pré-* + *eclampsia.*] ***S. f.*** *Obst.* Forma de toxemia gravídica e em que há hipertensão arterial, edemas e proteinuria, mas em que não ocorreram convulsões e estado de coma.

pré-elaboração [De *pré-* + *elaboração.*] ***S. f.*** Fase anterior à da elaboração.

pré-eleitoral [De *pré-* + *eleitoral.*] ***Adj. 2 g.*** *Bras.* Um pouco antecedente a eleição ou eleições.

preeminência [Do lat. tard. *praeeminentia.*] ***S. f.*** **1.** Qualidade de preeminente; primazia, superioridade. **2.** Grandeza, excelência. [Cf. *proeminência.*]

preeminente [Do lat. tard. *praeeminente.*] ***Adj. 2 g.*** **1.** Que ocupa lugar mais elevado. **2.** Superior, sublime. **3.** Nobre; distinto. [Cf. *proeminente.*]

preempção [De *pre-* + lat. *emptio, onis*, 'compra'.] ***S. f.*** **1.** Compra antecipada. **2.** Precedência na compra. **3.** *Inform.* Em um ambiente multitarefa, ação ou evento que causa mudança do processamento de uma aplicação para outra. **4.** *Jur.* Direito de preferência. **5.** *Jur.* Cláusula contratual que impõe ao comprador a obrigação de, ao alienar a coisa comprada, oferecê-la ao vendedor de quem a obteve, tendo este, preço por preço, preferência para readquiri-la, com exclusão dos outros interessados. [Nesta acepç., cf. *preferência* (5) e *opção* (3).]

preemptivo [De *preemp(ção)* + *-tivo.*] ***Adj.*** **1.** Relativo a preempção. **2.** *Inform.* Diz-se de sistema operacional que é capaz de gerar suas próprias preempções e que, portanto, pode alternar entre os programas em execução sem depender da sinalização destes. [Os sistemas operacionais preemptivos tendem a ser mais estáveis e eficientes no processamento de vários programas ao mesmo tempo.]

preencher [De *pre-* + *encher.*] ***V. t. d.*** **1.** Encher completamente; ocupar, completar; atestar, rechear: *O cimento preencherá os vãos.* **2.** Exercer (cargo ou função); ocupar, desempenhar: *Um homem decente preencherá o cargo.* **3.** Ocupar (espaço de tempo): *As distrações preencheram as suas férias.* **4.** Cumprir plenamente: *preencher exigências.* **5.** Escrever em, completando os claros com as respostas pedidas: *preencher um formulário.*

preenchido [Part. de *preencher.*] ***Adj.*** *E. Ling.* ~ V. *pausa não —a* e *pausa —a.*

preenchimento [De *preencher* + *-imento.*] ***S. m.*** Ato ou efeito de preencher.

preenchível [De *preencher* + *-ível.*] ***Adj. 2 g.*** Que pode ser preenchido.

pré-encolher [De *pré-* + *encolher.*] ***V. t. d.*** Submeter (tecido) a operação química destinada a evitar-lhe o encolhimento após a lavagem.

pré-encolhido [Part. de *pré-encolher.*] ***Adj.*** Que foi submetido a operação destinada a pré-encolher.

pré-encolhimento [De *pré-encolher* + *-imento.*] ***S. m.*** Ato ou efeito de pré-encolher.

pré-ênfase [De *pré-* + *ênfase.*] ***S. f.*** *Eletrôn.* Reforço de uma faixa de frequência num sinal com várias frequências; acentuação.

preensão [Do lat. *praehensione.*] ***S. f.*** Ato de ou efeito prender, segurar, agarrar ou apanhar.

preênsil [Do lat. *praehensus*, part. pass. de *praehendere*, 'agarrar', + *-il*^{1}.] ***Adj. 2 g.*** Que tem a faculdade de agarrar ou apanhar; preensor.

preensor (ô) [Do lat. *praehensus*, part. pass. de *praehendere*, 'agarrar', + *-or.*] ***Adj.*** Preênsil.

pré-escola [De *pré-* + *escola.*] ***S. f.*** *Educ.* **1.** Etapa da educação básica. Educação infantil destinada a crianças de 4 a 6 anos. **2.** Estabelecimento de ensino elementar que engloba o maternal, o jardim de infância e o curso de alfabetização. **3.** O curso pré-escolar.

pré-escolar [De *pré-* + *escolar.*] ***Adj. 2 g.*** **1.** Anterior à idade ou ao período escolar. **2.** Relativo ou pertencente à pré-escola. • ***S. m.*** **3.** A idade ou o período pré-escolar (1).

pré-escolaridade [De *pré-* + *escolaridade.*] ***S. f.*** Qualidade de pré-escolar (1).

pré-escolhido [De *pré-* + *escolhido.*] ***Adj.*** Escolhido de antemão.

pré-esforçado [De *pré-* + *esforçado.*] ***Adj.*** *Lus.* ~ V. *concreto —.*

preestabelecer [De *pre-* + *estabelecer.*] ***V. t. d.*** Estabelecer ou fixar com antecipação; determinar previamente; predispor: *O engenheiro preestabeleceu a função de cada operário.*

preestabelecido [Part. de *preestabelecer.*] ***Adj.*** Estabelecido ou preparado antecipadamente. ~ V. *harmonia —a.*

preestabelecimento [De *preestabelecer* + *-imento.*] ***S. m.*** Ação de preestabelecer.

pré-estelar [De *pré* + *estelar.*] ***Adj. 2 g.*** V. *corpo —* e *matéria —.*

pré-estreia (éi) [De *pré-* + *estreia*; t. proposto por Nélson Vaz para substituir o fr. *avant-première*, e plenamente aceito.] ***S. f.*** *Bras.* Representação de uma peça teatral, ou projeção de um filme, para convidados especiais (críticos de arte, etc.), a qual antecede a estreia (a *première*, em francês). [Sin. (lus.): *antestreia.*] ❖

preexcelência [De *pre-* + *excelência.*] ***S. f.*** Qualidade de preexcelente; magnificência.

preexcelente [De *pre-* + *excelente.*] ***Adj. 2 g.*** Muito excelente; magnífico.

preexcelso [De *pre-* + *excelso.*] ***Adj.*** Muito alto ou excelso; excelso, sublime.

pré-exercício [De *pré-* + *exercício.*] ***S. m.*** Exercício preliminar: "o jogo, no animal jovem, constitui o *prelúdio*, ou o pré-exercício, da futura atividade adulta." (Sílvio Lima, *Ensaio sobre a Essência do Ensaio*, p. 126).

preexistência (z) [De *pre-* + *existência.*] ***S. f.*** **1.** Qualidade de preexistente. **2.** *Teol.* Existência do Cristo no Céu antes da encarnação. **3.** *Teol.* Existência das almas antes do nascimento.

preexistente (z) [De *pre-* + *existente.*] ***Adj. 2 g.*** Que preexiste.

preexistir (z) [De *pre-* + *existir.*] ***V. int.*** **1.** Existir primeiro ou anteriormente; existir antes de outro ou de outrem: *A aplicação de reformas exige que preexista uma consciência nacional.* ***T. i.*** **2.** Existir anteriormente; ser anterior; anteceder, preceder: *As mudanças econômicas preexistiram, historicamente, às grandes transformações políticas.*

pré-experiência [De *pré-* + *experiência.*] ***S. f.*** Experiência antecipada.

■ **pref** *Bibliogr. Bibliot.* Abrev. de *prefácio.*

pré-fabricado [De *pré-* + *fabricado.*] ***Adj.*** **1.** Cujas peças ou partes já se acham fabricadas e prontas para ser armadas ou montadas: *casa pré-fabricada.* **2.** *Fig. Irôn.* Preparado ou planejado para surtir determinado efeito; arquitetado: *Recebeu-nos com um sorriso pré-fabricado.*

prefação [Do lat. *praefatione.*] ***S. f.*** **1.** V. *prefácio* (1). **2.** Aquilo que se diz antes.

prefaciador (ô) [De *prefaciar* + *-dor.*] ***S. m.*** Aquele que prefacia.

prefacial [De *prefácio* + *-al*^{1}.] ***Adj. 2 g.*** Relativo a, ou que serve de prefácio.

prefaciar [De *prefácio* + *-ar*^{2}.] ***V. t. d.*** **1.** Fazer prefácio ou introdução a (obra literária); escrever o prefácio de; preambular, prologar, preludiar, proemiar. **2.** *Fig.* Servir de introdução a; começar, iniciar, introduzir: *Uma revoada de pombos prefaciou as festividades.* [Pres. ind.: *prefacio*, etc. Cf. *prefácio.*]

prefácio [Do lat. *praefatio* (nom.), 'o que se diz no princípio'.] ***S. m.*** **1.** Texto ou advertência, ordinariamente breve, que antecede uma obra escrita, e que serve para apresentá-la ao leitor. [Sin., alguns deles p. us.: *prefação, preâmbulo, prólogo, proêmio, prolusão, prelúdio, preliminar, introdução, anteâmbulo, antelóquio, exórdio.* Antôn.: *posfácio.*] **2.** *Lit.* Parte da missa católica que precede imediatamente o cânon. [Cf. *prefacio*, do v. *prefaciar.*]

pré-fala [De *pré-* + *fala.*] ***S. f.*** Fase de emissão de sons orais pela criança, anterior à fala.

prefeita [Fem. de *prefeito.*] ***S. f.*** Aquela que ocupa o cargo de chefe do poder executivo de um município.

prefeito [Do lat. *praefectu*, 'posto como chefe'.] ***S. m.*** **1.** Chefe de prefeitura, no Império Romano. **2.** Chefe de departamento, na França. **3.** Superior de certas comunidades. **4.** Empregado colegial encarregado de vigiar os estudantes. **5.** *Bras.* Aquele que está investido do poder executivo nas municipalidades. [Sin., bras., desus., nesta acepç.: *edil.*]

prefeitoral [Do lat. tard. *praefecturale.*] ***Adj. 2 g.*** Referente a, ou próprio de prefeito ou de prefeitura.

prefeitura [Do lat. *praefectura.*] *S. f.* **1.** Uma das divisões administrativas do Império Romano. **2.** Cargo de prefeito. **3.** *Bras.* Prédio onde funcionam os órgãos da administração municipal.

prefénico *Adj. Quím.* V. *prefênico.* [Uso freq. em P.]

prefênico *Adj. Quím.* ~ V. *ácido —.*

preferência [Do lat. med. **praeferentia.*] *S. f.* **1.** Ato ou efeito de preferir. **2.** Predileção (1). **3.** Manifestação de agrado ou distinção. **4.** Anteposição, precedência, primazia. **5.** *Jur.* Vantagem assegurada por lei a certos direitos creditórios, de serem pagos em primeiro lugar, preterindo os créditos quirografários concorrentes à execução dos bens do devedor comum; antelação. [Cf., nesta acepç., *preempção* (5) e *opção* (3).]

preferencial [De *preferência* + *-al*[1].] *Adj. 2 g.* **1.** Que tem preferência. ~ V. *ação —.* • *S. f.* **2.** *Bras.* Via pública na qual os veículos têm preferência de passagem com relação aos que procedem das vias confluentes.

preferente [Do lat. *praeferente.*] *Adj. 2 g. S. 2 g.* Que, ou quem prefere.

preferido [Part. de *preferir.*] *Adj.* **1.** A que se dá preferência; escolhido: *Este é o meu prato preferido.* **2.** Eleito, predileto: *meu amigo preferido.*

preferir [Do lat. **praeferere*, por *praeferre*, 'levar à frente'.] *V. t. d.* **1.** Dar a primazia a; determinar-se por; escolher: *O livre-arbítrio confere ao homem o direito de preferir o bem ou o mal;* "Não podendo lutar, preferiu a morte, que se lhe afigurou mais fácil que a vida e mais necessária também." (Machado de Assis, *A Semana*, II, p. 176). *T. d. e i.* **2.** Querer antes; achar melhor; antepor, prepor: *Preferiu morrer a ser traidor.* **3.** Ter predileção por; gostar mais de: *Prefere a música de câmara à sinfônica;* "nós, aqui, preferimos às maiores maravilhas em nossa língua as maiores tolices em língua estranha." (Mateus de Albuquerque, *Da Arte e do Patriotismo*, pp. 85-86); "Maria Bárbara tinha grande admiração pelos portugueses, ..., preferia-os em tudo aos brasileiros." (Aluísio Azevedo, *O Mulato*, p. 15). **4.** Dar primazia ou prioridade: *A vida prefere a honra.* *T. i.* **5.** Ser preferido; ter preferência: *No meu entender, o teatro prefere ao cinema.* [Irreg. Conjug.: v. *aderir.*]

preferível [De *preferir* + *-vel.*] *Adj. 2 g.* Que pode ou deve ser preferido: "desde criança soube que era formosa, mas não aprendeu que alguma cousa há preferível à beleza." (Joaquim Manuel de Macedo, *Os Romances da Semana*, p. 258).

prefiguração [Do lat. tard. *praefiguratione.*] *S. f.* **1.** Ato de prefigurar. **2.** Representação daquilo que ainda não existe, mas que há de existir, ou pode existir, ou se receia que exista.

prefigurar [Do lat. tard. *praefigurare.*] *V. t. d.* **1.** Figurar ou representar de antemão (coisa futura): *A derrota de Hitler na Rússia prefigurou a derrocada do nazismo.* **2.** Figurar, imaginando; conjeturar, pressupor: *Analisando os dados recolhidos, alguns cientistas prefiguram a existência de vida em Marte.* *P.* **3.** Ser opinião (de alguém); parecer, antolhar-se, afigurar-se: *Prefigura-se-me que esta façanha é impossível.*

prefigurativo [De *prefigurar* + *-tivo.*] *Adj.* Que prefigura.

pré-filosófico [De *pré-* + *filosófico.*] *Adj.* Anterior aos primeiros filósofos, à existência da filosofia.

prefinir [Do lat. *praefinire.*] *V. t. d.* Determinar com antecipação; predeterminar, preestabelecer, prefixar: *O juiz prefiniu o dia do julgamento.*

prefixação (cs) [De *prefixar* + *-ção.*] *S. f.* **1.** Ato ou efeito de prefixar. **2.** *E. Ling.* Processo de formação de palavras por meio do acréscimo de prefixo.

prefixado (cs) [Part. de *prefixar.*] *Adj.* **1.** Prefixo (1). **2.** *Econ.* Pré-fixado (q. v.).

pré-fixado [De *pré-* + *fixado.*] *Adj. 2 g. Econ.* Diz-se de investimento, como, p. ex., Certificado de Depósito Bancário, cujo rendimento é calculado no ato da aplicação. [Cf. *pós-fixado.*] [A melhor forma é *prefixado.*]

prefixal (cs) [De *prefixo* + *-al*[1].] *Adj. 2 g.* **1.** Referente a prefixo (3). **2.** Que funciona como prefixo (3). ~ V. *derivação —.*

prefixar (cs) [De *pre-* + *fixar.*] *V. t. d.* Fixar ou determinar antecipadamente; aprazar, prefinir: *prefixar uma data.* [Cf. *aprefixar.*]

prefixo (cs) [Do lat. *praefixu.*] *Adj.* **1.** Fixado ou determinado antes; prefixado. **2.** Preciso, exato: "Nada mais fácil em aritmética do que calcular desde já o prazo prefixo em que .... chegaremos fatalmente a ter de pagar tanto de juros quanto o que cobramos de receita." (Ramalho Ortigão, *As Farpas*, IV, p. 170). • *S. m.* **3.** *E. Ling.* Afixo que antecede a raiz, como *re-* em *rever*, ou *in-*, em *inútil*. **4.** *Bras.* Conjunto de letras e/ou números com que se identificam estações de rádio, aeronaves, embarcações, localização de telefones, etc. **5.** *Bras.* Frase ou trecho musical, ou ruído, empregado como característica de programa de rádio ou de televisão, e que sempre se faz ouvir no início e/ou no fim do programa.

prefloração [De *pre-* + *floração.*] *S. f. Bot.* Disposição de sépalas e pétalas no botão. [Cf. *prefoliação.*]

prefoliação [De *pre-* + *foliação.*] *S. f. Bot.* Disposição das folhas jovens na gema terminal do caule; vernação. [Cf. *prefloração.*]

pré-formado [Part. de *pré-formar.*] *Adj.* Formado previamente, de antemão.

pré-formar [De *pré-* + *formar.*] *V. t. d.* Formar de antemão, com antecedência.

pré-frontal [De *pré-* + *frontal.*] *Adj. 2 g.* ~ V. *lobotomia —.*

prefulgente [Do lat. *praefulgente.*] *Adj. 2 g.* Que prefulge.

prefulgir [Do lat. *praefulgere.*] *V. int.* **1.** Fulgir ou brilhar muito; resplandecer, rebrilhar, refulgir: "E prefulge, aos meus olhos, abrasados, / Apaixonada, incendiando os prados, / A amada de Salomão" (Martins Fontes, *Verão*, p. 55). **2.** Brilhar ou luzir primeiro. [Defect. Conjug.: v. *fulgir.*]

prega [Do lat. *plica.*] *S. f.* **1.** Parte de tecido ou outro material propositalmente dobrada sobre si mesma, e que serve para dar maior folga ao mesmo ou para ornamentá-lo: *as pregas de uma saia; Fez pregas no papel para imitar um leque.* [Cf. *macho* (5).] **2.** Carquilha defeituosa, ou dobra casual, de um estofo. **3.** Ruga, gelha, carquilha. **4.** Depressão de terreno. **5.** *Anat.* Designação genérica de dobra de membrana, de pele, etc., em qualquer local do corpo; plica. ◆ **Prega de cotovelo.** *Anat.* Cada uma de duas regiões, uma em cada membro superior, representada pelo conjunto de partes moles que se dispõem adiante da face anterior da articulação de cada braço com o correspondente antebraço. **Prega neural.** *Embr.* A que se forma em consequência de invaginação da placa neural. **Prega vocal.** *Anat.* Cada uma das quatro pregas de membrana vocal, existentes no interior da laringe, sendo as duas superiores denominadas *as falsas pregas vocais*, e as duas inferiores *as verdadeiras pregas vocais*, pois são as que influem na fonação; corda vocal (denom. ant.).

pregação [De *pregar*[3] + *-ção.*] *S. f.* **1.** V. *sermão* (1). **2.** *Fam.* Ralho, repreensão. **3.** Discurso maçante.

pregada [De *prego* + *-ada*[1].] *S. f.* **1.** *Bras. N.E. Pop.* Ferimento com instrumento perfurante; ferrada. **2.** *Bras. Gír.* V. *pancada* (3). **3.** *Bras. Gír.* Choque (1) acidental, ger. forte, e que resulta em grandes prejuízos ou danos.

pregadeira [De *pregar*[1] + *-deira.*] *S. f.* **1.** Pequena almofada em que se pregam agulhas, alfinetes, etc., para não se perderem ou não se enferrujarem. **2.** *Lus.* Broche (1).

pregado [Part. de *pregar*[1].] *Adj.* **1.** Fixado com prego. **2.** *Bras.* Esfalfado, extenuado. **3.** *Bras. N.E. Pop.* V. *embriagado* (1).

pregador[1] (ô) [De *pregar*[3] + *-dor.*] *S. m.* **1.** Aquele que faz pregações; orador sacro. **2.** *Fam.* Aquele que ralha ou admoesta.

pregador[2] (ô) [De *pregar*[1] + *-dor.*] *Adj. S. m.* **1.** Que, ou aquele ou aquilo que segura ou fixa, com ou à maneira de prego. **2.** *P. ext.* Que, ou aquilo que abotoa, prende, etc.; prendedor. **3.** *Bras. S. Gír.* V. *mentiroso* (1 e 4).

pregadura [De *pregar*[1] + *-dura.*] *S. f.* **1.** Série de pregos para segurar ou adornar. **2.** Pregaria (2).

pregagem [De *pregar*[1] + *-agem*[2].] *S. f.* Ato ou efeito de pregar[1].

pregalhas [De *pregar*[3] + o pl. de *-alha.*] *S. f. pl. Ant.* Súplicas, rogos, preces.

pregalho *S. m. Ant.* V. *perigalho* (1).

pregão [Do lat. *praecone.*] *S. m.* **1.** Ato de apregoar. **2.** Divulgação, reclamo, preconício. **3.** Proclamação pública. **4.** Ato pelo qual os porteiros dos auditórios, os corretores de bolsas ou os leiloeiros apregoam a coisa que vai ser vendida e os lanços já oferecidos. [Sin., p. us.: *bando.*] **5.** Voz ou pequena melodia, de ritmo livre, bastante próxima do recitativo musical, e com a qual os vendedores ambulantes anunciam suas mercadorias: "Minha rua está cheia de pregões. / Parece que estou vendo com os ouvidos: / 'Couves! Abacaxis! Caquis! Melões!'" (Mário Quintana, *A Rua dos Cata-Ventos*, p. 26.) **6.** *Econ.* Modalidade de licitação (2), frequentemente realizada por meio eletrônico, para aquisição de bens e serviços com padrões de desempenho e qualidade facilmente comparáveis, sendo a disputa entre fornecedores, por propostas e lances, finalizada em sessão pública. **7.** *Econ.* Sessão diária de negócios, numa bolsa de valores: "A Bolsa de Valores de São Paulo (Bovespa) deve dar continuidade ao movimento de alta, marcando o terceiro pregão seguido de valorização." (*O Globo*, 19.03.2009.) ~ V. pregões. ◆ **Pregão eletrônico.** *Econ.* Pregão (6 e 7) quando realizado por meio eletrônico.

pregar[1] [De *prego* + *-ar*[2].] *V. t. d.* **1.** Pôr pregos em; fixar ou segurar com pregos: *pregar uma ripa de madeira.* **2.** Introduzir à força (prego ou objeto pontiagudo); cravar: *pregar um prego, um percevejo.* **3.** Unir, cosendo: *A costureira pregou o bolso da camisa.* **4.** *P. ext.* Unir, juntar, ligar: *Usou cola para pregar a xícara partida.* **5.** Cansar; fatigar: *A corrida pregou os atletas.* *T. d. e i.* **6.** Dirigir fixamente; fixar, cravar, fitar: *Pregou os olhos no desconhecido.* **7.** Aplicar, assentar, com violência; pespegar, impingir: *Provocado, pregou um murro no agressor.* **8.** Produzir, causar, originar: *Máscaras carnavalescas já não pregam susto às crianças.* **9.** Fazer ou tentar fazer acreditar, iludindo; impingir: *O fanfarrão gosta de pregar mentiras nos incautos.* *T. d. e c.* **10.** Pregar (1): *Pregou o quadro na parede.* **11.** Pregar (6): *O menino, envergonhado, pregou os olhos no chão.* **12.** Imobilizar; fixar: *O susto pregou-me na cadeira.* *T. i. e c.* **13.** Fazer cair; arremessar: *O lutador pregou com o adversário no tablado.* **14.** Levar, conduzir, arrastar: *A mãe pregou com a criança no quintal.* *Int.* **15.** Ficar pregado; fixar-se: *Os cartazes não pregaram porque a parede era muito dura.* **16.** *Bras.* Interromper qualquer tarefa por cansaço; dar o prego; ficar exausto; esfalfar-se, extenuar-se: *O corredor pregou após alguns minutos.* **17.** *Bras.* Dar o prego; deixar de andar; emperrar, empacar: *O automóvel pregou.* **18.** *Bras.* Contar mentiras; mentir: *Criança educada não prega.* **19.** *Bras. N.E.* Embebedar-se, embriagar-se. *P.* **20.** Conservar-se por muito tempo: *O universitário prega-se nos estudos.* **21.** Penetrar, fincar-se, cravar-se: *A seta pregou-se no alvo.* [Conjug.: v. *regar.*]

pregar[2] [Do lat. *plicare.*] *V. t. d.* Preguear[1]. [Conjug.: v. *regar.*]

pregar[3] [Do lat. *praedicare.*] *V. int.* **1.** Pronunciar sermões: *Recém-ordenado, gosta de pregar nas missas dominicais.* **2.** Propagar o cristianismo; evangelizar infiéis; missionar, apostolar: *Os jesuítas, originariamente, propunham-se a pregar.* *T. d.* **3.** Pronunciar, dizer (prédica ou sermão): "O padre Vasco / Pregou sermão / Contra a notória / Devassidão" (Conde de Monsaraz, *Musa Alentejana*, p. 197). **4.** Desenvolver (um assunto) em sermão. **5.** Aplicar, dirigir, passar: *Ranzinza, prega repreensão a torto e a direito.* **6.** Propagar, difundir (uma doutrina): *Missionários abnegados pregam o cristianismo.* **7.** Louvar, exaltar, preconizar: *Pregar a virtude, ele, o grande viciado.* **8.** Recomendar, aconselhar, preconizar: *Os bons médicos pregam a medicina preventiva.* **9.** Fazer alarde de; alardear, arrotar: *Passado o perigo, o covarde prega valentia.* **10.** Afirmar ou sustentar com ênfase; proclamar: "Os ascetas começaram a pregar a inutilidade dos esforços humanos" (Olavo Bilac, *Crítica e Fantasia*, p. 138). *T. d. e i.* **11.** Anunciar, ensinar, sob forma de doutrina: *A Companhia de Jesus pregou o cristianismo aos indígenas brasileiros.* **12.** Indicar, recomendar, aconselhar: *O confessor pregou penitência ao pecador;* "os venezianos recorreram ao Papa para que pregasse à cristandade uma nova cruzada" (Latino Coelho, *Cervantes*, p. 41). **13.** Incutir, insinuar, infundir: *Os políticos astutos tentam pregar suas ideias às pessoas desprevenidas.* **14.** Aplicar, dirigir, passar: *O filho andou mal, e o pai pregou-lhe um sermão.* *T. i.* **15.** Ensinar a religião: *Os carmelitas também pregaram aos índios.* **16.** Bradar, clamar, vociferar: *Os conservadores pregam contra as novas ideias.* [Conjug.: v. *regar.*]

prega-rainha *S. f. Bras. AL* Prega do ânus. [Pl.: *pregas-rainhas* e *pregas-rainha.*]

pregareta (ê) [De *pregar*[3].] *S. f.* Freira dominicana.

pregaria [De *prego* + *-aria.*] *S. f.* **1.** Porção de pregos. **2.** Pregos ou tachas para adorno de móveis; pregadura: "Cadeiras de espaldar com fulvas pregarias" (Gonçalves Crespo, *Obras Completas*, p. 264). **3.** Fábrica de pregos.

pré-glacial [De *pré-* + *glacial.*] *Adj. 2 g. Geol.* Diz-se da época antecedente a um período de glaciação.

pregnância [Do ingl. *pregnance.*] *S. f.* Qualidade que tem uma forma de impregnar o espírito do indivíduo e de ser por ele percebida no processo de grupação de elementos; a força da forma.

pregnante [Do ingl. *pregnant.*] *Adj. 2 g.* Diz-se da forma que apresenta o maior grau de pregnância na percepção de um conjunto de elementos.

prego [Do esp. *priego.*] *S. m.* **1.** Haste de metal, pontiaguda de um lado e com cabeça de outro, destinada a cravar-se em um ponto ou objeto que se quer segurar ou fixar. **2.** Cravo[2] (1 e 2). **3.** *Ant.* Alfinete longo, com cabeça grande, para segurar e/ou enfeitar chapéus de senhoras. **4.** *Pop.* V. *casa de penhor:* "O marido .... foi buscar a pulseira ao prego, depois não lha devolveu." (Augusto Abelaira, *Bolor*, p. 54.) **5.** *Traum.* Haste metálica, ou de outro material, usada para a fixação de extremidades ou de fragmentos de osso fraturado. **6.** *Bras.* V. *mentira* (1). **7.** *Bras.* V. *bebedeira* (1). **8.** *Bras.* Cansaço, fadiga. **9.** *Bras. Pop.*

V. *cachaça* (1). **10.** *Bras. Gír.* Indivíduo tolo, fácil de ser enganado; otário. **11.** *Bras. BA* Indivíduo negro. **12.** *Lus. Pop.* Sanduíche de bife de carne bovina. ◆ **Prego caibral.** Grande prego com que se fixam caibros ou madeira grossa; prego de caverna. **Prego de caverna.** *Bras.* Prego caibral. **Prego estopar.** Certo prego de cabeça larga e pé curto. **Prego trabal.** Prego usado para pregar traves. **Bater o prego.** V. *morrer* (1): “— Renival bebia cachaça ordinária, enquanto eu só bebo da boa. A pança dele foi crescendo, estourou, batendo o prego com a danada da hidropisia” (Fernando Ramos, *Os Enforcados*, p. 174). **Dar o prego.** *Bras.* **1.** Ficar exausto. **2.** Deixar de andar; pregar. **3.** Considerar-se vencido; entregar-se. [Cf. *dar os pregos.*] **Dar os pregos.** *Bras. S.* **1.** Enfurecer-se, irritar-se, zangar-se. **2.** Ficar desapontado. [Cf. *dar o prego.*] **Ir no prego.** *Bras. N.E.* Ir atrasado, fora do horário. **Não botar prego sem estopa.** Não meter prego sem estopa. **Não meter prego sem estopa.** Não fazer obséquio ou benefício sem visar a alguma vantagem; não botar prego sem estopa.

pregoamento [De *pregoar* + *-mento.*] ***S. m.*** Ato de pregoar.

pregoar [Do lat. tard. **praeconare.*] ***V. t. d. Transobj. Int.*** V. *apregoar*: “andavam pelas ruas a pregoar cabazes de morangos” (Aquilino Ribeiro, *Maria Benigna*, p. 35); *O governo pregoou campeões os atletas.* [Conjug.: v. *coroar.*]

prego-cachorro ***S. m.*** *Bras.* Prego (1) com que se prendem os trilhos aos dormentes. [Pl.: *pregos-cachorros* e *pregos-cachorro.*]

prego-doirado ***S. m.*** *Bras. CE Pop.* V. *prego-dourado.* [Pl.: *pregos-doirados.*]

prego-dourado ***S. m.*** *Bras. CE Pop.* Menino louro. [Var.: *prego-doirado.* Pl.: *pregos-dourados.*]

pregoeiro [De *pregoar* + *-eiro.*] ***S. m.*** Aquele que pregoa ou lança pregão; leiloeiro.

pregões [Pl. de *pregão.*] ***S. m. pl.*** Proclamas de casamento. ~ V. *pregão.*

pregostar [De *pre-* + *gostar.*] ***V. t. d.*** V. *antegozar*: “Ao comprido, no largo leito de talha, pregostava eu as delícias de uma noitada de cansaço, nesses indefinidos momentos, de meia vida, que precedem o sono.” (Rodrigo Otávio, *Contos de ontem e de hoje*, p. 22.) [Cf. *pregustar.*]

pré-gravado [De *pré-* + *gravado*^{1}.] ***Adj.*** *Rád. Telev.* Gravado de antemão; de que se fez gravação^{1} (2) antecipada.

pregresso [Do lat. *praegressu.*] ***Adj.*** **1.** Decorrido anteriormente: *Nada sei de sua vida pregressa*; “É este, na melhor das hipóteses, o nosso sumário, não já da história pregressa de um país que, falando a nossa língua, se separou de nós, mas de uma parte integrante do nosso território até quase ao fim do primeiro quartel do século passado” (Vitorino Nemésio, *O Segredo de Ouro Preto*, p. 71). **2.** *Med.* Sucedido primeiro (falando-se em especial da história patológica da família do doente). [Cf. *progresso.*]

preguari [Do tupi.] ***S. m.*** *Bras. Zool.* Molusco gastrópode, estrombídeo (*Strombus pugilis*), do Atlântico, desde a América do Norte até o S. do Brasil. Concha espiralada, variável, com 7 a 10cm de comprimento, lábio cor de laranja ou vermelho. É espécie muito comum, e serve de abrigo ao bernardo-eremita (q. v.). [Var.: *praguari.*]

pregueadeira [De *preguear*^{1} + *-deira.*] ***S. f.*** Instrumento de costura, para fazer pregas; pregueador.

pregueado [Part. de *preguear*^{1}.] ***Adj.*** **1.** Em que se fizeram pregas; pregado. ~ V. *folha —a.* • ***S. m.*** **2.** Coisa pregueada. [Cf. *franzido.*]

pregueador (ô) [De *preguear* + *-dor.*] ***S. m.*** Pregueadeira.

preguear^{1} [De *prega* + *-ear*^{2}.] ***V. t. d.*** Fazer pregas em; pregar: *preguear uma saia*; “A mulher pregueou a cara num sorriso.” (Fernando Namora, *Retalhos da Vida de um Médico*, p. 158). [Conjug.: v. *frear.* Cf. *franzir.*]

preguear^{2} [De *prego* + *-ear*^{2}.] ***V. int.*** *Bras.* Ficar exausto; dar o prego; esfalfar-se, pregar: *O atleta pregueou logo.* [Conjug.: v. *frear.*]

pregueiro [De *prego* + *-eiro.*] ***S. m. Adj.*** Aquele, ou diz-se daquele, que faz e/ou vende pregos.

preguiça [Do lat. *pigritia.*] ***S. f.*** **1.** Aversão ao trabalho; negligência, indolência, mandriice. **2.** Morosidade, lentidão, pachorra, moleza. **3.** A corda dos guindastes. **4.** Pau a que estão pregadas as cangalhas da canoura. **5.** *Bras. Zool.* Designação comum aos mamíferos desdentados, bradipodídeos, arborícolas, de pelagem muito densa e longa, membros muito desenvolvidos e cauda rudimentar, assim chamados pela notável lentidão de seus movimentos. Entre os seus pelos vivem carrapatos e microlepidópteros ou traças. [Sin., nesta acepç.: *aí, aígue* e (PA e MG) *cabeluda.*] **6.** *Bras. Zool.* V. *urutau.*

preguiça-de-bentinho ***S. f.*** *Bras. Zool.* Mamífero desdentado, bradipodídeo (*Bradypus tridactylus*), com cinco subespécies, distribuídas por todo o País. Tem três dedos, e a coloração é cinzenta com manchas mais claras, o macho com uma mancha avermelhada na nuca, atravessada por uma linha preta. Alimenta-se quase só de folhas de umbaúba. [Sin. (na Amaz.): *aí-mirim.* Pl.: *preguiças-de-bentinho.*]

preguiça-de-coleira ***S. f.*** *Bras. Zool.* Mamífero desdentado, bradipodídeo (*Bradypus torquatus*), distribuído da BA ao RJ, de coloração bruno-pardacenta com uma faixa preta que cobre a espádua e a nuca. Alimenta-se exclusivamente de umbaúbas. [Sin.: *aipixuna.* Pl.: *preguiças-de-coleira.*]

preguiçar [De *preguiça* + *-ar*^{2}.] ***V. int.*** Andar ou estar com preguiça; entregar-se à preguiça; fazer as coisas com preguiça; mandriar, madracear: “O inverno alegra o sertão farto: ele [o sertanejo] preguiça e modorra.” (Gustavo Barroso, *Terra de Sol*, p. 177.) [Conjug.: v. *laçar.*]

preguicear [De *preguiça* + *-ear*^{2}.] ***V. int.*** V. *preguiçar.*

preguiceira [De *preguiça* + *-eira.*] ***S. f.*** **1.** V. *espreguiçadeira* (2). **2.** *Bras. Bot.* Planta sapotácea (*Barylucuma decussata*). ~ V. *preguiceiras.*

preguiceiras [Pl. de *preguiceira.*] ***S. f. pl.*** Bola ou rolo em que se embebem as barbelas das agulhas de meia para não se enferrujarem. ~ V. *preguiceira.*

preguiceiro [De *preguiça* + *-eiro.*] ***Adj.*** **1.** V. *preguiçoso* (1). **2.** Que dá vontade de dormir. • ***S. m.*** **3.** *Bras.* V. *espreguiçadeira* (1). **4.** *Lus.* Escabelo (1). **5.** *Lus.* Banco comprido, ao lado da lareira: “Pegou o guarda-chuva de debaixo do preguiceiro .... pegou na sacola e foi-se embora.” (Agustina Bessa-Luís, *A Sibila*, p. 91.)

preguicento [De *preguiça* + *-ento.*] ***Adj. S. m.*** *Bras. Prov. port.* V. *preguiçoso* (1 e 4): “apenas, de momento / a momento, voam machos, / num voo incerto, preguicento.” (Gilca da Costa Melo Machado, *Poesias*, pp. 152-153).

preguiçosa [F. subst. do adj. *preguiçoso.*] ***S. f.*** *Bras.* **1.** V. *espreguiçadeira* (2 e 3): “atravessou, lentamente, como um sonâmbulo, a sala de jantar, e foi estender-se em uma preguiçosa que ficava junto à janela.” (Aluísio Azevedo, *Casa de Pensão*, p. 119). **2.** *Zool.* Mirim-preguiça.

preguiçoso (ô) [De *preguiça* + *-oso.*] ***Adj.*** **1.** Que tem preguiça; mandrião. [Sin.: *preguiceiro; preguicento* (bras. e prov. lus.); *encostado ao pé da imbaúba* (bras. N.E.).] **2.** Calmo, sereno. **3.** Que revela ou sugere preguiça; próprio de preguiçoso (1): *andar preguiçoso; movimentos preguiçosos.* ~ V. *cadeira —a.* • ***S. m.*** **4.** Indivíduo preguiçoso; mandirão. [Sin. (bras. e prov. lus.): *preguicento.*]

preguilha [De *prega* + *-ilha.*] ***S. f.*** *Bras. SP* Prega miúda; preguinha, pregazinha.

pregunta ***S. f.*** *Lus. Pop.* Pergunta.

preguntador (ô) ***Adj. S. m.*** *Lus. Pop.* Perguntador.

preguntante ***S. 2 g.*** *Lus. Pop.* Perguntante.

preguntar ***V. t. d. T. d. e i. T. i. Bit. i. Int. P.*** *Lus. Pop.* Perguntar.

pregustação [De *pregustar* + *-ção.*] ***S. f.*** Ato de pregustar.

pregustar [Do lat. *praegustare.*] ***V. int.*** **1.** Provar comida ou bebida: *A cozinheira pregusta a fim de experimentar o tempero.* **2.** Beber antes de outrem. [Cf. *pregostar.*]

pré-helénico ***Adj.*** V. *pré-helênico.* [Uso freq. em P.]

pré-helênico [De *pré-* + *helênico.*] ***Adj.*** Anterior aos helenos.

pré-história [De *pré-* + *história.*] ***S. f.*** Período histórico que antecede o aparecimento da escrita e do uso dos metais, e que é reconstituído e estudado por meio da antropologia, da arqueologia, da paleontologia, etc.

pré-historiador [De *pré-* + *historiador.*] ***S. m.*** Especialista em pré-história.

pré-histórico [De *pré-* + *histórico.*] ***Adj.*** **1.** Anterior ao aparecimento da escrita e ao uso dos metais; ante-histórico: *tempos pré-históricos.* **2.** Pertencente ou relativo à pré-história; ante-histórico. **3.** *P. ext. Irôn.* Muito antigo; antiquado, antediluviano: *Apareceu-me com um casaco pré-histórico.*

pré-humano [De *pré-* + *humano.*] ***Adj.*** Anterior à existência do homem: “E agora de novo se trava, para assombro do primeiro Homem, ... o combate que foi a desolação dos pré-humanos dias da Terra.” (Eça de Queirós, *Contos*, p. 178.)

preia (êi) [Do lat. *praeda.*] ***S. f.*** V. *presa* (4): “A cobra .... abriu, escancarou uma boca enorme, começou a deglutir a preia” (Júlio Ribeiro, *A Carne*, p. 181).

preia-mar (êi) ***S. f.*** *Lus.* V. *preamar.* “Uma vaga mais forte .... arrastou alforrecas abandonadas pela preia-mar.” (José Cardoso Pires, *Histórias de Amor*, p. 31.) [Pl.: *preia-mares.*]

pré-impressão ***S. f.*** *Edit. Eletrôn.* Fase de preparação técnica dos arquivos digitais de arte-final com vista à produção eletrônica dos fotolitos e impressão final. [Ger., envolve digitalização em alta resolução de imagens, ajuste e seleção de cor, imposição de páginas, etc.]

pré-inaugural [De *pré-* + *inaugural.*] ***Adj. 2 g.*** **1.** Diz-se do período que antecede uma inauguração. **2.** Diz-se do que ocorre nesse período.

pré-incaico [De *pré-* + *incaico.*] ***Adj.*** Anterior aos incas, à sua civilização.

pré-industrial [De *pré-* + *industrial.*] ***Adj. 2 g.*** **1.** Diz-se da fase histórica que antecede o aparecimento da indústria (4 a 6). **2.** Diz-se do que ocorre nessa fase.

pré-islâmico [De *pré-* + *islâmico.*] ***Adj.*** Anterior ao islamismo; anteislâmico.

preitear [De *preito* + *-ear*^{2}.] ***V. t. d. e i.*** Prestar ou render preito; preitejar: *A Nação preiteou ao herói a mais profunda reverência.* [Conjug.: v. *frear.*]

preitejar [De *preito* + *-ejar.*] ***V. t. d. e i.*** Preitear. [Conjug.: v. *pelejar.*]

preitesia [Do esp. *pleitesia.*] ***S. f.*** *Ant.* V. *preito* (3).

preito [Do provenç. ant. *plait.*] ***S. m.*** **1.** Sujeição, dependência, vassalagem. **2.** Homenagem (2): “a boa donzela d'Orleães, guerreira e santa [Joana d'Arc], nunca poderia reunir e gozar pacificamente e simultaneamente o preito da Igreja e o preito da sociedade civil.” (Eça de Queirós, *Cartas Familiares e Bilhetes de Paris*, p. 25). **3.** *Ant.* Pacto, ajuste, preitesia.

prejereba [De or. tupi, poss.] ***S. f.*** *Bras. Zool.* Peixe actinopterígio, perciforme, lobotídeo (*Lobotes surinamensis*), do Atlântico e doutros mares, de coloração cinzento-metálica com manchas apagadas esparsas pelo corpo. É peixe de profundidade e mede até 70cm de comprimento. [Var.: *brejereba, frejereba, pirajeba.* Sin.: *dorminhoco, peixe-folha, peixe-sono, piracá.*]

prejudicado [Part. de *prejudicar.*] ***Adj.*** **1.** Que sofreu prejuízo; lesado. **2.** Danificado; inutilizado.

prejudicador (ô) [De *prejudicar* + *-dor.*] ***Adj. S. m.*** Que, ou aquele que prejudica.

prejudicar [Do lat. *praejudicare.*] ***V. t. d.*** **1.** Causar prejuízo ou dano a; lesar, danificar, molestar: *O álcool prejudica a saúde.* **2.** Causar transtorno a; transtornar, perturbar: *A tempestade prejudicou o desfile.* **3.** Diminuir o valor de; depreciar, rebaixar: *As preocupações intensas não prejudicam sua beleza.* **4.** Tornar sem efeito; anular: *A falta de provas prejudicou o processo.* ***P.*** **5.** Sofrer prejuízo: *Meteu-se em negócio arriscado, e prejudicou-se.* [Conjug.: v. *trancar.*]

prejudicial [Do lat. *praejudiciale.*] ***Adj. 2 g.*** **1.** Que prejudica; nocivo, lesivo, perdidoso. **2.** *Bras. Jur.* Diz-se da ação não patrimonial que tem em vista a defesa do estado civil da pessoa. ~ V. *julgamento* — e *questão* —. • ***S. f.*** **3.** Questão prejudicial. • ***S. m.*** **4.** Julgamento prejudicial. ◆ **Prejudicial de mérito.** *Jur.* Questão incidental levantada no curso do processo, a qual, uma vez reconhecida pelo juízo, implica o não conhecimento do mérito da causa.

prejudicialidade [De *prejudicial* + *-(i)dade.*] ***S. f.*** Qualidade ou caráter de prejudicial.

prejuízo [Do lat. *praejudiciu.*] ***S. m.*** **1.** Ato ou efeito de prejudicar; dano. **2.** Preconceito (2 e 3). **3.** *Cont.* Resultado contábil alcançado por uma empresa, em que as receitas obtidas foram menores que as despesas realizadas.

prejulgado [Part. subst. de *prejulgar.*] ***S. m.*** *Bras. Jur. Desus.* Pronunciamento prévio das câmaras reunidas dum tribunal de justiça, ou do órgão competente das justiças especiais, a respeito da interpretação de qualquer norma jurídica, caso se reconheça que sobre ela ocorre, ou poderá ocorrer, discrepância de interpretação entre as várias câmaras ou turmas julgadoras.

prejulgamento [De *prejulgar* + *-mento.*] ***S. m.*** Ato ou efeito de prejulgar.

prejulgar [De *pre-* + *julgar.*] ***V. t. d.*** **1.** Julgar antecipadamente; avaliar com antecipação: *Não quis prejulgar a vitória de nenhuma das partes.* **2.** Formar ou emitir juízo sobre (alguma coisa) sem exame prévio; conjeturar, presumir, supor. **3.** *Jur.* Interpretar (uma norma) em prejulgado. ***Transobj.*** **4.** Julgar ou considerar com antecipação: *O deputado prejulgou bom o projeto do Executivo.* [Conjug.: v. *largar.*]

pré-jurídico [De *pré-* + *jurídico.*] ***Adj.*** **1.** Anterior à ação judicial. **2.** *Desus.* Que antecede o curso universitário de direito.

prelação [Do lat. *praelatione.*] ***S. m.*** Direito de preferência que os filhos tinham a ser providos nos cargos dos pais. [Cf. *preleção.*]

prelacia ***S. f.*** *Ant.* V. *prelazia.*

prelacial [De *prelacia* + *-al*^{1}.] ***Adj. 2 g.*** Relativo a, ou próprio de prelado.

prelaciar [De *prelacia* + *-ar*^{2}.] ***V. int.*** Exercer prelazia.

prelada [Do lat. *praelata*, 'levada adiante'.] ***S. f.*** Superiora de convento.

preladia [De *prelado* + *-ia*^{1}.] ***S. f.*** V. *prelazia.*

prelado [Do lat. *praelatu*, 'levado adiante'.] ***S. m.*** *Ecles.* Título honorífico de dignitário eclesiástico.

pré-lançamento [De *pré-* + *lançamento.*] ***S. m.*** Lançamento (2) de projeto imobiliário, ou de filme, produto, etc., para certo número de pessoas, e que às vezes precede o lançamento comercial; lançamento antecipado.

pré-larval [De *pré-* + *larval*.] ***Adj. 2 g. Zool.*** Diz-se de etapa anterior à larval.

prelatício [Do lat. *praelatus*, 'prelado', + *-ício*.] ***Adj.*** Respeitante a prelado ou a prelatura.

prelatura [Do lat. *praelatus*, 'prelado', + *-ura*.] ***S. f.*** V. *prelazia*.

prelazia [Do b.-lat. *praelatia*.] ***S. f.*** Cargo, dignidade ou jurisdição de prelado; prelatura, preladia.

preleção [Do lat. *praelectione*.] ***S. f.* 1.** Ato de prelecionar; lição. **2.** Discurso ou conferência didática; acroase. [Cf. *prelação*.]

prelecionador (ô) [De *prelecionar* + *-dor*.] ***S. m.*** Aquele que preleciona; preletor, professor.

prelecionar [De *preleção* + *-ar*², seg. o padrão erudito.] ***V. t. d.* 1.** Dar preleção ou lição a; ensinar a: *Costuma prelecionar alunos particulares.* **2.** Dar lição sobre; ensinar, lecionar: *prelecionar geografia.* ***Int.* 3.** Fazer preleções; dar lições ou aulas; ensinar, lecionar. **4.** Discursar em público; orar. ***T. i.* 5.** Falar, discorrer, discursar: *Todos os oradores prelecionaram sobre o mesmo tema.*

prelegado [Do lat. *praelegatu*.] ***S. m.*** Legado[1] (1) que deve ser entregue antes da partilha.

pré-leitura [De *pré-* + *-leitura*.] ***S. f.*** Primeira leitura de um texto, muito rápida, para ligeira apreensão do assunto, seguida de outra leitura mais atenta.

preletor (ô) [Do lat. *praelectore*.] ***S. m.*** Aquele que preleciona; prelecionador, professor: "Do que o ministro não tem o mínimo direito é da rude supressão da palavra a preletores de literatura, de arte e de pedagogia." (Eça de Queirós, *Uma Campanha Alegre*, I, p. 109.)

preletorado [De *preletor* + *-ado*².] ***S. m.*** Cargo ou função de preletor.

pré-letrado [De *pré-* + *letrado*.] ***Adj. S. m. Antrop.*** Por influência norte-americana, diz-se de, ou cada um dos povos que ainda não desenvolveram ou adquiriram a arte de ler e escrever, *i. e.*, os chamados *povos naturais* ou *povos primitivos*.

prelevamento [De *prelevar* + *-mento*.] ***S. m.*** Ação ou efeito de prelevar.

pré-levantamento [De *pré-* + *levantamento*.] ***S. m.* 1.** Levantamento prévio que se faz de algo, para determinar custos, prazos, condições, etc. **2.** ***Mús. Concr.*** Toda ação que produz um som cujo efeito é gravado na fita magnética. [Pl.: *pré-levantamentos*.]

prelevar [Do lat. **praelevare*.] ***V. int.* 1.** Distinguir-se, sobressair, sobrelevar-se, destacar-se: *Naquele governo prelevava a prosperidade do povo.* ***T. d.* 2.** Desculpar, perdoar, relevar: *prelevar culpas.*

preliar [Do lat. *proeliare*, 'combater', 'lutar'.] ***V. int.*** Lutar, combater, contender. [Pres. ind.: *prelio*, etc. Cf. *prélio*.]

prelibação [Do lat. *praelibatione*.] ***S. f.*** Ato ou efeito de prelibar.

prelibador (ô) [De *prelibar* + *-dor*.] ***Adj. S. m.*** Que, ou aquele que preliba.

prelibar [Do lat. *praelibare*.] ***V. t. d.*** Libar ou gozar com antecipação; provar, antegostar, antegozar: *Prelibava, deliciado, as emoções do espetáculo;* "Hospedou-se em casa do capitão-mor, onde estava prelibando as delícias de feitorizar as quintas prometidas" (Camilo Castelo Branco, *A Enjeitada*, p. 114).

preliminar [Do fr. *préliminaire*.] ***Adj. 2 g.* 1.** Que antecede fato, assunto ou empreendimento principal; prévio, preambular: *reunião preliminar.* **2.** ***Obsol.*** Primário (3): *curso preliminar.* ~ V. *folhas —es.* ◆ ***S. m.* 3.** Relatório que antecede uma lei ou decreto; preâmbulo. **4.** V. *prefácio* (1). ◆ ***S. f.* 5.** Condição prévia. **6.** ***Bras. Esport.*** Partida, especialmente de futebol, que antecede a competição principal. ~ V. *preliminares*.

preliminares [Pl. de *preliminar*.] ***S. f. pl. Bibliogr.*** V. *folhas preliminares*. ~ V. *preliminar*.

preliminarista [De *preliminar* + *-ista*.] ***S. 2 g. Bras. S. Desus.*** Aluno de curso preliminar.

pré-língua [De *pré-* + *língua*.] ***S. m. E. Ling.*** Estágio linguístico sem atestação direta ou indireta, mas que se supõe ter existido com base em correspondências sistemáticas de fonemas, estabelecidas pela reconstrução interna (q. v.). [Cf. *protolíngua*.]

prélio [Do lat. *proeliu*.] ***S. m.*** Luta, batalha, peleja, combate: "São rudos, severos, sedentos de glória, / Já prélios incitam, já cantam vitória" (Gonçalves Dias, *Obras Poéticas*, II, p. 18). [Cf. *prelio*, do v. *preliar*.]

prelista [De *prelo* + *-ista*.] ***S. 2 g. Tip.* 1.** Impressor que trabalha em prelo. [Cf. *minervista*.] **2.** Tirador de provas.

pré-literário [De *pré-* + *literário*.] ***Adj.* 1.** Relativo ao período histórico anterior ao da fixação das línguas que não eram usadas literariamente. **2.** Anterior à fase literária, à época em que o escritor se revela.

prelo [Do lat. *prelu*, 'o que espreme'.] ***S. m.* 1.** ***Tip.*** V. *prelo manual*: "Uma tipografia modesta, de um só prelo bastava, ... facilitaria esta sementeira de indústria e civilização." (Antônio Feliciano de Castilho, *Amor e Melancolia*, p. 342). **2.** ***Art. Gráf.*** V. *prensa* (2). **3.** ***Art. Gráf.*** V. *prelo de provas*. ◆ **Prelo de provas.** Aparelho constituído de mármore e rolo movido a mão, e usado para tirar provas tipográficas, litográficas, etc.; tirador de provas, tira-provas. [Tb. se diz apenas *prelo*.] **Prelo manual.** Antiga prensa de imprimir de madeira, dotada de berço e de carro móvel, com tímpano e frasqueta, e que constituiu aperfeiçoamento do tórculo imitado da prensa de lagar. [Tb. se diz apenas *prelo*.] **No prelo.** ***Edit.*** Diz-se de obra que se encontra na fase de impressão, que está em via de ser publicada.

pré-lógica [De *pré-lógico*.] ***S. f.*** Sistema de noções lógicas e pseudológicas que determina a mentalidade dos povos primitivos.

pré-lombar [De *pré-* + *lombar*.] ***Adj. 2 g. Anat. Desus.*** Situado adiante da região lombar.

prelóquio [Do lat. *praeloquiu*.] ***S. m. Desus.*** Exórdio, preâmbulo. [Cf. *prolóquio*.]

prelucidação [De *pre-* + *elucidação*, com crase.] ***S. f.*** Elucidação preliminar; esclarecimento prévio.

prelúcio [Do lat. *praelucidu*.] ***Adj.*** Muito lúcido.

preludial [De *prelúdio* + *-al*¹.] ***Adj. 2 g.*** Que preludia; preliminar: "Os *Ensaios* de Montaigne (v. *montaigniano*) representam a fase preludial da razão moderna" (Sílvio Lima, *Ensaio sobre a Essência do Ensaio*, p. 108).

preludiar [De *prelúdio* + *-ar*².] ***V. t. d.* 1.** Fazer prelúdio ou iniciação a; começar, iniciar, estrear, inaugurar: "E, vendo o piano, quis logo experimentá-lo preludiando com intenção a *Marcha Nupcial* de Mendelssohn." (Coelho Neto, *Obra Seleta*, I, p. 269.) **2.** Escrever o prelúdio ou prefácio de; prefaciar, preambular. **3.** Preparar com antecedência; prenunciar: *Na Grécia antiga, a especulação naturalista precedeu e preludiou o pensamento lógico.* **4.** Preceder como prelúdio; executar como prelúdio: "Os tocadores de violão preludiam chulas e toadas" (Melo Morais Filho, *Festas e Tradições Populares do Brasil*, p. 61). ***Int.* 5.** ***Mús.*** Ensaiar a voz ou um instrumento antes de começar a cantar ou a tocar: *A violinista passou horas preludiando, preparando-se para o concerto.* **6.** ***Mús.*** Tocar um prelúdio: *A garota preludia divinamente.* [Pres. ind.: *preludio*, etc. Cf. *prelúdio*.]

prelúdio [Do fr. *prélude*.] ***S. m.* 1.** Ato ou exercício prévio; primeiros passos; iniciação: *os prelúdios de uma campanha, de uma negociação.* **2.** Aquilo que precede ou anuncia alguma coisa; prenúncio: *As invenções e descobertas do séc. XV foram os prelúdios de grandes transformações históricas.* **3.** V. *prefácio* (1). **4.** Ensaio da voz ou de instrumento antes de cantar ou tocar. **5.** ***Mús.*** Introdução instrumental ou orquestral de uma obra musical (ópera, fuga, suíte, etc.); preâmbulo. **6.** ***Mús.*** Composição livre, de caráter imaginativo e sugestivo, e que se aproxima, às vezes, do improviso (3): *prelúdios de Chopin; prelúdios de Debussy.* [Cf. *preludio*, do v. *preludiar*.]

preluzir [Do lat. *praelucere*.] ***V. int.* 1.** Brilhar muito; resplandecer, prefulgir: "E, na fronde celeste, as flores fabulosas / E os frutos zodiacais, por entre as nebulosas, / Despontam aos milhões, preluzindo pelo ar" (Martins Fontes, *Verão*, p. 44). **2.** ***Fig.*** Realçar, destacar-se, distinguir-se, sobressair: *Preluzem a técnica e a arte do futebol brasileiro.* [Normalmente é unipess. Conjug.: v. *aduzir*.]

prema [Dev. de *premar*.] ***S. f. Ant.*** Ato ou efeito de premar; peia; opressão.

premar [De *premer*.] ***V. t. d. Ant.*** Afligir, vexar; violentar, oprimir.

pré-marital [De *pré-* + *marital*.] ***Adj. 2 g.*** Anterior ao estado de marido, ao casamento.

pré-masterização [De *pré-* + *masterização*, ou de *pré-masterizar* + *-ção*.] ***S. f. Son. Inform.*** Edição do arquivo digital a ser utilizado no processo ulterior de masterização.

pré-masterizar [De *pré-* + *masterizar*.] ***V. t. d. Son.*** Fazer a pré-masterização de (CD, CD-Rom, DVD, etc.).

pré-matrícula [De *pré-* + *matrícula*.] ***S. f.*** Matrícula feita previamente, para assegurar o direito à definitiva.

prematuração [De *prematurar* + *-ção*.] ***S. f.*** V. *prematuridade*.

prematurar [De *prematuro* + *-ar*².] ***V. t. d. Bras.*** Realizar antes do tempo, prematuramente; antecipar.

prematuridade [De *prematuro* + *-(i)dade*; fr. *prematurité*.] ***S. f.*** Qualidade de prematuro; precocidade, prematuração.

prematuro [Do lat. *praematuru*.] ***Adj.* 1.** Que amadureceu antes do tempo: *fruta prematura.* **2.** Que se manifesta ou sucede antes do tempo; precoce: *aptidão prematura; desgaste prematuro.* **3.** Que ocorre fora do tempo; temporão: *colheita prematura.* **4.** ***Obst.*** Diz-se de criança nascida após a 27ª semana de gestação e antes do termo desta, e tendo, arbitrariamente, como limites de peso, ao nascer, de 1.000 gramas a menos de 2.500 gramas. [O limite superior pode diminuir para 2.250 gramas dependendo do tamanho normal dos adultos da comunidade a que pertence o prematuro.] **5.** ***P. ext. Pop.*** Diz-se de criança nascida antes do termo normal da gestação: *bebê prematuro.* ~ V. *parto —.* ◆ ***S. m.* 6.** Criança prematura [v. *prematuro* (4 e 5)].

pré-maxilar [De *pré-* + *maxilar*.] ***S. m. Zool.*** Osso par, de membrana, da cabeça dos vertebrados, que forma a parte anterior da maxila superior.

premedeira [De *premer* + *-deira*.] ***S. f.*** Pedal de tear.

pré-medicação [De *pré-* + *medicação*.] ***S. f. Anest. Impr.*** V. *medicação pré-anestésica*.

pré-médico [De *pré-* + *médico*.] ***Adj.* 1.** Anterior ao tratamento médico. **2.** ***Desus.*** Precedente ao curso de graduação em medicina.

premeditação [Do lat. *praemeditatione*.] ***S. f.* 1.** Ato ou efeito de premeditar. **2.** Intenção deliberada de praticar algo.

premeditado [Part. de *premeditar*.] ***Adj.*** Que foi fruto de premeditação: *crime premeditado.*

premeditar [Do lat. **praemeditare*, por *praemeditari*.] ***V. t. d.*** Resolver com antecipação e refletidamente; planejar: *premeditar um crime.*

premência [De *premente* + *-ia*², seg. o padrão analógico.] ***S. f. Bras.*** Qualidade de premente; urgência.

pré-menopausa [De *pré-* + *menopausa*.] ***S. f.*** Período que antecede a menopausa.

pré-menstrual [De *pré-* + *menstrual*.] ***Adj. 2 g.*** Que ocorre antes do mênstruo. ~ V. *tensão —.*

premente [Do lat. *premente*.] ***Adj. 2 g.* 1.** Que faz pressão; que comprime: *pedal premente.* **2.** Que não permite demora; urgente: *assunto premente;* "Gracinda valeu-se da grande, confessada amizade de Ortulano pelo marido para dar remédio às suas dificuldades mais prementes." (Joaquim Paço d'Arcos, *Carnaval e Outros Contos*, p. 170). ~ V. *bomba —.*

premer [Do lat. *premere*.] ***V. t. d.* 1.** Fazer pressão em; calcar, apertar, comprimir: *O assassino premeu calmamente o gatilho;* "Adorava a macieza tépida, perfumosa, da pele nua de Lenita: mas, refinado em lubricidade, gostava de lhe premer as mãos quando calçadas de luvas de pelica ou de *peau de Suède*" (Júlio Ribeiro, *A Carne*, p. 225). **2.** Apertar para extrair o sumo; espremer: *premer limões.* **3.** Tornar estreito ou apertado; apertar, estreitar: *As montanhas premem um pequeno vale.* ***T. d. e c.* 4.** Premer (1): *Premeu o rosto contra o muro.* ***P.* 5.** Comprimir-se, apertar-se. [Var.: *premir*.]

pré-messiânico [De *pré-* + *messiânico*.] ***Adj.*** Que ocorre, ou ocorreu antes do aparecimento de um messias.

pré-metrô [De *pré-* + *metrô*.] ***S. m.*** Sistema de transporte urbano ou suburbano suscetível de transformar-se, sem maiores dificuldades, em metrô (q. v.) quando o desenvolvimento das áreas servidas o justificar.

premiação [De *premiar* + *-ção*.] ***S. f.*** Ato ou efeito de premiar. **2.** ***P. ext.*** Aquilo com que se premia. **3.** Divisão ou distribuição de prêmios em concurso ou competição: *A premiação dos vencedores levou um tempão.*

premiado [Part. de *premiar*.] ***Adj.* 1.** Que alcançou um prêmio. **2.** Diz-se dos bilhetes de loteria ou de rifa aos quais correspondem prêmios, em dinheiro ou em objetos de maior ou menor valor, tirados à sorte. ◆ ***S. m.* 3.** Aquele que alcançou prêmio.

premiador (ô) [De *premiar* + *-dor*.] ***Adj. S. m.*** Que, ou aquele que dá prêmio, que recompensa, que galardoa.

premiar [De *prêmio* + *-ar*².] ***V. t. d.* 1.** Dar prêmio ou galardão a; laurear, galardoar: *O exército premiou os heróis.* **2.** Pagar, recompensar; remunerar: *premiar serviços.* **3.** Pagar, cumprir: "quando o santo lhes não satisfaz as vontades nem lhes premeia os votos o castigam mergulhando-o de cabeça para baixo nas águas do rio." (José Saramago, *Memorial do Convento*, [8ª ed.] p. 25). [Conjug.: v. *negociar* (Bras. e Port.). Pres. ind.: *premio*, *premias*, *premia*, etc. Cf. *prêmio*.]

premido [Part. de *premer*.] ***Adj.*** Que sofreu pressão; coagido.

premiê ***S. m.*** V. *premier*.

➔ **premier** [pʀɘ'mje] [Fr.] ***S. m.*** Primeiro-ministro.

➔ **première** [pʀɘ'mjɛʀ] [Fr.] ***S. f.* 1.** V. *estreia* (5). **2.** ***Restr.*** A primeira apresentação oficial, ger. de gala, de um filme ou peça teatral.

pré-militar [De *pré-* + *militar*.] ***Adj. 2 g.*** Anterior ao ensino ou ao serviço militar.

prêmio ***S. m.*** V. *prêmio*. [Uso freq. em P.]

prêmio [Do lat. *praemiu*.] ***S. m.* 1.** Bem material ou moral recebido por um serviço prestado, por um trabalho executado, ou por méritos especiais; recompensa, galardão: *obter um prêmio; merecer um prêmio.* **2.** Recompensa conferida a quem se dis-

P

tingue em competição, jogo ou concurso: *Diversos escritores concorreram ao prêmio Machado de Assis; Ganhou um bonito prêmio no bingo.* 3. Recompensa dada a alunos que se distinguem: *prêmio de aproveitamento escolar.* 4. Pagamento que o segurado faz à companhia seguradora, para obter direito a indenização na ocorrência de determinado evento. 5. *Econ.* Ágio pago acima do preço nominal (de uma ação, debênture, etc.). 6. *Econ.* Preço que se paga por uma opção (4). 7. *Com.* Ágio exigido pelos subscritores de ações, por ocasião do aumento de capital das sociedades anônimas. 8. *Market.* Bem ou vantagem oferecida ao consumidor, condicionada à compra de uma mercadoria; bônus. [Cf. *premio*, do v. *premiar.*] ◆ **Prêmio de consolação.** Compensação dada a alguém merecedor de prêmio ou outra distinção que não chegou a beneficiá-lo. **Grande prêmio.** *Turfe* Qualquer dos páreos principais disputados anualmente nos hipódromos, com dotações especiais aos vencedores.

premir [Do lat. *premere.*] *V. t. d. T. d. e c. P.* V. *premer*: "Como o sol batia de chapa, os trabalhadores faziam teto com as mãos em arco, à altura das sobrancelhas, abrindo a boca e premindo as pálpebras" (Fialho d'Almeida, *Contos*, p. 143); "Uns ladrões premiram-se contra o portão, escoando-se pela brecha que os machados abriram" (Camilo Castelo Branco, *O Judeu*, II, p. 257).

premissa [Do lat. *praemissa*, 'a que é mandada primeiramente', fem. do part. pass. de *praemittere.*] *S. f.* 1. *Lóg.* Cada uma das proposições de um silogismo que serve de base à conclusão. [V. *premissa maior* e *premissa menor.*] 2. *P. ext.* Fato ou princípio que serve de base à conclusão de um raciocínio: *Você parte de uma premissa falsa;* "De tais premissas psicológicas, Matias Aires deduz logicamente a conclusão ética de que algo de vicioso é sempre inerente à virtude, algo de injusto à justiça, e vice-versa." (Antônio José Saraiva e Óscar Lopes, *História da Literatura Portuguesa*, p. 598). ◆ **Premissa maior.** A que encerra o termo maior, *i. e.*, o predicado da conclusão. **Premissa menor.** A que encerra o termo menor, *i. e.*, o sujeito da conclusão.

pré-misturado [De *pré-* + *misturado.*] *Adj.* Misturado de antemão.

premoção [Do lat. *praemotione.*] *S. f. Teol.* Ação divina que influi na vontade das criaturas. [Cf. *promoção.*]

pré-modernismo [De *pré-* + *modernismo.*] *S. m.* O período literário e artístico anterior ao modernismo.

pré-modernista [De *pré-* + *modernista.*] *Adj. 2 g.* 1. Anterior ao modernismo: "Unamuno (v. *unamunesco*) pertence estilisticamente a uma época pré-modernista" (Oto Maria Carpeaux, *História da Literatura Ocidental*, VI, p. 2703). 2. Pertencente ou relativo ao pré-modernismo.

pré-molar [De *pré-* + *molar*[1].] *S. m. Anat.* 1. V. *dente* (1). ● *Adj.* 2. ~ V. *dente —.*

pré-moldado [De *pré-* + *moldado.*] *Adj.* 1. Que foi previamente vazado em molde, para utilização posterior. ~ V. *concreto —, estrutura —* e *laje —a.* ● *S. m.* 2. Bloco de concreto pré-moldado: *Utilizam-se pré-moldados em certos logradouros para orientar o trânsito.*

premonição [Do lat. *praemonitione.*] *S. f.* 1. Sensação ou advertência antecipada do que vai acontecer; pressentimento: "um gatinho de pouca idade, ainda vivo, com os olhos já embaciados pela premonição da morte" (Fernanda Botelho, *Lourenço É Nome de Jogral*, p. 75). 2. Circunstância ou fato que deve ser tomado como aviso; presságio: "Que espécie de peçonhas estranhas podia o selvagem ter trazido do país misterioso como premonição das sinistras almas civilizadas?!" (Aquilino Ribeiro, *Portugueses das Sete Partidas*, p. 57.) [Cf. *premunição.*]

premonitório [Do lat. *praemonitoriu.*] *Adj.* 1. Em que há premonição: *sonho premonitório.* 2. Que adverte, ou como que adverte com antecipação; que se deve tomar como aviso: *sintoma premonitório.*

premonstratense [Do lat. *Praemonstratum* (em fr., *Prémontré*), nome que S. Norberto deu ao lugar de seu primeiro recolhimento, + *-ense.*] *Adj. 2 g.* 1. Diz-se da ordem de cônegos regulares fundada na França no séc. XII, ou de frade dessa ordem. ● *S. m.* 2. Cônego premonstratense.

premorso [Do lat. *praemorsu.*] *Adj. Bot.* ~ V. *folha —a.*

pré-mosaico [De *pré-* + *mosaico.*] *Adj.* Anterior a Moisés (v. *mosaico*[2]), ou à sua época: "esta [a palavra latina Pascha].... surge do vocábulo hebreu *pesach*, que indicava, na época pré-mosaica, a festa da primavera dos pastores nômades." (Maria Julieta Drummond de Andrade, *O Valor da Vida*, p. 61).

premunição [Do lat. *praemunitione.*] *S. f.* 1. Ato ou efeito de premunir. 2. Estado especial de imunidade ou resistência a uma infecção. [Cf. *premonição.*]

premunir [Do lat. *praemunire.*] *V. t. d.* 1. Evitar com antecipação; precaver, prevenir: *O planejamento visa a premunir acidentes. T. d. e i.* 2. Acautelar; prevenir, precaver, precatar: "Intenta o cômico mordaz [Aristófanes].... premunir os seus concidadãos contra os novos educadores" (Latino Coelho, *A Oração da Coroa*, p. CCXV). 3. Munir, prover, guarnecer, com antecipação: *Os comandantes premuniram a tropa de boas armas. P.* 4. Preparar-se, apetrechar-se; armar-se, precaver-se, prevenir-se: *Os cristãos devem premunir-se contra o pecado.*

premunitivo [De *premunir* + *-tivo.*] *Adj.* Que tem ação profilática.

pré-natal [De *pré-* + *natal.*] *Adj. 2 g.* 1. Anterior ao nascimento da criança: *período pré-natal.* 2. Relativo a esse período, ou que se realiza nele. [Sin., nessas acepçs., *antenatal.*] ● *S. m.* 3. Período em que a grávida fica sob controle médico e eventuais medidas dele decorrentes, visando a mãe e o produto da concepção. 4. A assistência médica prestada durante este período. ◆ **Fazer o pré-natal (em).** *Bras. Fam.* Comparecer a maternidade, ou a instituição médico-assistencial, durante o pré-natal (3), para receber assistência médica.

pré-nazismo [De *pré-* + *nazismo.*] *S. m.* Período que antecedeu o nazismo: "Foi [Bertold Brecht (v. *brechtiano*)] o poeta da Berlim febril de 1927, República de Weimar, comunismo e pré-nazismo, miséria proletária e civilização cinematográfica." (Oto Maria Carpeaux, *História da Literatura Ocidental*, VII, p. 3424.)

pré-nazista [De *pré-* + *nazista.*] *Adj. 2 g.* Anterior ao nazismo.

prenda [Do lat. *pignera*, 'penhor', pelo arc. *pindra, pendra*, com metátese.] *S. f.* 1. Objeto oferecido a alguém; dádiva, presente. 2. Predicado, qualidade, dote: *Tem muitas prendas naturais;* "Chiquinho, com a prenda que tinha, estava marcado para um lugar público." (Baltasar Lopes, *Chiquinho*, p. 248). 3. Habilidade, aptidão: *É moça de várias prendas artísticas.* 4. Objeto que, nos jogos de prendas (q. v.), é entregue por quem perde ou se engana, para identificar o perdedor no momento da aplicação das penalidades. 5. Objeto que é dado como prêmio em certos jogos ou competições. 6. *Fam. Irôn.* Pessoa má. 7. *Bras. RS* V. *joia* (1). ~ V. *prendas.* ◆ **Prendas domésticas.** Designação oficial da atividade das mulheres que, não exercendo profissão remunerada, se ocupam do lar.

prendado [Part. de *prendar.*] *Adj.* Que possui prendas ou qualidades apreciáveis.

prendar [Do lat. *pignorare, por *pignorari*, pelo arc. *pindrar, pendrar*, com metátese.] *V. t. d.* 1. Dar prendas a; presentear, brindar: *A direção da escola prendou os primeiros alunos. T. d. e i.* 2. Tornar hábil ou destro; dotar.

prendas [De *prender.*] *S. f. pl. Bras. N.E.* As duas peças de madeira que, introduzidas nas duas forquetas que formam as cangalhas, as prendem entre si. [Var.: *pendas.*] ~ V. *prenda.*

prendedor (ô) [De *prender* + *-dor.*] *Adj.* 1. Que prende. ● *S. m.* 2. Aquilo ou aquele que prende ou segura; pregador: *prendedor de cabelo.*

prender [Do lat. *prehendere.*] *V. t. d.* 1. Tornar unido (o que estava separado); ligar, atar, unir: *Usou cola para prender os pedaços do prato.* 2. Obstar, embaraçar, estorvar, tolher: *O terno apertado prendia os movimentos do rapaz.* 3. Pregar em algum lugar; fixar, segurar: *Tomou dos pregos para prender a prateleira.* 4. Privar da liberdade; capturar, encarcerar: *A polícia prendeu os marginais.* 5. Atrair, cativar, encantar, seduzir, fascinar: *Seus verdes olhos prendem corações.* 6. Subornar, peitar: *Os contraventores prendem, às vezes, autoridades corruptas.* 7. Pescar com rede; apanhar: *prender peixes.* 8. Conter; segurar: *Prendeu a respiração para mergulhar. T. d. e c.* 9. Atar, ligar, amarrar: *Chegando à cidade, prendeu o burro a um poste.* 10. Prender (3): *Prendeu o cartaz no mural. T. d. e i.* 11. Estabelecer encadeamento, conexão, de; encadear, vincular: *Ao falar, procurava prender uma ideia central às demais.* 12. Ligar, moral ou afetivamente; vincular: *A tradição familiar o prendia aos parentes;* "As cartas enviadas da Inglaterra documentam a mudança dos sentimentos que prendiam o poeta à sua musa de outros tempos." (Melo Nóbrega, *O Soneto de Arvers*, p. 63). *T. c.* 13. Criar raízes; fixar-se, arraigar-se. 14. Pegar, emperrar: *A carroça não desliza, e sim prende na lama.* 15. Comunicar, ligar: *A ponte prende com a terra. T. i.* 16. Ter relação; relacionar-se, prender-se: *O progresso material do país prende com a expansão da cultura. P.* 17. Ficar seguro, preso; segurar-se, agarrar-se: *A camisa prendeu-se num prego e rasgou-se.* 18. Sentir embaraços; embaraçar-se, complicar-se: *Inexperiente, prendeu-se com problemas tolos.* 19. Contrair matrimônio; casar(-se), amarrar-se: *Afirma que não se prenderá antes dos 30 anos.* 20. Ter comunicação ou relação; ligar-se, relacionar-se: *Suas atitudes se prendem às suas ideias.* 21. Encher-se de preocupações; preocupar-se, inquietar-se: *A mãe prende-se com a saúde do bebê.* 22. Tomar afeição; afeiçoar-se: *Bem cedo se prendeu à bela moça.* [Part.: *prendido* e *preso* (ê), flex. *presa* (ê), *presos* (ê), *presas* (ê). Cf. *preso, presas, presa*, do v. *presar*, e *prezo, prezas, preza*, do v. *prezar.*]

prenha *Adj.* (*f.*) *Pop.* V. *prenhe* (1): "A barriga dela crescera, como um fruto quase maduro de todo. | — A tola 'tá prenha..." (Papiniano Carlos, *Terra com Sede*, p. 24.)

prenhe [Do lat. *praegne, por *praegnans.*] *Adj. 2 g.* 1. Diz-se da fêmea pejada, grávida. [Var., pop.: *prenha.*] 2. *Fig.* Pleno, repleto, cheio; repassado. 3. *Fig.* Cheio, enfunado, pando: "Já no roxo oriente branqueando / As prenhes velas da troiana frota / Entre as vagas azuis do mar dourado / Sobre as asas dos ventos se escondiam." (Correia Garção, *Obras Poéticas e Oratórias*, p. 381.)

prenhez (ê) [De *prenhe* + *-ez.*] *S. f.* Estado de fêmea prenhe; gravidez, ciese. ◆ **Prenhez molar.** *Obst.* Aquela em que ocorre a conversão do ovo em mola[2] (2). **Prenhez tubária.** *Obst. Gin.* V. *gravidez tubária.*

prenita [Do antr. (*von*) *Prehn*, coronel holandês que trouxe o mineral do Cabo da Boa Esperança, + *-ita*[3].] *S. f. Min.* Mineral ortorrômbico, silicato básico de cálcio e alumínio.

prenoção [Do lat. *praenotione.*] *S. f.* 1. Noção antecipada; preconceito. 2. Noção imperfeita e vaga.

prenome [Do lat. *praenomen.*] *S. m.* Nome que antecede o de família; nome de batismo; nome, antenome, nome próprio.

prenominar [Do lat. *praenominare.*] *V. t. d.* 1. Dar prenome a: *Os pais prenominaram o filho homenageando o avô.* 2. Designar pelo prenome.

pré-normal [De *pré-* + *normal.*] *Bras. Adj. 2 g.* 1. Que antecede o curso normal. 2. Diz-se de curso preparatório para ingresso no normal. ● *S. m.* 3. Esse curso.

prenotação [Do lat. *praenotatione.*] *S. f. Jur.* Anotação prévia e provisória feita por oficial de registro público em um título apresentado para inscrição ou transcrição. [Cf. *registro* (2).]

prenotar [Do lat. *praenotare.*] *V. t. d.* Notar antecipadamente.

prensa [Dev. de *prensar.*] *S. f.* 1. Instrumento manual ou mecânico destinado a comprimir ou achatar uma coisa entre as suas duas placas ou outras peças apropriadas: *prensa de manivela; prensa hidráulica; prensa litográfica.* 2. *Art. Gráf.* Aparelho manual ou mecânico destinado a reproduzir em papel ou noutro material, com tinta pastosa ou fluida, imagens e textos moldados, gravados ou fotogravados em placa ou cilindro, em relevo, a entalhe ou em plano; máquina de impressão, máquina impressora, impressora, prelo. [Conforme o feitio das superfícies que promovem a pressão, as prensas podem ser *planas, plano-cilíndricas* ou *rotativas.*] 3. *Fot.* Caixilho de impressão. 4. *Ind. Pap.* Qualquer dos conjuntos de cilindros entre os quais passa a folha de papel em formação, na parte úmida da máquina contínua. 5. *Bras. N.E.* Trave de madeira, grossa e larga, colocada horizontalmente ao arrocho (4) das casas de farinha, ficando-lhe na parte superior o cocho, que recebe a massa e é perfurado embaixo a fim de deixar vazar a manipueira. 6. *Bras. N.E.* O conjunto das peças de que se forma o arrocho: a *prensa* propriamente dita, a *virgem*, a *vara*, o *fuso*, a *mão*, a *masseira* e o *brinqueto.* ◆ **Prensa alisadora.** *Ind. Pap.* Aquela que, colocada em último lugar na série de prensas existentes após a tela da máquina de papel, não tem feltro nem elimina água, destinando-se apenas, com seus dois rodos lisos, a igualar tanto quanto possível a textura das duas faces da folha; prensa ofsete. **Prensa a vácuo.** *Fotograv.* V. *chassi pneumático.* **Prensa cilíndrica.** V. *prensa plano-cilíndrica.* **Prensa de branco.** Aquela que, tendo um só cilindro, tira de cada vez apenas um lado da folha (branco ou retiração). [V. *prensa de retiração.*] **Prensa de cilindro.** V. *prensa plano-cilíndrica.* **Prensa de dourar.** *Encad.* Aparelho dotado de platina com aquecedores, usado na douração mecânica de livros. **Prensa de dupla rotação.** *Art. Plást.* Prensa de rotação contínua cujo cilindro dá dois giros para cada folha impressa, realizando a tiragem no primeiro, e erguendo-se no segundo para permitir a volta do carro. **Prensa de encaixe.** *Encad.* Prensa em que se aperta o livro, do lado da lombada, para fazer o encaixe, batendo com o martelo. **Prensa de gofrar.** *Ind. Pap.* Máquina destinada a produzir no papel ou no cartão desenhos em relevo, e que consta de dois rolos de metal [*cilindros gofradores*], um dos quais, aquele onde está gravado o desenho da gofragem, serve de molde, representando o outro, que às vezes é formado de discos de papel fortemente comprimidos, o contramolde. **Prensa de lagar.** Prensa (1) para espremer as uvas, as sementes oleaginosas, etc. **Prensa de manchão.** *Ind. Pap.* Prensa montada na mesa de fabricação, para apressar a eliminação da água da folha de papel em formação, e que é hoje substituída pelo rolo de sucção. [Tb. se diz apenas *manchão*.] **Prensa de matrizar.** *Tip.* Prensa hidráulica usada em substituição à calandra para estampar o flã destinado à estereotipia. **Prensa de papelão.** *Ind. Pap.* Prensa-pasta. **Prensa de platina.** Aquela em que são superfícies planas tanto a fôrma, presa em cofre vertical pelo engate da rama, quanto o órgão de pressão, quadro móvel [platina] onde se põe a almofada e faz o aviamento; minerva. **Prensa de reação.** Aquela cujos cilindros, em geral dois ou quatro, giram em ambos os sentidos, acompanhando o vaivém do carro. **Prensa de retiração.** Aquela que, tendo cilindros, cofres e tinteiros duplos, imprime a um só tempo ambos os lados da folha de papel, a qual passa automaticamente do primeiro para o segundo cilindro, que gira em sentido contrário e faz a retiração. **Prensa de rotação contínua.** Aquela cujo cilindro não se imobiliza para a volta do carro. [V. *prensa de rotação simples* e *prensa de dupla rotação*.] **Prensa de rotação intermitente.** Aquela cujo cilindro, depois de tirada a folha, se imobiliza durante a volta do carro. **Prensa de rotação simples.** Prensa de rotação contínua, hoje pouco usada, dotada de grande tambor, que realiza um giro completo enquanto o carro vai e vem; prensa de tambor, máquina de tambor. **Prensa de sucção.** *Ind. Pap.* Prensa úmida que tem o cilindro inferior perfurado e ligado a um aparelho de sucção, para ativar a eliminação da água e assim possibilitar maior velocidade à máquina de papel. **Prensa de talho-doce.** Prensa manual, derivada do tórculo do polidor de pedras preciosas e do laminador do moedeiro, formada por dois cilindros horizontais, primitivamente de madeira e hoje de metal, que giram por meio de cruzeta ou volante, e entre os quais passa, a grande pressão, a mesa com o conjunto formado pela placa entintada, o papel umedecido e a manta, na estampagem das gravuras a entalhe; tórculo. **Prensa de tambor.** V. *prensa de rotação simples*. **Prensa de vácuo.** *Fotograv.* V. *chassi pneumático*. **Prensa dúplex.** V. *prensa rotoplana*. **Prensa hidráulica.** *Fís.* Máquina em que se aproveita a incompressibilidade dos líquidos e a transmissão de pressão, para exercer grande força. **Prensa horizontal.** Prensa plano-cilíndrica cujo cofre desliza em posição horizontal. **Prensa montante.** *Ind. Pap.* Prensa colocada em segundo ou terceiro lugar, após a tela da máquina de papel, e assim chamada por ser o seu feltro dirigido para cima. É precedida de um dispositivo que vira a folha de papel, colocando o lado da tela em contato com o rolo superior, para tornar menos ostensiva a marca deixada pelos fios de metal. [Sin.: *prensa reversa*.] **Prensa ofsete.** *Ind. Pap.* Prensa alisadora. **Prensa plana. 1.** Denominação genérica das prensas em que, como na prensa de platina (q. v.), a pressão se realiza entre duas superfícies planas: a que constitui a fôrma e a que conduz o suporte; máquina plana. [V. *impressão plana*.] **2.** V. *prensa plano-cilíndrica*. **Prensa plano-cilíndrica.** Aquela em que a pressão se realiza entre uma superfície plana, que constitui a fôrma, e outra cilíndrica, que conduz o suporte, e entre as quais há os tipos apropriados à impressão planográfica, direta ou indireta (*ofsete*); prensa cilíndrica, prensa de cilindro, prensa plana, máquina cilíndrica. [As prensas plano-cilíndricas classificam-se: 1) segundo a maneira de funcionamento dos cilindros, em: a) prensa de branco, b) prensa de retiração, c) prensa de rotação intermitente, d) prensa de rotação contínua, e) prensa de reação, f) prensa rotoplana; 2) segundo a posição do cofre, em: a) prensa horizontal, b) prensa vertical. V. *impressão plano-cilíndrica*.] **Prensa plano-rotativa.** V. *prensa rotoplana*. **Prensa reversa.** *Ind. Pap.* Prensa montante. **Prensa rotativa.** Máquina de impressão (tipográfica, rotográfica ou plano-gráfica, especialmente a primeira) em que a pressão se realiza entre duas superfícies cilíndricas – a que constitui a fôrma (telha, cilindro-matriz, fotolito, placa envolvente) e a que conduz o suporte, papel contínuo que se desenrola das bobinas alimentadoras – e que, horizontalmente, se divide em unidades de impressão, e verticalmente, em andares; máquina rotativa. [Tb. se diz apenas *rotativa*.] **Prensa rotoplana.** Prensa plano-cilíndrica, alimentada a papel de bobina, e cujo cofre é fixo deslocando-se o cilindro pressor; prensa dúplex, prensa plano-rotativa; máquina rotoplana. **Prensa úmida.** *Ind. Pap.* Cada um dos conjuntos de dois rolos superpostos (o inferior, revestido de borracha, e o superior, geralmente feito de granito, e de maior diâmetro), destinados a comprimir a folha de papel, que passa entre eles conduzida por um feltro, e a extrair parte da água nela contida, antes de sua entrada na parte seca da máquina contínua. **Prensa vertical.** Prensa plano-cilíndrica cujo cofre desliza em posição vertical.

prensado [Part. de *prensar*.] *Adj.* Que se prensou. ~ V. *chapa –a*.

prensador (ô) [De *prensar* + *-dor*.] *S. m. Encad.* Operário que faz qualquer trabalho de prensagem, em oficina de encadernação.

prensagem [De *prensar* + *-agem*[2].] *S. f.* Operação de prensar.

prensa-pasta [De *prensar* + *pasta*.] *S. f. Ind. Pap.* Espécie de máquina de papel simplificada, usada na fabricação de papelão, ou na confecção de lençóis úmidos de pasta química ou de folhas de pasta mecânica, na forma como são fornecidas às fábricas de papel; prensa de papelão. [Pl.: *prensa-pastas*.]

prensar [Do lat. *pressare*, freq. de *premere*, 'apertar', com infl. de *praehensa*, f. do part. pass. do v. lat. *praehendere*, 'prender'.] *V. t. d.* **1.** Comprimir na prensa. **2.** Apertar muito; achatar, esmagar, espremer, premer: *prensar uma fruta para extrair-lhe o suco.*

prenseiro [De *prensa* + *-eiro*.] *S. m. Bras. N.E.* Indivíduo que maneja a prensa (5), no fabrico da farinha de mandioca.

prensista [De *prensa* + *-ista*.] *S. 2 g.* **1.** *Art. Gráf.* Impressor (3). **2.** *Ind. Pap.* Operário papeleiro que trabalha na parte úmida da máquina de papel; telista.

prenunciação [Do lat. *praenuntiatione*.] *S. f.* Ato ou efeito de prenunciar.

prenunciador (ô) [Do lat. *praenuntiatore*.] *Adj.* **1.** Que prenuncia. ● *S. m.* **2.** Aquele ou aquilo que prenuncia.

prenunciar [Do lat. *praenuntiare*.] *V. t. d.* **1.** Anunciar antecipadamente; predizer, profetizar: *Os povos mesopotâmicos tinham fórmulas de prenunciar o futuro*; "uma espécie de arrepio leve, prenunciando a aragem da tarde." (Augusto Meyer, *No Tempo da Flor*, p. 39). **2.** Ser precursor de. [Pres. ind.: *prenuncio*, etc. Cf. *prenúncio* e o v. *prenunciar*.]

prenunciativo [Do lat. *praenuntiativu*.] *Adj.* Que prenuncia, ou serve para prenunciar.

prenúncio [Do lat. *praenuntiu*.] *S. m.* Anúncio de coisa futura; prognóstico: "O calor que fizera de dia era o prenúncio de chuva, para o entardecer." (Viriato Correia, *Contos do Sertão*, p. 219.) [Cf. *prenuncio*, do v. *prenunciar*, e *pronúncio*.]

pré-nupcial [De *pré-* + *nupcial*.] *Adj. 2 g.* Que antecede as núpcias; antenupcial: *exame pré-nupcial.*

preocupação [Do lat. *praeoccupatione*.] *S. f.* **1.** Ato ou efeito de preocupar(-se). **2.** Ideia fixa e antecipada que perturba o espírito a ponto de produzir sofrimento moral: *A preocupação com a saúde deixava-o acabrunhado.* **3.** Inquietação proveniente dessa ideia; cuidado: *Os problemas financeiros provocam-lhe um estado de grande preocupação.* **4.** Pensamento dominante, que se sobrepõe a qualquer outro: *A literatura é a preocupação de sua vida.* **5.** Opinião antecipada; preconceito, prejuízo. **6.** Atitude de quem visa a um resultado ou forma um projeto: *A preocupação do governo é abrir escolas.*

preocupado [Do lat. *praeoccupatu*.] *Adj.* **1.** Que se preocupou ou preocupa. **2.** Que tende a ficar preocupado, inquieto em relação a algo ou a alguém: *Ele era um sujeito preocupado.*

preocupante [De *preocupar* + *-nte*.] *Adj.* **1.** Que preocupa. **2.** Que ocupa primeiro. ● *S. 2 g.* **3.** Pessoa preocupante.

preocupar [Do lat. *praeoccupare*.] *V. t. d.* **1.** Prender a atenção de; absorver: *Os espetáculos e festas populares não o preocupam.* **2.** Causar preocupação ou inquietação a; tornar inquieto, apreensivo; dar cuidado a; inquietar, impressionar: *A queda dos preços preocupou os comerciantes.* *P.* **3.** Ter preocupação; inquietar-se, impressionar-se: *O homem preocupa-se com o desconhecido.* [Sin. ger., p. us.: *anteocupar*.]

pré-olímpico [De *pré-* + *olímpico*.] *Adj. S. m.* Diz-se de, ou fase preparatória, ou classificatória, que antecede aos jogos olímpicos.

préon *S. m. Fís. Part.* Partícula hipotética, postulada em certas teorias que estudam as partículas elementares, e que seria o constituinte fundamental dos *quarks* e dos léptons.

pré-operatório [De *pré-* + *operatório*.] *Cir. Adj.* **1.** Que ocorre antes de uma intervenção cirúrgica. **2.** Diz-se do período que decorre entre o início do preparo do paciente para intervenção cirúrgica e esta intervenção. ● *S. m.* **3.** O período pré-operatório.

pré-opérculo [De *pré-* + *opérculo*.] *S. m. Zool.* Peça do esqueleto dos peixes por meio da qual o opérculo se articula com o crânio.

preopinante [De *preopinar* + *-nte*.] *Adj. 2 g. S. 2 g.* Que, ou quem preopina, fala antes de outrem.

preopinar [De *pré-* + *opinar*.] *V. int.* **1.** Opinar antes de outrem: *O relator examina o processo e preopina, podendo o tribunal recusar-lhe o parecer.* **2.** Emitir a sua opinião ou parecer, em discurso, antes de outrem.

pré-orbital *Adj. 2 g. Zool.* Que está situado antes da órbita: *região pré-orbital.*

preordenação [De *preordenar* + *-ção*.] *S. f.* Ato ou efeito de preordenar.

preordenar [Do lat. *praeordinare*.] *V. t. d.* **1.** Ordenar de antemão: *Deus preordena os destinos do mundo.* *T. d. e i.* **2.** Determinar ou ordenar com antecipação; predestinar: *Deus não preordena os homens para o bem nem para o mal.*

pré-osso [De *pré-* + *osso*.] *S. m. Histol.* Osteoide.

pré-pago *Adj.* **1.** Diz-se de linha telefônica cuja utilização depende da efetuação de recarga de créditos. **2.** Diz-se de aparelho próprio para esse tipo de linha. ● *S. m.* **3.** Essa linha ou aparelho. [Pl.: *prés-pagos*.]

pré-palatal [De *pré-* + *palatal*.] *Adj. 2 g. E. Ling.* Palatoalveolar.

pré-palato [De *pré-* + *palato*.] *S. m.* A região do palato mais próxima aos alvéolos.

preparação [Do lat. *praeparatione*.] *S. f.* **1.** Ato, efeito ou modo de preparar(-se); preparativo, apresto, preparo. [Sin., p. us.: *preparamento*.] **2.** Produto de operações culinárias. **3.** Preparado (3). **4.** *Litogr.* Operação que consiste em acidular a pedra ou placa de metal com solução de goma arábica, ácido azótico e água, a fim de melhor fixar o desenho feito à tinta-graxa e aumentar a hidrofilia das partes que devem ficar em branco; acidulação. **5.** *Tip.* Preparo (4).

preparado [Part. de *preparar*.] *Adj.* **1.** Disposto ou arranjado com antecedência. **2.** *Bras.* Que tem preparo (6); culto, instruído. ~ V. *instrumento –*. ● *S. m.* **3.** Produto químico ou farmacêutico; preparação.

preparador (ô) [Do lat. *praeparatore*.] *Adj.* **1.** Que prepara. ● *S. m.* **2.** Aquele que prepara. **3.** *Bras.* Aquele que cuida de um laboratório de ciências naturais em escola secundária ou superior, e auxilia o professor preparando o material para as lições práticas. ◆ **Preparador físico.** Indivíduo que, ministrando ginástica, prepara fisicamente um atleta ou uma equipe.

preparamento [De *preparar* + *-mento*.] *S. m. P. us.* V. *preparação* (1).

preparar [Do lat. *praeparare*.] *V. t. d.* **1.** Dispor com antecedência; aprontar, arranjar, prevenir: *O chefe do cerimonial preparou a recepção; A cozinheira prepara o almoço.* **2.** Planejar com antecedência; premeditar: *O inimigo prepara um ataque.* **3.** Armar, tramar, urdir, maquinar: *Os assaltantes prepararam e executaram um grande golpe.* **4.** Favorecer o aparecimento ou a evolução de; promover, provocar, fomentar: *O militarismo prepara a guerra.* **5.** Obter (uma preparação) por meio de operações químicas, de combinação dosada de certos elementos ou de outros processos: *preparar um remédio; preparar uma torta.* **6.** Compor, associando vários elementos: *preparar um cenário.* **7.** Pôr em condições de atingir um objetivo: *Os livros preparam o bom técnico.* **8.** Pôr (instrumento, aparelho, coisa qualquer) em condições de ser utilizado; armar: *preparar a barraca.* **9.** Pôr (um texto, um original) em condições de ser editado, atualizando-lhe a ortografia e/ou fazendo observações, em geral em pé de página, sobre possíveis impropriedades sintáticas, de pontuação, etc. **10.** Informar pouco a pouco; pôr em condições de suportar, de enfrentar (acontecimento súbito): *Com perguntas sutis preparavam o espírito do amigo que acertara na loto.* *T. d. e i.* **11.** Preparar (1): *A família preparou uma festa para os avós.* **12.** Pôr em condições de servir; tornar apto; adaptar, apropriar: *As medidas objetivam preparar o Exército para a defesa do País.* **13.** Dispor com antecedência; predispor: *Os professores preparam o ânimo dos alunos para os exames finais.* **14.** Prepara (10): *Um primeiro telefonema preparou a família para o terrível golpe.* *P.* **15.** Arranjar-se, vestir-se, ataviar-se: *Preparou-se com cuidado para a festa.* **16.** Dispor-se (para alguma coisa); armar-se, aparelhar-se, aprontar-se: *Os parlamentares estudaram o projeto, preparando-se para os debates.* **17.** Acomodar-se, ajustar-se, adaptar-se: *Os jovens preparam-se para a vida.* **18.** *Bras.* Adquirir preparo ou cultura; instruir-se: *Os dirigentes preparam-se nas universidades.*

preparativo [De *preparar* + *-tivo*.] *Adj.* **1.** Preparatório (1). ● *S. m.* **2.** V. *preparação* (1). ~ V. *preparativos*.

preparativos [Pl. de *preparativo*.] *S. m. pl.* Disposições preliminares relacionadas com algum empreendimento: *os preparativos de uma viagem, de uma operação.* ~ V. *preparativo*.

preparatoriano [De *preparatório* + *-ano*[1].] *S. m. Bras. Obsol.* Estudante de preparatórios.

preparatório [Do lat. *praeparatoriu*.] *Adj.* **1.** Que prepara; preparativo. **2.** Que serve para preparar; preparativo. **3.** Prévio, preliminar: *trabalhos preparatórios.* ~ V. *preparatórios*.

P

preparatórios [Pl. de *preparatório*.] *S. m. pl. Obsol.* Estudos prévios para efeito de matrícula nos cursos superiores e em alguns especiais. ~ V. *preparatório*.

preparo [Dev. de *preparar*.] *S. m.* **1.** V. *preparação* (1). **2.** Arte de preparar, de aparelhar: *O preparo da tela de um quadro; preparo de uma pele.* **3.** *Jur.* Realização do pagamento de custas processuais, tanto iniciais como as relativas aos recursos e outras diligências. **4.** *Tip.* O conjunto das operações — mudança do padrão, aviamento, acerto, regulagem do tinteiro e lavagem dos rolos — que, no lado de serviço das prensas, se realizam desde que se deita a fôrma até encontrar-se esta pronta para a tiragem; preparação. **5.** *Pop.* Castração (de animais). **6.** *Bras.* Instrução, cultura, competência: *É inteligente, mas não tem preparo.* **7.** *Bras.* O conjunto das providências capazes de determinar as melhores condições possíveis para a realização dum empreendimento: *o preparo físico de um atleta; o preparo de um campo operatório.* **8.** *Bras. RJ* V. *cerol* (2). ~ V. *preparos*. ◆ **Preparo físico.** Conjunto de condições físicas adquiridas por treinamento, e que se exigem de um atleta.

preparos [Pl. de *preparo*.] *S. m. pl.* **1.** Aviamento (3). **2.** *Bras. RS* Peças que constituem o arreamento de animal de montaria, de tração, ou cargueiro. **3.** Os aparelhos de couro dos serviços das carretas de bois. ~ V. *preparo*.

prepau [Do cat. *perpal*.] *S. m. Ant. Constr. Nav.* Tabuão preso horizontalmente às escoteiras, junto ao mastro, para nele darem volta os cabos de manobra.

pré-peritoneal [De *pré-* + *peritoneal*.] *Adj. 2 g. Anat.* V. *pré-peritonial*.

pré-peritonial [De *pré-* + *peritonial*.] *Adj. 2 g. Anat.* Situado anteriormente, em relação ao peritônio; pré-peritoneal.

pré-pídgin [De *pré-* + *pídgin*.] *S. m. E. Ling.* Jargão[1] (4).

preponderância [De *preponderar* + *-ância*.] *S. f.* **1.** Qualidade ou estado de preponderante. **2.** Predomínio, supremacia, hegemonia.

preponderante [Do lat. *praeponderante*.] *Adj. 2 g.* Que prepondera: "a preponderante influência do francês nos costumes, nas maneiras, na conversação, na moda, ... nos hábitos sociais, em suma" (Delso Renault, *O Rio Antigo nos Anúncios de Jornais*, p. 3).

preponderar [Do lat. *praeponderare*.] *V. int.* **1.** *P. us.* Ser mais pesado; ter maior peso: *O ouro prepondera mais que a prata.* **2.** Ter mais influência ou importância; predominar, prevalecer: *Minha opinião não preponderou.* *T. i.* **3.** Levar vantagem; prevalecer: *Nem sempre a verdade prepondera sobre a mentira.*

preponente [Do lat. *praeponente*.] *Adj. 2 g. S. 2 g.* **1.** Que, ou quem prepõe. **2.** *Dir.* Que, ou quem constitui, em seu nome, por sua conta e sob sua dependência, para ocupar-se dos negócios relativos a suas atividades, um auxiliar direto. [Cf., nesta acepç., *preposição* (3) e *preposto* (4).] [Cf. *proponente*.]

prepor [Do lat. *praeponere*.] *V. t. d.* **1.** Pôr adiante ou antes: *prepor o artigo.* **2.** Anunciar ou dar previamente: *Os organizadores prepuseram as normas do concurso.* *T. d. e i.* **3.** Pôr ou colocar antes; antepor: *O Presidente prepôs a Constituição ao decreto.* **4.** Querer antes; antepor, preferir: *prepor a saúde aos prazeres.* **5.** Nomear, escolher, designar (alguém) para assumir a direção de (qualquer serviço): *O rei prepôs um governante a cada colônia.* [Irreg. Conjug.: v. *pôr*. Cf. *propor*.]

preposição [Do lat. *praepositione*.] *S. f.* **1.** Ato de prepor. **2.** *E. Ling.* Palavra invariável que rege o nome, o pronome ou outro elemento que a segue. **3.** Mandato remunerado, verbal ou escrito, constituído pelo preponente (2) para que outra pessoa, o preposto (4), em seu nome, por sua conta e sob sua dependência efetue negócios concernentes às suas atividades profissionais. [Cf. *proposição*.] ◆ **Preposição acidental.** *E. Ling.* Palavra que pode funcionar como preposição: *afora, conforme, consoante, durante, exceto, fora, mediante, não obstante, salvo*, etc. [Cf. *preposição essencial*.] **Preposição composta.** *E. Ling.* A que é expressa por dois ou mais vocábulos; locução prepositiva: *abaixo de, acerca de, embaixo de, por trás de*, etc. [Cf. *preposição simples*.] **Preposição essencial.** *E. Ling.* Palavra invariável que sempre funciona como preposição (2); preposição simples: *a, ante, após, até, com, contra, de, desde, em, entre, para, perante, por, sem, sob, sobre, trás*. **Preposição simples.** *E. Ling.* A que é expressa por um só vocábulo. V. *preposição essencial*. [Cf. *preposição composta*.]

preposicional [De *preposição* + *-al*[1], seg. o padrão erudito.] *Adj. 2 g.* Referente à, ou em que há preposição. ~ V. *objeto direto* —.

preposicionar [De *preposição* (*preposicion-*) + *-ar*[2], seg. o padrão erudito.] *V. t. d.* Pôr preposição em.

prepositiva [F. subst. de *prepositivo*.] *S. f. E. Ling.* O primeiro elemento de um ditongo ou tritongo. [Cf. *pospositiva*.]

prepositivo [Do lat. *praepositivu*.] *Adj.* **1.** Que se põe adiante ou em primeiro lugar. **2.** *E. Ling.* Respeitante à preposição, ou que é da natureza dela. ~ V. *locução* —*a*.

prepósito [Do lat. *praepositu*, 'posto à testa de'.] *S. m.* **1.** Intenção, intuito, propósito. **2.** Antigo prelado de certas corporações religiosas. [Cf. *propósito*.]

prepositura [Do lat. *praepositura*.] *S. f.* Cargo ou dignidade de prepósito. [Cf. *propositura*.]

preposteração [Do lat. *praeposteratione*.] *S. f.* Ato ou efeito de preposterar.

preposterar [Do lat. *praeposterare*.] *V. t. d.* Inverter a ordem de: *Há quem deseje preposterar os valores de bem e mal.* [Pres. ind.: *prepostero*, etc. Cf. *prepóstero*.]

preposteridade [Do lat. *praeposteritate*.] *S. f.* Qualidade de prepóstero.

prepóstero [Do lat. *praeposteru*.] *Adj.* **1.** Feito às avessas do que deve ser; invertido, transposto. **2.** Oposto à boa ordem. [Cf. *prepostero*, do v. *preposterar*.]

preposto (ô) [Do lat. vulg. *praepostu*.] *Adj.* **1.** Posto adiante ou antes. **2.** Anunciado ou dado previamente. **3.** Preferido. ● *S. m.* **4.** Aquele que dirige um serviço, um negócio, por delegação da pessoa competente; institor. [Cf. *preposição* (3) e *preponente* (2).] **5.** *Bras.* Representante, delegado: *O preposto do bispo não mereceu a confiança da congregação.* [Cf. *proposto*.]

prepotência [Do lat. *praepotentia*.] *S. f.* **1.** Grande poder ou influência. **2.** Opressão, despotismo: "recuar parecia aos políticos, sempre pouco inclinados a qualquer sombra de renúncia, um ato de covardia ou de humilhante submissão à prepotência de um grupo de militares..." (José Maria Belo, *Memórias*, p. 121).

prepotente [Do lat. *praepotente*.] *Adj. 2 g.* **1.** Muito poderoso ou influente. **2.** Que abusa do poder ou da autoridade; opressivo, despótico, tirânico: *governo prepotente; pai prepotente.* **3.** Que revela prepotência; próprio de quem é prepotente: *atitudes prepotentes.*

pré-preparação [De *pré-* + *preparação*.] *S. f. Tip.* Sistema de aviamento que visa a reduzir o tempo de parada da prensa e consiste no preparo antecipado da fôrma, fora da máquina, por meio de aparelho de medição micrométrica, plainas especiais para normalização da altura de blocos e linhas-blocos, etc.

pré-primário [De *pré-* + *primário*.] *Adj. S. m. Bras.* Diz-se do, ou o curso anterior ao primário.

pré-produção *S. f. Cin. Telev.* Designação do conjunto de atividades de planejamento e concepção de um filme, programa de TV, etc., que antecedem à fase de filmagem ou gravação, como roteirização, seleção de elenco, construção de cenários, locação, etc. [Cf. *pós-produção*.]

pré-púbere [De *pré-* + *púbere*.] *Adj. 2 g. S. 2 g.* Diz-se de, ou criança que ainda não atingiu a puberdade.

pré-pubiano [De *pré-* + *pubiano*.] *Adj. Anat.* Situado anteriormente, em relação a cada púbis.

prepucial [De *prepúcio* + *-al*[1].] *Adj. 2 g.* **1.** Relativo ou pertencente ao prepúcio. **2.** Que nasce ou aparece no prepúcio.

prepúcio [Do lat. *praeputiu*.] *S. m. Anat.* Pele que cobre a glande do pênis.

pré-pupa [Do lat. cient. *prepupa* (< lat. *pre-* [v. *pre-*] + lat. *pupa*).] *S. f. Zool.* Fase quiescente entre o fim do período larvar e o período pupal. ❖

prepupal [De *prepupa* + *-al*[1].] *Adj. 2 g.* De, ou relativo a pré-pupa.

pré-qualificação [De *pré-* + *qualificação*.] *S. f.* Qualificação que se exige ou apresenta antes de qualquer outra.

pré-qualificado [De *pré-* + *qualificado*.] *Adj.* Qualificado antecipadamente.

pré-qualificar [De *pré-* + *qualificar*.] *V. t. d. P.* Qualificar(-se) antecipadamente. [Conjug.: v. *trancar*.]

prequeté *Adj. 2 g.* **1.** *Bras.* Perequeté (q. v.): "falou Manuelzinho, ... sujeitinho prequeté, novidadeiro" (Nélson de Faria, *Tiziu e Outras Estórias*, p. 58). ● *S. f.* **2.** *Bras. AM* Sandália usada pelos índios para andar nos campos.

pré-rafaelismo [De *pré-* + *rafaelismo*.] *S. m. Art. Plást.* Corrente estética surgida na Inglaterra (com Dante Gabriel Rossetti, Burne Jones e outros) em meados do séc. XIX, segundo a qual as obras dos predecessores de Rafael, pintor italiano (1483-1520), representavam o apogeu da pintura.

pré-rafaelista [De *pré-* + *rafaelista*.] *Adj. 2 g. S. 2 g.* V. *pré-rafaelita*.

pré-rafaelita [De *pré-* + *rafaelita*.] *Adj. 2 g.* **1.** Anterior à época de Rafael (v. *rafaelesco*). **2.** Que é adepto do pré-rafaelismo (q. v.). ● *S. 2 g.* **3.** Adepto dessa corrente estética. [Sin. ger.: *pré-rafaelista*.]

pré-reformista [De *pré-* + *reformista*.] *Adj. 2 g.* Anterior à época da Reforma.

pré-renascentista [De *pré-* + *renascentista*.] *Adj. 2 g.* **1.** Anterior à Renascença (3). ● *S. 2 g.* **2.** Escritor ou artista pré-renascentista (1).

pré-republicano [De *pré-* + *republicano*.] *Adj.* Anterior à república; anterepublicano.

pré-requisito [De *pré-* + *requisito*.] *S. m.* Requisito básico, primordial: "Como ninguém, ele [Nélson Rodrigues] tinha a noção da desmedida, do desenfreado — queiramos ou não, pré-requisitos de todo grande teatro." (Yan Michalski, em *Jornal do Brasil*, 22.12.1984.)

pré-revolucionário [De *pré-* + *revolucionário*.] *Adj.* Diz-se do período antecedente a uma revolução.

pré-romano [De *pré-* + *romano*.] *Adj.* **1.** Anterior à dominação romana. ● *S. m.* **2.** *Gloss.* Língua ou dialeto pré-romano. **3.** Vocábulo dessa língua, ou dialeto.

pré-romântico [De *pré-* + *romântico*.] *Adj.* **1.** Anterior ao romantismo (1 e 2). **2.** Relativo ou pertencente a esse movimento estético e literário. ● *S. m.* **3.** Prosador ou poeta pré-romântico.

pré-romantismo [De *pré-* + *romantismo*.] *S. m.* **1.** Fase que antecedeu o romantismo (1 e 2). **2.** *Liter.* Movimento literário do séc. XVIII que preparou a nova sensibilidade típica do romantismo: "Os protagonistas teóricos do pré-romantismo foram os críticos suíços Bodmer [Johann Jakob Bodmer (1698-1783)] e Breitinger [Johann Jakob Breitinger (1701-1776)]" (Oto Maria Carpeaux, *História da Literatura Ocidental*, III, pp. 1529-1530).

prerrogativa [Do lat. *praerogativa* (subentende-se *tribo* ou *centuria*), 'a tribo ou centúria que tinha o privilégio de votar em primeiro lugar'.] *S. f.* **1.** Concessão ou vantagem com que se distingue uma pessoa ou uma corporação; privilégio, regalia: *as prerrogativas do Presidente da República; as prerrogativas do corpo diplomático.* **2.** Faculdade ou vantagem de que desfrutam os seres de um determinado grupo ou espécie; apanágio, privilégio: *Na Idade Média o saber era prerrogativa dos monges.*

presa (ê) [Do lat. *prensa*.] *S. f.* **1.** Ato de apreender ou apresar; apresamento. **2.** Aquilo que se apreendeu ao inimigo; espólio, despojo. **3.** Coisa ou pessoa arrebatada ou apreendida com violência ou rapacidade; despojo: "Possas tu, descendente maldito / De uma tribo de nobres guerreiros, / Implorando cruéis forasteiros, / Seres presa de vis aimorés." (Gonçalves Dias, *Obras Poéticas*, II, p. 31.) **4.** Aquilo de que o animal carniceiro se apodera para comer; preia: *O tigre persegue sua presa.* **5.** Dente canino: "Quando soltava uma das suas escandalosas gargalhadas, viam-se-lhe as presas, solitárias como as presas de um cão, porque ele já não possuía os dentes da frente." (Aluísio Azevedo, *O Coruja*, pp. 258-259.) **6.** *Zool.* Garra de ave de rapina. **7.** Mulher presa, encarcerada. **8.** Estado de substância que se solidifica ou coagula: *uma presa de cimento.* **9.** *Lus. Constr.* Pega[1] (6). **10.** *Bras. Fig.* Pessoa explorada ou atormentada; vítima: *Otelo foi presa do ciúme.* [Pl.: *presas* (ê). Cf. *presa*, *presas*, do v. *presar*, e *preza*, *prezas*, do v. *prezar*.]

pré-saber [De *pré-* + *saber*.] *V. t. d.* Saber antecipadamente: "Eu digo: sente, pressente, / Pré-sabe, pré-antessabe..." (João de Deus, *Campo de Flores*, II, p. 123.) [Conjug.: v. *saber*.]

presador (ô) [De *presar* + *-dor*.] *Adj. S. m. Desus.* Que, ou aquele que presa. [Cf. *prezador*.]

pré-sal [De pré- + sal.] *S. m. Geol.* Camada da costa brasileira, na faixa que se estende do Espírito Santo a Santa Catarina, localizada abaixo do depósito de sal no leito do mar (a mais de 7 mil metros), que abrange as bacias do Espírito Santo, Campos e Santos e apresenta grande quantidade de petróleo e gás. [Pl.: *pré-sais*.]

pré-santificado [De *pré-* + *santificado*.] *Adj.* Santificado de antemão.

presar [De *presa* + *-ar*[2].] *V. t. d. Desus.* Apresar. [Pres. ind.: *preso*, *presas*, *presa*, etc.; part.: *presado*. Cf. *preso* (ê), flex. *presa* (ê), *presas* (ê), e o pres. ind. e o part. do v. *prezar*.]

presbiacusia [De *presbi(o)-* + *-acus(i)-* + *-ia*[1].] *S. f. Ort.* Distúrbio auditivo que se observa na velhice.

presbiacúsico [De *presbiacusia* + *-ico*[2].] *Otor. Adj.* **1.** Relativo a, ou que sofre de presbiacusia. ● *S. m.* **2.** Aquele que dela sofre.

presbifonia [De *presbi(o)-* + *-fon(o)-* + *-ia*[1].] *S. f. Ort.* Disfonia que se observa na velhice.

▲ **presbi(o)-** [Do gr. *présbys* + *-o-*[1].] *El. comp.* = 'velho', 'ancião': *presbiofrenia*; *presbiopia*.

presbiofônico [De *presbiofonia* + *-ico*[2].] *Ort. Adj.* **1.** Relativo a, ou que sofre de presbiofonia. ● *S. m.* **2.** Aquele que dela sofre.

presbiofrenia (ês) [De *presbi(o)-* + *-fren(o)-* + *-ia*[1].] *S. f. Psiq. Desus.* Forma de demência senil em que predominam os distúrbios da memória, esp. o esquecimento de fatos recentes e a tendência a compensá-lo com fabulações, a perda da noção de localização, e equívocos de identidade.

presbiofrénico (ès) *Adj.* V. *presbiofrênico.* [Uso freq. em P.]

presbiofrênico (ès) [De *presbiofrenia* + *-ico*².] *Adj.* Relativo à presbiofrenia.

presbiopia [De *presbi(o)-* + *-opia.*] *S. f. Oftalm.* Distúrbio visual que se observa na velhice, e em que se perde, por baixa de elasticidade e por diminuição da capacidade de acomodação do cristalino, o poder de distinguir, com nitidez, objetos próximos. [Sin.: *presbiopsia, presbitia, presbitismo* e (pop.) *vista cansada.*]

presbiopsia [De *presbi(o)-* + *-opsia.*] *S. f. Oftalm.* V. *presbiopia.*

presbita [Do gr. *presbýtes,* 'velho'.] *Oftalm. Adj. 2 g.* **1.** Diz-se de olho, ou de pessoa, que tem presbiopsia. • *S. 2 g.* **2.** Pessoa presbita.

presbiterado [Do lat. *presbyteratu,* por via semierudita.] *S. m.* Dignidade de presbítero. [F. paral.: *presbiterato.*]

presbiteral [De *presbítero* + *-al*¹.] *Adj. 2 g.* Relativo ou pertencente a presbítero.

presbiteranismo [De *presbiterano* + *-ismo.*] *S. m.* Presbiterianismo.

presbiterano [De *presbítero* + *-ano*¹.] *S. m.* Presbiteriano (1).

presbiterato [Do lat. *presbyteratu,* por via erudita.] *S. m.* Presbiterado.

presbiterianismo [De *presbiteriano* + *-ismo.*] *S. m.* A seita religiosa dos presbiterianos; presbiteranismo.

presbiteriano [De *presbítero* + *-ano*¹.] *S. m.* **1.** Protestante que não reconhece a autoridade episcopal nem aceita hierarquia superior à dos presbíteros. [F. paral.: *presbiterano.*] • *Adj.* **2.** Relativo ao presbiterianismo.

presbitério [Do gr. *presbytérion,* pelo lat. *presbyteriu.*] *S. m.* **1.** Edificação próxima à igreja, para residência paroquial. **2.** Igreja paroquial. **3.** Capela-mor. **4.** *Rel.* Na Igreja protestante, a corporação dos presbíteros.

presbítero [Do gr. *presbýteros,* 'mais velho', pelo lat. *presbyteru.*] *S. m. Rel.* **1.** Sacerdote, padre: "Uns cônegos, padres, outros presbíteros seculares; enfim, renque de gente do mais subido valor e posição e que deixou numerosa e estimável prole." (Visconde de Taunay, *Ao Entardecer,* p. 82.) **2.** Superintendente da Igreja protestante; bispo, ancião.

presbiterofilia (ìt) [De *presbítero* + *-filia.*] *S. f.* V. *gerontofilia.*

presbiterofílico (ìt) [De *presbiterofilia* + *-ico*².] *Adj. S. m.* V. *gerontofílico.*

presbiterófilo [De *presbítero* + *-filo*².] *Adj. S. m.* V. *gerontófilo.*

presbitia [De *presbita* + *-ia*¹.] *S. f. Oftalm.* V. *presbiopia.*

presbitismo [De *presbita* + *-ismo.*] *S. m. Oftalm.* V. *presbiopia.*

presciência [Do lat. *praescientia.*] *S. f.* **1.** Qualidade de presciente. **2.** Previdência, previsão; pressentimento, presságio. **3.** Ciência inata, anterior ao estudo.

presciente [Do lat. *praesciente.*] *Adj. 2 g.* **1.** Que sabe com antecipação; que prevê o futuro. **2.** *P. ext.* Previdente, prudente, acautelado.

prescindência [De *prescindir* + *-ência.*] *S. f.* Ação de prescindir.

prescindibilidade [De *prescindível* (*prescindibil-*) + *-(i)dade,* seg. o padrão erudito.] *S. f.* Qualidade ou caráter do que é prescindível: "Arnaldo da Brescia, Pierre de Bruys e Henrique de Lausanne, paladinos .... da prescindibilidade do clero na comunicação entre as criaturas humanas e a divindade." (Antônio Bulhões, *Contos Inatuais,* p. 73.)

prescindir [Do lat. *praescindere.*] *V. t. i.* **1.** Separar mentalmente; não fazer caso; não levar em conta; abstrair: *Os místicos prescindem da realidade.* **2.** Pôr de lado; renunciar; abrir mão de; dispensar: *Não pode prescindir do uso de óculos; Orgulhoso, prescindiu de qualquer ajuda;* "Pagão e católico, d'Annunzio não prescindiu de explorar os deuses gregos, abusando por vezes dos dicionários de mitologia, mas, simultaneamente, ressuscitou a tragédia cristã, se não o mistério à moda da Idade Média" (Agripino Grieco, *Estrangeiros,* p. 233).

prescindível [De *prescindir* + *-vel.*] *Adj. 2 g.* De que se pode prescindir.

prescrever [Do lat. *praescribere.*] *V. t. d.* **1.** Ordenar de maneira explícita previamente: *A lei prescreve as penas para os diversos crimes.* **2.** Indicar com precisão; determinar, fixar, preceituar: *O Presidente prescreveu as atribuições de seus auxiliares.* **3.** Indicar como remédio; receitar: *prescrever penicilina. T. d. e i.* **4.** Marcar, limitar, fixar: *O professor prescreveu prazos para a entrega dos trabalhos.* **5.** Receitar, indicar. *Int.* **6.** Cair em desuso: *Toda a moda prescreveu, para reviver mais tarde.* **7.** Perder a validade, ou a vigência: *O concurso já prescreveu.* **8.** *Jur.* Incidir em prescrição; ser atingido por prescrição: *Esta pena já prescreveu.* [Part.: *prescrito.* Cf. *proscrever.*]

prescribente [Do lat. *praescribente.*] *Adj. 2 g.* **1.** *Jur.* Em que ocorre prescrição; que prescreve. • *S. 2 g.* **2.** Pessoa que invoca prescrição em seu benefício.

prescrição [Do lat. *praescriptione.*] *S. f.* **1.** Ato ou efeito de prescrever. **2.** Ordem expressa e formal: *O ministro deu rigorosas prescrições para a assinatura do acordo.* **3.** Norma, preceito, regra: *As Carmelitas estão sujeitas a severas prescrições.* **4.** Indicação exata; determinação, ordem: *Cumpre seguir as prescrições do clínico.* **5.** *Jur.* Perda da eficácia da pretensão de um direito subjetivo em consequência da inércia de seu titular durante determinado lapso temporal estabelecido em lei. [Cf., nesta acepç., *decadência* (5).] **6.** *Jur.* A maneira pela qual se extingue a punibilidade do autor de um crime ou contravenção, por não haver o Estado exercido contra ele no tempo legal o seu direito de ação, ou por não ter efetivado a condenação que lhe impôs. [Cf., nesta acepç., *proscrição.*] **7.** *Med. Farm.* Receita (7). **8.** *P. ext. Med. Impr.* O conjunto de todas as medidas não cirúrgicas (medicamentos, dietas, cuidados outros, etc.) ordenadas por médico em relação a um doente, e que visa ao tratamento deste. ◆ **Prescrição aquisitiva.** *Jur.* Meio de adquirir coisas ou direitos pelo fato da posse; usucapião.

prescritível [Do lat. *praescriptus,* part. pass. de *praescribere* (v. *prescrever*), + *-ível.*] *Adj. 2 g.* **1.** Que pode ser prescrito ou ordenado. **2.** *Jur.* Sujeito a prescrição (5).

prescritivismo [De *prescritivo* + *-ismo.*] *S. m.* **1.** *E. Ling.* Crença em que uma determinada variedade linguística é intrinsecamente melhor do que as demais, que devem ser banidas em detrimento daquela. [V. *gramática normativa.*] **2.** *Filos.* Doutrina de Richard Mervyn Hare (1919-), filósofo inglês que associa a moralidade de um ato ao acatamento voluntário de uma ordem de teor universal.

prescritivo [Do lat. *praescriptivu.*] *Adj.* ~ V. *gramática* —*a.*

prescrito [Do lat. *praescriptu.*] *Adj.* **1.** Explicitamente ordenado ou estabelecido: *As normas prescritas não podem ser alteradas.* **2.** Que prescreveu. [Cf. *proscrito.*]

pré-secante [De *pré-* + *secante*².] *Adj. 2 g.* ~ V. *lâmina* —.

pré-seletor (ô) [De *pré-* + *seletor.*] *S. m. Radiotéc.* Circuito destinado a melhorar a sintonia de radiorreceptores, e que se coloca entre a antena do aparelho e a entrada do circuito de sintonia.

presença [Do lat. *praesentia.*] *S. f.* **1.** O estar uma pessoa em lugar determinado: *A presença dos imigrantes em São Paulo criou grandes alterações econômicas e sociais.* **2.** Comparecimento de alguém a determinado lugar: *solicitar a presença; livro de presença.* **3.** Assiduidade, frequência: *É obrigatória a presença dos alunos.* **4.** O estar alguma coisa em local determinado: *A presença do cloro na água se faz sentir pelo gosto.* **5.** Vista, aspecto: *A presença daqueles objetos trouxe-lhe à memória acontecimentos da infância.* **6.** Aspecto físico; aparência, compleição: *As candidatas a recepcionista precisam ter boa presença.* **7.** Talhe, porte: *Onde quer que esteja, sua presença majestosa se impõe.* **8.** Personalidade, individualidade: *Esse ator tem grande presença.* **9.** *Fig.* A participação de alguém ou alguma entidade num empreendimento, numa atividade: *Sua presença na política era inevitável; A presença da ONU tem evitado vários conflitos.* **10.** *Fig.* Caráter vivo; influência, prestígio: *a presença do indianismo na literatura romântica; a presença de Camões.* ◆ **Presença de espírito.** Resposta ou reação ágil, oportuna, serena e imediata. **Em presença de. 1.** À vista de; diante de; na presença de: "Tu choraste em presença da morte? / Na presença de estranhos choraste?" (Gonçalves Dias, *Obras Poéticas,* II, p. 31.) **2.** Em virtude de; em consequência de; diante de: *Em presença das irregularidades apuradas, teve de ser demitido.* **Marcar presença.** Ser ou estar presente: *Não marcará presença na festa, infelizmente.* **Na presença de.** V. *em presença de* (1): "Tu choraste em presença da morte?/ Na presença de estranho chorastе?" (*Id., ib.,* II, p. 31.)

presencial [Do lat. tard. *praesentiale.*] *Adj. 2 g.* **1.** Respeitante a pessoa ou coisa que está presente. **2.** Feito à vista de alguém. **3.** Que presenciou; que viu: *testemunha presencial.*

presencialidade [Do lat. med. *praesentialitate.*] *S. f.* Qualidade ou estado de presencial.

presenciar [De *presença* + *-iar*².] *V. t. d.* **1.** Estar presente a; assistir a; ver: *Toda a família presenciou a cena;* "Dolores, aflita pelo horrível acontecimento, relatado por alguns que o tinham presenciado, estava sobressaltada" (Galpi, *Narrativas Brasileiras,* p. 82). **2.** Verificar por meio de inspeção ou observação; observar. [Conjug.: v. *negociar* (Bras. e Port.).]

pré-sensibilizado [De *pré-* + *sensibilizado.*] *Adj.* ~ V. *chapa* —*a.*

presentação [Do lat. *praesentatione.*] *S. f. P. us.* V. *apresentação.*

presentâneo [Do lat. *praesentaneu.*] *Adj.* **1.** Momentâneo, rápido. **2.** Eficaz, eficiente.

presentar [Do lat. *praesentare.*] *V. t. d.* e *T. d. e i. Transobj. P. P. us.* V. *apresentar.*

presente [Do lat. *praesente.*] *Adj. 2 g.* **1.** Que assiste pessoalmente: *achar-se presente a um espetáculo.* **2.** Diz-se de pessoa ou coisa que está à vista: *As testemunhas e as provas presentes mostram a inocência do réu.* **3.** Que existe ou acontece no momento em que se fala; atual: *a presente conjuntura; a moda presente.* **4.** *Fig.* Patente ao espírito; evidente, manifesto: *Era presente a incompatibilidade entre os dois.* **5.** *Fig.* Que participa; assíduo; interessado: *mãe presente; professor presente.* ~ V. *valor* —. • *S. m.* **6.** O período de maior ou menor duração, compreendido entre o passado e o futuro; o tempo atual. **7.** Pessoa que comparece a um dado lugar ou presencia algum fato. **8.** Aquilo que se oferece com o intento de agradar, retribuir ou fazer-se lembrado; brinde, dádiva, lembrança, mimo, regalo. **9.** *Fig.* Dádiva; dom; condão: *A bondade é um presente dos Céus.* **10.** *E. Ling.* Tempo verbal que concebe uma situação como simultânea do momento da enunciação, ou em sentido mais amplo, exprime a atualidade. **11.** *Bras. BA Rel.* Oferenda especial dedicada a Iemanjá e realizada, por tradição, em determinadas praias. ~ V. *presentes.* ◆ **Presente de grego.** Presente que prejudica a quem o recebe. [Cf. *cavalo de troia.*] **Presente histórico.** *E. Ling.* Uso do presente do indicativo na narração de fatos passados; presente narrativo. **Presente narrativo.** *E. Ling.* Presente histórico.

presenteador (ô) [De *presentear* + *-dor.*] *Adj. S. m.* Que, ou aquele que presenteia; presenteiro.

presentear [De *presente* + *-ear*².] *V. t. d.* **1.** Dar presente ou dádiva a; mimosear com presente; brindar: "Mesmo as italianinhas que ele pegara, durante a guerra, nunca deixara de presenteá-las: uma lata de conservas, um par de meias, um maço de cigarro." (Guido Vilmar Sassi, *São Miguel,* p. 77.) *T. d. e i.* **2.** Mimosear (com presentes); brindar: *O milionário presenteou a noiva com um brilhante.* [Conjug.: v. *frear.*]

presenteiro [De *presente* + *-eiro.*] *Adj. S. m.* Presenteador.

presentes [Pl. de *presente.*] *S. m. pl.* As pessoas que se encontram num lugar. ~ V. *presente.*

presepada [De *presepe* + *-ada*¹.] *S. f. Bras.* **1.** V. *fanfarrice* (2). **2.** Atitude ou espetáculo fantástico e/ou ridículo. **3.** Ato inconsequente, ou brincadeira de mau gosto, ou palhaçada, etc.

presepe [Do lat. *praesepe,* 'tapada para animais'.] *S. m.* **1.** V. *presépio.* **2.** *Bras.* Mamulengo.

presepeiro [De *presepe* + *-eiro.*] *S. m.* **1.** Armador de presepes. **2.** Indivíduo que faz presepada. • *Adj.* **3.** Indivíduo presepeiro.

presépio [Do lat. *praesepiu.*] *S. m.* **1.** Lugar onde se recolhe gado; curral, estábulo. **2.** Representação, na tradição do Natal, do estábulo de Belém e das figuras que participaram, segundo o Evangelho, do nascimento de Cristo, e das cenas que a ele se seguiram. "Pelo Natal havia um presépio na capela, com missa cantada pelos frades do convento e uma ceia em que se comia o porco novo." (Eça de Queirós, *Últimas Páginas,* p. 347.) **3.** A manjedoura onde o Menino Jesus foi posto ao nascer. [F. paral.: *presepe.*]

presepista [De *presepe* + *-ista.*] *S. 2 g.* **1.** Comediante que participa dos autos de Natal ou de presépios. **2.** *Bras. N.E.* Fabricante de figuras de presépio.

preservação [De *preservar* + *-ção.*] *S. f.* **1.** Ato ou efeito de preservar(-se). **2.** Ação que visa garantir a integridade e a perenidade de algo, como, p. ex., um bem cultural (q. v.); salvaguarda: *O Patrimônio Histórico tomou medidas para a preservação do centro histórico de Salvador.* ◆ **Preservação ambiental.** Proteção ambiental (q. v.).

preservacionismo [De *preservação* (sob o rad. culto *preservacion-*) + *-ismo.*] *S. m. Ecol.* Conservacionismo.

preservacionista [De *preservação* (*preservacion-*) + *-ista,* seg. o padrão erudito.] *Adj. 2 g. S. 2 g.* Que, ou aquele que se empenha na preservação do meio ambiente.

preservador (ô) [De *preservar* + *-dor.*] *Adj. S. m.* Que, ou aquele que preserva.

preservar [Do lat. *praeservare,* 'observar previamente'.] *V. t. d.* **1.** Livrar de algum mal; manter livre de corrupção, perigo ou dano; conservar: *A Monarquia brasileira preservou a unidade nacional. T. d. e i.* **2.** Livrar, defender, resguardar: "Preservai, juízes de amanhã, preservai vossas almas juvenis desses baixos e abomináveis sofismas." (Rui Barbosa, *Oração aos Moços,* p. 68.) *P.* **3.** Defender-se, proteger-se, resguardar-se.

P

preservativo [De *preservar* + *-tivo*.] *Adj.* **1.** Próprio para preservar. ● *S. m.* **2.** Aquilo que preserva; defensivo: *preservativo contra gripe.* **3.** *Med.* Dispositivo ou substância usada para evitar concepção (1). **4.** *Microbiol.* Substância(s) que se adiciona(m) a um produto e que visa(m) a nele destruir ou impedir a proliferação de microrganismos. **5.** Envoltório fino, de borracha, resistente, para recobrir o pênis por ocasião da cópula, impedindo, pela retenção do esperma, a fecundação, e protegendo o homem e a mulher de possíveis infecções, algumas muito graves, como a AIDS, transmissíveis pela relação sexual; preventivo, camisa de vênus, camisinha, (lus.) durex.

pré-sexual [De *pré-* + *sexual*.] *Adj. 2 g.* Anterior à vida sexual, ao sexualismo.

presidência [De *presidir* + *-ência*.] *S. f.* **1.** Ato de presidir. **2.** Dignidade ou cargo de presidente. **3.** *P. ext.* O presidente. **4.** *P. ext.* O gabinete (5) do presidente. **5.** Tempo de exercício das funções de presidente. **6.** O estrado ou cadeira onde fica o presidente de uma assembleia, de um tribunal, etc. **7.** A residência ou o local de trabalho do presidente. **8.** *Pop.* Lugar de honra numa festa, numa reunião, etc.

presidencial [De *presidente* + *-ial*, seg. o padrão analógico.] *Adj. 2 g.* **1.** Pertencente ou relativo ao presidente, ou à presidência. **2.** Que emana do presidente: *poder presidencial.* ~ V. *regime* — e *sistema* —.

presidencialismo [De *presidencial* + *-ismo*.] *S. m.* Regime político em que a chefia do governo cabe ao presidente da República, mantendo-se a independência e a harmonia dos três poderes (executivo, legislativo e judiciário); sistema presidencial; regime presidencial.

presidencialista [De *presidencialismo* + *-ista*.] *Adj. 2 g.* **1.** Relativo ao presidencialismo. **2.** Em que domina o presidencialismo. **3.** Que é partidário do presidencialismo. ● *S. 2 g.* **4.** Partidário desse regime.

presidenciável [De **presidenciar* (< *presidente* + *ar*²), seg. o padrão analógico) + *-vel*.] *Adj. 2 g. S. 2 g.* Que, ou quem tem qualidades para ser eleito presidente e/ou possibilidade de o ser.

presidenta [Fem. de *presidente*.] *S. f.* **1.** Mulher que preside. **2.** Mulher de um presidente.

presidente [Do lat. *praesidente*.] *S. 2 g.* **1.** Pessoa que preside. **2.** Pessoa que dirige os trabalhos duma assembleia ou corporação deliberativa. **3.** Chefe do governo nacional e chefe de Estado em país republicano presidencialista. **4.** Chefe de Estado em país republicano parlamentarista. **5.** *Bras. Ant.* Governador de estado ● *Adj. 2 g.* **6.** Que preside ◆ **Presidente da República.** Chefe de Governo e /ou Estado republicano.

presidente-da-porcaria *S. m. Bras. MG Zool.* V. *macuquinho.* [Pl.: *presidentes-da-porcaria.*]

presidente-das-porcarias *S. m. Bras. RS Zool.* V. *macuquinho.* [Pl.: *presidentes-das-porcarias.*]

presidentino *Adj.* **1.** De, ou pertencente ou relativo a Presidente Vargas (MA). ● *S. m.* **2.** O natural ou habitante de Presidente Vargas.

presidiar [Do lat. **praesidiare*, por *praesidiari*.] *V. t. d.* Pôr presídio ou guarnição a; proteger, defender, custodiar: *Chegaram reforços para presidiar o território ocupado.* [Pres. ind.: *presidio*, etc.; fut. pret.: *presidiaria*, etc. Cf. *presídio*, s. m., *Presídio*, antr., e *presidiária*, fem. de presidiário.]

presidiário [De *presídio* + *-ário*.] *Adj.* **1.** Relativo a, ou que tem natureza de presídio. ● *S. m.* **2.** Detento condenado a cumprir pena ou a trabalhar num presídio. [Fem.: *presidiária*. Cf. *presidiaria*, do v. *presidiar*.]

presídio [Do lat. *praesidiu*.] *S. m.* **1.** Ato de defender uma praça militar ou forte. **2.** Tropa de guarnição encarregada dessa defesa. **3.** Praça de guerra. **4.** Prisão militar. **5.** Pena de prisão que deve ser cumprida numa praça de guerra. **6.** V. *cadeia* (3). **7.** Estabelecimento público destinado a receber presos. V. *penitenciária.* [Cf. *presidio*, do v. *presidiar*.]

presidir [Do lat. *praesidere*.] *V. t. d. T. i.* **1.** Dirigir como presidente; exercer funções de presidente em: *Não se sabe ainda quem presidirá o país; Vai presidir a uma grande instituição.* **2.** Assistir, dirigindo ou guiando: *Orientadores educacionais presidem os alunos; Ninguém queria presidir à reunião;* "Itaquê, o grande chefe dos tocantins, preside ao combate, orgulhoso pela valente nação que dirige" (José de Alencar, *Ubirajara*, p. 283). **3.** Dirigir, regular, reger, governar: *Muitos acreditam em leis imutáveis que presidem o mundo;* "Sendo a lei do menor esforço o que preside às manifestações da alma coletiva, a tendência natural de quem fala é criar pelos próprios meios, mas utilizar o que se encontra feito." (Maria Nazaré Lins Soares, *Machado de Assis e a Análise da Expressão*, p. 23); "Presidia então na Igreja o Pontífice S. Pio V." (Latino Coelho, *Cervantes*, p. 41). **4.** Dirigir como chefe (comissão, empresa, obra, etc.): superintender. **5.** Guiar, orientar, nortear: *Estes são os princípios que presidem minha vida; São normas que presidem à existência.* *Int.* **6.** Guiar, orientar, nortear uma atividade, uma tarefa: "Preside sempre, no trabalho de enriquecer uma língua, o princípio de se removerem dificuldades, suprindo faltas e satisfazendo a exigências de expressão." (Artur Mota, *José de Alencar*, p. 268.)

presidutrense *Adj. 2 g.* **1.** De, ou pertencente ou relativo a Presidente Dutra (MA). ● *S. 2 g.* **2.** O natural ou habitante de Presidente Dutra.

presiganga [Do ingl. *pressgang*, com infl. de *preso*.] *S. f. Ant. Mar. G.* Navio, geralmente um pontão, que servia de prisão ou que recolhia presos: "Este [o Major Marques de Sousa], conduzido a Porto Alegre, mesmo a bordo da presiganga em que se encontrava preso promoveu e obteve a retomada da capital." (Hélio Viana, *História do Brasil*, II, p. 119.)

presigo [De or. obsc.] *S. m. Lus.* **1.** Aquilo que se come com o pão; conduto. **2.** Presunto (1). **3.** Toucinho.

presilha [Do esp. *presilla*.] *S. f.* **1.** Tira de pano, couro, plástico, etc., ou cordão, que tem na extremidade uma espécie de aselha ou casa, na qual se enfia um botão, para apertar, prender, etc.: *presilha de suspensório; presilha de sapatos.* **2.** *P. ext.* Tira que serve para amarrar, afivelar ou prender alguma coisa. **3.** Peça dotada de fecho apropriada para prender o cabelo. **4.** *Eletr.* Terminal, de formas variadas, que se utiliza para efetuar conexões rápidas e não permanentes. ◆ **Sentar-se na presilha.** *Bras. RS Fig.* Opor-se ou negar-se a alguma coisa; não ceder. **Ser de presilha.** *Fam.* Ter lábia para aproveitar-se de alguém.

presilhado [Part. de *presilhar* + *-ado*¹.] *Adj.* Que tem presilha; preso com presilha.

presilhar [De *presilha* + *-ar*².] *V. t. d.* Apresilhar.

presilheiro [De *presilha* + *-eiro*.] *S. m. Pop.* Finório, intrujão.

pré-simbolista [De *pré-* + *simbolista*.] *Adj. 2 g.* **1.** Anterior ao simbolismo. ● *S. 2 g.* **2.** Escritor pertencente à fase anterior ao simbolismo. [Antôn.: *pós-simbolista*.]

preso (ê) [Do lat. *prensu*.] *Adj.* **1.** Seguro por corda, correia ou corrente: *O cavalo estava preso ao tronco.* **2.** De mãos atadas; maniatado, manietado. **3.** Metido em prisão; encarcerado. **4.** Condenado à pena de prisão, ainda que não seja na cadeia: *Está preso sob palavra.* **5.** Diz-se da pessoa que é detida pela polícia para ulterior processo: *O senhor está preso.* **6.** Que está impedido de mover-se livremente: *Está preso ao leito.* **7.** *Fig.* Que não pode agir com liberdade: *Está preso por laços morais.* **8.** *Fig.* Incapacitado de agir: *língua presa; vontade presa.* **9.** *Fig.* Casado (1). ~ V. *base* —*a* e *forma* —*a.* ● *S. m.* **10.** Indivíduo encarcerado; prisioneiro. V. *detento* e *recluso.* [Flex.: *presa* (ê), *presos* (ê), *presas* (ê). Cf. *preso*, *presas*, *presa*, do v. *presar*, e *prezo*, *prezas*, *preza*, do v. *prezar*.]

pré-socialismo [De *pré-* + *socialismo*.] *S. m.* Corrente, sistema, ou modo de pensar com características de socialismo, e que o precederam: "a utopia francesa de antes de 1848 é pré-socialismo pequeno-burguês." (Oto Maria Carpeaux, *História da Literatura Ocidental*, IV, p. 1957).

pré-socrático [De *pré-* + *socrático*.] *Adj.* **1.** Anterior a Sócrates. **2.** *Filos. Restr.* Pertencente ou relativo aos personagens ou às escolas da ciência grega anteriores a Sócrates. ● *S. m.* **3.** Cada um dos personagens que, na Grécia dos séculos VII ao IV a. C., dão início ao processo de criação da filosofia e das ciências ditas ocidentais. [Sin. ger.: *antessocrático*. Cf. *milésio, pitagorismo, heraclitismo, eleatismo* e *atomismo*.]

pressa [Dev. de um *pressar* lat. *pressare*, freq. de *premere*, 'apertar', ou do lat. *pressa*, part. pass. de *premere*, 'apertar'.] *S. f.* **1.** Velocidade, ligeireza, rapidez: *Os jogadores se movimentaram com tal pressa que era impossível distingui-los.* **2.** Necessidade intensa de atingir um objetivo, de apressar-se; premência, urgência: *ter pressa; assunto de pressa.* **3.** Grande afã; azáfama: *Antes da festa reinava muita pressa e confusão.* **4.** Precipitação; irreflexão: "A pressa é inimiga da perfeição" (prov.). **5.** Impaciência, sofreguidão: *A pressa do corretor vinha provar a importância da transação.* **6.** Dificuldade, embaraço; aperto, aflição. ◆ **À pressa.** Rapidamente, apressadamente; precipitadamente; às pressas. **Às pressas.** *Bras.* V. *à pressa*: "fui chamado às pressas, e, interrompendo meus folguedos, corri à casa de Lipa." (Eduardo Canabrava Barreiros, *O Segredo de Sinhá Ernestina*, p. 5). **A toda a pressa.** Com a maior rapidez possível; a toque de caixa. **Dar-se pressa.** Apressar-se.

pressagiador (ô) [De *pressagiar* + *-dor*.] *Adj. S. m.* Que, ou aquele que pressagia.

pressagiar [De *presságio* + *-ar*².] *V. t. d.* **1.** Anunciar por presságio ou agouro; profetizar, vaticinar: *O oráculo pressagiou vitórias;* "Os seis triângulos das *hemiólias*, agora cor de fogo ao crepúsculo, ... lembravam seis estranhas, formidáveis borboletas de sangue a voejar sinistramente nas águas, pressagiando assassinatos tremendos ou pavorosas matanças..." (Virgílio Várzea, *Nas Ondas*, p. 105). **2.** Adivinhar, prever, pressentir: *A moça, após a discussão, pressagiou o rompimento.* *T. d. e i.* **3.** Prever, predizer, prognosticar: *Todos pressagiaram sucesso ao novo advogado.* *P.* **4.** Predizer a si próprio: *O otimista pressagia-se vitórias.* [Pres. ind.: *pressagio*, etc. Cf. *presságio*.]

presságio [Do lat. *praesagiu*.] *S. m.* **1.** Fato ou sinal que prenuncia o futuro; agouro: *Sonhar com morte costuma ser bom presságio;* "levando a arma à cara, se lhe sucedia ouvir um gemido no bosque: voz de rola tristonha ou pio surdo de nambu, impressionado, baixava a arma tirando presságios do canto da ave misteriosa" (Coelho Neto, *Sertão*, p. 284). **2.** Indício de um acontecimento futuro: *As dificuldades econômicas eram presságio de uma crise no governo.* **3.** V. *presciência* (2). **4.** V. *pressentimento* (2). [Cf. *pressagio*, do v. *pressagiar*.]

pressagioso (ô) [De *presságio* + *-oso*.] *Adj.* Em que há presságio; pressago.

pressago [Do lat. *praesagu*.] *Adj.* **1.** Que pressagia. **2.** Pressagioso: "Há nos teus olhos fundos e pressagos / Um mistério de vida singular" (Olegário Mariano, *Toda uma Vida de Poesia*, I, p. 115).

pressama [De or. obsc.] *S. f. Bras. SP Pop.* Inflamação e engrossamento da pele: "Um belo dia, ... pegaram a aparecer pelo rosto do Zeca Estevo umas grossuras, uma vermelhidão, uma pressama que ninguém sabia como explicar." (Valdomiro Silveira, *Os Caboclos*, p. 67.)

pressão [Do lat. *pressione*.] *S. f.* **1.** Ato ou efeito de comprimir ou apertar: *A pressão dos dedos sobre as teclas do piano leva a grandes diferenças de sonoridade.* **2.** *Fig.* Influência constrangedora e coercitiva; coação. **3.** *Bras.* Colchete de pressão. **4.** *Fís.* Numa superfície sujeita à ação de uma força de módulo constante perpendicular a ela, o quociente da força pela área da superfície. ◆ **Pressão arterial.** *Fisiol. Med.* Aquela que o sangue exerce sobre as paredes arteriais, na dependência de fatores diversos, como, p. ex., elasticidade das paredes arteriais e resistência de capilares; pressão sanguínea. **Pressão atmosférica.** *Fís.* A pressão exercida pela atmosfera terrestre em qualquer ponto da mesma, e que é igual ao produto da massa da coluna de ar que tem por base a unidade de área, no ponto dado, vezes a aceleração da gravidade no mesmo ponto. **Pressão capilar.** *Fís.* Pressão ou diferença de pressão provocada por superfícies curvas numa interface líquida. **Pressão crítica.** *Fís.* Pressão acima da qual não podem coexistir, como fases distintas, um vapor e o líquido correspondente. **Pressão de impacto.** *Fís.* Pressão dinâmica. **Pressão de linha.** *Anest.* Pressão reinante em circuito em que transitam gases. **Pressão de vapor.** *Fís.* A pressão de equilíbrio de um líquido com o seu vapor; tensão de vapor. **Pressão dinâmica.** *Fís.* Componente da pressão devida ao movimento de um fluido, e igual ao produto da massa volumar do fluido pela metade do quadrado da velocidade; pressão de impacto. **Pressão estática.** *Fís.* Componente da pressão num fluido em movimento que se exerce sobre uma superfície que se move com o fluido. **Pressão hidrostática.** *Fís.* Pressão exercida por um fluido em repouso. **Pressão interna.** *Fís.* Em um fluido, componente da pressão que é determinado pela existência de forças de interação entre suas moléculas. **Pressão neutra.** Pressão a que está submetida a água que se encontra nos poros existentes entre as partículas de um solo. **Pressão osmótica.** *Fís.-Quím.* Na osmose, excesso de pressão que se deve exercer sobre a solução para impedir a passagem de solvente através da membrana semipermeável. **Pressão parcial.** *Fís.* Numa mistura de gases ideais, pressão que cada gás teria se ocupasse, isoladamente e na mesma temperatura, todo o volume da mistura. **Pressão reduzida.** *Fís.* Quociente da pressão de um gás pela pressão crítica do mesmo gás. **Pressão sanguínea.** *Fisiol. Med.* Pressão arterial. **Pressão venosa.** *Fisiol. Med.* Aquela que o sangue exerce sobre as paredes venosas. **Marcar sobre pressão.** *Bras. Fut.* Marcar (17) o adversário no seu campo de defesa.

pressentido [Part. de *pressentir*.] *Adj.* **1.** Sentido de antemão: *O medo pressentido das crianças explicava-se, pois conheciam o feitio violento do pai.* **2.** Previsto (2). **3.** Que facilmente percebe qualquer pequeno barulho ou rumor. **4.** Que tem desconfianças; receoso.

pressentimento [De *pressentir* + *-mento*.] *S. m.* **1.** Ato ou efeito de pressentir. **2.** Sentimento intuitivo e alheio a uma causa conhecida, que permite a previsão de acontecimentos futuros; intuição, palpite, presságio: *Cancelou a viagem porque teve um pressentimento do que ia suceder.* **3.** V. *presciência* (2).

pressentir [Do lat. *praesentire*.] *V. t. d.* **1.** Sentir antecipadamente: *O artista pressentia o bem-estar que lhe adviria dos aplausos.* **2.** Adivinhar, prever, pressagiar: *Analisando a capacidade militar das tropas, os observadores pressentiram o desastre.* 3. Ter suspeitas de; desconfiar, suspeitar: *Não pressente que está sendo vigiado.* 4. Ouvir ou perceber ao longe, ou antes de ver: *O gatuno pressentiu a polícia e escapou.* 5. Sentir influência de (coisa longínqua, ou que não se vê): *Certos intelectuais de sensibilidade pressentem a importância da cultura popular.* [Irreg. Conjug.: v. *sentir*. Pres. ind.: *pressinto*, etc.; pres. subj.: *pressinta*, etc. Cf. *precinto*, s. m., *precinta*, s. f., e o pres. ind. dos v. *precintar* e *persentir*.]

pressentível [De *pressentir* + *-vel*.] ***Adj. 2 g.*** Que pode ser pressentido.

pressionar [De *pressão* + *-ar*[2], seg. o padrão erudito.] ***V. t. d.*** **1.** Fazer pressão sobre (algo ou alguém); comprimir: *Enquanto caminhava, seus pés pressionavam a areia.* **2.** Exercer pressão ou coação sobre; constranger, coagir: *A forte campanha publicitária não pressionou os jurados.* ***T. d. e c.*** **3.** Pressionar (1): "Pressionou a nuca na quina de mármore em busca de uma dor mais violenta" (Samuel Rawet, *Os Sete Sonhos*, pp. 8-9); "Jesuíno pressionou o corpo contra a alavanca mas o toro nem se moveu do lugar." (Guido Vilmar Sassi, *São Miguel*, p. 27). ***T. d. e i.*** **4.** Obrigar, coagir, constranger: *Prepotente, quer pressionar o proprietário a vender suas terras.* ***Int.*** **5.** Exercer pressão ou coação sobre alguém: *Esgotadas as fórmulas persuasivas, começaram a pressionar.*

pressirrostro (ô) [Do lat. *pressus*, 'apertado', + *-i-* + *-rostro*.] ***Adj. Zool.*** Que tem bico comprido, duro e ligeiramente alargado.

→ **press-kit** ['pɹɛskɪt] [Ingl.] ***S. m. Jorn. Prop.*** Material de divulgação preparado por assessoria de imprensa para ser distribuído a jornalistas ou a veículos da imprensa.

pressóstato ***S. m. Fís.*** Manóstato.

→ **press-release** [pɹɛs ɹi'lijs] [Ingl.] ***S. m. Jorn. Rel. Públ.*** V. *release*.

pressupor [De *pre-* + *supor*.] ***V. t. d.*** **1.** Supor antecipadamente; conjeturar, presumir: "A ingratidão faz pressupor vistas de interesse no benfeitor, ou indignidade no beneficiado." (Marquês de Maricá, *Máximas, Pensamentos e Reflexões*, p. 55.) **2.** Fazer supor; dar a entender; subentender: *A intimidade pressupõe amizade profunda.* [Irreg. Conjug.: v. *pôr*.]

pressuposição ***S. f.*** **1.** Ato ou efeito de pressupor; conjetura antecipada. **2.** *Lóg.* Proposição de cuja asserção depende a verdade ou falsidade de outra proposição.

pressuposto (ô) [Part. de *pressupor*.] ***Adj.*** **1.** Que se pressupõe. ● ***S. m.*** **2.** Pressuposição; conjetura. **3.** Desígnio, tenção, projeto. **4.** *Jur.* Circunstância ou fato considerado como antecedente necessário de outro.

pressurização [De *pressurizar* + *-ção*.] ***S. f.*** **1.** Ato ou efeito de pressurizar. **2.** O processo adotado para pressurizar.

pressurizado [Part. de *pressurizar*.] ***Adj.*** **1.** Que se pressurizou; que sofreu pressurização. **2.** Que se destina a prover pressão sobre o corpo de modo que as funções respiratória e circulatória possam continuar normalmente, ou quase normalmente, sob condições de baixa pressão, tal como ocorre em grandes altitudes, ou no espaço: *macacão pressurizado.*

pressurizar [Adapt. do ingl. *(to) pressurize*.] ***V. t. d.*** Manter por processos mecânicos pressão aproximadamente normal dentro de um espaço hermeticamente fechado em (veículos ou cabines destinados a funcionar em grandes altitudes ou a grandes profundidades).

pressuroso (ô) [Do lat. *pressura*, 'ação de apertar', + *-oso*.] ***Adj.*** **1.** Cheio de pressa; apressado. **2.** Muito zeloso e diligente: "Latem os cães; as portas se franqueiam / Rangendo sobre os quícios; os criados / Acodem pressurosos" (Fagundes Varela, *Poesias Completas*, I, p. 241). **3.** Azafamado, atarefado. **4.** Irrequieto, impaciente.

prestabilidade [De *prestável* + *-(i)dade*, seg. o padrão erudito.] ***S. f.*** Qualidade de prestável; prestimosidade.

prestação [Do lat. *praestatione*, 'ação de satisfazer'; 'pagamento'.] ***S. f.*** **1.** Ato ou efeito de prestar; prestamento. **2.** Pagamento a prazo, para solver dívida ou encargo. **3.** Cota[2] (3). **4.** *Jur.* Ato pelo qual alguém cumpre a obrigação que lhe cabe, na forma estipulada no contrato. ● ***S. m. Bras.*** **5.** Vendedor ambulante de mercadorias pelo sistema de prestações; prestamista, turco, turco da prestação. ◆ **Prestação de contas.** Demonstração dos gastos apresentada por pessoas ou entidades que recebem adiantadamente uma quantia para fim ou fins determinados.

prestacionar [De *prestação* + *-ar*[2], seg. o padrão erudito.] ***V. t. d.*** **1.** *P. us.* Pagar em prestações: *prestacionar o débito.* **2.** Dar como subvenção; subvencionar: *A assistência social prestaciona famílias pobres.*

prestacionista [De *prestação* + *-ista*, seg. o padrão erudito.] ***S. 2 g.*** **1.** Pessoa que realiza uma prestação. **2.** Pessoa que paga em prestações.

prestadio ***Adj.*** **1.** Que presta; prestável, prestador, prestante. **2.** V. *prestativo*. **3.** Útil, proveitoso. **4.** Que se presta (a algum fim); adequado, apropriado: "O assunto é decerto prestadio a declamações" (Machado de Assis, *Poesia e Prosa*, pp. 125-126).

prestador (ô) [De *prestar* + *-dor*.] ***Adj.*** **1.** V. *prestadio* (1). ● ***S. m.*** **2.** Aquele que dá (alguma coisa) por empréstimo. **3.** Aquele que presta serviço, auxílio, etc. **4.** *Jur.* Aquele que efetiva uma prestação (4).

prestamente [Do f. de *presto* + *-mente*.] ***Adv.*** V. *prestemente*.

prestamento [De *prestar* + *-mento*.] ***S. m.*** Prestação (1).

prestamista [Do ant. *préstamo*, de *prestar*, + *-ista*.] ***S. 2 g.*** **1.** Pessoa que empresta dinheiro a juros: "Se fosse trabalhador, iria amanhã a um prestamista que mo daria [o dinheiro] com um juro indecentíssimo." (João do Rio, *Vida Vertiginosa*, p. 233.) **2.** Pessoa que recebe juros de inscrições de dívida pública. **3.** Pessoa que compra a prestações. **4.** *Bras. N.E.* V. *prestação* (5).

prestança [Do lat. *praestantia*, por via pop.] ***S. f. Ant.*** Prestância.

prestância [Do lat. *praestantia*, por via semierudita.] ***S. f.*** Qualidade de prestante.

presta-nome [De *prestar* + *nome*.] ***S. m. Bras.*** Pessoa interposta (q. v.). [Pl.: *presta-nomes*.]

prestante [Do lat. *praestante*.] ***Adj. 2 g.*** **1.** V. *prestadio* (1). **2.** V. *prestativo*. **3.** Excelente; insigne.

prestar [Do lat. *praestare*.] ***V. t. d. e i.*** **1.** Dar com presteza e cuidado; dispensar: "Um cavalo cansado prestou-lhe altos serviços" (Solange Berard Lajes, *Passagem*, p. 85); *A enfermeira presta cuidados aos doentes.* **2.** Dar, conceder, conferir: *O Estado deve prestar a todos os cidadãos as condições mínimas de sobrevivência.* **3.** Transmitir, comunicar; emprestar: *Móveis antigos e pesados prestavam à mansão um ar lúgubre.* **4.** Render, dispensar: *Os fiéis prestam culto a Deus.* ***T. d.*** **5.** Realizar, efetuar, praticar, por imposição legal ou contratual: *prestar serviço militar; prestar depoimento*; "Foi [Duarte da Costa] o sucessor de Tomé de Sousa. Prestou igualmente serviços de valia, mas estava longe de ser equiparado ao seu antecessor." (João Ribeiro, *História do Brasil*, p. 89). ***Int.*** **6.** Ter préstimo, serventia ou proveito; ser útil; valer: *O meu automóvel já não presta.* **7.** Ter boa índole; ser bom, correto, honesto: *Aquele sujeito não presta.* **8.** Estar ao alcance de alguém para ser útil: *Soluções que exijam maiores gastos não prestam no momento.* ***T. i.*** **9.** Ser útil; aproveitar, valer, servir: *O dinheiro presta para quase tudo, não para tudo.* ***Bit. i.*** **10.** Ser útil; valer, aproveitar: *O invento não lhe prestou para nada.* ***P.*** **11.** Ser adequado; acomodar-se, adequar-se, servir: *Este utensílio presta-se a vários usos.* **12.** Estar disposto; condescender: *Homem honesto, não se presta a bajular.*

prestatário [Do lat. *praestatus*, part. de *praestare*, 'prestar', + *-ário*.] ***S. m. Jur.*** Aquele que recebe alguma coisa por empréstimo.

prestativo [De *prestar* + *-tivo*.] ***Adj.*** Pronto para servir; prestável, prestadio, prestante; serviçal, obsequioso: *empregada prestativa.*

prestável [Do lat. *prestabile*.] ***Adj. 2 g.*** **1.** Que presta ou pode prestar; servível: *móvel antigo, mas ainda prestável.* **2.** V. *prestativo*: *É um funcionário prestável: atende com prontidão os que o procuram.*

preste[1] [Do fr. ant. *prestre*, com dissimilação.] ***S. m. Ant.*** Sacerdote, padre.

preste[2] ***Adj. 2 g. Adv.*** Prestes.

prestemente [De *preste*[2] + *-mente*.] ***Adv.*** Com presteza; prestesmente, prestamente.

prestes [De **praestis*, do lat. tard. *praestus, a, um*.] ***Adj. 2 g. e 2 n.*** **1.** Disposto; pronto, preparado. **2.** Que está a ponto de acontecer; próximo: "O furriel Inocêncio, já velho, prestes a dar baixa, não excitava a admiração da infância" (Ciro dos Anjos, *A Menina do Sobrado*, p. 96). **3.** Rápido, ligeiro. ● ***Adv.*** **4.** Com presteza; prestemente, prestamente: "Aulo ainda esperou que o poetastro se afastasse e, depois, num rompante, prestes arrastou Galla para a saída." (Mário de Carvalho, *Um Deus Passeando pela Brisa da Tarde*, p. 46.) [F. paral.: *preste*.]

prestesmente [De *prestes* + *-mente*.] ***Adv.*** V. *prestemente*.

presteza (ê) [De *preste* ou *prestes* + *-eza*.] ***S. f.*** **1.** Ligeireza, prontidão: *Executou a ordem com presteza.* **2.** Rapidez, agilidade: *presteza de gestos.* **3.** Boa vontade em servir, em ajudar.

▲ **presti-** [Do lat. tard. *praestus, i*.] ***El. comp.*** = 'rápido', 'ligeiro': *prestímano, prestidigitação*.

prestidigitação [Do fr. *prestidigitation*.] ***S. f.*** Arte e técnica de prestidigitador; ilusionismo, passe-passe, arte mágica.

prestidigitador (ô) [Adapt. do fr. *prestidigitateur*.] ***S. m.*** Artista que, pela ligeireza dos movimentos das mãos, faz deslocar ou desaparecer objetos, iludindo a vigilância do espectador de maneira que parece inexplicável; prestímano, prestigiador, ilusionista, mágico: "a bola .... escapa-lhe dos dedos e toma a forma de um vaso, de uma xícara, de um prato, como nos espetáculos ilusivos, quando surgem pombos das mangas do prestidigitador." (Costa Rego, *Águas Passadas*, p. 409).

prestigiação [De *prestigiar* + *-ção*.] ***S. f.*** Ação de prestigiador; bruxaria, feitiçaria; magia.

prestigiador (ô) [Do lat. *praestigiatore*.] ***S. m.*** **1.** Aquele que opera prestígios; feiticeiro. **2.** V. *prestidigitador*.

prestigiar [De *prestígio* + *-ar*[2].] ***V. t. d.*** Dar prestígio a; tornar prestigioso: *O rápido desenvolvimento e bem-estar do povo prestigiam uma nação.* [Pres. ind.: *prestigio*, etc. Cf. *prestígio*.]

prestígio [Do lat. *praestigiu*.] ***S. m.*** **1.** Ilusão atribuída a causas sobrenaturais ou a sortilégios; magia. **2.** Artifício usado para seduzir, para encantar; fascinação, atração, encanto, magia. **3.** Influência exercida por pessoa, coisa, instituição, etc., que provocam admiração ou respeito: *o prestígio de Pelé; o prestígio da televisão; o prestígio da Igreja.* **4.** Superioridade pessoal baseada no bom êxito individual em qualquer setor da atividade, e que é admitida pela maioria de um dado meio social. [Cf. *prestigio*, do v. *prestigiar*.]

prestigioso (ô) [Do lat. *praestigiosu*.] ***Adj.*** **1.** Que encerra prestígio (1 a 3). **2.** Que exerce prestígio (3 e 4).

prestimanear [De *prestímano* + *-ear*[2].] ***V. t. d.*** **1.** Adquirir ou roubar, como prestímano ou prestidigitador: *O ladrão, habilíssimo, prestimaneou mais de 100 carteiras.* ***Int.*** **2.** Proceder como prestímano ou prestidigitador: *O malandro prestimaneia com perfeição.* [Conjug.: v. *frear*.]

prestimania [De *prestímano* + *-ia*[1].] ***S. f.*** Arte ou habilidade de prestímano; prestidigitação (q. v.).

prestímano [De *presti-* + *-mano*[2].] ***S. m.*** **1.** V. *prestidigitador*: "Sob o encanto combinado da sedução feminina da rainha e das artes mágicas do prestímano que expunha verbosamente, com gestos rápidos e mobilidade na vista, o seu plano, o pobre rei deixava-se penetrar pela tentação que mais uma vez la lançar o reino em guerra." (Oliveira Martins, *A Vida de Nun'Alvares*, p. 48.) **2.** *P. ext.* Manipresto.

préstimo [De *prestar*.] ***S. m.*** **1.** Qualidade do que presta. **2.** Qualidade do que tem mérito ou capacidade de ser útil: *pessoa de grandes préstimos; móvel sem préstimo.* **3.** Obséquio, favor, serviço: *Ofereceu-me os préstimos.* **4.** Amparo, auxílio.

prestimoniado [De *prestimônio* + *-ado*[1].] ***Adj. S. m.*** Que, ou aquele que recebe ou tem prestimônio.

prestimonial [De *prestimônio* + *-al*[1].] ***Adj. 2 g.*** Referente a prestimônio; prestimoniário.

prestimoniário [De *prestimônio* + *-ário*.] ***Adj.*** Prestimonial.

prestimónio ***S. m.*** V. *prestimônio*. [Uso freq. em P.]

prestimônio [Do lat. ecles. *praestimoniu*.] ***S. m.*** Pensão ou bens destinados ao sustento de um padre e separados das rendas de um benefício.

prestimosidade [De *prestimoso* + *-(i)dade*.] ***S. f.*** Qualidade de prestimoso; prestabilidade: "cá no quarto outros ponteiros se moviam na cabeça do alferes, ... levando-o à convicção de que outros propósitos não poderiam ter para com ele, os seus amigos, senão de amor, fidelidade e prestimosidade." (José Maria de Melo, *Os Canoés*, p. 17).

prestimoso (ô) [De *préstimo* + *-oso*.] ***Adj.*** **1.** Que tem préstimo: *dona de casa prestimosa.* **2.** Que está pronto a ajudar, a servir; prestante, prestativo, obsequioso.

prestíssimo [Do it. *prestissimo*.] ***Adv.*** **1.** Com grande presteza ou rapidez (andamento musical). ● ***S. m.*** **2.** Trecho em que há esse andamento.

préstite [Do lat. *praestite*, 'o que está na frente'.] ***S. m.*** Entre os antigos romanos, aquele que presidia a certas solenidades.

préstito [Do lat. *praestitu*, 'o que está adiante', 'o que avança'.] ***S. m.*** Agrupamento de numerosas pessoas em marcha; cortejo, procissão: "Pungido pelo dente acerbo das quimeras, / o espírito subtil de um trágico poeta / quis ver a desfilar, como o antigo profeta, / em préstito solene, as porvindouras eras..." (Augusto de Lima, *Poesias*, p. 23.)

presto [Do it. *presto*.] ***Adv.*** **1.** Com presteza ou rapidez (andamento musical). ● ***S. m.*** **2.** Trecho em que há esse andamento. ● ***Adj.*** **3.** Ligeiro, rápido, prestes.

presumido [Part. de *presumir*.] ***Adj.*** **1.** Vaidoso, presunçoso. **2.** Amaneirado, afetado. **3.** *Jur.* Em que há presunção; admitido como certo e verdadeiro por presunção (4). ● ***S. m.*** **4.** Aquele que tem presunção ou vaidade.

presumidor (ô) [De *presumir* + *-dor*.] ***Adj. S. m.*** Que, ou aquele que presume.

presumir [Do lat. *praesumere*, 'tomar antecipadamente'.] ***V. t. d.*** **1.** Entender, baseando-se em certas probabilidades; imaginar, supor, conjeturar, suspeitar: *Não existindo prova de culpa, devem os jurados*

P

presumir inocência. **2.** Ver ou supor antecipadamente; prever, pressupor: *Presumo que tudo sairá conforme planejamos.* **3.** Desconfiar de; suspeitar: *O chefe político presumia traições e revoltas. T. i.* **4.** Ter presunção ou vaidade; arrogar-se, vangloriar-se; ter ou formar (de si) grande opinião ou conceito: *Presume de inteligente. P.* **5.** Julgar-se, supor-se, pretender-se: "Quanto a mim, já não leio romances, mas que são a história, a filosofia, senão outras tantas ficções, e talvez mais ousadas, porque se presumem de alicerçadas no real?" (Ciro dos Anjos, *Abdias*, p. 24.)

presumível [De *presumir* + *-vel*.] *Adj. 2 g.* **1.** Que se pode presumir, supor, ou suspeitar. **2.** Provável, verossímil.

presunção [Do lat. *praesumptione*.] *S. f.* **1.** Ato ou efeito de presumir(-se). **2.** Opinião ou juízo baseado nas aparências; suposição, suspeita. **3.** Vaidade, orgulho; pretensão: "Presunção e água benta, cada qual toma a contento" (prov.). **4.** *Jur.* Consequência que a lei deduz de certos atos ou fatos, e que estabelece como verdade por vezes até contra prova em contrário. [Cf. nesta acepç., *indício* (2).]

presunçoso (ô) [De *presunç(ão)* + *-oso*.] *Adj. S. m.* Que, ou aquele que tem ou denota presunção (3); pretensioso.

presunho [Alter. de *pezunho*.] *S. m.* Parte do pé do porco junto das unhas.

presuntivo [Do lat. *praesuntivu*, 'que deve tomar em primeiro lugar'.] *Adj.* **1.** Presumível, pressuposto. **2.** Que se espera que seja; que apresenta possibilidades de ser: *o presuntivo sogro.* **3.** Designado de antemão pelo parentesco (tratando-se de herdeiro): "Que Vossa Alteza era o herdeiro presuntivo de um cetro; nunca o de um cachucho de pregador!" (Ramalho Ortigão, *As Farpas*, II, p. 15.)

presunto [Do lat. **persunctu*, 'inteiramente sugado, inteiramente dessecado ao lume'.] *S. m.* **1.** Perna ou espádua de porco, salgada e curada ao fumeiro. [Sin. (bras., pop.): *fiambre*.] **2.** *Bras. RJ Gír.* Cadáver, defunto. ◆ **Virar presunto.** *Bras. Gír.* V. *morrer* (1).

presúria [Do lat. bárbaro *presura*, poss.] *S. f.* **1.** Reivindicação ou reconquista pelas armas. **2.** V. *açude* (1). **3.** *P. ext.* Mota[1] (1).

preta (ê) [Fem. de *preto* (ê).] *S. f.* Mulher negra.

→ **prêt-à-porter** [prɛtapɔʀ'te] [Fr.] *Adj. 2 g. e 2 n. S. m. 2 n. Vest.* Diz-se da, ou a roupa comprada pronta em lojas, ger. fabricada industrialmente. [Sin. (lus.): *pronto a vestir*.]

pretaria [De *preto* + *-aria*.] *S. f. Deprec.* Pretalhada.

pretejar [De *preto* + *-ejar*.] *V. int.* **1.** *Bras.* Ficar preto; enegrecer, negrejar, escurecer: "De tarde o céu pretejou engrossado pelos colchões de nuvens espessas" (José Fonseca Fernandes, *Joatão e a Ilha*, p. 5). **2.** *Bras. SP* Estar cheio de gente (rua), de frutas (árvore), etc.: *Pretejam as avenidas; As mangueiras pretejavam. T. d.* **3.** *Bras.* Tornar preto ou escuro; enegrecer, negrejar, escurecer: *Trabalhar com carvão preteja as unhas.* [Conjug.: v. *pelejar*.]

pretendedor (ô) [De *pretender* + *-dor*.] *Adj.* **1.** Pretendente (1). ● *S. 2 g.* **2.** Pretendente (2).

pretendente [Do lat. *praetendente*.] *Adj. 2 g.* **1.** Que pretende; pretendedor. ● *S. 2 g.* **2.** Pessoa que pretende; pretendedor. **3.** Aspirante, candidato: *Os pretendentes ao cargo devem trazer os documentos exigidos.* **4.** Príncipe que pretende ter direitos a um trono ocupado por outro. ● *S. m.* **5.** Aquele que aspira à mão de uma mulher.

pretender [Do lat. *praetendere*.] *V. t. d.* **1.** Reclamar como um direito; exigir: *Os prejudicados pretendem indenização.* **2.** Solicitar; pleitear: *Pretende um bom cargo público.* **3.** Aspirar a; desejar, querer: *Pretende fazer uma longa viagem.* **4.** Empenhar-se ou esforçar-se por; intentar, diligenciar: *Trabalhou duro quando moço, pretendendo uma velhice tranquila.* **5.** Projetar, planejar, tencionar: *Os inimigos pretendem atacar amanhã.* **6.** Dar ou tomar como pretexto; pretextar: *A convocação foi feita por escrito, de modo que ninguém pode pretender desconhecê-la.* **7.** Julgar; sustentar, afirmar, asseverar: *Pretendem alguns autores que o homem tenha surgido na Ásia;* "Teofrasto, citado por Ateneu, pretende ter sido um tocador de avena, chamado Undron, natural da Sicília, o inventor da dança." (Martins Fontes, *A Dança*, p. 14). *T. d. e i.* **8.** Pedir com autoridade; exigir, reclamar: *É absurdo pretenderes tanto de nós. T. i.* **9.** Tratar; cogitar, cuidar: *Todos pretendiam de resolver os mistérios. P.* **10.** Ter-se na conta de; julgar-se, considerar-se, reputar-se: *Pretende-se um bom profissional.*

pretendida [F. subst. o de *pretendido*, part. de *pretender*.] *S. f.* **1.** Noiva, prometida. **2.** Mulher requestada por um pretendente.

pretensão [Do lat. *praetensus*, 'pretendido, pretenso', + *-ão*[3].] *S. f.* **1.** Ato ou efeito de pretender. **2.** Direito suposto e reivindicado. **3.** Vaidade exagerada; presunção. **4.** Aspiração; ambição: *Expôs com clareza a sua pretensão, e foi atendido.* **5.** *Dir.* Pedido ou objeto da ação judicial. ~ V. *pretensões*.

pretensiosidade [De *pretensioso* + *-(i)dade*.] *S. f.* Qualidade ou caráter de pretensioso; pretensão, presunção.

pretensioso (ô) [De *pretens-*, como em *pretensão*, + *-oso*.] *Adj.* **1.** Que tem pretensão ou vaidade; presumido, presunçoso, convencido: *Era um homem ignorante e pretensioso.* **2.** Que tem soberba; orgulhoso, soberbo: *grã-fino pretensioso.* **3.** Em que há, ou que denota pretensão: *atitude pretensiosa; modos pretensiosos.* **4.** Amaneirado, afetado. ● *S. m.* **5.** Indivíduo pretensioso.

pretenso [Do lat. *praetensu*.] *Adj.* **1.** Que pretende ou supõe (qualquer coisa). **2.** Suposto, fictício.

pretensões [Pl. de *pretensão*.] *S. f. pl.* Jactância, bazófia. ~ V. *pretensão*.

▲ **preter-** [Do lat. *praeter*, 'além de'.] *El. comp.* = 'que vai além de', 'que transcende': *preterdoloso*.

preterdolo [De *preter-* + *dolo*.] *S. m. Jur.* Causalidade psíquica complexa do crime preterdoloso; preterintenção.

preterdoloso (ô) [De *preter-* + *doloso*.] *Adj.* ~ V. *crime —*.

preterição [Do lat. *praeteritione*.] *S. f.* **1.** Ato ou efeito de preterir. **2.** *E. Ling.* Figura que consiste em tratar de um assunto ao mesmo tempo que se afirma que ele será evitado. Ex.: *Não, não me referirei aos seus horrendos crimes.*

preterido [Part. de *preterir*.] *Adj.* Desprezado, rejeitado.

preterintenção [De *preter-* + *intenção*.] *S. f. Jur.* Preterdolo.

preterintencional [De *preterintenção* + *-al*[1], seg. o padrão erudito.] *Adj. 2 g.* ~ V. *crime —*.

preterintencionalidade [De *preterintencional* + *-(i)dade*.] *S. f. Jur.* Qualidade de preterintencional.

preterir [Do lat. *praeterire*, 'passar além'.] *V. t. d.* **1.** Deixar de parte; desprezar; rejeitar: *O bom governante não deve preterir os préstimos de homens capazes.* **2.** Deixar de promover a posto ou emprego sem justificativa legal ou moral: *Os diretores preteriram o empregado mais antigo, escolhendo um parente para o cargo de chefia.* **3.** Preencher ou ocupar indebitamente posto ou lugar que cabia a (outrem). **4.** Ser empregado indevidamente em lugar de: *Em certas tendências literárias, o intelectualismo excessivo pretere a arte.* **5.** Ir além de; ultrapassar: *Este ano os lucros preteriram a casa dos 10 milhões.* **6.** Abstrair ou prescindir de; omitir: *A justiça não pode preterir as provas, deixando-se arrastar por paixões.* [Sin.: *pretermitir*. Irreg. Conjug.: v. *aderir*.]

pretérito [Do lat. *praeteritu*.] *Adj.* **1.** Que passou; passado: "O homem adulto … conhece as experiências pretéritas dos outros homens através dos livros" (João Gaspar Simões, *O Mistério da Poesia*, p. 21). ● *S. m.* **2.** *E. Ling.* Tempo verbal que exprime ação passada ou anterior. **3.** O passado (15 e 16).

preterível [De *preterir* + *-vel*.] *Adj. 2 g.* Que pode ser preterido.

pretermissão [Do lat. *praetermissione*.] *S. f.* Ato ou efeito de pretermitir; preterição.

pretermitir [Do lat. *praetermittere*.] *V. t. d.* V. *preterir*.

pré-termo [De *pré-* + *termo* (ê).] *Adj. 2 g.* **1.** Diz-se de parto ou nascimento que ocorre com menos de 38 semanas de gestação: *nascimento pré-termo.* **2.** Que nasceu com menos de 38 semanas de idade gestacional: *recém-nascido pré-termo.* [Pl.: *pré-termos*.]

preternatural [Do *preter-* + *natural*.] *Adj. 2 g.* V. *sobrenatural* (1 a 5).

pré-teste *S. m. Prop.* Pesquisa para avaliação dos resultados de uma campanha, antes do lançamento desta.

pretexta (ês) [Do lat. *praetexta*.] *S. f.* Toga branca, franjada de púrpura, que usavam, em Roma, os mancebos das famílias patrícias, senadores e altos magistrados.

pretextar (ês) [De *pretexto* + *-ar*[2].] *V. t. d.* Dar ou tomar como pretexto; pretender: "Pretextei uma enxaqueca e fui deitar-me." (Ciro dos Anjos, *Abdias*, p. 84.) [Pres. ind.: *pretexto* (ês), *pretextas* (ês), etc.]

pretexto (ês) [Do lat. *praetextu*.] *S. m.* Razão aparente ou imaginária que se alega para dissimular o motivo real de uma ação ou omissão; desculpa. ◆ **A pretexto de.** Com o fim ou razão aparente de; à conta de.

pré-textual [De *pré-* + *textual*.] *Adj. 2 g.* Numa publicação, diz-se de cada um dos elementos suscetíveis de preceder o texto propriamente dito, como, p. ex., folha de rosto, dedicatória, epígrafe, sumário, etc.

pretidão [De *preto* (ê) + *-idão*.] *S. f.* **1.** Qualidade de preto. **2.** Cor preta carregada. [Sin. ger. (bras.): *pretura*.]

pretinha [Dim. do fem. de *preto* (ê).] *S. f. Bras. MT* V. *feijão-preto* (3).

pré-tipográfico [De *pré-* + *tipográfico*.] *Adj.* Protipográfico. [Pl.: *pré-tipográficos*.]

preto *Adv. Ant. Prov. port.* Perto. [Cf. *preto* (ê), adj. e s. m., e *Preto* (ê), top.]

preto (ê) [Do lat. **prettu*.] *Adj.* **1.** Que tem a mais sombria de todas as cores; da cor do ébano, do carvão. [Rigorosamente, no sentido físico, o preto é a ausência de cor, como o branco é o conjunto de todas as cores. v. *cor* (1).] **2.** Diz-se dessa cor. **3.** Diz-se de diversas coisas que apresentam cor escura, sombria; negro: *O céu ficou preto de fumaça.* **4.** Sujo, encardido. **5.** V. *negro* (3). **6.** *Tip.* Diz-se do tipo (ou fio) de traços acentuadamente mais fortes que o normal; negro, gordo. [Nesta acepç., v. *meio-preto*.] **7.** *Bras.* Difícil, perigoso; roxo: *Eu vi as coisas pretas.* ~ V. *bode —, café —, chá —, fava —a, frades —s, naipes —s, pão — e terra —a*. ● *S. m.* **8.** V. *negro* (10). **9.** A cor preta [v. *de cor* (3)]: "Toda de preto vestida / como um poema fechado / num envelope de luto" (Raul Bopp, *Putirum*, p. 147); "Andava quase sempre de preto, cor muito da época." (Carlos Lacerda, *A Casa do Meu Avô*, p. 77). [Sin. (salvo na acepç. 6): *negro*. Pl.: *pretos* (ê). Cf. *preto*, adv., *Preto*, mit. e antr., e pl. *Pretos*.] ◆ **Pôr o preto no branco.** Passar a documento escrito qualquer declaração verbal.

preto-aça [De *preto* (ê) + *aça*.] *S. m. Bras.* Designação dada aos negros albinos; negro-aça. [Flex.: *preta-aça, pretos-aças, pretas-aças*.]

preto e branco *Adj. 2 g.* **1.** Diz-se de trabalho impresso, ou de arte-final, produzido apenas com uma cor (preto e seus meios-tons). **2.** Diz-se de filme fotográfico que reproduz as cores naturais em tons de preto. **3.** Diz-se de cópia fotográfica, de filme cinematográfico ou de imagem de TV produzidos sem colorido. **4.** Diz-se de aparelho de TV que reproduz a imagem sem colorido. [Tb. é us., abrev., *P. & B.*] ~ V. *filme —*.

pretolim [Do fr. *pétroline*, com metátese.] *S. m.* Verniz dos espadeiros.

preto-mina [De *preto* (ê) + *mina*[2].] *S. m. Bras.* V. *mina*[2] (2). [Flex.: *preta-mina, pretos-minas, pretas-minas*.]

pretônico *Adj. E. Ling.* V. *pretônico*. [Uso freq. em P.]

pretônico (è) [De *pre-* + *tônico*.] *Adj. E. Ling.* Diz-se de vogal ou sílaba situada antes da vogal ou sílaba tônica duma palavra; antetônico. ~ V. *sílaba —a* e *vogal —a*. [Antôn.: *postônico*.]

pré-tônico *Adj. E. Ling.* V. *pretônico*.

pretor (ô) [Do lat. *praetore*.] *S. m.* **1.** Magistrado que, na Roma antiga, distribuía a justiça. **2.** *Bras. RJ* Magistrado de alçada inferior à de juiz de direito.

pretoria [De *pretor* + *-ia*[1].] *S. f. Bras.* **1.** Jurisdição de pretor. **2.** Repartição do pretor. [Cf. *pretória*, fem. de *pretório* e s. f., e *Pretória*, top.]

pretória [Do lat. *praetoria*.] *S. f.* Sala anexa aos conventos, na qual se julgavam os pleitos. [Cf. *pretoria*.]

pretoriano [Do lat. *praetorianu*.] *Adj.* **1.** Relativo ou pertencente ao pretor. **2.** Diz-se da guarda dos imperadores da Roma antiga. ● *S. m.* **3.** Soldado dessa guarda.

pretório[1] [Do lat. *praetoriu* (subst.), 'tenda do general'; 'tribunal do pretor'.] *S. m.* **1.** Na Roma antiga, tenda do general em campanha. **2.** Tb. na Roma antiga, tribunal do pretor (1). **3.** *P. ext.* Aquele em que Jesus Cristo foi julgado, em Jerusalém. **4.** Qualquer tribunal.

pretório[2] [Do lat. *praetoriu* (adj.), 'do chefe', 'do pretor'.] *Adj.* Relativo a pretor. [Fem.: *pretória*. Cf. *pretoria*.]

pré-traçar [De *pré-* + *traçar*.] *V. t. d.* Traçar de antemão; planear, planejar. [Conjug.: v. *laçar*.]

pré-trovadoresco [De *pré-* + *trovadoresco*.] *Adj.* Anterior aos trovadores [v. *trovador* (1 a 3)], à época trovadoresca: "tudo nos indica a existência de uma antiga lírica peninsular, espécie de lírica pré-trovadoresca, vinda do Norte para o Sul" (Leodegário A. de Azevedo Filho, *A Poesia dos Trovadores Galego-Portugueses*, I, p. 19).

pretucano *S. m. Bras. Zool.* **1.** Paru-das-pedras. **2.** Bodião-papagaio (1).

pretume [De *preto* (ê) + *-ume*.] *S. m. Bras. Pop.* **1.** A cor preta. **2.** Negrume, escuridão: "Nem percebia a escuridão em torno, o pretume que somente acabava muito além, na beira da lagoa." (Ricardo Ramos, *Os Caminhantes de Santa Luzia*, p. 53.)

pretura[1] [Do lat. *praetura*.] *S. f.* Dignidade ou cargo de pretor.

pretura[2] [De *preto* (ê) + *-ura*.] *S. f. Bras.* Pretidão.

pretusco [De *preto* (ê) + *-usco*[2].] *Adj.* Um tanto preto; negrusco.

→ **pretzel** ['pʀɛtsəl] [Al.] *S. m. Cul.* Biscoito ou pãozinho com a forma de um laço ou nó, de origem judaica, que pode ser polvilhado com sal grosso e é ger. us. como aperitivo para acompanhar cerveja. [Com cap.]

pré-universitário [De *pré-* + *universitário*.] *Adj.* Antecedente aos estudos universitários.

prevalecente [Do lat. *praevalescente*.] *Adj. 2 g.* Que prevalece.

prevalecer [Do lat. *praevalescere*.] *V. int.* **1.** Ter mais valor; levar vantagem; preponderar, predominar: *Quase sempre a verdade prevalece;* "Acontecia

.... que D. João V era essencialmente Rei. E num Rei o que prevalece não é ele, o indivíduo." (Visconde de Carnaxide, *D. João V e o Brasil*, p. 29). **2.** Ter primazia ou prioridade: *Realizado o concurso, prevaleceram os candidatos mais capazes.* **3.** Dar bons resultados; vingar: *As boas ações prevalecem e frutificam.* **4.** Vencer em juízo; ser acolhido: *Não prevaleceu o requerimento.* ***T. i.*** **5.** Levar vantagem; preponderar: *O coração não deve prevalecer à razão.* ***P.*** **6.** Revoltar-se, levantar-se, insurgir-se: *Deus castigará a quantos se prevaleçam contra suas leis.* **7.** Tirar partido; valer-se, aproveitar-se, utilizar-se: *Será punido o funcionário que se prevaleça de seu cargo.* [Conjug.: v. *aquecer*.]

prevalecido [Part. de *prevalecer*.] ***Adj. Bras. S. Fam.*** Que abusa da sua posição, ou da consideração de que desfruta, e se mostra despótico e intratável com os outros; atrevido, confiado.

prevalência [Do lat. *praevalentia*.] ***S. f.*** Qualidade daquele ou daquilo que prevalece; superioridade.

prevalente [Do lat. *praevalente*.] ***Adj. 2 g.*** ~ V. *valor* —.

prevaricação [Do lat. *praevaricatione*.] ***S. f.*** **1.** Ato ou efeito de prevaricar. **2.** *Jur.* Crime perpetrado por funcionário público, e que consiste em retardar ou deixar de praticar, indevidamente, ato de ofício, ou em praticá-lo contra disposição legal expressa, para satisfação de interesse ou sentimento pessoal. **3.** *P. ext.* Adultério (1).

prevaricador (ô) [Do lat. *praevaricatore*.] ***Adj. S. m.*** Que, ou aquele que prevarica.

prevaricar [Do lat. **praevaricare*, por *praevaricari*.] ***V. int.*** **1.** Faltar ao dever: *É de criança que se aprende a não prevaricar.* **2.** Faltar, por interesse ou por má-fé, aos deveres do seu cargo, do seu ministério: *Serão demitidos os empregados que prevaricaram.* **3.** Torcer a justiça: *Razões pessoais não podem levar um magistrado a prevaricar.* **4.** Agir ou proceder mal; incorrer em falta; errar: *O rapaz prevaricou, mas não tinha consciência do erro.* **5.** Cometer o crime de prevaricação (2): *O governo punirá os funcionários que prevaricarem.* **6.** Perpetrar adultério: "As virtudes conjugais de uma senhora de engenho antiga eram como um dogma inatacável. Raras prevaricaram." (Júlio Belo, *Memórias de um Senhor de Engenho*, p. 18.) ***T. i.*** **7.** Faltar (aos seus deveres): *Homem honesto, não prevarica às obrigações de sua consciência.* ***T. d.*** **8.** Corromper, perverter: *prevaricar a moral.* [Conjug.: v. *trancar*.]

prevenção [Do lat. tard. *praeventione*.] ***S. f.*** **1.** Ato ou efeito de prevenir(-se). **2.** Disposição ou preparo antecipado e preventivo. **3.** Modo de ver antecipado; premeditação: *Nada sabendo sobre o assunto, estudarei a proposta sem prevenção.* **4.** Opinião ou sentimento de atração ou de repulsa, sem base racional: *Você está de prevenção contra o rapaz.* **5.** Precaução, cautela. **6.** *Dir. Proc.* Fenômeno processual que fixa a competência de um determinado juízo, excluindo a de outros, para conhecer e julgar ações conexas àquela conhecida primeiramente por ele.

pré-venda [De *pré-* + *venda*[1].] ***S. f.*** Venda[1] (1) de imóveis, de um produto, etc., para certo número de pessoas, e que antecede, às vezes, o lançamento comercial; venda antecipada.

prevenido [Part. de *prevenir*.] ***Adj.*** **1.** V. *precatado*. **2.** Que duvida de alguma coisa ou de alguém; desconfiado: *jogador prevenido.* [Sin. ger., p. us.: *prevento*.] ◆ **Estar prevenido.** Trazer dinheiro consigo.

preveniente [Do lat. *praeveniente*.] ***Adj. 2 g.*** **1.** Que nos induz à prática do bem (falando-se da graça divina). **2.** *P. us.* Que chega antes. [Cf. *proveniente*.]

prevenir [Do lat. *praevenire*, 'vir antes', 'tomar a dianteira'.] ***V. t. d.*** **1.** Dispor com antecipação; preparar: *O médico mandou prevenir os instrumentos necessários à cirurgia.* **2.** Chegar antes de; adiantar-se ou antecipar-se a: *Correu muito para prevenir os atletas adversários.* **3.** Dispor de maneira que evite (dano, mal); evitar: *O Governo realiza obras que visam a prevenir os danos das enchentes.* **4.** Impedir que se realize; proibir, vedar: *A lei previne o jogo.* **5.** Dizer ou fazer antes que outro diga ou faça: *O aluno preveniu a resposta que o professor daria.* **6.** Realizar antecipadamente; ir ao encontro de: *Deus parecia prevenir-lhe os desejos.* **7.** Interromper, cortar, atalhar: *O político preveniu a fala do adversário, impedindo-o de continuar.* ***T. d. e i.*** **8.** Avisar, informar com antecedência: *Mandou prevenir os pais de sua chegada;* "Não quero que ninguém se indigne com esta narrativa. Previno-os de que é triste" (João de Araújo Correia, *Cinza do Lar*, p. 59). **9.** Fazer propender; dispor: *A defesa conseguiu prevenir o júri em favor do réu.* ***Int.*** **10.** Acautelar-se, defender-se: "É melhor prevenir do que remediar" (prov.). ***P.*** **11.** Acautelar-se, preparar-se, precaver-se: *O Governo ordenou que a população se prevenisse para a guerra.* **12.** Armar-se, apetrechar-se, premunir-se: *A equipe preveniu-se do equipamento necessário aos treinos.* [Irreg. conjug.: v. *agredir*.]

preventivo [Do lat. *praeventus*, part. pass. de *praevenire*, 'prevenir', + *-ivo*.] ***Adj.*** **1.** Que previne; próprio para prevenir ou evitar: *medidas preventivas; tratamento preventivo.* **2.** Em que há prevenção. ~ V. *prisão* —*a* e *vacinação* —*a*. ● ***S. m.*** **3.** Aquilo que previne, que evita. **4.** V. *preservativo*. **5.** *Med.* Qualquer exame, ou grupo de exames, destinado a identificar lesão suscetível de evolução ameaçadora da vida, como as malignas. **6.** *Med.* Conjunto de exames, físicos e complementares, destinado, principalmente, a surpreender a presença de lesão ginecológica potencialmente maligna, ou maligna em etapa inicial.

prevento [Do lat. *praeventu*.] ***Adj.*** **1.** *Bras.* V. *prevenido*. **2.** *Jur.* Que se determinou por prevenção (competência ou jurisdição). [Cf. *provento*.]

preventório [Do lat. *praeventus*, part. pass. de *praevenire* (v. *prevenir*), + *-ório*.] ***S. m.*** **1.** *Med.* Estabelecimento em que são internados indivíduos para que se verifique se contraíram doença a cujo agente causador estiveram expostos. **2.** *Bras.* Instituição onde são internadas crianças filhas de tuberculosos ou morféticos para afastá-las do contágio.

prever [Do lat. *praevidere*.] ***V. t. d.*** **1.** Ver antecipadamente; calcular, conjeturar, supor: *Já previra esse feliz resultado;* "Em certo ponto avistou um séquito de carros que seguiam na mesma direção. Já os previra, ouvindo de longe os graves e agudos de sua solfa no ermo." (Xavier Marques, *As Voltas da Estrada*, p. 7). **2.** Fazer supor; subentender, pressupor: *O desenvolvimento dos recursos materiais prevê a ampliação da cultura.* **3.** Profetizar, prognosticar, predizer: *As cartas preveem um desastre.* **4.** Ver, estudar, examinar, com antecedência: *O bom artista prevê o papel antes de executá-lo.* ***Int.*** **5.** Fazer conjeturas; reflexionar, calcular: *Ninguém raciocinou, ninguém previu.* [Irreg. Conjug.: v. *ver*. Imperf. ind.: *previa*, etc. Cf. *prévia*, fem. do adj. *prévio* e s. f.]

prevérbio [Do lat. *praeverbiu*.] ***S. m. E. Ling.*** Prefixo que se junta a um verbo. Ex.: *re-* em *republicar*. [Cf. *provérbio*.]

pré-vestibular [De *pré-* + *vestibular*.] ***Adj. 2 g.*** **1.** Que antecede o vestibular. **2.** Diz-se de curso preparatório para o concurso vestibular. ● ***S. m.*** **3.** Esse curso.

prévia [F. subst. de *prévio*.] ***S. f. Bras.*** Pesquisa anterior às eleições, realizada junto aos eleitores para prever-lhes as tendências. [Cf. *previa*, do v. *prever*.]

previdência [Do lat. *praevidentia*.] ***S. f.*** Qualidade ou ato de previdente; antevidência. [Cf. *providência*.] ◆ **Previdência privada.** Sistema privado de capitalização, complementar à previdência social, de caráter optativo e voluntário, com benefícios sob a forma de pecúlio ou renda. **Previdência social.** **1.** Conjunto de normas de proteção e defesa do trabalhador ou do funcionário, mediante aposentadoria, amparo nas doenças, montepios, etc. **2.** Instituição que as aplica.

previdencial [De *previdência* + *-al*[1].] ***Adj. 2 g.*** Concernente às normas da previdência social. [Cf. *providencial*.]

previdenciário [De *previdência* + *-ário*.] ***Adj.*** **1.** De, relativo a, ou próprio de previdência social, ou de previdência privada. ● ***S. m. Bras.*** **2.** Funcionário de instituto de previdência.

previdente [Do lat. *praevidente*.] ***Adj. 2 g.*** Que prevê; cauteloso, prevenido, precavido, prudente. [Sin. bras.: *previsor*. Cf. *providente*.]

previgente [De *pre-* + *vigente*.] ***Adj. 2 g.*** Previgorante.

previgorante [De *pre-* + *vigorante*.] ***Adj. 2 g.*** Que vigorou anteriormente àquilo de que se trata; previgente.

prévio [Do lat. *praeviu*.] ***Adj.*** **1.** Que se faz ou diz antes de outra coisa: *Alguns delegados tiveram uma reunião prévia e passaram depois à sala das sessões.* **2.** Dito ou feito de antemão; anterior; antecipado: *O bom êxito da viagem depende duma combinação prévia.* **3.** Preliminar, preambular: *medida prévia; condição prévia.* ~ V. *placenta* —*a* e *questão* —*a*. [Fem.: *prévia*. Cf. *previa*, do v. *prever*.]

previsão [De *pre-* + *visão*.] ***S. f.*** **1.** Ato ou efeito de prever; antevisão, presciência. **2.** Estudo ou exame feito com antecedência: *previsão do tempo; previsão de uma eleição.* **3.** Cautela, prevenção.

previsibilidade [De *previsível* + *-(i)dade*, seg. o padrão erudito.] ***S. f.*** Qualidade de previsível.

previsível [Do lat. *praevisus*, part. pass. do v. e lat. *praevidire* (v. *prever*), + *-ível*.] ***Adj. 2 g.*** Que se pode prever.

previso [Do lat. *praevisu*.] ***S. m. Ant.*** **1.** Astrólogo. **2.** Feiticeiro, bruxo. ● ***Adj.*** **3.** Previsto.

previsor (ô) [De *previso* + *-or*.] ***Adj. Bras.*** V. *previdente*.

previsto [Part. de *prever*.] ***Adj.*** **1.** Conjeturado, calculado. **2.** Prenunciado, pressentido.

previver [De *pre-* + *viver*.] ***V. int.*** Sentir existência futura; prever que não será olvidado.

pré-vocacional [De *pré-* + *vocacional*.] ***Adj. 2 g.*** Que visa a pôr em relevo o pendor ou vocação de alguém: *teste pré-vocacional.* [Pl.: *pré-vocacionais*.]

prexeca ***S. f. Bras. MG S. Chulo*** A vulva.

prezado [Part. de *prezar*.] ***Adj.*** **1.** Estimado, querido. **2.** Cuidadoso, limpo, asseado. [Cf. *presado*, part. de *presar*.]

prezador (ô) [De *prezar* + *-dor*.] ***Adj. S. m.*** Que, ou aquele que preza. [Cf. *presador*.]

prezar [Do lat. *pretiare*.] ***V. t. d.*** **1.** Ter em alto preço; ter em grande consideração ou respeito; estimar muito; apreciar: *Preza os bons amigos, porque os reconhece raros;* "Os velhos prezam ordinariamente os mortos e desprezam os vivos." (Marquês de Maricá, *Máximas, Pensamentos e Reflexões*, p. 57). **2.** Desejar, amar, querer: *Prezo as boas coisas da vida; O avarento preza o dinheiro como a vida.* **3.** Respeitar, acatar: *prezar as autoridades.* ***P.*** **4.** Ter dignidade; estimar-se, respeitar-se: *Um homem que se preza não aceitaria este papel.* **5.** Orgulhar-se, honrar-se, gloriar-se, ufanar-se: *Prezo-me de ser brasileiro.* [Pres. ind.: *prezo*, *prezas*, *preza*, etc.; part.: *prezado*. Cf. *preso* (ê), flex. *presa* (ê), *presas* (ê), e o pres. ind. e o part. de *presar*.]

prezável [De *prezar* + *-vel*.] ***Adj. 2 g.*** Digno de ser prezado. [Pl.: *prezáveis*. Cf. *prezáveis*, do v. *prezar*.]

priaca [De *preaca*, com alter. semântica, poss.] ***S. f. Bras. PB*** Bolsa de couro, para caçada. [Cf. *preaca* e *bruaca* (1 e 2).]

priacantídeo [Do tax. *Priacanthus*, gênero-tipo, + *-ídeo*[1]; tax. *Priacanthidae*.] ***Zool. S. m.*** **1.** Espécime dos priacantídeos, família de pequenos peixes marinhos carnívoros, semelhantes à perca, que habitam os mares tropicais: têm o corpo coberto de escamas ásperas, olhos grandes e boca oblíqua. ● ***Adj.*** **2.** Pertencente ou relativo a eles.

priapesco (ê) [De *priapo* + *-esco*.] ***Adj.*** **1.** Respeitante ao priapismo. **2.** Em que há priapismo.

priápico [De *priapo* + *-ico*[2].] ***Adj.*** Referente ao priapo e ao seu antigo culto.

priapismo [Do gr. *priapismós*, pelo lat. *priapismu*.] ***S. m.*** **1.** *Urol.* Ereção dolorosa e persistente, não acompanhada de desejo sexual e que pode ocorrer em condições mórbidas diversas, como, p. ex., traumatismo da medula espinhal. **2.** *P. ext.* Excitação sexual excessiva.

priapo [Do mit. gr. *Príapos*, pelo lat. *Priapu*.] ***S. m.*** Falo, pênis.

priapúlida [Do tax. *Priapulus* + *-ida*[1]; tax. *Priapulida*.] ***Zool. S. m.*** **1.** Espécime dos priapúlidas, grupo de animais marinhos escavadores, do gênero Priapulus, conhecidos desde o cambriano até os dias atuais, e cuja classificação é discutível, sendo considerados, por alguns, como pertencentes ao ramo dos asquelmintos e, por outros, como constituindo um filo independente. ● ***Adj. 2 g.*** **2.** Pertencente ou relativo a eles. [Sin. ger.: *priapulóideo*.]

priápulo [Do tax. *Priapulus* < lat. *priapus*, 'falo', + lat. *-ulus* (v. *-ulo*).] ***S. m. Zool.*** **1.** Gênero de animais marinhos vermiformes (v. *priapúlidas*). **2.** Espécie ou espécime desse gênero.

priapulóideo [Do tax. *Priapulus* + *-óideo*; tax. *Priapuloidea*.] ***S. m. Adj. Zool.*** V. *priapúlida*.

priapulóideos ***S. m. pl.*** Priapúlidas.

prima[1] [De *primo*.] ***S. f.*** Pessoa do sexo feminino em relação aos filhos de tios e tias. V. *primo*[1] (1). ◆ **Prima cruzada.** *Antrop.* Filha de um irmão da mãe, ou filha de uma irmã do pai de um indivíduo. **Prima cruzada bilateral.** *Antrop.* Prima cruzada (q. v.) que é, ao mesmo tempo, filha da irmã do pai e filha do irmão da mãe. **Prima cruzada matrilateral.** *Antrop.* Filha do irmão da mãe de um indivíduo. **Prima cruzada patrilateral.** *Antrop.* Filha da irmã do pai de um indivíduo. **Prima paralela.** *Antrop.* Filha de um irmão do pai, ou filha de uma irmã da mãe de um indivíduo.

prima[2] [Do lat. *prima*.] ***S. f.*** **1.** Na liturgia católica, a primeira das horas canônicas (1) (q. v.), correspondente às seis da manhã. **2.** *Mús.* A corda mais fina de certos instrumentos (violino, violoncelo, guitarra, etc.), que dá o som mais agudo. **3.** *Mús.* Em composições para piano a quatro mãos, a parte, no registro mais agudo, à qual, geralmente, está confiada a melodia. **4.** *Mús.* A nota geradora da série dos harmônicos superiores ou inferiores. **5.** *Mús.* A nota que serve de base.

primacia ***S. f. Desus.*** Primazia.

primacial [De *primacia* + *-al*[1].] ***Adj. 2 g.*** **1.** Relativo ou pertencente ao primaz (1). **2.** Em que há, ou a que se dá primazia: *a questão primacial entre todas;* "Não nego .... a necessidade primacial de sermos mestres de nós mesmos e alunos até morrer." (Alceu Amoroso Lima, *Pelo Humanismo Ameaçado*, p. 99). **3.** Que é de qualidade superior: "Chegamos assim a um contraste curioso entre as duas primaciais figuras da novelística brasileira da segunda metade do século XIX [Machado de Assis e José de Alencar]" (J. Matoso Câmara Jr., *Ensaios Machadianos*, p. 92).

primado [Do lat. *primatu.*] ***S. m.*** **1.** Primazia (1). **2.** Prioridade, preferência. **3.** Superioridade, excelência.

prima-dona [Do it. *primadonna.*] ***S. f.*** **1.** Cantora que representa o papel principal numa ópera. **2.** *P. ext.* A atriz principal de uma companhia dramática. [Pl.: *prima-donas.*]

→ **prima facie** [ˈprima ˈfakẹɛ] [Lat., 'à primeira vista'.] Que se pode verificar de pronto, sem ser preciso maior exame.

primagem [Do fr. *primage.*] ***S. f.*** *Ant.* Remuneração que alguém combinava dar ao capitão de um navio mercante no caso de o levar a porto e salvamento.

primaiense ***Adj. 2 g.*** **1.** De, ou pertencente ou relativo a Primeiro de Maio (PR). • ***S. 2 g.*** **2.** O natural ou habitante de Primeiro de Maio.

primar [Do fr. *primer.*] ***V. t. i.*** **1.** Ser o primeiro; ter a primazia ou a preferência: *Machado de Assis prima entre os escritores do Brasil.* **2.** Mostrar-se notável, o mais notável; destacar-se, distinguir-se: *O Brasil prima no futebol*; "Tito Franklin, prático de farmácia, primava nos papéis cômicos, assim como Maninho Andrade nos dramáticos." (Carlos Drummond de Andrade, *Fala, Amendoeira*, p. 72). **3.** Ser primoroso, hábil. **4.** Notabilizar-se, distinguir-se, sobressair: *Napoleão primou pelo gênio militar*; "Na bancada baiana, os seus oradores primavam pelas declamações cintilantes, os remoques, a ironia ácida" (Oliveira Viana, *Pequenos Estudos de Psicologia Social*, p. 204). [Fut. pret.: *primaria*, etc. Cf. *primária*, fem. de *primário.*]

primária ***S. f.*** *Polít.* V. *eleição primária.*

primárias ***S. f. pl.*** *Polít.* V. *eleição primária.*

primariedade [De *primári(o)- + -edade.*] ***S. f.*** Qualidade de primário.

primário [Do lat. *primariu.*] ***Adj.*** **1.** Que antecede outro; primeiro. **2.** Elementar, rudimentar, primeiro: *noções primárias.* **3.** Diz-se da instrução ou ensino de nível elementar, e do curso ou do estabelecimento em que se ministra essa instrução. **4.** Que leciona no curso primário: *professora primária.* **5.** Destinado ao curso primário: *gramática primária.* **6.** *Astr.* Principal (4). **7.** *Geol. Obsol.* Diz-se da era paleozoica. **8.** *Jur.* Que cometeu o primeiro crime ou contravenção. **9.** *Bras.* Limitado, rudimentar, acanhado, estreito, primitivo: "Alma primária e selvagem" (Paulo Rónai, *Encontros com o Brasil*, p. 193). **10.** *Bras.* Sem consistência ou grandeza; mesquinho; superficial: *argumentos primários.* [Fem.: *primária*. Cf. *primaria*, do v. *primar.*] ~ V. *acento —, articulação —a, bateria —a, carbono —, constrição —a, cor —a, eleição –a, ensino —, era —a, espermatócito —, estrutura —a, foco —, fogo —, folículo —, fonte —a, leitor —, letra —a, língua —a, lisossomo —, loteria —a, metabolismo —, metabólito —, memória —a, mercado —, produto —, qualidade —a, quimioprofilaxia —a, radical —, raiz —a, rêmiges —as, resultado —, setor —, sifiloma —* e *sucessão — a.* • ***S. m.*** **11.** O curso primário [v. *primário* (3)]. **12.** *Astr.* Principal (9). **13.** *Jur.* Aquele que cometeu o primeiro crime ou contravenção. **14.** *Geol. Obsol.* Era paleozoica.

primarismo [De *primário + -ismo.*] ***S. m.*** Qualidade ou caráter de primário (q. v.).

primata [Adapt. do tax. *Primates.*] *Zool.* ***S. m.*** **1.** Espécime dos primatas, ordem de mamíferos placentários que reúne o homem, os macacos, os lêmures e espécies afins. São especialmente arborícolas, à exceção do homem, onívoros, dotados de cérebro grande e diferenciado, olhos voltados para a frente, e membros dotados de cinco dedos, o polegar ger. oponível, e as unhas achatadas; têm duas tetas na região peitoral, a visão e a audição são bem desenvolvidas, e o olfato, menos. Esta ordem divide-se em duas subordens, a dos prossímios (q. v.) e a dos simiiformes (q. v.). • ***Adj. 2 g.*** **2.** Pertencente ou relativo a eles. [F. paral.: *primate.*]

primate [Do tax. *Primates* (do lat. *primates*, 'que são dos primeiros, dos principais').] ***S. m. Adj. 2 g.*** *Zool.* V. *primata.*

primatologia [De *primata + -o- + -logia*[1].] ***S. f.*** Parte da zoologia que estuda os primatas (q. v.).

primatologista [De *primatologia + -ista.*] ***S. 2 g.*** Especialista em primatologia: "Esses chipanzés [das montanhas que circundam o Lago Tanganica, na África Central] há mais de dez anos são estudados pela primatologista Jane Goodall." (*Jornal do Brasil*, 09.12.1988.)

primavera [Do lat. *primo vere*, 'no começo do verão'.] ***S. f.*** **1.** Estação do ano que sucede ao inverno e antecede o verão. [No hemisfério sul, principia quando o Sol alcança o equinócio de setembro (dia 22) e termina quando ele atinge o solstício de dezembro (dia 20); e, no hemisfério norte, principia quando o Sol alcança o equinócio de março (dia 21) e termina quando ele atinge o solstício de junho (dia 20).] **2.** *Fig.* Época primeira; aurora. **3.** *Fig.* A juventude: "Ela [a planta] no pátrio céspede ficara, / Com o mesmo viço, a mesma primavera" (Alberto de Oliveira, *Poesias*, 3ª série, p. 254). **4.** *Poét.* Ano[1] (4): *Completa hoje 15 primaveras*; "Os meus trinta e nove outonos estão, como sempre, às ordens das tuas vinte e cinco primaveras." (Artur Azevedo, *Contos Fora da Moda*, p. 104). [Nesta acepç., usa-se apenas com relação a pessoa jovem, particularmente do sexo feminino.] **5.** *Bot.* V. *sempre-lustrosa.* **6.** *Bot.* V. *flor-de-cardeal.* **7.** *Zool.* Maria-branca. **8.** *Zool.* V. *pombinha-das-almas.*

primavera de flores ***S. f.*** *Tec. Têx.* Certo antigo tecido de seda. [Pl.: *primaveras de flores.*] ☑

primaveral [De *primavera + -al*[1].] ***Adj. 2 g.*** Relativo à, ou próprio da primavera: "Que linda Mágoa se me avizinha / e me recorda os primaverais / dias vividos na infância minha" (Gilca da Costa Melo Machado, *Poesias*, p. 96). [Sin.: *vernal, primaveril* e (p. us.) *primavero.*]

primaverar [De *primavera + -ar*[2].] ***V. int.*** Passar ou gozar a primavera: "Em abril iam primaverar na quinta do Flórido" (Camilo Castelo Branco, *Vulcões de Lama*, p. 152).

primaverense[1] ***Adj. 2 g.*** **1.** De, ou pertencente ou relativo a Primavera (PA e PE). • ***S. 2 g.*** **2.** O natural ou habitante de Primavera.

primaverense[2] ***Adj. 2 g.*** **1.** De, ou pertencente ou relativo a Primavera do Leste (MT). • ***S. 2 g.*** **2.** O natural ou habitante de Primavera do Leste.

primaveril [De *primavera + -il*[1].] ***Adj. 2 g.*** **1.** V. *primaveral.* **2.** Diz-se de pessoa jovem, de pouca idade: "Na redação, o secretário fazia a sua cozinha, quando a senhora, não primaveril, ... dele se aproximou timidamente." (Carlos Drummond de Andrade, *Fala, Amendoeira*, p. 150.)

primaverino [De *primavera + -ino*[1].] ***Adj.*** V. *primaveril.*

primavero ***Adj.*** *P. us.* V. *primaveral.*

primaz [Voc. deduz. de *primazia.*] ***S. m.*** **1.** Prelado que tinha jurisdição sobre certo número de arcebispos e bispos, e que atualmente só usufrui uma categoria superior à desses arcebispos e bispos. • ***Adj. 2 g.*** **2.** Que ocupa o primeiro lugar.

primazia [Do b.-lat. *primatia*, 'o primeiro plano'.] ***S. f.*** **1.** Dignidade de primaz; primado. **2.** Prioridade (1 e 2). **3.** Excelência, superioridade. **4.** *P. ext.* Rivalidade, competência.

primeira [F. subst. do num. *primeiro.*] ***S. f.*** **1.** *Autom.* A marcha mais potente do motor de um veículo automóvel, usada na arrancada do veículo e em subidas; primeira marcha. **2.** Jogo de cartas em que se distribuem quatro a cada parceiro. **3.** Primeira classe. ◆ **À primeira.** **1.** De começo. **2.** À primeira vista. **De primeira.** De primeira ordem; de primeira qualidade: *É pessoa de primeira: pode confiar.*

primeira-cruzense ***Adj. 2 g.*** **1.** De, ou pertencente ou relativo a Primeira Cruz (MA). • ***S. 2 g.*** **2.** O natural ou habitante de Primeira Cruz. [Pl.: *primeira-cruzenses.*]

primeira-dama [Do f. de *primeiro + dama*, para trad. o ingl. *first lady.*] ***S. f.*** A esposa do chefe de uma nação, do governador de um estado, ou do prefeito de uma cidade. [Pl.: *primeiras-damas.*]

primeiranista [De *primeiro + ano*[1] *+ -ista.*] ***S. 2 g.*** Estudante que frequenta o primeiro ano do curso de uma escola ou faculdade.

primeiras-águas ***S. f. pl.*** **1.** *Bras. N.E.* As primeiras chuvas que caem depois do verão, em geral nas proximidades do dia de S. José (19 de março), e daí por diante; águas de março. **2.** As primeiras chuvas de trovoada, em novembro e dezembro. **3.** Primeiras chuvas de começo de ano; águas de janeiro.

primeiro [Do lat. *primariu.*] ***Num.*** **1.** Ordinal correspondente a um. • ***Adj.*** **2.** Que antecede outros quanto ao tempo, lugar, série ou classe; primário. **3.** Que é o mais antigo em uma série ou classe. **4.** Que antecede a todos na prática de alguma coisa. **5.** Que está adiante ou acima de todos em qualidade, posição, importância, etc.; principal. **6.** Essencial, fundamental. **7.** Elementar, rudimentar, primário: *Aprendeu as primeiras letras com a mãe.* **8.** Dos primeiros tempos; primitivo. **9.** Que é o primogênito. ~ V. *—a articulação, —a capa, derivada —a, —a falange, filosofia —a, —a fôrma, — grau, —a infância, —a leitura, —as letras, matéria —a, — meridiano, — motor, —a pedra, — plano, —a prova, —a quadratura, qualidade —a, — quarto, primeiros socorros, — tempo* e *—a tipográfica* e *— vigilante.* • ***S. m.*** **10.** O que numa série ocupa o primeiro lugar. **11.** Qualquer pessoa, coisa, série, classe, lugar, etc., que é o primeiro: "Foi [Alexandre Magno] na glória das armas o primeiro" (Tomás Antônio Gonzaga, *Marília de Dirceu*, p. 64). **12.** O primeiro dia de um mês: *As aulas recomeçarão no primeiro vindouro.* **13.** A primeira coisa de sua espécie. **14.** Aquele que ganhou em corrida ou competição. • ***Adv.*** **15.** Antes de qualquer outra pessoa ou coisa; no começo; primeiramente: "O sol, nascendo apenas, vem primeiro / Seus raios nesta campina dardejar" (Gonçalves Dias, *Obras Poéticas*, II, p. 99); "Primeiro olhou-me confusa. Depois, infeliz e abandonada, deitou a cabeça no meu ombro" (Natércia Freire, *A Alma da Casa Velha*, p. 57). ◆ **Primeiro que.** Antes que: *Primeiro que viaje, ele me visitará.* **De primeiro.** **1.** Primeiramente. **2.** Antigamente, outrora: "Ela, de primeiro, ria de quem se amarrava por xodó. Agora está sofrendo a mesma coisa, castigo." (Juarez Barroso, *Mundinha Panchico e o Resto do Pessoal*, p. 134.) **3.** No princípio. **O primeiro sem segundo.** Aquele que ocupa lugar de destaque, sem a concorrência de um segundo.

primeiro-cadete ***S. m.*** **1.** V. *hierarquia militar.* **2.** Militar que detinha a posição hierárquica de primeiro-cadete. [Pl.: *primeiros-cadetes.*]

primeiro de abril ***S. m.*** Trote que se costuma passar no dia 1º de abril. [Pl.: *primeiros de abril.*] ☑

primeiro-elevador ***S. m.*** *Tip.* V. *elevador* (4). [Pl.: *primeiros-elevadores.*]

primeiro-ministro ***S. m.*** No parlamentarismo, chefe de governo, em geral escolhido pelo chefe do Estado entre os membros do partido majoritário: *Churchill foi primeiro-ministro da Grã-Bretanha; Indira Gandhi foi primeira-ministra da Índia.* [Corresponde ao fr. *premier*. Pl.: *primeiros-ministros.*]

primeiro-sargento ***S. m.*** **1.** V. *hierarquia militar.* **2.** Militar que detém a posição hierárquica de primeiro-sargento. [Tb. se diz, no Brasil, apenas *sargento* (v. *sargento*[1] [2]).] [Pl.: *primeiros-sargentos.*]

primeiro-secretário ***S. m.*** V. *carreira diplomática.* [Pl.: *primeiros-secretários.*]

primeiro-tenente ***S. m.*** **1.** V. *hierarquia militar.* **2.** Militar que detém a posição hierárquica de primeiro-tenente. [Tb. se diz, no Brasil, apenas *tenente* (v. *tenente* (5).] [Pl.: *primeiros-tenentes.*]

→ **primer** [ˈpɹajmɚ] [Ingl.] ***S. m.*** **1.** Pintura us. como revestimento inicial de uma suprfície, preparando-a para a pintura ou acabamento posterior. [Cf. *zarcão* (2).] **2.** *Bioquím.* Iniciador (4).

→ **prime rate** [pɹajm rejt] [Ingl.] *Econ.* Taxa de juros cobrada por bancos norte-americanos de seus clientes preferenciais, frequentemente tomada como referência em transações financeiras internacionais.

primevo [Do lat. *primaevu.*] ***Adj.*** **1.** Relativo aos tempos primitivos: "na história primeva de São Paulo, quase tudo se apresenta provisório, devido à documentação escassa, quase ilegível" (Aureliano Leite, *Pequena História da Casa Verde*, p. 37). **2.** Antigo, primitivo: "uma alma amante das lendas primevas" (Afonso Arinos, *Pelo Sertão*, p. 64).

▲ **prim(i)-** [Do lat. *primi*, gen. do adj. *primus, a, um.*] ***El. comp.*** = 'primeiro': *primina, primípara* (< lat.). [Equiv.: *primo-*: *primogênito* (< lat.).]

primicério [Do lat. *primiceriu.*] ***S. m.*** **1.** O primeiro em qualquer dignidade. **2.** *Ant.* Chantre.

primícias [Do lat. *primitias.*] ***S. f. pl.*** **1.** Primeiros frutos. **2.** Primeiras produções. **3.** Primeiros efeitos; primeiros lucros. **4.** Primeiros sentimentos; primeiros gozos. **5.** Começos, prelúdios.

primigénio ***Adj.*** V. *primigênio.* [Uso freq. em P.]

primigênio [Do lat. *primigeniu.*] ***Adj.*** O primeiro da sua espécie; primitivo, primordial, primígeno: "Essa psicologia coletiva ou étnica .... é o fundo comum e a camada primigênia que explica e define o caráter especial de cada povo" (João Ribeiro, *O Folclore*, pp. 7-8).

primígeno [Do lat. *primigenu.*] ***Adj.*** V. *primigênio.*

primina [De *prim(i)- + -ina*[1].] ***S. f.*** **1.** O primeiro invólucro do óvulo, contando-se de fora para dentro. **2.** *Bot.* Tegumento externo do óvulo vegetal.

primípara [De *prim(i)- + -para.*] ***S. f.*** Fêmea primípara.

primiparidade [De *primíparo + -(i)dade.*] ***S. f.*** Estado ou condição de primípara.

primíparo [De *prim(i)- + -paro.*] ***Adj.*** Que pare pela primeira vez.

primipilar [Do lat. *primipilare.*] ***S. m.*** Primipilo.

primipilato [Do lat. tard. *primipilatu.*] ***S. m.*** O posto de primipilo.

primipilo [Do lat. *primipilu.*] ***S. m.*** O comandante dos centuriões romanos; primipilar: Uma tropa improvisada, ... , sob o comando de um primipilo reformado, havia travado combate indeciso com os bárbaros" (Mário de Carvalho, *Um Deus Passeando pela Brisa da Tarde*, p. 43).

primitiva [F. subst. do adj. *primitivo.*] ***S. f.*** **1.** *Fam.* A origem, o princípio. **2.** *Mat.* Função que é a integral indefinida de outra. **3.** *Mat.* Função que é a solução de uma equação diferencial.

primitivismo [De *primitivo + -ismo.*] ***S. m.*** **1.** Qualidade de primitivo. **2.** Doutrina que afirma a bondade primitiva da natureza humana e a existência de uma idade áurea da humanidade, no estado primitivo. **3.** A arte dos primitivos [v. *primitivo* (7)]. **4.** Tendência artística que adota por modelo a ingenuidade de forma e o sentimento da arte dos povos primitivos.

primitivista [De *primitivismo* + *-ista*.] *Adj. 2 g.* **1.** Relativo ao, ou que é adepto do primitivismo (2 a 4). • *S. 2 g.* **2.** Adepto do primitivismo (2 a 4).

primitivo [Do lat. *primitivu*.] *Adj.* **1.** De primeira origem; original, inicial, inaugural: *os tempos primitivos.* **2.** Dos primeiros tempos; primordial, primeiro: *povos primitivos.* **3.** Que não é derivado; básico, primário. **4.** V. *primigênio*. **5.** Diz-se de um organismo, órgão, etc., em começo de evolução, ou muito pouco diferenciado de seus antepassados mais remotos. **6.** *P. ext.* Simples; áspero, rude: *É uma alma primitiva; Usa métodos primitivos para alcançar seus fins.* **7.** *Antrop. Obsol.* Relativo aos povos não letrados, que vivem em sociedades ger. caracterizadas como de escala menor, organização social menos complexa e nível tecnológico menos desenvolvido do que as sociedades ditas civilizadas, e vistos pelo evolucionismo social (q. v.) como representantes de um estado social e mental supostamente mais próximo da condição original, natural, da humanidade, ou dela sobreviventes. **8.** *Art. Plást.* Num conceito que data do romantismo, diz-se da arte (pintura e escultura) própria dos séculos que precederam imediatamente a eclosão do Renascimento. **9.** Diz-se do artista do final da Idade Média cujos valores clássicos se prendem à mensagem do cristianismo e que, como os primitivos italianos, aliam a pureza da inspiração ao despojamento técnico. **10.** V. *naïf* (2). **11.** *E. Ling.* Diz-se da palavra que não resulta de processo de formação vocabular: *pedra, mesa.* **12.** *E. Ling.* Diz-se dos tempos verbais que servem para formar outros. São: o presente do infinitivo, o gerúndio, o particípio, o presente do indicativo e o pretérito perfeito. ~ V. *artéria carótida —a, corpo —, dado —, fosseta —a, intestino —, linha —a, nó —, povos primitivos, saco vitelino —, sociedades primitivas, vesículas encefálicas primitivas, vesícula vitelina —a* e *vesícula vitelínica —a.* • *S. m.* **13.** Aquilo ou aquele que é primitivo (acepç. 1 a 6). **14.** *Antrop. Obsol.* Indivíduo de povo considerado primitivo (7), em particular aquele considerado portador de características (mentais, psicológicas, intelectuais, afetivas, etc.) de estágios menos desenvolvidos da humanidade. [Atualmente, o emprego do termo nas acepç. 7 e 14 é, ger., evitado pelos antropólogos, por ser considerado cientificamente errôneo e decorrente de pressupostos ocidentais etnocêntricos.] **15.** *Art. Plást.* Artista primitivo (9). **16.** *Art. Plást.* V. *naïf* (4).

primo[1] [Do lat. *consobrinus primus*, 'primeiro primo', 'primo direito'.] *S. m.* **1.** Indivíduo em relação aos filhos de tias e tios. **2.** Parente sem outra designação especial. ◆ **Primo carnal.** V. *primo coirmão.* **Primo coirmão.** Filho de irmão ou irmã do pai ou da mãe de um indivíduo; primo carnal, primo germano, primo irmão. **Primo cruzado.** *Antrop.* Filho de um irmão da mãe, ou filho de uma irmã do pai de um indivíduo. **Primo cruzado bilateral.** *Antrop.* Primo cruzado (q. v.) que é, ao mesmo tempo, filho da irmã do pai e filho do irmão da mãe. **Primo cruzado matrilateral.** *Antrop.* Filho do irmão da mãe de um indivíduo. **Primo cruzado patrilateral.** *Antrop.* Filho da irmã do pai de um indivíduo. **Primo direito.** Primo paralelo (q. v.). **Primo germano.** V. *primo coirmão.* **Primo irmão.** V. *primo coirmão.* **Primo paralelo.** *Antrop.* Filho de um irmão do pai, ou filho de uma irmã da mãe de um indivíduo; primo direito.

primo[2] [Do lat. *primu*.] *Adj.* **1.** *P. us.* Primeiro (1): "Mosqueado tigre, / Se cai no meio de preás medrosos, / Talvez no primo impulso algum aferra" (Gonçalves Dias, *Obras Poéticas*, II, p. 435). **2.** *P. us.* Ótimo, excelente. ~ V. *—a tonsura* e *número —.* • *S. m.* **3.** *Mat.* Número primo.

▲ **primo-** Equiv. de *prim(i)-*.

primogênita *Adj. S. m.* V. *primogênito*. [Uso freq. em P.]

primogênito [Do lat. *primogenitu*.] *Adj. S. m.* Que, ou aquele que foi gerado antes dos outros; que ou o que é o filho mais velho.

primogenitor (ô) [De *primogênito* + *-or*.] *S. m.* **1.** Pai do primogênito. **2.** Os avós; os antepassados.

primogenitura [De *primogênito* + *-ura*.] *S. f.* Qualidade de primogênito.

primoponendo *Adj.* Que deve ser anteposto.

primor (ô) [Do lat. *primore*, 'o que ocupa o primeiro lugar'.] *S. m.* **1.** Qualidade superior. **2.** Perfeição, excelência. **3.** Delicadeza, beleza, encanto. ◆ **A primor.** Com grande esmero; esmeradamente, primorosamente; a capricho: *Esculpe a primor*; "olhos coruscantes, compostura de feições a primor, bem que um tanto rústicas." (Camilo Castelo Branco, *A Mulher Fatal*, p. 55).

primorar [De *aprimorar*, com aférese.] *V. t. d. P.* V. *aprimorar.*

primordial [Do lat. *primordiale*.] *Adj. 2 g.* **1.** Referente a primórdio. **2.** V. *primitivo* (2): "Sendo [a dança] a arte primordial, pois que a sua origem se perde na noite dos tempos, era, e ainda é, a mais acessível e querida do povo." (Martins Fontes, *A Dança*, p. 14.) **3.** Básico, principal, primeiro: "O conceito primordial da arte encerra a ideia de equilíbrio." (Murilo Mendes, *O Discípulo de Emaús*, p. 15.) **4.** V. *primigênio*. ~ V. *átomo —, caos —, célula germinativa —, explosão —* e *folículo —.*

primordialidade [De *primordial* + *-(i)dade*.] *S. f.* Qualidade ou caráter do que é primordial.

primórdio [Do lat. *primordiu*.] *S. m.* **1.** Aquilo que se organiza ou ordena primeiro. **2.** Fonte, origem, princípio: "O começo da religião, os seus primórdios na história da cultura humana, constituem problemas que oferecem as mesmas dificuldades na investigação de todas as origens." (João Ribeiro, *O Folclore*, p. 193.)

primoroso (ô) [De *primor* + *-oso*.] *Adj.* **1.** Em que há primor; feito com primor; perfeito, excelente: *uma tela primorosa; tradução primorosa.* **2.** Notável, distinto.

primo-torto (ô) *S. m. Pop.* Filho de casamento anterior de tio ou tia afim, em relação aos sobrinhos destes. [Pl.: *primos-tortos* (ó).]

prímula [Do lat. med. *primula* (*veris*), lit. 'primícias da primavera'; tax. *Primula*.] *S. f. Bot.* **1.** O gênero-tipo das primuláceas, que abrange plantas herbáceas acaules nativas, ger. da Europa e da Ásia, dotadas de grandes folhas basais grupadas em feixes e flores de corola crateriforme, de cores variegadas. **2.** Qualquer espécie desse gênero, como, p. ex., a *Primulla officinalis* (v. *pão-e-queijo*) e a *P. sinensis*, nativa da Ásia. **3.** Qualquer espécime desse gênero, ou a flor dele.

primulácea [Do tax. *Primula* + *-ácea*; tax. *Primulaceae*.] *S. f. Bot.* Espécime das primuláceas, família de plantas floríferas, da ordem das primulales, composta de ervas de folhas alternas ou rosuladas, flores actinomorfas, vistosas, com cinco estames opositipétalos e ovário súpero, e fruto capsular. Existem cerca de 500 espécies, quase todas dos países temperados.

primuláceo [De *primulácea*, com var. suf. (v. *-áceo*).] *Adj. Bot.* Pertencente ou relativo às primuláceas.

primulal [Do lat. cient. *Primul-* (v. *primulale*) + *-al*[1].] *Adj. 2 g. Bot.* Pertencente ou relativo às primulales.

primulale [Do tax. *Primula* + *-ale*; tax. *Primulales*.] *S. f. Bot.* Espécime das primulales, ordem de vegetais dicotiledôneos na qual se incluem as primuláceas, as teofrastáceas e as mirsináceas.

primulina [De *prímula* + *-ina*[3].] *S. f.* Substância corante extraída da prímula.

➔ **primum** ['primo(m)] [Lat.] *Adv.* Em primeiro lugar.

➔ **primus inter pares** ['primos 'inteɾ 'paɾes] [Lat.] O primeiro entre os seus pares, os seus iguais.

➔ **princeps** ['prinkeps] [Lat., 'primeiro, principal'.] *Adj. 2 g. e 2 n.* ~ V. *edição —.*

princês [De *princesa*.] *S. m.* **1.** *Irôn. Pop.* Príncipe[1]. **2.** *Bras.* Mascarado vestido de príncipe. [Pl.: *princeses* (ê).]

princesa (ê) [Do fr. *princesse*, pelo esp. *princesa* e pela f. ant. *princessa*, influenciada por *duquesa, baronesa*, etc.] *S. f.* **1.** Mulher do príncipe[1] (1 a 3 e 5). **2.** Soberana de principado. **3.** Filha de rei. **4.** *P. ext.* Soberana ou rainha. **5.** *Fig.* A primeira ou a mais distinta na sua categoria. ◆ **Princesa do Arocá.** *Bras. Rel.* V. *Iemanjá.* **Princesa do Mar.** *Bras. Rel.* V. *Iemanjá.*

princesal [De *princesa* + *-al*[1].] *Adj. 2 g.* Próprio de princesa.

princesense *Adj. 2 g.* **1.** De, ou pertencente ou relativo a Princesa Isabel (PE). • *S. 2 g.* **2.** O natural ou habitante de Princesa Isabel.

principado [Do lat. *principatu*.] *S. m.* **1.** Dignidade de príncipe[1]. **2.** Território ou Estado cujo soberano é um príncipe[1] ou uma princesa. ~ V. *principados.*

principados [Pl. de *principado*.] *S. m. pl. Teol.* Um dos nove coros de anjos. ~ V. *principado.*

principal [Do lat. *principale*.] *Adj. 2 g.* **1.** Que está em primeiro lugar. **2.** Fundamental, essencial. **3.** Que é o mais notável. **4.** *Astr.* Diz-se de corpo celeste em torno do qual gravita outro, denominado *satélite* (q. v.); primário. ~ V. *agulha —, canal —, convés —, curvatura —, determinante —, diagonal —, elemento —, fachada —, luz —, memória —, normal —, número quântico —, oração —, planos principais, ponto —* e *raio —.* • *S. m.* **5.** O superior de comunidade religiosa. **6.** O chefe. **7.** Valor de um empréstimo, não incluindo os juros a serem pagos: *As prestações mensais incluem a amortização do principal e o pagamento de juros.* • *S. f.* **8.** *E. Ling.* Oração principal (q. v.). • *S. 2 g.* **9.** *Astr.* Corpo principal (4); primário.

principalidade [Do lat. *principalitate*.] *S. f.* Qualidade de principal.

principalmente [De *principal* + *-mente*.] *Adv.* **1.** De modo principal; com maior força, destaque ou importância: *O que agravou a situação foi principalmente a falta de recursos.* **2.** De modo principal; em especial, especialmente, sobretudo: *Gostava de literatura, principalmente dos autores ingleses.*

príncipe[1] [Do lat. *principe*, 'presidente do senado romano', pelo it. *principe*.] *S. m.* **1.** Filho ou membro de família reinante. **2.** Filho primogênito do rei. **3.** Chefe de principado (2). **4.** Consorte da rainha, nalguns Estados. **5.** Título de nobreza, em alguns países. **6.** O primeiro ou mais notável em talento ou em outras qualidades. **7.** Homem muito fino, de maneiras polidas, aristocráticas. [Fem.: *princesa*; dim. irreg. deprec.: *principelho, principículo*.] **8.** *Bras. Zool.* Ave passeriforme, tiranídea (*Pyrocephalus rubinus*), do N. e C.O. do Brasil, de dorso pardo, com o alto da cabeça e a parte inferior vermelho-vivos. A fêmea é parda, com a parte inferior branca pintada de pardo e a cauda escura. [Sin., nesta acepç.: *verão, miguim, mãe-do-sol, passarinho-de-verão*.] ~ V. *príncipes.* ◆ **Príncipe das Trevas.** V. *diabo* (2). **Príncipe da Treva.** V. *diabo* (2): "E foi somente então que o Príncipe da Treva / Instituiu o amor furioso e desgrenhado" (Vicente de Carvalho, *Poemas e Canções*, p. 27). **Príncipe de Gales.** *Tec. Têx.* Tecido de lã ou de outras fibras, de padronagem tipicamente escocesa, com ligamento sarja. **Príncipe do ar.** V. *diabo* (2). **Príncipe dos demônios.** V. *diabo* (2).

príncipe[2] [Do lat. *principe*.] *Adj. 2 g.* Principal, primeiro. [F. preferível ao lat. *princeps*.] ~ V. *edição —.*

príncipe[3] [Adapt. do tax. *Principes*.] *Bot. S. m.* **1.** V. *arecale.* • *Adj. 2 g.* **2.** V. *arecal.*

principelho (ê) [De *príncipe*[1] + *-elho*.] *S. m. Deprec.* **1.** Pequeno príncipe[1]. **2.** Príncipe[1] ridículo ou de pouco mérito. [Sin. ger.: *principículo*.]

principesco (ê) [Do it. *principesco*.] *Adj.* **1.** Relativo a, ou próprio de príncipe[1]. **2.** Opulento, ostentoso.

principiador (ô) [De *principiar* + *-dor*.] *Adj. S. m.* Que, ou aquele que principia ou dá começo a alguma coisa.

principiante [De *principiar* + *-nte*.] *Adj. 2 g.* **1.** Que principia; que está no começo. • *S. 2 g.* **2.** Pessoa que principia a exercitar-se ou a aprender alguma coisa.

principiar [Do lat. *principiare*, 'começar a falar'.] *V. t. d.* **1.** Dar princípio a; começar, iniciar, abrir: *O Presidente da Câmara discursou, principiando os trabalhos daquele exercício.* *T. i.* **2.** Ter princípio; começar: *Numerosas palavras principiam com h; Imbaúba principia por i.* **3.** Dar princípio; começar: "O mar, muito calmo até ali, principia a encrespar-se quase subitamente." (João da Silva Correia, *Farândola*, p. 141); "ao chegar aos quinze, o rapaz que até ali era robusto, principiou de emagrecer" (Alberto Braga, *Novos Contos*, p. 12). *Pred.* **4.** Ter princípio ou começo (revelando condição ou estado); começar: *Principiou pobre e acabou milionário.* *Int.* **5.** Ter princípio, início; começar. [Pres. ind.: *principio*, etc. Cf. *princípio*.]

principículo [De *príncipe*[1] + *-i-* + *-culo*.] *S. m. Deprec.* V. *principelho.*

princípio [Do lat. *principiu*.] *S. m.* **1.** Momento ou local ou trecho em que algo tem origem; começo: *o princípio de um incêndio; O princípio da estrada já está pavimentado.* **2.** Causa primária. **3.** Elemento predominante na constituição de um corpo orgânico. **4.** Preceito, regra, lei. **5.** *P. ext.* Base; germe: *O garoto tem em si o princípio da rebeldia.* **6.** *E. Ling.* Restrição universal e invariante que toda e qualquer língua apresenta. [V. *gramática universal* e *parâmetro* (4).] **7.** *Filos.* Origem de algo, de uma ação ou de um conhecimento. **8.** *Lóg.* Na dedução, a proposição que lhe serve de base, ainda que de modo provisório, e cuja verdade não é questionada. [Cf. *principio*, do v. *principiar*.] ~ V. *princípios.* ◆ **Princípio antrópico.** *Cosm.* Proposição segundo a qual tudo quanto podemos observar no Universo deve depender estritamente das condições próprias da nossa existência e da nossa presença, como observadores no cosmo. **Princípio cosmológico.** *Cosm.* Hipótese segundo a qual o Universo é homogêneo e isotrópico, ou melhor, não existe nem local nem direção privilegiada, qualquer que seja a posição ocupada pelo observador. **Princípio da bivalência.** *Lóg.* Princípio da lógica clássica segundo o qual uma proposição ou é verdadeira ou é falsa. [Cf. *princípio do terceiro excluído*.] **Princípio da identidade dos indiscerníveis.** *Filos.* Conforme Leibniz (v. *leibniziano*), princípio segundo o qual dois seres reais diferem sempre por caracteres intrínsecos e não por suas posições no tempo e no espaço. [Tb. se diz apenas *indiscerníveis*.] **Princípio da prudência.** *Cont.* Conservadorismo (2). **Princípio da realidade.** *Psican.* Substituição ou controle das exigências do princípio do prazer (q. v.) com o objetivo de adaptar o organismo às exigências da realidade, assegurando, consequentemente, a satisfação das suas necessidades. **Princípio de causalidade.** *Filos.* Uma das relações fundamentais apreendidas pelo pensamento, e que assim se enuncia: "Todo fenômeno tem uma causa." **Princípio de contradição.** *Lóg.* Princípio que afirma: "O que é não é o que não

P

é". Em termos lógicos, a negação de uma proposição afirmativa verdadeira será falsa e vice-versa, pois o contrário do falso é o verdadeiro; princípio de não contradição. **Princípio de finalidade.** *Filos.* Uma das relações fundamentais apreendidas pelo pensamento, e que consiste na atribuição de uma finalidade a tudo o que é, do que resulta a busca da compreensão do que é pelo que está para vir. **Princípio de identidade.** *Lóg.* Princípio que afirma: "O que é, é; o que não é, não é". Em termos lógicos, trata da relação entre a qualidade (afirmação ou negação) e o valor de verdade (verdadeira ou falsa) que define uma proposição como tal. **Princípio de individuação.** *Filos.* **1.** Essência própria a cada indivíduo, e graças à qual se pode dizer, de cada um deles, "Ei-lo": o singular, concreto, determinado no tempo e no espaço. Ex.: a hecceidade. [Cf. *individuação* (2).] **2.** A unidade das características que diferencia uma coisa de outras assemelhadas. **Princípio de não contradição.** *Lóg.* Princípio de contradição. **Princípio de razão suficiente.** *Filos.* Segundo Leibniz (v. *leibniziano*), o princípio que afirma que nada acontece sem que haja uma causa ou razão determinante. **Princípio de verificação.** *Filos.* No positivismo lógico (q. v.), princípio que afirma que o significado de uma proposição é dado na sua verificação (v. *verificabilidade*). **Princípio do prazer.** *Psican.* Tendência da atividade psíquica a buscar a satisfação e evitar o pesar, sem levar em conta a realidade. **Princípio do terceiro excluído.** *Lóg.* Princípio segundo o qual uma proposição ou é afirmativa ou é negativa, não havendo meio-termo. [Cf. *princípio da bivalência.*] **A princípio.** No começo, no início; ao princípio: "Capitu, a princípio, não disse nada." (Machado de Assis, *Dom Casmurro*, p. 40.) **Ao princípio.** A princípio: "A conversa, pouco animada ao princípio, foi esmorecendo cada vez mais" (Machado de Assis, *Contos Avulsos*, p. 83). **Em princípio.** Antes de qualquer consideração; antes de tudo; antes de mais nada. **Por princípio.** Por norma.

princípios [Pl. de *princípio.*] ***S. m. pl.*** **1.** Conjunto dos preceitos morais e éticos que regem ou deveriam reger a conduta e o comportamento do ser humano em relação ao seu semelhante, ou em relação à sociedade, ou em relação ao mundo e aos outros seres da natureza. **2.** *P. ext.* Integridade, caráter: *É um homem de princípios.* **3.** Proposições diretoras duma arte, duma ciência. ~V. *princípio.*

príon [Do ingl. *prion,* comb. das iniciais de *pro(teinaceous) in(fectious particle),* t. cunhado em 1982 por Stanley B. Pruziner, cientista norte-americano.] ***S. m.*** *Microbiol.* Agente infeccioso não vivo, formado por uma molécula proteica autorreplicável e, supostamente, sem ácido nucleico, e que se presume seja forma modificada da proteína pr-P. [Poder-se-ia transmitir, p. ex., mediante transplante de órgão, como, p. ex., córnea, e pela ingestão de carne animal contaminada (gado bovino, ovino, etc.), difundindo-se pelos neurônios e forçando proteínas normais a assumirem a forma dele. Originariam algumas doenças tidas como causadas por vírus de ação lenta (q. v.), como, p. ex., encefalopatias espongiformes (v. *encefalopatia espongiforme*).]

prior (ô) [Do lat. *priore,* 'o primeiro entre dois'.] ***S. m.*** **1.** O pároco de certas freguesias: "Por entre as searas / A multidão / Vai murmurando: / 'Perdão, perdão!' / E o prior velho / Levanta a mão, / E agita o hissope / Da remissão" (Conde de Monsaraz, *Musa Alentejana*, p. 198). **2.** *Ant.* Superior de convento, nalgumas ordens monásticas. **3.** Dignitário, nas antigas ordens militares. [Fem.: *priora, prioresa.*]

priora (ô) ***S. f.*** Prioresa.

priorado [Do lat. *prioratu.*] ***S. m.*** **1.** Cargo de prior ou de prioresa. **2.** Tempo durante o qual o prior ou a prioresa exerce as suas funções. [F. paral.: *priorato.*]

prioral [De *prior* + *-al*[1].] ***Adj. 2 g.*** Pertencente ou relativo a prior, ou a priorado: "passou pela residência prioral a retribuir a visita que o pároco lhe fizera" (Manuel Ribeiro, *A Planície Heroica*, p. 193).

priorato [De *prior* + *-ato*[1].] ***S. m.*** Priorado (q. v.).

prioresa (ê) [De *prior* + *-esa.*] ***S. f.*** Superiora de convento de certas ordens; priora.

prioridade [Do lat. med. *prioritate.*] ***S. f.*** **1.** Qualidade do que está em primeiro lugar, ou do que aparece primeiro; primazia. **2.** Preferência dada a alguém relativamente ao tempo de realização de seu direito, com preterição do de outros; primazia. **3.** Qualidade duma coisa que é posta em primeiro lugar, numa série ou ordem. **4.** *Quím.* A classificação de um átomo, grupo ou substituinte, quando comparado a outros segundo certas convenções, esp. aquela us. para estereoisômeros, na atribuição das designações *E, Z, R* e *S,* e que se baseia na comparação dos números atômicos (ou, em certos casos, das massas atômicas). [No caso de *E* e *Z,* us. em alcenos, a atribuição das prioridades dos substituintes é feita separadamente para cada carbono da ligação dupla. Para *R* e *S,* consideram-se os quatro substituintes do centro quiral, que são ordenados de primeira prioridade até quarta.]

prioritário [Do lat. *priorit-,* como no lat. *prioritate* (> *prioridade*), + *-ário.*] ***Adj.*** Que tem prioridade.

priorizar [De *prior* + *-izar.*] ***V. t. d.*** Dar prioridade a.

prioste [Do fr. *pre(v)ost.*] ***S. m.*** Antigo cobrador de rendas eclesiásticas.

prisão [Do lat. vulg. *prensione,* (cláss. *prehensione,* 'ato de prender'), pelo lat. vulg. **presione.*] ***S. f.*** **1.** Ato ou efeito de prender; captura. **2.** V. *cadeia* (3). **3.** Recinto fechado; clausura. **4.** Corda com que se prende. **5.** Vínculo, peia, laço. **6.** Dificuldade nos movimentos e/ou atos naturais. **7.** Coisa ou pessoa que atrai ou cativa o espírito e/ou o coração. ◆ **Prisão de Deus.** *Ant.* Qualquer doença. **Prisão de ventre.** Dificuldade de evacuar, produzida por alteração do trânsito intestinal, e que gera retenção de fezes. [Sin.: *copróstase, constipação,* e (pop.) *caseira, vento-virado, escandescência.*] **Prisão preventiva.** *Dir. Proc. Penal* Aquela que, observados os requisitos legais, se impõe cautelarmente, como meio de se ter o indigitado criminoso sob as vistas da justiça, quando se receia sua fuga, para que não possa furtar-se ao processo e à sanção penal. **Prisão temporária.** *Dir. Proc. Penal* Aquela que é efetuada quando imprescindível para as investigações do inquérito policial, quando o indiciado não tiver residência fixa ou não fornecer elementos necessários ao esclarecimento de sua identidade, ou ainda quando houver fundadas razões, de acordo com as provas, de autoria ou de sua participação em crimes graves especificados em lei. **Prisão em flagrante.** *Dir. Proc. Penal* Aquela que é efetuada, independentemente de ordem judicial, tendo natureza cautelar, desde que o indivíduo esteja cometendo ou tenha acabado de cometer uma infração penal.

prisca [Alter. de *pisca.*] ***S. f. Bras. S.*** V. *guimba.*

priscador (ô) [De *priscar* + *-dor.*] ***Adj. S. m. Bras. S.*** Que, ou aquele que prisca.

priscar ***V. int. Bras. S.*** **1.** Dar priscos (v. *prisco*[1]); pular ou saltar para os lados: "Desafeito à roseta, o cavalo, um baio ruano faceiro e gordo, priscou brioso ao sentir à virilha a pua férrea." (Alcides Maia, *Tapera*, p. 7.) **2.** Fugir, priscando: *O cavalo priscou, quando tentaram pegá-lo.* ***P.*** **3.** Afastar-se de algum lugar; retirar-se. [Conjug.: v. *trancar.*]

priscilianismo [Do antr. *Prisciliano* + *-ismo.*] ***S. m.*** Teoria de Prisciliano, herege hispânico do séc. IV, pela qual a alma do homem vem do Céu e o princípio do mal se reúne ao corpo.

priscilianista [De *priscilianismo* + *-ista.*] ***S. 2 g.*** Partidário do priscilianismo; prisciliano.

prisciliano ***S. m.*** Priscilianista.

prisco[1] ***S. m. Bras. S.*** Salto ou pulo para os lados: "Precisamente nesta altura, Negrinho .... dá o pulo, o prisco agílimo" (Telmo Vergara, *Contos da Vida Breve*, p. 240).

prisco[2] [Do lat. *priscu.*] ***Adj. Poét.*** **1.** Antigo (1): "É sublime o espetáculo que of'recem / Da prisca Roma os pálidos destroços" (Domingos José Gonçalves de Magalhães, *Suspiros Poéticos e Saudades*, p. 198). **2.** Relativo a tempos passados. [Sin., poét.: *prístino.*]

prise [Do fr. *prise.*] ***S. f. Bras.*** **1.** *Autom. P. us.* Posição das engrenagens da caixa de mudanças na qual o motor transmite maior velocidade às rodas. **2.** *Gír.* Pitada ou dose de cocaína ou de outro entorpecente.

prisional [De *prisão* + *-al*[1], seg. o padrão erudito.] ***Adj. 2 g.*** Respeitante a prisão; carcerário: "A dada altura, foi a própria qualidade [das grades das janelas] que mudou, assemelhando-se mais a uma enorme rede mosquiteira do que ao frio gradeamento de uma janela prisional." (Antônio Silva Graça, *Viagem ao Fim da História*, p. 115.)

prisioneiro [De *prisão* + *-eiro,* seg. o padrão erudito.] ***S. m.*** **1.** Indivíduo privado da liberdade; preso. **2.** Indivíduo aprisionado em ocasião de guerra. **3.** Parafuso especial, que tem na cabeça uma pequena haste de seção quadrangular onde encaixa uma chave para aparafusá-lo, haste essa que se corta depois que o parafuso está no lugar. [Empregam-se prisioneiros quando não é possível atravessar por meio de rebites as peças que se devem ligar, quer por ser uma delas muito grossa em relação a outra, quer por não ser possível fazer a cravação.] **4.** *Tec.* Pino de fixação de duas peças que, uma vez colocado, não faz qualquer saliência na superfície das peças.

prisma [Do gr. *prísma,* 'serragem', pelo lat. *prisma.*] ***S. m.*** **1.** *Geom.* Poliedro em que duas faces são polígonos paralelos e congruentes, e as outras são paralelogramos. **2.** *Ópt.* Sólido de substância transparente, com forma de prisma (1), utilizado para dispersar ou refratar ou refletir luz. **3.** *Fig.* Ponto de vista: "Como sentia não ser ela a querida do Zuza! Ambos com vinte anos de idade, encarando a vida por um mesmo prisma" (Adolfo Caminha, *A Normalista*, p. 43) **4.** Cristal com duas faces planas inclinadas, que decompõe a luz. ◆ **Prisma da caixa seletora.** *Tip.* Barra da caixa seletora. **Prisma de iluminação e ventilação.** *Arquit. Urb.* Espaço livre dentro do lote[1] (10), em toda a altura de uma edificação, e que se destina a garantir a iluminação e a ventilação dos compartimentos habitáveis (quartos, salas, etc.) que com ele se comuniquem. [Cf. *prisma de ventilação.*] **Prisma de Nicol.** *Ópt.* Nicol. **Prisma de ventilação.** *Arquit. Urb.* Espaço livre dentro do lote[1] (10), em toda a altura de uma edificação, e que se destina a garantir a ventilação dos compartimentos não habitáveis (banheiros, áreas de circulação, etc.) que com ele se comuniquem. [Cf. *prisma de iluminação e ventilação.*] **Prisma oblíquo.** *Geom.* O que não é reto. **Prisma regular.** *Geom.* Prisma reto cujas bases são polígonos regulares. **Prisma reto.** *Geom.* Aquele cujas arestas laterais são perpendiculares à base. **Prisma truncado.** *Geom.* V. *tronco de prisma.*

▲ **prism(a)-** V. *prismat(o)-.*

▲ **-prisma** V. *prismat(o)-.*

prisma-objetiva ***S. m.*** *Astr.* Instrumento astronômico acessório, que consiste em um prisma de poucos graus colocado antes da objetiva de um telescópio, de modo que permita a obtenção simultânea do espectro de muitas estrelas. [Pl.: *prismas-objetivas* e *prismas-objetiva.*]

prismático [De *prisma* + *-ático.*] ***Adj.*** Referente a, ou que tem feitio de prisma. ~ V. *tronco* —.

prismatização [De *prismatizar* + *çåo.*] ***S. f.*** **1.** Ação de prismatizar. **2.** Disposição em prisma, em forma de prisma.

prismatizado [Part. de *prismatizar.*] ***Adj.*** Disposto em prisma.

prismatizar [De *prismat(o)-* + *-izar.*] ***V. t. d.*** Dar a forma de prisma a; dispor em prisma.

▲ **prismat(o)-** [Do gr. *prîsma, atos.*] ***El. comp.*** = 'prisma': *prismatizar, prismatoide.* [Equiv.: *prism(a)-, -prisma: prismoide; poliprisma.*]

prismatoide (ói) [De *prismat(o)-* + *-oide.*] ***Adj. 2 g.*** **1.** Derivado de um prisma. ● ***S. m.*** **2.** *Geom.* Poliedro cujos vértices estão em dois planos paralelos. [Cf., nesta acepç.: *prismoide* (2).] ❖

prísmeo [De *prism(a)-* + *-eo.*] ***Adj.*** Relativo a prisma.

prismoide (ói) [De *prism(a)-* + *-oide.*] ***Adj. 2 g.*** **1.** Que tem forma parecida à do prisma. ● ***S. m.*** **2.** *Geom.* Prismatoide cujas bases são polígonos com igual número de lados. ❖

prista ***S. m. Desus.*** Aquele que serra; serrador.

pristídeo [Do tax. *Pristis* (< lat. *pristis,* 'espécie de cetáceo') + *-ídeo*[1]; tax. *Pristidae.*] *Zool.* ***S. m.*** **1.** Espécime dos pristídeos, família de peixes pristiformes, com espécies que atingem cerca de 7m de comprimento, e que podem usar o longo rostro serreado na busca de crustáceos enterrados ou para mutilar ou matar outros peixes; distribuem-se nos mares tropicais e estuários. São os peixes-serra. ● ***Adj.*** **2.** Pertencente ou relativo a eles.

pristiforme [Do tax. *Pristiformes.*] *Zool.* ***S. m.*** **1.** Espécime dos pristiformes, ordem de peixes batoídeos, ovovivíparos, de corpo fusiforme, como o dos tubarões. Apresentam duas nadadeiras dorsais e uma caudal, e caracterizam-se pelo longo rostro que, ao longo das duas margens, a incrustração de dentes faz lembrar uma serra. ● ***Adj. 2 g.*** **2.** Pertencente ou relativo a eles.

prístino [Do lat. *pristinu.*] ***Adj. Poét.*** Prisco[2]: "Custa-me pouco aceitar o outono brasileiro, se o vejo, como aqui no Rio, de um azul tão diáfano, arrepiado por um friozinho que enxuga e perfuma o suor das coisas, tristes coisas urbanas usadas pelo sol do trópico, e por ele restituídas à sua prístina pureza." (Carlos Drummond de Andrade, *Passeios na Ilha*, p. 30.)

prítane [Do gr. *prytanís,* pelo lat. *prytane.*] ***S. m.*** Na Grécia antiga, cada um dos 50 delegados das tribos ao Conselho dos Quinhentos.

pritaneu [Do gr. *prytaneîon,* pelo lat. *prytaneu.*] ***S. m.*** **1.** Na Grécia antiga, lugar de reunião dos prítanes, onde tomavam refeições, à custa do Estado, além deles, grande número de funcionários públicos e certos cidadãos a quem se concedia tal privilégio em recompensa de serviços prestados à pátria. **2.** *P. ext.* Estabelecimento fundado em favor dos beneméritos da pátria.

privação [Do lat. *privatione.*] ***S. f.*** Ato ou efeito de privar(-se). ~ V. *privações.*

privacidade [Do rad. *privac(i)-* (< lat. *privat-*), como em *privação,* + *-(i)dade,* para traduzir o ingl. *privacy* (< ingl. med. *privacie* < ingl. *private,* 'privado' [q. v.], + ingl. *-cie* ou *-cy* < lat. *-tia*).] ***S. f.*** **1.** *Angl.* Vida privada; vida íntima; intimidade. **2.** Condição de quem tem a vida íntima, os assuntos e os afazeres pessoais preservados. **3.** Os assuntos considerados privados.

privações [Pl. de *privação*.] *S. f. pl.* Falta do necessário à vida. ~ V. *privação*.

privada [F. subst. do adj. *privado*.] *S. f.* **1.** V. *latrina* (1). **2.** V. *vaso*[1] *sanitário*. ◆ **Privada turca.** Placa us. para dejeções em posição acocorada, ger. de louça, com dois ressaltos para os pés e um orifício. [Tb. se diz apenas *turca*.]

privado[1] [Do lat. *privatu*, part. pass. do lat. *privare*, 'isentar'; 'livrar'; 'privar' (q. v.).] *S. m.* Favorito, valido, confidente.

privado[2] [Part. de *privar*.] *Adj.* **1.** Que não é público; particular. **2.** Falto, desprovido, carecido, carente. ~ V. *cárcere* —, *direito* —, *direito internacional* —, *previdência* —, *testamento* — e *vida* —*a*.

privança [Do lat. *privantia*.] *S. f.* **1.** Estado de quem é favorito, valido, privado[1]. **2.** Intimidade; amizade: "Voltou-se para o lacaio, mestiço emproado a quem, pelos modos, admitia em sua privança. — Olha, Nazário, será a família do visconde?" (Xavier Marques, *As Voltas da Estrada*, pp. 7-8.)

privar [Do lat. *privare*.] *V. t. d. e i.* **1.** Despojar, desapossar alguém de alguma coisa; destituir, tolher, fraudar: *Os vícios privam o homem de saúde.* **2.** Impedir de ter a posse de (alguma coisa); motivar a (alguém) a perda, falta ou cessação de (algum gozo): *Os vencedores privaram da liberdade os vencidos. T. i.* **3.** Conviver intimamente; ser íntimo; tratar: *O rapaz priva com gente rica e importante*; "Privou [o P.e Sena Freitas] com todos os principais homens de letras do tempo, e de quase todos recebeu provas de apreço e consideração." (P.e Arlindo Ribeiro da Cunha, *A Língua e a Literatura Portuguesa*, p. 501). *P.* **4.** Tirar a si mesmo o gozo (de alguma coisa); fraudar-se: *privar-se dos prazeres mundanos.*

privatista [De *privat(izar)* + *-ista*.] *Adj. 2 g. S. 2 g.* Diz-se de, ou pessoa que é favorável à privatização.

privativo [Do lat. *privativu*.] *Adj.* **1.** Que exprime privação. **2.** Peculiar, próprio. **3.** V. *particular* (2). ~ V. *crime* —.

privatização [De *privatizar* + *-ção*.] *S. f. Bras.* Ato ou efeito de privatizar.

privatizado [Part. de *privatizar*.] *Adj. Bras.* Que foi objeto de privatização.

privatizar [Do lat. *privatus*, 'privado'; 'particular'; 'próprio'; 'individual', part. pass. do v. lat. *privare* (v. *privar*), + *-izar*.] *V. t. d.* Passar (o governo) propriedade ou controle de (serviço, ou empresa pública ou estatal) a entidade(s) do setor privado; desestatizar: *privatizar os transportes; privatizar empresas de telecomunicações.* [Cf. *estatizar*.]

privilegiado [Part. de *privilegiar*.] *Adj.* **1.** Que goza de privilégio. **2.** *Fig.* Singular, único. **3.** Distinto, elevado. ~ V. *dívida* —*a*.

privilegiar [De *privilégio* + *-ar*[2].] *V. t. d.* **1.** Conceder privilégio a: *Deve o Estado servir a todos dentro da lei, sem privilegiar ninguém.* **2.** Conceder algo exclusivamente a: *O bom pai não privilegia nenhum dos filhos.* **3.** Dotar com dom especial ou com alguma prerrogativa: *O Estado feudal privilegiava a Igreja, isentando-a de impostos.* **4.** Tratar com distinção; especializar, particularizar: *Classificou os documentos e privilegiou os que lhe pareceram mais relevantes. P.* **5.** Considerar-se ou tornar-se privilegiado: *Algumas regiões se privilegiaram com o surto industrial.* [Pres. ind.: *privilegio*, etc. Cf. *privilégio*, s. m.]

privilegiável [De *privilegiar* + *-vel*.] *Adj. 2 g.* Que pode ser objeto de privilégio.

privilégio [Do lat. *privilegiu*.] *S. m.* **1.** Vantagem que se concede a alguém com exclusão de outrem e contra o direito comum. **2.** Permissão especial. **3.** Prerrogativa, imunidade. **4.** Dom, condão. [Cf. *privilegio*, do v. *privilegiar*.]

pro [F. contrata de *para* + *o*[2].] Para o: "E a casa toda correu em alvoroço pro terreiro" (Alberto Deodato, *Canaviais*, p. 29); *Comprou um livro pro filho e um pro do vizinho.* [Em Portugal se usa *prò*. Cf. *pró*[1] e *pró*[2].]

▲ **pro-**[1] [Do gr. *pró*.] *Pref.* = 'movimento para diante', 'posição em frente'; 'anterior, antecipado': *próclise, prófase, profilo*. [Equiv.: *-pro-*: *pamprodáctilo*.]

▲ **pro-**[2] [Do lat. *pro*.] *Pref.* = 'movimento para a frente': *progresso* (< lat.).

▲ **-pro-** Equiv. de *pro-*[1].

pró[1] [Do lat. *pro*.] *Adv.* **1.** A favor. ● *S. m.* **2.** Vantagem, conveniência: *os prós e os contras.* [Cf. *pro*.]

pró[2] *Lus.* Pro: "As estrelas que nasciam no céu dúbio eram pró Moço Hebreu pólen doirado" (Antônio Patrício, *Serão Inquieto*, p. 17); "Pró distrair, há dias, o tio Eduardo tirou os anéis e deu-lhos" (Id., *ib.*, p. 61). [Cf. *pro*.]

▲ **pró-** [Do lat. *pro*.] *Pref.* = 'a favor de': *pró-socialista, pró-americano*. [É sempre seguido de hífen porque o 1.º el. termina acentuado graficamente; por tratar-se de prefixação, apenas o 2.º el. é flexionado na formação do plural: *pró-ativo*: *pró-ativos*, *pró-britânico*: *pró-britânicos*.]

proa (ô) [Do lat. *prora*, com dissimilação total.] *S. f.* **1.** A parte anterior da embarcação. [Sin., pop.: *cabeça*. Antôn.: *popa* (ô) (1).] **2.** A frente de qualquer coisa. **3.** *Fam.* Presunção, vaidade, bazófia, jactância, fumaça. ● *S. m.* **4.** Aquele que rema na proa. ◆ **De proa.** De frente; pela parte anterior. **Fazer proa.** *Mar.* V. *aproar*.

proada [De *proa* + *-ada*[1].] *S. f.* Pancada com a proa do barco.

■ **PROÁLCOOL** Abrev. de *Programa Nacional do Álcool*.

pró-americano[1] [De *pró-* + *americano*[1].] *Adj.* Favorável às Américas (do Norte, Central ou do Sul), ou a seus habitantes, em relação a outros continentes.

pró-americano[2] [De *pró-* + *americano*[3].] *Adj.* Favorável aos E.U.A., aos americanos.

pró-análise *Adj. 2 g. Quím.* Diz-se de substância que tem grau de pureza suficientemente elevado para ser utilizada em operações de análise química. [Sigla: *P. A.*]

proar [De *proa* + *-ar*[2].] *V. t. d. e c. T. c.* V. *aproar*. [Conjug.: v. *coroar*.]

proativo [Do ingl. *proactive*.] *Adj.* **1.** Que se antecipa, que age antes, que atua de maneira preventiva: **2.** Preventivo (1 e 2): "Com os brasiguaios sob ameaça no Paraguai após a eleição do presidente Fernando Lugo, é de se esperar que o governo brasileiro mantenha uma linha de ação proativa, e não meramente reativa, na defesa dos interesses do país na América do Sul." (*O Globo*, 10.10.2008.)

probabilidade [Do lat. *probabilitate*.] *S. f.* **1.** Qualidade de provável. **2.** Motivo ou indício que deixa presumir a verdade ou a possibilidade dum fato; verossimilhança. **3.** *Mat.* Número positivo e menor que a unidade, que se associa a um evento aleatório, e que se mede pela frequência relativa da sua ocorrência numa longa sucessão de eventos. ◆ **Probabilidade complementar.** *Estat.* A probabilidade de um acontecimento não se realizar. **Probabilidade composta.** *Estat.* A de realização de um evento composto; probabilidade conjunta. **Probabilidade condicionada.** *Estat.* A de um evento aleatório cuja realização depende da de outros. **Probabilidade conjunta.** *Estat.* Probabilidade composta. **Probabilidade termodinâmica.** *Fís.* Número de microestados de um sistema compatíveis com um mesmo macroestado desse sistema. **Probabilidade total.** *Estat.* A de um evento aleatório cuja realização é, indiferentemente, a dos eventos de um conjunto determinado.

probabilismo [De *provável* + *-ismo*, seg. o padrão erudito.] *S. m. Filos.* **1.** Doutrina que afirma que a certeza é inalcançável, sendo a verdade absoluta impossível de ser atingida. **2.** Doutrina segundo a qual em áreas determinadas das ciências, da moral ou da filosofia, são aceitáveis conhecimentos respaldados em hipóteses cujo grau de probabilidade é suficiente para torná-los, conforme as circunstâncias, confiáveis. [Cf., nesta acepç., *indução científica*.]

probabilíssimo *Adj.* Superl. abs. sint. de *provável*.

probabilista [De *probabilismo* + *-ista*.] *Adj. 2 g.* **1.** Relativo ao, ou que é partidário do probabilismo. ● *S. 2 g.* **2.** Partidário dele.

probabilístico [De *probabilista* + *-ico*[2].] *Adj.* Relativo a, ou que envolve probabilidade: *cálculo probabilístico*.

probador (ô) [Corruptela de *povoador*.] *Adj. S. m. Bras. S.* Habitante, morador.

probante [Do lat. *probante*.] *Adj. 2 g. Jur.* Que prova (em juízo).

probasídio [De *pro-*[1] + *basídio*.] *S. m. Micol.* O basídio antes da maturidade, até que se formem os esporos.

probático [Do gr. *probatikós*, 'referente a ovelha', pelo lat. *probaticu*.] *Adj.* ~ V. *piscina* —*a*.

probatório [Do lat. *probatus*, part. pass. de *probare* (v. *provar*), + *-ório*.] *Adj.* **1.** Referente a prova. **2.** Que contém prova. **3.** Que serve de prova: "Os processos de que usa — negligência no cumprimento dos seus deveres conjugais, descuidos propositados e probatórios das suas relações amorosas com outras mulheres, ... — acabam por produzir o efeito desejado." (Domingos Monteiro, *Histórias Castelhanas*, p. 100.) [F. paral.: *provatório*.]

probidade [Do lat. *probitate*.] *S. f.* Qualidade de probo; integridade de caráter; honradez, pundonor.

probiótico [Do ingl. *probiotics*, '(substâncias) favoráveis à vida', tomado no sing.] *S. m. Microbiol.* Conjunto de bactérias não patogênicas que, administradas em quantidade adequada, têm efeito benéfico para a saúde do hospedeiro: "pesquisadores avaliam a chance de probióticos (bactérias benéficas) prevenirem alergias." (*Folha de S.Paulo*, 03.11.2008).

problema [Do gr. *próblema*, pelo lat. *problema*.] *S. m.* **1.** Questão matemática proposta para que se lhe dê a solução. **2.** Questão não solvida e que é objeto de discussão, em qualquer domínio do conhecimento: *problemas filosóficos*; *o problema da autoria das Cartas Chilenas.* **3.** Proposta duvidosa, que pode ter numerosas soluções. **4.** Qualquer questão que dá margem a hesitação ou perplexidade, por difícil de explicar ou de resolver: *problemas técnicos*; *problema social*; *problemas do tráfego*. **5.** *Psicol.* Conflito afetivo que impede ou afeta o equilíbrio psicológico do indivíduo. ◆ **Problema dos três corpos.** *Astr.* Problema da integração das equações do movimento de três corpos sujeitos às suas atrações gravitacionais recíprocas.

problemática [F. subst. de *problemático*.] *S. f.* **1.** O conjunto dos problemas tocantes a um assunto. **2.** Arte ou ciência de colocar os problemas. **3.** O conjunto das questões que uma ciência ou um sistema filosófico pode apresentar em relação a seus meios, seus pontos de vista ou seus objetos de estudo.

problematicidade [De *problemático* + *-(i)dade*.] *S. f.* Qualidade de problemático.

problemático [Do gr. *problematikós*.] *Adj.* **1.** Respeitante a problema. **2.** Que constitui problema. **3.** Incerto, duvidoso: *O bom êxito de sua missão é problemático.* **4.** Que tem problema (5): *criança problemática*. ~ V. *juízo* —.

problematizar [De *problemático* + *-izar*, seg. o padrão erudito.] *V. t. d.* **1.** Tornar problemático; pôr em dúvida: *Os agnósticos problematizam a existência de Deus.* **2.** Dar forma de problema a.

problemista [De *problema* + *-ista*.] *S. 2 g. Bras.* V. *enxadrista* (2).

probo [Do lat. *probu*.] *Adj.* De caráter íntegro; honesto, honrado, reto, justo: "As letras pátrias perderam neste homem de caráter [Bourbon e Meneses], com uma noção severa da dignidade humana, probo, entregue de todas as veras à missão improba de escritor, ... um profissional que as enobrecia." (Aquilino Ribeiro, *Camões, Camilo, Eça e Alguns mais*, p. 346.)

probóscida *S. f. Zool.* V. *probóscide*.

probóscide [Var. de *probóscida* < gr. *proboskís, ídos*, 'tromba', pelo lat. *proboscida*.] *S. f. Zool.* **1.** Focinho longo e flexível de alguns mamíferos, como, p. ex., o do elefante. **2.** Protusão bucal tubular de dípteros, lepidópteros, certas abelhas, etc. **3.** Órgão protrátil anterior de certos vermes.

proboscídeo[1] [Do lat. *proboscis, idis*, 'focinho', + *-eo*.] *Adj.* Diz-se dos mamíferos cujo focinho é prolongado em forma de tromba, como o elefante.

proboscídeo[2] [Adapt. do tax. *Proboscidea*.] *Zool. S. m.* **1.** Espécime dos proboscídeos, ordem de mamíferos de porte avantajado, cabeça grande, orelhas largas e foliáceas, pele grossa (v. *paquiderme*), esparsamente pilosa, lábio superior e nariz transformados em tromba, com aberturas nasais na ponta, dentes incisivos superiores em número de dois, transformados em longas presas, caninos ausentes, molares grandes, com faixas de esmalte transversais, e dos quais apenas um ou dois em cada maxila são funcionais. São os elefantes. ● *Adj.* **2.** Pertencente ou relativo a eles.

pró-britânico [De *pró-* + *britânico*.] *Adj.* Favorável à Grã-Bretanha, aos ingleses.

procá *Bras. S. 2 g.* **1.** *Etnôn.* Indivíduo dos procás, povo indígena extinto que habitava a margem esquerda do rio São Francisco (S. de PE). ● *Adj. 2 g.* **2.** Pertencente ou relativo a esse povo. [Tb. us. como *s. 2 g. e 2 n.* (com cap.) e *adj. 2 g. e 2 n.*]

procacidade [Do lat. *procacitate*.] *S. f.* Qualidade de procaz.

procacíssimo [Do lat. *procacissimu*.] *Adj.* Superl. abs. sint. de *procaz*.

procaína [Do ingl. *procaine*.] *S. f. Quím.* Substância cristalina, incolor, usada como anestésico local [fórm.: $C_{13}H_{20}O_2N_2$].

procarionte [Do ingl. *procaryote*.] *Adj. S. m. Microbiol.* V. *procarioto* (1 e 2).

procariota *S. m.* V. *procarioto*.

procariote [Do ingl. *procaryote*.] *Adj. S. m. Microbiol.* V. *procarioto*.

procariótico [De *procarioto* + *-ico*[2].] *Adj.* V. *procarioto* (2). ~ V. *célula* — *a*.

procarioto (ô) [De *pro-*[1] + *-cari(o)-* + a term. *-oto*, como em *zigoto*.] *Microbiol. S. m.* **1.** Organismo pertencente ao reino *Monera* ou *Prokaryotae*, formado por uma única célula desprovida de membrana nuclear, como, p. ex., as bactérias e as cianofíceas; procarionte. ● *Adj.* **2.** Pertencente ou relativo aos procariotos; procarionte, procariótico.

procatalético *Adj. Mús.* Acéfalo[1] (5).

procávia [Do tax. *Procavia*.] *S. f. Zool.* **1.** O gênero-tipo dos procavíideos (q. v.). **2.** Qualquer espécie desse gênero, como, p. ex., a *Procavia capensis* ou *híraxdas-rochas*, ou apenas *hírax*, que são rupícolas, têm hábitos diurnos e vivem em colônias. **3.** Qualquer espécime desse gênero.

P

procaviídeo [Do tax. *Procavia* + *-ídeo*; tax. *Procaviidae.*] *Zool. S. m.* **1.** Espécime dos procaviídeos, família de pequenos hiracóideos herbívoros, gregários, terrestres ou arborícolas; têm orelhas pequenas, são destituídos de cauda, os membros anteriores têm quatro dedos, e os posteriores, três, sendo o segundo deles dotado de garra. São plantígrados, e o seu aspecto geral lembra, superficialmente, o dos coelhos. ● *Adj.* **2.** Pertencente ou relativo a eles.

procaz [Do lat. *procace.*] *Adj. 2 g.* Insolente, petulante, impudente, descarado. [Superl. abs. sint.: *procacíssimo.*]

procedência [De *proceder* + *-ência.*] *S. f.* **1.** Ato ou efeito de proceder. **2.** Lugar de onde se procede. **3.** Proveniência, origem. [Sin., p. us., nessas acepçs.: *processão.*] **4.** *Jur.* Justa causa; fundamento, razão. [Cf. *procidência* e *precedência.*]

procedente [Do lat. *procedente.*] *Adj. 2 g.* **1.** Que procede; proveniente, oriundo. **2.** Consequente, concludente, lógico. [Cf. *procidente* e *precedente.*]

proceder [Do lat. *procedere*, 'ir para adiante'.] *V. t. i.* **1.** Ter origem; originar-se, derivar(-se): *O amor não procede do hábito*; "A existência do mercantilismo em Portugal procede dos grupos interessados nos suprimentos das frotas que abordavam os portos do reino." (Paulo Mercadante, *A Consciência Conservadora no Brasil*, p. 17); "O vocábulo *estilo*, que nas línguas modernas designa a maneira de escrever, e, por extensão, maneira de pintar, de construir, procede do latim *stilus* (ou *stylus*), nome dado a princípio ao instrumento pontudo com que se escrevia, e que hoje chamaríamos estilete." (M. Said Ali, *Meios de Expressão e Alterações Semânticas*, p. 83.) **2.** Provir por geração; descender: *Segundo o cristianismo, todos os homens são irmãos porque procedem de Adão e Eva.* **3.** Instaurar processo: *O Governo procederá contra os agiotas.* **4.** Levar a efeito; fazer, executar, realizar: "Fora chamado o capitão Albernaz a dirigir o inquérito, mandar proceder ao corpo de delito, arrolar testemunhas" (Afrânio Peixoto, *Maria Bonita*, p. 130). *T. c.* **5.** Provir; vir: *Desembarcou no aeroporto a comitiva que procedia da Europa.* ***Int.*** **6.** Ter seguimento; ir por diante; prosseguir, continuar: *A marcha procedeu, dura e incessante.* **7.** Dirigir os seus atos; portar-se, comportar-se: "o fim era proceder de modo que a renúncia da carreira eclesiástica se fizesse cautelosamente, sem dor para a mãe nem escândalo público." (Machado de Assis, *Páginas Recolhidas*, p. 151). **8.** Entregar alguém ou algum negócio à justiça: *O prejudicado não pensa em proceder.* **9.** Ser decisivo na prova; ser contundente; concluir: *Os novos dados procedem, não há como refutá-los.* **10.** Pôr em prática desígnios ou intentos; agir, obrar: *O homem maduro procede consultando apenas sua consciência.* **11.** *Jur.* Ter causa justificada por lei; ter fundamento. ● *S. m.* **12.** Ações, procedimento: "Amigos e sócios, desde cedo juntando o destino por manias comuns e comuns procederes." (José Sarney, *Norte das Águas*, p. 31.) [Cf. *preceder.*]

procedimento [De *proceder* + *-imento.*] *S. m.* **1.** Ato ou efeito de proceder. **2.** Modo de proceder, de portar(-se); comportamento. **3.** Processo, método. **4.** *Inform.* V. *rotina* (4). **5.** *Jur.* Rito (6). **6.** *Jur.* Formas a que está subordinado o cumprimento dos atos e trâmites do processo.

procela [Do lat. *procella.*] *S. f.* **1.** Tempestade marítima: "Ora embalado pelas bravas ondas / Do oceano em fúria grande, ouvindo os uivos / Da procela a bramir forte e medonha" (Casimiro de Abreu, *Obras*, p. 18). **2.** *Fig.* Agitação extraordinária; tumulto.

procelária [Do tax. *Procellaria* (< lat. *procella*, 'tempestade') + *-ária.*] *S. f. Zool.* **1.** O gênero-tipo dos procelariídeos. **2.** Espécie ou espécime desse gênero: "procelárias e gaivotas alvíssimas acudiam, em revoadas, a saudar alegremente a frota, passando por entre as velas e mastros numa grazinada festiva." (Virgílio Várzea, *Nas Ondas*, p. 117).

procelariídeo [Do tax. *Procellaria* (v. *procelária*) + *-ídeo*[1]; tax. *Procellariidae.*] *Zool. S. m.* **1.** Espécime dos procelariídeos, família de aves procelariiformes caracterizadas por terem os três dedos anteriores reunidos por membrana, pernas mais curtas que o corpo (excluído o pescoço), e ventas prolongadas em tubo. Vivem no alto-mar, só vindo a terra para nidificar, e alimentam-se de peixes. Ex.: pomba-do-cabo. ● *Adj.* **2.** Pertencente ou relativo a eles.

procelariiforme [Do tax. *Procellaria* (v. *procelária*) + *-iforme*; tax. *Procellariiformes.*] *Zool. S. m.* **1.** Espécime dos procelariiformes, ordem de aves neórnites, oceânicas de grande porte, que têm pés palmados, com hálux rudimentar ou ausente, e ventas prolongadas em tubo, na base do bico. Alimentam-se de plâncton, peixes e crustáceos. São os albatrozes e as procelárias. ● *Adj. 2 g.* **2.** Pertencente ou relativo a eles. [Sin. ger.: *tubinar.*]

procélico [De *procelo*[1] + *-ico*[2].] *Adj. Zool.* Diz-se de vértebra com a face articular anterior côncava e a posterior convexa. ~ V. *vértebra —a.*

procelo[1] [De *pro-*[1] + *-celo*[2].] *Adj.* Que tem a face anterior côncava.

procelo[2] [De *pro-*[1] + *-celo*[1]; tax. *Procoela.*] *Zool. S. m.* **1.** Espécime dos procelos, ordem de animais cordados, anfíbios, anuros, com vértebras procelas e urostilo com côndilo duplo. **2.** Pertencente ou relativo a eles.

proceloso (ô) [Do lat. *procellosu.*] *Adj.* **1.** Relativo à, ou próprio da procela; tempestuoso. **2.** Que traz procela.

prócer [Do lat. *procere.*] *S. m.* Homem importante em uma nação, classe, partido, etc.: "Há nos próceres republicanos uma necessidade extraordinária de serem gloriosos e não esquecidos pelo futuro" (Lima Barreto, *Triste Fim de Policarpo Quaresma*, p. 273). [F. paral.: *prócere.* Pl.: *próceres.* Cf. *prócero.*]

prócere *S. m.* V. *prócer.*

proceridade [Do lat. *proceritate.*] *S. f.* **1.** *Ant.* Qualidade de alto ou corpulento. **2.** A altura do corpo.

prócero [Do lat. *proceru.*] *Adj.* **1.** Alto e elevado: "Nesse momento chegavam os viajantes a uma pequena elevação, donde se avistava ao longe .... a copa verde e frondosa de uma prócera oiticica." (José de Alencar, *O Sertanejo*, p. 33.) **2.** Notável, importante. [Cf. *prócer.*]

processabilidade [De *processável* + *-(i)dade*, seg. o padrão erudito.] *S. f.* **1.** Qualidade de processável. **2.** *Tec.* Propriedade de material que o torna apto ou conveniente para sofrer as operações de um processo industrial.

processado [Part. de *processar.*] *Adj.* **1.** Que está submetido a processo penal; denunciado, querelado. ● *S. m.* **2.** Tudo que consta de um processo, desde o seu começo até um determinado ponto do seu desenvolvimento; aquilo que já faz parte de um processo.

processador (ô) [De *processar* + *-dor.*] *Adj.* **1.** Que processa. ● *S. m.* **2.** Aquele que processa. **3.** *Inform.* Circuito integrado que realiza funções de processamento aritmético e lógico e de controle da execução de programas. **4.** *Inform. Restr.* Em microprocessadores, a unidade central de processamento (q. v.); microprocessador. ◆ **Processador central.** *Inform.* V. *unidade central de processamento.* **Processador de texto.** *Inform.* Programa aplicativo para o auxílio à escrita, *i. e.*, para redação, edição e impressão de textos, e que inclui recursos para a formatação do documento, como, p. ex., escolha de fontes, justificação de parágrafos, inclusão de notas de pé de página e manipulação do leiaute. [Outros recursos podem incluir verificação de erros ortográficos ou gramaticais, inclusão de imagens e fórmulas matemáticas, personalização de comandos e macros (v. *macro*[3]), geração de índices, mala direta, conversão de documento para outros formatos, etc. Cf. *editor de texto.*] [Tb. se diz *tratador de texto* (mais us. em Portugal).]

processamento [De *processar* + *-mento.*] *S. m.* **1.** Ato ou efeito de processar. **2.** Processamento de dados (q. v.). ◆ **Processamento *batch*.** *Inform.* Processamento em lote (q. v.). **Processamento concorrente.** *Inform.* Aquele em que a execução de diversas tarefas, pelo processador, se dá numa sucessão de curtos revezamentos entre elas (v. *tempo compartilhado*), de modo que cada uma prossegue sem que seja necessário aguardar a finalização das demais, o que dá ao usuário a impressão de simultaneidade ou paralelismo de processamento. [Cf. *multiprocessamento, multitarefa* e *processamento paralelo.*] **Processamento de dados.** *Inform.* Manipulação dos dados em um sistema computacional, que tecnicamente equivale à execução de instruções por processador(es), e que abrange a entrada, verificação, armazenamento, recuperação, transformação e produção de novas informações a partir dos dados iniciais. [O termo é us. esp. para aplicações comerciais e administrativas, como controle de estoque e folha de pagamentos.] [Tb. se diz apenas *processamento.*] **Processamento de linguagem.** *Inform.* **1.** Capacidade de interpretar sentenças de linguagens naturais. **2.** Capacidade de reconhecer e interpretar palavras pronunciadas (p. ex., comandos emitidos por um usuário); processamento de voz, reconhecimento de voz. **Processamento de texto.** *Inform.* Uso de computador para redigir, editar, formatar e imprimir textos. **Processamento de voz.** *Inform.* V. *processamento de linguagem* (2). **Processamento distribuído.** *Inform.* Aquele realizado por dois ou mais computadores interligados em rede. **Processamento em lote.** *Inform.* Aquele em que um conjunto de tarefas e dados a serem processados é reunido e ordenado antes do início do trabalho, o qual, uma vez iniciado, prossegue de forma sequencial e automática até a obtenção dos últimos resultados, sem interação com o usuário. **Processamento em série.** *Inform.* Aquele em que cada instrução de um processo só pode ser executada quando a precedente termina, já que se processa apenas uma instrução de cada vez, e seguindo a mesma ordem em que foram definidas pelo programa. [Cf. *multiprocessamento* e *processamento paralelo.*] **Processamento paralelo.** *Inform.* Aquele em que o trabalho de execução de uma ou mais tarefas é dividido, coordenadamente, entre mais de um processador, de modo a acelerar a obtenção dos resultados e diminuir o tempo total requerido para o processamento. [Cf. *multiprocessamento, multitarefa, processamento concorrente, processamento em série.*]

processante [De *processar* + *-nte.*] *Adj. 2 g.* Diz-se da autoridade judicial que preside a um processo.

processão [Do lat. *processione.*] *S. f.* Procedência (1 a 3). [Cf. *procissão* e *precessão.*]

processar [De *processo* + *-ar*[2].] *V. t. d.* **1.** Instaurar processo contra; proceder contra; demandar: *O deputado processou o jornal que o difamara.* **2.** Organizar processo de; reunir em processo; autuar: *O juiz ordenou que processassem os depoimentos.* **3.** Conferir, verificar (algum documento), para validar: *O advogado mandou processar as certidões.* **4.** Juntar e reunir em caderno (documentos de assunto judicial ou administrativo), neles escrevendo os autos e termos que as leis determinam: *processar as petições, os requerimentos.* **5.** *Inform.* Manipular dados, seguindo a sequência de instruções codificada num programa; submeter a processamento (2).

processável [De *processar* + *-vel.*] *Adj. 2 g.* Que pode ser processado.

processional [Do lat. *processione*, 'procissão', + *-al*[1].] *Adj. 2 g.* Relativo a procissão. ~ V. *avenida —.*

processionário [Do lat. *processione*, 'procissão', + *-ário.*] *S. m.* Livro de rezas que se usa nas procissões [v. *procissão* (1)].

processo [Do lat. *processu.*] *S. m.* **1.** Ato de proceder, de ir por diante; seguimento, curso, marcha. **2.** Sucessão de estados ou de mudanças: *O processo inflamatório está melhorando.* **3.** Maneira pela qual se realiza uma operação, segundo determinadas normas; método, técnica: *processo manual; processo mecânico.* **4.** *Fís.* Sequência de estados de um sistema que se transforma; evolução. **5.** *Jur.* Atividade por meio da qual se exerce concretamente, em relação a determinado caso, a função jurisdicional. **6.** *Jur.* Pleito judicial; litígio. **7.** *Jur.* Conjunto de peças que documentam o exercício da atividade jurisdicional em um caso concreto; autos: *a leitura do processo.* **8.** *Jur.* Sequência de atos previstos em lei impulsionados pela dinâmica do contraditório estabelecido entre as partes, sob a presidência do juiz. **9.** *Jur.* Relação jurídica processual da qual participam autor, réu e juiz. **10.** *Med.* Designação genérica de massa de natureza variável (osso, ligamento, tecido glandular, etc.), que se salienta a partir de uma formação (5). ◆ **Processo da albumina.** *Fotograv.* Método de copiagem em que o metal é sensibilizado com albumina bicromada. **Processo da soda.** *Ind. Pap.* Processo do sulfato. **Processo de entrada.** *Inform.* V. *input* (2). **Processo de saída.** *Inform.* V. *output* (3). **Processo dissipativo.** *Fís.* Processo de evolução dum sistema em que ocorre dissipação de energia. **Processo do bissulfito.** *Ind. Pap.* Processo do sulfito. **Processo do sulfato.** *Ind. Pap.* Método de cozimento da madeira baseado no emprego de sulfeto de sódio e soda cáustica, para obtenção da pasta com que se fabrica o papel Kraft; processo da soda. **Processo do sulfito.** *Ind. Pap.* Método de cozimento da madeira para obtenção da pasta, baseado no emprego do bissulfito de cálcio ou do bissulfito de magnésio; processo do bissulfito. **Processo estocástico.** *Estat.* Conjunto de variáveis aleatórias dependentes de um parâmetro cujo domínio é um conjunto de números reais. **Processo fotomecânico.** Qualquer das técnicas de reprodução de imagens e de textos pelas quais se obtêm superfícies impressoras fotoquimicamente gravadas em relevo, a entalhe ou em plano, para tiragem por qualquer sistema de impressão; fotogravura. **Processo irreversível.** *Fís.* O que tem pelo menos um estádio em que o sistema está em não equilíbrio, ou em que há um desequilíbrio entre o sistema e o exterior. **Processo notocordal.** *Embr.* Extensão rostral de nó primitivo e que é incorporada ao endoderma. **Processo reversível.** *Fís.* O que se efetua por meio de uma sucessão de estados em que o sistema está em quase equilíbrio. **Processo unitário.** *Tec. Quím.* Conversão química.

processologia [De *processo* + *-logia.*] *S. f.* Estudo ou conhecimento dos processos aplicáveis a uma arte ou ciência.

processológico [De *processologia* + *-ico*[2].] *Adj.* Relativo à processologia.

processual [De *processo* + *-ual.*] *Adj. 2 g.* Referente a processo judicial. ~ V. *direito —, instrução —, lei —* e *letra —.*

processualista [De *processual* + *-ista*.] *S. 2 g. Bras.* Jurista especializado em processualística.
processualística [De *processualista* + *-ica*.] *S. f. Bras.* Teoria do processo judicial.
processualístico [De *processualística*, com var. suf. (v. *-ico*[2]).] *Adj.* Relativo à processualística.
procidência [Do lat. *procidentia*.] *S. f. Med.* Prolapso. [Cf. *procedência* e *precedência*.]
procidente [Do lat. *procidente*.] *Adj. 2 g.* Que se desloca ou cai para a frente ou para baixo. [Cf. *procedente* e *precedente*.]
prócion [Do tax. *Procyon*.] *S. m. Zool.* **1.** O gênero-tipo dos prociomídeos (q. v.). **2.** Qualquer espécie desse gênero, como, p. ex., a *Procyon lotor* (v. *racum*). **3.** Qualquer espécime desse gênero.
prociónida *S. m. Adj. 2 g. Zool.* V. *prociônida*. [Uso freq. em P.]
prociônida [Do tax. *Procyon* + *-ida*[1].] *S. m. Adj. 2 g. Zool.* V. *procionídeo*.
procionídeo [Do tax. *Procyon* + *-ídeo*[1]; tax. *Procyonidae*.] *Zool. S. m.* **1.** Espécime dos procionídeos, família de mamíferos carnívoros, plantígrados, fissípedes, os quais, apesar de terrestres, se locomovem bem nas águas e nas árvores. É a maior família de carnívoros relacionada aos ursídeos, dos quais diferem pela forma do crânio. Ex.: quati, racum. ● *Adj.* **2.** Pertencente ou relativo a eles. [Sin. ger.: *prociônida*.]
procissão [Do lat. *processione*, 'marcha para adiante', com metafonia do *e*.] *S. f.* **1.** Cerimônia religiosa em que sacerdotes e sectários de um culto seguem, geralmente em filas, entoando preces, levando expostas imagens ou relíquias dignas de veneração, etc. **2.** *P. ext.* Qualquer acompanhamento ou cortejo; séquito, cortejo. **3.** *Fam.* Série de pessoas que seguem umas atrás das outras. [Cf. *processão*.]
proclama [Dev. de *proclamar*.] *S. m.* **1.** Pregão de casamento, lido na igreja; proclamação. **2.** *Jur.* Edital de casamento que o oficial do registro civil faz publicar. [M. us. no pl.]
proclamação [Do lat. *proclamatione*.] *S. f.* **1.** Ato ou efeito de proclamar. **2.** Proclama (1).
proclamacional [De *proclamação* + *-al*[1], seg. padrão erudito.] *Adj. 2 g.* Relativo a, ou próprio de proclamação.
proclamado [Part. de *proclamar*.] *Adj.* **1.** Que se proclamou; solenemente anunciado. **2.** Decretado, publicado. **3.** Afirmado com ênfase, tornado público. **4.** Louvado, exaltado.
proclamador (ô) [Do lat. *proclamatore*.] *Adj. S. m.* Que, ou aquele que proclama.
proclamar [Do lat. *proclamare*.] *V. t. d.* **1.** Anunciar em público e em voz alta: *D. Pedro proclamou a Independência às margens do Ipiranga.* **2.** Publicar, promulgar, decretar: *O Governo proclama as leis.* **3.** Afirmar com ênfase. ***Transobj.*** **4.** Eleger, aclamar: *Os brasileiros proclamaram D. Pedro imperador do Brasil;* "E assim se caía em pleno equívoco: proclamavam Castilho príncipe dos poetas e seu Mestre – e ninguém dizia o porquê." (Antônio Salgado Júnior, em João Gaspar Simões, *Perspectiva da Literatura Portuguesa do Século XIX*, I, p. 80). ***P.*** **5.** Fazer-se aclamar; arvorar-se em: *Proclamou-se diretor da empresa.* **6.** Apresentar-se, mostrar-se, inculcar-se como: *Proclama-se bom aluno, mas estuda pouco.*
proclamas [Pl. de *proclama*.] *S. m. pl.* Proclama (q. v.): "Ele casa, casa porque, enfim, já estão correndo os proclamas" (Coelho Neto, *A Conquista*, p. 298).
próclise [De *pro-*[1] + *-clise*[1].] *S. f. E. Ling.* O fenômeno fonético de anteposição duma palavra átona a outra que o não é, subordinando-se aquela ao acento desta. [Por vezes o voc. é us. para indicar a simples anteposição de um vocábulo a outro: *a próclise dos pronomes átonos*. Cf. *ênclise* (1), *mesóclise* e *sínclise*.]
proclítico [De *prócl(ise)* + *-ítico*.] *Adj. E. Ling.* Diz-se do vocábulo que está em próclise. [Cf. *enclítico*, *mesoclítico* e *sinclítico*.]
proclive [Do lat. *proclive*.] *Adj. 2 g.* Inclinado para diante.
proclividade [Do lat. *proclivitate*.] *S. f.* Qualidade ou estado de proclive.
procniatídeo [Do lat. cient. *Procniat-* (< tax. *Procnias*, gênero-tipo) + *-ídeo*[1]; tax. *Procniatidae*.] *Zool. S. m.* **1.** Espécime dos procniatídeos, família de aves passeriformes caracterizadas por terem o tarso orcado (escamas anteriores), de tegumento não ou indistintamente dividido em placas, a primeira das rêmiges da mão mais longa ou de comprimento igual ao da segunda, o bico forte e chato, e a plumagem verde e azul. São frugívoras, e uma das espécies (*Procnias nudicollis*) é conhecida, vulgarmente, como araponga. ● *Adj.* **2.** Pertencente ou relativo a eles.
■ **Procon** Sigla de *Procuradoria de Proteção e Defesa do Consumidor*.
procônsul [Do lat. *proconsule*.] *S. m.* Antigo magistrado romano, governador de uma província. [Pl.: *procônsules*.]
proconsulado [Do lat. *procosulatu*.] *S. m.* **1.** Cargo ou dignidade de procônsul. **2.** O tempo de exercício das funções de procônsul.
proconsular [Do lat. *proconsulare*.] *Adj. 2 g.* Relativo a, ou próprio de procônsul[1].
procopense *Adj. 2 g.* **1.** De, ou pertencente ou relativo a Cornélio Procópio (PR). ● *S. 2 g.* **2.** O natural ou habitante de Cornélio Procópio. [Sin. ger.: *procopiense*.]
procopiense *Adj. 2 g. S. 2 g.* V. *procopense*.
procoracoide (ói) [De *pro-*[1] + *coracoide*.] *S. m. Zool.* Peça cartilaginosa, laminar, situada adiante do osso coracoide na cintura peitoral dos anfíbios.❖
procordado [De *pro-*[1] + *cordado*[1]; tax. *Prochordata*.] *S. m. Adj. Zool.* V. *protocordado*.
procotó *S. m. Bras. Zool.* V. *barbeiro* (6).
procrastinação [Do lat. *procrastinatione*.] *S. f.* Ato ou efeito de procrastinar; adiamento, delonga.
procrastinado [Part. de *procrastinar*.] *Adj.* Que se procrastinou, adiou; protraído.
procrastinador (ô) [De *procrastinar* + *-dor*.] *Adj. S. m.* Que, ou aquele que procrastina.
procrastinar [Do lat. *procrastinare*.] *V. t. d.* **1.** Transferir para outro dia; adiar, delongar, demorar, espaçar, protrair: *Não podemos procrastinar a solução do caso;* "meu Pai procrastinou quanto pôde a viagem. Ora, porque o enxoval não estava completo. Ora, pela necessidade de um novo exame médico." (João Neves da Fontoura, *Memórias*, I, p. 152). ***Int.*** **2.** Usar de delongas, de adiamentos.
procriação [Do lat. *procreatione*.] *S. f.* Ato ou efeito de procriar.
procriador (ô) [De *procriar* + *-dor*.] *Adj.* **1.** Que procria; procriante. ● *S. m.* **2.** Aquele que procria.
procriante [De *procriar* + *-nte*.] *Adj. 2 g.* Procriador (1).
procriar [Do lat. *procreare*.] *V. t. d.* **1.** Dar origem, nascimento, existência, a; gerar: *A cadela procriou filhotes sadios.* **2.** Promover a cultura ou a germinação de (planta). **3.** Dar nascimento ou origem a; produzir, gerar: *A própria história procria os grandes líderes.* ***Int.*** **4.** Crescer em número, pela procriação; multiplicar-se, reproduzir-se: *Homens e animais procriam enquanto a natureza lhes garante a sobrevivência da espécie.* **5.** Lançar rebentos; germinar, rebentar, renovar: *Os bacelos procriam.*
procronismo [Do gr. *próchronos*, 'anterior', + *-ismo*.] *S. m.* Anacronismo consistente em atribuir a um fato data anterior à verdadeira. [Antôn.: *metacronismo*.]
proctalgia [De *proct(o)-* + *-alg(o)-*[2] + *-ia*[1].] *S. f. Proct.* Dor no reto[1] (6).
proctálgico [De *proctalgia* + *-ico*[2].] *Adj. Proct.* Relativo a proctalgia.
proctectasia [De *proct(o)-* + *-ectas-* + *-ia*[1].] *S. f. Proct.* Dilatação do reto[1] (6).
proctectomia [De *proct(o)-* + *-ectom-* + *-ia*[1].] *S. f. Proct.* Excisão do reto[1] (6), em extensão variável; retectomia.
proctectômico [De *proctectomia* + *-ico*[2].] *Adj. Proct.* Relativo a proctectomia; retectômico.
proctite [De *proct(o)-* + *-ite*[1].] *S. f. Proct.* Inflamação do reto[1] (6); retite.
▲**proct(o)-** [Do gr. *prōktós, oû*.] *El. comp.* = 'ânus', 'reto[1] (6)'; em Zool., *-procto*, em nomes genéricos, ou em tax. (superiores), 'animal que apresenta certo tipo de ânus': *proctite, proctologia*. [Equiv.: *-proct(o)-, -procto: dasiproctídeo; ectoprocto, endoprocto*.]
▲**-proct(o)-** V. *proct(o)-*.
▲**-procto** [Do gr. *prōktós*, ou adapt. do lat. cient. *-procta* (pl.) < gr. *prōktós, oû*.] V. *proct(o)-*.
proctocele [De *proct(o)-* + *-cele*[1].] *S. f. Proct.* Retocele.
proctocélico [De *proctocele* + *-ico*[2].] *Adj.* Referente à proctocele.
proctóclise [De *proct(o)-* + *-clise*[2].] *S. f. Terap.* Injeção de vultosa quantidade de soro (4) no reto[1] (6).
proctofobia [De *proct(o)-* + *-fobia*.] *S. f. Psiq.* Estado mórbido de apreensão manifestado em indivíduo com doença anal e/ou retal.
proctofóbico [De *proctofobia* + *-ico*[2].] *Psiq. Adj.* **1.** Relativo a proctofobia. **2.** Que tem proctofobia; proctófobo. ● *S. m.* **3.** Aquele que tem proctofobia; proctófobo.
proctófobo [De *proct(o)-* + *-fobo*.] *Adj. S. m. Psiq.* Proctofóbico (2 e 3).
proctologia [De *proct(o)-* + *-logia*.] *S. f.* Ramo da medicina que se ocupa das doenças do reto e do ânus, em todos os seus aspectos.
proctológico [De *proctologia* + *-ico*[2].] *Adj.* Relativo à proctologia.
proctologista [De *proctologia* + *-ista*.] *S. 2 g. Proct.* Especialista em proctologia.
proctopexia (cs) [De *proct(o)-* + *-pex-* + *-ia*[1].] *S. f. Proct.* Fixação cirúrgica do reto[1] (6); retopexia.
proctorragia [De *proct(o)-* + *-ragia*.] *S. f. Med.* Hemorragia de origem retal.
proctorrágico [De *proctorragia* + *-ico*[2].] *Adj. Med.* Relativo a proctorragia.
proctoscopia [De *proct(o)-* + *-scop-* + *-ia*[1].] *S. f. Med.* Retoscopia.
procumbente [De *procumbir* + *-ente*.] *Adj. 2 g. Bot.* Rastejante (2): *caule procumbente.*
procumbir [Do lat. *procumbere*.] *V. int.* **1.** Cair para diante. **2.** Estirar-se morto ou ferido. **3.** Curvar-se até o chão; prosternar-se: *Os súditos procumbiam diante do soberano.*
procura [Dev. de *procurar*.] *S. f.* **1.** Ato de procurar. **2.** *Econ.* V. *demanda* (6 e 7).
procuração [Do lat. *procuratione*.] *S. f.* **1.** Incumbência dada a outrem por alguém para tratar de negócio(s) em seu nome; poderes. **2.** Documento em que se consigna legalmente essa incumbência. **3.** *Jur.* Negócio jurídico unilateral, consistente na declaração de vontade do representado, pela qual legitima o representante a agir em seu nome perante terceiros, não se confundindo com contrato de mandato. **4.** *P. ext. Jur.* Mandato (1). ◆ **Procuração *apud acta*.** *Jur.* A que o réu outorga ao defensor mediante simples indicação verbal feita ao juiz do processo. **Procuração por instrumento particular.** *Jur.* Procuração redigida de próprio punho, ou datilografada, ou digitada. [Cf. *mandato* (1).] **Procuração por instrumento público.** *Jur.* Procuração lavrada por tabelião público em seu livro de notas, e da qual se fornece traslado.
procuradeira [De *procurar* + *-deira*.] *S. f.* Mulher que gosta de procurar ou investigar.
procurador (ô) [Do lat. *procuratore*.] *Adj.* **1.** Que procura. ● *S. m.* **2.** Aquele que tem procuração para tratar dos negócios de outrem; administrador; mandatário. **3.** *P. ext.* Mediador, intermediário. **4.** Advogado do Estado. ◆ **Procurador da Justiça.** Membro da superior instância do Ministério Público. **Procurador de linguagem.** *Bras. SP Pop.* Procurador de causas forenses.
procuradora (ô) [F. subst. do adj. *procurador*.] *S. f.* **1.** Fem. de procurador (2 a 4). **2.** *Astr.* Pequena luneta instalada na montagem de um grande instrumento e destinada a facilitar a calagem[2].
procuradoria [De *procurador* + *-ia*[1].] *S. f.* **1.** Ofício, funções, escritório ou repartição de procurador ou de procuradora. **2.** Quantia que se paga ao procurador ou defensor.
procurar [Do lat. *procurare*.] *V. t. d.* **1.** Esforçar-se por achar; buscar, catar: *Procurou em vão os papéis.* **2.** Pedir com instância; pretender, solicitar: *Percorreu várias empresas, procurando emprego.* **3.** Dirigir-se ou encaminhar-se para; buscar: *O rio Amazonas, após confluir com o Xingu, procura o mar.* **4.** Desejar falar a: *Os romeiros procuravam o velho franciscano.* **5.** Fazer que se lhe depare; esforçar-se por obter; buscar: *Procurou avidamente uma boa oportunidade para o encontro.* **6.** Ir ao encontro de: *O aventureiro procura situações perigosas.* **7.** Empregar todos os recursos para; esforçar-se, empenhar-se, por; tratar de; diligenciar: *Procura o bem-estar dos seus semelhantes.* **8.** Indagar, investigar, pesquisar, inquirir: *Os técnicos procuraram as causas da catástrofe.* **9.** Fazer seleção de; escolher, selecionar: *O instrutor procurou os melhores atletas.* **10.** Ser atraído por: *Os metais procuram o ímã.* ***T. d. e i.*** **11.** Tentar atrair ou adquirir, granjear: *O amigo procurou-lhe um cargo excelente.* **12.** Procurar saber; indagar, perguntar: *Procurou a verdade ao menino.* ***T. i.*** **13.** Esforçar-se por encontrar; buscar: "O amigo procura por ele, vem salvá-lo." (Léu Vítor, *Círculo de Giz*, p. 135.) ***Int.*** **14.** *Jur.* Exercer as funções de procurador ou solicitador.
procuratório [Do lat. *procuratoriu*.] *Adj.* Relativo a procuração ou a procurador. ~ V. *endosso —*.
procurvado [De *pro-*[1] + *curvado*.] *Adj. Zool.* Diz-se de órgão curvado com a cavidade dirigida para frente.
procustiano *Adj.* Pertencente ou relativo a, ou próprio de Procusto. [Cf. *leito de Procusto*.]
prodição [Do lat. *proditione*.] *S. f. Desus.* Entrega, decorrente de traição. [Cf. *predição*.]
prodigalidade [Do lat. *prodigalitate*.] *S. f.* **1.** Qualidade ou caráter de pródigo. **2.** Ação de prodigalizar. **3.** Esbanjamento, desperdício, dissipação. **4.** Gastos exagerados. **5.** Generosidade, liberalidade, largueza. **6.** Profusão, abundância.
prodigalíssimo *Adj.* Superl. abs. sint. de *pródigo*.
prodigalizador (ô) [De *prodigalizar* + *-dor*.] *Adj. S. m.* Que, ou aquele que prodigaliza; pródigo.
prodigalizar [De *prodigal-*, como em *prodigalidade* e *prodigalíssimo*, + *-izar*.] *V. t. d.* **1.** Gastar excessivamente; dissipar, esbanjar: *Prodigalizou a fortuna do pai.* **2.** Expor a perigos; arriscar: *prodigalizar a saúde, a vida.* **3.** Conceder ou empregar com profusão; despender com generosidade: *Durante vários séculos a Igreja prodigalizou indulgências.* ***T. d. e i.*** **4.** Distribuir prodigamente; dar com profusão: *Prodigaliza favores a seus amigos.* [Sin.: *prodigar*.]

P

prodigar [De *pródigo* + *-ar*².] *V. t. d. T. d. e i.* V. *prodigalizar.* [Conjug.: v. *largar.* Pres. ind.: *prodigo*, etc. Cf. *pródigo.*]

prodígio [Do lat. *prodigiu.*] *S. m.* **1.** Coisa sobrenatural. **2.** Coisa ou pessoa anormal. [Sin. ger.: *maravilha, milagre, portento.*]

prodigioso (ô) [De *prodígio* + *-oso.*] *Adj.* **1.** Em que há prodígio; maravilhoso, miraculoso, sobrenatural. **2.** Admirável, extraordinário.

pródigo [Do lat. *prodigu.*] *Adj.* **1.** Que despende com excesso; dissipador, esbanjador. **2.** Que dá, distribui, faz ou emprega profusamente e sem dificuldade: *É homem pródigo em favores; Foi pródigo de gentilezas com todos.* **3.** Generoso, liberal: "Eu podia dizer que a natureza é que foi convosco pródiga de graças" (Machado de Assis, *Páginas Recolhidas*, p. 191). [Superl. abs. sint.: *prodigalíssimo.*] ~ V. *filho —.* • *S. m.* **4.** Indivíduo pródigo. **5.** *Constr. Nav.* Peça colocada diagonalmente ao tabuado dos pavimentos ou do costado a fim de travar os vaus ou as cavernas entre si e aumentar a resistência do casco. [Cf. *prodigo*, do v. *prodigar.*]

pródito [Do lat. *proditu.*] *Adj.* **1.** Atraiçoado, traído. **2.** Divulgado, revelado.

proditor (ô) [Do lat. *proditore.*] *S. m. Desus.* Traidor (3).

proditório [Do lat. *proditoriu.*] *Adj.* Que revela ou encerra traição; traiçoeiro.

→ **pro domo** [pro 'domɔ] [Lat.] V. *pro domo sua.*

→ **pro domo sua** [pro 'domɔ 'sua] [Lat.] 'Pela sua casa', *i. e.*, em seu favor, em defesa dos seus próprios interesses. [Título de um discurso de Cícero. Us. tb. abreviadamente: *pro domo.*]

prodrómico *Adj.* V. *prodrômico.* [Uso freq. em P.]

prodrômico [De *pródromos* + *-ico*².] *Adj.* Relativo aos pródromos.

pródromo [Do gr. *pródromos*, pelo lat. *prodromu.*] *S. m.* **1.** Espécie de prefácio. **2.** Preâmbulo, preliminar. **3.** *Med.* Fenômeno clínico que revela o início de uma doença; propatia. ~ V. *pródromos.*

pródromos [Pl. de *pródromo.*] *S. m. pl. Fig.* As primícias dum escritor. ~ V. *pródromo.*

produção [Do lat. *productione* < lat. *productus*, part. pass. do lat. *producere* (v. *produzir*), + lat. *-io, -onis*, suf. para nomes de ação.] *S. f.* **1.** Ato ou efeito de produzir, criar, gerar, elaborar, realizar. **2.** Aquilo que é produzido ou fabricado: *A empresa diversificou a produção para atender exigências do mercado.* **3.** O volume produzido: *Com a greve, a produção caiu à metade.* **4.** A(s) obra(s) de um escritor, de um artista, ou de uma escola, ou de um período: *O poema 'Pneumotórax', de Manuel Bandeira, é uma produção da fase modernista; A produção barroca no Brasil estendeu-se até o princípio do séc. XIX.* **5.** *Cin. Son. Rád. Teatr. Telev.* O conjunto de todas as fases da realização de filme, espetáculo teatral, vídeo, programa radiofônico, etc. **6.** *Cin. Son. Rád. Teatr. Telev.* Atividade que consiste em reunir, organizar e administrar todos os recursos financeiros, técnicos e materiais necessários para a realização de filme, espetáculo teatral, disco, programa de rádio ou de TV, etc. **7.** *Econ.* Criação de bens e de serviços capazes de suprir as necessidades econômicas do homem. **8.** *Prop.* Setor ou atividade de agência de propaganda responsável pela execução das peças desenvolvidas pela criação. [Para tanto, contrata e supervisiona o trabalho de fornecedores como gráfica, produtora de TV, fotógrafo, agência de modelos, etc.] ◆ **Produção de par.** *Fís. Nucl.* Fenômeno de transformação dum fóton em um elétron e um pósiton; materialização. **Produção editorial.** Processo desenvolvido sob a responsabilidade do editor (3) que abrange desde o recebimento de originais até sua publicação. **Produção gráfica.** *Art. Gráf.* Processo de transformação de um trabalho de criação em obra impressa, que abrange desde a composição até o acabamento.

producente [Do lat. *producente.*] *Adj. 2 g.* **1.** Que produz. **2.** Lógico, concludente.

produtibilidade [De *produtível* + *-(i)dade*, seg. o padrão erudito.] *S. f.* Qualidade ou estado de produtível ou produtivo.

produtível [De *productus*, part. pass. do lat. *producere*, 'produzir', + *-ível.*] *Adj. 2 g.* Que se pode produzir; produzível.

produtividade [De *produtivo* + *-(i)dade.*] *S. f.* **1.** Faculdade de produzir. **2.** Qualidade ou estado de produtivo. **3.** *Econ.* Relação entre a quantidade ou valor produzido e a quantidade ou valor dos insumos aplicados à produção; eficiência produtiva. **4.** Rendimento (4). **5.** *E. Ling.* Uso regular de determinados padrões ou mesmo de afixos específicos na formação de palavras. [O sufixo *-ção*, p. ex., pode ser aposto a inúmeros verbos para criar um derivado que indique 'o ato de, o processo de', etc.] ◆ **Produtividade do capital.** *Econ.* Quantidade produzida por unidade de capital investido. **Produtividade do trabalho.** *Econ.* Quantidade produzida por unidade de trabalho.

produtivo [Do lat. *productivu.*] *Adj.* **1.** Que produz; fértil. **2.** Rendoso, proveitoso. **3.** *E. Ling.* Que tem produtividade (5). ~ V. *forças —as.*

produto [Do lat. *productu.*] *S. m.* **1.** Aquilo que é produzido ou fabricado; produção: *produtos industrializados; produtos agrícolas; produtos eletrodomésticos.* **2.** Aquilo que resulta de qualquer processo ou atividade: *um produto da imaginação; O enfarte foi produto do excesso de trabalho.* **3.** V. *receita* (1): *O produto do festival decepcionou os seus organizadores.* **4.** Quantia recebida como pagamento: *o produto da venda de um carro.* **5.** Filho; descendente: "Sucediam-se os meninos, por sinal que muito bonitinhos e rosados, de olhinhos também azuis, eu já tinha visto alguns desses produtos tardios do Antunes." (Valdemar Versiani dos Anjos, *Jornal de Serra Verde*, p. 84.) **6.** Animal ou planta que resulta de função reprodutiva dirigida, com vista ao aprimoramento da espécie: *O touro campeão é produto de animais selecionados; Esse caqui é produto das experiências de fruticultores japoneses.* **7.** *Mat.* O resultado de uma multiplicação. **8.** *Econ.* Valor total da produção de bens e serviços num país, em determinado período (ger. um ano): "Para evitar dupla contagem, só se inclui no produto o valor dos bens e serviços finais." (Mário Henrique Simonsen e Rubens P. Cysne, *Macroeconomia*, p. 101.) **9.** *Mat.* Conjunto constituído por elementos comuns a dois ou mais conjuntos; interseção, conjunto interseção. **10.** *Mat.* Interseção (3). ◆ **Produto de beleza.** Produto para o embelezamento e cuidado do corpo. **Produto de fissão.** *Fís. Nucl.* Qualquer nuclídeo formado pela fissão de outro ou pela desintegração de um isótopo produzido numa fissão nuclear. **Produto de solubilidade.** *Quím.* Produto das atividades dos íons em uma solução saturada por um sal. **Produto diádico.** *Mat.* Díada (2). **Produto escalar.** *Mat.* A soma dos produtos das componentes homólogas de dois vetores referidos a uma base ortonormal; produto interno. **Produto externo.** *Mat.* Produto vetorial. **Produto final.** *Econ.* O que se destina a ser vendido aos consumidores. [Cf. *produto intermediário.*] **Produto infinito.** *Mat.* Sequência infinita em que o elemento de ordem *n* é igual ao produto dos *n* primeiros elementos de outra sequência infinita. **Produto intermediário. 1.** *Econ.* O que se destina a entrar na produção de outros bens. [Cf. *produto final.*] **2.** *Quím.* Qualquer substância que se forma no curso de uma reação, ou de uma sequência de reações, e que dá origem ao produto final ou a outro produto intermediário. [Tb. se diz apenas *intermediário.*] **Produto interno. 1.** *Mat.* Produto escalar. **2.** *Econ.* Produto (8), incluindo os pagamentos a fatores de produção no exterior. [Cf., nesta acepç., *produto nacional.*] **Produto interno bruto.** *Econ.* Produto interno (2), incluindo os gastos de depreciação. [Sigla: *PIB.* Cf. *produto interno líquido.*] **Produto interno líquido.** *Econ.* Produto interno (2), exclusive os gastos de depreciação. [Cf. *produto interno bruto.*] **Produto nacional.** *Econ.* Produto (8), exclusive o valor remetido ao exterior para pagamento de fatores de produção. [Cf. *produto interno* (2).] **Produto nacional bruto.** *Econ.* Produto Nacional, incluindo gastos de depreciação. [Sigla: *PNB.*] **Produto nacional líquido.** *Econ.* Produto nacional, exclusive os gastos de depreciação. **Produto natural.** *Quím.* Qualquer substância que ocorre em organismos, esp. metabólitos secundários. **Produto primário.** *Econ.* Produto que resulta de extração mineral ou vegetal, ou agropecuário. **Produto químico.** *Quím.* Qualquer substância identificada quimicamente, pura ou cuja composição é conhecida e adequada ao uso, produzida pela indústria química ou por ela empregada, ou que se usa correntemente em laboratórios. **Produto vetorial.** *Mat.* Vetor cujo suporte é normal ao plano determinado por dois outros vetores, e cujo módulo é igual ao produto dos módulos destes dois pelo seno do ângulo que formam; produto externo.

produtor (ô) [Do lat. *productore* < lat. *productus*, part. pass. do lat. *producere* (v. *produzir*), + lat. *-or, -oris* (v. *-or*).] *Adj.* **1.** Que produz. [Fem. irreg. (p. us.): *produtriz.*] • *S. m.* **2.** Aquele que produz. **3.** Autor, elaborador. **4.** Indivíduo ou organização que produz bens para o consumo. **5.** *Cin. Teatr. Telev.* Responsável pelo financiamento e supervisão de uma produção (5). **6.** *Ecol.* O conjunto dos organismos autótrofos. **7.** *Teatr.* Empresário (1). ◆ **Produtor gráfico.** Indivíduo responsável pela produção gráfica de um impresso.

produtora (ô) [Fem. de *produtor.*] *S. f. Cin. Rád. Telev.* Empresa especializada na produção de filme, vídeo ou programa de rádio.

produtriz *Adj.* (*f.*) *P. us.* Fem. de *produtor* (1).

produzido [Part. de *produzir.*] *Adj. Bras.* **1.** Que se produziu [v. *produzir* (13)]: *Mudou o visual: agora anda toda produzida.* **2.** Diz-se daquilo que se apresenta de acordo com a moda vigente e mais avançada: *penteado produzido.*

produzir [Do lat. *producere.*] *V. t. d.* **1.** Dar nascimento ou origem a; dar o ser a; fazer existir; criar, gerar: *Esta árvore produz bons frutos.* **2.** Fazer aparecer; ocasionar, originar: *A seca produziu a figura do retirante, muitas vezes personagem da literatura nacional.* **3.** Pôr em prática; levar a efeito; realizar: *Os alunos produziram um belo espetáculo de teatro.* **4.** Fazer apresentação ou exposição de; apresentar, exibir: *O réu produziu inúmeras testemunhas em sua defesa.* **5.** Ter como consequência; causar, motivar, ocasionar: *O alcoolismo produz males físicos e morais.* **6.** Ser o berço de; ser a pátria de: *Roma produziu grandes generais.* **7.** Dar como proveito ou rendimento; render: *Esta loja produz bom lucro.* **8.** Fabricar, manufaturar: *A nova fábrica produzirá aviões*; "No início do século [XX], os Estados Unidos eram praticamente autárquicos. Produziam tudo o de que necessitavam para a vida de suas indústrias." (Alceu Amoroso Lima, *A Realidade Americana*, p. 118). **9.** Criar pela imaginação; compor: *Machado de Assis produziu excelentes contos e romances.* **10.** Descobrir, inventar; criar: *Os povos mesopotâmicos produziram o horóscopo.* *T. d. e i.* **11.** Dar como provento ou rendimento; render: *O emprego lhe produz bom ordenado.* *Int.* **12.** Ser fértil: *As terras arenosas não produzem.* *P.* **13.** *Bras.* Vestir-se, arranjar-se com apuro, de acordo com a moda vigente e mais avançada. [Irreg. Conjug.: v. *aduzir.*]

produzível [De *produzir* + *-vel.*] *Adj. 2 g.* Produtível.

proeiro [De *proa* + *-eiro.*] *S. m.* Marinheiro que vigia, trabalha ou rema à proa da embarcação.

proejar [De *proa* + *-ejar.*] *V. t. c. P. us.* Dirigir-se, navegar (em determinada direção); aproar: *O comandante proeja para nordeste*; "As galés de Castela .... sarparam, tenderam velas e demandaram a barra, proejando ao norte" (Antero de Figueiredo, *Leonor Teles*, p. 229). [Conjug.: v. *pelejar.*]

proembrião [De *pro*-¹ + *embrião.*] *S. m. Bot.* Massa pluricelular que se forma após a fecundação da oosfera, e que formará o embrião.

proemial [De *proêmio* + *-al*¹.] *Adj. 2 g.* Respeitante a, ou da natureza do proêmio; preambular.

proemiar [Do lat. **prooemiare*, por *prooemiari.*] *V. t. d.* Fazer proêmio a; prefaciar. [Pres. ind.: *proemio*, etc. Cf. *proêmio.*]

proeminência [De *proeminente* + *-ia*², seg. o padrão analógico.] *S. f.* **1.** Qualidade ou estado de proeminente. **2.** Relevo, saliência, eminência; protuberância: "o seu colo tomara irresistíveis proeminências que meus olhos cobiçosos não se fartavam de beijar." (Aluísio Azevedo, *Pegadas*, pp. 184-185). **3.** Elevação de terreno. **4.** Superioridade, preeminência. [Cf. *preeminência.*] ◆ **Proeminência laríngea.** *Anat.* A saliência da cartilagem tireoide. [Sin. pop.: *gogó, nó da garganta, nó da goela, maçã de adão, nó de adão, pomo de adão* (denom. ant.).] **Proeminência solar.** *Astr.* Jato de gás luminoso que se eleva acima da cromosfera solar. [Cf. *protuberância solar.*]

proeminente [Do lat. *proeminente.*] *Adj. 2 g.* **1.** Que se alteia acima do que o circunda; alto. **2.** Que sobressai, ressalta; saliente: "Tinha o rosto comprido mas cheio, com um nariz aquilino, proeminente, muito acentuado." (Virgílio Várzea, *Nas Ondas*, p. 13); "a boca aberta, as mãos cruzadas sobre a barriga proeminente, a roncar." (Alberto Braga, *Novos Contos*, p. 56). **3.** Superior, preeminente. • *S. f.* **4.** *Anat.* A sétima vértebra cervical, cuja apófise espinhosa é mais saliente do que as que lhe estão próximas. [Cf. *preeminente.*]

proémio *S. m.* V. *proêmio.* [Uso freq. em P.]

proêmio [Do gr. *prooímion*, 'canto introdutório', pelo lat. *prooemiu.*] *S. m.* **1.** V. *prefácio* (1): "vejo arder a fogueira de Savonarola, e vejo a praça encher-se de cadáveres, e a multidão que chora ....; e, entre lágrimas e vociferações, Boccaccio, risonho e belo, imaginando o proêmio do *Decameron.*" (Martins Fontes, *Nós, as Abelhas*, p. 72). **2.** Princípio, origem. [Cf. *proemio*, do v. *proemiar.*]

proeza (ê) [Do fr. ant. *proece* (atual *prouesse*).] *S. f.* **1.** Ação de valor; façanha. **2.** *Fam.* Qualquer ato invulgar praticado por alguém. **3.** *P. ext. Pej.* Ato censurável ou escandaloso.

profanação [Do lat. *profanatione.*] *S. f.* **1.** Ato ou efeito de profanar; sacrilégio, profanidade. **2.** *P. ext.* Irreverência contra pessoa ou coisa digna de todo o respeito. **3.** Mau emprego, abusivo, de coisa digna de apreço ou respeito.

profanado [Part. de *profanar.*] *Adj.* Que se profanou.

profanador (ô) [Do lat. *profanatore.*] *Adj.* **1.** Que profana o que é sagrado ou digno de respeito; profanante. • *S. m.* **2.** Indivíduo profanador.

profanante [De *profanar* + *-nte.*] *Adj. 2 g.* Profanador (1).

profanar [Do lat. *profanare.*] *V. t. d.* **1.** Tratar com irreverência (coisas sagradas); desconsagrar: *profanar uma religião.* **2.** Transgredir, violar, infringir (norma, regra, princípio sagrado, ou como que sagrado): "Esse crime, bandido, é um crime que profana / Todas as grandes leis da consciência humana, / Todas as grandes leis da vida universal." (Guerra Junqueiro, *A Velhice do Padre Eterno*, p. 35.) **3.** Dar aplicação profana a: *Jesus Cristo expulsou os vendilhões que profanavam o templo.* **4.** Violar a santidade de: *profanar leis divinas.* **5.** Fazer mau uso de; degradar, aviltar: *O crescente número de maus compositores profana a música popular.* **6.** Tornar impuro; macular, desonrar: *Sua atitude profana o bom nome da família.* **7.** Ofender, injuriar, afrontar: *O excesso de termos grosseiros profana a sensibilidade literária.*

profanável [De *profanar* + *-vel.*] *Adj. 2 g.* Que pode ser profanado.

profanidade [Do lat. *profanitate.*] *S. f.* **1.** Ato ou dito profano. **2.** V. *profanação* (1).

profanizar [De *profano* + *-izar.*] *V. t. d. P.* **1.** Tornar(-se) profano. **2.** Macular(-se), manchar(-se).

profano [Do lat. *profanu.*] *Adj.* **1.** Não pertencente à religião. **2.** Contrário ao respeito devido a coisas sagradas. **3.** Não sagrado. **4.** Secular, leigo. **5.** *Fig.* Estranho ou alheio a ideias ou conhecimentos sobre determinados assuntos. ● *S. m.* **6.** Pessoa ou coisa profana. **7.** *Maç.* Indivíduo que não é maçom.

profármaco [De *pro-*[1] + *fármaco.*] *S. m. Farm.* Substância inativa ou pouco ativa, que sofre transformação no organismo, dando origem a fármaco.

prófase [De *pró-*[1] + *-fase*[2].] *S. f. Citol. Genét.* Fase da divisão celular por mitose e meiose, durante a qual os cromossomos iniciam a condensação no interior do núcleo e se tornam visíveis como estruturas distintas. [Na prófase I da meiose ocorre o pareamento dos cromossomos homólogos.]

profecia [Do gr. *propheteía*, pelo lat. *prophetia.*] *S. f.* **1.** Predição do futuro feita por um profeta; oráculo, vaticínio, presságio. **2.** *Fig.* Hipótese, suposição, conjetura.

profectício [Do lat. *profecticiu.*] *Adj.* Profetício (q. v.).

profeito [Do lat. *profectu.*] *S. m. Ant.* Proveito.

proferição [De *proferir* + *-ção.*] *S. f.* Ação de proferir; proferimento.

proferidor (ô) [De *proferir* + *-dor.*] *Adj. S. m.* Que, ou aquele que profere algo.

proferimento [De *proferir* + *-mento.*] *S. m.* Proferição.

proferir [Do lat. **proferere*, por *proferre*, 'levar para diante'; 'enunciar'.] *V. t. d.* **1.** Pronunciar em voz alta e clara: *O deputado proferiu oportuno discurso;* "tinha sido incumbida, pelas colegas, de proferir algumas palavras de despedida" (Ciro dos Anjos, *Abdias*, p. 61). **2.** Dizer, pronunciar: "Ia com passo firme, rezando e proferindo repetidas vezes o nome da filha" (Bulhão Pato, *Memórias*, I, p. 17). **3.** Dizer, lendo: *De posse da relação, proferiu os nomes aprovados.* **4.** Publicar ou dizer em voz alta; decretar, publicar: *O juiz proferiu a sentença.* [Irreg. Conjug.: v. *aderir*.]

proferível [De *proferir* + *-vel.*] *Adj. 2 g.* Que pode ser proferido.

professar [De *professo* + *-ar*[2].] *V. t. d.* **1.** Reconhecer publicamente; confessar: *Os homens deveriam professar os princípios que norteiam suas ações.* **2.** Preencher as funções inerentes a (um cargo ou profissão); abraçar (cargo ou profissão): *professar a advocacia.* **3.** Ensinar na qualidade de professor ou lente; lecionar, professorar: "Como ele professava pedagogia na secção didática do meu curso, esperava encontrar ali a realização das ideias que ele nos expunha na sua cátedra." (Fidelino de Figueiredo, *Um Colecionador de Angústias*, p. 84.) **4.** Fazer propaganda de; preconizar, propagar, apregoar: *Quintino Bocaiuva escreveu muitos artigos professando o ideal republicano.* **5.** Seguir a regra de; obedecer às normas de: *Sempre agiu professando o bom senso e a temperança.* **6.** Pôr em prática; levar a cabo; realizar, executar: *O governo professa os compromissos assumidos nas eleições.* **7.** Adotar, abraçar, seguir (uma doutrina): *professar o cristianismo, o socialismo.* *Int.* **8.** Fazer votos, entrando para uma ordem religiosa ou de cavalaria: *Professou 25 anos e foi a bispo 15 anos depois.* *T. d. e i.* **9.** Confessar ou prometer publicamente: *O cavaleiro professava fidelidade a seu amo.* **10.** Ter, manter (afeição, amizade): *A moça professa grande amor aos pais.* **11.** Prometer, jurar: *Professou afeição profunda aos companheiros.*

professo [Do lat. *professu.*] *Adj.* **1.** Que professou. **2.** Relativo a frades ou freiras. **3.** *Fig.* Perito, adestrado. ● *S. m.* **4.** Aquele que professou. **5.** Indivíduo adestrado, perito.

professor (ô) [Do lat. *professore.*] *S. m.* **1.** Aquele que professa ou ensina uma ciência, uma arte, uma técnica, uma disciplina; mestre: *professor universitário; professor de ginástica.* **2.** *Fig.* Homem perito ou adestrado. **3.** Aquele que professa publicamente as verdades religiosas. [Flex.: *professora* (ô), *professores* (ô), *professoras* (ô). Cf. *professora, professoras* e *professores*, do v. *professorar*.] ◆ **Professor orientador.** *Educ.* Professor com boa qualificação, que orienta trabalhos acadêmicos, pesquisas científicas, dissertações e teses. **Professor titular.** O que exerce cátedra (3); catedrático.

professora (ô) [Fem. de *professor.*] *S. f.* **1.** Mulher que ensina ou exerce o professorado; mestra. **2.** *Bras. N.E. Pop.* Prostituta com que adolescentes se iniciam na vida sexual. [Pl.: *professoras* (ô). Cf. *professora* e *professoras*, do v. *professorar*.]

professoraço [De *professor* + *-aço.*] *S. m. Deprec.* Professor charlatão; mau professor.

professorado [De *professor* + *-ado*[2].] *S. m.* **1.** A classe dos professores. **2.** V. *magistério* (2).

professoral [De *professor* + *-al*[1].] *Adj. 2 g.* Respeitante a professor ou professora.

professorando [De *professorar* + *-ando.*] *S. m. Bras.* Estudante que está prestes a concluir o curso de professorado: "o Dr. Romero Fagundes, deputado do distrito, vinha ser o paraninfo das professorandas." (Godofredo Rangel, *Falange Gloriosa*, p. 236).

professorar [De *professor* + *-ar*[2].] *V. t. d.* **1.** Ser professor de; ensinar, professar: *Professora história do Brasil.* *Int.* **2.** Exercer as funções de professor; dedicar-se ao magistério. [Pres. ind.: *professoro, professoras, professora*, etc.; pres. subj.: *professore, professores*, etc. Cf. *professora* (ô), *professoras* (ô) e *professores* (ô), flex. de *professor*.]

profesto [Do lat. *profestu.*] *Adj.* ~ V. *dia* —.

profeta [Do gr. *prophétes*, pelo lat. *propheta.*] *S. m.* **1.** Indivíduo que prediz o futuro. **2.** *P. ext.* V. *adivinho.* [Fem., nessas acepçs.: *profetisa.*] **3.** Título que os muçulmanos dão a Maomé. [Ger. com cap., nesta acepç.]

profetar [Do lat. *prophetare.*] *V. t. d. T. d. e i. Int.* V. *profetizar.*

profetício [Var. de *profectício* < lat. *profecticiu.*] *Adj.* ~ V. *bens —s e dotes —s.*

profético [Do gr. *prophetikós*, pelo lat. *propheticu.*] *Adj.* Relativo a profeta ou a profecia.

profetisa [Do lat. *prophetissa.*] *S. f.* Fem. de *profeta* (1 e 2). [Cf. *profetiza*, do v. *profetizar*.]

profetismo [De *profeta* + *-ismo.*] *S. m.* Qualquer movimento político-religioso centrado na liderança de um profeta, e cuja crença ou ensinamento mais explícito se refere à transformação das condições presentes e à chegada (ou retorno) de uma era de plena justiça e felicidade. [Tal tipo de movimento é ger. considerado pelas ciências sociais como expressão ideológica de grupos ou povos em situação de crise e dominação, e, esp., em situação de subordinação colonial.] [Cf. *messianismo* (2) e *milenarismo* (3).]

profetista [De *profeta* + *-ista.*] *Adj. 2 g.* Relativo ao, ou próprio do profetismo.

profetizador (ô) [De *profetizar* + *-dor.*] *Adj. S. m.* Que, ou aquele que profetiza.

profetizar [Do gr. *prophetízein*, pelo lat. *prophetizare.*] *V. t. d.* **1.** Predizer como profeta; vaticinar, predizer: *Dizendo-se enviado de Deus, profetizava o fim do mundo.* **2.** Anunciar por conjeturas; anunciar antecipadamente; prever: *Quando os especialistas profetizaram o malogro, foram tachados de incapazes.* *T. d. e i.* **3.** Anunciar como profeta; vaticinar, predizer: *O místico profetizou aos que o ouviam a reencarnação de Jesus.* *Int.* **4.** Dizer ou fazer profecias: *Nunca profetiza sem que se lhe confirmem as profecias.* [F. paral.: *profetar.* Pres. ind.: *profetizo, profetizas, profetiza*, etc. Cf. *profetisa*.]

proficiência [De *proficiente* + *-ia*[2], seg. o padrão analógico.] *S. f.* **1.** Qualidade de proficiente; competência, aptidão, capacidade; habilidade: "A doutrina cristã, anotada pela proficiência do explicador, foi ocasião de dobrado ensino que muito me interessou." (Raul Pompeia, *O Ateneu*, p. 57.) **2.** Proveito, vantagem; proficuidade.

proficiente [Do lat. *proficiente.*] *Adj. 2 g.* **1.** Que tem perfeito conhecimento; competente, capaz, hábil, destro. **2.** V. *profícuo.*

proficuidade (u-i) [De *profícuo* + *-(i)dade.*] *S. f.* Qualidade de profícuo; vantagem, proveito, utilidade.

profícuo [Do lat. *proficuu.*] *Adj.* Útil, proveitoso, vantajoso, proficiente.

profiláctico [Do gr. *prophylaktikós.*] *Adj.* **1.** Relativo a profilaxia. **2.** Preservativo, preventivo. [Var.: *profilático.*]

profilático *Adj.* V. *profiláctico.*

profilaxia (cs) [Do gr. *prophylaxis*, 'precaução', + *-ia*[1].] *S. f. Med.* **1.** Parte da medicina que tem por objeto medidas preventivas contra doenças. **2.** Emprego de meios para evitar doenças. **3.** *P. ext.* Preservativo (2).

profilo [De *pro-*[1] + *-filo*[1].] *S. m. Bot.* A primeira folha, ou o primeiro par de folhas, de um broto lateral. [Cf. *bractéola*.]

profissa *S. 2 g.* V. *profissional* (5): "O cara é profissa, para ter essa geringonça." (Rubem Fonseca, *O Seminarista*, p. 141.)

profissão [Do lat. *professione.*] *S. f.* **1.** Ato ou efeito de professar (1, 8 e 9). **2.** Declaração ou confissão pública de uma crença, sentimento, opinião ou modo de ser. **3.** Atividade ou ocupação especializada, e que supõe determinado preparo: *a profissão de engenheiro; a profissão de motorista.* **4.** V. *ofício* (2). **5.** Profissão (3) que encerra certo prestígio pelo caráter social ou intelectual: *a profissão de jornalista, de ator; as profissões liberais.* **6.** Carreira (8): *a profissão jurídica.* **7.** Meio de subsistência remunerado resultante do exercício de um trabalho, de um ofício: *Não tem profissão.* **8.** *Rel.* Confissão (2). ◆ **Profissão de fé.** Declaração pública revestida de certa solenidade em que se afirma uma crença religiosa, uma convicção política, uma opinião estética, etc.; manifesto. **Profissão liberal.** Profissão (3) de nível superior caracterizada pela inexistência de qualquer vinculação hierárquica e pelo exercício predominantemente técnico e intelectual de conhecimentos. **De profissão.** **1.** Profissional (1). **2.** Pela conduta ou modo habitual de agir: *É intrigante de profissão.*

profissional [De *profissão* + *-al*[1], seg. o padrão erudito.] *Adj. 2 g.* **1.** Respeitante ou pertencente a profissão, ou a certa profissão: *ensino profissional; deformação profissional; Diversas categorias profissionais pleiteiam revisão de salário.* **2.** Que exerce uma atividade por profissão ou ofício: *fotógrafo profissional; atleta profissional.* [Cf., nesta acepç., *amador* (2).] **3.** Diz-se do que é necessário ao exercício de uma profissão, ou próprio dela: *equipamento profissional.* **4.** *Deprec.* Diz-se de pessoa voltada habitualmente para certa atividade como se fosse ela ofício ou profissão: *carreirista profissional.* ~ V. *aptidão —, atribuição —, carteira —, certificação —, deformação —, doença —, educação —, orientação —, orientador —, salário mínimo —, segredo —* e *sigilo —.* ● *S. 2 g.* **5.** *Bras.* Pessoa que exerce uma atividade por ofício.

profissionalismo [De *profissional* + *-ismo.*] *S. m. Bras.* **1.** Carreira de profissional. **2.** Conjunto de profissionais. **3.** Maneira de ver ou de agir dos profissionais.

profissionalização [De *profissionalizar* + *-ção.*] *S. f.* Ação de profissionalizar(-se).

profissionalizado [Part. de *profissionalizar.*] *Adj.* Que adquiriu caráter profissional; que se tornou profissional: "Ao teatro comercial da Broadway opuseram um teatro de amadores, depois profissionalizados." (Oto Maria Carpeaux, *História da Literatura Ocidental*, VII, p. 3201.)

profissionalizante [De *profissionalizar* + *-nte.*] *Adj. 2 g.* Diz-se do ensino destinado a formar técnicos em determinados ofícios ou profissões: "o ensino [no Brasil de umas décadas atrás] era pouco profissionalizante." (*Jornal do Brasil*, "Domingo", n.º 111).

profissionalizar [De *profissional* + *-izar.*] *V. t. d.* **1.** Dar caráter profissional a: "A um povo [o norte-americano] capaz de profissionalizar até o amadorismo, não será difícil fazer da conversa rendosa profissão." (Fernando Sabino, *Medo em Nova Iorque. A Cidade Vazia*, p. 56.); "As Forças Armadas saíram de duas décadas no poder com um saldo de torturas, desaparecimentos e mortes e passaram as duas décadas seguintes empenhadas em profissionalizar seus quadros" (Eliane Cantanhede, em *Folha de S.Paulo*, 17.06.2008). *P.* **2.** Tornar-se um profissional (2): *Pelé profissionalizou-se com menos de 18 anos;* "Ela preferia falar .... da sua vocação de bailarina. Sempre em seguida aos espetáculos de caridade, recebia propostas comerciais para se profissionalizar." (Joaquim Paço d'Arcos, *Neve sobre o Mar*, p. 243). **3.** Tornar-se profissional (2); adquirir caráter de profissional (2): "Autodidata, no Brasil, é sinônimo de amador. Eis por que emprego essa palavra com certa temeridade, pois estamos atravessando uma época em que tudo se está profissionalizando, até mesmo o exercício das letras." (Nereu Correia, *O Canto do Cisne Negro e Outros Estudos*, p. 82.)

profitente [Do lat. *profitente.*] *Adj. 2 g.* Que professa.

profligação [Do lat. *profligatione.*] *S. f.* **1.** Ato ou efeito de profligar. **2.** Desbarato, ruína.

profligador (ô) [Do lat. *profligatore.*] *Adj. S. m.* Que, ou aquele que profliga.

profligar [Do lat. *profligare.*] *V. t. d.* **1.** Lançar por terra; abater, prostrar, destruir, derrotar: *Aníbal profligou o poderoso exército romano.* **2.** Procurar destruir com argumentos; atacar ou combater com palavras; reprovar energicamente; verberar: "José Bonifácio rompeu com o irmão e profligou a sua solidariedade em tão nefasta obra." (Tobias Monteiro, *Pesquisas e Depoimentos para a História*, p. 14.) **3.** Perverter moralmente; corromper, depravar: *A avareza profliga o homem.* [Conjug.: v. *largar*.]

P

proforma [Do ingl. *pro-form.*] *S. m. E. Ling.* Elemento que pode substituir outro numa construção, como, p. ex., o pronome. [Cf. *pro forma* (lat.).]

→ **pro forma** [pro 'fɔrma] [Lat.] Por formalidade. [Cf. *proforma.*]

pró-forma *S. m. Adv.* V. *pro forma.*

prófugo [Do lat. *profugu.*] *Adj.* Fugitivo, desertor: "Quando, para estudar, da loira turba / Algum de nós fugia, / Emigrando, qual prófuga andorinha, / Que tristeza o invadia..." (Luís Delfino, *A Angústia do Infinito*, p. 135.)

profundador (ô) [De *profundar* + *-dor.*] *Adj. S. m.* Que ou o que profunda.

profundamente [De f. de *profundo* + *-mente.*] *Adv.* **1.** A grande distância da superfície. **2.** No íntimo: *Conhecia-o profundamente.* **3.** No mais íntimo de uma pessoa; no âmago: *Magoava-o profundamente com tais insinuações.* **4.** Extremamente, muito.

profundar [De *profundo* + *-ar*².] *V. t. d. T. d. e c. P.* V. *aprofundar*: "O resultado desta disposição .... foi que os juízes, nas espécies duvidosas, não profundaram as leis nem recorreram ao seu espírito e analogia" (João Ribeiro, *História do Brasil*, p. 173).

profundas [Pl. do f. subst. do adj. *profundo.*] *S. f. pl. Pop.* **1.** A parte mais funda; profundidade: "O Chico Mendengue vivia enfezado, com planos de .... dar um pontapé na mulher, mandá-la para as profundas do inferno e atirar-se no mundo" (Viriato Correia, *Novelas Doidas*, p. 214). **2.** O Inferno.

profundável [De *profundar* + *-vel.*] *Adj. 2 g.* Que se pode profundar; aprofundável.

profundez (ê) [De *profundo* + *-ez.*] *S. f.* V. *profundidade*: "Na hora do crepúsculo há um frêmito de pássaros e um milhão de vozes na profundez das folhas." (Gerardo Melo Mourão, *O Valete de Espadas*, p. 53.)

profundeza (ê) [De *profundo* + *-eza.*] *S. f.* V. *profundidade.*

profundidade [Do lat. tard. *profunditate.*] *S. f.* **1.** Qualidade ou caráter do que é profundo: *a profundidade do oceano, de um bosque, de uma ferida; a profundidade de um sentimento.* **2.** Distância vertical, em relação ao volume entre as bordas e o fundo de um objeto: *a profundidade de uma poltrona.* **3.** Dimensão vertical considerada de cima para baixo: *O navio* Titanic, *naufragado em 1912, foi localizado a 4.000m de profundidade.* **4.** Aquilo que vai além das aparências, que atinge o fundo das coisas: *a profundidade do olhar; a profundidade da poesia de Fernando Pessoa.* **5.** *P. ext.* Grandeza ou intensidade extraordinária. **6.** A intimidade, o âmago, a parte mais difícil de penetrar ou atingir: *a profundidade da alma.* **7.** Sugestão de um espaço em três dimensões numa representação em perspectiva: *a profundidade de um baixo-relevo, de um quadro.* [Sin. ger.: *profundez, profundeza, profundura.*] ◆ **Profundidade de campo.** *Ópt.* Distância entre as posições extremas de um objeto cuja imagem formada por um sistema óptico é de boa qualidade. **Profundidade de foco.** *Ópt.* Distância entre as posições extremas de um anteparo sobre o qual um sistema óptico pode projetar imagens de boa qualidade.

profundo [Do lat. *profundu.*] *Adj.* **1.** Que tem o fundo muito distante da superfície ou da borda: *mar profundo; poço profundo.* **2.** Que tem grande extensão, considerado desde a entrada até o extremo oposto: *O salão é mais profundo que largo.* **3.** Afastado da superfície do solo ou da água: *A terra tremia em suas camadas mais profundas.* **4.** Que tem grande espessura. **5.** Muito marcado: *Profundas mudanças se operaram na cidade.* **6.** Que penetra muito: *incisão profunda.* **7.** Diz-se de cor escura, carregada: *verde profundo.* **8.** De grande intensidade; muito forte, pesado: *sono profundo.* **9.** Muito íntimo; entranhado, entranhável: *ódio profundo.* **10.** Grave: *voz profunda.* **11.** Que vem ou parece vir do íntimo; fundo: "Mas eu que sempre te segui os passos / Sei que cruz infernal prendeu-te os braços / E o teu suspiro como foi profundo." (Cruz e Sousa, *Últimos Sonetos*, p. 18.) **12.** Enorme, desmedido, excessivo, demasiado: *ignorância profunda; saber profundo.* **13.** De grande alcance; muito importante. **14.** Que tem grande saber; sagaz, perspicaz. **15.** Difícil de compreender. **16.** *Psic.* Relativo ao caráter, ou ao inconsciente: *tendências profundas.* ~ V. *lençol* — e *psicoterapia* —*a.* ● *S. m.* **17.** Profundeza, profundidade: "Mas na onda do mar, que irado freme, / Tornando a aparecer desde o profundo, / 'Ah Diogo cruel!' disse com mágoa, / E sem mais vista ser, sorveu-se n'água." (Santa Rita Durão, *Caramuru*, VI, 42.) **18.** *Fig.* O mar. **19.** O Inferno. ● *Adv.* **20.** Profundamente.

profundor (ô) [De *profundo* + *-or.*] *S. m. Aer.* Superfície de comando para controlar o movimento de arfagem da aeronave; leme horizontal, leme de profundidade.

profundura [De *profundo* + *-ura.*] *S. f.* V. *profundidade.*

profusão [Do lat. *profusione.*] *S. f.* **1.** Grande porção ou abundância; exuberância: "No planalto calcário e basáltico da Estremadura, a água é escassa. De sorte que não temos a profusão de córregos e riachos, cantando e tremulando sob a copa do arvoredo, como no Sul do Brasil." (Afonso Arinos, *Histórias e Paisagens*, p. 195.) **2.** Gasto excessivo.

profuso [Do lat. *profusu.*] *Adj.* **1.** Que se espalha em abundância. **2.** Muito gastador; dissipador, pródigo. **3.** *P. ext.* Copioso, abundante, exuberante: *profusas taças de champanha.*

progénie *S. f.* V. *progênie.* [Uso freq. em P.]

progênie [Do lat. *progenie.*] *S. f.* **1.** Origem, procedência, ascendência. **2.** Geração, prole: "engastava-se ele [Holanda Cavalcanti] na progênie ilustre celebrizada nos fastos da restauração da Bahia e Pernambuco, na qual houve soldados e frades, gente limpa e afazendada" (Alberto Rangel, *Textos e Pretextos*, p. 10); "Olha cá dous Infantes, Pedro e Henrique, / Progênie generosa de Joane" (Luís de Camões, *Os Lusíadas*, VIII, 37). **3.** *Genét.* V. *descendência* (6). [Sin. ger.: *progenitura.*]

progénito *Adj. S. m.* V. *progênito.* [Uso freq. em P.]

progênito [Do lat. *progenitu.*] *Adj. S. m. Poét.* Que, ou aquele que é procriado; descendente.

progenitor (ô) [Do lat. *progenitore.*] *S. m.* **1.** Aquele que procria antes do pai; avô, ascendente. **2.** V. *pai* (1).

progenitura [De *progênito* + *-ura.*] *S. f.* V. *progênie.*

progéria [De *pro-*¹ + *-ger(o)-* + *-ia*².] *S. f. Med.* Modalidade de nanismo congênito em que o indivíduo apresenta características faciais da senilidade.

progesterona [De *pro-* + lat. *ges(tatio)*, 'gestação', + *(es)ter(ol)* + *-ona*².] *S. f. Quím.* Substância esteroidal cristalina, incolor, hormônio que prepara o útero para a implantação e fertilização do óvulo [fórm.: $C_{21}H_{30}O_2$].

progestina [De *pro-*³ + *gest(ação)* + *-ina*³, ou do ingl. *progestin.*] *S. f. Quím.* Progesterona.

proglote [Do lat. cient. *proglottis* < gr. *proglossís*, *proglottís*, 'tipo de língua'.] *S. f. Zool.* Proglótide.

proglótide [Do gr. *proglottís, ídos*, 'ponta da língua'.] *S. f. Zool.* Anel ou segmento completo da tênia; proglote.

prognata [Var. pros. de *prógnata.*] *Adj. 2 g. S. 2 g.* V. *prógnato.*

prógnata [De *pro-*¹ + *-gnata* (q. v.).] *Adj. 2 g. S. 2 g.* V. *prógnato.*

prognatia [De *prógnato* + *-ia*¹.] *S. f.* Prognatismo.

prognático [De *prógnato* + *-ico*².] *Adj.* **1.** Relativo a prógnato, ou a prognatia. **2.** Que apresenta prognatia.

prognatismo [De *prógnato* + *-ismo.*] *S. m. Med.* Projeção anormal da mandíbula (1) para a frente; prognatia.

prógnato [De *pro-*¹ + *-gnato.*] *Adj. S. m.* Que, ou aquele que tem o maxilar inferior ou a mandíbula (1) alongada e proeminente (falando-se do tipo humano). [A f. usual é *prognata*, var. pros. de *prógnata.*]

progne [Do mit. *Progne* < gr. *Prókne*, pelo lat. *Progne.*] *S. f. Poét.* **1.** A andorinha. **2.** *Fig.* A primavera.

prognose [Do gr. *prógnosis*, 'conhecimento antecipado', pelo lat. tard. *prognose.*] *S. f.* V. *prognóstico.*

prognosticação [De *prognosticar* + *-ção.*] *S. f. P. us.* Ação de prognosticar; prognóstico.

prognosticar [De *prognóstico* + *-ar*².] *V. t. d.* **1.** Fazer o prognóstico de; predizer, pressagiar, profetizar, conjeturar: *Os analistas prognosticam o reinício das hostilidades.* **2.** Deixar entrever com antecipação; anunciar, prenunciar: *Os últimos pronunciamentos prognosticam a reabertura da crise política.* *T. d. e i.* **3.** Fazer o prognóstico; predizer, pressagiar, profetizar, conjeturar: "Tristonhos pios a acauã desata, / Quando ao guerreiro prognostica males" (Gonçalves Dias, *Obras Poéticas*, II, p. 268); "prognosticara aos pais de Carlota grandes dissabores" (Camilo Castelo Branco, *Carlota Ângela*, p. 10). *Int.* **4.** *Med.* Fazer prognóstico (2). [Pres. ind.: *prognostico*, etc. Cf. *prognóstico*. Conjug.: v. *trancar.*]

prognóstico [Do gr. *prognostikón*, pelo lat. *prognosticu.*] *S. m.* **1.** Conjetura sobre o desenvolvimento de um negócio, de uma situação, etc.; predição, agouro, presságio, profecia: "adotamos o sistema da crítica, fenômeno literário, se lhe posso chamar, que era em Portugal espantoso prognóstico de desastres" (Correia Garção, *Obras Poéticas e Oratórias*, p. 553). **2.** *Med.* Juízo médico, baseado no diagnóstico e nas possibilidades terapêuticas, acerca da duração, evolução e termo de uma doença. ● *Adj.* **3.** Relativo a prognóstico (1 e 2): *sinais prognósticos*; "Adiamos tudo e o entendimento de tudo, / Com um cansaço antecipado de tudo, / Com uma saudade prognóstica e vazia." (Fernando Pessoa, *Poesias de Álvaro de Campos*, p. 117). [Sin. ger.: *prognose.* Cf. *prognostico*, do v. *prognosticar.*]

progoneado [Adapt. do tax. *Progoneata.*] *Zool. S. m.* **1.** Espécime dos progoneados, subclasse de artrópodes miriápodes que se caracterizam por ter a abertura genital situada na porção anterior do corpo. São todos os miriápodes, excluídos os quilópodes ou lacraias. ● *Adj.* **2.** Pertencente ou relativo a eles.

prógono [Do gr. *prógonos.*] *S. m.* Precursor de um movimento científico, literário, etc.; iniciador, precursor. [Antôn.: *epígono.*]

programa [Do gr. *prógramma*, pelo lat. tard. *programma.*] *S. m.* **1.** Escrito ou publicação em que se anunciam e/ou descrevem os pormenores de um espetáculo, festa ou cerimônia, das condições dum concurso, etc. **2.** *P. ext.* Aquilo que se anuncia num programa. **3.** Indicação geral da(s) matéria(s) para estudar num curso. **4.** *P. ext.* Essa(s) matéria(s). **5.** Exposição sumária das intenções ou projetos dum indivíduo, dum partido político, duma organização, etc. **6.** Plano, intento, projeto. **7.** Apresentação, sistemática ou não, de audições radiofônicas ou espetáculos televisionados: *A Rádio X está com um bom programa de música clássica às sextas-feiras.* [Sin. (lus.), nesta acepç.: *rubrica.*] **8.** Diversão, recreação, previamente planejada: *O programa para esta noite é ir ao cinema; Ontem, como não tinha programa, ficou em casa.* **9.** *Inform.* V. *programa de computador.* [Sin. (ingl.), nesta acepç.: *software.*] ◆ **Programa aplicativo.** *Inform.* Aquele destinado a auxiliar o usuário na realização de determinadas tarefas ou atividades pessoais, como, p. ex., o processador de texto e a planilha eletrônica; programa de aplicação. [Tb. se diz apenas *aplicativo.* Cf. *programa utilitário.*] **Programa audiovisual.** Mensagem didática, promocional, artística, etc., que utiliza uma série de eslaides e fita magnética gravada com narração e trilha sonora, apresentados simultânea e sincronizadamente através de equipamento adequado. [Tb. se diz apenas *audiovisual.*] **Programa de aplicação.** *Inform.* Programa aplicativo (q. v.). **Programa de computador.** *Inform.* Sequência completa de instruções a serem executadas por computador. [Tanto a versão em código-fonte (escrita em linguagem simbólica) quanto o código executável (já convertido em linguagem de máquina) são chamados de *programa.*] **Programa de índio.** *Bras. Fam. Pop.* Programa (8) aborrecido, cacete, chato. **Programa utilitário.** *Inform.* Qualquer programa de computador (q. v.) destinado a auxiliar na manutenção, ou facilitar o uso do próprio computador ou sistema, como, p. ex., os programas de *backup* ou de gerenciamento de arquivos. [Tb. se diz apenas *utilitário.* Cf. *programa aplicativo.*] **De programa.** Diz-se de pessoa que faz programas amorosos por dinheiro.

programação [De *programar* + *-ção.*] *S. f.* **1.** Ato de programar, de estabelecer um programa. **2.** O programa ou plano de trabalho de uma empresa, indústria, organização, etc., para ser cumprido ou executado em determinado período de tempo: *A programação da editora para o ano passado foi totalmente cumprida.* **3.** *Cin. Teatr.* Conjunto ou relação dos filmes, espetáculos ou outros eventos que serão apresentados durante determinado período em uma sala, circuito, espaço cultural, etc: *A programação do Teatro Municipal para este ano já está pronta.* **4.** *Inform.* Ciência ou técnica de elaboração de programas de computador. **5.** *Rád. Telev.* O conjunto dos programas [v. *programa* (7)] : *A programação diurna das estações de televisão visa, em geral, o público feminino.* ◆ **Programação aberta.** *Rád. Telev.* Programa de TV ou rádio transmitido ao vivo. **Programação em blocos.** *Rád. Telev.* Conjunto de programas com características semelhantes, transmitidos em sequência em determinado horário, e cujo objetivo é manter audiência cativa. **Programação estruturada.** *Inform.* Paradigma de programação que produz código-fonte de forma modular (q. v.) e hierárquica, visando maior clareza e independência entre as partes do programa, e propiciando a reutilização de código. **Programação fechada.** *Rád. Telev.* Programa de TV ou rádio previamente gravado. **Programação linear.** *Mat.* Técnica matemática para solução de problemas que envolvem maximização ou minimização de uma função linear, sujeita a restrições. Ex.: minimização do custo de transporte, dados os limites de capacidade dos vários meios de transporte ou rotas disponíveis. **Programação orientada a objetos.** *Inform.* Paradigma de programação no qual conjuntos de dados e rotinas são tratados como unidades (ditas *objetos*) relativamente autônomas, que interagem por meio de mensagens. **Programação visual.** *Edit.* **1.** Parte do desenho industrial (q. v.) que se ocupa da concepção, representação gráfica e organização de sistemas e mensagens veiculadas através de canal visual (sistemas de sinalização, identidade visual de empresas, planejamento gráfico-editorial, etc.); comunicação visual, *design.* **2.** O produto desta atividade.

programado [Part. de *programar.*] *Adj.* Que se programou; que foi objeto de programação. ~ V. *instrução* —*a.*

programador (ô) [De *programar* + *-dor*.] *S. m.* **1.** Aquele que programa, que faz programação. **2.** *Inform.* Pessoa que se dedica a projetar, escrever e testar programas de computador. ◆ **Programador visual.** *Edit.* Indivíduo com formação em programação visual ou profissional que exerce ocupação própria desta habilitação; *designer*.

programadora (ô) [De *programar* + *-dora*.] *S. f. Telev.* Pessoa jurídica produtora e/ou fornecedora de programas ou programações de TV.

programa-fonte *S. m. Inform.* Programa escrito em linguagem de alto nível, e que necessita ser compilado ou interpretado para se tornar passível de execução por um computador. [Pl.: *programas-fontes* e *programas-fonte*.]

programa-objeto *S. m. Inform.* Segmento de programa já convertido em linguagem de máquina, mas cujos módulos ainda não foram associados para o tornar executável. [Tb. se diz apenas *objeto*.] [Pl.: *programas-objetos* e *programas-objeto*.]

programar [De *programa* + *-ar*[2].] *V. t. d.* **1.** Fazer o programa de; planejar, projetar: *Programaram o roteiro da viagem.* **2.** Incluir em programação. **3.** *Inform.* Elaborar (programa [9]); implementar. *Int.* **4.** *Inform.* Elaborar programa (9).

programático [De *programa* + *-ático*[2].] *Adj.* Relativo ou pertencente a programa.

programável [De *programa* + *-vel*.] *Adj. 2 g.* **1.** Que se pode programar. **2.** *Inform.* Diz-se de qualquer aparelho cujos parâmetros de funcionamento não estão definitivamente determinados, e que é capaz de aceitar e armazenar instruções para executar determinadas tarefas.

progredimento [De *progredir* + *-mento*.] *S. m.* V. *progresso* (1).

progredir [Do lat. **progredere*, por *progredi*.] *V. int.* **1.** Caminhar para a frente; avançar: *A locomotiva progredia a todo o vapor;* "As viaturas .... não progrediam: as carretas atolavam-se na lama" (Fernando Sabino, *O Homem Nu*, p. 21). **2.** Ir aumentando; aumentar pouco a pouco; prosperar: *Os lucros progrediam.* **3.** Ter progresso (3 a 5); fazer progresso; evoluir, evolver, evolucionar, desenvolver-se: *A ciência, neste século, progrediu em ritmo acelerado.* **4.** Tornar-se mais intenso (um mal); agravar-se: *A infecção progride, apesar dos antibióticos. T. i.* **5.** Estar em progresso; desenvolver-se, adiantar-se: *Os alunos progrediam nos estudos.* [Irreg. Conjug.: v. *agredir*.]

progressão [Do lat. *progressione*.] *S. f.* **1.** V. *progresso* (1). **2.** Sucessão ininterrupta e constante dos diversos estágios de um processo (2). ◆ **Progressão aritmética.** *Mat.* Sucessão em que a diferença entre dois termos consecutivos é constante. **Progressão geométrica.** *Mat.* Aquela em que o cociente entre dois termos consecutivos é constante. **Progressão harmônica.** **1.** *Mat.* Aquela em que os inversos dos seus termos formam uma progressão aritmética. **2.** *Mús.* V. *marcha harmônica*.

progressense[1] *Adj. 2 g.* **1.** De, ou pertencente ou relativo a Novo Progresso (PA). ● *S. 2 g.* **2.** O natural ou habitante de Novo Progresso.

progressense[2] *Adj. 2 g.* **1.** De, ou pertencente ou relativo a Progresso (RS). ● *S. 2 g.* **2.** O natural ou habitante de Progresso.

progressista [De *progresso* + *-ista*.] *Adj. 2 g.* **1.** Respeitante ao progresso. **2.** Favorável ao progresso. **3.** Que é adepto ou partidário do progresso político, social ou econômico. **4.** Que prega modificações na sociedade por meio de reforma ou de revolução. **5.** *Bras.* Diz-se de quem, não pertencendo a um partido socialista ou comunista, aceita e/ou apoia, no entanto, os princípios socialistas ou marxistas. **6.** *Bras.* Partidário da regência de Diogo Antônio Feijó (1784-1843). ● *S. 2 g.* **7.** Pessoa progressista.

progressiva [F. subst. de *progressivo*.] *S. f. Art. Gráf.* V. *prova progressiva*.

progressividade [De *progressivo* + *-(i)dade*.] *S. f.* **1.** Qualidade de progressivo. **2.** Estado progressivo.

progressivo [De *progresso* + *-ivo*.] *Adj.* **1.** Que progride. **2.** Que encerra progressão. **3.** Que se vai realizando gradualmente. **4.** *E. Ling.* Relativo a aspecto progressivo (q. v.). ~ V. *aspecto —, assimilação —a, ataxia locomotora —a, imposto —, numeração —a, numerador —, onda —a, paralisia geral —a* e *prova —a*. ● *S. m.* **5.** *E. Ling.* Aspecto progressivo (q. v.).

progresso [Do lat. *progressu*.] *S. m.* **1.** Ato ou efeito de progredir; progredimento, progressão. **2.** Movimento ou marcha para diante; avanço: *o progresso de uma expedição.* **3.** O conjunto das mudanças ocorridas no curso do tempo; evolução. **4.** Desenvolvimento ou alteração em sentido favorável; avanço, melhoria. **5.** Acumulação de aquisições materiais e de conhecimentos objetivos capazes de transformar a vida social e de conferir-lhe maior significação e alcance no contexto da experiência humana; civilização, desenvolvimento: *os fatores do progresso.* **6.** Expansão, propagação: *o progresso de um incêndio, de uma campanha publicitária.* [Cf. *pregresso*.]

pró-homem [De *pró-* + *homem*.] *S. m.* Homem importante, ilustre, de uma época ou de um movimento social; prócer.

→ **proh pudor** [pro 'pudor] [Lat.] Ó vergonha!

proibição (o-i) [Do lat. *prohibitione*.] *S. f.* Ação ou efeito de proibir.

proibicionismo (o-i) [De *proibição* + *-ismo*, seg. o padrão erudito.] *S. m.* Prática de estabelecer tarifas proibitivas de importação.

proibicionista (o-i) [De *proibicionismo* + *-ista*.] *Adj. 2 g.* **1.** Relativo ao, ou que envolve proibicionismo. **2.** Que é partidário dessa prática. ● *S. 2 g.* **3.** Partidário dela.

proibidão [De *proibido* + *-ão*[1].] *S. m. Bras. RJ SP Gír. Funk* cuja letra faz apologia ao crime.

proibido (o-i) [Part. de *proibir*.] *Adj.* **1.** Cuja utilização não é permitida pela lei; ilegal, ilícito. **2.** Defeso; interdito. ~ V. *banda —a, fruto —, sentido —* e *transição —a*.

proibidor (o-i... ô) [Do lat. tard. *prohibitore*.] *Adj. S. m.* Que, ou aquele que proíbe.

proibir (o-i) [Do lat. *prohibere*.] *V. t. d.* **1.** Impedir que se faça; ordenar que não se faça: *Certas leis brasileiras proíbem e punem o aborto.* **2.** Tornar defeso ou interdito; interdizer: *As autoridades proibiram a venda de publicações pornográficas.* **3.** Não permitir; impedir, vedar: *A cancela abaixada proíbe a passagem de automóveis e pedestres. T. d. e i.* **4.** Impedir que faça; não permitir: *O pai dá-lhe toda a liberdade, não lhe proíbe nada;* "A empresa proíbe o trabalho infantil entre todos os seus fornecedores." (Revista *Exame*, 13.01.1999). **5.** Prescrever a abstenção de; tornar defeso; vedar: *A Igreja Católica proíbe aos fiéis a ingestão de carne em certos dias.* **6.** Não permitir; impedir: *Ele mesmo proibiu-me de ajudá-lo;* "Isto [o alto preço das flores].... proíbe os pobres da sugestiva delícia de terem em casa, à mesa de jantar ...., um belo ramo de .... anêmonas, lilases e pilriteiros" (Fialho d'Almeida, *Pasquinadas*, p. 182); *Proibiu aos amigos a inclusão do seu nome entre os dos homenageados;* "Proibiu aos fiéis que o defendessem." (Euclides da Cunha, *Os Sertões*, p. 166).

proibitivo (o-i) [De *proibir* + *-tivo*.] *Adj.* **1.** Que proíbe ou impede que se faça algo. **2.** Que encerra proibição; proibitório. **3.** Que torna ou praticamente torna impossível a aquisição de alguma(s) coisa(s): *preço proibitivo.*

proibitório (o-i) [Do lat. *prohibitoriu*.] *Adj.* Proibitivo (2).

proiz (o-íz) [Do cat. *proís*.] *S. m. Ant. Marinh.* Cada um dos cabos com que se amarravam embarcações à terra. [Pl.: *proízes*. Cf. *lançante* (2), *espringue* e *través* (5).]

projeção [Do lat. *projectione*.] *S. f.* **1.** Ato ou efeito de projetar(-se). **2.** Lanço, arremesso. **3.** Saliência, proeminência. [Sin., p. us., nessas acepçs.: *projetação*.] **4.** Representação duma parte da superfície da Terra ou do céu em um plano. **5.** *Fig.* Importância, valor. **6.** *Geom.* Operação em que se transforma uma configuração em outra mediante retas sujeitas a condições. **7.** *Psic.* Mecanismo de defesa que consiste em projetar seus próprios impulsos, seus conflitos internos, ou seja, em considerá-los como provenientes de outrem e, mais generalizadamente, do mundo externo. **8.** *Tip.* Crena[1] (3). **9.** Apresentação de imagens fotográficas numa tela com auxílio de projetor: *a projeção de um filme; um aparelho de projeção de diapositivos.* **10.** *Urb.* Unidade imobiliária definida pela área projetada sobre um terreno, descrita e assegurada por título de propriedade: *Os blocos de apartamentos sobre pilotis, em Brasília, só podem ocupar uma porcentagem de sua projeção, constituindo-se a parte restante em área pública para livre circulação de pedestres.* ◆ **Projeção celeste globular.** *Astr.* Representação plana de uma área da esfera celeste tal como seria vista no interior de um hemisfério num ponto a 0,85 do raio, a partir do centro. **Projeção conforme.** *Astr.* Aquela que abrange pequenas extensões da superfície terrestre, não apresentando, por isso, deformações sensíveis; projeção ortomórfica. [Nela os meridianos e os paralelos se mantêm perpendiculares entre si.] **Projeção cônica.** *Astr.* Aquela em que a superfície da Terra é projetada, do ponto de vista do observador situado no seu centro, sobre um cone que lhe é tangente na latitude média da representação. [Nela os meridianos figuram como retas convergentes e os paralelos como arcos de círculos concêntricos.] **Projeção de Fischer.** *Quím.* Fórmula de Fischer. **Projeção de Mercator.** Aquela em que os meridianos são representados por meio de linhas retas paralelas igualmente intervalados entre si, e os paralelos por linhas retas perpendiculares aos primeiros, intervalados de distâncias crescentes do equador para os polos, na mesma proporção em que os graus de longitude são alongados pela projeção. [Nela, as linhas de rumo são representadas por linhas retas.] **Projeção de Newman.** *Quím.* Representação de dois átomos (ger. de carbono) diretamente ligados, e de seus substituintes, observados de um ponto externo colinear ao eixo da ligação entre estes átomos. **Projeção gnomônica.** Representação plana da superfície terrestre, em que os detalhes geográficos aparecem projetados, do ponto de vista do observador situado no centro da Terra, sobre um plano tangente à superfície desta. [Nesta projeção todos os círculos máximos aparecem como retas.] **Projeção ortomórfica.** *Astr.* Projeção conforme. **Projeção polar.** Projeção gnomônica em que o plano de projeção é tangente a um dos polos terrestres. [Nela, os meridianos são representados por meio de retas que irradiam do polo, e os paralelos, por círculos concêntricos ao mesmo polo.]

projecionista [De *projeção* + *-ista*, seg. o padrão erudito.] *S. 2 g. Cin.* Profissional que opera em sala de projeção, estúdio, etc. ◆ **Projecionista de estúdio.** V. *operador cinematográfico*.

projetação [De *projetar* + *-ção*.] *S. f. P. us.* V. *projeção* (1 a 3).

projetado [Part. de *projetar*.] *Adj.* ~ V. *letra —a*.

projetante [Do lat. *projectante*.] *Adj. 2 g.* **1.** Que se projeta. **2.** *Geom.* Diz-se de reta com que se efetua uma projeção (6). ● *S. f.* **3.** *Geom.* Qualquer reta com que se efetua uma projeção (6).

projetar [Do lat. *projectare*.] *V. t. d.* **1.** Atirar longe; arremessar: *A catapulta projetava grandes pedras.* **2.** Tornar famoso ou conhecido: *Sua pintura projetou-o no mundo das artes.* **3.** Fazer projeto de; planear; planejar: *Projetou viajar nas férias.* **4.** Fazer projeto (4) de. **5.** Fazer projeto (5): *projetar edifício.* **6.** Efetuar a projeção (9) de: *projetar um filme. T. d. e i.* **7.** Efetuar a projeção de, fazer incidir; estender, prolongar: *O passado projeta sua penumbra sobre o futuro.* **8.** *Geom.* Representar por meio de projeção (6): *projetar um triângulo sobre um plano. P.* **9.** Atirar-se, lançar-se, arremessar-se arrojar-se, precipitar-se: *Os paraquedistas projetaram-se de grande altura.* **10.** Prolongar-se em sentido horizontal ou oblíquo: *A sombra da estaca projeta-se no chão;* "Cortei a estrada deserta e nua. / A minha sombra se projetava, / Tristonha e longa..." (Artur de Sales, *Poesias*, p. 66). **11.** Tornar-se conhecido; ganhar projeção: *Projetou-se como cantor.* [Pres. subj.: *projete, projetes, projeteis*, etc. Cf. *projéteis*, pl. de *projétil*, adj 2 g. e s. m.]

projetável [De *projetar* + *-vel*.] *Adj. 2 g.* Que pode ser projetado.

projetil [Do fr. *projectile*.] *Adj. 2 g.* **1.** Que pode ser arremessado. ● *S. m.* **2.** Qualquer sólido pesado que se move no espaço, abandonado a si mesmo depois de haver recebido impulso; projetil balístico. [Cf. *míssil* (2).] **3.** Qualquer objeto que se arremessa para fazer mal. **4.** Corpo arremessado por arma de fogo. ◆ **Projetil balístico.** Projetil (2). [V. *balística* (1).] **Projetil dirigido.** Míssil guiado. **Projetil químico.** *Mil.* Qualquer tipo de munição ou petrecho carregado com agente químico.

projétil *Adj. S. m.* V. *projetil*. [Pl.: *projéteis*. Cf. *projeteis*, do v. *projetar*.]

projetil-foguete *S. m.* Projetil que, em vez de receber o impulso inicial por meio de uma arma de fogo, recebe-o por meio de um foguete; rojão. [Pl.: *projetis-foguetes* e *projetis-foguete*.]

projétil-foguete *S. m.* V. *projetil-foguete*.

projetista [De *projeto* + *-ista*.] *Adj. 2 g.* **1.** Diz-se de engenheiro que se encarrega de plantas ou projetos arquitetônicos. ● *S. 2 g.* **2.** Pessoa que faz numerosos planos ou projetos. **3.** Engenheiro projetista.

projetividade [De *projetivo* + *-(i)dade*.] *S. f. Geom. Projet.* Conjunto de duas configurações, uma delas a projeção da outra, em que se conservam as relações harmônicas.

projetivismo *S. m. Filos.* Doutrina que considera as qualidades atribuídas às coisas, ou às relações estabelecidas entre elas como, somente, projeções de nossos estados mentais. [Cf. *qualidade secundária*.]

projetivo [De *projeto* + *-ivo*.] *Adj.* ~ V. *geometria —a*.

projeto [Do lat. *projectu*, 'lançado para diante'.] *S. m.* **1.** Ideia que se forma de executar ou realizar algo, no futuro; plano, intento, desígnio. **2.** Empreendimento a ser realizado dentro de determinado esquema: *projeto administrativo; projetos educacionais.* **3.** Redação ou esboço preparatório ou provisório de um texto: *projeto de estatuto; projeto de tese.* **4.** Esboço ou risco de obra a se realizar; plano: *projeto de cenário.* **5.** *Arquit.* Plano geral de edificação. **6.** *Educ.* V. *projeto pedagógico*. ◆ **Projeto de lei.** Texto articulado contendo normas que virão a ter caráter jurídico através do processo legislativo.

P

Projeto de resolução. Texto para ato administrativo expedido por organismos internacionais, assembleias, etc., e que visa à execução de determinações ou de leis. **Projeto gráfico.** *Edit.* **1.** Concepção e planejamento das características gráfico-visuais de publicação ou conjunto de publicações. [Inclui, ger., além da diagramação básica das páginas, a definição de tipologia, formato, papel, tipo de acabamento, etc.] [Cf. *boneco*.] **2.** O *design* gráfico de capa, cartaz, folheto, etc. **Projeto paisagístico.** *Arquit.* Plano para a composição de áreas livres e jardins que complementem um projeto arquitetônico; paisagismo. **Projeto pedagógico.** *Educ.* Principal documento de uma instituição escolar que reúne a filosofia da instituição, a linha pedagógica, bem como as concepções de educação, as metas de ensino e o seu planejamento didático-pedagógico; projeto político-pedagógico, proposta pedagógica. [Tb. se diz apenas *projeto*.] **Projeto político-pedagógico.** *Educ.* V. *projeto pedagógico*.

projetor (ô) [Do lat. *projectus* (v. *projeto*) + *-or*.] *S. m.* **1.** Aparelho usado para projetar feixes luminosos. **2.** Aparelho us. para projeção de filme cinematográfico, eslaide, vídeo, imagem de computador, etc. **3.** Tipo de *spot* com tampa de vidro, próprio para iluminação ao ar livre em jardins, fachadas de prédio, monumentos, etc. **4.** *Ópt.* Instrumento óptico com que se forma num anteparo uma imagem, geralmente ampliada, de um objeto. ◆ **Projetor digital.** Projetor multimídia. **Projetor multimídia.** Aparelho que, acoplado a videocassete ou a computador, é us. para projeção de vídeo ou de imagens de computador digital; projetor digital.

projeto-tipo *S. m.* Projeto padronizado, que deverá ser observado em diversas obras ou instalações da mesma natureza e de características gerais semelhantes. [Pl.: *projetos-tipos* e *projetos-tipo*.]

projetura [Do lat. *projectura*.] *S. f.* **1.** *Arquit.* Saliência de sacadas ou balcões ou das abas dos telhados. **2.** *Bot.* Lâmina saliente que da origem da folha se prolonga sobre o tronco.

prol [Do lat. vulg. *prode*, 'que é útil', pela f. **prole*.] *S. m. Antiq.* Lucro, proveito: "Se o Sr. Boaventura faz gosto em levar adiante a questão e quer correr-lhe os próis e os percalços, já não é comigo..." (Eduardo Frieiro, *O Mameluco Boaventura*, p. 27.) [Pl.: *próis*.] ◆ **A prol de.** Em prol de. **De prol.** De destaque; relevante: "Só excepcionalmente colhia uma [rosa] para dar a visita (e precisava que essa visita fosse de prol ....)" (Pedro Nava, *Balão Cativo*, p. 22); *homem de prol.* **Em prol de. 1.** Em proveito de; em favor de. **2.** Em defesa de: "Acusando os autores de indecentes, erguem-se como heróis duma cruzada em prol da moralidade e dos bons costumes." (Érico Veríssimo, *A Volta do Gato Preto*, p. 299.) [Sin. ger.: *a prol de*.]

pró-labore [Do lat. *pro labore*, 'pelo trabalho'.] *S. m.* Remuneração por serviço prestado: "não podia ela vacilar entre o casamento com o fazendeiro e os magros pró-labores do rádio." (Jorge Amado, *Dona Flor e Seus Dois Maridos*, p. 509).

prolação [Do lat. *prolatione*.] *S. f.* **1.** Ato ou efeito de proferir. **2.** Prolongação de som. **3.** Procrastinação, delonga.

prolapso [Do lat. tard. *prolapsu*.] *S. m. Med.* Queda ou deslocamento de um órgão de seu lugar normal, em extensão variável, por insuficiência de seus meios de fixação; procidência.

prolatar [Voc. deduz. de *prolação*.] *V. t. d. Bras.* Proferir (sentença); promulgar.

prolato [Do lat. *prolatu*.] *Adj. Bot.* Alongado na direção do eixo maior. ~ V. *elipsoide* —.

prolator (ô) [Do lat. *prolatus*, part. pass. do v. lat. *proferre*, 'proferir' (> lat. *prolatione*, 'prolação'), + *-or*.] *S. m. Jur.* **1.** Aquele que promulga uma lei. **2.** Juiz que prolata ou profere uma sentença.

prole [Do lat. *prole*.] *S. f.* **1.** Descendência. **2.** Filho ou filhos.

prolegómenos *S. m. pl.* V. *prolegômenos*. [Uso freq. em P.]

prolegômenos [Do gr. *prolegómena*, 'coisas que se dizem antes'.] *S. m. pl.* **1.** Exposição preliminar dos princípios gerais de uma ciência ou arte. **2.** Introdução geral de uma obra. **3.** Prefácio longo.

prolepse [Do gr. *prolépsis*, 'antecipação', pelo lat. tard. *prolepse*.] *S. f. E. Ling.* Figura pela qual se refutam ou destroem antecipadamente as objeções do adversário.

proléptico [Do gr. *proleptikós*, 'que antecipa'.] *Adj.* **1.** Referente a prolepse. **2.** Diz-se dum fato que se fixa segundo uma era ou método cronológico ainda não conhecido quando ele ocorreu.

proleta *Adj. 2 g. S. 2 g. Pop.* V. *proletário* (2).

proletariado [De *proletário* + *-ado*².] *S. m.* **1.** A classe dos proletários. **2.** Estado ou condição de proletário. **3.** Camada social formada de indivíduos que se caracterizam por sua qualidade permanente de assalariados e por seus modos de vida, atitudes e reações decorrentes de tal situação. [Cf. *operariado*.]

proletário [Do lat. *proletariu*, 'cidadão pobre, útil apenas pela prole, *i. e.*, pelos filhos que gerava'.] *S. m.* **1.** Na Roma antiga, cidadão pobre, pertencente à última classe do povo. **2.** Homem de nível de vida relativamente baixo, e cujo sustento depende da remuneração recebida pelo trabalho que exerce em ofício ou profissão manual ou mecânica. [F. red.: *proleta*. Cf. *camponês*, *operário* e *trabalhador*.] ● *Adj.* **3.** De, ou pertencente ou relativo a, ou próprio de proletário.

proletarização [De *proletarizar* + *-ção*.] *S. f. Sociol.* Processo social pelo qual indivíduos de camadas superiores perdem seu *status* social, ou tornando-se proletários ou adquirindo uma consciência específica, própria do proletariado.

proletarizado [Part. de *proletarizar*.] *Adj. S. m.* Que, ou aquele que se proletarizou.

proletarizar [De *proletário* + *-izar*.] *V. t. d. P.* Tornar(-se) objeto de proletarização (q. v.).

prolfaça [Da expr. *prol faça*, 'faça prole', *i. e.*, 'seja fecunda' us. outrora por ocasião das bodas.] *S. m. P. us.* V. *parabéns*.

prolfaças [Pl. de *prolfaça*.] *S. m. pl. P. us.* V. *parabéns*.

▲ **proli-** [Do lat. *prōles, i*.] *El. comp.* = 'prole': *prolífico*, *prolígero*.

proliferação [De *proliferar* + *-ção*.] *S. f.* **1.** Ato de proliferar. **2.** *Biol.* Multiplicação de célula mediante divisão celular.

proliferar [De *prolífero* + *-ar*².] *V. int.* **1.** Ter prole ou geração; reproduzir-se, prolificar: *O homem proliferou, espalhando-se sobre os cinco continentes.* **2.** Reproduzir-se (o micróbio). **3.** Aumentar, crescer em número; propagar-se, multiplicar-se: *Na Alemanha, hoje em dia, proliferam os técnicos.* [Pres. ind.: *prolifero*, etc. Cf. *prolífero*.]

proliferativo [De *proliferar* + *-tivo*.] *Adj.* Que produz proliferação.

prolífero [De *proli-* + *-fero*.] *Adj.* **1.** Que faz prole. **2.** Que tem a faculdade de gerar; fecundante. **3.** Produtivo, fecundo (com relação a pessoas): "Gray [Thomas Gray] não foi um escritor prolífero, nem em verso, nem em prosa, e era muito lento no compor" (Abgar Renault, *O Romantismo na Poesia Inglesa*, p. 83). [Sin. ger.: *prolífico*. Cf. *prolifero*, do v. *proliferar*.]

prolificação [De *prolificar* + *-ção*.] *S. f.* Ato ou efeito de prolificar.

prolificar [De *proli-* + *-ficar*.] *V. int.* Ter prole; reproduzir-se, proliferar: *Adão prolificou, gerando a humanidade.* [Pres. ind.: *prolifico*, etc. Cf. *prolífico*. Conjug.: v. *trancar*.]

prolificentíssimo *Adj.* Superl. abs. sint. de *prolífico*.

prolificidade [De *prolífico* + *-(i)dade*.] *S. f. Bras.* Qualidade de prolífico.

prolífico [Do lat. med. *prolificu*.] *Adj.* V. *prolífero*: "Essa gente prolífica e tenaz, amontoada numa terra pobre, de agricultura rotineira e indústria atrasada, naturalmente vive mal." (Graciliano Ramos, *Linhas Tortas*, p. 137.) [Superl. abs. sint.: *prolificentíssimo*. Cf. *prolifico*, do v. *prolificar*.]

prolígero [De *proli-* + *-gero*.] *Adj.* Que contém germes.

prolina [Comb. de *pirrolidina* + *-ina*³.] *S. f. Quím.* Aminoácido natural, cíclico [fórm.: $C_5H_9NO_2$].

prolixidade (cs) [Do lat. *prolixitate*.] *S. f.* Qualidade de prolixo; prolixidez. [Antôn.: *concisão*.]

prolixidez (ê) [De *prolixid-* (v. *prolixidade*) + *-ez*.] *S. f.* Prolixidade: "Há seis qualidades essenciais de estilo: *correção*, *concisão*, *clareza*, *harmonia*, *originalidade*, *vigor*. Há seis defeitos essenciais correspondentes a tais qualidades: *impureza*, *prolixidez*, *obscuridade*, *desarmonia*, *banalidade*, *frouxidão*." (José Oiticica, *Manual de Estilo*, p. 10.)

prolixo (cs) [Do lat. *prolixu*.] *Adj.* **1.** Muito longo ou difuso. **2.** Superabundante, excessivo, demasiado. **3.** Muito longo; dilatado, duradouro: "As ciências médicas puderam contentar essa vontade de viver muito, porque dilataram a existência até a mais prolixa longevidade" (Fidelino de Figueiredo, *Entre Dois Universos*, p. 267). **4.** *P. ext.* Fastidioso, enfadonho: "Não queremos fatigar a atenção (aqui realmente piedosa) dos leitores, para esses confrontos que acabariam por ser demasiado prolixos num simples ensaio de vulgarização." (João Ribeiro, *O Folclore*, pp. 201-202.) [Antôn.: *conciso*.]

■ **Prolog** [Acrôn. do fr. *pro(grammation en) log(ique)*, lit., 'programação em lógica'.] *Inform.* Sigla que designa uma linguagem de programação propícia a aplicações de inteligência artificial, como, p. ex., o desenvolvimento de sistemas especialistas. [Originada no início da década de 1970, ela é baseada no estabelecimento de relações lógicas entre as estruturas de dados, em lugar de relações matemáticas, como é usual em outras linguagens de programação.]

prologal [De *prólogo* + *-al*¹.] *Adj. 2 g.* Respeitante a, ou em forma de prólogo.

prologar [De *prólogo* + *-ar*².] *V. t. d.* Preceder de prólogo; prefaciar, preambular, preludiar, proemiar: *Machado de Assis costumava prologar suas obras.* [Pres. ind.: *prologo*, etc. Cf. *prólogo*. Conjug.: v. *largar*.]

prólogo [Do gr. *prólogos*, pelo lat. *prologu*.] *S. m.* **1.** V. *prefácio* (1). **2.** *Teatr.* A primeira parte, dialogada, da tragédia, no antigo teatro grego. **3.** *Teatr.* Cena introdutória, onde, em geral, se fornecem dados prévios elucidativos do enredo da peça. **4.** Nas peças de artilharia, corda que liga o reparo ao armão para fazer fogo. [Cf. *prologo*, do v. *prologar*.]

prolonga [Dev. de *prolongar*.] *S. f.* V. *prolongação*.

prolongação [De *prolongar* + *-ção*.] *S. f.* Ato ou efeito de prolongar(-se). [Sin.: *dilação*, *prolongamento*, e, desus., *prolonga*.]

prolongado [Part. de *prolongar*.] *Adj.* Que se prolonga; duradouro, demorado.

prolongador (ô) [De *prolongar* + *-dor*.] *Adj. S. m.* Que, ou aquilo que prolonga.

prolongamento [De *prolongar* + *-mento*.] *S. m.* **1.** V. *prolongação*. **2.** Continuação de uma coisa na mesma direção.

prolongar [Do lat. tard. *prolongare*.] *V. t. d.* **1.** Tornar mais longo; continuar na mesma direção; alongar: *Os mateiros prolongaram o caminho.* **2.** Aumentar a extensão ou a duração de; dilatar, protrair, alongar: *prolongar a vida*; "Cigarras chiavam nas árvores vizinhas e na rua um vendedor de frutas prolongava um pregão monótono." (Coelho Neto, *Turbilhão*, p. 52). **3.** Adiar, demorar, procrastinar, protrair, delongar: *Não prolonguemos o que pode ser feito imediatamente.* ***T. d. e c.*** **4.** Pôr ou dirigir ao longo de: *O maquinista prolongou o comboio com a estação.* **5.** Colocar (a embarcação) em posição paralela e muito próxima de outra embarcação, de um cais, etc.: *prolongar o navio com o cais a fim de nele atracar.* ***P.*** **6.** Continuar-se, estender-se: *O Brasil prolonga-se do Oiapoque ao Xuí.* **7.** Durar, protrair-se, alongar-se: *O espetáculo não pode prolongar-se por mais de três horas.* **8.** Tornar-se longo; alongar: "As ausências prolongaram-se, e as visitas cessaram imediatamente." (Machado de Assis, *Várias Histórias*, p. 9.) [Conjug.: v. *largar*.]

prolongável [De *prolongar* + *-vel*.] *Adj. 2 g.* Que se pode prolongar, ou fazer durar.

prolongo [Dev. de *prolongar*.] *S. m.* Parte do telhado paralela à fronteira ou à traseira da casa.

proloquial [De *prolóquio* + *-al*¹.] *Adj. 2 g.* **1.** Referente a, ou que encerra prolóquio. **2.** Que se deduz de um prolóquio.

prolóquio [Do lat. *proloquiu*.] *S. m.* Máxima, ditado, adágio, provérbio, anexim: "O velho prolóquio que diz que 'boa romaria faz quem em sua casa fica em paz' — tem para o mineiro, embora já urbanizado, o valor sagrado de um versículo bíblico para um puritano do tempo dos Stuarts..." (Oliveira Viana, *Pequenos Estudos de Psicologia Social*, p. 43.) [Cf. *prelóquio*.]

prolusão [Do lat. *prolusione*.] *S. f.* V. *prefácio* (1).

■ **PROM** [Acrôn. do ingl. *p(rogrammable) r(ead-) o(nly) m(emory)*, 'memória programável exclusivamente para leitura'.] Sigla que designa um tipo de ROM (q. v.) em que o conteúdo da memória é registrado, em caráter irreversível, após a fabricação do dispositivo. [Cf. *EPROM*.]

promanar [De *pro-*¹ + *manar*.] *V. t. i.* Ser derivado ou procedente; derivar, proceder, provir, dimanar: *O poder promana do povo*; "O bafio morno da sala golpeia-nos o rosto. Promana dos livros que encerram o passado." (Antônio Olavo Pereira, *Marcoré*, p. 28).

promandar [De *pro-*³ + *mandar*.] *V. t. d. P. us.* Mandar em auxílio.

promécio [Do lat. cient. *promethium* mit. *Prometheus*, 'Prometeu', + lat. *-ium* (v. *-io*³).] *S. m. Quím.* Elemento de número atômico 61, radioativo, muito raro, pertencente aos lantanídeos [símb.: *Pm*].

promediar [De *pro*³ + *média* + *-ar*².] *V. t. d. Estat.* Calcular a média de (um conjunto de valores). [Pres. ind.: *promedio*, etc. Cf. *promédio*.]

promédio [Do lat. *pro medio*, pelo esp. *promedio*.] *S. m. Estat.* Valor do argumento compreendido no intervalo da observação. [Cf. *promedio*, do v. *promediar*.]

pró-memória [Do lat. *pro memoria*.] *S. m. Bras.* Aide-mémoire.

promessa [Do lat. med. *promissa*.] *S. f.* **1.** Ato ou efeito de prometer. **2.** *P. ext.* Coisa prometida. **3.** Oferta, dádiva. **4.** Compromisso (1). **5.** Voto, juramento.

promesseiro [De *promessa* + *-eiro*.] *S. m.* Aquele que faz promessa(s).

prometáfase [De *pro-*¹ + *metáfase*.] *S. f. Citol. Genét.* Etapa de transição entre a prófase e a metáfase; período curto no qual o envoltório nuclear se desintegra e os cromossomos se encontram aparentemente desordenados.

prometazina [Voc. farmac.] *S. f. Quím.* Amina derivada da fenotiazina, us. com anti-histamínico [fórm.: $C_{17}H_{20}N_2S$].

prometedor (ô) [De *prometer* + *-dor*.] *Adj.* **1.** Que promete. **2.** *Fig.* Que dá esperança; esperançoso. ● *S. m.* **3.** Aquele que promete.

prometeico (éi) [Do mit. *Prometeu* (< lat. *Prometheus* < gr. *Prometheús*) + *-ico*².] *Adj.* Relativo ou pertencente a, ou próprio de Prometeu, um dos titãs, o qual, segundo a mitologia grega, roubou o fogo do Olimpo e o deu aos homens, ensinando-os a empregá-lo, razão por que Zeus o castigou, acorrentando-o no cimo do Cáucaso. ❖

prometer [Do lat. *promittere*, 'atirar longe'; 'propor'; 'prometer'.] *V. t. d.* **1.** Obrigar-se verbalmente ou por escrito a (fazer ou dar alguma coisa); comprometer-se a: *Prometeu o emprego, mas foi demitido antes da nomeação.* **2.** Pressagiar, anunciar: *O dia promete chuva.* **3.** Dar esperanças ou probabilidades de: *O rapaz promete ser bom médico.* ***T. d. e i.*** **4.** Fazer promessa de dar; obrigar-se a dar: "O ministro prometeu-lhe o cargo" (R. Magalhães Júnior, *Artur Azevedo e Sua Época*, p. 51); "Houve um Xerxes que prometeu um prêmio enorme a quem descobrisse um prazer novo." (Eduardo Prado, *Coletâneas*, I, p. 311). **5.** Asseverar ou assegurar de antemão: *Prometeu-me que não trairia a causa.* ***Int.*** **6.** Fazer promessas: *Não prometa se não tem certeza de cumprir.* **7.** Dar esperanças de bom futuro: *Este rapaz promete.* **8.** Dar sinais de progresso ou de boa produção: *A firma promete; A safra deste ano promete.* ***P.*** **9.** Ter grande esperança de obter; esperar: *O jovem prometeu-se sucesso.*

prometida [Fem. de *prometido*.] *S. f.* Noiva (1).

prometido [Part. de *prometer*.] *Adj.* **1.** De que se fez promessa. **2.** Apalavrado, ajustado. ● *S. m.* **3.** Aquilo que se prometeu: "O prometido é devido" (prov.). **4.** *P. us.* Noivo (1).

prometimento [De *prometer* + *-imento*.] *S. m.* Ato de prometer; promessa.

promielócito [De *pro-* + *mielócito*.] *S. m. Citol. Histol.* Célula da medula óssea que representa uma transição de mieloblasto para mielócito, durante o desenvolvimento de um granulócito.

promiscuidade (u-i) [De *promíscuo* + *-(i)dade*.] *S. f.* Qualidade de promíscuo; mistura desordenada e confusa.

promiscuir-se (u-í) [De *promíscuo* + *-ir* + *se*¹.] *V. p.* Unir-se desordenadamente; misturar-se, mesclar-se, confundir-se: *É preciso evitar que os jovens se promiscuam com pessoas degeneradas.* [Conjug.: v. *atribuir*.]

promíscuo [Do lat. *promiscuu*.] *Adj.* **1.** Agregado sem ordem nem distinção; misturado, confuso, indistinto: "O outro [prédio], em cujo primeiro andar mora o ricaço, alberga no segundo, em montão promíscuo e doloroso, meia dúzia de famílias." (Armindo Rodrigues, *A Vida perto de Nós*, p. 169.) **2.** *E. Ling. Obsol.* V. *epiceno*. **3.** *Bras.* Diz-se de pessoa que se entrega sexualmente com facilidade.

promissão [Do lat. *promissione*.] *S. f.* Promessa (1 e 2): *a Terra da Promissão* [Canaã, que também se chama 'a Terra Prometida']; "Já a longa e cansada peregrinação do deserto deste mundo, vê o desejado termo da terra de Promissão." (Pᵉ. Manuel Bernardes, *Exercícios Espirituais*, II, p. 370, 2ª. col.)

promissário [Do lat. med. *promissa*, 'promessa', + *-ário*.] *S. m. Jur.* Aquele em favor de quem se faz uma promessa. [Antôn.: *promitente*.]

promissense *Adj. 2 g.* **1.** De, ou pertencente ou relativo a Promissão (SP). ● *S. 2 g.* **2.** O natural ou habitante de Promissão.

promissivo [Do lat. tard. *promissivu*.] *Adj.* **1.** Relativo a promessa. **2.** Que encerra promessa. [Sin. ger.: *promissório*.]

promissor (ô) [Do lat. *promissore*.] *Adj.* **1.** Cheio de promessa; feliz, próspero: *futuro promissor.* **2.** Promitente. ● *S. m.* **3.** Promitente.

promissória [F. subst. de *promissório*.] *S. f.* Título de crédito emitido pelo devedor, sob a forma de promessa de pagamento, a determinada pessoa (beneficiário ou favorecido), de certa quantia em certa data; nota promissória. [V. *título de crédito*.]

promissório [De *promissor* + *-ório*.] *Adj.* Promissivo. ~ V. *caução —a, nota —a* e *nota —a comercial*.

promitente [Do lat. *promitente*.] *Adj. 2 g. S. 2 g.* Que, ou pessoa que promete; promissor. [Antôn.: *promissário*.]

promoção¹ [Do lat. tard. *promotione*, 'adiantamento'.] *S. f.* **1.** Ato ou efeito de promover. **2.** Elevação ou acesso a cargo ou categoria superior; ascensão. [Antôn., nessas acepçs.: *decesso* (3).] **3.** Manifestação do promotor nos autos (requerimentos, pareceres, etc.), em que funciona. [Cf. *premoção*.]

promoção² [Do ingl. *promotion*.] *S. f. Market.* **1.** O conjunto de atividades que visam a fortalecer a imagem de uma marca, instituição, indivíduo, etc., ou a influenciar pessoas na escolha de determinado produto ou serviços. [Nesta acepç. estão incluídas as atividades de propaganda, publicidade, relações públicas, produção de eventos, etc.] **2.** V. *promoção de venda*. ◆ **Promoção de venda.** *Market.* Conjunto de técnicas e de atividades utilizadas para estimular a venda de produtos ou serviços. [Pode ser dirigida tanto ao consumidor como ao revendedor ou à força de venda, e inclui recursos como prêmio, desconto, concurso, brinde, demonstração e *display* em ponto de venda, etc.] [Tb. se diz apenas *promoção*. Cf. *premoção*.]

promocional [De *promoção*² + *-al*¹, seg. o padrão erudito.] *Adj. 2 g. Bras.* Relativo a, ou que tem caráter de promoção².

promombó [Do tupi = 'peixe salta'.] *S. m. Bras.* Pescaria que consiste em fazer uma fogueira dentro da canoa a fim de que os peixes, atraídos pela luz, caiam nela por salto.

promontório [Do lat. *promontoriu*.] *S. m.* **1.** *Geogr.* Cabo formado de rochas elevadas ou alcantis: "Numa planície rasa está deitado / Um membrudo Titã fitando o céu: / Parece um promontório alcantilado / Ao mar opondo o enorme vulto seu!" (Goulart de Andrade, *Poesias*, p. 72.) **2.** *Anat.* Designação genérica de saliência. ◆ **Promontório sacro.** *Anat.* Saliência situada na parte anterior da articulação do osso sacro com a última vértebra lombar.

➔ **promoter** [pɹəˈmowtɚ] [Ingl.] V. *promotor* (4).

promotor (ô) [Do lat. *promotus*, part. pass. de *promovere*, 'mover para diante', + *-or*.] *Adj.* **1.** Que promove, fomenta ou determina; promovedor. ● *S. m.* **2.** Aquele que promove, fomenta ou determina; promovedor. **3.** Funcionário que, nalguns tribunais, promove o andamento das causas e certos atos de justiça. **4.** Aquele que organiza e promove festas, recepções, seminários, etc. [Equiv. (ingl.), nesta acepç.: *promoter*.] **5.** *Genét.* Região do ácido desoxirribonucleico que é reconhecida por uma enzima responsável pelo início da síntese do ácido ribonucleico. **6.** *Market.* Profissional que trabalha em promoção² (1). **7.** *Market.* Promotor de venda (q. v.). **8.** *Bras.* V. *borrachudo* (2). ◆ **Promotor de vendas.** *Market.* Profissional que, em contato direto com o consumidor ou revendedor, promove a aceitação de produto ou serviço. [Tb. se diz apenas *promotor*.] **Promotor público.** *Bras.* Membro do Ministério Público junto aos juízes de direito, do cível e do crime. **Promotor público adjunto.** *Bras.* Membro do Ministério Público junto às pretorias cíveis e criminais.

promotoria [De *promotor* + *-ia*¹.] *S. f.* **1.** Cargo ou ofício de promotor (3). **2.** Escritório ou repartição do promotor (3).

promovedor (ô) [De *promover* + *-dor*.] *Adj. S. m.* V. *promotor* (1 e 2).

promovente [Do lat. *promovente*.] *S. 2 g. Jur.* Pessoa que propõe uma ação judicial, particularmente a divisória e a demarcatória de terras.

promover¹ [Do lat. *promovere*.] *V. t. d.* **1.** Dar impulso a; trabalhar a favor de; favorecer o progresso de; fazer avançar; fomentar: *Rico, emprega parte de sua fortuna em promover a cultura brasileira.* **2.** Fazer avançar; dar: "Martim a afastou docemente de si, e promoveu o passo." (José de Alencar, *Iracema*, p. 73); "E promovendo um passo, apresentou com desgarro o peito à mira da espingarda de Miguel" (José de Alencar, *Til*, p. 20); "Já promovia o passo a fim de aparecer ao mascate, quando foi tolhido por um receio, que estacou." (Id., *ib.*, p. 144). **3.** Ser a causa de; causar, gerar, provocar, originar: "O primeiro fim das *Farpas* foi promover o riso." (Eça de Queirós, *Notas Contemporâneas*, p. 33); *A impiedade dos homens promove castigos divinos, segundo os crentes.* **4.** Requerer, solicitar, propondo: *O promotor promoveu a instauração de processos.* **5.** Diligenciar para que se realize, se efetue, se verifique: *promover uma reunião; promover a efetivação de alguém num cargo*; "O Governo do Estado promoveu um conclave, em Campina Grande" (Ernâni Sátiro, *Sempre aos Domingos*, p. 121). ***T. d. e i.*** **6.** Elevar a (cargo ou categoria superior): *O comandante promoveu a cabo dois soldados.*

promover² [Do ingl. (*to*) *promove*.] *V. t. d.* **1.** *Prop.* Fazer promoção² de. ***P.*** **2.** Fazer promoção² de si próprio; autopromover-se, badalar-se.

➔ **prompt** [pɹa̰mpt] [Ingl., 'pronto', 'alerta' (adj.); 'ato de instigar, de incitar, de provocar resposta'; 'o ponto, no teatro' (subst.).] *S. m. Inform.* Sinal emitido pelo computador, indicando a sua disponibilidade para receber novos comandos digitados pelo usuário. [O *prompt* cumpre função fática fundamental na interface de linha de comando (q. v.).]

➔ **prompter** [pɹa̰mptɚ] [Ingl.] *S. m. Cin. Teatr. Telev.* Ponto eletrônico que emprega um monitor de vídeo, ger. acoplado à câmera, no qual se exibe o texto a ser lido em cena; *teleprompter*.

promulgação [Do lat. *promulgatione*.] *S. f.* **1.** Ato ou efeito de promulgar. **2.** Publicação, divulgação.

promulgador (ô) [Do lat. tard. *promulgatore*.] *Adj. S. m.* Que, ou aquele que promulga.

promulgar [Do lat. *promulgare*.] *V. t. d.* **1.** Ordenar a publicação de (lei): *O Governo promulgou a Constituição*; "No tempo do Emperador Diocleciano, presidia em Espanha Daciano, ... o qual promulgou em Saragoça um fatal edito, que toda a pessoa que soubesse que outra seguia a lei de Cristo, fosse obrigada sob pena de talião a denunciá-la logo" (Pᵉ. Manuel Bernardes, *Nova Floresta*, II, p. 307). **2.** Transmitir ao vulgo; tornar público; publicar oficialmente: *A Igreja promulgou nos últimos anos várias encíclicas*; "Pelos anos de 1259 a 1267 promulgaram-se regulamentos severos tendentes a coibir os excessos dos delegados régios." (Alexandre Herculano, *História de Portugal*, III, p. 85). [Conjug.: v. *largar*.]

pronação [Do lat. med. *pronatione*; fr. *pronation*.] *S. f. Med.* Movimento de rotação que, executado por mão e antebraço, faz cada palma girar para trás ou para baixo e que, executado por pé, leva este a girar para dentro e para baixo.

pronador (ô) [Do lat. med. *pronatore*; fr. *pronateur*.] *Anat. S. m.* **1.** Músculo pronador (q. v.). ● *Adj.* **2.** ~ V. *músculo —*.

pronau [Do gr. *prónaon*, pelo lat. *pronau*.] *S. m.* Parte anterior de um templo grego. [Cf. *opistódomo*.]

prônefro *S. m. Embr.* V. *prônefron*.

prônefron *S. m. Embr.* Estrutura transitória, não funcional, que antecede o desenvolvimento de rim humano. [F. paral.: *prônefro*.]

proninfa [De *pro-*¹ + *ninfa*.] *S. f. Zool.* Estágio na metamorfose dos insetos, intermediário entre a larva e a ninfa, e que é observado, principalmente, nos dípteros e himenópteros.

prono [Do lat. *pronu*.] *Adj. Poét.* **1.** Dobrado para diante; inclinado. **2.** *Fig.* Tendente, inclinado, disposto.

pronome [Do lat. *pronomen*, 'que está no lugar do nome'.] *S. m. E. Ling.* Vocábulo que pode substituir um substantivo ou um sintagma nominal. ◆ **Pronome adjetivo.** *E. Ling.* O que acompanha um substantivo. [Sin. desus.: *adjetivo determinativo*.] **Pronome complementar.** *E. Ling.* V. *pronome objetivo*. **Pronome demonstrativo.** *E. Ling.* Determinante dêitico que situa seres ou objetos em relação às pessoas do discurso: *este* (próximo ao falante), *esse* (próximo ao ouvinte), *aquele* (distante de ambos). [Tb. se diz apenas *demonstrativo*.] **Pronome de tratamento.** *E. Ling.* Palavra ou locução que funciona como pronome pessoal para a designação das pessoas do discurso: *o senhor* (2ª. pessoa), *Sua Alteza* (3ª. pessoa), *a gente, o papai* (1ª. pessoa). **Pronome indefinido.** *E. Ling.* Aquele que se aplica à 3ª. pessoa gramatical quando é vago ou indeterminado o sentido desta. **Pronome interrogativo.** *E. Ling.* Cada um dos pronomes indefinidos (*que, quem, qual* e *quanto*) quando usados em perguntas diretas ou indiretas. **Pronome objetivo.** *E. Ling.* F. do pronome pessoal empregada como objeto direto ou indireto; pronome complementar, pronome oblíquo. **Pronome oblíquo.** *E. Ling.* V. *pronome objetivo*. **Pronome pessoal.** *E. Ling.* O que designa qualquer das pessoas do discurso. **Pronome possessivo.** *E. Ling.* O que se refere às pessoas do discurso, relacionando-as ao que lhes cabe ou pertence. **Pronome recíproco.** *E. Ling.* Pronome átono que indica que a ação expressa pelo verbo implica uma relação mútua de causa e efeito entre os agentes indicados no sujeito. Ex.: *Eles se abraçaram* (*i. e.*, abraçaram-se mutuamente, um ao outro). **Pronome reflexivo.** *E. Ling.* Pronome que é correferencial com um sintagma nominal que o antecede, como *se* em *João barbeou-se*. **Pronome relativo.** *E. Ling.* Pronome que relaciona uma oração que ele introduz a um substantivo ou equivalente que ele representa. **Pronome reto.** *E. Ling.* F. do pronome pessoal empregada como sujeito; pronome subjetivo. **Pronome subjetivo.** *E. Ling.* Pronome reto. **Pronome substantivo.** *E. Ling.* O que não acompanha um substantivo.

pronominação [Do lat. tard. *pronominatione*.] *S. f. E. Ling.* Antonomásia.

pronominado [Do lat. tard. *pronominatu*.] *Adj. E. Ling.* ~ V. *verbo —*.

pronominal [Do lat. tard. *pronominale*.] *Adj. 2 g. E. Ling.* Relativo ao pronome. ~ V. *verbo acidentalmente —, verbo essencialmente —* e *verbo —*.

pronominalidade [De *pronominal* + *-(i)dade*.] *S. f. E. Ling.* Qualidade de pronominal.

pronominalizar [De *pronominal* + *-izar*.] *V. t. d. P.* Tornar(-se) pronominal.

pronóstico [De *prognóstico*, com síncope.] *S. m.* **1.** *Ant.* Prognóstico (1). **2.** *Pop.* Indivíduo presunçoso, afetado, petulante, pernóstico. ● *Adj.* **3.** *Pop.* Presunçoso, afetado, petulante, pernóstico.

pronotal [De *pronoto* + *-al*[1].] *Adj. 2 g. Zool.* Pertencente ou relativo ao, ou situado no pronoto.

pronoto [De *pro-*[1] + *-noto*.] *S. m. Zool.* Porção dorsal do primeiro segmento do tórax dos insetos.

prontidão [De *pronto* + *-idão*.] *S. f.* **1.** Qualidade do que é pronto. **2.** Presteza, agilidade, desembaraço, rapidez. **3.** Rapidez de compreensão ou na execução de alguma coisa. **4.** Estado de quem se acha pronto para fazer determinada coisa. **5.** Estado de alerta de uma unidade militar. **6.** *Bras.* V. *pindaíba* (4). ● *S. m.* **7.** *Bras. RJ SP* Soldado de serviço numa delegacia de polícia. ◆ **De prontidão.** Prestes ou pronto a agir, a entrar em ação: *O exército ficou de prontidão com a notícia da invasão do país.*

prontificação [De *prontificar* + *-ção*.] *S. f.* Ato ou efeito de prontificar(-se).

prontificar [De *pronto* + *-ificar*.] *V. t. d.* **1.** Apresentar pronto; aprontar: *Prontificou em tempo sua parte do trabalho.* **2.** Dar, oferecer; ministrar: *O Governo prontificou recursos. P.* **3.** Mostrar-se pronto; declarar-se pronto a executar um trabalho; oferecer-se; dispor-se: *Ninguém se prontificou para a missão.* **4.** Mostrar-se disposto; prestar-se, condescender: "Quando lhe falei do meu desejo de mandar tirar algumas fotografias da casa de tio Marcelino, ... ele mesmo se prontificou a fazê-las." (Herberto Sales, *Dados Biográficos do Finado Marcelino*, p. 25.) [Conjug.: v. *trancar*.]

pronto [Do lat. *promptu*, 'disponível'.] *Adj.* **1.** Que não tarda; ligeiro, breve, rápido. **2.** Eficaz: *Este xarope é um pronto remédio contra a tosse.* **3.** Ativo, diligente, ágil. **4.** Imediato, instantâneo: *Dava resposta pronta a qualquer insulto.* **5.** Que age ou opera com rapidez; vivo, ágil: *É dotado de inteligência pronta.* **6.** Concluído, terminado, acabado: *A casa já está pronta.* **7.** Disposto, apto, preparado: *Estou pronto a agir.* **8.** Desimpedido, livre. **9.** *Bras. Pop.* Diz-se da mulher grávida. **10.** *Bras. Gír.* Diz-se do indivíduo sem dinheiro, ou pobre; areado, duro, estourado, fino, frito, limpo, liso, miqueado, quebrado, teso. **11.** *Bras. CE Pop.* Bem-vestido. ● *S. m.* **12.** *Bras. Gír.* Indivíduo pronto (10); duro, frito, limpo, liso, teso, (lus.) afanado. ● *Adv.* **13.** Com prontidão; prontamente. ◆ **A pronto.** Imediatamente; em dinheiro: "O Porto de conta corrente que o senhor Agostinho acrescentou ao meu, pagava os seus débitos a pronto e em moeda forte." (Miguel Torga, *Portugal*, p. 57.) **De pronto.** Prontamente, imediatamente; num instante; num pronto: "Árquias, endoideceste? Então que desvario / É o teu? Larga de pronto essa gentil criança!" (Eugênio de Castro, *Obras Poéticas*, VI, p. 61.) **Num pronto.** De pronto: "Num pronto arrancou precipitadamente a própria camisa; ateou-lhe fogo com um fósforo trêmulo e apressado" (Amadeu de Queirós, *Os Casos do Carimbamba*, p. 53).

pronto a comer *S. m. Lus.* Fast-food (q. v.). [Pl.: *prontos a comer*.]

pronto a vestir *Adj. 2 g. e 2 n. S. m. 2 n. Lus. Vest.* Prêt-à-porter. [Pl.: *prontos a vestir*.]

pronto-socorro *S. m. Med.* Hospital, ou setor de hospital, especializado ou não, que se destina a atendimento de doentes que representam emergências [v. *emergência* (7)]. [Pl.: *prontos-socorros*.]

prontuário [Do lat. tard. *promptuariu*.] *S. m.* **1.** Lugar onde se guardam ou depositam coisas das quais se pode necessitar a qualquer instante. **2.** Manual de indicações úteis. **3.** *Bras.* Ficha (médica, policial, etc.) com os dados referentes a uma pessoa. **4.** *Bras. P. ext.* Esses antecedentes. ◆ **Prontuário médico** *Med.* Papeleta (4).

prônubo [Do lat. tard. *pronubu*.] *Adj.* **1.** *Poét.* De, ou respeitante a noivo ou a noiva, ou a núpcias: "Senhora, digno do teu afeto / Prônubo e casto – já não sou eu; / Do amor, que à Bênção segue direto, / Minh'alma há muito que se perdeu..." (B. Lopes, *Val de Lírios*, p. 21); "São flores que apanhei na minha estrada / Para a prônuba noite de outra flor." (Luís Murat, *Ondas*, II, p. 4). **2.** Que promove casamento; casamenteiro.

pronúcleo [De *pro-*[1] + *núcleo*.] *S. m. Citol. Embr.* Núcleo de gameta masculino ou feminino.

pronúncia [Dev. de *pronunciar*.] *S. f.* **1.** Ato ou efeito de pronunciar; pronunciação. **2.** Modo de pronunciar; fala; pronunciação: *Os cearenses têm uma pronúncia inconfundível.* **3.** *Jur.* Decisão judicial que, reconhecendo como provada a existência dum crime doloso contra a vida e admitindo haver indícios suficientes de ser o réu quem o praticou, determina que se lhe registre a culpa e o remete ao julgamento final no tribunal do júri. [Sin. ant.: *pronunciação*. Cf. *pronuncia*, do v. *pronunciar*.]

pronunciação [Do lat. *pronuntiatione*.] *S. f.* **1.** Pronúncia (1 e 2). **2.** *Jur. Ant.* Pronúncia (3).

pronunciado [Part. de *pronunciar*.] *Adj.* **1.** Evidente, nítido, saliente, marcado, acentuado: *traços fisionômicos muito pronunciados; um pronunciado interesse pelas ciências.* **2.** *Jur.* Contra quem se deu despacho de pronúncia.

pronunciamento [De *pronunciar* + *-mento*; esp. *pronunciamiento*.] *S. m.* **1.** Ato ou efeito de pronunciar-se ou insurgir-se coletivamente contra o governo ou quaisquer medidas governativas; revolta, sublevação: "O velho caudilho militar, o homem dos pronunciamentos, preconiza, desta vez, a regeneração pacífica do país." (José Osório de Oliveira, *O Romance de Garrett*, p. 153.) **2.** Ato ou efeito de pronunciar-se ou manifestar a opinião. **3.** *Jur.* Decisão judicial.

pronunciar [Do lat. *pronuntiare*.] *V. t. d.* **1.** Exprimir verbalmente; proferir, articular: *A acentuação mostra como pronunciar corretamente muitos vocábulos;* "– Feio!... dizia-me então. / E pronunciava essa palavra como se ela simbolizasse a maior injúria possível." (José de Alencar, *Diva*, p. 197). **2.** Ler em voz alta e clara; proferir, recitar: *pronunciar um discurso.* **3.** Declarar com autoridade; decretar, publicar, proferir: *O juiz pronunciou a sentença.* **4.** Fazer realçar; acentuar, salientar: *O escultor pronunciou os traços do rosto.* **5.** *Jur.* Dar despacho de pronúncia (3) contra: *O juiz pronunciou o réu.* **6.** Articular as palavras de (uma língua) mais ou menos de acordo com a prosódia: *Pronuncia mal o inglês. Transobj.* **7.** Considerar, julgar, declarar: *O tribunal pronunciou o réu inocente. P.* **8.** Manifestar o que pensa ou sente; emitir sua opinião; manifestar-se: *Achou o momento oportuno para pronunciar-se a respeito do assunto.* **9.** Fazer pronunciamento; rebelar-se, insurgir-se, revoltar-se: *Várias províncias pronunciaram-se contra o imperador.* [Pres. ind.: *pronuncio, pronuncias, pronuncia*, etc. Cf. *pronúncio*, s. m., *pronúncia*, s. f., e o v. *prenunciar*.]

pronunciável [Do lat. tard. *pronuntiabile*.] *Adj. 2 g.* Que pode ser pronunciado.

pronúncio [De *pro-*[1] + *núncio*.] *S. m. Ecles.* Eclesiástico transitoriamente investido nas funções de núncio pontifício. [Cf. *pronuncio*, do v. *pronunciar*, e *prenúncio*.]

→ **pronuntiatio** [pɾ̃onontʃe'atʃo] [Lat.] *S. f. E. Ling.* V. *retórica* (2).

pró-óstraco [De *pro-*[1] + *-óstraco*.] *S. m.* Câmara anterior, prolongada, da concha dos belenites. ❖

▲ **prop-** *Quím. Pref.* Indica cadeia de três átomos de carbono, em grupamento ou substância: *propil, propanol.*

propagação [Do lat. *propagatione*.] *S. f.* **1.** Ato ou efeito de propagar(-se). **2.** Desenvolvimento, proliferação. **3.** Divulgação, difusão.

propagador (ô) [Do lat. *propagatore*.] *Adj.* **1.** Que propaga; propagativo. ● *S. m.* **2.** Aquele que propaga.

propaganda [Do lat. *propaganda*, do gerundivo de *propagare*, 'coisas que devem ser propagadas'.] *S. f.* **1.** Propagação de princípios, ideias, conhecimentos ou teorias. **2.** Sociedade vulgarizadora de certas doutrinas. **3.** *Prop.* Arte e técnica de planejar, conceber, criar, executar e veicular mensagens de propaganda. **4.** *Prop.* Difusão de mensagem, ger. de caráter informativo e persuasivo, por parte de anunciante identificado, mediante compra de espaço em TV, jornal, revista, etc.; publicidade. **5.** *Prop.* A mensagem de propaganda, como, p. ex., reclame, anúncio, *spot*, etc. ◆ **Propaganda abusiva.** *Prop.* Publicidade abusiva (q. v.). **Propaganda enganosa.** *Prop.* Publicidade enganosa (q. v.).

propagandear [De *propaganda* + *-ear*[2].] *V. t. d.* Fazer propaganda de; divulgar: "Vítor, vapor dessa boca, distribuíra maconha .... para propagandear o produto." (Paulo Lins, *Cidade de Deus*, p. 249).

propagandista [De *propaganda* + *-ista*.] *S. 2 g.* **1.** *Desus.* Publicitário (2). **2.** *Market.* Representante da indústria farmacêutica encarregado da promoção de remédios junto aos médicos.

propagandístico [De *propagandista* + *-ico*[2].] *Adj.* De, ou relativo a propaganda ou a propagandista.

propagar [Do lat. *propagare*.] *V. t. d.* **1.** Multiplicar, ou reproduzindo ou por geração; dilatar: *Segundo a Bíblia, Adão e Eva propagaram a espécie humana.* **2.** Aumentar as dimensões de; dilatar, estender: *O rei Dario I propagou as fronteiras do Império Persa.* **3.** Fazer propaganda de; tornar conhecido; difundir, espalhar: *Os jesuítas propagaram e defenderam o cristianismo romano.* **4.** Tornar público; publicar, propalar, proclamar, vulgarizar: *A imprensa, por vezes, propaga boatos. Int.* **5.** Ter prole; reproduzir-se, proliferar: *Os animais propagam, perpetuando a espécie. P.* **6.** Multiplicar-se por meio da reprodução; reproduzir-se, proliferar: *A espécie humana, provavelmente surgida na Ásia, propagou-se, passando aos outros continentes.* **7.** Desenvolver-se por contágio: *A epidemia de tifo propagou-se por vários estados.* **8.** Difundir-se, expandir-se, alastrar-se, propalar-se, grassar: "Fora de Portugal, o sentimento de pavor, resultante do abalo, propagou-se com intensidade" (J. Lúcio d'Azevedo, *O Marquês de Pombal e a Sua Época*, p. 146). **9.** Tornar-se comum a muitas pessoas; generalizar-se: *A partir da Revolução Francesa propagaram-se as ideias liberais.* **10.** Atravessar o espaço ou um corpo; transmitir-se: *O som propagou-se com rapidez.* [Conjug.: v. *largar*.]

propagativo [De *propagar* + *-tivo*.] *Adj.* Propagador (1).

propagem [Do lat. *propagine*.] *S. f. Bot.* Vide de mergulhia.

propagulífero [De *propágulo* + *-ífero*.] *Adj. Bot.* Portador de propágulos.

propágulo [Do lat. cient. *propagulum* (do lat. *propages, is*, 'mergulhão'; 'renovo'; 'raça', 'linhagem').] *S. m. Bot.* Designação de orgânulo destinado a multiplicar vegetativamente as plantas, e que podem ser: sorédio (liquens), estolho (fanerógamas), bulbilhos (agaváceas), fragmentos de talo (liquens), corpúsculos especiais, etc. [Cf. *dissemínula*.]

propalador (ô) [De *propalar* + *-dor*.] *Adj. S. m.* Que, ou aquele que propala.

propalar [Do lat. tard. *propalare*.] *V. t. d.* **1.** Tornar público: divulgar, espalhar, publicar, propagar: *A intrigante propala calúnias;* "É de surpreender que mesmo pessoas cuja cultura deveria estar acima de tão flagrante inverossimilhança propalem a insustentável afirmativa." (Vivaldo Coaraci, *Paquetá*, p. 132). *P.* **2.** Propagar-se (8).

propanal [De *propano* + *-al*[2].] *S. m. Quím.* Aldeído propiônico.

propano [De *(ácido) prop(iônico)-* + *-ano*[2].] *S. m. Quím.* Hidrocarboneto saturado, gasoso, incolor, com cheiro característico, encontrado no gás de petróleo [fórm.: C_3H_8].

propanoico (ói) *Adj. Quím.* ~ V. *ácido* –. ❖

propanol [De *propano* + *-ol*[2].] *S. m. Quím.* Álcool propílico (q. v.). [Pl.: *propanóis*.]

propanolol [Voc. farmac.] *S. m. Quím.* Substância aromática, derivada do naftol, us. para o tratamento de doenças cardiovasculares [fórm.: $C_{16}H_{21}NO$]. [Pl.: *propanolóis*.]

propanona [De *propano* + *-ona*[2].] *S. f. Quím.* Líquido incolor, volátil, com cheiro agradável, usado como solvente em inúmeras indústrias; acetona [fórm.: C_3H_6O].

▲ **propargil-** *Quím. El. comp.* Indica a presença de um grupo propargila.

propargila [De *(ácido) prop(iônico)* + *-argi*[*r(o)-*] + *-ila*[2].] *S. f. Quím.* O grupo $-C_3H_3$, derivado do propino por abstração de um átomo de hidrogênio da metila deste hidrocarboneto.

proparoxitonia (cs) [De *proparoxítono* + *-ia*[1].] *S. f. E. Ling.* Qualidade de proparoxítono.

proparoxítono (cs) [Do gr. *proparoxýtonos*.] *E. Ling. Adj.* **1.** Diz-se do vocábulo que tem o acento tônico na antepenúltima sílaba. Ex.: *cálido; pólipo.* ● *S. m.* **2.** Palavra proparoxítona. [Sin. ger., obsol.: *esdrúxulo*.]

propatagial [De *propatágio* + *-ial*.] *Adj. Zool.* Relativo ao, ou situado no propatágio.

propatágio [De *pro-*[1] + *patágio*.] *S. m. Zool.* **1.** Nos quirópteros, a parte do patágio que fica situada no lado anterior dos membros anteriores. **2.** Dobra da membrana alar dos lemurianos.

propatia [Do gr. *propátheia*.] *S. f. Med.* Pródromo (3).

propático [De *propatia* + *-ico*[2].] *Adj.* Relativo a propatia.

propedêutica [F. subst. de *propedêutico*.] *S. f.* **1.** Introdução, prolegômenos, de uma ciência; ciência preliminar. **2.** Conjunto de estudos que antecedem, como um estágio preparatório, os cursos superiores. **3.** *Med.* Conjunto de indagações orais e de técnicas de exame físico que serve como base a partir da qual o médico se orienta para, por investigações mais extensas, se necessário, chegar a diagnóstico[1] (2).

propedêutico [De *pro-*[1] + gr. *paideutikós*, 'relativo à educação'.] *Adj.* **1.** Que serve de introdução; preliminar. **2.** Que prepara para receber ensino mais completo. ~ V. *escola* –*a*.

propelente [Do lat. *propellente*, do part. pres. de *propellere*, 'impelir para diante'.] *S. m.* Baixo explosivo, ou mistura de materiais combustíveis e agentes oxidantes, capaz de efetuar a propulsão controlada de um corpo sólido, como um projetil, um foguete comum, um foguete espacial.

propelir [Do lat. *propellere*.] *V. t. d.* **1.** Impelir para diante: "Sempre seguindo a mesma direção, mas destacando-se nítidas no azul do céu, como farrapos de nuvens muito alvas que o vento fosse propelindo brandamente, de espaço a espaço, cortavam o ar grandes revoadas de pássaros." (Gastão Cruls, *4 Romances*, p. 116.) **2.** Arremessar, arrojar, atirar: *A arma propele balas de grosso calibre.* [Irreg. Conjug.: v. *aderir*.]

propendente [Do lat. *propendente*.] *Adj. 2 g.* Que propende.

propender [Do lat. *propendere*.] *V. t. c.* **1.** Estar inclinado; inclinar-se, tender, pender: *O eixo da terra propende 23 graus em relação à eclíptica. T. i.* **2.** Ter disposição ou tendência; tender: “Entendeu Ledo [Gonçalves Ledo] que o ilustre Andrada [José Bonifácio] não propendia para os sentimentos liberais como ele os compreendia” (Afonso d'E. Taunay, *Grandes Vultos da Independência Brasileira*, p. 44).

propeno [De *(ácido) prop(iônico)* + *-eno²*.] *S. m. Quím.* Substância gasosa, alceno com três átomos de carbono, us. em petroquímica e na produção de polímeros; propileno [fórm.: C_3H_6].

propensão [Do lat. *propensione.*] *S. f.* 1. Ato ou efeito de propender; inclinação. 2. Tendência, pendor, vocação. ◆ **Propensão marginal ao consumo.** *Econ.* Proporção de um aumento da renda que é gasta na compra de mercadorias e serviços. **Propensão média ao consumo.** *Econ.* Proporção da renda que é gasta na compra de mercadorias e serviços, em vez de ser poupada.

propenso [Do lat. *propensu.*] *Adj.* 1. Inclinado, disposto, tendente: “Este homem [Francisco Xavier de Oliveira], tão pouco propenso aos trabalhos graves de erudição, veio a ser o fundador da nossa bibliografia histórica.” (Fidelino de Figueiredo, *Aristarcos*, p. 89); “Giacomo Leopardi .... teve desde criança índole refletida e séria, e, como ele mesmo disse, muito propensa à melancolia.” (Carlos Magalhães de Azeredo, *Homens e Livros*, p. 10). 2. Favorável, benévolo.

properispômeno [Do gr. *properispómenos.*] *E. Ling. Adj.* 1. Que leva acento circunflexo na penúltima sílaba. ● *S. m.* 2. Vocábulo properispômeno.

properístoma [De *pro-¹* + *perístoma.*] *S. m. Bot.* Apêndice do perístoma, formado de placas membranáceas, lignificadas e frouxamente inseridas, que fica entre a parede capsular e os dentes do perístoma externo.

propiciação [Do lat. tard. *propitiatione.*] *S. f.* 1. Ato ou efeito de propiciar. 2. Ação, ger. de natureza ritual ou cerimonial, com que se busca agradar alguém, uma divindade, uma força natural ou sobrenatural, etc., para obter seu perdão, seu favor ou boa vontade.

propiciador (ô) [Do lat. tard. *propitiatore.*] *Adj.* 1. Que propicia; propiciatório. ● *S. m.* 2. Aquele ou aquilo que propicia.

propiciar [Do lat. *propitiare.*] *V. t. d. T. d. e i.* 1. Tornar propício, favorável: *O apoio aéreo propiciou a invasão; A herança propiciou-lhe a continuação dos estudos.* 2. Fazer aparecer inesperadamente; deparar, proporcionar: *A sorte propiciou-lhe bens inimagináveis; Quando o acaso lhe propiciou a fortuna, já não era moço.* [Pres. ind.: *propicio*, etc. Cf. *propício*, adj., e *Propício*, antr.]

propiciatório¹ [Do lat. tard. *propitiatoriu.*] *S. m.* 1. Lâmina de ouro que cobria o tabernáculo dos hebreus. 2. Vaso sagrado no qual se oferecem sacrifícios a Deus. 3. *Rel.* Aquele ou aquilo que aplaca a ira divina, que torna Deus propício.

propiciatório² [De *propiciar* + *-tório.*] *Adj.* Propiciador (1).

propício [Do lat. *propitiu.*] *Adj.* 1. Que protege ou auxilia. 2. Favorável, favorecedor: “Na Grécia, a geografia não foi propícia à unidade do país.” (Heitor Lisboa de Araújo, *Engenharia de Transportes*, p. 5.) 3. Adequado, apropriado, oportuno. [Cf. *propicio*, do v. *propiciar.*]

▲ **propil-** *Quím. El. comp.* Indica presença de grupo propila.

propila [De *(ácido) prop(iônico)* + *-ila²*.] *S. f. Quím.* Grupo -C_3H_5, derivado do propano.

propileno [De *propil-* + *-eno²*.] *S. m. Quím.* Propeno.

propileu [Do gr. *propýlaion*, pelo lat. *propylaeon.*] *S. m.* A porta, monumental, da Acrópole de Atenas.

propílico [De *propila* + *-ico²*.] *Adj. Quím.* Diz-se de composto cuja molécula contém propila. ~ V. *álcool —*.

propina [Do b.-lat. *propina*, ‘dádiva’.] *S. f.* 1. Gratificação, gorjeta. 2. *Lus.* Quantia que se paga em certas escolas por abertura ou encerramento de matrícula, etc. 3. *Lus.* Joia (5).

propinação [Do lat. *propinatione.*] *S. f.* Ato ou efeito de propinar.

propinador (ô) [De *propinar* + *-dor.*] *Adj. S. m.* Que, ou aquele que propina.

propinar [Do lat. *propinare.*] *V. t. d. T. d. e i.* Dar a beber; ministrar, administrar: *propinar uma dose de veneno; Propinou um sonífero ao doente.*; “Ó Natureza! ó mãe piedosa e pura! / Ó cruel, implacável assassina! / — Mão, que o veneno e o bálsamo propina / E aos sorrisos às lágrimas mistura!” (Olavo Bilac, *Poesias*, p. 119).

propino [De *prop-* + *-ino³*.] *S. m. Quím.* Alcino com três átomos de carbono [fórm.: C_3H_4].

propinquidade (qüi) [Do lat. *propinquitate.*] *S. f.* Qualidade ou estado de propínquo; proximidade.❖

propínquo [Do lat. *propinquu.*] *Adj.* Próximo, vizinho. ~ V. *propínquos*.

propínquos [Pl. de *propínquo.*] *S. m. pl.* Os parentes. ~ V. *propínquo*.

própio *Adj. Ant. Pop.* Próprio.

propiofenona [De *propio(n)-* + *fenona.*] *S. f. Quím.* Cetona aromática, conjugada, em que um grupo propionila está ligado a anel benzênico [fórm.: $C_9H_{10}O$].

▲ **propio(n)-** [De *pro-¹* + *-pio(n)-*.] *Quím. El. comp.* = ‘relativo a ácido propiônico’: *propionaldeído, propiofenona.*

propionaldeído [De *propino* + *aldeído.*] *S. m. Quím.* Aldeído propiônico.

propiónico *Adj. Quím.* V. *propiônico*. [Uso freq. em P.]

propiônico *Quím.* ~ V. *ácido —*.

propionila [De *propio(n)-* + *-ila²*.] *S. f. Quím.* O grupo monovalente -$COCH_2CH_3$, acila do ácido propiônico.

proplasma [Do gr. *próplasma*, pelo lat. *proplasma.*] *S. m. Art. Plást.* Modelo de barro ou de cera para trabalhos de escultura; esboço.

proplástica [F. subst. de *proplástico* (1).] *S. f.* Arte de modelagem em barro.

proplástico [De *pro-¹* + *-plast(o)-* + *-ico²*.] *Adj.* 1. Relativo a obras de barro. ● *S. m.* 2. *Art. Plást.* Modelo de barro ou de cera para trabalhos de escultura.

proplastídio [De *pro-¹* + *plastídio.*] *S. m. Bot.* Organela citoplasmática, com capacidade de autoduplicação, e da qual se desenvolve um plastídio.

proplasto [De *pro-¹* + *-plasto.*] *S. m. Bot.* Proplastídio.

propofol [Do V.C.I. *propofol.*] *S. m. Quím.* Fenol dotado de dois substituintes isopropila (2,6-di-isopropilfenol), us. como anestésico geral [fórm.: $C_{12}H_{18}O$].

própole [De *pro-¹* + *-pole.*] *S. f.* Substância resinosa coletada pelas abelhas em várias plantas e us., juntamente com a cera, para construir os alvéolos, reparar fendas, envernizar, e tb. para envolver os cadáveres de animais que morreram no interior da colmeia.

própolis [De *pro-¹* + *-polis.*] *S. f. 2 n.* V. *própole.*

propolisação [De *propolisar* + *-ção.*] *S. f.* Ação ou efeito de propolisar.

propolisar [De *própolis* + *-ar²*.] *V. t. d.* Tapar (as fendas dos cortiços) com própole ou própolis.

proponente [Do lat. *proponente.*] *Adj. 2 g. S. 2 g.* Que, ou quem propõe. [Cf. *preponente.*]

propor [Do lat. *proponere.*] *V. t. d.* 1. Oferecer a exame; submeter a apreciação; apresentar: *Três deputados propuseram projetos conflitantes.* 2. Fazer sugestão de; lembrar, sugerir, alvitrar: *As crianças propuseram um passeio.* 3. Requerer em juízo; intentar: *propor uma ação criminal.* 4. Fazer propósito de; prometer: *O criminoso propôs emendar-se.* 5. Fazer conhecer; expor, apresentar: *Ninguém propôs uma dúvida sequer.* 6. Dispor, ordenar, determinar: *A jovem esposa cumpria tudo que o marido propunha.* 7. Oferecer à vista; mostrar, apresentar: *O presidente propôs oficialmente os candidatos.* *T. d. e c. T. c.* 8. Oferecer como preço: *O comprador propôs 100.000 reais pelo terreno; Gostou da peça leiloada, mas propôs apenas 100 reais.* *T. d. e i.* 9. Submeter a exame, ou a apreciação; apresentar: *O deputado propôs uma lei ao Congresso.* 10. Referir, relatar, expor: *A mãe propôs histórias ao filhinho para adormecê-lo.* 11. Oferecer, endereçar, dirigir: *O escritor propôs seu livro a todos os jovens*; “Na segunda-feira da semana que findou, acordei cedo, pouco depois das galinhas, e dei-me ao gosto de propor a mim mesmo um problema.” (Machado de Assis, *A Semana*, I, p. 13). 12. Propor (8): “Na véspera do dia em que ele devia ser queimado, os juízes propuseram-lhe o perdão a troco do simples depoimento de que não era legítima a sua mulher.” (Ramalho Ortigão, *As Farpas*, p. 318.) 13. Ordenar, fixar, determinar: *A lei propõe aos cidadãos numerosas obrigações.* 14. Apresentar como sugestão; lembrar, sugerir: *O irmão mais velho propôs aos demais uma tarefa.* 15. Requerer em juízo; intentar: *O locador propôs uma ação de despejo contra o inquilino.* *Transobj.* 16. Apresentar como: *Propôs secretário do clube o velho amigo.* *T. i.* 17. Tomar intento; fazer propósito: *Os atletas propuseram de vencer a partida.* *Int.* 18. Apresentar proposição; fazer alvitres: *A princípio os cidadãos atenienses votavam proposições, mas não podiam propor.* *P.* 19. Ter em vista; tencionar, planear: *Esta escola propõe-se formar técnicos de nível médio*; “Vestiu de livros as paredes do seu gabinete, propondo-se o recreio do estudo” (Camilo Castelo Branco, *Amor de Salvação*, p. 131); “Propunha-me dormir no teu regaço / as quentes horas da comprida sesta” (Tomás Antônio Gonzaga, *Marília de Dirceu*, p. 107); “tal o material de que necessitamos, sempre que nos proponhamos a examinar, expor e criticar o sistema jurídico de um povo.” (Pontes de Miranda, *Fontes e Evolução do Direito Civil Brasileiro*, p. 1). 20. Destinar-se, dispor-se a: *Os segredos só podem ser revelados àqueles que se proponham abraçar a doutrina*; “Propôs-se a ajudar-me nos estudos com o seu próprio ensino, latim, francês, inglês, história...” (Machado de Assis, *Páginas Recolhidas*, pp. 30-31). 21. Apresentar-se como candidato: *Propôs-se a deputado.* [Irreg. Conjug.: v. *pôr*. Cf. *prepor.*]

proporção [Do lat. *proportione.*] *S. f.* 1. Parte de um todo, em comparação com esse todo; fração: *Uma grande proporção do eleitorado se absteve de votar.* 2. Relação entre coisas; comparação. 3. Dimensão, extensão. 4. Disposição regular, harmônica; simetria, harmonia. 5. Conformidade, identidade. 6. *Mat.* Igualdade de duas razões. 7. *Arquit. B.-Art.* O conjunto das relações geométricas que ocorrem entre as partes de um edifício, ou de uma obra artística. ~ V. *proporções*. ◆ **Proporção contínua.** *Mat.* Igualdade de três ou mais razões. **À proporção.** Em quantidade proporcional: “Tibúrcio comeu com apetite, e bebeu à proporção.” (Camilo Castelo Branco, *Doze Casamentos Felizes*, p. 225.) **À proporção que.** À medida que; ao passo que: “À proporção que o barco afundava, surgia, do barro escuro, uma horrenda carapinha” (Eduardo Canabrava Barreiros, *O Segredo de Sinhá Ernestina*, p. 21).

proporcionado [Do lat. tard. *proportionatu.*] *Adj.* Disposto regularmente; bem-proporcionado, bem-conformado; harmônico. [Antôn.: *malproporcionado.*]

proporcionador (ô) [De *proporcionar* + *-dor.*] *Adj. S. m.* Que, ou o que proporciona.

proporcional [Do lat. tard. *proportionale.*] *Adj. 2 g.* 1. Proporcionado. 2. Relativo a proporção matemática. 3. *Mat.* Diz-se de uma variável cujo quociente por outra é constante. ~ V. *conjunção —, média —, partes proporcionais, quarta —, sufrágio —* e *terceira —*. ● *S. 2 g.* 4. *E. Ling.* Conjunção proporcional.

proporcionalidade [Do lat. tard. *proportionalitate.*] *S. f.* Qualidade ou propriedade de proporcional.

proporcionalizar [De *proporcional* + *-izar.*] *V. t. d.* Tornar proporcional; proporcionar.

proporcionar [De *proporção* + *-ar²*, seg. o padrão erudito.] *V. t. d. T. d. e i.* 1. Observar proporção entre; tornar proporcional; harmonizar, acomodar, adaptar: *O Governo proporcionará as gratificações com o tempo de serviço.* 2. Dar, prestar, oferecer, deparar, apresentar: “A mesa de escrita, a secretária usual, está .... longe de proporcionar as comodidades subsidiárias do pensamento moderno.” (Ramalho Ortigão, *Notas de Viagem*, p. 204); “Proporcionava-lhes atrações esportivas, passeios pitorescos.” (Vasconcelos Maia, *O Leque de Oxum*, p. 47). *P.* 3. Tornar-se proporcional; harmonizar-se, acomodar-se, adaptar-se: *O luxo proporciona-se com o caráter ostentador.* 4. Vir em ocasião oportuna; oferecer-se, apresentar-se: *Proporcionou-se-lhe, de repente, a ideia.*

proporcionável [De *proporcionar* + *-vel.*] *Adj. 2 g.* O que se pode proporcionar.

proporções [Pl. de *proporção.*] *S. f. pl.* 1. Intensidade, importância. 2. Dimensão; tamanho. ~ V. *proporção.*

proposição [Do lat. *propositione.*] *S. f.* 1. Ato ou efeito de propor. 2. Aquilo que se propõe; proposta. 3. Expressão verbal de um juízo; asserção, asseveração. 4. Máxima, sentença. 5. *E. Ling.* Assunto que vai ser discutido ou asserção que vai ser defendida. [Cf., nesta acepç., *invocação* (4).] 6. *Lóg.* Expressão verbal ou simbólica suscetível de ser dita verdadeira ou falsa; sentença. [Cf. *preposição* e, nesta acepç., *enunciado* e *juízo*.]◆ **Proposição alternada.** *Lóg.* 1. Disjuntiva (2). 2. Alternativa (4). **Proposição categórica.** *Lóg.* Proposição que afirma ou nega que uma classe esteja incluída em outra, no todo ou em parte. [Forma: *S* é *P* (em que *S* é o termo sujeito e *P* o termo predicado, tomados do ponto de vista da extensão).] [V. *proposição particular, proposição singular* e *proposição universal*.] **Proposição geral.** *Lóg.* Diz-se de proposição cujo sujeito é um termo geral. **Proposição modal.** *Lóg.* Proposição em que se enuncia o modo [v. *modo* (12)] como afirma ou nega a verdade ou a falsidade de uma proposição. **Proposição particular.** *Lóg.* Proposição cujo sujeito é um termo particular. Ex.: Algum homem é francês. **Proposição particular afirmativa.** *Lóg.* Proposição particular cujo sujeito e predicado são tomados, ambos, numa parte da extensão. Ex.: ‘Algum homem é francês’, em que uma parte dos homens compõe uma parte dos franceses. [Símb.: *I*. Forma: algum *S* é *P*.] **Proposição particular negativa.** *Lóg.* Proposição particular cujo sujeito é tomado numa parte da sua extensão e cujo predicado é tomado em toda a extensão. Ex.: Algum homem não é francês, em que uma parte dos homens não é nenhuma parte dos franceses. [Símb.: *O*. Forma: algum *S* não é *P*.] **Proposição singular.** *Lóg.* A que afirma ou nega a pertinência de um indivíduo a uma classe. Ex.: Sócrates é mortal. **Proposição universal.** *Filos.* Proposição em que o sujeito é um termo universal, tomado universalmente. Ex.: ‘Todo homem é mortal’. **Proposição universal afirmativa.** *Lóg.* Proposição universal cujo predicado é tomado numa parte da extensão.

P

Ex.: 'Todo homem é mortal', em que o homem é um dos seres que são mortais. [Símb.: *A*. Forma: todo *S* é *P*.] **Proposição universal negativa.** *Lóg.* Proposição universal cujos sujeito e predicado são tomados em toda a extensão. Ex.: 'Homem não é uma máquina', que significa que nenhum homem é nenhuma máquina. [Símb.: *E*. Forma: nenhum *S* é *P*.] **Proposições protocolares.** *Filos.* No positivismo lógico (q. v.), as proposições elementares que descrevem os fatos ou os dados da experiência sobre os quais deverá se apoiar o conhecimento.

proposicional [De *proposição* + *-al*[1], seg. o padrão erudito.] ***Adj. 2 g.*** Pertencente ou relativo a proposição. ~ V. *função —*.

propositado [De *propósito* + *-ado*[1].] ***Adj.*** Em que há propósito, intenção ou resolução prévia; acintoso, proposital.

proposital [De *propósito* + *-al*[1].] ***Adj. 2 g.*** V. *propositado*.

propósito [Do lat. *propositu*.] ***S. m.*** **1.** Algo que se pretende fazer ou conseguir; intenção, intento, projeto. **2.** Deliberação, determinação, decisão, resolução. **3.** Modo sisudo; tino, prudência. **4.** Relação, ligação. **5.** Fim a que se visa. [Cf. *prepósito*.] ◆ **A propósito. 1.** A respeito. **2.** Oportunamente, convenientemente. **3.** V. *por sinal* [Cf. *a propósito*, s.m.]. **A propósito de. 1.** Pelo fato de. **2.** Com respeito a. **De propósito.** Por querer; por acinte; intencionalmente, adrede. **Fora de propósito.** Alheio ao assunto ou às circunstâncias presentes; despropositado.

propositura [De *propósito* + *-ura*.] ***S. f. P. us.*** Ato de propor (ação judicial). [Cf. *prepositura*.]

proposta [F. subst. do adj. *proposto*.] ***S. f.*** **1.** Ato ou efeito de propor. **2.** Aquilo que se propõe, se apresenta; proposição: *Sua proposta de aumento de salário foi recusada.* **3.** Plano ou projeto proposto: *A firma perdeu a concorrência por ser a sua proposta onerosa demais.* **4.** Oferecimento, oferta. **5.** Moção (3). **6.** Determinação, resolução. **7.** *Educ.* V. *proposta pedagógica*. ◆ **Proposta pedagógica.** *Educ.* V. *projeto pedagógico*.

proposto (ô) [Do lat. *propositu*.] ***Adj.*** **1.** Que se propôs; que foi objeto de proposta. • ***S. m.*** **2.** Aquilo que se propôs. **3.** Indivíduo escolhido por outro para exercer as funções deste outro. [Cf. *preposto*.]

propretor (ô) [Do lat. *propraetore*.] ***S. m.*** Antigo magistrado com autoridade de pretor.

propretoria [De *propretor* + *-ia*[1].] ***S. f.*** Cargo ou funções de propretor.

propriador (ô) ***S. m.*** Aquele que trabalha em propriagem.

propriaense ***Adj. 2 g.*** **1.** De, ou pertencente ou relativo a Propriá (SE). • ***S. 2 g.*** **2.** O natural ou habitante de Propriá.

propriagem ***S. f.*** *Chapel.* Trabalho que fazem os chapeleiros nos chapéus, depois de tintos.

propriamente [Do fem. de *próprio* + *-mente*.] ***Adv.*** De modo próprio ou exato; exatamente: *Não era propriamente bonito, mas charmoso.*

propriedade [Do lat. *proprietate*.] ***S. f.*** **1.** Qualidade de próprio. **2.** Qualidade especial; particularidade, caráter. **3.** Emprego apropriado de linguagem. **4.** Pertença ou direito legítimo. **5.** Prédio, fazenda, herdade. **6.** *Jur.* Direito de usar, gozar e dispor de bens, e de reavê-los do poder de quem quer que injustamente os possua. **7.** Bens sobre os quais se exerce este direito. ◆ **Propriedade aditiva.** *Fís.-Quím.* Propriedade de um sistema que é uma função linear do número de partículas que o constituem, e que não depende da interação entre estas. **Propriedade aditivo-constitutiva.** *Fís.-Quím.* Propriedade que depende linearmente do número de partículas constitutivas de um sistema e das interações entre essas partículas. **Propriedade coligativa.** *Fís.-Quím.* Num sistema, propriedade que só depende do número de algumas partículas idênticas que dele fazem parte, mas não depende da natureza dessas partículas. Ex.: a pressão osmótica em uma solução ideal. **Propriedade constitutiva.** *Fís.-Quím.* A que depende essencialmente, ou em grande parte, da estrutura dum sistema, *i. e.*, das interações e da disposição espacial das partículas constitutivas dele. **Propriedade extensiva.** *Fís.* A que é proporcional à massa de um sistema. **Propriedade intelectual.** Criação da mente humana, passível de comercialização, tendo o autor seu direito de propriedade protegido e garantido por lei. **Propriedade intensiva.** *Fís.* A que não depende da massa do sistema e lhe caracteriza o estado. **Propriedade limitada.** *Jur.* A que está sujeita a ônus reais, ou é resolúvel. **Propriedade nua.** *Jur.* A que é limitada por ônus reais. **Propriedade plena.** *Jur.* Aquela em que todos os direitos elementares a ela inerentes (posse, uso, gozo e disposição) se acham reunidos na pessoa do proprietário. **Propriedade resolúvel.** *Jur.* Aquela que está sujeita a ser revogada, ou destinada a extinguir-se, independentemente da vontade do proprietário. **Propriedades topológicas.** *Mat.* As que podem ser expressas pela noção de continuidade.

proprietariado [De *proprietário* + *-ado*[1].] ***S. m.*** **1.** Classe dos proprietários. **2.** A influência ou o predomínio dessa classe.

proprietário [Do lat. tard. *proprietariu*.] ***Adj. S. m.*** Que, ou aquele que tem a propriedade de alguma coisa, que é senhor de bens.

proprietista [Do lat. *propriet(ate)* + *-ista*.] ***Adj. 2 g.*** Que revela sentimento exacerbado de posse de bens materiais.

propriíssimo ***Adj.*** Superl. abs. sint. de *próprio*.

próprio [Do lat. *propriu*.] ***Adj.*** **1.** Que pertence a; pertencente: *Reside em casa própria.* [Equivalente ao possessivo: *meu, teu, seu, nosso, vosso*.] **2.** Peculiar, particular, natural: "O orgulho é próprio dos homens, a vaidade das mulheres." (Marquês de Maricá, *Máximas, Pensamentos e Reflexões*, p. 31.) **3.** Adequado, apropriado: *Gosto de estudar no livro próprio.* **4.** Oportuno, conveniente: *Chegou em hora própria.* **5.** Idêntico, exato. **6.** Exato, certo; preciso: *Chegaram na própria hora combinada.* **7.** Textual (3): *Repeti suas próprias palavras.* **8.** Verdadeiro, autêntico: *Nem o próprio Deus me demoveria.* **9.** Não figurado; primitivo: *Usei a palavra em seu sentido próprio.* [Superl. abs. sint.: *propriíssimo*.] ~ V. *divisor —, frequência —a, função —a, mão —a, movimento —, nome —, oscilação —a, peso —, substantivo —, tempo —* e *valor —*. • ***S. m.*** **10.** Qualidade ou feição especial. **11.** Portador ou mensageiro: "Nesse mesmo dia Joaquim Ribeiro despachou um próprio com um bilhete a Roberto" (Bernardo Guimarães, *História e Tradições da Província de Minas Gerais*, p. 122). **12.** *Lit. Obsol.* Até o Concílio Vaticano II (1962-1965), cada uma das partes variáveis da missa (1) [introito, gradual, aleluia, trato (eventualmente, sequência), ofertório, comunhão], cujos textos lidos, recitados ou cantados, mudam de acordo com as sucessivas divisões do ano litúrgico ou com as festas dos santos. [V. *ano litúrgico*.] **13.** *Lóg.* Um dos predicáveis (q. v.): característica que não faz parte da essência de uma coisa, mas só a ela pode ser atribuída. Ex.: ser geômetra, com relação a homem. ◆ **Próprios nacionais.** Bens próprios da nação ou do Estado.

proprioceptivo [Do ingl. *proprioceptive*, t. criado pelo fisiologista inglês Sir Charles S. Shenington (1857-1952).] ***Adj.*** *Fisiol. Neur.* **1.** Relativo a proprioceptor. **2.** Capaz de receber estímulos originados no interior do próprio organismo.

proprioceptor (ô) [Do ingl. *proprioceptor*.] ***S. m.*** *Fisiol. Neur.* Cada terminação nervosa sensorial que informa sobre movimento e posição corporal. [Os proprioceptores estão situados, principalmente, em músculos, tendões e labirinto (6).]

proptose [Do gr. *próptosis*, 'queda para a frente', pelo lat. tard. *proptose*.] ***S. f.*** *Med.* Deslocamento de órgão para diante.

propugnáculo [Do lat. *propugnaculu*.] ***S. m.*** **1.** Lugar de defesa; baluarte, fortaleza. **2.** *Fig.* V. *sustentáculo*.

propugnador (ô) [Do lat. *propugnatore*.] ***Adj. S. m.*** Que, ou aquele que propugna.

propugnar [Do lat. *propugnare*.] ***V. t. d.*** **1.** Defender, combatendo: *A Inquisição pretendia propugnar a fé cristã*; "Propugnava ele [Alexandre Herculano], como revisor do código civil, a sua obra, quando lhe opuseram o código penal." (Rui Barbosa, *Réplica*, p. 45). ***T. i.*** **2.** Sustentar luta, moral ou física; lutar: "Propugnava [Luís Gama], ousadamente, pela abolição completa, imediata e incondicional do elemento servil." (Lúcio de Mendonça, *Caricaturas Instantâneas*, p. 152.)

propulsante [De *propulsar* + *nte*.] ***Adj. 2 g.*** V. *propulsor*.

propulsão [Do lat. *propulsus*, 'impelido', part. pass. do v. lat. *propellere* (v. *propelir*), + *-ão*[3].] ***S. f.*** **1.** Ato ou efeito de propulsar. **2.** O mecanismo ou sistema propulsor. ◆ **Propulsão a jato.** *Aer.* A propulsão de um corpo, provocada pela ejeção, em alta velocidade, de um fluido através de um bocal apropriado, orientado em sentido oposto ao do movimento do corpo, e que é originada pela conservação da quantidade de movimento. [Exemplo de propulsão a jato é a dos foguetes de S. João.] **Propulsão solar.** *Astron.* Utilização da pressão de radiação do Sol para o deslocamento de um veículo espacial.

propulsar [Do lat. *propulsare*, freq. do v. lat. *propellere* (v. *propelir*).] ***V. t. d.*** **1.** Impelir para diante; repelir, rechaçar, repulsar, propelir: *Os combatentes propulsaram o exército agressor.* **2.** Dar impulso enérgico a: *Os mecenas propulsaram a cultura renascentista.* [Sin. ger.: *propulsionar*.]

propulsionar [De *propulsão* + *-ar*[2], seg. o padrão erudito.] ***V. t. d.*** V. *propulsar*.

propulsivo [Do lat. *propulsus*, part. pass. de *propellere*, 'propelir', + *-ivo*.] ***Adj.*** Propulsor (1).

propulsor (ô) [Do lat. tard. *propulsore*.] ***Adj.*** **1.** Que propulsa; propulsivo, propulsante. • ***S. m.*** **2.** O que produz propulsão. **3.** Qualquer mecanismo ou engenho que transmite movimento a certos maquinismos. **4.** *Fot.* V. *disparador* (5). **5.** *Constr. Nav.* O hélice da embarcação.

proquestor (ô) [Do lat. *proquaestore*.] ***S. m.*** Aquele que era enviado para uma província romana a fim de aí exercer as funções de questor; substituto do questor.

proquestura [De *proquest-*, como em *proquestor*, + *-ura*.] ***S. f.*** Cargo ou dignidade de proquestor.

proquilodontídeo [Do tax. *Prochilodontidae*.] *Zool.* ***S. m.*** **1.** Espécime dos proquilodontídeos, família de peixes caraciformes da América do Sul, de tamanho médio a grande e que se caracterizam pelos lábios carnudos. • ***Adj.*** **2.** Pertencente ou relativo a eles.

proquiral [De *pro-* + *quiral*.] ***Adj. 2 g.*** *Quím.* Diz-se de grupo ou molécula aquiral que, mediante reação, real ou imaginada, de substituição ou adição, pode converter-se em quiral.

➔ **pro rata** [pro 'r̄ata] [Lat., 'em proporção'.] ***Adj.*** **1.** Proporcional: *A taxa de juros diária corresponde à distribuição pro rata da taxa mensal.* • ***Adv.*** **2.** De forma proporcional (diz-se de divisão ou rateio): "Seria necessário corrigir pro rata os acréscimos e baixas registradas durante o exercício." (Mário Henrique Simonsen, *30 Anos de Indexação*, p. 48.)

pró-reitor (ô) ***S. m.*** Sub-reitor.

prorrogabilidade [De *prorrogável* + *-(i)dade*, seg. o padrão erudito.] ***S. f.*** Qualidade de prorrogável.

prorrogação [Do lat. *prorogatione*.] ***S. f.*** **1.** Ato ou efeito de prorrogar. **2.** Dilação ou adiamento de prazo ou de tempo. **3.** *Basq.* Tempo extra obrigatório com a duração de cinco minutos sempre que uma partida termina empatada. [Tb. se usa o ingl. *over-time*.] **4.** *Fut.* Tempo extra, variável segundo o entendimento do árbitro, para recuperação do tempo perdido com interrupções (substituições, avaliação ou transporte de jogador lesionado, etc.), que pode ser ou não aplicado pelo juiz ao final de cada um dos períodos de 45 minutos de jogo. **5.** *Fut.* Em jogos eliminatórios e finais de competições, tempo extra, obrigatório, de duas etapas de 15 minutos, para desempatar uma partida.

prorrogar [Do lat. *prorogare*.] ***V. t. d.*** **1.** Alongar, dilatar (um prazo estabelecido), protrair: *O Governo prorrogou o prazo para pagamento do imposto.* **2.** Fazer durar além do prazo estabelecido; estender, ampliar; prolongar: *A medicina preventiva prorroga a vida.* **3.** Fazer continuar em exercício; adiar o término de: *O decreto prorrogou os mandatos dos deputados.* [Conjug.: v. *largar*.]

prorrogativo [Do lat. *prorogativu*.] ***Adj.*** Que prorroga ou serve para prorrogar.

prorrogável [De *prorrogar* + *-vel*.] ***Adj. 2 g.*** Que se pode prorrogar.

prorromper [Do lat. *prorumpere*.] ***V. t. i.*** **1.** Sair ou irromper impetuosamente; romper: "E Tertuliano, prorrompendo em soluços, abraçou-se .... ao Doutor Claudino." (Artur Azevedo, *Contos fora da Moda*, p. 14.) ***Int.*** **2.** Manifestar-se de repente: *Prorrompem inesperados aplausos.*

▲ **pros-** [Do gr. *prós*.] ***Pref.*** = 'junto de'; 'na direção de'; 'para': *prosênquima, prosônimo*.

prosa [Do lat. *prosa* (*oratione*), 'discurso que vai em linha reta até o fim', ao contrário do que se dá com o verso, que volta quando completo.] ***S. f.*** **1.** A maneira natural de falar ou de escrever, sem forma retórica ou métrica, por oposição ao verso. **2.** *Fig.* Aquilo que é vulgar, trivial, positivo ou material. **3.** *Fam.* Astúcia, manha, lábia; conversa fiada: "Eu estimo vosmecês mesmo, não é prosa, estimo!" (Coelho Neto, *Turbilhão*, p. 68.) **4.** *Lit.* V. *sequência* (9). **5.** Conversa, palestra. **6.** *Bras. Prov. port. Pop.* V. *fanfarrice* (2). **7.** *Bras. N. Pop.* V. *namoro* (1). • ***S. 2 g.*** **8.** Indivíduo pedante, cheio de si. **9.** *Bras.* Indivíduo loquaz, conversador; proseador. **10.** *Bras.* V. *fanfarrão* (2). • ***Adj. 2 g.*** **11.** Diz-se de quem é prosa (8 a 10). ◆ **Perder a prosa.** *Bras.* V. *perder a graça*.

prosador (ô) [De *prosar* + *-dor*.] ***S. m.*** Aquele que escreve em prosa: "bem mais fecundo [do que Coelho Neto] foi Camilo Castelo Branco, o que não o impediu de ser o maior prosador de língua portuguesa" (Fausto Cunha, *Situações da Ficção Brasileira*, p. 146). [Sin.: *prosista* e (bras., p. us.) *prosaísta*.]

prosaico [Do lat. tard. *prosaicu*.] ***Adj.*** **1.** Da, ou semelhante à prosa. **2.** Relativo a prosa, prosista, prosístico. **3.** Sem grandeza ou elevação; trivial, comum, vulgar: "No poema de Iriarte só a forma é poética porque o fundo, prosaico e limitado, lhe imprime os caracteres de um verdadeiro tratado musical." (Latino Coelho, *Cervantes*, p. 227.) **4.** De caráter prático; positivo.

prosaísmo [De *prosa(ico)* + *-ismo*.] ***S. m.*** **1.** Qualidade ou caráter de prosaico. **2.** Expressão ou construção prosaica: *Seus poemas estão cheios de prosaísmos.* 3. Falta de poesia nos versos.

prosaísta [De *prosa* + *-ista*.] *S. 2 g. Bras. P. us.* V. *prosador*.

prosápia [Do lat. *prosapia*.] *S. f.* 1. Progênie, raça, linhagem, ascendência: "Os olindenses olhavam para eles [os comerciantes do Recife] com toda a soberania de sua prosápia e de seus postos, desdenhosamente chamavam-nos mascates" (Capistrano de Abreu, *Capítulos de História Colonial*, p. 253). 2. V. *fanfarrice* (2): "Havia tanta prosápia britânica em conceber um tal Império, como em o condenar, e em dizer, com um ar de nobre renunciamento: 'Não nos convém a responsabilidade de governar o mundo!'" (Eça de Queirós, *Cartas de Inglaterra*, p. 112.) 3. Altivez, orgulho, soberba.

prosar [De *prosa* + *-ar*[2].] *V. int.* 1. Escrever em prosa. 2. *Bras.* Conversar fiado; conversar, bater papo, papear, prosear: *Gosta muito de prosar*; "O certo é que o víamos sempre a prosar com ela, quando .... meu Pai também ia visitá-la." (Ciro dos Anjos, *Explorações no Tempo*, p. 43).

proscênio [Do gr. *proskénion*, pelo lat. *proscaeniu*.] *S. m.* 1. Nos antigos teatros gregos e romanos, e também no teatro elisabetano e demais palcos antigos, o espaço de maior dimensão compreendido entre a cena e a orquestra (ou a plateia), e onde se verificava a maior parte da ação dramática. 2. A parte anterior do palco italiano (q. v.), de menor dimensão, que vai do pano de boca até o limite com a orquestra ou a plateia: "Fundo branco em geral, nos tectos e caixas dos camarotes, e fundo azul-celeste nas pilastras do arco do proscênio" (João Francisco Lisboa, *Obras*, IV, p. 603). 3. *P. ext.* Palco, cena. [Sin. ger.: *antecena*.]

proscopiídeo [Adapt. do tax. *Proscopiidae*.] *Zool. S. m.* 1. Espécime dos proscopiídeos, família de insetos ortópteros, caracterizados pela cabeça muito alongada e aspecto muito semelhante ao dos fasmídeos. Ex.: o bicho-pau. ● *Adj.* 2. Pertencente ou relativo a eles.

proscrever [Do lat. *proscribere*, 'anunciar por escrito'. Os editais de degredo eram escritos em tábuas que se afixavam em lugares públicos.] *V. t. d.* 1. Condenar a degredo por voto escrito ou por sentença; desterrar; expulsar: *A Assembleia de Atenas proscreveu muitos cidadãos*; "Enfrentando rancores, não fugindo a represálias, nem hesitando em face do castigo a aplicar, Pombal destituiu, proscreveu e até perseguiu dois outros ministros seus colegas no governo." (Costa Rego, *Águas Passadas*, p. 63). 2. Pôr fora de uso; abolir, suprimir: *O Governador promete proscrever os vícios da máquina burocrática*; "O brâmane anula Deus e proscreve as lendas arianas, conservando apenas do seu fervor religioso o ascetismo, de que se inspira a sua mais audaz sabedoria." (Latino Coelho, *A Oração da Coroa*, p. LXXXVIII). 3. Ordenar que não se faça; proibir, condenar: *As leis de Deus e dos homens proscrevem e punem o assassinato. T. d. e c.* 4. Condenar a degredo; desterrar, banir: *A República proscreveu do Brasil a família real.* 5. Fazer sair; afastar, expulsar: *A diretoria proscreveu do clube os sócios indesejáveis.* [Part.: *proscrito*. Cf. *prescrever*.]

proscrição [Do lat. *proscriptione*.] *S. f.* 1. Ação ou efeito de proscrever. 2. Desterro, banimento. [Cf. *prescrição*.]

proscrito [Do lat. *proscriptu*.] *Adj.* 1. Que se proscreveu. ● *S. m.* 2. Aquele que foi desterrado; emigrado: "Como a um grilheta, a um mísero proscrito, / Ela [a Morte] te arranca os ferros, sobre-humana." (Martins Fontes, *Nos Jardins de Augusto Comte*, p. 179.) [Cf. *prescrito*.]

proscritor (ô) [Do lat. *proscriptore*.] *Adj. S. m.* Que, ou aquele que proscreve.

proseador (ô) [De *prosear* + *-dor*.] *Adj. S. m. Bras.* Conversador, palrador, prosa.

prosear [De *prosa* (5) + *-ear*[2].] *V. int. Bras.* 1. Falar muito; conversar fiado; bater papo; tagarelar, papear, conversar, prosar: *Muito faladeira, proseia mais do que trabalha.* "— Hoje não dá mais tempo de nada. Vamos comer alguma coisa, prosear e dormir." (Amadeu de Queirós, *João*, p. 17). 2. Vangloriar-se, gabar-se, jactar-se, blasonar-se: *Proseia muito e nada faz.* 3. Andar em galanteios; namorar. [Conjug.: v. *frear*.]

proselitismo [De *prosélito* + *-ismo*.] *S. m.* 1. Atividade diligente em fazer prosélitos. 2. O conjunto de prosélitos.

prosélito [Do gr. *prosélytos*, 'aquele que se aproxima', pelo lat. tard. *proselytu*.] *S. m.* 1. Pagão que abraçou o judaísmo. 2. Indivíduo que abraçou religião diferente da sua. 3. *P. ext.* Indivíduo convertido a uma doutrina, ideia ou sistema; sectário, adepto, partidário.

prosencéfalo [De *pros-* + *encéfalo*.] *S. m. Embr.* A mais anterior das vesículas encefálicas primitivas e que irá dividir-se em telencéfalo e diencéfalo.

prosênquima [De *pros-* + *-ênquima*.] *S. m. Bot.* Tecido vegetal constituído de células alongadas, com extremidades agudas.

prosenquimatoso (ô) [De *pros-* + *-enquimat(o)-* + *-oso*.] *Adj. Bot.* Relativo ao prosênquima, ou às suas células.

prosificado [Part. de *prosificar*.] *Adj.* Posto em prosa.

prosificar [De *prosa* + *-ificar*.] *V. t. d.* Transformar em prosa (1): "O modernismo vinha prosificar a poesia, e pregar, sistematicamente, a abolição dos limites entre prosa e poesia." (Alceu Amoroso Lima, *Quadro Sintético da Literatura Brasileira*, p. 128.)

prosista [De *prosa* + *-ista*.] *S. 2 g.* 1. V. *prosador*. 2. *Bras.* Aquele que conta lorotas; gracejador, palrador. ● *Adj. 2 g.* 3. V. *prosaico* (2). 4. Que conta lorotas; gracejador, palrador.

prosístico [De *prosista* (3) + *-ico*[2].] *Adj.* V. *prosaico* (2): "Seria inexato porém, mesmo na música programática, afirmar que a lógica nova derivava de um narrativo prosístico" (Mário de Andrade, *O Baile das Quatro Artes*, p. 44).

➔ **proskénion** [pros'kenɔn] [Gr.] *S. m. Teatr.* V. *orquestra* (8).

▲ **pros(o)-** V. *prosop(o)-*.

prosobranquiado [De *pros(o)-* + *-branqui(o)-* + *-ado*[1].] *Adj. S. m. Zool.* Diz-se de, ou molusco cujas brânquias estão situadas à frente do coração. São gastrópodes, com concha típica, quase todos marinhos, e de sexos separados. Alguns conseguiram atingir as águas doces; outros, a terra.

prosobrânquio [De *pros(o)-* + *-brânquio*; tax. *Prosobranchia*.] *S. m. Adj. Zool.* V. *estreptoneuro*.

pró-socialista [De *pró-* + *socialista*.] *Adj. 2 g. S. 2 g.* Que, ou quem é favorável ao socialismo.

prosódia [Do gr. *prosoidía*, 'acento que se põe sobre as vogais', pelo lat. *prosodia*.] *S. f. E. Ling.* 1. A variação na altura, intensidade, tom, duração e ritmo da fala. 2. O estudo dessas variações. 3. O estudo da pronúncia correta das palavras; ortoepia. ◆ **Prosódia musical.** *Mús.* Ajuste das palavras à música e vice-versa, a fim de que o encadeamento e a sucessão das sílabas fortes e fracas coincidam, respectivamente, com os tempos fortes e fracos dos compassos.

prosódico [Do gr. *prosodikós*.] *Adj.* Relativo à prosódia.

prosonímia [De *prosônimo* + *-ia*[1].] *S. f.* Emprego de prosônimos.

prosonímico [De *prosonímia* + *-ico*[2].] *Adj.* Relativo à prosonímia.

prosónimo *S. m.* V. *prosônimo*. [Uso freq. em P.]

prosônimo [De *pros-* + *-ônimo*.] *S. m.* Cognome, alcunha, apodo.

prosonomásia [Do gr. *prosonomasía*, 'sobrenome'.] *S. f. E. Ling.* Figura baseada na semelhança das vozes.

prosopalgia [De *prosop(o)-* + *-alg(o)-*[2] + *-ia*[1].] *S. f. Med.* Dor na face.

prosopálgico [De *prosopalgia* + *-ico*[2].] *Adj.* Relativo a prosopalgia.

prosópis [Do tax. *Prosopis*.] *S. f. 2 n. Bot.* 1. Gênero de árvores mimosáceas que reúne 44 espécies nativas de regiões tropicais das Américas, S.O. da Ásia, e África. 2. Qualquer espécie desse gênero, como, p. ex., a *Prosopis juliflora* [v. *algarobeira* (2)]. 3. Qualquer espécime desse gênero.

prosoplegia [De *pros(o)-* + *-pleg-* + *-ia*[1].] *S. f. Neur.* V. *prosopoplegia*.

prosoplégico [De *prosoplegia* + *-ico*[2].] *Adj.* V. *prosopoplégico*.

▲ **prosop(o)-** [Do gr. *prósōpo-* < gr. *prósōpon, ou*.] *El. comp.* = 'face', 'rosto': *prosopalgia*, *prosopografia*. [Equiv.: *pros(o)-* (f. red.), *-prosop(o)-*, *-prosopo*: *prosoplegia*; *aprosopia*; *leptoprosopo*.]

▲ **-prosop(o)-** V. *prosop(o)-*.

▲ **-prosopo** V. *prosop(o)-*.

prosopografia [De *prosop(o)-* + *-grafia*.] *S. f.* 1. Descrição das feições do rosto. 2. Esboço de uma figura.

prosopográfico [De *prosopografia* + *-ico*[2].] *Adj.* Referente a prosopografia.

prosopopeia (éi) [Do gr. *prosopopoiía*, 'personificação', pelo lat. *prosopopoeia*.] *S. f.* 1. *E. Ling.* Figura pela qual se dá vida e, pois, ação, movimento e voz, a coisas inanimadas, e se empresta voz a pessoas ausentes ou mortas e a animais; personificação, metagoge. 2. *Fig.* Discurso empolado ou veemente. 3. *Bras. N.E. Pop.* Entono, vaidade. ❖

prosopoplegia [De *prosop(o)-* + *-pleg-* + *-ia*[1].] *S. f. Neur.* Paralisia facial. [F. paral.: *prosoplegia*.]

prosopoplégico [De *prosopoplegia* + *-ico*[2].] *Adj. Neur.* Relativo a prosopoplegia. [F. paral.: *prosoplégico*.]

prospecção [Do ingl. *prospection*.] *S. f.* Método e/ou técnica empregada para localizar e calcular o valor econômico das jazidas minerais. ◆ **Prospecção geotécnica.** *Constr.* Conjunto de operações destinadas a determinar a natureza, a disposição, os acidentes e outras características de um terreno em que se vai realizar uma obra.

➔ **prospect** ['pɹaspekt] [Ingl.] *S. m. Market.* Consumidor potencial de um produto ou serviço, de alguma forma já identificado. [Cf. *público-alvo* e *suspect*.]

prospectar [Do lat. *prospectare*.] *V. t. d.* Calcular o valor econômico de (jazida mineral), mediante prospecção. [Var.: *prospetar*.]

prospectivamente [De f. de *prospectivo* + *-mente*.] *Adv.* De maneira prospectiva. [Var.: *prospetivamente*.]

prospectivismo [De *prospectivo* + *-ismo*.] *S. m.* V. *perspectivismo*.

prospectivista [De *prospectivo* + *-ista*.] *Adj. S. m.* V. *perspectivista* (2): "Pelo ideal ou morfologia da ciência, pela atitude comentarista, pela concepção retrospectivista (que não prospectivista) do saber, os nossos mestres da Universidade do século XVI .... não se integram na modernidade." (Sílvio Lima, *Ensaio sobre a Essência do Ensaio*, p. 145.)

prospectivo [Do lat. tard. *prospectivu*.] *Adj.* 1. Que faz ver adiante, ou ao longe. 2. Concernente ao futuro: *crítica prospectiva; visão prospectiva.* [Var.: *prospetivo*.]

prospecto [Do lat. *prospectu*.] *S. m.* 1. Ato de ver de frente. 2. Aspecto, vista. 3. Pequeno impresso, em geral com ilustrações, e estampado em folha única, às vezes dobrada em sanfona (*prospecto desdobrável*), no qual se anuncia ou faz propaganda de qualquer coisa, ou que acompanha um aparelho ou produto, com instruções a respeito do uso. 4. *Bibliogr.* Impresso com que se anuncia a publicação de um livro, e que se constitui, ger., de espécimes das respectivas páginas e estampas. ◆ **Prospecto desdobrável.** V. *prospecto* (3).

prospector (ô) [Do ingl. *prospector*.] *S. m.* Indivíduo que conhece e indica terrenos metalíferos. [Var.: *prospetor*.]

prosperamente [Do f. de *próspero* + *-mente*.] *Adv.* De modo próspero; propiciamente, favoravelmente: "Porém já cinco sóis eram passados / Que dali nos partíramos, cortando / Os mares nunca doutrem navegados, / Prosperamente os ventos assoprando" (Luís de Camões, *Os Lusíadas*, V, 37).

prosperar [Do lat. *prosperare*.] *V. int.* 1. Tornar-se próspero ou afortunado; ter fortuna favorável; enriquecer: *Por sua boa visão de negócios, o industrial prosperou.* 2. Ir em aumento; aumentar pouco a pouco; progredir: *Os lucros continuam prosperando.* 3. Desenvolver-se, adiantar-se, medrar: *No Renascimento prosperaram e rebrilharam as artes.* 4. Dar bom resultado; melhorar, desenvolver-se: *A indústria prospera a olhos vistos. T. i.* 5. Correr bem; ser favorável: *Prosperando-lhe a sorte, alcançará seu objetivo.* 6. Favorecer o progresso, o desenvolvimento: *A nova política econômica prosperou ao comércio. T. d.* 7. Tornar próspero; melhorar: *Não raro o trabalho prospera a vida.* 8. Fazer ir em aumento; fazer progredir: *Os negócios prosperam o capital. P.* 9. Tornar-se próspero; progredir, desenvolver-se: *O país prosperou-se com a nova política econômica.* [Pres. ind.: *prospero*, etc. Cf. *próspero*, adj. e s. m., e o antr. *Próspero*.]

prosperidade [Do lat. *prosperitate*.] *S. f.* 1. Qualidade ou estado de próspero. 2. Situação próspera.

prospérissimo *Adj.* Superl. abs. sint. de *próspero*; prospérrimo.

próspero [Do lat. *prosperu*.] *Adj.* 1. Propício, favorável: *viajar com ventos prósperos.* 2. Ditoso, feliz, venturoso. 3. Bem-sucedido; afortunado: *empreendimento próspero.* [Superl. abs. sint.: *prospérrimo* e *prosperíssimo*.] ● *S. m.* 4. Prosperidade. [Cf. *prospero*, do v. *prosperar*.]

prospérrimo [Do lat. *prosperrimu*.] *Adj.* Superl. abs. sint. de *próspero*; prosperíssimo: "E a terra a cada passo / Eu a via prospérrima a sorrir-me, / Com uma flor nova e um fruto no regaço!" (Alberto de Oliveira, *Poesias*, 3.ª série, p. 283.)

prospetar *V. t. d.* V. *prospectar*.

prospetivamente *Adv.* V. *prospectivamente*.

prospetivo *Adj.* V. *prospectivo*.

prospeto *S. m.* V. *prospecto*.

prospetor (ô) *S. m.* V. *prospector*.

prossaurópode [Adapt. do tax. *Prosauropoda*.] *Paleont. S. m.* 1. Espécime dos prossaurópodes, infraordem que reúne dinossauros saurísquios de grande porte e de médio porte, e que surgiram no triásico superior e início do jurássico; os vestígios encontrados, que não são muitos, demonstram que eram formas evoluídas de ancestrais bípedes. São prossaurópodes, p. ex., os melanossauros e os vulcanodontes. ● *Adj. 2 g.* 2. Pertencente ou relativo a eles.

prossecução [Do lat. tard. *prosecutione*.] *S. f.* V. *prosseguimento*.

prosseguição [De *prosseguir* + *-ção*.] *S. f.* V. *prosseguimento*.

prosseguidor (ô) [De *prosseguir* + *-dor*.] *Adj. S. m.* Que, ou aquele que prossegue.

prosseguimento [De *prosseguir* + *-mento*.] *S. m.* Ato ou efeito de prosseguir; prossecução, prosseguição, continuação.

P

prosseguinte [De *prosseguir* + *-nte*.] ***Adj. 2 g.*** Subsequente; seguinte: "Seu Quinzinho fez! Seu Quinzinho aconteceu! E só nele se falou nessa noite e nos dias prosseguintes." (Albertino Moreira, *Boca-Pio*, pp. 50-51.)

prosseguir [Do lat. **prosequere*, por *prosequi*.] ***V. t. d.*** **1.** Fazer seguir; dar seguimento a; continuar: *A manhã prosseguirão o trabalho;* "O escrivão, entretanto, prosseguia a sua leitura, enchendo a sala do ruído monótono da sua voz rouquenha." (José Veríssimo, *Cenas da Vida Amazônica*, p. 140). **2.** Falar ou dizer em seguida: *Depois de afirmar que desejava muitas coisas para os seus, prosseguiu: — Para mim nada quero.* **3.** Continuar por (um caminho); seguir: *Os romeiros prosseguiram a estrada.* **4.** Continuar a improvisar ou a ler: *O orador, depois dos aplausos, prosseguiu o discurso.* ***T. i.*** **5.** Continuar a falar, a proceder, etc.: "O passageiro prossegue na leitura ou na conversação interrompida, se não vai simplesmente pensando na instabilidade das cousas desta vida." (Machado de Assis, *A Semana*, II, p. 174.) ***Int.*** **6.** Ir por diante; seguir avante. [Irreg. Conjug.: v. *seguir*.]

prossilogismo [Do lat. med. *prosyllogismu* < gr. *prosyllogismós*.] ***S. m. Lóg.*** Em um polissilogismo (q. v.), o silogismo cuja conclusão passa a ser a premissa de um outro silogismo.

prossímio [De *pro-*¹ + *símio*; tax. *Prosimii*.] *Zool.* ***S. m.*** **1.** Espécime dos prossímios, grupo de metazoários, cordados, mamíferos, eutérios, primatas, representados pelos lemuroides e tarsioides. Têm o segundo dedo dos membros posteriores com unha em forma de garra e polegar e hálux sempre bem desenvolvidos. São noturnos e arborícolas. • ***Adj.*** **2.** Pertencente ou relativo a eles.

prossoma [De *pro-*¹ + *-soma*; lat. cient. *prosoma*.] ***S. m.*** *Zool.* Cefalotórax.

prostaférese [Do gr. *prósthen*, 'adiante', + gr. *aphaíresis*, 'subtração'.] ***S. f.*** *Astr.* Diferença entre o movimento real e o movimento médio dum planeta.

prostaferético [De *prostafér(ese)* + *-ético*.] ***Adj.*** Referente à prostaférese.

prostaglandina [Do ingl. *prostaglandin* < ingl. *prostate gland*, 'próstata', + ingl. *-in* (v. *-ina*³).] ***S. f.*** *Bioquím.* Qualquer de certos ácidos graxos, derivados do ácido araquidônico, presentes no sêmen e no cérebro, e que têm ações fisiológicas variadas e intensas.

próstase [Do gr. *próstasis*, 'autoridade de chefe'.] ***S. f.*** *Hist. Med.* Predomínio de um humor (2) sobre outro.

próstata [Do gr. *prostátes*, 'que está adiante' (subentende-se *dos testículos*).] ***S. f.*** *Anat.* Glândula própria do sexo masculino, e que circunda o colo vesical e parte da uretra.

prostatalgia [De *próstata* + *-alg(o)-*² + *-ia*¹.] ***S. f.*** *Urol.* Dor na próstata.

prostatálgico [De *prostatalgia* + *-ico*².] ***Adj.*** *Urol.* Relativo a prostatalgia.

prostatectomia [De *próstata* + *-ectom-* + *-ia*¹.] ***S. f.*** *Urol.* Ablação da próstata, em extensão variável.

prostatectómico ***Adj.*** *Urol.* V. *prostatectômico*. [Uso freq. em P.]

prostatectômico [De *prostatectomia* + *-ico*².] ***Adj.*** *Urol.* Relativo a prostatectomia.

prostático [De *próstata* + *-ico*².] ***Adj.*** **1.** Relativo ou pertencente à, ou que sofre da próstata. ~ V. *líquido* —. • ***S. m.*** **2.** Aquele que sofre da próstata.

prostatite [De *próstata* + *-ite*¹.] ***S. f.*** *Urol.* Inflamação na próstata.

prostatítico [De *prostatite* + *-ico*².] ***Adj.*** *Urol.* Relativo a prostatite.

prostatotomia [De *próstata* + *-tom(o)-* + *-ia*¹.] ***S. f.*** *Urol.* Incisão na próstata.

prostatotómico ***Adj.*** *Urol.* V. *prostatotômico*. [Uso freq. em P.]

prostatotômico [De *prostatotomia* + *-ico*².] ***Adj.*** *Urol.* Relativo a prostatotomia.

prosternação [De *prosternar* + *-ção*.] ***S. f.*** Ato ou efeito de prosternar(-se); prosternamento.

prosternamento [De *prosternar* + *-mento*.] ***S. m.*** Prosternação.

prosternar [Do lat. *prosternare*.] ***V. t. d.*** **1.** Deitar por terra; prostrar: *prosternar os poderosos.* **2.** Deitar por terra em sinal de respeito ou admiração: *Os fiéis prosternaram os corpos, reverentes.* **3.** Abater, dominar, subjugar: *As cruzadas tentaram prosternar os infiéis.* ***P.*** **4.** Curvar-se até ao chão; procumbir: *Os vassalos prosternaram-se ante o rei;* "Segues, em triunfo, e tombo ao luar dos teus olhares, / Como um padre sem fé que, abjurando os altares, / De joelhos se prosterne ante um ídolo pagão!" (Alphonsus de Guimaraens, *Obra Completa*, p. 298). **5.** Mostrar humilde respeito: *O crente prosternou-se diante da visão.*

prosterno [De *pro-*¹ + *-sterno*.] ***S. m.*** *Zool.* Lâmina ventral de protórax.

próstese [Do gr. *prósthesis*, pelo lat. tard. *prosthese*.] ***S. f.*** **1.** *Cir.* V. *prótese* (1 e 2). **2.** *E. Ling. Desus.* V. *prótese* (3).

prostético [Do gr. *prosthetikós*, 'que traz'; 'que ajuda'.] ***Adj.*** Protético (2). V. *grupo* —.

prostibular [De *prostíbulo* + *-ar*¹.] ***Adj. 2 g.*** Relativo a, ou próprio de prostíbulo.

prostibulário [De *prostíbulo* + *-ário*.] ***S. m.*** Frequentador de prostíbulos.

prostíbulo [Do lat. *prostibulu*.] ***S. m.*** Lugar de prostituição. [Sin.: *alcouce, bordel, covil, curro, harém, lupanar, serralho, putaria, puteiro, putedo, açougue;* (bras.) *castelo, conventilho* e (lus.) *casa de passe*. Cf. *casa de tolerância*.]

prostilo [Do gr. *próstylon*, pelo lat. *prostylon*.] ***S. m.*** **1.** Fachada de um templo, com ornamentação de colunas. **2.** Templo ou edifício com uma só ordem de colunas na parte anterior.

prostituição (u-i) [Do lat. tard. *prostitutione*.] ***S. f.*** **1.** Ato ou efeito de prostituir(-se). **2.** Comércio habitual ou profissional de atividade sexual. **3.** O conjunto das prostitutas. **4.** A vida das prostitutas. **5.** *P. ext.* Vida desregrada. **6.** Profanação, aviltamento.

prostituído [Part. de *prostituir*.] ***Adj.*** V. *prostituto*.

prostituidor (u-i... ô) [Do lat. tard. *prostitutore*.] ***Adj.*** ***S. m.*** Que, ou aquele que prostitui.

prostituir [Do lat. *prostituere*, 'expor', 'pôr à venda'.] ***V. t. d.*** **1.** Iniciar na vida de prostituto; entregar à devassidão; desmoralizar, corromper. **2.** *Fig.* Tornar vil ou degradante; degradar, aviltar, desonrar: *prostituir a justiça.* ***T. d. e i.*** **3.** Entregar, para que se prostitua: *O miserável prostituiu a filha adotiva a um milionário.* **4.** Expor publicamente: *As dançarinas prostituem o corpo aos olhos dos fregueses do cabaré.* ***P.*** **5.** Tornar-se prostituto ou prostituta, ou exercer a prostituição (2). [Tb. us. deprec.]. **6.** *Deprec.* Produzir (o artista ou o cientista de capacidade) obra artística ou científica com o objetivo exclusivo de enriquecer, desprezando princípios, ideias, ou a qualidade do trabalho: *Muitos pintores de talento se prostituem, tornando-se verdadeiros comerciantes.* **7.** *Fig.* Desonrar-se, aviltar-se, praticando ações vergonhosas ou indecorosas; rebaixar-se: *A justiça não pode prostituir-se.* **8.** Deixar-se corromper por suborno de favores. [Conjug.: v. *atribuir*.]

prostituível [De *prostituir* + *-vel*.] ***Adj. 2 g.*** Que se pode prostituir.

prostituta [Do lat. *prostituta*.] ***S. f.*** Aquela que exerce a prostituição (2). [Tb. us. deprec.]

prostituto [Do lat. *prostitutu*.] ***Adj.*** ***S. m.*** **1.** Diz-se de, ou aquele que se prostituiu. **2.** Diz-se de, ou aquele que exerce a prostituição (2). **3.** *Fig.* Desonrado, aviltado. [Tb. us. deprec.]

próstoma [De *pro-*¹ + *-stoma*.] ***S. m.*** Pequeno orifício através do qual as formigas penetram no tronco das imbaúbas para aí estabelecerem uma colônia.

prostómio ***S. m.*** *Zool.* V. *prostômio*. [Uso freq. em P.]

prostômio [De *pro-*¹ + *-stom(o)-* + *-io*³.] ***S. m.*** *Zool.* Nos anelídeos e moluscos, porção de cabeça situada antes da boca.

prostração [Do lat. tard. *prostratione*.] ***S. f.*** **1.** Ação ou efeito de prostrar(-se). **2.** Grande debilidade, resultante de doença ou cansaço; enfraquecimento, abatimento.

prostrado [Part. de *prostrar*.] ***Adj.*** **1.** Lançado por terra; abatido, derribado. **2.** Desfalecido, enfraquecido. **3.** Abatido moralmente. **4.** *Bot.* Situado sobre o solo: *ramo prostrado.*

prostrador (ô) [Do lat. tard. *prostratore*.] ***Adj.*** ***S. m.*** Que, ou aquilo que prostra.

prostrar [Do lat. tard. *prostrare*.] ***V. t. d.*** **1.** Lançar por terra, abater, derribar, prosternar: *O lutador prostrou o adversário;* "Raios caíram com fragor enorme, prostrando cedros grandes, velhos de cem anos." (Inglês de Sousa, *Contos Amazônicos*, p. 84). **2.** Enfraquecer muito (física ou moralmente); extenuar: *A caminhada prostrou as tropas;* "E agora só lhes restava mendigarem, até que o frio, a fome, os prostrassem .... mortos" (Eça de Queirós, *Últimas Páginas*, p. 199). **3.** Dominar, submeter, subjugar: *Alexandre prostrou o Oriente;* "a alma só o procura [ao céu], só o contempla, quando a dor a prostra." (José de Alencar, *Til*, p. 18). ***P.*** **4.** Lançar-se de bruços no chão: *Os fiéis prostraram-se diante de Deus;* "A população gritava cheia de amor em volta de Lesseps, prostrando-se e beijando-lhe as mãos." (Eça de Queirós, *Notas Contemporâneas*, p. 25). **5.** Humilhar-se, abater-se, em sinal de reverência: *Milhões de súditos prostravam-se aos pés do grande rei persa.* **6.** Arquear-se, curvar-se: *Prostra-se o corpo com a velhice.*

protactínio ***S. m.*** *Quím.* Elemento de número atômico 91, da família dos actinídeos, metálico, de difícil obtenção sob forma pura, sem aplicações diretas [símb.: *Pa*].

protagonista [Do gr. *protagonistés*.] ***S. 2 g.*** **1.** O primeiro ator do drama grego. [Cf. *deuteragonista* e *tritagonista*.] **2.** *Teatr. Cin. Telev.* A personagem principal de uma peça teatral, de um filme, de um romance, etc. **3.** *Fig.* Pessoa que desempenha ou ocupa o primeiro lugar num acontecimento.

protagonizar [De *protagonista* + *-izar*, seg. o padrão erudito.] ***V. t. d.*** *Bras.* Ser protagonista (2) de (peça, filme, etc.).

protálico [De *prótalo* + *-ico*².] ***Adj.*** *Bot.* Relativo ou pertencente ao prótalo: *rizoide protálico.*

prótalo [De *pro-*¹ + *talo*.] ***S. m.*** *Bot.* Planta minúscula ou rudimentar que, nas pteridófitas, nasce do esporo. É o *gametófito*, porque nela surgem os órgãos sexuais feminino e masculino; leva vida livre, por ter clorofila e por absorver, pelos rizoides, a solução mineral do solo, e, após a fecundação, dá origem à planta normal, o *esporófito*.

protandria [De *prot(o)-* + *-andr(o)-* + *-ia*².] ***S. f.*** *Biol.* Tipo de hermafroditismo em que o desenvolvimento dos órgãos masculinos acontece antes do dos órgãos femininos.

protândrico [De *prot(o)-* + *-andr(o)-* + *-ico*².] ***Adj.*** *Bot.* Diz-se da dicogamia na qual os órgãos sexuais masculinos se desenvolvem inteiramente antes dos femininos.

protanopia [De *prot(o)-* + *-an-* + *-opia*¹.] ***S. f.*** *Oftalm.* Protanopsia.

protanopsia [De *prot(o)-* + *-an-* + *-opsia*.] ***S. f.*** *Oftalm.* Distúrbio de visão das cores caracterizado pela perda do mecanismo sensorial relativo ao vermelho e ao verde, e de seus derivados; protanopia.

protão ***S. m.*** *Lus. Fís. Nucl.* V. *próton*. [Pl.: *protões*.]

protargol [Do ingl. *Protargol*, marca registrada.] ***S. m.*** *Farm.* Medicamento em que se encontram combinados albumina e prata. [Pl.: *protargóis*.]

prótase [Do gr. *prótasis*, pelo lat. tard. *protase*.] ***S. f.*** **1.** *Teatr.* No antigo teatro grego, a primeira parte da ação dramática, na qual o argumento é anunciado e se inicia o seu desenvolvimento. [À prótase segue-se a *epítase* (q. v.) e a *catástase* (q. v.).] **2.** *P. ext.* Exposição do assunto de um drama. **3.** *E. Ling.* A primeira parte dum período gramatical. **4.** *E. Ling.* Oração subordinada condicional. [Cf. *apódose* e *prótese*.]

protásio-alvense ***Adj. 2 g.*** **1.** De, ou pertencente ou relativo a Protásio Alves (RS). • ***S. 2 g.*** **2.** O natural ou habitante de Protásio Alves. [Pl.: *protásio-alvenses*.]

protático [Do gr. *protatikós*, pelo lat. tard. *protaticu*.] ***Adj.*** Respeitante à prótase.

proteácea [Do tax. *Protea* + *-ácea*; tax. *Proteaceae*.] ***S. f.*** *Bot.* Espécime das proteáceas, família de plantas floríferas, da ordem das proteales, compostas de arbustos e árvores de folhas duras, flores hermafroditas ou unissexuais, com perigônio corolino, e androceu peculiarmente estruturado, sendo o fruto seco ou drupáceo. Há cerca de 1.200 espécies, a grande maioria da Austrália e África do Sul, tendo o Brasil algumas. As flores vistosas da grevílea (q. v.) são cultivadas nos jardins.

proteáceo [De *proteácea*, com var. suf. (v. *-áceo*).] ***Adj.*** *Bot.* Pertencente ou relativo às proteáceas.

proteal [Do lat. cient. *Prote-* (v. *proteale*) + *-al*¹.] ***Adj. 2 g.*** *Bot.* Pertencente ou relativo às proteales.

proteale [Do tax. *Protea* + *-ale*; tax. *Proteales*.] ***S. f.*** *Bot.* Espécime das proteales, ordem de plantas dicotiledôneas arquiclamídeas que compreende unicamente a família das proteáceas.

protease [De *prote(ína)* + *-ase*.] ***S. f.*** *Bioquím.* Qualquer de certas enzimas que catalisam a hidrólise de ligações peptídicas de proteínas.

protéase ***S. f.*** V. *protease*.

proteção [Do lat. *protectione*.] ***S. f.*** **1.** Ato ou efeito de proteger(-se). **2.** Abrigo, resguardo. **3.** Dedicação pessoal àquilo ou àquele que dela precisa. **4.** Auxílio, amparo. **5.** *Econ.* Privilégio ou favor concedido a um setor produtivo, especialmente sob a forma de restrições à importação de produtos concorrentes. **6.** *Fam.* Aquele ou aquilo que protege. **7.** Modos ou ares de protetor. **8.** Ato ou efeito de pôr, o Estado, um bem cultural (q. v.) ou um bem natural (q. v.) sob sua guarda, por intermédio, p. ex., do tombamento (q. v.): "Em todos os textos jurídicos, é o valor cultural atribuído ao bem que justifica seu reconhecimento como patrimônio e, consequentemente, sua proteção pelo Estado" (Maria Cecília Londres Fonseca, *O Patrimônio em Processo*, p. 32.) **9.** *Quím.* Qualquer reação química que provoca modificação previsível e, posteriormente, facilmente reversível num dos grupos funcionais de substância, de modo a torná-lo inerte. ◆ **Proteção ambiental.** Preservação dos atributos naturais de uma região de maneira associada às atividades humanas, promovendo a qualidade de vida, o bem-estar da população e o uso sustentável dos recursos naturais; preservação ambiental. **Proteção catódica.** *Eng. Ind.* Anulação ou redução da atividade corrosiva sobre um equipamento ao torná-lo catódico, seja pelo uso de ânodos de sacrifício, seja aplicando-lhe corrente externa. **Proteção**

contra cópia. *Inform.* Qualquer recurso introduzido em programa de computador para tentar impedir que se façam cópias funcionais dele próprio por meios convencionais. **Proteção contra gravação.** **1.** *Tec.* Dispositivo que, por meio mecânico, eletrônico, etc., impede a gravação de novas informações em fitas e discos magnéticos, ou em outros meios de armazenamento de dados. **2.** *Inform.* Procedimento ou recurso de programa computacional que impede que se façam modificações em um arquivo, definindo-o como disponível apenas para leitura.

protecionismo [Do fr. *protectionnisme.*] ***S. m. Econ.*** Prática ou doutrina de proteção aos produtores de um país ou região, em geral pela imposição de obstáculos à importação de produtos concorrentes, por meio de tarifas alfandegárias, etc. [Opõe-se a *livre--cambismo.*]

protecionista [Do fr. *protectionniste.*] ***Adj. 2 g.*** **1.** Relativo ao, ou que é partidário do protecionismo: "O documento [do FMI] critica a intenção do gabinete russo de pôr em marcha uma série de medidas protecionistas para estimular a indústria e sanear o quebrado sistema bancário" (*Jornal do Brasil*, 31.10.1998). ● ***S. 2 g.*** **2.** Partidário dele. [Opõe-se a *livre-cambista.*]

protegedor (ô) [De *proteger* + *-dor.*] ***Adj. S. m. P. us.*** V. *protetor.*

proteger [Do lat. *protegere.*] ***V. t. d.*** **1.** Dispensar proteção a; ajudar, auxiliar: *O orfanato protege as crianças desamparadas.* **2.** Tomar a defesa de; apoiar: *O magnata protegeu o seu candidato à Câmara.* **3.** Preservar do mal; defender; socorrer: *A polícia protege os habitantes da cidade.* **4.** Tratar de manter ou desenvolver; fomentar: *Novas leis protegem a indústria nacional.* **5.** Ter a seu cuidado os interesses de; favorecer; beneficiar: *As leis não podem proteger apenas parte dos habitantes.* ***T. d. e i.*** **6.** Resguardar, abrigar, amparar: *O alto muro protegia o jardim contra os olhares curiosos*; "Os rochedos protegem a pequena enseada dos ventos fortes." (James Amado, *Chamado do Mar*, p. 15); "Ao incluir o soneto na coletânea *Mes heures perdues*, Arvers [Félix Arvers] procurou resguardar ainda mais a pessoa amada, protegendo-a da maledicência" (Melo Nóbrega, *O Soneto de Arvers*, p. 44). ***P.*** **7.** Defender--se, resguardar-se: "As famílias reuniram-se todas na casa-grande para se protegerem em caso de perigo que logo tiveram por iminente." (Franklin Távora, *O Cabeleira*, pp. 139-140.) [Conjug.: v. *reger.*]

protegido [Part. de *proteger.*] ***Adj. S. m.*** **1.** Que, ou aquele que recebe de alguém ou de alguma coisa proteção especial. **2.** Valido, favorito.

proteico[1] (éi) [De *Protei*, gen. do lat. *Proteus* < gr. *Proteús*, divindade célebre por suas metamorfoses, + *-ico*[2].] ***Adj.*** **1.** Multiforme, polimorfo. **2.** *Med.* Diz-se de febre que se apresenta sob aspectos diversos. ❖

proteico[2] (éi ou êi) [De *prote(ína)* + *-ico*[2].] ***Adj.*** Da proteína, relativo a ela, ou que é da natureza dela. ~ V. *síntese —a.* ❖

proteídeo ***S. m. Bioquím.*** Proteína; peptídio.

proteído [Do tax. *Proteus* + *-ido*[3]; tax. *Proteida.*] *Zool.* ***S. m.*** **1.** Espécime dos proteídos, ordem de anfíbios, caudados, aquáticos, de corpo achatado, desprovidos de pálpebras, cauda com nadadeira, brânquias permanentes e arborescentes, e pulmões presentes. Habitam a Europa, o Canadá e os Estados Unidos. ● ***Adj.*** **2.** Pertencente ou relativo a eles. [Sin. ger.: *perenibrânquio.*]

proteiforme [De *Protei* (v. *proteico*) + *-forme.*] ***Adj. 2 g.*** Que muda de forma com frequência.

proteína [Do gr. *proteîos*, 'que tem primazia', + *-ina*[3]; fr. *protéine.*] ***S. f. Quím.*** Classe de compostos orgânicos de carbono, nitrogênio, oxigênio e hidrogênio, que constituem o principal componente dos organismos vivos. ◆ **Proteína conjugada.** *Bioquím.* Aquela que contém um ou mais grupos prostéticos. **Proteína fibrosa.** *Bioquím.* Qualquer das proteínas, p. ex., a actina, a miosina e a fibrina, de forma distendida, ger. insolúveis em água. **Proteína globular.** *Bioquím.* Qualquer das proteínas, p. ex., as enzimas, a hemoglobina e a albumina, de forma compacta, ger. solúveis em água.

proteinase [De *proteína* + *-ase.*] ***S. f. Bioquím.*** Enzima que atua na decomposição de proteínas.

proteinoterapia (e-i) [De *proteína* + *-o-* + *-terapia.*] ***S. f.*** *Terap.* Método de tratamento de doenças por meio de injeção de proteína estranha [v. *estranho* (2)].

proteinoterápico (e-i) [De *proteinoterapia* + *-ico*[2].] ***Adj.*** *Terap.* Relativo a proteinoterapia.

proteinuria (e-i) [De *proteína* + *-uria.*] ***S. f. Med.*** V. *proteinúria.*

proteinúria (e-i) [De *proteína* + *-úria.*] ***S. f. Med.*** Presença de proteína na urina. [F. paral.: *proteinuria.*]

proteinúrico (e-i) [De *proteinúria* + *-ico*[2].] ***Adj. Patol.*** Relativo a proteinúria.

protelação [De lat. tard. *protelatione.*] ***S. f.*** Ato ou efeito de protelar; protela.

protelador (ô) [De *protelar* + *-dor.*] ***Adj. S. m.*** Que, ou aquele que protela.

protelar [Do lat. *protelare.*] ***V. t. d.*** Protrair, adiar, retardar, prorrogar, procrastinar: "Já não era possível protelar uma resolução qualquer. Cada vez mais tornava-se insuportável aquela situação." (Nélio Reis, *O Rio Corre para o Mar*, p. 184); "Fazia muito tempo que minha mãe desejava mudar-se de Lavras. Meu pai .... protelara sempre a viagem" (Fran Martins, *Estrela do Pastor*, p. 8).

protelatório [De *protelar* + *-tório.*] ***Adj.*** Próprio para protelar.

protelável [De *protelar* + *-vel.*] ***Adj. 2 g.*** Que pode ou deve ser protelado; adiável.

protelo [Do tax. *Proteles.*] ***S. m. Zool.*** Mamífero carnívoro hienídeo (*Proteles cristatus*), do S. e S.E. da África, de pelo cinza com listras negras. Alimenta-se de carniça e defende-se expelindo um líquido fétido pelas glândulas perianais. É do tamanho de uma raposa pequena.

→ **pro tempore** [pro 'tempore] [Lat.] Temporariamente.

protender [Do lat. *protendere.*] ***V. t. d.*** **1.** Estender para diante. **2.** Pôr (arma) em riste. **3.** Efetuar a protensão em (concreto armado).

protendido [Part. de *protender.*] ***Adj.*** **1.** Estendido para diante. **2.** Posto em riste. ~ V. *concreto — e laje —a.* ● ***S. m.*** **3.** V. *concreto protendido.*

protensão [Do lat. tard. *protensione.*] ***S. f.*** **1.** Ato ou efeito de protender. **2.** *Constr.* Processo pelo qual se aplicam tensões prévias ao concreto.

protensivo [Do lat. *protensus*, part. pass. de *protendere*, + *-ivo.*] ***Adj.*** Que ocupa uma duração; que se estende na duração.

▲ **prote(o)-** [Do fr. *protéine.*] ***El. comp.*** = 'proteína': *proteólise, proteoglicano, proteoplasto.*

proteocefalóideo [Do tax. *Proteocephalus* + *-óideo*; tax. *Proteocephaloidea.*] *Zool.* ***S. m.*** **1.** Espécime dos proteocefalóideos, ordem de animais platelmintos, cestóideos, que têm o escólex com quatro ventosas laterais e uma ventosa ou órgão glandular terminal. São parasitos de peixes de água doce, anfíbios e répteis. ● ***Adj.*** **2.** Pertencente ou relativo a eles.

proteoglicano [De *prote(o)-* + *glicano.*] ***S. m. Bioquím.*** V. *glicoproteína.*

proteólise [De *prote(ína)* + *-o-* + *-lise.*] ***S. f. Bioquím.*** Decomposição dos peptídios e das proteínas em compostos mais simples.

proteolítico [De *proteól(ise)* + *-ítico.*] ***Adj. Bioquím.*** Diz-se de substâncias capazes de decompor os peptídios e as proteínas nos seus constituintes.

proteoma [Do ingl. *proteome.*] ***S. m. Citol. Bioquím.*** Conjunto de proteínas que constituem a célula.

proteomixo (cs) [Do tax. *Proteus* + *-mixo*; tax. *Proteomyxa.*] *Zool.* ***S. m.*** **1.** Espécime dos proteomixos, ordem de protozoários, rizópodes, em cujo corpo há prolongamentos protoplasmáticos radiados e ramificados, com tendência a anastomosarem-se. ● ***Adj.*** **2.** Pertencente ou relativo a eles.

proteossomo [De *prote(o)-* + *-somo.*] ***S. m. Citol.*** Complexo multienzimático, situado no citoplasma celular, com função de digerir proteínas marcadas para a destruição.

proterandria [De *proter(o)-* + *-andr(o)-* + *-ia*[1].] ***S. f. Bot.*** Amadurecimento do pólen antes de o estigma estar apto a recebê-lo, por se achar o gineceu ainda imaturo, mecanismo este com que a natureza evita a autofecundação.

proterandro [De *proter(o)-* + *-andro.*] ***Adj. Bot.*** Que apresenta proterandria: *composta proterandra.*

proterânteo [De *proter(o)-* + *-ant(o)-* + *-eo.*] ***Adj. Bot.*** Diz-se das plantas cujas flores se desenvolvem antes das folhas.

▲ **proter(o)-** [Do gr. *próteros, a, on.*] ***El. comp.*** = 'primeiro de dois'; 'anterior'; 'dianteiro': *proterânteo, proteróglifa, proterozoico.*

proteroginia [De *proter(o)-* + *-gin(o)-* + *-ia*[1].] ***S. f. Bot.*** Amadurecimento do gineceu antes de estar maduro o pólen, pelo que não pode haver autofecundação.

proterogínico [De *proteroginia* + *-ico*[2].] ***Adj.*** Referente à proteroginia.

proterógino [De *proter(o)-* + *-gino.*] ***Adj. Bot.*** Que apresenta proteroginia.

proteróglifa [De *proter(o)-* + gr. *glyphé*, 'incisão'.] ***S. f.*** *Zool.* Serpente cujos dentes superiores dianteiros são grandes e sulcados para deixar que escorra a peçonha.

proteróglifo [De *proter(o)-* + *-glifo*; tax. *Proteroglypha.*] *Zool.* ***S. m.*** **1.** Espécime dos proteróglifos, grupo de reptis ofídios venenosos que abrange variedades com um ou mais pares de dentes inoculadores de peçonha, que são curtos, eretos, sulcados ou caniculados, e situados na porção anterior dos maxilares superiores. ● ***Adj.*** **2.** Pertencente ou relativo a eles.

proterozoico (ói) [De *proter(o)-* + *-zo(o)-* + *-ico*[2].] ***Adj.*** **1.** ~ V. *era —a.* ● ***S. m.*** **2.** Era proterozoica. ❖

protérvia [Do lat. tard. *protervia.*] ***S. f.*** Qualidade ou ação de protervo: "discorreu como um lente de Coimbra onde forçoso lhe era rebater a protérvia de incrédulos e zombadores." (Aquilino Ribeiro, *Andam Faunos pelos Bosques*, p. 40).

protervo [Do lat. *protervu.*] ***Adj.*** Impudente, petulante, insolente, descarado: "Perderei já agora mais algumas [horas] em falar de um idiota protervo e malcriado." (Antônio Feliciano de Castilho, *Ou Eu ou Eles*, p. 41.)

prótese [Do gr. *próthesis*, pelo lat. tard. *prothese.*] ***S. f.*** **1.** *Cir.* Substituto artificial de uma parte ou perdida acidentalmente (p. ex., dente, braço), ou retirada de modo intencional (p. ex., artéria), ou que, permanecendo no corpo, é de muito pouca ou nenhuma utilidade e pode produzir dano (p. ex., artéria). **2.** *Med.* Qualquer aparelho que auxilie ou aumente uma função natural (como, p. ex., a da audição ou da visão). **3.** *E. Ling.* Adjunção de segmento fonético no início de uma palavra, sem que se lhe altere o sentido. [Ex.: *alagoa*, por *lagoa*; *arruído*, por *ruído.*] **4.** *Mús.* V. *anacruse.* [Sin., nas acepç. 1 e 2: *próstese.* Cf., nas acepçs. 1 e 2, *enxerto.*]

protesista [De *prótese* + *-ista.*] ***S. 2 g. Odont.*** Protético (4).

protestação [Do lat. tard. *protestatione.*] ***S. f.*** Ato ou efeito de protestar; protesto.

protestado [Part. de *protestar.*] ***Adj.*** Que se protestou, mandou a protesto (4).

protestante [Do lat. *protestante.*] ***Adj. 2 g.*** **1.** Que protesta. **2.** Relativo ao, ou próprio do protestantismo. **3.** Diz-se de partidários da Reforma que protestaram contra a decisão da Dieta de Espira (1529). **4.** Diz-se de membros de seitas não católicas da religião cristã, com exceção dos ortodoxos [v. *ortodoxo* (5)]. ● ***S. 2 g.*** **5.** Partidário da Reforma. **6.** *P. ext.* Indivíduo protestante (4). [Cf. *huguenote.* Sin., bras., pop. (nesta acepç.): *crente, evangelista, nova-seita, missa-seca, bíblia, bode, come-santo, frei-bode.*]

protestantismo [De *protestante* + *-ismo.*] ***S. m.*** **1.** A religião dos protestantes. **2.** O conjunto dos protestantes.

protestantizar [De *protestante* + *-izar.*] ***V. t. d. P. P. us.*** Converter(-se) ao protestantismo.

protestar [Do lat. tard. *protestare.*] ***V. t. d.*** **1.** Comprometer-se solenemente a; afirmar solenemente: *Os soldados protestaram morrer pela Pátria.* **2.** Obrigar-se verbalmente ou por escrito a; afirmar a intenção de; prometer: *Os faltosos protestaram não repetir o erro.* **3.** Declarar publicamente; professar, jurar: *Os cidadãos protestaram respeito e obediência*; "Tu dizes que eu sempre minto, / Que protesto o que não sinto" (Casimiro de Abreu, *Obras*, p. 151). **4.** Mandar a protesto (4): *protestar uma promissória, uma duplicata.* ***T. d. e i.*** **5.** Assegurar, afirmar, solenemente; prometer: *O menino protestou ao mestre que estudaria mais.* **6.** Avisar formalmente: *O governo protestou ao povo as diretrizes políticas do novo ministério.* **7.** Declarar publicamente; professar, testemunhar, jurar, render: *O hipócrita protesta amizade a todos*; "Protestando a minha gratidão aos ilustres professores desta Casa, peço-lhes vênia para que as minhas palavras sejam especialmente dirigidas aos alunos." (Olavo Bilac, *Últimas Conferências e Discursos*, p. 212). ***T. i.*** **8.** Levantar-se, insurgir-se, rebelar-se: "Sempre protestei contra violências e estreitezas, viessem elas donde viessem." (Antônio Sérgio, *Cartas do Terceiro Homem*, p. 73.) **9.** Queixar-se em voz alta; clamar, bradar: *Os sofredores protestam por justiça*; "É então que .... uma voz bem-intencionada se levanta, corajosamente, para protestar contra desvarios e apontar ao rei o caminho estreito, mas honrado, do dever." (Antero de Figueiredo, *Leonor Teles*, p. 69). ***Int.*** **10.** Insurgir-se contra uma injustiça ou ilegalidade: *Os jovens sentiram-se prejudicados e protestaram.*

protestativo [De *protestar* + *-tivo.*] ***Adj.*** Que protesta.

protestatório [De *protestar* + *-tório.*] ***Adj.*** Que envolve ou significa protesto; que serve para protestar.

protesto [Dev. de *protestar.*] ***S. m.*** **1.** Protestação. **2.** Desígnio ou resolução inabalável. **3.** Reclamação, queixa. **4.** Ato jurídico formal, praticado por oficial público, e com o qual se prova ter sido um título de crédito apresentado ao sacado, emitente, endossadores ou avalistas, para pagamento (ou ao aceitante, para o aceite), e se certifica a falta de pagamento (ou de aceite), constituindo o devedor em mora e assegurando ao credor o exercício do direito regressivo contra os coobrigados. [V. *aceite*[1] (2) e *mora* (3).] ◆ **Protesto formado a bordo.** *Jur.* Comprovação escrita e formal de sinistros, avarias e perdas sofridas por uma embarcação ou por sua carga, e que, em casos fortuitos ou de força maior, visa a isentar

P

de responsabilidade o capitão do navio; protesto marítimo. **Protesto marítimo.** *Bras. Jur.* Protesto formado a bordo.

protético [Do gr. *prothetikós*.] *Adj.* **1.** Referente à prótese. **2.** Em que há prótese; prostético. **3.** *Mús.* V. *anacrústico*. ~ V. *charada — a.* ● *S. m.* **4.** *Bras. Odont.* Odontologista que faz prótese dentária; protesista.

protetor (ô) [Do lat. tard. *protectore*.] *Adj.* **1.** Que protege. ● *S. m.* **2.** Aquele ou aquilo que protege. **3.** V. *padroeiro* (2). [Sin. ger., p. us.: *protegedor*.]

protetorado [De *protetor* + *-ado*[2].] *S. m.* **1.** Situação dum Estado posto sob a autoridade de outro, particularmente no tocante à política externa. **2.** O Estado posto nessa situação.

protetoral [De *protetor* + *-al*[1].] *Adj. 2 g.* Relativo ou pertencente a protetorado ou a protetor.

protetório [Do lat. tard. *protectoriu*.] *Adj.* **1.** Relativo a protetor. **2.** Que protege.

proteu [Do mit. gr. *Proteús*, 'deus marinho que conhece o futuro mas evita revelá-lo, transformando-se em animais, ou mesmo em elementos como a água e o fogo', pelo lat. *Proteus*.] *S. m.* **1.** Aquele que muda facilmente de opinião ou de sistema. **2.** *Astr.* Um dos satélites de Netuno, com diâmetro de 420km e órbita quase circular de 117.600km, no sentido direto, no plano do equador. [Foi descoberto em 23.07.1989 pela sonda espacial norte-americana Voyager 2.] [Com cap., nesta acepç.]

protídeo *S. m. Bioquím.* Designação genérica dos peptídios e dos proteídeos, outrora denominados *albuminas*.

prótio [Do tax. *Protium*.] *S. m. Bot.* **1.** Gênero de árvores burseráceas que habitam regiões tropicais das Américas, dotadas de folhas pinuladas, inflorescências em panículas com pedicelo delgado, e fruto que são bagas subglobosas. **2.** Qualquer espécie desse gênero, como, p. ex., a *Protium heptaphyllum* [v. *almecegueira* (2)]. **3.** Qualquer espécime desse gênero.

protipográfico [De *pro-*[1] + *tipográfico*.] *Adj.* Anterior à invenção da tipografia; pré-tipográfico. [Cf. *prototipográfico*.]

protista [Do gr. *prótistos*, 'o primeiro de todos'.] *S. m. Biol.* Nome comum aos organismos unicelulares do reino *Protista*.

protistologia [De *protista* + *-o-* + *-logia*.] *S. f.* Parte da biologia que trata dos protistas.

protistológico [De *protistologia* + *-ico*[2].] *Adj.* Referente à protistologia.

proto[1] [Do al. *Brot*, 'pão'.] *S. m. Bras. RS* Pão de milho e centeio. [Cf. *brote* e *próton*.]

proto[2] *S. m. Fís. Nucl.* V. *próton*.

▲ **prot(o)-** [Do gr. *prōto-* < gr. *prôtos, ē, on*.] *El. comp.* = 'primeiro': *protândrico, protoariano, protofonia*. [É seguido de hífen quando anteposto a palavra iniciada por *h* ou *o*: *proto-história, proto-homem* (em tais casos, apenas o 2.º el. é flexionado na formação do plural); é grafado com *r* ou *s* duplicados quando anteposto a palavra iniciada por *r* ou *s*: *protorrevolução, protossatélite, protossol*.] [Equiv.: *-prot(o)-*: *diprotodonte*.]

▲ **-prot(o)-** Equiv. de *prot(o)-*.

protoactínio *S. m. Quím.* V. *protactínio*. ❖

protobrânquia [De *prot(o)-* + *-brânquia*.] *S. f. Zool.* Brânquia primitiva, simples, achatada e horizontal que divide a cavidade do manto de alguns moluscos pelecípodes em duas partes: cavidade inferior, inalante, e cavidade superior, exalante.

protobrânquio [De *prot(o)-* + *-brânquio*; tax. *Protobranchia*.] *Zool. S. m.* **1.** Espécime dos protobrânquios, ordem de moluscos, pelecípodes, com um eixo central nas brânquias, provido de duas fileiras divergentes de filamentos curtos, e o pé achatado ventralmente. ● *Adj.* **2.** Pertencente ou relativo a eles.

protocerátope [Do tax. *Protoceratops*.] *S. m. Paleont.* **1.** Gênero de pequenos dinossauros, os primeiros a serem dotados de carapaça córnea facial, que viveram no cretáceo da Mongólia; eram desprovidos de chifres, mas tinham áreas ósseas espessadas, no focinho e acima dos olhos. Mediam cerca de 1,8m, quando adultos, e foram encontrados vestígios de todos os seus estágios de desenvolvimento, desde o ovo. **2.** Espécie ou espécime desse gênero.

protocientífico [De *prot(o)-* + *científico*.] *Adj.* Que antecedeu à ciência, ao espírito e ao método científico.

protocolar[1] [De *protocolo* + *-ar*[1].] *Adj. 2 g.* **1.** Relativo ao protocolo. **2.** Em conformidade com o protocolo. **3.** Que se atém ou parece ater-se ao protocolo (8), ou ditado ou como que ditado por ele; cerimonioso, formal, convencional: 📖 "— Como você sabe, o Conde de Ficalho era uma criatura reservada, glacial, protocolar, pouco comunicativa" (Júlio Dantas, *Abelhas Doiradas*, pp. 146-147); "Juvenal mantinha com os dois relações frias, protocolares" (Nélson de Faria, *Cabeça-Torta*, p. 98). ~ V. *proposição —*.

protocolar[2] [De *protocolo* + *-ar*[2].] *V. t. d. Bras.* Protocolizar.

protocolarmente [De *protocolar* + *-mente*.] *Adv.* De maneira protocolar; de acordo com a etiqueta, a convenção, o protocolo.

protocolizar [De *protocolo* + *-izar*.] *V. t. d.* Registrar ou inscrever no protocolo (1 e 2): ✍ *O funcionário protocolizou os requerimentos.* [Sin., bras.: *protocolar*.]

protocolo [Do gr. *protókollon*, 'primeira folha colada aos rolos de papiro, e na qual se escrevia um resumo do conteúdo do manuscrito', pelo lat. med. *protocollu* e pelo fr. *protocole*.] *S. m.* **1.** Registro dos atos públicos. **2.** Registro das audiências nos tribunais. **3.** Registro de uma conferência ou deliberação diplomática. **4.** Formulário regulador de atos públicos. **5.** Convenção internacional. **6.** Livro de registro da correspondência de uma firma, repartição pública, etc. **7.** Repartição onde se registra entrada de documentos. **8.** *Bras.* Cartão ou papeleta em que se anotam a data e o número de ordem com que foi registrado no livro de protocolo (6) um requerimento, e que serve como recibo. **9.** *Fig.* Formalidade, etiqueta, cerimonial. **10.** *Inform.* Protocolo de comunicação (q. v.). ◆ **Protocolo de comunicação.** *Inform.* Conjunto de regras, padrões e especificações técnicas que regulam a transmissão de dados entre computadores por meio de programas específicos, permitindo a detecção e correção de erros; protocolo de transmissão de dados. [Tb. se diz apenas *protocolo*.] **Protocolo de transmissão de dados.** *Inform.* Protocolo de comunicação (q. v.).

protocone [De *prot(o)-* + *cone*.] *S. f. Paleont.* Cúspide central de dente molar superior, triangular, e que é observada em mamíferos primitivos.

protocordado [De *prot(o)-* + *cordado*[1]; tax. *Protochordata*.] *Zool. S. m.* **1.** Espécime dos protocordados, subfilo que, em antigas classificações, reunia os hemicordados, cefalocordados e urocordados. ● *Adj.* **2.** Pertencente ou relativo a eles. [Sin. ger.: *acrânio, acraniota, procordado*.]

protocormo [De *prot(o)-* + *-cormo*.] *S. m. Bot.* **1.** Corpo tuberoso procedente da germinação dos esporos das licopodíneas. **2.** Corpo semelhante oriundo da germinação das sementes das orquídeas, e que se fixa ao substrato por meio de rizoides e, posteriormente, emite o ramo primário.

protocrioulo [De *prot(o)-* + *crioulo*.] *S. m. E. Ling.* Crioulo (12) sem atestação direta, mas que se supõe ter existido, para que se possam explicar as semelhanças entre um determinado conjunto de línguas crioulas que teriam nele sua origem comum.

protoestrela [De *prot(o)-* + *estrela*.] *Astr.* Estrela ainda em formação. [É, ger., uma esfera de gás em contração que dará origem a uma estrela.]

protofílico [De *prot(o)-* + *-fil(o)-*[1] + *-ico*[2].] *Adj.* ~ V. *solvente —*.

protofilo [De *prot(o)-* + *-filo*[1].] *S. m. Bot.* Folha juvenil que se forma no início do desenvolvimento de muitas plantas, e cujo feitio é diferente do da folha da fase adulta.

protófito [Do gr. *protóphytos*, 'nascido primeiro'.] *S. m. P. us. Bot.* Designação comum a vegetais primitivos, de organização extremamente simples.

protofloema [De *prot(o)-* + *floema*.] *S. m. Bot.* O conjunto dos primeiros elementos condutores do líber, que se formam nos primórdios da estrutura primária.

protofonia [De *prot(o)-* + *-fon(o)-* + *-ia*[1].] *S. f. Bras.* Introdução orquestral de qualquer obra lírica: 📖 "Para celebrar as glórias da Cidade de Santos, eu desejava não escrever um discurso, ... mas entoar um hino heroico, uma sonata patética, protofonia apaixonada, canto coral" (Martins Fontes, *Terras da Fantasia*, p. 271); ✍ *a protofonia de O Guarani, de Carlos Gomes*. [Cf. *abertura* (11).]

protofônico *Adj.* V. *protofônico*. [Uso freq. em P.]

protofônico [De *protofonia* + *-ico*[2].] *Adj.* Relativo a protofonia.

protogaláctico [De *prot(o)-* + *galáctico*.] *Adj.* Referente a protogaláxia.

protogaláxia (cs) [De *prot(o)-* + *galáxia*.] *S. f. Cosm.* Matéria cósmica que, pelas suas características físicas, pode transformar-se em uma galáxia.

protogénico *Adj.* V. *protogênico*. [Uso freq. em P.]

protogênico [De *prot(o)-* + *(hidro)gên(io)* + *-ico*[2].] *Adj.* ~ V. *solvente —*.

protogínico [De *prot(o)-* + *-gin(e)-* + *-ico*[2].] *Adj.* ~ V. *flor — a*.

proto-história [De *prot(o)-* + *história*.] *S. f.* A história primitiva; os primeiros tempos históricos. [Pl.: *proto-histórias*.]

proto-histórico [De *proto-história* + *-ico*[2].] *Adj.* Referente à proto-história. [Pl.: *proto-históricos*.]

proto-homem [De *prot(o)-* + *homem*.] *S. m.* Homem primitivo. [Pl.: *proto-homens*.]

proto-hominídeo [De *prot(o)-* + *hominídeo*.] *Adj. S. m.* Pertencente ou relativo aos primeiros hominídeos, ou cada um deles. [Pl.: *proto-hominídeos*.]

protoindo-europeu [De *prot(o)-* + *indo-europeu*.] *S. m. Gloss.* Língua que se supõe ter sido falada por uma população nômade antes de 3000 a. C. e que teria dado origem à família indo-europeia [v. *indo-europeu* (1)] no milênio subsequente. [V. *protolíngua*.] ❖

protolíngua [De *prot(o)-* + *língua*.] *S. m. E. Ling.* Língua não diretamente atestada, mas que se supõe ter existido e ter dado origem a uma família linguística, em virtude das semelhanças existentes entre um grupo de línguas que lhe são posteriores, estabelecidas pelo método comparativo. [Cf. *pré-língua*.]

protomártir [Do gr. *protómartyr*.] *S. m.* **1.** O primeiro mártir, entre os de uma religião ou de um ideal político. **2.** Designação especial de Santo Estêvão. **3.** *Bras.* Antonomásia de Tiradentes. [Pl.: *protomártires*.]

protomecóptero [De *prot(o)-* + *mecóptero*; tax. *Protomecoptera*.] *Zool. S. m.* **1.** Espécime dos protomecópteros, subordem de insetos mecópteros que apresentam terminália com gonocóxitos finos. ● *Adj.* **2.** Pertencente ou relativo a eles.

protomedicato [De *protomédico* + *-ato*[1].] *S. m. Hist. Med.* **1.** Antiga junta de médicos que fazia inspeções sanitárias, fiscalizava as boticas, etc. **2.** Cargo de protomédico.

protomédico [De *prot(o)-* + *médico*[2].] *S. m. Hist. Med.* Na Idade Média, o médico principal dum rei, dum príncipe, duma associação, etc.

protominério [De *prot(o)-* + *minério*.] *S. m.* Minério de baixo teor, sem valor econômico, e que, graças ao enriquecimento secundário na sua superfície, pode converter-se em minério econômico.

protomonadino [Do lat. cient. *Protomonad-* (< tax. *Protomonas*) + *-ino*[3]; tax. *Protomonadina*.] *Zool. S. m.* **1.** Espécime dos protomonadinos, ordem de protozoários, zoomastiginos, de corpo ameboide ou plástico, provido de um ou dois flagelos, e que vivem na água doce, em fezes ou como parasitos. Do grupo fazem parte os tripanossomos e leishmânias. ● *Adj.* **2.** Pertencente ou relativo a eles.

próton [Do gr. *prôton*, neutro de *prôtos, e, on*, 'primeiro' (t. cunhado por E. Rutherford, que descobriu o núcleo atômico, em 1920).] *S. m. Fís. Nucl.* Partícula elementar estável de massa 938,27MeV/c^2 (equivalente a 1,672623 x 10^{-27} kg), *isospin* 1/2, *spin* 1/2, paridade positiva, carga elétrica positiva e igual à do elétron em magnitude, número bariônico +1, composto de dois *quarks u* e de um *quark d*; forma o núcleo do átomo de hidrogênio e, juntamente com o nêutron, é um dos constituintes de todos os núcleos atômicos; proto [símb.: *p*]. [Cf. *proto*[1].]

protonação [De *protonar* + *-ção*.] *S. f. Quím.* Ato ou efeito de ligar próton a uma substância.

protonar [De *próton* + *-ar*[2].] *V. t. d. Quím.* Ligar um próton a.

protonauta [De *prot(o)-* + *-nauta*.] *S. m.* **1.** O nauta principal. **2.** Aquele que primeiro navegou por certas paragens.

protonefrídio [De *prot(o)-* + *nefrídio*; lat. cient. *protonephridium*.] *S. m. Zool.* Nefrídio.

protonema [De *prot(o)-* + *-nema*.] *S. m. Bot.* Corpo, geralmente filamentoso e ramificado, que emerge do esporo em germinação nos musgos, parecido com uma alga verde, e forma gemas que constituirão a futura planta verde, normal, dita *gametófito*.

protonemertino [De *prot(o)-* + *nemertino*; tax. *Protonemertini*.] *S. m. Adj. Zool.* V. *ânoplo*.

protonotariado [De *protonotário* + *-ado*[2].] *S. m.* Cargo ou dignidade de protonotário.

protonotário [Do lat. med. *protonotariu*.] *S. m.* **1.** O primeiro notário, entre os romanos. **2.** Dignitário da Cúria Romana, que recebe e expede os atos dos consistórios: 📖 "monsenhor Gaume, protonotário apostólico" (Ramalho Ortigão, *As Farpas*, II, p. 152).

protopapa [De *prot(o)-* + *papa*[1].] *S. m.* O primeiro Papa.

protopatia [Do gr. *protopátheia*.] *S. f. Med.* A doença primeira, inicial.

protopático [De *protopatia* + *-ico*[2].] *Adj.* Relativo a protopatia.

protoplaneta (ê) [De *prot(o)-* + *planeta*.] *S. m. Astr.* Matéria cósmica que, pelas suas características físicas, pode transformar-se em um planeta.

protoplasma [De *prot(o)-* + *-plasma*.] *S. m. Citol. Desus.* O conteúdo celular vivo, formado principalmente de citoplasma e núcleo.

protoplasmático [De *protoplasma* + *-ático*.] *Adj.* Protoplásmico. ~ V. *líquido —*.

protoplásmico [De *protoplasma* + *-ico*[2].] *Adj.* Relativo ao protoplasma; protoplasmático.

protoplasto [De *prot(o)-* + *-plasto*.] *S. m. Biol.* Célula vegetal ou bactéria, excetuada a parede celular.

protorácico [De *protórax* + *-ico*[2], seg. o padrão erudito.] *Adj.* Relativo ou pertencente ao protórax.

protórax (cs) [De *pro-*[1] + *tórax*.] *S. m. 2 n. Zool.* Segmento anterior do tórax dos insetos. [V. *tórax* (2).]

protorrevolução [De *prot(o)-* + *revolução*.] *S. f.* **1.** Princípio de revolução. **2.** Primeira revolução; revolução primitiva. ❖

protorrevolucionário [De *prot(o)-* + *revolucionário.*] *Adj.* **1.** Referente a protorrevolução. ● *S. m.* **2.** O primeiro revolucionário. ❖

protossatélite [De *prot(o)-* + *satélite.*] *S. m. Astr.* Matéria cósmica que pelas características físicas pode transformar-se em um satélite de um planeta. ❖

protossauro [Do tax. *Protosaurus.*] *S. m. Paleont.* **1.** Gênero de reptis diapsídeos que viveram no permiano superior da Europa Central, que eram do tamanho de um grande lagarto dos dias atuais e, poss., alimentavam-se de insetos e de outros pequenos reptis; tinham os membros inferiores muito maiores que os superiores, o que leva a crer que pudessem locomover-se, por vezes, em posição bípedal. **2.** Espécie ou espécime desse gênero.

protosseláquio [Adapt. do tax. *Protoselachii.*] *Zool. S. m.* **1.** Espécime dos protosseláquios, ordem de peixes cordados, condrictes, pleurotremados, e que se caracterizam por terem mais de cinco fendas branquiais. ● *Adj.* **2.** Pertencente ou relativo a eles.

protossol [De *prot(o)-* + *sol*[1].] *S. m. Astr.* O sol primitivo, anterior ao início da reação nuclear interna que provoca a emissão luminosa. [Pl.: *protossóis.*] ❖

protossolar [De *prot(o)-* + *solar.*] *Adj. 2 g.* ~ V. *nebulosa* —. ❖

protostélico [De *protostelo* + *-ico*[2].] *Adj. Bot.* Relativo ou pertencente ao protostelo: *raiz protostélica.*

protostelo [De *prot(o)-* + *-stelo.*] *S. m. Bot.* Estelo primitivo, constituído de uma coluna maciça de lenho circundado por um cilindro de líber, por fora da qual há um endoderma, e que se encontra nas filicíneas atuais.

prototério [De *prot(o)-* + *-tério*[1]; tax. *Prototeria.*] *Zool. S. m.* **1.** Espécime dos prototérios, subclasse de mamíferos aplacentários, ovíparos dos mais primitivos. Ex.: o ornitorrinco e a equidna. ● *Adj.* **2.** Pertencente ou relativo a eles.

prototipagem [De *protótipo* + *-agem.*] *S. f. Inform.* Elaboração de protótipo (2).

prototípico [De *protótipo* + *-ico*[2].] *Adj.* Relativo a, ou que tem o caráter de protótipo: "O encontro com Alba reproduzia a cena prototípica juvenil com todos os ingredientes" (Luís Alfredo Garcia-Rosa, *O Silêncio da Chuva*, p. 168).

protótipo [Do gr. *prōtótypos*, pelo lat. tard. *prototypu.*] *S. m.* **1.** Primeiro tipo ou exemplar; original, modelo: "Permanecessem, lá, durante um mês, o Cid e Baiardo, protótipos da bravura e da altivez, e poderiam ser atrelados, cabisbaixos e mansos, ao carro do sultão Murad." (Humberto de Campos, *Memórias*, pp. 371-372.) **2.** *Inform.* Versão parcial e preliminar de um novo sistema de computador ou de um novo programa, destinada a teste e aperfeiçoamento. **3.** *Tec.* Produto fabricado individualmente ou produzido de modo artesanal, e segundo as especificações de um projeto para fabricação em série, com o propósito de servir de teste antes da fabricação em escala industrial, ou da comercialização. **4.** *Tip.* Tipômetro (1).

prototipográfico [De *prot(o)-* + *tipográfico.*] *Adj.* Relativo à origem ou aos primeiros tempos da tipografia. [Cf. *protipográfico.*]

prototrofia [De *prot(o)-* + *-trofia.*] *S. f. Genét.* Independência nutricional com relação a determinado nutriente, como, p. ex., vitamina e aminoácido.

prototrófico [De *prototrofia* + *-ico*[2].] *Adj. Genét.* Relativo à prototrofia, ou que a apresenta.

protóxido (cs) [De *prot(o)-* + *óxido.*] *S. m. Quím.* Óxido menos rico em oxigênio.

protoxilema [De *prot(o)-* + *xilema.*] *S. m. Bot.* O primeiro lenho que se forma na ponta da raiz e do caule, no início da estrutura primária.

protoxilemático [De *protoxilema* + *-ático.*] *Adj. Bot.* Relativo ou pertencente ao protoxilema.

protozoário [De *prot(o)-* + *-zo(o)-* + *-ário*; tax. *Protozoa.*] *Zool. S. m.* **1.** Espécime dos protozoários, filo de microrganismos eucariotos, unicelulares, que apresentam grande variedade de formas; abrange todos aqueles que integram o reino *Protista* (q. v.). Ex.: a ameba. ● *Adj.* **2.** Pertencente ou relativo a eles.

protozoologia [De *prot(o)-* + *zoologia.*] *S. f.* Parte da zoologia que trata dos protozoários.

protozoológico [De *protozoologia* + *-ico*[2].] *Adj.* Respeitante à protozoologia.

protozoonose [De *prot(o)-* + *zoonose.*] *S. f. Zool.* Doença causada por ação patogênica de protozoário; doença em que o agente etiológico é um protozoário. Ex.: a doença de Chagas.

protozoose [De *protozo(ário)* + *-ose*[1].] *S. f. Med.* Qualquer doença causada por protozoário.

protraído [Part. de *protrair.*] *Adj.* **1.** Puxado ou lançado para diante; projetado. **2.** Procrastinado, adiado.

protraimento (a-i) [De *protrair* + *-mento.*] *S. m.* **1.** Ato ou efeito de protrair. **2.** Delonga, adiamento.

protrair [Do lat. *protrahere.*] *V. t. d.* **1.** Tirar para fora; retirar. **2.** Fazer ir à frente; salientar, ressaltar: *O soldado, em posição de continência, protrai o peito*; "Deixaram pender os braços, afastaram as cabeças, protraíram os ventres, curvando as pernas, fizeram estalar uma embigada artística, sonora, retumbante, que se ouviu longe." (Júlio Ribeiro, *A Carne*, p. 100). **3.** Aumentar a duração de; alongar, prolongar, dilatar: *O medicamento não salvará a doente, mas protrairá sua vida.* **4.** Deixar para outro dia; adiar, procrastinar: "subida responsabilidade de contrairiam aqueles que protraíssem a solução urgente e imediata das questões da fazenda com debates que podem lisonjear a arte, mas que não resolvem nem atenuam dificuldades." (Ramalho Ortigão, *Correio de Hoje*, I, p. 16). *P.* **5.** Sobressair, ressair, ressaltar, destacar-se: "Estertorava com a face tumefacta, com os tendões do pescoço retesados; os olhos protraíam-se das órbitas" (Júlio Ribeiro, *A Carne*, pp. 154-155). **6.** Procrastinar-se; prolongar-se, prorrogar-se: "Apagou-se para todo o sempre uma civilização efêmera, principiou uma decadência irremediável que se protrai até aos nossos dias." (Oliveira Martins, *História da Civilização Ibérica*, p. 142.) [Conjug.: v. *sair.*]

protraível [De *protrair* + *-vel.*] *Adj. 2 g.* Protrátil (q. v.).

protraqueado [De *pro-*[1] + *traqueado*[2]; tax. *Protacheata.*] *S. m. Adj. Zool.* V. *onicóforo.*

protrátil [Do lat. *protractus*, part. pass. de *protrahere*, 'protrair', + *-il*[1].] *Adj. 2 g.* Que se pode protrair, ou alongar para a frente; protraível. [Pl.: *protráteis.* Antôn.: *retrátil.*]

protrombina [De *pro-*[1] + *trombina.*] *S. f. Histol. Filos.* Proteína do plasma relacionada com o processo de coagulação do sangue.

protrusão [De *protruso* + *-ão*[3].] *S. f.* **1.** *Hist. Nat.* Estado de um órgão que, por efeito do crescimento, normal ou anormal, se acha colocado na frente de outros órgãos que ele normalmente não ultrapassa. **2.** *Med.* Estado de órgão que, por efeito de crescimento ou de deslocamento, normal ou patológico, produz saliência, transitória ou permanente, em um local do corpo.

protrusivo [De *protruso* + *-ivo.*] *Adj. Odont.* Diz-se do movimento da mandíbula para a frente, em relação aos dentes da maxila.

protruso [Do lat. *protrusu*, part. pass. de *protrudere*, 'impelir com força para diante'.] *Adj.* Relativo à protrusão.

protuberância [De *protuberante* + *-ia*[2], seg. o padrão analógico.] *S. f.* **1.** Eminência, saliência: "Este papel fora confiado a um latagão, oficial de carpinteiro, com os pulsos cabeludos e os nós dos dedos com umas protuberâncias calosas que pareciam castanhas piladas antigas." (Camilo Castelo Branco, *A Brasileira de Prazins*, p. 202.) **2.** Coisa saliente. **3.** *Astr.* Protuberância solar. ◆ **Protuberância anular.** *Anat.* V. *ponte* (2). **Protuberância eruptiva.** *Astr.* Protuberância solar de caráter violento. [Cf. *protuberância quiescente.*] **Protuberância occipital externa.** *Anat.* Saliência no centro da superfície externa do osso occipital. **Protuberância occipital interna.** *Anat.* Saliência na superfície interna do osso occipital. **Protuberância quiescente.** *Astr.* Protuberância solar pouco ativa e de aspecto estável. [Cf. *protuberância eruptiva.*] **Protuberância solar.** *Astr.* Jato de matéria solar lançada explosivamente da fotosfera, e que se eleva a milhares de quilômetros acima da superfície solar. [Tb. se diz apenas *protuberância.* Cf. *proeminência solar.*]

protuberante [Do lat. tard. *protuberante.*] *Adj. 2 g.* Que tem protuberância; saliente.

protuberar [Do lat. tard. *protuberare.*] *V. int.* Apresentar protuberância; ser protuberante.

proturo [De *pro-*[1] + *-uro*; tax. *Protura.*] *Zool. S. m.* **1.** Espécime dos proturos, ordem de artrópodes, insetos, apterigotos, ametabólicos, de comprimento variável entre 0,6 a 1,5mm, com peças bucais entógnatas, desprovidos de antenas, e de olhos compostos. Vivem em lugares úmidos, debaixo de folhas, madeira podre e musgos. ● *Adj.* **2.** Pertencente ou relativo a eles. [Sin. ger.: *mirientomado.*]

protutela [Do lat. tard. *protutela.*] *S. f.* **1.** Cargo ou funções de protutor. **2.** O tempo de exercício das funções do protutor.

protutor (ô) [Do lat. tard. *protutore.*] *S. m.* Aquele que exerce a tutela em vez do tutor, ou juntamente com ele e com o conselho da família.

proudhoniano (pru) [Do antr. *Proudhon* + *-iano.*] *Adj.* De, ou pertencente ou relativo a Pierre-Joseph Proudhon (1809-1865), filósofo francês, ou próprio dele.

proustiano (prus) [Do antr. *Proust* + *-iano.*] *Adj.* **1.** Relativo ou pertencente ao escritor francês Marcel Proust (1871-1922), ou próprio dele: "O nome da peça era *Albertine*, uma livre adaptação de temas proustianos" (Sérgio Sant'Ana, *Um Crime Delicado*, p. 78). ● *S. m.* **2.** Grande admirador e/ou profundo conhecedor da sua obra.

proustita (prus) [Do antr. *Proust*, de (*J. L.*) *Proust* (1754-1826), químico francês, + *-ita*[3].] *S. f. Min.* Mineral trigonal avermelhado, de brilho adamantino, sulfarsenieto de prata.

prova [Do lat. *proba.*] *S. f.* **1.** Aquilo que atesta a veracidade e a autenticidade de alguma coisa; demonstração evidente: *São inequívocas as provas de sua responsabilidade; Deu-nos uma prova de seu virtuosismo ao piano.* **2.** Ato que atesta ou garante uma intenção, um sentimento; testemunho, garantia: *A fidelidade é uma prova de seu amor.* **3.** Processo pelo qual se verifica a exatidão de um cálculo. **4.** Ato de ingerir ou degustar certa porção de comida ou bebida a fim de verificar-lhe a qualidade, o sabor, a temperatura, o teor alcoólico, ou o estado. **5.** Experiência para se verificar se uma roupa que está sendo feita se ajusta bem ao corpo, ou se assentará bem. **6.** Concurso ou exame, ou qualquer das partes em que se dividem. **7.** Competição, porfia: *A prova de lançamento de dardo foi vencida pela concorrente carioca.* **8.** Experiência, ensaio: *O novo carro foi submetido a todas as provas.* **9.** V. *provação* (2). **10.** Ordálio. **11.** *Art. Gráf.* Impressão tirada de fôrma de qualquer espécie, para inspeção do trabalho e correção de erros e falhas. **12.** *Art. Gráf.* Exemplar de gravura. **13.** *Astron.* Veículo espacial, não tripulado, com finalidade específica, e que pode ter qualquer órbita — terrestre, solar ou lunar. **14.** *Fot.* A primeira revelação de um negativo. **15.** *Dir. Proc.* Atividade realizada no processo com o fim de ministrar ao órgão judicial os elementos de convicção necessários ao julgamento: *O objeto da prova são os fatos.* **16.** *Dir. Proc.* O resultado dessa atividade: *julgar segundo a prova dos autos.* **17.** *Dir. Proc.* Cada um dos meios empregados para formar a convicção do julgador: *prova documental; prova testemunhal.* **18.** *Lóg.* O que leva à admissão de uma proposição ou da realidade de um fato. **19.** *E. Ling.* Parte do discurso em que o orador faz a prova. ◆ **Prova circunstancial.** A que se baseia em indícios. **Prova de artista.** Prova de gravura tirada pelo artista fora da série destinada ao público, e que contém anotações marginais, anuladas na tiragem definitiva. **Prova de autor.** *Tip.* Prova, geralmente de página, que se fornece ao autor, quando também a este cabe rever o trabalho. **Prova de carga.** *Constr.* Medição da resistência de solos ou de estruturas, realizada pela aplicação direta de cargas. **Prova de cores.** *Art. Gráf.* V. *prova progressiva.* **Prova de escova.** *Tip.* A que se tira golpeando com a escova de provas uma folha de papel umedecida estendida sobre composição entintada. **Prova de esforço.** *Card.* Qualquer prova que exija esforço físico para a avaliação eletrocardiográfica do estado cardiovascular de um indivíduo, esp. para o diagnóstico de coronariopatia. **Prova de galé.** *Tip.* V. *prova de granel.* **Prova de granel.** *Tip.* A que se tira da composição ainda não paginada; prova de galé, prova de paquê, primeira prova, primeira tipográfica. **Prova de máquina.** *Tip.* A última prova entregue à revisão, depois de deitada a fôrma, para verificação, inclusive, da imposição e do preparo da prensa. **Prova de página.** *Tip.* A que se tira da composição já paginada. [V. *segunda prova.*] **Prova de paquê.** *Tip.* V. *prova de granel.* **Prova de revezamento.** *Esport.* Prova de atletismo ou de natação, feita em equipe, e na qual cada um dos participantes realiza um trecho do percurso. [Tb. se diz apenas *revezamento.*] **Prova de uma operação.** *Mat.* Outra operação destinada a verificar a exatidão da primeira. **Prova do candaru.** *Bras. Rel.* Ajeré (2). **Prova dos noves.** *Mat.* Algoritmo para controlar operação aritmética elementar (soma, subtração, multiplicação, divisão), baseado na verificação de serem, os números envolvidos, congruentes em relação a nove. **Prova funcional.** *Med.* A que investiga determinada função orgânica, como, p. ex., prova funcional hepática, que investiga certa função do fígado. **Prova parcial.** Prova escolar que, em geral, se realizava ao fim de um semestre, e à qual, de ordinário, se atribuía maior valor. **Prova progressiva.** *Art. Gráf.* Cada uma das provas do conjunto que o gravador ou fotogravador fornece ao impressor, a fim de orientá-lo acerca de tonalidades e ordem da tiragem, em qualquer processo de impressão em cores. [Tb. se diz apenas *progressiva.* Sin.: *prova de cores.*] **Prova raiada.** *Grav.* A que se estampa com a matriz raiada e indica o fim da tiragem. [V. *raiar*[2] (4).] **Prova terapêutica.** *Med.* A que, em face do resultado de medicação, contribui para confirmar ou infirmar um diagnóstico. **À prova de.** Que resiste ou fica incólume a: *relógio à prova d'água; porta à prova de fogo.* **A toda prova.** **1.** Que resiste a qualquer contestação: *lealdade a toda prova*. 2. Que a tudo resiste ou supera. **Primeira prova.** *Tip.* V. *prova de granel*. **Segunda prova.** *Tip.* A que se tira depois de emendada a primeira, sendo, em geral, uma prova de página. [Tb. se diz apenas *segunda*. Cf. *contraprova* (4).]

provação [Do lat. *probatione*.] *S. f.* 1. Ato ou efeito de provar. 2. Situação aflitiva ou penosa; prova, provança, transe.

provado [Part. de *provar*.] *Adj.* 1. Demonstrado com provas: *Teve participação provada no crime*. 2. Que passou por provas; experimentado: *É um ás provado do volante*. 3. Sabido, reconhecido, incontestável: *É pessoa de provada honestidade*. 4. Que sofreu provação (2): *Levou uma vida de miséria: é uma alma provada*.

provador (ô) [Do lat. *probatore*.] *Adj.* 1. Que prova. • *S. m.* 2. Aquele que prova. 3. Cabine (6).

provadura [De *provar* + *-dura*.] *S. f.* 1. Ato de provar (7). 2. A porção de líquido que serve para verificar a qualidade desse.

provança [De *provar* + *-ança*.] *S. f.* V. *provação* (2): "estes momentos em que somos iluminados pelo sol da vida celestial passam rápidos: o espírito cai logo dentro dos limites da sua existência de provança e desterro" (Alexandre Herculano, *Lendas e Narrativas*, II, p. 221).

provar [Do lat. *probare*.] *V. t. d.* 1. Estabelecer a verdade, a realidade de; dar prova irrefutável de: *Cabe à promotoria provar a culpabilidade do réu*. 2. Tornar evidente; demonstrar, patentear, testemunhar, justificar, comprovar: *As vestes rotas provavam a miséria do pobre homem*. 3. Submeter a prova; experimentar, ensaiar: *A própria vida prova a capacidade de cada homem*; *Vão provar o mecanismo*. 4. Fazer conhecer; revelar, mostrar, denotar: *Provou sua bravura quando defendeu o irmão*. 5. Empregar meios para conseguir; esforçar-se, diligenciar por; tentar, procurar: *Provou todas as vias para conseguir o emprego*. 6. Ser atormentado, afligido, martirizado, por; sofrer, suportar, padecer: *Esta criança provou fome e miséria*. 7. Comer ou beber pequena porção de (qualquer coisa) para verificar-lhe a qualidade, o sabor ou o estado. 8. Experimentar, vestindo: *provar uma roupa*. 9. Experimentar, sofrendo: *Muitos provaram a morte na defesa da pátria*. *T. d. e i.* 10. Estabelecer a verdade ou realidade; dar a prova ou a demonstração: *O réu provou aos jurados que era inocente*. 11. Testemunhar, demonstrar, patentear: *Sua constante presença provou a todos a dedicação de que é capaz*. *T. i.* 12. Comer ou beber pequena porção de qualquer coisa para verificar-lhe a qualidade, o sabor ou o estado: "Bebeste o primeiro trago do vinho; provaste uma vez do fruto proibido." (José de Alencar, *Lucíola*, p. 85.) 13. Provar (5): *Provou de todos os meios para alcançar o seu objetivo*. *Int.* 14. Exercer ou aplicar o sentido do paladar: "Prova. Olha. Toca. Cheira. Escuta. / Cada sentido é um dom divino." (Manuel Bandeira, *Estrela da Vida Inteira*, p. 20.) [Pres. subj.: *prove, proves, prove, provemos, proveis, provem*. Cf. *provém* e *provêm*, do v. *provir*.]

provará [Da 3.ª pess. do sing. do fut. ind. do v. *provar*.] *S. m. Jur.* Cada um dos artigos dum libelo ou dum requerimento judicial.

provativo [Do lat. tard. *probativu*.] *Adj.* Que prova; provador.

provatório [De *provar* + *-tório*.] *Adj.* Probatório (q. v.).

provável [Do lat. *probabile*.] *Adj. 2 g.* 1. Que se pode provar. 2. Que apresenta probabilidades de acontecer: *É provável que jante comigo hoje*. 3. Que tem aparências de verdadeiro; verossímil: "Vive [a pedra]? É possível. Morre? É provável." (Hermes-Fontes, *Gênese*, p. 34). [Superl. abs. sint.: *probabilíssimo*.] ~ V. *afastamento — e valor mais —*.

provavelmente [De *provável* + *-mente*.] *Adv.* 1. Com probabilidade (mas não certeza) de vir a acontecer: *Sairão, provavelmente, às sete para ir à cerimônia*. 2. Sendo provável ou possível (algo): *Provavelmente, a arma disparou ao cair no chão*. [Us. para indicar a quase certeza de que algo tenha ou venha a acontecer.]

prove *Adj. 2 g. S. 2 g. Ant. Pop.* Pobre.

provecto [Do lat. *provectu*.] *Adj.* 1. Que tem progredido; adiantado: *provecto nos estudos*; "Respondeu a menina, não como menina, mas como já muito provecta em desenganos, e cortada de experiências." (P.ᵉ Manuel Bernardes, *Os Últimos Fins do Homem*, p. 153). 2. Avançado em anos: *varão provecto*. 3. Avançado, adiantado (idade): "Estas águas correram de várias fontes ..... Se as reúno, é para que tenham um estuário; e esse estuário, ai de mim! representa o fim das coisas em que me deixei consumir até a idade provecta." (Costa Rego, *Águas Passadas*, p. V.) 4. *Fig.* Muito sabedor; experimentado: "Sanches teve louvor; Mânlio, louvor; Cruz, louvor também, graças à especialidade de cartilha, em que era provecto" (Raul Pompeia, *O Ateneu*, p. 168).

provedor (ô) [De *prover* + *-dor*.] *S. m.* 1. Aquele que provê. 2. O dirigente ou o chefe de certos estabelecimentos pios. 3. *Inform.* Provedor de acesso (q. v.). ◆ **Provedor de acesso.** *Inform.* Instituição que possui uma conexão de alta capacidade com uma grande rede de computadores, e que oferece acesso a esta rede para outros computadores, principalmente por meio de linhas telefônicas, em geral cobrando pelo serviço. [Tb. se diz apenas *provedor*.]

provedoria [De *provedor* + *-ia*¹.] *S. f.* Cargo, jurisdição ou repartição do provedor.

proveito [Do lat. *profectu*.] *S. m.* 1. Ganho, lucro, interesse, provento: *Seus negócios têm-lhe dado grandes proveitos*. 2. Utilidade, vantagem, benefício: *Tirou pouco proveito de sua estada na Europa*. ◆ **Não caberem dois proveitos num só saco.** Ser impossível auferir duas vantagens ao mesmo tempo.

proveitoso (ô) [De *proveito* + *-oso*.] *Adj.* Que dá proveito; que convém; profícuo; útil.

provençal [Do top. *Provença* (França) + *-al*¹.] *Adj. 2 g.* 1. De, ou pertencente ou relativo à Provença (França). 2. *Tec. Têx.* Diz-se do tecido de estamparia miúda e em geral com fundo preto ou azul-marinho. ~ V. *flauta —*. • *S. 2 g.* 3. O natural ou habitante da Provença. • *S. m.* 4. *Gloss.* Língua românica falada no S. da França desde fins do séc. XI e que, em sua forma literária, serviu de expressivo instrumento para os trovadores. [A começar do séc. XIV foi, pouco a pouco, sendo substituída pelo francês, permanecendo, no entanto, através de seus muitos dialetos.]

provençalesco (ê) [De *provençal* + *-esco*.] *Adj.* Relativo à poesia ou aos poetas provençais.

provençalismo [De *provençal* + *-ismo*.] *S. m.* 1. Influência da literatura provençal. 2. Escola dos poetas provençais.

provençalista [De *provençal* + *-ista*.] *S. 2 g.* Pessoa versada na língua e literatura provençais.

proveniência [De *proveniente* + *-ia*², seg. o padrão analógico.] *S. f.* 1. Lugar de onde alguma coisa provém: procedência: *artigo de proveniência espanhola*. 2. Fonte, procedência, origem: *Preso, não conseguiu explicar a proveniência de sua fortuna*.

proveniente [Do lat. *proveniente*.] *Adj. 2 g.* Que provém; oriundo, procedente. [Cf. *preveniente*.]

provento [Do lat. *proventu*.] *S. m.* Proveito, rendimento, lucro: "E evidentemente o digno homem revendia as minhas preciosidades com gordo provento — porque bem depressa, sobre o seu colete de veludo preto, rebrilhou uma corrente d'ouro." (Eça de Queirós, *A Relíquia*, p. 391.) ~ V. *proventos*. [Cf. *prevento*.]

proventos *S. m. pl.* Honorários (1): *os proventos de um advogado*. ~ V. *provento*.

proventrículo [De *pro*-¹ + *ventrículo*.] *S. m. Zool.* Órgão do sistema digestório das aves, situado logo após o papo, e onde o alimento recebe as enzimas digestivas, passando então à moela.

prover [Do lat. *providere*.] *V. t. d.* 1. Tomar providências acerca de; regular, ordenar, dispor, providenciar: *O procurador proverá tudo, evitando-nos problemas*. 2. Despachar ou nomear alguém para (cargo ou função vaga): *O governo proveu ontem a vaga ministerial*. 3. Nomear para cargo ou função vaga: *O governador proveu diversos parentes*. 4. *Jur.* Receber e deferir (um recurso). *T. d. e i.* 5. Fornecer, abastecer, munir: *As colônias americanas proveram a Europa de açúcar*. 6. Dotar, prendar: *A natureza provê os homens de inteligência*. 7. Nomear, promover, investir: *Os reis proviam os bispos em suas funções*; "repreendeu-lhe particularmente os vícios da carnalidade e da ambição desenfreada; mas proveu-o logo no governo de Diu" (Camilo Castelo Branco, *História e Sentimentalismo*, p. 93). 8. Preencher por nomeação ou despacho: *Proveu a função em um de seus filhos*. *Int.* 9. Tomar providências. *T. i.* 10. Correr, acudir, atender, remediar, providenciar: *O dinheiro proverá às despesas*. *P.* 11. Munir-se, abastecer-se: *prover-se de dinheiro, de alimentos*. [Salvo o pret. perf. e o m.-q.-perf. ind., o imperf. subj. e o part., que são regulares, conjuga-se pelo v. *ver*, de que é composto.]

proverbial [Do lat. tard. *proverbiale*.] *Adj. 2 g.* 1. Relativo a provérbio. 2. Que tem a natureza de provérbio: *citação proverbial*. 3. *Fig.* Sabido, notório, conhecido: *É proverbial a pontualidade britânica*.

proverbialidade [De *proverbial* + *-(i)dade*.] *S. f.* Qualidade ou caráter de proverbial.

proverbializar [De *proverbial* + *-izar*.] *V. t. d. P.* 1. Tornar(-se) proverbial. 2. Reduzir(-se) a, ou transformar(-se) em provérbio.

proverbiar [De *porvérbio* + *-ar*².] *V. int.* Usar provérbios. [Pres. ind.: *proverbio*, etc. Cf. *provérbio*.]

provérbio [Do lat. *proverbiu*.] *S. m.* 1. Máxima ou sentença de caráter prático e popular, comum a todo um grupo social, expressa em forma sucinta e geralmente rica em imagens; adágio, ditado, anexim, exemplo, refrão, refrém, rifão. Ex.: "Casa de ferreiro, espeto de pau"; "Quanto maior a nau, maior a tormenta". 2. *Teatr.* Peça curta, em geral de um só ato, que tem por tema o desenvolvimento de um provérbio. 3. *Jog. Inf.* Jogo de salão, em que um participante se afasta enquanto os outros combinam em segredo o provérbio a adivinhar, e, na volta, faz uma pergunta a cada companheiro, cabendo a este encaixar na resposta a palavra do provérbio que lhe coube na distribuição geral. [Às vezes, em lugar de perguntas e respostas, os participantes dramatizam o provérbio todo (ou as suas partes) a fim de que o companheiro possa descobri-lo.] [Cf. *proverbio*, do v. *proverbiar* e *prevérbio*.]

proveta [Do fr. *éprouvette*.] *S. f.* 1. Tubo de vidro onde se fazem ensaios de pequenas quantidades de substâncias. 2. Recipiente cilíndrico, ou cônico, graduado, para medição de líquidos ou recolhimento de gases. 3. Pequeno tubo empregado para determinar o grau dos álcoois. [F. paral.: *provete*.]

provete *S. f.* Proveta (q. v.). [Cf. *provete* (ê).]

provete¹ (ê) [De *provar*.] *S. m. Pop.* Aerômetro. [Cf. *provete*.]

provete² (ê) [De *prova* + *-ete* (ê).] *S. m.* Pequeno morteiro para experiências de pólvora. [Cf. *provete*.]

pró-vida [De *pró*- + *vida*.] *Adj. 2 g. e 2 n.* Em favor da vida.

providência [Do lat. *providentia*.] *S. f.* 1. A suprema sabedoria com que Deus conduz todas as coisas. 2. *P. ext.* O próprio Deus. [Com cap., nesta acepç.] 3. Prudência e presciência do futuro para acautelamento com relação a ele. 4. Pessoa que protege ou ajuda outrem. 5. Acontecimento feliz: *Foi uma providência estarmos todos reunidos ontem*. 6. Disposições ou medidas prévias para alcançar um fim, remediar qualquer necessidade ou regularizar certos serviços; prevenção: *Neste caso as providências administrativas foram acertadas*. [Cf. *providencia*, do v. *providenciar*, e *previdência*.]

providencial [De *providência* + *-al*¹.] *Adj. 2 g.* 1. Relativo ou pertencente à providência; providente. 2. Determinado ou inspirado pela Providência (1 e 2): *Para a piedosa mulher, a visita do padre era um caso providencial*. 3. Que vem a propósito; muito oportuno; feliz: *Sua ajuda nesta conjuntura é providencial*. [Cf. *previdencial*.]

providencialidade [De *providencial* + *-(i)dade*.] *S. f.* Qualidade de providencial.

providencialismo [De *providencial* + *-ismo*.] *S. m.* Doutrina filosófica que atribui tudo à ação da providência divina.

providencialista [De *providencial* + *-ista*.] *Adj. 2 g.* 1. Relativo ao, ou que é sectário do providencialismo. • *S. 2 g.* 2. Sectário dele.

providenciar [De *providência* + *-ar*².] *V. t. d.* 1. Dispor providentemente; acudir com medidas adequadas; prover: *Providenciará o que for necessário para o conforto do hóspede*. *Int.* 2. Dar ou tomar providência; prover: *Já providenciamos para que nada falte*. *T. i.* 3. Dar ou tomar providências: *Os responsáveis pela festa providenciarão acerca das fantasias*. 4. Acorrer, acudir, atender, remediar, prover: *Os mantimentos providenciarão às necessidades*. [Pres. ind.: *providencio, providencias, providencia*, etc. Cf. *providência*, s. f., e *Providência*, hier., antr. e top.]

providente [Do lat. *providente*.] *Adj. 2 g.* 1. Que provê; próvido. 2. Prudente, cauteloso, cuidadoso, próvido. 3. Providencial (1). [Cf. *previdente*.]

providentíssimo *Adj.* Superl. abs. sint. de *providente* e *próvido*.

provido [Part. de *prover*.] *Adj.* 1. Que tem abundância do que é necessário; cheio: *Tem a despensa provida para uma semana*. 2. Que foi nomeado ou designado para cargo ou função pública. 3. *Jur.* Diz-se do recurso a que se deu provimento. [Cf. *próvido*.]

próvido [Do lat. *providu*.] *Adj.* V. *providente* (1 e 2): "vemos ... que a sábia e próvida Natureza encerra o precioso diamante nas entranhas de um rudo penedo" (D. Francisco Manuel de Melo, *Apólogos Dialogais*, p. 325). [Superl. abs. sint.: *providentíssimo*. Cf. *provido*.]

provigário [De *pro*-¹ + *vigário*.] *S. m. Ecles.* Eclesiástico investido nas funções de vigário.

provimento [De *prover* + *-imento*.] *S. m.* 1. Ato ou efeito de prover; provisão. 2. V. *provisão* (2 e 3). 3. Cuidado, cautela, prudência. 4. Ato de preencher cargo ou ofício público por nomeação, promoção, transferência, reintegração, readmissão, aproveitamento ou reversão. 5. *Jur.* Manifestação dos tribunais superiores ao receberem e julgarem favoravelmente o recurso interposto contra decisões dos juízes inferiores. 6. *Jur.* Instruções ou determinações administrativas baixadas pelo corregedor ao realizar as correições.

província [Do lat. *provincia*.] *S. f.* 1. Divisão regional e/ou administrativa de muitos países, em geral sob a autoridade de um delegado do poder central. 2. No Segundo Reinado, cada uma das grandes divisões administrativas, a qual tinha por chefe um presidente. 3. O interior de um país, por oposição à capital e seus subúrbios: *ser da província; viver na província.* 4. *P. ext.* Os habitantes da província; os provincianos: *Cada dia a província está mais perto da capital.* 5. Entre os antigos romanos, região conquistada fora da Itália e administrada por um governador patrício. 6. Conjunto de conventos e conventuais duma ordem religiosa num país, governados pelo provincial e dependentes do superior-geral da ordem. 7. Extensão da jurisdição de uma metrópole (3). 8. *Fitogeogr.* Território florístico que se caracteriza pela posse de ao menos uma comunidade climática e pelo endemismo de nível genérico e específico. [No Brasil há três províncias: amazônica, central e atlântica.] 9. *Fig.* Parte, divisão, seção, ramo: *Sua faixa de estudo aproxima-o de várias províncias do conhecimento.* ◆ **Província petrográfica.** *Geol.* Rochas ígneas de certa área, que apresentam caracteres de consanguinidade.

provincial [Do lat. *provinciale.*] ***Adj. 2 g.*** **1.** Da, ou relativo ou pertencente à província: *assembleia provincial; território provincial.* ~ V. *acento —.* ● ***S. m.*** **2.** O superior de certo número de casas religiosas, numa província da ordem.

provincialado [De *provincial* + *-ado²*.] ***S. m.*** Cargo de provincial (2); provincialato.

provincialato [De *provincial* + *-ato¹*.] ***S. m.*** Provincialado.

provincialismo [De *provincial* + *-ismo*.] ***S. m.*** V. *provincianismo.*

provincianismo [De *provinciano* + *-ismo*.] ***S. m.*** **1.** Palavra ou locução própria duma ou mais províncias. **2.** Acento ou pronúncia peculiar a uma província. **3.** Costume de província. **4.** *P. ext.* Costumes, modos e/ou mentalidade imbuídos do espírito da província (3 e 4). [Sin. ger.: *provincialismo.*]

provincianizar-se [De *provinciano* + *-izar* + *se¹*.] ***V. p.*** *Bras.* Adquirir hábitos provincianos.

provinciano [De *província* + *-ano¹*.] ***Adj.*** **1.** Da, relativo à ou natural ou próprio da província (em geral por oposição à capital): *hábitos provincianos; espírito provinciano.* [Us. muitas vezes pejorativamente, com a conotação de 'atrasado', 'superado'. Cf. *provincial* (1).] ● ***S. m.*** **2.** Indivíduo natural ou habitante da província e/ou imbuído do espírito provinciano. [Cf. *caipira* (1, 3 a 5) e *matuto* (1, 2 e 6).]

provindo [Part. de *provir.*] ***Adj.*** Que proveio; procedente, derivado, oriundo.

provir [Do lat. *provenire.*] ***V. t. i.*** **1.** Ter origem; derivar, proceder: *Os reis acreditavam que seu poder provinha de Deus;* "O material de *Os Lusíadas* provém da história portuguesa." (Gilberto Mendonça Teles, *Camões e a Poesia Brasileira*, p. 51); "Não me surpreendeu .... verificar que *caroço* provém da forma *coroço*, derivada de *cor, cordis*: sendo o núcleo da fruta, é sobretudo o seu coração, sua parte sensível e palpitante." (Maria Julieta Drummond de Andrade, *Um Buquê de Alcachofras*, p. 38). **2.** Proceder por geração; descender: *Segundo a Bíblia, a humanidade provém de Adão e Eva.* **3.** Vir como consequência ou resultado; resultar, advir: *Os antigos pensavam que as fatalidades provinham das iras divinas;* "A descomunal popularidade de Boulanger .... proveio de que, em certo momento, ele conseguiu ser o chefe dos descontentes. Aliou-se-lhe a França." (Ramalho Ortigão, *Últimas Farpas*, pp. 151-152). ***T. c.*** **4.** Provir (1): *Toda a produção de açúcar provinha do Nordeste.* [Irreg. Conjug.: v. *vir*. Pres. ind.: *provenho, provéns, provém, provimos, provindes, provêm.* Cf. *provem*, do v. *provar.*]

provisão [Do lat. *provisione.*] ***S. f.*** **1.** Provimento (1). **2.** Abastecimento, fornecimento, sortimento, provimento. **3.** Mantimentos, víveres; provimento. **4.** Abundância de coisas necessárias ou proveitosas: *Sempre tem provisão de material de escrita.* **5.** Documento oficial em que o governo confere cargo, mercê, dignidade, ofício, etc., autoriza o exercício de uma profissão ou expede instruções. **6.** Prescrição, ordem, disposição, providência. **7.** *Com.* Reserva em dinheiro ou em valores. **8.** *Com.* Cobertura de um título cambial. ◆ **Provisão de boca.** *Mil.* Qualquer material para alimentação; munição de boca. [M. us. no pl.] **Provisão de guerra.** *Mil.* Qualquer munição para arma de fogo, quaisquer artefatos de guerra, etc. [M. us. no pl.]

provisionado [Part. de *provisionar.*] ***Adj.*** *Bras.* **1.** Diz-se daquele que, não sendo bacharel em direito, recebeu provisão para advogar em juízo de primeira instância, uma vez inscrito na Ordem dos Advogados. **2.** *Com.* Que está garantido por provisão ou nela tem origem. ● ***S. m.*** **3.** Indivíduo provisionado.

provisional [De *provisão* + *-al¹*, seg. o padrão erudito.] ***Adj. 2 g.*** **1.** Relativo a provisão. **2.** V. *provisório* (1 e 2).

provisionar [De *provisão* + *-ar²*, seg. o padrão erudito.] ***V. t. d.*** **1.** V. *aprovisionar.* **2.** Conceder provisão a (alguém) para exercer, como prático, certas profissões: *O governo provisionou os jornalistas sem diploma com mais de cinco anos na profissão.*

provisioneiro [De *provisão* + *-eiro*, seg. o padrão erudito.] ***S. m.*** *Ant.* Fazedor ou fornecedor de provisões.

provisor (ô) [Do lat. *provisore.*] ***Adj.*** **1.** Que faz provisões. ● ***S. m.*** **2.** Aquele que as faz. **3.** *Ecles.* Magistrado eclesiástico encarregado de jurisdição contenciosa pelo prelado de uma diocese.

provisorado [De *provisor* + *-ado²*.] ***S. m.*** Provisoria.

provisoria [De *provisor* + *-ia¹*.] ***S. f.*** Cargo ou funções de provisor; provisorado. [Cf. *provisória*, fem. de *provisório.*]

provisório [Do lat. *provisus*, part. pass. de *providere*, 'prover', + *-ório.*] ***Adj.*** **1.** Feito por provisão; provisional. **2.** Interino, passageiro, temporário, provisional. ~ V. *liberdade —a.* ● ***S. m.*** **3.** *Bras. Bot.* V. *capim-jaraguá.* **4.** *Bras.* Soldado auxiliar da milícia estadual, pertencente aos corpos criados a título provisório. [Fem. do adj.: *provisória.* Cf. *provisoria.*]

provista [De *prova* + *-ista.*] ***S. 2 g.*** **1.** *Fotograv.* Gráfico encarregado, nas clicherias, de tirar provas dos clichês antes da montagem. [Cf. *tirador de provas.*] **2.** *Litogr.* Litógrafo encarregado de tirar provas das pedras-matrizes, para transporte.

provitamina [De *pro-* + *vitamina.*] ***S. f.*** *Bioquím.* Qualquer substância que, existente num alimento, e sob a ação de certos agentes, como, p. ex., irradiação, transforma-se em vitamina.

provocação [Do lat. *provocatione.*] ***S. f.*** **1.** Ato ou efeito de provocar. **2.** Insulto, afronta, ofensa: *Reagiu com violência às provocações da turma.* **3.** Desafio, repto. **4.** Pessoa que provoca, seduz, tenta; tentação: *Aquela mulher é uma provocação.* **5.** Estimulação, incitação.

provocador (ô) [Do lat. *provocatore.*] ***Adj.*** **1.** V. *provocante* (1 e 2). ● ***S. m.*** **2.** Aquele que provoca.

provocante [Do lat. *provocante.*] ***Adj. 2 g.*** **1.** Que provoca, excita, desafia. **2.** Que induz à irritação, à exasperação, à cólera. [Sin., nessas acepçs.: *provocador, provocativo, provocatório.*] **3.** Que provoca desejo sexual; sedutor: *garota provocante.*

provocar [Do lat. *provocare.*] ***V. t. d.*** **1.** Chamar a provocação ou desafio; desafiar: *Covarde, só provoca os mais fracos.* **2.** Dirigir insultos a; afrontar, injuriar, insultar. **3.** Ser causa ou motivo de; ocasionar, produzir, gerar: *O frio provocou as dores reumáticas;* "Há paisagens que provocam a sede do mistério" (Antero de Figueiredo, *Jornadas em Portugal*, p. 93). **4.** Tornar fácil; promover, facilitar: *As sinecuras provocaram o enriquecimento ilícito dos apadrinhados.* **5.** Trabalhar para que ocorra; armar, aprontar, promover: *Arruaceiro, vive a provocar desordens.* **6.** Chamar sobre si; atrair: *O crime provoca a vingança.* **7.** Causar desejo, apetite sexual, a. **8.** Atrair vivamente; tentar: *O clima da montanha provoca turistas.* **9.** Chamar alguém para manifestar-se a propósito de um assunto ou questão. **10.** *Bras. AM Pop.* V. *vomitar* (1): "nós dois despejamos tudo, provocamos todo o café da manhã e os bolinhos de tapioca que havíamos comido na ida." (Milton Hatoum, *Dois Irmãos*, p. 58). ***T. d. e i.*** **11.** Incitar, estimular, excitar: *O mau tempo não o provocou a seguir viagem.* ***Int.*** **12.** Dirigir provocação ou desafio: *Não se deve dar trela a quem provoca.* **13.** *Bras. N.* V. *provocar* (10). [Conjug.: v. *trancar.*]

provocativo [Do lat. tard. *provocativu.*] ***Adj.*** V. *provocante* (1 e 2).

provocatório [Do lat. tard. *provocatoriu.*] ***Adj.*** V. *provocante* (1 e 2).

➔ **provolone** [provo'lone] [It.] ***S. m.*** *Cul.* Queijo de leite de vaca, defumado e de forma geralmente cilíndrica, de consistência rija e casca lisa, originário da Campânia (S.O. da Itália).

proxêmica [Adapt. do ingl. *proxemics*, forjado pelo antropólogo americano Edward Twitchell Hall (1914-2009), em 1963.] ***S. f.*** *Antrop.* **1.** Estudo da distância física estabelecida entre as pessoas que convivem socialmente, de acordo com variantes ambientais, sociais, etc. **2.** Estudo das relações espaciais criadas pelas pessoas em uma sociedade nos campos da urbanística, da sociologia, da arquitetura, etc.

proxeneta (cs... ê) [Do gr. *proxenetés*, 'mediador entre os estrangeiros e os cidadãos', pelo lat. *proxeneta.*] ***S. 2 g.*** **1.** Pessoa que ganha dinheiro servindo de intermediário em casos amorosos. **2.** Explorador da prostituição de outrem; cáften. [Sin. ger.: *alcoviteiro* e (bras.) *caraxué.*]

proxenético (cs) [Do gr. *proxenetikós.*] ***Adj.*** Relativo a proxeneta.

proxenetismo (cs) [De *proxeneta* + *-ismo*.] ***S. m.*** **1.** Qualidade ou profissão de proxeneta. **2.** Tipo de lenocínio que consiste em servir, como mediador, à libidinagem alheia, favorecer a prostituição, manter prostíbulos ou ter lugar destinado a fins libidinosos. [V. *lenocínio.*]

proxenia (cs) [Do gr. *proxenía.*] ***S. f.*** **1.** Cargo ou dignidade de próxeno. **2.** Na Grécia antiga, hospitalidade pública prestada a um estrangeiro. **3.** Contrato de hospitalidade pública entre dois Estados gregos.

próxeno (cs) [Do gr. *próxenos.*] ***S. m.*** **1.** Título concedido por um Estado grego a estrangeiros ou a outros Estados gregos em reconhecimento de serviços prestados. **2.** Aquele que, numa cidade grega, era incumbido de cuidar dos estrangeiros e receber as visitas importantes.

proximal (ss) [De *próximo* + *-al¹*.] ***Adj. 2 g.*** **1.** *Anat.* Diz-se de formação (5) que se aproxima ou da cabeça, ou da linha média do corpo. **2.** *Anat.* Diz-se de formação (5) que, em relação a outra, se encontra ainda mais próxima da cabeça ou da linha média do corpo. **3.** *Anat.* Diz-se de formação (5) que fica voltada na direção da cabeça. [Cf., nesta acepç., *distal* (1 e 2).] **4.** *Bot.* Que se localiza perto do ponto de origem (ou da base): *glândula proximal.* ~ V. *falange —.*

proximidade (ss) [Do lat. *proximitate.*] ***S. f.*** **1.** Estado ou condição do que é ou se acha próximo; contiguidade. **2.** Pequena distância de lugar ou de tempo; vizinhança, adjacência. **3.** Imediação, iminência: *a proximidade da morte.* ~ V. *proximidades.*

proximidades (ss) [Pl. de *proximidade.*] ***S. f. pl.*** Arredores, imediações, cercanias. ~ V. *proximidade.*

próximo (ss) [Do lat. *proximu.*] ***Adj.*** **1.** Que está perto, a pouca distância (no espaço ou no tempo); vizinho: *Estas duas prateleiras da estante estão muito próximas; Examinamos as causas próximas e as causas remotas do problema.* **2.** Seguinte ao atual; imediatamente seguinte; imediato, seguinte: *a semana próxima; Sua entrevista sairá no próximo número da revista.* **3.** Que está prestes a chegar, a acontecer: *Suas férias se acham próximas.* **4.** Ocorrido há muito pouco tempo: *Esses fatos, que estarreceram a população, ainda estão bem próximos de nós.* **5.** Diz-se de pessoa que tem com outra, ou de pessoas que têm entre si, relação próxima de parentesco: *É parente próximo do Manuel; Elza e Teresa são parentas muito próximas.* **6.** Muito chegado; muito ligado; íntimo: *São amigos próximos.* **7.** Que é pouco diferente; um tanto análogo; aproximado: *Seu temperamento é mais próximo do da família do pai.* ~ V. *Oriente —.* ● ***S. m.*** **8.** Pessoa, ser humano, considerado como um semelhante; semelhante: "Não desejar a mulher do próximo" (um dos 10 mandamentos da Lei de Deus); *É um misantropo: tem horror ao próximo.* ● ***Adv.*** **9.** Em lugar próximo; na vizinhança; perto; proximamente: *Ela morou três anos aqui próximo.* ◆ **Próximo futuro.** Imediatamente seguinte; próximo vindouro: *Irei visitá-la no mês próximo futuro.* **Próximo passado.** Imediatamente anterior; último; próximo pretérito: *Escrevi-lhe em começos de abril próximo passado.* **Próximo pretérito.** Próximo passado. **Próximo vindouro.** Próximo futuro.

■ **Pr-P** [Ingl. *Pr-P*, abrev. de *Prion-Protein.*] Proteína cuja deposição no cérebro caracteriza as encefalopatias espongiformes, em sua forma subaguda. Existem dois tipos de Pr-P, sendo uma a Pr-P-c (celular) normal, e a outra a Pr-P-Sc patológica; diferem entre si por sua resistência à ação das proteases.

pru ***S. m.*** Tipo de flauta nasal usada pelos índios botocudos.

pruá ***S. f.*** *Bras.* Algodão descaroçado.

pruca ***S. f.*** *Bras. SP* Banco de madeira, de assento redondo.

prudência [Do lat. *prudentia.*] ***S. f.*** **1.** Qualidade de quem age com moderação, comedimento, buscando evitar tudo o que acredita ser fonte de erro ou de dano. **2.** Cautela, precaução: *Dirige o carro com muita prudência.* **3.** Circunspeção, ponderação, cordura, sensatez: *Leu os autos com toda a prudência.* [Cf. *prudencia*, do v. *prudenciar.*]

prudencial [De *prudência* + *-al¹*.] ***Adj. 2 g.*** Respeitante à prudência.

prudenciar [De *prudência* + *-ar²*.] ***V. t. d.*** **1.** Dizer como quem aconselha prudência. ***Int.*** **2.** Usar de prudência; proceder prudentemente: *Em situações difíceis, prudência.* [Pres. ind.: *prudencio, prudencias, prudencia*, etc. Cf. *prudência*, s. f., *Prudência*, antr. fem., e *Prudêncio*, antr. m.]

prudente [Do lat. *prudente.*] ***Adj. 2 g.*** **1.** Que tem ou revela prudência; moderado, comedido. **2.** Cauteloso, previdente, precavido. **3.** Circunspeto, sensato; judicioso, cordato, ponderado. [V. *precatado.*]

prudentino¹ ***Adj.*** **1.** De, ou pertencente ou relativo a Presidente Prudente (SP). ● ***S. m.*** **2.** O natural ou habitante de Presidente Prudente.

prudentino² ***Adj.*** **1.** De, ou pertencente ou relativo a Prudente de Morais (MG). ● ***S. m.*** **2.** O natural ou habitante de Prudente de Morais.

prudentopolitano *Adj.* **1.** De, ou pertencente ou relativo a Prudentópolis (PR). ● *S. m.* **2.** O natural ou habitante de Prudentópolis.

➔ **pruderie** [pʀyˈdʀi] [Fr.] *S. f.* Falso recato.

prudhommesco (ê) [Do fr. *prudhommesque*.] *Adj.* Que encarna a banalidade sentenciosa, enfática e ridícula própria de Prudhomme, personagem criada pelo escritor e caricaturista francês Henri Monnier (1805-1877); prudhommiano. [Equivale a *acaciano* (q. v.).]

prudhommiano *Adj.* Prudhommesco.

pruído *S. m.* V. *prurido*.

pruína [Do lat. *pruina*, 'geada, granizo'.] *S. f. Bot.* Revestimento tenuíssimo de cera em órgãos e partes vegetais, que lhes confere um aspecto particular (glauco ou alvacento, p. ex.), e que, esfregando-se, sai facilmente.

pruinoso (u-i...ô) [Do lat. *pruinosu*.] *Adj. Bot.* Que tem pruína: *ramúlo pruinoso*.

pruir [Var. de *prurir*, com dissimilação.] *V. t. d. Int. T. i.* Prurir: "o poeta .... palpitara ao acorde sonoro dos cânticos sagrados, pruíra-lhe os lábios o ressábio do ideal" (Capistrano de Abreu, *Ensaios e Estudos*, 1.ª série, p. 55). [Defect. Não se conjuga nas f. em que ao *u* se seguiria *o* ou *a*.]

prumada [De *prumar* + *-ada*[1].] *S. f.* **1.** Posição vertical da linha de prumo. **2.** *Mar.* Lançamento do prumo à água do mar, de um rio, etc., para determinar-lhe a profundidade e, em alguns casos, a natureza do fundo: *Faça uma prumada.* **3.** Profundidade da água em determinado ponto do mar, de um rio, etc.: *O porto tem prumada de 15 metros.* **4.** *Bras. Arquit.* Conjunto de peças ou elementos iguais de um edifício, considerados em seu alinhamento vertical: *a prumada das áreas de serviço; a prumada das escadas; a prumada dos elevadores.* **5.** *Bras. DF* Conjunto de apartamentos superpostos, com uma entrada comum e servidos por um mesmo elevador ou uma mesma escadaria: *Moro na prumada de F.* [Em cada bloco de apartamentos há, por via de regra, de duas a quatro prumadas.]

prumar [De *prumo* + *-ar*[2].] *V. int. Mar.* Medir a profundidade da água por meio de uma linha de prumo ou de máquina adequada; largar o prumo, deitar o prumo, botar o prumo; aprumar.

prumidade [De *prumo* + *-(i)dade*.] *S. f.* Qualidade do que está a prumo.

prumiforme [De *prumo* + *-iforme*.] *Adj. 2 g.* Que tem feitio de prumo.

prumo [Do lat. *plumbu*, 'chumbo'.] *S. m.* **1.** Instrumento constituído de uma peça de metal ou de pedra, suspensa por um fio, e utilizado para determinar a direção vertical. **2.** Prudência, tino, juízo, tato. **3.** Agudeza, penetração, perspicácia: *Com o prumo de sua inteligência convenceu a todos.* **4.** Elegância, graça. **5.** *Constr. Nav.* Ferro perfilado disposto verticalmente numa antepara a fim de reforçá-la. **6.** *Mar.* Régua de metal, ou outro dispositivo, destinada a medir a altura de um líquido armazenado num tanque ou acumulado no porão do navio. **7.** *Mar.* Dispositivo ou aparelho destinado a determinar a profundidade das águas em que se encontra a embarcação, bem como, em alguns casos, a natureza do fundo. **8.** *Agr.* Garfo de enxerto. ◆ **Prumo de mão.** *Mar.* Dispositivo constituído de uma peça de chumbo de forma troncônica (chumbada), em cuja base menor existe uma alça à qual se fixa uma linha graduada em metros ou em braças (linha de prumo), na qual se lê o ponto da graduação da linha que aflora a água. **A prumo.** Verticalmente, perpendicularmente: "A prumo atira o sol as frechas rúbicas, / Sobre a vasta campina!" (Bulhão Pato, *Livro do Monte*, p. 101.) **Botar o prumo.** *Mar.* V. *prumar*. **Deitar o prumo.** *Mar.* V. *prumar*. **Largar o prumo.** *Mar.* V. *prumar*. **Perder o prumo.** *Bras.* Perder a cabeça; endoidecer, transviar.

pruniforme [Do lat. *prunum*, 'ameixa', + *-iforme*.] *Adj. 2 g.* Que tem forma de ameixa.

pruno [Do tax. *Prunus*.] *S. m. Bot.* **1.** Gênero de árvores e arbustos rosáceos, vastamente distribuídos pelas regiões temperadas, dotados, ger., de folhas serreadas, e flores e racemos umbelados. **2.** Qualquer espécie desse gênero, como, p. ex., a *Prunus persica* (v. *pessegueiro*). **3.** Qualquer espécime desse gênero.

prurido (í) [Do lat. *pruritu*.] *S. m.* **1.** *Med.* Sensação desagradável peculiar, causada por enfermidade ou agente irritante, que leva o indivíduo a coçar-se em procura de alívio: "andavam-me pruridos na pele, davam-me a sensação de ser agredido por multidões de pulgas." (Graciliano Ramos, *Memórias do Cárcere*, I, p. 210). [Sin.: *comichão, coceira* e (pop.) *iuçá, já-começa, cafubira, quipá*]. **2.** *Fig.* Desejo veemente; tentação: *pruridos de erudição*; "O prurido eterno da aventura veio para o sertanejo de três gentes, do luso, do cigano e do indígena." (Gustavo Barroso, *Heróis e Bandidos*, p. 62). **3.** *Fig.* Impaciência, frenesi, inquietação. [Var.: *pruído*.]

pruriente [Do lat. *pruriente*.] *Adj. 2 g.* Que prure ou prui; que causa prurido; prurígeno.

prurigem [Do lat. *prurigine*.] *S. f. Derm.* Designação genérica de dermopatias pruriginosas, eruptivas, de causa desconhecida e em que a lesão característica tem forma de cúpula em cujo topo há pequena vesícula (8) de duração transitória, e a que se segue o aparecimento de crosta ou de liquenificação.

prurígeno [De *pruri(do)* + *-geno*.] *Adj.* **1.** Relativo a prurido. **2.** Pruriente.

pruriginoso (ô) [Do lat. tard. *pruriginosu*.] *Adj.* Que tem prurido ou em que há prurido.

prurigo [Do lat. *prurigo* (nom.).] *S. m. Derm.* V. *prurigem*.

prurir [Do lat. *prurire*.] *V. t. d.* **1.** Causar prurido ou comichão a; comichar. **2.** Ser agradável ou comprazível a; lisonjear, comprazer: *As atitudes enérgicas prurem uns e desagradam outros.* **3.** Incitar, instigar, estimular: *As vitórias prurem os combatentes.* *Int.* **4.** Causar prurido ou comichão; arder: *A sarna prure, irritando a pele.* *T. i.* **5.** Estar ansioso, inquieto; ter grandes desejos: *Exausto, eu pruria pelo descanso.* [Var.: *pruir*. Defect. Não se conjuga nas f. em que ao *r* da raiz se seguiria *o* ou *a*.]

prurítico [Do lat. *pruritus*, 'prurido', + *-ico*[2].] *Adj.* Relativo a, ou caracterizado por prurido.

prussianização [De *prussianizar* + *-ção*.] *S. f.* Ato ou efeito de prussianizar(-se).

prussianizar [De *prussiano* + *-izar*.] *V. t. d. P.* Tornar(-se) prussiano.

prussiano [Do top. *Prússia* + *-ano*[1].] *Adj.* **1.** Da, ou pertencente ou relativo à Prússia, antigo Estado alemão, dividido atualmente entre a Alemanha, a Polônia e a Rússia. **2.** *P. ext.* Imbuído do espírito militarista próprio da antiga aristocracia rural da Prússia: *político prussiano.* ● *S. m.* **3.** O natural ou habitante da Prússia. ◆ **Prussiano antigo.** *Gloss.* V. *báltico* (3).

prussiato [De *pruss*, f. red. de *prússico*, + *-i-* + *-ato*[2].] *S. m. Quím.* Designação comum aos sais do ácido prússico; cianeto.

prússico [De *pruss*, f. red. de *prússico*, + *-ico*[2].] *Adj. Quím.* ~ V. *ácido* —.

■ **PS**[1] [Do lat.] Abrev. de *postscriptum*, 'pós-escrito'.

■ **PS**[2] Abrev. de *pronto-socorro*.

■ **PSA** [Do ingl. *p(rostatic) s(pecific) a(ntigen)*, 'antígeno prostático específico'.] *S. m. Med.* Enzima (*Serina endopeptidase*) segregada na próstata, e que, quando se apresenta no soro (1) com valor acima do normal, segundo a idade, indica hiperplasia ou tumor maligno desse órgão.

psamito [De *psam(o)-* + *-ito*[2].] *S. m. Geol.* Designação comum aos arenitos ou rochas sedimentares clásticas formadas de elementos que, embora finos, são visíveis a olho desarmado.

▲ **psam(o)-** [Do gr. *psammo-* < gr. *psámmos, ou*.] *El. comp.* = 'areia': *psamito, psamófilo*.

psamobiídeo [Adapt. do tax. *Psammobiidae*.] *S. m. Adj. Zool.* V. *sanguinolariídeo*.

psamofilia [De *psam(o)-* + *-filia*.] *S. f. Ecol.* Preferência por solos arenosos.

psamofílico [De *psamofilia* + *-ico*[2].] *Adj.* Relativo a psamofilia, ou a psamófilo.

psamófilo [De *psam(o)-* + *-filo*[2].] *Adj. S. m.* Que, ou aquele que apresenta psamofilia.

psamoma [De *psam(o)-* + *-oma*[1].] *S. m. Patol.* Tumor, em especial de meninges, que contém corpos psamomatosos.

psamomatoso (ô) [De *psamoma* + *-omat-* + *-oso*.] *Adj.* Do psamoma ou relativo a ele. ~ V. *corpo* —.

➔ **pschent** [pʃɛnt/ pskent] [Egípcio / Al.] *S. m.* Toucado dos faraós e deuses do Egito.

pseca *S. f.* V. *psécade*.

psécade [Do gr. *psekás, ádos*, pelo lat. tard. *psecade*.] *S. f.* Entre os antigos romanos, escrava que penteava e perfumava os cabelos de sua ama.

psefite [Do gr. *pséphos*, 'seixo rolado', + *-ite*[2].] *S. f. Geol.* Designação comum aos conglomerados e brechas, por serem formados de seixos ou cascalhos.

psefito *S. f. Geol.* V. *psefite*.

psefógrafo [Do gr. *pséphos*, 'seixo rolado', + *-grafo*.] *S. m.* Máquina para registrar e contar votos em assembleias eleitorais.

pselafógnato [Do gr. *pselapho-* (< v. gr. *pselaphân*, 'tatear', 'apalpar') + *-gnato*; tax. *Pselaphognatha*.] *Zool. S. m.* **1.** Espécime dos pselafógnatos, ordem de artrópodes miriápodes, diplópodes, constituída de espécies pequenas, que têm o corpo formado por 30 somitos, tegumento mole, com tufos de pelos dentelados nos segmentos do tronco e um ou dois pincéis caudais. ● *Adj.* **2.** Pertencente ou relativo a eles.

psélio [Do gr. *psélion*.] *S. m.* Entre os antigos persas, gregos e romanos, anel ou bracelete para adorno do pescoço, braços ou pernas.

pselismo [Do gr. *psellismós*.] *S. m. Med.* V. *gaguez*.

pseudartrose [De *pseud(o)-* + *artrose*.] *S. f. Ort.* Lesão em que há desmineralização em osso longo sobre o qual é exercido peso, em consequência do que esse osso se encurva, dando origem a fratura patológica. [Como não há formação de calo ósseo normal, produz-se uma falsa articulação, donde esta designação. Sin.: *neartrose*.]

pseudencéfalo [De *pseud(o)-* + *encéfalo*.] *S. m. Ter.* Monstruosidade fetal em que existe um angioma em lugar do encéfalo.

pseudepígrafe [De *pseud(o)-* + *epígrafe*.] *S. f.* Título falso, ou nome falso de autor. [Var.: *pseudoepígrafo, pseudepígrafo*.]

pseudepigráfico [De *pseudepígrafe* + *-ico*[2].] *Adj.* Relativo a pseudepígrafe. [Var.: *pseudoepigráfico*.]

pseudepígrafo *S. m.* V. *pseudepígrafe*.

pseudestesia [De *pseud(o)-* + *-estes(i)-* + *-ia*[1].] *S. f. Psiq.* Sensação imaginária, percebida sem que tenha havido estímulo externo, ou que não corresponde ao estímulo que a produziu.

▲ **pseud(o)-** [Do gr. *pseud-, pseudo-* < gr. *pseudḗs, és, és*.] *El. comp.* = 'falso': *pseudestesia; pseudópode*. [É seguido de hífen quando anteposto a palavra iniciada por *h* ou *o*: *pseudo-heroico, pseudo-ortorrômbico* (em tais casos, apenas o 2.º el. é flexionado na formação do plural); é grafado com *r* ou *s* duplicados quando anteposto a palavra iniciada por *r* ou *s*: *pseudorrincoto, pseudossufixo*.]

pseudoapocalíptico [De *pseud(o)-* + *apocalíptico*.] *Adj.* Falsamente apocalíptico. ❖

pseudoaristocracismo [De *pseud(o)-* + *aristocracismo*.] *S. m.* Falso aristocracismo. ❖

pseudoaristocrático [De *pseud(o)-* + *aristocrático*.] *Adj.* Falsamente aristocrático; de pretensa aristocracia. ❖

pseudoarte [De *pseud(o)-* + *arte*.] *S. f.* Falsa arte; pretensa arte. ❖

pseudoartista [De *pseud(o)-* + *artista*.] *S. 2 g.* Aquele que, falsamente, é tido como artista; falso artista: "o silêncio imposto aos verdadeiros artistas e a glorificação dos pseudoartistas, ..., em nada modificam a arte" (Adolfo Casais Monteiro, *De Pés Fincados na Terra*, pp. 9-10). ❖

pseudobrasileirismo [De *pseud(o)-* + *brasileirismo*.] *S. m.* Aparente ou suposto brasileirismo (1 e 2).

pseudobulbífero [De *pseudobulbo* + *-ífero*.] *Adj. Bot.* Portador de pseudobulbo.

pseudobulbo [De *pseud(o)-* + *bulbo*.] *S. m. Bot.* Porção do caule de orquídeas que contém substâncias de reserva, e que, no desenvolvimento, assume aspecto bulboso.

pseudocatólico [De *pseud(o)-* + *católico*.] *Adj.* De pretenso catolicismo; falsamente católico.

pseudocaule [De *pseud(o)-* + *caule*.] *S. m. Bot.* Coluna semelhante a um caule, constituída pelas bainhas foliares, muito grandes, apertadamente superpostas; pseudotronco. Ex.: o caule da bananeira.

pseudocelomado [De *pseud(o)-* + *celomado*; tax. *Pseudocoelomata*.] *Zool. S. m.* **1.** Espécime dos pseudocelomados, grupo de enterozoários, de simetria bilateral, cuja cavidade entre a parede do corpo e os órgãos internos é desprovida de revestimento mesodérmico. São os asquelmintos e os acantocéfalos. ● *Adj.* **2.** Pertencente ou relativo a eles.

pseudociência [De *pseud(o)-* + *ciência*.] *S. f.* Falsa ciência.

pseudocientífico [De *pseud(o)-* + *científico*.] *Adj.* **1.** Relativo a pseudociência. **2.** De caráter falsamente científico.

pseudociese [De *pseud(o)-* + *-ciese*.] *S. f. Obst.* Gravidez imaginária. [Sin.: *gravidez nervosa*.]

pseudoclassicista [De *pseud(o)-* + *classicista*.] *Adj. 2 g.* Pretensamente classicista; de falso classicismo: "A feição pseudoclassicista, pseudo-humanista da oposição escandinava manifestou-se com maior clareza na Dinamarca" (Oto Maria Carpeaux, *História da Literatura Ocidental*, IV, p. 1818).

pseudococcídeo [Do tax. *Pseudococcus* (< *pseud(o)-* + tax. *Coccus*) + *-ídeo*[1]; tax. *Pseudococcidae*.] *Zool. S. m.* **1.** Espécime dos pseudococcídeos, família de insetos homópteros, conhecidos pelos nomes de cochonilha e piolho-farinhento, em virtude de uma secreção cerosa e pulverulenta que lhes cobre o corpo. São pragas das plantas cítricas. ● *Adj.* **2.** Pertencente ou relativo a eles.

pseudocolinesterase *S. f. Bioquím.* V. *colinesterase*.

pseudocriação [De *pseud(o)-* + *criação*.] *S. f.* Pretensa, ou falsa criação: "o que sou levado a recear .... é o desvio para uma pseudocriação poética de espíritos que teriam talvez algo a fazer noutras formas de expressão." (Adolfo Casais Monteiro, *De Pés Fincados na Terra*, p. 281).

pseudocristão [De *pseud(o)-* + *cristão*.] *S. m.* **1.** Cristão que não cumpre as suas obrigações religiosas. **2.** Indivíduo cuja lei religiosa não é rigorosamente a cristã. ● *Adj.* **3.** Apenas aparentemente cristão: "De um lado o ecumenismo autenticamente cristão. De outro, o abstencionismo pseudocristão." (Alceu Amoroso Lima, *João XXIII*, p. 198.)

pseudocúbico [De *pseud(o)-* + *cúbico*.] ***Adj.*** Falsamente cúbico.

pseudocultura [De *pseud(o)-* + *cultura*.] ***S. f.*** Cultura falsa, só aparente.

pseudocumeno [De *pseud(o)-* + *cumeno*.] ***S. m.*** *Quím.* O trimetilbenzeno assimétrico [fórm.: C_9H_{12}].

pseudodiamante [De *pseud(o)-* + *diamante*.] ***S. m.*** Pedra ordinária ou artificial que imita o diamante.

pseudodominância [De *pseud(o)-* + *dominância*.] ***S. f.*** *Genét.* Impressão de que determinada característica está sendo transmitida por padrão de herança dominante, quando na realidade está ocorrendo por recessividade. Pode ocorrer quando a frequência de portadores do gene mutado é muito alta numa população.

pseudoencefalia [De *pseudoencéfalo* + *-ia*[1].] ***S. f.*** *Ter.* Anomalia que consiste em ter o feto um angioma em lugar do encéfalo.

pseudoencefálico [De *pseud(o)-* + *-encefal(o)-* + *-ico*[2].] ***Adj.*** *Ter.* Relativo à pseudoencefalia.

pseudoencéfalo [De *pseud(o)-* + *-encéfalo*.] ***Adj. S. m.*** *Ter.* Diz-se de, ou feto que apresenta pseudoencefalia.

pseudoepigráfico ***Adj.*** V. *pseudepigráfico*. ❖

pseudoepígrafo ***S. m.*** V. *pseudepígrafe*. ❖

pseudoerótico [De *pseud(o)-* + *erótico*.] ***Adj.*** Falsamente erótico; de pretenso erotismo. ❖

pseudo-escorpião [De *pseud(o)-* + *escorpião*.] ***S. m.*** *Zool.* Designação comum aos pseudoscorpionídeos, de porte muito reduzido, entre 4 a 10mm, e desprovidos de acúleo peçonhento na extremidade do abdome. O grande desenvolvimento dos palpos dá-lhe o aspecto de escorpião. São comuns debaixo de casca de árvores. [Pl.: *pseudo-escorpiões*. Na 1ª impress. da 5ª ed. do Volp, com hífen; corrigido em errata virtual; correção questionável, seg. a Base XVI (prefixação) do AOLP.] ❇

pseudoesfera [De *pseud(o)-* + *esfera*.] ***S. f.*** Superfície que tem em comum com a esfera a propriedade de possuir um coeficiente de curvatura constante e, por consequência, de permitir que toda figura traçada sobre ela possa ser deslocada sem a deformar. ❖

pseudoesférico [De *pseudoesfera* + *-ico*[2].] ***Adj.*** Relativo à pseudoesfera. ❖

pseudoesforço [De *pseud(o)-* + *esforço*.] ***S. m.*** Falso esforço; esforço apenas aparente. ❖

pseudoesteticista [De *pseud(o)-* + *esteticista*.] ***Adj. 2 g.*** Pretensamente esteticista; de falso esteticismo: 📖 "É evidente que o 'ocultismo' do séc. XVIII e o *gothic romance* também podem ser interpretados como movimento esteticista ou pseudoesteticista" (Oto Maria Carpeaux, *História da Literatura Ocidental*, III, p. 1.455). ❖

pseudofilídeo [De *pseud(o)-* + *-fil(o)-*[1] + *-ídeo*[1]; tax. *Pseudophyllidea*.] *Zool.* ***S. m.* 1.** Espécime dos pseudofilídeos, ordem de platelmintos, cestóideos, de escólex nem sempre distinto, ventosas alongadas, em número de duas a seis, e algumas espécies sem órgãos adesivos. As larvas vivem em copépodes, e os adultos em peixes de água doce. Ao grupo pertence a *Dibothriocephalus latus*, tênia que o homem adquire através do peixe. ● ***Adj.* 2.** Pertencente ou relativo a eles.

pseudofilosofia [De *pseud(o)-* + *filosofia*.] ***S. f.*** Falsa filosofia: 📖 "A pseudofilosofia, de que a meã classe engafecera, pegou-se dela, pelo contato" (Antônio Feliciano de Castilho, *O Presbitério da Montanha*, p. 114).

pseudofobia [De *pseud(o)-* + *-fobia*.] ***S. f.*** *Psiq.* Medo mórbido de algo que não causa dor nem molesta, mas apenas desgosta.

pseudofóbico [De *pseudofobia* + *-ico*[2].] *Psiq.* ***Adj.* 1.** Relativo a pseudofobia. **2.** Que sofre de pseudofobia; pseudófobo. ● ***S. m.* 3.** Aquele que sofre de pseudofobia; pseudófobo.

pseudófobo [De *pseud(o)-* + *-fobo*.] ***Adj. S. m.*** *Psiq.* Pseudofóbico (2 e 3).

pseudofruto [De *pseud(o)-* + *fruto*.] ***S. m.*** *Bot.* Órgão semelhante a uma baga, resultante do crescimento de partes acessórias da flor, como, p. ex., o receptáculo floral da pera e da maçã e o pedicelo dos cajueiros, e que pode incluir, ou não, a semente.

pseudo-hermafroditismo [De *pseud(o)-* + *hermafroditismo*.] ***S. m.*** *Med.* Distúrbio de desenvolvimento embrionário caracterizado pela presença de órgãos genitais semelhantes aos do outro sexo, em indivíduo de gônadas (ovários ou testículos) normais. [Pl.: *pseudo-hermafroditismos*.]

pseudo-heroico (ói) [De *pseud(o)-* + *heroico*.] ***Adj.*** Pretensamente ou falsamente heroico. [Pl.: *pseudo-heroicos*.] ❖

pseudo-hexagonal (cs) [De *pseud(o)-* + *hexagonal*.] ***Adj. 2 g.*** *Min.* Que aparenta cristalização hexagonal. [Pl.: *pseudo-hexagonais*.]

pseudo-humanista [De *pseud(o)-* + *humanista*.] ***Adj. 2 g.*** Pretensamente humanista; que professa um falso humanismo: 📖 "A feição pseudoclassicista, pseudo-humanista da oposição escandinava manifestou-se com maior clareza na Dinamarca" (Oto Maria Carpeaux, *História da Literatura Ocidental*, IV, p. 1818). [Pl.: *pseudo-humanistas*.]

pseudologia [De *pseud(o)-* + *-logia* (= 'discurso', 'expressão').] ***S. f.*** *Psiq.* **1.** Falsidade. ◆ **Pseudologia fantástica.** *Psic.* Propensão a relatar acontecimentos fictícios, que giram em torno do relatante, o qual, muitas vezes, os tem como verdadeiros.

pseudológico [De *pseudologia* + *-ico*[2].] ***Adj.*** *Psiq.* Relativo à, ou próprio da pseudologia.

pseudomembrana [De *pseud(o)-* + *membrana*.] ***S. f.*** *Patol.* Falsa membrana formada por exsudato, e que se localiza, superficialmente, em mucosas.

pseudomonométrico [De *pseud(o)-* + *monométrico*.] ***Adj.*** *Min.* Que aparenta cristalização monométrica.

pseudomorfo [De *pseud(o)-* + *-morfo*.] ***Adj.*** *Min.* Mineral que apresenta pseudomorfose.

pseudomorfose [De *pseud(o)-* + *morfose*.] ***S. f.*** *Min.* Tipo de cristalização adquirido por um mineral, e diferente do que lhe é próprio.

pseudoneuróptero [De *pseud(o)-* + *neuróptero*; tax. *Pseudoneuroptera*.] ***S. m. Adj.*** *Zool.* V. *odonato*.

pseudonímia [De *pseudônimo* + *-ia*[2].] ***S. f.*** Qualidade de pseudônimo.

pseudonímico [De *pseudonímia* + *ico*[2].] ***Adj.*** Referente à pseudonímia.

pseudónimo ***Adj. S. m.*** V. *pseudônimo*. [Uso freq. em P.]

pseudônimo [Do gr. *pseudónymos*.] ***S. m.* 1.** Nome falso ou suposto, em geral adotado por um escritor, por um artista, etc.; alônimo, criptônimo, onomatópose: 📄 *Stendhal é pseudônimo de Henry Beyle; Tristão de Ataíde é o pseudônimo de Alceu Amoroso Lima.* [Antôn.: *autônimo*. Cf. *ortônimo* e *heterônimo*.] ● ***Adj.* 2.** Que assina as suas obras com um nome que não é o seu: 📄 *autor pseudônimo.* **3.** Diz-se da obra escrita ou publicada sob um nome suposto: 📄 *As Cartas Chilenas são um livro pseudônimo; "Critilo", que vem como o nome do autor, é, ao que hoje se admite, Tomás Antônio Gonzaga.*

pseudo-ortorrômbico [De *pseud(o)-* + *ortorrômbico*.] ***Adj.*** *Min.* Que aparenta cristalização ortorrômbica. [Pl.: *pseudo-ortorrômbicos*.]

pseudoparênquima [De *pseud(o)-* + *parênquima*.] ***S. m.* 1.** *Bot.* Falso tecido resultante da aproximação e soldadura de células antes livres, como se verifica em fungos e algas. **2.** *Micol.* Parapletênquima.

pseudoparenquimatoso (ô) [De *pseud(o)-* + *parenquimatoso*.] ***Adj.*** Relativo ao pseudoparênquima.

pseudoplasmodial [De *pseudoplasmódio* + *-al*[1].] ***Adj. 2 g.*** Próprio de, ou relativo a pseudoplasmódio.

pseudoplasmódio [De *pseud(o)-* + *plasmódio*.] ***S. m.*** *Biol.* Massa multicelular, ger. móvel, formada pela agregação de células individuais ameboides.

pseudópode [De *pseud(o)-* + *-pode*.] ***S. m.*** *Citol.* Cada projeção da superfície de células com movimento ameboide, como, p. ex., protozoários e leucócitos; pseudópodo.

pseudópodo [De *pseud(o)-* + *-podo*.] ***S. m.*** *Citol.* Pseudópode.

pseudoproposição [De *pseud(o)-* + *proposição*.] ***S. f.*** *Lóg.* No positivismo lógico (q. v.), proposição cujo conteúdo, embora factual, não pode ser verificado pela experiência.

pseudorrincoto [De *pseud(o)-* + *rincoto*; tax. *Pseudorhyncota*.] ***S. m. Adj.*** *Zool.* V. *anopluro*.

pseudoscorpionídeo [Do tax. *Pseudoscorpion* + *-ídeo*[1]; tax. *Pseudoscorpionidea*.] *Zool.* ***S. m.* 1.** Espécime dos pseudoscorpionídeos, ordem de artrópodes aracnídeos, de abdome segmentado, largamente articulado com o cefalotórax, quelíceras bissegmentadas, palpos muito robustos, terminados em pinças, como nos escorpiões, e respiração traqueal. Vivem sob cascas de árvores, pedras ou musgos. ● ***Adj.* 2.** Pertencente ou relativo a eles. [Sin. ger.: *queloneto*.]

pseudosofia [De *pseud(o)-* + *-sofia*.] ***S. f.*** Falsa ciência.

pseudosófico [De *pseudosofia* + *-ico*[2].] ***Adj.*** Relativo à pseudosofia.

pseudospermo [De *pseud(o)-* + *-spermo*.] ***Adj.*** *Bot.* Diz-se de fruto que pode ser confundido com a semente, como, p. ex., o milho e o girassol.

pseudosporocnácea [Do tax. *Pseudosporochnacea*.] ***S. f.*** *Paleont.* Espécime das pseudosporocnáceas, família de pteridófitos que surgiram no período devoniano.

pseudosporocnáceo [De *pseudoporocnácea*, com var. suf. (v. *-áceo*).] ***Adj.*** *Paleont.* Pertencente ou relativo às pseudosporocnáceas.

pseudossigla [De *pseud(o)-* + *sigla*.] ***S. f.*** Forma léxica, aparentemente siglar, composta caprichosamente. Ex.: *Novacap* (= Nova Capital). ❖

pseudossufixo [De *pseud(o)-* + *sufixo*.] ***S. m.*** *E. Ling.* Sufixo formado a partir de um radical verbal latino ou vernáculo, como, p. ex., -ável e -ível, em relação a -vel.

pseudotrabalhar [De *pseud(o)-* + *trabalhar*.] ***V. int.*** Não trabalhar de fato; ocupar-se pretensamente de trabalho: 📖 "Vim para a Baixa às 11 horas, para o escritório do Mayer, onde estive pseudotrabalhando até às 13." (Fernando Pessoa, *Páginas Íntimas e de Autointerpretação*, p. 43.)

pseudotronco [De *pseud(o)-* + *tronco*.] ***S. m.*** *Bot.* Pseudocaule.

pseudozoário [De *pseud(o)-* + *-zo(o)-* + *-ário*.] ***Adj.*** *Bot.* Diz-se dalguns vegetais que têm aparência de animais.

psi [Do gr. *pseî*, *psî*.] ***S. m.* 1.** A 23ª letra do alfabeto grego (Ψ, ψ), correspondente ao nosso grupo consonantal *ps*. **2.** *Fís. Part.* V. *J/psi*.

psicagogia [Do gr. *psychagogía*.] ***S. f.* 1.** Entre os antigos gregos, cerimônia religiosa de invocação das almas dos mortos. **2.** Evocação mágica dos mortos.

psicagógico [De *psychagogikós*, 'que atrai'.] ***Adj.*** Respeitante à psicagogia.

psicagogo (ô) [Do gr. *psychagogós*.] ***S. m.*** Aquele que pratica a psicagogia.

psicalgia [De *psic(o)-* + *-alg(o)-*[2] + *-ia*[1].] ***S. f.* 1.** Dor moral; amargura ingênita. **2.** *Med.* Dor cuja causa é considerada apenas psíquica, não se encontrando outra origem. [F. paral.: *psiquialgia*.]

psicálgico [De *psicalgia* + *-ico*[2].] ***Adj.*** *Med.* Relativo a psicalgia.

psicanalisado [Part. de *psicanalisar*.] ***Adj.*** *Psiq.* Que se submeteu ao tratamento de psicanálise. [F. red.: *analisado*.]

psicanalisando [Do ger. de *psicanalisar*.] ***S. m.*** *Psiq.* Aquele que se trata por psicanálise. [F. red.: *analisando*.]

psicanalisar [De *psicanálise* + *-ar*[2].] ***V. t. d. Int. P.*** Submeter(-se) à psicanálise. [F. red.: *analisar*.]

psicanalisável [De *psicanalisar* + *-vel*.] ***Adj. 2 g.*** Que pode ser psicanalisado.

psicanálise [De *psic(o)-* + *análise*.] ***S. f.*** *Psiq.* **1.** Método psicoterápico que se baseia na teoria de Sigmund Freud (v. *freudiano*), e que consiste na investigação psicológica profunda de processos mentais, como impulsos reprimidos, conflitos internos, traumas da infância. [F. red., nesta acepç.: *análise*.] **2.** O conjunto das teorias de Freud e seus discípulos, concernentes à vida psíquica consciente e inconsciente. **3.** Qualquer terapia por esse método. **4.** Estudo psicanalítico de uma obra de arte, de um tema, etc.: 📄 *psicanálise das religiões; psicanálise da sociedade contemporânea.*

psicanalismo [De *psicanál(ise)* + *-ismo*.] ***S. m.*** Tendência para explicar e interpretar os fatos, ou históricos, ou psicológicos, ou culturais, etc., pelos conceitos fundamentais da psicanálise.

psicanalista [De *psicanál(ise)* + *-ista*.] ***Adj. 2 g. S. 2 g.*** Diz-se de, ou especialista em psicanálise. [F. red.: *analista*.]

psicanalítico [De *psicanál(ise)* + *-ítico*.] ***Adj.*** Relativo ou pertencente à psicanálise. [F. red.: *analítico*.]

psicastenia [De *psic(o)-* + *-asten(o)-* + *-ia*[1].] ***S. f.* 1.** Fraqueza intelectual. **2.** *Psiq. Obsol.* Afecção mental caracterizada por fobias, ansiedade, desânimo, tendência a obsessões e compulsões.

psicasténico ***Adj.*** V. *psicastênico*. [Uso freq. em P.]

psicastênico [De *psicastenia* + *-ico*[2].] ***Adj.*** Referente à psicastenia.

psiché ***S. m.*** V. *psichê*.

psichê [Do mit. gr. *Psyché*, pelo fr. *psyché*.] ***S. m.* 1.** Grande espelho móvel e inclinável montado numa armação. **2.** Móvel de toucador, com grandes espelhos e muitas gavetas: 📖 "leito candidamente rematado, no alto, por um cortinado branco, em quarto em que possivelmente existiriam um pequeno oratório, e, em lugar do desaparecido psichê, um toucador comum." (Miécio Tati, *O Mundo de Machado de Assis*, p. 83). [Var. pros.: *psiché*.]

▲ **psic(o)-** [Do gr. *psycho-* < gr. *psyché*, *ês*.] ***El. comp.*** = 'alma', 'espírito', 'intelecto': *psicanálise*, *psicologia*, *psicometria*. [É seguido de hífen quando anteposto a palavra iniciada por *h* ou *o*: *psico-história* (em tais casos, apenas o 2º el. é flexionado na formação do plural); é grafado com *r* ou *s* duplicados quando anteposto a palavra iniciada por *r* ou *s*: *psicorrigidez*, *psicossexual*, *psicossomático*.] [Equiv.: *psiqu(e)-*, *-psique(e)-*, *-psico*: *psiqueuterpia*, *psiquismo*; *apsiquia*; *onfalópsico*.]

▲ **-psico** V. *psic(o)-*.

psicoativo [De *psic(o)-* + *ativo*.] ***Adj.*** *Psiq.* Que produz efeito sobre o psiquismo ou sobre o comportamento (diz-se de substância química ou medicamento). ~ V. *substância —a*.

psicobiologia [De *psic(o)-* + *biologia*.] ***S. f.*** *Biol.* Ramo da biologia que estuda os mecanismos, as relações e as ações recíprocas entre o soma e a mente nos animais.

psicobiológico [De *psic(o)-* + *biologia* + *-ico*[2].] ***Adj.*** Que diz respeito, simultaneamente, à psique e à biologia.

P

psicocirurgia [De *psic(o)-* + *cirurgia*.] *S. f.* Ramo da cirurgia que se destina a tratar manifestações psicóticas.

psicocirúrgico [De *psicocirurgia* + *-ico*[2].] *Adj.* Relativo à psicocirurgia.

psicocultural [De *psic(o)-* + *cultural*.] *Adj. 2 g.* Referente à psicologia e à cultura (sobretudo tratando-se de povos ou sociedades).

psicodança [De *psic(o)-* + *dança*.] *S. f. Psiq.* Método psicoterápico que utiliza a dança como meio de liberação catártica.

psicodélico [De *psic(o)-* + gr. *délos*, 'visível', 'manifesto', 'evidente', + *-ico*[2].] *Adj.* **1.** Relativo a, ou que se caracteriza por alucinações visuais, aumento de percepção e, eventualmente, comportamento parecido com o observado em psicoses. **2.** Diz-se de droga que provoque manifestações psicodélicas [v. *psicodélico* (1)]. **3.** Diz-se de decoração, roupas, objetos, etc., de cores muito vivas, e totalmente fora dos padrões costumeiros. **4.** Diz-se daquilo ou daquele que se distingue do meio tradicional, ou pela decoração, ou pela atitude, ou pela maquilagem, ou pela roupa, etc.: *restaurante psicodélico; atriz psicodélica.*

psicodiagnóstico [De *psic(o)-* + *diagnóstico*.] *S. m. Psic.* Método de diagnóstico por meio de testes psicológicos.

psicodídeo [Do tax. *Psychoda* + *-ídeo*[1]; tax. *Psycholidae*.] *Zool. S. m.* **1.** Espécime dos psicodídeos, família de dípteros. São mosquitos pequenos, às vezes muito diminutos, e bastante pilosos, abundantes em ralos e esgotos. Embora, na maioria, inofensivos ao homem, no gênero *Phlebotomus* encontramos os vetores de doenças graves do homem e dos animais, entre elas a úlcera de Bauru. Vulgarmente conhecidos pelos nomes de mosquito-palha e birigui. ● *Adj.* **2.** Pertencente ou relativo a eles.

psicodinâmica [F. subst. de *psicodinâmico*.] *S. f. Psic.* O estudo dos processos mentais e emocionais subjacentes ao comportamento humano, e de sua motivação, em especial quando se manifestam em resposta inconsciente às influências ambientais.

psicodinâmico [De *psic(o)-* + *dinâmico*.] *Adj.* Respeitante ao psicodinamismo e à psicodinâmica.

psicodinamismo [De *psic(o)-* + *dinamismo*.] *S. m.* Doutrina filosófica daqueles que reduzem todas as energias do Universo a uma força única.

psicodisléptico [Do fr. *psychodysleptique*.] *Adj. S. m.* Diz-se de, ou substância que produz efeito(s) semelhante(s) ao(s) de psicose.

psicodrama [De *psic(o)-* + *drama*.] *S. m. Psiq.* Técnica psicoterápica criada por Jacob Levy Moreno (1889-1974) em que os pacientes elaboram seus conflitos através da dramatização de vivências, ger. realizada em grupo.

psicodramático [De *psicodrama* + *-ático*.] *Adj. Psiq.* Relativo a psicodrama.

psicodramista [De *psicodrama* + *-ista*.] *S. 2 g. Psic.* Especialista em psicodrama.

psicofármaco [De *psic(o)-* + *fármaco*.] *Adj. S. m.* Diz-se de, ou medicamento utilizado em psicofarmacologia.

psicofarmacologia [De *psic(o)-* + *farmacologia*.] *S. f. Farmac. Psiq.* Ramo da farmacologia que estuda a ação de substâncias sobre funções psíquicas normais, e psicopatias.

psicofarmacológico [De *psicofarmacologia* + *-ico*[2].] *Adj.* Relativo à psicofarmacologia.

psicofarmacoterapia [De *psic(o)-* + *farmacoterapia*.] *S. f. Farmac. Psiq.* Ramo da psicofarmacologia que estuda a aplicação terapêutica dos psicofármacos.

psicofísica [De *psic(o)-* + *física*.] *S. f.* Estudo das relações funcionais entre a mente e os fenômenos físicos.

psicofísico [De *psic(o)-* + *físico*.] *Adj.* **1.** Relativo ao espírito e à matéria. **2.** Relativo à psicofísica. ~ V. *paralelismo —*.

psicofisiologia [De *psic(o)-* + *fisiologia*.] *S. f.* Estudo científico das relações entre a atividade fisiológica e o psiquismo.

psicofisiológico [De *psicofisiologia* + *-ico*[2].] *Adj.* Relativo à psicofisiologia.

psicofisiologista [De *psicofisiologia* + *-ista*.] *Adj. 2 g. S. 2 g.* Diz-se de, ou especialista em psicofisiologia.

psicofonia [De *psic(o)-* + *-fon(o)-* + *-ia*[1].] *S. f. Espir.* Comunicação dos espíritos pela voz do médium.

psicofónico *Adj.* V. *psicofônico*. [Uso freq. em P.]

psicofônico [De *psicofonia* + *-ico*[2].] *Adj.* Relativo à psicofonia.

psicogénese *S. f.* V. *psicogênese*. [Uso freq. em P.]

psicogênese [De *psic(o)-* + *-gênese*.] *S. f. Psic. Psiq.* Estudo da origem e do desenvolvimento das funções psíquicas; psicogenia.

psicogenético [De *psicogên(ese)* + *-ético*.] *Adj.* Relativo à psicogênese; psicogênico.

psicogenia [De *psic(o)-* + *-genia*.] *S. f. Psic. Psiq.* Psicogênese.

psicogénico *Adj.* V. *psicogênico*. [Uso freq. em P.]

psicogênico [De *psicogenia* + *-ico*[2].] *Adj.* Referente à psicogenia; psicogenético.

psicognosia [De *psic(o)-* + *-gnosia*.] *S. f. Psic.* Conhecimento profundo das faculdades psíquicas.

psicognóstico [De *psic(o)-* + *-gnóstico*.] *Adj.* Respeitante à psicognosia.

psicografar [De *psic(o)-* + *grafar*.] *V. t. d. Espir.* Escrever por meio do espiritismo; redigir (o que é ditado por espíritos): *Aquele médium psicografou alguns romances.* [Pres. ind.: *psicografo*, etc. Cf. *psicógrafo*.]

psicografia [De *psic(o)-* + *-grafia*.] *S. f.* **1.** História ou descrição da mente ou das suas faculdades; análise psicológica. **2.** *Espir.* Escrita dos espíritos pela mão do médium. **3.** *Market.* Estudo do comportamento dos consumidores do ponto de vista do estilo de vida (atividades, opiniões, interesses, etc.).

psicográfico [De *psicografia* + *-ico*[2].] *Adj.* Referente à psicografia.

psicógrafo [De *psic(o)-* + *-grafo*.] *S. m.* **1.** Especialista em psicografia. **2.** *Espir.* O médium que escreve por sugestão ou ação dos espíritos. [Cf. *psicografo*, do v. *psicografar*.]

psicograma [De *psic(o)-* + *-grama*.] *S. m.* Descrição ou análise da personalidade.

psico-história [De *psic(o)-* + *história*.] *S. f.* Ramo da história (3) em que se aplicam teorias ou conceitos psicológicos ou psicanalíticos na interpretação dela. [Pl.: *psico-histórias*.]

psico-histórico [De *psico-história* + *-ico*[2].] *Adj.* Da, ou relativo à psico-história. [Pl.: *psico-históricos*.]

psicolepsia [De *psic(o)-* + *-leps(i)-* + *-ia*[1].] *S. f.* **1.** Estado de diminuição da tensão mental. **2.** *Psiq.* Diminuição do nível de atividade psíquica, com redução da vigilância, ou do tônus emocional de humor.

psicoléptico [De *psic(o)-* + *-léptico*.] *Psiq. Adj.* **1.** Relativo à psicolepsia. **2.** Diz-se de droga que tem ação de inibição sobre as funções psíquicas, podendo exercer ação ansiolítica, hipnótica, relaxante ou neuroléptica. ● *S. m.* **3.** Droga psicoléptica.

psicolinguística (güís) [De *psic(o)-* + *linguística*.] *S. f. E. Ling.* Disciplina que compreende o estudo do sistema linguístico adquirido (a gramática), dos métodos de aquisição desse sistema, e dos modelos de percepção e locução. ❖

psicolinguístico (güís) [De *psicolinguística*, com var. suf. (v. *-ico*[2]).] *Adj.* Relativo ou pertencente à psicolinguística: *trabalhos psicolinguísticos.* ❖

psicologar [De *psic(o)-* + *-log(o)-* + *-ar*[2].] *V. t. i. Int.* Fazer reflexões de natureza especulativa: *É dado a psicologar.* "Não psicologuemos mais sobre esta viva, atrás do morto que morreu por ela!" (Eça de Queirós, *Contos*, p. 296). [Conjug.: v. *largar*.]

psicologia [De *psic(o)-* + *-logia*.] *S. f.* **1.** A ciência dos fenômenos psíquicos e do comportamento. **2.** Conjunto de estados e disposições psíquicas de ideias de um indivíduo ou de um grupo de indivíduos: *Conhece bem a psicologia do povo francês.* **3.** Conjunto de conhecimentos relativos a essa ciência, ou que têm implicações com ela, ministrados nas respectivas faculdades: *estudante de psicologia.* **4.** Estudo psicológico de uma obra de arte, de um tema, etc.: *a psicologia da guerra; a psicologia do séc. XX.* **5.** Conhecimento intuitivo e/ou empírico dos sentimentos de outrem; aptidão para prever ou compreender comportamentos alheios: *Faltou-lhe psicologia quando repreendeu o filho em público.* ◆ **Psicologia animal.** Ramo da psicologia que tem por objeto o estudo descritivo e a análise experimental do comportamento dos animais. **Psicologia clínica.** Ramo da psicologia que estuda o comportamento do indivíduo (ou do grupo) por meio de técnicas apropriadas, tais como testes de inteligência, de personalidade, entrevistas, etc., numa tentativa de compreender-lhe e resolver-lhe os conflitos. **Psicologia diferencial.** Estudo comparativo da psicologia de diferentes seres ou classes de seres: *psicologia diferencial dos sexos; psicologia diferencial dos povos.* **Psicologia estrutural.** Método ou tratamento sistemático psicológico que estuda e descreve a composição e a integração de diversos estados psíquicos e experiências conscientes. **Psicologia evolutiva.** Ramo da psicologia que estuda o desenvolvimento dos psiquismos, a transformação da criança em adulto, os progressos e os estágios por que ela passa, procurando compreender o significado funcional desses progressos e estágios. **Psicologia experimental.** Ramo da psicologia que submete à experimentação científica os fatos conhecidos pela observação a fim de verificá-los e deles extrair as leis gerais. **Psicologia industrial.** Conhecimentos psicológicos aplicados aos problemas humanos da indústria. **Psicologia racional.** *Filos.* Parte da metafísica que estuda o princípio e a causa dos fenômenos do pensamento humano. **Psicologia social.** Ciência que estuda os comportamentos dos indivíduos considerados como tais, dentro do campo social, por ele influenciados, mas igualmente reagindo a ele e transformando-o. Ex.: a psicologia do comportamento do líder.

psicológico [De *psicologia* + *-ico*[2].] *Adj.* **1.** Relativo ou pertencente à psicologia: *teorias psicológicas.* **2.** Concernente aos fatos psíquicos, à mente: *Quando de nossa conversa, o seu estado psicológico não era bom.* ~ V. *guerra —a*, *orientador —* e *reducionismo —*.

psicologismo [De *psicologia* + *-ismo*.] *S. m.* **1.** Tendência a fazer prevalecer o ponto de vista psicológico sobre o de outra ciência, num assunto de domínio comum. **2.** *Filos.* Doutrina que considera todos os nossos conhecimentos meros fatos psicológicos.

psicologista [De *psicologia* + *-ista*.] *S. 2 g.* Psicólogo (1).

psicologizar [De *psicologia* + *-izar*.] *V. int.* **1.** Dedicar-se à psicologia. *T. d.* **2.** Estudar ou fazer a psicologia de.

psicólogo [De *psic(o)-* + *-logo*.] *S. m.* **1.** Especialista em psicologia; psicologista. **2.** Profissional em psicologia aplicada: *psicólogo clínico; psicólogo infantil.* **3.** *P. ext.* Pessoa que tem conhecimentos intuitivos ou empíricos da alma humana: *Machado de Assis era um psicólogo nato.* ● *Adj.* **4.** Diz-se de psicólogo (3): *É inteligente, mas não é muito psicólogo.*

psicologuês [De *psicólogo* + *ês*.] *S. m. Bras. Burl.* Linguajar pedantemente recheado de expressões próprias de psicologia.

psicomancia (cí) [Do gr. *psychomanteía*.] *S. f.* Arte de adivinhar pela evocação das almas do outro mundo.

psicomante [Do gr. *psychómantis*.] *S. 2 g.* Pessoa que pratica a psicomancia.

psicomântico *Adj.* Referente a psicomancia, ou a psicomante.

psicometria [De *psic(o)-* + *-metria*.] *S. f. Psic.* Medida da duração e da intensidade de processos mentais, por meio de métodos padronizados. [Cf. *psicrometria*.]

psicométrico [De *psicometria* + *-ico*[2].] *Adj. Psic.* Relativo a psicometria. [Cf. *psicrométrico*.]

psicomiorrelaxante [De *psic(o)-* + *miorrelaxante*.] *Adj. 2 g. S. m. Terap.* Diz-se de, ou medicamento miorrelaxante que age também sobre o psiquismo (1).

psicomotor (ì... ôr) [De *psic(o)-* + *motor* (adj.).] *Adj.* Relativo aos movimentos corporais determinados diretamente pela mente, ou à atividade mental (neurológica) que controla e coordena os movimentos corporais.

psicomotricidade (psì) [De *psic(o)-* + *motricidade*.] *S. f.* A capacidade de determinar e coordenar mentalmente os movimentos corporais; a atividade ou o conjunto de funções psicomotoras.

psiconeurose [De *psic(o)-* + *neurose*.] *S. f.* Estado intermediário entre neurose e psicose.

psicopata [De *psic(o)-* + *-pata* (q. v.).] *Adj. 2 g.* **1.** Que sofre de doença mental ou tem personalidade psicopática (q. v.). ● *S. 2 g.* **2.** Pessoa psicopata.

psicopatia [De *psic(o)-* + *-patia*.] *S. f. Psiq.* **1.** Qualquer transtorno mental. **2.** *Desus.* Transtorno de personalidade antissocial (q. v.).

psicopático [De *psicopatia* + *-ico*[2].] *Adj. Psiq.* Relativo à psicopatia. ~ V. *personalidade —a*.

psicopatologia [De *psic(o)-* + *patologia*.] *S. f. Med.* Ramo da patologia que estuda a descrição, a classificação e os mecanismos de evolução das psicopatias.

psicopatológico [De *psicopatologia* + *-ico*[2].] *Adj. Med.* Relativo a psicopatologia.

psicopatologista [De *psicopatologia* + *-ista*.] *S. 2 g.* Especialista em psicopatologia.

psicopedagogia [De *psic(o)-* + *pedagogia*.] *S. f.* Aplicação da psicologia experimental à pedagogia.

psicopedagógico [De *psicopedagogia* + *-ico*[2].] *Adj.* Relativo à psicopedagogia.

psicopedagogo (ô) [De *psic(o)-* + *pedagogo*.] *S. m.* Especialista em psicopedagogia.

psicopedologia [De *psic(o)-* + *pedologia*[1].] *S. f.* Estudo da atividade psíquica infantil.

psicopedológico [De *psicopedologia* + *-ico*[2].] *Adj.* Referente à psicopedologia.

psicopompo [Do gr. *psychopompós*.] *S. m.* Na mitologia antiga, condutor das almas dos mortos, epíteto de Hermes, Caronte, Apolo, Orfeu.

psicorrigidez [De *psic(o)-* + *rigidez*.] *S. f. Psiq.* Comportamento de um indivíduo que se mostra incapaz de adaptar-se a novas situações, que tem convicções de que não abre mão.

psicose [De *psic(o)-* + *-ose*[1].] *S. f. Psiq.* **1.** Transtorno mental grave caracterizado pela presença de delírios e/ou alucinações, em que o paciente costuma perder a noção da realidade. **2.** Qualquer estado de insanidade mental: *psicose coletiva; a psicose da guerra.* ◆ **Psicose canábica.** *Psiq.* Psicose causada pelo uso prolongado de maconha. **Psicose maníaco-depressiva.** *Psiq. Desus.* Transtorno bipolar do tipo I (q. v.). **Psicose puerperal.** *Psiq.* Maieusomania.

psicossexual (cs) [De *psic(o)-* + *sexual*.] *Adj. 2 g.* Pertencente ou relativo, simultaneamente, aos domínios psíquico e sexual.

psicossocial [De *psic(o)-* + *social*.] *Adj. 2 g.* **1.** Que é simultaneamente psíquico e social. **2.** Diz-se de atividade, estudo, etc., relacionados com os aspectos psicológicos conjuntamente com os aspectos sociais da nação, considerados distintos dos aspectos políticos (condução e administração da coisa pública), dos aspectos econômicos (aumento e distribuição da riqueza nacional) e dos aspectos militares (salvaguarda dos interesses, da riqueza e dos valores culturais da nação).

psicossociologia [De *psic(o)-* + *sociologia*.] *S. f.* Estudo da natureza da sociedade e da sua influência nas funções psíquicas.

psicossociológico [De *psic(o)-* + *sociológico*.] *Adj.* Que é de natureza sociológica e envolve fenômenos ou interesses psicológicos.

psicossomático [De *psic(o)-* + *somático*.] *Adj.* **1.** Pertencente ou relativo, simultaneamente, aos domínios orgânico e psíquico. **2.** Diz-se das perturbações ou lesões orgânicas produzidas por influências psíquicas (emoções, desejos, medo, etc.): *A úlcera gástrica é, muitas vezes, uma lesão psicossomática.* ~ V. *doença —a*.

psicostasia [Do gr. *psychostasía*.] *S. f.* Na mitologia egípcia, julgamento simbólico da alma após a morte.

psicostimulante [De *psic(o)-* + *estimulante*.] *Adj. 2 g. S. m. Terap.* Diz-se de, ou medicamento próprio para ativar a capacidade mental.

psicotécnica [De *psic(o)-* + *técnica*.] *S. f.* **1.** Disciplina que estuda e rege a aplicação dos dados da psicofisiologia e da psicologia experimental aos problemas humanos, tais como orientação profissional, organização do trabalho, e outros. **2.** O conjunto das técnicas científicas que permitem determinar as reações psicológicas e fisiológicas dos indivíduos.

psicotécnico [De *psicotécnica*, com var. suf. (v. *-ico²*).] *Adj.* Relativo ou pertencente à psicotécnica: *exame psicotécnico.*

psicoterapeuta [De *psic(o)-* + *terapeuta*.] *S. 2 g.* Especialista em psicoterapia.

psicoterapia [De *psic(o)-* + *-terapia*.] *S. f. Psicol.* Forma de tratamento em que se empregam meios psicológicos visando a restabelecer o equilíbrio emocional perturbado de um indivíduo. [A *psicoterapia de apoio* utiliza, em especial, técnicas sugestivas, persuasivas, reeducativas, tranquilizantes, enquanto a *psicoterapia profunda* recorre a técnicas catárticas que variam da psicanálise clássica ao psicodrama.] [Cf. *psicroterapia*.] ◆ **Psicoterapia de apoio.** *Psicol.* V. *psicoterapia*. **Psicoterapia profunda.** *Psicol.* V. *psicoterapia*.

psicoterápico [De *psicoterapia* + *-ico²*.] *Adj. Psiq.* Pertencente ou relativo à psicoterapia. [Cf. *psicroterápico*.]

psicótico [De *psic(ose)* + *-ótico*.] *Psiq. Adj.* **1.** De, ou relativo a psicoses: *surto psicótico.* **2.** Que sofre psicose: *doente psicótico.* ~ V. *transtorno — compartilhado* e *transtorno — induzido*. ● *S. m.* **3.** Indivíduo psicótico.

psicotomimético [De *psicót(ico)* + *-o-¹* + *-mimet(o)-* + *-ico²*.] *Adj. Psiq.* Diz-se de droga ou de outra substância que provoca alucinações e outros efeitos psíquicos semelhantes aos dos estados psicóticos.

psicotrópico [De *psic(o)-* + *-trop(o)-* + *-ico²*.] *Adj. S. m.* Diz-se de, ou droga que age sobre o psiquismo, como calmante ou como estimulante. [O uso indevido de psicotrópicos provoca perturbações psíquicas.]

▲ **psicro-** [Do gr. *psychrós, á, ón*.] *El. comp.* = 'frio': *psicroalgia, psicrofobia, psicroterapia*.

psicroalgia [De *psicro-* + *-alg(o)-²* + *-ia¹*.] *S. f. Med.* Sensação dolorosa de frio.

psicroálgico [De *psicroalgia* + *-ico²*.] *Adj.* Relativo à psicroalgia.

psicroestesia [De *psicro-* + *estesia*.] *S. f. Med.* Estado em que uma parte do corpo dá a impressão de estar fria, embora esteja quente.

psicrofilia [De *psicro-* + *-filia*.] *S. f.* Predileção pelo frio.

psicrofílico [De *psicrofilia* + *-ico²*.] *Adj.* Relativo a psicrofilia, ou a psicrófilo.

psicrófilo [De *psicro-* + *-filo²*.] *Adj. S. m.* **1.** Diz-se de, ou indivíduo que prefere habitar as regiões geladas. **2.** *Bot.* Diz-se de, ou vegetal que se desenvolve sob temperaturas baixas, por via de regra em torno de zero grau.

psicrofobia [De *psicro-* + *-fobia*.] *S. f. Psiq.* Medo mórbido de frio.

psicrofóbico [De *psicrofobia* + *-ico²*.] *Psiq. Adj.* **1.** Relativo a psicrofobia. **2.** Que sofre de psicrofobia; psicrófobo. ● *S. m.* **3.** Aquele que sofre de psicrofobia; psicrófobo.

psicrófobo [De *psicro-* + *-fobo*.] *Adj. S. m. Psiq.* Psicrofóbico (2 e 3).

psicrometria [De *psicro-* + *-metria*.] *S. f. Fís.* Medição da umidade do ar por meio de psicrômetro. [Cf. *psicometria*.]

psicrométrico [De *psicrometria* + *-ico²*.] *Adj.* Relativo à psicrometria, ou ao psicrômetro. [Cf. *psicométrico*.]

psicrómetro *S. m. Fís.* V. *psicrômetro*. [Uso freq. em P.]

psicrômetro [De *psicro-* + *-metro*.] *S. m. Fís.* Higrômetro com que se mede a umidade relativa mediante a diferença de temperatura de dois termômetros, dos quais um tem o bulbo seco e o outro o tem molhado.

psicroterapia [De *psicro-* + *-terapia*.] *S. f. Terap.* Terapia que se vale do frio, empregando-o de modos diversos (aplicação de compressa gelada, banho frio, etc.). [Cf. *psicoterapia*.]

psicroterápico [De *psicroterapia* + *-ico²*.] *Adj.* Relativo a psicroterapia. [Cf. *psicoterápico*.]

psídio [Do tax. *Psidium*.] *S. f. Bot.* **1.** Gênero de árvores e arvoretas mirtáceas, dotadas de folhas pubescentes, flores cimosas, de cálice tubiforme, largo, e fruto polposo, polispermo. **2.** Qualquer espécie desse gênero como, p. ex., a *Psidium incanescens*, conhecida como *araçá-felpudo*, e outras, tb. frutíferas, chamadas vulgarmente *piúna*. **3.** Qualquer espécime desse gênero.

psilídeo [Do tax. *Psylla* + *-ídeo¹*; tax. *Psyllidae*.] *Zool. S. m.* **1.** Espécime dos psilídeos, família de insetos homópteros, de 2 a 5mm de comprimento, muito semelhantes a cigarras em miniatura, antenas longas, e fortes pernas saltatórias. Alimentam-se da seiva das plantas, atacando plantas cultivadas. ● *Adj.* **2.** Pertencente ou relativo a eles.

psilo [Do gr. *psýllos*, pelo lat. *psyllu*.] *Adj.* **1.** De, ou pertencente ou relativo aos psilos, antigo povo da Líbia que, segundo reza a tradição, sabia domesticar as serpentes e conhecia antídotos poderosos contra a picada destas. ● *S. m.* **2.** Indivíduo desse povo. **3.** *P. ext.* Domesticador de serpentes.

▲ **psilo-** [Do gr. *psilós, ḗ, ón*.] *El. comp.* = 'calvo', 'glabro'; 'sem vegetação': *psilófito*. [Equiv.: *-psil(o)-*: *dolicopsilídeo*.]

▲ **-psil(o)-** Equiv. de *psilo-*.

psilocibina [Comb. de *psilocina* + *-bi-*.] *S. f. Quím.* Alcaloide alucinógeno encontrado em certos cogumelos nativos do México, que é um derivado fosfatado da psilocina [fórm.: $C_{12}H_{17}N_2O_4P$].

psilocina [Do tax. *Psyllium* + *-ina³*.] *S. f. Quím.* Alcaloide fenólico, alucinógeno, encontrado em certos cogumelos nativos do México [fórm.: $C_{12}H_{16}N_2O$].

psilófito [De *psilo-* + *-fito*.] *S. m. Ecol.* Planta própria do clima seco tropical, onde há savana.

psilomelanita [De *psilo-* + *-melan(o)-* + *ita³*.] *S. f. Min.* Mineral terroso ou concrecionado, óxido hidratado de manganês que encerra quantidades variáveis de ferro, bário e potássio; minério de manganês.

psilomelano [De *psilo-* + *-melano*.] *S. f. Min.* V. *psilomelanita*.

psilotácea [Do tax. *Psilotum* + *-ácea*; tax. *Psilotaceae*.] *S. f. Bot.* Espécime das psilotáceas, família de pteridófitos que tem apenas dois gêneros e quatro espécies, uma delas a *Psilotum triquetrum*, a única brasileira que é uma pequena erva sem folhas nem raízes, comum sobre árvores silvestres.

psilotáceo [De *psilotácea*, com var. suf. (v. *-áceo*).] *Adj. Bot.* Pertencente ou relativo às psilotáceas.

psique [Do gr. *psyché*.] *S. f.* **1.** A alma, o espírito, a mente: "os escritores brasileiros surpreenderam, em toda a sua nativa pureza, o centro da psique nacional." (João Gaspar Simões, *Crítica*, I, p. 175). **2.** Psiquismo (1). [Na mitologia grega, *Psique* era a personificação da alma.]

▲ **psiqu(e)-** V. *psic(o)-*.

▲ **-psiqu(e)-** V. *psic(o)-*.

psiqueuterpia [De *psiqu(e)-* + mit. *Euterpe*, 'musa da poesia lírica e da música', + *-ia¹*.] *S. f. Espir.* Qualidade do médium que toca instrumentos sob o influxo dos espíritos.

psiquialgia [De *psiqu(e)-* + *-i-* + *-alg(o)-²* + *-ia¹*.] *S. f. Psiq. Med.* Psicalgia.

psiquiálgico [De *psiquialgia* + *-ico²*.] *Adj.* Respeitante à psiquialgia.

psiquiatra [De *psic(o)-* + *-iatra*.] *S. 2 g.* Especialista em psiquiatria. [Var.: *psiquiatro*. Sin. (p. us.): *psiquiatrista*.]

psiquiatria [De *psic(o)-* + *-iatria*.] *S. f.* Parte da medicina que trata do estudo e do tratamento das doenças mentais.

psiquiátrico [De *psiquiatria* + *-ico²*.] *Adj.* Relativo à psiquiatria.

psiquiatrista [De *psiquiatria* + *-ista*.] *S. 2 g. P. us.* V. *psiquiatra*.

psiquiatro *S. m.* V. *psiquiatra*.

psíquico [Do gr. *psychikós*.] *Adj.* Relativo ou pertencente à psique, à alma ou ao psiquismo (1); anímico: "Dor, saúde dos seres que se fanam, / Riqueza da alma, psíquico tesouro" (Augusto dos Anjos, *Eu*, 30ª ed., p. 199). ~ V. *contágio —, dependência —a* e *reeducação —a*.

psiquídeo [Do tax. *Psyche*, 'gênero-tipo', + *-ídeo¹*; tax. *Psychidae*.] *Zool. S. m.* **1.** Espécime dos psiquídeos, família de insetos lepidópteros, de distribuição universal, vulgarmente conhecidos como bichos-de-cesto em virtude dos casulos compostos de seda e pedaços de folhas e ramos. Os machos adultos são pequenos e com asas bem desenvolvidas; as fêmeas são desprovidas de asas e patas, e têm aspecto vermiforme. ● *Adj.* **2.** Pertencente ou relativo a eles.

psiquismo [De *psiqu(e)-* + *-ismo*.] *S. m.* **1.** *Psic.* O conjunto dos fenômenos ou dos processos mentais conscientes ou inconscientes de um indivíduo ou de um grupo de indivíduos; psique. **2.** Doutrina filosófica que admite a existência de um fluido universal que anima todos os seres vivos.

psit *Interj.* Psiu.

psitácida [Do tax. *Psittacus* + *-ida¹*.] *S. m. Adj. 2 g. Zool.* V. *psitacídeo*.

psitacídeo [Do tax. *Psittacus* (< lat. *psittacus*, 'papagaio') + *ídeo¹*; tax. *Psittacidae*.] *Zool. S. m.* **1.** Espécime dos psitacídeos, família de aves psitaciformes (q. v.). ● *Adj.* **2.** Pertencente ou relativo a eles. [Sin. ger.: *psitácida*.]

psitaciforme [Do tax. *Psittacus* (v. *psitacídeo*) + *-iforme*; tax. *Psittaciformes*.] *Zool. S. m.* **1.** Espécime dos psitaciformes, ordem de aves neórnites, neógnatas, de bico robusto, grosso e muito recurvo, língua carnuda e grossa, maxila superior móvel, pés zigodáctilos, adaptados para preensão, metacarpo coberto de escamas rugosas, e dedo posterior externo não reversível. Vivem nos campos e florestas, alimentando-se principalmente de frutas. São os papagaios, as araras e os periquitos em geral. ● *Adj. 2 g.* **2.** Pertencente ou relativo a eles.

psitacismo [De *psitac(o)-* + *-ismo*.] *S. m.* **1.** Distúrbio da linguagem que consiste na repetição mecânica de palavras ou de frases vazias de sentido para quem as repete. **2.** Arte de alinhar frases ocas; verborragia: "Não faltou em Portugal um pretenso Gênio .... que em artigos de vulgarização sobre a doutrina da Relatividade .... explicasse esta última, e a esclarecesse ao público, definindo-a como 'a beleza de Vênus de Milo projetada num sistema de equações'. Em tempos — ai de mim! — sonhei que desmascarando estes psitacismos vácuos poderia prestar um bom serviço ao povo" (Antônio Sérgio, *Ensaios*, I, pp. 448-449). **3.** Processo de aprendizagem apenas por memorização.

▲ **psitac(o)-** [Do gr. *psittakós, oû*.] *El. comp.* = 'papagaio': *psitacismo, psitacose*.

psitacose [De *psitac(o)-* + *-ose¹*.] *S. f. Med.* Infecção primeiro observada em papagaio, mas que, segundo se descobriu posteriormente, pode ocorrer em outras aves domésticas, e que é produzida por uma clamidiácea, transmitindo-se, eventualmente, ao homem, em que provoca pneumonia atípica.

psiu [Voc. onom.] *Interj. S. m.* Us. para fazer calar ou para chamar; psit: "Psiu! Ó moço! Quanto custa esse bilhete?" (Artur Azevedo, *Contos Efêmeros*, p. 58); "Chamavam, quando ele já se distanciava, com psius veementes." (Pedro Nava, *Baú de Ossos*, p. 312).

psoas (ô) [Do gr. *psóai*, 'lombos', pelo lat. *psoas*.] *S. m. 2 n. Anat.* Cada um dos integrantes de dois pares de músculos abdominais, um par de cada lado: *grandes psoas e pequenos psoas*. ◆ **Grande psoas.** *Anat.* Cada um dos dois músculos que se originam lateralmente à borda inferior da 12ª vértebra lombar e se estendem até às coxas. **Pequeno psoas.** *Anat.* Cada um dos dois músculos, ausentes com frequência, que se estendem do disco situado entre a 12ª vértebra torácica e a 1ª lombar, até a bacia.

psocóptero [Do tax. *Psocus* + *-ptero*; tax. *Psocoptera*.] *S. m. Adj. Zool.* V. *corrodente*.

psofiídeo [Do tax. *Psophia* + *-ídeo¹*; tax. *Psophiidae*.] *Zool. S. m.* **1.** Espécime dos psofiídeos, família de aves gruiformes, com um só gênero, caracterizadas por terem as penas da cabeça curtas e eretas. Vivem na floresta amazônica, alimentam-se de toda sorte de frutos e pequenos animais, e acostumam-se bem no cativeiro. São os jacamins. ● *Adj.* **2.** Pertencente ou relativo a eles.

psoíte [De *pso(as)* + *-ite¹*.] *S. f. Patol.* Inflamação de músculo psoas ou de sua bainha.

psora [Do gr. *psóra*, 'sarna'.] *S. f. Derm.* Psoríase.

psoraleno [Do tax. *Psoralea* + *-eno²*.] *S. m. Quím.* Substância cristalina aromática, cujas moléculas contêm um anel furânico fundido a cumarina, que provoca fotossensibilidade em animais e é us. em tratamento de vitiligem [fórm.: $C_{11}H_6O_3$].

psoríaco [De *psor(o)-* + *-íaco*.] *Adj.* Relativo à, ou que tem psoríase.

psoríase [Do gr. *psoríasis*.] *S. f. Derm.* Doença de etiologia desconhecida, de evolução crônica, sujeita a remissões e recidivas, e caracterizada pela presença de eritema e escamas, produzindo-se eflorescências [v. *eflorescência* (4)] avermelhadas semelhantes a discos, com escamas prateadas. Compromete, ger.,

P

couro cabeludo, superfícies extensoras dos membros, principalmente nos cotovelos, nos joelhos e em pele situada anteriormente à borda anterior de cada tíbia.

▲ **psor(o)-** [Do gr. *psōro-* < gr. *psṓra, as.*] ***El. comp.*** = 'sarna': *psoríase* (< gr.), *psoríaco.*

■ **Pt** *Quím.* Símb. de *platina*[1].

ptármico [Do gr. *ptarmikós.*] ***Adj.*** V. *esternutatório* (1).

pteranodonte [Adapt. do tax. *Pteranodon.*] ***S. m.*** *Paleont.* **1.** Gênero de reptis arcossáurios, pterossauros, pterodáctilos [v. *pterodáctilo*[2] (1)], dotados de asas com até 7m de envergadura, e ossos pneumáticos [v. *pneumático* (3)] como as das aves atuais; tinham grande bico desdentado, cauda reduzida e cristas ósseas que estabilizavam o voo. Habitaram o triássico e o cretáceo da América do Norte e Rússia. **2.** Espécie ou espécime desse gênero.

▲ **pteri-** V. *pterido-.*

pteridácea [Adapt. do tax. *Pteridaceae.*] ***S. f.*** *Bot.* Espécime das pteridáceas, família da classe das filicópsidas que abrange 35 gêneros e cerca de 825 espécies de pequenos fetos terrestres ou aquáticos, ger. com frondes penadas, soros marginais ou alinhados ao longo das nervações, e providas de indúsio.

pteridáceo [De *pteridácea*, com var. suf. (v. *-áceo*).] ***Adj.*** *Bot.* Pertencente ou relativo às pteridáceas.

▲ **ptéride** V. *pterido-.*

pteridina [De *pter(o)-* + *-id(o)-*[2] + *-ina*[3].] ***S. f.*** *Quím.* Substância cristalina, amarela, base nitrogenada cuja estrutura é análoga à do naftaleno, porém com quatro átomos de nitrogênio no lugar de outros tantos metinos e da qual certas substâncias naturais importantes, como o ácido fólico, podem-se considerar derivadas [fórm.: $C_6H_4N_4$].

▲ **pterido-** [Do gr. *pterís, idos.*] ***El. comp.*** = 'feto[2]': *pteridografia, pteridologia.* [Equiv.: *pteri-, -ptéride, -pterid(o)-, -pteris: pterigrafia; glossoptéride; hidropteridale; gangamópteris.*]

▲ **-pterid(o)-** V. *pterido-.*

pteridófita [Do tax. *Pteridophyta* (v. *pterido-* e *-fita*).] ***S. f.*** *Bot.* V. *pteridófito* (1).

pteridófitas ***S. f. pl.*** *Bot.* Grupo de plantas sem flores, que formam esporângios nas folhas ou em folhas modificadas, cujos órgãos sexuais aparecem em pequenas plantas taliformes, ditas prótalos, procedentes dos esporos formados pelas plantas verdes normais, conhecidas como samambaias e avencas, p. ex., e que se dividem em seis classes.

pteridófito [Adapt. do tax. *Pteridophyta* (v. *pterido-* e *-fito*).] *Bot.* ***S. m.*** **1.** Espécime dos pteridófitos, grupo de plantas sem flores, que formam esporângios nas folhas ou em folhas modificadas, cujos órgãos sexuais aparecem em pequenas plantas taliformes, ditas prótalos, procedentes dos esporos formados pelas plantas verdes normais, conhecidas como samambaias e avencas, p. ex., e que se dividem em seis classes. ● ***Adj.*** **2.** Pertencente ou relativo a eles.

pteridografia [De *pterido-* + *-grafia.*] ***S. f.*** Descrição ou tratado acerca dos pteridófitos. [F. paral.: *pterigrafia.*]

pteridográfico [De *pteridografia* + *-ico*[2].] ***Adj.*** Relativo à pteridografia; pterigráfico.

pteridógrafo [De *pterido-* + *-grafo.*] ***S. m.*** Especialista em pteridografia.

pteridologia [De *pterido-* + *-logia.*] ***S. f.*** Parte da botânica que trata dos pteridófitos.

pteridológico [De *pteridologia* + *-ico*[2].] ***Adj.*** Relativo à pteridologia: *manual pteridológico.*

pteridosperma [De *pterido-* + *-sperma*; tax. *Pteridospermae.*] ***Adj.*** *Paleont.* Cicadofilicale.

pteridospermo [De *pterido-* + *-spermo*; tax. *Pteridospermae.*] ***Adj.*** *Paleont.* Cicadofilical.

pterígio [Do lat. cient. *pterygium* < lat. *pterygium*, 'asinha'; 'barbatana'.] ***S. m.*** **1.** *Oftalm.* Em um olho, formação resultante de proliferação fibrovascular conjuntival que se estende em direção à córnea, de cujo estroma pode, até, destruir algumas camadas superficiais. [Sin., pop.: *unha do olho, unha no olho.*] **2.** *Zool.* Cada um dos pequenos ossos basais das nadadeiras peitorais dos peixes que se articulam com o bordo posterior da escápula.

▲ **-pterígio** [Do gr. *pterýgion, ou,* dim. de *ptéryx, ygos,* 'asa'.] ***El. comp.*** = 'pequena asa', 'barbatana': *acantopterígio, micropterígio.* V. *pterig(o)-.*

▲ **pterig(o)-** [Do gr. *pterygo-* < gr. *ptéryx, ygos.*] ***El. comp.*** = 'asa': *pterigogêneo, pterigoide* (< gr.). [V. *-pterix* e *-pterígio.*]

pterigogéneo ***S. m. Adj.*** *Zool.* V. *pterigogêneo.* [Uso freq. em P.]

pterigogêneo [De *pterig(o)-* + *-gen(o)-* + *-eo*; tax. *Pterygogenea.*] ***S. m. Adj.*** *Zool.* V. *pterigoto.*

pterigoide (ói) [Do gr. *pterigoeidés.*] ***Adj. 2 g.*** **1.** Que tem a forma de uma asa; aliforme. **2.** *Anat.* Diz-se de cada uma de duas apófises de osso esfenoide, situadas uma de cada lado da linha mediana desse osso. [F. paral.: *pterigóideo.*] ❖

pterigóideo ***Adj.*** V. *pterigoide.* ~ V. *folha —a.*

pterigoto [Do gr. *pterygotós*, 'que tem asas'; tax. *Pterygota.*] *Zool.* ***S. m.*** **1.** Espécime dos pterigotos, subclasse de artrópodes, insetos, de metamorfose variada. São, na maioria, alados, com algumas espécies ou ordens ápteras por atrofia das asas (aladas na fase embrionária), sem apêndices abdominais além dos corpos dos cercos e da genitália. São todos os insetos, com exclusão dos proturos, colêmbolos, dipluros e tisanuros. ● ***Adj.*** **2.** Pertencente ou relativo a eles. [Sin. ger. *pterigogêneo.*]

pterigrafia [De *pteri-* + *-grafia.*] ***S. f.*** V. *pteridografia.*

pterigráfico [De *pterigrafia* + *-ico*[2].] ***Adj.*** V. *pteridográfico.*

pterina [De *pter(o)-* + *-ina*[3].] ***S. f.*** *Quím.* Qualquer de certos pigmentos, derivados da pteridina, que ocorrem, p. ex., em asas de borboletas.

ptério [De *pter(o)-* + *-io*[3].] ***S. m.*** *Anat.* Cada uma de duas áreas cranianas, uma à esquerda e outra à direita, que configuram a letra H, e em que, de cada lado, se articulam o osso frontal e os ossos parietal e temporal correspondentes, e a asa do esfenoide correspondente.

ptérion ***S. m.*** *Anat.* V. *ptério.*

▲ **-pteris** [Do lat. cient. *-pteris* < gr. *pterís, idos.*] V. *pterido-.*

▲ **-pterix** (cs) [Do gr. *ptéryx, ygos.*] ***El. comp.*** = 'asa': *arqueópterix* (*pterig(o)-*).

▲ **pter(o)-** [Do gr. *pterón, oû,* 'pluma de asa'.] ***El. comp.*** = 'asa'; 'coluna': *ptério, pterocarpo, pteroide.* [Equiv.: *-pter(o)-, -ptero: aptério, epipterado; tetráptero.*]

▲ **-pter(o)-** V. *pter(o)-.*

▲ **-ptero** V. *pter(o)-.*

pterobrânquio [De *pter(o)-* + *-brânquio*; tax. *Pterobranchia.*] *Zool.* ***S. m.*** **1.** Espécime dos pterobrânquios, classe de hemicordados, solitários ou coloniais, formada por cerca de 10 espécies de porte minúsculo, ger. tubícolas, com fendas branquiais em número de duas ou ausentes; a parte média do corpo, o colarinho, tem um ou mais pares de tentáculos. Secretam um esqueleto cuticular externo onde se abrigam. ● ***Adj.*** **2.** Pertencente ou relativo a eles.

pterocarpo[1] [De *pter(o)-* + *-carpo.*] ***S. m.*** *Bot.* Fruto que tem excrescências membranosas em forma de asa: fruto alado.

pterocarpo[2] [Do tax. *Pterocarpus.*] ***S. m.*** *Bot.* **1.** Gênero de fabáceas que abrange árvores de folhas alternas, penadas, flores amarelas, e fruto aliforme que é vagem com borda membranosa. **2.** Qualquer espécie ou espécime desse gênero.

pterodactilídeo [Do tax. *Pterodactylus* (v. *pterodáctilo*) + *-ídeo*[1]; tax. *Pterodactilidae.*] *Paleont.* ***S. m.*** **1.** Espécime dos pterodactilídeos, segundo algumas classificações, família de reptis pterossauros da era mesozoica, cujo gênero-tipo seria o pterodáctilo[2] (q. v.). ● ***Adj.*** **2.** Pertencente ou relativo a eles.

pterodáctilo[1] [De *pter(o)-* + *-dá(c)tilo.*] ***Adj.*** **1.** Que tem os dedos unidos por membrana. **2.** Indivíduo pterodáctilo (1).

pterodáctilo[2] [Do tax. *Pterodactylus.*] ***S. m.*** *Paleont.* **1.** Gênero de reptis pterossauros, pterodactilídeos, voadores, de tamanho variável, com cauda curta, bico longo e pontudo, e ger. provido de dentes; apresentavam membrana alar grande, que se estendia desde a parte lateral do corpo, até o quarto dígito, que era extremamente desenvolvido. Viveram do jurássico inferior ao cretáceo. **2.** Espécie ou espécime desse gênero.

pterodátilo[1] ***Adj. S. m.*** V. *pterodáctilo*[1].

pterodátilo[2] ***S. m.*** V. *pterodáctilo*[2].

pterofagia [De *pter(o)-* + *-fag(o)-* + *-ia*[1].] ***S. f.*** O comerem as aves as suas próprias penas, ou as alheias; picagem.

pterofágico [De *pterofagia* + *-ico*[2]] ***Adj.*** Respeitante à pterofagia.

pteróforo [Do gr. *pterophóros.*] ***Adj.*** *Zool.* Que tem asas; alado, alífero.

pteroide (ói) [De *pter(o)-* + *-oide.*] ***Adj. 2 g.*** *Bot.* Que tem forma ou aparência de asa; pteróideo. ❖

pteróideo [De *pter(o)-* + *-óideo.*] ***Adj.*** *Bot.* Pteroide.

pteroma [Do gr. *ptéroma*, pelo lat. *pteroma.*] ***S. m.*** *Arquit.* **1.** Na Grécia antiga, ala de um edifício. **2.** Renque de colunas em volta de um edifício.

pteromedusa [De *pter(o)-* + *medusa*[2]; tax. *Pteromedusae.*] ***S. f.*** *Zool.* Espécime das pteromedusas, subordem de cnidários hidrozoários, traquilinos, de corpo delgado, lembrando duas pirâmides, quatro lóbulos natatórios no centro, e gônadas abaixo do véu, projetando-se para dentro e enchendo o celêntero.

pteromedúseo [De *pteromedusa* + *-eo.*] ***Adj.*** *Zool.* Pertencente ou relativo às pteromedusas.

pterópode[1] [Do gr. *pter(o)-* + *-pode.*] ***Adj. 2 g.*** *Zool.* De pés em forma de barbatana.

pterópode[2] [Adapt. do tax. *Pteropoda.*] *Zool.* ***S. m.*** **1.** Espécime dos pterópodes, subordem de metazoários, invertebrados, moluscos, gastrópodes, pelágicos, com grandes expansões laterais do pé em forma de nadadeiras. ● ***Adj. 2 g.*** **2.** Pertencente ou relativo a eles.

pteroptoquídeo [Adapt. do tax. *Pteroptochidae.*] *Zool.* ***S. m.*** **1.** Espécime dos pteroptoquídeos, família das aves passeriformes, caracterizadas por terem o tarso taxaspidiano e ventas cobertas por uma membrana. São aves andinas, representadas na Amazônia por uma única espécie. ● ***Adj.*** **2.** Pertencente ou relativo a eles.

pterospermo [De *pter(o)-* + *-spermo.*] ***Adj.*** *Bot.* Que tem sementes aladas.

pterossáurio [Adapt. do tax. *Pterosauria.*] *Paleont.* ***S. m.*** **1.** Espécime dos pterossáurios, ordem de arcossáurios que compreende reptis voadores que viveram do jurássico ao cretáceo superior; inclui os pterodáctilos e formas afins. ● ***Adj.*** **2.** Pertencente ou relativo a eles. [Sin. ger.: *pterossauro.*]

pterossauro [De *pter(o)-* + *-sauro.*] ***S. m. Adj.*** *Paleont.* V. *pterossáurio.*

■ **PTFE** *Quím.* Sigla de *politetrafluoroetileno.*

ptialagogo (ô) [De *ptial(o)-* + *-agogo.*] ***Adj. S. m.*** *Med.* Sialagogo.

ptialina [De *ptial(o)-* + *-ina*[3].] ***S. f.*** *Fisiol.* Diástase da saliva, que converte o amido em maltose e dextrose.

ptialismo [Do gr. *ptyalismós.*] ***S. m.*** *Med.* V. *sialorreia.*

▲ **ptial(o)-** [Do gr. *ptýalon* ou *ptýelon, ou.*] ***El. comp.*** = 'saliva': *ptialagogo, ptialina.* [Equiv.: *-ptial(o)-: aptialia.*]

▲ **-ptial(o)-** Equiv. de *ptial(o)-.*

pticodactiário [Adapt. do tax. *Ptychodactiaria.*] *Zool.* ***S. m.*** **1.** Espécime dos pticodactiários, subordem de cnidários antozoários, zoantários, actiniários, sem áreas ciliadas nos filamentos e desprovidos de tentáculos capitados. [Essa pequena subordem é, frequentemente, considerada como família da ordem dos actiniários.] ● ***Adj.*** **2.** Pertencente ou relativo a eles.

ptilose [Do gr. *ptílosis.*] ***S. f.*** **1.** *Derm.* Queda dos cílios. **2.** *Pneum.* Pneumoconiose produzida pela inalação de poeira de penas de avestruz.

ptolemaico [Do gr. *ptolemaikós*, pelo lat. *ptolemaicu.*] ***Adj.*** **1.** Pertencente ou relativo a Ptolomeu, astrônomo, matemático e geógrafo grego (séc. II), ou próprio dele: *sistema ptolemaico.* **2.** Pertencente ou relativo a Ptolomeu I Sóter e à sua dinastia, assim como à civilização helênica desse período, no Egito: *templos ptolemaicos; época ptolemaica.* [Var.: *ptolomaico.*]

ptolomaico ***Adj.*** Ptolemaico (q. v.). ~ V. *sistema —.*

▲ **ptoma-** [Do gr. *ptôma, atos.*] ***El. comp.*** = 'cadáver': *ptomaína.*

ptomaína [De *ptoma-* + *-ina*[3].] ***S. f.*** Qualquer das substâncias tóxicas aminadas provenientes da putrefação das matérias orgânicas de origem animal.

ptose [Do gr. *ptôsis*, 'queda'.] ***S. f.*** *Patol.* Queda de um órgão em consequência de relaxamento dos seus meios de fixação, ou lesão de sua inervação.

▲ **-ptose** Equiv. de *ptoseo-.*

▲ **ptoseo-** [Do gr. *ptôsis, eōs.*] ***El. comp.*** = 'queda'; 'flexão gramatical'; 'prolapso': *ptoseonomia.* [Equiv.: *-ptose: histeroptose.*]

ptoseonomia [De *ptoseo-* + *-nom(o)-* + *-ia*[1].] ***S. f.*** *E. Ling. Desus.* Morfologia flexional (q. v.).

ptótico [Do gr. *ptotikós.*] ***Adj.*** Relativo à ptose.

pu [Voc. onom.] ***Interj. S. m.*** *Bras. Fam.* V. *pum.*

■ **Pu** *Quím.* Símb. de *plutônio*[1].

pua [De or. incerta.] ***S. f.*** **1.** Ponta aguda; bico, aguilhão, pico, espinho. **2.** Haste da espora, na ponta da qual está a roseta. **3.** Intervalo entre os dentes do pente do tear. **4.** Bico de verruma. **5.** V. *broca*[1] (1). **6.** *Bras. Pop.* V. *torno* (5). **7.** *Bras. Pop.* V. *bebedeira* (1). **8.** *Bras. RS* Espora de aço que se põe nos galos para a rinha.

puã [Do tupi = 'dedo polegar'.] ***S. f.*** *Bras. Zool.* **1.** A pata do siri. **2.** V. *siripuã.*

puaço [De *pua* + *-aço.*] ***S. m.*** *Bras. RS* Golpe com puas [v. *pua* (8)].

puaçu [Do tupi.] ***S. m.*** *Bras. Amaz. Tec. Têx.* Tecido de algodão usado por indígenas.

puava [Do tupi, poss.] *Bras. RS* ***Adj. 2 g.*** **1.** Espantadiço, arisco, bravio. **2.** Colérico, raivoso, irado: "Gaúcho querendão e puava, ... passara por uma radical mudança desde o encontro, num bailarico de Lavras, com a sia Rosa" (Alcides Maia, *Tapera*, p. 11). ● ***S. 2 g.*** **3.** Pessoa ou animal puava. ● ***S. m.*** **4.** Indivíduo valente, destemido.

→ **pub** [pʌb] [F. red. do ingl. *public house*, 'hospedaria'; 'botequim'.] ***S. m.*** Na Grã-Bretanha e em certos países de influência britânica, estabelecimento onde se servem bebidas alcoólicas.

puba [Do tupi = 'fermentado'.] ***S. f.*** **1.** *Bras. N.N.E.* Massa puba (q. v.): "Cuscuz de tapioca, pamonha de puba, beijus, banana cozida." (Vasconcelos Maia, *O Leque de Oxum*, p. 32.) **2.** Terreno úmido, coberto de capim. **3.** *Pop.* Apuro exagerado no trajar; faceirice. ● ***S. m.*** **4.** *Bras. N.* Boi de corte, gordo.

▲ **-puba** [Do tupi *puba*.] ***El. comp.*** = 'mole', 'fermentado', 'podre': *capimpuba*.
pubar [De *puba* + *-ar*[2].] ***V. t. d.*** *Bras.* Fazer fermentar, tornar puba (a mandioca). [V. *pubo* (1). Pres. subj.: *pube, pubes*, etc. Cf. *púbis*.]
pube [Do lat. *pube*.] ***S. m.*** V. *púbis*.
pubeiro [De *puba* + *-eiro*.] ***Adj.*** *Bras.* Diz-se do gado que pasta em puba (2).
puberdade [Do lat. *pubertate*.] ***S. f.*** **1.** Conjunto das transformações psicofisiológicas ligadas à maturação sexual que traduzem a passagem progressiva da infância à adolescência. **2.** Estado ou qualidade de púbere. [Sin. ger.: *pubescência*.]
púbere [Do lat. *pubere*.] ***Adj. 2 g.*** Que chegou à puberdade; pubescente.
puberulento [De *pubérulo* + *-ento*.] ***Adj.*** *Bot.* Pubérulo (q. v.).
pubérulo [Do lat. *puberis* + *-ulo*.] ***Adj.*** *Bot.* Que é curtamente pubescente; puberulento: *sépala pubérula*. ~ V. *folha —a*.
pubescência [De *pubescer* + *-ência*.] ***S. f.*** **1.** Puberdade: "As formas da graciosa pubescência, que um corpinho justo debuxaria em doce e palpitante relevo" (José de Alencar, *Til*, p. 25). **2.** *Bot.* Indumento das plantas formado de pelos finos e curtos.
pubescente [Do lat. *pubescente*.] ***Adj. 2 g.*** **1.** Púbere: "Três gregas de alvos pés, pubescentes e esguias, / Torcendo os corpos nus donde acre aroma escapa, / Dançam meneando véus, flexíveis como enguias." (Manuel Bandeira, *Estrela da Vida Inteira*, p. 69.) **2.** *Bot.* Que apresenta pubescência (2): *pétala pubescente; folha pubescente*.
pubescer [Do lat. *pubescere*.] ***V. int.*** **1.** Tornar-se púbere; atingir a puberdade; empubescer-se. [Conjug.: v. *crescer*.] ● ***S. m.*** **2.** Puberdade.
▲ **pubi-** [Do lat. *pūbis, is*.] ***El. comp.*** = 'pelo', 'penugem': *pubicórneo*.
pubiano [De *púbis* + *-ano*[1].] ***Adj.*** Relativo ou pertencente ao púbis; púbico.
púbico [De *púbis* + *-ico*[2].] ***Adj.*** Pubiano.
pubicórneo [De *pubi-* + *-corn(i)-* + *-eo*.] ***Adj.*** *Zool.* Que tem os chifres cobertos de pelos.
púbis [Do lat. *pubis*, 'pelo', 'penugem'.] ***S. m. 2 n.*** **1.** *Anat. Desus.* A parte inferior e mediana da região hipogástrica, que forma uma eminência triangular e se cobre de pelos na puberdade; pente. **2.** *Anat.* A parte inferoanterior de cada osso do quadril. [Diversos dicionários dão *púbis* como do gênero feminino; no entanto, a maior parte dos lexicógrafos, antigos e modernos — Morais, Fr. Domingos Vieira, Lacerda, Constâncio, Aulete, Adolfo Coelho, João de Deus, Jaime de Séguier, Simões de Fonseca, Silva Bastos, Augusto Moreno, Antenor Nascentes, Artur Bivar, Rodrigo Fontinha, Francisco Fernandes e outros —, têm por masculino o vocábulo, estando, pois, acordes com o uso geral de nossa língua e com o espanhol, o francês e o italiano. O ser feminina a palavra em latim não deve prevalecer contra um fato de linguagem. F. paral.: *pube*. Cf. *pubes*, do v. *pubar*.]
publicabilidade [De *publicável* (*publicabil-*) + *-(i)dade*, seg. o padrão erudito.] ***S. f.*** Qualidade ou condição do que é publicável.
publicação [Do lat. *publicatione*.] ***S. f.*** **1.** Ato ou efeito de publicar: *a publicação duma lei*. **2.** Obra publicada: *uma publicação ilustrada*. **3.** Exposição à venda de uma obra: *Já está anunciada a publicação do seu novo romance*. **4.** Opúsculo, folheto: *Li a publicação sobre Machado de Assis*. ◆ **Publicação digital.** *Edit.* Publicação eletrônica. **Publicação eletrônica.** *Edit.* Publicação fixada em mídia digital, como CD, disquete, disco rígido, etc.; publicação digital. [Emprega usualmente recursos de hipertexto e de multimídia interativa.] **Publicação não periódica.** Aquela publicada numa só vez, ou publicada a intervalos, em volumes cujo número é geralmente determinado previamente (livro, folheto, separata, etc.). **Publicação oficial.** Publicação editada por órgão estatal ou paraestatal. **Publicação *on-line*.** *Edit.* Publicação eletrônica acessível por meio de rede de computadores, como a Internet. Ex.: dicionário *on-line*, catálogo *on-line*. **Publicação periódica.** Publicação editada em série contínua, sob um mesmo título, a intervalos regulares ou irregulares, por tempo indeterminado, sendo os números da série datados ou numerados consecutivamente (jornal, revista, etc.). **Publicação seriada.** Aquela que aparece em volumes ou fascículos numerados cronológica ou sequencialmente, sem data prevista de término (periódicos em geral, anuários, anais, séries monográficas, etc.).
publicado [Do lat. *publicatu*.] ***Adj.*** **1.** Que se publicou ou publica. **2.** Divulgado.
publicador (ô) [Do lat. *publicatore*.] ***Adj.*** ***S. m.*** Que, ou aquele que publica.
pública-forma ***S. f.*** *Jur.* Cópia integral, exata e certificada, de um documento, feita por tabelião, e que pode substituir esse documento na maioria dos casos. [Pl.: *públicas-formas*.]
publicano [Do lat. *publicanu*.] ***S. m.*** **1.** Na Roma antiga, cobrador de rendimentos públicos: "Nas altas do preço de vida, ... não restava ao plebeu outro recurso que não fosse apelar para o agiota. Duas ou três prestações insatisfeitas, o publicano ia, sequestrava os bens do insolvente e passava-lhe os anjinhos aos pulsos." (Aquilino Ribeiro, *Os Avós dos Nossos Avós*, p. 69.) **2.** *Pej.* Homem de negócios. ● ***Adj.*** **3.** De, ou próprio de publicano (2): "A origem de sua fortuna, ou o aumento dela, posteriormente, deve prender-se à atividade publicana, favorecida pelo prestígio do poder de Otávio, seu amigo" (Mecenas Dourado, *Mecenas ou o Suborno da Inteligência*, p. 17).
publicar [Do lat. *publicare*.] ***V. t. d.*** **1.** Tornar público, manifesto, notório; vulgarizar: *publicar um segredo*. **2.** Divulgar, espalhar, propalar: *Muito faladeira, vive a publicar boatos*. **3.** Afirmar publicamente; proclamar, pregar: *O Governo publicou sua orientação política e econômica*. **4.** Dar conhecimento de (lei, decreto, etc.). **5.** Editar; dar à estampa, dar à luz, dar a lume: "Publicara [Charles Nodier], em 1801, uma seleção de pensamentos de Shakespeare" (Melo Nóbrega, *O Soneto de Arvers*, p. 7). **6.** Proferir com solenidade (sentenças, decisões, etc.). *P.* **7.** Fazer-se conhecer; manifestar-se, declarar-se: *O impostor publicou-se por autor da peça musical*. [Conjug.: v. *trancar*. Pres. ind.: *publico*, etc. Cf. *público*, adj. e s. m.]
publicável [De *publicar* + *-vel*.] ***Adj. 2 g.*** Que pode ser publicado.
publicidade [De *público* + *-(i)dade*; fr. *publicité*.] ***S. f.*** **1.** Propaganda (4). **2.** *Rel. Públ.* Publicação de matéria jornalística, ger. de interesse de uma empresa, pessoa, organização, etc., por veículo de comunicação. [Nesta acepç., a publicidade não é paga.] **3.** *Rel. Públ.* Arte e técnica de obter publicidade (2). **4.** Qualidade do que é público: *a publicidade dum escândalo*. **5.** Caráter do que é feito em público: *a publicidade dos debates judiciais*. ◆ **Publicidade abusiva.** *Prop.* Mensagem de propaganda que incita à violência, explora o medo ou a superstição, manifesta discriminação de qualquer natureza, ou é capaz de induzir o consumidor a comportar-se de forma prejudicial à sua saúde ou à sua segurança; propaganda abusiva. [Cf. *publicidade enganosa*.] [Proibida pelo Código de Defesa do Consumidor.] **Publicidade enganosa.** *Prop.* Mensagem de propaganda com informação total ou parcialmente falsa, ou que, de algum modo, induz o consumidor a erro com respeito a produto ou serviço anunciado; propaganda enganosa. [Cf. *publicidade abusiva*.] [Proibida pelo Código de Defesa do Consumidor.]
publicismo [Do fr. *publicisme*.] ***S. m.*** **1.** Profissão de publicista. **2.** Os publicistas.
publicíssimo ***Adj.*** Superl. abs. sint. de *público*.
publicista [Do fr. *publiciste*.] ***S. 2 g.*** **1.** Especialista em direito público. **2.** Escritor político. **3.** Pessoa que escreve para o público, sobre assuntos vários.
publicitário [Do fr. *publicitaire*.] ***Adj.*** *Bras.* **1.** Relativo a publicidade. ~ V. *arte —a* e *veículo —*. ● ***S. m.*** **2.** *Prop.* Profissional que exerce em caráter regular funções artísticas ou técnicas pertinentes ao planejamento, concepção e veiculação de mensagens de propaganda. [Sin. (desus.): *propagandista*.]
público [Do lat. *publicu*.] ***Adj.*** **1.** Do, ou relativo, ou pertencente ou destinado ao povo, à coletividade: *opinião pública; bem-estar público; movimento público*. **2.** Relativo ou pertencente ao governo de um país: *repartição pública; cargo público*. **3.** Que é do uso de todos; comum: *hospital público; passeio público*. **4.** Aberto a quaisquer pessoas: *exposição pública; conferência pública; concurso público*. **5.** Conhecido de todos; manifesto, notório: *O escândalo tornou-se público*. **6.** Que se realiza em presença de testemunhas, em público; não secreto: *sessão pública; votação pública*. [Superl. abs. sint.: *publicíssimo*.] ~ V. *área —a, arquivo —, assistência —a, ato —, bem —, clamor —, coisa —a, concorrência —a, contabilidade —a, déficit —, direito —, direito internacional —, dívida —a, dívida —a externa, dívida —a interna, empresa —a, esfera —, estabelecimento —, fazenda —a, fé —a, força —a, funcionário —, fundos públicos, hasta —a, homem —, inimigo —, instrumento —, limpeza —a, ministério —, múnus —, opinião —a, ordem —a, poder —, promotor —, promotor — adjunto, receita —a, relações públicas, repartição —a, servidor —, tarifa —a, testamento —, tesouro —* e *vida —a*. ● ***S. m.*** **7.** O povo em geral: *interdito ao público*. **8.** Conjunto de pessoas que leem, veem ou ouvem uma obra literária, dramática, musical, etc.: *o público de um autor, de um músico*. **9.** Conjunto de pessoas que assistem efetivamente a um espetáculo, a uma reunião, a uma manifestação; assistência, audiência, auditório: *o público das corridas, do congresso médico, de uma sessão de cinema, de um concerto*. **10.** *P. ext. Irôn.* Conjunto de pessoas que dão atenção ao que alguém faz, diz, etc.: *Para onde ele vai carrega o seu público*. **11.** Conjunto de pessoas às quais se destina uma mensagem artística, jornalística, publicitária, etc. **12.** *Sociol.* Agregado ou conjunto instável de pessoas pertencentes a grupos sociais diversos, e dispersas sobre determinada área, que pensam e sentem de modo semelhante a respeito de problemas, gostos ou movimentos de opinião. [Cf. *publico*, do v. *publicar*.] ◆ **Público externo.** *Prop.* Segmento do público (11) de certa forma relacionado às atividades de uma empresa ou organização, mas que não faz parte integrante desta (v. g., fornecedores, consumidores, autoridades governamentais, público em geral). **Público interno.** *Prop.* Segmento do público (11) constituído essencialmente dos diretores e empregados de uma empresa ou organização, incluindo, eventualmente, acionistas, conselheiros, vendedores, etc. **Em público. 1.** Na presença de numerosas pessoas: *falar em público*. **2.** Na presença de testemunhas: *Assinou a escrita em público*. **Em público e raso.** *Jur.* Com o sinal público e mais a assinatura particular do tabelião ou do oficial de registro.
público-alvo ***S. m.*** *Prop.* Segmento do público (11) ao qual se destina uma mensagem específica. [Sin. (ingl.): *target*. Pl.: *públicos-alvos* e *públicos-alvo*.]
publícola [Do lat. *publicola*.] ***S. 2 g.*** Pessoa que ama o povo; democrata.
➔ **publisher** ['pʌblɪʃɚ] [Ingl.] ***S. m.*** **1.** *Edit.* Proprietário ou responsável por uma editora. **2.** *Restr. Jorn.* Proprietário de um jornal.
pubo [De *puba*.] ***Adj.*** *Bras. N.N.E.* **1.** Fermentado; podre: *massa puba*. **2.** Cansado, estafado, doido. ~ V. *massa —a*.
■ **PUC** Sigla de *Pontifícia Universidade Católica*.
puça ***S. m.*** *Bras. N.E.* Designação pejorativa dada a portugueses na época das lutas da Independência. [V. *galego* (4).]
puçá [Do tupi.] ***S. m.*** **1.** *Bras.* Fruto do puçazeiro. **2.** *Bras.* Pequena rede de pesca, em forma de cone curto, presa a um aro circular de madeira munido de cabo, utilizada pelos índios brasileiros para pegar peixes miúdos, pitus, etc.: "Para chegar à costeira / Tem ele [o camaroeiro] uma légua inteira / De caminho a caminhar, / Vencendo-a de combro em combro, / De atoleiro em atoleiro, / Com o remo e o puçá no ombro / E, na mão, o candeeiro..." (Vicente de Carvalho, *Poemas e Canções*, p. 201.) [Cf. *jererê*[1].] **3.** *Bras. N.* Peneira de malhas para apanhar peixe miúdo, camarões, siris, etc. **4.** *Bras. CE* Borla de algodão com a qual se enfeitam redes. **5.** *Bras. SP* Tipo de renda de guarnição para vestidos.
pucaçu [Do tupi.] ***S. m.*** *Bras. BA Zool.* V. *pomba-legítima*.
puçanga [Do tupi.] ***S. f.*** **1.** *Bras. N.* Remédio caseiro; meizinha, mezinha. **2.** *Bras. Amaz. Etnogr.* Medicação mágica receitada pelos pajés, após consulta aos espíritos, para curar doenças ou afastar malefícios.
puçanguara [Do tupi.] ***S. m.*** *Bras. MG* V. *curandeiro* (2).
púcara [De *púcaro*.] ***S. f.*** V. *púcaro*: "Jarros, bacias, porta-joias, tigelas, púcaras, malgas" (Raimundo Morais, *Na Planície Amazônica*, p. 60).
pucarinha [De *púcara* + *-inha*.] ***S. f.*** V. *pucarinho*.
pucarinho [De *púcaro* + *-inho*[1].] ***S. m.*** Pequeno púcaro; pucarinha.
púcaro [Do lat. *poculu*, 'copo', poss.] ***S. m.*** **1.** Pequeno vaso com asa, ordinariamente destinado a extrair líquidos de outros recipientes maiores: "Então é que era saber um púcaro d'água fria das vertentes do Outeiro, aquela água de prata viva que Deus mandava se bebesse..." (Xavier Marques, *O Sargento Pedro*, p. 14.) **2.** Pequeno vaso de toucador para depósito de pó de arroz. [Var.: *púcara*.]
puçazeiro (çà) [De *puçá* + *-zeiro*.] ***S. m.*** *Bras. L. Bot.* Arvoreta apocinácea (*Rauwolfia bahiensis*) dotada de folhas opostas, pequenas flores, frutos bacáceos, e cuja casca possui a reserpina, que é extraída, porém, de outras espécies mais ricas; casca-de-anta-brava.
puceiro [De or. obsc.] ***S. m.*** *Lus.* Cesto vindimo. [Cf. *poceiro* e *posseiro*.]
pucela [Do fr. *pucelle*.] ***S. f.*** Virgem, donzela.
pucha ***Interj.*** *Bras.* V. *puxa*.
pucherada [De *puchero* + *-ada*[1].] ***S. f.*** *Bras. MT MS Cul.* V. *cozido* (3).
puchero [Do esp. *puchero*.] ***S. m.*** *Bras. MT MS Cul.* Cozido (3).
pucho[1] [Do mal. *puchuq*.] ***S. m.*** *Ant. Bot.* Planta asterácea (*Saussurea costus*) aromática, de uso medicinal. [Cf. *puxo*, do v. *puxar*, e s. m.]
pucho[2] [Do esp. plat. *pucho*.] ***S. m.*** *Bras. RS* V. *guimba*. [Cf. *puxo*, do v. *puxar*, e s. m.]
pucínia [Do tax. *Puccinia*.] ***S. f.*** *Micol.* **1.** Gênero de fungos causadores de ferrugem (4) que formam teliósporos bicelulares, pediculados, e que parasitam

P

plantas monocotiledôneas e dicotiledôneas do mundo inteiro; muitas espécies dão origem a doenças que ocasionam importantes prejuízos econômicos. **2.** Qualquer espécie desse gênero, como, p. ex., a *Puccinia graminis*, causadora da ferrugem do trigo. **3.** Qualquer espécime desse gênero.

puço [Do tupi, poss.] ***S. m. Bras.*** Instrumento de pesca, usado na Amaz.

pucópie *Bras.* ***S. 2 g.*** **1.** *Etnôn.* Indivíduo dos pucópies [ou (etnôn. bras.) *Pukópye], povo indígena extinto da família linguística timbira, tronco macro-jê, que habitava as margens do rio Grajaú (MA). • ***Adj. 2 g.*** **2.** Pertencente ou relativo a esse povo.

pucumã ***S. m. Bras.*** V. *picumã*: "E dos caibros dos galpões pendem pucumãs." (Lêdo Ivo, *A Noite Misteriosa*, p. 76.)

pudendo [Do lat. *pudendu*, 'de que deve haver pudor ou vergonha'.] ***Adj.*** **1.** Envergonhado, vergonhoso; pudico: "Compreende-se que as impudicícias da *Corja* manchassem o pulcro arminho do Sr. Conceição, demasiadamente pudendo e donzel em anos pouquíssimos virginais." (Camilo Castelo Branco, *Boêmia do Espírito*, p. 397.) **2.** Que o pudor deve recatar: *partes pudendas*. **3.** *Med.* Relativo ou pertencente aos órgãos genitais externos: *nervo pudendo*; *região pudenda*. ~ V. *partes —as*. [Cf. *podendo*, do v. *poder*.]

pudente [Do lat. *pudente*.] ***Adj. 2 g.*** V. *pudico* (1).

pudera [Do m.-q.-perf. ind. de *poder*.] ***Interj.*** Não era para menos; pois então, claro: "Todo o mundo começava a reparar, hem! Pudera! Um rapaz novo, janota, vir todos os dias de trem, estar duas, três horas!" (Eça de Queirós, *O Primo Basílio*, p. 175); "É... Às vezes tudo é lindo / Às vezes tudo engana... Mas / Basta um beijo teu e eu... Ai, ai, ai, ai, ai! / Pudera! / Você é o grande amor da minha vida." (Ivan Lins e Vítor Martins, da canção *Ai, Ai, Ai*).

pudibundo [Do lat. *pudibundu*.] ***Adj.*** **1.** V. *pudico*: "Nesse mundo de luz, doce e risonho, / A pudibunda virgem do meu sonho / Seria minha irmã!" (Casimiro de Abreu, *Obras*, p. 191); "O dicionário, em certos meios, é tão desconsiderado como palavrões obscenos que a crítica pudibunda repele." (Graciliano Ramos, *Linhas Tortas*, p. 276). **2.** *Fig.* Corado, rubicundo.

pudicícia [Do lat. *pudicitia*.] ***S. f.*** **1.** Qualidade de pudico. **2.** Sentimento feminino de honra; pureza, castidade. **3.** *P. ext.* V. *pudor* (2): "Os decotes da ruiva, as dúvidas sobre o casamento, chocavam a pudicícia das famílias." (Viriato Correia, *Novelas Doidas*, p. 115.) **4.** Ato, procedimento ou palavras que denotam pudor: *falsas pudicícias*.

pudicíssimo [Do lat. *pudicissimu*.] ***Adj.*** Superl. abs. sint. de *pudico*.

pudico (í) [Do lat. *pudicu*.] ***Adj.*** **1.** Que tem ou revela pudor; casto, recatado, pudente: *donzela pudica*; *olhar pudico*; "Os portugueses dizem comumente *púdico* e *rúbrica*; os brasileiros, apegados à acentuação que a etimologia recomenda, pronunciam pudico e rubrica" (Celso Cunha e Luís F. Lindley Cintra, *Nova Gramática do Português Contemporâneo*, p. 58). **2.** Que se envergonha; tímido, vergonhoso, envergonhado. [Sin.: ger.: *pudibundo*; superl. abs. sint.: *pudicíssimo*.]

púdico ***Adj. Lus.*** V. *pudico*.

pudim [Do ingl. *pudding*.] ***S. m. Cul.*** Iguaria de consistência cremosa e composição variada (laranja, pão, creme de leite, queijo, peixe, galinha desfiada, etc.), assada em banho-maria, e em geral servida com uma calda, quando doce, e com um molho, quando salgada.

pudlagem ***S. f. Metal.*** Processo de descarburização do ferro mediante a ação de escória ou de óxidos.

pudor (ô) [Do lat. *pudore*.] ***S. m.*** **1.** Sentimento de vergonha, de mal-estar, gerado pelo que pode ferir a decência, a honestidade ou a modéstia; pejo. **2.** *P. ext.* Este sentimento, ligado a atos ou coisas que se relacionam com o sexo; recato, vergonha, pudicícia: *atentado ao pudor*.

pudorento [De *pudor* + *-ento*.] ***Adj. Lus.*** Cheio de pudor.

pudoroso (ô) [Do lat. *pudorosu*.] ***Adj.*** **1.** Que tem, ou em que há pudor. **2.** Relativo ao pudor.

pueblano [Do esp. *pueblo* + *-ano*[1].] ***Adj.*** **1.** De, pertencente ou relativo a *pueblo*. **2.** Diz-se dos povos dessas aldeias.

→ **pueblo** ['pweblo] [Esp., 'povo', 'aldeia'.] ***S. m.*** **1.** Aldeia comunal de alguns povos indígenas do S.O. dos E.U.A. e de parte da América Latina. **2.** Aldeia indígena do S.O. dos E.U.A.

puelar [Do lat. *puellare*.] ***Adj. 2 g.*** Relativo ou pertencente a, ou próprio de menina ou mocinha.

puelche [Do mapuche *puel-che*, 'gente do leste'.] ***S. 2 g.*** **1.** Indivíduo dos puelches, tribo araucana que habitava a vertente oriental dos Andes, *i. e.*, os Pampas. • ***S. m.*** **2.** *Gloss.* Língua isolada (q. v.) já extinta no Chile, com 5 falantes na Argentina (dados de 1993). • ***Adj. 2 g.*** **3.** De, ou pertencente ou relativo aos puelches.

puera (ê) ***S. f. Bras. PA*** V. *ipueira*. [Cf. *poeira*.]

▲ **pueri-** [Do lat. *pueri-* < lat. *puer, ĕri*.] ***El. comp.*** = 'menino', 'criança': *puericultura*.

puerícia [Do lat. *pueritia*.] ***S. f.*** Infância (1): "Estando ainda na puerícia, viera para o Brasil, recomendado a um rico mercador da Bahia" (Eduardo Frieiro, *O Mameluco Boaventura*, p. 62).

puericultor (ô) [De *pueri-* + *-cultor*.] ***S. m.*** Especialista em puericultura.

puericultura [De *pueri-* + *-cultura*.] ***S. f.*** Conjunto de técnicas empregadas para assegurar o perfeito desenvolvimento físico e mental de criança, desde o período de gestação até a idade de quatro ou cinco anos, e, p. ext., da gestação à puberdade.

pueril [Do lat. *puerile*.] ***Adj. 2 g.*** **1.** Da, ou relativo à puerícia: *idade pueril*. **2.** Próprio de crianças; meninil, infantil: *jogos pueris*; "É verdade que é preciso deixar de ser criança para poder sentir em toda a sua plenitude a força do espírito pueril" (Augusto Meyer, *Segredos da Infância*, p. 18). **3.** Ingênuo, fútil, frívolo: *argumentos pueris*; "Sua réplica é sempre chocante, frequentemente pueril ou absurda" (Moisés Velinho, *Letras da Província*, p. 56).

puerilidade [Do lat. *puerilitate*.] ***S. f.*** **1.** Qualidade de pueril. **2.** Ato, dito ou modos de crianças; criancice, infantilidade. **3.** Futilidade, frivolidade, banalidade; parvoíce, parvulez.

puerilismo [De *pueril* + *-ismo*.] ***S. m. Psiq.*** Regressão da mentalidade adulta para a da criança, fenômeno que se assinala por atitudes, linguagem, ocupações infantis.

puerilizar [De *pueril* + *-izar*.] ***V. t. d. P.*** Tornar(-se) pueril.

puérpera [Do lat. *puerpera*.] ***Adj. (f.) S. f. Obst.*** Diz-se de, ou mulher que pariu recentemente. [Cf. *parturiente*.]

puerperal [De *púrpera* + *-al*[1].] ***Adj. 2 g.*** Referente à puérpera, ou ao parto. ~ V. *febre — e psicose —*.

puerpério [Do lat. *puerperiu*.] ***S. m. Obst.*** **1.** Período que se segue ao parto até que os órgãos genitais e o estado geral da mulher retornem à normalidade. **2.** O conjunto de fenômenos ocorrentes nesse período.

puf ***Interj.*** Designa cansaço, enfado, etc. [Cf. *pufe*.]

pufe [Do fr. *pouf*.] ***S. m.*** **1.** Almofada com que se entufavam saias ou vestidos. **2.** Assento acolchoado, circular e baixo, sem braços e sem espaldar, geralmente recoberto de estofo, que dissimula os pés. **3.** Anúncio ou propaganda impudente. [Cf. *puf*.]

→ **puff** [pʌf] [Ingl.] ***S. m. Citol. Genét.*** Expansão localizada de um cromossomo devido ao desenrolamento do DNA, quando está sendo transcrito.

pufino [Do tax. *Puffinus*.] ***S. m. Zool.*** **1.** Gênero de aves pelágicas procelariídeas, procelariiformes, que abrange cerca de 17 espécies que habitam ilhas oceânicas e migram entre os mares meridionais e setentrionais, alimentando-se, nas águas rasas, de peixes, crustáceos e detritos destes. **2.** Espécie ou espécime desse gênero.

pufismo [De *pufe* (3) + *-ismo*.] ***S. m.*** Arte de propaganda impudente.

púgil [Do lat. *pugile*.] ***Adj. 2 g.*** **1.** Dado a brigas. [Superl. abs. sint.: *pugílimo* e *pugilíssimo*.] • ***S. 2 g.*** **2.** *Ant.* Pugilista (1): "Pólux! Castor! Os púgiles valentes / A Pólux propiciem." (Antônio Feliciano de Castilho, *Os Amores*, III, p. 21.) [Pl.: *púgeis*, *púgiles*.]

pugilar [Do lat. *pugillare*.] ***S. m.*** V. *tábula* (2).

pugilato [Do lat. *pugillatu*.] ***S. m.*** **1.** Luta com os punhos; luta a socos. **2.** *Fig.* Discussão acalorada.

▲ **pugil(i)-** [Do lat. *pugillus, i*.] ***El. comp.*** = 'punho': *pugilato* (< lat.), *pugilista*. [Equiv.: *pugilo-*: *pugilômetro*.]

pugílimo ***Adj.*** Superl. abs. sint. de *púgil*; pugilíssimo.

pugilismo [De *pugil(i)-* + *-ismo*.] ***S. m.*** **1.** Hábitos de pugilista. **2.** O esporte do pugilato (1); boxe.

pugilíssimo ***Adj.*** Superl. abs. sint. de *púgil*; pugílimo.

pugilista [De *pugil(i)-* + *-ista*.] ***S. 2 g.*** Atleta do pugilato; boxeador: "Os ânimos ainda mais se exaltavam porque justamente naqueles dias seria disputado o campeonato mundial de boxe, cujo título pertencia a um pugilista negro." (Fernando Sabino, *O Homem Nu*, p. 118.)

pugilo [Do lat. *pugillu*, 'punho', 'punhado'.] ***S. m.*** **1.** Porção de alguma coisa que se pode abranger com o polegar, o indicador e o dedo médio. **2.** Magote; grupo: "em parte alguma do Brasil há um pugilo de moços de intuição mais moderna e pureza de ideais artísticos mais perfeita que naquela bela e florescente capital do Paraná." (Nestor Vítor, *A Crítica de Ontem*, p. 24).

▲ **pugilo-** Equiv. de *pugil(i)-*.

pugilômetro ***S. m.*** V. *pugilômetro*. [Uso freq. em P.]

pugilômetro [De *pugilo-* + *-metro*.] ***S. m.*** Instrumento que permite avaliar o impulso dado pelo punho.

pugna [Do lat. *pugna*.] ***S. f.*** **1.** Ato de pugnar. **2.** Briga, peleja, luta, combate: "foi [o padre] o guerreiro e o mártir nas pugnas da independência, ora arcabuzado, estoicamente, ora trepando à força, glorioso" (Mário Sete, *Senhora de Engenho*, p. 50).

pugnace [Do lat. *pugnace*, por via erudita.] ***Adj. 2 g.*** *P. us.* Pugnaz.

pugnacidade [Do lat. *pugnacitate*.] ***S. f.*** **1.** Qualidade pugnaz. **2.** Tendência para a briga; animosidade.

pugnacíssimo [Do lat. *pugnacissimu*.] ***Adj.*** Superl. abs. sint. de *pugnaz*.

pugnador (ô) [Do lat. *pugnatore*.] ***Adj.*** V. *pugnaz* (1).

pugnar [Do lat. *pugnare*.] ***V. t. d.*** **1.** Tomar a defesa de; punir por: *O advogado pugna os direitos de seu constituinte*. **2.** Tomar parte em (luta, batalha); travar: *As legiões pugnaram a maior batalha de nossa história*. ***T. i.*** **3.** Combater, brigar, pelejar, lutar: *As tropas e a população pugnaram ardorosamente com os invasores*; "E sonhou, um instante, que, à frente de soldados, pugnava pela emancipação da colônia e libertação da pátria." (Afonso Arinos, *Pelo Sertão*, p. 155). **4.** Discutir acaloradamente; altercar: *Pugnou com o vizinho, sem razão*. **5.** Lutar moralmente (por alguma coisa), esforçar-se, punir: *O liberal pugna pelos direitos do homem*. ***Int.*** **6.** Combater, brigar, pelejar, lutar. **7.** Discutir acaloradamente.

pugnaz [Do lat. *pugnace*, por via pop.] ***Adj. 2 g.*** **1.** Que pugna; brigador, polêmico, lutador, pugnador. **2.** Dado a pugnas; brigão, belicoso. [Superl. abs. sint.: *pugnacíssimo*.]

puh ***Interj.*** **1.** Exprime queda, choque. **2.** Indica tb. desprezo.

puideira (u-í) [De *puir* + *-deira*.] ***S. f.*** Material com que se fricciona o objeto que se quer puir. [Cf. *poedeira*.]

puído [Part. de *puir*.] ***Adj.*** **1.** Desgastado pelo roçar, pela fricção: "Fez pose de comprador, ele de sapatos surrados, camisa de punhos puídos" (Solange Berard Lajes, *Paisagem*, p. 87). **2.** Polido, alisado, mediante o roçar. [Var.: *buído*.]

puir [Do lat. *polire*, 'aplainar', 'alisar'; 'nivelar'.] ***V. t. d.*** **1.** Desgastar; desfazer pouco a pouco, roçando ou friccionando; gastar: *puir a camisa*. **2.** Polir, alisar, roçando: *puir os cromados*. [Var.: *buir*. Defect. Não se conjuga nas f. em que ao *u* da raiz se seguiria *o* ou *a*, *i. e.*, na 1ª pess. sing. do pres. ind. e no pres. subj.]

puíta[1] [De *poita*, poss.] ***S. f. Bras. N.N.E.*** Corda de embira que se utiliza nas jangadas como amarra.

puíta[2] [De or. afric.] ***S. f. Mús.*** **1.** *Angol. Moç. Santom.* V. *cuíca*: "Enterraram rapidamente o morto, em ritmo de ngoma acompanhado de reco-reco e puíta" (Pepetela, *Yaka*, p. 85). **2.** *Santom.* Dança executada originariamente pelos trabalhadores das roças: "tanto na 'puíta' como na 'semba' todos se divertem até não poder mais..." (Fernando Reis, *Povô Flogá*, p. 30).

puitar (u-i) [De *puíta*[1] + *-ar*[2].] ***V. t. d. Bras.*** **1.** Fazer parar (a canoa) no meio do rio. **2.** Fundear, lançando âncora; ancorar.

pujacá *Bras.* ***S. 2 g. Adj. 2 g.*** V. *puxacar*.

pujança [Do esp. *pujanza*.] ***S. f.*** **1.** Qualidade de pujante. **2.** Grande força vegetativa: *a pujança das árvores*. **3.** Robustez, força, vigor, possança: *O rapaz está na pujança dos anos*. **4.** *Fig.* Grandeza, poderio, magnificência. **5.** *Geol.* Possança (2).

pujante [Do esp. *pujante*.] ***Adj. 2 g.*** **1.** Que tem grande força; possante: "Vede agora Zola. É o sucessor de Balzac. Talento pujante, grande romancista" (Machado de Assis, *A Semana*, II, p. 83). **2.** Que tem poderio; grandioso, magnificente. **3.** Denodado, altivo, altaneiro, brioso. [Cf. *pojante*.]

pujar [Do esp. *pujar*.] ***V. t. d.*** **1.** Superar, suplantar, sobrepujar: *Seu heroísmo pujou o dos demais combatentes*; *As guerras do séc. XX pujaram todas as anteriores em crueldade*. ***Int.*** **2.** Lutar por conseguir alguma coisa; esforçar-se. [Cf. *pojar*.]

pujixá *Bras.* ***S. 2 g.*** **1.** *Etnôn.* Indivíduo dos pujixás, povo indígena que habitava as matas de São Mateus (MG). • ***Adj. 2 g.*** **2.** Pertencente ou relativo a esse povo. [Tb. us. como *s. 2 g. e 2 n.* (com cap.) e *adj. 2 g. e 2 n.*]

pul [Do persa *pul*.] ***S. m.*** Designação comum às moedas de cobre da antiga Pérsia (atual Irã). [Pl.: *pules*.]

pula ***S. m.*** Unidade monetária, e moeda, de Botsuana (África).

pulação [De *pular* + *-ção*.] ***S. f. Bras.*** Ato de pular.

puladinho [De *pulado* + *-inho*[1].] ***S. m. Bras. Etnogr.*** Dança popular, de origem africana, espécie de samba de passos calmos, simples e arrastados; picadinho.

pulado [Part. de *pular*.] ***Adj. Bras.*** ~ V. *fogo —*.

pulador (ô) [De *pular* + *-dor*.] ***Adj.*** Que pula; pulante.

pulante [De *pular* + *-nte*.] ***Adj. 2 g.*** Pulador.

pula-pula [Da 3ª pess. sing. do pres. ind. de *pular*, repetida.] ***S. m. Bras. Zool.*** Ave passeriforme, parulídea (*Basileuterus auricapillus*), do Brasil oriental e centro-meridional, de dorso verde-oliva, abdome amarelo, vértice amarelo-alaranjado com uma estria preta de cada lado, e outra mais larga, sobre o olho, de cor cinza. Alimenta-se de artrópodes e frutas. [Pl.: *pula-pulas* e *pulas-pulas*.]

pular [Do lat. *pullare*, 'brotar'.] ***V. int.*** **1.** Elevar-se do chão imprimindo ao corpo um impulso mais ou menos rápido; saltar. **2.** Manifestar-se com sobressalto e movimento; agitar-se: *Ao ouvir a boa nova, pulou de contente.* **3.** Ferver, pulular. **4.** Pulsar com veemência (o coração); dar pulo (2): *Pula o coração inquieto.* **5.** Crescer muito rapidamente: *Nos últimos seis meses o guri pulou.* **6.** *Bras. Cap. Obsol.* Jogar capoeira. ***T. c.*** **7.** Aumentar depressa: *O imposto pulou para 350 reais.* **8.** Saltar, rolar, jorrar: *As lágrimas pulam dos olhos.* **9.** Levantar rapidamente: *Pulou da cama.* **10.** Deslocar-se, saltando: *Desesperado, pulou do terraço do prédio.* ***T. d.*** **11.** Transpor de um pulo; saltar: *pular uma cerca, uma vala.* **12.** Não mencionar; omitir: *Pulou vários parágrafos do texto.* **13.** Dançar agitadamente: *Gosta de pular carnaval na Bahia.* ***T. i.*** **14.** Aumentar depressa (em bens, em fortuna, em postos): *Quem tem amigos influentes pula em fortuna.* ***Bit. c.*** **15.** Pular (7): *O índice do reajuste pulou de 10% para 25%.* **16.** Pular (10): *O pássaro pulou da mangueira para o abacateiro.* ***Bit. i.*** **17.** Mudar constantemente: *Vive pulando de um emprego para outro.*

pulário [Do lat. *pullariu.*] ***S. m.*** Entre os antigos romanos, aquele que cuidava dos galos sagrados.

pula-ventana [De *pular* + *ventana.*] ***S. m.*** *Bras.* Ventanista. [Pl.: *pula-ventanas.*]

▲ **pulcri-** [Do lat. *pulcher, chra, chrum.*] ***El. comp.*** = 'lindo', 'belo': *pulcrícomo.*

pulcrícomo [De *pulcri-* + *-como.*] ***Adj.*** Cujos cabelos são belos.

pulcríssimo ***Adj.*** Superl. abs. sint. de *pulcro*; pulquérrimo.

pulcritude [Do lat. *pulchritudine.*] ***S. f.*** *Poét.* Qualidade de pulcro; beleza, formosura: "Deus te conserve sempre a pulcritude / do coração, e a doce claridade / desses teus olhos cheios de virtude!" (Austro-Costa, *Mulheres e Rosas*, p. 33.)

pulcro [Do lat. *pulchru.*] ***Adj.*** *Poét.* Gentil, belo, formoso: "Adeus aos filtros da mulher bonita; / A esse rosto espanhol, pulcro e moreno" (Raimundo Correia, *Poesias*, p. 62); "Arfam na graça dos coleios, / Nos rodopios e meneios, / Os pomos pulcros dos seus seios." (Martins Fontes, *Verão*, p. 88). [Superl. abs. sint.: *pulquérrimo* e *pulcríssimo.*]

pule [Do ingl. *pool*, 'o total das apostas, em certos jogos', pelo fr. *poule.*] ***S. f.*** *Bras. Turfe* **1.** Bilhete de aposta no número de determinado cavalo, e que pode referir-se ao vencedor, à dupla, ou a um placê. **2.** Bolo formado por essas apostas.

pulegona [Do tax. *(Mentha) puleg(ium)* + *-ona*[2].] ***S. f.*** *Quím.* Cetona insaturada monoterpênica natural, derivada do mentol e que existe sob duas formas enantioméricas [fórm.: $C_{10}H_{16}O$].

pulga [Do lat. **pulica*, por *pulice.*] ***S. f.*** **1.** *Zool.* Designação comum aos insetos sifonápteros, ápteros, de corpo comprimido, com pernas muito desenvolvidas, apropriadas para o salto, e que se alimentam de sangue dos vertebrados de sangue quente. **2.** *Bras. Gír.* Automóvel muito pequeno. ◆ **Com a pulga atrás da orelha.** *Bras.* Com desconfiança, suspeita, dúvidas, de alguém ou de algo; com a pulga na orelha: *O cochicho dos irmãos deixou-o com a pulga atrás da orelha.* **Com a pulga na orelha.** *Bras.* Com a pulga atrás da orelha.

pulga-da-areia ***S. f.*** *Bras. Zool.* V. *bicho-do-pé*. [Pl.: *pulgas-da-areia.*]

pulga-d'água ***S. f.*** *Zool.* Designação comum aos artrópodes, crustáceos, branquiópodes, especialmente do gênero *Daphnia*, cosmopolitas, que vivem nas águas paradas e se locomovem com auxílio de suas antenas. Alimentam-se de algas, bactérias e protozoários. [Pl.: *pulgas-d'água.*]

pulga-da-macieira ***S. f.*** *Zool.* V. *pulgão-lanígero*. [Pl.: *pulgas-da-macieira.*]

pulga-de-galinha ***S. f.*** *Zool.* Pulga (*Ceratophyllus gallinae*) cosmopolita que ataca os galináceos, parasitando-os. [Pl.: *pulgas-de-galinha.*]

pulga-do-homem ***S. f.*** *Bras. Zool.* Inseto sifonáptero, pulicídeo (*Pulex irritans*), cosmopolita. Desova no chão das habitações, de onde emergem as larvas vermiformes, que se alimentam dos detritos orgânicos. O seu desenvolvimento total pode efetuar-se em duas semanas, e uma pulga alimentada diariamente pode viver até 513 dias. [Pl.: *pulgas-do-homem.*]

pulga-do-mar ***S. f.*** *Zool.* Designação comum a artrópodes, crustáceos, anfípodes, especialmente os do gênero *Talitrus Latreille*, de coloração branca, e que mede até 1cm de comprimento. Vive nas praias, geralmente em grande número, saltando à procura da matéria orgânica de que se alimenta. [Sin.: *saltão-da-praia*. Pl.: *pulgas-do-mar.*]

pulgão [De *pulga* + *-ão*[1].] ***S. m.*** *Zool.* Inseto homóptero, afidóideo, especialmente da família dos afidídeos, de 1 a 5mm de comprimento, corpo piriforme, ovalar ou túmido, uniformemente colorido de verde-alaranjado, pardo e outras cores, de consistência muito delicada, polimórfico, provido de tecas, alares ou ápteros. Alimentam-se dos vegetais, aos quais podem transmitir várias doenças. [Sin.: *afídeo, piolho-de-planta, piolho-dos-vegetais, pulgão-de-planta.*]

pulgão-carmim ***S. m.*** *Bras. RS Zool.* V. *pulgão-lanígero.* [Pl.: *pulgões-carmins.*]

pulgão-da-aveia ***S. m.*** *Bras. Zool.* V. *pulgão-verde-das-gramíneas*. [Pl.: *pulgões-da-aveia.*]

pulgão-da-couve ***S. f.*** *Zool.* Pequeno inseto afidídeo. [Pl.: *pulgões-da-couve.*]

pulgão-da-laranjeira ***S. f.*** *Zool.* V. *afidídeos*. [Pl.: *pulgões-da-laranjeira.*]

pulgão-da-roseira ***S. f.*** *Zool.* V. *afidídeos*. [Pl.: *pulgões-da-roseira.*]

pulgão-de-planta ***S. m.*** *Bras. Zool.* V. *pulgão*. [Pl.: *pulgões-de-planta.*]

pulgão-do-trigo ***S. m.*** *Bras. Zool.* V. *pulgão-verde-das-gramíneas*. [Pl.: *pulgões-do-trigo.*]

pulgão-lanígero ***S. m.*** *Zool.* Inseto homóptero, afidídeo (*Eriosoma lanigerum*), praga da macieira. A forma áptera é negra, brilhante, com pequenos tubérculos; a alada expele uma secreção branca, espécie de cera, na parte posterior do corpo, na qual se envolve. [Sin.: *piolho-vermelho-da-macieira, pulga-da-macieira, pulgão-carmim, pulgão-lanígero-da-macieira, pulgão-vermelho-da-macieira*. Pl.: *pulgões-lanígeros.*]

pulgão-lanígero-da-macieira ***S. m.*** *Bras. Zool.* V. *pulgão-lanígero*. [Pl.: *pulgões-lanígeros-da-macieira.*]

pulgão-verde-das-gramíneas ***S. m.*** *Bras. Zool.* Inseto homóptero, afidídeo (*Toxoptera graminum*), parasita de gramíneas, e bastante prejudicial ao trigo. É áptero, de cor verde-clara, antenas mais escuras, e olhos pretos. [Sin.: *pulgão-da-aveia, pulgão-do-trigo, pulgão-verde-dos-cereais, pulgão-verde-do-trigo*. Pl.: *pulgões-verdes-das-gramíneas.*]

pulgão-verde-dos-cereais ***S. m.*** *Bras. Zool.* V. *pulgão-verde-das-gramíneas*. [Pl.: *pulgões-verdes-dos-cereais.*]

pulgão-verde-do-trigo ***S. m.*** *Bras. Zool.* V. *pulgão-verde-das-gramíneas*. [Pl.: *pulgões-verdes-do-trigo.*]

pulgão-vermelho-da-macieira ***S. m.*** *Bras. Zool.* V. *pulgão-lanígero*. [Pl.: *pulgões-vermelhos-da-macieira.*]

pulgo [De *pulga.*] ***S. m.*** O macho da pulga.

pulgoso (ô) [De *pulga* + *-oso.*] ***Adj.*** Pulguento.

pulguedo (ê) [De *pulga* + *-edo.*] ***S. m.*** **1.** Grande porção de pulgas. **2.** Lugar onde há muitas pulgas. **3.** *Bras. RS* Agrupamento de casas toscas, habitadas por gente pobre.

pulgueiro [De *pulga* + *-eiro.*] ***S. m.*** **1.** *Bras.* Poeira (6). **2.** *Bras. SP Pop.* V. *cobertor* (1 e 2).

pulguento [De *pulga* + *-ento.*] ***Adj.*** Cheio de pulgas; pulgoso.

pulha [Do esp. *pulla.*] ***S. f.*** **1.** Gracejo escarninho. **2.** Peta, mentira. **3.** Dito pouco decoroso. **4.** Ação de pulha (5); vergonha, ignomínia, pulhice. • ***S. m.*** **5.** Indivíduo sem caráter, sem dignidade, sem brio; pelintra, biltre, patife. • ***Adj.*** **6.** Vil, desprezível, acanalhado, indecente. **7.** Desmazelado, relaxado.

pulhador (ô) [De *pulhar* + *-dor.*] ***Adj. S. m.*** Diz-se de, ou aquele que pulha, que diz pulhas [v. *pulha* (1, 2 e 3)].

pulhar [De *pulha* + *-ar*[2].] ***V. int.*** Dizer pulhas.

pulhice [De *pulha* + *-ice.*] ***S. f.*** **1.** Ação ou dito próprio de pulha (5). **2.** Vida miserável. **3.** Pelintrice, patifaria.

pulicídeo [Do lat. cient. *Pulic-* (< tax. *Pulex*) + *-ídeo*[1]; tax. *Pulicidae.*] *Zool.* ***S. m.*** **1.** Espécime dos pulicídeos, grande família de insetos sifonápteros, com diversas espécies cosmopolitas, na qual se incluem as pulgas que parasitam o homem e os animais domésticos. Gêneros mais importantes: *Ctenocephalides, Pulex* e *Xenopsyla*. • ***Adj.*** **2.** Pertencente ou relativo a eles.

pulitrica ***S. f.*** *Bras. MA* Acrobacia.

pulmão [Do lat. *pulmone.*] ***S. m.*** *Anat.* Designação comum a dois órgãos (direito e esquerdo), cada um deles dividido em lobos, e nos quais se efetua a hematose; cada pulmão ocupa uma cavidade lateral do tórax, está revestido por pleura visceral e é separado do outro pelo coração e por outros órgãos e formações [v. *formação* (5)] mediastinais. [Cf. *polmão.*] ◆ **Pulmão de aço.** *Med.* Aparelho destinado a suprir a falência dos movimentos respiratórios de um doente atingido de paralisia dos músculos respiratórios. **A plenos pulmões.** Com toda a força dos pulmões; em voz muito alta: "Só pela madrugada um pretinho chorou a plenos pulmões, do fundo de um monte de flanelas." (Caci Cordovil, *Ronda de Fogo*, p. 44.)

pulmoeira [De *pulmo(n)-* + *-eira.*] ***S. f.*** *Veter.* Tuberculose pulmonar do gado.

▲ **pulmo(n)-** [Do lat. *pulmo, ōnis.*] ***El. comp.*** = 'pulmão', 'bofe': *pulmoeira, pulmonite, pulmotuberculose.*

pulmonado[1] [Do lat. cient. *pulmonatus.*] ***Adj.*** Dotado de pulmões, ou de órgãos semelhantes a pulmão.

pulmonado[2] [Adapt. do tax. *Pulmonata.*] *Zool.* ***S. m.*** **1.** Espécime dos pulmonados, subclasse de metazoários, moluscos, gastrópodes. São hermafroditos, terrestres ou de água doce, respiram por meio de pulmão, e têm dois ou quatro tentáculos na cabeça, e um par de olhos. • ***Adj.*** **2.** Pertencente ou relativo a eles.

pulmonar [De *pulmo(n)-* + *-ar*[1].] ***Adj. 2 g.*** Relativo a pulmão. ~ V. *alvéolo —, artéria —, circulação —, colapso —, docimasia —, enfisema —, hipertensão —, língula —, tísica —, tísica — galopante, tuberculose —* e *ventilação —*.

pulmonária [Do tax. *Pulmonaria.*] ***S. f.*** *Bot.* **1.** Gênero de plantas boragináceas, herbáceas, europeias, de grandes folhas basais, flores azuis de corola infundibuliforme, em cimeiras, e fruto que é uma noz. **2.** Qualquer espécie desse gênero, como, p. ex., a *Pulmonaria officinalis* ou a *pulmonária-das-boticas*. **3.** Qualquer espécime desse gênero.

pulmonária-das-boticas [De *pulmonária* + o pl. de *da*[1] + o pl. de *botica.*] ***S. f.*** *Bot.* Planta boraginácea (*Pulmonaria officinalis*) perene, sempre-verde, us. como medicinal. [Pl.: *pulmonárias-das-boticas.*]

pulmonia [De *pulmo(n)-* + *-ia*[1].] ***S. f.*** *Pneum. P. us.* V. *pneumonia.*

pulmonite [De *pulmo(n)-* + *-ite*[1].] ***S. f.*** *Pneum. P. us.* V. *pneumonia.*

pulmotuberculose [De *pulmo(n)-* + *tuberculose.*] ***S. f.*** *Pneum. Desus.* Tuberculose pulmonar.

pulo [Dev. de *pular.*] ***S. m.*** **1.** Ação de pular; salto, pincho. **2.** Pulsação violenta: *Sentiu o coração aos pulos com a emoção de rever o amigo.* **3.** Ida rápida a um lugar; passada: *Hoje dei um pulo no escritório do advogado.* **4.** *Bras. Cap. Obsol.* Qualquer golpe de capoeira. ◆ **Dar um pulo. 1.** Crescer, desenvolver-se, com muita rapidez: *O garoto deu um pulo enorme, está um homem.* **2.** Prosperar grandemente; melhorar muito de vida: *F. deu um pulo — quem o viu e quem o vê!* **Dar um pulo a.** Ir a (algum lugar), voltando logo em seguida; dar um salto a; dar um saltinho a; dar um pulo até: *Dê um pulo à farmácia e compre-me uns comprimidos para dor de cabeça.* **Dar um pulo até.** V. *dar um pulo a*: "vez por outra, mesmo de chinelas, e ajeitando os cabelos, dava um pulo até lá." (Moreira Campos, *Os Doze Parafusos*, p. 46). **Em dois pulos.** Em muito pouco tempo; rapidamente; num pulo: *Foi à cidade em dois pulos.* **Num pulo.** Em dois pulos: "Ao anoitecer vão num pulo buscar ao centro da cidade as folhas do Rio." (Raul Pompeia, *Crônicas 4*, p. 14.)

pulo do gato ***S. m.*** **1.** Recurso que consiste em fugir com destreza a uma situação desvantajosa. **2.** *Bras. Cap.* Floreio (6) no qual o capoeirista salta para trás e, com o apoio das mãos, completa o giro sobre a cabeça. [Pl.: *pulos do gato.*] ☑

pulo do macaco ***S. m.*** *Bras. Cap.* Golpe traumatizante em que o capoeirista, dobrando-se para trás, se apoia com uma só das mãos no chão e joga as duas pernas por cima da cabeça, procurando atingir o adversário, que vem pela retaguarda em sua perseguição. [Pl.: *pulos do macaco.*] ☑

pulo do nove ***S. m.*** *Bras.* Modalidade de conto do vigário em que a vítima é atraída ardilosamente para um jogo e nele ludibriada. [Pl.: *pulos do nove.*] ☑

pulôver [Do ingl. *pull-over.*] ***S. m.*** Agasalho de malha, com mangas ou sem elas, que se veste enfiando pela cabeça: "Foi vestindo, sujo mesmo, com ânsia, a camisa, o pulôver esburacado, o paletó." (Mário de Andrade, *Contos Novos*, p. 81.) [Pl.: *pulôveres.*]

▲ **pulp-** [Do lat. *pulpa, ae.*] ***El. comp.*** = 'parte carnosa', 'polpa': *pulpectomia, pulpite.*

pulpalgia [De *pulp-* + *-algia.*] ***S. f.*** *Odont.* Dor ocasionada por inflamação de polpa dentária.

pulpar [De *pulp-* + *-ar*[1].] ***Adj. 2 g.*** *Anat.* Da, ou relativo à polpa dentária. ~ V. *câmara* – e *cavidade* —.

pulpectomia [De *pulp-* + *-ectom-* + *-ia*[1].] ***S. f.*** *Odont.* Extirpação total ou parcial da polpa de um dente.

pulpectómico ***Adj.*** V. *pulpectômico*. [Uso freq. em P.]

pulpectômico [De *pulpectomia* + *-ico*[2].] ***Adj.*** Relativo a pulpectomia.

pulpeiro [Do esp. plat. *pulpero.*] ***S. m.*** *Bras. RS* Proprietário de pulperia; taverneiro.

pulperia [Do esp. plat. *pulpería.*] ***S. f.*** *Bras. RS* Taverna, venda no campo.

pulpite [De *pulp-* + *-ite*[1].] ***S. f.*** *Odont.* Inflamação da polpa dentária (q. v.).

púlpito [Do lat. *pulpitu.*] ***S. m.*** **1.** Tribuna para pregadores, nos templos religiosos: "Muito recomendamos ao pregador que se penetre bem do verdadeiro espírito do Evangelho em todas as matérias que houver de tratar no púlpito" (J.-I. Roquete, *Manual de Eloquência Sagrada*, p. 253). **2.** *Fig.* Eloquência sagrada. **3.** Armação onde o cerieiro pendura os pavios para fazer velas.

pulpotomia [De *pulp-* + *-o-*[1] + *-tom(o)-* + *-ia*[1].] ***S. f.*** *Odont.* Secção total da parte da polpa que se aloja na coroa dentária.

pulque *S. m.* Bebida fermentada fabricada, sobretudo no México, com o suco do agave.

pulquérrimo [Do lat. *pulcherrimu.*] *Adj.* Superl. abs. sint. de *pulcro*; pulcríssimo: "assim Roma pulquérrima, abrangendo sete montes, se tornou a maravilha do mundo!" (Eça de Queirós, *Últimas Páginas*, p. 448).

pulsação [Do lat. *pulsatione.*] *S. f.* **1.** Ato ou efeito de pulsar. **2.** Palpitação, latejo, batimento; pancada. **3.** *Med.* Batimento ritmado, como o percebido no coração, nas artérias.

pulsador (ô) [De *pulsar*² + *-dor.*] *Adj.* V. *pulsátil.*

pulsante [De *pulsar*² + *-nte.*] *Adj. 2 g.* V. *pulsátil.*

pulsão [Do ingl. *pulsion.*] *S. f.* **1.** *Patol.* Impulso que se produz em qualquer direção, dentro de órgão oco e que, ao encontrar um ponto fraco na parede desse órgão, pode produzir hérnia. **2.** *Psican.* Tendência permanente, e em geral inconsciente, que dirige e incita a atividade do indivíduo: *pulsões sexuais.* [Cf. *libido.*]

pulsar¹ [Do ingl. *pulsa(ting) r(adio sources)*, 'fonte de rádio pulsante'.] *S. m. Astr.* Radioestrela emissora de impulsos que têm a duração média de 35 milionésimos de segundos e se repetem a intervalos extremamente regulares, de cerca de 1,4s.

pulsar² [Do lat. *pulsare.*] *V. t. d.* **1.** Movimentar por meio de impulso; impelir: *Os passageiros pulsaram o automóvel avariado.* **2.** Pôr em movimento desordenado; agitar, abalar: *Éolo pulsa os mares;* "Era rir diabólico o do lobo; porque nunca deixava de ir pulsar dolorosamente as fibras de algum coração." (Alexandre Herculano, *O Bobo*, p. 28). **3.** Tocar, ferir, tanger, dedilhar: "Mestre querido! viverás, enquanto / Houver quem pulse o mágico instrumento, / E preze a língua que prezavas tanto" (Olavo Bilac, *Poesias*, p. 63); "Vou pulsando a guitarra, corda a corda, / Ao luar!" (Id., *ib.*, p. 129). **4.** Perceber por certos indícios; sentir, pressentir: *A plateia pulsou o constrangimento do orador.* **5.** Procurar saber a opinião de; sondar, consultar: *Pulsaram a opinião do líder.* *T. i.* **6.** Repercutir, soando ou ressoando: *Aqueles gritos pulsavam no coração do velho pai.* **7.** Ter pulsação (3); bater, palpitar, latejar: *Seu coração pulsava pelo amado.* *Int.* **8.** Pulsar (7): "O meu coração pulsa fortemente." (José Rodrigues Miguéis, *Páscoa Feliz*, p. 140.) **9.** Respirar a custo; ofegar, arquejar, anelar: *O corredor chegou pulsando.*

pulsátil *Adj. 2 g.* Que pulsa; pulsador, pulsante. [Pl.: *pulsáteis.*] ~ V. *vacúolo* —.

pulsatila [Do lat. cient. *pulsatilla.*] *S. f. Bot.* Erva ranunculácea (*Anemone pulsatilla*) originária da Europa e cultivada em jardins, de folhas muito subdivididas e vilosas, com os segmentos delgados, flores azuis ou violáceas, que vão até 6cm e são muito vistosas, e fruto que é um aquênio de pequeno tamanho; flor-da-páscoa.

pulsativo [De *pulsar*² + *-tivo.*] *Adj.* **1.** Que faz pulsar. **2.** Acompanhado ou caracterizado por pulsações.

pulsatório [De *pulsar*² + *-tório.*] *Adj.* Relativo a, ou próprio de pulsação.

pulsear [Do esp. plat. *pulsear.*] *V. int.* **1.** Medir com outrem a força do pulso, apoiando os cotovelos sobre um ponto e travando as mãos direitas; jogar queda de braço: *O halterofilista gosta de pulsear, exibindo força.* *T. d.* **2.** Tomar o pulso a; apalpar, sentir, observar: *O engenheiro foi ao local das obras para pulsear o andamento delas.* **3.** *Bras. S.* Conservar seguro, prendendo ou apertando com as mãos; pegar com força: *O policial pulseou dois ladrões de uma só vez.* [Conjug.: v. *frear.*]

pulseira [De *pulso* + *-eira.*] *S. f.* **1.** Ornato circular para os pulsos ou para os braços; bracelete. **2.** *P. ext.* V. *pulseira de relógio.* [Sin. (lus.): *bracelete.*] **3.** *Bras. Gír.* Algema (1). ◆ **Pulseira de relógio.** Tira de couro, pano, metal, etc., com que se prende o relógio ao pulso. [Tb. se diz apenas *pulseira.*]

pulsimétrico [De *pulsímetro* + *-ico*².] *Adj.* Referente ao pulsímetro.

pulsímetro [De *pulso* + *-i-* + *-metro.*] *S. m.* Instrumento que mede a força e a frequência do pulso; esfigmômetro.

pulso [Do lat. *pulsu*, 'abalo', 'agitação', 'pulsação'.] *S. m.* **1.** *Med.* Batimento de vaso sanguíneo e que se faz sentir em várias partes do corpo, como em região de punho (1), percebido por palpação ou registrado por aparelho apropriado. **2.** *P. ext.* Parte do antebraço que se articula com a mão correspondente, e onde se percebe pulsação de artéria radial. **3.** *Fig.* Força, vigor. **4.** *Eletrôn.* Variação, usualmente limitada a um pequeno intervalo de tempo, de uma grandeza elétrica; impulso. **5.** *Eletrôn.* Brusca mudança momentânea em uma grandeza, seguida de rápido retorno ao seu valor normal. **6.** *Eletrôn.* Cada um dos trens de ondas eletromagnéticas que o radar e outros aparelhos eletrônicos emitem em intervalos de tempo predeterminados. ◆ **Pulso aberto.** *Traum. Pop.* Distensão dolorosa dos músculos da região do punho. **Pulso de entrada.** *Eletrôn.* Entrada (15). **Pulso dicrótico.** *Med.* Aquele que apresenta dicrotismo. **Pulso formicante.** *Med.* Pulso muito fraco, dificilmente perceptível. **Pulso heterócrono.** *Med.* O que bate com intervalos desiguais. **Pulso livre. 1.** Faculdade que tem o médico que trabalha em repartição pública de trabalhar remuneradamente em clínicas particulares ou por conta própria. **2.** Liberdade que tem o empregado ou funcionário de exercer outras atividades noutras empresas. **3.** *P. ext.* Liberdade de procedimento. **Pulso miúro.** *Med.* Ciclo em que se observa pulsação normal seguida de outras progressivamente menores, até aparecer outra normal, recomeçando o ciclo. **Pulso venoso.** *Med.* Pulsação observada em veia. **A pulso.** À força, à viva força; a pulso e a canelão: *Tomou a pulso o brinquedo do irmão.* **A pulso e a canelão.** *Bras. N.E. Fam.* V. *a pulso.* **De pulso. 1.** Enérgico, impositivo, autoritário: *homem de pulso; governo de pulso.* **2.** Poderoso, forte, importante: *escritor de pulso; obra de pulso.* **Tomar o pulso de.** *Bras.* Pesquisar, sondar, informar-se, com o fim de bem conhecer (situação, problema, etc.).

pulsógrafo [De *pulso* + *-grafo.*] *S. m. Fisiol. Med.* Esfigmógrafo.

pulsojacto *S. m.* V. *pulsojato.*

pulsojato [Do ingl. *pulse-jet.*] *S. m.* Jato (4) impulsionado por explosões rápidas e periódicas, produzidas pela entrada e combustão intermitentes do ar. [Var.: *pulsojacto.*]

pulsorreator (ô) [De *pulso* + *reator.*] *S. m. Astron.* Motor a reação, semelhante ao estatorreator, de empuxo intermitente, e que dispõe de uma série de válvulas para admissão de ar.

pultáceo [Do lat. *pultis*, 'suco de legume', 'papa', + *-áceo.*] *Adj.* Que tem o aspecto ou a consistência cremosa da papa: *tumor pultáceo; matéria pultácea.*

pululação [Do lat. *pullulatione.*] *S. f.* Ato ou efeito de pulular; pululamento.

pululamento [De *pulular* + *-mento.*] *S. m.* Pululação.

pululância [De *pulular* + *-ância.*] *S. f.* Grande força vegetativa; pujança.

pululante [Do lat. *pullulante.*] *Adj. 2 g.* Que pulula.

pulular [Do lat. *pullulare.*] *V. int.* **1.** Lançar rebentos (a planta). **2.** Germinar com rapidez; brotar, rebentar, renovar: *Pululam as roseiras na primavera.* **3.** Multiplicar-se muito e com rapidez: *Pululam fábricas na região do ABC paulista.* **4.** Possuir ou ganhar muito calor; ferver, arder: *O sangue pulula nas veias.* **5.** Existir, ser ou concorrer em grande número; abundar, sobejar, fervilhar: "Nos seus romances [de Pío Baroja].... pululam os tipos burlescos" (Eduardo Frieiro, *O Alegre Arcipreste*, p. 201). *T. i.* **6.** Estar cheio, repleto; possuir em grande quantidade; formigar, fervilhar: *O país pulula de advogados.* **7.** Irromper, surgir: *As rebeliões pulularam de toda parte.*

pulveráceo [De *pulver(i)-* + *-áceo.*] *Adj.* Coberto de pó.

pulvéreo [De *pulver(i)-* + *-eo.*] *Adj.* **1.** Referente a, ou que é reduzido a pó. **2.** Que tem a natureza do pó.

pulverescência [Do lat. **pulverescere*, incoativo de *pulverare*, 'cobrir de pó', + *-ência.*] *S. f.* Estado do vegetal que se acha ou parece achar-se coberto de pó.

▲ **pulver(i)-** [Do lat. *pulvis, ĕris.*] *El. comp.* = 'pó', 'poeira': *pulverizar* (< lat.), *pulvéreo, pulveroso.*

pulverização [De *pulverizar* + *-ção.*] *S. f.* Ato ou efeito de pulverizar(-se).

pulverizado [Part. de *pulverizar.*] *Adj.* Em que se fez pulverização.

pulverizador (ô) [De *pulverizar* + *-dor.*] *Adj.* **1.** Que pulveriza. ● *S. m.* **2.** Aquilo que pulveriza. **3.** Aparelho utilizado para projetar matéria pulverizada ou espargir líquidos em gotas tenuíssimas.

pulverizar [Do lat. *pulverizare.*] *V. t. d.* **1.** Reduzir a pó: *pulverizar o grão do café; pulverizar o tabaco.* **2.** Quebrar, converter em pequenos fragmentos; esmigalhar: *O choque pulverizou os copos de cristal.* **3.** Cobrir de pó; polvilhar: *Os técnicos aconselham compostos de enxofre para pulverizar as plantações.* **4.** *Fig.* Desbaratar, destroçar, rechaçar: *As tropas pulverizaram os inimigos.* **5.** Refutar com plena eficácia, inteiramente; rechaçar: *Pulverizou os argumentos do opositor.* **6.** Difundir (líquido) em gotas tenuíssimas. *P.* **7.** Converter-se em pó.

pulverizável [De *pulverizar* + *-vel.*] *Adj. 2 g.* Que se pode pulverizar.

pulveroso (ô) [De *pulver(i)-* + *-oso.*] *Adj.* Coberto ou cheio de pó; poeirento, pulverulento.

pulverulência [De *pulverulento* + *-ia*², seg. o padrão analógico.] *S. f.* Estado ou aspecto de pulverulento.

pulverulento [Do lat. *pulverulentu.*] *Adj.* **1.** Diz-se do material que se encontra no estado de pó fino. **2.** V. pulveroso: "Uma nuvem pulverulenta ergueu-se ao longe, ... e o bando resfolegante de animais apareceu daí a pouco, pinoteando, relinchando" (Afonso Arinos, *Pelo Sertão*, p. 88). **3.** *Bot.* Diz-se das plantas cuja epiderme parece coberta de pó.

pulviniforme (vì) [Do lat. *pulvinus*, 'almofada', + *-iforme.*] *Adj. 2 g. Bot.* Em forma de almofada: *erva pulviniforme.*

pulvino [Do lat. *pulvinu*, 'almofada'.] *S. m. Bot.* Pulvínulo.

pulvinular [De *pulvínulo* + *-ar*¹.] *Adj. 2 g. Bot.* Relativo ao pulvínulo.

pulvínulo [Do lat. *pulvinulu.*] *S. m. Bot.* Dilatação situada na base do pecíolo de muitas plantas, sobretudo fabales, compostas de parênquima, e que, mediante variações de turgescência, pode provocar movimentos nas folhas; pulvino.

pum [Voc. onom.] *Interj.* **1.** Designa estrondo ou detonação; pu: "— Suicido-me. Entro em casa dela de revólver em punho, e digo-lhe: — Mulher, contempla a tua obra! e pum!" (Artur Azevedo, *Contos Possíveis*, p. 24.) ● *S. m.* **2.** *Fam.* Peido, traque, pu.

puma [Do quíchua *puma*, pelo esp. plat.] *S. m. Zool.* V. *suçuarana* (1).

pumba [Voc. onom.] *Interj.* V. *zás*: "foi só o velhote virar as costas, e o Conde d'Almaviva .... saiu de seu esconderijo, pegou o papel, jogou um beijo para Rosinha e, pumba, escondeu-se de novo atrás da coluna." (Cora Rónai Vieira e Paulo Rónai, *Aventuras de Fígaro*, p. 13).

púmice [Do lat. *pumice.*] *S. m. Petr.* Pedra-pomes.

puna¹ [Do quíchua *puna.*] *S. f.* **1.** Planalto frio da cordilheira dos Andes, situado entre 3.000 e 5.000m. **2.** Mal-estar produzido pela rarefação do ar nessas alturas da cordilheira.

puna² [Do malaiala *punna.*] *S. f. Bras. Bot.* Árvore clusiácea (*Calophyllum tomentosum*) muito semelhante à jacareúba (q. v.).

punã [Do tupi.] *S. f. Bras. Amaz. Bot.* Árvore miristicácea (*Iryanthera tricornis*) da floresta pluvial, de flores insignificantes, frutos que são cápsulas com três pontas, e madeira parda e de boa qualidade.

punaré [De or. indígena.] *Adj. 2 g.* **1.** *Bras.* Diz-se de equídeo de pelo amarelado. ● *S. m.* **2.** *Bras. N. Zool.* Mamífero roedor equimiídeo, de coloração geral agrisalhada de preto e ocráceo, dando aspecto de um fundo cinéreo, ventre branco, uma mancha abaixo e outra acima do olho, uma terceira na base da orelha. Distribuídos em toda a América do Sul tropical, com 14 gêneros e cerca de 43 espécies, vivem em cerrados, sob pedras, cupinzeiros, moitas de cactáceas e buracos nos barrancos.

punaru [Do tupi.] *S. m. Bras. N.E. Zool.* Peixe actinopterígio, perciforme, bleniídeo (*Alticus atlanticus*), da costa brasileira.

punção [Do lat. *punctione.*] *S. f.* **1.** Ato ou efeito de pungir ou punctionar. **2.** *Cir.* Operação que consiste em praticar abertura, por meio de instrumento apropriado (agulha, trocarte, etc.), em cavidade cheia de líquido ou de matéria purulenta, em veia, em órgão maciço (como o fígado, o baço), etc. ● *S. m.* **3.** Instrumento pontiagudo para furar ou gravar. **4.** Pequeno instrumento de aço para marcar objetos de ouro e prata. **5.** *Cir. Desus.* Estilete cirúrgico. **6.** *Encad.* Ferro para douração de ornatos. **7.** *Tip.* Haste de aço adoçado, em uma de cujas extremidades se abre em relevo letra ou sinal tipográfico, e que, depois de temperada, serve para bater as matrizes com que se fundem os tipos. [V. *contrapunção.*]

punçar [Voc. deduz. de *punção* (v. *-ar*²).] *V. t. d.* Abrir com punção; puncionar: *O cirurgião punçou os tumores.* [Conjug.: v. *laçar.*]

punceta (ê) [De *punçar* + *-eta* (ê).] *S. f.* Instrumento para cortar pequenas lâminas de ferro.

➔ **punch** [pʌntʃ] [Ingl.] *S. m.* **1.** No pugilismo, soco, esp. o rápido. **2.** Vigor ou energia combativa: *Fig.* *Dizia que o amigo não tinha punch para vencer.*

➔ **punching ball** [ˈpʌntʃɪŋ bɔl] [Ingl.] *S. m. Esport.* V. *pera* (ê) (5).

puncionar [De *punção* + *-ar*², seg. o padrão erudito.] *V. t. d.* Realizar punção (2) em; punçar.

puncionista [De *punção* + *-ista*, seg. o padrão erudito.] *S. 2 g. Tip.* Gravador de punções. [Sin., ant.: *abridor de letras.*]

▲ **puncti-** [Do lat. *pŭnctum, i.*] *El. comp.* = 'ponto': *punctiforme.*

punctiforme [De *puncti-* + *-forme.*] *Adj. 2 g.* Que tem forma ou aparência de ponto. [Var.: *puntiforme.*]

➔ **punctum saliens** [ˈpunkto ˈsaleŋs] [Lat.] *Loc. subst.* O ponto principal (duma questão).

punctura [Do lat. *punctura.*] *S. f.* Picada ou ferimento feito com punção ou objeto semelhante. [Var.: *puntura.*] ~ V. *puncturas.*

puncturas [Pl. de *punctura.*] *S. f. pl. Art. Gráf.* Chapas de ferro com puas nas margens, onde os impressores colocam as folhas a fim de bem marginá-las. [Var.: *punturas.*] ~ V. *punctura.*

pundonor (ô) [Do esp. *pundonor*.] ***S. m.*** **1.** Sentimento de dignidade; brio, honra, decoro: "tinha [Mancinelli] o orgulho alto, o pundonor agudo e o sentimento da responsabilidade vivíssimo." (Machado de Assis, *A Semana*, II, p. 176). **2.** Suscetibilidade exagerada em questões de amor-próprio; zelo da própria reputação: "O pundonor do vaqueiro, que julga desdouro para si voltar sem o boi que afrontou-lhe as barbas, o campeão o compreende e o sente" (José de Alencar, *O Sertanejo*, p. 241).

pundonoroso (ô) [De *pundonor* + *-oso*.] ***Adj.*** Que tem pundonor.

punga¹ [Do lunf.] ***S. m. Gír.*** **1.** A vítima do furto praticado pelo punguista. **2.** O produto desse furto. **3.** O próprio punguista. ● ***S. f.*** **4.** A arte do punguista; lança.

punga² [De or. afr., poss.] ***S. f. Bras. MA Mús.*** Espécie de samba de roda, cantado, com solo coreográfico e umbigada, e ao som do tambor grande, do médio e do crivador; ponga, tambor de crioula.

punga³ [Do tupi, poss.] ***Adj. 2 g. Bras.*** **1.** Ordinário, imprestável, ruim. **2.** Moleirão, preguiçoso; inepto. **3.** Diz-se do cavalo que é o último a chegar, em corridas. ● ***S. m.*** **4.** Cavalo ruim. **5.** *Turfe* Bacamarte (2).

pungência [De *pungente* + *-ia*², seg. o padrão analógico.] ***S. f.*** Qualidade de pungente: "Como me embala toda essa pungência, / Essas lacerações como me embalam, / Como abrem asas brancas de clemência / As harmonias dos violões que falam!" (Cruz e Sousa, *Faróis*, p. 61.)

pungente [Do lat. *pungente*.] ***Adj. 2 g.*** **1.** Que punge. **2.** Comovente, doloroso, lancinante: *grito pungente*. [Sin. ger.: *pungitivo*.]

pungidor (ô) [De *pungir* + *-dor*.] ***Adj. S. m.*** Que ou o que punge.

pungimento [De *pungir* + *-mento*.] ***S. m.*** Ato ou efeito de pungir.

pungir [Do lat. *pungere*, 'picar', 'furar'.] ***V. t. d.*** **1.** Ferir ou furar com objeto pontiagudo, ou dar a impressão de que o faz; picar, espicaçar: *Tomou do facão e pungiu-a sem dó*; "Sempre o céu, como um tecto incendido, / Creste e punja teus membros malditos" (Gonçalves Dias, *Obras Poéticas*, II, p. 32). **2.** Causar estímulo ou incentivo a; incentivar, estimular, incitar, espicaçar: *A lembrança do filho assassinado punge a família*. **3.** Causar grande dor moral a; afligir, torturar, atormentar: *A imagem do país derrotado pungiu os patriotas*. ***Int.*** **4.** Começar a apontar (a vegetação, a barba): "rosto afiado, face seca, de um vermelho sujo de sardas, onde, aqui e acolá, no buço e no mento, punge uma penugem de faúlhas de oiro" (Antero de Figueiredo, *Leonor Teles*, p. 202). **5.** Causar grande dor moral; afligir, torturar: "Sou a Saudade, a tua companheira / Que punge, que consola e que perdoa..." (Olegário Mariano, *Toda uma Vida de Poesia*, I, p. 119.) ***T. i.*** **6.** Começar a apontar (a barba) [cf. *pungir* (4)]: "Tinha dezessete anos; pungia-me um buçozinho que eu forcejava por trazer a bigode." (Machado de Assis, *Memórias Póstumas de Brás Cubas*, p. 48.) [O *me* equivale a 'em mim'.] [Defect. Conjug.: v. *jungir*. Não se conjuga na 1ª pess. sing. do pres. ind. e em todo o pres. subj. Contudo, veja-se o *punja* da abonação supra de Gonçalves Dias.]

pungitivo [De *pungir* + *-tivo*.] ***Adj.*** **1.** V. *pungente* (1 e 2). **2.** Agudo; penetrante: *dor pungitiva*.

punguear [De *punga*¹ + *-ear*².] ***V. t. d. Bras. Gír.*** Furtar (dinheiro, carteira, joias, etc.) de alguém, nas ruas ou locais de reunião ou grande aglomeração; praticar punga¹ (4). [Conjug.: v. *frear*.]

punguista [De *punga*¹ + *-ista*.] ***S. 2 g. Bras. Gír.*** Pessoa que pungueia; batedor de carteiras; lança, lanceiro e (lus.) carteirista.

punhada [De *punho* + *-ada*¹.] ***S. f.*** Pancada com o punho; murro, soco.

punhado [De *punho* + *-ado*¹.] ***S. m.*** **1.** V. *mancheia*: *um punhado de areia*. **2.** *Fig.* Pequena porção; número reduzido. ◆ **Ser um punhado de trabalho.** *Bras. N.E. Fam.* Ser muito travesso, ou violento, ou brigão, de modo que dá sérias preocupações (especialmente aos pais).

punhal [Do lat. vulg. **pugnale*, 'que se segura no punho' (subentende-se *faca*).] ***S. m.*** **1.** Pequena arma branca de lâmina curta e penetrante. **2.** *Fig.* Tudo o que ofende ou fere gravemente.

punhalada [De *punhal* + *-ada*¹.] ***S. f.*** **1.** Golpe de punhal. **2.** *Fig.* Grande golpe moral.

punheta (ê) [De *punho* + *-eta* (ê).] ***S. f.*** **1.** *Chulo* Masturbação masculina. **2.** *Bras. Cul.* V. *punheta de estudante*. ◆ **Bater punheta.** *Bras. Chulo* Masturbar-se; tocar punheta. **Tocar punheta.** *Bras. Chulo* Bater punheta.

punheta de bacalhau ***S. f. Cul.*** Entrada (13) de origem portuguesa feita com lascas de bacalhau cru e dessalgado, e temperado com azeite, cebola, alho, salsa e, às vezes, vinagre. [Pl.: *punhetas de bacalhau*.] ☑

punheta de estudante ***S. f. Bras. Cul.*** Bolinho de tapioca cozida. [Tb. se diz apenas *punheta*. Pl.: *punhetas de estudante*.] ☑

punhete (ê) [De *punho* + *-ete* (ê).] ***S. m.*** Mitene.

punheteiro [De *punhete* + *-eiro*.] ***Adj. S. m. Chulo*** Que, ou aquele que se masturba com frequência, que é dado a bater punhetas.

punho [Do lat. *pugnu*.] ***S. m.*** **1.** *Anat.* Segmento de membro superior, e situado entre antebraço e mão. **2.** *P. ext.* Mão fechada. **3.** Força de um golpe com o punho: *Tinha punhos de campeão*. **4.** Tira de tecido dobrado adaptada às extremidades das mangas de camisas, blusas ou vestidos, e que cinge o pulso. **5.** Peça postiça, de couro ou de fazenda resistente, utilizada por pessoas que trabalham em certos ofícios como proteção das mangas. **6.** A parte por onde se empunham certos instrumentos, utensílios ou armas. **7.** A parte do remo onde os remadores põem as mãos no ato de remar. **8.** *Marinh.* Cada um dos cantos de uma vela formados pelo encontro de dois lados consecutivos. **9.** *Bras.* Corda tecida em forma de elo, a qual segura a rede nos ganchos ou armadores: "Mas estatelou-se à escuta, agarrado aos punhos da rede, a olhar atento." (Coelho Neto, *Rei Negro*, p. 76.) ◆ **Punho da amura.** *Marinh.* Punho da vela latina junto à parte inferior do mastro ou estai, onde se fixa a amura. **Punho da boca.** *Marinh.* Punho superior de latino quadrangular junto ao mastro. **Punho da escota.** *Marinh.* Punho inferior da vela, oposto ao da amura, onde se fixa a escota da vela latina, e que, no pano redondo, é cada um dos dois punhos inferiores. **Punho da pena.** *Marinh.* O punho superior externo de uma vela latina quadrangular ou o superior de uma vela latina triangular. **Punho do gurutil.** *Marinh.* Cada um dos punhos superiores de vela redonda, junto aos laises da verga. **Desatar o punho da rede.** *Bras. CE Pop.* V. *fugir* (1 e 2). **Pelo próprio punho de.** Pela própria mão de: *testamento redigido pelo próprio punho do avô; recibo feito por seu próprio punho*.

punibilidade [De *punível* + *-(i)dade*, seg. o padrão erudito.] ***S. f.*** Qualidade ou caráter de punível: "uma nova lei permite a extinção da punibilidade desde que haja o pagamento do tributo antes do recebimento da denúncia." (Evandro Lins e Silva, *O Salão dos Passos Perdidos*, p. 502).

punicácea [Do tax. *Punica* + *-ácea*; tax. *Punicaceae*.] ***S. f. Bot.*** Espécime das punicáceas, família de plantas floríferas, da ordem das mirtales, composta de duas espécies do gênero *Punica*, das quais a romãzeira, *P. granatum*, é muito cultivada. São arvoretas cujo fruto é uma baga sucosa e multisseptada.

punicáceo [De *punicácea*, com var. suf. (v. *-áceo*).] ***Adj. Bot.*** Pertencente ou relativo às punicáceas.

➔ **punica fides** ['puneka 'fides] [Lat., 'fé púnica'.] Traição.

punição [Do lat. *punitione*.] ***S. f.*** Ato ou efeito de punir; pena, castigo.

puníceo [Do lat. *puniceu*.] ***Adj.*** Da cor da romã; vermelho; purpúreo, purpurino: "Vens... Na brisa odorífera e orvalhosa, / Passas... Abre o puníceo cravo ardente, / Abre a magnólia esplêndida, abre a rosa, / Abre o alvíssimo lírio, redolente..." (Raimundo Correia, *Poesias*, p. 70.)

púnico [Do lat. *punicu* ou *poenicu*, 'fenício'.] ***Adj.*** **1.** De, relativo ou pertencente aos cartagineses ou a Cartago, cidade-estado fundada pelos fenícios em 814 a. C., na região próxima à atual Túnis (Tunísia, N. da África), e que foi destruída pelos romanos em 146 a. C. e pelos árabes em 698 d. C. V. *cartaginês*. **2.** *Fig.* Desleal, traidor, pérfido: *ardil púnico*. ~ V. *fé —a*. ● ***S. m.*** **3.** O natural ou habitante de Cartago. V. *cartaginês*. **4.** *Gloss.* Dialeto fenício falado em Cartago, extinto por volta do séc. VI.

punido [Part. de *punir*.] ***Adj. S. m.*** Diz-se de, ou aquele que sofreu punição; castigado: *Os alunos punidos retiraram-se envergonhados; Descobriu-se, afinal, que os punidos não tinham culpa*.

punidor (ô) [Do lat. *punitore*.] ***Adj. S. m.*** Que, ou aquele que pune.

punilha [Alter. de *polilha*.] ***S. f. Bras. PA Zool.*** Espécie de cupim branco, que ataca móveis e papéis; polia.

punir¹ [Do lat. *punire*.] ***V. t. d.*** **1.** Infligir pena a; dar castigo a; castigar: *A lei pune os faltosos*; "Sebastião José de Carvalho [o Marquês de Pombal] voltava de propósito as costas falando com o monarca. Punia assim a barbaridade do circo." (Rebelo da Silva, *Contos e Lendas*, p. 184). **2.** Servir de castigo a: *Nem a morte pune tão hediondo crime*. **3.** Aplicar correção a; reprimir, cobrir: *A legislação pune o roubo*. ***T. d. e i.*** **4.** Submeter a pena; castigar: *Puniram-no de morte o assassino*. ***P.*** **5.** Infligir pena ou castigo a si próprio: "O sertanejo esculpiu o maldito à sua imagem. Vinga-se de si mesmo: pune-se, afinal, da ambição que o levou àquela terra" (Euclides da Cunha, *À margem da História*, p. 90.)

punir² [Do arc. *punar* < lat. *pugnare*, 'lutar'.] ***V. t. i.*** **1.** Tomar as dores ou a defesa de; bater-se, pugnar: *Quem não puniria pelo próprio irmão?*; "Os reformistas punem esforçadamente pela persistência do Sr. Saraiva de Carvalho no ministério." (Ramalho Ortigão, *Correio de Hoje*, I, p. 43). **2.** Lutar, bater-se moralmente (por alguma coisa); pugnar.

punitivo [De *punir*¹ + *-tivo*.] ***Adj.*** **1.** Que pune; punidor. **2.** Que envolve punição: *medida punitiva*.

punível [De *punir*¹ + *-vel*.] ***Adj. 2 g.*** Que se pode ou deve punir¹; que é digno de castigo, de punição.

punjabi ***Adj. S. m.*** V. *panjabi*.

➔ **punk** [pʌŋk] [Ingl.] ***S. 2 g.*** **1.** Membro de movimento não conformista surgido na Inglaterra ao final dos anos 1970 que adota diversos sinais exteriores de provocação, por completo desprezo aos valores estabelecidos pela sociedade. ● ***Adj. 2 g.*** **2.** Diz-se desses diversos sinais adotados pelos *punks*: *moda punk; cabelo punk*. **3.** Pertencente ou relativo aos *punks* ou a *punk rock*.

➔ **punk rock** [pʌŋk ɾąk] [Ingl.] *Mús.* Tipo de roque caracterizado por arranjos musicais simples e letras agressivas, ligado ao movimento *punk*.

puntiforme ***Adj. 2 g. Bot.*** V. *punctiforme*.

puntilismo ***S. m.*** V. *pontilhismo*.

puntilista ***S. 2 g. Grav.*** V. *pontilhista*.

puntura ***S. f.*** V. *punctura*.

punturas ***S. f. pl. Art. Gráf.*** V. *puncturas*.

punxirão ***S. m. Bras.*** V. *mutirão* (1).

pupa [Do lat. *pupa*, 'menina', 'boneca'.] ***S. f. Zool.*** Estado intermediário entre a larva e a imago, nos insetos holometabólicos.

pupal [De *pupa* + *-al*¹.] ***Adj. 2 g.*** Relativo a pupa.

pupila [Do lat. *pupilla*, dim. de *pupa*, 'menina'.] ***S. f.*** **1.** Fem. de *pupilo*. **2.** Mulher que se prepara para professar num convento; noviça. **3.** *Anat.* Orifício situado no centro de cada íris, e pelo qual passam raios luminosos; menina do olho. ◆ **Pupila de entrada.** *Ópt.* Num instrumento óptico, diafragma ou imagem dum diafragma que limita a entrada de raios luminosos no instrumento. **Pupila de saída.** *Ópt.* Num instrumento óptico, diafragma ou imagem dum diafragma que delimita a região de emergência de raios luminosos que atravessam o instrumento.

pupilagem [De *pupilo* ou *pupila* + *-agem*².] ***S. f.*** **1.** Educação de pupilo ou pupila. **2.** Tempo que leva essa educação.

pupilar¹ [Do lat. *pupillare*.] ***Adj. 2 g.*** **1.** Respeitante a pupilo ou pupila. **2.** *Anat.* Relativo ou pertencente à pupila (3): *contração pupilar*.

pupilar² [Voc. onom.] ***V. int.*** Gritar (o pavão). [Normalmente, não se conjuga nas 1.ªs pess.]

pupilar-se [De *pupilo* + *-ar*² + *se*¹.] ***V. p.*** Proceder como pupilo; subordinar-se.

pupilo [Do lat. *pupillu*.] ***S. m.*** **1.** Órfão menor a cargo de tutor. **2.** Educando, colegial, aluno. **3.** *Fig.* Protegido, valido.

pupunha [Do tupi.] ***S. f.*** **1.** *Bras. Bot.* Palmeira arecácea (*Guilielma speciosa*) nativa da América Central à Amaz., de troncos múltiplos, com até 20m, dotados de espinhos que formam anéis, folhas tb. densamente espinhosas e frutos vermelhos com ponta verde, muito apreciados, e que integram a dieta da população amazônica. [Sin. e var.: *babunha, coqueiro-babunha, pupunha-piranga, pupunha-verde-amarela, pupunheira*.] **2.** O seu fruto; babunha.

pupunha-brava [De *pupunha* + o f. de *bravo*¹.] ***S. f. Bras. Amaz. Bot.*** Palmeira arecácea (*Guilielma microcarpa*) cujos frutos têm cor vermelha e forma esférica e são menos apreciados que os da pupunha, por serem menores. [Pl.: *pupunhas-bravas*.]

pupunha-de-porco ***S. f. Bras. Bot.*** V. *pupunharana*. [Pl.: *pupunhas-de-porco*.]

pupunha-piranga [De *pupunha* + *piranga*².] ***S. f. Bras. Bot.*** V. *pupunha* (1). [Pl.: *pupunhas-pirangas*.]

pupunharana [Do tupi = 'semelhante à pupunha'.] ***S. f. Bras. Bot.*** Palmeira arecácea (*Syagrus inajai* ou *Cocos aequatorialis*) com 3 a 15m, conforme a região, dotada de caule simples, folhas penadas, frutos drupáceos, elipsoides, que são consumidos pela fauna local, e inflorescências interfoliares. Habita as matas tropicais da Amaz. [Sin.: *jareuá, pupunha-de-porco*.]

pupunha-verde-amarela [De *pupunha* + verde + o f. de *amarelo*.] ***S. f. Bras. Bot.*** V. *pupunha* (1). [Pl.: *pupunhas-verde-amarelas*.]

pupunheira [De *pupunha* + *-eira*.] ***S. f. Bras. Bot.*** V. *pupunha* (1).

pura [F. subst. de *puro*.] ***S. f. Bras. Pop.*** V. *cachaça* (1).

puraquê ***S. m. Bras. Zool.*** V. *poraquê*: "Na água parada, / entre as moitas de sarãs e canaranas, / o puraquê tem pensamentos / de dois mil volts." (João Guimarães Rosa, *Magma*, p. 92.)

puré ***S. m. Cul.*** V. *purê*.

purê [Do fr. *purée*.] ***S. m. Cul.*** Alimento de consistência pastosa, feito de legumes, de batatas ou de frutas,

P

espremidos ou passados em peneira ou em liquidificador. [Var pros.: *puré*, *pirê*.]

pureu *Bras. S. 2 g.* **1.** *Etnôn.* Indivíduo dos pureus, povo indígena extinto, que habitava as margens do rio Japurá (AM). ● *Adj. 2 g.* **2.** Pertencente ou relativo a esse povo. [Tb. us. como *s. 2 g. e 2 n.* (com cap.) e *adj. 2 g. e 2 n.*]

pureza (ê) [Do lat. *puritia*.] *S. f.* **1.** Estado ou qualidade de puro: *pureza do vinho; pureza dos costumes; pureza de alma.* **2.** Limpidez, transparência, nitidez: *a pureza do ar das montanhas; a pureza de um diamante.* **3.** Inocência, singeleza, sinceridade: *pureza de sentimento; pureza de intenções.* **4.** Virgindade, castidade. **5.** Finura, elegância; correção, perfeição: *a pureza do estilo; a pureza das linhas de um edifício; pureza de um desenho.* **6.** Casticismo, vernaculidade. [Sin. (p. us.), nessas acepçs.: *puridade*.] **7.** *Fotom.* Propriedade quantitativa de uma cor, que caracteriza a presença da cor dominante no espectro da sua radiação.

purezense *Adj. 2 g.* **1.** De, ou pertencente ou relativo a Pureza (RN). ● *S. 2 g.* **2.** O natural ou habitante de Pureza.

purga [Dev. de *purgar*.] *S. f.* **1.** *Terap.* V. *purgante* (2). **2.** *Bras.* Designação comum a diversas plantas medicinais.

purgação [Do lat. *purgatione*.] *S. f.* **1.** Ato ou efeito de purgar(se); purificação. **2.** Corrimento; supuração. **3.** *Pop.* V. *gonorreia.* ◆ **Purgação do mês.** *Bras. Pop.* V. *menstruação* (1).

purga-de-caboclo *S. f. Bras. Bot.* V. *fruta-de-gentio.* [Pl.: *purgas-de-caboclo*.]

purga-de-carijó *S. f. Bras. Bot.* V. *espelina.* [Pl.: *purgas-de-carijó*.]

purga-de-gentio *S. f. Bras. Bot.* **1.** V. *taiuiá* (1). **2.** V. *andá-açu.* [Pl.: *purgas-de-gentio*.]

purga-de-joão-pais *S. f. Bras. Bot.* V. *buchinha.* [Pl.: *purgas-de-joão-pais*.]

purga-de-veado *S. f. Bras. Bot.* V. *ganha-saia* (2). [Pl.: *purgas-de-veado*.]

purga-de-vento *S. f. Bras. Bot.* V. *ganha-saia* (2). [Pl.: *purgas-de-vento*.]

purgado [Part. de *purgar*.] *Adj.* Livre de impurezas; limpo, purificado: "plantando cana e fazendo açúcar bruto e purgado, ... Messias de Gusmão ia moendo o seu banguê e remoendo ideias" (Carlos de Gusmão, *Boca da Grota*, p. 420).

purgador (ô) [Do lat. *purgatore*.] *Adj.* **1.** V. *purgante* (1). ● *S. m.* **2.** *Bras. N.E.* Nos engenhos, operário encarregado de purgar o açúcar. **3.** *Tec.* Dispositivo automático que serve para separar e eliminar o líquido condensado numa tubulação de vapor, sem provocar a suspensão da operação da linha e sem deixar o vapor escapar.

purga-dos-paulistas *S. f. Bot.* **1.** V. *andá-açu.* **2.** V. *buchinha.* [Pl.: *purgas-dos-paulistas*.]

purgante [Do lat. *purgante*.] *Adj. 2 g.* **1.** Que faz purgar; desistivo, purgativo, purgatório, purgador. ● *S. m.* **2.** *Terap.* Substância que causa forte evacuação intestinal; purga, purgativo. **3.** *Fam.* Pessoa ou coisa tediosa, enfadonha, chata; injeção, xarope: *Sua amiga é um purgante.*

purgar [Do lat. *purgare*.] *V. t. d.* **1.** Tornar puro; purificar, limpar: *purgar o açúcar bruto.* **2.** Desembaraçar ou limpar (os intestinos). **3.** Tratar por meio de purgante: *O médico purgou o doente.* **4.** Remir (culpa), cumprindo pena; pagar, expiar: "Diziam as velhas mexeriqueiras .... que ao bater da meia-noite via-se vagar pelas ruas a alma do pernambucano, a purgar culpas passadas." (Inglês de Sousa, *Contos Amazônicos*, p. 177.) *T. d. e i.* **5.** Livrar, desembaraçar, purificar: *A revisão purgará o texto de erros;* "Mas foi para Samuel, em longas noites de lar e calçada, que Abel despejou sua mágoa e sua raiva até purgar a Norinha da sua vida." (Luís Fernando Veríssimo, *O Clube dos Anjos*, p. 23.) *Int.* **6.** Expelir pus ou maus humores: *A ferida purgava abundantemente.* *P.* **7.** Tomar purga (1). **8.** Justificar-se; redimir-se, remir-se: *A alma purga-se na penitência.* [Conjug.: v. *largar*.]

purgativo [Do lat. *purgativu*.] *Adj.* **1.** V. *purgante* (1). **2.** Expiativo; purificativo: *vida contemplativa e purgativa.* ~ V. *limonada —a.* ● *S. m.* **3.** V. *purgante* (2).

purgatório [Do lat. *purgatoriu*.] *Adj.* **1.** V. *purgante* (1). **2.** V. *purificatório* (2). ● *S. m.* **3.** *Teol.* Lugar de purificação das almas dos justos antes de admitidas na bem-aventurança. **4.** *P. ext.* Qualquer lugar onde se sofre por algum tempo. **5.** Expiação, padecimento, sofrimento.

purgueira [De *purga* + *-eira*.] *S. f. Bras. Bot.* V. *mandubiguaçu.*

puri[1] [De or. indígena.] *Bras. S. m.* **1.** Espécie de mandioca. ● *S. 2 g.* **2.** Mestiço de índio: "A mulher, puri muito moça, ... desabotoou a blusa e deu o peito pojado para o caçula de cueiros" (João Alphonsus, *Totônio Pacheco*, p. 16).

puri[2] *Bras. S. 2 g.* **1.** *Etnôn.* Indivíduo dos puris, povo indígena extinto, da família linguística puri, que habitava as margens do rio Paraíba do Sul (SP), a margem direita do rio Doce, do S. de MG até o N. do RJ e o S.O. do ES. ● *S. m.* **2.** *Gloss.* Família linguística extinta, composta por línguas que eram faladas por povos indígenas de MG, RJ e ES. ● *Adj. 2 g.* **3.** Pertencente ou relativo aos puris ou a puri (2). [Tb. us. como *s. 2 g. e 2 n.* (com cap.) e *adj. 2 g. e 2 n.*]

púrico [De *pur(ina)* + *-ico*[2].] *Adj. Bioquím.* Que é derivado da purina e entra na composição de inúmeras substâncias naturais (diz-se de base); purínico.

puridade [Do lat. *puritate*.] *S. f.* **1.** *P. us.* Pureza (1 a 6). **2.** *Desus.* Segredo; confidência. ◆ **À puridade.** Em segredo, em particular: "E ali sem testemunhas e muito à puridade podes desabafar com teu Deus tuas ânsias e trabalhos" (P.[e] Manuel Bernardes, *Vários Tratados*, I, p. 505).

purificação [Do lat. *purificatione*.] *S. f.* **1.** Ato ou efeito de purificar(-se). **2.** Conjunto de ritos religiosos purificadores. **3.** Ablução litúrgica. **4.** Festa da Igreja Católica, celebrada em 2 de fevereiro.

purificador (ô) [De *purificar* + *-dor*.] *Adj.* **1.** Que purifica; purificante, purificativo. ● *S. m.* **2.** Aquilo que purifica. **3.** Sanguinho (1). **4.** Vaso onde se lavam a boca e as pontas dos dedos após as refeições. [Cf. *lavanda* (3).] **5.** Aparelho de purificar; filtro. **6.** *Med.* Emulgente (3).

purificante [Do lat. *purificante*.] *Adj. 2 g.* V. *purificador* (1).

purificar [Do lat. *purificare*.] *V. t. d.* **1.** Tornar puro; livrar ou desembaraçar de substâncias que alteram, corrompem; depurar, purgar, mundificar, acrisolar: *purificar o cobre.* **2.** Tirar mácula(s) a; tornar puro moralmente; santificar, mundificar: *A confissão purifica as almas;* "— Porque purificou a torpeza da terra / Quem deixou sobre a terra uma lágrima e um verso." (Olavo Bilac, *Poesias*, p. 144). *T. d. e i.* **3.** Limpar, isentar: *A penitência purifica as almas da culpa.* **4.** Limpar, desembaraçar, purgar [de impureza(s)]; mundificar. *P.* **5.** Limpar-se (física ou moralmente); mundificar-se. [Conjug.: v. *trancar*.]

purificativo [De *purificar* + *-tivo*.] *Adj.* V. *purificador* (1).

purificatório [Do lat. *purificatoriu*.] *Adj.* **1.** Próprio para purificar. **2.** Purgatório, expiatório.

puriforme [Do lat. *pus, purus*, 'pus', + *-forme*.] *Adj. 2 g.* Semelhante ao pus.

purina[1] [Do lat. *pur(um)*, 'puro' e *ur(icum)*, 'úrico', 'ácido úrico', + *-ina*[1].] *S. f. Bioquím.* Substância cristalina, incolor, de onde derivam as bases purínicas adenina e guanina, encontradas nos ácidos nucleicos [fórm.: $C_5H_4N_4$].

purina[2] [Do fr. *purin*.] *S. f.* Líquido que escorre das esterqueiras, formado pela urina de animais e pela água de chuva, e que constitui um bom fertilizante.

purinha [F. subst. do dim. de *puro*.] *S. f. Bras. Pop.* V. *cachaça* (1).

purínico [De *purina*[1] + *-ico*[2].] *Adj.* **1.** *Bioquím.* Da purina[1], ou próprio dela. **2.** Púrico.

purismo [De *puro* + *-ismo*.] *S. m.* **1.** *E. Ling.* Atitude em relação a uma língua que considera serem necessários a preservação dos padrões tradicionais de correção e o impedimento da existência de qualquer influência estrangeira. **2.** Pronúncia afetada ou pretensiosa das palavras.

purista [De *purismo* + *-ista*.] *S. 2 g.* **1.** Partidário do purismo. **2.** Pessoa exagerada, a ponto de pretensiosa, em matéria de pureza da linguagem escrita ou falada. [Tb. us. (pouco) como adj.]

purístico [De *purista* + *-ico*[2].] *Adj.* Relativo ao, ou próprio do purismo (1).

puritanice [De *puritano* + *-ice*.] *S. f. Pej.* Puritanismo (2).

puritanismo [De *puritano* + *-ismo*.] *S. m.* **1.** Doutrina ou espírito dos puritanos. **2.** *P. ext.* Qualquer forma de rigor exagerado nos princípios; puritanice.

puritano [Do ingl. *puritan*.] *Adj.* **1.** Diz-se do membro de uma seita de presbiterianos mais rigorosa que as demais, e que pretendia interpretar melhor que ninguém o sentido literal das Escrituras. **2.** Pertencente ou relativo a essa seita. **3.** *P. ext.* Que é ou aparenta ser muito rigoroso na aplicação de princípios morais. **4.** *P. ext.* Austero, rígido; moralista: *indivíduo puritano; costumes puritanos.* ● *S. m.* **5.** Sectário do puritanismo. **6.** Indivíduo puritano (3 e 4).

puro [Do lat. *puru*.] *Adj.* **1.** Sem mistura nem alteração; genuíno: *vinho puro; raça pura; tecido de pura lã.* **2.** Sem impurezas; não infectado: *água pura; brisa pura.* **3.** Límpido, claro, transparente, cristalino: *céu puro; água pura.* **4.** Sem manchas ou nódoas; limpo, imaculado: *Vestia um avental de linho branco puro.* **5.** Inocente, cândido, virginal: *coração puro.* **6.** Singelo, simples; sincero, verdadeiro: *Gosta de gente pura do campo.* **7.** Casto, virtuoso: *mulher pura.* **8.** Honesto, íntegro, probo: *Suas intenções são puras, desinteressadas.* **9.** Correto, castiço, vernáculo: *linguagem pura; estilo puro.* **10.** Total, completo, inteiro, cabal: *Ouviste a pura verdade dos fatos; Morreu à pura míngua.* **11.** Exclusivo, só: *Escreve obras de pura imaginação; Tudo que disse é pura fantasia.* **12.** *Bras.* Vazio (1): *O café acabou. O bule está puro.* ~ V. *água-forte —a, botânica —a, matemáticas —as, música —a, poesia —a, razão —a* e *substância —a.* ◆ **Puro de.** Isento de; livre de: *espírito puro de ambições políticas.* **Puro e simples.** Sem restrição nem modificação: *promessa pura e simples.*

puro-sangue *Adj. 2 g. S. 2 g.* Diz-se de, ou animal, especialmente equídeo, de raça pura, sem cruzamento de outra. [Pl.: *puros-sangues*.]

púrpura[1] [Do lat. *purpura*.] *S. f.* **1.** Matéria corante vermelho-escura tirante a violeta, que se extrai da púrpura[2], e largamente utilizada pelos antigos para tingir tecidos; ostro. **2.** A cor da púrpura. **3.** *P. ext.* A cor vermelha. **4.** *Tec. Têx.* Antigo tecido purpurino, símbolo de riqueza ou de alta dignidade social: *manto de púrpura.* **5.** Vestuário de reis. **6.** *P. ext.* Dignidade real; o trono. **7.** *P. ext.* Dignidade cardinalícia. **8.** *Ant.* Entre os romanos, a dignidade de cônsul. **9.** Esmalte heráldico vermelho, representado por traços diagonais em barra. **10.** *Hemat.* Síndrome representada por erupção espontânea de manchas hemorrágicas que não desaparecem à compressão, e que corresponde, anatomicamente, a extravasamento sanguíneo de capilares. ◆ **Púrpura de Schönlein Henoch.** *Patol.* Doença de causa desconhecida, ger. vista em crianças, e que apresenta diversas manifestações clínicas, como urticária, eritema, artropatia, comprometimento digestivo e renal. [De Johann Lucas Schönlein (1793-1864), professor alemão de medicina, e Eduard Heinrich Henoch (1820-1910), médico alemão.] [Cf. *purpura*, do v. *purpurar*.]

púrpura[2] [Do tax. *Purpura* < lat. *purpura*.] *S. f. Zool.* **1.** Gênero de moluscos gastrópodes, muricídeos (q. v.), que inclui espécies que fornecem tinta de cor púrpura [v. *púrpura*[1] (1)], segregada pela glândula anal, e que, para os antigos, tinha grande valor comercial. **2.** Espécie ou espécime desse gênero. **3.** Denominação dada a outros moluscos muricídeos que também fornecem essa tinta, como, p. ex., os da espécie *Murex senegalensis*, de coloração variável do marrom ao branco.

purpurado [Part. de *purpurar*.] *Adj.* **1.** Tingido de púrpura. **2.** Vestido de púrpura. **3.** Elevado à dignidade cardinalícia. ● *S. m.* **4.** Indivíduo elevado a essa dignidade: "Conversando, em Roma, com um dos mais eminentes Cardeais da Cúria, disse-me ele, a propósito do Papa João XXIII, com um sorriso ligeiramente enigmático: 'É bom homem.' Não desejo, nem por sombra, interpretar o sorriso do ilustre purpurado." (Alceu Amoroso Lima, *João XXIII*, p. 210.)

purpural [De *púrpura*[1] + *-al*[1].] *Adj. 2 g.* V. *purpúreo*: "Velhas chagas do sol, ensanguentadas chagas / De ocasos purpurais de atroz melancolia" (Cruz e Sousa, *Últimos Sonetos*, p. 15).

purpurar [Do lat. *purpurare*.] *V. t. d.* **1.** Tingir de púrpura: *Os fenícios foram os primeiros a purpurar tecidos.* **2.** Dar a cor da púrpura a; purpurear: "É a umidade que nas leiras, / De mansinho, / Faz abrolhar as sementeiras, / Sazona, purpura a uva" (Martins Fontes, *Verão*, p. 50). **3.** Vestir de púrpura. **4.** Elevar à dignidade de cardeal. [Pres. ind.: *purpuro, purpuras, purpura*, etc. Cf. *púrpuro* e *púrpura*.]

purpureal [De *púrpura*[1] + *-eal*.] *Adj. 2 g.* V. *purpúreo*.

purpurear [De *púrpura*[1] + *-ear*[2].] *V. t. d.* **1.** Dar cor de púrpura a; tornar vermelho, avermelhar: *O poente purpureia a tarde;* "Montando o tardo, trôpego jumento, / Aos cambaleios e desconjunturas, / Com o mosto / A purpurear-lhe o rosto" (Martins Fontes, *Verão*, p. 51). *Int. P.* **2.** Tomar a cor da púrpura; tornar-se vermelho; avermelhar-se: *O céu purpureou;* "notou que o rosto da bela mocetona reverdecia em graças e purpureava-se de rosas." (Camilo Castelo Branco, *12 Casamentos Felizes*, p. 139). **3.** Avermelhar-se ligeiramente por vergonha ou pudor; corar(-se), enrubescer(-se), ruborizar-se: *O rosto purpureou de súbito; Suas faces purpurearam-se, denotando timidez.* [Sin. ger.: *empurpurar, purpurejar, purpurizar.* Conjug.: v. *frear*.]

purpurejado [Part. de *purpurejar*.] *Adj.* **1.** Tornado purpúreo. **2.** Enrubescido, ruborizado.

purpurejamento [De *purpurejar* + *-mento*.] *S. m.* **1.** Ação ou efeito de purpurejar. **2.** A cor purpúrea: "Exprimir as tonalidades quentes e possantes, os rubores humanos, o purpurejamento dos sangues" (Cruz e Sousa, *Obra Completa*, p. 727).

purpurejante [De *purpurejar* + *nte*.] *Adj. 2 g.* V. *purpúreo*.

purpurejar [De *púrpura*[1] + *-ejar*.] *V. t. d. Int. P.* V. *purpurear*: "A luz que ainda havia .... descia de umas nuvens grandes, de intenso vermelho, a purpurejarem todo o lado do poente." (Visconde de Taunay, *Ao Entardecer*, p. 61.) [Conjug.: v. *pelejar*.]

purpúreo [Do lat. *purpureu*.] ***Adj.* 1.** Que tem a cor da púrpura: "No céu purpúreo ferve a luz do poente / Como a cratera acesa de um vulcão" (Ronald de Carvalho, *Poemas e Sonetos*, p. 81). **2.** Diz-se dessa cor: *tecido de cor purpúrea*. [Sin. ger.: *purpural, purpureal, purpurejante, purpurino, purpurinado, púrpuro, apurpurado*.]

purpurífero [De *púrpura*[1] + *-ífero*.] ***Adj.*** Que tem ou produz púrpura.

purpurina [De *púrpura*[1] + *-ina*[1].] ***S. f.* 1.** Substância cristalina, acicular, alaranjada, que se extrai da raiz da ruiva[1], e de fórmula $C_{14}H_8O_5$. **2.** Pó metálico empregado em tipografia para as impressões a ouro e prata. **3.** Pó metálico prateado, dourado ou em cores, utilizado em maquiagem, para impressão em roupas, objetos, etc. **4.** *Bras. Amaz. Bot.* Arbusto melastomatáceo (*Rhynchanthera serrulata*) peculiar aos campos alagadiços, de folhas grossas e com poucas nervuras, estas alongadas e curvas, e flores de um vermelho intenso.

purpurinado [De *purpurino* + *-ado*[1].] ***Adj.*** De tom purpurino; purpúreo (q. v.).

purpurino [De *púrpura*[1] + *-ino*[1].] ***Adj.*** V. *purpúreo*: "Arcos de flores, fachos purpurinos, / Trons festivais, bandeiras desfraldadas" (Raimundo Correia, *Poesias*, p. 117).

purpurita [De *púrpura*[1] + *-ita*[3].] ***S. f. Min.*** Mineral ortorrômbico, fosfato hidratado de manganês e ferro.

purpurizado [Part. de *purpurizar*.] ***Adj.*** Que se purpurizou ou que tem ou tomou a cor da púrpura: "uma ampla corola eritrina, sulfurina, sandicina, purpurizada, irial, que, onímoda, onicolor, ... se cobaltiza, se ambreia, se acobreia" (Martins Fontes, *A Dança*, p. 64).

purpurizar [De *púrpura* + *-izar*.] ***V. t. d. Int. P.*** V. *purpurear*.

púrpuro [De *púrpura*[1].] ***Adj.*** V. *purpúreo*: "Não havia uma flor nas roseiras desertas, / E esse riso estival dos púrpuros gerânios / Na treva interior das janelas abertas." (Manuel Bandeira, *Estrela da Vida Inteira*, p. 42.) [Cf. *purpuro*, do v. *purpurar*.]

púrria [De or. obsc.] ***S. f. Lus. Gír.*** Bando, ou súcia de garotos. ◆ **De púrria.** *Lus.* Em bando, em turma: "um malandro, que vinha de púrria com seis magalas" (Vergílio Ferreira, *Manhã Submersa*, p. 14).

purrinhém ***S. m. Bras. N.E.* 1.** Casa ou quarto acanhado e ordinário. **2.** *P. ext.* Qualquer coisa em condições idênticas.

puruborá ***S. 2 g. Adj. 2 g. Bras.*** V. *arua*.

puruca ***S. f. Bras.*** Peneira com que se separa o café em grão.

purucarode ***S. 2 g.* 1.** *Etnôn.* Indivíduo dos purucarodes [ou (etnôn. bras.) *Purukaród], povo indígena extinto, da família linguística jê, tronco macro-jê, que habitava a região das cabeceiras dos rios Caeté e Itacaiunas (PA). • ***Adj.* 2.** Pertencente ou relativo a esse povo.

purucotó *Bras.* ***S. 2 g.* 1.** *Etnôn.* Indivíduo dos purucotós [ou (etnôn. bras.) *Purukotó], povo indígena extinto, da família linguística caraíba, que habitava as margens do rio Uanamara (RR). • ***Adj. 2 g.* 2.** Pertencente ou relativo a esse povo. [Outra f.: *porocotó*.]

puruí [Do tupi.] ***S. m. Bras. Bot.*** V. *açucena-do-mato*.

puruí-grande ***S. m.* 1.** *Bras. Bot.* Pequena árvore rubiácea (*Alibertia sorbilis*) nativa da Amaz., com folhas oblongas, obovadas, flores alvas e frutos bacáceos grandes, edules; apuruí. **2.** Pequena árvore rubiácea (*Alibertia stipularis*) nativa da Amaz., muito semelhante à anterior, e cujos frutos são tb. edules. [Pl.: *puruís-grandes*.]

puruí-grande-da-mata ***S. m. Bras. Amaz. Bot.*** Árvore rubiácea (*Amajoua monteiroi*) da floresta pluvial, que se caracteriza pelos grandes frutos bacáceos. [Pl.: *puruís-grandes-da-mata*.]

puruí-pequeno ***S. m. Bras. L. S. Bot.*** Subarbusto rubiáceo (*Alibertia edulis*) próprio dos campos e cerrados, de flores pequenas e isoladas, e frutos que são pequenas bagas comestíveis, ácidas e ricas em sementes, com polpa escura. [Pl.: *puruís-pequenos*.]

purulência [Do lat. *purulentia*.] ***S. f. Patol.*** Qualidade de purulento.

purulento [Do lat. *purulentu*.] ***Adj.* 1.** Que contém pus: *urina purulenta*. **2.** Que segrega pus: *ferida purulenta*. **3.** *Fig.* Sórdido, infecto, podre.

purumã [Do tupi.] ***S. m. Bras. Bot.*** V. *mapati*.

purunga ***S. f. Bras. S. Bot.*** V. *porongo*[1] (2).

purungo ***S. m. Bras. S. Bot.*** V. *porongo*[1] (2).

purupaqui [De or. indígena.] ***S. m. Bras. Bot.*** Erva fabácea (*Crotalaria incana*) de folhas trifolioladas e pilosas, flores vistosas e amarelas, e legumes coriáceos com sementes pequeninas.

purupuru[1] [Do tupi.] ***S. m.* 1.** *Bras. Pop.* Dermatose contagiosa que se caracteriza por manchas brancas. • ***S. 2 g.* 2.** *Bras.* Indígena da tribo dos paumaris, assim chamados por ser o purupuru endêmico entre eles.

purupuru[2] *Bras.* ***S. 2 g.* 1.** *Etnôn.* Indivíduo dos purupurus, povo indígena extinto, da família linguística aruaque, que habitava as margens do rio Purus (AM). • ***Adj. 2 g.* 2.** Pertencente ou relativo a esse povo. [Tb. us. como *s. 2 g. e 2 n.* (com cap.) e *adj. 2 g. e 2 n.*]

pururu [De or. indígena.] ***S. m. Bras. BA Zool.*** V. *juruva*.

pururuca [Var. de *pororoca*[1].] ***S. f.* 1.** *Bras. Bot.* Coco[1] (ô) (2) ainda tenro. **2.** *Bras. MG* V. *canjica* (4). **3.** *Bras. S.* Variedade de milho de grão pequeno e duro, próprio para cavalos de corrida. • ***S. 2 g.* 4.** Pessoa irritadiça, arrelienta. • ***Adj. 2 g.* 5.** *Bras.* Diz-se de coco[1] (ô) já um pouco endurecido. **6.** *Bras.* Quebradiço, frágil. **7.** *Bras.* Diz-se de pessoa irritadiça, arrelienta.

puruuara ***S. f. Bras. Bot.*** V. *piriguara*[2].

pus [Do lat. *pus*.] ***S. m. Patol.*** Mistura de exsudato inflamatório, leucócitos polimorfonucleares vivos e mortos, e bactérias vivas e mortas.

puseísmo ***S. m.*** Movimento ritualístico iniciado pelo teólogo inglês Edward Pusey (1800-1882), que aproximou do catolicismo uma parte da Igreja anglicana.

pusilânime [Do lat. *pusillanime*, 'de alma pequenina'.] ***Adj. 2 g.* 1.** Fraco de ânimo; falto de energia. **2.** Falto de firmeza, de decisão: *homem pusilânime; caráter pusilânime*. **3.** Medroso, covarde, poltrão: "Um contraste: a raça forte e íntegra abatida dentro de um quadrado de mestiços indefinidos e pusilânimes." (Euclides da Cunha, *Os Sertões*, p. 609.) • ***S. 2 g.* 4.** Pessoa que tem pusilanimidade.

pusilanimidade [Do lat. *pusillanimitate*.] ***S. f.* 1.** Qualidade de pusilânime. **2.** Fraqueza de ânimo; covardia, poltronaria.

pústula [Do lat. *pustula*.] ***S. f.* 1.** *Derm.* Coleção purulenta intraepidérmica ou subepidérmica. **2.** Bostela. **3.** *Bot.* Saliência ou pequena elevação na haste ou nas folhas. **4.** *Fig.* Corrupção, perversão, depravação. **5.** *Fig.* Sujeito infame, de péssimo caráter. ◆ **Pústula maligna.** *Derm.* V. *carbúnculo hemático*.

pustulado [Do lat. *pustulatu*.] ***Adj. S. m.*** V. *pustulento*. [Cf. *postulado*.]

pustulento [De *pústula* + *-ento*.] ***Adj.* 1.** Coberto de pústulas: *homem pustulento; mão pustulenta*. • ***S. m.* 2.** Indivíduo pustulento. [Sin. ger.: *pustulado, pustuloso*.]

pustuloso (ô) [Do lat. *pustolosu*.] ***Adj.* 1.** V. *pustulento*: *cara pustulosa*. **2.** Que tem forma ou natureza da pústula: *pele pustulosa*. **3.** Caracterizado por pústulas. • ***S. m.* 4.** V. *pustulento*.

puta [Do lat. **putta*, por *puta*, 'menina'.] ***S. f. Chulo* 1.** Meretriz. **2.** Mulher devassa, libertina. • ***Adj. 2 g. Adj. 2 g. e 2 n.* 3.** *Bras. Chulo* Excepcional, excelente: *Eles fizeram um puta show; Ela era uma puta médica*. **4.** Muito forte: *Recebeu dois puta(s) socos; Estava fazendo um puta frio*. **5.** Extremamente grande: *Compramos uma puta casa*. [Como adj., é us. anteposto ao substantivo, podendo apresentar ou não flexão de número, e sentido (por vezes) misturado (ex.: uma puta casa, por ser muito grande ou excelente; um puta *show*, por ser excelente e de grandes proporções).] ◆ **Ser puta velha.** *Bras. Gír.* Ser muito experiente: "Tomamos os táxis com os maiores cuidados, eu sou puta velha e sei quando estou sendo vigiado." (Rubem Fonseca, *O Seminarista*, p. 134.)

putada [De *puto* ou *puta* + *-ada*[1].] ***S. f.* 1.** Conjunto de putas ou putos. **2.** As putas; femeaço.

putal [De *puta* + *-al*[1].] ***S. m. Bras. RN Chulo*** As ruas onde se acha estabelecido o meretrício; zona.

putâmen [Do lat. *putamen*, 'casca (de noz)'.] ***S. m. Bot.*** Caroço das drupas, formado pelo endocarpo pétreo, como se vê no pêssego; pireno. [Pl.: *putamens* e (p. us. no Brasil) *putâmenes*.]

putaria [De *puta* ou *puto* + *-aria*.] ***S. f. Chulo* 1.** Comportamento próprio de puto ou de puta. **2.** Porção de putas; putedo, puteiro. **3.** Devassidão, libertinagem, frascarice. **4.** V. *prostíbulo*: "A primeira cousa que faço como chego, é saber o trato todo da terra, quantas putarias tem, quantos covis, quantas alcoviteiras" (Antônio Ferreira, *Obras Completas*, II, pp. 309-310). **5.** *P. ext.* Safadeza, sacanagem, vileza.

putativo [Do lat. *putativu*.] ***Adj.*** Que aparenta ser verdadeiro, legal e certo, sem o ser; suposto, reputado: *pai putativo*. ~ V. *casamento* — e *filho* —.

putauá ***S. m. Bras. Bot.*** V. *pataυá*.

puteação [De *putear* + *-ção*.] ***S. f. Bras. RS Chulo* 1.** Descompostura com palavras obscenas; xingação. **2.** V. *descompostura* (2). [Sin. ger.: *puteada*.]

puteada [De *putear* + *-ada*[1].] ***S. f. Bras. RS*** Puteação.

puteador (ô) [Do esp. plat. *puteador*.] ***Adj. S. m. Bras. RS Chulo*** Que, ou aquele que puteia.

puteal [Do lat. *puteale*.] ***S. m.* 1.** Bocal de poço. **2.** Muro que borda um poço. **3.** Entre os antigos romanos, muro baixo que circundava o lugar considerado sagrado por haver nele caído um raio.

putear [Do esp. plat. *putear*.] ***V. t. d. Bras. RS Chulo*** Descompor com palavras obscenas, em geral ofensivas à mãe da vítima. [Conjug.: v. *frear*.]

putedo (ê) [De *puta* + *-edo*.] ***S. m. Chulo* 1.** V. *prostíbulo*. **2.** V. *putaria* (2).

pútega ***S. f. Bot.*** Planta da família das raflesiáceas (*Cytinus hypocistis*).

puteiro [De *puta* + *-eiro*.] ***S. m.* 1.** *Bras. Chulo* V. *prostíbulo*: "A gente ia aos botecos e aos puteiros não propriamente em busca de embriaguez ou prazer." (Ricardo Gontijo, *Prisioneiro do Círculo*, p. 11.) **2.** *Bras. S. Chulo* V. *putaria* (2).

puti *Bras.* ***S. 2 g.* 1.** *Etnôn.* Indivíduo dos putis [ou (etnôn. bras.) *Puty], povo indígena extinto, que habitava as margens do rio Poti (PI). • ***Adj. 2 g.* 2.** Pertencente ou relativo a esse povo.

putinguense ***Adj. 2 g.* 1.** De, ou pertencente ou relativo a Putinga (RS). • ***S. 2 g.* 2.** O natural ou habitante de Putinga.

putirão ***S. m. Bras. PA*** V. *mutirão* (1).

putirom ***S. m. Bras. PA*** V. *mutirão* (1).

putirum ***S. m. Bras. PA*** V. *mutirão* (1).

puto[1] [Do lat. **puttu*, por *putu*, 'menino'.] ***Adj. Chulo* 1.** *Bras.* Diz-se de homossexual. **2.** *Bras.* Diz-se de indivíduo devasso, corrompido, dissoluto. **3.** *Bras.* V. *danado da vida*. **4.** *Bras.* Seguido de um substantivo (às vezes com intercalação da prep. *de*, seguida de artigo ou contraída com ele), corresponde a uma qualificação depreciativa ou apreciativa de coisa ou pessoa designada pelo substantivo: *Não tinha um puto vintém; Escreveu um puto dum romance; Diabo! o puto do menino foi embora*. • ***S. m.* 5.** *Bras.* Homossexual. **6.** *Bras.* Indivíduo devasso, corrompido, dissoluto. **7.** *Bras. Pop.* V. *dinheiro* (5): "Pensão, pago direitinho, responsável pela mensalidade do colégio mais mesada, ... querendo, não poderia casar de novo: não sobra um puto." (Luís Ruffato, *Eles Eram Muitos Cavalos*, p. 129.) **8.** *Lus. Pop.* Garoto, menino, rapazinho: "Um puto português só por um triz não foi campeão da Europa." (*A Bola*, Lisboa, 26.07.1982.)

puto[2] [Do quimb.] ***S. m. Angol.*** Palavra pouco usual, ou difícil, da língua portuguesa: "eu decorei estes putos alambicados" (José Luandino Vieira, *João Vêncio: os Seus Amores*, p. 90).

▲ **putre-** [Do lat. *putris, e*.] ***El. comp.*** = 'podre': *putrefacto* (< lat.). [Equiv.: *putri-*: *putrificar*.]

putredinosidade [De *putredinoso* + *-(i)dade*.] ***S. f.*** Qualidade ou estado de putredinoso.

putredinoso (ô) [Do lat. *putredine*, 'podridão', + *-oso*.] ***Adj.*** Em que há putrefação.

putrefação [Do lat. *putrefactione*.] ***S. f.* 1.** Decomposição das matérias orgânicas pela ação das enzimas microbianas. **2.** Estado de putrefato; apodrecimento, corrupção: "com o movimento que fez, levantou da cama uma lufada de ar quente e cadaveroso, rescaldo da putrefação em que o corpo se lhe consumia." (Aquilino Ribeiro, *Aventura Maravilhosa*, p. 293).

putrefacção ***S. f.*** V. *putrefação*.

putrefaciente [Do lat. *putrefaciente*.] ***Adj. 2 g.*** Que putrefaz; putrefativo, putrefatório.

putrefactivo ***Adj.*** V. *putrefativo*.

putrefacto ***Adj.*** V. *putrefato*: "Cheiro de carnes putrefactas feriu-lhe logo o olfato agudíssimo" (Franklin Távora, *O Cabeleira*, pp. 141-142).

putrefactório ***Adj.*** V. *putrefatório*.

putrefativo [De *putrefato* + *-ivo*.] ***Adj.*** V. *putrefaciente*.

putrefato [Var. de *putrefacto* < lat. *putrefactu*.] ***Adj.*** Que apodreceu; podre, corrompido, corrupto; putrefeito.

putrefatório [De *putrefato* + *-ório*.] ***Adj.*** V. *putrefaciente*.

putrefazer [De lat. *putrefacere*.] ***V. t. d.* 1.** Tornar podre; corromper, decompor, deteriorar: *A terra putrefaz os cadáveres*. ***Int. P.* 2.** Tornar-se podre (física ou moralmente); corromper-se, deteriorar-se: *A carne putrefez; Os políticos, por vezes, putrefazem-se no poder*. [Sin. ger.: *putrificar*.]

putrefeito [Do lat. *putrefactu*.] ***Adj.*** V. *putrefato*.

putrescência [De *putrescente* + *-ia*[2], seg. o padrão analógico.] ***S. f.*** Estado de putrescente.

putrescente [Do lat. *putrescente*.] ***Adj. 2 g.* 1.** Que está em via de putrefação. **2.** Que principia a putrefazer-se.

putrescibilidade [De *putrescível* + *-(i)dade*, seg. o padrão erudito.] ***S. f.*** Qualidade ou estado de putrescível; putrificabilidade.

putrescina ***S. f. Quím.*** Tetrametilenodiamina, substância encontrada nos tecidos em putrefação [fórm.: $C_4H_{12}N_2$].

putrescível [Do lat. *putrescere*, 'principiar a apodrecer', + *-ível*.] ***Adj. 2 g.*** Que é suscetível de apodrecer ou putrefazer-se; putrificável.

▲ **putri-** Equiv. de *putre-*.

putrião *S. m. Bras. N.E. Zool.* V. *pato-de-crista*: "Se meus ouvidos não mentem, Seu Caçador, é canto de pato-do-mato, também chamado putrião." (Luís Jardim, *Proezas do Menino Jesus*, p. 101.)

pútrido [Do lat. *putridu*.] *Adj.* **1.** Podre, putrefato, corrupto: "Em vez do fruto / Sazonado e maduro, que eu podia / Como em jardim colher, mordi no fruto / Pútrido e amargo e rebuçado em cinzas" (Gonçalves Dias, *Obras Poéticas*, I, p. 78). **2.** Pestilento, pestilente, infetuoso: "Margeando agora vou pútridos charcos." (Alberto de Oliveira, *Poesias*, 2ª série, p. 375.)

putrificabilidade [De *putrificável* + *-(i)dade*, seg. o padrão erudito.] *S. f.* Putrescibilidade.

putrificar [De *putri-* + *-ficar*.] *V. t. d. Int. P.* V. *putrefazer*. [Conjug.: v. *trancar*.]

putrificável [De *putrificar* + *-vel*.] *Adj. 2 g.* Putrescível.

→ **putsch** [putʃ] [Al.] *S. m.* Golpe ou tentativa de golpe para tomada do poder. [Com cap.]

→ **putt** [pʌt] [Ingl.] *S. m. Esport.* No golfe, tacada curta e rasteira dada dentro do *green*, em direção ao buraco.

→ **putter** ['pʌtɚ] [Ingl.] *S. m. Esport.* No golfe, taco usado para tacadas no *green*.

→ **putto** ['putto] [It., 'menino'.] *S. m. Art. Plást.* Figura de menino nu, pequeno e rechonchudo, usada como elemento ornamental na escultura e na pintura, sobretudo na Renascença. [Muito us. no pl.: *putti*.]

putuca *S. 2 g. Bras. PE Pop.* Pessoa azarenta, caipora.

putumuiú-iriribá *S. m. Bot.* V. *araribá*. [Pl.: *putumuiús-iriribás*.]

putumuju [Do tupi.] *S. m. Bras. N.E. a S. Bot.* **1.** V. *araribá*. **2.** V. *araribá-rosa*.

putumuju-amarelo *S. m. Bras. N.E. a S. Bot.* V. *araribá*. [Pl.: *putumujus-amarelos*.]

puvi [Do tupi, poss.] *S. m. Bras. Zool.* V. *vivi*.

puxa¹ *Bras. Adj. 2 g.* **1.** V. *puxa-puxa* (1): *cocada puxa*. ● *S. m.* **2.** *N.* V. *puxa-puxa* (3).

puxa² *Adj. 2 g. S. 2 g. Bras.* V. *puxa-saco*.

puxa³ [De *puxar*.] *S. f. Bras. N.E.* Certa dança popular, espécie de fandango.

puxa⁴ [F. eufemística do esp. *puta*, poss.; *pucha* será melhor grafia, como querem Nascentes e Jucá.] *Interj. Bras.* Exprime espanto, surpresa, impaciência, desapontamento, zanga, etc.; puxa vida; poxa (ô), poça (ô): "— Como o senhor gostava de pimenta, puxa!" (Maria Julieta Drummond de Andrade, *O Valor da Vida*, p. 21); "— Você conhece o hino nacional, criatura? — Puxa, se conheço, Seu Sargento!" (Antônio de Alcântara Machado, *Novelas Paulistanas*, p. 71).

puxá [De *puxar*, em alusão à angústia dos asmáticos.] *S. m. Bras.* V. *asma*.

puxação [De *puxar* + *-ção*.] *S. f.* **1.** *Bras.* Ação de puxar(-se). **2.** *Bras.* Ação ou palavras de puxa-saco; adulação, bajulação, puxada. **3.** *Bras.* V. *asma*. **4.** *Bras. Amaz.* Tração ou condução de madeira pela floresta.

puxacar *Bras. S. 2 g.* **1.** *Etnôn.* Indivíduo dos puxacares, povo indígena extinto, que habitava a região das cabeceiras dos rios Juína e do Corumbiara (MT). ● *Adj. 2 g.* **2.** Pertencente ou relativo a esse povo. [Tb. us. como *s. 2 g. e 2 n.* (com cap.) e *adj. 2 g. e 2 n.*] [Outra f.: *pujucá*.]

puxacase *Bras. S. 2 g.* **1.** *Etnôn.* Indivíduo dos puxacases, povo indígena extinto, que habitava a margem direita do rio Corumbiara (RO). ● *Adj. 2 g.* **2.** Pertencente ou relativo a esse povo. [Tb. us. como *s. 2 g. e 2 n.* (com cap.) e *adj. 2 g. e 2 n.*]

puxada [De *puxar* + *-ada¹*.] *S. f.* **1.** Ato ou efeito de puxar. **2.** A carta que um parceiro joga ao principiar a mão. **3.** *Bras.* Puxão (1). **4.** *Bras.* Esforço enérgico para alcançar algum fim: *Deu uma puxada e conseguiu passar de ano.* **5.** *Bras.* Construção que prolonga o corpo central da casa; puxado, puxadinho. **6.** *Bras.* Caminhada longa e forçada. **7.** *Bras.* Ato de levantar a rede na pesca. **8.** *Bras.* V. *puxação* (2). **9.** *Bras. Fut.* Puxeta.

puxadeira [De *puxar* + *-deira*.] *S. f.* **1.** Aselha, na parte superior dos canos das botas, para puxá-las ao calçar. **2.** Objeto análogo com que se ergue ou puxa qualquer coisa. **3.** *Bras.* Cabo grosso por onde se puxa a rede do xaréu. **4.** *Bras.* V. *puxadoura*.

puxadinho [De *puxado¹* + *-inho¹*, dim. irôn.] *Adj.* **1.** Que se veste com elegância; casquilho, janota. ● *S. m.* **2.** Aquele que se veste com elegância; casquilho, janota. **3.** *Bras.* V. *puxada* (5): "Além de combater bandidos armados, a polícia fez a demolição de barracos e de dezenas de puxadinhos." (Cristiane de Cássia em *O Globo*, 29.01.2009.)

puxado¹ [Part. de *puxar*.] *Adj.* **1.** Esticado, retesado, reteso. **2.** Esmerado ou afetado no trajar ou no falar: "a D. Plácida, ... pequenina, muito puxada, fresca ainda nos seus quarenta anos." (Conde de Ficalho, *Uma Eleição Perdida*, p. 73). **3.** Diz-se de uma iguaria em cujo preparo houve muito apuro: *O molho da carne está muito puxado.* **4.** Diz-se de olho oblíquo, amendoado. **5.** *Fam.* Elevado no preço; caro: *Nem quis ver o apartamento: o aluguel era muito puxado.* **6.** *Bras.* Cansativo, exaustivo: *trabalho puxado.* **7.** *Bras.* Árduo, difícil, custoso: *exame puxado.* **8.** *Bras. PA* Com aspecto doentio; abatido: *Ele está com o rosto puxado.* ● *S. m.* **9.** *Bras.* Puxada (5). **10.** *Bras. N.E.* V. *asma*.

puxado² *S. m. Bras. S.* V. *chico-puxado*.

puxadoira [De *puxar* + o f. de *-doiro¹*.] *S. f.* V. *puxadoura*.

puxador (ô) [De *puxar* + *-dor*.] *S. m.* **1.** Peça de madeira, metal, etc., por onde se puxa para abrir portas, gavetas, portinholas, etc.; puxavante: "a cômoda com puxadores de prata" (Coelho Neto, *Treva*, p. 87). **2.** Aquele que puxa, especialmente em relação a puxar (9). **3.** *Art. Gráf.* Rodo (5). **4.** *Bras. Gír.* Ladrão de automóveis. **5.** *Bras. Gír.* Indivíduo que fuma maconha; maconheiro.

puxadoura [De *puxar* + o f. de *-douro¹*.] *S. f.* Peça de serralheiros, para puxar rebites; puxadeira. [Var.: *puxadoira*.]

puxa-encolhe [De *puxar* + *encolher*.] *S. m. 2 n. Bras. CE Pop.* Indecisão irritante; chove não molha.

puxamento [De *puxar* + *-mento*.] *S. m.* **1.** Ato de puxar. **2.** *Bras. MA* V. *asma*.

puxante [De *puxar* + *-nte*.] *Adj. 2 g.* **1.** Que puxa; puxativo. **2.** *Fig.* Picante, estimulante, acirrante, puxavante, puxativo.

puxão [De *puxar* + *-ão³*.] *S. m.* **1.** Ato ou efeito de puxar com força; puxada. **2.** Repelão, empuxão, sacão.

puxão de orelha *S. m.* **1.** Ação de puxar ou torcer a orelha de alguém, com o fim de repreendê-lo. **2.** V. *repreensão* (1). [Pl.: *puxões de orelha*.]

puxa-puxa [Da 3ª pess. sing. do pres. ind. de *puxar* repetida.] *Adj. 2 g. Bras.* **1.** Diz-se do doce ou da bala de consistência elástica e grudenta. ● *S. m.* **2.** Doce ou bala puxa-puxa. [Sin., no N.E.: *quebra-queixo*.] **3.** Espécie de alfêloa. [F. red., nas acepç. 1 e 3: *puxa*. Pl.: *puxa-puxas* e *puxas-puxas*.]

puxar [Do lat. *pulsare*, 'impelir', por via pop.] *V. t. d.* **1.** Atrair ou deslocar para si: *Puxou a cadeira e sentou-se.* **2.** Mover após si; exercer tração em; arrastar: *Os cavalos puxaram o corpo do mártir.* **3.** Fazer sair à força, tirar, arrancar: *Puxou a rolha da garrafa.* **4.** Fazer esforços para arrancar: *Puxou o prego inutilmente.* **5.** Tornar tenso ou retesado; esticar, estirar, retesar: *puxar um cordão.* **6.** Tirar e empunhar; sacar: *puxar um revólver, uma espada; Puxou uma nota de 100.* **7.** Provocar o desencadeamento de; provocar: "Nessa noite ele dormiu na redação e o secretário puxou conversa, anotou coisas, tirou fotografias." (M. Cavalcanti Proença, *Manuscrito Holandês*, p. 163.) **8.** Ser causa ou motivo de; causar, motivar: *A vida desregrada puxou a doença e morte do infeliz.* **9.** Começar (música, reza, etc.) para que outros acompanhem: "Quando Padre Angelim .... se ausentava, ele puxava o terço na igreja." (Moreira Campos, *O Puxador de Terço*, p. 6.) **10.** Forçar ou facilitar a manifestação de; provocar: *O seu todo capitoso puxa a sensualidade.* **11.** Incitar, instigar, estimular: *As esporadas puxam a cavalgadura.* **12.** Fazer aparecer; avivar: *A fricção com flanela puxa o brilho da prataria.* **13.** Conchegar, ajeitar, compor (as vestes). **14.** Consumir, gastar: *Aparelho de ar condicionado puxa muita energia.* **15.** Deixar ferver bem (um molho, ou um guisado). **16.** *Pop.* Excitar a vontade de beber: *Os salgadinhos puxam a cerveja.* **17.** *Fam.* Trazer consigo a necessidade de; pedir, exigir: *Casa nova puxa automóvel novo.* **18.** *Bras. Gír.* Roubar (automóveis). **19.** *Bras. Gír.* Adular, bajular, incensar. **20.** *Bras. MG* Tomar para si uma porção de (comida ou bebida); servir-se de. **21.** *Bras. Gír.* Fumar (maconha); queimar: *Vive puxando fumo.* **22.** Jogar na mesa (carta de baralho). *T. i.* **23.** Ter vocação, pendor; inclinar-se, tender: *O menino puxa para engenheiro*; "Não era ambicioso, e mais puxava para a quietação que para o movimento." (Machado de Assis, *Relíquias de Casa Velha*, p. 52). **24.** Atrair, inclinar, trazer: *A raça puxa para os semelhantes.* **25.** Mostrar preferência por; inclinar-se: "Cumpria com sua obrigação, apertava os homens no trabalho .... puxava pela fazenda é bem verdade, mas afinal não era para isso que ele era o capataz?" (Jorge Amado, *Seara Vermelha*, p. 18.) **26.** Exercer qualquer tração: *Os burros puxam pela carroça.* **27.** Tocar, falar (num assunto): *Não puxe pela sua doença: ele não gosta de falar nisso.* **28.** Fazer exigência(s): *Se não puxarem pelo contrato, haverá demora.* **29.** Aumentar; ampliar: *O vendedor puxou no preço dos alimentos.* **30.** *Fot.* Aumentar o tempo de revelação normal de (um filme) de forma a compensar a sua pouca sensibilização no ato de fotografar. **31.** *Bras.* Herdar qualidades de (antecedentes); sair semelhante: *O pequeno puxou mais ao pai do que à mãe*; "Você puxou pela família dele, tudo anão de cara redonda" (Lígia Fagundes Teles, *Filhos Pródigos*, p. 12). *T. c.* **32.** *Bras.* Transportar (coisas em quantidade vultosa): *Este caminhão puxa 10 toneladas.* *Int.* **33.** Custar muito; ser caro. **34.** Fazer instâncias; pedir com insistência: *Não adianta puxar: o secretário não pode resolver nada.* **35.** Esforçar-se por dejetar. **36.** *Bras.* Sofrer ou sentir as manifestações do puxado ou asma. **37.** *Bras. Gír.* Fumar maconha; puxar fumo. **38.** *Bras. Chulo* Usar de puxa-saquismo; ser puxa-saco; adular de maneira vil. **39.** Achar-se embriagado, bêbedo. [Sin., nesta acepç. (no N.E.): *puxar fogo*.] **40.** *Bras. PR* Curvar-se ou torcer-se (a madeira) em conseqüência de umidade ou calor; empenar. *P.* **41.** *Fam.* Esmerar-se muito no trajar: *O casquilho puxa-se.* [Pres. ind.: *puxo*, etc. Cf. *pucho*.]

puxa-saco [De *puxar* + *saco*.] *Adj. 2 g. S. 2 g. Bras. Gír.* V. *bajulador* (1 e 2). [F. paral.: *puxa-sacos*. F. red.: *puxa*. Pl.: *puxa-sacos*.]

puxa-sacos *Adj. 2 g. e 2 n. S. 2 g. e 2 n. Bras. Gír.* V. *puxa-saco*.

puxa-saquismo [De *puxa-saco* + *-ismo*.] *S. m. Bras. Gír.* Qualidade, ação ou modos de puxa-saco(s). [Pl.: *puxa-saquismos*.]

puxativo [De *puxar* + *-tivo*.] *Adj.* V. *puxante*.

puxavante [De *puxar* + *avante*.] *Adj. 2 g. Pop.* **1.** Que desperta vontade de beber; picante, puxante: *O vatapá estava puxavante.* ● *S. m.* **2.** Instrumento com que o ferrador apara os cascos dos animais antes de os ferrar; renete. **3.** Ferramenta com que o calafate retira a estopa velha das costuras da embarcação. **4.** Comida puxavante (1). **5.** *Bras.* Puxador (1). **6.** *Bras.* Pedal articulado com a manivela de um torno, de um rebolo, etc. **7.** *Bras.* Barra de aço horizontal, que transmite o movimento retilíneo alternativo do êmbolo à manivela da roda motriz das locomotivas, transformando-o em circular. **8.** *Bras.* Puxavão. **9.** *Bras. PE* Amante² (6).

puxavão [De *puxar*.] *S. m. Bras.* Grande puxão; empuxão, puxavante: "Corri para a tia e ela me deu um puxavão: — 'Deixa de besteira, menino!'" (José Lins do Rego, *Meus Verdes Anos*, p. 154.)

puxa-verão [De *puxar* + *verão*.] *S. m. Bras. PA Zool.* V. *polícia-inglesa* (1). [Pl.: *puxa-verões*.]

puxa-vista [De *puxar* + *vista*.] *S. m.* **1.** Aquilo que chama a atenção, que puxa pela vista. ● *S. 2 g.* **2.** Indivíduo que leva cartazes pela rua, atraindo a atenção do público. [Pl.: *puxa-vistas*.]

puxe [Da 3ª pess. sing. do pres. ind. de *puxar*.] *Interj. Bras.* Vá-se embora; suma-se.

puxeira [De *puxá* + *-eira*.] *S. f. Bras. Pop.* **1.** Defluxo, coriza. **2.** V. *asma*.

puxeta (ê) [De *puxar*.] *S. f. Bras. Fut.* Jogada individual, que consiste em o jogador chutar a bola para trás, com o peito do pé, por cima da própria cabeça; puxada.

puxicaraim (a-ím) [Do tupi.] *S. m. Bras. MG SP Zool.* V. *bico-de-pimenta*.

puxinanãense *Adj. 2 g.* **1.** De, ou pertencente ou relativo a Puxinanã (PB). ● *S. 2 g.* **2.** O natural ou habitante de Puxinanã.

puxirão *S. m. Bras. RS* V. *mutirão* (1).

puxiri [Var. de *pituri*, com metátese e palatalização.] *S. m. Bras.* V. *pixurim*.

puxirum *S. m. Bras. PA* V. *mutirão* (1).

puxo [Dev. de *puxar*.] *S. m.* **1.** Dor no ânus, que acompanha ou antecede uma evacuação difícil; tenesmo. **2.** Contratura por irritação. **3.** Esforço que a parturiente faz para dar à luz. [Cf. *pucho*.]

puxuri [Var. de *pixuri*.] *S. m. Bras. Bot.* V. *pixurim*.

→ **puzzle** ['pʌzəl] [Ingl.] *S. m.* **1.** Quebra-cabeça (4). **2.** *Fig.* Qualquer problema cuja solução exige trabalho de paciência.

■ **PVC** [Sigla do ingl. *polyvinyl chloride*.] *Quím.* Policloreto de vinila.

■ **Pz** *Fís.* Símb. de *piezo*.

Aurélio estudava e trabalhava o tempo todo. Às vezes, levantava-se no meio da noite para trabalhar. Mas não esquecia seus amigos queridos, como Osvaldo Goutier Vilhena e

Emer e Fátima de Melo Vasconcelos, para os quais sempre tinha tempo. (Foto de 1973, com D. Marina.)

q (quê) *S. m.* **1.** A 17ª letra do nosso alfabeto. [Representa a consoante oclusiva velar surda. Grafa-se sempre seguida de *u*, em português.] **2.** A figura dessa letra, ou qualquer representação sua: *Um Q estampado na camiseta.* **3.** O som representado por essa letra. • *Num.* **4.** Décimo sexto, numa série ordenada ou hierárquica cujos elementos são designados ou representados pelas letras do alfabeto, sem considerar o *k* como 11º elemento: *item Q* (ou *item q*). **5.** Décimo sétimo, numa série em que o 11º elemento é designado ou representado pela letra *k*. [Pl. (nas acepçs. 1 a 3) indicado graficamente pela duplicação da letra: *qq*.]

■ **q** Abrev. de *quintal*[2].

■ **Q** **1.** Símb. de *fator de qualidade* (q. v.). **2.** *Fís.* Símb. da quantidade de calor em um sistema. **3.** *Mat.* Símb. do conjunto dos números racionais (v. *número racional*).

qatariano *Adj. S. m.* V. *catariano.*

➔ **q-bit** [kjuw bɪt] [Ingl.] *S. m. Inform.* Sigla de bit *quântico.*

■ **Q.G.** Sigla de *quartel-general.*

■ **Q.I.** Sigla de *quociente de inteligência.*

■ **q.s.** Abrev. de *quantum satis.*

■ **qt** Abrev. de *quart* [v. *quarta*[1] (3)].

quacre [Do ingl. *quaker.*] *S. m.* Membro de uma seita protestante (*Sociedade de Amigos*) fundada na Inglaterra, no séc. XVII, e difundida principalmente nos E.U.A. Os quacres não admitem sacramento algum, não prestam juramento perante a justiça, não pegam em armas, nem aceitam hierarquia eclesiástica.

quacriano [De *quacre* + *-iano.*] *S. m.* Pertencente ou relativo aos quacres.

▲ **-quad-** [Do lat. *quadrus* (v. *quadr(i)-*).] *Quím. El. comp.* Designa, na nomenclatura sistemática dos elementos transférmicos (q. v.), a presença do dígito 4 no número atômico do elemento. Ex.: *unilquádio.*

quaderna [Do lat. *quaterna*, 'em número de quatro'.] *S. f.* **1.** *Heráld.* O conjunto de quatro peças dispostas em quadrado, ger. em forma decrescente e simetricamente dispostas; caderna, lunel: "vinham os bacios de prata que tinham servido a todas as avós, com o quartel das armas do Reino e a quaderna de crescentes dos Sousas" (Júlio Dantas, *O Amor em Portugal no Século XVIII*, p. 200). **2.** Face do dado que apresenta quatro pontos. ~ V. *quadernas.*

quadernado [De *quaderna* + *-ado*[1].] *Adj. Bot.* Diz-se das folhas ou flores dispostas quatro a quatro na haste da planta.

quadernal *S. m. Ant. Marinh.* Cadernal.

quadernas [Pl. de *quaderna.*] *S. f. pl.* Os quatro pontos de uma face dos dados. ~ V. *quaderna.*

quado *S. m.* **1.** Indivíduo dos quados, antigo povo germânico das margens do Danúbio. • *Adj.* **2.** Pertencente ou relativo a esse povo.

quadra [Do lat. *quadra.*] *S. f.* **1.** Compartimento com a forma aproximada de um quadrilátero. **2.** Divisão de terreno com essa forma. **3.** Série de quatro, em certos jogos. **4.** *Arte Poét.* Estrofe de quatro versos. [Sin., nesta acepç.: *quarteto* (m. us. com relação aos sonetos) e *copla.*] **5.** O lado de um quadrado. **6.** *Fig.* Período, época, tempo; fase. **7.** *Bras.* A distância entre uma esquina e outra do mesmo lado de uma rua. **8.** *P. ext.* Quarteirão (3). **9.** *Bras.* Campo de esportes especialmente para tênis, voleibol, basquetebol, etc. **10.** *Bras. N.* Medida agrária equivalente ao alqueire (2) de 48,400m^2. **11.** *Bras.* Antiga unidade de medida de comprimento, equivalente a 60 braças, *i. e.*, 132m. **12.** *Bras. S.* Medida de superfície, com 17.424m; quadra quadrada. **13.** *Bras. S.* Medida de superfície, equivalente a 50 quadras quadradas; quadra de sesmaria. **14.** *Bras. RS* Extensão de 132m, tomada por base para as carreiras de parelheiros; quadra de carreira. **15.** *Bras.* V. *loto*[2]. ◆ **Quadra de carreira.** *Bras. RS* Quadra (14). **Quadra de sesmaria.** Quadra (13). **Quadra do ano.** V. *estação* (7). **Quadra quadrada.** Quadra (12).

quadradão [De *quadrado* + *-ão*[1].] *Bras. Gír. Adj. S. m.* V. *quadrado* (5 e 11).

quadrado [Do lat. *quadratu.*] *Adj.* **1.** Que tem a forma de quadrado (6). **2.** Diz-se de pessoa baixa, atarracada. **3.** Que tem forma quadrangular. **4.** De inteligência muito limitada; atrasado, rude, burro. **5.** *Bras. Gír.* Que é muito preso aos padrões tradicionais; que não aceita inovações; careta, cocoroca, quadradão. ~ V. *alfabeto hebraico —, braça —a, matriz —a, metro —, onda —a, pirâmide —a, polegada —a, quadra —a, raiz —a,* e *variável qui —.* • *S. m.* **6.** *Geom.* Quadrilátero cujos lados são iguais entre si e cujos ângulos são retos; quadrilátero regular. **7.** *Mat.* O produto de uma quantidade por si mesma. **8.** *Tip.* Material branco (q. v.) de corpo variável e largura, em geral, de dois a quatro cíceros, usado para formar linhas brancas ou completar linhas quebradas. **9.** Qualquer coisa que tem forma quadrada ou quadrangular. **10.** *Zool.* Osso ou estrutura cartilaginosa do crânio, que une o maxilar superior ao inferior, nos peixes, anfíbios, reptis e aves. **11.** *Bras.* Nas antigas fazendas, o conjunto das habitações dos escravos. **12.** *Bras.* Indivíduo quadrado (5); careta, cocoroca, quadradão. **13.** *Bras. SP* Carro quadrangular, rústico, empregado unicamente no transporte de toras ou de madeira em bruto. **14.** *Bras. SP* V. *papagaio* (5). ◆ **Quadrado mágico.** *Mat.* Matriz numérica quadrada em que são iguais as somas dos números de cada fila, de cada coluna e de cada diagonal. **Quadrado perfeito.** *Mat.* Inteiro que é o quadrado de outro. **Aos quadrados.** *Lus.* Xadrez (8): *saia de linho aos quadrados.*

quadrador (ô) [Do lat. *quadratore.*] *Adj. S. m.* **1.** Que, ou aquele que estabelece a área de um terreno. **2.** Que, ou aquele que dá forma quadrada a certos objetos.

quadradura [Do lat. *quadratura*, por via semierudita.] *S. f.* Quadratura[1].

quadrafonia [Do lat. *quadra* + *-fon(o)-* + *-ia*[1].] *S. f. Son.* V. *quadrifonia.*

quadrafónico *Adj.* V. *quadrafônico.* [Uso freq. em P.]

quadrafônico [De *quadrafonia* + *-ico*[2].] *Adj. Son.* V. *quadrifônico.*

quadragenário [Do lat. *quadragenariu.*] *Adj. S. m.* **1.** Que, ou aquilo que abrange 40 unidades. **2.** Que, ou aquele que está na casa dos 40 anos de idade; quarentão: "Era quadragenária, magra e pálida" (Machado de Assis, *Dom Casmurro*, p. 63).

quadragésima [Do lat. *quadragesima.*] *S. f.* **1.** Período de 40 dias. **2.** *Desus.* Quaresma[1] (1).

quadragesimal [De *quadragésima* + *-al*[1].] *Adj. 2 g.* Respeitante a quadragésima (q. v.).

quadragésimo [Do lat. *quadragesimu.*] *Num.* **1.** Ordinal e fracionário correspondente a quarenta: *Acaba de sair o quadragésimo volume da enciclopédia; Tocou-lhe a quadragésima parte dos bens do bilionário.* • *S. m.* **2.** A quadragésima parte. **3.** Aquele ou aquilo que ocupa o quadragésimo lugar.

quadrangulado [Do lat. *quadrangulatu.*] *Adj.* Quadrangular.

quadrangular [Do lat. *quadrangulare.*] *Adj. 2 g.* Que tem quatro ângulos; quadrangulado: "resiste .... o paço onde nasceu el-rei D. Duarte, uma torre quadrangular, pintada a ocra" (José Vieira, *Sol de Portugal*, p. 64).

quadrângulo [Do lat. *quadrangulu.*] *S. m. Geom.* Figura com quatro ângulos.

quadrantal [Do lat. *quadrantale.*] *Adj. 2 g.* **1.** *Ant.* Que é quadrado em suas quatro faces, como, p. ex., o dado. **2.** *Ant.* Diz-se da fortificação cuja defesa era proporcional à quarta parte do alcance do canhão.

quadrante [Do lat. *quadrante.*] *S. m.* **1.** *Geom.* Qualquer das quatro partes centradas em que se pode dividir igualmente um círculo. **2.** *Ant. Náut.* Instrumento semelhante ao sextante (2), mas cujo setor abrange apenas um quarto de círculo, ou 90°. [Cf. *sextante* (2).] **3.** Mostrador de relógio. **4.** *Pop.* A quarta parte da esfera. **5.** *P. ext.* Região do globo terrestre. **6.** Ramo ou esfera de atividade; terreno, setor: "Em todos os quadrantes — na arte, na metafísica, até na medicina (com a psicanálise) — a reação consistiria na volta ao primordial, no apelo ao instintivo." (Walter Benevides, *Sobre Raul de Leoni*, p. 19.) ◆ **Quadrante solar.** *Astr.* Qualquer dos instrumentos empregados para obter a hora solar verdadeira, e que utilizam a modificação da posição da sombra durante o dia.

quadrantídeo [De *quadrante* + *-ídeo*^{1}.] ***S. m.*** *Astr.* Meteoro pertencente à chuva cujo radiante se localiza ao N. da constelação da Coroa Boreal.

quadrão [De *quadra* + *-ão*^{1}.] ***S. m.*** *Bras. AL Liter. Pop.* Oitava de poesia popular, cantada, na qual os três primeiros versos rimam entre si, o quarto com o oitavo, e o quinto, o sexto e o sétimo também entre si.

quadrão de oito ***S. m. 2 n.*** *Bras.* V. *oito pés em quadrão.* [Pl.: *quadrões de oito.*]

quadrar [Do lat. *quadrare.*] ***V. t. d.*** **1.** Dar forma quadrada a. **2.** *Bras. S.* Dar certa postura a (o corpo), distendendo o tórax e erguendo os ombros; perfilar-se. ***T. i.*** **3.** Ser conveniente; agradar, convir: *Faz apenas o que lhe quadra.* **4.** Adaptar-se, ajustar-se, amoldar-se: *A sagacidade quadra às coisas políticas.* ***Int.*** **5.** Ser satisfatório, conveniente; convir: *Fecharia o negócio se a proposta quadrasse.* **6.** *Taur.* Perfilar-se diante do touro para colocar bandarilhas. ***P.*** **7.** Quadrar (2): "Badu mal pôde quadrar-se, em guarda" (João Guimarães Rosa, *Sagarana*, p. 274).

quadrarão [De *quadrum* (ingl. *quadroon*).] ***Adj. S. m.*** Diz-se de, ou aquele que tem um quarto de sangue negro; quadrum, quarterão. [Fem.: *quadrarona.*]

quadrarona ***S. f.*** Fem. de *quadrarão.*

▲ **quadrat(i)-** [Do lat. *quadrāti,* gen. do lat. *quadrātus, a, um.*] ***El. comp.*** = 'quadrado': *quadrático, quadratífero.*

quadrática [F. subst. de *quadrático.*] ***S. f.*** *Geom.* V. *curva quadrática.*

quadrático [De *quadrat(i)-* + *-ico*^{2}.] ***Adj.*** **1.** Referente ao quadrado. **2.** *Mat.* Referente a, ou próprio de uma expressão do segundo grau. ~ V. *afastamento — médio, afastamento — médio da média, curva —a, equação —a, média —a, sistema —* e *superfície —a.*

quadratífero [De *quadrat(i)-* + *-fero.*] ***Adj.*** Que tem facetas quadradas.

quadratim [Do it. *quadratino.*] ***S. m.*** *Tip.* **1.** Espaço de grossura igual ao corpo a que pertence, usado sobretudo para recolher parágrafo, e em geral tomado como base para o cálculo da remuneração do compositor tarefeiro. [V. *compor a quadratim* e *eme.*] **2.** Medida correspondente ao número de pontos de um quadratim. ◆ **Compor a quadratim.** *Tip.* Compor com remuneração à base do milheiro de quadratins, de acordo com os preços estipulados para cada corpo.

quadratriz [Do lat. **quadratrice,* fem. de *quadrator,* 'quadrador'.] ***Adj. (f.) S. f.*** *Geom.* Diz-se de, ou curva que serve para resolver aproximadamente o problema da quadratura do círculo e da trissecção do ângulo.

quadratura^{1} [Do lat. *quadratura.*] ***S. f.*** **1.** *Geom.* Operação em que se calcula ou estima a área de uma configuração. **2.** *Astr.* Configuração de dois astros quando a diferença de suas longitudes celestes é de 90°. **3.** *Mús.* Processo de organizar a melodia por número par de frases, todas de tamanho igual. [F. paral.: *quadradura.*] ◆ **Quadratura do círculo.** *Geom.* Cálculo ou operação que visa a encontrar a área de um círculo. **Primeira quadratura.** *Astr.* V. *quarto crescente.* **Segunda quadratura.** *Astr.* V. *quarto minguante.*

quadratura^{2} [De *quadrar* (1) + *-tura.*] ***S. f.*** Pintura de ornatos arquitetônicos.

quadraturista [De *quadratura*^{2} + *-ista.*] ***S. 2 g.*** Pessoa que pinta quadraturas.

quadrela [De *quadra* ou *quadro* + *-ela.*] ***S. f.*** **1.** Lanço de qualquer edifício ou construção. **2.** Muro; parede: "rompe por entre as cimitarras que lhe decepam as duas mãos, e surde na quadrela da torre albarrã, com os dous pulsos a esguichar sangue" (Eça de Queirós, *A Ilustre Casa de Ramires*, p. 8).

quadrelo [De *quadra* ou *quadro* + *-elo.*] ***S. m.*** *Ant.* Seta de quatro faces, que se atirava com a besta.

▲ **quadr(i)-** [Do lat. *quadri-* < lat. *quadrus, a, um* < lat. *quattuor.*] ***El. comp.*** = 'quatro': *quadrilobado, quadrissulco* (< lat.), *quadrivalve.* [Equiv.: *quadro-, quadru-*: *quadroplegia, quadrúpede* (< lat.), *quadrupolo.*]

quadriaceleração [De *quadr(i)-* + *aceleração.*] ***S. f.*** *Fís.* Quadrivetor cujos componentes são as derivadas da quadrivelocidade em relação ao elemento de linha de universo.

quadrialado [De *quadr(i)-* + *alado.*] ***Adj.*** Que tem quatro asas.

quádrica [De *quadr(i)-* + *-ica.*] ***S. f.*** *Geom.* Lugar geométrico dos pontos do espaço que obedecem a uma equação do segundo grau nas três coordenadas cartesianas; conicoide.

quadricapsular [De *quadr(i)-* + *capsular.*] ***Adj. 2 g.*** *Bot.* Que tem quatro cápsulas.

quádriceps [Do lat. quadriceps.] ***Adj. 2 g. e 2 n. S. m. 2 n.*** *Anat.* Quadricípite.

quadriciclo [De *quadr(i)-* + *-ciclo.*] ***S. m.*** **1.** Veículo infantil, semelhante ao triciclo, com quatro rodas. **2.** Veículo leve, motorizado, aberto, montado sobre quatro rodas.

quadricipital [De *quadricípite* + *-al*^{1}.] ***Adj. 2 g.*** *Anat.* Relativo ao quadricípite.

quadricípite [Do lat. tard. *quadricipite.*] ***Adj. 2 g. S. m.*** *Anat.* Diz-se de, ou músculo da coxa, o qual, superiormente, tem quatro feixes de inserção distintos, que se fixam, inferiormente, na patela homolateral, mediante tendão comum; quádriceps.

quádrico [De *quadr(i)-* + *-ico*^{2}.] ***Adj.*** ~ V. *cone —* e *superfície —a.*

quadricolor (ô) [Do lat. *quadricolore.*] ***Adj. 2 g.*** Que tem quatro cores.

quadricórneo [De *quadr(i)-* + *-corn(i)-* + *-eo.*] ***Adj.*** *Zool.* Que tem quatro antenas ou cornos.

quadricromia [De *quadr(i)-* + *-crom(o)-* + *-ia*^{1}.] ***S. f.*** *Fotograv.* **1.** Tricromia (q. v.) a que se junta um quarto clichê para reprodução do preto ou do cinza; tetracromia. **2.** Estampa obtida por esse processo.

quadrícula [De *quadra* + *-i-* + *-cula.*] ***S. f.*** **1.** Pequena quadra. **2.** Pequeno quadrado ou retângulo. [F. paral.: *quadrículo.* Cf. *quadricula,* do v. *quadricular.*]

quadriculado [Part. de *quadricular*^{2} (2).] ***Adj.*** Dividido em quadrículas [v. *quadrícula* (2)]; quadricular, quadrilhado: "guerreiros orgulhosos, envoltos nos seus *plaids* quadriculados e heráldicos" (Gustavo Barroso, *Livro dos Milagres*, p. 19). ~ V. *papel —.*

quadricular^{1} [De *quadrícula* + *-ar*^{1}.] ***Adj. 2 g.*** V. *quadriculado.*

quadricular^{2} [De *quadrícula* + *-ar*^{2}.] ***V. t. d.*** **1.** Dar forma de quadrícula a. **2.** Dividir em quadrículas. [Pres. ind.: *quadriculo, quadriculas, quadricula,* etc. Cf. *quadrículo* e *quadrícula.*]

quadrículo [De *quadra* + *-i-* + *-culo.*] ***S. m.*** Quadrícula. [Cf. *quadriculo,* do v. *quadricular.*]

quadricúspide [De *quadr(i)-* + *-cúspide.*] ***Adj. 2 g.*** Que tem quatro pontas agudas.

quadridentado [De *quadr(i)-* + *-dent(i)-* + *-ado*^{1}.] ***Adj.*** Que tem quatro dentes.

quadridigitado [De *quadr(i)-* + *-digit(i)-* + *-ado*^{1}.] ***Adj.*** Que tem quatro dedos ou digitações.

quadridimensional [De *quadr(i)-* + *dimensão* + *-al*^{1}, seg. o padrão erudito.] ***Adj. 2 g.*** Que tem quatro dimensões. [Var. haplológica: *quadrimensional.*]

quadrienal [Do lat. *quadriennale.*] ***Adj. 2 g.*** **1.** Que aparece, acontece ou se efetua de quatro em quatro anos. **2.** Realizável ou executável num quadriênio: *plano quadrienal.*

quadriénio ***S. m.*** V. *quadriênio.* [Uso freq. em P.]

quadriênio [Do lat. *quadrienniu.*] ***S. m.*** Período de quatro anos. [Var.: *quatriênio.*]

quadrifendido [De *quadr(i)-* + *fendido.*] ***Adj.*** V. *quadrífido.*

quadrífido [De lat. *quadrifidu.*] ***Adj.*** **1.** Fendido em quatro partes iguais. **2.** Fendido em quatro partes. **3.** Que tem quatro profundas divisões. [Sin. ger.: *quadrifendido, quadripartido, quadripartito.*]

quadriflóreo [De *quadr(i)-* + *-flor(i)-* + *-eo.*] ***Adj.*** *Bot.* Cujas flores se acham dispostas quatro a quatro.

quadrifoliado [De *quadr(i)-* + *-foli-* + *-ado*^{1}.] ***Adj.*** *Bot.* Que tem quatro folíolos.

quadrifólio [De *quadr(i)-* + *-fólio.*] ***Adj.*** **1.** *Bot.* Que tem quatro folhas. **2.** Cujas folhas estão dispostas quatro a quatro. **3.** *Mat.* Podária da astroide em relação a um ponto sobre o segmento de reta que liga duas cúspides opostas. ● ***S. m.*** **4.** *Bras. Bot.* Subarbusto fabáceo (*Zornia tenuifolia*) rizomatoso, que vai a 30cm e vive nos campos arenosos. Tem folhas com quatro folíolos obovados, ou mesmo lineares e obtusos, flores amarelas, pequenas, reunidas em racemos delgados e numerosos, e legume articulado e glanduloso.

quadrifonia [De *quadr(i)-* + *-fon(o)-* + *-ia*^{1}] ***S. f.*** *Son.* Sistema de gravação e reprodução sonoras, que se vale de quatro canais para a distribuição do som; quadrafonia, tetrafonia.

quadrifônico [De *quadrifonia* + *-ico*^{2}.] ***Adj.*** *Son.* De, ou relativo a quadrifonia; quadrafônico, tetrafônico.

quadrifonte [De *quadr(i)-* + *fonte.*] ***Adj. 2 g.*** *Poét.* Que tem quatro fontes. [Cf. *quadrifronte.*]

quadriforme [Do lat. *quadriforme.*] ***Adj. 2 g.*** Que apresenta quatro formas.

quadrifronte [Do lat. *quadrifronte.*] ***Adj. 2 g.*** *Poét.* Que tem quatro frontes ou faces. [Cf. *quadrifonte.*]

quadrifurcado [De *quadr(i)-* + lat. *furca,* 'forca', + *-ado*^{1}.] ***Adj.*** Que tem quatro ramos.

quadriga [Do lat. *quadriga.*] ***S. f.*** **1.** Conjunto de quatro cavalos que puxam um carro. **2.** Carro tirado por quatro cavalos: "destacavam-se no tecto figuras mitológicas: a Aurora, toda púrpura, em áurea quadriga tirada por corcéis brancos pinoteando sobre nuvens; Vênus, seminua ....; Orfeu puxando da flauta quérulas endechas" (Afonso Arinos, *Pelo Sertão*, p. 140).

quadrigário [Do lat. *quadrigariu.*] ***S. m.*** Condutor de quadriga.

quadrigato [Do lat. *quadrigatu.*] ***S. m.*** Moeda romana que tinha por cunho uma quadriga (2).

quadrigémeo ***Adj. S. m.*** V. *quadrigêmeo.* [Uso freq. em P.]

quadrigêmeo [Do lat. *quadrigeminu.*] ***Adj.*** **1.** Referente a cada um dos quatro irmãos gêmeos, ou a todos eles; quadrigêmino. ~ V. *tubérculos —os.* ● ***S. m.*** **2.** Cada um de quatro irmãos gêmeos; quádruplo.

quadrigeminado [De *quadr(i)-* + *geminado.*] ***Adj.*** *Bot.* Diz-se dos órgãos vegetais dispostos no mesmo nível, quatro a quatro.

quadrigémino ***Adj.*** V. *quadrigêmino.* [Uso freq. em P.]

quadrigêmino [Do lat. *quadrigeminu.*] ***Adj.*** Quadrigêmeo (1).

quadrigúmeo [De *quadr(i)-* + *gume* + *-eo.*] ***Adj.*** Que tem quatro gumes.

quadrijugado [De *quadr(i)-* + lat. *jugatus,* 'ligado'.] ***Adj.*** *Bot.* Que tem quatro pares de folíolos opostos.

quadríjugo [Do lat. *quadrijugu.*] ***Adj.*** *Poét.* Puxado por quatro cavalos.

quadril [De or. incerta; poss. da f. **cadril,* f. sincopada de *cadeiril,* 'da cadeira' (osso).] ***S. m.*** **1.** *Anat.* Cada uma de duas regiões, uma de cada lado da pelve, em que se situa cada articulação de fêmur com ilíaco; anca. **2.** *Bras.* Alcatra (de gado).

quadrilateral [De *quadrilátero* + *-al*^{1}.] ***Adj. 2 g.*** Que tem quatro lados; quadrilátero.

quadrilátero [Do lat. *quadrilateru.*] ***Adj.*** **1.** Quadrilateral. ● ***S. m.*** **2.** Polígono de quatro lados. **3.** *Mil.* Espaço quadrangular fortificado. ◆ **Quadrilátero regular.** *Geom.* Quadrado (6).

quadrilha [Do esp. *cuadrilla.*] ***S. f.*** **1.** Turma de quatro ou mais cavaleiros, dispostos para o jogo das canas (2). **2.** Bando de ladrões, assaltantes ou malfeitores: "Quadrilhas assaltando as quintas mais bonitas" (Cesário Verde, *Obra Completa*, p. 97). **3.** Contradança de salão, de origem francesa, muito em voga no séc. XIX, e de caráter alegre e movimentado, na qual tomam parte diversos pares. [Cf. *lanceiros.*] **4.** *Mús.* A música que acompanha essa contradança. **5.** Espécie de quadrilha (3) dançada esp. no interior do Brasil por ocasião das festas juninas. **6.** *Pop.* Súcia, corja. **7.** *Bras. RS* Grupo de cavalos de pelos diferentes que acompanha a égua madrinha. ◆ **Quadrilha de cães.** Matilha (1).

quadrilhado [De *quadra* + *-ilh(o)-* + *-ado*^{1}.] ***Adj.*** V. *quadriculado.*

quadrilheiro [Do esp. *cuadrillero.*] ***S. m.*** **1.** Indivíduo que faz parte de quadrilha. **2.** *Ant.* Membro de quadrilha de guerreiros ou de jogadores das canas (2) (q. v.). **3.** V. *beleguim*: "O corregedor .... mandou dous quadrilheiros agarrar o espectador desgostoso, e metê-lo no Limoeiro." (Camilo Castelo Branco, *Noites de Insônia*, I, p. 10.) **4.** *Bras. RS* Animal que faz parte de quadrilha (6).

quadrilingue ***Adj. 2 g.*** V. *quadrilíngue.* [Uso freq. em P.]

quadrilíngue (güe) [De *quadr(i)-* + *-língue.*] ***Adj. 2 g.*** **1.** Que tem quatro línguas. **2.** Que fala quatro línguas. **3.** Escrito em quatro línguas. [Var. lus.: *quadrilingue.*] ❖

quadrilobado [De *quadr(i)-* + *lobado.*] ***Adj.*** Quadrilobulado.

quadrilobulado [De *quadr(i)-* + *lobulado.*] ***Adj.*** Que tem quatro lóbulos; quadrilobado.

quadrilóbulo [De *quadr(i)-* + *lóbulo.*] ***S. m.*** *Arquit.* Ornato constituído por quatro porções ligadas de arcos ogivais.

quadriloculado [De *quadr(i)-* + *loculado.*] ***Adj.*** Que tem quatro lóculos ou cavidades; quadrilocular.

quadrilocular [De *quadr(i)-* + *locular.*] ***Adj. 2 g.*** *Bot.* Quadriloculado.

quadrilongo [De *quadr(i)-* + *longo.*] ***Adj.*** **1.** Que tem quatro lados paralelos dois a dois, sendo dois desses lados maiores que os outros dois: "— O mundo .... é uma loja de belchior, com uma pequena gaiola de taquara, quadrilonga, pendente de um prego" (Machado de Assis, *Páginas Recolhidas*, p. 94). ● ***S. m.*** **2.** Figura ou coisa quadrilonga. **3.** *Maç.* Retângulo que forma o contorno de um templo maçônico. **4.** *Tip.* Lingão.

quadrilunulado [De *quadr(i)-* + *lunulado.*] ***Adj.*** Diz-se do animal que tem quatro manchas luniformes.

quadrímano [Do lat. *quadrimanu*.] *Adj. Zool.* Que tem quatro tarsos dilatados em forma de mão.
quadrimembre [De *quadr(i)-* + *membro*.] *Adj. 2 g.* Que tem quatro membros.
quadrimensional *Adj. 2 g.* V. *quadridimensional*.
quadrimestral [De *quadrimestre* + *-al*[1].] *Adj. 2 g.* **1.** Relativo a quadrimestre. **2.** Que se realiza ou sucede de quatro em quatro meses.
quadrimestre [Do lat. *quadrimestre*.] *S. m.* Período de quatro meses.
quadrimomentum (mên) [De *quadr(i)-* + lat. *momentum*, 'momento'.] *S. m. Fís.* Quadrivetor cujos componentes são as derivadas parciais da ação em relação a cada uma das coordenadas do contínuo espaço-tempo; quadrivetor dos *momenta*.
quadrimosqueado [De *quadr(i)-* + *mosqueado*.] *Adj.* Que tem quatro malhas ou manchas.
quadrimotor (ô) [De *quadr(i)-* + *motor*.] *Adj.* **1.** Que tem quatro motores. ● *S. m.* **2.** Aeronave dotada de quatro motores.
quadringentenário [Do lat. *quadringentini*, 'que tem quatrocentos anos', + *-ário*.] *S. m.* Transcurso de um fato significativo ocorrido 400 anos antes, ou comemoração desse fato.
quadringentésimo (zi) [Do lat. *quadringentesimu*.] *Num.* **1.** Ordinal e fracionário correspondente a quatrocentos: *Em 1900 ocorreu o quadringentésimo aniversário da chegada dos portugueses ao Brasil; Recebeu a quadringentésima parte do prêmio.* ● *S. m.* **2.** A quadringentésima parte. **3.** Aquele ou aquilo que ocupa o quadringentésimo lugar.
quadrinho [De *quadro* + *-inho*[1].] *S. m.* Unidade gráfica das tiras [v. *tira* (5)] de uma história em quadrinhos.
quadrinhos [Pl. de *quadrinho*.] *S. m. pl. Bras.* História em quadrinhos.
quadrinista [De *quadrinho(s)* + *-ista*.] *Adj. 2 g. S. 2 g. Bras.* Diz-se de, ou autor de quadrinhos.
quadrinização [De *quadrinizar* + *-ção*.] *S. f. Bras.* Ato ou efeito de quadrinizar.
quadrinizar [De *quadrin(hos)* + *-izar*.] *V. t. d. Bras.* Adaptar (uma narrativa, uma história) à forma de quadrinhos, de história em quadrinhos.
quadrinômio *S. m.* V. *quadrinômio*. [Uso freq. em P.]
quadrinômio [De *quadr(i)-* + *(bi)nômio*.] *S. m.* Expressão algébrica constituída de quatro termos ou monômios.
quadrioctogonal [De *quadr(i)-* + *octogonal*.] *Adj. 2 g.* Que tem a forma de um prisma octogonal.
quadripartição [De *quadr(i)-* + *partição*.] *S. f.* Partilha de um todo em quatro partes.
quadripartido [De *quadripartito*.] *Adj.* V. *quadrífido*.
quadripartito [Do lat. *quadripartitu*.] *Adj.* V. *quadrífido*.
quadripétalo [De *quadr(i)-* + *-pétalo*.] *Adj. Bot.* Que tem quatro pétalas.
quadriplegia [De *quadr(i)-* + *-pleg-* + *-ia*[1].] *S. f. Neur.* Paralisia dos quatro membros; tetraplegia, quadroplegia.
quadriplégico [De *quadriplegia* + *-ico*[2].] *Neur. Adj.* **1.** Relativo à, ou próprio da quadriplegia. **2.** Que sofre de quadriplegia. ● *S. m.* **3.** Indivíduo quadriplégico. [Sin. ger.: *tetraplégico*.]
quadripolo [De *quadr(i)-* + *polo*[1].] *S. m. Eletr.* Dispositivo elétrico com quatro terminais diretamente acessíveis.
quadriposição [De *quadr(i)-* + *posição*.] *S. f. Fís.* Quadrivetor cujos componentes são as coordenadas de um ponto de universo; quadrivetor posição.
quadripotencial [De *quadr(i)-* + *potencial*.] *S. m. Fís.* Quadrivetor cujos componentes espaciais são os do potencial vetor e o componente temporal é o produto iF, onde F é o potencial escalar.
quadrirreme [Do lat. *quadrireme*.] *S. f. Ant.* Navio de quatro ordens de remos, ou de quatro remadores em cada remo.
quadrissecular [De *quadr(i)-* + *secular*.] *Adj. 2 g.* Que tem ou durou quatro séculos; quatro vezes secular: "E quase admiti que um *real psíquico* do grande Palácio do Louvre houvesse fechado suas portas à invasão revolucionária que lhe quebraria as linhas históricas, conservadoras, clássicas, majestosas, e definidoras da sua quadrissecular existência." (Carlos de Gusmão, *Boca da Grota*, p. 353.)
quadrissemana [De *quadr(i)-* + *semana*.] *S. f. Econ.* Na apuração de índices de preços, período de quatro semanas que termina em dada semana do mês: "Na primeira quadrissemana de julho, a inflação em Belo Horizonte foi de 29,73%." (*Gazeta Mercantil*, 09.07.1993)
quadrissemanal [De *quadrissemana* + *-al*[1].] *Adj. 2 g. Econ.* Relativo a quadrissemana.
quadrissilábico [De *quadrissílabo* + *-ico*[2].] *Adj. E. Ling.* V. *quadrissílabo* (1).
quadrissílabo [Do lat. *quadrisyllabu* (v. *quadr(i)-* e *-sílabo*).] *E. Ling. Adj.* **1.** Que tem quatro sílabas; quadrissilábico, tetrassílabo. ● *S. m.* **2.** Vocábulo ou verso de quatro sílabas; tetrassílabo: "esta quadrinha, primeira de uma dupla em quadrissílabos ....: O galo canta, / O galo chora, / O galo canta / Quando é hora." (Paulino Santiago, *Temas e Processos do Cancioneiro de Alagoas*, p. 17).
quadrissulco [Do lat. *quadrisulcu*.] *Adj.* **1.** Que apresenta quatro sulcos. **2.** Que tem o pé dividido em quatro dedos.
quadrivalve [De *quadr(i)-* + *-valve*.] *Adj. 2 g.* Que tem quatro valvas.
quadrivalvulado [De *quadr(i)-* + *valvulado*.] *Adj.* Que tem quatro válvulas; quadrivalvular.
quadrivalvular [De *quadr(i)-* + *valvular*.] *Adj. 2 g.* Quadrivalvulado.
quadrivector (ô) *S. m. Fís. Mat.* V. *quadrivetor*.
quadrivelocidade [De *quadr(i)-* + *velocidade*.] *S. f. Fís.* Quadrivetor cujos componentes dão as derivadas das componentes da quadriposição em relação ao elemento infinitesimal da linha de universo.
quadrivetor (ô) [De *quadr(i)-* + *vetor*.] *S. m. Fís. Mat.* Conjunto ordenado de quatro quantidades, cada uma delas associada a um dos eixos de coordenadas no contínuo espaço-tempo, e que se transformam de acordo com a transformação de Lorentz quando o sistema de coordenadas é transformado. [Var.: *quadrivector*.] ◆ **Quadrivetor dos momenta.** *Fís.* Quadrimomentum. **Quadrivetor posição.** *Fís.* Quadriposição.
quadrívio [Do lat. *quadriviu*.] *S. m.* **1.** Lugar onde terminam quatro caminhos ou quatro ruas. [V. *encruzilhada* (1).] **2.** Na Idade Média, a parte avançada do currículo das universidades, formada pelas quatro disciplinas matemáticas: aritmética, geometria, música e astronomia e que, junto com as três que compunham o trívio (2), eram conhecidas como as sete artes liberais.
quadro [Do lat. *quadru*.] *S. m.* **1.** Aquilo que tem a forma de um quadrilátero. **2.** Qualquer obra de arte (pintura, gravura, colagem, fotografia, etc.) executada sobre superfície plana, em geral guarnecida de moldura (1), e que se pode transportar com relativa facilidade. **3.** *P. ext.* Obra pictórica feita sobre tela, madeira, etc.; painel, pintura. **4.** Peça plana, quadrilateral, usada nas escolas para cálculos, traçados, etc.; quadro-negro, quadro de giz, pedra. **5.** Qualquer superfície de limites mais ou menos precisos, móvel ou fixa, onde estão distribuídas informações, gráficos, pontos luminosos, botões, etc., destinados à informação e/ou ao controle mecânico. [Cf., nesta acepç., *painel* (7).] **6.** Relação metódica; resenha, lista: *O jornal publicou o quadro dos alunos aprovados.* **7.** O total dos empregados de uma empresa, dos associados de um clube, etc. **8.** Conjunto de carreiras e/ou de cargos isolados da administração pública. **9.** *P. ext.* O conjunto dos servidores, dirigentes, etc. de determinada especialização: *O quadro de médicos daquele ambulatório é cada vez menor.* **10.** *Fig.* Panorama, espetáculo: "O quadro de aflições que me consomem / O próprio Pedro Américo não pinta..." (Augusto dos Anjos, *Eu*, p. 114.) **11.** *Fig.* Aquilo que se vê, se observa ou se manifesta: *O quadro da doença agravou-se.* **12.** *Cin.* Cada uma das imagens sucessivas de uma película cinematográfica; fotograma. [Ger. são projetados 24 quadros por segundo. Cf. *quadro a quadro*.] **13.** *Cin. Telev.* Delimitação da área mostrada na tela. **14.** *Cin. Telev.* Em um *storyboard* (q. v.), cada um dos desenhos ou ilustrações que descrevem as cenas ou telas [v. *tela* (9)]. **15.** *Fot. Cin. Telev.* A imagem que um fotograma contém. **16.** *Edit.* Moldura (1), ou cercadura gráfica, em geral com essa forma, que limita externamente pinturas, mapas, gráficos, etc., tornando-os facilmente visíveis ao observador. **17.** *Edit.* Tipo de figura (ilustração) utilizada para apresentação esquemática de informações textuais; a exemplo da tabela, apresenta estrutura básica constituída de fios, colunas, linhas, etc. **18.** *Edit.* Moldura de forma quadrilateral dentro da qual se coloca, como maneira de destaque, texto, ilustração, etc. [Cf., nesta acepç., *boxe* (6).] **19.** *Telev.* Cada imagem completa de TV. [A televisão apresenta ger. 30 ou 25 quadros por segundo.] **20.** *Teatr.* Subdivisão de ato de uma peça. **21.** *Bras.* Conjunto de tubos metálicos que formam a armação das bicicletas, motonetas, etc. **22.** *Bras.* V. *time*. **23.** *Bras. CE* Espaço de terreno compreendido em um quadrado cujas faces têm 75 metros. **24.** *Bras. PE* V. *cortiço* (2). **25.** *Angol. Cabo-verd. Guin. Lus. Moç. Santom.* Empregado que exerce uma função de direção numa empresa ou numa administração. ◆ **Quadro clínico.** *Med.* O conjunto das manifestações mórbidas objetivas e subjetivas apresentadas por um doente. **Quadro de cavalete.** V. *pintura de cavalete*. **Quadro de gênero.** *Art. Plást.* O que representa cenas da vida cotidiana: "se aparecia uma visita, ... mostrava-lhe as paisagens, os quadros históricos ou de gênero, uma aquarela, um pastel" (Machado de Assis, *Dom Casmurro*, p. 397). **Quadro de referência.** O sistema de conceitos, valores, hábitos, etc., a partir do qual se avalia um conjunto de dados, informações, ideias, etc. **Quadro magnético.** Espécie de quadro (5), ger. de metal pintado, que permite a fixação de elementos imantados; imantógrafo. **Quadro vivo.** Representação de certas cenas históricas ou populares, de episódios ou de alegorias, etc., efetuada por pessoas nas atitudes ou posições requeridas pelo assunto.
▲ **quadro-** V. *quadr(i)-*.
quadro a quadro *S. m. 2 n. Cin.* Técnica, muito comum em animação, em que cada quadro é registrado de forma não sequencial. [Cf. *quadro* (12).]
quadro de feltro *S. m.* V. *flanelógrafo*. [Pl.: *quadros de feltro*.]
quadro de flanela *S. m.* V. *flanelógrafo*. [Pl.: *quadros de flanela*.]
quadro de giz *S. m. Bras.* V. *quadro* (4). [Pl.: *quadros de giz*.]
quadro de luz *S. m. Teatr.* Quadro (5) que contém chaves elétricas por meio das quais o eletricista controla a iluminação do espetáculo. [Pl.: *quadros de luz*.]
quadro-mural *S. m.* Tipo de quadro (5), ger. de cortiça, que se utiliza para expor informações, avisos, cartazes, recortes, etc. [Pl.: *quadros-murais* e *quadros-mural*.]
quadro-negro *S. m.* V. *quadro* (4). [Pl.: *quadros-negros*.]
quadroplegia [De *quadro-* + *-pleg-* + *-ia*[1].] *S. f. Neur.* V. *quadriplegia*.
quadroplégico [De *quadroplegia* + *-ico*[2].] *Adj. S. m. Neur.* V. *quadriplégico*.
▲ **quadru-** [Do lat. *quadru-* < lat. *quadrus, a, um*.] V. *quadr(i)-*.
quadrum [Do ingl. *quadroon*.] *Adj. 2 g. S. 2 g.* V. *quadrarão*.
quadrúmano [Do lat. *quadrumanu*.] *Adj.* **1.** Que tem quatro mãos. ● *S. m.* **2.** *Zool. Obsol.* Símio[1] (1).
quadrupedante [Do lat. *quadrupedante*.] *Adj. 2 g.* **1.** Que anda em quatro pés. **2.** Que monta em quadrúpedes. **3.** Relativo a, ou próprio de quadrúpedes: "Inda em nossos ouvidos estremecem / quadrupedante estrépito, relinchos, / retinir d'armas, rufos de tambores" (Antônio Feliciano de Castilho, *Amor e Melancolia*, p. 370).
quadrupedar [Do lat. *quadrupedare*.] *V. int. Poét.* **1.** Andar de quatro pés. **2.** Fazer estrépito como os quadrúpedes ao andar: "em estralada, estrepitosa, estrondeante, ... quadrupedando, estrupidando, rugitando, ... estalida o sapateio, retumba o rundo africano, trabuca o cateretê!" (Martins Fontes, *A Dança*, p. 93). [Pres. subj.: *quadrupede, quadrupedes*, etc. Cf. *quadrúpede* e *quadrúpedes*.]
quadrúpede [Do lat. *quadrupede*.] *Adj. 2 g.* **1.** Que tem quatro pés; tetrápode. **2.** *Zool.* Tetrápode (2). ● *S. m.* **3.** *Zool.* Tetrápode (3). **4.** Espécime dos quadrúpedes, designação usada por Aristóteles para os animais com sangue e providos de quatro pés. Segundo esse autor, os quadrúpedes vivíparos e os quadrúpedes ovíparos, juntamente com as aves e os peixes, formavam o grupo dos animais. ● *S. 2 g.* **5.** *Fig.* Pessoa estúpida, bruta. [Cf. *quadrupede*, do v. *quadrupedar*.]
quadrupleto (ê) [De *quádruplo* + *-eto*[3].] *S. m. Fís.* Termo espectral com multiplicidade igual a quatro.
quadruplicação [Do lat. *quadruplicatione*.] *S. f.* Ato ou efeito de quadruplicar(-se).
quadruplicar [Do lat. *quadruplicare*.] *V. t. d.* **1.** Multiplicar por quatro. **2.** Tornar quatro vezes maior; redobrar, reduplicar. *Int. P.* **3.** Tornar-se quatro vezes maior, ou mais numeroso; redobrar, reduplicar: "Não obstante as vitórias sobre a doença, as moléstias aumentaram. Segundo alguns, quadruplicaram em relação às do século passado." (Walter Benevides, *Da Arte de Ter Clínica*.) [Conjug.: v. *trancar*.]
quádruplo [Do lat. *quadruplu*.] *Num.* **1.** Que é quatro vezes maior. **2.** Que se compõe de quatro membros: *Em 1834 formou-se a quádrupla aliança entre Portugal, Inglaterra, França e Espanha.* ● *S. m.* **3.** Quantidade quatro vezes maior que outra. **4.** Quadrigêmeo (2).
quadrupolo [De *quadru-* + *polo*[1].] *S. m. Eletr.* Sistema eletricamente neutro, constituído por duas cargas pontuais positivas e duas negativas, iguais e de sinais contrários, dispostas alternadamente nos vértices de um pequeno quadrado.

Q

quaga [Do tax. (*Equus*) *quagga*.] *S. f. Zool.* Mamífero perissodáctilo equídeo extinto, espécie de zebra que apresentava listras somente na cabeça e pescoço. Vivia em bandos numerosos na África do Sul e foi dizimada pelas caçadas, sendo que o último espécime morreu em cativeiro em 1883.

quaiapá [De or. indígena, poss.] *S. m. Bras. Bot.* V. *espinho-de-judeu.*

quaiquica *S. f. Bras. Zool.* V. *cuíca* (1).

qual [Do lat. *quale*.] *Pron.* **1.** Que pessoa ou que coisa, dentre duas ou mais: *Qual de nós foi escolhido?*; *Qual destas casas é a tua?*; *O professor indicou qual seria o premiado.* **2.** De que natureza, de que qualidade, etc.: *Qual a cor de seus olhos?*; *Não sabíamos qual reação seria a sua.* **3.** É us. com o valor de demonstrativo ou indefinido, correspondendo a *este.... aquele*, ou *um .... outro*: "Qual do cavalo voa, que não desce, / Qual, co cavalo em terra dando, geme" (Luís de Camões, *Os Lusíadas*, VI, 64). ● *Conj.* **4.** Como; assim como; tal qual: "Retida em casa, D. Ana, / Qual num cárcere, vivia" (Raimundo Correia, *Poesias*, p. 183); "Nossas roupas comuns dependuradas / Na corda, qual bandeiras agitadas, / Pareciam um estranho festival" (Orestes Barbosa, *Chão de Estrelas*, p. 275). ● *Interj.* **5.** Designa espanto, negação, etc.: *Qual! ninguém pode com ele.* ◆ **Qual o quê!** Exclamação de incredulidade: "– .... Se te despeço é porque assim o entendo, sebo! | – Qual o quê! vossemecê despede-me a mandado da patroa!" (Aluísio Azevedo, *Filomena Borges*, p. 43.) **O qual.** V. *que*[2]. [Flex.: *a qual, os quais, as quais*.]

quálea [Do tax. *Qualea*.] *S. f. Bot.* **1.** Gênero de voquisiásseas que reúne 59 espécies nativas de regiões tropicais das Américas. **2.** Qualquer espécie desse gênero, como, p. ex., a *Qualea dichotoma* [v. *cascudo*[2] (7)]. **3.** Qualquer espécime desse gênero.

qualidade [Do lat. *qualitate*.] *S. f.* **1.** Propriedade, atributo ou condição das coisas ou das pessoas capaz de distingui-las das outras e de lhes determinar a natureza. **2.** Numa escala de valores, qualidade (1) que permite avaliar e, consequentemente, aprovar, aceitar ou recusar qualquer coisa: *A qualidade de um vinho não se mede apenas pelo rótulo; Não há relação entre o preço e a qualidade do produto.* **3.** Disposição moral ou intelectual das pessoas: *Não possui as qualidades necessárias para o posto.* **4.** Dote, dom, virtude: "Conhece-lhes as baldas, as nicas, as manhas, e as qualidades." (Afonso Arinos, *Histórias e Paisagens*, p. 123.) **5.** Condição, posição, função. **6.** *Deprec.* Espécie, casta, laia: *Os justos evitam pessoas dessa qualidade.* **7.** *E. Ling.* Combinação das frequências sonoras que compõem uma vogal, as quais são determinadas pela posição dos articuladores móveis, tais como a língua e os lábios, dentre outros; qualidade vocálica. [V. *quantidade* (4).] **8.** *Filos.* Na metafísica tradicional, categoria fundamental do pensamento que designa os modos diversos como as coisas são. **9.** *Filos.* Na perspectiva dialética, categoria fundamental que designa a diversidade de relações pelas quais cada coisa, a cada momento, vem a ser tal como é. [Cf., nas acepç. (8 e 9), *atributo* (9), *quantidade* (7) e *relação* (8).] **10.** *Lóg.* Caráter assertivo (negativo ou afirmativo) de uma proposição. **11.** *Bras. Rel.* Variedade, dotada de traços pessoais distintivos, de qualquer das entidades [v. *entidade* (6)] do panteão religioso afro-brasileiro, que a faz detentora de denominação especial: *Afomã, Arroié e Paru são qualidades do orixá Omulu.* ◆ **Qualidade primária.** *Filos.* Característica geométrica ou mecânica das coisas (p. ex., a extensão, a forma, o movimento), que é considerada inseparável quer seja do conceito, quer seja da materialidade delas; qualidade primeira. **Qualidade primeira.** *Filos.* Qualidade primária. **Qualidade secundária.** *Filos.* Qualidade relacionada à percepção sensorial imediata de uma coisa (cor, sabor, cheiro, temperatura, textura) cuja objetividade é, por isso, problemática. **Qualidade de vocálica.** *E. Ling.* Qualidade (7). **De qualidade. 1.** De boa qualidade. **2.** Que se distingue pela posição social, pela educação, pela distinção, etc.

qualificação [De *qualificar* + *-ção*.] *S. f.* **1.** Ato ou efeito de qualificar-se. **2.** Anotação em documentos oficiais da identidade (2) de uma pessoa. **3.** Conhecimento ou aptidão que habilita alguém ao desempenho de uma função, de uma profissão; capacitação, habilitação.

qualificado [Part. de *qualificar*.] *Adj.* **1.** Que tem certas qualidades. **2.** Que possui qualificação (3); habilitado. **3.** *Jur.* Diz-se da forma dum crime especialmente agravada, em virtude de certas circunstâncias objetivas ou subjetivas expressas em lei. **4.** *Jur.* Diz-se do quórum especial e mais exigente para a votação de determinadas matérias por uma assembleia ou colegiado.

qualificador (ô) [De *qualificar* + *-dor*.] *Adj.* **1.** Que qualifica ou serve para qualificar. ● *S. m.* **2.** Aquele ou aquilo que qualifica. **3.** *E. Ling.* Palavra ou expressão que limita o sentido de outra, como, p. ex., os adjetivos e as locuções adjetivas.

qualificar [Do lat. med. *qualificare*.] *V. t. d.* **1.** Indicar a(s) qualidade(s) de; classificar. **2.** Emitir opinião a respeito de; avaliar, apreciar: *Para bem qualificar estes trabalhos é necessário o auxílio de um especialista.* **3.** Considerar qualificado, apto, idôneo: *A junta qualificou dois mestres para cada disciplina.* **4.** Proporcionar qualificação (3) a: *Este curso qualifica trabalhadores da construção civil.* *Transobj.* **5.** Atribuir qualidade(s) a; reputar, considerar: *Qualifico-o de genial; O promotor qualificou o crime como bárbaro.* **6.** Tornar ilustre; enobrecer. *P.* **7.** Adquirir qualificação (3). *Qualificou-se para o cargo pela apresentação de títulos.* [Conjug.: v. *trancar*.] **8.** Adquirir o direito a participar de (competição, concurso, etc.), ou a passar à próxima fase deles: *Os melhores nadadores se qualificaram para as olimpíadas; Nosso time ganhou e qualificou-se para a final do campeonato.* [Conjug.: v. *trancar*.]

qualificativo [De *qualificar* + *-tivo*.] *Adj.* **1.** Que qualifica ou serve para qualificar. ~ V. *adjetivo* —. ● *S. m.* **2.** Aquilo que qualifica ou serve para qualificar.

qualificável [De *qualificar* + *-vel*.] *Adj. 2 g.* Que pode ser qualificado.

qualira [De or. obsc.] *S. m. Bras. MA CE Pej.* Homossexual (3).

qualiragem [De *qualira* + *-agem*[2].] *S. f. Bras. MA CE Chulo* Atitude ou modos de qualira.

qualitativamente [Do f. de *qualitativo* + *-mente*.] *Adv.* Sob o aspecto da qualidade; de modo qualitativo.

qualitativo [Do lat. *qualitativu*.] *Adj.* Que exprime ou determina a(s) qualidade(s).

qualquer [De *qual* + a 3ª pess. sing. do pres. ind. do v. *querer*.] *Pron.* **1.** Designa coisa, lugar ou indivíduo indeterminado: *Veio duma cidade qualquer.* "Sua vida não foi boa nem má: / foi como a dos homens comuns, / a dos que não fizeram nenhum destino: aceitaram qualquer..." (Cecília Meireles, *Obra Poética*, p. 390). **2.** Algum (2). **3.** Pessoa indeterminada: *Fazer o que ele fez não é para qualquer*; "Qualquer os fará [os versos] mais belos, / Ninguém tão d'alma os faria." (Almeida Garrett, *Folhas Caídas*, p. 170). [Pl.: *quaisquer*.]

quamanho [Do lat. *quam magnu*, 'quão grande'; cf. *tamanho*.] *Adj. Desus.* Quão grande.

➔ **quand même** [kɑ̃ mɛm] [Fr.] Apesar dos pesares.

quando [Do lat. *quando*.] *Adv.* **1.** Em que época ou ocasião: "Quando se erguerão as seteiras, / Outra vez, do castelo em ruína, / E haverá gritos e bandeiras / Na fria aragem matutina?" (Camilo Pessanha, *Clepsidra e Outros Poemas*, p. 215); "E, se morrer, não deixo quem te conte / a odisseia infeliz de amores que ando / — rio errante que ignora a própria fonte — / vertendo em prantos, desde não sei quando!..." (Hermes-Fontes, *Gênese*, p. 174). ● *Conj.* **2.** No tempo em que; no momento em que: "Quando chegaste, os violoncelos / Que andam no ar cantaram hinos." (Alphonsus de Guimaraens, *Obra Poética*, p. 212); "— E se acaso voltar? Que hei de dizer-lhe, quando / Me perguntar por ti?" (Vicente de Carvalho, *Poemas e Canções*, p. 280). **3.** Ainda que; mesmo que; se acaso: "— De maneira que te sacrificas a um desejo nosso? | Quando fosse sacrifício, fá-lo-ia de boa cara; mas não é." (Machado de Assis, *Helena*, p. 180); "Quando houvesse alguma intenção sexual, quem me provaria que não era mais que uma sensação fulgurante, destinada a morrer com a noite e o sono?" (Machado de Assis, *Dom Casmurro*, p. 336). **4.** Apesar de que: "Puseram-nos no almoço manteiga, rabanetes e azeitonas, quando nós só comemos azeitonas." (França Júnior, *Folhetins*, p. 288.) **5.** V. *ao passo que* (2): *Eles têm todas as regalias, quando nós temos só os encargos.* ● *Pron. rel.* **6.** Em que, no qual, na qual, nos quais ou nas quais: "Boa ou má, é [a colocação pronominal] usada pelo povinho de Portugal e já assim o era em época quando brasileiros que lhe pervertessem o idioma ainda não eram nascidos." (M. Said Ali, *Dificuldades da Língua Portuguesa*, p. 68); "Pequenino, em casa, tua mãe saudosa / Reza a sós... É a hora, quando a procuravas..." (Vicente de Carvalho, *Poemas e Canções*, p. 19). ◆ **Quando de.** Por ocasião de: *Recebeu muitas homenagens quando de seu cinquentenário.* **Quando em quando.** V. *de quando em quando*: "Nunca o esqueci. E, quando em quando, o lembro em alguns dos atos religiosos por ele promovidos na sua freguesia." (Lima Júnior, *Alguns Homens do Meu Tempo*, p. 14.) **Quando menos.** Ao menos; pelo menos: "Dissimular erros no amigo, não é amor, é lisonja; não é prudência, é traição, ou quando menos pusilanimidade." (Pe. Manuel Bernardes, *Nova Floresta*, I, p. 112.) **Quando muito.** Se tanto: "Era noute velha, noute velha daqueles tempos, nove horas quando muito" (Alexandre Herculano, *O Monge de Cister*, p. 6). **Quando não.** Do contrário: "Larga-me, larga-me, quando não dou cabo de ti!" (Fialho d'Almeida, *Aves Migradoras*, p. 45.) **A quando e quando.** V. *de quando em quando*: "E no céu desolado, a quando e quando, // Bandos loucos de avoantes forasteiras" (Olegário Mariano, *Toda uma Vida de Poesia*, I, p. 356). **De quando a quando.** V. *de quando em quando*: "E o curandeiro começa a cantar uma melopeia plangente, onde vibra de quando a quando .... uma africana sílaba nasal" (Gustavo Barroso, *Terra de Sol*, p. 162). **De quando em quando.** De tempos a tempos; de espaço a espaço; de onde em onde; de quando a quando (*p. us.*); a quando e quando; quando em quando; de vez em quando; de quando em vez; de vez em onde; de vez em vez; vez por outra; por vez, vez a vez, vez em vez; a trecho ou a trechos: "De quando em quando ia ao piano" (Machado de Assis, *Várias Histórias*, p. 65); "Chove, não cessa, não cessa o vento; de quando em quando / Trovoa" (Alberto de Oliveira, *Poesias*, 4ª série, p. 115). **Senão quando.** De repente; repentinamente: "Senão quando, uma tarde, já escuro, por volta das sete horas, apareceu-me na casa de pensão o meu amigo Elisiário." (Machado de Assis, *Páginas Recolhidas*, p. 39.)

➔ **quanta** ['kwanta] [Lat.] *S. m. pl.* Pl. de *quantum*.

quantas *El. s. f. pl.* Us. na expr. *não saber a quantas anda.* ◆ **Não saber a quantas anda.** Não saber com exatidão qual o estado ou as condições de negócio ou situação em que se está envolvido.

▲ **quant(i)-** [Do lat. *quantum, a, um*.] *El. comp.* = 'quão grande', 'quantidade': *quântico, quantificar* (< lat.).

quantia [De *quanto* + *-ia*[1].] *S. f.* **1.** *Antiq.* Quantidade (1 e 2): "Entrei nas centenas [de orações] e agora no milhar. Era um modo de peitar a vontade divina pela quantia das orações" (Machado de Assis, *Dom Casmurro*, p. 62). **2.** Soma, porção ou quantidade de dinheiro; importância.

quântico [De *quant(i)-* + *-ico*[2].] *Adj. Fís.* Diz-se de qualquer sistema ou fenômeno quantificado. ~ V. bit —, *computador* —, *cromodinâmica* —*a*, *mecânica* —*a*, *número* —, *número* — *azimutal*, *número* — *magnético*, *número* — *principal* e *teleporte* —.

quantidade [Do lat. *quantitate*.] *S. f.* **1.** Número de unidades, ou medida, que determina um conjunto de coisas consideradas como equivalentes e suscetíveis de aumento ou diminuição. **2.** Grandeza (5) expressa em número. **3.** Grande porção de pessoas ou de coisas; grande número; grande quantidade. [Sin., nesta acepç., muitos dos quais pop.: *abada, abundância, acervo, batelada, cabazada, canchal, chusma, chuva, dilúvio, enxame, fula, horror, magote, metralha, montão, multidão, penca, porrada, ror, zamborrada* e (bras.) *porção, corrimaça, despotismo, despropósito, destempero, disparate, imundícia* ou *imundície, estandarte*[2], *mundo, mundão, mundaréu, mundéu, pá, panázio, montoeira, catervagem, um cesto* e *um samburá*.] **4.** *E. Ling.* Duração da emissão de um som. **5.** *E. Ling.* A representação gráfica dessa duração na escrita. [A quantidade das vogais é usualmente representada pelo macro sobre a vogal, por dois pontos imediatamente a seguir (nestes dois casos, vogal longa), e por braquia sobre a vogal (neste caso, vogal breve).] **6.** *Filos.* Na metafísica tradicional, categoria fundamental que designa o caráter do que pode ser medido. **7.** *Filos.* Na perspectiva dialética, qualidade suscetível de admitir graus diferentes de intensidade. [Cf., nesta acepç., *qualidade* (9).] **8.** *Lóg.* Propriedade da proposição pela qual esta ou é universal ou é particular. ◆ **Quantidade de luz.** *Fotom.* Fluxo luminoso emitido por unidade de área de uma fonte luminosa; excitação luminosa. **Quantidade de movimento.** *Fís.* V. *momento* (6).

quantificação [De *quantificar* + *-ção*.] *S. f.* **1.** Ato ou efeito de quantificar (1). **2.** *Fís.* A passagem da descrição clássica e contínua dum sistema para a descrição quântica, em que alguns observáveis só podem assumir os valores de um conjunto discreto; quantização.

quantificado [Part. de *quantificar*.] *Adj.* Em que se efetuou quantificação.

quantificador (ô) [De *quantificar* + *-dor*.] *S. m.* **1.** *E. Ling.* Vocábulo que exprime quantidade, como *todos, alguns, cada, muito.* **2.** *Lóg.* Termo lógico que determina a atribuição de um predicado a todos ou a alguns dos objetos de uma classe. ◆ **Quantificador existencial.** *Lóg.* Termo lógico que indica a existência de, pelo menos, uma coisa. **Quantificador universal.** *Lóg.* Termo lógico que indica a atribuição de um predicado a todos os objetos de uma classe.

quantificar [Do lat. med. *quantificare.*] *V. t. d.* **1.** Determinar a quantidade ou o valor de; avaliar com rigor. **2.** *Fís.* Efetuar a quantificação de (um sistema); quantizar. [Conjug.: v. *trancar.*]

quantificável [De *quantificar* + *-vel.*] *Adj. 2 g.* Que se pode quantificar.

quantil [De *quant(i)-* + *-il*¹.] *S. m. Estat.* Qualquer das separatrizes de uma distribuição.

quantioso (ô) [De *quantia* + *-oso.*] *Adj.* **1.** Respeitante a quantia. **2.** Muito numeroso. **3.** Valioso, considerável. **4.** Que possui grande quantia; rico.

quantitativamente [Do f. de *quantitativo* + *-mente.*] *Adv.* Sob o aspecto da quantidade; de modo quantitativo.

quantitativo [Do lat. *quantitas, atis,* 'quantidade', + *-ivo.*] *Adj.* Relativo a, ou indicativo de quantidade. ~ V. *análise —a* e *linguística —a.*

quantização [De *quantizar* + *-ção.*] *S. f. Fís.* Quantificação (2).

quantizar [De *quant(i)-* + *-izar.*] *V. t. d. Fís.* Quantificar (2).

quanto [Do lat. *quantu.*] *Pron.* **1.** Que número de; que quantidade: 📝 *Quantos livros tem você?*; 📖 "Que formosas cousas, quantas maravilhas / Em vos vendo sonho, em vos fitando vejo" (Vicente de Carvalho, *Poemas e Canções*, p. 251). **2.** Que preço: 📝 *Quanto quer pelo apartamento?* **3.** Que; tudo que; todo que: 📖 "Num ai tudo se apaga e ela perde a noção de quanto a cerca." (Orlando Gonçalves, *Este Mundo dos Homens*, p. 96); "É mudo quanto habita / Da Terra n'amplidão." (Gonçalves Dias, *Obras Poéticas*, II, p. 230).● *Adv.* **4.** Quão grandemente, ou intensamente, ou demoradamente; como: 📝 *Quanto andou o rapaz!*; *Quanto sofrem os pobres!*; *Bem sabe quanto o aprecio*; *Quanto falou!* ~ V. *quantos.* ◆ **Quanto a.** Relativamente a; a respeito de. **Quanto antes.** O mais cedo possível, sem demora: 📖 "e lhe dissesse que fugisse quanto antes de casa e fosse ter à quinta do Enxertado" (Camilo Castelo Branco, *Novelas do Minho*, VII, p. 58).

quantos [Pl. de *quanto.*] *El. pron.* Us. na expr. *não sei dos quantos.* ~ V. *quanto.* ◆ **Não sei dos quantos.** Expr. que se acrescenta ao prenome de alguém (ou à palavra *Fulano*) por não se ter conhecimento ou lembrança do sobrenome: 📝 *Esteve aqui um Manuel não sei dos quantos.*

→ **quantum** ['kwantõ(m)] [Lat.] *S. m.* **1.** *Fís.* Quantidade indivisível de energia eletromagnética que, para uma radiação de frequência f, é igual ao produto h x f, onde h é a constante de Planck. **2.** *Fís.* A partícula associada a um campo. **3.** *Estat.* Em estatísticas econômicas, quantidade física de uma grandeza — exportações, importações, etc. — em oposição a seu valor: 📖 "O *quantum* das exportações aumentara, mas como o poder aquisitivo da unidade de exportação .... se havia reduzido à metade, é evidente que a renda criada pelas exportações era muito inferior." (Celso Furtado, *Formação Econômica do Brasil*, p. 200.) [Pl.: *quanta.*]

→ **quantum satis** ['kwantun 'satẹs] [Lat., 'quanto basta'.] Indica, em receitas médicas, dose suficiente ou razoável. [Abrev.: *q. s.*]

quão [Do lat. *quam.*] *Adv.* Quanto; como: 📖 "quão insensato fui!" (Gonçalves Dias, *Obras Poéticas*, I, p. 75); "Ai! quão dura fadiga!" (Id., *ib.*, II, p. 459).

quapoia (ói) [De or. indígena, poss.] *S. f. Bras. AM Bot.* Cebola-grande-da-mata.❖

quaquala [Do ingl. *Kwakwala.*] *S. m. Gloss.* Língua indígena norte-americana da família *wakashan.*

quá-quá-quá *Interj.* Onomatopeia de gargalhada.

quara *S. f. Bras. ES Zool.* V. *pirajica.*

quaradoiro [De *quarar* + *-doiro*².] *S. m.* Quaradouro (q. v.).

quarador (ô) [De *quarar* + *-dor.*] *S. m.* **1.** *Bras.* V. *coradouro* (1). **2.** *Bras. S. Fig.* Lugar muito exposto ao sol e onde, pois, se torna incômoda a permanência de pessoas ou animais.

quaradouro [De *quarar* + *-douro*²; var. de *quaradoiro.*] *S. m. Bras.* V. *coradouro* (1).

quaraiense (a-i) *Adj. 2 g.* **1.** De, ou pertencente ou relativo a Quaraí (RS).● *S. 2 g.* **2.** O natural ou habitante de Quaraí.

quarango [De or. indígena, poss.] *S. m. Bras. Pop.* V. *quina*².

quarar *V. t. d. Int. Bras.* V. *corar* (2 e 9, e nota).

quarenta [Do lat. vulg. *quarainta.*] *Num.* **1.** Quantidade que é uma unidade maior que 39; trinta mais dez. **2.** Número (3) correspondente a essa quantidade. [Nessas acepçs., representa-se em algarismos arábicos por 40, e em algarismos romanos, por XL.] **3.** Que está marcado ou identificado com o número 40. **4.** Quadragésimo.● *S. m.* **5.** Representação, em algarismos, do número quarenta. **6.** Aquilo ou aquele que numa série ocupa o quadragésimo lugar.

quarenta-feridas *S. f. 2 n. Bras. Bot.* V. *espinho-de-judeu.*

quarentão [De *quarenta* + *-ão*¹.] *Adj. S. m.* Quadragenário (2): 📖 "É um senhor quarentão, barba primitiva" (Antônio Versiani, *Paisagens Humanas*, p. 48); "um quarentão muito espartilhado e tingido" (Valentim Magalhães, *Vinte Contos*, p. 42). [Fem.: *quarentona.*]

quarentena [Do fr. *quarantaine.*] *S. f.* **1.** Período de 40 dias. **2.** *Rel.* Quaresma¹ (1). **3.** Período de, ou isolamento que visa a evitar a propagação de uma epidemia. **4.** Isolamento imposto a portadores ou supostos portadores de doenças contagiosas. **5.** Espaço de tempo (originariamente 40 dias) durante o qual os passageiros procedentes de países onde há doenças contagiosas graves são obrigados a permanecer a bordo do navio em que viajam, sem contato físico com pessoal de terra. **6.** *Jur.* Período de quatro meses, a partir da sua exoneração, em que certos ocupantes de cargos públicos ficam impedidos de exercer atividades em que se poderiam beneficiar, ou beneficiar a terceiros, com as informações obtidas no cargo anteriormente exercido. **7.** Porção, ou número, de quarenta coisas: 📖 "A cidade era menos mais que umas três quarentenas de casas." (José Sarney, *Norte das Águas*, p. 157.) **8.** *Bras.* Abstinência sexual.◆ **De quarentena.** De reserva; de lado; separado: 📝 *Deixou de quarentena o grupo de rapazes enquanto procurava confirmar o que haviam alegado.*

quarentenar [De *quarentena* + *-ar*².] *V. int.* **1.** Fazer quarentena. **2.** Estar de quarentena. [Fut. do pret.: *quarentenaria*, etc. Cf. *quarentenária*, fem. de *quarentenário.*]

quarentenário [De *quarentena* + *-ário.*] *Adj.* **1.** Relativo a quarentena. **2.** Que faz quarentena. **3.** Que dura ou faz quarenta anos.● *S. m.* **4.** Indivíduo que faz quarentena. [Fem., nessas acepçs., *quarentenária.* Cf. *quarentenaria*, do v. *quarentenar.*] **5.** *Bras. S.* Curral onde se põe o gado de quarentena para evitar contágio.

quareógrafo *S. m.* Instrumento para desenhar perspectivas com exatidão; perspectógrafo.

quaresma¹ [Do lat. *quadragesima.*] *S. f.* **1.** *Rel.* Os 40 dias que vão da quarta-feira de cinzas até a Quinta-Feira Santa, destinados à penitência pelos católicos e ortodoxos [v. *ortodoxo* (4)]; quarentena. [V. ano *litúrgico.*] **2.** *Bras. Bot.* V. *flor-da-quaresma*: 📖 "a quaresma abre suas pétalas roxas" (Afonso Arinos, *Histórias e Paisagens*, p. 96).

quaresma² [Do antr. *Quaresma*, poss.] *S. m. Bras. Amaz. Pop.* Mentiroso, potoqueiro.

quaresmal [De *quaresma*¹ + *-al*¹.] *Adj. 2 g.* Da, ou relativo à quaresma¹ ou próprio dela.

quaresmar [De *quaresma*¹ + *-ar*².] *V. int.* Cumprir os preceitos religiosos quaresmais.

quaresmeira [De *quaresma*¹ + *-eira.*] *S. f. Bras. Bot.* V. *flor-da-quaresma.*

quaresmeirinha [De *quaresmeira* + *-inha.*] *S. f. Bras. Bot.* Arbusto melastomáceo (*Tibouchina stenocarpa*) herbáceo, nativo do Brasil, de inflorescências eretas, curtas, com flores arroxeadas, muito vistosas e de florescimento notável.

quari-bravo *S. m. Bras. L. a S. Bot.* Erva asterácea (*Tagetes minuta*), alta, um tanto aromática, e que prefere os lugares úmidos. Folhas penadas, com 12 a 16 segmentos lanceolados e serreados; os capítulos têm cinco a seis flores, ordenando-se em corimbos densos. Nativa do Brasil, é us. na medicina popular como vermífuga; tem tb. outros usos. [Sin.: *rojão.* Pl.: *quaris-bravos.*]

→ **quark** [kwaɹk] [Ingl., t. cunhado pelo físico norte-americano Murray Gell-Mann (1929-).] *S. m. Fís. Part.* Partícula subatômica de carga elétrica fracionária (2/3 ou 1/3 da carga do elétron) e de *spin* + 1/2, considerada como um dos constituintes fundamentais da matéria. Supõem-se seis sabores [v. *sabor* (9)] de *quarks*: *up, down*, estranho, charme, *bottom* e *top* (*u, d, s, c, b, t*), de cujas combinações resultam os bárions, formados por três *quarks*, e os mésons formados por um *quark* e um *antiquark*. Devido ao confinamento (q. v.), os *quarks* não podem ser observados como partículas isoladas. Cada tipo de *quark* existe em três cores [v. *cor* (13)]distintas, que representam propriedades adicionais desta partícula com respeito às interações fortes. [Pl.: *quarks.*]◆ **Quark leve.** *Fís. Part.* Denominação comum aos *quarks u, d* e *s*. **Quark pesado.** *Fís. Part.* Denominação comum aos *quarks c, b* e *t*, cuja massa é superior à do próton.

quarkônio *S. m. Fís. Part.* Estado ligado (q. v.) formado por um *quark* e um *antiquark* de mesmo sabor.

quaró [De or. indígena, poss.] *S. m. Bras. L. Bot.* Arbusto malpighiáceo (*Galphimia brasiliensis*) ornamental, das matas e das restingas arenosas, de folhas coriáceas e flores que, com cálice grosseiramente glanduloso e pétalas amarelas vistosas, compõem longo cacho; nó-de-cachorro, resedá-amarelo, tintureiro.

→ **quart** [kwɔːt] [Ingl.] *S. m.* Quarta¹ (3).

quarta¹ [De *quarto.*] *S. f.* **1.** Uma das quatro partes iguais em que se pode dividir qualquer unidade. **2.** Antiga unidade de medida de capacidade para secos, equivalente à quarta parte de um alqueire (1), *i. e.*, 9 litros, aproximadamente. **3.** Medida inglesa de capacidade, equivalente a 1,136 litro. [Abrev., nesta acepç., *qt.* (quart).] **4.** Cântaro de barro ou moringa (1). **5.** *Autom.* A quarta marcha de velocidade dum veículo automóvel. V. *marcha* (8). **6.** *Mús.* Intervalo de quatro graus consecutivos na escala diatônica. **7.** *Bras. N.* Porção de qualquer coisa, equivalente a 40 litros. **8.** *Bras. PI* Medida de 72 litros, para cereais e legumes. **9.** *Bras. RS* Junta dos bois, na carreta. **10.** *Ant. Náut.* Cada uma das 16 subdivisões da rosa dos ventos situadas entre os pontos cardeais e os pontos colaterais.◆ **Quarta da ponta.** *Bras.* A junta de bois que vai perto da ponta. **Quarta do coice.** *Bras.* A junta de bois que se segue à da ponta. **Quarta proporcional.** *Mat.* Numa proporção, o consequente da segunda razão. **Dar na quarta.** *Bras. CE Pop.* Dar à luz; parir. **Descansar na quarta.** Sentar-se (a parturiente) numa quarta¹ (4) para o trabalho do parto. **Enredar-se nas quartas.** *Bras. S.* Atrapalhar-se, embaraçar-se.

quarta² *S. f.* V. *quarta-feira.*

quartã [Do lat. *quartana* (febre), 'febre que dá de quatro em quatro dias'.] *Adj.* (*f.*) **1.** ~ V. *febre —.*● *S. f.* **2.** Febre quartã: 📖 "Tem estado doente com umas quartãs, mas vem aí de caminho..." (Carlos Malheiro Dias, *Os Teles de Albergaria*, p. 328.)

quarta de final *S. f. Bras. Esport.* Num torneio disputado por eliminação, etapa em que se realizam quatro jogos, com oito times buscando a classificação às semifinais. [Pl.: *quartas de final.*]☑

quartado [De *quarto* + *-ado*¹.] *Adj.* **1.** Dividido em quatro. **2.** Formado de quatro.

quarta-doença *S. f. Med.* Doença infecciosa produzida por vírus e que incide, com frequência, em crianças, caracterizada por febre que dura três dias, ao fim dos quais cede e é seguida, algumas horas depois, por erupção no tronco; quarta-moléstia, exantema súbito, doença de Filatow-Dukes. [Pl.: *quartas-doenças.*]

quarta-feira [Do f. do num. *quarto* + *feira.*] *S. f.* O quarto dia da semana, começada no domingo. [F. red.: *quarta.* Pl.: *quartas-feiras.*]◆ **Quarta-feira de cinzas.** O primeiro dia da quaresma¹ (1) imediatamente posterior à terça-feira gorda. **Quarta-feira de trevas.** *Rel.* A quarta-feira da Semana Santa (q. v.), em que o ofício divino prescreve a celebração do ofício de trevas. [Tb. se diz apenas *trevas.*]

quartaludo [De *quarto(s)* + *-a-* + *-l-* + *-udo.*] *Adj.* **1.** Diz-se do cavalo que tem defeito nos quartos. **2.** Baixo e gordo.

quarta-moléstia *S. f. Med.* V. *quarta-doença.* [Pl.: *quartas-moléstias.*]◆ **Quarta-moléstia venérea.** *Patol. Obsol.* V. *linfogranuloma venéreo.*

quartanário [Do lat. *quartanariu.*] *Adj.* **1.** Que tem febre quartã.● *S. m.* **2.** *Ant.* Sacerdote que recebia a quarta parte da côngrua de um cônego. **3.** Indivíduo quartanário (1).

quartanista [De *quarto* + *ano* + *-ista.*] *S. 2 g.* Aluno que frequenta o quarto ano de um curso escolar, principalmente em faculdades ou escolas superiores.

quartano [Do lat. *quartanu.*] *S. m.* Medida antiga, equivalente à quarta parte dum quarteiro¹.

quartão¹ [De *quarta*¹ (3) + *-ão*².] *S. m. Ant.* Quarta de vinho, ou a quarta parte de um almude. [Pl.: *quartãos.*]

quartão² *S. m. Bras.* V. *quartau* (1).

quartar *V. int.* Sair da linha, em esgrima. [Pres. subj.: *quarte*, ... *quarteis, quartem.* Cf. *quartéis*, pl. de *quartel*, e *Quartéis*, top.]

quartau [Do *courtaud*, 'pessoa ou animal de pequena estatura', pela f. **cortau*, com poss. infl. de *quartos.*] *S. m.* **1.** *Bras.* Cavalo pequeno, porém robusto, próprio para carga. [Var.: *quartão*².] **2.** *Bras. Gír.* Mulher corpulenta, vistosa, bonitona. **3.** *Bras. N.E.* Cavalo castrado. **4.** *Ant.* Pequena peça de artilharia.

quarteado [Part. de *quartear.*] *Adj.* **1.** Dividido em quatro partes, peças, cores ou desenhos. **2.** Diz-se do cavalo espadaúdo e bem-proporcionado.

quartear [Do esp. plat. *cuartear.*] *V. t. d.* **1.** Dividir em quatro partes. **2.** Decorar com quatro cores diferentes. **3.** *Bras. RS* Ajudar a desatolar (um carro), atando uma corda à cincha e prendendo-a pela outra extremidade à lança ou varais. **4.** *Taur.* Fazer quarteio a: 📝 *quartear um touro.* [Conjug.: v. *frear.*]

quarteio [De *quarto* (2).] *S. m. Taur.* Quarto de volta dado pelo toureiro ao farpear um touro.

quarteirão [De *quarteiro*¹ + *-ão*².] *S. m.* **1.** A quarta parte de um cento. **2.** V. *lance de casas.* **3.** *Urb.* No traçado urbano de uma cidade, porção de solo, com edificações ou sem elas, ger. quadrada ou retangular, contornada por logradouros; quadra. **4.** Viga que parte de cada um dos quatro cantos do teto. **5.** Antigo tributo. **6.** *Bras. N.* A quarta parte de uma garrafa. [Cf. *quarterão*.]

quarteiro[1] [Do b.-lat. *quartariu*.] *S. m.* A quarta parte de um moio.

quarteiro[2] [De *quarto* (4) + *-eiro*.] *S. m. Bras. MG SP* Criado de quarto; camareiro: "O quarteiro fora mostrar ao Correia o que o colega havia feito com a toalha .... que encontrara no quarto" (João Alphonsus, *Pesca da Baleia*, p. 66). [Sin., BA: *quartilheiro*.]

quartejar [De *quarto* + *-ejar*.] *V. t. d. P. us.* V. *esquartejar*. [Conjug.: v. *pelejar*.]

quartel[1] [Do cat. *quarter*, pelo esp. *cuartel*.] *S. m.* **1.** A quarta parte: "Durante o primeiro quartel do século XIX, os latifúndios cafeeiros já se haviam formado nos dois primeiros focos de irradiação em território fluminense: São João Marcos e Resende." (Alberto Passos Guimarães, *Quatro Séculos de Latifúndio*, p. 79.) **2.** *Heráld.* Cada uma das quatro partes em que se divide um escudo: "E o meu brasão... Tem de oiro, num quartel / Vermelho, um lis" (Camilo Pessanha, *Clepsidra e Outros Poemas*, p. 185). **3.** Soldada paga aos trimestres. **4.** *Fig.* Período, época. **5.** *Constr. Nav.* Cada uma das seções desmontáveis de um estrado, de um tampo de escotilha, etc. **6.** *Estat.* Numa distribuição de frequência, conjunto de valores compreendidos entre dois quartis consecutivos. **7.** *Bras. Mar.* Cada uma das seções em que se subdividem as amarras de bitola grossa, e cujo comprimento é, em geral, de 12,5 a 15 braças, ou de 18,5 a 22m. [Pl.: *quartéis*. Cf. *quarteis*, do v. *quartar*.] ◆ **Quartel paulista.** *Bras. SP* V. *alqueire* (2).

quartel[2] [Do fr. *quartier*.] *S. m.* **1.** Edifício onde se alojam tropas; aquartelamento, caserna. **2.** Habitação, moradia; abrigo. [Pl.: *quartéis*. Cf. *quarteis*, do v. *quartar*.] ◆ **Não dar quartel a.** V. *não dar cartel a*: "Se puder se livrar dessas maçadas, melhor, mas se não puder, não dê quartel ao ladrão do Uricurizal." (Inglês de Sousa, *O Coronel Sangrado*, p. 115.)

quartela [De *quarto* + *-ela*.] *S. f.* **1.** *Zool.* Região entre a coroa do casco do cavalo e o boleto. **2.** *Arquit.* Mísula.

quartelada [De *quartel[2]* + *-ada[1]*.] *S. f.* **1.** *Bras. Pej.* Rebelião ou motim suscitado por militares com o fito de tomar o poder. **2.** *Teatr.* Conjunto de tábuas removíveis que formam o piso do palco.

quarteleiro [De *quartel[2]* + *-eiro*.] *S. m.* Militar encarregado de guardar o armamento e uniformes dum corpo de tropas.

quartelense *Adj. 2 g.* **1.** De, ou pertencente ou relativo a Quartel-Geral (MG). ● *S. 2 g.* **2.** O natural ou habitante de Quartel-Geral.

quartel-general [De *quartel[2]* + *general*.] *S. m.* **1.** *Desus.* Repartição militar dirigida por um oficial-general, e à qual compete executar, transmitir e fazer cumprir ordens ministeriais acerca do movimento, economia e disciplina militar. **2.** O lugar ocupado pelos oficiais-generais e seu estado-maior. **3.** O local de trabalho do general, donde ele expede as ordens aos corpos que lhe estão subordinados. [Sigla, nessas acepç.: *Q. G.*] **4.** Abrigo, asilo; valhacouto. [Pl.: *quartéis-generais*.]

quartel-mestre [De *quartel[2]* + *mestre*.] *S. m.* **1.** V. *hierarquia militar*. **2.** Militar que detinha a posição hierárquica de quartel-mestre. [Pl.: *quartéis-mestres*.]

quarterão [Do esp. *cuarterón*.] *Adj. S. m.* V. *quadrarão*. [Cf. *quarteirão*.]

quarteto (ê) [Do it. *quartetto*.] *S. m.* **1.** *Arte Poét.* Estrofe de quatro versos (especialmente nos sonetos); quadra. **2.** *Mús.* Peça para quatro vozes ou para quatro instrumentos. **3.** *Mús.* Conjunto de quatro vozes ou de quatro instrumentos. **4.** *Fam.* Reunião de quatro pessoas. **5.** *Fís.* Raia espectral constituída de quatro componentes. ◆ **Quarteto com piano.** *Mús.* Quarteto (3) formado de piano, violino, viola e violoncelo. **Quarteto de cordas.** *Mús.* **1.** Dois violinos, viola e violoncelo, ou violino, viola, violoncelo e contrabaixo. **2.** Composição instrumental, em geral baseada no princípio da sonata clássica (q. v.), e especialmente escrita para esse agrupamento. **Quarteto de sopro.** *Mús.* O que é formado pelas madeiras (flauta, oboé, clarinete e fagote), ou pelos metais (pistom, trompa, trombone e tuba). **Quarteto vocal.** *Mús.* Conjunto formado por duas vozes femininas (soprano e contralto) e duas vozes masculinas (tenor e baixo), com acompanhamento ou sem ele.

quártico [De *quarto* + *-ico[2]*.] *Adj. Mat.* Próprio de, ou referente a uma expressão de quarto grau.

quartil [De *quarto* + *-il[1]*.] *Estat. S. m.* **1.** Qualquer das separatrizes que dividem a área de uma distribuição de frequência em domínios de área igual a múltiplos inteiros de um quarto da área total. ● *Adj. 2 g.* **2.** ~ V. *amplitude* —.

quartilha *S. f. Bras. N.E. S.E.* V. *moringa* (1).

quartilhame [De *quartilho* + *-ame*.] *S. m.* Porção de quartilhos [v. *quartilho* (3 e 4)].

quartilheiro [De *quarto* + *-ilh(o)-* + *-eiro*.] *S. m. Bras. BA* Quarteiro[2].

quartilho [Do esp. *cuartillo*.] *S. m.* **1.** Antiga unidade de medida de capacidade para litros, equivalente à quarta parte de uma canada, *i. e.*, 0,6655 litro. **2.** A unidade de capacidade do sistema inglês, equivalente a 0,568 litro; *pint*. **3.** Recipiente que comporta um quartilho. **4.** O conteúdo desse recipiente.

quartinha [De *quarta* + *-inha*.] *S. f.* **1.** *Bras. N.E. RS* V. *moringa* (1): "tigelas com comida e azeite, quartinhas contendo água." (Vasconcelos Maia, *O Leque de Oxum*, p. 56). **2.** *Bras. RJ SP* Copo de barro com tampa. [Sin. RJ, nesta acepç.: *moringa*.]

quartinheira [De *quartinha* + *-eira*.] *S. f. Bras. PE* Móvel com uma série de buracos nos quais se metem as quartinhas até o bojo. [F. paral., na BA: *quartinheiro*.]

quartinheiro [De *quartinha* + *-eiro*.] *S. m. Bras. BA* Quartinheira.

quartinho [De *quarto* + *-inho[1]*.] *S. m.* **1.** A quarta parte da antiga moeda de 4$800 (quatro mil e oitocentos réis). **2.** Antiga moeda de ouro de 1$200 (mil e duzentos réis). **3.** Pequeno quarto; cubículo. **4.** *Bras.* V. *latrina* (1).

quarto [Do lat. *quartu*.] *Num.* **1.** Ordinal e fracionário correspondentes a quatro: *Este é o quarto livro que li; A quarta parte da matéria foi revista.* ~ V. —*a dimensão*. ● *S. m.* **2.** A quarta parte: *dois litros e um quarto; um quarto de hora.* **3.** Aquele ou aquilo que ocupa o quarto lugar: *Foi o quarto no concurso.* **4.** Cômodo (5) em que se dorme. **5.** Espaço de tempo em que alguns soldados ou marinheiros (ou, p. ext., quaisquer indivíduos), alternadamente, velam, enquanto outros descansam; plantão. **6.** Pequena bala angular, de chumbo. **7.** Fenda no casco das cavalgaduras. **8.** Mão e perna de uma rês considerada até a metade do lombo (na altura) e até a metade da barriga (na largura). **9.** *Taquigr.* Divisão do minuto para o estudo da velocidade taquigráfica. **10.** *Bras. N.E.* V. *velório[2]*. **11.** *Bras. MT* Quantia igual a 300 réis do antigo sistema monetário. **12.** *Ant. Náut.* Cada uma das 64 subdivisões da rosa dos ventos situada entre as meias-quartas e os pontos cardeais, os pontos colaterais e as quartas. [Cf., nesta acepç., *meia-quarta*.] ~ V. *quartos*. ◆ **Quarto crescente.** *Astr.* V. *Lua* (1). [Sin.: *crescente, primeiro quarto, primeira quadratura*.] **Quarto de despejo.** V. *despejo* (4). **Quarto de tom.** *Mús.* Intervalo duas vezes menor que o semitom, e que já se encontrava no sistema enarmônico dos gregos. [É elemento comum em algumas tradições musicais asiáticas e africanas, e renasce na música ocidental do séc. XX através de uma teoria que utiliza os 24 quartos de tom da oitava.] **Quarto minguante.** *Astr.* V. *Lua* (1). [Sin.: *minguante, segundo quarto, segunda quadratura*.] **Dar um quarto ao Diabo.** Fazer grande sacrifício, ser capaz de tudo (por ou para alguma coisa): "há quem dê um quarto ao Diabo para ter o gosto de desencantar casa encantada, desenterrando o tesouro que cause as assombrações." (Gilberto Freire, *Assombrações do Recife Velho*, p. 127). **Fazer quarto a.** *Bras.* Ficar durante uma parte da noite (ou a noite inteira) ao lado de (um doente ou um morto); velar: *Fez quarto ao seu velho professor*; "— Imagina tu: morreu o Maciel! — O marido da tua amiga? — Pois é. E não há escapatória: tenho que ir fazer o quarto." (Nélson Rodrigues, *100 Contos Escolhidos. A Vida como Ela É*, p. 101). **Passar no quarto.** *Bras. CE Pop.* Enganar, lograr, burlar, embrulhar. **Passar um mau quarto de hora.** Ficar passageiramente em situação angustiosa, aflitiva. **Primeiro quarto.** *Astr.* V. *quarto crescente*. **Segundo quarto.** *Astr.* V. *quarto minguante*.

quarto e sala *S. m. Bras.* Apartamento constituído apenas de um quarto e uma sala: "Mora com a mãe e quatro irmãos, num quarto e sala." (Marisa Raja Gabaglia, *Milho pra Galinha, Mariquinha*, p. 66.) [Pl.: *quartos e salas e quarto e salas*.] ☑

quarto-forte *S. m.* Nos hospícios de alienados, quarto onde são encerrados os loucos furiosos. [Pl.: *quartos-fortes*.]

quartola [De *quarto* + *-ola[1]*.] *S. f. Marinh.* Pequena pipa, quase igual a um quarto de tonel, para o transporte de água; ancoreta. [Var.: *cartola*.]

quartos [Pl. de *quarto*.] *S. m. pl.* Ancas, cadeiras, quadris [v. *quadril* (1)]. ~ V. *quarto*. ◆ **Cair com os quartos.** *Bras. N.E. Pop.* Ser pederasta passivo. **Dar com os quartos de lado.** *Bras. N.E. Pop.* Fugir a um compromisso; roer a corda; botar os quartos de banda.

quartudo [De *quarto* + *-udo*.] *Adj. Bras.* Que tem quartos ou ancas muito desenvolvidas; ancudo, cadeirudo, bundudo.

quartzífero [De *quartzo* + *-ífero*.] *Adj.* Que contém quartzo.

quartziforme [De *quartzo* + *-iforme*.] *Adj. 2 g.* Que tem forma ou semelhança de quartzo.

quartzina [De *quartzo* + *-ina[1]*.] *S. f. Min.* Variedade de calcedônia de aspecto fibroso.

quartzito [De *quartzo* + *-ito[2]*.] *S. m. Geol.* Rocha metamórfica, composta essencialmente de quartzo: arenito metamorfizado em que o cimento silicoso se recristalizou.

quartzo [Do médio alto-alemão *Quarz* (de or. controv.), pelo fr. *quartz*.] *S. m. Min.* Mineral trigonal, óxido de silício, que se apresenta em numerosas variedades, e também denominado *cristal de rocha*, quando é duro e transparente.

quartzoso (ô) [De *quartzo* + *-oso*.] *Adj.* Relativo ao quartzo ou que tem a natureza dele.

quaruba [Var. de *quariúba*.] *S. f. Bras. Bot.* V. *coariúba*.

quaruba-azul *S. f. Bras. Bot.* Designação comum a três plantas voquisiáceas: *Qualea caerulea, Qualea dinizii* e *Qualea ingens*. [Pl.: *quarubas-azuis*.]

quaruba-branca [De *quaruba* + o f. de *branco*.] *S. f. Bras. Amaz. Bot.* Árvore voquisiácea (*Vochysia melinonii*) da floresta úmida, que produz madeira castanho-rosada, macia e leve, razão por que serve para polpa celulótica, dando bom rendimento. [Pl.: *quarubas-brancas*.]

quaruba-de-flor-pequena [De *quaruba* + *de* + *flor* + o f. de *pequeno*.] *S. f. Bras. Amaz. Bot.* Árvore voquisiácea (*Vochysia obscura*) de porte mediano, própria da floresta pluvial, de flores amarelas, que cobrem toda a copa, e madeira pardo-avermelhada, que serve para marcenaria. [Pl.: *quarubas-de-flor-pequena*.]

quaruba-vermelha [De *quaruba* + o f. de *vermelho[1]*.] *S. f. Bras. Amaz. Bot.* Árvore voquisiácea (*Vochysia vismiaefolia*) da floresta pluvial, que tem flores amarelas e pequenas, ordenadas em racemos, e madeira pardo-rosada, dura e resistente, de uso em caixotaria e na construção de pequenas embarcações, sendo também indicada para o fabrico da polpa do papel. [Pl.: *quarubas-vermelhas*.]

quarup [Do camaiurá *kwaryp*.] *S. m. 2 n.* Entre os povos indígenas brasileiros da região do alto Xingu (MT), cerimônia sociorreligiosa intertribal de celebração dos mortos, ligada ao ciclo mitológico de um herói cultural, conhecido entre os camaiurás como Mavotsinin (q. v.).

quasar [Do ingl. *quasar*.] *S. m. Astr.* Fonte de rádio, de origem ainda misteriosa, que, apesar do aspecto estelar que apresenta às observações ópticas, emite mais amiudadamente na frequência rádio que qualquer grande galáxia brilhante.

quase [Do lat. *quasi*, 'como se'.] *Adv.* **1.** Perto, aproximadamente: *Está quase em idade escolar.* **2.** Pouco menos: *Tem quase 1.500 livros.* **3.** Por pouco, não; por um triz, não: *Quase enlouqueceu.* **4.** *Cabo-verd.* Talvez; porventura: "Quero dizer: foi o que eles me contaram. Se é verdade... Mas quase não é." (Antônio Aurélio Gonçalves, *Noite de Vento*, p. 169.)

quase contrato *S. m.* Compromisso voluntário, sem forma rigorosa de contrato. [Pl.: *quase contratos*.] ❄

quase delito *S. m. Jur.* Ato ilícito, culposo, civil, que gera a obrigação de indenizar. [Pl.: *quase delitos*.] ❄

quase equilíbrio *S. m. Fís.* Característica de um sistema que, não estando em equilíbrio, se acha num estado muito próximo de um estado de equilíbrio. [Pl.: *quase equilíbrios*.] ❄

quase estático *Adj. Fís.-Quím.* Diz-se de processo em que há equilíbrio entre o sistema e suas vizinhanças, e também no interior do sistema, em cada uma das suas etapas. [Pl.: *quase estáticos*.] ❄

quase posse *S. f. Jur.* Posse de direitos abstratos, como, p. ex., o usufruto e a servidão. [Pl.: *quase posses*.] ❄

quasimodal [De *quasímodo[2]* + *-al[1]*.] *Adj. 2 g. Bras.* V. *quasimodesco*.

quasimodesco (ê) [De *quasímodo[2]* + *-esco*.] *Adj. Bras.* Cuja fealdade lembra a de Quasímodo; monstruoso, quasimodal.

quasímodo[1] [Do lat. *Quasi modo*, as palavras iniciais do introito da missa celebrada no Domingo de Pascoela.] *S. m.* Domingo de Pascoela.

quasímodo[2] [Do ficción. *Quasimodo*, personagem monstruosa da obra *Notre-Dame de Paris*, de Vítor Hugo (v. *hugoano*).] *S. m.* Indivíduo quasimodesco; mostrengo, monstrengo.

quassação [Do lat. *quassatione*.] *S. f.* Redução das raízes e cascas a fragmentos, para se extraírem melhor os princípios ativos. [Cf. *cassação*.]

quássia [Do tax. *Quassia* (do antr. *Quassi*, de um surinamês que, no séc. XVIII, descobriu o valor medicinal dessa planta, + lat. cient., *-ia*, v. *-ia.*²).] *S. f. Bot.* **1.** Gênero de árvores e arbustos simarubáceos, dotados de folhas alternas, compostas, pecioladas, e grandes flores escarlates, em racemos. **2.** Qualquer espécie desse gênero, como, p. ex., a *Quassia amara*, nativa da região que vai da América Central ao Maranhão, e que tem folhas compostas e pequeninas flores racemosas, sendo conhecida pela madeira extraordinariamente amarga, us. em medicina para males do estômago. **3.** Qualquer espécime desse gênero. [Cf. *cássia*, s. f., e *Cássia*, antr. e top.]

quassina [Do tax. *Quassia* (v. *quássia*) + *-ina*³.] *S. f. Quím.* Lactona terpênica, de gosto amargo, encontrada na casca da quássia [fórm.: $C_{22}H_{28}O_6$].

quassinoide (ói) [De *quassina* + *-oide.*] *Adj. 2 g. S. m. Quím.* Diz-se de, ou substância que pode ser considerada semelhante ou derivada da quassina. ❖

quataense *Adj. 2 g.* **1.** De, ou pertencente ou relativo a Quatá (SP). • *S. 2 g.* **2.** O natural ou habitante de Quatá.

quataquiçaua *S. f. Bras. Amaz. Bot.* Árvore cesalpiniácea (*Peltogyne paniculata*) nativa do Brasil, de casca lisa, madeira nobre, flores brancas e vagens pubescentes; pau-roxo, pau-mulato.

quaternado [De *quaterno* + *-ado*¹.] *Adj. Bot.* Diz-se dos órgãos vegetais dispostos em grupos de quatro no mesmo plano.

quaternário [Do lat. *quaternariu.*] *Adj.* **1.** Composto de quatro unidades ou elementos. ~ V. *carbono —, compasso —, estrutura —a* e *período —.* • *S. m.* **2.** *Geol.* Período quaternário.

quaternião [Do lat. tard. *quaternione.*] *S. m. Farm.* Bálsamo formado de quatro ingredientes.

quaternidade [Do lat. *quaternitate.*] *S. f.* Grupo de quatro coisas ou pessoas.

quatérnion [Do ingl. *quaternion.*] *S. m. Álg.* Qualquer elemento de um conjunto que constitui um corpo, exceto pela comutatividade da multiplicação, e que se pode representar pela soma a + bi + cj + dk, em que *a, b, c* e *d* são reais.

quaterno [Do lat. *quaternu*, 'de quatro em quatro'.] *Adj.* Composto de quatro coisas, modos, elementos, etc.

quatetê [De or. indígena, poss.] *S. m. Bras. N.E. Bot.* V. *sapucaia* (1).

quati [Do tupi = 'nariz pontudo'.] *S. m.* **1.** *Zool.* Mamífero carnívoro, procionídeo (*Nasua nasua*), com sete subespécies distribuídas por todo o Brasil. A coloração, em geral, é cinzento-amarelada, porém muito variável, havendo indivíduos quase pretos e outros bastante avermelhados, focinho e pés pretos, cauda com 55cm, com sete a oito anéis pretos. Mede de corpo 70cm. Vive em bandos de oito a 10, é praticamente onívoro, e se adapta bem ao cativeiro. [Sin.: *quati-de-bando.*] **2.** *Bras. PE* Empregado aduaneiro extranumerário.

quatiaipé [Do tupi.] *S. m. Bras. PE Zool.* V. *serelepe* (1).

quatiara [F. red. de *boiquatiara.*] *S. f. Bras. Zool.* V. *cotiara*¹.

quati-de-bando *S. m. Bras. Zool.* Quati (1). [Pl.: *quatis-de-bando.*]

quatiense *Adj. 2 g.* **1.** De, ou pertencente ou relativo a Quatis (RJ). • *S. 2 g.* **2.** O natural ou habitante de Quatis.

quatiguaense *Adj. 2 g.* **1.** De, ou pertencente ou relativo a Quatiguá (PR). • *S. 2 g.* **2.** O natural ou habitante de Quatiguá.

quatimirim [Do tupi = 'quati pequeno'.] *S. m. Bras. Zool.* V. *serelepe* (1).

quatimundé [Do tupi.] *S. m. Bras. Zool.* Quatimundéu.

quatimundéu [Var. de *quatimundé.*] *S. m. Bras. Zool.* Designação vulgar para os exemplares de quatis já velhos, em geral machos, de grande porte, que vivem desgarrados do bando; quatimundé.

quatindiba [Alter. de *corindiba.*] *S. f. Bras. L. S. Bot.* Designação comum a plantas arbustivas e espinescentes, da família das ulmáceas, de flores apétalas, alvo-esverdeadas, dispostas em fascículos axilares, cujos frutos são drupas pilosas e ásperas, e que fornecem madeira alva, fibrosa e flexível, com variado emprego na indústria; corindiba, corindiúba, crindiúva.

quatipuru [Do tupi = 'cutia enfeitada'.] *S. m. Bras. Amaz.* V. *serelepe* (1).

quatipuruaçu [De *quatipuru* + *-açu.*] *S. m. Bras. Amaz. Zool.* Mamífero roedor, ciurídeo (*Sciurus i. igniventris*), com cerca de 50cm da ponta da cabeça à ponta da cauda. De dorso preto, agrisalhado pelos pelos amarelo-avermelhados, ventre vermelho-ferrugíneo, tornando-se vermelho-cereja na porção externa dos membros, e cauda tufosa, vermelho-ferrugínea com manchas pretas na parte basal. Não são raras as formas melânicas. [Var.: *acutipuruaçu*. Cf. *serelepe* (1).]

quatipuruense *Adj. 2 g.* **1.** De, ou pertencente ou relativo a Quatipuru (PA). • *S. 2 g.* **2.** O natural ou habitante de Quatipuru.

quatipuruzinho [De *quatipuru* + *-zinho.*] *S. m. Bras. Amaz. Zool.* Mamífero roedor, ciurídeo (*Sciurillus pusillus glaucinus*), distribuído desde a Guiana até o MT. Tem dorso cinzento, ventre cinzento-claro lavado de camurça, e tufos pós-auriculares brancos. Mede 93mm o conjunto de cabeça e corpo; 103mm de cauda. Alimenta-se de frutos silvestres. V. *serelepe* (1)

quatorze (ô) [Do lat. *quattuordecim.*] *Num.* **1.** Quantidade que é uma unidade maior que treze; treze mais um. **2.** Número (4) correspondente a essa quantidade. [Nessas acepçs., representa-se em algarismos arábicos por 14, e em algarismos romanos, por XIV.] **3.** Que está marcado ou identificado com o número 14. **4.** Décimo quarto. • *S. m.* **5.** Algarismo representativo do número quatorze. **6.** Aquilo ou aquele que numa série ocupa o décimo quarto lugar. [Var.: *catorze.*]

quatorzeno *Num.* O último em uma série de quatorze; décimo quarto. [Var.: *catorzeno.*]

quatragem [De *quatro* + *-agem*².] *S. m. Bras. MG Etnogr.* Dança antiga, sapateada por quatro pessoas no meio de uma roda de outras que batiam palmas, tocavam adufes e tambores, e cantavam alternadamente.

quatralvo [De *quatro* + *alvo.*] *Adj.* Diz-se do cavalo malhado de branco até os joelhos: "Quando souberam .... que João Nonato fora visto muito além do arraial, montado num baio quatralvo .... disseram todos: — Nonato fugiu no cavalo da patroa." (Nélson de Faria, *Tiziu e Outras Estórias*, p. 117.)

quatreiro [De esp. plat. *cuatrero.*] *S. m. Bras. RS MT* V. *abigeatário.*

quatriduano [Do lat. *quatriduanu.*] *Adj.* Que abrange um quatríduo.

quatríduo [Do lat. *quatriduu.*] *S. m.* Espaço de quatro dias.

quatriênio *S. m.* V. *quadriênio.* [Uso freq. em P.]

quatriênio *S. m.* V. *quadriênio.*

quatrilhão [Do fr. *quatrillon.*] *Num. Mat.* Mil trilhões; 10 elevado à 15ª potência. [F. paral.: *quatrilião* (q. v.).]

quatrilho [Do esp. *cuatrillo.*] *S. m.* Carteado que se joga entre quatro pessoas, cada uma das quais recebe nove cartas, ganhando, em cada partida, a que faz maior número de vazas.

quatrilião [De *quatro* + *-ilião.*] *Num. Mat.* Quatrilhão.

quatrim [Do it. *quattrino*, pelo esp. *cuatrín.*] *S. m.* Pequena moeda antiga.

quatrinca [De *quatro* + o final de *trinca.*] *S. f.* **1.** Quatro cartas iguais, no jogo. **2.** *Ant.* Série de quatro.

quatro [Do lat. vulg. *quattor*, por *quattuor.*] *Num.* **1.** Quantidade que é uma unidade maior que três; três mais um. **2.** Número (4) correspondente a essa quantidade. [Nessas acepçs., representa-se em algarismos arábicos por 4 e em algarismos romanos, por IV.] **3.** Que está marcado ou identificado com o número 4. **4.** Quarto (1). • *S. m.* **5.** Representação, em algarismos, do número quatro. **6.** Aquele ou aquilo que numa série ocupa o quarto lugar. **7.** Carta de jogar, ou face de dado ou de pedra de dominó que tem quatro sinais. **8.** A nota quatro, em exame, concurso, ou algum tipo de avaliação. ◆ **De quatro. 1.** Com os joelhos e as mãos apoiados no chão, em postura semelhante à de um quadrúpede; de quatro pés: "Joca foi pelo meio do mato, abaixado, escondido. Só pra ver aquela diaba passar .... Ficou de quatro, atrás das primeiras touceiras de barba-de-bode." (Rute Guimarães, *Água Funda*, p. 114). **2.** Surpreso; atônito. **3.** Apaixonado (1).

quatro-barrense *Adj. 2 g.* **1.** De, ou pertencente ou relativo a Quatro Barras (PR e SP). • *S. 2 g.* **2.** O natural ou habitante de Quatro Barras. [Sin. ger.: *barrense.* Pl.: *quatro-barrenses.*]

quatro-cantinhos [De *quatro* + o pl. do dim. de *canto*¹.] *S. m. 2 n.* Quatro-cantos.

quatro-cantos [De *quatro* + o pl. de *canto*¹.] *S. m. 2 n. Bras.* Brinquedo infantil em que os jogadores, colocados nos quatro cantos de um quadrado, procuram trocar de lugar entre si, enquanto um quinto jogador tenta ocupar uma das posições vagas; quatro-cantinhos.

quatrocentão [De *quatrocentos* + *-ão*¹.] *Adj. Bras.* Que tem quatrocentos anos; quadrissecular: *Em 1965 houve muitas festas ao Rio quatrocentão.* [Fem.: *quatrocentona.*]

quatrocentismo [De *quatrocentos* + *-ismo.*] *S. m.* O estilo, gosto ou escola dos quatrocentistas.

quatrocentista [De *quatrocentos* + *-ista.*] *Adj. 2 g.* **1.** Pertencente ou relativo ao Quatrocentos [v. *quatrocentos* (5)]: *poemas quatrocentistas.* **2.** Diz-se do escritor ou artista desse século. • *S. 2 g.* **3.** Escritor ou artista do séc. XV.

quatrocentos [De *quatro* + o pl. de *cento.*] *Num.* **1.** Quantidade que é uma unidade maior que 399; trezentos mais cem. **2.** Número (4) correspondente a essa quantidade. [Nessas acepçs., representa-se em algarismos arábicos por 400, e em algarismos romanos por CD.] **3.** Que está marcado ou identificado com o número 400. **4.** Quadringentésimo (1). • *S. m.* **5.** O século XV, ou o século de quatrocentos; o período quatrocentista: *Fernão Lopes é altíssima figura literária do Quatrocentos, em Portugal.* [Com cap., nesta acepç.] **6.** Representação, em algarismos, do número quatrocentos. **7.** Aquilo ou aquele que numa série ocupa o quadringentésimo lugar.

quatrolho (ô) [De *quatro* + *olho.*] *Adj. Bras.* Que tem as sobrancelhas brancas.

quatro-marquense *Adj. 2 g.* **1.** De, ou pertencente ou relativo a São José dos Quatro Marcos (MT). • *S. 2 g.* **2.** O natural ou habitante de São José dos Quatro Marcos. [Pl.: *quatro-marquenses.*]

quatro-olhos [De *quatro* + o pl. de *olho.*] *S. m. 2 n.* **1.** *Bras. Zool.* V. *tralhoto.* • *S. 2 g. e 2 n.* **2.** *Bras. Burl.* Indivíduo que usa óculos.

quatro-patacas [De *quatro* + o pl. de *pataca.*] *S. f. 2 n. Bras. Bot.* Trepadeira apocinácea (*Allamanda blanchetii*) de folhas verticiladas, sésseis, obovado-lanceoladas, acuminadas e pubérulas, grandes flores roxas, mas com variedades que vão do creme ao amarelado e ao róseo, e cuja corola é campanulada; congregam-se em cimeiras e o fruto é uma cápsula bivalvar e equinada. [Sin.: *alamanda-roxa.*]

quatro-paus [De *quatro* + *paus.* (O quatro de paus é a carta mais forte do truque³.)] *S. m. 2 n. Bras.* V. *capanga* (4): "O quatro-paus teria matado Romualdo, a mando do Capitão." (Manuel Lobato, *Garrucha 44*, p. 17.)

quatro-quartos [De *quatro* + o pl. de *quarto.*] *S. m. 2 n.* Apartamento de quatro quartos: "Um 4-quartos pronto com 440m²" (*Jornal do Brasil*, "Classificados", 18.12.1980).

quatro-réis [De *quatro* + o pl. de *real*² (3).] *S. m. 2 n.* Certo jogo de cartas.

quatrumano [De *quadrúmano.*] *S. m. Bras. BA* Sertanejo do rio São Francisco.

quaxinduba *S. m. Bras. Bot.* V. *guaxinduba.*

quaxinguba [Do tupi.] *S. f. Bras. Bot.* V. *guaxinduba.*

que¹ [Do lat. *quid.*] *Pron. interrog.* **1.** Que espécie de; qual: *Que matéria está você estudando?*; *Não sei que livro leio*; "Que sombra, que fantasma vem banhado / No doce eflúvio dessa quadra linda?" (Casimiro de Abreu, *Obras*, p. 180). **2.** Que coisa(s): "Que me dizeis, mestre Ouguet?" (Alexandre Herculano, *Lendas e Narrativas*, I, p. 253); "Em que cismas, poeta?" (Casimiro de Abreu, *Obras*, p. 180). • *Pron. excl.* **3.** Que espécie ou feitio de, ou quão estranho, ou grande, ou belo, etc.: "Meu Deus! que noite negra!" (Castro Alves, *Obra Completa*, p. 623); "Que torvo olhar! que gesto de demente!" (Antero de Quental, *Sonetos*, p. 327); *Que sábio, aquele homem!*; *Que mulher, meu caro!* [Cf. *quê.*] ◆ **Que de.** Quanto(s); quanta(s): "Que de encanto não tem para nós a palavra mãe!" (Dr. J. J. Nunes, *Digressões Lexicológicas*, p. 53); "Que campina tão bonita, / Que de angélicas cheirosas!" (Junqueira Freire, *Obras Póstumas*, II, p. 129). [Cf. quede.] **Que nem.** Que só, tal qual; como se fosse, do mesmo modo que: *Bonito que nem um artista*; *Saiu que nem o pai*; "As feras, tímidas que nem cordeiros, acoutavam-se submissas nos povoados." (Rebelo da Silva, *Contos e Lendas*, p. 27). **Por que.** Por que razão, por que motivo: *Se estão noivos, por que não se casam?* [Cf. *porque, porquê* e *por quê.*]

que² *Conj. coord. adit.* E: "E é razão que se diga tortura a arte de pensar e escrever, porque ela ondula que não corre e tem inflexões súbitas que não linhas certeiras e frias." (João Ribeiro, *Páginas de Estética*, p. 16); "Passo os dias metido no meu moinho, / E mói que mói saudades e tristezas" (Antônio Nobre, *Despedidas*, p. 18); "Se ela mandar retirar, que não manda, ofereça quinze por cento em vez dos doze que pagamos." (Graciliano Ramos, *Caetés*, p. 89). [Cf. *quê.*]

que³ [Do lat. *quem.*] *Pron. rel.* Introduz oração subordinada, reproduzindo o sentido de um termo, ou da totalidade de uma oração anterior; não tem, pois, significação própria, e sim representa o seu antecedente: "Eu sou como a garça triste / Que mora à beira do rio..." (Castro Alves, *Poesias Escolhidas*, p. 321); "Escrevi páginas de simplicidade e verdade — páginas que, evidentemente, não são memórias de um cão danado" (Otávio de Faria, *Novelas da Masmorra*, p. 125). [Sin.: *o qual, a qual, os quais, as quais.* Cf. *quê.*]

Q

que[4] ***Conj. coord. alternativa.*** Ou: "Lá longe, perdida na escuridão, uma que outra luz se projetava frágil, imprecisa" (Santos Morais, *Menino João*, p. 13). [Cf. *quê*.]

que[5] [Do lat. *quam*, pelas f. **qua e ca*, com redução da vogal.] ***Conj. coord. subord. comp.*** : "Mais inocente e pura / Que o beija-flor das veigas" (Junqueira Freire, *Obras Póstumas*, II, p. 121). [Cf. *quê*.]

que[6] [Do lat. *quia*.] ***Conj. subord. integrante*** : "Tu dizes que eu menti?..." (Castro Alves, *Obra Completa*, p. 122.) [Cf. *quê*.]

que[7] [Do lat. *quam*.] ***Conj. subord. concess.*** Ainda que; por mais que: "Talvez que a chuva passe e o tempo mude, / E que não mude, um tecto aqui nos cobre!" (Alberto de Oliveira, *Poesias*, 2.ª série, p. 300); *Bom que seja o rapaz, não é nenhum santo.* [Cf. *quê*.]

que[8] [Do lat. vulg. *quia*.] ***Conj. subord. caus.*** Porque, porquanto: "Mas Xixi Piriá não podia parar. Não podia, que um mundo de gente esperava por ele." (Mário Palmério, *Vila dos Confins*, p. 13); "— Vamos montar, que os outros não chegam." (Afrânio Peixoto, *Maria Bonita*, p. 47); "Terei, que o fado adverso me acompanha, / Grandes penas, duríssimos trabalhos." (Goulart de Andrade, *Poesias*, p. 210). [Cf. *quê*.]

que[9] [Do lat. *quia*, pelas f. **qua e ca*, com redução da vogal.] ***Conj. subord. fin.*** Para que: "Sim, eu devera comprimir meu peito, / Conter meu coração, que não pulsasse" (Gonçalves Dias, *Obras Poéticas*, II, p. 160); "— A quem estais carregando, / irmãos das almas, / embrulhado nessa rede? / dizei que eu saiba." (João Cabral de Melo Neto, *Duas Águas*, p. 174). [Cf. *quê*.]

que[10] [Do lat. *quid*.] ***Adv.*** Quão: *Que linda!*; "Os braços ....; oh! os braços! Que benfeitos!" (Machado de Assis, *Quincas Borba*, p. 3); "E que doido que eu fui!" (Álvares de Azevedo, *Obras Completas*, I, p. 325). [Cf. *quê*.]

que[11] ***Prep.*** Exceto, salvo, salvante: "Entrou [José do Patrocínio, para a *Gazeta de Notícias*] sem outra recomendação que uns versos que por um amigo dele foram apresentados a Ferreira de Araújo, então já redator principal da folha." (Mário de Alencar, *Alguns Escritos*, p. 10); "Não queirais dos livros outra unidade que a do seu espírito." (Pontes de Miranda, *Obras Literárias*, p. 23). [Cf. *quê*.]

que[12] ***Partícula expletiva*** : "Oh! que saudades que tenho / Da aurora da minha vida, / Da minha infância querida / Que os anos não trazem mais!" (Casimiro de Abreu, *Obras*, p. 93); "Talvez que a chuva passe e o tempo mude" (Alberto de Oliveira, *Poesias*, 2.ª série, p. 300); "Erva daninha, que bem que cheiras!" (Conde de Monsaraz, *Musa Alentejana*, p. 15); "Evidentemente que há cem maneiras de definir romantismo..." (João Gaspar Simões, *Liberdade do Espírito*, p. 33). [Cf. *quê*.]

quê[1] [Do lat. *quid*.] ***S. m.*** **1.** Alguma coisa; qualquer coisa: "Um quê misterioso aqui me fala, / Aqui no coração" (Gonçalves Dias, *Obras Poéticas*, II, p. 27). **2.** Dificuldade, complicação. [Cf. *que*.] ◆ **Por quê.** Por que motivo, por que razão: *Vocês não se casam por quê?* [Cf. *porque*, *porquê* e *por que*.] **Sem mais quê nem para quê.** *Bras. S.* V. *sem quê nem para quê*. **Sem quê nem mais** *Bras. N.E.* V. *sem quê nem para quê*: "E sem quê nem mais, lá veio me indagando pela mulher de Antônio de Melo que era Maria Alice." (José Lins do Rego, *Banguê*, p. 106.) **Sem quê nem para quê.** Sem nenhum motivo; sem mais nem menos; à toa: "o artigo famoso, no qual, sem quê nem para quê, lhe levantam falsos testemunhos" (Antônio Feliciano de Castilho, *O Presbitério da Montanha*, I, p. 106). [Sin., bras.: *sem mais quê nem para quê, sem quê nem mais*.]

quê[2] ***S. m.*** A letra *q*. [Pl.: quês. Cf. *que*.]

quê[3] ***Interj.*** Designa espanto: *Quê! você por aqui?*; "Quê! mortos ambos!" (Junqueira Freire, *Obras Póstumas*, p. 215).

queba ***Adj. 2 g. Bras. GO*** Antigo, velho.

quebequense ***Adj. 2 g.*** **1.** Relativo ou pertencente ao Québec (Canadá). • ***S. 2 g.*** **2.** O natural ou habitante do Québec. • ***S. m.*** **3.** *Gloss.* Dialeto do francês falado no Québec e também em Nova Brunswick (Canadá); francês-canadense.

quebra[1] [Dev. de *quebrar*.] ***S. f.*** **1.** Ato ou efeito de quebrar. **2.** Separação das partes de um todo. **3.** Perda; diminuição; desfalque: *Houve uma quebra no abastecimento.* **4.** Infração, transgressão: *A quebra do protocolo desagradou ao ministro.* **5.** Interrupção, rompimento: *quebra de relações.* **6.** Insolvência por parte de um indivíduo ou casa comercial; falência: *A quebra de seu estabelecimento abalou-o deveras.* **7.** V. *vertente* (3). **8.** Vinco, dobra. **9.** *Pop.* V. *hérnia* (1). **10.** *Bras.* Desconto ou abatimento que se faz no peso de uma mercadoria ou na venda de algum gênero. **11.** *Bras. N.E.* Objeto que, numa transação, se dá a mais, como agrado, ao comprador. [Sin., nesta acepç.: *esquebra* (angol.) e *bacela* (moç.).] ~ V. *quebras*. ◆ **Quebra de bitola.** Diferença de bitolas entre linhas ferroviárias em contato. **Quebra de serviço.** *Bras. Esport.* Vitória obtida num *game* em que o serviço (16) pertenceu ao adversário. **Quebra de verso.** *Arte Poét.* V. *enjambement*. **De quebra.** Por acréscimo; a mais; de inhapa, de lambujem.

quebra[2] ***Adj. S. 2 g. Bras. N.*** Falador, gracejador, patusco.

quebra[3] ***Adj. 2 g. S. m. Bras. S.*** V. *quebra-freio*.

quebra-bunda [De *quebrar* + *bunda*.] ***S. m. Bras. PA*** V. *mal de escancha*. [Pl.: *quebra-bundas*.]

quebra-cabeça [De *quebrar* + *cabeça*.] ***S. m.*** **1.** *Pop.* Aquilo que dá cuidado, que preocupa, que é complicado; quebradeira. **2.** Questão ou problema difícil, complicado. **3.** Adivinhação que, para ser resolvida, necessita de habilidade ou inteligência. **4.** Jogo que consiste em combinar peças que se encontram baralhadas a fim de formar um todo, em geral uma figura. [Sin., ingl.: *puzzle*. Pl.: *quebra-cabeças*.]

quebrachal [Do esp. *quebracho* + *-al*[1].] ***S. m.*** **1.** *Bras. MT* Quantidade mais ou menos considerável de quebraços situados proximamente entre si. **2.** Área ocupada por quebrachal (1).

quebracho-vermelho ***S. m. Bras. Bot.*** Quebraço. [Pl.: *quebrachos-vermelhos*.]

quebraço [Do esp. plat. *quebracho*.] ***S. m. Bras. Bot.*** Árvore anacardiácea (*Schinopsis lorentzii*) que cresce na região limítrofe entre o Brasil, a Argentina e o Paraguai, e se caracteriza pelo fruto duro e provido de espessa asa terminal, sendo sua madeira rica em tanino e objeto de intensa exploração; quebracho-vermelho.

quebra-costela [De *quebrar* + *costela*.] ***S. m. Bras. Fam.*** Abraço muito forte. [Pl.: *quebra-costelas*.]

quebrada [F. subst. de *quebrado*.] ***S. f.*** **1.** Cada um dos aclives ou declives de um terreno ondulado. **2.** V. *vertente* (3): "o som medonho, ululante e extenso, desvanecia-se de quebrada em quebrada, como a voz portentosa do trovão." (Teixeira de Queirós, *Comédia do Campo*, I, p. 212). **3.** Anfractuosidade do terreno produzida pela água; desbarrancado, esbarrancada, esbarrancado. **4.** *Bras.* Brecha (4). **5.** *Bras. S.* Curva da estrada. **6.** *Bras. S.* Qualquer curva nos limites externos de um capão[2]. **7.** Lugar ermo, afastado. **8.** *Cabo-verd.* Desmoronamento violento de terra e rochedos: "Foi então a quebrada, com o seu fragor de trovão — o desabar de rocha e cascalheira, como se toda a vertente do barranco, do lado da casa do pai, esboroasse." (Manuel Lopes, *Os Flagelados do Vento Leste*, p. 135.)

quebra de braço ***S. f. Bras.*** V. *queda de braço*. [Pl.: *quebras de braço*.]

quebra-dedos [De *quebrar* + o pl. de *dedo*.] ***S. f. 2 n. Bras. CE*** Cerca de ripas entrançadas.

quebradeira [De *quebrar* + *-deira*.] ***S. f.*** **1.** Quebra-cabeça (1). **2.** *Pop.* V. *quebreira* (1). **3.** *Bras. Pop.* V. *pindaíba* (4).

quebradela [De *quebrar* + *-dela*.] ***S. f.*** Ato ou efeito de quebrar(-se).

quebradiço [De *quebrar* + *-(d)iço*[1].] ***Adj.*** Que se quebra com facilidade; quebrável, frágil.

quebradinho [Dim. subst. de *quebrado*.] ***S. m. Bras.*** Variedade de algodão[1] (1).

quebrado [Part. de *quebrar*.] ***Adj.*** **1.** Que tem ruptura; partido, fragmentado. **2.** Cansado, abatido, alquebrado: *As vicissitudes o prostraram: é um homem quebrado.* **3.** Lânguido, langue, frouxo, voluptuoso: "O namoro havia de ir demorado, muito epistolar, feito de esperas, de olhos quebrados, de ventarolas, de apertos de mão." (Machado de Assis, *Contos Avulsos*, p. 245.); "já o enleava e cingia a doce sensibilidade elástica daquela voz, quebrada, curva, cheia de ondulações" (Aluísio Azevedo, *Casa de Pensão*, p. 100). **4.** V. *pronto* (10): *Anda quebrado, sem vintém.* **5.** Diz-se de qualquer maquinismo que não está em condições de funcionar; enguiçado. **6.** *Bras. N.E.* Diz-se do cavalo que obedece ao freio facilmente e com precisão; quebrado da boca. **7.** *Bras. N.E.* Herniado, rendido. ~ V. *beiral —, composição —a, frase —a, linha —a, verso heroico —* e *quebrados*.

quebradoiro [De *quebrar* + *-doiro*[2].] ***S. m. Bras.*** Quebradouro (q. v.).

quebrador (ô) [De *quebrar* + *-dor*.] ***Adj.*** **1.** Que quebra. • ***S. m.*** **2.** Aquele ou aquilo que quebra. **3.** *Bras. PA* Colhedor de castanha, a quem compete quebrar os ouriços e extrair as castanhas.

quebrados [Pl. subst. de quebrado.] ***S. m. pl. Bras.*** V. *dinheiro miúdo*: "Tomei espanto quando o sócio largou na mesa dois contos e uns quebrados." (José Cândido de Carvalho, *O Coronel e o Lobisomem*, p. 192.) ~ V. *quebrado*.

quebradouro [De *quebrar* + *-douro*[2]; var. de *quebradoiro*.] ***S. m. Bras.*** Parte da praia onde se dá a arrebentação das ondas.

quebradura [De *quebrar* + *-dura*.] ***S. f.*** V. *hérnia* (1).

quebra-facão [De *quebrar* + *facão*.] ***S. m. Bras. Bot.*** **1.** V. *jatobá* (3). **2.** V. *pau-de-rosas* (1). [Pl.: *quebra-facões*.]

quebra-febre [De *quebrar* + *febre*[1].] ***S. f. Bras. Bot.*** V. *centáurea-menor*. [Pl.: *quebra-febres*.]

quebra-foice [De *quebrar* + *foice*.] ***S. f. Bras. Bot.*** **1.** V. *esponjinha* (1). **2.** Flor-do-céu. [Var. de *quebra-fouce*. Pl.: *quebra-foices*.]

quebra-fouce ***S. m. Bras. Bot.*** V. *quebra-foice* (q. v.). [Pl.: *quebra-fouces*.]

quebra-freio [De *quebrar* + *freio*.] ***Adj. 2 g. S. 2 g. Bras. S.*** **1.** Que, ou aquele que é bravio, arisco. **2.** Que, ou aquele que é turbulento, tumultuoso, desordeiro. **3.** Que, ou aquele que é valente, corajoso. **4.** V. *valentão* (1 e 3). [Tb. se diz apenas *quebra*. Pl.: *quebra-freios*.]

quebra-galho [De *quebrar* + *galho*.] ***S. m. Gír.*** Qualquer pessoa, ou recurso, ou coisa que ajuda a resolver uma dificuldade, a quebrar um galho. [Pl.: *quebra-galhos*.]

quebra-gelos [De *quebrar* + o pl. de *gelo*.] ***S. m. 2 n.*** Navio quebra-gelos.

quebra-goela [De *quebrar* + *goela*.] ***S. f. Bras. SE*** V. *cachaça* (1). [Pl.: *quebra-goelas*.]

quebra-largado [De *quebra*[3] + *largado* (5).] ***S. m. Bras. S.*** V. *valentão* (3). [Pl.: *quebras-largados*.]

quebralhão [De *quebrar* + *-alhão*.] ***Adj. S. m. Bras. S.*** Muito mau, muito ruim. [Diz-se de pessoa ou de animal. Fem.: *quebralhona*.]

quebralhona ***S. f. Bras. S.*** Fem. de *quebralhão*.

quebra-loiças ***S. 2 g. e 2 n.*** V. *quebra-louças*.

quebra-louças [De *quebrar* + o pl. de *louça*.] ***S. 2 g. e 2 n. Bras.*** Pessoa desastrada, espalhafatosa; espalha-brasas. [Var.: *quebra-loiças*.]

quebra-luz [De *quebrar* + *luz*.] ***S. m.*** **1.** Peça para preservar os olhos da luz forte de vela, candeeiro, lâmpada, etc. **2.** V. *abajur* (1): "Uma claridade indecisa, afogada pelo quebra-luz, entornava uma sonolência vaga pela saleta." (Orlando Gonçalves, *Este Mundo dos Homens*, p. 78.) [Pl.: *quebra-luzes*.]

quebra-machado [De *quebrar* + *machado*.] ***S. m. Bras. Bot.*** **1.** Árvore rutácea (*Metrodorea nigra*) de até 5m, com folhas simples, ou compostas de 2 a 3 folíolos coriáceos, pequenas flores paniculadas, fruto peciolar lenhoso, pentágono, coberto de grossos tubérculos, e que se abre em quatro a cinco cocos. O pecíolo é muito dilatado na base; a madeira é duríssima. [Sin., nesta acepç.: *tambetaru*.] **2.** V. *jatobá* (2). **3.** V. *itu*. [Pl.: *quebra-machados*.]

quebra-mar [De *quebrar* + *mar*.] ***S. m.*** Estrutura ou barreira natural que protege um ancoradouro ou uma praia contra a agitação produzida por ondas ou por correntes marítimas: "O quebra-mar cinzento, as ilhas distantes se perdendo na névoa, as gaivotas procurando peixe, a fumaça das chaminés dos navios, tranquilizavam os meus olhos" (Reginaldo Guimarães, *Uma Blusa no Cais*, p. 55). [Quando enraizado em terra, pode ser denominado *molhe* e servir à acostagem de embarcações no lado abrigado.] [Sin.: *corta-mar, talha-mar*. Pl.: *quebra-mares*.]

quebramento [De *quebrar* + *-mento*.] ***S. m.*** **1.** Quebra, rompimento. **2.** *Pop.* V. *quebreira* (1).

quebra-molas [De *quebrar* + o pl. de *mola*.] ***S. m. 2 n.*** Obstáculo alongado, de pequena altura, em relevo ou encavo, construído transversalmente em ruas, estradas, etc., para fazer que se reduza a velocidade de veículos; redutor de velocidade.

quebra-munheca [De *quebrar* + *munheca*.] ***S. f. Bras. SE*** V. *cachaça* (1). [Pl.: *quebra-munhecas*.]

quebrança [De *quebrar* + *-ança*.] ***S. f.*** **1.** O quebrar das ondas nos rochedos: "Nos versos de Victor Hugo sente-se o cheiro do mar, o salitre evaporado, a marujada, a quebrança, o marulho perene..." (Martins Fontes, *O Mar*, p. 38.) **2.** *Bras. BA* A fase das marés em que elas principiam a ser pequenas, no curso das quadraturas.

quebrangulense ***Adj. 2 g.*** **1.** De, ou pertencente ou relativo a Quebrangulo (AL). • ***S. 2 g.*** **2.** O natural ou habitante de Quebrangulo.

quebra-nozes [De *quebrar* + o pl. de *noz*.] ***S. m. 2 n.*** Instrumento com que se partem nozes.

quebrantado [Part. de *quebrantar*.] ***Adj.*** **1.** Debilitado, abatido, extenuado. **2.** Prejudicado, lesado. **3.** Que sofreu revés.

quebrantador (ô) [De *quebrantar* + *-dor*.] ***Adj.*** **1.** Que quebranta. • ***S. m.*** **2.** Aquele ou aquilo que quebranta.

quebrantamento ***S. m.*** **1.** Ato ou efeito de quebrantar(-se); quebranto. **2.** Prostração, abatimento, fraqueza, quebranto. **3.** Infração, transgressão.

quebrantar [Do lat. vulg. *crepantare* < lat. *crepare*, 'fazer estrépito', 'estalar'; 'rachar', 'quebrar'.] *V. t. d.* **1.** Quebrar, aluir, abater, arrasar: *quebrantar muralhas; Suas loucuras quebrantavam o ânimo dos pais.* **2.** Machucar, macerar; ferir; mortificar: *O ataque injurioso quebrantou-a.* **3.** *Fig.* Infringir, transgredir, violar, quebrar: "Se, Dulce, quebrantei a fé jurada, / Nunca mais a meus olhos esclareça / O vivo e gentil lume, que amanhece / Em teu semblante angélico" (Correia Garção, *Obras Poéticas e Oratórias*, p. 366). **4.** Vencer, domar, amansar: *Impossível quebrantar a fúria do velho.* **5.** Tirar a energia a; abrandar, afrouxar; debilitar: *A insistência dos opositores quebrantou-o.* **6.** Desanimar, abater; frustrar: "E, na angústia que a quebranta, / Somente espera e antegoza / A proteção milagrosa / Da Virgem Mãe de Jesus!" (Vicente de Carvalho, *Poemas e Canções*, p. 208.) **7.** Passar além de; ultrapassar: *Sua atuação quebrantou quase todas as expectativas.* **Int. 8.** Servir de lenitivo; suavizar, acalmar: *Em tais momentos, só a prece quebranta.* **P. 9.** Tornar-se fraco; afrouxar(-se); abalar-se: *A argumentação baseada na mentira quebranta-se por si mesma.* **10.** Perder a coragem, a energia: *Sem comando, os exércitos quebrantaram-se.* [Var.: *aquebrantar.*]

quebrantável [De *quebrantar* + *-vel.*] *Adj. 2 g.* Que se pode quebrantar.

quebranto [Dev. de *quebrantar.*] *S. m.* **1.** V. *quebrantamento* (1 e 2). **2.** Resultado mórbido que, segundo a superstição popular, o mau-olhado de certas pessoas produz em outras.

quebra-pau [De *quebrar* + *pau.*] *S. m. Bras. Gír.* **1.** Briga, discussão, altercação. **2.** V. *rolo*[1] (16). [Pl.: *quebra-paus.*]

quebra-pedra [De *quebrar* + *pedra.*] *S. f. Bras. Bot.* **1.** V. *fura-paredes* (2). **2.** V. *erva-de-santa-luzia* (3). [Pl.: *quebra-pedras.*]

quebra-pote [De *quebrar* + *pote.*] *S. m.* Brinquedo em que alguém, de olhos vendados, tenta com um pau quebrar um pote pendente de árvore, gancho, etc.: "Depois, jogos de *hand-ball*, corridas, quebra-pote, paus de sebo e outros entretenimentos." (A. S. de Mendonça Júnior, *O Anel de Brilhante e Outras Estórias*, p. 53.) [Pl.: *quebra-potes.*]

quebra-prato *S. m. Bras. PE Zool.* V. *borboleta-listrada.* [Pl.: *quebra-pratos.*]

quebra-quebra [Da 3ª pess. do sing. do pres. ind. de *quebrar*, repetida.] *S. m. Bras.* **1.** Arruaça com depredações. **2.** V. *rolo*[1] (16). **3.** *Zool.* V. *cobra-de-vidro.* **4.** *Cul.* Certo sequilho muito brando, que se desfaz na boca: "Quebra-quebra é um sequilho que desmancha na boca" (Adélia Marques, em *Jornal do Brasil*, 25.07.1978). [Pl.: *quebra-quebras.*]

quebra-queixo [De *quebrar* + *queixo.*] *S. m.* **1.** *Bras.* Charuto ordinário; mata-rato, mata-ratos. **2.** *Bras. CE* Charuto (1). **3.** *Bras. AL* Puxa-puxa (2). ● *Adj. 2 g.* **4.** *Bras. CE* Diz-se de bebida muito gelada. [Pl.: *quebra-queixos.*]

quebra-quilos [De *quebrar* + o pl. de *quilo.*] *S. m. 2 n.* **1.** *Bras.* Designação comum aos sediciosos que em 1875 se levantaram na PB, por motivo da decretação de novos impostos provinciais e da lei que estabeleceu no Brasil o sistema métrico decimal. **2.** *Bras. N.* Chita estampada a preto e a vermelho.

quebrar [Do lat. *crepare*, 'estalar'.] *V. t. d.* **1.** Reduzir a pedaços; fragmentar, despedaçar: *Quebrou o copo com raiva.* **2.** Partir, romper, fraturar: *Com o tombo, quebrou a clavícula.* **3.** Diminuir a intensidade de; enfraquecer, debilitar, esfriar: *As adversidades constantes quebram o entusiasmo.* **4.** Interromper, cortar: *Os gritos quebraram o silêncio da noite;* "Rumor suspeito quebra a doce harmonia da sesta." (José de Alencar, *Iracema*, p. 51). **5.** Infringir, violar, transgredir, quebrantar: *O Presidente quebrou o protocolo.* **6.** Acabar com; pôr termo a; destruir: *A miséria quebra os sentimentos mais puros.* **7.** Arruinar financeiramente: *A escassez de vendas quebrou a empresa.* **8.** Faltar ao cumprimento de (promessa ou palavra). **9.** Torcer, dobrar: *Quebrou o corpo, desviando-se do golpe.* **10.** Domar, subjugar; vencer, afrouxar, quebrantar: *Aquele doce olhar quebrou-lhe a vontade.* **11.** Desfazer, dissipar: *Suas palavras quebraram o mal-estar geral.* **12.** Inutilizar, danificar; enguiçar, encrencar: *A mudança de ciclagem quebrou a máquina.* **13.** Anular, cassar: *O decreto quebrou as imunidades parlamentares.* **14.** Mudar a direção de; desviar: *quebrar o vento.* **15.** Virar, voltear, tornear: *Quebrou a esquina para fugir do engarrafamento.* **16.** *Tip.* Passar para a linha seguinte parte de (palavra, título, verso, etc., que não cabe na medida). **17.** *Bras. Pop.* V. *matar* (1). **18.** *Bras. Pop.* Bater em; espancar: *Afirmava que ia quebrar o adversário.* **19.** *Bras. N.E.* Ensinar (o cavalo) a obedecer bem ao freio, a voltear, esbarrar, etc., sem perder nem alterar a pisada. **T. c. 20.** Dobrar-se, curvar-se, vergar-se: *Sua cabeça quebrou para trás.* **Int. 21.** Romper-se, partir-se, fragmentar-se, despedaçar-se, espedaçar-se, rachar; quebrar-se. **22.** Diminuir de intensidade, ou perdê-la; enfraquecer, afrouxar: "Depois do almoço, quebrando o sol um pouco, o Largo de Baixo começava a encher-se para as Cavalhadas." (Ciro dos Anjos, *A Menina do Sobrado*, p. 103); "O vento vai quebrando, e já rareiam / Grossos montões de acasteladas nuvens" (Alexandre Herculano, *Poesias*, p. 115). **23.** Declarar-se em estado de quebra; falir: "Quebrara em Santos uma casa comissária importantíssima. O coronel perdia na quebra cerca de trinta contos." (Júlio Ribeiro, *A Carne*, p. 81.) **24.** *P. ext.* Ficar sem dinheiro; ficar pronto, liso. **25.** Sofrer quebradura; adquirir hérnia. **26.** Dobrar-se, formando ângulo. **27.** Refratar-se, refletir-se. **28.** Dar com ímpeto, embater (as ondas). **29.** *Bras.* Sofrer quebra ou diminuir no peso, na qualidade, etc. **30.** Enguiçar, encrencar (máquina, maquinismo, veículo automóvel, etc.). **31.** *Bras. PE AL* Requebrar-se, fazendo o passo. **T. i. 32.** Fugir, desviar-se; infringir, transgredir: "Não fugir sem independência à justiça, nem quebrar da verdade ante o poder." (Rui Barbosa, *Oração aos Moços*, p. 78.) **33.** *Bras. Pop.* Andar vestido luxuosamente: *O rapaz só quebra na seda.* **P. 34.** Romper-se, partir-se; quebrar. **35.** Quebrar (20): *Quebrou-se sobre o ombro do amigo.* **36.** Interromper-se. **37.** Desfazer-se; cessar. ● *S. m.* **38.** Ação ou efeito de quebrar-se. ◆ **O quebrar da barra.** *Bras.* As primeiras claridades da manhã.

quebra-rabicho [De *quebrar* + *rabicho.*] *S. m. Bras. CE Gír.* V. *rolo*[1] (16). [Pl.: *quebra-rabichos.*]

quebra-resguardo [De *quebrar* + *resguardo.*] *S. m. Bras. N.E. Etnogr. Pej.* Mau conjunto musical. [Pl.: *quebra-resguardos.*]

quebras [Pl. de *quebra*[1].] *S. f. pl.* **1.** *Ind. Pap.* Sobra de papel defeituoso, que se vende como produto inferior ou se reaproveita como matéria-prima. **2.** *Art. Gráf.* As folhas que, por motivos diretos, são descartadas após o trabalho da impressão. **3.** *Bras. Gír.* Sobras, restos. ~ V. *quebra.*

quebra-serra [Do v. *quebrar* + *serra.*] *S. f. Bras. Bot.* V. *canafístula* (3). [Pl.: *quebra-serras.*]

quebra-sol [De *quebrar* + *sol.*] *S. m. Arquit.* *Brise-soleil.* [Pl.: *quebra-sóis.*]

quebra-urnas [De *quebrar* + o pl. de *urna.*] *S. m. 2 n. Bras.* Ente fantástico, perturbador do sossego dos mortos.

quebrável [De *quebrar* + *-vel.*] *Adj. 2 g.* **1.** Que se pode quebrar. **2.** V. *quebradiço.*

quebra-vento [De *quebrar* + *vento.*] *S. m.* **1.** Qualquer dispositivo que sirva para desviar o vento ou impedir-lhe a passagem. **2.** Pequena janela móvel situada logo após o para-brisa dianteiro de certos veículos automóveis e que dirige o vento para a direção desejada. [Pl.: *quebra-ventos.*]

quebra-verso [De *quebrar* + *verso*[1].] *S. m. Tip.* Colchete ou parêntese reto de abrir ([ ), usado para indicar final de verso que se teve de quebrar. [Pl.: *quebra-versos.*]

quebreira [De *quebrar* + *-eira.*] *S. f. Pop.* **1.** Prostração, fadiga, moleza; quebradeira, quebramento: "essa vida de convalescente .... ajudava a despertar no seu sangue pobre essa quebreira lúbrica das puberdades, que tanto entristece e amolenta os fracos." (Carlos Malheiro Dias, *Os Teles de Albergaria*, p. 155). **2.** *Bras.*, *Pop.* V. *pindaíba* (4).

quebro [Dev. de *quebrar.*] *S. m.* **1.** Inflexão da voz ou do corpo; requebro. **2.** *Taur.* Qualquer movimento que o toureiro faz com a cintura sem mover os pés, a fim de evitar a marrada.

quecé [Var. de *quicé.*] *S. f. e m. Bras. N.E.* V. *caxirenguengue.*

quecê [Var. de *quecé.*] *S. f. e m. Bras.* V. *caxirenguengue.*

quéchua [Desta língua, pelo esp. *quechua.*] *S. m.* V. *quíchua.*

queci-queci *S. m. Bras. Zool.* V. *quijuba.* [Pl.: *queci-quecis.*]

queda[1] [Do arc. *caeda*, f. do part. de *caer* (f. arc. de *cair*).] *S. f.* **1.** Ato ou efeito de cair; caída. **2.** Trambolhão, tombo. **3.** Declive, descida, caimento. **4.** *Fig.* Decadência, declínio, ruína: *a queda de Roma.* **5.** *Fig.* Perda de crédito ou conceito; descrédito, desprestígio: *a queda de uma reputação.* **6.** *Fig.* Erro, falta, culpa, pecado: *a queda de Adão e Eva.* **7.** *Fig.* Inclinação natural; tendência, pendor. **8.** *Fig.* Extinção ou cessação do poder: *A queda da Monarquia ocorreu, no Brasil, em 1889.* **9.** Certo número de partidas em um jogo de cartas. **10.** *Hist. Filos.* No gnosticismo (q. v.), o momento de ruptura ou de afastamento extremo entre o homem e a divindade. **11.** *Inform. Telec.* Interrupção de linha de comunicação eletrônica, esp. em virtude de alguma falha. **12.** *Telec.* Parada de funcionamento devida a interrupção de conexão: *Um temporal causou a queda da rede de computadores.* **13.** *Bras.* Caimento (6). **14.** *Bras.* Desvalorização (1 e 2). [Pl.: *quedas.* Cf. *queda* (ê) e *quedas* (ê), flex. de *quedo* (ê).] ◆ **Queda de barreira.** *Bras.* Deslizamento de terra, geralmente ocasionado por fortes chuvas, que impede o trânsito nas estradas.

queda[2] *S. f. Bras. MG* V. *queda de braço* (q. v.). [Pl.: *quedas.* Cf. *queda* (ê) e *quedas* (ê), flex. de *quedo* (ê).]

queda-d'água [De *queda*[1] + *de* + *água*[1].] *S. f.* Lugar onde o curso de um rio é acentuadamente vertical. [Sin.: *cachoeira, catadupa, cascata, catarata, salto, despenho* e (bras.) *cachoeiro, roncador.* Pl.: *quedas-d'água.*]

queda de asa [De *queda*[1] + *de* + *asa.*] *S. f. Bras.* Guinada brusca do automóvel. [Pl.: *quedas de asa.*] ☑

queda de braço [De *queda*[1] + *de* + *braço.*] *S. f.* **1.** *Bras.* Jogo em que duas pessoas, com os cotovelos apoiados num suporte horizontal, se dão as mãos ou cruzam os pulsos, para medir forças e obrigar o adversário a dobrar o antebraço. [Tb. se diz (em MG) apenas *queda.* Sin.: *quebra de braço* e (MA) *cana de braço.*] **2.** *Fig.* Competição acirrada: "Ato pró-Alkmin abre nova queda de braço no PSDB." (*Folha de S.Paulo*, 24.03.2008.) [Pl.: *quedas de braço.*] ☑

queda de punho *S. f. Neur.* V. *carpoptose.* [Pl.: *quedas de punho.*] ☑

queda de quatro [De *queda*[2] + *de* + *quatro.*] *S. f. Bras. Cap.* Movimento defensivo em que o capoeirista se deixa cair para trás, aparando a queda com as duas mãos, mas sem tocar no solo com o corpo. [Pl.: *quedas de quatro.*] ☑

queda de rim *S. m. Bras. Cap.* Floreio (6) no qual o capoeirista, com uma das mãos no chão, apoia a lateral de seu tronco sobre o cotovelo, mantendo o corpo no ar, diagonal em relação ao chão. [Pl.: *quedas de rim.*] ☑

quedar [Do lat. *quetare*, por *quietare*, 'fazer descansar'.] *V. int.* **1.** Estar quedo; ficar ou deter-se em um lugar; estacionar; conservar-se; parar: "Eu quedara acaso, cismativo e absorto, / Junto a extenso campo" (Alberto de Oliveira, *Póstuma*, p. 23). **Pred. 2.** Permanecer, conservar-se: *Passam-se os anos, e ele queda o mesmo;* "E a lágrima celeste, ingênua e luminosa, / ouviu, sorriu, tremeu, e quedou silenciosa." (Guerra Junqueiro, *ap.* Agostinho de Campos, *Junqueiro*, p. 124). **P. 3.** Ficar, deter-se, conservar-se, quedar: "E olhando o azul, quedava-se esquecida." (Alberto de Oliveira, *Poesias*, 3ª série, p. 77); "agora tinha esquisitices de gênio e caía em fundas abstrações, quedando-se horas perdidas a olhar para o espaço, de boca aberta, o trabalho esquecido sobre os joelhos." (Aluísio Azevedo, *Demônios*, p. 256). [Pres. ind.: *quedo, quedas, queda*, etc. Cf. *quedo* (ê) e flex. *queda* (ê), *quedas* (ê).]

quedas-iguaçuense *Adj. 2 g.* **1.** De, ou pertencente ou relativo a Quedas do Iguaçu (PR). ● *S. 2 g.* **2.** O natural ou habitante de Quedas do Iguaçu. [Pl.: *quedas-iguaçuenses.*]

quede[1] *S. m. Bras.* Calçado abotinado, de lona, usado por esportistas. [Cf. *que de.*]

quede[2] [Que é (feito) de.] *Bras. Fam. Pop.* F. empregada interrogativamente no sentido de: *que é de? onde está?*: "Quede aquela menina chamada Naná, que tremia de medo com as histórias de lobisomens e de mulas sem cabeça?" (Ciro dos Anjos, *Montanha*, p. 355.) [Var. *quede* (ê), *quedê, cadê.* Cf. *que de.*]

quede (ê) *Bras. Fam. Pop.* V. *quede*[2].

quedê *Bras. Fam. Pop.* V. *quede*[2].

que-diga [F. red. de *não sei que diga*, decerto.] *S. m. Bras.* V. *diabo* (2).

quediva [Do persa *khidiw*, 'príncipe', pelo turco *hidiv* e pelo fr. *khédive.*] *S. m.* Título do antigo vice-rei do Egito, quando este país era tributário da Turquia.

quedo (ê) [Do lat. *quetu*, por *quietu.*] *Adj.* **1.** V. *quieto* (1 e 3): "Num rochedo / Varrido pelos ventos ululantes / Um vulto permanece mudo e quedo." (Múcio Teixeira, *Brasas e Cinzas*, p. 81); "E era tudo em silêncio, adormecido e quedo..." (Olavo Bilac, *Poesias*, p. 10). **2.** Demorado, pausado. [Flex.: *queda* (ê), *quedos* (ê), *quedas* (ê). Cf. *quedo, queda* e *quedas*, do v. *quedar*, e *queda*, s. f., pl. *quedas.*] ◆ **Quedo e quedo.** Devagar, pausadamente, mansamente.

quefazer (ê) [De *que*[2] + *fazer.*] *S. m.* V. *quefazeres.*

quefazeres (ê) [Pl. de *quefazer.*] *S. m. pl.* Ocupações, faina, negócios; afazeres. [Tb. us. (embora pouco) no sing.]

quefir [De uma língua caucasiana, pelo fr. *kéfir.*] *S. m.* Bebida ácida e efervescente que os caucasianos e tártaros fazem de leite fermentado com certas sementes.

queijada [De *queijo* + *-ada*[1].] *S. f. Cul.* Pequena torta achatada, feita de massa de farinha de trigo e com recheio de leite, ovos, queijo e açúcar.

queijadeiro [De *queijada* + *-eiro*.] *Adj.* **1.** Referente a queijada. ● *S. m.* **2.** Fabricante e/ou vendedor de queijadas.

queijadilho [Alter. de *cajadilho*, dim. de *cajado*, poss.] *S. m. Bras. Bot.* Erva primulácea (*Primula acaulis*) adventícia no Brasil, ornamental pelas flores vistosas, tubulosas e vivamente coloridas, e cujos frutos são pequenas cápsulas.

queijadinha [De *queijada* + *-inha*.] *S. f. Cul.* **1.** *Bras. N.* V. *luminária* (6). **2.** *Bras. S.* Espécie de queijada feita em forminhas.

queijar [De *queijo* + *-ar*[2].] *V. int. P. us.* **1.** Fazer queijo: 📖 "Na mesma casa, ... para a direita os apartamentos descobertos das vacas, para a esquerda os utensílios e os produtos da queijaria. De um lado ordenha-se, do outro lado queija-se." (Ramalho Ortigão, *A Holanda*, p. 98.) **2.** Tornar-se queijo. [Ger.: *queijando*. Cf. *quejando*.]

queijaria [De *queijo* + *-aria*.] *S. f.* **1.** Fabricação de queijos. **2.** Lugar onde se fabricam queijos; queijeira.

queijeira[1] [De *queijo* + *-eira*.] *S. f.* **1.** Casa onde se fabricam queijos; queijaria. **2.** *Bras.* Prato, em geral coberto por uma campânula, destinado a guardar queijo.

queijeira[2] [Fem. de *queijeiro*.] *S. f.* Vendedora de queijos.

queijeiro [De *queijo* + *-eiro*.] *S. m.* **1.** Fabricante e/ou vendedor de queijos. **2.** *Bras. GO* V. *caipira* (1).

queijo [Do lat. *caseu*, pelo arc. *queiso*.] *S. m.* **1.** Alimento que se obtém pela coagulação e fermentação do leite de vaca, de cabra, de ovelha, etc., e cuja massa, de consistência variável (para untar, para cortar ou para ralar), é comprimida e moldada, adquirindo forma característica. **2.** Massa alimentícia da forma do queijo. **3.** *Bras. CE Pop.* Retalho de fazenda com que se consertam fundilhos de calças, e de cor diferente da cor destas. ◆ **Queijo da serra da Estrela.** Queijo de leite de ovelha de consistência macia, fabricado em Portugal. **Queijo flamengo.** *Lus.* Queijo do reino. **Queijo prato.** Queijo muito difundido no Brasil, de massa meio cozida, coloração amarela e consistência compacta e elástica, e que é fabricado com diversos feitios. **Queijo suíço** V. *emental*.

queijo-cavalo [Calque (2) do it. *caciocavallo*.] *S. m. Cul.* Queijo de leite de vaca, de massa dura e ger. em forma de pera, originário da Itália meridional. [Pl.: *queijos-cavalos* e *queijos-cavalo*.]

queijo de minas *S. m. Bras.* Queijo muito difundido em nosso país, de massa crua, homogênea, consistência variável (segundo seja mais ou menos curada) e baixo teor de gordura, e que apresenta forma cilíndrica e coloração esbranquiçada. [Pl.: *queijos de minas*.] ☑

queijo de soja *S. m.* Produto obtido com o feijão de soja amassado. [Sin. (jap.): *tofu*. Pl.: *queijos de soja*.] ☑

queijo do reino *S. m. Bras.* Certo tipo de queijo em forma de bola, com revestimento vermelho, que nos vinha de Portugal. [Sin. (lus.): *queijo flamengo*. Pl.: *queijos do reino*.] ☑

queijoso (ô) [De *queijo* + *-oso*.] *Adj.* Caseoso.

queilite *S. f. Med.* V. *quilite*.

▲ **queil(o)-** V. *quil(o)-*[2].

queilose *S. f. Med.* V. *quilose*.

queima [Dev. de *queimar*.] *S. f.* **1.** Ato ou efeito de queimar(-se); queimação, queimadura, queimamento. **2.** Queima (1) pelo fogo; queimação; combustão, incêndio, incineração; cremação. **3.** *Bras.* Liquidação (9). **4.** *Bras.* Venda com prejuízo. **5.** *Bras.* Queimada (1). ● *S. m.* **6.** *Bras.* Queima (3): 📖 "para assumir condignamente o governo, mandou fazer um terno de casimira e comprou, no queima, uns sapatos de vaqueta." (Jáder de Carvalho, *Meu Passo na Rua Alheia*, p. 16). **7.** *Bras. CE Pop.* Casamento sem festas. ◆ **Queima de arquivo.** Assassinato de pessoa que poderia denunciar atividades ilícitas de outrem.

queimação [De *queimar* + *-ção*.] *S. f.* **1.** V. *queima* (1 e 2). **2.** *Fig.* Coisa que molesta, irrita; impertinência, enfadamento.

queimada [De *queimar* + *-ada*[1].] *S. f.* **1.** Queima de mato, de vegetação seca ou verde, geralmente com o fim de preparar o terreno para semear, ou plantar, ou mesmo limpá-lo: 📖 "A queimada! A queimada é uma fornalha! / A irara — pula... O cascavel... chocalha..." (Castro Alves, *Poesias Escolhidas*, p. 259.) **2.** Lugar onde se fez queimada (1). **3.** *Pesc.* Cardume de sardinhas. **4.** *Bras.* Parte de floresta ou de campo que se incendeia casualmente ou de propósito. **5.** *Bras. S.* Aguardente fervida com açúcar e gengibre.

queimadeira [De *queimar* + *-deira*.] *S. f. Bras. Bot.* V. *caapomonga*.

queimadeiro [De *queimar* + *-deiro*.] *S. m.* Lugar onde se faziam fogueiras para queimar os condenados à pena do fogo: 📖 "Impotente para reabrir os cárceres da Inquisição e para reacender os queimadeiros em Espanha, em Portugal, em França, na Flandres, a teologia empreende a obra de uma Contrarrevolução" (Ramalho Ortigão, *As Farpas*, II, p. 149).

queimadense[1] *Adj. 2 g.* **1.** De, ou pertencente ou relativo a Queimadas (PB e BA). ● *S. 2 g.* **2.** O natural ou habitante de Queimadas.

queimadense[2] *Adj. 2 g.* **1.** De, ou pertencente ou relativo a Queimados (RJ). ● *S. 2 g.* **2.** O natural ou habitante de Queimados.

queimadiço *Adj.* **1.** Que se queima com facilidade. **2.** Escaldadiço (2).

queimado [Part. de *queimar*.] *Adj.* **1.** Que se queimou e foi total ou parcialmente destruído pela ação do fogo; incendiado, carbonizado: 📋 *floresta queimada*. **2.** Enegrecido pela ação do fogo; tostado. **3.** Que perdeu o viço pela ação do calor ou da geada; ressequido, emurchecido: 📋 *cafezal queimado*. **4.** Diz-se da pele avermelhada ou escurecida pela ação do sol; bronzeado; tostado. **5.** *Bras. Fig.* Ofendido, zangado; irado, encolerizado. **6.** *Bras. Fig.* Diz-se de candidato que por desgaste resultante de acusações, intrigas, etc., não tem condições de concorrer a um pleito ou disputar um cargo, e também da respectiva candidatura ou pretensão; liquidado. ● *S. m.* **7.** Coisa queimada (especialmente comida): 📋 *cheiro de queimado*; *gosto de queimado*. **8.** *Bras. BA* V. *bala* (4). **9.** *Bras.* Bala de melaço: 📖 "traz um pacote de pó de café, ... uns queimados envoltos em papel azul" (Jorge Amado, *Teresa Batista Cansada de Guerra*, p. 69). **10.** *Bras.* Certo jogo de bola.

queimador (ô) [De *queimar* + *-dor*.] *Adj. S. m.* Que, ou aquele que queima.

queimador de campo [De *queimar campo* (q. v.).] *S. m. Bras. SP a RS* Mentiroso, loroteiro. [Pl.: *queimadores de campo*.] ☑

queimadura [De *queimar* + *-dura*.] *S. f.* **1.** V. *queima* (1). **2.** *Patol. Cir. Plást.* Lesão, de intensidade variável, produzida por agente físico (calor, eletricidade, radiação, etc.), ou por agente químico (como, p. ex., o ácido sulfúrico). **3.** Alforra.

queimamento [De *queimar* + *-mento*.] *S. m.* V. *queima* (1).

queimante [De *queimar* + *-nte*.] *Adj. 2 g.* **1.** Que queima; queimoso. **2.** Muito picante; queimoso: 📋 *pimenta queimante*. ● *S. m.* **3.** *Bras. N.E. Pop.* Arma de fogo.

queimão *S. m.* V. *quimão*.

queimar [Do lat. vulg. **caimare*, 'cauterizar', 'queimar', que teria suplantado o lat. *cremare*.] *V. t. d.* **1.** Consumir pelo fogo; reduzir a cinzas: 📋 *Queimei todos os papéis velhos*; 📖 "Torquemada queima em 18 anos 10.000 pessoas e castiga com diversas penas 100.000." (Ramalho Ortigão, *As Farpas*, II, p. 147); "Torquemada .... queima em Salamanca 6.000 volumes de literatura oriental." (Id., *ib.*, pp. 147-148.) **2.** Pôr fogo a; incendiar: 📋 *Os salteadores queimaram as casas*. [Sin., nessas acepç.: *comburir* e *combustar*.] **3.** Aquecer muito; tostar, crestar, esbrasear: 📋 *O sol de verão queima e bronzeia a pele*. **4.** Tornar quente (1): 📖 "A febre me queima as veias, / A vertigem me tortura!..." (Fagundes Varela, *Poesias Completas*, I, p. 142.) **5.** Produzir ardência em; afoguear, abrasar; fazer arder: 📋 *A aguardente queimava-lhe as entranhas*; 📖 "A água estava fervendo, Joana trouxe a bebida, quente a ponto de queimar os beiços do doente." (Osmã Lins, *Nove, Novena*, p. 100). **6.** Tirar o viço a; ressecar, ressequir, murchar: 📋 *O prolongado estio queimou as plantações*. **7.** Destruir afetivamente; tornar insensível: 📋 *Nada mais o emociona: as paixões juvenis já o queimaram*. **8.** Consumir, gastar: 📋 *Motor desregulado queima muita gasolina*. **9.** Dissipar, esbanjar, malbaratar, malbaratear: 📋 *Queimou o dinheiro em alguns dias*. **10.** Vender por preço vil; liquidar: 📋 *O comerciante queimou todo o estoque*. **11.** *Art. Gráf.* Perder em grande quantidade (o papel), por defeito da máquina ou tiragem apressada. **12.** *Bras.* Ferir ou matar com arma de fogo; balear: 📋 *O policial queimou o assaltante*. **13.** *Bras.* Cozer (tijolo ou telha). **14.** *Bras.* Destruir ou desgastar (uma reputação, uma candidatura ou um candidato, etc.) opondo-lhe restrições, ou por meio de intrigas, fuxicos ou expediente semelhante: 📋 *A oposição queimou o candidato em algumas semanas*. **15.** *Bras.* Falar mal de; atacar duramente; pichar. **16.** *Bras. Gír.* Puxar (21). **17.** *Bras. N.E.* Errar (uma dança). *Int.* **18.** Estar muito quente; produzir calor intenso; arder, abrasar; comburir, combustar: 📋 *O mormaço do meio-dia queimava*; 📖 "O sol queimava." (Camilo Castelo Branco, *Serões de S. Miguel de Ceide*, III, p. 33). **19.** Produzir queimaduras. **20.** Estar quente (1); arder, escaldar: 📋 *A testa da criança queimava*. **21.** Causar ardor, paixão; abrasar: 📋 *Era um sentimento que queimava*. **22.** Inutilizar-se (uma lâmpada elétrica, um fusível), por se lhe fundir o filamento, acarretando da interrupção da corrente elétrica: 📋 *A lâmpada, ainda nova, queimou*; *Os fusíveis queimaram*. **23.** *Bras.* Apresentar (aparelho ou máquina) defeito ou avaria que o impeça de funcionar. **24.** *Bras.* Atirar com arma de fogo. **25.** *Bras. Esport.* Em tênis, tênis de mesa ou voleibol, invalidar-se (o saque) por haver a bola tocado na rede antes de atravessá-la. *P.* **26.** Pegar fogo; incendiar-se, comburir, combustar. **27.** Sofrer queimaduras. **28.** Perder o viço; crestar-se. **29.** *Bras.* Expor-se ao sol para escurecer a pele; bronzear-se: 📋 *Vou à praia para me queimar um pouco*. **30.** *Bras. Fam.* Dar-se por ofendido; ficar queimado; melindrar-se, zangar-se: 📋 *Queimou-se com o amigo ao saber da deslealdade*; 📖 "O rapaz se queimou e lascou em árabe bem castiço um palavrão" (Adovaldo Fernandes Sampaio, *O Sol da Rede*, pp. 23-24). **31.** *Bras. Gír.* Perder o prestígio; ficar malvisto.

queima-roupa [De *queimar* + *roupa*.] *El. s. f.* Us. na loc. adv. *à queima-roupa*. ◆ **À queima-roupa. 1.** De muito perto; cara a cara: 📖 "Com dois berros à queima-roupa sacudi Janjão da sonolência" (José Cândido de Carvalho, *O Coronel e o Lobisomem*, p. 59). **2.** De repente; de improviso; de chofre: 📖 "Eu .... não lhe anunciara a partida, decidida, quase à queima-roupa, nas vésperas do embarque." (Joaquim Paço d'Arcos, *Neve sobre o Mar*, p. 17.) **3.** Brusca e violentamente, como tiro à queima-roupa: 📋 *Disse-lhe, à queima-roupa, tantas inverdades, que o pobre mal teve reação*.

queimo [Dev. de *queimar*.] *S. m.* Sabor picante, acre; queimor, requeime.

queimor (ô) [De *queimo* + *-or*.] *S. m.* **1.** V. *queimo*: 📖 "Nos selvagens vergéis de sápidos aromas / Sentem-se, pelo olfato, o queimor da pimenta, / A essência do ananás, os travores das gomas, / E a acidez tropical da manga sumarenta." (Martins Fontes, *Verão*, p. 38.) **2.** Calor grande.

queimoso (ô) [De *queim-*, como em *queimar*, + *-oso*.] *Adj.* **1.** Queimante (1 e 2). **2.** Quente, cálido, calmoso.

queira *S. f. Bras.* Lote de serviçais, de escravos.

queiro [Talvez de *queixeiro*, com síncope.] *Adj.* ~ V. *dente* –.

queirosense *Adj. 2 g.* **1.** De, ou pertencente ou relativo a Queirós (SP). ● *S. 2 g.* **2.** O natural ou habitante de Queirós.

queirosiano[1] [Do antr. *Queirós* (v. *eciano*) + *-iano*.] *Adj.* V. *eciano*.

queirosiano[2] [Do antr. (*Raquel de*) *Queirós* + *-iano*.] *Adj.* **1.** Pertencente ou relativo a Raquel de Queirós (1910-2003), escritora brasileira, ou próprio dessa autora. **2.** Que é grande admirador e/ou profundo conhecedor de sua obra. ● *S. m.* **3.** Grande admirador e/ou profundo conhecedor da obra de Raquel de Queirós.

queirostrobácea *S. f. Paleont.* V. *quirostrobácea*.

queirostrobáceo *Adj. Paleont.* V. *quirostrobáceo*.

queixa [Dev. de *queixar-se*.] *S. f.* **1.** Ato ou efeito de queixar-se. **2.** Motivo de desprazer, de ressentimento, de mágoa, de ofensa, de dor: 📋 *Tinha sérias queixas da família do marido*. **3.** Manifestação de tais sentimentos. **4.** Lamúria, lamentação, queixume: 📖 "Vinha-me às cordas glóticas a queixa / Das coletividades sofredoras." (Augusto dos Anjos, *Eu*, p. 37.) **5.** V. *gemido*[1] (3): 📋 *As queixas dos feridos cortavam o coração*. **6.** Comunicação à autoridade competente de ofensas ou danos recebidos. **7.** Reclamação, protesto. **8.** Sintoma (1) relatado pelo doente. ◆ **Queixa do peito.** *Pop.* V. *tuberculose*. **Fazer queixa de.** *Fam.* Fazer reclamação contra o procedimento de alguém a outrem que tem autoridade para repreender ou punir.

queixa-crime [De *queixa* + *crime*.] *S. f. Jur.* Petição com que se inicia um processo de ação penal privada: 📖 "O representante do Ministério Público, que entra com um aditamento à queixa-crime, como lhe facultava a lei, contra-atacou" (Sérgio Sant'Anna, *Um Crime Delicado*, p. 123). [Pl.: *queixas-crimes* e *queixas-crime*.]

queixada [De *queixo* + *-ada*[1].] *S. f.* **1.** Mandíbula (1). **2.** Queixo grande, proeminente. **3.** *Bras. Zool.* Mamífero artiodáctilo, taiaçuídeo (*Tayassu pecari*), distribuído da Venezuela ao N. do RS. Coloração negro-pardacenta, pelagem das costas muito longa; difere do caititu por ter os lábios brancos. Quando acuado, bate forte os queixos, e é valentíssimo. [Sin.: *canela-ruiva*, *queixada-ruiva*, *queixo-ruivo*, *sabacu*, *tacuité*, *taguicati*, *taiaçu*, *tajaçu*, *tanhaçu*, *tanhocati* e (impr.) *porco-do-mato*. Tb. us., nesta acepç., como s. m.] **4.** *Tip.* Cada um dos quatro blocos triangulares que, na unidade fundidora da monotipo, são trancados pelos bujões. 5. *Bras. Cap.* Golpe rodado em que o capoeirista, laçando uma das pernas, descreve um semicírculo no ar.

queixada-ruiva *S. f. Bras. GO Zool.* V. *queixada* (3). [Pl.: *queixadas-ruivas.*]

queixal [De *queixo* + *-al*¹.] *Adj. 2 g.* 1. Do, ou pertencente ou relativo ao queixo. ● *S. m.* 2. Dente molar.

queixar-se [Do lat. vulg. **quassiare* < lat. *quassare*, 'golpear violentamente', + *se*¹.] *V. p.* 1. Manifestar dor ou pesar; soltar queixas ou gemidos: *A multidão chorava o morto, queixando-se pelas ruas.* 2. Fazer queixa de pessoa ou coisa; manifestar descontentamento; apontar faltas; censurar; lastimar-se, lamentar-se: *Queixava-se da falta de dinheiro; O chefe de disciplina queixou-se dos alunos ao diretor.* 3. Denunciar o mal ou a ofensa que recebeu: *Queixou-se ao juiz.* 4. Fazer exposição (de estado físico ou moral); descrever (sofrimentos e agravos): "Queixou-se duma dor de cabeça que a torturava" (Eça de Queirós, *Os Maias*, II, p. 382). [Pres. ind.: *queixo-me*, etc. Cf. *Quêixome*, top.]

queixeiro [De *queixo* + *-eiro.*] *Adj.* ~ V. *dente —.*

queixinho [Dim. de *queixo.*] *S. m. Bras. PR* V. *barbicacho* (3).

queixo [Do lat. **capseu*, 'semelhante a uma caixa', do lat. *capsa*, 'caixa', 'caixinha'.] *S. m.* 1. Qualquer das maxilas dos vertebrados. 2. O maxilar inferior desses animais. 3. A parte inferior do rosto, abaixo dos lábios; barba. 4. *Anat.* Mento (1). ~ V. *queixos.* ◆ **Amolar os queixos.** *Bras. CE Fam.* Aguardar com ânsia um rega-bofe. **Bater o queixo.** Tremer de frio ou de medo. **Botar os queixos em.** *Bras. S.* Descompor, destratar. **Cair de queixo.** *Bras. Chulo* Praticar a felação. **Dar aos queixos.** V. *dar ao(s) dente(s).* **Derrubar o queixo de.** *Bras. S.* Sujeitar, submeter, subjugar. **Duro de queixo.** *Bras.* 1. Duro de boca. 2. *Fig.* Diz-se de indivíduo desobediente, teimoso, recalcitrante. **Ficar de queixo caído.** *Bras.* Quedar admirado, pasmado, boquiaberto; boquiabrir; ficar de queixo na mão. **Ficar de queixo na mão.** *Bras.* V. *ficar de queixo caído.*

queixo-duro *Adj. S. m. Bras. S.* Diz-se de, ou indivíduo teimoso, renitente, desobediente. [Pl.: *queixos-duros.*]

queixo-ruivo *S. m. Bras. GO Zool.* V. *queixada* (3). [Pl.: *queixos-ruivos.*]

queixos [Pl. de *queixo.*] *S. m. pl.* O rosto; a cara. ~ V. *queixo.*

queixoso (ô) [De *queixa* + *-oso.*] *Adj.* 1. Que se queixa. 2. Que tem ou denota queixa; sentido, magoado: *pai queixoso; olhar queixoso.* [Sin., nessas acepç.: *quereloso.*] 3. V. *querelante.* ● *S. m.* 4. Aquele que se queixa. 5. V. *querelante.*

queixudo [De *queixo* + *-udo.*] *Adj.* Que tem grandes queixos, ou cuja maxila inferior é muito proeminente.

queixume [De *queixa* + *-ume.*] *S. m.* Queixa; lamentação; gemido: "E pelo vão destes penedos / Ficou um grande espaço repetindo / Queixumes da ventura, e seus segredos" (Francisco Rodrigues Lobo, *Églogas*, p. 120); "Queixumes amorosos — e gemidos." (José Albano, *Rimas*, p. 76).

queixumeiro [De *queixume* + *-eiro.*] *Adj. Bras.* Que está constantemente a queixar-se; lamurientο.

quejando [Do lat. **quid genitu*, pelo arc. *quegendo.*] ***Pron. indef.*** Que tem a mesma natureza ou qualidade; que tal: *Mete-se com aventureiros, beberrões e quejandos.* [Cf. *queijando*, do v. *queijar.*]

quejeme [De or. indígena, poss.] *S. m. Bras. S. da BA* Rancho ou maloca de índio ou caboclo.

quela [Do lat. cient. *chela* < gr. *chelé*, 'pinça', 'objeto em forma de pinça'.] *S. f. Zool.* Os dois últimos segmentos dos apêndices dos artrópodes: órgão em pinça constituído por uma parte móvel e outra fixa.

quelação [Adapt. do ingl. *chelation.*] *S. f. Terap.* Processo pelo qual certas substâncias químicas podem remover moléculas de metais (alumínio, cobre, chumbo, etc.) de tecidos corporais vários.

quelante *Adj. 2 g. Quím.* Diz-se de substância que provoca a formação de quelato.

quelato *S. m. Quím.* Qualquer composto em que se forma um anel graças a um enlace coordenado entre dois ou mais sítios de uma molécula e um íon metálico.

quelelê *S. m.* 1. *Bras. PE Gír.* Mexerico, fuxico, intriga. 2. Discussão, briga. 3. V. *rolo*¹ (16). [F. paral.: *quilelê.*]

queletrópico *Adj. Quím.* ~ V. *reação —a.*

quelha (ê) [Do lat. *canalicula*, 'cano pequeno'.] *S. f.* 1. Calha (1) de telha para escoamento de águas. 2. Rua estreita; viela: "Deixando-se as alamedas amplas, claras, arejadas de Maçorim, a cidade velha espanta pelo acanhado e escuridão das suas quelhas" (José Vieira, *Sol de Portugal*, p. 64).

▲ **quel(i)-** [Do lat. cient. *chela* (< gr.) ou do gr. *chēlḗ, ês.*] *El. comp.* = '(objeto) em forma de pinça'; 'pinça'; 'quela': *quelícera, quelípode; queloide.* [Equiv.: *quelo-*: *queloneto.*]

quelícera [De *quel(i)-* + *-cera.*] *S. f. Zool.* Cada um dos apêndices anteriores dos aracnídeos formado por dois artículos, tendo estes a extremidade curva com um orifício por onde sai o veneno de glândula situada na base do apêndice.

quelicerado [De *quelícera* + *-ado*³; tax. *Chelicerata.*] *Zool. S. m.* 1. Espécime dos quelicerados, subfilo de artrópodes de corpo dividido em cefalotórax e abdome, com seis pares de apêndices representados pelas quelíceras, palpos e quatro pares de patas, e desprovidos de antenas. Há formas fósseis, conhecidas desde o paleozoico. Eram originariamente marinhas e hoje são terrestres à exceção de cinco espécies. ● *Adj.* 2. Pertencente ou relativo a eles.

quelídeo [De *quel(i)-* + *-ídeo*¹; tax. *Chelidae.*] *Zool. S. m.* 1. Espécime dos quelídeos, família de tartarugas de água doce em que a cabeça e o pescoço podem ser maiores que a carapaça. Consta de 31 espécies e ocorre na América do Sul, na Austrália e na Nova Guiné. ● *Adj.* 2. Pertencente ou relativo a eles.

quelidónia *S. f. Bot.* V. *quelidônia.* [Uso freq. em P.]

quelidônia [Do lat. *chelidonia (herba)*, 'erva das andorinhas'; tax. *Chelidonium.*] *S. f. Bot.* 1. Gênero de plantas papaveráceas, herbáceas, dicotiledôneas, nativas da Europa. 2. Qualquer espécie desse gênero, como, p. ex., a *Chelidonium majus*, dotada de folhas partidas e penadas, flores amarelas cujo suco leitoso é tido como medicinal; é ruderal em muitos lugares. 3. Qualquer espécime desse gênero. [Var. impr. pop., nas acepç. 2 e 3: *celidônia.*]

quelífero [De *quel(i)-* + *-fero.*] *Adj. Zool.* Provido de quela. [Cf. *quilífero.*]

quelípode [De *quel(i)-* + *-pode.*] *S. m. Zool.* Pata terminada em pinça.

▲ **quel(o)²-** V. *quil(o)-*².

▲ **quelo-** Equiv. de *quel(i)-*.

queloide (ói) [De *quel(i)-* + *-oide.*] *S. m. Med.* Neoformação que, sem constituir um verdadeiro tumor, se assemelha a tal, e se origina, habitualmente, em cicatriz de pele, seguindo-se muitas vezes a intervenções cirúrgicas, e tendendo à recidiva, quando extirpada. ❖

queloneto [De *quelo-* + v. gr. *nethein*, 'fiar', 'tecer'; tax. *Chelonethi.*] *S. m. Adj. Zool.* V. *pseudoscorpionídeo.*

quelónia *S. f. Zool.* V. *quelônia.* [Uso freq. em P.]

quelônia [Do tax. *Chelonia.*] *S. f. Zool.* 1. Gênero da família dos queloníideos, e que reúne as tartarugas-verdes. 2. Qualquer espécie desse gênero, como, p. ex., a *Chelonia mydas*, de grande porte, comum nas águas do Atlântico. 3. Qualquer espécime desse gênero.

quelonídeo [Do tax. *Chelonus* (< gr. *chelóne*, 'tartaruga', p. anal. à forma do abdome do inseto) + *-ídeo*¹.] *Zool. S. m.* 1. Espécime dos quelonídeos, subfamília de insetos himenópteros, braconídeos, que parasitam larvas de lepidópteros, pondo no interior delas os seus ovos, onde amadurecem e originam novos insetos que as utilizarão como alimento. ● *Adj.* 2. Pertencente ou relativo a eles.

queloníideo [Do tax. *Chelonia* (v. *quelônia*) + *-ídeo*¹; tax. *Cheloniidae.*] *Zool. S. m.* 1. Espécime dos queloníideos, família de reptis quelônios, quelonioídeos, cuja carapaça, achatada, é formada de escamas córneas sobre camada óssea, sendo o plastrom (5) reduzido. As patas dianteiras são largas e chatas, dotadas de uma ou duas garras; as traseiras são remiformes, todas elas não retráteis, assim como a cabeça. São carnívoras, embora a tartaruga-verde seja basicamente herbívora, comendo moluscos e crustáceos ocasionalmente. Há cinco espécies, com distribuição nos mares temperados, e muitas delas só vêm à praia para a postura. ● *Adj.* 2. Pertencente ou relativo a eles.

quelónio *S. m. Adj. Zool.* V. *quelônio.* [Uso freq. em P.]

quelônio [De *quelon(o)-* + *-io*³; tax. *Chelonia.*] *Zool. S. m.* 1. Espécime dos quelônios, ordem de reptis, com o corpo encerrado num estojo ósseo formado por numerosos ossos dérmicos, maxilas revestidas por um estojo córneo, como nas aves, e desprovidas de dentes. Há 250 espécies marinhas, terrestres e de água doce. São as tartarugas, os cágados e os jabutis. ● *Adj.* 2. Pertencente ou relativo a eles. [Sin. ger.: *testudíneo.*]

quelonioídeo [De *quelônio* + *-óideo.*] *Zool. S. m.* 1. Espécime dos quelonioídeos, subordem de reptis quelônios, que compreende as tartarugas marinhas. ● *Adj.* 2. Pertencente ou relativo a eles.

quelonite [De *quelon(o)-* + *-ite*².] *S. f.* Tartaruga petrificada.

▲ **quelon(o)-** [Do gr. *chelṓnē, ēs.*] *El. comp.* = 'tartaruga': *quelonófago, quelonite.*

quelonófago [De *quelon(o)-* + *-fago.*] *Adj. S. m.* Que, ou aquele que come tartarugas, que delas se alimenta.

quelonografia [De *quelon(o)-* + *-grafia.*] *S. f.* Descrição das tartarugas.

quelonográfico [De *quelonografia* + *-ico*².] *Adj.* Respeitante à quelonografia.

quelonógrafo [De *quelon(o)-* + *-grafo.*] *S. m.* Especialista em quelonografia.

queluzense *Adj. 2 g.* 1. De, ou pertencente ou relativo a Queluz (SP). ● *S. 2 g.* 2. O natural ou habitante de Queluz.

queluzitano *Adj.* 1. De, ou pertencente ou relativo a Queluzita (MG). ● *S. m.* 2. O natural ou habitante de Queluzita.

queluzito [Do top. *Queluz* (MG) + *-ito*².] *S. m. Geol.* Rocha metamórfica complexa, que contém manganês em um ou mais minerais, os quais podem ser espessartita, rodonita, etc., e de cuja degradação intempérica se originam concentrações valiosas de minério de manganês.

quem [Do lat. *quem.*] ***Pron.*** 1. Pessoa(s) ou a(s) pessoa(s) que: *Não conheço quem me possa ajudar neste trabalho; Desconheço quem me fez tamanho mal;* "E há no mundo quem afronte / Uma mulher quando cai!" (Augusto Gil, *Luar de Janeiro*, p. 130); "Quem ama inventa as penas em que vive" (Olavo Bilac, *Poesias*, p. 44). 2. A(s) pessoa(s) a quem: "Sol nulo dos dias vãos, / Cheios de lida e de calma, / Aquece ao menos as mãos / A quem não entras na alma!" (Fernando Pessoa, *Poesias de Fernando Pessoa*, p. 100); "com aquele amor das heras que morrem agarradas a quem se apegam." (Antero de Figueiredo, *Jornadas em Portugal*, p. 17). 3. A(s) pessoa(s) de quem: "Na graça viva / que neles [nos olhos]lhe mora, / para ser senhora / de quem é cativa." (Luís de Camões, *Rimas*, p. 102.) 4. Que pessoa(s): "— Quem bate?" (Castro Alves, *Obra Completa*, p. 95); "Quem poluiu, quem rasgou os meus lençóis de linho, / Onde esperei morrer, — meus tão castos lençóis?" (Camilo Pessanha, *Clepsidra e Outros Poemas*, p. 203). 5. Alguém que; uma pessoa que: *Ordenou, como quem queria ser obedecido.* 6. Em autores antigos, e em muitos modernos, emprega-se com referência a animais e coisas: "Chamam-te fama e glória soberana, / Nomes com quem se o povo néscio engana" (Luís de Camões, *Os Lusíadas*, IV, 96); "Ora deveis de saber que o senhor de Biscaia tinha um alão a quem muito queria." (Alexandre Herculano, *Lendas e Narrativas*, II, p. 12); "Olhos por quem mais claro nasce o dia, / Por quem são os meus olhos tão ditosos, / Que de chorar por vós lhes coube em sorte!" (Antônio Ferreira, *Obras Completas*, I, p. 49); "Grande cousa é liberdade, / Ter pouco, mas sem contenda, / Que arrenego da fazenda, / Por quem se vende a vontade" (Francisco Rodrigues Lobo, *Églogas*, p. 63); "E a vingança era quem o impelia" (Alexandre Herculano, *Eurico, o Presbítero*, p. 102); "E o barco não dorme. / Suas queixas ouço: / é um desejo enorme / quem lhe dá balouço." (Alberto de Serpa, *Rua*, p. 78). ◆ **Quem.... quem.** Um .... outro; este .... aquele.

quembembe [De or. indígena, poss.] *S. m. Bras. CE* V. *vertente* (3).

quemose [Do gr. *chémosis*, 'afundamento', pelo lat. *chemose.*] *S. f. Oftalm.* Edema considerável de conjuntiva ocular.

quempocateie *Bras. S. 2 g.* 1. *Etnôn.* Indivíduo dos quempocateies, [ou (etnôn. bras.) *Kenpókateye], povo indígena extinto, da família linguística jê, tronco macro-jê, que habitava a margem direita do rio Tocantins (TO). ● *Adj. 2 g.* 2. Pertencente ou relativo a esse povo.

quem-quem [Voc. onom.] *S. f. Bras. Zool.* 1. Inseto himenóptero, formicídeo, gênero *Acromyrmex*, cujos ninhos se restringem a uma única panela (5). Algumas espécies constroem ninhos subterrâneos, em cuja boca depositam fragmentos de vegetais. Podem causar grandes prejuízos à lavoura. [Sin.: *carrieira, chá-chá, formiga-carregadeira, formiga-cortadeira, formiga-de-monte, formiga-mineira, formiga-quem-quem, quem-quem-de-monte.*] 2. V. *cancã*² (1). [Pl.: *quem-quens.*] ❇

quem-quem-campeira *S. f. Bras. SP Zool.* Inseto himenóptero, formicídeo (*Acromyrmex laticeps nigrisetosus*), que ocorre no N. e C.O. do Brasil. As operárias têm coloração castanho-avermelhada na cabeça e no tórax, e pedúnculo e gáster enegrecidos. Comprimento: 7,5mm. Vivem nos cerrados e campos naturais. [Pl.: *quem-quens-campeiras.*] ❇

quem-quem-de-árvore *S. f. Bras. Zool.* Inseto himenóptero, formicídeo (*Acromyrmex coronatus*), distribuído pela região cisandina. As operárias são castanhas ou castanho-escuras, e têm o pedúnculo e o gáster mais escuros, este último geralmente com duas manchas laterais longitudinais. Os espinhos pronotais laterais são muito alongados. [Pl.: *quem--quens-de-árvore.*] ❄

quem-quem-de-monte *S. m. Bras. Zool.* V. *quem-quem* (1). [Pl.: *quem-quens-de-monte.*] ❄

quem-quem-mineira *S. f. Bras. SP Zool.* V. *quem-quem--mineira-de-duas-cores.* [Pl.: *quem-quens-mineiras.*] ❄

quem-quem-mineira-de-duas-cores *S. f. Bras. Zool.* Inseto himenóptero, formicídeo (*Acromyrmex muticinodus*), distribuído do CE até SC. As operárias têm coloração castanha, clara ou escura, e 7mm de comprimento. São comuns na Serra do Mar. [Sin.: *quem-quem-mineira, mineira-de-petrópolis.* Pl.: *quem--quens-mineiras-de-duas-cores.*] ❄

quem-quem-mirim *S. f. Bras. SP Zool.* Inseto himenóptero, formicídeo (*Acromyrmex disciger*), da região S. do Brasil. As operárias são castanho-avermelhadas, com o corpo revestido de pubescência densa, quase aveludada, e cerca de 5,3mm de comprimento. [Pl.: *quem-quens-mirins.*] ❄

quem-te-vestiu [Voc. onom.] *S. m. 2 n. Bras. Zool.* Ave passeriforme, fringilídea (*Poospiza nigro-rufa*), que ocorre em SC e RS, e nos países limítrofes. O macho é castanho-avermelhado, com a cabeça negra; a fêmea tem o ventre ocráceo-avermelhado e branco, o dorso pardo-oliváceo, e uma faixa negra sobre o olho.

quem vai ao ar *S. m. 2 n. Jog. Inf.* Jogo de correr, feito em roda com uma criança do lado de fora, a qual o inicia pondo-se a caminhar em volta do grupo até atingir a companheira que quer desafiar e, ao atingi--la, para, bate-lhe no ombro e prossegue a correr em roda, saindo a outra na direção oposta, a ver quem primeiro ocupa o lugar deixado vazio; quem vai ao ar perde o lugar. ☑

quem vai ao ar perde o lugar *S. m. 2 n. Jog. Inf.* Quem vai ao ar. ☑

quena [Do quíchua, pelo esp. plat. *quena.*] *S. f.* Flauta vertical e rústica, feita de tíbias ou de bambu, com a qual os índios do Peru, da Bolívia e do N. da Argentina acompanham seus cantos.

quencateie *Bras. S. 2 g.* **1.** *Etnôn.* Indivíduo dos quencateies, [ou (etnôn. bras.) *Kénkateye], povo indígena extinto que habitava a região das cabeceiras dos rios Corda e Alpercatas (MA). ●*Adj. 2 g.* **2.** Pertencente ou relativo a esse povo.

quenga[1] [Do quimb. *kienga*, 'tacho'.] *S. f. Bras. N.E.* **1.** Vasilha feita de metade do endocarpo de um coco. **2.** O conteúdo dela; quengo. **3.** *Chulo* Meretriz: 📖 "Dizia-se entre quengas da Rua do Açougue que Colodina sabia de mandinga pra mulher" (Alberto Deodato, *Canaviais*, p. 111).

quenga[2] *S. f. Bras. BA* Guisado de galinha com quiabos.

quengada[1] [De *quengo* + *-ada*[1].] *S. f. Bras. N. N.E. Pop.* **1.** Trapaça, esperteza. **2.** Tolice, cabeçada.

quengada[2] [De *quenga*[1] + *-ada*[1].] *S. f. Bras. N.E. Chulo* Grupo de quengas ou meretrizes.

quengo *S. m.* **1.** *Bras. N. N.E.* Quenga[1] (2). **2.** *Bras. Pop.* V. *cabeça* (1): *bater com o quengo.* **3.** *Bras. Pop.* Talento, inteligência; cabeça. **4.** *Bras. Pop.* Indivíduo astuto, ardiloso, espertalhão.

queniano *Adj.* **1.** Do, ou pertencente ou relativo ao Quênia (África). ●*S. m.* **2.** O natural ou habitante do Quênia.

quênice [Do gr. *choînix, choínikos.*] *S. f.* Na antiga Atenas, medida de volume para grãos, equivalente a pouco mais de 1 litro.

▲ **quen(o)-** [Do gr. *chḗn, chēnós.*] *El. comp.* = 'ganso': *quenopódio, quenopodídeo.*

quenopodiácea [Do tax. *Chenopodium* (v. *quenopódio*) + *-ácea*; tax. *Chenopodiaceae.*] *S. f. Bot.* Espécime das quenopodiáceas, família de cariofilales que abrange cerca de 1.300 espécies de ervas e arbustos, raramente pequenas árvores ou trepadeiras, com caule quase sempre suculento, folhas simples, tb. suculentas, ger. dispostas em espiral, pequenas flores espiciformes, paniculadas ou em cimeiras, e frutos nuciformes, monospérmicos; algumas espécies são cultivadas para a alimentação, como o espinafre e a beterraba, e outras como ornamentais. [Sin.: *blitácea, salsolácea.*]

quenopodiáceo [De *quenopodiácea*, com var. suf. (v. *-áceo*).] *Adj. Bot.* Pertencente ou relativo às quenopodiáceas; blitáceo, salsoláceo.

quenopodídeo [Do lat. cient. *Chenopod-* (< tax. *Chenopus* [v. *quen(o)-* e *pod(o)-*]) + *-ídeo*; tax. *Chenopodidae.*] *Zool. S. m.* **1.** Espécime dos quenopodídeos, família de moluscos gastrópodes, prosobrânquios, que compreende os gêneros *Chenopus* e afins. Vivem em diferentes oceanos, e existem espécies fósseis a partir do período jurássico. ●*Adj.* **2.** Pertencente ou relativo a eles.

quenopódio [Do tax. *Chenopodium* (v. *quen(o)-, -pod(o)-* e *-io*[3]).] *S. m. Bot.* **1.** Grande gênero de plantas quenopodiáceas, herbáceas, ger. glabras, dotadas de cálice quadrífido ou pentadáctilo, e que ocorrem em regiões temperadas; reproduzem-se por esporos, os quais surgem em esporângios localizados em densas espigas; têm pequenas folhas ger. rígidas, e compactamente inseridas. **2.** Qualquer espécie desse gênero, como, p. ex., a *Chenopodium mucronatum* (v. *erva-fedegosa*). **3.** Qualquer espécime desse gênero.

quenselita [Do antr. (*Percy D.*) *Quensel* (1881-), mineralogista sueco, + *-ita*[3].] *S. f. Min.* Mineral monoclínico, óxido básico de chumbo e manganês.

quentão [De *quente* + *-ão*[1].] *S. m. Bras.* **1.** Aguardente de cana com açúcar, temperada com gengibre e canela, e servida quente. **2.** Vinho fervido com cravo-da-índia, canela e gengibre, e que é servido quente. **3.** Qualquer bebida forte servida quente. [Cf. *requentão.*] **4.** *RJ Pop. Irôn.* O ônibus comum, sem ar-condicionado, em oposição ao frescão (q. v.).

quentar [De *quente* + *-ar*[2].] *V. t. d. P.* V. *aquentar*: 📖 "Como sempre, a mãe foi à cozinha quentar o leite e fazer o café" (João Alphonsus, *Eis a Noite!*, p. 138); "Acocorados, quentando fogo, no terreiro da frente da casa-grande, pitando e conversando, estavam os vaqueiros." (Nélson de Faria, *Tiziu e Outras Estórias*, pp. 201-202).

quente [Do lat. *calente*, pelas f. **caente* e **queente.*] *Adj. 2 g.* **1.** De temperatura elevada: *água quente; ferro quente.* **2.** Em que há calor; cálido: *vento quente; país quente.* **3.** Abrasador, ardente, cálido, queimante: *deserto quente; asfalto quente.* **4.** Que transmite calor, que aquece: *sol quente; lareira quente.* **5.** Diz-se de tecido ou roupa que conserva o calor do corpo. **6.** Diz-se do alimento que é rico em gordura, ou que é picante, apimentado. **7.** Que sugere calor, vida; vivo, intenso, ardente: 📖 "Dos braceletes o ouro em brilho quente / Morde-lhe com volúpia os lisos braços" (Alberto de Oliveira, *Poesias*, 4ª série, p. 120). **8.** Cordial, caloroso; entusiástico: *Os jogadores tiveram uma recepção quente.* **9.** Sensual, voluptuoso, ardente, cálido: 📖 "De quando em quando, ... ouvia--se .... a voz quente e cheia de Maria, nas serenatas longas, pelas ruas ermas." (Alberto Deodato, *Canaviais*, p. 110.) **10.** Diz-se de documento, informação, etc., válidos, verdadeiros, que merecem fé: *cheque quente; notícia quente;* 📖 "Eu era redator de uma coluna política considerada das mais quentes e críticas, no 'Unitário'." (Lustosa da Costa, *Sobral do Meu Tempo*, p. 81). **11.** *Eletrôn. Gír.* Diz-se do componente em que circula uma corrente, ou que está num potencial diferente de zero. **12.** *Fís. Nucl., Gír.* Diz-se duma substância ou dum sistema com radioatividade elevada. **13.** *Bras. Gír.* V. *embriagado* (1). **14.** *Bras. Gír.* V. *incrementado* (2 e 3): *som quente; moda quente.* ~ V. *batata —, clima —, composição —, cor —, esmalte —, frente —, nome —, panos —s, sangue — e trapos —s.* ●*S. m.* **15.** Lugar quente: *Prefiro ficar no quente.* [Nesta acepç., é us., por via de regra, com o artigo.] **16.** *P. ext.* A cama: *Permaneceu no quente até altas horas.* **17.** *Bras. Gír.* Aquilo que é quente (14): *O quente agora é acampar à beira-mar.* ◆ **Estar quente. 1.** Em certos brinquedos infantis, aproximar-se do objeto ou pessoa escondida. **2.** *P. ext.* Aproximar-se de uma verdade.

quente e frio *S. m. Bras. BA* Garrafa térmica. [Pl.: *quentes e frios.*] ☑

quentemente [De *quente* + *-mente.*] *Adv.* **1.** De maneira quente; com calor. **2.** Calorosamente, intensamente: 📖 "Sentia-se, neste lance de aflição desolada, vibrar quentemente a caridade humana" (Oliveira Martins, *A Vida de Nun'Álvares*, p. 211).

quentinha [De *quente* + *-inha.*] *S. f.* **1.** *Bras.* Embalagem descartável, aluminizada, para conservar quentes os alimentos, em geral para viagem. **2.** A refeição servida e/ou vendida nesta embalagem: 📖 "Foi 'X' que prorrogou, sem licitação, em janeiro de 1999, o contrato de fornecimento de quentinhas da [empresa] 'Y' para o governo." (*O Globo*, 08.04.2000.) [Sin. ger.: *marmitex.*]

quentume [De *quente* + *-ume.*] *S. m.* Quentura, calor.

quentura [De *quente* + *-ura.*] *S. f.* Calor (3).

que pau é este *S. m. 2 n. Bras. MG SP* Certo brinquedo de crianças. ☑

quepe [Do fr. *képi.*] *S. m.* **1.** Boné usado por militares de vários países: 📖 "Dólmã rasgado na altura do pescoço, sem quepe, cabo Queirós passou correndo, aos gritos" (José Condé, *Como uma Tarde em Dezembro*, p. 153). **2.** V. *boné.*

quepquiriuate *Bras. S. 2 g.* **1.** *Etnôn.* Indivíduo dos quepquiriuates [ou (etnôn. bras.) *Kepkiriwat], povo indígena extinto, do tronco linguístico tupi, que habitava a região do rio Ji-Paraná (RO). ●*Adj. 2 g.* **2.** Pertencente ou relativo a esse povo.

queque [Do ingl. *cake*, 'bolo'.] *S. m. Cul.* Bolo semelhante ao pão de ló, porém mais compacto.

quer [Da 3ª pess. do sing. do pres. ind. do v. *querer.*] *Conj.* Ou: *quer queira, quer não; Virá hoje, quer chova, quer faça sol.* [Us. em orações alternativas.]

quera (qüe) [Do tupi = 'velho'.] *Adj. 2 g. Bras. S. Pop.* V. *valentão* (1): 📖 "um cabra quera, bom troveiro e dançador, num desafio chama à dança a namorada" (Martins Fontes, *A Dança*, p. 92). [Sin.: *querudo.* Cf. *cuera.*] ❖

queratina *S. f. Quím.* Proteína insolúvel encontrada nas unhas, pele, cabelo e outros tegumentos animais.

quercetina [Do lat. *quercet(um)*, 'floresta de carvalhos', + *-ina*[3].] *S. f. Quím.* Flavonoide com cinco hidroxilas em sua estrutura, de cor amarela, que é a aglicona da quercetrina [fórm.: $C_{15}H_{10}O_7$].

quercetrina [Do lat. *quercet(um)*, 'floresta de carvalhos', + *-(ci)tr(o)-* + *-ina*[3].] *S. f. Quím.* Substância amarela, glicosídeo, pigmento de ampla ocorrência natural [fórm.: $C_{21}H_{20}O_{11}$].

quercitol [Do lat. *quercu*, 'carvalho', + *-i-* + *-t-* + *-ol*[2].] *S. m. Quím.* Álcool cíclico, pentaidroxilado, encontrado na casca do carvalho [fórm.: $C_6H_{12}O_5O$]. [Pl.: *quercitóis.*]

querela [Do lat. *querella*, por *querela*, 'queixa'.] *S. f.* **1.** *Jur.* Petição com que se principia a ação penal a cargo do particular ofendido, e que deve conter as mesmas formalidades da denúncia. **2.** Discussão; pendência: 📖 "Há homens que compram questões e brigas por qualquer preço. A alma deles é preparada para discussões, ... lutas partidárias e querelas forenses." (A. Austregésilo, *Obras Completas*, I, p. 394.) **3.** *Poét.* Queixa (3): 📖 "Mas qual será a pessoa que as querelas / Da angustiada Virgem contemplasse / Que não se mova à dor e à mágoa delas?" (Luís de Camões, *Rimas*, p. 266.) **4.** *Poét.* Som plangente; lamento, gemido, queixa: 📖 "Pede cantos aos ledos passarinhos, / Pede clarão ao Sol, perfume às flores, / Às brisas suspirar, murmúrio aos ventos, / Doces querelas ao correr das fontes" (Gonçalves Dias, *Obras Poéticas*, II, p. 70).

querelado [Part. de *querelar.*] *S. m. Jur.* Aquele contra quem se move ação penal de natureza privada. [Cf. *réu* (1).]

querelador (ô) [De *querelar* + *-dor.*] *Adj. S. m.* V. *querelante.*

querelante [Do lat. *querelante.*] *Adj. 2 g. S. m.* Que, ou quem apresenta querela (1); querelador; queixoso.

querelar [Do lat. **querelare*, por *querelari.*] *V. t. i.* **1.** Intentar ação penal privada em juízo contra alguém; promover querela; queixar-se no juízo ou no foro: *O corretor querelou contra a companhia imobiliária;* 📖 "Sucedeu que o conselho municipal .... querelou do homem e venceu a demanda." (Machado de Assis, *A Semana*, II, p. 19). *P.* **2.** Queixar-se, lamentar-se, lastimar-se.

quereloso (ô) [Do lat. *querelosu.*] *Adj.* Queixoso (1 e 2).

queremismo [De '*queremos (Getúlio)*' + *-ismo.*] *S. m.* Movimento político, surgido no início de 1945, com o refrão "Queremos Getúlio", e que preconizava a continuação ou a volta de Getúlio Vargas (v. *getulismo*) ao poder.

queremista [De *queremismo* + *-ista.*] *Bras. Adj. 2 g.* **1.** Relativo ao, ou que era partidário do queremismo. ●*S. 2 g.* **2.** Partidário dele.

querena [Do it. *carena.*] *S. f.* **1.** *Ant. Constr. Nav.* V. *carena*: 📖 "O carro vai rompendo o silêncio e a meia treva como a querena duma nave corta a água dum canal." (Aquilino Ribeiro, *Caminhos Errados*, pp. 297-298.) **2.** *Pop.* Rumo, direção. ◆ **Virar de querena.** *Ant. Mar.* Querenar (3).

querenar [Var. de *carenar.*] *V. t. d.* **1.** *Ant.* Carenar. **2.** Restaurar, reconstituir. **3.** *Ant. Mar.* Fazer adernar (uma embarcação) sobre uma barcaça apropriada, por meio de talhas ou estralheiras, de forma que fique à flor da água todo um bordo até a quilha, para nele realizar reparo ou limpeza; virar de querena.

querença [De *querer* + *-ença.*] *S. f.* **1.** Ato ou efeito de querer(-se). **2.** O querer a alguém ou a alguma coisa. **3.** Afeição, afeto. **4.** Lugar onde os falcões criam os filhos. **5.** Sítio ao qual os animais se apegam por instinto. [Cf. *querência.*]

querência [Do esp. *querencia.*] *S. f. Bras. MG S.* **1.** Lugar ou paradeiro onde o gado habitualmente pasta ou onde foi criado: 📖 "mas o boi barroso, crioulo daquela querência, não aparecia" (Simões Lopes Neto, *Contos Gauchescos e Lendas do Sul*, p. 289). **2.** Local de nascimento ou residência de uma pessoa; pago, fogão. [Cf. *querença.*]

querenciano[1] *Adj.* **1.** De, ou pertencente ou relativo a Querência (MT). ● *S. m.* **2.** O natural ou habitante de Querência.

querenciano[2] *Adj.* **1.** De, ou pertencente ou relativo a Querência do Norte (PR). ● *S. m.* **2.** O natural ou habitante de Querência do Norte.

querençoso (ô) *Adj.* **1.** Que tem querença. **2.** Benévolo; afetuoso.

querendão [Do esp. plat. *querendón.*] *Adj. S. m. Bras. S.* **1.** Diz-se do, ou o animal que se habitua de pronto a uma nova querência. **2.** *P. ext.* Diz-se de, ou quem facilmente se acostuma com outra pessoa. **3.** *Fig.* Amoroso. **4.** *Fig.* Namorador, namorado. [Fem.: *querendona.*]

querendona *S. f. Bras. S.* Fem. de *querendão* (q. v.)

querente [Do lat. *quaerente*, 'que procura'.] *Adj. 2 g.* Que quer alguma coisa: "D. Henrique, sempre querente de paz com o seu vizinho, tentou, uma vez ainda, entender-se com D. Fernando" (Antero de Figueiredo, *Leonor Teles*, p. 146).

querê-querê *S. m.* **1.** *Bras. Zool.* Peixe pomacentrídeo (*Abudefduf saxatilis*), de corpo ovalado e comprimido, dorso verde-azulado e ventre mais claro, com cinco faixas negras verticais; vive em regiões circuntropicais do Atlântico, junto a recifes e fundos rochosos. Comprimento: 20cm. [Sin.: *castanheta, camisa-de-meia, camiseta, paulistinha, saberê, sargento, tinhuma.*] **2.** V. *maria-mole* (5). [Pl.: *querê-querês.*]

querequexé (rè) [T. onom.] *S. m. Bras. Mús.* V. *reco-reco* (1): "Bambus enfeitados, / compridos e ocos, / produzem sons roucos / de querequexé!" (Ascenso Ferreira, *Catimbó e Outros Poemas*, p. 99.)

querer [Do lat. *quaerere*, 'procurar'.] *V. t. d.* **1.** Ter vontade de; desejar: "Não quero que uma nota de alegria / Se cale por meu triste passamento." (Álvares de Azevedo, *Obras Completas*, I, p. 122.) **2.** Ter a intenção de; projetar, tencionar, desejar: *Desde criança queria cursar a universidade.* **3.** Desejar possuir ou adquirir: *Esteve na agência porque quer um automóvel novo.* **4.** Ordenar, exigir: *Quero que respondam imediatamente.* **5.** Desejar, apetecer: *A criança quis o doce que viu no armário.* **6.** Consentir, permitir: *Quero que me cortem o pescoço se isto não é verdade.* **7.** Necessitar de; demandar, requerer; pedir: *Uma boa peixada quer muito tempero.* **8.** Ambicionar, cobiçar: *Os insurretos queriam o poder.* **9.** Ser de opinião; julgar, acreditar: *O doido quer que a realidade seja o que ele concebe como tal.* **10.** Pretender; solicitar: *Os grevistas querem aumento de salário.* **11.** Condescender em; dispor-se a: *Se quiseres pôr de lado o orgulho, podemo-nos entender.* **12.** Estar na iminência de; ameaçar: *Quando saí, estava querendo chover.* **13.** Estar próximo de; ameaçar: *O vento parecia querer arrancar o telhado das casas.* **14.** Ensaiar, tentar: *Aos 10 meses já queria andar.* **15.** Ter a bondade de; fazer o favor de; dignar-se: *Queira o senhor sentar-se.* **16.** Ter possibilidade de; poder: *O fogo não quer acender porque a lenha está molhada.* ***Transobj.*** **17.** Desejar que (alguém) chegue a (certa posição): *O pai o queria médico.* ***T. i.*** **18.** Ter afeição; gostar; estimar: *Quero-lhe muito;* "E então como ele a amava e lhe queria / A esta pobre terra portuguesa!" (Almeida Garrett, *Folhas Caídas*, p. 165). ***Int.*** **19.** Ter ou manifestar vontade firme e decidida: *Sabe querer.* ***P.*** **20.** Ter o desejo de estar (em certo lugar, ou em certa companhia, etc.). "queria-se com o prato clássico da orelheira de porco, e até com aquele outro prato tão castiço como qualquer período de Fr. Luís de Sousa." (Júlio Dinis, *As Pupilas do Senhor Reitor*, p. 129). **21.** Ter necessidade, ânsia, de; desejar. **22.** Amar-se mutuamente: "Não há no mundo quem amantes visse / Que se quisessem como nos queremos." (Artur Azevedo, *Sonetos e Peças Líricas*, p. 13); "Os dous meninos queriam-se como se fossem irmãos" (Bernardo Guimarães, *O Seminarista*, pp. 17-18). [Irreg. Pres. ind.: *quero, queres, quer, queremos, quereis, querem*; imperf.: *queria, querias, queria*, etc.; perf.: *quis, quiseste*, etc.; m.-q.-perf.: *quisera, quiseras*, etc.; fut. pres.: *quererei, quererás*, etc.; fut. pret.: *quereria, quererias*, etc.; pres. subj.: *queira, queiras*, etc.; imperf.: *quisesse, quisesses*, etc.; fut.: *quiser, quiseres*, etc.; ger.: *querendo*; part.: *querido*. Não se conjuga no imperativo, a não ser em frases enfáticas, e com extrema raridade: "Querei só o que podeis, e sereis omnipotentes." (Pe. Antônio Vieira, *Sermões*, VII, p. 310.)] ● *S. m.* **23.** Ato de querer; vontade; afeto; intenção. ◆ **Querer crer.** Admitir; acreditar: *Quero crer que ele está com a razão.* **Querer dizer. 1.** Ter a intenção de dizer. **2.** Equivaler a; ser sinônimo de; significar: *Indolente quer dizer 'preguiçoso'.* **Querer saber de.** *Bras.* Discutir ou pesquisar em profundidade; examinar detidamente. **Como quem não quer e querendo.** De maneira dissimulada; com dissimulação; dissimuladamente. **Não querer nada com. 1.** Não desejar a amizade ou o amor de. **2.** Não se interessar por: *Não quer nada com trabalho.* **Não querer saber de.** Não ter interesse em (pessoa ou coisa). **Não querer ver nem pintado. 1.** Não querer ter sob os olhos. **2.** Rejeitar ou repelir com abominação; desejar que desapareça. **Por querer.** Voluntariamente; de propósito; de caso pensado. **Queira ou não queira.** Infalivelmente, sem escapatória. **Quer dizer.** V. *isto é.* **Queria porque queria** V. *quer porque quer*: "A verdade é que o velho não desanimava. Queria porque queria comer aquilo que para ele era uma salsicha." (Carlos Heitor Cony, *Pilatos*, p. 122.) **Quer porque quer.** Forma de expressar a grande determinação da pessoa de quem se fala de fazer ou obter algo; queria porque queria, quis porque quis. **Quis porque quis.** V. *quer porque quer.* **Como quem não quer nada.** Fingindo indiferença ou inocência; como se nada tivesse acontecido; como se nada fosse. **Sem querer.** Involuntariamente: *Deixou cair, sem querer, a xícara.* **Não querer nada com. 1.** Não desejar a amizade ou o amor de. **2.** Não se interessar por: "Depois de cuidadosa seleção, [o quinto ano] foi dividido em três turmas ..... Os da 13 já não são lá essas coisas, mas os da 12 posso assegurar que dificilmente irão para a frente, não querem nada com estudo. (Fernando Sabino, *O Homem Nu*, pp. 72-73.)

queridão [De *querido* + *-ão*[1].] *S. m. Fam.* Meu querido; querido. [Us., em geral, como vocativo. Fem.: *queridona.*]

querido [Part. de *querer.*] *Adj.* **1.** A que ou a quem se quer muito: "Amor da esposa querida" (Almeida Garrett, *Folhas Caídas*, p. 170). ● *S. m.* **2.** Indivíduo amado, querido: "Aqui venho e virei, pobre querida, / Trazer-te o coração do companheiro." (Machado de Assis, *Relíquias de Casa Velha*, Introdução.)

queridona *S. f. Fam.* Fem. de *queridão* (q. v.).

querigma [Do gr. *kérygma*, 'proclamação em alta voz', 'anúncio'.] *S. m.* **1.** Núcleo central e essencial da mensagem cristã. **2.** Anúncio da mensagem cristã ao não cristão, destinado a despertar nele a fé, e a convertê-lo. **3.** Cada um dos trechos do Novo Testamento, oriundos da tradição oral, que transcrevem alguma modalidade de querigma (1 e 2).

querigmático [De *querigma* + *-ático.*] *Adj.* **1.** Que tem a forma ou a função de querigma. **2.** Pertencente ou relativo ao querigma.

querima *S. f. Ant.* Querimônia (q. v.).

querimónia *S. f. Ant.* V. *querimônia.* [Uso freq. em P.]

querimônia [Do lat. *querimonia.*] *S. f. Ant.* Queixa, querela; querima.

querite [De *quer(o)-* + *-ite*[2].] *S. f.* Substância sintética usada em substituição da guta-percha. [Pl.: *querites.* Cf. *quirites.*]

quermes [Do ár.-hisp. *garmaz* < ár. *qirmzi*, '(substância vermelha) da cochonilha', do ár. e persa *qirmiz* ou *qarmiz*, 'verme ou larva', 'cochonilha'; p. ext. 'a cor vermelha ou grená'; v. tb. etim. de *carmim* e de *vermelho*[1].] *S. m. 2 n.* **1.** Excrescência vermelha e redonda que a fêmea do pulgão forma sobre as folhas duma espécie de carvalho, e da qual se extrai um corante escarlate; quermes animal. **2.** Quermes mineral. ◆ **Quermes animal.** Quermes (1). **Quermes mineral.** Mistura formada essencialmente de trissulfeto de antimônio, de pequenas quantidades de trióxido de antimônio, piroantimoniato de sódio, e enxofre, usada para fins terapêuticos. [Tb. se diz apenas *quermes.*] **Quermes vegetal.** *Obsol. Impr.* O quermes animal, que se supunha antigamente ser uma espécie de baga.

quermesse [Do flamengo *kerkmisse*, pelo fr. *kermesse.*] *S. f.* **1.** Feira paroquial que era celebrada anualmente nos Países Baixos, com grandes folguedos populares. **2.** Bazar ou feira beneficente, em geral com leilão de prendas.

▲ **quer(o)-** [Do fr. *kero-* ou do ingl. *kero-* < gr. *kéros, oû.*] V. *cero-*.

▲ **quero-** [Do v. gr. *chaírein*, 'alegrar-se'.] ***El. comp.*** = 'alegria': *querofobia, querófobo, queromania, querômano.*

querofobia [De *quero-* + *-fobia.*] *S. f. Psiq.* Distúrbio (3) caracterizado por horror à alegria, à jovialidade.

querofóbico [De *querofobia* + *-ico*[2].] *Psiq. Adj.* **1.** Relativo a querofobia. **2.** Que sofre de querofobia; querófobo. ● *S. m.* **3.** Aquele que sofre de querofobia; querófobo.

querófobo [De *quero-* + *-fobo.*] *Adj. S. m. Psiq.* Querofóbico (2 e 3).

quero-mana [De *querer* + *mana*[2].] *S. m. Bras. S.* **1.** Antigo bailado campestre, espécie de fandango. **2.** Canto popular executado ao violão. [Pl.: *quero-manas.*]

queromania [De *quero-* + *-mania.*] *S. f. Psiq.* Euforia exagerada e exaltação.

queromaníaco [De *queromania* + *-íaco.*] *Psiq. Adj.* **1.** Relativo a queromania. **2.** Que sofre de queromania; querômano. ● *S. m.* **3.** Aquele que tem queromania; querômano.

querómano *Adj. S. m. Psiq.* V. *querômano.* [Uso freq. em P.]

querômano [De *quero-* + *-mano*[1].] *Adj. S. m. Psiq.* Queromaníaco (2 e 3).

quero-quero [T. onom.] *S. m. Bras. Zool.* Ave caradriiforme, caradriídea, do gênero *Belonopterus*, com duas subespécies brasileiras: *B. chilensis cayennensis*, do N. e N.O., e *B. c. lampronotus*, da parte L. e S. A coloração geral é cinzento-clara, com ornatos pretos na cabeça, peito, asa e cauda, as coberteiras maiores e abdome brancos, bico e pernas encarnados. Caracteriza-se sobretudo pelo esporão vermelho no encontro das asas e penas longas da região posterior da cabeça. Vive nas várzeas, praias marítimas, margens de rios, lagoas, brejos, pastagens do interior. [Var. e sin.: *chiqueira, espanta-boiada, gaivota-preta, terém-terém, teréu-teréu, tero-tero, tetéu, téu-téu.* Pl.: *quero-queros.*]

querosenagem [De *querosenar* + *-agem*[2].] *S. f. Bras.* **1.** Ato ou efeito de querosenar. **2.** Em algumas operações agrícolas, tratamento pelo querosene.

querosenar [De *querosene* + *-ar*[2].] *V. t. d. Bras.* Derramar querosene em, a fim de exterminar certos insetos nocivos.

querosene [Do ingl. *kerosene* (do gr. *kerós, oû*, 'cera'. V. *cero-*).] *S. m.* **1.** *Quím.* Líquido resultante da destilação do petróleo, com temperatura de ebulição entre 150 e 300 graus centesimais, fração entre a gasolina e o óleo diesel, usado como combustível e como base de certos inseticidas. [Sin., bras., N., N.E. e GO: *gás.*] **2.** *Bras. Amaz. Bot.* Grande árvore laurácea (*Nectandra elaophora*) da floresta pluvial, de cujo grosso tronco, perfurado, muitas vezes escorre grande quantidade de um óleo semelhante à terebintina, que o povo local usa como combustível e como remédio contra parasitos cutâneos; pau-de-gasolina, nhamuí. **3.** *Bras. BA Min.* Diamante de cor azul-leitosa.

quérquera [Do lat. *querquera.*] *S. f.* Acesso febril com calafrios.

quersoneso [Do gr. *chersónesos*, pelo lat. *chersonesu.*] *S. m. Ant.* Península.

querúbico *Adj.* Querubínico.

querubim [Do hebr. *kerubin*, pl. de *kerub*, pelo lat. *cherubin.*] *S. m.* **1.** Anjo (1) da primeira hierarquia: "há legiões de anjos, de arcanjos, de querubins, de serafins, de demônios, que substituem as musas, as ninfas, as harpias e as parcas." (Ramalho Ortigão, *A Holanda*, p. 308). **2.** Pintura ou escultura duma cabeça de criança com asas, representando um querubim. **3.** *Fig.* Criança muito linda.

querubínico [De *querubim* + *-ico*[2].] *Adj.* Relativo ou semelhante a querubim; querúbico.

querudo (qüe) [De *quera* + *-udo.*] *Adj. Bras. S.* V. *valentão* (1). [Cf. *cuerudo.*] ❖

quérulo [Do lat. *querulu.*] *Adj. Poét.* Queixoso, lamentoso, plangente: "Rolas gemiam quérulas" (Coelho Neto, *Rei Negro*, p. 214); "Auras subtis das frescas madrugadas, / Feitas de aroma e quérulo cicio" (Luís Carlos, *Colunas*, p. 113).

querulomania [Do lat. *querulus*, 'lastimoso', 'queixoso', + *-mania.*] *S. f. Psiq.* Manifestação patológica em que o indivíduo se queixa de supostas injustiças.

querulomaníaco [De *querulomania* + *-íaco.*] *Psiq. Adj.* **1.** Relativo a querulomania. **2.** Que sofre de querulomania; querulômano. ● *S. m.* **3.** Aquele que sofre de querulomania.

querulómano *Adj. S. m. Psiq.* V. *querulômano.* [Uso freq. em P.]

querulômano [De *querulo-*, como em *querulomania*, + *-mano*[1].] *Adj. S. m. Psiq.* Querulomaníaco (2 e 3).

queru-queru *S. m. Bras. Zool.* V. *cuiú-cuiú* (2). [Pl.: *queru-querus.*] ❇

quesito [Do lat. *quaesitu*, 'pergunta', por via erudita.] *S. m.* **1.** Ponto ou questão sobre que se pede resposta (opinião, juízo ou esclarecimento). **2.** Requisito (2 e 3).

quesível [Do lat. *quaesere*, 'buscar', 'procurar', + *-ível.*] *Adj. 2 g.* **1.** Que se pode buscar. **2.** Que se pode reclamar.

quesque *Bras. S. 2 g.* **1.** *Etnôn.* Indivíduo dos quesques, povo indígena extinto que habitava as margens do rio Pajeú (PE). ● *Adj. 2 g.* **2.** Pertencente ou relativo a esse povo. [Tb. us. como *s. 2 g. e 2 n.* (com cap.) e *adj. 2 g. e 2 n.*]

questão [Do lat. *quaestione.*] *S. f.* **1.** Pergunta, interrogação. **2.** Tese, assunto, tema em geral, sujeito a meditação, estudo, etc.: *Expôs a questão com*

Q

a maior clareza. 3. Contenda; desavença; discussão; conflito. 4. Demanda; litígio. 5. Ponto para ser resolvido; problema: *Isto não é uma questão de inteligência, mas de bom senso.* 6. Ponto em discussão que é levado à Justiça e submetido à decisão de um magistrado. ◆ **Questão aberta.** Aquela para a qual ainda não se encontrou uma solução. [Antôn.: *questão fechada.*] **Questão de.** Cerca de; mais ou menos; aproximadamente; coisa de: *Chegou há questão de dois meses;* "Só voltei a pôr-lhe os olhos em cima há questão de dois anos, na Feira Popular" (José Gomes Ferreira, *O Mundo dos Outros*, p. 103). **Questão de ordem.** Em assembleias deliberativas, aquela que versa sobre o encaminhamento dos trabalhos. **Questão de tempo.** A que só poderá ser resolvida no futuro. **Questão de vida ou morte.** Questão de sumo perigo ou de grande importância. **Questão fechada.** A que já tem uma solução definitiva. [Antôn.: *questão aberta.*] **Questão prejudicial.** *Bras. Jur.* Questão independente da ação penal, ordinariamente de natureza privada, cuja decisão prévia se impõe, e que obrigatoriamente caberá ao juízo cível caso se relacione com o estado civil das pessoas. [Tb. se diz apenas *prejudicial.*] **Questão prévia.** Em assembleias deliberativas, a que é posta em discussão antes de qualquer outra coisa. **Em questão.** Sobre que se discute, em apreço, em foco (pessoa ou coisa). **Fazer questão de.** Exigir de si mesmo ou de outrem; não transigir em. **Fazer questão fechada de.** 1. Ter o maior interesse, o máximo empenho, em: *Faço questão fechada de sua presença aqui.* 2. Ser intransigente em relação a: *Faço questão fechada da manutenção dos meus princípios.* **Ser questão fechada.** Ser matéria da qual não se abre mão: *Para ele é questão fechada discursar em primeiro lugar.* **Ser (só uma) questão de tempo.** Ser algo que se resolverá ou que acontecerá com o tempo: "Virar a casaca foi questão de tempo e influência de novas companhias." (Ciro dos Anjos, *A Menina do Sobrado*, p. 304.)

questionabilidade [De *questionável* (*questionabil-*) + *-(i)dade*, seg. o padrão erudito.] *Adj. 2 g.* Qualidade ou característica de questionável.

questionador (ô) [De *questionar* + *-dor.*] *Adj. S. m.* Que, ou aquele que questiona; discutidor.

questionamento [De *questionar* + *-mento.*] *S. m.* Ato ou efeito de questionar, de pôr em dúvida a correção, legitimidade, etc. de algo ou alguém.

questionar [De *questão* + *-ar*², seg. o padrão erudito.] *V. t. d.* 1. Fazer ou levantar questão acerca de; discutir, disputar, controverter: *Questionou a validade do argumento.* 2. Retorquir, redarguir: *Questionou com veemência o interlocutor. T. d. e i.* 3. Discutir, disputar: *Questionou filologia com antigos mestres seus. T. i.* 4. Fazer ou levantar questão; discutir, disputar: *Questionava pelos seus direitos. Int.* 5. Fazer ou levantar questão; altercar, discutir.

questionário [De *questão* + *-ário*, seg. o padrão erudito.] *S. m.* 1. Série de questões ou perguntas. 2. Interrogatório.

questionável [De *questionar* + *-vel.*] *Adj. 2 g.* Que pode ser questionado.

questiúncula [Do lat. *quaestiuncula.*] *S. f.* 1. Pequena questão. 2. Discussão sem importância: "Um dia, uma questiúncula tivemos / Por um capricho, por uma tolice." (Artur Azevedo, *ap.* Manuel Bandeira, *Antologia dos Poetas Brasileiros da Fase Parnasiana*, p. 58.)

questor (ô) [Do lat. *quaestore.*] *S. m.* 1. Antigo magistrado romano, encarregado das finanças. 2. Magistrado de justiça criminal, na antiga Roma.

questório [Do lat. *quaestoriu.*] *Adj.* De, ou relativo a questão.

questuário [Do lat. *quaestuariu.*] *Adj. S. m.* Que, ou aquele que é interesseiro, ambicioso.

questuoso (ô) [Do lat. *quaestuosu.*] *Adj.* Que dá vantagens ou interesses.

questura [Do lat. *quaestura.*] *S. f.* Cargo de questor.

▲ **-queta** V. *queto-*.

quetçal [Do hisp.-amer. *quetzal.*] *S. m.* 1. *Zool.* Ave trepadora da América Central (*Trogons resplendens*), de plumagem verde muito brilhante, vermelha no peito e na barriga. [Ave sagrada dos astecas, é o símbolo nacional da Guatemala, onde se diz que morre quando no cativeiro.] 2. Unidade monetária, e moeda, da Guatemala, dividida em 100 centavos.

quetilquê *S. m.* Pessoa ou coisa de pouca monta. V. *ninharia.* [Var.: *quotiliquê.*]

queto *Adj. Fam.* F. sincopada de *quieto* (q. v.).

queto (ê) [Do ior. *ketu.*] *S. 2 g.* 1. Indivíduo dos quetos, grupo e reino iorubanos do S.E. da República do Benim, na fronteira com a Nigéria (África). ● *Adj. 2 g.* 2. Pertencente ou relativo aos quetos.

▲ **queto-** [Do gr. *chaítē, ēs.*] *El. comp.* = 'cabeleira'; 'crina', 'sedas': *quetópode.* [Equiv.: *-queta, -queto*: *poliqueta; espiroqueto.*]

▲ **-queto** V. *queto-*.

quetodonte [Do tax. *Chaetodon.*] *S. m. Zool.* 1. Gênero de peixes actinopterígios, perciformes, que inclui várias espécies, de belas cores vivas, que habitam o oceano Atlântico ocidental, o oceano Índico, e o Pacífico. 2. Qualquer espécie desse gênero, como, p. ex., a *Chaetodon capistratus* [v. *peixe-borboleta* (4)]. 3. Qualquer espécime desse gênero.

quetodontídeo [Do lat. cient. *Chaetodont-* (< tax. *Chaetodon* [v. *queto-* e *odont(o)-*]) + *-ídeo*¹; tax. *Chaetodontidae.*] *Zool. S. m.* 1. Espécime dos quetodontídeos, família de peixes marinhos perciformes, ornamentais, de corpo quase disciforme, pequena boca protátil, diminutos dentes em forma de cerda, e escamas ctenóides. Ex.: borboleta-listrada. ● *Adj.* 2. Pertencente ou relativo a eles.

quetógnato [De *queto-* + *-gnato*; tax. *Chaetognatha.*] *Zool. S. m.* 1. Espécime dos quetógnatos, ramo de enterozoários de simetria bilateral, hermafroditos, pequenos, de vida livre, marinhos, e que medem de 20 a 70mm de comprimento. O corpo é achatado, transparente, com tubo digestivo completo, duas nadadeiras no tronco e outra, terminal, na cauda, para locomoção. ● *Adj.* 2. Pertencente ou relativo a eles.

quetonotoide (ói) [Adapt. do tax. *Chaetonotoida.*] *Zool. S. m.* 1. Espécime dos quetonotoides, ordem de asquelmintos, gastrotríquios, com reprodução partenogenética, na maioria das espécies. Têm tubos adesivos, em geral presentes apenas na cauda, dois protonefrídios. Vivem na água doce, sobre vegetação. ● *Adj. 2 g.* 2. Pertencente ou relativo a eles. ✧

quetópode [De *queto-* + *-pode*; tax. *Chaetopoda.*] *Zool. Ant. S. m.* 1. Espécime dos quetópodes, subclasse de anelídeos providos de cerdas, poliquetas e oligoquetas. ● *Adj. 2 g.* 2. Pertencente ou relativo a eles.

quetopsídeo [Adapt. do tax. *Chaetopsidae.*] *Zool. S. m.* 1. Espécime dos quetopsídeos, família de insetos dípteros sul-americanos. ● *Adj.* 2. Pertencente ou relativo a eles.

quetua [Do tupi.] *S. m. Bras. Zool.* V. *ararinha-de-cabeça-encarnada.*

quetzal *S. m.* V. *quetçal.*

quevioço [Do quimb., poss.] *S. m. Bras. MA Rel.* Na Casa Grande das Minas, em São Luís, vodum correspondente ao orixá Xangô dos iorubas. [Com cap.]

quexerumã *Bras. S. 2 g.* 1. *Etnôn.* Indivíduo dos quexerumãs (ou etnôn. Kexerumã), povo indígena extinto, da família linguística caraíba, que habitava as margens do rio Contigo (RR). ● *Adj. 2 g.* 2. Pertencente ou relativo a esse povo.

qui [Do gr. *kheî, khí.*] *S. m.* A 22ª letra do alfabeto grego (Ξ, ξ), da qual deriva o *X* do nosso alfabeto e que corresponde etimologicamente a um *c* (como em *caráter*) ou a um *qu* (como em *quiasmo*).

quiabada [De *quiabo* + *-ada*¹.] *S. f. Bras. PE AL BA Cul.* Prato feito de quiabo refogado em azeite de oliveira, ao qual se adicionam, às vezes, carne bovina fresca ou camarões, ou peixe, ou peixe e camarões juntos, e temperado com cebola, alho, cheiro-verde, etc.

quiabeiro [De *quiabo* + *-eiro*] *S. m. Bot.* Erva malvácea (*Hibiscus esculentus*) lenhosa, de origem africana, e muito cultivada como hortaliça. Tem grandes folhas lobadas e flores axilares, e seus frutos são cápsulas alongadas, que se comem quando imaturas, pois endurecem quando próximas da maturidade.

quiabento [De *quiabo* + *-ento.*] *S. m. Bras. L. Bot.* Arvoreta cactácea (*Peireskia zehntneri*) comum na BA, e que se caracteriza pelo tronco fortemente aculeado e pelas folhas bem diferenciadas.

quiabo [De or. incerta.] *S. m.* Fruto capsular cônico, verde e peludo, produzido pelo quiabeiro comum. [Sin., bras., todos originados do quimbundo: *guingombô, gombô, quibombô, quibombô, quigombô, quigombô, quimbombô, quimbombô, quingobô, quingombô, quingombô.*]

quiabo-azedo *S. m. Bot.* V. *caruru-azedo.* [Pl.: *quiabos-azedos.*]

quiabo-cheiroso *S. m. Bras. Amaz. BA Bot.* V. *ambreta.* [Pl.: *quiabos-cheirosos.*]

quiabo-de-cheiro *S. m. Bot.* V. *ambreta.* [Pl.: *quiabos-de-cheiro.*]

quiaborana [De *quiabo* + *-rana.*] *S. f. Bras. Bot.* Nome comum a ervas malváceas (v. *quiaborana-de-espinho* e *quiaborana-lisa*) originárias do México.

quiaborana-de-espinho *S. f. Bras. Amaz. Bot.* Erva ou arbusto malváceo (*Malachra fasciata*) de ampla dispersão, cujo caule é coberto de cerdas rígidas e verdes, cujas flores são alvas e vistosas, e que fornece fibra utilizável. [Pl.: *quiaboranas-de-espinho.*]

quiaborana-lisa [De *quiaborana* + o f. de *liso.*] *S. f. Bras. Bot.* Planta malvácea (*Malachra ruderalis*), perene, de até 1,5m. [Pl.: *quiaboranas-lisas.*]

quiabo-róseo *S. m. Bot.* V. *caruru-azedo.* [Pl.: *quiabos-róseos.*]

quiabo-roxo *S. m. Bot.* V. *caruru-azedo.* [Pl.: *quiabos-roxos.*]

quiáltera [Do lat. *sesquialtera*, 'que contém outro tanto e mais a metade'; 'uma e meia'. A primeira sílaba foi confundida com o num. lat. *sex*, 'seis'.] *S. f. Mús.* Redução ou ampliação ocasional do valor das notas que formam uma unidade de tempo ou de compasso. [Os grupos de quiálteras chamam-se *tresquiálteras, quatroquiálteras, cincoquiálteras, sesquiálteras*, etc., conforme o número de figuras que os constituem, e costumam ser ligados por um arco ou um colchete. Cf. *sesquiáltera.*]

quianda [Do quimb.] *S. 2 g. Angol. Rel.* Divindade (feminina ou masculina) do mar, dos rios, nascentes, montanhas e bosques; quituta: "E... talvez / Ainda voltes outra vez / A abrasar-te em desejos, / Quianda dos meus amores." (Aires de Almeida Santos, *Meu Amor da Rua Onze*, p. 23.)

quiara *S. m. Bras. Zool.* V. *rato-d'água.*

quiasma [Do gr. *chíasma*, 'disposição em forma da letra grega qui', 'cruzamento'.] *S. m.* 1. *E. Ling.* Construção anômala, originada do cruzamento de construções normais; cruzamento sintático, contaminação sintática. Ex.: "O homem que é forte / Não teme da morte; / Só teme fugir" (Gonçalves Dias, *Obras Poéticas*, II, p. 42). [A prep. *de*, em "Não teme da morte", provém do cruzamento das construções normais *não teme a morte* e *não tem medo da morte.*] 2. *Anat.* Cruzamento ou decussação de duas formações [v. *formação* (5)]. 3. *E. Ling.* V. *quiasmo.* 4. *Citol. Genét.* Pontos nos quais os cromossomos homólogos permanecem unidos, após cessado o processo de permuta, na meiose I. ◆ **Quiasma óptico.** *Anat.* Pequena formação quadrangular, semelhante a um X, na qual os nervos ópticos parcialmente se juntam e se cruzam.

quiasmático [De *quiasma* + *-ático.*] *Adj.* Relativo a quiasma.

quiasmo [Do gr. *chiasmós*, 'ação de dispor em cruz', pelo lat. tard. *chiasmu.*] *S. m. E. Ling.* Figura de estilo pela qual se repetem palavras invertendo-se-lhes a ordem; conversão. Ex.: "Ignotas armas e tecidos ignotos cobrem-lhe o corpo." (José de Alencar, *Iracema*, p. 51); "Tinhas a alma de sonhos povoada, / E a alma de sonhos povoada eu tinha." (Olavo Bilac, *Poesias*, p. 126).

quiastro [Do fr. *chiastre.*] *S. m.* Ligadura em forma de X, que se usava nas fraturas dos membros inferiores.

quiba [Do hauçá *kiba*, 'gordo', 'gordura', 'engordar'.] *Adj. 2 g. Bras.* Forte, robusto. ~ V. *quibas.*

quibaana *Bras. S. 2 g.* 1. Indivíduo dos quibaanas, povo indígena do N. ● *Adj. 2 g.* 2. Pertencente ou relativo a esse povo.

quibaca [Do quimb. *kibaka*, 'ombreira'.] *S. f. Bras. Bot.* Tibaca (q. v.).

quibandar [De *quibando* + *-ar*².] *V. t. d. Bras.* Agitar (o arroz, o café, etc.) com o quibando, para sessá-los ou peneirá-los.

quibando [Do quimb. *kibandu.*] *S. m. Bras. N.* Espécie de peneira grossa de palha para sessar o arroz, o café, etc. [Var.: *quibano.*]

quibano *S. m. Bras. N.* V. *quibando.*

quibas [Do quimb. *kiba kivumba matuba*, 'escroto'.] *S. m. pl. Bras. Chulo* Testículos. ~ V. *quiba.*

quibe [Do ár. *kibba(t).*] *S. m. Cul.* Iguaria árabe, ger. feita de carne moída e trigo integral, e temperada com hortelã-pimenta e outros condimentos.

quibebe (ê ou é) [Do quimb. *kibebe.*] *Bras. S. m. Cul.* 1. Papa de abóbora. 2. Prato preparado com grelos de aboboreira. ● *Adj. 2 g.* 3. Da consistência do quibebe.

quibitca [Do russo.] *S. f.* Tipo de tenda, de forma cilindro-cupular, usada pelos calmucos, povo mongólico da Ásia central.

quibla *S. f.* V. *alquibla.*

quibombó *S. m. Bras.* V. *quiabo.*

quibombô *S. m. Bras.* V. *quiabo.*

quibuco [Do quimb.] *S. m. Bras. Rel.* Inquice correspondente ao Xangô dos iorubas. [Com cap.]

quibungo [De or. indígena, poss.] *S. m. Bras. MG* Baile de negros.

quiçá [Dos ant. *quiçab* e *quiçabe*, alter. de *qui sabe*, 'quem sabe'.] *Adv.* Talvez, porventura; quem sabe: "A tapeçaria e alfaias da casa eram de uma suntuosidade que se não encontra hoje igual, não só em toda a província, mas quiçá em nenhuma vivenda rural do império." (José de Alencar, *O Sertanejo*, p. 53.)

quiçaba [De or. tupi, poss.] *S. f. Bras.* Pote ou talha de barro; porrão, igaçaba.

quiçaça [Do quimb. *kisada*, 'moita', 'ramo'.] *S. f. Bras. SP* Terra árida, ruim, caracterizada sobretudo por vegetação xerófila, mato baixo e espinhento, espécie de capoeira de paus tortuosos e ásperos. ◆ **Derreter na quiçaça.** *Bras. SP Pop.* V. *fugir* (1 e 2).

quiçama *S. m. Bras. RJ* V. *quiçamba*.

quiçamã [De or. afr.] *S. m.* 1. *Bras.* Mingau de polvilho ou de goma de mandioca. 2. Variedade de cana-de--açúcar.

quiçamãense *Adj. 2 g.* 1. De, ou pertencente ou relativo a Quiçamã (RJ). ● *S. 2 g.* 2. O natural ou habitante de Quiçamã.

quiçamba [Do quimb. *kisambu*, 'sambrá grande'.] *S. f. Bras. SP* Espécie de jacá, de uso caseiro, feito de taquara. [Var.: *quiçama*.]

quiçameiro [De *quiçama* + *-eiro*.] *S. m. Bras. RJ* Fabricante de quiçamas.

quiçângua *S. f. Angol.* V. *quissângua*.

quiçanje *S. m. Angol.* V. *quissanje*.

quicar [Voc. onom., poss.] *V. int.* 1. *Bras.* Saltar, pular (a bola): 📖 "Na falta cobrada por Edinho, ... a bola ultrapassou a barreira, quicou a um metro de Mazaropi, resvalou no braço do goleiro e entrou." (*Jornal do Brasil*, 01.12.1980.) 2. Bater ou tocar uma bola na outra (bolas de gude, etc.). 3. *Fam.* Ficar muito irritado, furioso; ficar uma bala. 📖 "– A melhor é que o Delfim também foi intimado e não achou os recibos. Está quicando." (Carlos Drummond de Andrade, *O Poder Ultrajovem*, p. 41.) *T. d.* 4. *Bras.* Fazer quicar (a bola): *O jogador quicou a bola e fez uma bela cesta.* [Conjug.: v. *trancar*.]

quicé [Do tupi.] *S. f. e m. Bras. N.E.* V. *caxirenguengue*: 📖 "Picou fumo com a quicé na palma grossa da mão." (Gustavo Barroso, *Heróis e Bandidos*, pp. 123-124.) [Var.: *quicê*, *quecé* e *quecê*.]

quicê [Var. de *quicé* (q. v.).] *S. f. e m. Bras. N.E.* V. *caxirenguengue*.

quichaça [Alter. de *cachaça*.] *S. f. Bras. Pop.* Teimosia, mania, paixão; cachaça.

quiche [Do fr. *quiche*.] *S. f. Cul.* Iguaria feita com massa podre, recheio à base de ovos e creme ao qual se adicionam pedacinhos de toucinho defumado, e que não leva cobertura.

quicheria [De *quiche* + *-eria*.] *S. f.* Estabelecimento em que se preparam e se vendem esp. quiches.

quíchua [Do esp. quíchua, pelo esp. *quichua*.] *S. 2 g.* 1. Indivíduo dos quíchuas, povo indígena que habitava extensa região da América do Sul. ● *S. m.* 2. *Gloss.* Importante língua indígena sul-americana, ainda hoje falada na Bolívia, Argentina, Equador e Peru, e que foi língua geral do antigo império inca. ● *Adj. 2 g.* 3. Pertencente ou relativo aos quíchuas ou ao quíchua (2). [F. paral.: *quéchua*.]

quício [Do esp. *quicio*.] *S. m.* Gonzo (1): 📖 "a pesada porta rangeu sobre os quícios" (Arnaldo Gama, *O Balio de Leça*, p. 118).

quico *S. m. Bras. Centro de MG e de SP* V. *cigano* (1).

quiçoco *S. m. Angol.* V. *quissoco*.

quiçonde *S. m. Angol.* V. *quissonde*.

quicongo [Do banto.] *S. m. Gloss.* 1. Língua banta falada na República do Congo, em Angola (Cabinda) e na República Democrática do Congo. 2. Vocábulo dessa língua. ● *Adj.* 3. Pertencente ou relativo ao quicongo (1).

quicuca [De or. tupi, poss.] *S. f. Bras. PE* V. *cuca*[5].

quicuio *S. m.* 1. *Etnôn.* Indivíduo dos quicuios, povo banto do Quênia (L. da África). ● *Adj.* 2. Pertencente ou relativo aos quicuios.

➔ **quid** [kwid] [Lat. pron. interrogat. = 'quê?'] *S. m.* O ponto difícil; o busílis.

quidam (qüi) [Do lat. *quidam*, 'um certo', 'alguém'.] *S. m.* Pessoa pouco importante; passanito. ◆ **Um quidam.** Uma pessoa indeterminada; um tal; um fulano. ❖

quididade (qüi) [Do lat. escolástico *quidditate*.] *S. f.* 1. A essência de uma coisa; qualidade essencial. 2. O conjunto das condições que determinam um ser particular. 3. *Hist. Filos.* Na filosofia escolástica, a essência ou natureza de uma coisa (o que uma coisa é) em contraste com sua existência (o fato de uma determinada coisa, atualmente, ser). ❖

quididativo (qüi) [Do lat. escolástico *quidditativu*.] *Adj.* Referente a quididade. ❖

➔ **quid inde?** [kwid ˈindẹ] [Lat.] Daí? E então? Qual a consequência disso?

➔ **quid juris?** [kwid ˈjurẹs] [Lat.] Qual é (a opinião) do Direito? Isto é, qual a solução proposta pela Jurisprudência?

quiescente [Do lat. *quiescente*.] *Adj. 2 g.* 1. Que está em descanso. 2. Que está sereno; tranquilo. ~ V. *ponto* — e *protuberância* —.

quietação [Do lat. tard. *quietatione*.] *S. f.* 1. Ato ou efeito de quietar(-se). 2. Estado de quem ou do que se acha quieto; estado de quietude; sossego, tranquilidade, serenidade, calma: 📖 "Senhor! Ao pé do lar, na quietação, na calma, / Pode a flama subir brilhante, loura, eterna" (Castro Alves, *Poesias Escolhidas*, p. 104). 3. Comedimento, modéstia. 4. Paz, concórdia.

quietar [Do lat. tard. *quietare*.] *V. t. d.* 1. Fazer estar quieto; dar descanso a; tranquilizar; aquietar. *Int. P.* 2. Ficar quieto; aquietar(-se): 📖 "Deitou-se, quietou, alegrou-se." (Fr. Luís de Sousa, *História de S. Domingos*, I, pp. 173-174); "Ainda tremia. Quietava um pouco mas a tremura logo voltava." (Luís Vilela, *Tremor de Terra*, p. 49).

quietarrão [De *quieto* + *-arrão*.] *Adj. Fam.* 1. Muito quieto; muito sossegado e calmo: 📖 "Chegara [Lourenço da Frederica] avelhuscado, quietarrão, com inchação de membros, e arrastando de uma perna." (Godofredo Rangel, *Vida Ociosa*, p. 171.) 2. De poucas conversas; caladão. [Fem.: *quietarrona*.]

quiete [Do lat. *quiete*.] *S. m. Poét.* Sossego, tranquilidade, quietação: 📖 "Rolas mariscavam à beira do rancho, confiadas no quiete daquele abrigo sempre deserto" (Coelho Neto, *Banzo*, p. 109).

quietez (ê) [De *quieto* + *-ez*.] *S. f.* V. *quietude*: 📖 "trançou os braços na cintura da Paulina, que lhe acenou com um mais que pequeno sinal de silêncio e quietez" (Valdomiro Silveira, *Os Caboclos*, pp. 121-122).

quieteza (ê) [De *quieto* + *-eza*.] *S. f.* V. *quietude*: 📖 "Calma, sempre séria, nunca loquaz, ela ficava um tempão danado quieta na cozinha, numa quieteza tão humilde e vegetal que a gente tinha a impressão de que ela se dissolvia no ambiente." (Bernardo Élis, *Veranico de Janeiro*, p. 88.)

quietismo [Do fr. *quiétisme*.] *S. m.* 1. Doutrina mística, especialmente difundida na Espanha e na França no séc. XVII, segundo a qual a perfeição moral consiste na anulação da vontade, na indiferença absoluta, e na união contemplativa com Deus. 2. Quietação, sossego. 3. Imobilidade, indiferença, apatia.

quietista [Do fr. *quiétiste*.] *Adj. 2 g.* 1. Relativo ao, ou que é sectário do quietismo. ● *S. 2 g.* 2. Sectário do quietismo.

quietitude [De *quieto* + *-itude*, com infl. de voc. como *beatitude*.] *S. f.* V. *quietude*: 📖 "Sol imenso, quietitude infinita, vegetações estáticas" (Pina de Morais, *Sangue Plebeu*, p. 160).

quieto [Do lat. *quietu*.] *Adj.* 1. Que não se mexe; que não bole; imóvel, parado, quedo: 📖 "As gameleiras .... estão quietas e mudas, sem uma só palpitação de folha" (Olavo Bilac, *Crítica e Fantasia*, p. 39); "A água quieta do Tejo te abençoa." (Augusto dos Anjos, *Eu*, p. 72). 2. Que tem comedimento de maneiras. 3. Tranquilo, calmo, sossegado, sereno, plácido; quedo: 📖 "Torna a dormir quieto e sossegado." (Luís de Camões, *Os Lusíadas*, VIII, 48); *noite quieta; atitude quieta.* 4. Dócil, manso, pacífico: *criança quieta.* 5. Suave, brando, delicado. ● *S. m.* 6. *Bras. MG* Vida tranquila.

quietude [Do lat. ecles. *quietudine*.] *S. f.* 1. Qualidade ou estado de quieto. 2. Sossego, paz; tranquilidade de suave; quietação: 📖 "Estas manifestações e as arruaças dos estudantes eram as únicas coisas que sacudiam a quietude das ruas de Belo Horizonte." (Pedro Nava, *Beira-Mar*, p. 288.) 3. Lugar ou região tranquila, quieta, solitária: 📖 "Prometem--vos (quem sabe?!) entre os ciprestes, / Longe da mancebia dos alcouces, / Nas quietudes nirvânicas mais doces, / O noivado que em vida não tivestes!" (Augusto dos Anjos, *Eu*, p. 61.) [Sin. ger.: *quietitude*, *quietez*, *quieteza*.]

quifumbe [Do quimb.] *S. m. Angol.* Salteador, bandido: 📖 "adormeceram desatentos aos sinais / os fiéis do templo das quimeras / como / não se divisassem emboscados detrás das caras que nos sorriem / vultos de quifumbes profanadores" (Arlindo Barbeitos, *Fiapos de Sonho*, p. 36).

quigombó *S. m. Bras.* V. *quiabo*.

quigombô *S. m. Bras.* V. *quiabo*.

quiijara [De or. indígena.] *S. f. Bras. Zool.* Rato silvestre, que vive de preferência nos taquarais.

quiinácea [Do tax. *Quiina* + *-ácea*; tax. *Quiinaceae*.] *S. f. Bot.* Espécime das quiináceas, família de plantas floríferas, da ordem das parietales, constituída de arbustos e árvores com folhas opostas e estipuladas, e pequenas flores racemosas. A família, pequena, é americana, e destituída de importância.

quiináceo [De *quiinácea*, com var. suf. (v. *-áceo*).] *Adj. Bot.* Pertencente ou relativo às quiináceas.

quijila [Do quimb.] *S. f. Angol. Rel.* Proibição ritual; tabu: 📖 "os ministros do culto preceituaram as quijilas: ela não podia carretar água nem moer no pilão." (Oscar Ribas, *Missosso*, vol. I, p. 80).

quijinguense *Adj. 2 g.* 1. De, ou pertencente ou relativo a Quijingue (BA). ● *S. 2 g.* 2. O natural ou habitante de Quijingue.

quijuba [Do tupi = 'ave amarela'.] *S. f. Bras. PA Zool.* Ave psitaciforme, psitacídea (*Aratinga solstitialis*), da Guiana e N. do AM e PA. Tem coloração geral amarela, cabeça, tórax, abdome e sacro amarelos, grandes retrizes com bases verdes e pontas azuis, e rêmiges com centro azul margeado de verde. [Sin.: *cacaué*, *queci-queci*.]

quilaia [Do tax. *Quillaja* (do hisp.-amer. *quillai* + lat. cient. *-ia*, v. *-ia*[2].] *S. f. Bot.* 1. Gênero de árvores rosáceas, nativas do Peru e do Chile (América do Sul). 2. Qualquer espécie desse gênero, como, p. ex., a *Quillaja saponara*, dotada de folhas brilhantes e flores alvas, terminais, e cuja casca é rica em saponina, substância tóxica para o homem, conquanto usada em terapêutica, e o povo a emprega na lavagem de roupas, em lugar do sabão, porque espuma intensamente. 3. Qualquer espécime desse gênero.

quilatação [De *quilatar* + *-ção*.] *S. f.* Ato ou efeito de quilatar; aquilatação.

quilatar [De *quilate* + *-ar*[2].] *V. t. d. P.* V. *aquilatar*.

quilate [Do gr. *kerátion*, 'chifrezinho'; semente de alfarroba; '1/3 de óbolo', pelo ár. *qirrāṭ*, pelo port. arc. *quirate*.] *S. m.* 1. Teor de ouro de uma liga metálica, expresso em 24 avos da massa da liga. [O ouro de 18 quilates caracteriza uma liga que contém 75% de ouro, e o ouro puro é dito de 24 quilates.] 2. Peso equivalente a 199 mg [símb., nessas acepç.: *k* (v. ■ *k* [2])]. 3. *Fig.* Grau de excelência, valor, superioridade, perfeição: 📖 "apesar de seu elevado quilate literário, participam [as crônicas de Antônio Torres] de um caráter jornalístico que levará o grande público a pouco se interessar por elas hoje." (Brito Broca, *Horas de Leitura*, p. 245). ◆ **Quilate métrico.** Peso ou massa de dois decigramas [símb.: *k* (v. ■ *k* [2])].

quilateira [De *quilate* + *-eira*.] *S. f.* Instrumento semelhante a uma peneira, com o qual se avalia o quilate das pedras preciosas, de acordo com seu volume.

quilelê *S. m. Bras. PE Gír.* V. *quelelê*.

quilemia [De *quil(o)-*[1] + *-emia*.] *S. f. Patol.* Presença de quilo[1] no sangue.

quilémico *Adj.* V. *quilêmico*. [Uso freq. em P.]

quilêmico [De *quilemia* + *-ico*[2].] *Adj.* Relativo à quilemia.

quilgramento [De **quilgramar*, por **quilogramar* (< *quilograma* + *-ar*[2]) + *-mento*, com síncope e haplologia.] *S. m. Bras. AM* O peso de uma rês em quilogramas.

quilha [Do fr. *quille*.] *S. f.* 1. *Constr. Nav.* Peça estrutural básica do casco de uma embarcação, disposta na parte mais baixa do seu plano diametral, em quase todo o seu comprimento, e sobre a qual assentam as cavernas, a roda de proa e o cadaste. 2. *Fig. Ant.* Navio: *A frota era forte de 20 quilhas.* 3. *Bot.* Peça da corola papilionada, resultante da união das duas pétalas inferiores, e cuja forma lembra a quilha de um navio; carena. 4. *Surf.* Pequeno leme fixo, colocado na parte inferior traseira da prancha, para evitar que esta derrape na água. ◆ **Quilha dorsal.** *Zool.* O encontro das partes laterais da carapaça dos quelônios; crista dorsal.

quilhar [De *quilha* + *-ar*[2].] *V. t. d. Desus.* Assentar na carreira a quilha de (a embarcação).

▲ **quili-** V. *quil(o)-*[1].

quilíada *S. f.* V. *quilíade*.

quilíade [Do gr. *chilías*, *ádos*, 'milhar'', pelo lat. tard. *chiliade*.] *S. f.* Um milhar[1]. [Var.: *quilíada*.]

quilianismo *S. m.* Milenarismo (3).

quiliarca [Do gr. *chiliárches*.] *S. m.* Quiliarco.

quiliarco [Do gr. *chiliárchos*, pelo lat. *chiliarcu*.] *S. m.* Comandante de uma quiliarquia (2); quiliarca.

quiliare [Do gr. *chílioi*, 'mil', + *are*.] *S. m.* Medida agrária de mil ares.

quiliarquia [Do gr. *chiliarchía*.] *S. f.* 1. Função de quiliarco. 2. Formatura de 1.204 homens na falange macedônica.

quiliasmo [Do lat. med. *chiliasmu*.] *S. m.* Milenarismo (2).

quiliasta [Do lat. tard. *chiliasta*.] *Adj. 2 g. S. 2 g.* Milenarista.

quilífero [De *quili-* + *-fero*.] *Adj. S. m. Anat. Fisiol.* 1. Formador de quilo[1]. 2. Condutor de quilo[1]. [Cf. *quelífero*.]

quilificação [De *quilificar* + *-ção*.] *S. f. Fisiol.* Formação de quilo[1].

quilificar [De *quili-* + *-ficar*.] *V. t. d.* Converter em quilo[1]. [Conjug.: v. *trancar*.]

quilificativo [De *quilificar* + *-tivo*.] *Adj.* Que produz ou elabora o quilo[1]; que quilifica.

quilim *S. m. Bras. SE Zool.* V. *tuim*.

▲ **quilio-** [Do gr. *chilio-* < gr. *chílioi*, *ai*, *a*.] *El. comp.* = 'mil': *quiliógono*. [V. *quil(o)-*[3].]

quiliógono [De *quilio-* + *-gono*.] *S. m. Geom.* Polígono regular de 1.000 lados. [A pronúncia correta seria *quiliogono*, v. *-gono*.]

quilite [De *quil(o)-*[2] + *-ite*[1].] *S. f. Med.* Inflamação de lábio bucal que pode ter causas variadas (como, p. ex., infecciosas, alérgicas, ou provenientes de irradiações) e apresentar-se sob aspectos diversos (como eritemas, vesículas, eczemas). [A f. *queilite*, embora em uso, é condenada. Cf. *quilose*.]

quilo[1] [Do gr. *chylós*, 'suco'.] ***S. m. Fisiol.*** Líquido esbranquiçado a que ficam reduzidos os alimentos na última fase da digestão nos intestinos. [Compõe-se de linfas e de triglicerídeos.]

quilo[2] ***S. m. Fís.*** V. *quilograma*[1].

quilo[3] ***S. m. Fís.*** V. *quilograma-força*.

▲ **quil(o)-**[1] [Do gr. *chylo- < chylós, oû (ȳ)*.] ***El. comp.*** = 'suco'; 'quilo[1]': *quilocaule; quilologia*. [Equiv.: *quili-, -quil(o)-*[1]: *quilífero; aquilia*[1].]

▲ **quil(o)-**[2] [Do gr. *cheîlos, eos-ous*.] ***El. comp.*** = 'lábio'; em *Bot.* = 'lobo (4)': *quiloplastia, quilose*. [Var. impr.: *queil(o)-*: *queilite, queilose*. Equiv.: *-quil(o)-*[2], *-quilo*: *aquilia*[2]; *esquistoquilácea; epiquilo*.]

▲ **quil(o)-**[3] [Do V.C.I. *kilo-* < fr. *kilo-*, f. irreg. a partir do gr. *chílioi*, 'mil'.] ***Pref.*** **1.** Anteposto ao nome duma unidade de medida, forma o nome duma unidade derivada 1.000 vezes maior que ela. Ex.: quiloton. **2.** *Inform.* Anteposto ao nome de uma unidade empregada em sistemas binários, indica multiplicação dessa unidade por 2^{10} (ou seja, 1.024): *quilobit, quilobyte* [símb.: *k* (do fr. *kilo-*)]. V. *quilio-*.

▲ **-quil(o)-**[1] V. *quil(o)-*[1].

▲ **-quil(o)-**[2] V. *quil(o)-*[2].

▲ **-quilo** V. *quil(o)-*[2].

quilocaloria [De *quil(o)-*[1] + *caloria*.] ***S. f. Fís.*** Grande-caloria.

quilocaule [De *quil(o)-*[1] + *-caule*.] ***Adj. 2 g. Bot.*** Provido de caule suculento.

quilociclo [De *quil(o)-*[3] + *-ciclo*.] ***S. m. Fís.*** V. *quilo-hertz* [símb.: *kc*].

quilodontídeo [Adapt. do tax. *Chilodontidae*.] *Zool.* ***S. m.*** Espécime dos quilodontídeos, pequena família de peixes caraciformes, com 2 gêneros e 7 espécies, da América do Sul. •***Adj.*** **2.** Pertencente ou relativo a eles.

quilofagia [De *quil(o)-*[2] + *-fag(o)-* + *-ia*[1].] ***S. f.*** Vício de morder os lábios continuamente.

quilofágico [De *quilofagia* + *-ico*[2].] ***Adj.*** Referente a quilofagia.

quilófago [De *quil(o)-*[2] + *-fago*.] ***S. m.*** Aquele que tem quilofagia.

quilofilo [De *quil(o)-*[1] + *-filo*[1].] ***Adj. Bot.*** Que tem folhas suculentas.

quilófito [De *quil(o)-*[1] + *-fito*.] ***S. m. Bot.*** Vegetal suculento.

quilógnato [De *quil(o)-*[2] + *-gnato*; tax. *Chilognatha*.] ***S. m. Adj.*** *Zool.* V. *diplópode*.

quilograma[1] [De *quil(o)-*[3] + *grama*[2]; fr. *kilogramme*.] ***S. m. Fís.*** Unidade fundamental de medida de massa, no Sistema Internacional: é a massa do protótipo internacional constituído por um cilindro de platina e 10% de irídio depositado no Bureau Internacional de Pesos e Medidas (Paris) [símb.: *kg*]. [Tb. se diz, apenas e impr., *quilo*.]

quilograma[2] ***S. m.*** V. *quilograma-força*.

quilograma-força ***S. m. Fís.*** Unidade de medida de força, igual ao peso dum quilograma sujeito à ação da força normal da gravidade, e equivalente a 9,80665 N [símb.: *kgf*]. [Tb. se diz apenas *quilograma* ou *quilo*. Pl.: *quilogramas-forças* e *quilogramas-força*.]

quilogrâmetro [De *quilograma* + *-metro*.] ***S. m. Fís.*** Unidade de medida de energia, equivalente ao trabalho realizado por uma força constante igual a um quilograma-força cujo ponto de aplicação se desloca de uma distância igual a um metro na direção da força, e equivalente a 9,80665 N [símb.: *kgfm*].

quilo-hertz [De *quil(o)-*[3] + *hertz*.] ***S. m. Fís.*** Unidade de medida de frequência, igual a 1.000 hertz [símb.: *kHz*]. [Tb. se diz impr. *quilociclo*. Na 5ª ed. do Volp., sem hífen; corrigido em errata.] ❖

quilolitro [De *quil(o)-*[3] + *litro*; fr. *kilolitre*.] ***S. m.*** Unidade de capacidade, equivalente a 1.000 litros [símb.: *kl*].

quilologia [De *quil(o)-*[1] + *-logia*.] ***S. f. Fisiol.*** Tratado sobre o quilo[1].

quilológico [De *quilologia* + *-ico*[2].] ***Adj.*** Respeitante à quilologia.

quilombense ***Adj. 2 g.*** **1.** De, ou pertencente ou relativo a Quilombo (SC). •***S. 2 g.*** **2.** O natural ou habitante de Quilombo.

quilombo [Do quimbundo, quicongo e umbundo *lumbu*, 'muro', 'paliçada', donde *kilumbu*, 'recinto murado', 'campo de guerra', 'povoação', ou do umbundo *kilombo*, 'associação guerreira'.] ***S. m.*** **1.** *Bras. Angol.* Esconderijo, aldeia, cidade ou conjunto de povoações em que se abrigavam escravos fugidos: "A palavra 'quilombo' teria o destino de ser usada com várias acepções, a mais famosa delas a de habitação de escravos fugidos, em Angola, e a desses refúgios e dos estados que deles surgiram no Brasil." (Alberto da Costa e Silva, *A Enxada e a Lança*, p. 507.) [Cf. *mocambo* (1).] **2.** *Bras.* Estado de tipo africano formado, nos sertões brasileiros, por escravos fugidos. **3.** *Bras. Folcl.* Folguedo, usado no interior de AL durante o Natal, em que dois grupos numerosos, figurando negros fugidos e índios, vestidos a caráter e armados de compridas espadas e terçados, lutam pela posse da rainha índia, acabando a função pela derrota dos negros, vendidos aos espectadores como escravos; toré, torém. ◆ **Quilombo dos Palmares.** Quilombo (1) constituído de negros fugidos, os quais, no séc. XVII, se estabeleceram no interior de AL, formando um estado. [Tb. se diz apenas *Palmares*.]

quilombola ***S. m. Bras.*** Designação comum aos escravos refugiados em quilombos; calhambola, calhambora, canhambola, canhambora, canhembora. [Cf. *mocamau*.]

quilometragem [De *quilômetro* + *-agem*[2].] ***S. f.*** **1.** Ação ou efeito de quilometrar. **2.** Medição ou extensão em quilômetros. **3.** *P. ext.* Número de quilômetros percorridos.

quilometrar [De *quilômetro* + *-ar*[2].] ***V. t. d.*** Medir ou marcar por quilômetros. [Pres. ind.: *quilometro*, etc. Cf. *quilômetro*.]

quilométrico [De *quilômetro* + *-ico*[2].] ***Adj.*** **1.** Que tem um quilômetro. **2.** Que se mede por quilômetros. **3.** Relativo a quilômetro. **4.** *Bras. Fig.* Demasiado extenso ou comprido: *discurso quilométrico*; "Chamo-me José Joaquim Marinho de Albuquerque Matos. Nome comprido. Era moda .... a ostentação desses nomes quilométricos." (Luís Martins, *A Girafa de Vidro*, p. 13); "o padeiro me deixava à porta um pão quilométrico, do qual eu comia apenas uma pontinha" (Fernando Sabino, *A Falta Que Ela Me Faz*, p. 44). ~ V. *marco* —.

quilómetro ***S. m.*** V. *quilômetro*. [Uso freq. em P.]

quilômetro [De *quil(o)-*[3] + *metro*; fr. *kilomètre*.] ***S. m.*** **1.** Medida itinerária equivalente a 1.000 metros [símb.: *km*]. **2.** *Bras.* Trecho de estrada compreendido entre dois marcos de quilometragem: *Trabalha no quilômetro 47 da Rio-São Paulo.* [Cf. *quilometro*, do v. *quilometrar*.]

quiloparsec ***S. m. Astron.*** Unidade de medida de distâncias astronômicas, igual a mil parsecs, ou seja, 3.261,6 anos-luz.

quiloplastia [De *quil(o)-*[2] + *-plast(o)-* + *-ia*[1].] ***S. f.*** *Cir. Plást.* Intervenção cirúrgica plástica em lábio bucal.

quiloplástico [De *quiloplastia* + *-ico*[2].] ***Adj.*** *Cir. Plást.* Relativo a quiloplastia.

quilópode [De *quil(o)-*[2] + *-pode*; tax. *Chilopoda*.] *Zool.* ***S. m.*** **1.** Espécime dos quilópodes, classe de miriápodes, opistogoniados, de corpo alongado, achatado, número variável de segmentos, entre 15 e 173, cada um com um par de patas, e as patas do primeiro segmento transformadas em maxilípedes. São as lacraias. •***Adj. 2 g.*** **2.** Pertencente ou relativo a eles. [Sin. ger.: *síngnato*.]

quilose [De *quil(o)-*[2] + *-ose*[1].] ***S. f. Derm.*** Lesão caracterizada por aparecimento de fissuras e descamação seca em lábio bucal, e que indica deficiência de riboflavina. [A f. *queilose*, embora de uso, é condenada.] [Cf. *quilite*.]

quiloso (ô) [De *quilo*[1] + *-oso*.] ***Adj.*** Relativo a quilo[1].

quilostomado [Adapt. do tax. *Cheilostomata* (v. *quil(o)-*[2] e *estomat(o)-*).] *Zool.* ***S. m.*** **1.** Espécime dos quilostomados, ordem de briozoários gimnolemados, cujos zoécios são quitinosos ou calcários, sendo os ectocistos fechados por um opérculo não calcificado que protege as partes moles. • ***Adj.*** **2.** Pertencente ou relativo a eles.

quilotado [Part. de *quilotar*.] ***Adj.*** Que se quilotou; enegrecido ou amarelado pelo fumo: "bigode arrepiado, maltratado e quilotado ao fumo do cigarro que lhe não deixava a boca." (Rodrigo Otávio, *Minhas Memórias dos Outros (Nova Série)*, p. 242).

quilotar [Do fr. *culotter*, 'revestir o fornilho de (o cachimbo), pelo hábito de fumá-lo, de uma espécie de crosta negra', poss.] ***V. t. d.*** *Bras.* **1.** Enegrecer (o cachimbo, a piteira, os dedos, etc.), fumando. ***P.*** **2.** Aquilotar-se.

quiloton [De *quil(o)-*[3] + *ton(elada)*.] ***S. m. Fís.*** Unidade utilizada para avaliar a energia que se desprende numa explosão nuclear, e equivalente à energia libertada na explosão de 1.000 toneladas de trinitrotolueno ou aproximadamente à liberação explosiva de 10^{12} calorias.

quilovolt-ampère ***S. m.*** *Eng. Elétr.* Unidade utilizada especialmente para medir a potência aparente em circuitos de corrente alternada, e que é igual à potência aparente dum circuito capaz de fornecer ou de receber uma corrente de um ampère na tensão de 1.000 volts [símb.: *kVA*]. [Pl.: *quilovolts*-ampères e *quilovolts*-ampère.]

quilowatt (uót) [De *quil(o)-*[3] + *watt*.] ***S. m.*** *Eng. Elétr.* Unidade de medida de potência ativa em circuitos elétricos de corrente alternada, igual a 1.000 watts [símb.: *kW*].

quilowatt-hora ***S. m.*** Unidade de energia usada habitualmente para designar o consumo de instalações elétricas [símb.: *kWh*]. [Pl.: *quilowatts-horas* e *quilowatts-hora*.]

quiluria [De *quil(o)-*[1] + *-uria*.] ***S. f.*** *Patol.* V. *quilúria*.

quilúria [De *quil(o)-*[1] + *-úria*.] ***S. f.*** *Patol.* Presença de gordura na urina, o que a esta dá um aspecto leitoso, semelhante ao do quilo[1]. [F. paral.: *quiluria*. Sin.: *uroquilia*, (p. us.) e *galactúria* e *galacturia*.]

quilúrico [De *quilúria* + *-ico*[2].] *Patol.* ***Adj.*** **1.** Relativo a, ou que sofre de quilúria. •***S. m.*** **2.** Aquele que sofre de quilúria.

quimana [De or. afr., poss.] ***S. f.*** *Bras. Cul.* Iguaria feita de gergelim, farinha e sal.

quimanga [Do quimb. *kimanga*, 'alcofa', 'cesto'.] ***S. f.*** *Bras. N.E.* Cabaça ou vasilha feita com quengos de coco, na qual os jangadeiros levam comida para o mar.

quimano ***S. m.*** *Bras. RS* Quipoqué.

quimão ***S. m.*** V. *quimono*: "Veste o quimão de cambraia, / Mostra-te ao fulgor lunar." (Manuel Bandeira, *Estrela da Vida Inteira*, p. 26.)

quimbanda[1] [Do quicongo.] ***S. f.*** *Bras. Rel. Pej.* **1.** Linha negra da umbanda, considerada seu lado maléfico; macumba. **2.** O ritual desse culto. **3.** O conjunto de seus adeptos, que mantém a tradição religiosa banta numa vertente considerada feiticeira, mesclada a elementos populares do espiritismo e do catolicismo, e que cultuam entidades de feição ameríndia, outras nagôs, mas esp. os Exus.

quimbanda[2] [Do quimb.] ***S. 2 g.*** *Angol.* Curandeiro, adivinho e exorcista: "Levei à avó Chica, quimbanda de fama / a areia da marca que o seu pé deixou / para que fizesse um feitiço forte e seguro / que nela nascesse um amor como o meu..." (Viriato da Cruz, *Poemas*, p. 9); "estenderam então uma esteira, e o quimbanda, depois de riscar com pemba um banquinho, colocou-o em cima dela." (Óscar Ribas, *Uanga*, p. 196).

quimbandeiro [De *quimbanda*[1] + *-eiro*.] ***S. m.*** *Bras.* Crente, praticante ou sacerdote da quimbanda[1].

quimbembe [De or. afr., poss.] ***S. m.*** *Bras. N.* **1.** V. *cabana*. **2.** Rancho de palha. ~ V. *quimbembes*. •***Adj. 2 g.*** **3.** *Bras.*, *N.* Pobre, malvestido.

quimbembé [De or. afr., poss.] ***S. m.*** *Bras. N.* Espécie de aluá preparado com milho.

quimbembeques [De or. afr., poss.] ***S. m. pl.*** *Bras. N.* Berloques, penduricalhos que as crianças usam ao pescoço; quimbembes.

quimbembes [De or. afr., poss.] ***S. m. pl.*** *Bras. N.* **1.** V. *cacaréus*. **2.** Quimbembeques. ~ V. *quimbembe*.

quimbete (ê) [De or. afr.] ***S. m.*** *Bras. MG* Certa dança de negros: "— Isto é o tatu, isto é a saramba, isto é o quimbete, isto é a tirana, ... isto é .... o corta-jaca, o fandango, o sarrabalho?" (Martins Fontes, *A Dança*, p. 90.)

quimbo [Do umb. *k'imbo lyetu*, 'nossa aldeia', com apócope.] ***S. m.*** *Angol.* Pequena povoação rural; aldeia: "Os quimbos quietos / pousados / no silêncio." (João Maria Vilanova, *Vinte Canções para Ximinha*, p. 43.)

quimbombó ***S. m.*** *Bras.* V. *quiabo*.

quimbombô ***S. m.*** *Bras.* V. *quiabo*: "Comer efó, / pimenta, jiló! / Iaiá me coma, / sou quimbombô!" (Jorge de Lima, *Obra Completa*, I, p. 295.)

quimbundo [Do quimb. *kimbundu*.] ***S. m.*** **1.** *Gloss.* Língua banta dos bundos ou ambundos (Angola, África); ambundo, andongo, bundo, dongo, luanda, quindongo, e (desus.) língua de Angola. • ***Adj.*** **2.** V. *bundo* (5 e 6).

quimera [Do gr. *chímaira*, pelo lat. *chimaera*.] ***S. f.*** **1.** Monstro fabuloso, com cabeça de leão, corpo de cabra e cauda de dragão. **2.** *Fig.* Produto da imaginação; fantasia, utopia, sonho: *as quimeras do amor*; "Mas a Arte, o lar, um filho, Antônio? Embora! / Quimeras, sonhos, bolas de sabão." (Antônio Nobre, *Só*, p. 134). **3.** Incoerência, incongruência, absurdo. **4.** *Bot.* Planta, ou parte dela, formada de vários tecidos geneticamente diferentes. **5.** *Bras. Zool.* Peixe calorrinquídeo (*Callorhynchus callorhyncus*), do Atlântico, de corpo alongado (aproximadamente 0,60m), boca prolongada em apêndice cartilaginoso pendente, com função tátil, nadadeiras peitorais muito desenvolvidas; a primeira das duas nadadeiras dorsais é armada de forte espinho na parte anterior. Alimenta-se de moluscos e crustáceos, e frequenta águas profundas. [Sin., nesta acepç.: *acagual, peixe-coelho, peixe-elefante, quimera-antártica*.] **6.** *Genét.*

Organismo composto de duas linhagens genéticas, cada uma delas originária de um organismo diferente. [Cf. *mosaico*[1] (6).]

quimera-antártica *S. f. Bras. Zool.* V. *quimera* (5). [Pl.: *quimeras-antárticas*.]

quimérico [De *quimera* + *-ico*[2].] *Adj.* **1.** Relativo a quimera. **2.** Que não existe realmente; irreal, fantástico, fictício, utópico: *ideias quiméricas*. **3.** Que toma a fantasia como realidade: *espírito quimérico*.

quimeriforme [Do tax. *Chimaeriformes*.] *Zool. S. m.* **1.** Espécime dos quimeriformes, ordem de peixes holocéfalos caracterizados por apresentarem boca inferior, com quatro placas dentárias na maxila e duas na mandíbula, duas nadadeiras dorsais, a primeira precedida por um espinho ereto, e fecundação interna. [Engloba três famílias: *Callorhynchidae* (v. *calorrinquídeo*), *Chimaeridae* e *Rhinochimaeridae*.] ● *Adj. 2 g.* **2.** Pertencente ou relativo a eles.

quimerismo [De *quimera* + *-ismo*.] *S. m. Genét.* Condição de quimera (6).

quimerista [De *quimera* + *-ista*.] *S. 2 g.* Pessoa que inventa quimeras.

quimerizar [De *quimera* + *-izar*.] *V. int.* **1.** Inventar quimeras ou fantasias; fantasiar. *T. d.* **2.** Imaginar ou supor quimericamente.

▲ **quim(i)-**[1] [De *química*.] *El. comp.* = 'química': *quimiatria, quimiluminescência*. [Equiv.: *quimio-*: *quimioterapia*.]

▲ **quim(i)-**[2] [Do gr. *chymós, oû*.] *El. comp.* = 'suco natural'; 'quimo': *quimificar*. [Equiv.: *-quim(i)-*: *sepsiquimia*.]

▲ **-quim(i)-** Equiv. de *quim(i)-*[2].

quimiamnésia [De *quim(i)-*[1] + *amnésia*.] *S. f. Farmac.* Amnésia produzida por droga, e que é reversível e passível de controle, tal como ocorre em certas técnicas anestesiológicas.

quimiatra [De *quim(i)-*[1] + *-iatra*.] *S. 2 g.* Médico partidário da quimiatria.

quimiatria [De *quim(i)-*[1] + *-iatria*.] *S. f. Terap.* Iatroquímica.

quimiátrico [De *quimiatria* + *-ico*[2].] *Adj.* Referente a quimiatria.

química [F. subst. do adj. *químico*; fr. *chimique*.] *S. f.* **1.** Ciência em que se estuda a estrutura das substâncias, correlacionando-a com as propriedades macroscópicas, e se investigam as transformações dessas substâncias. **2.** Tratado ou compêndio dessa ciência. **3.** Exemplar de um desses tratados ou compêndios. **4.** Conjunto de conhecimentos relativos a essa ciência, ou que têm implicações com ela, ministrados nas respectivas faculdades. **5.** *Fig.* Combinação ou afinidade entre pessoas: *Desfizeram o namoro por não haver química entre eles*. **6.** Procedimento em que se emprega a química. **7.** Produto químico artificial: Este suco de frutas não é natural, tem muita química. **8.** *Fig.* Atração mútua e imediata, afinidade instintiva entre pessoas: *Falta química ao par romântico da novela*. **9.** *Fig.* Afinidade, empatia, correspondência de sentimentos, interesses, valores, etc.: "A mais importante [das reflexões a fazer] não diz respeito às relações entre os sócios e investidores, mas à química natural que deve haver entre qualquer empresa e seu público (...)"; (Nelson Hoineff, Quem pode salvar a TV a cabo, em *Jornal do Brasil*, 19.03.2002). ◆ **Química analítica.** Estudo das análises qualitativa e quantitativa [v. *análise qualitativa* e *análise quantitativa*]. **Química biológica.** V. *bioquímica*. **Química bromatológica.** Bromatologia. **Química fina.** Ramo da atividade química industrial que elabora, a partir de insumos produzidos pelas indústrias químicas de base (p. ex., a petroquímica), substâncias mais complexas, destinadas a aplicações específicas. A química fina se caracteriza por processos descontínuos, em várias etapas, e em pequena escala, visando produtos de alta relação preço/peso. [As substâncias ativas empregadas na indústria farmacêutica (fármacos), os catalisadores da indústria química e os reagentes de alta pureza usados em análises e pesquisas químicas são típicos produtos da química fina.] **Química fisiológica.** V. *bioquímica*. **Química forense.** Conjunto dos procedimentos químicos empregados em investigações criminais e judiciais. **Química industrial.** Parte da química que investiga os processos de fabricação dos produtos que se usam na indústria ou se destinam ao consumo. **Química inorgânica.** Divisão didática do campo de conhecimento e investigação da química que estuda os compostos de todos os elementos, exceto os do carbono (com poucas exceções, como o monóxido de carbono, o dióxido de carbono, p. ex.); química mineral. **Química médica.** A que estuda as substâncias minerais e orgânicas aplicáveis à medicina. **Química mineral.** Química inorgânica. **Química nuclear.** Parte da química que investiga os nuclídeos radioativos e seus compostos, e os efeitos das radiações sobre nuclídeos e seus compostos, utilizando os procedimentos usuais de identificação, de análise e de preparação adotados nos procedimentos químicos. **Química orgânica.** Divisão didática do campo de conhecimento e investigação da química, que estuda os compostos de carbono. **Química supramolecular.** *Quím.* Estudo da preparação, propriedades e aplicações de supramoléculas. **Química teórica** *Fís.-Quím.* Parte da química em que se usam métodos matemáticos, teorias e equações da física (mecânicas quântica e estatística, p. ex.) para obter informações sobre a estrutura e as propriedades, estáticas e/ou dinâmicas, de moléculas, ou de sistemas moleculares. **Química verde.** Aquela que é projetada e praticada com respeito integral aos princípios ecológicos e à preservação do meio ambiente. **Fazer química.** *Bras.* **1.** Nas repartições públicas, empregar uma verba em destino diverso do determinado pela lei, em benefício do serviço, porém de modo irregular. **2.** Arranjar as coisas e situações de modo tendente a levá-las ao ponto desejado.

químico [Do fr. *chimique* (lat. med. *chemicus, chimicus*) < fr. *chimie* (adapt. do lat. med. *chimia, chymia*, rad. do ár. *(al)kimia*, 'alquimia') + suf. fr. *-ique* (v. *-ico*[2]).] *Adj.* **1.** Referente à química (1). **2.** Que se obtém por meio de química (1). ~ V. *bomba —a, cinética —a, combinação —a, conversão —a, copo —, dependência —a, deslocamento —, espécie —a, guerra —a, mensageiro —, oceanografia —a, papel —, pasta —a, pólvora —a, potencial —, produto —, projetil —, reação —a, rocha —a* e *sensibilidade —a múltipla*. ● *S. m.* **3.** Indivíduo versado em química (1). **4.** *Impr.* Produto químico. [Nesta acepç., por infl. do ingl. *chemical* (substantivo).]

químico-físico *Adj.* Relativo ao mesmo tempo à química e à física. [Pl.: *químico-físicos*.]

químico-industrial *Adj. 2 g.* **1.** Relativo à química e à indústria. **2.** Relativo à química industrial. ● *S. m.* **3.** Título profissional que atribui ao seu possuidor prerrogativas fixadas em lei que lhe asseguram o direito do exercício de atividades nas indústrias de caráter químico. ● *S. 2 g.* **4.** Pessoa que tem esse título. [Pl.: *químico-industriais*.]

quimificação [De *quimificar* + *-ção*.] *S. f.* Ato ou efeito de quimificar; conversão das substâncias alimentícias em quimo.

quimificar [De *quim(i)-*[2] + *-ficar*.] *V. t. d.* Converter em quimo. [Conjug.: v. *trancar*.]

quimiluminescência (qüi) [De *quim(i)-*[1] + *luminescência*.] *S. f. Fís.-Quím.* Luminescência originada de reações químicas.

quiminose [De *quim(i)-*[1] + *-nose*; ingl. *cheminosis*.] *S. f. Patol.* Qualquer doença produzida por agente químico.

▲ **quimio-** Equiv. de *quim(i)-*[1].

quimioamnésico [De *quimioamnésia* + *-ico*[2].] *Adj.* Referente à quimioamnésia.

quimiodectoma [De *quimio-* + gr. *dektós*, 'recebido ou aceito', + *-oma*[1].] *S. m.* Qualquer tumor que ocorra em alguma parte do sistema quimiorreceptor.

quimioembolização [De *quimio-* + *embolização*.] *S. f. Terap.* Técnica para tratamento de tumor em que um cateter é inserido na artéria que o nutre, sendo adicionado, então, quimioterápico(s) para matar as células tumorais, procedendo-se, depois, a embolização.

quimioprofiláctico *Adj.* Referente à quimioprofilaxia.

quimioprofilático *Adj.* V. *quimioprofiláctico*.

quimioprofilaxia (cs) [De *quimio-* + *profilaxia*.] *S. f. Med.* Prevenção, mediante uso de agente quimioterápico, de aquisição ou de desenvolvimento de doença. ◆ **Quimioprofilaxia primária.** *Med.* Aquela em que agente quimioterápico impede que uma infecção seja adquirida. **Quimioprofilaxia secundária.** *Med.* Aquela em que agente quimioterápico impede que se manifeste infecção já presente.

quimiorreceptor (ô) [De *quimio-* + *receptor*.] *Fisiol. S. m.* **1.** Cada receptor (6) capaz de ser estimulado por substância química, ou que é sensível a alteração química sanguínea, como, p. ex., baixa de tensão de oxigênio. ● *Adj.* **2.** ~ V. *sistema —*.

quimiorrecetor (ô) *S. m. Adj.* V. *quimiorreceptor*. [Uso próprio de P.] ⊙

quimiosfera [De *quimio-* + *-sfera*.] *S. f. Geofís.* Camada atmosférica situada entre 32 e 80km de altitude, e onde predominam as atividades fotoquímicas.

quimiossíntese [De *quimio-* + *síntese*.] *S. f. Bot.* Síntese da matéria orgânica efetuada por meio da energia química. Ex.: as nitrobactérias usam a energia oriunda da conversão dos nitritos em nitratos. [Cf. *fotossíntese*.]

quimiossintético [De *quimiossínt(ese)* + *-ético*.] *Adj. Bot.* Relativo à, ou resultante da quimiossíntese: *substância quimiossintética*.

quimiotáctico [De *quimio(taxia)* + *-tá(c)tico*, seg. o padrão gr.] *Adj.* Relativo à quimiotaxia. [Var.: *quimiotático*. F. paral. menos pref.: *quimiotáxico*.]

quimiotactismo [De *quimio-* + *tactismo*.] *S. m.* Quimiotaxia. [Var.: *quimiotatismo*.]

quimiotatismo *S. m.* V. *quimiotactismo*.

quimiotaxia (cs) [De *quimio-* + *-taxia*.] *S. f. Histol. Patol.* Ação atrativa ou repulsiva demonstrada por certas células vivas em relação a outras células ou substâncias que exercem sobre aquelas uma influência química; quimiotactismo.

quimiotáxico [De *quimiotaxia* + *-ico*[2].] *Adj.* V. *quimiotáctico*.

quimioterapia [De *quimio-* + *-terapia*.] *S. f. Terap.* Tratamento por meio de agentes químicos que, além de poder interferir de modo favorável, embora variável, sobre uma doença (1), são passíveis de causar efeitos tóxicos, de maior ou menor intensidade, no organismo do paciente.

quimioterápico [De *quimioterapia* + *-ico*[2].] *Terap. Adj.* **1.** Referente a quimioterapia. ● *S. m.* **2.** Substância química us. em quimioterapia.

quimiotipia *S. f.* V. *quimitipia*.

quimiotípico [De *quimiotipia* + *-ico*[2].] *Adj.* V. *quimitípico*.

quimiotrópico [De *quimiotropismo* + *-ico*[2], seg. o padrão erudito.] *Adj. Bot.* Relativo ao quimiotropismo.

quimiotropismo [De *quimio-* + *tropismo*.] *S. m. Bot.* Tropismo relacionado com estimulantes químicos, como, p. ex., progressão do tubo polínico através do estilete, a qual depende da presença de certas substâncias.

quimismo [De *quim(i)-*[1] + *-ismo*.] *S. m.* **1.** Conjunto de combinações ou de composições de um organismo. **2.** Emprego abusivo da química (1).

quimissorção [De *quim(i)-*[1] + *sorção*.] *S. f. Fís.-Quím.* Sorção em que ocorrem reações químicas.

quimitipia [De *quim(i)-*[1] + *-tip(o)-* + *-ia*[1].] *S. f.* Processo químico que transforma a lâmina da gravura em baixo-relevo em outra de alto-relevo, acomodando-a à impressão. [Var.: *quimiotipia*.]

quimitípico *Adj.* Referente a quimitipia. [Var.: *quimiotípico*.]

quimo [Do gr. *chymós*, 'suco', pelo lat. tard. *chymu*.] *S. m. Fisiol.* Massa pastosa em que se transformam os alimentos após a digestão no estômago.

▲ **-quim(o)-** [Do V.C.I. *kymo-* < gr. *kyæma, atos*, 'que infla' (lit.).] *El. comp.* = '(em que há) dilatação': *radioquimografia, radioquimógrafo, radioquimograma*.

quimono [Do jap. *kimono*, pelo fr. *kimono*.] *S. m.* **1.** Túnica longa, cruzada na frente, de mangas largas, sem costura na cava, e que é usada no Japão pelos dois sexos. **2.** *Bras.* V. *penhoar*: "fascinava-me aquela mulher esquisita, a voz açucarada .... E mais que tudo, o quimono de cetim, gordo de babados." (Renard Pérez, *Os Sinos. O Tombadilho*, p. 25). [Var.: *quimão, queimão*.] **3.** *Angol. Moç. Santom.* Blusa (3) pregueada no peito, com mangas ou sem elas: "Vinha cansada. Nas costas o quimono estava encharcado de suor." (Rodrigues Júnior, *Sehura*, p. 156.)

quimosina [De *quimo* + *-os(e)-*[1] + *-ina*[1].] *S. f.* Renina[2].

quina[1] [Do lat. *quini, ae, a*, 'de cinco em cinco'.] *S. f.* **1.** Grupo de cinco objetos, em geral iguais; quinta. **2.** Carta, dado ou pedra de dominó com cinco sinais. **3.** Série de cinco números, no jogo de loto. **4.** *Heráld.* Cada um dos cinco escudos que figuram nas armas de Portugal. **5.** *Bras. Gír. Obsol.* Nota de 500 cruzeiros. **6.** *Bras.* Série de cinco números na loto[1] (q. v.).

quina[2] [De *quinaquina*.] *S. f. Bras. Bot.* **1.** Arvoreta rubiácea (*Cinchona ledgeriana*) originária do Peru e notável por suas propriedades antitérmicas. **2.** Designação comum a numerosas espécies nativas (falsa-quina, quina-mineira, murta-do-mato, quarango, etc.) cuja casca é amarga e sem motivo reputada ativa contra febres e malária, por comparação à quina[2] (1). **3.** *P. ext.* A casca da quina[2] (1 e 2). **4.** V. *murta-do-mato*.

quina[3] [De *esquina*, com aférese.] *S. f.* **1.** V. *aresta* (1). **2.** Qualquer mudança brusca na direção de uma superfície plana ou de uma linha reta.

quina-amarela [De *quina*[2] + o f. do adj. *amarelo*.] *S. f. Bot.* Arvoreta rubiácea (*Cinchona calisaya*) originária do Peru e hoje muito cultivada na Indonésia como fonte de quinina (q. v.), de folhas grandes e flores vermelhas, sendo o fruto uma pequena cápsula. [Pl.: *quinas-amarelas*.]

quina-branca [De *quina*[2] + o f. do adj. *branco*.] *S. f. Bras. Bot.* V. *agoniada*. [Pl.: *quinas-brancas*.]

quina-cruzeiro [De *quina*[2] + *cruzeiro*.] *S. f.* **1.** *Bot.* V. *espinho-de-são-joão*. **2.** Liana estricnácea (*Strychnos* *triplinervia*) nativa de MG e RJ, de folhas oblongas, flores amarelas, em cimeiras terminais, e frutos bacáceos, globosos, de uso medicinal como narcótico; noz-vômica, cipó-cruzeiro. [Pl.: *quinas-cruzeiros* e *quinas-cruzeiro*.]

quina-da-serra [De *quina*[2] + *da* + *serra*.] *S. f. Bras. Bot.* Autuparana. [Pl.: *quinas-da-serra*.]

quina-de-cipó [De *quina*[2] + *de* + *cipó*.] *S. f. Bras. Bot.* Liana ou arbusto estricnáceo (*Strychnos gardneri*) escandente, nativo de MG, RJ e SP, de folhas oblongas, coriáceas, pequenas flores em panículas axilares e frutos bacáceos, globosos; tem uso medicinal, como febrífugo. [Pl.: *quina-de-cipó*.]

quina-de-condamine *S. f. Bot.* V. *carqueja-amargosa*. [Pl.: *quinas-de-condamine*.]

quina-de-rego [De *quina*[2] + *de* + *rego*.] *S. f. Bras. Bot.* Árvore apocinácea (*Aspidosperma discolor*) nativa do Brasil, de até 20m, cuja casca, amarga, é dotada de propriedades antimaláricas; tem folhas elípticas ou ovadas, e inflorescências terminais. [Sin.: *cabo-de-machado*. Pl.: *quinas-de-rego*.]

quina-de-santa-catarina *S. f. Bras. Bot.* V. *cauaçu* (3). [Pl.: *quinas-de-santa-catarina*.]

quina-de-veado [De *quina*[2] + *de* + *veado*.] *S. f. Bras. Bot.* V. *pau-marfim* (1). [Pl.: *quinas-de-veados*.]

quinado[1] [De *quina*[1] + *-ado*[1].] *Adj.* **1.** Disposto em grupos de cinco, ou que forma um grupo de cinco. **2.** *Bot.* Ordenado cinco a cinco: *folíolos quinados*.

quinado[2] [De *quina*[2] + *-ado*[1].] *Adj.* **1.** Em que há quina[2] (3); preparado com quina[2] (3). • *S. m.* **2.** Vinho quinado.

quina-do-mato [De *quina*[2] + *do*[1] + *mato*.] *S. f. Bras. Bot.* Árvore rutácea (*Esenbeckia febrifuga* ou *E. intermedia*) de copa rala, tronco muito ramificado, revestido de casca áspera, folhas opostas, compostas, trifolioladas, inflorescências paniculadas e frutos capsulares, lenhosos; é medicinal, sendo sucedânea da quina[2], e a madeira é us. para obras internas de carpintaria. [Sin.: *angustur, angustura, apojitaguara, apoitaguara, pitaguara*. Pl.: *quinas-do-mato*.]

quina-do-paraná [De *quina*[2] + *do* + o top. *Paraná*.] *S. f. Bras. Bot.* V. *cauaçu* (3). [Pl.: *quinas-do-paraná*.]

quinaldina [De *quin(o)-* + *-ald(o)-* + *-ina*[3].] *S. f. Quím.* Líquido incolor, a 2-metil-quinolina, com ponto de ebulição a 246°C, e que se obtém do alcatrão de hulha [fórm.: $C_{10}H_9N$].

quina-mineira [De *quina*[2] + o f. de *mineiro*[2].] *S. f. Bras. L. Bot.* Árvore rubiácea (*Remijia ferruginea*) muito difundida. V. *quina*[2] (2). [Pl.: *quinas-mineiras*.]

quina-mole *S. f. Bot.* V. *agoniada*. [Pl.: *quinas-moles*.]

quinanga *S. f. Bras. N.E.* Vasilha de madeira, com a forma de balde, na qual os jangadeiros guardam a comida.

quinante *Adj. 2 g. Heráld.* Que tem escudos semelhantes à quina[1] (4).

quinaquina [Do quíchua *kinakina*.] *S. f. Bot.* **1.** V. *murta-do-mato*. **2.** V. *guamixinga* (1).

quinar[1] [De *quina*[1] + *-ar*[2].] *V. int.* Ganhar na loto, preenchendo ou cobrindo com marcas uma série de cinco números; fazer uma quina[1] (3). [Fut. pret.: *quinaria*, etc. Cf. *quinária*, fem. de *quinário*. Sin., bras.: *visporar*.]

quinar[2] [De *quina*[2] + *-ar*[2].] *V. t. d.* Preparar com quina[2] (3). [Fut. pret.: *quinaria*, etc. Cf. *quinária*, fem. de *quinário*.]

quinarana [De *quina*[1] + *-rana*.] *S. f. Bras. Bot.* V. *acarirana*.

quinário [Do lat. *quinariu*.] *Adj.* **1.** Que tem cinco. **2.** Divisível por cinco. **3.** *Mús.* Diz-se do compasso de cinco tempos, formado por um compasso binário e um ternário ou vice-versa. **4.** *Arte Poét.* De cinco sílabas (verso); pentassílabo. **5.** De base cinco (sistema de numeração). ~ V. *compasso* —. [Fem.: *quinária*. Cf. *quinaria*, do v. *quinar*.]

quinau [Poss. da frase lat. *quin autem...*, 'mas ao contrário...'.] *S. m.* **1.** Ato ou efeito de corrigir; corretivo, lição. **2.** Sinal com que se marcam os erros de aluno na lição. ◆ **Dar quinau em. 1.** Mostrar que errou; corrigir por palavras: *O aluno deu quinau no professor.* **2.** Passar à frente de; adiantar-se a; sobrelevar: *Muito estudioso, o caçula está dando quinau em todos os mais velhos.*

quina-vermelha [De *quina*[2] + o f. de *vermelho*[1].] *S. f. Bot.* Árvore rubiácea (*Cinchona succirubra*) semelhante à quina-amarela, inclusive pelas propriedades. [Pl.: *quinas-vermelhas*.]

quinazolina [De *quin(o)-* + *-az(o)-* + *-ol-*[2] + *-ina*[3].] *S. f. Quím.* Substância cristalina, solúvel em água, isômero da quinoxalina, cujas moléculas são formadas por um anel de benzeno fundido a um de pirimidina [fórm.: $C_8H_6N_2$].

quinca *S. m. Bras. AL Pop.* V. *quincas*: "Seu Antônio Justino, homem sem profissão, era quinca, marido de professora" (Graciliano Ramos, *Infância*, p. 47).

▲ **quinca-** V. *quinque-*.

quincálogo [De *quinca-* + *-logo*.] *S. m.* Os cinco mandamentos da Igreja.

quincas *S. m. 2 n. Bras. AL Pop.* Marido de professora: "Você vai casar comigo, mas no dia do casamento em diante não será mais professora. Será a mulher do tenente Anacleto. Não quero ser quincas para o resto de minha vida..." (Adalberon Cavalcanti Lins, *Curral Novo*, p. 276.) [Var.: *quinca*. Sin., bras., BA: *filipe*.]

quincha [Do esp. plat. *quincha*.] *S. f. Bras. RS* Cobertura de palha para casas ou para carretas.

quinchador (ô) [Do esp. plat. *quinchador*.] *S. m. Bras. RS* Indivíduo que faz quincha, ou cobre ranchos ou carretas com quincha.

quinchar [Do esp. plat. *quinchar*.] *V. t. d. Bras. RS* Fazer a cobertura ou quincha de.

quinchoso (ô) [Do lat. *conclausu*, 'fechado', poss.] *S. m.* Pequeno quintal: "fora visto, à claridade da lua cheia, cochichar com Irene, ele no quinchoso e ela no muro do quintal." (Camilo Castelo Branco, *Novelas do Minho*, I, p. 290).

quincôncio [Do fr. *quinconce*.] *S. m.* V. *quincunce*.

quincunce [Do lat. *quincunce*.] *S. m.* **1.** Plantação de árvores dispostas em xadrez, uma em cada canto e uma ao centro. **2.** *Arquit.* Grupo de cinco elementos, quatro formando um quadrado e um ao centro.

quincuncial [Do lat. *quincunciale*.] *Adj. 2 g.* **1.** Disposto em quincunce. **2.** *Bot.* Diz-se da prefloração composta de 5 peças, sendo duas externas, duas internas e uma quinta que cobre parte de uma peça externa e parte de uma peça interna.

quinda [Do quimb.] *S. f. Angol.* Cesta (1), cilíndrica e sem tampa, feita de casca de árvore: "coloco, / brandamente, / em tuas mãos, / uma quinda de mel / colhido em tardes quentes / de irreversível / votação ao Sul." (Rui Duarte de Carvalho, *Chão de Oferta*, p. 22).

quindão [De *quind(im)* + *-ão*[1].] *S. m. Bras. Cul.* Quindim (4) feito em fôrma grande.

quindecágono (qüin) [De *quin(que)* + *decágono*.] *S. m. Geom.* Polígono de quinze lados. [A pronúncia correta seria *quindecagono*, v. *-gono*.] ❖

quindénio *S. m.* V. *quindênio*. [Uso freq. em P.]

quindênio (qüin) [Do lat. *quindeni*, 'em número de quinze', + *-io*[2].] *S. m.* **1.** Porção de quinze. **2.** Espaço de 15 anos. **3.** Quinzena[1] (1 e 2). [Cf. *quinquênio*.] ❖

quindim [De or. afr., poss.] *S. m.* **1.** Graça petulante; requebro, dengue, donaire: *os quindins de iaiá.* **2.** Suavidade, encanto, meiguice. [Nessas acepçs., é talvez m. us. no pl.] **3.** Benzinho, amorzinho: *meu quindim.* **4.** *Bras. Cul.* Doce feito de gema de ovo, coco e açúcar: "os olhos de sogra, ... as castanhas cristalizadas, mil quitutes da 'Colombo', mil quindins da Tia Bá." (Martins Fontes, *Terras da Fantasia*, p. 21).

quindongo *S. m. Gloss.* V. *quimbundo* (1).

quindunde *S. m. Bras. PE Zool.* V. *piraúna* (1).

quinecu *S. m. Bras.* Variedade de arroz.

quineira [De *quina*[2] + *-eira*.] *S. f. Bras. Zool.* Denominação dada a várias rubiáceas que o povo considera febrífugas. [As quineiras legítimas são do gênero *Cinchona*, também rubiáceas (cf. *quina*[2] [1]), e só ocorrem no Peru.]

quingentaria (ü) [De *quingent-*, como em *quingentário*, + *-aria*.] *S. f.* Tropa de quinhentos homens, entre os godos.

quingentário (ü) [Do lat. *quingentariu*, 'de quinhentos'.] *S. m.* Comandante de uma quingentaria: "Então o quingentário, a quem parecia animar sobrenatural ousadia, correu ao templo." (Alexandre Herculano, *Eurico, o Presbítero*, p. 138).

quingentésimo (qüin... zi) [Do lat. *quingentesimu*.] *Num.* **1.** Ordinal e fracionário correspondente a quinhentos. **2.** Relativo a quinhentos. • *S. m.* **3.** A quingentésima parte. **4.** Aquele ou aquilo que ocupa o quingentésimo lugar: *Quando o fogo chegou ao quingentésimo, toda a mata de pinheiros estava destruída.* ❖

quingobó *S. m. Bras.* V. *quiabo*.

quingombó *S. m. Bras.* V. *quiabo*.

quingombô [Do quimb. *kino'mo*.] *S. m. Bras.* V. *quiabo*.

quinguingu [Do quimb. *kingungunu*, 'zangão'.] *S. m.* **1.** *Bras.* Serviço feito fora das horas normais de trabalho (e que, no tempo da escravatura, era muitas vezes obrigatório). **2.** *Bras. PE* Pequena cultura agrícola. **3.** *Bras. PB* Intriga, mexerico, fofoca.

quinhão [Do lat. tard. *quinione*.] *S. m.* **1.** A parte de um todo que cabe a cada um dos indivíduos pelos quais se divide; partilha, cota. **2.** *Fig.* Sorte, destino, fado.

quinhenta *S. f. Moç.* Cinquenta centavos de escudo: "eu já não ganho nem uma quinhenta há mais de cinco meses." (Guilherme Afonso, *Circuito*, p. 42). ◆ **Não ter quinhenta.** *Moç.* Não ter nem um centavo.

quinhentão *S. m.* **1.** *Bras. Fam.* Moeda de quinhentos réis, no antigo sistema monetário. **2.** *Bras. Fam.* Quinhentos mil-réis [v. *mil-réis* (1)]: "O Nino quis fechar com o Pepino uma aposta de quinhentão." (Antônio de Alcântara Machado, *Novelas Paulistanas*, p. 98.) **3.** *Bras. Gír. Obsol.* Nota de 500 cruzeiros.

quinhentismo [De *quinhentos* (3) + *-ismo*.] *S. m.* **1.** Estilo, gosto ou escola dos quinhentistas. **2.** O estilo poético do séc. XVI.

quinhentista [De *quinhentos* + *-ista*.] *Adj. 2 g.* **1.** Pertencente ou relativo ao quinhentismo ou ao séc. XVI. **2.** Diz-se do escritor ou artista desse século. • *S. 2 g.* **3.** Escritor ou artista do séc. XVI.

quinhentos [Do lat. *quingentos*.] *Num.* **1.** Quantidade que é uma unidade maior que 499; quatrocentos mais cem. **2.** Número (4) correspondente a essa quantidade. [Nessas acepçs., representa-se em algarismos arábicos por 500, e em algarismos romanos, por *D*.] **3.** Que está marcado ou identificado com o número 500. **4.** Quingentésimo (1). • *S. m.* **5.** O século XVI, ou o século de quinhentos; o período quinhentista: "Com autores de Quinhentos pode abonar-se facilmente a coordenação de pronome átono e pronome tônico." (Carlos Henrique da Rocha Lima, *Uma Preposição Portuguesa*, p. 72.) [Nesta acepç., com cap.] **6.** Representação em algarismos, do número quinhentos. **7.** Aquilo ou aquele que numa série ocupa o quingentésimo lugar. ◆ **Isto (ou isso ou aquilo) são outros quinhentos.** Isso é coisa totalmente diversa, isso é outra questão: "– Mas você pode brincar com essas coisas no colégio? | – Posso. | Talvez não pudesse, mas isso eram outros quinhentos. Foram à loja de brinquedos." (Carlos Drummond de Andrade, *Cadeira de Balanço*, p. 17.)

quinhoar [De *quinhão* + *-ar*[2], com desnasalação.] *V. t. d. T. d. e i. T. i. P.* V. *aquinhoar*: "Este raio de esperança que o poeta [Lamartine] infiltrava no coração foi o que .... excitou a aclamação fremente dos que quinhoavam iguais incertezas e curtiam pesares não menos agudos." (Antero de Quental, *Prosas*, I, p. 67.) [Conjug.: v. *coroar*.]

quinhoeiro [De *quinhão* + *-eiro*, com desnasalação.] *S. m.* **1.** Aquele que tem ou recebe quinhão; sócio, participante, compartilhante. **2.** Aquele que compartilha, que é solidário: *Sou quinhoeiro do seu entusiasmo.* [Sin. ger., bras.: *quinhoísta*.]

quinhoísta [De *quinhão* + *-ista*, com desnasalação.] *S. 2 g. Bras.* V. *quinhoeiro*.

quiniano (quai) *Filos. Adj.* **1.** Relativo, ou pertencente a, ou próprio de Willard van Orman Quine (1908-2000) filósofo norte-americano, que se destacou por seus trabalhos e questionamentos no âmbito da lógica, epistemologia e filosofia da linguagem. **2.** Que é adepto da filosofia de Quine, ou profundo conhecedor de sua obra. • *S. m.* **3.** Seguidor de sua filosofia ou profundo conhecedor de sua obra.

quínico [De *quina*[2] + *-ico*[2].] *Adj.* Relativo à quina[2].

quinidina [De *quin(o)-* + *-idina*.] *S. f. Quím.* Alcaloide da quina, estereoisômero da quinina [fórm.: $C_{20}H_{24}N_2O_2$].

quinidrona [De *quin(ona)* + *(h)idr(oquin)ona*.] *S. f. Quím.* Substância constituída por moléculas de quinona (1) e hidroquinona, que se alternam e se enlaçam mediante pontes de hidrogênio [fórm.: $C_{12}H_{10}O_4$].

quinimura *Bras. S. 2 g.* **1.** *Etnôn.* Indivíduo dos quinimuras, povo indígena extinto que, antes da chegada dos portugueses, habitava a região próxima à Baía de Todos-os-Santos. • *Adj. 2 g.* **2.** Pertencente ou relativo a esse povo. [Tb. us. como *s. 2 g. e 2 n.* (com cap.) e *adj. 2 g. e 2 n.*]

quinina [De *quina*[2] + *-ina*[3].] *S. f. Quím.* Alcaloide da quina[2] (1), da quina-amarela e doutras plantas congêneres, cristalino, branco, pulverulento, usado como antimalárico e antipirético [fórm.: $C_{20}H_{24}N_2O_2$].

quinínico [De *quinina* + *-ico*[2].] *Adj.* Relativo à, ou próprio da quinina.

quininismo [De *quinina* + *-ismo*.] *S. m. Terap.* V. *cinchonismo*.

quinino *S. m. Pop.* Sulfato de quinina.

quínio [De *quina*[2] + *-io*[3].] *S. m.* Extrato total da quina[2] (3), o qual contém todos os alcaloides.

quiniquinau *Bras. S. 2 g.* **1.** *Etnôn.* Indivíduo dos quiniquinaus [ou (etnôn. bras.) *Kinikinao], povo indígena extinto, da família linguística aruaque, que habitava a margem esquerda do rio Paraguai (MS). • *Adj. 2 g.* **2.** Pertencente ou relativo a esse povo.

quinismo [De *quinina* + *-ismo*, com haplologia.] *S. m. Terap.* V. *cinchonismo*.

quinjengue *S. m. Bras. SP* Instrumento musical de percussão, de forma cônica e afunilada, usado no batuque do médio Tietê.

quino [De *quina*[1].] *S. m.* V. *loto* (ô) (1): "Jogava-se o quino marcado a feijões" (Ramalho Ortigão, *As Farpas*, I, p. 184).

▲ **quin(o)-** *Quím. El. comp.* = 'quina[2]': *quinazolina*, *quinidina*.

quinoa [Do hisp.-amer. *quinua*, do quíchua *quínua*.] *S. f. Bot.* Planta quenopodiácea (*Chenopodium quinoa*) nativa do Peru, Colômbia e Chile, de folhas triangulares, semelhantes à do espinafre, flores verdes, pequeninas, racemosas, e frutos brancos ou vermelhos, de cujas sementes se faz pasta alimentícia; espinafre-do-peru. [É alimento básico de muitos povos sul-americanos.]

quinol [De *quin(o)-* + *-ol*[2].] *S. m. Quím.* Hidroquinona. [Pl.: *quinóis*.]

quinoleína [De *quin(o)-* + *-ole(i)-* + *-ina*[3].] *S. f. Quím.* V. *quinolina*.

quinolina [De *quin(o)-* + *-ol-*[1] + *-ina*[3].] *S. f. Quím.* Líquido incolor, de cheiro penetrante, cujas moléculas se podem considerar formadas por um anel de benzeno fundido a um de piridina e que é us. como intermediário na indústria de corantes [fórm.: C_9H_7N].

quinona [De *quin(o)-* + *-ona*[2].] *S. f. Quím.* **1.** Substância cristalina, de odor penetrante que lembra o do cloro, dicetona insaturada que é produto da oxidação da hidroquinona; benzoquinona [fórm.: $C_6H_4O_2$]. **2.** Designação genérica de certas dicetonas que se podem considerar derivadas, por oxidação, de compostos aromáticos diidroxilados.

quinorrinco [Adapt. irreg. do tax. *Kinorhyncha*.] *Zool. S. m.* **1.** Espécime dos quinorrincos, classe de animais marinhos, asquelmintos, bentônicos, diminutos, cilíndricos, com tubo digestivo completo, corpo segmentado, cabeça com duas coroas providas de espinhos, boca com tromba que pode ser protraída. Têm sexos separados. ● *Adj.* **2.** Pertencente ou relativo a eles. [Sin. ger.: *equinodero*.]

quinoxalina (cs) [De *quin(o)-* + *(glio)xal* + *-ina*[3].] *S. f. Quím.* Substância cristalina, de baixo ponto de fusão, cujas moléculas podem ser consideradas formadas por um anel de benzeno fundido a um de pirazina [fórm.: $C_8H_6N_2$].

quinquagenário (qüin) [Do lat. *quinquagenariu*.] *Adj. S. m.* Que, ou aquele que está na casa dos 50 anos de idade; cinquentão: "O presidente, um preto quinquagenário, tinha uma perna de pau." (Leôncio Correia, *A Boêmia do Meu Tempo*, p. 29.) ❖

quinquagésima (qüin... zi) [F. subst. do num. *quinquagésimo* (1).] *S. f.* **1.** Espaço de 50 dias. **2.** *Lit.* Domingo precedente ao primeiro domingo da quaresma. ❖

quinquagésimo (qüin... zi) [Do lat. *quinquagesimu*.] *Num.* **1.** Ordinal e fracionário correspondente a 50. ● *S. m.* **2.** A quinquagésima parte. **3.** Aquele ou aquilo que ocupa o quinquagésimo lugar: *Quando a chamada atingiu o quinquagésimo, as fichas de matrícula acabaram.* ❖

▲ **quinque-** (qüinqüe) [Do lat. *quinque*.] *El. comp.* = 'cinco': *quinquedentado*. [Equiv.: *quinca-*, *quinqui-*: *quincálogo*, *quinquídio*.] ❖

quinqueangular (qüinqüe) [De *quinque-* + *angular*.] *Adj. 2 g. Geom.* Pentangular. ❖

quinquecapsular (qüinqüe) [De *quinque-* + *capsular*.] *Adj. 2 g. Bot.* Pentacapsular. ❖

quinquedentado (qüinqüe) [De *quinque-* + *-dent(i)-* + *-ado*[1].] *Adj.* Que termina em cinco dentes. ❖

quinquedigitado (qüinqüe) [De *quinque-* + *-digit(i)-* + *-ado*[1].] *Adj.* **1.** *Zool.* Que tem cinco dedos. **2.** *Bot.* Cujas folhas são compostas de cinco folíolos que terminam o pecíolo. ❖

quinquefoliado (qüinqüe) [De *quinque-* + *-foli-* + *-ado*[1].] *Adj. Bot.* Que tem cinco folíolos ou folhas; quinquefólio. ❖

quinquefólio (qüinqüe) [Do lat. *quinquefoliu*.] *Adj. Bot.* Quinquefoliado. ❖

quinquelingue (u-inqu-è... gue.) *Adj. 2 g. Lus.* V. *quinquelíngue*.

quinquelíngue (qüinqüe...güe) [De *quinque-* + *-língue*.] *Adj. 2 g.* **1.** Que fala cinco línguas. **2.** Escrito em cinco línguas. ❖

quinquelobado (qüinqüe) [De *quinque-* + *lobo* + *-ado*[1].] *Adj. Bot.* Que tem cinco lóbulos [v. *lóbulo* (2)]. ❖

quinquelocular (qüinqüe) [De *quinque-* + *locular*.] *Adj. 2 g. Bot.* Que tem cinco lóculos. ❖

quinquenal (qüinqüe) [Do lat. *quinquennale*.] *Adj. 2 g.* **1.** Que dura um quinquênio: *plano quinquenal*. **2.** Que se realiza de cinco em cinco anos: *jogos quinquenais*. ● *S. m.* **3.** Antigo magistrado municipal romano, cujo cargo durava um quinquênio. ❖

quinquenérveo (qüinqüe) [De *quinque-* + *-nerv(i)-* + *-eo*.] *Adj. Bot.* Com cinco nervuras que partem da base do limbo: *folha quinquenérvea*. [Cf. *quintuplinérveo*.] ❖

quinquénio (u-inqu-é) *S. m. Lus.* V. *quinquênio*.

quinquênio (qüinqüê) [Do lat. *quinquenniu*.] *S. m.* Período de cinco anos; lustro. [Cf. *quindênio*.] ❖

quinqueovulado (qüinqüe) [De *quinque-* + *-ovul(i)-* + *-ado*[1].] *Adj. Bot.* Provido de cinco óvulos. ❖

quinquerreme (qüinqüe) [Do lat. *quinquereme*.] *S. f.* Antigo navio com cinco ordens de remos ou com cinco remadores em cada remo; pentarreme. ❖

quinquevalve (qüinqüe) [De *quinque-* + *-valve*.] *Adj. 2 g. Biol.* Que tem cinco valvas. ❖

quinquevalvular (qüinqüe) [De *quinque-* + *valvular*.] *Adj. 2 g. Biol.* Que tem cinco válvulas. ❖

quinquevirado (qüinqüe) [Do lat. *quinqueviratu*, por via semierudita.] *S. m.* **1.** Dignidade de quinquéviro. **2.** Tribunal dos quinquéviros. [F. paral.: *quinquevirato*.] ❖

quinquevirato (qüinqüe) [Do lat. *quinqueviratu*, por via eudita.] *S. m.* Quinquevirado (q. v.). ❖

quinquéviro (qüinqüé) [Do lat. *quinqueviru*.] *S. m.* Cada um dos cinco magistrados inferiores que, na república romana, velavam pela observância dos regulamentos policiais. ❖

▲ **quinqui-** (qüinqüi) V. *quinque-*. ❖

quinquídio (qüinqüí) [De *quinqui-* + lat. *dies*, 'dia'.] *S. m.* Espaço de cinco dias. ❖

quinquilharias [Do fr. *quincaillerie*.] *S. f. pl.* **1.** Brinquedos de criança. **2.** Joias de fantasia, ou outras miudezas: "Bateu-lhe à porta, numa manhã de sol, um quinquilheiro da vila .... Ia expondo na palma da mão larga as quinquilharias." (João de Araújo Correia, *Terra Ingrata*, pp. 194-195.) **3.** Bagatelas, ninharias.

quinquilheiro [Do fr. *quincaillier*.] *S. m.* Fabricante ou vendedor de quinquilharias. [V. abonação em *quinquilharias*.]

quinquina [F. sincopada de *quinaquina*.] *S. f. Bras. Zool.* V. *murta-do-mato*.

quinquió [De or. indígena, poss.] *S. m. Bras. Amaz. Bot.* Arvoreta olacácea (*Aptandra spruceana*) que habita várzeas inundáveis, de folhas membranosas, flores paniculadas e frutos drupáceos globosos, que contêm amêndoa oleaginosa a qual fornece óleo de boa qualidade; castanha-de-cutia, sapucainha.

quinta[1] [Do lat. *quintana*, 'rua em que se fazia o mercado'] *S. f. P. us. no Brasil* **1.** Grande propriedade rústica, com casa de habitação. **2.** Extensão de terreno cultivado.

quinta[2] [Fem. do ord. *quinto*.] *S. f.* **1.** Quina[1] (1). **2.** *Mús.* Intervalo de cinco graus consecutivos na escala diatônica. **3.** Nos movimentos de esgrima, uma das paradas.

quinta[3] *S. f. Bras. Pop.* Acesso de tosse demorado.

quinta[4] *S. f.* V. *quinta-feira*.

quintã[1] *S. f. Ant.* Quintão[2].

quintã[2] [Do lat. *quintana* (subentende-se 'febre').] *S. f.* **1.** Febre quintã. ● *Adj. (f.)* **2.** ~ V. *febre* —.

quinta-coluna [Do esp. *quinta-columna*, t. criado durante a Guerra Civil Espanhola (1936) para designar os que, dentro de Madri, apoiavam as quatro colunas rebeldes que marchavam contra esta cidade.] *S. f.* **1.** Quinta-colunismo (1). ● *S. 2 g.* **2.** Pessoa (estrangeira ou nacional) que atua sub-repticiamente num país em guerra ou em via de entrar em guerra com outro, preparando ajuda em caso de invasão ou fazendo espionagem e propaganda subversiva; quinta-colunista. [Pl.: *quinta-colunas*.]

quinta-colunismo [De *quinta-coluna* + *-ismo*.] *S. m.* **1.** A classe ou o movimento dos quintas-colunas; quinta-coluna. **2.** Ação ou procedimento próprio de quinta-coluna (2). [Pl.: *quinta-colunismos*.]

quinta-colunista [De *quinta-colunismo* + *-ista*.] *Adj. 2 g.* **1.** Relativo ao quinta-colunismo. **2.** Diz-se de pessoa pertencente ao quinta-colunismo. ● *S. 2 g.* **3.** Quinta-coluna (2). [Pl.: *quinta-colunistas*.]

quinta-doença *S. f. Med.* Eritema infeccioso. ◆ **Quinta-doença venérea.** *Patol.* V. *linfogranuloma venéreo*. [Pl.: *quintas-doenças*.]

quinta-essência [Do f. de *quinto* + *essência*.] *S. f.* **1.** Extrato (1) levado ao último apuramento. **2.** O que há de principal, de melhor ou de mais puro; o essencial: *a quinta-essência da religião*. **3.** O mais alto grau; o requinte, a plenitude, o auge: *a quinta-essência da delicadeza*. **4.** *Hist. Filos.* Na tradição pitagórica seguida por Aristóteles (v. *aristotelismo* e *pitagorismo*), o quinto elemento ou substância primária, que é corpórea, brilhante e sutil, e com que são feitos os céus e corpos celestes. [Cf., nesta acepç., *quatro elementos*.] [Var.: *quintessência*. Pl.: *quinta-essências*. Cf. *quinta-essencia*, do v. *quinta-essenciar*.]

quinta-essenciado [Part. de *quinta-essenciar*.] *Adj.* Elevado à quinta-essência (3); apurado até o mais alto grau; requintado, refinado. [Var.: *quintessenciado*. Pl.: *quinta-essenciados*.]

quinta-essencial [De *quinta-essência* + *-al*[1].] *Adj. 2 g.* Relativo à, ou que atingiu a quinta-essência. [Var.: *quintessencial*. Pl.: *quinta-essenciais*.]

quinta-essenciar [De *quinta-essência* + *-ar*[2].] *V. t. d.* Elevar à quinta-essência (3); apurar até o mais alto grau; requintar, refinar: "Com a surdez que o levara aos últimos quartetos, Beethoven quinta-essenciou a música." (Walter Benevides, *Compositores Surdos*, p. 44.) [Var.: *quintessenciar*. Pres. ind.: *quinta-essencio*, *quinta-essencias*, *quinta-essencia*, etc. Cf. *quinta-essência*.]

quinta-feira [Do f. do num. *quinto* + *feira*.] *S. f.* O quinto dia da semana principiada no domingo. [F. red.: *quinta*. Pl.: *quintas-feiras*.] ◆ **Quinta-feira maior.** *Rel.* Quinta-Feira Santa. [Ger. com cap.] **Quinta-Feira Santa.** *Rel.* A quinta-feira da semana santa; quinta-feira maior. [Ger. com cap.]

quintal[1] [Do lat. vulg. *quintanale*.] *S. m.* **1.** Pequena quinta[1] (1). **2.** Pequeno terreno, muitas vezes com jardim ou com horta, atrás da casa. **3.** *Fig.* Âmbito de influência. [Cf. *Quental*, antr.]

quintal[2] [Do ár. *qinṭār*, 'certa medida de peso'.] *S. m.* Antiga unidade de medida de peso, equivalente a quatro arrobas, *i. e.*, 58,758kg. [Abrev. *q*.] [Cf. *Quental*, antr.] ◆ **Quintal métrico.** Unidade de medida de peso, equivalente a 100 quilogramas.

quintalada [De *quintal*[1] + *-ada*[1].] *S. f.* Porção ou conjunto de quintais.

quintalão [De *quintal*[1] + *-ão*[1].] *S. m.* Grande quintal[1] (2): "permitia que ele .... entrasse no quintal dela para apanhar lima, laranja, abacate, manga, cana. Era um quintalão bem cuidado" (Bernardo Élis, *Ermos e Gerais*, p. 90).

quintalejo[1] (ê) [De *quintal*[1] (1) + *-ejo*.] *S. m.* Pequeno quintal[1] (1): "o hindu na sua aldeia, o árabe de Damasco no seu quintalejo, serenos, sem pressas e sem cuidados, estão cobertos pelo esplendor dum céu que é uma fonte de alegria" (Eça de Queirós, *Cartas Familiares e Bilhetes de Paris*, pp. 110-111).

quintalejo[2] (ê) [De *quintal*[2] + *-ejo*.] *S. m.* Peso de meio quintal[2].

quintanense *Adj. 2 g.* **1.** De, ou pertencente ou relativo a Quintana (SP). ● *S. 2 g.* **2.** O natural ou habitante de Quintana.

quintanista [De *quinto* + *-ano* + *-ista*.] *S. 2 g.* Aluno que frequenta o quinto ano de um curso, principalmente de faculdade ou de escola superior.

quintante [De *quinto* (2) + o final de *sextante*.] *S. m. Ant. Náut.* Instrumento semelhante ao sextante (q. v.), mas cujo setor abrange um quinto do círculo (72º).

quintão[1] [Do lat. *quintanu*.] *S. m.* Antigo instrumento musical de cinco cordas.

quintão[2] [De *quinta*[1] + *-ão*[1].] *S. m.* Grande quinta[1] (1 e 2). [F. paral. (ant.): *quintã*[1].]

quintar [De *quinto* (1) + *-ar*[2].] *V. t. d.* **1.** Repartir por cinco. **2.** Tirar a quinta parte de (um todo). **3.** Tirar um de um grupo de cinco.

quintarola *S. f. Fam. Deprec.* Quinta[1] (1 e 2) pequena e/ou de pouco valor.

quinta-solense *Adj. 2 g.* **1.** De, ou pertencente ou relativo a Quinta do Sol (PR). ● *S. 2 g.* **2.** O natural ou habitante de Quinta do Sol. [Sin. ger.: *quintense*. Pl.: *quinta-solenses*.]

quinté [De *quintal*[1], pelo forro[2].] *S. m. Santom.* Pequeno terreiro de chão batido, ger. ajardinado, à volta da casa; quintal: "Os crioulos santomenses .... foram assim reduzidos às pequenas propriedades que ainda hoje possuem, aos 'quintés', onde apenas crescem os produtos alimentares necessários para uma existência de tipo vegetativo" (Maria Manuela Margarido, em *Estudos Ultramarinos*, nº 3, p. 95).

quinteiro [De *quinta*[1] + *-eiro*.] *S. m.* Indivíduo que guarda uma quinta[1] (1 e 2) ou trata dela; caseiro. **2.** Galinheiro (2): "Galo! Galo e duma maneira tal, que agora no quinteiro, mal franzia a testa, tremia tudo!" (Miguel Torga, *Bichos*, p. 51.)

quintense *Adj. 2 g. S. 2 g.* V. *quinta-solense*.

quinterno *S. m. Tip.* Caderno composto por dez páginas, ou cinco folhas de impressão.

quintessência [De *quinta-essência*, com aglutinação.] *S. f.* V. *quinta-essência*.

quintessenciado [Part. de *quintessenciar*.] *Adj.* V. *quinta-essenciado*.

quintessencial [De *quintessência* + *-al*[1].] *Adj. 2 g.* V. *quinta-essencial*.

quintessenciar [De *quintessência* + *-ar*[2].] *V. t. d.* V. *quinta-essenciar*.

quinteto (ê) [Do it. *quintetto*.] *S. m.* **1.** *Arte Poét.* Quintilha. **2.** *Mús.* Conjunto de cinco vozes ou de cinco instrumentos. **3.** *Mús.* Composição instrumental, em geral baseada na forma da sonata clássica (q. v.), e especialmente escrita para esse conjunto. **4.** *Fís.* Raia espectral constituída de cinco componentes.

Q

quíntico [De *quinto* + *-ico*[2].] *Adj. Mat.* Próprio de, ou referente a uma expressão do quinto grau; quintil.

quintil [De *quinto* + *-il*[1].] *Adj. 2 g.* **1.** *Astr.* Diz-se do aspecto de dois planetas distantes entre si a quinta parte do zodíaco (q. v.). **2.** *Mat.* Quíntico. ● *S. m.* **3.** *Estat.* Qualquer das separatrizes que dividem a área de uma distribuição de frequência em domínios de área igual a múltiplos inteiros de um quinto da área inicial.

quintilha [De *quinto* + *-ilha*.] *S. f. Arte Poét.* Estrofe de cinco versos, comumente em redondilha maior; quinteto.

quintilhão [De *quint(o)-* + *-ilhão*.] *Num. Mat.* Mil quatrilhões; 10 elevado à 18ª potência. [F. paral.: *quintilião*.]

quintilho [De *quinto* + *-ilho*.] *S. m. Bras. Bot.* Erva solanácea (*Nicandra physaloides*) ornamental, originária do Peru, de folhas lobadas, crenadas e membranáceas, flores solitárias, campanuladas e vistosas, e cujos frutos são bagas polispérmicas envolvidas pelo cálice. [Cf. *quintílio*.]

quintilião [De *quinto* + *-ilião*.] *S. m.* Quintilhão.

quintílio *S. m.* Preparado farmacêutico de antimônio em pó. [Cf. *quintilho*.]

quinto [Do lat. *quintu*.] *Num.* **1.** Ordinal e fracionário correspondente a cinco. ● *S. m.* **2.** Quinta parte. **3.** Aquele ou aquilo que ocupa o quinto lugar: *Ele era sempre o quinto na fila.* **4.** Imposto de 20% que o erário português cobrava sobre o ouro, a prata e os diamantes extraídos do solo brasileiro no período colonial. **5.** Barril cuja capacidade equivale à quinta parte de uma pipa. **6.** *Bras. BA* Ônus cobrado pelos donos de serra (v. *dono de serra*), na base de 20% sobre o produto extraído. ~ V. *quintos*.

quintos [Pl. de *quinto*.] *S. m. pl. Pop.* O Inferno (2): *Vá para os quintos!* ~ V. *quinto*. ◆ **Mandar para os quintos.** *Bras. Pop.* V. *matar* (1): "Cada um dos combatentes entrou em luta convencido de que .... mandaria o justo para os quintos." (Amadeu de Queirós, *Os Casos do Carimbamba*, p. 41.)

quintuplicação [De *quintuplicar* + *-ção*.] *S. f.* Ato ou efeito de quintuplicar.

quintuplicado [Part. de *quintuplicar*.] *Adj.* **1.** Multiplicado por cinco. **2.** Aumentado cinco vezes.

quintuplicador (ô) [De *quintuplicar* + *-dor*.] *Adj. S. m.* Que, ou aquele que quintuplica.

quintuplicar [Do lat. *quintuplice*, 'quíntuplo', + *-ar*[2].] *V. t. d.* **1.** Multiplicar por cinco. **2.** Tornar cinco vezes maior, ou mais numeroso. *P.* **3.** Tornar-se cinco vezes maior. [Conjug.: v. *trancar*.]

quintuplicável [De *quintuplicar* + *-vel*.] *Adj. 2 g.* Que se pode quintuplicar.

quintuplinérveo (qùn) [De *quíntuplo* + *-i-* + *-nerv(i)-* + *-eo*.] *Adj.* ~ V. *folha —a*. [Cf. *quinquenérveo*.]

quíntuplo [Do lat. **quintuplu*, moldado em *duplo*, *triplo*, *quádruplo*.] *Num.* **1.** Que é cinco vezes maior. ● *S. m.* **2.** Quantidade cinco vezes maior que outra. ~ V. *quíntuplos*.

quíntuplos [Pl. de *quíntuplo*.] *S. m. pl.* Cinco crianças nascidas do mesmo parto. ~ V. *quíntuplo*.

quinuclidina [De *qui(nina)* + *-nucl(e)(i)-* + *-idina*.] *S. f. Quím.* Substância heterocíclica, básica, bicíclica, com estrutura em ponte, onde a cabeça de ponte é um átomo de nitrogênio e da qual certos alcaloides, como a quinina, se podem considerar derivados [fórm.: $C_7H_{13}N$].

quinzar [Do quimb. *kinzari*.] *S. m. Angol.* Monstro sanguinário, meio onça, meio homem, da mitologia popular luandense: "Era o quinzar dos olhos de onça, ele saquelava o sangue." (José Luandino Vieira, *No Antigamente, na Vida*, p. 204.)

quinze [Do lat. *quindecim*.] *Num.* **1.** Quantidade que é uma unidade maior que quatorze; quatorze mais um. **2.** Número (4) correspondente a essa quantidade. [Nessas acepçs., representa-se em algarismos arábicos por 15, e em algarismos romanos, por XV.] **3.** Que está marcado ou identificado com o número 15. **4.** Décimo quinto. ● *S. m.* **5.** Representação, em algarismos, do número quinze. **6.** Aquilo ou aquele que numa série ocupa o décimo quinto lugar.

quinzena[1] [De *quinze* + *-ena*.] *S. f.* **1.** Espaço de 15 dias. **2.** Pagamento do trabalho de 15 dias. [Sin. (nessas acepçs.): *quindênio*.] **3.** Grupo de quinze. **4.** *Bras. BA* Renda que os lavradores pagavam aos donos de engenho, e que consiste numa arroba de açúcar por 15 que fabricavam.

quinzena[2] *S. f.* Jaquetão leve: "Desde as quatro horas da tarde, no calor e silêncio do domingo de junho, o Fidalgo da Torre, ... com uma quinzena de linho enrugada sobre a camisa de chita cor-de-rosa, trabalhava." (Eça de Queirós, *A Ilustre Casa de Ramires*, p. 5.)

quinzenal [De *quinzena*[1] + *-al*[1].] *Adj. 2 g.* **1.** Respeitante a quinzena[1] (1). **2.** Que aparece, se faz ou se publica de 15 em 15 dias: *revista quinzenal.*

quinzenalista [De *quinzenal* + *-ista*.] *S. 2 g. Bras.* Empregado que recebe os vencimentos de quinzena[1] (1) em quinzena.

quinzenário [De *quinzena*[1] + *-ário*.] *S. m.* Periódico (4) quinzenal.

quinze-novembrense *Adj. 2 g.* **1.** De, ou pertencente ou relativo a Quinze de Novembro (RS). ● *S. 2 g.* **2.** O natural ou habitante de Quinze de Novembro. [Pl.: *quinze-novembrenses*.]

quioco (ô) *S. m.* **1.** *Etnôn.* Indivíduo dos quiocos, povo do L. de Angola (África). ● *Adj.* **2.** Pertencente ou relativo aos quiocos.

quioiô (i-oi) [De or. indígena, poss.] *S. m. Bras. Bot.* V. *manjericão* (2).

quionablepsia [De *quion(o)-* + *ablepsia*.] *S. f. Oftalm.* Cegueira causada pela neve.

▲**quion(o)-** [Do gr. *chión*, *ónos*.] *El. comp.* = 'neve': *quionablepsia*.

quionofobia [De *quion(o)-* + *-fobia*.] *S. f. Psiq.* V. *pacnofobia*.

quionofóbico [De *quionofobia* + *-ico*[2].] *Adj. S. m. Psiq.* V. *pacnofóbico*.

quionófobo [De *quion(o)-* + *-fobo*.] *Adj. S. m. Psiq.* V. *pacnofóbico* (2 e 3).

quiosque [Do persa *kouchk*, pelo turco *kioshk*, 'pavilhão de jardim', e do fr. *kiosque*.] *S. m.* **1.** Pequeno pavilhão de estilo oriental, para abrigo ou ornamentação de praças e jardins. **2.** Pavilhão de madeira, alumínio, etc., no qual ordinariamente se vendem jornais, revistas, cigarros, etc.; fiteiro. **3.** *Bras.* Na orla ou em outro ambiente de lazer, construção leve e arejada, destinada à venda de bebidas (água de coco, sucos, refrigerantes, etc.) e alimento de preparo ligeiro ou pré-preparado (esp. milho-verde, sanduíches, peixe frito ou cru, etc.).

quiosqueiro [De *quiosque* + *-eiro*.] *S. m. Bras.* Dono de quiosque (2).

quiotomia [Do gr. *kíon*, 'úvula', + *-tom(o)-* + *-ia*[1], irregularmente.] *S. f. Cir.* V. *cionotomia*.

quipá [Do tupi.] *S. m. Bras. Bot.* Vegetação nordestina, espécie de cardo rasteiro: "A cachorra Baleia saiu correndo entre os alastrados e quipás, farejando a novilha raposa." (Graciliano Ramos, *Vidas Secas*, p. 25.)

quipã *S. f. Bras.* **1.** V. *prurido* (1). **2.** V. *coceira* (2).

quipapaense (àen) *Adj. 2 g.* **1.** De, ou pertencente ou relativo a Quipapá (PE). ● *S. 2 g.* **2.** O natural ou habitante de Quipapá.

quipea-cariri *Bras. S. 2 g.* **1.** *Etnôn.* Indivíduo dos quipeas-cariris [ou (etnôn. bras.) *kipea-kariri], povo indígena extinto, da família linguística cariri, que habitava o L. da PB. ● *Adj. 2 g.* **2.** Pertencente ou relativo a esse povo. [Pl.: *quipeas-cariris*.]

quíper [Do ingl. *keeper*.] *S. m. Fut.* V. *goleiro*. [Pl.: *quíperes*.]

quipo [Do quíchua *quipu*, 'nó', pelo hisp.-amer. *quipo*.] *S. m.* Escrita mnemotécnica usada pelos indígenas peruanos para fins aritméticos ou registro de fatos importantes, e que consiste em um grupo de cordas de comprimentos, grossuras e cores diferentes, pendentes de corda principal, e contendo, os mais curtos, nós representativos de números: "Entre as várias relíquias que elas [as amazonas] guardam cuidadosamente, fui encontrar algumas franjas e cordéis, tecidos com fios de várias cores, e que muito se assemelham aos curiosos quipos usados pelos incas à maneira de escrita." (Gastão Cruls, *4 Romances*, p. 63.)

quipoqué [De or. afr., poss.] *S. m. Bras. RS Cul.* Iguaria de feijão partido e cozinhado com diversos temperos; quimano.

quiproquó (qüi) [Do lat. *quid pro quo*, 'isto por aquilo', 'uma coisa por outra'.] *S. m.* **1.** Confusão duma coisa com outra. **2.** Situação cômica ou faceta resultante de equívoco(s): "O Soares nunca chegou a levar-me ao constrangimento de um equívoco irremediável, ... aos quiproquós de uma situação difícil de explicar." (Herberto Sales, *Histórias Ordinárias*, p. 150). ✣

quique [Dev. de *quicar*.] *S. m. Bras.* Ato ou efeito de quicar.

qui-qui-qui [Voc. onom.] *S. 2 g. Bras. CE* **1.** Pessoa que fala ou pronuncia mal; tatibitate. **2.** V. *gago* (2). [Pl.: *qui-qui-quis*.] ❄

quiquiriqui [Voc. onom.] *S. m.* **1.** V. *cocorocó*. **2.** Coisa ou pessoa insignificante. V. *ninharia*.

quiragra [Do gr. *cheirágra*, pelo lat. *chiragra*.] *S. f. Reum.* Dor gotosa em mão.

quiral *Adj. Quím.* Diz-se de qualquer objeto, em particular de um arranjo de átomos, cuja imagem especular não seria passível de superpor ao objeto original. ~ V. *carbono —*.

quiralgia [Do gr. *cheiralgía*.] *S. f. Med.* Dor em mão.

quirálgico [De *quiralgia* + *-ico*[2].] *Adj. Med.* Relativo a quiralgia.

quiralidade [Do *quiral* + *-(i)dade*.] *S. f. Quím.* Propriedade do que é quiral.

quirana[1] [Do tupi.] *S. f. Bras. Amaz.* **1.** *Zool.* V. *muquirana* (1). **2.** *P. ext.* Nó no cabelo, quando embaraçado.

quirana[2] [De or. afr.] *S. f.* Oito jardas de qualquer tecido.

quirapsia [Do gr. *cheirapsía*.] *S. f. Med.* Massagem, fricção.

quirartrite [De *quir(o)-* + *-artr(o)-* + *-ite*[1].] *S. f. Reum.* Artrite de mão.

quirela *S. f. Bras. S.* V. *quirera*.

quirera [Do tupi.] *S. f.* **1.** *Bras.* V. *crueira*[1]. **2.** *Bras.* Milho quebrado que se dá aos pintos e pássaros. **3.** *Bras. SC RS* Sanga[1] (4). [Var.: *quirela*.] ~ V. *quireras*.

quireras [Pl. de *quirera*.] *S. f. pl. Bras.* Pequena quantia; dinheiro miúdo; trocados: "— De quem é a mulher? — É do Tanajura — respondeu um sujeitinho magro e catingoso, que estava sapeando o jogo e pegando umas quireras daqueles viciados." (Nélson de Faria, *Tiziu e Outras Estórias*, p. 159.) ~ V. *quirera*.

quirerear [De *quireira* + *-ear*[2].] *V. t. d. Bras. S.* Quebrar os grãos de (o milho), transformando-o em quirera, para dá-lo às aves. [Conjug.: v. *frear*.]

quirguiz *S. 2 g.* **1.** *Etnôn.* Indivíduo dos quirguizes, povo de origem turca, que habita a região correspondente à antiga Rússia Asiática. **2.** O natural ou habitante do Quirguistão ou Quirguízia (C.O. da Ásia). ● *S. m.* **3.** *Gloss.* Língua altaica do ramo túrcico, falada no Quirguistão, no Usbequistão e ainda no Tadjiquistão. ● *Adj. 2 g.* **4.** Pertencente ou relativo aos quirguizes, ou ao quirguiz (3).

quiri [De or. indígena.] *S. m. Bras. Bot.* V. *freijó* (1). [Var. nasalada: *quirim*.]

quiriba *S. 2 g. Bras. MA* Entre os sertanejos, natural ou habitante da parte baixa do rio Pindaré.

quiribati [Do top. *Quiribati* < top. *Kiribati* < ingl. *Gilbert*, antigo nome de um dos arquipélagos que formam o país e onde se concentra a maior parte da população.] *S. m. Gloss.* Língua malaio-polinésia falada na República do Quiribati; gilbertês.

quiribatiano *Adj.* **1.** Da, ou pertencente ou relativo à República do Quiribati (S.O. do oceano Pacífico). ● *S. m.* **2.** O natural ou habitante da República do Quiribati.

quirica *S. f. Bras.* A vulva.

quirim [Var. de *quiri*.] *S. m. Bras. Bot.* V. *freijó* (1).

quirina *S. f. Bras. AM Zool.* V. *tucano-de-peito-branco*.

quirinopolino *Adj.* **1.** De, ou pertencente ou relativo a Quirinópolis (GO). ● *S. m.* **2.** O natural ou habitante de Quirinópolis.

quirintim [Do mandinga, pelo criol.] *S. m. Guin.* Entrelaçado de bambu ou de caniço, us. para cercar moranças, na cobertura de alpendres, para fazer esteiras, etc.: "Dirigira-se depois para um cubículo feito de quirintim, atrás da sua palhota, onde tomara um banho" (Fausto Duarte, *Auá*, p. 51).

quiri-quiri [Voc. onom.] *S. m. Bras. Zool.* **1.** V. *cuiú-cuiú* (2). **2.** V. *anu-branco*. **3.** V. *gavião-quiri-quiri*. [Pl. *quiri-quiris*.] ❄

quiriri[1] [Do tupi.] *S. m.* **1.** *Bras. Zool.* V. *cuiú-cuiú* (2). **2.** *Bras. Zool.* V. *anu-branco*. **3.** *Bras. Zool.* V. *gavião-quiri-quiri*. **4.** *Bras. Amaz. MT* Calada da noite: "tudo caiu em enorme silêncio, ... esse silêncio noturno das nossas regiões a que o tapuio chama, talvez imitativamente, quiriri." (José Veríssimo, *Cenas da Vida Amazônica*, p. 32). ● *Adj. 2 g.* **5.** *Bras.* Silencioso, deserto, ermo.

quiriri[2] *Bras. S. 2 g.* **1.** *Etnôn.* Indivíduo dos quiriris [ou (etnôn. bras.) *Kiriris], povo indígena que habita o município de Ribeira do Pombal (BA). ● *Adj. 2 g.* **2.** Pertencente ou relativo a esse povo.

quiriripitá [Do tupi.] *S. f. Bras. MT Zool.* V. *cururuboia*.

quiriru [Do tupi.] *S. m. Bras. Amaz. Zool.* V. *anu-branco*.

quirites [Do lat. *quirites*.] *S. m. pl.* **1.** Título acrescentado ao dos romanos após a fusão deles com os sabinos. **2.** Título dos cidadãos civis romanos: "Os quirites acreditavam na predestinação do Capitólio ao futuro equilíbrio pacífico do mundo." (Alcides Maia, *Crônicas e Ensaios*, p. 115.) [Cf. *querites*, pl. de *querite*.]

▲ **quir(o)-** [Do gr. *cheír*, *cheirós*.] *El. comp.* = 'mão'; 'patas anteriores de certos animais': *quirodáctilo*, *quiróptero*. [Equiv.: *-quir(o)-*: *aloquiria*.]

▲ **-quir(o)-** Equiv. de *quir(o)-*.

quirodáctilo [De *quir(o)-* + *-dá(c)tilo*.] *S. m. Anat.* Dedo de mão. [Var.: *quirodátilo*.]

quirodátilo *S. m. Anat.* V. *quirodáctilo*.

quirófano [De *quir(o)-* + *-fano*.] *S. m. Cir.* Sala de operações cirúrgicas, com lugar para a assistência, separado por tabiques envidraçados.

quirografário [Do lat. tard. *chirographariu.*] *Adj. Jur.* Diz-se do crédito destituído de qualquer privilégio ou preferência quando se abre concurso de credores. ~ V. *credor — e dívida —a.*

quirógrafo [Do gr. *cheirógraphon*, pelo lat. *chirographu.*] *S. m.* **1.** Autógrafo (q. v.). **2.** Diploma devidamente assinado. **3.** Breve pontifício não publicado. **4.** *Ant.* Documento lavrado e assinado, ou assinado apenas por uma das partes interessadas.

quirologia [De *quir(o)-* + *-logia.*] *S. f.* Arte de conversar por meio de sinais feitos com os dedos; dactilologia.

quirológico [De *quirologia* + *-ico*².] *Adj.* Referente a quirologia; dactilológico.

quiromancia (cí) [Do gr. *cheiromantéia.*] *S. f.* Adivinhação pelo exame das linhas da palma da mão; quiroscopia.

quiromania [De *quir(o)-* + *-mania.*] *S. f.* V. *onanismo* (1).

quiromaníaco [De *quiromania* + *-íaco.*] *Adj.* Relativo a quiromania.

quirómano *Adj. S. m.* V. *quirômano*. [Uso freq. em P.]

quirômano [De *quir(o)-* + *-mano*¹.] *Adj. S. m.* Que, ou aquele que pratica a quiromania.

quiromante [Do gr. *cheirómantis.*] *S. 2 g.* Pessoa dada à prática da quiromancia.

quiromântico *Adj.* Referente a quiromancia, ou a quiromante.

quironomia [Do gr. *cheironomía.*] *S. f.* **1.** Arte de regular e acomodar os gestos ao discurso, à declamação, à dança ou à interpretação dramática. **2.** Mímica, pantomima.

quironómico *Adj.* V. *quironômico*. [Uso freq. em P.]

quironômico [Do gr. *cheironomikós.*] *Adj.* Referente a quironomia.

quirónomo *S. m.* V. *quirônomo*. [Uso freq. em P.]

quirônomo [Do gr. *cheironómos.*] *S. m.* Indivíduo que pratica e/ou ensina a quironomia.

quiroplasto [Do gr. *cheiróplastos.*] *S. m.* Aparelho que, adaptado ao teclado do piano, guia o movimento dos dedos, facilitando, assim, o estudo desse instrumento.

quiropodia [Do gr. *cheiropódes*, ou, 'que tem rachaduras nos pés', + *-ia*¹.] *S. f. Med. Impr.* V. *podiatria*.

quiropódico [De *quiropodia* + *-ico*².] *Adj.* Relativo a quiropodia.

quiropodista [De *quiropodia* + *-ista.*] *S. 2 g.* Especialista em quiropodia.

quiroprática [De *quir(o)-* + *prática*; ingl. *chiropractic.*] *S. f. Terap.* Sistema terapêutico que, partindo do pressuposto de que as doenças resultam de disfunção nervosa, procuram corrigi-las por manipulação, e por outros cuidados, de estruturas [v. *estrutura* (12)] do corpo, esp. da coluna vertebral; quiropraxia.

quiroprático [De *quiroprática*, com var. suf. (v. *-ico*²).] *Adj.* **1.** Relativo a quiroprática. ● *S. m.* **2.** Profissional que exerce a quiroprática.

quiropraxia (cs) [De *quir(o)-* + *-prax(i)-* + *-ia*¹.] *S. f. Terap.* Quiroprática.

quiróptero [De *quir(o)-* + *-ptero*; tax. *Chiroptera.*] *Zool. S. m.* **1.** Espécime dos quirópteros, ordem de mamíferos noturnos, providos de patágio, e de uropatágio, que prende total ou parcialmente a cauda, e com membros anteriores e dedos, em número de dois a cinco, muito alongados. São os morcegos, os únicos mamíferos com a capacidade natural de voar. ● *Adj.* **2.** Pertencente ou relativo a eles.

quiropterofilia [De *quiróptero* + *-filia.*] *S. f. Bot.* Polinização efetuada pelos morcegos, como, p. ex., em algumas andiras [v. *andira* (1)] do Amazonas.

quiropterofílico [De *quiropterofilia* + *-ico*².] *Adj. Bot.* Relativo a quiropterofilia, ou a quiropterófilo.

quiropterófilo [De *quiróptero* + *-filo*².] *Adj. S. m.* Diz-se de, ou vegetal polinizado por quiropterofilia.

quiroscopia [De *quir(o)-* + *-scop-* + *-ia*¹.] *S. f.* Quiromancia.

quiroscópico [De *quiroscopia* + *-ico*².] *Adj.* Relativo a quiroscopia.

quirostrobácea [Do tax. *Cheirostrobus* + *-ácea*; tax. *Cheirostrobaceae.*] *S. f. Paleont.* Espécime das quirostrobáceas, família de pteridófitos que se constitui apenas do gênero *Cheirostrobus*, fóssil do período carbonífero inferior. [F. menos pref.: *queirostrobácea*.]

quirostrobáceo [De *quirostrobácea*, com var. suf. (v. *-áceo*).] *Adj. Paleont.* Pertencente ou relativo às quirostrobáceas. [F. menos pref.: *queirostrobáceo*.]

quiroxilográfico [De *quir(o)-* + *xilográfico.*] *Adj.* Diz-se das antigas estampas xilográficas que traziam o texto manuscrito.

quiruá *S. m. Bras. Zool.* V. *crejuá*.

➔ **quisling** ['kwɪzlɪŋ] [Do antr. norueguês (*L. V. A.) Quisling* (1887-1945), chefe do governo da Noruega solidário aos nazistas, e que foi executado após a derrota alemã.] *S. m.* Chefe de governo de títeres, a soldo do inimigo; traidor.

quissângua [Do quimb. e do umb.] *S. f. Angol.* Bebida fermentada, feita de farinha de milho: 📖 "tem sempre um prato de pirão para repartir, cabaça de quissângua e esteira para quem chegue" (Raul David, *Colonizados e Colonizadores*, p. 138).

quissanje [Do quimb.] *S. m. Angol. Mús.* Instrumento de música idiófono, constituído duma pequena tábua na qual estão fixadas várias palhetas metálicas que se fazem vibrar com os polegares: 📖 "doar esta manhã de fantasia / a um quissanje mais leve / para um vento de fogo / dedilhar" (Manuel Rui, *Cinco Vezes Onze*, p. 19).

quissoco [Do quimb.] *Angol. S. m.* **1.** Pacto de amizade e de solidariedade estabelecido entre duas pessoas, ou entre duas famílias, e que permite uma grande liberdade de comportamento recíproco: 📖 "logo arrebatou o cigarro da boca da Sofia — com todo o direito de quissoco que lhe assistia, a ela Donana dia Xonge, que até, se fossem a ver bem as coisas, ela vinha a ser sua tia" (Manuel Pedro Pacavira, *Gentes do Mato*, p. 174). ● *S. 2 g.* **2.** Pessoa ligada por um quissoco (1): 📖 "As quissocos, ao mesmo tempo que ouviam este diálogo, fartavam-se de disparatar o Kienda" (Uanhenga Xitu, *Maka na Senzala (Mafuta)*, p. 25).

quissonde [Do quimb. e do umbundu.] *S. m. Angol.* Grande formiga preta ou avermelhada, e munida de ferrões: 📖 "carreiros de quissonde / caminhos de gente // se perdendo e encontrando / na lonjura de um olhar" (Arlindo Barbeitos, *Nzoji (Sonho)*, p. 29).

quisto¹ [Do gr. *kýstis*, 'bexiga', 'vesícula', pelo fr. *kyste.*] *S. m. Patol. Impr.* V. *cisto*.

quisto² [Do lat. *quaesitu, quaestu*, part. pass. de *quaerere*, 'procurar'.] *Adj. Desus.* Querido, amado: 📖 "Aspiro a uma imortalidade mais nobre ....: a ascensão ao seio quisto de Deus" (Pᵉ Júlio de Albuquerque, *Alma das Catedrais*, p. IX). [V. *benquisto* e *malquisto*.]

quitação [De *quitar* + *-ção.*] *S. f.* **1.** Ato ou efeito de quitar(-se). **2.** Documento escrito em que o credor declara o devedor liberado da obrigação por lhe haver pago a quantia devida. **3.** Recibo de pagamento.

quitado [Part. de *quitar.*] *Adj.* Quite² (1).

quitador (ô) [De *quitar* + *-dor.*] *Adj. S. m.* Que, ou aquele que quita.

quitaiaiú *Bras. S. 2 g.* **1.** *Etnôn.* Indivíduo dos quitaiaiús, povo indígena extinto que habitava a região próxima ao rio Poti (PI). ● *Adj. 2 g.* **2.** Pertencente ou relativo a esse povo. [Tb. us. como *s. 2 g. e 2 n.* (com cap.) e *adj. 2 g. e 2 n.*]

quitanda [Do quimb. *kitanda*, 'feira', 'venda'.] *S. f.* **1.** *Angol. Bras.* Loja ou local onde se faz comércio. **2.** *Angol. Bras.* Pequena mercearia; tenda. **3.** *Angol. Bras.* Lojinha ambulante. **4.** *Bras.* Tabuleiro com gêneros e mercadorias dos vendedores ambulantes. **5.** *Bras.* Pastelaria caseira: 📖 "tomar café com quitanda às duas da tarde, jantar às cinco" (Caio de Freitas, *Intrusos no Paraíso*, p. 5). **6.** *Bras. RJ* Pequeno estabelecimento onde se vendem frutas, legumes, ovos, cereais, etc. [Sin. (nesta acepç.), no RS: *mercadinho*.] **7.** *Bras. MG S. C.O.* Biscoitos, bolos e doces expostos em tabuleiro. ◆ **Ter quitanda.** *Bras. SP Pop.* Ter saúde e/ou posição social.

quitanda das iaôs *S. f. Bras. Rel.* V. *panã*¹. [Pl.: *quitandas das iaôs*.] ☑

quitandar [De *quitanda* + *-ar*².] *V. int. Bras.* Exercer a profissão de quitandeiro.

quitandê [Do quimb. *kitande.*] *S. m. Bras.* Feijão miúdo e verde que, descascado à unha, se emprega em sopas e outras iguarias.

quitandeira [De *quitanda* + *-eira.*] *S. f. Bras.* **1.** Mulher que negocia em quitanda. **2.** Mulher do quitandeiro. **3.** Regateira (3).

quitandeiro [De *quitanda* + *-eiro.*] *S. m. Bras.* **1.** Dono de quitanda. **2.** Negociante ou caixeiro que trabalha em quitanda (1 a 3 e 6). **3.** Vendedor ambulante de hortaliças; verdureiro. **4.** Aquele que faz quitandas [v. *quitanda* (5 e 7)].

quitandinhense *Adj. 2 g.* **1.** De, ou pertencente ou relativo a Quitandinha (PR). ● *S. 2 g.* **2.** O natural ou habitante de Quitandinha.

quitão [Do gr. *chitón*, 'túnica'.] *S. m. Vest.* Túnica leve us. pelos antigos gregos, feita a partir de um retângulo de tecido dobrado no terço superior, enrolado ao corpo, preso nos ombros, aberto nas laterais e amarrado na cintura, e que criava, assim, um efeito drapeado. [Var. *quíton*.]

quitar [Relacionado ao lat. *quietus*, mas por via controv.; poss. do lat. med. *quitare*, alter. do lat. *quietare*, ou do fr. *quitter.*] *V. t. d.* **1.** Remitir a dívida a; tornar quite; desobrigar do que devia dar ou fazer, ou de pena ou satisfação: 📄 *Antes de morrer, quitou os seus devedores.* **2.** Poupar, evitar: 📄 *Era desejo seu quitar as dívidas.* **3.** Separar-se de; perder; deixar: 📄 *Perdoou aos inimigos antes de quitar a vida.* **4.** Destituir de; tirar. **5.** Separar-se de ou desquitar-se de: 📄 *Quitou o marido. T. d. e i.* **6.** Tornar quite; desobrigar: 📄 *Quitou-o do compromisso.* **7.** Impedir, tolher, vedar. *T. i.* **8.** Ser dispensado; não ter necessidade de: 📄 *Vocês quitam de criar-me problemas. P.* **9.** Desembaraçar-se, livrar-se: 📄 *quitar-se de uma obrigação.* **10.** Separar-se, desquitar-se: 📖 "a intenção de D. Fernando era quitar-se de Leonor Teles" (Antero de Figueiredo, *Leonor Teles*, p. 91).

quitata [Do quimb.] *S. f. Angol.* Prostituta: 📖 "Essa menina feiosa / que estava cheia de desejo / agora virou quitata" (Antônio Jacinto, *Poemas*, p. 32).

quitchibá [Do forro².] *S. m. Santom.* V. *banana* (1): 📖 "Nada é teu / Que era teu: / Nem um quitchibá / Nem filha / Nem mulher!" (Marcelo da Veiga, *O Canto do Ossôbó*, p. 226.)

quite¹ [Do fr. *quitte.*] *S. m. Bras. RS* Floreio de espada.

quite² [Part. irreg. de *quitar.*] *Adj. 2 g.* **1.** Que saldou as suas contas; livre de dívida; desobrigado, quitado: 📄 *Está quite com a maioria de seus credores*; 📖 "Somadas umas cousas e outras, qualquer pessoa imaginará que não houve míngua nem sobra, e conseguintemente que saí quite com a vida." (Machado de Assis, *Memórias Póstumas de Brás Cubas*, pp. 381-382). **2.** Livre, desembaraçado: 📖 "Por minha parte, já quase quite da velha paixoneta, achei-me a considerar tudo aquilo muito estranho" (Vergílio Godinho, *Não Há Nada Mais Simples*, p. 207). **3.** Igualmente pago; igualado: 📄 *Estamos quites.*

quitenho [Do esp. *quiteño.*] *Adj.* **1.** De, ou pertencente ou relativo a Quito, capital do Equador. ● *S. m.* **2.** O natural ou habitante de Quito.

quiterianopolense *Adj. 2 g.* **1.** De, ou pertencente ou relativo a Quiterianópolis (CE). ● *S. 2 g.* **2.** O natural ou habitante de Quiterianópolis.

quiteriense¹ *Adj. 2 g.* **1.** De, ou pertencente ou relativo a Santa Quitéria (CE). ● *S. 2 g.* **2.** O natural ou habitante de Santa Quitéria.

quiteriense² *Adj. 2 g.* **1.** De, ou pertencente ou relativo a Santa Quitéria do Maranhão (MA). ● *S. 2 g.* **2.** O natural ou habitante de Santa Quitéria do Maranhão.

quiti *S. m. Bras. PI* V. *cacete* (1).

quitina [De *quit(o)-* + *-ina*³.] *S. f. Zool.* Substância que reveste os animais artrópodes em geral. Quimicamente, é um polissacarídeo aminado. Plástica a princípio, torna-se espessa e rígida, formando um exosqueleto, como ocorre nos insetos e crustáceos, aracnídeos e miriápodes. Nos crustáceos apresenta-se impregnada de um revestimento contínuo e rígido de sais calcários, de modo que, para que possam crescer, sofrem periodicamente ecdises, quando a quitina se desprende totalmente, sendo substituída por nova camada, que então se forma.

quitinete (né) *S. f.* V. *kitchenette*.

quitinizado [Part. de *quitinizar.*] *Adj.* Revestido de quitina.

quitinizar [De *quitina* + *-izar.*] *V. t. d.* Revestir de quitina.

quitinoso (ô) [De *quitina* + *-oso.*] *Adj.* Referente à, ou que tem quitina.

▲ **quit(o)-** [Do gr. *chitṓn, ônos*, 'túnica'.] *El. comp.* = 'membrana ou película que envolve': *quitina, quitoptose*. [Equiv.: *-quiton-*: *acantoquitonino*.]

quitoco (ô) [Do quimb.] *S. m. Bras. L. S. Bot.* Erva asterácea (*Pluchea quitoc*) ruderal, de folhas moles e pilosas, e notável pelo aroma das partes quando esmagadas. [Sin.: *tabacarana* e (em MG) *caculucage*.]

▲ **-quiton-** Equiv. de *quit(o)-*.

quíton¹ *S. m.* V. *quitão*. [Pl.: *quítons* e (p. us. no Brasil) *quítones*.]

quíton² [Do tax. *Chiton.*] *S. m. Zool.* **1.** Grande gênero de moluscos marinhos, quitonídeos, cuja concha é formada de placas articuladas. Mede cerca de 5cm e habita rochedos litorâneos. **2.** Espécie ou espécime desse gênero. [Sin., nesta acepç.: *chitão*.]

quitonídeo [Do tax. *Chitonidae.*] *Zool. S. m.* **1.** Espécime dos quitonídeos, família de moluscos marinhos, anfineuros, poliplacóforos, cuja concha é formada por placas imbricadas; são destituídos de olhos, e habitam rochedos litorâneos. Surgiram no cambriano superior. ● *Adj.* **2.** Pertencente ou relativo a eles.

quitoptose [De *quit(o)-* + *-ptose.*] *S. f. Gin.* Prolapso vaginal.

quitoto [Do quimb.] *S. m. Angol.* Bebida fermentada feita de farinha de milho: 📖 "Em Luanda, a cola, o gengibre e o quitoto, representam o mais delicado mimo para se oferecer a uma visita." (Óscar Ribas, *Missosso*, vol. II, p. 82.)

quitundense *Adj. 2 g.* 1. De, ou pertencente ou relativo a São Luís do Quitunde (AL). • *S. 2 g.* 2. O natural ou habitante de São Luís do Quitunde.

quitungo [Do quimb. *kitungu*.] *S. m. Bras.* Espécie de condessa[2].

quituta [Do quimb.] *S. 2 g. Angol.* V. *quianda*: "Acreditas que o quituta mora ali, ou ele mesmo é aquela árvore?" (José Luandino Vieira, *Lourentinho, Dona Antónia de Sousa Neto & Eu*, p. 67.) [Com cap.]

quitute [Do quimb. *kitutu*, 'indigestão'.] *S. m.* 1. *Angol. Bras.* V. *petisco* (1). 2. *Bras. Fig.* Meiguices, carinhos, quindins.

quituteiro [De *quitute* + *-eiro*.] *Adj.* 1. Relativo a quitutes: *Tem bom paladar quituteiro.* 2. Diz-se daquele que prepara quitutes. • *S. m.* 3. Aquele que sabe prepará-los.

quiuí [Do ingl. *kiwi (fruit)*, *kiwi (berry)*.] *S. m. Bot.* 1. Trepadeira actinidiácea (*Actinidia deliciosa*) originária do S.E. da Ásia, de frutos bacáceos, com casca marrom, fina e pilosa, polpa verde e suculenta, com sementes pequeninas. 2. Esse fruto.

quivi [Do ingl. *kiwi*, de or. maori.] *S. m.* 1. *Zool.* Ave apterigiforme, apterigídea, da Nova Zelândia, com três espécies reunidas num único gênero (*Apteryx*). Suas asas, muito curtas, escondidas, apresentam penugem em vez de penas. Macho e fêmea de cor castanho-ferruginosa. 2. *Bot.* V. *quiuí*.

quixaba [De or. indígena, poss.] *S. f. Bras.* 1. O fruto da quixabeira. 2. *Bot.* Quixabeira.

quixabeira [De *quixaba* + *-eira*.] *S. f. Bras. N.E.* Arvoreta sapotácea (*Bumelia sartorum*) lactescente, muito difundida na caatinga, e que tem folhas pequenas e numerosos espinhos robustos. O gado, na época da seca, come-lhe folhas e frutos. [Sin.: *rompe-gibão*.]

quixabeirense *Adj. 2 g.* 1. De, ou pertencente ou relativo a Quixabeira (BA). • *S. 2 g.* 2. O natural ou habitante de Quixabeira.

quixabense *Adj. 2 g.* 1. De, ou pertencente ou relativo a Quixabá (PB e PE). • *S. 2 g.* 2. O natural ou habitante de Quixabá.

quixadaense (âen) *Adj. 2 g.* 1. De, ou pertencente ou relativo a Quixadá (CE). • *S. 2 g.* 2. O natural ou habitante de Quixadá.

quixelô *Bras. S. 2 g.* 1. *Etnôn.* Indivíduo dos quixelôs, povo indígena extinto que habitava a margem esquerda do rio Jaguaribe (CE). • *Adj. 2 g.* 2. Pertencente ou relativo a esse povo. [Tb. us. como *s. 2 g. e 2 n.* (com cap.) e *adj. 2 g. e 2 n.*]

quixeloense (ôen) *Adj. 2 g.* 1. De, ou pertencente ou relativo a Quixelô (CE). • *S. 2 g.* 2. O natural ou habitante de Quixelô.

quixeramobiense *Adj. 2 g. S. 2 g.* V. *quixeramobinense*.

quixeramobinense *Adj. 2 g.* 1. De, ou pertencente ou relativo a Quixeramobim (CE). • *S. 2 g.* 2. O natural ou habitante de Quixeramobim. [Sin. ger.: *quixeramobiense*.]

quixereense (èen) *Adj. 2 g.* 1. De, ou pertencente ou relativo a Quixeré (CE). • *S. 2 g.* 2. O natural ou habitante de Quixeré.

quixexeu *Bras. S. 2 g.* 1. *Etnôn.* Indivíduo dos quixexeus, povo indígena extinto que habitava a margem esquerda do rio Jaguaribe (CE). • *Adj. 2 g.* 2. Pertencente ou relativo a esse povo. [Tb. us. como *s. 2 g. e 2 n.* (com cap.) e *adj. 2 g. e 2 n.*]

quixibá [De or. afric.] *S. f. Bot. Santom.* V. *banana-roxa*.

quixiligangue *S. m. Bras. Pop.* V. *ninharia*.

quixipá [Do forro[2].] *S. m. Santom.* Cabana feita de bambus e coberta de andalas: "há luzes, muitas luzes / nos quixipás sombrios..." (Alda Espírito Santo, *É Nosso o Solo Sagrado da Terra*, p. 78).

quixiúna *S. f. Bras. Bot.* V. *criciúma*.

quixó [Do tapuio, poss.] *S. m. Bras. N.E.* Armadilha com que se apanham preás, mocós, etc.: "armar quixós e mondés na capoeira com o fim de apanhar preás para a menina." (Franklin Távora, *O Cabeleira*, p. 108).

quixotada [De *quixote* + *-ada*[1].] *S. f.* 1. V. *fanfarrice*. 2. Ato ou dito de ingênuo ou sonhador. [Sin. ger.: *quixotice*.]

quixote *S. m.* 1. Aquele que procede como D. Quixote (v. *quixotismo*), que ingenuamente se mete em questões que não lhe dizem respeito e, por via de regra, se sai mal. 2. Indivíduo ingênuo, romântico, sonhador. [Sin. ger.: *dom-quixote*.]

quixotesco (ê) [Do ficciôn. *Quixote* + *-esco*.] *Adj.* 1. Relativo a D. Quixote (v. *quixotismo*). 2. Relativo a, ou próprio de quixote, ou que envolve quixotada. 3. Ingênuo, romântico, sonhador. 4. Que se envolve em trapalhadas. [Sin. ger.: *quixótico*.]

quixotice [De *quixote* + *-ice*.] *S. f.* V. *quixotada*.

quixótico [De *quixote* + *-ico*[2].] *Adj.* Quixotesco.

quixotismo [Do ficciôn. *Quixote* + *-ismo*.] *S. m.* 1. Modos e hábitos próprios de D. Quixote, personagem da obra *Dom Quixote de la Mancha*, de Cervantes (v. *cervantesco*), herói romanesco, idealista, sempre em busca de aventuras fantásticas. 2. Sentir e proceder quixotesco. 3. Romantismo, aventureirismo ou cavalheirismo exagerado. 4. V. *fanfarrice*. [Sin. ger.: *dom-quixotismo*.]

quizaca [Do quimb.] *S. f. Angol. Cul.* Esparregado de folhas de mandioqueira: "[Provérbio] Como quizaca na delicadeza, não quero galinha na desconsideração. | Antes viver na pobreza sossegadamente, que na grandeza com ofensas." (Óscar Ribas, *Missosso*, vol. II, p. 191.)

quizila [Var. de *quijila* < quimb. *kijila*, 'preceito', 'mandamento', 'regra'.] *S. f.* 1. Repugnância, antipatia. 2. Aborrecimento, impaciência, chateação. 3. Desavença, zanga, inimizade, desinteligência. 4. Rixa, briga, pendência. [Var.: *quizília*.]

quizilar [De *quizila* + *-ar*[2].] *V. t. d.* 1. Fazer quizila a; importunar, aborrecer, zangar. *Int. P.* 2. Incomodar-se, aborrecer-se, irritar-se, zangar-se. [F. paral.: *enquizilar*.]

quiziliento [De *quizila* + *-ento*.] *Adj.* 1. Que faz quizila. 2. Propenso a quizilar-se.

quizília *S. f.* V. *quizila*.

quizomba [Do quimb. *kizomba*, 'divertimento'; 'dança'.] *S. f. Angol.* Dança muito movimentada: "Os costumes dessas músicas estavam a entrar no ritmo das quizombas." (Arnaldo Santos, *O Cesto de Katandu e Outros Contos*, p. 22.)

quizumba[1] *S. f. Bras. RJ Gír.* V. *rolo*[1] (16).

quizumba[2] [Do macua.] *S. f. Moç.* Hiena: "estavam uns contra os outros — na bala e no sangue —, as quizumbas, pisando leve, cheirando entre mil odores a carne apodrecida." (Ascêncio de Freitas, *Carmem Era o Nome*, p. 44).

quociente [Do lat. **quotiente* < adv. lat. *quotiens*, 'quantas vezes', tratado como adj.] *S. m. Mat.* Quantidade resultante da divisão de uma quantidade por outra. [Var.: *cociente*.] ◆ **Quociente de inteligência.** *Psicol.* Proporção entre a inteligência de um indivíduo, determinada de acordo com alguma medida mental, e a inteligência normal ou média para sua idade; coeficiente de inteligência. [Entre as diversas maneiras de calcular esta proporção, a mais comum é a da idade mental dividida pela idade cronológica. Considera-se, de ordinário, que a debilidade mental começa com o índice abaixo de *70*; e a inteligência superior, acima de *130*. Sigla: *Q. I.*]

→ **quorum** ['kworum] [Lat.] *S. m.* V. *quórum*. ❄

quórum [Do lat. *quorum*, '(o número) dos quais (é necessário)'.] *S. m.* Número mínimo de pessoas presentes exigido por lei ou estatuto para que um órgão coletivo funcione.

quota [Do lat. *quota*, 'de, ou em que número' (subentendendo-se 'parte').] *S. f.* Cota[2].

quotalício *Adj.* Cotalício.

quota-parte *S. f.* Cota-parte. [Pl.: *quotas-partes*.]

quotidade [De *quota*, por *quota-parte*, + *-(i)dade*.] *S. f.* Cotidade.

quotidianidade [De *quotidiano* + *-(i)dade*.] *S. f.* Cotidianidade.

quotidiano [Do lat. *quotidianu*.] *Adj. S. m.* V. *cotidiano*: "Passados os dias de festejos tradicionais, a vida de Mazagão voltava à sua monotonia quotidiana." (Raul Bopp, *Putirum*, p. 202.)

quotiliquê *S. m.* V. *quetilquê*. [Cf. *cutiliquê*.]

quotista *Adj. 2 g. S. 2 g.* Cotista.

quotização *S. f.* Cotização.

quotizar *V. t. d. P.* Cotizar.

quotizável *Adj. 2 g.* Cotizável.

■ **qwerty** Denominação de tipo usual de teclado de máquina de escrever ou de computador, no qual as letras *q, w, e, r, t* e *y* estão na primeira linha, à esquerda, da parte alfabética.

Minúscula Moderna	Maiúscula Moderna	Minúscula Carolíngia	Romano	Romano	Etrusco	Grego	Grego	Fenício
r	R	r	R	R	9	P	9	9

A paixão pela língua portuguesa não se limitava à forma escrita. Quer em palestras ou conferências, quer lecionando,

a língua e a literatura eram sempre tratadas de maneira prática e viva.

r (érre ou rê) *S. m.* **1.** A 18ª letra do nosso alfabeto. [Representa uma consoante vibrante múltipla (foneticamente realizada como uma fricativa velar surda ou glotal) quando grafada em início de sílaba em que não ocupa posição intervocálica, ou quando duplicada (*-rr-*), ou ainda quando está em final de sílaba: *ramo, israelita, arredio, amar*. Representa uma vibrante alveolar simples quando grafada entre duas vogais, ou quando se apresenta como segundo elemento de grupo consonantal: *dicionário, livro.*] **2.** A figura dessa letra, ou qualquer representação sua: *No questionário escrito, cada resposta vinha assinalada com um R.* **3.** Som representado por essa letra. ● *Num.* **4.** Décimo sétimo, numa série ordenada ou hierárquica cujos elementos são designados ou representados pelas letras do alfabeto, sem considerar o *k* como 11º elemento: *lote R* (ou *lote r*). **5.** Décimo oitavo, numa série em que a letra *k* designa ou representa o 11º elemento. [Pl. (nas acepçs. 1 a 3) indicado graficamente pela duplicação da letra: *rr.*]

■ **r 1.** Abrev. de *rua*. [Tb. se usa *R.*] **2.** *Geom.* Abrev. de *raio* (10 e 11).

■ **R 1.** Abrev. de *marca registrada*. [Ger. escrita no interior de um círculo, formando o símb. (r).] **2.** *Eletr.* Símb. de *resistência elétrica*. **3.** *Fís.* Símb. de *roentgen*. **4.** *Fís.* Símb. de *constante dos gases perfeitos*. **5.** *Fís.* Símb. de *Réaumur*, indicando a escala termométrica de uma medida de temperatura (v. *escala Réaumur*). **6.** *Mat.* Símb. do conjunto dos números reais (v. *número real*). **7.** *Quím.* Símb. genérico usual para grupo hidrocarbônico, esp. alquila. **8.** *Quím.* Us. com referência a moléculas quirais que contêm estereocentro que porta quatro substituintes diferentes (S_1, S_2, S_3 e S_4), como designação de uma das duas configurações absolutas possíveis: aquela em que, estando o substituinte de menor prioridade (S_4) voltado para longe do observador, o sentido do percurso S_1-S_2-S_3 é o sentido horário. [A atribuição da designação *R* ou *S* (v. ■ *S* [7]) a outros tipos de moléculas quirais — como certos alenos, espiro-compostos, etc. — emprega outras convenções.] [Us. com valor de adj., posposto a um substantivo: *enantiômero R.*] [Opõe-se a *S* (v. ■ *S* [7]).]

■ **°R** Símb. de *grau Réaumur*.

▲ **R-** *Quím. El. comp.* Forma nomes de compostos que são enantiômeros do tipo R [v. ■ *R*]. [Tb. us. entre parênteses: *(R)-*.]

▲ **-r-** Consoante de ligação: *araçareiro* (q. v.).

■ **Ra** *Quím.* Símb. de *rádio*[2].

rã [Do lat. *rana.*] *S. f.* **1.** *Zool.* Anfíbio anuro, ranídeo, gênero *Rana*, de larga distribuição geográfica. **2.** *Zool.* Anfíbio anuro, ranídeo (*Rana palmipes*), ocorrente desde o México até o rio São Francisco e paralelo 10º. A coloração vai do verde-oliváceo ao pardo, com manchas na parte posterior e nas pernas dianteiras. É comestível e mede até 9cm de comprimento. [Sin., nesta acepç.: *rã-verdadeira.*] **3.** *Zool.* Designação comum aos anuros de pele lisa que, após o início de sua evolução na água, conservam vida aquática, vivendo à beira dos lagos, pantanais ou rios. No Brasil recebem tal nome os anuros do gênero *Leptodactilus*. [Sin., nesta acepç., em GO: *caçote*. Cf. *jia*.] **4.** *Cul.* Iguaria feita com coxas de rã.

rababe [Do ár. *rabāb.*] *S. m. Mús.* Instrumento musical oriental de uma ou duas cordas friccionáveis com arco muito curto, e tampo de pele, e que talvez seja o mais antigo dos instrumentos de arco. [Var.: *rebabe*. Cf. *arrabil*.]

rabaça [Do lat. *rapacia.*] *S. f.* **1.** *Bot.* Erva apiácea (*Sium nodiflorum*) grande, nativa da Europa, que tem folhas partidas com segmentos denteados, flores alvas pequenas e dispostas em umbelas compostas, terminais e laterais, e fruto ovoide e comprimido. **2.** *Fig.* Pessoa desengraçada.

rabaçã [Var. de *arribação.*] *S. f. Bras. Zool.* V. *avoante*.

rabaçal[1] [De *rabaça* + *-al*[1].] *S. m.* Grande quantidade de pés de rabaça dispostos proximamente entre si.

rabaçal[2] [Do top. *Rabaçal* (Portugal).] *Adj. S. m.* Diz-se de, ou certo tipo de queijo português.

rabaceiro [De *rabaça* + *-eiro.*] *Adj. Prov. port.* **1.** Que come e bebe muito. **2.** Que gosta de rabaça e de frutas verdes.

rabacuada [De *rabo.*] *S. f. Bras. SP* V. *ralé* (1).

rabacué [De *rabo.*] *Adj. 2 g. Bras. SP* Reles, ordinário, desprezível.

rabada [De *rabo* + *-ada*[1].] *S. f.* **1.** V. *rabadilha* (1). **2.** Rabo de boi, de porco ou de vitela, sem pele nem pelos, para uso na alimentação humana. **3.** *Cul.* Iguaria preparada com rabada (2). **4.** Rabicho (1). **5.** *Fig.* O(s) último(s), numa corrida, fila, etc.; rabeira.

rabadão [Do ár. *rabbaḍ-dān'n*, 'dono de carneiros'.] *S. m.* **1.** Indivíduo que guarda gado miúdo. **2.** Maioral de pastores. **3.** Pastor subordinado ao maioral, mas de quem depende o zagal. [Pl.: *rabadães.*]

rabadela [De *rabada* + *-ela.*] *S. f.* V. *rabadilha*.

rabadilha [De *rabada* + *-ilha.*] *S. f.* **1.** A parte posterior do corpo das aves, peixes e mamíferos; rabada, rabadela. **2.** A porção do peixe que o pescador destina a seu próprio consumo em vez de vender; rabadela.

rabado [De *rabo* + *-ado*[1].] *Adj.* Que tem rabo ou cauda; caudato.

rabalde *S. m.* V. *arrabalde*.

rabalvo [De *rabo* + *alvo.*] *Adj.* Que tem o rabo branco; rabialvo. [Antôn.: *rabipreto.*]

rabanada[1] [De *rábano* + *-ada*[1].] *S. f. Cul.* Fatia de pão que se frita depois de embebida em água com açúcar ou com leite e passada em ovos batidos; fatia de parida, fatia-dourada, mãe-parida.

rabanada[2] [Por **rabadada*, com dissimilação.] *S. f.* **1.** Golpe com o rabo: "Enormes pirarucus vinham .... gozar a fresca da tarde, aspirando com delícia em grandes rabanadas a brisa do Amazonas." (Inglês de Sousa, *O Missionário*, p. 244.) **2.** *Fig.* V. *rajada*[1] (1): "O mestre e a equipagem desgalgaram-se aos trancos, ... sofrendo as rabanadas do sul que os açoitava de frente." (Xavier Marques, *Jana e Joel*, p. 18.) **3.** *Fam.* Gesto brusco, arrebatado, de irritação ou desdém: *Falei-lhe com todo o carinho, e ela me deu uma rabanada.* **4.** *Bras.* V. *rebolado* (2). **5.** *Bras. Gír.* V. *rasteira* (1).

rabanal [De *rábano* + *-al*[1].] *S. m.* Quantidade mais ou menos considerável de pés de rábano dispostos proximamente entre si.

rabanete (ê) [De *rábano* + *-ete* (ê).] *S. m. Bot.* **1.** Planta brassicácea (*Raphanus sativus*) de folhas denteadas, com flores brancas a vermelhas em racemos terminais, e raiz carnosa, comestível. Há numerosas variedades com raízes brancas, vermelhas ou pretas, de formas e tamanhos diferentes. **2.** *P. ext.* A raiz, comestível, do rabanete.

rábano [Do gr. *rháphanos*, pelo lat. *raphanu.*] *S. m. Bot.* **1.** Designação comum a várias plantas bassicáceas, e a suas inúmeras cultivares, ger. com raízes, folhas e frutos comestíveis. **2.** A raiz dessas plantas. [Var.: *rábão.*]

rábano-bastardo *S. m. Bot.* V. *raiz-forte*. [Pl.: *rábanos-bastardos.*]

rábano-picante *S. m. Bot.* V. *raiz-forte*. [Pl.: *rábanos-picantes.*]

rábano-rústico *S. m. Bot.* V. *raiz-forte*. [Pl.: *rábanos-rústicos.*]

rabão [De *rabo.*] *Adj.* **1.** Que tem o rabo cortado ou curto. **2.** *Bras. S.* Que ficou curto. ● *S. m.* **3.** *Gír.* V. *diabo* (2). [Fem.: *rabona*. Cf. *rábão*.]

rábão *S. m. Bot.* V. *rábano*. [Pl.: *rábãos*. Cf. *rabão*.]

rabavento [De *rabo* + *a*[4] + *vento.*] *Adj.* Que vai ao sabor da direção do vento (voo de ave).

rabaz [Var. de *rapace.*] *Adj. 2 g. P. us.* Que arrebata ou tira com violência. V. *rapace* (1).

rabditídio [Do tax. *Rhabditis* + *-ídio*[1]; tax. *Rhabditida.*] *Zool. S. m.* **1.** Espécime dos rabditídios, ordem de asquelmintos, nematódeos, fasmídeos, cujo esôfago é dividido em três regiões, sobretudo nas larvas. Neles se inclui a maioria dos nematódeos parasitos de vertebrados e também de vida livre. ● *Adj.* **2.** Pertencente ou relativo a eles.

▲ **rabd(o)-** [Do gr. *rhabdo-* < gr. *rhábdos, ou.*] ***El. comp.*** = 'vara'[1]: *rabdologia, rabdomante.*

rabdocélio [De *rabd(o)-* + *-célio*; tax. *Rhabdocoela.*] *Zool.* ***S. m.*** **1.** Espécime dos rabdocélios, ordem de platelmintos, turbelários, providos de tubo digestivo reto, com um a dois nefrídios, e de coloração pálida. Medem até 15mm de comprimento, e são aquáticos, com algumas espécies comensais ou parasitas. ● ***Adj.*** **2.** Pertencente ou relativo a eles.

rabdoide (ói) [Do gr. *rhabdoeidés.*] ***Adj. 2 g.*** Semelhante a uma varinha; rabdóideo. ❖

rabdóideo ***Adj.*** Rabdoide.

rabdologia [De *rabd(o)-* + *-logia.*] ***S. f.*** Método de calcular com pauzinhos nos quais se acham gravados os números simples.

rabdológico [De *rabdologia* + *-ico*[2].] ***Adj.*** Referente a rabdologia.

rabdólogo [De *rabd(o)-* + *-logo.*] ***S. m.*** Perito em rabdologia.

rabdomancia (cí) [Do gr. *rhabdomanteía.*] ***S. f.*** Adivinhação por meio de varinha mágica; rabdoscopia.

rabdomante [De *rabd(o)-* + *-mante.*] ***S. 2 g.*** Pessoa que pratica a rabdomancia.

rabdomântico ***Adj.*** Relativo a rabdomancia, ou a rabdomante; rabdoscópico.

rabdopleurídio [De *rabd(o)-* + *-pleur(o)-* + *-ídio*[1]; tax. *Rhabdopleurida.*] *Zool.* ***S. m.*** **1.** Espécime dos rabdopleurídios, ordem de cordados, hemicordados, pterobrânquios, coloniais. O corpo apresenta lofóforo com dois ramos e uma gônada, e é desprovido de fendas branquiais; o esqueleto é formado por um sistema de tubos quitinosos, ramificados irregularmente, em que se notam faixas transversais originadas pelo crescimento. Surgiram no cretáceo, com várias espécies atuais persistentes. ● ***Adj.*** **2.** Pertencente ou relativo a eles.

rabdoscopia [De *rabd(o)-* + *-scop-* + *-ia*[1].] ***S. f.*** Rabdomancia.

rabdoscópico [De *rabdoscopia* + *-ico*[2].] ***Adj.*** Referente a rabdoscopia; rabdomântico.

rabeador (ô) [De *rabear* + *-dor.*] ***Adj.*** Que rabeia.

rabeadura [De *rabear* + *-dura.*] ***S. f.*** Ato de rabear; rabeio.

rabear [De *rabo* + *-ear*[2].] ***V. int.*** **1.** Mexer ou bulir com o rabo ou cauda: 📄 *O cão rabeava lambendo o seu dono.* **2.** Fazer movimentos semelhantes aos do animal que rabeia: 📖 "As altas chamas enoveladas afastam-se, chofram-se, investem furentes, rabeiam, baralhando-se" (Gustavo Barroso, *Terra de Sol*, p. 17). **3.** Estar inquieto ou incomodado; não parar; mexer-se: 📄 *Rabeou aflito durante a espera.* **4.** Rebolar(-se), saracotear-se. **5.** *Mar.* Mover a popa horizontalmente por motivo de alteração de rumo, ou, quando fundeado, pela ação do vento ou corrente. **6.** *Bras. Autom.* Derrapar (o automóvel) nas rodas traseiras. ***T. i.*** **7.** Prestar obséquios baixos; fazer adulações vis: 📄 *Passou a vida rabeando aos ricos, e morreu na miséria.* ***T. d.*** **8.** Dirigir (a charrua, ou o arado) segurando-os pela rabiça. ***T. d. e i.*** **9.** Volver ou dirigir de esguelha: 📄 *O policial rabeava os olhos para a cena suspeita.* [Conjug.: v. *frear.* Cf. *rabiar.*]

rabeca [Do ár. *rabāb*, pelo fr. ant. *rebec* ou pelo provenç. ant. *rebec.*] ***S. f.*** **1.** *Mús.* Designação antiquada do violino. [F. paral.: *rebeca*; var.: *arrabeca.*] **2.** Utensílio de ferreiro, que serve para fazer girar a broca; sanfona. **3.** *Lus.* V. *fancho.* **4.** *Bras. Mús.* Espécie de violino usado em danças brasileiras como o fandango paranaense, com três ou quatro cordas de tripa ou aço e sonoridade fanhosa, que se toca apoiando-se na altura do coração ou no ombro esquerdo, mas sempre com a voluta para baixo. **5.** *Tip.* Componedor amplo, ordinariamente de madeira, próprio para os tipos de grande corpo usados em cartazes, etc. **6.** *Bras. Zool.* Peixe actinopterígio, siluriforme, aspredinídeo (*Platystacus cotylephorus*), da Amaz. e Guianas, de dorso plúmbeo, abdome claro, e cerca de 22cm de comprimento. Noctívago, alimenta-se de vermes, larvas, crustáceos e insetos. **7.** *Bras. Zool.* Peixe actinopterígio, siluriforme, aspredinídeo (*Bunocephalus coracoideus*), da Amaz. [Cf. *rebeca* e o antr. *Rebeca.*]

rabecada [De *rabeca* + *-ada.*] ***S. f.*** **1.** Ato ou efeito de tocar rabeca. **2.** *Fig.* V. *repreensão* (1). **3.** Maledicência, difamação, murmuração.

rabecão [De *rabeca* + *-ão*[1].] ***S. m.*** **1.** *Pop.* Contrabaixo (1). **2.** O tocador desse instrumento. **3.** *Bras.* Carro para transporte de cadáveres. ◆ **Rabecão pequeno.** *Pop.* O violoncelo.

rabeio [Dev. de *rabear.*] ***S. m.*** **1.** Rabeadura. **2.** *Mar.* Movimento da popa no sentido horizontal, quando o navio muda de rumo.

rabeira [De *rabo* + *-eira.*] ***S. f.*** **1.** V. *vestígio* (2). **2.** Restos que sobram do grão depois de joeirado; pragana, moinha. **3.** Cauda de vestido. **4.** Lama ou sujeira na parte inferior dos vestidos. **5.** Rabada (5). **6.** *Bras. Prov. port.* A parte traseira de um veículo.

rabeiro [De *rabo* + *-eira.*] ***Adj.*** *Surf.* Surfista que está sempre entrando numa onda que já está ocupada por outro surfista.

rabejador (ô) [De *rabejar* + *-dor.*] ***Adj. S. m.*** Que, ou aquele que rabeja.

rabejar [De *rabo* + *-ejar.*] ***V. t. d.*** **1.** *Taur.* Segurar (um touro) pelo rabo. ***Int.*** **2.** Roçar com a cauda do vestido pelo chão, andando. [Conjug.: v. *pelejar.*]

rabelaisiano (lè) ***Adj.*** **1.** Pertencente ou relativo a François Rabelais (1494-1553), escritor renascentista francês ou próprio dele. **2.** Que lembra o gênero de Rabelais. **3.** *Fig.* Mordaz, picante, satírico. **4.** *Fig.* Libertino, devasso, licencioso.

rabelo (ê) [De *rabo* + *-elo.* (ê)] ***S. m.*** **1.** Rabiça (1). **2.** Corda para segurar a rabiça. **3.** *Lus.* Barco à vela usado no rio Douro para transportar vinho em pipas.

rabequeiro ***S. m.*** *Bras. N.E. Mús.* V. *rabequista*: 📖 "Antônio [Carlos] Nóbrega, que se define 'rabequeiro, dançarino e cantador', estreia terça, no Rio, *Sol a pino*, dedicado a Câmara Cascudo." (*Jornal do Brasil*, 31.10.1998.)

rabequista [De *rabeca* + *-ista.*] ***S. 2 g.*** *Mús.* Pessoa que toca rabeca; violinista; rabequeiro. ◆ **Metido a rabequista.** *Bras. Fam.* Diz-se de indivíduo saliente, intrometido, namorador, que se mete em cavalarias altas, em camisa de onze varas. [Aplica-se, em particular, ao garoto ou rapazinho com fumaças de homem feito.]

rabi[1] [Do hebr. *rabbi*, tratamento respeitoso, equivalente a 'meu senhor, meu mestre'.] ***S. m.*** Rabino[1].

rabi[2] [Do ár.] ***S. m.*** *Cronol.* **1.** O terceiro mês do calendário muçulmano, de 30 dias (tb. designado *rabi I*). **2.** O quarto mês do calendário muçulmano, de 29 dias (tb. designado *rabi II*).

rabi[3] [De *rabicó*, com apócope.] ***Adj. 2 g.*** *Bras. SP* V. *suru* (1).

rábia [Do lat. *rabia.*] ***S. f.*** V. *raiva* (1). [Cf. *rabia*, do v. *rabiar.*]

rabialvo [De *rabo* + *-i-* + *alvo.*] ***Adj.*** Rabalvo (q. v.).

rabiar [De *rábia* + *-ar*[2].] ***V. int.*** **1.** Perder a paciência; impacientar-se. **2.** Enfurecer-se, irar-se, zangar-se, quizilar-se, raivar: 📄 *Quando soube da reprovação, rabiou, e foi um deus nos acuda.* [Pres. ind.: *rabio, rabias, rabia*, etc. Cf. *rábia* e *rabear.*]

rabiça [De *rabo* + *-iça.*] ***S. f.*** **1.** Braço ou guidão do arado, destinado ao manejo desse utensílio: 📖 "pegar penosamente à rabiça dum arado de ferro, e i-lo empurrando desde a alva ao crepúsculo, ... é labor doloroso" (Eça de Queirós, *Notas Contemporâneas*, p. 157). **2.** Lugar proeminente na parte traseira da albarda (1).

rabiçaca [De *rabo.*] ***S. f.*** *Bras. N.E.* **1.** Empurrão, repelão, empuxão. **2.** Salto que os peixes de pequeno porte dão fora da água.

rabicano ***Adj.*** *Bras. RS* Rabicão (q. v.).

rabicão [Var. de *rabicano* < esp. plat. *rabicano.*] ***Adj.*** *Bras. RS* Diz-se do equídeo que tem o rabo entremeado de fios brancos. [Pl.: *rabicãos.*]

rabicha [De *rabicho.*] ***S. f.*** *Bras. MG* Corrente ou tira de couro para pendurar os caldeirões sobre a trempe, nas casas pobres.

rabicho [De *rabo* + *-icho.*] ***S. m.*** **1.** Pequena trança de cabelo que pende da nuca; rabada. **2.** Correia dos arreios da cavalgadura que passa por sob a cauda e se prende à sela; retranca, atafal. **3.** *Lus.* Cabo da almanjarra (2). **4.** *Marinh.* Trabalho de embotijamento feito no chicote de um cabo para embelezá-lo, ou para impedir que desacoche, ou, ainda, para tornar mais fácil gorni-lo num poleame. [Os tipos mais comuns são: *rabicho de rabo de raposa* e *rabicho de rabo de cavalo.*] **5.** *Bras. Pop.* Amor, paixão. **6.** *Bras. S.* Reforço que consiste em prender a parte superior de um poste ou de um mourão com fios de arame que se ligam a uma estaca ou pedra, solidamente cravada na terra. ● ***Adj.*** **7.** Diz-se do touro sem pelo na extremidade da cauda.

rabichola [De *rabicho* + *-ola*[1].] ***S. f.*** *Bras. N.E.* Tira larga de couro que prende a cangalha e passa por detrás do animal para impedir que, nas descidas, a albarda escorregue. ◆ **Cagar na rabichola.** *Chulo* Fugir a compromissos assumidos; faltar ao prometido; falhar.

rabicó [De *rabo.*] ***Adj. 2 g.*** *Bras. MG SP* V. *suru* (1).

rábico [De *rábia* + *-ico*[2].] ***Adj.*** Respeitante à rábia ou hidrofobia.

rabicurto [De *rabo* + *-i-* + *curto.*] ***Adj.*** *Zool.* Que tem cauda curta. [Antôn.: *rabilongo.*]

rabidante [De *rabidar* + *-nte.*] ***S. 2 g.*** *Cabo-verd.* Indivíduo que rabida, revende.

rabidar [De or. obsc.] ***V. t. d. Int.*** *Cabo-verd.* Tornar a vender; revender.

rábido [Do lat. *rabidu.*] ***Adj.*** V. *raivoso* (2): 📖 "Rábido o sol uivasse, uivasse o norte, / Chamejasse o verão, nevoasse o inverno, / Imutável no todo, augusto e forte. // O mesmo eu via! Era só ele eterno!" (Alberto de Oliveira, *Poesias*, 3ª série, p. 294.)

rabifurcado [De *rabo* + *bifurcado*, com haplologia.] ***Adj.*** *Zool.* Cuja cauda é bifurcada.

rabigo [De *rabo.*] ***Adj.*** **1.** Que mexe muito com a cauda. **2.** *Fig.* Que se mexe muito; irrequieto, buliçoso. **3.** Ativo, diligente.

rabil ***S. m.*** *Mús.* V. *arrabil*: 📖 "Música — uns finos, leves arruídos, / Flébeis violinos, flautins, rabis" (Alberto de Oliveira, *Lírica*, p. 95).

rabilhão [De *rabo* + *-ilh(o)-* + *-ão*[1].] ***S. m.*** *Bras. Zool.* V. *matraca* (7).

rabilinha [De *rabo* + *-i-* + *linha.*] ***S. f.*** *Bras. RJ* Rabiola (1).

rabilonga [F. subst. de *rabilongo.*] ***S. f.*** *Bras. Zool.* V. *alma-de-gato* (1).

rabilongo [De *rabo* + *-i-* + *longo.*] ***Adj.*** *Zool.* Que tem rabo comprido. [Antôn.: *rabicurto.*]

rabinado [De *rabino*[1] + *-ado*[2].] ***S. m.*** Dignidade ou funções de rabino[1].

rabinice [De *rabino*[2] + *-ice.*] ***S. f.*** **1.** Qualidade ou ato de rabino[2]; travessura. **2.** Teima, teimosia, obstinação. **3.** Impertinência, rabugem, rabugice.

rabínico [De *rabino*[1] + *-ico*[2].] ***Adj.*** Relativo ou pertencente aos rabinos (v. *rabino*[1]).

rabinismo [De *rabino*[1] + *-ismo.*] ***S. m.*** A doutrina dos rabinos (v. *rabino*) e seu estudo.

rabinizar [De *rabino*[1] + *-izar.*] ***V. int.*** Consagrar-se a estudos rabínicos.

rabino[1] [Do lat. med. *rabbinu*, do aramaico *rabin*, pl. de *rabb*, 'mestre', que sob a forma com suf. possessivo *rabbi*, 'meu mestre', é fonte de *rabi*[1].] ***S. m.*** **1.** Doutor da lei judaica. **2.** Sacerdote do culto judaico. [Sin. ger.: *arabi.*]

rabino[2] [De *rabo* + *-ino*[1], poss.] ***Adj.*** Travesso, traquinas, inquieto, irrequieto, buliçoso.

rabiola [De *rabo* + *-i-* + *-ola*[1].] ***S. f.*** *Bras. RJ* **1.** Rabo de papagaio de papel; rabilinha. **2.** Papagaio que tem rabo desse tipo.

rabioso (ô) [Do lat. *rabiosu.*] ***Adj.*** V. *raivoso* (2): 📖 "Vi então o que é uma mulher rabiosa...: não há maneia nem buçal que sujeite: é pior que homem!..." (Simões Lopes Neto, *Contos Gauchescos e Lendas do Sul*, p. 136.)

rabiosque [De *rabo.*] ***S. m.*** *Pop.* V. *nádegas.*

rabioste [De *rabo.*] ***S. m.*** *Pop.* V. *nádegas.*

rabiote [De *rabo* + *-i-* + *-ote*[1].] ***S. m.*** *Pop.* V. *nádegas.*

rabipreto (ê) [De *rabo* + *-i-* + *preto.*] ***Adj.*** *Zool.* Que tem cauda preta. [Antôn.: *rabalvo.*]

rabirruivo [De *rabo* + *-i-* + *ruivo.*] ***Adj.*** *Zool.* Que tem cauda ruiva.

rabiscador (ô) [De *rabiscar* + *-dor.*] ***Adj.*** **1.** Que rabisca; rabiscante. ● ***S. m.*** **2.** Aquele que rabisca. **3.** *Deprec.* V. *escrevinhador.*

rabiscadura [De *rabiscar* + *-dura.*] ***S. f.*** **1.** Ato ou efeito de rabiscar. **2.** Escrito ligeiro, superficial: 📖 "Estas minhas interessantes viagens hão de ser uma obra-prima .... . Preciso de o dizer ao leitor, para que ele .... não cuide que são quaisquer dessas rabiscaduras da moda" (Almeida Garrett, *Viagens na Minha Terra*, p. 14).

rabiscante [De *rabiscar* + *-nte.*] ***Adj. 2 g.*** Rabiscador (1).

rabiscar [De *rabisco* + *-ar*[2], ou de *rabo* + *-iscar.*] ***V. int.*** **1.** Fazer rabiscos ou garatujas; entreter-se a fazer traços ao acaso: 📄 *Enquanto a professora dava a aula, o aluno, distraído, rabiscava.* **2.** Escrever de modo ininteligível; traçar as letras mal. ***T. d.*** **3.** Cobrir de rabiscos; fazer rabiscos em: 📖 "Rabiscava umas tantas folhas de papel" (Rebelo da Silva, *Contos e Lendas*, p. 10). [Sin., pop. nesta acepç.: *borriscar.*] **4.** Escrever às pressas; escrevinhar: 📖 "Não me seria possível rabiscar uma página sobre todas as grandezas vistas de fora. A União Soviética é para mim completamente diversa." (Graciliano Ramos, *Viagem*, p. 12); 📄 *Rabiscou um bilhete, enquanto o portador esperava.* [Conjug.: v. *trancar.*]

rabisco [De *rabo* + *-isco*[1], ou dev. de *rabiscar*, poss.] ***S. m.*** **1.** Risco tortuoso, maltraçado; garatuja. **2.** V. *garatuja* (2). ~ V. *rabiscos.*

rabiscos [Pl. de *rabisco.*] ***S. m. pl.*** **1.** Letras malfeitas. **2.** Trecho escrito sem capricho e/ou às pressas. ~ V. *rabisco.*

rabisseco (ê) [De *rabo* + *-i-* + *seco.*] ***Adj.*** Que não dá fruto; estéril, sáfaro.

rabisteco [De *rabo.*] ***S. m.*** *Fam.* V. *nádegas.*

rabistel [De rabo.] ***S. m.*** *Fam.* V. *nádegas.* [Pl.: *rabistéis.*]

rabo [Do lat. *rapu*, 'nabo'.] ***S. m.*** **1.** Cauda (1 e 2). **2.** *Restr.* O prolongamento da coluna vertebral de certos mamíferos; cauda. **3.** Cabo de certos utensílios ou instrumentos de trabalho: 📄 *o rabo da enxada.* **4.** *Pop.* Cauda (6): 📄 *o rabo de um foguete.* **5.** *Chulo* As nádegas, ou o ânus. **6.** *Bras. Fam.* As abas da casaca ou do fraque. **7.** V. *rabo da cachoeira.* ◆ **Rabo da cachoeira.** A parte inferior da queda-d'água, quando separada da superior, denominada *cabeça* (27) (q. v.), por um trecho mais ou menos longo não encachoeirado; cauda. [Tb. se diz apenas *rabo*.] **Chegar o rabo à ratoeira.** *Fam.* Entregar os pontos. **Com o rabo do(s) olho(s).** De esguelha, de lado, de viés. **Crescer como rabo de cavalo.** *Bras. Fam. Irôn.* Decrescer, declinar, decair: *A inteligência dele crescer como rabo de cavalo.* **Dar ao rabo.** Agitá-lo, andando. **Dar com o rabo na cerca.** *Bras. Pop.* V. *morrer* (1). **Dar rabo ao nambu.** *Bras.* Dar que falar; motivar a maledicência. **Encher o rabo.** *Chulo* Encher-se, fartar-se, empanturrar-se. **Fugir com o rabo à seringa.** V. *tirar o cu da reta.* **Meter o rabo entre as pernas.** *Bras. Pop.* Encolher-se, calar, com medo ou por não ter razão. "– Olha o valentão! ... Meteu o rabo entre as pernas!... Cabra frouxo!..." (Domingos Olímpio, *Luzia-Homem*, p. 38.) **Pegar em rabo de foguete.** *Bras. Fam.* Assumir compromisso difícil de cumprir; responsabilizar-se por coisa perigosa ou complicada; segurar em rabo de foguete. **Pegar no rabo da tirana.** *Bras. MG Pop.* Trabalhar com a enxada. **Pregar rabo em nambu.** *Bras.* Dar importância a quem não a merece; responder a quem não é digno de resposta. **Segurar em rabo de foguete.** *Bras. Fam.* Pegar em rabo de foguete. **Ter o rabo preso.** *Bras.* Estar comprometido com fatos, situações, etc., ilegais ou reprováveis, ou com pessoas envolvidas em tais fatos ou situações, etc.: "Quantos, nestes tempos de tanta promiscuidade entre o 'público' e o 'privado', não têm o rabo preso num negócio, num emprego, num partido, num 'encosto' qualquer." (Fernando Pedreira, *O Quebra-Cabeças*, p. 51.)

rabo-aberto *S. m. Bras. Zool.* Peixe actinopterígio, perciforme, lutjanídeo (*Ocyurus chrysurus*), distribuído da Flórida ao RJ, dorso violáceo-esverdeado, abdome róseo, uma faixa amarelo-dourada do focinho até o pedúnculo, e todas as nadadeiras amarelo-douradas. Tem a nadadeira caudal escamosa, bifurcada e aberta, o que lhe valeu o nome popular. [Sin.: *cioba-mulata, caúba, saúba.* Pl.: *rabos-abertos.*]

rabo-de-arara *S. m. Bras. Amaz. Bot.* **1.** Arvoreta ou arbusto rubiáceo (*Warzewiczia coccinea*) da floresta pluvial, que se caracteriza por possuir nas flores uma sépala muito maior do que as outras e de cor vermelho-viva, o que lhe confere belo efeito ornamental. **2.** V. *fava-de-bolota* (1). [Pl.: *rabos-de-arara.*]

rabo de arraia *S. m.* **1.** *Bras. RJ Cap. Ant.* Golpe traumatizante em que o capoeirista gira o corpo sobre a cabeça e procura atingir, com os calcanhares, a cabeça do adversário. **2.** *Bras. Cap.* Golpe traumatizante em que o jogador gira com o tronco baixo em grande velocidade e levanta uma das pernas em semicircunferência para atingir o adversário, no tronco ou na cabeça, com o calcanhar. **3.** *Bras. N.E.* Cavalo de pau (3). [Pl.: *rabos de arraia.*] ◆ **Rabo de arraia amarrado.** *Bras. Cap.* Rabo de arraia aplicado com um só pé, quando o capoeirista tem o outro pé seguro pelo adversário, o que lhe dá mais um ponto de apoio além do das mãos. ☑

rabo-de-bugio *S. m. Bras. Bot.* Cipó combretáceo (*Combretum aubletii*) frequentemente cultivado como ornamental em jardins, cujas flores são de bonita cor vermelha e se agrupam compactamente em inflorescências que lembram, pela forma, uma escova. [Pl.: *rabos-de-bugio.*]

rabo-de-burro *S. m. Bras. Bot.* Variedade de capim. [Pl.: *rabos-de-burro.*]

rabo-de-camaleão *S. m. Bras. Bot.* Nome comum a várias mimosáceas do gênero *Mimosa* (v. *mimosa*[1]), como, p. ex., a *Mimosa myriadena*, a *M. paniculata* e a *M. sagotiana*. [Pl.: *rabos-de-camaleão.*]

rabo de cavalo *S. m. Bras.* Penteado em que se atam os cabelos na parte posterior da cabeça, deixando-os cair como a cauda de um cavalo. [Pl.: *rabos de cavalo.*] ☑ notas 1 e 2

rabo-de-cavalo *S. m. Bras. Bot.* V. *cavalinha* (1). [Pl.: *rabos-de-cavalo.*]

rabo-de-couro *S. m. Bras. N.E. Zool.* V. *ratazana* (2). [Pl.: *rabos-de-couro.*]

rabo-de-cutia *S. m. Bras. Bot.* Arbusto asteráceo (*Stifftia chrysantha*) muito ornamental em virtude dos grandes capítulos dourados, e cujas flores são excepcionalmente desenvolvidas para a família a que ele pertence. [Pl.: *rabos-de-cutia.*]

rabo-de-escrivão *S. m. Zool.* V. *alma-de-gato* (1). [Pl.: *rabos-de-escrivão.*]

rabo-de-foguete *S. m. Bras. Bot.* V. *malvaísco* (3). [Pl.: *rabos-de-foguete.*]

rabo de galo [De *rabo de galo*[1], para trad. o ingl. *cocktail*, 'coquetel'.] *S. m. Bras.* **1.** *Pop.* Aperitivo feito com aguardente e um pouco de vermute. **2.** *Pop.* Mistura de gasolina com álcool, na proporção de meio a meio. **3.** *RJ Gír.* Navalhada sinuosa; gilvaz. **4.** *N.E. Pop.* Grande faca; facão. [Pl.: *rabos de galo.*] ☑ notas 1 e 2

rabo-de-galo *S. m. Bras. Bot.* V. *flor-da-imperatriz.* [Pl.: *rabos-de-galo.*]

rabo de gato *S. m.* **1.** *Bras.* Laranja de qualidade ruim. **2.** *Bras.* Cavalo que não é de raça. **3.** *Bras. RJ* Goiabada com queijo. [Pl.: *rabos de gato.*] ☑

rabo-de-macaco *S. m. Bras. Bot.* V. *crista-de-peru.* [Pl.: *rabos-de-macaco.*]

rabo de maré *S. m. Bras. PA* Espécie de pororoca que se observa da costa do PA até Caiena (Guiana Francesa). [Pl.: *rabos de maré.*] ☑

rabo-de-osso *S. m. Bras. GO Zool.* V. *jararaca-pintada.* [Pl.: *rabos-de-osso.*]

rabo de palha *S. m. Bras.* Mácula na reputação, ou qualquer defeito moral pelo qual se possa vir a ser censurado: "— Mas vai começar a dizer cobras e lagartos de mim, vou cair na rua da amargura. | — E você tem rabo de palha?" (M. Cavalcanti Proença, *Manuscrito Holandês*, p. 255.) [Pl.: *rabos de palha.*] ☑ notas 1 e 2

rabo-de-palha *S. m.* **1.** *Bras. Zool.* Ave pelicaniforme, faetontídea, de coloração branca, com ligeiros tons róseos, dorso com ondulações pretas, uma linha preta ligando o olho ao bico e às barbas externas das rêmiges, bico vermelho, 40cm de corpo e 60cm de cauda. **2.** *Zool.* Ave pelicaniforme, faetontídea, de coloração branca, com ligeiros tons róseos, dorso com ondulações pretas, uma linha preta ligando o olho ao bico e às barbas externas das rêmiges, bico vermelho, 40cm de corpo e 60cm de cauda. [Pl.: *rabos-de-palha.*] **3.** *Zool.* V. *alma-de-gato* (1). [Pl.: *rabos-de-palha.*]

rabo de peixe *S. m. Bras.* Automóvel de luxo que tinha os para-lamas traseiros muito altos, lembrando a nadadeira caudal dos peixes. [Pl.: *rabos de peixe.*] ☑

rabo-de-raposa *S. m. Bras. Bot.* V. *crista-de-peru.* [Pl.: *rabos-de-raposa.*]

rabo de rato *S. m. Bras.* Cordão fino na união de duas partes de tecido costuradas, usado para dar relevo. [Pl.: *rabos de rato.*] ☑ notas 1 e 2

rabo-de-rato [De *rabo* + *de* + *rato*[1].] *S. m. Bras. Bot.* Planta cactácea (*Rhipsalis myosurus*) herbácea e epifítica, constituída de ramos verdes e sem folhas, e cujas flores e frutos são pequeninos e isolados. [Pl.: *rabos-de-rato.*]

rabo de saia *S. m.* **1.** *Bras. Fam.* Mulher (1): *Vive atrás de rabos de saia*; "— Esse menino é mesmo que o pai por um rabo de saia; É um agarrado com aquela professora..." (Adalberon Cavalcanti Lins, *Curral Novo*, p. 246). **2.** *Bras. CE* Diabinho (2). [Pl.: *rabos de saia.*] ☑

rabo de tatu *S. m. Bras.* Rebenque feito de couro trançado: "O tenente Galinha deu ordem pra meterem o rabo de tatu no preso, que apanhou até correr sangue." (Francisco Marins, *... e a Porteira Bateu!*, p. 157.) [Pl.: *rabos de tatu.*] ☑ notas 1 e 2

rabo-de-tatu *S. m. Bras. Bot.* **1.** Planta orquidácea (*Cyrtopodium punctatum*). **2.** V. *sumaré.* [Pl.: *rabos-de-tatu.*]

rabo-de-tesoira *S. m. Bras. Zool.* V. *rabo-de-tesoura.* [Pl.: *rabos-de-tesoira.*]

rabo-de-tesoura [De *rabo* + *de* + *tesoura*; var. de *rabo-de-tesoira.*] *S. m. Bras. Zool.* V. *lacraia.* [Pl.: *rabos-de-tesoura.*]

rabo-de-tucano *S. m. Bras. Bot.* Congonheiro. [Pl.: *rabos-de-tucano.*]

rabo de vaca *S. m. Bras. Fut. Obsol.* Drible em que o jogador descreve um semicírculo com a bola junto ao pé. [Pl.: *rabos de vaca.*] ☑

rabo-forcado *S. m. Zool.* V. *alcatraz*[1]. [Pl.: *rabos-forcados.*]

rabo-leva [De *rabo* + 3ª pess. sing. do pres. ind. de *levar.*] *S. m. 2 n.* Tira de papel ou de pano que, por brincadeira, se põe, disfarçadamente, nas costas de alguém, para depois zombar dessa pessoa.

rabona *Adj. (f.)* **1.** Fem. de *rabão* (1 e 2). • *S. f.* **2.** Fraque de abas curtas: "espigado, magríssimo e pernudo, com uma rabona curta de lustrina" (Eça de Queirós, *A Relíquia*, pp. 93-94). **3.** *Bras.* Mulher de soldado.

rabonar [De *rabão* + *-ar*[2], seg. o padrão erudito.] *V. t. d.* **1.** *Bras. S.* Cortar a cauda ou rabo de (o animal). **2.** Passar adiante de (animal perseguido na carreira). [Cf. *rabunar.*]

rabo-quente *S. m.* **1.** *Bras. Pop. Desus.* Automóvel com motor na traseira. [Aplicava-se particularmente ao antigo *Renault* pequeno.] **2.** *Bras. PR* V. *ebulidor.* [Pl.: *rabos-quentes.*]

rabo-seco [De *rabo* + *seco.*] *S. m. Bras. Zool.* V. *pescada-branca* (1). [Pl.: *rabos-secos.*]

raboso (ô) [De *rabo* + *-oso.*] *Adj.* Rabudo (1).

rabotar [De *rabote* + *-ar*[2].] *V. t. d.* Alisar ou limpar com o rabote.

rabote [Do fr. *rabot.*] *S. m.* Grande plaina de carpinteiro. [Var.: *rebote.*]

rabo-torto *S. m. Bras. PA MA Zool.* V. *escorpião* (1). [Pl.: *rabos-tortos.*]

rabo-vermelho *S. m. Bras. Zool.* V. *tubarana* (1). [Pl.: *rabos-vermelhos.*]

rabudo [De *rabo* + *-udo.*] *Adj.* **1.** Que tem cauda ou rabo grande; raboso. **2.** Diz-se de vestido de grande cauda: "Três ou quatro senhoras expõem com suficiência vestidos longos, rabudos e decotados" (Graciliano Ramos, *Viagem*, p. 40). **3.** *Bras. SP Pop.* Cruel, malvado, perverso. • *S. m.* **4.** *Bras. Pop.* V. *diabo* (2). **5.** *Bras. MG* Armadilha para peixes em rios e riachos. **6.** *Bras.* Mamífero roedor, equimiídeo (*Cercomys cunicularius apereoides*), do O. de MG, de coloração em tons de preto e ocráceo, dando um aspecto geral cinéreo-escuro, superfície ventral branca, a cauda muito longa, com pelos relativamente grandes, pretos em cima e brancos embaixo; rato-boiadeiro.

rabugem [Do lat. **rubugine*, por *robigine* ou *rubigine*, 'ferrugem', 'crosta'.] *S. f.* **1.** Doença de cães, semelhante à sarna. **2.** *Fig.* V. *rabugice* (1). **3.** Mau humor; arrufo, amuo, calundu. **4.** *Bras.* Madeira difícil para trabalhar. [Cf. *rabujem*, do v. *rabujar.*]

rabugento [De *rabug(em)* + *-ento.*] *Adj.* **1.** Que tem rabugem. **2.** *Fig.* Que se queixa de tudo, reclama contra tudo; rabuja, ranzinza, ranheta.

rabugice [De *rabug(em)* + *-ice.*] *S. f.* **1.** Qualidade ou modos de rabugento; impertinência, rabugem. **2.** Mau humor permanente de pessoa rabugenta, ranzinza: *rabugice de velho.* [Sin. ger.: *rabuja.*]

rabuja [Dev. de *rabujar.*] *Bras. Fam. Adj. 2 g.* **1.** V. *rabugento* (2). • *S. 2 g.* **2.** V. *rabugice.*

rabujado [Part. de *rabujar.*] *Adj.* Dito por entre os dentes, de mau humor.

rabujar [De *rabugem* + *-ar*[2].] *V. int.* **1.** Ser ou mostrar-se rabugento, impertinente, importuno. **2.** Teimar e choramingar (principalmente crianças): *O menino rabujou porque lhe negaram a gulodice.* **3.** Ralhar ou zangar-se continuamente: *Ainda não tem 20 anos, e leva o tempo a rabujar.* [Pres. subj.: *rabuje, rabujes, ... rabujem.* Cf. *rabugem.*]

rábula [Do lat. *rabula.*] *S. m.* **1.** Advogado de limitada cultura e chicaneiro; leguleio, pegas. **2.** Indivíduo que fala muito, mas não conclui nem prova nada. **3.** *Bras.* Indivíduo que advoga sem possuir o diploma. **4.** *Lus. Cin. Teatr. Telev.* Pequeno papel (em ger., desempenhado por extras). **5.** *Lus. Rád.* Esquete. [Cf. *rabula*, do v. *rabular.*]

rabulão [De *rábula* + *-ão*[1].] *S. m.* **1.** Grande rábula. **2.** Fanfarrão, gabola(s).

rabular [De *rábula* + *-ar*[2].] *V. int.* **1.** Agir como rábula; proferir ou praticar rabulices. **2.** *Bras.* Advogar na condição de rábula. [Sin. ger.: *rabulejar, rabulear.* Pres. ind.: *rabulo, rabulas, rabula*, etc.; fut. pret.: *rabularia, rabularias, rabularia*, etc. Cf. *rábula, rabularia*, s. m., e pl. *rabularias.*]

rabularia [De *rábula* + *-aria.*] *S. f.* **1.** V. *fanfarrice* (2). **2.** Palavrório que nada prova nem conclui; rabulice. [Cf. *rabularia* e *rabularias*, do v. *rabular.*]

rabulear [De *rábula* + *-ear*[2].] *V. int.* V. *rabular.* [Conjug.: v. *frear.*]

rabulejar [De *rábula* + *-ejar.*] *V. int. Bras.* V. *rabular*: "tinha de sair para o interior rabulejando e fazendo dívidas em falta de que fazer." (Cornélio Pires, *Quem Conta um Conto...*, p. 225). [Conjug.: v. *pelejar.*]

rabulice [De *rábula* + *-ice.*] *S. f.* **1.** Ato ou dito de rábula (1); chicana. **2.** Rabularia (2).

rabulista [De *rábula* + *-ista.*] *Adj. 2 g. S. 2 g.* Que, ou quem é dado a rabulices; chicaneiro: *advogado rabulista; É um conhecido rabulista.*

rabunar *V. t. d.* Preparar (a cortiça) para fazer as rolhas. [Cf. *rabonar.*]

raca [Do semítico.] *S. m.* Termo injurioso empregado no Evangelho de S. Mateus. Significação primitiva: 'vazio', 'chocho' ou 'conspurcado'.

raça[1] [Do it. *razza.*] *S. f.* **1.** Conjunto de indivíduos cujos caracteres somáticos, tais como a cor da pele, a conformação do crânio e do rosto, o tipo de cabelo, etc., são semelhantes e se transmitem por hereditariedade, embora variem de indivíduo para indivíduo. **2.** *Restr. Antrop.* Cada uma das grandes subdivisões da espécie humana, e que supostamente constitui uma unidade relativamente separada e distinta, com características biológicas e organização genética próprias. [Diversos autores, seguindo critérios distintos de classificação, propuseram diferentes classificações da humanidade em termos raciais. A mais básica e difundida é a das três grandes subdivisões: caucasoide (raça "branca"), negroide (raça "negra") e mongoloide (raça "amarela"). Como conceito antropológico, sofreu numerosas e fortes críticas, pois a diversidade genética da humanidade parece apresentar-se num contínuo, e não com uma distribuição em grupos isoláveis, e as explicações que recorrem à noção de raça não respondem satisfatoriamente às questões colocadas pelas variações culturais.] **3.** O conjunto dos ascendentes e descendentes de uma família, uma tribo ou um povo, que se origina de um tronco comum. **4.** Ascendência,

R

origem, estirpe, casta. **5.** Descendência, progênie, geração. **6.** O conjunto dos indivíduos com origem étnica, linguística ou social comum: *A América recebeu, pela imigração, europeus de diferentes raças.* **7.** Geração; gente: *Os sertanejos são uma raça forte.* **8.** Qualidade que se supõe própria de uma origem ilustre, como, p. ex., a distinção, a elegância, a coragem, o vigor. **9.** Categoria, classe, espécie: *Uma raça de motoristas imprudentes infestava a cidade.* **10.** Vontade firme, poderosa; grande determinação: "Fluminense vence com raça e coração" (Marcos Penido e Michel Laurence, em *Jornal do Brasil*, 07.03.1983). **11.** Subespécie animal resultante do cruzamento de indivíduos selecionados pelo homem para manutenção ou aprimoramento de determinados caracteres. [Aplica-se especialmente aos animais domésticos.] ◆ **Acabar com a raça de.** *Bras. Pop.* Matar, assassinar. **Na raça.** *Bras. Gír.* V. *no peito e na raça.* **Ter raça.** *Bras.* **1.** Ter ascendência africana. **2.** Ser forte, lutador, bravo, brioso.

raça² [Alter. de *racha.*] *S. f.* Fenda nos cascos das bestas.

rã-cachorro *S. f. Bras. Zool.* Animal anfíbio (*Megaëlosia bufonia*), anuro, muito comum no RJ. Apresenta dimorfismo sexual, sendo a fêmea, com 9cm de comprimento, o dobro do macho. Cor verdoenga, com manchas negras; girinos muito grandes; habita os rios, e seu nome decorre da presença de uma lâmina dentada. [Pl.: *rãs-cachorros* e *rãs-cachorro.*]

raçador (ô) [De **raçar* (*raça¹ -ar²*) + *-dor.*] *Adj. S. m.* Diz-se do, ou o animal reprodutor que, graças à pureza da ascendência, melhora o rebanho.

ração [Do lat. *ratione*, 'medida'.] *S. f.* **1.** O alimento necessário para manter em boas condições de funcionamento o organismo humano ou animal, durante um certo período. **2.** Quantidade de alimento calculada para uma refeição duma pessoa. **3.** A porção de alimento que deve cobrir as necessidades de manutenção de um animal, e assegurar sua eficiência em termos econômicos. **4.** Porção de alimento, ou de bens essenciais de consumo, que cabe a um indivíduo ou a um grupo, em circunstâncias excepcionais. **5.** *P. ext.* Alimento para animais. ● *S. m.* **6.** *Bras. BA Folcl.* Uma das personagens do fandango (10).

➔ **raccord** [ʁaˈkɔʁ] [Fr.] *S. m. Cin.* Continuidade entre os elementos que integram um plano e aqueles dos planos seguintes, dentro de uma mesma sequência.

racear [De *raça¹* + *-ear²*.] *V. t. d.* Apurar a raça (11) de; arraçar. [Conjug.: v. *frear.*]

racemado [De *racemo* + *-ado¹*.] *Adj. Bot.* Que tem disposição em racemo (2).

▲ **racemi-** [Do lat. *racemi-* < lat. *racēmus, i.*] *El. comp.* = 'cacho': *racemifloro, racemiforme* (< lat.).

racémico *Adj. S. m.* V. *racêmico.* [Uso freq. em P.]

racêmico [De *racemo* + *-ico²*.] *Adj.* **1.** Pertencente ou relativo a racemo. **2.** *Quím.* Próprio de, ou constituído por partes iguais dos dois enantiômeros de uma substância quiral. ● *S. m. Quím.* **3.** Substância racêmica; mistura racêmica.

racemífero [De *racemi-* + *-fero.*] *Adj. Poét.* Que tem ou produz cachos.

racemifloro [De *racemi-* + *-floro.*] *Adj. Bot.* Que tem flores distribuídas em racemo (2).

racemiforme [De *racemi-* + *-forme.*] *Adj. 2 g. Bot.* Em forma de racemo: *cimeira racemiforme.*

racemização [De **racemizar* (*racêmico* [2 e 3] *-izar*, seg. o padrão erudito) + *-ção.*] *S. f.* Transformação duma substância opticamente ativa na forma racêmica inativa.

racemo [Do lat. *racemu.*] *S. m.* **1.** Cacho de uvas. **2.** *Bot.* Tipo de inflorescência correspondente a cachos, ou constituído de um eixo indefinido sobre o qual se inserem flores pediceladas. Constitui o protótipo das inflorescências ditas *racemosas.* [F. paral.: *racimo* (q. v.).]

racemoso (ô) [Do lat. *racemosu.*] *Adj.* Que tem cachos ou aparência de cacho.

racha [Dev. de *rachar.*] *S. f.* **1.** Abertura de coisa rachada; rachadura, rachão, fenda, greta. **2.** *P. us.* Lasca, estilha; estilhaço. **3.** *Fam.* Pequena porção; migalha. **4.** *Chulo* A vulva. "O guerreiro que segurava a minha mãe, jogou-a no chão e se enfiou dentro da racha dela." (Ana Maria Gonçalves, *Um Defeito de Cor*, p. 23.) **5.** *Bras. Pop.* Partilha entre dois ou mais pessoas. **6.** *Bras. Pop.* Dissensão, rompimento. ● *S. m.* **7.** *Bras. RJ* Pelada² (1), em geral violenta. **8.** *Bras. Gír.* Pega¹ (11): "o 34º Batalhão de Trânsito da PM prendeu sete homens em flagrante praticando racha na Marginal Pinheiros, em São Paulo." (Juliana Coissi, em *Folha de S.Paulo*, 27.08.2008). [Cf. *raxa.*]

rachada [De *rachar* + *-ada¹*.] *S. f.* **1.** *Bras. RJ* Bordoada, pancada, paulada, cacetada. **2.** *Bras. MG Fig. Pop.* Resposta violenta ou grosseira.

rachadeira [De *rachar* + *-deira.*] *S. f.* Instrumento próprio para fender os ramos e fazer a enxertia.

rachadela [De *rachar* + *-dela.*] *S. f.* **1.** Pequena rachadura. **2.** V. *fenda* (1).

rachado [Part. de *rachar.*] *Adj.* **1.** Que tem rachas. ● *S. m.* **2.** *Bras. S.* Certa dança plebeia indecente.

rachador (ô) [De *rachar* + *-dor.*] *Adj. S. m.* Que, ou aquele que racha.

rachadura [De *rachar* + *-dura.*] *S. f.* **1.** Ato ou efeito de rachar(-se). **2.** V. *racha* (1).

rachão [De *rachar* + *-ão³*.] *S. m.* **1.** *Bras.* V. *racha* (1). **2.** *Bras. SP* Trecho de um rio entre paredes ab-ruptas. **3.** *Bras. SP* Acha de madeira: "como, para sair, tivesse apartado os rachões de uma cerca, vararam também os outros" (Valdomiro Silveira, *Os Caboclos*, p. 87).

racha-pé [De *rachar* + *pé.*] *S. m. Bras. Pop.* V. *sapateado* (4). [Pl.: *racha-pés.*]

rachar [De *racha* + *-ar²*.] *V. t. d.* **1.** Dividir no sentido de comprimento: *rachar lenha.* **2.** Abrir fendas ou gretas em; fender, gretar: *O sol quente rachou os tijolos.* **3.** Partir ou dividir violentamente; abrir de meio a meio: *O raio rachou a árvore.* **4.** Partir em estilhaços; fragmentar, lascar. **5.** Maltratar com palavras; ofender, injuriar: *Rachou o velho, injustamente.* **6.** Bater, surrar: *Violento, ameaçava rachar todo o mundo.* **7.** *Bras.* Dar a alguém a metade de (lucros de um negócio); dividir: *No fim do dia, rachou a féria.* **8.** Dividir proporcionalmente: *Os amigos racharam a conta do jantar.* ***T. d. e i.*** **9.** *Bras.* Repartir, dividir: *Rachou o dinheiro com os colegas.* ***Int. P.*** **10.** Lascar-se, fender-se, gretar-se: *O vaso rachou; O cristal rachou-se.* [Pres. ind.: *racho, rachas, racha*, etc. Cf. *raxar.*]

racial [Do ingl. *racial.*] *Adj. 2 g.* Relativo a raça; rácico. ~ V. *integração — e segregação —.*

racializar [De *racial* + *-izar.*] *V. t. d.* **1.** Tornar racial. **2.** Atribuir valor racial (àquilo que não tem): *Disse o sociólogo que era preciso não racializar as relações sociais.*

rácico [De *raça¹* + *-ico²*.] *Adj.* Racial (q. v.).

racimo [Do lat. vulg. **racimu* < lat. *racemus*, 'cacho'.] *S. m. Bot.* V. *racemo:* "Faunos cornutos, sátiros maganos, / Engrinaldados de racimos e de parras, / Brandindo tirsos, no esplendor da luz!" (Martins Fontes, *Verão*, p. 49.)

racinar [Do fr. *raciner.*] *V. t. d. Encad.* Decorar (encadernação) com raízes (q. v.).

raciniano [Do antr. *Racine* + *-iano.*] *Adj.* **1.** Pertencente ou relativo a Jean Racine (1639-1699), poeta e dramaturgo francês, ou próprio dele. **2.** Que é seu admirador ou conhecedor profundo de sua obra. ● *S. m.* **3.** Admirador ou conhecedor profundo da obra de Racine.

raciocinação [Do lat. *ratiocinatione.*] *S. f. P. us.* V. *raciocínio* (1).

raciocinado [Part. de *raciocinar.*] *Adj.* Que foi objeto de raciocínio; sobre que se raciocinou; pensado, ponderado: *atitude raciocinada.*

raciocinador (ô) [Do lat. *ratiocinatore.*] *Adj. S. m.* Que, ou aquele que raciocina.

raciocinamento [De *raciocinar* + *-mento.*] *S. m. P. us.* V. *raciocínio* (1).

raciocinar [Do lat. **ratiocinare*, por *ratiocinari.*] *V. int.* **1.** Usar da razão para conhecer, para julgar da relação das coisas; fazer raciocínio(s): *Passou horas raciocinando.* **2.** Fazer cálculo(s); calcular. ***T. i.*** **3.** Formar um raciocínio; deduzir razões; discorrer: *Depois da aula costuma raciocinar sobre a lição.* ***T. d.*** **4.** Pensar, refletir, considerar: *Raciocinava se devia ou não viajar no fim de semana.*

raciocinativo [Do lat. *ratiocinativu.*] *Adj.* **1.** Relativo ao raciocínio. **2.** Que contém raciocínio.

raciocínio [Do lat. *ratiociniu.*] *S. m.* **1.** Ato ou efeito de raciocinar. [Sin., p. us.: *raciocinação* e *raciocinamento.*] **2.** Encadeamento, aparentemente lógico, de juízos ou pensamentos. **3.** Capacidade de raciocinar; juízo, razão; racionalidade: *Para assimilar bem uma ciência cumpre fazer uso do raciocínio.* **4.** *Lóg.* Processo discursivo pelo qual se passa de proposições conhecidas ou assumidas (as premissas) a outra proposição (a conclusão) à qual são atribuídos graus diversos de assentimento; argumento. [Cf., nesta acepç., *dedução* (3 a 5), *demonstração* (6), *inferência* (2), *prova* (18) e *silogismo.*] ◆ **Raciocínio *a contrario.*** *Lóg.* O que de uma oposição nas premissas leva a uma oposição na conclusão. [Cf. *raciocínio* a fortiori e *raciocínio* a pari.] **Raciocínio *a fortiori.*** *Lóg.* O que de uma proposição já admitida leva a outra proposição que tem a seu favor, além das razões que justificam a primeira, ainda outras razões. [Cf. *raciocínio* a contrario e *raciocínio* a pari.] **Raciocínio apagógico.** *Lóg.* Abdução (2). **Raciocínio *a pari.*** *Lóg.* Aquele cuja conclusão se apoia em conclusão de premissas assemelhadas. [Cf. *raciocínio* a contrario e *raciocínio* a fortiori.] **Raciocínio por absurdo.** *Lóg.* Demonstração da verdade de uma proposição pela demonstração da falsidade da proposição contrária; apagogia, demonstração por absurdo. [Cf. *redução ao absurdo.*] **Raciocínio por analogia.** *Filos.* **1.** Raciocínio pelo qual se determina o quarto termo de uma proporção, uma vez conhecidos os três outros. **2.** Processo de generalização fundado em semelhança de relação apresentada por elementos de totalidades diferentes, e que consiste em passar, de uma ou mais propriedades já observadas em um dos elementos, à atribuição das mesmas propriedades a outro elemento de outra totalidade no qual ainda não tenham sido observadas. **3.** Atribuição de uma qualidade a um objeto pela presença desta qualidade em outro objeto que, como o primeiro, já apresenta qualidades comuns. **Raciocínio por recorrência.** *Lóg.* Segundo o filósofo da ciência e matemático francês Jules Henri Poincaré (1854-1912), generalização em que se atribui uma propriedade a todos os elementos de uma sucessão ilimitada de elementos pela verificação de que ela se propaga de um elemento ao seu sucessor mediante uma operação mental cuja repetição, tb., pode ser concebida como ilimitada; indução matemática.

racionabilidade [Do lat. tard. *rationabilitate.*] *S. f.* V. *racionalidade.*

racional [Do lat. *rationale.*] *Adj. 2 g.* **1.** Que usa da razão; que raciocina. **2.** Que se deduz pela razão. **3.** Conforme à razão. **4.** *Filos.* Diz-se do conhecimento resultante de princípios *a priori.* [Cf., nesta acepç., *empírico* (4).] ~ V. *animal —, dosagem —, equação —, equação algébrica —, equação algébrica — inteira, horizonte —, número —* e *psicologia —.* ● *S. m.* **5.** *Mat.* Número racional.

racionalidade [Do lat. tard. *rationalitate.*] *S. f.* **1.** Qualidade de racionável ou de racional. **2.** V. *raciocínio* (3). **3.** *Filos.* Numa perspectiva dialética, a qualidade, socialmente construída, da atividade humana que é adequada às finalidades visadas. [Sin. ger.: *racionabilidade.*]

racionalismo [De *racional* + *-ismo.*] *S. m.* **1.** Método de observar as coisas baseado exclusivamente na razão, considerada como única autoridade quanto à maneira de pensar e/ou de agir. **2.** Atividade do espírito de caráter puramente especulativo. **3.** *Filos.* Doutrina que considera ser o real plenamente cognoscível pela razão ou pela inteligência, em detrimento da intuição, da vontade, da sensibilidade, etc.; intelectualismo. [Cf., nesta acepç., *irracionalismo.*] **4.** *Filos.* Doutrina que admite, quanto à origem do conhecimento, que este, em última instância, é determinado por princípios racionais, inatos ou *a priori*, ainda que se possa condicionar a validade do uso desses princípios à disponibilidade de dados empíricos. [Opõe-se, nesta acepç., a *empirismo* (1). Cf., nesta acepç., *apriorismo* e *inatismo.*]

racionalista [De *racional* + *-ista.*] *Adj. 2 g.* **1.** Referente ao, ou que é partidário do racionalismo. ● *S. 2 g.* **2.** Partidário dele.

racionalização [De *racionalizar* + *-ção.*] *S. f.* **1.** Ato ou efeito de racionalizar. **2.** *Álg.* Operação de racionalizar (4).

racionalizado [Part. de *racionalizar.*] *Adj.* Que sofreu racionalização. ~ V. *sistema —.*

racionalizar [De *racional* + *-izar.*] *V. t. d.* **1.** Tornar racional. **2.** Tornar reflexivo; inclinar à reflexão: *racionalizar o espírito.* **3.** Tornar mais eficientes os processos de (o trabalho industrial, agrícola, etc., ou a organização de empreendimentos, planos, etc.), pelo emprego de métodos científicos: *Pretende o governo racionalizar a produção de açúcar.* **4.** Eliminar os radicais de (uma expressão algébrica). **5.** Elaborar (raciocínio) sobre falsas razões: *racionalizar um erro.*

racionamento [De *racionar* + *-mento.*] *S. m.* **1.** Ação ou efeito de racionar. **2.** Limitação do consumo de certos bens, determinada pelas autoridades governamentais, a fim de garantir a distribuição equitativa dos produtos socialmente carentes.

racionar [De *ração* (do lat. *ratione*, 'cômputo', 'medida') + *-ar²*, seg. o padrão erudito.] *V. t. d.* **1.** Distribuir em rações; distribuir ou repartir regradamente; arraçoar: *Os encarregados da cozinha racionam os alimentos da tropa; Racionaram a luz e a força elétricas.* **2.** Limitar a rações [v. *ração* (4)] a venda de: *Durante a guerra as autoridades racionaram a gasolina.* **3.** *Bras. S.* Dar ração a (animal): *Acordou cedo para racionar o gado.*

racionável [Do lat. *rationabile.*] *Adj. 2 g.* Razoável (1): "Será racionável e verdadeiro o dizer-se que Cervantes escrevera o seu romance com o intuito exclusivo de atacar e destruir o ridículo do seu tempo, a febre dos livros cavaleirosos?" (Latino Coelho, *Cervantes*, p. 115.)

racioneiro [Do lat. *rationariu*, 'encarregado da contabilidade'.] *Adj.* Raçoeiro.

racismo [De *raça*[1] + *-ismo*.] *S. m.* **1.** Tendência do pensamento, ou modo de pensar em que se dá grande importância à noção da existência de raças humanas distintas. **2.** Qualquer teoria que afirma ou se baseia na hipótese da validade científica do conceito de raça e da pertinência deste para o estudo dos fenômenos humanos. [Cf. *raça* (1 e 2).] **3.** Qualquer teoria ou doutrina que considera que as características culturais humanas são determinadas hereditariamente, pressupondo a existência de algum tipo de correlação entre as características ditas "raciais" (isto é, físicas e morfológicas) e aquelas culturais (inclusive atributos mentais, morais, etc.) de indivíduos, grupos sociais ou populações. **4.** *P. ext.* Qualquer doutrina que sustenta a superioridade biológica, cultural e/ou moral de determinada raça, ou de determinada população, povo ou grupo social considerado como raça. **5.** Qualidade ou sentimento de indivíduo racista; esp., atitude preconceituosa ou discriminatória em relação a indivíduo(s) considerado(s) de outra raça. [Cf. *segregacionismo*.]

racista [De *racismo* + *-ista*.] *Adj. 2 g.* **1.** Referente ao racismo, ou que é próprio dele. **2.** Que tem, ou é caracterizado por ideias, opiniões ou atitudes próprias do racismo. ● *S. 2 g.* **3.** Adepto ou defensor do racismo (1 a 4). **4.** Pessoa que tem ou manifesta sentimento de superioridade ou de agressividade, ger. de natureza preconceituosa e discriminatória, em relação a indivíduos de outra(s) raça(s), ou de povos ou grupos considerados racialmente distintos.

➔ **rack** [ɹak] [Ingl.] *S. m.* Móvel, ou estrutura, que suporta aparelhagem de som ou de vídeo.

➔ **racle** ['ʁakl] [Fr.] *S. f. Fotograv.* Raspadeira (3).

➔ **raclette** [ʁa'klet] [Fr.] *S. m. Cul.* Prato da região de Valais (S. da Suíça) preparado com uma grande fatia de queijo que é exposta ao fogo e tem a parte derretida raspada à medida que se funde.

raçoeiro [De *ração* +*-eiro*, com desnasalação.] *Adj.* Que recebe ou dá uma ração; racioneiro.

racontar [De *raconto* + *-ar*[2].] *V. t. d. P. us.* Relatar, referir, narrar, contar.

raconto [Do it. *racconto*.] *S. m.* Narração, narrativa, relato: 📖 "E os racontos da lenda, as histórias das *Mil / E Uma Noites*, à luz do seu olhar febril, / Súbito, fulgirão, miraculosamente." (Martins Fontes, *Verão*, p. 68.)

raçudo [De *raça*[1] + *-udo*.] *Adj.* Que tem raça[1] (8): 📖 "A satisfação que me estufava o peito quando entrava com você numa sala, não pela sua beleza que você não era bonita mas tão elegante. Raçuda." (Lígia Fagundes Teles, *Seminário dos Ratos*, p. 52.)

racum [Do algonquiano, pelo ingl. *raccoon, racoon*.] *S. m. Zool.* Mamífero carnívoro, fissípede, procionídeo (*Procyon lotor*), de hábitos noturnos que habita a América do Norte; tem pelagem marrom cinzenta, manchas pretas nas faces, formando como que uma máscara, e cauda com anéis pretos.

rad [Do ingl. *rad*.] *S. m. Fís. Nucl. Obsol.* Unidade de medida de dose de radiação ionizante absorvida, e que equivale à transferência de energia de 100 ergs por grama de qualquer material com capacidade de absorção, inclusive tecidos do corpo. [Recomenda-se, atualmente, o uso do *gray* (símb.: *Gy*) (q. v.), unidade do Sistema Internacional: 1 rad = 10^{-2} Gy.] [Pl.: *rads*.]

■ **rad** Símb. de *radiano*.

rã-da-beira *S. f. Bras. Zool.* Anfíbio anuro, braquicefalídeo (*Atelopus stelzneri*), do RS, de coloração denegrida, com manchas vermelhas por baixo, que vive no meio da relva, nas praias sulinas. [Pl.: *rãs-da--beira*.]

radar [Do acrôn. ingl. radar, formado a partir das iniciais de *radio detecting and ranging*.] *S. m.* Técnica, ou equipamento, para localizar objetos móveis ou estacionários, medir-lhes a velocidade, determinar--lhes a forma e a natureza, e que utiliza a emissão de pulsos de micro-ondas e a detecção e análise do eco refletido pelos objetos.

radarastronomia [De *radar* + *astronomia*.] *S. f. Astr.* Técnica que consiste no envio de feixes de onda de rádio à Lua, ou aos planetas, e na recepção e análise do sinal refletido, com o fim de obter informes sobre a natureza da superfície dos planetas e a sua distância da Terra. [Cf. *radioastronomia*.]

radiação [Do lat. *radiatione*.] *S. f.* **1.** Ato ou efeito de radiar. **2.** *Fís.* Qualquer dos processos físicos de emissão e propagação de energia, seja por intermédio de fenômenos ondulatórios, seja por meio de partículas dotadas de energia cinética. **3.** *Fís.* Energia que se propaga de um ponto a outro no espaço ou num meio material. ◆ **Radiação corpuscular.** *Fís.* Energia emitida por uma fonte sob a forma de partículas subatômicas (elétrons, alfas, nêutrons, etc.). **Radiação cósmica.** *Fís. Nucl.* Raios cósmicos. **Radiação cósmica de fundo.** *Cosm.* Radiação que corresponde à de um corpo negro à temperatura de 2,65K. **Radiação de frenagem.** *Fís.* V. *Bremsstrahlung*. **Radiação de frenamento.** *Fís.* V. *Bremsstrahlung*. **Radiação eletromagnética.** *Fís.* Energia eletromagnética que se propaga sob a forma de ondas. **Radiação infravermelha.** *Eletromag.* Radiação eletromagnética de comprimento de onda entre 1 e 500 micrômetros, aproximadamente. [É muito eficiente no processo de transmissão de calor por irradiação, e provoca o aquecimento dum sistema quando por ele absorvida. Sin.: *calor radiante*.] **Radiação ionizante.** *Fís.* Radiação que provoca formação de íons no material que a absorve, p. ex., os raios alfa, beta e gama e os raios X. **Radiação síncroton.** *Fís.* Radiação eletromagnética gerada num síncroton em virtude da aceleração das partículas carregadas. **Radiação ultravioleta.** *Eletromag.* Radiação eletromagnética de comprimento de onda entre 400 nanômetros e o comprimento de onda dos raios X moles. [Tb. se diz apenas *ultravioleta*.]

radiado[1] [Do lat. *radiatu*, part. pass. de *radiare*, 'emitir raios'.] *Adj.* **1.** Disposto em raios [v. *raio* (3)]. **2.** *Bot.* Diz-se de flor cuja corola é liguliforme, como ocorre, p. ex., no girassol e nas margaridas. ~ V. *coletor* — e *coroa* —*a*.

radiado[2] [De *radi(o)-*[1] + *-ado*[3]; tax. *Radiata*.] *Zool. S. m.* **1.** Espécime dos radiados, divisão de metazoários, enterozoários, caracterizados por terem simetria radial. São os cnidários e os ctenóforos; zoófitos. [George Cuvier (1769-1832) aplicou essa designação a um grupo de animais que abrange os equinodermos, os vermes intestinais, acalefos, pólipos e infusórios.] ● *Adj.* **2.** Pertencente ou relativo a eles. [Sin. ger.: *zoófito*.]

radiador (ô) [De *radiar* + *-dor*.] *S. m.* **1.** Aparelho destinado a aumentar a superfície de radiação dum tubo ou de outro dispositivo qualquer. **2.** Aparelho usado para aquecer ambientes. **3.** Aparelho para refrigerar certos motores ou máquinas: 📰 *radiador de automóvel; radiador elétrico*. ◆ **Radiador perfeito.** *Fís.* Corpo negro (q. v.).

radial [De *radi(o)-*[1] + *-al*[1].] *Adj. 2 g.* **1.** Que emite raios. **2.** Que é análogo a um raio (3): 📰 *avenida radial*. **3.** *Anat.* Referente a osso rádio[1] (1), ou que mantém relação com ele. ~ V. *aceleração* —, *ceratotomia* —, *coroa* —, *movimento* — *simetria* — e *velocidade* —. ● *S. f.* **4.** Rua que vai do centro para a periferia urbana.

radialismo [De *radi(o)-*[2] + *-al-* + *-ismo*.] *S. m. Rád. Telev.* **1.** Denominação coloquial de atividade jornalística em rádio e televisão: 📰 *radialismo esportivo*. **2.** Designação imprópria dada à preparação de profissionais para trabalhar em rádio e televisão: 📰 *habilitação em radialismo*.

radialista [De *radi(o)-*[2] + *-al-* + *-ista*.] *S. 2 g. Rád. Telev. Bras.* **1.** Profissional de rádio ou televisão. **2.** Aquele que trabalha em empresa de radiodifusão, na qual exerce funções regulamentadas em atividades peculiares à área de administração, de produção ou técnica.

radiância [De *radiante* + *-ia*[2], seg. o padrão anal., para traduzir o ingl. *radiance*.] *S. f.* **1.** *Fotom.* Exitância. **2.** Qualidade de radiante; brilho interno; fulgurância. ◆ **Radiância energética.** *Fís.* Energia radiante emitida por um corpo em cada segundo e por unidade de área; poder emissivo. **Radiância luminosa.** *Fotom.* Emitância luminosa.

radiano [De *radi(o)-*[1] + *-ano*[1].] *S. m.* Unidade de medida de arco, ou de ângulo, igual a um arco de circunferência, ou ao ângulo central que ele subtende, e cujo comprimento é igual ao raio da circunferência [símb.: *rad*.] [Equivale, na graduação sexagesimal, a 57°17'45", aproximadamente.]

radiante [Do lat. *radiante*.] *Adj. 2 g.* **1.** Que radia. **2.** Que brilha; cintilante; fulgurante. **3.** Muito bonito; belo, esplêndido. **4.** Cheio de alegria: 📰 *O menino ficou radiante com o presente*. ~ V. *calor* —, *emitância* —, *energia* —, *farosagem* —, *fluxo* — e *intensidade* —. ● *S. m.* **5.** *Astr.* Centro de uma pequena área do céu, do qual parecem provir os traços de meteoros que formam uma determinada chuva; convergente.

radiar [Do lat. *radiare*.] *V. int.* **1.** Emitir ondas e energia calorífica, luminosa ou, de modo geral, eletromagnética. **2.** Cintilar, refulgir, resplandecer: 📖 "O sol radiou: sob a brisa larga, que levara a névoa, toda a messe ondulou numa lenta vaga dourada" (Eça de Queirós, *A Cidade e as Serras*, p. 258). *T. d.* **3.** Cingir de raios brilhantes; aureolar: 📰 *Uma coroa de diamantes radiava a fronte da rainha*. **4.** Fazer brilhar; irradiar. *T. i.* **5.** Provir, proceder, emanar, manar: 📖 "O clarão doce, que de ti radia, / Mete-me em quente esfera gloriosa" (Luís Delfino, *Íntimas e Aspásias*, p. 155). [Pres. ind.: *radio*, etc. Cf. *rádio*.]

radiatividade *S. f.* V. *radioatividade*.

radiativo *Adj.* V. *radioativo*.

radiator (ô) *S. m. Bras.* V. *radioator*.

radiatro [De *radioteatro*, com síncope.] *S. m. Bras.* V. *radioteatro*.

radicação [De *radicar* + *-ção*.] *S. f.* Ato ou efeito de radicar(-se).

radicado [Part. de *radicar*.] *Adj.* **1.** Enraizado, arraigado. **2.** *Fig.* Entranhado, inveterado.

radical [De *radic(i)-* + *-al*[1].] *Adj. 2 g.* **1.** Relativo a raiz. **2.** Fundamental, básico, essencial. **3.** Que não é moderado, que prega o radicalismo ou age com radicalismo, ou que revela radicalismo, inflexibilidade; radicalista: 📰 *político radical; programa radical; medidas radicais*. **4.** *Bot.* V. *radicular* (3). ~ V. *centro* —, *eixo* — e *plano* —. ● *S. 2 g.* **5.** Partidário do radicalismo; radicalista. ● *S. m.* **6.** *E. Ling.* O núcleo semântico e formal de uma palavra; base, lexema, semantema. [Pode ser constituído por apenas um elemento mínimo, quando se diz *radical primário* ou *raiz*, ou por mais de um, quando se diz *radical secundário* e resulta de derivação ou de composição. Em *transformacional*, p. ex., o radical primário é *form-*, os radicais secundários são *formacion-* e *transformacion-*.] **7.** *E. Ling.* Elemento que serve de base às palavras de uma mesma família etimológica (q. v.), e que é tomado como ponto de partida para o estudo da estrutura dos vocábulos numa língua, como *luc-*, *luz-*, em *elucidar*, *translúcido*, *luzir*. **8.** *Mat.* Símbolo da potência fracionária duma expressão qualquer. **9.** *Quím.* Grupo (13). [Recomenda-se reservar o termo *radical* aos radicais livres.] **10.** *Quím.* Radical livre. ◆ **Radical livre.** *Quím.* Qualquer substância, ger. instável, de tempo de vida curto e muito reativa, que se caracteriza pela existência, em sua estrutura, de um elétron desemparelhado. [Segundo teorias correntes, certos radicais livres com ação oxidante, como a hidroxila, estão envolvidos em doenças, processos degenerativos e envelhecimento dos seres vivos.] [Tb. se diz apenas *radical*.] **Radical primário.** *E. Ling.* V. *radical* (6). **Radical secundário.** *E. Ling.* V. *radical* (6).

radicalar [De *radical* + *-ar*[1].] *Adj. 2 g. Quím.* Próprio de, ou relativo a radical (10).

radicalismo [De *radical* + *-ismo*.] *S. m.* **1.** Doutrina ou comportamento dos que visam a combater pela raiz as anomalias sociais mediante a implantação de reformas absolutas. **2.** *P. ext.* Qualquer doutrina ou comportamento que, sendo politicamente inflexível, provoca antagonismos. [Cf., nesta acepç., *jacobinismo* (2).] **3.** Comportamento ou opinião inflexível.

radicalista [De *radical* + *-ista*.] *Adj. 2 g.* **1.** Relativo ao radicalismo. **2.** Radical (3). ● *S. 2 g.* **3.** Radical (5).

radicalização [De *radicalizar* + *-ção*.] *S. f.* Ação ou efeito de radicalizar(-se).

radicalizar [De *radical* + *-izar*.] *V. t. d.* **1.** Tornar radical (3): 📰 *A oposição radicalizou suas críticas ao governo*. *Int.* **2.** Tornar-se radical (3); assumir atitudes radicais; radicalizar-se: 📰 *A ordem era não radicalizar durante as eleições*. *P.* **3.** Radicalizar (2): 📖 "Tristão Teixeira, / moderado por natureza, / se radicaliza no amor." (H. Dobal, *A Serra das Confusões*, "O Radical".) **4.** Favorecer o surgimento de pessoas, posições ou atitudes radicais; tomar o rumo do radicalismo: 📰 *A situação radicalizou-se; A Revolução Russa radicalizou-se após a queda de Kerensky*.

radicalmente [De *radical* + *-mente*.] *Adj.* **1.** De modo radical (3 a 5). **2.** Completamente, absolutamente.

radicaloide (ói) [De *radical* + *-oide*.] *Quím. Adj. 2 g.* **1.** Diz-se de, ou próprio do que é semelhante a um radical (10). ● *S. m.* **2.** Substância radicaloide. ❖

radicando [Do lat. *radicandu*, gerundivo de *radicare*, 'enraizar'.] *S. m. Mat.* Expressão sob o símbolo de um radical.

radicante [Do lat. *radicante*.] *Adj. 2 g.* **1.** Que radica. **2.** *Bot.* Que emite raízes: 📰 *caule radicante*.

radicar [Do lat. ecles. *radicare*.] *V. t. d. T. d. e i.* **1.** Enraizar, arraigar, aprofundar: 📖 "A comunidade de opiniões radicou a estima entre ambos" (Júlio Ribeiro, *A Carne*, p. 73). *P.* **2.** Enraizar-se, arraigar-se, firmar-se: 📰 *A imagem da moça radicou-se em sua mente*; 📖 "Nesse ponto de partida [o sentimento do enigma da existência, o contacto com o intemporal] se radicam as experiências de Pessoa [Fernando Pessoa]." (Jacinto do Prado Coelho, *Diversidade e Unidade em Fernando Pessoa*, p. 10). **3.** Fixar-se por meio de laços morais; consolidar-se, firmar-se; confirmar-se: 📰 *Com a política do Marquês de Pombal radicou-se em Portugal o antijesuitismo*. **4.** Fixar residência: 📰 *Charles Chaplin radicou-se na Suíça*. [Conjug.: v. *trancar*.]

➔ **radicchio** [ra'dik.kjo] [It. (do lat. *radicula*, 'raizinha').] *S. m.* Variedade de chicória (*Cichorium intybus*) de folhas purpúreas com laivos brancos, muito us. em saladas e, como medicamentosa, contra doenças da pele.

radicela [Do lat. **radicella*, por *radicula*.] *S. f. Bot.* Raiz pequena e delgada.

▲ **radic(i)-** [Do lat. *rādix, īcis*.] *El. comp.* = 'raiz': *radical, radicívoro.*

radiciação [De **radiciar* (< *radic(i)-* + *-ar*[2]).] *S. f. Mat.* Operação em que se calcula a potência fracionária de uma entidade.

radicícola [De *radic(i)-* + *-cola*[1].] *Adj. 2 g. Bot. Zool.* Diz-se de animal, ou vegetal, que vive sobre as raízes de plantas. [Var.: *radícola*.]

radiciforme [De *radic(i)-* + *-forme*.] *Adj. 2 g. Bot.* De forma semelhante à de uma raiz: *rizoma radiciforme.*

radicívoro [De *radic(i)-* + *-voro*.] *Adj.* Que se alimenta de raízes.

radícola *Adj. 2 g. Bot. Zool.* V. *radicícola*. [Cf. *radícula*.]

radicoso (ô) [De *radic(i)-* + *-oso*.] *Adj.* Que possui muitas raízes.

radícula [Do lat. *radicula*.] *S. f.* **1.** Pequena raiz. **2.** *Bot.* Pequena raiz do embrião das plantas fanerogâmicas. [Em muitos embriões não há radícula diferenciada, mas apenas o meristema que formará a futura raiz.] **3.** Objeto que semelha uma pequena raiz. [Cf. *radícola*.]

radiculado [De *radícula* + *-ado*[1].] *Adj.* Que possui raízes ou radículas.

radicular [De *radícula* + *-ar*[1].] *Adj. 2 g.* **1.** Relativo à radícula. **2.** Relativo a, ou que tem forma de raiz. **3.** *Anat.* Relativo à raiz de nervo espinhal. **4.** *Restr. Bot.* Diz-se da folha que nasce do colo (8), nas plantas acaules. [Os autores brasileiros não usam, nas acepç. 1 e 2, *radical*, como seria de rigor.] ~ V. *canal —.*

radiculite [De *radícula* + *-ite*[1].] *S. f. Patol.* Inflamação de raiz de nervo espinhal.

radielectricidade *S. f.* V. *radieletricidade*.

radieléctrico *Adj.* V. *radielétrico*.

radieletricidade *S. f.* V. *radioeletricidade*.

radielétrico *Adj.* V. *radioelétrico*.

radiemissão[1] *S. f.* V. *radioemissão*[1].

radiemissão[2] *S. f.* V. *radioemissão*[2].

radiemissor (ô) *S. m. Radiotéc.* V. *radioemissor*.

radiemissora (ô) *S. f.* V. *radioemissora*.

➔ **radier** [ʁa'dje] [Fr.] *S. m. Constr.* Fundação superficial feita em concreto armado, e que consiste numa placa estrutural que abrange toda a área construída e recebe as cargas, transmitindo-as uniformemente pelo terreno; fundação rasa.

radiespectro *S. m. Astr.* V. *radioespectro*.

radiespectrógrafo *S. m. Astr.* V. *radioespectrógrafo*.

radiespectrograma *S. m. Astr.* V. *radioespectrograma*.

radiespetro *S. m. Astr.* V. *radioespectro*.

radiespetrógrafo *S. m. Astr.* V. *radioespectrógrafo*.

radiespetrograma *S. m. Astr.* V. *radioespectrograma*.

radiestelar *Adj. 2 g.* V. *radioestelar*.

radiestesia *S. f.* V. *radioestesia*.

radiestrela (ê) *S. f. Astr. P. us.* V. *radioestrela*.

▲ **radi(o)-**[1] [Do lat. *radĭus, ĭi*.= *El. comp.* = 'raio (1 a 3)'; 'rádio[1]'; 'rádio[2]'; 'radiação': *radial, radiância, radiano, radioatividade*. [Equiv.: *-rádio, -radi(o)-: perrádio; paucirradiado*.]

▲ **radi(o)-**[2] [De *radiofonia*.] *El. comp.* = *radioator, radiocultura*[2].

▲ **-radi(o)-** V. *radi(o)-*[1].

rádio[1] [Do lat. *radiu*.] *S. m.* **1.** *Anat.* Cada um dos dois ossos longos situados um em cada membro superior e que, com a ulna homolateral, constitui o esqueleto do antebraço. **2.** *Ant.* Raio ou semidiâmetro do círculo.

rádio[2] [Do lat. cient. *radium* lat. *radiare*, 'irradiar'.] *S. m. Quím.* Elemento de número atômico 88, radioativo, metálico, branco-prateado, quimicamente aparentado aos alcalinoterrosos [símb.: *Ra*]. [Cf. *radio*, do v. *radiar*.]

rádio[3] [F. red. de *radiofonia*.] *S. m.* **1.** Radiofonia (1). **2.** Aparelho ou conjunto de aparelhos para emitir e receber sinais radiofônicos. **3.** V. *radiodifusão* (1). **4.** *Bras.* Aparelho receptor de programas de radiodifusão: *Meu rádio é de fabricação nacional.* [Sin. (lus.) nesta acepç.: *telefonia*.] ● *S. f.* **5.** *Bras.* Estação emissora desses programas. [Cf. *radio*, do v. *radiar*.] ◆ **Rádio de galena.** *Bras.* Galena (2): "E lá vinham as novas que ouvia no rádio de galena, fone à orelha, a exigir silêncio da mulher e das filhas" (Alberto da Costa e Silva, *Espelho do Príncipe*, p. 29). **Ser meio rádio, meio televisão.** *Bras. PE Pop.* Ser pederasta passivo.

rádio[4] *S. m.* V. *radiograma* (1).

▲ **-rádio** V. *radi(o)-*[1].

radioamador (rà... ô) [De *radi(o)-*[2] + *amador*.] *S. m.* **1.** Aquele que opera, sem finalidade lucrativa, em estação particular de rádio[3] (3). ● *Adj.* **2.** De, ou relativo a radioamador ou a radioamadorismo.

radioamadorismo (rà) [De *radioamador* + *-ismo*.] *S. m.* Atividade de radioamador.

radioamadorístico (rà) [De *radioamador* + *-ist(a)-* + *-ico*[2].] *Adj.* Pertencente ou relativo a, ou próprio de radioamador.

radioastronomia (rà) [De *radi(o)-*[1] + *astronomia*.] *S. f. Astr.* Parte da astronomia que estuda os fenômenos extraterrestres mediante a análise das ondas eletromagnéticas na frequência de rádio, emitidas pelos astros e pela matéria cósmica de um modo geral. [Cf. *radarastronomia*.]

radioastronómico (rà) *Adj.* V. *radioastronômico*. [Uso freq. em P.]

radioastronômico (rà) [De *radioastronomia* + *-ico*[2].] *Adj.* Relativo à radioastronomia.

radioatividade (rà) [De *radi(o)-*[1] + *atividade*.] *S. f.* **1.** Propriedade de qualquer sistema que irradia. **2.** *Fís. Nucl.* Propriedade que têm alguns nuclídeos de emitir espontaneamente partículas ou radiação eletromagnética, e que é característica de uma instabilidade dos seus núcleos. [Var.: *radiatividade*.] ◆ **Radioatividade artificial.** *Fís. Nucl.* A que é produzida pelo bombardeio de nuclídeos estáveis por fótons ou partículas aceleradas que os transformam em nuclídeos instáveis; radioatividade induzida. **Radioatividade induzida.** *Fís. Nucl.* Radioatividade artificial. **Radioatividade natural.** *Fís. Nucl.* A dos nuclídeos que ocorrem naturalmente na Terra.

radioativo (rà) [De *radi(o)-*[1] + *ativo*.] *Adj.* **1.** Que irradia. **2.** Que tem radioatividade. ~ V. *cemitério —, constante —a, deslocamento —, estalão —, família —a, lixo —, nuclídeo —, precipitação —a, série —a, substância —a* e *traçador —*. [Var.: *radiativo*.]

radioator (rà ....ô) [De *radi(o)-*[2] + *ator*.] *S. m. Bras.* Ator de radioteatro. [Var.: *radiator*.]

radiobinária (rà) [De *radi(o)-*[1] + o f. de *binário*.] *S. f. Astr.* Sistema físico composto por dois astros, sendo um deles, pelo menos, uma fonte de rádio.

radiobiologia (rà) [De *radi(o)-*[1] + *biologia*.] *S. f.* **1.** Estudo dos efeitos biológicos das radiações. **2.** Estudo dos efeitos biológicos das radiações que possuem energia suficiente para ionizar os principais elementos encontrados nos materiais biológicos (C, N, O, H).

radiobiológico (rà) [De *radiobiologia* + *-ico*[2].] *Adj.* Relativo a radiobiologia.

radiobiologista (rà) [De *radiobiologia* + *-ista*.] *S. 2 g.* Especialista em radiobiologia.

■ **RADIOBRÁS** Sigla de *Rádio do Brasil*.

radiocarbono (rà) *S. m.* Carbono 14 (q. v.).

radiocintilação (rà) [De *radi(o)-*[1] + *cintilação*.] *S. f. Astr.* Variação na frequência de emissão de uma radioestrela.

radiocomunicação (rà) [De *radi(o)-*[1] + *comunicação*.] *S. f.* **1.** Comunicação de sinais, sons ou imagens, por meio de ondas eletromagnéticas. **2.** Radiodifusão (2).

radiocomunicador (rà... ô) [De *radi(o)-*[2] + *comunicador*.] *S. m.* Aquele que faz radiocomunicação.

radiocondutor (rà... ô) [De *radi(o)-*[2] + *condutor*.] *S. m.* Tubo de limalha usado na telegrafia sem fio.

radiocultura[1] (rà) [De *radi(o)-*[1] + *-cultura*.] *S. f.* Método de cultivo de plantas em que se utilizam diversos tipos de radiação (2).

radiocultura[2] (rà) [De *radi(o)-*[2] + *-cultura*.] *S. f.* Difusão da cultura pelo rádio[3].

radiodermatite (rà) [De *radi(o)-*[1] + *dermatite*.] *S. f. Radiol. Derm.* Inflamação cutânea resultante da ação de radiação ionizante; actinodermatite, radiodermite.

radiodermite (rà) [De *radi(o)-*[1] + *dermite*.] *S. f. Radiol. Derm.* V. *radiodermatite*.

radiodeterminação (rà) [De *radi(o)-*[1] + *determinação*.] *S. f. Telec.* Determinação, mediante o emprego de ondas radioelétricas, da posição de um móvel ou da direção ou distância em que este se encontra em relação a um ou dois pontos conhecidos.

radiodiagnosticar (rà) [De *radiodiagnóstico* + *-ar*[2].] *V. t. d. Med.* Fazer o radiodiagnóstico de. [Conjug.: v. *trancar*. Pres. ind.: *radiodiagnostico*, etc. Cf. *radiodiagnóstico*.]

radiodiagnóstico (rà) [De *radi(o)-*[1] + *diagnóstico*.] *S. m. Radiol.* Diagnóstico feito ou complementado mediante exame(s) radiológico(s); roentgendiagnóstico. [Cf. *radiodiagnostico*, do v. *radiodiagnosticar*.]

radiodifundir (rà) [De *radi(o)-*[2] + *difundir*.] *V. t. d.* Dar a conhecer, difundir, por meio do rádio[3].

radiodifusão (rà) [De *radi(o)-*[1] + *difusão*.] *S. f.* **1.** *Telev. Rád.* Transmissão, por meio de ondas radioelétricas, de notícias, programas, etc., destinada à recepção pública. [Compreende a radiodifusão sonora (o rádio) e a radiodifusão de sons e imagens (a televisão).] **2.** Emissão e transmissão de som e de imagens por meio de ondas radioelétricas; radiocomunicação.

radiodifusor (rà... ô) [De *radi(o)-*[1] + *difusor*.] *Adj.* **1.** Que faz radiodifusão. ● *S. m.* **2.** Aparelho de radiodifusão.

radiodifusora (rà... ô) [F. subst. do adj. *radiodifusor*.] *S. f.* Estação de radiodifusão.

radioecologia (rà) [De *radi(o)-*[1] + *ecologia*.] *S. f.* Ramo da ecologia que estuda as relações dos organismos vivos com as radiações ou com os radioelementos que poluem o meio.

radioecológico (rà) [De *radioecologia* + *-ico*[2].] *Adj.* Relativo a radioecologia.

radioelectricidade (rà) *S. f.* V. *radioeletricidade*.

radioeléctrico (rà) *Adj.* V. *radioelétrico*.

radioelemento (rà) [De *radi(o)-*[1] + *elemento*.] *S. m. Quím. Nucl.* Elemento químico constituído por um nuclídeo radioativo.

radioeletricidade (rà) [De *radi(o)-*[1] + *eletricidade*.] *S. f.* Parte da física que trata do estudo e aplicações das ondas hertzianas (telegrafia sem fio, telefonia sem fio, rádio, televisão, etc.). [Var.: *radieletricidade*.]

radioelétrico (rà) [De *radi(o)-*[1] + *elétrico*.] *Adj.* Relativo à radioeletricidade. ~ V. *condensação —a, interferômetro —, ligação —a* e *onda —a*. [Var.: *radielétrico*.]

radioemissão[1] (rà) [De *radi(o)-*[1] + *emissão*.] *S. f.* Emissão de qualquer radiação. ◆ **Radioemissão térmica.** *Astr.* Emissão eletromagnética de uma fonte cósmica, de origem térmica.

radioemissão[2] (rà) [De *radi(o)-*[2] + *emissão*.] *S. f.* Emissão por meio do rádio[3]. [Var.: *radiemissão*.]

radioemissor (rà... ô) [De *radi(o)-*[1] + *emissor*.] *S. m. Radiotéc.* Radiotransmissor. [Var.: *radiemissor*. Cf. *radiorreceptor*.]

radioemissora (rà... ô) [De *radi(o)-*[2] + *emissora*.] *S. f.* Estação emissora de rádio[3]. [Var.: *radiemissora*.]

radioescuta *S. f. S. 2 g. Jorn. Rád. Telev.* V. *rádio-escuta*.

rádio-escuta [De *rádio* + *escuta*.] *Jorn. Rád. Telev. S. f.* **1.** Atividade, numa redação jornalística, de coletar informações transmitidas principalmente por noticiários de rádio ou televisão, com o objetivo de selecionar temas de pauta para o veículo. ● *S. 2 g.* **2.** Pessoa que exerce essa atividade. [Pl.: *rádios-escutas* e *rádios-escuta*. Tb.: *radioescuta*.]

radioespectro (rà) [De *radi(o)-*[1] + *espectro*.] *S. m. Astr.* Parte do espectro das ondas eletromagnéticas relativas às emissões radioelétricas de origem celeste. [Var.: *radiespectro, radioespetro, radiespetro*.]

radioespectrógrafo (rà) [De *radi(o)-*[1] + *espectrógrafo*.] *S. m. Astr.* Instrumento astronômico capaz de registrar o espectro de frequências das ondas de rádio emitidas por uma fonte cósmica, utilizando um analisador de frequências. [Var.: *radiespectrógrafo, radioespetrógrafo, radiespetrógrafo*.]

radioespectrograma (rà) [De *radi(o)-*[1] + *espectro* + *-grama*.] *S. m. Astr.* Registro obtido pelo radioespectrógrafo. [Var.: *radiespectrograma, radioespetrograma, radiespetrograma*.]

radioespetro (rà) *S. m. Astr.* V. *radioespectro*.

radioespetrógrafo (rà) *S. m. Astr.* V. *radioespectrógrafo*.

radioespetrograma (rà) *S. m. Astr.* V. *radioespectrograma*.

radioestelar (rà) *Adj. 2 g.* Referente às radioestrelas. [Var.: *radiestelar*.]

radioestesia (rà) [De *radi(o)-*[1] + *-estes(i)-* + *-ia*[1].] *S. f.* Sensibilidade às radiações. [Var.: *radiestesia*.]

radioestrela (rà... ê) [De *radi(o)-*[1] + *estrela*.] *S. f. Astr P. us.* V. *fonte de rádio*. [Var.: *radiestrela*.]

radiofarol (rà) [De *radi(o)-*[1] + *farol*.] *S. m. Náut.* Emissor de um sinal de radiotelegrafia característico, destinado a orientar o navegante, por meio de marcações obtidas com um radiogoniômetro. [Pl.: *radiofaróis*.]

radiofone (rà) [De *radi(o)-*[1] + *-fone*.] *S. m. P. us. no Brasil.* Rádio[3] (2).

radiofonia (rà) [De *radi(o)-*[1] + *-fon(o)-* + *-ia*[1].] *S. f.* **1.** Emissão e transmissão de sons mediante sinais eletromagnéticos. [F. red.: *rádio*.] **2.** V. *radiotelefonia*.

radiofónico (rà) *Adj.* V. *radiofônico*. [Uso freq. em P.]

radiofônico (rà) [De *radiofonia* + *-ico*[2].] *Adj.* **1.** Referente à radiofonia; radiotelefônico. **2.** Que se divulga por meio da radiofonia (1): *noticiário radiofônico.*

radiofonização (rà) [De *radiofonizar* + *-ção*.] *S. f. Bras.* Ato ou efeito de radiofonizar.

radiofonizar (rà) [De *radi(o)-*[2] + *-fon(o)-* + *-izar*.] *V. t. d. Bras.* Adaptar ou escrever (peça teatral, crônica, etc.) para programas de rádio[3].

radiofoto (rà) *S. f.* V. *radiofotografia*.

radiofotografia (rà) [De *radi(o)-*[1] + *fotografia*.] *S. f.* Fotografia que é transmitida a distância através de ondas hertzianas. [F. red.: *radiofoto*.]

radiofrequência (rà... qüên) [De *radi(o)-*[1] + *frequência*.] *S. f. Fís.* Frequência de radiações eletromagnéticas utilizadas em radiotransmissão, e que está compreendida entre 3kHz e 300GHz. [Abrev.: *RF*.] ❖

radiogaláctico (rà) [De *radio(galáxia)* + *-galáctico*.] *Adj. Astr.* Pertencente ou relativo a radiogaláxia.

radiogaláxia (rà... cs) [De *radi(o)-*[1] + *galáxia*.] *S. f. Astr.* Galáxia que emite, intensamente, radiações nos comprimentos de ondas de rádio.

radioginasta (rà) [De *radi(o)-*[2] + *ginasta*.] *S. 2 g.* Pessoa que segue curso de ginástica pelo rádio[3].

radiogoniometria (rà) [De *radi(o)-*[1] + *goniometria*.] *S. f.* Orientação direcional dada pelo radiogoniômetro.

radiogoniométrico (rà) [De *radiogoniometria* + *-ico*^{2}.] ***Adj.*** Referente à radiogoniometria, ou ao radiogoniômetro.

radiogoniómetro (rà) *S. m.* V. *radiogoniômetro*. [Uso freq. em P.]

radiogoniômetro (rà) [De *radi(o)-*^{1} + *goniômetro*.] *S. m.* Receptor especial de sinais radiotelegráficos, que determina a direção de onde procedem os sinais recebidos. [Us. sobretudo a bordo de navios e aeronaves, como equipamento auxiliar de navegação.]

radiografar (rà) [De *radi(o)-*^{1} + *-graf(o)-* + *-ar*^{2}.] ***V. t. d.*** **1.** Registrar mediante radiografia; produzir radiografia de. **2.** Expedir (notícia) sob a forma de radiograma. ***Int.*** **3.** Expedir radiograma: "O comandante lhes dera a esperança de, naquela tarde, ancorar finalmente em porto acolhedor. Radiografaram, e receberam, em resposta, vagas promessas." (Lia Correia Dutra, *Navio sem Porto*, p. 25.)

radiografia (rà) [De *radi(o)-*^{1} + *-grafia*.] *S. f.* **1.** Estudo dos raios luminosos. **2.** *Radiol.* Registro de imagem de órgão ou de formação (5) interna, obtido mediante a passagem de raios X ou de raios gama através do corpo, de modo a impressionar filme adequadamente sensível. **3.** Cópia duma chapa de radiografia. [Sin. (bras. pop.), nas acepç. 2 e 3: *chapa*.] **4.** *Fig.* Análise em profundidade duma situação, dum fato, etc.: *Os especialistas fizeram a radiografia da crise política.*

radiográfico (rà) [De *radiografia* + *-ico*^{2}.] ***Adj.*** *Radiol.* Relativo a radiografia.

radiograma (rà) [De *radi(o)-*^{1} + *-grama*.] *S. m.* **1.** Comunicação através da telegrafia sem fio. [F. red.: *rádio*. Sin., p. us.: *aerograma*.] **2.** *Fís.* Imagem formada e registrada numa emulsão sensível quando radiações ionizantes atravessam um objeto.

rádio-gravador (ô) [De *rádio*^{3} + *gravador*.] *S. m.* Aparelho de rádio^{3} (2) que contém, na mesma caixa, um gravador (4). [Pl.: *rádios-gravadores* e *rádios-gravador*.] ❖

radiointerferómetro (rà... o-in) *S. m. Astr.* V. *radiointerferômetro*. [Uso freq. em P.]

radiointerferômetro (rà... o-in) [De *radi(o)-*^{1} + *interferômetro*.] *S. m. Astr.* V. *interferômetro radioelétrico*.

radioisótopo (rà... o-i) [De *radi(o)-*^{1} + *isótopo*.] *S. m. Quím. Nucl.* V. *nuclídeo radioativo*.

radiojornal (rà) [De *radi(o)-*^{2} + *jornal*.] *S. m. Jorn. Rád.* Noticiário ou programa jornalístico de rádio.

radiola [De *rádio*^{3} + *(vitr)ola*.] *S. f.* Aparelho em que se conjugam o rádio e a vitrola; rádio-vitrola.

radiolário (rà) [Do lat. tard. *radiolus* + *-ário*; tax. *Radiolaria*.] *Zool. S. m.* **1.** Espécime dos radiolários, ordem de protozoários, actinópodes, ger. esféricos, com o protoplasma dividido, por uma cápsula quitinosa com vários poros, em duas porções: interna e externa; e esqueleto em geral de sílica, ou sulfato de estrôncio, e com espinhos radiados. São marinhos e pelágicos, ocorrendo até a 5.000m de profundidade. ● ***Adj.*** **2.** Pertencente ou relativo a eles.

radiolarito (rà) [De *radiolário* + *-ito*^{2}.] *S. m. Geol.* Rocha dura e compacta, essencialmente constituída de restos silicosos de radiolários.

radiolesão (rà) [De *radi(o)-*^{1} + *lesão*.] *S. f. Patol.* Lesão produzida por irradiação.

radiólise [De *radi(o)-*^{1} + *-lise*.] *S. f. Fís.-Quím.* Decomposição de substâncias provocada pela ação de radiações ionizantes.

radiolocalização (rà) [De *radi(o)-*^{1} + *localização*.] *S. f. Telec.* Radiodeterminação utilizada para outros fins que não os da radionavegação.

radiologia (rà) [De *radi(o)-*^{1} + *-logia*.] *S. f.* **1.** Estudo científico de raios X e dos corpos radioativos. **2.** *Med.* Ramo da medicina que faz uso de energia radiante (q. v.), com fins diagnósticos ou terapêuticos. **3.** Roentgenologia.

radiológico (rà) [De *radiologia* + *-ico*^{2}.] ***Adj.*** Relativo à radiologia.

radiologista (rà) [De *radiologia* + *-ista*.] *S. 2 g.* Especialista em radiologia.

radioluminescência (rà) [De *radi(o)-*^{1} + *luminescência*.] *S. f. Fís.* Luminescência provocada pela ação de radiações emitidas por nuclídeos radioativos.

radiolux (rà... cs) *S. m. 2 n. Fotom.* Unidade de medida de emitância luminosa igual a um lúmen por metro quadrado.

radiomensagem (rà) [De *radi(o)-*^{2} + *mensagem*.] *S. f.* Mensagem emitida e transmitida pela radiofonia.

radiometria (rà) [De *radi(o)-*^{1} + *-metria*.] *S. f. Fís.* Designação comum às técnicas de medição de grandezas associadas à energia radiante.

radiométrico (rà) [De *radiometria* + *-ico*^{2}.] ***Adj.*** Referente à radiometria, ou ao radiômetro.

radiómetro *S. m. Fís.* V. *radiômetro*. [Uso freq. em P.]

radiômetro [De *radi(o)-*^{1} + *-metro*.] *S. m. Fís.* Instrumento medidor de radiação eletromagnética ou acústica.

radionavegação (rà) [De *radi(o)-*^{1} + *navegação*.] *S. f. Telec.* Radiodeterminação utilizada para fins de navegação.

radionecrose (rà) [De *radi(o)-*^{1} + *necrose*.] *S. f. Patol.* Necrose tecidual causada por irradiação.

radionovela (rà) [De *radi(o)-*^{2} + *novela*.] *S. f. Bras.* Novela (3) radiofônica.

radionuclídeo (rà) [De *radi(o)-*^{1} + *nuclídeo*.] *S. m. Fís. Nucl.* Nuclídeo radioativo.

radiopaco (rà) [De *radi(o)-*^{1} + *opaco*.] ***Adj.*** Impermeável aos raios X.

radiopatrulha (rà) [De *radi(o)-*^{1} + *patrulha*.] *S. f.* **1.** Serviço de policiamento urbano em que há uma estação central em comunicação contínua com viaturas providas de aparelhos transmissores e receptores, às quais determina o pronto atendimento das ocorrências. **2.** Qualquer dessas viaturas.

rádio-peão *S. f. Comun. Gír.* Rede informal de informações e boatos numa empresa ou organização. [Sin.: *rádio-tamanco*. Pl.: *rádios-peões* e *rádios-peão*.]

radioperador (rà... ô) [De *radi(o)-*^{2} + *operador*.] *S. m.* Operador de rádio^{3}.

radioproteção (rà) [De *radi(o)-*^{1} + *proteção*.] *S. f.* Estudos dos métodos e processos de proteção de organismos vivos contra radiações ionizantes.

radioquímica (rà) [De *radi(o)-*^{1} + *química*.] *S. f.* Parte da química que investiga os nuclídeos radioativos e seus compostos, utilizando, em geral, a radioatividade como elemento indicador da presença ou como meio de se efetuarem determinações quantitativas.

radioquímico (rà) [De *radioquímica*, com var. suf. (v. *-ico*^{2}).] ***Adj.*** Respeitante à radioquímica.

radioquimografia (rà) [De *radi(o)-*^{1} + *-quim(o)-* + *-grafia*.] *S. f.* Processo de fixação, numa radiografia, da imagem dum órgão nas suas diferentes fases de dilatação.

radioquimográfico (rà) [De *radioquimografia* + *-ico*^{2}.] ***Adj.*** Relativo à radioquimografia.

radioquimógrafo (rà) [De *radi(o)-*^{1} + *-quim(o)-* + *-grafo*.] *S. m.* Aparelho próprio para executar a radioquimografia.

radioquimograma (rà) [De *radi(o)-*^{1} + *-quim(o)-* + *-grama*.] *S. m.* Radiografia feita com o radioquimógrafo.

radiorreceção *S. f.* V. *radiorrecepção*. [Uso próprio de P.] ⊙

radiorrecepção (rà) [De *radi(o)-*^{2} + *recepção*.] *S. f.* Recepção por meio de rádio^{3}.

radiorreceptor (rà... ô) [De *radi(o)-*^{1} + *receptor*.] *S. m. Radiotéc.* Dispositivo eletrônico capaz de receber sinais eletromagnéticos de radiofrequência e transformá-los em impulsos elétricos que ativam um sistema mecânico, produzindo, assim, ondas acústicas. [Cf. *radioemissor* e *radiotransmissor*.]

radiorrecetor (ô) *S. m. Radiotéc.* V. *radiorreceptor*. [Uso próprio de P.] ⊙

radiorreportagem (rà) [De *radi(o)-*^{2} + *reportagem*.] *S. f.* Reportagem difundida pelo rádio^{3}.

radiorrepórter (rà) [De *radi(o)-*^{2} + *repórter*.] *S. 2 g. Jorn. Rád.* Jornalista que faz radiorreportagens. [Pl.: *radiorrepórteres*.]

radioscopia (rà) [De *radi(o)-*^{1} + *-scop-* + *-ia*^{1}.] *S. f. Radiol.* Forma de exame de órgão realizada através de tela fluorescente, mediante o emprego de raios X; fluoroscopia.

radioscópico (rà) [De *radioscopia* + *-ico*^{2}.] ***Adj.*** Relativo à radioscopia; fluoroscópico.

radioso (ô) [Do lat. *radiosu*.] ***Adj.*** **1.** Que lança raios de luz; resplandecente. **2.** *Fig.* Muito alegre; jubiloso, contente, radiante.

radiossonda (rà) [De *radi(o)-*^{1} + *sonda*.] *S. f. Telec.* Emissor radioelétrico automático, transportado por aeronave, balão livre, paraquedas, ou balão cativo, e que transmite dados meteorológicos.

radiossondagem (rà) [De *radi(o)-*^{1} + *sondagem*.] *S. f. Met.* Sondagem efetuada mediante radiossonda, em lugar quase sempre inacessível, e cujos resultados são transmitidos por via radioelétrica.

rádio-tamanco *S. f. Comun. Gír.* Rádio-peão. [Pl.: *rádios-tamancos* e *rádios-tamanco*.]

radiotáxi (rà... cs) [De *radi(o)-*^{2} + *táxi*.] *S. m.* Táxi equipado com serviço de rádio^{3} (2), por intermédio do qual o motorista recebe ordens sobre o local aonde ir buscar os passageiros.

radioteatral (rà) [De *radi(o)-*^{2} + *teatral*.] ***Adj. 2 g.*** *Bras.* Relativo ao radioteatro.

radioteatro (rà) [De *radi(o)-*^{2} + *teatro*.] *S. m. Bras.* Representação teatral transmitida pelo rádio^{3} (5). [A f. *radiatro* é pouco recomendável.]

radiotécnica^{1} (rà) [De *radi(o)-*^{1} + *técnica*.] *S. f.* Ciência que trata da produção, transmissão, recepção e utilização geral das ondas eletromagnéticas.

radiotécnica^{2} (rà) [De *radi(o)-*^{2} + *técnica*.] *S. f. Pop.* Estabelecimento onde se consertam rádios e aparelhos afins.

radiotécnico (rà) [De *radiotécnica*^{1}, com var suf. (v. *-ico*^{2}).] ***Adj.*** **1.** Relativo a radiotécnica^{1}. ● *S. m.* **2.** Especialista nessa matéria.

radiotelefonia (rà) [De *radi(o)-*^{1} + *telefonia*.] *S. f. Telec.* Telefonia realizada, no todo ou em parte, por meio de ondas radioelétricas; telefonia sem fio; radiofonia.

radiotelefónico (rà) ***Adj.*** V. *radiotelefônico*. [Uso freq. em P.]

radiotelefônico (rà) [De *radiotelefonia* + *-ico*^{2}.] ***Adj.*** Referente à radiotelefonia; radiofônico.

radiotelefonista (rà) [De *radiotelefonia* + *-ista*.] *S. 2 g.* Pessoa que trabalha em radiotelefonia.

radiotelegrafia (rà) [De *radi(o)-*^{1} + *telegrafia*.] *S. f.* Telegrafia em que se usam para a transmissão de sinais as propriedades das ondas eletromagnéticas; telegrafia sem fio.

radiotelegráfico (rà) [De *radiotelegrafia* + *-ico*^{2}.] ***Adj.*** Relativo a radiotelegrafia.

radiotelegrafista (rà) [De *radiotelegrafia* + *-ista*.] *S. 2 g.* Operador de radiotelegrafia.

radiotelemetria (rà) [De *radi(o)-*^{1} + *telemetria*.] *S. f. Telec.* Telemetria realizada por meio de ondas radioelétricas.

radiotelemétrico (rà) [De *radiotelemetria* + *-ico*^{2}.] ***Adj.*** Relativo a radiotelemetria.

radiotelescópio (rà) [De *radi(o)-*^{1} + *telescópio*.] *S. m. Astr.* Instrumento quase sempre constituído por um grande espelho metálico em forma parabólica, e destinado a captar as emissões radioelétricas de origem celeste; astroantena. ◆ **Radiotelescópio interferométrico.** *Astr.* Interferômetro radioelétrico.

radioterapêutica (rà) [De *radi(o)-*^{1} + *terapêutica*.] *S. f. Radiol.* V. *radioterapia*.

radioterapêutico (rà) [De *radioterapêutica*, com var. suf. (v. *-ico*^{2}).] ***Adj.*** Relativo à radioterapêutica; radioterápico.

radioterapia (rà) [De *radi(o)-*^{1} + *terapia*.] *S. f. Radiol.* Forma de tratamento empregada em doenças várias, a qual faz uso dos raios X ou de outra forma de energia radiante; radioterapêutica.

radioterápico (rà) [De *radioterapia* + *-ico*^{2}.] ***Adj.*** Relativo a radioterapia; radioterapêutico.

radiotransmissão (rà) [De *radi(o)-*^{1} + *transmissão*.] *S. f.* Transmissão sonora por meio da radiofonia.

radiotransmissor (rà... ô) [De *radi(o)-*^{1} + *transmissor*.] *S. m.* Aparelho que transmite sem fio ondas eletromagnéticas em radiofrequência. [Cf. *radiorreceptor*.]

radiotransmitir (rà) [De *radi(o)-*^{1} + *transmitir*.] ***V. t. d.*** Efetuar a radiotransmissão de.

radiouvinte (rà) [De *radi(o)-*^{2} + *ouvinte*.] *S. 2 g. Bras.* Pessoa que ouve emissões radiofônicas; ouvinte.

rádio-vitrola [De *rádio*^{3} (5) + *vitrola*.] *S. f.* Radiola. [Pl.: *rádios-vitrolas* e *rádios-vitrola*.] ❖

radobar [Do fr. *radouber*.] ***V. t. d.*** *Ant.* Consertar, reparar (navios). [Cf. *adubar* (7).]

radónio *S. m. Quím.* V. *radônio*. [Uso freq. em P.]

radônio [Do lat. cient. *radonium*.] *S. m. Quím.* Elemento de número atômico 86, gás nobre radioativo [símb.: *Rn*].

rádula [Do lat. *radula*, 'raspadeira'.] *S. f. Zool.* Fita membranosa móvel, provida de numerosos dentes quitinosos, dispostos em filas transversais, encontrada no soalho da boca dos moluscos, exceto nos lamelibrânquios.

raer [Do lat. *radere*, 'raspar'.] ***V. t. d.*** *Lus.* **1.** Vassourar (o forno) depois de aquecido. **2.** Arrastar com rodo (o sal nas marinhas). [Var., nesta acepç.: *rer*.]

rafa^{1} [Do esp. *ráfaga*, 'rajada'.] *S. f. Ant.* Maré forte.

rafa^{2} [De *rafar*.] *S. f.* **1.** Corte feito nos veios de carvão de pedra, com rafadeiras ou com ferramentas comuns, para o desmonte da jazida. **2.** *Gír.* Fome, penúria, miséria. [Var., nesta acepç.: *ráfia*.]

rafadeira [De *rafa*^{2} (1) + *-deira*.] *S. f.* Cortadeira especial para executar a rafa^{2} (1), em minas de carvão.

rafado [Part. de *rafar*.] ***Adj.*** *Pop.* **1.** Gasto pelo uso; surrado: *calça rafada*. **2.** Que tem rafa^{2}.

rafael [De *rafa*^{2} + *-el*.] *S. m. Bras. RS Gír.* Fome, apetite. [Pl.: *rafaéis*.]

rafaelense ***Adj. 2 g. S. 2 g.*** V. *são-rafaelense*.

rafaelesco (ê) [Do antr. *Rafael* + *-esco*.] ***Adj.*** Pertencente ou relativo a Rafael Sanzio (1483-1520), pintor renascentista italiano, ou próprio dele, de sua arte, dos tipos por ele criados.

rafael-fernandense ***Adj. 2 g.*** **1.** De, ou pertencente ou relativo a Rafael Fernandes (RN). ● *S. 2 g.* **2.** O natural ou habitante de Rafael Fernandes. [Pl.: *rafael-fernandenses*.]

rafael-godeirense ***Adj. 2 g.*** **1.** De, ou pertencente ou relativo a Rafael Godeiro (RN). ● *S. 2 g.* **2.** O natural ou habitante de Rafael Godeiro. [Pl.: *rafael-godeirenses*.]

rafaelista [Do antr. *Rafael* + *-ista*.] *S. 2 g.* Rafaelita.

rafaelita [Do antr. *Rafael* + *-ita*^{2}.] *S. 2 g.* Pintor pertencente à escola de Rafael; rafaelista.

R

rafameia (éi) [De *rafa*[2].] ***S. f. Bras. N. N.E.*** V. *ralé* (1). ❖

rafar ***V. t. d.*** **1.** Gastar com o uso; surrar: 🗎 *rafar o casaco.* ***P.*** **2.** Estragar-se ou gastar-se com o uso; ficar no fio.

rafardense ***Adj. 2 g.*** **1.** De, ou pertencente ou relativo a Rafard (SP). ● ***S. 2 g.*** **2.** O natural ou habitante de Rafard.

rafe[1] [Do ingl. *rough.*] ***S. m.*** *Art. Gráf.* Esboço inicial, anterior ao leiaute, realizado na criação de uma obra gráfica.

rafe[2] [Do gr. *rhaphé*, 'costura'.] ***S. f.*** **1.** *Anat.* Designação genérica de linha em que se unem partes simétricas. **2.** *Bot.* Linha em relevo que ocorre em muitas sementes, procedente da soldadura do funículo com o tegumento seminal. **3.** *Bot.* Fissura que, nas células das diatomáceas, é paralela ao eixo longo e permite a comunicação do conteúdo celular com o meio exterior. ◆ **Rafe do escroto.** *Anat.* Estria que percorre a linha média da superfície escrotal, dividindo esta em duas porções quase iguais.

rafeiro [De or. controversa.] ***Adj. S. m.*** Diz-se de, ou cão treinado para guardar gado: 🕮 "À rês, que se tresmalha, o cão da Beira, / Um rafeiro de raça, / Latindo, a faz voltar." (Bulhão Pato, *Livro do Monte*, p. 116.)

→ **raffiné** [ʁafi'ne] [Fr.] ***Adj.*** De gosto apurado; requintado.

rafflesiácea [Do tax. *Rafflesia* (do antr. [*Sir Thomas S.*] *Raffles* [-1826], administrador [de colônia] inglês, + lat. cient. *-ia* [v. *-ia*[2]]) + *-ácea*; tax. *Rafflesiaceae.*] ***S. f.*** *Bot.* Espécime das raflesiáceas, família de plantas floríferas, da ordem das aristoloquiales, desprovidas de clorofila, e que parasitam raízes e ramos, no interior dos quais vivem. Exteriorizam apenas as flores, que são unissexuadas; o fruto é bacáceo ou capsular. Pertence a esta família a maior flor do mundo, a *Rafflesia arnoldi*, que mede cerca de 1m de diâmetro. No Brasil há o gênero *Pilostyles*, com umas poucas espécies, de flores insignificantes.

rafflesiáceo [De *rafflesiácea*, com var. suf. (v. *-áceo*).] ***Adj.*** *Bot.* Pertencente ou relativo às rafflesiáceas.

▲ **raf(i)-** V. *rafid(o)-*.

▲ **-raf(i)-** V. *rafid(o)-*.

ráfia[1] [Do tax. *Raphia* (do malgaxe *rafia, raofia*).] ***S. f.*** **1.** *Bot.* Gênero de palmeiras arecáceas, nativas da África e da América do Sul, de grandes folhas pinuladas, que figuram entre as maiores do mundo, inflorescências espiciformes, e frutos escamosos. **2.** *Bot.* Qualquer espécie desse gênero, como, p. ex., a *Raphia taedigera* (v. *jupati*), a *R. vinifera*, que habita a África e cuja inflorescência fornece o vinho de palma, e a *R. ruffia*, de grande importância econômica pela fibra fornecida pelos seus pecíolos. **3.** *Bot.* Qualquer espécime desse gênero. **4.** O fio obtido das fibras da ráfia, us. industrialmente. **5.** Fio sintético semelhante à ráfia[1] (4).

ráfia[2] ***S. f.*** *Gír.* V. *rafa*[2] (2).

ráfide [Do gr. *rhaphís, ídos*, 'agulha'.] ***S. f.*** *Bot.* Rafídeo[1].

rafídeo[1] [De *raf(i)-* + *-ídeo*[3].] ***S. m.*** *Bot.* Cristal acicular, constituído de oxalato de cálcio, pontiagudo nas duas extremidades, e que se dispõe em feixes no interior de células especializadas, denominadas *idioblastos*; ráfide. [Tem importante papel no mecanismo de defesa das plantas.]

rafídeo[2] [Do tax. *Raphus* + *-ídeo*[1]; tax. *Raphidae.*] *Zool.* ***S. m.*** **1.** Espécime dos rafídeos, família de aves columbiformes, extintas, nativas das ilhas Maurício. Tinham grande porte, cabeça grande, bico volumoso, asas rudimentares, cauda curta, pelagem cinzenta ou marrom; terrestres, alimentavam-se de frutas e nidificavam no solo. Havia dois gêneros com três espécies. Ex.: o dodo. ● ***Adj.*** **2.** Pertencente ou relativo a eles.

rafidiídeo [Do tax. *Raphidium*, gênero-tipo, + *-ídeo*[1]; tax. *Raphidiidae.*] *Zool.* ***S. m.*** **1.** Espécime dos rafidiídeos, família de insetos predatórios que têm longo protórax e ovipositor também alongado, sagitiforme. ● ***Adj.*** **2.** Pertencente ou relativo a eles.

rafidióideo [Do tax. *Raphidium*, gênero-tipo, + *-óideo*; tax. *Raphidiodea.*] *Zool.* ***S. m.*** **1.** Espécime dos rafidióideos, pequena subordem de neurópteros que compreende os rafidiídeos e alguns outros insetos a ela relacionados, e que, por vezes, é incluída entre os megalópteros. ● ***Adj.*** **2.** Pertencente ou relativo a eles.

▲ **rafid(o)-** [Do gr. *rhaphís, ídos.*] ***El. comp.*** = 'agulha'; 'sutura': *rafidografia.* [Equiv.: *raf(i)-, -raf(i)-: rafídeo*[1], *rafigrafia; cantorrafia.*]

rafidografia [De *rafid(o)-* + *-grafia.*] ***S. f.*** Rafigrafia.

rafidográfico [De *rafidografia* + *-ico*[2].] ***Adj.*** Rafigráfico.

rafigrafia [De *raf(i)-* + *-grafia.*] ***S. f.*** Sistema de escrita em relevo com ponteiro ou agulha, para uso ou ensinança de cegos; rafidografia.

rafigráfico [De *rafigrafia* + *-ico*[2].] ***Adj.*** Respeitante à rafigrafia; rafidográfico.

rafígrafo [De *raf(i)-* + *-grafo.*] ***S. m.*** *Tip.* Aparelho empregado para gravar os caracteres em relevo do alfabeto dos cegos.

rafinado [Adapt. do fr. *raffiné.*] ***S. m.*** *Tec. Quím.* **1.** Material que resta quando uma mistura de componentes (ou uma substância impura) é submetida a uma extração (6), após a separação da fase formada pelo solvente e o extrato. **2.** Qualquer de certas misturas de hidrocarbonetos, resultantes de processos de extração (6) e que, na indústria petroquímica, podem, por vezes, ser us. ilicitamente: 🕮 "A exemplo da própria gasolina, os rafinados .... são solventes de plásticos e borrachas [e quando usados para adulterar a gasolina para automóveis], corroem as mangueiras, as vedações e emendas de diversas partes do sistema de alimentação, contaminam o óleo lubrificante, e obviamente, pioram o nível de emissão de poluentes." (*Jornal do Brasil*, 04.04.1998.)

raflesiácea ***S. f.*** *Bot.* V. *rafflesiácea*.

raflesiáceo ***Adj.*** *Bot.* V. *rafflesiáceo*.

→ **rafting** ['ɹæftɪŋ] [Ingl.] ***S. m.*** V. *canoagem* (2): 🕮 "A ideia do *rafting* no rio Colorado foi de Adriana" (Rubem Fonseca, *Histórias de Amor*, p. 40).

rágada ***S. f.*** Rágade (q. v.).

rágade [Do gr. *rhagás, ádos*, 'fenda', pelo lat. *rhagade.*] ***S. f.*** Ulceração estreita e alongada; rágada.

rageira ***S. f.*** *Ant.* V. *regeira*.

▲ **-ragia** [Do gr. *-rragía* < v. gr. *rhegnýnai*, 'romper'; 'fazer esguichar, borbulhar (água)' + gr. *-ía* (v. *-ia*[1]).] ***El. comp.*** = 'derramamento': *linforragia; verborragia.*

raglã [Do antr. *Raglan.*] ***Adj.*** ***(f.)*** *Cost.* **1.** Diz-se da manga cortada de modo que a cava, com as costuras enviesadas, termina no decote. **2.** Diz-se de peça de vestuário com manga raglã.

ragóideo [Do gr. *rhagoeidés* + *-eo.*] ***Adj.*** Semelhante a um bago de uva.

→ **ragtime** ['ɹægtajm] [Ingl.] ***S. m.*** **1.** Tipo de música fortemente ritmada e sincopada, que resultou da fusão do folclore negro norte-americano com a música de dança dos brancos. **2.** *P. ext.* Estilo pianístico e orquestral inspirado nesse tipo de música e precursor do *jazz*.

ragu [Do fr. *ragoût.*] ***S. m.*** *Cul.* Carne, em especial de vitela ou de carneiro, ensopada ou guisada com legumes, e molho abundante.

ragueira ***S. f.*** *Ant.* V. *regueira*.

raia[1] [Do lat. **radia* < lat. *radiu* (de carro, de luz).] ***S. f.*** **1.** Risca, traço, linha. **2.** Linha da palma da mão. **3.** V. *limite* (1). **4.** V. *fronteira* (1). **5.** *Fig.* Limite (6): 🕮 "a intenção quase exclusiva do poeta [Antônio José] era a galhofa, e tal galhofa que transcendia muita vez as raias da conveniência pública." (Machado de Assis, *Relíquias de Casa Velha*, p. 152). **6.** Área destinada às experiências com mísseis ou com veículos espaciais. **7.** *Ópt.* Imagem monocromática da fenda de entrada de um espectroscópio. **8.** *Fís.* V. *raia espectral*. **9.** Cada uma das divisões longitudinais de piscina, demarcadas por meio de cordas dotadas de boias. **10.** *Bras.* Pista de corrida de cavalos, seja de grama, seja de areia. **11.** *Bras. S.* Contramarca que se faz nos cavalos com ferro em brasa. ◆ **Raia de tiro.** *Bras. Mar. G.* Faixa de mar, demarcada com precisão, na qual se efetuam exercícios de tiro com canhões, torpedos ou outras armas. **Raia espectral.** *Fís.* Radiação monocromática, ou praticamente monocromática, no espectro de emissão ou de absorção de uma substância. [Tb. se diz apenas *raia*; sin.: *linha espectral.*] **Raia leve.** *Turfe* Pista de corridas quando está seca. **Raia macia.** *Turfe* Pista de corridas quando está úmida. **Raia pesada.** *Turfe* Pista de corridas quando está muito molhada. **Raia reta.** *Turfe* Cancha reta. **Raias de Fraunhofer.** *Astr.* Raias espectrais de absorção, descobertas no espectro solar pelo astrônomo alemão Joseph von Fraunhofer (1787-1826), e que são designadas por letras, dependendo do seu comprimento de onda (λ) e de sua origem, como, p. ex., raia *A* (λ = 7593 Å, oxigênio do ar), raia *C* (λ = 6563 Å, hidrogênio), raia *E* (λ = 5270 Å, cálcio), raia *F* (λ = 4861 Å, hidrogênio); linhas de Fraunhofer. **Raia telúrica.** *Astr.* Raia espectral que aparece no espectro dos astros quando observado da superfície da Terra, e que provém da absorção da atmosfera terrestre. **Fechar a raia.** *Turfe* Chegar (o cavalo) em último lugar num páreo. **Fugir, correr da raia.** *Bras. Fam.* Fugir de dificuldade, compromisso, etc. **Passar as raias.** Exceder-se, abusar. **Tocar as raias.** Atingir o limite.

raia[2] [Do lat. *raia, raja*, 'raia'; tax. *Raja.*] ***S. f.*** *Zool.* **1.** O gênero-tipo dos rajídeos, peixes elasmobrânquios, hipotremados, de corpo achatado, boca e fendas branquiais situadas na face ventral, nadadeiras peitorais muito desenvolvidas, em forma de asas. Há raias marinhas e de água doce. Repousam sempre no fundo e nadam de maneira graciosa. A cauda é longa, afilada, provida de um, dois ou mais ferrões peçonhentos, dotados de farpas recurvadas, o que dificulta a sua retirada da carne onde penetram. No Brasil são conhecidas umas 30 espécies. **2.** Qualquer espécie desse gênero, como, p. ex., a *Raja meta* (v. *raia-chita*). **3.** Qualquer espécime desse gênero. **4.** *Bras.* Arraia[1] (2).

raia-amarela [De *raia*[2] + o f. de *amarelo.*] ***S. f.*** *Bras. Zool.* **1.** Raia dasiatídea (*Dasyatis sayi*) habitante de águas costeiras do Atlântico ocidental e também de estuários. A superfície dorsal vai do amarelado ao marrom-claro, e a ventral é esbranquiçada; o disco é losangular, com os cantos arredondados, e próximo à base da longa cauda há um ferrão venenoso, us. como defesa. [Sin.: *aiereba.*] **2.** V. *raia-manteiga* (2). [Pl.: *raias-amarelas.*]

raia-arara [De *raia*[2] + *arara*[1].] ***S. f.*** *Bras. Zool.* V. *raia-pintada* (2). [Pl.: *raias-araras* e *raias-arara.*]

raia-borboleta ***S. f.*** *Zool.* V. *raia-manteiga* (1 e 2). [Pl.: *raias-borboletas* e *raias-borboleta.*]

raia-chita [De *raia*[2] + *chita.*] ***S. f.*** **1.** *Bras. Zool.* Raia rajídea (*Raja meta*) do Atlântico, de coloração parda, pontoada de preto. Uma linha longitudinal de acúleos no meio do corpo e espinhos laterais na cauda distinguem bem a espécie, que atinge pouco mais de 1m de comprimento. [Pl.: *raias-chitas* e *raias-chita.*] **2.** V. *raia-pintada*[1] [Pl.: *raias-chitas* e *raias-chita.*]

raiado [De *raia*[1] + *-ado*[2].] ***Adj.*** **1.** Que tem raias ou riscas; arraiado. **2.** Entremeado, mesclado, entressachado. **3.** Diz-se de cano de arma de fogo estriado interiormente em espiral. ~ V. *arma —a, buril —* e *prova —a.*

raia-elétrica [De *raia*[2] + o f. do adj. *elétrico.*] ***S. f.*** *Bras. Zool.* V. *treme-treme* (1). [Pl.: *raias-elétricas.*]

raia-focinho-de-vaca ***S. f.*** *Zool.* V. *ticonha*. [Pl.: *raias-focinho-de-vaca.*]

raia-gererera ***S. f.*** *Bras. Zool.* V. *raia-manteiga* (1). [Pl.: *raias-gerereras.*]

raia-grande [De *raia*[2] + *grande.*] ***S. f.*** *Bras. Zool.* V. *boró*[1]. [Pl.: *raias-grandes.*]

raia-jamanta ***S. m.*** *Zool.* V. *jamanta*[1]. [Pl.: *raias-jamantas* e *raias-jamanta.*]

raial [De *real*[1].] ***S. m.*** Antiga moeda de ouro portuguesa.

raia-lixa [De *raia*[2] + *lixa.*] ***S. f.*** *Bras. Zool.* Peixe elasmobrânquio, hipotremado, dasiatídeo (*Dasyatis guttatus*), do Atlântico, de dorso escuro, ventre branco-amarelado, cauda três vezes mais longa que o corpo, e com uma série de acúleos sobre a linha mediana do corpo até o ferrão caudal. [Sin.: *jabebiretê.* Pl.: *raias-lixas* e *raias-lixa.*]

raia-manteiga [De *raia*[2] + *manteiga.*] ***S. f.*** *Bras. Zool.* **1.** Raia gimnurídea (*Gymnura altavela*), habitante de águas costeiras do Atlântico, Mediterrâneo e Mar Negro, de superfície dorsal marrom, com malhas escuras, e a ventral, marrom-clara, ferrugínea ou rósea. Com cerca de 2m de largura, é uma espécie mais larga que longa, sendo a cauda curta, com ferrões serrilhados, e a margem posterior dos espiráculos com um apêndice tentacular; alimenta-se ger. de peixes, moluscos e crustáceos. [Sin.: *arraia-borboleta, borboleta, raia-amarela, raia-borboleta, raia-gererera.*] **2.** Raia gimnurídea (*Gymnura micrura*) do Atlântico, com o disco mais largo que comprido, de dorso cinza, marrom, verde-claro ou púrpura, com manchas, e a superfície ventral branca, sendo a cauda curta, desprovida de ferrão. É ovovivípara e alimenta-se ger. de peixes e camarões. [Sin.: *arraia-borboleta, raia-borboleta, borboleta, carapiaçaba.*] [Pl.: *raias-manteigas* e *raias-manteiga.*]

raiamento [De *raiar* + *-mento.*] ***S. m.*** *Bras. Mar. G.* Estriamento (2).

raiano [De *raia*[1] + *-ano*[1].] ***Adj.*** **1.** Arraiano[1]. **2.** Da raia[1] (4). ● ***S. m.*** **3.** Arraiano[1].

raia-pintada [De *raia*[2] + o f. do adj. *pintado.*] ***S. f.*** *Bras. Zool.* **1.** Raia miliobatídea (*Aetobatus narinari*) dos mares equatoriais, de coloração olivácea pintada de branco no dorso e clara no abdome, cauda três a quatro vezes mais longa que o corpo, com ferrão na base. [Var.: *arraia-pintada.* Tb. se diz apenas *pintada.* Sin.: *narinari, papagaio, raia-chita.*] **2.** Raia miliobatídea (*Ellipesurus strongylopterus*), da Amaz. e do Paraguai, de coloração que varia do amarelado ao pardacento, com máculas arredondadas dispostas em simetria, cauda com espinhos em toda a extensão, e dois aguilhões logo após o início. [Sin.: *raia-arara.* Var.: *arraia-arara.* Pl.: *raias-pintadas.*]

raia-prego ***S. f.*** *Zool.* V. *aiereba* (1). [Pl.: *raias-pregos* e *raias-prego.*]

raiar[1] [Do lat. *radiare.*] ***V. int.*** **1.** Emitir raios luminosos; brilhar, luzir, cintilar: 🗎 *Mal raiou o Sol, retomou a caminhada.* **2.** Despontar no horizonte; começar a aparecer: 🕮 "Raiava uma formosa madrugada." (José de Alencar, *O Sertanejo*, p. 195); "Raia agora a manhã no céu já todo azul." (Vicente de Carvalho, *Poemas e Canções*, p. 99). **3.** Surgir, aparecer: 🕮 "Já raiou a liberdade / No horizonte do Brasil." (Evaristo da Veiga, *Hino da Independência.*) *T. d.* **4.** Radiar, irradiar: *A Lua, oculta entre nuvens, raiava uma luz pálida.* [Var.: *arraiar.*]

raiar[2] [De *raia*[1] + *-ar*[2].] *V. t. d.* **1.** Traçar riscas ou raias em; cobrir de riscas: *O pintor raiou a tela.* **2.** Riscar, traçar, estriar: "Raia-lhe a farda o sangue." (Fernando Pessoa, *Poesias de Fernando Pessoa*, p. 219.) **3.** Estriar (peças de artilharia). **4.** *Grav.* Inutilizar (a chapa cuja tiragem se completou) por meio de traços entrecruzados. [V. *prova raiada.*] *T. i.* **5.** Tocar as raias ou limites; aproximar-se: "As medidas propostas raiam pelos exageros máximos da fantasia." (Euclides da Cunha, *Contrastes e Confrontos*, p. 231.)

raia-santa [De *raia*[2] + o f. do adj. *santo.*] *S. f. Bras. Zool.* Peixe elasmobrânquio, hipotremado, rajídeo (*Uraptera agassizii*), do Atlântico, de coloração pardo-amarelada com nódoa escura sobre as grandes nadadeiras peitorais e cauda longa e fina. [Pl.: *raias-santas.*]

raia-sapo *S. f. Zool.* V. *ticonha.* [Pl.: *raias-sapos* e *raias--sapo.*]

raigota (a-i) [De raiz + *-ota*[1], em virtude do sentimento de alternância fonética entre *-z-* e *-g-*, que inspira, por ex., *perdiz/perdigão, nariz/narigão, rapaz/rapagão/rapagote.*] *S. f.* **1.** Radícula (1). **2.** Espigão na base das unhas.

raigotoso (a-i... tô) [De *raigota* + *-oso.*] *Adj.* Que tem raigotas.

→ **railway** ['ɹejlwej] [Ingl.] *S. m. Desus.* Estrada de ferro.

raineta[1] (ê) [Do fr. *rainette*, 'rã pequena e arborícola'.] *S. f. Zool.* V. *perereca* (1).

raineta[2] (ê) [Do fr. *reinette.*] *S. f. Lus.* Variedade de maçã (1) verde, que se usa para cozer, ou em salada: "suas faces lisas, cheias e coradas, ainda tinham a frescura de duas maçãs rainetas." (Rebelo da Silva, *Contos e Lendas*, p. 58).

rainha (a-í) [Do lat. *regina*, por via pop.] *S. f.* **1.** A esposa (ou a viúva) do rei (1). **2.** Soberana que rege ou governa um reino (1). **3.** A principal, a primeira, entre outras: *Maria foi a rainha da festa; A Inglaterra foi cognominada "a rainha dos mares".* **4.** Mulher que detém poder absoluto. [Masc., nessas acepçs.: *rei.*] **5.** Espécie de maçã e de pera. **6.** No jogo do xadrez, a peça mais poderosa, que pode ser movimentada em todas as direções, por quantas casas desimpedidas houver; dama. [Cf., nesta acepç., *rei* (6).] **7.** Dama (5). **8.** *Zool.* Abelha-mestra (1). ◆ **Rainha da noite.** A Lua. **Rainha do Arocá.** *Bras. Rel.* V. *Iemanjá.* **Rainha do Mar.** *Bras. Rel.* V. *Iemanjá.*

rainha-cláudia [Adapt. do fr. *reine-claude.*] *S. f.* Variedade de ameixa (1). [Pl.: *rainhas-cláudias.*]

rainha-do-abismo *S. f. Bras. Bot.* Erva gesneriácea (*Corytholoma canescens*) com tubérculo basal que anualmente emite folhas e flores. É inteiramente esbranquiçada, por ser coberta de pelos lanosos. Tem folhas arrendondadas ou ovadas, e crenadas, flores pequenas, rubras, agregadas em inflorescências corimbiformes, com corola ventricosa, e cápsulas ovadas e pilosas. [Pl.: *rainhas-do-abismo.*]

rainha-do-bosque *S. f. Bot.* Planta rubiácea (*Asperula odorata*) vivaz, de folhas pontiagudas, flores brancas, em corimbos, e frutos com pelos eriçados; é nativa da Europa, Ásia e África, e tem propriedades medicinais. [Pl.: *rainhas-do-bosque.*]

rainha-do-lago *S. f. Bot.* V. *aguapé*[2] (1). [Pl.: *rainhas-do--lago.*]

rainha-dos-prados *S. f. Bot.* V. *ulmária.* [Pl.: *rainhas--dos-prados.*]

rainha-mãe *S. f.* **1.** A mãe do rei. **2.** A viúva de um rei, seja ou não seja mãe daquele que ocupa o trono. [Pl.: *rainhas-mães.*]

rainha-margarida *S. f. Bot.* Erva anual (*Callistephus chinensis*) ereta, com 0,40 a 0,50m, de folhas pilosas e belas flores reunidas em capítulos grandes, de cores variadas; áster-da-china. [Pl.: *rainhas-margaridas.*]

rainúnculo *S. m. Bot.* V. *ranúnculo.*

raio [Do lat. *radiu*, por via pop.] *S. m.* **1.** A luz que emana de um foco luminoso e segue uma trajetória reta em determinada direção: *Um raio de sol filtrou-se entre a folhagem; O raio do holofote acompanhava os passos da bailarina.* **2.** Luz intensa e viva; claridade: *O raio dos faróis do caminhão cegou o motorista.* **3.** Cada um dos traços ou dos objetos retilíneos que, partindo de um centro, se distribuem em todas as direções, à maneira dos raios luminosos: *os raios de uma roda; os raios do resplendor de um santo.* **4.** Descarga elétrica entre uma nuvem e o solo, acompanhada de relâmpago e trovão: "Um raio / Fulgura / No espaço / Esparso, / De luz" (Gonçalves Dias, *Obras Poéticas*, II, p. 229). [Cf. *corisco* (2) e *relâmpago* (1).] **5.** Manifestação de uma radiação (2 e 3), perceptível ou não pelos sentidos. **6.** *Fig.* Tudo aquilo que fulmina ou destrói; desgraça, tragédia, fatalidade. **7.** *Fig.* Sinal, vislumbre, indício. **8.** *Fig.* A distância que se estende em todos os sentidos de uma área, a partir de um ponto central: *A explosão foi ouvida num raio de 50km.* **9.** *Fam.* Pessoa turbulenta ou travessa. **10.** *Geom.* Segmento de reta que vai de uma circunferência, ou de uma superfície esférica, até o seu centro. **11.** *Geom.* Distância dos pontos de uma circunferência, ou de uma superfície esférica, ao seu centro. [Abrev., nas acepçs. 10 e 11: *r.*] **12.** *Ópt.* Raio luminoso (q. v.). **13.** *Zool.* Filamento ósseo de sustentação das nadadeiras dos peixes. **14.** *Bras. Fam.* Coisa horrível, muito feia, ou de mau gosto: *Aquele vestido é um raio.* **15.** *Bras. Fam.* Pessoa muito feia: *A garota é um raio.* **16.** *Bras. Fam.* Coisa ou pessoa que aborrece ou incomoda: *Não consigo encontrar o raio do papel; O raio do negociante vendeu um artigo deteriorado.* ● ***Interj.*** **17.** Exprime irritação, impaciência, etc.: *Raio! Não consigo concentrar--me.* ◆ **Raio de ação. 1.** *Mil.* Raio do círculo dentro do qual se exerce eficazmente a ação de uma arma, de uma força militar, etc. **2.** *Mar. G.* A máxima distância que um navio pode alcançar, partindo de sua base, e a ela retornar, sem se reabastecer de combustível nem de alimentos. [Cf., nesta acepç., *autonomia* (4).] **3.** *Fig.* Área de atividade. **Raio de curvatura.** *Mat.* Módulo do inverso da curvatura de uma curva num ponto; raio do círculo osculador a uma curva num ponto. **Raio de giração.** *Fís.* Comprimento cujo quadrado é igual ao quociente do momento de inércia de um corpo em relação a um eixo de rotação pela massa do corpo. **Raio de Hubble.** *Cosm.* Raio do universo observável, que, segundo a constante hoje aceita, seria de 10^{27}cm. **Raio extraordinário.** *Ópt.* Num cristal birrefringente uniaxial, raio luminoso perpendicular às frentes de onda extraordinárias, e que não segue, por isso, a lei de refração de Snell. **Raio geodésico.** *Mat.* Raio de um círculo geodésico de uma superfície. **Raio hidráulico.** Elemento característico de uma canalização, medido pela relação entre a área da seção transversal e o perímetro molhado. **Raio luminoso.** *Ópt.* Reta que é o suporte das normais a uma frente de onda luminosa, e que representa aproximadamente a trajetória de uma fração limitada dessa onda. [Tb. se diz apenas *raio.*] **Raio polar.** *Mat.* Raio vetor. **Raio principal.** *Ópt.* Num sistema óptico, raio que incide sobre o sistema e passa pelo centro de sua pupila de entrada. **Raio verde.** *Met.* Curto relâmpago verde que ocorre no horizonte, no exato momento do nascer ou do ocaso de um astro, em particular do Sol. **Raio vetor.** *Mat.* **1.** Num sistema de coordenadas polares ou esféricas, segmento dirigido que vai do polo ao ponto; raio polar. **2.** A coordenada linear, num sistema de coordenadas polares ou esféricas; raio polar. **Raios alfa.** *Fís. Nucl.* Radiação constituída por partículas alfa. **Raios anódicos.** *Eletrôn.* Raios emitidos por um catodo aquecido, e que consistem em partículas carregadas positivamente. **Raios beta.** *Fís. Nucl.* Radiação constituída por partículas beta. **Raios canal.** *Fís.* Radiação constituída por íons positivos acelerados por um campo elétrico, e que se forma numa descarga elétrica em gases rarefeitos; raios positivos. **Raios catódicos.** *Fís.* Radiação constituída por elétrons acelerados, e emitida por um catodo. **Raios cósmicos.** *Fís. Nucl.* Conjunto formado por partículas de grande energia, de origem extraterrestre, e pela radiação corpuscular ou eletromagnética que elas provocam ao interagir com a atmosfera da Terra; radiação cósmica. **Raios delta.** *Fís. Nucl.* Radiação constituída por elétrons arrancados de átomos pela ação de partículas ionizantes e que têm, por sua vez, energia suficiente para provocar a formação de íons. **Raios gama.** *Fís. Nucl.* Radiação eletromagnética, de pequeno comprimento de onda, emitida num processo de transição nuclear ou de aniquilação de partículas. [Tb. se diz apenas *gama.*] **Raios o partam.** ***Interj.*** Us. para expressar repulsa, execração, ira, etc. **Raios positivos.** *Fís.* Raios canal. **Raios Roentgen.** *Fís.* Raios X. **Raios X.** *Fís.* Radiação eletromagnética de comprimento de onda compreendido, aproximadamente, entre 10^{-11} e 10^{-8} cm; raios Roentgen. **Raios X brancos.** *Fís.* Raios X (q. v.) em que o espectro de energia é distribuído continuamente por uma larga faixa de comprimentos de onda. **Raios X duros.** *Fís.* Raios X (q. v.) que têm energia elevada e, portanto, pequeno comprimento de onda, da ordem de 10^{-11} cm. **Raios X moles.** *Fís.* Raios X (q. v.) que têm energia pequena, pequeno poder de penetração nos sólidos e comprimento de onda relativamente grande, da ordem de 10^{-9} cm.

raiom [Do ingl. *rayon* (do ingl. *ray*, 'raio'), marca registrada de uma seda artificial, fonte tb. do fr. *rayonne.*] *S. m.* **1.** *Tec. Têx.* Designação comum a diversas fibras têxteis de aspecto e consistência sedosos, feitas por tratamento da viscose com ácido, regenerando a celulose. **2.** Seda artificial feita com essas fibras. [Sin. ger.: *raiom viscose.*] ◆ **Raiom viscose.** *Tec. Têx.* V. *raiom.*

raios [Pl. de *raio.*] *S. m. pl. Interj.* Raio (17).

raiputo *S. m.* V. *rajaputro.*

raiva [Do lat. **rabia*, em vez de *rabie.*] *S. f.* **1.** *Neur.* Doença causada por vírus que acomete o sistema nervoso de mamíferos. No homem, a doença tem um período de incubação que vai de um a três meses e é adquirida a partir de mordedura de animal com raiva (cachorro, gato, morcego, etc.). [Sin.: *hidrofobia, mal, moléstia, danação.*] [F. paral.: *rábia.*] **2.** V. *cólera* (1): "Patrão ficou desatinado de raiva." (Afonso Arinos, *Pelo Sertão*, p. 167.) **3.** Ódio, ira, rancor: *Uma raiva surda roía-lhe o peito.* **4.** Grande aversão; horror: *A criança tomou raiva ao estudo;* "Dera para ter raiva do marido. Não podia vê-lo, que se arrepiava de nojo." (José Lins do Rego, *Meus Verdes Anos*, p. 332). **5.** Prurido produzido pela dentição nas crianças. **6.** Espécie de biscoito. ◆ **Apanhar raiva.** *Guin.* Encolerizar-se.

raivar [De *raiva* + *-ar*[2].] *V. int.* **1.** Ter raiva; encher--se de raiva; enfurecer-se, irar-se, enraivar-se, enraivecer-se, raivecer, raivejar: *Depois de tantos desgostos, raivou.* *T. i.* **2.** Irar-se muito; enfurecer--se, raivecer, raivejar: *Raivou com o irmão.* **3.** *Fig.* Debater-se com fúria; raivecer, raivejar: "Árvores desgrenhadas pela ventania; ondas revoltas raivando contra escarpas pontiagudas" (José Oiticica, *Curso de Literatura*, pp. 47-48). **4.** Estar ansioso, anelante: *Está raivando pelo dia da viagem.* *T. d.* **5.** Exprimir ou manifestar (raiva, queixa); esbravejar, raivejar: *Raivou seu ódio, gritando.*

raivecer [De *raiva* + *-ecer.*] *V. int. T. i.* V. *raivar* (1 a 3). [Conjug.: v. *aquecer.*]

raivejar [De *raiva* + *-ejar.*] *V. int. T. i.* **1.** V. *raivar* (1 a 3). *T. d.* **2.** V. *raivar* (5). [Conjug.: v. *pelejar.*]

raivento [De *raiva* + *-ento.*] *Adj.* **1.** V. *raivoso* (2). **2.** Que enraivece com facilidade; raivudo.

raivoso (ô) [Do lat. *rabiosu.*] *Adj.* **1.** Atacado de raiva (1); hidrófobo, danado. **2.** Cheio de raiva, de cólera; muito irritado; rábido, rabioso, raivento.

raivudo [De *raiva* + *-udo.*] *Adj.* Raivento (2).

raiz (a-í) [Do lat. *radice.*] *S. f.* **1.** *Bot.* Porção inferior do eixo de uma planta, que cresce, ger., para dentro do solo, e cuja função fundamental é fixar o organismo vegetal e retirar do substrato os nutrientes e a água necessários à vida da planta. Há raízes aquáticas e aéreas, razão por que a raiz se caracteriza melhor pela estrutura. Aparece nos pteridófitos e fanerógamos; os demais grupos vegetais têm rizoides, simples órgãos radiciformes, cujas funções são semelhantes. [Sin.: *estirpe.*] **2.** *P. ext.* A parte oculta de qualquer coisa enterrada, cravada, embutida ou fixada em outra. **3.** *P. ext.* Parte inferior; base. **4.** *P. ext.* A parte de certos órgãos cravada ou implantada num tecido: *raiz da unha, de um pelo.* **5.** *Anat.* Raiz dentária (q. v.). **6.** *Anat.* Designação genérica da porção mais inferior de uma formação (5), e mediante a qual essa formação está firmemente unida a outra, ou a um órgão. **7.** A parte lenhosa de certos vegetais com que se fabricam objetos para fins industriais. **8.** *Fig.* Germe, princípio, origem. **9.** *Fig.* Ligação moral; vínculo, liame. **10.** *E. Ling.* V. *radical* (6). [Ex.: *com-*, em *comer, comida, comestível, comilão.*] **11.** *E. Ling.* O núcleo significativo de uma palavra, ger. estabelecido numa protolíngua e ao qual se chega pela comparação de línguas diversas de uma mesma família (7). [**bha-*, 'falar', seria a raiz indo-europeia que irmanaria numa mesma família os vocábulos portugueses *falar, fábula, infando, infância, fama, fada, fatal, confissão, eufemismo, fonética.*] **12.** *Mat.* Potência fracionária de um número. **13.** *Mat.* Valor de uma variável que anula uma função dessa variável. **14.** *Med.* Prolongamento profundo de certos tumores. ~ V. *raízes.* ◆ **Raiz adventícia.** *Bot.* Qualquer raiz que não proceda da radícula do embrião ou da raiz primária. Pode ser subterrânea ou aérea. **Raiz axial.** *Bot.* Raiz, primária quase sempre, que desce verticalmente no solo. **Raiz axonomorfa.** *Bot.* Diz-se da raiz axial que desce perpendicularmente no solo com ramificações pouco importantes; raiz pivotante. **Raiz característica.** *Álg.* V. *autovalor* (2). **Raiz carnosa.** *Bot.* Raiz tuberosa de consistência macia. **Raiz coraliforme.** *Bot.* Raiz delgada, cheia de pequenos nódulos irregulares ou verrugas, resultantes da ação de um fungo a ela associado (v. *micorriza*). **Raiz cúbica.** *Mat.* A potência 1/3 de um número. **Raiz da serra.** *Bras.* O lugar onde principia a elevação de um monte. **Raiz dentária.** *Anat.* Parte de dente que é recoberta pelo cemento, tem situação proximal em relação ao colo e, geralmente, está implantada em alvéolo dentário. [Tb. se diz apenas *raiz.*] **Raiz dupla.** *Mat.* Numa equação, raiz que é também raiz da equação derivada. **Raiz em cabeleira.** *Bot.* Raiz fasciculada.

Raiz enésima. *Mat.* A potência 1/n de um número. **Raízes conjugadas.** *Mat.* Numa equação, duas raízes complexas cujo produto é real. **Raiz fasciculada.** *Bot.* Conjunto de raízes adventícias que substitui a raiz primária, abortiva nesses casos, e forma um feixe. É tipo peculiar às monocotiledôneas. [Sin.: *raiz em cabeleira*.] **Raiz irredutível.** *Mat.* A que se representa por um radical que não pode ser transformado numa forma mais simples. **Raiz latente.** *Álg.* V. *autovalor* (2). **Raiz mestra.** A raiz principal. **Raiz múltipla.** *Mat.* Numa equação, raiz que é também raiz das equações derivadas até a ordem *n*, sendo *n* maior que a unidade; raiz repetida. **Raiz nervosa.** *Anat.* Cada componente de uma série de feixes pares de neurofibras que surgem de cada lado da coluna vertebral. **Raiz pivotante.** *Bot.* Raiz axonomorfa. **Raiz primária.** A que cresce primeiro, e da qual se originam as secundárias. **Raiz quadrada.** *Mat.* A potência 1/2 de um número. **Raiz repetida.** *Mat.* Raiz múltipla. **Raiz simples.** *Mat.* A que não é múltipla. **Raiz tabular.** *Bot.* Raiz lateralmente achatada, como tábua, e muito grande, que, em certas árvores tropicais, assume o aspecto de contraforte na base do tronco. [Cf. *sapopema* (1).] **Raiz tripla.** *Mat.* Raiz múltipla de ordem três. **Raiz tuberosa.** *Bot.* Raiz engrossada em virtude do acúmulo de material nutritivo nela armazenado, e que pode ser dura ou mole. [A tuberização tanto atinge a raiz primária como qualquer outra. Ex.: a mandioca.] **Até a raiz dos cabelos.** Até não mais poder; inteiramente, completamente: *Está endividado até a raiz dos cabelos.* **De raiz.** A fundo; sem ser pela rama. **Lançar raízes.** Prender-se, enraizar-se, arraigar-se. **Pela raiz.** Indo até à raiz, à origem; cerce, rente: *cortar o mal pela raiz.*

raizada (a-i) [De *raiz* + *-ada*^{1}.] *S. f.* V. *raizame.*

raizama (a-i) [De *raiz* + *-ama.*] *S. f. Bras.* S. V. *raizame.*

raiz-amarga *S. f. Bot.* V. *genciana-brasileira.* [Pl.: *raízes-amargas.*]

raizame (a-i) [De *raiz* + *-ame.*] *S. m.* **1.** O conjunto das raízes duma planta. **2.** Grande porção de raízes. [F. paral.: *raizama*; sin. ger.: *raizada.*]

raiz-da-guiné [De *raiz* + *da*^{1} + o top. *Guiné.*] *S. f. Bras. Bot.* V. *tipi.* [Pl.: *raízes-da-guiné.*]

raiz-de-chá *S. f. Bras. Bot.* Planta liliácea (*Cordyline terminalis*) arbustiforme, muito cultivada pelo valor ornamental da folhagem. Tem caule alto e delgado, e no ápice uma coroa de grandes folhas violáceas; flores minutas. [Pl.: *raízes-de-chá.*]

raiz-de-cheiro *S. f. Bot.* V. *vetiver.* [Pl.: *raízes-de-cheiro.*]

raiz-de-cobra *S. f. Bras. Bot.* V. *gafanhoto* (4). [Pl.: *raízes-de-cobra.*]

raiz-de-corvo *S. f. Bras. Bot.* V. *boi-gordo.* [Pl.: *raízes-de-corvo.*]

raiz-de-frade *S. f. Bras. Bot.* V. *cainca.* [Pl.: *raízes-de-frade.*]

raiz-de-jacaré-açu *S. m. Bras. Amaz. Bot.* Arbusto gencianáceo (*Tachia guianensis*) de flores amarelas, e que tem os galhos ocos habitados por formigas, e cujo caule e raiz são amargos e dão um extrato venenoso; jacaré-aru, caferana, taxi. [Pl.: *raízes-de-jacaré-açu.*]

raiz-de-lagarto *S. f. Bras. Bot.* V. *gafanhoto* (4). [Pl.: *raízes-de-lagarto.*]

raiz-de-laranja *S. f. Bras. Bot.* V. *gafanhoto* (4). [Pl.: *raízes-de-laranja.*]

raiz-de-sol *S. f. Bras. Bot.* **1.** Planta aristoloquiácea (*Aristolochia floribunda*) nativa da Amaz., de caule volúvel, folhas cordiformes e numerosas flores axilares, alvas com raias avermelhadas; tem uso medicinal. [Sin.: *raiz-do-sol.*] **2.** Planta aristoloquiácea (*Aristolochia paraensis*) nativa do Pará, e que tb. tem uso medicinal. [Pl.: *raízes-de-sol.*]

raiz-do-brasil *S. f. Bras. Bot.* V. *ipecacuanha.* [Pl.: *raízes-do-brasil.*]

raiz-doce *S. f. Bras. Bot.* Alcaçuz-da-terra. [Pl.: *raízes-doces.*]

raiz-do-sol *S. f. Bras. Bot.* Raiz-de-sol (1). [Pl.: *raízes-do-sol.*]

raizeiro (a-i) [De *raiz* + *-eiro.*] *S. m. Bras. N.E. MG* Curandeiro que trata doenças valendo-se de raízes vegetais. [Sin.: *raizista* (MG), *remedista* (MG), *doutor de raiz* (AL e BA).]

raízes [Pl. de *raiz.*] *S. f. pl. Encad.* Decoração imitativa de raízes vegetais, a qual se executa fazendo escorrer no couro da encadernação, antes ou depois de aplicado às pastas, respingos de água misturada a ácidos ou tintas. [V. *racinar.*] ~ V. *raiz.*

raiz-escora *S. f. Bot.* Raiz grossa que, formando com outras um feixe, fica por baixo da planta e a sustenta no ar, como no mangue (2). [Pl.: *raízes-escoras* e *raízes-escora.*]

raiz-forte *S. f. Bot.* Planta brassicácea (*Nasturtium amoracea*) de raízes branco-amareladas, carnosas, de sabor picante, que lembra o da mostarda, e que são us. como condimento. [Sin.: *rábano-bastardo, rábano-picante, rábano-rústico.* Pl.: *raízes-fortes.*]

raizista (a-i) [De *raiz* + *-ista.*] *S. 2 g. Bras. MG* V. *raizeiro.*

raiz-preta (ê) *S. f. Bras. Bot.* V. *boi-gordo.* [Pl.: *raízes-pretas.*]

raja [Do esp. *raya.*] *S. f.* Estria, listra, raia.

rajá [Do hindi *rājā* < sânscr. *rājan*, de *rāj*, 'governar, reger', < raiz indo-europeia **reg-.*] *S. m.* Príncipe ou soberano de um Estado indiano. [Fem.: *rani.* Cf. *marajá*^{1}.]

rajabe [Do ár.] *S. m. Cronol.* O sétimo mês do calendário muçulmano, de 30 dias.

rajada^{1} [De or. incerta.] *S. f.* **1.** Aumento repentino, temporário e forte da intensidade com que o vento sopra; lufa, lufada, rabanada: "rajadas formidandos do ciclone." (Virgílio Várzea, *O Brigue Flibusteiro*, p. 167). [Cf. *refrega* (3).] **2.** Ímpeto arrebatado e rápido, como o da rajada (1). **3.** *Fig.* Sucessão contínua e rápida: *uma rajada de impropérios.* **4.** *Bras.* Série ininterrupta de tiros de metralhadora ou de outra arma automática.

rajada^{2} [F. subst. de *rajado*^{2}.] *S. f. Bras. Bot.* Variedade de mandioca.

rajadão [De *rajado*^{2} + *-ão*^{1}.] *S. m. Bras. Zool.* V. *matraca* (7).

rajado^{1} [De *rajá* + *-ado*^{2}.] *S. m.* Território ou reinado de um rajá.

rajado^{2} [Part. de *rajar.*] *Adj.* **1.** Estriado, listrado, raiado. **2.** *Bras.* Diz-se dos animais que têm manchas escuras: "Com pouco apareceu na porta que dava para a cozinha uma bonita cabra rajada" (José de Alencar, *O Sertanejo*, p. 207).

rajão *S. m.* Viola de cinco cordas, um pouco maior que o cavaquinho (1), usada na ilha da Madeira.

rajaputro [Do sânscr. *rajaputra*, 'filho do rei'.] *S. m.* **1.** Indivíduo dos rajaputros, antiga casta (1) do N.O. da Índia, consagrada às armas. ● *Adj.* **2.** Pertencente ou relativo aos rajaputros. [Var.: *raiputo* e *resbuto.*]

rajar [Do esp. *rayar.*] *V. t. d.* **1.** Estriar, listrar, raiar. *T. d. e i.* **2.** Entremear, entressachar, intercalar.

rajastani [Do top. *Rajasthan* (N.O. da Índia).] *Adj. 2 g.* **1.** Do, pertencente ou relativo ao Rajastão (Índia), ou ao rajastani (3). ● *S. 2 g.* **2.** O natural ou habitante do Rajastão. ● *S. m.* **3.** *Gloss.* Conjunto de línguas índicas do ramo indo-iraniano, falada no Rajastão e também no Paquistão. [A língua oficial do Rajastão é o hindi.] **4.** Vocábulo do rajastani (3).

rajídeo [Do tax. *Raja* (v. *raia*^{2}) + *-ídeo*^{1}; tax. *Rajidae.*] *Zool. S. m.* **1.** Espécime dos rajídeos, família de peixes rajiformes, com cinco pares de fendas branquiais, duas nadadeiras dorsais e uma caudal, pequenas. Apresentam órgãos elétricos que produzem choques fracos e, muitas espécies, uma fileira de espinhos ao longo da linha mediana longitudinal do dorso. Ex.: raia-chita. ● *Adj.* **2.** Pertencente ou relativo a eles. [Sin. ger.: *rajóideo.*]

rajiforme [Do tax. *Rajiformes.*] *Zool. S. m.* **1.** Espécime dos rajiformes, ordem de peixes batoídeos, ovíparos, de corpo losangular, devido às amplas nadadeiras peitorais, focinho proeminente, cauda afinada e projetada para fora do corpo. São quase todos marinhos e ger. habitam águas profundas. *Adj. 2 g.* **2.** Pertencente ou relativo a eles. [Sin. ger.: *hipotremado.*]

rajo [Do esp. *raja.*] *S. m.* Parte dos pinheiros que se corta para extrair-lhes a resina.

rajóideo [Do tax. *Raja* + *-óideo.*] *S. m. Adj. Zool.* V. *rajídeo.*

rala^{1} *S. f.* V. *estertor* (1).

rala^{2} [De *ralo*^{1}.] *S. f.* Rolão^{1} (1).

rala-bucho [De *ralar* + *bucho.*] *S. m. Bras. AL PB Pop.* V. *arrasta-pé* (1). [Pl.: *rala-buchos.*]

ralação [De *ralar* + *-ção.*] *S. f.* **1.** Ato ou efeito de ralar(-se). **2.** Apoquentação, amofinação, consumição, aflição. **3.** Canseira, moedeira. [Sin. ger.: *raladura* e *raleira*^{2}.]

rala-coco [De *ralar* + *coco* (ô).] *S. f. Bras. BA Zool.* V. *mija-mija.* [Pl.: *rala-cocos.*]

ralador (ô) [De *ralar* + *-dor.*] *Adj.* **1.** Que rala. ● *S. m.* **2.** Qualquer utensílio próprio para ralar (1); ralo^{1}. **3.** Tal utensílio constituído de uma lâmina metálica crivada de orifícios de rebordos arrebitados, ou por uma espécie de colher com bordas dentadas; ralo.

raladura [De *ralar* + *-dura.*] *S. f.* **1.** Os fragmentos da substância ralada. **2.** V. *ralação.*

rala-gelo [De *ralar* + *gelo.*] *S. m.* Aparelho para ralar ou moer gelo. [Pl.: *rala-gelos.*]

ralar [De *ralo*^{1} + *-ar*^{2}.] *V. t. d.* **1.** Reduzir (uma substância) a fragmentos pequenos, friccionando-a ou raspando-a com ralador (2): *A cozinheira ralou o coco;* "Ela mesma ralou uma porção da raiz [do tajá] em uma língua de pirarucu." (Inglês de Sousa, *Contos Amazônicos*, p. 76). **2.** Ferir de leve, raspando ou arranhando. **3.** *Fig.* Atormentar, amofinar, inquietar, afligir, consumir: "E ebriado de ventura, / Na própria pena que o lacera e rala, / O coração aplaude-me a loucura..." (Alberto de Oliveira, *Poesias*, 2ª série, p. 20.) **4.** V. *apoquentar.* *Int.* **5.** Ser transformável em pequenos fragmentos, ger. por meio de ralador (2): *Este aipim não rala facilmente.* **6.** Ferir-se de leve, raspando ou arranhando: *Meu braço ralou na parede.* **7.** *Bras. Gír.* Trabalhar muito, ou exaustivamente. *T. i.* **8.** *Bras. Gír.* Realizar (algo) com afinco, ou esforço; batalhar, lutar; esforçar-se: *Mário ralou de estudar no último semestre; Ela ralou para conseguir trabalho.* *P.* **9.** Atormentar-se, amofinar-se, consumir-se, afligir-se: "Lourenço e Lucinda .... trocaram abraços e beijos .... à vista de todos, enquanto Mariquinha ralava-se de ciúmes e de raiva" (Inglês de Sousa, *Contos Amazônicos*, p. 72). **10.** V. *apoquentar.* [Var.: *relar* (q. v.).]

ralassaria [De *ralasso* + *-aria.*] *S. f.* Qualidade, modos ou hábitos de ralasso.

ralasso [De *relapso*, com dissimilação.] *Adj. S. m. Pop.* Indolente, mandrião, relaxado.

ralé [De or. incerta.] *S. f.* **1.** A camada mais baixa da sociedade. [Var.: *relé* e (desus.) *raleia.* Sin.: *arraia, arraia-miúda, borra, choldra, enxurro, escoalha, escória, escória social, escorralhas, escorralho, escuma, escumalha, fezes, lixo, gentalha, gentaça, gentinha, gentuça, patuleia, plebe, populaça, populacho, povão, poviléu, povoléu, povo, sarandalhas, sarandalhos, vulgacho, vulgo, zé, zé-povo, zé-povinho* e (bras.) *bagaceira, bagagem, frasqueiro, gambá, gentalha, gentama, plévia, poeira, rabacuada, rafameia, mundiça.*] **2.** Animal de que a ave de rapina faz habitualmente sua presa. **3.** *Pop.* Energia, vontade. **4.** *Ant.* Espécie, casta, raça.

raleadura [De *ralear* + *-dura.*] *S. f.* Ato ou efeito de ralear(-se); raleamento.

raleamento [De *ralear* + *-mento.*] *S. m.* Raleadura.

ralear [De *ralo*^{4} + *-ear*^{2}.] *V. t. d.* **1.** Tornar ralo ou menos denso: *A cozinheira raleou o mingau acrescentando mais leite; A idade raleia os cabelos.* *Int. P.* **2.** Tornar-se ralo ou menos compacto: "percebia-se o cuidado que empregava para não o descobrirem, já evitando o menor rumor, já afastando-se quando o mato raleava a ponto de não escondê-lo." (José de Alencar, *O Sertanejo*, p. 35); *Naquele trecho a vegetação raleava-se.* [Sin. ger.: *ralentar.* Conjug.: v. *frear.*]

raleia (êi) *S. f. Desus.* V. *ralé* (1).

raleira^{1} [De *ralo*^{4} + *-eira.*] *S. f.* **1.** Claro de terreno cultivado onde a semente não germinou, ou onde as plantas não medram. **2.** Escassez, falta, carência. **3.** Espaço vazio entre duas filas de pessoas ou coisas; intervalo. [F. paral.: *raleiro.*]

raleira^{2} [De *ralar* + *-eira.*] *S. f.* V. *ralação.*

raleiro [De *ralo*^{4} + *-eiro.*] *S. m.* V. *raleira*^{1}.

ralentar [De *ralo*^{4} + *-entar.*] *V. t. d. Int. P.* Ralear.

ralhação [De *ralhar* + *-ção.*] *S. f.* V. *ralho* (1).

ralhador (ô) [De *ralhar* + *-dor.*] *Adj. S. m.* Que, ou aquele que tem o costume de ralhar; ralhão.

ralhadura [De *ralhar* + *-dura.*] *S. f.* V. *ralho* (1).

ralhão [De *ralhar* + *-ão*^{2}.] *Adj. S. m.* Ralhador. [Fem.: *ralhona.*]

ralhar [Do lat. **rabulare*, 'vociferar'.] *V. int.* **1.** Repreender em voz alta; desabafar a cólera com repreensões, ameaças vãs: *Os bons pais sabem ralhar e perdoar.* **2.** Falar em voz alta e em tom de repreensão. *T. i.* **3.** Repreender; admoestar, zangar-se: "Os pais de Eugênio não deixavam de ralhar com ele em razão de não parar em casa." (Bernardo Guimarães, *O Seminarista*, p. 29.)

ralhete (ê) [De *ralho* + *-ete* (ê).] *S. m. Lus. Fam.* Repreensão ligeira; pequena admoestação: "De repente, estava quase velho .... Com direito a resmungar, a jorrar sentenças e lançar ralhetes" (Inês Pedrosa, *Fazes-Me Falta*, p. 25).

ralho [Dev. de *ralhar.*] *S. m.* **1.** Ato ou efeito de ralhar; ralhação, ralhadura. **2.** V. *repreensão* (1). **3.** Discussão violenta; altercação.

ralhona *S. f.* Fem. de *ralhão.*

rali [Do ingl. *rallye.*] *S. m.* **1.** *Esport.* Competição automobilística (ou de motocicleta), destinada a comprovar a habilidade do piloto e/ou a qualidade do veículo, e onde os participantes, partindo de pontos diferentes, devem encontrar-se num determinado lugar. **2.** Vôlei Momento do jogo em que há ataque e contra-ataque.

ralídeo [Do tax. *Rallus* (< lat. med. *rallus*) + *-ídeo*^{1}; tax. *Rallidae.*] *Zool. S. m.* **1.** Espécime dos ralídeos, família de aves gruiformes caracterizadas por terem os dedos livres. Vivem nos brejos, à beira dos rios e lagos, sendo mais ativas à tarde, antes do anoitecer. Alimentam-se de artrópodes e peixinhos, vermes e pequenos animais em geral. São as saracuras, os frangos-d'água e as jaçanãs. ● *Adj.* **2.** Pertencente ou relativo a eles.

➔ **rall** [ɾall] [It.] *Mús.* Abrev. de *rallentando* (q. v.).

➔ **rallentando** [ralen'tando] [It.] *Adv. Mús.* Diminuindo gradativamente a velocidade. [Abrev.: *rall.*]

ralo[1] [Do lat. *rallu*, 'raspador'.] *S. m.* **1.** Ralador (2 e 3). **2.** O crivo da peneira. **3.** V. *pausa* (4). **4.** Lâmina com orifícios para coar água e outros líquidos, especialmente a que se adapta à abertura de um encanamento. **5.** *P. ext.* A parte de um encanamento (2) que fica imediatamente abaixo do ralo (4). **6.** Treliça (2) ou lâmina com orifícios, que se adapta a portas, confessionários, etc., para que as pessoas que estão do lado de dentro possam ver sem serem vistas, ou falar com as que estão de fora sem contato direto. ◆ **Ir pelo ralo.** Não ir adiante, não ir à frente; malograr: *Com o escândalo, a sua candidatura a prefeito foi pelo ralo.*

ralo[2] [Do b.-lat. *rallu*.] *S. m. Zool.* Inseto ortóptero semelhante aos grilos (*Gryllus gryllotalpa*).

ralo[3] [Do fr. *râle*.] *S. m.* V. *estertor* (1).

ralo[4] [De *raro*, com dissimilação.] *Adj.* Pouco espesso, pouco denso; raro: *cabelo ralo; tecido ralo;* "À esquerda, eram planuras desmesuradas, com uma vegetação rala e monótona." (Raul Bopp, *Putirum*, p. 189). ~ V. *capoeira —a* e *cerrado —*.

■ **RAM** [Acrôn. do ingl. *random-access memory*, 'memória de acesso aleatório'.] Sigla que designa um tipo de memória em que se podem ler informações já gravadas ou gravar novas informações, constituído por unidades (ou células) individuais, cada qual com uma localização própria (ou endereço) e que podem ser acessadas independentemente e com a mesma rapidez, sem ordem predeterminada. [A RAM é ger. uma memória do tipo volátil (5), us. como memória principal para armazenamento temporário de programas e dados.] [Cf. *ROM*.]

rama[1] [De *ramo*.] *S. f.* **1.** O conjunto dos ramos de uma planta; ramada, ramagem, ramalheira, ramaria. **2.** Caixilho ou bastidor em que se estiram os panos na fabricação. **3.** *Bras. N.E.* Primeiras folhas que crescem nas árvores após as primeiras chuvas. **4.** Barbas (3). **5.** *Ind. Pap.* Margem franjada do papel de tina, ou do papel de fabricação mecânica que o imita; barba. **6.** *Bras. N.E.* Folhagem de árvores que alimenta o gado quando o pasto fica inteiramente seco. **7.** *Bras. Pop.* V. *cachaça* (1). ◆ **Em rama.** Diz-se da matéria-prima têxtil natural, em estado bruto, antes de ser preparada para fiar: *algodão em rama; seda em rama.* **Pela rama.** Sem aprofundar ou particularizar; superficialmente: *Tratou do assunto pela rama;* "Faz-se pela rama [nos inventários coloniais, no Brasil] a descrição dos bens." (Alcântara Machado, *Vida e Morte do Bandeirante*, p. 24). **Puxar uma rama.** *Bras. AL* Embriagar-se.

rama[2] *S. f. Tip.* Caixilho retangular de metal onde se engrada a fôrma tipográfica para deitá-la na prensa. ◆ **Rama de cruzeira.** *Tip.* A dos formatos maiores, que tem cruzeira. **Rama numeradora.** *Tip.* Rama que permite a adaptação de numeradores, para tiragem de impressos que devem levar sequência de números.

rama[3] [Do top. *Rama*, banco no litoral da Nicarágua.] *S. m. Gloss.* Língua quase extinta da Nicarágua. [Dados de 1989 apontavam 24 falantes dessa língua.]

ramada [De *ramo -ada*[1].] *S. f.* **1.** V. *rama*[1] (1). **2.** Enramada. **3.** *Bras.* Porção de ramos dispostos nos rios para juntar o peixe. **4.** *Bras.* Abrigo para o gado.

ramadã [Do ár. *ramaḍān*, do v. *ramiḍa*, 'ser ardente'.] *S. m. Rel.* **1.** O nono mês do ano muçulmano, considerado sagrado, e durante o qual a lei de Maomé prescreve o jejum num período diário entre o alvorecer e o pôr do Sol. **2.** O jejum observado durante esse mês: "É a hora / .... / Quando, entre lobo e cão, como ordena o ritual, / Termina o ramadã com a sombra vesperal." (Martins Fontes, *Verão*, p. 72.)

ramadão *S. m.* Ramadã.

rama-de-bezerro [De *rama*[1] + *de* + *bezerro*.] *S. f. Bot.* V. *catanduba* (1). [Pl.: *ramas-de-bezerro*.]

ramado [De *ramo -ado*[1].] *Adj.* Que tem rama ou ramos.

ramagem [De *ramo -agem*[2].] *S. f.* **1.** V. *rama*[1] (1). **2.** Desenho representativo de ramos e folhas sobre um tecido, papel, etc.: "as cachopas, com duas manchas rosadas na face morena e as ramagens do lenço de seda brilhando às luminárias, ganham à rampa, ... mortinhas de dançar." (José Vieira, *Sol de Portugal*, p. 158).

ramal [Do lat. *ramale*.] *S. m.* **1.** Conjunto de fios próprios para fazer cordas. **2.** Borla[1] (1) em barrete ou coifa. **3.** Fileira, enfiada: *um ramal de contas.* **4.** Caminho subsidiário de estradas de rodagem ou de ferro. **5.** Ramo, ramificação, divisão. **6.** *Constr.* Derivação de uma linha principal de energia elétrica, ou de uma canalização hidráulica, ou de esgoto, etc. **7.** *Bras.* Cada uma das ramificações internas de uma rede telefônica particular.

ramalhada [De *ramalhar* + *-ada*[1].] *S. f.* **1.** Ato ou efeito de ramalhar. **2.** Porção de ramos: *Trazia nos braços uma ramalhada de flores silvestres.*

ramalhão *S. m. Bras. SP Etnogr.* Dança popular, em Cunha e Guaratinguetá, na qual filas de homens e mulheres se defrontam e balanceiam cantando, ao som de violas.

ramalhar [De *ramalho* + *-ar*[2].] *V. t. d.* **1.** Fazer sussurrar os ramos de: *O vento ramalha os salgueiros.* *Int.* **2.** Sussurrar (os ramos) com o vento.

ramalheira [De *ramalho* + *-eira*.] *S. f.* V. *rama*[1] (1).

ramalhete (ê) [De *ramo* + *-alh(o)-* + *-ete* (ê).] *S. m.* **1.** Pequeno molho de flores naturais ou artificiais, em geral harmoniosamente dispostas; ramo, buquê. **2.** Pequeno ramo (1). **3.** *Fig.* Grupo de pessoas ou de objetos escolhidos, selecionados. [F. paral.: *ramilhete*.]

ramalheteira [De *ramalhete* + *-eira*.] *S. f.* Mulher que faz e/ou vende ramalhetes ou ramos de flores.

ramalho [De *ramo* + *-alho*.] *S. m.* Grande ramo, normalmente cortado da árvore.

ramalhoso (ô) [De *ramalho* + *-oso*.] *Adj.* Ramalhudo.

ramalhudo [De *ramalho* + *-udo*.] *Adj.* **1.** De muita rama. **2.** Que ramalha. **3.** *Fig.* Diz-se de escrito característico de autor palavroso mas vazio de ideias. **4.** *Fig.* Diz-se dos olhos que têm grandes pestanas: "Cântaro alentejano ao ombro, vão teorias de raparigas robustas, caminho da fonte, — a água não bastaria, se fosse para lhes apagar o fogo dos olhos ramalhudos..." (Afrânio Peixoto, *Viagens na Minha Terra*, p. 200.) [Sin. ger.: *ramalhoso*.]

ramálias [Do lat. *Ramalia*.] *S. f. pl.* Na antiga Roma, festas da agricultura e da vinha, por ocasião das quais se conduziam ramos de videira com cachos de uva.

ramapiteco [Do tax. *Ramapithecus*.] *S. m. Paleont.* **1.** Gênero de símios humanoides cujos registros fósseis são pequenos fragmentos de esqueleto descobertos em sedimentos do mioceno da Índia, China e Quênia; de estatura baixa (até 1,20m), tinham maxilar protuberante, face achatada e caixa craniana relativamente pequena. Os mais recentes achados (1980) sugerem que o ramapiteco não representava uma forma humana primitiva e, sim, que era mais próximo à linha evolutiva que resultou no atual orangotango. **2.** Espécie ou espécime desse gênero.

ramarama *Bras. S. 2 g.* **1.** *Etnôn.* Indivíduo dos ramaramas, povo indígena extinto que habitava as margens do rio Machadinho, afluente do rio Ji-Paraná (RO). ● *S. m.* **2.** *Gloss.* Família linguística do tronco tupi cujos falantes habitam, principalmente, o estado de Rondônia. ● *Adj. 2 g.* **3.** Pertencente ou relativo a esse povo. [Tb. us. como *s. 2 g. e 2 n.* (com cap.) e *adj. 2 g. e 2 n.*]

ramaria [De *rama* + *-aria*.] *S. f.* V. *rama*[1] (1).

rambles *Adj. 2 g. e 2 n. Bras. RJ Gír.* Inferior, ordinário, reles: "— É um hotelzinho rambles, não? | — Podia ser pior." (Marques Rebelo, *O Trapicheiro*, p. 88.)

rambotã [Do mal. *rambut*, 'cabelo'.] *S. m. Bras. Bot.* Planta sapindácea (*Nephelium lappaceum*) originária da Malásia, que, porém, já é cultivada e comercializada no Brasil. Os frutos são drupas, com epicarpo provido de pelos rígidos, de polpa suculenta, translúcida e doce.

ramear [De *ramo* + *-ear*[2].] *V. t. d.* Adornar com ramos; enramar. [Conjug.: v. *frear*.]

rameira [De *ramo* (1) + *-eira*.] *S. f.* Meretriz: "A solução era se divertirem um pouco com as rameiras nos lupanares" (Lígia Fagundes Teles, *A Disciplina do Amor*, p. 79). [Tb. us. deprec.]

rameiro [De *ramo* + *-eiro*.] *Adj.* **1.** Diz-se da ave que anda de ramo em ramo, preparando-se para voar. ● *S. m.* **2.** Aquele que arremata aos contratadores determinados ramos de um contrato.

ramela *S. f.* V. *remela*.

ramelado *Adj.* V. *remelado*.

ramelar *V. int. P.* V. *remelar*.

ramelento *Adj.* V. *remelento*.

rameloso (ô) *Adj.* V. *remeloso*.

ramentáceo [De *ramento* + *-áceo*.] *Adj. Bot.* Relativo a, ou que tem feitio de ramento: *rizoma ramentáceo.*

ramento [Do lat. *ramentu*.] *S. m. Bot.* **1.** Escama membranácea do rizoma e do pecíolo dos pteridófitos. **2.** O conjunto dos restos de velhas bainhas foliares que ficam na base de certas plantas, como, p. ex., as aráceas. **3.** O conjunto dos restos de células epidérmicas, de coloração acastanhada, presente em folhas, como em algumas espécies de palmáceas.

râmeo [Do lat. *rameu*.] *Adj.* Diz-se de raízes, flores, etc., que nascem nos ramos das plantas.

rame-rame *S. m.* Ramerrão. [Pl.: *rame-rames*.] ❊

ramerraneiro [De *ramerrão* + *-eiro*.] *Adj.* **1.** Relativo ao, ou próprio do ramerrão. **2.** Contrário a ideias de progresso. **3.** Rotineiro, corriqueiro: "Agora, ... tudo isso lhe era muito mais complicado e a sua vida .... se tornara muito mais ramerraneira." (Gastão Cruls, *De Pai a Filho*, p. 28.)

ramerrão [Voc. onom. expressivo.] *S. m.* **1.** Repetição monótona, enfadonha. **2.** *P. ext.* Uso continuado e costumeiro; rotina: "Entro nas mil comédias do ramerrão diário, sem me enganar nos papéis ou confundir as personalidades." (José Gomes Ferreira, *O Mundo dos Outros*, p. 26.) [F. paral.: *ramerrame*.]

rami [Do mal. *rami*.] *S. m.* **1.** *Bot.* Grande erva urticácea (*Boehmeria nivea*) subespontânea no Brasil, cujo caule e grandes folhas pilosas são macios e aquíferos, e que tem flores verdes e inconspícuas. É planta têxtil importante, que fornece uma fibra valiosa no continente asiático, de onde se origina. [Sin.: *ranu, ranu-branco*.] **2.** *Tec. Têx.* Tecido feito com a fibra do rami (1), e usado sobretudo em decoração, para forração de móveis, em cortinas, etc.

▲ **ram(i)-** [Do lat. *rāmus, i*.] *El. comp.* = 'ramo': *ramifloro, ramíparo.*

ramificação [De *ramificar* + *-ção*.] *S. f.* **1.** Ato ou efeito de ramificar(-se). **2.** Divisão, ramo, ramal. **3.** *Bot.* Subdivisão do eixo caulinar ou radicular em partes semelhantes, porém menores, da qual resultam os ramos de várias ordens, segundo o tamanho. [A ramificação processa-se também nas nervuras, nos talófitos, etc.] **4.** *Fís. Nucl.* Ocorrência de modos de decaimento competitivos na desintegração de um radionuclídeo; decaimento múltiplo. **5.** *Inform.* V. *ponto de ramificação*. **6.** *Quím.* Parte da cadeia carbônica de uma molécula onde um átomo se liga a três ou quatro, também de carbono. **7.** *P. ext. Quím.* Cadeia lateral. ◆ **Ramificação dicotômica.** *Bot.* Ramificação em que o ápice da planta se bifurca sucessivamente, dando sempre dois ramos de cada vez, e que é particularmente comum nos talófitos. **Ramificação lateral.** *Bot.* Ramificação em que a gema axilar produz um ramo de cada vez, e que é própria das plantas vascularizadas. **Ramificação monopodial.** *Bot.* Ramificação lateral em que o eixo principal mantém a hegemonia, gerando ramos menores que ele, e o tronco se mostra retilíneo e uniforme. **Ramificação simpodial.** *Bot.* Ramificação lateral em que o eixo não prevalece, sendo substituído por outro ramo, o qual, a seu turno, será pouco depois deslocado por outro, e assim sucessivamente, mostrando-se o tronco, neste caso, mais irregular do que na ramificação monopodial.

ramificado [Part. de *ramificar*.] *Adj.* **1.** Que se ramificou. **2.** Dividido em ramos ou ramais. **3.** *Quím.* Que contém ramificação (6). ~ V. *desintegração —a*.

ramificar [Do lat. med. *ramificare*.] *V. t. d.* **1.** Dividir em ramos, ramais, partes, etc.: *As árvores ramificam as raízes sob a terra; Ramificara a nova estrada de rodagem.* **2.** Dividir, subdividir: *ramificar uma disciplina, uma ciência.* *P.* **3.** Dividir-se em ramos. **4.** Dividir-se, subdividir-se. **5.** Propagar-se, divulgar-se. [Conjug.: v. *trancar*.]

ramifloro [De *ram(i)-* + *-floro*.] *Adj.* Diz-se das plantas que produzem flores sobre os ramos.

ramiforme [De *ram(i)-* + *-forme*.] *Adj. 2 g.* Em forma de ramo.

ramilhetar [De *ramilhete* + *-ar*[2].] *V. t. d.* Enfeitar com ramilhetes ou ramalhetes. [Pres. subj.: *ramilhete, ramilhetes, ramilhete*, etc. Cf. *ramilhete* (ê) e pl. *ramilhetes* (ê).]

ramilhete (ê) [De *ramo* + *-ilh(o)-* + *ete* (ê).] *S. m.* V. *ramalhete*: "Ramilhetes de rosas e camélias" (Fialho d'Almeida, *Lisboa Galante*, p. 85). [Pl.: *ramilhetes* (ê). Cf. *ramilhete* e *ramilhetes*, do v. *ramilhetar*.]

ramíparo [Do lat. *ram(i)-* + *-paro*.] *Adj.* Diz-se da planta que produz ramos.

ramista [Do antr. *Ramus*, de Petrus Ramus, ou Pierre de la Ramée (1515-1572), humanista e gramático francês, + *-ista*.] *Adj. 2 g.* Relativo a Pierre de la Ramée, ou à sua obra. ~ V. *consoante — e letra —*.

ramnácea [Do tax. *Rhamnus* (v. *ramno*) + *-ácea*; tax. *Rhamnaceae*.] *S. f. Bot.* Espécime das ramnáceas, família de plantas floríferas, da ordem das ramnales, formada de arbustos e árvores de folhas estipuladas e de minutas flores cimosas, muitas delas espinhosas, e cujos frutos são drupáceos ou nuciformes, com lóculos monospérmicos. Existem umas 500 espécies em todo o orbe; no Brasil, é muito estimado o juazeiro (q. v.).

ramnáceo [De *ramnácea*, com var. suf. (v. *-áceo*).] *Adj. Bot.* Pertencente ou relativo às ramnáceas.

ramnal [Do lat. cient. *Rhamn-* (v. *ramnale*) + *-al*[1].] *Adj. 2 g. Bot.* Pertencente ou relativo às ramnales.

ramnale [Do tax. *Rhamnus* (v. *ramno*) + *-ale*; tax. *Rhamnales*.] *S. f. Bot.* Espécime das ramnales, ordem de vegetais que reúne as ramnáceas e as vitáceas.

ramno [Do tax. *Rhamnus* (do gr. *rhámnos*, 'espinheiro alvar').] *S. m. Bot.* **1.** O gênero-tipo das ramnáceas, que abrange árvores e arbustos de folhas pinuladas e venuladas, pequeninas flores perfeitas, ou polígamas, tendo o ovário fora do disco, e fruto drupáceo, ou oblongo ou globular, com dois ou três caroços.

R

2. Qualquer espécie desse gênero, como, p. ex., a *Rhamnus frangula* (v. *amieiro-negro*). 3. Qualquer espécime desse gênero.

ramo [Do lat. *ramu.*] *S. m.* 1. *Bot.* Subdivisão do caule das plantas, com a mesma constituição deste; galho. 2. Molho de flores ou de folhagens. [Dim. irreg., nessas acepç.: *ramalhete, ramilhete, ramúsculo.*] 3. V. *ramalhete* (1): "tio Roberto, distraído, trazia o binóculo a tiracolo e um ramo de flores na mão." (Vitorino Nemésio, *Mau Tempo no Canal*, p. 177). 4. Palma benta que se distribui no domingo de Ramos. 5. Cada família descendente de um mesmo tronco: *o ramo brasileiro dos Braganças.* 6. Ramificação ou divisão que, partindo de um tronco inicial, participa da mesma natureza deste: *os ramos de uma ciência, de um negócio.* 7. Atividade específica em qualquer trabalho ou profissão. 8. Em tecelagem, cada lanço da urdideira. 9. Lote de objetos arrematados em leilão. 10. Ataque de doença; acesso. 11. Qualquer ornato ou emblema em forma de ramo (1, 2 e 3). 12. *Anat.* Formação (5) resultante de divisão de tronco principal, como ocorre em relação a vasos [v. *vaso*[1] (6)], ou a nervos. 13. *E. Ling.* Na classificação das línguas, grupo de línguas mais estreitamente relacionadas numa família (8). [Cf., nesta acepç., *bloco* (7), *família* (8), *filo* (2), *grupo* (9).] 14. *Eng. Elétr.* Ramo orientado (q. v.). 15. *Biol.* Categoria taxionômica que reúne classes semelhantes; filo. [V. *grupos taxionômicos.*] ~ V. *ramos.* ◆ **Ramo de ar.** Estupor, paralisia. **Ramo orientado.** *Eng. Elétr.* Linha (reta ou curva) que interliga dois nós de um diagrama de fluxo de sinal, na qual se assinala, com uma seta, o sentido do fluxo de sinal. [Tb. se diz apenas *ramo.*] **Ramo ruim.** *Bras.* Congestão cerebral. **Não pisar em ramo verde.** Ser prudente, cauteloso; não pôr o pé em ramo verde.

ramona [Do antr. *Ramona*, nome comercial de uma marca de grampos que veio a desaparecer.] *S. f. Bras. GO* 1. V. *grampo* (3). 2. *Lus. Pop.* V. *tintureiro* (6).

ramonadeira [Adapt. do fr. *ramoneuse*, 'máquina para limpar chaminés' (v. *-deira*).] *S. f.* Instrumento de ferro com que se desbastam peles.

ramonagem [Do fr. *ramonage*, 'limpeza de chaminé'.] *S. f. Bras. Mar. G.* Operação que consiste em dar um jato de vapor sobre a superfície externa dos tubos de uma caldeira, com esta funcionando, a fim de remover a fuligem neles depositada.

ramos [Pl. de *ramo.*] *S. m. pl. Lit.* Festividade com que se comemora a entrada de Cristo em Jerusalém, e que marca o início da semana santa (q. v.). ~ V. *ramo.*

ramosidade [De *ramoso* + *-(i)dade.*] *S. f.* Qualidade de ramoso.

ramoso (ô) [Do lat. *ramosu.*] *Adj.* Que tem ramos em abundância; ramudo: "A ramosa quaresma é púrpura e veludo" (Alberto de Oliveira, *Póstuma*, p. 19).

rampa [Do fr. *rampe.*] *S. f.* 1. Plano inclinado considerado no sentido da subida; aclive. [Opõe-se a *contrarrampa.*] 2. V. *vertente* (3). 3. Ladeira (1): "Foi nessa altura que um automóvel ...., descendo a rampa que conduz ao aeroporto, estacou, num repuxar enérgico de travões, junto à larga porta de entrada." (Joaquim Paço d'Arcos, *Neve sobre o Mar*, p. 21).

rampadoiro *S. m.* V. *arrampadoiro.*

rampadouro *S. m.* V. *arrampadouro.*

rampante [Do fr. *rampant.*] *Adj. 2 g. Heráld.* Rompente (3). ~ V. *cárie —.*

rampear [De *rampa* + *-ear*[2].] *V. t. d.* Cortar (um terreno) em rampa (3). [Conjug.: v. *frear.*]

rampeiro [De *rampa* + *-eiro.*] *Adj. Bras. S.* De baixa classe; inferior: "Vive metido com mulher à toa e gente rampeira." (Rute Guimarães, *Água Funda*, p. 112.)

ramsdellita [Do antr. (*Lewis S.*) *Ramsdell* (1895-1975), mineralogista norte-americano, + *-ita*[2].] *S. f. Min.* Mineral ortorrômbico, dimorfo da pirolusita.

ramudo [De *ramo* + *-udo.*] *Adj.* Ramoso.

ramular [De *râmulo* + *-ar*[1].] *Adj. 2 g. Bot.* Relativo ou pertencente ao ramo: *espinho ramular.* [Notar que não se refere ao râmulo.]

râmulo [Do lat. *ramulu.*] *S. m. Bot.* 1. Pequeno ramo. 2. Ponta de ramo.

ramúsculo [Do lat. *ramusculu.*] *S. m.* V. *ramo* (1 e 2).

rana[1] [Do tax. *Rana.*] *S. f. Zool.* 1. O gênero-tipo dos ranídeos, que reúne várias espécies, quase todas cosmopolitas. 2. Qualquer espécie desse gênero, como, p. ex., a *Rana palmipes* [v. *rã* (2)] e a *R. catesbiana* (v. *rã-touro*). 3. Qualquer espécime desse gênero.

rana[2] [Do esp. plat. *rana.*] *S. m. Bras. Gír.* Ladrão que age a bordo de embarcação.

▲ **-rana** [Do tupi.] *Suf.* = 'que se assemelha', 'semelhante': *cajarana, imburana.*

ranal [Do lat. cient. *Ran-* (v. *ranale*) + *-al*[1].] *Adj. 2 g. Bot.* Pertencente ou relativo às ranales.

ranale [Do tax. *Ran(unculus)* + *-ale*; tax. *Ranales.*] *S. f. Bot.* Espécime das ranales, ordem de vegetais dicotiledôneos, arquiclamídeos, na qual predominam flores diclamídeas, actinomorfas ou zigomorfas. Androceu, em geral, polistêmone; gineceu com carpelos livres. É ordem de grande amplitude.

ranário [De *ran(i)-* + *-ário.*] *S. m.* Lugar onde se criam rãs, para fim culinário ou científico: "a rã-touro gigante, que está sendo intensamente criada .... em um ranário localizado na região de São José do Rio Preto, SP" (Hitoshi Nomura, em *O Estado de S.Paulo*, 04.01.1976).

rançado [Part. de *rançar.*] *Adj. P. us.* V. *rançoso.*

rançar [De *ranço* + *-ar*[2].] *V. int.* Criar ranço; tornar-se rançoso; rancescer; rancidificar, rancificar: *A manteiga rançou.* [Conjug.: v. *lançar.*]

rancescer [Do lat. *rancescere.*] *V. int.* V. *rançar.* [Conjug.: v. *crescer.*]

ranchada [De *rancho* + *-ada*[1].] *S. f.* Rancho (2).

ranchão [De *rancho* + *-ão*[1].] *S. m. Bras. GO* Designação comum a pequenos cômodos construídos nas imediações da cidade, por certas municipalidades, para abrigo de trabalhadores.

rancharia [De *rancho* + *-aria.*] *S. f. Bras. S.* 1. Arranchamento (1). 2. Povoado pobre. [F. paral. (no S.): *rancheria.* Sin. ger.: *rancherio.*]

ranchariense *Adj. 2 g.* 1. De, ou pertencente ou relativo a Rancharia (SP). ● *S. 2 g.* 2. O natural ou habitante de Rancharia.

rancheira [Do esp. plat. *ranchera.*] *S. f. Bras.* 1. Dança popular, de compasso ternário, originária da Argentina, comum no RS e mais tarde divulgada nos salões. 2. A música dessa dança: "Um sabido interroga: 'Você sente a presença divina, Belisário?' Mas o assobiador, que está às voltas com uma rancheira na vitrola, afasta o importuno: 'Pergunte ao vigário.'" (Raquel de Queirós, *100 Crônicas Escolhidas*, p. 31.)

rancheira de carreirinha *S. f. Bras. RS* Variante viva e saltitante da rancheira. [Pl.: *rancheiras de carreirinha.*] ☑

rancheiro [De *rancho* + *-eiro.*] *S. m.* 1. Aquele que prepara o rancho ou comida para soldados ou presos. 2. *Bras. S.* Pessoa que reside no rancho (2) e/ou cuida dele. ● *Adj.* 3. *Bras. RS* Diz-se do equídeo que tem o costume de, montado, parar em todas as casas que encontra no caminho. 4. *P. ext.* Diz-se do homem caseiro, que gosta de ficar no rancho.

ranchel [De *rancho* + *-el.*] *S. m.* Rancho pequeno. [Pl.: *ranchéis.*]

rancheria [Do esp. plat. *ranchería.*] *S. f. Bras. S.* V. *rancharia.*

rancherio [Do esp. plat. *rancherío.*] *S. m.* V. *rancharia*: "reboava o ladrido feroz de cães acorridos do rancherio esparso nas cercanias." (Alcides Maia, *Tapera*, p. 58).

ranchinho [De *rancho* + *-inho*[1].] *S. m. Bras.* V. *rancho* (9).

rancho [Do esp. *rancho.*] *S. m.* 1. Grupo de pessoas em passeio, marcha, jornada ou trabalho: *rancho de colonos; rancho de romeiros.* 2. Acampamento ou barraca para abrigar rancho (1); ranchada. 3. Bando de gente, e, p. ext., de animais. 4. Nos quartéis, refeitório. 5. Refeição para muitos. 6. Lugar onde os marinheiros comem. 7. *Bras. Folcl.* Grupo de pessoas, figurando vários personagens, que cantavam, dançavam e, às vezes, representavam verdadeiros reisados, durante as festas populares do ciclo do Natal. [Cf. *reisado* e *terno*[1] (3).] 8. *Bras.* Casa ou cabana no campo, nas roças, em canteiro de obras, etc., para abrigo provisório ou descanso dos trabalhadores. 9. *Bras.* Casa pobre, da roça; choça, ranchinho. 10. *Bras. RJ* Rancho carnavalesco. [Dim. irreg.: *ranchel.*] ◆ **Rancho carnavalesco.** *Bras. RJ* Bloco carnavalesco ou grupo de foliões que percorrem as ruas dançando e cantando em coro as músicas mais populares do carnaval, ou a marcha característica do grupo, desfilando em préstito e geralmente levando estandartes alegóricos. [Tb. se diz apenas *rancho.*]

rancho-alegrense *Adj. 2 g.* 1. De, ou pertencente ou relativo a Rancho Alegre (PR). ● *S. 2 g.* 2. O natural ou habitante de Rancho Alegre.

rancidez (ê) [De *râncido* + *-ez.*] *S. f.* Qualidade ou estado de râncido.

rancidificar [De *râncido* + *-ificar.*] *V. int.* V. *rançar.* [Conjug.: v. *trancar.*]

râncido [Do lat. *rancidu.*] *Adj.* V. *rançoso*: "Nesta sátira o que muito vale é a pureza da linguagem condimentada com espécies do século XVII, bastante avelhentadas e râncidas" (Camilo Castelo Branco, *Noites de Insônia*, IX, p. 19).

rancificação [De *rancificar* + *-ção.*] *S. f.* Ato ou efeito de rancificar.

rancificar [De *ranço* + *-ificar.*] *V. int.* V. *rançar.* [Conjug.: v. *ficar.*]

râncio [Do lat. *rancidu.*] *Adj.* V. *rançoso.*

ranço [Do adj. lat. *rancidu*, 'rançoso', substantivado.] *S. m.* 1. Alteração que o contato com o ar produz nas substâncias gordas e que se caracteriza por cheiro forte e sabor acre. 2. Bafio de coisa velha ou estragada. 3. *Fig.* Aquilo que tem aspecto ou caráter antiquado; velharia. 4. *Bras. Fig.* Pessoa desagradável, antipática. ● *Adj.* 5. V. *rançoso.*

rancor (ô) [Do lat. *rancore.*] *S. m.* 1. Aversão profunda ou ressentimento amargo, não raro sopitado ou reprimido, ocasionado por algum ato alheio que causa dano material ou moral. 2. Recordação tenaz e hostil de tais atos ou de acontecimentos análogos: *Seu rancor refluía ao rever aquela casa.* 3. V. *ódio* (1). [Pl.: *rancores* (ô). Cf. *rancores-te*, do v. *rancorar-se.*]

rancora [De *rancor*, poss.] *S. f. Ant.* Queixa em juízo; querela.

rancorar-se [De *rancora* + *-ar*[2] + *se*[1].] *V. p. Ant.* Apresentar queixa ou rancora ao juiz; queixar-se judicialmente. [Pres. subj.: *rancore-me, rancores-te, rancore-se*, etc. Cf. *rancores* (ô), pl. de *rancor.*]

rancoroso (ô) [De *rancor* + *-oso.*] *Adj.* 1. Que tem rancor. 2. Odiento (1).

rançoso (ô) [De *ranço* + *-oso.*] *Adj.* 1. Que tem ranço. [Sin., bras., pop.: *ardido.*] 2. *P. ext.* Que sente a bafio; nauseabundo. 3. *Fig.* Que caiu em desuso; antiquado, obsoleto. 4. *Fig.* Desenxabido, insípido. 5. *Fig.* Demorado, enfadonho, prolixo. [Sin. ger.: *rançado, râncido, râncio, ranço.*]

rancuãiangue *Bras. S. m. Etnogr.* Minhoca imensa, da mitologia dos índios urubus-caapores, que tem cabeça de cobra, língua bifurcada e olhos de cobra: "As mulheres cuidavam de tudo: pescavam, caçavam, defendiam a aldeia. Os homens não tinham pênis. Em compensação havia um rancuãiangue para eles." (Edilson Martins, *Nossos Índios, Nossos Mortos*, p. 49.)

randevu [Do fr. *rendez-vous.*] *S. m. Bras.* Casa de tolerância: "Ontem, ... módico michê no randevu onde cintilava Ivonete; hoje, figura nacional, ganhando num mês o que eu não ganho por ano." (Marques Rebelo, *O Trapicheiro*, p. 252.)

randômico *Adj.* V. *randômico.* [Uso freq. em P.]

randômico [De *random-*, como em *randomização*, + *-ico*[2].] *Adj.* V. *aleatório* (3). ~ V. *amostra —a* e *amostragem —a.*

randomização [Do ingl. *randomization.*] *S. f. Estat.* V. *acidentalização.*

ranfastídeo [Do tax. *Ramphastos* + *-ídeo*[1]; tax. *Ramphastidae.*] *Zool. S. m.* 1. Espécime dos ranfastídeos, família de aves piciformes, caracterizadas por terem o bico grande, forte, curvado e grosso, plumagem de cores vivas, pele nua em torno dos olhos, asas curtas e arredondadas; compreende seis gêneros, com quarenta espécies das Américas Central e do Sul. Vivem em bandos, nas matas e descampados, alimentando-se de toda sorte de frutas silvestres, especialmente de bagas. São os tucanos e os araçaris. ● *Adj.* 2. Pertencente ou relativo a eles.

ranfictiídeo [Do tax. *Rhamphichthyidae.*] *Zool. S. m.* 1. Espécime dos ranfictiídeos, família de peixes gimnotiformes, com três gêneros e doze espécies, que têm um focinho longo e tubular, e não apresentam dentes na mandíbula. São peixes elétricos notívagos, da América do Sul, que se enterram na areia durante o dia. ● *Adj.* 2. Pertencente ou relativo a eles.

▲ **ranf(o)-** [Do gr. *rhámphos, eos-ous.*] *El. comp.* = 'bico', 'bico curvo': *ranfoteca.* [Equiv.: *-ranf(o)-*: *oxirranfídeo.*]

▲ **-ranf(o)-** Equiv. de *ranf(o)-.*

ranfoteca [Do *ranf(o)-* + *-teca.*] *S. f. Zool.* Tegumento córneo do bico das aves.

rangar [De *rango* + *-ar*[2].] *V. t. d.* Int. *Bras. Gír.* Comer, alimentar(-se). [Conjug.: v. *largar.*]

rangedeira [De *ranger* + *-deira.*] *S. f.* Tira de couro ou de cortiça que se põe entre a sola e a palmilha do calçado para fazê-lo ranger quando se anda.

rangedor (ô) [De *ranger* + *-dor.*] *Adj.* Rangente.

rangente [De *ranger* + *-nte.*] *Adj. 2 g.* Que range; rangedor.

ranger [Alter. de *ringir.*] *V. int.* 1. Produzir ruído áspero como o do atrito de um objeto duro sobre outro; chiar: *Esta porta range quando movimentada*; "De vez em quando, os mastros rangiam com os turbilhões de vento" (Alexandre Herculano, *Lendas e Narrativas*, II, p. 329). *T. d.* 2. Mover (os dentes), roçando uns contra os outros; rilhar: *O ódio fazia-o ranger os dentes.* [F. paral., p. us.: *rangir.* Conjug.: v. *tanger.*]

range-range [Da 1ª pess. do sing. do pres. ind. de *ranger*, repetida.] *S. m.* Rangido contínuo, constante. [Pl.: *range-ranges* e *ranges-ranges.*]

rangido [Part. de *ranger.*] *S. m.* Ato ou efeito de ranger: "De improviso flutuaram todas [as canoas], com rangidos de adriças e palpitações do velame, que o vento encopava e propelia." (Xavier Marques, *Jana e Joel*, p. 53.)

rangífer [Do tax. *Rangifer* (< fr. ant. *rangier* < escandinavo ou islandês *hrein dyri*).] *S. m. Zool.* 1. Gênero de mamíferos ruminantes cervídeos, de distribuição holártica. **2.** Qualquer espécie desse gênero, como, p. ex., a *Rangifer tarandus* ou rena. [A rena selvagem é chamada, na América do Norte, de *caribu*.] **3.** Qualquer espécime desse gênero; rena. [São us. como animais de tiro. Var., nas acepç. 2 e 3: *rangífero*.]

rangífero *S. m. Zool.* V. *rangífer* (2 e 3).

rangir [De *ringir*, com dissimilação.] *V. int. T. d.* V. *ranger*: "O portão rangiu e ela agora está na calçada." (Joel Silveira, *Onda Raivosa*, p. 120); "Foi quando rangiu a porteira grande do curral de entrada." (Mário Palmério, *Chapadão do Bugre*, p. 69). [Conjug.: v. *dirigir*.]

rango *S. m. Bras. Gír.* Alimento, comida; refeição: "Ontem foi domingo e o 'rango' lá em casa foi só pão com margarina." (Adriana Burd, em *Jornal do Brasil*, 10.08.1984.)

ranhar *V. t. d.* **1.** Arranhar. **2.** Esgaravatar, esgravatar, revolver, ciscar (o solo): *A galinha ranhou muito o chão.*

ranhento [De *ranho* + *-ento*.] *Adj.* V. *moncoso* (1).

ranheta (ê) [De *ranho* + *-eta* (ê).] *Adj. 2 g. S. 2 g. Bras.* Diz-se de, ou pessoa impertinente, rabugenta; ranzinza.

ranhetice [De *ranheta* + *-ice*.] *S. f. Bras.* Qualidade, ato ou modos de ranheta: "nem mesmo Doutor Teodoro se enganou por longo tempo: a ranhetice, o dom da intriga, a permanente irritação de Dona Rosilda logo se impuseram sobre seus melosos sorrisos" (Jorge Amado, *Dona Flor e Seus Dois Maridos*, p. 354).

ranho [Der. regress. de *ranhoso*, alter. de *ronhoso*, de *ronha*.] *S. m. Pleb.* V. *muco*: "Escondido perto do tanque, ficou chorando baixinho e engolindo o ranho que lhe descia do nariz." (Macedo Miranda, *Pequeno Mundo Outrora*, p. 42.)

ranhoso (ô) [De *ronhoso*, com dissimilação.] *Adj.* V. *moncoso* (1).

ranhura [Do fr. *rainure*.] *S. f.* **1.** Entalhe alongado na espessura da madeira. **2.** Escavação que forma risca ou estria numa superfície plana. **3.** Tira de madeira ou de outro material encaixada em ranhura (1 e 2).

rani [Do sânscr. *rajni*, 'rainha', pelo hind. *rani* e pelo ingl. *rani, ranee*.] *S. f.* Mulher de rajá. [Cf. *marani*.]

▲ **ran(i)-** [Do lat. *rāna, ae*.] *El. comp.* = 'rã'; 'rânula'; 'parte inferior da língua': *ranicultor, ranino*.

ranicultor (ô) [De *ran(i)-* + *-cultor*.] *S. m.* Aquele que se dedica à ranicultura.

ranicultura [De *ran(i)-* + *-cultura*.] *S. f.* Criação de rãs para consumo na alimentação humana.

ranídeo [Do tax. *Rana* + *-ídeo*[1]; tax. *Ranidae*.] *Zool. S. m.* **1.** Espécime dos ranídeos, família de anfíbios, anuros, opistoglossos, que compreende as rãs. ● *Adj.* **2.** Pertencente ou relativo a eles.

raniforme [De *ran(i)-* + *-forme*.] *Adj. 2 g. Zool.* Que tem forma ou aspecto de rã.

ranilha [Do esp. *ranilla*.] *S. f.* Saliência mole na planta do pé do cavalo. ~ V. *ranilhas*.

ranilhas [De *ranilha*.] *S. f. pl.* A parte traseira do casco de bestas. ~ V. *ranilha*.

ranino [De *ran(i)-* + *-ino*[1].] *Adj.* **1.** Relativo a rânula. **2.** Relativo à superfície inferior da língua. **3.** Relativo a veia sublingual. **4.** Relativo a rã. ~ V. *vaso* —.

ranitidina [Do ingl. *ranitidine* (de *rani-* [f. red. de *furanyl*] + poss. *-t(h)io-* [v. *ti(o)-*] + *d(iam)ine*).] *S. f. Quím.* Substância heterocíclica que é um fármaco us., sob forma de cloreto, em medicamentos para o tratamento de úlceras gástricas [fórm.: $C_{13}H_{22}N_4O_3S$].

ranívoro [De *ran(i)-* + *-voro*.] *Adj. Zool.* Diz-se de, ou animal que se nutre de rãs.

➔ **ranking** ['ɹæŋkɪŋ] [Ingl.] *S. m.* Listagem classificatória; classificação: *A CBF divulgou o ranking dos melhores times brasileiros.*

ranu *S. m.* V. *rami* (1).

ranu-branco *S. m.* V. *rami* (1). [Pl.: *ranus-brancos*.]

rânula [Do lat. *ranula*, 'rãzinha'.] *S. f. Patol.* Tumor, de natureza cística, situado sob a língua, e formado em consequência de obstrução de ducto excretor de glândula salivar ou de glândula mucosa. ◆ **Rânula pancreática.** *Cir.* Cisto de retenção em ducto pancreático.

ranunculácea [Do tax. *Ranunculus* (v. *ranúnculo*) + *-ácea*; tax. *Ranunculaceae*.] *S. f. Bot.* Espécime das ranunculáceas, família de plantas floríferas, da ordem das ranales, compostas de ervas com folhas alternas, ger. recortadas, flores vistosas, cálice e corola bem individualizados, androceu polímero, fruto variável. Há em torno de 1.200 espécies, quase só dos países temperados e frios, raras das quais, nativas ou cultivadas, se encontram no Brasil.

ranunculáceo [De *ranunculácea*, com var. suf. (v. *-áceo*).] *Adj. Bot.* Pertencente ou relativo às ranunculáceas.

ranúnculo [Do tax. *Ranunculus* (do lat. *ranunculus*, 'rãzinha').] *S. m. Bot.* **1.** Gênero de plantas ranunculáceas, próprio das áreas temperadas, do qual algumas espécies são medicinais e outras ornamentais, prevalecendo hoje estas, em face de sua grande beleza. **2.** Espécie ou espécime desse gênero. [Var. pop., nesta acepç.: *rainúnculo*.]

ranzinza *Bras. Adj. 2 g.* **1.** Birrento, embirrento, insistente; teimoso. **2.** Aborrecido, zangado, mal-humorado. **3.** Rabugento, impertinente, ranheta. ● *S. 2 g.* **4.** Pessoa ranzinza.

ranzinzar [De *ranzinza* + *-ar*[2].] *V. int. Bras.* Ficar ou mostrar-se ranzinza.

ranzinzice [De *ranzinza* + *-ice*.] *S. f. Bras.* Qualidade, ato ou modos de ranzinza.

➔ **rap** [ɹæp] [Ingl., acrôn. do ingl. *rhythm and poetry*.] *S. m. Mús.* Tipo de música popular urbana, com ritmo muito marcado e melodia ger. simples, definida tb. como "discurso musicado", com espaço para a improvisação, e letra bastante complexa, quase sempre ligada à contestação social.

rapa[1] [Dev. de *rapar*.] *S. m.* **1.** Jogo que consiste em lançar uma espécie de dado em cada face do qual há uma das letras: *R* (rapa), *T* (tira), *D* (deixa), *P* (põe); pirinola: "Recordava-se duma rapariguinha de olhos grandes, com quem jogava o rapa no Natal" (Júlio Brandão, *Contos Escolhidos*, p. 44). **2.** *Bras. Fam.* Glutão, comilão. **3.** *Bras. MG RJ* Carro do governo do Estado, que percorre a cidade com fiscais e policiais incumbidos de apreender a mercadoria de vendedores ambulantes que negociam sem pagar licença. **4.** *Bras. MG RJ P. ext.* O próprio fiscal ou policial do rapa. ● *S. f.* **5.** *Bras.* Resíduos de alimento que agarram no fundo da panela: *rapa de arroz; rapa de angu.*

rapa[2] [Do top. *Rapa*, ilha do Pacífico.] *S. m. Gloss.* Rapano (2).

rapace[1] [Do lat. *rapace*, 'que agarra com rapidez, que rouba'.] *Adj. 2 g.* Que rouba; rapinante: "infames sicários, astutos e mal-intencionados, penetrando com mão rapace na residência do Ministro Bazorra, ... subtraíram .... todas as roupas brancas das vergônteas de S. Ex.ª" (Ramalho Ortigão, *Farpas Esquecidas*, II, p. 25). [Var. (p. us.): *rapaz* (q. v.) e *rabaz*.]

rapace[2] [Adapt. do tax. *Rapaces*.] *S. m. Adj. 2 g. Zool.* V. *raptor*[2].

rapáceo [De *rapum*, 'nabo', + *-áceo*.] *Adj.* Que tem forma de rábano (q. v.).

rapacidade [Do lat. *rapacitate*.] *S. f.* Qualidade de rapace[1]; tendência para o roubo, ou hábito de roubar: "não escapavam da rapacidade dos malfeitores as próprias bestas do serviço da engenhoca." (Franklin Távora, *O Cabeleira*, p. 112).

rapacíssimo *Adj.* Superl. abs. sint. de *rapace* e *rapaz* (1).

rapa-coco [De *rapar* + *coco* (ô).] *S. m.* **1.** *Bras.* Peça de ferro com um dos extremos arredondado e denteado, a qual se maneja para rapar o coco[1] (ô) (2): "os [utensílios] de ferro: as chaleiras, os caldeirões, ... as grelhas, as frigideiras, o rapa-coco" (Mauro Mota, *Votos e Ex-votos*, p. 14). **2.** O conjunto constituído por uma dessas peças presa numa das extremidades de uma tábua assente sobre quatro pés, na qual se senta quem vai rapar o coco, rapando-o mediante a fricção dele de encontro à peça. **3.** *Bras. AL Zool.* Rapa-cuia (2). [Pl.: *rapa-cocos*.]

rapa-colher [De *rapar colher*.] *S. m. Zool.* V. *girino*. [Pl.: *rapa-colheres*.]

rapa-cuia [De *rapar cuia*.] *S. f.* **1.** *Bras. Zool.* Designação comum aos besouros da família dos curculionídeos. **2.** *Bras. MG Zool.* Espécie de rã que habita os gravatás e bromélias. [Sin. (em AL): *rapa-coco*. Pl.: *rapa-cuias*.]

rapadeira [De *rapar* + *-deira*.] *S. f.* Instrumento próprio para rapar.

rapadela [De *rapar* + *-dela*.] *S. f.* Ato ou efeito de rapar; rapadura.

rapa de tacho *S. f. Bras. Fam.* V. *ponta de rama*. [Pl.: *rapas de tacho*.]

rapado [Part. de *rapar*.] *Adj.* **1.** Que se rapou. **2.** Cortado rente. ~ V. *campo* —. ● *S. m.* **3.** *Bras.* V. *pé-rapado*.

rapadoiro [De *rapar* + *-doiro*[2].] *S. m. Bras.* Rapadouro (q. v.).

rapador[1] (ô) [De *rapadouro*.] *S. m. Bras.* Campo com pastagem meio consumida pelo gado, ou com escassa forragem; pelado, pelador.

rapador[2] (ô) [De *rapar* + *-dor*.] *Adj.* **1.** Que rapa; rapante. ● *S. m.* **2.** Aquilo ou aquele que rapa. **3.** Aquele que trabalha na marnota (2) com o rapão.

rapadouro [De *rapar* + *-douro*[2]; var. de *rapadoiro*.] *S. m. Bras.* Lugar sem pastagem para o gado; campo rapado.

rapadura [De *rapar* + *-dura*.] *S. f.* **1.** Rapadela. **2.** *Bras.* Açúcar mascavo, em forma de pequenos tijolos. ◆ **Entregar a rapadura.** *Bras. Pop.* **1.** Desistir de um projeto ou plano. **2.** V. *morrer* (1).

rapagão [De *rapaz* + *-ão*[1], por analogia a *nariz/narigão, perdiz/perdigão*, pelo sentimento de alternância fonética entre *-z-* e *-g-*.] *S. m.* Rapaz vigoroso e corpulento e/ou belo.

rapagote [De *rapag-*, como em *rapagão* (q. v.), + *-ote*[1].] *S. m.* V. *rapazote*: "um esbelto rapagote de cerca de doze anos" (Bernardo Guimarães, *O Seminarista*, p. 32).

rapalhas [De *rapar* + o pl. de *-alha*.] *S. f. pl.* Restos de estrume que ficam nos currais e são aproveitados como adubo.

rapano [Do top. *Rapa*, ilha do Pacífico, + *-ano*[1].] *Adj.* **1.** Relativo à ilha Rapa (ilhas Austrais, Polinésia Francesa), ou ao rapano (2). ● *S. m.* **2.** *Gloss.* Língua malaio-polinésia dessa ilha; rapa[2]. **3.** Vocábulo dessa língua.

rapante [De *rapar* + *-nte*.] *Adj. 2 g.* **1.** Que rapa; rapador. **2.** *Heráld.* Diz-se de figura de animal que se apresenta em atitude de escavar o solo.

rapanui [Do top. *Rapa Nui*, nome local da ilha de Páscoa (Chile).] *S. m. Gloss.* **1.** Língua malaio-polinésia da ilha de Páscoa (Chile); pascoense. **2.** Vocábulo dessa língua.

rapão [De *rapar* + *-ão*[2].] *S. m.* **1.** Aquele que ajunta lixo para estrumar. **2.** Utensílio de marnoto para rapar. **3.** V. *manta* (6).

rapapé [De *rapar pé*.] *S. m.* **1.** Ato de arrastar o pé ao cumprimentar. **2.** Cumprimento rasgado, exagerado. **3.** Bajulação, adulação, lisonja.

rapa-queixos [De *rapar* + o pl. de *queixo*.] *S. m. 2 n. Deprec.* V. *barbeiro* (1).

rapar [Do germ. **hrapon*, 'arrebatar'.] *V. t. d.* **1.** Desgastar, cortando em fragmentos ou lascas; ralar, raspar: *rapar o coco.* **2.** Cortar rente o pelo de; raspar: *rapar a cabeça.* **3.** Cortar à navalha o pelo de; escanhoar. **4.** Pegar, apanhar o que resta de: *Faminto, rapou a comida da panela.* **5.** Furtar, roubar, extorquir ardilosamente: *Rapou minhas economias.* **6.** *Fam.* Causar a morte a; matar: *A epidemia rapou milhares de pessoas.* **7.** *Fam.* Conseguir, alcançar; papar: *Com seu último livro, rapou elogios da crítica.* *T. d. e i.* **8.** Rapar (5): *O patife lhe rapou uma boa soma de dinheiro.* *Int.* **9.** Roçar ou arranhar o chão com o pé, escarvar (o cavalo, o cão). *P.* **10.** Fazer a barba; barbear-se. **11.** Cortar o cabelo.

rapariga [De *rapaz*, mas de formação obsc.] *S. f.* **1.** *P. us. no Brasil* Mulher nova; moça: "E tinha uma filha, rapariga morena, de olhos negros e dissimulados" (Eneias Ferraz, *Adolescência Tropical*, p. 15); "Em frente de nós, um grupo de raparigas: vinte anos por fazer, frescas, saias muito curtas, meias coloridas deixando os joelhos a descoberto, falavam em voz alta — preparavam-se para um exercício de literatura alemã, se bem percebi. | | — Provavelmente, são todas virgens ...." (Augusto Abelaira, *Bolor*, p. 83). **2.** *P. us. no Brasil* Adolescente do sexo feminino. **3.** *Lus.* Moça do campo. **4.** *Bras. N. N.E. MG GO* Amante[2] (6) ou concubina. **5.** *Bras. N. N.E. MG GO* Meretriz. [Tb. us. deprec.] [Masc. (nas acepç. 1 a 3): *rapaz*. A rigor (como observa Antenor Nascentes), o masc. de *rapariga* é *raparigo*, prov. lus., e o fem. de *rapaz* é *rapaza*, desconhecido (ao que parece) no Brasil.]

raparigaça [De *rapariga* + *-aça*.] *S. f.* Rapariga robusta, porém airosa, gentil: "desconfio .... que o meu hóspede e amigo desconhece a história daquela rapariguça de cabelos de ouro e ancas boleadas." (Camilo Castelo Branco, *Noites de Insônia*, II, p. 20).

raparigada [De *rapariga* + *-ada*[1].] *S. f. Pop.* Porção ou grupo de raparigas.

raparigagem [De *rapariga* + *-agem*[2].] *S. f. Bras. N. N.E. MG GO* Hábito ou vida de raparigueiro.

raparigueiro [De *rapariga* + *-eiro*.] *Adj. S. m. Bras. N. N.E.* V. *femeeiro* (1).

rapa-tábuas [De *rapar* + o pl. de *tábua*.] *S. m. 2 n. Bras.* Carpinteiro ordinário, reles.

rapa-tachos [De *rapar* + o pl. de *tacho*.] *S. 2 g. e 2 n. Pop. Fam.* Pessoa que come muito, aproveitando o que resta nos pratos, tachos, etc.

rapateácea [Do tax. *Rapatea* + *-ácea*; tax. *Rapateaceae*.] *S. f. Bot.* Espécime das rapateáceas, família de monocotiledôneas, da ordem das commelinales, constituída de pequenas ervas com folhas estreitas e flores dispostas em capítulos pequenos. Flores trímeras, hermafroditas, dotadas de seis estames concrescentes; fruto capsular. Há poucas espécies americanas, sem importância.

rapateáceo [De *rapateácea*, com var. suf. (v. *-áceo*).] *Adj. Bot.* Pertencente ou relativo às rapateáceas.

rapaz [Do lat. *rapace*.] *Adj. 2 g.* **1.** *P. us.* V. *rapace*[1]. ● *S. m.* **2.** Adolescente do sexo masculino. **3.** Homem jovem; moço, mancebo, muchacho. **4.** *Lus.* V. *menino* (1). **5.** *Bras.* Escravo de pouca idade. **6.** *Bras. N.* Criado (2). [Fem.: *rapariga*; aum.: *rapagão*; dim. irreg.: *rapazelho, rapazote*.] **7.** *Zool.* V. *narcejão*. **8.** *Bras. CE Pop.* V. *diabo* (2).

R

rapazelho (ê) [De *rapaz* + *-elho*.] *S. m.* V. *rapazote*: "Um rapazelho .... encorpado, barba nenhuma, e uma cicatriz" (Fialho d'Almeida, *O País das Uvas*, p. 89).

rapazete (ê) [De *rapaz* + *-ete* (ê).] *S. m.* V. *rapazote*.

rapaziada [De *rapaz* + *-iada*.] *S. f.* **1.** Grupo de rapazes; rapazio: "houve uma verdadeira epidemia de costeletas grandes entre a rapaziada." (Gilvã Lemos, *Jutaí Menino*, p. 92). **2.** Ato ou dito impensado, próprio de rapaz (2 a 4).

rapazinho [Dim. de *rapaz* (q. v.).] *S. m.* **1.** Menino, garoto. **2.** *Bras. RS Zool.* V. *narceja*.

rapazinho-dos-velhos *S. m. Bras. Zool.* Designação comum a algumas espécies de aves piciformes, bucconídeas, especialmente as dos gêneros *Bucco, Nystalus* e *Malacoptila*. Têm bico largo e forte, são insetívoras, de índole lenta e preguiçosa, e vivem solitárias ou em bandos. [Sin.: *joão-bobo* (q. v.), *macuru*. Pl.: *rapazinhos-dos-velhos*.]

rapazio [De *rapaz* + *-io*[1].] *S. m.* Rapaziada (1): "Clemência .... distribuía canas, rapaduras e pinhões cozidos ao rapazio endiabrado e gritador da vizinhança" (Virgílio Várzea, *Histórias Rústicas*, p. 97).

rapazola [De *rapaz* + *-ola*[1].] *S. m.* **1.** Rapaz (2) já crescido. [Sin. (bras., PB, pop.): *bigodete*.] **2.** Homem que tem procedimento de rapaz (2).

rapazote [De *rapaz* + *-ote*[1].] *S. m.* Rapaz (2) no começo da adolescência; rapazelho, rapazete, rapagote, garotote.

rapé [Do fr. *râpé*.] *S. m.* Tabaco em pó, para cheirar. [Var. pros.: *rapê*. Sin.: *amostrinha* (bras.), *pó* (bras., N.), *simonte* (bras., BA), *tabaco* (bras., N.E.), *torrado* (bras., N. e N.E.), *areia-preta* (MG).]

rapê *S. m.* V. *rapé*.

rapé-canjica *S. m. Bras.* V. *canjica* (3). [Pl.: *rapés-canjicas* e *rapés-canjica*.]

rapeira *S. f. Bot.* Conjunto de plantas marinhas, algas, etc., onde se desenvolvem os pequeninos peixes e se efetua a germinação dos óvulos.

rapel [Do fr. *rappel*.] *S. m. Montanh.* Técnica usada por esportistas, soldados, agentes de salvamento, etc., para a descida segura e controlada em paredões íngremes, ou precipícios, com o emprego de corda passada ao redor do corpo ou, opcionalmente, complementada por outros dispositivos.

rapezista (pè) [De *rapé* + *-z-* + *-ista*.] *S. 2 g. Bras.* Pessoa que toma rapé habitualmente; tabaquista.

rapidamente [Do fem. de *rápido* + *-mente*.] *Adv.* **1.** De modo rápido; com rapidez. **2.** Em pouco tempo; sem demora.

rapidez (ê) [De *rápido* + *-ez*.] *S. f.* **1.** Ligeireza, velocidade, pressa. **2.** Brevidade, transitoriedade, efemeridade: *a rapidez da vida humana.* **3.** *Fot.* Sensibilidade (13).

rapidinha [F. subst. de *rapidinho*.] *S. f. Pop.* Relação sexual breve que, às vezes, acontece em local inusitado.

rápido [Do lat. *rapidu*.] *Adj.* **1.** Que se move depressa, com muita velocidade; ligeiro, veloz. **2.** Que dura pouco; breve, passageiro, transitório, efêmero. **3.** Que se efetua em pouco tempo; instantâneo. **4.** Que executa muito em pouco tempo; ligeiro. ~ V. *aço —, ciclagem — a, comida —a, cortina —a, leitura —a, nêutron —, pano — e reator —.* • *Adv.* **5.** Com rapidez; rapidamente: *Trabalharam rápido.* • *S. m.* **6.** V. *correedeira* (1). **7.** *Bras.* V. *mensageiro* (5). **8.** *Bras.* Agência que se incumbe da entrega de cartas, pacotes, etc., no perímetro urbano. **9.** *Bras.* Denominação comum aos trens de longo percurso que correm durante o dia: "O rápido mineiro chegou com um atraso bárbaro" (Marques Rebelo, *A Mudança*, p. 453). ◆ **Às rápidas.** Rapidamente, rápido: "O sonho do moço era enriquecer às rápidas para reatar a gostosura do idílio interrompido." (Monteiro Lobato, *Urupês, Outros Contos e Coisas*, p. 63.)

rapieira [Do ingl. *rapier*.] *S. f.* Espada de lâmina longa, fina, flexível e de seção quadrangular.

rã-pimenta *S. f. Bras. Zool.* Anfíbio anuro, leptodactilídeo (*Leptodactylus pentadactylus*), comum em todo o Brasil. A coloração geral varia do cinzento-esverdeado ao marrom-claro, com manchas negras, abdome esbranquiçado e coxas avermelhadas internamente. Comprimento: até 18cm; peso: até 700g. Alimenta-se de toda sorte de pequenos animais. [Sin.: *nimbuia*. Pl.: *rãs-pimentas* e *rãs-pimenta*.]

rapina [Do lat. *rapina*.] *S. f.* Ato ou efeito de rapinar; roubo violento.

rapinador (ô) [Do lat. *rapinatore*.] *Adj. S. m.* Rapinante.

rapinagem [De *rapinar* + *-agem*[2].] *S. f.* **1.** Qualidade de rapinante. **2.** Conjunto de roubos. **3.** Hábito de rapinar ou roubar.

rapinante [De *rapinar* + *-nte*.] *Adj. 2 g. S. 2 g.* Que, ou quem rapina, costuma rapinar; rapinador.

rapinar [De *rapina* + *-ar*[2].] *V. t. d.* **1.** Roubar, tirar, subtrair, com violência: *O bandido feriu o passante e rapinou-lhe o dinheiro.* **2.** Subtrair ardilosamente. **3.** *P. ext.* Subtrair, furtar. *Int.* **4.** Cometer rapinagem. [Var.: *rapinhar*.]

rapineiro [De (*ave de*) *rapina* + *-eiro*.] *Adj. S. m. Bras.* Diz-se de, ou ave de rapina.

rapinhar *V. t. d. Int.* V. *rapinar*.

rapioca *S. f. Chulo* Pândega, extravagância, patuscada.

rapioqueiro [De *rapioca* + *-eiro*.] *Adj. S. m. Chulo* Diz-se de, ou aquele que é dado a rapiocas, a farras.

rapistro [Do lat. *rapistru*.] *S. m. Bot.* Espécie de rábano silvestre.

rapixé [De or. indígena, poss.] *S. m. Bras. Amaz.* Pequena rede (2) presa a uma armação retangular com cabo, us. pelos piabeiros, e também us., eventualmente, na coleta de sementes que caem nos rios.

rapôncio [Do it. *raponzo*, poss.] *S. m. Bot.* Denominação comum a duas plantas campanuláceas; raponço.

raponço *S. m. Bot.* Rapôncio (q. v.).

raposa (ô) [Do esp. ant. e dialetal *rabosa* (poss. do esp. *rabo*, 'rabo'), fonte tb. do esp. *raposa*.] *S. f.* **1.** *Zool.* Animal mamífero (*Vulpes vulpes*), carnívoro, canídeo, que habita a Europa, de pequeno porte, e grande predador das aves em geral. O pelo, farto, é muito valorizado no comércio graças aos matizes, que vão do castanho ao branco-prateado. [Sin., ant.: *golpelha*.] **2.** *Zool.* A pele inteira desse animal (frequentemente com cabeça e cauda), usada pelas senhoras como agasalho, ou parte dela, usada como complemento de vestuário de inverno: "é comovente a obstinação com que certas elegantes, depois de uma estada de alguns meses na capital, insistem em sair de bailes, em plena Fortaleza, com a sua raposa prateada" (Raquel de Queirós, *100 Crônicas Escolhidas*, p. 45). [Correspondente fr., nesta acepç.: *renard*.] **3.** *Fig.* Pessoa astuta, sagaz, manhosa. **4.** *Astr.* Pequena constelação do hemisfério boreal situada entre o Delfim, a Águia e o Cisne. [Com cap., nesta acepç.] **5.** *Lus.* Reprovação em exame. **6.** *Bras.* Apelido que os legalistas aplicavam aos rebeldes da Sabinada (q. v.). **7.** *Bras. SP Zool.* V. *gambá* (1). • *S. 2 g.* **8.** *Bras.* V. *cruzeirense*[6]. **9.** *Bras.* V. *campinense*[6]. • *Adj. 2 g. S. 2 g.* **10.** V. *cruzeirense*[6]. **11.** *Bras.* V. *campinense*[6]. [Pl.: *raposas* (ô). Cf. *raposa*; *raposas*, do v. *raposar*.] ◆ **Pôr a raposa para tomar conta do galinheiro.** Colocar ou deixar alguém num lugar ou numa posição onde pode representar perigo ou causar dano; recomendar as ovelhas ao lobo.

raposada [De *raposa* + *-ada*[1].] *S. f.* V. *raposeira* (2).

raposa-do-campo *S. f. Bras. Zool.* Mamífero carnívoro, canídeo (*Dusicyom vetulus*), do C.O. e S. do Brasil, de coloração cinzento-escura, com a barriga e parte interna das extremidades amareladas, e a ponta e base da cauda negras. Frequenta os cerrados, e alimenta-se de toda sorte de pequenos animais e frutas silvestres; mede 60cm de corpo e 36cm de cauda. [Sin.: *jaguapitanga, jaguamitinga*. Pl.: *raposas-do-campo*.]

raposar [De *raposa* + *-ar*[2].] *V. t. d. Lus.* Aplicar uma raposa (5) em. [F. paral. (bras., SP): *raposear*. Pres. ind.: *raposo, raposas, raposa*, etc. Cf. *raposa* (ô), s. f., pl. *raposas* (ô); *raposo* (ô), s. m.; e *Raposo* (ô), antr. e top.]

raposa-vermelha *S. f. Zool.* Mamífero carnívoro, canídeo (*Vulpes fulva*) da América do Norte, que se caracteriza pela pelagem avermelhada. [Pl.: *raposas-vermelhas*.]

raposear [De *raposa* (5) + *-ear*[2].] *V. t. d. Bras. SP* Reprovar em exame. [Conjug.: v. *frear*.]

raposeira [De *raposa* + *-eira*.] *S. f.* **1.** Sensação agradável experimentada por quem se deita ao sol brando. **2.** Sono curto e reparador; raposada. **3.** V. *bebedeira* (1). **4.** Covil de raposa.

raposeiro [De *raposa* + *-eiro*.] *Adj.* **1.** V. *vulpino*. • *S. m.* **2.** Indivíduo manhoso, astuto, raposa.

raposense *Adj. 2 g.* **1.** De, ou pertencente ou relativo a Raposos (MG). • *S. 2 g.* **2.** O natural ou habitante de Raposos.

raposia [De *raposa* + *-ia*[1].] *S. f.* Raposice.

raposice [De *raposa* + *-ice*.] *S. f.* Astúcia de raposa, ou que lembra a desse animal; raposia.

raposinhar [De *raposa* + *-inhar*.] *V. int.* Usar de manha, astúcia, raposice.

raposinho [De *raposo* + *-inho*[1].] *S. m.* **1.** Raposo pequeno. **2.** Mau cheiro, semelhante ao da raposa; catinga, bodum.

raposino [De *raposa* + *-ino*[1].] *Adj.* V. *vulpino*.

raposo (ô) [De *raposa*.] *S. m.* **1.** O macho da raposa. **2.** *Fig.* Indivíduo manhoso, astuto. • *Adj.* **3.** Diz-se dos bovinos de cor análoga à da raposa (1): "A cachorra Baleia saiu correndo entre os alastrados e quipás, farejando a novilha raposa." (Graciliano Ramos, *Vidas Secas*, p. 25.) [Pl.: *raposos* (ô). Cf. *raposo*, do v. *raposar*.]

rapper [Ingl.] *S. 2 g. Mús.* Compositor ou cantor de *rap*.

rapsoda (só) *S. 2 g.* V. *rapsodo*: "E era ourives mascate; levava, triste rapsoda, de povoado em povoado os seus poemetos de ouro e pedraria." (Lúcio de Mendonça, *Horas do Bom Tempo*, p. 142.)

rapsode (só) *S. m.* V. *rapsodo*: "Ninguém suspeita ainda .... que o discurso, proferido para acudir pela salvação ou pela honra da república, possa ter alguma coisa de comum com as formosas composições que os rapsodes e os aedos vão descantando pela Grécia" (Latino Coelho, *A Oração da Coroa*, pp. CDIII-CDIV).

rapsódia (s) [Do gr. *rhapsodía*, pelo lat. *rhapsodia*.] *S. f.* **1.** Cada um dos livros de Homero [v. *homérico* (1)]. **2.** *P. ext.* Trecho de uma composição poética. **3.** Entre os gregos, fragmentos de poemas épicos cantados pelo rapsodo. **4.** *Mús.* Fantasia instrumental que utiliza temas e processos de composição improvisada tirados de cantos tradicionais ou populares: *as rapsódias húngaras de Liszt.*

rapsódico (s) [Do gr. *rhapsodikós*.] *Adj.* Referente a, ou que tem caráter de rapsódia.

rapsodista (s) [De *rapsódia* + *-ista*.] *S. 2 g.* Pessoa que faz rapsódias, ou que compila poesias ou quaisquer trechos literários.

rapsodo (só) [Do gr. *rhapsodós*.] *S. m.* **1.** Na Grécia antiga, cantor ambulante de rapsódias: "Para d'Annunzio, qualquer crendice de camponeses da sua terra não é inferior às lendas que os rapsodos gregos iam cantarolando pelas ilhas do Egeu." (Agripino Grieco, *Estrangeiros*, p. 234.) **2.** *Fig.* Poeta, vate, aedo.

rapsodomancia (s... cí) [De *rapsodo* + *-mancia*.] *S. f.* Adivinhação por meio de trechos extraídos das obras dum poeta.

rapsodomante (s) [De *rapsodo* + *-mante*.] *S. 2 g.* Pessoa que pratica a rapsodomancia.

rapsodomântico (s) *Adj.* Relativo a rapsodomancia, ou a rapsodomante.

raptado [Part. de *raptar*.] *Adj. S. m.* Que, ou aquele que foi vítima de rapto.

raptar [Do lat. *raptare*, 'arrebatar'; 'arrastar'.] *V. t. d.* **1.** Cometer o crime de rapto contra: *Raptaram o filho do milionário, exigindo alto resgate*; "raptou-lhe a filha, fugindo com ela para Londres" (Melo Nóbrega, *O Soneto de Arvers*, p. 63). *T. d. e i.* **2.** Roubar, tirar, arrebatar: *O ladrão raptou a bolsa à transeunte*; "O barroco raptara-nos ao êxtase católico, impusera-nos a sua própria fruição." (Carlos Drummond de Andrade, *Passeios na Ilha*, p. 67).

rapto[1] [Do s. lat. *raptu*, 'roubo'.] *S. m.* **1.** Ato ou efeito de arrebatar, de roubar uma pessoa por violência ou sedução. **2.** Roubo; furto; rapina. **3.** *Fig.* Arrebatamento, enlevo, êxtase: "Os grandes poetas dos novos tempos .... ou expiam nos cárceres .... a natural sobranceria da sua musa democrática, ou saúdam do exílio, com V. [Vítor] Hugo, nos seus raptos inspirados, a pátria." (Latino Coelho, *Cervantes*, p. 155). **4.** *Jur.* Crime, atualmente descaracterizado, que consistia em tirar de seu lar mulher por meio de violência, grave ameaça ou fraude para fins libidinosos. ◆ **Rapto consensual.** *Jur.* O que anteriormente se configurava, a despeito do consentimento da vítima, por ser esta maior de 14 e menor de 21 anos.

rapto[2] [Do adj. lat. *raptu*, 'arrebatado', 'agarrado rapidamente'.] *Adj.* **1.** Rápido, ligeiro, veloz. **2.** Extático, arroubado, enlevado, arrebatado.

raptor[1] (ô) [Do lat. *raptore*.] *Adj. S. m.* Que, ou aquele que rapta.

raptor[2] (ô) [Adapt. do tax. *Raptores*.] *Zool. S. m.* **1.** Espécime dos raptores, em antigas classificações, ordem de aves, de hábitos predatórios. [Tal designação compreende os atuais falconiformes e estrigiformes.] • *Adj.* **2.** Pertencente ou relativo a eles. [Sin. ger.: *rapace*.]

raptorial [Do lat. *raptor* + *-ial*.] *Adj. 2 g. Zool.* **1.** Relativo ou pertencente às aves rapaces, *i. e.*, da ordem das falconiformes. **2.** Diz-se de, ou pertencente ou relativo a ave capaz de capturar, com o auxílio de garras poderosas, outras aves e pequenos mamíferos.

raque [Do lat. *rachis* < gr. *ráchis*, 'espinha dorsal'.] *S. f.* **1.** *Anat.* Conjunto formado por coluna vertebral e partes moles dispostas posteriormente a esta. **2.** *Bot.* O eixo principal de uma inflorescência. **3.** *Zool.* A nervura central das folhas penadas. **4.** *Bot.* Eixo da pena das aves.

raquel [Do antr. *Raquel*.] *S. f. Bot.* Erva amarilidácea (*Nerine sarniensis*) bulbosa, procedente da África do Sul, cujo bulbo mede uns 5cm de diâmetro e tem escamas pardo-claras; as folhas, cerca de seis, medem mais ou menos 30cm e têm forma linear; as flores, vermelho-brilhantes, são 10 a 12, reunidas em umbela, bastante vistosas; o fruto é cápsula trilocular. [Pl.: *raquéis*.]

raqueta (ê) [Do fr. *raquette*.] *S. f.* **1.** Instrumento usado para impelir a bola no tênis e em outros jogos, constituído de um forte anel ovalado, de madeira, alumínio, etc., onde se fixa uma rede de cordas esticadas, e que é manejado por meio de um cabo longo. **2.** Instrumento análogo na forma, porém menor e todo de madeira, muitas vezes revestida de borracha ou cortiça, e destinado a jogos como o pingue-pongue, o frescobol, etc. **3.** Objeto semelhante à raqueta (1), que se adapta aos pés para andar na neve. [F. paral., m. us. no Brasil: *raquete*.]

raquetada [De *raqueta* + *-ada*¹.] ***S. f.*** Golpe de raquete ou raqueta: "vândalos da raquete, jogando frescobol, ameaçando todos com raquetadas e boladas." (*Jornal do Brasil*, 30.08.1982).

raquete ***S. f.*** Raqueta (q. v.).

raquetista [De *raqueta* + *-ista*.] ***S. 2 g. Bras.*** Tenista.

raquialgia [De *raqui(o)-* + *-alg(o)-*² + *-ia*¹.] ***S. f. Patol.*** Dor em qualquer ponto da coluna vertebral.

raquiálgico [De *raquialgia* + *-ico*².] ***Adj.*** Relativo a raquialgia.

raquianestesia [De *raqui(o)-* + *anestesia*.] ***S. f. Patol.*** Anestesia por injeção do anestésico no canal vertebral.

raquianestésico [De *raquianestesia* + *-ico*².] ***Adj.*** Respeitante a raquianestesia.

raquiano [De *raqui(o)-* + *-ano*¹.] ***Adj. Anat.*** Relativo ou pertencente a raque; raquidiano. ~ V. *bulbo* —.

raquicentese [De *raqui(o)-* + *-centese*.] ***S. f. Cir.*** ~ V. *raquiocentese*.

raquicentésico [De *raquicentese* + *-ico*².] ***Adj.*** Relativo a raquicentese.

raquidiano [De *raqui(o)-* + *-d-* + *-iano*.] ***Adj. Anat.*** ~ V. *raquiano*. V. *bulbo* —.

raquimeningite [De *raqui(o)-* + *meningite*.] ***S. f. Neur.*** Inflamação das meninges raquianas.

▲ **raqui(o)-** [Do gr. *rháchis, ios* ou *eōs*.] ***El. comp.*** = 'coluna vertebral', 'raque': *raquiano, raquiotomia*. [Equiv.: *-raqui(o)-, raquis-*: *bilirraquia; raquissagra*.]

▲ **-raqui(o)-** V. *raqui(o)-*.

raquiocentese [De *raqui(o)-* + *-centese*.] ***S. f. Neur.*** Punção do canal vertebral; raquicentese.

raquiomielite [De *raqui(o)-* + *mielite*.] ***S. f. Neur.*** Inflamação da medula espinhal.

raquiopagia [De *raqui(o)-* + *-pag(o)-* + *-ia*¹.] ***S. f. Ter.*** Anomalia em que dois gêmeos estão unidos raque a raque, união esta restrita à região cervical e à porção superior do tronco.

raquiópago [De *raqui(o)-* + *-pago*.] ***Adj. S. m. Ter.*** Diz-se de, ou quem apresenta raquiopagia.

raquiopatia [De *raqui(o)-* + *-patia*.] ***S. f. Med.*** Qualquer doença da raque (1).

raquiopático [De *raquiopatia* + *-ico*².] ***Adj. Med.*** Relativo a raquiopatia.

raquioplegia [De *raqui(o)-* + *-pleg-* + *-ia*¹.] ***S. f. Neur. Impr.*** Paralisia da medula espinhal.

raquioplégico [De *raquioplegia* + *-ico*².] ***Adj.*** Referente à raquioplegia.

raquioscoliose [De *raqui(o)-* + *escoliose*.] ***S. f. Ort.*** V. *escoliose*.

raquiotomia [De *raqui(o)-* + *-tom(o)-* + *-ia*¹.] ***S. f. Cir.*** Seção cirúrgica de uma ou mais vértebras.

raquiotômico ***Adj.*** V. *raquiotômico*. [Uso freq. em P.]

raquiotômico [De *raquiotomia* + *-ico*².] ***Adj.*** Relativo a raquiotomia.

▲ **raquis-** V. *raqui(o)-*.

ráquis ***S. f. 2 n. Anat. P. us.*** V. *raque*.

raquissagra [De *raquis-* + *-s-* + *-agra*.] ***S. f. Reum.*** Dor gotosa na raque (1).

raquítico [De *raquitismo* + *-ico*², seg. o padrão erudito.] ***Adj.*** **1.** Que tem raquitismo. **2.** *Pop.* Pouco desenvolvido; franzino. **3.** *Fig.* Mesquinho, acanhado, inexpressivo: *produções literárias raquíticas; inteligência raquítica.* ● ***S. m.*** **4.** Aquele que tem raquitismo.

raquitismo [Do gr. *rhachítes*, 'da coluna vertebral', *i. e.*, 'doença ou deformação da coluna vertebral', + *-ismo*.] ***S. m.*** **1.** *Med.* Doença da infância devida à deficiência de vitamina D e que se manifesta, sobretudo, por deformidades e alterações outras do esqueleto. **2.** *Bot.* Definhamento das plantas. **3.** *Fig.* Fraqueza intelectual ou moral.

raquitizar [De *raquítico* + *-izar*, seg. o padrão erudito.] ***V. t. d.*** Tornar raquítico; enfezar.

raramente [Do fem. de *raro* + *-mente*.] ***Adv.*** De modo raro, pouco frequente; poucas vezes.

rareamento [De *rarear* + *-mento*.] ***S. m.*** Ato ou efeito de rarear.

rarear [De *raro* + *-ear*².] ***V. t. d.*** **1.** Tornar raro: *O desflorestamento rareou espécies como o pau-brasil.* ***Int.*** **2.** Tornar-se raro; ser ou estar em pequeno número: *As casas rareavam à medida que penetrávamos na mata;* "essa tarefa maçante de catequese pertencia de direito aos padres que nos vinham de fora, e que rareavam cada vez mais." (Inglês de Sousa, *O Missionário*, p. 193). **3.** Tornar-se menos espesso, menos denso, menos intenso; rarefazer-se: "Os cabelos brancos rareavam devassando a fronte" (Coelho Neto, *Obra Seleta*, I, p. 284); "O vento vai quebrando, e já rareiam / Grossos montões de acasteladas nuvens" (Alexandre Herculano, *Poesias*, p. 115). [Conjug.: v. *frear*.]

rarefação [De *rarefazer* + *-ção*, seg. o padrão de *putrefação* (q. v.).] ***S. f.*** Ato ou efeito de rarefazer(-se).

rarefacção ***S. f.*** V. *rarefação*.

rarefaciente [Do lat. *rarefaciente*.] ***Adj. 2 g.*** Que rarefaz; rarefativo.

rarefactibilidade ***S. f.*** V. *rarefatibilidade*.

rarefactível ***Adj. 2 g.*** V. *rarefatível*.

rarefactivo ***Adj.*** V. *rarefativo*.

rarefacto ***Adj.*** V. *rarefato*.

rarefactor (ô) ***Adj. S. m.*** V. *rarefator*.

rarefatibilidade [De *rarefatível* + *-(i)dade*, seg. o padrão erudito.] ***S. f.*** Qualidade de rarefatível.

rarefatível [Do lat. *rarefactum*, supino de *rarefacere*, 'rarefazer', + *-ível*, seg. o padrão erudito.] ***Adj. 2 g.*** Que pode rarefazer(-se).

rarefativo [De *rarefato* + *-ivo*.] ***Adj.*** Rarefaciente.

rarefato [Do lat. *rarefactu*, por via semierudita.] ***Adj.*** Rarefeito.

rarefator (ô) [De *rarefato* + *-or*.] ***Adj.*** **1.** Que rarefaz. ● ***S. m.*** **2.** Aparelho ou utensílio que é próprio para rarefazer.

rarefazer [Do lat. *rarefacere*.] ***V. t. d.*** **1.** Diminuir a densidade de; tornar menos denso ou menos espesso; desaglomerar; dilatar. ***P.*** **2.** Tornar-se menos denso, menos espesso; dilatar-se, expandir-se. **3.** Tornar-se menos numeroso: *O agrupamento de pessoas rarefazia-se aos poucos.* **4.** Diluir-se; desaparecer. [Irreg. Conjug.: v. *fazer*.]

rarefeito [Do lat. *rarefactu*, por via pop.] ***Adj.*** **1.** Que se rarefaz. **2.** Pouco denso: "Uma vegetação baixa e rarefeita se repete monótona, com árvores a surgirem do chão, secas e torturadas" (Oscar Niemeyer, *As Curvas do Tempo — Memórias*, p. 117); "fitava com ar deliberadamente distraído uma nuvenzita branca que deslizava pelo céu azul, rarefeita e sem rumo certo." (Domingos Monteiro, *O Primeiro Crime de Simão Bolandas*, p. 11). [F. paral.: *rarefato*.]

rareza (ê) [De *raro* + *-eza*.] ***S. f. P. us.*** V. *raridade*

▲ **rari-** [Do lat. *rārus, a, um*.] ***El. comp.*** = 'raro': *rarifloro*.

raridade [Do lat. *raritate*.] ***S. f.*** **1.** Qualidade de raro. **2.** Objeto raro, pouco vulgar: *A primeira edição de* Os Lusíadas*, de 1572, é uma raridade.* **3.** Acontecimento raro. [Sin. ger., p. us.: *rareza*.]

rarifloro [De *rari-* + *-floro*.] ***Adj. Bot.*** Paucifloro.

raripilo [Do lat. *raripilu*.] ***Adj.*** Que tem pelos raros.

raro [Do lat. *raru*.] ***Adj.*** **1.** De que há pouco; que não abunda: *Achei uma borboleta rara.* **2.** Que é pouco frequente; incomum, invulgar, extraordinário: *acontecimento raro.* **3.** Que não é denso; pouco espesso; ralo. ● ***Adv.*** **4.** Poucas vezes; raramente: "Falou, o que raro sucedia." (José de Alencar, *Alfarrábios*, p. 271.) ◆ **Raro em raro.** V. *de raro em raro*: "Raro em raro descia à vila, num macho, a fazer compras." (Coelho Neto, *Sertão*, p. 168.) **De raro em raro.** Raras vezes; raramente, raro em raro, raro. **Não raro.** Com frequência: "Sua presença é constante no jornal, não raro apenas com suas iniciais." (Barbosa Lima Sobrinho, *Presença de Alberto Torres*, p. 63.)

rarotongano [Do top. (ilha) *Rarotonga*, capital das Ilhas Cook.] ***S. m. Gloss.*** Maori (2).

rás¹ [Do top. *Arrás* (França).] ***S. m.*** Arrás: "certos bocados de sumptuosidade, como frisos de madeira escultada, rente às abóbadas, com pedaços de rás inda pendentes, ... alastravam na casa, pelo contraste das paredes caiadas, uma nódoa de miséria rica" (Fialho d'Almeida, *À Esquina*, p. 97). [Pl.: *rases*.]

rás² [De um voc. aparentado ao ár. *raiç*, 'cabeça'.] ***S. m.*** Título de dignitário imediatamente inferior ao de negus (q. v.). [Pl.: *rases*.]

rasa [Do lat. *rasa*, 'raspada'; 'alisada'.] ***S. f.*** **1.** Antiga medida de capacidade, equivalente, pouco mais ou menos, ao alqueire (1): *uma rasa de farinha.* **2.** V. *rasoura* (1). **3.** Porção de linhas manuscritas ou datilografadas, que compreendem aproximadamente certo número de letras, segundo uma tabela regimental. **4.** Custas judiciais determinadas em função do número de linhas. **5.** O preço mais baixo. **6.** Descrédito, desonra.

rasadura [De *rasar* + *-dura*.] ***S. f.*** Ato ou efeito de rasar(-se).

rasante [De *rasar* + *-nte*.] ***Adj. 2 g.*** **1.** Que rasa ou serve para rasar. **2.** Diz-se de fortificação cujos muros têm pouca altura em relação ao terreno em que foi construída. **3.** Que efetua trajetória (no ar) muito próxima do solo. ~ V. *tiro* —. ● ***S. m.*** **4.** *Aer. Av.* Voo rasante (de avião), *i. e.*, voo executado à baixíssima altura.

rasão ***S. f. Lus.*** Alqueirão. [Cf. *razão*.]

rasar [Do lat. **rasare* < lat. *radere*, 'raspar', poss.] ***V. t. d.*** **1.** Medir com a rasa (1): *rasar os cereais.* **2.** Acertar (a medida) com a rasoura. **3.** Tornar raso: *A seca rasou o rio.* **4.** Nivelar, igualar: *rasar um terreno.* **5.** Tocar de leve; roçar. **6.** Encher até à borda. ***P.*** **7.** Encher-se, transbordar: "Rasam-se os olhos d'água" (Alberto de Oliveira, *Poesias*, 2ª série, p. 47).

rasca [Dev. de *rascar*.] ***S. f.*** **1.** Rede de arrastar; rascada. **2.** *Pop.* Parte do lucro; quinhão. **3.** *Bras. Pop.* V. *bebedeira* (1). **4.** Antiga embarcação portuguesa de pesca, de borda alta, convés corrido, três mastros com velas latinas (o de vante inclinado para a proa, e o de ré com a vela disparada para fora da popa) e uma vela de proa. ● ***Adj. 2 g.*** **5.** *Lus. Pop.* De baixa qualidade; ordinário. **6.** *Lus. Pop.* De mau gosto; cafona. ◆ **À rasca.** Em grande dificuldade, em apuros: "A Cacilda, com filhos serôdios, e à rasca para os criar." (Miguel Torga, *Bichos*, p. 66.)

rascada [De *rascar* + *-ada*¹.] ***S. f.*** **1.** Rasca (1). **2.** Dificuldade, aperto, entaladela, enrascada: "E era feliz, o temerário, pois nunca lhe sucedia uma rascada, um desastre." (Virgílio Várzea, *Nas Ondas*, p. 3.)

rascadeira [De *rascar* + *-deira*.] ***S. f. Bras. S.*** Instrumento de ferro, com cabo de madeira, usado para raspar o pelo dos cavalos.

rascador (ô) [De *rascar* + *-dor*.] ***S. m.*** **1.** Instrumento de ourives, de serralheiro, etc., próprio para rascar. **2.** *Grav.* Instrumento de seção triangular e arestas afiadas, usado pelos gravadores para eliminar granido da maneira-negra, rebarba da ponta-seca, etc.; raspador.

rascância [De *rascante* + *-ia*², seg. o padrão analógico.] ***S. f.*** Qualidade do vinho rascante.

rascante [De *rascar* + *-nte*.] ***Adj. 2 g.*** **1.** Que deixa travo na garganta; que rasca; adstringente. **2.** Diz-se do som áspero, que parece arranhar: "Quando cessa o ruído rascante da pena que já deve estar muito usada, começa o ruído delicado de alfinetes caindo no chão" (Lígia Fagundes Teles, *A Disciplina do Amor*, p. 83). ~ V. *vinho* —. ● ***S. m.*** **3.** Vinho rascante.

rascão [De *rascar* + *-ão*².] ***S. m.*** **1.** Vadio, desleixado, preguiçoso, mandrião. **2.** Uma das cordas da rede de pesca.

rascar [Do lat. **rasicare*, freq. de *radere*, 'raspar'.] ***V. t. d.*** **1.** Tirar fragmentos da superfície de (um corpo) com instrumento adequado; raspar, rapar. **2.** Lascar; desbastar. **3.** Perturbar, pelo som desagradável: *O grasnar do corvo rascava o silêncio.* **4.** *P. ext.* Perturbar, incomodar, importunar. **5.** Arranhar, ferir: "O trigo ...., desafogado, vai-lhes rascando as pernas cabeludas." (José Vieira, *Sol de Portugal*, p. 41.) ***Int.*** **6.** Deixar certo travo na garganta: *Aquele vinho rasca.* **7.** *Ant.* Gritar, clamar. **8.** *Bras. S. da BA* Tagarelar, parolar. [Conjug.: v. *trancar*.]

rascasso [De or. obsc.] ***S. m. Lus.*** Peixe zeiforme (*Caprus aper*), de cor vermelha e prateada, muito comum na costa portuguesa: "Um grande rascasso vermelho passa em frente a mim." (Sofia de Melo Breyner Andresen, *Poemas Escolhidos*, p. 128).

rascoa (ô) [Fem. de *rascão*.] ***S. f.*** **1.** *Ant.* Aia. **2.** Cozinheira (1). **3.** *Deprec.* Meretriz.

rascolnismo [Do fr. *rascolnisme*.] ***S. m. Rel.*** Ramificação dissidente da Igreja ortodoxa russa que ocorreu em 1667, cujos adeptos consideram contrárias à verdadeira fé a revisão das versões da Bíblia e a reforma litúrgica levada a efeito em 1654 pelo patriarca Nikon. [Sin.: *velhos-crentes*.]

rascolnista [De *rascolnismo* + *-ista*.] ***Adj. 2 g.*** **1.** Relativo ao, ou que é sectário do rascolnismo. ● ***S. 2 g.*** **2.** Sectário dele. [Var.: *rascolnita*.]

rascolnita ***Adj. 2 g. S. 2 g.*** V. *rascolnista*.

rascunhar [De **rascanhar* < *rascar*, com infl. de *unha*; esp. *rascuñar*.] ***V. t. d.*** Fazer o rascunho de; minutar: *rascunhar uma carta.*

rascunho [Dev. de *rascunhar*; esp. *rascuño*.] ***S. m.*** **1.** Minuta (1). **2.** Esboço ou conjunto de anotações que servem de base para dar feição definitiva a qualquer texto: *Guardou o rascunho para conferir a prova com os colegas.*

raseiro [De *raso* + *-eiro*.] ***Adj.*** **1.** Que tem pouco fundo; achatado, chato, baixo, raso: *embarcação raseira.* **2.** Rasourado.

rasgação¹ [De *rasgar* + *-ção*.] ***S. f.*** V. *rasgamento*.

rasgação² ***S. f. Fam.*** V. *rasgação de seda*.

rasgação de seda ***S. f. Fam.*** Ato ou efeito de rasgar seda (q. v.). [F. red.: *rasgação*.]

rasgada [De *rasgar* + *-ada*¹.] ***S. m. Surf.*** Manobra em que o surfista rasga a face da onda, levantando um leque de água.

rasgadela [De *rasgar* + *-dela*.] ***S. f.*** Pequeno rasgão (1): *O prego prendeu a saia e deu uma rasgadela.*

rasgado [Part. de *rasgar*.] ***Adj.*** **1.** Que apresenta rasgo ou rasgão: *Estava com o terno rasgado.* **2.** Vasto, amplo, extenso, desembaraçado: *O panorama rasgado estendia-se até o horizonte.* **3.** Aflito, ferido, dilacerado: *coração rasgado.* **4.** Em que não há embaraço ou reserva; aberto, franco, liberal, generoso: *gesto rasgado; elogio rasgado.* **5.** Sem peias ou restrição; muito livre: *pândega rasgada; comezaina rasgada.* **6.** Diz-se de olhos grandes e amendoados: “Viúva moça, olhos rasgados, dona de terras, de negros, de dinheiro na canastra – a Inhá Luísa começou logo a ser rondada.” (Pedro Nava, *Baú de Ossos*, p. 164) **7.** Diz-se de boca alongada. ~ V. *janela —a.* • ***S. m.* 8.** *Bras.* A parte do punho do sabre-baioneta que se adapta ao cano da carabina. **9.** *Bras. Mús.* Forma de acompanhamento peculiar a certos instrumentos populares, como a guitarra, o violão, a viola de arame, e que consiste em passar as unhas, sucessiva e rapidamente, sobre as cordas, sem as pontear: “A viola .... desandava em rasgados e repeniques por todas as patuscadas” (Vitorino Nemésio, *O Mistério do Paço do Milhafre*, p. 127). **10.** *Bras. Mús.* Dança executada ao som desse acompanhamento. **11.** *Bras. Mús.* Prelúdio de acordes arpejados, executado no violão ou na guitarra. [Sin. (nas acepçs. 8 a 10): *rasqueado.*]

rasgadura [De *rasgar* + *-dura.*] ***S. f.*** V. *rasgamento.*

rasgamento [De *rasgar* + *-mento.*] ***S. m.* 1.** Ato ou efeito de rasgar(-se); rasgadura. **2.** V. *rasgão* (1). **3.** *Arquit.* Rasgo (5).

rasga-mortalha [De *rasgar mortalha.*] ***S. f.*** *Bras. Zool.* **1.** V. *narceja.* • ***S. f. e m.* 2.** V. *suindara:* “Como se convocados, as rasga-mortalhas tesouravam a noite com os seus grasnados agourentos e lúgubres.” (A. S. de Mendonça Júnior, *O Anel de Brilhante e Outras Estórias*, p. 57.) [Pl.: *rasga-mortalhas.*]

rasgão [De *rasgar* + *-ão*[3].] ***S. m.* 1.** Abertura em superfície que se cortou, rompeu ou dilacerou; rasgamento, rasgadura; rasgo: *rasgão num tecido, num papel, na pele.* **2.** *Bras.* V. *brechão.* **3.** *Bras. C.O.* V. *fecho* (9).

rasgar [De or. incerta; poss. do v. lat. **rasicare*, freq. do v. lat. *radere*, 'arranhar', 'raspar', ou alter. do esp. e port. ant. *resgar* (< v. lat. *resecare*, ‘cortar’, ‘recortar’).] ***V. t. d.* 1.** Abrir rasgão em, romper, partir (um todo), ficando as partes separadas desse todo, ou presas a ele: *O cão rasgou o paletó do bandido;* “Por fim, deliberadamente, lançou mãos ao sobrescrito, rasgou-o com inquietação crescente.” (João da Silva Correia, *Farândola*, p. 119). **2.** Separar, ou dividir em pedaços ou fragmentos irregulares, destruindo; romper: *Rasgou a carta sem ler.* **3.** Golpear, ferir; romper, lacerar: *Os dentes afiados do cão rasgaram-lhe a carne.* **4.** Praticar (uma abertura); abrir: *rasgar uma porta.* **5.** Abrir fenda ou buraco em: *rasgar a terra.* **6.** Abrir, cortar: *rasgar um abscesso.* **7.** Dissipar, desfazer: *Surgiu o Sol, rasgando as nuvens.* **8.** Magoar, pungir, compungir: *O triste acontecimento rasgou-lhe a alma.* **9.** Alargar, espaçar, estender. **10.** Agravar, avivar. **11.** Cavar, lavrar: *O camponês rasga o campo de sol a sol.* **12.** Passar através de; atravessar: *O homem decidido rasga os mares, matas e montanhas.* **13.** Surgir de súbito; romper: “E rasga a tarde uma voz roufenha, a engasgar-se num chiado: Casa Edison, Rio de Janeiro!” (Augusto Meyer, *No Tempo da Flor*, p. 15.) ***Int.* 14.** Assomar, despontar: *O dia rasgou cedo.* **15.** *Bras. Mús.* Tocar, à viola, o rasgado (8). ***P.* 16.** Fender-se; romper-se: *O vestido rasgou-se.* **17.** Dar-se a conhecer; patentear-se: *Em situações difíceis, rasgam-se amigos e inimigos.* **18.** Separar-se, cindir-se: *O papel rasgou-se em dois.* **19.** Atormentar-se, afligir-se. **20.** Alargar-se, estender-se. [Conjug.: v. *largar.*]

rasgo [Dev. de *rasgar.*] ***S. m.* 1.** V. *rasgão* (1). **2.** Traço, risco. **3.** *Fig.* Ação nobre, exemplar. **4.** *Fig.* Arroubo, ímpeto: *rasgo de eloquência, de audácia, de desprendimento.* **5.** *Arquit.* Abertura em parede, para iluminação, ventilação ou acesso ao interior da edificação, e que corresponde, muitas vezes, aos vãos de portas e janelas; rasgamento. **6.** *Arquit.* Rebaixo na espessura da parede, nos vãos das esquadrias, de modo a facilitar a abertura das folhas das portas e janelas.

→ **rash** [ɹæʃ] [Ingl.] ***S. m.*** *Med.* Erupção cutânea transitória e que pode ser causada por infecção, reação alérgica, ou medicamento. ◆ **Rash migrador.** *Med.* Glossite migradora, de caráter benigno.

raso [Do lat. *rasu.*] ***Adj.* 1.** Diz-se de superfície lisa, plana. **2.** *P. ext.* Arrasado, destruído. **3.** Diz-se de recipiente (xícara, colher, etc.), tomado como medida, como se fosse rasourado. **4.** Sem ornatos ou floreios; liso: *paredes rasas.* **5.** Cortado rente; cérceo: *cabelo raso.* **6.** Rasteiro (3). **7.** Diz-se do sapato de gáspea baixa ou de salto baixo. **8.** *Fig.* Vil, reles, ordinário. **9.** *Bras.* De pouca profundidade; não fundo: *lagoa rasa; prato raso.* ~ V. *corrida —a, fundação —a, soldado —, tábua —a, tábula —a* e *tiro —.* • ***S. m.* 10.** Planície, campo. **11.** *Ant.* Certo tecido de seda lustrosa e fina, sem pelo. **12.** *Bras.* Lugar em que a água é pouco profunda: *Não sei nadar, prefiro ficar no raso.* **13.** *Bras. SE BA* Capoeira baixa, na qual as árvores e arbustos se emaranham formando uma trama de urdidura.

rasóforo [Do gr. bizantino *rhasophóros*, ‘que veste casaco’.] ***S. m.*** *Rel.* Nas ordens monásticas da Igreja Grega cismática, indivíduo de uma categoria de noviços.

rasoira [De *raso.*] ***S. f.*** Rasoura (q. v.).

rasoirado [Part. de *rasoirar.*] ***Adj.*** V. *rasourado.*

rasoirante [De *rasoirar* + *-nte.*] ***Adj. 2 g.*** V. *rasourante.*

rasoirar [De *rasoira* + *-ar*[2].] ***V. t. d.*** V. *rasourar.*

rasoura [De *raso.*] ***S. f.* 1.** Pau roliço usado para rasar ou tirar o cogulo das medidas de secos; arrasador, rasa. **2.** Tudo que nivela ou equipara. **3.** Instrumento de entalhador, formado por uma lâmina de aço encabada, próprio para tirar asperezas da madeira. **4.** *Fot.* Lâmina de borracha, fixada em suporte, para escorrer o excesso de água das chapas. **5.** *Grav.* Espécie de rascador usado para atenuar ou anular o granido ou o pontilhado da chapa, em certos gêneros de gravura em metal. **6.** *Bras. MG SP* Trecho raso de rio ou de lagoa. [F. paral.: *rasoira.*]

rasourado [Part. de *rasourar.*] ***Adj.*** Diz-se da medida à qual se passou a rasoura; raseiro. [F. paral.: *rasoirado.*]

rasourante [De *rasourar* + *-nte.*] ***Adj. 2 g.*** Que rasoura ou iguala. [F. paral.: *rasoirante.*]

rasourar [De *rasoura* + *-ar*[2].] ***V. t. d.* 1.** Nivelar com a rasoura. **2.** Pôr em um mesmo nível; igualar. [F. paral.: *rasoirar.*]

raspa [Dev. de *raspar.*] ***S. f.* 1.** Pequena lasca ou apara tirada de um objeto que se raspou. **2.** V. *raspadeira* (1). **3.** *Bras. BA* Golpe rápido, com uma das pernas, nas pernas do rival, que é derrubado. **4.** Rapa (5).

raspadeira [De *raspar* + *-deira.*] ***S. f.* 1.** Instrumento próprio para raspar; raspador, raspa. **2.** *Bot.* Planta morácea (*Ficus asperrima*). **3.** *Fotograv.* Lâmina flexível de aço ou de plástico, fixada na prensa rotográfica, e que se preme contra o cilindro gravado, para raspar de sua superfície, durante a impressão, o excesso de tinta, que só deve ficar dentro dos alvéolos, mais ou menos profundos, criados pela retícula. [Sin. (fr.), nesta acepç.: *racle.*]

raspadela [De *raspar* + *-dela.*] ***S. f.* 1.** V. *raspagem.* **2.** Raspagem pouco profunda.

raspa de tacho ***S. f.*** *Bras.* V. *ponta de rama.* [Pl.: *raspas de tacho.*] ☑

raspador (ô) [De *raspar* + *-dor.*] ***Adj.* 1.** Que raspa. • ***S. m.* 2.** Aquele que raspa. **3.** V. *raspadeira* (1). **4.** *Grav.* Rascador (2). **5.** *Bras. AM Folcl.* Reco-reco usado na folia de S. Benedito.

raspadura [De *raspar* + *-dura.*] ***S. f.* 1.** Raspas [v. *raspa* (1)]. **2.** V. *raspagem* (1).

raspagem [De *raspar* + *-agem*[2].] ***S. f.* 1.** Ato ou efeito de raspar; raspadela, raspadura. **2.** Curetagem.

raspança [De *raspar* + *-ança.*] ***S. f.*** *Bras. AM SP Fam.* V. *repreensão* (1).

raspanete (ê) [De *raspar* (5) + *-ete* (ê).] ***S. m.*** *Fam.* **1.** V. *descompostura* (2). **2.** V. *repreensão* (1): “— Que tencionais fazer-lhe? .... | | — Não sei. Talvez dar-lhe um raspanete e pô-lo na rua...” (José Gomes Ferreira, *O Mundo dos Outros*, p. 107).

raspão [De *raspar* + *-ão*[3].] ***S. m.*** Ferimento ligeiro, produzido por atrito superficial; arranhão. ◆ **De raspão. 1.** V. de través: **2.** Quase não tocando, ou pouco tocando; (atingindo) ligeira e levemente: “No seu couro, os punhais entortariam as pontas e as balas passariam de raspão.” (Gustavo Barroso, *Terra de Sol*, p. 133.)

raspar [Do germ. **hraspon*, ‘arrancar’.] ***V. t. d.* 1.** Tirar, com instrumento adequado, parte da superfície de; rascar, rapar: *O marceneiro raspa a madeira com que vai trabalhar.* **2.** Alisar ou apagar com a raspadeira. **3.** Limpar, esfregando: *Raspou a lama da sola do sapato.* **4.** Apagar, expungir; delir. **5.** Acabar com; destruir, aniquilar: *A má notícia raspou todos os resquícios de alegria.* **6.** Tocar ou ferir de raspão: *O automóvel raspou o poste.* **7.** Passar junto de; roçar: *O avião raspou as árvores.* **8.** Arranhar, agatanhar. **9.** Ralar, rapar: *raspar o queijo.* ***T. d. e c. T. c.* 10.** Tocar, ferir de raspão: *Raspei as costas no muro; Seu braço raspou na parede.* ***P.* 11.** V. *fugir* (1 e 2): “Tomara o pontapé, pregara um soco seguro, pregaria outros, mas, apagada a luz, raspara-se.” (Marques Rebelo, *Marafa*, p. 33.) **12.** Sair, retirar-se: “— Ouve lá, isso que tu vais recitar, a *Democracia*, é política ou sentimento? Se é política, raspo-me.” (Eça de Queirós, *Os Maias*, II, p. 396.)

raspa-raspa [Da 3ª pess. sing. do pres. ind. de *raspar*, repetida.] ***S. m.*** *Bras. N.E.* Raspas de gelo servidas no copo com xarope de fruta; gelada. [Pl.: *raspa-raspas* e *raspas-raspas.*]

raspe [Dev. de *raspar.*] ***S. m.* 1.** *Bras. S.* Raspilha. **2.** *Fam.* V. *repreensão* (1). **3.** V. *descompostura* (2).

raspilha [De *raspar.*] ***S. f.*** Instrumento de tanoeiro, próprio para raspar aduelas. [Sin., no S. do Brasil: *raspe.*]

rasqueado ***S. m.*** *Mús. Bras. Pop.* V. *rasgado* (8 a 10).

rasqueiro ***Adj.*** *Bras. SP* Raro, difícil de obter; vasqueiro.

rasqueteação [De *rasquetear* + *-ção.*] ***S. f.*** *Bras. RS* Ato de rasquetear; rasqueteio.

rasqueteamento [De *rasquetear* + *-mento.*] ***S. m.* 1.** Ato ou efeito de rasquetear. **2.** *Metal.* Remoção manual de pequenas excrescências da superfície de peça já usinada, com emprego de ferramenta cortante.

rasquetear [Do esp. plat. *rasquetear.*] ***V. t. d.*** *Bras. RS* Limpar (o pelo do animal) com a rascadeira. [Conjug.: v. *frear.*]

rasqueteio [Dev. de *rasquetear.*] ***S. m.*** *Bras. RS* Rasqueteação.

rasta ***S. 2 g. Adj. 2 g. Adj. 2 g. e 2 n.*** V. *rastafári.*

rastafári [De *ras* (‘chefe etíope’, de or. ár.) *Tafari*, em homenagem ao soberano Haïlé Sélassié, considerado ‘o messias negro’.] ***S. 2 g.* 1.** Adepto do rastafarianismo. • ***Adj. 2 g.* 2.** Diz-se do adepto do rastafarianismo. • ***Adj. 2 g. e 2 n.* 3.** Diz-se dos cabelos enrolados em longas madeixas separadas e envoltas em banha (1). **4.** *Bras. P. ext.* Diz-se do cabelo penteado em trancinhas desde a raiz, e, às vezes, ornado com linha e/ou outros enfeites. [F. red.: *rasta.*]

rastafarianismo [De *rastafariano* + *-ismo.*] ***S. m.*** *Rel.* Movimento religioso de jamaicanos de origem negra cujos adeptos creem num retorno cultural dos negros à África, usam cabelo rastafári (3), fumam maconha como preceito religioso e acreditam que Haïlé Sélassié I (1892-1975), imperador da Etiópia (v. *etíope*) de 1930 a 1974, é o Messias.

rastafariano [De *rastafári* + *-ano*[1].] ***Adj.*** Pertencente ou relativo a, ou próprio de rastafári.

rastão [De *rasto* + *-ão*[2].] ***S. m.*** Vara ou ramo de videira que, na poda, se deixa para ficar estendida pelo chão.

rastaquera (qüe) [Do fr. *rastaquouère.*] ***S. 2 g.* 1.** Pessoa recentemente enriquecida que não perde oportunidade para chamar a atenção, pelo luxo que ostenta e pelos gastos que faz. • ***Adj.* 2.** Próprio de rastaquera. ❖

rastaquerar (qüe) [De *rasquera* + *-ar*[2].] ***V. int.*** *Bras.* Viver e/ou agir como rastaquera. ❖

rastaqueresco (qüe... ê) [De *rastaquera* + *-esco.*] ***Adj.*** Próprio de rastaquera. ❖

rastaquerismo (qüe) [De *rastaquera* + *-ismo.*] ***S. m.*** Procedimento de rastaquera. ❖

rasteante [De *rastear* + *-nte.*] ***Adj. 2 g.*** V. *rastejador* (1): “a vil miséria da lagarta / Rasteante sempre e sórdida” (Alberto de Oliveira, *Poesias*, 3ª série, p. 228).

rastear [De *rasto* + *-ear*[2].] ***V. t. d. Int.* 1.** V. *rastejar.* **2.** *Bras. S.* Procurar, catar (alguma coisa). ***T. c.* 3.** V. *rastejar* (3). [Conjug.: v. *frear.*]

rasteira [F. subst. do adj. *rasteiro.*] ***S. f.* 1.** Movimento ardiloso, rápido e brusco, que consiste em meter o pé ou a perna entre as de outra pessoa, em luta, jogo ou simples brincadeira, e provocar-lhe a queda; calço, cambapé, pernada, rabanada, traspés, travessa. **2.** *Bras.* V. *comadre* (6). **3.** *Fig.* Ato traiçoeiro; perfídia, golpe: “sempre de bom humor, ... sublinhando com um sorriso, se não uma risada de satisfação ou malícia, a resolução benéfica, o ato justo, a medida acertada, ou a rasteira, a manobra, o ardil, o golpe político contra o adversário.” (Carlos de Gusmão, *Boca da Grota*, p. 490). **4.** *Bras. Cap.* Golpe desequilibrador em que o capoeirista, apoiado numa das mãos, se agacha sobre uma perna, enquanto a outra, esticada, descreve um semicírculo para a frente, procurando arrastar e derrubar o adversário. ◆ **Dar uma rasteira em.** *Bras.* **1.** Levar vantagem sobre. **2.** Enganar, lograr. **3.** Derrubar (3). [Sin. ger.: *passar uma rasteira em; rasteirar.*] **Passar uma rasteira em.** V. *dar uma rasteira em.*

rasteirar [De *rasteira* + *-ar*[2].] ***V. t. d.*** *Bras.* V. *dar uma rasteira em.*

rasteirinha [De *rasteira* (f. de *rasteiro*) + *-inha.*] ***S. f.*** *Bras. Bot.* **1.** Planta malvácea (*Sida supina*) herbácea; violeta-do-pará. **2.** V. *vassourinha* (4).

rasteiro [De *rasto* + *-eiro.*] ***Adj.* 1.** Que se arrasta; arrastadeiro, arrastado. **2.** Que anda de rastos; rastejador, rastejante. **3.** Que se eleva a pouca altura; raso: *vegetação rasteira.* **4.** Humilde, baixo, ordinário; chão: “a imaginação fecunda e moça, que se desfazia em ditos, anedotas, epigramas, versos, descrições, ora sério, quase sublime, ora familiar, quase rasteiro, mas sempre original” (Machado de Assis, *Páginas Recolhidas*, p. 28). ~ V. *engenho —* e *engenho copeiro —.* • ***S. m.* 5.** *Bras. Bot.* Arbusto poligaláceo (*Cryptostomum multicaule*).

rastejador (ô) [De *rastejar* + *-dor.*] ***Adj.* 1.** Que rasteja; rastejante, rasteante. • ***S. m.* 2.** Aquele que rasteja. **3.** Aquele que descobre onde caça, pessoa, etc., se encontra, ao seguir os rastros que este deixa pelo caminho.

rastejadura [De *rastejar* + *-dura*.] *S. f.* Ato ou efeito de rastejar (4); rastejamento.

rastejamento [De *rastejar* + *-mento*.] *S. m.* Rastejadura.

rastejante [De *rastejar* + *-nte*.] *Adj. 2 g.* 1. V. *rastejador* (1): "os cachaceiros de vozes rastejantes, os gigolôs entediados que usam sapatos de duas cores" (Lêdo Ivo, *A Morte do Brasil*, p. 10). 2. *Bot.* Que se estende horizontalmente sobre o solo; procumbente, repente[2]: *caule rastejante.*

rastejar [De *rasto* + *-ejar*.] *V. t. d.* 1. Seguir o rasto ou a pista de; rastrear: *A polícia rastejou o fugitivo.* 2. Investigar, inquirir, indagar; rastrear: *Não dispunham de dados para rastejar as causas dos fenômenos. T. c.* 3. Contar aproximadamente; orçar por; beirar: *O avô rasteja os 100 anos. Int.* 4. Seguir rasto ou pista; rastrear. 5. Andar de rastos, de rojo: *A tropa rastejou durante 10 horas.* 6. *Fig.* Ter sentimentos baixos: *Costuma rastejar, como todos os que muito amam o dinheiro.* 7. Abater-se, rebaixar-se; humilhar-se, aviltar-se: *Nem ser orgulhoso, nem rastejar.* [Sin. ger.: *rastear*. Conjug.: v. *pelejar*.]

rastejo (ê) [Dev. de *rastejar*.] *S. m.* Ato de rastejar.

rastelar [De *rastelo* + *-ar*[2].] *V. t. d.* 1. Limpar (o linho) com rastelo (1); assedar. 2. Submeter à ação do rastelo (2): *Rastelou todo o terreno.* [Var.: *restelar*. Pres. ind.: *rastelo*, etc. Cf. *rastelo* (ê), s. m., e *Rastelo* (ê), f. ant. do top. *Restelo* (ê).]

rastelo (ê) [Do lat. *rastellu*.] *S. m.* 1. Instrumento formado por uma fileira de dentes de ferro por onde se passa o linho a fim de se lhe tirar a estopa; sedeiro. 2. Instrumento constituído por uma grade com dentes de pau, com a qual se aplaina terra lavrada. [Var.: *restelo* (ê). Pl.: *rastelos* (ê). Cf. *rastelo*, do v. *rastelar*, e o top. *Restelo* (ê).]

rastilho [De *rasto* + *-ilho*.] *S. m.* 1. Fio embebido em pólvora ou em outra substância, para comunicar fogo a alguma coisa: "Por mais de duas horas, brocou a cavidade; por fim, meteu a dinamite, riscou um fósforo, acendeu o rastilho." (João da Silva Correia, *Farândola*, p. 169.) 2. Tubo ou sulco cheio de pólvora, para o mesmo fim. 3. *Fig.* Pretexto ou motivo para um acontecimento social de caráter violento (greve, revolução, guerra, etc.). 4. *P. ext.* Rasto, pista, pegada.

rasto [Var. de *rastro*.] *S. m.* 1. V. *vestígio* (1). 2. *Fig.* Indício, vestígio, sinal. [Esta f. é m. us. que *rastro*.] ◆ **A rastos.** Rastejando, arrastando, arrastando-se; de rastos. **De rastos.** A rastos: "O povo leva / Com devoção / Nossa Senhora / Da Conceição, / De monte em monte, / Por onde estão / Velhos de rastos, / Olhos no chão, / E as mãos cruzadas / Em oração." (Conde de Monsaraz, *Musa Alentejana*, p. 196.) **Enredar o rasto a.** *Bras. RS* Despistar, enganar, lograr. **No rasto de.** Atrás de; em busca de; no encalço de.

rastreabilidade [De *rastreável* (*rastreabil-*) + *-(i)dade*, seg. o padrão erudito.] *S. f.* 1. Qualidade, propriedade ou característica do que é rastreável. 2. Característica do que é passível de ser rastreado, esp. por satélite ou por outro tipo de rastreador.

rastreador (ô) [De *rastrear*[1] + *-dor*.] *Adj. S. m.* Diz-se de, ou cão adestrado para rastrear a caça.

rastreamento [De *rastrear*[1] + *-mento*.] *S. m.* 1. Ato ou efeito de rastrear[1]. 2. *Astron.* Processo de acompanhar um satélite, um míssil ou um veículo espacial por meio de radar, rádio ou fotografia; rastreio, acompanhamento.

rastrear[1] [De *rastro* + *-ear*[2].] *V. t. d.* 1. Seguir o rasto ou a pista de. 2. Investigar, pesquisar sinais ou vestígios, que analisados progressiva e coletivamente possam atestar, confirmar, ou dizer possível a existência ou a ocorrência de (algo que se supõe existir ou ocorrer): "o mesmo crítico, rastreando conclusões subjetivas de Frank Harris, não hesita em sustentar que, entre todas as peças shakespearianas, com os seus milhares de personagens, existe apenas um homem: Shakespeare, e apenas uma mulher: Mary Fitton." (Eugênio Gomes, *Espelho contra Espelho*, pp. 151-152). 3. Seguir ou acompanhar sinais que possam viabilizar a localização de. 4. *Restr.* Investigar a origem, a procedência de (algo): "Grupo rastreará granadas apreendidas no Rio." (*O Globo*, 30.11.2000.) 5. *Restr.* Investigar o destino final de: "Governo criará órgão para rastrear dinheiro desviado." (*O Globo*, 26.12.2000.) *Int.* 6. Rastrear[1] (1). [Conjug.: v. *frear*.]

rastrear[2] [De *rastr(ilho)* + *-ear*[2].] *V. t. d.* 1. *Bras. S.* Limpar (a terra) com o rastrilho. *Int.* 2. Limpar a terra com o rastrilho: *O trabalhador rastreia com rapidez.* [Conjug.: v. *frear*.]

rastreável [De *rastrear*[1] + *-vel*.] *Adj. 2 g.* 1. Que se pode rastrear[1]. 2. Cuja origem e destino podem ser localizados (diz-se de dinheiro).

rastreio [De *rastro*.] *S. m. Astron.* V. *rastreamento* (2).

rastrilho [Do esp. *rastillo* < lat. *rastellus*, dim. de *rastrus*.] *S. m. Bras. S.* Grade ou ancinho com pontas próprias para espicaçar e limpar a terra ao mesmo tempo.

rastro [Do lat. *rastru*, 'instrumento para quebrar torrões de terra'.] *S. m.* Rasto (q. v.): "nenhum rugido na mata, onde, aliás, vimos rastros frescos de jaguares." (Afonso Arinos, *Histórias e Paisagens*, p. 179). ◆ **Rastro meteorítico.** *Astr.* Traço ionizado produzido pela passagem de um meteoroide na alta atmosfera.

rasura [Do lat. *rasura*.] *S. f.* 1. Palavra(s) riscada(s) ou raspada(s) de modo que sua leitura se torne impossível; litura: "toda a escrita uniforme, sem uma emenda, sem uma rasura" (Coelho Neto, *A Conquista*, p. 78). 2. Raspas [v. *raspa* (1)]. 3. Fragmentação de substâncias medicinais, por meio do ralador, da lima ou de objeto semelhante.

rasurado [Part. de *rasurar*.] *Adj.* Que apresenta rasura (1): *documento rasurado.*

rasurador (ô) [De *rasurar* + *-dor*.] *S. m. Bras.* Mata-gato (2).

rasurar [De *rasura* + *-ar*[2].] *V. t. d.* 1. Fazer rasura (1) em: *É proibido rasurar documentos oficiais.* 2. Reduzir a rasura (2).

rata[1] [Fem. de *rato*.] *S. f.* 1. *Zool.* A fêmea do rato; ratazana. 2. *Gír.* Mulher muito fecunda.

rata[2] [De *ratão*, poss.] *S. f. Bras.* 1. Ato inoportuno ou inconveniente; desazo. 2. Fiasco, mancada, gafe, baixo.

ratã [Do malaio *rótan*, pelo ingl. *rattan* ou *ratan*.] *S. f.* 1. Fio obtido da rota[3], e us. para entretecer assentos de cadeiras, e outros utensílios; rotim. 2. O estipe da rota[3], tb. us. no fabrico de móveis, etc.; rotim.

ratada [De *rato*[1] + *-ada*[1].] *S. f.* 1. Ninhada de ratos [v. *rato*[1] (1)]. 2. Diabrura, travessura. 3. V. *ratice*.

ratafiá [Do fr. *ratafia*.] *S. f.* Licor aromático, em cuja composição entram aguardente, açúcar, etc.

ratânia [De or. americana, talvez quíchua.] *S. f. Bras. Bot.* Erva ou subarbusto krameriáceo (*Krameria argentea*) cuja raiz, rica em tanino, é empregada contra diarreias, sob a forma de extratos; ratânia-do-pará.

ratânia-do-pará *S. f. Bras. Bot.* Ratânia. [Pl.: *ratânias-do-pará*.]

ratão [De *rato*[1] + *-ão*[1].] *S. m.* 1. Grande rato[1] (1). 2. *Zool.* Raia miliobatídea (*Myliobatis aquila*) do Atlântico oriental e do Mediterrâneo, com o focinho curto e redondo, a superfície dorsal marrom ou enegrecida, a ventral branca, e sete fileiras de dentes na mandíbula e na maxila; alimenta-se ger. de crustáceos, moluscos e peixes. 3. Indivíduo excêntrico, extravagante ou patusco: "Se era tido como estranho, ratão original, mais estranho, mais ratão, mais original pareceu ele a todos, quando se foi estabelecer, depois de jubilado, naquele cafundó do Rio de Janeiro" (Lima Barreto, *Vida e Morte de M. J. Gonzaga de Sá*, p. 227). 4. *Bras. Zool.* V. *ubarana-rato*. ● *Adj.* 5. Diz-se de ratão (3). [Fem.: *ratona*.]

ratão-d'água *S. m. Bras. Zool.* V. *ratão-do-banhado*. [Pl.: *ratões-d'água*.]

ratão-do-banhado *S. m. Bras. Zool.* Mamífero roedor, octodontídeo (*Myocastor coypus bonariensis*), do Paraguai, Uruguai e RS, hoje criado comercialmente, para aproveitamento de peles, em vários países. Dorso com tons de negro e amarelo-escuro, ventre e lados do corpo amarelo-brunáceos, e dedos posteriores reunidos por membrana natatória. Mede 60cm de corpo e 45cm de cauda. Tem hábitos aquáticos. [Sin.: *ratão-d'água, nútria, caxingui*. Pl.: *ratões-do-banhado*.]

rataplã *S. m.* Onomatopeia do toque do tambor (2 e 3): "Há rataplãs, tarampantãs de tamboris, roucos tutuques de zabumbas" (Martins Fontes, *A Dança*, p. 93).

ratar [De *rato*[1] + *-ar*[2].] *V. t. d.* Dentar ao modo de rato; roer. [Perf. ind.: *ratei, rataste, ratou*, etc. Cf. *ratô*.]

rataria [De *rato*[1] + *-aria*.] *S. f.* Grande número de ratos.

→ **ratatouille** [ʁatatu'i] [Fr.] *S. f. Cul.* Prato de origem provençal que consiste numa mistura de berinjela, abobrinha, tomate, pimentão, cebola e ervas aromáticas, cozidos em azeite de oliva.

ratazana [Aum. anômalo de *rata*[1].] *S. f.* 1. *Zool.* Rata[1] (1). 2. *Zool.* Mamífero roedor, murídeo (*Rattus norvegicus*), cosmopolita, mais comum na região litorânea do Brasil. Dorso cinzento-amarelado, ventre mais claro, queixo e garganta brancos. Mede cerca de 20cm de cabeça e corpo, e 18cm de cauda. Começa a procriar com três a quatro meses, pare de quatro a cinco vezes por ano, de cinco a 15 filhotes, e o período de gestação é de 21 dias. Pesa, em média, de 250 a 400g. É onívoro, de hábitos semiaquáticos, prefere viver em locais com cursos de água, pântanos, esgotos, etc., e cava galerias no solo. [Sin., nesta acepç.: *ratona, rato-de-esgoto, rabo-de-couro, arganaz*.] 3. Ratona (2). ● *S. 2 g.* 4. *Fig.* Pessoa ridícula ou divertida. 5. *Bras. Gír.* Ladrão, ladra.

→ **raté** [ʁa'te] [Fr.] *Adj. S. m.* Diz-se de, ou pessoa que, por falta de talento ou de sorte, não conseguiu impor-se, vencer na vida particular ou profissional.

rateação [De *ratear*[1] + *-ção*.] *S. f.* V. *rateio* (1).

rateador (ô) [De *ratear*[1] + *-dor*.] *Adj. S. m.* Que, ou aquele que rateia, que faz rateio.

rateamento [De *ratear*[1] + *-mento*.] *S. m.* V. *rateio* (1).

ratear[1] [Do lat. *ratus*, 'calculado', + *-ear*[2].] *V. t. d. T. d. e i.* Dividir proporcionalmente: *ratear despesas; Rateou a conta entre os amigos.* [Conjug.: v. *frear*.]

ratear[2] [Do fr. *rater*.] *V. int. Bras.* 1. Falhar (motor). 2. *P. ext.* Falhar (órgão): *Seu coração começou a ratear.* [Conjug.: v. *frear*. Defect., us. só nas 3.as pess.]

rateio [Dev. de *ratear*[1].] *S. m.* 1. Ato ou efeito de ratear[1]; rateação, rateamento. 2. *Turfe* Quantia que cabe a cada um dos apostadores das diversas modalidades de jogo das corridas que tenham acertado.

rateira [De *rato*[1] + *-eira*.] *S. f. Bras. Mar.* Disco de metal colocado perpendicularmente à espia, entre o costado da embarcação atracada e o cabeço do cais, para evitar que os ratos entrem a bordo.

rateiro [De *rato*[1] + *-eiro*.] *Adj. S. m.* Diz-se de, ou gato ou cão que é bom caçador de ratos.

ratel *S. m. Zool.* Designação de mamíferos carnívoros, caniformes semelhantes ao texugo, de hábitos noturnos e pelame grosso e longo. Vivem nas matas, em margens de rios e lagoas na África austral (*Mellinora capensis*) e na Índia (*Mellinora indica*). Alimentam-se de pequenos animais e mel.

ratense *Adj. 2 g.* 1. De, ou pertencente ou relativo a Arroio dos Ratos (RS). ● *S. 2 g.* 2. O natural ou habitante de Arroio dos Ratos.

ratice [De *rat-*, como em *ratão* + *-ice*.] *S. f.* Ato ou dito de ratão (3); excentricidade, extravagância, ratada.

raticida [De *rato*[1] + *-i-* + *-cida*.] *Adj. 2 g.* 1. Que mata ratos. ● *S. m.* 2. Veneno raticida.

ratificação [De *ratificar* + *-ção*.] *S. f.* Ato ou efeito de ratificar. [Cf. *retificação*.]

ratificado [Part. de *ratificar*.] *Adj.* Que se ratificou; confirmado. [Cf. *retificado*.]

ratificante [De *ratificar* + *-nte*.] *Adj. 2 g.* Que ratifica.

ratificar [Do b.-lat. *ratificare*.] *V. t. d.* 1. Confirmar autenticamente, validar (o que foi feito ou prometido): *A testemunha ratificou as declarações.* 2. Comprovar, corroborar: *Os fatos ratificaram as nossas deduções;* "Na paróquia todos lhe queriam bem, porque ele não enredava nem maldizia ..... José dizia-lhe a vida de Antônio e Antônio a de José. O que ele fazia era ratificar ou retificar um com outro, e os dous com Sancho, Sancho com Martinho, e vice-versa, todos com todos." (Machado de Assis, *Relíquias de Casa Velha*, pp. 130-131). *P.* 3. Confirmar ou reafirmar o que foi dito: *O homem, ratificando-se, repetiu a história inicial.* [Conjug.: v. *trancar*. Cf. *retificar*, v.]

ratificável [De *ratificar* + *-vel*.] *Adj. 2 g.* Que pode ser ratificado. [Cf. *retificável*.]

ratinhar [Do prov. lus. *ratinho*, 'trabalhador beirão ou minhoto que vai trabalhar noutras províncias', + *-ar*[2].] *V. int.* 1. Economizar exageradamente: *Os avaros sempre ratinham. T. d.* 2. Questionar ou disputar sobre o preço de; regatear: "Imputou-se à Marquesa [Marquesa de Santos] ser forreta, mercando legumes e ratinhando-os, vendendo toucinho à sua escravatura" (Alberto Rangel, *Dom Pedro e a Marquesa de Santos*, p. 300). 3. Economizar em excesso. *T. d. e i.* 4. Dar com parcimônia; regatear: *Não ratinhava dinheiro ao filho perdulário.*

ratinheiro[1] [De *ratinho*, dim. de *rato*[1] (1 e 2), + *-eiro*.] *Adj.* V. *murídeo*[1] (1).

ratinheiro[2] [De *ratinhar* (q. v.) + *-eiro*.] *Adj.* 1. Que economiza. 2. Que pedincha; regateador.

ratinho [De *rato*[1] + *-inho*[1].] *S. m. Fam.* Cada um dos primeiros dentes da criança.

→ **ratio juris** ['ʀatsɪo 'jurɪs] [Lat., 'razão do direito'.] *Jur.* Sentido dinâmico de determinado preceito legal em razão do desenvolvimento da sua interpretação no decorrer da história.

→ **ratio legis** ['ʀatsɪo 'legɪs] [Lat.] *Jur.* Razão da lei.

ratita [Adapt. do lat. cient. *Ratitae*, 'aves desprovidas de carena (3)', do pl. n. do lat. *ratitus*, 'que tem a figura de uma jangada', *i. e.*, 'chato, plano como jangada'.] *Zool. Adj. 2 g.* 1. Diz-se de ave desprovida de carena (3). ● *S. f.* 2. Ave ratita (1). [Cf. *carenado* (2 e 3).]

ratívoro [De *rato*[1] + *-i-* + *-voro*.] *Adj.* Que come ratos.

rato[1] [Da mesma or. incerta que o esp. *rata* ou *rato*, it. *ratta*, fr. *rat*, ingl. *rat* e o al. *Ratte*; tax. *Rattus*.] *S. m.* 1. *Zool.* Gênero de mamíferos roedores, murídeos, que apresentam os molares sempre cuspidados, sendo as cúspides dispostas em três séries em relação ao eixo longitudinal. [Cf. *mus* (1).] 2. *Zool.* Qualquer espécie desse gênero, como, p. ex., a *Rattus rattus* (v. *rato-preto*), a mais típica. 3. *Zool.* Qualquer espécie desse gênero. 4. *Zool. Impr.* Designação co-

R

mum aos histricomorfos (q. v.) de pequeno porte e com pilosidade rija. 5. *Ant.* Pedras com arestas muito acentuadas, que corroem a amarra do navio fundeado. 6. *Inform.* V. *mouse.* [Mais us. em Portugal.] 7. V. *ladrão* (3). 8. *Expl.* Dispositivo constituído por um morrão aceso que, puxado por um cordel, se aproxima da escorva e a inflama. 9. *Bras.* Frequentador assíduo: *rato de teatro; rato de festas.* 10. *Bras.* Tratante, canalha. 11. *Bras. RS Gír.* Agente de polícia; rato-branco. • *Adj. 2 g. e 2 n.* 12. *P. us.* Que tem a cor do rato[1] (1). 13. *P. us.* Ratão (5). ◆ **Rato de biblioteca.** Indivíduo maníaco por investigações em bibliotecas e arquivos. **Rato de hotel.** Larápio que age nos hotéis. **Rato de praia.** *Bras.* Descuidista que age em praia. **Rato de sacristia.** Carola que vive nas igrejas e sacristias: "Olhem a figura de quem quer se empertigar diante de mim!... este fedelho!... este rato de sacristia!..." (Bernardo Guimarães, *O Seminarista*, p. 134.)

rato[2] [Do lat. *ratu.*] *Adj.* Confirmado, reconhecido, ratificado.

ratô [Do fr. *râteau*, 'ancinho'.] *S. m. Litogr.* Rodo (4). [Cf. *ratou*, do v. *ratar.*]

rato-almiscarado *S. m. Zool.* Roedor murídeo (*Ondatra zibethicus*) que habita do N. da América do Norte ao México, semiaquático, assemelhado ao castor, com 40 a 60cm de comprimento, pelagem densa, marrom-brilhante no dorso e esbranquiçada no abdome, orelhas e olhos pequenos, patas posteriores palmípedes, e cauda comprida. O nome comum provém do odor de almíscar que emite quando no cio. [Pl.: *ratos-almiscarados.*]

rato-boiadeiro [De *rato*[1] + *boiadeiro.*] *S. m. Bras. Zool.* Rabudo (6). [Pl.: *ratos-boiadeiros.*]

rato-branco [De *rato*[1] + *branco.*] *S. m. Bras. RS* Rato[1] (10). [Pl.: *ratos-brancos.*]

rato-calunga [De *rato*[1] + *calunga.*] *S. m. Bras. Zool.* V. *camundongo.* [Pl.: *ratos-calungas* e *ratos-calunga.*]

rato-canguru *S. m. Bras.* V. *gerbo.* [Pl.: *ratos-cangurus* e *ratos-canguru.*]

rato-caseiro [De *rato*[1] + *caseiro.*] *S. m. Bras. Zool.* 1. V. *rato-preto.* 2. V. *rato-pardo.* [Pl.: *ratos-caseiros.*]

rato-catita [De *rato*[1] + *catita.*] *S. m. Bras. Zool.* V. *camundongo.* [Pl.: *ratos-catitas* e *ratos-catita.*]

rato-chinchila *S. m. Zool.* Nome comum a mamíferos abrocomídeos, dos Andes, que variam de cerca de 15cm a 25cm de comprimento; têm o nariz pontudo, orelhas arredondadas, olhos grandes, e pelagem densa e macia. [Cf. *chinchila.*] [Pl.: *ratos-chinchilas* e *ratos-chinchila.*]

rato-coró [De *rato*[1] + *coró.*] *S. m. Bras. Amaz. Zool.* 1. V. *rato-de-espinho.* 2. V. *rato-toró* (2). [Pl.: *ratos-corós.*]

rato-d'água [De *rato*[1] + *de* + *água.*] *S. m. Bras. Zool.* Roedor murídeo (*Nectomys squamipes*) de pelagem densa e macia, marrom-escura no dorso e inferiormente amarelada, cauda comprida, maior do que o corpo, membros anteriores mais curtos que os posteriores, estes com curtas membranas interdigitais. Vive em matas ou lugares cultivados onde haja água abundante, é hábil nadador, e nidifica no chão. [Sin.: *quiara, cuiara, cujara.* Pl.: *ratos-d'água.*]

rato-de-barriga-branca [De *rato*[1] + *de barriga* + o f. de *branco.*] *S. m. Zool.* V. *rato-de-paiol.* [Pl.: *ratos-de-barriga-branca.*]

rato-de-casa [De *rato*[1] + *de* + *casa.*] *S. m. Bras. Zool.* 1. V. *rato-preto.* 2. V. *rato-pardo.* [Pl.: *ratos-de-casa.*]

rato-de-esgoto (ô) [De *rato*[1] + *de* + *esgoto.*] *S. m. Zool.* V. *ratazana* (2). [Pl.: *ratos-de-esgoto.*]

rato-de-espinho [De *rato*[1] + *de* + *espinho.*] *S. m. Bras. Zool.* Designação comum aos roedores equimiídeos, de porte pequeno a médio, aparência semelhante à dos ratos, com o focinho ger. pontudo, olhos e orelhas medianos, rabo comprido ou muito comprido, e coloração variável conforme a espécie. Alguns são arborícolas, outros terrestres, e outros fossoriais, e alimentam-se de brotos de bambu, frutos, insetos, etc. Habitam a América tropical e o nome comum provém dos pelos eriçados que têm no corpo, sobretudo no dorso e na parte posterior. [Sin.: *coró, curuá, cururuá, cururuxoré, imbucuru, rato-coró, rato-toró, toró, sabujá, sauiá.* Pl.: *ratos-de-espinho.*]

rato-de-paiol [De *rato*[1] + *de* + *paiol.*] *S. m. Zool.* Mamífero roedor, murídeo (*Rattus r. frugivorus*); comum nas zonas rurais do Brasil, de coloração geral cinzento-avermelhada, e ventre branco. Difere do rato-preto e do rato-pardo por ter a cauda de comprimento quase igual ao da cabeça e corpo juntos. É a espécie que melhor se adapta a habitações rurais no Brasil. [Sin.: *rato-de-barriga-branca, gabiru, guabiru.* Pl.: *ratos-de-paiol.*]

rato-de-pentes [De *rato*[1] + *de* + o pl. de *pente.*] *S. m. Bras. Zool.* V. *tuco-tuco.* [Pl.: *ratos-de-pentes.*]

rato-de-praga *S. m.* V. *camundongo.* [Pl.: *ratos-de-praga.*]

rato-do-bambu [De *rato*[1] + *do*[1] + *bambu.*] *S. m. Zool.* 1. *Bras.* Roedor murídeo (*Oryzomys flavescens*), pequeno, do S. do Brasil, Uruguai e Argentina, arborícola, de coloração geral castanho-amarelada, com o ventre amarelo-claro, cauda comprida, maior do que o corpo. Alimenta-se de vegetais e vive ger. próximo à água; camundongo-do-mato. 2. Nome comum aos roedores equimiídeos da Amazônia, *Dactylomys dactylinus* [v. *rato-coró* (2)], *D. peruanus, D. boliviensis* e *Kannabateomys amblyonyx*, que vivem em bambuzais e se alimentam de brotos de bambu. [Pl.: *ratos-do-bambu.*]

rato-do-mato [De *rato*[1] + *do*[1] + *mato.*] *S. m. Bras. Zool.* Designação comum a várias espécies de roedores cricetídeos, gênero *Oryzomys* e outros, com aspecto do rato doméstico, porém de vida silvestre. [Pl.: *ratos-do-mato.*]

rato-doméstico [De *rato*[1] + *doméstico.*] *S. m. Zool.* 1. V. *rato-pardo.* 2. V. *rato-preto.* [Pl.: *ratos-domésticos.*]

rato-dos-faraós *S. m. Zool.* Mangusto (q. v.). [Pl.: *ratos-dos-faraós.*]

ratoeira [De *rato*[1] + *-oeira.*] *S. f.* 1. Armadilha para capturar ratos. 2. *P. ext.* V. *armadilha* (2). 3. *Bras. SC* Dança e canção populares, acompanhadas à viola. ◆ **Cair na ratoeira.** V. *cair na esparrela.*

rato-gerbo *S. m. Bras. Zool.* V. *gerbo.* [Pl.: *ratos-gerbos.*]

rato-lunar *S. m. Zool.* V. *equinossórex* (2 e 3). [Pl.: *ratos-lunares.*]

rato-malaio-lunar *S. m. Zool.* V. *equinossórex* (2 e 3). [Pl.: *ratos-malaios-lunares.*]

ratona [De *rata*[1] + *-ona*[1].] *S. f.* 1. *Zool.* V. *ratazana* (2). 2. Mulher esquisita, extravagante; ratazana.

ratonar [De *ratão* + *-ar*[2], seg. o padrão erudito.] *V. int.* V. *ratonear.*

ratonear [De *ratão* + *-ear*[2], seg. o padrão erudito.] *V. int.* Agir como ratoneiro; furtar; ratonar. [Conjug.: v. *frear.*]

ratoneiro [De *ratão* + *-eiro*, seg. o padrão erudito.] *S. m.* Ladrão que faz pequenos furtos.

ratonice [De *raton-*, como em *ratoneiro*, + *-ice.*] *S. f.* Ação de ratoneiro.

rato-pardo [De *rato*[1] + *pardo*[2].] *S. m. Zool.* Mamífero roedor, murídeo (*Rattus r. alexandrinus*), cosmopolita, de dorso cinzento-escuro e ventre branco. Frequenta casas e outros locais usados pelo homem. [Sin.: *gabiru, rato-caseiro, rato-de-casa, rato-doméstico.* Pl.: *ratos-pardos.*]

rato-preto (ê) [De *rato*[1] + *preto* (ê).] *S. m. Zool.* Mamífero roedor, murídeo (*Rattus rattus*), cosmopolita, de dorso preto-brilhante, ventre mais claro, com aproximadamente 190mm de cabeça e corpo, e 260mm de cauda. Pare três a quatro vezes por ano, de três a quatro filhos de cada vez. Frequenta habitações humanas e prefere viver em lugares secos. [Sin.: *gabiru, rato-caseiro, rato-doméstico, rato-de-casa.* Pl.: *ratos-pretos.*]

rato-saltador (ô) *S. m. Zool.* V. *gerbo.* [Pl.: *ratos-saltadores.*]

rato-toró [De *rato*[1] + *toró*[1].] *S. m. Bras. Amaz. Zool.* 1. V. *rato-de-espinho.* 2. Roedor equimiídeo (*Dactylomys dactylinus*), arborícola, da Amazônia, de coloração geral castanha, com o peito branco, focinho curto e cauda comprida e nua. [Sin.: *rato-coró, coró, toró.* Cf. *rato-do-bambu* (2).]

rato-toupeira *S. m. Zool.* Nome comum a roedores espalacídeos, gênero *Spalax*, que têm de 15 a 30cm de comprimento, corpo roliço, membros anteriores curtos e os traseiros compridos e fortes, pelo longo e sedoso, cauda curta, orelhas e olhos vestigiais, adaptados à vida subterrânea, podendo vir à superfície à noite. Vivem em partes da Europa, Ásia e África. [Sin.: *toupeira-europeia.* Pl.: *ratos-toupeiras* e *ratos-toupeira.*]

rã-touro [De *rã* + *touro* (1).] *S. f. Zool.* Anfíbio anuro (*Rana catesbiana*), ranídeo, criado em cativeiro pela importância comercial de sua pele e carne. [Pl.: *rãs-touros.*] V. *rana*[1] (2).

ratuína [F. subst. de *ratuíno.*] *S. f. Bras. AL Chulo* Prostituta reles.

ratuíno [De *rato*[1].] *Adj. Bras. N. Pop.* Ordinário, reles: *sujeito ratuíno; tecido ratuíno.*

ratzeliano *Adj.* Pertencente ou relativo ao geógrafo alemão Frederico Ratzel (1844-1904), ou próprio dele.

raucíssono [Do lat. *raucisonu.*] *Adj.* Que tem som rouco: "Vejo surgir detrás de uma colina / Homem rude, que sopra a quando e quando / Córnea, curva raucíssona buzina." (Alberto de Oliveira, *Poesias*, 3ª série, p. 281.)

raul-soarense *Adj. 2 g.* 1. De, ou pertencente ou relativo a Raul Soares (MG). • *S. 2 g.* 2. O natural ou habitante de Raul Soares. [Pl.: *raul-soarenses.*]

ravana *S. m.* V. *ravanastrão.*

ravanastra *S. m.* V. *ravanastrão.*

ravanastrão [Do mit. *Râvana*, personagem do poema épico-religioso indiano *Ramaiana.*] *S. m.* Instrumento indiano de duas cordas friccionáveis; ravanastra, ravana.

➔ **rave** [ɹeɪv] [Ingl.] *S. f.* Festa ou reunião de grande porte, realizadas ger. ao ar livre, com música eletrônica, etc. e dança.

rã-verdadeira *S. f. Bras. Zool.* V. *rã* (2). [Pl.: *rãs-verdadeiras.*]

ravina [Do fr. *ravine.*] *S. f.* 1. Enxurrada que cai de lugar elevado. 2. Escavação provocada pela enxurrada; barranco.

ravinamento [Do fr. *ravenement.*] *S. m. Geol.* Formação de sulcos em consequência da rápida erosão causada pelas ravinas [v. *ravina* (1)].

ravióli [Do it. *ravioli.*] *S. m. Cul.* 1. Cada um dos pequenos pastéis cozidos, de forma ger. retangular, com recheio de carne moída, queijo, espinafre, etc., servido com vários tipos de molho. 2. Iguaria preparada com essa massa cozida e servida geralmente com um molho feito de tomates e queijo ralado.

raxa *S. f.* Pano antigo, grosseiro, de algodão. [Cf. *racha*, do v. *rachar* e s. f.]

➔ **ray-ban** ['ɹeɪbæn] [Ingl., do ingl. *ray*, 'raio', + ingl. *(to) ban*, 'banir', nome comercial.] *S. m. 2 n.* Espécie de vidro de cor esverdeada, que filtra parte dos raios luminosos que sobre ele incidam. Usado em janelas e lentes de óculos. [Este voc., posposto a um substantivo, tem valor de adj. 2 n. Ex.: óculos *ray-ban*, vidro *ray-ban.*]

razão [Do lat. *ratione.*] *S. f.* 1. Faculdade que tem o ser humano de avaliar, julgar, ponderar ideias universais; raciocínio, juízo. 2. Faculdade que tem o homem de estabelecer relações lógicas, de conhecer, de compreender, de raciocinar; raciocínio, inteligência. 3. Bom senso; juízo; prudência: *A razão nos obriga a ser cautelosos.* 4. A lei moral; o direito natural; justiça, direito: *A razão impõe, para o caso, pena severa.* 5. Causa, motivo: *Qual a razão de tamanha mudança?* 6. Fundamento ou causa justificativa de uma ação, atitude, ponto de vista, etc.: *Não há razão para abandonares a família; Despediram o empregado sem razão.* 7. Prova por argumento. 8. Conhecimento, notícia, participação: *Ordenou ao servo que lhe desse razão do ocorrido.* 9. *Filos.* Faculdade superior de conhecimentos que se pretendem dotados de necessidade e universalidade, expressos de modo discursivo e cujos princípios são inatos ou *a priori*. 10. *Filos.* Sistema de princípios *a priori* cuja verdade não depende de experiência. 11. *Filos.* Faculdade de conhecer o real, por oposição ao que é aparente ou acidental. 12. *Filos.* Princípio de explicação: o que dá conta de um efeito. 13. Relação entre grandezas da mesma espécie. 14. *Mat.* Quociente de dois números. 15. *Mat.* Diferença entre os termos consecutivos de uma progressão aritmética. • *S. m.* 16. *Cont.* Livro de escrituração contábil que agrupa em contas, como, p. ex., *Caixa, Duplicatas a receber*, etc., os lançamentos do diário (6). [Cf. *rasão.*] ~ V. *razões.* ◆ **Razão anarmônica.** *Geom.* Numa reta em que são dados quatro pontos, A, B, C e D, o quociente da razão em que C divide o segmento AB pela razão em que D divide o mesmo segmento. **Razão áurea.** *Mat.* Razão entre duas quantidades que é igual ao número áureo (q. v.). **Razão de Estado.** Motivo baseado no interesse público. **Razão de homotetia.** *Geom.* Razão de semelhança. **Razão de massa.** *Astron.* Relação entre a massa de um foguete e a massa de seu combustível. **Razão de Poisson.** *Fís.* Razão entre a deformação lateral e a deformação longitudinal de um corpo. **Razão de ramificação.** *Fís. Nucl.* Quociente de duas frações de ramificação. **Razão de refluxo.** *Quím.* O quociente entre o destilado recolhido e o que retorna ao destilador, durante uma destilação. **Razão de semelhança.** *Geom.* O quociente constante das dimensões das linhas correspondentes de duas figuras semelhantes; razão de homotetia. **Razão de transferência.** *Fís.* Parâmetro que mede o transporte de energia de um sistema oscilante para outro que lhe está acoplado. [Quando é grande, a transferência de energia é elevada e o primeiro sistema determina fortemente o comportamento do segundo.] **Razão de variação.** *Mat.* Valor de variação, na unidade de tempo, de uma grandeza variável. **Razão de verossimilhança.** *Estat.* O quociente do máximo da função de verossimilhança correspondente a um subespaço de um espaço amostral pela função de verossimilhança de todo o espaço amostral. **Razão externa.** *Geom.* Numa reta em que são dados três pontos A, B e C, nessa ordem, a razão entre os segmentos AC e BC. **Razão giromagnética.** *Fís.* Relação entre o momento magnético de um sistema atômico, ou subatômico, e o seu momento angular intrínseco. **Razão harmônica.** *Geom.* Razão anarmônica igual a -1. **Razão interna.**

Geom. Numa reta em que são dados os três pontos ordenados A, B e C, a razão entre os segmentos BA e BC. **Razão inversa.** *Mat.* Razão entre inversos de números; razão recíproca. **Razão prática.** *Filos.* Segundo Kant (v. *kantismo*), a razão que se aplica à determinação da vontade. **Razão pura.** *Filos.* Segundo Kant (v. *kantismo*), quer a faculdade superior de conhecimento que se opõe à faculdade empírica, à intuição, quer a faculdade superior que produz as ideias de Alma, Mundo e Deus. **Razão recíproca.** *Mat.* Razão inversa. **Razão simples.** *Geom.* Razão entre os segmentos formados por um ponto que divide um dado segmento de reta. **Razão social.** Firma (4). **Razões de cabo de esquadra.** Razões disparatadas: "Tudo lhe servia de pretexto, necessidade de dar forte descanso aos animais, receio de chuvas próximas, razões todas de cabo de esquadra" (Visconde de Taunay, *Ao Entardecer*, p. 90). **À razão de. 1.** Ao preço de. **2.** À taxa de; à porcentagem de. **Chamar alguém à razão.** Convencer alguém a considerar uma questão com calma, a proceder com sensatez. **Em razão de.** Por motivo de; por causa de; por: "Os pais de Eugênio não deixavam de ralhar com ele em razão de não parar em casa." (Bernardo Guimarães, *O Seminarista*, p. 29.) **Estar coberto de razão.** Ter toda a razão. **Média e extrema razão.** *Mat.* Aquela que é resultante da divisão de um segmento de reta AC em dois segmentos menores, AB e BC (com AC = AB + BC), tais que AC/AB = AB/BC. [O valor numérico desta razão, ou seja, de AC/AB ou AB/BC, é o *número áureo*.] **Ter razão de ser.** Ser justificável, compreensível.

razia [Do fr. *razzia* < ár. argelino *gazya* < ár. clAss. *gazwa(t)* 'ataque' (v. *gazua*).] *S. f.* **1.** Gázua. **2.** *P. ext.* Invasão predatória em território inimigo; saque. **3.** *Fig.* Destruição, devastação, assolação. **4.** *Fig.* Investida, arremetida, ataque: "Os fatos criminosos a que se refere são um episódio apenas entre as razias, quase permanentes, da vida turbulenta dos sertões." (Euclides da Cunha, *Os Sertões*, p. 154.)

razoabilidade [De *razoável* + *-(i)dade*, seg. o padrão erudito.] *S. f.* Qualidade de razoável.

razoado [Part. de *razoar*.] *Adj.* **1.** Razoável. ● *S. m.* **2.** V. *arrazoado* (3).

razoamento [De *razoar* + *-mento*.] *S. m.* Ato ou efeito de razoar.

razoar [De *razão* + *-ar*², com desnasalação e síncope.] *V. int.* **1.** Raciocinar, arrazoar. *T. d.* **2.** Defender, advogar (uma causa). *T. i.* **3.** Discorrer; falar. [Conjug.: v. *coroar*. Pret. imperf. ind.: *razoava*, ... *razoáveis*, *razoavam*. Cf. *razoáveis*, pl. de *razoável*.]

razoável [Do lat. *rationabile*.] *Adj. 2 g.* **1.** Conforme à razão; racionável. **2.** Moderado, comedido: *preço razoável*. **3.** Acima de medíocre; aceitável, regular: *atuação razoável*. **4.** Justo, legítimo: *queixa razoável*. **5.** Ponderado, sensato. [Sin. ger.: *razoado*.]

razoavelmente [De *razoável* + *-mente*.] *Adj.* **1.** De modo razoável, com sensatez. **2.** Sem exagero, moderadamente. **3.** Nem mal, nem inteiramente bem.

razões [Pl. de *razão*.] *S. f. pl.* V. *arrazoado* (3). ~ V. *razão*.

razonete [De *razão* + *-ete*, seg. o padrão erudito.] *S. m. Cont.* Rascunho ou resumo do razão (16), sob a forma de contas em T (v. *conta em T*).

■ **Rb** *Quím.* Símb. de *rubídio*.

■ **Rd** *Fís. Nucl.* Símb. de *rutherford*.

■ **RDB** Abrev. de *Recibo de Depósito Bancário*.

■ **Re** *Quím.* Símb. de *rênio*.

▲ **re-** [Do lat. *re-*.] *Pref.* = 'movimento para trás'; 'repetição'; 'intensidade', 'reciprocidade'; 'mudança de estado': *ressaca*; *recomeçar*, *relâmpago*; *reavivar*, *rebrilhar*, *revezar*; *refrescar*. [O Volp., seguindo a tradição da língua, manteve este pref. sem hífen, mesmo quando seguido de *e* ou *h*: *reedição*, *reedificar*, *reeducação*, *reeleição*, *reentrar*, *reescrita*, *reidratar*. Equiv.: *-re-*: *arreatar*.]

▲ **-re-** Equiv. de *re-*.

ré¹ *S. f.* Mulher que responde a um processo judicial. [Cf. *rê*.]

ré² [Do lat. *retro*, 'atrás', poss.] *S. f.* **1.** *Ant. Mar.* A parte da embarcação que ficava entre o mastro grande e a popa; a metade traseira da embarcação; popa: "Tomou a esposa pela mão, por causa do grande jogo do navio, e encaminhou-se com ela e os dois passageiros para o salão de ré" (Virgílio Várzea, *Nas Ondas*, p. 17). [Hoje só us. em loc. adverbiais e prepositivas: *a ré*, *a ré de*, etc.] **2.** *Autom.* A marcha que faz o veículo recuar; marcha a ré. [Cf. *rê*.] ◆ **A ré.** *Mar.* **1.** Atrás, à popa, na popa: *Siga a ré*; *Coloque-se a ré*; *Forme a ré*. [Antôn.: *a vante*.] **2.** Para trás. **A ré de.** *Mar.* Depois de, atrás de (considerando como direção de referência a que se volta para a proa da embarcação). [Antôn.: *a vante de*.] **Cair a ré.** *Mar.* Recuar, descair (a embarcação). **De ré.** *Mar.* Da popa; traseira: *parte de ré do navio*. **Para ré.** *Mar.* Para a popa: *Fique voltado para ré*. **Por ante a ré de.** *Mar.* Pela retaguarda de (considerando como direção de referência a que se volta para a proa da embarcação): *A praça de máquinas fica por ante a ré da praça de caldeiras*. [Antôn.: *por ante a vante de*.]

ré³ [F. red. de *resonare*; v. *ut*.] *S. m. Mús.* **1.** Nota que corresponde ao segundo grau da escala natural do modo maior (q. v.). [Corresponde a *D*, na notação alfabética; cf. *ut*.] **2.** O sinal que representa essa nota na pauta. [Cf. *rê*.]

rê *S. m. Bras. AL SE BA* Erre. [Cf. *ré*.]

reabastecer [De *re-* + *abastecer*.] *V. t. d. T. d. e i.* **1.** Tornar a abastecer: *Já reabasteceu duas vezes o automóvel*; *Reabasteceu de alimentos a população carente*. *P.* **2.** Abastecer-se de novo; tornar a abastecer-se: *Foi à cidade reabastecer-se de mantimentos*. [Conjug.: v. *aquecer*.]

reabastecimento [De *reabastecer* + *-imento*.] *S. m.* Ato ou efeito de reabastecer.

reabastecível [De *reabastecer* + *-ível*.] *Adj. 2 g.* Que se pode reabastecer.

reaberto [Part. de *reabrir*.] *Adj.* Que se reabriu.

reabertura [De *re-* + *abertura*.] *S. f.* Ato ou efeito de reabrir(-se).

reabilitação [De *reabilitar* + *-ção*.] *S. f.* **1.** Ato ou efeito de reabilitar(-se). **2.** Recobramento de crédito, de estima, ou do bom conceito perante a sociedade. **3.** *Med.* Restauração à normalidade, ou ao mais próximo possível dela, de forma e de função alteradas por algum tipo de lesão. **4.** *Neur.* Reabilitação motora (q. v.). **5.** *Arquit. Urb.* O conjunto de medidas que visam a restituir a um imóvel ou a um complexo urbanístico a capacidade de utilização. **6.** *Jur.* Declaração judicial que suspende efeitos da sentença penal e atesta estarem cumpridas ou extintas as penas impostas ao sentenciado, assegurando-lhe o sigilo dos registros sobre o processo penal, para que obtenha certidões ou folha de antecedentes sem menção da condenação, visando a facilitar sua readaptação e reintegração social, permitindo o desempenho de certas atividades administrativas, políticas e civis das quais havia sido privado em decorrência da condenação. **7.** *Jur.* Reintegração do falido nos direitos que a falência limitou, como efeito da declaração judicial de se haverem extinguido as suas obrigações. ◆ **Reabilitação motora.** *Neur.* Reeducação motora. [Tb. se diz apenas *reabilitação*.]

reabilitado [Part. de *reabilitar*.] *Adj.* Que se reabilitou.

reabilitador (ô) [De *reabilitar* + *-dor*.] *Adj. S. m.* Que, ou aquele que reabilita.

reabilitante [De *reabilitar* + *-nte*.] *Adj. 2 g.* Que reabilita, que promove reabilitação.

reabilitar [De *re-* + *habilitar*.] *V. t. d.* **1.** Restituir ao estado anterior, aos primeiros direitos, prerrogativas, etc.: *O dinheiro emprestado aos amigos reabilitou o comerciante falido*. **2.** Restituir à estima pública ou à particular; regenerar: *A prisão deveria servir menos para punir que para reabilitar os condenados*. **3.** Restituir à normalidade do convívio social ou de atividades profissionais; recuperar. **4.** Efetuar a reabilitação (5) de. *P.* **5.** Readquirir a estima pública ou particular.

reabilitatório [De *reabilitar* + *-tório*.] *Adj.* Que serve para reabilitar ou envolve reabilitação.

reabilitável [De *reabilitar* + *-vel*.] *Adj. 2 g.* Que é passível de ser reabilitado, recuperado.

reabitar [De *re-* + *habitar*.] *V. t. d.* Habitar novamente.

reabjurar [De *re-* + *abjurar*.] *V. t. d.* Abjurar outra vez.

reabotoar [De *re-* + *abotoar*.] *V. t. d.* Abotoar novamente. [Conjug.: v. *coroar*.]

reabraçar [De *re-* + *abraçar*.] *V. t. d. P.* Tornar a abraçar(-se) (1 a 5, 8 e 9): "e já três vezes se haviam despedido, e três vezes reabraçado." (Camilo Castelo Branco, *Novelas do Minho*, 5º vol., pp. 24-25). [Conjug.: v. *laçar*.]

reabrir [De *re-* + *abrir*.] *V. t. d.* **1.** Abrir de novo: *O comerciante reabriu a loja*. **2.** Recomeçar; reiniciar: *O professor reabriu o debate sobre a questão econômica*. *Int. P.* **3.** Tornar a abrir-se (o que havia fechado): *Não repousou e o ferimento reabriu*; *As feridas reabriram-se*. [Part.: *reaberto*.]

reabsorção [De *re-* + *absorção*.] *S. f.* **1.** Ato ou efeito de reabsorver. **2.** *Petr.* Fenômeno que consiste em poderem os fenocristais ser redissolvidos pelo magma total ou parcialmente, apresentando-se, no último caso, com os contornos corroídos.

reabsorver [De *re-* + *absorver*.] *V. t. d.* Tornar a absorver.

reabsorvível [De *reabsorver* + *-ível*.] *Adj. 2 g.* Que é passível de ser reabsorvido.

reaça *S. 2 g. Bras. Gír.* V. *reacionário* (4).

reação [De *rea(gir)* + *-ção*, seg. o padrão *agir* (< lat. *agere*): *ação* (< lat. *actione* < lat. *agere*).] *S. f.* **1.** Ato ou efeito de reagir. **2.** Resposta (6) a uma ação qualquer por meio de outra ação que tende a anular a precedente: *reação literária*; *reação religiosa*; *A reação do time superou as expectativas*. **3.** Comportamento de alguém em face de ameaça, agressão, provocação, etc.: *A reação do guarda frustrou o assalto*. **4.** Oposição, luta, resistência. **5.** Oposição conservadora que tende a impedir qualquer inovação no campo das atividades humanas. **6.** Sistema político extremamente conservador, contrário às ideias que envolvem importantes transformações político-sociais. **7.** *P. ext.* Despotismo, tirania. **8.** *Fís.* Força que se opõe a outra. **9.** *Fisiol. Patol.* Resposta, em extensão variável, do organismo a um estímulo normal ou patológico. **10.** *Quím.* A acidez ou a alcalinidade de uma solução. **11.** *Quím.* Operação pela qual uma, duas, ou mais substâncias, submetidas a condições apropriadas, sofrem modificações profundas, originando novas substâncias. ◆ **Reação convergente.** *Fís. Nucl.* Reação em cadeia que se amortece. **Reação de Diels-Alder.** *Quím. S. f.* **12.** Cicloadição em que um dos reagentes é um alceno (ou um alcino), o outro é um dieno, e o produto é um derivado de cicloexano com uma (ou com duas) insaturações. **Reação de Janes-Mote.** *Imun.* Reação (9) em que, 24 horas após reexposição cutânea a um antígeno ao qual já havia sensibilização, surge na pele um infiltrado transitório, composto de basófilos; hipersensibilidade cutânea basófila. **Reação divergente.** *Fís. Nucl.* Reação em cadeia que se amplia indefinidamente. **Reação elementar.** *Quím.* A que ocorre pela interação direta de duas partículas (átomos, moléculas, moléculas ativadas, radicais) ou pela interação de uma partícula com uma superfície inerte. **Reação eletrocíclica.** *Quím.* Reação pericíclica unimolecular em que ocorre a formação de uma ligação entre as duas extremidades de um conjunto de ligações pi conjugadas, acompanhada de reorganização destas e dando origem a um ciclo. [A reação inversa tb. é chamada de eletrocíclica.] **Reação em cadeia. 1.** *Fís. Nucl.* Sequência de reações nucleares em que um dos reagentes é produto de cada reação. **2.** *Fig.* Sequência de fatos que ocorrem sob a ação de causa e efeito. **3.** *Quím.* Reação química em várias etapas, que geralmente envolve radicais livres como intermediários, em que cada etapa fornece ao menos um dos reagentes da seguinte e que, muitas vezes, tem natureza cíclica, pois a última etapa fornece reagente à primeira. **Reação em cadeia da polimerase.** *Bioquím.* Sequência de reações bioquímicas, realizada *in vitro*, que permite a produção rápida, mediante o emprego de polimerase, de grande número de cópias de um determinado fragmento de ácido nucleico, que serve como molde; PCR. **Reação enxerto versus hospedeiro.** *Imun.* V. *doença enxerto* versus *hospedeiro*. **Reação nuclear.** *Fís. Nucl.* Fenômeno em que ocorre a modificação de um ou mais nuclídeos. **Reação pericíclica.** *Quím.* Reação concertada (q. v.) em cujo estado de transição os orbitais que participam diretamente na quebra e formação de ligações estão dispostos numa curva fechada. **Reação queletrópica.** *Quím.* Reação pericíclica em que ocorre a quebra de duas ligações sigma que terminam em um mesmo átomo. [A reação inversa tb. é chamada de queletrópica.] **Reação sigmatrópica.** *Quím.* Reação pericíclica unimolecular em que ocorre a quebra de uma ligação sigma adjacente a um conjunto de ligações pi conjugadas, migração do grupo que estava ligado até a extremidade oposta desse conjunto, e formação, aí, de nova ligação sigma (acompanhada de reorganização das ligações pi). **Reação termonuclear.** *Fís. Nucl.* Fusão nuclear.

reacender [Do lat. tard. *reaccendere*.] *V. t. d.* **1.** Tornar a acender: *Foi obrigado a reacender a fogueira que a chuva apagara*; "retiravam-se para as casas, reacendendo no isqueiro os cigarros apagados." (Amando Caiubi, *Sapezais e Tigueras*, p. 112). **2.** Ativar, animar, estimular, desenvolver: *Napoleão reacendeu o nacionalismo francês*. *Int.* **3.** Acender-se novamente: *A velha chama reacendeu no peito do sonhador*. *P.* **4.** Ativar-se, animar-se; desenvolver-se. [Part.: *reacendido* e *reaceso*. Cf. *reascender*.]

reacional [De *reação* + *-al*¹, seg. o padrão erudito.] *Adj. 2 g.* Referente a reação ou reações.

reacionário [De *reação* + *-ário*, seg. o padrão erudito.] *Adj.* **1.** Relativo à, ou próprio da reação (5 e 6). **2.** Que é sectário dela. **3.** Aferrado à autoridade constituída; contrário à liberdade; tirano, despótico. ● *S. m.* **4.** Indivíduo reacionário. [Sin., nas acepç. 2 a 4: *reacionista*. Sin., bras., gír., na acepç. 4: *reaça*.]

reacionarismo [De *reacionário* + *-ismo*.] *S. m.* **1.** Qualidade, ato ou dito de reacionário. **2.** Sistema político partidário da reação (5 e 6). **3.** Os reacionários.

reacionarista [De *reacionarismo* + *-ista*.] *Adj. 2 g.* **1.** Referente ao, ou que é adepto do reacionarismo; reacionário. ● *S. 2 g.* **2.** Adepto do reacionarismo; reacionário.

reacomodar [De *re-* + *acomodar*.] *V. t. d.* **1.** Acomodar novamente. *T. d. e i.* **2.** Readaptar; readequar: *Rea-*

R

<u>comodou</u> *seu salário às novas despesas.* ***P.*** **3.** Acomodar-se novamente: <u>*Reacomodou-se*</u> *na cadeira.* **4.** Readaptar-se; readequar-se: <u>*Reacomodava-se*</u> *facilmente às necessidades da vida.*

reacostumar [De *re-* + *acostumar.*] ***V. t. d. e i. P.*** Tornar a acostumar(-se).

reactância ***S. f.*** *Eletr.* V. *reatância.*

reacusar [De *re-* + *acusar.*] ***V. t. d.*** Tornar a acusar; recriminar.

readal [Do lat. cient. *Rhoead-* (v. *readale*) + *-al*^{1}.] ***Adj. 2 g.*** *Bot. Pertencente ou relativo às readales.*

readale [Do gr. *rhoiad-* (do gr. *rhoiás, ádos*, 'certo tipo de papoula' [*Papaver rhoeas*]), + *-ale*; tax. *Rhoeadales.*] ***S. f.*** *Bot.* Espécime das readales, ordem de plantas dicotiledôneas, arquiclamídeas, formada, em geral, de ervas providas de racemos, com flores diclamídeas, dímeras ou tetrâmeras, ovário súpero e unilocular. É ordem das mais extensas.

readaptabilidade [De *readaptável* + *-(i)dade*, seg. o padrão erudito.] ***S. f.*** Qualidade ou estado de readaptável.

readaptação [De *readaptar* + *-ção.*] ***S. f.*** **1.** Ato ou efeito de readaptar(-se). **2.** *Dir. Adm.* Investidura em função pública mais compatível com a capacidade física, intelectual ou vocacional do funcionário.

readaptar [De *re-* + *adaptar.*] ***V. t. d.*** **1.** Adaptar de novo. **2.** *Dir. Adm.* Efetivar a readaptação (2) de. ***T. d. e i.*** **3.** Readaptar (1): <u>*Readaptou*</u> *o vestido às novas medidas do corpo.* ***P.*** **4.** Adaptar-se de novo; reacomodar-se: <u>*Readaptei-me*</u> *às novas regras.*

readaptável [De *readaptar* + *-vel.*] ***Adj. 2 g.*** Que pode ou deve ser readaptado.

readequação [De *readequar* + *-ção.*] ***S. f.*** Ato ou efeito de readequar(-se).

readequar [De *re-* + *adequar.*] ***V. t. d. P.*** Tornar a adequar(-se). [Conjug.: v. *adequar.*]

readmissão [De *re-* + *admissão.*] ***S. f.*** **1.** Ato ou efeito de readmitir. **2.** *Dir. Adm.* Reingresso no serviço público de funcionário demitido ou exonerado, sem direito a indenizações. [Cf., nesta acepç., *reintegração* (2).] **3.** *Dir. Trab.* Ato pelo qual o empregado é novamente admitido à prestação de serviços depois de extinto o contrato de trabalho por certo período.

readmitir [De *re-* + *admitir.*] ***V. t. d.*** **1.** Admitir, acolher novamente; permitir o reingresso de: *A firma* <u>*readmitiu*</u> *o empregado faltoso.* **2.** Admitir, reconhecer novamente: *Na presença do júri,* <u>*readmitiu*</u> *a sua culpa.* ***T. d. e i. T. d. e c.*** **3.** Readmitir (1): <u>*Readmitiram*</u>*-no na empresa.* ***Transobj.*** **4.** Readmitir (1): <u>*Readmitiram*</u>*-no como sócio da empresa.* **5.** Reempregar; contratar de novo: <u>*Readmitiram*</u>*-no como gerente.* **6.** Aceitar ou reconhecer novamente como verdadeiro ou legítimo; readotar; abonar de novo: <u>*Readmitiu*</u> *como verdadeiro o fato.*

readoção [De *re-* + *adoção.*] ***S. f.*** Ação de readotar.

readormecer [De *re-* + *adormecer.*] ***V. int.*** **1.** Tornar a adormecer: "Não podia porém <u>readormecer</u>, às voltas, num terrível mal-estar, com aquela ideia cravada na imaginação que o torturava." (Eça de Queirós, *Os Maias*, II, p. 482.) ***T. d.*** **2.** Fazer dormir novamente: *O balanço da rede* <u>*readormeceu*</u>*-me.* [Conjug.: v. *aquecer.*]

readotar [De *re-* + *adotar.*] ***V. t. d.*** Voltar a adotar.

readquirir [De *re-* + *adquirir.*] ***V. t. d.*** Tornar a adquirir: *Com o passar do tempo,* <u>*readquiriu*</u> *confiança no amigo*; "Parecia-lhe que tinha agora o coração limpo duma moléstia incômoda ou que saíra duma embriaguez de vinho, <u>readquirindo</u> a lucidez do espírito." (Inglês de Sousa, *O Missionário*, p. 357). [Sin., p. us.: *reaquistar.*]

→ **ready-made** ['ɹɛdij'mejd] [Ingl., 'confeccionado', 'pronto'.] *Art. Plást.* Expressão criada em 1913 pelo artista francês Marcel Duchamp para designar qualquer objeto manufaturado de consumo popular, tratado como objeto de arte por opção do artista.

reafirmar [De *re-* + *afirmar.*] ***V. t. d.*** Afirmar de novo.

reagente [De *reagir* + *-ente.*] ***Adj. 2 g.*** **1.** Que reage. • ***S. m.*** **2.** *Quím.* Produto químico de alta pureza, destinado, geralmente, a uso em laboratório ou à produção em pequena escala. **3.** *Quím.* Um dos participantes de uma reação química, aquele que se considera o agente ativo dessa reação. [Cf., nas acepçs. 2 e 3, *substrato.*] ◆ **Reagente de Fehling.** ***S. m.*** **4.** *Quím.* Solução alcalina contendo sulfato cúprico, que tem ação oxidante branda e reage com açúcares redutores, o que fica caracterizado pela formação de um precipitado vermelho de óxido cuproso.

reagina ***S. f.*** *Imun.* Anticorpo mediador de reações de hipersensibilidade imediata; no homem é anticorpo IgE.

reagir [Do lat. tard. *reagere*, 'crescer de novo', ou de *re-* + *agir.*] ***V. int.*** **1.** Exercer reação; opor a uma ação outra que lhe é contrária: *A doença progredia, embora o instinto vital buscasse* <u>*reagir*</u>*.* **2.** Demonstrar reação; protestar: *Espicaçado, o rapaz* <u>*reagiu*</u> *a murros.* **3.** *Quím.* Entrar em reação (11): *a baixas temperaturas as substâncias* <u>*reagem*</u> *mais lentamente.* ***T. i.*** **4.** Exercer reação; opor-se; lutar, resistir: *A pátria soube* <u>*reagir*</u> *às invasões*; "A arte e a literatura encontraram no romantismo o seu caminho para <u>reagir</u> à convenção, ao conformismo." (Carlos Lacerda, *O Cão Negro*, p. 101). **5.** *Quím.* Reagir (3): *O ácido acético* <u>*reage*</u> *com bicarbonato de sódio.* [Conjug.: v. *dirigir.*]

reaglutinar [De *re-* + *aglutinar.*] ***V. t. d.*** Tornar a aglutinar.

reagradecer [De *re-* + *agradecer.*] ***V. t. d. T. d. e i. T. i.*** Tornar a agradecer. [Conjug.: v. *aquecer.*]

reagravação [De *reagravar* + *-ção.*] ***S. f.*** Ato ou efeito de reagravar(-se).

reagravar [De *re-* + *agravar.*] ***V. t. d. Int. P.*** Agravar novamente; exacerbar.

reagrupar [De *re-* + *agrupar.*] ***V. t. d.*** **1.** Tornar a agrupar. ***P.*** **2.** Reunir-se novamente em grupo.

reajustamento [De *reajustar* + *-mento.*] ***S. m.*** Ato ou efeito de reajustar; reajuste.

reajustar [De *re-* + *ajustar.*] ***V. t. d. T. d. e i.*** **1.** Tornar a ajustar. **2.** *Bras.* Tornar (vencimentos, ordenado, preço, etc.) proporcionados à elevação do custo de vida: <u>*reajustar*</u> *os vencimentos do funcionalismo.* [Pret. imperf. ind.: *reajustava, ... reajustáveis, reajustavam.* Cf. *reajustáveis*, pl. de *reajustável.*]

reajustável [De *reajustar* + *-vel.*] ***Adj. 2 g.*** Que se pode reajustar; sujeito a reajustamento: *preço* <u>*reajustável*</u>*.*

reajuste [Dev. de *reajustar.*] ***S. m.*** **1.** Reajustamento. **2.** A importância (4) do reajuste.

real^{1} ***S. m.*** Arraial (q. v.). [Pl.: *reais.* Cf. *riel*, s. m., e *riais*, do v. *rir.*]

real^{2} [Do lat. *regale.*] ***Adj. 2 g.*** **1.** Pertencente ou relativo ao rei ou à realeza, ou próprio dele ou dela; realengo; régio. ~ V. *bergatim —, canastra —, canto —, estrada —, porta —* e *vara —.* • ***S. m.*** **2.** Moeda portuguesa antiga. **3.** Antiga unidade do sistema monetário de Portugal e do Brasil. [Pl., nesta acepç.: *réis.* Cf. *reis*, pl. de *rei*, e *Reis*, antr.] **4.** Unidade monetária brasileira a partir de 01.07.1994 [símb.: *R$*]. [V. *cruzeiro real.*] [Pl. de 1, 2, 4: *reais.* Cf. *riel*, s. m. e *riais*, do v. *rir.*]

real^{3} [Do b.-lat. *reale* < lat. *res, rei*, 'coisa', 'realidade', 'bens materiais'.] ***Adj. 2 g.*** **1.** Que existe de fato; verdadeiro. **2.** *Econ.* Que exclui o efeito da inflação; deflacionado: *aumento de salário* <u>*real*</u> (*i. e.*, o que significa aumento da quantidade de bens que podem ser comprados pelo assalariado); *juros* <u>*reais*</u> (*i. e.*, os que excluem a correção monetária da importância aplicada). [Opõe-se, nesta acepç., a *nominal.*] **3.** *Filos.* Diz-se de tudo que é. **4.** Que diz respeito às coisas atuais, concretas. [Opõe-se, nesta acepç., a *aparente, fictício, ideal, ilusório, imaginário, possível, potencial*, etc.] **5.** *Tip.* Diz-se do tipo de obra (q. v.) característico do séc. XVIII, influenciado pelos traslados caligráficos do talho-doce, e que apresenta contraste médio entre finos e grossos, e serifas em forma de consolo. [Tb. us. como s. m. É tradicionalmente denominado *romano transicional.*] ~ V. *bomba —, cano —, caução —, contrato —, crédito —, cruzeiro —, definição —, direito —, domínio —, ente —, favorecimento —, função —, garantia —, gás —, imagem —, mastro —, modo —, número —, ocaso —, ônus reais, potência —, tempo —, valor —, variável —* e *vento —.* • ***S. m.*** **6.** Aquilo que é real, verdadeiro. **7.** *E. Ling.* Modo real (q. v.). **8.** *Filos.* Aquilo que é uma coisa, ou que diz respeito a coisas. **9.** *Mat.* Número real. **10.** *Tip.* Tipo real^{3} (5). [Pl.: *reais.* Cf. *riel*, s. m., e *riais*, do v. *rir.*]

real^{4} ***S. f.*** *Pop.* V. *realidade.* ◆ **Cair na realidade.** *Gír.* Aceitar ou ver como as coisas são de fato.

realçamento [De *realçar* + *-mento.*] ***S. m.*** Ato ou efeito de realçar.

realçar [De *re-* + *alçar.*] ***V. t. d.*** **1.** Pôr em lugar elevado. **2.** Dar mais brilho ou força a; avivar, salientar: *Procurou* <u>*realçar*</u> *com maquilagem a cor das faces*; "A minha impressão é que preparava [o Senador Nabuco de Araújo] os seus discursos, e a maneira por que os proferia <u>realçava</u>-lhes a matéria e a forma sólida e brilhante." (Machado de Assis, *Páginas Recolhidas*, pp. 170-171). **3.** Atribuir especial merecimento a: *Os historiadores tradicionais* <u>*realçam*</u> *feitos e batalhas.* ***P.*** **4.** Adquirir realce; elevar-se: *A cultura* <u>*realça-se*</u> *a cada descoberta.* [Conjug.: v. *laçar.*]

realce [Dev. de *realçar.*] ***S. m.*** **1.** Distinção, relevo, destaque. **2.** Maior lustre ou brilho.

realegrar [De *re-* + *alegrar.*] ***V. t. d.*** **1.** Tornar a alegrar. **2.** Alegrar muito. ***P.*** **3.** Readquirir alegria.

realejar [De *realejo* + *-ar*^{2}.] ***V. t. d.*** *Bras.* Repetir à guisa de realejo. [Conjug.: v. *pelejar.*]

realejo (ê) [Do esp. *realejo.*] ***S. m.*** **1.** Órgão portátil. **2.** Pequeno órgão adicionado ao grande para os registros flautados. **3.** Instrumento musical popular, espécie de órgão mecânico portátil, cujo fole e teclado são acionados por um cilindro dentado movido a manivela. **4.** *Gír.* Piano^{1} (1). **5.** *Bras. N.E.* Espécie de acordeão (1). **6.** *Bras. Zool.* V. *uirapuru* (1).

realejo de boca ***S. m.*** *Pop.* Pequena gaita (2), usada sobretudo pelas crianças. [Pl.: *realejos de boca.*] ☑

realengo [Do lat. vulg. **regalengu.*] ***Adj.*** **1.** V. *real*^{2} (1). **2.** Régio (2). **3.** *Bras. RS* Sem dono; público. [F. paral.: *regalengo.*] ◆ **Ao realengo.** *Bras. N.E.* Em desordem; entregue às moscas; abandonado: *Saiu, deixando o escritório* <u>*ao realengo*</u>*.*

realeza^{1} (ê) [De *real*^{2} + *-eza.*] ***S. f.*** **1.** Dignidade de rei. **2.** *Fig.* Grandeza, magnificência, sublimidade.

realeza^{2} (ê) [De *real*^{3} + *-eza.*] ***S. f. P. us.*** Realidade.

realezense ***Adj. 2 g.*** **1.** De, ou pertencente ou relativo a Realeza (PR). • ***S. 2 g.*** **2.** O natural ou habitante de Realeza.

realgar [Do ár. *rahğ al-gār* ou *rahağ al-gār*, lit., 'pó da mina', pelo cat. *realgar.*] ***S. m.*** *Min.* Mineral monolítico, sulfeto de arsênio.

→ **realia** [re'alja] [Lat., neutro pl. do lat. *realis*, 'real'.] ***S. f. pl.*** Numa obra, o conjunto das ilustrações. [Cf. *denotata.*]

realidade [Do lat. med. *realitate.*] ***S. f.*** **1.** Qualidade, caráter ou condição de real^{3}. **2.** Aquilo que existe efetivamente; real. [Sin. (p. us.): *realeza.*] **3.** *P. ext.* Vida real, ou fatos reais: "Não sei se é sonho, se <u>realidade</u>, / Se uma mistura de sonho e vida, / Aquela terra de suavidade / Que na ilha extrema do sul se olvida." (Fernando Pessoa, *Obra Poética*, p. 131.) [Nesta acepç., em oposição ao sonho, àquilo que se deseja, ou à ficção.] **4.** *Filos.* V. *juízo de realidade.* ◆ **Realidade virtual.** *Inform.* Interface de computador, ou de sistema computacional, com o usuário, em que elementos do mundo real são simulados de forma detalhada e convincente e na qual a interação homem-máquina é intuitiva e contínua.

realimentação [De *re-* + *alimentação.*] ***S. f.*** **1.** Operação que consiste em introduzir os projetis no depósito de uma arma automática ou de repetição, ou o carregador na própria arma. **2.** *Eletrôn.* Retroalimentação (1). **3.** *Fig.* Tomada de novo vigor, de nova energia: *A* <u>*realimentação*</u> *da inflação se deveu ao excesso de consumo.*

realimentar [De *re-* + *alimentar.*] ***V. t. d.*** Proceder à realimentação de.

realinhamento [De *realinhar* + *-mento.*] ***S. m.*** Ato ou efeito de realinhar; novo alinhamento.

realinhar [De *re-* + *alinhar.*] ***V. t. d.*** **1.** Alinhar novamente. **2.** Nivelar novamente: *O governo* <u>*realinhou*</u> *o preço da gasolina.*

realismo^{1} [De *real*^{3} + *-ismo.*] ***S. m.*** **1.** Qualidade ou estado do que é real^{3} (1). **2.** Atitude ou posição de quem se prende fielmente ao que é real, verdadeiro, às vezes de maneira prática, objetiva: *Encarou a desgraça com* <u>*realismo*</u>*.* **3.** *Estét.* Doutrina segundo a qual a arte deve expressar somente os caracteres essenciais da realidade. **4.** *Teatr. Cin.* Teoria ou processo teatral ou cinematográfico que objetiva a representação fiel dos relacionamentos humanos e de acontecimentos contextuais. **5.** *Filos.* No platonismo, afirmação de que os universais (q. v.) existem por si, isto é, de modo absoluto. [Cf., nesta acepç., *conceitual* e *moderado.*] **6.** *Filos.* Doutrina ou atitude relativa ao problema do conhecimento, caracterizada, em graus e níveis diversos, pela afirmação da existência do ser independentemente do pensamento e pela busca dos relacionamentos possíveis que entre eles se estabelecem. [Cf. *realismo científico, realismo crítico, realismo transcendental, realismo imediato, realismo ingênuo* e *realismo volitivo.*] **7.** *Liter.* Movimento literário que, em meados do séc. XIX, surgiu como uma reação ao romantismo (1), *i. e.*, aos excessos do lirismo e da imaginação, e que sofreu influência do desenvolvimento das ciências biológicas, do positivismo comtista e do determinismo de Hyppolite Taine (1828-1893). ◆ **Realismo científico.** *Filos.* Realismo característico dos que se ocupam com a ciência, e que se afirma pela busca do conhecimento cada vez mais acurado dos dados da experiência. **Realismo conceitual.** *Filos.* Conceitualismo (1). **Realismo crítico.** *Filos.* **1.** Para Kant (v. *kantismo*), doutrina segundo a qual o ser é essencialmente diverso do pensamento, não podendo ser deduzido de princípios *a priori.* **2.** Realismo que se reconhece como tal, em oposição ao realismo ingênuo; realismo filosófico, realismo empírico, realismo formal. **Realismo dogmático.** *Filos.* Realismo transcendental. **Realismo empírico.** *Filos.* V. *realismo crítico* (1). **Realismo filosófico.** *Filos.* V. *realismo crítico* (1). **Realismo formal.** *Filos.* V. *realismo crítico* (2). **Realismo imediato.** *Filos.* Doutrina segundo a qual o espírito, no ato de perceber, tem consciência imediata, e por isso verídica, da presença de uma realidade exterior a ele; realismo natural. **Realismo**

ingênuo. *Filos.* Crença do senso comum que admite, sem criticá-la, a existência de um mundo de objetos materiais que são captados por sujeitos conscientes, mais ou menos à maneira de uma máquina fotográfica; realismo vulgar. **Realismo mágico.** *Liter.* Gênero adotado por escritores isolados que, a partir de uma realidade presente como fundamento inicial, desenvolvem uma narrativa que tende para o irreal, o onírico, o absurdo: "por ser um mundo de símbolos, o realismo mágico constitui um palco de infindáveis estranhezas e mistérios que nenhuma sensibilidade esgota e nenhum congresso de críticos consegue analisar em definitivo." (Massaud Moisés, *A Criação Literária*, p. 251). **Realismo moderado.** *Filos.* Conceitualismo (2). **Realismo natural.** *Filos.* Realismo imediato. **Realismo socialista.** Doutrina ou corrente, adotada oficialmente pelo Partido Comunista que governou a antiga União Soviética (v. *soviético*), segundo a qual as artes devem participar na consolidação do regime comunista, retratando de modo supostamente realista as conquistas deste, e sem seguir tendências experimentais das artes modernas, consideradas burguesas e decadentes. **Realismo transcendental.** *Filos.* Segundo Kant (v. *kantismo*), doutrina que afirma que o espaço, o tempo e os fenômenos são coisas em si; realismo dogmático. **Realismo volitivo.** *Filos.* Doutrina segundo a qual a realidade se opõe ao sujeito como resistência à sua atividade cognoscitiva. **Realismo vulgar.** *Filos.* Realismo ingênuo.

realismo[2] [De *real*[2] + *-ismo*.] *S. m.* **1.** Sistema político em que o chefe do Estado é um rei. **2.** Fidelidade aos princípios monárquicos.

realista[1] [De *realismo*[1] + *-ista*.] *Adj. 2 g.* **1.** Relativo ao realismo[1]; realístico. **2.** Que é partidário do realismo[1] (3 a 6). **3.** Que age com realismo[1] (2). • *S. 2 g.* **4.** Partidário do realismo[1] (3 a 6). **5.** Pessoa realista[1] (2).

realista[2] [De *realismo*[2] + *-ista*.] *Adj. 2 g.* **1.** Relativo ao, ou próprio do realismo[2]. **2.** Que é partidário do realismo[2] (1). **3.** Que pratica o realismo[2] (2). • *S. 2 g.* **4.** Pessoa realista[2] (2 e 3).

realistar [De *re-* + *alistar*.] *V. t. d.* Alistar novamente.

realístico [De *realista*[1] + *-ico*[2].] *Adj.* Relativo ao, ou próprio do realismo[1]; realista.

realito *S. m. Bras. ES Zool.* V. *mulata* (3).

→ **reality show** [ɹiįˈæləṭij ʃow] [Ingl.] *S. m.* **1.** Programa televisivo ou radiofônico (este menos comum) que retrata a vida de pessoas reais, sua rotina ou acontecimentos não roteirizados. **2.** *P. ext.* Programa televisivo em que um grupo de pessoas, escolhidas previamente pela produção do programa, e ger. desconhecidas umas das outras, é posto a conviver em ambiente aberto ou fechado por determinado tempo, durante o qual ocorrerá a eliminação gradual, seja por votação interna ou externa, dos seus participantes.

realização [De *realizar* + *-ção*.] *S. f.* **1.** Ato ou efeito de realizar(-se). **2.** *P. ext.* Aquilo que foi realizado, efetivado ou viabilizado. **3.** *Bras. Fig.* Bom êxito ou sucesso alcançado em algum fator da vida: *realização profissional, realização afetiva.*

realizado [Part. de *realizar*.] *Adj.* **1.** Que se realizou; efetuado, executado, feito. **2.** *Bras.* Que se realizou; que alcançou seu objetivo ou ideal: *Teve o que desejou: é um homem realizado.*

realizador (ô) [De *realizar* + *-dor*.] *Adj.* **1.** Que realiza. **2.** Que é dado a muitas e/ou grandes realizações ou empreendimentos: *prefeito, ministro, presidente realizador.* • *S. m.* **3.** Aquele que realiza. **4.** *Lus. Cin.* V. *diretor* (5).

realizar [De *real*[1] + *-izar*.] *V. t. d.* **1.** Tornar real, efetivo, existente: *realizar um ideal.* **2.** Pôr em prática; efetuar: *realizar um projeto.* **3.** Transformar em dinheiro ou valor monetário: *A firma precisou realizar uma soma avultada.* **4.** Fazer, constituir, criar, acumular: "Os mais ricos, os que realizam colossais fortunas nas colônias ou no alto comércio das praças de Roterdã ou de Amsterdã, estabelecem o seu pé de castelo nas cidades de luxo, na Haia ou em Arnhem." (Ramalho Ortigão, *A Holanda*, p. 135.) **5.** *Angl.* Perceber como realidade. **6.** *Lus. Cin.* Dirigir (um filme). *P.* **7.** Cumprir-se, efetivar-se, efetuar-se, verificar-se: *A previsão realizou-se;* "Os seus receios haviam-se realizado." (Rebelo da Silva, *Contos e Lendas*, p. 180). **8.** Ocorrer, acontecer, efetuar-se, dar-se: "Um colóquio a dois, nos parques, realiza-se geralmente entre pessoas de sexos diferentes." (Costa Rego, *Águas Passadas*, p. 385.) **9.** *Bras.* Alcançar seu objetivo ou ideal: *Sonhava ser escritor, e o é: realizou-se.*

realizável [De *realizar* + *-vel*.] *Adj. 2 g.* Que se pode realizar. ~ V. *ativo* —.

realmente[1] [De *real*[1] + *-mente*.] *Adv.* De modo real; na realidade, verdadeiramente; sem dúvida.

realmente[2] [De *real*[2] + *-mente*.] *Adv.* **1.** Ao modo de rei; de maneira real. **2.** Aparatosamente, majestosamente.

realocar [De *re-* + *alocar*.] *V. t. d.* Dar novo destino a (verba, fundo orçamentário, etc.); transferir: *Realocou uma parte do orçamento destinado à pesquisa.*

reamanhecer [De *re-* + *amanhecer*.] *V. int.* **1.** Amanhecer outra vez. **2.** Rejuvenescer, remoçar. [Conjug.: v. *aquecer*.]

reanálise [De *re-* + *análise*.] *S. f. E. Ling.* Mudança numa estrutura que não envolve alterações imediatas na sua manifestação, como, p. ex., a transição do port. arc. *por ende*, que significava 'por isso', a *porende*, 'porém'. [V. *gramaticalização*.]

reandar [De *re-* + *andar*.] *V. t. d.* Tornar a andar, a percorrer: "E volto ali cada ano, menos para tomar banho .... do que para reandar os caminhos que andei" (Hélio Galvão, *Cartas da Praia*, p. 17).

reanimação [De *reanimar* + *-ção*.] *S. f.* Ato ou efeito de reanimar(-se).

reanimado [Part. de *reanimar*.] *Adj.* **1.** Que se reanimou. **2.** Que readquiriu energia.

reanimador (ô) [De *reanimar* + *-dor*.] *Adj.* **1.** Que reanima. • *S. m.* **2.** Aquele ou aquilo que reanima.

reanimar [De *re-* + *animar*.] *V. t. d.* **1.** Dar novo ânimo, vida nova, a: *O apoio do companheiro reanimou-o;* "Gosto de ouvir as crianças / que brincam à minha porta. / A gritaria que fazem / reanima esta rua morta." (Onestaldo de Pennafort, *Romanceiro*, p. 64). **2.** Restituir à vida: *As massagens no coração reanimaram o cadáver;* "Este tempo serve, quando muito, para reanimar conversações moribundas" (Machado de Assis, *A Semana*, II, p. 9). **3.** Fortificar, tonificar, avigorar: *A forte bebida reanimou o viajante.* **4.** Restituir o uso dos sentidos, o movimento, o vigor, a: *Os medicamentos reanimaram o moribundo;* "Tirado em braços [do carro], levam-no [a Almeida Garrett] à farmácia das Necessidades, onde lhe dão cordiais que o reanimam e lhe permitem voltar para casa ao fim de uma hora." (José Osório de Oliveira, *O Romance de Garrett*, p. 177). *Int. P.* **5.** Tornar a animar-se; readquirir animação, força ou energia: *Alguns meses após a catástrofe, reanimaram-se as cidades, reanimaram-se os homens.*

reaparecer [De *re-* + *aparecer*.] *V. int.* Tornar a aparecer: "uma esplêndida taça persa, dum desenho raro, com um renque de negros ciprestes, cada um abrigando uma flor de cor viva: e aquilo fazia lembrar breves sorrisos reaparecendo entre longas tristezas." (Eça de Queirós, *Os Maias*, II, p. 143). [F. paral., p. us.: *reparecer*. Conjug.: v. *aquecer*.]

reaparecimento [De *reaparecer* + *-imento*.] *S. m.* Reaparição.

reaparelhamento [De *reaparelhar* + *-mento*.] *S. m.* Ato ou efeito de reaparelhar.

reaparelhar [De *re-* + *aparelhar*.] *V. t. d.* **1.** Tornar a aparelhar: *O governo reaparelhou a polícia.* **2.** Arrear (a cavalgadura) de novo: *Reaparelhou o cavalo.*

reaparição [De *re-* + *aparição*.] *S. f.* Ato ou efeito de reaparecer; reaparecimento.

reaplicação [De *reaplicar* + *-ção*.] *S. f.* Ato ou efeito de reaplicar.

reaplicar [De *re-* + *aplicar*.] *V. t. d.* Fazer nova aplicação de; tornar a aplicar: *reaplicar capitais.* [Conjug.: v. *trancar*.]

reapoderar-se [De *re-* + *apoderar-se*.] *V. p.* Apoderar-se de novo.

reapossar-se [De *re-* + *apossar-se*.] *V. p.* Apossar-se de novo.

reapreciar [De *re-* + *apreciar*.] *V. t. d.* Apreciar outra vez.

reaprender [De *re-* + *aprender*.] *V. t. d.* *T. i.* Aprender novamente.

reapresentação [De *reapresentar* + *-ção*.] *S. f.* Ato ou efeito de reapresentar; nova apresentação.

reapresentar [De *re-* + *apresentar*.] *V. t. d. P.* Apresentar(-se) novamente.

reaproveitamento [De *reaproveitar* + *-mento*.] *S. m.* Ato ou efeito de reaproveitar.

reaproveitar [De *re-* + *aproveitar*.] *V. t. d.* Aproveitar novamente.

reaproximação (ss) [De *reaproximar* + *-ção*.] *S. f.* Ação ou efeito de reaproximar(-se).

reaproximar (ss) [De *re-* + *aproximar*.] *V. t. d. T. d. e i. P.* Tornar a aproximar(-se).

reaquecer [De *re-* + *aquecer*.] *V. t. d. P.* Aquecer(-se) novamente. [Conjug.: v. *aquecer*.]

reaquecimento [De *reaquecer* + *-imento*.] *S. m.* Ato ou efeito de reaquecer.

reaquisição [De *re-* + *aquisição*.] *S. f.* Ato ou efeito de readquirir; nova aquisição.

reaquistar [De *re-* + *aquistar*.] *V. t. d. Desus.* Readquirir.

rearborização [De *rearborizar* + *-ção*.] *S. f.* Ação ou efeito de rearborizar.

rearborizar [De *re-* + *arborizar*.] *V. t. d.* Arborizar de novo.

rearmamento [De *rearmar* + *-mento*.] *S. m.* Ação ou efeito de rearmar(-se).

rearmar [De *re-* + *armar*.] *V. t. d. P.* Armar(-se) novamente.

rearranjar [De *re-* + *arranjar*.] *V. t. d.* Arranjar de novo; dar nova disposição a.

rearranjo [De *re-* + *arranjo*] *S. m.* **1.** Ato ou efeito de rearranjar. **2.** *Quím.* Tipo de reação na qual o esqueleto carbônico de uma molécula sofre modificação.

rearrepender-se [De *re-* + *arrepender-se*.] *V. p.* Tornar a arrepender-se.

rearticulação [De *rearticular* + *-ção*.] *S. f.* Ato ou efeito de rearticular.

rearticular [De *re-* + *articular*[2].] *V. t. d. P.* Tornar(-se) a articular.

reascender [De *re-* + *ascender*.] *V. t. i.* **1.** Ascender de novo: *O soberano reascendeu ao trono após três anos de luta.* *T. d. e i.* **2.** Fazer subir de novo; tornar a elevar: *O povo reascendeu ao trono o velho imperador.* [Cf. *reacender*.]

reassentar [De *re-* + *assentar*.] *V. t. d. T. c. T. d. e c. P.* Assentar(-se) novamente; tornar a assentar(-se).

reassumir [De *re-* + *assumir*.] *V. t. d.* **1.** Assumir de novo; tomar novamente posse de: *O oficial afastado reassumiu o comando.* **2.** Retomar; recuperar: *A vegetação reassumiu sua cor após as chuvas.*

reassunção [De *re-* + *assunção*.] *S. f.* Ato ou efeito de reassumir; nova assunção.

reata *S. f.* V. *arreata*.

reatamento [De *reatar* + *-mento*.] *S. m.* Ato ou efeito de reatar.

reatância [Do ingl. *reactance*.] *S. f. Eletr.* Num circuito de corrente alternada, o módulo da parte imaginária da impedância do circuito [símb.: *X*].

reatar [De *re-* + *atar*[1].] *V. t. d.* **1.** Atar de novo: *reatar o nó desfeito;* "Ele olhou para a mulher vil, sacudida no espasmo de jovialidade maligna, que o feria na face, e, reatando a máscara, afastou-se." (Domício da Gama, *Histórias Curtas*, pp. 19-20). **2.** Continuar aquilo que se tinha interrompido: *reatar velhas amizades.* *T. d. e i.* **3.** Reatar (2): *Reatou as relações comerciais com a Europa.*

reate *S. m.* V. *arreata*.

reativação [De *reativar* + *-ção*.] *S. f.* Ato ou efeito de reativar(-se).

reativado [Part. de *reativar*.] *Adj.* Que se reativou; em que se deu reativação.

reativar [De *re-* + *ativar*.] *V. t. d. P.* Ativar(-se) de novo.

reatividade [De *reativo* + *-(i)dade*.] *S. f.* **1.** Qualidade ou estado do que é reativo. **2.** *Fís. Nucl.* Parâmetro que mede o afastamento de um reator nuclear em relação à sua criticalidade, e é igual à diferença entre a unidade e o inverso do fator de multiplicação. **3.** *Quím.* Capacidade de participar de reação química, ou reações.

reativo [De *re-* + *ativo*.] *Adj.* **1.** Que reage. ~ V. *corrente* —*a*, *fator* — e *potência* —*a*. • *S. m.* **2.** *Quím.* Reagente (2).

reato [Do lat. *reatu*.] *S. m.* **1.** Estado ou condição do réu. **2.** *Teol.* Obrigação de cumprir penitência dada pelo confessor. **3.** *Teol.* Condição do pecador antes de se arrepender (*reato da culpa*), ou apenas antes de ter oferecido uma satisfação adequada pelo pecado cometido (*reato da pena*). ◆ **Reato da culpa.** *Teol.* V. *reato* (3). **Reato da pena.** *Teol.* V. *reato* (3).

reator (ô) [Do lat. *reactum*, supino do v. lat. *reagere* (v. *reagir*), + *-or*.] *Adj.* **1.** Que reage. • *S. m.* **2.** *Tec. Quím.* Vaso em que ocorre uma reação química, em geral adequado ao emprego de grandes quantidades de substâncias e dotado de equipamentos e instrumentos auxiliares para maior eficiência e controle. **3.** *Fís. Nucl.* V. *reator nuclear*. **4.** *Eletr.* Choque[2]. ◆ **Reator atômico.** *Eng. Nucl.* V. *reator nuclear*. **Reator conversor.** *Eng. Nucl.* Reator nuclear em que, com base num material fértil, se forma uma substância físsil diferente da que é consumida na operação do aparelho. **Reator de potência.** *Eng. Nucl.* Reator nuclear que funciona como fonte produtora de energia. **Reator heterogêneo.** *Eng. Nucl.* Aquele cujo comportamento não pode ser satisfatoriamente explicado por meio de uma hipótese que admita uma distribuição homogênea de nêutrons no caroço. **Reator homogêneo.** *Eng. Nucl.* Reator nuclear em que existe uma repartição homogênea de nêutrons no caroço, ou cujo comportamento é satisfatoriamente explicado por uma hipótese que admita essa repartição. **Reator nuclear.** *Eng. Nucl.* Equipamento em que se produz, de forma controlada, uma reação nuclear em cadeia, para aproveitar os nêutrons libertados ou a energia desprendida; reator atômico, pilha atômica. [Tb. se diz apenas *reator*.] **Reator rápido.** *Eng. Nucl.* Aquele em que as fissões nucleares são produzidas por nêutrons rápidos. **Reator regenerador.** *Eng. Nucl.* Reator nuclear em que, com base numa substância fértil, se forma uma substância físsil idêntica à que é consumida na sua operação. **Reator subcrítico.** *Eng. Nucl.* Aquele em que a reatividade é negativa. **Reator térmico.**

R

Eng. Nucl. Reator nuclear em que a fissão é produzida por nêutrons térmicos.

reavaliação [De *reavaliar* + *-ção*.] *S. f.* Ato ou efeito de reavaliar.

reavaliar [De *re-* + *avaliar*.] *V. t. d.* Avaliar de novo.

reaver [De *re-* + *haver*.] *V. t. d.* Haver de novo; recobrar, recuperar: *É difícil reaver o tempo perdido.* [Irreg. e defect. Conjuga-se como *haver*, porém somente nas f. em que se mantém o *v*.]

reaviar [De *re-* + *aviar*.] *V. t. d.* **1.** Fazer reentrar na via, no caminho: *O pastor reaviou a ovelha.* *T. d. e i.* **2.** Orientar, encaminhar, dirigir: *O padre reavia as almas a Deus;* "esforçou-se [Domingos José Gonçalves de Magalhães] por melhorar a sua linguagem [nos *Suspiros Poéticos e Saudades*], reaviando-a às boas normas gramaticais em vários pontos em que delas se afastara" (Sousa da Silveira, *em* Domingos José Gonçalves de Magalhães, *Suspiros Poéticos e Saudades*, p. V). *T. d. e c.* **3.** Guiar de novo; reconduzir: *O boiadeiro reavia o gado para a estrada.* *P.* **4.** Orientar-se ou guiar-se de novo: "— Sim, demorei-me a divagar sem rumo, / Perdi-me nestas matas intrincadas, / Reaviei-me e tornei" (Gonçalves Dias, *Obras Poéticas*, II, p. 27).

reavisar [De *re-* + *avisar*.] *V. t. d.* *T. d. e i.* Avisar de novo; tornar a advertir.

reaviso [De *re-* + *aviso*.] *S. m.* Ato ou efeito de reavisar.

reavivamento [De *reavivar* + *-mento*.] *S. m.* Ação ou efeito de reavivar.

reavivar [De *re-* + *avivar*.] *V. t. d.* **1.** Avivar muito. **2.** Fazer reviver; tornar vivo no espírito: *Os primeiros filmes de Chaplin reavivam os primórdios do cinema.* **3.** Estimular a lembrança de (um fato, um sentimento, etc.); relembrar: *Os dois primos reavivaram fatos do passado.* **4.** Dar novo ânimo a; estimular, impulsionar: "Queda do real reaviva os negócios." (*Gazeta Mercantil*, 09.02.1999.) **5.** *Cir.* Remover cirurgicamente, em ferida, tecido impróprio para sutura.

reavultar [De *re-* + *avultar*.] *V. int.* Avultar consideravelmente.

rebabe *S. m. Mús.* V. *rababe.*

rebaçã [Var. de *arribação*.] *S. f. Bras. Zool.* V. *avoante.*

rebaixa [Dev. de *rebaixar*.] *S. f.* Ato ou efeito de baixar ou rebaixar o preço.

rebaixado [Part. de *rebaixar*.] *Adj.* **1.** Que se rebaixou. **2.** *Fig.* Desacreditado, infamado, aviltado. **3.** *Fig.* Vil, desprezível, abjeto.

rebaixador (ô) [De *rebaixar* + *-dor*.] *S. m.* **1.** Aquele que rebaixa. **2.** Instrumento de carpinteiro, próprio para rebaixar os ângulos de uma peça de madeira.

rebaixamento [De *rebaixar* + *-mento*.] *S. m.* **1.** Ato ou efeito de rebaixar(-se); rebaixe, rebaixo. **2.** *Bras.* Passagem de time, escola de samba, etc., de uma categoria ou posição a categoria ou posição abaixo em sistema de classificação, em liga, confederação, etc. **3.** *Arquit.* Forro colocado a certa distância do teto para diminuição do pé-direito, permitindo a colocação de equipamentos ou de instalações entre forro e teto; rebaixo. **4.** *Constr.* Abaixamento da cota do nível natural de materiais ou de substâncias encontradas no subsolo, principalmente de lençol de água, com o intuito de facilitar a construção de fundações [v. *fundação* (2)].

rebaixar [De *re-* + *baixar*.] *V. t. d.* **1.** Tornar mais baixo: *rebaixar um terreno.* **2.** Fazer diminuir o preço ou o valor de; aviltar: *A superprodução rebaixou o café.* **3.** Fazer voltar à condição ou posição anterior: *Questões legais o fizeram desistir de rebaixar o funcionário.* **4.** Desacreditar, humilhar: *Orgulhosa, rebaixa todos os pretendentes.* **5.** Levar a efeito o rebaixamento (2) de (escola de samba, time, etc.) *T. d. e i.* **6.** Fazer voltar à condição ou à posição de. *Int.* **7.** Diminuir na altura; abater; rebaixar-se: *O terremoto fez um terreno rebaixar.* *P.* **8.** Rebaixar (7): *Rebaixaram-se os montes por causa da erosão contínua.* **9.** Praticar atos indignos; aviltar-se, humilhar-se: *A busca do dinheiro leva muitos homens a rebaixarem-se.*

rebaixe [Dev. de *rebaixar*.] *S. m.* **1.** V. *rebaixamento* (1). **2.** Abertura longitudinal em madeira, ou noutro material, para encaixe duma peça; rebaixo.

rebaixo [Dev. de *rebaixar*.] *S. m.* **1.** V. *rebaixamento.* **2.** Parte baixa de terreno; depressão. **3.** A parte rebaixada de uma superfície. **4.** Teto inclinado. **5.** Compartimento esconso em vão de escada ou de rebaixo (4). **6.** Rebaixe (2). **7.** *Arquit.* Rebaixamento (2). **8.** *Constr.* Diminuição em altura de peça ou elemento de construção. ~ V. *rebaixos.*

rebaixos [Pl. de *rebaixo*.] *El. s. m. pl.* Us. na loc. *rebaixos do olho.* ◆ **Rebaixos do olho.** *Tip.* V. *contrapunção* (2). ~ V. *rebaixo.*

rebalde *S. m.* V. *arrabalde.*

rebalsado [Part. de *rebalsar*.] *Adj.* **1.** Que se rebalsou, se tornou pantanoso, se estagnou; estagnado: "A água rebalsada dá lugar a grandes fundões adormecidos." (Aquilino Ribeiro, *O Homem da Nave*, p. 178.) **2.** *Fig.* Afundado no lodo, na podridão.

rebalsar [De *re-* + *balsa* + *-ar*[2].] *V. int.* *P.* **1.** Pisar como na balsa (1); patinhar, chafurdar. **2.** Tornar-se pantanoso; estagnar-se. **3.** Ter a qualidade de paul, de pântano.

rebanhada [De *rebanho*[1] + *-ada*[1].] *S. f.* **1.** Grande rebanho. **2.** *Fig.* Grande ajuntamento de pessoas.

rebanhar [De *rebanho*[1] + *-ar*[2].] *V. t. d.* *P.* V. *arrebanhar.*

rebanhio *Adj.* Que anda em rebanho[1].

rebanho[1] [De or. incerta.] *S. m.* **1.** Porção de gado lanígero. **2.** *P. ext.* O total de qualquer espécie que constitui gado para corte: *O Brasil tem um grande rebanho bovino.* **3.** Porção de animais como carneiros, cabras, etc., guardados por pastor. **4.** Grande número de certos quadrúpedes que vivem em hordas, de ordinário em estado selvagem: *um rebanho de elefantes.* [Substitui, nesta acepç., o coletivo apropriado para cada espécie animal.] **5.** *Fig.* Conjunto de fiéis, em relação a seu pastor, Papa, bispo ou pároco. [Cf. *redil* (2).] **6.** *Fig.* Grupo de pessoas que se deixam levar sem manifestar opinião e vontade próprias.

rebanho[2] *S. m. Zool.* V. *peneireiro.*

rebar [De *rebo* + *-ar*[2].] *V. t. d.* Encher (o vão de uma parede) com rebos. [Pres. ind.: *rebo*, etc.: pres. subj.: *rebe, rebes, rebe, rebemos, rebeis, rebem.* Cf. *rebo* (ê) e *rebém*.]

rebarba [De *re-* + *barba*.] *S. f.* **1.** Saliência angulosa; quina, aresta. **2.** Engaste de pedras preciosas em anéis, brincos, etc. **3.** Saliência de obras de fundição. **4.** *Grav.* Aspereza deixada nas bordas do sulco pela ponta-seca ou por certo gênero de burilada. **5.** *Tip.* Espaço que sobra em torno do olho do tipo. [Cf. *ombro* (2) e *aproximação* (6).] **6.** *Tip.* Intervalo entre duas linhas de composição compacta, determinado pela rebarba do ombro do tipo. **7.** Excrescência, quase sempre irregular, que apresenta uma obra de fundição, por haver o metal entrado nas juntas da fôrma. **8.** Excrescência que se forma na seção cortada ou trabalhada de uma peça metálica.

rebarbação [De *rebarbar* + *-ção*.] *S. f.* **1.** Ato ou efeito de rebarbar. **2.** *Metal.* Ação de retirar as rebarbas da peça fundida.

rebarbar [De *rebarba* + *-ar*[2].] *V. t. d.* **1.** Tirar as rebarbas a. *Int.* **2.** Refugar (4). **3.** *Bras. Mar. G.* Reclamar contra algo que lhe pareça injusto, inoportuno, inadequado ou prejudicial aos seus próprios direitos ou interesses.

rebarbativo [Do fr. *rébarbatif*.] *Adj.* **1.** Repelente por ser desagradável; rude, agreste; carrancudo: *semblante rebarbativo.* **2.** Irritante, antipático, desagradável. **3.** Difícil, enfadonho; árido: *leitura rebarbativa.* **4.** *Bras. Mar. G.* Diz-se de quem está sempre a rebarbar (3).

rebate [Dev. de *rebater*.] *S. m.* **1.** Ato ou efeito de rebater; rebatimento. **2.** Ataque imprevisto. **3.** Ataque ou combate ligeiro; escaramuça. **4.** Chamamento ou sinal para avisar um acontecimento repentino e perigoso. **5.** Anúncio, prenúncio; ameaça. **6.** Palpite, pressentimento, desconfiança. **7.** Vantagem que as empresas de navegação concedem aos embarcadores para obterem preferência nos embarques. **8.** *Desus.* Desconto que se faz em letra (7), título de crédito, promissória, etc., quando trocado(s) por dinheiro. ◆ **Rebate falso.** Sinal ou notícia falsa de um acontecimento esperado. **Dar rebate. 1.** V. *tocar a rebate.* **2.** Avisar, advertir, dar sinal de: "e, só para não dar rebate da sua presença, resistiu, cobertos com a pontaria, a dar-lhes fogo." (Aquilino Ribeiro, *Andam Faunos pelos Bosques*, p. 41). **Tocar a rebate.** Tocar (o sino) apressadamente para avisar de perigo; dar rebate.

rebatedor (ô) [De *rebater* + *-dor*.] *Adj.* **1.** Que rebate. • *S. m.* **2.** Aquele que rebate. **3.** *Desus.* Aquele que desconta títulos de crédito, adianta quantias a receber, etc., com rebate (8): "Prometo .... escrever a favor do comércio, da indústria, ... dos cambistas, dos rebatedores, dos leiloeiros, dos despachantes" (Machado de Assis, *Crônicas*, I, pp. 235-236). **4.** *Fot.* Elemento utilizado para redirecionar a luz do dia ou a luz artificial.

rebater [De *re-* + *bater*.] *V. t. d.* **1.** Bater novamente. **2.** Afastar com violência; repelir, rechaçar: *O exército rebateu os invasores.* **3.** Aparar (um golpe): *O lutador rebateu o soco.* **4.** Contestar, refutar, repelir: *Rebateu com energia as acusações.* **5.** Descontar (notas, recibos, etc.). **6.** Refrear, reprimir, conter: *É preciso rebater os impulsos violentos.* **7.** Combater, debelar (uma doença): *O remédio rebaterá a gripe.* **8.** Censurar, criticar, verberar, profligar: *O bom governante rebate os aduladores.* **9.** Desmentir, refutar: *rebater injúrias.* **10.** Adiantar com ágio. **11.** Dobrar, batendo; arrebitar: *rebater um prego.* **12.** Redactilografar ou redigitar: *Rebateu cuidadosamente o original do trabalho.* *T. d. e c.* **13.** Deitar sobre uma superfície horizontal (uma peça que se encontra de pé): *rebater um mastro sobre o chão.* *Int.* **14.** Agiotar, especular.

rebatida [De *rebater* + *-ida*[2].] *S. f.* **1.** V. *rebatimento.* **2.** Desmentido, refutação.

rebatido [Part. de *rebater*.] *Adj.* **1.** Muito batido; calcado. **2.** Que se voltou ou dobrou. **3.** Repelido, rechaçado. **4.** *Desus.* Descontado com ágio. **5.** Dactilografado ou digitado de novo.

rebatimento [De *rebater* + *-imento*.] *S. m.* Ato ou efeito de rebater; rebate, rebatida.

rebatinha [Do esp. *rebatiña*.] *S. f. Ant.* Coisa muito disputada. ◆ **Às rebatinhas.** À porfia; em disputa; a quem der mais.

rebatismo [De *re-* + *batismo*.] *S. m.* Ato ou efeito de rebatizar; novo batismo.

rebatível [De *rebater* + *-ível*.] *Adj. 2 g.* Que pode ser rebatido.

rebatizar [De *re-* + *batizar*.] *V. t. d. Transobj.* **1.** Batizar de novo. **2.** Dar novo nome a: "os líderes aliados rebatizaram a CPMF, que passou a chamar-se Contribuição Social para a Saúde." (Ilimar Franco, em *O Globo*, 28.05.2005).

rebato [Do ár. *ribāṭ*, 'atadura'; 'fortificação, fortaleza (para defender a fronteira)'; 'tronco para cavalos'.] *S. m.* **1.** Degrau de escada. **2.** Soleira de porta: "Não pode dizer que a viu, não pode localizá-la no rebato da porta" (João Gaspar Simões, *O Mistério da Poesia*, p. 97). **3.** *Ant.* Fortificação. **4.** *Ant.* Prisão.

rebeca *S. f.* **1.** *P. us.* Rabeca (1). **2.** *Bras. SP* Matula, farnel. [Cf. *rabeca*.]

rebeijar [De *re-* + *beijar*.] *V. t. d.* Beijar de novo, ou repetidamente: "A quinta [Ondina] rebeija-lhe as mãos, enlevada / Num sonho feliz" (Gonçalves Crespo, *Obras Completas*, p. 320).

rebelado [Do cabo-verd.] *S. m. Cabo-verd.* Membro de uma comunidade religiosa, de tipo messiânico, muito apegada aos ritos tradicionais, que apareceu nalgumas zonas isoladas da ilha de Santiago na década de 1940: "Rebelados, eles queriam uma vida diferente, sem roubos" (Manuel Ferreira, *Voz de Prisão*, p. 131).

rebelão [Do lat. *rebellis*, 'revel', + *-ão*[1].] *Adj.* **1.** Diz-se do cavalo que não obedece ao freio. **2.** *Fig.* Que não escuta a voz da razão; teimoso. [Fem.: *rebelona*.]

rebelar [Do lat. *rebellare*.] *V. t. d.* **1.** Tornar rebelde; insurgir; revoltar: *As injustiças acabaram rebelando o povo.* *T. i.* **2.** Revoltar-se, insurgir-se: *Os vassalos rebelaram contra o rei.* *T. d. e i.* **3.** Fazer rebelar-se; insurgir-se: *Os altos tributos rebelaram as colônias contra Roma.* *P.* **4.** Insurgir-se, revoltar-se: *Narra a Bíblia que os anjos maus se rebelaram contra Deus, chefiados por Lúcifer;* "o gênio verdadeiro e original se rebelava abertamente contra a omnipotência da poética de Aristóteles" (Latino Coelho, *Cervantes*, p. 107). [Pres. ind.: *rebelo*, etc. Cf. *Rebelo* (ê), antr.]

rebelde [Do esp. *rebelde*.] *Adj. 2 g.* **1.** Que se rebela contra a autoridade constituída; insurgente, revoltoso. **2.** Teimoso, obstinado; indisciplinado: *criança rebelde.* **3.** Indomável, indomesticável, bravo, bravio: *potro rebelde.* **4.** Difícil, árduo, rebarbativo. **5.** Diz-se da doença que cede a custo, ou não cede, ao tratamento. ~ V. *anjo* —. • *S. 2 g.* **6.** Pessoa rebelde (1); insurgente, revoltoso. **7.** *P. ext.* Pessoa rebelde.

rebeldia [De *rebelde* + *-ia*[1].] *S. f.* **1.** Ato de rebelde; rebelião, revolta. **2.** Qualidade de rebelde. **3.** *Fig.* Oposição, resistência. **4.** Teimosia, obstinação, birra.

rebelião [Do lat. *rebellione*.] *S. f.* **1.** Ato ou efeito de rebelar(-se). V. *revolta* (2). **2.** V. *rebeldia* (1).

rebelionar [De *rebelião* + *-ar*[2], seg. o padrão erudito.] *V. t. d.* Pôr em rebelião; revoltar, sublevar.

rebém [Do fr. *raban*, 'corda usada por marinheiros'.] *S. m.* Azorrague que se usava para castigar os condenados. [Cf. *rebem*, do v. *rebar*.]

rebencaço [De *rebenque* + *-aço*.] *S. m. Bras. RS* Rebencada.

rebencada [De *rebenque* + *-ada*[1].] *S. f.* Pancada com rebenque. [Sin., no RS: *rebencaço*.]

rebendito [De *re-* + *bendito*.] *Adj.* Mais que bendito; muito abençoado; felicíssimo: "Bendita e rebendita / A idade austera e nobre a que chegamos." (Alberto de Oliveira, *Poesias*, 4ª série, p. 107.)

rebenque [Do esp. plat. *rebenque*.] *S. m. Bras.* Pequeno chicote.

rebenqueado [Part. de *rebenquear*.] *Adj. Bras.* **1.** Açoitado com rebenque; sovado. **2.** Cansado, estafado, esfalfado.

rebenqueador (ô) [De *rebenquear* + *-dor*.] *S. m.* **1.** *Bras.* Aquele que rebenqueia. **2.** *Bras.* Aquele que castiga frequentemente. **3.** *Bras. RS Fig.* Encanto natural, fascínio, que faz sofrer de amor: *O rebenqueador da guria são aqueles olhos verdes.*

rebenquear [De *rebenque* + *-ear*[2].] *V. t. d.* **1.** *Bras.* Fustigar com o rebenque. **2.** *Bras. RS Fig.* Maltratar (alguém), principalmente em amores. [Conjug.: v. *frear*.]

rebentação [De *rebentar* + *-ção*.] *S. f.* **1.** Ato ou efeito de rebentar. **2.** Arrebentação (1 a 3).

rebentado [Part. de *rebentar*.] *Adj.* V. *arrebentado*.

rebentão [De *rebento* + *-ão*[1].] *S. m.* **1.** Broto que surge da raiz ou da base do tronco e forma nova planta. [Cf. *ladrão* (6).] **2.** *Fig.* Descendente (3). **3.** *Bras.* Arbusto de terrenos incultos. **4.** *Bras. N.E.* Seca prolongada. [F. paral.: *arrebentão*.]

rebentãozal [De *rebentão* (3) + *-zal*, irregularmente.] *S. m. Bras. S.* Quantidade mais ou menos considerável de rebentões [v. *rebentão* (3)] dispostos proximamente entre si.

rebentar [Do lat. *repente*, 'repentinamente', poss.] *V. int.* **1.** Estourar, explodir: *As bombas rebentaram, destruindo a ferrovia.* **2.** Quebrar-se com violência: "Rebenta a onda na areia de ouro claro" (Raul Bopp, *Putirum*, p. 155). **3.** Partir-se, quebrar-se: *A corda rebentou.* **4.** Aparecer ou manifestar-se violentamente; estourar: *A guerra civil espanhola rebentou em 1936.* **5.** Desencadear-se, soltar-se: *A tempestade rebentou.* **6.** Fazer-se em pedaços: *A louça atirada rebentou.* **7.** Soar com força. **8.** Irromper, manar: *A fonte rebentou no solo.* **9.** Lançar rebentos, renovos. **10.** Nascer, surgir, desabrochar. *T. i.* **11.** Estar ou ficar dominado (de algum sentimento): *Ao receber o presente longamente esperado, o menino rebentou de alegria.* **12.** Transformar-se, converter-se: "a natureza cedia passiva às preces dos santos eremitas, ao clamor piedoso das vítimas inocentes, rebentando em milagres." (Coelho Neto, *Treva*, p. 103). **13.** Rebentar (17). *T. d.* **14.** Quebrar, partir com violência. **15.** Quebrar com estrondo; fazer estalar. **16.** Fazer estourar; explodir: *O pivete rebentou o pneu do carro com um canivete.* **17.** Desgastar fisicamente; levar ao cansaço, à exaustão: *Lavrar a terra de sol a sol rebenta qualquer um.* **18.** Fazer morrer de fadiga (o cavalo). [Sin. ger.: *arrebentar*.]

rebentina [De *rebentar* (q. v.).] *S. f.* Acesso de fúria; raiva, ira: "Parece calmo; súbito explodem naquele corpo estreito rebentinas bravas" (Antero de Figueiredo, *Leonor Teles*, p. 203). [Var., p. us.: *rebentinha*.]

rebentinha *S. f. P. us.* V. *rebentina*.

rebento [Dev. de *rebentar*.] *S. m.* **1.** *Bot.* Broto (2) que dá origem a outra planta; refilho, renovo. **2.** V. *broto* (2). **3.** V. *gema* (3). **4.** *Fig.* Filho; descendente: *os rebentos de uma família ilustre.* **5.** *Fig.* Fruto, produto. [Var.: *arrebento*.]

rebentona [De *rebentar* + *-ona*[1], poss.] *S. f. Bras. S.* **1.** Negócio grave e duvidoso que está prestes a decidir-se. **2.** Revolta de caráter político; motim, sedição.

rebenzer [De *re-* + *benzer*.] *V. t. d. P.* Tornar a benzer(-se).

rebimbar [De *re-* + *bimbar*.] *V. int. Bras. N. MG* No jogo de pôquer, repicar.

rebimbo [Dev. de *rebimbar*.] *S. m. Bras. N. MG* Ato de rebimbar.

rebiopsiar [De *re-* + *biópsia* + *-ar*[2].] *V. t. d. Patol.* Efetuar nova biópsia em.

rebique *S. m.* V. *arrebique*.

rebita [Dev. de *rebitar*.] *S. f. Angol.* Dança típica de Luanda, que data do séc. XIX, e é inspirada nas danças de salão europeias: "dançava a rebita com brancos de categoria elevada" (Domingos Van-Dúnem, *Diário de Luanda*, 15.08.1947, p. 29).

rebitagem [De *rebitar* + *-agem*[2].] *S. f.* Ato ou operação de rebitar (2). [Sin., bras.: *rebitamento*.]

rebitamento [De *rebitar* + *-mento*.] *S. m. Bras.* Rebitagem.

rebitar [De *rebite* + *-ar*[2].] *V. t. d.* **1.** V. *arrebitar*. **2.** Ligar (chapas ou peças de metal) por meio de rebites [v. *rebite* (1)].

rebite [Do ár. *ribāṭ*, 'laço', 'atadura'.] *S. m.* **1.** Cilindro de metal, com cabeça, destinado a unir permanentemente duas chapas ou peças de metal: depois de introduzido num orifício que atravessa as chapas ou peças, e cuja extremidade oposta à cabeça é bem martelada de modo que se forme outra cabeça, que o impede de sair do orifício. [O martelamento pode ser feito com a extremidade do rebite aquecida ao rubro, ou na temperatura ambiente. F. paral.: *arrebite*.] **2.** Dobra na extremidade de um prego para que não saia da madeira.

➔ **reblochon** [ʀəblɔ'ʃõ] [Fr.] *S. m. Cul.* Queijo de leite de vaca fabricado na Saboia (v. saboiano), de crosta fina e aveludada.

rebo (ê) [Do lat. vulg. *repulu, var. do lat. cláss. *replus*.] *S. m.* Pedra tosca; calhau. [Pl.: *rebos* (ê). Cf. *rebo*, do v. *rebar*.]

reboante [Do lat. *reboante*.] *Adj. 2 g.* Que reboa; retumbante.

reboar [Do lat. *reboare*.] *V. int.* Fazer eco; repercutir, retumbar: "Os trovões .... começavam a ecoar nos montes, a reboar no rio e, enfim, a estalar em volta da cidade" (Alexandre Herculano, *O Monge de Cister*, II, pp. 224-225); "Do lado da barra reboava o mugido das vagas" (Camilo Castelo Branco, *Perfil do Marquês de Pombal*, p. 190); "No recesso da brenha um som rouco reboou." (Coelho Neto, *Banzo*, p. 91). [Conjug.: v. *coroar*.]

rebobinadeira [De *rebobinar* + *-deira*.] *S. f. Ind. Pap.* Aparelho que, recebendo o papel disposto na enroladeira da máquina contínua (q. v.), bobina em definitivo a folha e a corta nas larguras desejadas; bobinadeira, bobinosa.

rebobinado [Part. de *rebobinar*.] *Adj. Fot.* Diz-se de filme fotográfico virgem que foi rebobinado [v. *rebobinar* (3)] em laboratório.

rebobinar [De *re-* + *bobinar*.] *V. t. d.* **1.** *Ind. Pap.* Bobinar nova e definitivamente, para expedição (o papel recém-fabricado na máquina contínua), desenrolando-o da enroladeira e, quando preciso, cortando-o longitudinalmente. **2.** *Cin. Fot. Son. Telev.* Enrolar novamente filme ou fita no carretel onde estava antes enrolado(a), e do qual fora desenrolado(a) para projeção, reprodução, gravação, etc. **3.** *Fot.* Bobinar filme virgem, fornecido em embalagem profissional, em cartucho (3) com número determinado de poses. [V. *rebobinado*.]

rebocado[1] [Part. de *rebocar*[1].] *Adj.* **1.** Revestido de reboco. **2.** Excessiva ou imperfeitamente maquilado.

rebocado[2] [Part. de *rebocar*[2].] *Adj.* Levado a reboque[2].

rebocador[1] (ô) [De *rebocar*[1] + *-dor*.] *Adj. S. m.* Que, ou aquele que reboca, que reveste de reboco.

rebocador[2] (ô) [De *rebocar*[2] + *-dor*.] *Adj.* **1.** Diz-se de embarcação que leva outra a reboque. • *S. m.* **2.** Embarcação, em geral de pequeno tamanho, grande robustez, elevada potência de máquina e boa mobilidade, destinada a rebocar outras embarcações. **3.** *Bras. N.E.* Agente dos seringais amazônicos que viajava pelos sertões e pelas cidades nordestinas, aliciando para a Amazônia as populações flageladas pela seca.

rebocadura [De *rebocar*[1] + *-dura*.] *S. f.* Ato de rebocar[1]; reboque, reboco.

rebocar[1] [Do lat. *revocare*, 'chamar de novo, novamente (as paredes) ao primitivo estado de beleza'.] *V. t. d.* **1.** Revestir de reboco: *O pedreiro já rebocou a parede.* **2.** Maquilar em excesso e/ou imperfeitamente. [Conjug.: v. *trancar*. Pres. ind.: *reboco*, etc. Cf. *reboco* (ô).]

rebocar[2] [Do lat. *remulcare, pelas f. *remolcar, remurcar e *rerborcar.] *V. t. d.* **1.** Puxar com corda, cabo, corrente, etc. (embarcação ou veículo), a fim de levá-lo a determinado destino, ou auxiliá-lo em manobra de atracação, desatracação, etc.; reboquear: *O Departamento de Trânsito rebocou o carro irregularmente estacionado.* **2.** *Bras. Gír.* Estar em companhia de; estar de braço dado com; comboiar: *rebocar uma mulher.* [Conjug.: v. *trancar*. Pres. ind.: *reboco*, etc. Cf. *reboco* (ô).]

reboco (ô) [Dev. de *rebocar*[1].] *S. m.* **1.** V. *rebocadura*. **2.** *Constr.* Argamassa de cal, ou de cimento, e areia, que se aplica a uma parede, depois de esta emboçada, para lhe proporcionar uma superfície lisa e uniforme, apta a receber pintura ou outro material de revestimento; reboco fino, reboque. **3.** Substância com que se reveste a superfície interior dum vaso, para vedá-lo, etc. [Pl.: *rebocos* (ô). Cf. *reboco*, do v. *rebocar*.] ◆ **Reboco duro.** *Constr.* Reboco denso, não poroso, com superfície dura, us. principalmente em teto, para isolamento acústico. **Reboco fino.** *Constr.* V. *reboco* (2). **Reboco grosso.** *Constr.* Emboço (1). **Reboco paulista.** *Arquit.* Reboco (2) cuja argamassa é feita com areia fina.

reboço (ô) [De *re-* + *(em)boço*.] *S. m. Bras.* Novo emboço. [Pl.: *reboços* (ô).]

rebojar[1] [De *re-* + *bojar*.] *V. int. Bras.* Formar bojo; remoinhar, redemoinhar. [Pres. ind.: *rebojo*, etc. Cf. *rebojo* (ô).]

rebojar[2] *V. t. d. Bras.* Juntar (o gado); aboiar. [Pres. ind.: *rebojo*, etc. Cf. *rebojo* (ô).]

rebojo (ô) [Dev. de *rebojar*[1].] *S. m. Bras.* **1.** Repercussão ou redemoinho do vento, provocado por mudança repentina de direção. **2.** Redemoinho ou contracorrente causada pela sinuosidade do rio ou pelos acidentes do seu leito ou das suas margens. **3.** Espumarada que a água faz no mar e nos rios. **4.** *Bras. S.* O vento S.O. [Pl.: *rebojos* (ô). Cf. *rebojo*, do v. *rebojar*.]

rebolada *S. f.* **1.** *Bras.* Área ocupada por uma só espécie de plantas nativas. **2.** *Bras.* Grupo de árvores ou de vegetação arbustiva que sobressai num campo; reboleira. [Cf. *capão*[2].] **3.** *Bras. N.* V. *reboleira* (4). **4.** *Bras. PB* Pequena cultura agrícola.

rebolado [Part. de *rebolar*.] *Adj.* **1.** Em que se rebola ou saracoteia: *dança rebolada.* ~ V *teatro* —. • *S. m.* **2.** Meneio de quadris; rabanada, saracoteio. **3.** V. *teatro rebolado*: "nesse mar de aplausos partiu a sambar Teresa Batista, estrela do rebolado" (Jorge Amado, *Teresa Batista Cansada de Guerra*, p. 61). ◆ **Perder o rebolado.** *Bras. Pop.* V. *perder a graça*: *Quando eu desmentir tudo, o caloteiro vai perder o rebolado.*

rebolante [De *rebolar* + *-nte*.] *Adj. 2 g.* Que (se) rebola.

rebolão[1] [De or. incerta, poss. conexo com *rábula*.] *Adj. S. m.* V. *fanfarrão* (1 e 2).

rebolão[2] [De *rebolar* + *-ão*[1].] *S. m.* Indivíduo que se rebola ao andar.

rebolar [De *re-* + *bola* + *-ar*[2].] *V. t. d.* **1.** Fazer mover como uma bola; rolar: *rebolar um barril.* **2.** V. *saracotear* (1): *Ao andar, rebola o corpo*; "Retorna à cozinha rebolando as ancas" (Antônio Olavo Pereira, *Marcoré*, p. 13). *Int.* **3.** Mover-se em torno de um centro; rolar sobre si mesmo, rebolar-se. **4.** Bambolear, saracotear, gingar; rebolir, rebolar-se. **5.** Esforçar-se muito: "seria difícil para qualquer artista se apresentar em seguida a um número de dança tão acrobático e exuberante — os próprios Nicholas Brothers precisariam rebolar para superá-lo." (Rui Castro, *Cármen*, p. 512.) *P.* **6.** Rebolar (3 e 4). [Pres. ind.: *rebolo*, etc. Cf. *rebolo* (ô).]

rebolaria [De *rabularia*, poss.] *S. f.* V. *fanfarrice* (2).

rebolativo [De *rebolar* + *-tivo*.] *Adj.* Próprio de quem se rebola: *andar rebolativo.*

rebolcar [Var. de *revolcar*.] *V. t. d. e i. T. d. e c.* **1.** Fazer mover como uma bola; fazer rebolar; lançar, fazendo rolar. **2.** Revolver, virando. **3.** Lançar, atirar, precipitar, arrojar. *P.* **4.** Atolar, chafurdar. **5.** Espojar-se, rebolar-se. [Conjug.: v. *trancar*.]

reboldrosa *S. f. Bras.* V. *rebordosa*.

rebolear [De *re-* + *bolear*.] *V. t. d. Bras. RS* **1.** Dar movimento de rotação a (o laço ou as bolas) para arremessá-los contra o animal que se quer prender. *P.* **2.** Rebolar (3 e 4). [Conjug.: v. *frear*.]

reboleira [De *rebolo* + *-eira*.] *S. f.* **1.** A parte mais basta de uma seara, prado ou arvoredo; reboleiro. **2.** Lodo que se acumula na caixa onde gira a pedra de amolar. **3.** *Bras.* Rebolada (2). **4.** *Bras.* Capão, touça, moita; rebolada.

reboleiro[1] [De *rebolo* + *-eiro*.] *S. m.* Reboleira[1] (1).

reboleiro[2] [De *bola*.] *S. m.* Chocalho grande que, em geral, se prende ao pescoço dos animais.

reboleiro[3] [De *rebolar* + *-eiro*.] *Adj.* **1.** *Bras.* Diz-se do gado que vive em redor das casas: "O gado reboleiro .... parou no meio do campo, de cabeça em pé" (Amadeu de Queirós, *João*, p. 112). **2.** *Bras. CE* Diz-se do boi que não se deixa prender facilmente.

reboliço *Adj.* **1.** Que tem forma de rebolo. **2.** Que rebola. [Cf. *rebuliço*.]

rebolir [Var. de *rebolar*.] *Bras. V. int. P.* **1.** Rebolar (4). **2.** Andar depressa; girar, agitar-se. *T. d.* **3.** Bambolear, saracotear, rebolar: "ensaboava, jogando violentamente o busto, rebolindo os quadris nutridos." (Coelho Neto, *Turbilhão*, p. 62). [Cf. *rebulir*.]

rebolo (ô) [Dev. de *rebolar*.] *S. m.* **1.** Mó de arenito, fixada num eixo giratório, e na qual se roçam os objetos que se deseja afiar. **2.** *Bras.* Lugar aonde se levam os galos cuja luta promete demorar e se tornou desinteressante. **3.** *Bras. N.E.* Pedra ou pedaço de tijolo ou de telha usados como projetil. **4.** *Bras. N.E.* Parte da cana-de-açúcar com dois ou mais gomos, usada no plantio. **5.** *Prov. port.* Qualquer seixo. **6.** *Pop.* Cilindro. [Pl.: *rebolos* (ô). Cf. *rebolo*, do v. *rebolar*.]

rebolqueada [De *rebolquear(-se)* + *-ada*[1].] *S. f. Bras. RS* Ato de rebolquear-se.

rebolquear-se *V. p. Bras. RS* Rebolcar-se (o animal) para se livrar do laço. [Conjug.: v. *frear*. Normalmente é defect.]

reboludo [De *rebolo* + *-udo*.] *Adj.* Grosso e arredondado: "Uma grossa e espessa sanefa de cabelo amarelo .... cobre-lhe a testa reboluda e cai-lhe nos olhos" (Ramalho Ortigão, *A Holanda*, p. 42).

rebombar [De *re-* + *bombo* + *-ar*[2].] *V. int.* V. *ribombar*.

rebombeação *S. f. Bras. S. Gír.* **1.** Fraqueza, debilidade, fragilidade. **2.** Mau estado.

reboo [Dev. de *reboar*.] *S. m.* Ato de reboar: "A rua, uma lindeza de lisura. Por ela, engrossando em empolado reboo, arqueava-se o pregão dos vendedores" (Gilberto Amado, *Depois da Política*, p. 164).

reboque[1] [Dev. de *rebocar*[1].] *S. m. Desus.* **1.** V. *rebocadura*. **2.** *Constr.* V. *reboco* (2).

reboque[2] [Dev. de *rebocar*[2].] *S. m.* **1.** Ato ou efeito de rebocar[2]. **2.** Corda, cabo, corrente, etc., que prende uma embarcação ou um veículo a outro que o reboca. **3.** Veículo sem tração própria, que se movimenta quando rebocado por outro. **4.** *Bras.* Veículo munido de guindaste, próprio para rebocar outro que se tenha avariado; socorro, guincho, carro-guincho. [Este mesmo veículo reboca também os carros que

R

hajam incorrido em multa que a isto os sujeite.] 5. *Fig.* Ato de levar atrás de si alguém, subordinado. 6. *Bras. PE Pop. Deprec.* Meretriz. ◆ **A reboque.** *Bras.* Como caudatário; sem independência; servilmente. **A reboque de.** 1. Atrelado a. 2. *Fig.* Em seguida a: *A reboque das leis de exceção, veio logo a censura à imprensa.*

reboquear [De *reboque*[2] + *-ear*[2].] *V. t. d.* Rebocar[2] (1). [Conjug.: v. *frear.*]

reboquismo [De *reboque*[2] + *-ismo.*] *S. m. Bras.* Falta de opinião própria, de independência; servilismo.

reboquista [De *reboque*[2] + *-ista.*] *Adj. 2 g. S. 2 g. Bras.* Que, ou quem não tem opinião própria; que, ou quem vai a reboque.

rebordagem *S. f.* 1. Prejuízo causado aos navios que abalroam. 2. Indenização de tal prejuízo.

rebordão *Adj.* Diz-se de vegetal bravio, silvestre, utilizado para sebe viva.

rebordar [De *re-* + *bordar.*] *V. t. d.* 1. Bordar de novo, ou demoradamente. 2. Alisar as arestas ou os cantos de (vidros polidos). *Int.* 3. Fazer bordado muito cheio, com fios sobrepostos. [Pres. ind.: *rebordo, rebordas, reborda* etc. Cf. *rebordo* (ô).]

rebordo (ô) *S. m.* Borda revirada: "Sentado no rebordo do tanque redondo e sem água que ornava o pátio, ... o Titó movia lentamente com um leque um velho chapéu de palha" (Eça de Queirós, *A Ilustre Casa de Ramires*, p. 35). [Pl.: *rebordos* (ó). Cf. *rebordo*, do v. *rebordar.*]

rebordosa [De *rebordo* (ô) + o f. de *-oso*, poss.] *S. f. Bras.* 1. V. *repreensão* (1). 2. Doença grave. 3. Situação desagradável; contingência(s) dura(s). 4. Reincidência de moléstia. [Var.: *reboldrosa.*]

reborquiada *S. f. Bras. S.* Pealo (1).

rebotalho [De *rebotar*[1] (1) + *-alho.*] *S. m.* 1. Coisa sem valor; ninharia, insignificância. 2. Restos inúteis; refugo. 3. Pedacinho, migalha, cigalho. 4. Pessoa reles, vil.

rebotar[1] [De *reboto* (ô) + *-ar*[2].] *V. t. d.* 1. Tornar boto; embotar: *rebotara navalha. P.* 2. Enfastiar-se de fazer algo; desalentar-se. [Pres. ind.: *reboto, rebotas, rebota*, etc. Cf. *reboto* (ô) e as flex. *rebota* (ô), *rebotas* (ô).]

rebotar[2] [De *re-* + *botar*[1].] *V. t. d. P. us.* Repelir, rechaçar. [Pres. ind.: *reboto, rebotas, rebota*, etc. Cf. *reboto* (ô) e as flex. *rebota* (ô), *rebotas* (ô).]

rebote[1] *S. m.* V. *rabote.*

rebote[2] [Do esp. *rebote.*] *S. m. Bras.* 1. Segundo salto da pela ou pelota. 2. *Basq.* Bola que, lançada à cesta, não se converte em ponto e é disputada debaixo desta. 3. *Fut.* Volta de uma bola que vem rebatida: "Aos 45 minutos, após um rebote da zaga, a bola surgiu para Leandro, que acertou um balaço que bateu no travessão, desceu nas costas de Paulo Vítor e entrou nas redes, levando ao delírio a galera do Flamengo." (*Jornal dos Sports*, 12.12.1985.)

reboto (ô) [De *re-* + *boto*[3] (ô).] *Adj.* 1. Sem fio ou gume; que se embotou; cego. 2. Rude, áspero, agreste. [Flex.: *rebota* (ô), *rebotas* (ô), *rebotos* (ô). Cf. *reboto, rebotas, rebota*, do v. *rebotar.*]

rebouçense *Adj. 2 g.* 1. De, ou pertencente ou relativo a Rebouças (PR). ● *S. 2 g.* 2. O natural ou habitante de Rebouças.

rebraço [De *re-* + *braço.*] *S. m. Ant.* A parte da armadura (1) que resguardava o braço desde o cotovelo ao ombro.

rebramar [De *re-* + *bramar.*] *V. int.* 1. Estrondear, ressoar, ribombar, retumbar: *rebramam os trovões na tempestade.* 2. Bramar intensamente; rebramir: "Rebramam os ventos..." (Castro Alves, *Obra Completa*, p. 113.) 3. Irar-se, encolerizar-se, enfurecer-se.

rebramir [De *re-* + *bramir.*] *V. int.* 1. Bramir com intensidade; rebramar. *T. d.* 2. Emitir, despedir, soltar, rebramindo: "Emboca a tuba lúgubre, estridente, / Em que aprendeste a rebramir teus brados!" (Castro Alves, *Poesias Escolhidas*, p. 312.)

rebrilhante [De *rebrilhar* + *-nte.*] *Adj. 2 g.* Que rebrilha; esplendoroso, resplandecente, rebrilhoso.

rebrilhar [De *re-* + *brilhar.*] *V. int.* 1. Voltar a brilhar: *A chama quase extinta rebrilhou.* 2. Brilhar com maior intensidade. 3. Brilhar muito; resplandecer: "de repente uma visão rebrilhou, flamejou" (Eça de Queirós, *O Mandarim*, p. 40).

rebrilho [De *re-* + *brilho.*] *S. m.* Brilho intenso: "E até a bela D. Ana se animou, com um sorriso lânguido dos beiços cheios, mais vermelhos que cerejas maduras sobre o fresco rebrilho dos dentes pequeninos" (Eça de Queirós, *A Ilustre Casa de Ramires*, p. 115).

rebrilhoso (ô) [De *rebrilh-*, como em *rebrilhar*, + *-oso.*] *Adj.* V. *rebrilhante*: "o cabelo esticado rebrilhoso e duro" (Autran Dourado, *As Imaginações Pecaminosas*, p. 47).

rebrotar [De *re-* + *brotar.*] *V. int.* Brotar novamente.

rebu [F. red. de *rebuliço.*] *S. m. Bras. Gír.* Confusão, agitação; rebuliço.

rebuçado [Part. de *rebuçar.*] *S. m.* 1. Bala[1] (3) à qual se acrescentam essências de frutas ou de plantas, e que geralmente é embrulhada em papel. 2. *Fig.* Aquilo que se faz ou diz com esmero. ● *Adj.* 3. Encoberto com rebuço; embuçado. 4. Escondido, oculto.

rebuçar [De *re-* + *(em)buçar.*] *V. t. d.* 1. Encobrir com rebuço; embuçar: *O grande capote rebuçava-lhe o rosto.* 2. Esconder, ocultar, velar: *Uma leve cortina rebuça a alcova.* 3. Disfarçar, dissimular: *Procurava rebuçar a tristeza mostrando-se indiferente. P.* 4. Velar ou cobrir parte da face. 5. Disfarçar-se, dissimular-se: "Quando mais a gente as deseja, não é quando elas andam .... quase despidas por essas ruas; é quando elas se recatam, quando se embiocam, quando se rebuçam" (Júlio Dantas, *Figuras de Ontem e de Hoje*, p. 35). 6. Esconder-se, ocultar-se. [Conjug.: v. *laçar.*]

rebuço [Dev. de *rebuçar.*] *S. m.* 1. A parte da capa em que se esconde o rosto: "Agora o rebuço, que lhe escondera as feições, pregado com elegância, descaía sobre os ombros." (Rebelo da Silva, *Bosquejos Histórico-Literários*, I, p. 59.) 2. Lapela. 3. *Fig.* Falta de sinceridade; fingimento. 4. *Fig.* Disfarce, dissimulação: "No escuro da sala, por todos os lados os pares de amorosos se beijavam e acariciavam sem rebuço, fazendo-me sentir mais alheio e mais só." (José Rodrigues Miguéis, *Léah*, p. 187.)

rebuliçar [De *rebuliço* + *-ar*[2].] *V. int. Bras.* Estar em rebuliço; mexer-se, agitar-se. [Conjug.: v. *laçar.*]

rebuliço [De *re-* + *bulício.*] *S. m.* 1. Grande barulho ou bulício; bulha. 2. Agitação, motim, desordem, confusão. 3. Gente em alvoroço. [Cf. *reboliço.*]

rebulir [De *re-* + *bulir.*] *V. t. d.* 1. Bulir novamente; tornar a bulir. 2. Corrigir, emendar, retocar, polir: *rebulir um escrito. T. i.* 3. Tornar a bulir, a tocar: *A briga começou quando ele rebuliu no delicado assunto.* [Irreg. Conjug.: v. *bulir.* Cf. *rebolir.*]

rébus [Do fr. *rébus.*] *S. m. 2 n.* O ideograma no estágio em que deixa de significar diretamente o objeto que representa para indicar o fonograma correspondente ao nome desse objeto.

rebusca [Dev. de *rebuscar.*] *S. f.* Ato de rebuscar; rebuscamento, rebusco. [Cf. *rebusque.*]

rebuscado [Part. de *rebuscar.*] *Adj.* 1. Que se rebuscou, se tornou a buscar. 2. *Fig.* Apurado com excessivo esmero; requintado, buscado: "Sua linguagem [a de Henry James] rebuscada e metafórica .... levantava barreiras quase intransponíveis à compreensão comum" (Eugênio Gomes, *Espelho contra Espelho*, p. 221).

rebuscamento [De *rebuscar* + *-mento.*] *S. m.* 1. V. *rebusca.* 2. Efeito de rebuscar. 3. Qualidade do que é rebuscado ou requintado.

rebuscar [De *re-* + *buscar.*] *V. t. d.* 1. Tornar a buscar: "Tirou um cigarro do bolso, rebuscou a caixa de fósforos e, como não a encontrasse, teve um ímpeto de cólera" (Coelho Neto, *Turbilhão*, p. 25). 2. Buscar com toda a minúcia: *Percorre a mata rebuscando borboletas raras.* 3. Ataviar com excesso; requintar: *Escritor gongórico, procura rebuscar o estilo.* 4. Coligir, catar. *P.* 5. *Bras. RS* Conseguir algo para si por expedientes; filar; arranjar-se. [Conjug.: v. *trancar.*]

rebusco [Dev. de *rebuscar.*] *S. m.* V. *rebusca.*

rebusnante [De *rebusnar* + *-nte.*] *Adj. 2 g. Desus.* Que rebusna.

rebusnar [Do esp. *rebuznar.*] *V. int. Desus.* V. *zurrar* (1).

rebusno [Dev. de *rebusnar.*] *S. m. Desus.* V. *zurro* (1).

rebusque [Dev. de *rebuscar.*] *S. m. Bras. RS* Ação de rebuscar-se; arranjo, negociata. [Cf. *rebusca.*]

recacau *S. m. Bras.* Desordem, confusão, balbúrdia, tumulto.

recachar[1] [De *recacho* + *-ar*[2].] *V. t. d.* Erguer (os ombros) com afetação.

recachar[2] [De *re-* + *cachar*[1].] *V. int.* Retribuir com cilada outra cilada.

recacho [De *re-* + *cacho*[2].] *S. m.* 1. Postura elegante; aprumo. 2. Postura afetada, altiva. 3. Desabrimento, aspereza, rudeza. 4. Desabafo, expansão.

recadastramento [De *recadastrar* + *-mento.*] *S. m.* Ato ou efeito de recadastrar (1). 2. *Restr.* Aquele que, órgão ou instituição governamental, realiza reorganização ou reforma administrativa.

recadastrar [De *re-* + *cadastrar.*] *V. t. d.* 1. Tornar a cadastrar. *P.* 2. *Bras.* Fornecer dados para o próprio recadastramento (2).

recadeiro [De *recado*[1] + *-eiro.*] *Adj.* 1. Referente a recados [v. *recado*[1] (1 e 2)]. 2. Que vai a recados. ● *S. m.* 3. Indivíduo que vai a recados, ou que faz recados; recadista.

recadista [De *recado*[1] + *-ista.*] *S. 2 g.* Recadeiro (3).

recado[1] [Do lat. vulg. **recapitu* (part. pass. de **recapitare* < *receptare*, 'receber', 'acolher', 'recuperar'), poss.] *S. m.* 1. Mensagem (1) oral. 2. Comunicação escrita ou oral. 3. *Fam.* V. *repreensão* (1). ~ V. *recados.* ◆ **Dar o recado.** *Bras.* 1. Dar conta do recado (q. v.). 2. Transmitir com eficácia ao leitor, ouvinte ou espectador, as ideias ou mensagem contidas em livro, filme, canção, obra de arte, palestra, entrevista, etc.

recado[2] *S. m.* V. *recato.* ~ V. *recados.* ◆ **A recado.** V. *a bom recado.* **A bom recado.** Livre de perigo; a salvo; em seguro; a recado; a bom recato.

recados[1] [Pl. de *recado*[1].] *S. m. pl.* Cumprimentos, lembranças. ~ V. *recado.*

recados[2] *S. m. pl. Bras. RS* Recaus (q. v.). ~ V. *recado.*

recaída [De *recair* + *-ida*[3].] *S. f.* 1. Ato ou efeito de recair; recaimento. 2. *Med.* Reaparecimento ou recrudescimento do quadro clínico de uma doença, estando o paciente em convalescença. 3. Ação de voltar a fazer uso de álcool ou droga após período de abstinência (esp. quando o indivíduo está sob tratamento ou acompanhamento médico): "Teve algumas recaídas, é verdade. Não foram frequentes, mas tinham sobre ela um efeito psicológico devastador." (Eduardo Belo e Ana Cláudia Landi, *Apenas uma Garotinha*, p. 229).

recaidiço (a-i) *Adj.* Que recai novamente; sujeito a recair.

recaimento (a-i) [De *recair* + *-mento.*] *S. m.* Recaída (1).

recair [De *re-* + *cair.*] *V. int.* 1. Cair outra vez. 2. Voltar a um estado anterior, que se deixara ou que cessara; reincidir: "a música perdia-se, morria na distância, como levada pelo vento, e o silêncio recaiu." (Coelho Neto, *Turbilhão*, p. 161). 3. Sofrer recaída (2): *O doente recaiu. T. i.* 4. Tornar a cair (em culpa ou erro); incidir, reincidir: *Repreendido, não tardou que recaísse na mesma falta.* 5. Tornar a adoecer da mesma moléstia; ter recaída. 6. Ter por objeto algum assunto. 7. Pesar, incidir: *A culpa recaiu sobre um inocente. T. c.* 8. Incidir, cair: *Oxítonas são as palavras cujo acento recai na última sílaba.* [Irreg. Conjug.: v. *sair.*]

recalar *V. int. Ant.* Buscar (o navio negreiro) o lugar próprio para o recebimento da carga.

recalcado [Part. de *recalcar.*] *Adj.* 1. Bem calcado. 2. Concentrado, reprimido, retido. 3. Que sofre de recalque. 4. *Bras. RS* Cansado de muito peso. 5. Diz-se do indivíduo remisso, indolente, que foge do trabalho. ● *S. m.* 6. Aquele que sofre de recalque (3).

recalcador (ô) [De *recalcar* + *-dor.*] *Adj.* 1. Que recalca. ● *S. m.* 2. Instrumento próprio para se recalcar a balsa[1] (1).

recalcamento [De *recalcar* + *-mento.*] *S. m.* Ato ou efeito de recalcar; recalque.

recalcar [Do lat. *recalcare.*] *V. t. d.* 1. Calcar outra vez; repisar: *recalcar o terreno.* 2. Insistir em: *recalcar um pedido.* 3. Impedir a expansão de; conter, reprimir, refrear: *recalcar o sentimentalismo*; "De novo aflou o seio de Berta com um suspiro, que ela, como ao primeiro, recalcou" (José de Alencar, *Til*, p. 243). 4. *Bras. S.* Luxar (um membro): *Com a queda, recalcou a perna.* [Conjug.: v. *trancar.*]

recalcável [De *recalcar* + *-vel.*] *Adj. 2 g.* Que pode ser recalcado.

recalcitração [De *recalcitrar* + *-ção.*] *S. f.* Ato ou efeito de recalcitrar; recalcitrância.

recalcitrância [De *recalcitrar* + *-ância.*] *S. f.* 1. Qualidade de recalcitrante. 2. Recalcitração.

recalcitrante [De *recalcitrar* + *-nte.*] *Adj. 2 g.* Que recalcitra; obstinado, teimoso.

recalcitrar [Do lat. *recalcitrare.*] *V. int.* 1. Resistir, desobedecendo; não ceder; teimar; replicar; obstinar-se: *Branda é a pena para os que não recalcitram.* 2. Insurgir-se, revoltar-se; rebelar-se: *Teve ordem de prisão, e recalcitrou.* 3. Dar coices (o animal). *T. i.* 4. Resistir com obstinação; insurgir-se, revoltar-se, rebelar-se: "Não há recalcitrar contra o amor, força é ceder." (Júlio Ribeiro, *A Carne*, p. 199.) 5. Resistir, desobedecendo; não ceder; revoltar-se, rebelar-se, insurgir-se: "A pobre mulher, petrificada de terror, não respondia a tais estímulos, ou recalcitrava na pertinácia de se deixar matar." (Camilo Castelo Branco, *Carlota Ângela*, p. 128.) 6. Retorquir ou replicar de modo descortês: *Interpelado, recalcitrou veemente à interpelação. T. d.* 7. Dizer, responder, recalcitrando: *— Aceita a oferta? — De modo nenhum! — recalcitrou o interrogado.* [Sin. ger.: *calcitrar.*]

recalcular [De *re-* + *calcular.*] *V. t. d.* Calcular de novo.

recaldear [De *re-* + *caldear*[1].] *V. t. d.* 1. Caldear[1] novamente. 2. Caldear[1] bem. [Conjug.: v. *frear.*]

recalescência [Do lat. *recalescentia*, de *recalescere*, 'rea-quecer'.] *S. f.* A produção de calor que ocorre quando se esfria o ferro ou o aço e ao fazê-los passar pelo ponto crítico.

➔ **recall** [ɪɪ'kɔl] [Ingl.] *S. m. Market.* Convocação que o fabricante ou distribuidor faz ao consumidor, para retorno de produto já vendido, no qual se descobriu, posteriormente, defeito ou problema.

recalmão [De *re-* + *calma* + *-ão*[3].] *S. m. Mar.* Intervalo de bonança nas fortes ventanias ou temporais do mar.

recalque [Dev. de *recalcar*.] *S. m.* 1. Recalcamento. 2. Bombeamento de água para uma cota superior. 3. *Constr.* Rebaixamento de uma construção devido ao adensamento do solo sob sua fundação. 4. *Psic.* A exclusão, do campo da consciência, de certas ideias, sentimentos e desejos, que o indivíduo não quisera admitir, e que, no entanto, continuam a fazer parte da vida psíquica, suscitando, não raro, graves distúrbios. ◆ **Recalque diferencial.** *Constr.* Recalque (2) em que parte da construção rebaixa mais do que outra.

recamado [Part. de *recamar*.] *Adj. Bord.* 1. Bordado, ou ornado com recamo(s). 2. Adornado, enfeitado. 3. Coberto, recoberto, revestido.

recamador (ô) [De *recamar* + *-dor*.] *S. m.* 1. Aquele que recama. 2. Bordador que faz recamos [v. *recamo* (1)].

recamadura [De *recamar* + *-dura*.] *S. f.* V. *recamo*.

recamar [Do it. *ricamare*.] *V. t. d.* 1. *Bord.* Fazer recamo a; ornar com bordado em relevo: *recamar um vestido.* 2. Adornar, enfeitar, ornamentar. 3. Cobrir, recobrir, revestir: *Nuvens negras recamam o céu. T. d. e i.* 4. Cobrir, encher, revestir: *A primavera recama de flores as matas. P.* 5. Encher-se, cobrir-se, forrar-se: "De amenas flores se recamam prados" (Almeida Garrett, *Camões*, p. 9). [M.-q.-perf.: *recamara*, etc. Cf. *recâmara*.]

recâmara [De *re-* + *câmara*.] *S. f.* 1. Alcova (1): "subira [a cavalgada] silenciosa, achegada aos muros, a postar-se à entrada das casas onde Maria Teles nesse momento dormia, em recâmara de fortes portas" (Antero de Figueiredo, *Leonor Teles*, p. 168). 2. Alfaia de uso doméstico. [Cf. *recamara*, do v. *recamar*.]

recambiar [De *re-* + *cambiar*.] *V. t. d.* 1. Devolver (uma letra não paga ou não aceita). 2. Ressacar. 3. Fazer retornar ao lugar de onde viera: *A polícia recambiou o fugitivo. T. d. e i.* 4. Reenviar, devolver: *Recambiou o livro ao amigo. T. d. e c.* 5. Recambiar (4): *Recambiou o filho ao internato. Int.* 6. *Bras. SP* Dar uma volta inteira com o corpo. [Pres. ind.: *recambio*, etc. Cf. *recâmbio*, s. m.]

recambiável [De *recambiar* + *-vel*.] *Adj. 2 g.* Que pode ser recambiado.

recâmbio [Dev. de *recambiar*.] *S. m.* 1. *Jur.* Ato ou efeito de recambiar. 2. *Jur.* A importância dos gastos efetuados com a negociação de um ressaque. [V. *ressaque* (2) e *retorno* (5). Cf. *recambio*, do v. *recambiar*.]

recambó *S. m.* Tempo que dura um jogo de vaza, até se completar certo número de mãos ou partidas.

→ **récamier** [ʁeka'mje] [Do antr. *Récamier* (*Jeanne Françoise Julie Adélaïde Bernard*, dita *madame Récamier* [1777-1849]).] *S. m.* Canapé neoclássico, com ou sem encosto e com os braços em voluta, us. para repouso diurno.

recamo [Do it. *ricamo*, ou dev. de *recamar*.] *S. m.* 1. *Bord.* Bordado ou ornato em relevo, sobre tecido: "As bordaduras e os recamos de oiro, os veludos e sedas de fora, talhados à francesa, resplandeciam constelados de pérolas e diamantes." (Rebelo da Silva, *Contos e Lendas*, p. 175.) 2. *Fig.* Ornato, ornamento, adorno. [Sin. ger.: *recamadura*.]

recantação [De *recantar* + *-ção*.] *S. f.* Ato ou efeito de recantar.

recantar [De *re-* + *cantar*.] *V. t. d.* 1. Cantar de novo, ou repetidamente. 2. Cantar com afetação. 3. Desculpar-se ou retratar-se de: *recantar os pecados.*

recanto [De *re-* + *canto*[1].] *S. m.* 1. Lugar retirado ou oculto. 2. Esconderijo, escondedouro, escaninho. 3. Lugar aprazível ou confortável: *recanto íntimo; recanto pitoresco.*

recapacitar [De *re-* + *capacitar*.] *V. t. i. T. d. e i.* Capacitar novamente.

recapado [Part. de *recapar*.] *Adj. Bras.* Recauchutado (1).

recapagem [De *recapar* + *-agem*[2].] *S. f. Bras.* Recauchutagem.

recapar [De *re-* + *capa*[1] + *-ar*[2].] *V. t. d. Bras.* Recauchutar (1).

recapeamento [De *recapear* + *-mento*.] *S. m.* Ato ou efeito de recapear.

recapear [De *re-* + *capear*[2].] *V. t. d.* Cobrir (uma rua, uma estrada, etc.) com novo revestimento asfáltico, para restaurá-lo ou aumentar-lhe a espessura. [Conjug.: v. *frear*.]

recapitalização [De *recapitalizar* + *-ção*.] *S. f.* Ato ou efeito de recapitalizar.

recapitalizar [De *re-* + *capitalizar*.] *V. t. d.* Tornar a capitalizar.

recapitulação [Do lat. tard. *recapitulatione*.] *S. f.* Ato ou efeito de recapitular.

recapitular [Do lat. tard. *recapitulare*.] *V. t. d.* 1. Repetir sumariamente; resumir ou sintetizar de novo: *recapitular uma aula.* 2. Rememorar, relembrar, recapitulando: *Em apenas cinco aulas recapitulou a matéria do ano inteiro;* "A velha afastou-se e Paulo, deitando-se de novo, a fumar, recapitulou o desastre da véspera: quase todo o dinheiro perdido ao jogo" (Coelho Neto, *Turbilhão*, p. 183).

recapitulativo [De *recapitular* + *-tivo*.] *Adj.* Que recapitula; em que há recapitulação.

recapitulável [De *recapitular* + *-vel*.] *Adj. 2 g.* Que se pode recapitular.

recaptura [Dev. de *recapturar*.] *S. f.* Ato ou efeito de recapturar.

recapturar [De *re-* + *capturar*.] *V. t. d.* Tornar a capturar: *A polícia recapturou os fugitivos;* "E enchendo suas horas vazias .... talvez pudesse expulsar da alma os seus fantasmas íntimos .... recapturando os anjos bons da tranquilidade e da virtude..." (Peregrino Júnior, *A Mata Submersa*, p. 254).

recarga [De *re-* + *carga*.] *S. f.* 1. Segunda investida; novo ataque. 2. *Taur.* Nova investida do touro contra o toureiro que o feriu.

recargar [De *recarga* + *-ar*[2].] *V. t. d.* 1. Dar uma recarga (1) contra. 2. *Taur.* Suster com a vara o ímpeto de (um touro). *Int.* 3. Recargar (1): "Mas Badu recargou, teso, e foi e veio com a vara, em mão de Vaqueiro com dez anos de lida nos currais do sertão." (João Guimarães Rosa, *Sagarana*, p. 37.) [Conjug.: v. *largar*.]

recarregamento [De *recarregar* + *-mento*.] *S. m.* Ato ou efeito de recarregar.

recarregar [De *re-* + *carregar*.] *V. t. d.* P. Carregar(-se) novamente, ou muito. [Conjug.: v. *regar*.]

recasamento [De *recasar* + *-mento*.] *S. m.* Novo matrimônio.

recasar [De *re-* + *casar*.] *V. t. d. Int.* Tornar a casar; casar outra vez.

recatado [Part. de *recatar*.] *Adj.* 1. Que tem modéstia; modesto. 2. Que tem recato ou pudor; casto, pudico. 3. Prudente, sensato.

recatar[1] [Do lat. **recaptare*, 'recear'; 'encobrir'.] *V. t. d.* 1. Guardar com recato ou segredo; pôr em recato: *Sabe recatar confidências;* "Nos Estados onde o poder recata ciumento a memória das suas prerrogativas .... o gênio é uma rebelião ou uma arrogância." (Latino Coelho, *Cervantes*, pp. 183-184). *T. d. e i.* 2. Resguardar, defender: *Cabe às autoridades recatar do vício os menores abandonados. P.* 3. Resguardar-se, acautelar-se: *Devemos recatar-nos de nossos inimigos.* 4. Viver em recato; ocultar-se: "Quando mais a gente as deseja, não é quando elas andam .... quase despidas por essas ruas; é quando elas se recatam, quando se embiocam, quando se rebuçam" (Júlio Dantas, *Figuras de Ontem e de Hoje*, p. 35).

recatar[2] [De *re-* + *catar*.] *V. t. d.* Tornar a catar; rebuscar.

recativar [De *re-* + *cativar*.] *V. t. d.* Cativar ou prender de novo.

recativo [De *re-* + *cativo*.] *Adj. S. m.* Que, ou aquele que está muito cativo, que está sujeito ou subjugado moralmente.

recato [Dev. de *recatar*.] *S. m.* 1. Cautela, prudência, resguardo. 2. Modéstia, simplicidade. 3. V. *pudor* (2). 4. Lugar escondido, retirado; recolhimento. [Var.: *recado*[2].] ◆ **A bom recato.** V. *a bom recado* (v. *recado*[2]).

recaução [De *re-* + *caução*.] *S. f.* Ato ou efeito de recaucionar.

recauchutado [Part. de *recauchutar*.] *Adj.* 1. Em que se fez recauchutagem; recapado. 2. *Fig. Fam.* Que foi restaurado, reconstituído. 3. *P. ext. Fam.* Que sofreu operação plástica embelezadora: *A atriz apareceu recauchutada.*

recauchutadora (ô) [De *recauchutar* + *-dora*.] *S. f. Bras.* Firma especializada em recauchutar pneumáticos.

recauchutagem [De *recauchutar* + *-agem*[2].] *S. f.* Ato ou efeito de recauchutar; recapagem.

recauchutar *V. t. d.* 1. Reconstituir a banda de rodagem de (o pneumático), aplicando-lhe uma nova camada de borracha; recapar. 2. *Fig.* Restaurar, reconstituir.

recaucionar [De *re-* + *caucionar*.] *V. t. d.* Efetuar nova caução de (aquilo que já fora caucionado).

recaucionável [De *recaucionar* + *-vel*.] *Adj. 2 g.* Que pode ser recaucionado.

recaus [Var. de *recados*[2] < esp. plat. *recados*, em pronúncia vulgar.] *S. m. pl. Bras. RS* Os arreios da montaria.

recavalgar [De *re-* + *cavalgar*.] *V. t. d.* Cavalgar outra vez. [Conjug.: v. *largar*.]

recavar [De *re-* + *cavar*.] *V. t. d.* 1. Cavar de novo, ou muitas vezes. 2. Insistir ou instar em: *Recavou o assunto durante horas a fio. T. d. e i.* 3. Extrair repetidas vezes, cavando; rebuscar: "O hábito de cavar e recavar nos velhos mestres as riquezas incalculáveis do idioma pátrio" (Rui Barbosa, *Réplica*, n. 494). [Pres. subj.: *recave, recaves, recavem*, etc. Cf. *recavém*.]

recavém [De or. obscura.] *S. m.* 1. Parte traseira do leito de carro ou de carroça. 2. *Bras. RS Fig.* Traseiro, nádegas. [Cf. *recavem*, do v. *recavar*, e *requebém*.]

receado [Part. de *recear*.] *Adj.* Que inspira receio ou temor; temido.

recear [De *re-* + lat. *celare*, 'encobrir', 'ocultar'.] *V. t. d.* 1. Ter receio de; temer: *Receia os perigos da contaminação. T. i.* 2. Ter receio ou medo; ter apreensão; temer: *recear pela vida de alguém. P.* 3. Ter receio; temer-se; assustar-se; preocupar-se: *Não te receies de nada: tudo acabará bem.* [Var.: *arrecear*. Conjug.: v. *frear*.]

recebedor (ô) [De *receber* + *-dor*.] *Adj.* 1. Que recebe: *funcionário recebedor.* [M. us. com relação a pessoas. Sin.: *receptor*.] ● *S. m.* 2. Aquele que recebe; receptor. 3. Funcionário encarregado de receber e arrecadar impostos.

recebedoria [De *recebedor* + *-ia*[1].] *S. f.* 1. Repartição onde se recebem os impostos. 2. Tesouraria de finanças.

receber [Do lat. *recipere*.] *V. t. d.* 1. Tomar, aceitar (dádiva). 2. Aceitar em pagamento; tomar o que é devido: *receber o salário.* 3. Exigir (o que é devido); cobrar: *Incumbiu o banco de receber a promissória.* 4. Entrar na posse de (algo): *Os filhos receberão a herança.* 5. Aceitar, admitir, acolher: *Não recebeu bem as críticas.* 6. Agasalhar, hospedar, albergar: *Seus parentes o receberão.* 7. Acolher (visita) em casa: *Era folgazão, tinha a casa bem-posta, recebia todo o Rio de Janeiro.* 8. Ter comunicação de: *Recebeu má notícia.* 9. Ser alcançado ou atingido por; apanhar: *A Terra recebe a luz solar; Recebeu um golpe.* 10. Recolher fluxo de fluido, energia, etc., de (uma fonte): *O mar Cáspio recebe as águas do Volga; Recebe muitas mensagens telegráficas.* 11. Aceitar por esposo ou esposa; casar com: *Recebeu a moça após três anos de noivado.* 12. Obter ou alcançar o gozo de: *Recebeu as férias atrasadas.* 13. Obter como recompensa ou favor: *O soldado recebeu medalha de honra.* 14. Submeter-se a; obedecer a: *receber ordens.* 15. Suportar, padecer, sofrer: *Os réus receberão o castigo.* 16. *Bras. Rel.* Incorporar em transe mediúnico [uma entidade (4) que desça à Terra]: *Essa filha de santo recebe Oxum Apará. T. c.* 17. Receber (2): "Oitocentos mil-réis pelo ensino de dois rapazes durante três meses recebe Diogo Mendes Rodrigues em 1670." (Antônio de Alcântara Machado, *Vida e Morte do Bandeirante*, p. 99.) *T. d. e i.* 18. Obter por comunicação, transmissão ou remessa: *Receberam do irmão duas caixas com importados. Transobj.* 19. Aceitar, admitir, acolher: *Recebeu-o como filho; Leila o recebeu por esposo;* "Quando cresci e tentei agradá-la, recebeu-me suspeitosa e hostil" (Graciliano Ramos, *Infância*, p. 37). *Int.* 20. Recepcionar (1) ou receber (7): *O casal recebeu ontem; Mariana tem a arte de receber;* "Voltou lá algumas vezes, fez-se íntimo da casa. Começou a receber também. Viu entre os frequentadores de sua casa o pai de Estela" (Machado de Assis, *Iaiá Garcia*, pp. 124-125). *P.* 21. Unir-se por matrimônio; casar-se: *Os noivos recebem-se hoje;* "As moças, quando o viram na igreja receber-se com uma velha, exclamaram: mal-empregado!" (João de Araújo Correia, *Terra Ingrata*, p. 220).

recebido [Part. de *receber*.] *Adj.* Que se recebeu.

recebimento [De *receber* + *-imento*.] *S. m.* Ato ou efeito de receber.

recebível [De *receber* + *-ível*.] *Adj. 2 g.* Que se pode receber.

receção *S. f.* V. *recepção*. [Uso próprio de P.] ⊙

rececionar *V. t. d. Int.* V. *recepcionar*. [Uso próprio de P.] ⊙

rececionista *S. 2 g.* V. *recepcionista*. [Uso próprio de P.] ⊙

receio [Dev. de *recear*.] *S. m.* 1. Dúvida acompanhada de temor; medo: *Tem receio de que chova.* 2. Apreensão quanto a possível dano, perigo ou malogro; medo, temor: *Um bom combatente não tem receios.* ◆ **Sem receio.** Afoitamente.

receita [Do lat. *recepta*, 'coisas recebidas'.] *S. f.* 1. Quantia recebida, ou apurada, ou arrecadada; produto, féria, renda: *A receita do campeonato ultrapassou as expectativas.* 2. *Econ.* Receita pública (q. v.): *Diretoria da Receita; O governo tem procurado equilibrar a receita e a despesa.* 3. *Econ.* O produto das vendas de uma empresa, dado pelo número de unidades vendidas multiplicado pelo preço de venda. 4. Renda[1] (1): *a receita mensal de um diarista.* 5. *Cul.* Indicação minuciosa sobre a quantidade dos ingredientes e a maneira de preparar um prato salgado ou doce. 6. *Farm.* Fórmula para preparação de um medicamento: *O farmacêutico aviou a receita.* 7. *P. ext. Med.* Indicação escrita de uma prescrição médica. 8. *Fig.* Fórmula ou indicação especial para se alcançar um resultado: *Tem a receita da eterna juventude.* ◆ **Receita derivada.** *Jur.* Receita (2) decorrente do poder de coerção do Estado, como os tributos. [Cf. *receita originária*.] **Receita marginal.**

R

Econ. Aumento de receita (3) decorrente da venda de uma unidade adicional. **Receita originária.** *Jur.* Receita (2) decorrente da atividade do Estado como produtor, ou da alienação de bens públicos. [Cf. *receita derivada.*] **Receita pública.** *Econ.* Conjunto de recursos monetários recebidos pelo Estado num dado período, abrangendo tributos, rendimentos da atividade de produção de bens e serviços, etc. [Tb. se diz apenas *receita.*] **Receitas correntes.** *Cont.* Em Contabilidade Pública, receitas [v. *receita* (2)] decorrentes de tributos e contribuições da atividade do Estado como produtor, ou de transferências. **Receitas de capital.** *Cont.* Em Contabilidade Pública, receitas [v. *receita* (2)] decorrentes de operações de crédito ou da alienação de bens públicos.

receitante [De *receitar* + *-nte.*] *Adj. 2 g.* Que receita.

receitar [De *receita* + *-ar*².] *V. t. d. T. d. e i.* **1.** Passar receita (6 e 7) de; prescrever como médico: "O Lambertosa receitou uma dose homeopática" (Aluísio Azevedo, *Casa de Pensão,* p. 157); "O doutor receitou-lhe uma garrafada" (Manuel Ribeiro, *A Planície Heroica,* p. 16). **2.** Aconselhar; opinar. *Int.* **3.** Formular receita (6 e 7): *O acadêmico ainda não pode receitar.*

receitário [De *receita* + *-ário.*] *S. m.* Lugar para guardar receitas [v. *receita* (6 e 7)]. [Cf. *receituário.*]

receituário [De *receita* + *-uário.*] *S. m.* **1.** Conjunto de receitas. **2.** *Farm. Med.* Formulário para receita (6 e 7). [Cf. *receitário.*]

recém [De *recente,* com apócope, por infl. do esp. *recién.*] *Adv. Bras. SC RS* Recentemente: *Sigismundo chegou recém;* "Adeus, gosto de soltar o pensamento por aí, feito cavalo desencilhado recém" (M. Cavalcanti Proença, *Manuscrito Holandês,* p. 37). [*Recém* é de uso geral na língua, e com o mesmo sentido, mas como prefixo, unido exclusivamente a um particípio: *recém-chegado, recém-nascido;* ao passo que em SC e no RS ou aparece solto, após o verbo, como nos exemplos acima, ou antes dele, preso pelo hífen a outros tempos e modos verbais: *recém-jantei, recém-chegavam, recém-amanhecera.*]

▲ **recém-** [F. apocopada de *recente* < lat. *recens, entis.*] *El. comp.* = 'recentemente': *recém-nascido, recém-vindo.* [Atenção: é oxítono.] [É sempre seguido de hífen.]

recém-aberto [De *recém-* + o part. de *abrir.*] *Adj.* Aberto pouco antes, recentemente. [Pl.: *recém-abertos.*]

recém-admitido [De *recém-* + o part. de *admitir.*] *Adj.* Admitido recentemente. [Pl.: *recém-admitidos.*]

recém-casado [De *recém-* + o part. de *casar.*] *Adj. S. m.* Que, ou quem acaba de casar. [Pl.: *recém-casados.*]

recém-chegado [De *recém-* + o part. de *chegar.*] *Adj. S. m.* Que, ou aquele que chegou há pouco; recém-vindo. [Pl.: *recém-chegados.*]

recém-concluído [De *recém-* + o part. de *concluir.*] *Adj.* Concluído pouco antes, recentemente. [Pl.: *recém-concluídos.*]

recém-convertido [De *recém-* + o part. de *converter.*] *Adj.* Que se converteu não faz muito tempo. [Pl.: *recém-convertidos.*]

recém-criado [De *recém-* + o part. de *criar.*] *Adj.* Criado recentemente. [Pl.: *recém-criados.*]

recém-depositado [De *recém-* + o part. de *depositar.*] *Adj.* Depositado recentemente, pouco tempo antes. [Pl.: *recém-depositados.*]

recém-fabricado [De *recém-* + o part. de *fabricar.*] *Adj.* De fabricação recente. [Pl.: *recém-fabricados.*]

recém-fechado [De *recém-* + o part. de *fechar.*] *Adj.* Fechado há pouco, recentemente: "Sobre recém-fechadas sepulturas, / Como vós outros, eu dancei também." (Alberto de Oliveira, *Poesias,* 3ª série, p. 162.) [Pl.: *recém-fechados.*]

recém-formado [De *recém-* + o part. de *formar.*] *Adj.* Que se formou há pouco tempo. [Pl.: *recém-formados.*]

recém-fundado [De *recém-* + o part. de *fundar.*] *Adj.* Fundado recentemente. [Pl.: *recém-fundados.*]

recém-nado [De *recém-* + *nado*².] *Adj. S. m.* V. *recém-nascido:* "Conta-nos S. Mateus daqueles três reis magos, que abalaram de seus países em busca do Messias recém-nado" (Euclides da Cunha, *À margem da História,* p. 313); "abafaram vagidos de recém-nados a caminho da 'Roda dos Expostos'" (Antero de Figueiredo, *Miradouro,* p. 28). [Pl.: *recém-nados.*]

recém-nascido [De *recém-* + o part. de *nascer.*] *Adj. S. m.* **1.** Que, ou aquele que nasceu há pouco. **2.** *Restr.* Diz-se de, ou criança recém-nascida; "Ouve-se o choro duma criança recém-nascida" (Érico Veríssimo, *O Senhor Embaixador,* p. 246). [Sin. ger.: *recém-nado.* Pl.: *recém-nascidos.*]

recém-nobre [De *recém-* + *nobre.*] *Adj. 2 g. S. 2 g.* Que, ou quem é de nobreza recente. [Pl.: *recém-nobres.*]

recém-plantado [De *recém-* + o part. de *plantar.*] *Adj.* Plantado recentemente, pouco tempo antes. [Pl.: *recém-plantados.*]

recém-publicado [De *recém-* + o part. de *publicar.*] *Adj.* Publicado pouco antes; recém-saído. [Pl.: *recém-publicados.*]

recém-saído [De *recém-* + o part. de *sair.*] *Adj.* **1.** Que saiu há pouco; que acaba de sair. **2.** Recém-publicado. [Pl.: *recém-saídos.*]

recém-sintetizado [De *recém-* + o part. de *sintetizar.*] *Adj.* Que se sintetizou há pouco; de recente síntetização. [Pl.: *recém-sintetizados.*]

recém-tirado [De *recém-* + o part. de *tirar.*] *Adj.* Tirado recentemente. [Pl.: *recém-tirados.*]

recém-vindo [De *recém-* + o part. de *vir.*] *Adj. S. m.* Recém-chegado. [Pl.: *recém-vindos.*]

recenar [De or. controversa.] *V. t. d.* Dourar ou pratear novamente.

recendência [De *recender* + *-ência.*] *S. f.* Qualidade de recendente. [Cf. *rescindência.*]

recendente [De *recender* + *-nte.*] *Adj. 2 g.* Que recende; fragrante.

recender [Do or. incerta; poss. do port. arc. *encender,* ou do lat. *transcendere,* ou do lat. *descendere* (com o sentido de 'penetrar'), com mudança de pref.] *V. t. d.* **1.** Emitir, exalar (aroma penetrante); trescalar: *As flores murchas recendiam um cheiro enjoativo;* "Recende aroma a noite sossegada" (Antero de Quental, *Sonetos,* p. 314). *Int.* **2.** Ter cheiro agradável e intenso; trescalar: *Na primavera, a mata recende agradavelmente. T. i.* **3.** Cheirar agradavelmente: "O ar recende a jasmins e a manacás." (Martins Fontes, *A Dança,* p. 87.) **4.** Exalar, emanar: *Um suave aroma recendia das flores.*

recensão [Do lat. *recensione.*] *S. f.* **1.** Recenseamento (1). **2.** Cotejamento do texto de uma edição com o respectivo manuscrito. **3.** Apreciação breve de um livro ou de um escrito; resenha. **4.** Lista, rol, catálogo. **5.** *E. Ling.* Recolha de todos os testemunhos de um texto.

recenseado [Part. de *recensear.*] *Adj. S. m.* Diz-se de, ou aquele cujo nome foi incluído em um recenseamento.

recenseador (ô) [De *recensear* + *-dor.*] *Adj. S. m.* Que, ou aquele que recenseia.

recenseamento [De *recensear* + *-mento.*] *S. m.* **1.** Arrolamento de pessoas ou de animais; recensão. **2.** V. *censo* (1).

recensear [De *re-* + *censo* + *-ear*².] *V. t. d.* **1.** Fazer o recenseamento de: *recensear a população do Brasil.* **2.** Enumerar, relacionar, arrolar: *recensear a fauna de uma região;* "O primeiro escritor europeu que recenseou essas lendas [sobre o café].... foi G. E. Coubard d'Aulnay" (Basílio de Magalhães, *O Café na História, no Folclore e nas Belas-Artes,* p. 121). **3.** Apreciar, considerar. [Conjug.: v. *frear.*]

recenseio [Dev. de *recensear.*] *S. m.* Ato ou efeito de recensear.

recental [De *recente* + *-al*¹.] *Adj. 2 g. S. m.* Diz-se de, ou cordeiro novo.

recente [Do lat. *recente.*] *Adj. 2 g.* **1.** Que ocorreu há pouco. **2.** Que tem ainda pouco tempo de existência. ~ V. *época —.* • *Adv.* **3.** Recentemente: "Minha filha me restava! / Eu já fantasma impotente, / Sobre os torrões tropeçava / Da cova aberta recente!" (Gonçalves Dias, *Obras Poéticas,* p. 103.)

recentemente [De *recente* + *-mente.*] *Adv.* De modo recente; pouco tempo antes; recente.

recentidade [De *recente* + *-(i)dade.*] *S. f. P. us.* Qualidade de recente.

receoso (ô) [De *recear* + *-oso.*] *Adj.* **1.** Que tem receio; medroso, temeroso. **2.** Tímido, acanhado.

recepagem [Do fr. *recépage.*] *S. f.* Operação consistente em cortar as árvores junto ao solo.

recepção [Do lat. *receptione.*] *S. f.* **1.** Ato ou efeito de receber: *Você não acusou a recepção da minha carta.* **2.** Seção, em escritório, hotel, hospital, em congressos, etc., que se encarrega de receber as pessoas, receber e distribuir a correspondência e encomendas, dar informações, etc.: *A recepção do hotel fecha à meia-noite.* **3.** *P. ext.* Os empregados da seção de recepção; os recepcionistas: *A recepção o informará dos preços do hotel.* **4.** Ato de receber convidados em casa: *Reservo as noites de sábado para a recepção de meus amigos.* **5.** Reunião mundana organizada em casa de residência, em clube, etc., por alguém: *Foi muito concorrida a recepção de ontem na Embaixada da Itália.* **6.** O receber alguém, ou ser recebido, em círculo literário ou artístico, em academia, em clube, etc.: *O discurso de recepção do novo acadêmico foi proferido por um colega de grande nome.* **7.** *P. ext.* Cerimônia em que se processa esta recepção: *As recepções na Academia Brasileira de Letras são, quase sempre, a rigor.*

recepcionamento [De *recepcionar* + *-mento.*] *S. m.* Ato ou efeito de recepcionar.

recepcionar [De *recepção* + *-ar*², seg. o padrão erudito.] *V. int.* **1.** Dar recepções [v. *recepção* (5)]; receber: *Fazem vida social intensa, gostam muito de recepcionar. T. d.* **2.** *Bras.* Esperar (viajante) em aeroporto, estação, etc., com atenção ou certo aparato: *O Governador recepcionou o Presidente da República no Aeroporto Santos Dumont.*

recepcionável [De *recepcionar* + *-vel.*] *Adj. 2 g.* Que se pode recepcionar.

recepcionista [De *recepção* + *-ista,* seg. o padrão erudito.] *S. 2 g.* Empregado de hotéis, de hospitais, de empresas comerciais, etc., encarregado da recepção (2).

➔ **recepisse** [ʁeˈkɛpise] [Lat., f. abrev. da loc. *cognosco me recepisse,* 'reconheço ter recebido'.] *S. m.* Escrito no qual alguém reconhece haver recebido papéis, dinheiro, etc. [Errônea a pronúncia *recepissê.*]

receptação [Do lat. *receptatione.*] *S. f.* **1.** Ato ou efeito de receptar. **2.** *Dir. Penal* O crime caracterizado pelo ato de adquirir, receber, transportar, conduzir ou ocultar, em proveito próprio ou alheio, coisa que sabe ser produto de crime, ou influir para que terceiro, de boa-fé, a adquira, receba ou oculte. ◆ **Receptação culposa.** *Dir. Penal* Aquisição ou recebimento de coisa que, dada a sua natureza, a desproporção entre o valor e o preço, ou a condição de quem a oferece, deve presumir-se obtida por meio criminoso.

receptacular [De *receptáculo* + *-ar*¹.] *Adj. 2 g. Bot.* Relativo ao, ou próprio do receptáculo: *vilosidade receptacular.*

receptáculo [Do lat. *receptaculu.*] *S. m.* **1.** Lugar ou objeto onde se recolhe ou guarda alguma coisa; recipiente. **2.** Abrigo, refúgio, esconderijo. **3.** Tanque para onde correm as águas vindas de vários pontos. **4.** *Bot.* Porção superior, alargada, do pedicelo floral, sobre a qual se inserem os verticilos da flor; tálamo. [Pode ser muito amplo e sustentar as flores de uma inflorescência, como sucede no capítulo das compostas.]

receptador (ô) [Do lat. *receptatore.*] *Adj. S. m.* Que, ou aquele que recepta [v. *receptar* (2)]; receptor, encobridor, escondedor.

receptar [Do lat. *receptare.*] *V. t. d.* **1.** Dar receptáculo ou abrigo a; abrigar, albergar. **2.** Adquirir, receber ou ocultar (coisa de procedência criminosa): *Foi condenado por haver receptado o furto.* [V. *receptação* (2).]

receptibilidade [De *receptível* + *-(i)dade,* seg. o padrão erudito.] *S. f.* **1.** Tendência para receber impressões ou influência de determinados agentes (v. *receptível*). **2.** Receptividade.

receptível [Do lat. *receptibile.*] *Adj. 2 g.* Que se pode receber; aceitável.

receptividade [De *receptivo* + *-(i)dade.*] *S. f.* Qualidade ou caráter de receptivo.

receptivo [Do lat. *receptus,* part. pass. de *recipere,* 'receber', + *-ivo.*] *Adj.* **1.** Que recebe ou é capaz de receber (especialmente estímulos ou impressões físicas ou psíquicas). **2.** Que tem para com outrem comportamento compreensivo e acolhedor. **3.** Diz-se de tal comportamento: *atitude receptiva.*

receptor (ô) [Do lat. *receptore.*] *Adj.* **1.** Que recebe; recebedor: *posto receptor.* [M. us. com relação a coisas.] **2.** V. *receptador.* • *S. m.* **3.** O que recebe, recebedor. **4.** V. *receptador.* **5.** Qualquer aparelho que recebe, registra, grava, etc., sinais acústicos, elétricos, eletromagnéticos ou luminosos: *o receptor do telefone; O receptor telegráfico registra as mensagens transmitidas pelo manipulador.* **6.** *Fisiol.* Cada formação nervosa sensitiva capaz de ser influenciada por algum de agentes vários (substância química, variação de volume de líquido extracelular, estímulo a órgão de sentido, etc.). **7.** *Teor. Inf.* Um dos elementos básicos do processo de comunicação: aquele que recebe os sinais transmitidos, decodificando-os de forma a recuperar a mensagem original produzida para atingir um destinatário (2). [Eventualmente, *receptor* e *destinatário* constituem um só elemento para efeito de análise do processo de comunicação.] V. *sistema de comunicação.* ◆ **Receptor de histamina.** Receptor celular, de que há dois tipos, um mediando a contração de músculo liso e efeitos sobre vasos capilares e outro mediando a aceleração da frequência cardíaca e a estimulação de secreção gástrica ácida, além de ambos os tipos mediarem a contração de músculo liso de parede vascular.

recessão [Do lat. *recessione.*] *S. f.* **1.** Ato ou efeito de tornar atrás; recuo. **2.** *Econ.* Período de redução da atividade econômica e do emprego. [Segundo uma definição convencional, há recessão quando o produto interno bruto cai por dois trimestres consecutivos.] [Cf. *resseção.*] ◆ **Recessão das galáxias.** *Astr.* Hipótese segundo a qual todas as galáxias se afastam de nós com velocidades tanto maiores quanto mais afastadas estão.

recessividade [De *recessivo* + *-(i)dade.*] *S. f. Genét.* Fenômeno pelo qual um gene não manifesta o seu efeito, mas tem a sua individualidade mantida; criptomerismo. [Cf. *dominância* (2).]

recessivo [De *recesso* + *-ivo*.] *Adj.* **1.** Relativo à recessão (2), ou próprio dela: *medidas econômicas recessivas*. **2.** Que subsiste em estado latente. **3.** *Genét.* Diz-se do caráter que, apesar de presente no híbrido, não se manifesta, oculto pelo caráter dominante, de sorte que o híbrido parece herdar apenas os caracteres de um dos genitores. ~ V. *gene* —. ● *S. m.* **4.** *Genét.* Gene recessivo.

recesso [Do lat. *recessu*.] *S. m.* **1.** Retiro, recanto; esconso: "De par com o ministério penitencial e do púlpito ia o culto da música sacra, quase sempre inspirada em tonadilhas populares; e Palestrina, confessado de S. Filipe, enchia de unção e grandeza o recesso dos congregados." (Vitorino Nemésio, *A Mocidade de Herculano*, I, p. 103.) **2.** Suspensão temporária das atividades do legislativo e do judiciário: *A Câmara dos Deputados entrou em recesso.* **3.** *Anat.* Designação genérica de pequeno espaço oco, ou cavidade. ◆ **Recesso hepatorrenal.** *Anat.* Bolsa peritonial situada entre o fígado e o rim direito.

recetação *S. f.* V. *receptação*. [Uso próprio de P.] ⊙

recetacular *Adj. 2 g. Bot.* V. *receptacular*. [Uso próprio de P.] ⊙

recetáculo *S. m.* V. *receptáculo*. [Uso próprio de P.] ⊙

recetador (ô) *Adj. S. m.* V. *receptador*. [Uso próprio de P.] ⊙

recetar *V. t. d.* V. *receptar*. [Uso próprio de P.] ⊙

recetibilidade *S. f.* V. *receptibilidade*. [Uso próprio de P.] ⊙

recetível *Adj. 2 g.* V. *receptível*. [Uso próprio de P.] ⊙

recetividade *S. f.* V. *receptividade*. [Uso próprio de P.] ⊙

recetivo *Adj.* V. *receptivo*. [Uso próprio de P.] ⊙

recetor (ô) *Adj. S. m.* V. *receptor*. [Uso próprio de P.] ⊙

rechã [De *re-* + *chã*.] *S. f.* V. *planalto*: "Sem linhas de cumeadas, as maiores serranias nada mais são que planuras altas, extensas rechãs terminando de chofre em encostas ab-ruptas" (Euclides da Cunha, *Os Sertões*, p. 7).

rechaçar [Do fr. ant. e médio *rechacier*, 'repelir', atual *rechasser*.] *V. t. d.* **1.** Fazer retroceder, opondo resistência; repelir, rebater: *O exército rechaçou os invasores*; "Os jagunços deram a última investida com a artilharia, que timbravam em arrebatar à tropa. As metralhadoras, porém, disparadas a cavaleiro, rechaçaram-nos" (Euclides da Cunha, *Os Sertões*, p. 284). **2.** Oferecer resistência a; opor-se a; resistir. **3.** Interromper (dito, frase) com palavra ou gesto repentino. [Conjug.: v. *laçar*.]

rechaço [Dev. de *rechaçar*.] *S. m.* **1.** Ato ou efeito de rechaçar. **2.** V. *ricochete* (1).

rechano [V. *rechão*.] *S. m.* V. *planalto*.

rechão [De *re-* + *chão*.] *S. m.* V. *planalto*. [Pl.: *rechãos*.]

➔ **réchaud** [ʁeˈʃo] [Fr.] *S. m.* Suporte para panelas, travessas, terrinas, etc., elétrico ou provido, na parte inferior, de pequeno recipiente que contém álcool, com pavio, ou vela, etc., para manter o calor dos alimentos à mesa. [Cf. *rescaldeiro* (2).]

recheada [F. subst. de *recheado*.] *S. f. Bras. RS* Misto-frio.

recheado [Part. de *rechear*.] *Adj.* **1.** Que tem recheio. **2.** Muito cheio; repleto; atulhado. ● *S. m.* **3.** V. *recheadura*.

recheadura [De *rechear* + *-dura*.] *S. f.* Ato ou efeito de rechear; recheio, recheado.

rechear [De *recheio* + *-ar*[2].] *V. t. d.* **1.** Encher bem: *Recheou a bolsa, pois a viagem era longa.* **2.** Encher com preparado culinário ou de confeitaria: *A cozinheira recheou as empadas.* **3.** Tornar abundante. **4.** Tornar rico; enriquecer. *T. d. e i.* **5.** Encher de recheio (3). **6.** Entremear, com abundância: *Este romancista recheia o estilo de anglicismos.* *P.* **7.** Enriquecer-se, locupletar-se. [Conjug.: v. *frear*. Cf. *rechiar*.]

rechecagem [De *rechecar* + *-agem*[2].] *S. f.* Ato ou efeito de rechecar.

rechecar [De *re-* + *checar*.] *V. t. d.* Tornar a checar: *O repórter rechecou a entrevista antes de publicá-la.*

rechega (ê) [De *chegar*, poss.] *S. f.* Operação que consiste em fender pinheiros na direção longitudinal para se aproveitar porção maior de resina.

rechegar [De *re-* + *chegar*.] *V. t. d.* **1.** *Marn.* Mexer (os cristais de cloreto de sódio, em salinas) com rodos. **2.** *Bras.* Transportar (a carga) até o local onde o estivador a levará para o navio. [Conjug.: v. *chegar*.]

rechego (ê) [De *chegar*.] *S. m.* **1.** Lugar onde o caçador se oculta para melhor vigiar a caça. **2.** Lugar retirado, escondido.

recheio [De *re-* + *cheio*.] *S. m.* **1.** V. *recheadura*. **2.** Aquilo que recheia ou enche; conteúdo: "o primeiro cuidado deste cronista foi esvaziar a bolsa e examinar-lhe o recheio, para o fim de identificar sua proprietária." (Carlos Drummond de Andrade, *A Bolsa & a Vida*, p. 9). **3.** *Cul.* Preparado culinário destinado a rechear carnes, legumes, certos tipos de massa doce ou salgada, etc.: *recheio de linguiça*; *recheio de creme*. **4.** *Fig.* Quantidade de palavras desnecessárias usadas para aumentar um texto, um discurso, etc.; lardo.

rechiar [De *re-* + *chiar*.] *V. int.* Chiar muito, ou estrepitosamente. [Cf. *rechear*.]

rechinante [De *rechinar* + *-nte*.] *Adj. 2 g.* Que rechina.

rechinar [Voc. onom.] *V. int.* **1.** Produzir som agudo ou áspero: "Insetos rechinavam nos matos secos" (Coelho Neto, *Rei Negro*, p. 185). **2.** Produzir som semelhante ao do ferro em brasa sobre a carne: "e a palavra sai rechinando, esbraseando, chispando como o metal candente dos seios da fornalha." (Rui Barbosa, *Oração aos Moços*, p. 22). **3.** Ranger, estalar.

rechino [Dev. de *rechinar*.] *S. m.* Ato ou efeito de rechinar.

rechonchudo [Da mesma or. incerta que o esp. *rechoncho* (v. *-udo*).] *Adj.* Que é um tanto gordo, um tanto forte; gorducho: *criança rechonchuda*; "uma mulata rechonchuda e pequenina a que o destino deu o nome de Catarina." (Adriana Lisboa, *Os Fios da Memória*, p. 57).

reciário [Do lat. *retiariu*.] *S. m.* Gladiador romano que lutava munido de tridente, punhal e uma rede na qual buscava envolver o adversário: "Abro um dos tomos [de *Os Maias*, de Eça de Queirós] e vou lendo-o ao acaso, evitando abri-lo quando disponho de pouco tempo, certo de que não fugirei à rede de ouro do reciário que me vai enlear uma hora, duas horas." (Agripino Grieco, *O Sol dos Mortos*, p. 228.)

recibado [Part. de *recibar*.] *Adj. Bras.* De que se passou recibo.

recibar [De *recibo* + *-ar*[2].] *V. t. d. Bras. P. us.* Passar recibo de.

recibo [Dev. de *receber*.] *S. m.* **1.** Declaração escrita de haver recebido alguma coisa; quitação. **2.** *Bras. Gír.* Resposta; revide: *Ele me desacatou, mas dei-lhe o recibo na mesma hora.* ◆ **Passar recibo.** Revidar, desforrar-se, vingar-se; dar o troco.

reciclador (ô) [De *reciclar* + *-dor*.] *Adj. S. m.* Que, ou quem ou aquilo que recicla.

reciclagem [De *re-* + *ciclo* + *-agem*[2].] *S. f.* **1.** Alteração da ciclagem. **2.** Atualização pedagógica, cultural, profissional, etc. **3.** Repetição de uma operação sobre uma substância com o fim de melhorar propriedades ou aumentar o rendimento da operação global. **4.** Tratamento de resíduos, ou de material usado, de forma a possibilitar sua reutilização.

reciclar [De *re-* + *ciclo* + *-ar*[2].] *V. t. d.* **1.** Fazer a reciclagem de. *P.* **2.** Atualizar-se para obter melhores rendimentos: *Reciclou-se em economia.*

reciclável [De *reciclar* + *-vel*.] *Adj. 2 g.* Que se pode reciclar, *i. e.*, ser reutilizável após tratamento ou reciclagem.

recidiva [F. subst. de *recidivo*.] *S. f. Med.* Reaparecimento de uma doença algum tempo depois de se haver convalescido de um primeiro acometimento.

recidivante [De *recidivar* + *-nte*.] *Adj. 2 g.* Que é resultado de recidiva.

recidivar [De *recidiva* + *-ar*[2].] *V. int.* Apresentar recidiva.

recidividade [De *recidivo* + *-(i)dade*.] *S. f. Med.* Tendência para a recidiva.

recidivista [De *recidivo* *-ista*.] *Adj. 2 g. S. 2 g. Jur.* Diz-se de, ou criminoso reincidente.

recidivo [Do lat. *recidivu*.] *Adj.* Que torna a aparecer ou manifestar-se; reincidente: "O restaurador imposto pelas armas dos chilenos, ... assediado pelas ambições contrariadas .... e pelas ameaças dos conspiradores recidivos, tonteava na vertigem daquela eminência" (Euclides da Cunha, *À margem da História*, p. 99).

recife [Do ár. *rașīf*, 'sólido', 'firme' (adj.); 'caminho pavimentado' (subst.).] *S. m.* Rochedo ou série de rochedos situados próximos à costa ou a ela diretamente ligados, submersos ou a pequena altura do nível do mar. [Os recifes podem ser constituídos de arenito, resultantes da consolidação de antigas praias, ou de formações coralíneas, resultantes do acúmulo de carapaças de certos animais marinhos associado a crostas de algas calcárias.] ◆ **Recife circular.** *Geogr.* V. *recife em círculo*. **Recife em barreira.** *Geogr.* Recife coralíneo que constitui uma barreira entre a costa e o mar, dando origem à formação de um canal entre este e aquela. **Recife em círculo.** *Geogr.* Recife coralíneo que se apresenta com essa configuração e se forma afastado da costa, recebendo a denominação especial de *atol* (q. v.); recife circular. **Recife em franja.** *Geogr.* Recife coralíneo que se liga à terra por vários segmentos, apresentando o aspecto de franja.

recifense *Adj. 2 g.* **1.** Do, ou pertencente ou relativo ao Recife, capital de PE. ● *S. 2 g.* **2.** O natural ou habitante do Recife.

recifoso (ô) [De *recife* + *-oso*.] *Adj.* Em que há recifes.

recingir [De *re-* + *cingir*.] *V. t. d.* Cingir de novo. [Conjug.: v. *dirigir*.]

recinto [Do lat. *recinctu*.] *S. m.* **1.** Espaço cercado ou fechado: *o recinto da assembleia*; *o recinto do pátio.* **2.** Certo e determinado espaço ou lugar. [Cf. *ressinto*, do v. *ressentir*.]

récipe [Do lat. *recipe*, 'recebe', 'toma', imperat. de *recipere*.] *S. m.* **1.** Receita (6). **2.** *Fam.* V. *repreensão* (1): "— Acabo de passar um récipe ao pessoal, por ter-nos posto refeição à parte." (Godofredo Rangel, *Falange Gloriosa*, p. 140.)

recipiendário [Do lat. *recipiendus*, gerundivo de *recipere*, 'receber', + *-ário*.] *Adj.* **1.** Que tem algo a receber. ● *S. m.* **2.** Aquele que tem algo para receber. **3.** Aquele que é solenemente recebido em uma agremiação.

recipiente [Do lat. *recipiente*.] *Adj. 2 g.* **1.** Que recebe. ● *S. m.* **2.** Objeto capaz de conter líquidos ou sólidos; receptáculo. **3.** Vaso próprio para receber os produtos de uma operação química. **4.** Campânula de vidro que se coloca sobre a platina da máquina pneumática. ◆ **Recipiente do reator.** *Eng. Nucl.* V. *caixão do reator*.

recíproca [F. subst. de *recíproco*.] *S. f.* **1.** V. *reciprocidade*. **2.** Ideia, fato ou situação inversa.

reciprocação [Do lat. *reciprocatione*.] *S. f.* **1.** Ato ou efeito de reciprocar(-se). **2.** V. *reciprocidade*.

reciprocar [Do lat. *reciprocare*.] *V. t. d.* **1.** Tornar recíproco; dar e receber em troca; trocar, mutuar: *reciprocar beijos.* **2.** Compensar, substituir: *O sofrimento reciprocará a pena não cumprida.* *T. d. e i.* **3.** Mutuar, trocar: *Reciprocou com o irmão as funções de amparo da família.* *P.* **4.** Estar em correlação; corresponder-se: *Reciprocam-se o amor e a dedicação do casal.* **5.** Suceder alternadamente; alternar-se: *Reciprocam-se o verde e o branco, na tela.* [Conjug.: v. *trancar*. Pres. ind.: *reciproco*, etc. Cf. *recíproco*.]

reciprocidade [Do lat. *reciprocitate*.] *S. f.* **1.** Qualidade de recíproco; reciprocação, recíproca. **2.** Correspondência, igualdade ou paridade de sentimentos, pensamentos, intenções, ações, etc., entre duas pessoas, dois grupos, dois países, etc.

recíproco [Do lat. *reciprocu*.] *Adj.* **1.** Que implica troca ou permuta, ou que se permuta entre duas pessoas ou dois grupos; mútuo: *confiança recíproca*; *concessões recíprocas.* **2.** *Lóg.* Obverso (2). ~ V. *ação* —*a*, *automorfismo* —, *equação* —*a*, *falta* —*a*, *pronome* —, *razão* —*a* e *verbo* —. ● *S. m.* **3.** *Mat.* O inverso de um número. [Cf. *reciproco*, do v. *reciprocar*.]

récita [Dev. de *recitar*, com estranho e não explicado recuo do acento.] *S. f.* **1.** Espetáculo de declamação (1). **2.** *P. ext.* Espetáculo teatral: *récita popular*; *récita de gala*. **3.** *P. ext. Mús.* Concerto (7). [Cf. *recita*, do v. *recitar*.]

recitação [Do lat. *recitatione*.] *S. f.* Ato ou efeito de recitar.

recitado [Part. de *recitar*.] *Adj.* **1.** Lido ou repetido de cor e em voz alta; declamado. ● *S. m.* **2.** Trecho recitado.

recitador (ô) [Do lat. *recitatore*.] *Adj. S. m.* Que, ou aquele que recita; recitante.

recital [Do ingl. *recital*, pelo fr. *récital*.] *S. m.* **1.** *Mús.* Concerto de um só artista (ou mais, quando se trata de música de câmara). [Cf. *concerto* (7).] **2.** *Mús.* Apresentação dos alunos de um professor de música. **3.** Espetáculo de dição realizado em geral por um só artista.

recitalista [De *recital* + *-ista*.] *S. 2 g.* Pessoa que dá recital.

recitante [Do lat. *recitante*.] *Adj. 2 g.* **1.** Que recita; recitador. **2.** Diz-se da voz ou do instrumento que executa isoladamente um trecho musical. ● *S. 2 g.* **3.** Pessoa que recita; recitador.

recitar [Do lat. *recitare*.] *V. t. d.* **1.** Ler em voz alta e clara: *O pastor recitava trechos da Bíblia.* **2.** Pronunciar declamando; declamar: "animava a sala, cantando, tocando piano, fazendo prestidigitações e recitando poesias." (Aluísio Azevedo, *O Coruja*, p. 70). **3.** Contar, narrar, referir: *Levou horas a recitar as suas aventuras.* *T. d. e i.* **4.** Recitar (2): *O menino recitou a poesia para os avós.* **5.** Recitar (3): *Recitou suas viagens aos amigos.* *T. i.* **6.** Recitar (2): *A professora gosta de recitar para os alunos.* *Int.* **7.** Ser dado a recitar e/ou fazê-lo bem. [Pres. ind.: *recito*, *recitas*, *recita*, etc. Cf. *récita*.]

recitativo [De *recitatus*, part. pass. de *recitare*, 'recitar', + *-ivo*.] *S. m.* **1.** *Mús.* Canto declamado, numa ópera, numa cantata ou num oratório, e que se caracteriza pela liberdade do ritmo e da melodia, e pelo assunto narrativo. **2.** *Mús.* Nos oratórios do séc. XVIII, recitativo (1) que servia de introdução às grandes árias. **3.** *Mús.* Um dos teclados manuais do órgão. **4.** *P. ext.* Trecho em poesia ou prosa declamado com acompanhamento de música. ● *Adj.* **5.** Que é próprio para se recitar. ◆ **Recitativo acompanhado.** *Mús.* Recitati-

R

vo (1 e 2) que tem acompanhamento instrumental; recitativo instrumental. **Recitativo instrumental.** *Mús.* Recitativo acompanhado. **Recitativo seco.** *Mús.* Recitativo (1 e 2) cujo acompanhamento, muito simples, se limita a um baixo-cifrado (q. v.) executado pelo cravo.

recivilizar [De *re-* + *civilizar*.] ***V. t. d. P.*** Tornar a civilizar(-se).

reclamação [Do lat. *reclamatione*, 'desaprovação manifestada por gritos'.] ***S. f.*** **1.** Ato ou efeito de reclamar; reclamo; clamor. **2.** Queixa, protesto. **3.** Reivindicação legal; vindicação. **4.** *Dir. Trab.* Demanda proposta pelo empregado, na justiça do trabalho, em face do seu empregador, visando a assegurar direitos ou receber haveres que não lhe foram devidamente pagos.

reclamado [Part. de *reclamar*.] ***Adj.*** **1.** Que foi objeto de reclamação ou reivindicação. • ***S. m.*** **2.** *Dir. Trab.* Pessoa natural ou jurídica contra quem se propõe reclamação (4).

reclamador (ô) [De *reclamar* + *-dor*.] ***Adj. S. m.*** V. *reclamante* (1 e 2).

reclamante [Do lat. *reclamante*.] ***Adj. 2 g.*** **1.** Que reclama; reclamador. • ***S. 2 g.*** **2.** Pessoa que reclama; reclamador. **3.** *Dir. Trab.* Pessoa natural que propõe reclamação (4).

reclamar [Do lat. *reclamare*.] ***V. t. i.*** **1.** Fazer impugnação ou protesto (verbal ou por escrito); opor-se: *Os vassalos reclamaram contra os impostos arbitrários.* **2.** Queixar-se, lamentar-se: *O paciente reclama de dores.* **3.** Apontar faltas; manifestar descontentamento: *Os alunos reclamam do professor.* ***Int.*** **4.** Fazer reclamação ou reclamações; queixar-se: "Quando alguma cousa faltar, reclamem, que aqui estou eu para as providências" (Raul Pompeia, *O Ateneu*, p. 198). ***T. d.*** **5.** Exigir, reivindicar: "Pois bem, sim! Um panfleto a favor do divórcio, reclamando-o, dirigindo-se ao senso moral e à inteligência de todo o mundo para demonstrar a conveniência e a vantagem prática dessa medida" (Pardal Mallet, *Pelo Divórcio!*, p. 9); *Os operários reclamam melhores salários.* **6.** Pretender passar por autor ou dono de: *O neto reclama a herança.* **7.** Invocar, implorar, clamar: *Os Céus reclamam justiça.* **8.** Pedir, demandar, exigir: "Todos reclamam reformas, mas ninguém se quer reformar." (Marquês de Maricá, *Máximas, Pensamentos e Reflexões*, p. 28); "As grandes distâncias reclamam, de fato, o avião que é a máquina mais apropriada para vencê-las" (Fernando de Azevedo, *Um Trem Corre para o Oeste*, p. 29). **9.** Atrair (aves) com reclamo (3). ***T. d. e i.*** **10.** Invocar, implorar: *O condenado reclamou perdão ao rei.*

reclamável [De *reclamar* + *-vel*.] ***Adj. 2 g.*** Que pode ser reclamado.

reclame [Do fr. *réclame*.] ***S. m.*** *Gal.* V. *reclamo* (2).

reclamista [De *reclame* + *-ista*.] ***S. 2 g.*** *Bras.* Pessoa que faz reclamo ou propaganda de casas comerciais.

reclamo [Dev. de *reclamar*.] ***S. m.*** **1.** V. *reclamação* (1): "as fórmulas infinitas e as definições vagas podem resolver 'por comodidade' os reclamos imediatos da sabedoria humana, mas não saciarão o desejo do homem de saber de onde vem e pra onde vai." (Renato Almeida, *Fausto*, p. 79). **2.** Todo apelo à publicidade por anúncio, prospectos, etc.; propaganda, chamariz. [F. de maior uso no Brasil: *reclame* (gal.).] **3.** Instrumento que o caçador usa para imitar o canto das aves que deseja atrair; pio. **4.** Ato de chamar a atenção. **5.** Observação ou recomendação de caráter informativo ou publicitário inserta no corpo de um jornal ou revista. **6.** Palavra ou parte de palavra escrita ou impressa ao pé de cada página dos manuscritos e livros antigos, e que é uma repetição da que inicia a página seguinte, para facilitar a alçagem. **7.** *Constr. Nav.* Espécie de orelha, de madeira ou de ferro, com roldana ou sem ela, presa em mastro, mastaréu ou outra parte da embarcação, e destinada a receber e sujeitar qualquer cabo quando se pretenda mudar-lhe a direção ou dar-lhe retorno.

reclassificação [De *reclassificar* + *-ção*.] ***S. f.*** *Bras.* Ato ou efeito de reclassificar.

reclassificar [De *re-* + *classificar*.] ***V. t. d.*** *Bras.* Dar nova classificação a (funcionário público) para efeito de vencimentos. [Conjug.: v. *trancar*.]

reclinação [De *reclinar* + *-ção*.] ***S. f.*** Ato ou efeito de reclinar(-se).

reclinado [Part. de *reclinar*.] ***Adj.*** **1.** Dobrado sobre si mesmo; recurvado: *haste reclinada.* **2.** Meio deitado; recostado: *A moça reclinada parecia enferma.*

reclinar [Do lat. *reclinare*.] ***V. t. d.*** **1.** Fazer que se afaste da posição perpendicular; dobrar, recurvar: *reclinar a cabeça.* ***T. d. e c.*** **2.** Deitar, encostar: *Reclinou a cabeça ao ombro do pai*; "Sobre a mão reclina o rosto / tristemente pensativa" (Antônio Feliciano de Castilho, *Amor e Melancolia*, p. 33). ***P.*** **3.** Encostar-se, recostar-se; inclinar-se: "recolhe-se ao aposento, despe-se, reclina-se para dormir" (Id., *A Lírica de Anacreonte*, p. 13); *reclinar-se num sofá.* **4.** Pousar-se, deitar-se, descansar.

reclinatório [Do lat. *reclinatoriu*.] ***S. m.*** Leito, encosto, almofada, etc., para alguém se reclinar, recostar ou descansar; recosto.

reclinável [De *reclinar* + *-vel*.] ***Adj. 2 g.*** Que se pode reclinar ou dobrar; que permite reclinação: *cadeira reclinável.*

recluir [Do lat. *recludere*.] ***V. t. d. P.*** *us.* Encerrar, enclausurar: "as recordações exauriram-se e o que não se dissolvera .... estava definitivamente recluído no porão do inconsciente" (Maria Julieta Drummond de Andrade, *O Valor da Vida*, p. 224). [Conjug.: v. *atribuir*. Part., p. us.: *recluído* e *recluso*.]

reclusão [Do lat. *reclusione*.] ***S. f.*** **1.** Ato ou efeito de encerrar(-se); encerramento: "sabem-se as condições em que Xavier de Maistre o compôs [o romance *Viagem à roda do Meu Quarto*]: durante os longos dias de reclusão, numa cidade da Itália, para livrar-se das penas impostas por um duelo." (Brito Broca, *Horas de Leitura*, p. 7). **2.** Prisão, cárcere. **3.** Pena rigorosa, para ser cumprida em penitenciária (q. v.), com estágios diversos, e que a lei comina aos crimes de maior gravidade.

recluso [Do lat. *reclusu*.] ***Adj.*** **1.** Encerrado, preso, encarcerado: "Maria Cora não vivia absolutamente reclusa, dava alguns passeios e fazia visitas." (Machado de Assis, *Relíquias de Casa Velha*, p. 25.) **2.** Que vive em convento. • ***S. m.*** **3.** Aquele que vive em clausura (2) ou que foi condenado a reclusão (3).

reco ***S. m.*** *Bras. Pop.* **1.** Soldado recém-incorporado. **2.** Homem que presta serviço militar.

recobramento [De *recobrar* + *-mento*.] ***S. m.*** Ato ou efeito de recobrar(-se).

recobrar [Do lat. *recuperare*.] ***V. t. d.*** **1.** Adquirir de novo, receber (o que se havia perdido); recuperar, retomar; cobrar: *O país recobrou territórios perdidos; O descanso o fará recobrar as energias*; "Como sempre, a ideia da federação ibérica resultava da convicção de que o nosso País, atrasado, pobre, fraco, *curvado* à Inglaterra, recobraria na união o passado vigor, e voltaria a ser capaz de grandes cometimentos." (Álvaro J. da Costa Pimpão, *in* João Gaspar Simões, *Perspectiva da Literatura Portuguesa no Século XIX*, I, p. 229). ***P.*** **2.** Livrar-se (de coisa aflitiva ou molesta); restabelecer-se, recuperar-se: *Recobrou-se do susto tomado.* **3.** Retomar alento; reanimar-se. [Pres. ind.: *recobro*, etc. Cf. *recobro* (ô), s. m.]

recobrável [De *recobrar* + *-vel*.] ***Adj. 2 g.*** Que pode ser recobrado.

recobrimento [De *recobrir* + *-mento*.] ***S. m.*** **1.** Ato ou efeito de recobrir(-se). **2.** *Geol.* Superposição de dobras de terrenos mais antigos aos mais modernos. **3.** *Arquit.* Superfície de contato entre uma telha e outra.

recobrir [De *re-* + *cobrir*.] ***V. t. d. P.*** **1.** Tornar a cobrir(-se). **2.** Cobrir(-se) bem. [Irreg. Conjug.: v. *cobrir*.]

recobro (ô) [Dev. de *recobrar*.] ***S. m.*** Ato ou efeito de recobrar(-se). [Pl.: *recobros* (ô). Cf. *recobro*, do v. *recobrar*.]

recocto [Do lat. *recoctu*.] ***Adj.*** Recozido. [Cf. *recoito*.]

recognição [Do lat. *recognitione*.] ***S. f.*** Reconhecimento (1).

recognitivo [Do lat. *recognitus*, part. pass. de *recognoscere*, 'reconhecer', + *-ivo*.] ***Adj.*** Próprio para reconhecer ou averiguar determinada coisa.

recoitar [De *recoito* + *-ar*[2].] ***V. t. d.*** Recozer (metais). [F. paral.: *recoutar*.]

recoito [Do lat. *recoctu*.] ***Adj.*** Recozido (metal). [F. paral.: *recouto*. Cf. *recocto*.]

recolecto ***Adj. S. m.*** V. *recoleto*.

recoleto [Do lat. *recollectu*, 'que se recolheu'.] ***Adj.*** **1.** Relativo ou pertencente a um dos ramos da Ordem dos Agostinianos. **2.** *Fig.* Que leva vida austera. • ***S. m.*** **3.** Frade recoleto. **4.** Sacerdote duma ordem, e que sofreu pena disciplinar.

recolha (ô) [Dev. de *recolher*.] ***S. f.*** **1.** V. *recolhimento* (1): "Substituíam as camionetes da Câmara na recolha do lixo, encarregavam-se [os cães] dos sobejos que as donas de casa atiravam à rua." (Augusto Abelaira, *Enseada Amena*, p. 25.) **2.** *Lus.* Garagem de aluguel.

recolhedor (ô) [De *recolher* + *-dor*.] ***S. m.*** **1.** Aquele que recolhe. **2.** *Bras.* Aquele que sai ao campo catando os cavalos para recolhê-los ao curral.

recolher [Do lat. *recolligere*.] ***V. t. d.*** **1.** Pôr ao abrigo; guardar, arrecadar: *O peão saiu para recolher o gado.* **2.** Fazer a colheita de: *A menina recolhia maçãs no quintal.* **3.** Cobrar; receber; arrecadar: *Encarregaram-no de recolher mensalidades atrasadas.* **4.** Reunir, juntar (coisas dispersas). **5.** Guardar dentro de si; conter: *Recolheu o riso*; "Jovem Artista o [o grito] recolheu em seu peito." (Homero Homem, *Cabra das Rocas*, p. 82). **6.** Obter como resultado ou recompensa: *Quem planta o mal não pode recolher o bem.* **7.** Dar hospitalidade a; abrigar, receber: *Recolheu os viajantes cansados.* **8.** Juntar; coligir, colher: *Durante anos recolheu dados acerca da Grécia antiga.* **9.** Retrair, encolher: *A tartaruga recolheu o pescoço.* **10.** Retirar da circulação: *O governo recolheu as notas antigas.* **11.** Puxar para si; encurtar: *recolher as rédeas.* **12.** Guardar na memória; memorizar: *As crianças costumam recolher os fatos com elas relacionados.* **13.** *Jur.* Devolver (um mandado) ao cartório de origem. **14.** *Tip.* Começar (linha) com um claro, geralmente de um quadratim. [Cf. *entrar* (31).] ***T. d. e c.*** **15.** Conduzir, levar: *Os vaqueiros recolheram o gado ao curral.* ***T. c.*** **16.** Voltar, regressar, tornar: *Só pela manhã recolheu à residência*; "D. Rui recolheu ao solar melancolicamente." (Eça de Queirós, *Últimas Páginas*, p. 399). ***Transobj.*** **17.** Manter, conservar, guardar: *A polícia recolhia presos muitos ladrões.* ***Int.*** **18.** Voltar para casa; recolher-se: *Disse que hoje recolheria cedo*; "Quando a Rita chegou a casa, já depois das nove horas, o pai ainda não recolhera, e a mãe, a Benta, começava a estar inquieta" (Conde de Ficalho, *Uma Eleição Perdida*, p. 242). **19.** Desaparecer (doença da pele) na parte externa, passando a manifestar-se interiormente: *Os furúnculos recolheram.* ***P.*** **20.** Voltar para casa; reentrar: "Recolhia-se habitualmente de madrugada." (Artur Azevedo, *Contos Possíveis*, p. 67.) **21.** Regressar à sua pátria. **22.** Refugiar-se, abrigar-se, asilar-se: *Recolheu-se à casa de um amigo para fugir aos perseguidores.* **23.** Ir para a cama ou para o quarto, à noite, para repousar ou dormir; deitar-se: "Meia-noite. Ao meu quarto me recolho." (Augusto dos Anjos, *Eu*, p. 13.) **24.** Dirigir-se (aos seus aposentos): *Recolheu-se logo, pois não lhe agradava a conversa.* **25.** Retrair-se, fugindo à vida mundana: *Recolheu-se ao convento franciscano.* **26.** Concentrar-se em reflexão. **27.** Recolher (19).

recolhida [De *recolher* + *-ida*[3].] ***S. f.*** **1.** V. *recolhimento* (1). **2.** Mulher que não fez votos, mas vive em convento.

recolhido [Part. de *recolher*.] ***Adj.*** **1.** Que se recolheu. **2.** Afastado do movimento mundano. **3.** Pouco expansivo; retraído, concentrado, fechado. • ***S. m.*** **4.** *Tip.* Espaço que se deixa em começo de parágrafo, e que em geral corresponde a um quadratim; claro de abertura, claro de entrada, entrada. **5.** *Tip.* Espaço com que se iniciam as linhas subsequentes à primeira, na composição em sumário.

recolhimento [De *recolher* + *-imento*.] ***S. m.*** **1.** Ato ou efeito de recolher(-se). [Sin.: *recolhida*, *recolha* e (p. us.) *recolho*.] **2.** Local onde se recolhe alguém ou algo. **3.** Recato, cautela, resguardo. **4.** Contemplação, meditação. **5.** Vida retraída, recatada. **6.** *Antrop.* O costume do resguardo (8).

recolho (ô) [Dev. de *recolher*.] ***S. m.*** **1.** *P. us.* V. *recolhimento* (1). **2.** Respiração forte. **3.** O repuxo da água expelida pela baleia quando vem à superfície respirar. [Pl.: *recolhos* (ô).]

recolocação [De *recolocar* + *-ção*.] ***S. f.*** Ação ou efeito de recolocar.

recolocar [Do lat. *recollocare*.] ***V. t. d. T. d. e c.*** Colocar de novo. [Conjug.: v. *trancar*.]

recolonização [De *recolonizar* + *-ção*.] ***S. f.*** Ato ou efeito de recolonizar.

recolonizar [De *re-* + *colonizar*.] ***V. t. d.*** **1.** Tornar a colonizar. **2.** Reduzir novamente à condição de colônia: "Os acontecimentos evoluem, ... e não tarda que se patenteie a atitude das Cortes de Lisboa, o seu firme propósito de recolonizar o Brasil." (San Tiago Dantas, *Figuras do Direito*, p. 18.)

recombinação [De *recombinar* + *-ção*.] ***S. f.*** **1.** Ato de recombinar. **2.** *Fís.* Captura de elétrons por um íon positivo, com a neutralização da respectiva carga. **3.** *Genét.* Troca de material genético entre cromossomos, que resulta num rearranjo de genes diferentes do original.

recombinante [De *recombinar* + *-nte*; ingl. *recombinant*.] ***Adj. 2 g.*** *Bioquím.* Diz-se de gene, ou de ácido desoxirribonucleico, que sofreu recombinação (q. v.) artificial.

recombinar [De *re-* + *combinar*.] ***V. t. d.*** Sujeitar a nova combinação.

recomeçar [De *re-* + *começar*.] ***V. t. d. T. i. Int. Pred.*** Começar de novo: "E os instrumentos, há pouco emudecidos e suspensos, recomeçam as suas harmonias" (Melo Morais Filho, *Festas e Tradições Populares do Brasil*, p. 161); *Depois de algumas horas a chuva recomeçou.* [Conjug.: v. *laçar*. Pres. ind.: *recomeço*, etc. Cf. *recomeço* (ê).]

recomeço (ê) [De *re-* + *começo* (ê).] ***S. m.*** Ato de recomeçar. [Pl.: *recomeços* (ê). Cf. *recomeço*, do v. *recomeçar*.]

recomendação [De *recomendar* + *-ção*.] ***S. f.*** **1.** Ato ou efeito de recomendar(-se). **2.** Qualidade de quem é recomendável. 3. Conselho, aviso, advertência. ~ V. *recomendações*.

recomendações [Pl. de *recomendação*.] *S. f. pl.* Cumprimentos, saudações. ~ V. *recomendação*.

recomendado [Part. de *recomendar*.] *Adj.* 1. Que é objeto de recomendação, aviso, conselho; aconselhado. 2. Que é alvo de recomendação ou de empenho. • *S. m.* 3. Indivíduo recomendado (2).

recomendar [Do lat. **recommendare*<lat. *commendare*.] *V. t. d.* 1. Aconselhar, indicar: *O médico recomendou repouso. T. d. e i.* 2. Fazer ver; lembrar: *Recomendou aos soldados que tivessem toda a precaução.* 3. Encarregar, incumbir, encomendar: *Recomendou os melhores homens para a missão.* 4. Pedir todo o cuidado e atenção para alguma coisa: *Recomendo-lhe a leitura dos trabalhos.* 5. Aconselhar: *Seus mestres recomendaram-lhe cautela nas respostas.* 6. Solicitar favor, proteção, etc., em proveito de alguém: *Recomendou o filho ao amigo.* 7. Confiar a alguém: *Recomendei a casa aos criados.* 8. Dar como bom; aconselhar com encarecimento; inculcar: *Recomendei-lhe a leitura do romance.* 9. Enviar ou apresentar cumprimentos: *Recomendou-me à sua família. P.* 10. Tornar-se recomendável; merecer distinção, favor, privilégio.

recomendatório [De *recomendar* -*tório*.] *Adj.* 1. Que serve para recomendar. 2. Que recomenda. 3. Que serve de empenho.

recomendável [De *recomendar* + -*vel*.] *Adj. 2 g.* Digno de ser recomendado; estimável.

recomer [De *re-* + *comer*.] *V. t. d.* 1. Remastigar, ruminar. 2. Carcomer, comer.

recompensa [Dev. de *recompensar*.] *S. f.* 1. Ato ou efeito de recompensar(-se). 2. Prêmio, galardão. [Sin. ger.: *recompensação*.]

recompensação [De *recompensar* + -*ção*.] *S. f.* V. *recompensa*.

recompensador (ô) [De *recompensar* + -*dor*.] *Adj. S. m.* Que, ou aquele que recompensa.

recompensar [De *re-* + *compensar*.] *V. t. d.* 1. Reconhecer os serviços de (alguém), dando-lhe recompensa (2); premiar, galardoar: *A medalha recompensará sua bravura.* 2. Corresponder a; retribuir: *A família não recompensava a sua dedicação.* 3. Pagar, indenizar, compensar: *Os lucros atuais não recompensam o risco. P.* 4. Pagar-se; indenizar-se, desforrar-se: *Recompensou-se do trabalho estafante exigindo pagamento extra.*

recompensável [De *recompensar* + -*vel*.] *Adj. 2 g.* Digno de recompensa.

recompor [Do lat. *recomponere*.] *V. t. d.* 1. Tornar a compor; dar nova forma a: *recompor um escrito.* 2. Reorganizar; restabelecer; reordenar: *Convém recompor os dados;* "Heróis de ambos os lados caíam, ensopados em sangue. O terror desfazia as linhas, a coragem as recompunha, e os combates sucediam aos combates." (Machado de Assis, *A semana*, II, p. 60). 3. Recuperar, restabelecer: *Em poucos meses recomporá sua forma física.* 4. Reconciliar, congraçar, recongraçar, harmonizar: *recompor desafetos. P.* 5. Reconciliar-se, congraçar-se, recongraçar-se. 6. Compor-se de novo; reconstituir-se: "A vida, nas cidades e nos campos, se recompunha asperamente sobre compromissos ainda mal-ajustados." (Moisés Velinho, *Letras da Província*, p. 9.) [Irreg. Conjug.: v. *pôr*.]

recomposição [De *re-* + *composição*.] *S. f.* 1. Ato ou efeito de recompor(-se). 2. Congraçamento, reconciliação. 3. Formação de um novo ministério, de uma nova equipe de trabalho, etc., com aproveitamento de alguns elementos do grupo anterior.

recomposto (ô) [Do lat. *recompositu*.] *Adj.* Que se recompôs.

recompra [Dev. de *recomprar*, ou de *re-* + *compra*.] *S. f.* 1. Ato ou efeito de recomprar. 2. *Econ.* Resgate de um ativo financeiro pelo próprio emitente, antes de seu vencimento.

recomprar [De *re-* + *comprar*.] *V. t. d.* Comprar de novo.

recôncavo [De *re-* + *côncavo*.] *S. m.* 1. Cavidade funda; gruta, antro, lapa. 2. A terra circunvizinha duma cidade ou dum porto; enseada. 3. *Bras.* Extensa e fértil região da BA; recôncavo baiano. ◆ **Recôncavo baiano.** *Bras.* Recôncavo (3).

reconceituação [De *reconceituar* + -*ção*.] *S. f.* Ato ou efeito de reconceituar.

reconceituado [Part. de *reconceituar*.] *Adj.* Que se reconceituou.

reconceituar [De *re-* + *conceito* + -*uar*.] *V. t. d.* Conceituar novamente; dar novo conceito a.

reconcentração [De *reconcentrar* + -*ção*.] *S. f.* Ato ou efeito de reconcentrar(-se).

reconcentrado [Part. de *reconcentrar*.] *Adj.* 1. Escondido muito profundamente. 2. Reflexivo, meditabundo.

reconcentrar [De *re-* + *concentrar*.] *V. t. d.* 1. Reunir num ponto: *O general tentou inutilmente reconcentrar a sua divisão;* "O gênio, quando verdadeiro, não recua diante da dificuldade insuperável: para, reconcentra as forças, e reconsidera." (Antônio Feliciano de Castilho, *O Outono*, p. XVII). 2. Encerrar ou recolher dentro de si (um sentimento): *Durante anos reconcentrara aquele ódio mortal.* 3. Fazer convergir para um centro. *T. d. e i.* 4. Fazer convergir: *A viúva reconcentrava nos filhos todo o seu amor. P.* 5. Chegar-se para o centro: *As populações reconcentraram-se, povoando o interior.* 6. Reunir-se ou concentrar-se num ponto: *O exército inimigo reconcentra-se na fronteira.* 7. Viver isolado; apartar-se da convivência: *Reconcentrou-se, fugindo ao convívio social.* 8. Tornar-se mais intenso; aumentar de força; reforçar-se: *Os ideais de liberdade reconcentravam-se à cada arbitrariedade do soberano absolutista.* 9. Concentrar a atenção num ponto ou assunto; meditar profundamente: *À medida que envelhecia, o filósofo reconcentrava-se na transitoriedade da existência.*

reconcertar [De *re-* + *concertar*.] *V. t. d.* Concertar novamente; tornar a concertar. [Pres. ind.: *reconcerto*, etc. Cf. *reconcerto* (ê) e *reconserto* (ê), s. m., *reconserto*, do v. *reconsertar*, e este verbo.]

reconcerto (ê) [De *re-* + *concerto* (ê).] *S. m.* Ato ou efeito de reconcertar. [Pl.: *reconcertos* (ê). Cf. *reconcerto*, do v. *reconcertar*; *reconserto* (ê), s. m.; e *reconserto*, do v. *reconsertar*.]

reconciliabilidade [De *reconciliável* + -*(i)dade*, seg. o padrão erudito.] *S. f.* Qualidade de reconciliável.

reconciliação [Do lat. *reconciliatione*.] *S. f.* 1. Ato ou efeito de reconciliar(-se). 2. Reatamento de amizade. 3. *Rel.* Confissão religiosa por devoção, *i. e.*, feita além daquela que os preceitos determinam anualmente. 4. *Rel.* Bênção de um templo que foi profanado.

reconciliado [Part. de *reconciliar*.] *Adj.* 1. Diz-se daquele que se reconciliou. 2. Diz-se do penitente que se confessou e recebeu absolvição. • *S. m.* 3. O penitente reconciliado (2).

reconciliador (ô) [Do lat. *reconciliatore*.] *Adj. S. m.* Que, ou aquele que reconcilia.

reconciliar [Do lat. *reconciliare*.] *V. t. d.* 1. Estabelecer a paz entre: *O mediador não conseguiu reconciliar as potências beligerantes.* 2. Tornar amigos (pessoas que se malquistaram). 3. Restituir à graça de Deus: *A confissão reconcilia os pecadores.* 4. Pôr de acordo, conciliar (coisas que parecem opostas): *É difícil reconciliar ideias novas e tradição. T. d. e i.* 5. Congraçar, harmonizar: *A bondade dos pais acabou reconciliando com a família o filho extraviado;* "Goethe reconcilia a arte com a vida, reduzindo-as à Natureza, que jamais mente." (Oto Maria Carpeaux, *A Cinza do Purgatório*, p. 33). *P.* 6. Fazer as pazes; congraçar-se: *Os inimigos reconciliaram-se;* "curvava a fronte ao peso do remorso, reconciliando-se com a vida e com Deus" (Coelho Neto, *Obra Seleta*, I, p. 776). [Sin. ger.: *recongraçar*.]

reconciliatório [De *reconciliar* + -*tório*.] *Adj.* Que tem o poder de reconciliar; que serve para reconciliar.

reconciliável [De *reconciliar* + -*vel*.] *Adj. 2 g.* Que se pode reconciliar.

recondicionado [Part. de *recondicionar*.] *Adj. Bras.* Recuperado por meio de recondicionamento: *bateria recondicionada.*

recondicionamento [De *recondicionar* + -*mento*.] *S. m. Bras.* Ato ou efeito de recondicionar.

recondicionar [De *re-* + *condicionar*.] *V. t. d. Bras.* Pôr (motor, aparelho ou peça desgastados pelo uso) em condições de pleno funcionamento.

recondicionável [De *recondicionar* + -*vel*.] *Adj. S. m. Bras.* Que se pode recondicionar.

recôndito [Do lat. *reconditu*.] *Adj.* 1. Oculto, escondido. 2. Ignorado, desconhecido. 3. Íntimo, profundo: "as grandes tristezas do meu coração ferido por inconfessáveis e recônditas amarguras." (Fialho d'Almeida, *Pasquinadas*, p. 331); "pensamentos recônditos, intenções torcidas, ódios secretos" (Machado de Assis, *Várias Histórias*, p. 30). • *S. m.* 4. Lugar oculto; escaninho, esconso, reconditório. 5. Íntimo, imo, âmago: "Os carapanãs começaram a invadir o barco e logo o devaneio sentimental acomodou-se no recôndito da alma e ali ficou como uma dor sob anestesia." (Braga Montenegro, *As Viagens*, p. 70.)

reconditório [Do lat. *reconditoriu*.] *S. m.* V. *recôndito* (4).

recondução [De *re-* + *condução*.] *S. f.* 1. Ato ou efeito de reconduzir. 2. *Jur.* Prolongamento do prazo de um contrato, com as mesmas condições e sem renovação de ajuste.

reconduzir [Do lat. *reconducere*.] *V. t. d. e c.* 1. Remeter novamente (para o lugar de onde tinha vindo); conduzir de novo; devolver: *O vaqueiro reconduziu os bois ao curral;* "Vairão era de antigos tempos uma das casas religiosas .... em que as famílias piedosas e discretas punham confiadamente suas filhas a educar, para depois as reconduzirem ao mundo" (Antônio Feliciano de Castilho, *Amor e Melancolia*, p. 277). *T. d. e i.* 2. Devolver, reenviar: *Não encontrando o destinatário, o carteiro reconduziu a carta ao remetente.* 3. Nomear novamente para o cargo que vinha exercendo; reeleger: *Reconduziram-no à pasta da Fazenda. T. d.* 4. Prorrogar (a comissão temporária) por um novo período: *O diretor reconduziu seu secretário.* 5. Reconduzir (3): *A assembleia reconduziu os diretores.* [Conjug.: v. *aduzir*.]

reconfirmação [De *reconfirmar* + -*ção*.] *S. f.* Ato ou efeito de reconfirmar.

reconfirmar [De *re-* + *confirmar*.] *V. t. d.* Confirmar outra vez.

reconfortador (ô) [De *reconfortar* + -*dor*.] *S. m.* Reconfortante (1).

reconfortante [De *reconfortar* + -*nte*.] *Adj. 2 g.* 1. Que reconforta; reconfortador. • *S. m.* 2. Remédio ou alimento que reconforta.

reconfortar [De *re-* + *confortar*.] *V. t. d.* 1. Confortar muito; revigorar: *Reconforta-o a ginástica.* 2. Dar novo alento a: *A esperança da liberdade reconforta os presos.* 3. Confortar, consolar. *Int. P.* 4. Recobrar forças perdidas; revigorar: *Vinho tinto reconforta; Reconfortei-me com um banho frio.* [Pres. ind.: *reconforto*, etc. Cf. *reconforto* (ô).]

reconforto (ô) [De *re-* + *conforto* (ô).] *S. m.* Ato ou efeito de reconfortar(-se). [Pl.: *reconfortos* (ô). Cf. *reconforto*, do v. *reconfortar*.]

recongraçar [De *re-* + *congraçar*.] *V. t. d. T. d. e i. P.* V. *reconciliar*. [Conjug.: v. *laçar*.]

reconhecença [De *re-* + *conhecença*.] *S. f.* 1. *Ant.* Pensão ou tributo que se pagava a certos bispos ou cabidos. 2. *Bras.* Sinal em terra, pelo qual os viajantes podem reconhecer as paragens das costas.

reconhecer [Do lat. *recognoscere*.] *V. t. d.* 1. Conhecer de novo (quem se tinha conhecido em outro tempo): *Os óculos impediram que o reconhecesse.* 2. Admitir como certo: *Devemos reconhecer a verdade dos fatos.* 3. Perfilhar (1): *Antes de morrer, reconheceu os filhos ilegítimos.* 4. Certificar-se de; constatar, verificar: *É pela ação que reconhecemos as boas intenções.* 5. Confessar, aceitar: *O réu reconheceu sua culpa.* 6. Examinar a situação de; observar, explorar: *Enviou uma patrulha para reconhecer a região.* 7. Declarar, afirmar, proclamar: *O povo reconheceu o novo rei.* 8. Declarar (um governo) reconhecido legitimamente. 9. Dar a conhecer; caracterizar, identificar: *Certos indícios reconhecem criminosos.* 10. Mostrar-se agradecido por: *O rapaz reconheceu, emocionado, os favores recebidos. T. d. e i.* 11. Admitir como legal; assegurar: *O juiz reconheceu-lhe o direito requerido. Transobj.* 12. Admitir como bom, verdadeiro ou legítimo; conhecer: *O povo reconheceu-o como imperador. P.* 13. Declarar-se, confessar-se: *O réu reconheceu-se culpado.* [Conjug.: v. *aquecer*.]

reconhecido [Part. de *reconhecer*.] *Adj.* 1. Que se reconheceu ou reconhece. 2. Agradecido, grato. ~ V. *filho* —.

reconhecimento [De *reconhecer* + -*imento*.] *S. m.* 1. Ato ou efeito de reconhecer(-se); recognição. 2. Agradecimento, gratidão. 3. *Maç.* Documento pelo qual duas ou mais corporações maçônicas reconhecem as suas legalidades de funcionamento. ◆ **Reconhecimento arqueológico.** *Arqueol.* Levantamento em campo, segundo métodos variados, para a localização de sítios arqueológicos. **Reconhecimento de voz.** *Inform.* V. *processamento de linguagem* (2).

reconhecível [De *reconhecer* + -*ível*.] *Adj. 2 g.* Que se pode reconhecer, ou que se reconhece facilmente.

reconquista [Dev. de *reconquistar*.] *S. f.* 1. Ato ou efeito de reconquistar. 2. Aquilo que se reconquistou.

reconquistador (ô) [De *reconquistar* + -*dor*.] *Adj. S. m.* Que, ou aquele que reconquista.

reconquistar [De *re-* + *conquistar*.] *V. t. d.* 1. Conquistar de novo; recuperar por conquista: "Parece que um tão estreme espiritualista, reconquistando a idealidade do antigo amor, devia reentrar também na antiga felicidade perfeita." (Eça de Queirós, *Contos*, p. 297.) 2. Recuperar, recobrar; consolidar: *reconquistar a estima de alguém.*

reconquistável [De *reconquistar* + -*vel*.] *Adj. 2 g.* Que pode ser reconquistado.

reconsertar [De *re-* + *consertar*.] *V. t. d.* Consertar de novo. [Pres. ind.: *reconserto*, etc. Cf. *reconserto* (ê) e *reconcerto* (ê), s. m., *reconcerto*, do v. *reconcertar*, e este v.]

reconserto (ê) [De *re-* + *conserto*.] *S. m.* Ato ou efeito de reconsertar. [Pl.: *reconsertos* (ê). Cf. *reconserto*, do v. *reconsertar*; *reconcerto* (ê), s. m., e *reconcerto*, do v. *reconcertar*.]

reconsideração [De *reconsiderar* + *-ção*.] *S. f.* Ato ou efeito de reconsiderar.

reconsiderar [De *re-* + *considerar*.] *V. t. d.* **1.** Considerar ou ponderar novamente: *Reconsideremos o problema. Int.* **2.** Tomar nova resolução; arrepender-se de resolução tomada; pensar melhor; desdizer-se: *Reconsiderei, e resolvi não ir;* "Reconsidera, Belkiss, abandona o teu propósito e verás, de novo, o sol..." (Eugênio de Castro, *Obras Poéticas*, II, p. 162).

reconsolidação [De *reconsolidar* + *-ção*.] *S. f.* Ação ou efeito de reconsolidar(-se).

reconsolidar [De *re-* + *consolidar*.] *V. t. d. Int. P.* Consolidar de novo.

reconstitucionalizar [De *re-* + *constitucionalizar*.] *V. t. d.* Constitucionalizar outra vez: *reconstitucionalizar um país.*

reconstituição (u-i) [De *reconstituir* + *-ção*.] *S. f.* **1.** Ato ou efeito de reconstituir. **2.** Durante investigação criminal, tentativa de recriar a cena de crime, a partir de indícios, testemunhos, etc.

reconstituinte (u-ín) [De *reconstituir* + *-nte*.] *Adj. 2 g.* **1.** Que reconstitui. ● *S. m.* **2.** Medicamento para reconstituir a saúde de pessoa doente ou fraca; tônico.

reconstituir (u-ír) [De *re-* + *constituir*.] *V. t. d.* **1.** Tornar a constituir; recompor: *Reconstituiremos a parte danificada.* **2.** Restaurar as forças de; restabelecer: *O remédio reconstituiu o doente.* **3.** Realizar a reconstituição (2) de: *No afã de reconstituir o assassinato da estudante, os policiais cometeram algumas infrações. P.* **4.** Recompor-se, restabelecer-se. [Conjug.: v. *atribuir*.]

reconstrução [De *re-* + *construção*.] *S. f.* **1.** Ato ou efeito de reconstruir. **2.** Edifício, ou parte dele, que se reconstruiu ou reformou. ◆ **Reconstrução interna.** *E. Ling.* Método que estabelece estágios anteriores de uma língua, não atestados diretamente, por meio de correspondências entre conjuntos de fonemas que se alternam numa única língua. [Cf. *método comparativo*.]

reconstruir [De *re-* + *construir*.] *V. t. d.* **1.** Construir novamente: *A população reconstruiu as cidades arrasadas pela guerra.* **2.** Reorganizar, reformar: *Os conhecimentos modernos permitiram-nos reconstruir a ciência. Int.* **3.** Construir novamente alguma coisa: *Os governos europeus do pós-guerra propunham-se reconstruir.* [Conjug.: v. *atribuir*.]

reconstrutor (ô) [De *re-* + *construtor*.] *Adj.* Que reconstrói ou serve para reconstruir. ~ V. *cirurgia —a*.

recontagem [De *recontar* + *-agem*[2].] *S. f.* Ato ou operação de recontar (1); nova contagem.

recontar [De *re-* + *contar*.] *V. t. d.* **1.** Tornar a contar; contar de novo: *Recontaram o pessoal para saber as baixas;* "mandava-lhe o grosso do pagamento em moedas que ele contava, recontava, levando-as num saco" (Coelho Neto, *Treva*, p. 330). **2.** Contar minuciosamente. **3.** Referir, narrar, contar: *As gerações futuras recontarão a mesma lenda. T. d. e i.* **4.** Narrar, referir, contar: *Recontou aos filhos a dolorosa história. P.* **5.** Incluir-se, contar-se: *Reconta-se entre os inteligentes.*

recontente [De *re-* + *contente*.] *Adj. 2 g.* Muito contente.

reconto[1] [De *re-* + *conto*[2].] *S. m.* Conto de lança, que fica no reverso da haste.

reconto[2] [Dev. de *recontar*.] *S. m.* Ato ou efeito de recontar.

recontratação [De *recontratar* + *-ção*.] *S. f.* Ato ou efeito de recontratar.

recontratar [De *re-* + *contratar*.] *V. t. d.* **1.** Tornar a contratar: *Com o fim da crise, a empresa recontratou os empregados demitidos.*

recontro [De *contra*.] *S. m.* **1.** Embate de dois corpos; choque. **2.** Embate dos que lutam; conflito. **3.** Luta de pouca duração. **4.** Encontro casual.

reconvalescença [De *reconvalescer* + *-ença*.] *S. f.* Ato de reconvalescer.

reconvalescente [De *reconvalescer* + *-nte*.] *Adj. 2 g. S. 2 g.* Que, ou quem reconvalesce.

reconvalescer [Do lat. *reconvalescere*.] *V. int.* Convalescer de novo. [Conjug.: v. *aquecer*.]

reconvenção [De *re-* + *convenção*.] *S. f.* **1.** Ato ou efeito de reconvir. **2.** *Fig.* Ato ou efeito de reconvir, de recriminar; recriminação. **3.** *Dir. Proc. Civ.* Demanda proposta pelo réu em face do autor, no mesmo processo em que por este é demandado, desde que entre elas haja conexão (6).

reconversão [De *re-* + *conversão*.] *S. f.* **1.** Ato ou efeito de reconverter. **2.** *Arquit.* Conjunto de intervenções arquitetônicas que visam, principalmente, a atualizar o acervo construído, viabilizando-lhe a utilização para novo fim, uma vez respeitadas as características fundamentais da construção.

reconverter [De *re-* + *converter*.] *V. t. d. e i.* Efetuar a reconversão de: *Logo que pôde, reconverteu em ações a quantia que havia empregado nas despesas.*

reconvindo [Part. de *reconvir*.] *Adj. S. m. Jur.* Diz-se do, ou o demandante contra quem foi requerida pelo demandado a reconvenção (3).

reconvinte [De *reconvir* + *-nte*.] *Adj. 2 g. S. 2 g. Jur.* Diz-se de, ou demandado que requereu reconvenção (3) contra o demandante.

reconvir [De *re-* + *convir*.] *V. t. d.* **1.** Reaver, recobrar, recuperar. **2.** Lembrar-se de; recordar. **3.** Recriminar (um acusador) com o fim de diminuir o valor da acusação. **4.** *Jur.* Propor (o réu) reconvenção contra o autor da demanda (2). [Irreg. Conjug.: v. *vir*.]

reconvocação [De *reconvocar* + *-ção*.] *S. f.* Ação ou efeito de reconvocar.

reconvocar [De *re-* + *convocar*.] *V. t. d.* Tornar a convocar. [Conjug.: v. *trancar*.]

recópia [De *re-* + *cópia*.] *S. f.* Ato ou efeito de recopiar; nova cópia. [Cf. *recopia*, do v. *recopiar*.]

recopiar [De *re-* + *copiar*.] *V. t. d.* Copiar novamente. [Pres. ind.: *recopio, recopias, recopia*, etc. Cf. *recópia*.]

recopilação [De *recopilar* + *-ção*.] *S. f.* Ato ou efeito de recopilar; resumo.

recopilador (ô) [De *recopilar* + *-dor*.] *Adj. S. m.* Que, ou aquele que recopila.

recopilar [Do b.-lat. *recopilare*.] *V. t. d.* **1.** Abreviar, compendiar, coligir. **2.** Juntar extratos de; copilar: *recopilar autores clássicos.*

recordação [Do lat. *recordatione*.] *S. f.* **1.** Ato ou efeito de recordar(-se). [Sin., p. us.: *recordo*.] **2.** V. *reminiscência* (1). **3.** Objeto que relembra algum lugar, pessoa ou coisa; lembrança.

recordador (ô) [De *recordar* + *-dor*.] *Adj. S. m.* Que, ou aquele que recorda.

recordar [Do lat. *recordare*.] *V. t. d.* **1.** Fazer vir à memória; lembrar-se de; lembrar: *Recordava, feliz, os seus tempos de criança.* **2.** Fazer lembrar; ser semelhante a: *Estes prédios recordam os da minha cidade.* **3.** Estudar de novo: *Recordou toda a matéria para o vestibular. T. d. e i.* **4.** Lembrar novamente; fazer vir de novo à memória: *Recordei-lhe aqueles bons tempos;* "os dois ascetas estavam .... anojados, mas S. Francisco de Sales recordava-lhes o texto da Escritura: muitos são os chamados e poucos os escolhidos" (Machado de Assis, *Várias Histórias*, pp. 27-28). **5.** Fazer vir à memória; lembrar: "Seus troncos varonis recordam-me pilastras" (Cesário Verde, *Obra Completa*, p. 104). *T. i.* **6.** Vir à memória; ocorrer: *Não lhe recordava o nome da obra. P.* **7.** Fazer vir à memória; lembrar-se: *O velho general recordava-se de seus tempos de soldado;* "Suspirou fundo, recordando-se da finada Maria — sua companheira de miséria por mais de vinte anos" (Nélson de Faria, *Tiziu e Outras Estórias*, p. 138). [Sin., pop., nas acepçs. 1, 5 e 7: *escordar*. Pres. ind.: *recordo*, etc. Cf. *recordo* (ô).]

recordativo [Do lat. *recordativu*.] *Adj.* Que faz recordar: ".... para uma *vaquejada*, cantando o aboiado recordativo dos dias de tanger ou da luta com o gado das fazendas no emaranhado das caatingas." (Carlos de Gusmão, *Boca da Grota*, p. 36). [Sin.: *recordatório*.]

recordatório [De *recordar* + *-tório*.] *Adj.* Recordativo.

recorde [Do fr. *record* < ingl. *record*.] *S. m.* **1.** A melhor atuação desportiva que, no mesmo gênero e em condições idênticas, foi oficialmente registrada, superando as anteriores: *O nadador bateu o recorde sul-americano.* **2.** *P. ext.* Qualquer fato ou realização ou proeza com essas características: *A peça ultrapassou o recorde de bilheteria.* ● *Adj. 2 g. e 2 n.* **3.** Que constitui recorde: *Fez o percurso em tempo recorde.*

recordista [De *recorde* + *-ista*.] *Adj. 2 g. S. 2 g.* Que, ou quem bate um recorde.

recordo (ô) [De *recordar*.] *S. m. P. us.* Recordação (1): "Estes sonhos de todas as noites ali passadas ao relento eram talvez recordos, em que sua alma se revivia no passado" (José de Alencar, *O Sertanejo*, p. 71). [Pl.: *recordos* (ô). Cf. *recordo*, do v. *recordar*.]

reco-reco [Voc. onom.] *S. m.* **1.** *Angol. Bras. Santom. Mús.* Instrumento de percussão que produz um ruído rascante e intermitente, causado pelo atrito de duas partes separadas, e que consiste num gomo de bambu, metal ou até plástico, no qual se abrem regos transversais e que se faz soar passando por estes uma varinha, baqueta ou tala: "Zumbem, zunzunem os tambus e os urucungos, ... gritam estrídulos apitos, troam tambores, reco-recos e timbales" (Martins Fontes, *A Dança*, p. 91). [Sin.: (bras., santom.) *canzá*, (bras.) *caracaxá, cracaxá, ganzá, querequexé*.] **2.** *Bras.* Ruído semelhante ao que é produzido por esse instrumento. **3.** *Bras.* Brinquedo infantil que consiste numa haste em cuja ponta, ordinariamente revestida de breu, se enlaça um barbante preso pela outra extremidade ao fundo de um cilindro de papelão ou de cartolina, o qual, ao girar, emite um zumbido rascante; rói-rói, zumbidor. **4.** *Bras.* Brinquedo infantil que consiste numa roda provida de dentes presa à extremidade de um cabo de madeira, e sobre a qual passa uma palheta ligada a um suporte, fazendo um ruído característico ao saltar de um dente para outro. **5.** *Bras. RJ Pop. P. us.* Pequena festa dançante. [F. paral.: *reque-reque*. Pl.: *reco-recos*.]

recoroar [De *re-* + *coroar*.] *V. t. d.* Coroar novamente. [Conjug.: v. *coroar*.]

recorrência [De *recorrer* + *-ência*.] *S. f.* **1.** Ação de recorrer. **2.** *Med.* Reaparecimento de sintomas de moléstia após a remissão deles. **3.** *P. ext.* Reaparecimento periódico ou frequente de fato ou fenômeno. **4.** *Fís. Nucl.* Qualquer dos possíveis estados quantificados de uma partícula elementar.

recorrente [De *recorrer* + *-nte*.] *Adj. 2 g.* **1.** Que recorre. **2.** Que retorna ao ponto de partida ou ressurge após haver desaparecido. **3.** Diz-se de processo que pode ser indefinidamente continuado uma vez que seus efeitos parciais, sucessivamente, se transformam em causas de efeitos semelhantes. ~ V. *nova —*. ● *S. 2 g.* **4.** *Jur.* Pessoa que recorre duma decisão, sentença, ou acórdão prolatados em processo administrativo ou judicial. ● *S. m.* **5.** *Anat.* Cada um dos dois nervos laríngeos inferiores, um à direita e outro à esquerda, e que se originam, cada qual, do nervo pneumogástrico homolateral.

recorrer [Do lat. *recurrere*.] *V. t. d.* **1.** Tornar a correr, a percorrer: *Recorri a mesma estrada;* "a máxima ambição do pai .... era voltar um dia à santa terrinha. Não para ficar, mas para revê-la, recorrer .... as quintas e os lugares, os agrestes caminhos .... da aldeia natal" (Marques Rebelo, *A Mudança*, p. 206). **2.** Esquadrinhar, investigar: *Os pesquisadores recorrem arquivos incontáveis.* **3.** Trazer à lembrança, à imaginação; evocar: *recorrer grandes feitos.* **4.** *Marinh.* Folgar ou arriar (um cabo, amarra, etc.) sob volta, à medida que se torne necessário. **5.** *Marinh.* Correr indesejavelmente (um cabo, amarra, etc.), sob a ação do peso ou da tração que aguenta, em virtude de nó ou volta imperfeitos. **6.** *Tip.* Reajustar (linhas, colunas ou páginas) a fim de passar letras ou palavras de uma linha para outra ou uma linha ou linhas de (uma coluna ou página) para outra, por motivo de acréscimo, de supressão, ou de correções muito numerosas, ou também por mudança de medida. *T. i.* **7.** Dirigir-se pedindo socorro, proteção: *Nos momentos de aperto recorre sempre ao pai.* **8.** Lançar mão; valer-se: *Recorri ao pecúlio para saldar compromissos urgentes.* **9.** *Jur.* Interpor recurso na esfera administrativa ou judicial; apelar, agravar: *Recorreu da sentença.*

recorribilidade [De *recorrível* + *-(i)dade*, seg. o padrão erudito.] *S. f.* Qualidade ou caráter de recorrível.

recorrido [Part. de *recorrer*.] *Adj.* **1.** *Jur.* Diz-se do juízo de cuja sentença se recorreu. **2.** *Jur.* Diz-se do despacho ou decisão que é objeto de recurso. [Cf., nessas acepçs., *agravado* (4), *apelado* (1) e *embargado* (1).] ~ V. *composição —a*. ● *S. m.* **3.** *Jur.* Aquele contra quem se interpõe recurso judicial. **4.** *Tip.* Composição recorrida (q. v.).

recorrigir [De *re-* + *corrigir*.] *V. t. d.* Tornar a corrigir. [Conjug.: v. *atingir*.]

recorrível [De *recorrer* + *-ível*.] *Adj. 2 g. Bras.* Que é passível de recurso; de que se pode recorrer.

recortada [De *recortar* + *-ada*[1].] *S. f. Bras. RS* Recortado (5).

recortado [Part. de *recortar*.] *Adj.* **1.** Cortado em miúdos: *carne recortada.* **2.** Cujas bordas apresentam ondulações ou recortes: *litoral recortado.* **3.** Adornado com recortes: *A prateleira está enfeitada de papel recortado.* ~ V. *autotipia —a* e *clichê —*. ● *S. m.* **4.** Recorte[1] (2). **5.** *Bras. RS* Modalidade de fandango; recortada. **6.** *Bras. MG SP GO MT* Dança de roda, do tipo do cateretê, ao som da viola. **7.** *Bras. GO* Canto popular, complementar da moda (6), em andamento vivo e com assunto humorístico.

recortar [De *re-* + *cortar*.] *V. t. d.* **1.** Cortar formando (figuras): *As crianças gostam de recortar bichinhos.* **2.** Separar, cortando: *Recortou o anúncio do jornal.* **3.** Talhar ou cortar de novo, reduzindo: *recortar um terno.* **4.** Destacar, salientar: *A luz do lampião recorta o seu perfil na parede escura.* **5.** *Art. Gráf. Fot.* Eliminar o fundo de (fotografia), de maneira a destacar o assunto principal. *T. d. e i.* **6.** Intervalar, entremear, entressachar: *A pobre moça falava recortando de soluços as palavras. P.* **7.** Mostrar-se, imitando desenhos recortados: "As duas torres negras da Sé recortam-se no céu alvacento." (José Vieira, *Sol de Portugal*, p. 59.)

recorte[1] [Dev. de *recortar*.] *S. m.* **1.** Ato ou efeito de recortar(-se). **2.** Lavor que se faz recortando; recortado. **3.** Artigo, notícia, etc., recortados de jornal ou revista. **4.** *Fig.* Ímpeto, rasgo: "A existência de Cícero tem recortes de heroísmo, posto nem sempre fosse essa — a da coragem pessoal — a impressão que dele tinham os contemporâneos" (Múcio Leão, *Emoção e Harmonia*, p. 36).

recorte[2] [Do esp. *recorte*.] *S. m. Taur.* Encontro do toureiro com o touro no mesmo ponto, no momento em que o touro abaixa a cabeça para marrar e o homem sai por caminho diferente do caminho do animal.

recortilha [De *recorte*[1] + *-ilha*.] *S. f.* **1.** Instrumento próprio para fazer recortes. **2.** V. *carretilha* (2).

recoser [De *re-* + *coser*.] *V. t. d.* **1.** Tornar a coser. **2.** Coser repetidas vezes. **3.** Coser (o que está descosido ou roto). [Cf. *recozer*.]

recosta [Var. de *recosto* (ô) (3).] *S. f. Bras. RS* V. *vertente* (3).

recostar [De *re-* + *costa* + *-ar*[2].] *V. t. d. e c.* **1.** Inclinar, reclinar, encostar: *A moça recostou a cabeça ao ombro do pai. T. d.* **2.** Afastar obliquamente da posição vertical; apoiar em alguma coisa: *recostar o corpo. P.* **3.** Pôr-se meio deitado; reclinar-se, encostar-se: *recostou-se na cama, procurando descansar.* [Pres. ind.: *recosto*, etc. Cf. *recosto* (ô).]

recosto (ô) [Dev. de *recostar*.] *S. m.* **1.** Parte de um assento própria para alguém se recostar: "Do recosto do sofá e das cadeiras pendiam lindas cobertas" (José de Alencar, *Lucíola*, p. 142). **2.** Reclinatório. **3.** *Bras.* V. *vertente* (3). [Pl.: *recostos* (ô). Cf. *recosto*, do v. *recostar*.]

recoutar *V. t. d.* Recoitar.

recouto *Adj.* Recoito (q. v.).

recova [Dev. de *recovar*.] *S. f.* V. *recovagem*. [Cf. *récova*.]

récova [F. aferética do ant. *arrécova* < ár. *rakba(t)*, 'grupo de viajantes montados em bestas'.] *S. f.* V. *récua*. [Cf. *recova*.]

recovagem [De *recovar* + *-agem*[2].] *S. f.* **1.** Transporte feito pelos recoveiros. **2.** A carga por eles transportada. **3.** Empresa que transporta mercadorias ou bagagens. **4.** O preço ou o contrato desse transporte. **5.** A atividade ou a profissão de recoveiro: "Esse homem criara cabelos brancos no meio de carga, e não sabia, não podia abandonar a recovagem." (José Vieira, *Vida e Aventura de Pedro Malasarte*, p. 73.) [Sin. ger.: *recova*.]

recovar [De *récova* + *-ar*[2].] *V. t. d.* **1.** Transportar (mercadorias, bagagens, etc.) dum lugar para outro em récua. *Int.* **2.** Trabalhar como recoveiro. [Pres. ind.: *recovo*, *recovas*, *recova*, etc. Cf. *recovo* (ô) e *récova*.]

recoveira [De *recovar* + *-eira*.] *S. f.* **1.** Mulher que faz recovagem. **2.** Pau roliço em que os peixeiros sustentam os cabazes que trazem ao ombro.

recoveiro [De *recovar* + *-eiro*.] *S. m.* Aquele que recova, que transporta mercadorias em récua; almocreve, arrieiro.

recovo (ô) [Der. regress. de **recovado* < lat. *recubatu*, part. pass. de *recubare*, 'recostar-se', poss.] *S. m.* **1.** Recostado, inclinado. **2.** Ato de achar-se ou ficar recostado no cotovelo. [Pl.: *recovos* (ô). Cf. *recovo*, do v. *recovar*.]

recozedura [De *recozer* + *-dura*.] *S. f.* Recozimento (1).

recozer [De *re-* + *cozer*.] *V. t. d.* **1.** Cozer novamente, ou muito. **2.** Deixar esfriar lentamente em forno especial (qualquer artefato de cerâmica, de vidro ou de metal). [Cf. *recoser*.]

recozido [Part. de *recozer*.] *Adj.* **1.** Cozido de novo. **2.** Muito cozido. [Sin.: *recocto*.]

recozimento [De *recozer* + *-imento*.] *S. m.* **1.** Ação ou efeito de recozer; recozedura. **2.** *Metal.* Tratamento térmico que se dá ao aço, aquecendo-o até a total austenitização, deixando-o, em seguida, resfriar dentro do forno, a fim de dar à sua estrutura granulação mais grossa.

recrava [Dev. de *recravar*.] *S. f.* Encaixe que se faz na cantaria dum portal para nele se embeber o caixilho.

recravar [De *re-* + *cravar*.] *V. t. d. e i.* **1.** Tornar a cravar. **2.** Cravar muito. *P.* **3.** Cravar-se novamente.

recreação [De *recrear* + *-ção*.] *S. f.* **1.** V. *recreio*. **2.** *Maç.* Suspensão dos trabalhos de uma sessão (4) por alguns minutos. [Cf. *recriação*.] ◆ **Por sua alta recreação.** *Fam.* Por sua vontade, por seu querer; espontaneamente.

recreacional [De *recreação* + *-al*[1], seg. o padrão erudito.] *Adj. 2 g.* Referente a, ou próprio de recreação; em que há recreação.

recreador (ô) [De *recrear* + *-dor*.] *Adj.* **1.** Que recreia: *atividade recreadora.* ● *S. m.* **2.** Profissional que, por meio de atividades lúdicas, de entretenimento, promove integração social de crianças ou adultos.

recrear [Do lat. *recreare*.] *V. t. d.* **1.** Proporcionar recreio a; divertir: *Passeios recreiam a mente.* **2.** Causar prazer a; alegrar: *Recreava-o a recordação do passado. P.* **3.** Sentir prazer ou satisfação. **4.** Divertir-se; folgar, brincar: *As crianças recrearam-se nas férias.* [Conjug.: v. *frear*. Cf. *recriar*.]

recreativo [Do lat. *recreatus*, part. pass. de *recreare*, 'recrear', + *-ivo*.] *Adj.* **1.** Que diverte: *leitura recreativa.* **2.** Próprio ou destinado ao recreio, à diversão: *clube recreativo.*

recreense *Adj. 2 g.* **1.** De, ou pertencente ou relativo a Recreio (MG). ● *S. 2 g.* **2.** O natural ou habitante de Recreio.

recreio [Dev. de *recrear*.] *S. m.* **1.** Divertimento, prazer. **2.** Coisa(s) que recreia(m). **3.** Lugar próprio para se recrear. **4.** Período para se recrear. **5.** *Restr.* Tempo, entre as aulas, em que as crianças brincam e merendam. [Sin., nas acepç. 1 a 3: *recreação*.]

recrementício [De *recremento* + *-ício*.] *Adj. Fisiol.* Diz-se das secreções que são absorvidas, como, p. ex., a saliva e a bílis.

recremento [Do lat. **recrementu*, 'fezes', 'escória'.] *S. m.* Secreção recrementícia.

recrescência [De *recrescer* + *-ência*.] *S. f.* **1.** Recrescimento. **2.** Qualidade ou estado de recrescente.

recrescente [Do lat. *recrescente*.] *Adj. 2 g.* Que recresce.

recrescer [Do lat. *recrescere*.] *V. int.* **1.** Tornar a crescer. **2.** Aumentar ou dobrar de intensidade: "Mal, porém, avançamos alguns passos, por tal forma recresceu a chuva, que era quase impossível prosseguir." (Aluísio Azevedo, *Demônios*, p. 165.) **3.** Sobrevir, ocorrer, acontecer: *Recresceram acontecimentos adversos, e o plano teve de ser modificado. T. i.* **4.** Sobrar, sobejar. *P.* **5.** Aumentar, crescer. **6.** Sobrevir, ocorrer, acontecer. **7.** Sobrar, abundar, sobejar. [Conjug.: v. *crescer*.]

recrescido [Part. de *recrescer*.] *Adj.* Que recresceu ou aumentou.

recrescimento [De *recrescer* + *-imento*.] *S. m.* Ato ou efeito de recrescer(-se); recrescência.

recrestar [De *re-* + *crestar*.] *V. t. d.* Crestar de novo, ou em demasia; requeimar.

recria [Dev. de *recriar*.] *S. f.* **1.** Recriação. **2.** Período compreendido entre a desmama de um animal e o aproveitamento dele no trabalho.

recriação [De *recriar* + *-ção*.] *S. f.* Ato ou efeito de recriar; recria. [Cf. *recreação*.]

recriador (ô) [De *recriar* + *-dor*.] *Adj. S. m.* Que, ou aquele que recria.

recriar [De *re-* + *criar*.] *V. t. d.* Criar novamente; tornar a criar: "A história, como engrenagem de sentimentos, juízos e interesses, ninguém a sabe; os pósteros é que a recriam a cada momento" (Fidelino de Figueiredo, *Entre Dois Universos*, p. 218). [Pres. ind.: *recrio*, *recrias*, *recria*, etc. Cf. *recrear*.]

recriminação [De *recriminar* + *-ção*.] *S. f.* **1.** Ato ou efeito de recriminar. **2.** Censura, queixa, crítica. **3.** Reconvenção (2).

recriminador (ô) [De *recriminar* + *-dor*.] *Adj. S. m.* Que, ou aquele que recrimina.

recriminar [De *re-* + *criminar*.] *V. t. d.* **1.** Responder com acusações às acusações de. **2.** Censurar, criticar, exprobrar, repreender. **3.** Acusar de falta ou crime. *T. d. e i.* **4.** Censurar, exprobrar: "Marta Maria também olhara, inquieta, depois encarou o marido com severidade, como se estivesse a recriminá-lo pela astúcia." (José Saramago, *Memorial do Convento*, [8.ª ed.] p. 104).

recriminatório [De *recriminar* + *-tório*.] *Adj.* Que contém ou envolve recriminação.

recristalização [De *re-* + *cristalização*.] *S. f.* **1.** *Geol.* Processo de transformação das rochas em que os minerais cristalinos, depois da dissolução, formam novos cristais diferentes dos primeiros. **2.** *Quím.* Processo de purificação de uma substância, realizado mediante cristalizações repetidas e sucessivas.

recristalizado [Part. de *recristalizar*.] *Adj.* Que sofreu recristalização.

recristalizar [De *re-* + *cristalizar*.] *V. t. d.* **1.** Submeter à recristalização. *P.* **2.** Ser submetido a ela.

recru [De *re-* + *cru*.] *Adj.* **1.** Muito cru. **2.** Que não se recozeu bem. [Fem.: *recrua*.]

recrucificar [De *re-* + *crucificar*.] *V. t. d.* Crucificar novamente. [Conjug.: v. *trancar*.]

recrudescência [De *recrudescer* + *-ência*.] *S. f.* **1.** Qualidade de recrudescente. **2.** Renovação com maior intensidade; recrudescimento.

recrudescente [Do lat. *recrudescente*.] *Adj. 2 g.* Que recrudesce.

recrudescer [Do lat. *recrudescere*, 'voltar a ser cruel'.] *V. int.* Tornar-se mais intenso; agravar-se, aumentar, exacerbar-se, recrescer: *Já no fim do verão, o calor recrudesceu*; "Mas a consciência do perigo voltava, as forças se reanimavam, e a luta recrudescia no escuro pavoroso." (Luís Jardim, *Maria Perigosa*, p. 55). [Conjug.: v. *crescer*.]

recrudescimento [De *recrudescer* + *-imento*.] *S. m.* Ato ou efeito de recrudescer, agravar(-se), exacerbar(-se); recrudescência.

recruta [Dev. de *recrutar*.] *S. m.* **1.** Soldado que assentou praça recentemente e ainda está na fase inicial da instrução militar; soldado recruta. [Sin., lus.: *galucho* e (gír.) *bimbo*.] **2.** Pessoa que entrou há pouco em um grêmio. ● *S. f.* **3.** Exercício militar de recrutas. **4.** *Bras. S.* Grupo de peões que percorrem estância por estância, arrebanhando o gado tresmalhado de determinada fazenda. **5.** *Bras. S.* A porção de gado arrebanhado.

recrutador (ô) [De *recrutar* + *-dor*.] *S. m.* **1.** Aquele que recruta. **2.** *Bras. S. Restr.* Peão[2] que recruta os animais tresmalhados.

recrutamento [De *recrutar* + *-mento*.] *S. m.* **1.** Ato ou efeito de recrutar. **2.** Leva (2) de recrutas.

recrutar [Do fr. *recruter*.] *V. t. d.* **1.** Arrolar para o serviço militar: *O Estado recruta rapazes de 18 anos.* **2.** *Fig.* Aliciar, angariar (adeptos, etc.): *Os jesuítas desbravaram terras recrutando novos cristãos.* **3.** *Bras. S. Fig.* Arrebanhar (gado tresmalhado).

recrutável [De *recrutar* + *-vel*.] *Adj. 2 g.* Que se pode recrutar.

recruzar [De *re-* + *cruzar*.] *V. t. d.* **1.** Tornar a cruzar. **2.** Cruzar repetidamente: "Recebe-nos à porta / Do templo de verdura / Azul, trêfega, leve borboleta; / Vai volateando inquieta, / Recruza o atalho, o espaço corta" (Alberto de Oliveira, *Poesias*, 2.ª série, p. 308).

recruzetado [De *re-* + *cruzetado*.] *Adj.* Que tem cruzetas. ~ V. *cruz —a*.

rectal *Adj. 2 g. Anat.* V. *retal*.

rectangular *Adj. 2 g.* V. *retangular*.

rectangularidade *S. f.* V. *retangularidade*.

rectângulo *Adj. S. m.* V. *retângulo*.

rectícórneo *Adj. Zool.* V. *retícórneo*.

rectidão *S. f.* V. *retidão*.

rectificação *S. f.* V. *retificação*.

rectificador (ô) *Adj. S. m.* V. *retificador*.

rectificar *V. t. d.* V. *retificar*.

rectificativo *Adv.* V. *retificativo*.

rectificável *Adj. 2 g.* V. *retificável*.

rectifloro *Adj. Bot.* V. *retifloro*.

rectiforme *Adj. 2 g.* V. *retiforme*.

rectígrado *Adj. Zool.* V. *retígrado*.

rectilíneo *Adj.* V. *retilíneo*.

rectinérveo *Adj.* V. *retinérveo*.

rectirrostro *Adj. Zool.* V. *retirrostro*.

rectite *S. f. Patol.* V. *retite*.

recto *Adj. S. m.* V. *reto*[1].

rectocele *S. f. Proct. Gin.* V. *retocele*.

rectopexia (cs) *S. f. Proct.* V. *retopexia*.

rectoscopia *S. f. Proct.* V. *retoscopia*.

rectoscópico *Adj.* V. *retoscópico*.

rectoscópio *S. m. Proct.* V. *retoscópio*.

rectriz *S. f. Zool.* V. *retriz*.

recua [Dev. de *recuar*.] *S. f.* V. *recuo* (1). [Cf. *récua*.]

récua [Var. de *récova*.] *S. f.* **1.** Grupo de bestas de carga presas umas às outras: "Carros de recovagem, récuas de mulas e almocreves poeirentos" (Ramalho Ortigão, *Figuras e Questões Literárias*, I, p. 287). **2.** Manada de cavalgaduras. **3.** A carga transportada por elas. **4.** *Deprec.* Súcia, caterva, matula. [Cf. *recua*, do v. *recuar* e s. f.]

recuada [De *recuar* + *-ada*[1].] *S. f.* V. *recuo* (1).

recuadeira [De *recuar* + *-deira*.] *S. f.* Correia presa à parte anterior do varal, e que servia para fazer recuar as antigas seges.

recuado [Part. de *recuar*.] *Adj.* **1.** Que ocorre na retaguarda (de um campo, de uma área): *O jogo recuado foi o único recurso para reforçar a defesa do time.* **2.** Que está situado na parte de trás: *Mal podia ver a tela, porque estava numa fila recuada do cinema.* **3.** Afastado, distante; longínquo: *imagem recuada; luz recuada.* **4.** Muito antigo; longínquo: *tempo recuado; fato recuado.*

recuamento [De *recuar* + *-mento*.] *S. m.* V. *recuo* (1).

recuanço *S. m.* No bilhar, ato de fazer recuar uma bola.

recuar [Do lat. **reculare*.] *V. int.* **1.** Andar para trás; retrogradar, retroceder: "O rochedo é deserto. Ele avança... recua..." (Augusto de Lima, *Poesias*, p. 53); "desfazia-se em galanteios, comovida, atendendo a toda a sala, avançando, recuando, ... pisando ligeiramente, com as botas muito lustrosas" (Coelho Neto, *Turbilhão*, p. 247). **2.** Perder ou ceder terreno (ao adversário): *Os exércitos recuaram com baixas; Ante as ameaças do chantagista, o industrial recuou apavorado.* **3.** Tentar fugir a um compromisso assumido; hesitar. **4.** Desistir de um intento; voltar atrás; reconsiderar: "Estuda e é inteligente, mas à primeira dificuldade recua desanimado." (Coelho Neto, *Turbilhão*, p. 103.) **5.** Atrasar-se, retrogradar, retroceder: *A ciência não recua.* **6.** Ter ideias contrárias ao progresso. *T. i.* **7.** Voltar atrás em relação ao tempo, ou a uma opinião anterior: *Recuou aos seus tempos de criança; Recuou para uma posição menos radical.* **8.** Desistir, renunciar: *Não recuaremos de nossas intenções. T. d.* **9.** Fazer retroceder; impelir para trás: *recuar um móvel.* **10.** Colocar aquém da posição atual: *recuar uma cerca.* **11.** Fazer andar para trás: *recuar o automóvel.* [Pres. ind.: *recuo*, *recuas*, *recua*, etc. Cf. *récua*.]

recúbito [Do lat. *recubitu*.] *S. m.* Posição de quem se acha encostado.

R

recuco [De *re-* + *cuco*[2].] *Adj. S. m. Ant.* Dizia-se do, ou homem casado com mulher leviana, a qual continuava a proceder mal após o casamento. [M. us. como s. m.]

recuidar [De *re-* + *cuidar*.] *V. t. d.* **1.** Pensar em; considerar, apreciar. *T. i.* **2.** Pensar profundamente.

recumbir [Do lat. *recumbere*.] *V. t. c.* Estar encostado, inclinado: *O rosto recumbe sobre o peito.*

recunhar [De *re-* + *cunhar*.] *V. t. d.* Cunhar outra vez.

recuo [Dev. de *recuar*.] *S. m.* **1.** Ato ou efeito de recuar; recua, recuada, recuamento. **2.** Parte de terreno situado para trás de um limite convencionado: *O recuo é destinado ao ajardinamento.* **3.** *Urb.* Distância mínima obrigatória, estipulada por legislação, que as fachadas de uma edificação devem manter com relação às divisas do terreno. **4.** *Urb.* Área de terreno de propriedade particular que é incorporada ao logradouro[2] (1) mediante legislação específica.

recuperação [Do lat. *recuperatione*.] *S. f.* **1.** Ato ou efeito de recuperar(-se). **2.** *Educ.* Conjunto de aulas que aluno reprovado em determinada matéria deve frequentar, a fim de prestar novo exame que o possa aprovar. **3.** *Educ.* O exame prestado ao final da recuperação (2). ◆ **Recuperação de informações.** *Bibliogr.* Processo de pesquisa para localização de informações em documentos, ou busca pelos próprios documentos, em listas, catálogos, base de dados, etc.

recuperador (ô) [Do lat. *recuperatore*.] *Adj. S. m.* Que, ou aquele que recupera.

recuperar [Do lat. *recuperare*.] *V. t. d.* **1.** Recobrar (o perdido); adquirir novamente: *O sono o fará recuperar as forças*; "Recuperara as suas cores fortes de boneca, e as pestanas baixas tinham uma timidez mais virginal sob o liso dos bandós puritanos." (Eça de Queirós, *Os Maias*, II, p. 170). **2.** Reabilitar (3). **3.** *Inform.* Fornecer (informação requisitada por programa ou usuário), após tê-la localizado e lido em dispositivo de memória. *P.* **4.** Indenizar-se; ressarcir-se: *O comerciante não conseguiu recuperar-se dos prejuízos.*

recuperativo [Do lat. *recuperativu*.] *Adj.* Recuperatório (1).

recuperatório [Do lat. *recuperatoriu*.] *Adj.* **1.** Que tem a força ou virtude de recuperar; recuperativo. **2.** *Jur.* Diz-se do mandato judicial que determina retorne um ato ao estado primitivo.

recuperável [De *recuperar* + *-vel*.] *Adj. 2 g.* Que se pode recuperar.

recursal [De *recurso* + *-al*[1].] *Adj. 2 g.* De, ou relativo a recurso.

recursão *S. f. Tip.* Ato de recorrer (6).

recursividade [De *recursivo* + *-(i)dade*.] *S. f.* Propriedade do que pode ser repetido.

recursivo [Do lat. *recursus* + *-ivo*.] *Adj.* Que apresenta recursividade; iterativo.

recurso [Do lat. *recursu*.] *S. m.* **1.** Ato ou efeito de recorrer (7 e 8). **2.** Auxílio, ajuda, socorro, proteção. **3.** Meio, expediente: *Usou de todos os recursos disponíveis.* **4.** Meio pecuniário; numerário: *Viu-se de repente sem recursos para enfrentar os gastos.* **5.** Meio para resolver um problema; remédio, solução. **6.** *Jur.* Meio de impugnar decisão administrativa ou judicial, em regra endereçado a instância superior, visando à reforma ou à anulação de decisão, sentença ou acórdão desfavorável. **7.** *Bras. N.E.* V. *casa de tolerância*. ~ V. *recursos*. ◆ **Recurso de revista.** *Dir. Trab.* Aquele interposto perante o Tribunal Superior do Trabalho das decisões dos tribunais regionais do trabalho, proferidas em única ou última instância, observados os requisitos fixados na lei trabalhista. **Recurso especial.** *Jur.* Aquele interposto perante o Superior Tribunal de Justiça das decisões dos tribunais regionais, proferidas em única ou última instância, quando tais decisões contrariarem tratado ou lei federal, ou negar-lhes vigência, julgarem válido ato de governo local contestado em face de lei federal, ou ainda derem a lei federal interpretação divergente da que lhe haja atribuído outro tribunal. **Recurso extraordinário.** *Jur.* Aquele interposto perante o Supremo Tribunal Federal das decisões dos tribunais regionais, proferidas em única ou última instância, quando tais decisões contrariarem dispositivo constitucional, declararem a inconstitucionalidade de tratado ou lei federal, julgarem válida lei ou ato de governo local contestado em face da Constituição, ou ainda julgarem válida lei local contestada em face de lei federal. **Recursos humanos.** Conjunto de pessoas que trabalham numa empresa ou entidade. **Recursos naturais.** Fontes de riquezas materiais que existem em estado natural, tais como florestas, reservas minerais, etc.

recursos [Pl. de *recurso*.] *S. m. pl.* Bens, haveres, posses. ~ V. *recurso*.

recurva [Dev. de *recurvar*.] *S. f. Bras.* Contorção.

recurvado [Part. de *recurvar*.] *Adj.* V. *recurvo*.

recurvar [Do lat. *recurvare*.] *V. t. d.* **1.** Curvar de novo, ou muito. **2.** Inclinar; encurvar. *P.* **3.** Inclinar-se, encurvar-se.

recurvirrostrídeo [Do tax. *Recurvirostra* + *-ídeo*[1]; tax. *Recurvirostridae*.] *Zool. S. m.* **1.** Espécime dos recurvirrostrídeos, família de aves caradriiformes, pernaltas, paludícolas, com bico delgado, muito mais longo que a cabeça, o tarso medindo mais que o dobro do dedo médio e revestido, em toda a volta, de escamas hexagonais; hálux rudimentar ou ausente. São os maçaricões. ● *Adj.* **2.** Relativo ou pertencente a eles.

recurvo [Do lat. *recurvu*.] *Adj.* Torcido, dobrado, curvo, recurvado: "O seu nariz, meio recurvo, parecia um anzol" (Gastão de Holanda, *O Burro de Ouro*, p. 145).

recusa [Dev. de *recusar*.] *S. f.* Ato de recusar(-se); negativa. [Sin., p. us.: *recusação*.]

recusação [Do lat. *recusatione*.] *S. f. P. us.* V. *recusa*.

recusador (ô) [De *recusar* + *-dor*.] *Adj. S. m.* Que, ou aquele que recusa; recusante.

recusante [Do lat. *recusante*.] *Adj. 2 g. S. 2 g.* Recusador.

recusar [Do lat. *recusare*.] *V. t. d.* **1.** Não aceitar (coisa oferecida); rejeitar: *Recusou os presentes*; "Por amor-próprio ferido, recusou [Almeida Garrett] o lugar de representante junto à Corte brasileira" (José Osório de Oliveira, *O Romance de Garrett*, p. 171). **2.** Não se prestar, opor-se, a; negar-se a: *Recusou terminantemente recorrer aos pais.* **3.** Não aceitar; não admitir: *O réu recusou o depoimento das testemunhas.* [Sin., p. us., nessas acepçs.: *refusar*.] *T. d. e i.* **4.** Não permitir; não conceder; negar: *Os ricos não deveriam recusar auxílio aos necessitados.* *P.* **5.** Não se prestar; negar-se, opor-se: *A criança recusa-se a comer*; "recusando-se uma pobre mocinha a satisfazer-lhe os desejos, amarrou-lhe braços e pernas, e toda a horda .... cevou no pobre corpo os instintos infames." (Gustavo Barroso, *Terra de Sol*, p. 132). **6.** Declarar-se incompetente: *O tribunal recusou-se.* **7.** Não obedecer; desobedecer: *Todos se recusaram à ordem de silêncio.*

recusativo [De *recusar* + *-tivo*.] *Adj.* Que envolve ou exprime recusa; recusatório.

recusatório [De *recusar* + *-tório*.] *Adj.* Recusativo.

recusável [Do lat. *recusabile*.] *Adj. 2 g.* Que pode ou deve ser recusado.

redação [Do lat. *redactione*.] *S. f.* **1.** Ato ou efeito de redigir. **2.** *P. ext.* Trabalho ou exercício escolar que versa sobre um assunto dado, ou de livre escolha, e se destina a ensinar o aluno a redigir corretamente, com seguimento lógico de ideias; composição. **3.** Modo de redigir. **4.** *Jorn.* O conjunto das pessoas que redigem para um periódico, uma revista, uma editora, etc.; o corpo de redatores. [V. *redator* (2).] **5.** *Jorn.* Lugar onde trabalham os redatores.

redacional [De *redação* + *-al*[1], seg. o padrão erudito.] *Adj. 2 g.* Relativo a, ou próprio de redação.

redactilografar [De *re-* + *dactilografar*.] *V. t. d.* Dactilografar de novo; rebater. [Var.: *redatilografar*.]

redada[1] [De *redar*[2] + *-ada*[1].] *S. f.* Ato de redar[2] por uma vez; lanço de rede.

redada[2] *S. f. Bras.* A ninhada de uma ave: "as galinhas da vizinhança vieram com suas redadas de pintos" (Albertino Moreira, *Boca-Pio*, p. 99).

redambalar [T. onom.] *V. int.* Despenhar-se, despencar-se, precipitar-se: "Guiada pelo chocalho da madrinha, levada no cabresto, ... a tropa desatrelada enveredou pela devesa, redambalando por intervalos cada polaco das cabeças de lote nos torcicolos abrutalhados da vereda, ribanceira abaixo." (Hugo de Carvalho Ramos, *Tropas e Boiadas*, p. 4).

redar[1] [De *re-* + *dar*.] *V. t. d.* Tornar a dar; dar novamente. [Irreg. Conjug.: v. *dar*.]

redar[2] [De *rede* + *-ar*[2].] *V. int.* Lançar a rede. [Pres. subj.: *rede, redes*, etc. Cf. *rede* (ê) e pl. *redes* (ê).]

redar[3] *V. t. d. Ant.* V. *redrar*. [Pres. subj.: *rede, redes*, etc. Cf. *rede* (ê) e pl. *redes* (ê).]

redarguente (güen) [De *redarguir* + *-ente*.] *Adj. 2 g. S. 2 g.* Redarguidor. ❖

redarguição (güi) [De *redarguir* + *-ção*.] *S. f.* Ato ou efeito de redarguir; réplica. ❖

redarguidor (güi... ô) [De *redarguir* + *-dor*.] *Adj. S. m.* Que, ou aquele que redargui, redarguente. ❖

redarguir (güir) [Do lat. *redarguere*.] *V. t. d. T. d. e i.* **1.** Replicar argumentando; responder arguindo; replicar: *Pediu minha opinião, redargui que não estava de acordo*; "— Não é a fé que me falta, Redarguiu melancólica a donzela, é a esperança, mãe!..." (Rebelo da Silva, *Contos e Lendas*, pp. 151-152); *Redarguiu ao velho amigo que não precisava de auxílio.* *Transobj.* **2.** Acusar; recriminar: *Redarguiram-no de ladrão.* *T. i.* **3.** Responder arguindo; replicar: *O advogado de defesa redarguiu ao promotor com veemência.* [Conjug.: v. *arguir*.] ❖

redarguitivo (güi) [De *redarguir* + *-tivo*.] *Adj.* Que envolve redarguição. ❖

redatilografar *V. t. d.* V. *redactilografar*.

redator (ô) [Do lat. *redactus*, part. de *redigere*, 'dispor', 'ordenar', + *-or*.] *S. m.* **1.** Aquele que redige. **2.** Aquele que escreve habitualmente para um jornal, revista, etc. **3.** Aquele que revê ou corrige, quanto ao conteúdo ou à forma, um texto literário, científico, artístico, jornalístico, etc.; copidesque.

redatorial [De *redator* + *-ial*.] *Adj. 2 g.* Relativo a redator ou a redação.

rede (ê) [Do lat. *rete*.] *S. f.* **1.** *Tec. Têx.* Entrelaçamento de fios (de algodão, linho, fibras artificiais ou sintéticas), cordas, arames, etc., com aberturas regulares, fixadas por malhas [v. *malha*[1] (1)], formando uma espécie de tecido. **2.** *P. ext.* Qualquer dos dispositivos feitos de rede, utilizados para apanhar peixes, pássaros, insetos, etc. **3.** *P. ext. Fig.* Cilada, armadilha. **4.** *P. ext.* Dispositivo feito de rede, utilizado em circos, ou pelo Corpo de Bombeiros, ou por qualquer outra instituição de salvamento, e cujo fim é amortecer o choque da queda de pessoas que, em exibições acrobáticas ou por efeito de incêndio ou de outra calamidade, se atiram ou caem de grande altura. **5.** Tela de arame que lembra uma rede. **6.** Rede finíssima, de linha, usada para prender os cabelos. **7.** Rede sustentada por uma armação, que em geral divide os dois campos adversários, utilizada em esportes como, p. ex., o tênis, o vôlei, o pingue-pongue. **8.** *Fig.* Qualquer conjunto ou estrutura que por sua disposição lembre um sistema reticulado: *De tão emaranhada, a rede de vielas da cidade era intransponível.* **9.** *Fig.* O conjunto dos meios de comunicação ou de informação (telefone, telégrafo, rádio, televisão, jornais, revistas, etc.), ou o conjunto das vias (e do equipamento) de transporte ferroviário, rodoviário, aéreo, etc., que, pela sua estrutura e modo de distribuição, se assemelha a uma rede (1), e se difunde em áreas mais ou menos consideráveis: *rede telefônica*; *rede de televisão*; *a Rede Ferroviária Nacional.* **10.** *Fig.* O conjunto de estabelecimentos, agências, ou mesmo de indivíduos, que se destina a prestar determinado tipo de serviço: *rede bancária*; *rede de espionagem*; *A revolução venceu porque dispunha duma rede bem organizada de informantes.* **11.** *P. ext.* A canalização de água, esgoto, gás, etc., de uma localidade. **12.** *Eng. Elétr.* Rede elétrica (q. v.). **13.** *Anat.* Designação genérica de entrelaçamento de formações [v. *formação* (5)], como artérias, veias, etc. **14.** *Encad.* V. *grelha* (4). **15.** *Inform.* Rede de computadores (q. v.). **16.** *Ópt.* Rede de difração. **17.** *Rád. Telev.* Grupo de emissoras que transmitem, em parte ou no todo, programação em comum, ger. gerada por emissora central, dita cabeça de rede. [Cf., nesta acepç., *network, cadeia, associada, afiliada*.] **18.** *Bras.* Espécie de leito balouçante, feito de tecido resistente de linho, algodão ou qualquer outra fibra, e pendentes pelas extremidades terminadas em punhos ou argolas, de armadores ou ganchos geralmente pregados em paredes, árvores, ou em armações metálicas, etc. **19.** *Bras. PA* Gado manso que se destina a conter o gado malhadeiro ou fugidio. **20.** *Lus.* Peneira (1). [Pl.: *redes* (ê). Cf. *rede* e *redes*, do v. *redar*.] ◆ **Rede de abastecimento.** *Arquit. Urb.* O conjunto das canalizações destinadas a distribuir água potável numa cidade, ou numa edificação. **Rede de arrasto.** *Pesc.* Rede (2) dotada de arrasto (2), utilizada na pesca fluvial ou costeira, e que é arrastada no fundo do mar ou do rio para recolher diversos tipos de peixe. **Rede de computadores.** *Inform.* **1.** Conjunto de computadores, terminais e demais equipamentos periféricos, interconectados por linhas de comunicação. **2.** *P. ext.* As informações e os serviços disponíveis por meio de tal conjunto de computadores. [Tb. se diz apenas *rede*.] **Rede de difração.** *Ópt.* Sistema óptico formado por um conjunto de ranhuras paralelas e equidistantes, traçadas sobre uma superfície, e com que se pode desdobrar, em seus componentes, uma radiação policromática. [Tb. se diz apenas *rede*.] **Rede de distribuição.** *Arquit. Urb.* O conjunto de condutores que distribuem a energia elétrica numa cidade ou numa edificação. **Rede de quatro chinelos.** *Bras. CE* Rede (18) em que dorme um casal. **Rede de telecomunicações.** Conjunto de linhas de comunicação interligadas por dispositivos (pontos da rede) capazes de receber uma mensagem e fazê-la transitar por esses canais de comunicação, para que, partindo de um ponto de origem, chegue ao seu destino. [V. *rede* (8).] **Rede elétrica.** *Eng. Elétr.* Circuito distribuidor de corrente elétrica que faz a ligação entre uma fonte geradora de tensão e diversas unidades de consumo. [Tb. se diz apenas *rede*.]

Rede local. *Inform.* Rede de computadores restrita a uma determinada área física. **Rede social. 1.** Grupo de pessoas ou entidades que se associam com o intuito de compartilhar ideias, dados e informações sobre assunto(s) de interesse comum, de promover o debate sobre tais questões, etc. **2.** *Inform.* Grupo de usuários da Internet, ger. com interesses comuns, que se comunicam, através de um *site*, visando estabelecer relacionamento pessoal ou profissional. **3.** *Inform.* O espaço (*sites*, *websites*, etc.) de cada uma dessas redes na Internet. **4.** *Pol. Social* Programa de política social que visa ao desenvolvimento da consciência coletiva dos problemas sociais, ao combate à pobreza e à exclusão social. **5.** *Pol. Social* Aliança de organizações, entidades e instituições, governamentais ou não, que buscam, em menor ou maior escala, a promoção ou aplicação dessa política social. **Cair na rede.** *Fig.* Deixar-se apanhar ou envolver de tal forma que se torna difícil desvencilhar-se. **Da rede rasgada. 1.** *Bras. Pop.* De vida dissoluta: *É da rede rasgada aquele homem, apesar de idoso.* **2.** *Bras. N.E. Pop.* Atrevido, insolente, desabusado: *cabra da rede rasgada.*

rédea [Do lat. **retina*, do lat. *retinere*, 'reter'.] *S. f.* **1.** Correia para guiar as cavalgaduras; brida. **2.** *Fig.* Direção, condução, governo: *Tomou as rédeas da situação.* ◆ **À rédea solta. 1.** Livremente, à vontade. **2.** A toda, velozmente, a todo o galope: "Saltamos sobre o cavalo e toca de espora, à rédea solta." (Aquilino Ribeiro, *Estrada de Santiago*, p. 137.) **Afrouxar a rédea a.** Deixar à vontade, em plena liberdade; dar rédea a; dar rédea larga a; dar velas a. **Bancar na rédea.** *Bras. RS* Fazer o animal rodopiar sobre as patas traseiras e tomar direção oposta. [Tb. se diz apenas *bancar*.] **Dar rédea a.** V. *afrouxar a rédea a.* **Dar rédea larga a.** V. *afrouxar a rédea a.* **De rédea curta.** De rédea no pescoço. **De rédea no pescoço.** Obedecendo sem piar; de rédea curta: "– É isso. Eu aqui não sei nada. Todo o mundo de rédea no pescoço." (Graciliano Ramos, *Angústia*, p. 66.) **Soltar a(s) rédea(s).** Dar toda a liberdade. **Tomar as rédeas.** Assumir a direção, o controle ou o governo: "E enquanto eu estes canto, e a vós não posso, / Sublime Rei, que não me atrevo a tanto, / Tomai as rédeas vós do Reino vosso: / Dareis matéria a nunca ouvido canto." (Luís de Camões, *Os Lusíadas*, I, 15.)

redeador (ô) [De **redear* (< *rédea* + *-ar*[2]) + *-dor*.] *S. m. Bras. Turfe* V. *jóquei* (2).

redeclaração [De *redeclarar* + *-ção*.] *S. f.* Ato ou efeito de redeclarar.

redeclarar [De *re-* + *declarar*.] *V. t. d.* *T. d. e i.* Tornar a declarar.

redecorar [De *re-* + *decorar*[2].] *V. t. d.* Mudar a decoração de; tornar a decorar: "Aluguei um apartamentinho térreo num edifício velho da Saint Roman, redecorei tudo sozinha, está uma graça." (Maria Julieta Drummond de Andrade, *O Valor da Vida*, p. 155.)

redefinição [De *redefinir* + *-ção*.] *S. f.* Ato ou efeito de redefinir.

redefinir [De *re-* + *definir*.] *V. t. d.* Definir de novo.

rede-fole [De *rede* + *fole*.] *S. f.* Rede (2) afunilada, para pesca. [Cf. *jererê*[1]. Pl.: *redes-foles* e *redes-fole*.]

redeiro [De *rede* + *-eiro*.] *S. m.* **1.** Fabricante de redes [v. *rede* (2, 18)]. **2.** Pequena rede empregada na pesca fluvial.

redemocratização [De *redemocratizar* + *-ção*.] *S. f.* Ação ou efeito de redemocratizar(-se).

redemocratizar [De *re-* + *democratizar*.] *V. t. d.* *P.* Democratizar(-se) novamente.

redemoinhador (o-i... ô) [De *redemoinhar* + *-dor*.] *Adj.* Que redemoinha.

redemoinhar (o-i) [De *redemoinho* + *-ar*[2].] *V. int.* *T. d.* V. *remoinhar*: "Adiante um tumulto de bolhas redemoinha e rebenta" (Eça de Queirós, *Contos*, p. 176).

redemoinho (o-í) [De *remoinho*, com infl. de *roda*.] *S. m.* V. *remoinho*: "Horas seguidas, os remos roncam em ritmo surdo, deixando para trás os redemoinhos gorgolejantes das águas." (Humberto de Campos, *Memórias Inacabadas*, p. 224.) [Var.: *redemunho*.]

redemunho [Var. de *redemoinho*.] *S. m. Bras. Prov. port. Ant.* V. *remoinho*: "E o vento soprava a areia fina, tentando fazer um redemunho aqui e ali." (O. G. Rego de Carvalho, *Somos Todos Inocentes*, p. 28.)

redenção [Do lat. *redemptione*.] *S. f.* **1.** Ato ou efeito de remir ou redimir. **2.** Ajuda ou recurso capaz de livrar ou salvar alguém de situação aflitiva ou perigosa. **3.** *Rel.* A salvação oferecida por Jesus Cristo na cruz, com ênfase no aspecto de libertação da escravidão do pecado.

redencense[1] *Adj. 2 g.* **1.** De, ou pertencente ou relativo a Redenção (PA). ● *S. 2 g.* **2.** O natural ou habitante de Redenção.

redencense[2] *Adj. 2 g.* **1.** De, ou pertencente ou relativo a Redenção da Serra (SP). ● *S. 2 g.* **2.** O natural ou habitante de Redenção da Serra.

redencionista *Adj. 2 g.* **1.** De, ou pertencente ou relativo a Redenção (CE). ● *S. 2 g.* **2.** O natural ou habitante de Redenção.

redendê *S. m. Bras. Bord.* Certo bordado em que se alternam pontos cheios, cobrindo os fios do tecido (um tipo de linhão), formando flores e outras figuras, com retângulos em ponto aberto; rendendê.

redengar-se [De *derrengar-se*, com metátese.] *V. p. Bras. PE Gír.* **1.** V. *derrengar* (3). **2.** *Bras. PE* Apaixonar-se, derreter-se. [Conjug.: v. *largar*.]

redenho [De *rede* + *-enho*.] *S. m.* **1.** *Anat.* V. *epíploo*. **2.** Rede (2) para apanhar o sargaço. **3.** Aparelho de rede envolvente móvel para a pesca do camarão.

redente [De *re-* + *dente*.] *S. m.* **1.** Construção que forma ângulo em baluarte, trincheira, etc. **2.** Ressalto na parte superior de muros construídos em terreno inclinado, para nivelar essas construções. [Cf. *ridente*.]

redentor (ô) [Do lat. *redemptore*.] *Adj.* **1.** Que redime. ● *S. m.* **2.** Aquele que redime. **3.** *Restr.* Jesus Cristo.

redentora (ô) [F. subst. do adj. *redentor*.] *S. f.* Aquela que redime. ◆ **A Redentora.** Antonomásia da Princesa Isabel (1846-1921), do Brasil.

redentorense *Adj. 2 g.* **1.** De, ou pertencente ou relativo a Redentora (RS). ● *S. 2 g.* **2.** O natural ou habitante de Redentora.

redentorista *S. m.* Religioso membro da Congregação do Santíssimo Redentor, fundada por Santo Afonso de Ligório em Scala, reino de Nápoles, em 1732: "– *Ite missa est*, perorava afinal o celebrante, um padre redentorista vindo expressamente da vila próxima." (Hugo de Carvalho Ramos, *Tropas e Boiadas*, p. 68.)

rede-pé *S. f.* Rede de arrasto (q. v.) com um só pano, que dois pescadores lançam perto da praia e está presa a duas ripas de madeira. [Pl.: *redes-pés* e *redes-pé*.]

redescender [Do lat. *redescendere*.] *V. int.* Tornar a descer.

redescoberta [De *re-* + *descoberta*.] *S. f.* Redescobrimento.

redescobridor (ô) [De *redescobrir* + *-dor*.] *S. m.* Aquele que redescobriu algo.

redescobrimento [De *redescobrir* + *-mento*.] *S. m.* Ação ou efeito de redescobrir; novo descobrimento; redescoberta.

redescobrir [De *re-* + *descobrir*.] *V. t. d.* Descobrir novamente. [Irreg. Conjug.: v. *cobrir*.]

redescontador (ô) [De *redescontar* + *-dor*.] *Adj. S. m. Jur. Com.* Que, ou aquele que redesconta (título de crédito).

redescontar [De *re-* + *descontar*.] *V. t. d. Com.* Efetuar (uma operação de redesconto). [Fut. pret.: *redescontaria*, etc. Cf. *redescontária*, fem. de *redescontário*, adj. e s. m.]

redescontário [Por **redescontatário* < *redescontar* + *-tário*.] *Adj. S. m. Jur. Com.* Diz-se de, ou aquele a quem se redescontou (um título de crédito). [Fem.: *redescontária*. Cf. *redescontaria*, do v. *redescontar*.]

redescontável [De *redescontar* + *-vel*.] *Adj. 2 g. Com.* Que pode ser redescontado.

redesconto [De *re-* + *desconto*.] *S. m.* Operação pela qual um banco negocia com outro, esp. com o Banco Central, títulos de crédito adquiridos de terceiros, em geral com o propósito de aumentar sua liquidez.

redesenhado [Part. de *redesenhar*.] *Adj.* **1.** Que foi desenhado de novo. **2.** Diz-se de produto de modelo inteiramente novo.

redesenhar [De *re-* + *desenhar*.] *V. t. d.* Desenhar de novo.

redestilação [De *redestilar* + *-ção*.] *S. f.* Ação de redestilar; nova destilação.

redestilar [De *re-* + *destilar*.] *V. t. d.* Tornar a destilar.

rédia [Do antr. (*Francisco*) *Redi*, cientista italiano do séc. XVII, + lat. cient. *-ia* (v. *-ia*[2]).] *S. f. Zool.* Larva de determinados vermes platelmintos, trematódeos, produzida no interior dos esporocistos e que pode gerar novas rédias ou cercárias.

redibição [Do lat. *redhibitione*.] *S. f. Jur.* Ato ou efeito de redibir.

redibir [Do lat. *redhibere*.] *V. t. d. Jur.* Anular judicialmente (contrato em razão de vícios ou defeitos ocultos na coisa que foi entregue ao comprador e que impossibilitam o uso ao qual se destina, ou que lhe diminuam o valor).

redibitório [Do lat. *redhibitoriu*.] *Adj.* Que tem força para redibir.

redigir [Do lat. *redigere*.] *V. t. d.* **1.** Escrever com ordem e método: "Diogo do Couto redigiu seis décadas completas da Ásia (4ª, 5ª, 6ª, 7ª, 8ª e 9ª)." (Feliciano Ramos, *História da Literatura Portuguesa*, p. 222); "No Palácio da Cachoeira, / com pena bem aparada, / começa Joaquim Silvério / a redigir sua carta." (Cecília Meireles, *Obra Poética*, p. 731). **2.** Escrever os artigos principais de (um periódico): *redigir a coluna política de um jornal.* **3.** Escrever como redator (2): *redigir reportagens.* *Int.* **4.** Exprimir-se sintaticamente por escrito: *Sabe redigir; Redige tão bem quanto fala.* [Conjug.: v. *dirigir*.]

redigitação [De *redigitar* + *-ção*.] *S. f.* Ato ou efeito de redigitar.

redigitar [De *re-* + *digitar*.] *V. t. d.* Tornar a digitar.

redil [De *rede* + *-il*[1].] *S. m.* **1.** Curral (sobretudo para gado lanígero e caprino); aprisco: "Como ovelhas acamadas num redil de fantasia, as casas da pequena aldeia .... acordam sonolentas e orvalhadas do sereno da noite." (Miguel Torga, *Traço de União*, p. 132.) **2.** *Fig.* Uma comunidade cristã [cf. *rebanho*[1] (5)]: "Entre pagãos buscava sinceramente encaminhar ovelhas para o redil do Evangelho" (Latino Coelho, *Cervantes*, p. 179).

redimensionamento [De *redimensionar* + *-mento*.] *S. m.* Ato ou efeito de redimensionar.

redimensionar [De *re-* + *dimensionar*.] *V. t. d.* Dimensionar outra vez.

redimir [Do lat. *redimere*, por via culta.] *V. t. d.* *T. d. e i.* *P.* Remir: "Tua voz salva e redime / Os que na vasa do crime / Vacilam desamparados!" (Conde de Monsaraz, *Musa Alentejana*, p. 137); "minha música não quer redimir mágoas / nem dividir águas / não quer traduzir / não quer protestar" (Adriana Calcanhoto, da canção *Minha Música*).

redimível [De *redimir* + *-vel*.] *Adj. 2 g.* Que pode ou deve ser redimido ou remido.

redingote [Do ingl. *riding coat*, pelo fr. *redingote*.] *S. m. Vest.* **1.** V. *sobrecasaca*. **2.** *Bras.* Casaco feminino inteiriço, ajustado na cintura e que alarga para baixo.

redintegrar [Do lat. *redintegrare*.] *V. t. d. e i.* *T. d. e c.* *P.* Reintegrar.

redirecionar [De *re-* + *direcionar*.] *V. t. d.* **1.** Dar nova direção a. **2.** *Inform.* Desviar (fluxo de dados) para outro(s) usuário(s) ou destino(s), sem alterar-lhe o conteúdo.

rediscussão [De *re-* + *discussão*.] *S. f.* Ato ou efeito de rediscutir; nova discussão.

rediscutir [De *re-* + *discutir*.] *V. t. d.* Discutir novamente.

redissolver [De *re-* + *dissolver*.] *V. t. d.* Dissolver outra vez.

redistribuição (u-i) [De *redistribuir* + *-ção*.] *S. f.* Ato ou efeito de redistribuir; nova distribuição.

redistribuir [De *re-* + *distribuir*.] *V. t. d.* *T. d. e i.* *T. d. e c.* Tornar a distribuir: *Redistribuiu seus livros; Redistribuirá seus bens pelos amigos; Redistribuiu os livros pelas estantes.* [Conjug.: v. *atribuir*.]

redito [Do lat. *redictu*.] *Adj.* Dito novamente, ou muitas vezes. [Cf. *rédito*.]

rédito [Do lat. *redditu*, 'restituído'.] *S. m.* **1.** Ato de voltar. **2.** Lucro, ganho: "Luís de Camões, mercê dos primores da sua inteligência, mantinha certas relações com gente altamente colocada, e iria acalentando as necessidades da vida com os réditos, futres réditos, dos trabalhos de cópia e escrituração, que faria a rogo deste e daquele." (Aquilino Ribeiro, *Luís de Camões*, II, pp. 80-81.) **3.** Rendimento, juro. [Cf. *redito*, do v. *redizer* e adj.]

rediviva [F. subst. de *redivivo*.] *S. f. Bot.* Rosa-de-jericó.

redivivo [Do lat. *redivivu*.] *Adj.* **1.** Que retornou à vida; ressuscitado. **2.** Que remoçou; rejuvenescido.

R

redizer [Do lat. *redicere*.] *V. t. d.* *T. d. e i.* **1.** Tornar a dizer. **2.** Dizer muitas vezes: "caiu molemente numa canastra e, dobrando-se toda, rompeu a chorar, redizendo o nome do filho com a ternura a coar-se pelos soluços" (Coelho Neto, *Treva*, pp. 156-157). **3.** Repetir (o que outrem disse): *Redisse a advertência do pai; Redisse aos que se haviam ausentado as instruções do chefe.* **4.** Recontar, referir, narrar: *Gerações sucessivas redizIam a mesma história; Redisse aos turistas a lenda que se prendia ao castelo.* [Irreg. Conjug.: v. *dizer*. Part.: *redito*. Cf. *rédito*.]

redobrado [Part. de *redobrar*.] *Adj.* **1.** Dobrado mais uma vez. **2.** Muito repetido ou mais intenso; redobre.

redobramento [De *redobrar* + *-mento*.] *S. m.* **1.** Ato ou efeito de redobrar; redobro. **2.** Aumento considerável; redobro.

redobrar [De *re-* + *dobrar*.] *V. t. d.* **1.** Tornar a dobrar; fazer nova(s) dobra(s) em: *Dobrou e redobrou a toalha.* **2.** Tornar quatro vezes maior; tornar a dobrar; reduplicar, quadruplicar: *Os juros redobraram a conta em um ano.* **3.** Aumentar muito: "O vento parecia redobrar a força da chuva." (Lúcio Cardoso, *O Desconhecido*, p. 26.) **4.** Dizer ou fazer de novo; repetir: *Desconfiado, redobrava diariamente as medidas de precaução.* **5.** Fazer soar outra vez: *O sacristão redobrava os sinos às meias horas.* *T. i.* **6.** Aumentar, intensificar: *É preciso redobrar de astúcia.* *Int.* **7.** Aumentar de modo considerável; reduplicar: *O preço da carne redobrou.* **8.** Tornar a soar (o sino): *Os sinos redobram anunciando a ave-maria.* **9.** V. *quadruplicar* (3). *P.* **10.** V. *quadru-*

plicar (3). **11.** Crescer, aumentar, multiplicar-se: *Redobram-se as mesuras.* [Pres. ind.: *redobro*, etc. Cf. *redobro* (ô).]

redobre [De *re-* + *dobre*[2].] ***Adj. 2 g.*** **1.** Redobrado (2). **2.** *Fig.* Velhaco, manhoso, astuto, ardiloso. ● ***S. m.*** **3.** *Mús.* Na técnica dos instrumentos de bocal, repetição rápida de sons iguais, executada por golpes duplos da língua. **4.** *Mús.* Espécie de trêmulo (5) executado sobre um instrumento de percussão, principalmente tambor e tímpano; rufo. **5.** Gorjeio, trinado. **6.** *Fig.* Velhacaria, manha; doblez.

redobro (ô) [De *re-* + *dobro* (ô).] ***S. m.*** **1.** Duas vezes o dobro; quádruplo. **2.** Redobramento. **3.** *E. Ling.* Na gramática grega, repetição da consoante inicial do verbo, seguida pela vogal ε >, e que se antepõe à raiz, para a formação do perfeito (10). **4.** *E. Ling.* Repetição de parte de uma palavra com fins expressivos, como em *Zezé* (de *José*), *Lulu* (da sílaba inicial de *Luciana*). [Sin. ger.: *reduplicação*. Pl.: *redobros* (ô). Cf. *redobro*, do v. *redobrar*.]

redoiça ***S. f.*** V. *redouça*. [Cf. *rodoiça*.]

redoirar ***V. t. d.*** V. *redourar*.

redoleiro [F. metatética de *rodeleiro* (q. v.).] ***S. m.*** *Bras. Zool.* V. *carrapato-estrela* (1).

redolente [Do lat. *redolente*.] ***Adj. 2 g.*** *Poét.* Que tem cheiro agradável; aromático: "Abre a magnólia esplêndida, abre a rosa, / Abre o alvíssimo lírio, redolente..." (Raimundo Correia, *Poesias*, p. 57.)

redoma [De or. controversa.] ***S. f.*** **1.** Manga[1] (3) de vidro que acaba, de um lado, por uma calota esférica, e própria para proteger do pó objetos de feitura delicada: *uma redoma de santo.* **2.** Calota usada para proteger certos alimentos do contato com o ar e as impurezas. **3.** Vaso de vidro, de grande bojo e de gargalo largo; empelota. ◆ **Meter numa redoma.** V. *pôr numa redoma.* **Pôr numa redoma.** Proteger de maneira excessiva ou sufocante.

redomão [Do esp. plat. *redomón*.] ***Adj.*** *Bras. S.* **1.** Diz-se do cavalo que experimentou poucos repasses, não estando, pois, completamente amansado. **2.** Diz-se do cavalo que ainda está sendo domado. **3.** *Fig.* Diz-se de peças de vestuário que, por serem novas, ainda molestam um pouco a parte do corpo à qual se ajustam: *sapatos redomões.* ● ***S. m.*** **4.** Cavalo redomão. [Fem.: *redomona*.]

redomoinhada (o-i) [De *redomoinho* + *-ada*[1].] ***S. f.*** Remoinhada: "Salteia o bosque redomoinhada de ventania." (Alberto de Oliveira, *Poesias*, 4ª série, p. 88.)

redomoinhar (o-i) [De *redomoinho* + *-ar*[2].] ***V. int. T. d.*** V. *remoinhar*: "Eis que, porém, de encontro ao seio / O vento a enlaça, a beija, a envolve toda, / Redomoinhando em súbita rajada." (Alberto de Oliveira, *Poesias*, 4ª série, p. 34.)

redomoinho (o-í) ***S. m.*** V. *remoinho*: "Passa um pé de vento, passa um redomoinho." (Alberto de Oliveira, *Poesias*, 2ª série, p. 238.)

redomona ***S. f.*** V. *redomão*.

redomoneação [De *redemonear* + *-ção*.] ***S. f.*** *Bras. S.* Ato de redomonear.

redomonear [Do esp. plat. *redomonear*.] ***V. t. d.*** *Bras. S.* Sujeitar (o animal) a provas, para o amansar. [Conjug.: v. *frear*.]

redonda [F. subst. do adj. *redondo*.] ***S. f.*** *Bras. Fut.* A bola de futebol: "aquela do Tostão atirando a redonda para o arco de enfiada no buraco, fez vibrar todo torcedor" (Manuel Lobato, *Contos de agora*, p. 73).

redondamente [Do f. de *redondo* + *-mente*.] ***Adv.*** **1.** Inteiramente, completamente: "Se esperei palavra desestimuladora da viagem ...., enganei-me, redondamente." (Gilberto Amado, *Depois da Política*, p. 16.) **2.** Sem nenhuma dúvida; absolutamente. **3.** Repentinamente e por inteiro: *Caiu redondamente no chão.* [Tb. se diz com a f. adjetiva: *redondo*.]

redondear [De *redondo* + *-ear*[2].] ***V. t. d.*** Tornar redondo; arredondar. [Conjug.: v. *frear*.]

redondel [Do esp. *redondel*.] ***S. m.*** **1.** Arena redonda, particularmente aquela onde se efetuam touradas: "A pista de dança transformava-se bruscamente em picadeiro .... . Entravam os cavalos por uma porta oculta, ao fundo da sala, e, enquanto o equitador fazia estalar o chicote, no centro do redondel, as meretrizes .... prendiam-se às crinas das dóceis alimárias e cavalgavam-nas, a galope, ao som da música" (Urbano Tavares Rodrigues, *A Noite Roxa*, pp. 57-58). **2.** Certo tipo de nó ou de ponto. [Pl.: *redondéis*.]

redondela [De *redondo* + *-ela*.] ***S. f.*** *Pop.* Roda pequena; rodela.

redondez (ê) [De *redondo* + *-ez*.] ***S. f.*** Redondeza (1): "E a redondez femínea dos quadris" (Raimundo Correia, *Poesia*, p. 76).

redondeza (ê) [De *redondo* + *-eza*.] ***S. f.*** **1.** Qualidade de redondo. [F. paral., nesta acepç.: *redondez*.] **2.** Qualquer região da esfera terrestre, do globo. **3.** V. *redondezas*.

redondezas (ê) [Pl. de *redondeza*.] ***S. f.*** As cercanias de um lugar, arredores, arrabaldes; redondeza: "Baltasar Pereira deixou em Moncorvo e suas redondezas reputação de doido." (Camilo Castelo Branco, *O Santo da Montanha*, p. 173.) ~ V. *redondeza*.

redondil [De *redondo* + *-il*[1].] ***Adj. 2 g.*** **1.** *P. us.* Redondo. **2.** Diz-se de determinada espécie de oliveira. **3.** Diz-se da azeitona da oliveira redondil; sevilhana.

redondilha [Do esp. *redondilla*, do esp. *redondo*.] ***S. f.*** *Arte Poét.* **1.** Antigamente, quadra de versos de sete sílabas, na qual rimava o primeiro com o quarto e o segundo com o terceiro, seguindo o esquema *abba*. **2.** Hoje, verso de cinco ou de sete sílabas, respectivamente *redondilha menor* e *redondilha maior*. [A redondilha maior tb. se chama apenas *redondilha*.] ◆ **Redondilha maior.** V. *redondilha* (2). **Redondilha menor.** V. *redondilha* (2).

redondo [Do lat. vulg. *retundu* < lat. *rotundu*.] ***Adj.*** **1.** Que tem forma de círculo; circular: *mesa redonda.* **2.** Que tem a forma perfeita, ou quase perfeita, de uma esfera; esférico: *bola redonda; A Terra é redonda.* **3.** Que tem forma curva, arredondada. **4.** Cilíndrico: *A Torre de Pisa é redonda.* **5.** *Fig.* Muito gordo; obeso, rechonchudo. **6.** *Fig.* Rotundo (2). **7.** Bem-acabado, perfeito: *uma crônica redonda.* **8.** *Enol.* Diz-se do vinho macio e agradável, com boa proporção de álcool, acidez e tanino. **9.** *Tip.* Diz-se do gênero de letra que se caracteriza, em oposição ao grifo, pelo olho vertical, em pé, a exemplo das letras romanas [cf. *romano* (4)]. **10.** *Marinh.* Diz-se do navio que só arma velas redondas, ou em que estas predominam. ~ V. *conta —a, corpos —s, fôrma —a, letra —a, minúscula —, vela —a, verga —a, viagem —a, volta —a.* ● ***S. m.*** *Tip.* **11.** O tipo redondo (9). ● ***Adv.*** **12.** Redondamente. ◆ **Virar pelo redondo.** *Bras. Mar.* Trabalhar sem parar. [Sin., lus.: *virar redondo*.] **Virar redondo.** *Lus. Mar.* Virar pelo redondo.

redopiar ***V. int.*** V. *rodopiar*.

redopio ***S. m.*** V. *rodopio*.

redor [Do lat. *retro*, 'atrás', pela f. **redro*, poss.] ***S. m.*** **1.** Posição ou situação de quem ou do que contorna alguma coisa; roda: "O saltimbanco .... rufou numa caixa, alvoroçou a aldeia que se abalou toda para o redor dele" (Camilo Castelo Branco, *A Enjeitada*, p. 121). **2.** V. *volta* (10). **3.** Arrabalde, arredores. [Pl.: *redores*. Cf. *redor* (ô) e pl. *redores* (ô).] ◆ **Ao redor.** À volta, em volta; em torno; em derredor, em redor. **Em redor.** V. *ao redor*.

redor (ô) [De *rer* + *-dor*.] ***S. m.*** *Lus. Marn.* Trabalhador incumbido de tomar água para os viveiros e quebrar a crosta salina. [Pl.: *redores* (ô). Cf. *redor*, pl. *redores*, e *redoures*, do v. *redourar*.]

redouça ***S. f.*** V. *retouça*: "uma gravura idílica em que havia uma redouça entre flores, unindo um jovem casal amoroso no mesmo balouço." (Coelho Neto, *Turbilhão*, p. 263). [Var.: *redoiça*. Cf. *rodouça*.]

redourar [De *re-* + *dourar*.] ***V. t. d.*** **1.** Tornar a dourar. **2.** Iluminar vivamente. [Var.: *redoirar*. Pres. subj.: *redoure, redoures*, etc. Cf. *redores* (ô), pl. de *redor* (ô).]

redox (cs) [De *red(ução)* + *ox(idação)*.] ***Adj. 2 g. e 2 n.*** *Quím.* Diz-se de uma reação, ou qualquer outro fenômeno, de oxidação e de redução. [O termo salienta o fato de a oxidação ser sempre acompanhada por redução, e vice-versa.]

redra [Dev. de *redrar*.] ***S. f.*** Ato ou efeito de redrar.

redrar [Do lat. *reiterare*, 'reiterar', por via pop.] ***V. t. d.*** Cavar de novo (as vinhas), mas de leve, a fim de tirar as ervas. [Var. ant.: *redar*; var. moderna: *arrendar*[3]; sin.: *arxar*.]

redução [Do lat. *reductione*.] ***S. f.*** **1.** Ato ou efeito de reduzir(-se); diminuição: *redução de preços, de gastos.* **2.** Ato ou efeito de subjugar. **3.** Cópia reduzida: *redução de uma escultura; de uma fotografia.* [Antôn. (nesta acepç.): *ampliação* (3).] **4.** *Cir.* Manobra para fazer retornar ao seu local normal o(s) órgão(s) presente(s) numa hérnia. **5.** *E. Ling.* Gramaticalização. **6.** *E. Ling.* Transformação de uma palavra, ou de uma expressão, em uma forma menor por abreviação, apócope, evolução fonética, etc. **7.** *Fot.* Processo para acentuar os contrastes de uma chapa fotográfica, dando mais ênfase aos seus brancos e negros. **8.** *Hist.* No Brasil e em outros países da América colonial, missão (7) criada por jesuítas destinada ao trabalho de catequese dos indígenas. **9.** *Mús.* Arranjo (7) para um só instrumento (geralmente piano ou órgão) ou para pequeno grupo de instrumentos, de uma partitura de orquestra e/ou de vozes. [Cf., nesta acepç.: *adaptação* (5), *harmonização* (v. *harmonizar* [3]), *instrumentação* (v. *instrumentar* [1]) e *transcrição* (5).] **10.** *Quím.* Processo em que ocorre a diminuição do número de oxidação de um átomo, ou do número de cargas positivas de um íon. **11.** *Taquigr.* Emprego de sinais abreviativos, para maior rapidez na escrita. **12.** *Traum.* Operação ou manobra que consiste em fazer retornar ao seu lugar ossos fraturados ou deslocados. **13.** *Bras.* Desconto, abatimento. **14.** *Bras.* Redutor (4). ◆ **Redução ao absurdo.** *Lóg.* Demonstração da falsidade de uma proposição por dela se tirar uma ou mais consequências absurdas; apagogia. [Cf. *raciocínio por absurdo*.] **Redução fenomenológica.** *Filos.* Na fenomenologia, princípio metodológico que preconiza a suspensão prévia de todo juízo sobre o domínio do conhecimento em consideração.

reducente [Do lat. *reducente*.] ***Adj. 2 g.*** V. *redutor* (1).

reducionismo [De *redução* + *-ismo*, seg. o padrão erudito.] ***S. m.*** **1.** Ato ou prática de analisar ou descrever um fenômeno, desenvolver a solução de um problema, etc., supondo ou procurando mostrar que certos elementos ou conceitos complexos não devem ser compreendidos ou explicados em si mesmos, mas referidos a, ou substituídos por outros, situados em um nível de explicação ou descrição considerado mais básico. **2.** Modo de pensar, ou perspectiva teórica em que se propõe ou se faz uso sistemático desse tipo de procedimento intelectual. **3.** *P. ext. Deprec.* Simplificação excessiva daquilo que é objeto de estudo ou análise: "Há um reducionismo do problema. Prevalece a concepção punitiva, segregadora, como se jogar adolescentes nos cárceres resolvesse a exacerbação da violência na sociedade." (Maria Ignês Bier-renbach, em *Folha de S.Paulo*, 05.03.1998.) ◆ **Reducionismo psicológico.** Descrição ou explicação de fenômenos ou processos humanos coletivos (sociais, culturais ou ecológicos), em termos de fenômenos ou preferências psicológicas dos indivíduos.

reducionista [De *reducionismo* + *-ista*.] ***Adj. 2 g.*** **1.** Relativo a, ou próprio de reducionismo. ● ***S. 2 g.*** **2.** Aquele que recorre a esse tipo de operação intelectual.

➔ **reductio ad absurdum** [rɛ'duktɨo adap'surdõm] [Lat.] *Lóg.* V. *redução ao absurdo*.

redundância [Do lat. *redundantia*.] ***S. f.*** **1.** Qualidade de redundante; excesso. **2.** Superfluidade de palavras. [Cf. *pleonasmo* (1).] **3.** *Teor. Com.* Excesso ou desperdício de sinais ou de signos na transmissão da mensagem, que serve, contudo, para neutralizar os efeitos do ruído (8) no canal de comunicação.

redundante [Do lat. *redundante*.] ***Adj. 2 g.*** Que redunda; excessivo.

redundar [Do lat. *redundare*.] ***V. int.*** **1.** Transbordar; derramar-se: *O rio redundou.* **2.** Sobejar, superabundar: *Redundam, no texto, os adjetivos.* ***T. i.*** **3.** Nascer, provir, resultar: *O pensamento redunda do cérebro.* **4.** Advir, acontecer: *A eles redundam as desgraças.* **5.** Vir a dar; reverter, converter-se: *Nem toda boa ação redunda em benefício.* ***Bit. i.*** **6.** Trazer como resultado; reverter, converter-se: *A bebida redundou-lhe em desgraças.*

reduplicação [De *reduplicar* + *-ção*.] ***S. f.*** **1.** Ato ou efeito de reduplicar. **2.** *E. Ling.* Repetição de fonemas ou de sequência de fonemas. **3.** *E. Ling.* V. *epizeuxe*.

reduplicar [De *re-* + *duplicar*.] ***V. t. d.*** **1.** Duplicar novamente; redobrar, quadruplicar. **2.** Aumentar em quantidade, grandeza ou intensidade; multiplicar: *reduplicar as forças.* **3.** Repetir, redobrar: *Reduplicou muitas vezes o aviso.* ***Int. P.*** **4.** V. *quadruplicar* (3): *Os preços reduplicaram; Reduplicou-se a população.* [Conjug.: v. *trancar*.]

reduplicativo [De *reduplicar* + *-tivo*.] ***Adj.*** **1.** Que envolve reduplicação. **2.** *E. Ling.* Diz-se do morfema que se caracteriza pela reduplicação (2). **3.** *E. Ling.* Diz-se do vocábulo que indica repetição, que denota que a ação é reiterada. ● ***S. m.*** **4.** *E. Ling.* Esse vocábulo: *O verbo* ressecar *é um reduplicativo de* secar.

redutase [Do lat. *redu(c)t-* (< lat. *reductio*, 'redução') + *-ase*.] ***S. f.*** *Bioquím.* Designação genérica de enzimas que catalisam reações de redução no substrato.

redutibilidade [De *redutível* + *-(i)dade*, seg. o padrão erudito.] ***S. f.*** Qualidade de redutível.

redutível [De *reductus*, part. pass. de *reducere*, 'reduzir', + *-ível*.] ***Adj. 2 g.*** **1.** Que se pode reduzir. **2.** *Mat.* Diz-se da fração cujos termos não são primos entre si. [Sin. ger.: *reduzível*.] ~ V. *hérnia —* e *polinômio —*.

redutivo [De *reductus*, part. pass. de *reducere*, 'reduzir', + *-ivo*.] ***Adj.*** **1.** *Quím.* Próprio ou relativo a redução (10). **2.** V. *redutor* (1).

reduto [Do lat. *reductu*, 'apartado', 'arredado'.] ***S. m.*** **1.** Recinto (1) construído no interior de fortaleza para aumentar a resistência desta. **2.** Lugar fechado que serve de abrigo; refúgio, recinto: *reduto de marginais; Sua casa é um reduto de sossego.* **3.** Lugar onde se reúne um grupo que tem uma determinada tendência ou linha de ação: *Foi a Livraria Garnier, no começo deste século, um reduto de intelectuais.* **4.** *Fig.* Ponto onde se concentram os fatores mais importantes de alguma coisa: *A sociedade tem-se alterado em seus redutos tradicionais.* **5.** *Bras. MT*

Lugar alto, a salvo da inundação ou enchente dos grandes rios.

redutor (ô) [Do lat. *reductore.*] *Adj.* **1.** Que reduz; redutivo, reducente. ~ V. *válvula —a.* ● *S. m.* **2.** Aquele que reduz. **3.** Instrumento utilizado para reduzir, com precisão, desenhos, gravuras, etc. [Cf. *pantógrafo.*] **4.** Luva (5) que une dois tubos de diâmetros diferentes; redução. **5.** Mecanismo utilizado para reduzir a velocidade de rotação de motor. **6.** *Quím.* Substância que produz redução (10). ~ V. *açúcar —.* ◆ **Redutor de velocidade.** Quebra-molas. [Tb. se diz apenas *redutor.*]

reduviídeo [Do tax. *Reduvius* + *-ídeo*¹; tax. *Reduviidae.*] *Zool. S. m.* **1.** Espécime dos reduviídeos, família de insetos hemípteros, hematófagos, na qual se classificam os transmissores da doença de Chagas. [V. *barbeiro* (6)] ● *Adj.* **2.** Pertencente ou relativo a eles.

reduzida [F. subst. de *reduzido.*] *S. f.* **1.** *E. Ling.* Oração reduzida (q. v.). **2.** *Bras. Autom.* Ato ou efeito de reduzir (18). **3.** *Bras. Autom.* Em ônibus e caminhões, marcha de grande poder de tração, engrenada especialmente em subidas muito íngremes.

reduzido [Part. de *reduzir.*] *Adj.* **1.** Que sofreu redução. **2.** Parco, escasso: *reduzidos vencimentos.* ~ V. *coordenada —a, equação —a, modelo —, oração —a, pressão —a, temperatura —a, variável —a, volume — e vogal —a.*

reduzir [Do lat. *reducere*, 'reconduzir'; 'restringir'.] *V. t. d.* **1.** Tornar menor; restringir: *Com o alto custo de vida, cumpre reduzir as despesas;* "INSS reduz poder de superintendentes." (*O Globo*, 29.01.1999). **2.** Subjugar, submeter: *O general reduziu os exércitos inimigos.* **3.** Separar ou desagregar de uma combinação, de um composto. **4.** Fazer a redução (4 e 12) de. **5.** Afrouxar, abrandar, aplacar: *Nem sempre a bondade reduz o ódio.* **6.** Simplificar (uma fração). **7.** Fazer voltar ao primeiro estado. **8.** Abreviar, resumir, compendiar. **9.** Causar redução (10). *T. d. e i.* **10.** Transformar, converter: "Tratou logo de reduzir a dinheiro um dos colares" (Visconde de Taunay, *Ao Entardecer*, p. 45). **11.** Obrigar, constranger, forçar: *Os vitoriosos reduziram os vencidos à escravidão.* **12.** Arrastar ou impelir a (uma situação penosa): *Gastos supérfluos podem reduzir os ricos à miséria.* **13.** Converter, trocar, cambiar: *reduzir reais a dólares.* **14.** Exprimir em unidade diferente: *reduzir metros em centímetros.* **15.** Diminuir as proporções: *As medidas sanitárias reduziram a epidemia a índices muito baixos.* **16.** Considerar que (algo complexo) pode ser explicado ou entendido como equivalente a algo mais simples e mais básico: "o professor deu-me a impressão de haver reduzido o mundo a uma pequena caixa de música ...." (Joraci Camargo, *Anastácio*, p. 21). *T. d. e c.* **17.** Reduzir (15): "Este sistema reduziu em mais de 20 milhões de dólares os custos operacionais" ('*Fortune Americas*', p. 19, em *Jornal do Brasil*, 03.02.1998). *Int.* **18.** *Bras. Autom.* Engrenar marcha de maior poder de tração para diminuir a velocidade do veículo automóvel sem usar os freios. *P.* **19.** Limitar-se, resumir-se, cifrar-se: *A questão reduz-se a encontrar o culpado.* **20.** Chegar, vir (a um estado inferior). **21.** Converter-se, transformar-se: *Com o sismo, a cidade reduziu-se a escombros.* **22.** Abrandar(-se), afrouxar, aplacar(-se): *A chuva reduziu-se.* [Irreg. Conjug.: v. *aduzir.*]

reduzível [De *reduzir* + *-vel.*] *Adj. 2 g.* V. *redutível.*

reedição [De *re-* + *edição.*] *S. f. Edit.* Edição de uma obra que se distingue das edições anteriores em virtude de alterações feitas no conteúdo ou na apresentação, ou, ainda, de mudança de editor; nova edição. [Cf. *edição* (5), *reimpressão* e *tiragem* (4 e 5).]

reedificação [De *reedificar* + *-ção.*] *S. f.* Ato ou efeito de reedificar.

reedificador (ô) [De *reedificar* -*dor.*] *Adj. S. m.* Que, ou aquele que reedifica.

reedificar [Do lat. *reaedificare.*] *V. t. d.* **1.** Edificar outra vez; reconstruir. **2.** Restaurar, reformar. [Conjug.: v. *trancar.*]

reeditar [De *re-* + *editar.*] *V. t. d.* **1.** Editar novamente; publicar outra vez; reproduzir, reeditorar. **2.** Produzir ou praticar de novo; reproduzir: *O mundo não deveria reeditar as guerras mundiais.*

reeditorar [De *re-* + *editorar.*] *V. t. d.* V. *reeditar* (1).

reeducabilidade [De *reeducável* + *-(i)dade*, seg. o padrão erudito.] *S. f.* Qualidade de reeducável.

reeducação [De *reeducar* + *-ção.*] *S. f.* **1.** Ação ou efeito de reeducar. **2.** *Med.* Treinamento de incapacitados destinado a restabelecer-lhes o uso das faculdades físicas ou psíquicas. ◆ **Reeducação motora.** *Terap.* Reeducação, frequentemente com o auxílio de aparelhos ortopédicos, para o uso dos músculos em novas funções e/ou para o restabelecimento de uma função perdida ou diminuída; reabilitação motora. **Reeducação psíquica.** *Terap.* Reeducação da atenção, da vontade, ou combate aos impulsos, às ideias fixas, por meio de conversas, de explicações repetidas ou da aplicação de meios instrumentais.

reeducador (ô) [De *reeducar* + *-dor.*] *Adj.* **1.** Que reeduca; reeducativo. ● *S. m.* **2.** Aquele que reeduca.

reeducando [De *reeducar* + *-ando.*] *S. m.* Aquele que está sendo reeducado.

reeducar [De *re-* + *educar.*] *V. t. d.* **1.** Tornar a educar; educar novamente. **2.** Completar ou aprimorar a educação de. [Conjug.: v. *trancar.*]

reeducativo [De *reeducar* + *-tivo.*] *Adj.* Reeducador (1).

reeducável [De *reeducar* + *-vel.*] *Adj. 2 g.* Que pode ser reeducado.

reelaboração [De *reelaborar* + *-ção.*] *S. f.* Ato ou efeito de reelaborar.

reelaborar [De *re-* + *elaborar.*] *V. t. d.* Elaborar novamente.

reeleger [De *re-* + *eleger.*] *V. t. d. Transobj. P.* Tornar a eleger(-se): *O povo reelegeu o presidente; Reelegeram-no representante da turma; Muitos deputados não conseguiram reeleger-se.* [Conjug.: v. *eleger.* Part.: reelegido e reeleito.]

reelegibilidade [De *reelegível* + *-(i)dade*, seg. o padrão erudito.] *S. f.* Qualidade de reelegível.

reelegido [Part. de *reeleger.*] *Adj.* Reeleito.

reelegível [De *reeleger* + *-ível.*] *Adj. 2 g.* Que se pode reeleger.

reeleição [De *re-* + *eleição.*] *S. f.* Ato ou efeito de reeleger(-se).

reeleito [Part. de *reeleger.*] *Adj. S. m.* Que, ou aquele que foi eleito novamente.

reembarcar [De *re-* + *embarcar.*] *V. int. P.* Tornar a embarcar. [Conjug.: v. *trancar.*]

reembarque [De *re-* + *embarque.*] *S. m.* Ato ou efeito de reembarcar.

reembolsar [De *re-* + *embolsar.*] *V. t. d.* **1.** Embolsar de novo; tornar a embolsar: *Reembolsei parte do dinheiro gasto.* **2.** Restituir a (alguém) o dinheiro desembolsado. *T. d. e i.* **3.** Indenizar, compensar: *O governo reembolsou aos proprietários as perdas. P.* **4.** Voltar à posse do que se emprestou: *Os agiotas reembolsam-se com polpudos juros das quantias que emprestam.* [Pres. ind.: *reembolso*, etc. Cf. *reembolso* (ô), s. m.]

reembolsável [De *reembolsar* + *-vel.*] *Adj. 2 g.* **1.** Que pode ser reembolsado. ● *S. m.* **2.** *Bras.* Estabelecimento que vende aos membros de uma corporação militar, repartição pública, ou empresa privada, frequentemente, mediante desconto mensal na folha de vencimentos: *o reembolsável do Exército.*

reembolso (ô) [De *re-* + *embolso* (ô).] *S. m.* **1.** Ato ou efeito de reembolsar(-se). **2.** Reembolso postal. [Cf. *reembolso*, do v. *reembolsar.*] ◆ **Reembolso postal.** Sistema de vendas em que a mercadoria chega à mão do comprador pelo Correio, por intermédio do qual é feito o pagamento. [Tb. se diz apenas *reembolso.*]

reemenda [Dev. de *reemendar.*] *S. f.* Ato ou efeito de reemendar.

reemendar [De *re-* + *emendar.*] *V. t. d.* **1.** Emendar de novo. **2.** Emendar muitas vezes. [Cf. *remendar.*]

reemissão [De *re-* + *emissão.*] *S. f.* Ato ou efeito de reemitir.

reemitir [De *re-* + *emitir.*] *V. t. d.* Emitir novamente.

reempossar [De *re-* + *empossar.*] *V. t. d. T. d. e i.* Empossar novamente; reintegrar na posse: *Foi demitido, mas o novo prefeito reempossou-o; O governador reempossou-o no cargo de professor.*

reempregar [De *re-* + *empregar.*] *V. t. d.* Tornar a empregar. [Conjug.: v. *regar.*]

reencadernar [De *re-* + *encadernar.*] *V. t. d.* Substituir a encadernação de (um livro), com a renovação da costura. [Cf. *reencapar.*]

reencaminhar [De *re-* + *encaminhar.*] *V. t. d. T. d. e c. P.* Tornar a encaminhar(-se).

reencapar [De *re-* + *encapar.*] *V. t. d.* Pôr nova capa em (livro brochado, cartonado ou mesmo encadernado), aproveitando a costura anterior. [Cf. *reencadernar.*]

reencarnação [De *reencarnar* + *-ção.*] *S. f.* Ato ou efeito de reencarnar(-se).

reencarnacionista [De *reencarnação* + *-ista*, seg. o padrão erudito.] *Adj. 2 g.* **1.** Relativo à reencarnação. ● *S. 2 g.* **2.** Pessoa que encara a reencarnação como processo de expiação e autorredenção.

reencarnar [De *re-* + *encarnar.*] *V. int. P.* **1.** Reassumir (o espírito) a forma material. **2.** Tornar a encarnar: *Os espíritas creem que as almas reencarnam.*

reencher [De *re-* + *encher.*] *V. t. d.* Tornar a encher: "E Afonso, reenchendo o cachimbo, olhava o neto, enternecido." (Eça de Queirós, *Os Maias*, II, p. 148.) [Conjug.: v. *encher*, mas tem apenas o part. reg.: *reenchido.*]

reenchimento [De *reencher* + *-imento.*] *S. m.* Ato ou efeito de reencher.

reencontrar [De *re-* + *encontrar.*] *V. t. d. P.* Encontrar(-se) de novo: *Reencontrei um velho amigo;* "Voltou por um caminho diferente, ... perdendo-se em pequenos largos ajardinados, reencontrando-se, fugindo, em ângulos, em curvas, labiríntico." (Macedo Miranda, *As Três Chaves*, p. 16); *Reencontrei-me com antigos colegas.*

reencontro [De *re-* + *encontro.*] *S. m.* Ato ou efeito de reencontrar(-se).

reendereçamento [De *reendereçar* + *-mento.*] *S. m.* Ato ou efeito de reendereçar.

reendereçar [De *re-* + *endereçar.*] *V. t. d. T. d. e i.* Tornar a endereçar. [Conjug.: v. *começar.*]

reendossabilidade [De *reendossável* + *-(i)dade*, seg. o padrão erudito.] *S. f.* Qualidade de reendossável.

reendossar [De *re-* + *endossar.*] *V. t. d.* Transferir (um título) por meio de reendosso. [Pres. ind.: *reendosso*, etc. Cf. *reendosso* (ô), s. m.]

reendossável [De *reendossar* + *-vel.*] *Adj. 2 g.* Que pode ser reendossado.

reendosso (ô) [De *re-* + *endosso.*] *S. m.* Novo endosso, feito por endossatário. [Pl.: *reendossos* (ô). Cf. *reendosso*, do v. *reendossar.*]

reengajamento [De *reenganjar(-se)* + *-mento.*] *S. m.* Ato ou efeito de reengajar-se.

reengajar-se [De *re-* + *engajar-se.*] *V. p.* Tornar a engajar-se.

reengenharia [De *re-* + *engenharia.*] *S. f.* Reorganização de uma empresa, de uma instituição, de modo a aumentar-lhe a competitividade e a eficiência.

reenlaçar [De *re-* + *enlaçar.*] *V. t. d. P.* Enlaçar(-se) de novo. [Conjug.: v. *laçar.*]

reenlace [De *re-* + *enlace.*] *S. m.* Ato ou efeito de reenlaçar(-se).

reentrada [De *reentrar* + *-ada*¹.] *S. f.* Ato ou efeito de reentrar.

reentrância [De *reentrar* + *-ância.*] *S. f.* **1.** Qualidade de reentrante. **2.** Ângulo ou curva para dentro. **3.** *Arquit.* Descontinuidade no alinhamento de peça de construção, elemento construído ou edificação, causada por recuo ou rebaixo em sua superfície.

reentrante [De *reentrar* + *-nte.*] *Adj. 2 g.* Que reentra; que forma ângulo ou curva para dentro. [Cf. *saliente* (1).]

reentrar [De *re-* + *entrar.*] *V. t. i. T. c. Int.* **1.** Tornar a entrar. **2.** Voltar para casa; recolher-se.

reentronizar [De *re-* + *entronizar.*] *V. t. d.* Entronizar novamente.

reenviar [De *re-* + *enviar.*] *V. t. d. e i. T. d. e c.* Enviar novamente; devolver, recambiar: "se se arrepender deveras, e emendar-se, continuará a merecer a nossa estima ..... Do contrário o reenviaremos a seus pais" (Bernardo Guimarães, *O Seminarista*, p. 66); *Reenviaram-no para o interior.*

reenvidar [De *re-* + *envidar.*] *V. t. d.* **1.** Envidar de novo; revidar: *O agredido reenvidou os golpes.* **2.** Tirar desforra de; vingar-se ou desforrar-se de. **3.** Compensar (um agravo) com outro maior.

reenvio [Dev. de *reenviar.*] *S. m.* Ação ou efeito de reenviar.

reequilibrar [De *re-* + *equilibrar.*] *V. t. d. P.* Tornar a equilibrar(-se).

reequilíbrio [De *re-* + *equilíbrio.*] *S. m.* Ação ou efeito de reequilibrar(-se).

reequipagem [De *reequipar* + *-agem*².] *S. f.* V. *reequipamento.*

reequipamento [De *reequipar* + *-mento.*] *S. m.* **1.** Ação ou efeito de reequipar. **2.** Novo equipamento. [Sin. ger.: *reequipagem.*]

reequipar [De *re-* + *equipar.*] *V. t. d.* Tornar a equipar; equipar de novo.

reerguer [De *re-* + *erguer.*] *V. t. d. P.* Erguer(-se) outra vez; tornar a erguer(-se): *O povo reergueu a cidade destruída pelo terremoto; Chegou à miséria, mas, tenacíssimo, conseguiu reerguer-se.* [Conjug.: v. *erguer.*]

reerguimento [De *reerguer* + *-imento.*] *S. m.* Ato ou efeito de reerguer(-se).

reescalonamento [De *reescalonar* + *-mento.*] *S. m.* Ato ou efeito de reescalonar.

reescalonar [De *re-* + *escalonar.*] *V. t. d.* Fixar novos prazos para o pagamento de (dívidas): *Após sua eleição, Campos Sales viajou à Europa a fim de conseguir reescalonar a dívida externa brasileira.*

reescrever [De *re-* + *escrever.*] *V. t. d.* Tornar a escrever; escrever segunda vez. [Part.: *reescrito.*]

reespumas [De *re-* + o pl. de *espuma.*] *S. f. pl. Bras.* Açúcar feito da espuma da primeira fervura da garapa.

reestampa [Dev. de *reestampar.*] *S. f.* Ato ou efeito de reestampar; reimpressão. [Var.: *restampa.*]

reestampar [De *re-* + *estampar.*] *V. t. d.* Estampar novamente; reimprimir. [Var.: *restampar.*]

reestruturação [De *reestruturar* + *-ção.*] *S. f.* **1.** Ação ou efeito de reestruturar. **2.** *Arquit.* Conjunto de medidas que visam devolver a resistência às partes estruturais de uma edificação, mediante reforço destas ou sua substituição.

reestruturar [De *re-* + *estruturar.*] *V. t. d.* Dar nova estrutura a: *Fala-se em reestruturar o serviço público.*

reestudar [De *re-* + *estudar.*] *V. t. d.* Estudar novamente.

reestudo [De *re-* + *estudo.*] *S. m.* Ato ou efeito de reestudar; novo estudo.

reexame (z) [De *re-* + *exame.*] *S. m.* Ação ou efeito de reexaminar; novo exame.

reexaminar (z) [De *re-* + *examinar.*] *V. t. d.* Examinar de novo: *As autoridades reexaminaram o planejamento econômico.*

reexibição (z) [De *reexibir* + *-ção.*] *S. f.* Ato ou efeito de reexibir; nova exibição.

reexibir (z) [De *re-* + *exibir.*] *V. t. d.* Tornar a exibir.

reexpedição [De *reexpedir* + *-ção.*] *S. f.* **1.** Ato ou efeito de reexpedir. **2.** Nova expedição.

reexpedir [De *re-* + *expedir.*] *V. t. d.* **1.** Reexportar. **2.** Expedir (aquilo que se recebeu). [Irreg. Conjug.: v. *pedir.*]

reexploração [De *reexplorar* + *-ção.*] *S. f.* Ato ou efeito de reexplorar; nova exploração.

reexplorar [De *re-* + *explorar.*] *V. t. d.* Explorar novamente.

reexportação [De *reexportar* + *-ção.*] *S. f.* Ato ou efeito de reexportar; nova exportação.

reexportador (ô) [De *reexportar* + *-dor.*] *Adj. S. m.* Que, ou aquele que reexporta.

reexportar [De *re-* + *exportar.*] *V. t. d.* Tornar a exportar; reexpedir.

reexposição [De *re-* + *exposição.*] *S. f.* **1.** Nova exposição (1). **2.** *Mús.* No fim de uma composição musical (movimento de sonata, sinfonia, concerto, etc.), o reaparecimento de exposição (q. v.), porém com os seus dois temas principais no tom fundamental do movimento, com a ausência da ponte modulante. [V. *sonata bitemática* e *forma* lied.]

reextradição [De *re-* + *extradição.*] *S. f. Jur.* Ato ou efeito de reextraditar.

reextraditado [Part. de *reextraditar.*] *Adj. S. m. Jur.* Diz-se de, ou aquele contra quem se pediu reextradição.

reextraditar [De *re-* + *extraditar.*] *V. t. d. Jur.* Extraditar novamente (um criminoso).

refalsado [De *re-* + *falso* + *-ado*[1].] *Adj.* Que não tem, ou em que não há sinceridade; desleal, fingido, hipócrita: "Benevenuto Cellini .... era um patife; assassino, ladrão, degenerado, erótico, refalsado para com seus amigos" (Antônio Torres, *Pasquinadas Cariocas*, p. 82); "Não é a imprensa salão de nobres senhores, aonde, em refalsado cumprimento, somente se cruze .... ponto de admiração com ponto de admiração." (Antero de Quental, *Prosa*, I, p. 59).

refalsamento [De **refalsar* (< *re-* + *falso* + *-ar*[2]) + *-mento.*] *S. m.* **1.** Qualidade ou ação de refalsado. **2.** Ato de refalsear.

refalsear [De *re-* + *falsear.*] *V. t. d.* Enganar, atraiçoar, trair. [Conjug.: v. *frear.*]

refazedor (ô) [De *refazer* + *-dor.*] *Adj. S. m.* Que ou o que refaz.

refazer [De *re-* + *fazer.*] *V. t. d.* **1.** Fazer novamente: *Com a nova orientação, precisou refazer o trabalho.* **2.** Reformar, reorganizar: *Os republicanos refizeram a política do Império.* **3.** Emendar, corrigir: *As novas teorias obrigaram-no a refazer a tese.* **4.** Consertar, reparar: *Os operários refizeram o muro danificado.* **5.** Dar novo vigor a; restabelecer, restaurar: *O sono refaz as forças.* **6.** Nutrir, alimentar: *Depois da seca foi preciso refazer os animais.* **7.** Restaurar, recuperar: *O país refará sua riqueza em novas bases.* **8.** Ressarcir, indenizar: *Consegui refazer os gastos.* **9.** Percorrer novamente: *Perdeu-se e precisou refazer o trajeto. T. d. e i.* **10.** Abastecer, prover: *A força aérea conseguiu refazer de alimentos a cidade sitiada. P.* **11.** Restaurar as próprias forças: *Após a corrida, teve de refazer-se*; "A hora em que a maior parte dos viajantes se refazem das fadigas da véspera num breve sono reparador, a parisiense, os gamos e os coelhos estão alerta na viçosa floresta." (Ramalho Ortigão, *Notas de Viagens*, p. 81). **12.** Abastecer-se ou prover-se novamente. [Irreg. Conjug.: v. *fazer.*]

refazimento [De *refazer* + *-imento.*] *S. m.* Ato ou efeito de refazer(-se).

refazível [De *refazer* + *-ível.*] *Adj. 2 g.* Que se pode refazer.

refece [Do ár. *rahīṣ*, 'barato'; 'pobre', 'miserável', 'mesquinho'.] *Adj. 2 g.* **1.** De maus sentimentos; miserável, infame, ordinário. **2.** *Fig.* Que não apresenta dificuldade; fácil. **3.** De baixo preço. [Var.: *refez.*]

refecer *V. int. T. d.* Arrefecer. [Conjug.: v. *aquecer.*]

refectivo [Do lat. *refectus*, 'refeito', 'restaurado', + *-ivo.*] *Adj.* Reconstituinte, fortificante, tonificante, refectório.

refectório [Do lat. *refectoriu*, por via erudita.] *Adj.* V. *refectivo.*

refega [Var. dissimilada de *refrega.*] *S. f.* V. *refrega*: "Sentiu passar por cima de si listões negros, sorte de farrapos funéreos balanceados nas refegas do vento." (Aquilino Ribeiro, *Caminhos Errados*, p. 266.)

refegado [Part. de *refegar.*] *Adj.* Que tem refegos; enrugado.

refegar [De *refego* + *-ar*[2].] *V. t. d.* Fazer refegos em; enrugar, arrugar, encarquilhar: *refegar o vestido.* [Conjug.: v. *regar*. Pres. ind.: *refego*, etc. Cf. *refego* (ê).]

refego (fê) [Var. assimilada de *rofegorofo* + *-ego* (ê).] *S. m.* **1.** Dobra ou prega de vestuário, alfaias, etc., geralmente para adornar: "as cortinas caídas em refegos graciosos" (Orlando Gonçalves, *Este Mundo dos Homens*, p. 83). **2.** Dobra em tecido, papel, etc. **3.** Dobra[1] (3): "Junto dele, colada a ele, a vértebra da serra, ... ouriçada de penhas, cheia de betas e refegos, como a couraça de um rinoceronte." (Afonso Arinos, *Histórias e Paisagens*, p. 89.) **4.** Dobra na pele das pessoas; ruga: "sorri de uma doce bondade irônica um deus Buda, dez vezes maior que a corpulência humana, o grande ventre em refegos semelhando os discos duma auréola de carne olímpica" (Ramalho Ortigão, *A Holanda*, p. 291). [Pl.: *refegos* (ê). Cf. *refego*, do v. *refegar.*]

refeição [Do lat. *refectione.*] *S. f.* **1.** Ato de refazer as forças, de alimentar-se. **2.** Qualquer porção de alimento (1), de comida; repasto: *Antes de sair, fez uma refeição leve.* **3.** Refeição (2) tomada a horas certas do dia. ◆ **Refeição de assobio.** *Bras. Pop.* Café (ou café com leite) e pão com manteiga.

refeito [Do lat. *refectu.*] *Adj.* **1.** Tornado a fazer. **2.** Restaurado, reparado. **3.** Reposto no estado anterior. **4.** Emendado, corrigido. **5.** Forte, robusto, nutrido: *criança refeita e rosada.*

refeitoreiro [De *refeitório* + *-eiro.*] *S. m.* Aquele que cuida do refeitório.

refeitório [Do lat. tard. *refectoriu.*] *S. m.* Sala para refeições, nas comunidades, colégios, etc.

refém [Do ár. *rahn*, pela forma pop. *rihan*, 'prenda', 'penhor'; 'refém'.] *S. 2 g.* **1.** Pessoa importante que o inimigo mantém em seu poder para garantir uma promessa, um tratado, etc.: "Em reféns deste pacto ficarão teus sobrinhos. Se, no fim de quatro meses, de Roma não vierem letras de bênção, tem tu por certo que as cabeças lhes voarão de cima dos ombros." (Alexandre Herculano, *Lendas e Narrativas*, II, p. 74.) **2.** Praças de guerra ou cidades mantidas nas mesmas condições. **3.** Pessoa inocente que é retida como garantia a fim de que se realizem certas exigências (em casos de guerra, revolução, sequestro, etc.), e que em geral sofre represálias ou é executada, se tais exigências não são satisfeitas. [Var.: *arrefém.*]

refender [De *re-* + *fender.*] *V. t. d.* **1.** Tornar a fender. **2.** Fender em vários lugares; golpear muitas vezes. **3.** Lavrar em relevo.

refendimento [De *refender* + *-imento.*] *S. m.* **1.** Ato ou efeito de refender. **2.** Escultura em alto-relevo.

→ **referee** [ɹɛfə'ɹij] [Ingl.] *S. m. Fut.* **1.** V. *árbitro* (3). **2.** Consultor, esp. convidado pelo corpo editorial de revista científica para avaliar artigo submetido a publicação.

referência[1] [Do lat. *referentia* < v. lat. **referere*, 'referir'.] *S. f.* **1.** Ato ou efeito de referir, de contar, de relatar. **2.** Aquilo que se refere, conta ou relata. **3.** Alusão, menção, insinuação. **4.** Relação que existe entre certas coisas: *Procuro uma referência que esclareça a causa destes acontecimentos.* **5.** *E. Ling.* Dêixis. **6.** *Semiol.* Conceito, informação ou imagem mental que o signo transmite ao seu usuário; faz a mediação entre o signo (grandeza semiótica) e o referente (grandeza não semiótica). ~ V. *referências.* ◆ **Referência de nível.** Ponto do terreno ou marco artificial, perfeitamente identificado e materializado, cuja cota verdadeira é calculada com grande precisão, para servir de base à determinação das altitudes ou das profundidades de outros pontos que lhe ficam próximos. [Geralmente designado pela sigla *RN.*]

referência[2] [Adapt. do ingl. *reference.*] *S. f.* **1.** Nota informativa de remissão' (em publicação); 'fonte de esclarecimento' (para o leitor). **2.** *P. ext.* Artigo ou trabalho publicado, mencionado em texto científico. **3.** *Bibliot.* Serviço destinado a orientar os leitores na consulta às obras de referência. [V. *obra de referência.*] ~ V. *referências.* ◆ **Referência bibliográfica.** *Bibliogr.* Descrição bibliográfica de um documento, com elementos padronizados que permitam sua identificação no todo ou em parte.

referencial [De *referência*[1] + *-al*[1].] *Adj. 2 g.* **1.** Que constitui referência, ou que a contém: *Os símbolos são inerentemente referenciais.* **2.** De, relativo a, ou que é utilizado como referência: *linguagem referencial.* ~ V. *função* — e *linguagem* —. ● *S. m.* **3.** *Fís.* Sistema rígido em relação ao qual se podem especificar as coordenadas espaciais e temporais de eventos físicos; sistema de referência. ◆ **Referencial acelerado.** *Fís.* O que tem uma velocidade variável em relação a um referencial inercial. **Referencial de Galileu.** *Fís.* Referencial inercial. **Referencial inercial.** *Fís.* O que é isotrópico em relação a qualquer fenômeno mecânico ou óptico; referencial de Galileu.

referências *S. f. pl.* **1.** Indicação de pessoas que possam abonar a integridade ou a capacidade de outra pessoa ou de uma firma. **2.** *Bras.* Informações sobre a idoneidade de uma pessoa. ~ V. *referência.*

referenda [Dev. de *referendar.*] *S. f.* Ato ou efeito de referendar.

referendar [Do lat. *referendus*, gerundivo de *referre*, 'referir', + *-ar*[2].] *V. t. d.* **1.** Assinar (um documento) como responsável: *O Presidente referendou o projeto.* **2.** Assinar (um ministro) por baixo da assinatura do chefe do governo (um documento legal, para que este se publique ou execute): *O Ministro da Fazenda referendou um decreto sobre correção monetária.* **3.** Aceitar a responsabilidade de (algo já aprovado por outrem), concorrendo para que essa coisa se realize: *O Congresso não referendou o tratado nos termos em que vinha redigido.* [Fut. pret.: *referendaria*, etc. Cf. *referendária*, fem. de *referendário.*]

referendário [Do lat. *referendariu.*] *S. m.* Aquele que referenda. [Fem.: *referendária*. Cf. *referendaria*, do v. *referendar.*]

referendo [Do lat. *referendu.*] *S. m.* **1.** Mensagem que um representante diplomático expede a seu governo pedindo novas instruções. **2.** *Polít.* Instrumento por meio do qual o corpo eleitoral participa, consultiva ou deliberativamente, do processo decisório. [É considerado o principal instrumento da democracia direta.]

→ **referendum** [r̃ɛfɛ'r̃endõm̃] [Lat.] *S. m.* V. *referendo.*

referente [Do lat. *referente.*] *Adj. 2 g.* **1.** Que se refere; que diz respeito; respeitante, relativo, concernente. ● *S. m.* **2.** *E. Ling.* Situação contextual a que a mensagem remete. **3.** *Semiol.* Aquilo que o signo representa; objeto, contexto. [Tradicionalmente aplica-se o conceito de *referente* com relação aos objetos do mundo real a que as palavras das línguas naturais se referem. Cf. *referência*[1] (6) e *função referencial.*]

referido [Part. de *referir.*] *Adj.* Exposto por escrito ou oralmente; já mencionado, citado, supracitado. ~ V. *dor* —*a*.

referimento [De *referir* + *-mento.*] *S. m.* Ato ou efeito de referir, contar, narrar.

referir [Do lat. **referere*, por *referre*, 'levar para trás', 'referir'.] *V. t. d.* **1.** Expor de viva voz ou por escrito; narrar, contar, relatar: "Sentado na rede, com as pernas cruzadas, escutava Iracema. A virgem referia os sucessos da tarde." (José de Alencar, *Iracema*, p. 73.) **2.** Trazer à baila; alegar, citar: *Referiu bons autores. T. d. e i.* **3.** Narrar, contar, relatar: "A velha Teonila referia o caso ao filho, em presença dos netos." (Xavier Marques, *Jana e Joel*, p. 74); "Referiu à mulher o encontro que tivera" (Alberto Braga, *Novos Contos*, p. 177). **4.** Atribuir, imputar: *Refere a seu mestre profundos pensamentos.* **5.** Dizer, com referência ou alusão (a alguém ou alguma coisa); aludir: *Os historiadores referiram boas palavras ao empreendimento colonizador de Portugal.* **6.** Aplicar, destinar: *Referimos ao povo os agradecimentos pelo trabalho de reconstrução nacional. P.* **7.** Reportar-se, aludir: *Referiu-se, com tristeza, ao seu passado.* **8.** Ter relação; dizer respeito: *A carta referia-se a assunto particular.* [Irreg. Conjug.: v. *aderir.*]

refermentar [De *re-* + *fermentar.*] *V. int.* **1.** Fermentar de novo. **2.** Fermentar muito.

referto [Do lat. *refertu.*] *Adj. P. us.* **1.** Muito cheio; pleno: "A massa restante dos fiéis volve-lhes .... olhares carinhosos, refertos de esperanças." (Euclides da Cunha, *Os Sertões*, p. 201.) **2.** Abundante, cheio; volumoso: "O colo redondo, referto, bicando a camisa de crivo" (Coelho Neto, *Banzo*, p. 187).

refervedor (ô) [De *referver* + *-dor.*] *S. m. Tec. Quím.* Numa coluna de destilação industrial, a parte inferior, por onde se injeta o calor necessário à operação.

refervente [Do lat. *refervente.*] *Adj. 2 g.* Que referve.

referver [Do lat. *refervere.*] *V. int.* **1.** Ferver de novo; tornar a ferver. **2.** Ferver muito. **3.** Fermentar, levedar. **4.** Bramir, fremir, rugir, tumultuar: *As ondas, batendo contra os rochedos, referviam*; "Embaixo as águas refervendo bramam..." (Raimundo Correia, *Poesias*, p. 18). **5.** *Fig.* Excitar-se, agitar-se, exaltar-se, inflamar-se: *Em seu ânimo referviam as paixões.* **6.** Aumentar de intensidade, de vida, de animação; acalorar-se: *Com a distância o amor referveu*; "E ferve, referve a dança, / Na pousada, em corrupio..." (Melo Morais Filho, *Cantos do Equador*, p. 53). **7.** Fazer cachão; borbulhar. *T. d.* **8.** Fazer ferver outra vez.

refervimento [De *referver* + *-imento.*] *S. m.* Ato ou efeito de referver.

refestelar-se [De *re-* + *festa* um el. incerto + *-ar*[2] + *se*[1].] *V. p.* **1.** Comprazer-se, deleitar-se, regozijar-se:

"Venha comigo a Portugal e refestele-se no Minho." (Davi Nasser, *Portugal, Meu Avozinho*, p. 29.) **2.** Estirar-se comodamente; recostar-se, repimpar-se; repoltrear-se: *refestelar-se numa poltrona.* [Pres. ind.: *refestelo-me*, etc. Cf. *refestelo* (ê), s. m.]

refestelo (ê) [Dev. de *refestelar-se*.] ***S. m. Ant.*** **1.** Folia, festa. **2.** Estado de quem se refestela ou se repoltreia. [Pl.: *refestelos* (ê). Cf. *refestelo-me*, do v. *refestelar-se*.]

refez ***Adj. 2 g.*** V. *refece*. [Cf. *refez* (ê), do v. *refazer*.] ◆ **De refez.** Com facilidade; facilmente.

refiar [De *re-* + *fiar*².] ***V. t. d.*** **1.** Fiar novamente. **2.** Dividir, separando em folhas: *refiar uma tábua.*

refil [Do ingl. *refill*.] ***S. m. Bras.*** Produto, ou produto com embalagem, que se destina a substituir o conteúdo de certos objetos, como canetas esferográficas, batons, estojos de pó de arroz, etc., e que se adquire especialmente para substituir o que se gastou.

refilador¹ (ô) [De *refilar*¹ + *-dor*.] ***Adj.*** Que refila (v. *refilar*¹).

refilador² (ô) [De *refilar*² + *-dor*.] ***Adj.*** Que refila (v. *refilar*²).

refilagem [De *refilar* + *-agem*².] ***S. f. Tip.*** Refilo.

refilanço [De *refilar*¹ + *-anço*.] ***S. m. Lus.*** Resposta grosseira, atrevida.

refilão [Do esp. plat. *de refilón*.] ***Adj. S. m.*** **1.** Que, ou aquele que refila. **2.** *Lus.* Diz-se de, ou indivíduo grosseiro, atrevido. [Fem.: *refilona*.]

refilar¹ [De *re-* + *filar*.] ***V. t. d.*** **1.** Tornar a filar, a morder, a acometer: *Os cães refilaram a caça.* **2.** Morder em (o que o morde ou quer morder). ***Int.*** **3.** Reagir contra o agressor; recalcitrar. **4.** *Lus.* Responder com grosseria, com atrevimento.

refilar² ***V. t. d. Tip.*** Dar o refilo a (obra, livro, etc.).

refilhar [De *refilho* + *-ar*².] ***V. int.*** **1.** Lançar refilhos ou rebentos; rebentar. **2.** Multiplicar-se, difundir-se, espalhar-se, propagar-se: *A partir da Contrarreforma refilhou novamente o cristianismo romano.*

refilho [De *re-* + *filho*.] ***S. m. Bot.*** **1.** V. *broto* (2). **2.** V. *rebento* (1).

refilmagem [De *refilmar* + *-agem*².] ***S. f.*** Ato ou efeito de refilmar.

refilmar [De *re-* + *filmar*.] ***V. t. d.*** Tornar a filmar.

refilo ***S. m. Tip.*** Corte final e rente dado nas laterais de um impresso, exceto na lombada, em caso de livros e revistas, para acertar corretamente o formato dos exemplares ou para ajustar as dimensões da capa e do miolo; refilagem.

refilona ***S. f.*** Fem. de *refilão*.

refinação [De *refinar* + *-ção*.] ***S. f.*** **1.** Ato ou efeito de refinar(-se); refinamento, refinadura, refino. **2.** Lugar próprio para refinar; refinaria. **3.** V. *refinamento* (2). **4.** *Ind. Pap.* Tratamento que se dá à semipasta, na holandesa ou no refinador, para torná-la adequada à formação da folha na máquina de papel. **5.** *Tec. Quím.* Operação complexa de destilação e craqueamento a que se submete o petróleo, visando à obtenção das diversas frações em que é possível dividi-lo.

refinado [Part. de *refinar*.] ***Adj.*** **1.** Que se refinou; purificado pela refinação: *açúcar refinado.* **2.** Apurado, fino, requintado: *gosto refinado.* **3.** Completo, acabado, perfeito: *um intelectual refinado; um refinado patife.*

refinador (ô) [De *refinar* + *-dor*.] ***Adj.*** **1.** Que refina. ● ***S. m.*** **2.** Aquele que refina. **3.** *Ind. Pap.* Aparelho que hoje substitui, em geral, a holandesa (q. v.), e serve para refinar a pasta celulósica para a entrada na máquina contínua.

refinadura [De *refinar* + *-dura*.] ***S. f.*** V. *refinação* (1).

refinamento [De *refinar* + *-mento*.] ***S. f.*** **1.** V. *refinação* (1). **2.** Requinte, apuro; refinação.

refinanciamento [De *refinanciar* + *-mento*.] ***S. m.*** Ato ou efeito de refinanciar.

refinanciar [De *re-* + *financiar*.] ***V. t. d.*** **1.** Tornar a financiar (débitos anteriores). **2.** Conceder novo empréstimo, para extensão do prazo de pagamento, de (dívida anterior).

refinar [De *re-* + *ino*¹ + *-ar*².] ***V. t. d.*** **1.** Tornar mais fino; apurar. **2.** Tornar mais puro; aperfeiçoar, afinar, aprimorar: *refinar o estilo.* **3.** Tornar mais forte, mais intenso; requintar: *A repressão refina os descontentamentos.* **4.** Submeter (um produto) a uma série de operações químicas ou físico-químicas para dar-lhe certas qualidades próprias para o comércio: *refinar petróleo.* **5.** Separar de (uma substância) as matérias estranhas que lhe alteram a pureza: *refinar açúcar.* ***P.*** **6.** Esmerar-se, aprimorar-se, requintar-se, aperfeiçoar-se, apurar-se, refinar: *Com as boas leituras, o seu estilo refinou.*

refinaria [De *refinar* + *-aria*.] ***S. f.*** **1.** Refinação (2). **2.** Usina onde se procede à clarificação do açúcar de cana para consumo comercial. **3.** Complexo de estabelecimentos industriais onde se efetua a transformação do petróleo bruto em produtos refinados, como a gasolina, o óleo diesel, etc., e em produtos derivados.

refincar [De *re-* + *fincar*.] ***V. t. d.*** Fincar com força. [Conjug.: v. *trancar*.]

refino [Dev. de *refinar*.] ***S. m.*** V. *refinação* (1).

refitar [De *re-* + *fitar*.] ***V. t. d.*** Fitar de novo, ou repetidamente.

reflação ***S. f. Econ.*** **1.** Política econômica que visa à retomada do crescimento, pelo estímulo à demanda. [Cf. *keynesianismo*.] **2.** Aumento da circulação monetária, da produção e dos preços, em seguida a um período de recessão ou depressão.

reflada [De *refle* + *-ada*¹.] ***S. f.*** **1.** Tiro de refle (1). **2.** *Bras.* Golpe de refle (2): "Entre soldados entrava um homem, a se debater, a chorar e a implorar, ... levando de quando em quando uma reflada." (Lima Barreto, *Triste Fim de Policarpo Quaresma*, p. 223.)

reflar [De *refle* + *-ar*².] ***V. t. d. Bras.*** Espancar com o refle (2).

refle ***S. m.*** **1.** Espingarda curta, espécie de bacamarte. **2.** *Bras.* Sabre-baioneta usado nas forças policiais: "refles desembainhados." (Euclides da Cunha, *Contrastes e Confrontos*, p. 190). [Cf. *rifle*.]

reflectido ***Adj.*** V. *refletido*.

reflectivo ***Adj.*** V. *refletivo*.

reflectografia [Do rad. do v. lat. *reflectere*, 'refletir', *+-o-* + *-grafia*.] ***S. f.*** Processo de cópia de documentos, por contacto, em papel especial cuja camada sensível é atravessada ao mesmo tempo pela luz incidente e pela refletida. [Var.: *refletografia*.]

reflectográfico [De *reflectografia* + *-ico*².] ***Adj.*** Relativo à reflectografia. [Var.: *refletográfico*.]

refletância [De *refletir* + *-ância*, irregularmente.] ***S. f. Fotom.*** Relação entre o fluxo luminoso refletido por uma superfície e aquele que incide sobre ela; fator de reflexão.

refletido [Part. de *refletir*.] ***Adj.*** **1.** Que sofreu reflexão (6). **2.** Ponderado, prudente, sensato, refletivo, reflexivo: *temperamento refletido; pessoa refletida.* **3.** Grave, sisudo, circunspeto, reflexivo.

refletidor (ô) [De *refletir* + *-dor*.] ***Adj.*** **1.** V. *refletor* (1 e 2). ● ***S. m.*** **2.** V. *refletor* (3). **3.** V. *abajur* (1).

refletir [Do lat. *reflectere*.] ***V. t. d.*** **1.** Fazer retroceder, desviando da direção inicial: *A tabela do bilhar reflete as bolas.* **2.** Causar reflexão (6) de. **3.** Reproduzir a imagem de; espelhar, retratar: "E a água cai, refletindo estrelas, céu, folhagem..." (Cecília Meireles, *Obra Poética*, p. 54); "E as poças de água, como em chão vidrento, / Refletem a molhada casaria." (Cesário Verde, *Obra Completa*, p. 99); "A obra [de Graciliano Ramos] reflete o autor como raramente se terá verificado em outros casos." (Osório Borba, *A Comédia Literária*, p. 201). **4.** Deixar ver; revelar, mostrar, traduzir: *Seu rosto refletia o desespero.* **5.** Reproduzir, repercutir, repetir: *As montanhas refletem os sons, produzindo eco.* ***T. d. e i.*** **6.** Reproduzir a imagem de; espelhar, retratar: "Grandes vacas brancas .... mastigam lentamente, sentadas, e olham repletas e pasmadas no vago, refletindo a enorme planície verde nas pupilas mansas e luminosas" (Ramalho Ortigão, *A Holanda*, p. 78). ***Int.*** **7.** Mudar de direção, voltando; retroceder, recuar. **8.** Pensar maduramente; meditar, reflexionar: *Ouvi atento, e depois refleti.* ***T. i.*** **9.** Pensar maduramente; meditar, reflexionar: *Passou dias a refletir na proposta;* "toma [Almeida Garrett] ordens menores, sem por isso deixar de amar Isabel. Não refletiu ainda no sacrifício que lhe imporá a vida a que o destinam." (José Osório de Oliveira, *O Romance de Garrett*, p. 24). **10.** Fazer eco; recair, incidir: *A grande vitória refletiu em todo o mundo.* ***T. c.*** **11.** Mudar de direção, voltando; retroceder, recuar: *A luminosidade que reflete do espelho fere a vista.* ***P.*** **12.** Retratar-se, representar-se, reproduzir-se: *A Lua não se reflete nas águas turvas.* **13.** Incidir, recair. **14.** Transmitir-se, repercutir-se, comunicar-se: *A crise do café refletiu-se na economia global.* [Irreg. Conjug.: v. *aderir*.]

refletivo [De *refletir* + *-ivo*.] ***Adj.*** V. *refletido* (2).

refletografia ***S. f.*** V. *reflectografia*.

refletográfico ***Adj.*** V. *reflectográfico*.

refletor (ô) [Do lat. *reflect(ere)*, 'virar para trás', 'refletir', + *-or*.] ***Adj.*** **1.** Que reflete; refletidor. **2.** Que repercute; refletidor. ~ V. *telescópio* —. ● ***S. m.*** **3.** Aparelho destinado a refletir a luz; refletidor. **4.** *Astr.* V. *telescópio refletor.*

reflexão (cs) [Do lat. *reflexione*, 'ação de voltar para trás, de virar'; 'reciprocidade'.] ***S. f.*** **1.** Ato ou efeito de refletir(-se). **2.** Volta da consciência, do espírito, sobre si mesmo, para examinar o seu próprio conteúdo por meio do entendimento, da razão. **3.** Cisma, meditação; contemplação. **4.** Consideração atenta; prudência, tino, discernimento. **5.** Ponderação, observação, reparo. **6.** *Fís.* Modificação da direção de propagação de uma onda que incide sobre uma interface que separa dois meios diferentes, e retorna para o meio inicial. **7.** *Geom.* Operação em que um ponto se transforma no seu simétrico em relação a outro ponto, ou a uma linha.

reflexibilidade (cs) [De *reflexível* + *-(i)dade*, seg. o padrão erudito.] ***S. f.*** Qualidade de reflexível.

reflexionar (cs) [De *reflexão* + *-ar*², seg. o padrão erudito.] ***V. int.*** **1.** Refletir, meditar. ***T. d.*** **2.** Pesar, ponderar, objetar; refletir. ***T. i.*** **3.** V. *refletir* (9).

reflexível (cs) [De *reflexo* + *-ível*.] ***Adj. 2 g.*** Que se pode refletir.

reflexividade (cs) [De *reflexivo* + *-(i)dade*.] ***S. f. Mat.*** Numa relação entre elementos de um conjunto, propriedade que é verdadeira quando relaciona um elemento com ele mesmo. A relação de igualdade é reflexiva.

reflexivo (cs) [De *reflexo* + *-ivo*.] ***Adj.*** **1.** Reflexo (1). **2.** Que reflete ou reflexiona. **3.** V. *refletido* (2 e 3). ~ V. *análise —a, pronome —, relação —a* e *verbo —*. ● ***S. m.*** **4.** *E. Ling.* O pronome reflexivo.

reflexo (cs) [Do lat. *reflexu*, 'voltado para trás', 'revirado', 'retorcido', part. pass. do v. lat. *reflectere*, 'refletir' (q. v.).] ***Adj.*** **1.** Que se volta sobre si mesmo; reflexivo. **2.** Que se faz por meio de reflexão. **3.** Que não atua diretamente; indireto: *Por influência reflexa, a decisão do campeonato esvaziou a agressividade dos rapazes.* **4.** Que sofreu reflexão (6); refletido: "A luz escassa do sol poente, que, reflexa em ângulo obtuso na caiada parede de S. Martinho, coava decomposta pelos vidros corados da janela, via-se assentado ao bufete do meio do aposento um figurão exótico." (Alexandre Herculano, *O Monge de Cister*, II, p. 231.) **5.** *Fisiol.* Diz-se de reflexo (12). **6.** *Bot.* Voltado para baixo, ou, na direção da base: *pétala reflexa.* ~ V. *verbo — e voz —a*. ● ***S. m.*** **7.** Luz refletida, ou o efeito dela. **8.** Cópia, reprodução, imitação. **9.** Aquilo que evoca a realidade de maneira imprecisa ou incompleta: *Em seus traços ainda se podia ver um reflexo da beleza passada.* **10.** Manifestação indireta de uma circunstância, de um fato: *Observava, inquieta, o reflexo das más companhias no comportamento do menino.* **11.** Aquilo que manifesta, que revela um sentimento, uma ideia: "E com um sorriso único, reflexo de alma satisfeita, alguma cousa que traduzia a delícia íntima das sensações supremas, Fortunato cortou a terceira pata ao rato" (Machado de Assis, *Várias Histórias*, p. 113). **12.** *Fisiol.* Atividade involuntária de um órgão, como resposta a uma estimulação deste. ◆ **Reflexo aquileu.** *Neur.* Resposta à percussão de tendão calcâneo, e que se traduz por extensão de pé sobre perna. **Reflexo condicionado.** *Psicol.* Resposta condicionada (q. v.). **Reflexo gastrocólico.** *Fisiol.* Aumento de peristaltismo intestinal após entrada de alimento em estômago vazio. **Reflexo patelar.** *Med.* Resposta à percussão de tendão patelar, e que se traduz, por extensão, de perna sobre coxa. **Reflexo tendinoso.** *Neur.* Contração de músculo provocada por percussão de seu tendão.

reflexologia (cs) [De *reflexo* + *-logia*.] ***S. f.*** **1.** Estudo dos reflexos. **2.** *Psicol.* Escola que reduz todos os fenômenos psíquicos a reflexos condicionados.

reflexológico (cs) [De *reflexologia* + *-ico*².] ***Adj.*** Respeitante à reflexologia.

reflexologista (cs) [De *reflexologia* + *-ista*.] ***S. 2 g.*** Especialista em reflexologia ou reflexoterapia; reflexólogo.

reflexólogo (cs) [De *reflexo-*, como em *reflexologia*, *+-logo*.] ***S. m.*** Reflexologista.

reflexoterapia (cs) [De *reflexo* + *-terapia*.] ***S. f. Terap.*** Tratamento por irritação de uma área do corpo distante da lesão.

reflexoterápico (cs) [De *reflexoterapia* + *-ico*².] ***Adj. Terap.*** Relativo à reflexoterapia.

reflorescência [De *reflorescer* + *-ência*.] ***S. f.*** Qualidade de reflorescente.

reflorescente [De *reflorescer* + *-nte*.] ***Adj. 2 g.*** Que refloresce.

reflorescer [Do lat. *reflorescere*.] ***V. int.*** **1.** Florescer novamente; tornar a florescer: *Refloresceram os jardins devastados.* **2.** Encher-se de flores: *Na primavera reflorescem os campos.* **3.** Restabelecer-se, reviver, reanimar-se: *As novas conquistas científicas fazem reflorescer a confiança na humanidade.* **4.** Remoçar, rejuvenescer, juvenescer: *A mente envelhecida dificilmente refloresce.* ***T. d.*** **5.** Fazer florescer: *A chuva refloresceu os bosques.* **6.** Reanimar, revigorar: *As novas notícias reflorescerам as esperanças.* [Conjug.: v. *crescer*.]

reflorescido [Part. de *reflorescer*.] ***Adj.*** Que refloresceu; reflorido.

reflorescimento [De *reflorescer* + *-imento*.] ***S. m.*** Ato ou efeito de reflorescer.

reflorestador (ô) [De *reflorestar* + *-dor*.] ***Adj. S. m.*** Que, ou aquele que refloresta.

reflorestamento [De *reflorestar* + *-mento*.] ***S. m.*** Ato ou efeito de reflorestar.

R

reflorestar [De *re-* + *floresta* + *-ar*².] *V. t. d.* Plantar árvores para formar florestas em (lugar onde foi derrubada uma floresta).

reflorido [Part. de *reflorir*.] *Adj.* Que refloriu; reflorescido.

reflorir [De *re-* + *florir*.] *V. int. T. d.* Reflorescer. [Defect. Só se conjuga nas f. em que ao *r* da raiz se seguir a vogal *i*.]

refluente [Do lat. *refluente*.] *Adj. 2 g.* Que reflui; réfluo.

refluir [Do lat. *refluere*.] *V. int.* **1.** Correr para trás, retroceder (falando-se de um líquido ou de uma extensão líquida): *A maré reflui às 10 horas. T. c.* **2.** Voltar (para o ponto de origem): *A multidão refluiu a seus lares;* "Injetaram-lhe um líquido no abdômen e o líquido refluiu para a seringa" (Haroldo Maranhão, *As Peles Frias*, p. 19). *T. i.* **3.** Acudir, vir, chegar, em quantidade: *Valiosos presentes refluíam aos noivos.* [Conjug.: v. *atribuir*. Pres. ind.: *refluo*, etc. Cf. *réfluo*.]

réfluo [Do lat. *refluu*.] *Adj.* Refluente. [Cf. *refluo*, do v. *refluir*.]

refluxar (cs) [De *refluxo* + *-ar*².] *V. t. d. Quím.* Submeter a refluxo (5).

refluxo (cs) [Do lat. *refluxu*, part. pass. de *refluere*, 'refluir'.] *S. m.* **1.** Ato ou efeito de refluir. **2.** Movimento contrário e sucessivo a outro. **3.** *Med.* Regurgitação (2). **4.** *Quím.* Operação em que um líquido é vaporizado por aquecimento em um recipiente (ger. um balão) ligado a um condensador, de modo que o condensado retorna continuamente a esse recipiente. **5.** *Quím.* O líquido condensado em refluxo (4). ◆ **Refluxo da maré.** *Geofís.* V. *vazante da maré*.

refocilamento [De *refocilar* + *-mento*.] *S. m.* Ato ou efeito de refocilar(-se).

refocilante [De *refocilar* + *-nte*.] *Adj. 2 g.* Que refocila.

refocilar [Do lat. *refocillare*.] *V. t. d.* **1.** Restaurar, reforçar, revigorar: *As palavras de Catão não bastaram para refocilar a decadente sociedade romana.* **2.** Dar descanso, recreio, a; recrear: *A viagem refocilará seu espírito abatido. T. c.* **3.** Atolar, chafurdar: "Estendido na lama, contempla com prazer as atividades do Capitão, que tem por ele carinho especial e sabe que refocilar na lama é o trabalho do Porco." (Moacir Scliar, *O Exército de um Homem Só*, p. 63.) *P.* **4.** Recobrar as forças, o vigor; revigorar-se: *Com a boa refeição, o pobre faminto refocilou-se.* **5.** Distrair-se do estudo ou do trabalho; recrear-se: *Depois de árduos meses de esforço, pediu férias para se refocilar.* **6.** *Fig.* Deleitar-se, deliciar-se: "– .... E no fim de contas foi o senhor que gozou, que se refocilou, e sou eu que estou aqui a arrasar a minha saúde com estas andadas" (Eça de Queirós, *O Crime do Padre Amaro*, p. 533.) **7.** Repoltrear-se, repotrear-se, refestelar-se: *refocilar-se numa poltrona.* **8.** Atolar-se, chafurdar-se.

refogado [Part. de *refogar*.] *S. m. Cul.* **1.** Mistura de vários temperos, como, p. ex., tomate, cebola, alho, cheiro-verde, passados na gordura fervente para dar às comidas um determinado sabor: *o refogado do feijão geralmente só leva alho e cebola.* **2.** *P. ext.* Prato feito com refogado; afogado: *um refogado de galinha.* **3.** Molho feito com temperos refogados: "Durante o dia do baile .... não comais alho, nem comais os refogados de cebola que vos alimentam nas vossas estalagens." (Ramalho Ortigão, *As Farpas*, IV, p. 177.) [Cf. *refugado*.]

refogar [De *re-* + *fogo* + *-ar*².] *V. t. d.* **1.** Fazer ferver (os temperos) em gordura: *refogar cebola, sal e tomate.* **2.** Cozinhar com refogado; guisar: *refogar a carne.* [Sin. ger.: *afogar*. Conjug.: v. *largar*. Cf. *refugar*.]

refolego (ê) [Alter. de *repolego*.] *S. m. Bras. N.E.* Certo trabalho de agulha.

refolgar [De *re-* + *folgar*.] *V. int.* **1.** Folgar ou descansar muito. **2.** Descansar, repousar, resfolegar. [Conjug.: v. *largar*. Pres. ind.: *refolgo*, etc. Cf. *refolgo* (ô).]

refolgo (ô) [De *refolgar*.] *S. m.* Descanso, repouso, alívio, folga. [Pl.: *refolgos* (ô). Cf. *refolgo*, do v. *refolgar*.]

refolhado¹ [Part. de *refolhar*¹.] *Adj.* Enrolado em folhas.

refolhado² [Part. de *refolhar*².] *Adj.* **1.** Que tem refolhos; refolhudo. **2.** *Fig.* Dissimulado, fingido, hipócrita.

refolhamento [De *refolhar*² + *-mento*.] *S. m.* V. *refolho*.

refolhar¹ [De *re-* + *folha*¹ + *-ar*².] *V. t. d.* **1.** Envolver em folhas: *refolhar a pamonha com folhas de bananeira.* **2.** *Fig.* Disfarçar, cobrir, encobrir, dissimular: *Tentou refolhar a emoção estampada na face. Int.* **3.** Deitar folhas; brotar. *P.* **4.** Esconder-se na vegetação. [Pres. ind.: *refolho*, etc. Cf. *refolho* (ô).]

refolhar² [De *refolho* + *-ar*².] *V. t. d.* Guarnecer de refolhos ou pregas; preguear: *refolhar uma saia.* [Pres. ind.: *refolho*, etc. Cf. *refolho* (ô).]

refolho (ô) [De *re-* + *folho*¹.] *S. m.* **1.** Folho sobre folho; prega, dobra, refolhamento. **2.** *Fig.* Fingimento, dissimulação, hipocrisia, refolhamento: "Viu tudo a cru:/ Viu, sem refolhos, / Com os próprios olhos, / Seu corpo nu." (Martins Fontes, *Verão*, p. 223.) [Pl.: *refolhos* (ó). Cf. *refolho*, do v. *refolhar*.] ~ V. *refolhos*.

refolhos [Pl. de *refolho*.] *S. m. pl.* A parte mais íntima ou secreta da alma; âmago, íntimo, imo. ~ V. *refolho*.

refolhudo¹ [De *re-* + *folhudo*.] *Adj.* Denso, ramoso, ramudo.

refolhudo² [De *refolho* + *-udo*.] *Adj.* Que tem refolho; refolhado.

reforçado [Part. de *reforçar*.] *Adj.* **1.** Que readquiriu forças; revigorado. **2.** Aumentado ou acrescido de reforço (2 e 3): *O general ordenou guarda reforçada em todas as unidades.* **3.** Que recebeu reforço (4). **4.** Que tem força; robusto, forte: *um cabra reforçado.*

reforçador (ô) [De *reforçar* + *-dor*.] *Adj.* **1.** Que reforça. ● *S. m.* **2.** Explosivo que, numa cadeia (5), tem a função de detonar a carga de ruptura. **3.** *Astron.* Foguete que fornece, durante certo espaço de tempo, um impulso inicial ou adicional a um veículo espacial, e que, geralmente, é largado após a queima; impulsor auxiliar, jato auxiliar de decolagem. **4.** *Fot.* Solução destinada a acentuar os contrastes de um negativo.

reforçar [De *re-* + *força* + *-ar*².] *V. t. d.* **1.** Tornar mais forte, mais sólido, mais intenso; dar mais força a: *Estes dados reforçarão o pedido.* **2.** Reanimar, restaurar, revigorar: *A bebida quente reforçou-lhe o corpo cansado. P.* **3.** Tornar-se mais forte, mais robusto; adquirir mais força; fortalecer: *A ciência reforça-se a cada descoberta.* **4.** Adquirir força ou apoio: *Reforçou-se, para manter a asserção, em obras especializadas.* [Conjug.: v. *laçar*. Pres. ind.: *reforço*, etc. Cf. *reforço* (ô).]

reforçativo [De *reforçar* + *-tivo*.] *Adj.* Que serve para reforçar.

reforço (ô) [Dev. de *reforçar*.] *S. m.* **1.** Ato ou efeito de reforçar(-se). **2.** Aumento de força. **3.** Tropa auxiliar. **4.** Material ou peça que se coloca em determinadas partes de uma coisa para aumentar-lhe a resistência: *A mala tem reforço nos cantos.* **5.** Aquilo que se recebe, ou se dá como suplemento a: *Para combater a epidemia de sarampo a criançada recebeu um reforço de vacina.* **6.** *Restr.* Pessoa(s) convocada(s) para reforçar uma equipe. **7.** *Encad.* Tira de papel ou de talagarça que se coloca ao dorso de um livro para consolidá-lo, antes do empaste. [Pl.: *reforços* (ó). Cf. *reforço*, do v. *reforçar*.] ◆ **Reforço de fole.** *Encad.* Reforço formado por uma tira de papel dobrada, com uma parte colada ao lombo e outra ao falso-dorso. [Sin. (bras., S.): *canudo*.]

reforma [Dev. de *reformar*.] *S. f.* **1.** Ato ou efeito de reformar; reformação. **2.** Mudança, modificação, reformação. **3.** Forma nova. **4.** *Bras.* Aposentadoria definitiva de militar ao qual faltam condições físicas, mentais ou morais para o serviço militar. [Cf. *reserva remunerada*.] **5.** Substituição dum título ou contrato por outro, de valor igual ou diverso, por ocasião de seu vencimento. **6.** *Jur.* Modificação duma decisão, sentença, ou acórdão em grau de recurso. **7.** *Rel.* Conjunto de mudanças efetuadas na Igreja com o fim de torná-la mais fiel à forma de suas origens: *reforma dos cistercienses; reforma dos carmelitas.* **8.** *Rel.* Movimento religioso dos começos do séc. XVI, que rompeu com a Igreja Católica Romana, originando numerosas igrejas cristãs dissidentes. [Com cap., nesta acepç.] **9.** *Restr.* Protestantismo. **10.** *Tec. Quím.* Reformação (2). ◆ **Reforma agrária.** Revisão da estrutura agrária dum país com vista a uma distribuição mais equitativa da terra e da renda agrícola, mediante modificações no regime de sua posse e uso, a fim de atender aos princípios de justiça social e ao aumento de produtividade.

reformabilidade [De *reformável* + *-(i)dade*, seg. o padrão erudito.] *S. f.* Qualidade de reformável.

reformação [Do lat. *reformatione*.] *S. f.* **1.** Reforma (1 e 2). **2.** *Tec. Quím.* Tratamento térmico ou catalítico a que se submetem certas frações da destilação do petróleo com o objetivo de elevar-lhes a octanagem; reforma.

reformado [Part. de *reformar*.] *Adj.* **1.** Emendado, corrigido. **2.** Diz-se de militar que se reformou. **3.** *Lus.* V. *aposentado*. ● *S. m.* **4.** Militar que se reformou. **5.** V. *aposentado*: "Ao lado há um café, onde os reformados .... jogam dominó e contam histórias dos 'ladrões dos políticos' e do 'fascista do Cavaco'." (José Pacheco Pereira, *O Nome e a Coisa*, p. 36.) **6.** *Rel.* Em rigor, membro de algumas igrejas protestantes da Suíça, Alemanha e Holanda ligadas ao espírito do reformador suíço Zwinglio (v. *zwinglianismo*). **7.** *P. ext.* Calvinistas, ou protestantes em geral.

reformador (ô) [Do lat. *reformatore*.] *Adj.* **1.** Que reforma; reformatório. ● *S. m.* **2.** Aquele que reforma. **3.** Aquele que reformou uma ordem ou uma congregação. **4.** *Restr.* Os principais fautores da Reforma protestante. **5.** *Bras.* V. *carimboto*.

reformar [Do lat. *reformare*.] *V. t. d.* **1.** Formar de novo; reconstruir: *Reformaram a cidade abalada pelo terremoto.* **2.** Emendar, corrigir, retificar: *A moral pretende reformar os maus costumes.* **3.** Dar melhor forma a; melhorar, aprimorar: *Passou meses reformando o escrito, até que lhe parecesse perfeito.* **4.** Pôr em bom estado; restaurar, consertar, reparar: *Reformou o velho casarão, transformando-o numa bela casa de campo;* "Mandou .... reformar o pequeno templo que se achava em condições precárias" (Vivaldo Coaraci, *Paquetá*, p. 26). **5.** Suprimir, extinguir, extirpar: *reformar arbitrariedades.* **6.** Confirmar, corroborar, ratificar. **7.** Dar ou conceder reforma (4) a: *O Governo reformou o general quando completou 70 anos de idade; O Tenente Gil foi reformado por haver participado da revolta.* **8.** Mudar, modificar, alterar: *reformar a Constituição.* **9.** Fazer a reforma de (um título ou contrato vencido). **10.** Modificar (uma sentença judicial) em virtude de recurso: *O Supremo Tribunal decidiu reformar a sentença. T. d. e i.* **11.** Prover (daquilo que se inutilizou ou consumiu); abastecer: *Os importadores reformarão de trigo a cidade. P.* **12.** Refazer-se, prover-se (daquilo que foi consumido ou estragado): *Os armazéns reformaram-se de gêneros.* **13.** Emendar-se, corrigir-se, regenerar-se: *Após cinco anos de prisão, reformou-se.* **14.** Retornar à forma primitiva. **15.** Cobrar novas forças: *O lutador reformou-se após meses de exercícios.* **16.** Obter a reforma (4): *O militar reformou-se por doença.*

reformativo [Do lat. *reformar* + *-tivo*.] *Adj.* **1.** Respeitante a reforma. **2.** Próprio para reformar.

reformatório [De *reformar* + *-tório*.] *Adj.* **1.** Reformador. ● *S. m.* **2.** Conjunto de preceitos instrutivos ou morais. **3.** Estabelecimento oficial que abriga, sob regime disciplinar, menores delinquentes, para tratamento, reajustamento, correção, assim como para lhes dar conhecimentos gerais, educação moral e cívica, habilitá-los em artes e ofícios, e adaptá-los à sociedade.

reformável [Do lat. *reformabile*.] *Adj. 2 g.* Que se pode reformar.

reformismo [De *reforma* + *-ismo*.] *S. m.* Teoria dos socialistas que pretendem alcançar o poder mediante reformas sucessivas e graduais, repudiando a violência como forma de ação política.

reformista [De *reforma* + *-ista*.] *Adj. 2 g.* **1.** Referente a reforma. **2.** Que é partidário das reformas políticas ou do reformismo. ● *S. 2 g.* **3.** Pessoa que o é.

reformulação [De *reformular* + *-ção*.] *S. f.* Ato ou efeito de reformular.

reformular [De *re-* + *formular*.] *V. t. d.* Tornar a formular; submeter a nova formulação: *O partido da oposição reformulou seu programa para as próximas eleições.*

refortificar [De *re-* + *fortificar*.] *V. t. d.* Fortificar novamente. [Conjug.: v. *trancar*.]

refotografar [De *re-* + *fotografar*.] *V. t. d.* Fotografar + de novo.

refração [Do lat. *refractione*.] *S. f.* **1.** Ato ou efeito de refratar(-se). **2.** *Fís.* Modificação da forma ou da direção de uma onda que, passando através de uma interface que separa dois meios, tem, em cada um deles, diferente velocidade de propagação. **3.** *Fisiol. Oftalm.* Aquela sofrida pela luz quando atravessa olho normal e que resulta em que a imagem ou as imagens se focalize(m) na retina. ◆ **Refração astronômica.** *Astr.* Desvio dos raios luminosos provenientes dos astros, ao atravessarem a atmosfera terrestre. **Dupla refração.** *Ópt.* V. *birrefringência*.

refracção *S. f. Lus.* V. *refração*.

refractário *Adj. S. m.* V. *refratário*.

refractivo *Adj.* V. *refrativo*.

refracto *Adj.* V. *refrato*.

refractométrico *Adj.* V. *refratométrico*. [Uso freq. em P.]

refractor (ô) *Adj. S. m.* V. *refrator*.

refrangente [De *refranger* + *-nte*.] *Adj. 2 g.* Que refrange; refrativo, refringente.

refranger [Do lat. *refringere*, com infl. de *frangere*, 'quebrar'.] *V. t. d. P.* Refratar(-se): "A educação histórica da escola não só forma; também deforma as nossas perspectivas e refrange os nossos raios visuais." (Fidelino de Figueiredo, *Entre Dois Universos*, p. 142.) [Conjug.: v. *tanger*.]

refrangibilidade [De *refrangível* + *(i)dade*, seg. o padrão erudito.] *S. f.* Qualidade de refrangível.

refrangível [De *refranger* + *-ível*, seg. o padrão erudito.] *Adj. 2 g.* Que pode refranger-se.

refranzear *V. int. P. us.* Dizer gracejos; gracejar. [Conjug.: v. *frear*.]

refranzido [Part. de *refranzir*.] *Adj.* Que se refranziu.

refranzir [De *re-* + *franzir*.] *V. t. d. P.* Franzir(-se) de novo, ou muito: "Ao tirá-lo [um maço de papel] do bolso do jaleco, refranziu jocosamente a cara para Aurélia" (José de Alencar, *Senhora*, p. 221).

refrão [Do provenç. ant. *refranh*, 'canto de pássaros'.] *S. m.* **1.** *Mús.* Fórmula vocal ou instrumental, que se repete regularmente numa composição. **2.** V. *provérbio* (1): "Rica em fábulas e contos morais, sentenças e refrães, a obra [*Libro de buen amor*, do Arcipreste de Hita] tem um caráter didático e moralizante." (Eduardo Frieiro, *O Alegre Arcipreste*, p. 36); "Daí é que vem o refrão castelhano que diz: cada um é filho de suas obras." (José Lins do Rego, *Gregos e Troianos*, p. 174). **3.** *Arte Poét.* V. *estribilho* (1). [Pl.: *refrãos* e *refrães*.]

refratar [Do lat. *refractus*, part. pass. de *refringere*, 'quebrar', + -*ar*^{2}.] *V. t. d.* **1.** Causar refração (2) a. **2.** *P. ext.* Quebrar ou desviar a direção de. *P.* **3.** Sofrer refração (2); refletir-se. [Sin. ger.: *refranger*. Fut. pret.: *refrataria*, etc. Cf. *refratária*, fem. de *refratário*.]

refratário [Do lat. *refractariu*.] *Adj.* **1.** Que resiste a certas influências químicas ou físicas: *placas refratárias a ácido.* **2.** Que pode permanecer em contato com o fogo, ou que suporta calor elevado, sem se alterar: *O amianto é refratário.* **3.** Que recusa submeter-se; desobediente, insubmisso: *aluno refratário.* **4.** Imune a certa doença: *refratário à gripe.* ~ V. *pedra —a, terra —a* e *tijolo —*. • *S. m.* **5.** Aquele que foge ao cumprimento da lei, especialmente do serviço militar. **6.** Material ou produto refratário (1 e 2). [Fem.: *refratária*. Cf. *refrataria*, do v. *refratar*.]

refratividade [De *refrativo* + -*(i)dade*; ingl. *refractivity*.] *S. f. Ópt.* Diferença entre o índice de refração duma substância para um dado comprimento de onda e a unidade.

refrativo [De *refrato* + -*ivo*.] *Adj.* Que refrange ou faz refratar; refrangente, refringente.

refrato [Do lat. *refractu*.] *Adj.* Que se refratou.

refratometria [De *refratômetro* + -*ia*^{1}.] *S. f. Ópt.* Emprego do refratômetro; medida do índice de refração.

refratométrico [De *refratometria* + -*ico*^{2}.] *Adj.* Relativo à refratometria, ou ao refratômetro.

refratómetro *S. m. Ópt.* V. *refratômetro*.

refratômetro [De *refrato* + -*metro*.] *S. m. Ópt.* Instrumento para medir o índice de refração de uma lente ou de uma substância.

refrator (ô) [De *refrato* + -*or*.] *Adj.* **1.** Que serve para refratar. ~ V. *telescópio —*. • *S. m.* **2.** *Astr.* V. *telescópio refrator*.

refreado [Part. de *refrear*.] *Adj.* Reprimido, moderado, contido.

refreadoiro [De *refrear* + -*doiro*^{1}.] *S. m.* Refreadouro (q. v.).

refreador (ô) [De *refrear* + -*dor*.] *Adj.* **1.** Que refreia. • *S. m.* **2.** Aquele ou aquilo que refreia.

refreadouro [De *refrear* + -*douro*^{1}; var. de *refreadoiro*.] *S. m. Desus.* **1.** Freio. **2.** *Fig.* Aquilo que refreia ou reprime os maus instintos ou os maus hábitos.

refreamento [De *refrear* + -*mento*.] *S. m.* Ato ou efeito de refrear(-se).

refrear [Do lat. *refrenare*.] *V. t. d.* **1.** Conter com freio; frear, enfrear: *O cavaleiro refreou bruscamente o cavalo.* **2.** Reprimir, conter, suster: *Palavras e armas não bastaram para refrear a turba.* **3.** Dominar, sujeitar, subjugar, vencer: *As tropas aliadas conseguiram refrear o ataque inimigo.* **4.** Tornar menor ou menos intenso; moderar, reprimir: *O motorista refreou a velocidade.* *P.* **5.** Conter-se, comedir-se, reprimir-se: *Não pôde refrear-se, e respondeu às afrontas.* **6.** Abster-se, privar-se: *refrear-se de comer bem.* [Conjug.: v. *frear*.]

refreável [De *refrear* + -*vel*.] *Adj. 2 g.* Que se pode refrear.

refrega [Dev. de *refregar*.] *S. f.* **1.** Encontro entre forças ou pessoas inimigas; peleja, briga, luta, recontro. **2.** Trabalho, lida, labuta, faina. **3.** *Bras. N.E.* Vento tempestuoso e rápido, ou que sopra às lufadas. [Var.: *refega*.]

refregar [Do lat. *refricare*, 'esfregar de novo'.] *V. int.* Lutar, brigar, pelejar: *Os lutadores profissionais ganham para refregar em público.* [Conjug.: v. *regar*.]

refreio [Dev. de *refrear*.] *S. m.* **1.** Ato de refrear; refreamento. **2.** Aquilo com que se refreia.

refrém *S. m.* V. *provérbio* (1).

refrescamento [De *refrescar* + -*mento*.] *S. m.* Ato ou efeito de refrescar(-se).

refrescante [De *refrescar* + -*nte*.] *Adj. 2 g.* Que refresca; refrigerante.

refrescar [De *re-* + *fresco* + -*ar*^{2}.] *V. t. d.* **1.** Tornar mais fresco, ou menos quente; refrigerar: *Depois de um dia de canícula, uma brisa refrescou a tarde*; "A viração do Bacanga refrescava o ar da varanda e dava ao ambiente um tom morno e aprazível." (Aluísio Azevedo, *O Mulato*, p. 13). **2.** Reanimar, restaurar, restabelecer. **3.** Dar novas forças a; socorrer. **4.** Tornar mais leve; aliviar, suavizar, aligeirar: *refrescar um castigo.* **5.** *Ant. Mar.* Arriar vergas e mastaréus, e vistoriar e alcatroar os cabos fixos de (o aparelho do navio). *Int.* **6.** Tornar-se mais fresco; arrefecer: *À tardinha, quando a brisa sopra, a cidade refresca.* **7.** Tornar-se o tempo mais fresco; baixar a temperatura; arrefecer: "Viajando, viajando, vimo-nos dentro da noite, cercados do luar. Refrescava." (Saboia Ribeiro, *Contos do Cacau*, p. 135.) **8.** Adquirir mais força, aumentar, avivar-se (o vento): "E porque o vento vinha refrescando, / Os traquetes das gáveas tomar manda, / 'Alerta', disse, 'estai, que o vento cresce'" (Luís de Camões, *Os Lusíadas*, VI, 70). *P.* **9.** Diminuir o calor do próprio corpo; refrigerar-se: *Foi à praia refrescar-se*; "Ali, encontravam apenas um senhor meio maduro .... vendendo roupa e refrescando-se com gelados." (Carlos Drummond de Andrade, *A Bolsa & a Vida*, p. 143). **10.** Tornar-se mais ativo, mais intenso; avivar-se: *Com a chegada de novos elementos a luta refrescou-se.* **11.** Tomar novas forças; reanimar-se, restabelecer-se: *Após um bom descanso, refrescou-se.* **12.** Acalmar-se, aquietar-se, tranquilizar-se. **13.** *Mar. Desus.* Reabastecer-se de mantimentos frescos, perecíveis. [Conjug.: v. *trancar*. Pres. ind.: *refresco*, etc. Cf. *refresco* (ê).]

refresco (ê) [De *re-* + *fresco* (ê).] *S. m.* **1.** Aquilo que refresca. **2.** Suco de frutas ao qual se adicionam água e um adoçante, e que se serve gelado. [Sin., bras., N. e N.E.: *gelada* e *gelados*. Cf. *refrigerante* (2).] **3.** *Fig.* Alívio, consolo, refrigério. **4.** *Fig.* Ajuda, socorro, auxílio. **5.** *Bras. PE Gír.* V. *surra* (1). **6.** *Mar. Desus.* Ato ou efeito de refrescar (5 e 13). [Pl.: *refrescos* (ê). Cf. *refresco*, do v. *refrescar*.] ◆ **Dar um refresco.** Dar uma folga, um alívio: "Estava pensando muito nela nos últimos dias. Até demais. O ideal era dar um refresco, para não ficar muito preso." (Ana Maria Machado, *A Audácia dessa Mulher*, p. 45.)

refrigeração [Do lat. *refrigeratione*.] *S. f.* **1.** Ato ou efeito de refrigerar(-se). **2.** *Eng. Nucl.* Desativação.

refrigerador (ô) [De *refrigerar* + -*dor*.] *Adj.* **1.** V. *refrigerante* (1). • *S. m.* **2.** V. *geladeira* (1).

refrigerante [De *refrigerar* + -*nte*.] *Adj. 2 g.* **1.** Que refrigera; refrigerador, refrigerativo. • *S. m.* **2.** Bebida não alcoólica, tomada, em geral, gelada. [Cf. *refresco* (2).] **3.** *Eng. Nucl.* Substância, normalmente fluida, usada para refrigerar qualquer parte de um reator nuclear onde se gera calor. **4.** *Expl.* Aditivo usado em propelentes para baixar a temperatura de explosão da pólvora e diminuir a erosão da boca de fogo, aumentando-lhe a vida útil; resfriante.

refrigerar [Do lat. *refrigerare*.] *V. t. d.* **1.** Tornar frio; esfriar: *A geladeira refrigera os alimentos, conservando-os.* **2.** Tornar fresco; refrescar: *A brisa marítima refrigera o ambiente.* **3.** Proteger contra o calor: *As roupas de verão devem ser leves, para refrigerar o corpo.* **4.** Aliviar, suavizar, consolar: *A bondade dos filhos refrigera-lhe a viuvez.* *P.* **5.** Refrescar (9). **6.** Sentir-se aliviado, confortado: *Refrigera-se na esperança de melhores dias.*

refrigerativo [Do lat. *refrigerativu*.] *Adj.* **1.** V. *refrigerante* (1). • *S. m.* **2.** Aquilo que refrigera.

refrigério [Do lat. *refrigeriu*.] *S. m.* **1.** Ato ou efeito de refrigerar(-se). **2.** Bem-estar gerado pela frescura. **3.** Consolação, alívio, refresco: "Fazer nos maus cruezas, fero e iroso, / Eram os seus mais certos refrigérios [de D. Pedro, o Cru, rei de Portugal]" (Luís de Camões, *Os Lusíadas*, III, 137).

refringência [De *refringente* + -*ia*^{2}, seg. o padrão analógico.] *S. f.* Qualidade de refringente.

refringente [Do lat. *refringente*.] *Adj. 2 g.* V. *refrangente*.

refrisar [De *re-* + *frisar*.] *V. t. d.* Frisar novamente.

refrulho [T. onom.] *S. m. Bras.* Rumorejo, sussurro, murmúrio.

refugado [Part. de *refugar*.] *Adj.* Posto de lado; desprezado. [Cf. *refogado*.]

refugador (ô) [De *refugar* + -*dor*.] *Adj.* **1.** Que refuga. • *S. m.* **2.** Indivíduo ou animal que refuga. **3.** *Bras. RS* Lugar onde se põe o gado para refugá-lo ou apartá-lo.

refugar [Do lat. *refugare*.] *V. t. d.* **1.** Pôr de lado como inútil ou desinteressante; rejeitar, desprezar: *O merceeiro refugou a maior parte dos comestíveis recebidos.* **2.** *Bras. S.* Separar, apartar (o gado, etc.). **3.** *Bras. S.* Esquivar-se (o animal) a entrar em (a mangueira^{3}). *Int.* **4.** *Bras.* Negar-se (o animal) a seguir, priscando ou fugindo para um dos lados: "a moça fustigou o cavalo, que refugou." (José de Alencar, *Sonhos d'Ouro*, p. 113). [Conjug.: v. *largar*. Cf. *refogar*.]

refugiado [Part. de *refugiar*.] *Adj. S. m.* Diz-se de, ou aquele que se refugiou.

refugiar-se [De *refúgio* + -*ar*^{2} + *se*^{1}.] *V. p.* **1.** Retirar-se (para um lugar seguro); acolher-se, abrigar-se: *Ao ouvir o alarma, refugiou-se no abrigo antiaéreo.* **2.** Tomar asilo; asilar-se, expatriar-se: *Banido de seu país, refugiou-se na França.* **3.** Procurar abrigo ou proteção; resguardar-se, amparar-se: *Após tantos sofrimentos, refugiou-se na meditação.* **4.** Resguardar-se, proteger-se, abrigar-se: *refugiar-se de um temporal.* [Pres. ind.: *refugio-me*, etc. Cf. *refúgio*, s. m., e *Refúgio*, top.]

refúgio [Do lat. *refugiu*.] *S. m.* **1.** Local para onde alguém foge a fim de estar em segurança; asilo, abrigo. **2.** Apoio, amparo, proteção; socorro: *A religião é refúgio para muitos sofredores.* [Cf. *refugio-me*, do v. *refugiar-se*.]

refugir [Do lat. *refugere*.] *V. int.* **1.** Tornar a fugir; fugir novamente: *O marginal tantas vezes foi recapturado quantas refugiu.* **2.** Refluir, retroceder, recuar, retrogradar: *As ondas crescem, aproximam-se da terra, e refogem.* *T. c.* **3.** Escapar, ou fugir novamente; tornar a fugir: *Três vezes o condenado refugiu da penitenciária.* *T. i.* **4.** Furtar-se, eximir-se, esquivar-se: *Um Homem não refoge de suas obrigações.* *T. d.* **5.** Desviar-se de; evitar: *Todo cristão deve refugir os pecados.* [Irreg. Conjug.: v. *fugir*.]

refugo [Dev. de *refugar*.] *S. m.* **1.** Aquilo que foi refugado; resto; rebotalho. **2.** *Bras. S.* Ato de refugar.

refulgência [Do lat. *refulgentia*.] *S. f.* Qualidade de refulgente; resplendor, resplendência.

refulgente [Do lat. *refulgente*.] *Adj. 2 g.* Que refulge ou resplandece; resplandecente, refúlgido: "Onde as montanhas de ouro refulgente, / E os bosques de coral e de safira?" (Ricardo Gonçalves, *Ipês*, p. 82.)

refúlgido [De *re-* + *fúlgido*.] *Adj.* V. *refulgente*. [Cf. *refulgido*, do v. *refulgir*.]

refulgir [Do lat. *refulgere*.] *V. int.* **1.** Brilhar intensamente; resplandecer; refulgurar: "Refulgia Vésper, como condoída / Lágrima caída sobre o dia morto." (Alberto de Oliveira, *Póstuma*, p. 70); "desmontaram, marchando .... sobre o mulato, em cujo braço robusto refulgia a lâmina de um facão" (Afonso Arinos, *Pelo Sertão*, p. 80); "a luz da tarde a refulgir na velha prata portuguesa." (Josué Montelo, *O Baile da Despedida*, p. 162). **2.** Destacar-se pela celebridade, pela glória: *O nome de Tiradentes refulge na História brasileira.* [Conjug.: v. *dirigir*. Segundo alguns, só é conjugável nas f. em que ao *g* da raiz se seguir *e* ou *i*, porém no Brasil a tendência é para a conjugação integral. Part.: *refulgido*. Cf. *refúlgido*.]

refulgurar [De *re-* + *fulgurar*.] *V. int.* V. *refulgir* (1): "O céu, sem uma nuvem — todo ele translúcido de fímbria a fímbria, com o sol em disco enorme e coruscante, refulgurava." (Coelho Neto, *Banzo*, p. 170.)

refundar [De *re-* + *fundar*.] *V. t. d.* Tornar mais fundo; afundar, profundar, aprofundar: *Os operários refundam mais a escavação.*

refundição [De *refundir* + -*ção*.] *S. f.* Ato ou efeito de refundir(-se).

refundir [Do lat. *refundere*.] *V. t. d.* **1.** Fundir ou derreter de novo: *refundir o ouro.* **2.** Passar (líquidos) de um vaso para outro; trasvasar, trasfegar: *refundir o vinho, o leite.* **3.** Emendar, reformar, corrigir: *refundir um escrito.* *Int.* **4.** Reunir-se, concentrar-se, ajuntar-se: *Quando o ódio e a força refundem, muito sangue inocente é derramado.* *P.* **5.** Derreter-se, fundir-se: *Os metais refundem-se a altas temperaturas.* **6.** Desaparecer, sumir-se, perder-se: *O vulto do homem refundiu-se na noite.* **7.** Transformar-se, transfazer-se, converter-se: *Só os bravos se refundem em heróis.*

refusão^{1} [De *re-* + *fusão*.] *S. f.* Ato ou efeito de refundir.

refusão^{2} [De *refusar* + -*ão*^{3}.] *S. f.* Ato de refusar; recusa.

refusar [Do lat. vulg. **refusare*.] *V. t. d. P. us.* Recusar (1 a 3).

refutabilidade [De *refutável* (*refutabil-*) + -*(i)dade*, seg. o padrão erudito.] *S. f.* Qualidade ou condição do que é refutável.

refutação [Do lat. *refutatione*.] *S. f.* **1.** Ato ou efeito de refutar. **2.** Réplica, contestação; resposta. **3.** Trecho do discurso no qual se refutam ou rebatem os argumentos do adversário.

refutador (ô) [Do lat. *refutatore*.] *Adj. S. m.* Que, ou aquele que refuta.

refutar [Do lat. *refutare*.] *V. t. d.* **1.** Dizer em contrário; desmentir; negar: *A testemunha refutou a declaração do réu*; "Como sabíamos corrigir os poetas e refutar os filósofos!" (Augusto Meyer, *No Tempo da Flor*, p. 11). **2.** Ser contrário a; não aceitar; reprovar, desaprovar: *Refutou severamente a afirmação dúbia.* **3.** Combater com argumentos: contestar, contradizer: *refutar uma tese*; "quando apresentamos provas, riem com ironia porque não podem refutar a verdade dos fatos." (Coelho Neto, *Turbilhão*, p. 167). **4.** Desfazer, ou tentar desfazer, as razões ou objeções de; contestar, contradizer: *Os advogados refutaram o promotor.*

refutatório [Do lat. *refutatoriu*.] *Adj.* Que serve para refutar; próprio de quem refuta: *Usou de um tom vivamente refutatório.*

refutável [Do lat. *refutabile*.] *Adj. 2 g.* Que pode ser refutado.

rega [Dev. de *regar*.] *S. f.* **1.** Ato ou efeito de regar; regadura, regadio. **2.** *Pop.* Chuva (1). **3.** *Lus.* Irrigação: *obra de rega.*

rega-bofe [De *regar* + *bofe*.] *S. m.* **1.** Festa com fartura de comida e bebida. **2.** *P. ext.* Folguedo, folia, pândega. [Pl.: *rega-bofes*.]

regaçar [Do lat. vulg. **recaptiare*, 'recolher', < lat. *captare*, 'colher', poss.] *V. t. d. P.* Arregaçar: "Regaça o padre a batina / Sambando à porta da igreja" (Melo Morais Filho, *Cantos do Equador*, p. 59). [Conjug.: v. *laçar*.]

regaço [Dev. de *regaçar*.] *S. m.* **1.** Cavidade formada por veste comprida entre a cintura e os joelhos de quem está sentado; colo: "Ajoelhou-se no chão, tomou-lhe a cabeça no regaço, e vergou-se toda sobre ele" (Aluísio Azevedo, *Pegadas*, p. 197). **2.** Dobra que o vestido forma levantando-se-lhe a barra, adiante. **3.** *Fig.* Espaço médio interior. **4.** *Fig.* Lugar de repouso ou abrigo.

regada[1] [F. subst. de *regado*, part. de *regar*.] *S. f.* Propriedade rústica que é banhada ou regada por um curso de água. [Cf. *reigada*.]

regada[2] [De *rego* (ê) + *-ada*[1].] *S. f. Bras. Chulo* Sulco existente entre as nádegas; rego. [Cf. *reigada*.]

regadeira [De *regar* + *-deira*.] *S. f.* **1.** Regueira (2). **2.** Torrente de águas pluviais; enxurro, enxurrada.

regadio [De *regar* + *-dio*.] *Adj.* **1.** Que se rega: "torrão pequeno, / Porém de águas perenes regadio, / Saudável, puro, ameno." (Antônio Feliciano de Castilho, *Os Amores*, II, p. 79). ● *S. m.* **2.** V. *rega* (1).

regador (ô) [De *regar* + *-dor*.] *Adj.* **1.** Que rega. ● *S. m.* **2.** Aquele que rega. **3.** Recipiente, em geral cilíndrico, munido de um bico no qual se encaixa uma espécie de ralo, e que serve sobretudo para regar plantas. [Sin., p. us.: *borrifador*, *irrigador*.] **4.** Irrigador (3).

regadura [De *regar* + *-dura*.] *S. f.* V. *rega* (1).

regal *S. m.* **1.** Nos sécs. XVI a XVIII, pequeno órgão portátil, de um registro só e, em geral, de palheta batente. [Cf. *positivo* (14).] **2.** Registro de órgão.

regalado [Part. de *regalar*.] *Adj.* **1.** Que se regalou. **2.** Que sente ou que dá regalo. **3.** Farto, abundante, sobejo. ● *Adv.* **4.** Com regalo; com mimo; regaladamente: *Vive regalado.*

regalador (ô) [De *regalar* + *-dor*.] *Adj. S. m.* Que, ou aquele que regala.

regalão [De *regalar* + *-ão*[2].] *Adj.* **1.** Que regala. ● *S. m.* **2.** Aquele que regala ou alegra; folgazão. [Fem.: *regalona*.] **3.** Comilão, glutão. **4.** Ato ou efeito de regalar(-se). **5.** Grande regalo.

regalar [Do fr. *régaler*.] *V. t. d.* **1.** Causar regalo ou prazer a; recrear, alegrar: *O bucolismo do local regalou meu espírito. T. d. e i.* **2.** Mimosear; brindar, presentear: *Regalou o visitante com um bom vinho. Int.* **3.** Passar bem; viver bem. *P.* **4.** Tratar-se com regalo: *Regala-se com bons almoços.* **5.** Sentir grande prazer; alegrar-se: *Regalou-se à perspectiva da viagem.*

regalardoar [De *re-* + *galardoar*.] *V. t. d.* Galardoar de novo. [Conjug.: v. *coroar*.]

regalengo *Adj.* Realengo (q. v.).

regalia [Do esp. *regalía*.] *S. f.* **1.** Direito próprio do rei. **2.** Privilégio, vantagem, prerrogativa.

regalismo [Do lat. *regale*, 'real', + *-ismo*.] *S. m.* Doutrina que defende a ingerência do chefe de Estado em questões religiosas.

regalista [De *regalismo* + *-ista*.] *Adj. 2 g.* **1.** Relativo ao regalismo. **2.** Que goza de regalias e/ou que as defende. ● *S. 2 g.* **3.** Pessoa que goza de regalias e/ou que as defende.

regalo [Dev. de *regalar*.] *S. m.* **1.** Prazer causado pelo bom tratamento. **2.** Prazer, gosto, contentamento, alegria. **3.** V. *presente* (8). **4.** Vida tranquila. **5.** Agasalho para as mãos, em geral feito de pele, muito usado nos países frios. **6.** *Pesc.* Certo tipo de rede puxada a braços.

regalona [Fem. de *regalão*.] *S. f.* **1.** Mulher que vive com regalo, com alegria. **2.** Mulher regalona; folgazã. **3.** Variedade de azeitona.

regalório [De *regalo* + *-ório*.] *S. m.* **1.** Grande regalo (1 e 2). **2.** Pândega, patuscada, farra.

reganhar [De *re-* + *ganhar*.] *V. t. d.* Ganhar novamente; readquirir, recuperar; recobrar, reaver: *O corredor reganhou o tempo perdido.*

regar [Do lat. *rigare*.] *V. t. d.* **1.** Umedecer por irrigação ou aspersão; molhar, aguar; irrigar: *O jardineiro rega as flores*; "Dos canteiros do meloal, regados de fresco, ... levantava-se pouco a pouco uma umidade tênue" (Conde de Ficalho, *Uma Eleição Pedida*, p. 228). **2.** Correr (um rio) junto de; banhar: *O Nilo rega o Egito.* **3.** Molhar de leve; umedecer: *As lágrimas regaram suas faces.* **4.** Molhar, inundar: *O sangue dos heróis regou o solo pátrio. T. d. e i.* **5.** Acompanhar com bebida (o que se come): *Regou o almoço a vinho.* [Muda o *g* em *gu* antes de *e*, e tem o *e* aberto nas f. rizotônicas. Pres. ind.: *rego*, etc.; pret. perf.: *reguei*, ... *regou*, etc.; pres. subj.: *regue*, *regues*, *regue*, *reguemos*, *regueis*, *reguem*. Cf. *rego* (ê), s. m., *Rego* (ê), antr., e *regô*, s. m.]

regata [Do dialeto veneziano *regata*.] *S. f.* Corrida em que duas ou mais embarcações competem para atingir certa meta, disputando o prêmio de velocidade.

regatagem [De *regatar* + *-agem*[2].] *S. f.* Ato de regatar[1].

regatão [De *regatar*[1] + *-ão*[2].] *Adj.* **1.** Que regata, ou que regateia; regateador. ● *S. m.* **2.** Aquele que regata, ou que regateia; regateador. **3.** Aquele que compra em grosso para vender a retalho. **4.** *Bras. Amaz.* Vendedor que percorre os rios de barco, parando de lugar em lugar: "Os regatões são os traficantes que levam em canoas, por todos os rios, lagoas, furos e lugares, mercadorias estrangeiras ou nacionais, e as vendem a dinheiro, ou as permutam pelos produtos do país." (Tavares Bastos, *O Vale do Amazonas*, p. 351.) **5.** *Ant.* Intermediário na compra de produtos agrícolas.

regatar[1] [Do lat. vulg. **recaptare*, 'tornar a comprar'.] *V. t. d.* Comprar e vender por miúdo.

regatar[2] [De *regata* + *-ar*[2].] *V. int.* Fazer regatas.

regateador (ô) [De *regatear* + *-dor*.] *Adj. S. m.* Que, ou aquele que regata ou regateia; regatão.

regatear [De *regat(ar*[1]) + *-ear*[2].] *V. t. d.* **1.** Questionar acerca do preço de, para comprar mais barato; pechinchar: *Costuma regatear o que compra.* **2.** Diminuir, deprimir, depreciar, apoucar: *Tentou por todos os meios regatear o valor dos soldados.* **3.** Dar com parcimônia: *Não costuma regatear favores. T. d. e i.* **4.** Regatear (1): *Regateava as compras ao negociante.* **5.** Regatear (3): *O rei regateava mercês à nobreza. Int.* **6.** Discutir com modos grosseiros, com teimosia. **7.** Regatear (1) pedindo abatimento; pechinchar: *Nada compra sem regatear*; "Conquanto a quantia exigida não fosse excessiva, regateei um instante, contando-lhe depois na palma da mão trêmula as libras ajustadas" (Bernardo Pinheiro Pindela, *Azulejos*, p. 9). [Conjug.: v. *frear*.]

regateio [Dev. de *regatear*.] *S. m.* Ato de regatear.

regateira [Fem. de *regateiro*.] *S. f.* **1.** Mulher que regateia. **2.** Vendedora ambulante. **3.** Mulher que discute de modo grosseiro e malcriado; quitandeira. **4.** Mulher que vende peixe, fruta, hortaliça, etc., no mercado. **5.** *Bras.* Mulher presunçosa, vaidosa, jactanciosa.

regateiro [De *regatear* + *-eiro*.] *S. m.* **1.** Homem que regateia; regateador. ● *Adj.* **2.** *Bras.* Presumido, presunçoso, vaidoso, jactancioso.

regateirona [De *regateiro* + *-ona*[1].] *S. f.* Mulher muito regateira.

regatia [De *regat-*, como em *regateira*, + *-ia*[1].] *S. f.* Vida ou modos de regateira.

regatiano *Bras. Adj.* **1.** Pertencente ou relativo ao C. R.B. (Clube de Regatas Brasil), de AL; alvirrubro. **2.** Que é torcedor ou jogador dessa agremiação; alvirrubro. ● *S. m.* **3.** Membro, torcedor ou jogador dela; alvirrubro, galo de campina.

regatista [De *regata* + *-ista*.] *S. 2 g. Bras.* Pessoa que pratica ou disputa regatas.

regato [Do lat. *rigatu*, 'ação de regar'.] *S. m.* Curso de água estreito, pouco volumoso e de pequena extensão; ribeiro, arroio, riacho. [Cf. *córrego* (3), *riacho* e *ribeira*.]

regedor (ô) [De *reger* + *-dor*.] *Adj.* **1.** Que rege, dirige, ou governa; regente. ● *S. m.* **2.** Aquele que rege, dirige, ou governa. **3.** *Lus. Ant.* Autoridade administrativa, governamental, religiosa, judiciária, etc.

regedoria [De *regedor* + *-ia*[1].] *S. f.* **1.** Repartição ou cargo de regedor. **2.** Política de campanário (q. v.), que só se preocupa de interesses locais ou pessoais.

regeira [De *reg(er)* + *-eira*.] *S. f.* **1.** *Constr. Nav.* Cada uma das fortes escoras que, nalguns casos, se colocam obliquamente ao casco de um navio, na carreira de construção ou de reparos, a fim de não deixá-lo tombar. **2.** *Mar.* Virador ou espia cujo chicote, saindo pela popa de uma embarcação fundeada, ou amarrada, vai prender-se à amarra da âncora com que a embarcação está fundeada, ou ao arganéu da boia em que está amarrada, ou, ainda, a um ancorote fundeado convenientemente, e por meio do qual se pode fazer a embarcação girar em espaço limitado, quando largar da boia ou do ancoradouro. **3.** *Bras. S.* Corda de couro presa à orelha dos bois lavradores para se guiarem as juntas.

regelação [Do lat. *regelatione*.] *S. f. Fís.* O fenômeno da fusão do gelo por meio de uma compressão, e da sua posterior solidificação quando a compressão desaparece.

regelado [Part. de *regelar*.] *Adj.* **1.** Convertido em gelo, congelado. **2.** Muito frio: "Conheci-o em Londres, no hotel de Charing-Cross, uma madrugada regelada de dezembro." (Eça de Queirós, *Contos*, p. 45.) **3.** *Fig.* Insensível, frio: "Nesta alma regelada / Surgiu ainda o gozo, / E um sonho lhe sorriu" (Alexandre Herculano, *Poesias*, p. 77).

regelador (ô) [De *regelar* + *-dor*.] *Adj.* Regelante.

regelante [Do lat. *regelante*.] *Adj. 2 g.* Que regela; regelador.

regelar [Do lat. *regelare*.] *V. t. d.* **1.** Gelar, congelar: *O frio regelou as águas da lagoa*; "O sopro agudo do nordeste / Regela o sangue" (Conde de Monsaraz, *Musa Alentejana*, p. 167). *P.* **2.** Gelar-se, congelar-se: *A água regela-se, solidificando-se.* [Pres. ind.: *regelo*, etc. Cf. *regelo* (ê).]

regélido [De *re-* + *gélido*.] *Adj.* Muito gélido; frigidíssimo.

regelo (ê) [Dev. de *regelar*.] *S. m.* **1.** Ato ou efeito de regelar. **2.** *Fig.* Frieza, insensibilidade. [Pl.: *regelos* (ê). Cf. *regelo*, do v. *regelar*.]

regência [Do lat. *regentia*.] *S. f.* **1.** Ato ou efeito de reger(-se). **2.** Governo interino instituído durante a ausência ou o impedimento do chefe de Estado, especialmente do soberano. **3.** Aquele ou aqueles que se acham encarregados do governo provisório de um Estado. **4.** Cargo ou função de regente. **5.** *E. Ling.* Relação entre o núcleo de uma construção (4) e o elemento que dele depende, denominado complemento. [V. *complemento* (4).] **6.** *E. Ling.* Em sentido estrito, a dependência da forma flexional do nome ou do pronome em relação à preposição que complementa. [Sin., (desus.), nas acepç. 5 e 6: *regime*. V. *regente* e *regido*.] **7.** *Mús.* Arte e ciência de reger (7, 8 e 11). **8.** *Bras.* Período da história do Brasil compreendido entre 7 de abril de 1831 e 23 de julho de 1840, e durante o qual o País, em face da menoridade de Pedro II, esteve sob o governo de regentes. **9.** *Bras. PE* Grupo de indivíduos que se reúnem habitualmente para pândegas ou prática de desordens; súcia, malta.

regencial [De *regência* + *-al*[1].] *Adj. 2 g.* Da, ou relativo a regência (1 a 4), ou à Regência (8).

regenerabilidade [De *regenerável* + *-(i)dade*, seg. o padrão erudito.] *S. f.* Qualidade de regenerável.

regeneração [Do lat. *regeneratione*.] *S. f.* **1.** Ato ou efeito de regenerar(-se). **2.** *Eletrôn.* Num amplificador, processo em que parte da energia do sinal de saída do circuito é injetada na entrada para reforçar o sinal e aumentar a amplificação. **3.** *Fís. Nucl.* Numa reação nuclear em cadeia, a produção, com base em uma substância fértil, de uma substância físsil idêntica à que é consumida na reação. [O fenômeno ocorre, p. ex., nos reatores regeneradores.] **4.** *Patol.* Renovação, por meio natural, de um órgão que sofreu uma perda parcial, ou outro tipo de lesão.

regenerador (ô) [De *regenerar* + *-dor*.] *Adj.* **1.** Que regenera; regenerante. ~ V. *reator* —. ● *S. m.* **2.** Aquele que regenera.

regenerando [Do lat. *regenerandu*, gerundivo de *regenerare*, 'regenerar'.] *Adj.* Que está para ser regenerado.

regenerante [Do lat. *regenerante*, part. pres. de *regenerare*, 'regenerar'.] *Adj. 2 g.* Regenerador (1).

regenerar [Do lat. *regenerare*.] *V. t. d.* **1.** Tornar a gerar; reproduzir (o que estava destruído): *O organismo humano não regenera os tecidos cerebrais.* **2.** Dar nova vida a; revivificar, regerar. **3.** Reconstituir, restaurar, reorganizar: *Serão punidos os que tentarem regenerar partidos ilegais.* **4.** Emendar, ou corrigir moralmente; recuperar: *As penitenciárias deveriam estar preparadas para regenerar os detentos. P.* **5.** Formar-se de novo; vivificar-se: *Os tecidos do cérebro não se regeneram.* **6.** Emendar-se, corrigir-se, reabilitar-se: *Os presos que se regeneraram serão indultados.*

regenerativo [De *regenerar* + *-tivo*.] *Adj.* Que pode regenerar; que tem a força de regenerar.

regenerável [De *regenerar* + *-vel*.] *Adj. 2 g.* Que pode regenerar-se.

regenerense *Adj. 2 g.* **1.** De, ou pertencente ou relativo a Regeneração (PI). ● *S. 2 g.* **2.** O natural ou habitante de Regeneração.

regentar [De *regente* + *-ar*[2].] *V. t. d. Desus.* Reger: *regentar uma orquestra.*

regente [Do lat. *regente*.] *Adj. 2 g.* **1.** Que rege, dirige ou governa; regedor: *Ficando louca D. Maria I, seu filho D. João tornou-se príncipe regente de Portugal.* ● *S. 2 g.* **2.** Pessoa que exerce regência (3): *Como regente do Brasil, a Princesa Isabel assinou a Lei Áurea.* **3.** *Mús.* Chefe de orquestra, banda, orfeão, etc.; maestro. ● *S. m.* **4.** *Bras.* Indivíduo que, outrora, nas procissões da cidade do Rio de Janeiro, carregava um saco cheio de cotos de vela e ia distribuindo-os às pessoas que acompanhavam o cortejo. **5.** *E. Ling.* Palavra que rege outra. [Cf. *regido*.]

regentense *Adj. 2 g.* **1.** De, pertencente ou relativo a Regente Feijó (SP). ● *S. 2 g.* **2.** O natural ou habitante de Regente Feijó.

reger [Do lat. *regere*.] *V. t. d.* **1.** Governar, administrar, dirigir: *O Papa rege a Igreja Católica Romana.* **2.**

Exercer, como rei, o governo de; reinar em: *D. Pedro de Alcântara regeu o Brasil.* **3.** *Restr.* Nas monarquias, exercer regência (3) em: *O Padre Feijó regeu o Brasil.* **4.** Exercer as funções de professor de; ensinar, lecionar: *Capistrano de Abreu regeu a cadeira de História no Colégio Pedro II.* **5.** Ter como dependente; subordinar: *O verbo amar rege objeto direto.* **6.** *E. Ling.* Determinar a flexão de: *A preposição ad rege, em latim, o acusativo.* **7.** *E. Ling.* Estabelecer uma relação entre duas palavras ou sintagmas que determina a escolha de uma preposição: *O verbo assistir rege a preposição a em "A plateia assistiu ao filme".* **8.** Dirigir (orquestra, banda ou outro conjunto), marcando o andamento, as entradas, etc. **9.** Interpretar, regendo (partitura para diversos instrumentos ou vozes): *Vila-Lobos regeu suas obras em Paris.* **10.** Guiar, dirigir, encaminhar: *Os pais devem reger seus filhos.* ***Int.*** **11.** Exercer o mister de rei ou governador; dirigir, governar: *Só aos nobres era dado reger.* **12.** Reger (7 e 8) orquestra, banda ou outro conjunto musical: *Toscanini regeu pela primeira vez no Rio de Janeiro.* ***P.*** **13.** Governar-se, dirigir-se, regular-se: *O Universo rege-se a si próprio.* [Muda o *g* em *j* antes de *a* e de *o*: *rejo* (ê) (1ª pess. sing. do pres. ind.), e, portanto, em todo o pres. subj. (*reja* (ê), *rejas* (ê), *reja* (ê), etc.). O *e* do radical é aberto nas f. rizotônicas em que o *g* vem seguido de *e*: *reges*, *rege*, *regem*. Imperf.: *regia*, etc. Cf. *régia*, f. de *régio* e s. f.]

regerar [De *re-* + *gerar*.] *V. t. d.* Tornar a gerar; regenerar.

➔ **reggae** [ˈɹɛgej] [Ingl.] *S. m. Mús.* Música popular de origem jamaicana surgida na década de 1960, de batida secundária forte e uso acentuado do contrabaixo elétrico.

régia [Do lat. *regia*.] *S. f.* Palácio real. [Cf. *regia*, do v. *reger*.]

região [Do lat. *regione*.] *S. f.* **1.** Grande extensão de terreno. **2.** Território que se distingue dos demais por possuir características (clima, produção, etc.) próprias. **3.** *Anat.* Cada uma das partes em que, mediante limites não raro arbitrários, se considera dividido o corpo humano para facilitar o seu estudo. **4.** *Mat.* Domínio (8). **5.** *Mús.* Cada uma das cinco partes (*subgrave*, *grave*, *média*, *aguda* e *superaguda*) em que se divide a escala geral dos sons musicais audíveis; registro. **6.** *Bras.* Grande Região (q. v.). [Com cap., nesta acepç.] ◆ **Região cislunar.** *Astr. P. us.* Espaço cislunar. **Região constante.** *Bioquím.* Porção terminal de carboxila das cadeias pesada e leve, e que é idêntica em moléculas de imunoglobina de uma mesma classe. **Região D.** *Geofís.* A região mais baixa da ionosfera, que vai aproximadamente de 40 a 80km de altitude. **Região de base.** *Eletrôn.* Base (12). **Região de coletor.** *Eletrôn.* Coletor (8). **Região de emissor.** *Eletrôn.* Emissor (3). **Região de Heaviside.** *Geofís.* V. *camada de Heaviside*. **Região de informação de voo.** Região de navegação. **Região de navegação.** Zona de espaço aéreo na qual as aeronaves recebem informações dos serviços terrestres, embora não estejam sujeitas a controle permanente; região de informação de voo. **Região E.** *Geofís.* V. *camada de Heaviside*. **Região epigástrica.** *Anat.* Epigástrio. **Região F.** *Geofís.* Região da ionosfera que vai aproximadamente de 140 a 350km de altitude, e que durante o dia se divide em duas: *as regiões F1 e F2.* **Região F1.** *Geofís.* V. *região F*. **Região F2.** *Geofís.* V. *região F*. **Região fisiográfica.** *Geogr.* Região que se distingue de outras segundo critérios geográficos (físicos, humanos e econômicos), formando um conjunto coerente e original. **Região hipogástrica.** *Anat.* Hipogástrio. **Região litorânea.** *Ocean.* Região do fundo do mar, entre os limites da preamar e os da baixa-mar. **Região metropolitana.** *Urb. Bras.* Região densamente urbanizada, constituída por municípios que, independentemente de sua vinculação administrativa, fazem parte duma mesma comunidade socioeconômica, e cuja interdependência gera a necessidade de coordenação e realização de serviços de interesse comum. [No Brasil, compete aos Estados instituir por lei as regiões metropolitanas.] **Região militar.** *Bras.* Cada uma das áreas em que se divide o Brasil, para fins de preparo e execução do serviço militar, da mobilização, do apoio logístico e do equipamento do território, além dos encargos de instrução dos corpos de tropa e repartições militares que são subordinadas ao seu comandante. **Região natural.** *Geofís.* Região que se distingue de outra unicamente segundo critérios geofísicos, tais como clima, relevo, etc. **Região pelágica.** *Ocean.* Área do relevo submarino com a profundidade de até 2.000m. **Grande Região.** *Geogr. Bras.* Cada uma das cinco regiões em que, segundo critérios geográficos e políticos, se divide o Brasil, e que, por sua vez, se subdividem em microrregiões homogêneas. Por conveniência estatística e administrativa, estabeleceu-se uma divisão que segue os limites das unidades político-administrativas da Federação: a *Região Norte* compreende RO, AC, AM, RR, PA, AP, TO; a *Região Nordeste*, MA, PI, CE, RN, PB, PE, AL, SE, BA; a *Região Centro-Oeste*, DF, GO, MT, MS; a *Região Sudeste*, ES, RJ, SP, MG; e a *Região Sul*, PR, SC, RS. [A divisão anterior, que respeitava critérios geográficos mais estritos, era a seguinte: *Norte*, abrangendo totalmente RO, AC, AM, RR, PA e AP, e parcialmente MA, GO e MT; *Nordeste*, dividido em *Nordeste Ocidental* ou *Meio-Norte* (parte do MA, PI e CE) e *Nordeste Oriental* (parte do PI, CE e BA, e totalmente RN, PB, PE, AL e SE); *Leste*, que abrangia totalmente ES, RJ, e parcialmente BA, MG e SP; o *Sul*, que compreendia parte de SP e totalmente PR, SC e RS; e *Centro-Oeste*, que incluía parcialmente MA, BA, MG, GO, MT, e totalmente o DF.] [Tb. se diz apenas *Região*.]

região-continente *S. f. Bras.* A Amazônia. [Pl.: *regiões-continentes*.]

regicida [Do lat. med. *regicida*.] *Adj. 2 g.* **1.** Que pratica o regicídio. ● *S. 2 g.* **2.** Indivíduo regicida.

regicídio [Do lat. med. *regicidiu*.] *S. m.* Assassinato de rei ou rainha.

regicidismo [De *regicídio* + *-ismo*.] *S. m.* Doutrina dos que pregam o regicídio.

regido [Part. de *reger*.] *Adj. E. Ling.* **1.** Diz-se de palavra que depende do núcleo de uma construção (4). ● *S. m.* **2.** Termo regido. [Sin. ger.: *dependente*.]

regime[1] [Do lat. *regimen*.] *S. m.* **1.** Regimento (1 e 2). **2.** Sistema político pelo qual é regido um país. **3.** Modo de viver, de exercer uma atividade. **4.** Dieta[1] (2). **5.** Administração de certos estabelecimentos públicos ou particulares. **6.** O conjunto das imposições jurídicas e fiscais que regem certos produtos. **7.** O conjunto das variações na forma de escoamento de um líquido, ou no volume deste: *rios de regime uniforme; regime das chuvas.* **8.** Método de cultivo ou de exploração a que está sujeito um maciço ou mata. **9.** *E. Ling. Desus.* Regência (5 e 6). **10.** *Mec.* Velocidade de rotação de um motor. ◆ **Regime de bens.** *Jur.* Conjunto de preceitos legais ou convencionais alteráveis, que regem, enquanto subsistir a sociedade conjugal, as relações patrimoniais entre os cônjuges, e que abrange os *regimes de comunhão universal de bens*, *comunhão parcial de bens*, *participação final de aquestos*, e o *regime de separação de bens*, tanto legal como convencional. [Cf. *bens e dote* (4).] **Regime de caixa.** *Cont.* Sistema de registro contábil pelo qual os pagamentos ou recebimentos são lançados na data em que são efetuados, e não quando se tornam devidos. [Cf. *regime de competência*.] **Regime de competência.** *Cont.* Sistema de registro contábil pelo qual os pagamentos ou recebimentos são lançados na data em que se tornam devidos, e não quando efetuados; critério de competência. [Cf. *regime de caixa*.] **Regime de comunhão parcial de bens.** *Jur.* V. *regime de bens*. **Regime de comunhão universal de bens.** *Jur.* V. *regime de bens*. **Regime de participação final de aquestos.** *Jur.* Regime em que os bens que os cônjuges possuíam antes do casamento e aqueles que adquiriram após permanecem próprios de cada um. [V. *regime de bens*.] **Regime de separação de bens.** *Jur.* V. *regime de bens*. **Regime presidencial.** V. *presidencialismo*.

regime[2] [Do fr. *régime*.] *S. m. Bot.* Inflorescência do tipo da das palmeiras.

regímen *S. m.* V. *regime*[1]. [Pl.: *regimens* e, p. us. no Brasil, *regímenes*.]

regimental [De *regimento* + *-al*[1].] *Adj. 2 g.* Relativo a regimento ou regulamento; regulamentar. [F. paral.: *regimentar*.]

regimentar [De *regimento* + *-ar*[1].] *Adj. 2 g.* Regimental.

regimento [Do lat. *regimentu*.] *S. m.* **1.** Ato, efeito ou modo de reger, de dirigir; regime. **2.** Normas impostas ou consentidas; disciplina, regime. **3.** Conjunto de normas que regem o funcionamento de uma instituição: *o regimento do Senado Federal; o regimento da Academia Brasileira de Letras.* **4.** *Mil.* Corpo de tropas sob o comando de um coronel. **5.** *Fig.* Grande número de pessoas reunidas para um mesmo fim e/ou sob a dependência de alguém: "À volta de seis enormes mesas, ... servidas por um regimento de criados de gravata branca e calção curto, ... reúnem-se em cada noite centenares de viajantes" (Ramalho Ortigão, *Em Paris*, p. 109). ◆ **Regimento de custas.** Código que tabela as custas judiciais e determina regras para o pagamento delas. **Regimento interno.** Regimento (3) que regula o funcionamento e o serviço interno das câmaras legislativas, dos tribunais, dos órgãos da administração pública e, por vezes, de instituições ou organizações particulares.

reginopolitano *Adj.* **1.** De, ou pertencente ou relativo a Reginópolis (SP). ● *S. m.* **2.** O natural ou habitante de Reginópolis.

régio [Do lat. *regiu*.] *Adj.* **1.** Relativo ao, ou próprio do rei; real. **2.** Digno do rei; realengo. [Fem.: *régia*. Cf. *regia*, do v. *reger*.] ~ V. *carta —a*.

regional [Do lat. *regionale*.] *Adj. 2 g.* **1.** Relativo a, ou próprio de uma região; local. ~ V. *anestesia — e emissora —*. ● *S. m.* **2.** Conjunto musical cujo repertório consta de músicas populares próprias de uma região, e cujos componentes usam, em geral, trajes típicos. **3.** *Bras. Amaz.* A última classe (8) dos barcos que navegam na região, utilizada sobretudo pelas populações locais.

regionalismo [De *regional* + *-ismo*.] *S. m.* **1.** Doutrina que incrementa os agrupamentos regionais. **2.** Sistema ou partido dos que defendem os interesses regionais. **3.** Locução peculiar a uma região, ou a regiões. **4.** *Liter.* Caráter da literatura que se baseia em costumes e tradições regionais e que pode fazer uso de linguagem regionalista.

regionalista [De *regional* + *-ista*.] *Adj. 2 g.* **1.** Respeitante ao, ou que é sequaz do regionalismo. ● *S. 2 g.* **2.** Sequaz do regionalismo.

regionalização [De *regionalizar* + *-ção*.] *S. f.* Ato ou efeito de regionalizar.

regionalizar [De *regional* + *-izar*.] *V. t. d.* Dar caráter, aspecto ou feição regional a; tornar regional: *Pretende regionalizar o ensino da educação física.*

regirar [Do lat. *regyrare*.] *V. t. d.* **1.** Fazer mover em roda; fazer girar: *O vento regira os papéis*; "Relumbravam no alvor das faces de Teodora olhos negros, não vivos, antes mórbidos, como se a queda das longas pálpebras, iriadas de veias azuladas, lhes vedasse o raio de luz em cheio que rebrilha, aquece, e regira os globos visuais." (Camilo Castelo Branco, *Amor de Salvação*, p. 62); "Gira e regira a bengala" (Augusto Meyer, *No Tempo da Flor*, p. 35). ***Int.*** **2.** Mover-se em giros; redemoinhar; girar: *As rodas da bicicleta regiram incessantemente.*

regiro [Dev. de *regirar*.] *S. m.* Ato de regirar; rodeio, giro.

➔ **régisseur** [ʀeʒiˈsœʀ] [Fr.] *S. m. Teatr.* **1.** Diretor de cena. **2.** Encenador de ópera.

registação [De *registar* + *-ção*.] *S. f. P. us. no Brasil* V. *registração*.

registador (ô) [De *registar* + *-dor*.] *Adj. S. m. P. us. no Brasil* V. *registrador*.

registadora (ô) [F. subst. do adj. *registador*.] *S. f. P. us. no Brasil* V. *registradora*.

registar *V. t. d. P. us. no Brasil* V. *registrar*: "o trabalho do selvagem, na pedra e na louça, registando certo grau de adiantamento, enuncia-lhe do mesmo passo a proveniência alienígena." (Raimundo Morais, *País das Pedras Verdes*, p. 145).

registável [De *registar* + *-vel*.] *Adj. 2 g. P. us. no Brasil* V. *registrável*.

registo [Dev. de *registar*.] *S. m. P. us. no Brasil* V. *registro*: "um registo da Conceição colado à parede podia lembrar um mistério" (Machado de Assis, *Esaú e Jacó*, p. 3).

registração [De *registrar* + *-ção*.] *S. f. Mús.* Arte de combinar os timbres dos diversos registros do órgão ou do cravo na interpretação de uma obra. [Var., p. us. no Brasil: *registação*.]

registrado [Part. de *registrar*.] *Adj.* **1.** Que se registrou. **2.** De que foi feito registro documental: carta registrada.

registrador (ô) [De *registrar* + *-dor*.] *Adj.* **1.** Que registra ou serve para registrar. **2.** Diz-se de indivíduo que se encarrega da escrituração de livros comerciais. ~ V. *caixa —*, *máquina —a* e *tacômetro —*. ● *S. m.* **3.** O que registra ou serve para registrar. **4.** Indivíduo registrador (2). **5.** *Inform.* Componente interno de computador capaz de receber, armazenar e transferir uma determinada quantidade de caracteres ou grupos de *bits*. [Var., p. us. no Brasil: *registador*.] ◆ **Registrador acumulador.** *Inform.* Aquele que acumula o resultado de uma operação lógica ou aritmética. [Tb. se diz apenas *acumulador*.] **Registrador de endereço.** *Inform.* Aquele que armazena endereço em memória (16). **Registrador de memória.** *Inform.* Aquele que armazena dados.

registradora (ô) [F. subst. do adj. *registrador*.] *S. f.* V. *máquina registradora*: "Pálido e capengando, procurou ocultar-se detrás da registradora, acovardado." (Reginaldo Guimarães, *Uma Blusa no Cais*, p. 9.) [Var., p. us. no Brasil: *registadora*.]

registrar [De *registro* + *-ar*[2].] *V. t. d.* **1.** Escrever ou lançar em livro especial: *O escrevente registrou as escrituras.* **2.** Consignar por escrito; inscrever: *O filólogo registrou inúmeros termos regionais.* **3.** Assinalar, consignar: *A história registra dezenas de fatos heroicos.* **4.** Pôr em memória (5); escrever; historiar: *O secretário registrou todos os fatos da reunião.* **5.** Narrar, referir, mencionar. **6.** Reger, governar, regular. **7.** Fazer o registro (10) de: *registrar uma carta.* **8.** V. *lealdar*: *registrar uma mercadoria*

R

importada. **9.** Marcar (por meio de registro (4) ou de registradora): *A caixa registrou a quantia.* **10.** Reter na memória, ouvindo ou observando: *A criança registra tudo que ocorre a seu redor.* **11.** *Bras. S.* Tomar nota de (gado alheio em mistura com outro rebanho). [Var., p. us. no Brasil: *registar*.]

registrável [De *registrar* + *-vel*.] *Adj. 2 g.* Que se deve ou pode registrar. [Var., p. us. no Brasil: *registável*.]

registrense *Adj. 2 g.* **1.** De, ou pertencente ou relativo a Registro (SP). • *S. 2 g.* **2.** O natural ou habitante de Registro.

registro [Do lat. med. *registru* (do lat. tard. *regesta*, f. sing. subst. do n. pl. de *regestus*, part. pass. do v. lat. *regerere*), com poss. inf. do fr. *régistre*.] *S. m.* **1.** Ato ou efeito de registrar. **2.** Instituição, repartição ou cartório onde se faz a inscrição, ou a transcrição, de atos, fatos, títulos e documentos, para dar-lhes autenticidade e força de prevalecer contra terceiros. **3.** Livro especial onde se registram certas ocorrências públicas ou particulares. **4.** Indicação em gráfico, escala, etc., feita por aparelho apropriado, da marcha de certas máquinas, da graduação de instrumentos de precisão, etc. **5.** Relógio (3). **6.** Chave de torneira, ou outro aparelho que regula a passagem de um fluido. **7.** Peça para adiantar ou atrasar o andamento dos ponteiros de um relógio. **8.** Exame ou verificação alfandegária. **9.** Papel, fita ou imagem usada para marcar uma passagem dum livro. **10.** Caução (2) postal que se obtém mediante o pagamento de uma taxa sobre o preço do porte de carta ou encomenda, a qual garante a remessa contra extravio; seguro. **11.** Imagem de santo ou de objetos de devoção: "passava os olhos pelos quadros da sala de jantar, que eram dois, um S. Pedro e um S. João, registros trazidos de festas e encaixilhados em casa." (Machado de Assis, *Várias Histórias*, p. 44). **12.** *E. Ling.* Variação na fala de um indivíduo em função da situação em que se encontra; estilo. **13.** *Mús.* Registro (5). **14.** *Mús.* No consolo do órgão, o puxador, botão ou tecla que movimenta uma régua perfurada, a qual põe em comunicação o ar contido nos foles com os tubos dispostos sobre o someiro, para fazer ressoar os tubos. **15.** *Mús.* Jogo de tubos do órgão, caracterizado pela sua construção e pelo seu timbre, e que funciona quando ligado pelo respectivo puxador. **16.** *Mús.* Timbre de voz ou de instrumento. **17.** *Mús.* Extensão de uma voz ou de um instrumento, dentro da escala geral dos sons musicais. **18.** *Tip.* Correspondência, tanto quanto possível perfeita, das páginas do reto e do verso de uma folha impressa, de sorte que haja coincidência nos seus lados. **19.** *Tip.* Em trabalhos de duas ou mais cores, o acerto delas a fim de que sejam impressas exatamente no lugar devido: *A impressão ficou fora do registro.* **20.** *Inform.* Conjunto organizado de um ou mais dados, relacionados entre si, e tratado como uma única unidade. [V. *arquivo*.] **21.** *Inform.* Qualquer unidade de informação a ser transferida entre a memória principal do computador e um dispositivo periférico, ou vice-versa. **22.** *Bras. Fam.* Certidão de nascimento. **23.** *Bras. S.* Na fronteira, casa de mercadorias em grosso, com sortimento completo. **24.** *Bras. RS* Exame do gado alheio que aparece em uma invernada, rodeio ou tropa. [Var., p. us. no Brasil: *registo*.] ◆ **Registro civil.** Anotação oficial de todos os dados relativos aos nascimentos, casamentos, óbitos, feita por funcionário civil.

rego (ê) [Do pré-romano **recu*, poss. misturado com o céltico *rica*, 'sulco'.] *S. m.* **1.** Sulco natural ou artificial que conduz água; valado, valão, vala. **2.** Sulco deixado pelo arado. **3.** Valeta num campo cultivado. **4.** V. *risca* (4). **5.** *Bras. Chulo* Regada[2]. **6.** *Bras. PA* Riacho alimentado por águas da chuva, em campo descoberto. [Pl.: *regos* (ê). Cf. *rego*, do v. *regar*.] ◆ **Pisar fora do rego.** *Bras. S.* V. *sair da linha*.

regô [De or. afr., poss.] *S. m. Bras.* Pano enrolado que as negras usavam na cabeça como enfeite. [Cf. *regou*, do v. *regar*.]

regoar [De *rego* + *-oar*.] *V. t. d.* Arregoar (1 e 2). [Conjug.: v. *coroar*.]

rego-d'água [De *rego de água*[1].] *S. m. Bras. N.E. MG* Canalização das águas de um rio ou de um riacho, feita pelos sertanejos para regar suas plantações: "A casa, o paiolão, o rego-d'água, tudo isso que o senhor está vendo, tudo eu já tinha na cabeça." (Mário Palmério, *Vila dos Confins*, p. 147.) [Pl.: *regos-d'água*.]

regolfar [De *re-* + *golfo*[1] (ô) + *-ar*[2].] *V. int.* Correr em direção a algum lugar; afluir.

regolfo (ô) [Dev. de *regolfar*.] *S. m.* **1.** *Ant.* Roda hidráulica. **2.** Movimento retrógrado das águas, gerado pela propulsão de um navio. **3.** Contracorrente junto à margem dos rios caudais. **4.** Elevação do nível da água a montante dum obstáculo, sobretudo das pontes, por causa do estreitamento dos leitos provocado pelos pilares e encontros dessas obras. [Pl.: *regolfos* (ô).]

regolito [Do gr. *rhêgos*, 'cobertor', + *-lito*.] *S. m. Geol.* Camada superficial desagregada, proveniente da ação das intempéries, que recobre a rocha fresca e cuja espessura varia entre alguns centímetros e dezenas de metros. [Seria melhor *rególito*, que, no entanto, é f. p. us.]

rególito *S. m. Geol.* V. *regolito*.

regorjeado [Part. de *regorjear*.] *Adj.* Em que há regorjeio, ou que a este se assemelha.

regorjear [De *re-* + *gorjear*.] *V. int.* **1.** Gorjear muito; trinar. *T. d.* **2.** Emitir como gorjeio: *O caçador regorjeava certos sons para atrair as aves.* [Conjug.: v. *frear*.]

regorjeio [Dev. de *regorjear*.] *S. m.* Ato de regorjear; trinado, trino, gorjeio.

regougante [De *regougar* + *-nte*.] *Adj. 2 g.* Que regouga.

regougar [Voc. onom.] *V. int.* **1.** Gritar (a raposa): "Regougavam no cume dos outeiros / Esfaimadas raposas" (Correia Garção, *Obras Poéticas e Oratórias*, p. 28). **2.** *Fig.* Falar com voz áspera como a da raposa, resmungar. **3.** Produzir som áspero: "O vento, a regougar, encapelava as ondas" (Carlos Magalhães de Azeredo, *Casos do Amor e do Instinto*, p. 160). *T. d.* **4.** Pronunciar ou dizer com voz áspera, que lembra a da raposa; resmungar: "Regougou frases incompreensíveis" (Afonso Arinos, *Histórias e Paisagens*, p. 47). [Conjug.: v. *largar*.]

regougo [Dev. de *regougar*.] *S. m.* **1.** Voz da raposa, ou qualquer outra voz ou som que a imite. **2.** Ronco, roncadura.

regozijador (ô) [De *regozijar* + *-dor*.] *Adj.* Que regozija.

regozijar [Do esp. *regocijar*.] *V. t. d.* **1.** Causar regozijo a; alegrar muito: *Um bom livro regozija o espírito*; "Se *Flor de Jericó* estava ajustada para regozijar meus olhos católicos, era uma desconsideração tê-la cedido ao romeiro couraçado que viera da herege Alemanha..." (Eça de Queirós, *A Relíquia*, p. 144). *P.* **2.** Alegrar-se, contentar-se, congratular-se: *O povo regozijou-se com a vitória*; "maridos ultrajados a regozijarem-se na denúncia de ultrajes semelhantes aos seus" (Antero de Figueiredo, *Jornadas em Portugal*, pp. 65-66).

regozijo [Do esp. *regocijo*.] *S. m.* Gozo intenso; vivo contentamento ou prazer; grande satisfação.

regra [Do lat. *regula*, pela f. *regla*.] *S. f.* **1.** Aquilo que regula, dirige, rege ou governa. **2.** Fórmula que indica ou prescreve o modo correto de falar, de pensar, raciocinar, agir, num caso determinado: *uma regra de gramática, de matemática; as regras de um jogo.* **3.** Aquilo que está determinado pela razão, pela lei ou pelo costume; preceito, princípio, lei, norma: *as regras do bom senso, da boa educação; transgredir uma regra.* **4.** Estatutos de certas ordens religiosas. **5.** Moderação; método, ordem: *No trabalho ou no lazer, evita sair da regra.* **6.** *P. us.* Régua (1). **7.** Cada uma das linhas do papel pautado. **8.** *Pop.* Regras (1). ~ V. *regras*. ◆ **Regra de descendência.** *Antrop.* Princípio de composição de grupos de parentesco, segundo o qual novos membros são incorporados automaticamente com base na filiação, selecionando-se a linha materna, paterna, ou determinadas combinações de ambas, conforme a sociedade. **Regra de três.** *Mat.* Regra que permite, dado um conjunto de valores de várias grandezas direta ou inversamente proporcionais a uma delas, determinar o valor desta última, correspondente a um determinado grupo de valores das restantes. **Regra do isopreno.** *Quím.* Generalização empírica quanto às estruturas dos terpenos e terpenoides, que afirma poderem estas, em geral, ser decompostas formalmente em fragmentos cujas cadeias são como a do isopreno. **Regra do octeto.** *Quím.* Tendência dos átomos a atingir, em seus compostos, configuração eletrônica como a de um gás nobre, com oito elétrons na camada externa. **Regra gramatical.** *E. Ling.* **1.** Recomendação para o uso correto de determinado tipo de construção numa língua. [Ex.: No plural de substantivos compostos em que os elementos se ligam por preposição só o primeiro varia.] **2.** Generalização acerca da estrutura de uma língua. [Ex.: Em português, o verbo concorda com o sujeito em pessoa e número.] **Cagar regras.** *Bras. Chulo* Dar-se ares de sabichão; pedantear. [Cf. *caga-regras*.] **Em regra.** Em geral; de ordinário; quase sempre; por via de regra: "em regra lê-se mal no Brasil" (Olívio Montenegro, *Retratos e Outros Ensaios*, p. 160).

regra de fé *S. f. Rel.* A formulação de uma doutrina, aceita como exata numa igreja. [Pl.: *regras de fé*. Cf. *cânon* (7 e 8) e *símbolo* (16).]

regrado [Part. de *regrar*.] *Adj.* **1.** Sobre que se traçaram linhas ou regras; pautado. **2.** Sensato, moderado, pautado, metódico. ~ V. *superfície* —*a*.

regra-inteira *S. f. Bras. AL Liter. Pop.* Na linguagem dos cantadores, a viola[1] (1) de 12 cordas. [Pl.: *regras-inteiras*.]

regrante [De *regrar* + *-nte*.] *Adj. 2 g.* Que regra. ~ V. *cônego* —.

regrar [Do lat. **reglare* < lat. *regulare*.] *V. t. d.* **1.** Traçar linhas ou regras sobre; pautar: *regrar uma folha de papel.* **2.** Submeter a certas regras; dirigir: *Os costumes regravam a vida dos romanos.* **3.** Comedir, conter, regular, moderar: *regrar os gastos*; "Que bom vivermos alegres / Como estas aves que eu sigo!... / Peço-te, pois, que comigo / Beijos, carinhos não regres." (B. Lopes, *Val de Lírios*, p. 102). **4.** Pôr em linha reta, alinhar, pautar: *regrar os objetos dispersos.* **5.** Tornar uniforme; uniformizar. *P.* **6.** Guiar-se, regular-se, modelar-se: *Os cristãos regram-se nas normas da Igreja.*

regras [Pl. de *regra*.] *S. f. pl.* **1.** *Pop.* V. *menstruação* (1). [Tb. us. no sing.] **2.** *Bras. N.E. Pop.* Parolagem, lorota. ~ V. *regra*.

regra-três *S. m. Bras.* **1.** *Fut.* Regra que permite a substituição de jogadores. **2.** Aquele que está pronto para entrar em campo como substituto. **3.** *P. ext. Pop.* Substituto, suplente. [Pl.: *regras-três*.]

regravação [De *regravar* + *-ção*.] *S. f.* **1.** Ato de regravar. **2.** Nova gravação[1] (2).

regravar [De *re-* + *gravar*[1].] *V. t. d.* Tornar a gravar[1].

regravável [De *regravar* + *-vel*.] *Adj. 2 g.* **1.** Que se pode regravar: *CD regravável.*

regraxar [De *regraxo* + *-ar*[2].] *V. t. d.* Pintar a regraxo: *regraxar uma imagem.*

regraxo [De *re-* + *graxo*.] *S. m.* Sistema de pintura em que se recobre de tinta transparente um objeto dourado ou prateado para deixar ver o ouro ou a prata.

regredir [Do lat. **regredere*.] *V. int.* Ir em marcha regressiva; retroceder, retrogradar: "meizinhas e chás caseiros não lhe davam alívio, não faziam regredir a moléstia." (Nélson de Faria, *Tiziu e Outras Estórias*, p. 63). [Irreg. Conjug.: v. *agredir*.]

regressão [Do lat. *regressione*.] *S. f.* **1.** Ato ou efeito de regressar, de voltar; retorno, regresso. **2.** Ato ou efeito de regredir; retrocesso. **3.** *Estat.* Dependência funcional entre duas ou mais variáveis aleatórias. **4.** *Psicol.* Adoção, por um período de tempo curto ou duradouro, de atitudes e comportamentos característicos de nível de idade anterior. **5.** *E. Ling.* Figura pela qual se repetem palavras ou frases invertendo-lhes a ordem e alterando-lhes o sentido: *Deve-se comer para viver, e não viver para comer.* **6.** *Filos.* Passagem dos efeitos às causas, das consequências aos princípios, do composto ao simples, do todo à parte; resolução. [Cf. *análise*.] ◆ **Regressão dos nodos da Lua.** *Astr.* Movimento dos nodos da órbita lunar na direção oeste, com um período aproximado de 18,6 anos, devido às perturbações do Sol. **Regressão fonética.** *E. Ling.* Volta de um vocábulo à sua forma etimológica. Ex.: *eivigar*, f. arc., voltou a *edificar* (< lat. *edificare*). **Regressão linear.** *Estat.* Aquela em que a relação funcional entre a variável dependente e as variáveis independentes é expressa por uma função linear. **Regressão logística.** *Estat.* Aquela em que a relação funcional entre a variável dependente e as variáveis independentes é expressa por uma função logística. **Regressão marinha.** Recuo que faz o mar, afastando-se da linha litorânea. **Regressão múltipla.** *Estat.* Aquela que envolve duas ou mais variáveis independentes. **Regressão não linear.** *Estat.* Aquela em que a relação funcional entre a variável dependente e as variáveis independentes é expressa por uma função não linear. **Regressão simples.** *Estat.* Aquela que envolve somente uma variável independente.

regressar [De *regresso* + *-ar*[2].] *V. t. c.* **1.** Voltar, retornar (ao lugar donde se partiu); retornar: *O navio regressou ao porto.* *T. d. e c.* **2.** Fazer voltar; mandar de volta: *Acabadas as férias, regressou os filhos ao colégio.* *Int.* **3.** Voltar, volver, retornar: "Mais belo que partir é regressar." (Onestaldo de Pennafort, *Poesias*, p. 211.)

regressista [De *regresso* *ista*.] *S. m. Bras.* **1.** Membro ou partidário da antiga facção política formada, na maioria, por portugueses, a qual, após a abdicação de D. Pedro I, em 1831, se propunha promover-lhe o regresso para organizar um novo império no N. do Brasil. • *Adj. 2 g.* **2.** *Bras.* Diz-se do membro ou partidário dessa facção.

regressivo [Do lat. *regressus*, part. pass. do v. lat. *regredi*, + *-ivo*.] *Adj.* **1.** Que regressa ou retrograda; retroativo. **2.** *E. Ling.* Diz-se das formas mais simples que por analogia se deduzem de outras que, sendo primitivas, se supõem derivadas. Ex.: *aço* vem de *aceiro* por analogia com *pinheiro*, derivado de *pinho*. ~ V. *análise* —*a*, *contagem* —*a*, *derivação* —*a*, *imposto* — e *numerador* —.

regresso [Do lat. *regressu*.] *S. m.* Ato ou efeito de regressar; volta, retorno.

regreta (ê) [De *regra* + *-eta* (ê).] *S. f.* **1.** *Tip.* Lingote de madeira. [V. *guarnição* (10).] **2.** Pequena régua que o tipógrafo usa para medir a composição.

regrista [De *regra* + *-ista*.] *Bras. N.E. Pop. Adj. 2 g. S. 2 g.* **1.** Diz-se de, ou pessoa cheia de regras, de lorotas. **2.** Palrador, tagarela. **3.** Intrometido, metediço, enxerido.

régua [Do lat. *regula*, 'regra'; 'esquadro ou tala de madeira'.] *S. f.* **1.** Peça longa, de madeira, metal, plástico, etc., de faces retangulares, superfície plana e arestas retilíneas, e que serve para traçar linhas retas. [Sin., p. us.: *regra*.] **2.** Régua (1) dividida em unidades de medida linear, e que serve para medir. **3.** Peça reta de madeira, que serve como ornato ou acabamento. **4.** *P. ext.* Qualquer objeto que serve para traçar linhas curvas, letras, etc. **5.** *Astr.* Brilhante estrela dupla, da constelação do Leão. [Com cap., nesta acepç.] ◆ **Régua de maré.** *Ocean.* Régua graduada que, montada verticalmente em local abrigado de um porto, permite a leitura da altura da maré a qualquer momento. **Régua paraláctica.** *Astr.* Instrumento astronômico antigo, constituído por um triângulo articulado que tem um dos lados vertical e o outro dirigido para o astro cuja altura se deseja medir. **Régua paralela.** Régua provida de pequenas roldanas por onde passa fio de náilon preso à prancheta (3), e que pode, assim, deslizar sobre esta, mantendo o paralelismo nas linhas e servindo de apoio aos esquadros [v. *esquadro* (1)]. [Cf. *régua-tê*.]

reguada [De *régua* + *-ada*[1].] *S. f.* Pancada com régua.

régua-tê *S. f.* Régua, em forma de T, que desliza por um dos bordos da prancheta (3), mantendo o paralelismo nas linhas e servindo de apoio aos esquadros [v. *esquadro* (1)]. [Tb. se diz apenas *tê*. Pl.: *réguas-tês* e *réguas-tê*. Cf. *régua paralela*.]

regueifa [Do ár.-hisp. *ragayfa(t)* < ár. *ragīf*, 'pão redondo e plano'.] *S. f.* **1.** *Cul.* Espécie de massa folhada de farinha de trigo, assada ao forno. [Var.: *rigueifa*.] **2.** *Lus. Pop.* Papeira, saliência adiposa sob o queixo: "À sua esquerda ia o marido, mais azul a barba turca, mais papudas as mãos de grossos dedos cilhados sobre a barriga, e bonacheirão corno sempre na barbela de três regueifas." (Aquilino Ribeiro, *Lápides Partidas*, p. 136.)

regueira [De *rego* + *-eira*.] *S. f.* **1.** Rego (1) por onde corre água. **2.** Pequena corrente de água; regadeira. **3.** *Bras.* Depressão lombar correspondente à espinha dorsal; reigada. [F. paral.: *regueiro*.]

regueiro [De *rego* + *-eiro*.] *S. m.* Regueira.

reguengo [De *regalengo*, com síncope.] *Adj.* **1.** Referente ao rei; real, régio. ● *S. m. Ant.* **2.** Terra que, por conquista ou confisco, era incorporada aos bens da coroa. **3.** *Ant.* Foros e/ou direitos devidos à coroa.

reguengueiro [De *reguengo* + *-eiro*.] *Ant. Adj.* **1.** Relativo a reguengo. ● *S. m.* **2.** Morador de reguengo (2).

reguila *Adj. 2 g. S. 2 g. Lus. Gír.* Diz-se de, ou indivíduo brigão, de gênio difícil.

reguilas *Adj. 2 g. e 2 n. Lus.* **1.** Brigão, briguento. **2.** Malandro, pilantra.

reguingar *V. int. T. d. T. i.* **1.** Replicar, responder, objetar, respingar. *Int.* **2.** *Bras. SE* Pechinchar, regatear. [Conjug.: v. *largar*.]

reguingueiro [De *reguingar* + *-eiro*.] *Adj. S. m.* Que, ou aquele que reguinga; rezingão, rezingueiro.

regulação [De *regular*[3] + *-ção*.] *S. f.* Ato ou efeito de regular(-se).

regulado [Part. de *regular*[3].] *Adj.* **1.** Que se regulou. **2.** Que anda ou se movimenta com regularidade.

regulador (ô) [De *regular*[3] + *-dor*.] *Adj.* **1.** Que regula; regulatório. ~ V. *gene* —. ● *S. m.* **2.** Peça fixada na parte anterior do apo[2], e que o eleva mais ou menos. **3.** Peça que se adapta a uma máquina para tornar-lhe uniforme o movimento: *regulador de voltagem*. **4.** *Teatr.* V. *bastidor* (3).

regulagem [De *regular*[3] + *-agem*[2].] *S. f. Bras.* Ação ou efeito de regular[3], de ajustar máquinas, motores, etc.

regulamentação [De *regulamentar* + *-ção*.] *S. f.* **1.** Ato ou efeito de regulamentar[2]. **2.** Redação e publicação de regulamentos de associação ou instituto.

regulamentar[1] [De *regulamento* + *-ar*[1].] *Adj. 2 g.* Relativo a regulamento; regimental, regulamentário.

regulamentar[2] [De *regulamento* + *-ar*[2].] *V. t. d.* Sujeitar a regulamento; regular, regularizar: *O diretor regulamentou a compra de material.* [Fut. pret.: *regulamentaria*, etc. Cf. *regulamentária*, fem. de *regulamentário*.]

regulamentário [De *regulamento* + *-ário*.] *Adj.* V. *regulamentar*[1]. [Fem.: *regulamentária*. Cf. *regulamentaria*, do v. *regulamentar*.]

regulamento [De *regular*[3] + *-mento*.] *S. m.* **1.** Ato ou efeito de regular[3]. **2.** Ordem superior; determinação. **3.** Prescrição, regra, norma, preceito. **4.** Conjunto de regras ou normas. **5.** Disposição oficial para explicar a execução de uma lei, etc.

regular[1] [Do lat. tard. *regulare*, 'canônico', 'relativo às regras' (adj.).] *Adj. 2 g.* **1.** Relativo a regra. **2.** Que é ou que age conforme as regras, as normas, as leis, as praxes. **3.** Bem-proporcionado, proporcionado, harmônico: *traços fisionômicos regulares*. **4.** Disposto simetricamente; equilibrado: *uma fachada regular*. **5.** Que se repete a intervalos iguais: *O período das chuvas é regular.* **6.** Exato, pontual: *inquilino regular no pagamento*. **7.** Que está no meio-termo; mediano, médio: *estatura regular*. **8.** Nem bom, nem mau; razoável, suficiente: *aproveitamento regular*. **9.** Diz-se de figuras geométricas que têm lados e ângulos iguais entre si. **10.** *Rel.* Diz-se de todos os religiosos que professam numa determinada regra especial, numa ordem, congregação ou sociedade. ~ V. *exército* —, *função analítica* —, *função* —, *galáxia* —, *pirâmide* —, *poliedro* —, *polígono* —, *ponto* —, *prisma* —, *quadrilátero* —, *satélite* — e *verbo* —. ● *S. m.* **11.** Aquilo que é regular.

regular[2] [Adapt. do tax. *Regulares* ou *Regularia*.] *Zool. S. m.* **1.** Espécime dos regulares, subclasse de equinodermos, equinoides, com madreporita interambulacrária, ânus central na superfície aboral e lanterna de aristóteles presente. ~ V. *regular*. ● *Adj. 2 g.* **2.** Pertencente ou relativo a eles.

regular[3] [Do v. lat. *regulare*.] *V. t. d.* **1.** Sujeitar a regras; dirigir, regrar: *É necessário regular o comportamento das crianças.* **2.** Encaminhar conforme a lei. **3.** Esclarecer e facilitar por meio de disposições (a execução da lei); regulamentar: *O Presidente baixou decreto regulando a lei votada pelo Congresso.* **4.** Estabelecer regras para; regularizar: *A lei regulava a ocupação de terras descobertas.* **5.** Estabelecer ordem, parcimônia, em: *regular os gastos.* **6.** Acertar, ajustar: *Regula o antigo relógio todas as manhãs.* **7.** Conter, moderar, reprimir: *O homem usa da inteligência regulando os impulsos.* *T. d. e i.* **8.** Conformar, aferir, confrontar, comparar: *Cada um deve regular as ambições pelas próprias limitações.* *Int.* **9.** Estar conforme; trabalhar ou funcionar com acerto, precisão, regularidade: *O relógio está regulando muito bem.* **10.** Ter sanidade mental: *Desde que perdeu o filho, o pobre homem não regula.* [Nesta acepç. é m. us. negativamente.] **11.** Servir de regra. *T. c.* **12.** Ser ou valer aproximadamente; orçar: *O preço do apartamento regula pelos 500 mil reais.* *T. i.* **13.** Ter aproximadamente a mesma idade, ou altura, ou saber, etc.: "Iria pelos seus sete anos e regulava com meu irmão José." (Pedro Nava, *Balão Cativo*, p. 5.) *P.* **14.** Dirigir-se, guiar-se, orientar-se: *O homem deve regular-se pelo bom senso.* [Pres. ind.: *regulo*, etc. Cf. *régulo*, s. m., e *Régulo*, antr.] ◆ **Não regular bem.** Ser amalucado, aluado; não bater bem.

regularidade [De *regular*[1] + *-(i)dade*.] *S. f.* **1.** Qualidade de regular[1]. **2.** Caráter de um movimento, ou de um processo de ritmo constante, uniforme. **3.** Qualidade ou caráter do que se verifica ou se realiza a intervalos regulares. **4.** Conformidade (1) a regras, a leis específicas.

regularização [De *regularizar* + *-ção*.] *S. f.* Ato ou efeito de regularizar(-se).

regularizador (ô) [De *regularizar* + *-dor*.] *Adj.* **1.** Que regulariza. ● *S. m.* **2.** Aquele ou aquilo que regulariza.

regularizar [De *regular*[1] + *-izar*.] *V. t. d.* **1.** Tornar regular; regulamentar: *A lei regulariza as transações; O despachante regularizará os papéis;* "Era necessário imaginar combinações para melhorar o templo, para adquirir o indispensável ao desempenho das cerimônias religiosas e regularizar o serviço." (Inglês de Sousa, *O Missionário*, pp. 103-104). **2.** Tornar razoável, conveniente. **3.** Pôr em ordem; corrigir: *A estrada de ferro espera regularizar os atrasos.* *P.* **4.** Entrar na forma regular; normalizar-se: *Finalmente a minha vida regularizou-se.*

regulatório [De *regular*[3] + *-tório*.] *Adj.* **1.** Regulador (1). **2.** Que se destina a regular algo: "O ministério da Educação vem operando profunda reformulação do marco regulatório da educação superior". (*Folha de S.Paulo*, 24.03.08.)

regulete (ê) [Do lat. *regula*, 'régua', + *-ete* (ê).] *S. m.* Pequena moldura chata e estreita para separar portas, almofadas, etc.

régulo [Do lat. *regulu*, 'reizinho'.] *S. m.* **1.** Pequeno rei; reizinho, reizete. **2.** Chefe de um Estado bárbaro: "A ilha, aonde foi ao depois Magalhães [Fernão de Magalhães] e seus guerreiros, e que tinha gente de boa condição, é de supor que seria uma das ilhas Filipinas, talvez a de Zebu, com cujo régulo assentou suas pazes e alianças o esforçado capitão-mor." (Latino Coelho, *Fernão de Magalhães*, p. 177.) **3.** *Astr.* Nome tradicional da estrela alfa do Leão. [Com cap., nesta acepç.] **4.** *Moç.* V. *soba*. [Cf. *regulo*, do v. *regular*.]

regurgitação [De *regurgitar* + *-ção*.] *S. f.* **1.** Ato ou efeito de regurgitar; regurgitamento. **2.** *Med.* Fluxo em direção oposta à normal, em que fração do conteúdo de um órgão passa ou para parte do mesmo órgão (p. ex., de uma cavidade cardíaca para outra com que se comunique), ou para outro órgão (p. ex., do estômago para o esôfago); refluxo.

regurgitamento [De *regurgitar* + *-mento*.] *S. m.* Regurgitação.

regurgitar [Do lat. med. *regurgitare* (do pref. lat. *re-* [v. *re-*] + lat. tard. *gurgitare* [do lat. *gurges, itis*, 'turbilhão de água'; 'abismo'])*.] *V. t. d.* **1.** Expelir (o que há em excesso numa cavidade, especialmente no estômago); vomitar, lançar: *Os antigos romanos costumavam regurgitar a comida para prosseguir o banquete.* *T. i.* **2.** Estar ou ficar muito cheio; transbordar, trasbordar: "Solitárias vereis as vilas, as cidades; / Praças, que tanta vez, em remotas idades, / Com a torre altaneira, e vetustas muralhas, / Regurgitaram de sangue, em centos de batalhas!" (Bulhão Pato, *Livro do Monte*, p. 83); "Os arredores da Câmara estavam coalhados de gente e o edifício regurgitava de espectadores" (Tobias Monteiro, *Pesquisas e Depoimentos para a História*, p. 190). *Int.* **3.** Regurgitar (2): *O lago regurgita.* **4.** Vomitar excesso de alimento: *O bebê regurgitou.*

rei [Do lat. *rege*.] *S. m.* **1.** Soberano que rege ou governa um Estado monárquico. **2.** Em certos casos, título do marido da rainha. **3.** Indivíduo que se distingue entre outros. **4.** Aquele que detém poder absoluto. [Fem., nessas acepçs.: *rainha*.] **5.** Uma das cartas do baralho. **6.** No jogo de xadrez (q. v.), a peça mais importante, a única que não pode ser tomada e que, ao sofrer xeque-mate, causa, com a derrota de suas cores, o fim da partida. [Nesta acepç., cf. *rainha* (7).] [Pl.: *reis*. Cf. *réis*.] ◆ **Rei de armas.** Oficial da corte, chefe dos arautos, cuja função era registrar e construir os brasões da nobreza. **Rei dos reis. 1.** Jesus Cristo. **2.** Título que a si mesmos atribuíram o rei dos partos [v. *parto*[2] (2)], o xá do Irã e o negus da Abissínia. **Rei Momo.** *Bras.* Indivíduo, ger. escolhido entre os mais gordos, que se fantasia de rei do carnaval. **O rei Sol.** Luís XIV (1643 a 1715) de França. **Rei da cocada preta.** *Pop.* Aquele que se julga muito importante. **Sem rei nem roque.** V. *sem lei nem rei*: "Vegetava feliz, sem lei, sem rei nem roque." (Vicente de Carvalho, *Poemas e Canções*, p. 152.) **Ser mais realista que o rei.** V. *ser mais papista que o papa*. **Ter o rei na barriga.** Dar-se ares de importante; ser presunçoso, orgulhoso, arrogante.

▲ **-reia** [Do lat. *-rhoea* < gr. *-rhoía* < v. gr. *rhein*, 'correr', 'manar', 'verter'.] *El. comp.* = 'corrimento'; 'fluxo'; (para *-reico*) 'relativo a ou próprio de (voc. em *-reia*): *galactorreia*, *verborreia*. [Equiv.: *-reico*: *seborreico*, *hepatorreico*.] ❖

➔ **reich** [ʁajç] [Al.] *S. m.* Império, reino; estado (11). [Com cap.] ◆ **O Terceiro Reich.** O estado unitário alemão vigente entre 1933 e 1945; a Alemanha nazista.

reichiano (rai) [Do antr. (*Wilhelm*) *Reich* (1897-1957), psiquiatra e psicanalista norte-americano, + *-iano*.] *Adj.* **1.** De, ou pertencente ou relativo a Wilhelm Reich e/ou a sua teoria, a qual se baseia na descoberta da energia biológica que possibilitaria a cura de todas as doenças. **2.** Que é adepto dessa teoria. ● *S. m.* **3.** Adepto dela.

▲ **-reico** [Do gr. *-rhoikós, ḗ, ón* < gr. *-rhoía*.] *El. comp.* formador de adjetivos em *-reia* (q. v.). ❖

rei-congo *S. m. Bras. N.E. Zool.* **1.** V. *japuaçu* (1). **2.** V. *joão-congo* (1). [Pl.: *reis-congos*.]

reicua *S. f.* Espécie de lima usada por penteeiros para aguçar os bicos dos pentes.

rei-das-formigas *S. m. Bras. Zool.* V. *cobra-de-duas-cabeças*. [Pl.: *reis-das-formigas*.]

reide [Do ingl. *raid*.] *S. m.* **1.** *Mil.* Rápida incursão de tropas em território inimigo. **2.** Longa excursão a pé, a cavalo, de automóvel, avião, etc.

rei de boi *S. m. Bras. Folcl.* V. *bumba meu boi* (1). [Pl.: *reis de boi*] ☑

reídeo [Do tax. *Rhea* (< mit. gr. *Rhea*, mãe de Zeus) + *-ídeo*[1]; tax. *Rheidae*.] *Zool. S. m.* **1.** Espécime dos reídeos, família de aves reiformes, de grande porte, pernaltas e corredoras, de asas e cauda atrofiadas, e apenas três dedos nos pés. Vivem em bandos, alimentam-se de toda sorte de plantas tenras, frutas silvestres e animais de pequeno porte. Os machos é que chocam os filhotes e deles cuidam. São as emas. ● *Adj.* **2.** Pertencente ou relativo a eles.

rei-dos-tuiuiús *S. m. Bras. Zool.* V. *tuiuiú*. [Pl.: *reis-dos-tuiuiús*.]

reidratação (e-i) [De *reidratar* + *-ção*.] *S. f.* Ato ou efeito de reidratar.

reidratante (e-i) [De *reidratar* + *-nte*.] *Adj. 2 g. S. m.* Que, ou substância que serve para reidratar.

R

reidratar (e-i) [De *re-* + *hidratar*.] *V. t. d. P.* Tornar a hidratar(-se).

reificação [De *reificar* + *-ção*.] *S. f. Filos.* No processo de alienação, o momento em que a característica de ser uma "coisa" se torna típica da realidade objetiva. [Cf. *alienação* (5) e *objetificação*.]

reificar [Do lat. *res*, *rei*, 'coisa', + *-ificar*.] *V. t. d.* **1.** Tratar como coisa. **2.** *Filos.* Proceder à reificação. [Conjug.: v. *trancar*.]

reiforme [Do tax. *Rhea* (v. *reídeo*) + *-iforme*; tax. *Rheiformes*.] *Zool. S. m.* **1.** Espécime dos reiformes, ordem de aves neórnites, paleógnatas, ratitas, terrestres, de grande porte, pés com três dedos, cabeça e pescoço parcialmente emplumados, e penas desprovidas do tufo de penugem na face ventral. São as emas sul-americanas. ● *Adj. 2 g.* **2.** Pertencente ou relativo a eles.

reigada [De *rego*.] *S. f.* **1.** Rego entre as nádegas de certos animais. [Cf. *regada*.] **2.** Regueira (3).

reima [Var. de *reuma*.] *S. f.* **1.** Reuma. **2.** Almofeira. **3.** *Bras. N.* Mau gênio; rabugem.

reimão [Do mal. *rimau* ou *harimau*.] *S. m.* Animal errante.

reimoso (ô) [De *reima* + *-oso*.] *Adj.* **1.** Que tem reima (1). **2.** Que prejudica o sangue. [Sin., bras., nesta acepç.: *carregado*.] **3.** Que causa prurido. **4.** De maus bofes; brigão; genioso.

reimplantação (e-im) [De *reimplantar* + *-ção*.] *S. f.* Ato ou efeito de reimplantar; reimplante.

reimplantar (e-im) [De *re-* + *implantar*.] *V. t. d.* Implantar outra vez.

reimplante (e-im) [Dev. de *reimplantar*.] *S. m.* Reimplantação.

reimpor (e-im) [De *re-* + *impor*.] *V. t. d.* Renovar a imposição de; tornar a impor: *O governo <u>reimpôs</u> as taxas.* [Irreg. Conjug.: v. *pôr*.]

reimposição (e-im) [De *re-* + *imposição*.] *S. f.* Ato ou efeito de reimpor.

reimpressão (e-im) [De *re-* + *impressão*.] *S. f.* **1.** Ato ou efeito de reimprimir. **2.** *Edit.* Nova tiragem de uma obra que não apresenta modificações no conteúdo ou na apresentação, em relação à edição anterior, exceto eventuais correções tipográficas. [Sin. ger.: *reestampa*. Cf. *edição* (5), *redição* e *tiragem* (4 e 5).]

reimpressor (e-im... ô) [De *re-* + *impressor*.] *Adj. S. m.* Que, ou aquele que reimprime.

reimprimir (e-im) [De *re-* + *imprimir*.] *V. t. d.* Imprimir de novo; fazer nova impressão de; reestampar: "Um dia perguntei a Elisário por que não <u>reimprimia</u> o livro de versos, que ele dizia ter saído com incorreções" (Machado de Assis, *Páginas Recolhidas*, p. 47).

reinação [De *reinar* + *-ção*.] *S. f.* **1.** *Pop.* Pândega, patuscada, folgança. **2.** *Bras.* Arte, traquinada, travessura.

reinaço [De *reinar*.] *S. m. Bras. RS Pop.* V. *cio* (1).

reinadio [De *reinar* + *-dio*.] *Adj. S. m. Pop.* Diz-se de, ou indivíduo pândego, folgazão, folgador, folgaz: "Detalhe picante nos <u>reinadios</u> que vão foliar à romaria: são todos corcundas." (Fialho d'Almeida, *Pasquinadas*, p. 96.)

reinado [De *reinar* + *-ado*[1].] *S. m.* **1.** Tempo de governo de um soberano (rei, imperador, etc.). **2.** *Fig.* Tempo de supremacia de alguém. **3.** Supremacia, domínio, predomínio. **4.** *Bras. Pop.* V. *reino* (1).

reinador (ô) [De *reinar* + *-dor*.] *Adj. Bras.* Que reina ou faz traquinadas: *criança <u>reinadora</u>.*

reinante [Do lat. *regnante*.] *Adj. 2 g.* **1.** Que reina. **2.** Que tem supremacia; que predomina; dominante. ● *S. 2 g.* **3.** Pessoa que reina; o rei ou a rainha.

reinar [Do lat. *regnare*.] *V. int.* **1.** Governar um Estado como rei ou soberano: *D. Pedro II <u>reinou</u> de 1840 a 1889.* **2.** Ter poder, influência; preponderar, dominar, predominar: *Durante séculos <u>reinaram</u> os romanos;* "Ele <u>reinava</u> na alma imortal d'Elisa: – que importava que outro se ocupasse do seu corpo mortal?" (Eça de Queirós, *Contos*, p. 297). **3.** Estar em vigor; estar em uso: *A moda parisiense ainda <u>reina</u>.* **4.** Alastrar-se, propagar-se, grassar: *As epidemias <u>reinavam</u> antes do saneamento da cidade.* **5.** Tornar-se notável; destacar-se, sobressair: *Cecília Meireles <u>reinou</u> pela beleza de sua poesia.* **6.** Estabelecer-se, generalizando-se: "Por um instante <u>reinou</u> nervosa expectativa" (Jorge Amado, *Teresa Batista Cansada de Guerra*, p. 61). **7.** *Pop.* Fazer troça, reinação; divertir-se, brincar, patuscar: *Os adolescentes gostam de <u>reinar</u>.* **8.** *Bras.* Fazer travessuras; travessear, traquinar: *As crianças desta idade <u>reinam</u>;* "– Era assim o Juca. Arrumava a malinha. *Quero ir para a chácara.* <u>Reinava</u>, se não atendido." (Dalton Trevisan, *Essas Malditas Mulheres*, p. 21). **9.** *Bras. RS* V. *alvoroçar* (7). *T. d.* **10.** Levar a cabo; exercer, realizar: *O soberano <u>reinou</u> um bom governo.* **11.** Traçar, planejar, maquinar: *Muito matreiro, <u>reina</u> coisas incríveis. T. c.* **12.** Exercer influência; ter poder: *O cristianismo romano <u>reina</u> em todo o mundo ocidental.*

reinaugurar [De *re-* + *inaugurar*.] *V. t. d.* Tornar a inaugurar: *O museu <u>reinaugurou</u> a exposição.*

reincidência (e-in) [De *reincindir* + *-ência*.] *S. f.* **1.** Ato ou efeito de reincidir. **2.** Obstinação, pertinácia, teimosia.

reincidente (e-in) [De *reincindir* + *-ente*.] *Adj. 2 g.* **1.** Que reincide; recidivo, vezeiro. ● *S. 2 g.* **2.** Pessoa reincidente (em erro ou crime).

reincidir (e-in) [De *re-* + *incidir*.] *V. t. i.* **1.** Tornar a incidir; recair: *<u>reincidir</u> em erro. Int.* **2.** Tornar a praticar um ato da mesma espécie; obstinar-se: *Os que <u>reincidirem</u> serão punidos.* **3.** *Jur.* Perpetrar, depois de condenado, novo crime ou contravenção, da mesma natureza ou não do anterior. **4.** *Jur.* Praticar reiteradamente a mesma infração de natureza civil ou administrativa.

reincitamento (e-in) [De *reincitar* + *-mento*.] *S. m.* Ação de reincitar.

reincitar (e-in) [De *re-* + *incitar*.] *V. t. d.* Incitar novamente.

reincorporação (e-in) [De *reincorporar* + *-ção*.] *S. f.* Ato ou efeito de reincorporar.

reincorporador (e-in... ô) [De *reincorporar* + *-dor*.] *Adj. S. m.* Que, ou aquele que reincorpora.

reincorporar (e-in) [De *re-* + *incorporar*.] *V. t. d.* Incorporar de novo: *O Exército <u>reincorporou</u> os reservistas.*

reinfeção (e-in) *S. f. Med.* V. *reinfecção*.

reinfecção (e-in) [De *re-* + *infecção*.] *S. f. Med.* Nova infecção, com os germes causadores de uma infecção anterior. [Var.: *reinfeção*.]

reinflamar (e-in) [De *re-* + *inflamar*.] *V. t. d. P.* Inflamar(-se) novamente: *A briga <u>reinflamou</u> os ânimos; Os ódios <u>reinflamaram-se</u> após a afronta.*

reinfundir (e-in) [De *re-* + *infundir*.] *V. t. d. e i.* Tornar a infundir: *As vitórias sucessivas <u>reinfundiram</u> ardor nos combatentes.*

reingressar (e-in) [De *re-* + *ingressar*.] *V. t. c.* Ingressar de novo: *Após acertar a vida, <u>reingressou</u> na Universidade.*

reingresso (e-in) [De *re-* + *ingresso*.] *S. m.* Ato de reingressar.

reiniciar (e-i) [De *re-* + *iniciar*.] *V. t. d.* **1.** Iniciar de novo; recomeçar, retomar. **2.** *Inform.* Fazer (um computador em operação) passar novamente pelo processo de iniciação (8). [Pres. ind.: *reinicio*, etc. Cf. *reinício*.]

reinício (e-i) [De *re-* + *início*.] *S. m.* Ato ou efeito de reiniciar; recomeço. [Cf. *reinicio*, do v. *reiniciar*.]

reinícola [De *reino* + *-i-* + *-cola*[1]; o lat. *regnicola* é 'habitante do reino dos Céus'.] *Adj. 2 g.* **1.** Que habita ou é natural do reino (especialmente de Portugal); reinol. ● *S. 2 g.* **2.** Jurisconsulto que se ocupa sobretudo da jurisprudência reinol.

reino [Do lat. *regnu*.] *S. m.* **1.** Monarquia governada por um rei, regente, rainha, etc. [Sin. (bras., pop.): *reinado*.] **2.** Os súditos do reino: *Todo o <u>reino</u> insurgiu-se contra o invasor.* **3.** *Fig.* Domínio, esfera, âmbito: *Vive no <u>reino</u> da fantasia.* **4.** *Restr.* O reino de Portugal (em relação ao Brasil colonial e a outras colônias). **5.** *Biol.* Cada uma das mais altas categorias em que se agrupam os seres vivos da natureza. [Com cap., nesta acepç. V. Reino *Animalia*, Reino *Fungi*, Reino *Plantae*, Reino *Monera* e Reino Protista.] **6.** Uma das divisões tradicionais do mundo sensível: *o <u>reino</u> mineral, ou inorgânico.* **7.** Conjunto de seres ou de coisas que têm caracteres semelhantes ou comuns: *O conto "O Soldadinho de Chumbo", de Andersen, passa-se no <u>reino</u> dos brinquedos.* **8.** *Bras. N.E.* Mistura ordinária de parati. ◆ **Reino *Animalia*.** *Biol.* O que inclui todos os seres eucariontes, pluricelulares, heterótrofos por ingestão, e sem celulose; Reino *Metazoa*. **Reino *Fungi*.** *Biol.* Aquele que inclui os seres eucariontes, com células formando massas de longos filamentos multinucleados chamados hifas, heterótrofos por absorção de produtos resultantes de uma digestão extracorpórea, vivendo em saprobiose ou em parasitismo. **Reino *Metaphyta*.** *Biol.* Reino *Plantae*. **Reino *Metazoa*.** *Biol.* Reino *Animalia*. **Reino *Monera*.** *Biol.* Aquele que compreende os seres mais simples, unicelulares, procariotos, sem plastos e sem mitocôndrias; Reino *Prokaryotae*. **Reino *Plantae*.** *Biol.* Aquele que inclui os seres eucariontes, pluricelulares (com exceção de algumas algas), autótrofos e fotossintetizadores; Reino *Metaphyta*. **Reino *Prokaryotae*.** *Biol.* Reino *Monera*. **Reino *Protista*.** *Biol.* Aquele que inclui seres eucariontes, unicelulares, sendo alguns fotossintetizadores e outros heterótrofos. **O reino do Céu.** *Teol.* A vida eterna.

reinol [De *reino* *-ol*[1].] *Adj. 2 g.* **1.** O natural do reino (4); reinícola: *fidalgo <u>reinol</u>.* **2.** Próprio do reino (4), ou dele emanado: *decretos <u>reinóis</u>.* ● *S. m.* **3.** Aquele que nasceu no reino: "que venha a movediça Barca do Inferno a mim se, na cobiça, / Eu separo o <u>reinol</u> de outro mineiro: / Quem no Brasil assiste é brasileiro." (Domingos Carvalho da Silva, *Liberdade Embora Tarde*, p. 14). [Pl.: *reinóis*.]

reinquirição (e-in) [De *reinquirir* + *-ção*.] *S. f.* Ato ou efeito de reinquirir.

reinquirir (e-in) [De *re-* + *inquirir*.] *V. t. d. Int.* Tornar a inquirir: "Inquiriu, <u>reinquiriu</u>, mas era dificultoso demais entender aquela gente." (Bernardo Élis, *Veranico de Janeiro*, p. 80.)

reinscrever (e-ins) [De *re-* + *inscrever*.] *V. t. d. P.* Tornar a inscrever(-se): *<u>Reinscreveu</u> seu nome, esperando ser premiado; <u>Reinscrevi-me</u> para os novos exames.* [Part.: *reinscrito*.]

reinscrição (e-ins) [De *re-* + *inscrição*.] *S. f.* Ato ou efeito de reinscrever; nova inscrição.

reinserção (e-in) [De *re-* + *inserção*.] *S. f.* Ato ou efeito de reinserir; nova inserção.

reinserir (e-in) [De *re-* + *inserir*.] *V. t. d.* Inserir novamente; tornar a inserir. [Conjug.: v. *aderir*.]

reinsistir (e-in) [De *re-* + *insistir*.] *V. int.* Insistir de novo, ou repetidas vezes.

reinspeção (e-ins) [De *re-* + *inspeção*.] *S. f.* Nova inspeção: "A páginas tantas chegou ao Liceu uma circular para que os professores em idade militar se apresentassem à <u>reinspeção</u> em tal lugar e em tal dia." (Aquilino Ribeiro, *Estrada de Santiago*, p. 123.)

reinstalação (e-ins) [De *reinstalar* + *-ção*.] *S. f.* Ato de reinstalar(-se).

reinstalador (ô) [De *reinstalar* + *-dor*.] *Adj.* **1.** Que reinstala. ● *S. m.* **2.** Aquele que reinstala. **3.** *Maç.* Qualquer dos irmãos, devidamente nomeados, que instalam de novo uma loja adormecida.

reinstalar (e-ins) [De *re-* + *instalar*.] *V. t. d. P.* Tornar a instalar(-se): *O eletricista <u>reinstalou</u> o ar-condicionado; O presidente <u>reinstalou-se</u> no seu cargo.*

reinstituição (re-ins... tu-i) [De *reinstituir* + *-ção*.] *S. f.* Ação ou efeito de reinstituir.

reinstituir (e-ins) [De *re-* + *instituir*.] *V. t. d.* Tornar a instituir: *O governo <u>reinstituiu</u> alguns impostos.*

reintegração (e-in) [De *reintegrar* + *-ção*.] *S. f.* **1.** Ato ou efeito de reintegrar(-se); reintegro. **2.** *Dir. Adm.* Reingresso do funcionário exonerado *ex officio* ou demitido ao serviço público, por força de decisão administrativa ou judicial, com ressarcimento dos vencimentos e vantagens e reconhecimento dos direitos ligados ao cargo. [Cf., nesta acepc., *readmissão* (2).] **3.** *Dir. Trab.* Reingresso do empregado que goza de estabilidade ao emprego, por força de decisão judicial, com ressarcimento dos salários e verbas a que tiver direito até o efetivo cumprimento da ordem judicial.

reintegrador (e-in... ô) [De *reintegrar* + *-dor*.] *Adj. S. m.* Que, ou aquele que reintegra.

reintegrar (e-in) [Do lat. *redintegrare*, por via semierudita.] *V. t. d. e i.* **1.** Restabelecer (alguém) na posse de um bem, de um emprego, de que fora despojado: *O novo diretor <u>reintegrou</u> nas cátedras os professores demitidos. T. d. e c.* **2.** Repor no mesmo lugar; reconduzir: *O pastor <u>reintegra</u> no rebanho as ovelhas transviadas. P.* **3.** Ser novamente investido; obter reintegração; reempossar-se: *O Ministro <u>reintegrou-se</u> no cargo.* [F. paral., p. us.: *redintegrar*.]

reintegro (e-in) [Dev. de *reintegrar*.] *S. m.* **1.** Reintegração (1). **2.** Prêmio de loteria correspondente ao dinheiro jogado.

reinterpretação [De *reinterpretar* + *-ção*.] *S. f.* Ato ou efeito de reinterpretar.

reinterpretar [De *re-* + *interpretar*.] *V. t. d.* Dar nova interpretação a.

reintrodução (e-in) [De *re-* + *introdução*.] *S. f.* Ato ou efeito de reintroduzir.

reintroduzir (e-in) [De *re-* + *introduzir*.] *V. t. d. T. d. e c.* Tornar a introduzir; introduzir de novo. [Conjug.: v. *aduzir*.]

reinvenção (e-in) [De *re-* + *invenção*.] *S. f.* Ação ou efeito de reinventar.

reinventar (e-in) [De *re-* + *inventar*.] *V. t. d.* Inventar outra vez.

reinvestimento (e-in) [De *reinvestir* + *-mento*.] *S. m.* **1.** Ato ou efeito de reinvestir. **2.** Quantia reinvestida.

reinvestir (e-in) [De *re-* + *investir*.] *V. t. d. Int.* **1.** Investir de novo. *T. i.* **2.** Atacar, arremeter. [Irreg. Conjug.: v. *aderir*.]

reio *El. s. m.* Us. na loc. adv. *a reio*. ◆ **A reio.** A fio; a eito; seguidamente. [Cf. *arreio*.]

reipersecutório [Do lat. *rei*, gen. de *res*, 'coisa', + *persecutoriu*, 'que acompanha', 'que segue'.] *Adj.* V. *ação* —*a*.

reira [De *rim*, ou de *ré*[2] + *-eira*.] *S. f.* **1.** Dor nos rins. **2.** V. *diarreia*. ~ V. *reiras*.

reiras [Pl. de *reira*.] *S. f. pl.* Cadeiras, rins. ~ V. *reira*.

reis *S. m. pl. Rel.* V. *dia de Reis*. [Cf. *réis*, pl. de *real*[2] (3).]

réis *S. m. pl.* Pl. de *real*[2] (3). [Cf. *reis*, pl. de *rei*, e *Reis*, antr., cronol. e top.]

reisada [De *reis* + *-ada*[1].] *S. f. Folcl.* V. *reisado*: "Mas já na rua ficavam esperando do lado de fora reisadas e marujadas, até uma dança do elefante que foi dançada só naquele ano e era meio sem graça." (Odilo Costa Filho, *História de Seu Tomé Meu Pai e Minha Mãe Maria*, p. 24.)

reisado [De *reis* + *-ado*[1].] *S. m. Bras. Folcl.* Dança dramática popular com que se festeja a véspera e o dia de Reis; reisada. [Cf. *rancho* (7) e *terno*[1] (3).] ◆ **Reisado cearense.** *Bras. Folcl.* V. *bumba meu boi* (1).

reis de boi *S. m. 2 n. Bras. Folcl.* V. *bumba meu boi* (1). ☑

reiteração [Do lat. *reiteratione*.] *S. f.* Ato ou efeito de reiterar.

reiterado [Part. de *reiterar*.] *Adj.* Repetido, renovado.

reiterar [Do lat. *reiterare*.] *V. t. d. T. d. e i.* Repetir, renovar; iterar: "Vai noutro peito, / Mistérios não sabidos relatando, / Contar do infausto amor as provas duras, / Os martírios da ausência, as tristes lágrimas / Que chora — ao reiterar protestos novos!" (Gonçalves Dias, *Obras Poéticas*, II, p. 107.)

reiteratividade [De *reiterativo* + *-(i)dade*.] *S. f.* Qualidade ou caráter de reiterativo.

reiterativo [De *reiterar* + *-tivo*] *Adj.* Que reitera ou serve para reiterar.

reiterável [De *reiterar* + *-vel*.] *Adj. 2 g.* Que pode ser reiterado.

reitor (ô) [Do lat. *rectore*.] *S. m.* **1.** Aquele que rege, dirige ou governa. **2.** Dirigente de certos estabelecimentos de ensino, em especial de ensino superior. **3.** *Lus.* Título que recebe o pároco de certas freguesias; prior.

reitorado [De *reitor* + *-ado*[2].] *S. m.* **1.** Reitoria (1). **2.** Tempo que dura a reitoria.

reitoria [De *reitor* + *-ia*[1].] *S. f.* **1.** Cargo ou dignidade de reitor; reitorado. **2.** Gabinete do reitor. **3.** Prédio onde está situado esse gabinete.

reiuna (ei-ú) [Fem. de *reiuno*.] *Adj. (f.)* **1.** Diz-se de uma espingarda curta e de fuzil, hoje em desuso. ● *S. f.* **2.** Essa espingarda. **3.** *Bras.* Botina com elástico, usada pelos soldados. [Cf. *reúna*, do v. *reunir*.] ❖

reiunada (ei-u) [De *reiuno* + *-ada*[1].] *S. f. Bras. S.* **1.** Os reiunos em geral. **2.** Manada de cavalos reiunos.

reiunar (ei-u) [Do esp. plat. *reyunar*.] *V. t. d. Bras. S.* Cortar a ponta de uma das orelhas de (animal), para indicar que é reiuno.

reiuno (ei-ú) [Do esp. plat. *reyuno*.] *Adj.* **1.** Fornecido pelo Estado, e particularmente pelas forças armadas, para fardamento dos soldados. **2.** De baixa qualidade; inferior, ruim. **3.** De baixa condição; reles, desprezível. ● *S. m.* **4.** *Bras. S.* O gado pertencente ao Estado, ou que não tem dono. **5.** *Bras. S.* Cavalo feio e de má qualidade. [Cf. *reúno*, do v. *reunir*.] ❖

reivindicabilidade [De *reivindicável* + *-(i)dade*, seg. o padrão erudito.] *S. f.* Qualidade de reivindicável.

reivindicação [Do lat. med. *reivindicatione*, 'reclamação da coisa'.] *S. f.* Ato ou efeito de reivindicar; vindícia.

reivindicador (ô) [De *reivindicar* + *-dor*.] *Adj.* **1.** Que reivindica; reivindicante. ● *S. m.* **2.** Aquele que reivindica.

reivindicante [De *reivindicar* + *-nte*.] *Adj. 2 g.* Reivindicador (1).

reivindicar [Voc. deduz. de *reivindicação* (v. *-ar*[2]).] *V. t. d.* **1.** Intentar demanda para reaver (propriedade que está na posse de outrem); vindicar. **2.** Reaver, readquirir, recuperar: *O funcionário reivindicou o antigo posto.* **3.** Tentar recuperar: *Reivindicou em vão o lugar perdido.* **4.** Tomar sobre si ou para si; assumir, avocar: *Todos reivindicaram os louros da vitória.* **5.** Reclamar, exigir, requerer: *O povo reivindicou seus direitos.* *T. d. e i.* **6.** Reivindicar (5): *O sindicato reivindicou aumento de salário para os trabalhadores*; "Reivindico para estas páginas um mérito apenas: o da absoluta independência." (Alceu Amoroso Lima, *A Realidade Americana*, p. 15). [Conjug.: v. *trancar*.]

reivindicativo [De *reivindicar* + *-tivo*.] *Adj.* Que envolve reivindicação; reivindicatório.

reivindicatório [De *reivindicar* + *-tório*.] *Adj.* Reivindicativo.

reivindicável [De *reivindicar* + *-vel*.] *Adj. 2 g.* Que se pode reivindicar.

reixa[1] [Do esp. *reja*.] *S. f.* **1.** Tábua pequena; tabuinha. **2.** Grade de janela; gelosia: "Olhando-lhe as reixas do confessionário, quase ouvia os cochichos de amor" (Mário de Alencar, *Alguns Escritos*, p. 113). **3.** *Patol.* Tumefação dolorosa dos condutos lacrimais.

reixa[2] [Do lat. *rixa*.] *S. f. Ant. Pop.* **1.** Briga, contenda, rixa. **2.** Ira, raiva, ódio.

reixador (ô) [De *reixar* + *-dor*.] *Adj. S. m. Pop.* V. *rixador*.

reixar [Do lat. *rixare*.] *V. int. Bras.* Disputar, rixar.

reizete (ê) [De *rei* + *-z-* + *-ete* (ê).] *S. m. Deprec.* Rei pouco importante, de meia-tigela; régulo.

reizinho [De *rei* + *-zinho*.] *S. m.* V. *régulo* (1).

rejeição [Do lat. *rejectione*.] *S. f.* **1.** Ato ou efeito de rejeitar[1]. **2.** *Med.* Fenômeno em consequência do qual um organismo elimina um enxerto, dada a incompatibilidade entre os tecidos desse organismo e os do organismo de que provém o enxerto.

rejeita-faixa *Adj. 2 g. e 2 n. Eletrôn.* ~ V. *filtro* —.

rejeitar[1] [Do lat. *rejectare*.] *V. t. d.* **1.** Lançar fora; largar, depor: *Os vencidos rejeitaram as armas.* **2.** Lançar de si; tirar de si; repelir: "arrancou o casaco ....; descalçou os sapatos; tirou as meias e quando se dispunha a rejeitar outras peças mais respeitáveis do vestuário, interrompi-a" (Amadeu de Queirós, *Os Casos do Carimbamba*, p. 113). **3.** Lançar de si; expelir; vomitar, regurgitar: *O doente, mal ingere a comida, rejeita-a.* **4.** Não admitir; recusar: *Orgulhoso, rejeita qualquer ajuda.* **5.** Não aprovar; reprovar, desaprovar: *O Congresso rejeitou o projeto.* **6.** Não aceitar; recusar: *Seu corpo rejeitou o órgão transplantado.* **7.** Ter em pouca ou nenhuma conta; desprezar, desdenhar: *Rejeita as pessoas que o bajulam.* **8.** Defender-se de; repelir: *O injuriado rejeitou energicamente as calúnias.* **9.** Opor-se ou negar-se a: *Alguns súditos rejeitaram pagar as taxas*; "Não sou .... dos que aceitam ou rejeitam em bloco os Estados Unidos." (Alceu Amoroso Lima, *A Realidade Americana*, p. 256). **10.** Atirar, arremessar, lançar, arrojar: *O índio rejeitou a flecha.* *T. d. e c.* **11.** Rejeitar (10): *O mar rejeitou nas praias os restos do navio.* **12.** Repelir, afastar, apartar: *Rejeitou de si a tralha inútil*; "Certas visões repentinas. As manchas de luz sobre este rochedo enegrecido. Eu não posso rejeitá-las do meu espírito, onde passaram a viver desde que as vi, ao cair da tarde." (Ascendino Leite, *Passado Indefinido*, p. 75).

rejeitar[2] [De *jarretar*, com metátese.] *V. t. d. Bras.* Cortar o rejeito[1] ou jarrete a; jarretar.

rejeitável [De *rejeitar*[1] + *-vel*.] *Adj. 2 g.* Que pode ou deve ser rejeitado.

rejeito[1] [Alter. de *jarrete*, com metátese e assimilação.] *S. m. Bras. Pop.* V. *jarrete*.

rejeito[2] [Dev. de *rejeitar*[2].] *S. m. Bras. RS* Ato ou efeito de rejeitar[2].

rejeito[3] [Dev. de *rejeitar*[1].] *S. m. Ant.* Arma de arremesso: um pau curto e pesado. ◆ **Rejeito nuclear.** Lixo atômico.

rejubilação [De *rejubilar* + *-ção*.] *S. f.* **1.** Ato ou efeito de rejubilar(-se). **2.** Júbilo intenso, rejúbilo.

rejubilar [De *re-* + *jubilar*[2].] *V. t. d.* **1.** Causar muito júbilo a: encher de júbilo; alegrar ou contentar ao extremo. *Int. P.* **2.** Ter grande júbilo; alegrar-se muito; folgar: "E por ali fora, alhures, estouravam roqueiras, estrugiam brados, toda a fazenda rejubilava como a uma bênção do céu." (Coelho Neto, *Rei Negro*, p. 103); *Rejubilou-se ao reencontrar o velho amigo.* [Pres. ind.: *rejubilo*, etc. Cf. *rejúbilo*.]

rejúbilo [Dev. de *rejubilar*.] *S. m.* Rejubilação (2). [Cf. *rejubilo*, do v. *rejubilar*.]

rejume *S. m. Bras. Pop.* Regime[1].

rejuntamento [De *rejuntar* + *-mento*.] *S. m. Constr.* Ato ou efeito de rejuntar; rejunte.

rejuntar [De *re-* + *junta* + *-ar*[2].] *V. t. d. Constr.* Tapar (as juntas de alvenaria ou de ladrilhos e azulejos) após o seu assentamento, para melhor vedação e aparência.

rejunte [Dev. de *rejuntar*.] *S. m. Constr.* **1.** Rejuntamento. **2.** *Pop.* O material utilizado neste tipo de acabamento: *Na loja havia rejunte laranja, mas não o prata.*

rejurar [De *re-* + *jurar*.] *V. t. d.* Jurar de novo, ou repetidas vezes: "O Conde rejurava à fé dos Evangelhos / Que o burgo pagaria o tributo lançado." (Júlio Dantas, *Sonetos*, p. 78.)

rejuvenescedor (ô) [De *rejuvenescer* + *-dor*.] *Adj.* Que rejuvenesce; rejuvenescente.

rejuvenescente [De *rejuvenescer* + *-nte*.] *Adj. 2 g.* Rejuvenescedor.

rejuvenescer [De *re-* + *juvenescer*.] *V. t. d.* **1.** Tornar jovem; remoçar: *A medicina busca recursos para rejuvenescer os velhos.* *Int. P.* **2.** Parecer jovem, não o sendo; remoçar: "Primitivamente, na Papuásia, diz a lenda, as criaturas não morriam: mudavam de pele, de quando em quando, como serpentes, e, a cada muda, rejuvenesciam." (Olavo Bilac, *Últimas Conferências e Discursos*, p. 345); *Rejuvenesceu-se com a vida tranquila que tem levado nos últimos tempos.* [Conjug.: v. *descer*.]

rejuvenescimento [De *rejuvenescer* + *-imento*.] *S. m.* Ato ou efeito de rejuvenescer(-se).

rela[1] [Do lat. **ranella*, em vez de *ranula*, dim. de *rana*, 'rã'.] *S. f. Zool.* V. *perereca* (1).

rela[2] [De *esparrela*, poss.] *S. f.* Armadilha para apanhar pássaros; arapuca.

rela[3] *S. f. Bras. MG* Passeio a pé; caminhada; *footing*.

relação [Do lat. *relatione*.] *S. f.* **1.** Ato de relatar; relato. **2.** Descrição, notícia, informação, relato. **3.** V. *lista* (1). **4.** Parecença, semelhança, analogia. **5.** Referência, ligação, vinculação. **6.** *Restr.* Ligação, contato, trato que pessoas, grupos ou países mantêm entre si. **7.** *Restr.* Relacionamento (3). **8.** Comparação entre duas quantidades mensuráveis. **9.** Antiga denominação comum aos tribunais de justiça de segunda instância. **10.** *Filos.* Categoria fundamental que designa o caráter das ideias (p. ex.: de comparação, fraternidade, adequação) que conferem unidade a dois ou mais objetos. [Cf., nesta acepç., *qualidade* (9) e *quantidade* (7).] **11.** *Lóg.* Operação que determina a agregação ou a conexão de dois objetos. **12.** *Mat.* Correspondência entre conjuntos, ou a expressão dessa correspondência. **13.** *Mús.* Num encadeamento de acordes, a correspondência entre os intervalos de um e de outro acorde. **14.** *Bras.* Relacionamento (3). ~ V. *relações*. ◆ **Relação de equivalência.** *Mat. Lóg.* Toda relação reflexiva, simétrica e transitiva entre os elementos de um conjunto. [Tb. se diz apenas *equivalência*.] **Relação de intercâmbio.** *Econ.* V. *relação de troca*. **Relação de troca.** *Econ.* Medida do poder de compra das exportações de um país, dada pelo índice de preços das exportações dividido pelo índice de preços das importações; relação de intercâmbio, termo de intercâmbio. **Relação não simétrica.** *Mat.* A que existe entre dois elementos de um conjunto quando o primeiro pode ter ou não com o segundo a mesma relação que o segundo tem com o primeiro. **Relação reflexiva.** *Mat.* Aquela em que é válida a reflexividade. **Relação simétrica.** *Mat.* A correspondência entre *A* e *B*, que é também válida entre *B* e *A*. **Relação transitiva.** *Mat.* A correspondência que é válida entre *A* e *C* se for válida entre *A* e *B* e entre *B* e *C*. **Relações de produção.** *Econ.* Na economia marxista, relações entre os homens, determinadas pelas forças produtivas (q. v.), e relativas à maneira como se distribuem entre os membros de uma sociedade os meios de produção (q. v.) e os bem materiais que estes determinam. [Cf. *modo de produção*.] **Relação do pedido.** *Angol.* Carta do pedido (q. v.).

relacionado [Part. de *relacionar*.] *Adj.* **1.** De que se fez relação. **2.** Narrado, referido. **3.** Que tem relações, amizades, conhecimentos: *É pessoa muito relacionada.*

relacional [De *relação* + *-al*[1], seg. o padrão erudito.] *Adj. 2 g.* **1.** De, ou referente a relação. **2.** Caracterizado por, ou que envolve relação ou relações determinadas. ~ V. *álgebra* — e *competência* —.

relacionamento [De *relacionar* + *-mento*.] *S. m.* **1.** Ato ou efeito de relacionar(-se). **2.** Capacidade, em maior ou menor grau, de relacionar-se, conviver ou comunicar-se com os seus semelhantes: *É pessoa de relacionamento difícil.* **3.** *Bras.* Ligação de amizade, afetiva, profissional, etc., condicionada por uma série de atitudes recíprocas; relação.

relacionar [De *relação* + *-ar*[2], seg. o padrão erudito.] *V. t. d.* **1.** Referir, narrar, relatar: *O viajante relacionou toda a viagem.* **2.** Dar ou fazer relação de; pôr em lista; arrolar, pautar: *Os funcionários relacionaram os contribuintes.* *T. d. e i.* **3.** Fazer adquirir relações, amizades: *O tio incumbiu-se de relacioná-lo com os novos colegas.* **4.** Estabelecer relação, analogia (entre coisas diferentes); confrontar: *Costumam os historiadores relacionar os fatos políticos com fatos econômicos e sociais*; *É impossível relacionar o seu brilhante presente ao seu medíocre passado.* *P.* **5.** Ter relação ou analogia; ligar-se: *Afirmou que os fatos não se relacionam com o que se diz.* **6.** Adquirir relações; travar conhecimento ou amizade: *Relacionou-se com as moças da vizinhança.*

relações [Pl. de *relação*.] *S. f. pl.* **1.** Conhecimento recíproco e/ou convivência entre pessoas: *relações de amizade*; *relações profissionais*; *cortar relações.* **2.** As pessoas com quem se mantêm relações (1). **3.** As ligações e associações entre grupos ou países no campo dos negócios ou dos assuntos diplomáticos. ~ V. *relação*. ◆ **Relações públicas.** **1.** [Do ingl. *public relations*.] Os métodos e atividades empregados por um indivíduo ou uma organização a fim de promover relacionamento favorável com o público em geral. **2.** Os conhecimentos necessários para exercer tais atividades. [Cf. *relações-públicas*.] **Ter relações com.** Copular.

relações-públicas *S. 2 g. e 2 n.* Pessoa que trabalha em relações públicas (q. v.).

relacrar [De *re-* + *lacrar*.] *V. t. d.* Lacrar de novo.

relamber [De *re-* + *lamber*.] *V. t. d.* Tornar a lamber.

relambório *Adj. Bras.* Sem graça; desinteressante, insípido.

relampadear [De *relâmpado* + *-ear*[2].] *V. int. T. d. e i.* V. *relampaguear*. [Conjug.: v. *frear*. Defect., us. normalmente só na 3.ª pess. sing.]

relampadejante [De *relampadejar* + *-nte*.] *Adj. 2 g.* V. *relampagueante*.

relampadejar [De *relâmpado* + *-ejar*.] *V. int. T. d. e i.* V. *relampaguear*: "Venta e relampadeja. A tempes-

R

tade ruge!" (Martins Fontes, *Verão*, p. 35.) [Conjug.: v. *pelejar*. Defect., us. normalmente só na 3ª pess. sing.]

relâmpado *S. m. Ant.* Relâmpago.

relâmpago [De *re-* + *o* rad. lat. de *lampare*, 'fulgir', 'brilhar'.] *S. m.* **1.** Luz intensa e rápida produzida pela descarga elétrica entre duas nuvens, e que, ger., precede o ruído do trovão. [Cf. *raio* (4).] **2.** *Fig.* Clarão súbito e breve. **3.** *Fig.* Aquilo que é rápido e efêmero. ● ***Adj. 2 g.*** **4.** Rápido como o relâmpago (1): *uma visita relâmpago*. ~ V. *comício* —. ◆ **Num relâmpago.** Num abrir e fechar de olhos; num átimo.

relampagueante [De *relampaguear* + *-nte*.] ***Adj. 2 g.*** Que relampagueia; relampejante, relampeante, relampadejante.

relampaguear [De *relâmpago* + *-ear*[2].] ***V. int.*** **1.** Produzirem-se relâmpagos [v. *relâmpago* (1)]: *Relampagueava em meio da forte tempestade.* **2.** Brilhar repentinamente; fulgurar, cintilar, faiscar; lampejar: *O diamante relampagueava em seu belíssimo colo.* ***T. d. e i.*** **3.** Mostrar como num relâmpago: *Os últimos acontecimentos relampaguearam a todos a verdadeira história.* **4.** Volver para, dirigir, com a rapidez do relâmpago: *Relampagueou olhares cobiçosos às finas joias.* [Sin. ger.: *relampadejar*, *relampadear*, *relampear*, *relampejar*. Conjug.: v. *frear*. Defect., us. normalmente só na 3ª pess. sing.]

relampeante [De *relampear* + *-nte*.] ***Adj. 2 g.*** V. *relampagueante*.

relampear [De *relampo* + *-ear*[2].] ***V. int. T. d. e i.*** V. *relampaguear*. [Conjug.: v. *frear*. Defect., us. normalmente só na 3ª pess. sing.]

relampejante [De *relampejar* + *-nte*.] ***Adj. 2 g.*** V. *relampagueante*.

relampejar [De *relampo* + *-ejar*.] ***V. int. T. d. e i.*** V. *relampaguear*. [Conjug.: v. *pelejar*. Defect., us. normalmente só na 3ª pess. sing.]

relampejo (ê) [Dev. de *relampejar*.] *S. m.* Ação de relampejar.

relampo [De *relâmpago*, com síncope.] *S. m. Pop.* Relâmpago.

relançamento [De *relançar* + *-mento*.] *S. m. Bras.* Ação ou efeito de relançar (1 e 2).

relançar [De *re-* + *lançar*.] ***V. t. d.*** **1.** Lançar de novo. **2.** *Bras.* Tornar a lançar no mercado (um produto, uma mercadoria, especialmente livro). **3.** Relancear (2). ***T. d. e i. T. d. e c.*** **4.** Relancear (1). [Conjug.: v. *laçar*.]

relance[1] [Dev. de *relançar*.] *S. m.* Ato ou efeito de relancear. ◆ **De relance.** Com rapidez; rapidamente.

relance[2] [De *re-* + *lance*.] *S. m. Taur.* Segunda sorte que o toureiro executa, não prevista pelos espectadores.

relancear [De *relance*[1] + *-ear*[2].] ***V. t. d. e i. T. d. e c.*** **1.** Dirigir rapidamente (os olhos, a vista): *O curioso relanceou os olhos para a bela dama*; "Esbugalhou grandes olhos, e relanceou-lhe uma mirada, que nunca se soube se era de censura, se era de espanto, se era de dor..." (Cândido Jucá [Filho], *Noite Insone*, p. 120); *Relanceou o olhar para a praia.* ***T. d.*** **2.** Olhar de relance: *Mal teve tempo de relancear o passante*; "relanceia um olhar indagador e soberano" (Augusto Meyer, *No Tempo da Flor*, p. 14). [F. paral.: *relançar*. Conjug.: v. *frear*.] ● ***S. m.*** **3.** Vista de olhos; relance.

relancina [De *relance*[1] + *-ina*[1].] *S. f. Bras. S.* Us. na loc. adv. *de relancina*. ◆ **De relancina.** De relance; repentinamente: "olhou-o de relancina, acendeu um cigarro, cuspiu para um lado e pagou a despesa." (Cornélio Pires, *Quem Conta um Conto...*, p. 192).

relancinho [De *relance*[1] + *-inho*[1].] *S. m. Bras.* **1.** Nos jogos carteados, batida na primeira rodada, com as cartas que se têm na mão e mais a que se comprou. [Cf. *loba*[1] (3).] **2.** *Bras. N.E.* Certo jogo carteado.

relapsão [De *relapso* + *-ão*[3].] *S. f.* **1.** Ato de cair para trás. **2.** Reincidência, obstinação; teimosia.

relapsia [De *relapso* + *-ia*[1].] *S. f.* Reincidência no crime ou no erro; contumácia.

relapso [Do lat. *relapsu*, 'que tornou a cair no vício, no pecado'.] ***Adj. S. m.*** **1.** Diz-se de, ou aquele que reincide em erro. **2.** Diz-se de, ou aquele que é impenitente, obstinado, contumaz. **3.** *Bras.* Que, ou aquele que falta a seus deveres, a suas obrigações: *Funcionário relapso, nunca é encontrado na repartição.*

relar [Var. de *ralar*.] ***V. t. d.*** **1.** V. *ralar* (1 a 4). **2.** *Bras.* Tocar de leve em (alguma coisa); roçar, roçagar: *A suave brisa relou seu rosto.* ***T. i.*** **3.** Tocar em, com intuito libidinoso. ***Int.*** **4.** V. *ralar* (5 e 6). **5.** Esfregar (7). **6.** Jogar o ás sobre a carta sete, no jogo de bisca. ***P.*** **7.** V. *ralar* (9 e 10).

relargar ***V. t. d.*** *Tec.* Provocar a precipitação ou a coagulação de (uma substância) pela adição de sal ao líquido em que estava dissolvida ou suspensa. [Conjug.: v. *largar*.]

relasso ***Adj. S. m.*** V. *relaxo*.

relatar [De *relato* + *-ar*[2].] ***V. t. d.*** **1.** Mencionar, narrar, referir, expor, descrever: *A vítima relatou minuciosamente o roubo*; "Nisard acusa Juvenal de relatar com indiferença o suplício dos primeiros cristãos." (Fausto Cunha, *Situações da Ficção Brasileira*, p. 100). **2.** Fazer relação, lista ou rol de; relacionar, arrolar: "As ordens já são mandadas, / já se apressam os meirinhos. / Entram por salas e alcovas, / relatam roupas e livros" (Cecília Meireles, *Obra Poética*, p. 776). **3.** Fazer relatório (3) de. **4.** *Jur.* Apresentar o relator, de forma resumida, os fundamentos de causa alegados pelas partes bem como o desenvolvimento dos atos processuais aos demais integrantes de um colegiado do tribunal, antes de submeter seu voto a apreciação: *O desembargador mais antigo relatará esta questão.* **5.** *Jur.* Descrever o juiz, resumidamente, os fatos alegados, os fundamentos de direito evocados pelas partes e o desenvolvimento dos atos processuais, antes de fundamentar a sentença e explicitar a decisão por ele adotada. ***T. d. e i.*** **6.** Relatar (1): *Os astronautas relataram ao público as suas impressões.* **7.** Incluir, inserir, introduzir: *A História ainda relatará muitos heróis em seus anais.* ***Bit. i.*** **8.** Relatar (1): "Antes de vir para a mesa, já a tia Palmira .... devia ter relatado ao tio João do entusiasmo do Júlio no baile, e das esperanças que daí me era lícito acalentar." (Maria Archer, *Nada lhe Será Perdoado*, p. 100).

relativa [F. subst. de *relativo*.] *S. f. E. Ling.* Oração relativa (q. v.).

relativamente [Do f. de *relativo* + *-mente*.] ***Adv.*** **1.** De modo relativo; em termos relativos. **2.** Em certo grau, em certo termo, comparando-se com outros elementos; de certa forma ou modo: *O teste foi relativamente fácil.* **3.** *Farm.* Não muito, não completamente.

relatividade [De *relativo* + *-(i)dade*.] *S. f.* **1.** Qualidade ou estado de relativo; relativismo. **2.** *Fís.* Teoria física segundo a qual o tempo e o espaço são grandezas inter-relativas, não podendo, pois, ser consideradas independentemente uma da outra, e cuja ideia fundamental é estabelecer leis que sejam invariantes em relação ao sistema de referência, *i. e.*, que assumam o mesmo aspecto em relação a qualquer referencial.

relativismo [De *relativo* + *-ismo*.] *S. m.* **1.** Relatividade (1). **2.** *Filos.* Atitude ou doutrina que afirma que as verdades (morais, religiosas, políticas, científicas, etc.) variam conforme a época, o lugar, o grupo social e os indivíduos. ◆ **Relativismo cultural.** *Antrop.* Ponto de vista segundo o qual toda atividade e toda crença humana são iguais em valor, e assumem seu significado apenas quando considerados em seu próprio contexto de uso. [Cf. *universalismo* (4).]

relativista[1] [De *relativismo* + *-ista*.] ***Adj. 2 g.*** **1.** Referente ao, ou que é adepto do relativismo. ● ***S. 2 g.*** **2.** Adepto do relativismo.

relativista[2] [De *relativo* + *-ista*.] ***Adj. 2 g.*** *Fís.* Relativístico. ~ V. *cosmologia* —.

relativístico [De *relativista* + *-ico*[2].] ***Adj.*** *Fís.* Diz-se de qualquer fenômeno em que têm papel importante ou significativo as consequências da teoria da relatividade; relativista.

relativização [De *relativizar* + *-ção*.] *S. f.* Ato ou efeito de relativizar.

relativizar [De *re-* + *interpretar*.] ***V. t. d.*** Dar a (algo) caráter relativo, i. e., tratá-lo como contingente, como fruto das circunstâncias, negando-lhe caráter absoluto.

relativo [Do lat. *relativu*.] ***Adj.*** **1.** Que indica relação; referente, respeitante, concernente. **2.** Casual, fortuito, acidental. **3.** Julgado por comparação; proporcional. **4.** *E. Ling.* Diz-se da oração regida por um pronome relativo. **5.** *Mús.* Diz-se de dois tons [v. *tom* (13)] que têm a mesma armadura de clave, estando um no modo maior e outro no modo menor, e suas tônicas a uma distância de terceira menor. ~ V. *abertura —a*, *densidade —a*, *dispersão —a*, *erro —*, *frequência —a*, *frequência acumulada —a*, *maioria —a*, *marcação —a*, *número —*, *pronome —*, *superlativo —*, *tempo —*, *umidade —a*, *verbo —* e *viscosidade —a*. ● ***S. m.*** **6.** *E. Ling.* Pronome relativo (q. v.).

relato [Do lat. *relatu*, part. pass. de *referre*, 'levar consigo'; 'referir', 'transcrever'.] *S. m.* **1.** Ato ou efeito de relatar; relação. **2.** Descrição, notícia, informação, relação, relatório (de um fato, de um estado de espírito, etc.): "Ouvi pacientemente o relato dos seus males, temperado com pormenores de intimidade conjugal." (Fernando Namora, *Retalhos da Vida de um Médico*, p. 131.)

relator (ô) [Do lat. *relatore*.] *S. m.* **1.** Aquele que relata. **2.** Aquele que escreve um relatório. **3.** Aquele que relata, narra ou conta; narrador. **4.** *Jur.* Membro de um tribunal encarregado de relatar (4).

relatório [De *relato* + *-ório*.] *S. m.* **1.** Narração ou descrição verbal ou escrita, ordenada e mais ou menos minuciosa, daquilo que se viu, ouviu ou observou: *o relatório de uma testemunha, de um médico.* **2.** Exposição das atividades de uma administração ou duma sociedade. **3.** Exposição e relação dos principais fatos colhidos por comissão ou pessoa encarregada de estudar determinado assunto. **4.** Exposição dos fundamentos de um voto ou de uma opinião. [Cf. *parecer* (12).] **5.** Exposição prévia dos fundamentos de uma lei, decreto, decisão, etc.

→ **relax** [ɹɪ'læks] [Ingl.] *S. m.* Relaxamento (3).

relaxação [Do lat. *relaxatione*.] *S. f.* **1.** Ato ou efeito de relaxar(-se); relaxamento, relaxidão, relaxe. **2.** V. *relaxamento* (2). **3.** Diminuição do tono muscular. **4.** Comportamento e/ou hábitos licenciosos; devassidão, libertinagem, licenciosidade. **5.** Diminuição gradual do estado de tensão de um corpo sob deformação constante. **6.** *Fís.* Qualquer dos comportamentos dum sistema que responde lentamente às influências ou modificações externas e tende assintoticamente a um estado de equilíbrio compatível com as influências que sofre.

relaxado [Part. de *relaxar*.] ***Adj.*** **1.** Frouxo, bambo, lasso, relaxo, relasso. **2.** *Fig.* Descuidado no cumprimento de suas obrigações. **3.** *Fig.* Desmazelado, desleixado. **4.** *Fig.* Dissoluto, devasso, imoral, desmoralizado. **5.** *Bras.* Que se traja sem apuro ou sem cuidado. ● ***S. m.*** **6.** Indivíduo relaxado.

relaxador (ô) [Do lat. *relaxatore*.] ***Adj.*** **1.** Que relaxa. ● ***S. m.*** **2.** Aquele ou aquilo que relaxa. [Sin. ger.: *relaxante*.]

relaxamento [De *relaxar* + *-mento*.] *S. m.* **1.** V. *relaxação* (1). **2.** Desleixo, desmazelo, relaxação, relaxidão; incúria. **3.** Relaxação (3) acompanhada de diminuição da tensão mental, e que acarreta uma sensação de repouso. [Correspondente, nesta acepç., ao ingl. *relax*.] ◆ **Relaxamento de prisão.** *Dir. Proc. Civ.* Ato judicial pelo qual, configuradas as circunstâncias previstas em lei, é liberado o encarcerado ainda não condenado.

relaxante [De *relaxar* + *-nte*.] ***Adj. 2 g. S. 2 g.*** V. *relaxador*.

relaxar [Do lat. *relaxare*.] ***V. t. d.*** **1.** Diminuir a força ou a tensão de; tornar frouxo ou lasso; afrouxar: *relaxar os cabos para que não rebentem*; "A fadiga me relaxava os músculos." (Cândido Jucá [filho], *Noite Insone*, p. 47). **2.** Dispensar do cumprimento de (lei ou dever): *A Igreja relaxou a abstinência.* **3.** Remitir culpas ou pecados a; perdoar a; absolver: *Deus relaxa os pecados sinceramente arrependidos.* **4.** Atenuar, moderar, abrandar, suavizar: *O novo código relaxará as penas.* **5.** Corromper, perverter; depravar: *O hedonismo relaxa a moral.* **6.** Tornar fraco ou mais fraco; enfraquecer, debilitar: *relaxar o ânimo.* ***Int.*** **7.** Afrouxar, enfraquecer, entibiar: *A vontade não relaxou, apesar das dificuldades.* **8.** Fazer o relaxe (2) de contribuição. ***T. i.*** **9.** Condescender, transigir, contemporizar: *Não relaxaremos com os corruptos.* **10.** Enfraquecer, afrouxar, entibiar-se: *O bom soldado não relaxa no cumprimento do dever.* ***P.*** **11.** Perder a força ou a tensão; afrouxar-se: *Os músculos se relaxam após o banho quente.* **12.** Tornar-se negligente; desleixar-se, desmazelar-se: *Relaxou-se nas suas obrigações.* **13.** Desmoralizar-se, perverter-se, corromper-se: *Muitos políticos relaxam-se no poder.* [Var., p. us.: *releixar*.]

relaxe [Dev. de *relaxar*.] *S. m.* **1.** V. *relaxação* (1). **2.** Transferência para a Justiça da cobrança coercitiva de contribuições não pagas voluntariamente nos prazos legais.

relaxidão [De *relaxo* + *-idão*.] *S. f.* **1.** V. *relaxação* (1). **2.** V. *relaxamento* (2).

relaxo [Dev. de *relaxar*.] ***Adj.*** **1.** V. *relaxado* (1). [Var. (bras., N.E., pop.), nesta acepç.: *releixo*[2].] ● ***S. m.*** **2.** *Bras. N.E.* Discurso em verso. **3.** *Bras. N.E.* Dito vanglorioso ou burlesco. [Var.: *relasso*.]

relé[1] [Var. de *ralé*.] *S. f.* V. *ralé* (1): "a vil relé de agarenos" (Alexandre Herculano, *Lendas e Narrativas*, II, p. 20). [Cf. *relê*, do v. *reler*.]

relé[2] [Do fr. *relais*.] *S. m. Eletr.* Dispositivo por meio do qual um circuito é controlado por variações das condições elétricas nele mesmo, ou noutro circuito. [Cf. *relê*, do v. *reler*.]

→ **release** [ɹɪ'lijs] [Ingl.] *S. m.* Notícia distribuída à imprensa, ao rádio, à TV, etc., para ser divulgada gratuitamente.

relega (ê) *S. f.* Bossagem (2).

relegar [Do lat. *relegare*.] ***V. t. d. e c.*** **1.** Fazer sair de um lugar para outro; expatriar, desterrar, banir: *Os portugueses relegaram para a África diversos brasileiros implicados na Conjuração Mineira.* **2.** Afastar com desdém ou desprezo: *O novo monarca relegou da corte parte da aristocracia.* ***T. d.*** **3.** Pôr em segundo plano; desprezar. ***P.*** **4.** Internar-se em uma colônia: *Portugueses foragidos relegaram-se no Brasil.* [Conjug.: v. *regar*.]

releitura [De *re-* + *leitura*.] *S. f.* **1.** Nova leitura. **2.** Interpretação, forma, etc., diferente, que se dá a algo: 📖 "A jovem banda pernambucana Seu Chico apresenta no Rio <u>releitura</u> da obra de Chico Buarque." (*O Globo*, 12.06.2008.)

releixar *V. t. d. T. i. Int. P.* V. *relaxar*.

releixo[1] [Do esp. *relej* ou *releje*.] *S. m.* **1.** Atalho à beira de um muro ou de um fosso. **2.** Saliência de um muro. **3.** Terreno não cultivado, à beira de um muro. **4.** Fio de instrumento cortante.

releixo[2] [Var. de *relaxo*.] *Bras. N.E. Pop. Adj.* V. *relaxado* (1 e 4).

relembrança [De *relembrar* + *-ança*.] *S. f.* Ato ou efeito de relembrar; recordação. [Sin., ant.: *remembrança*.]

relembrar [De *re-* + *lembrar*.] *V. t. d. T. d. e i. P.* Lembrar(-se) de novo; trazer novamente à memória; recordar(-se): 📖 "Quando chegar depois tua velhice / Batida pelos bárbaros invernos, / <u>Relembrarás</u> chorando o que eu te disse, / À sombra dos sicômoros eternos!" (Augusto dos Anjos, *Eu*, p. 107.)

relento [De *re-* + *lento*.] *S. m.* **1.** Umidade atmosférica da noite; sereno. V. *orvalho* (1). **2.** Frouxidão orgânica devida à umidade da noite. **3.** Cheiro nauseabundo; bafio: 📖 "A falta de arejamento mantinha ali um <u>relento</u> de trampa e urina." (Pedro Nava, *Beira-Mar*, p. 33.)

reler [De *re-* + *ler*.] *V. t. d.* Tornar a ler, ou ler muitas vezes: 📖 "Eduardo leu esta carta com avidez, e <u>releu</u>-a para compreendê-la melhor" (Machado de Assis, *Histórias Românticas*, p. 17). [Irreg. Conjug.: v. *ler*. Pres. ind.: *releio*, *relês*, *relê*, etc. Cf. *relé*.]

reles [De *relé*[1], poss.] *Adj. 2 g. e 2 n.* **1.** Muito ordinário; baixo, desprezível, vil: ✎ *gente <u>reles</u>; comportamento <u>reles</u>.* **2.** Sem valor; insignificante, pífio.

relevação [Do lat. *relevatione*.] *S. f.* Ato ou efeito de relevar.

relevado [Part. de *relevar*.] *Adj.* **1.** Que forma relevo ou saliência, saliente. **2.** Que sobressai; preclaro, eminente. **3.** Que é superior. **4.** Que foi objeto de perdão ou desculpa.

relevador (ô) [De *revelar* + *-dor*.] *Adj. S. m.* Que, ou aquele que releva.

relevamento [De *relevar* + *-mento*.] *S. m.* **1.** Ato ou efeito de relevar(-se); relevo. **2.** Perdão, desculpa.

relevância [De *relevar* + *-ância*.] *S. f.* **1.** Qualidade de relevante. **2.** Saliência, protuberância, proeminência; relevo. **3.** Grande valor, conveniência ou interesse; importância, relevo.

relevante [Do lat. *relevante*.] *Adj. 2 g.* **1.** Que releva. **2.** Que sobressai ou ressalta; saliente, proeminente, protuberante. **3.** De grande valor, conveniência ou interesse; importante. ● *S. m.* **4.** Aquilo que importa ou é necessário.

relevar [Do lat. *relevare*.] *V. t. d.* **1.** Dar relevo a; tornar saliente; fazer sobressair: ✎ *A história da arte <u>relevou</u> muitos artistas obscuros em sua época*; 📖 "um gênio fácil e ameníssimo, e gosto literário, qualidades não muito frequentes nos desterrados para as estrelas, <u>relevam</u> e douram os seus méritos científicos" (Antônio Feliciano de Castilho, *Escavações Poéticas*, p. 210). **2.** Atenuar, aliviar; consolar: ✎ *A amizade <u>releva</u> os sofrimentos.* **3.** Desculpar, perdoar, redimir: ✎ *Não podemos <u>relevar</u> todos os erros.* **4.** Tornar possível; permitir, consentir. *T. d. e i.* **5.** Absolver, perdoar; desculpar: ✎ *A empresa <u>relevou</u>-o dos atrasos*; 📖 "<u>releva</u>-nos as maiores fraquezas e os maiores ridículos que lhe confessemos" (Ramalho Ortigão, *Em Paris*, p. 122). *Int.* **6.** Ser conveniente, necessário; importar: 📖 "<u>Releva</u> notar que ele não recorreu à inventiva senão depois de experimentar a falsificação" (Machado de Assis, *Memórias Póstumas de Brás Cubas*, p. 8). *P.* **7.** Salientar-se, sobressair, distinguir-se: ✎ *Grandes vultos <u>relevam-se</u> na História.* [Como int. e t. i., só é us. nas 3.as pess. Pres. ind.: *relevo*, etc. Cf. *relevo* (ê), s. m.]

relevável [De *relevar* + *-vel*.] *Adj. 2 g.* Que se pode relevar ou perdoar.

relevo (ê) [Dev. de *relevar*.] *S. m.* **1.** V. *relevamento* (1). **2.** V. *relevância* (2 e 3). **3.** Aquilo que sobressai por formar saliência sobre qualquer superfície relativamente plana. **4.** *Art. Plást.* Escultura, gravura, etc., trabalhada de modo que forme relevo (3). [Cf., nesta acepç.: *alto-relevo* e *baixo-relevo*.] **5.** *Fig.* Distinção, realce, destaque. **6.** *Geogr.* O conjunto das diferenças de nível da superfície terrestre: montanhas, vales, planícies, depressões, etc. [Pl.: *relevos* (ê). Cf. *relevo*, do v. *relevar*.] ◆ **Relevo seco.** *Art. Gráf.* V. *gofragem.* **Relevo tipográfico.** *Tip.* Termografia (1).

relha (ê) [Do lat. *regula*, 'barra de ferro'.] *S. f.* **1.** A parte do arado ou charrua que penetra na terra. **2.** Peça de ferro, na roda dos carros de bois, que segura as cambas e o meão. [Pl.: *relhas* (ê); dim. irreg.: *relhote*, *relhota*, Cf. *relha* e *relhas*, flex. de *relho*, adj.]

relhaço [De *relho* (ê) + *-aço*.] *S. m. Bras. S.* Relhada: 📖 "Rapazes .... exibiam-se ante as belas raparigas palreiras, ... fazendo saltar e atormentando a <u>relhaços</u> .... os seus ossudos cavalos magros e enlameados" (Virgílio Várzea, *Histórias Rústicas*, pp. 111-112).

relhada [De *relho* (ê) + *-ada*[1].] *S. f. Bras.* Golpe de relho: 📖 "O burro é resignado. Ele vem através da história prestando serviços sem descansar e apanhando <u>relhadas</u> como se fosse obrigação." (João do Rio, *Vida Vertiginosa*, pp. 324-325.) [Sin., S.: *relhaço*.]

relhador (ô) [De *relhar* + *-dor*.] *S. m. Bras. S.* Relho muito longo.

relhar[1] [De *relha* + *-ar*[2].] *V. t. d.* Atravessar com relha; pôr uma relha, ou relhas, em. [Pres. ind.: *relho* (ê), *relhas* (ê), *relha* (ê), etc. Cf. *relho*, adj., e flex. *relha*, *relhas*.]

relhar[2] [De *relho* (ê) + *-ar*[2].] *V. t. d. Bras.* Açoitar com relho: ✎ *O cavaleiro <u>relhou</u> o animal para acelerar a marcha.* [Pres. ind.: *relho* (ê), *relhas* (ê), *relha* (ê), etc. Cf. *relho*, adj., e flex. *relha*, *relhas*.]

relheira [De *relha* + *-eira*.] *S. f.* Sulco deixado nas estradas pelas rodas do carro; relheiro. [Cf. *rilheira*.]

relheiro [De *relho* (ê) + *-eiro*.] *S. m.* Relheira. ~ V. *relheiros*.

relheiros *S. m. pl. Bras. N.* As águas que se entrechocam ao longo das costas do PA ao MA. ~ V. *relheiro*.

relho *Adj.* F. sincopada de *revelho*, us. somente na loc. *velho e relho* (q. v.). [Flex.: *relha*, *relhos*, *relhas*. Cf. *relho* (ê), s. m., *relha* (ê), s. f., pl. *relhas* (ê), e *relho* (ê), *relhas* (ê), *relha* (ê), dos v. *relhar*[1] e *relhar*[2].]

relho (ê) [De *relha*.] *S. m.* Chicote de couro torcido. [Pl.: *relhos* (ê). Cf. *relho*, adj., pl. *relhos*.]

relhota [De *relha* + *-ota*[1].] *S. f.* Relhote.

relhote [De *relha* + *-ote*[1].] *S. m.* Pequena relha; relhota.

relicário [De **reliquiário* (< *relíquia* + *-ário*), com dissimilação.] *S. m.* **1.** *Rel.* Recinto especial, ou urna, cofre, caixa, etc., próprio para guardar as relíquias de um santo; osculatório. **2.** *Rel.* Abditório. **3.** *Rel.* Espécie de bolsinha com relíquia (1) que muitos fiéis trazem ao pescoço. **4.** Coisa preciosa, de grande preço e valor.

relicitação [De *relicitar* + *-ção*.] *S. f.* Ato ou efeito de relicitar.

relicitar [De *re-* + *licitar*.] *V. t. d.* **1.** Licitar novamente. *Int.* **2.** Cobrir um lanço, em leilão ou hasta pública.

relicto [Do lat. *relictus*, a, um, part. pass. de relinquere, 'deixar', 'abandonar'.] *Adj. S. m. Biol.* **1.** Diz-se de, ou espécie vegetal ou animal que ocupa, atualmente, áreas ou hábitats isolados, e que são remanescentes de uma flora ou fauna anteriormente ali abundantes. **2.** Diz-se de, ou espécie que é a única sobrevivente de seu grupo.

religação [Do lat. *religatione*.] *S. f.* Ação ou efeito de religar; religamento.

religamento [De *religar* + *-mento*.] *S. m.* Religação.

religar [Do lat. *religare*.] *V. t. d. T. d. e i.* **1.** Tornar a ligar: 📖 "só naquela manhã recobrara a presença de espírito, a lucidez necessária para relacionar os fatos com as pessoas, <u>religar</u> a corrente das ideias e dos acontecimentos" (Inglês de Sousa, *O Missionário*, p. 312). **2.** Atar ou ligar bem: ✎ *Os marinheiros <u>religaram</u> as amarras.* [Conjug.: v. *largar*.]

religião [Do lat. *religione*.] *S. f.* **1.** Crença na existência de uma força ou forças sobrenaturais, considerada(s) como criadora(s) do Universo, e que como tal deve(m) ser adorada(s) e obedecida(s). **2.** A manifestação de tal crença por meio de doutrina e ritual próprios, que envolvem, em geral, preceitos éticos. **3.** *Restr.* Virtude do homem que presta a Deus o culto que lhe é devido. **4.** Reverência às coisas sagradas. **5.** Crença fervorosa; devoção, piedade. **6.** Crença numa religião [v. *religião* (1 e 2)]determinada; fé, culto: ✎ *Esta moça adotou a <u>religião</u> do marido.* **7.** Vida religiosa: ✎ *Abandonou o mundo e abraçou a <u>religião</u>.* **8.** Qualquer filiação a um sistema específico de pensamento ou crença que envolve uma posição filosófica, ética, metafísica, etc. **9.** Modo de pensar ou de agir; princípios: ✎ *Falar mal dos outros é contra minha <u>religião</u>.* ◆ **Religião comparada.** Ramo de estudos, desenvolvido principalmente no séc. XIX, em que se empregam conceitos das ciências sociais e métodos e conhecimentos científicos para, mediante a comparação objetiva entre as diversas religiões particulares, determinar a história e explicar a natureza da religião como fenômeno humano universal. **Religião de possessão.** *Antrop.* Conjunto de práticas e crenças religiosas que formam um sistema em que a experiência da possessão por espíritos, divindades, etc. tem importância central; culto de possessão. **Religião do caboclo.** *Bras.* V. *linha do caboclo*.

religionário [De *religião* + *-ário*, seg. o padrão erudito.] *S. m.* Sectário de uma religião.

religiosa [Fem. de *religioso*.] *S. f.* Mulher que fez votos monásticos; freira.

religiosamente [Do f. de *religioso* + *-mente*.] *Adv.* **1.** No cumprimento, ou como no cumprimento, de preceito religioso. **2.** Com pontualidade própria de religioso: 📖 "quando o fumacê aparecia na minha rua, <u>religiosamente</u> uma vez por semana, a gente corria para fechar todas as janelas e não ter a casa impregnada por aquele cheiro." (Artur Xexéo, em *O Globo*, 09.04.2008.)

religiosidade [Do lat. *religiositate*.] *S. f.* **1.** Qualidade de religioso. **2.** Disposição ou tendência para a religião ou as coisas sagradas. **3.** Escrúpulos religiosos.

religioso (ô) [Do lat. *religiosu*.] *Adj.* **1.** Relativo ou conforme à religião, ou próprio dela. **2.** Que tem religião (3), ou que cumpre escrupulosamente os seus deveres religiosos. **3.** Referente a uma ordem monástica. ~ V. *casamento — e estado —*. ● *S. m.* **4.** Indivíduo que professa uma religião, ou que fez votos monásticos. **5.** Casamento religioso.

relimar [De *re-* + *limar*.] *V. t. d.* **1.** Limar novamente; tornar a limar. **2.** Polir, aperfeiçoar, aprimorar, burilar: ✎ *<u>relimar</u> um artigo.*

relinchão [De *relinchar* + *-ão*[3].] *Adj. Bras. S.* Risonho, alegre, contente, folgazão. [Fem.: *relinchona*.]

relinchar [Do lat. **hinnitulare* < lat. *hinnitare*, freq. de *hinnire*, 'rinchar'.] *V. int.* Rinchar (1): 📖 "Os cavalos resfolgam, <u>relincham</u> e escarvam na terra borrifada" (Camilo Castelo Branco, *Perfil do Marquês de Pombal*, p. 34). [Normalmente é defect., us. só nas 3.as pess.]

relincho [Dev. de *relinchar*.] *S. m.* V. *rincho*: 📖 "Tudo isto .... era simplesmente natural, como o <u>relincho</u> do cavalo na estrebaria" (Carlos Lacerda, *A Casa do Meu Avô*, p. 91).

relíquia [Do lat. *reliquia*.] *S. f.* **1.** *Rel.* Parte do corpo de um santo, ou de qualquer objeto que a ele pertenceu ou, mesmo, que tenha tocado em seu cadáver. **2.** *P. ext.* Coisa preciosa por ter valor material ou por ser objeto de estima e apreço: ✎ *<u>relíquia</u> de família.* **3.** *Fig.* Pessoa ou coisa que, no passado, se respeitou ou admirou: ✎ *Atualmente é moda reviverem-se <u>relíquias</u> da década de 20.* ◆ **Relíquias humanas.** Objetos pertencentes aos homens primitivos, e que se conservaram no subsolo.

➔ **relish** ['ɹɛlɪʃ] [Ingl.] *S. m. Cul.* Pasta condimentada de origem indiana parecida com o *chutney*, porém mais picante.

relocação [De *relocar* + *-ção*.] *S. f.* Ato ou efeito de relocar.

relocar [De *re-* + *locar*.] *V. t. d.* **1.** Locar (1) novamente. **2.** *Inform.* Movimentar (dados) de uma área de memória para outra. [Conjug.: v. *trancar*.]

relógio [Do gr. *horológion*, pelo lat. *horologiu*, com deglutinação do *o* (*ho*) e dissimilação do *o* seguinte ao *r*.] *S. m.* **1.** Designação comum a diversos tipos de instrumentos ou mecanismos para medir intervalos de tempo: ✎ *A ampulheta e a clepsidra são <u>relógios</u> muito antigos; O <u>relógio</u> da igreja está atrasado.* **2.** Relógio (1) mecânico, dotado, em geral, de rodas dentadas movidas por pêndulos, molas, eletricidade, pilhas, etc., e de mostrador e ponteiros, apresentando-se nas mais variadas formas e dimensões: ✎ *<u>relógio</u> de algibeira; O* Big Ben *é o <u>relógio</u> da torre do Parlamento, em Londres.* **3.** *Bras.* Aparelho para registrar o consumo de eletricidade, água, ou gás; registro. **4.** *Bras. PE Zool.* Ave passeriforme, tiranídea (*Todirostrum cinereum*), do Brasil este-setentrional, de dorso cinzento-esverdeado, asas e cauda enegrecidas, marginadas de esbranquiçado, alto da cabeça preto com algumas penas pintadas de branco, e fronte e parte inferior amarelo-vivas. [Sin.: *ferreirinho*, *tirri*.] **5.** *Bras. Bot.* V. *guaxima* (2). **6.** *Bras. Cap.* Floreio (6) que o capoeirista executa girando o corpo paralelamente ao chão, tendo como ponto de apoio apenas uma das mãos. ◆ **Relógio astronômico.** *Astr.* Instrumento astronômico para medir intervalos de tempo. **Relógio atômico.** **1.** *Astr.* Relógio de precisão que utiliza as vibrações naturais dos átomos do césio, do rubídio ou do hidrogênio; relógio de césio, relógio de rubídio, relógio de hidrogênio. **2.** *Fís.* Aquele cujo periodismo é baseado na frequência duma radiação de ressonância dum átomo ou duma molécula. **Relógio de água.** Clepsidra. **Relógio de anel.** *Astr.* Relógio solar aneliforme, no qual um pequeno orifício projeta luz do Sol sobre um ponto da face interna do anel, indicando a hora. **Relógio de césio.** *Astr.* V. *relógio atômico.* **Relógio de hidrogênio.** *Astr.* V. *relógio atômico.* **Relógio de ponto.** Relógio provido de dispositivo onde o funcionário ou empregado introduz o cartão do ponto[1] (12) para nele ficar registrada a sua presença no local do trabalho. **Relógio de pulso.** Pequeno relógio (2) preso a uma pulseira; relógio-pulseira. **Relógio de quartzo.** *Astr.* Relógio de precisão usado pelos observatórios e laboratórios de física, e baseado nas oscilações de um cristal de quartzo. **Relógio de rubídio.** *Astr.* V. *relógio atômico.* **Relógio de sol.** Instrumento constituído por uma haste vertical que, projetando sua sombra num plano, indica a altura do Sol e as horas do dia; meridiana. **Relógio digital.** Relógio que indica diretamente as horas em dígitos numéricos, e não mediante ponteiros móveis sobre mostrador fixo. **Relógio molecular.** *Astr.* Relógio de precisão que utiliza as vibrações naturais de certas moléculas. **Relógio sideral.** *Astr.* Relógio astronômico que marca o tempo sideral. **Relógio solar.** Gnômon. **Acertar os relógios.** V. *acertar os ponteiros*.

relógio-calendário *S. m.* Aquele que, além das horas, indica os dias do mês e, às vezes, da semana. [Pl.: *relógios-calendários* e *relógios-calendário*.]

relógio-pulseira *S. m. Bras.* Relógio de pulso: "Maria Camila teve para o céu um olhar dolorido. Voltou a examinar o relógio-pulseira." (Lígia Fagundes Teles, *O Jardim Selvagem*, p. 21.) [Pl.: *relógios-pulseiras* e *relógios-pulseira*.]

relojo *S. m. Ant. Pop.* Relógio.

relojoaria [De *relógio* + *-aria*, irregularmente.] *S. f.* **1.** Arte de relojoeiro. **2.** Loja que fabrica ou conserta relógios. **3.** Maquinismo de relógio (2).

relojoeiro [De *relógio* + *-eiro*, com infl. de *relojoaria*, poss.] *Adj.* **1.** Relativo à relojoaria, ou a relógios: *indústria relojoeira*. • *S. m.* **2.** Aquele que fabrica ou conserta relógios.

reloteamento [De *relotear* + *-mento*.] *S. m. Bras.* Ato ou efeito de relotear.

relotear [De *re-* + *lotear*.] *V. t. d. Bras.* Fazer novo loteamento de; tornar a lotear. [Conjug.: v. *frear*.]

reloucado [De *re-* + *louco* + *-ado*[1].] *Adj.* Muito louco; desvairado, tresloucado.

relumbrante [Do esp. *relumbrante*.] *Adj. 2 g.* Que relumbra; reluzente, refulgente, resplandecente: "Cavaleirosa espada relumbrante!" (Guerra Junqueiro, *Pátria*, p. 165.)

relumbrar [Do esp. *relumbrar*.] *V. int.* Resplandecer, reluzir; refulgir: "e na sombra relumbrava / a água verde dos teus olhos / nos meus cabelos molhados." (Marli de Oliveira, *A Suave Pantera*, p. 115).

relume [De *re-* + *lume*.] *S. m.* Brilho muito vivo; clarão, fulgor.

relumear [De *relume* + *-ear*[2].] *V. int.* Produzir relume; resplandecer, relumbrar: "impecável no linho branco e solitário de brilhante relumeando no dedo" (Autran Dourado, *As Imaginações Pecaminosas*, p. 97). [Conjug.: v. *frear*.]

relutação [Do lat. *reluctatione*.] *S. f.* Relutância (1).

relutância [De *relutar* + *-ância*.] *S. f.* **1.** Ato ou efeito de relutar; relutação. **2.** Qualidade de relutante. **3.** Resistência, oposição; aversão. **4.** *Fís.* Num circuito magnético, grandeza que tem papel análogo à resistência num circuito elétrico, e que é igual ao quociente da força magnetomotriz pelo fluxo magnético.

relutante [Do lat. *reluctante*.] *Adj. 2 g.* Que reluta.

relutar [Do lat. *reluctare*.] *V. int.* **1.** Lutar novamente. **2.** Oferecer resistência; opor forças; resistir; obstinar-se: *Acedeu ao convite, depois de muito relutar.* *T. i.* **3.** Oferecer resistência; opor forças; resistir: *Relutou contra a medida*; "Seu Cardoso relutou em aquiescer ao pedido da mulher." (Gastão Cruls, *De Pai a Filho*, p. 23).

relutividade [Do ingl. *reluctivity*.] *S. f. Fís.* O inverso da permeabilidade.

reluzente [Do lat. *relucente*.] *Adj. 2 g.* **1.** Que reluz. **2.** V. *lustroso* (1).

reluzir [Do lat. *relucere*.] *V. int.* **1.** Luzir muito; resplandecer, brilhar: *O ouro reluz*; "os móveis reluziam de asseio" (Machado de Assis, *Quincas Borba*, p. 252). **2.** Manifestar-se, transparecer, vivamente: *Seu contentamento reluzia, denunciando o êxito.* [Normalmente é unipess.]

relva [Dev. de *relvar*.] *S. f.* **1.** Erva rala e rasteira. **2.** Vegetação formada de ervas desse tipo, gramíneas quase sempre, que crescem espontaneamente pelos campos e caminhos. **3.** V. *relvado*. **4.** *Bot.* V. *azevém*.

relvadense *Adj. 2 g.* **1.** De, ou pertencente ou relativo a Relvado (RS). • *S. 2 g.* **2.** O natural ou habitante de Relvado.

relvado [De *relva* + *-ado*[1].] *S. m.* **1.** Terreno coberto de relva ou de grama; gramado, relva, relvedo: "Era uma noite linda de luar e da sombra das árvores parecia ainda mais misteriosa a claridade fosfórea que lavava os relvados perto e as florestas longe" (Domício da Gama, *Histórias Curtas*, p. 268). **2.** *Restr.* Campo de futebol.

relvão [De *relva* + *-ão*[2].] *Adj.* **1.** Diz-se do animal que pasta, que vive de relva. • *S. m.* **2.** Terreno coberto de relva cerrada.

relvar [Do lat. *relevare*, 'levantar', por via pop.] *V. t. d.* **1.** Cobrir de relva: *relvar um terreno.* [Var.: *arrelvar*.] *Int.* **2.** Relvejar. **3.** Pastar na relva: *"Relva a cabra onde está atada."* (prov.) **4.** Ter (indivíduo) relva em sua terra: "Quem em maio relva não tem pão nem erva" (prov.).

relvedo (ê) [De *relva* + *-edo*.] *S. m.* V. *relvado*: "As ovelhas e os cordeiros pastam nos relvedos orvalhados." (Eugênio de Castro, *Obras Poéticas*, III, p. 93.)

relvejar [De *relva* + *-ejar*.] *V. int.* Cobrir-se ou mostrar-se coberto de relva; relvar: *A campina relveja.* [Conjug.: v. *pelejar*. Normalmente é defect.]

relvoso (ô) [De *relva* + *-oso*.] *Adj.* Em que há relva.

rem [Do ingl. *rem* < *r(oentgen) e(quivalent in) m(an)*, 'radiação equivalente no homem'.] *S. m. Med. Nucl.* Quantidade de qualquer radiação ionizante que tem a mesma intensidade de ação biológica de 1 rad. de raios X. Recomenda-se, atualmente, o uso do *sievert* (símb.: *Sv*), unidade do Sistema Internacional; 1 rem = 10^{-2} Sv. [1 rem = 1 rad. x eficiência biológica relativa.]

■ **REM** [Acrôn. do ingl. *Rapid Eye Movement*, 'movimento ocular rápido'.] *Fisiol.* Us. para designar etapa do sono em que se verificam ondas cerebrais rápidas e de baixa voltagem, registrando-se irregularidade das funções autônomas, como frequência de batimentos cardíacos; nesta etapa ocorrem sonhos e movimentos oculares rápidos. [Cf. *NREM*.]

rema *S. m. E. Ling.* V. *comentário* (4).

remada [De *remar* + *-ada*[1].] *S. f.* **1.** Ação ou efeito de remar; voga, remadura. **2.** Golpe com o remo. **3.** *Bras. PE Pop.* Dose de bebida alcoólica que se toma de um só gole.

remado[1] [De *remo* + *-ado*[1].] *Adj.* Provido de remos.

remado[2] [Part. de *remar*.] *Adj.* Movido a remos.

remador (ô) [De *remar* + *-dor*.] *Adj.* **1.** Que rema. • *S. m.* **2.** Aquele que rema; remeiro.

remadura [De *remar* + *-dura*.] *S. f.* V. *remada* (1).

➔ **remake** ['ɹiːmejk] [Ingl.] *S. m.* V. *refilmagem*.

remalina *S. f.* Parte lateral de formulários contínuos, ger. destacável, provida de furos que são us. pela impressora para controlar o avanço do papel.

remanchador[1] (ô) [De *remanchar*[1] + *-dor*.] *S. m.* Ferramenta de funileiro ou latoeiro, usada para remanchar.

remanchador[2] (ô) [De *remanchar*[2] + *-dor*.] *Adj. S. m.* Que, ou aquele que remancha ou remancheia.

remanchão [De *remanchar*[2] + *-ão*[1].] *Adj.* Que remancha; pachorrento, remanchador. [Fem.: *remanchona*.]

remanchar[1] [Do esp. *remanchar*.] *V. t. d.* Fazer borda com o maço em fundo de (panela ou outros utensílios) sobre a bigorna.

remanchar[2] [Alter. de *remansear*, 'ficar em remanso', poss.] *V. int.* **1.** Tardar, demorar-se: *remanchou por alguns minutos na esperança de o ver passar*; "Aquela manhã, Raul saiu um pouco atrasado para o colégio. Remanchara, remanchara, porque não sabia a lição de Geografia" (Lia Correia Dutra, *Navio sem Porto*, p. 127). **2.** Andar devagar: *Remanchou pelo caminho, e atrasou-se.* *P.* **3.** Ser pachorrento, vagaroso. [F. paral.: *remanchear*.]

remanchear [Alter. de *remansear*, poss.] *V. int. P.* Remanchar[2]: "Quando saía, remancheava, lavava três ou quatro vezes as mãos, até poder apanhar o diretor na porta." (Lima Barreto, *Triste Fim de Policarpo Quaresma*, p. 75.) [Conjug.: v. *frear*.]

remancho [Dev. de *remanchar*.] *S. m.* Indolência, lentidão, pachorra.

remandiola *S. f. Bras. PE AL* Acidente inesperado; contratempo, viravolta, reviravolta: "a inteligência do rapaz clareou, que foi aquela beleza. Deu-se, porém, uma remandiola, porque não há nada de bom neste mundo que não tenha o seu porém." (Horácio de Almeida, em *Revista das Academias de Letras*, nº 78, p. 122).

remanejamento [De *remanejar* + *-mento*; fr. *remaniement*.] *S. f.* Ação ou efeito de remanejar.

remanejar [De *re-* + *manejar*, ou adapt. do fr. *remanier*.] *V. t. d.* **1.** Modificar (uma produção intelectual, um grupo de pessoas, um dispositivo militar) aproveitando os elementos primitivos, ou parte deles; recompor, refazer; retocar. **2.** Modificar a composição de (um grupo de pessoas, um conjunto de coisas): *Remanejou o ministério; A nova diretoria remanejou o segundo escalão.* [Conjug.: v. *pelejar*. Cf. *remodelar*.]

remanência [De *remanente* + *-ia*[2], seg. o padrão analógico.] *S. f. Fís.* Num material ferromagnético, indução magnética máxima quando o campo externo é zero; indução remanente; retentividade.

remanente [Do lat. *remanente*, part. pres. do v. lat. *remanere*, por via erudita.] *Adj. 2 g.* V. *remanescente*. – V. *indução* –.

remanescência [De *remanescer* + *-ência*.] *S. f.* Condição ou caráter de remanescente.

remanescente [Do lat. *remanescente*.] *Adj. 2 g.* **1.** Que remanesce; restante, remanente. • *S. m.* **2.** Aquilo que sobeja ou resta.

remanescer [Do lat. **remanescere*, incoativo de *remanere*, 'parar', 'ficar'.] *V. int.* Sobrar, restar, sobejar: "Aí remanesciam ainda vivos um pé de couve e outro de bogaris nos canteiros nus." (Alberto Rangel, *Inferno Verde*, pp. 51-52); "remanesciam ali muitas imagens de sua infância" (Josué Montelo, *Os Degraus do Paraíso*, p. 126). [Conjug.: v. *crescer*.]

remangar [De *re-* + *manga*[1] + *-ar*[2].] *V. int. P.* Arremangar. [Conjug.: v. *largar*.]

remaniscar [De *re-* + *-man-* + *-iscar*.] *V. int. Bras.* Fazer movimento rápido e imprevisto. [Conjug.: v. *trancar*.]

remanisco [Dev. de *remaniscar*.] *S. m. Bras.* **1.** Ato ou efeito de remaniscar. • *Adj.* **2.** *Bras.* Ligeiro, rápido, veloz: *cavalo remanisco.*

remansado [Part. de *remansar(-se)*.] *Adj.* **1.** Pacífico, tranquilo, sossegado, manso, remansoso: *águas remansadas.* **2.** *Fig.* Pachorrento, vagaroso, descansado, remansoso.

remansar-se [De *remanso* + *-ar*[2] + *se*[1].] *V. p.* V. *arremansar-se*.

remansear [De *remanso* + *-ear*[2].] *V. int. P.* **1.** Tornar-se pachorrento, impassível, fleumático. **2.** Ficar ou estar tranquilo, sereno, sossegado; remansar-se, arremansar-se: *Estava agitadíssimo, agora remanseou; As águas remansearam-se após a tempestade.* [Conjug.: v. *frear*.]

remansense *Adj. 2 g.* **1.** De, ou pertencente ou relativo ao Remanso (BA). • *S. 2 g.* **2.** O natural ou habitante de Remanso.

remanso [Do lat. *remansu*, 'parado'.] *S. m.* **1.** Cessação de movimento; parada, pausa, repouso. **2.** Paz, sossego, tranquilidade, quietação. **3.** Água estagnada. **4.** *Bras. Amaz.* Contracorrente junto às margens de um rio, causada por pontas de terra, fins de praias, enseadas, onde o ângulo morto produz uma espécie de refluxo fluvial. **5.** *Bras. PA* Correnteza na margem oposta à do canal do rio. **6.** *Bras. MA* Trecho em que o rio se alarga, diminuindo o ímpeto da correnteza. **7.** *Bras. S.* Trecho de rio, após as corredeiras, onde as águas se espalham amplamente, anulando quase de todo a correnteza.

remansoso (ô) [De *remanso* + *-oso*.] *Adj.* V. *remansado*.

remanusear [De *re-* + *manusear*.] *V. t. d.* Manusear de novo. [Conjug.: v. *frear*.]

remar [De *remo* + *-ar*[2].] *V. t. d.* **1.** Impelir com a ajuda dos remos; vogar: *Debilitado, não conseguia remar o bote*; "Pelo martírio das cinco chagas / te ajudarei a remar a barca." (Francisco Carvalho, *Rosa dos Eventos*, p. 94). *Int.* **2.** Mover os remos para dar impulso a um barco; vogar: "De súbito a igarité parou. | — Que é isto, patrícios? perguntou Padre Antônio, descendo da tolda e aproximando-se dos remeiros. Por que deixaram de remar?" (Inglês de Sousa, *O Missionário*, p. 215.) **3.** Nadar, boiar, sobrenadar. **4.** Ir pelos ares; voar; adejar: *Os pardais remavam velozmente.* **5.** Lutar, lidar, trabalhar. **6.** *Bras. Turfe* Conduzir o cavalo de corridas fazendo com os braços movimentos que lembram remadas.

remarcação [De *remarcar* + *-ção*.] *S. f.* **1.** Ato ou efeito de remarcar. **2.** *P. ext.* Lote ou conjunto de coisas remarcadas: *Esses tecidos aí não são da remarcação.*

remarcado [Part. de *remarcar*.] *Adj.* Em que se fez remarcação.

remarcar [De *re-* + *marcar*.] *V. t. d.* **1.** Marcar de novo; tornar a marcar: *remarcar um rebanho.* **2.** *Bras.* Dar novo preço a; modificar o preço de: *O comerciante remarcou todo o estoque.* [Conjug.: v. *trancar*.]

rema-rema [Da 3ª pess. do sing. do pres. ind. de *remar*, repetida.] *S. m. 2 n. Bras.* **1.** Brinquedo que consiste num veículo que tem como assento uma tábua e cuja tração é feita por uma alavanca que a criança impele com movimentos semelhantes aos dos remadores. **2.** Espécie de balanço, comuníssimo em parques infantis: uma prancha alongada e suspensa a uma armação por tubos de ferro, na qual os meninos se embalam, fazendo movimentos que lembram remadas. [Pl. de *rema-remas* e *remas-remas*..]

remascar [De *re-* + *mascar*.] *V. t. d.* **1.** Mascar novamente; remastigar: *O garoto inapetente remascava a comida, mas não engolia.* **2.** Considerar novamente; ruminar, remoer, reconsiderar: *Passou a noite remascando o problema.* [Conjug.: v. *trancar*.]

remastigação [De *remastigar* + *-ção*.] *S. f.* Ação ou efeito de remastigar.

remastigar [De *re-* + *mastigar*.] *V. t. d.* **1.** Tornar a mastigar; remascar: *Os ruminantes remastigam a comida.* **2.** Mastigar bem, demoradamente: *Remastigar os alimentos é regra para a boa digestão.* [Conjug.: v. *largar*.]

rematação [De *rematar* + *-ção*.] *S. f.* Arrematação.

rematado [Part. de *rematar*.] *Adj.* **1.** Concluído, acabado, pronto: *A obra rematada estava imponente.* **2.** Completo, total, perfeito: *É um rematado tratante, merece castigo.*

rematador (ô) [De *rematar* + *-dor*.] *Adj. S. m.* Que, ou aquele que remata.

rematar [De *re-* + *matar*.] *V. t. d.* **1.** Dar remate a; concluir, terminar, completar, acabar, arrematar: *Rematará o trabalho no fim de semana*; "A donzela remata a barra bordada de um corpete, e a agulha voa entre seus dedos delicados." (Rebelo da Silva, *De Noite Todos os Gatos são Pardos*, p. 120). **2.** Completar ou fechar com remate (4): *Uma pinha de porcelana remata o telhado.* **3.** Fazer remate de pontos em (costura); arrematar: *O alfaiate rematou as calças.* ***Int.*** **4.** Findar, terminar, acabar: *A carta rematava com votos de felicidade.* ***T. i.*** **5.** Terminar, acabar, findar: *A festa rematou em confusão.* ***P.*** **6.** Ter fim; terminar(-se), acabar(-se), findar(-se): *Sua época de prosperidade rematou-se.*

remate [Dev. de *rematar.*] ***S. m.*** **1.** Ato ou efeito de rematar ou concluir; conclusão, término, acabamento, fim. **2.** Aquilo que remata. **3.** Acabamento, perfeição, na feitura de alguma coisa; mate. **4.** Adorno que conclui uma obra de arquitetura. **5.** *Arte Poét.* V. *tornada*[1] (2). **6.** *Fig.* O ponto mais alto; o auge; o apogeu; o cume. **7.** *Tip.* Serifa. **8.** *Tip.* V. *vinheta de remate.* **9.** *Lus. Fut.* Chute em gol. [Sin. bras.: arremate.]

rematrícula [De *re-* + *matrícula.*] ***S. f.*** Nova matrícula; matrícula renovada.

▲ **-reme** [Do lat. *-remis* (do lat. *remus, i,* 'remo').] ***El. comp.*** = 'remo'; 'de x remo(s)'; 'remador(es)': *birreme* (<lat.), *pentarreme, unirreme.*

remedar [Do lat. vulg. **reimitare* < lat. *imitare,* 'imitar'.] ***V. t. d.*** Arremedar: "a poesia perdeu o entono cavaleiroso para remedar a graça cortesã dos trovadores palacianos" (Latino Coelho, *Cervantes,* p. 48). [Pres. ind.: *remedo,* etc. Cf. *remedo* (ê).]

remedeio [Dev. de *remediar.*] ***S. m. Pop.*** Aquilo que remedeia ou atenua uma falta ou um mal.

remediado [Part. de *remediar.*] ***Adj.*** **1.** Que possui alguns bens. **2.** Que não é nem pobre nem rico, mas tem recursos bastantes para subsistir.

remediador (ô) [Do lat. *remediatore.*] ***Adj. S. m.*** Que, ou aquele que remedeia.

remediar [Do lat. *remediare.*] ***V. t. d.*** **1.** Dar remédio a; atenuar com o remédio o mal ou a dor de: *O médico remediou os doentes.* **2.** Reparar, emendar, corrigir: *O novo diretor pretende remediar as injustiças.* **3.** Prover do mais necessário; abastecer, abastar: *Urge remediar a população flagelada.* **4.** Evitar, atalhar, obstar, prevenir: *Medidas preventivas remedeiam os males.* **5.** Minorar, atenuar, diminuir: *Os comprimidos remediarão a dor;* "fora lembrado o meio das subscrições populares, para remediar a carência de recursos no tesouro público." (Inglês de Sousa, *Contos Amazônicos,* p. 100). ***T. d. e i.*** **6.** Prover, fornecer, abastecer: *Remediou de roupas os dois filhos.* ***P.*** **7.** Acorrer às próprias despesas; arranjar-se, arrumar-se: *Os pobres remedeiam-se como podem.* **8.** *Bras.* Servir-se de coisa inferior ou estragada, à falta de outra melhor. **9.** *Bras.* Vencer dificuldades, financeiras ou doutra espécie, por meios não de todo próprios ao objetivo visado. [Irreg. Conjug.: v. *odiar.*]

remediável [Do lat. *remediabile.*] ***Adj. 2 g.*** Que pode ser remediado.

remedição [De *remedir* + *-ção.*] ***S. f.*** Ato ou efeito de remedir.

remédio [Do lat. *remediu.*] ***S. m.*** **1.** Aquilo que combate mal, dor ou doença. **2.** Aquilo que serve para curar ou aliviar dor ou enfermidade. **3.** *Pop.* Medicamento. **4.** Recurso, expediente, solução. **5.** Ajuda, auxílio, socorro, proteção. **6.** Correção, retificação, emenda. **7.** *Jur.* Meio adequado e lícito para se alcançar determinado fim de direito. **8.** *Bras. RJ* V. *cachaça* (1). ◆ **Não ter nem um para remédio.** *Bras. N.E. Fam.* Não ter absolutamente nenhum: *Não tem em casa nem um livro para remédio.*

remedir [Do lat. **remetire,* em vez de *remetiri.*] ***V. t. d.*** Tornar a medir: *Os fazendeiros deverão remedir suas terras.* [Irreg. Conjug.: v. *medir.* Pres. ind.: *remeço,* etc; pres. sub.: *remeça,* etc. Cf. *remesso,* do v. *remessar; remessa,* do mesmo v. e s. f.; e *remesso* (ê), s. m.]

remedista [De *remédio* + *-ista.*] ***S. 2 g. Bras. MG*** V. *raizeiro.*

remedo (ê) [Dev. de *remedar.*] ***S. m.*** Arremedo. [Pl.: *remedos* (ê). Cf. *remedo,* do v. *remedar.*]

remeirada [De *remeiro* + *-ada*[1].] ***S. f. Bras.*** **1.** Grupo de remeiros [v. *remeiro* (3)]. **2.** Os remeiros.

remeiro [De *remo* + *-eiro.*] ***Adj.*** **1.** Que atende com facilidade ao impulso dos remos: *barco remeiro.* **2.** Rápido, ligeiro, veloz. ● ***S. m.*** **3.** Aquele que rema; remador. **4.** *Bras. Zool.* V. *piloto* (10).

remela [De *mel.*] ***S. f.*** **1.** Secreção amarelada ou esbranquiçada, que se forma nos pontos lacrimais e no bordo das pálpebras. **2.** *Bras. AL Fam.* A polpa do coco verde, quando muito tenra. [Var.: *ramela.*]

remelado [Part. de *remelar.*] ***Adj.*** V. *remeloso.* [Var.: *ramelado.*]

remelão [De *remela* + *-ão*[1].] ***Adj.*** **1.** V. *remeloso.* [Fem.: *remelona.*] **2.** Diz-se do açúcar mole e requeimado.

remelar [De *remela* + *-ar*[2].] ***V. int. P.*** **1.** Criar remela; tornar-se remeloso. **2.** Tornar-se remelão (o açúcar). [Var.: *ramelar.*]

remeleiro [De *remela* + *-eiro.*] ***Adj.*** V. *remeloso.*

remelento [De *remela* + *-ento.*] ***Adj.*** V. *remeloso.* [Var.: *ramelento.*]

remelexo (ê) [De um dev. de *remexer,* com o *le* epentético, poss.] ***S. m.*** **1.** *Bras. Pop.* Rebolado, requebro, bamboleio, saracoteio. **2.** *Pop.* V. *coreia*[1] (3).

remelgado [De *remela,* poss.] ***Adj. Pop.*** Que tem o rebordo das pálpebras virado.

remelhor [De *re-* + *melhor.*] ***Adj. 2 g.*** Muito melhor.

remeloso (ô) [De *remela* + *-oso.*] ***Adj.*** Que tem ou cria remelas; liposo, remelento, remelado, remelão, remeleiro: "menino magro e opado, de olhos fundos e remelosos" (Cardoso de Oliveira, *Dois Metros e Cinco,* p. 364). [Var.: *rameloso.*]

remembramento [De *remembrar*[2] + *-mento.*] ***S. m.*** **1.** Ato ou efeito de remembrar[2]. **2.** *Urb.* Reagrupamento de lotes [v. *lote*[1] (10)] contíguos para constituição de unidades maiores.

remembrança [De *remembrar*[1] + *-ança.*] ***S. f. Antiq.*** Ato ou efeito de remembrar; relembrança, lembrança: "vagamente ciosa das remembranças de amor que, brandas, ressoavam na singeleza nostálgica das doces músicas crioulas." (Alcides Maia, *Tapera,* p. 12).

remembrar[1] [Do lat **rememorare,* por *rememorari.*] ***V. t. d. T. d. e i. P. Antiq.*** V. relembrar.

remembrar[2] [De *re-* + *membro* + *-ar*[2].] ***V. t. d.*** **1.** Tornar a reunir (o que estava desmembrado). **2.** *Urb.* Fazer o remembramento (2) de.

rememoração [Do lat. *rememoratione.*] ***S. f.*** Ato ou efeito de rememorar.

rememorar [Do lat. **rememorare,* por *rememorari.*] ***V. t. d.*** **1.** Tornar a lembrar; recordar, relembrar: "Esta é que não esquece a cena, e agora de novo a rememora, enquanto se deixa ficar na cama, com saudades do sono." (Lúcia Miguel Pereira, *Cabra-Cega,* p. 166.) **2.** Dar ideia de; lembrar, recordar: *A paisagem rememorava a floresta africana.* ***Int.*** **3.** Lembrar ou recordar o passado, coisas passadas: "Chove. Alta noite. Fumo e rememoro." (Austro-Costa, *Mulheres e Rosas,* p. 55.) [Pres. ind.: *rememoro,* etc. Cf. *rememoro,* adj.]

rememorativo [De *rememorar* + *-tivo.*] ***Adj.*** Que rememora ou serve para rememorar.

rememorável [De *rememorar* + *-vel.*] ***Adj. 2 g.*** Digno de ser rememorado; célebre, notável, memorável.

remémoro ***Adj. Poét.*** V. *remêmoro.* [Uso freq. em P.]

remêmoro [Dev. de *rememorar.*] ***Adj. Poét.*** Que rememora ou relembra; que se recorda. [Cf. *rememoro,* dov. *rememorar.*]

remendado [Part. de *remendar.*] ***Adj.*** **1.** Que tem remendos; que levou remendos: *roupa remendada.* **2.** Cuja roupa apresenta remendos: "Os três irmãos de Medranhos .... eram então, em todo o Reino das Astúrias, os fidalgos mais famintos e os mais remendados." (Eça de Queirós, *Contos,* p. 129). **3.** Que tem remendo (4); manchado, sarapintado, mosqueado.

remendagem [De *remendar* + *-agem*[2].] ***S. f.*** **1.** Ação ou efeito de remendar. **2.** *Tip.* V. *composição de fantasia.*

remendão [De *remendar* + *-ão*[2].] ***Adj.*** **1.** Que faz remendos. ● ***S. m.*** **2.** Indivíduo que faz remendos. **3.** Indivíduo de pouca habilidade no seu ofício; sarrafaçal. **4.** Sapateiro que apenas conserta o calçado, sem fabricá-lo. [Sin. ger.: *remendeiro.* Fem.: *remendona.*]

remendar [De *re-* + *emendar.*] ***V. t. d.*** **1.** Deitar remendos em: "Minha mãe remendando, costurando o que a nossa inquietação descosia" (Mílton Dias, *As Cunhãs,* p. 48); "sentada na sua cadeirinha de palha, ... remenda, na paz do Senhor, desbotado avental de ganga azul" (Antero de Figueiredo, *Toledo,* p. 128). **2.** Retificar, consertar, emendar: *remendar os erros de um escrito.* **3.** Mesclar (a linguagem) de estrangeirismos ou termos impróprios: *Os ignorantes remendam o vocabulário.* [Cf. *reemendar.*]

remendeira [De *remendo* + *-eira.*] ***S. f.*** Mulher que faz remendos; remendona.

remendeiro [De *remendo* + *-eiro.*] ***Adj.*** **1.** V. *remendão.* ● ***S. m.*** **2.** Indivíduo remendão. **3.** *Tip.* V. *compositor de bicos.*

remendo [Dev. de *remendar.*] ***S. m.*** **1.** Pedaço de pano para consertar uma parte da roupa. **2.** Correção, retificação, emenda. **3.** Peça de metal, couro, etc., para consertar um objeto de substância igual ou parecida. **4.** Mancha no couro dos animais. **5.** *Tip.* V. *obra de bico.*

remendona [F. subst. de *remendão.*] ***S. f.*** Remendeira.

remenear [De *re-* + *menear.*] ***V. t. d.*** Menear novamente, ou repetidas vezes. [Conjug.: v. *frear.*]

remeneio [Dev. de *remenear.*] ***S. m.*** Ação ou efeito de remenear.

remenicar ***V. int. T. i.*** Replicar, retorquir, redarguir: *Ouviu passivo, sem remenicar; Obedeça-lhe às ordens, não lhe remenique.* [Conjug.: v. *trancar.*]

remense [Do lat. *remense.*] ***Adj. 2 g.*** **1.** De, ou pertencente ou relativo a Reims (França). ● ***S. 2 g.*** **2.** O natural ou habitante de Reims.

remerecedor (ô) [De *remerecer* + *-dor.*] ***Adj.*** Que remerece ou merece muito.

remerecer [De *re-* + *merecer.*] ***V. t. d.*** Merecer muito; merecer mais do que aquilo que recebeu. [Conjug.: v. *aquecer.*]

remergulhar [De *re-* + *mergulhar.*] ***V. t. d. Int.*** Mergulhar novamente; tornar a meter(-se) debaixo da água: *As enormes vagas remergulharam o barco;* "Tempão lutou o peixe antes de pranchear, entregue. A espaços apontava a cabeça à superfície .... para, em seguida, remergulhar num último desespero." (Mário Palmério, *Vila dos Confins,* p. 39).

remessa[1] [Do lat. *remissa,* 'coisas remetidas'.] ***S. f.*** **1.** Ato ou efeito de remeter. **2.** Aquilo que se remeteu. [Cf. *remeça,* do v. *remedir.*]

remessa[2] [Dev. de *remessar.*] ***S. f.*** Ato de remessar. [Cf. *remeça,* do v. *remedir.*]

remessar [De *remesso* + *-ar*[2].] ***V. t. d. T. d. e c. P.*** Arremessar. [Pres. ind.: *remesso, remessas, remessa,* etc. Cf. *remesso* (ê), s. m., e *remeço, remeças, remeça,* do v. *remedir.*]

remesso (ê) [Do lat. *remissu,* part. pass. de *remittere,* 'atirar para trás'; 'remeter'.] ***S. m.*** **1.** Arremesso. **2.** Arma de arremesso. [Pl.: *remessos* (ê). Cf. *remesso,* do v. *remessar,* e *remeço,* do v. *remedir.*]

remestre [De *re-* + *mestre.*] ***S. m.*** Mestre excepcional, extraordinário.

remetente [Do lat. *remittente.*] ***Adj. 2 g. S. 2 g.*** Que, ou quem remete. [Cf. *remitente.*]

remeter [Do lat. *remittere.*] ***V. t. d.*** **1.** Acometer com ímpeto; investir contra; atacar: *O exército remeteu os inimigos.* **2.** Delongar, adiar, espaçar, procrastinar: *remeter uma decisão.* ***T. d. e i.*** **3.** Mandar, enviar, expedir: *Remeteu as encomendas à família;* "Em segredo, remetera o conto para uma revista do Rio, que mantinha um concurso permanente deles." (Herberto Sales, *Histórias Ordinárias,* p. 108). **4.** Confiar, encomendar, recomendar: *Remeteu a decisão à instância superior.* **5.** Sujeitar, expor, submeter: *Não devemos remeter nossas vidas a riscos desnecessários.* **6.** Entregar, deixar: *A viúva remeteu ao compadre a tarefa de cuidar do orfãozinho.* ***T. i. T. c.*** **7.** Investir, arrojar-se, atirar-se, arremeter: *A fera remeteu contra os caçadores;* "enquanto .... os cães furiosos remetiam à porta, ele .... repetia milhares e milhares de vezes:.. 'Zé, quando voltares, vem aqui ao vale'." (Conde de Ficalho, *Uma Eleição Perdida,* p. 211). ***P.*** **8.** Entregar-se, dar-se, aplicar-se: "Esfrangalhado o guião, os do Chico Euletério remeteram-se .... à tarefa de arrancar tochas e insígnias das mãos do acompanhamento." (João da Silva Correia, *Farândola,* p. 29). **9.** Estar por; entregar-se, confiar-se: *O réu remeteu-se à justiça dos jurados.* **10.** Referir-se, aludir: *Remeto-me às afirmações de um especialista.*

remetida [De *remeter* + *-ida*[3].] ***S. f.*** V. *arremetida.*

remetido [Part. de *remeter.*] ***Adj.*** Que se remeteu, se enviou.

remetimento [De *remeter* + *-imento.*] ***S. m.*** V. *arremetimento.*

remexer [Do lat. *remiscere.*] ***V. t. d.*** **1.** Mexer de novo: *Embora advertida, a criança remexeu os objetos.* **2.** Mexer repetidamente: *O palhaço remexia mãos e pés.* **3.** Agitar, misturar, mexendo: *remexer o café.* **4.** Sacudir, agitar, revolver: *Os banhistas remexem a areia da praia.* ***T. i.*** **5.** Bulir, tocar, mexer: *Deixem os papéis como estão: não remexam em nada;* "como sabia que o morador não aparecia àquela hora, começava a bulir nos livros, a remexer nas gavetas abertas" (Aluísio Azevedo, *O Mulato,* p. 129). ***P.*** **6.** Mover-se, agitar-se: *A multidão remexia-se desordenadamente.* **7.** *Bras.* Rebolar(-se), bambolear(-se), saracotear(-se).

remexido [Part. de *remexer.*] ***Adj.*** **1.** Em que se remexeu. **2.** *Fam.* Buliçoso, inquieto, traquina(s).

remeximento [De *remexer* + *-imento.*] ***S. m.*** Ação ou efeito de remexer(-se).

remição [De *remir* + *-ção.*] ***S. f.*** **1.** Ato ou efeito de remir(-se). **2.** Libertação, resgate. **3.** Salvação de pecados ou de crimes por meio da expiação. [Cf. *remissão.*]

remido [Part. de *remir.*] ***Adj.*** **1.** Resgatado, libertado; salvo. **2.** Desobrigado de qualquer compromisso; liberado, quitado: *sócio remido.*

remidor (ô) [De *remir* + *-dor.*] ***Adj. S. m.*** Que, ou aquele que redime; redentor.

remiforme [De *remo* + *-iforme.*] ***Adj. 2 g.*** Que tem forma de remo.

rémige ***Adj. 2 g. S. f.*** V. *rêmige.* [Uso freq. em P.]

rêmige [Do lat. *remige.*] ***S. f.*** **1.** V. *remígio* (1). ● ***Adj. 2 g.*** **2.** *Ant.* Que rema. ◆ **Rêmiges primárias.** Penas implantadas na ponta da asa. **Rêmiges secundárias.**

Penas implantadas na parte média da asa. **Rêmiges terciárias.** Penas inseridas na axila.

remigense *Adj. 2 g.* **1.** De, ou pertencente ou relativo a Remígio (PB). • *S. 2 g.* **2.** O natural ou habitante de Remígio.

remígio [Do lat. *remigiu.*] *S. m.* **1.** Cada uma das penas mais longas das asas das aves; rêmige, guia: "Quando passamos, levantaram voo dois corvos ...., cujos remígios silvaram cortando o ar." (Júlio Dantas, *Abelhas Doiradas*, p. 159). **2.** O bater das asas; o voo das aves: "Um giganteu condor, em gloriosos remígios, / Revoando em direção do pantanal distante." (Martins Fontes, *Verão*, p. 40.)

remigração [De *remigrar* + *-ção.*] *S. f.* Ato ou efeito de remigrar.

remigrado [Part. de *remigrar.*] *Adj.* Que remigrou.

remigrar [Do lat. *remigrare.*] *V. int.* Volver ao ponto donde se emigrou; repatriar-se: *Muitos patriotas remigraram nos últimos 10 anos.*

reminar-se *V. p. Bras. N.E.* Revoltar-se, rebelar-se, insurgir-se: *Os pernambucanos reminaram-se contra o domínio holandês, no séc. XVII.*

remineralização [De *re-* + *mineralização.*] *S. f. Odont.* Processo de reincorporação de sais de cálcio e fósforo em esmalte de dentes que sofreram desmineralização patológica leve, como resultado de terapia com flúor.

reminhol [De *remo*[1] + *-inh(o)-* + *-ol*[1].] *S. m. Bras.* Colher grande de cobre, com que nos engenhos se mexe o açúcar. [Var.: *rominhol* (q. v.). Pl.: *reminhóis.*]

reminiscência [Do lat. *reminiscentia.*] *S. f.* **1.** Aquilo que se conserva na memória; lembrança, memória, recordação. **2.** A faculdade da memória (1). **3.** Lembrança vaga: "Eu não sei evitar numa reminiscência longínqua a saudade violeta de certa criaturinha indecisa que nunca tive" (Mário de Sá-Carneiro, *A Confissão de Lúcio*, p. 134). **4.** *Hist. Filos.* Segundo Platão (v. *platonismo*), lembrança do que a alma contemplou em uma vida anterior, quando, ao lado dos deuses, tinha a visão direta das ideias; anamnese.

remípede [Do lat. *remipede.*] *Adj. 2 g. Zool.* Que tem os pés em forma de remos.

remir [Do lat. *redimere*, 'adquirir de novo', por via pop.] *V. t. d.* **1.** Adquirir de novo. **2.** Tirar do cativeiro, do poder alheio; resgatar: *Ciro, o Grande, remiu os judeus escravizados por Babilônia; As tropas remiram os territórios ocupados.* **3.** Indenizar, compensar, reparar, ressarcir: *Não se sabe quem remirá os danos da guerra.* **4.** Livrar das penas do Inferno; salvar: *Cristo veio à Terra para remir os homens.* **5.** Fazer esquecer; expiar, pagar: *A penitência remirá teus pecados.* **6.** Libertar (uma propriedade) de um ônus, pagando a importância dela. *T. d. e i.* **7.** Livrar, libertar, resgatar: *A fiança remiu-o da prisão;* "faltava indústria que o remisse do clandestino e pesado cativeiro que o oprimia." (Correia Garção, *Obras Poéticas e Oratórias*, p. 576). *P.* **8.** Livrar-se do cativeiro; resgatar-se: *Os prisioneiros remiram-se a si próprios.* **9.** Recuperar-se de uma falta; reabilitar-se: *Os pecadores podem remir-se.* **10.** Livrar-se de uma situação arriscada: *Pretendeu remir-se da guerra alegando doença.* [F. paral. de *redimir*. Só tem as f. nas quais ao *m* da raiz se segue a vogal *i*; as que faltam são supridas com as do v. *redimir*. Assim, faz no pres. ind.: *redimo, redimes, redime, remimos, remis, redimem*; no imperat.: *redime tu, remi vós*; no pres. subj.: *redima, redimas*, etc. Contudo, encontra-se no Pe. Antônio Vieira a f. *rime*, em vez de *redime* (*Sermões*, II, p. 196).]

remirar [De *re-* + *mirar.*] *V. t. d.* **1.** Tornar a mirar, a contemplar: *Na sua alegria, remirava aquele rosto amado;* "por vezes esquecia-se a remirar embevecida uma jarrinha de Sèvres, uma estatueta primorosa" (Júlio Ribeiro, *A Carne*, p. 69). **2.** Observar, olhar, com atenção: *Remirou-a de alto a baixo;* "Agora, aquietada a imaginação e o ressentimento, mira e remira a alcova solitária" (Machado de Assis, *Quincas Borba*, p. 73). *P.* **3.** Rever-se com atenção: *Remirou-se nas águas do lago.*

remissa [F. subst. do adj. *remisso.*] *S. f.* **1.** Quantia reposta por um parceiro no jogo do voltarete. **2.** *Fig.* Adiamento, transferência, delonga.

remissão [Do lat. *remissione.*] *S. f.* **1.** Ação ou efeito de remitir(-se); remitência. **2.** Compensação, paga; satisfação: "Chorava à noite, em segredo, no dormitório; mas colhia as lágrimas numa taça, como fazem os mártires das estampas bentas, e oferecia ao Céu, em remissão dos meus pobres pecados, com as notas má boiando." (Raul Pompeia, *O Ateneu*, pp. 73-74.) **3.** Misericórdia, clemência, indulgência; perdão: *uma falta sem remissão.* **4.** Perdão total ou parcial dos pecados, concedido pela Igreja: "Os sãos de corpo e alma demandavam, pois, os Sagrados Lugares, onde todo o pecado encontrava remissão segundo as bulas dos Papas." (Aquilino Ribeiro, *Por Obra e Graça*, p. 205.) **5.** Perdão de ônus ou dívida. **6.** Falta ou diminuição de rigor, de força, de intensidade: *As medidas visavam à remissão de calamidades.* **7.** Lenitivo, alívio, consolo: "Tinha o ar de sofrer, numa funda saudade, / A dor fina e sem remissão da tua ausência, / Da tua adolescente e clara mocidade." (Manuel Bandeira, *Estrela da Vida Inteira*, p. 42.) **8.** Ação ou efeito de remeter, de mandar a um ponto dado: *As remissões do dicionário esclarecem o leitor.* [Cf. *remição.*] ◆ **Remissão fiscal.** *Econ.* Dispensa do pagamento de um tributo, no todo ou em parte, autorizado por lei em circunstâncias especiais, como na ocorrência de catástrofes.

remissibilidade [De *remissível* (*remissibil-*) + *-(i)dade*, seg. o padrão erudito.] *S. f.* Qualidade ou caráter de remissível.

remissiva [F. subst. de *remissivo.*] *S. f.* **1.** Remissão (8), ou indicação gráfica desta. **2.** *Bibliogr.* Em obra de referência, palavra ou expressão que remete para outra: *Há inúmeras remissivas para o verbete dinheiro neste dicionário.*

remissível [Do lat. *remissibile.*] *Adj. 2 g.* Que pode ser remetido ou remitido.

remissivo [Do lat. *remissivu.*] *Adj.* **1.** V. *remissório* (1). **2.** Que remete para outro ponto: *índice remissivo.* **3.** Que contém referências; alusivo. ~ V. *índice* —.

remisso [Do lat. *remissu.*] *Adj.* **1.** Descuidado, negligente, desleixado. **2.** Sem atividade; indolente, frouxo. **3.** Vagaroso, lento, tardo: "A Grécia era geograficamente a passagem mais direta e natural entre o Oriente e o Ocidente, entre os impérios asiáticos, onde a cultura madrugou, e as povoações europeias, onde o sol do entendimento foi mais remisso em despontar." (Latino Coelho, *A Oração da Coroa*, p. LIII.) **4.** Pouco intenso: "Deseje poucas cousas, e essas com afeto remisso, e sem empenhar-se, porque das nossas vontades fortes, e depois frustradas, têm princípio as nossas tristezas, e iras." (Pe. Manuel Bernardes, *Nova Floresta*, V, p. 418.) • *S. m.* **5.** Aquele que desvia dinheiro ou valores que lhe foram confiados. [Cf. *omisso.*]

remissor (ô) [De *remisso* + *-or.*] *Adj.* V. *remissório.*

remissório [De *remisso* + *-ório.*] *Adj.* **1.** Que remite; remissivo, remitente. **2.** Que contém remissão. [Sin. ger.: *remissor.*]

remitarso [De *remo* + *-i-* + *tarso.*] *Adj. Zool.* Que tem os tarsos em forma de remo.

remitência [Do lat. *remittentia.*] *S. f.* **1.** Remissão (1). **2.** *Med.* Diminuição temporária do(s) sintoma(s) de uma doença.

remitente [Do lat. *remittente.*] *Adj. 2 g.* **1.** V. *remissório* (1). **2.** Que apresenta remitência. [Cf. *remetente.*]

remitir [Do lat. *remittere.*] *V. t. d.* **1.** Ter como perdoado; perdoar, indultar: *Só o Presidente pode remitir uma pena.* **2.** Dar ou considerar como pago ou satisfeito; desistir de; quitar: *remitir dívidas.* **3.** Diminuir a intensidade de; afrouxar, atenuar, abrandar: *A seca remitiu a impetuosidade das correntes.* **4.** Restituir, ceder, entregar: *O funcionário remitiu o cargo.* *T. d. e i.* **5.** Ter como perdoado; perdoar, indultar: *Remitiram a pena ao condenado à prisão perpétua.* **6.** Ceder; devolver, restituir: *Remitiu os direitos de primogenitura ao irmão que fora dado como morto.* *Int.* **7.** Diminuir de intensidade; afrouxar, abrandar: *O vento remitiu.* **8.** Ter intervalos ou diminuir de intensidade (doença); ceder: *A febre, com o tratamento, remitiu.* *P.* **9.** Tornar-se menos intenso; afrouxar-se, diminuir, mitigar-se: *A dor remitiu-se.*

remível [De *remir* + *-vel.*] *Adj. 2 g.* Que se pode remir.

remixagem (cs) [De *remixar* + *-agem*[2].] *S. f.* Ato ou efeito de remixar.

remixar (cs) [De *re-* + *mixar* (cs).] *V. t. d. Ind.* Fazer nova mixagem, ger. para substituir pista(s) original(is) de áudio por nova(s) pista(s).

remo[1] [Do lat. *remu.*] *S. m.* **1.** Instrumento de madeira, composto de um cabo roliço terminado por uma parte espalmada, e que serve para impulsionar, manobrar ou fazer parar pequenas embarcações. **2.** O esporte de remar: *Pratica a natação e o remo.* ◆ **Remo de esparrela.** *Marinh.* Remo comprido, usado à popa em forqueta, tolete ou estropo, para governo de embarcação em condições especiais. **Remo de ginga.** *Marinh.* Remo à popa, montado, como o de esparrela, para propulsão e governo. **Enforcar um remo.** *Bras. Marinh.* Deixar que ele fique pressionado contra o costado, preso na chumaceira ou toleteira, por descontrole da remada.

remo[2] *Bras. S. 2 g.* **1.** *Etnôn.* Indivíduo dos remos, povo indígena extinto, da família linguística pano, que habitava a nascente do rio Ipixuna, divisa de AM com AC. • *Adj. 2 g.* **2.** Pertencente ou relativo a esse povo. [Tb. us. como *s. 2 g. e 2 n.* (com. cap.) e *adj. 2 g. e 2 n.*]

remoagem [De *remo(er)* + *-agem*[2]; cf. *moagem.*] *S. f.* Ação ou efeito de remoer; nova moagem.

remoalho [De *remoer.*] *S. m.* Bolo de alimentos que os ruminantes fazem retornar à boca para ser remoído.

remobilização [De *remobilizar* + *-ção.*] *S. f.* Ato de remobilizar; nova mobilização.

remobilizar [De *re-* + *mobilizar.*] *V. t. d.* Mobilizar outra vez.

remoçado [Part. de *remoçar.*] *Adj.* **1.** Que remoçou, ou rejuvenesceu. **2.** Que adquiriu novo vigor; revigorado.

remoçador (ô) [De *remoçar* + *-dor.*] *Adj.* **1.** Que faz remoçar; remoçante, remoçativo. • *S. m.* **2.** O que faz remoçar.

remoçante [De *remoçar* + *-nte.*] *Adj. 2 g.* V. *remoçador* (1).

remoção [Do lat. *remotione.*] *S. f.* Ato ou efeito de remover.

remocar [De *re-* + *moca*[3] + *-ar*[2].] *V. t. d. T. d. e i.* Apreciar com remoque; censurar, exprobar. [Conjug.: v. *trancar.*]

remoçar [De *re-* + *moço* + *-ar*[2].] *V. t. d.* **1.** Tornar moço; dar frescor juvenil a; fazer reviver; rejuvenescer, juvenescer: *A tranquilidade remoça os velhos.* *Int.* **2.** Tornar-se moço; tomar aparência de moço; readquirir vigor; rejuvenescer, juvenescer: "Parecera remoçar ultimamente, mais ligeiro nos modos, com uma claridade d'esperança nas lunetas, na fronte erguida." (Eça de Queirós, *Os Maias*, II, p. 48.) *P.* **3.** Readquirir força e vigor; robustecer-se, revigorar-se: *A quarentona remoçou-se após o novo casamento.* [Conjug.: v. *laçar.*]

remoçativo [De *remoçar* + *-tivo.*] *Adj.* V. *remoçador* (1).

remodelação [De *remodelar* + *-ção.*] *S. f.* Ato ou efeito de remodelar; remodelamento, remodelagem.

remodelador (ô) [De *remodelar* + *-dor.*] *Adj. S. m.* Que, ou aquele que remodela.

remodelagem [De *remodelar* + *-agem*[2].] *S. f.* V. *remodelação.*

remodelamento [De *remodelar* + *-mento.*] *S. m.* V. *remodelação.*

remodelar [De *re-* + *modelar.*] *V. t. d.* Tornar a modelar; refazer com modificações profundas: *remodelar um texto original.* [Cf. *remanejar.*]

remoedura [De *remoer* + *-dura.*] *S. f.* Ato de remoer(-se).

remoela [De *remoer* + *-ela*, poss.] *S. f.* **1.** Pirraça, acinte, desfeita. **2.** Troça, escárnio, zombaria, surriada.

remoer [De *re-* + *moer.*] *V. t. d.* **1.** Moer novamente: *remoer o café.* **2.** Tornar a mastigar; remastigar, ruminar: *O boi pastava, remoendo o capim.* **3.** Pensar ou refletir muito em; ruminar: *remoer uma ideia;* "Não habituada, como eu, àquelas irritações súbitas do Roberto, que aliás duram pouco, Gabriela havia ficado magoada e remoía o incidente." (Ciro dos Anjos, *Abdias*, p. 104). **4.** Importunar, molestar, ralar: *A tristeza remoeu corações.* *Int.* **5.** Tornar a mastigar a forragem; ruminar: "Os bois, sentados no quinteiro, remoíam absortos." (João de Araújo Correia, *Terra Ingrata*, p. 55.) *P.* **6.** Encher-se de raiva; afligir-se, amofinar-se: *Remoí-me com a molecagem daquele tipo.* [Conjug.: v. *moer.*]

remoído [Part. subst. de *remoer.*] *S. m. Bras.* Subproduto da moagem do trigo.

remoinhada (o-i) [De *remoinhar* + *-ada*[1].] *S. f.* Ato de remoinhar; redomoinhada.

remoinhar (o-i) [De *re-* + *moinho* + *-ar*[2].] *V. int.* **1.** Andar à roda em círculos ou espirais: *Os ventos remoinharam, destruindo tudo;* "A atmosfera remoinha batida em chupo de ciclone." (Alberto Rangel, *Livro de Figuras*, p. 223). **2.** Mover-se circularmente; dar voltas; revolutear: "O rio descia, correndo, suspendia-se ali, remoinhando, e passava adiante" (Fernando Namora, *Os Clandestinos*, p. 10); *O avião remoinhou e caiu.* *T. d.* **3.** Fazer girar; rodar: *O vento remoinha as pás do moinho.* [Sin. ger.: *redemoinhar* e *redomoinhar.*]

remoinho (o-í) [Dev. de *remoinhar.*] *S. m.* **1.** Ato ou efeito de remoinhar. **2.** Movimento em círculo causado pelo cruzamento de ondas ou ventos contrários. **3.** Movimento circular e forte, de pequeno diâmetro, que se processa em espiral, da superfície para o fundo nas águas de um rio ou do mar. [Cf. *turbilhão* (2).] **4.** Rajada de vento, pé de vento, tufão, que se movimentam em círculo(s). **5.** Distribuição natural espiralada dos fios do cabelo, rente à raiz. [Var. e f. paral.: *redemoinho, redomoinho, rodomoinho* e (bras.) *rodamento, redemunho* e, p. us., *rodamoinho.*]

remoinhoso (o-i... ô) [De *remoinho* + *-oso.*] *Adj.* Que faz remoinhos.

remolada [Do fr. *rémoulade.*] *S. f. Cul.* Molho picante preparado com mostarda, salsa, cebolinha, alho, azeite-doce e limão, e que acompanha carnes frias, peixe, mariscos, etc.

remolar [Do esp. *remolar.*] *S. m. Ant.* Indivíduo que fabricava ou consertava remos.

remolhar [De *re-* + *molhar.*] *V. t. d.* **1.** Molhar de novo: *Remolhe o churrasco de 10 em 10 minutos.* **2.**

Molhar bem; repassar de líquido: *Remolhe o pão antes de juntá-lo à massa.* [Pres. ind.: *remolho*, etc. Cf. *remolho* (ô).]

remolho (ô) [Dev. de *remolhar*.] *S. m.* **1.** Ato ou efeito de remolhar. **2.** *Fam.* Doença que obriga a estar de cama. [Pl.: *remolhos* (ô). Cf. *remolho*, do v. *remolhar*.]

remondagem [De *remondar* + *-agem*[2].] *S. f.* Ato ou efeito de remondar.

remondar [Do lat. *remundare*.] *V. t. d.* Mondar novamente.

remonta [Dev. de *remontar*.] *S. f.* **1.** Suprimento de novos cavalos para as tropas de cavalaria; montaria. **2.** Gado cavalar ou muar utilizado nas tropas de cavalaria. **3.** Pessoal incumbido de comprar esse gado. **4.** *Pop.* Conserto, reforma, reparo. **5.** *Bras. Turfe* Serviço especializado do Exército que trabalha diretamente ligado aos jóqueis-clubes do País e ao Ministério da Agricultura no serviço de aprimoramento da raça equina nacional.

remontado [Part. de *remontar*.] *Adj.* **1.** Que subiu muito. **2.** Muito alto; muito elevado. **3.** Distante, longínquo, remoto. **4.** Em que ocorreu remonta (1): *regimento remontado.* **5.** Que sofreu remonte (2): *sapatos remontados.*

remontagem [De *re-* + *montagem*.] *S. f.* Ato ou efeito de remontar.

remontar [Do fr. *remonter*.] *V. t. d.* **1.** Erguer, elevar, levantar muito: *O condor remonta o voo.* **2.** Substituir o gado muar ou cavalar de (a tropa): *O comandante remontou o regimento.* **3.** Reparar, consertar, remendar: *remontar os sapatos.* **4.** Fazer fugir para os montes: *Os cães remontaram a caça.* **5.** Tornar a montar (peça de teatro). *T. d. e i.* **6.** Cobrir, rematar ou guarnecer na extremidade: *O ferreiro remontou de fisgo o arpão. T. c.* **7.** Ter existência desde, ou datar de: *O povo grego remonta aos tempos homéricos.* **8.** Volver, recuar (muito atrás, no passado): "Remontemos ao dia 24 de junho de 1841. Se pertenceis ao número dos meus inimigos, ... repetireis a velha chalaça de que foi nesse ano que eu fiz a barba pela primeira vez." (Machado de Assis, *A Semana*, II, p. 124); "A mais antiga lembrança de menino [de Monteiro Lobato] está ligada à natureza e remonta aos cinco anos de idade" (Edgard Cavalheiro, *Monteiro Lobato*, I, p. 16). *T. i.* **9.** Ter origem em: *Inúmeras palavras portuguesas remontam ao grego. Int.* **10.** Tornar a montar a cavalgadura, etc.: *O soldado remontou e partiu.* **11.** *Bras. S.* Voltar à nascente; subir de novo. *P.* **12.** Elevar-se muito; subir muito alto: *Os foguetes espaciais remontam-se, atingindo alturas incríveis.* **13.** Fugir, separar-se, apartar-se: *Vocação de místico, sabe remontar-se dos prazeres meramente materiais.* **14.** Aludir, referir-se (em geral a coisas antigas ou pessoas de outra época): *É próprio do historiador remontar-se ao passado.*

remonte [Dev. de *remontar*.] *S. m.* **1.** Ato ou efeito de remontar(-se). **2.** Reparo ou conserto no calçado. **3.** Cabedal próprio para fazer tal conserto.

remoque [Dev. de *remocar*.] *S. m.* **1.** Dito picante. **2.** Insinuação indireta e maliciosa. **3.** V. *zombaria*: "Várias vezes, no correr dos tempos, naturais e reinóis se haviam defrontado, e uma guerra contínua de chufas e remoques lavrava por todo o território da colônia." (Ronald de Carvalho, *Estudos Brasileiros*, 1ª série, p. 46.)

remoqueador (ô) [De *remoquear* + *-dor*.] *Adj. S. m.* Que, ou aquele que remoqueia.

remoquear [De *remoque* + *-ear*[2].] *V. t. d.* **1.** Dirigir remoques a; ferir com remoques. *Int.* **2.** Dizer remoques. [Conjug.: v. *frear*.]

remora [Dev. de um possível **remorar*.] *S. f.* **1.** Adiamento, dilação, delonga. **2.** *Fig.* Obstáculo, impedimento, barreira, óbice. [Cf. *rêmora*.]

rémora *S. f. Zool.* V. *rêmora*. [Uso freq. em P.]

rêmora [Do lat. *remora*, 'demora'; 'obstáculo'; 'rêmora (peixe)'; tax. *Remora*.] *S. f. Zool.* **1.** Gênero de peixes altamente especializados que abrange os equenídeos e várias outras espécies congêneres; algumas espécies são cosmopolitas e fixam-se também ao fundo das embarcações. **2.** Qualquer espécie desse gênero, como, p. ex., a *Remora remora*, caracterizada por ter sobre a cabeça um disco adesivo elipsoidal, com o qual se prende aos tubarões para se locomover, nadadeiras dorsal e anal opostas e simétricas. Coloração pardo-purpúrea, com uma linha negra ao longo da região vertebral. **3.** Qualquer espécime desse gênero. [Sin. pop. (nas acepçs. 2 e 3): *agarrador, pegador, peixe-pegador, peixe-piolho, piolho-de-cação, piolho-de-tubarão, piraquiba.* Cf. *remora*, do v. *remorar*, e s. f.]

remorado [Do lat. *remoratu*.] *Adj. P. us.* Retardado, demorado, delongado, remoroso: "Reflete [o sertanejo] a preguiça invencível, a atonia muscular perene, em tudo: na palavra remorada, no gesto contrafeito, no andar desaprumado, na cadência langorosa das modinhas, na tendência constante à imobilidade e à quietude." (Euclides da Cunha, *Os Sertões*, p. 115.)

remorar [Do lat. **remorare*, por *remorari*.] *V. t. d. P. us.* Retardar, demorar, delongar, protrair. [Pres. ind.: *remoro, remoras, remora*, etc. Cf. *rêmora*.]

remordacíssimo *Adj.* Superl. abs. sint. de *remordaz*.

remordaz [De *re-* + *mordaz*.] *Adj. 2 g.* Mordaz em excesso. [Superl. abs. sint.: *remordacíssimo*.]

remorder [Do lat. *remordere*.] *V. t. d.* **1.** Morder de novo, ou repetidas vezes: "O Cosme sentiu então uma grande vontade de chorar, mas remordendo os beiços dominou-a." (Trindade Coelho, *Os Meus Amores*, p. 96.) **2.** Falar em desabono de; difamar, abocanhar, aboquejar: *Vive a remorder autoridades.* **3.** Torturar, afligir, atormentar: *Os pensamentos ruins remordeiam-lhe a alma.* **4.** Cismar repetidamente em; parafusar sobre; remoer, ruminar: *Remordeu anos a fio aquela ideia. T. i.* **5.** Tornar a morder. **6.** Repisar; insistir: *remorder num assunto.* **7.** Diminuir ou rebaixar o mérito: *O presunçoso remorde em todos os grandes homens. P.* **8.** Morder-se muito, ou repetidas vezes: *Remordeu-se de medo.* **9.** Irar-se, enraivecer-se, encolerizar-se: *Remordeu-se ao presenciar a injustiça;* "A mulata ficou a remorder-se de fúria, abriu a janela e explodiu: — Grosseirona!" (Coelho Neto, *Turbilhão*, p. 343).

remordimento [De *remorder* + *-imento*.] *S. m.* **1.** Ato ou efeito de remorder(-se). **2.** V. *remorso*.

remoroso (ô) [De *remora* + *-oso*.] *Adj.* V. *remorado*.

remorsal [De *remorso* + *-al*[1].] *Adj. 2 g.* Referente a remorso.

remorso [Do lat. *remorsu*.] *S. m.* Inquietação da consciência por culpa ou crime cometido; mordimento, remordimento; bicho da consciência.

remotifloro [De *remoto* + *-ifloro*.] *Adj. Bot.* Que tem flores afastadas umas das outras.

remotifólio [De *remoto* + *-i-* + *-fólio*.] *Adj. Bot.* Que tem folhas distantes entre si.

remoto [Do lat. *remotu*, 'movido para trás', 'afastado'.] *Adj.* **1.** Que sucedeu há muito tempo; antigo, longínquo: "A casa era a da Rua de Matacavalos, o mês novembro, o ano é que é um tanto remoto, mas eu não hei de trocar as datas à minha vida só para agradar às pessoas que não amam histórias velhas" (Machado de Assis, *Dom Casmurro*, p. 7). **2.** Muito afastado no espaço; distante, distanciado: "Ela foi a primeira que baixou os olhos ao regaço. Depois, levantou-os, a fim de os levar a outra parte, mais remota, o muro da chácara" (Id., *Histórias sem Data*, p. 198). **3.** *Inform.* Diz-se de dispositivo, computador ou rede de computadores a que se tem acesso por meio de linha de comunicação. **4.** *Inform.* Que se dá por meio de conexão entre computadores, via linhas, e de programas especiais de comunicação: *acesso remoto, processamento remoto.* [Nas acepçs. 3 e 4, opõe-se a *local*.] ~ V. *controle —*.

→ **rémoulade** [ʁemu'lad][Fr.] *S. f. Cul.* V. *remolada*.

removedor (ô) [De *remover* + *-dor*.] *S. m. Bras.* Preparado, geralmente líquido, para tirar manchas do soalho, de roupas, etc., ou remover verniz, esmalte, tinta, etc.

remover [Do lat. *removere*, 'mover para trás, de um lugar para outro'.] *V. t. d.* **1.** Mover outra vez. **2.** Mudar de um lugar para outro: *Removeu a poltrona para abrir a porta do armário;* "Prefeitura só vai remover outdoors depois de 60 dias." (*O Globo*, 29.01.1999.) **3.** Mudar (empregado, funcionário, etc.) de um posto ou de um local para outro; transferir: *O chefe removeu os empregados mais antigos.* **4.** Vencer, afastar, superar: *Procuraremos remover os óbices;* "A prática removeu a pouco e pouco todos os estorvos que dificultavam a execução da lei" (Ramalho Ortigão, *As Farpas*, I, p. 63). **5.** Pôr distante; afastar: *O tempo removerá seus temores.* **6.** Agitar para um lado e para outro; remexer. **7.** Frustrar, baldar, evitar: *A tropa de reforço removeu a derrocada. T. d. e c.* **8.** Remover (2): "Foi preciso varrer, escovar, remover do gabinete os móveis que o atravancavam." (Aluísio Azevedo, *Casa de Pensão*, p. 93); *Removeu os livros para a estante da sala.* **9.** Remover (3): *Removeram-no para o gabinete do diretor. T. d. e i.* **10.** Demitir, destituir, exonerar: *O diretor removeu da chefia o antigo funcionário.* **11.** Mover, levar, induzir: *O patriotismo removeu os soldados ao combate aberto.* **12.** Fazer desaparecer; afastar: *O estudo remove a obscuridade à mente.*

removibilidade [De *removível* + *-(i)dade*, seg. o padrão erudito.] *S. f.* Qualidade ou estado de removível.

removimento [De *remover* + *-imento*.] *S. m.* Ato ou efeito de remover.

removível [De *remover* + *-ível*.] *Adj. 2 g.* Que pode ser removido. ~ V. *descontinuidade —*.

→ **rempli de soi-même** [ʁɑ̃'pli do swa mem] [Fr.] Cheio de si; convencido.

rém-rém [T. onom.] *S. m. Bras. N.E. Fam.* Altercação prolongada, incessante.

remudar [De *re-* + *mudar*.] *V. t. d. T. i.* Mudar novamente.

remugir [Do lat. *remugire*.] *V. int.* **1.** Mugir de novo, ou repetidas vezes. **2.** Estrondear, retumbar, bramir, rugir. **3.** Fazer imprecações; amaldiçoar, praguejar. *T. d.* **4.** Exprimir ou manifestar remugindo: "As narinas [do touro] abertas, a boca hiante a remugir fúrias" (Antero de Figueiredo, *Jornadas em Portugal*, p. 25).

remuito [De *re-* + *muito*.] *Adv. P. us.* Muitíssimo.

remunerabilidade [De *remunerável* (*remunerabil-*) + *-(i)dade*.] *S. f.* Faculdade de receber remuneração, ou direito a ela.

remuneração [Do lat. *remuneratione*.] *S. f.* **1.** Ato ou efeito de remunerar. **2.** Recompensa, prêmio. **3.** Gratificação em pagamento de serviço prestado. **4.** Salário; honorários, soldada, soldo, ordenado. **5.** *Dir. Trab.* A totalidade dos valores auferidos pelo empregado, em que se incluem, para todos os efeitos legais, além do salário devido e pago diretamente pelo empregador, como contraprestação do serviço, as gorjetas que receber.

remunerado [Part. de *remunerar*.] *Adj.* Que tem remuneração (2 a 4). ~ V. *reserva —a*.

remunerador (ô) [Do lat. tard. *remuneratore*.] *Adj. S. m.* Que, ou aquele que remunera ou recompensa.

remunerar [Do lat. *remunerare*.] *V. t. d.* **1.** Dar remuneração ou prêmio a; premiar, recompensar, galardoar, gratificar: *O júri remunerou os melhores trabalhos.* **2.** Pagar salários, honorários, rendas, etc., a; satisfazer, gratificar: *A firma faliu e não remunerou os empregados.*

remunerativo [De *remunerar* + *-tivo*.] *Adj.* V. *remuneratório*.

remuneratório [De *remunerar* + *-tório*.] *Adj.* **1.** Que remunera; remunerador. **2.** Próprio para recompensar. [Sin. ger.: *remunerativo* e *remuneroso*.]

remunerável [De *remunerar* + *-vel*.] *Adj. 2 g.* Que pode ser remunerado.

remuneroso (ô) [De *remuner-*, como em *remunerar*, + *-oso*.] *Adj.* V. *remuneratório*.

remurmurar [Do lat. *remurmurare*.] *V. int.* **1.** Murmurar novamente: *Todos os dias despertava remurmurando.* **2.** Murmurar repetidas vezes: "Levando as folhas secas, amarelas, / Garalha a água e chilra e remurmura..." (João Ribeiro, *Versos*, p. 232.)

remurmúrio [De *re-* + *murmúrio*.] *S. m.* Ato ou efeito de remurmurar: "vozes onomatopaicas, imitantes dos remurmúrios da floresta." (Martins Fontes, *Terras da Fantasia*, p. 24).

rena [De or. lapônia ou finlandesa, pelo fr. *renne*.] *S. f. Zool.* V. *rangífer* (2 e 3).

renal [Do lat. *renale*.] *Adj. 2 g.* **1.** Relativo ou pertencente a rim. **2.** De rim: *cálculo renal.* ~ V. *cálice —, cilindro —, hipertensão —* e *pelve —*.

renano [Do lat. *rhenanu*.] *Adj.* **1.** Relativo ao Reno, rio da Europa. **2.** Da, pertencente ou relativo à Renânia (região da Alemanha), banhada pelo rio Reno, e que se estende da fronteira com a França à fronteira com a Holanda. • *S. m.* **3.** O natural ou habitante da Renânia.

renão [De *re-* + *não*.] *Adv.* F. reforçada de *não*.

→ **renard** [ʁɔ'naʁ] [Fr.] *S. m.* V. *raposa* (2).

renascença [Do fr. *renaissance*.] *S. f.* **1.** Ato ou efeito de renascer. **2.** Vida nova. **3.** Movimento artístico e científico dos sécs. XV e XVI, que pretendia ser um retorno à Antiguidade Clássica. **4.** O período da Renascença (3). [Sin., nas acepçs. 1 a 4: *renascimento*.] **5.** *Encad.* O estilo que se caracteriza pelos abundantes ornatos dourados, largo emprego de arcos e florões, etc. • *Adj. 2 g.* **6.** Pertencente à, ou próprio da época ou do estilo da Renascença (3).

renascenceano *Adj.* **1.** De, ou pertencente ou relativo a Renascença (PR). • *S. m.* **2.** O natural ou habitante de Renascença. [Sin. ger.: *renascentista*.]

renascente [Do lat. *renascente*.] *Adj. 2 g.* Que renasce.

renascentista[1] [De *renascente* (por renascença) + *-ista*.] *Adj. 2 g.* **1.** Relativo à, ou próprio da Renascença (3 e 4). • *S. 2 g.* **2.** Artista desse movimento ou período.

renascentista[2] *Adj. 2 g. S. 2 g.* V. *renascenceano*.

renascer [Do lat. **renascere*, por *renasci*.] *V. int.* **1.** Nascer de novo (na realidade ou na aparência): *A unha extirpada renasceu; Renascem as flores na primavera.* **2.** *Fig.* Nascer de novo (q. v.). **3.** Crescer ou germinar outra vez; recrescer: *Ao rever o inimigo, seu sentimento de ódio renasceu.* **4.** Adquirir nova atividade, novo impulso; renovar-se, revigorar-se: *A ciência renasceu na Idade Moderna.* **5.** Remoçar, rejuvenescer, juvenescer: *O velho senhor renasceu após uns meses de descanso.* **6.** Tornar a aparecer; ressurgir, reaparecer: *Declarada a nova guerra, a angústia do povo renasceu.* **7.** Continuar existindo; reproduzir-se: *Com o nascimento do filho, sentiu que renascia.* **8.** Lançar rebentos ou brotos; brotar, desabrochar, rebentar, renovar: *As plantas*

R

renasceram. 9. Corrigir-se, reabilitar-se, recuperar-se: *Alguns condenados renascem.* [Conjug.: v. *aquecer.*]

renascimento [De *renascer* + *-imento.*] *S. m.* Renascença (1, 2 e 3).

renavegar [Do lat. *renavigare.*] *V. t. d. Int.* 1. Navegar novamente. 2. Navegar para o ponto de partida. [Conjug.: v. *regar.*]

renda[1] [Dev. de *render.*] *S. f.* 1. Importância recebida por pessoa ou entidade, ger. de forma periódica, como remuneração do trabalho, lucro de operações comerciais, juro de investimento, etc.; rendimento: *Imposto de renda; declaração de renda; Fulano tem uma renda mensal de cinco salários mínimos.* 2. Resultado financeiro da aplicação de capitais: *Meu tio vive de rendas; A Santa Casa é mantida, em parte, pela renda de seu patrimônio imobiliário.* 3. V. *receita* (1): *a renda de um jogo de futebol, de um leilão.* 4. *Econ.* Nas Contas Nacionais, a remuneração dos fatores de produção em salários, juros, lucros, aluguéis. ◆ **Renda econômica.** *Econ.* Renda derivada da propriedade de um fator de produção não reproduzível, como, p. ex., terras de qualidade excepcional, ou ponto comercial de localização única. **Renda fixa** *Econ.* Tipo de investimento que oferece taxas de juros razoavelmente previsíveis que incidem sobre o capital investido a intervalos periódicos. **Renda nacional.** *Econ.* Soma das rendas dos residentes num país, num dado período de tempo. [É dada pelo Produto Nacional Bruto menos os gastos de depreciação do capital e os impostos indiretos, e mais as transferências governamentais.] **Renda *per capita*.** *Econ.* A Renda Nacional dividida pelo número de habitantes do país. **Renda por pessoa.** Renda *per capita.*

renda[2] [Da mesma or. incerta que o esp. *randa* e o cat. *randa*; poss. relacionados ao occitânico *randar*, 'adornar', der. de *randa*, 'fim', 'borda', tb. de or. incerta (poss. celta).] *S. f.* 1. *Tec. Têx.* Tecido de malhas abertas e contextura em geral delicada, cujos fios (de linho, algodão, seda, etc.), trabalhados à mão ou à máquina, se entrelaçam formando desenhos, e que é usado para guarnecer ou confeccionar peças de vestuário, alfaias, roupa de cama e mesa, etc. 2. Qualquer lavor ou motivo ornamental à imitação de renda[2] (1); rendado. ◆ **Renda *chantilly*.** *Bord.* Renda originária da cidade de Chantilly (N. da França), produzida por um sistema de bobinas, e em que vários fios são trabalhados sobre uma almofada arredondada. **Renda *guipure*.** *Bord.* Renda fina e transparente, tecida à mão, em fuso ou com agulha, e que lembra um crochê delicado. **Fazer renda.** *Bras. N.E. Pop.* Tomar chá de cadeira.

rendado [Part. de *rendar*[2].] *Adj.* 1. Adornado com rendas [v. *renda*[2] (1)]. 2. Que tem o aspecto de renda[2] (1): *grade rendada.* [F. paral.: *arrendado.*] ● *S. m.* 3. O conjunto das rendas [v. *renda*[2] (1)] que guarnecem uma roupa. 4. Renda[2] (2).

rendão [De *renda*[2] + *-ão*[1].] *S. m. Tec. Têx.* Tecido de renda[2] grossa, em geral de algodão natural ou sintético, que é fabricado industrialmente e se usa na confecção de cortinas, colchas, vestidos, etc.

renda-portuguesa [De *renda*[1] + o f. de *português.*] *S. f.* Nome comum a diversas plantas davaliáceas ornamentais do gênero *Davallia.* [Pl.: *rendas-portuguesas.*]

rendar[1] [De *renda*[1] + *-ar*[2].] *V. t. d. T. d. e i.* 1. Arrendar[1] (q. v.). *Int.* 2. Pagar rendas (v. *renda*[1]): *Os camponeses rendam anualmente.*

rendar[2] [De *renda*[2] + *-ar*[2].] *V. t. d.* Adornar com renda[2]; arrendar[2]: *rendar uma anágua.*

rendaria [De *renda*[2] + *-aria.*] *S. f.* 1. Arte, indústria ou comércio de rendas [v. *renda*[2] (1)]. 2. Grande quantidade de rendas [v. *renda*[2] (1)].

rendedoiro [De *render* + *-doiro*[1].] *S. m.* Rendedouro (q. v.).

rendedouro [De *render* + *-douro*[1]; var. de *rendedoiro.*] *Adj.* 1. Que rende ou produz. 2. Que promete renda[1] ou produto.

rendeira[1] [De *renda*[1] + *-eira.*] *S. f.* 1. Mulher que arrenda uma propriedade rústica. 2. Mulher de rendeiro[1].

rendeira[2] [De *renda*[2] + *-eira.*] *S. f.* 1. Mulher que fabrica ou vende rendas [v. *renda*[2] (1)]. [Sin. (lus.): *rendilheira.*] 2. *Bras. Zool.* Ave passeriforme, piprídea, sobretudo as espécies dos gêneros *Pipra* e *Manacus*, em particular a espécie *M. manacus*, da Amaz., de coloração branca, alto da cabeça, dorso inferior, asas e cauda pretos, uropígio, flancos e crisso cinzentos; a fêmea verde, com o meio do abdome amarelado. [Sin., nesta acepç.: *uirapuru, bilreira, cabeça-de-prata, atangaratinga, rendeiro, maria-rendeira.*] 3. *Bras. Zool.* V. *barbudinho* (1). 4. *Bras. Zool.* V. *uirapuru* (1).

rendeiro[1] [De *renda*[1] + *-eiro.*] *S. m.* 1. Aquele que arrenda propriedades rústicas; censuário. 2. Aquele que recebe de outrem imóvel ou dinheiro, obrigando-se a pagar renda periódica. [Cf. *locatário.*]

rendeiro[2] [De *renda*[2] + *-eiro.*] *S. m.* 1. Fabricante ou vendedor de rendas [v. *renda*[2] (1)]. 2. *Zool.* V. *rendeira*[2] (2). 3. *Zool.* V. *barbudinho* (1).

rendendê *S. m. Bras.* Redendê.

rendengue[1] *S. m. Bras. PA MA* Parte do corpo situada entre a cintura e as virilhas.

rendengue[2] *S. m. Bras. CE* Pequeno sino; sineta.

render [Do lat. *reddere*, 'restituir', que, com infl. de *prendere*, 'tomar', passa a **rendere.*] *V. t. d.* 1. Obrigar a capitular; vencer a resistência de; sujeitar, dominar, vencer. 2. Ocupar o lugar de; substituir: *Novos soldados chegaram para render a guarda.* 3. Comover, sensibilizar, enternecer: *O sofrimento rende até os mais duros de coração.* 4. Deixar como produto, ou efeito; fazer, produzir: *Um quilo de farinha de trigo rende aproximadamente 60 pãezinhos caseiros.* 5. Ser causa de; causar, provocar: *A insensatez rende o sofrimento.* 6. Pôr de lado; depor, largar: *O exército vencido rendeu as armas.* 7. Enfraquecer, debilitar, diminuir: *A dispersão de forças rendeu nossa capacidade de ataque. T. c.* 8. Deixar como produto ou lucro: *A boiada rendeu dois milhões de reais. T. d. e i.* 9. Dispensar; prestar; oferecer: "Pois eu também rendi minha homenagem / A esse homem de ferro e de coragem" (Domingos Carvalho da Silva, *Liberdade Embora Tarde*, p. 20); *Rendamos graças a Deus.* 10. Produzir, causar (vantagem, resultado): *O decreto rendeu problemas às empresas privadas. Int.* 11. Ser útil, produtivo; dar vantagem: *No mundo atual nem só a capacidade rende.* 12. Estalar, rachar, fender: *A madeira rendeu.* 13. Dar produto ou lucro. 14. Dar rendimento (5 e 6): *Com esta gasolina, o carro não rende.* 15. *Pop.* Contrair hérnia. 16. *Bras.* Demorar muito a acabar; durar: *A conversa rendeu muito. P.* 17. Dar-se por vencido; entregar-se; submeter-se, capitular: *O inimigo rendeu-se após o cerco;* "Fechemos este livro. / Canudos não se rendeu. Exemplo único em toda a história, resistiu até ao esgotamento completo." (Euclides da Cunha, *Os Sertões*, p. 541). 18. Abater-se, prostrar-se: *Meu ânimo ainda não se rendeu.*

➔ **rendez-vous** [ʀɑ̃de'vu] [Fr.] *S. m.* 1. V. *casa de tolerância.* 2. Encontro. [Em Portugal é corrente o uso da palavra nesta acepç.: *Amanhã teremos um rendez-vous com os diretores.*]

rendição [De *render* + *-ição.*] *S. f.* Ato ou efeito de render(-se), de capitular, de entregar(-se); capitulação, rendimento.

rendido [Part. de *render.*] *Adj.* 1. Fendido, rachado, estalado. 2. Vencido, subjugado, dominado. 3. Obediente, dócil, submisso. 4. *Fig.* Contemplativo, absorto, extático. 5. *Pop.* Herniado.

rendidura [De *render* + *-i-* + *-dura.*] *S. f.* 1. *Ant. Mar.* Rachadura da madeira de um mastro, verga, etc. 2. *Bras. Pop.* V. *hérnia* (1).

rendilha [De *renda*[2] + *-ilha.*] *S. f.* 1. Renda[2] (1) pequena ou delicada. [Cf. *espiguilha.*] 2. *Bras. RS* Aparelho serrilhado que se põe, preso à cabeceira do freio, sobre o chanfro do animal, para subjugá-lo.

rendilhado [Part. de *rendilhar.*] *Adj.* 1. Que tem rendilha(s). 2. *Fig.* Que tem lavores que lembram rendilhas. 3. Trabalhado e ornado com delicadeza. [Var.: *arrendilhado.*]

rendilhamento [De *rendilhar* + *-mento.*] *S. m.* Ato ou efeito de rendilhar.

rendilhar [De *rendilha* + *-ar*[2].] *V. t. d.* 1. Adornar com rendilhas: *rendilhar um vestido.* 2. Adornar com lavores semelhantes a rendilhas: *rendilhar uma coluna;* "Quero que a estrofe, como um relicário, / Tenha aquele primor extraordinário / De Fray Juan de Segovia, rendilhando / O relevo de prata de um sacrário." (Martins Fontes, *Verão*, p. 12). 3. Entremear de formas variadas, caprichosas e delicadas: *rendilhar uma frase.* 4. Cortar, recortar, talhar.

rendilheira [De *rendilha* + *-eira.*] *S. f. Lus.* Rendeira[2] (1).

rendimento [De *render* + *-imento.*] *S. m.* 1. Ato ou efeito de render, rendição. 2. Renda[1] (1): *Os rendimentos de seu novo cargo são compensadores.* 3. *Econ.* Produto de uma aplicação financeira: *Meu investimento em imóveis me trouxe bons rendimentos.* [V. *rendimento* (2).] 4. *Econ.* Eficiência produtiva; produtividade: *Com o aumento da escala de produção, a fábrica mostrou rendimentos crescentes.* [Nesta acepç., tb. se usa no pl.] 5. Eficiência relativa no desempenho de determinada função ou tarefa: *O rendimento do time aumentou.* 6. Aproveitamento relativo de força ou energia: *rendimento de um automóvel, de um mecanismo.* 7. *Fís.* Num sistema capaz de fornecer trabalho, razão entre o trabalho fornecido pelo sistema e a energia fornecida a este. 8. *Quím.* Relação, expressa em percentagem, entre a quantidade de produto efetivamente obtido em uma reação e a quantidade máxima teórica; conversão. 9. *Pop.* Deslocamento de osso, ou luxação. ~ V. *rendimentos.*

rendimentos [Pl. de *rendimento.*] *S. m. pl.* 1. Cumprimentos respeitosos. 2. Frutos civis (q. v.). ~ V. *rendimento.*

rendoso (ô) [De *renda*[1] + *-oso.*] *Adj.* Que rende; lucrativo.

renegação [De *renegar* + *-ção.*] *S. f.* Ato de renegar; renegamento. [Var.: *arrenegação.*]

renegada [F. subst. do adj. *renegado.*] *S. f.* V. *zanga* (5).

renegado [Part. de *renegar.*] *Adj.* 1. Que abandona a sua religião ou o seu partido por outros; apóstata. 2. Que modifica as suas opiniões. 3. Odiado, execrado. 4. Desprezado, rejeitado. ● *S. m.* 5. Indivíduo renegado (1 e 2). 6. *Pop.* Indivíduo mau; malvado. [Var.: *arrenegado.*]

renegador (ô) [De *renegar* + *-dor.*] *Adj. S. m.* Que, ou aquele que renega.

renegamento [De *renegar* + *-mento.*] *S. m.* V. *renegação.*

renegar [Do lat. vulg. **renegare.*] *V. t. d.* 1. Renunciar solenemente a (religião, crença ou ideia); descrer de; abjurar: *Martinho Lutero renegou o cristianismo romano.* 2. Abandonar (um partido, uma religião) por outro ou outra: *Renegou o Partido Liberal.* 3. Execrar, odiar, detestar: *Os cristãos devem renegar o pecado; Renega o destino que tem.* 4. Trair, atraiçoar: *Judas renegou Cristo.* 5. Desmentir, contradizer, negar: *O réu, no seu depoimento, renegou a acusação.* 6. Tratar com desprezo; desprezar, rejeitar: *O próprio irmão renega-o.* 7. Lançar maldição a; amaldiçoar. 8. Lançar imprecações contra; esconjurar. 9. Não fazer caso de; prescindir de: *Renegou a ajuda que lhe foi oferecida. T. i.* 10. Abjurar; descrer: *Os hereges renegaram de Deus.* 11. Não fazer caso; prescindir: *Nenhum povo pode renegar da cultura.* [Var.: *arrenegar.* Conjug.: v. *regar.*]

renegociação [De *renegociar* + *-ção.*] *S. f.* Ato ou efeito de renegociar.

renegociar [De *re-* + *negociar.*] *V. t. d. T. d. e i.* Negociar outra vez: *O governo renegociou a dívida; É preciso renegociar o tratado com os demais países.* [Conjug.: v. *negociar.* Pret. imperf. ind.: *renegociava, …. renegociáveis, renegociavam.* Cf. *renegociáveis*, pl. de *renegociável.*]

renegociável [De *renegociar* + *-vel.*] *Adj. 2 g.* Que pode ser renegociado.

renembrança *S. f. Ant.* V. *relembrança.*

renete (ê) [Do fr. *rénette.*] *S. m.* Instrumento com que se apara o casco das bestas; puxavante.

renga *S. f. Pop.* V. *renque.*

rengalho [De *rengo*[1] + *-alho.*] *S. m. Pop.* Espécie de rede ainda não lavorada e que serve de base para a execução de uma renda[2] (1), de trabalho em filó.

rengo[1] [De *rengue.*] *S. m. Tec. Têx.* Tecido transparente para bordados; rengue.

rengo[2] [Do esp. plat. *rengo.*] *S. m.* 1. Doença nos quartos traseiros dos cavalos, que, impedindo-os praticamente de andar, os inutiliza para qualquer trabalho. ● *Adj.* 2. *Bras.* Diz-se de cavalo que manca de uma perna. 3. V. *coxo* (1).

rengue [Do hisp.-amer. *rengue.*] *S. m. Tec. Têx.* Rengo[1].

renguear [Do esp. plat. *renguear.*] *V. int.* 1. *Bras. S.* Tornar-se rengo ou coxo; mancar-se: *O animal rengueou depois de velho.* 2. Claudicar, mancar, coxear: "O negro Orlando mexia-se como num samba, o velho Antero rengueava, os cabelos e os gestos desordenados." (Ricardo Ramos, *Terno de Reis*, p. 269.) [Conjug.: v. *frear.*]

rengueira [Do esp. plat. *renguera.*] *S. f. Bras. S.* O defeito de renguear; manqueira.

renhideiro [Do esp. plat. *reñidero.*] *S. m. Bras.* V. *rinha* (2).

renhido [Part. de *renhir.*] *Adj.* 1. Disputado com pertinácia; porfiado, encarniçado: "Dava-me gosto então a peleja renhida das duas imagens" (Raul Pompeia, *O Ateneu*, p. 23). 2. *Fig.* Sangrento, cruento: *batalha renhida.*

renhimento [De *renhir* + *-mento.*] *S. m.* Ato ou efeito de renhir(-se).

renhir [Do esp. *reñir.*] *V. t. d.* 1. Disputar, pleitear: *Os rapazes renhiam o amor da bonita jovem.* 2. Contender, combater, lutar com: *Usou do chicote para renhir as feras.* 3. Travar, desencadear: *Os marginais renhiram um cerrado tiroteio. T. i.* 4. Porfiar, altercar, discutir; combater, contender: *renhir com os adversários. Bit. i.* 5. Discutir, porfiar, altercar; combater, contender: *Os ministros renhiram com outras autoridades sobre a validade do decreto. Int.* 6. Travar contenda ou luta; combater furiosamente; pelejar: *Os exércitos renhiram por 10 dias e 10 noites. P.* 7. Tornar-se renhido: "Enquanto cura a Eurípilo o Menécio, / Renhia-se o conflito" (Manuel Odorico Mendes, *Ilíada de Homero*, p. 153). [Defect. Só se conjuga nas f. em que ao *h* se segue a vogal *i.*]

reniforme [Do lat. *rene*, 'rim', + *-iforme*.] *Adj. 2 g.* Que tem forma de rim; nefroide. ~ V. *folha* —.

renila [Do tax. *Renilla*.] *S. f. Zool.* **1.** Gênero de cnidários antozoários, alcionários, penatuláceos, com pólipos situados nos poros do esqueleto, discoide ou semelhante a um rim ou um amor-perfeito, fortemente colorido. **2.** Espécie ou espécime desse gênero. [Sin. (pop.), na acepç. 2: *cogumelo-do-mar, orelha-de-macaco*.]

renina[1] [Do lat. *rene*, 'rim', + *-ina*[3].] *S. f.* Substância liberada pelos rins em caso de isquemia renal.

renina[2] [Do ingl. *rennin*.] *S. f. Bioquím.* Enzima ativa na coagulação do leite e presente nas mucosas intestinais; quimosina.

rénio *S. m. Quím.* V. *rênio*. [Uso freq. em P.]

rênio [Do lat. cient. *Rhenium* (de *Rhenus*, f. lat. do rio Reno).] *S. m. Quím.* Elemento de número atômico 75, metálico, muito denso, com elevado ponto de fusão, us. em catalisadores [símb.: *Re*].

renitência [Do lat. *renitentia*.] *S. f.* Qualidade de renitente; teimosia, obstinação, pertinácia, contumácia.

renitente [Do lat. *renitente*.] *Adj. 2 g.* Que renite; teimoso, obstinado, pertinaz, contumaz.

renitir [Do lat. **renitere*, por *reniti*.] *V. int. T. i.* **1.** Mostrar-se contumaz, teimoso; teimar, insistir, obstinar-se: *Não adianta renitir: a decisão será cumprida a todo custo*; "E atrás, muito atrás, umas vozes e sons de violino, renitindo em velhas canções ingênuas dos tempos da vila" (Xavier Marques, *As Voltas da Estrada*, p. 41). **2.** Persistir no designio ou execução de algo.

renomado [De *renome* + *-ado*[1].] *Adj.* V. *renomeado*.

renome [De *re-* + *nome*.] *S. m.* **1.** Bom nome; boa reputação; crédito. **2.** Fama, nomeada.

renomeado [De *renome* + *-eado*.] *Adj.* Que tem renome; renomado, famoso, célebre.

renormalização [De *re-* + *normalização*.] *S. f. Fís. Part.* Procedimento us. em certas teorias quânticas de campo para eliminar valores não físicos de grandezas, tais como massa e carga elétrica, e introduzir os valores físicos observáveis destas grandezas.

renova [De *renovo*.] *S. f.* Renovo (5).

renovação [Do lat. *renovatione*.] *S. f.* Ato ou efeito de renovar(-se); renovamento.

renovador (ô) [Do lat. *renovatore*.] *Adj. S. m.* Que, ou aquele que renova.

renovamento [De *renovar* + *-mento*.] *S. m.* Renovação.

renovar [Do lat. *renovare*.] *V. t. d.* **1.** Tornar novo; dar aspecto ou feição de novo a; mudar ou modificar para melhor: "se não tens força, nem originalidade para renovar um assunto gasto, melhor é que te cales e te retires." (Machado de Assis, *Histórias sem Data*, pp. 4-5). **2.** Substituir por novo, por coisa nova: *O comerciante renovou os estoques.* **3.** Recomeçar, reiniciar, restaurar: *Os agressores renovaram a luta.* **4.** Dizer ou fazer de novo; repetir: *O suplicante renovou os apelos.* **5.** Consertar, reformar, corrigir, melhorar em todos os aspectos ou praticamente em todos: *Os sábios renascentistas renovaram a ciência medieval.* **6.** Fazer novamente; refazer: *renovar um contrato, uma promissória.* **7.** Excitar de novo; tornar a excitar. **8.** Consertar, reparar; reformar: *Mandou renovar o motor do carro.* **9.** Pôr novamente em vigor; restaurar, restabelecer: *renovar um regulamento esquecido.* **10.** Dar novo brilho a. **11.** Dar novas forças a: *O sol renova a vegetação.* **12.** Trazer de novo à lembrança; relembrar: *Renovava com saudade os seus tempos de criança.* ***T. d. e i.*** **13.** Fazer de novo; repetir, reiterar. ***Int.*** **14.** Deitar novos rebentos ou renovos; brotar: *As plantas renovam na primavera.* **15.** Surgir de novo; vir novamente; reaparecer, restabelecer-se, renovar-se: *Com a falta de providências sanitárias, a epidemia renovou.* **16.** Sobrevir; suceder-se; renovar-se: *Os ataques inimigos renovam dia após dia.* ***P.*** **17.** Rejuvenescer, juvenescer, revigorar-se: *Renovou-se com a medicação geriátrica.* **18.** Aparecer de novo; repetir-se: *Observações astronômicas preveem que a aparição do cometa renovar-se-á em 80 anos.* **19.** Renovar (15 e 16). [Pres. ind.: *renovo*, etc. Cf. *renovo* (ô), s. m.]

renovatório [De *renovar* + *-tório*.] *Adj. Jur.* Que serve para renovar.

renovável [De *renovar* + *-vel*.] *Adj. 2 g.* Que pode ser renovado.

renovo (ô) [Dev. de *renovar*.] *S. m.* **1.** V. *broto* (2). **2.** Ramo novo que cresce do toco de uma árvore recém-cortada, e do qual se origina uma nova árvore. **3.** V. *gema* (3): "Pelos gravetos secos pulula a seiva fecunda a borbulhar nos renovos para amanhã desabrochar em rama frondosa." (José de Alencar, *O Sertanejo*, p. 98.) **4.** V. *rebento* (1). **5.** *Fig.* Descendência, renova. ~ V. *renovos*. [Pl.: *renovos* (ó). Cf. *renovo*, do v. *renovar*.]

renovos [Pl. de *renovo*.] *S. m. pl.* Produtos agrícolas. ~ V. *renovo*.

renque [Do frâncico **hring*, 'círculo', pelo cat. *renc*, 'fila'.] *S. m. e f.* Disposição de coisas ou de pessoas na mesma linha; ala, fileira, alinhamento, série: "Pálidos choupos, em renques pautados e finos, bordavam canaizinhos muito direitos e claros." (Eça de Queirós, *A Cidade e as Serras*, p. 365); "Ao pé de uma das colunas de pedra, que subindo ao teto se dividiam como os ramos de uma palmeira em artesões de castanho, os quais .... pareciam sustentar a renque de lampadários gigantes pendentes da escura profundeza daquelas voltas; — ao pé de uma destas colunas, ... três personagens falavam também havia largo tempo" (Alexandre Herculano, *O Bobo*, p. 41). [P. us. no fem. Var., pop.: *renga*.]

rentabilidade [De *rentável* + *-(i)dade*, seg. o padrão erudito.] *S. f.* **1.** Qualidade do que é rentável; lucratividade: "A abolição da escravidão afetara profundamente os remanescentes da fazenda. Baixara a rentabilidade das terras." (Vivaldo Coaraci, *Paquetá*, p. 45.) **2.** *Cont. Econ.* Relação entre o investimento realizado e o lucro por ele proporcionado.

rentabilização [De *rentabilizar* + *-ção*.] *S. f.* Ato ou efeito de rentabilizar, de tornar lucrativo, rentável: "numa sociedade de espetáculo, a distribuição depende da possibilidade de rentabilização imediata do bem cultural em questão". (Antônio Pinto Ribeiro, *Abrigos: Condição das Cidades e Energia da Cultura*, p. 19).

rentabilizar [De *rentável* (*rentabil-*) + *-izar*, seg. o padrão erudito.] *V. t. d.* Tornar rentável, lucrativo.

rentar [De *rente* + *-ar*[2].] *V. t. i.* **1.** Dirigir provocações; alardear valentias. **2.** Dirigir galanteios; galantear, cortejar: "Foi o Zeferino, ... que .... observava que os estudantes rentavam à cachopa, ... quando ela subia a escada." (Camilo Castelo Branco, *A Brasileira de Prazins*, p. 25.) [F. paral.: *rentear*.]

rentável [Do ingl. *rentable*.] *Adj. 2 g.* Que propicia boa taxa de lucro; lucrativo: *investimento rentável*.

rente [Do lat. *radente*, 'que raspa', poss.] *Adj. 2 g.* **1.** Muito curto; cérceo: "moreno cor de jenipapo, cabelo rente, à escovinha" (Adolfo Caminha, *Bom-Crioulo*, p. 16). **2.** Muito chegado; próximo, vizinho: *Sua casa era apalacetada, embora casas rentes fossem bem modestas.* **3.** *Fam.* Que chega ou acode a tempo; que não falha; constante, assíduo: *Nas datas da família era figura rente.* ● ***Adv.*** **4.** Pela raiz ou pelo pé; cerce: *Cortou o cabelo rente.* ◆ **Rente a.** Muito próximo de; ao rés de; rente de; rente com: "Que linda e pobre casa, a sua casa! / rente ao caminho, à beira duma fonte" (Antônio Correia d'Oliveira, *A Minha Terra*, VI, p. 33). **Rente com.** V. *rente a*. **Rente de.** V. *rente a*: "Rente de mim, lábios indígenas vão modelando em tom cansado árias mouriscas" (João da Silva Correia, *Farândola*, p. 11).

renteador (ô) [De *rentear* + *-dor*.] *Adj. S. m.* Que, ou aquele que renteia; galanteador.

rentear [De *rente* + *-ear*[2].] *V. t. d.* **1.** Cortar cerce ou rente: *rentear as unhas.* **2.** Passar rente a; roçar: *O carro renteou o muro*; "havia os amorosos, que traziam de olho a Sofia, renteavam a janela baixa da Bola de Sebo" (Augusto Meyer, *No Tempo da Flor*, p. 58). ***T. i.*** **3.** Rentar. [Conjug.: v. *frear*.]

rentista [Do esp. *rentista*.] *S. 2 g.* Aquele ou aquela que vive das rendas de propriedades ou investimentos. ● ***Adj. 2 g.*** **2.** De, ou relativo a rentista (1): "A rede de interesses rentistas já é grande demais, o que impede que o Banco Central Norte-Americano (FED) aproveite a crise atual para promover mudanças de fundo." (*Folha de S.Paulo*, 22.03.2008.)

rentura [De *rente* + *-ura*.] *S. f. P. us.* Pontaria certeira.

renuente [Do lat. *renuente*.] *Adj. 2 g.* **1.** Que renui ou recusa; abnuente. **2.** Que balança a cabeça significando não.

renuído [Part. subst. de *renuir*.] *S. m.* Gesto negativo feito com a cabeça; renutação.

renuir [Do lat. *renuere*.] *V. t. d.* Renunciar, rejeitar, recusar: *Orgulhoso, renui qualquer favor.* [Conjug.: v. *atribuir*.]

renumeração [De *renumerar* + *-ção*.] *S. f.* Ato ou efeito de renumerar.

renumerar [De *re-* + *numerar*.] *V. t. d.* **1.** Numerar de novo. **2.** Pôr nova numeração (2).

renúncia [Dev. de *renunciar*.] *S. f.* Ato ou efeito de renunciar; renunciação, renunciamento. [Cf. *renuncia*, do v. *renunciar*.]

renunciabilidade [De *renunciável* + *-(i)dade*, seg. o padrão erudito.] *S. f.* Qualidade de renunciável.

renunciação [Do lat. *renuntiatione*.] *S. f.* V. *renúncia*.

renunciado [Part. de *renunciar*.] *Adj.* **1.** Diz-se daquilo que foi objeto de renúncia. **2.** *Jur.* Renunciatário. ● ***S. m.*** **3.** *Jur.* Renunciatário.

renunciador (ô) [Do lat. tard. *renuntiatore*.] *Adj. S. m.* Que, ou aquele que renuncia; renunciante.

renunciamento [De *renunciar* + *-mento*.] *S. m.* V. *renúncia*.

renunciante [De *renunciar* + *-nte*.] *Adj. 2 g. S. 2 g.* Renunciador.

renunciar [Do lat. *renuntiare*.] *V. t. d.* **1.** Não querer; rejeitar, recusar: *Os eremitas renunciavam os bens materiais.* **2.** Deixar voluntariamente a posse de: desistir de; abdicar: *D. Pedro I renunciou o trono do Brasil.* **3.** Descrer de; abjurar, renegar: *Muitos cristãos renunciam a fé.* ***T. i.*** **4.** Recusar, rejeitar: *renunciar a honrarias.* **5.** Não fazer caso de; desprezar, desdenhar: "O homem ideal da Idade Média era o frade que renunciava à vida e preferia a pobreza voluntária ao trabalho secular." (Oto Maria Carpeaux, *A Cinza do Purgatório*, p. 302.) **6.** Desistir de; abdicar: *renunciar ao poder.* **7.** Abjurar, renegar: *renunciar a uma crença.* ***Int.*** **8.** Resignar cargo ou função; abdicar: *O Presidente renunciou.* **9.** Em certos jogos carteados, deixar de acompanhar o naipe puxado pelo primeiro jogador, apesar de o ter entre suas cartas: *Esta carta de ouros prova que o parceiro renunciou na segunda mão.* [Pres. ind.: *renuncio, renuncias, renuncia*, etc. Cf. *renúncia*, s. f.]

renunciatário [De *renunciar* + *-tário*.] *Adj. S. m. Jur.* Que, ou aquele em favor de quem se opera a renúncia; renunciado.

renunciatório [De *renunciar* + *-tório*.] *S. m.* Aquele que adquiriu a posse renunciada por outrem.

renunciável [De *renunciar* + *-vel*.] *Adj. 2 g.* Que se pode renunciar.

renutação [Do lat. *renutare*, 'recusar', + *-ção*.] *S. f.* Renuído.

renutrir [Do lat. tard. *renutrire*.] *V. t. d.* **1.** Tornar a nutrir; dar nova nutrição a. ***Int.*** **2.** Adquirir nova nutrição.

renzilha [Do esp. ant. *renzilla*.] *S. f. Pop.* Rixa, quizila, rezinga.

▲ **re(o)-** [Do gr. *rhéos*, 'rio', < gr. *rheîn*, 'manar'.] ***El. comp.*** = 'água corrente'; 'corrente', 'fluxo': *reotropismo, reostato*. [Equiv.: *-re(o)-*: *colerese*. V. *-reia*.]

▲ **-re(o)-** Equiv. de *re(o)-*.

reóbase [De *re(o)-* + *base*.] *S. f. Fisiol.* A menor intensidade de corrente elétrica capaz de excitar um tecido, caso seja permitido que esta flua através dele pelo tempo necessário.

reocupação [De *reocupar* + *-ção*.] *S. f.* Ato ou efeito de reocupar.

reocupar [De *re-* + *ocupar*.] *V. t. d.* Ocupar de novo; retomar, reconquistar: *As tropas reocuparam as posições perdidas.*

reófilo [De *re(o)-* + *-filo*[2].] *Adj. Zool.* Diz-se de animal que habita águas correntes.

reófobo [De *re(o)-* + *-fobo*.] *Adj. Zool.* Diz-se de animal que habita águas estagnadas.

reóforo [De *re(o)-* + *-foro*.] *S. m. Fís.* Condutor elétrico filiforme.

reograma [De *re(o)-* + *-grama*.] *S. m. Fís.* Qualquer representação gráfica da deformação de um sistema elástico.

reologia [De *re(o)-* + *-logia*.] *S. f.* Parte da física que investiga as propriedades e o comportamento mecânico dos corpos deformáveis que não são nem sólidos nem líquidos.

reológico [De *reologia* + *-ico*[2].] *Adj.* Referente à reologia.

reómetro *S. m. Fís.* V. *reômetro*. [Uso freq. em P.]

reômetro [De *re(o)-* + *-metro*.] *S. m. Fís.* Instrumento destinado à medição da viscosidade de um fluido.

reônomo [De *re(o)-* + *-nomo*.] *Adj.* ~ V. *vínculo* —.

reopexia (cs) [De *re(o)-* + *-pex-* + *-ia*[1].] *S. f. Fís.* Propriedade apresentada por substâncias em que o coeficiente de viscosidade cresce com a tensão de cisalhamento.

reordenação [De *reordenar* + *-ção*.] *S. f.* Ato ou efeito de reordenar; reordenamento.

reordenamento [De *reordenar* + *-mento*.] *S. f.* Reordenação.

reordenar [De *re-* + *ordenar*.] *V. t. d.* **1.** Ordenar outra vez; tornar a pôr em ordem. **2.** Conferir novas ordens a: *O bispo reordenou o padre.*

reorganização [De *reorganizar* + *-ção*.] *S. f.* Ato ou efeito de reorganizar.

reorganizador (ô) [De *reorganizar* + *-dor*.] *Adj. S. m.* Que, ou aquele que reorganiza.

reorganizar [De *re-* + *organizar*.] *V. t. d.* **1.** Tornar a organizar: *Reorganizaram o partido extinto*; "Em algum ponto da terra poderiam descer, estabelecer-se, deitar raízes novamente, reorganizar sua pequena comunidade." (Lia Correia Dutra, *Navio sem Porto*, p. 26). **2.** Melhorar, reformar, aprimorar: *Os novos diretores vão reorganizar a empresa.*

reorientação [De *reorientar* + *-ção*.] *S. f.* Ato ou efeito de reorientar.

reorientar [De *re-* + *orientar*.] *V. t. d.* Dar nova orientação a; orientar de novo.

reostato [De *re(o)-* + *-stato*.] *S. m. Eletr.* Resistor variável, utilizado, em geral, para limitar corrente em circuitos ou dissipar energia. [Var. pros.: *reóstato*.]

reóstato *S. m.* V. *reostato*.

reótomo [De *re(o)-* + *-tomo.*] ***S. m. Fís. Obsol.*** Peça empregada para interromper a passagem de uma corrente elétrica.

reotropismo [De *re(o)-* + *tropismo.*] ***S. m. Bot.*** Tropismo induzido pela água corrente.

reouvir [De *re-* + *ouvir.*] ***V. t. d. Int.*** Ouvir de novo: "O senhor [Afonso Arinos de Melo Franco] chegou a reler ou a reouvir o seu célebre discurso de 1954, tão decisivo para os acontecimentos históricos posteriores?" (Cora Rónai, *Ideias: Um Livro de Entrevistas*, p. 92.) [Conjug.: v. *ouvir.*]

reoxidar (cs) [De *re-* + *oxidar.*] ***V. t. d.*** Oxidar outra vez.

rep [Do ingl. *rep* < *r(oentgen) e(quivalent) p(hysical).*] ***S. m. Med. Nucl.*** Unidade de dose absorvida, igual à dose absorvida em água após uma exposição *dum roentgen.*

repa (ê) [De or. obscura.] ***S. f.*** Fiapo ou fio de cabelo: "mostrava .... as repas grisalhas que lhe cobriam o crânio estreito" (Eça de Queirós, *A Capital*, p. 58). [M. us. no pl. Cf. *farripas.*]

repagar [De *re-* + *pagar.*] ***V. t. d.*** **1.** Pagar de novo; tornar a pagar. **2.** Pagar bem: *A alta soma repagava o seu trabalho.* [Conjug.: v. *largar*, mas tem dois part.: *repagado* (p. us.) e *repago.*]

repaginação [De *repaginar* + *-ção.*] ***S. f. Tip.*** Ato ou efeito de repaginar.

repaginar [De *re-* + *paginar.*] ***V. t. d. Tip.*** Paginar novamente (composição tipográfica), por motivo de erro ou de alteração do texto ou do formato.

repago [Part. de *repagar.*] ***Adj.*** Pago novamente.

repandirrostro [Do lat. *repandirostru.*] ***Adj. Zool.*** Que tem o bico muito espalmado.

repando [Do lat. *repandu*, 'revirado', 'arrebitado'.] ***Adj. Bot.*** Diz-se de margem de folha, ou de qualquer órgão foliáceo, com sinuosidades suaves. ~ V. *folha -a.*

repanhar [F. aferética de *arrepanhar.*] ***V. t. d. P.*** V. *arrepanhar.*

reparabilidade [De *reparável* + *-(i)dade*, seg. o padrão erudito.] ***S. f.*** Qualidade de reparável.

reparação [Do lat. tard. *reparatione.*] ***S. f.*** **1.** Ato ou efeito de reparar(-se); reparo. **2.** Restauração, reforma, conserto, reparo. **3.** Indenização, ressarcimento: *reparações de guerra.* **4.** Satisfação dada à pessoa ofendida ou injuriada. **5.** *Rel.* Ato que pretende desagravar a Deus de ofensas cometidas pelo próprio agente ou por outrem.

reparadeira [De *reparar* + *-deira.*] ***S. f.*** Mulher que repara em tudo, que tudo olha.

reparado [Part. de *reparar.*] ***Adj.*** Que sofreu reparo(s); consertado.

reparador (ô) [Do lat. *reparatore.*] ***Adj. S. m.*** Que, ou aquele que repara, que melhora, ou fortifica. ~ V. *cirurgia -a.*

reparar [Do lat. *reparare.*] ***V. t. d.*** **1.** Fazer reparo ou conserto em; consertar, restaurar, refazer: *O pedreiro reparou o muro parcialmente destruído.* **2.** Recobrar, restabelecer, recuperar: *Parou um pouco para reparar as forças.* **3.** Retocar, melhorar, aperfeiçoar, aprimorar: *Tomou da pena para reparar o texto.* **4.** Remediar, corrigir, emendar: *Procuraremos reparar os erros anteriores.* **5.** Indenizar, compensar, ressarcir: *O governo reparará os prejuízos.* **6.** Fixar a vista ou a atenção em; observar, ver, notar: "Repara, Marília, / o quanto é mais forte" (Tomás Antônio Gonzaga, *Marília de Dirceu*, p. 122); "Não sei se vossemecê, andando pelo sertão, já se deteve a reparar a alma das casas." (Viriato Correia, *Histórias Ásperas*, p. 173); "Não reparou que D. Severina tinha um xale que lhe cobria os braços" (Machado de Assis, *Várias Histórias*, p. 56). [Em geral só se admite o uso do verbo, nesta acepç., como transitivo indireto; no exemplo de Machado de Assis, é lícito considerar elíptica a prep. *em*, podendo a abonação estar, portanto, entre as da acepç. 8.] **7.** Dar satisfação de: *O ofensor tentou reparar as calúnias.* ***T. i.*** **8.** Fixar a vista ou a atenção; atentar, atender: "E só então reparou em como também o seu cabelo era dum castanho bem claro, quase louro." (Lucilo Varejão, *Visitação do Amor*, p. 30); "— O Lemos, repara naquela senhora que ali passa" (Artur Azevedo, *Contos Cariocas*, p. 65); "Ninguém reparou no luto de Jana, ninguém quis saber quem lhe morrera" (Xavier Marques, *Jana e Joel*, p. 153). [Cf. *reparar* (6).] **9.** Dar atenção; ligar importância; ligar: *Não repare nos maus modos do rapaz.* [Tb. nesta acepç., como na anterior, se observa a tendência para empregar o verbo como transitivo direto.] **10.** Tomar cautela; tomar tento: *Convém reparar nos falsos amigos.* [Aplica-se aqui, tb., a observação feita na acepç. 9.] **11.** Dirigir a vista; olhar: *Repare na pessoa que acabou de chegar.* [Cabe aqui a mesma observação.] ***P.*** **12.** Abrigar-se, proteger-se, resguardar-se: *reparar-se do mau tempo.* **13.** Recuperar-se, ressarcir-se: *O comerciante reparou-se das perdas.*

reparatório [De *reparar* + *-tório.*] ***Adj.*** Que envolve reparação (3 e 4).

reparável [Do lat. *reparabile.*] ***Adj. 2 g.*** Que pode ser reparado.

reparecer ***V. int. P. us.*** Reaparecer. [Conjug.: v. *aquecer.*]

reparo [Dev. de *reparar.*] ***S. m.*** **1.** V. *reparação* (1 e 2). **2.** Exame atento; análise, observação. **3.** Apreciação minuciosa; crítica. **4.** Comentário em que se aponta, em tom cordial, falha ou defeito; censura leve; advertência: *Seu reparo foi bem recebido pelas crianças, que procuraram ser mais disciplinadas.* **5.** Remédio, ajuda, auxílio, socorro. **6.** Qualquer defesa ou resguardo de praça militar; trincheira. **7.** Suporte de uma boca de fogo, com dispositivos que permitem dar-lhe os movimentos necessários à execução da pontaria, limitar-lhe o recuo e, em certos casos, facilitar-lhe o transporte.

reparte [Dev. de *repartir.*] ***S. m. Bras.*** **1.** Divisão, partilha. **2.** Quantidade de jornais, revistas, etc., que é mandada para cada banca ou conjunto de bancas.

repartição [De *repartir* + *-ção.*] ***S. f.*** **1.** Ato ou efeito de repartir(-se). **2.** Divisão, partilha; distribuição. **3.** Seção, divisão ou serviço de organização ou estabelecimento destinado a atender interesses comunitários: *Esta repartição da empresa telefônica não está apta a dar informações ao público.* **4.** O local onde funciona qualquer dessas seções ou desses estabelecimentos ou organizações: *A repartição fiscal tem sede autônoma.* **5.** Repartição pública: *Os colegas da repartição homenagearam o diretor.* **6.** Regulação ou rateio das avarias grossas, mediante avaliação, para fins reparatórios. **7.** Secretaria (1). ◆ **Repartição consular.** Consulado (4). **Repartição pública.** Cada uma das seções em que está dividido um órgão do serviço público (ministério, secretaria, uma diretoria-geral, etc.). [Tb. se diz apenas *repartição.*]

repartideira [De *repartir* + *-deira.*] ***S. f.*** **1.** Pequeno recipiente de cobre, usado para repartir o mel apurado nas fôrmas dos engenhos de açúcar; repartidor. **2.** Mulher que reparte.

repartido [Part. de *repartir.*] ***Adj.*** **1.** Dividido; distribuído. **2.** *Bras. SP* Duvidoso, indeciso, incerto, hesitante, titubeante. • ***S. m.*** **3.** *Bras.* V. *risca* (4).

repartidor (ô) [De *repartir* + *-dor.*] ***Adj.*** **1.** Que reparte. **2.** Partidor (1). • ***S. m.*** **3.** Aquele que reparte; divisor. **4.** V. *partidor* (3). **5.** Repartideira (1).

repartimento [De *repartir* + *-mento.*] ***S. m.*** **1.** Lugar reservado, separado de outros; compartimento. **2.** Compartimento de dormir; quarto. **3.** *Bras. PA* Vasto lago margeado por igapós, ou antes, confluência de dois ou mais rios num só, no mesmo lugar.

repartir [De *re-* + *partir.*] ***V. t. d.*** **1.** Separar em partes; dividir por grupos; distribuir, dividir: *A Natureza repartiu desigualmente as riquezas.* **2.** Dispor em diferentes locais ou por diferentes vezes: *O próprio comandante repartiu as sentinelas.* ***T. d. e i.*** **3.** Dar em quinhão; distribuir, dividir: *O pai repartiu a herança entre seus filhos.* **4.** Ocupar, aplicar, empregar, utilizar: *Reparte o dia em ocupações diversas.* **5.** Partir, compartir, partilhar, compartilhar: "No correr dos dias, reparte a sua camaradagem com o Antoninho" (Amadeu de Queirós, *Os Casos do Carimbamba*, p. 145). ***T. d. e c.*** **6.** Dispor (em diferentes lugares, ou por diversas vezes, ou para diversos destinos); distribuir: *O Exército repartiu soldados pela cidade.* ***P.*** **7.** Separar-se em duas ou mais partes; dividir-se, ramificar-se: *A estrada reparte-se aqui.* **8.** Ir por diversas partes ao mesmo tempo; dispersar-se, espalhar-se: *As chuvas repartiram-se por todo o território.* **9.** Dividir a atenção por muitos assuntos: *Reparte-se entre a história, a filosofia e as letras.*

repartitivo [De *repartir* + *-tivo.*] ***Adj.*** Que serve para repartir.

repartível [De *repartir* + *-vel.*] ***Adj. 2 g.*** Que pode ser repartido.

repas (ê) ***S. f. pl.*** V. *repa.*

repascer [De *re-* + *pascer.*] ***V. t. d. Int.*** Tornar a pascer. [Conjug.: v. *crescer.*]

repassada [De *repassar* + *-ada.*] ***S. f. Bras. S.*** V. *repasse* (2).

repassado [Part. de *repassar.*] ***Adj.*** **1.** Cheio, impregnado, embebido. **2.** *Heráld.* Diz-se de figura que tem forma de laçada ou de trança.

repassador (ô) [De *repassar* + *-dor.*] ***S. m. Bras. S.*** Indivíduo que repassa (cavalos).

repassagem [De *repassar* + *-agem*[2].] ***S. f. Bras. S.*** V. *repasse* (2).

repassar [De *re-* + *passar.*] ***V. t. d.*** **1.** Passar de novo: *Os contrabandistas passam e repassam livremente a fronteira;* "E ali se deixou cair, com a cabeça enterrada nos braços, sem pensar, sem sentir, vendo o velho lívido passar, repassar diante dele como um longo fantasma" (Eça de Queirós, *Os Maias*, II, p. 492). **2.** Ensopar, embeber, empapar: *A água repassou as vestes.* **3.** Ler, examinar ou estudar novamente: *repassar uma lição, um trecho musical.* **4.** Recordar, relembrar, rememorar: *Precisa repassar algumas regras ortográficas.* **5.** Impregnar, penetrar, invadir: *O amor repassava-lhe a alma.* **6.** Percorrer com os dedos; desfiar: "Fora, no burburinho do povo que não coubera no templo, todos se ajoelharam e as mulheres, sob véus negros, repassavam rosários de prata e de ouro." (Agripa Vasconcelos, *Gongo Soco*, p. 16.) **7.** *Fin.* Transferir total ou parcialmente (cota de crédito orçamentário ou adicional) para uma unidade administrativa subordinada ou vinculada. **8.** *Bras. Gír.* Passar adiante (produto de roubo, mercadoria ilegal, etc.), com lucro ou proveito. **9.** *Bras. SP* Montar outra vez (animal que está sendo amansado). ***T. d. e i.*** **10.** Embeber, impregnar: *A cozinheira repassou o doce na calda de açúcar.* **11.** Tomar, encher: *As paisagens repassam de encantamento os viajantes.* **12.** Repassar (7): *Repassou o dinheiro para a subsidiária.* ***T. c. e i.*** **13.** Repassar (7): *O banco repassou 60 milhões de reais para a conta da empresa.* ***Int.*** **14.** Verter umidade; ressumar: *O teto da casa repassa quando chove.* **15.** Passar de novo; tornar a passar: *Os transeuntes passam e repassam.* **16.** Deixar-se embeber ou atravessar de qualquer líquido: *Tecidos plastificados não repassam.* **17.** *Bras. S.* Montar um cavalo para ver se é bravo, se corcoveia ou não, etc. ***P.*** **18.** Embeber-se, ensopar-se, empapar-se: *Minhas roupas repassaram-se de chuva.* **19.** Tomar-se, encher-se: *Repassou-se de alegria ao saber o resultado.*

repasse [Dev. de *repassar.*] ***S. m.*** **1.** Ato de repassar (3): *dar um repasse na lição.* *Bras. S.* **2.** Cada uma das vezes que um cavalo ou potro é montado para se domar; repasso, repassada, repassagem. **3.** A última colheita ou catação de algodão. **4.** Operação de cata aos frutos do cafeeiro na plantação, depois da colheita, como meio de profilaxia, em especial contra a broca-do-café. **5.** Ato ou efeito de repassar (7, 8 e 9): *Repasse de verbas, de empréstimos, de descontos.*

repasso [Dev. de *repassar.*] ***S. m. Bras. S.*** V. *repasse* (2).

repastar [De *re-* + *pastar.*] ***V. t. d.*** **1.** Apascentar de novo; levar novamente à pastagem. **2.** Alimentar bem; banquetear: *repastar os convidados.* ***Int.*** **3.** Comer abundantemente. ***P.*** **4.** Comer bem; banquetear-se: *Repastei-me ao jantar.* **5.** Comprazer-se, deliciar-se: *Repastou-se na festa.*

repasto [De *re-* + *pasto.*] ***S. m.*** **1.** Abundância de pasto, de alimento. **2.** Refeição (2). **3.** V. *banquete* (2): "Pelas salas e varandas, depois de servido abundante repasto, espalharam-se os convidados a espairecer e a conversar calorosamente." (Xavier Marques, *As Voltas da Estrada*, p. 149.)

repatanar-se [De *re-* + *pata*[2] + el. incerto + *-ar*[2] + *se*[1], poss.] ***V. p.*** V. *repetenar-se.*

repatriação [De *repatriar* + *-ção.*] ***S. f.*** Ato ou efeito de repatriar(-se).

repatriado [Part. de *repatriar.*] ***Adj. S. m.*** Diz-se de, ou aquele que se repatriou, ou a quem repatriaram.

repatriador (ô) [De *repatriar* + *-dor.*] ***Adj. S. m.*** Que, ou aquele que repatria.

repatriar [Do lat. tard. *repatriare.*] ***V. t. d.*** **1.** Fazer regressar à pátria: *O governo repatriará os estrangeiros que fizerem declarações políticas.* ***P.*** **2.** Regressar à pátria: *Muitos emigrantes repatriam-se após enriquecer.*

repavimentação [De *repavimentar* + *-ção.*] ***S. f.*** Ato ou efeito de repavimentar.

repavimentar [De *re-* + *pavimentar.*] ***V. t. d.*** Tornar a pavimentar.

repechar [Do esp. plat. *repechar.*] ***V. t. d. Bras. PR RS*** **1.** Galgar (um cerro, uma ladeira). ***Int.*** **2.** Ter (o terreno) um repecho; elevar-se. [Conjug.: v. *fechar.*]

repecho (ê) [Do esp. plat. *repecho.*] *Bras. PR RS* ***S. m.*** **1.** Encosta, subida, ladeira, aclive: "Tínhamos vadeado a sanga e subido o repecho oposto." (Vieira Pires, *Querência*, p. 125.) **2.** Terreno cheio de altos e baixos.

repedir [De *re-* + *pedir.*] ***V. t. d.*** Pedir de novo, ou com insistência. [Irreg. Conjug.: v. *medir.*]

repegar [De *re-* + *pegar.*] ***V. t. d.*** Pegar novamente; retomar: "ainda lhes ficava um tempo, a ele [José] e aos companheiros, antes que o manajeiro desse sinal de repegar o trabalho" (José Saramago, *O Evangelho segundo Jesus Cristo*, p. 105). [Conjug.: v. *pegar.*]

repelão [De *repelo* + *-ão*[1].] ***S. m.*** **1.** Empurrão mais ou menos violento; encontrão, empuxão; sacudidura; repelo, repelido, arrepelão. **2.** Assalto, investida, ataque. ◆ **De repelão.** Com violência; com impetuosidade: "Isaura levantou-se de repelão, empurrou-me para um canto do quarto onde havia um cabide, ... foi abrir a porta..." (Ribeiro Couto, *Clube das Esposas Enganadas*, p. 162.)

repelar [De *repelo* + *-ar*[2].] ***V. t. d. P.*** Arrepelar(-se) (q. v.). [Pres. ind.: *repelo*, etc. Cf. *repelo* (ê).]

repelência [Do lat. *repellentia.*] ***S. f.*** Qualidade ou caráter de repelente[2]; repugnância.

repelente[1] [Do ingl. *repellent*.] ***S. m.*** Qualquer substância usada com o objetivo de afastar insetos.

repelente[2] [Do lat. *repellente*.] ***Adj. 2 g.*** **1.** Que repele. **2.** Que repele insetos; apocrústico. **3.** V. *repugnante* (2 e 3).

repelido [Part. de *repelir*.] ***Adj.*** **1.** Impelido para longe; rebatido, rechaçado. **2.** Posto fora; expulso. **3.** Não aceito; não admitido; recusado, rejeitado. [Sin., nessas acepçs.: *repulso*.] • ***S. m.*** **4.** V. *repelão* (1).

repelir [Do lat. *repellere*.] ***V. t. d.*** **1.** Fazer regressar: *O intenso frio repeliu a maioria dos turistas.* **2.** Impelir para longe; rebater, rechaçar: *Nossas tropas repeliram o inimigo.* **3.** Impelir para fora; expulsar: *O organismo repele as substâncias prejudiciais.* **4.** Impedir de entrar ou aproximar-se: *A cerca repele os curiosos.* **5.** Não acolher; não admitir; recusar; rejeitar: *O tribunal repeliu o recurso.* **6.** Fugir ao encontro, ao trato, à convivência de; evitar: *O padre aconselhou-o a repelir as más companhias.* **7.** Ter repugnância a; ser incompatível com; não admitir; repudiar: *Seus princípios morais repelem atitudes escusas.* **8.** Defender-se de; desmentir, rebater: *O diplomata repeliu as calúnias.* ***P.*** **9.** Ser antagônico; evitar-se: *Em eletricidade, os polos iguais repelem-se.* [Irreg. Conjug.: v. *aderir*.]

repelo (ê) [De *re-* + *pelo*[2].] ***S. m.*** **1.** Violência, força. **2.** V. *repelão* (1). [Pl.: *repelos* (ê). Cf. *repelo*, do v. *repelar*.]

repenicado [De *repenicar* + *-ado*[1].] ***S. m.*** Ato de repenicar; repenique: *o repenicado dos sinos.*

repenicar [De *repicar*.] ***V. t. d.*** **1.** Fazer dar sons agudos, percutindo substâncias metálicas; repicar: *O sacristão repenicava o sino.* **2.** Percutir ou fazer soar de maneira rápida, leve e repetida (instrumento de percussão, corda, etc.): "Com os braços no ar repenicando castanholas, a mulher estorcia os quadris muito apertados numa saia que lhe descia até aos pés." (José Régio, *História de Mulheres*, p. 46.) ***Int.*** **3.** Vibrar estridulamente; produzir sons agudos e metálicos: "Ouvimos repenicar a viola e chorar a rabeca." (Tito Carvalho, *Bulha d'Arroio*, p. 101); "A sineta repenicou..." (Eça de Queirós, *A Cidade e as Serras*, p. 202). **4.** Repenicar (2) ou soar batendo repetidamente: "A chuva continuava, monótona, repenicando nos telhados vizinhos." (Inglês de Sousa, *O Missionário*, p. 86.) [Conjug.: v. *trancar*.]

repenique [Dev. de *repenicar*.] ***S. m.*** Repenicado.

repensar [De *re-* + *pensar*.] ***V. int. T. i.*** **1.** Pensar de novo; tornar a pensar: *Pensou, repensou, e não disse nada; Preciso de repensar no assunto.* **2.** Pensar maduramente; reconsiderar: *Absorto na elaboração do seu ensaio, ficava horas a repensar;* "É bom ler Santo Agostinho, repensar nas suas palavras de humildade neste tempo de arrogância." (Lígia Fagundes Teles, *A Disciplina do Amor*, p. 116).

repente[1] [Do lat. *repente*, 'súbito'.] ***S. m.*** **1.** Dito ou ato repentino, irrefletido; ímpeto, impulso. **2.** Qualquer improviso, ou qualquer verso improvisado: *É hábil em fazer repentes.* **3.** *Bras. Restr.* V. *sextilha* (2): *Deixou de cantar martelo e passou a cantar repente.* ◆ **De repente.** De súbito; repentinamente.

repente[2] [Do lat. *repente*, part. pres. de *repere*, 'arrastar-se'.] ***Adj. 2 g.*** *Bot.* Rastejante: *estolho repente.*

repentinamente [Do f. de *repentino* + *-mente*.] ***Adv.*** De modo repentino; de súbito; de repente.

repentinidade [De *repentino* + *-(i)dade*.] ***S. f.*** Qualidade de repentino.

repentino [Do lat. *repentinu*.] ***Adj.*** Súbito, inopinado, imprevisto, inesperado.

repentista [De *repente*[1] + *-ista*.] ***Adj. 2 g. S. 2 g.*** **1.** Que, ou quem diz ou faz as coisas de repente. **2.** Que, ou quem improvisa, faz repentes [v. *repente*[1] (2)].

repercorrer [De *re-* + *percorrer*.] ***V. t. d.*** Tornar a percorrer.

repercussão [Do lat. *repercussione*.] ***S. f.*** **1.** Ato ou efeito de repercutir(-se). **2.** *Fig.* Bom êxito que se caracteriza pela influência exercida, pelo prestígio alcançado: *Seu livro teve repercussão aqui e no estrangeiro.*

repercussivo [Do lat. *repercussus*, part. pass. de *repercutere*, + *-ivo*.] ***Adj.*** Que serve para fazer repercussão.

repercutente [De *repercutir* + *-ente*.] ***Adj. 2 g.*** Que repercute.

repercutido [Part. de *repercutir*.] ***Adj.*** Que repercutiu; refletido, espelhado.

repercutir [Do lat. *repercutere*.] ***V. t. d.*** **1.** Reproduzir, refletir (o som): *As montanhas repercutem o som das cornetas.* **2.** Fazer emitir ou ecoar o som de: *Os tambores repercutem as batidas das baquetas.* **3.** Desviar a direção de; refletir: *A trave repercutiu a bola; O espelho repercute a luz.* **4.** Repetir-se, refletir-se (som, luz); percutir, repercutir-se: *O estrondo repercutiu em todo o vale;* "Já se ouviam grazinar as maracanãs entre os leques sussurrantes da carnaúba e repercutirem os gritos compassados do cancã, saltando pela relva." (José de Alencar, *O Sertanejo*, p. 99). ***Int.*** **5.** Fazer sentir indiretamente a sua ação ou influência: *As providências tomadas não tardaram a repercutir.* **6.** Ecoar (3). ***P.*** **7.** Repercutir (4). **8.** Fazer sentir indiretamente a sua ação ou influência. [É p. us. como pronominal.]

repergunta [Dev. de *reperguntar*.] ***S. f.*** **1.** Ato de reperguntar. **2.** Novo interrogatório da testemunha feito pelo advogado da parte contrária à que a ofereceu.

reperguntar [De *re-* + *perguntar*.] ***V. t. d.*** Perguntar novamente; fazer novas perguntas acerca de.

repertoriado [Part. de *repertoriar*.] ***Adj.*** Que se repertoriou; compilado.

repertoriar [De *repertório* + *-ar*[2].] ***V. t. d.*** Fazer repertório de; reunir, formando repertório; compilar. [Pres. ind.: *repertorio*, etc. Cf. *repertório*.]

repertório [Do lat. tard. *repertoriu*.] ***S. m.*** **1.** Matéria metodicamente disposta. **2.** Coleção, compilação, conjunto: "Possui Castro Alves o mais rico e colorido repertório imagístico da nossa poesia romântica" (Antônio de Pádua, *Aspectos Estilísticos da Poesia de Castro Alves*, p. 21). **3.** Calendário, folhinha, almanaque. **4.** Índice (1) dos assuntos de um livro. **5.** O conjunto das peças teatrais ou das composições musicais pertencentes a um autor, uma escola, uma época, etc., ou que se apresentam com forma ou objetivo definidos: *Do repertório clássico francês só conhece o* Cid, *de Corneille; Vila-Lobos enriqueceu o repertório pianístico brasileiro.* **6.** O conjunto das obras interpretadas por uma companhia teatral, por um ator, por uma orquestra, por um solista, etc. **7.** *Fig.* Pessoa muito versada em certos assuntos. [Var. (lus.): *reportório*. Cf. *repertorio*, do v. *repertoriar*.]

repes [Do fr. *reps*.] ***S. m. 2 n.*** *Tec. Têx.* Tecido grosso, de seda, lã ou algodão, próprio para reposteiros, estofos de cadeiras, etc.: "A mobília da sala de visita era estofada de repes azul-claro." (Gastão Cruls, *De Pai a Filho*, p. 24.)

repesador (ô) [De *repesar* + *-dor*.] ***Adj. S. m.*** Que, ou aquele que repesa.

repesagem [De *re-* + *pesagem*.] ***S. f.*** *Turfe* **1.** Repetição da pesagem a que estão obrigados os jóqueis depois de cada páreo. **2.** Recinto onde se realiza essa operação; pesagem.

repesar [De *re-* + *pesar*.] ***V. t. d.*** **1.** Pesar de novo; tornar a pesar. **2.** Examinar atentamente; considerar com atenção: *Os deputados repesaram o projeto.* [Pres. ind.: *repeso, repesas, repesa*, etc. Cf. *repeso* (ê), s. m. e *repeso* (ê), adj., flex. *repesa* (ê), *repesas* (ê).]

repescagem [De *repescar* + *-agem*[2], para traduzir o fr. *rêpechage* (do v. fr. *repêcher*, 'pescar de novo', + suf. fr. *-age*).] ***S. f.*** Em certas competições nas quais há fases eliminatórias, regra ou processo que determina a permanência de um ou mais competidores anteriormente eliminados.

repescar [De *re-* + *pescar*.] ***V. t. d.*** **1.** Tornar a pescar. **2.** *Fig.* Recuperar (algo, esp. aquilo que fora antes abandonado ou preterido). [Conjug.: v. *trancar*.]

repeso[1] (ê) [Dev. de *repesar*.] ***S. m.*** Ato de repesar. [Pl.: *repesos* (ê). Cf. *repeso*, do v. *repesar*.]

repeso[2] (ê) [Do lat. *repensu*, 'compensado, indenizado'.] ***Adj.*** Arrependido: "Malferido da injúria, cortei relações com ele. Estou repeso." (João de Araújo Correia, *Sem Método*, p. 83.) [Flex.: *repesa* (ê), *repesos* (ê), *repesas* (ê). Cf. *repeso, repesas, repesa*, do v. *repesar*.]

repeteco [De *repetir*.] ***S. m.*** *Bras. RJ Gír.* Repetição (1): *A loteria repetiu o prêmio três vezes: foi um repeteco incrível; Esta rodada só deu repeteco: empate em todos os jogos.*

repetenar-se [Por *repatanar-se* < *pata*[2], poss.] ***V. p.*** *Fam.* Refocilar-se, repoltrear-se, repotrear-se, refestelar-se.

repetência [Do lat. *repetentia*.] ***S. f.*** **1.** Repetição (1). **2.** Condição de repetente (2). **3.** Derivação de humores.

repetente [Do lat. *repetente*.] ***Adj. 2 g.*** **1.** Repetidor (1). • ***S. 2 g.*** **2.** Estudante que repete uma classe que já havia cursado, principalmente por não ter sido aprovado em exame.

repetição [Do lat. *repetitione*.] ***S. f.*** **1.** Ato ou efeito de repetir(-se); repetência. **2.** Devolução, restituição. **3.** *Mús.* Reprodução integral de um trecho de música, indicada principalmente: pelos sinais *D. C.* (= do começo) ou *D. S.* (= do sinal 𝄋 ou 𝄌), quando a repetição parte de determinado ponto e acaba na palavra *fim*; pelo travessão duplo e pontoado; pelas expressões *primeira vez* e *segunda vez*, quando o trecho que se deve repetir não termina igual na segunda vez em que é executado. **4.** *E. Ling.* Figura que consiste na repetição de uma palavra ou frase. **5.** *Tip.* Erro tipográfico, que consiste em duplicar palavra(s) ou frase(s); duplicação. • ***S. f. e m.*** **6.** *Bras.* Espécie de rifle ou arma de repetição: "Meia légua dali, ... plantaram uma cruz, ... marcando o lugar onde Antoninho caiu, o corpo varado de balas de repetição quarenta e quatro, papo-amarelo." (Nélson de Faria, *Tiziu e Outras Estórias*, p. 37). ◆ **De repetição.** Diz-se de arma que utiliza um carregador com vários cartuchos que se disparam sucessivamente.

repetidamente [Do f. de *repetido* + *-mente*.] ***Adv.*** De modo repetido, repetidas vezes; com repetição.

repetido [Part. de *repetir*.] ***Adj.*** Que se repete ou repetiu. ~ V. *raiz —a.*

repetidor (ô) [Do lat. *repetitore*, 'o que reclama'.] ***Adj.*** **1.** Que repete; repetente. ~ V. *agulha —a.* • ***S. m.*** **2.** Aquele que repete. **3.** Professor que tem a função de repetir, repassar, explicar as lições dadas em aula de outro.

repetidora (ô) [F. subst. do adj. *repetidor*.] ***S. f.*** **1.** *Fotograv.* Máquina usada em fotolitografia, particularmente em ofsete e especialmente na reprodução em cores, para repetir, a distâncias rigorosamente iguais, um original que se quer copiar certo número de vezes na mesma placa, fotomultiplicadora. [V. *multinegativo*.] **2.** *Rád. Telev.* Estação capaz de captar sinais oriundos de uma determinada direção e de retransmiti-los na mesma direção ou em outra diferente, de forma a possibilitar a sua recepção por outra estação similar ou por uma retransmissora. [Cf., nesta acepç., *retransmissora*.] **3.** *Bras. Mar.* Aparelho que repete as indicações de uma agulha, de um radar, de um sonar, etc.

repetir [Do lat. *repetere*.] ***V. t. d.*** **1.** Tornar a dizer ou escrever; repisar: *O professor repetiu os mesmos atos e as mesmas palavras.* **2.** Tornar a fazer, a usar, a executar, etc.: *repetir um vestido;* "Não. Não repetir aos cinquenta anos as loucuras dos vinte. Fazer outras..." (Miguel Torga, *Diário*, IX, p. 160). **3.** Reproduzir (sons); refletir, repercutir: *O desfiladeiro repetia as vozes;* "Vós, ó côncavos vales que pudestes / A voz extrema ouvir da boca fria, / O nome do seu Pedro que lhe ouvistes, / Por muito grande espaço repetistes." (Luís de Camões, *Os Lusíadas*, III, p. 133). **4.** Reproduzir (imagens); refletir, espelhar: *As águas límpidas repetiam a Lua.* **5.** Cursar pela segunda vez: *Este aluno repetiu o segundo ano.* **6.** Devolver (coisa ou dinheiro); restituir. ***T. d. e i.*** **7.** Dizer outra vez; tornar a dizer: *Repetiu aos filhos a história.* ***Int.*** **8.** Repetir (9): *O fenômeno repetiu pela terceira vez.* ***P.*** **9.** Tornar a dar-se; acontecer de novo; suceder novamente; repetir: *O incidente repetiu-se inúmeras vezes.* **10.** Tornar a dizer, a escrever, a fazer alguma coisa; insistir na mesma declaração ou no mesmo ato: "Varela, está provado, não somente acusa influências de outros poetas; repetiu-se muito" (Melo Nóbrega, *Arredores da Poesia*, p. 22). [Irreg. Conjug.: v. *aderir*.]

repetitividade [De *repetitivo* + *-(i)dade*.] ***S. f.*** Qualidade ou caráter de repetitivo.

repetitivo [De *repetir* + *-tivo*.] ***Adj.*** **1.** Que repete ou se repete. **2.** Em que há muitas repetições: "O confronto do *Cancioneiro Geral* com os cancioneiros primitivos revela-nos .... que a velha estrutura paralelística e repetitiva caíra no esquecimento." (Antônio José Saraiva e Óscar Lopes, *História da Literatura Portuguesa*, p. 157.)

repetitório [De *repetir* + *-tório*.] ***Adj.*** Em que há, ou que envolve repetição; que consiste em repetir(-se): *Observa-se no poeta nítida tendência repetitória, incapacidade absoluta de originalidade.*

repetível [De *repetir* + *-vel*.] ***Adj. 2 g.*** Que pode ser repetido.

repicador (ô) [De *repicar* + *-dor*.] ***Adj. S. m.*** Que, ou aquele que repica.

repicagem [De *repicar* + *-agem*[2].] ***S. f.*** **1.** Ato ou efeito de repicar; repique. **2.** Transplantação (de planta).

repica-ponto [De *repicar ponto*[1].] ***S. m.*** Perfeição, primor, excelência. [Pl.: *repica-pontos*.]

repicar [De *re-* + *picar*.] ***V. t. d.*** **1.** Tornar a picar: *repicar os legumes.* **2.** Reduzir a fragmentos muito pequenos; picar: *repicar um documento.* **3.** Arrancar (árvore ou planta) de um lugar para plantar em outro; transplantar. **4.** Fazer dar sons agudos e repetidos; repenicar: *O sacristão repicou os sinos.* **5.** *Mar.* Içar um pouco mais (a vela, a carangueja, etc.). ***Int.*** **6.** Fazer repique (4); soar festivamente: "Domingo. Os sinos repicam / Na igreja, constantemente" (Olavo Bilac, *Poesias Infantis*, p. 47). **7.** No pôquer, dobrar a aposta. [Conjug.: v. *trancar*.]

repimpado [Part. de *repimpar*.] ***Adj.*** **1.** De barriga cheia; farto, satisfeito, abarrotado, empanturrado, empanzinado. **2.** Muito bem sentado; refestelado, repoltreado.

repimpar [De *re-* + *pimpar*, poss.] ***V. t. d.*** **1.** Encher muito (a barriga, o estômago); abarrotar, fartar, empanturrar, empanzinar. ***P.*** **2.** V. *repoltrear-se*: *Repimpou-se no canapé.* **3.** Encher-se, abarrotar-se, fartar-se, empanturrar-se, empanzinar-se: *Guloso, repimpa-se às refeições.*

repinchar [De *re-* + *pinchar*.] ***V. int.*** Espirrar, respingar, esguichar, quando calcado: *A lama repinchou à passagem do carro.*

R

repintagem [De *repintar* + *-agem*[2].] *S. f. Art. Gráf.* Repinte.

repintar [De *re-* + *pintar*.] *V. t. d.* 1. Pintar novamente; tornar a pintar: *Repintei a parede suja.* 2. Copiar, reproduzir, retratar: *O artista repintava imagens bucólicas.* 3. Tornar mais visível, mais nítido; avivar: *O sol repinta o verde das matas.* 4. *Art. Gráf.* Borrar ou imprimir duplamente (a letra), por defeito da prensa ou deslizamento do papel. *Int.* 5. *Art. Gráf.* Marcar a impressão de uma folha no verso de outra, por defeito da tinta, altura demasiada da pilha ou compressão dela, resvalamento na recepção, ou por haver o padrão entrado em contato com a fôrma.

repinte [Dev. de *repintar*.] *S. m. Art. Gráf.* Ato ou efeito de repintar; repintagem.

repique [Dev. de *repicar*.] *S. m.* 1. Repicagem (1). 2. Entrechoque de bolas no bilhar. 3. Alarma, rebate: *repique falso.* 4. Toque festivo de sinos.

repiquetar [De *re-* + *piquetar*.] *V. t. d.* Verificar ou corrigir a piquetagem de: *repiquetar um terreno.* [Pres. subj.: *repiquete, repiquetes*, etc. Cf. *repiquete* (ê) e o pl. *repiquetes* (ê).]

repiquete (ê) [De *repique* + *-ete* (2).] *S. m.* 1. Ladeira íngreme. 2. *Mar.* Vento que sopra em direções momentaneamente variáveis. 3. Repique amiudado de sinos. 4. *Bras.* Recaída de doenças. 5. *Bras.* Massa de água que desce das cabeceiras dos rios, por efeito das primeiras chuvas que ali caem, e que engrossa o caudal do rio, sem, no entanto, haver chovido no resto de seu curso. 6. *Bras. Mar.* Cada uma das bordadas curtas que se faz, navegando, para ganhar barlavento ou para fazer hora (p. ex., para aguardar o raiar do dia, junto à entrada de um porto). 7. *Bras. N.E.* Seca sem consequências calamitosas. 8. *Bras.* Oscilação das águas de um grande rio, logo após a vazante. [Pl.: *repiquetes* (ê). Cf. *repiquete* e *repiquetes*, do v. *repiquetar*.]

repisa [Dev. de *repisar*.] *S. f.* Ato ou efeito de repisar; repisamento.

repisado [Part. de *repisar*.] *Adj.* 1. Que se repisou. 2. Esmagado com os pés; calcado. 3. Muito repetido.

repisamento [De *repisar* + *-mento*.] *S. m.* Repisa.

repisar [De *re-* + *pisar*.] *V. t. d.* 1. Pisar de novo; recalcar: *Desde a infância não repisava aquelas terras.* 2. Fazer, dizer, tratar, etc., de novo; insistir em; repetir: *repisar um assunto*; "Surpreendi-me .... a repisar as palavras, a repeti-las cortadas de soluços" (Manuel da Fonseca, *Aldeia Nova*, p. 29); "Montaigne é de parecer que não fazemos mais que repisar as mesmas cousas e andar no mesmo círculo" (Machado de Assis, *A Semana*, II, p. 29). 3. Tornar enfadonho com a repetição: *Repisou o argumento, de tanto repeti-lo.* 4. Pisar com os pés; calcar: *Repisam as uvas para fazer o vinho. T. i.* 5. Falar com insistência; insistir: *O professor repisou na observação.*

repiscar [De *re-* + *piscar*.] *V. t. d. e i. Int.* Piscar outra vez, ou repetidas vezes. [Conjug.: v. *trancar*.]

replanejamento [De *replanejar* + *-mento*.] *S. m.* Ato ou efeito de replanejar.

replanejar [De *re-* + *planejar*.] *V. t. d.* Planejar de novo. [Conjug.: v. *pelejar*.]

replanta [Dev. de *replantar*.] *S. f.* 1. Plantação das falhas ou claros duma cultura, sobretudo das falhas de um maciço florestal. 2. *Bras.* Árvore plantada em substituição de outra.

replantação [De *replantar* + *-ção*.] *S. f.* Ato ou efeito de replantar; replantio.

replantador (ô) [De *replantar* + *-dor*.] *Adj. S. m.* Que, ou aquele que replanta.

replantar [De *re-* + *plantar*.] *V. t. d.* Tornar a plantar: *A lei obriga a replantar as árvores arrancadas.*

replantio [De *re-* + *plantio*.] *S. m.* Replantação: "Essa devastação pelo machado se fez ao mesmo tempo que a do fogo ..... Não se cuidou a sério de replantio nem de reflorestamento: só de exploração das matas e da terra." (Gilberto Freire, *Nordeste*, p. 109.)

➔ **replay** [ɹiiplej] [Ingl.] *S. m.* 1. *Telev.* Ato ou efeito de reprisar uma tomada, durante uma transmissão ao vivo. 2. *P. ext. Fam.* Repetição.

repleção [Do lat. tard. *repletione*.] *S. f.* Estado de repleto.

replementar [De *replemento* + *-ar*[1].] *Adj. 2 g.* ~ V. *ângulo* —.

replemento [Do lat. *replemento* < v. lat. *replere*, 'encher novamente'.] *S. m. Geom.* V. *ângulo conjugado*.

repleno [De *re-* + *pleno*.] *Adj.* 1. Muito cheio; repleto, abarrotado. ● *S. m.* 2. V. *terrapleno*.

repletar [De *repleto* + *-ar*[2].] *V. t. d. P. us.* Tornar repleto; encher muito: "A poesia é o teu voo / Repletando a tua alma de alegrias, / Maravilhamentos e espantos." (Manuel Bandeira, *Estrela da Vida Inteira*, p. 261.)

repleto [Do lat. *repletu*.] *Adj.* 1. Muito cheio; abarrotado, repleno. 2. Farto, satisfeito; empanturrado, empanzinado.

réplica [Dev. de *replicar*.] *S. f.* 1. Ato ou efeito de replicar; replicação. 2. O que se replica; contestação, objeção, refutação, replicação. 3. Reprodução ou cópia, exata ou muito próxima da original: *Uma réplica da caravela de Cristóvão Colombo atravessou recentemente o caminho percorrido pelo descobridor da América.* 4. *Art. Plást.* Cópia de uma escultura, de uma pintura, etc. 5. *Jur.* Acusação complementar, no júri, uma vez acabada a defesa, e que, por seu turno, se complementa com a tréplica. 6. *Mús.* Ritornelo (5). 7. *Mús.* Resposta (10). 8. *Mús.* Desdobramento à oitava. [Cf. *replica*, do v. *replicar*.]

replicabilidade [De *replicável* + *-(i)dade*, seg. o padrão erudito.] *S. f.* Qualidade de replicável.

replicação [Do lat. *replicatione*.] *S. f.* 1. V. *réplica* (1 e 2). 2. *Genét.* Processo de duplicação do material genético de uma célula antes da sua divisão. ◆ **Replicação semiconservativa.** *Genét.* Replicação da molécula de ácido desoxirribonucleico na qual as suas duas cadeias polinucleotídicas se separam e cada uma é utilizada como molde para a polimerização de uma nova cadeia, resultando numa molécula composta da cadeia original e da recém-sintetizada.

replicador (ô) [De *replicar* + *-dor*.] *Adj. S. m.* Que, ou aquele que replica.

replicar [Do lat. *replicare*.] *V. t. d.* 1. Combater com argumentos; contestar, refutar, redarguir: *O preso replicou as acusações.* 2. Dizer como réplica, ou como explicação: *Ao ouvir a censura, José replicou que sempre fora boa pessoa.* 3. Fazer réplica, cópia, reprodução de; reproduzir. *T. i.* 4. Responder a objeções ou respostas de outrem; retorquir, redarguir: *Não replicara ao orador. Int.* 5. Responder aos argumentos de outrem; retorquir, redarguir: *O conferencista falou sem que os presentes replicassem.* 6. Acusar em réplica (5): *O promotor replicou brilhantemente.* [Sin., nas acepçs. 1, 2, 4, 5 e 6: *repostar*. Conjug.: v. *trancar*. Pres. ind.: *replico, replicas, replica*, etc. Cf. *réplica*, s. f.,]

replicável [Do lat. tard. *replicabile*.] *Adj. 2 g.* Que pode dar origem a réplica: *Espera-se que a experiência científica seja replicável em todos os detalhes.*

➔ **replicon** ['ɹɛplikan] [Ingl.] *S. m. Citol. Genét.* 1. Unidade de replicação (2). 2. Unidades sequenciais de replicação do ADN de eucariontes.

repoisar *V. t. d. Int. T. d. e c. T. c. T. i.* V. *repousar*.

repoiso *S. m.* V. *repouso*.

repolegar [Cruz. do lat. *replicare*, 'dobrar para trás', com *pollicare* (subentendendo-se *digitu*), 'dedo polegar'.] *V. t. d.* Dobrar ou ornar com repolego. [Var. sincopada: *repolgar*. Conjug.: v. *carregar*. Pres. ind.: *repolego, repolegas, repolega*, etc. Cf. *repolego* (ê), s.m., e as flex. *repolega* (ê), *repolegas* (ê).]

repolego (ê) [Dev. de *repolegar*.] *S. m.* 1. Filete torcido para adornar certas peças. 2. *Cul.* Filete de massa que rodeia uma empada. 3. *Bras.* Chuleado com pontos muito próximos, formando um cordão. [Pl.: *repolegos* (ê). Cf. *repolego*, do v. *repolegar*.] ● *Adj.* 4. *Bras. CE* Arrebitado (1): "Soltava uns dois espirros com estardalhaço, ... assoava o narigão repolego" (Nélson de Faria, *Tiziu e Outras Estórias*, p. 128). [Flex.: *repolega* (ê), *repolegos* (ê), *repolegas* (ê). Cf. *repolego, repolega, repolegos, repolegas*, do v. *repolegar*.]

repolgar *V. t. d.* V. *repolegar*. [Conjug.: v. *largar*.]

repolhal [De *repolho* + *-al*[1].] *S. m.* Quantidade mais ou menos considerável de repolhos dispostos proximamente entre si; horta de repolhos.

repolhar [De *repolho* + *-ar*[2].] *V. int.* Adquirir feitio semelhante ao do repolho. [Pres. ind.: *repolho*, etc. Cf. *repolho* (ô).]

repolho (ô) [Do esp. *repollo*.] *S. m. Bot.* Nome comum a diversas cultivares da brassicácea (*Brassica oleracea*) rasteira, de feitio globular e folhas imbricadas. São universalmente us. na alimentação. [Pl.: *repolhos* (ô). Cf. *repolho*, do v. *repolhar*.]

repolhudo [De *repolho* + *-udo*.] *Adj.* 1. Que tem forma de repolho. 2. Gordo, roliço, rechonchudo: *criança repolhuda.*

repolimento [De *repolir* + *-mento*.] *S. m.* Ato ou efeito de repolir.

repolir [De *re-* + *polir*.] *V. t. d.* Polir de novo ou muito. [Conjug.: v. *polir*.]

repoltrear-se [De *repoltronear-se*, com síncope.] *V. p.* Sentar-se ou recostar-se de modo confortável; refestelar-se, repimpar-se, repoltronear-se: "Riu com sarcasmo, repoltreando-se no sofá, com as pernas muito abertas." (Coelho Neto, *Turbilhão*, p. 198.) [Conjug.: v. *frear*.]

repoltronear-se [De *re-* + *poltrona* + *-ear*[2] + *se*[1].] *V. p.* V. *repoltrear-se*. [Conjug.: v. *frear*.]

reponente [Do lat. *reponente*.] *S. 2 g.* 1. Pessoa que repõe. 2. Herdeiro que faz reposição. ● *Adj. 2 g.* 3. Diz-se do herdeiro que faz reposição.

reponta [De *re-* + *ponta*.] *S. f.* 1. Ponta que ressurge, ou que reaparece periodicamente. 2. Repetição de golpe com a ponta de espada ou lança. 3. *Bras.* Início da maré enchente. 4. *Bras. SP* Enchente, cheia.

repontão [De *repontar*[1] + *-ão*[2].] *Adj. S. m. Fam.* Que, ou aquele que reponta ou recalcitra, quando admoestado. [Fem.: *repontona*.]

repontar[1] [De *re-* + *ponta* + *-ar*[2].] *V. int.* 1. Vir surgindo novamente: *Sua ira, que desaparecera, pegou a repontar.* 2. Começar a surgir; despontar: *O navio repontou no horizonte.* 3. Amanhecer, despontar, raiar: "Ergue-te, que já vem repontando a alvorada." (Carlos D. Fernandes, *Canção de Vesta*, p. 27.) 4. Atacar, voltando-se para trás: *Espicaçado, o cão repontou.* 5. Retorquir com aspereza; recalcitrar, respingar: *Sabendo justa a censura, não se animou a repontar. T. d.* 6. Replicar com aspereza; recalcitrar: *O menino repontou que não atenderia à ordem.*

repontar[2] [Do esp. plat. *repuntar*.] *V. t. d.* 1. Fazer refluir para certo ponto. 2. *Bras. S.* Enxotar (animais) em determinada direção.

reponte [Do esp. plat. *repunte*.] *S. m. Bras. S.* Ato de repontar[2] (2).

repontuar [De *re-* + *pontuar*.] *V. t. d.* Pontuar de novo.

repopularizar [De *re-* + *popularizar*.] *V. t. d. P.* Tornar a popularizar(-se).

repor [De *re-* + *pôr*, ou do lat. *reponere*, pela f. **repoer*.] *V. t. d.* 1. Pôr novamente; tornar a pôr; recolocar: "Faz-me lembrar as diligências dos oftalmologistas ao procurar corrigir-nos a vista insuficiente ou anormal; põem e tiram, repõem e sobrepõem lentes até encontrar a graduação precisa." (Fidelino de Figueiredo, *Entre Dois Universos*, p. 221.) 2. Devolver, restituir: *Repôs os livros emprestados.* 3. Restituir ao antigo estado. *T. d. e i.* 4. Devolver, restituir: *Tem dois meses para repor ao banco o dinheiro emprestado. P.* 5. Tornar a colocar-se; reconstituir-se: *O império de Napoleão não se repôs jamais.* [Irreg. Conjug.: v. *pôr*. Part.: *reposto* (ô). Cf. *reposto*, do v. *repostar*.]

reportação [Do lat. *reportatione*.] *S. f.* Ato ou efeito de reportar(-se); reportamento.

reportado[1] [Part. de *reportar*.] *Adj.* 1. Moderado, comedido, prudente, cauteloso. 2. Reto, justo, direito. 3. Que se referiu, ou a que se aludiu; referido, citado, precitado.

reportado[2] [Part. de **reportar* (v. *reportador*).] *S. m. Com.* Especulador bolsista que adquire a termo os mesmos títulos que vendera à vista.

reportador (ô) [De **reportar* (< *reporte* [q. v.] + *-ar*[2]) + *-dor*.] *S. m. Com.* Especulador que, na Bolsa de Valores, compra títulos à vista para revendê-los a prazo; reportante.

reportagem [Do fr. *reportage*.] *S. f.* 1. *Jorn.* Atividade jornalística que ger. compreende a cobertura de um acontecimento, a análise e a preparação do texto final a ser entregue à redação. [Diversamente da notícia (q. v.), a reportagem pretende esgotar o acontecimento, suas causas e consequências, e estimular debate sobre o mesmo.] 2. *Jorn.* O texto publicado resultante de reportagem (1). 3. O conjunto dos repórteres. ◆ **Grande reportagem.** *Jorn.* Material jornalístico mais aprofundado que ger. envolve o trabalho de uma equipe.

reportamento [De *reportar* + *-mento*.] *S. m.* Reportação.

reportante [De **reportar* (< *reporte* [q. v.] + *-ar*[2]) + *-nte*.] *S. 2 g. Com.* Reportador.

reportar [Do lat. *reportare*.] *V. t. d. e i.* 1. Voltar para trás; retrair, volver: *A imagem reportou meu pensamento ao passado.* 2. Dar como causa; atribuir, referir: *O jovem reportou suas falhas à inexperiência.* 3. Relatar, contar; noticiar. *T. d.* 4. Conter, comedir, moderar: *reportar os instintos. P.* 5. Moderar-se, comedir-se, conter-se: *Sentiu enorme ira, mas reportou-se.* 6. Referir-se, aludir: *O advogado de defesa reportou-se às provas*; "No seu interessantíssimo trabalho [*O Esqueleto na Lagoa Verde*], Antônio Calado reporta-se à lenda da Cidade Abandonada" (Brito Broca, *Horas de Leitura*, p. 201). 7. Referir-se, relacionar-se, prender-se, ligar-se: "Reportam-se à Glória as mais doces recordações de minha vida de menino." (Ciro dos Anjos, *Abdias*, p. 7.) 8. Dirigir-se a alguém para relatar, noticiar, informar, etc. algo.

reporte [Do fr. *report*.] *S. m. Com. P. us.* 1. Operação de bolsa pela qual o especulador, jogando na alta, readquire a termo os títulos que acaba de vender à vista. 2. Nas operações de bolsa, diferença entre a cotação à vista e a cotação a termo de certos valores quando esta é superior àquela. [Antôn.: *deporte*[2].]

repórter [Do ingl. *reporter*, pelo fr. *reporter*.] *S. 2 g.* 1. *Jorn.* Encarregado de realizar reportagem (1). [Cf. *noticiarista*.] ● *S. m.* 2. *Bras. Obsol.* Programa noticioso em rádio ou televisão; noticiário: *Às 14 horas ouvimos o repórter.* [Pl.: *repórteres*.]

repórter-cinematográfico *S. m. Jorn.* Jornalista responsável por registrar cinematograficamente fatos e assuntos de interesse jornalístico. [Pl.: *repórteres--cinematográficos*.]

repórter-fotográfico *S. m. Jorn.* Jornalista responsável pelo registro fotográfico de fatos e assuntos de interesse jornalístico. [Pl.: *repórteres-fotográficos*.]

reportório *S. m. Lus.* Repertório.

reposição [Do lat. *repositione*.] *S. f.* **1.** Ato ou efeito de repor; torna. **2.** Recomposição, restabelecimento: *reposição de estoques.* [Cf., nesta acepç., *custo de reposição*.]

reposicionamento [De *reposicionar* + *-mento*.] *S. m.* Ato ou efeito de reposicionar.

reposicionar [De *re-* + *posicionar*.] *V. t. d.* Posicionar outra vez.

repositório [Do lat. *repositoriu*.] *Adj.* **1.** Que se usa para guardar remédios. ● *S. m.* **2.** Lugar próprio para guardar alguma coisa; depósito. **3.** Repertório, coleção.

repossuir [De *re-* + *possuir*.] *V. t. d.* Tornar a possuir. [Conjug.: v. *atribuir*.]

reposta[1] [Do lat. *reposita* ou *reposta*, fem. do part. pass. de *reponere*.] *S. f. Ant.* Resposta.

reposta[2] [F. subst. de *reposto*, part. de *repor*.] *S. f.* No jogo do voltarete, quantia que se repõe.

repostada [De *reposta*[1] + *-ada*[1].] *S. f.* Resposta grosseira, incivil, desabrida; respostada.

repostar [De *reposta*[1] + *-ar*[2].] *V. t. d. T. i. Int.* Replicar (1, 2, 4, 5 e 6). [Pres. ind.: *reposto*, etc. Cf. *reposto* (ô), do v. *repor*, e *ripostar*.]

repostaria [Do esp. *repostería*.] *S. f.* **1.** Dependência, nos palácios e casas nobres, destinada ao preparo de doces e licores. **2.** O pessoal e os objetos da copa. [Cf. *ripostaria*, do v. *ripostar*.]

reposteiro [Do b.-lat **repositariu*.] *S. m.* **1.** Cortina ou peça de estofo pendente das portas interiores da casa: "Era uma saleta ao lado de uma sala de jantar; ao fundo um reposteiro corrido com ares burocráticos" (Aluísio Azevedo, *Demônios*, p. 161). **2.** Criado da casa real a quem compete cerrar os reposteiros.

repotrear-se *V. p.* V. *repoltrear-se*: "pelos bancos de pedra .... repotreiam-se galuchos chalaceando de namoros" (José Vieira, *Sol de Portugal*, p. 83). [Conjug.: v. *frear*.]

repousar [Do lat. *repausare*.] *V. t. d.* **1.** Diminuir ou aliviar a fadiga a; pôr em sossego ou em estado de repouso; descansar: *O sono repousa o corpo.* **2.** Proporcionar descanso, alívio, a; tranquilizar, serenar: *Esta música suave repousa o espírito. Int.* **3.** Estar ou ficar em repouso; descansar: "repousa lá no Céu eternamente, / e viva eu cá na terra sempre triste." (Luís de Camões, *Rimas*, p. 172); *O médico recomendou que o doente repousasse.* **4.** Descansar no sono; dormir: *Esta noite não repousei.* **5.** Não produzir, ficando de pousio: *Esta gleba repousará por um ano. T. d. e c.* **6.** Pôr em repouso; descansar: *Repousei meus pés sobre as almofadas.* **7.** Pôr, colocar, demoradamente: *Os visitantes repousaram os olhos nos quadros. T. c.* **8.** Estar colocado ou estabelecido; assentar-se: *O povoado repousa sobre o morro.* **9.** Estar sepultado; jazer: *Os restos do seu avô repousam na Europa. T. i.* **10.** Assentar, basear-se, fundar-se: "As relações sociais repousam quase exclusivamente sobre artifícios, embustes, ardis, manhas, subterfúgios, lábias e ronhas" (Olavo Bilac, *Últimas Conferências e Discursos*, p. 362). [Var.: *repoisar*.]

repouso [Dev. de *repousar*.] *S. m.* **1.** Ato ou efeito de repousar. **2.** Ausência de movimento; imobilidade ou relaxamento parcial ou total. **3.** Pausa no trabalho; descanso: *o repouso dominical.* **4.** Tranquilidade de espírito: *As visitas perturbam o repouso do doente.* [Var.: *repoiso*.] ◆ **Repouso semanal.** *Dir. Trab.* Direito de descanso remunerado assegurado a todo empregado semanalmente por vinte e quatro horas consecutivas, o qual, salvo motivo de conveniência pública ou necessidade imperiosa do serviço, deverá coincidir com o domingo, no todo ou em parte.

→ **repoussé** [ʁəpu'se] [Fr.] *Adj. S. m.* Diz-se de, ou trabalho de arte decorativa feita no avesso de substância maleável, dando relevo à parte externa: *couro repoussé*; *o repoussé de uma placa de latão.* [Fem. (do adj.): *repoussée*.]

repovoamento [De *repovoar* + *-mento*.] *S. f.* Ato ou efeito de repovoar.

repovoar [De *re-* + *povoar*.] *V. t. d.* **1.** Povoar novamente; tornar a povoar: *Os povos bárbaros repovoaram as regiões por eles assoladas. P.* **2.** Povoar-se de novo: "A paz do trabalho rural .... sufocou o alarido da guerra; os campos repovoaram-se com os seus lavradores" (João Ribeiro, *História do Brasil*, p. 145). [Conjug.: v. *coroar*.]

repreendedor (ô) [De *repreender* + *-dor*.] *Adj. S. m.* Que, ou aquele que repreende; repreensor.

repreender [Do lat. *reprehendere*, 'agarrar por detrás', 'repreender', 'censurar'.] *V. t. d.* **1.** Advertir, censurar ou admoestar com energia: *O professor repreendeu os alunos rebeldes. T. d. e i.* **2.** Repreender (1) (a alguém); censurar energicamente: *O pai repreendeu ao filho as más ações.* **3.** Arguir, increpar, acusar: *À Justiça cabe repreender os réus por infração das leis.*

repreendido [Part. de *repreender*.] *Adj.* Que se repreendeu; advertido.

repreensão [Do lat. *reprehensione*.] *S. f.* **1.** Ato ou efeito de repreender, de censurar com palavras severas e enérgicas, de caráter disciplinar, as quais equivalem, frequentemente, a um castigo. [Sin. (muitos deles pop. ou fam.): *animadversão, batida, carraspana, censura, chamada, chatada, chega, chegada, chegadela, chegança, corretivo, desanda, descalçadeira, descalçadela, descascadela, ducha, ensaboadela, ensinadela, escaldadela, escaldadura, escaldão, escalda-rabo, escarmento, escova, escovação, escovadela, esfrega, esfuziote, exprobração, gaitada, lamiré, lembrete, leva-dente, lição, mercurial, moliana, monitória, rabecada, ralho, raspanete, recado, récipe, reprimenda, reproche, reprovação, sabão, sabonete, sarabanda, sermão, surra de língua, talhada, torra, tosa, tosquiadela, trepa, trepada*, e (bras.) *arregaço, bolacha, cacholeta, capina, carão, chupada, esbarro, esbregue, esculacho, especial, foguete, galope, gato, lavagem, pito, raspança, raspe, reboldrosa, rebordosa, respe, vareio, varejo*.] **2.** *Jur.* Pena disciplinar que o superior inflige ao inferior hierárquico, e que consiste em admoestação enérgica.

repreensível [Do lat. *reprehensibile*.] *Adj. 2 g.* Que merece repreensão, censurável, criticável.

repreensivo [Do lat. *reprehensus*, part. pass. de *reprehendere*, 'agarrar', 'repreender', + *-ivo*.] *Adj.* Que repreende ou envolve repreensão; repreensor.

repreensor (ô) [Do lat. *reprehensore*.] *Adj.* **1.** Repreendedor. **2.** Que envolve repreensão; repreensivo. ● *S. m.* **3.** Repreendedor.

repregar [De *re-* + *pregar*[1].] *V. t. d.* **1.** Pregar novamente; tornar a pregar. **2.** Segurar muito bem com pregos. **3.** Ornar com pregaria. [Conjug.: v. *regar*.]

reprego [Dev. de *repregar*.] *S. m.* Ato ou efeito de repregar.

represa (ê) [Do lat. *reprensa*, 'detida', 'retida', 'presa'.] *S. f.* **1.** V. *represamento*. **2.** Qualquer obra destinada à acumulação de água empregada para diversos fins. **3.** V. *barragem* (2). **4.** *Fig.* Qualquer sentimento acumulado, reprimido, prestes a explodir: *represa de paixões.* **5.** Conserto de uma parede. **6.** Navio recapturado ao inimigo. **7.** *Arquit.* Peça de pedra, mísula ou peanha, que serve para se assentarem arcos, ogivas, etc. [Pl.: *represas* (ê). Cf. *represa* e *represas*, do v. *represar*.]

represado [Part. de *represar*.] *Adj.* **1.** Detido, retido, represo; suspenso. **2.** Que não corre; estagnado, parado. **3.** *Fig.* Que não se expande; refreado, reprimido: *sentimentos represados.* ● *S. m.* **4.** Pessoa represada.

represador (ô) [De *represar* + *-dor*.] *Adj.* **1.** Que represa. ● *S. m.* **2.** Aquele ou aquilo que represa.

represadura [De *represar* + *-dura*.] *S. f.* Ato de represar; represamento.

represália [Do it. *ripresaglia*.] *S. f.* Desforra, vingança, despique, desforço, retaliação: "o ímpeto do ataque, a ferocidade das represálias provam que a conquista ainda se não havia consolidado" (Gonçalves Dias, *O Brasil e a Oceania*, p. 50).

represamento [De *represar* + *-mento*.] *S. m.* Ato ou efeito de represar; represa.

represar [Do lat. *reprehensare*.] *V. t. d.* **1.** Deter o curso de (águas); fazer parar; reter: "Um açude tosco .... represava as águas, desviando-as para um canal aberto na margem." (Eduardo Frieiro, *O Mameluco Boaventura*, p. 38.) **2.** Reprimir, conter, moderar, refrear, sufocar: *represar os ódios.* **3.** Impedir, estorvar, obstruir, atalhar: *Medidas severas nem sempre bastam para represar o crime.* **4.** Pôr em prisão; prender, enclausurar: *Nossas tropas represaram um batalhão inimigo.* **5.** Fazer presa de; apoderar-se de: *Os soldados represaram os bens do inimigo.* [Pres. ind.: *represo, represas, represa*, etc. Cf. *represo* (ê), as flex. *represa* (ê) e *represas* (ê), e *represa* (ê), s. f., pl. *represas* (ê).]

representação [Do lat. *representatione*.] *S. f.* **1.** Ato ou efeito de representar(-se). **2.** Exposição escrita de motivos, de queixas, etc., a quem de direito. **3.** Coisa que se representa. **4.** Reprodução daquilo que se pensa. **5.** Aparato inerente a um cargo, ao *status* social. **6.** Qualidade indispensável ou recomendável: *Falta-lhe certa representação para o cargo que aspira.* **7.** Posição social elevada: *família de representação.* **8.** O conjunto dos representantes [v. *representante* (2 e 3)] que atuam, em geral, de maneira coordenada; delegação: *a representação do Brasil no Campeonato Mundial de Futebol; a representação do Piauí no Senado.* **9.** *Filos.* Conteúdo concreto apreendido pelos sentidos, pela imaginação, pela memória ou pelo pensamento. [Cf., nesta acepç., *ideia* (12).] **10.** *Jur.* Situação jurídica na qual uma pessoa (representante) pratica atos em nome de outrem (representado) em decorrência de lei (p. ex., pais que representam os filhos) ou de disposição convencional (p. ex., mandatário que representa o mandante). **11.** *Jur.* Substituição dum herdeiro falecido por seus respectivos herdeiros, considerados por lei no mesmo grau e com todos os direitos do representado. **12.** *Jur.* Posição jurídica do pai ou do tutor que atua em nome dos filhos ou tutelados absolutamente incapazes. **13.** *Jur.* Delegação de poderes conferidos pelo povo, por meio de votos, a certas pessoas, a fim de que exerçam em nome dele as funções próprias dos órgãos eletivos da administração pública. **14.** *Jur.* Contrato remunerado, firmado entre dois comerciantes ou empresas comerciais, para que uma parte promova a venda de produtos da outra, efetuando negócios em nome dela, ou realize aproximação de fregueses, etc., mediante condições variáveis em cada caso. **15.** *Jur.* Direito que cabe ao cidadão de se dirigir aos poderes públicos para reclamar contra abusos de autoridades e promover a responsabilidade delas. **16.** *Bras. Jur.* Pedido que a vítima de certos delitos — ou seus representantes legais — formula à autoridade policial ou judiciária, e bem assim ao órgão do Ministério Público, para que se proceda contra o delinquente, sem o que será nula a ação penal que se intentar na espécie. **17.** *Teatr.* Ato ou efeito de representar (4); interpretação.

representacionismo [De *representação* + *-ismo*, seg. o padrão erudito; ingl. *representationism*.] *S. m. Filos.* Doutrina que considera que os conteúdos cognitivos (sensações, imagens, ideias, etc.) são substitutos dos objetos.

representacionista [De *representacionismo* + *-ista*.] *Adj. 2 g. Fisiol.* **1.** De, ou relativo ao representacionismo. **2.** Que é adepto do representacionismo. ● *S. 2 g.* **3.** Adepto do representacionismo.

representador (ô) [Do lat. *representatore*.] *Adj. S. m.* Que, ou aquele que representa; representante (q. v.).

representante [Do lat. *representante*.] *Adj. 2 g.* **1.** Que representa; representador, representativo. ● *S. 2 g.* **2.** Pessoa que representa outra. **3.** *Diplom.* Diplomata ou pessoa especialmente designada para representar o governo de um país, ou os interesses deste, junto a outro governo, a uma assembleia, etc.; delegado: *O representante do Brasil teve brilhante desempenho na O.N.U.*

representar [Do lat. *representare*.] *V. t. d.* **1.** Ser a imagem ou a reprodução de: *Uma das telas de Pedro Américo representa a Batalha do Avaí.* **2.** Tornar presente; patentear, significar: *A vitória representou a bravura de nosso povo.* **3.** Participar de espetáculo teatral, de filme, etc., desempenhando papel[1] (4); interpretar: *Procópio Ferreira representou magistralmente o Harpagão, de Molière.* **4.** Levar à cena; exibir, encenar (em teatro): *A companhia representou* Yerma, *de Federico García Lorca.* **5.** Chefiar missão junto a (governo, organismo internacional, congresso, etc.): *O Chanceler representou o Brasil na O.N.U.* **6.** Estar em lugar de; substituir: *O ajudante de ordens representou o governador na cerimônia.* **7.** Ser procurador ou mandatário de: *Os advogados representaram as partes litigantes.* **8.** Figurar, aparentar: *Esta moça representa ter 18 anos. T. d. e i.* **9.** Significar, denotar: *Sua volta representou uma enorme alegria para a família.* **10.** Reproduzir, descrever, pintar: *A Bíblia representa-nos com lindas cores o Paraíso.* **11.** Desempenhar o papel, as atribuições, a função de; figurar como: "Bouterwek, bem ou mal, representou claramente um dos elos da corrente a que os portugueses se filiaram" (Guilhermino César, *Bouterwek*, p. 20). **12.** Expor verbalmente ou por escrito; retratar, pintar: *O emissário representou a todos os episódios da guerra.* **13.** *Jur.* Na sucessão de direitos, substituir por direito de representação. *Int.* **14.** Desempenhar funções de ator: *O célebre ator deixou de representar ainda jovem. T. i.* **15.** Dar ares; fingir-se, fazer-se: *Não é o meu propósito representar de herói.* **16.** Dirigir uma representação (2); expor uma queixa ou censura: *Os pequenos funcionários, sentindo-se injustiçados, representaram ao Presidente.* **17.** Desempenhar um papel: *As meninas representarão de anjo nas festas marianas. P.* **18.** Apresentar-se, oferecer-se ao espírito: *No sonho, representou-se a imagem de Deus.* **19.** Figurar como símbolo: *Os bens de consumo representam-se nas aspirações da burguesia.*

representatividade [De *representativo* + *-(i)dade*.] *S. f.* Qualidade de representativo.

R

representativo [De *representar* + *-tivo*.] *Adj.* **1.** V. *representante* (1). **2.** Apropriado para representar: *amostras representativas*. **3.** Constituído por pessoas ou coisas que representam algo: *delegação representativa de um grupo*. **4.** Que representa politicamente os interesses de um grupo, classe social, povo, etc.: *A democracia pressupõe um congresso verdadeiramente representativo*. ~ V. *amostra —a*.

representável [De *representar* + *-vel*.] *Adj. 2 g.* Que pode ser representado.

representear [De *re-* + *presentear*.] *V. t. d. T. d. e i.* Presentear em troca de outro presente. [Conjug.: v. *frear*.]

represo (ê) [Do lat. *reprensu*.] *Adj.* **1.** Preso de novo. **2.** Represado (1). [Flex.: *represa* (ê), represos (ê), *represas* (ê). Cf. *represo, represas, represa*, do v. *represar*.]

repressão [Do lat. tard. *repressione*.] *S. f.* **1.** Ato ou efeito de reprimir(-se). **2.** Aquele ou aquilo que reprime: *Os manifestantes reagiram quando a repressão chegou*. **3.** *Psicol.* Mecanismo de defesa mediante o qual os sentimentos, as lembranças dolorosas ou os impulsos desacordes com o meio social são mantidos fora do campo da consciência.

repressivo [Do lat. *repressus*, part. pass. de *reprimire*, 'deter', 'reter', + *-ivo*.] *Adj.* Apropriado para reprimir.

repressor (ô) [Do lat. *repressore*.] *Adj.* **1.** Que reprime; repressório. ● *S. m.* **2.** O que reprime. **3.** *Genét.* Produto de um gene regulador (q. v.) que inibe a transcrição de outro gene.

repressório [Do lat. *repressus* (v. *repressivo*) + *-ório*.] *Adj.* Repressor (1).

reprimenda [Do fr. *réprimande*.] *S. f.* V. *repreensão* (1): "nenhum efeito lograrão sobre mim as enojadas reprimendas sobre a minha lastimável pecha de me debruçar sobre o umbigo próprio... ?!" (José Régio, *Poemas de Deus e do Diabo*, pp. 40-41).

reprimido [Part. de *reprimir*.] *Adj.* **1.** Contido, moderado. **2.** Coibido, refreado, represado. **3.** Violentado, oprimido.

reprimir [Do lat. *reprimere*.] *V. t. d.* **1.** Sustar a ação ou movimento de; conter, reter, moderar, coibir, refrear, represar: "vendo aqueles quadris roliços a um palmo do seu corpo, Deco não pôde reprimir um pensamento safado." (Macedo Miranda, *Pequeno Mundo Outrora*, p. 44); *A Coroa portuguesa tentou reprimir as manifestações de independência dos brasileiros*. **2.** Não manifestar; ocultar, disfarçar, dissimular: *Mal consegue reprimir a expressão de tristeza*. **3.** Violentar, oprimir, vexar, tiranizar: *Os ditadores reprimem o povo*. **4.** Impedir pela ameaça ou pelo castigo, proibir: *As leis brasileiras reprimem o jogo de azar*. **5.** Castigar, punir: *A justiça reprime os infratores das leis*. *P.* **6.** Conter-se, moderar-se, dominar-se, refrear-se: *Não pude reprimir-me em face de tamanho absurdo*.

reprimível [De *reprimir* + *-vel*.] *Adj. 2 g.* Que se pode ou deve reprimir.

➔ **reprint** ['ɹiːpɹɪnt] [Ingl.] *S. m. Prop.* V. *reprinte*.

reprinte *S. m. Prop.* Reprodução de anúncio ou matéria veiculado em jornal ou revista, para distribuição a público-alvo restrito ou para exposição em ponto de venda.

reprisar [Do fr. *repriser*.] *V. t. d.* **1.** Tornar a apresentar (espetáculos, etc.); repetir. **2.** *P. ext.* Repetir determinado ato. **3.** *Fig.* Reproduzir mentalmente (sequência de acontecimentos, ou determinado fato isolado).

reprise [Do fr. *reprise*.] *S. f.* Ato ou efeito de reprisar; repetição: *É bom você ir ver o filme hoje: não vai haver reprise*.

repristinação [De *repristinar* + *-ção*, ingl. *repristination*.] *S. f.* Repristinização.

repristinar [De *re-* + *prístino* + *-ar*[2]; ingl. (to) *repristinate*.] *V. t. d.* Repristinizar.

repristinatório [De *repristinar* + *-tório*.] *Adj. Jur.* Que repristina; que serve para repristinar.

repristinização [De *repristinizar* + *-ção*.] *S. f.* **1.** Ato ou efeito de repristinizar; de fazer volver ao antigo, ao que se usava outrora; repristinação: "Uma réplica contemporânea [à modernização] é o 'fundamentalismo islâmico' ...., essencialmente uma 'repristinização' do que se supunha ser uma sociedade contaminada pelo moderno." (Roberto Campos, *A Lanterna na Popa. Memórias*, p. 1.029.) **2.** *Arquit.* Subtração de todos os elementos que descaracterizam uma edificação de certa época.

repristinizar [De *re-* + *prístino* + *-izar*.] *V. t. d.* Restituir ao valor, caráter ou estado primitivo, prístino; repristinar.

reprivatização [De *reprivatizar* + *-ção*.] *S. f.* Ato ou efeito de reprivatizar.

reprivatizar [De *re-* + lat. *privatus*, 'privado', 'particular', + *-izar*.] *V. t. d.* Trazer novamente para o setor privado ou particular: *O governo reprivatizou algumas empresas*.

réprobo [Do lat. *reprobu*.] *Adj.* **1.** Condenado, precito, danado. **2.** Mau, perverso, malvado. ● *S. m.* **3.** Indivíduo réprobo: "É um amor de réprobo, selado com sangue no hediondo livro do crime" (Antônio Gonçalves Teixeira e Sousa, *O Filho do Pescador*, 85).

reprocessamento [De *reprocessar* + *-mento*.] *S. m.* **1.** Ato ou operação de reprocessar. **2.** *Tec.* Tratamento a que se submete um material que sofreu um processo industrial, ou que é fruto de um processo industrial, visando a recuperar parte da matéria-prima original ou extrair um subproduto valioso.

reprocessar [De *re-* + *processar*.] *V. t. d.* **1.** Tornar a processar (especialmente processo [5]). **2.** *Tec.* Efetuar o reprocessamento (2) de.

reprochar [Do fr. *reprocher*.] *V. t. d.* **1.** Lançar em rosto a; censurar, exprobrar: *Reprochou a ação feia da criança*. *T. d. e i.* **2.** Lançar em rosto; censurar, exprobrar: *Reprochou aos alunos o péssimo comportamento*.

reprochável [De *reprochar* + *-vel*.] *Adj. 2 g.* Que se pode reprochar, censurar.

reproche [Do fr. *reproche*.] *S. m.* V. *repreensão* (1): "Não ousava fazer-lhe nenhuma queixa ou reproche, porque respeitava nele o seu marido e senhor, mas padecia calada, e definhava a olhos vistos." (Machado de Assis, *Papéis Avulsos*, p. 13.)

reprodução [De *reprodu(zir)* + *-ção*, seg. o padrão erudito (v. *produção*).] *S. f.* **1.** Ato ou efeito de reproduzir(-se). **2.** Quadro, gravura, fotografia, etc., reproduzida; cópia: *Tenho uma boa reprodução de Goya*. **3.** Cópia ou imitação de obra literária, quadro ou escultura, cuja divulgação depende de autorização prévia do autor. [V. *fac-símile*.] **4.** *Biol.* Capacidade que tem um organismo de originar outro semelhante ao atingir certa fase de desenvolvimento. ◆ **Reprodução assexuada.** *Biol.* Formação de novos indivíduos a partir de um único indivíduo, sem que haja a fusão de gametas, e que pode ocorrer mediante gemulação, divisão celular, fragmentação ou partenogênese. **Reprodução sexuada.** *Biol.* Formação de novos indivíduos duma espécie pela fusão de dois gametas normalmente haploides para formar um zigoto diploide. [Os gametas podem-se originar do mesmo indivíduo (v. *autogamia*), ou de indivíduos diferentes (v. *alogamia*).] **Reprodução vegetativa.** *Biol.* V. *apogamia*.

reprodutibilidade [De *reprodutível* + *-(i)dade*, seg. o padrão erudito.] *S. f.* Qualidade de reprodutível.

reprodutível [De *reprodu(zir)* + *-ível*, seg. o modelo de *produtível* (q. v.).] *Adj. 2 g.* Reproduzível.

reprodutivo [De *reprodu(zir)* + *-tivo*, seg. o padrão erudito (v. *produtivo*).] *Adj.* Que reproduz ou que se reproduz. ~ V. *ciclo —*.

reprodutor (ô) [De *reprodu(zir)* + *-tor*, seg. o padrão erudito (v. *produtor*).] *Adj.* **1.** Que reproduz; reprodutivo. ~ V. *imaginação —a* e *sistema —*. ● *S. m.* **2.** *Biol.* Aquele que reproduz. **3.** Animal reservado à reprodução. [Fem. irreg.: *reprodutriz*.]

reprodutriz [De *reprodut(or)* + *-(t)riz*.] *Adj. (f.) S. f.* Diz-se de, ou fêmea que reproduz ou que se destina a agente de reprodução; matriz.

reproduzir [De *re-* + *produzir* (q. v.).] *V. t. d.* **1.** Produzir novamente; tornar a produzir: *O pintor reproduziu o quadro original*. **2.** Apresentar de novo; tornar a apresentar: *A cidade reproduz anualmente a tradicional comemoração*. **3.** Multiplicar (animais ou vegetais); gerar, procriar. **4.** Tornar a fazer; repetir, recomeçar: *Logo após a advertência as crianças reproduziram a algazarra*. **5.** Expor ou contar com minudência; descrever: *O emissário reproduziu as conversações*. **6.** Imitar fielmente; copiar, repetir; estresir: *Os naturalistas procuravam reproduzir a realidade*. **7.** Transformar em som e/ou em imagem o conteúdo de (CD, DVD ou qualquer outra mídia [6]). *P.* **8.** Perpetuar-se pela geração; procriar, multiplicar-se: *O gênero humano reproduziu-se na Terra*. **9.** Renovar-se, repetir-se: *Os mesmos apelos reproduziam-se em bocas distintas*. [Irreg. Conjug.: v. *aduzir*.]

reproduzível [De *reproduzir* + *-vel*.] *Adj. 2 g.* Que se pode reproduzir; reprodutível.

reprofundar [De *re-* + *profundar*.] *V. t. d.* **1.** Profundar de novo ou mais: "E principia, às voltas com a figura disforme: salienta-lhe e afeiçoa-lhe o nariz; reprofunda-lhe as órbitas; esbate-lhe a fronte" (Euclides da Cunha, *À margem da História*, p. 106). *T. i.* **2.** Submergir-se, mergulhar.

reprografia [De *repro(dução)* + *-grafia*.] *S. f. Docum.* O conjunto dos processos de reprodução que, em vez de recorrerem aos métodos tradicionais de imprimir, recorrem às técnicas de fotocópias, eletrocópia, termocópia, microfilmagem, heliografia, xerografia, etc.

reprográfico [De *reprografia* + *-ico*[2].] *Adj.* Relativo à reprografia.

reprogramação [De *reprogramar* + *-ção*.] *S. f.* Ato ou efeito de reprogramar.

reprogramado [Part. de *reprogramar*.] *Adj.* Que foi objeto de nova programação.

reprogramar [De *re-* + *programar*.] *V. t. d.* Tornar a programar; programar de novo.

reprometer [Do lat. *repromittere*.] *V. t. d. T. d. e i.* Tornar a prometer: *Reprometi visitá-lo*; *Reprometi-lhes um bom emprego*.

repromissão [Do lat. *repromissione*.] *S. f.* **1.** Promessa recíproca. **2.** Ato de reprometer.

repropor [De *re-* + *propor*.] *V. t. d. T. d. e i.* Tornar a propor. [Conjug.: v. *pôr*.]

reprovação [Do lat. *reprobatione*.] *S. f.* **1.** Ato ou efeito de reprovar[1]. **2.** Condenação, crítica, censura: *um olhar de reprovação*. **3.** V. *repreensão* (1). **4.** Desprezo, desconsideração, desdém.

reprovado [Part. de *reprovar*[1].] *Adj.* **1.** Censurado, criticado, condenado. **2.** Rejeitado, não aceito (em concurso, prova, exame, etc.) por incapacidade ou falta de preparo: *candidato reprovado*; *aluno reprovado*. ● *S. m.* **3.** Indivíduo reprovado (2): *Os reprovados foram muitos*.

reprovador (ô) [Do lat. *reprobatore*.] *Adj.* **1.** Que reprova (v. *reprovar*[1]). **2.** Em que há reprovação; reprovativo: *Lançou-me um olhar reprovador*. ● *S. m.* **3.** Aquele que reprova.

reprovar[1] [Do lat. *reprobare*.] *V. t. d.* **1.** Não aprovar; recusar, rejeitar: *A comissão reprova os trabalhos apresentados*. **2.** Censurar severamente; criticar, condenar; desaprovar: *Os moralistas reprovam muitas inovações sadias*. **3.** Votar contra; não aprovar; rejeitar: *A Câmara reprovou o projeto*. *Int.* **4.** Julgar inabilitado um aluno ou candidato: *Há professores que não reprovam*.

reprovar[2] [De *re-* + *provar*.] *V. t. d.* Tornar a provar; provar de novo.

reprovativo [De *reprovar*[1] + *-tivo*.] *Adj.* Reprovador (2).

reprovável [Do lat. *reprobabile*.] *Adj. 2 g.* Que é digno de reprovação.

repruir [De *re-* + *pruir*.] *V. t. d.* **1.** Produzir prurido em. **2.** Excitar, inflamar, arrebatar: *A cena repruiu os ânimos*. *Int.* **3.** Sentir cócegas. **4.** *Fig.* Excitar-se, inflamar-se, arrebatar-se. [F. paral.: *reprurir*. Defect. Conjug.: v. *pruir*.]

reprurir [De *re-* + *prurir*.] *V. t. d. Int.* Repruir.

reptação [De *reptar*[1] + *-ção*.] *S. f.* V. repto.

reptador (ô) [De *reptar*[1] + *-dor*.] *Adj. S. m.* Que, ou aquele que repta, que desafia; reptante.

reptante[1] [De *reptar*[1] + *-nte*.] *Adj. 2 g. S. 2 g.* Reptador.

reptante[2] [De *reptar*[2] + *-nte*.] *Adj. 2 g. P. us.* **1.** Que anda de rastos; reptil[1] (1). **2.** Que se eleva a pouca altura; rasteiro: "Caem, presos pelos laços corredios dos quipás reptantes" (Euclides da Cunha, *Os Sertões*, p. 241). ● *S. m.* **3.** Reptil[1] (2 e 3).

reptar[1] [Do lat. *reputare*, por via pop.] *V. t. d.* **1.** Estar em oposição a; opor-se a: *Os jovens costumam reptar os costumes*. **2.** Desafiar, provocar: *reptar o inimigo*. [Pres. subj.: *repte, reptes, repte, reptemos, repteis, reptem*. Cf. *répteis*, pl. de *réptil*.]

reptar[2] [Do lat. *reptare*.] *V. int. P. us.* Andar de rastos; rojar-se pelo chão; arrastar-se. [Pres. subj.: *repte, reptes, repte, reptemos, repteis, reptem*. Cf. *répteis*, pl. de *réptil*.]

reptil[1] [Do fr. *reptile*.] *Adj. 2 g.* **1.** Que se arrasta. [Sin. (p. us.): *reptante*.] **2.** Animal com pés tão curtos que parece arrastar-se quando anda. **3.** *Fig.* Pessoa desprezível, de maus instintos, que se presta a quaisquer atos para atingir seus objetivos. [F. paral.: *réptil* (q. v.). Pl.: *reptis*.]

reptil[2] [Do tax. *Reptilia*, pl. n. do lat. tard. *reptile*.] *Zool.* *S. m.* **1.** Espécime dos reptis, classe de animais cordados, gnatostomados, tetrápodes, dotados de pele seca, coberta de escamas, escudos ou placas; coração com quatro cavidades, respiração pulmonar, e fecundação interna. São as tartarugas, os lagartos, as cobras e os jacarés ou crocodilos. ● *Adj. 2 g.* **2.** Pertencente ou relativo a eles.

réptil [Do lat. *reptile*.] *Adj. 2 g. S. m.* Reptil. [Pl.: *répteis*. Cf. *repteis*, do v. *reptar*.]

reptiliano [De *reptil*[1] + *-iano*.] *Adj.* Relativo ou pertencente a reptil.

repto [Dev. de *reptar*.] *S. m.* **1.** Ato ou efeito de reptar[1]; reptação. **2.** Desafio, provocação, reptação.

república [Do lat. *republica* < lat. *res publica*, 'coisa pública'.] *S. f.* **1.** *Ciênc. Pol.* Organização política de um Estado com vista a servir à coisa pública, ao interesse comum. **2.** *Ciênc. Pol.* Forma de Estado na qual os representantes são eleitos, de forma direta ou indireta, para o exercício de mandatos temporários. **3.** *Ciênc. Pol.* O país assim governado: *a república romana*. **4.** Grupo de estudantes que residem na mesma casa. **5.** Essa casa. **6.** *Fam.* Associação, agremiação, onde impera a desordem. [Dim. irreg.: *republiqueta*. Cf.

republica, do v. *republicar*.] ◆ **República Nova.** O período republicano brasileiro compreendido entre a vitória da revolução de 1930 e a implantação do Estado Novo, em 1937. **República popular.** *Ciênc. Pol.* Designação dada aos Estados constituídos por uma Frente Popular formada por todas as correntes democráticas do país, com a hegemonia do proletariado e de seu Partido Comunista. [Cf. *democracia popular*.] **República Velha.** O período republicano brasileiro compreendido entre a proclamação da República, em 1889, e a revolução de 1930.

republicanismo [De *republicano* + *-ismo*.] ***S. m.*** **1.** Doutrina política partidária da república (2). **2.** Qualidade de republicano (2).

republicanização [De *republicanizar* + *-ção*.] ***S. f.*** Ato ou efeito de republicanizar(-se).

republicanizar [De *republicano* + *-izar*.] ***V. t. d.*** **1.** Tornar republicano; converter em república: *Deodoro republicanizou o Brasil.* ***P.*** **2.** Converter-se em república; amoldar-se aos princípios republicanos.

republicano [De *república* + *-ano*[1].] ***Adj.*** **1.** Referente à república. [Sin. (p. us. no Brasil): *repúblico*.] **2.** Que é partidário da república (2): *Quintino Bocaiuva foi um grande líder republicano.* **3.** Pertencente a um partido republicano, ou que o apoia, e/ou nele vota: *deputados republicanos.* ~ V. *calendário* —. • ***S. m.*** **4.** Partidário da república (2) ou de um governo republicano. **5.** Membro ou eleitor de um partido republicano.

republicar [De *re-* + *publicar*.] ***V. t. d.*** Publicar de novo; reeditar: *O poeta republicará suas obras.* [Conjug.: v. *trancar*. Pres. ind.: *republico, republicas, republica*, etc. Cf. *repúblico* e *república*.]

republicida [De *república* + *-i-* + *-cida*, com haplologia.] ***Adj. 2 g.*** **1.** Diz-se de pessoa que destrói uma república (2), ou que é adversa às instituições republicanas. • ***S. 2 g.*** **2.** Indivíduo republicida.

republicídio [De *república* + *-i-* + *-cídio*, com haplologia.] ***S. m.*** Ato de republicida (1).

repúblico ***Adj.*** *P. us. no Brasil* **1.** Republicano (1). **2.** Relativo aos interesses dos cidadãos. • ***S. m.*** **3.** Aquele que se interessa pelo bem comum. **4.** Indivíduo republicano (2). [Cf. *republico*, do v. *republicar*.]

republiqueta (ê) [De *república* + *-eta* (ê).] ***S. f.*** **1.** República (3) pequena, insignificante. **2.** República (3) que sofre constantemente violação de suas instituições.

repudiador (ô) [Do lat. *repudiatore*.] ***Adj. S. m.*** Repudiante.

repudiante [Do lat. *repudiante*.] ***Adj. 2 g. S. 2 g.*** Que, ou quem repudia; repudiador.

repudiar [Do lat. *repudiare*.] ***V. t. d.*** **1.** Rejeitar (a esposa) legalmente; divorciar-se de (a mulher). **2.** Rejeitar, repelir, recusar: *Repudiou com indignação a proposta desonesta*; "esse idealista [José Ingenieros], assim tão ardentemente voltado para o futuro, não repudia o passado." (Oliveira Viana, *O Idealismo da Constituição*, p. 133). **3.** Abandonar, desamparar. [Pres. ind.: *repudio*, etc. Cf. *repúdio*, s. m.]

repudiável [De *repudiar* + *-vel*.] ***Adj. 2 g.*** Que pode ou deve ser repudiado.

repúdio [Do lat. *repudiu*.] ***S. m.*** Ato ou efeito de repudiar. [Cf. *repudio*, do v. *repudiar*.]

repugnância [Do lat. *repugnantia*.] ***S. f.*** **1.** Qualidade de repugnante. **2.** Hesitação de consciência para levar a cabo certo procedimento; escrúpulo, relutância. **3.** Asco, nojo, aversão, repulsa. **4.** Incompatibilidade, inconciliabilidade.

repugnante [Do lat. *repugnante*.] ***Adj. 2 g.*** **1.** Que repugna. **2.** Que, por ser sujo, fétido, deteriorado, etc., causa aversão física, até náusea; nauseabundo, nojento, asqueroso, repelente, repulsivo. **3.** *Fig.* Que suscita indignação moral; que se opõe ao bom senso, aos costumes; asqueroso, repelente, repulsivo. ~ V. *ventos* —*s*.

repugnar [Do lat. *repugnare*, 'lutar', 'opor-se'.] ***V. t. d.*** **1.** Não aceitar; recusar, refusar: *Inapetente, repugna qualquer alimentação.* **2.** Não admitir; não adotar: *A maioria dos velhos repugna as novidades.* ***Int.*** **3.** Causar aversão, asco; inspirar antipatia: *Sua presença bajuladora repugnava.* ***T. i.*** **4.** Não aquiescer; opor-se, resistir: *Os conservadores repugnam à transformação.* **5.** Causar antipatia ou aversão: *Estes sons repugnam a sua audição.* **6.** Ser contrário, incompatível: *O absurdo repugna à razão*; "Depois o gênio repugnará à carreira já trilhada. O pincel corrigirá a monotonia do original." (Latino Coelho, *Cervantes*, p. 82); "À minha natureza / Repugna essa volúpia enorme da saudade." (Manuel Bandeira, *Estrela da Vida Inteira*, p. 41). **7.** Causar náuseas, asco: *Aquela comida repugnava até aos mendigos.* ***P.*** **8.** Nausear-se; enojar-se: *Repugnou-se com o gosto daquela comida.*

repular [De *re-* + *pular*.] ***V. int.*** Tornar a pular, ou pular repetidas vezes: "atirava as mãos para o chão, dava uma cabriola, repulava sobre os pés" (Eça de Queirós, *A Capital*, p. 507).

repulsa [Do lat. *repulsa*.] ***S. f.*** **1.** Ato ou efeito de repulsar ou repelir. **2.** Sentimento ou sensação de aversão, de relutância, de repugnância. **3.** Reação que repele, afasta; oposição, objeção. [Sin. ger.: *repulsão* e (p. us.) *repulso*.]

repulsão [Do lat. *repulsione*.] ***S. f.*** **1.** V. *repulsa*. **2.** Força com que dois corpos ou duas partículas se repelem mutuamente. ◆ **Repulsão cósmica.** *Astr.* Efeito segundo o qual galáxias situadas a grandes distâncias se afastariam umas das outras.

repulsar [De *repulsa* + *-ar*[2].] ***V. t. d.*** **1.** Impedir de entrar ou de aproximar-se; repelir: *Repulsou o importuno.* **2.** Pôr distante; afastar: *Sua força de vontade repulsa o pessimismo.* **3.** Opor-se a; recusar, rejeitar, repugnar: *Repulsa qualquer ajuda: pretende vencer sozinho.* **4.** Repercutir; reenviar, refletir: *Este salão repulsa os sons.*

repulsivo [Do lat. *repulsus* + *-ivo*.] ***Adj.*** **1.** Que provoca repulsa. **2.** V. *repugnante* (2 e 3).

repulso [Do lat. *repulsu*.] ***Adj.*** **1.** Repelido (1 a 3): "Repulso do coração da prima, ... mudou o plano das insídias" (Camilo Castelo Branco, *A Queda dum Anjo*, p. 265); "E a negra plenitude / No ausente espaço urde a surpresa enorme / De um mundo esconso, ermo, repulso, rude..." (Américo Facó, *Poesia Perdida*, p. 52). • ***S. m.*** *P. us.* **2.** V. *repulsa*.

repulsor (ô) [Do lat. *repulsore*.] ***Adj.*** Que repulsa.

repululação [De *repulular* + *-ção*.] ***S. f.*** Ato ou efeito de repulular.

repulular [Do lat. *repullulare*.] ***V. int.*** **1.** Pulular ou rebentar novamente; renascer. **2.** Brotar com abundância; multiplicar-se.

repurgação [Do lat. *repurgatione*.] ***S. f.*** Ato de repurgar; nova purgação.

repurgar [Do lat. *repurgare*.] ***V. t. d.*** Tornar a purgar ou a limpar; repurificar: *repurgar o açúcar.* [Conjug.: v. *largar*.]

repurificação [De *repurificar* + *-ção*.] ***S. f.*** Ato ou efeito de repurificar.

repurificante [De *re-* + *purificante*.] ***Adj. 2 g.*** Que repurifica: "Deixa correr .... as grandes e maravilhosas lágrimas repurificantes" (Cruz e Sousa, *Obra Completa*, p. 610).

repurificar [De *re-* + *purificar*.] ***V. t. d.*** **1.** Purificar novamente: *A confissão repurifica as almas.* **2.** Purificar em alto grau: *repurificar um metal.* [Conjug.: v. *trancar*.]

reputação [Do lat. *reputatione*.] ***S. f.*** **1.** Ato ou efeito de reputar(-se). **2.** Fama, celebridade, renome.

reputar [Do lat. *reputare*.] ***V. transobj.*** **1.** Considerar, julgar, achar: "Os maus não nos levam em conta a nossa bondade e indulgência, reputam-na fraqueza" (Marquês de Maricá, *Máximas, Pensamentos e Reflexões*, p. 31); "Reputo absurda e insuportável a fórmula inglesa — *right or wrong my country*, de um patriotismo estreito e inexorável." (Oliveira Lima, *Memórias*, p. 19). ***T. d.*** **2.** Dar bom crédito a; ilustrar: *Sua honestidade reputou o nome da família.* ***T. d. e i.*** **3.** Avaliar, estimar, calcular: *A companhia reputou em milhões os gastos do próximo ano.* ***P.*** **4.** Considerar-se, julgar-se, achar-se: *Reputa-se bom desenhista.*

repuxado [Part. de *repuxar*.] ***Adj.*** **1.** Esticado, alisado: *pele repuxada.* **2.** Amendoado (3).

repuxão [De *repuxar* + *-ão*[3].] ***S. m.*** **1.** Repuxo (1). **2.** Puxão violento.

repuxar [De *re-* + *puxar*.] ***V. t. d.*** **1.** Puxar com violência. **2.** Puxar para trás: *A corrente repuxava o nadador, que não conseguia avançar.* **3.** Esticar muito: *repuxar os cabelos.* **4.** Cozinhar com apuro: *repuxar um refogado.* **5.** Reforçar com escoras; escorar: *repuxar um muro.* ***Int.*** **6.** Sair em repuxo, borbotar (líquido): *O petróleo repuxou.*

repuxo [Dev. de *repuxar*.] ***S. m.*** **1.** Ato ou efeito de repuxar; repuxão. **2.** Chafariz (1) em lago ou fonte, construído de jeito que a água se eleva ou se expande em jatos: *Os repuxos do parque não funcionam todos os dias.* **3.** *P. ext.* A água do repuxo (2). **4.** Escora que sustenta o pé de um arco. **5.** Ferro para embutir tarraxas na madeira. **6.** Obra de suporte. **7.** Recuo, ou movimento de recuo; coice: *o repuxo da arma.* **8.** *Marinh.* Larga tira de couro que os marinheiros calçam na mão para coserem lona, e que tem, na parte que fica na palma da mão, uma peça metálica chata (dedal), para empurrar a agulha. ◆ **Aguentar o repuxo.** *Bras. Pop.* V. *Aguentar a mão* (1).

requadro [De *re-* + *quadro*.] ***S. m.*** *Art. Plást.* Moldura retangular ou quadrangular us. como acabamento ou arremate decorativo, em quadros ou painéis.

requalificação [De *requalificar* + *-ção*.] ***S. f.*** Ato ou efeito de requalificar; nova qualificação.

requalificar [De *re-* + *qualificar*.] ***V. t. d.*** **1.** Dar nova ou melhor qualidade a: *requalificar bairros degradados.* **2.** Dar nova qualificação profissional a: *requalificar a mão de obra.* **3.** Atualizar-se, aperfeiçoar-se ou especializar-se na sua profissão. [Conjug.: v. *trancar*.]

requebém [Alter. de *recavém*.] ***S. m.*** *Bras.* A extremidade traseira do carro de bois: "Carros de bois que levavam nas mesas e nos requebéns as moças do engenho às festas da vila" (A. S. de Mendonça Júnior, *Jornal da Província*, p. 30). [Cf. *recavém*.]

requebrado [Part. de *requebrar*.] ***Adj.*** **1.** Amoroso, lânguido, langoroso. **2.** *Bot.* Dobrado em cotovelo (pecíolo ou folíolo). • ***S. m.*** **3.** Requebro do corpo; bamboleio, meneio, rebolado: *Seu requebrado é típico do andar das cabrochas.*

requebrador (ô) [De *requebrar* + *-dor*.] ***Adj. S. m.*** **1.** Que, ou aquele que (se) requebra. **2.** Namorador, galanteador, requestador.

requebrar [De *re-* + *quebrar*.] ***V. t. d.*** **1.** Mover com languidez: *requebrar os olhos.* **2.** Saracotear, rebolar, menear: *requebrar os quadris.* **3.** Dar flexão terna ou melodiosa a: *Requebrou a voz ao falar do namorado.* **4.** Galantear, cortejar, namorar, com requebros. ***T. d. e i.*** **5.** Dizer languidamente; dirigir entre requebros: *Apaixonado, requebrou à namorada o pedido de casamento.* ***P.*** **6.** Saracotear-se, derrengar-se, rebolar, bambolear-se; bambalear-se. **7.** *P. ext.* Dançar, bailar: "— Ora, não se afobe, compadre, a afilhada já dorme, moída da festança; também, requebrou-se a noite toda com o manhoso do Zeca Menino, agora dorme..." (Hugo de Carvalho Ramos, *Tropas e Boiadas*, p. 9.) [Pres. ind.: *requebro*, etc. Cf. *requebro* (ê).]

requebro (ê) [Dev. de *requebrar*.] ***S. m.*** **1.** Ato ou efeito de requebrar(-se). **2.** Inflexão lânguida da voz, dos olhos, ou do corpo: "Tinha quando andava movimentos, ondulações de cobra, requebros que despertavam o despeito das amigas" (Inglês de Sousa, *O Coronel Sangrado*, p. 30). **3.** Gesto ou meneio amoroso: "E depois um sorrir de roceira, / Meigos gestos, requebros de amor" (Fagundes Varela, *Poesias Completas*, II, p. 152). [Pl.: *requebros* (ê). Cf. *requebro*, do v. *requebrar*.]

requeija [De *re-* + *queijo*.] ***S. f.*** *Prov. port.* Espécie de queijo que se extrai do soro do leite. [Cf. *requeijão*.]

requeijão [De *requeija* + *-ão*[2].] ***S. m.*** Certo queijo de preparação caseira ou industrial, feito com o creme (1) coagulado pela ação do calor. [Cf. *requeija*.]

requeima [Dev. de *requeimar*.] ***S. f.*** Ato ou efeito de requeimar(-se); requeimação.

requeimação [De *requeimar* + *-ção*.] ***S. f.*** Requeima.

requeimado [Part. de *requeimar*.] ***Adj.*** **1.** Muito queimado. **2.** Enegrecido pela ação dos raios solares ou do calor; tostado, tisnado. **3.** Magoado, doído; ressentido. **4.** *Bras. RS* Diz-se do pelo vermelho (de animal vacum ou cavalar) que deixa transparecer faixas enegrecidas. **5.** *Bras. RS* Diz-se do animal vacum ou cavalar que tem esse tipo de pelo.

requeimar [De *re-* + *queimar*.] ***V. t. d.*** **1.** Queimar de novo, ou em excesso; recrestar. **2.** Enegrecer pela ação do fogo ou dos raios do Sol; crestar, tisnar, tostar. **3.** Produzir ardor em; picar: *A pimenta malagueta requeima a boca.* ***Int.*** **4.** Ter sabor acre, picante; arder: *A comida baiana requeima, porém é ótima.* ***P.*** **5.** Doer-se, ressentir-se, magoar-se, melindrar-se: *Requeimou-se com tanta ingratidão.*

requeime [Dev. de *requeimar*.] ***S. m.*** V. *queimo*.

requentado [Part. de *requentar*.] ***Adj.*** **1.** Aquentado novamente. **2.** Que esteve exposto por longo tempo à ação do calor. **3.** Diz-se de alimento que depois de preparado se tornou a aquecer uma ou mais vezes: *O café requentado tem mau sabor.*

requentão [De *requentar* + *-ão*[3], ou de *re-* + *quente* + *-ão*[1].] ***S. m.*** *Bras.* Mistura de café com cachaça ou conhaque. [Cf. *quentão*.]

requentar [De *re-* + *quentar*.] ***V. t. d.*** **1.** Tornar a aquecer. **2.** Submeter demoradamente à ação do calor: *requentar o caldo, para que se apure.* ***P.*** **3.** Impregnar-se (uma iguaria) de fumaça, ou adquirir mau sabor.

requeredor (ô) [De *requerer* + *-dor*.] ***Adj. S. m.*** *P. us.* Requerente.

requerente [De *requerer* + *-nte*.] ***Adj. 2 g. S. 2 g.*** Que, ou quem requer. [Sin., p. us.: *requeredor*.]

reque-reque [Voc. onom.] ***S. m.*** Reco-reco (q. v.). [Pl.: *reque-reques*.]

requerer [Do lat. vulg. **requaerere*.] ***V. t. d.*** **1.** Pedir, solicitar, por meio de requerimento: *requerer um emprego, uma ajuda.* **2.** Encaminhar (petição) a autoridade ou pessoa em condições de conceder o que se pede. **3.** Pedir em juízo; impetrar ação de: *O casal requereu desquite.* **4.** Exigir, demandar, pedir; precisar, necessitar: *A situação requer calma.* **5.** Reclamar a presença ou auxílio de: *O general requereu mais tropas.* **6.** Ser digno de; merecer: *Tais méritos requerem recompensa.* **7.** Requestar, galantear, cortejar, namorar. 8. *Pop.* Consultar (almas do outro mundo): *Os espíritas requerem as almas. T. d. e i.* 9. Pedir, solicitar, instar, rogar: *O doente requereu tratamento de saúde ao posto médico.* 10. Pedir por meio de requerimento: *Os colonos requereram sesmarias à Coroa. Int.* 11. Fazer ou dirigir petições a alguém: *Os interessados terão 10 dias para requerer.* [Irreg. Pres. ind.: *requeiro, requeres, requer, requeremos, requereis, requerem*; pres. subj.: *requeira, requeiras*, etc. Nas outras formas é regular.]

requerimento [De *requerer* + *-imento*.] *S. m.* 1. Ato ou efeito de requerer. 2. Petição redigida dentro das formalidades legais. 3. Pedido, solicitação.

requerível [De *requerer* + *-ível*.] *Adj. 2 g.* Que se pode requerer.

requesta [Dev. de *requestar*.] *S. f.* 1. Ato de requestar. 2. Briga, luta, contenda.

requestador (ô) [De *requestar* + *-dor*.] *Adj. S. m.* Que, ou aquele que requesta.

requestar [Do lat. **requaesitare*, freq. de *requirere*, 'procurar por muito tempo'.] *V. t. d.* 1. Fazer diligência para possuir ou alcançar; buscar: "Hesitei por longo tempo em requestar vossos sufrágios [dos membros da Academia Brasileira]." (Aníbal Freire da Fonseca, *Conferências e Alocuções*, p. 3.) 2. Pedir com insistência; solicitar, instar, rogar: *O papa requestou novamente a paz entre os povos.* 3. Pretender o amor de (uma mulher); namorar, galantear: "Os homens jogaram, falaram em política e requestaram as moças" (Joaquim Manuel de Macedo, *A Moreninha*, p. 169).

réquiem [Do lat. *requiem*, acus. sing. de *requies*, 'repouso', 'descanso'.] *S. m.* 1. *Rel.* Parte do ofício dos mortos, na liturgia católica, que principia com as palavras latinas *requiem aeternam dona eis*, 'dai-lhes o repouso eterno'. 2. *Mús.* Música sobre esse ofício: "deixou-nos [Gabriel Fauré] um réquiem de rara sobriedade, estupenda exceção da bombástica música religiosa do século passado." (Walter Benevides, *Compositores Surdos*, p. 52).

→ **requiescat in pace** [ɾekwɛ'eskat ẹn'pakɛ] [Lat.] Descansa em paz. [Inscrição comum em cemitérios.]

requieto [Do lat. *requietu*.] *Adj.* Muito quieto; muito sossegado.

requietude [De *requieto* + *-(t)ude*.] *S. f.* Estado ou qualidade de requieto.

requife [De or. obscura.] *S. m.* 1. Ornato ou guarnição estreita. 2. Fita estreita, para enfeitar ou debruar. 3. *Encad.* V. *cabeçada* (3).

requifife [De *requife*, com duplicação silábica.] *S. m. Bras.* 1. Enfeite, adorno, ornato. 2. Formalidade, complicação ou cerimônia exagerada: "Cheguei na casa dela ...., todos aqueles requififes de gente ricaça, criado que leva cartão numa salva de prata, etc." (Mário de Andrade, *Contos Novos*, p. 18.) [M. us. no pl.]

requinta [Dev. de *requintar*. (Este clarinete emite sons que constituem um requinte dos do clarinete comum.)] *Mús. S. f.* 1. Pequeno clarinete, que soa na região aguda, especialmente o em mi bemol. 2. O instrumento mais agudo de qualquer família de instrumentos. ● *S. 2 g.* 3. Requintista.

requintado [Part. de *requintar*.] *Adj.* 1. Elevado ao maior grau. 2. Que tem ou denota apuro e elegância; esmerado, aprimorado, apurado, fino: *pessoa requintada, gosto requintado.* ● *S. m.* 3. Indivíduo requintado (2).

requintar [De *re-* + *quintar*.] *V. t. d.* 1. Levar ao mais alto grau, à quinta-essência; elevar, sublimar, aprimorar: *A leitura dos clássicos é importante para quem deseja requintar o estilo.* 2. Exagerar, tornando esquisito, extravagante, excêntrico. *T. i.* 3. Haver-se com o maior apuro; apurar-se, esmerar-se: *A moça requinta no trajar. Int.* 4. Aperfeiçoar-se, aprimorar-se, esmerar-se: *O estilo do autor requinta nas últimas obras.* 5. Ter afetação; apurar-se ridiculamente. 6. *Bras. SP* Latir (o cão) continuamente, perseguindo a caça. *P.* 7. Aperfeiçoar-se, aprimorar-se, esmerar-se; exceder-se: "O nosso prazer complicar-se-ia, requintar-se-ia pela própria lembrança das brutalidades anteriores..." (José Régio, *Histórias de Mulheres*, p. 264.) 8. Mostrar-se afetado; apurar-se ridiculamente.

requinte [Dev. de *requintar*.] *S. m.* 1. Ato ou efeito de requintar(-se). 2. Apuro extremo a que pode ser levado um sentimento, uma qualidade, uma predileção; refinamento. 3. Excesso calculado a frio.

requintista [De *requinta* + *-ista*.] *S. 2 g. Bras. Mús.* Pessoa que toca requinta; requinta.

requisição [Do lat. *requisitione*.] *S. f.* Ato ou efeito de requisitar.

requisitado [Part. de *requisitar*.] *Adj.* 1. Requerido, exigido. 2. Muito procurado ou solicitado: *Entre os colecionadores os quadros de Portinari são muito requisitados.*

requisitante [De *requisitar* + *-nte*.] *Adj. 2 g. S. 2 g.* Que, ou quem requisita.

requisitar [Do lat. vulg. **requaesitare*.] *V. t. d.* 1. Pedir ou exigir legalmente; requerer; exigir: *O funcionário requisitou férias.* 2. Convocar; chamar: *O diretor requisitou-o, embora fosse feriado. T. d. e i.* 3. Requisitar (1): *Os professores requisitaram ao diretor melhores salários.*

requisito [Do lat. *requisitu*, part. pass. de *requirere*.] *Adj.* 1. *P. us.* Que se requisitou ou requereu. ● *S. m.* 2. Condição necessária para a obtenção de certo objetivo, ou para o preenchimento de certo fim; quesito. 3. Exigência legal necessária para certos efeitos; quesito.

requisitório [Do lat. med. *requisitoriu*.] *Adj.* 1. Que requisita; precatório, rogatório. ● *S. m.* 2. Exposição de motivos feita pelo representante do Ministério Público para justificar a acusação judicial contra alguém.

rer (ê) *V. t. d. Lus.* V. *raer* (2).

reriiú *Bras. S. 2 g.* 1. *Etnôn.* Indivíduo dos reriiús, povo indígena extinto, que habitava região próxima à margem esquerda do rio Acaraú (CE). ● *Adj. 2 g.* 2. Pertencente ou relativo a esse povo. [Tb. us. como *s. 2 g.* e *2 n.* (com cap.) e *adj. 2 g.* e *2 n.*]

reriutabano *Adj.* 1. De, ou pertencente ou relativo a Reriutaba (CE). ● *S. m.* 2. O natural ou habitante de Reriutaba.

rerranger [De *re-* + *ranger*.] *V. int.* Ranger muito, ou repetidamente: "Rerrange indômita a ramaria." (Alberto de Oliveira, *Poesias*, 4.ª série, p. 88.) [Conjug.: v. *reger*.]

rerratificação [De *re(tificar)* + *ratificação*.] *S. f. Jur.* Ação de retificar em parte uma certidão, contrato, etc., e ratificar os demais termos não alterados.

rerratificado [Part. de *rerratificar*.] *Adj. Jur.* Que se rerratificou.

rerratificar [De *re(tificar)* + *ratificar*.] *V. t. d. Jur.* Proceder à rerratificação de (certidão, contrato, etc.). [Conjug.: v. *trancar*.]

rés [Do fr. ant. *res* (atual *rez*).] *Adj. 2 g.* 1. Raso, rente, rasante. ● *Adv.* 2. Pela raiz; cerce, resvés. [Cf. *rês*.] ◆ **Ao rés de.** Ao nível de; rente a, rente com: "Tremiam as espadanas, ao rés da água" (Garibaldino de Andrade, *O Sol e a Nuvem*, p. 144).

rês [Do ár. *ra's*, 'cabeça'.] *S. f.* Qualquer quadrúpede us. na alimentação humana. [Pl.: *reses* (ê). Cf. *rés*, adj. e adv., e *rezes*, do v. *rezar*.] ◆ **(Não) ser boa rês.** *Pop.* (Não) ser de boa índole, (não) ter bom caráter; (não) ser má rês: "Paz à sua alma; não era boa rês." (Aquilino Ribeiro, *Andam Faunos pelos Bosques*, p. 240.) **(Não) ser má rês.** *Pop.* V. *(não) ser boa rês*: "Com tão gentil focinho não devia ser má rês o monstro – pensava a "gente grande" que, de passagem, via o Edgard refranzir os beicinhos naquela onomatopeia singular." (Monteiro Lobato, *Negrinha*, p. 245.)

resbalosa [Do esp. plat. *resbalosa*.] *S. f. Bras. RS Gír.* Faca[1] (1).

resbordo *S. m. Constr. Nav.* 1. A primeira fiada de chapas (ou de tábuas, nas embarcações de madeira) do forro exterior do casco, de um e de outro lado da quilha. 2. Cisbordo.

resbunar [De or. obsc.] *V. int.* Ronronar: "Contou-me isto ...., ao mesmo tempo que roçava com a mão fagueira o ventre grávido de uma gata maltesa que lhe resbunava no regaço" (Camilo Castelo Branco, *A Brasileira de Prazins*, 2.º vol., p. 751).

resbuto *S. m. Adj.* V. *rajaputro*.

rescaldado [Part. de *rescaldar*.] *Adj.* 1. Muito escaldado. 2. Experimentado, experiente. 3. Que perdeu as ilusões; desiludido.

rescaldamento [De *rescaldar* + *-mento*.] *S. m.* Ato ou efeito de rescaldar.

rescaldar [De *re-* + *escaldar*.] *V. t. d.* 1. Escaldar novamente: *Rescaldou os talheres para evitar contaminação.* 2. Escaldar muito; esquentar em excesso: *O sol rescalda o sertão nordestino.*

rescaldeiro [De *rescaldo* + *-eiro*.] *S. m.* 1. Rescaldo (5). 2. Prato com rescaldo (5). [Cf., nesta acepç., *réchaud*.] 3. Braseiro (2) que serve de rescaldo (5).

rescaldo [Dev. de *rescaldar*.] *S. m.* 1. Calor reverberado de um incêndio ou fornalha. 2. Cinzas com brasas. [Cf., nesta acepç., *borralho* (3).] 3. O trabalho para evitar que se inflamem de novo os restos de um incêndio recente. 4. Cinzas expelidas pelo vulcão. 5. Aparelho próprio para conservar, fora do fogão, o calor de iguarias, molhos, etc.; rescaldeiro. 6. *Fig.* Parte final de um acontecimento: "Levou tempo a apagar-se o rescaldo daquele dia de comunhão." (Aquilino Ribeiro, *Uma Luz ao Longe*, p. 257.) 7. *Fig.* Saldo, resultado: "Um cruel exemplo de descrença que nossa elite tem para com nosso país, alimentada, é verdade, por atos diários de um governo que nos deixa, apenas como rescaldo, a vergonha da incapacidade produtiva." (Barbosa Lima Sobrinho, em *Jornal do Brasil*, 08.08.1999.)

rescindência [De *rescindir* + *-ência*.] *S. f. Desus.* V. *rescisão*. [Cf. *recendência*.]

rescindibilidade [De *rescindível* + *-(i)dade*, seg. o padrão erudito.] *S. f.* Qualidade de rescindível.

rescindir [Do lat. *rescindere*.] *V. t. d.* 1. Quebrar, dissolver, invalidar, anular (contrato): *As partes concordam em rescindir a escritura.* 2. Romper, quebrar, desfazer, resilir: *rescindir um casamento*; "eufemiza .... a circunstância de que a primeira editora que se engajara a publicar as obras de Lima Barreto arrepiou caminho, rescindindo o compromisso" (Antônio Houaiss, *Crítica Avulsa*, p. 275).

rescindível [De *rescindir* + *-vel*.] *Adj. 2 g.* Que pode ser rescindido; resilível.

rescisão [Do lat. tard. *rescissione*, com dissimilação das sibilantes.] *S. f.* 1. Anulação de um contrato. 2. Rompimento, corte. [Sin. ger., desus.: *rescindência*.]

rescisório [Do lat. tard. *rescissoriu*, com dissimilação das sibilantes.] *Adj.* 1. Que rescinde. 2. Que comporta rescisão. 3. Próprio para rescindir.

rescrever [Do lat. *rescribere*.] *V. t. d. T. d. e i.* Escrever de novo; reescrever: *Rescreveu a carta, cuidadoso*; "À mísera Sidônia / Rescreve o herói piedoso; / Fílis, se é viva, alegre-se / que vai chegar o esposo" (Antônio Feliciano de Castilho, *Os Amores*, II, p. 94). [Part.: *rescrito*.]

rescrição [Do lat. tard. *rescriptione*.] *S. f.* Autorização escrita para pagamento de uma quantia. [Cf. *cheque*.]

rescrito [Do lat. *rescriptu*.] *S. m.* 1. Decisão papal em assuntos teológicos: "Voltou ao quarto o reverendo Garcia de Loaisa a quem Filipe .... deu os emboras pelo rescrito acabado de chegar de Roma que o confirmava bispo de Toledo" (Aquilino Ribeiro, *Aventura Maravilhosa*, p. 295). 2. Resolução do rei comunicada por escrito.

rés do chão *S. m. 2 n. Arquit. Constr.* Pavimento de uma casa ao nível do solo ou da rua; andar térreo: "Nem mais nem menos do que um pequeno palacete, jardim, rés do chão, primeiro andar" (Júlio Dantas, *Espadas e Rosas*, p. 124).

reseda (ê) [Do tax. *Reseda*.] *S. f.* 1. *Bot.* Gênero de plantas resedáceas, herbáceas, anuais, nativas do Velho Mundo, dotadas de inflorescências com flores amarelas, de pétalas incisas, numerosos estames, e cápsula urnígera que se abre no ápice. 2. *Bot.* Qualquer espécie desse gênero, como, p. ex., a *Reseda luteola* (v. *lírio-dos-tintureiros*). 3. *Bot.* Qualquer espécie desse gênero, ou a flor dele: "Sentada na poltrona da janela de cá uma senhora borda, tendo sobre a mesa a tesoura e uma jarra com um molho de resedas." (Ramalho Ortigão, *A Holanda*, p. 50.) 4. O perfume que se prepara com essa flor. [Nas acepç. 3 e 4, a f. mais us. no Brasil é *resedá*.]

resedá [Do fr. *réséda*.] *S. f.* 1. *Bot.* V. *reseda* (3): "Um bom cheiro de resedás e laranjeiras entrou-me pelo quarto" (Aluísio Azevedo, *Demônios*, p. 135). 2. V. *reseda* (4).

resedá-amarelo *S. m. Bras. Bot.* V. *quaró*. [Pl.: *resedás-amarelos*.]

resedácea [Do tax. *Reseda* + *-ácea*; tax. *Resedaceae*.] *S. f. Bot.* Espécime das resedáceas, família de plantas floríferas, da ordem das readales, composta de ervas ou arbustos com folhas alternas e flores racemosas, zigomorfas, com estames em número variável, ovário unilocular e fruto capsular. Há umas 60 espécies, quase todas mediterrâneas.

resedáceo [De *resedácea*, com var. suf. (v. *-áceo*).] *Adj. Bot.* Pertencente ou relativo às resedáceas.

resedal [De *resedá* (1) (q. v.), ou *reseda*, + *-al*[1].] *S. m.* Quantidade mais ou menos considerável de resedás dispostos proximamente entre si.

resende-costense *Adj. 2 g.* 1. De, ou pertencente ou relativo a Resende Costa (MG). ● *S. 2 g.* 2. O natural ou habitante de Resende Costa. [Pl.: *resende-costenses*.]

resendense *Adj. 2 g.* 1. De, ou pertencente ou relativo a Resende (RJ). ● *S. 2 g.* 2. O natural ou habitante de Resende.

resenha [Dev. de *resenhar*.] *S. f.* 1. Ato ou efeito de resenhar. 2. Descrição pormenorizada: "Ouvir rezar as duas santas velhas .... equivalia a escutar uma resenha das diferentes calamidades, que perseguem e apoquentam o gênero humano." (Júlio Dinis, *A Morgadinha dos Canaviais*, p. 21.) 3. Contagem, conferência. 4. Notícia que abarca certo número de nomes ou fatos similares. 5. Recensão (3).

resenhar [Do lat. *resignare*.] *V. t. d.* 1. Fazer resenha de; relatar minuciosamente. 2. Enumerar por partes: *Os oficiais resenharam as baixas*; "Fique entendido .... que não resenho as línguas universais para salientar uma em detrimento das demais." (Paulo Rónai, *Babel & Antibabel*, p. 12.)

resenho [De *re-* + lat. *signu*, 'sinal'.] *S. m.* 1. Exame dos sinais e características que diferenciam os cavalos. 2. Marca feita normalmente na perna esquerda do cavalo.

reserpina *S. f. Bioquím.* Alcaloide extraído da raiz da *Rauwolfia serpentina*, cristalino, usado como poderoso hipotensor e sedativo [fórm.: $C_{33}H_{40}N_2O_9$].

reserva [De *reservar*.] *S. f.* **1.** Ato ou efeito de reservar(-se); reservação. **2.** Aquilo que se reserva ou guarda para circunstâncias imprevistas. **3.** Os cidadãos que cumpriram os requisitos legais do serviço militar e/ou que dele foram dispensados, mantendo-se, porém, sujeitos a incorporar-se às fileiras, caso o exijam as circunstâncias. **4.** Tropa disponível para servir de reforço durante o combate. **5.** Árvore ainda em crescimento, que não se abate durante o desmatamento. **6.** Parque florestal administrado pelo Estado, e que se destina a assegurar a conservação das espécies animais e vegetais; reserva natural. **7.** A quantidade de minério, de carvão, de petróleo, etc., disponível numa jazida, numa região, num país, etc. **8.** Ato de garantir com antecipação lugar para assistir a um espetáculo, acomodação para viajar em transporte coletivo, quarto para se hospedar em hotel, etc. **9.** *Ant.* Parte do feudo explorada diretamente pelo senhor, em geral por meio de corveias. **10.** Reserva indígena (q. v.). **11.** *Fig.* Retraimento, recato, circunspeção. **12.** *Fig.* Exceção, restrição, ressalva. **13.** *Cont.* Parcela deduzida do lucro de uma sociedade e destinada a um fim específico: *reserva para contingências.* [Nesta acepç., tb. us. no plural.] **14.** *Enol.* Termo impreciso utilizado em rótulo de vinho que sugere ser o produto de qualidade superior ou de uso pessoal do proprietário da vinícola. **15.** *Fin.* Parte dos lucros obtidos por uma sociedade não distribuídos como dividendos, nem incorporados ao capital. **16.** *Bras. N.* Lugar cercado, com pastagem e água abundantes para o gado; reservo. ● *S. 2 g.* **17.** *Bras. Esport.* No futebol e noutros esportes em que atuam equipes, atleta que substitui o efetivo em caso de necessidade; suplente, banco. [Nesta acepç., cf. *regra-três*.] ~ V. *reservas*. ◆ **Reserva alcalina.** *Bioquím. Patol.* Teor de dióxido de carbono plasmático combinado, e que constitui a expressão das disponibilidades do meio extracelular em alcalinos, para enfrentar uma sobrecarga ácida. **Reserva cambial.** *Econ.* V. *reservas cambiais*. **Reserva de mercado.** *Econ.* Exclusividade atribuída a certos produtores para vender em determinado mercado: *A proibição de importação de produtos de informática propiciou aos fabricantes nacionais uma reserva de mercado.* **Reserva indígena.** Área delimitada e juridicamente definida para ser ocupada por um povo indígena na qualidade de comunidade mais ou menos autônoma, e ger. localizada em território tradicionalmente ocupado por ele. [Tb. se diz apenas *reserva*.] **Reserva moral.** Pessoa de caráter impoluto: "O Presidente deu-se por satisfeitíssimo com minhas explicações e acabou declarando que o Paletta era uma das maiores reservas morais de Minas." (Pedro Nava, *Beira-Mar*, p. 346.) **Reserva natural.** Reserva (6). **Reserva remunerada.** *Bras.* Situação dos militares (oficiais, suboficiais, subtenentes e sargentos) que são aposentados do serviço ativo, podendo, contudo, ser reconvocados para ele em casos de mobilização militar e outros. [Cf. *reforma* (4).]

reservação [De *reservar* + *-ção*.] *S. f.* **1.** V. *reserva* (1). **2.** *Jur.* Condição restritiva duma doação ou de seus efeitos.

reservado [Part. de *reservar*.] *Adj.* **1.** Que tem reserva; em que há reservas. **2.** Que mantém rancor à pessoa que o ofendeu. **3.** Discreto, retraído, recatado, calado. **4.** Prudente, cuidadoso, cauteloso. **5.** V. *fechado* (5). ~ V. *palavra —a*. ● *S. m.* **6.** Espécie de camarote ou cubículo existente nalguns bares e restaurantes e destinado aos fregueses que desejem ficar a sós. **7.** *Bras.* V. *latrina* (1).

reservador (ô) [De *reservar* + *-dor*.] *Adj. S. m.* Que, ou aquele que reserva.

reservar [Do lat. *reservare*.] *V. t. d.* **1.** Fazer reserva de; pôr de parte; guardar, poupar, conservar: *Lutador experiente, reservou as forças nos primeiros assaltos.* **2.** Guardar para si; fazer segredo de; ocultar: *O historiador parcial reserva, não raro, as verdadeiras causas dos fatos.* **3.** Fazer reserva (8) de: *reservar mesa num restaurante.* *T. d. e i.* **4.** Deixar, destinar, guardar: *A lei reserva para o Estado a exclusividade na exploração do petróleo; O conferencista reservou a última palestra para o debate geral;* "Mas não quero humilhá-la, a vida já lhe reserva tantas adversidades." (Nélida Piñon, *A Força do Destino*, p. 21). **5.** Defender, preservar, livrar: *A educação reserva o homem da brutalidade.* *P.* **6.** Ficar de reserva; guardar-se: *O artilheiro reservou-se para o jogo decisivo.* [Pres. ind.: *reservo*, etc. Cf. *reservo* (ê), s. m.]

reservas [Pl. de *reserva*.] *S. f. pl.* **1.** Parte do alimento que, sob diversas formas, ficou acumulada ou retida no organismo após a digestão, e que é capaz de transformar-se em energia: *Acha-se tão desnutrido que, se adoecer, não tem reservas que o sustentem.* **2.** Quantidade de energia suficiente para que o atleta chegue ao fim de uma competição em boas condições físicas. **3.** *Cont.* V. *reserva* (13). **4.** *Econ.* Reservas cambiais. ~ V. *reserva*. ◆ **Reservas cambiais.** *Econ.* Montante de meios de pagamento internacionais (ouro, dólares dos E.U.A., etc.) à disposição das autoridades monetárias de um país, resultante de superávits no seu balanço de pagamentos; reservas internacionais. [Tb. se diz apenas *reservas*.] **Reservas internacionais.** *Econ.* Reservas cambiais.

reservatário [De *reservar* + *-tário*.] *Adj.* ~ V. *herdeiro —*.

reservativo [De *reservar* + *-tivo*.] *Adj.* Em que há reserva; que inclui reserva.

reservatório [De *reservar* + *-tório*.] *Adj.* **1.** Apropriado para reservar. ● *S. m.* **2.** Lugar mais ou menos amplo, ou recipiente próprio para acumular ou reservar certas coisas; depósito: *reservatório de gás; reservatório de cimento.* **3.** Grande depósito de água: *O reservatório de Ribeirão das Lajes.*

reservável [De *reservar* + *-vel*.] *Adj. 2 g.* Que pode ser reservado.

reservense *Adj. 2 g.* **1.** De, ou pertencente ou relativo a Reserva (PR). ● *S. 2 g.* **2.** O natural ou habitante de Reserva.

reservista [De *reserva* + *-ista*.] *S. 2 g.* Cidadão que passou para a reserva (3).

reservo (ê) [Dev. de *reservar*.] *S. m.* **1.** *Bras. N.* Reserva (16). **2.** *Bras. AL* Grande relvado que circunda a casa-grande dos engenhos, geralmente coroado por longo renque de bambus, e que se utiliza como pasto para o gado. [Pl.: *reservos* (ê). Cf. *reservo*, do v. *reservar*.]

resfolegadoiro [De *resfolegar* + *-doiro*².] *S. m.* Resfolegadouro (q. v.).

resfolegadouro [De *resfolegar* + *-douro*²; var. de *resfolegadoiro*.] *S. m.* **1.** Lugar por onde penetra o ar necessário à movimentação de certos mecanismos. **2.** V. *respiradouro* (1).

resfolegante [De *resfolegar* + *-nte*.] *Adj. 2 g.* Que resfolega; resfolgante.

resfolegar [De *re-* + *-es-* + *fôlego* + *-ar*².] *V. int.* **1.** Tomar fôlego; respirar com esforço e/ou ruído; esfolegar: "Eu as vejo passar ....., conduzindo a enorme canastra transbordante, suadas, resfolegando" (José Vieira, *Sol de Portugal*, p. 24); "cuja cólera resfólega em maldições e blasfêmias." (Alexandre Herculano, *Eurico, o Presbítero*, p. 145). **2.** Ter descanso; repousar. *T. d.* **3.** Golfar, expelir: *O navio resfolegava rolos de fumaça.* [Var. sincopada: *resfolgar*. Pres. ind.: *resfólego, resfólegas, resfólega, resfolegamos, resfolegais, resfólegam.* Pres. subj.: *resfólegue, resfólegues, resfólegue, resfoleguemos, resfolegueis, resfóleguem.* Cf. *resfôlego*.]

resfôlego [Dev. de *resfolegar*.] *S. m.* Ato ou efeito de resfolegar: "Ainda sentia na cara os resfôlegos precipitados da mulata" (Macedo Miranda, *Pequeno Mundo Outrora*, p. 49). [Var.: *resfolgo* (ô). Cf. *resfólego*, do v. *resfolegar*.]

resfolgante [De *resfolgar* + *-nte*.] *Adj. 2 g.* Que resfolga; resfolegante.

resfolgar *V. int.* *T. d.* V. *resfolegar*: "Os cavalos resfolgam, relincham e escarvam na terra borrifada" (Camilo Castelo Branco, *Perfil do Marquês de Pombal*, p. 34); "Exala-se da terra um bafo ardente; o gado, / Sedento, mal resfolga" (Conde de Monsaraz, *Musa Alentejana*, p. 207); "Algum sumido apeadeiro, onde o trem se atardava, esfalfado, resfolgando" (Eça de Queirós, *A Cidade e as Serras*, p. 191). [Conjug.: v. *largar*. Pres. ind.: *resfolgo*, etc. Cf. *resfolgo* (ô).]

resfolgo (ô) *S. m.* V. *resfôlego*. [Pl.: *resfolgos* (ô). Cf. *resfolgo*, do v. *resfolgar*.]

resfriadeira [De *resfriar* + *-deira*.] *S. f.* **1.** *Bras.* Nos engenhos, lugar próprio para resfriar o açúcar. **2.** *Bras. N.E.* Vaso grande, de barro, onde se põe a água a esfriar.

resfriado [Part. de *resfriar*.] *Adj.* **1.** Que tem resfriamento (2). **2.** Que tem resfriado (5). ● *S. m.* **3.** Resfriamento (2). **4.** Relvado nos pastos, próximo às cabeceiras, onde existe umidade. **5.** *Med.* Processo inflamatório causado por vírus ou por vírus associados a outros microrganismos ou, ainda, de natureza alérgica, e que se caracteriza por congestão das vias aéreas superiores, coriza, calafrios, discreta elevação da temperatura corporal e mal-estar geral. **6.** *Bras. MG* Camada de terra sobre lajedos.

resfriadoiro [De *resfriar* + *-doiro*².] *S. m.* Resfriadouro (q. v.).

resfriador (ô) [De *resfriar* + *-dor*.] *Adj.* **1.** Que resfria. ● *S. m.* **2.** Recipiente com água fria, para resfriar certos objetos.

resfriadouro [De *resfriar* + *-douro*²; var. de *resfriadoiro*.] *S. m.* **1.** Lugar onde algo se resfria. **2.** Objeto ou mecanismo para resfriar.

resfriamento [De *resfriar* + *-mento*.] *S. m.* **1.** Ato ou efeito de resfriar(-se). **2.** Indisposição provocada por uma queda brusca de temperatura do corpo ocasionada por falta de agasalho, golpe de ar, etc.; resfriado. [Cf. *resfriado* (5).] **3.** Aguamento (de animais).

resfriante [De *resfriar* + *-nte*.] *S. m. Expl.* Refrigerante (4).

resfriar [De *re-* + *esfriar*.] *V. t. d.* **1.** Esfriar de novo; tornar a esfriar: *A chuva resfriou o solo abrasado.* **2.** Abaixar a temperatura de; tornar frio; arrefecer; esfriar: *A geladeira resfria os alimentos.* **3.** Desalentar, descoroçoar, desacoroçoar, desanimar: *Os maus resultados da empresa resfriaram os investidores.* **4.** Causar resfriado: *O vento frio resfriou a criança.* **5.** Diminuir o ardor, a atividade, de: *A idade resfria o homem, mas torna-o também mais experiente.* *Int. P.* **6.** Tornar-se frio; arrefecer(-se), esfriar(-se): *A comida resfriou; O café resfriou-se.* **7.** Desanimar(-se), desalentar(-se), esmorecer, descoroçoar: *As tropas inimigas resfriaram após sucessivas derrotas; Tão metido a bravo, e resfriou-se em face do adversário.* **8.** Apanhar resfriado; constipar-se: *Resfriei com a chuva; O menino resfria-se à toa.* **9.** Perder o calor, o entusiasmo.

resgatabilidade [De *resgatável* + *-(i)dade*, seg. o padrão erudito.] *S. f.* Qualidade de resgatável; possibilidade de ser resgatado.

resgatador (ô) [De *resgatar* + *-dor*.] *Adj. S. m.* Que, ou aquele que resgata.

resgatar [Cruz. do lat. **recaptare*, 'recatar', com o lat. **reexcaptare*, 'resgatar'.] *V. t. d.* **1.** Livrar de cativeiro, de sequestro, etc., a troco de dinheiro ou de outro valor; remir, liberar: *Platão foi vendido como escravo, porém um amigo o resgatou.* **2.** Efetuar o pagamento de (título de crédito), recebendo-o de volta. **3.** Pagar (dívida ou compromisso). **4.** Obter à custa de sacrifício: *Resgatou a sua tranquilidade.* **5.** Obter por dinheiro a restituição de: *resgatar uma promissória.* **6.** Remir (pecado, culpa); apagar, expiar: *O tempo resgata os erros.* **7.** Cumprir, executar: *resgatar compromissos.* **8.** Fazer esquecer; apagar: *A felicidade resgata os piores momentos.* **9.** Retomar, recuperar: *O exército resgatou o território ocupado.* **10.** Salvar (2 e 3): "Já resgatei tantos mortos e feridos que perdi a conta — comentou um voluntário da Cruz Vermelha." (*Jornal do Brasil*, 20.09.1985.) *T. d. e i.* **11.** Salvar (1). *P.* **12.** Livrar-se do cativeiro a troco de dinheiro, bens ou reféns; remir-se.

resgatável [De *resgatar* + *-vel*.] *Adj. 2 g.* Que pode ser resgatado; remível.

resgate [Dev. de *resgatar*.] *S. m.* **1.** Ato ou efeito de resgatar(-se). **2.** A quantia necessária ao resgate de escravo, prisioneiro, dívida, etc. **3.** Libertação, livramento. **4.** Salvamento (1): "O Presidente Miguel de la Madrid declarou emergência nacional e assumiu o comando das buscas e resgates" (*Jornal do Brasil*, 20.09.1985). **5.** Pagamento de um título de crédito ou de uma dívida. **6.** *Econ.* Retirada, pelo investidor, de recursos investidos em determinada aplicação. ◆ **Resgate convencional.** *Jur.* Retrovenda, retrato. **Resgate de estadia.** *Jur.* Prêmio que o consignatário dum navio fretado recebe pelos dias poupados de estadia.

resguardar [De *re-* + *-es-* + *guardar*.] *V. t. d. e i.* **1.** Guardar cuidadosamente; defender: *A higiene resguarda o homem das enfermidades.* **2.** Servir de anteparo a; abrigar, acobertar: *As muralhas resguardam a cidade de invasões.* **3.** Pôr a salvo; livrar: *A influência dos poderosos não resguarda do castigo os criminosos.* *T. d.* **4.** Guardar do frio, das inclemências do tempo: *As luvas resguardam as mãos.* **5.** Guardar com cuidado e vigilância, para fugir a danos ou perigos; defender, proteger: *resguardar a pureza, a inocência.* **6.** Estar voltado para; defrontar com: *A cadeia de montanhas resguarda o mar.* **7.** Observar, cumprir, seguir, guardar: *resguardar as normas.* **8.** Observar atentamente; atentar em; vigiar: *A sentinela ficou horas resguardando a entrada.* *P.* **9.** Defender-se, proteger-se, abrigar-se: *Resguardou-se do forte sol.*

resguardo [Dev. de *resguardar*.] *S. m.* **1.** Ato ou efeito de resguardar(-se). **2.** Tudo o que serve para defender, resguardar de perigo ou dano; defesa: *O viaduto não tem resguardo; Precisa de uma dieta de resguardo; Usou um resguardo contra o frio.* **3.** Cuidado, precaução; prudência: *Agiu com resguardo.* **4.** Decoro, decência, recato. **5.** Segredo, mistério. **6.** *Encad.* Conjunto das guardas [v. *guarda* (8)] de um livro. **7.** *Bras. Pop.* Período subsequente ao parto, em que a mulher observa certos cuidados, repouso, etc. **8.** *Antrop.* Conjunto de práticas mais ou menos institucionalizadas, entre as quais se incluem ger.

R

restrições alimentares, abstenção sexual, redução das atividades diárias e isolamento físico e social, observadas durante determinado período por um indivíduo que se encontra em situação liminar; recolhimento. [Cf. *couvade*.] ◆ **Resguardo falso.** *Encad.* V. *salvaguarda* (6).

residência [Do lat. med. *residentia*.] ***S. f.*** **1.** Morada (1) habitual em lugar certo; domicílio. **2.** Casa ou lugar onde se reside ou habita; domicílio. **3.** V. *casa* (1): *Em Brasília há belas residências às margens do lago.* **4.** Período durante o qual um médico mora em hospital onde exerce sua profissão, ali permanecendo em tempo integral. **5.** *Bras.* Trecho de uma ferrovia, ou parte de uma rede rodoviária, em construção ou em tráfego, sob a jurisdição de um engenheiro-residente. **6.** *Bras.* A sede da administração chefiada por esse engenheiro-residente.

residencial [De *residência* + *-al*[1].] ***Adj. 2 g.*** **1.** Onde se localizam residências. **2.** Próprio para residência. **3.** *Ecles.* Diz-se do bispo de uma circunscrição eclesiástica com existência atual, por oposição ao bispo titular, que recebe uma circunscrição eclesiástica extinta. ~ V. *conjunto* —.

residente[1] ***S. m.*** V. *engenheiro-residente*.

residente[2] [Do lat. *residente*.] ***Adj. 2 g.*** **1.** Que reside ou mora em algum lugar: *Os estrangeiros residentes devem renovar suas carteiras.* **2.** Diz-se de pessoa que mora no próprio local onde exerce função ou cargo: *médico residente; juiz residente.* ● ***S. 2 g.*** **3.** Pessoa residente. **4.** *Obsol.* Título de certos funcionários coloniais.

residir [Do lat. *residere*.] ***V. t. c.*** **1.** Fixar residência; ter residência fixa; morar, viver: *Reside em São Paulo desde que se formou*; "Residem os grandes da terra em majestosos palácios, para se imporem ao culto dos pequenos" (Fialho d'Almeida, *Lisboa Galante*, p. 92); "Seu Joãozinho residia com a mãe no sobrado da Rua das Flores" (Mário Palmério, *Chapadão do Bugre*, p. 107). **2.** Ter sede: *A memória reside no cérebro.* ***T. i.*** **3.** Ser, estar, achar-se; consistir: *As dificuldades residem na falta de dinheiro*; "a arte do orador reside, sobretudo, na voz" (José Osório de Oliveira, *O Romance de Garrett*, p. 97). **4.** Manifestar-se, mostrar-se, patentear-se: *Para o bom observador, a verdade reside nos fatos.*

residual [De *resíduo* + *-al*[1].] ***Adj. 2 g.*** **1.** Referente a resíduo; residuário. **2.** Próprio de resíduo. ~ V. *água* —, *corpúsculo* — e *lago* —.

residuário [De *resíduo* + *-ário*.] ***Adj.*** **1.** Que forma resíduo. **2.** Residual (1).

resíduo [Do lat. *residuu*.] ***Adj.*** **1.** V. *remanescente* (1). ● ***S. m.*** **2.** Aquilo que resta de qualquer substância; resto: "Rubião, calado, recompunha mentalmente o almoço, prato a prato, via com gosto os copos e os seus resíduos de vinho, as migalhas esparsas" (Machado de Assis, *Quincas Borba*, p. 49). **3.** O resíduo (2) do que sofreu alteração de qualquer agente exterior, por processos mecânicos, químicos, físicos, etc.: *resíduos de um incêndio; os resíduos da moagem do café.* **4.** *Fig.* O fundo, o âmago, a raiz: *O resíduo sertanejo do homem de salão emergia de sua personalidade requintada.* **5.** *Mat.* Produto do valor da integral de uma função analítica de variável complexa ao longo de uma curva fechada que envolve um ponto singular do seu domínio, por $1/(2\text{ p})$. **6.** *Bioquím.* Cada um dos fragmentos constituintes de um biopolímero, e que mantém, em grande parte, a estrutura de um dos monômeros que deram origem ao biopolímero. **7.** *Estat.* Diferença entre um valor observado numa experiência e o valor mais provável de grandeza sob observação. ~ V. *resíduos*.

resíduos [Pl. de *resíduo*.] ***S. m. pl.*** **1.** Restos de crenças antiquadas que sobrevivem na mentalidade moderna. **2.** *Jur.* Remanescentes dos bens legados, restituídos ao beneficiário da disposição testamentária. **3.** *Jur.* Produto da venda de bens de raiz e dos rendimentos dos testadores, encontrados em poder dos testamenteiros. **4.** *Jur.* Vintenas perdidas pelos testamenteiros, ou a importância de multas e indenizações que devem eles pagar. **5.** *Ant.* Bens deixados em herança com o encargo de serem aplicados em obras pias. ~ V. *resíduo*.

resignação [Do lat. med. *resignatione*.] ***S. f.*** **1.** Ato ou efeito de resignar(-se). **2.** Renúncia espontânea de uma graça ou de um cargo. **3.** Submissão paciente aos sofrimentos da vida.

resignadamente [Do f. de *resignado* + *-mente*.] ***Adv.*** De modo resignado; com resignação.

resignado [Part. de *resignar*.] ***Adj.*** Que sofre com resignação; que não lamenta a sua sorte.

resignante [De *resignar* + *-nte*.] ***Adj. 2 g. S. 2 g.*** **1.** Que, ou quem resignou, por merecimento ou por força das circunstâncias, aquilo a que tem direito. **2.** Resignatário.

resignar [Do lat. *resignare*, 'tirar o selo'; 'renunciar', 'resignar'.] ***V. t. d.*** **1.** Demitir-se de; renunciar: *Nixon terminou resignando a presidência de seu país.* ***P.*** **2.** Ter resignação; conformar-se: *Levou anos para resignar-se com a trágica morte do filho*; "Não julgueis, porém, que me revolto — resigno-me e bendigo todos os sofrimentos, que são a expiação de antigas culpas." (Coelho Neto, *Turbilhão*, p. 163); "A mediocridade do governo brasileiro era louvada com furor pela mídia, pelo empresariado, pela opinião pública mundial, que via o Brasil resignar-se a ser o que sempre devia ser, um país de bananas na cabeça de Cármen Miranda e na pauta de nossas exportações." (Carlos Heitor Cony, em *Folha de S.Paulo*, 12.01.1999.)

resignatário [De *resignar* + *-tário*.] ***Adj. S. m.*** Que, ou aquele que resigna ou renuncia cargo, função ou dignidade; resignante.

resignável [De *resignar* + *-vel*.] ***Adj. 2 g.*** Que se pode resignar: *posto resignável.*

resilição [De *resilir* + *-ção*.] ***S. f.*** *Jur.* Modo de extinção de contrato por manifestação unilateral de um só dos contratantes, possível esp. nos contratos de execução diferida, como, p. ex., o contrato de locação.

resiliência [Do ingl. *resilience*.] ***S. f.*** **1.** *Fís.* Propriedade pela qual a energia armazenada em um corpo deformado é devolvida quando cessa a tensão causadora duma deformação elástica. **2.** *Fig.* Resistência ao choque.

resiliente [Do ingl. *resilient*.] ***Adj. 2 g.*** **1.** Que tem resiliência. **2.** *P. ext.* Elástico.

resilir [Do lat. *resilire*, 'saltar para trás', 'retirar-se', 'desdizer-se'.] ***V. t. d.*** **1.** *Jur.* Romper (um contrato), comumente de trato sucessivo ou diferido, por manifestação unilateral de um dos contratantes. [Cf. *rescindir* (1).] **2.** Rescindir (2). ***T. i.*** **3.** Soltar-se, escapar, escapulir: *A arma resiliu das mãos do assaltante.* **4.** Voltar, retornar (ao ponto de partida): *O bumerangue resile sempre contra o atirador.*

resilível [De *resilir* + *-vel*.] ***Adj. 2 g.*** Que se pode resilir ou rescindir; rescindível.

resina [Do lat. *resina* < gr. *rhetíne*.] ***S. f.*** **1.** Secreção viscosa que exsuda do caule e de outros órgãos de certas plantas, e que contém substâncias odoríferas, antissépticas, etc., as quais cicatrizam rapidamente qualquer ferida em tais órgãos, assumindo aspecto vítreo. **2.** Produto extraído da resina (1). **3.** *P. ext.* Designação comum a certos produtos sintéticos de características análogas às da resina (1). [Cf. *rezina* e *rizina*.] ◆ **Resina acrílica.** *Quím.* Material branco, transparente, obtido pela polimerização de ésteres acrílicos, muito usado na indústria de objetos de plásticos e na fabricação de fibras artificiais; acrílico. **Resina de troca iônica.** *Quím.* Qualquer polímero que tem em suas moléculas grupos catiônicos (p. ex., amônio) ou aniônicos (como ácido sulfônico), cujos contraíons (ânios e cátions, respectivamente) podem ser trocados por outros. **Resina de ureia-formaldeído.** *Quím.* Polímero resultante da condensação da ureia com o formaldeído, de grande resistência e ampla e variada aplicação. **Resina epóxi.** *Quím.* Polímero com o grupamento epóxi, usado na preparação de tintas e recobrimentos, e na fabricação de adesivos. **Resina fenólica.** *Quím.* Designação genérica de polímeros resultantes da reação de fenóis e aldeídos. **Resinas compostas.** *Odont.* Grupo de resinas que, com o acondicionamento ácido do esmalte e os cimentos ionoméricos, são aplicadas a cavidades dentárias, esp. anteriores, recompondo sua estrutura de modo semelhante à natural. **Resina sintética.** *Quím.* Produto obtido pela condensação e polimerização de duas ou mais substâncias, com aspecto resinoso e propriedades mecânicas que possibilitam ampla gama de aplicações.

resinado [Do lat. *resinatu*.] ***Adj.*** V. *resinoso* (1).

resinagem [De *resinar* + *-agem*[2].] ***S. f.*** **1.** Ato ou efeito de resinar. **2.** Extração de resina (1).

resinar [De *resina* + *-ar*[2].] ***V. t. d.*** **1.** Extrair a resina de: *resinar pinheiros.* **2.** Aplicar resina a: *resinar um ambiente a fim de perfumá-lo.* **3.** Misturar com resina; enresinar.

resinento [De *resina* + *-ento*.] ***Adj.*** V. *resinoso* (1 e 2).

▲ **resini-** [Do lat. *resīna, ae*.] ***El. comp.*** = 'resina': *resinífero, resiniforme*.

resinífero [De *resini-* + *-fero*.] ***Adj.*** Que produz resina (1); resinoso.

resinificar [De *resini-* + *-ficar*.] ***V. t. d.*** **1.** Converter em resina. **2.** Dar aparência de resina a. ***P.*** **3.** Converter-se em resina. [Conjug.: v. *trancar*.]

resiniforme [De *resini-* + *-forme*.] ***Adj. 2 g.*** Que tem aspecto de resina.

resinoso (ô) [Do lat. *resinosu*.] ***Adj.*** **1.** Que tem resina; resinado, resinento. **2.** Coberto de resina; resinento. **3.** Resinífero.

resipiscência [Do lat. tard. *resipiscentia*, 'volta à sabedoria'.] ***S. f.*** **1.** Arrependimento de um pecado, com propósito de correção: "Para o teórico florentino [Maquiavel], o cristianismo, com a sua pregação de humildade, tolerância, resipiscência, perdão das injúrias, debilitara as romanas virtudes civis e militares" (Sílvio Lima, *Ensaio sobre a Essência do Ensaio*, p. 36). **2.** Emenda moral.

resistência [Do lat. *resistentia*.] ***S. f.*** **1.** Ato ou efeito de resistir. **2.** Força que se opõe a outra, que não cede a outra: *Quis abrir a porta, mas encontrou resistência.* **3.** Força que defende um organismo do desgaste de doença, cansaço, fome, etc.: *A resistência de um atleta aumenta com os treinos.* **4.** Aquilo que se opõe ao deslocamento de um corpo que se move: *Os pássaros, voando, vencem a resistência do ar.* **5.** Luta em defesa; defesa. **6.** *Constr. Eng.* Qualidade que têm os materiais de suportarem a aplicação de esforços externos sem cederem ou romperem. **7.** *Eletr.* Propriedade que tem toda substância (exceto os supercondutores) de se opor à passagem de corrente elétrica, e que é medida, em um corpo determinado, pelo quociente da tensão contínua aplicada às suas extremidades pela corrente elétrica que atravessa o corpo; resistência elétrica [símb.: *R*]. **8.** *Eletr. Impr.* V. *resistor*. **9.** *Fig.* Oposição ou reação a uma força opressora. **10.** *Fig.* Embaraço, estorvo, obstáculo, empecilho. **11.** *Fig.* Vigor moral; ânimo. **12.** *Fís.* Força que se opõe ao movimento de um sistema. **13.** *Microbiol.* Capacidade natural que tem um indivíduo normal de não ser lesado por agentes nocivos (microrganismos patogênicos, venenos, etc.) existentes no meio em que se encontra. **14.** *Psican.* Obstáculo ao retorno ao nível de consciência de material reprimido. **15.** *Teatr.* Gradual apagamento ou acendimento da iluminação dos cenários ou plateias de teatros, em casas noturnas, cinemas, etc. **16.** *Bras. Mar. Merc.* O pessoal encarregado da movimentação da carga em terra, até o costado da embarcação mercante; capatazia. [Cf., nesta acepç., *estiva* (5).] **17.** *Bras. Cap. Ant.* V. *cocorinha*. ◆ **Resistência a droga.** Poder que demonstra microrganismo de não ser afetado por droga cujos efeitos, entretanto, são letais para a maioria de outros da mesma espécie. **Resistência dos materiais.** Estudo das tensões e das deformações que se desenvolvem nos sólidos, resultantes de forças exteriores a eles aplicadas. **Resistência elétrica.** *Eletr.* Resistência (7). **Resistência específica.** *Eletr.* Resistividade. **Resistência passiva.** Resistência sem revide, ou provocação: "O João não respondia, macambúzio, metido no quarto, numa resistência passiva." (Conde de Ficalho, *Uma Eleição Perdida*, p. 197.)

resistente [Do lat *resistente*.] ***Adj. 2 g.*** **1.** Que resiste ou reage. **2.** Que por sua rigidez, dureza, etc., opõe resistência a qualquer força: *material resistente.* **3.** Que resiste ao tempo; sólido, durável: *calçado resistente.* **4.** Que tem, apresenta, ou oferece resistência (a). **5.** Teimoso, obstinado, contumaz.

resistibilidade [De *resistível* + *-(i)dade*, seg. o padrão erudito.] ***S. f.*** Qualidade ou caráter de resistível.

resistir [Do lat. *resistere*.] ***V. t. i.*** **1.** Oferecer resistência; não ceder: *O religioso sabia resistir aos prazeres pecaminosos*; "Era a primeira vez que ele ousava resistir à vontade de Leonor Teles." (Alexandre Herculano, *Lendas e Narrativas*, I, p. 195). **2.** Opor-se, fazer face (a um poder superior): *O moribundo resistiu longamente à morte.* **3.** Fazer frente (a um ataque, acusação, etc.); defender-se: *O povo resistiu à invasão; O deputado resistiu às investidas do adversário.* **4.** Recusar-se, negar-se, opor-se: "eu resisto a qualquer tentativa de propor a existência humana em termos de alma, pecado, religião, Deus." (Fausto Cunha, *Situações da Ficção Brasileira*, p. 25); *O acusado resistiu a admitir sua culpa.* **5.** Não sucumbir; sobreviver, subsistir. ***Int.*** **6.** Durar; conservar-se; subsistir: *Tem resistido, apesar das dificuldades.* **7.** Oferecer resistência: *A falta de armas impediu que resistissem.* ***T. d.*** **8.** *P. us.* Oferecer resistência a; opor-se a: *O exército resistiu os ataques inimigos.*

resistível [De *resistir* + *-vel*.] ***Adj. 2 g.*** A que se pode resistir.

resistividade [De *resistivo* + *-(i)dade*.] ***S. f.*** *Eletr.* Resistência elétrica de um corpo de seção reta uniforme com área unitária, e cujo comprimento é igual à unidade; resistência específica.

resistivo [Do ingl. *resistive*.] ***Adj.*** *Eletr.* Diz-se dum componente que tem resistência elétrica. ~ V. *acoplamento* —.

resistor (ô) [Do ingl. *resistor*.] ***S. m.*** *Eletr.* Componente de um circuito elétrico que apresenta resistência. [Sin. (impr.): *resistência*.]

resístor ***S. m.*** *Eletr.* V. *resistor*.

reslumbrância [De *reslumbrar* + *-ância*.] *S. f.* Qualidade de reslumbrante.

reslumbrante [De *reslumbrar* + *-nte*.] *Adj. 2 g.* Que reslumbra.

reslumbrar [Do esp. *reslumbrar*, com infl. de *vislumbrar*.] *V. int.* **1.** Dar passagem à luz: *Esta vidraça reslumbra, clareando o ambiente.* **2.** Transparecer, transpirar, transluzir: *Estas informações não podem reslumbrar.*

resma (ê) [Do ár. *razma(t)*, 'pacote', 'embrulho'.] *S. f.* Vinte mãos ou 500 folhas de papel. [Cf. *resma*, do v. *resmar*.]

resmar [De *resma* + *-ar*[2].] *V. t. d.* Reunir em resmas (o papel em folhas); enresmar. [Pres. ind.: *resmo, resmas, resma*, etc. Cf. *resma* (ê).]

resmelengar *V. int. Bras. N. Pop.* Mostrar-se resmelengo. [Conjug.: v. *largar*.]

resmelengo *Adj. S. m. Bras. N. Pop.* **1.** Resmungão, rabugento. **2.** V. *avaro* (1 e 3). [F. paral.: *resmelengue*.]

resmelengue *Adj. 2 g. S. 2 g. Bras. N. Pop.* Resmelengo.

resmoer [De *re-* + *esmoer*, com síncope.] *V. t. d.* Esmoer repetidamente; esmoer: "desandou o caminho percorrido, desvanecendo todo o indício de sua passagem até o ponto onde havia deixado o seu cavalo, que o esperava sem nenhuma impaciência, resmoendo um abrolho mais novo de mandacaru." (José de Alencar, *O Sertanejo*, p. 64). [Conjug.: v. *moer*.]

resmonear [Do lat. vulg. **remussinare*.] *V. t. d. Int.* V. *resmungar*: "Tinha medo às trovoadas; nessas ocasiões, tapava os ouvidos, e resmoneava todas as orações do catecismo." (Machado de Assis, *Memórias Póstumas de Brás Cubas*, p. 161); *Vive pelos cantos, de cara feia, a resmonear.* [Conjug.: v. *frear*.]

resmoneio [Dev. de *resmonear*.] *S. m.* Ação de resmonear; resmungo.

resmuda [De *re-* + *-es-* + *muda*[1].] *S. f. Pop.* Determinação contrária; mudança, modificação.

resmungado [Part. subst. de *resmungar*.] *S. m.* V. *resmungo*: "imitar o ronco dos bagres, ... o resmungado das saricangas e das ferreiras" (Valdomiro Silveira, *Nas Serras e nas Furnas*, p. 120).

resmungão [De *resmungar* + *-ão*[1].] *Adj. S. m.* Que, ou aquele que resmunga; rezingão. [Fem.: *resmungona*.]

resmungar [Do lat. **remussicare*, 'rosnar' < lat. *remussitare*, com troca de sufixo.] *V. t. d.* **1.** Pronunciar por entre dentes e com mau humor: "amuada, ... ia trancar-se no quarto, resmungando ameaças" (Coelho Neto, *Turbilhão*, p. 17); "os meninos resmungavam queixas" (Bernardo Guimarães, *O Seminarista*, p. 23). *Int.* **2.** Falar baixo e com mau humor; rezingar, resmuninhar: *A contrariedade fazia-o resmungar.* **3.** V. *grazinar* (3). [Sin. ger.: *resmonear, resmuninhar*. Conjug.: v. *largar*.]

resmungo [Dev. de *resmungar*.] *S. m.* Ato de resmungar; resmungado, rezinga.

resmungona *S. f.* Fem. de *resmungão*.

resmuninhar [De *resmonear*.] *V. t. d. Int.* V. *resmungar*.

→ **res nullius** [res 'nulleos] [Lat.] *Jur.* Coisa de ninguém.

reso [Do lat. cient. *Rhesus*.] *S. m. Zool.* Macaco cercopitecídeo do gênero macaca (*Macaca mulatta*) (v. *macaca*[2]), natural do N. da Índia, que tem o tamanho de um cão de caça, pelagem cinza tirante ao amarelo, e face cúprea com calosidade de um vermelho vivo. [Cf. *rezo*, do v. *rezar*.]

resolubilidade [De *resolúvel* + *-(i)dade*, seg. o padrão erudito.] *S. f.* Qualidade de resolúvel.

resolução [Do lat. *resolutione*.] *S. f.* **1.** Ato ou efeito de resolver(-se). **2.** Decisão, deliberação. **3.** Capacidade de resolver, deliberar, decidir; deliberação, decisão: *Tem visão administrativa e muita resolução.* **4.** Desígnio, intento, tenção, propósito. **5.** Transformação, conversão, mudança. **6.** Firmeza, energia em face do perigo; bravura, coragem. **7.** Extinção (de um contrato ou direito). **8.** Soltura de ventre; fluxo. **9.** *Inform.* Capacidade de detalhamento em meios de captação, registro ou reprodução de imagens, determinada pelo grau de distinguibilidade conferida aos elementos constitutivos da imagem. **10.** *Edit. Eletrôn. Telev.* Qualidade da imagem, relacionada diretamente à sua capacidade de reproduzir detalhes e nuanças: *cópia de alta resolução, prova de baixa resolução.* [Sin. (em telev.): *definição*.] **11.** *Filos.* Regressão (6). **12.** *Med.* Desaparecimento de estado mórbido tal como, p. ex., uma inflamação. **13.** *Mús.* No encadeamento dos acordes, transformação da dissonância em consonância, dando ao ouvinte a sensação auditiva de repouso. **14.** *Quím.* Separação dos dois enantiômeros de uma mistura racêmica. ◆ **Resolução de impressora.** *Art. Gráf.* Resolução de saída. **Resolução de saída.** *Art. Gráf.* Quantidade de PPPs que impressora ou outro meio de impressão (plotter, etc.) é capaz de produzir; resolução de impressora.

resolutivo [Do lat. *resolutus*, part. pass. de *resolvere*, 'resolver', + *-ivo*.] *Adj.* **1.** Que resolve; resolvente. **2.** Que promove resolução (9). ● *S. m.* **3.** Medicamento resolutivo (2); resolvente.

resoluto [Do lat. *resolutu*.] *Adj.* **1.** Que foi resolvido; combinado, acertado. **2.** Que se resolveu; desfeito, dissipado, dissoluto. **3.** *Fig.* Audaz, corajoso, decidido, afoito. **4.** *Fig.* Determinado, desembaraçado, ativo, expedito.

resolutório [Do lat. tard. *resolutoriu*.] *Adj.* Próprio para resolver.

resolúvel [Do lat. tard. *resolubile*.] *Adj. 2 g.* Resolvível. ~ V. *ato —, contrato —* e *propriedade —*.

resolvente [De *resolver* + *-nte*.] *Adj. 2 g.* **1.** Resolutivo (1). ● *S. m.* **2.** Resolutivo (3). ● *S. f.* **3.** *Mat.* Equação ou relação que serve para determinar a solução de um problema.

resolver [Do lat. *resolvere*.] *V. t. d.* **1.** Fazer desaparecer aos poucos; extinguir gradualmente. **2.** Separar os elementos constituintes de (um corpo); decompor. **3.** Achar a solução de; explicar, esclarecer, aclarar: *Foi difícil resolver a questão.* **4.** Decidir depois de exame e discussão; deliberar a respeito de; dar a solução a: *A diretoria ainda não resolveu o problema salarial.* **5.** Deliberar-se ou resolver-se a; decidir, resolver: *Após muita reflexão, resolveu cursar engenharia.* **6.** Desfazer, anular, rescindir, distratar: *As partes decidiram resolver o contrato.* *T. d. e i.* **7.** Reduzir, transformar, converter: *A baixa temperatura resolve a água em gelo*; "Há em Maria Isabel o desejo de resolver tudo em canção" (Carlos Drummond de Andrade, *Passeios na Ilha*, p. 208). *Int.* **8.** Desaparecer, desfazer-se, extinguir-se, acabar(-se): *O tumor resolveu.* **9.** Trazer vantagem, proveito, lucro, benefício; adiantar: *Violência não resolve.* *T. i.* **10.** *Desus.* Tomar a deliberação; assumir a decisão: *Após a reunião ministerial, o Governo resolveu de convocar eleições gerais.* **11.** Emitir resolução ou decisão; decidir: *Quando conhecer melhor a noiva, resolverá sobre a conveniência do casamento.* *P.* **12.** Dividir-se nos seus elementos; decompor-se, dissolver-se: *Ao contrário do que pensavam os atomistas gregos, os átomos resolvem-se.* **13.** Mostrar-se pronto ou disposto; decidir-se, deliberar-se, determinar-se; resolver: *Resolvi-me a prosseguir viagem, apesar do mau tempo*; "Estêvão, amuado por não poder conciliar o sono, resolvera-se a ir ver a manhã de mais perto." (Machado de Assis, *A Mão e a Luva*, em *Obra Completa*, 1º vol., p. 325.) **14.** Emitir resolução ou decisão; decidir, resolver: *O tribunal espera as informações para resolver-se quanto à culpa do réu.* **15.** Desfazer-se (tumor, etc.) sem dor nem supuração. **16.** Basear-se, fundar-se, fundamentar-se: *Para Sócrates, a virtude resolve-se na sabedoria.* **17.** Reduzir-se, transformar-se, converter-se: *Na primavera a neve resolve-se em água.*

resolvido [Part. de *resolver*.] *Adj.* **1.** Combinado, assentado, assente, resoluto: *assunto resolvido.* **2.** *Pop.* Decidido, determinado, disposto, afoito, resoluto: *É homem resolvido, enfrenta as paradas.*

resolvível [De *resolver* + *-ível*.] *Adj. 2 g.* Que se pode resolver; resolúvel.

resorcinol [De *res(ina)* + *orcinol*.] *S. m. Quím.* Difenol derivado do benzeno (as duas hidroxilas fenólicas ficam em posições meta), cristalino acicular, incolor, usado na indústria de corantes [fórm.: $C_6H_6O_2$]. [Pl.: *resorcinóis*.]

→ **resort** [ɹɪ'zɔɹt] [Ingl.] *S. m.* Lugar para descanso ou férias que, além de hospedagem, oferece aos clientes atividades de lazer e entretenimento.

respaldado [Part. de *respaldar*.] *Adj.* Que tem respaldo (5).

respaldar[1] [De *respaldo* + *-ar*[1].] *S. m.* V. *espaldar* (1).

respaldar[2] [De *re-* + *espalda* + *-ar*[2].] *V. t. d.* **1.** Tornar plano; alisar, aplanar; aplainar: *Os tratores respaldaram o terreno.* **2.** Dar respaldo (5) ou cobertura a; apoiar, amparar: *Que grupos respaldariam aquela política de suicídio nacional?*

respaldo [Dev. de *respaldar*[2].] *S. m.* **1.** Ato ou efeito de respaldar. **2.** O encosto das cadeiras; espaldar, espalda, respaldar. **3.** Encosto na parte traseira das carruagens. **4.** Banqueta do altar. **5.** Apoio, geralmente de caráter político ou moral. **6.** Defeito do cavalo, causado pelo atrito do arção posterior da sela.

respançadura [De *respançar* + *-dura*.] *S. f.* Ato ou efeito de respançar; respançamento.

respançamento [De *respançar* + *-mento*.] *S. m.* Respançadura.

respançar [De *raspar*.] *V. t. d.* Apagar (as letras do papel) com a raspadeira; raspar. [Conjug.: v. *laçar*.]

respe [Do lat. *respice*, do imperat. pres. de *respicere*, 'olhar', 'ponderar'.] *S. m. Bras. Fam.* **1.** V. *descompostura* (2). **2.** V. *repreensão* (1).

respectivo [Do lat. escolástico *respectivu*, do lat. *respectus*, part. pass. de *respicere*, 'olhar para trás', 'concernir', + suf. lat. *-ivus* (v. *-ivo*).] *Adj.* **1.** Que diz respeito a cada um em particular ou em separado. **2.** Competente, devido, próprio, seu. [Var.: *respetivo*.]

respeitabilidade [De *respeitável* + *-(i)dade*, seg. o padrão erudito.] *S. f.* Qualidade de respeitável.

respeitador (ô) [De *respeitar* + *-dor*.] *Adj. S. m.* Que, ou aquele que respeita.

respeitante [De *respeitar* + *-nte*.] *Adj. 2 g.* Que diz respeito; referente, relativo, concernente, atinente.

respeitar [Do lat. *respectare*, 'olhar muitas vezes para trás'.] *V. t. d.* **1.** Tratar com reverência ou acatamento; venerar, honrar: *Respeitar os mais velhos é de boa educação.* **2.** Ter medo de; temer, recear: *Na selva, todos os animais respeitam o leão.* **3.** Tomar em consideração; ter em conta; atender a; considerar: *O bom governante respeita os anseios populares.* **4.** Seguir as determinações de; cumprir, observar, acatar: *respeitar a lei.* **5.** Não causar dano a; poupar: *Os invasores respeitaram as relíquias históricas.* **6.** Fazer justiça a; dar apreço a; reconhecer: *respeitar os méritos do inimigo.* **7.** Suportar, aturar, admitir, tolerar: *Seu feitio orgulhoso não respeita censuras.* *T. i.* **8.** Dizer respeito; referir-se, concernir, tocar: *Estes dados respeitam ao processo.* *T. c.* **9.** Estar na direção; estar voltado; apontar: *A proa do navio respeitava ao sul.* *P.* **10.** Fazer-se respeitado; impor-se ao respeito de outrem; dar-se ao respeito: *O homem deve respeitar-se.*

respeitável [De *respeitar* + *-vel*.] *Adj. 2 g.* **1.** Digno de respeito; venerável. **2.** *Fig.* Formidável, terrível, extraordinário: *um terremoto respeitável.* **3.** Que tem grande importância; importante.

respeito [Do lat. *respectu*.] *S. m.* **1.** Ato ou efeito de respeitar(-se). **2.** Reverência, veneração. **3.** Obediência, deferência, submissão, acatamento. **4.** Lado pelo qual se encara uma questão; ponto de vista; aspecto. **5.** Razão, motivo, causa. **6.** Relação, referência. **7.** Consideração, importância. **8.** Medo, temor, receio. ~ V. *respeitos.* ◆ **Respeito a.** V. *a respeito de*: "Respeito a idiomas estranhos, dos vivos conhecia o francês muito pela rama" (Camilo Castelo Branco, *A Queda dum Anjo*, p. 11). **Respeito humano.** Consideração ou respeito à opinião pública. **A respeito de.** Relativamente a; com respeito a; respeito a: *Sabe tudo a respeito de Eça de Queirós.* **Com respeito a.** V. *a respeito de.* **De respeito. 1.** Digno de respeito; respeitável: *homem de respeito.* **2.** Muito forte, muito intenso: "– Tem um febrão de respeito." (Brito Camacho, *Quadros Alentejanos*, p. 256.) **3.** Notável, considerável: *uma casaca de respeito; uma papada de respeito.* **Dizer respeito a.** Ter relação com; referir-se a: *Notou que a conversa não lhe dizia respeito.* **Faltar ao respeito a.** Ser descortês ou inconveniente para com (alguém).

respeitos [Pl. de *respeito*.] *S. m. pl.* Cumprimentos, saudações: *Apresento-lhe os meus respeitos.* ~ V. *respeito.*

respeitoso (ô) [De *respeito* + *-oso*.] *Adj.* **1.** Relativo a respeito. **2.** Cheio de respeito. **3.** Que guarda respeito a: *respeitoso das formalidades.* **4.** Que manifesta respeito.

respetivo *Adj.* V. *respectivo.*

respiga [Dev. de *respigar*.] *S. f.* **1.** Ato ou efeito de respigar; respigadura. **2.** *Carp.* Espiga (2).

respigadeira [De *respigar* + *-deira*.] *Adj.* (*f.*) **1.** Que respiga. ● *S. f.* **2.** Mulher que respiga. **3.** Máquina ou ferramenta que os carpinteiros usam para preparar peças de encaixe.

respigador (ô) [De *respigar* + *-dor*.] *Adj. S. m.* Que, ou aquele que respiga.

respigadura [De *respigar* + *-dura*.] *S. f.* Respiga (1).

respigão *S. m.* Espiga (3) que nasce ao pé das unhas.

respigar [De *re-* + *espiga* + *-ar*[2].] *V. int.* **1.** Apanhar as espigas deixadas no campo depois da ceifa. *T. d.* **2.** Recolher (as espigas que ficaram no campo após a ceifa). **3.** *Fig.* Apanhar aquém e além; coligir, compilar: *Levou a vida a respigar dados históricos*; "Eu respigarei, nessa vasta seara juncada de cadáveres, as atrocidades .... que se acham obrigadas ao desenvolvimento do romance." (Camilo Castelo Branco, *Livro Negro de Padre Dinis*, p. 45). [Conjug.: v. *largar*.]

respingador (ô) [De *respingar*[2] + *-dor*.] *Adj. S. m.* V. *respingão.*

respingão [De *respingar*[2] + *-ão*[1].] *Adj. S. m.* Que, ou aquele que respinga; respingador. V. *respondão* (1 e 2). [Fem.: *respingona*.]

respingar[1] [De *re-* + *-es-* + *pingo*[1] + *-ar*[2].] *V. int.* **1.** Lançar borrifos ou pingos (o líquido): *O vinho respingou e manchou-lhe a camisa.* **2.** Deitar faíscas (o fogo); crepitar. *T. d.* **3.** Manchar com borrifos, pingos ou salpicos: *O automóvel respingou o terno branco do rapaz.* *T. i.* *Fig.* **4.** Comprometer a reputação de alguém: *O escândalo acabou por respingar no* *ministro.* **P. 5.** Sujar-se ou molhar-se com pingos, borrifos ou salpicos. [Conjug.: v. *largar.*]

respingar[2] [Do esp. *respingar.*] **V. int. 1.** Responder com maus modos; recalcitrar, rezingar. **2.** Dar coices; escoicear. **T. d. 3.** Dar coices em; escoicear, escoicinhar: *A mula respingou o cão que a acossava.* [Conjug.: v. *largar.*]

respingo [Dev. de *respingar*[1].] **S. m.** Ato ou efeito de respingar(-se).

respingona **S. f.** Fem. de *respingão* (q. v.).

respirabilidade [De *respirável* + *-(i)dade*, seg. o padrão erudito.] **S. f.** Qualidade de respirável.

respiração [Do lat. *respiratione.*] **S. f. 1.** Ato ou efeito de respirar; respiramento, respiro. **2.** Ato de expirar ou inspirar; fôlego, ar. **3.** *Biol.* Função pela qual os organismos vivos absorvem oxigênio e expelem gás carbônico. **4.** Bafo, hálito. ◆ **Respiração aeróbica.** *Biol.* Processo metabólico que emprega moléculas de oxigênio, ger. provenientes do ar, para a oxidação de certas moléculas orgânicas, esp. a glicose, com a concomitante obtenção de energia. **Respiração anaeróbica.** *Biol.* Processo metabólico de obtenção de energia mediante a destruição de glicose, sem a utilização do oxigênio do ambiente; fermentação. **Respiração celular.** *Biol.* Processo que permite às células retirar energia acumulada em compostos orgânicos.

respiradoiro [De *respirar* + *-doiro*[2].] **S. m.** Respiradouro (q. v.).

respirador (ô) [De *respirar* + *-dor.*] **Adj. 1.** Que serve para respirar. ● **S. m. 2.** *Med. Anest.* Aparelho destinado a executar ou auxiliar a respiração de paciente.

respiradouro [De *respirar* + *-douro*[2]; var. de *respiradoiro.*] **S. m. 1.** Qualquer orifício que, em recintos ou aparelhos fechados, serve para a entrada e saída do ar; espiráculo, resfolegadouro. **2.** Respiro (4).

respiramento [Do lat. tard. *respiramentu*, 'folga', 'alívio', ou de *respirar* + *-mento.*] **S. m.** V. *respiração* (1).

respirar [Do lat. *respirare.*] **V. int. 1.** Absorver (os animais) o oxigênio do ar nos pulmões, nas brânquias, nas traqueias, na pele, e expelir o gás carbônico resultante das queimas orgânicas, depois de se realizarem as trocas necessárias para gerar a energia indispensável à manutenção da vida; aspirar. **2.** Realizar (o vegetal) processos de oxidação de diversos tipos, com trocas gasosas de várias naturezas, com a mesma finalidade vital. **3.** Ter vida; viver: *O doente ainda respira.* **4.** Dar-se a conhecer; revelar-se, manifestar-se: *Quando ela sorri, respiram a beleza e a simpatia de seu semblante.* **5.** Conseguir alguns momentos de descanso em trabalhos, aflições, dificuldades, etc.; folgar: *O excesso de trabalho não o deixa respirar.* **6.** Agitar-se, produzir-se (o vento); soprar: "Os ventos brandamente respiravam, / Das naus as velas côncavas inchando" (Luís de Camões, *Os Lusíadas*, I, 19). **T. d. 7.** Respirar (1 e 2): "Quem imaginará que se pegue de um homem dos campos, onde respira o ar livre e puro, para meter-lhe uns calções de corte e fazê-lo dançar o minuete?" (Machado de Assis, *A Semana*, II, p. 21.) **8.** Ter cheiro de; recender a: *Seu corpo respirava rosas.* **9.** Lançar fora; expelir, exalar: *O vapor respirava fumaça.* **10.** Manifestar, exprimir, revelar; denotar; transpirar: *A face do condenado respira tranquilidade;* "Tudo respirava asseio." (Rebelo da Silva, *De Noite Todos os Gatos São Pardos*, p. 84); "No alto de uma folha de rosto, ou na sobrecapa das edições alemãs, esse nome respira não sei que elegância, gravidade e sutileza..." (Augusto Meyer, *A Chave e a Máscara*, p. 219). **11.** Mostrar desejos de: *Os injustiçados respiravam vingança.* **12.** Gozar, fruir, desfrutar: *respirar a liberdade.* **13.** *Fig.* Nutrir-se ou alimentar-se com: *Os sábios respiram ciência.*

respiratório [De *respirar* + *-tório.*] **Adj. 1.** Relativo à respiração. **2.** Que facilita a respiração. ~ V. *sistema —.*

respirável [Do lat. tard. *respirabile.*] **Adj. 2 g.** Que se pode respirar.

respiro [Dev. de *respirar.*] **S. m. 1.** V. *respiração* (1). **2.** *Fig.* Descanso, repouso, folga. **3.** Tolerância de prazo concedido por um credor. **4.** Abertura nos fornos, nos aparelhos de aquecimento, etc., para dar passagem ao ar e libertar fumaça, gases, etc.; respiradouro.

resplandecência [De *resplandecer* + *-ência.*] **S. f.** Ato ou efeito de resplandecer; resplendor.

resplandecente [De *resplandecer* + *-nte.*] **Adj. 2 g.** Que resplandece; brilhantíssimo; resplendente, resplendoroso, esplendente, esplendoroso, refulgente.

resplandecer [Do lat. *resplendescere* (fonte tb. de *resplendecer*), com dissimilação.] **V. int. 1.** Brilhar ou luzir muito; rutilar: "Entre as rendas do teu vestido resplandece / Um topázio do Oriente, ó branca irmã dos lírios!" (Luís Guimarães [Filho], *Pedras Preciosas*, p. 29.) **2.** Manifestar-se com brilhantismo: *A inteligência do menino resplandece.* **3.** Notabilizar-se, relevar-se, sobressair: *A arquitetura egípcia ainda resplandece por sua grandiosidade.* **T. d. 4.** **P.** *us.* Refletir o brilho ou o esplendor de: *O diamante resplandece os raios solares.* [Sin., nas acepç. 1 a 3: *esplender, esplandecer, esplendorar*; sin. ger.: *resplendecer, resplender.* Conjug.: v. *aquecer.*]

resplandor (ô) **S. m.** V. *resplendor*: "ao luar de Sorrento, como uma aurora boreal, o resplandor da noite cor-de-rosa!" (Martins Fontes, *A Dança*, p. 45).

resplendecer [Do lat. *resplendescere.*] **V. int. T. d.** V. *resplandecer.* [Conjug.: v. *aquecer.*]

resplendência [Do lat. *resplendentia.*] **S. f.** Qualidade de resplendente; refulgência.

resplendente [Do lat. *resplendente.*] **Adj. 2 g.** V. *resplandecente*: "Céu coberto de estrelas resplendentes" (Olavo Bilac, *Poesias*, p. 109).

resplender [Do lat. *resplendere.*] **V. int. T. d.** V. *resplandecer*: "Velha aldeia da Beira, a meia encosta, resplendendo alvuras de cal e vermelhão de telhados." (Antônio Correia d'Oliveira, *Líricas*, p. 131.)

resplêndido [De *re-* + *esplêndido.*] **Adj.** Muito esplêndido; esplendidíssimo, esplendíssimo.

resplendor (ô) [Do lat. *resplendore.*] **S. m. 1.** Resplandecência. **2.** Brilho intenso; fulgor, rutilação, esplendor, refulgência. **3.** V. *auréola* (1): "Desejou apoderar-se dos resplendores das imagens e do bordão de S. José, de ouro, pesado." (Graciliano Ramos, *Insônia*, p. 27.) **4.** *Fig.* Glória, fama, nomeada, celebridade. [Var.: *resplandor.*]

resplendorense **Adj. 2 g. 1.** De, ou pertencente ou relativo a Resplendor (MG). ● **S. 2 g. 2.** O natural ou habitante de Resplendor.

resplendoroso (ô) [De *resplendor* + *-oso.*] **Adj.** V. *resplandecente.*

respondão [De *responder* + *-ão*[1].] **Adj. 1.** Que responde muito e com palavras ásperas; respingador, respingão, respondedor. ● **S. m. 2.** Aquele que responde muito e com palavras ásperas; respingador, respingão, respondedor. **3.** Aquele que desrespeita alguém, respondendo com aspereza. [Fem.: *respondona.*]

respondedor (ô) [De *responder* + *-dor.*] **Adj. S. m. 1.** Que, ou aquele que responde. **2.** V. *respondão* (1 e 2). [Sin. adj. na acepç. 1: *respondente.*]

respondência [De *responder* + *-ência.*] **S. f. 1.** Relações, trato. **2.** Correspondência (1).

respondente [Do lat. *respondente.*] **Adj. 2 g. 1.** Que responde; respondedor. ● **S. 2 g. 2.** *Jur.* Pessoa que depõe, sendo inquirida por artigos [v. *artigo* (3)].

responder [Do lat. *respondere.*] **V. t. d. T. d. e i. 1.** Dizer ou escrever em resposta: "Fui respondendo o que podia e cabia" (Machado de Assis, *Casa Velha*, p. 82); *Respondeu que estava com fome; Respondeu-lhe que estivera ausente.* **2.** Dizer ou escrever, replicando; replicar, retorquir, redarguir: *O réu respondeu que não cometera nenhum crime; Respondeu ao juiz que era vítima de uma calúnia.* **T. i. 3.** Dizer ou escrever alguma coisa em resposta: "Como é terrível que ninguém responda / às perguntas da vida para a morte, / hirto rochedo mudo aos brados da onda!..." (Martins Napoleão, *Oleiro Cego*, p. 85); "Nos últimos dias, não saía de casa, não respondia a cartas" (Machado de Assis, *Páginas Recolhidas*, p. 96). **4.** Replicar, retorquir, redarguir: *O injuriado respondeu às calúnias.* **5.** Seguir-se, suceder-se, corresponder: *Ao crime responde o castigo.* **6.** Ser igual; equivaler, corresponder: *A recompensa não respondeu ao esforço.* **7.** Estar em harmonia; condizer, corresponder: "Ela [a paisagem] responde a uma relação espacial do homem com as distâncias." (Raul Bopp, *Putirum*, p. 199.) **8.** Revidar (a uma agressão física ou moral) com outra igual ou maior; corresponder: *Nossos soldados responderam aos tiros.* **9.** Opor-se, contrapor-se: *Ao erro responde a perfeição.* **10.** Ser ou ficar responsável; responsabilizar-se: *Todo cidadão maior responde pelos seus atos.* **11.** *Mar.* Obedecer; corresponder: *O navio respondeu à manobra das velas; A embarcação respondeu ao leme e guinou.* **T. c. 12.** Estar defronte; defrontar: *Um terreno baldio responde ao sítio.* **Int. 13.** Dar resposta: *Ouviu a acusação, e não respondeu;* "Um centro feminino .... da Inglaterra pediu a G. B. Shaw que lhe oferecesse alguma de suas obras, para a biblioteca que estava organizando. Shaw respondeu, em carta, dizendo que um centro que não possuía cinco xelins para comprar um de seus livros não merecia ser uma sociedade." (Eduardo Frieiro, *Os Livros Nossos Amigos*, p. 113). **14.** Reproduzir um som produzido por outro ser, ou um som da natureza: "Uma cigarra zine e outra responde..." (Olegário Mariano, *Toda uma Vida de Poesia*, I, p. 182); *Gritava, e o eco respondia; O mar bate forte, e o eco responde.* **15.** Ser respondão; respingar[2]: *Não admite empregados que respondam.* **16.** Falar, cantar, etc., em resposta: *O padre rezava a ladainha, e os fiéis respondiam.* **17.** Repetir uma voz ou um som: *Um cachorro latiu e a matilha inteira respondeu.* **P. 18.** Estar em correlação; corresponder-se: *O certo e o errado respondem-se, pois da crítica ao erro se origina o acerto.*

respondido [Part. de *responder.*] **Adj.** Que teve resposta.

respondona **S. f.** V. *respondão.*

responsabilidade [De *responsável* + *-(i)dade*, seg. o padrão erudito.] **S. f. 1.** Qualidade ou condição de responsável. **2.** *Jur.* Capacidade de entendimento ético-jurídico e determinação volitiva adequada, que constitui pressuposto penal necessário da punibilidade. ◆ **Responsabilidade civil.** *Jur.* Condição jurídica daquele que está obrigado a reparar dano material ou moral causado por ato ilícito ou abuso de direito que tenha praticado, ou por imputação legal independentemente de culpa. **Responsabilidade moral.** *Filos.* **1.** Situação de um agente consciente com relação aos atos que ele pratica voluntariamente. **2.** Obrigação de reparar o mal que se causou a outros.

responsabilização [De *responsabilizar* + *-ção.*] **S. f.** Ato ou efeito de responsabilizar(-se).

responsabilizador (ô) [De *responsabilizar* + *-dor.*] **Adj. S. m.** Que, ou aquele que responsabiliza.

responsabilizar [De *responsável* + *-izar*, seg. o padrão erudito.] **V. t. d. 1.** Imputar responsabilidade a: *A perícia do acidente responsabilizou o motorista.* **T. d. e i. 2.** Tornar ou considerar responsável: *Responsabilizou-o pelo crime.* **Transobj. 3.** Considerar, qualificar, reputar, tachar: *O Governo responsabilizou como péssimas as medidas econômicas anteriores.* **P. 4.** Tornar-se responsável por seus atos ou pelos de outrem; responder: *O diretor da empresa responsabilizou-se pela falência.*

responsar [De *responso* + *-ar*[2].] **V. t. d. 1.** Rezar responsos [v. *responso* (1)] por; sufragar com responsos. **2.** *Pop.* Falar mal, murmurar de (alguém); difamar: *Esta mulher vive a responsar os vizinhos.* **T. d. e i. 3.** Encomendar, entregar, confiar: *Já quase desfalecendo, responsou sua vida a Deus.* **T. i. 4.** Rezar responsos (1).

responsável [Do fr. *responsable* (do lat. *responsum*, supino do v. lat. *respondere*, v. *responder*).] **Adj. 2 g. 1.** Que responde pelos próprios atos ou pelos de outrem: *Esta é a moça responsável pela disciplina do colégio.* **2.** Que responde legal ou moralmente pela vida, pelo bem-estar, etc., de alguém: *Não se encontrou a pessoa responsável pelas crianças abandonadas na rua.* **3.** Que tem noção exata de responsabilidade; que se responsabiliza pelos seus atos; que não é irresponsável: *É rapaz honesto, responsável.* **4.** Que dá lugar a, que é causa de (algo): *O excesso de velocidade é responsável por muitos acidentes.* ~ V. *editor —.* ● **S. 2 g. 5.** Pessoa responsável (por alguma coisa ou por alguém). **6.** Indivíduo faltoso; culpado: *O responsável ainda não se apresentou.*

responsivo [Do lat. tard. *responsivu.*] **Adj. 1.** Que contém resposta. **2.** Que responde.

responso [Do lat. *responsu*, 'resposta'.] **S. m. 1.** *Lit.* Versículos rezados ou cantados alternativamente pelos dois coros, ou pelo coro e por um solista, depois das lições ou dos capítulos. **2.** Oração a Santo Antônio para que se achem coisas perdidas ou não aconteça mal que se receia. **3.** *Fam.* V. *descompostura* (2). **4.** Murmuração, maledicência.

responsório [Do lat. tard. *responsoriu.*] **S. m.** Série de responsos.

resposta [Do lat. *reposta*, por *reposita*, do v. *reponere*, com infl. de *respondere*, 'responder'.] **S. f. 1.** Ato ou efeito de responder. **2.** Aquilo que se diz ou escreve para responder a uma pergunta. **3.** Refutação, replicação, réplica. **4.** O que decide, ou explica, alguma coisa; solução. **5.** Carta, telegrama, etc., que se manda ao remetente de correspondência recebida, e que versa sobre o mesmo assunto. **6.** Qualquer ato que se segue a um estímulo exterior e a ele está imediatamente ligado. **7.** Golpe de esgrima, em seguida e em troco ao do adversário. **8.** Cada uma das bombas que estouram em um foguete. **9.** *Fís.* A modificação dum instrumento provocada por uma excitação conveniente. **10.** *Mús.* Na fuga[2] (q. v.), reprodução ou imitação do sujeito em outro grau de escala, sobretudo no tom da dominante; réplica. **11.** *Lit.* liturgia, a parte que cabe ao coro ou à assembleia em seu diálogo com o celebrante. **12.** *Bras. PE Etnogr.* Bacalhau (8). **13.** *Eletrôn.* Expressão quantitativa do sinal de saída de um dispositivo, circuito ou equipamento, como função do sinal de entrada. **14.** *Eletrôn.* Sinal de saída de um dispositivo, circuito ou equipamento, resultante de uma dada excitação (4). ◆ **Resposta condicionada.** *Psicol.* A que é provocada por estímulo condicionado. **Resposta direta.** *Market.* Qualquer tipo de retorno dado pelo consumidor potencial a uma ação de *marketing* direto (q. v.). **Resposta em frequência.** *Eletrôn.* Representação gráfica da razão entre o sinal de entrada (tensão ou corrente) e o de saída (tensão ou corrente) de um circuito em função da frequência. **Resposta imunológica.** *Imun.* Conjunto de fenômenos com que o organismo reage ao contato com antígenos.

respostada [De *resposta* + *-ada*[1].] ***S. f.*** Resposta grosseira, incivil; repostada, revirete.

respostar [De *resposta* + *-ar*[2].] ***V. int.*** Dar respostada(s).

resquício [Do esp. *resquicio.*] ***S. m.*** **1.** Lasca ou pequeno fragmento de madeira ou de outro material. **2.** Resíduo, vestígio: "A pergunta era natural, desde que o perguntador, desperto, se via dentro de um ataúde .... e contemplava, nalguns rostos, furtivos resquícios de lágrimas." (Lêdo Ivo, *A Cidade e os Dias*, pp. 202-203.) **3.** Racha, frincha, fisga, fenda: "Entreluzia a manhã pelos resquícios e fendas das janelas do nosso quarto." (Camilo Castelo Branco, *Amor de Salvação*, p. 245.)

ressaber [De *re-* + *saber.*] ***V. t. d.*** **1.** Saber perfeitamente; saber muito. ***T. i.*** **2.** Ter sabor muito acentuado. **3.** Ter sabor análogo a outro; saber: *Este sorvete ressabe a morango.* [Irreg. Conjug.: v. *saber.*]

ressabiado [Part. de *ressabiar.*] ***Adj.*** **1.** Que ressabia ou rança; rançoso. **2.** Assustadiço, espantadiço, desconfiado. **3.** Melindrado, ofendido, magoado, ressentido.

ressabiar [De *ressábio* + *-ar*[2].] ***V. int. P.*** **1.** Tomar ressaibo ou ressábio; rançar, rancescer: *A manteiga ressabiou; O queijo ressabiou-se.* **2.** Melindrar-se; ressentir-se, ofender-se, magoar-se: *Muito sensível, ressabia sem mais nem menos; O ator ressabiou-se com as declarações a ele atribuídas.* **3.** Mostrar-se ou ficar (indivíduo) assustadiço, desconfiado: *Ouvindo o assobio, o esquilo ressabiou; Com o leve rumor a caça ressabiou-se.* [Pres. ind.: *ressabio*, etc. Cf. *ressábio.*]

ressabido [De *re-* + *sabido.*] ***Adj.*** **1.** Muito sabido em algo; que sabe muito; erudito, douto. **2.** Que tem grande experiência; experiente, experimentado.

ressábio [Do lat. **resapidu.*] ***S. m.*** V. *ressaibo*: "Beijo dado, Arlequim, tem amargos ressábios..." (Menotti del Picchia, *As Máscaras*, p. XXXVIII.) [Cf. *ressabio*, do v. *ressabiar.*]

ressaca [Do esp. *resaca* (da loc. esp. *saca y resaca*, 'movimento de fluxo e de refluxo do mar'), fonte tb. do fr. *ressac*, do it. *risacca* e do cat. *ressaca.*] ***S. f.*** **1.** Refluxo de uma vaga, depois de se espraiar ou de encontrar obstáculo que a impede de avançar livremente. **2.** A vaga que se forma nesse movimento de recuo. [Antôn., nessas acepçs.: *saca*[2] (4).] **3.** O encontro dessa vaga com outra (*a saca*), que avança para a praia ou para o obstáculo. **4.** *Bras.* Investida fragorosa, contra o litoral, das vagas do mar muito agitado. **5.** Fluxo e refluxo; inconstância, versatilidade, volubilidade. **6.** *Bras. Fig.* Indisposição de quem bebeu, depois de passar a bebedeira. **7.** *Bras. Fig.* Enfado, cansaço provocado por noite passada em claro.

ressacabilidade [De *ressacável* + *-(i)dade*, seg. o padrão erudito.] ***S. f.*** Qualidade de ressacável.

ressacado[1] [Part. de *ressacar.*] ***S. m.*** Aquele sobre quem se ressaca, se faz ressaque.

ressacado[2] [De *ressaca* (6 e 7) + *-ado*[1].] ***Adj. Bras.*** **1.** Tonto, doído, nauseado, por causa de uma bebedeira. **2.** Fatigado por uma noite passada em claro.

ressacador (ô) [De *ressacar* + *-dor.*] ***S. m.*** Aquele que ressaca, que faz ressaque.

ressacar [De *re-* + *sacar*, ou de *ressaque* + *-ar*[2].] ***V. t. d.*** Fazer ressaque de (letra de câmbio); recambiar. [Conjug.: v. *trancar.*]

ressacar-se [De *ressaca* + *-ar*[2] + *se*[1].] ***V. p. Bras.*** Ficar ressacado[2]. [Conjug.: v. *trancar.*]

ressacável [De *ressacar* + *-vel.*] ***Adj. 2 g.*** Diz-se de título ou letra que se pode ressacar.

ressaco [Do *re-* + *saco.*] ***S. m. Bras. MG GO*** **1.** Funda clareira de campo na orla de um capão ou de um mato. **2.** Ilha de campo, ou clareira no meio do campo. [Diz-se, em geral, *ressaco do campo*. Cf. *saco* (16).] ◆ **Ressaco do campo.** *Bras. MG GO* Ressaco (2).

ressaibar [De *ressaibo* + *-ar*[2].] ***V. int.*** Tomar ressaibo; ressabiar.

ressaibo [Dev. de *ressaber*, ou f. metatética de *ressábio.*] ***S. m.*** **1.** Mau sabor; ranço. **2.** Sabor que resulta da aderência de uma substância à vasilha por onde se come ou bebe. **3.** *Fig.* Indício, sinal, vestígio. **4.** *Fig.* Mágoa, ressentimento, desgosto que fica de ofensa ou prejuízo sofrido. **5.** Manha (de besta). [F. paral.: *ressábio.*]

ressaído [Part. de *ressair.*] ***Adj.*** V. *ressaltante.*

ressaio [De *ressair.*] ***S. m.*** Terreno junto a uma casa; terreiro, rossio.

ressair [De *re-* + *sair.*] ***V. int.*** **1.** Sair novamente; tornar a sair. ***T. c.*** **2.** Ressair (1). **3.** Ressaltar, avultar, distinguir-se; sobressair: *Uma ligeira elevação ressai da planície.* [Irreg. Conjug.: v. *sair.*]

ressalgada [De *ressalgar* + *-ada*[1].] ***S. f.*** **1.** Ação ou efeito de ressalgar. **2.** *Bras. RS* Monte de charque que se salga outra vez após haver recebido o primeiro sal.

ressalgar [De *re-* + *salgar.*] ***V. t. d.*** Salgar de novo. [Conjug.: v. *largar.*]

ressaliente [De *re-* + *saliente.*] ***Adj. 2 g.*** V. *ressaltante.*

ressaltado [Part. de *ressaltar.*] ***Adj.*** **1.** V. *ressaltante.* **2.** Diz-se dos olhos esbugalhados.

ressaltante [De *ressaltar* + *-nte.*] ***Adj. 2 g.*** Que ressalta ou ressai; ressaído, ressaliente, ressaltado.

ressaltar [De *re-* + *saltar.*] ***V. t. d.*** **1.** Tornar saliente; dar vulto ou relevo a; relevar, destacar: *O orador ressaltou as fontes mais importantes da palestra.* ***Int.*** **2.** Dar muitos saltos. **3.** Distinguir-se, relevar-se, sobressair, ressair: *Cedo ou tarde os grandes vultos ressaltam.*

ressalte [Dev. de *ressaltar.*] ***S. m.*** V. *ressalto.*

ressaltear [De *re-* + *saltear.*] ***V. t. d.*** Saltear novamente; tornar a saltear. [Conjug.: v. *frear.*]

ressaltitar [De *re-* + *saltitar.*] ***V. int.*** Saltitar de novo, ou repetidamente.

ressalto [Dev. de *ressaltar.*] ***S. m.*** **1.** Ato ou efeito de ressaltar. **2.** Parte em relevo na superfície de um objeto, com função prática ou ornamental. **3.** Relevo, saliência: *O montanhista agarrou-se a um ressalto do rochedo.* **4.** Volta de um corpo elástico ao seu estado natural ou à sua posição anterior: *O tenista esperou o ressalto da bola.* **5.** Salto para trás; recuo. [F. paral.: *ressalte.*]

ressalva [Dev. de *ressalvar.*] ***S. f.*** **1.** Certidão que atesta a isenção do serviço militar ou dos deveres eleitorais. **2.** Nota destinada a corrigir erro naquilo que se escreveu ou publicou. [Cf., nesta acepç., *errata* (1).] **3.** Documento para garantia de alguém ou de algo. **4.** Exceção, reserva, restrição. **5.** Cláusula restritiva.

ressalvar [De *re-* + *salvar.*] ***V. t. d.*** **1.** Dar ressalva a; prevenir com ressalva: *Os contratantes ressalvaram o negócio.* **2.** Fazer ressalva em; excetuar, excluir: *O decreto ressalva, apenas, casos muito especiais.* **3.** Pôr a salvo; livrar de dano ou perigo; proteger, resguardar: *À polícia cabe ressalvar a população.* **4.** Corrigir, emendar: *ressalvar os erros do texto.* ***T. d. e i.*** **5.** Eximir, livrar: *A lei ressalva de culpa os dementes.* ***P.*** **6.** Escusar-se, desculpar-se, justificar-se: *O motorista infrator ressalvou-se alegando socorro urgente.* **7.** Fazer ressalva ao que disse ou fez.

ressaque [Dev. de *ressacar*, ou de *re-* + *saque*[1].] ***S. m.*** **1.** Saque duma nova letra de câmbio. **2.** *Bras. Jur.* Ato pelo qual o portador ou tomador de uma letra de câmbio protestada por falta de aceite ou de pagamento se reembolsa do valor dela, e das despesas feitas, sacando nova letra, à vista e direto, contra qualquer dos coobrigados. **3.** *Jur.* Essa nova letra. [Tb. se admite o *ressaque* (2) para reembolso de notas promissórias vencidas e protestadas por falta de pagamento. Cf. *recâmbio* (2) e *retorno* (5).]

ressaquinhense ***Adj. 2 g.*** **1.** De, ou pertencente ou relativo a Ressaquinha (MG). • ***S. 2 g.*** **2.** O natural ou habitante de Ressaquinha.

ressarcimento [De *ressarcir* + *-mento.*] ***S. m.*** Ato ou efeito de ressarcir(-se); indenização, reparação, compensação.

ressarcir [Do lat. *resarcire.*] ***V. t. d. T. d. e i.*** **1.** Indenizar, compensar, reparar (um dano, um prejuízo, um agravo, um débito, etc.), ou indenizar ou compensar (alguém) por esse tipo de coisa: *Ressarcirá os prejuízos decorrentes do atraso das obras; Ressarci-o dos danos que lhe causei;* "Passou-lhe pela mente que poderia ressarcir com esse dom o conforto perdido." (José Américo de Almeida, *A Bagaceira*, p. 126). **2.** Abastecer, prover: *Os navios ressarciram a cidade; Ressarciu de alimentos a população faminta.* ***P.*** **3.** Compensar-se, pagar-se: "Ardia por se ressarcir do tempo perdido" (Abel Botelho, *Mulheres da Beira*, p. 55). [Defect. Só se conjuga nas f. em que ao *c* do radical se segue a vogal *i*. Alguns aceitam a conjugação integral.]

ressaudação (a-u) [De *ressaudar* + *-ção.*] ***S. f.*** Ato ou efeito de ressaudar.

ressaudar (a-u) [De *re-* + *saudar.*] ***V. t. d.*** **1.** Tornar a saudar. **2.** Responder à saudação de. [Conjug.: v. *saudar.*]

ressecação [De *ressecar* + *-ção.*] ***S. f.*** Ressecamento.

ressecamento [De *ressecar* + *-mento.*] ***S. m.*** Ato ou efeito de ressecar(-se); ressecação.

ressecante [De *ressecar* + *-nte.*] ***Adj. 2 g.*** Que resseca.

resseção [Var. de *ressecção.*] ***S. f. Cir.*** Excisão de um órgão em extensão variável, até mesmo total. [Cf. *recessão.*]

ressecar[1] [De *re-* + *secar*[1].] ***V. t. d.*** **1.** Tornar a secar; secar de novo. **2.** Secar muito; ressequir: "A seca calcina a terra, resseca os matagais, torra as capoeiras decotadas" (Gustavo Barroso, *Terra de Sol*, p. 177). **3.** Sujeitar a evaporação: *O sol inclemente ressecou rios e lagos.* ***P.*** **4.** Tornar-se excessivamente seco; ressequir-se. [Conjug.: v. *trancar*. Pres. ind.: *resseco*, *ressecas*, *resseca*, etc. Cf. *resseco* (ê), as flex. *resseca* (ê) e *ressecas* (ê), e *ressicar.*]

ressecar[2] [Do lat. *resecare*, 'cortar', 'suprimir'.] ***V. t. d.*** Fazer a resseção de.

ressecção [Do lat. *resectione*, 'poda'.] ***S. f. Cir.*** V. *resseção.*

resseco (ê) [De *re-* + *seco.*] ***Adj.*** Muito seco; seco em excesso. [Flex.: *resseca* (ê), *ressecos* (ê) e *ressecas* (ê). Cf. *resseco*, *ressecas* e *resseca*, do v. *ressecar.*]

ressegar [De *re-* + *segar.*] ***V. t. d.*** Segar novamente; tornar a segar. [Conjug.: v. *regar.*]

ressegurar [De *re-* + *segurar.*] ***V. t. d.*** Pôr outra vez no seguro, tornar a segurar (prédio, mercadoria, etc.).

resseguro[1] [Dev. de *ressegurar.*] ***S. m.*** Operação pela qual um segurador cede a outro uma parte da responsabilidade e do prêmio referentes a um contrato de seguro, reduzindo com isso o risco que assumira. [Sin. (p. us.): *contrasseguro.*]

resseguro[2] [Part. irreg. de *ressegurar.*] ***Adj.*** Que foi ressegurado.

resseguro[3] [De *re-* + *seguro.*] ***Adj.*** Muito seguro; firmíssimo.

resselar [De *re-* + *selar*[2].] ***V. t. d.*** Tornar a selar[2] (1): *resselar as cartas.*

ressemeadura [De *ressemear* + *-dura.*] ***S. f.*** Ato ou efeito de ressemear; nova semeadura.

ressemear [Do lat. *reseminare.*] ***V. t. d.*** Tornar a semear. [Conjug.: v. *frear.*]

ressentido [Part. de *ressentir.*] ***Adj.*** **1.** Melindrado, magoado, ofendido, ressabiado. **2.** Que se melindra ou ressente com facilidade. **3.** Que sofreu os efeitos de abalo, dano ou moléstia: *Ressentido, seu corpo mal podia mover-se.* **4.** *Pop.* Diz-se de fruto que principia a apodrecer. • ***S. m.*** **5.** Indivíduo ressentido (1 e 2).

ressentimento [De *ressentir* + *-mento.*] ***S. m.*** **1.** Ato ou efeito de ressentir(-se). **2.** *Fig.* Mágoa (3) ou pesar profundo, decorrente ger. de ofensa ou violência praticada por outrem, ou de infortúnio.

ressentir [De *re-* + *sentir.*] ***V. t. d.*** **1.** Sentir novamente. **2.** Magoar-se muito com; sentir profundamente: *Ressentiu o rompimento do noivado e não mais pensou em casamento.* ***P.*** **3.** Mostrar-se ofendido; melindrar-se, magoar-se: *As crianças ressentem-se dos castigos severos.* **4.** Dar fé; reparar, advertir-se: *Só muito mais tarde se ressentiria o general da ineficácia de sua tática.* **5.** Despertar, excitar-se, estimular-se: *A coragem ressente-se nos grandes momentos históricos.* **6.** Sofrer as consequências de algo: *A economia ressente-se das crises políticas.* [Irreg. Conjug.: v. *sentir*. Pres. ind.: *ressinto*, etc. Cf. *recinto.*]

ressequido [Part. de *ressequir.*] ***Adj.*** **1.** Que se ressequiu; seco. **2.** Desprovido de umidade: *pele ressequida.* **3.** Muito magro; mirrado, seco.

ressequir [De *resseco* + *ir.*] ***V. t. d.*** **1.** Secar muito; ressecar; exsicar: *O sol escaldante ressequiu toda a planície.* **2.** Fazer perder o suco ou umidade: *ressequir frutas.* ***P.*** **3.** Tornar-se muito seco; ressecar-se. [Defect. Só se conjuga nas f. em que após o *qu* do radical vem a vogal *i.*]

resserenar [De *re-* + *serenar.*] ***V. t. d.*** **1.** Tornar muito sereno; acalmar completamente. ***Int.*** **2.** Serenar de novo; acalmar-se completamente; resserenar-se: "O tempo resserenou, as estrelas se acenderam." (Xavier Marques, *Jana e Joel*, p. 100.) **3.** Tornar ressereno (1); acalmar: "A chuva chove mansamente .... como um sono / Que tranquilize, pacifique, resserene..." (Cecília Meireles, *Nunca mais... e Poema dos Poemas*, p. 29.) ***P.*** **4.** Resserenar (2).

ressereno [De *re-* + *sereno*[2].] ***Adj.*** **1.** Muito sereno; inteiramente calmo. **2.** Que readquiriu tranquilidade.

resservir [De *re-* + *servir.*] ***V. t. d.*** Servir novamente. [Irreg. Conjug.: v. *aderir.*]

ressicação [De *ressicar* + *-ção.*] ***S. f.*** Ato ou efeito de ressicar(-se).

ressicar [Do lat. tard. *resiccare.*] ***V. t. d. P. us.*** **1.** Tornar resseco; ressequir, ressecar. ***P.*** **2.** Ressecar-se, ressequir-se. [Conjug.: v. *trancar*. Cf. *ressecar.*]

ressoador (ô) [De *ressoar* + *-dor.*] ***Adj.*** **1.** Que ressoa. • ***S. m.*** **2.** *Mús.* Peça destinada a ampliar a sonoridade de certos instrumentos musicais.

ressoante [Do lat. *resonante*, por via pop.] ***Adj. 2 g.*** Que ressoa; ressonante, ressonador.

ressoar [Do lat. *resonare*, por via pop.] ***V. t. d.*** **1.** Fazer soar; entoar; ressonar: *O carrilhão ressoou as 10 badaladas.* **2.** Repetir, reproduzir (sons); repercutir: *As montanhas ressoavam o tropel do cavalo.* **3.** *Fig.* Cantar (1): *ressoar uma melodia.* ***Int.*** **4.** Soar de novo; repercutir(-se), ecoar: *Vozes longínquas ressoaram aos nossos ouvidos;* "Olhava, ... sem compreender, ... — quando .... outra buzina soou, chamando socorro para outra lama atacada. Mais tumultuosas se precipitaram as orações do ermitão. Mas a buzina ressoava mais aflita!" (Eça de Queirós, *Últimas Páginas*, p. 110). **5.** Soar com força; estrondear, ressonar: *Ressoam as trombetas;* "Ressoa

R

perto o estrupido dos guerreiros" (José de Alencar, *Iracema*, p. 81). [Conjug.: v. *coroar*. Cf. *ressuar*.]

ressobrar [De *re-* + *sobrar*.] ***V. int.*** Sobrar, sobejar em excesso: *ressobram complicações*.

ressoca [De *re-* + *soca*[1].] ***S. f. Bras.*** V. *soca*[1] (2).

ressocialização [De *ressocializar* + *-ção*.] ***S. f.*** Ato ou efeito de ressocializar(-se).

ressocializar [De *re-* + *socializar*.] ***V. t. d. P.*** Tornar a socializar(-se).

ressolana [Do esp. plat. *resolana*.] ***S. f. Bras. RS*** Soalheira muito forte.

ressoldar [De *re-* + *soldar*.] ***V. t. d.*** **1.** Soldar de novo: *Ressoldou a peça partida*. **2.** Soldar bem: *Ressoldei a peça de modo que não se partirá mais*.

ressolhador (ô) [De *ressolhar* + *-dor*.] ***Adj. Bras. RS*** **1.** Que ressolha. **2.** Sonador.

ressolhar [De esp. plat. *resollar*.] ***V. int. Bras. RS*** **1.** Sofrer nos olhos as consequências do sol forte. **2.** Respirar (o animal) a custo, produzindo um som característico.

ressolto (ô) [De *re-* + *solto*.] ***Adj.*** Dissolvido, desfeito.

ressonadela [De *ressonar* + *-dela*.] ***S. f.*** **1.** Ato de ressonar (2) de leve e/ou por pouco tempo. **2.** Ressono[1] (2).

ressonador (ô) [De *ressonar* + *-dor*.] ***Adj.*** **1.** V. *ressoante*. ● ***S. m.*** **2.** Aquele ou aquilo que ressona ou ressoa.

ressonância [Do lat. *resonantia*.] ***S. f.*** **1.** Qualidade ou propriedade de ressonante. **2.** *Fís.* Vibração enérgica que se provoca num sistema oscilante quando atingido por uma onda mecânica de frequência igual a uma das suas frequências próprias; reforço da intensidade de uma onda pela vibração de um sistema que tem uma frequência própria igual à frequência da onda. **3.** *Fís.* Transferência de energia de um sistema oscilante para outro quando a frequência do primeiro coincide com uma das frequências próprias do segundo. **4.** *Fís. Nucl.* Partícula elementar, de vida muito curta, e que, aparentemente, é um sistema transitório que se forma em interações de outras partículas; ressonon. **5.** *E. Ling.* Modificação que a cavidade pulmonar, a cavidade oral e as cavidades nasais, chamadas *caixas de ressonância*, imprimem às vibrações do ar emitido, reforçando algumas delas e atenuando outras, e da qual resulta o timbre (6). ◆ **Ressonância magnética.** *Radiol.* V. *espectroscopia de ressonância magnética nuclear*. **Ressonância magnética nuclear.** *Quím. Radiol.* **1.** O fenômeno que é empregado na espectroscopia de ressonância magnética nuclear. **2.** V. de *espectroscopia de ressonância magnética nuclear*.

ressonante [Do lat. *resonante*, por via erudita.] ***Adj. 2 g.*** V. *ressoante*.

ressonar [Do lat. *resonare*, por via erudita.] ***V. t. d.*** **1.** Fazer soar; entoar, ressoar: *Os sinos da catedral ressonam as horas*. ***Int.*** **2.** Respirar estrepitosamente, dormindo; roncar. **3.** Respirar com regularidade, dormindo; dormir: *A criança ressonava tranquila*; "Carmelo Torres podia ressonar tranquilo, fechadas as portas do consciente, em mundo isolado." (Tito Batini, *Inácio, Pastor de Nuvens*, p. 17). **4.** Soar com força, estrondear, ribombar, ressoar: *Ressonam os clarins*; "Ressona horrendo o pego em sua profundeza." (Alberto de Oliveira, *Poesias*, 4.ª série, p. 238). **5.** Repousar no sono; dormir.

ressono[1] [Dev. de *ressonar*.] ***S. m.*** **1.** Ato de ressonar ou ressoar. **2.** Ato de ressonar (2 e 3); ressonadela.

ressono[2] [De *re-* + *sono*.] ***S. m.*** **1.** Sono prolongado e/ou profundo. **2.** *Fig.* Sossego profundo; quietação absoluta: "Levanta-se no ressono da noite um grito vibrante, que remonta ao céu." (José de Alencar, *Iracema*, p. 76.)

ressonon [De *resson(ância)* + *-on*.] ***S. m. Fís. Nucl.*** Ressonância (4).

ressoo [Dev. de *ressoar*.] ***S. m.*** Ato ou efeito de ressoar: "Não sente a ondulação, não escuta o ressoo / das vagas" (Hermes-Fontes, *Despertar!*, p. 17). ❖

ressoprar [De *re-* + *soprar*.] ***V. t. d.*** Soprar novamente.

ressorção [Do lat. **resorptione* (< lat. *resorptus*, part. pass. de *resorbere* [v. *ressorver*], seg. o modelo de *absorptione*, v. *absorção*); fr. *résorption*.] ***S. f.*** **1.** Ato ou efeito de ressorver. **2.** *Fisiol. Patol.* Perda de substância devida a causas fisiológicas ou patológicas.

ressorrir [De *re-* + *sorrir*.] ***V. t. i. Int.*** Tornar a sorrir; sorrir de novo: "Ressorri-me a estrela peregrina e casta." (Alberto de Oliveira, *Póstuma*, p. 25.) [Conjug.: v. *rir*.]

ressorver [Do lat. *resorbere*.] ***V. t. d.*** Tornar a sorver; sorver de novo; reabsorver.

ressuar [Do lat. *resudare*, por via pop.] ***V. int.*** Suar muito; transpirar excessivamente. [Cf. *ressoar*.]

ressudação [Do lat. tard. *resudatione*.] ***S. f.*** Ato ou efeito de ressudar.

ressudar [Do lat. *resudare*, por via erudita.] ***V. int.*** **1.** Tornar a suar; transpirar de novo. ***T. d.*** **2.** V. *ressumar* (1). **3.** Expelir, suando: *Cristo ressudou sangue no Calvário*.

ressulcar [Do lat. tard. *resulcare*, 'tornar a lavrar a terra', ou de *re-* + *sulcar*.] ***V. t. d.*** **1.** Sulcar novamente; tornar a sulcar. **2.** Sulcar seguidas vezes. [Conjug.: v. *trancar*.]

ressumação [De *ressumar* + *-ção*.] ***S. f.*** Ato ou efeito de ressumar.

ressumante [De *ressumar* + *-nte*.] ***Adj. 2 g.*** Que ressuma, goteja: "Não falemos, que as nossas vozes, baças, / recuam espavoridas / das galerias ressumantes, das reentrâncias / de um monstruoso caracol..." (João Guimarães Rosa, *Magma*, p. 36.)

ressumar [De *re-* + *sumo*[1] + *-ar*[2].] ***V. t. d.*** **1.** Deixar cair gota a gota (um líquido); gotejar, destilar, ressudar. **2.** *Fig.* Deixar transparecer; revelar, patentear, denotar: *Sua face ressuma tristeza*. ***Int.*** **3.** Dar passagem a um líquido, coando-o; coar, filtrar. **4.** *Fig.* Deixar-se transparecer; mostrar-se, patentear-se. [Talvez var.: *ressumbrar*.]

ressumbrar [De or. incerta.] ***V. t. d. Int.*** V. *ressumar*: "— Quando uma mulher é correspondida no seu amor, toda ela ressumbra contentamento e felicidade" (Aluísio Azevedo, *O Coruja*, p. 223).

ressumbro [Dev. de *ressumbrar*.] ***S. m.*** Ato ou efeito de ressumbrar.

ressunção [Do lat. tard. *resumptione*.] ***S. f.*** **1.** Ato ou efeito de reassumir; reintegração. **2.** Nova exibição.

ressupinação [De *ressupinar* + *-ção*.] ***S. f.*** Ato ou efeito de ressupinar.

ressupinado [De *ressupino* + *-ado*[1].] ***Adj.*** **1.** *Bot.* Diz-se de órgão ou parte vegetal que está invertida em relação à posição considerada normal: *A folha ressupinada mostra a face inferior voltada para cima*. **2.** *Zool.* Diz-se de órgão, estrutura, ou apêndice, invertido ou, aparentemente, voltado para trás.

ressupinar [Do lat. *resupinare*.] ***V. t. d.*** Tornar ressupino ou ressupinado: *ressupinar o corpo*.

ressupino [Do lat. *resupinu*.] ***Adj.*** **1.** Deitado de costas, ou com as costas no chão: "O cavalo estafado do beduíno / Sob a vergasta tomba ressupino / E morre no areal." (Castro Alves, *Obra Completa*, p. 255.) **2.** *Bot. Zool.* V. *ressupinado*.

ressurgência [De *ressurgir* + *-ência*.] ***S. f.*** **1.** V. *ressurgimento*. **2.** *Ocean.* Fenômeno em que a água do mar, fria, fértil em plâncton, situada em grande profundidade, sobe à superfície em forma de correnteza ascensional. **3.** *Ocean.* O local onde ocorre tal fenômeno.

ressurgente [De *ressurgir* + *-ente*.] ***Adj. 2 g.*** Que ressurge. ~ V. *doença —*.

ressurgido [Part. de *ressurgir*.] ***Adj.*** Que ressurgiu; revivido, ressuscitado.

ressurgimento [De *ressurgir* + *-mento*.] ***S. m.*** Ato ou efeito de ressurgir; ressurreição, ressurgência.

ressurgir [Do lat. *resurgere*.] ***V. int.*** **1.** Tornar a surgir; reaparecer: *Diariamente ressurge o sol*. **2.** Tornar à vida; reviver, ressuscitar: *Segundo o cristianismo, todos os homens ressurgirão no Juízo Final*. **3.** Manifestar-se novamente; tornar a manifestar-se: *A febre ressurgiu à noitinha*. ***T. d.*** **4.** Fazer voltar à vida; fazer ressurgir; ressuscitar: "Não podes ressurgir os corpos perecidos / mas podes devolver-me os sonhos já perdidos." (Odilo Costa Filho, *Cantiga Incompleta*, p. 58.) [Conjug.: v. *dirigir*.]

ressurrecto [Do lat. *resurrectu*.] ***Adj.*** Que ressurgiu ou ressuscitou; ressurgido. [Var.: *ressurreto*.]

ressurreição [Do lat. tard. *resurrectione*.] ***S. f.*** **1.** Ato ou efeito de ressurgir ou ressuscitar; ressurgência. **2.** *Rel.* Festa católica comemorativa da ressurreição de Cristo, ao terceiro dia após a morte: "Meu Deus! A missa terminado tinha! / Perdeste a missa da Ressurreição!" (Raimundo Correia, *Poesias*, p. 53.) **3.** *Fam.* Cura surpreendente e imprevista. **4.** *Fig.* Vida nova; renovação, restabelecimento. **5.** Quadro que representa a ressurreição de Cristo. **6.** *Rel.* Na doutrina cristã, o surgir para uma nova e definitiva vida, distinta e, em certa medida, oposta à existência terrestre, e que, a partir da ressurreição de Cristo, aguarda todos os fiéis cristãos.

ressurreto ***Adj.*** V. *ressurrecto*.

ressurtir [Do fr. *ressortir*, fonte tb. do esp. *resurtir*.] ***V. int.*** **1.** Saltar com força para o ar; erguer-se impetuosamente: "Às vezes, ressurtia ao ar uma faísca" (Alcides Maia, *Tapera*, p. 31). **2.** Aparecer, surgir: *As preocupações ressurtem diariamente*.

ressuscitação [Do lat. tard. *ressuscitatione*.] ***S. f. Med. Anest.*** Conjunto de atos pelos quais, mediante o uso de manobras manuais e de aparelhos adequados, se restaura a vida ou a consciência de indivíduo aparentemente morto.

ressuscitador (ô) [Do lat. tard. *resuscitatore*.] ***Adj.*** **1.** Que ressuscita, renova ou restaura; restaurador, renovador. ● ***S. m.*** **2.** Aquele ou aquilo que ressuscita. **3.** *Med. Anest.* Designação genérica de instrumento usado em ressuscitação. [De acordo com seu âmbito de ação um ressuscitador ou só atua sobre a respiração, ou auxilia a respiração e simultaneamente efetua massagem cardíaca externa, etc.]

ressuscitamento [De *ressuscitar* + *-mento*.] ***S. m.*** Ato de ressuscitar; ressurreição.

ressuscitar [Do lat. *resuscitare*.] ***V. t. d.*** **1.** Fazer voltar à vida; reviver, ressurgir. **2.** Restaurar, renovar, reproduzir: *A sociedade moderna ressuscitou costumes do passado*. ***Int.*** **3.** Voltar à vida; tornar a viver; reviver, ressurgir. **4.** Tornar a surgir; reaparecer, ressurgir: *Modas antigas ressuscitam de tempos em tempos*. **5.** Escapar de grande perigo.

restabelecer [De *re-* + *estabelecer*.] ***V. t. d.*** **1.** Estabelecer novamente; repor no antigo estado ou condição: *O velho profeta pretendia restabelecer teorias ultrapassadas*. **2.** Restaurar, reparar, recuperar: *O sono restabelece a energia*. **3.** Instituir de novo; reformar: *Monarquistas querem restabelecer o império*. **4.** Restituir à forma exata: *restabelecer um documento adulterado*. ***T. d. e i.*** **5.** Pôr, colocar (no lugar, posição ou situação primitiva); reintegrar, reconduzir: *O presidente restabeleceu no governo o antigo ministério*. ***P.*** **6.** Voltar ao estado primitivo: *Com a nova orientação restabeleceu-se a tranquilidade local*. **7.** Recuperar as forças ou a saúde; curar-se, recuperar-se, restaurar-se: *O doente restabeleceu-se inteiramente*. [Conjug.: v. *aquecer*.]

restabelecido [Part. de *restabelecer*.] ***Adj.*** Que recobrou as forças ou a saúde.

restabelecimento [De *restabelecer* + *-imento*.] ***S. m.*** **1.** Ato ou efeito de restabelecer(-se). **2.** Recuperação, restauração. **3.** Volta à saúde; cura.

resta-boi [De *restar boi*.] ***S. m. Bot.*** Erva fabácea (*Ononis procurrens*) nativa da Europa, de folhas penadas e estipuladas, flores pequenas e racemosas, e legumes dilatados e oligospermos. [Pl.: *resta-bois*.]

restagnação [Do lat. *restagnatione*.] ***S. f.*** V. *estagnação* (1 e 2).

restampa ***S. f.*** V. *reestampa*.

restampar ***V. t. d.*** V. *reestampar*.

restante [Do lat. *restante*.] ***Adj. 2 g.*** **1.** V. *remanescente* (1). ● ***S. m.*** **2.** Resto[1] (1).

restar [Do lat. *restare*.] ***V. int.*** **1.** Sobrar, sobejar: "Raquel, nem um só momento desnudaste por inteiro tua alma. / Restou sempre um recanto escondido" (Odilo Costa Filho, *Cantiga Incompleta*, p. 28); *Segundo os cálculos, pouco dinheiro restará*. **2.** Continuar vivendo, sendo, existindo, depois de outra pessoa ou coisa; sobreviver, ficar: *Ninguém restou para contar o ocorrido*. **3.** Ficar ou subsistir como resto ou remanescente: *Resta uma só esperança*. **4.** Faltar para fazer, para completar: *Resta apenas o acabamento, para que a obra seja entregue*. ***T. i.*** **5.** Ficar, existir, após destruição de uma ou mais partes; sobreviver: *Só estas colunas restam do antigo templo*. **6.** Ficar ou subsistir como resto: *Só me restam as recordações*. **7.** Faltar (para fazer); faltar (para certos fins): *Resta-lhes metade do caminho para percorrer*. ***T. c. e i.*** **8.** Dever por saldo: *Resto 500 reais ao credor*.

restauração [Do lat. tard. *restauratione*.] ***S. f.*** **1.** Ato ou efeito de restaurar(-se). **2.** Recuperação, restabelecimento. **3.** Reparo, reparação, conserto. **4.** Recuperação de forças; reconstituição, renovação. [Sin., nessas acepçs. (1 a 4): *restauro*.] **5.** Restabelecimento de uma situação histórica vivida anteriormente, quer pela recuperação da independência de uma nação, quer pela volta ao poder de um regime ou de uma dinastia: *A guerra da Restauração ocorreu entre Portugal e Espanha em meados do séc. XVII; Na Inglaterra, a restauração dos Stuarts sucedeu-se ao regime republicano de Cromwell*. **6.** Trabalho de recuperação feito em construção ou obra de arte parcialmente destruída. **7.** Conjunto de intervenções técnicas e científicas, de caráter intensivo, que visam a garantir, no âmbito de uma metodologia crítico-estética, a perenidade dum patrimônio cultural. **8.** *Arquit.* Conjunto de intervenções que visam ao restabelecimento total ou parcial de uma edificação a uma fase anterior.

restaurador (ô) [Do lat. tard. *restauratore*.] ***Adj.*** **1.** Que restaura; restaurante, restaurativo. ● ***S. m.*** **2.** Aquele que restaura. **3.** Aquele que realiza a restauração de um país, ou dela é partidário. **4.** *Bras.* V. *caramuru* (3). **5.** *Bras. RS* V. *carimboto*.

restaurante[1] [Do fr. *restaurant*, nome duma casa de pasto aberta em 1767 em Paris.] ***S. m.*** **1.** Estabelecimento comercial onde se preparam e servem refeições. [Cf. *casa de pasto*.] **2.** Lugar onde se servem refeições avulsas a certo número de pessoas: *o restaurante duma fábrica, dum hospital, dum trem*.

restaurante[2] [Do lat. *restaurante*.] ***Adj. 2 g.*** **1.** V. *restaurador* (1). **2.** Restaurativo (2).

restaurar [Do lat. *restaurare*, 'reedificar', 'refazer', 'reparar'; 'recuperar'; 'recomeçar'.] ***V. t. d.*** **1.** Obter de novo a posse ou domínio de (coisa perdida); recuperar, reconquistar, recobrar, reaver: *As tropas restauraram o território ocupado.* **2.** Pôr em bom estado; reparar: *restaurar um edifício.* **3.** Repor, devolver ao estado ou condição anterior ou original; restabelecer, recuperar: *restaurar a vida ou a consciência de indivíduo aparentemente morto.* **4.** Refazer, ou consertar, ou recuperar (construção, obra de arte, livro, ou artefato antigos ou raros), visando reconstituir o seu estado original, segundo indicações, métodos e meios específicos: *restaurar uma igreja, um quadro, uma escultura, uma tapeçaria;* "A arte de restaurar velhos livros, chamada bibliátrica, é uma arte delicada e difícil" (Eduardo Frieiro, *Os Livros Nossos Amigos*, p. 128). **5.** Consertar, reparar, compor: *restaurar um objeto danificado.* **6.** Pôr de novo em vigor; instituir novamente; restabelecer, restituir: "tinha por certo que havia de restaurar a tranquilidade e a segurança, privadas, e restabelecer o domínio das leis." (Franklin Távora, *O Cabeleira*, p. 180). **7.** Recuperar, renovar, reconstituir (força, vigor, energia, etc.); revigorar: Preciso descansar para restaurar as forças. **8.** Começar outra vez; reiniciar, recomeçar: *Os inimigos restauraram as hostilidades.* **9.** Dar novo esplendor a: *O Renascimento restaurou a ciência e as artes.* **10.** Restituir (uma dinastia, um governo derrubado) ao poder: *A Revolução de 1640 restaurou a monarquia portuguesa.* **11.** Satisfazer, pagar, indenizar: *restaurar prejuízos. P.* **12.** Recobrar as forças ou a saúde; recuperar-se, restabelecer-se: *O doente vai restaurar-se em breve.*

restaurativo [De *restaurar* + *-tivo.*] *Adj.* **1.** V. *restaurador* (1). **2.** Que pode restaurar; restaurante.

restaurável [De *restaurar* + *-vel.*] *Adj. 2 g.* Que se pode restaurar.

restauro [Dev. de *restaurar.*] *S. m.* V. *restauração* (1 a 4).

reste[1] [Do ingl. *rest.*] *S. m.* V. *fancho.* [Var.: *resto.*]

reste[2] *S. m.* V. *riste.*

restelar *V. t. d.* V. *rastelar.* [Pres. ind.: *restelo*, etc. Cf. *restelo* (ê), s. m., *Restelo* (ê), top. e *restilar*, v.]

restelo (ê) *S. m.* V. *rastelo.* [Pl.: *restelos* (ê). Cf. *restelo*, do v. *restelar.*]

resteva (ê) [Do lat. vulg. **restipa.*] *S. f.* V. *restolhal.*

réstia [Do lat. *reste*, com alongamento popular como em *véstia.*] *S. f.* **1.** Corda de palha ou de hastes entrelaçadas: *A cebola é geralmente vendida em réstias;* "mochilas de sal, réstias de alho." (Graciliano Ramos, *Infância*, p. 128). **2.** Feixe de luz.

restiforme [Do lat. *reste*, 'corda', 'réstia', + *-iforme.*] *Adj. 2 g.* Que tem forma de réstia.

restilação [De *restilar* + *-ção.*] *S. f.* Ato ou efeito de restilar; restilo.

restilada [F. subst. de *restilado.*] *S. f. Bras.* Resíduo líquido da destilação da aguardente.

restilado [Part. de *restilar.*] *Adj.* Destilado pela segunda vez.

restilar [Do lat. tard. *restillare*, 'estar correndo gota a gota'.] *V. t. d.* Destilar pela segunda vez; tornar a destilar. [Cf. *restelar.*]

restilo [Dev. de *restilar.*] *S. m.* **1.** Restilação. **2.** *Bras. MA MG SP MT* V. *cachaça* (1): "Como é que se ia brincar, se não tinha vindo ainda a 'arma' do brinquedo? A alma do brinquedo era a aguardente. | — É, sem 'restilo' é que não." (Viriato Correia, *Contos do Sertão*, p. 235.) **3.** V. *vinhoto.*

restinga [De or. obscura.] *S. f.* **1.** Língua de areia ou de pedra que, partindo do litoral, se prolonga para o mar, quer fique sempre aflorada, quer apenas na baixa-mar. **2.** Terreno litorâneo arenoso e salino, e recoberto de plantas herbáceas e arbustivas típicas desses lugares. **3.** Escolho, recife, arrecife. **4.** *Bras.* Faixa de mato às margens de igarapé ou rio. **5.** *Bras. PA* Faixa de mato às margens de rio, a qual, por ocasião das grandes marés ou cheias de inverno, aflora, enquanto o terreno permanece submerso. **6.** *Bras. RJ* Designação comum a depressões rasas, alagadas ou secas, sempre retas, e rigorosamente paralelas à linha da costa. **7.** *Bras. MG* Rebotalho das terras lavradas, onde minerava a gente pobre. **8.** *Bras. S.* Faixa de terra arenosa entre uma lagoa e o mar. **9.** *Bras. PR* Mata longa e estreita que divide dois campos de pastagem. **10.** *Bras. RS* Pequeno arroio ou sanga com as margens recobertas de mato.

restingal [De *restinga* + *-al*[1].] *S. m. Bras. RS* Região de muitas ou longas restingas.

restingão [De *restinga* + *-ão*[1].] *S. m. Bras. SC* Caminho extenso e orlado de matas.

restingueiro [De *restinga* + *-eiro.*] *S. m. Bras.* V. *caipira* (1).

restinguense[1] *Adj. 2 g.* **1.** De, ou pertencente ou relativo a Restinga (SP). ● *S. 2 g.* **2.** O natural ou habitante de Restinga.

restinguense[2] *Adj. 2 g.* **1.** De, ou pertencente ou relativo a Restinga Seca (RS). ● *S. 2 g.* **2.** O natural ou habitante de Restinga Seca.

restinguir [Do lat. *restinguere.*] *V. t. d.* Extinguir novamente. [Conjug.: v. *extinguir.*]

restionácea [De lat. cient. *Restion-* (do tax. *Restio*) + *-ácea*; tax. *Restionaceae.*] *S. f. Bot.* Espécime das restionáceas, família de plantas da ordem das restionales, com cerca de 300 espécies, que compreende ervas graminiformes, dioicas, com flores em espiguilhas solitárias ou paniculadas, e fruto capsular ou indeiscente.

restionáceo [De *restionácea*, com var. suf. (v. *-áceo*).] *Adj. Bot.* Pertencente ou relativo às restionáceas.

restional [Do lat. cient. *Restion-* (v. *restionácea*) + *-al*[1].] *Adj. 2 g. Bot.* Pertencente ou relativo às restionales.

restionale [Do lat. cient. *Restion-* (v. *restionácea*) + *-ale*; tax. *Restionales.*] *S. f. Bot.* Espécime das restionales, ordem de plantas monocotiledôneas, com 4 famílias e cerca de 450 espécies que crescem, principalmente, em regiões temperadas do hemisfério austral.

restituição (u-i) [Do lat. *restitutione.*] *S. f.* **1.** Ato ou efeito de restituir(-se). **2.** Devolução de coisa emprestada, ou que se possui indebitamente, àquele a quem por direito ela pertence. **3.** Pagamento de dinheiro tomado por empréstimo. **4.** Reivindicação, recuperação, reintegração, reabilitação.

restituidor (u-i... ô) [Do lat. *restitutore.*] *Adj.* *S. m.* Que, ou aquele que restitui.

restituir [Do lat. *restituere.*] *V. t. d.* **1.** Entregar (o que se possuía por empréstimo, ou indevidamente, ou ocasionalmente); devolver: *Terminada a leitura, restituiu o livro; Restituir uma carteira perdida.* **2.** Fazer voltar; retornar: *O mar restituiu o corpo do afogado.* **3.** Restabelecer o estado anterior de; restaurar, consertar, reparar: *O artesão restituiu a boneca quebrada.* **4.** Refazer (uma obra) segundo indicações de seu estado original: *restituir um templo grego.* **5.** Pôr novamente em vigor; restaurar, restabelecer: *A moda sempre restitui antigos usos.* **6.** Satisfazer, pagar, indenizar: *restituir danos. T. d. e i.* **7.** Restituir (1): *Restituiu o carro a seu dono.* **8.** Fazer voltar ao estado ou à condição primitiva: *restituir alguém à liberdade.* **9.** Fazer recuperar, recobrar; devolver: *O medicamento restituiu-lhe a saúde;* "Nesta conjuntura a mãe por natureza e a mãe por amor porfiam cuidados para restituir a razão à pobre menina, e conseguem-no no fim do último ato." (Ramalho Ortigão, *Crônicas Portuenses*, p. 196). **10.** Dar outra vez; fazer voltar; devolver: "A branda tepidez matutina da água acalmou-lhe os nervos, refrescou-lhe a cabeça, e restituiu-lhe o vigor" (Inglês de Sousa, *O Missionário*, p. 356). **11.** Compensar, indenizar, ressarcir: *O governo restituirá os prejudicados de todos os danos sofridos.* **12.** Repor (no mesmo lugar ou posto); reconduzir, reintegrar: *A eleição restituiu-o ao posto o ex-presidente. T. d. e c.* **13.** Fazer voltar; mandar de volta; reenviar: *Restituiu o sobrinho à casa paterna. P.* **14.** Recuperar o perdido; indenizar-se: *O comerciante restituiu-se dos prejuízos aumentando os preços.* **15.** Reempossar-se, reintegrar-se: *Vencida a rebelião, o rei restituiu-se no seu posto.* **16.** Prover-se, abastecer-se (do que faltava): *restituir-se de gêneros.* **17.** Voltar, retornar: *O marinheiro sempre se restitui aos mares.* [Conjug.: v. *atribuir.*]

restituitório (u-i) [Do lat. tard. *restitutoriu*, com infl. de *restituição.*] *Adj.* **1.** Que contém restituição. **2.** Referente a restituição.

restituível [De *restituir* + *-vel.*] *Adj. 2 g.* Que pode ou deve ser restituído.

restitutório [Do lat. tard. *restitutoriu*, por via erudita.] *Adj.* Restituitório (q. v.).

resto[1] [Dev. de *restar.*] *S. m.* **1.** O que fica ou resta; o mais; o restante. **2.** Aquilo que sobra; remanescente, saldo. **3.** *Mat.* Numa divisão aritmética, a diferença entre o dividendo e o produto do divisor pelo quociente. **4.** V. *resíduo* (2). ~ V. *restos.* ◆ **A resto de barato.** Por preço muito baixo. **De resto.** Quanto ao mais, afinal de contas; aliás. **Tratar de resto.** Não fazer caso de; desprezar, pospor (alguém).

resto[2] [Var. de *reste*[1].] *S. m.* V. *fancho.* ~ V. *restos.*

restolhada [De *restolho* + *-ada*[1].] *S. f.* **1.** Grande quantidade de restolho. **2.** *Fig.* Barulho produzido por quem anda por entre o restolho. **3.** Grande ruído; estrondo.

restolhal [De *restolho* + *-al*[1].] *S. m.* Terreno em que há restolho; resteva, restolho.

restolhar [De *restolho* + *-ar*[2].] *V. int.* **1.** Fazer ruído andando sobre o restolho. **2.** Catar ou procurar os restos: *As crianças restolhavam na feira livre.* **3.** Fazer ruído ou bulha: *Os cães de caça iam andando sem restolhar. T. d.* **4.** Catar, procurar, buscar: *O professor corrigia as provas restolhando erros.* [Pres. ind.: *restolho*, etc. Cf. *restolho* (ô).]

restolho (ô) [De or. obscura.] *S. m.* **1.** A parte inferior das gramíneas que fica enraizada após a ceifa. **2.** V. *restolhal.* **3.** *Bras.* Resíduos, restos, sobras. [Pl.: *restolhos* (ó). Cf. *restolho*, do v. *restolhar.*]

restos [Pl. de *resto.*] *S. m. pl.* **1.** Destroços, ruínas. **2.** Os despojos mortais; o cadáver ou o esqueleto de alguém; restos mortais; despojos. **3.** O que sobrou; sobras: *os restos do jantar.* ~ V. *resto.* ◆ **Restos a pagar.** *Cont.* Em Contabilidade Pública, despesas empenhadas mas não pagas no exercício financeiro a que se referem. **Restos mortais.** V. *restos* (2).

restribar [De *re-* + *estribar*, com síncope.] *V. t. i.* **1.** Opor-se com firmeza; fazer finca-pé; não ceder; resistir: *Os inimigos restribaram contra as propostas de paz. P.* **2.** Estar firme nos estribos: *O cavaleiro restribou-se durante toda a carreira.* **3.** Escorar-se, firmar-se, apoiar-se: *O bêbedo restribava-se nas paredes.*

restrição [Do lat. tard. *restrictione.*] *S. f.* **1.** Ato ou efeito de restringir(-se). **2.** Condicionante (2). ◆ **Restrição mental.** Ato secreto do espírito pelo qual as palavras ditas se restringem a um sentido que não é o normal.

restringência [De *restringir* + *-ência.*] *S. f.* Qualidade de restringente.

restringente [Do lat. *restringente.*] *Adj. 2 g.* **1.** V. *restritivo.* **2.** Diz-se do medicamento que restringe partes relaxadas. ● *S. m.* **3.** Medicamento restringente.

restringibilidade [De *restringível* (*restringibil-*) + *-(i)dade.*] *S. f.* Qualidade ou condição de restringível.

restringir [Do lat. *restringere.*] *V. t. d.* **1.** Tornar mais estreito ou apertado; estreitar, apertar: *As pedras restringiram a passagem do desfiladeiro.* **2.** Tornar menor; diminuir, encurtar, reduzir: *A nova estrada restringiu o percurso.* **3.** Conter dentro de certos limites; limitar, delimitar: *A lei restringe a autoridade dos chefes políticos. T. d. e i.* **4.** Reduzir, limitar, resumir: *Os tolos restringem à riqueza a felicidade. P.* **5.** Limitar-se, reduzir-se, resumir-se: *A atividade econômica restringiu-se à agricultura.* **6.** Coibir-se, abster-se, refrear-se: *O Governo não se restringirá de suas metas.* [Conjug.: v. *dirigir.*]

restringível [De *restringir* + *-vel.*] *Adj. 2 g.* Que pode ser restringido.

restritiva [F. subst. de *restritivo.*] *S. f. E. Ling.* Oração incidente que restringe ou limita o sentido de outra oração ou de uma palavra.

restritivo [Do lat. *restrictus*, part. pass. de *restringere* (v. *restringir*), + *-ivo.*] *Adj.* **1.** Que restringe; limitativo, restringente. **2.** *E. Ling.* Diz-se da relação de modificação em que um termo de caráter adjetival forma um todo com seu núcleo, como, p. ex., *que são belicosos* em relação a *homens* em *Os homens que são belicosos querem a guerra.*

restrito [Do lat. *restrictu.*] *Adj.* **1.** Que se mantém dentro de certos limites; limitado. **2.** Diminuído na sua extensão; reduzido. ~ V. *código —.*

restrugir [De *re-* + *estrugir.*] *V. int.* **1.** Estrugir de novo. **2.** Vibrar fortemente; ecoar: "pelas janelas do paço restrugia o ruído da música e dos saraus" (Alexandre Herculano, *Lendas e Narrativas*, II, p. 26). *T. d.* **3.** Fazer estrugir; fazer retumbar; atroar: *O vento restrugia as ondas fragorosas.* [Normalmente é defect., só conjugável nas 3.ªs pess.]

restucar [De *re-* + *estucar.*] *V. t. d.* **1.** Estucar outra vez. **2.** Estucar bem. [Conjug.: v. *trancar.*]

resulta [Dev. de *resultar.*] *S. f. P. us.* V. *resultado* (2).

resultado [Subst. do part. de *resultar.*] *S. m.* **1.** Ato ou efeito de resultar. **2.** Consequência, efeito, seguimento. [Sin., p. us., nesta acepç.: *resulta, resultância.*] **3.** Produto de uma operação matemática. **4.** Deliberação, decisão, resolução. **5.** Termo, fim. **6.** Lucro, proveito, ganhos, proventos. **7.** *Cont.* Lucro ou prejuízo de uma empresa em determinado exercício. [Nesta acepç., tb. us. no plural.] **8.** *Econ.* Diferença entre receitas e despesas, ou entre entradas e saídas de divisas: *resultado das contas públicas; resultado do balanço de pagamentos.* [Se a diferença é positiva, há um superávit; se negativa, um déficit.] ◆ **Resultado aproximado.** *Mat.* Número, ou expressão algébrica, que não é exato, mas é suficientemente correto para os fins a que se destina; aproximação. **Resultado nominal.** *Econ.* Em finanças públicas, a diferença entre receitas totais e despesas totais do governo. **Resultado primário.** *Econ.* Em finanças públicas, a diferença entre receitas totais e despesas do governo, excluído destas o pagamento de juros da dívida pública. [O resultado primário reflete melhor do que o resultado nominal a situação presente das finanças do governo, considerando-se que os juros da dívida decorrem de decisões tomadas no passado.]

resultância [De *resultar* + *-ância.*] *S. f. P. us.* V. *resultado* (2).

resultante [Do lat. *resultante.*] *Adj. 2 g.* **1.** Que resulta. ● *S. f.* **2.** *Álg.* Eliminante (2). **3.** *Fís.* Força que é a so-

R

ma vetorial de todas as que agem sobre um corpo. **4.** *Fís.* Linha reta que representa essa força.

resultar [Do lat. *resultare*, 'saltar para trás'.] ***V. t. i.*** **1.** Ser consequência ou efeito: *O certo resulta da crítica ao erro.* **2.** Nascer, provir, proceder, dimanar: *São considerados bastardos os filhos que resultam de concubinato.* **3.** Tornar-se, redundar, reverter: *As negociações resultaram em fracasso.* **4.** Converter-se, transformar-se: *A festa resultou em confusão.* ***Bit. i.*** **5.** Dar em resultado; originar-se, seguir-se: *A felicidade resultou-lhe do casamento.*

resumido [Part. de *resumir*.] ***Adj.*** **1.** Que se resumiu; abreviado, recopilado: *O longo romance reapareceu em edição resumida.* **2.** Curto, breve: *Fez um discurso resumido.*

resumidor (ô) [De *resumir* + *-dor*.] ***Adj. S. m.*** Que, ou aquele que resume.

resumir [Do lat. *resumere*, 'tornar a tomar'.] ***V. t. d.*** **1.** Fazer resumo de; fazer sinopse de; abreviar, epilogar, recopilar: *resumir um livro.* **2.** Representar, simbolizar, em ponto pequeno: *A responsabilidade nos pequenos atos resume a capacidade para grandes ações.* **3.** Conter em resumo; sintetizar, reunir: *Este folheto resume a teoria da relatividade.* ***T. d. e i.*** **4.** Fazer consistir; concentrar: *O sábio resume na ciência o seu mundo.* **5.** Limitar, reduzir, restringir: "Resume Gonçalves de Magalhães a filosofia do seu tempo em quatro grandes sistemas: sensualismo, espiritualismo, ceticismo e misticismo." (Evaristo de Morais Filho, em *A Literatura no Brasil*, VI, pp. 138-139); *Santo Agostinho resume à vontade de Deus as esperanças de salvação.* **6.** Converter, transformar; reduzir: *O terremoto resumiu cidades a ruínas.* ***P.*** **7.** Consistir apenas; limitar-se, reduzir-se, restringir-se: "A minha vida se resume, / desconhecida e transitória, / em contornar teu pensamento." (Cecília Meireles, *Obra Poética*, p. 103); "O passadio é 'singelo', como diz o coronel. Resume-se no jabá com farinha duas vezes ao dia." (Permínio Asfora, *Vento Nordeste*, p. 245); "Sua voz resume-se a murmúrios, sua alegria a sorrisos." (Raimundo Morais, *País das Pedras Verdes*, p. 290); "Os músicos resumiam-se a cinco figuras" (Adalberon Cavalcanti Lins, *Curral Novo*, p. 271). **8.** Reduzir-se a menores proporções: *Os seus erros se resumiram.* **9.** Dizer ou escrever algo em poucas palavras: *Tentou resumir-se, para poupar tempo.* **10.** Reportar-se, sintetizando: *Resumiu-se, em poucas palavras, à Grécia antiga.* ***Int.*** **11.** *Bras. BA* Praticar a tarefa que antecede o amontoamento do cascalho (6).

resumo [Dev. de *resumir*.] ***S. m.*** **1.** Ato ou efeito de resumir(-se). **2.** Exposição abreviada de uma sucessão de acontecimentos, das características gerais de alguma coisa, etc., tendente a favorecer sua visão global: síntese, sumário, epítome, sinopse: *O repórter fez um bom resumo das últimas ocorrências.* **3.** Apresentação concisa, do conteúdo de um artigo, livro, etc., a qual, precedida de sua referência bibliográfica, visa a esclarecer o leitor sobre a conveniência de consultar o texto integral. Ao contrário da sinopse (2) (q. v.), o resumo aparece em publicação à parte e é redigido por outra pessoa que não o autor do trabalho resumido. **4.** Recapitulação em poucas palavras; sumário: *Esta gramática tem um resumo claro no fim de cada capítulo.* **5.** *Fig.* Compêndio (3) ◆ **Resumo da ópera.** Resumo de algo complicado e demorado: "O resumo da ópera é que oposição e situação se merecem." (*Folha de S.Paulo*, 11.04.2008.) [Us. ger. para encurtar aquilo que se estava dizendo, e para definir o que se pensa sobre o assunto.]

→ **resurfacing** [ɹij'sɚfisıŋ] [Ingl.] ***S. m.*** *Cir. Plást.* V. *abrasão a* laser.

resvaladeiro [De *resvalar* + *-deiro*.] ***S. m.*** V. *resvaladouro* (1, 2, 3 e 5).

resvaladiço ***Adj.*** **1.** Por onde se resvala com facilidade; escorregadio. **2.** Muito inclinado; escarpado, íngreme. **3.** *Fig.* Que apresenta perigo; perigoso. • ***S. m.*** **4.** V. *resvaladouro* (1, 2, 3 e 5). [F. paral.: *resvaladio*.]

resvaladio ***Adj.*** **1.** V. *resvaladiço* (1 a 3). • ***S. m.*** **2.** V. *resvaladouro* (1, 2, 3 e 5).

resvaladoiro [De *resvalar* + *-doiro*^{2}.] ***S. m.*** Resvaladouro (q. v.).

resvaladouro [De *resvalar* + *-douro*^{2}; var. de *resvaladoiro*.] ***S. m.*** **1.** Lugar por onde se resvala facilmente. **2.** Descida, ladeira, declive. **3.** Despenhadeiro, precipício, abismo. **4.** *Tip.* A parte dianteira da linotipo, por onde as matrizes alcançam o componedor; harpa. **5.** *Fig.* O que põe em perigo a reputação, o bom nome de alguém. [Sin., nas acepçs. 1, 2, 3 e 5: *deslizadeiro, resvaladeiro, resvaladiço, resvaladio*.]

resvaladura [De *resvalar* + *-dura*.] ***S. f.*** **1.** Ato ou efeito de resvalar; resvalo. **2.** Vestígio no lugar onde se resvalou ou escorregou.

resvalamento [De *resvalar* + *-mento*.] ***S. m.*** Ato de resvalar; resvaladura.

resvalar [Do esp. *resbalar*.] ***V. t. d. e c.*** **1.** Fazer escorregar ou cair; fazer incidir; lançar: *O Sol resvala claridade sobre a Terra.* **2.** Tocar, roçar: *Resvalou a mão no rosto da mulher.* ***Int.*** **3.** Cair por um declive: *Levou um tiro e resvalou ladeira abaixo.* **4.** Escorregar, deslizar: *A montaria resvalou, e o cavaleiro caiu.* **5.** Passar, decorrer, insensivelmente: *Resvalaram as horas de felicidade.* **6.** Escapar-se, fugir: *As oportunidades vêm e não tardam a resvalar.* **7.** Começar a errar: *O rapaz resvalou ainda em criança.* ***T. c.*** **8.** Passar de leve; correr, deslizando; deslizar: *Sua sombra resvalava pelos corredores do casarão.* ***T. i.*** **9.** Cair, incorrer: *resvalar em erro.* **10.** Transformar-se, transfazer-se, converter-se: *A água resvalou em vinho.*

resvalo [Dev. de *resvalar*.] ***S. m.*** **1.** Resvaladura (1). **2.** Declive, descida. **3.** *Lus.* Derrapagem.

resveratrol [De *res(orcinol)* + tax. *Veratrum*, 'heléboro', + *-ol*^{2}.] ***S. m.*** *Quím.* Substância fenólica relacionada ao estilbeno, encontrada em plantas como a uva (casca), amendoim e amoras, onde age como fitoalexina; possui ação antioxidante (além de outras atividades biológicas) e sua presença no vinho tinto contribuiria para os benefícios que alguns estudos atribuem ao consumo moderado desta bebida. [Fórm.: $C_{14}H_{12}O_3$.]

resvés [De *rés* o final do lat. *versus*, com assimilação, poss.] ***Adj. 2 g.*** **1.** Exato, justo. [Pl.: *resveses*.] • ***Adv.*** **2.** Rente, cerce. **3.** Na medida exata; na conta; à justa: *A fazenda deu, resvés, para o vestido.*

reta [F. subst. do adj. *reto*.] ***S. f.*** **1.** Linha, traço ou risco que segue sempre a mesma direção. **2.** Trecho retilíneo de uma estrada, etc. **3.** *Geom.* Conceito fundamental da geometria, cuja posição se define univocamente por dois pontos; linha reta. ~ V. *cancha* —. ◆ **Reta de altura.** **1.** *Astr.* Segmento de reta, sobre uma carta, o qual traduz o resultado da observação da altura de um astro, permitindo a determinação da posição geográfica de um ponto sobre a superfície terrestre. **2.** *Náut.* Pequeno trecho, assimilado a uma reta, do lugar geométrico dos pontos em que, no instante da observação, o astro seria observado com a mesma altura tomada pelo observador. **Reta de chegada.** *Turfe* Reta final. **Reta de posição.** *Náut.* Tangente ao círculo de posição no raio orientado em direção oposta ao azimute do astro cuja altura foi tomada pelo observador. **Reta de simetria.** *Geom.* Eixo de simetria. **Reta final.** *Turfe* Parte da pista em que as corridas terminam, e que fica diante dos espectadores; reta de chegada. **Reta focal.** *Ópt.* V. *focal* (2). **Reta ideal.** *Geom. Projet.* V. *reta imprópria*. **Reta imprópria.** *Geom. Projet.* Reta constituída apenas por pontos impróprios; reta ideal, reta no infinito. **Reta material.** *Fís.* Linha reta à qual se associa uma distribuição uniforme de massa. **Reta no infinito.** *Geom. Projet.* V. *reta imprópria*. **Reta oposta.** *Turfe* Parte da pista de corridas que se situa no lado oposto em relação à reta final e ao ponto em que se encontram os espectadores. **Reta orientada.** *Mat.* V. *eixo*^{1} (8). **Reta secante.** *Geom.* Secante^{2} (2). **Reta tangente.** *Geom.* Tangente (3). **Tirar da reta.** *Bras.* V. *tirar o cu da reta*.

retabular [De *retábulo* + *-ar*^{1}.] ***Adj. 2 g.*** Respeitante a, ou que tem forma de retábulo.

retábulo [Do esp. *retablo*.] ***S. m.*** Construção de madeira, de mármore, ou de outro material, com lavores, que fica por trás e/ou acima do altar e que, normalmente, encerra um ou mais painéis pintados ou em baixo-relevo.

retacado ***Adj.*** *Bras. S. GO* V. *retaco*.

retaco [Do esp. plat. *retaco*.] ***Adj.*** *Bras. S. GO* Diz-se do indivíduo ou animal baixo e reforçado; atarracado; retacado: "Antão era negro retaco, acostumado a bolear fardos de 4 arrobas e tanto" (Bernardo Élis, *Ermos e Gerais*, p. 109).

retado ***Adj.*** *Bras. BA* V. *arretado* (2).

retaguarda [Do it. *retroguardia*.] ***S. f.*** **1.** *Exérc.* O último elemento de tropa de unidade ou subunidade em campanha. **2.** A parte traseira, em relação à frente ou dianteira. [Antôn.: *vanguarda* (1 e 2).] **3.** *Fig.* Posição oposta à de vanguarda (q. v.). **4.** *Mar. G.* Num dispositivo ou formatura de combate ou de cruzeiro, o grupo de navios mais recuado em relação à direção de deslocamento do dispositivo ou formatura.

retal [De *reto*^{1} + *-al*^{1}.] ***Adj. 2 g.*** *Anat.* Do, ou relativo ou pertencente ao reto^{1} (6). ~ V. *toque* —.

retalgia [De *ret(o)-* + *-alg(o)-*^{2} + *-ia*^{1}.] ***S. f.*** *Patol.* Dor no reto^{1} (6).

retalhação [De *retalhar* + *-ção*.] ***S. f.*** Ato ou efeito de retalhar; retalhadura. [Cf. *retaliação*.]

retalhado [Part. de *retalhar*.] ***Adj.*** **1.** Que se retalhou. **2.** Golpeado com instrumento cortante. **3.** Dividido ou separado em partes; fracionado. **4.** Ferido, magoado. **5.** *Bras. S.* Diz-se do garanhão submetido a uma operação que o impossibilita de fecundar as éguas. [Cf. *retaliado*.]

retalhador (ô) [De *retalhar* + *-dor*.] ***Adj. S. m.*** Que ou aquele que retalha.

retalhadura [De *retalhar* + *-dura*.] ***S. f.*** Retalhação.

retalhar [De *re-* + *talhar*.] ***V. t. d.*** **1.** Cortar em pedaços; despedaçar: *O açougueiro retalhou a peça de carne.* **2.** Cortar em retalhos: *retalhar uma peça de fazenda.* **3.** Sulcar, lavrar, arar: *O arado retalha os campos.* **4.** Golpear, cortando, em diversos pares, seguidamente, com instrumento cortante: *O malfeitor retalhou muitos rostos à navalha;* "A lâmina faz uma incisão perfeita na parte inferior do ventre .... . Com perícia, ele retalha toda a parte do abdômen." (Jô Soares, *O Xangô de Baker Street*, p. 50). **5.** Rasgar, abrir, separando as partes: *A erosão incessante retalha a terra, deixando sulcos profundos.* **6.** Fracionar, dividir, separar: *A guerra retalhou a Alemanha.* **7.** Causar mal a; magoar, molestar: *As brigas retalham a alma.* **8.** Vender a retalho: *A fábrica não retalha tecidos, vende apenas peças completas.* **9.** *Bras. S.* Tornar estéril (o cavalo), sem castrá-lo. [Cf. *retaliar*.]

retalheiro [De *retalho* + *-eiro*.] ***Adj. S. m.*** V. *retalhista*.

retalhista [De *retalho* + *-ista*.] ***Adj. 2 g.*** **1.** Que vende a retalho. **2.** Referente ao comércio a retalho. • ***S. 2 g.*** **3.** Vendedor a retalho. [Sin. ger.: *retalheiro, varejista*. Antôn.: *atacadista*.]

retalho [Dev. de *retalhar*.] ***S. m.*** **1.** Parte ou pedaço de uma coisa retalhada. **2.** Parte de um todo; fração. **3.** Sobra do tecido de costura, ou de peça nas lojas: *colcha de retalhos.* **4.** *Cir. Plást.* Porção de órgão como, p. ex., pele, que se retira de um local para enxertar em outro, mantendo-se a irrigação sanguínea original, ou mediante técnica de microcirurgia, renovando-a no local da enxertia. ◆ **A retalho.** Aos bocados; por miúdo; a varejo. [Cf. *em grosso*.] **Ser retalho da mesma peça.** V. *ser farinha do mesmo saco*.

retaliação [De *retaliar* + *-ção*.] ***S. f.*** **1.** Ato ou efeito de retaliar. **2.** Represália, vingança, desforra: "Eu é que vou estampar em perpétuos versaletes o nome da aldeia, e acabar de antemão com futuros litígios e retaliações injuriosas entre os respectivos jornalistas das várias cidades." (Camilo Castelo Branco, *Serões de São Miguel de Ceide*, III, pp. 48-49.) **3.** V. *pena de talião*. [Cf. *retalhação*.]

retaliado [Part. de *retaliar*.] ***Adj.*** Que sofreu retaliação. [Cf. *retalhado*.]

retaliar [Do lat. tard. *retaliare*.] ***V. t. d.*** **1.** Revidar com dano igual ao dano recebido; impor a pena de talião a: *O código de Hamurábi mandava retaliar os culpados.* **2.** Exercer represália contra; vingar, desagravar: *Os derrotados pretendem retaliar um dia as humilhações.* ***Int.*** **3.** Praticar retaliações: *Aquele que odeia é levado a retaliar.* [Cf. *retalhar*.]

retaliativo [De *retaliar* + *-tivo*.] ***Adj.*** Respeitante a, ou que tem caráter de retaliação; retaliatório.

retaliatório [De *retaliar* + *-tório*.] ***Adj.*** Retaliativo: "Essa força interior, que nos permite vencer em nós os próprios impulsos retaliatórios no sentido da violência, é que distingue o gandhismo do estoicismo" (Tristão de Ataíde, em *Folha de S.Paulo*, 09.09.1983).

retama [Do tax. *Retama* (< ár. *ratama(t)*.] ***S. f.*** *Bot.* **1.** Genista^{1} (1). **2.** Giesta-das-vassouras. [Cf. *retame*.]

retambana ***S. f.*** *Pop.* V. *descompostura* (2).

retame ***Adj. S. m.*** Diz-se do, ou o mel ou melaço levado ao ponto de açúcar. [Cf. *retama*.]

retamente [Do f. de *reto*^{1} + *-mente*.] ***Adv.*** De maneira reta; com retidão; honradamente, honestamente.

retanchar [De *re-* + *tanchar*.] ***V. t. d.*** **1.** Substituir (o bacelo) por outro: *O agricultor costuma retanchar os bacelos.* **2.** Cortar rente (uma vergôntea) para que cresça com mais força.

retanchoa (ô) [De *retanchar*.] ***S. f.*** Ato ou efeito de retanchar.

retangular [De *retângulo* + *-ar*^{1}.] ***Adj. 2 g.*** Que tem a forma ou a semelhança de um retângulo. ~ V. *coordenadas —es, matriz —* e *trapézio —*.

retangularidade [De *retangular* + *-(i)dade*.] ***S. f.*** Qualidade de retangular.

retângulo [Do lat. med. *rectangulu*.] ***Adj.*** **1.** Que tem ângulo(s) reto(s) (q. v.). ~ V. *diedro —, paralelepípedo —* e *triângulo —*. • ***S. m.*** **2.** *Geom.* Quadrilátero equiângulo; quadrilátero cujos ângulos são retos.

retanha ***S. f.*** *Lus. Gír.* Gazua^{1}.

retardação [Do lat. *retardatione*.] ***S. f.*** Ato ou efeito de retardar; retardamento, retarde.

retardado [Part. de *retardar*.] ***Adj.*** **1.** Que se retardou; atrasado. **2.** Que demora; demorado, moroso. **3.** Adiado, delongado, procrastinado. **4.** *Psiq.* Diz-se do indivíduo cujo desenvolvimento mental é inferior ao índice normal para a sua idade. ~ V. *movimento —* e *nêutron —*. • ***S. m.*** **5.** *Psiq.* Indivíduo mentalmente retardado.

retardador (ô) [De *retardar* + *-dor.*] *Adj.* **1.** Que retarda; retardante, retardativo. • *S. m.* **2.** Aquele ou aquilo que retarda.

retardamento [De *retardar* + *-mento.*] *S. m.* **1.** V. *retardação.* **2.** *Psiq.* Estado ou condição do indivíduo mentalmente retardado; retardo.

retardante [De *retardar* + *-nte.*] *Adj. 2 g.* V. *retardador* (1).

retardão [De *retardar* + *-ão[1].*] *Adj. S. m.* **1.** Diz-se de, ou indivíduo pachorrento, pouco ativo. **2.** Diz-se de, ou cavalo manhoso. [Fem.: *retardona.*]

retardar [Do lat. *retardare.*] *V. t. d.* **1.** Tornar tardio; atrasar: *A chuva retardou a colheita.* **2.** Causar o atraso de; fazer chegar ou ocorrer mais tarde; atrasar: *O mau tempo retardou o avião.* **3.** Demorar, adiar, protelar, procrastinar: *Os contratantes retardaram o negócio.* **4.** Fazer tardo ou menos rápido; desacelerar: *As crises políticas retardam o progresso.* **5.** Causar atraso no desenvolvimento. *Int. P.* **6.** Chegar mais tarde; atrasar-se. **7.** Andar devagar; demorar(-se): *Nossos perseguidores retardaram; Os caminhantes se retardaram, só chegando à cidade ao anoitecer.*

retardatário [De *retardar* + *-tário.*] *Adj. S. m.* **1.** Que, ou aquele que está atrasado. **2.** Que, ou aquele que chega tarde.

retardativo [De *retardar* + *-tivo.*] *Adj.* **1.** V. *retardador* (1). **2.** V. *retardio.*

retarde [Dev. de *retardar.*] *S. m.* **1.** V. *retardação.* **2.** Atraso, demora, tardança.

retardio [De *retard(ar)* + *-io[2]*, ou de *re-* + *tardio.*] *Adj.* **1.** Demorado, serôdio, tardo. **2.** Pouco ativo; lento, pachorrento. [Sin. ger.: *retardativo.*]

retardo [Dev. de *retardar.*] *S. m.* **1.** *Psiq.* Retardamento (2). **2.** *Mús.* Em harmonia, prolongamento de um dos sons dum acorde no acorde seguinte; suspensão. ◆ **Retardo mental.** *Psiq.* Parada no desenvolvimento intelectual ou desenvolvimento intelectual incompleto e que pode ter vários graus.

retardona *S. f.* Fem. de *retardão.*

retectomia [De *ret(o)-* + *-ectom-* + *-ia[1].*] *S. f. Proct.* Proctectomia.

retectómico *Adj.* V. *retectômico.* [Uso freq. em P.]

retectômico [De *retectomia* + *-ico[2].*] *Adj.* Proctectômico.

reteimar [De *re-* + *teimar.*] *V. int.* Teimar muito.

retelhação [De *retelhar* + *-ção.*] *S. f.* V. *retelhamento.*

retelhadura [De *retelhar* + *-dura.*] *S. f.* V. *retelhamento.*

retelhamento [De *retelhar* + *-mento.*] *S. m.* Ato ou efeito de retelhar; retelhação, retelhadura.

retelhar [De *re-* + *telhar.*] *V. t. d.* Telhar de novo; tornar a telhar; fazer novo telhado em: *retelhar um prédio.* [Conjug.: v. *aparelhar.*]

retém [Dev. de *reter.*] *S. m.* **1.** Ato ou efeito de reter; retenção. **2.** Aquele ou aquilo que se retém como reserva. **3.** *Bras. Mar.* Em um mecanismo, peça ou ressalto que prende outra peça. • *S. 2 g.* **4.** *Mil.* A pessoa que está de reserva para substituir a que possa faltar ou para reforçar quem esteja de serviço. • *Adj. 2 g.* **5.** Diz-se daquilo que se retém como reserva.

retemperador (ô) [De *retemperar* + *-dor.*] *Adj.* Que retempera; retemperante.

retemperante [De *retemperar* + *-nte.*] *Adj. 2 g.* Retemperador.

retemperar [De *re-* + *temperar.*] *V. t. d.* **1.** Dar nova têmpera a; temperar de novo: *retemperar metais.* **2.** Fortalecer, fortificar, avigorar, apurar: "Uma cachacinha seria bom para retemperar-lhe o ânimo e renovar-lhe as forças." (Guido Vilmar Sassi, *São Miguel*, p. 150.) *P.* **3.** Adquirir novas forças morais ou físicas; revigorar-se.

retenção [Do lat. *retentione.*] *S. f.* **1.** Ato ou efeito de reter(-se). **2.** Atraso, retardamento, demora. **3.** Retentiva. **4.** Detenção (3). **5.** Cárcere privado. **6.** *Jur.* Conservação da posse duma coisa alheia para garantia dum direito próprio (reembolso de gastos, pagamento de consertos, etc.). **7.** *Med.* Acumulação, em cavidade orgânica, de substância que, normalmente, deveria ser eliminada. [Cf. *retensão.*] ◆ **Retenção urinária.** *Urol.* Acúmulo de urina na bexiga e que pode ser devido, p. ex., a tumor de próstata.

retenida [Do esp. *retenida.*] *S. f. Marinh.* Cabo fino, com uma pinha num dos chicotes (para poder ser lançado mais facilmente a distância), utilizado para aguentar qualquer objeto transitoriamente, ou para passar cabos mais grossos ou espias de um navio para outro, ou de um navio para o cais, quando das atracações.

retensão [De *re-* + *tensão.*] *S. f.* Tensão muito forte. [Cf. *retenção.*]

retentiva [F. subst. de *retentivo.*] *S. f.* Faculdade humana pela qual se retêm na memória as impressões recebidas; retenção: "O próprio beijo de reconciliação, ... tão vivo na retentiva de Betânia, na dele se sombreara..." (Mário Sete, *Senhora de Engenho*, p. 40.)

retentividade [De *retentivo* + *-(i)dade.*] *S. f. Fís.* V. *remanência.*

retentivo [Do lat. *retentus*, part. pass. de *retinere*, 'reter', + *-ivo.*] *Adj.* Retentor (1).

retentor (ô) [Do lat. *retentore.*] *Adj.* **1.** Que retém; retentivo. • *S. m.* **2.** Aquele ou aquilo que retém.

reter [Do lat. *retinere.*] *V. t. d.* **1.** Ter ou manter firme; não deixar escapar da mão; segurar com firmeza: *O cavaleiro retinha as rédeas;* "quando as Pascoais saíram, foi-lhes falar muito naturalmente, apertando-lhes a mão, retendo um instantinho a da Margarida na sua." (Conde de Ficalho, *Uma Eleição Perdida*, p. 108). **2.** Guardar em seu poder (o que é de outrem): *O tutor reteve durante anos a fortuna da pupila.* **3.** Guardar, conservar, manter: *Não soube reter o posto que conquistara.* **4.** Fazer parar; deter: *Caminhava apressado, quando alguém o reteve.* **5.** Ter como preso; prender, encarcerar: *A polícia retém todos os suspeitos.* **6.** Conservar na memória; ter de cor: *Lê muito, mas retém pouco.* **7.** Reprimir, refrear, conter: "Um dia, como o visse disfarçar envergonhado o casaquinho surrado pelo uso, não pôde reter as lágrimas." (Machado de Assis, *Páginas Recolhidas*, pp. 137-138.) **8.** Impedir de sair; deter: *Planejava viajar ontem, mas os negócios retiveram-no.* **9.** Amparar para que não caia; segurar, sustentar: *Grossas colunas retêm o teto.* **10.** Lançar mão, valer-se de; utilizar: *Conseguiu ascender retendo amizades importantes.* *Transobj.* **11.** Guardar, conservar, manter: *Poucos políticos, relativamente, retiveram intatas suas reputações.* *T. d. e i.* **12.** Conservar, manter: *S. M. reteve numerosos privilégios a seus súditos.* *P.* **13.** Não prosseguir; parar, deter-se: *O navio reteve-se no porto para abastecimento.* **14.** Reprimir-se, refrear-se, conter-se: *Teve ímpetos de ferir o agressor, mas reteve-se.* **15.** Não avançar; parar: *O homem reteve-se à borda do penhasco.* [Irreg. Conjug.: v. *ter.*]

retesado [Part. de *retesar.*] *Adj.* Que se retesou; tenso; hirto.

retesamento [De *retesar* + *-mento.*] *S. m.* Ato ou efeito de retesar(-se).

retesar [De *reteso* + *-ar[2].*] *V. t. d.* **1.** Tornar tenso; esticar, entesar: "O primeiro conduz um arco árabe: retesa a corda com os dedos indicador e médio da mão direita" (Júlio Dantas, *Abelhas Doiradas*, p. 210); "Espreguicei-me, retesando os músculos." (Reginaldo Guimarães, *Manhã Vermelha*, p. 78). **2.** Tornar teso ou rijo; enrijar: *É nos momentos difíceis que precisamos retesar a vontade.* *P.* **3.** Tornar-se teso; entesar-se; endireitar-se: "Viu um magro, metido num capote militar e que ao passar por ele se retesou, deu à marcha uma cadência ostensiva" (José Geraldo Vieira, *A Mulher Que Fugiu de Sodoma*, p. 156). **4.** Endurecer(-se), enrijar(-se), enrijecer(-se): *Seus músculos retesaram-se ao receber o golpe.* [Pres. ind.: *reteso, retesas, retesa*, etc. Cf. *reteso* (ê) e as flex. *retesa* (ê) e *retesas* (ê).]

reteso (ê) [Do lat. *retensu.*] *Adj.* Muito teso ou tenso. [Flex.: *retesos* (ê), *retesa* (ê), *retesas* (ê). Cf. *reteso*, *retesas* e *retesa*, do v. *retesar.*]

▲ **reti-[1]** [Do lat. *rectus, a, um*, part. pass. de *regĕre.*] *El. comp.* = 'direito', 'reto[1] (6)': *reticórneo, retificar* (< lat.). [Equiv.: *ret(o)-: retocele, retopexia.*]

▲ **reti-[2]** [Do lat. *rete, is.*] *El. comp.* = 'teia', 'rede': *retiforme[1], retinérveo[1].*

retiário [Do lat. *retiariu*, por via erudita.] *S. m.* V. *reciário*: "Como aqueles atletas, chamados retiários, que, ao lançar a rede, colhiam lutadores dignos e pigmeus, Camilo [Camilo Castelo Branco] junca o chão de batalha de corpos de toda a estatura." (Aquilino Ribeiro, *Camões, Camilo, Eça e Alguns mais*, p. 169.)

reticência [Do lat. *reticentia.*] *S. f.* **1.** Omissão intencional de uma coisa que se devia ou podia dizer. **2.** *E. Ling.* Aposiopese. [Cf. *reticencia*, do v. *reticenciar.*] ~ V. *reticências.*

reticenciar [De *reticência* + *-ar[2].*] *V. t. d.* **1.** Colocar reticências em: *A censura reticenciou o texto.* **2.** Exprimir de modo reticente, incompleto: *A testemunha reticenciou os fatos.* [Pres. ind.: *reticencio, reticencias, reticencia*, etc. Cf. *reticência* e *reticências.*]

reticências [Pl. de *reticência.*] *S. f. pl.* Sinal de pontuação: série de três ou mais pontos que, num texto, indicam interrupção do pensamento (por ficar, em regra, facilmente subentendido o que não foi dito), ou omissão intencional de coisa que se devia ou podia dizer, mas apenas se sugere, ou que, em certos casos, indica insinuação, segunda intenção, emoção. Ex.: "Era esta a sala... (Oh! se me lembro! e quanto!) / Em que da luz noturna à claridade, / Minhas irmãs e minha mãe... / O pranto // Jorrou-me em ondas..." (Luís Guimarães, *Sonetos e Rimas*, p. 11.) [Sin.: *pontos de reticência, pontos de suspensão* e (fam.) *pontinhos, três-pontinhos.* Cf. *reticencias*, do v. *reticenciar.*] ~ V. *reticência.*

reticencioso (ô) [De *reticência* + *-oso.*] *Adj.* **1.** Que demonstra reticência ou reserva; reservado: *Notei-o discreto, prudente, reticencioso.* **2.** Em que há reserva ou reticência: *declaração reticenciosa.* [Sin. ger.: *reticente.*]

reticente [Do lat. *reticente.*] *Adj. 2 g.* V. *reticencioso.*

rético [Do lat. *rhaeticu.*] *Adj.* **1.** Da, ou pertencente ou relativo à Récia, dos romanos, ou à região dos Alpes onde esta se situava, aproximadamente entre o Reno e o Danúbio; reto. **2.** *Gloss.* Diz-se do conjunto de dialetos românicos falados na região alpina central e oriental (Suíça, Áustria e Itália); ladino, reto-romano, reto-românico. • *S. m.* **3.** O natural ou habitante da antiga Récia, ou da região rética; reto. **4.** *Gloss.* O conjunto dos dialetos réticos; ladino, reto-romano, reto-românico. **5.** Vocábulo dessa língua. [V. *dolomítico, friulano* e *romanche.*]

reticórneo [De *reti-[1]* + *-corn(i)-* + *-eo.*] *Adj. Zool.* Que tem as antenas retas.

retícula[1] [De *reti-[2]* + *-cula*; fr. *réticule.*] *S. f.* **1.** *Fotograv.* Aparelho formado por dois vidros finamente raiados e cimentados um ao outro, de modo que as raias se cruzem em ângulo reto, e que se usa nos processos de autotipia (q. v.), de ofsete (q. v.) e de heliogravura (q. v.). **2.** *Fotograv.* O pontilhado produzido por esse aparelho, nos negativos, positivos, clichês e estampas; trama. **3.** *P. ext.* Qualquer matriz de pontos, linhas, círculos, etc., empregada para produzir efeito de meio-tom ou outros efeitos visuais em artes gráficas. [Cf. *reticula*, do verbo *reticular.*]

retícula[2] [De *reti-[2]* + *-cula.*] *S. f. Zool.* V. *retículo[1]* (2). [Cf. *reticula*, do v. *reticular.*]

reticulação [De *reticular[2]* + *-ção.*] *S. f. Fotograv.* Reticulagem.

reticulado[1] [Do lat. *reticulatu.*] *Adj.* **1.** Que tem forma de rede; retiforme. **2.** Que tem linhas e nervuras entrecruzadas como a rede: "Como o calor era intenso, os anuros andavam no fundo da água, por baixo de limos reticulados com a delicadeza de frocos." (Fialho d'Almeida, *Contos*, p. 152.) **3.** *Bot.* Recoberto de linhas, quase sem relevo, que se anastomosam formando uma rede de malhas pequeninas: *folha reticulada.* [Sin., nessas acepç.: *reticular.*] **4.** *Zool.* Diz-se de protozoários rizópodes, cujos pseudópodes são filiformes, anastomosados em forma de rede, como se observa nos foraminíferos e radiolários. • *S. m.* **5.** *Mat.* Conjunto parcialmente ordenado em que dois elementos quaisquer têm um supremo e um infinito. **6.** *Zool.* Indivíduo reticulado (4).

reticulado[2] [De *retículo[2]* + *-ado[1].*] *Adj. Fotograv.* Obtido por meio de retículo[2]; tramado. ~ V. *negativo —.*

reticulado-venoso (ô) [De *reticulado[1]* + *venoso[2].*] *Adj. Bot.* Diz-se de órgãos foliáceos cujas nervuras são reticuladas. [Pl.: *reticulado-venosos* (ó).]

reticulagem [De *reticular[2]* + *-agem[2].*] *S. f. Fotograv.* Ato ou efeito de reticular; reticulação.

reticular[1] [De *retículo[1]* + *-ar[1].*] *Adj. 2 g.* V. *reticulado[1]* (1 a 4). ~ V. *camada —, célula —* e *fibra —.*

reticular[2] [De *retícula[1]* + *-ar[2].*] *V. t. d. Fotograv.* Impressionar com retícula. [Pres. ind.: *reticulo, reticulas, reticula*, etc. Cf. *retículo*, s. m., *retícula*, s. f., e *Retículo*, astr.]

retículo[1] [Do lat. *reticulu.*] *S. m.* **1.** Pequena rede: "a sua pele translúcida, em cuja polpa, fina como uma porcelana cor-de-rosa, se adivinhava um retículo azul de veias" (Júlio Dantas, *Abelhas Doiradas*, p. 176). **2.** *Zool.* A segunda cavidade do estômago dos ruminantes; barrete, crespina. [Sin., nesta acepç.: *retícula[2].*] [Cf. *reticula* e *reticulo* do v. *reticular.*] ◆ **Retículo cristalino.** *Fís.* Sistema de pontos considerados os centros de gravidade das partículas materiais (átomos e moléculas), dispostos de jeito que constituam uma rede de três dimensões e de malhas paralelepipedais. **Retículo endoplasmático.** *Citol.* Rede de membranas que delimitam vesículas e cisternas de forma variada; é contínua à membrana externa do envoltório nuclear e se estende ao citoplasma. Distinguem-se dois tipos: *retículo endoplasmático granular* e *retículo endoplasmático agranular.* **Retículo endoplasmático agranular.** *Citol.* Rede de membranas que delimitam cisternas tubulares anastomosadas, sem ribossomos aderidos à superfície externa da membrana, e que se relaciona com diversas funções celulares, como, p. ex., a inativação de moléculas tóxicas, síntese de lipídios e síntese de hormônios esteroides; retículo endoplasmático liso. **Retículo endoplasmático granular.** *Citol.* Rede de membranas que delimitam cisternas achatadas contínuas, com ribossomos aderidos à superfície externa da membrana; é local de segregação, síntese e modificações pós-traducionais de proteínas; retículo endoplasmático granuloso; ergastoplasma. **Retículo endoplasmático granuloso.** *Citol.* V. *retículo endoplasmático granular.* **Retículo**

endoplasmático liso. *Citol.* Retículo endoplasmático agranular. **Retículo sarcoplasmático.** *Citol. Histol.* Designação do retículo endoplasmático liso em células musculares.

retículo[2] [De *reti-*[1] + *-culo.*] ***S. m.*** *Ópt.* Marcação colocada no plano focal da ocular de um instrumento óptico, e que serve como referência para uma visada ou como dispositivo auxiliar de uma medida.

reticulócito [De *retículo*[1] + *-cito.*] ***S. m.*** *Histol.* Célula anucleada que representa o eritrócito jovem.

reticuloendotelial (tì) [De *retículo*[1] + *endotelial.*] ***Adj. 2 g.*** ~ V. *sistema —.*

retidão [Do lat. tard. *rectitudine.*] ***S. f.*** **1.** Qualidade de reto. **2.** Inteireza de caráter. **3.** Legalidade, legitimidade. **4.** Correção ou lisura no procedimento. [Sin. ger.: *retitude.*]

retido [Part. de *reter.*] ***Adj.*** **1.** Que se retém; detido. **2.** Refreado, sofreado, contido. ~ V. *telegrama —.*

retífica [Do it. *rettifica.*] ***S. f.*** *Bras. Pop.* Oficina especializada em retificar (7). [Cf. *retifica*, do v. *retificar.*]

retificação [Do lat. *rectificatione.*] ***S. f.*** **1.** Ato ou efeito de retificar(-se). **2.** Redestilação de um líquido para torná-lo mais puro. **3.** Modificação do traçado de uma estrada, para reduzir o número de suas curvas ou aumentar seus raios de curvatura. **4.** *Eletr.* Transformação de corrente alternada em contínua. **5.** *Geom.* Operação com que se determina o comprimento de um arco de curva. [Cf. *ratificação.*]

retificado [Part. de *retificar.*] ***Adj.*** **1.** Expurgado de erros ou defeitos; emendado, corrigido. **2.** Destilado de novo; redestilado. [Cf. *ratificado.*] ~ V. *valor —.*

retificador (ô) [De *retificar* + *-dor.*] ***Adj.*** **1.** Que retifica; retificativo. ~ V. *válvula —a.* • ***S. m.*** **2.** Aquele que retifica. **3.** Aparelho usado na retificação de líquidos. **4.** *Eletr.* Circuito ou dispositivo para transformar corrente alternada em contínua. ◆ **Retificador controlado de silício.** Tiristor (q. v.).

retificadora (ô) [F. subst. do adj. *retificador.*] ***S. f.*** Máquina-ferramenta utilizada para retificar motores ou peças de motores.

retificar [Do lat. *rectificare*, por via erudita.] ***V. t. d.*** **1.** Tornar reto; dispor em linha reta; alinhar. **2.** Corrigir, emendar: *O piloto retificou a direção do avião; Retificou, na segunda edição da obra, alguns leves descuidos.* **3.** Compor, endireitar; arranjar: "Retificou as outras vestes que haviam se desarranjado na luta" (João Alphonsus, *Eis a Noite!*, p. 68). **4.** Purificar, destilando novamente (líquido): *retificar o álcool.* **5.** *Eletr.* Transformar (uma corrente alternada) em contínua. **6.** *Geom.* Determinar o comprimento de (um arco de curva). **7.** *Bras.* Colocar (motor desgastado pelo uso) em condições de pleno funcionamento; recondicionar. ***P.*** **8.** Corrigir-se, emendar-se: *O homem tem o dom de retificar-se, pois não é mau por natureza.* [Conjug.: v. *trancar.* Pres. ind.: *retifico, retificas, retifica*, etc. Cf. *retífica*, s. f., e *ratificar*, v.]

retificativo [De *retificar* + *-tivo.*] ***Adj.*** Retificador (1).

retificável [De *retificar* + *-vel.*] ***Adj. 2 g.*** Que se pode retificar. [Cf. *ratificável.*]

retifloro [De *reti-*[1] + *-floro.*] ***Adj.*** *Bot.* Que tem flores direitas.

retiforme[1] [De *reti-*[2] + *-forme.*] ***Adj. 2 g.*** Reticulado[1] (1).

retiforme[2] [De *reti-*[1] + *-forme.*] ***Adj. 2 g.*** Que tem forma reta, direita.

retígrado [De *reti-*[1] + *-grado*[1].] ***Adj.*** *Zool.* Que se move ou anda em linha reta.

retilíneo [Do lat. *rectilineu.*] ***Adj.*** **1.** Que tem forma de linha reta, ou que segue a direção reta: *traço retilíneo; movimento retilíneo.* **2.** Formado por segmento de reta. **3.** Que tem ou denota retidão; austero, honesto, reto: *espírito retilíneo; procedimento retilíneo.*

retina [Do lat. med. *retina* (do lat. *rete*, 'rede'), pelo fr. *rétine.*] ***S. f.*** *Anat.* A mais interna das camadas de cada globo ocular e que se prolonga, posteriormente, pelo nervo óptico homolateral.

retináculo [Do lat. *retinaculu.*] ***S. m.*** *Bot.* **1.** Parte basal, viscosa, do caudículo da polínia das orquidáceas. **2.** Disco adesivo do translador das asclepiadáceas.

retinérveo[1] [De *reti-*[2] + *-nerv(i)-* + *-eo.*] ***Adj.*** Que possui nervuras reticulares.

retinérveo[2] [De *reti-*[1] + *-nerv(i)-* + *-eo.*] ***Adj.*** *Bot.* Que tem nervuras direitas.

retingir [Do lat. *retingere.*] ***V. t. d.*** **1.** Tingir novamente; tornar a tingir. **2.** Tingir bem. [Conjug.: v. *dirigir.* Part.: *retingido* e *retinto.*]

retiniano [De *retina* + *-iano.*] ***Adj.*** Da retina ou relativo a ela; retínico. ~ V. *mácula —a.*

retínico [De *retina* + *-ico*[2].] ***Adj.*** Retiniano.

retininte [De *retinir* + *-nte.*] ***Adj. 2 g.*** Que retine.

retinir [Do lat. *retinnire.*] ***V. int.*** **1.** Tinir muito ou demoradamente: *Retinem os ferros;* "A sineta do almoço acaba de retinir pela segunda vez." (Artur Azevedo, *Contos Efêmeros*, p. 225). **2.** Produzir grande som; ressoar: "retiniam os clamores das maracanãs, os estrídulos das arapongas" (José de Alencar, *O Sertanejo*, p. 206); "A campainha retiniu e subitamente cavou-se um silêncio disciplinado." (Eça de Queirós, *A Capital*, p. 413). **3.** Impressionar vivamente; causar profunda impressão; repercutir, ecoar: *Aquelas palavras injustas retiniam em sua alma.* ***T. d.*** **4.** Fazer soar ou ecoar: *A banda retiniu o dobrado.*

retinite [De *retina* + *-ite*[1].] ***S. f.*** *Oftalm.* Inflamação de retina; dictite.

retinopatia [De *retina* + *-o-*[1] + *-patia.*] ***S. f.*** *Oftalm.* Qualquer doença da retina.

retintim [De *re-* + *tintim.*] ***S. m.*** **1.** Ato ou efeito de retinir (1 e 2). **2.** Som de instrumentos metálicos: "O infernal retintim do embate de armas" (Domingos José Gonçalves de Magalhães, *Suspiros Poéticos e Saudades*, p. 265).

retintinir [De *retintim* + *-ir.*] ***V. int.*** Produzir retintim (2).

retinto [Do lat. *retinctu.*] ***Adj.*** **1.** Tinto novamente. **2.** Que tem cor escura e carregada. **3.** Diz-se de touro cujo pelo é semelhante ao dos cavalos castanhos. • ***S. m.*** **4.** Cor escura e carregada.

retípede [De *reti-*[2] + *-pede.*] ***Adj. 2 g.*** *Zool.* Que tem os tarsos revestidos de epiderme reticulada.

retiração [De *retirar* + *-ção.*] ***S. f.*** **1.** Retirada (1). **2.** *Tip.* Ato de retirar (17). **3.** *Tip.* Fôrma de retiração. **4.** *Tip.* Lado do papel que se imprime em segundo lugar. [V. *prensa de retiração.* Cf. *branco* (24).]

retirada [De *retirar* + *-ada*[1].] ***S. f.*** **1.** Ato ou efeito de retirar(-se); retiração, retiro. **2.** *Mil.* Movimento das tropas que se retiram, recuam ou retrocedem, afastando-se do inimigo ou abandonando terreno que não tiveram condição de garantir: *retirada da Laguna.* **3.** Quantia que o negociante individual ou sócio de uma firma retira regularmente, dentro de um limite determinado, a título de pagamento dos seus serviços. **4.** *Com.* Saque (sobre fundos depositados) por meio de cheque ou de outro documento hábil. **5.** *Bras. N.E.* Migração interna de retirante (2). **6.** *Bras. N.E.* Transporte provisório de gado, de uma região onde a seca exauriu a água e o pasto, para lugares melhores. ◆ **Retirada estratégica.** *Mil.* Retirada (2) que se realiza com o fim de evitar que as próprias forças sejam destruídas ou aprisionadas pelo inimigo, ou para o atrair a local mais propício ao combate. **Bater em retirada.** V. *fugir* (1 e 2).

retirado [Part. de *retirar.*] ***Adj.*** **1.** Que vive no isolamento; solitário. **2.** Afastado, isolado, ermo.

retirante [De *retirar* + *-nte.*] ***Adj. 2 g.*** **1.** Que se retira, sai de algum lugar. • ***S. 2 g.*** **2.** *Bras.* Sertanejo que, sozinho ou em grupo, emigra para outras regiões nacionais, fugindo à seca, nas regiões áridas do N.E.; curumba. • ***S. f.*** **3.** *Bras. L. S. Bot.* V. *carrapicho* (3).

retirar [De *re-* + *tirar.*] ***V. t. d.*** **1.** Tirar para trás ou para si; retrair: *O assassino cravou o punhal e retirou-o ensanguentado.* **2.** Tirar de onde estava: *Os bombeiros retiraram primeiro as crianças.* **3.** Tirar de dentro de onde estava; extrair: "Enfiou a mão na cavidade exposta, afastou o estômago e retirou o fígado. Holmes pegou sua lupa e começou a examiná-lo detalhadamente." (Jô Soares, *O Xangô de Baker Street*, p. 232.) **4.** Tirar (o que havia posto); tomar, levantar, recolher: *O jogador retirou a parada.* **5.** Retratar-se ou desdizer-se de: *retirar as ofensas.* **6.** Afastar do lugar onde estava; desviar; tirar: *Retire a mão.* **7.** Fazer desaparecer; apagar: *Nada nem ninguém retirava a sua alegria.* ***T. d. e i.*** **8.** Privar, cassar: *A população revoltosa retirou do rei o direito de governar.* **9.** Auferir, obter, ganhar, lucrar: *O negociante retirou grossa quantia com as vendas;* "a dívida do Terceiro Mundo anda pela casa dos 750 bilhões de dólares e deverá dobrar nos próximos 5 anos ..... Os bancos já retiraram várias vezes o que investiram em dinheiro real nesses países." (Paulo Francis, em *Folha de S.Paulo*, 28.09.1983). **10.** Retirar (7): *O sofrimento não retirou de José o humor.* ***T. d. e c.*** **11.** Fazer sair; tirar: *Um transeunte retirou a criança do local perigoso; Retire-o de minha presença.* **12.** Salvar, libertar: *Um amigo retirou Platão do cativeiro.* ***T. c. e i.*** **13.** Retirar (9): *A empresa retirou 100 milhões de reais com as exportações.* ***T. c.*** **14.** Ir-se, partir: *As tropas de Cipião retiraram para a África.* ***Int.*** **15.** Afastar-se de algum lugar; ir-se embora, ausentar-se, retirar-se: *Cansado, retirou cedo.* **16.** Marchar em retirada (2); recuar, retirar-se: *Esgotados os recursos, o exército retirou.* **17.** *Tip.* Imprimir o segundo lado do papel. [Cf., nesta acepç., *tirar de branco.*] ***P.*** **18.** Retirar (15). **19.** Retirar (16). **20.** Partir para algum retiro; ir viver em lugar ermo ou solitário. **21.** Deixar, largar, abandonar (uma profissão, um emprego): *retirar-se da política.* **22.** Partir, viajar, com objetivo de fixar-se: *Muitos judeus se retiraram para Israel.* **23.** Recolher-se, refugiar-se: *Retirou-se para seu quarto.* ◆ **Retirar como doze.** *Tip.* Fazer a retiração (2) voltando a folha de cima para baixo, *i. e.*, trocando de posição os seus lados maiores. **Retirar como oitavo.** *Tip.* Fazer a retiração (2) virando a folha no sentido lateral, *i. e.*, trocando a posição dos seus lados menores.

retirável [De *retirar* + *-vel.*] ***Adj. 2 g.*** Que se pode retirar.

retireiro [De *retiro* (5) + *-eiro.*] ***S. m.*** **1.** *Bras.* Aquele que, numa fazenda, ordenha o gado. **2.** *Bras. SP* Indivíduo que, num retiro, guarda certo número de cabeças de gado.

retirense ***Adj. 2 g.*** **1.** De, ou pertencente ou relativo a Retiro do Muriaé (RJ). • ***S. 2 g.*** **2.** O natural ou habitante de Retiro do Muriaé.

retiro [Dev. de *retirar.*] ***S. m.*** **1.** Lugar solitário; deserto; retraimento, ermo, solidão. **2.** Lugar de descanso ou de recolhimento; sossego, tranquilidade, remanso. **3.** Retirada (1). **4.** *Rel.* Retiro espiritual. **5.** *Bras.* Fazenda onde o gado fica durante certa parte do ano. **6.** *Bras. PA* Barraca em lugar de plantações, que está retirada ou afastada da residência habitual. **7.** *Bras. MA* Rancho para guarda de gado invernado. **8.** *Bras. MG* Local um tanto retirado da sede da fazenda pastoril, onde se solta o gado para engorda. **9.** *Bras. MG* Choça de borracheiro ou mangabeiro. **10.** *Bras. MG MT* Residência nos fundos de uma fazenda, onde vivem os empregados incumbidos de vigiá-la. **11.** *Bras. RS* Fundo de campo intransitável. ◆ **Retiro espiritual.** *Rel.* Prática piedosa dos que se afastam das solicitações da vida quotidiana a fim de consagrar algum tempo à meditação, à oração, à reflexão e à conversão de vida. [Tb. se diz apenas *retiro.*]

retirrostro [De *reti-*[1] + *-rostro.*] ***Adj.*** *Zool.* Que tem o bico direito.

retite [De *ret(o)-* + *-ite*[1].] ***S. f.*** *Patol.* Proctite.

retitude [Do lat. *rectitudine.*] ***S. f.*** Retidão: "O terreno que se lhes oferecia era plano, duma retitude inquebrantável" (Aquilino Ribeiro, *Os Avós dos Nossos Avós*, p. 160); "O mesmo homem que com invejável retitude esforça-se por satisfazer os seus compromissos .... não vacila em iludir o *peón* miserável que o serve" (Euclides da Cunha, *À margem da História*, p. 77).

reto[1] [Do lat. *rectu.*] ***Adj.*** **1.** Que não apresenta curvatura, sinuosidade ou inflexão; que segue sempre a mesma direção; direito: *caminho reto.* **2.** Perpendicular ao plano horizontal; vertical: *poste reto.* **3.** *Vest.* Diz-se da roupa talhada simplesmente, sem feitio acentuado, sem franzidos, pregas, etc.: *vestido reto; saia reta.* **4.** *Fig.* Conforme à justiça; imparcial, justo. **5.** *Fig.* Honesto, direito, íntegro: *homem reto.* ~ V. *ângulo —, ascensão —a, ascensão —a geocêntrica, ascensão —a heliocêntrica, ascensão —a selenocêntrica, ascensão —a topocêntrica, cancha —a, caso —, cilindro —, cone —, esfera —a, linha —a, músculo — lateral, paralelepípedo —, parênteses —s, pirâmide —a, prisma —, pronome —, raia —a* e *seção —a.* • ***S. m.*** **6.** *Anat.* Porção distal do intestino grosso, a qual se segue à alça sigmoide e se estende até o canal anal. **7.** *Edit.* Página ímpar de uma publicação, aquela que fica à direita estando o volume aberto; frente. [Sin., nesta acepç.: *anverso.* Cf., nesta acepç., *verso*[2] (2).] ~ V. *retos.*

reto[2] [Do lat. *rhaetu* (sing. de *rhaeti*).] ***Adj. S. m.*** Rético (1 e 3).

▲ **ret(o)-** Equiv. de *reti-*[1].

retocadoiro [De *retocar* + *-doiro*[2].] ***S. m.*** *Fot.* Retocadouro (q. v.).

retocador (ô) [De *retocar* + *-dor.*] ***Adj.*** **1.** Que retoca. • ***S. m.*** **2.** Aquele que retoca. **3.** Instrumento próprio para rebarbar o ouro.

retocadouro [De *retocar* + *-douro*[2]; var. de *retocadoiro.*] ***S. m.*** *Fot.* Quadro de vidro fosco inclinado a 45° a contraluz, para o retoque de chapas.

retocar [De *re-* + *tocar*[1].] ***V. t. d.*** **1.** Tocar novamente; tornar a tocar. **2.** Dar retoques [v. *retoque* (2 e 3)] em; acabar, corrigindo e/ou aperfeiçoando: *retocar uma pintura;* "Recolocada a porta, foi a vez do pintor, que retocou a parede" (Fernando Sabino, *Medo em Nova Iorque. A Cidade Vazia*, p. 122); "Os românticos que tiveram a experiência do Naturalismo e do Parnasianismo deixaram-se, na maioria dos casos, arrastar pelos novos cânones estéticos. Alguns repudiariam suas primícias românticas ou as retocariam convenientemente." (Fausto Cunha, *O Romantismo no Brasil*, p. 43). **3.** Rebarbar com o retocador (3). [Conjug.: v. *trancar.* Cf. *retoucar*, v.]

retocável [De *retocar* + *-vel.*] ***Adj. 2 g.*** Que pode ou deve ser retocado.

retocele [De *ret(o)-* + *-cele*[1].] ***S. f.*** *Proct. Gin.* Saliência herniária de porção do reto para dentro da vagina; proctocele.

retoiça ***S. f.*** V. *retouça.*

retoiçar ***V. int. T. d. P.*** V. *retouçar.* [Conjug.: v. *laçar.*]

retomada [De *retomar* + *-ada*[1].] *S. f.* Ato ou efeito de retomar.

retomar [De *re-* + *tomar*.] *V. t. d.* Tomar novamente; reaver, recobrar, recuperar: *As tropas retomaram as antigas posições*; "Garrett, sem as obrigações do cargo de ministro, retoma os hábitos de homem novo, apesar de ter cinquenta e três anos." (José Osório de Oliveira, *O Romance de Garrett*, p. 167).

retombo [De *re-* + *tombo*[2].] *S. m.* **1.** *Bras.* Verificação ou reconstituição dos limites de uma propriedade rural. **2.** *Bras.* Arquivamento de documentos, autos e livros acabados, que os escrivães fazem nos seus cartórios. **3.** *Bras. BA* Restos de comida do dia anterior.

retopexia (cs) [De *ret(o)-* + *-pex-* + *-ia*[1].] *S. f. Proct.* Proctopexia.

retoque [Dev. de *retocar*.] *S. m.* **1.** Ato ou efeito de retocar. **2.** Correções e/ou aperfeiçoamentos finais de uma obra; toque. **3.** Correções feitas em fotografia.

rétor (ô) [Do gr. *rhétor*, pelo lat. *rhetore*.] *S. m.* Retórico (4).

retorce [Dev. de *retorcer*.] *S. m.* **1.** V. *retorsão* (1). **2.** Nas fábricas de fiação, oficina onde se retorce o fio.

retorcedura [De *retorcer* + *-dura*.] *S. f.* V. *retorsão* (1).

retorcer [Do lat. *retorcere, por *retorquere*.] *V. t. d.* **1.** Torcer novamente. **2.** Torcer muitas vezes: *retorcer os fios formando uma meada.* **3.** Revirar, agitar; contorcer: "E como a mocinha se pusesse de pé, ... retorcendo os braços, rilhando os dentes, ... D. Júlia agarrou-se à Felícia, sussurrando com medo: | — Vamo-nos embora." (Coelho Neto, *Turbilhão*, p. 176.) *P.* **4.** Torcer-se muito; contorcer-se: *A cobra retorcia-se na terra.* **5.** Usar de evasivas; tergiversar: *Não são poucos os políticos que se retorcem para alcançar o poder.* [Conjug.: v. *torcer*.]

retorcida [F. subst. de *retorcido*.] *S. f. Bras. RS* **1.** Volta da estrada; curva. **2.** *Etnogr.* Dança sapateada do fandango, nos bailes campestres gaúchos.

retorcido [Part. de *retorcer*.] *Adj.* **1.** Torcido de novo. **2.** Muito torcido; retorto. **3.** Arrevesado, rebuscado: *frases retorcidas.*

retórica [Do gr. *rhetoriké* (subentende-se *téchne*), 'a arte da retórica', pelo lat. *rhetorica*.] *S. f.* **1.** Eloquência (4); oratória. **2.** *E. Ling.* Estudo do uso persuasivo da linguagem, em especial para o treinamento de oradores. [Tradicionalmente cinco são as partes do estudo retórico: **(a)** a *inventio*, ou descoberta de argumentos; **(b)** a *dispositio*, ou arranjo das ideias; **(c)** a *elocutio*, ou descoberta da expressão apropriada para cada ideia, e que inclui o estudo das figuras ou tropos; **(d)** a *memoria*, ou memorização do discurso; e **(e)** a *pronuntiatio*, ou apresentação oral do discurso para uma audiência.] **3.** Tratado que encerra essas regras. **4.** Adornos empolados ou pomposos de um discurso. **5.** Discurso de forma primorosa, porém vazio de conteúdo. [Cf. *retorica*, do v. *retoricar*.]

retoricamente (ò) [Do f. de *retórico* + *-mente*.] *Adv.* Segundo as normas da retórica; com linguagem enfática.

retoricão [De *retórica* + *-ão*[1].] *S. m. Deprec.* Indivíduo que usa frases empoladas com pretensão de retórica.

retoricar [De *retórica* + *-ar*[2].] *V. int.* Aplicar as regras da retórica. [Conjug.: v. *trancar*. Pres. ind.: *retorico, retoricas, retorica*, etc. Cf. *retórico* e *retórica*.]

retoricismo [De *retórica* + *-ismo*.] *S. m.* Abuso da retórica, ou grande influência dela; retorismo.

retórico [Do gr. *rhetorikós*, pelo lat. *rhetoricu*.] *Adj.* **1.** Respeitante à retórica: *argumento retórico.* **2.** Que tem estilo empolado: *escritor retórico.* **3.** Que fala muito, mas superficialmente. ● *S. m.* **4.** Especialista em retórica (2); rétor. **5.** Orador que discursa afetadamente. [Cf. *retorico*, do v. *retoricar*.]

retorismo [De *retórica* + *-ismo*, seg. o padrão erudito.] *S. m.* Retoricismo.

retornamento [De *retornar* + *-mento*.] *S. m.* V. *retorno* (1).

retornança [De *retornar* + *-ança*.] *S. f. Desus.* V. *retorno* (1).

retornar [De *re-* + *tornar*.] *V. t. c.* **1.** Voltar (para o ponto de onde partiu); regressar: "almoçava e retornava à casinha, a fim de cuidar de sua horta." (Gilvã Lemos, *Jutaí Menino*, p. 181); *O navio retornou ao cais. Int.* **2.** Chegar de volta: *O ônibus só retornará amanhã. T. d. e c.* **3.** Fazer voltar; tornar: *O inverno retornou os viajantes à América.* [Pres. ind.: *retorno*, etc. Cf. *retorno* (ô).]

retorno (ô) [Dev. de *retornar*.] *S. m.* **1.** Ato ou efeito de retornar, de regressar. [Sin.: *regresso, volta* e (p. us.) *retornamento, retornança*.] **2.** Nas rodovias, desvio próprio para retornar. **3.** Troca de mercadorias. **4.** Dádiva em recompensa de favor ou presente. **5.** *Fig.* Reciprocidade, equivalência ou compensação de sentimentos, ações, ou de intenções. **6.** *Jur.* Conta que acompanha o ressaque (2). [Cf., nesta acepç., *recâmbio* (2).] **7.** *Com.* Resto de mercadoria que ficou por negociar; devolução. **8.** *Marinh.* Mudança de direção de um cabo, obtida com o emprego de uma peça de poleame. [Pl.: *retornos* (ô). Cf. *retorno*, do v. *retornar*.] ◆ **Eterno retorno.** **1.** *Filos.* Na Antiguidade, doutrina comum aos órficos, pitagóricos, jônios e estoicos, segundo a qual o mundo, ao fim de um determinado período, retorna ao caos inicial, a partir do qual novamente se cumprirá um ciclo idêntico ao anterior, e isto em número infinito de vezes; ciclo do mundo, palingenesia. **2.** *Rel.* Doutrina segundo a qual a alma se reencarna sucessivamente em diferentes corpos, realizando uma purificação progressiva até alcançar a perfeição.

reto-romântico [De *reto*[2] + *romântico*.] *Adj. S. m. Gloss.* **1.** V. *rético* (2 e 4). **2.** Diz-se de, ou o conjunto de variedades linguísticas que se constituíram num estágio evolutivo intermediário entre o latim vulgar e o rético (4), entre os sécs. V e IX. [V. *balcano-românico, galo-românico, ibero-românico* e *ítalo-românico*.] [Pl.: *reto-românicos*.]

reto-romano [De *reto*[2] + *romano*.] *Adj. S. m. Gloss.* V. *rético* (2 e 4). [Pl.: *reto-romanos*.]

retorquir (qui ou qüi) [Do lat. *retorquere*.] *V. t. d.* **1.** Replicar, objetar, contrapor: *— Que sabe do crime? perguntou o juiz. | — Quase nada, retorquiu o interrogado. T. d. e i.* **2.** Replicar, objetar, contrapor. *T. i. Int.* **3.** Opor argumento a argumento; retrucar, responder: *O réu não retorquiu às acusações; Arguido, não retorquiu.* [Defect. Não se conjuga na 1ª pess. sing. do pres. ind. nem, portanto, no pres. subj.]

retorquível [De *retorquir* + *-vel*.] *Adj. 2 g.* Que se pode retorquir, replicar.

retorsão [De *re-* + lat. *torsione (< lat. *torsum*, supino do v. lat. *torquere*, 'torcer'), para formar o nome da ação do v. *retorcer* (q. v.), seg. o modelo *extorsão* (< lat. med. *extorsione* < v. lat. *extorquere*): *extorquir* (< v. lat. *extorquere*), ou do lat. med. *retorsione*.] *S. f.* **1.** Ato ou efeito de retorcer(-se); retorcedura, retorce. **2.** Réplica, feita através dos próprios argumentos do adversário. **3.** Desforço, vingança, desforra.

retorta [Do lat. *retorta*.] *S. f.* **1.** A curva do báculo pastoral. **2.** Vaso de vidro ou de louça com o gargalo recurvo, voltado para baixo, e apropriado para operações químicas.

retorta-moirisca *S. f.* V. *retorta-mourisca*. [Pl.: *retortas-moiriscas*.]

retorta-mourisca *S. f.* Dança portuguesa do séc. XV na qual as dançarinas se vestiam à moda mourisca. [Var.: *retorta-moirisca*. Pl.: *retortas-mouriscas*.]

retorto (ô) [Do lat. *retortu*.] *Adj.* **1.** Muito torto. **2.** Retorcido (2). [Flex.: *retorta, retortos* (ó), *retortas*.]

retos [De *retórica*, poss.] *S. m. pl.* Palavras vãs; conversa fiada; palavrório, palanfrório, parolagem: *Não me venhas com retos.* ~ V. *reto*.

retoscopia [De *ret(o)-* + *-scop-* + *-ia*[1].] *S. f. Proct.* Inspeção do reto[1] (6) por meio de retoscópio; proctoscopia.

retoscópico [De *retoscopia* + *-ico*[2].] *Adj.* Relativo à retoscopia.

retoscópio [De *ret(o)-* + *-scópio*.] *S. m. Proct.* Endoscópio mediante o qual se efetua a inspeção interna do reto[1] (6), e que permite, também, a biopsia desse órgão.

retostar [De *re-* + *tostar*.] *V. t. d.* Tornar a tostar.

retouça [Dev. de *retouçar*.] *S. f.* Corda, muitas vezes com um assento, suspensa pelas duas extremidades, e em que as pessoas se balançam. [Var.: *retoiça, redouça* e *redoiça*. Sin.: *balanço, balouço* e (bras.) *bambão*.]

retoucar [De *re-* + *toucar*.] *V. t. d.* **1.** Toucar novamente; tornar a toucar: *retoucar a criança.* **2.** Revestir superiormente: *A neblina retouca as montanhas.* [Conjug.: v. *trancar*. Cf. *retocar*.]

retouçar [Do esp. *retozar*.] *V. int.* **1.** Correr, brincando; retouçar-se. **2.** Fazer travessuras; traquinar; retouçar-se. **3.** Espojar-se, espolinhar-se, retouçar-se: "os rebanhos que retouçam, e os pássaros que saltitam" (Capistrano de Abreu, *Ensaios e Estudos*, 1ª série, p. 166). **4.** Brincar na retouça; retouçar-se. **5.** *Bras. Prov. port.* Pastar, pascer; retouçar-se. *T. d.* **6.** *Bras. Prov. port.* Pastar, pascer: "dará com os olhos numa rês acinzentada que retouça as gramíneas tenras" (Gustavo Barroso, *Terra de Sol*, p. 204). *P.* **7.** V. *retouçar* (1 a 5): *Os bezerros retouçam-se no capinzal.* [Var.: *retoiçar*. Conjuga-se como *laçar*.]

retovado [Part. de *retovar*.] *Adj. Bras. RS* **1.** Envolto em retovo. **2.** *Fig.* Sonso, fingido, falso, dissimulado.

retovamento [De *retovar* + *-mento*.] *S. m. Bras. RS* Ação de retovar.

retovar [Do esp. plat. *retobar*.] *V. t. d. Bras. RS* Cobrir ou revestir com retovo (1 e 2). [Pres. ind.: *retovo*, etc. Cf. *retovo* (ô).]

retovo (ô) [Do esp. plat. *retobo*.] *S. m. Bras. RS* **1.** Forro de couro muito usado em cabos de relho, bengalas, etc. **2.** Couro de bezerro ou de potrinho morto, com que se cobre outro animal para que a mãe do que morreu aceite amamentá-lo. [Pl.: *retovos* (ô). Cf. *retovo*, do v. *retovar*.]

retrabalhar [De *re-* + *trabalhar*.] *V. t. d.* Fazer novamente, ou aperfeiçoar, trabalho já feito: *Insatisfeito com o resultado, o escritor retrabalhou alguns capítulos do livro.*

retração [Do lat. *retractione*.] *S. f.* **1.** Ato ou efeito de retrair(-se); retraimento. **2.** *Constr.* Contração permanente de um concreto ou de uma argamassa, que se verifica durante o seu endurecimento.

retraçar [De *re-* + *traçar*.] *V. t. d.* **1.** Traçar de novo. **2.** Reduzir a retraço. [Conjug.: v. *laçar*.]

retraço [Dev. de *retraçar*.] *S. m.* **1.** Fragmento de palha retraçada. **2.** Sobras da palha dada como ração às bestas. **3.** Palha cortada bem miúda. ~ V. *retraços*.

retraços [Pl. de *retraço*.] *S. m. pl.* Restos, sobras; vestígios: *A altivez e a arrogância deste senhor são retraços do passado feudal.* ~ V. *retraço*.

retráctil *Adj. 2 g.* V. *retrátil*. [Pl.: *retrácteis*.]

retractilidade [De *retráctil* + *-(i)dade*.] *S. f.* V. *retratilidade*.

retractivo *Adj.* V. *retrativo*.

retracto *S. m.* V. *retrato*[2].

retradução [De *re-* + *tradução*.] *S. f.* **1.** Ação de retraduzir. **2.** Nova tradução.

retradutor (ô) [De *re-* + *tradutor*.] *Adj. S. m.* Que, ou aquele que retraduz: "Atualmente nossos retradutores utilizam-se quase sempre do francês como língua intermediária." (Paulo Rónai, *Escola de Tradutores*, p. 35.)

retraduzir [De *re-* + *traduzir*.] *V. t. d.* **1.** Voltar a traduzir para uma língua (trecho ou obra traduzida dela para outra). **2.** Traduzir para uma língua (trecho ou obra em língua original já traduzida para uma língua intermediária). **3.** Fazer nova tradução de. [Irreg. Conjug.: v. *aduzir*.]

retraente [Do lat. *retrahente*.] *Adj. 2 g. S. 2 g. Jur.* Que, ou quem resgata seus bens que foram objeto de retrovenda.

retraído [Part. de *retrair*.] *Adj.* **1.** Puxado para trás. **2.** *Fig.* Que procede reservadamente; reservado, discreto. **3.** Sem desembaraço; acanhado, tímido.

retraimento (a-i) [De *retrair* + *-mento*.] *S. m.* **1.** Retração (1). **2.** V. *retiro* (1). **3.** Procedimento reservado; reserva, discrição. **4.** Acanhamento, timidez. **5.** Diminuição de volume, ou contração, de certas substâncias.

retrair [Do lat. *retrahere*.] *V. t. d.* **1.** Puxar a si; recolher, retirar: *O lutador pisou a face do adversário e só retraiu o pé por interferência do juiz*; "Adeus! — disse-lhe o pequeno afagando-a. | A esta palavra, o pai retraiu os braços e tomando o filho ao colo seguiu." (Trindade Coelho, *Os Meus Amores*, p. 99). **2.** Encolher, contrair: *Os diferentes espelhos alongavam e retraíam as imagens.* **3.** Fazer voltar para trás; retirar, recuar, retrogradar: *O general mandou retrair as tropas*; "o sujeito avançava para o meio da roda, ... empinando e retraindo a barriga" (Herman Lima, *Garimpos*, p. 22). **4.** Ocultar fraudulentamente; sonegar: *Serão punidos os cidadãos que retraírem seus rendimentos.* **5.** Não manifestar; reprimir, conter: *A moça retraía seu imenso desgosto.* **6.** Guardar ou esconder em seu âmago: *O vulcão retraiu, durante séculos, o fogo destruidor.* **7.** Tornar retraído ou reservado: *A responsabilidade retrai os homens, dosando-lhes a expansividade. T. d. e i.* **8.** Impedir, proibir, tolher: *Ninguém conseguiu retraí-lo de dizer o que pensava.* **9.** Fazer escapar; livrar, salvar: *O arrependimento sincero retrai os pecadores ao castigo divino. P.* **10.** Bater em retirada; recuar, retirar-se: *Os inimigos retraíram-se e o território foi recuperado.* **11.** Isolar-se, afastar-se, apartar-se: *Cansado de festas e recepções, retraiu-se da sociedade.* **12.** Tornar-se retraído, reservado: *Expansivo com os íntimos, retrai-se na vida profissional.* **13.** Meditar com profundidade; concentrar-se. **14.** Encolher-se, contrair-se: "Espírito, / ânfora mágica, invisível, / que se dilata em expansão colorida / ou se retrai em síntese / de linguagem complexa" (Iolanda Jordão, *Poesias*, p. 131); "A mão enluvada esbarrou na sua, retraiu-se; deixou-se prender." (Marina Colasanti, *A Morada do Ser*, p. 107). **15.** Esconder-se, encolher-se, contrair-se: *A pobre criança retraiu-se de medo*; "Ela tinha-se erguido trêmula; e foi-se a pouco e pouco retraindo até cair de joelhos." (José de Alencar, *Lucíola*, p. 120). **16.** Dar o dito por não dito; voltar atrás com uma promessa; desdizer-se. [Irreg. Conjug.: v. *sair*.]

retramar [De *re-* + *tramar*.] *V. t. d.* Tramar de novo.

retranca [Do arc. *re(dro)* (< lat. *retro*) + *tranca*.] *S. f.* **1.** V. *rabicho* (2). **2.** *Constr. Nav.* Verga que trabalha na parte inferior do mastro, para apoio da esteira de vela latina. **3.** *Edit.* Marcação, com letras ou algarismos, dos originais destinados a jornal ou revista, para classificá-los e facilitar a paginação. **4.** *Edit.* A marca assim feita, que se repete na prova respectiva. [Cf., nesta acepç., *sub-retranca*.] **5.** *Bras. Fut.* Tática

R

em que se mantém a maioria dos jogadores na defesa, atacando apenas esporadicamente; ferrolho. **6.** *P. ext. Bras. Fam.* Atitude defensiva, reservada, ante uma situação difícil: *Quem ganha pouco tem de viver na retranca.* **7.** *Bras. N.E.* Vara ou viga que se põe atrás das portas; tranca. **8.** *Bras. N.E.* Vara com que se abre a vela da jangada. • ***S. m.*** **9.** *Tip.* Gráfico encarregado de despaginar a composição, após a sua estereotipagem. [Nesta acepç., cf. *retranquista.*] ◆ **Fazer a retranca de.** *Tip.* Despaginar.

retrança [De *re-* + *trança.*] ***S. f.*** *Bras.* Copa densa de árvores.

retrancagem [De *retrancar* + *-agem*[2].] ***S. f.*** *Tip.* Ato ou efeito de retrancar.

retrancar [De *retranca* + *-ar*[2].] ***V. t. d.*** **1.** *Edit.* Marcar com retranca. ***Int.*** **2.** Agir, ou ficar na retranca (5 e 6). [Conjug.: v. *trancar.*]

retranquista [De *retranca* + *-ista.*] ***S. 2 g.*** *Tip.* Gráfico encarregado de retrancar originais ou provas. [Cf. *retranca* (9).]

retranscrever [De *re-* + *transcrever.*] ***V. t. d.*** Transcrever outra vez; tornar a transcrever.

retranscrição [De *re-* + *transcrição.*] ***S. f.*** Ato ou efeito de retranscrever.

retransir (z) [Do lat. *retransire.*] ***V. t. d.*** **1.** Penetrar até o íntimo de; trespassar; transir: *O pavor retransiu os presentes.* ***P.*** **2.** Ficar repassado, transido, tolhido (de medo, dor, susto, vergonha, etc.).

retransmissão [De *re-* + *transmissão.*] ***S. f.*** Ato ou efeito de retransmitir.

retransmissor (ô) [De *re-* + *transmissor.*] ***Adj. S. m.*** Diz-se de, ou aparelho de telecomunicação que retransmite os sinais recebidos.

retransmissora (ô) [F. subst. de *retransmissor.*] ***S. f.*** **1.** *Eng. Eletrôn.* Estação que recebe e retransmite ondas radielétricas. **2.** *Rád. Telev.* Estação retransmissora (q. v.). [Cf., nesta acepç., *repetidora* (2).]

retransmitir [Do lat. *retransmittere.*] ***V. t. d.*** **1.** Tornar a transmitir; transmitir de novo. **2.** *Rád. Telev.* Transmitir, simultânea ou posteriormente, programa transmitido por outra emissora.

retrasado [Part. de *retrasar.*] ***Adj.*** **1.** Diz-se de data imediatamente anterior; passado. **2.** *Bras.* V. *atrasado* (5): *a semana retrasada.*

retrasar [De *re-* + *trás* + *-ar*[2].] ***V. t. d.*** Atrasar (1 a 6).

retraso [Dev. de *retrasar.*] ***S. m.*** Atraso (1 e 2).

retratabilidade [De *retratável* + *-(i)dade,* seg. o padrão erudito.] ***S. f.*** Qualidade de retratável[2].

retratação [Do lat. *retractatione.*] ***S. f.*** **1.** Ato ou efeito de retratar(-se) ou desdizer(-se). **2.** Confissão de erro. **3.** Declaração que retrata ou desdiz outra anteriormente feita. [Sin., nessas acepçs., *palinódia* e *volta-face.*] **4.** *Jur.* Retirada ou anulação duma proposta por arrependimento do proponente.

retratado [Part. de *retratar.*] ***Adj.*** **1.** Reproduzido pela pintura, pela fotografia, etc. **2.** Espelhado, refletido, repercutido. **3.** Bem descrito.

retratador[1] (ô) [De *retratar*[1] + *-dor.*] ***Adj.*** **1.** Que retrata. • ***S. m.*** **2.** Retratista.

retratador[2] (ô) [De *retratar*[2] + *-dor.*] ***Adj. S. m.*** **1.** Que, ou aquele que se retrata ou desdiz. **2.** Que, ou aquele que retrata ou torna a tratar algum assunto.

retratar[1] [De *retrato*[1] + *-ar*[2].] ***V. t. d.*** **1.** Fazer o retrato[1] (1) de: "foi ela [Mlle. Teresa Schwartze] ainda quem retratou a família do burgomestre de Amsterdã, quadro exposto em Paris há dois anos" (Ramalho Ortigão, *A Holanda*, p. 246). **2.** Reproduzir a imagem de; espelhar, refletir: *As águas da lagoa retratam a Lua.* **3.** Representar com exatidão; apresentar tal qual: *Este documentário retrata as batalhas da 2ª Grande Guerra.* **4.** Deixar transparecer; revelar, mostrar, manifestar: *A expressão de seu rosto encarquilhado retrata o sofrimento.* **5.** Representar, descrever, reproduzir: *O estudo retrata sucintamente a sociedade grega.* ***Transobj.*** **6.** Descrever, apresentar: *Retrataram-no, injustamente, como violento e cruel.* ***P.*** **7.** Ser retratado por si mesmo ou por outrem; reproduzir a própria imagem em pintura, ou em fotografia. **8.** Mostrar-se, transparecer, revelar-se, patentear-se: *Sua alegria retratou-se no riso fácil.* **9.** Refletir-se, espelhar-se. [Pres. subj.: *retrate, ... retrateis, retratem.* Cf. *retráteis,* pl. de *retrátil,* adj. 2 g.]

retratar[2] [Do lat. *retractare,* 'puxar para trás'.] ***V. t. d.*** **1.** Retirar (o que disse); dar como não dito: *A justiça obrigará os caluniadores a retratarem as acusações.* **2.** Tornar a tratar (um assunto): *Não retrataremos propostas estudadas e recusadas.* ***P.*** **3.** Retirar o que disse; desdizer-se: *O acusador retratou-se.* **4.** Confessar que errou, que procedeu mal: *O orgulhoso jamais se retrata.* [Pres. subj.: *retrate, ... retrateis, retratem.* Cf. *retráteis,* pl. de *retrátil,* adj. 2 g.]

retratável[1] [De *retratar*[1] + *-vel.*] ***Adj. 2 g.*** Que se pode retratar[1].

retratável[2] [De *retratar*[2] + *-vel.*] ***Adj. 2 g.*** Suscetível de retratação.

retrátil [Var. de *retráctil* < lat. *retractus,* part. pass. de *retrahere,* 'retrair', + *-il*[1].] ***Adj. 2 g.*** **1.** Que se retrai ou se pode retrair. **2.** Que causa retratação. [Sin. ger.: *retrativo.* Antôn.: *protrátil.* Pl.: *retráteis.* Cf. *retrateis,* do v. *retratar.*]

retratilidade [Var. de *retractilidade.*] ***S. f.*** Qualidade ou estado de retrátil.

retratista [De *retrato*[1] + *-ista.*] ***S. 2 g.*** Pessoa que faz retrato[1] (1, 3 e 7).

retrativo [Do lat. *retractus,* part. pass. de *retrahere,* 'retrair', *-ivo.*] ***Adj.*** Retrátil (q. v.).

retrato[1] [Do it. *ritratto.*] ***S. m.*** **1.** Representação da imagem de uma pessoa real, pelo desenho, pintura, gravura, etc., ou pela fotografia. **2.** A obra de arte cujo assunto é o retrato (1). **3.** Figura, imagem, efígie (de alguém). **4.** *Fig.* Pessoa que se parece muito com outra: *O menino é o retrato do avô.* **5.** *Fig.* Representação falada ou escrita de uma pessoa (ou de seu caráter), de uma coisa, etc.; descrição. **6.** *Fig.* Exemplo, modelo. **7.** *Bras.* Fotografia (2): *Tirou retratos dos principais pontos turísticos.* **8.** *Jog. Inf.* Jogo de salão em que um participante se afasta dos demais, permitindo-lhes escolher em segredo a pessoa que lhe caberá descobrir ao voltar, com o auxílio de perguntas aos companheiros, às quais só se responde com *sim* ou *não.* ◆ **Retrato falado.** Reconstituição dos traços fisionômicos ou de outros sinais característicos de uma pessoa desconhecida, por meio das informações de testemunhas, em geral para facilitar sua identificação pela polícia.

retrato[2] [Do lat. *retractu.*] ***S. m.*** *Jur.* Resgate convencional; retrovenda.

retravar [De *re-* + *travar.*] ***V. t. d.*** **1.** Travar novamente; tornar a travar. **2.** Começar novamente; recomeçar, reiniciar: *As tropas retravaram as lutas.*

retre [Do al. *Reiter,* pelo fr. *reître.*] ***S. m.*** **1.** Na Idade Média, cavaleiro alemão a serviço do rei de França. **2.** Soldado de cavalaria munido de pistolas dum chefe de guerra.

retrecheiro [Do esp. plat. *retrechero.*] ***Adj. S. m.*** *Bras. RS* Preguiçoso, lerdo, moleirão.

retremer [De *re-* + *tremer.*] ***V. t. d.*** **1.** Fazer tremer novamente. **2.** Fazer tremer muito. ***Int.*** **3.** Tornar a tremer. **4.** Tremer seguidamente: "Cheiroso o laranjal nívea grinalda / Borda; o bambual retreme e se espreguiça." (Alberto de Oliveira, *Poesias,* 3ª série, p. 283); "ela igualmente está irada, retreme e gesticula" (Bernardo Élis, *Veranico de Janeiro,* p. 80).

retreta[1] (ê) [Do fr. *retraite,* 'retirada'.] ***S. f.*** **1.** Formatura de soldados ao fim do dia para se verificar se todos estão presentes. **2.** Criada do serviço particular da rainha. **3.** *Bras.* Concerto popular de uma banda em praça pública.

retreta[2] (ê) [Var. de *retrete.*] ***S. f.*** V. *latrina* (1).

retrete (ê ou é) [Do cat. *retret,* 'lugar retirado'.] ***S. f.*** V. *latrina* (1 e 2): "e cada qual há-de ter a sua casa com a sua lareira e os seus quartos e a sua retrete." (Vergílio Ferreira, *Signo Sinal,* p. 87). [Var.: *retreta.*]

retretista [De *retreta*[1] + *-ista.*] ***Adj. 2 g. S. 2 g.*** *Bras.* Diz-se de, ou músico que toma parte numa retreta[1] (3).

retribuição (u-i) [Do lat. *retributione.*] ***S. f.*** **1.** Ato ou efeito de retribuir. **2.** Remuneração, pagamento, paga. **3.** Recompensa, compensação, prêmio. **4.** Ato de cortesia ou de reconhecimento, com que se corresponde a atenção ou favor recebido: *a retribuição de um jantar; Merece bem o que lhe fiz, não pense em retribuição.*

retribuidor (u-i... ô) [Do lat. *retributore.*] ***Adj. S. m.*** Que, ou aquele que retribui.

retribuir [Do lat. *retribuere.*] ***V. t. d.*** **1.** Dar retribuição ou recompensa a; recompensar, premiar, galardoar: *A própria vida retribui as atitudes virtuosas.* **2.** Compensar (sentimento, gesto, etc.) equivalentemente; corresponder: *A moça não retribuía o seu amor.* **3.** Dar retribuição ou pagamento a; remunerar. **4.** Dar em paga ou recompensa: *Ingrato, recebe carinho e retribui indiferença.* **5.** Fazer retribuição (4) de; pagar: *retribuir visita.* ***T. d. e i.*** **6.** Premiar, compensar, recompensar: *A Nação retribuirá aos soldados os atos de bravura.* **7.** Compensar equivalentemente; corresponder. **8.** Retribuir (5): *O Embaixador retribuiu ao Presidente as homenagens recebidas.* [Conjug.: v. *atribuir.*]

retribuível [De *retribuir* + *-vel.*] ***Adj. 2 g.*** Que se pode retribuir.

retributividade [De *retributivo* + *-(i)dade.*] ***S. f.*** Qualidade ou característica do que é retributivo.

retrilhar [De *re-* + *trilhar.*] ***V. t. d.*** **1.** Trilhar novamente; tornar a trilhar: "Faltam as forças para voltar atrás, para retrilhar o andado, para recomeçar de novo." (Ramalho Ortigão, *Em Paris,* p. 61.) **2.** Repetir, repisar: *retrilhar as mesmas expressões.*

retrincado [Part. de *retrincar.*] ***Adj.*** Astuto, dissimulado, malicioso, caviloso: "Este ato denuncia-lhe do mesmo passo a índole retrincada, a ironia diabólica e a ríspida educação política" (Euclides da Cunha, *Contrastes e Confrontos,* p. 3).

retrincar [De *re-* + *trincar.*] ***V. t. d.*** **1.** Trincar de novo, ou repetidamente. **2.** Dar mau sentido a; interpretar com malícia: *Retrincou as palavras ouvidas, e daí a discussão.* ***Int.*** **3.** Dar interpretação maliciosa: *Expus minha tese com clareza, e ele retrincou.* **4.** Murmurar, sussurrar. [Conjug.: v. *trancar.*]

retriz [Do lat. *rectrice,* 'a que dirige'.] ***S. f.*** *Zool.* Cada uma das penas da cauda, que orientam o voo das aves.

retro [Do lat. *retro.*] ***Adv.*** Atrás (1 e 3).

▲ **retr(o)-** [Do lat. *retro.*] ***Pref.*** = 'movimento para trás': *retroalimentação, retrotrair, retroversão.* [É seguido de hífen quando anteposto a palavra iniciada por *h* ou *o*: *retro-oclusão, retro-ocular* (em tais casos, apenas o 2º el. é flexionado na formação do plural); é grafado com *r* ou *s* duplicados quando anteposto a palavra iniciada por *r* ou *s*: *retrosseguir.*]

retrô [F. red. de *retrocesso.*] ***Adj. 2 g. e 2 n.*** Diz-se de veste, decoração, estilo, etc. que se baseiam em épocas passadas.

retroação [De *retroagir* + *-ção,* seg. o padrão *agir* (< lat. *agere*): *ação* (< lat. *actione* < lat. *agere*).] ***S. f.*** **1.** Ato de retroagir. **2.** Efeito daquilo que é retroativo.

retroagir [Do lat. *retroagere.*] ***V. int.*** **1.** Ter efeito sobre o passado: *A lei só retroage em benefício do réu.* **2.** Modificar o que está feito: *Seguirão a norma em situação futura, mas agora não podem retroagir.* [Conjug.: v. *dirigir.*]

retroalimentação [De *retr(o)-* + *alimentação.*] ***S. f.*** **1.** *Eletrôn.* Qualquer procedimento em que parte da energia do sinal de saída de um circuito é transferida para o sinal de entrada com o objetivo de reforçar, diminuir ou controlar a saída do circuito; realimentação. **2.** *Fisiol.* V. *feedback* (2). **3.** *Med.* Fluxo de realimentação retrógrada através dos nervos. **4.** Processo pelo qual se produzem modificações em sistema, comportamento ou programa, por efeito de respostas à ação do próprio sistema, comportamento ou programa. [Um exemplo de retroalimentação seriam modificações no enredo de uma novela de televisão como resultado de pesquisas de opinião.] **5.** *P. ext.* Essas respostas em si mesmas. [Corresponde ao inglês *feedback.*]

retroar [De *re-* + *troar.*] ***V. int.*** **1.** Tornar a troar; troar de novo. **2.** Troar muito e demoradamente; retumbar: "Sonho escutar a tuba de ouro / Da Liberdade! e ouvir, em coro, / A multidão! / Na orquestra viva do planeta / Retroar a rútila trombeta / Da redenção!" (Martins Fontes, *Vulcão,* p. 111.) [Conjug.: v. *coroar.*]

retroativamente [Do f. de *retroativo* + *-mente.*] ***Adv.*** De modo retroativo.

retroatividade [De *retroativo* + *-(i)dade.*] ***S. f.*** Qualidade ou caráter de retroativo.

retroativo [Do lat. *retroactum,* supino do v. lat. *retroagere,* 'retroagir', + *-ivo.*] ***Adj.*** **1.** Relativo ao passado. **2.** Que modifica o que está feito. **3.** Que afeta o passado; que retroage.

retroator (ô) [Do lat. *retroatus,* part. pass. de *retroagere,* 'fazer recuar, retroagir', + *-or.*] ***S. m.*** Aquele ou aquilo que faz retroagir.

retroauricular [De *retr(o)-* + *auricular.*] ***Adj. 2 g.*** Pós-auricular. [Pl.: *retroauriculares.*] ❖

retrocarga [De *retr(o)-* + *carga.*] ***S. f.*** Ato ou efeito de carregar uma arma de fogo pela culatra.

retrocausalidade [De *retr(o)-* + *causalidade.*] ***S. f.*** *Filos.* Relação de causalidade em que a causa não necessariamente precede o efeito, mas pode sucedê-lo uma vez que não está demonstrado que tal acontecimento seja contraditório.

retrocedente [Do lat. *retrocedente.*] ***Adj. 2 g.*** **1.** Que retrocede. • ***S. 2 g.*** **2.** Pessoa que faz retroceder. **3.** Pessoa que transfere um bem por retrocessão.

retroceder [Do lat. *retrocedere.*] ***V. int.*** **1.** Voltar para trás; recuar, retrogradar: *A bravura daqueles soldados obrigou o exército inimigo a retroceder.* **2.** Ir ou estar em decadência; decair, declinar: *Dia a dia retrocedem certos costumes.* **3.** Tornar atrás; desistir, ceder: *Por mais que lhe hajam demonstrado a insensatez de seus intentos, ele não retrocedeu.* ***T. d. T. d. e i.*** **4.** Fazer retrocessão (2) de: *Retrocedeu a fazenda pouco após adquiri-la; Retrocedi-lhe a casa e os outros bens.*

retrocedimento [De *retroceder* + *-imento.*] ***S. m.*** V. *retrocesso* (1 a 4).

retrocessão [Do lat. tard. *retrocessione.*] ***S. f.*** **1.** V. *retrocesso* (1). **2.** *Jur.* Ato pelo qual o adquirente de um bem transfere de volta a propriedade desse bem àquele de quem o adquirira. **3.** *Patol.* Deslocamento realizado no organismo por um elemento mórbido.

retrocessionário [De *retrocessão* + *-ário*, seg. o padrão erudito.] *S. m. Jur.* Aquele que adquire um bem por retrocessão (2).

retrocessivo [De *retrocesso* + *-ivo*.] *Adj.* **1.** Que faz retroceder. **2.** Que causa retrocessão.

retrocesso [Do lat. *retrocessu*.] *S. m.* **1.** Ato ou efeito de retroceder; retrocessão: "Esse lamentável retrocesso aos velhos tempos da invasão dos bárbaros deixa a gente em assombro." (Graciliano Ramos, *Linhas Tortas*, p. 17.) **2.** Retorno ao primitivo estado; reversão. **3.** Retrogradação, recuo. **4.** Retardamento, atraso. [Sin., nessas acepç. (1 a 4): *retrocedimento*.] **5.** Tecla que, nas máquinas de escrever, retrocede o carro na direção horizontal. **6.** *Astron.* Reversão da sequência ou retrocontagem, a fim de evitar o lançamento de um veículo espacial.

retrocontagem [De *retr(o)-* + *contagem*.] *S. f.* Contagem regressiva.

retrocruzamento [De *retr(o)-* + *cruzamento*.] *S. m. Genét.* Cruzamento de um heterozigoto com um homozigoto recessivo, e do qual resultam descendentes com genótipo heterozigótico.

retrodifusão [De *retr(o)-* + *difusão*.] *S. f. Fís. Nucl.* Num processo de espalhamento de partículas, deflexão destas com ângulos de mais de 90 graus; retroespalhamento.

retroespalhamento [De *retr(o)-* + *espalhamento*.] *S. m. Fís. Nucl.* Retrodifusão.

retroesternal [De *retr(o)-* + *esternal*.] *Adj. 2 g. Anat.* Retrosternal.

retroflexa (cs) [F. subst. do adj. *retroflexo*.] *S. f. E. Ling.* Consoante retroflexa (q. v.).

retroflexão (cs) [De *retroflexo* + *-ão*[3].] *S. f.* Estado de retroflexo.

retroflexo (cs) [Do lat. *retroflexu*.] *Adj.* **1.** Que se curva ou dobra para trás. ~ V. *consoante —a*. **2.** *E. Ling.* Diz-se de fonema cuja articulação implica a flexão para trás, em direção ao palato, da ponta da língua em suspensão.

retrofoguete (ê) [De *retr(o)-* + *foguete*.] *S. m. Astron.* Foguete utilizado na retropropulsão.

retrogosto (ô) [De *retr(o)-* + *gosto*.] *S. f. Enol.* O sabor específico deixado na boca pelo vinho após alguns instantes de deglutido. [Nos melhores vinhos o retrogosto persiste por um tempo maior do que o habitual.]

retrogradação [Do lat. *retrogradatione*.] *S. f.* Ato ou efeito de retrogradar; retrocesso.

retrogradar [Do lat. *retrogradare*.] *V. int.* **1.** Andar para trás; recuar, retroceder: "Aos primeiros sopros trêmulos da gaita, a quadrilha rompeu, abalando o soalho, onde os corpos adiantavam-se e retrogradavam, com mesuras e entrelaçamentos rápidos." (Virgílio Várzea, *Mares e Campos*, p. 61.) **2.** Marchar em oposição ao progresso: "O conselheiro Viale estava inteira, sincera e religiosamente convencido de que Portugal retrogradava, pelo completo abandono dos estudos clássicos." (Fialho d'Almeida, *Pasquinadas*, p. 126.) *T. d.* **3.** Fazer retroceder, impelir para trás; recuar. **4.** Fazer marchar em oposição ao progresso: *Os conservadores tentam retrogradar as novas ideias. T. c.* **5.** Voltar atrás em relação ao tempo; recuar: *A descrição, de tão viva, faz os leitores retrogradarem à época do Império Romano.* [Pres. ind.: *retrogrado*, etc. Cf. *retrógrado*.]

retrógrado [Do lat. *retrogradu*.] *Adj.* **1.** Que retrograda. **2.** Que é contrário ao progresso. ~ V. *movimento* — e *pielografia —a*. ● *S. m.* **3.** Indivíduo retrógrado. [Cf. *retrogrado*, do v. *retrogradar*.]

retroiluminação [De *retroiluminar* + *-ção*.] *S. f.* Ato ou efeito de retroiluminar.

retroiluminar [De *retr(o)-* + *iluminar*.] *V. t. d.* Iluminar por trás.

retroo [Dev. de *retroar*.] *S. m.* Ação ou efeito de retroar. ✧

retro-oclusão [De *retr(o)-* + *oclusão*.] *S. f. Anat.* Oclusão na qual o arco mandibular está em posição posterior em relação ao arco maxilar. [Pl.: *retro-oclusões*.]

retroperitonial [De *retroperitônio* + *-al*[1].] *Adj. 2 g.* ~ V. *espaço* —.

retroperitónio *S. m. Anat.* V. *retroperitônio*. [Uso freq. em P.]

retroperitônio [De *retr(o)-* + *peritônio*.] *S. m. Anat.* Espaço retroperitonial (q. v.).

retroprojetor (ô) [De *retr(o)-* + *projetor*.] *S. m.* Aparelho óptico destinado à projeção de textos, gráficos, desenhos, etc., escritos ou impressos em transparência (5), a qual é colocada num suporte horizontal sob um feixe luminoso, o que permite a reprodução, numa tela ou parede, de sua imagem ampliada.

retropropulsão [De *retr(o)-* + *propulsão*.] *S. f. Astron.* Freamento de um veículo espacial por um foguete, mediante a ejeção de gases no sentido do movimento do veículo para lhe reduzir a velocidade.

retropulsão [De *retr(o)-* + lat. *pulsione*, 'impulso'.] *S. f.* **1.** Impulso para trás. **2.** Perturbação da marcha ao recuar, caracterizada por uma aceleração até cair, ou parar por um obstáculo.

retrorso (ô) [Do lat. *retrorsu*.] *Adj. Bot.* Voltado para baixo ou para a base: *dente retrorso*. [Opõe-se a *antrorso*.]

retrós [Do fr. *retors*, 'fio torcido', com metátese.] *S. m.* **1.** Fio ou fios de seda torcidos, ou de algodão mercerizado, etc., para costura. **2.** *P. ext.* Cilindro de plástico, papel, etc., enrolado com retrós (1). **3.** *Bras. RN* V. *cachaça* (1). [Pl.: *retroses*.]

retrosaria [De *retrós* + *-aria*.] *S. f.* **1.** Loja de retroseiro. **2.** Grande quantidade de retroses.

retroseiro [De *retrós* + *-eiro*.] *S. m.* Indivíduo que vende retrós, objetos de seda, passamanes, etc.

retrospeção *S. f.* V. *retrospecção*.

retrospecção [Der. culto do lat. *retrospicere*, 'olhar para trás'.] *S. f.* V. *retrospecto*.

retrospectiva [F. subst. de *retrospectivo*.] *S. f.* **1.** V. *retrospecto*. **2.** Exposição (2) retrospectiva. [Var.: *retrospetiva*.]

retrospectivamente [Do f. de *retrospectivo* + *-mente*.] *Adv.* De maneira retrospectiva; com retrospecção.

retrospectivo [De *retrospecto* + *-ivo*.] *Adj.* **1.** Que se volta para o passado. **2.** Referente ao passado. [Var.: *retrospetivo*.] ~ V. *falsificação —a*.

retrospecto [Do lat. *retrospectu*.] *S. m.* **1.** Observação, ou análise, de tempos ou coisas passadas. **2.** Vista de olhos para o passado. [Var.: *retrospeto*; sin.: *retrospectiva* e *retrospecção*.]

retrospetiva *S. f.* V. *retrospectiva*.

retrospetivo *Adj.* V. *retrospectivo*.

retrospeto *S. m.* V. *retrospecto*.

retrosseguir [De *retr(o)-* + *seguir*.] *V. int.* Retroceder, retrogradar. [Irreg. Conjug.: v. *seguir*.]

retrosternal [De *retr(o)-* + *esterno* + *-al*[1].] *Adj. 2 g. Anat.* Situado posteriormente ao esterno; retroesternal.

retroterra [De *retr(o)-* + *terra*.] *S. f.* Hinterlândia.

retrotrair [De *retr(o)-* + lat. *trahere*, 'mover para trás'.] *V. t. d.* **1.** Dar efeito retroativo a: *retrotrair uma lei.* **2.** Fazer voltar atrás; fazer retroceder; retrogradar, retrair. **3.** Levar, aplicar, até a origem ou o começo. *T. d. e c.* **4.** Fazer retroceder ou recuar: *O dispositivo adicional retrotraiu o efeito da lei a um período anterior ao da sua aplicação. Int.* **5.** Decair, declinar, retroceder. *P.* **6.** Retroceder, recuar, retrogradar: *O exército retrotraiu-se até cruzar as fronteiras.* [Irreg. Conjug.: v. *sair*.]

retrovenda [De *retr(o)-* + *venda*.] *S. f. Jur.* Em contrato de compra e venda de imóvel, cláusula que ao vendedor reserva o direito de o recomprar em certo prazo, sob a condição de restituir o preço, ressarcir os gastos efetuados pelo comprador e reembolsá-lo pelo valor dos melhoramentos acrescentados ao imóvel.

retrovender [De *retr(o)-* + *vender*.] *V. t. d. T. d. e i.* Vender (um imóvel) com cláusula de retrovenda: *O proprietário retrovendeu seu apartamento; Retrovendeu a casa a um amigo.*

retrovendição [De *retrovender* + *-ição*.] *S. f.* Ato de retrovender.

retroversão [De *retr(o)-* + *versão*.] *S. f.* **1.** *E. Ling.* Exercício escolar que consiste em retraduzir para a língua original um texto traduzido. **2.** *Patol.* Inclinação de um órgão para trás.

retroverso [Do lat. *retroversu*.] *Adj.* Retrovertido.

retroverter [De *retr(o)-* + *verter*.] *V. t. d.* **1.** Fazer voltar para trás; recuar, retrair, retrogradar: *O coronel retroverteu o batalhão.* **2.** *E. Ling.* Fazer retroversão (1) de: *retroverter um texto clássico.*

retrovertido [Part. de *retroverter*.] *Adj.* Que se retroverteu; inclinado para trás. [F. paral.: *retroverso*.]

retroviral [De *retrovír(us)* + *-al*[1].] *Adj. 2 g.* De, ou relativo a retrovírus; retrovirótico.

retrovirídeo [Adapt. do tax. *Retroviridae*.] *Microbiol. S. m.* **1.** Espécime dos retrovirídeos, família de vírus ARN cujo tipo é o retrovírus, do qual muitas espécies são oncogênicas; têm um vírion de 80 a 100mm de diâmetro, que consiste em invólucro que contém lipídio com peplômeros, circundando um capsídeo icosaédrico. ● *Adj.* **2.** Pertencente ou relativo a eles.

retrovirídeos *S. m. pl. Microbiol.* Família de vírus RNA cujo tipo é o retrovírus, do qual muitas espécies são oncogênicas; têm um vírion de 80 a 100mm de diâmetro, que consiste em invólucro que contém lipídio com peplômeros, circundando um capsídeo icosaédrico.

retrovirótico [De *retrovír(us)* + *-ótico*.] *Adj.* Retroviral.

retrovírus [Do ingl. *retrovirus* (do lat. retro, 'detrás', + *virus*); tax. *Retrovirus*.] *S. m. 2 n. Microbiol.* Cada um de um grande grupo de vírus RNA no qual estão incluídos os leucovírus e os lentivírus.

retrovisor (ô) [De *retr(o)-* + *visor*.] *Adj. S. m.* Diz-se de, ou cada um dos espelhos colocados no interior e nas laterais dos veículos automóveis para dar, a quem guia, visibilidade traseira.

retrucar [De *re-* + *trucar*.] *V. t. d. T. d. e i.* **1.** Replicar, redarguir, retorquir. *T. i.* **2.** Em certos jogos, revidar a aposta de (o adversário), propondo outra mais alta: *retrucar ao parceiro.* [Conjug.: v. *trancar*.]

retruco [Dev. de *retrucar*.] *S. m.* Revide, retruque: "de raiva, soltou, na janela, uma a uma as mudas de roupa do irmão .... no retruco, ganhou no corpo várias manchas vermelhas de mertiolate, pontas de faca de cozinha que ele esculpia" (Luís Ruffato, *Eles Eram Muitos Cavalos*, p. 69).

retruque [Dev. de *retrucar*.] *S. m.* **1.** Ato ou efeito de retrucar. **2.** Volta de uma bola de bilhar, chocando-se com a outra que a impeliu.

retumbância [De *retumbar* + *-ância*.] *S. f.* **1.** Qualidade de retumbante. **2.** Retumbo.

retumbante [De *retumbar* + *-nte*.] *Adj. 2 g.* **1.** Que retumba. **2.** Ruidoso, barulhento. **3.** *Fig.* Espetacular, impressionante: *O filme teve retumbante sucesso.*

retumbão [De *retumbar*.] *S. m. Bras. PA Etnogr.* Dança preferida da marujada na festa de S. Benedito, em Bragança.

retumbar [Do arc. *retombar* < *re-* + *tomb*, onom. de *queda*, *-ar*[2].] *V. int.* **1.** Refletir com estrondo; estrondear, ecoar, ribombar, ressoar: "Bate, arrebenta, assobia, / Retumba, estrondeia o mar." (Raimundo Correia, *Poesias*, p. 273.) *T. d.* **2.** Repetir com estrondo; refletir o som de, com estrondo: *O desfiladeiro retumbava as descargas dos canhões.*

retumbo [Dev. de *retumbar*.] *S. m.* Ato ou efeito de retumbar; retumbância.

retundir [Do lat. *retundere*.] *V. t. d.* Reprimir, moderar, reter, conter: *É incapaz de retundir as paixões.*

returno [De *re-* + *turno*.] *S. m. Bras. Esport.* Nos campeonatos esportivos, repetição das partidas entre os mesmos concorrentes do primeiro turno; segundo turno.

retuso [Do lat. *retusu*, 'batido'.] *Adj.* ~ V. *folha —a*.

réu [Do lat. *reu*.] *S. m.* **1.** Indivíduo contra quem se instaurou ação civil ou penal. [Cf. *acusado* (6), *criminoso* (4) e *querelado*.] **2.** *P. ext.* Indivíduo acusado de ação criminosa ou de ato contra o interesse geral. ● *Adj.* **3.** Que tem culpa(s); culpado, responsável. **4.** Que tem má índole; malevolente. [Fem.: *ré*.]

reuchliniano (òi) [Do antr. *Reuchlin* + *-iano*.] *Adj.* Diz-se do sistema de pronúncia do grego antigo, semelhante à do grego moderno, que é recomendada pelo humanista e filólogo alemão Johann Reuchlin (1455-1522). [Opõe-se a *erasmiano* (2).]

reuma [Do gr. *rheûma*, pelo lat. tard. *rheuma*.] *S. f. Patol.* Fluxo de humor catarral ou aquoso. [Var.: *reima*.]

▲ reuma- Equiv. de *reumat(o)-*.

reumametria [De *reuma-* + *-metria*.] *S. f.* V. *reumatometria*.

reumamétrico [De *reumametria* + *-ico*[2].] *Adj.* V. *reumatométrico*.

reumâmetro [De *reuma-* + *-metro*.] *S. m. Fís.* Reumatômetro.

reumanizar [De *re-* + *humanizar*.] *V. t. d. P.* Tornar a humanizar(-se).

reumatalgia [De *reumat(o)-* + *-alg(o)-*[2] + *-ia*[1].] *S. f. Reum.* Dor de natureza reumática.

reumatálgico [De *reumatalgia* + *-ico*[2].] *Adj.* Relativo a reumatalgia.

reumático [Do gr. *rheumatikós*, pelo lat. *rheumaticu*.] *Adj.* **1.** Relativo a reuma. **2.** Reumatismal. **3.** Que sofre de reumatismo. ~ V. *febre —a* e *moléstia —a*. ● *S. m.* **4.** Indivíduo que sofre de reumatismo. **5.** *Lus. Med.* Reumatismo: "a minha avó .... por não lograr mexer-se, devido ao reumático, duas empregadas lavavam-na, vestiam-na" (Lobo Antunes, *Exortação aos Crocodilos*, p. 5).

reumatismal [De *reumatismo* + *-al*[1].] *Adj. 2 g.* Relativo a reumatismo, ou de natureza reumática; reumático.

reumatismo [Do gr. *rheumatismós*, pelo lat. *rheumatismu*.] *S. m. Med.* Designação imprecisa comum a várias doenças que se caracterizam por inflamação, degeneração ou distúrbios metabólicos de tecido conjuntivo, principalmente articulações, músculos, bolsas sinoviais, e tendões. Clinicamente observam-se dor e diminuição de movimentos, em grau maior ou menor, das partes comprometidas. [Cf. *artrite*.] ◆ **Reumatismo articular agudo.** *Reum.* V. *reumatismo poliarticular agudo.* **Reumatismo poliarticular agudo.** *Reum.* Doença generalizada, que compromete o tecido colágeno, constituindo sequela de estreptococcia, e que acomete o sistema nervoso, o coração, articulações, etc.; reumatismo articular agudo, febre reumática, moléstia reumática.

reumatizar [De *reumat(o)-* + *-izar*.] *V. t. d.* **1.** Causar reumatismo a. **2.** *Fig.* Paralisar, imobilizar.

▲ reumat(o)- [Do gr. *rheûma, atos* (ă).] *El. comp.* = 'fluxo (de água)'; 'corrente'; 'reumatismo': *reumatalgia*,

R

reumatologia, reumatômetro. [Equiv.: *reuma-*: *reumâmetro.*]

reumatoide (ói) [De *reumat(o)-* + *-oide.*] ***Adj. 2 g.*** ~ V. *artrite* — e *fator* —. ❖

reumatologia [De *reumat(o)-* + *-logia.*] ***S. f. Med.*** Ramo da medicina que se ocupa, em todos os seus aspectos, de doenças não cirúrgicas (ainda que, eventualmente, venham a sê-lo) de sistema locomotor e de outras doenças do tecido conjuntivo. [É difícil precisar, ao menos na prática, os limites da reumatologia, pois ela tem várias áreas em comum com outras especialidades, notadamente a ortopedia e a neurologia.]

reumatológico [De *reumatologia* + *-ico*[2].] ***Adj.*** Relativo a reumatologia.

reumatologista [De *reumatologia* + *-ista.*] ***S. 2 g. Med.*** Especialista em reumatologia; reumatólogo.

reumatólogo [De *reumat(o)-* + *-logo.*] ***S. m. Med.*** Reumatologista.

reumatometria [De *reumat(o)-* + *-metria.*] ***S. f.*** Emprego do reumatômetro; reumametria.

reumatométrico [De *reumatometria* + *-ico*[2].] ***Adj.*** Relativo a reumatometria; reumamétrico.

reumatómetro ***S. m. Fís.*** V. *reumatômetro.* [Uso freq. em P.]

reumatômetro [De *reumat(o)-* + *-metro.*] ***S. m. Fís.*** Instrumento usado para medir a rapidez da corrente de um líquido; reumâmetro.

reumoso (ô) [De *reuma* + *-oso.*] ***Adj.*** Que tem reuma.

reunião (e-u) [De *reunir* + *-ão*[3], seg. o padrão *unir* (< lat. *unire*): *união* (< lat. *unione* < lat. *unire*).] ***S. f.*** **1.** Ato ou efeito de reunir(-se). **2.** Acontecimento que proporciona o encontro de diversas pessoas, num determinado local (residência, clube, etc.), em geral com fim recreativo: *reunião íntima; reunião dançante.* **3.** Agrupamento de pessoas para tratar de qualquer assunto; encontro: *reunião ministerial; reunião de condôminos.* **4.** Conjunto de coisas quaisquer, em geral da mesma natureza, reunidas, ajuntadas, enfeixadas: *Publicou uma reunião de contos; Carlos Drummond de Andrade juntou em um volume Reunião, livros de poemas seus.* **5.** *Mat.* V. *união* (14). ◆ **Reunião de cúpula.** Reunião (3) de altas personalidades, da cúpula[1] (5) (q. v.). [Sin. (lus.): *cimeira.*]

reunido [Part. de *reunir.*] ***Adj.*** **1.** Que se reuniu. **2.** Posto em grupo ou conjunto, segundo certo critério ou princípio: poesias reunidas. **3.** Junto a outros, esp. em comemoração ou acontecimento.

reunidor (e-u... ô) [De *reunir* + *-dor.*] ***S. m. Tip.*** O conjunto das peças da linotipo que conduzem as matrizes ao componedor para formar a linha.

reunificação (e-u) [De *reunificar* + *-ção.*] ***S. f.*** Ação ou efeito de reunificar(-se).

reunificar (e-u) [De *re-* + *unificar.*] ***V. t. d. P.*** Tornar(-se) a unificar; unificar(-se) de novo. [Conjug.: v. *trancar.*]

reunir (e-u) [De *re-* + *unir.*] ***V. t. d.*** **1.** Tornar a unir, unir outra vez (o que estava unido e se separou). **2.** Juntar (o que se achava disperso); agrupar: *reunir o gado;* "Achille-Cléophas Flaubert, pai de Gustave Flaubert, reunia os filhos todas as noites para contar-lhes histórias" (Lígia Fagundes Teles, *A Disciplina do Amor,* p. 65). **3.** Fazer comunicar (uma coisa com outra): *O canal reunirá os dois oceanos.* **4.** Aliar, juntar, combinar: *O bom soldado reúne coragem e prudência;* "Este inverno, em Paris, reuniu todas as condições para ser esplendidamente elegante e alegre." (Eça de Queirós, *Cartas Familiares e Bilhetes de Paris,* p. 167). **5.** Harmonizar, congraçar, conciliar, reconciliar: *A doença do pai reuniu a família em desavença.* **6.** Chamar (muitos indivíduos); convocar: *O toque de corneta reuniu os combatentes.* **7.** Ter ou possuir como qualidade, juntamente com outras: *A noiva reúne graça, beleza e inteligência.* **8.** Unir com pontos de agulha; coser. ***T. d. e i.*** **9.** Anexar, ligar, unir: *No séc. XVI a Espanha reuniu várias colônias a seu império.* **10.** Juntar, aliar, combinar: "A sua beleza era incontestável; reunia a graça brasileira à gravidade britânica" (Machado de Assis, *Histórias Românticas,* p. 338). ***Int.*** **11.** Realizar reunião (3): *O ministério não reuniu, como estava previsto.* ***P.*** **12.** Ajuntar-se, unir-se. **13.** Aliar-se, unir-se, em favor de: "Não sei o que em mim/ só quer me lembrar/ que um dia o céu/ reuniu-se à terra um instante por nós dois/ pouco antes do ocidente se assombrar." (Antônio Cícero e Adriana Calcanhoto, da canção *Inverno.*) **14.** Agregar-se, incorporar-se, juntar-se, ajuntar-se: *Os reforços se reunirão em breve às tropas.* **15.** Comparecer no mesmo local; congregar-se: *Os bancários se reunirão na próxima semana.* [Pres. ind.: *reúno,* etc. Pres. subj.: *reúna,* etc. Cf. *reiuno* e *reiuna.*]

reurbanização (e-ur) [De *reurbanizar* + *-ção.*] ***S. f.*** Ação ou efeito de reurbanizar.

reurbanizado (e-ur) [Part. de *reurbanizar.*] ***Adj.*** Que se reurbanizou; em que houve reurbanização.

reurbanizar (e-ur) [De *re-* + *urbanizar.*] ***V. t. d.*** Tornar a urbanizar.

reutilização (e-u) [De *reutilizar* + *-ção.*] ***S. f.*** **1.** Ato ou efeito de reutilizar. **2.** *Tec.* Procedimento em que material que já fora anteriormente processado se insere, após o tratamento conveniente, numa corrente de processo.

reutilizar (e-u) [De *re-* + *utilizar.*] ***V. t. d.*** **1.** Tornar a utilizar. **2.** Dar novo uso a: *O arquiteto fez os planos para reutilizar o velho prédio.* **3.** *Tec.* Efetuar reutilização (2) em.

reutilizável [De *reutilizar* + *-vel.*] ***Adj. 2 g.*** Que pode ser reutilizado.

revacinação [De *revacinar* + *-ção.*] ***S. f.*** Ato ou efeito de revacinar(-se).

revacinar [De *re-* + *vacinar.*] ***V. t. d. P.*** Tornar a vacinar(-se).

revalidação [De *revalidar* + *-ção.*] ***S. f.*** Ato ou efeito de revalidar.

revalidador (ô) [De *revalidar* + *-dor.*] ***Adj. S. m.*** Que, ou aquele que revalida.

revalidar [De *re-* + *validar.*] ***V. t. d.*** Validar de novo: legitimar novamente; dar mais força a; confirmar: *O governo revalidará em breve os decretos da administração anterior.*

revalorização [De *revalorizar* + *-ção.*] ***S. f.*** Ação ou efeito de revalorizar.

revalorizador (ô) [De *revalorizar* + *-dor.*] ***Adj. S. m.*** Que, ou aquele que revaloriza.

revalorizar [De *re-* + *valorizar.*] ***V. t. d.*** Valorizar de novo: *O movimento das exportações revalorizou a moeda.*

revanche [Do fr. *revanche.*] ***S. f. Gal.*** **1.** Desforra, despique. **2.** O turno ou a vez de quem tenta recobrar qualquer posição perdida.

revanchismo [De *revanche* (q. v.) + *-ismo.*] ***S. m. Gal.*** Tendência obstinada para a desforra, particularmente de caráter político.

revanchista [De *revanchismo* + *-ista.*] ***Adj. 2 g. Gal.*** **1.** Relativo ao revanchismo. **2.** Que tem, ou que há revanchismo. ● ***S. 2 g.*** **3.** Pessoa revanchista.

revascularização [De *revascularizar* + *-ção.*] ***S. f. Cir.*** Ação ou efeito de revascularizar.

revascularizar [De *re-* + *vascularizar.*] ***V. t. d. Cir.*** Recompor, o mais adequadamente possível, por meio cirúrgico, a irrigação sanguínea de (uma parte [coração, membro inferior, etc.] do corpo humano).

revedor[1] (ô) [De *rever*[1] + *-dor.*] ***S. m.*** Revisor (2).

revedor[2] (ô) [De *rever*[2] + *-dor.*] ***S. m. Bras. N.*** Pequeno poço que verte aos poucos.

→ **réveillon** [ʀevɛ'jõ] [Fr.] ***S. m.*** Festa com baile e ceia na véspera do ano-bom.

revel [Do lat. *rebelle.*] ***Adj. 2 g.*** **1.** Que se revolta; insurgente, rebelde. **2.** Teimoso, obstinado, contumaz, rebelão. **3.** Que recusa afeto ou carinho; esquivo, esquivoso. **4.** *Jur.* Diz-se do réu que, citado para responder a uma ação civil ou penal, não apresenta defesa no prazo da lei, correndo, então, contra ele todos os demais prazos, independentemente de notificação ou intimação. ● ***S. 2 g.*** **5.** *Jur.* Réu, ou ré, revel. [Pl.: *revéis.*]

revelação [Do lat. tard. *revelatione.*] ***S. f.*** **1.** Ato ou efeito de revelar(-se). **2.** Entre os cristãos, ação divina que comunica aos homens os desígnios de Deus e a verdade que estes envolvem, sobretudo através da palavra consignada nos livros sagrados. **3.** A doutrina religiosa revelada, por oposição àquela a que se chega pela razão apenas. **4.** Descoberta reveladora de um fato que produz sensação, ou de uma qualidade ou vocação numa pessoa. **5.** O fato ou a pessoa assim descoberta. **6.** Divulgação de coisa ignorada ou secreta: *O Governo anuncia importantes revelações.* **7.** *Fot.* Processo que torna visível a imagem latente de uma emulsão fotográfica impressionada.

revelador (ô) [Do lat. tard. *revelatore.*] ***Adj. S. m.*** **1.** Que, ou aquele que revela. **2.** *Fot.* Diz-se de, ou a solução química utilizada para revelação (7).

revelar [Do lat. *revelare.*] ***V. t. d.*** **1.** Tirar o véu a; descobrir, desvelar: *A mulher revelou o rosto.* **2.** Fazer conhecer; declarar, divulgar: *Os jornais revelam os principais acontecimentos.* **3.** Denotar, patentear, mostrar: *Sua fisionomia revela preocupação;* "os beiços escarlates, ... os dentes luzidios revelavam uma vida saudável e hábitos castos." (Eça de Queirós, *O Primo Basílio,* p. 60); "Será sempre um erro de perspectiva querer explicar a vida de um poeta pelos seus versos. Ou vice-versa. Os versos revelam o seu eu profundo; e não a sua vida." (Álvaro Lins, *Literatura e Vida Literária,* p. 40). **4.** Delatar, denunciar: *Um traidor revelou a conspiração.* **5.** Fazer conhecer sobrenaturalmente: *Deus revelou os Dez Mandamentos.* **6.** *Fot.* Fazer a revelação (7) de. ***T. d. e i.*** **7.** Fazer conhecer; descobrir: *O Presidente revelou ao povo a situação do país;* "Obra utilíssima, porque revelou a muitos um pensador da altura dum Danilevsky." (Fidelino de Figueiredo, *Entre Dois Universos,* p. 197). **8.** Fazer conhecer sobrenaturalmente: *Deus revelou aos profetas a sua doutrina.* ***P.*** **9.** Dar-se a conhecer como; manifestar-se, descobrir-se: *Este médico revelou-se excelente pediatra.*

revelável [De *revelar* + *-vel.*] ***Adj. 2 g.*** Que pode ser revelado.

revelho (é) [De *re-* + *velho.*] ***Adj.*** Muito velho: "As nuvens passavam baixas sobre o telhado musgoso e revelho" (João da Silva Correia, *Farândola,* p. 94). [Cf. *relho.*]

revelhusco [De *revelho* + *-usco*[2].] ***Adj.*** Um tanto velho; durázio.

revelia [De *revel* + *-ia*[1].] ***S. f. Jur.*** Estado ou caráter de revel. ◆ **À revelia.** **1.** *Jur.* Sem conhecimento ou sem audiência da parte revel, do réu. **2.** Despercebidamente, ignoradamente. **3.** Ao acaso; à toa. **Deixar correr à revelia.** Descuidar, descurar (um negócio, uma situação qualquer).

revelim [Da mesma or. incerta que o fr. *ravelin,* o provenç. *revelin,* o italiano *rivellino* e o esp. *revellín;* poss. do lat. *rebelle,* 'rebelde'.] ***S. m. Fort.*** Construção angular, externa e saliente, para defesa de ponte, cortina, etc.

revelir [Do lat. *revellere.*] ***V. t. d. Med.*** **1.** Fazer derivar duma para outra parte (humores do organismo). **2.** Transpirar, ressudar. [Conjug.: v. *aderir.*]

revência [De *rever*[2] + *-ência.*] ***S. f. Bras. N.E.*** Vale que se situa abaixo da barragem dos açudes e que é refrescado pela infiltração das águas deles.

revenda [Dev. de *revender.*] ***S. f.*** Ato ou efeito de revender; revendição. **2.** *Bras.* V. *revendedor* (3 e 4).

revendão [De *revender* + *-ão*[1].] ***Adj. S. m.*** **1.** Que, ou aquele que compra para revender. **2.** Vendilhão (1). [Sin. ger.: *revendilhão.* Fem.: *revendona.*]

revendedor (ô) [De *revender* + *-dor.*] ***Adj.*** **1.** Que revende. ● ***S. m.*** **2.** Aquele que revende. **3.** *Bras.* Empresa, firma, ou estabelecimento que trabalha com a revenda (1) de certo(s) produto(s) ou mercadoria(s). **4.** *Bras.* Estabelecimento comercial que vende automóveis. [Sin. (nas acepçs. 3 e 4): *revenda, revendedora.*]

revendedora (ô) [F. subst. de *revendedor.*] ***S. f.*** **1.** Aquela que revende. **2.** *Bras.* V. *revendedor* (3 e 4).

revender [Do lat. *revendere.*] ***V. t. d. T. d. e i.*** Tornar a vender; vender (o que se tinha comprado para negócio): *A agência compra automóveis à vista e os revende aos fregueses, em prestações suaves.*

revendição [De *revender* + *-ição.*] ***S. f.*** Revenda.

revendilhão [De *re-* + *vendilhão.*] ***Adj. S. m.*** V. *revendão.* [Fem.: *revendilhona.*]

revendilhona ***S. f.*** Fem. de *revendilhão.*

revendível [De *revender* + *-ível.*] ***Adj. 2 g.*** Que pode ser revendido.

revendona ***S. f.*** Fem. de *revendão* (q. v.).

revenerar [De *re-* + *venerar.*] ***V. t. d.*** Venerar muito; reverenciar: *Os vassalos reveneravam o bom rei.*

revenimento [De *revenir* + *-mento.*] ***S. m. Metal.*** Ato ou efeito de revenir.

revenir ***V. t. d. Metal.*** Dar têmpera superficial a uma peça metálica, especialmente de aço.

rever[1] [De *re-* + *ver.*] ***V. t. d.*** **1.** Tornar a ver; ver pela segunda vez: *Nunca mais reviu os filhos.* **2.** Ver com atenção; examinar cuidadosamente: *As partes deverão rever o contrato antes de assiná-lo.* **3.** Trazer à memória; relembrar, recordar: *Chegando à cidade, reviu sua infância e mocidade.* **4.** Ler (os originais de uma obra) fazendo correções ortográficas e/ou de outra natureza; revisar. **5.** *Tip.* V. *revisar* (5): "Daí a dias, de manhã, revia as provas dos *Esmaltes* e *Joias,* quando a porta se abriu discretamente e Meirinho entrou" (Eça de Queirós, *A Capital,* p. 285). ***P.*** **6.** Tornar a ver-se; ver-se novamente: *Antes de sair, a jovem reviu-se no espelho;* "chamou-me para vê-la; era uma menina. Revia-se nela, encantado." (Machado de Assis, *Páginas Recolhidas,* p. 71). **7.** Mirar-se, espelhar-se, refletir-se: *A Lua revê-se na lagoa.* **8.** Deleitar-se, aprazer-se, comprazer-se: *O sábio revê-se no avanço cultural dos povos.* [Irreg. Conjug.: v. *ver.*]

rever[2] [Do lat. *repere,* 'arrastar-se', poss.] ***V. t. d.*** **1.** Transudar, verter, ressumar: "Reveem mágoa os olhos do homem." (João de Araújo Correia, *Sem Método,* p. 9); *O corpo do doente revia um suor frio.* **2.** Deixar transpirar; denotar, demonstrar, revelar: *Seu olhar revia indignação.* ***Int.*** **3.** Transudar, ressumar, ressumbrar. [Var., bras., nesta acepç.: *revir*[2].] **4.** Tornar-se público; divulgar-se, transpirar: *As verdadeiras intenções do plano não reviram.* [Irreg. Conjug.: v. *ver.*]

reverberação [Do lat. *reverberatione.*] ***S. f.*** **1.** Ato ou efeito de reverberar; revérbero. **2.** *Fís.* Persistência de um som num recinto limitado, depois de haver cessado a sua emissão por uma fonte. 3. *Bras.* Ligeiro tremor ou sensação de tremor resultante de reverberação (2).

reverberante [Do lat. *reverberante.*] *Adj. 2 g.* Que reverbera; reverberatório.

reverberar [Do lat. *reverberare.*] *V. t. d.* 1. Refletir (luz ou calor): *Os vitrais reverberavam os raios de sol;* "Ó espelho limpidíssimo, e tersíssimo, que sois o cristal incriado da divina essência: reverberai em minha alma os resplandores de vossa graça" (Pe. Manuel Bernardes, *Luz e Calor*, p. 428). *Int.* 2. Emitir raios de luz; brilhar, refletindo-se; resplandecer, reverberar: "No casarão do engenho, varrido, asseado, quatro caldeiras e o alambique de cobre vermelho reverberavam polidos, refletindo a luz crua que entrava pelas largas frestas." (Júlio Ribeiro, *A Carne*, pp. 31-32.) 3. Soar de maneira contínua e persistente como em reverberação (2); repercutir(-se). 4. *Fig.* Causar impressão; ter repercussão. [Pres. ind.: *reverbero*, etc. Cf. *revérbero.*]

reverberatório [De *reverberar* + *-tório.*] *Adj.* Reverberante.

reverbério [De *re-* + *verberar.*] *S. m. Pop.* V. *descompostura* (2).

revérbero [Dev. de *reverberar.*] *S. m.* 1. Reverberação (1). 2. Luz, ou o efeito da luz refletida; reflexo. 3. Lâmina metálica ou espelho que aumenta a intensidade da luz, concentrando-a em certa área. 4. Claridade intensa, brilhante; resplendor. 5. Lampião de rua. [Cf.: *reverbero*, do v. *reverberar.*]

reverdecer [De *re-* + *verdecer.*] *V. t. d.* 1. Tornar verde; cobrir de verdura: *A chuva reverdece as matas.* 2. Dar nova força ou vigor a; revigorar: *reverdecer velhas tradições.* 3. Tornar novo; renovar. 4. Trazer à memória; relembrar: *Passou o dia a reverdecer fatos antigos. Int.* 5. Tornar-se verde; cobrir-se de verdura; verdecer: "Quando batem as primeiras chuvas as caatingas reverdecem" (José Lins do Rego, *Bota de Sete Léguas*, p. 15). 6. Tornar-se forte; fortalecer-se, robustecer-se, avigorar-se. 7. Remoçar, rejuvenescer, renovar-se: *Reverdeceu após os dias de descanso.* 8. Adquirir novo impulso; renascer: *A paixão reverdeceu.* [Conjug.: v. *aquecer.*]

reverdecimento [De *reverdecer* + *-imento.*] *S. m.* Ato ou efeito de reverdecer.

reverdejante [De *reverdejar* + *-nte.*] *Adj. 2 g.* Que reverdeja.

reverdejar [De *re-* + *verdejar.*] *V. int.* Mostrar-se muito verde, verdejar muito. [Conjug.: v. *pelejar.* Normalmente é defect., só conjugável nas 3.as pess.]

reverência [Do lat. *reverentia.*] *S. f.* 1. Respeito, marcado pelo temor, às coisas sagradas. 2. *Fig.* Respeito, acatamento; veneração. 3. *Ecles.* Tratamento dado aos eclesiásticos. 4. Saudação respeitosa com inclinação do busto para a frente (as mulheres também dobram os joelhos); mesura: *A bailarina fez uma reverência e retirou-se para os bastidores.* [Cf. *reverencia*, do v. *reverenciar.*]

reverenciador (ô) [De *reverenciar* + *-dor.*] *Adj. S. m.* Que, ou aquele que reverencia.

reverencial [De *reverência* + *-al*[1].] *Adj. 2 g.* Referente a reverência, ou inspirado por ela.

reverenciar [De *reverência* + *-ar*[2].] *V. t. d.* 1. Tratar com reverência; venerar, honrar, adorar: *Os antigos reverenciavam numerosos deuses.* 2. Fazer reverência a; saudar ou cumprimentar respeitosamente: *Todos os vassalos reverenciaram o rei;* "Mas já a minha animalidade reverenciava a sua intelectualidade: e fomos beber cerveja." (Eça de Queirós, *A Relíquia*, p. 94). 3. Obedecer a; acatar, respeitar: *O soldado reverenciou as ordens do comandante. Int.* 4. Fazer gesto(s) de reverência, respeito ou acatamento; demonstrar reverência: "Raramente compreendia as suas sentenças, sonoras e bem cunhadas ....; mas, como diante da porta impenetrável dum santuário, eu reverenciava, por saber que lá dentro, da sombra, refulgia a essência pura da ideia." (Eça de Queirós, *A Relíquia*, p. 95.) [Pres. ind.: *reverencio, reverencias, reverencia*, etc. Cf. *reverência.*]

reverenciosamente [Do f. de *reverencioso* + *-mente.*] *Adv.* V. *reverentemente.*

reverencioso (ô) [De *reverência* + *-oso.*] *Adj.* 1. Que reverencia; reverenciador, reverente. 2. Em que há reverência; reverente: *atitude reverenciosa.*

reverendas [F. pl. subst. do adj. *reverendo.*] *S. f. pl. Desus.* Autorização escrita pela qual um bispo concede que um seu diocesano se ordene em outra diocese; dimissórias.

reverendíssima [Fem. de *reverendíssimo.*] *S. f.* Tratamento dado aos dignitários eclesiásticos, monsenhores ou bispos.

reverendíssimo [Do lat. ecles. *reverendissimu.*] *Adj.* 1. Muito venerável. 2. *Fam.* Completo, rematado, extraordinário: *Este rapaz é um reverendíssimo tolo.* ● *S. m.* 3. Título dado aos dignitários eclesiásticos e aos padres em geral.

reverendo [Do lat. *reverendu.*] *Adj.* 1. Que merece reverência. ● *S. m.* 2. V. *padre* (1).

reverente [Do lat. *reverente.*] *Adj. 2 g.* V. *reverencioso.*

reverentemente [De *reverente* + *-mente.*] *Adv.* De maneira reverente; com reverência; reverenciosamente.

reverificação [De *reverificar* + *-ção.*] *S. f.* Ato ou efeito de reverificar.

reverificador (ô) [De *reverificar* + *-dor.*] *Adj. S. m.* Que, ou aquele que reverifica.

reverificar [De *re-* + *verificar.*] *V. t. d.* Verificar de novo; conferir, cotejar. [Conjug.: v. *trancar.*]

reversal [De *reverso* + *-al*[1].] *Adj. 2 g.* Que garante promessa precedente. ~ V. *carta* —.

reversão [Do lat. *reversione.*] *S. f.* 1. Ato ou efeito de reverter. 2. V. *retrocesso* (2). 3. Restituição ao primeiro dono; devolução. 4. *Dir. Adm.* Retorno de funcionário público aposentado ou de militar reformado ao serviço ativo, quando insubsistentes os motivos da aposentadoria ou reforma.

reversar [Do lat. tard. *reversare*, por via erudita.] *V. t. d. Int.* V. *arrevessar.*

reversibilidade [De *reversível* + *-(i)dade*, seg. o padrão erudito.] *S. f.* 1. Qualidade ou caráter de reversível. 2. *Fís.* A característica de um processo no qual em todos os estágios o sistema se encontra num estado de quase equilíbrio.

reversível [Do lat. med. *reversibile* , do lat. *reversus*, 'voltado para trás', + suf. lat. *-ibilis* (v. *-ível*).] *Adj. 2 g.* 1. Que se pode, ou que pode, reverter; revertível. 2. Que pode retornar, ou retorna, ao primitivo estado; reversivo. 3. Que pode ser observado ou utilizado pelo anverso ou pelo reverso: *escultura reversível.* 4. Diz-se do tecido ou da roupa sem avesso, que podem ser utilizados tanto de um lado como do outro. [Sin., fr., nesta acepç.: *double face.*] 5. Diz-se do aposento arquitetado de modo que, mediante adaptação, possa vir a ser usado para quaisquer dos fins para que foi concebido: *quarto reversível.* 6. *Jur.* Diz-se dos bens que, em certos casos, devem retornar ao proprietário que deles dispôs, ou duma pensão cujos atrasados passam a outrem por morte do titular. ~ V. *processo* —.

reversivo [Do lat. *reversus*, 'voltado para trás', + *-ivo.*] *Adj.* Reversível (2).

reverso [Do lat. *reversu*, por via erudita.] *Adj.* 1. Revirado (1). 2. Que está na parte posterior ou contrária àquela que se observa; avesso: *lado reverso.* 3. Diz-se da madeira que não apresenta fibras direitas. 4. *Fig.* Que tem má índole. [Var., nessas acepçs.: *revesso.*] 5. *Geom.* Que não está contido num plano (diz-se de curva). ~ V. *cúbica* —*a*, *curva* —*a*, *engenharia* —*a*, *polarização* —*a*, *prensa* —*a*, *superfície* —*a* e *transcriptase* —*a.* ● *S. m.* 6. *Numism.* Face de trás de medalha. 7. *Numism.* Face de trás da moeda, onde normalmente estão os brasões, ou figuras complementares, ou personalidades homenageadas. 8. *Numism.* Parte de trás da cédula (papel-moeda), onde estão os elementos acessórios do tema principal, e os valores por algarismo e por extenso. 9. Face ou lado contrário ao que se tem como principal; avesso, revesso: *O reverso da lápide traz uma inscrição.* 10. A parte posterior ou interior de certas coisas, por oposição àquela que está voltada para a frente ou para fora. 11. *Fig.* Aquilo que é contrário; o outro lado; o oposto. 12. *Aer.* Sistema que inverte o sentido da tração dos motores, reduzindo a velocidade da aeronave após o pouso. [Sin. (nas acepçs. 9 a 11): *revés.* Antôn. (nas acepçs. 6 a 10): *anverso.*]

revertátur [Do lat. *revertatur*, de *reverti*, 'voltar', 'virar'.] *S. m. Tip.* Sinal de revisão (5) que indica necessidade de virar letra; vertátur. [Pl.: *revertátures.*]

reverter [Do lat. *revertere.*] *V. t. i.* 1. Voltar (ao ponto de partida); regressar, retroceder: *reverter às considerações iniciais para provar uma asserção.* 2. Voltar (para a posse de alguém): *O imóvel reverterá ao primitivo dono.* 3. Converter-se, redundar: *A venda reverterá em benefício dos herdeiros.* 4. Voltar (o funcionário público civil aposentado, ou o militar reformado) à atividade: *Aposentado há mais de um ano, acaba de reverter à ativa.* [Nesta acepç., cf. *reversão* (4).] *T. d. e i.* 5. Destinar; reservar: *Reverteu o lucro das vendas em favor dos necessitados.*

revertério [De *reverter.*] *S. m. Bras. Pop.* Mudança de uma situação favorável, boa, em ruim, desfavorável: *Tudo ia bem, mas de repente deu o revertério.*

revertível [De *reverter* + *-ível.*] *Adj. 2 g.* Reversível (1).

revés [Do lat. *reversu*, 'revirado', com apócope.] *S. m.* 1. Reverso (9 a 11). 2. Golpe aplicado com as costas da mão. 3. Pancada oblíqua. 4. Acidente desfavorável; vicissitude. 5. *Fig.* Desgraça, infortúnio, insucesso. [Pl.: *reveses*. Cf. *revezes*, do v. *revezar*, e *revezes* (ê), el. s. f. pl.] ◆ **Ao revés.** V. *às avessas.* **De revés.** De lado; de soslaio; de esguelha; obliquamente: "ora lançava os olhos de revés para os senhores da corte e conselho, ... ora os espraiava por aquele mar de cabeças humanas" (Alexandre Herculano, *Lendas e Narrativas*, I, p. 145).

revessa [F. subst. de *revesso*, com mudança de timbre.] *S. f.* 1. Corrente (8) de sentido contrário ao da corrente normal; corrente que, junto à margem de um rio, corre em sentido oposto ao da principal. 2. Corrente marítima que muda de direção. 3. Interseção de duas vertentes de um telhado, formando ângulo reentrante. [Pl.: *revessas*. Cf. *revessa* (ê) e *revessas* (ê), flex. de *revesso* (ê).]

revessar [Do lat. *reversare*, por via pop.] *V. t. d. Int.* V. *arrevessar*. [Pres. ind.: *revesso, revessas, revessa*, etc. Cf. *revesso* (ê), as flex. *revessa* (ê), *revessas* (ê), e *reviçar.*]

revesso (vê) [Do lat. *reversu*, por via pop.] *Adj.* 1. Reverso (1 a 4). 2. *Fig.* Que não condiz com a verdade ou com a moral; tortuoso, torcido. ● *S. m.* 3. V. *reverso* (6): "O café demorava, e José de Arimateia começou a sentir a friagem subir-lhe pelo couro grosso das botas e empapar-lhe o revesso da capa de lã." (Mário Palmério, *Chapadão do Bugre*, p. 7.) [Var.: *arrevesso*. Flex., do adj.: *revessa* (ê), *revessos* (ê), *revessas* (ê). Pl. do s.: *revessos* (ê). Cf. *revesso, revessas* e *revessa* do v. *revessar*; e *revessa*, s. f., pl. *revessas.*]

revestidor (ô) [De *revestir* + *-dor.*] *Adj. S. m.* Que, ou aquele que reveste.

revestimento [De *revestir* + *-mento.*] *S. m.* 1. Ato ou efeito de revestir(-se). 2. Construção de tijolo, pedra, concreto armado, ou outro material, feita para sustentar e consolidar as terras de um fosso, bastião, terraço, etc. 3. Aquilo que reveste ou cobre uma superfície, especialmente de uma obra, para reforçá-la, protegê-la ou adorná-la; cobertura: *revestimento de azulejo; revestimento de plástico.* 4. Camada superior de um pavimento, em geral de concreto ou de asfalto, que recebe diretamente a ação do rolamento dos veículos. 5. *Ind. Pap.* Ato ou efeito de recobrir uma ou ambas as faces do papel (dito, então, *papel cuchê* [q. v.]) com uma mistura de substâncias minerais, adesivos e, às vezes, também pigmentos; cobertura.

revestir [Do lat. tard. *revestire.*] *V. t. d.* 1. Tornar a vestir. 2. Vestir (traje de cerimônia). 3. Estender-se por sobre; cobrir, tapar: *A tinta branca reveste os números, tornando-os ilegíveis.* 4. Atribuir a si (atributos ou caracteres de outrem); tomar: *Bem analisada, a frase reveste dupla significação.* 5. Tornar estável, firme, resistente; solidificar. 6. Enfeitar, adornar, ornamentar. *T. d. e i.* 7. Revestir (1): *Revestiu a criança que se molhara com roupas secas.* 8. Fazer revestimento em: *Mandou revestir as paredes de papel.* 9. Dar a aparência (de alguma coisa) a; colorir: *Os adolescentes revestem de realidade os seus sonhos.* 10. Revestir (6): *Revestiram-no com colares havaianos. P.* 11. Vestir traje de cerimônia; paramentar-se: *O bispo revestiu-se para a celebração da cerimônia.* 12. Armar-se, munir-se, prover-se: *Revesti-me de paciência para esperar.* 13. Aparentar, imitar: *Este quadro reveste-se da temática renascentista.* 14. Encher-se, cobrir-se: *O rei revestiu-se de autoridade após esmagar a revolta.* [Irreg. Conjug.: v. *aderir.*]

revestrés *El. s. m.* Us. na loc. adv. *de revestrés.* ◆ **De revestrés.** De revés.

revezador (ô) [De *revezar* + *-dor.*] *Adj. S. m.* Que, ou aquele que reveza ou substitui outro por sua vez ou turno.

revezamento [De *revezar* + *-mento.*] *S. m.* 1. Ato ou efeito de revezar(-se). 2. *Atlet.* Prova de revezamento (q. v.).

revezar [De *re-* + *vez* + *-ar*[2].] *V. t. d.* 1. Substituir alternadamente: *O capitão mandou revezar os guardas. T. i.* 2. Trocar de posição: *O reserva revezará com o goleiro titular. Int. P.* 3. Substituir-se alternadamente; alternar: *Os plantonistas revezaram;* "A caneta que escreve e a que prescreve revezam-se harmoniosamente na mesma mão." (Miguel Torga, *Diário*, IX, p. 60). [Pres. ind.: *revezo*, etc.; pres. subj.: *reveze, revezes*, etc. Cf. *revezo* (ê), s. m., *revezes* (ê), el. s. f. pl., e *reveses*, pl. de *revés.*]

revezes (ê) [De *re-* + *vez.*] *S. f. pl.* Us. nas loc. *a revezes* e *às revezes*. [Cf. *revezes*, do v. *revezar*, e *reveses*, pl. de *revés.*] ◆ **A revezes.** Uma vez ou outra; às vezes, por vezes, de vez em quando; alternativamente; às revezes: "Esta doença, no começo da vida, deixa achaque para sempre; é como a bala recebida em pleno peito e lá encerrada: o ferido vive; mas, a revezes, a dor lhe está lembrando que a bala pesa sobre o derradeiro fio da vida." (Camilo Castelo Branco, *Anos de Prosa*, p. 22.) **Às revezes.** V. *a revezes.*

revezo (ê) [Dev. de *revezar.*] *S. m.* Pasto para onde se transfere o gado enquanto se espera recrescer o capim no lugar onde ele pastava. [Pl.: *revezos* (ê). Cf. *revezo*, do v. *revezar.*]

reviçamento [De *reviçar* + *-mento.*] *S. m.* Ação ou efeito de reviçar; reviço.

R

reviçar [De *re-* + *viçar*[1].] *V. int.* **1.** Viçar de novo: "a casa volveu ao que era dantes; no jardim reviçaram as plantas do outro tempo" (Coelho Neto, *Obra Seleta*, I, p. 185). *T. d.* **2.** Fazer vicejar novamente: *A chuva reviçou os campos*; "A cidade refê-lo, reviçou-lhe o sangue com os seus filtros vários" (Coelho Neto, *ib.*, p. 266). [Conjug.: v. *laçar*. Cf. *revessar*.]

reviço [Dev. de *reviçar*.] *S. f.* Reviçamento.

revidar [De *re-* + *envidar*, com crase e desnasalação.] *V. t. d.* **1.** Responder ou compensar (uma ofensa física ou moral) com outra maior; reenvidar: *O rapaz revidou os socos do agressor.* **2.** Responder, replicar, contestando: *O deputado revidou o discurso que o incriminava.* *T. d. e i. T. i. Int.* **3.** Vingar uma ofensa com outra maior: *Revidou a alusão pérfida com as mais violentas injúrias; Revidou ao grosseiro insulto; Não deixa de revidar.* **4.** Responder, corresponder: *Nossas baterias revidaram os tiros com cerrado tiroteio; Revidamos ao ataque; Injuriado, preferiu não revidar.* **5.** Contradizer, objetar: *O cientista não revidou ao colega por uma questão de ética; Não é de seu feitio revidar.*

revide [Dev. de *revidar*.] *S. m.* **1.** Ato ou efeito de revidar: "Um homem não é para ser chicoteado covardemente, miseravelmente, sem um revide, sem um gesto qualquer de vingança!" (Viriato Correia, *Histórias Ásperas*, p. 244.) **2.** Novo envide.

revigoramento [De *revigorar* + *-mento*.] *S. m.* Ação ou efeito de revigorar(-se).

revigorante [De *revigorar* + *-nte*.] *Adj. 2 g.* Que revigora: *tônico revigorante.*

revigorar [De *re-* + *vigorar*.] *V. t. d.* **1.** Dar novo vigor a; avigorar: *A Igreja esforça-se para revigorar a fé*; "a evocação dos tempos distanciados e dos vultos de ébano submissos revigorou-lhe a alma" (Joaquim Paço d'Arcos, *Carnaval e Outros Contos*, p. 67). *Int. P.* **2.** Readquirir vigor; robustecer-se: *O doente revigorou; Com o clima serrano, revigorou-se.*

revimento [De *rever*[2] + *-imento*.] *S. m.* Ato ou efeito de rever[2] ou ressumar (um líquido).

revinda [F. subst. de *revindo*, part. de *revir*[1].] *S. f.* Ato de revir[1]; volta, regresso, retorno.

revindita [De *re-* + *vindita*.] *S. f.* **1.** Vingança duma vingança. **2.** Desafronta, desforra, desforço.

revingar [De *re-* + *vingar*.] *V. t. d.* **1.** Vingar novamente; tornar a vingar. **2.** Tirar vingança de (outra vingança ou injúria). [Conjug.: v. *largar*.]

revir[1] [Do lat. *revenire*.] *V. int.* Vir de novo; voltar, regressar: "Era Pedro Satanás? As perguntas revinham, sempre de mais profundo, ora uma, ora as duas." (José Vieira, *Vida e Aventura de Pedro Malasarte*, p. 99.) [Irreg. Conjug.: v. *vir*.]

revir[2] *V. int. Bras.* V. *rever*[2] (3). [Irreg. Defect., conjugável só nas 3.as pess.]

revira [Dev. de *revirar*.] *S. m. Bras. N.* Certa dança negra.

revirado [Part. de *revirar*.] *Adj.* **1.** Em que há, ou que sofreu reviramento, ou que se revirou; reverso. **2.** Torcido, recurvado, curvo; revolto. **3.** Revolto (1). • *S. m.* **4.** *Bras.* Pamonã.

reviralho [De *revirar* + *-alho*.] *S. m. Lus.* Reviravolta política.

reviramento [De *revirar* + *-mento*.] *S. m.* Ato ou efeito de revirar(-se).

revirão [De *re-* + *vira*[1] + *-ão*[2].] *S. m.* Vira traseira do calçado.

revira-olho [De *revirar* + *olho*.] *S. m. Bras. Fam.* Namoro caipira. [Pl.: *revira + -olhos*.]

revirar [De *re-* + *virar*.] *V. t. d.* **1.** Tornar a virar; voltar ao avesso. **2.** Torcer; mudar, modificar: *Os viajantes reviraram a rota.* **3.** Virar muitas vezes; retorcer, revolver: *revirar os olhos.* **4.** Virar em todos os sentidos; revolver ou remexer muito: *Revirou a gaveta, e não encontrou o documento.* **5.** Fazer voltar em direção oposta à que se seguira: *Revirou o cavalo para perseguir os fugitivos.* **6.** Percorrer; esquadrinhar; explorar: *Revirou a cidade e não encontrou o endereço.* **7.** Causar enjoo; nausear (o estômago); embrulhar: *O cheiro forte revirou seu estômago.* *T. c.* **8.** Voltar em direção oposta à que se seguia; retornar: *Por causa da tempestade o barco revirou ao porto.* *T. i.* **9.** Voltar-se, tornar: *As desgraças reviraram sobre o povo.* *P.* **10.** Virar novamente, ou muitas vezes: "Penso, repenso, reviro-me na cama" (Geraldo França de Lima, *Branca Bela*, p. 69). **11.** Insurgir-se, revoltar-se, rebelar-se: *As colônias reviraram-se contra Roma.*

reviravolta [De *revirar* + *volta*.] *S. f.* **1.** Ato ou efeito de revirar (5 e 6). **2.** Giro sobre si mesmo; cambalhota, viravolta. **3.** Mudança de situação para melhor ou para pior; viravolta. **4.** *Bras. SP Pop.* Curva de rua ou de estrada.

reviravoltear [De *reviravolta* + *-ear*[2].] *V. int.* Andar às reviravoltas. [Conjug.: v. *frear*.]

revirete (ê) [De *revirar*.] *S. m.* **1.** Dito picante; motejo, gracejo. **2.** V. *respostada*.

reviro [Dev. de *revirar*.] *S. m. Obsol.* Ação de um devedor mandar seus escravos a outrem que não o credor.

revisão [Do lat. tard. *revisione*.] *S. f.* **1.** Ato ou efeito de rever[1]. **2.** Novo exame. **3.** Nova leitura. **4.** Análise de uma lei ou decreto com o fim de o reformar, retificar ou anular. **5.** *Tip.* Técnica, ato ou efeito de rever ou revisar. **6.** *Tip.* O conjunto dos revisores [v. *revisor* (4)]. **7.** *Tip.* Setor da oficina onde se revisam as provas. **8.** *Bras. Jur.* Recurso privativo do réu contra sentença condenatória já transitada em julgado, o qual é admissível em casos taxativamente expressos em lei, e visa a obter a anulação da sentença recorrida, diminuição especial da pena que lhe foi imposta, ou sua absolvição. **9.** Inspeção de uma máquina, em que se lhe desmontam as partes para substituir peças gastas ou defeituosas, ajustar folgas, etc.

revisar [Do esp. *revisar*.] *V. t. d.* **1.** Visar novamente; tornar a visar: *revisar um alvo.* **2.** Fazer inspeção ou revisão de: *revisar a bagagem.* **3.** Apor visto (5) a: *revisar um passaporte.* **4.** Rever[1] (4). **5.** *Tip.* Ler (prova tipográfica) assinalando os erros; rever, corrigir. [Nesta acepç., cf. *comprovar* (3) e *conferir* (11).]

■ **Revise** Abrev. de *Refúgio de vida silvestre*.

revisionismo [Do fr. *révisionnisme*, der. do fr. *révisionniste* (v. *revisionista*).] *S. m.* **1.** Doutrina que propugna a revisão (da constituição de um país, de uma doutrina política, etc.): "O revisionismo não teve sorte no Brasil, porque a elite foi sempre dominada pela aversão às novidades." (José Honório Rodrigues, *Vida e História*, p. 17.) **2.** Tendência para a revisão de antigos valores literários ou artísticos.

revisionista [Do fr. *révisionniste*, do fr. *révision* (v. *revisão*) + suf. fr. *-iste* (v. *-ista*).] *Adj. 2 g.* **1.** Relativo ao revisionismo. **2.** Que é partidário dele. • *S. 2 g.* **3.** Partidário do revisionismo.

revisitação [De *revisitar* + *-ção*.] *S. f.* Ação ou efeito de revisitar; nova visita.

revisitar [De *re-* + *visitar*.] *V. t. d.* Visitar de novo: "Carlos convidou o marquês a revisitar nessa noite, à volta da casa do Vargas, o seu velho amigo Tchi." (Eça de Queirós, *Os Maias*, II, p. 278.)

revisor (ô) [De *revisar*, ou do ingl. *revisor*.] *Adj.* **1.** Que revê (v. *rever*[1]). • *S. m.* **2.** *Jur.* Magistrado, membro de tribunal, esp. incumbido de, nas decisões colegiadas (acórdãos), analisar o processo e pronunciar-se após o relator sobre o caso em julgamento. **3.** Empregado de estrada de ferro, empresa de ônibus, etc., encarregado de rever e conferir os bilhetes dos passageiros. **4.** *Tip.* Pessoa que se ocupa na revisão de provas tipográficas; corretor. [Cf. *conferente* (4).]

revisório [Do lat. *revisus*, part. pass. de *revidere*, 'ver de novo', 'ir ver de novo', + *-ório*.] *Adj.* Relativo à revisão.

revista[1] [Dev. de *revistar*.] *S. f.* **1.** Ato ou efeito de revistar. **2.** Inspeção de militares em formatura. **3.** *Teatr.* Peça com quadros de música e dança, com anedotas, alegorias, esquetes, etc., na qual se criticam os fatos mais em evidência da época; teatro de revista, teatro-revista. **4.** *Bras. Jur. Desus.* Recurso judicial para as câmaras cíveis reunidas dos tribunais de justiça, contra decisões divergentes das câmaras ou dos tribunais, entre si, quanto à maneira de interpretar o direito em tese. V. *recurso de revista*. ◆ **Revista naval.** Desfile de navios de guerra.

revista[2] [Trad. do ingl. *review* (< fr. ant. *revue*, f. subst. do part. pass. do v. fr. *revoir*, 'rever'), seg. o modelo *rever*[1]/ *revisto* (fem. = *revista*).] *S. f.* Publicação periódica de formato variado, em que se divulgam artigos originais, reportagens, etc., sobre vários temas, ou, ainda, em que se divulgam, condensados, trabalhos sobre assuntos variados já aparecidos em livros e noutras publicações. [Cf. *magazine* (1).]

revistar [De *re-* + *vista* + *-ar*[2].] *V. t. d.* **1.** Passar revista[1] (2) a: *O capitão revistou a tropa.* **2.** Ver com atenção; examinar: *O construtor revistou longamente cada detalhe do plano.* **3.** Passar busca a; dar varejo ou revista a; varejar: *A polícia revistou várias residências*; "abria gavetas, lia os manuscritos que encontrava, revistava as algibeiras da roupa estendida no cabide, folheava os livros, examinando tudo" (Aluísio Azevedo, *O Mulato*, p. 155).

revisteca [De *revista*[2] + *-eca*.] *S. f. Deprec.* Revista[2] sem importância.

revisteiro [De *revista*[1] (3) + *-eiro*.] *S. m.* Indivíduo que escreve revistas.

revisto [Part. de *rever*[1].] *Adj.* Que se reviu; corrigido, emendado.

revitalização [De *revitalizar* + *-ção*.] *S. f.* **1.** Ato ou efeito de revitalizar. **2.** Conjunto de medidas que visam a criar nova vitalidade, a dar novo grau de eficiência a alguma coisa: *a revitalização de um conjunto urbanístico, de uma região; O acordo vai permitir a revitalização das relações econômicas entre os dois países.*

revitalizador (ô) [De *revitalizar* + *-dor*.] *Adj. S. m.* V. *revitalizante*.

revitalizante [De *revitalizar* + *-nte*.] *Adj. 2 g.* **1.** Que revitaliza: *creme revitalizante para o rosto, para os cabelos.* • *S. m.* **2.** Aquilo que revitaliza. [Sin. ger.: *revitalizador*.]

revitalizar [De *re-* + *vitalizar*.] *V. t. d.* **1.** Dar nova vida a; revigorar; vitalizar. **2.** Efetuar a revitalização (2) de. *P.* **3.** Adquirir vida nova; revigorar-se.

➔ **revival** [ɹɪ'vajvəl] [Ingl.] *S. m.* Renovação de interesse por época, costume, tendência, estilo literário ou musical, etc.: *O revival dos anos cinquenta.*

revivente [Do lat. *revivente*.] *Adj. 2 g.* Revivescente.

reviver [Do lat. *revivere*.] *V. int.* **1.** Retornar à vida; adquirir vida nova; ressuscitar: *Os mortos não revivem.* **2.** Readquirir vigor, força, viço; renovar-se, revigorar-se. **3.** Tornar a manifestar-se; renovar, reaparecer: *Revivem as ilusões.* *T. d.* **4.** Revigorar, revivificar, renovar: *A chuva reviveu as plantas.* **5.** Trazer à lembrança; recordar, relembrar: *Revivemos longamente os dias passados*; "Não deixava de ser com saudades que D. Pepê revivia aquelas lembranças do tempo em que Alberto e a francesa vieram morar em Riachuelo." (Gastão Cruls, *De Pai a Filho*, p. 25). **6.** Pôr de novo em uso; revivificar: *A língua abandona certos termos e revive outros.* **7.** Experimentar de novo; sentir novamente: *Ao vê-la, reviveu intensamente o seu amor.* [Sin.: *revivescer*.]

revivescência [De *revivescer* + *-ência*.] *S. f.* Revivescimento.

revivescente [Do lat. *reviviscente*.] *Adj. 2 g.* Que revive; revivente.

revivescer [Do lat. *reviviscere*.] *V. t. d. Int.* V. *reviver*: "Organizara a horta. E, no pomar, revivescera tudo, acrescentara outros enxertos." (Vasconcelos Maia, *O Leque de Oxum*, p. 43.) [Conjug.: v. *crescer*.]

revivescimento [De *revivescer* + *-imento*.] *S. m.* Ato ou efeito de revivescer; revivescência.

revivescível [De *revivescer* + *-ível*.] *Adj. 2 g.* Que pode revivescer.

revivificação [De *revivificar* + *-ção*.] *S. f.* Ato ou efeito de revivificar.

revivificar [De *re-* + *vivificar*.] *V. t. d.* **1.** Tornar a vivificar; dar nova vida a; reanimar, ressuscitar: *Segundo as Escrituras, Deus revivificará os mortos no dia do Juízo Final.* **2.** Dar novo vigor a; revigorar, avigorar: *Um bom trago de vinho ajuda a revivificar as forças.* **3.** Reviver (6): *A Renascença revivificou a arte clássica.* [Conjug.: v. *trancar*.]

revivo [De *re-* + *vivo*.] *Adj.* **1.** Que retornou à vida. **2.** Que tem muita vida; cheio de vida.

revoada [De *revoar* + *-ada*[1].] *S. f.* **1.** Ato ou efeito de revoar. **2.** Bando de aves que revoam. **3.** Bando ou grupo movimentado, alegre. **4.** *Fig.* Profusão, multidão, bando: "Uma revoada de memórias entrou na alma de Sofia." (Machado de Assis, *Quincas Borba*, p. 195.) **5.** *Fig.* Ensejo, oportunidade, ocasião, azo. **6.** *Bras.* Voo simultâneo de numerosos aviões, em geral com propósito festivo: *Os aeroclubes organizaram uma revoada no dia sete de setembro.*

revoar [Do lat. *revolare*, 'tornar voando'.] *V. int.* **1.** Voar novamente; tornar a voar. **2.** Voar (a ave) para o ponto de onde partira: *As aves chegam no verão e revoam ao inverno.* **3.** Adejar, voejar, esvoaçar, volitar: "Revoavam-lhe em redor bandos de pombas brancas" (Júlio Dantas, *Sonetos*, p. 79). **4.** Voar alto. **5.** *Fig.* Estar sobranceiro; elevar-se: *Na memória de cada brasileiro revoam as imagens dos homens que morreram em defesa da Pátria.* **6.** *Fig.* Vir à memória; acudir: *Após alguma reflexão, revoou uma boa ideia*; "não dormiu logo. Os pensamentos revoavam-lhe no cérebro" (Aluísio Azevedo, *Casa de Pensão*, p. 150). [Conjug.: v. *coroar*.]

revocação [Do lat. *revocatione*, por via semierudita.] *S. f.* Ato ou efeito de revocar.

revocar [Do lat. *revocare*, por via erudita.] *V. t. d.* **1.** Chamar para trás; mandar voltar: *A pátria longínqua revocava o emigrante.* **2.** Chamar de novo; tornar a chamar: *Entusiásticos aplausos revocaram o artista.* **3.** Relembrar, evocar: *revocar o passado.* **4.** Tornar nulo; anular, revogar: *O patrão revocou as ordens.* *T. d. e i.* **5.** Fazer voltar; devolver, restituir: "um beijo ardente, dado nessa mão que tinha estendida, e lágrimas ainda mais ardentes, ... foram como faísca elétrica, revocando-o à razão e à realidade da vida." (Alexandre Herculano, *Lendas e Narrativas*, I, p. 203). **6.** Fazer sair; tirar: *A Igreja afirma que só a religião revoca o homem do pecado.* [Conjug.: v. *trancar*.]

revocatório [Do lat. tard. *revocatoriu*, por via erudita.] *Adj.* V. *revogatório*.

revocável [Do lat. *revocabile*, por via semierudita.] *Adj. 2 g.* Que se pode revocar.

revoejamento [De *revoejar* + *-mento*.] ***S. m.*** Revoejo.

revoejar [De *re-* + *voejar*.] ***V. int.*** Tornar a voejar, ou voejar repetidamente: "no ar, jovializante, juventilizante, cheio de sons, de cores e faiscâncias ...., revoejavam pássaros, de asas pandas" (Martins Fontes, *A Alegria*, p. 45). [Conjug.: v. *pelejar*.]

revoejo (ê) [Dev. de *revoejar*.] ***S. m.*** Ato ou efeito de revoejar; revoejamento: "Rui [Barbosa], ... descreveu um caranguejo, que vale o díptero de Holbein. Mas, cem daquelas moscas, em revoejo sobre o quadro, dariam do autor singular prova de mau gosto." (Alcides Maia, *Crônicas e Ensaios*, p. 173.)

revogabilidade [De *revogável* + *-(i)dade*, seg. o padrão erudito.] ***S. f.*** Qualidade de revogável.

revogação [Do lat. *revocatione*, por via pop.] ***S. f.*** **1.** Ato ou efeito de revogar. **2.** Anulação, extinção, invalidação. **3.** Anulação total (*ab-rogação*) ou parcial (*derrogação*) da vigência de uma lei.

revogador (ô) [Do lat. *revocatore*, por via pop.] ***Adj.*** **1.** Que revoga; revogante, revogatório. • ***S. m.*** **2.** Aquele que revoga.

revogante [Do lat. *revocante*, por via pop.] ***Adj. 2 g.*** V. *revogador* (1).

revogar [Do lat. *revocare*, por via pop.] ***V. t. d.*** Tornar nulo, sem efeito; fazer que deixe de vigorar; anular, invalidar, revocar: *revogar um decreto, uma ordem.* [Conjug.: v. *largar*.]

revogatória [F. subst. de *revogatório*.] ***S. f.*** Documento que encerra a revogação.

revogatório [Do lat. tard. *revocatoriu*, por via pop.] ***Adj.*** **1.** V. *revogador* (1). **2.** Relativo a revogação. **3.** Que contém revogação. [F. paral.: *revocatório*.]

revogável [Do lat. *revocabile*, por via pop.] ***Adj. 2 g.*** Que pode ser revogado.

revolcar [Do lat. vulg. **revolvicare* < lat. *revolvere*, 'revolver'.] ***V. t. d. e i. P.*** Rebolcar (q. v.). [Conjug.: v. *trancar*.]

revolta [F. subst. de *revolto*.] ***S. f.*** **1.** Ato ou efeito de revoltar(-se). **2.** Manifestação (armada ou não), contra a autoridade estabelecida; levantamento, levante, motim, insurreição, rebelião, sedição, sublevação. **3.** V. *revolução* (2). **4.** Grande perturbação moral causada por indignação, aversão, repulsa, etc. **5.** V. *motim* (3). **6.** V. *rebeldia* (1). [Pl.: *revoltas*. Cf. *revolta* (ô) e *revoltas* (ô), flex. de *revolto* (ô).]

revoltado [Part. de *revoltar*.] ***Adj.*** **1.** Que se revoltou ou rebelou; insubmisso, rebelde, sublevado, revoltoso. **2.** Que mostra ou sente revolta ou indignação; indignado. **3.** *Bras.* Diz-se de pessoa amarga, inconformada, que se sente alvo de preterição ou de injustiça. • ***S. m.*** **4.** Insurreto, rebelde, revoltoso. **5.** Indivíduo revoltado (3).

revoltador (ô) [De *revoltar* + *-dor*.] ***Adj. S. m.*** Que, ou aquele que revolta.

revoltante [De *revoltar* + *-nte*.] ***Adj. 2 g.*** Que revolta ou indigna; repugnante, nojento, nojoso, repulsivo.

revoltantemente [De *revoltante* + *-mente*.] ***Adv.*** De maneira revoltante.

revoltão ***S. m.*** Movimento desordenado, revolto.

revoltar [De *revolta* + *-ar*[2].] ***V. t. d.*** **1.** Incitar à revolta; insubordinar, levantar, sublevar, insurgir, insurrecionar: *O cabo revoltou a guarnição.* **2.** Perturbar moralmente; repugnar, indignar: "A surra humilhante e injusta revoltou-o." (Lauro Palhano, *O Gororoba*, p. 16.) **3.** Voltar do outro lado: revirar. ***T. d. e i.*** **4.** Indispor, levantar, indignar, sublevar, insurgir: *revoltar o povo contra as autoridades.* ***T. c.*** **5.** Voltar de novo; regressar, retornar: *O navio revoltou ao porto.* ***Int.*** **6.** Causar indignação: *A injustiça revolta.* ***P.*** **7.** Sublevar-se, insurgir-se, rebelar-se, amotinar-se: *Em 1932, São Paulo revoltou-se contra o governo federal.* **8.** Sentir indignação; indignar-se: *Os homens de bem revoltaram-se contra a imoralidade.* [Pres. ind.: *revolto, revoltas, revolta*, etc. Cf. *revolto* (ô) e as flex. *revolta* (ô), *revoltas* (ô).]

revoltear [De *re-* + *volta* + *-ear*[2].] ***V. t. d.*** **1.** Voltear muito; revolver, remexer: *Os trabalhadores usam pás para revoltear a terra.* **2.** Dançar, saracoteando-se: *As moças e rapazes revolteavam o vira.* ***Int.*** **3.** Dar muitas voltas; revolver-se. [Conjug.: v. *frear*.]

revolto (ô) [Do lat. **revoltu*, por *revolutus*, part. pass. de *revolvere*.] ***Adj.*** **1.** Que se revolveu ou remexeu; movido de baixo para cima; revolvido, revirado. **2.** V. *revirado* (2). **3.** Envolvido, embrulhado, envolto. **4.** Em que são frequentes os tumultos ou revoltas; tumultuoso, conturbado: *década revolta.* **5.** Muito agitado; tempestuoso, proceloso: *águas revoltas.* **6.** Irritado, irado, furioso, revoltado: *A multidão revolta percorria as ruas.* **7.** Que está em desalinho, fora de ordem; desarrumado: *cama revolta.* **8.** *Bras. S.* Diz-se do cavalo redomão que já obedece um pouco às rédeas. [Flex.: *revolta* (ô), *revoltos* (ô), *revoltas* (ô). Cf. *revolto, revoltas* e *revolta*, do v. *revoltar*, e *revolta*, s. f., pl. *revoltas*.]

revoltoso (ô) [De *revolta* + *-oso*.] ***Adj. S. m.*** Rebelde, insurreto, revoltado.

revolução [Do lat. tard. *revolutione*.] ***S. f.*** **1.** Ato ou efeito de revolver(-se) ou revolucionar(-se). **2.** Rebelião armada; revolta, conflagração, sublevação. **3.** Transformação radical e, por via de regra, violenta, de uma estrutura política, econômica e social. **4.** *P. ext.* Qualquer transformação violenta da forma de um governo. **5.** Transformação radical dos conceitos artísticos ou científicos dominantes numa determinada época: *revolução literária; revolução tecnológica.* **6.** Volta, rotação, giro. **7.** *Fig.* Perturbação, agitação. **8.** Rotação em torno de um eixo imóvel. **9.** Transformação natural da superfície do globo. **10.** *Astr.* Movimento de um astro em redor de outro. ◆ **Revolução anomalística.** *Astr.* Intervalo de tempo necessário para que um astro descreva a sua órbita, a partir do periastro, e que usualmente se refere à Lua, valendo, neste caso, 27,5546 dias; período anomalístico, mês anomalístico. **Revolução dos Cravos Vermelhos.** Revolução democrática ocorrida em Portugal, em 25 de abril de 1974, e que deu lugar à deposição do primeiro-ministro Marcelo Caetano (1906-1980). **Revolução draconítica.** *Astr.* Intervalo de tempo que separa duas passagens consecutivas da Lua pelo mesmo nodo de sua órbita, e vale 27,21222 dias; mês draconítico, mês nódico, revolução nódica, período draconítico, período nódico. **Revolução industrial.** Mudança ocorrida na indústria, a partir do séc. XIX, quando os meios de produção, até então dispersos, e baseados na cooperação individual, passaram a se concentrar em grandes fábricas ocasionando profundas transformações sociais e econômicas. **Revolução nódica.** *Astr.* V. *revolução draconítica*. **Revolução sinódica.** *Astr.* **1.** Intervalo de tempo que separa duas faces idênticas e consecutivas de um astro. **2.** Revolução sinódica da Lua que corresponde a 29,53059 dias; mês lunar, lunação. [Sin. ger.: *período sinódico, mês sinódico*.] **Revolução sinódica dos nodos.** *Astr.* Intervalo de tempo que separa os dois instantes em que o mesmo nodo da órbita lunar tem a mesma longitude celeste.

revolucionado [Part. de *revolucionar*.] ***Adj.*** Que se revolucionou.

revolucionamento [De *revolucionar* + *-mento*.] ***S. m.*** Ato ou efeito de revolucionar(-se).

revolucionar [De *revolução* + *-ar*[2], seg. o padrão erudito.] ***V. t. d.*** **1.** Excitar à revolução; instigar à revolta; sublevar, revoltar: *As ideias liberais revolucionaram as colônias americanas.* **2.** Mexer de baixo para cima; revoltear, revolver: *revolucionar a terra.* **3.** Agitar moralmente; perturbar. **4.** Causar notável mudança em; transformar: *O movimento de 1922 revolucionou a literatura brasileira.* **5.** Pôr em rebuliço; agitar: *A descoberta revolucionou os cientistas.* ***P.*** **6.** Insurgir-se, sublevar-se, revoltar-se: *As colônias revolucionaram-se contra a metrópole.* [Fut. pret.: *revolucionaria*, etc. Cf. *revolucionária*, fem. de *revolucionário*.]

revolucionário [Do fr. *révolutionnaire*.] ***Adj.*** **1.** Relativo à, ou próprio de revolução. **2.** Que é adepto da revolução (2 a 5). ~ V. *guerra —a* e *socialismo —*. • ***S. m.*** **3.** Aquele que prega ou lidera revoluções. **4.** Indivíduo partidário do progresso; progressista. **5.** Introdutor de novos processos artísticos, científicos, etc.; renovador. **6.** Aquele que é partidário de renovações políticas, morais ou sociais. [Fem.: *revolucionária*. Cf. *revolucionaria*, do v. *revolucionar*.]

revoluteante [De *revolutear* + *-nte*.] ***Adj. 2 g.*** Que revoluteia.

revolutear [De *re-* + *volutear*.] ***V. int.*** **1.** Agitar-se em vários sentidos; revolver-se: "A mata agita-se, revoluteia, contorce-se toda e sacode-se." (Manuel Bandeira, *Estrela da Vida Inteira*, p. 95.) **2.** Adejar, voejar, esvoaçar, volutear: *Revoluteiam as borboletas*; "Insetos brilhantes .... revoluteavam em sussurro, agarravam-se frementes." (Júlio Ribeiro, *A Carne*, p. 42). ***T. d.*** **3.** Agitar, abalar: "O riso que revoluteia as tormentas dos impérios e abisma tronos" (Camilo Castelo Branco, *A Mulher Fatal*, p. 8). [Conjug.: v. *frear*.]

revoluteio [Dev. de *revolutear*.] ***S. m.*** Ato ou efeito de revolutear.

revoluto [Do lat. *revolutu*.] ***Adj.*** **1.** V. *revolvido*. **2.** *Bot.* Diz-se do órgão laminar, cujas margens se enrolam sobre a face abaxial.

revolúvel [De *re-* + *volúvel*.] ***Adj. 2 g.*** Muito volúvel; volubilíssimo.

revolvedor (ô) [De *revolver* + *-dor*.] ***Adj. S. m.*** Que, ou aquele que revolve.

revolver [Do lat. *revolvere*.] ***V. t. d.*** **1.** Volver muito; remexer, revoltear: *O arado revolve os campos*; "O vento revolvia as cinzas, espalhando .... o odor a madeira e a terra queimadas." (Fernando Namora, *Retalhos da Vida de um Médico*, p. 59). **2.** Investigar ou examinar cuidadosamente; esquadrinhar: *Revolveu os arquivos à cata de documentos históricos.* **3.** Virar muitas vezes; revirar, retorcer: *A menina dengosa revolvia os olhos.* **4.** Abrir buracos em; cavar: *revolver a terra.* **5.** Passar revista a; examinar demoradamente; ruminar: *revolver dúvidas.* **6.** Indispor, amotinar, revoltar: *A tirania do soberano acabou revolvendo os vassalos.* ***Int.*** **7.** Agitar-se, remexer-se: *A mente do saudosista está cheia de um passado que revolve incessante.* **8.** Mover-se em círculo; girar. ***P.*** **9.** Mover-se desordenadamente; remoinhar, agitar-se. **10.** Voltar-se, revirar-se: *Revolvia-se insone no leito.* [Inf. pess.: *revolver* (ê), *revolveres* (ê), etc. Cf. *revólver* e pl. *revólveres*.]

revólver [Do ingl. *revolver*.] ***S. m.*** Arma de fogo, de porte individual, de um só cano, com calibres variados, dotada de tambor ou cilindro giratório, onde são colocados os cartuchos, ger. em número de seis. [Sin. (bras., gír.): *berro, berrante, máquina, pinga-fogo*. Cf. *pistola* (1). Pl.: *revólveres*. Cf. *revolver* e *revolveres*, do v. *revolver*.]

revolvido [Part. de *revolver*.] ***Adj.*** Que se revolveu; remexido, mexido, agitado; revolto, revoluto.

revolvimento [De *revolver* + *-imento*.] ***S. m.*** Ato ou efeito de revolver(-se); revolução.

revoo [De *re-* + *voo*.] ***S. m.*** **1.** Ato ou efeito de revoar. **2.** *Bras. S. Gír. de galistas.* A primeira luta do galo antes do ato de cruzar. ❖

révora ***S. f.*** *P. us.* Tempo da puberdade: "Não é só no organismo físico que a chegada da révora, o aurorar da adolescência, o rebentar primaveril da puberdade operam uma revolução: é também no organismo moral." (Olavo Bilac, *Conferências Literárias*, p. 47.)

revulsão [Do lat. *revulsione*.] ***S. f.*** *Terap.* **1.** Efeito de medicamento revulsivo. **2.** *Med.* Irritação local provocada para fazer cessar um estado congestivo ou inflamatório existente noutra parte do corpo. [Sin.: *antíspase*.]

revulsar [De *revuls(o)-* + *-ar*[2].] ***V. t. d.*** *Med.* Exercer ação revulsiva em; deslocar com revulsivos.

revulsivo [De *revuls(o)-* + *-ivo*.] ***Adj.*** **1.** *Terap.* Que faz derivar uma inflamação, ou humores, de um para outro ponto do organismo; revulsório, derivativo, antispástico. • ***S. m.*** **2.** *Farm.* Medicamento revulsivo; derivativo.

▲ **revuls(o)-** [Do lat. *revulsus, a, um*, part. pass. de *revellere*, 'puxar com força para si'; 'tirar com força'.] ***El. comp.*** = 'revulsão': *revulsar, revulsivo*.

revulsor (ô) [De *revuls(o)-* + *-or*.] ***S. m.*** *Cir.* Instrumento cirúrgico munido de agulhas finas, que era apropriado para provocar revulsão (2) na pele.

revulsório [De *revuls(o)-* + *-ório*.] ***Adj.*** *Terap.* V. *revulsivo* (1).

▲ **-rex-** (cs) [Do gr. *rháxis, eōs*.] ***El. comp.*** = 'ruptura', 'destruição': *onicorrexia*. [Equiv.: *-rexe*: *historrexe*.]

▲ **-rexe** (cs) Equiv. de *-rex-*.

rexenxão ***S. m.*** *Bras. Zool.* V. *graúna* (1).

reza [Dev. de *rezar*.] ***S. f.*** **1.** Ato ou efeito de rezar. **2.** Prece, oração. **3.** Resmungo, resmoneio. **4.** *Bras. Pop.* Palavras que se proferem por crendice ou superstição, para benzer ou afastar o mal. ◆ **Reza da capoeira.** *Bras. Cap. Desus.* Ladainha.

rezado [Part. de *rezar*.] ***Adj.*** **1.** Que se rezou. **2.** Contado em segredo. **3.** Muito comentado. **4.** Próprio de reza; que lembra reza: "Saíra Santo Antônio do convento, / A dar o seu passeio costumado / E a decorar, num tom rezado e lento, / Um cândido sermão sobre o pecado." (Augusto Gil, *Luar de Janeiro*, p. 53.) ~ V. *missa —a*.

rezador (ô) [De *rezar* + *-dor*.] ***Adj.*** **1.** Que reza. • ***S. m.*** **2.** Aquele que reza. **3.** *Bras.* Curandeiro, benzedeiro, que faz rezas [v. *reza* (4)].

rezão ***S. m.*** *Ant. Pop.* Razão. [Cf. *risão*.]

rezar [Do lat. *recitare*, por via pop.] ***V. t. d.*** **1.** Dizer ou fazer (oração ou súplica religiosa): "recolheu à Torre vagarosamente, no silêncio e doçura da tarde, rezando as suas ave-marias" (Eça de Queirós, *A Ilustre Casa de Ramires*, p. 547); "rezaríamos rezas africanas" (Graciliano Ramos, *S. Bernardo*, p. 191). **2.** Ler (livros de orações): *rezar a Bíblia.* **3.** Conter escrito; mencionar, dizer, referir: *A lei reza que todas as pessoas maiores de 18 anos são responsáveis.* **4.** Prescrever, determinar, preceituar: "ele que não facilitasse muito, porque lá rezava o ditado: 'andar no mar, andar a enterrar'." (Virgílio Várzea, *Nas Ondas*, p. 3). **5.** V. *celebrar* (6): "rezara as missas sozinho, sem acompanhante." (Guido Vilmar Sassi, *São Miguel*, p. 185). **6.** Fazer benzeduras em; benzer: *Rezou a criança doente.* **7.** *Fig.* Dizer por entre dentes; resmungar, murmurar: *O menino, irado, rezou palavras incompreensíveis.* ***T. i.*** **8.** Dirigir súplicas (à divindade): *Os católicos rezam aos santos*; "quase todos ajoelharam para rezarem por alma do último Marquês de Marialva." (Rebelo da Silva, *Contos e Lendas*, p. 183). **9.** Discorrer, tratar, falar:

R

"Reza a história de uns gansos que salvaram por seus grasnos a integridade da cidade eterna." (Machado de Assis, *Crônicas*, I, p. 146); "A história literária reza de dois autores de nome Diogo de Paiva de Andrada." (Fidelino de Figueiredo, em Diogo de Paiva de Andrada, *Casamento Perfeito*, p. V); "Os versos do rapazinho tísico soavam-lhe bem. Supunha que rezavam de uma paixão pura" (João de Araújo Correia, *Terra Ingrata*, p. 122). ***T. d. e i.*** **10.** Dirigir, fazer (preces, orações, etc.): *O beato reza preces a todos os santos.* ***Int.*** **11.** Fazer oração a Deus ou aos santos; orar: "— Bem, ajoelhou-se e rezou. | — Rezou." (Machado de Assis, *Várias Histórias*, p. 34); "Deitei-me à hora habitual ..... Rezei, li um pouco, apaguei a luz." (Josué Montelo, *A Noite sobre Alcântara*, p. 158). [Pres. ind.: *rezo*, etc.; pres. subj.: *reze*, *rezes*, etc. Cf. *reso*, s. m., *Reso*, antr., e *reses* (ê), pl. de *rês*.]

rezaria [De *reza* + *-aria*.] *S. f. Fam.* Ato de rezar muitas vezes.

rezina [Alter. de *rezinga*.] *Adj. 2 g. S. 2 g.* **1.** *Bras. Pop.* Diz-se de, ou pessoa teimosa, birrenta, ranzinza. **2.** *Bras. CE* V. *avaro* (1 e 3). [Cf. *resina* e *rizina*.]

rezinga [Dev. de *rezingar*.] *S. f.* **1.** Ato ou efeito de rezingar. **2.** Renzilha, rixa; altercação.

rezingão [De *rezingar* + *-ão*[1].] *Adj. S. m.* Que, ou aquele que rezinga; resmungão, rezingueiro, reguingueiro. [Fem.: *rezingona*.]

rezingar [Voc. onom., talvez com base em *rezar* (7).] *V. t. d.* **1.** Dizer por entre dentes e de mau humor; resmungar: *Indignado com a repreensão, saiu rezingando palavras acres.* ***T. i.*** **2.** Fazer crítica; reclamar: *Procurou não rezingar com ninguém.* ***Int.*** **3.** Discutir acaloradamente; altercar, disputar: *Após a derrota, começaram todos a rezingar.* **4.** Falar baixo e com mau humor; resmungar, resmonear. **5.** V. *grazinar* (3). [Conjug.: v. *largar*.]

rezingona *S. f.* V. *rezingão*.

rezingueiro [De *rezingar* + *-eiro*.] *Adj. S. m.* V. *rezingão*.

rezoneamento [De *rezonear* + *-mento*.] *S. m.* Ato ou efeito de rezonear.

rezonear [De *re-* + *zonear*.] *V. t. d.* Tornar a zonear (1). [Conjug.: v. *frear*.]

rezumbir [De *re-* + *zumbir*.] *V. int.* **1.** Zumbir outra vez, ou reiteradamente. • *S. m.* **2.** Ato ou efeito de rezumbir: "Estremecia pelas chãs palustres / O ar cortado de trilos, de queixumes, / De cioso rezumbir e estalos de asas" (Alberto de Oliveira, *Poesias*, 3.ª série, p. 137).

■ **Rf** *Quím.* Símb. do *rutherfórdio*.

■ **RF** *Fís.* Abrev. de *radiofrequência*.

■ **RGB** [Acrônimo de *red*, *green* e *blue*.] *Telev.* Método de geração de imagem em cores por meio de variação de intensidade do vermelho, verde e azul. [Cf. *CMY*.]

■ **Rh** **1.** Abrev. de *fator Rh*. **2.** *Quím.* Símb. de *ródio*[1].

rhe [Do v. gr. *rhein*, 'fluir, correr'.] *S. f. Fís. Obsol.* Unidade de medida de fluidez no sistema c.g.s., igual ao inverso do poise.

→ **rhythm and blues** ['ɹɪhim ænbluwz] [Ingl.] *Mús.* Tipo de música popular norte-americana, surgido na década de 1940, sob influência do *jazz* e do *blues*.

ria [De *rio*.] *S. f. Lus.* Conjunto de canais de água do mar formados, em certos litorais, por desgastes ou assoreamentos, e nos quais poderão vir a lançar-se pequenos cursos de água doce: "Ficava [a vila] dentro de uma grande quinta, que se estendia até à beira da ria, daquela famosa ria onde se pescavam as angulas" (Bulhão Pato, *Memórias*, I, p. 7). ~ V. *rias*.

riachão [De *riacho* + *-ão*[1].] *S. m. Bras.* Riacho grande.

riachãoense[1] *Adj. 2 g.* **1.** De, ou pertencente ou relativo a Riachão (MA). • *S. 2 g.* **2.** O natural ou habitante de Riachão.

riachãoense[2] *Adj. 2 g.* **1.** De, ou pertencente ou relativo a Riachão do Dantas (SE). • *S. 2 g.* **2.** O natural ou habitante de Riachão do Dantas.

riachão-nevense *Adj. 2 g.* **1.** De, ou pertencente ou relativo a Riachão das Neves (BA). • *S. 2 g.* **2.** O natural ou habitante de Riachão das Neves. [Pl.: *riachão-nevenses*.]

riachense[1] *Adj. 2 g.* **1.** De, ou pertencente ou relativo a Dois Riachos (AL). • *S. 2 g.* **2.** O natural ou habitante de Dois Riachos.

riachense[2] *Adj. 2 g.* **1.** De, ou pertencente ou relativo a Riacho das Almas (PE). • *S. 2 g.* **2.** O natural ou habitante de Riacho das Almas.

riachense[3] *Adj. 2 g.* **1.** De, ou pertencente ou relativo a Riacho de Santana (BA). • *S. 2 g.* **2.** O natural ou habitante de Riacho de Santana.

riachense[4] *Adj. 2 g.* **1.** De, ou pertencente ou relativo a Riacho dos Cavalos (PB). • *S. 2 g.* **2.** O natural ou habitante de Riacho dos Cavalos.

riachense[5] *Adj. 2 g.* **1.** De, ou pertencente ou relativo a Riacho dos Machados (MG). • *S. 2 g.* **2.** O natural ou habitante de Riacho dos Machados.

riachense[6] *Adj. 2 g.* **1.** De, ou pertencente ou relativo a Santana do Riacho (MG). • *S. 2 g.* **2.** O natural ou habitante de Santana do Riacho.

riachinhense *Adj. 2 g.* **1.** De, ou pertencente ou relativo a Riachinho (MG e TO). • *S. 2 g.* **2.** O natural ou habitante de Riachinho.

riacho [Do esp. *riacho*.] *S. m.* Rio pequeno, mais volumoso que o regato (q. v.), e menos que a ribeira (q. v.).

riacho-antoniense *Adj. 2 g.* **1.** De, ou pertencente ou relativo a Riacho de Santo Antônio (PB). • *S. 2 g.* **2.** O natural ou habitante de Riacho de Santo Antônio. [Pl.: *riacho-antonienses*.]

riacho-cruzense *Adj. 2 g.* **1.** De, ou pertencente ou relativo a Riacho da Cruz (RN). • *S. 2 g.* **2.** O natural ou habitante de Riacho da Cruz. [Pl.: *riacho-cruzenses*.]

riacho-santanense *Adj. 2 g.* **1.** De, ou pertencente ou relativo a Riacho de Santana (RN). • *S. 2 g.* **2.** O natural ou habitante de Riacho de Santana. [Pl.: *riacho-santanenses*.]

riachuelense (u-e) *Adj. 2 g.* **1.** De, ou pertencente ou relativo a Riachuelo (RN e SE). • *S. 2 g.* **2.** O natural ou habitante de Riachuelo.

riacófilo [Do gr. *rhýax*, *akos*, 'torrente formada pelas chuvas', + *-filo*[2].] *Adj.* Referente a cachoeira, corredeiras, cataratas: *fauna riacófila*.

rial *S. m.* Unidade monetária e moeda da Arábia Saudita, Catar, Iêmen, Irã e Omã.

rialmense *Adj. 2 g.* **1.** De, ou pertencente ou relativo a Rialma (GO). • *S. 2 g.* **2.** O natural ou habitante de Rialma.

rialtense *Adj. 2 g.* **1.** De, ou pertencente ou relativo a Rialto (RJ). • *S. 2 g.* **2.** O natural ou habitante de Rialto.

riamba [Var. de *liamba*.] *S. f. Bras.* V. *maconha*.

rianapolino (ri) *Adj.* **1.** De, ou pertencente ou relativo a Rianápolis (GO). • *S. m.* **2.** O natural ou habitante de Rianápolis.

rias [Pl. de *ria*.] *S. f. pl.* Costas de recortes profundos e onde o mar é raso. ~ V. *ria*.

riba [Do lat. *ripa*.] *S. f.* **1.** Margem alta de rio; ribanceira; ribeira, arriba. **2.** *Pop.* A parte mais elevada; cima: "Tiravam as colchas de seda de riba dos cestos" (Vitorino Nemésio, *O Mistério do Paço do Milhafre*, p. 45). **3.** *Bras.* Espécie de rolo compressor a tração animal, próprio para descascar o café. ◆ **Em riba de.** Em cima de: "O Lucas dava nos paus e não havia quem lhe botasse o olho em riba." (Cardoso de Oliveira, *Dois Metros e Cinco*, p. 268.) **Pra riba de.** Pra cima de: "um violeiro afulimado, / partiu pra riba de mim!" (Catulo da Paixão Cearense, *Meu Sertão*, p. 86).

ribaçã [Var. de *arribação*.] *S. f. Bras. Zool.* V. *avoante*.

ribada [De *riba* + *-ada*[1].] *S. f.* **1.** Riba (1) prolongada. **2.** *Bras. RS* Modalidade do fandango.

ribaldaria [De *ribaldo* + *-aria*.] *S. f.* **1.** Dito ou ato de ribaldo; patifaria, velhacaria, tratantada: "Ela foi evidentemente a filha do seu tempo, com a devassidão calculista, ... cheia de elegantes ribaldarias, de gaiatices miudinhas, e canalha de atitudes" (Fialho d'Almeida, *Lisboa Galante*, p. 97). **2.** V. *barataria* (5). [Sin. ger.: *ribaldia*.]

ribaldia [De *ribaldo* + *-ia*[1].] *S. f.* V. *ribaldaria*.

ribaldo [Do fr. ant. *ribalt*.] *Adj. S. m.* Patife, tratante, velhaco.

ribalta [Do it. *ribalta*.] *S. f.* **1.** Série de lâmpadas situadas no ponto extremo do proscênio, e que se destinam a iluminar os primeiros planos do palco; rampa. **2.** O proscênio. **3.** *Fig.* O teatro; a cena; o palco: *Desde criança Liza Minelli sentiu-se atraída pela ribalta.*

ribamar [Da loc. *riba do mar*.] *S. m.* **1.** Beira-mar. **2.** Terreno à beira do mar.

ribamarense *Adj. 2 g.* **1.** De, ou pertencente ou relativo a São José de Ribamar (MA). • *S. 2 g.* **2.** O natural ou habitante de São José de Ribamar.

ribança [De *riba* + *-ança*.] *S. f. Desus.* Margem de rio muito inclinada.

ribanceira [De *ribança* + *-eira*.] *S. f.* **1.** Penedia alta à margem de um rio. **2.** V. *riba* (1). **3.** Margem elevada de um rio ou de um lago. **4.** Despenhadeiro, precipício. **5.** Rampa muito íngreme. [Sin. ger.: *barranceira*.]

ribatejano *Adj.* **1.** Do, ou pertencente ou relativo ao Ribatejo (Portugal). • *S. m.* **2.** O natural ou habitante do Ribatejo.

ribeira [Do lat. vulg. *riparia*, 'da margem', ou de *riba* + *-eira*.] *S. f.* **1.** O terreno banhado por um rio. **2.** Lugar baixo à beira de rio. **3.** V. *riba* (1). **4.** Curso de água abundante, menos largo e profundo que um rio. [Cf. *riacho* e *regato*.] **5.** *Bras. N. N.E.* Zona rural de pecuária bovina, que abrange certo número de fazendas.

ribeirada [De *ribeira* + *-ada*[1].] *S. f.* **1.** Corrente impetuosa de ribeira (4). **2.** Grande porção de líquido.

ribeirão [De *ribeiro* + *-ão*[1].] *S. m. Bras.* **1.** Curso de água menor que um rio e maior que um riacho: "Ribeirões que na estação das chuvas ofereciam água em abundância, só deixavam, agora, distinguir das terras marginais, o álveo enxuto e calcinado." (Sérgio Buarque de Holanda, *Caminhos e Fronteiras*, p. 38.) **2.** Terreno apropriado para a lavra das minas de diamantes.

ribeirão-bonitense *Adj. 2 g.* **1.** De, ou pertencente ou relativo a Ribeirão Bonito (SP). • *S. 2 g.* **2.** O natural ou habitante de Ribeirão Bonito. [Pl.: *ribeirão-bonitenses*.]

ribeirão-branquense *Adj. 2 g.* **1.** De, ou pertencente ou relativo a Ribeirão Branco (SP). • *S. 2 g.* **2.** O natural ou habitante de Ribeirão Branco. [Pl.: *ribeirão-branquenses*.]

ribeirão-clarense *Adj. 2 g.* **1.** De, ou pertencente ou relativo a Ribeirão Claro (PR). • *S. 2 g.* **2.** O natural ou habitante de Ribeirão Claro. [Pl.: *ribeirão-clarenses*.]

ribeirão-correntense *Adj. 2 g.* **1.** De, ou pertencente ou relativo a Ribeirão Corrente (SP). • *S. 2 g.* **2.** O natural ou habitante de Ribeirão Corrente. [Pl.: *ribeirão-correntenses*.]

ribeirãoense[1] *Adj. 2 g.* **1.** De, ou pertencente ou relativo a Ribeirão (PE). • *S. 2 g.* **2.** O natural ou habitante de Ribeirão.

ribeirãoense[2] *Adj. 2 g.* **1.** De, ou pertencente ou relativo a Ribeirão Vermelho do Sul (SP). • *S. 2 g.* **2.** O natural ou habitante de Ribeirão Vermelho do Sul.

ribeirão-grandense *Adj. 2 g.* **1.** De, ou pertencente ou relativo a Ribeirão Grande (SP). • *S. 2 g.* **2.** O natural ou habitante de Ribeirão Grande. [Pl.: *ribeirão-grandenses*.]

ribeirão-pirense *Adj. 2 g.* **1.** De, ou pertencente ou relativo a Ribeirão Pires (SP). • *S. 2 g.* **2.** O natural ou habitante de Ribeirão Pires. [Pl.: *ribeirão-pirenses*.]

ribeirão-pretano *Adj.* **1.** De, ou pertencente ou relativo a Ribeirão Preto (SP). • *S. m.* **2.** O natural ou habitante de Ribeirão Preto. [Pl.: *ribeirão-pretanos*.]

ribeirão-sulense *Adj. 2 g.* **1.** De, ou pertencente ou relativo a Ribeirão do Sul (SP). • *S. 2 g.* **2.** O natural ou habitante de Ribeirão do Sul. [Pl.: *ribeirão-sulenses*.]

ribeirar [De *ribeira* + *-ar*[2].] *Bras. N. V. t. d.* **1.** Marcar a ferro o lado esquerdo de [animais pertencentes a uma ribeira (5)]: *ribeirar um boi.* **2.** Margear, rodear, beirar.

ribeirense[1] *Adj. 2 g.* **1.** De, ou pertencente ou relativo a Ribeira (SP). • *S. 2 g.* **2.** O natural ou habitante de Ribeira.

ribeirense[2] *Adj. 2 g.* **1.** De, ou pertencente ou relativo a Ribeirão do Largo (BA). • *S. 2 g.* **2.** O natural ou habitante de Ribeirão do Largo.

ribeirense[3] *Adj. 2 g.* **1.** De, ou pertencente ou relativo a Ribeirão Vermelho (MG). • *S. 2 g.* **2.** O natural ou habitante de Ribeirão Vermelho.

ribeirense[4] *Adj. 2 g.* **1.** De, ou pertencente ou relativo a Ribeiro Gonçalves (PI). • *S. 2 g.* **2.** O natural ou habitante de Ribeiro Gonçalves. [Sin. ger.: *ribeiro-gonçalvino*.]

ribeirinho [De *ribeira* + *-inho*[1].] *Adj.* **1.** Que anda ou vive pelos rios ou ribeiras. **2.** Que se encontra ou vive próximo a rios ou ribeiras; marginal; justafluvial. • *S. m.* **3.** Indivíduo ribeirinho (2): "um tipo de homem com determinada relação com a natureza, ... que eram não somente os índios mas também os ribeirinhos, os seringueiros, os posseiros" (Edilson Martins, *Pasquim*, 08.10.1981). **4.** Moço de recados. **5.** Indivíduo que transporta areia e entulho em cavalos ou burros.

ribeiro[1] [Var. de *ribeira* (4).] *S. m.* Rio pequeno; regato, riacho.

ribeiro[2] [De *riba* + *-eiro*.] *Adj.* Diz-se de certa qualidade de trigo.

ribeiro-gonçalvino *Adj. S. m.* V. *ribeirense*[4].

ribeiro-pinhalense *Adj. 2 g.* **1.** De, ou pertencente ou relativo a Ribeirão do Pinhal (PR). • *S. 2 g.* **2.** O natural ou habitante de Ribeirão do Pinhal. [Pl.: *ribeiro-pinhalenses*.]

ribeiropolense *Adj. 2 g.* **1.** De, ou pertencente ou relativo a Ribeirópolis (SE). • *S. 2 g.* **2.** O natural ou habitante de Ribeirópolis.

ribes [Do tax. *Ribes*.] *S. m. 2 n. Bot.* **1.** Gênero de grossulariáceas que reúne cerca de 150 espécies nativas de regiões temperadas do hemisfério norte e dos Andes, algumas cultivadas pelos frutos edules, e outras como ornamentais. **2.** Qualquer espécie desse gênero, como, p. ex., a *Ribes nigrum* (v. *groselheira-preta*). **3.** Qualquer espécime desse gênero. [Sin. ger.: *grossulária*.]

ribete (ê) [Var. de *rebite*.] *S. m.* Debrum, cairel.

▲ **ribo-** [De *ribose*.] *Quím. Biol. El. comp.* = 'relativo a ribose': *riboflavina*, *ribossoma*, *ribossomo*.

riboflavina [Do ingl. *riboflavin*.] *S. f. Quím.* Componente da vitamina B, cristalino, amarelo, encontrado no leite, fígado, clara do ovo, e que é um fator de crescimento [fórm.: $C_{17}H_{20}O_6N_4$].

ribombância [Var. de *rimbombância* (q. v.).] *S. f.* Ação ou efeito de ribombar; ribombo.

ribombante [Var. de *rimbombante* (q. v.).] ***Adj. 2 g.*** Que ribomba.

ribombar [Var. de *rimbombar* (q. v.).] ***V. int.*** **1.** Estrondear, estrondar (trovão): "O trovão ribombava de instante a instante." (Castro Soromenho, *Rajada e Outras Histórias*, p. 140.) **2.** Soar fortemente; ressoar, retumbar: "Minutos depois as granadas rebentavam lá em cima, ribombando pelo vale escuro." (Rubem Braga, *Com a F. E.B. na Itália*, p. 174.)

ribombo [Var. de *rimbombo* (q. v.).] ***S. m.*** **1.** Ribombância. **2.** Estrondo do trovão: "O ribombo de um trovão ecoou dentro do automóvel que o clarão do relâmpago iluminara." (João Martins, em *A Cidade e as Ruas*, p. 130.)

ribonucleico (éi ou êi) [De *ribo-* + *(ácido)* + *nucleico*.] ***Adj.*** *Bioquím.* ~ V. *ácido —*, *ácido — mensageiro* e *ácido — ribossomal*. [A pronúncia aberta *ribonucleico* (éi) é a correta, porém a pronúncia *ribonucleico* (êi) é a us. em Portugal, e a mais us. no Brasil.] ❖

ribose [Do ingl. *ribose*.] ***S. f.*** *Quím.* Aldose cristalina presente em alguns nucleotídeos [fórm.: $C_5H_{10}O_5$].

ribossoma [De *ribo-* + *-soma*.] ***S. m.*** *Citol. Genét.* V. *ribossomo*.

ribossomático [De *ribossoma* + *-ático*.] ***Adj.*** Ribossômico.

ribossómico ***Adj.*** V. *ribossômico*. [Uso freq. em P.]

ribossômico [De *ribossoma* + *-ico*[2].] ***Adj.*** De, ou relativo a ribossomo; ribossomático.

ribossomo [De *ribo-* + *-somo*.] ***S. m.*** *Citol. Genét.* Estrutura citoplasmática composta de ácido ribonucleico e que é o local de tradução de RNA mensageiro em polipeptídios; ribossoma.

ribozima [De *ribo(nucleico)* + *(en)zima*.] ***S. f.*** *Bioquím.* Qualquer de certos ácidos ribonucleicos que têm atividade catalítica semelhante à das enzimas.

riça[1] [De *riço*.] ***S. f.*** Pelo que se desprende dos chapéus escarduçados.

riça[2] [Dev. de *riçar*.] ***Adj. (f.)*** Diz-se da galinha de penas eriçadas.

ricaço [De *rico* + *-aço*.] ***Adj. S. m.*** *Pop.* Diz-se de, ou homem muito rico; milionário.

riçado [Part. de *riçar*.] ***Adj.*** V. *eriçado*: "uma lanugem em vez de bigode, cabelo castanho riçado" (Xavier Marques, *Jana e Joel*, p. 139).

rica-dona ***S. f.*** Mulher, filha ou sucessora de rico-homem. [Pl.: *ricas-donas*.]

ricanho ***Adj. S. m.*** *Pop.* Diz-se de, ou homem rico e avaro.

riçar [De *riço* + *-ar*[2], ou f. aferética de *erriçar*.] ***V. t. d.*** **1.** Tornar (o cabelo) emaranhado como riço (1). **2.** Encaracolar, frisar (o cabelo). **3.** Fazer erguer (o cabelo) passando o pente da ponta para a raiz; eriçar. ***Int.*** **4.** Arrepiar, eriçar: *Seus cabelos riçaram de medo.* [Conjug.: v. *laçar*.]

ricardão [Do antr. *Ricardo* + *-ão*[1].] ***S. m.*** *Bras. Gír.* Amante de mulher casada ou comprometida.

ricercar [Do it. *ricercare*.] ***S. m.*** *Mús.* Ricercata.

ricercata [Do it. *ricercata*.] ***S. f.*** *Mús.* **1.** No séc. XV, improvisação livre, inspirada no motete vocal, e que os alaudistas elaboravam sobre determinadas melodias. **2.** Composição polifônica em estilo de cânone, em geral de caráter tenso e austero, feita sobretudo para órgão, e que é considerada a primeira manifestação da fuga instrumental. [Sin. ger.: *ricercar*.]

richarte [Do fr. *richard*.] ***Adj. S. m.*** *Pop. Ant.* Diz-se de, ou homem baixo, gordo e forte.

→ **richelieu** [ʁiʃəˈljø] [Fr., de *(Cardeal) Richelieu*, título de Armanol-Jean du Pessis, no séc. XVII.] ***S. m.*** *Bord.* Bordado ger. feito em linho, que ao ser cuidadosamente desfiado forma belos desenhos que permanecem ligados entre si.

ricinina [De *ricin(o)-* + *-ina*[3].] ***S. f.*** *Quím.* Alcaloide tóxico encontrado no óleo de rícino [fórm.: $C_8H_8N_2O_2$].

ricinismo [De *ricin(o)-* + *-ismo*.] ***S. m.*** *Med.* Envelhecimento decorrente de ingestão ou de inalação de substância tóxica presente em semente de rícino e que causa inflamação e hemorragia das mucosas (digestiva, no caso de ingestão, e respiratória, no caso de inalação) com que tal substância tóxica entra em contato.

▲ **ricin(o)-** [De *rícino*.] ***El. comp.*** *Quím.* = 'rícino': *ricinoleico*. [Ocorre, tb., como infixo: *-ricin(o)-*: *sulforricinado*.]

▲ **-ricin(o)-** *Quím.* V. *ricin(o)-*.

rícino [Do lat. *ricinu*, 'carrapato'; 'mamona' (ou 'carrapateira' — poss. pela semelhança da semente da mamona com o carrapato); tax. *Ricinus*.] ***S. m.*** *Bot.* **1.** Gênero de plantas euforbiáceas dotado de grandes folhas palmadas, e de flores monécias com numerosos estames. **2.** Qualquer espécie desse gênero, como, p. ex., a *Ricinus communis* (v. *mamona*). **3.** Qualquer espécime desse gênero.

ricinoleico (rì...éi ou êi) [De *ricin(o)-* + *oleico*.] ***Adj.*** ~ V. *ácido —*. [A pronúncia aberta *ricinoleico* (éi) é a correta, porém a pronúncia *ricinoleico* (êi) é a us. em Portugal, e a mais us. no Brasil.] ❖

ricinúleo [Adapt. do tax. *Ricinulei*.] ***S. m. Adj.*** *Zool.* V. *podogônio*.

rickéttsia [Do tax. *Rickettsia* < antr. *(Howard T.) Ricketts* (1871-1910), patologista americano + lat. cient. *-ia* (v. *-ia*[2]).] ***S. f.*** *Microbiol.* **1.** Gênero-tipo das rickettsiáceas, que compreende microrganismos de dimensões próximas ao limite inferior de visibilidade pelo microscópio óptico, e que são, ger., parasitos intracelulares do tubo intestinal de artrópodes (piolho, pulga, etc.), sendo que certas espécies se adaptam a parasitar vertebrados, inclusive o homem, causando rickettsiose. **2.** Qualquer espécie desse gênero, como, p. ex., a *Ricckettsia prowazeckii*, causadora do tifo exantemático (q. v.). **3.** Qualquer espécime desse gênero.

rickettsiácea [Do tax. *Rickettsia* (gênero-tipo) + *-ácea*; tax. *Rickettsiaceae*.] ***S. f.*** *Microbiol.* Espécime das rickettsiáceas, família de microrganismos que habitam, tipicamente, os tecidos dos artrópodes, mas que podem ser transmitidos a vertebrados, inclusive o homem, causando sérias doenças, como, p. ex., as rickettsioses.

rickettsiáceo [De *rickettsiácea*, com var. suf. (v. *-áceo*).] ***Adj.*** *Microbiol.* Pertencente ou relativo às rickettsiáceas.

rickettsíase [De *rickéttsia* + *-íase*.] ***S. f.*** *Patol.* Rickettsiose.

rickettsiose [De *rickéttsia* + *-ose*[1].] ***S. f.*** *Patol.* Qualquer infecção causada por rickéttsias, como por ex., o tifo. [Sin.: *rickettsíase*.]

rico [Do gót. *reiks*, 'poderoso'.] ***Adj.*** **1.** Que possui muitos bens ou coisas de valor; que tem riquezas. [Aum.: *ricaço*.] **2.** Que produz em grande quantidade; abundante, fértil. **3.** Provido abundantemente; cheio, farto. **4.** Opulento, pomposo, magnífico: "A presença do Padre, simpático e venerando, nas ricas roupas bordadas a ouro, atraiu por instantes toda a atenção dos fiéis." (Inglês de Sousa, *O Missionário*, p. 113.) **5.** *Fig.* Bonito, belo, lindo: *uma rica pequena*. **6.** Bom; excelente; apetitoso: "Um rico pedaço de toucinho, um bom naco de presunto, o belo chouriço, cheirinhos, arroz da melhor tenda..." (D. João da Câmara, *Contos*, p. 136.) **7.** Muito agradável; delicioso, deleitável: "E os lençóis! rico cheiro a linho!" (Antônio Nobre, *Só*, p. 64.) **8.** *Fig.* Satisfeito, feliz, contente. **9.** *Fig.* Fecundo em ideias, ou em imagens; fértil: *imaginação rica*. ~ V. *rimas —as*. • ***S. m.*** **10.** Indivíduo rico (1).

riço [Do lat. *ericiu*, 'ouriço', com aférese, ou dev. de *riçar*.] ***S. m.*** **1.** Espécie de chumaço de lã que as mulheres usavam como enchimento para altear o penteado. **2.** *Tec. Têx.* Tecido de lã com pelo curto e crespo: "Hóspede, desde manhã, daqueles paços de Vila Real, pesados de baixelas de prata e de guarda-portas de riço verde, tudo me interessava" (Júlio Dantas, *Abelhas Doiradas*, p. 195). • ***Adj.*** **3.** Encrespado, encarapinhado (q. v.) (cabelo): *cabeleira riça*.

ricochetar [De *ricochete* + *-ar*[2].] ***V. int.*** Ricochetear: "Uma pedra passou zunindo, rente à sua cabeça; outra bateu num poste, ricochetou e caiu na calçada." (Érico Veríssimo, *Noite*, p. 23.) [Pres. subj.: *ricochete*, *ricochetes*, etc. Cf. *ricochete* (ê) e pl. *ricochetes* (ê).]

ricochete (ê) [Do fr. *ricochet*.] ***S. m.*** **1.** Salto de qualquer corpo ou projetil após bater no chão ou em outro corpo; rechaço, chapeleta. [Cf. *salto* (2).] **2.** *Fig.* Retrocesso, volta. **3.** *Fig.* Acontecimento originado por outro, a modo de uma pedra de ricochete. **4.** *Fam.* Dito picante; remoque, motejo. [Pl.: *ricochetes* (ê). Cf. *ricochete*, *ricochetes*, do v. *ricochetar*.]

ricochetear [De *ricochete* + *-ear*[2].] ***V. int.*** Fazer ricochete; ricochetar. [Conjug.: v. *frear*.]

rico-homem [De *rico* + *homem*.] ***S. m.*** Fidalgo de alta linhagem e grandes haveres que, nos começos da monarquia portuguesa, guerreava pelo rei e tinha como insígnias o pendão e a caldeira (símbolos do poder e da senhoria sobre os inúmeros vassalos que sustentava), e que, em geral, exercia elevados cargos ou funções públicas, civis ou militares: "Pelos fins do século XI, ... a filha de um rico-homem, senhor de Murça, enamorou-se de um escudeiro do pai." (Júlio Dantas, *Espadas e Rosas*, p. 148.) [Pl.: *ricos-homens*.]

ricondontídeo [Adapt. do tax. *Rhicondontidae*.] *Zool.* ***S. m.*** **1.** Espécime dos ricondontídeos, família monoespecífica de tubarões, cujo representante é o tubarão-baleia (q. v.). • ***Adj.*** **2.** Pertencente ou relativo ou a eles.

ricota [Do it. *ricotta*, 'recozida'.] ***S. f.*** Queijo que se prepara vertendo-se o soro do leite fervido e coalhado.

ricto [Do lat. *rictu*.] ***S. m.*** **1.** Abertura da boca. **2.** Contração labial ou facial: "Não há crispações de cólera, gritos de revolta ou rictos de sarcasmo (tudo isto seria absurdo) na poesia de Antero [Antero de Quental]" (Álvaro J. da Costa Pimpão, *Gente Grada*, p. 65). [Cf. *rito* e *ríton*.]

ríctus [Do lat. *rictus*.] ***S. m. 2 n.*** V. *ricto*.

ridente [Do lat. *ridente*.] ***Adj. 2 g.*** **1.** Que ri; sorridente. **2.** Satisfeito, alegre, contente. **3.** Vicejante, verdejante: "Da vida conservava apenas a fresca impressão visual das paisagens ridentes do Minho" (Manuel Ribeiro, *A Planície Heroica*, p. 50). [Cf. *redente*.]

ridicar [De *ridico* + -ar[2].] *Bras.* ***V. t. d.*** **1.** Negar, recusar: "Dona Culinha .... veio cá em casa para eu dar umas ideias pra ela arrematar a noite. Eu dei, uai, eu não ridico ideia pra ninguém." (Adélia Prado, *Solte os Cachorros*, p. 34.) ***Int.*** **2.** Proceder como ridico, avaro.

ridico [F. sincopada de *ridículo*.] ***Adj.*** *Bras. MG Fam.* V. *avaro* (1). [Cf. *ridículo* (5).]

ridicularia [De *ridículo* + *-aria*.] ***S. f.*** **1.** Ato ou dito de ridículo; ridiculez. **2.** Coisa de pouco valor; bagatela, ninharia, insignificância.

ridicularização [De *ridicularizar* + *-ção*.] ***S. f.*** Ato ou efeito de ridicularizar(-se).

ridicularizar [De *ridicularia* + *-izar*.] ***V. t. d. P.*** Ridiculizar.

ridicularizável [De *ridicularizar* + *-vel*.] ***Adj. 2 g.*** Ridiculizável.

ridiculez (ê) [De *ridículo* + *-ez*.] ***S. f.*** Ridicularia (1).

ridiculização [De *ridiculizar* + *-ção*.] ***S. f.*** Ação ou efeito de ridiculizar(-se).

ridiculizar [De *ridículo* + *-izar*.] ***V. t. d.*** **1.** Pôr em ridículo; escarnecer ou zombar de: *Costuma ridiculizar os menos cultos*; "cinco dias inteiros fui vítima das zombarias de minha terrível irmã, que não cessa de ridiculizar a minha paixão ....!" (Joaquim Manuel de Macedo, *Os Romances da Semana*, p. 23). **2.** Tornar ridículo: *Os enfeites excessivos ridicularizaram a casa, antes bela e sóbria*. ***P.*** **3.** Fazer-se digno de escárnio; tornar-se ridículo: *Pessoa velhusca, ridiculiza-se trajando como jovem.* [Sin. ger.: *ridicularizar*.]

ridiculizável [De *ridiculizar* + *-vel*.] ***Adj. 2 g.*** Que pode ou merece ser ridiculizado; ridicularizável.

ridículo [Do lat. *ridiculu*.] ***Adj.*** **1.** Que provoca riso ou escárnio; grotesco. **2.** Diz-se de pessoa, atitude ou circunstância que se torna risível por levar ao exagero aquilo que é natural ou apropriado a determinada condição. **3.** Cômico, risível. **4.** De pouco ou nenhum valor; irrisório, insignificante, mesquinho. **5.** V. *avaro* (1). [F. paral (bras., MG) nesta acepç.: *ridico*.]: *Quanto mais rico, mais ridículo.* • ***S. m.*** **6.** Pessoa ou coisa ridícula. **7.** Ato ou efeito de ridiculizar. **8.** O que há de ridículo (1 e 3) numa pessoa ou coisa: *Não pensou no ridículo a que se expôs durante a festa.*

rididico [Voc. onom., poss.] ***S. m.*** *Bras. Zool.* V. *pica-pau-do-mato-virgem*.

riebeckita [Do antr. *(Emil) Riebeck* (1853-1885), explorador alemão, + *-ita*[3].] ***S. f.*** *Min.* Mineral ortorrômbico, dimorfo da pirolusita.

rieira ***S. f.*** *Bras. Pop.* Alter. de *relheira*.

riel [Do *khmer*.] ***S. m.*** Unidade monetária, e moeda, do Camboja (Sudeste Asiático). [Pl.: *riéis*. Cf. *ríeis*, do v. *rir*, e *real*.]

riemanniano (ri) [Do antr. *(Georg F. Bernhard) Riemann* (1826-1866), matemático alemão.] ***Adj.*** ~ V. *espaço —* e *geometria —a*.

riense-do-oeste ***Adj. 2 g. S. 2 g.*** V. *rio-oestense*. [Pl.: *rienses-do-oeste*.]

→ **riesling** [ˈʁisliŋ] [Al.] ***S. m.*** **1.** *Vitic.* Casta nobre de uva branca, oriunda do vale do Reno e do Mosela e muito cultivada na Alsácia (v. *alsaciano*) e na Alemanha. **2.** *Enol.* Vinho produzido com essa uva. [Com cap.]

R

rifa [De um rad. romance *rif*, 'pelejar', 'lutar', poss. pelo esp. *rifa*.] ***S. f.*** Sorteio de um objeto, geralmente através de bilhetes numerados. [Sin., bras.: *cumbuca*.]

rifada [De *rifa* + *-ada*[1].] ***S. f.*** Conjunto de cartas do mesmo naipe.

rifador (ô) [De *rifar* + *-dor*.] ***Adj. S. m.*** Que, ou aquele que rifa.

rifainense ***Adj. 2 g.*** **1.** De, ou pertencente ou relativo a Rifaina (SP). • ***S. 2 g.*** **2.** O natural ou habitante de Rifaina.

rifão [F. dissimilada de *refrão*.] ***S. m.*** V. *provérbio* (1): "Não sei que sábio antigo disse que a natureza não vai aos saltos: *Natura non facit saltus*. Todas as línguas vivas e mortas que eu conheço têm um rifão que, despida a forma, contém aquele mesmo pensamento." (José de Alencar, *Obra Completa*, IV, p. 655); "nem tudo o que luz é ouro — lá diz o rifão" (Fialho d'Almeida, *Contos*, p. 76). [Pl.: *rifões*, *rifães*.]

rifar [De *rifa* + *-ar*[2].] ***V. t. d.*** **1.** Fazer rifa de; sortear por meio de rifa: *Rifou um relógio para arranjar dinheiro.* **2.** *Gír.* Descartar-se de, abandonar (pessoa ou coisa que já não interessa): *Político sujo, inescrupuloso, rifa os melhores amigos na hora oportuna.* **3.** *Gír. Ant.* Roubar, surripiar, bifar: *O gatuno rifou uma carteira.*

rifenho [Do esp. *rifeño*.] ***Adj.*** **1.** Do, ou pertencente ou relativo ao Rife, região montanhosa do Marrocos (África do Norte). • ***S. m.*** **2.** O natural ou habitante do Rife. **3.** *Gloss.* Língua berbere (2) dessa região; tamazirte.

rififi *S. m. Bras. Pop.* V. *rolo*[1] (16).

rifle [Do ingl. *rifle.*] *S. m.* Espingarda de repetição (v. *arma de repetição*). [Cf. *refle.*] ◆ **Rifle do papo amarelo.** *Bras. N.E.* Espécie de rifle muito apreciado pelos sertanejos, e que possui uma plaqueta de metal amarelo na parte inferior. [Tb. se diz apenas *papo-amarelo.*]

➔ **rigatone** [riga'tone] [It.] *S. m.* Massa em forma de tubo largo e curto, de cerca de 3 a 4cm de comprimento por cerca de 1,5cm de largura, com caneluras ou estrias; goela de pato.

rígel [Do ár. *riğl*, 'pé', na expr. *riğlal-guza'*, 'o pé de Órion', alusão à posição da estrela, no desenho dessa constelação.] *S. f. Astr.* Nome tradicional da segunda estrela mais brilhante de Órion. [Com cap.]

rigidez (ê) [De *rígido* + *-ez.*] *S. f.* **1.** Qualidade de rígido; rigor, rijeza: *a rigidez do aço.* **2.** *Fig.* Austeridade, rigor, severidade. **3.** Falta de meiguice, de doçura, de compreensão; rudeza, aspereza. ◆ **Rigidez cadavérica** *Med. Leg.* Fenômeno que se inicia após a morte e que tem o seu auge após algumas horas, desaparecendo, então, lentamente, quando a putrefação se instala. [Sin. (lat.): *rigor mortis.*] **Rigidez dielétrica.** *Eletr.* A intensidade máxima de um campo elétrico a que pode ser sujeito um dielétrico sem que através dele passe uma descarga elétrica.

rígido [Do lat. *rigidu*, por via erudita.] *Adj.* **1.** Teso, hirto, inteiriçado: *A polícia comprovou que o cadáver já estava rígido.* **2.** Que não é flexível, que não se verga; rijo, resistente: *o tronco rígido da palmeira.* **3.** Que não é flácido; rijo: "Rígidos seios de redondas, brancas, / frágeis e frescas inserções macias" (Jorge de Sena, *Versos e Alguma Prosa*, p. 45). **4.** *Econ.* Que não varia; inflexível: *salários nominais rígidos* (*i. e.*, que não podem ser reduzidos). **5.** *Fig.* Austero, inflexível, implacável, severo; rigoroso, rijo. ~ V. *acoplamento* — e *pavimento* —.

rigodão [Do fr. *rigaudon.*] *S. m.* **1.** Dança de origem provençal ou da região do Languedoc (França), popular nos sécs. XVII e XVIII. **2.** *Mús.* Música em andamento vivo e compasso binário, e que acompanha essa dança.

rigor[1] (ô) [Do lat. *rigore.*] *S. m.* **1.** Resistência à tensão; rigidez, rijeza, dureza. **2.** Rigorosidade. **3.** Vigor, fortaleza, força. **4.** *Fig.* Severidade extrema; inflexibilidade: *o rigor da lei.* **5.** Ausência de qualquer desvio; precisão, exatidão: *o rigor de um horário, de um traçado.* **6.** *Fig.* Ato cruel; maldade, crueldade. **7.** *Fig.* Exatidão no cumprimento dos deveres, ou na satisfação das necessidades; pontualidade. **8.** *Fig.* Insensibilidade moral; indiferença. **9.** *Fig.* Precisão, exatidão; clareza: *Exporei com rigor as minhas ideias.* **10.** Regra de procedimentos; preceito: *O rigor manda falar pouco.* **11.** O alto grau de intensidade do frio, do calor, da chuva, etc. ◆ **Conhecer o rigor da mandaçaia.** *Bras. SP Pop.* Ser severamente punido; sofrer uma dura lição.

rigor[2] (ô) *S. m. Bras. BA* Conjunto de rochedos encostados à terra firme e que quebram a continuidade da linha arenosa das praias.

rigorismo [De *rigor*[1] + *-ismo.*] *S. m.* **1.** Qualidade de rigoroso. **2.** Excessivo rigor moral. **3.** Tendência moral a optar pelo julgamento mais rigoroso, mais severo. [Nesta acepç., opõe-se a *laxismo.*]

rigorista [De *rigorismo* + *-ista.*] *Adj. 2 g.* **1.** Em que há rigorismo. **2.** Que usa de rigorismo. ● *S. 2 g.* **3.** Pessoa rigorista (2).

➔ **rigor mortis** [rɛ'gor 'mortɛs] [Lat.] Rigidez cadavérica.

rigorosidade [De *rigoroso* + *-(i)dade.*] *S. f.* Qualidade de rigoroso.

rigoroso (ô) [Do lat. *rigorosu.*] *Adj.* **1.** Que age com rigor, ou denota rigor. **2.** V. *rígido* (3). **3.** Intenso, difícil de suportar. **4.** Muito severo; cruel, desumano, rijo. **5.** Muito exigente. **6.** Cuidadoso; minucioso: *O policial fez uma investigação rigorosa.*

rigueifa *S. f.* V. *regueifa.*

rijeza (ê) [De *rijo* + *-eza.*] *S. f.* Qualidade de rijo; rigor, rigidez.

rijo [Do lat. *rigidu*, por via pop.] *Adj.* **1.** Que não é flexível ou friável; duro, rígido; resistente: *madeira rija.* **2.** V. *rigoroso* (3). **3.** Robusto, vigoroso, forte: "Chegam de toda a parte os grupos de romeiros: / Gente rija do campo, homens fortes, trigueiros" (Conde de Monsaraz, *Musa Alentejana*, p. 61). **4.** *Fig.* Que não esmorece; pertinaz, enérgico: *vontade rija.* **5.** *Fig.* Inflexível, rígido, rigoroso: "A língua é realidade viva, espontânea, nunca rijo catálogo de formas." (Serafim Silva Neto, *Fontes do Latim Vulgar*, p. 33.) **6.** *Fig.* Intenso, forte; áspero: "Em meio da viagem, soprou de súbito rijo nordeste" (Artur Azevedo, *Contos Possíveis*, p. 52). **7.** *Lus. Pop.* Alegre, animado: "Em Moçambique houve festa rija. Comeu-se e bebeu-se à tripa forra." (Antônio Silva Graça, *Viagem ao Fim da História*, p. 110.) ● *S. m.* **8.** O principal; a maior parte. ● *Adv.* **9.** Com rijeza; fortemente, rijamente: *As tropas atacaram rijo*; "todas as gramíneas .... desprendem-se do solo; varre-as, então, o vento, quando sopra rijo" (Gustavo Barroso, *Terra de Sol*, p. 14). ◆ **De rijo. 1.** Com rijeza, força, energia; rijamente: "Pegou nas câimbas do freio, vergastou de rijo as duas ancas do saino." (Valdomiro Silveira, *Os Caboclos*, p. 26.) **2.** *Fig.* Com voz enérgica, muito alta: "Quando Macário chamou de rijo a filha na alcova vazia, estava ela com Vasco no quintal" (Camilo Castelo Branco, *Novelas do Minho*, VII, p. 24).

rijume *S. m. Bras. Pop.* Regime[1].

ril [Do ingl. *reel.*] *S. m. Bras.* Dança, popular ou de salão, de ritmo vivo, em voga no séc. XIX: "Entretanto ao som da banda de música da fazenda e dos risos folgazões, os pares pulavam na sala entremeando o ril e o miudinho às monótonas quadrilhas francesas." (José de Alencar, *O Tronco do Ipê*, p. 235.)

rilhador (ô) [De *rilhar* + *-dor.*] *Adj. S. m.* Que ou o que rilha.

rilhadura [De *rilhar* + *-dura.*] *S. f.* Ato ou efeito de rilhar.

rilhar [De um lat. vulg. **ringulare* < lat. *ringi*, 'ranger os dentes'.] *V. t. d.* **1.** Roer (objeto duro): *Os ratos rilharam a madeira*; "A égua rilhava entre os dentes e o freio umas vergôntenas tenras de tojo" (Camilo Castelo Branco, *A Brasileira de Prazins*, p. 292). **2.** Roer ou comer: *Resmungava rilhando um pedaço de pão.* **3.** Ranger (os dentes); ringir: "Rilhando os dentes foi-os espremendo, esmagando" (Coelho Neto, *Treva*, p. 159). **4.** *P. ext.* Fazer ranger ou fazer chiar: "Vou guiar. Desço sem rilhar pneu." (Ana Cristina César, *Inéditos e Dispersos*, p. 193.) *Int.* **5.** Ranger (1): "A espaços ouvia o barulho do bondezinho rilhando nas curvas da colina" (Aníbal M. Machado, *Histórias Reunidas*, p. 48).

rilheira [De or. obscura.] *S. f.* Molde de ferro no qual os ourives vazam metal fundido e fazem chapas. [Cf. *relheira.*]

➔ **rillettes** ['ʁiˈjɛt] [Fr.] *S. f. pl. Cul.* Charcutaria ger. feita com carne de porco, mas tb. de ganso, pato, etc., que é cozida lentamente na própria banha até ficar tão macia que possa ser desfiada à mão para formar uma pasta cremosa.

rim [Do lat. *renes*, 'rins'.] *S. m.* **1.** *Anat.* Cada um de dois órgãos produtores de urina, situados um de cada lado do segmento lombar da coluna vertebral, estando o direito um pouco mais abaixo do que o esquerdo. **2.** Essa víscera, de certos animais, usada como alimento. **3.** *Cul.* Prato feito com ela. **4.** *Bras.* Utensílio de enfermagem que é uma cuba reniforme. ~ V. *rins.* ◆ **Rim artificial.** *Nefr.* Hemodialisador (q. v.).

rima[1] [Do gr. *rhythmós*, pelo lat. *rhythmu*, 'ritmo', e pelo ant. provenç. *rima.*] *S. f.* **1.** *Arte Poét.* Repetição de um som no final de dois ou mais versos. **2.** *Arte Poét.* Repetição, no meio dum verso, de um som que termina o verso anterior. **3.** *Arte Poét.* Repetição de um som em mais de uma palavra de um mesmo verso. **4.** Identidade de som na terminação de duas ou mais palavras. **5.** Palavra que rima com outra. **6.** *E. Ling.* Na estrutura da sílaba, unidade formada pelo núcleo (12) e pela coda (1). V. *rimas.* ◆ **Rimas alternadas.** *Arte Poét.* Aquelas em que os versos rimam alternadamente, *i. e.*, o primeiro com o terceiro e os demais ímpares, o segundo com o quarto e os demais pares; rimas cruzadas. **Rimas consoantes.** *Arte Poét.* As que se conformam inteiramente no som desde a vogal ou ditongo do acento tônico até a última letra ou fonema. Ex.: *fecundo* e *mundo*; *amigo* e *contigo*; *doce* e *fosse*; *pálido* e *válido*; *moita* e *afoita*. **Rimas coroadas.** *Arte Poét.* As que ocorrem entre palavras de um mesmo verso. Ex.: "Rosa saudosa do gentil jardim" (Castro Alves, *Obras Completas*, p. 409); "O triste existe em sofrimento lento" (Id., *ib.*, p. 409); "Na messe, que enlourece, estremece a quermesse..." (Eugênio de Castro, *Obras Poéticas*, I, p. 58). **Rimas cruzadas.** *Arte Poét.* Rimas alternadas. **Rimas emparelhadas.** *Arte Poét.* Aquelas que ocorrem no fim de dois ou mais versos consecutivos. **Rimas encadeadas.** *Arte Poét.* As que se verificam entre uma palavra do final de um verso e outra do início ou, mais ou menos, do meio, do verso seguinte. Ex.: "Já serena desce a tarde, / Já não arde o Sol formoso: / Vem saudoso o brando vento / Doce alento respirar." (Silva Alvarenga, *Glaura*, p. 78.) **Rimas femininas.** *Arte Poét.* Rimas entre palavras paroxítonas. **Rimas interpoladas.** *Arte Poét.* As que ocorrem em dois versos que têm de permeio um ou mais versos de rima diferente. **Rimas masculinas.** *Arte Poét.* Rimas entre palavras oxítonas. **Rimas pobres.** *Arte Poét.* Rimas entre palavras de que se encontra superabundância com a mesma terminação, como *agonia* e *sombria*, ou entre palavras antônimas, como *fiel* e *infiel*, *simpático* e *antipático*, ou, ainda, segundo critério preferível, entre vocábulos da mesma classe gramatical, como *ventura* e *candura*. **Rimas ricas.** *Arte Poét.* Rimas entre palavras de que só existem poucas, ou raríssimas, com a mesma terminação, como *flauta* e *nauta*, *túmido* e *úmido*, ou, segundo critério mais seguro, entre palavras de classes gramaticais distintas, como *santo* e *enquanto*, *minha* e *caminha*: "uma boa composição poética, ... obrigada a rima rica" (Machado de Assis, *A Mão e a Luva*, em *Obra Completa*, 1º vol., p. 324.) **Rimas toantes.** *Arte Poét.* Aquelas em que só há identidade de sons nas vogais, a começar das vogais ou ditongos que levam o acento tônico, ou, algumas vezes, só nas vogais ou ditongos da sílaba tônica. Ex.: *fuso* e *veludo*; *cálida* e *lágrima*; "Sem propósito de sonho / nem de alvoradas seguintes, / esquece teus olhos tontos / e teu coração tão triste." (Cecília Meireles, *Obra Poética*, p. 516).

rima[2] [Do lat. *rima.*] *S. f.* Pequena abertura; fenda, greta. ~ V. *rimas.*

rima[3] [Do ár. *rizma(t)*, 'pacote' (cf. etim. de *resma*).] *S. f.* **1.** Ato ou efeito de arrimar(-se). **2.** Montão, pilha, ruma: "Os doces empilham-se, em rimas altas" (José Vieira, *Sol de Portugal*, p. 153). ~ V. *rimas.*

rima[4] *S. f. Bras. Bot.* Fruta-pão. ~ V. *rimas.*

rimado [Part. de *rimar.*] *Adj.* Que apresenta rima[1]; que obedece à rima: *versos rimados; estrofes rimadas.*

rimador (ô) [De *rimar* + *-dor.*] *Adj. S. m.* Que, ou aquele que verseja, rima, faz rimas (v. *rima*[1]); versejador.

rimalho [De *rima*[1] + *-alho.*] *S. m.* Rimário (1).

rimance *S. m. Ant. Liter.* Xácara.

rimar [De *rima*[1] + *-ar*[2].] *V. t. d.* **1.** Pôr em versos rimados: *O poeta rimou uma velha lenda. T. i.* **2.** Formar rima[1]: "Edgar Poe .... repete, no *Corvo*, insistentemente, as palavras *Nunca mais*, rimando com os dois últimos versos de cada estrofe." (João Gaspar Simões, *O Mistério da Poesia*, p. 16.) **3.** Estar em harmonia; concordar, condizer, coadunar-se: *Esta atitude não rima com a moral.* **4.** Ser próprio ou decente; convir: *Ao sábio rima usar para o bem a sua cultura. T. d. e i.* **5.** Rimar (2): *Não se deve rimar alegria com melancolia. Int.* **6.** Formar rima[1] entre si; consoar[1]: *Estas palavras não rimam.* **7.** Fazer versos; versejar: "Rimou [Amélia Janny] incansavelmente, posto que raro conseguisse elevar-se acima da mediania geral." (Álvaro J. da Costa Pimpão, *Gente Grada*, p. 149.) [Pres. subj.: *rime*, ... *rimeis*, *rimem*. Cf. *ríme*is, pl. de *rímel.*]

rimário [De *rima*[1] + *-ário.*] *S. m.* **1.** Conjunto de rimas; rimalho. **2.** Livro de rimas.

rimas [Pl. de *rima*[1].] *S. f. pl.* Versos: "Quem sabe se depois, eu rico e noutros climas, / Conseguirei reler essas antigas rimas, / Impressas em volume?" (Cesário Verde, *Obra Completa*, p. 77.) ~ V. *rima.*

rimático [De *rima*[1] + *-ático.*] *Adj.* De, ou referente a rimas (v. *rima*[1]); rímico.

rimbaldiano [Do fr. *rimbaldien.*] *Adj.* **1.** Pertencente ou relativo ao poeta francês Arthur Rimbaud (1854-1891) ou próprio dele. **2.** Que é seu admirador e/ou profundo conhecedor de sua obra. ● *S. m.* **3.** Admirador e/ou profundo conhecedor da obra de Arthur Rimbaud: "Quanto aos rimbaldianos atuais, só um conjunto feliz das circunstâncias, ... consegue movê-los a transladar alguns excertos da obra." (Ivo Barroso, *Arthur Rimbaud*, Poesia Completa, p. 8.)

rimbombância [De *rimbombar* + *-ância.*] *S. f.* Ribombância.

rimbombante [Do it. *rimbombante.*] *Adj. 2 g.* Ribombante.

rimbombar [Do it. *rimbombare.*] *V. int.* V. *ribombar.*

rimbombo [Do it. *rimbombo.*] *S. m.* Ribombo.

rim-de-boi *S. m. Bras. Bot.* Espécie brasileira de algodão (*Gossypium brasiliense*) que apresenta sementes agrupadas, parecendo-se com um rim. [Pl.: *rins-de-boi.*]

rímel [Do fr. *Rimmel*, nome comercial.] *S. m.* Cosmético para colorir cílios e supercílios, e dar-lhes volume: "E os seus artigos de toucador, o pó, o creme, o rímel..." (Maria Archer, *Fauno Sovina*, p. 235.) [Pl.: *rímeis*. Cf. *rimeis*, do v. *rimar*, e *máscara* (16).]

rímico [De *rima*[1] + *-ico*[2].] *Adj.* Rimático: "Uma ligeira comparação léxica, rímica, sintática, técnica e temática com as duas primeiras estrofes de *Os Lusíadas* é suficiente para pôr à mostra o espelho em que se mirava Santa Rita Durão." (Gilberto Mendonça Teles, *Camões e a Poesia Brasileira*, p. 118.)

rimoso (ô) [Do lat. *rimosu.*] *Adj.* **1.** Que apresenta rimas ou fendas; gretado. **2.** *Bot.* Que se abre por meio de fenda: *antera rimosa.*

rímula [Do lat. tard. *rimula.*] *S. f. Desus.* Pequena rima[2] ou fenda.

rinalgia [De *rin(o)-* + *-alg(o)-*[2] + *-ia*[1].] *S. f. Patol.* Dor no nariz.

rinálgico [De *rinalgia* + *-ico*[2].] *Adj.* Referente a rinalgia.

rinário [Do lat. cient. *rhinarium.*] *S. m. Zool.* Área nua, normalmente úmida, situada em torno das narinas, em diversos mamíferos.

rinçagem [Do fr. *rinçage*, 'enxaguadura'.] *S. f.* Tratamento feito nos cabelos logo depois de os lavar, e que consiste em banhá-los com uma solução de água e tinta, ou outro preparado, a fim de alterar-lhes a cor e/ou o brilho.

rincão [Do esp. *rincón* < ár. *rukn*, 'base', 'suporte', 'pilar'; 'canto', 'ângulo', pela forma pop. *rukān*.] *S. m.* **1.** Lugar retirado ou oculto; recanto. **2.** Lugar indeterminado, em geral distante. **3.** Canto ou ângulo interior formado pelo encontro de duas paredes ou outros planos. **4.** Escavação aberta em trabalhos de cantaria. **5.** Estria na alma das peças de artilharia. **6.** *Constr.* Canal formado por dois panos convergentes de telhado, e por onde corre a água pluvial. **7.** *Bras.* Local bem protegido, rodeado de matas ou rios. **8.** *Bras. RS* Qualquer porção da campanha gaúcha onde haja regato, capões ou qualquer mata.

rinçar [Do fr. *rincer*, 'enxaguar'.] *V. t. d.* **1.** Fazer rinçagem em. **2.** Enxaguar, lavar com água ou com uma solução corrente. [Conjug.: v. *laçar*.]

rinchada [De *rincho* + *-ada*[1].] *S. f. Burl.* Gargalhada estridente.

rinchador (ô) [De *rinchar* + *-dor*.] *Adj.* Rinchão[2].

rinchão[1] *S. m. Bras. Amaz. Bot.* V. *gervão* (2).

rinchão[2] [De *rinchar* + *-ão*[1].] *Adj.* Que rincha muito; rinchador. [Fem.: *rinchona*.]

rinchar [F. contrata de *relinchar*.] *V. int.* **1.** Soltar rinchos; relinchar: 📖 "Muito de longe um jumento rinchava." (José Lins do Rego, *Meus Verdes Anos*, p. 300.) **2.** Ringir, ranger: 📖 "Lentos carros de bois, rinchando, lá iam com famílias apinhadas" (Coelho Neto, *Treva*, p. 130). [Em geral não é us. nas 1.ªs pess.] ● *S. m.* **3.** Rincho, relincho.

rinchavelhada [De *rinchavelhar* + *-ada*[1].] *S. f. Burl.* Gargalhada descomedida, estridente: 📖 "O dito mais tolo provocava uma rinchavelhada estrondosa" (Coelho Neto, *Treva*, p. 354-355).

rinchavelhar [De *rinchar*.] *V. int.* Rir descomedidamente; dar rinchavelhadas. [Conjug.: v. *aparelhar*.]

rincho [Dev. de *rinchar*.] *S. m.* A voz do cavalo; relincho, rinchar.

▲ **rinc(o)-** [Do gr. *rhýnchos, eos-ous*.] *El. comp.* = 'bico': *rincocéfalo*[1], *rincóforo*[1]. [Equiv.: *-rinc(o)-*, *-rinco*, *-rinqu(i)-*: *arincobdélido*; *ornitorrinco*; *calorrinquídeo*.]

▲ **-rinc(o)-** V. *rinc(o)-*.

▲ **-rinco** V. *rinc(o)-*.

rincobdélido [De *rinc(o)-* + *-bdel(o)-* + *-ido*[3]; tax. *Rhynchobdellida* ou *Rhynchobdellidae*.] *Zool. S. m.* **1.** Espécime dos rincobdélidos, ordem de animais anelídeos, hirudíneos, providos ou não de ventosa anterior, probóscida presente, sangue incolor, em geral com três anéis por somito, e desprovidos de maxilas. ● *Adj.* **2.** Pertencente ou relativo a eles.

rincocéfalo[1] [De *rinc(o)-* + *-céfalo*.] *Adj.* Que tem a cabeça prolongada em forma de bico.

rincocéfalo[2] [Adapt. do tax. *Rhyncocephalia*.] *Paleont. Zool. S. m.* **1.** Espécime dos rincocéfalos, ordem de animais cordados, reptis de corpo com escamas granulosas, fila dorsal mediana de espinhos curtos, vértebras anficelas, arcadas temporais superior e inferior distintas, costelas abdominais, sendo os machos desprovidos de órgão copulador. Surgiu no triásico e no jurássico e persiste até hoje com um único representante, a tuatara (q. v.). ● *Adj.* **2.** Pertencente ou relativo a eles.

rincocélio [De *rinc(o)-* + *-célio*; tax. *Rhynchocoela*.] *S. m. Adj. Zool.* V. *nemertino*.

rincóforo[1] [De *rinc(o)-* + *-foro*.] *Adj. Zool.* Que tem bico, ou bico grande.

rincóforo[2] [Adapt. do tax. *Rhynchophora*.] *Zool. S. m.* **1.** Espécime dos rincóforos, grupo de insetos curculionídeos, cuja cabeça é prolongada anteriormente, mais ou menos em forma de bico. ● *Adj.* **2.** Pertencente ou relativo a eles.

rincóideo [De *rinc(o)-* + *-óideo*.] *Adj. Zool.* Diz-se de tubo curto que parte da bainha da tromba e se estende até à extremidade anterior do corpo, nos nemertinos.

rinconar [De *rincão* + *-ar*[2], seg. o padrão erudito.] *V. t. d.* **1.** *Bras. RS* Pôr (os animais) num rincão (8); arrincoar: 📄 *O peão foi rinconar o gado. Int.* **2.** Acampar, arrincoar-se.

rinconense *Adj. 2 g.* **1.** De, ou pertencente ou relativo a Rincão (SP). ● *S. 2 g.* **2.** O natural ou habitante de Rincão.

rinconista [De *rincão* + *-ista*, seg. o padrão erudito.] *Bras. S. S. 2 g.* **1.** Morador de rincão. **2.** Pessoa que guarda animais que pastam num rincão.

rincopídeo [Do tax. *Rhynchops* (de formação irregular) + *-ídeo*[1]; tax. *Rhynchopidae*.] *Zool. S. m.* **1.** Espécime dos rincopídeos, família de aves caradriiformes, cujo bico apresenta forma peculiar e típica, muito comprimido lateralmente, com a mandíbula bem mais comprida que a maxila. São os talha-mares. ● *Adj.* **2.** Pertencente ou relativo a eles.

rincósporo [De *rinc(o)-* + *-sporo*.] *Adj. Bot.* Que tem esporos rostrados.

rincossaurídeo [De *rincossauro* + *-ídeo*[1]; *Rhynchosauridae*.] *Paleont. S. m.* **1.** Espécime dos rincossaurídeos, família de reptis rincocéfalos cujo gênero-tipo era o rincossauro (q. v.). ● *Adj.* **2.** Pertencente ou relativo a eles.

rincossauro [De *rinc(o)-* + *-sauro*; tax. *Rhynchosaurus*.] *S. m. Paleont.* **1.** Gênero de reptis rincocéfalos, o tipo dos rincossaurídeos, caracterizados pela parte anterior do crânio em forma de bico; herbívoros, tinham as mandíbulas modificadas para cortar e picar as folhas e frutos. Viveram no triásico da América do Sul, e foram encontrados na formação Santa Maria (RS). **2.** Espécie ou espécime desse gênero.

rincotério [De *rinc(o)-* + *-tério*[1]; tax. *Rhynchotherium*.] *S. m. Paleont.* **1.** Gênero de mamíferos proboscídeos, próximos aos gonfotérios, semelhantes a um pequeno elefante com a ponta da mandíbula e as defesas encurvadas para baixo; viveram no mioceno da África e no plistoceno da América do Norte. **2.** Espécie ou espécime desse gênero.

rincoto [Adapt. do tax. *Rhynchota*.] *Adj. S. m. Zool.* **1.** V. *hemíptero*[2]. **2.** V. *homóptero*.

rinencéfalo [De *rin(o)-* + *encéfalo*.] *S. m. Anat. Fisiol.* Conjunto de formações [v. *formação* (5)] encefálicas em que todas estão relacionadas com mecanismos olfativos exceto uma, o sistema límbico, mais importante em outras funções.

ringente [Do lat. **ringente* < lat. **ringere*, 'arreganhar os dentes'.] *Adj. 2 g. Bot.* Que tem lábios bem afastados: 📄 *corola ringente*.

ringir [Do lat. **ringere*, por *ringi*.] *V. t. d.* **1.** Ranger (os dentes); rilhar: 📖 "Queima-me a febre, rinjo os dentes" (Alberto de Oliveira, *Poesias*, 4.ª série, p. 130). **2.** Fazer ranger. *Int.* **3.** Ranger, rinchar, chiar: 📖 "Vinha ringindo monotonamente um carro de bois" (Mário Sete, *Senhora de Engenho*, p. 151). [Conjug.: v. *dirigir*.]

ringue [Do ingl. *ring*.] *S. m.* Estrado quadrado, alto e cercado de cordas, apropriado para lutas de boxe, jiu-jítsu, luta romana, luta livre e outras.

rinha [Do esp. plat. *riña* (de galos).] *S. f.* **1.** *Bras.* Briga de galos. **2.** *Bras.* Lugar onde se promovem brigas de galos; renhideiro, rinhadeiro, rinhedeiro. **3.** *Bras. S. P. ext.* Briga, peleja, luta.

rinhadeiro [De *rinhar* + *-deiro*.] *S. m. Bras.* V. *rinha* (2).

rinhão [Do esp. *riñón*.] *S. m. Ant. Pop.* Rim.

rinhar [De *rinha* + *-ar*[2].] *V. int. Bras.* **1.** Brigar (galos). **2.** *Bras. S. P. ext.* Brigar; lutar: 📄 *Os rapazes rinharam para medir forças. T. d.* **3.** Travar (luta): 📄 *Rinhou duro combate.*

rinhedeiro [De *rinhadeiro*, com assimilação.] *S. m. Bras. RS* V. *rinha* (2).

riniácea [Do tax. *Rhynia* + *-ácea*; tax. *Rhyniaceae*.] *S. f. Paleont.* Espécime das riniáceas, família de pteridófitos, que viveram no período devoniano, caracterizadas pelo caule afilo e por um rizoma com rizoides.

riniáceo [De *riniácea*, com var. suf. (v. *-áceo*).] *Adj. Paleont.* Pertencente ou relativo às riniáceas.

rinite [De *rin(o)-* + *-ite*[1].] *S. f. Otor.* Inflamação da membrana mucosa nasal. ◆ **Rinite alérgica.** *Otor.* Reação inflamatória da membrana mucosa nasal, e que se manifesta por edema, aumento de secreção mucosa, etc., e que é devida a reação alérgica a antígeno específico. [Quando devida a alergia a polens, é denominada *febre de feno* ou *polenose*, e se caracteriza por surtos recidivantes estacionais, durante o período de polinização das plantas causadoras do mal.]

▲ **rin(o)-** [Do gr. *rhís, rhinós* (ī).] *El. comp.* = 'nariz': *rinite, rinoplastia*. [Equiv.: *-rin(o)-*, *-rino*: *hemorrinia*; *catarrino*.]

▲ **-rin(o)-** V. *rin(o)-*.

▲ **-rino** V. *rin(o)-*.

rinobatídeo [Do tax. *Rhinobatos* + *-ídeo*[1]; tax. *Rhinobatidae*.] *Zool. S. m.* **1.** Espécime dos rinobatídeos, família de peixes rajiformes, ovovivíparos, de corpo alongado e cauda robusta, e boca com numerosos dentes. Ex.: arraia-viola. ● *Adj.* **2.** Pertencente ou relativo a eles.

rinoceronte [Do lat. med. *rhinoceron, ontis* (lat. cláss. *rhinoceros, otis*); v. *rin(o)-* + *e -cero*.] *S. m. Zool.* Mamífero ungulado, perissodáctilo, ceratomorfo, rinocerotídeo, maciço, pesado, de cabeça muito alongada, com 1 ou 2 chifres, situados, neste caso, um após o outro. Cauda curta, os quatro pés com 3 dedos de cascos separados, boca pequena e lábio superior alongado. Atualmente existem 4 gêneros, com cinco espécies: a indiana, com 1 chifre (*Rhinoceros unicornis*), a javânica (*R. sondaicus*), a de Sumatra (*Dicerorhinus sumatrensis*) e duas africanas (*Diceros bicornis* e *Ceratotherium simun*).

rinocerôntico [De *rinoceronte* + *-ico*[2].] *Adj. Zool.* Relativo ou pertencente ao, ou próprio do rinoceronte.

rinocerotídeo [Adapt. do tax. *Rhinocerotidae*.] *Zool. S. m.* **1.** Espécime dos rinocerotídeos, família de mamíferos que abrange os verdadeiros rinocerontes; considera-se que constitui, juntamente com as formas relacionadas extintas, uma superfamília de perissodáctilos à parte. ● *Adj.* **2.** Pertencente ou relativo a eles.

rinocriptídeo [Do tax. *Rhinocrypta* + *-ídeo*[1]; tax. *Rhinocryptidae*.] *Zool. S. m.* **1.** Espécime dos rinocriptídeos, família de aves passeriformes, de narinas parcialmente cobertas por uma membrana, tarsos taxaspidianos. São frequentadores das matas, alimentando-se de insetos. Apenas quatro espécies foram descritas até agora no Brasil. ● *Adj.* **2.** Pertencente ou relativo a eles.

rinofaringe [De *rin(o)-* + *faringe*.] *S. f. Anat.* Parte da faringe situada atrás do nariz; nasofaringe.

rinofaríngeo [De *rinofaringe* + *-eo*.] *Adj.* Relativo a rinofaringe. ~ V. *tonsila —a*.

rinofaringite [De *rinofaringe* + *-ite*[1].] *S. f. Otor.* Inflamação da rinofaringe; nasofaringite.

rinofaringítico [De *rinofaringite* + *-ico*[2].] *Adj.* Relativo a rinofaringite; nasofaringítico.

rinofima [De *rin(o)-* + *-fima*.] *S. m. Derm. Cir. Plást.* Forma de rosácea[1] (3) em que a pele do nariz se apresenta congestionada, com hiperplasia sebácea e deformada pela presença de nódulos.

rinofonia [De *rin(o)-* + *-fon(o)-* + *-ia*[1].] *S. f. Otor.* Voz fanhosa ou nasal.

rinofônico *Adj.* V. *rinofônico*. [Uso freq. em P.]

rinofônico [De *rinofonia* + *-ico*[2].] *Adj.* Referente à rinofonia.

rinologia [De *rin(o)-* + *-logia*.] *S. f.* Estudo do nariz, das suas doenças e tratamento delas.

rinológico [De *rinologia* + *-ico*[2].] *Adj.* Referente à rinologia.

rinoplastia [De *rin(o)-* + *-plast(o)-* + *-ia*[1].] *S. f. Cir. Plást.* Intervenção restauradora ou plástica do nariz.

rinoplástico [De *rinoplastia* + *-ico*[2].] *Adj.* Relativo a rinoplastia.

rinopolense *Adj. 2 g.* **1.** De, ou pertencente ou relativo a Rinópolis (SP). ● *S. 2 g.* **2.** O natural ou habitante de Rinópolis.

rinoptia [De *rin(o)-* + o rad. gr. *opt-*, de *óptomai*, 'ver', + *-ia*[1].] *S. f. Oftalm.* Estrabismo convergente.

rinorrafia [De *rin(o)-* + *-raf(i)-* + *-ia*[1].] *S. f. Cir.* Intervenção (5) para tratamento de epicanto, e na qual se retira porção de pele nasal, suturando-se a ferida resultante.

rinorráfico [De *rinorrafia* + *-ico*[2].] *Adj.* Relativo a rinorrafia.

rinorragia [De *rin(o)-* + *-ragia*.] *S. f. Otor.* Hemorragia nasal.

rinorrágico [De *rinorragia* + *-ico*[2].] *Adj.* Relativo a rinorragia.

rinorreia (éi) [De *rin(o)-* + *-reia*.] *S. f. Otor.* Eliminação de matéria fluida pelo nariz. ◆ **Rinorreia cefalorraquiana.** *Neur.* Eliminação de líquido cefalorraquiano pelo nariz. ❖

rinorreico (éi) [De *rinor(reia)* + *-reico*.] *Adj.* Relativo a rinorreia. ❖

rinoscleroma [De *rin(o)-* + *-scler(o)-* + *-oma*[1].] *S. m. Otor.* Doença que compromete nariz e nasofaringe, e é caracterizada pela formação de granulomas que dão origem a nódulos duros que tendem a aumentar de tamanho e são dolorosos à pressão.

rinoscopia [De *rin(o)-* + *-scop-* + *-ia*[1].] *S. f. Otor.* Exame do interior das cavidades nasais, feito pelas narinas, ou pela nasofaringe.

rinoscópico [De *rinoscopia* + *-ico*[2].] *Adj.* Relativo a rinoscopia.

rinoscópio [De *rin(o)-* + *-scópio*.] *S. m. Otor.* Espéculo us. para exame das cavidades nasais.

rinossinusite [De *rin(o)-* + *sinusite*.] *S. f. Otor.* Inflamação do nariz e que compromete também os seios paranasais.

rinostegnose [De *rin(o)-* + gr. *stégnosis*, 'estreitamento'.] *S. f. Otor.* Obstrução de cavidade nasal.

rinovírus [Do tax. *Rhinovirus*.] *S. m. 2 n. Microbiol.* **1.** Gênero de vírus picornavirídeos, tidos como responsáveis por vários tipos de infecções do sistema respiratório, como o resfriado comum. **2.** Espécie ou espécime desse gênero.

rinque [Do ingl. *rink*.] *S. m.* Pista de patinação.

▲ **-rinqu(i)-** V. *rinc(o)-*.

rins [Pl. de *rim*.] *S. m. pl.* **1.** *Pop.* A parte inferior da região lombar. **2.** *Arquit.* Encontro das abóbadas que repousa na emposta. ~ V. *rim*.

rio [Do lat. *rivu* (*riu* no lat. vulg.).] *S. m.* **1.** Curso de água natural, de extensão mais ou menos considerável, que se desloca de um nível mais elevado para outro mais baixo, aumentando progressivamente seu vo-

R

lume até desaguar no mar, num lago, ou noutro rio, e cujas características dependem do relevo, do regime de águas, etc. [V. *afluente*[1] (4), *curso* (3), *foz*, *leito* (5), *margem* (3) e *nascente* (5).] **2.** *Fig.* Aquilo que corre como um rio. **3.** *Fig.* Grande porção de líquido. ~ V. *rios*. ◆ **Rio antecedente.** Rio cuja formação é anterior à do relevo atual, e que mantém seu antigo curso. **Rio obsequente.** O que corre em direção contrária à da inclinação das camadas do terreno. **Rio pelágico.** V. *corrente marítima*. **Rio tapado.** *Bras. RN a AL* Curso de água cuja foz é totalmente fechada por praias de tempestade (v. *praia de tempestade*). **Rio temporário.** Aquele que, em certas épocas do ano, tem o leito completamente seco. **Correr rios de tinta.** Escrever em demasia a respeito de um assunto: 📖 "Apesar de Herculano ter feito correr rios de tinta, a bibliografia a seu respeito é organicamente pobríssima." (Vitorino Nemésio, *A Mocidade de Herculano*, I, p. XIX.) **O rio da unidade nacional.** O rio São Francisco.

rio-acimense *Adj. 2 g.* **1.** De, ou pertencente ou relativo a Rio Acima (MG). ● *S. 2 g.* **2.** O natural ou habitante de Rio Acima. [Pl.: *rio-acimenses.*]

rio-antense *Adj. 2 g.* **1.** De, ou pertencente ou relativo a Rio das Antas (SC). ● *S. 2 g.* **2.** O natural ou habitante de Rio das Antas. [Pl.: *rio-antenses.*]

rio-antoniense *Adj. 2 g.* **1.** De, ou pertencente ou relativo a Rio do Antônio (BA). ● *S. 2 g.* **2.** O natural ou habitante do Rio do Antônio. [Pl.: *rio-antonienses.*]

rio-azulense *Adj. 2 g.* **1.** De, ou pertencente ou relativo a Rio Azul (PR). ● *S. 2 g.* **2.** O natural ou habitante de Rio Azul. [Pl.: *rio-azulenses.*]

rio-bonense *Adj. 2 g.* **1.** De, ou pertencente ou relativo a Rio Bom (PR). ● *S. 2 g.* **2.** O natural ou habitante de Rio Bom. [Pl.: *rio-bonenses.*]

rio-bonitense *Adj. 2 g.* **1.** De, ou pertencente ou relativo a Rio Bonito (RJ). ● *S. 2 g.* **2.** O natural ou habitante de Rio Bonito. [Pl.: *rio-bonitenses.*]

rio-branquense[1] *Adj. 2 g.* **1.** De, ou pertencente ou relativo a Rio Branco (AC). ● *S. 2 g.* **2.** O natural ou habitante de Rio Branco. [Pl.: *rio-branquenses.*]

rio-branquense[2] *Adj. 2 g.* **1.** De, ou pertencente ou relativo a Visconde do Rio Branco (MG). ● *S. 2 g.* **2.** O natural ou habitante de Visconde do Rio Branco. [Pl.: *rio-branquenses.*]

rio-branquense[3] *Adj. 2 g.* **1.** De, ou pertencente ou relativo a Rio Branco do Sul (PR). ● *S. 2 g.* **2.** O natural ou habitante de Rio Branco do Sul. [Pl.: *rio-branquenses.*]

rio-brilhantense *Adj. 2 g.* **1.** De, ou pertencente ou relativo a Rio Brilhante (MS). ● *S. 2 g.* **2.** O natural ou habitante de Rio Brilhante. [Pl.: *rio-brilhantenses.*]

rio-campense *Adj. 2 g.* **1.** De, ou pertencente ou relativo a Rio do Campo (SC). ● *S. 2 g.* **2.** O natural ou habitante de Rio do Campo. [Pl.: *rio-campenses.*]

rio-casquense *Adj. 2 g.* **1.** De, ou pertencente ou relativo a Rio Casca (MG). ● *S. 2 g.* **2.** O natural ou habitante de Rio Casca. [Pl.: *rio-casquenses.*]

rio-cedrense *Adj. 2 g.* **1.** De, ou pertencente ou relativo a Rio dos Cedros (SC). ● *S. 2 g.* **2.** O natural ou habitante de Rio dos Cedros. [Pl.: *rio-cedrenses.*]

rio-clarense[1] *Adj. 2 g.* **1.** De, ou pertencente ou relativo a Rio Claro (RJ e SP). ● *S. 2 g.* **2.** O natural ou habitante de Rio Claro. [Pl.: *rio-clarenses.*]

rio-clarense[2] *Adj. 2 g.* **1.** De, ou pertencente ou relativo a São José do Rio Claro (MT). ● *S. 2 g.* **2.** O natural ou habitante de São José do Rio Claro. [Pl.: *rio-clarenses.*]

rio-contense *Adj. 2 g.* **1.** De, ou pertencente ou relativo a Rio de Contas (BA). ● *S. 2 g.* **2.** O natural ou habitante de Rio de Contas. [Pl.: *rio-contenses.*]

rio-crespense *Adj. 2 g.* **1.** De, ou pertencente ou relativo a Rio Crespo (RO). ● *S. 2 g.* **2.** O natural ou habitante de Rio Crespo. [Pl.: *rio-crespenses.*]

rio-docense[1] *Adj. 2 g.* **1.** De, ou pertencente ou relativo a Aparecida do Rio Doce (GO). ● *S. 2 g.* **2.** O natural ou habitante de Aparecida do Rio Doce. [Pl.: *rio-docenses.*]

rio-docense[2] *Adj. 2 g.* **1.** De, ou pertencente ou relativo a Rio Doce (MG). ● *S. 2 g.* **2.** O natural ou habitante de Rio Doce. [Pl.: *rio-docenses.*]

riodonorês *S. m. Gloss.* Rionorês.

rio-esperense *Adj. 2 g.* **1.** De, ou pertencente ou relativo a Rio Espera (MG). ● *S. 2 g.* **2.** O natural ou habitante de Rio Espera. [Pl.: *rio-esperenses.*]

rio-florense *Adj. 2 g.* **1.** De, ou pertencente ou relativo a Rio das Flores (RJ). ● *S. 2 g.* **2.** O natural ou habitante de Rio das Flores. [Pl.: *rio-florenses.*]

rio-formosense *Adj. 2 g.* **1.** De, ou pertencente ou relativo a Rio Formoso (PE). ● *S. 2 g.* **2.** O natural ou habitante de Rio Formoso. [Pl.: *rio-formosenses.*]

rio-fortunense *Adj. 2 g.* **1.** De, ou pertencente ou relativo a Rio Fortuna (SC). ● *S. 2 g.* **2.** O natural ou habitante de Rio Fortuna. [Pl.: *rio-fortunenses.*]

rio-grandense-da-serra *Adj. 2 g.* **1.** De, ou pertencente ou relativo a Rio Grande da Serra (SP). ● *S. 2 g.* **2.** O natural ou habitante de Rio Grande da Serra. [Pl.: *rio-grandenses-da-serra.*]

rio-grandense-do-norte *Adj. 2 g.* **1.** Do, ou pertencente ou relativo ao Estado do Rio Grande do Norte. ● *S. 2 g.* **2.** O natural ou habitante do Rio Grande do Norte. [Sin. ger.: *norte-rio-grandense* e *potiguar*. Pl.: *rio-grandenses-do-norte.*]

rio-grandense-do-piauí *Adj. 2 g.* **1.** De, ou pertencente ou relativo a Rio Grande do Piauí (PI). ● *S. 2 g.* **2.** O natural ou habitante de Rio Grande do Piauí. [Pl.: *rio-grandenses-do-piauí.*]

rio-grandense-do-sul *Adj. 2 g.* **1.** Do, ou pertencente ou relativo ao Estado do Rio Grande do Sul. ● *S. 2 g.* **2.** O natural ou habitante do Rio Grande do Sul. [Sin. ger.: *sul-rio-grandense*, *gaúcho*, *guasca*. Pl.: *rio-grandenses-do-sul.*]

riograndino *Adj.* **1.** De, ou pertencente ou relativo a Riograndina (RJ). ● *S. m.* **2.** O natural ou habitante de Riograndina. [Cf. *rio-grandino.*]

rio-grandino *Adj.* **1.** De, ou pertencente ou relativo a Rio Grande (RS). ● *S. m.* **2.** O natural ou habitante de Rio Grande. [Pl.: *rio-grandinos*. Cf. *riograndino.*]

riola [Do cabo-verd.] *S. f. Cabo-verd.* Intriga; mexerico: 📖 "A pequena difamada, seus pais humilhados com a desonra da filha. A riola agitava a cidade." (Manuel Ferreira, *Morabeza*, p. 102.)

riolandense *Adj. 2 g.* **1.** De, ou pertencente ou relativo a Riolândia (SP). ● *S. 2 g.* **2.** O natural ou habitante de Riolândia.

rio-larguense *Adj. 2 g.* **1.** Do, ou pertencente ou relativo ao Rio Largo (AL). ● *S. 2 g.* **2.** O natural ou habitante do Rio Largo. [Pl.: *rio-larguenses.*]

riólito [Do gr. *rhýax*, *akos*, 'derrame de lava', + *-lito*.] *S. m. Geol.* Rocha magmática efusiva que ocorre sob a forma de diques, de composição química equivalente à dos granitos; liparito.

rio-mansense *Adj. 2 g.* **1.** De, ou pertencente ou relativo a Rio Manso (MG). ● *S. 2 g.* **2.** O natural ou habitante de Rio Manso. [Pl.: *rio-mansenses.*]

rio-mar *S. m. Bras.* O rio Amazonas. [Pl.: *rios-mares.*]

rio-mariense *Adj. 2 g.* **1.** De, ou pertencente ou relativo a Rio Maria (RR). ● *S. 2 g.* **2.** O natural ou habitante de Rio Maria. [Pl.: *rio-marienses.*]

riómetro *S. m.* V. *riômetro*. [Uso freq. em P.]

riômetro [Do ingl. *r(elative) i(onospheric) o(pacity)* + *-metro*; ingl. *riometer*.] *S. m. Astr.* Instrumento us. no estudo da atividade geomagnética para medir a intensidade do fluxo de ruído galáctico emitido em alta frequência.

rio-negrense *Adj. 2 g.* **1.** De, ou pertencente ou relativo a Rio Negro (MS e PR). ● *S. 2 g.* **2.** O natural ou habitante de Rio Negro. [Pl.: *rio-negrenses.*]

rio-negrinhense *Adj. 2 g.* **1.** De, ou pertencente ou relativo a Rio Negrinho (SC). ● *S. 2 g.* **2.** O natural ou habitante de Rio Negrinho. [Pl.: *rio-negrinhenses.*]

rionorês *S. m. Gloss.* **1.** Dialeto (também denominado codialeto) do português europeu falado em Rionor ou Riodonor, aldeia do concelho de Bragança (Portugal); riodonorês. **2.** Vocábulo desse dialeto. [V. *sendinês*.]

rio-novense[1] *Adj. 2 g.* **1.** De, ou pertencente ou relativo a Rio Novo (MG). ● *S. 2 g.* **2.** O natural ou habitante de Rio Novo. [Pl.: *rio-novenses.*]

rio-novense[2] *Adj. 2 g.* **1.** De, ou pertencente ou relativo a Rio Novo do Sul (ES). ● *S. 2 g.* **2.** O natural ou habitante de Rio Novo do Sul. [Pl.: *rio-novenses.*]

rio-oestense *Adj. 2 g.* **1.** De, ou pertencente ou relativo a Rio do Oeste (SC). ● *S. 2 g.* **2.** O natural ou habitante de Rio do Oeste. [Sin. ger.: *riense-do-oeste*. Pl.: *rio-oestenses.*]

rio-paranaibano (a-i) *Adj.* **1.** De, ou pertencente ou relativo a Rio Paranaíba (MG). ● *S. m.* **2.** O natural ou habitante de Rio Paranaíba. [Pl.: *rio-paranaibanos.*]

rio-pardense[1] *Adj. 2 g.* **1.** De, ou pertencente ou relativo a Ribas do Rio Pardo (MS). ● *S. 2 g.* **2.** O natural ou habitante de Ribas do Rio Pardo. [Pl.: *rio-pardenses.*]

rio-pardense[2] *Adj. 2 g.* **1.** De, ou pertencente ou relativo a Rio Pardo (RS). ● *S. 2 g.* **2.** O natural ou habitante de Rio Pardo. [Pl.: *rio-pardenses.*]

rio-pardense[3] *Adj. 2 g.* **1.** De, ou pertencente ou relativo a Rio Pardo de Minas (MG). ● *S. 2 g.* **2.** O natural ou habitante de Rio Pardo de Minas. [Pl.: *rio-pardenses.*]

rio-pardense[4] *Adj. 2 g.* **1.** De, ou pertencente ou relativo a São José do Rio Pardo (SP). ● *S. 2 g.* **2.** O natural ou habitante de São José do Rio Pardo. [Pl.: *rio-pardenses.*]

rio-pedrense *Adj. 2 g.* **1.** De, ou pertencente ou relativo a Rio das Pedras (SP). ● *S. 2 g.* **2.** O natural ou habitante de Rio das Pedras. [Pl.: *rio-pedrenses.*]

rio-pirense *Adj. 2 g.* **1.** De, ou pertencente ou relativo a Rio do Pires (BA). ● *S. 2 g.* **2.** O natural ou habitante de Rio do Pires. [Pl.: *rio-pirenses.*]

rio-platense *Adj. 2 g. S. 2 g.* V. *platino*. [Pl.: *rio-platenses.*]

rio-pombense *Adj. 2 g.* **1.** De, ou pertencente ou relativo a Rio Pomba (MG). ● *S. 2 g.* **2.** O natural ou habitante de Rio Pomba. [Pl.: *rio-pombenses.*]

rio-pradense *Adj. 2 g.* **1.** De, ou pertencente ou relativo a Rio do Prado (MG). ● *S. 2 g.* **2.** O natural ou habitante de Rio do Prado. [Pl.: *rio-pradenses.*]

rio-pretano[1] *Adj.* **1.** De, ou pertencente ou relativo a São José do Rio Preto (SP). ● *S. m.* **2.** O natural ou habitante de São José do Rio Preto. [Sin. ger.: *rio-pretense*[4]. Pl.: *rio-pretanos.*]

rio-pretano[2] *Adj.* **1.** De, ou pertencente ou relativo a São José do Vale do Rio Preto (RJ). ● *S. m.* **2.** O natural ou habitante de São José do Vale do Rio Preto. [Pl.: *rio-pretanos.*]

rio-pretense[1] *Adj. 2 g.* **1.** De, ou pertencente ou relativo a Dores do Rio Preto (ES). ● *S. 2 g.* **2.** O natural ou habitante de Dores do Rio Preto. [Pl.: *rio-pretenses.*]

rio-pretense[2] *Adj. 2 g.* **1.** De, ou pertencente ou relativo a Rio Preto (MG). ● *S. 2 g.* **2.** O natural ou habitante de Rio Preto. [Pl.: *rio-pretenses.*]

rio-pretense[3] *Adj. 2 g.* **1.** De, ou pertencente ou relativo a Rio Preto da Eva (AM). ● *S. 2 g.* **2.** O natural ou habitante de Rio Preto da Eva. [Pl.: *rio-pretenses.*]

rio-pretense[4] *Adj. 2 g. S. 2 g.* Rio-pretano[1]. [Pl.: *rio-pretenses.*]

rio-quentense *Adj. 2 g.* **1.** De, ou pertencente ou relativo a Rio Quente (GO). ● *S. 2 g.* **2.** O natural ou habitante de Rio Quente. [Pl.: *rio-quentenses.*]

rio-realense *Adj. 2 g.* **1.** De, ou pertencente ou relativo a Rio Real (BA). ● *S. 2 g.* **2.** O natural ou habitante de Rio Real. [Pl.: *rio-realenses.*]

rio-rufinense *Adj. 2 g.* **1.** De, ou pertencente ou relativo a Rio Rufino (SC). ● *S. 2 g.* **2.** O natural ou habitante de Rio Rufino. [Pl.: *rio-rufinenses.*]

rios [Pl. de *rio*.] *S. m. pl.* Grande porção de qualquer coisa: 📄 *Gasta rios de dinheiro*. ~ V. *rio*.

rio-sonense *Adj. 2 g.* **1.** De, ou pertencente ou relativo a Rio Sono (TO). ● *S. 2 g.* **2.** O natural ou habitante de Rio Sono. [Pl.: *rio-sonenses.*]

rio-sulense *Adj. 2 g.* **1.** De, ou pertencente ou relativo a Rio do Sul (SC). ● *S. 2 g.* **2.** O natural ou habitante de Rio do Sul. [Pl.: *rio-sulenses.*]

rio-tintense *Adj. 2 g.* **1.** De, ou pertencente ou relativo a Rio Tinto (PB). ● *S. 2 g.* **2.** O natural ou habitante de Rio Tinto. [Pl.: *rio-tintenses.*]

rio-verdense[1] *Adj. 2 g.* **1.** De, ou pertencente ou relativo a Rio Verde (GO). ● *S. 2 g.* **2.** O natural ou habitante de Rio Verde. [Pl.: *rio-verdenses.*]

rio-verdense[2] *Adj. 2 g.* **1.** De, ou pertencente ou relativo a Rio Verde de Mato Grosso (MS). ● *S. 2 g.* **2.** O natural ou habitante de Rio Verde de Mato Grosso. [Pl.: *rio-verdenses.*]

rio-vermelhense *Adj. 2 g.* **1.** De, ou pertencente ou relativo a Rio Vermelho (MG). ● *S. 2 g.* **2.** O natural ou habitante de Rio Vermelho. [Pl.: *rio-vermelhenses.*]

riozinhense *Adj. 2 g.* **1.** De, ou pertencente ou relativo a Riozinho (RS). ● *S. 2 g.* **2.** O natural ou habitante de Riozinho.

ripa[1] [Dev. de *ripar*[2].] *S. f.* V. *ripadura*.

ripa[2] [Do gót. **ribjô*, 'costela', pelo arc. *ripia*.] *S. f.* **1.** Pedaço de madeira comprido e estreito; fasquia, verga, sarrafo. **2.** *Bras. Bot.* V. *buritizinho*. ◆ **Baixar a ripa em.** *Bras. Pop.* V. *espancar* (1). **Descer a ripa em.** *Bras. Pop.* V. *meter a lenha em*: 📖 "Por certo não souberam dos artigos que, tempos atrás, eu publicara na Sentinela de Santana, descendo a ripa nos 'futuristas da praça de Belo Horizonte'." (Ciro dos Anjos, *A Menina do Sobrado*, p. 357.) **Meter a ripa em.** *Bras. Pop.* V. *meter a lenha em*.

ripada [De *ripa*[2] + *-ada*[1].] *S. f.* **1.** Golpe com ripa[2]. **2.** *P. ext.* Bordoada, cacetada. **3.** Chicotada. **4.** *Fig.* V. *descompostura* (2). **5.** *Bras.* V. *bicada*[1] (5).

ripado [Part. subst. de *ripar*.] *S. m.* **1.** Gradeamento de ripas; bastida, ripamento. **2.** Pavilhão (de ripas) usado como viveiro de plantas.

ripadura [De *ripar* + *-dura*.] *S. f.* Ato ou efeito de ripar. [Sin.: *ripagem*, *ripa* e (bras.) *ripamento*.]

ripagem [De *ripar* + *-agem*[2].] *S. f.* V. *ripadura*.

ripal [De *ripa*[2] (1) + *-al*[1].] *Adj. 2 g.* Diz-se de certo tipo de pregos apropriados para pregar ripas.

ripamento [De *ripar* + *-mento*.] *S. m. Bras.* **1.** Ripadura. **2.** Ripado (1).

ripanço[1] [De *ripa*[2].] *S. m.* **1.** Instrumento empregado para ripar o linho. **2.** Instrumento usado pelos hortelãos para raspar a terra e juntar as pedras. **3.** Espécie de sofá para descansar ou dormir a sesta. **4.** *Fig.* Indolência, preguiça, mandriice. **5.** *Fig.* Pessoa indolente.

ripanço[2] [Alter. de *responso* (q. v.), com um ç em vez de *s* por infl. de *ripanço*[1].] *S. m. Pop.* Livro que contém os ofícios da semana santa. [A boa grafia seria *ripanso*.]

ripar [De *ripa*[2] + *-ar*[2].] *V. t. d.* **1.** Pregar ripas em: *ripar uma parede.* **2.** Gradear com ripas: *ripar um telhado.* **3.** Serrar, formando ripas: *ripar a madeira.* **4.** Separar a baganha de (o linho). **5.** Raspar (a terra). **6.** *Bras. S.* Apanhar (frutos, folhas) arrancando-os dos ramos por meio de um deslizar da mão mais ou menos fechada. **7.** *Bras. BA* Cortar cerce (as crinas do cavalo). **8.** *Bras.* Meter a ripa em; bater em; espancar: *Ripou os meninos que o provocavam.* **9.** *Bras.* Meter a ripa em; dizer mal de; criticar: *Vive ripando os melhores amigos.* [Fut. pret.: *riparia*, etc. Cf. *ripária*, fem. de *ripário*.]

ripário [Do lat. *ripariu*.] *Adj.* V. *ripícola.* [Fem.: *ripária.* Cf. *riparia*, do v. *ripar*.]

▲ **riparo-** [Do gr. *rhyparo-* < gr. *rhyparós, á, ón*.] *El. comp.* = 'sujo', 'impuro': *riparofilia, riparófilo.*

riparofilia (ri) [De *riparo-* + *-filia*.] *S. f.* Atração por aquilo que, aos outros, causa nojo.

riparofílico (ri) [De *riparofilia* + *-ico*[2].] *Adj.* **1.** Relativo a riparofilia. **2.** Que tem riparofilia; riparófilo. ● *S. m.* **3.** Aquele que tem riparofilia; riparófilo.

riparófilo [De *riparo-* + *-filo*[2].] *Adj. S. m.* Riparofílico (2 e 3).

ripeiro [De *ripa*[2] + *-eiro*.] *Adj.* **1.** *Bras.* Que tem boa madeira para fazer ripas [v. *ripa*[2] (1)]. ● *S. m.* **2.** *Bras. Amaz. Bot.* Árvore lecitidácea (*Eschweilera polyantha*) da floresta pluvial, que tem folhas coriáceas e flores maciças, alvacentas. Os frutos são grandes cápsulas lenhosas, e a madeira, dura e muito resistente, serve para obras externas.

▲ **ripi-** Equiv. de *ripid(o)-*.

ripiado [De *rípio* + *-ado*[1].] *Adj.* Que tem rípios.

ripícola [Do lat. *ripa*, 'margem', + *-i-* + *-cola*[1].] *Adj. 2 g.* Que habita a margem de um curso de água; ripário, marginal: *floresta ripícola; ave ripícola.* [Sin. (bras.): *ripário*.]

ripídio [Do gr. *rhipídion*, 'lequezinho'.] *S. m. Bot.* Inflorescência cimosa unípara cujos râmulos ficam todos no mesmo plano.

▲ **ripid(o)-** [Do gr. *rhipís, ídos*.] *El. comp.* = 'leque', 'ventarola': *ripidoglosso.* [Equiv.: *ripi-*: *ripíptero*.]

ripidoglosso (ri) [De *ripid(o)-* + *-glosso*; tax. *Rhipidoglossa*.] *Zool. S. m.* **1.** Espécime dos ripidoglossos, subordem de animais metazoários, moluscos, gastrópodes, estreptoneuros, aspidobrânquios, de rádula provida de número indefinido de dentes marginais, e cinco dentes laterais. ● *Adj.* **2.** Pertencente ou relativo a eles.

➔ **ripieno** [ri'pjɛno] [It.] *S. m. Mús.* **1.** Nos concertos instrumentais dos séc. XVII e XVIII, o concerto grosso, em oposição ao concertino. **2.** O *tutti* orquestral. **3.** O emprego de todos os registros do órgão. **4.** O coro, na música polifônica.

ripina *S. f. Bras. Amaz. Zool.* Designação de duas aves falconiformes, acipitrídeas (*Harpagus diodon* e *H. bidentatus*), distribuídas por todo o Brasil. Têm a parte superior do corpo cinzento-escura e a parte inferior mais clara; na primeira, a garganta é branca e na segunda, branca com uma estria preta no meio; nos jovens o abdome é branco com estrias pretas.

rípio [De or. obscura.] *S. m.* **1.** Cascalho ou pedra miúda com que se enchem os vãos deixados nas paredes pelas grandes pedras: "Em todo o edifício erguido no espaço é sempre o rípio que ajusta os silhares pesados da frontaria." (Goulart de Andrade, *em Discursos Acadêmicos*, I, p. 609.) **2.** *Fig.* Palavra que se insere num verso para completar-lhe a medida.

ripíptero [De *ripi-* + *-ptero*; tax. *Rhipiptera*.] *S. m. Adj. Zool.* V. *estrepsíptero*.

riponga [Do ingl. *hippie* + o suf. express. + *-onga*, de valor pej. e joc.] *Bras. Adj. 2 g.* **1.** Diz-se de quem ou daquilo que segue ou lembra o estilo *hippie*: "aquele teu amigo bem riponga, que usava um colar de contas azuis roliças" (Cecília Costa, *Damas de Copas*, p. 141); *uma roupa riponga.* ● *S. 2 g.* **2.** Pessoa adepta do estilo *hippie*, ou que o lembra.

ripostar [Do fr. *riposter*.] *V. int.* **1.** No jogo de esgrima, rebater a estocada: *O espadachim ripostou bem.* *T. d.* **2.** Replicar, retrucar, retorquir, redarguir: *Ripostou que tinha pressa.* [Fut. pret.: *ripostaria*, etc. Cf. *repostar* e *repostaria*.]

ripuário [Do lat. tard. *ripuariu*, 'da margem'.] *S. m.* **1.** Indivíduo dos ripuários, antigas tribos germânicas que habitavam as margens do Reno. ● *Adj.* **2.** Pertencente ou relativo a essas tribos.

riqueza (ê) [De *rico* + *-eza*.] *S. f.* **1.** Qualidade do que é rico. **2.** *P. ext.* Grande quantidade; abundância, fartura. **3.** Fertilidade, fecundidade, fecúndia. **4.** Coisa rica, de grande valor. **5.** Opulência, aparato, fausto, magnificência. **6.** Fonte de bens morais ou materiais: *A humildade é a maior riqueza de um intelectual; São muitas as riquezas do subsolo.* **7.** A classe dos ricos. **8.** *Econ.* Conjunto de ativos de pessoa, empresa, ou país, que podem gerar renda.

riquezense *Adj. 2 g.* **1.** De, ou pertencente ou relativo a Riqueza (SC). ● *S. 2 g.* **2.** O natural ou habitante de Riqueza.

riquixá *S. m.* Cadeirinha ou liteira de uso no Extremo Oriente, leve, de duas rodas, puxada por um homem a pé.

rir [Do lat. *ridere*.] *V. int. P.* **1.** Contrair os músculos da face em consequência de impressão alegre ou cômica; manifestar-se pelo riso: *A plateia riu durante todo o espetáculo; Riu-se com a piada.* **2.** Mostrar-se alegre; demonstrar alegria: *Todos riram satisfeitos com os resultados; Riu-se, vitorioso.* **3.** Ter um ar alegre, agradável; causar alegria; sorrir: *Ria toda a natureza em flor; A paisagem, banhada de sol, ria-se.* **4.** Gracejar, zombar, motejar: *Riam as crianças, ignorando a loucura do homem; O auditório riu-se ao ouvir tantas afirmações tolas.* *T. i.* **5.** Tratar algum assunto, sem seriedade, por gracejo; gracejar. **6.** Revelar-se; mostrar-se (sentimento de satisfação, de alegria): "O prazer ria na boca de todos." (Rebelo da Silva, *Contos e Lendas*, p. 172.) **7.** Mostrar agrado ou favor, por meio de riso ou sorriso. **8.** Parecer risonho; ter um ar alegre, agradável; sorrir: *A bela paisagem do vale ria para os viajantes.* **9.** Escarnecer, zombar, troçar: *Todos riram de sua presunção.* *T. d.* **10.** Dar, emitir (riso, ou como que riso): "riam doidinhas à socapa os mais tentadores risos que sabiam" (Antônio Feliciano de Castilho, *Amor e Melancolia*, p. 249); "aqueles mesmos homens que o miravam com ruim catadura chegariam até ele rindo risos francos" (Vinícius de Morais, *Para Viver um Grande Amor*, p. 83); "E o mar põe-se a rir gargalhadas de espuma." (Hermes-Fontes, *Gênese*, p. 63); "Entre o escancaro e o contido, eu te pedi sustenido e você riu bemol." (Aldir Blanc e Guinga, na canção *Catavento e Girassol*). **11.** Mostrar, deixar ver, ao rir: "No meio da roda, uma negrinha talvez de dez anos, espevitada, ria os dentes muito brancos." (João Alphonsus, *Totônio Pacheco*, p. 16.) [Irreg. Pres. ind.: *rio, ris, ri, rimos, rides, riem*; imperf.: *ria, rias, ria, ríamos, ríeis, riam*; perf.: *ri, riste, riu, rimos, ristes, riram*; imperat.: *ri, ride*; pres. subj.: *ria, rias, ria, riamos, riais, riam.* Cf. *reais*, pl. de *real*, e *riéis*, pl. de *riel*.] ◆ **Rir amarelo.** Rir de modo forçado: "Mario e Oswald riram amarelo e Paulo Prado com certo constrangimento disse que estava à minha disposição" (E. di Cavalcanti, *Viagem da Minha Vida*, p. 117).

ri-ri [Voc. onom.] *S. m. Bras. MA PB* V. *fecho ecler.* [Pl.: *ris-ris* e *ri-ris*.]

risada [De *riso* + *-ada*[1].] *S. f.* **1.** Riso (1). **2.** Riso franco e estrepitoso; gargalhada. **3.** Riso conjunto de muitas pessoas.

risadagem [De *risada* + *-agem*[2].] *S. f. Bras.* Muitas risadas; risada geral; risadaria.

risadaria [De *risada* + *-aria*.] *S. f.* Risadagem: "Houve uma risadaria, Roque ficou encabulado" (Ulisses Lins de Albuquerque, *O Sertanejo e o Sertão*, p. 32).

risão [De *riso* + *-ão*[1].] *Adj. Bras.* Que ri muito ou por qualquer coisa: *menino risão.* [Fem.: *risona*. Cf. *rezão*.]

risca [Dev. de *riscar*.] *S. f.* **1.** Ato ou efeito de riscar; riscadura, riscamento, risco. **2.** Risco[1] (2). **3.** V. *listra* (1). **4.** Abertura, feita em geral com o pente, entre as marrafas [v. *marrafa* (2)] do cabelo; repartido, rego, liberdade. **5.** Traço para marcar os pontos em certos jogos. **6.** *Tip.* Ranhura deixada pelo molde de fundição, geralmente na face anterior do tipo, para indicar a posição correta que a letra deve ocupar no componedor e diferenciá-la de caráter igual de outra fonte; crã. ◆ **Risca de dois fios.** *Tip.* A que representa o sinal de igualdade. **Risca de dois quadratins.** *Tip.* Traço que é o duplo da risca de quadratim, usado nas entradas bibliográficas para evitar repetição do nome do autor. **Risca de giz.** *Tec. Têx.* Tecido de alfaiataria com listras finas, claras, verticais e paralelas, sobre fundo escuro. **Risca de meio-quadratim.** *Tip.* Traço maior que o hífen, usado para estabelecer relação entre palavras, datas, etc. **Risca de nota.** *Tip.* Pequeno traço que separa do texto as notas de pé de página; fio de nota, linha de nota. **Risca de quadratim.** *Tip.* O traço que se usa como travessão ou sinal de subtração; linha de quadratim. **À risca.** Ao pé da letra; com exatidão; com rigor: "Eugênio cumpriu à risca os jejuns e penitências que lhe foram prescritos durante uma semana" (Bernardo Guimarães, *O Seminarista*, p. 71); "Cumpream à risca a sua tarefa, contentes da confiança nelas depositada." (Lúcia Miguel Pereira, *Cabra-Cega*, p. 163). **Às riscas.** *Lus.* Listrado: *um tecido às riscas.* **Fazer risca.** *Bras. PE* Fazer resistência a alguma coisa; opor-se a ela.

risca de união *S. f.* V. *hífen.* [Pl.: *riscas de união*.] ☑

riscadinho [De *riscado* + *-inho*[1].] *S. m. Bras. Tec. Têx.* Riscado (4): "E inflamou-se, saiu ao alpendre, ... arregaçando as mangas da camisa de riscadinho." (Coelho Neto, *Banzo*, p. 44.)

riscado [Part. de *riscar*.] *Adj.* **1.** Que se riscou; que tem riscos. **2.** V. *listrado.* **3.** *Bras. N.E. Pop.* V. *alegre*[2] (6): "Zé Fogueteiro de Palmares, / um dia, estando riscado, / estourou uma bomba de dinamite na mão!..." (Ascenso Ferreira, *Catimbó e Outros Poemas*, p. 76.) ~ V. *ponto* —. ● *S. m.* **4.** *Tec. Têx.* Tecido (4) com listras; riscadinho. **5.** O conjunto dos traços verticais impressos no papel pautado. ◆ **Entender do riscado.** *Bras. Fam.* Conhecer bem uma disciplina, um ramo de atividade, um assunto; ser competente.

riscador (ô) [De *riscar* + *-dor*.] *Adj.* **1.** Que risca. ● *S. m.* **2.** Aquele que risca. **3.** Instrumento próprio para riscar. **4.** *Encad.* Faca de dois gumes, usada para riscar e cortar papelão. **5.** *Zool. Bras.* V. *carapicuaçu.*

riscadura [De *riscar* + *-dura*.] *S. f.* V. *risca* (1).

riscamento [De *riscar* + *-mento*.] *S. m.* V. *risca* (1).

riscar [Do lat. *resecare*, 'cortar separando'.] *V. t. d.* **1.** Fazer riscas ou traços em: *Riscou o papel, pautando-o*; "Chispam verdes fuzis riscando o céu sombrio" (Olavo Bilac, *Poesias*, p. 269). **2.** Fazer riscos ou traços por cima de; expungir ou apagar com traços: *Riscou e reescreveu o texto.* **3.** Fazer os traços gerais de; debuxar, bosquejar: *Para esclarecer a comissão, o engenheiro riscou, no quadro, o projeto da obra.* **4.** Fazer o risco[1] (4) de; projetar, planejar: "A casa era aquela em que me encontrava na Moltke Platz ..... Riscara-a o próprio Grüsch, arquiteto de ofício." (Aquilino Ribeiro, *Alemanha Ensanguentada*, p. 188.) **5.** Planejar, planear, projetar, traçar: "celebramos as religiões, esboçamos Deuses, riscamos sociedades no ar." (Eça de Queirós, *Prosas Bárbaras*, p. 64). **6.** Marcar, assinalar, indicar: *O marcador do jogo riscará os pontos.* **7.** Apagar, expungir (um trecho escrito): *Tive de riscar as primeiras linhas.* **8.** Acender, deflagrar, friccionando: *riscar um palito de fósforo.* **9.** Eliminar ou expulsar duma agremiação, duma sociedade: *O clube riscará os sócios atrasados no pagamento.* **10.** *Bras.* Fazer risco[1] (7) em: *riscar um lençol.* **11.** Fazer parar (a cavalgadura) súbita e espaventosamente: "Chegando na porta de minha Maria, / riscava o cavalo, saltava no chão." (Ascenso Ferreira, *Catimbó e Outros Poemas*, p. 101.) *T. d. e c.* **12.** *Bras.* Fazer a exclusão de; suprimir, eliminar; excluir: "— Os revoltosos de 1817 / riscaram vinho da mesa porque era português!" (Id., *ib.*, p. 76); *— Eu já te disse: risquei aquela guria lá de casa!* *Int.* **13.** Deixar de merecer a amizade, ser excluído das relações de alguém: *Os falsos amigos, para mim, riscaram.* **14.** Entrar em conflito; brigar, lutar. **15.** Dirigir ou lançar desafios ou provocações; provocar: *Se tem coragem, risque!; O verdadeiro forte não risca: age.* **16.** Manobrar com a navalha antes de golpear: *O malandro riscou e, logo em seguida, cortou o rosto do inimigo.* **17.** *Bras. AM* Começar a descer ou vazar (a maré, as águas de um rio), deixando vestígio na vegetação das margens. **18.** *Bras. N.E.* Sofrear o cavalo súbita e espaventosamente. **19.** *Bras. N.E.* Chegar ou aparecer inesperadamente: *As visitas riscaram antes da hora.* *T. c. Bras. N.E.* **20.** Rumar (19): "— .... Nem que chova canivete, antes das onze eu risco na Urubutinga." (Amando Fontes, *Os Corumbas*, p. 4.) *P.* **21.** Desvanecer-se; apagar-se, desaparecer: *O acontecimento jamais se riscará da minha lembrança.* **22.** Pedir demissão; demitir-se, sair: *Um dos sócios riscou-se da firma.* [Conjug.: v. *trancar*.]

risco[1] [Dev. de *riscar*.] *S. m.* **1.** V. *risca* (1). **2.** Qualquer traço em cor, ou sulco pouco profundo, na superfície de um objeto; risca: *um risco feito a lápis; A pintura do carro está cheia de riscos.* **3.** Delineamento, debuxo, traçado, esboço. **4.** *Arquit.* O projeto, a planta ou o plano de uma construção, ou de parte dela, especialmente o desenho de sua forma característica e visível: "Na placa comemorativa [da obra do Ministério da Educação] gravamos: 'De acordo com o risco original de Le Corbusier'. Risco, em arquitetura, é o traço original, a ideia básica, a invenção arquitetural." (Oscar Niemeyer, *As Curvas do Tempo — Memórias*, p. 92.) **5.** Cada um dos traços verticais que formam colunas, nos trabalhos de pautação. [Cf. *tirante* (8) e *pauta*[1] (2).] **6.** *Gír.* Facada ou navalhada. **7.** *Bras. Bord.* Desenho de um motivo decorativo, que se destina a ser bordado. **8.** *Bras. Cost.* Desenho planificado, cujo objetivo é moldar o local de corte. **9.** *Bras. BA* Linha do horizonte visual ou geográfico.

risco[2] [Do b.-lat. *risicu, riscu*, poss. do lat. *resecare*, 'cortar'; ou do esp. *risco*, 'penhasco alto e escarpado'.] *S. m.* **1.** Perigo ou possibilidade de perigo. **2.** Situação em que há probabilidades mais ou menos previsíveis de perda ou ganho como, p. ex., num jogo de azar, ou numa decisão de investimento. **3.** Em contratos de seguros, evento que acarreta o pagamento da indenização: *A apólice cobre o risco de incêndio.*

R

4. *Jur.* Possibilidade de perda ou de responsabilidade pelo dano. [Cf. *álea*[1].] ◆ **Risco cirúrgico.** *Med.* Avaliação, mediante exame físico, dados laboratoriais e outros, da capacidade de um paciente para suportar uma determinada intervenção cirúrgica. **Risco de câmbio.** *Econ.* Risco de prejuízos derivados de possíveis alterações na taxa de câmbio. **Risco marítimo.** Fortuna do mar. [Cf. *câmbio marítimo.*] **Pulverizar risco.** *Econ.* Distribuir ou dividir um contrato de seguro por vários seguradores, reduzindo com isso o risco assumido por cada um deles. [Cf. *resseguro* e *cosseguro*.]

risibilidade [Do lat. tard. *risibilitate.*] ***S. f.*** Qualidade de risível.

risível [Do lat. tard. *risibile.*] ***Adj. 2 g.*** **1.** Digno de riso ou escárnio; que provoca riso; burlesco, cômico, ridículo. ● ***S. m.*** **2.** Aquilo que é ridículo.

riso [Do lat. *risu.*] ***S. m.*** **1.** Ato ou efeito de rir; risada. **2.** Alegria, contentamento, satisfação. **3.** Coisa ridícula. [Cf. *rizo*, do v. *rizar*.] ◆ **Riso amarelo.** Riso forçado, contrafeito; sorriso amarelo. **Riso sardônico.** **1.** *Med.* Expressão facial indicativa de forma de arreganho espasmódico ou tetânico de dentes ou riso involuntário. **2.** *P. ext.* Riso forçado, ou sarcástico, que lembra essa expressão. **Meter a riso** Ridicularizar, zombar: "O pastor então maquinalmente agarrava-se ao braço do moleiro, que lhe metia a riso a covardia." (Camilo Castelo Branco, *Novelas do Minho*, VII, p. 14.) **Perdido de riso.** Que não pode conter o riso.

risonho [De *riso* + *-onho.*] ***Adj.*** **1.** Que ri ou sorri. **2.** Contente, alegre, satisfeito. **3.** Agradável, aprazível, deleitoso. **4.** Cheio de promessas; promissor: *projetos risonhos*.

risório [Do lat. tard. *risoriu.*] *Anat.* ***S. m.*** **1.** Músculo risório (q. v.). ● ***Adj.*** **2.** ~ V. *músculo* —.

risota [De *riso* + *-ota*[1].] ***S. f.*** *Pop.* **1.** Risada, riso. **2.** Riso zombeteiro; gargalhada, casquinada. **3.** Mofa, galhofa, zombaria, chacota.

risote [De *riso* + *-ote*[1].] ***Adj. 2 g. S. 2 g.*** Que, ou quem zomba de tudo, inclusive de coisas que merecem respeito.

risoto (ô) [Do it. *risotto.*] ***S. m.*** *Cul.* **1.** Prato de origem italiana, preparado com arroz colorido com açafrão, manteiga e queijo parmesão ralado. **2.** *P. ext.* Iguaria feita com arroz refogado, queijo parmesão ralado e, em geral, ervilhas cozidas, às quais se adiciona um ingrediente básico, como galinha desfiada (risoto de galinha), camarões (risoto de camarões), etc. [Cf. *rizoto.*]

rispidez (ê) [De *ríspido* + *-ez.*] ***S. f.*** Qualidade de ríspido. [F. paral. (p. us.): *rispideza.*]

rispideza (ê) [De *ríspido* + *-eza.*] ***S. f.*** *P. us.* Rispidez.

ríspido [Do lat. *hispidu*, 'eriçado, áspero', reforçado com *re-*, poss.] ***Adj.*** **1.** Rude no trato; intratável, severo, áspero, grosseiro: *É ríspido com os subalternos.* **2.** Próprio de quem é ou se mostra ríspido; áspero, grosseiro, desabrido: "Parecia, falando nesse tom ríspido, zangado, querer menos à filha." (Xavier Marques, *Jana e Joel*, p. 14); "esta franqueza, assim ríspida e quase desabrida, era um dos atributos mais específicos de Feijó." (Oliveira Viana, *Pequenos Estudos de Psicologia Social*, p. 188). **3.** Que tem um som áspero e cortante.

rissol ***S. m.*** *Lus.* Rissole. [Pl.: *rissóis.*]

rissole [Do fr. *rissole.*] ***S. m.*** *Bras.* Pastel[1] (1) de massa cozida, passada na farinha de rosca e frita. [Sin. (lus.): *rissol.*]

riste [Do esp. *ristre*, com dissimilação.] ***S. m.*** Peça metálica em que os cavaleiros firmavam o conto da lança quando a carregavam na horizontal, no momento da investida. [Var.: *reste*[2].] ◆ **Em riste.** Em posição erguida: *Dirigiu-se à Assembleia com o dedo em riste.*

■ **rit** *Mús.* Abrev. de *ritardando.*

ritapolitano ***Adj.*** **1.** De, ou pertencente ou relativo a Ritápolis (MG). ● ***S. m.*** **2.** O natural ou habitante de Ritápolis.

■ **ritard** *Mús.* Abrev. de *ritardando.*

➔ **ritardando** [r̃itar̃'dando] [It.] *Mús.* ***Adv.*** **1.** Atrasando pouco a pouco o andamento. ● ***S. m.*** **2.** Trecho executado dessa maneira. [Abrev.: *rit.* e *ritard.*]

riteira [De or. obsc.] ***S. f.*** *Bras. Amaz. Bot.* Arvoreta malpighiácea (*Burdachia prismatocarpa*) das florestas de igapó, que tem folhas ovadas, revolutas, discolores e lúcidas, flores amarelas, com cálice grosseiramente glanduloso e organizadas em racemos trífidos, e cujo fruto é uma noz piramidal, angulosa e monospérmica.

➔ **ritenuto** [r̃ite'nuto] [It.] ***Adj.*** *Mús.* Diz-se do andamento retido, sustentado.

ritidectomia [De *ritid(o)-* + *-ectom-* + *-ia*[1].] ***S. f.*** *Cir. Plást.* Resseção de pele para retirada de ruga(s).

ritidectómico ***Adj.*** V. *ritidectômico.* [Uso freq. em P.]

ritidectômico [De *ritidectomia* + *-ico*[2].] ***Adj.*** Relativo a ritidectomia.

▲ **ritid(o)-** [Do gr. *rhytís, ídos.*] ***El. comp.*** = 'ruga': *ritidectomia, ritidoplastia.*

ritidoma [Do gr. *rhytídoma*, 'rugosidade'.] ***S. m.*** *Bot.* Conjunto dos tecidos situados para fora do felógeno ativo. Compreende o felema e os tecidos por ele isolados; inclui, comumente, porções de tecido cortical ou liberiano; constitui a casca externa, morta, das árvores, e pode-se esfoliar, deixando lisa a superfície do tronco, ou permanecer sob a forma de espessa camada fibrosa ou suberosa.

ritidómico ***Adj.*** V. *ritidômico.* [Uso freq. em P.]

ritidômico [De *ritidoma* + *-ico*[2].] ***Adj.*** Pertencente ou relativo ao ritidoma: *placa ritidômica.*

ritidoplastia [De *ritid(o)-* + *-plast(o)-* + *-ia*[1].] ***S. f.*** *Cir. Plást.* Intervenção cirúrgica destinada a eliminar ruga(s). [Cf. *lifting.*]

ritidoplástico [De *ritidoplastia* + *-ico*[2].] ***Adj.*** Relativo a ritidoplastia.

ritidose [Do gr. *rhytídosis.*] ***S. f.*** *Oftalm.* Enrugamento, ger. referente a córnea.

ritmado [De *ritmo* + *-ado*[1].] ***Adj.*** Que tem ritmo; cadenciado.

ritmador (ô) [De *ritmar* + *-dor.*] ***Adj.*** Que marca o ritmo.

ritmar [De *ritmo* + *-ar*[2].] ***V. t. d.*** Dar ritmo a; submeter a ritmo; cadenciar: "Um sino plange. A sua voz ritma o murmúrio / Do rio, e isso parece a voz da solidão." (Manuel Bandeira, *Estrela da Vida Inteira*, p. 14.)

rítmica [F. subst. de *rítmico.*] ***S. f.*** **1.** *E. Ling.* Parte da gramática antiga que se ocupava do ritmo dos versos gregos e latinos. **2.** *Mús.* Característica do ritmo (7): *a rítmica sincopada do samba.* **3.** *Mús.* Parte da teoria musical que trata das relações entre a expressão musical e o tempo.

rítmico [Do gr. *rhythmikós*, pelo lat. *rhythmicu.*] ***Adj.*** **1.** Referente a ritmo. **2.** Que tem ritmo. ~ V. *ginástica* —*a*, *verso* — e *seção* —*a*.

ritmista [De *ritmo* + *-ista.*] ***S. 2 g.*** *Bras. Mús.* **1.** Músico especialista em instrumento(s) de percussão; baterista. **2.** Pessoa que, nas escolas de samba, marca o ritmo da batucada; baterista. **3.** *Cap. Desus.* Instrumentista da capoeira.

ritmo [Do gr. *rhytmós*, 'movimento regrado e medido', pelo lat. *rhytmu.*] ***S. m.*** **1.** Movimento ou ruído que se repete, no tempo, a intervalos regulares, com acentos fortes e fracos: *o ritmo das ondas, da respiração, da oscilação de um pêndulo, do galope de um cavalo.* **2.** No curso de qualquer processo, variação que ocorre periodicamente de forma regular: *o ritmo das marés, das fases da Lua, do ciclo menstrual.* **3.** Sucessão de movimentos ou situações que, embora não se processem com regularidade absoluta, constituem um conjunto fluente e homogêneo no tempo: *o ritmo de um trabalho.* **4.** Nas artes, na literatura, no cinema, etc., a disposição ou o desenvolvimento harmonioso, no espaço e/ou no tempo, de elementos expressivos e estéticos, com alternância de valores de diferente intensidade: *o ritmo de uma escultura, de uma peça de teatro.* **5.** *Arte Poét.* Num verso ou num poema, a distribuição de sons de modo que estes se repitam a intervalos regulares, ou a espaços sensíveis quanto à duração e à acentuação. **6.** *Mús.* Agrupamento de valores de tempo combinados de maneira que marquem com regularidade uma sucessão de sons fortes e fracos, de maior ou menor duração, conferindo a cada trecho características especiais. **7.** *Mús.* A marcação de tempo própria de cada forma musical: *ritmo de marcha, de valsa, de samba.* **8.** *Mús.* O conjunto de instrumentos de percussão e outros similares que marcam o ritmo (6) na música popular; bateria. **9.** *Bras. Mús.* O conjunto de ritmistas [v. *ritmista* (1 e 2)]. ◆ **Ritmo circadiano.** *Biol.* Ritmo espontâneo, próprio de cada espécie animal ou vegetal, a partir de certa fase evolutiva, observado em condições ambientais constantes, mas não influenciável por iluminação, e que se manifesta de acordo com o momento do dia, por variações periódicas das funções biológicas (respiração, circulação, digestão, secreções endócrinas, etc.); pode ser observado até mesmo em nível celular. **Ritmo de galope.** *Card.* Desdobramento da primeira bulha cardíaca, de modo que, pela ausculta, se ouvem três ruídos cardíacos, separados por pausas; ruído de galope. **Em ritmo de Brasília.** *Bras.* Com extraordinária rapidez (por alusão à rapidez com que Brasília foi construída): *As obras estão andando em ritmo de Brasília.*

ritmopeia (éi) [Do gr. *rhythmopoiïa*, pelo lat. *rhythmopoeia.*] ***S. f.*** Parte da arte musical, poética ou oratória, referente às leis do ritmo. ❖

rito [Do lat. *ritu.*] ***S. m.*** **1.** As regras e cerimônias que se devem observar na prática de uma religião: *o rito romano da Igreja Católica.* **2.** Culto, seita; religião: "Os sacerdotes do rito armênio, de grandes barbas" (Ramalho Ortigão, *As Farpas*, V, p. 16); *pessoas de raças e ritos diferentes.* **3.** Qualquer cerimônia de caráter sacro ou simbólico que segue preceitos estabelecidos: *ritos mágicos: ritos fúnebres.* **4.** Sistema de organizações maçônicas. **5.** As normas do ritual (6): *os ritos da boa educação.* **6.** *Jur.* Conjunto sequencial e organizado de atos que a lei estabelece para o processamento das demandas em juízo; procedimento. [Cf. *ricto* e *ríton.*] ◆ **Rito de passagem.** *Antrop.* Ritual realizado em momentos definidos socialmente como críticos na existência de uma pessoa, o qual marca uma mudança em seu *status* social e que se compõe em geral de três fases: separação, liminaridade e reincorporação no grupo.

ríton [Do gr. *rhytón.*] ***S. m.*** Vaso grego, corniforme ou com o feitio de uma cabeça de animal: "entrei nas olarias / De Glafiro e Menandro, e lá comprei, baratos, / Este ríton, que achei belíssimo, e estes pratos" (Eugênio de Castro, *Obras Poéticas*, VI, p. 54). [Cf. *rito* e *ricto.*]

ritornelo [Do it. *ritornello.*] ***S. m.*** **1.** *Arte Poét.* V. *estribilho* (1). **2.** *Mús.* Nos madrigais dos sécs. XIV a XVI, o estribilho que aparecia com a mesma letra e música, após cada estrofe. **3.** *Mús.* A começar do séc. XVII, principalmente, breve episódio instrumental que alterna com a voz, em forma de prelúdio, interlúdio ou poslúdio, e no qual aparecem elementos do tema. **4.** *Mús.* No concerto clássico, a volta de todos os instrumentos da orquestra, após um solo instrumental. [Cf., nesta acepç.: *tutti.*] **5.** *Mús.* Repetição de um trecho musical, assinalada por um travessão duplo e pontoado; réplica. **6.** *Mús.* A repetição da introdução instrumental a uma ária ou canção. **7.** *P. ext. Mús.* A própria introdução, ainda que não repetida.

ritual [Do lat. *rituale.*] ***Adj. 2 g.*** **1.** Referente a rito(s), à realização de ritos ou ao caráter ou poder religioso destes: *objetos de uso ritual; cura ritual.* **2.** Semelhante a rito, principalmente quanto ao caráter sagrado ou à realização regular ou repetitiva; ritualístico: *cerimônia ritual; Faz tudo com meticulosidade ritual.* ● ***S. m.*** **3.** V. *culto*[1] (2). **4.** Liturgia. **5.** Livro que contém os ritos de uma religião: "Vestiu a sobrepeliz, tomou o ritual, e acompanhado do sacristão .... dirigiu-se para o corpo da igreja." (Bernardo Guimarães, *O Seminarista*, p. 256.) **6.** Conjunto de práticas consagradas pelo uso e/ou por normas, e que se deve observar de forma invariável em ocasiões determinadas; cerimonial: *A solenidade de posse, na Academia Brasileira, segue sempre o mesmo ritual.* **7.** *Antrop.* Sistema socialmente constituído de comunicação simbólica efetivado em representações públicas, o qual se caracteriza pela convencionalidade, estereotipia e redundância de seus conteúdos, e pelo fato de sua relação com os fenômenos representados não ser intrínseca.

ritualismo [De *ritual* + *-ismo.*] ***S. m.*** **1.** Conjunto de ritos. **2.** Apego excessivo a cerimônias ou formalidade, sem suficiente atenção ao significado que veiculam.

ritualista [De *ritual* + *-ista.*] ***Adj. 2 g. S. 2 g.*** **1.** Que, ou quem se ocupa de ritos ou sobre eles escreve. **2.** Que, ou quem é muito apegado a cerimônias ou formalidades.

ritualístico [De *ritualista* + *-ico*[2].] ***Adj.*** Relativo a, ou próprio de ritual, ritualismo ou ritualista.

ritualização [De *ritualizar* + *-ção.*] ***S. f.*** Ato ou efeito de ritualizar(-se).

ritualizado [Part. de *ritualizar.*] ***Adj.*** Que segue, ou em que há, um ritual: "A categoria mais interessante é a terceira, dos bailes que Manuel chama de embate, um confronto ritualizado de galeras." (Zuenir Ventura, *Cidade Partida*, p. 121.)

ritualizar [De *ritual* + *-izar.*] ***V. t. d. P.*** Transformar(-se) em ritual.

rival [Do lat. *rivale.*] ***Adj. 2 g.*** **1.** Que rivaliza. **2.** V. *êmulo* (1). **3.** *P. ext.* Que deseja as mesmas posições ou vantagens que outrem. **4.** *Restr.* Que disputa o amor de outra. **5.** Que equivale a outro em merecimento: *escritores rivais.* ● ***S. 2 g.*** **6.** Pessoa rival.

rivalidade [Do lat. *rivalitate.*] ***S. f.*** **1.** Qualidade de rival ou de quem rivaliza; competição, emulação. **2.** Oposição, luta, conflito, competência. **3.** Zelos amorosos; ciúmes.

rivalizar [De *rival* + *-izar.*] ***V. t. i.*** **1.** Pretender mostrar-se igual ou superior; competir, concorrer: *rivalizar com colegas mais inteligentes.* **2.** Igualar-se ou competir em mérito ou qualidade: *Esta safra de vinho não rivaliza com a anterior.* **3.** Disputar ou pleitear acerca de títulos, qualidades, etc.; competir, concorrer: *Os inúmeros candidatos ao posto rivalizavam com o tímido rapaz.* **4.** Sentir ciúmes: *A moça rivaliza com a irmã mais nova.* ***Bit. i.*** **5.** Entrar em competência; ser rival: *A irmã mais velha rivaliza com a mais moça em beleza e inteligência.* ***T. d.*** **6.** Ser rival de; procurar igualar: *O invejoso rivaliza os superiores.* **7.** Ser igual a; igualar: *Naquela mulher a inteligência rivaliza a graça e a feminilidade.* ***P.***

8. Competir ou disputar reciprocamente: *Vinte candidatas* ***rivalizam-se*** *pelo título de misse*; "dous chefes de família, que ***se rivalizam*** em competência de velhacaria, de má-fé, de sordícias baixas." (Camilo Castelo Branco, *Narcóticos*, I, p. 13).

rivalizável [De *rivalizar* + *-vel*.] ***Adj. 2 g.*** Que pode ter rival; suscetível de confronto.

riversulense ***Adj. 2 g.*** **1.** De, ou pertencente ou relativo a Riversul (SP). ● ***S. 2 g.*** **2.** O natural ou habitante de Riversul.

rivícola [Do lat. *rivus*, 'arroio', 'ribeiro', + *-i-* + *-cola*[1].] ***Adj. 2 g.*** *Bot.* Diz-se da planta que tem por hábitat a margem de um rio ou riacho.

rivulídeo [Do tax. *Rivulus* + *-ídeo*[1].] *Zool.* ***S. m.*** **1.** Espécime dos rivulídeos, família de peixes actinopterígios, ciprinodontes, de pequeno porte, que se alimentam de resíduos vegetais e larvas de mosquitos. São ovovivíparos e na época da reprodução apresentam fêmeas volumosas. ● ***Adj.*** **2.** Pertencente ou relativo a eles.

rixa [Do lat. *rixa*.] ***S. f.*** **1.** Contenda, briga. **2.** Desordem, motim, revolta. **3.** Discórdia, desavença, disputa: *É antiga a* ***rixa*** *entre as duas famílias.* **4.** V. *rolo*[1] (16). **5.** *Dir. Penal* Crime configurado pela luta entre mais de duas pessoas, com o emprego de violência recíproca.

rixador (ô) [Do lat. *rixatore*.] ***Adj. S. m.*** Que, ou aquele que rixa; brigador, brigão, desordeiro.

rixar [Do lat. *rixare*.] ***V. int.*** Ter rixa com alguém; brigar.

rixento [De *rixa* + *-ento*.] ***Adj.*** *Bras.* V. *rixoso*.

rixoso (ô) [Do lat. *rixosu*.] ***Adj.*** Que rixa. [Sin.: *bulhento, desordeiro, brigador, brigão, rixador* e (bras.) *rixento*.]

riz [Do escand. *rif*, pelo fr. *rifs* (atual *ris*), us. sobretudo no pl.] ***S. m.*** *Marinh.* **1.** Cada um dos pedaços de cabo delgado atravessados por ilhoses presos na forra de rizes (q. v.), e que servem para diminuir a superfície da vela exposta ao vento, para o quê se enrola a esteira da vela até os rizes, que são então amarrados em torno dela. **2.** Cada um dos ilhoses atravessados pelos rizes.

▲ **-riza** V. *riz(o)-*.

rizadura [De *rizar* + *-dura*.] ***S. f.*** Ato de rizar.

rizagra [Do gr. *rhizágra*.] ***S. f.*** *Odont. Obsol.* Instrumento com que se extrai raiz de dente. [Cf. *boticão*.]

rizanto [De *riz(o)-* + *-anto*.] ***Adj.*** *Bot.* Diz-se das plantas cujas flores ou pedúnculos parecem nascer da raiz.

rizar [De *riz* + *-ar*[2].] ***V. t. d.*** *Mar.* Amarrar com rizes parte de (uma vela), depois de enrolada ou dobrada, para diminuir a superfície exposta ao vento; meter nos rizes; enrizar. [Pres. ind.: *rizo*, etc. Cf. *riso*.]

rizes [Do fr. *ris*.] ***S. m. pl.*** *Marinh.* Pedaços de cabo delgado para amarrar a vela à verga a fim de reduzir a superfície do pano.

rizicultor (ô) ***S. m.*** V. *orizicultor*.

rizicultura ***S. f.*** V. *orizicultura*.

rizina [De *riz(o)-* + *-ina*[1].] ***S. f.*** *Bot.* Feixe de rizoides conglutinados dos liquens, que serve para fixá-los ao substrato e deste absorver nutrimento. [Cf. *rezina* e *resina*.]

▲ **riz(o)-** [Do gr. *rhíza*, *ēs*.] ***El. comp.*** = 'raiz': *rizanto, rizotônico*. [Equiv.: *-riza, -riz(o)-*: *coleorriza; arrizófito*.]

▲ **-riz(o)-** V. *riz(o)-*.

rizoblasto [De *riz(o)-* + *-blasto*.] ***S. m.*** *Bot.* Planta com embrião provido de radícula.

rizocárpico [De *riz(o)-* + *-carp(o)-* + *-ico*[2].] ***Adj.*** *Bot.* Diz-se do vegetal cujas partes subterrâneas emitem anualmente brotos aéreos.

rizocéfalo [De *riz(o)-* + *-céfalo*; tax. *Rhizocephala*.] *Zool.* ***S. m.*** **1.** Espécime dos rizocéfalos, ordem de artrópodes, crustáceos, cirrípedes, parasitas de decápodes braquiúros, de corpo revestido por um manto, desprovidos de concha, apêndices ou intestino. São saciformes, com raízes destinadas a penetrar no corpo do hospedeiro a fim de se alimentarem. ● ***Adj.*** **2.** Pertencente ou relativo a eles.

rizofagia [De *rizófago* + *-ia*[1].] ***S. f.*** Qualidade de rizófago.

rizofágico [De *rizofagia* + *-ico*[2].] ***Adj.*** Relativo à rizofagia.

rizófago [De *riz(o)-* + *-fago*.] ***Adj.*** Que se alimenta de raízes.

rizofilo [De *riz(o)-* + *-filo*[1].] ***Adj. S. m.*** *Bot.* Diz-se do, ou o vegetal cujas folhas produzem raízes. [Cf. *rizófilo*.]

rizófilo [De *riz(o)-* + *-filo*[2].] ***Adj.*** Que vive nas raízes; radicícola. [Cf. *rizofilo*.]

rizófito [De *riz(o)-* + *-fito*.] ***Adj. S. m.*** *Bot.* Diz-se de, ou vegetal provido de raiz. [Opõe-se a *arrizófito*.]

rizoflagelado [De *riz(o)-* + *-flagel(i)-* + *-ado*[1].] ***Adj. S. m.*** *Zool.* Diz-se de, ou protozoário, flagelado, capaz de se locomover também através de pseudópodes.

rizófora [Do tax. *Rhizophora*.] ***S. f.*** *Bot.* **1.** O gênero-tipo das rizoforáceas, que abrange árvores e arbustos de flores tetrâmeras e ovário ínfero que forma fruto capsular carnoso. **2.** Qualquer espécie desse gênero, como, p. ex., a *Rhizophora mangle* [v. *mangue-vermelho*]. **3.** Qualquer espécime desse gênero.

rizoforácea [Do tax. *Rhizophora* (v. *rizófora*) + *-ácea*; tax. Rhizophoraceae.] ***S. f.*** *Bot.* Espécime das rizoforáceas, família de plantas floríferas das mirtales, formada de árvores com raízes-escoras muito desenvolvidas, folhas opostas e estipuladas, flores hermafroditas, diclamídeas, com estames numerosos, ovário ínfero, e fruto capsular ou indeiscente. O embrião cresce no fruto ainda preso à árvore, que é vivípara. Há umas 60 espécies tropicais; no Brasil, é bem conhecida a *Rhizophora mangle* (v. *mangue-vermelho*).

rizoforáceo [De *rizoforácea*, com var. suf. (v. *-áceo*).] ***Adj.*** *Bot.* Pertencente ou relativo às rizoforáceas.

rizóforo [De *riz(o)-* + *-foro*.] ***S. m.*** *Bot.* Órgão cilíndrico e alongado que, nos ramos foliosos das selagineláceas, produz raízes perto do ápice, e que é considerado de natureza caulinar.

rizogênese [De *riz(o)-* + *-gênese*.] ***S. f.*** *Odont.* Formação de raiz dentária.

rizografia [De *riz(o)-* + *-grafia*.] ***S. f.*** Descrição das raízes.

rizográfico [De *rizografia* + *-ico*[2].] ***Adj.*** Referente à rizografia.

rizoidal [De *rizoide* + *-al*[1].] ***Adj. 2 g.*** *Bot.* Relativo ou pertencente ao rizoide (2): *célula* ***rizoidal***.

rizoide (ói) [De *riz(o)-* + *-oide*.] ***Adj. 2 g.*** **1.** Semelhante a uma raiz. ● ***S. m.*** **2.** *Bot.* Filamento piliforme que, nas plantas não vasculares, exerce a função de raiz e tem aspecto semelhante ao desta, mas difere pela estrutura. Encontra-se nos musgos, algas, liquens, etc. ❖

rizoma [Do gr. *rhízoma*, 'o que está enraizado'.] ***S. m.*** **1.** *Bot.* Caule radiciforme e armazenador das monocotiledôneas, que é ger. subterrâneo, mas pode ser aéreo. Caracteriza-se não só pelas reservas, mas também pela presença de escamas e de gemas, sendo a terminal bem desenvolvida: comumente apresenta nós, e na época da floração exibe um escapo florífero. Em pteridófitos tropicais há rizomas aéreos. O gengibre e o bambu têm rizoma. **2.** *Farmac.* Tintura de arnica.

rizomastigino [Do lat. cient. *Rhizomastig-* (< tax. *Rhizomastix* < gr. *rhíza* [v. *riz(o)-*] + gr. *mástix, mástigos* [v. *mastig(o)-*]) + *-ino*[3]; tax. *Rhizomastigina*.] *Zool.* ***S. m.*** **1.** Espécime dos rizomastiginos, ordem de protozoários zoomastiginos, cujo corpo tem um ou mais flagelos, e pseudópodes em número variável. São parasitas do esôfago de rãs e girinos, e causam também doenças em perus e outras aves. ● ***Adj.*** **2.** Pertencente ou relativo a eles.

rizomático [De *rizoma* + *-ático*.] ***Adj.*** Relativo ou pertencente ao rizoma: *escama* ***rizomática***.

rizomatoso (ô) [De *riz(o)-* + *-omat-* + *-oso*.] ***Adj.*** *Bot.* **1.** Semelhante a rizoma. **2.** Que tem rizoma: *gramínea* ***rizomatosa***.

rizomélico [De *riz(o)-* + *-mel(o)-* + *-ico*[2].] ***Adj.*** *Med.* Relativo à raiz de membro (1), *i. e.*, articulação de ombro ou articulação de quadril.

rizomorfo [De *riz(o)-* + *-morfo*.] ***Adj.*** *Bot.* Que tem forma de raiz.

rizópode[1] [De *riz(o)-* + *-pode*.] ***Adj. 2 g.*** *Zool.* Cujos pés são semelhantes a raízes.

rizópode[2] [Adapt. do tax. *Rhizopoda*.] *Zool.* ***S. m.*** **1.** Espécime dos rizópodes, classe de protozoários plasmódromos, sarcodíneos que reúne as amebas e outras formas, em sua maioria de vida livre. ● ***Adj. 2 g.*** **2.** Pertencente ou relativo a eles. [Sin.ger.: *sarcodíneo*.]

rizóstoma [Do tax. *Rhizostoma* < gr. *rhíza* (v. *riz(o)-*) + gr. *stóma, atos* (v. *estomat(o)-*).] ***S. m.*** *Zool.* **1.** Gênero de cifozoários rizostomídeos, que reúne medusas de tamanho médio, desprovidas de tentáculos, e providas de filamentos orais com numerosos orifícios, ou bocas, na extremidade. **2.** Espécie ou espécime desse gênero.

rizostomátido [Do lat. cient. *Rhizostomat-* (< tax. *Rhizostoma* [v. *rizóstoma*]) + *-ido*[3]; tax. *Rhizostomatida*.] *Zool.* ***S. m.*** **1.** Espécime dos rizostomátidos, ordem de cifozoários rizostomídeos (q. v.), encontrados nos mares tropicais. ● ***Adj.*** **2.** Pertencente ou relativo a eles.

rizostomídeo [Do tax. *Rhizostoma* (v. *rizóstoma*) + *-ídeo*[1]; tax. *Rhizostomidae*.] *Zool.* ***S. m.*** **1.** Espécime dos rizostomídeos, família de cnidários cifozoários que reúne medusas do gênero rizóstoma (q. v.) e outras. ● ***Adj.*** **2.** Pertencente ou relativo a eles.

rizóstomo [De *riz(o)-* + *-stomo*.] ***Adj.*** *Zool.* Diz-se do animal que tem diversas bocas ou ventosas na extremidade de filamentos.

rizotaxia (cs) [De *riz(o)-* + *-taxia*.] ***S. f.*** *Bot.* Disposição das radicelas sobre a raiz principal.

rizoto [Adapt. do tax. *Rhizota*.] *Zool.* ***S. m.*** **1.** Espécime dos rizotos, ordem de metazoários, rotíferos, sésseis na fase adulta, de cauda não retrátil. ● ***Adj.*** **2.** Pertencente ou relativo a eles. [Cf. *risoto* (ô).]

rizotomia [Do gr. *rhizotomía*.] ***S. f.*** *Cir.* Seção de raiz de nervo espinhal.

rizotômico ***Adj.*** *Cir.* V. *rizotômico*. [Uso freq. em P.]

rizotômico [De *rizotomia* + *-ico*[2].] ***Adj.*** *Cir.* Relativo a rizotomia.

rizotónico ***Adj.*** *E. Ling.* V. *rizotônico*. [Uso freq. em P.]

rizotônico [De *riz(o)-* + *-ton(o)-* + *-ico*[2].] ***Adj.*** *E. Ling.* Diz-se das formas verbais em que o acento tônico recai na raiz: *jogo, vende, sentem*. [Opõe-se a *arrizotônico*.]

■ **RJ** Sigla do Estado do Rio de Janeiro.

■ **RMN** Sigla de *ressonância magnética nuclear*.

■ **Rn** *Quím.* Símb. de *radônio*.

■ **RN** **1.** Sigla do Estado do Rio Grande do Norte. **2.** Sigla de *referência de nível*.

■ **RNA** [Abrev. do ingl.: *ribonucleic acid*.] *Genét.* ARN (q. v.).

■ **RO** Sigla do Estado de Rondônia.

ró ***S. m.*** *Lus.* V. *rô*.

rô [Do gr. *rhô*, pelo lat. *rho*.] ***S. m.*** **1.** A 17.ª letra do alfabeto grego (P, ρ), e que corresponde ao nosso *r*. **2.** *Fís. Part.* Designação genérica de mésons com massa de aproximadamente 770 MeV/c², *isospin* 1, *spin* 1, paridade negativa, com três possíveis estados de carga elétrica [símb.: ρ]. [Var. pros.: *ró*.]

roacíssimo ***Adj.*** Superl. abs. sint. de *roaz*.

roaz [Do lat. vulg. **rodace* < lat. *rodere*, 'roer'.] ***Adj. 2 g.*** **1.** Que rói; roedor: "Dá-lhe [ao fruto] aparência vistosa / Verme que, oculto e ***roaz***, / Lhe enverniza a tez mimosa, / Túrgido o faz." (Alberto de Oliveira, *Poesias*, 3.ª série, p. 190.) **2.** Destruidor, voraz, devastador. [Superl. abs. sint.: *roacíssimo*.]

roaz-de-bandeira ***S. m.*** *Lus. Zool.* V. *orca*[2]. [Pl. *roazes-de-bandeira*.]

▲ **-roba** [Do tupi *'rowa*.] ***El. comp.*** = 'amargo': *andiroba, aricuroba, guabiroba*. [Equiv.: *-rova*: *gabirova*.]

robafo ***S. m.*** *Bras. MT Zool.* V. *traíra* (1).

robalão [De *robalo* + *-ão*[1].] ***S. m.*** *Bras. Zool.* V. *robalo*.

robalete (ê) [De *robalo* + *-ete* (ê).] ***S. m.*** *Zool.* Peixe actinopterígio, perciforme, centropomídeo (*Centropomus ensiferus*) da costa atlântica, cujo comprimento nunca ultrapassa os 50cm. É conhecido do México ao Rio de Janeiro. [Sin.: *camurim-sovela, camuripeba*.]

robalinho [De *robalo* + *-inho*[1].] ***S. m.*** *Zool.* Nome comum a peixes teleósteos ciprinídeos (*Leucicus cephaluse L. pyrenaicus*), de corpo fusiforme e coloração amarelada, e que têm distribuição na Europa; bordalo, escalo.

robalo [De **lobarro*, aum. de *lobo* (ô), com metátese.] ***S. m.*** *Zool.* Peixe actinopterígio, perciforme, centropomídeo (*Centropomus undecimalis*), distribuído do S. dos E.U.A. ao S. do Brasil. Tem coloração plúmbea, com a garganta, os flancos e o abdome brancos. Alimenta-se de outros peixes e crustáceos, e sua carne é de primeira qualidade. Comprimento: até 1,20m; peso: até 15kg. Vive também na água doce e na salobra, nada aos cardumes, preferindo fundos pedregosos. Sobe os rios à procura de remansos ou lagoas para desovar, ger. no inverno. [Sin.: *robalão, robalo-bicudo, robalo-flecha, camuri, camurim, camurim-açu*.]

robalo-bicudo ***S. m.*** *Bras. Zool.* V. *robalo*. [Pl.: *robalos-bicudos*.]

robalo-de-areia ***S. m.*** *Bras. Pop. Zool.* V. *ubarana*. [Pl.: *robalos-de-areia*.]

robalo-flecha ***S. m.*** *Bras. Zool.* V. *robalo*. [Pl.: *robalos-flechas* e *robalos-flecha*.]

robalo-miraguaia ***S. m.*** *Bras. BA Zool.* V. *roncador* (3). [Pl.: *robalos-miraguaias* e *robalos-miraguaia*.]

robe [Do fr. *robe* (*de chambre*).] ***S. m.*** *Bras.* **1.** V. *roupão* (1). **2.** V. *penhoar*. [O fr. *robe* é do gên. fem.]

robínia [Do tax. *Robinia*.] ***S. f.*** *Bot.* **1.** Gênero de árvores e arbustos fabáceos, originários da América do Norte, muito cultivados como ornamentais. **2.** Qualquer espécie desse gênero, como, p. ex., a *Robinia pseudoacacea* (v. *acácia-para-sol*). **3.** Qualquer espécime desse gênero, ou a sua flor.

robínia-comum ***S. f.*** *Bot.* V. *acácia-para-sol*. [Pl.: *robínias-comuns*.]

robínia-falsa-acácia [De *robínia* + o f. de *falso* + *acácia*.] ***S. f.*** *Bot.* V. *acácia-para-sol*. [Pl.: *robínias-falsas-acácias* e *robínias-falsa-acácia*.]

robissão ***S. m.*** *Bras.* V. *sobrecasaca*.

roble [Do lat. *robore*, com síncope e dissimilação.] ***S. m.*** *Bot.* Carvalho.

robledo (ê) ***S. m.*** *Zool.* Mata de robles; carvalhal. [F. paral.: *roboredo*.]

robô [Do fr. *robot* checo *robota*, 'trabalho forçado', t. criado por Karel Capek (1890-1938), escritor checo.] ***S. m.*** **1.** Mecanismo automático, em geral com aspecto semelhante ao de um homem, e que realiza trabalhos e movimentos humanos. **2.** *Fig.* Pessoa que se comporta como robô, *i. e.*, que executa ordens sem pensar.

robonauta [De *robô* + *-nauta*.] ***S. m.*** *Astron.* Robô especialmente construído para substituir astronautas em tarefas dentro das espaçonaves ou fora delas.

R

roboração [De *roborar* + *-ção*.] ***S. f.*** Ato ou efeito de roborar.

roborante [Do lat. *roborante*.] ***Adj. 2 g.*** Que robora; roborativo.

roborar [Do lat. *roborare*.] ***V. t. d.*** **1.** Aumentar as forças de; fortificar, avigorar, revigorar: "Não desmaies, porém: a Divindade / Roborará teu braço: e na memória / Gravará para exemplo os altos feitos / Dos ilustres passados." (José Bonifácio, *Poesias*, p. 164.) **2.** Confirmar, ratificar, corroborar: "A última consideração do meu censor, essa então vem apenas roborar com uma prova mais a minha tese de que leis não podem ser redigidas senão por legistas." (Rui Barbosa, *Réplica*, p. 67.) [Sin. ger.: *roborizar* (q. v.).]

roborativo [De *roborar* + *-tivo*.] ***Adj.*** **1.** Próprio para roborar. **2.** Roborante.

roboredo (ê) [Do lat. *roboretu*.] ***S. m.*** V. *robledo*.

roborizar [De *robor-*, como em *roborar*, + *-izar*.] ***V. t. d.*** Roborar. [Cf. *ruborizar*.]

robótica [F. subst. do adj. *robótico*.] ***S. f.*** O conjunto dos estudos e das técnicas que permitem a utilização de robôs na automação.

robótico [Do ingl. *robotic*.] ***Adj.*** De, ou relativo a robótica.

robotização [De *robotizar* + *-ção*.] ***S. f.*** Ato ou efeito de robotizar.

robotizado [De *robotizar* + *-ado*[1].] ***Adj.*** **1.** Que se robotizou. **2.** Semelhante a de um robô: *andar robotizado.*

robotizar [Do fr. *robot*, 'robô', + *-izar*.] ***V. t. d. P.*** Transformar(-se) em robô (2).

robustecedor (ô) [De *robustecer* + *-dor*.] ***Adj.*** Que robustece.

robustecer [De *robusto* + *-ecer*.] ***V. t. d.*** **1.** Tornar robusto ou forte; fortalecer, avigorar, roborar: *O exercício físico robustece o corpo.* **2.** Confirmar, ratificar, corroborar, roborar: *A sentença dos desembargadores robusteceu a decisão do juiz.* **3.** Elevar em dignidade; engrandecer, enaltecer: *Atitudes patrióticas robustecem a ordem moral existente.* ***Int. P.*** **4.** Tornar-se robusto; fortalecer-se, avigorar-se: *Frágil em criança, robusteceu quando adulto; Verdadeiros ideais nacionais se robustecem nas aspirações do povo.* **5.** Engrandecer-se, glorificar-se: *Robusteceu no culto das letras; Os bons cristãos robusteciam-se com as perseguições sofridas.* [Sin. ger.: *arrobustar*. Conjug.: v. *aquecer*.]

robustecimento [De *robustecer* + *-imento*.] ***S. m.*** Ato ou efeito de robustecer.

robustez (ê) [De *robusto* + *-ez*.] ***S. f.*** Qualidade de robusto; vigor, força, robustidão, robusteza.

robusteza (ê) [De *robusto* + *-eza*.] ***S. f.*** V. *robustez*.

robustidão [De *robusto* + *-idão*.] ***S. f.*** V. *robustez*.

robusto [Do lat. *robustu*.] ***Adj.*** **1.** De constituição resistente; que suporta fadigas; forte, vigoroso: *homem robusto; animal robusto.* **2.** Vigoroso, potente; rijo: *mãos robustas.* **3.** Que manifesta boa saúde; sadio, saudável: *bebê robusto.* **4.** Duro, rijo, sólido: *árvore robusta.* **5.** *Fig.* Firme, enérgico, inabalável, inquebrantável: *vontade robusta.* **6.** *Fig.* Que tem vitalidade, força, autenticidade: *a arte robusta do Renascimento.* **7.** *Fig.* Poderoso, influente: *uma instituição robusta; empresa robusta.*

roca[1] [Da mesma or. germ. que o esp. *rueca*; poss. do ger. **rukko*.] ***S. f.*** **1.** Haste de madeira ou de cana com bojo na extremidade, no qual se enrola a rama do linho, do algodão, da lã, etc., para ser fiada: "ambos bruscamente se afastavam, ... — ele indo bater no pescoço do seu ginete, ... ela dando alguns passos, ao longo do riacho, com a sua roca, e fiando" (Eça de Queirós, *Últimas Páginas*, p. 376). **2.** Conjunto de tiras estreitas, separadas umas das outras, que se colocavam ao comprido das mangas dos vestidos, e que deixavam entrever o tecido sobre o qual assentavam. **3.** Armação de madeira das imagens dos santos de roca (q. v.). **4.** *Marinh. Ant.* Obra que se faz com madeiras e cabos, em torno de mastros e vergas rendidas, para reforço.

roca[2] [Do cat. *roca*.] ***S. f.*** Rocha.

roça [Dev. de *roçar*.] ***S. f.*** **1.** V. *roçadura* (1). **2.** Terreno onde se roça mato. **3.** Sementeira plantada em terreno roçado ou no próprio mato. **4.** *Angol. Santom.* Grande propriedade agrícola: "Penaram 30 anos de vida / Nas roças de cacau" (Alda Espírito Santo, *É Nosso o Solo Sagrado da Terra*, p. 53). **5.** *Bras.* Terreno de pequena lavoura (em especial de mandioca, milho, feijão, etc.). [Sin.: *roçado* e, na BA, *cabrocado*.] **6.** *Bras. P. ext.* Mandiocal. **7.** *Bras.* A zona rural; o campo. **8.** *Bras. BA* Chácara para cultivo de frutas e hortaliças. **9.** *Bras. Rel. BA* Aldeia (3).

rocada [De *roca*[1] + *-ada*[1].] ***S. f.*** **1.** Porção de linho ou de lã que se enrola no bojo da roca[1] (1). **2.** Pancada com a roca[1] (1).

roçada [De *roça* + *-ada*[1].] ***S. f.*** **1.** Em terrenos destinados a cultura, corte à foice da vegetação arbustiva, a fim de facilitar o trabalho das derrubadas. [Sin. (no N.E. do Brasil): *roçagem*.] **2.** *Bras.* Terreno desbastado das plantas nativas, pronto a receber sementeira. **3.** *Bras. N.* V. *broca*[3] (6).

roçadeira [De *roçar* + *-deira*.] ***S. f.*** V. *roçadoura*.

roçadela [De *roçar* + *-dela*.] ***S. f.*** Roçadura (2).

roçadinho [De *roçado* + *-inho*[1].] ***S. m.*** *Bras. Chulo* V. *roçado* (6).

rocado[1] [De *roca*[1] + *-ado*[1].] ***Adj.*** Diz-se da manga de vestido que tinha roca[1] (2).

rocado[2] [De *roca*[2] + *-ado*[1].] ***Adj.*** **1.** Que tem penedias. ● ***S. m.*** **2.** Penedia.

roçado [Part. de *roçar*.] ***S. m.*** **1.** Terreno onde se roçou ou queimou o mato, e que está preparado para a cultura. **2.** Clareira no meio do mato. **3.** *Bras.* V. *roça* (5). **4.** *Bras. N.E.* Roça (5) de mandioca. **5.** *Bras. CE* Lavoura de milho, arroz, feijão, mandioca, algodão e outras culturas invernosas. **6.** *Bras. Chulo* Prática sexual que consiste em chegar ao orgasmo mediante contato apenas; roçadinho, perfumaria.

roçadoira [De *roçar* + o f. de + *-doiro*[2].] ***S. f.*** Roçadoura (q. v.).

roçador (ô) [De *roçar* + *-dor*.] ***Adj. S. m.*** Que, ou aquele que roça.

roçadoura [De *roçar* + o f. de + *-douro*[2]; var. de *roçadoira*.] ***S. f.*** Foice de cabo alto, própria para roçar mato. [Sin.: *roçadeira*.]

roçadura [De *roçar* + *-dura*.] ***S. f.*** **1.** Ato ou efeito de roçar(-se); roçamento, roça. **2.** Atrito leve; roçadela.

roçagante [De *roçagar* + *-nte*.] ***Adj. 2 g.*** Que roçaga: "Trajava de cetim escuro, ... envolta em uma capa alvadia roçagante." (Camilo Castelo Branco, *Perfil do Marquês de Pombal*, p. 16.)

roçagar [Do esp. *rozagar*.] ***V. t. d.*** **1.** Fazer roçar ou arrastar-se pelo chão; roçar: *roçagar a saia.* ***Int.*** **2.** Roçar pelo chão; arrastar-se. **3.** Fazer ruído como um vestido de seda. **4.** Passar levemente; roçar. [Conjug.: v. *largar*.]

roçagem [De *roçar* + *-agem*[2].] ***S. f.*** *Bras. N.E.* Roçada (1).

➔ **rocaille** [ʀo'kaj] [Fr.] ***Adj. S. m.*** V. *rocalha* (3 e 4): "O viajante .... descobre-se aqui rendido até ao *rocaille* da sacristia, sem dúvida um dos mais perfeitos exemplos de certo espírito religioso a que, precisamente, costumamos chamar de sacristia." (José Saramago, *Viagem a Portugal*, p. 181.)

rocal [De *roca*[2] + *-al*[1].] ***Adj. 2 g.*** **1.** Duro como rocha: *noz rocal.* ● ***S. m.*** **2.** Colar de contas ou pérolas; rocalha: "De clara holanda vestis / Vosso corpo, linda Infanta, / Belo rocal de rubis / Vela-me a vossa garganta" (Eugênio de Castro, *Obras Poéticas*, I, p. 147).

rocalha [De *rocal*.] ***S. f.*** **1.** Porção de contas para rosário ou colar. **2.** Rocal (2). **3.** Tipo de decoração adotada na França entre 1710 e 1750, que se caracteriza pela fantasia das composições assimétricas evocadoras de concreções minerais, conchas e formações vegetais, e que é própria do estilo rococó. ● ***Adj. (f.)*** **4.** Relativo a, ou próprio de rocalha (3).

rocambole [Do fr. *Rocambole* (v. *rocambolesco*).] ***S. m.*** *Bras.* **1.** *Cul.* Bolo, doce ou salgado, assado em tabuleiro e enrolado com recheio: *rocambole de camarão; rocambole de goiabada.* **2.** *Cul.* V. *colchão de noiva*. **3.** Tipo de fandango, bailado em que há influência coreográfica da valsa.

rocambolesco (ê) ***Adj.*** **1.** Relativo ou pertencente a Rocambole, personagem de romance em folhetim do francês Ponson du Terrail (1829-1871). **2.** Que lembra essa personagem ou suas aventuras extraordinárias; cheio de peripécias; enredado, complicado, acidentado: *história rocambolesca.*

rocambólico [Do ficciôn. *Rocambole* (v. *rocambolesco*) + *-ico*[2].] ***Adj.*** Rocambolesco.

rocambolismo [Do fr. *Rocambole* (v. *rocambolesco*) + *-ismo*.] ***S. m.*** Aventuras ou processos rocambolescos.

roçamento [De *roçar* + *-mento*.] ***S. m.*** V. *roçadura* (1).

rocar [De *roque* + *-ar*[2].] ***V. int.*** No jogo do xadrez, colocar a torre na casa vizinha à do rei, deslocando este para a casa que fica do outro lado da torre, o que só é possível fazer quando ainda não se mexeu com nenhuma dessas duas peças e quando o espaço estiver aberto entre elas, e não exposto a xeque. [Sin.: *enrocar*. Conjug.: v. *trancar*.]

roçar [Do lat. **ruptiare* < lat. *ruptus*, part. pass. de *rumpere*, 'dilacerar', 'arrancar'.] ***V. t. d.*** **1.** Pôr abaixo (vegetação); cortar, derrubar: *roçar um capinzal.* [Sin., bras.: *cabrocar*.] **2.** Gastar com o atrito: *A mó vai roçando o fio da faca.* **3.** Atritar, esfregar, friccionar: *O pneu roçou o meio-fio.* **4.** Tocar de leve, brandamente: "Quando roçou os lábios contraídos por aquela testa gelada, um engulho lhe subiu da garganta" (Macedo Miranda, *Pequeno Mundo outrora*, p. 43). **5.** Roçagar (1): *O vestido de cauda ia roçando o chão.* **6.** Passar junto de; rentear: "Algumas [marrecas selvagens] atravessam o lago voando na superfície, tão rasteiras no seu voo que os pés vão roçando as águas" (Lígia Fagundes Teles, *A Disciplina do Amor*, p. 109); *A estrada roçava o mar.* ***T. d. e i.*** **7.** Esfregar, atritar: *Não se deve roçar o taco na mesa de bilhar.* ***T. i.*** **8.** Tocar de leve; resvalar, esfregar-se: *O gato roçou em suas pernas; A rede de pesca roçava com a areia;* "Não ouviram mais a música brilhante que soava, não sentiram o doce contacto dos vestidos magníficos que passavam, roçando às vezes pelos seus joelhos" (Joaquim Manuel de Macedo, *Os Romances da Semana*, p. 99). ***P.*** **9.** Tocar de leve; esfregar-se. [Conjug.: v. *laçar*. Pres. ind.: *roço*, etc. Cf. *roço* (ô) e *ruçar*.]

roca-salense ***Adj. 2 g.*** **1.** De, ou pertencente ou relativo a Roca Sales (RS). ● ***S. 2 g.*** **2.** O natural ou habitante de Roca Sales. [Pl.: *roca-salenses*.]

rocaz [De *roca*[2] + *-az*.] ***Adj. 2 g.*** Que se cria nas rochas; rochaz.

rocedão [De *roçar*.] ***S. m.*** Fio com que o sapateiro ata o couro em redor das fôrmas.

rocega [Dev. de *rocegar*.] ***S. f.*** **1.** *Marinh.* Ato de rocegar. **2.** *Marinh.* Cabo que em certa extensão do seio é guarnecido de pesos a fim de ser arrastado pelo fundo do mar ou a uma profundidade intermediária entre a superfície e o fundo do mar, rebocado pelos chicotes. **3.** *Bras. N.E.* Fragmento de vidro afiado, especialmente o que se ata à cauda dos papagaios de papel para cortar, nos ares, o fio dos outros. **4.** *Bras. N.E.* Navalha ruim.

rocegar [Var. de *roçagar*.] ***V. t. d.*** *Marinh.* Arrastar pelo fundo ou a meia água de (determinada área do mar) a rocega, um busca-vida ou uma fateixa, a fim de localizar altos-fundos, pedras isoladas, objetos perdidos, etc., cuja posição não se conhece precisamente. [Cf. *gratear*. Conjug.: v. *regar*.]

roceira [F. subst. do adj. *roceiro*.] ***S. f.*** *Bras. Zool.* V. *saúva*.

roceiro [De *roça* + *-eiro*.] ***S. m.*** **1.** Homem que roça. **2.** *Bras.* Homem que planta roçados. **3.** *Bras.* Pequeno lavrador. **4.** *Bras.* V. *caipira* (1). **5.** *Angol. Santom.* Dono de roça (4). ● ***Adj.*** **6.** *Bras.* Diz-se do animal que tem o hábito de penetrar nas roças para nelas pastar. **7.** V. *caipira* (4).

roceiro-planta [De *roceiro* + *planta*.] ***S. m.*** *Bras. MG Zool.* V. *saci* (2). [Pl.: *roceiros-plantas* e *roceiros-planta*.]

rocha [Do fr. *roche*.] ***S. f.*** **1.** Massa compacta de pedra muito dura. **2.** Rochedo, penedo, penhasco. **3.** *Geol.* Agregado natural formado de substâncias minerais ou mineralizadas, resultante de um processo geológico determinado, que constitui parte essencial da litosfera. **4.** *Constr.* Material natural, duro e compacto, da crosta terrestre, que ger. se distingue dos solos por não se desagregar quando agitado dentro da água. **5.** *Fig.* Símbolo da dureza, da firmeza ou da insensibilidade; rochedo: *Nada o comove: é uma rocha.* **6.** *Fig.* Coisa firme, sólida, inabalável; rochedo: *Vive numa casa que é uma rocha.* [Sin. ger.: *roca*. Cf. *roxa* (ô), fem. de *roxo* e s. f.] **7.** *Cabo-verd.* Monte, serra: "quando o sol se for esconder detrás das rochas despidas, caminharei solitária pelas achadas" (Vera Duarte, *Amanhã Amadrugada*, p. 42). ◆ **Rocha abissal.** *Geol.* V. *rocha intrusiva*. **Rocha ácida.** *Geol.* Rocha magmática que contém mais de 65% de sílica, quer livre, quer combinada, sob a forma de silicatos. **Rocha afanítica.** *Geol.* Rocha de granulação finíssima, cujos constituintes individuais não são visíveis a olho desarmado. [Opõe-se a *rocha fanerítica*.] **Rocha alcalina.** *Geol.* Rocha que contém alta percentagem de álcalis (sódio e potássio) em relação à sílica e à alumina. **Rocha básica.** *Geol.* Rocha magmática pobre em sílica, não possuindo dessa substância mais que 50%. **Rocha cataclástica.** *Geol.* A que sofreu catáclase e apresenta uma estrutura que evidencia tal fenômeno. **Rocha clástica.** *Geol.* Rocha mecânica. **Rocha cristalina.** *Geol.* Rocha constituída por minerais cristalizados. **Rocha efusiva.** *Geol.* V. *rocha extrusiva*. **Rocha eólica.** *Geol.* Rocha sedimentar cujos elementos constituintes foram acumulados pela ação do vento. **Rocha eruptiva.** *Geol.* V. *rocha magmática*. **Rocha estratificada.** *Geol.* Rocha sedimentar. **Rocha extrusiva.** *Geol.* Rocha magmática que se formou pela solidificação do material expelido pelas erupções vulcânicas; rocha efusiva, rocha vulcânica. **Rocha fanerítica.** *Geol.* Aquela cujos constituintes mineralógicos são visíveis a olho desarmado. [Opõe-se a *rocha afanítica*.] **Rocha hidrógena.** *Geol.* Rocha formada no seio das águas ou por intervenção da água. **Rocha hipabissal.** *Geol.* Rocha magmática formada em profundidade intermediária entre a profundidade das intrusivas e a superfície, como, p. ex., as rochas dos diques, das chaminés vulcânicas, dos lacolitos, etc. **Rocha holocristalina.** *Geol.* Rocha constituída exclusivamente de minerais cristalizados, sem vidro. **Rocha ígnea.** *Geol.* V. *rocha magmática*. **Rocha intrusiva.** *Geol.* Rocha magmática que se consolidou nas partes profundas da litosfera e só apareceu à superfície depois de removido o material sedimentar ou metamórfico que a recobria; rocha abissal, rocha plutônica. **Rocha magmática.** *Geol.* A que resultou da consolidação devida a resfriamento de magma; rocha ígnea, rocha eruptiva. **Rocha mecânica.** *Geol.* Rocha sedimentar cujos elementos constituintes foram acumulados pela ação lenta e contínua do vento, da água ou do gelo; rocha clástica. **Rocha metamórfica.** *Geol.* Rocha que sofreu o processo do metamorfismo. **Rocha microgranular.** *Geol.* Rocha formada de minúsculos minerais que mal se distinguem a olho nu, com fenocristais ou sem eles. **Rocha neutra.** *Geol.* Aquela cuja percentagem de sílica varia entre 52 e 64 por cento. **Rocha orgânica.** *Geol.* Rocha sedimentar formada pelo acúmulo de detritos vegetais e animais associados a materiais de origem mecânica e química; rocha organogênica. **Rocha organogênica.** *Geol.* Rocha orgânica. **Rocha ortometamórfica.** *Geol.* Rocha metamórfica originada das rochas magmáticas. **Rocha parametamórfica.** *Geol.* Rocha metamórfica proveniente das rochas sedimentares. **Rocha plutônica.** *Geol.* V. *rocha intrusiva.* **Rocha química.** *Geol.* Rocha sedimentar resultante de transformações químicas. **Rocha sedimentar.** *Geol.* Rocha resultante da destruição, desagregação ou decomposição de outras rochas ou de outros materiais preexistentes e da posterior sedimentação, em camadas ou estratos, dos detritos provenientes dessa destruição; rocha estratificada. **Rocha ultrabásica.** *Geol.* Rocha magmática que contém menos de 45% de sílica e se caracteriza pela pobreza ou ausência de feldspato. **Rocha vítrea.** *Geol.* Rocha constituída de minerais cristalizados e componentes amorfos. **Rocha vulcânica.** *Geol.* V. *rocha extrusiva.* **Rocha xistoide.** *Geol.* Rocha que apresenta aspecto xistoso.

rochaz [De *rocha* + *-az*.] *Adj. 2 g.* Rocaz.

rochedense[1] *Adj. 2 g.* **1.** De, ou pertencente ou relativo a Rochedo (MS). ● *S. 2 g.* **2.** O natural ou habitante de Rochedo.

rochedense[2] *Adj. 2 g.* **1.** De, ou pertencente ou relativo a Rochedo de Minas (MG). ● *S. 2 g.* **2.** O natural ou habitante de Rochedo de Minas.

rochedo (ê) [De *rocha* + *-edo*.] *S. m.* **1.** Grande rocha, volumosa, elevada; penedo, penhasco. **2.** Rocha escarpada; alcantil, penhasco. **3.** Penhasco batido pelo mar ou à beira-mar; penedo. **4.** *Anat.* A parte mais dura e forte de cada osso temporal. **5.** *Fig.* Rocha (5 e 6).

rochina *S. f. Bras. Bot.* Espécie de mandioca.

rochoso (ô) [De *rocha* + *-oso*.] *Adj.* **1.** Coberto ou constituído de rochas, de rochedos. **2.** Da natureza da rocha.

rociada [De *rociar* + *-ada*[1].] *S. f.* Ato ou efeito de rociar.

rociar [Do lat. **roscidare*, 'orvalhar-se'.] *V. t. d.* **1.** Orvalhar (1). **2.** Cobrir de umidade; borrifar, esborrifar: *A chuva miúda rociou-lhe as roupas.* *T. d. e c.* **3.** Espalhar em forma de orvalho; difundir sobre: *Dir-se-ia que um poder mágico rociava sono pela Terra.* *T. d. e i.* **4.** Cobrir, encher, espalhando: *Aviões inimigos rociaram de bombas toda a região.* **Int.** **5.** Orvalhar (4). **6.** Cair em forma de orvalho. [Pres. ind.: *rocio*, etc. Cf. *rócio* e *rossio*, s. m., *Róscio*, antr., e *Rossio*, top.]

rocim [Do esp. *rocín*.] *S. m.* Cavalo pequeno e/ou fraco ou magro; rocinante: "Iniciado nos mistérios da cocheira, entusiasta por cavalos, amador apaixonado do turfe português, pela convivência assídua com algum magro rocim, ... o gaiato virá a ser apontado como um ótimo cavaleiro" (Latino Coelho, *Tipos Nacionais*, p. 33).

rocinal [De *rocim* + *-al*[1], seg. o padrão erudito.] *Adj. 2 g.* Próprio de rocim.

rocinante [De *Rocinante*, nome do cavalo de D. Quixote (v. *quixotesco*).] *S. m.* Rocim.

rocinar [De *rocim* + *-ar*[2].] *V. t. d. Bras. RS* Tornar (o animal) muito manso e obediente ao freio: *rocinar um potro.* [É uma operação complementar da doma.]

rocinha [De *roça* + *-inha*.] *S. f.* **1.** Pequena roça. **2.** *Bras. AM PA* Pequena chácara; sítio com pomar: "Assinala [o jornalista francês Alfred Marc, que visitou Belém em 1887] que as ruas se prolongam além do centro com o nome de *estradas*, caminhos cheios de chácaras, sítios e rocinhas, casas de campo mais ou menos luxuosas e originais" (Manuel Diegues Júnior, *Regiões Culturais no Brasil*, p. 102).

rocio[1] [Dev. de *rociar*.] *S. m.* V. *orvalho* (1). [Cf. *rócio* e *rossio*, s. m., *Róscio*, antr., e *Rossio*, top.]

rocio[2] [De *roça* + *-io*[2].] *S. m. Bras. SP* Antiga roça, que se aproveita para capinzal. [Cf. *rócio* e *rossio*, s. m., *Róscio*, antr., e *Rossio*, top.]

rócio *S. m. Bras. N.E. Pop.* Orgulho; vaidade, empáfia, prosápia. [Var.: *roço*. Cf. *rocio* e *rossio*, s. m., *Róscio*, antr., e *Rossio*, top.]

rocioso (ô) [De *rocio*[1] + *-oso*.] *Adj.* Que tem rocio[1]; orvalhoso.

→ **rock** [ɹɑk] [Ingl., abrev. de *rock and roll*.] *S. m. Mús.* Música de origem norte-americana em compasso quaternário, surgida na década de 1950, tendo por base o *rhythm and blues* e outros ritmos, como o *boogie-woogie*, e ger. tocada na seguinte formação: voz, guitarra elétrica, baixo elétrico e bateria; roque. ◆ **Rock pesado.** *Mús.* Rock em que se usa distorção e muita amplificação do som dos instrumentos.

→ **rock and roll** [ɹɑk ənˈɹowl] [Ingl.] *S. m. Mús.* V. *rock.* [Tb. se grafa *rock 'n' roll*.]

rockbridgeíta [Do top. *Rockbridge* (E.U.A.) + *-ita*[3].] *S. f. Min.* Mineral ortorrômbico, fosfato básico de ferro.

roció [Do fr. *roquelaure*.] *S. m.* Antigo capote com mangas e que se abotoava na frente.

roço *S. m. Bras. N.E. Pop.* V. *rócio*. [Pl.: *roços* (ó). Cf. *roço* (ô) e pl. *roços* (ô).]

roço (ô) [Dev. de *roçar*.] *S. m.* **1.** Corte de pedra, acima do nível do solo. **2.** Sulco que os canteiros fazem nas pedras, para cortá-las. [Pl.: *roços* (ô). Cf. *roço*, do v. *roçar* e s. m., e pl. *roços*.]

rococó [Do fr. *rococo*.] *Adj. 2 g.* **1.** Diz-se do estilo ornamental surgido na França durante o reinado de Luís XV (1710-1774), e caracterizado pelo excesso de curvas caprichosas e pela profusão de elementos decorativos, como conchas, laços, flores e folhagens, etc., que buscavam uma elegância requintada, uma graça não raro superficial. **2.** Diz-se das artes influenciadas pelo estilo rococó. **3.** *P. ext.* Que é excessivamente rebuscado. ● *S. m.* **4.** O estilo rococó. **5.** O período de influência desse estilo: "Uma suavidade dengosa e açucarada invade, desde cedo, todas as esferas da vida colonial. Nos próprios domínios da arte e da literatura ela encontra meios de exprimir-se, principalmente a partir do Setecentos e do Rococó." (Sérgio Buarque de Holanda, *Raízes do Brasil*, p. 31.) **6.** Abundância de adornos. **7.** *Bord. Cost.* Espécie de rosinha feita de fitilho ou bordada com ponto de canutilho, us. como enfeite em roupa infantil, em roupa-branca feminina, etc.

rocororé *S. m. Bras. Zool.* V. *corocoxó*.

roda [Do lat. *rota*.] *S. f.* **1.** Peça ou máquina simples, de formato circular, que se movimenta ao redor de um eixo ou de seu centro, e que serve para inúmeros fins mecânicos: *a roda de um torno, de um moinho.* **2.** Qualquer objeto circular; círculo, disco. **3.** Anel, cinto, círculo. **4.** A roda (1) de qualquer veículo, a qual, acionada, permite o rolamento dele. **5.** Rodela[1] (4). **6.** V. *volta* (10). **7.** A extensão da barra ou extremidade inferior de uma peça de vestuário; rodado: *vestido de muita roda.* **8.** Globo onde se depositam os números da loteria, os quais vão sendo extraídos um a um, à medida que o globo vai girando. **9.** *P. ext. Fig.* A loteria. **10.** Caixa giratória, instalada na portaria de certos conventos, de asilos, etc., na qual se depositava alguma coisa que se quer remeter para o interior. [V. *roda dos expostos*.] **11.** Patela do joelho. **12.** Distribuição ou arrecadação de alguma coisa entre pessoas, ou de pessoas reunidas à volta de alguma coisa. **13.** Agrupamento de pessoas em círculo. **14.** *P. ext.* Agrupamento heterogêneo de pessoas; grupo: *uma roda de curiosos.* **15.** O grupo de pessoas com quem se mantêm relações; círculo de amizades. **16.** Grande número; grande quantidade: *Deram-lhe uma roda de bofetões.* **17.** Brinquedo infantil que consiste na formação de uma roda (13) de crianças, uma ao lado da outra, em geral de mãos dadas, cantando e movimentando-se em círculo, em rodas ou cirandas. **18.** *Fig.* Giro feito por uma pessoa ou uma coisa em torno de outra; volta: *fazer a roda do quarteirão.* **19.** *Fig.* O decurso do tempo: *a roda dos anos.* **20.** Suplício que consistia em amarrar alguém numa espécie de cruz em forma de X, quebrar-lhe os membros com uma maça e, em seguida, atar-lhe o corpo a uma roda, que se fazia girar; suplício da roda. **21.** *Encad.* Ferro constituído por um disco de latão que gira num cabo longo, para apoiar no ombro, e o qual tem o bordo gravado, para estampar frisos ou ornatos repetidos. **22.** *Bras. Cap. Mús.* Conjunto de cantadores, músicos e jogadores que formam um círculo para a prática da capoeira. [Dim.: *rodela*, *rodeta*, *rodete*.] ◆ **Roda de choro.** *Mús.* Conjunto de músicos que se reúnem para tocar choro. **Roda de moldes.** *Tip.* Disco de moldes. **Roda de samba.** *Mús.* Conjunto de músicos que se reúnem para tocar e cantar samba. **Roda do leme.** *Constr. Nav.* Roda ou volante com que se manobra o leme de certas embarcações pequenas e dos navios. [Em sua periferia dispunham-se, até pouco tempo, vários punhos, chamados *malaguetas*, que permitiam ao timoneiro segurá-la com firmeza. Ultimamente se usa um volante pesado, de metal, sem malaguetas, a fim de permitir manobras mais rápidas.] **Roda dos expostos.** Nos asilos e orfanatos, espécie de caixa giratória onde se colocavam as crianças enjeitadas; roda (10). **Roda hidráulica.** Roda impulsionada à água e destinada a transmitir o movimento a um mecanismo qualquer; roda-d'água. **Andar à roda.** *Bras.* Correr (a loteria [1]). **À roda de.** À volta de; ao redor de. **Brincar de roda.** Cantar, girar, saltar (as crianças), formando uma roda (13). **De roda.** Em volta. **Em roda de.** Em torno de: "Estes, curvados sobre os colos dos cavalos e cobertos com os leves escudos, volteiam em roda dos adversários" (Alexandre Herculano, *Eurico, o Presbítero*, p. 97). **Fazer a roda a.** Requestar, cortejar (alguém). **Meter na roda.** Enjeitar (uma criança). **Ser roda dura.** *Bras. MG* Ser mau chofer. **Virar em roda.** *Mar.* Mudar (embarcação à vela) o bordo por onde recebe o vento, passando com a popa pela linha do vento. [Cf. *virar por d'avante*.]

rodada [De *roda*[1] + *-ada*[1].] *S. f.* **1.** O movimento completo de uma roda. **2.** *Bras.* Ato de acolher mal alguém **3.** *Bras.* Cada uma das vezes que se serve bebida às pessoas que bebem juntas, a uma mesa de bar: "Seu Joaquim tinha de voltar ao botequim mas se esquecera disso, bebericando cerveja, de uma rodada que oferecera por conta própria" (João Alphonsus, *Eis a Noite!*, p. 101). **4.** *Bras.* Cada um dos grupos de jogos em que se divide um campeonato desportivo, ao final dos quais todos os competidores completam o mesmo número de partidas disputadas: *a primeira rodada do campeonato de futebol.* **5.** *Bras.* Partida (2). **6.** *Bras. S.* Queda do cavalo, quando em trote ou galope, para a frente. **7.** *Bras. S. P. ext.* Queda ou tombo do cavaleiro pela frente do animal. **8.** *Bras. S.* Descida de rio, em pesca de canoa.

roda-d'água *S. f.* Roda hidráulica (q. v.). [Pl.: *rodas-d'água*.]

roda de pau *S. f.* V. *surra* (1). [Pl.: *rodas de pau*.] ☑

roda de proa *S. f. Constr. Nav.* O conjunto das várias peças, convenientemente presas entre si, que se seguem à quilha e fecham o cavername das embarcações na parte de vante. [Pl.: *rodas de proa*.] ☑

rodado [Part. de *rodar*[1].] *Adj.* **1.** Que é dotado de roda (1) ou de rodas. **2.** Decorrido, transcorrido, passado. **3.** Diz-se do cavalo que tem pelo branco e preto, formando esta cor malhas redondas: "Iam no caminho do fio pervagando, os três montados, no baio, no rosilho e no queimado rodado." (José Sarney, *Norte das Águas*, p. 19.) [Esta acepç., muito corrente no N.E. do Brasil, é antiquada em Portugal, e em tal sentido a palavra é pronunciada, talvez no Brasil inteiro, com o *o* reduzido, ou seja, com o som, muito aproximadamente, de *rudado*.] **4.** Que tem roda (7). **5.** *Bras.* Diz-se da distância percorrida por veículo automóvel: *O carro tem 4.000km rodados.* ● *S. m.* **6.** Roda (7). **7.** Rodas de um carro; rodagem.

rodador (ô) [De *rodar*[1] + *-dor*.] *Adj. Bras. S.* Diz-se do cavalo que costuma rodar[1] (22).

rodagem [Do fr. *rodage*.] *S. f.* **1.** Conjunto de rodas de um maquinismo. **2.** Fábrica de rodas. **3.** Ato de rodar[1] (5). **4.** *Lus. Autom.* Ato de rodar[1] (10).

roda-gigante *S. f. Bras.* Aparelho de parque de diversões: duas grandes rodas paralelas, em posição vertical, que giram em torno de um eixo comum e sustentam bancos oscilantes, sobre os quais se sentam pessoas. [Pl.: *rodas-gigantes*.]

rodamento [De *rodar*[1] + *-mento*.] *S. m. Bras.* V. *remoinho*.

rodamina [De *rod(o)-* + *-amina*.] *S. f. Quím.* Qualquer de um grupo de corantes altamente fluorescentes, derivados do xanteno, e que se usam em espectroscopia e em *lasers* de corante, p. ex., rodamina B [fórm.: $(C_{28}H_{31}N_2O_3)^+Cl^-$] e rodamina 6G [fórm.: $(C_{28}H_{31}N_2O_3)^+Cl^-$], cujas fórmulas moleculares são idênticas, mas não as estruturas.

rodamoinho (o-í) [De *roda* + *moinho*.] *S. m. Bras.* V. *remoinho*.

rodamontada [Do fr. *rodomontade*.] *S. f.* V. *fanfarrice* (2).

rodante [Do lat. *rotante*.] *Adj. 2 g.* **1.** Que roda. ~ V. *material* —. ● *S. m.* **2.** Cambão ao qual se junge o boi ou se atrela outro animal, nos engenhos de tirar água.

rodapé [De *roda* + *pé*.] *S. m.* **1.** Espécie de cortina que cai em volta da cama até ao piso. **2.** *Constr.* Barra de madeira, mármore, etc., que rodeia a parte inferior das paredes internas, rente ao chão, para evitar que os móveis, a varrição ou a lavagem do piso estraguem o revestimento delas; guarda-vassouras, alizar. **3.** Faixa de madeira, ou de outro material, na parte inferointerior das grades duma janela de sacada. **4.** A parte inferior de uma página impressa. **5.** Artigo, crônica, folhetim, etc., de jornal ou revista, publicado no rodapé da folha e ger. separado do resto do texto por um filete horizontal.

roda-pisa [De *roda* + *pisar*.] *S. f. Ant.* A barra da saia, que encosta no chão. [Pl.: *roda-pisas*.]

rodaque [De *roda*, poss.] *S. m.* Espécie de casaco para homens, hoje desusado: "apareceu-me o velhote, de rodaque branco, chinelos, sem colete" (Aluísio Azevedo, *Demônios*, p. 145).

rodar[1] [Do lat. *rotare*.] *V. t. d.* **1.** Fazer andar à roda; fazer girar em volta: *O vento roda as pás do moinho.*

R

2. Andar, percorrer em volta; contornar, rodear: *Os excursionistas rodaram o lamaçal.* 3. Viajar por; visitar; percorrer: *Os turistas rodaram toda a Europa.* 4. Percorrer, navegando, na direção da corrente. 5. Percorrer, andar: *A esquadra rodou o Atlântico.* 6. Submeter ao suplício da roda: *Na Idade Média costumavam rodar os prisioneiros.* 7. Imprimir (2): *Este mimeógrafo roda 10 mil folhas por hora.* 8. *Bras. Cin.* V. *filmar* (1). 9. *Lus.* Amaciar (4 e 5). 10. *Inform.* Executar (10). *T. c.* 11. Percorrer (determinada distância): *Este carro rodou 20.000 quilômetros.* 12. Dirigir-se de carro: *Amanhã rodaremos para São Paulo.* ***Int.*** 13. Andar em roda dum eixo ou centro; girar: *O cata-vento roda sem parar.* 14. Cair, rolando: *Rodou a neve dos montes, destruindo muitas casas.* 15. Mover-se sobre rodas. 16. Fazer movimento de rotação: *A Terra roda.* 17. Fazer, descrever círculo; girar: *Os planetas rodam em torno do Sol.* 18. Decorrer, transcorrer, passar (o tempo): *O ano rodou rápido.* 19. *Pop.* Caminhar, andar: *Vou rodar um pouco para distrair-me.* 20. *Pop.* Malograr-se em uma pretensão: *Pensava ter passado no concurso, mas rodou.* 21. *Bras. Fam.* Sair (alguém) de lugar onde se sente indesejável: *O visitante rodou à primeira insinuação.* 22. *Bras. Fam.* Ser despedido de emprego; perder um cargo, um posto: *Os empregados desleixados rodaram.* 23. *Bras. S. MT* Cair para a frente (o cavalo ou o cavaleiro). 24. *Bras.* Ser reprovado em exame. 25. Ser impresso: *Milhares de exemplares do livro já rodaram; O jornal rodou tarde.* [Pres. ind.: *rodo, rodas, roda, rodamos, rodais, rodam.* Cf. *rodo* (ô), s. m., e *Ródão*, top.]

rodar[2] [De *rodo* + *-ar*[2].] ***V. t. d.*** 1. Juntar com o rodo (1): *O rapaz roda sal o dia todo.* ***Int.*** 2. Trabalhar com o rodo (1): *O menino apresentou-se salina, dizendo que sabia rodar.* [Pres. ind.: *rodo, rodas, roda, rodamos, rodais, rodam.* Cf. *rodo* (ô), s. m., e *Ródão*, top.]

roda-viva ***S. f.*** 1. Movimento incessante; azáfama, lufa-lufa, cortado, corrupio. 2. Barafunda, confusão, atrapalhação. [Pl.: *rodas-vivas.*]

rodeador (ô) [De *rodear* + *-dor*.] ***Adj.*** 1. Que rodeia; rodeante. ● ***S. m.*** 2. *Bras. N.E.* Nos campos, local onde vaqueiros reúnem, para revista, magotes ou pontas de gado; rodeio.

rodeamento [De *rodear* + *-mento*.] ***S. m.*** Ato ou efeito de rodear(-se); rodeio.

rodeante [De *rodear* + *-nte*.] ***Adj. 2 g.*** Rodeador (1).

rodear [De *roda* + *-ear*[2].] ***V. t. d.*** 1. Andar em roda de; percorrer em volta ou em giro; contornar; rodar, rondar: *Vasco da Gama rodeou a África.* 2. Girar em volta de: *A Terra rodeia o Sol.* 3. Cercar, cingir, circundar: "Pequenas cabanas de sopapo, pintadas de várias cores, rodeavam o barracão fechado." (Vasconcelos Maia, *O Leque de Oxum*, p. 56); "cinturas, coxas, rodeando as ancas / Em que se esconde o corredor do dia" (Jorge de Sena, *Versos e Alguma Prosa*, p. 45). 4. Formar círculo em volta de: *Os presentes rodearam o orador.* 5. Adornar em círculo; coroar: *Uma auréola rodeava-lhe a fronte.* 6. Andar, desviando-se de: *Os transeuntes eram obrigados a rodear o obstáculo.* 7. Fazer companhia a; ter convivência com; cercar: *Uma corja de bajuladores o rodeava.* 8. Tergiversar acerca de; ladear: *rodear um assunto importante.* ***P.*** 9. Fazer-se acompanhar; cercar-se: *Rodeou-se inadvertidamente de inimigos.* 10. Chamar a si. [Var.: *arrodear* (q. v.). Conjug.: v. *frear*.] ● ***S. m.*** 11. Ato de rodear; rodeio, giro.

rodeiense[1] ***Adj. 2 g.*** 1. De, ou pertencente ou relativo a Rodeio (SC). ● ***S. 2 g.*** 2. O natural ou habitante de Rodeio.

rodeiense[2] ***Adj. 2 g.*** 1. De, ou pertencente ou relativo a Rodeio Bonito (RS). ● ***S. 2 g.*** 2. O natural ou habitante de Rodeio Bonito.

rodeio [Dev. de *rodear*.] ***S. m.*** 1. Rodeamento. 2. Volta em redor de alguma coisa; giro. 3. Exposição, oral ou escrita, na qual se ladeia um assunto sem abordá-lo diretamente; perífrase, circunlóquio. 4. Meio indireto para se obter um fim. 5. Desculpa, subterfúgio, evasiva. [M. us. no pl.] 6. *Bras.* Ato de ajuntar o gado para marcá-lo ou para curativos. 7. *Bras. N.E.* Rodeador (2). ~ V. *rodeios*. ◆ **Parar rodeio.** *Bras. RS* Ajuntar o gado em determinado lugar do campo.

rodeios ***S. m. pl.*** Rodeio (5). ~ V. *rodeio*.

rodeira [De *roda* + *-eira*.] ***S. f.*** 1. Mulher que trabalha na roda dos asilos e conventos. 2. Caminho apropriado ao tráfego de carros. 3. Sulco produzido pelas rodas de um veículo; relheira, relheiro. 4. *Bras.* Roda dos carros.

rodeirense ***Adj. 2 g.*** 1. De, ou pertencente ou relativo a Rodeiro (MG). ● ***S. 2 g.*** 2. O natural ou habitante de Rodeiro.

rodeiro [De *roda* + *-eiro*.] ***S. m.*** 1. Eixo de um carro ou de uma máquina; chaveiro. 2. Conjunto de duas rodas e o eixo no qual elas estão montadas: "os carros, completamente atulhados, rolavam já pela praia acima, os rodeiros enterrados na areia" (Virgílio Várzea, *Mares e Campos*, p. 45). ● ***Adj.*** 3. Diz-se de maço com que se encaixam, ajustam e batem as rodas de carros.

rodela[1] [Do lat. tard. *rotella*.] ***S. f.*** 1. V. *rodeta*. 2. Escudo redondo. 3. *Anat. Pop.* V. *patela* (1). 4. Pedaço mais ou menos circular de uma fruta ou de outro alimento; roda. 5. *Bras.* V. *mentira* (1). 6. *Bras.* Jactância, gabo, gabolice, pabulagem. ◆ **Contar rodelas.** *Bras.* 1. Contar gabolices; gabar-se, vangloriar-se. 2. Mentir.

rodela[2] *Bras.* ***S. 2 g.*** 1. *Etnôn.* Indivíduo dos rodelas [ou (etnôn. bras.) *Rodellas], povo indígena extinto que habitava o N. da BA, próximo ao rio São Francisco. ● ***Adj. 2 g.*** 2. Pertencente ou relativo a esse povo.

rodeleiro [De *rodela*[1] + *-eiro*.] ***Adj.*** 1. Que tem rodela[1]. ● ***S. m.*** 2. Soldado munido de rodela[1] (2). 3. *Bras.* Aquele que tem rodela[1] (6). [Cf. *redoleiro*.]

rodelense ***Adj. 2 g.*** 1. De, ou pertencente ou relativo a Rodelas (BA). ● ***S. 2 g.*** 2. O natural ou habitante de Rodelas.

rodelinha [De *rodela*[1] + *-inha*.] ***S. f.*** *Bras.* Bolacha (6): "Abanquei-me a seu lado. Novos chopes, novas rodelinhas." (Ciro dos Anjos, *A Menina do Sobrado*, p. 349.)

rodelo (ê) [De *rodela*[1].] ***S. m.*** Remendo no calçado; tomba.

rodesiano ***Adj.*** 1. Da, ou pertencente ou relativo à antiga Rodésia, atualmente dividida entre Zâmbia (N.) e Zimbábue (S.). ● ***S. m.*** 2. O natural ou habitante da antiga Rodésia. [V. *zambiano* e *zimbabuano*.]

rodeta (ê) [De *roda* + *-eta* (ê).] ***S. f.*** Roda pequena; rodela, rodete.

rodete[1] (ê) [De *roda* + *-ete* (ê).] ***S. m.*** 1. Carrinho de madeira usado para dobar fio de seda. 2. V. *rodeta*. 3. *Zool.* Caititu (2).

rodete[2] (ê) [De *rodo* + *-ete* (ê).] ***S. m.*** Pequeno rodo.

rodício [V. *rodízio*.] ***S. m.*** Roseta que remata as disciplinas (q. v.) para flagelação.

rodilha [Do esp. *rodilla*.] ***S. f.*** 1. Trapo para limpeza de soalhos ou pavimentos. 2. Pano enrolado como rosca, usado na cabeça, e sobre o qual se assenta a carga; rodouça. 3. *Fig.* Pessoa desprezível; rodilho. 4. *Bras. RS* Voltas feitas pelos laçadores junto à armada do laço, no momento de manejá-lo.

rodilhão [De *rodilha* + *-ão*[1].] ***S. m.*** 1. Rodilha grande. 2. Pequena roda de zorras e carros de mão. 3. Peça de atafona.

rodilhar [De *rodilha* + *-ar*[2].] ***V. t. d. P.*** V. *enrodilhar*.

rodilho [De *rodilha*.] ***S. m.*** 1. Rodilha (3). 2. Pedaço de pano velho; trapo.

rodilhudo [Do esp. *rodilludo*.] ***Adj.*** *Bras. S.* Que tem inchações crônicas nos machinhos ou nos joelhos (cavalo).

rodinha [De *roda* + *-inha*.] ***S. f.*** *Bras.* Peça pirotécnica que gira ao acender-se o rastilho de pólvora enrolado a um disco de papelão: "soltava eu foguetes do ar, busca-pés, rodinhas e numerosas cartas de bichas" (Virgílio Várzea, *Histórias Rústicas*, p. 97). ◆ **Queimar rodinha.** *Bras. PE Chulo* Ser pederasta passivo.

ródio[1] [De *rod(o)-* + *-io*[3].] ***S. m.*** *Quím.* Elemento de número atômico 45, metálico, branco, duro, denso [símb.: *Rh*].

ródio[2] [Do gr. *rhódios*, pelo lat. *rhodiu*.] ***Adj.*** 1. De, ou pertencente ou relativo a Rodes, ilha grega no mar Egeu. ● ***S. m.*** 2. O natural ou habitante dessa ilha.

rodízio [Alter. de *rodício* < lat. **roticinu*, de *rota*, 'roda'.] ***S. m.*** 1. Haste de madeira, grossa e cônica, que movimenta a mó, e que é movida pela água. 2. Rodinha metálica ou de borracha, afixada aos pés de alguns móveis, para que seja possível deslocá-los com facilidade. 3. Alternância de pessoas, de fatos, de situações, etc.; rotação, rotatividade. 4. Revezamento na realização de um trabalho ou função, distribuindo-se sucessivamente os horários, de modo que todos cooperem na mesma tarefa. 5. Conluio, conchavo, cambalacho. 6. Ajuste para frustrar uma disposição legal ou regulamentar. 7. *Fam.* Intriga, enredo, mexerico. 8. *Vôlei* Mudança, obrigatória, de posicionamento no vôlei, realizada pelos jogadores de uma equipe quando reconquistam o direito de sacar. 9. *Bras.* V. *borboleta* (10). 10. *Bras.* Em certos restaurantes, como churrascarias e pizzarias, sistema de serviço em que as diversas especialidades são oferecidas à vontade e ao gosto do freguês.

rodo (ô) [Do lat. *rutru*.] ***S. m.*** 1. Utensílio de madeira com que se juntam os cereais nas eiras e o sal nas marinhas. 2. *P. ext.* Utensílio semelhante ao rodo, porém com uma guarnição de borracha na base, usado para puxar água dos pavimentos molhados. 3. *P. ext.* Designação comum a vários utensílios que servem para puxar alguma coisa, à semelhança de rodo. 4. *Litogr.* Peça de madeira revestida de couro lubrificado, atravessada na prensa litográfica, e destinada a exercer pressão sobre a pedra, ao fazer-se a tiragem; ratô. 5. *Art. Gráf.* Utensílio manejado pelo serígrafo, ou peça da prensa serigráfica, consistente em lâmina de borracha, destinada a premer a tinta através da máscara; puxador. [Pl.: *rodos* (ô). Cf. *rodo*, do v. *rodar*, e *Rodo*, top.] ◆ **A rodo.** Em vultosa quantidade; à beça: "Ganhava dinheiro a rodo, e gastava furiosamente" (Leôncio Correia, *A Boêmia do Meu Tempo*, p. 94); "Comeu-se à farta .... Vinho a rodo." (Coelho Neto, *Treva*, p. 17).

▲ **rod(o)-** [Do gr. *rhódon, ou*.] ***El. comp.*** = 'rosa'; 'cor-de-rosa'; 'vermelho': *ródio*[1], *rodolita*, *rodologia*; *rodogástreo*, *rodóptero*, *rodóstomo*.

rodó [De *Rodo* (ô), nome comercial, com hiperbibasmo e mudança de timbre do segundo ó.] ***S. m.*** *Bras. MA* V. *lança-perfume* (1 e 2).

rodocrosita [De *rod(o)-* + gr. *chrôsis*, 'colorido', + *-ita*[3].] ***S. f.*** *Min.* Carbonato de manganês, mineral trigonal avermelhado, que é minério pobre deste metal.

rododendro [Do tax. *Rhododendron* (do lat. *rhododendron* < gr. *rhodódendon*).] ***S. m.*** *Bot.* 1. Gênero de árvores e arbustos ericáceos, nativos das regiões temperadas do hemisfério norte, e vastamente cultivados, dotados de folhas alternas de pecíolo curto, ger. coriáceas, dispersas ou grupadas na parte terminal dos ramos, e flores em racemos terminais umbelados. 2. Qualquer espécie desse gênero, como, p. ex., a *Rhododendron indicum*, muito cultivada pela excepcional beleza das grandes flores, purpúreas ou alvas. 3. Qualquer espécime desse gênero, ou a flor dele. [Cf. *azálea*.]

rodoferroviário [De *rodo(viário)* + *ferroviário*.] ***Adj.*** Diz-se do serviço de transportes efetuado por uma ferrovia em conjugação com caminhões, e em geral explorado pela própria ferrovia.

rodofícea [De *rod(o)-* + *-fic(o)-*[2] + *-ea*; tax. *Rhodophyceae*.] ***S. f.*** *Bot.* Espécime das rodofíceas, divisão de algas em sua grande maioria de coloração entre rosada e violácea, que habitam quase sempre os oceanos; alga vermelha.

rodofíceo [De *rodofícea*, com var. suf. (v. *-eo*).] ***Adj.*** *Bot.* Pertencente ou relativo às rodofíceas.

rodófita [Adapt. do tax. *Rhodophyta*.] *Bot.* ***S. f.*** 1. Em algumas classificações, espécime das rodófitas, divisão do reino vegetal que compreende organismos unicelulares ou pluricelulares; são as algas vermelhas. ● ***Adj. 2 g.*** 2. Relativo ou pertencente a elas. [F. paral.: *rodófito*.]

rodófito ***S. m. Adj.*** *Bot.* V. *rodófita*.

rodogástreo [De *rod(o)-* + *-gastr(o)-* + *-eo*.] ***Adj.*** *Zool.* Diz-se do inseto de ventre cor-de-rosa; rosigastro.

rodografia [De *rod(o)-* + *-grafia*.] ***S. f.*** Descrição das rosas.

rodográfico [De *rodografia* + *-ico*[2].] ***Adj.*** Referente à rodografia.

rodógrafo [De *rod(o)-* + *-grafo*.] ***S. m.*** Autor de rodografia.

rodoiça ***S. f.*** V. *rodouça*. [Cf. *redoiça*.]

rodolego (ê) [Var. de *rodoleiro* (q. v.).] ***S. m.*** *Bras. SE Zool.* V. *carrapato-estrela* (1).

rodoleira ***S. f.*** *Bras. N.E. Zool.* Piranha-preta.

rodoleiro [F. assimilada de *rodeleiro* (q. v.).] ***S. m.*** *Bras. Zool.* V. *carrapato-estrela* (1).

rodolfense ***Adj. 2 g. S. 2 g.*** V. *rodolfo-fernandense*.

rodolfo-fernandense ***Adj. 2 g.*** 1. De, ou pertencente ou relativo a Rodolfo Fernandes (RN). ● ***S. 2 g.*** 2. O natural ou habitante de Rodolfo Fernandes. [Sin. ger.: *rodolfense*. Pl.: *rodolfo-fernandenses*.]

rodolita [De *rod(o)-* + *-lita*.] ***S. f.*** *Min.* Mineral isométrico, variedade de granada rósea, mistura de piropo e almandina, na proporção de duas partes daquele para uma desta.

rodologia [De *rod(o)-* + *-logia*.] ***S. f.*** Parte da botânica que se ocupa das rosas.

rodológico [De *rodologia* + *-ico*[2].] ***Adj.*** Referente à rodologia.

rodomel [Do gr. *rhodoméli*, pelo lat. *rhodomeli*.] ***S. m.*** *Farmac.* Mel-rosado. [Pl.: *rodoméis*.]

rodomoça (ô) [De *rodo(viária)* *moça*.] ***S. f.*** *Bras.* Empregada de empresas rodoviárias que atende os passageiros dos ônibus.

rodomoinho (o-i) ***S. m.*** V. *remoinho*: "O vento, fora, disparava, às vezes, reboando como uma vara de queixadas em rodomoinho no mato." (Afonso Arinos, *Pelo Sertão*, pp. 21-22.)

rodonita [De *rod(o)-* + *-n-* + *-ita*[3].] ***S. f.*** *Min.* Mineral triclínico, avermelhado ou róseo, silicato de manganês que contém cálcio, e empregado na manufatura de ornamentos.

rodopelo (ê) [De **redropelo* < *retro-* + *pelo*[2].] ***S. m.*** Redemoinho de pelos nos animais; rodopio.

rodopiar [De *corrupio* + *-ar*[2], com infl. de *roda*.] ***V. int.*** 1. Dar numerosas voltas; girar muito; corrupiar: "As folhas secas levantaram-se do chão, rodopiaram um momento no ar." (José Régio, *O Príncipe com Orelhas de Burro*, p. 24.) **2.** Andar ou correr, descrevendo círculos sobre círculos: *Rodopiavam os ventos arrastando tudo.* [Var. dissimilada: *redopiar*.]

rodopio [Dev. de *rodopiar*.] ***S. m.* 1.** Ato ou efeito de rodopiar. **2.** Rodopelo. [Var. dissimilada: *redopio*.]

rodopsina [De *rod(o)- + -ops(i)- + -ina*[3].] ***S. f.*** *Fisiol.* Cromoproteína presente nos bastonetes retinianos, e que funciona na adaptação da visão a ambiente escuro.

rodóptero [De *rod(o)- + -ptero*.] ***Adj.*** *Zool.* Diz-se do inseto que tem asas rosadas.

rodospermo [De *rod(o)- + -spermo*.] ***Adj.*** *Bot.* Que tem sementes rosadas.

rodóstomo [De *rod(o)- + -stomo*.] ***Adj.*** *Zool.* Que tem boca rosada.

rodouça [De *roda*, poss.] ***S. f.*** Rodilha (2). [Var.: *rodoiça*. Cf. *redouça*.]

rodovalho [Do esp. *rodoballo*.] ***S. m.*** *Zool.* V. *linguado* (6).

rodovia [De *rod(agem) + -o- + via*.] ***S. f.*** *Bras.* Via destinada ao tráfego de veículos autônomos que se deslocam sobre rodas; autovia, estrada de rodagem.

rodoviária [F. subst. do adj. *rodoviário*.] ***S. f.*** *Bras.* **1.** Estação de embarque e desembarque de passageiros de linhas de ônibus interurbanos, interestaduais e internacionais; estação rodoviária. **2.** Empresa de transporte rodoviário.

rodoviário [De *rodovia + -ário*.] *Bras.* ***Adj.* 1.** De, ou referente a rodovia. **2.** Diz-se de empregado de empresa rodoviária. ~ V. *estação —a, polícia —a* e *terminal —*. • ***S. m.* 3.** Empregado rodoviário.

rodrigues-alvense ***Adj. 2 g.* 1.** De, ou pertencente ou relativo a Rodrigues Alves (AC). • ***S. 2 g.* 2.** O natural ou habitante de Rodrigues Alves. [Pl.: *rodrigues-alvenses*.]

rodriguiano ***Adj.* 1.** Pertencente ou relativo a Nélson Rodrigues (1912-1980), teatrólogo brasileiro, ou próprio dele: "É inegável que o grande impulso da dramaturgia rodriguiana já foi há muito absorvido pelo nosso teatro" (Yan Michalski, em *Jornal do Brasil*, 22.12.1980). **2.** Que é admirador ou profundo conhecedor de sua obra. • ***S. m.* 3.** Admirador e/ou profundo conhecedor da obra de Nélson Rodrigues.

rodura [De *rodo + -ura*.] ***S. f.* 1.** Ato ou efeito de rodar[2]. **2.** Aquilo que se ajunta de uma só vez com o rodo (1).

roedeira [De *roer + -deira*.] ***S. f.*** *Bras. N.E.* **1.** Mal dos chifres. **2.** *Pop.* Ciúme (1).

roedeiro [De *roer + -deiro*.] ***S. m.*** Peça com que o caçador levanta o falcão após a comida deste.

roedor[1] [De *roer + -dor*.] ***Adj.* 1.** Que rói. ~ V. *verme —*. • ***S. m.* 2.** *Bras. PE Pop.* V. *ébrio* (8).

roedor[2] [De *roedor*[1], para adapt. do tax. *Rodentia*.] *Zool.* ***S. m.* 1.** Espécime dos roedores, grande ordem de mamíferos, ger. herbívoros, sendo muitos escavadores, com aproximadamente 1800 espécies, distribuídos em três subordens, cada uma delas caracterizada pela estrutura da cabeça, esp. o arco zigomático, a área pré-orbital e a disposição dos músculos masseteres, e o modo de roedura daí decorrente. Têm, na maxila e na mandíbula, um par de incisivos desprovidos de esmalte na parte posterior, o que lhes proporciona um crescimento contínuo. [V. *ciuromorfo, histricomorfo* e *miomorfo*.] • ***Adj.* 2.** Pertencente ou relativo a eles.

roedura [De *roer + -dura*.] ***S. f.* 1.** Ato ou efeito de roer. **2.** Escoriação provocada por atrito.

roel [Do fr. ant. *roelle*.] ***S. m.*** *Heráld.* Arruela (2). [Pl.: *roéis*. Cf. *roeis*, do v. *roer*.]

roentgen [Do antr. (*Wilhelm Konrad*) *Roentgen* (1845-1923), físico alemão.] ***S. m.*** *Fís.* Unidade de medida de exposição a uma radiação eletromagnética igual à quantidade de raios X ou raios gama, em que a emissão corpuscular que lhe é associada liberta, em 0,001293g de ar seco, uma unidade eletrostática de carga elétrica positiva. É equivalente a 2,58003 x 10^{-4} C/kg [símb.: *R*].

roentgendiagnóstico (rentguen) [De *roentgen + diagnóstico*.] ***S. m.*** *Radiol.* Radiodiagnóstico.

roentgenfotografia (rentguen) [De *roentgen + fotografia*.] ***S. f.*** *Radiol.* Abreugrafia.

roentgênio [Do lat. cient. *roentgenium* (em homenagem ao físico alemão Wilhelm Conrad Röntgen [1845-1923]).] ***S. m.*** *Quím.* Nome dado em 2006 ao ununúnio (q. v.) [símb.: *Rg*].

roentgenologia (rentgue) [De *roentgen + -o- + -logia*.] ***S. f.*** Parte da ciência que estuda os raios X, inclusive em aplicações a diagnóstico e a terapêutica; radiologia.

roentgenológico (rentgue) [De *roentgenologia + -ico*[2].] ***Adj.*** Respeitante à roentgenologia; radiológico.

roentgenologista (rentgue) [De *roentgenologia + -ista*.] ***S. 2 g.*** Especialista em roentgenologia; radiologista.

roentgenterapia (rentguen) [De *roentgen + -terapia*.] ***S. f.*** *Radiol.* Terapêutica pelos raios X.

roentgenterápico (rentguen) [De *roentgenterapia + -ico*[2].] ***Adj.*** Relativo à roentgenterapia.

roer [Do lat. *rodere*.] ***V. t. d.* 1.** Cortar com os dentes: "começa a andar apreensivo, ... a fumar demais, a roer nervosamente as unhas" (Júlio Dantas, *Abelhas Doiradas*, p. 128). **2.** Devorar ou destruir aos bocadinhos, de modo contínuo: "Ao verme que primeiro roeu as frias carnes do meu cadáver dedico como saudosa lembrança estas Memórias Póstumas" (Machado de Assis, *Memórias Póstumas de Brás Cubas*, p. V). **3.** Cortar e triturar com os dentes: *O rato roeu a madeira.* **4.** Consumir pouco a pouco; gastar, carcomer, corroer: *A umidade rói certos metais.* **5.** Enfraquecer, minar, devorar, consumir: *Os longos meses no mar roíam o ânimo dos companheiros de Colombo.* **6.** Pungir, inquietar, atormentar, mortificar; corroer: *A injustiça rói os corações.* **7.** Ulcerar com atrito; magoar: *O sapato apertado roía-lhe os pés.* **8.** Dar cabo de; acabar com; destruir, corroer: *Em 1789 os privilégios da nobreza e do clero roíam a economia francesa.* **9.** Falar mal de; murmurar de: *Rói amigos e inimigos.* ***T. i.* 10.** Roer (1 a 9). **11.** Meditar profundamente; ruminar, parafusar: *Passou horas roendo no assunto.* ***Int.* 12.** Cortar alguma coisa com os dentes: *Tomou o pão e passou minutos roendo, distraído.* **13.** Devorar ou destruir aos bocadinhos, de modo contínuo: "— Meu senhor, respondeu-me um longo verme gordo, nós não sabemos .... nada dos textos que roemos ....; nós roemos." (Machado de Assis, *Dom Casmurro*, p. 50.) **14.** Dizer mal, murmurar, de alguém; maldizer: *Intrigante, passa o tempo a roer.* **15.** *Bras. N.E. Pop.* Beber, embriagar-se, embebedar-se. **16.** Estar com ciúme. ***P.* 17.** Inquietar-se, atormentar-se, mortificar-se: *Roía-se toda por ciúmes do amado.* [Sin. (N.E., pop.): *roer coirana*. Conjug.: v. *doer*. Pres. ind.: *roo, róis, rói, roemos, roeis, roem*; imperf.: *roía*, etc.; perf.: *roí*, etc.; part.: *roído*. Cf. *ruía*, do v. *ruir*; *roéis*, pl. de *roel*; e *ruído*, s. m.] ◆ **Duro de roer.** *Fam.* Difícil (de executar, de suportar, etc.).

→ **roesti** [ˈʁøsti/ˈʁøʃti] [It.] ***S. m.*** *Cul.* Prato suíço originário de Berna, feito com batatas raladas em tiras, *bacon* e cebola. [Com cap.]

rofego (ê) ***S. m.*** *P. us.* V. *refego*.

rofo (ô) [Do lat. *rufu*.] ***Adj.* 1.** Que tem rugas; rugoso, engelhado. **2.** Que não é polido; fosco, embaciado: "a pequena ermida com as paredes veladas de uma brancura rofa" (Xavier Marques, *Jana e Joel*, p. 87). • ***S. m.* 3.** Prega, dobra, gelha, ruga: "Passeando de um para outro lado, Guida falava, abatendo com a chibata os largos rofos da saia de montar" (José de Alencar, *Sonhos d'Ouro*, p. 219). **4.** Traço, risco, risca. [Pl.: *rofos* (ô).]

rogação [Do lat. *rogatione*.] ***S. f.* 1.** Na Roma antiga, projeto de lei que se submetia à aprovação popular. **2.** V. *rogo* (1). ~ V. *rogações*.

rogações [Pl. de *rogação*.] ***S. f. pl.*** As ladainhas de todos os santos, recitadas em determinados dias do calendário da Igreja Católica. ~ V. *rogação*.

rogado [Part. de *rogar*.] ***Adj.*** Diz-se da autoridade judicial a quem se encaminhou carta rogatória.

rogador (ô) [Do lat. *rogatore*.] ***Adj.* 1.** Que roga. **2.** Que intercede; intercessor. • ***S. m.* 3.** Aquele que roga. **4.** Aquele que intercede; intercessor. **5.** Árbitro, mediador, medianeiro.

rogal [Do lat. *rogale*.] ***Adj. 2 g.*** Relativo à pira ou fogueira em que se queimam cadáveres.

rogante [Do lat. *rogante*.] ***Adj. 2 g.* 1.** Diz-se da autoridade judicial que expediu carta rogatória. **2.** V. *rogativo*.

rogar [Do lat. *rogare*.] ***V. t. d.* 1.** Pedir com instância; suplicar, instar: *Rogou que o deixassem em liberdade*; "Aflitas, algumas mulheres voltaram-se, de mãos postas, para a capelinha próxima, rogando o socorro da Virgem." (Trindade Coelho, *Os Meus Amores*, p. 82). ***T. d. e i.* 2.** Pedir com instância; suplicar, instar: "roga a Deus, que teus anos encurtou, / que tão cedo de cá me leve a ver-te, / quão cedo de meus olhos te levou." (Luís de Camões, *Rimas*, p. 172). **3.** Pedir, exortar, instar com rogos: *O Papa rogou às Nações que preservem a paz.* ***T. i.* 4.** Fazer súplicas: *Rogou pelos que se arriscavam na missão.* ***Bit. i.* 5.** Pedir, suplicar: *Rogou a Deus pela felicidade dos filhos.* ***Int.* 6.** Fazer súplicas: *Na igreja os fiéis rogavam cheios de esperança.* [Conjug.: v. *largar*. Pres. ind.: *rogo*, etc. Cf. *rogo* (ô).]

rogativa [F. subst. de *rogativo*.] ***S. f.*** V. *rogo* (1): "Disse — e ajoelhou-se, numa rogativa: / 'Não mate a árvore, pai, para que eu viva!'" (Augusto dos Anjos, *Eu*, p. 92.)

rogativo [De *rogar + -tivo*.] ***Adj.*** Que roga; suplicante, rogante.

rogatória [F. subst. de *rogatório*.] ***S. f.* 1.** V. *rogo* (1). **2.** *Jur.* Solicitação feita por um juiz ou tribunal de um país ao de outro, para que determine o cumprimento de certos atos processuais que fogem à jurisdição da autoridade solicitadora (*rogante*) e pertencem à jurisdição da autoridade solicitada (*rogada*); carta rogatória. **3.** Documento que formaliza esse pedido. **4.** Carta rogatória (1).

rogatório [De *rogar + -tório*.] ***Adj.*** Relativo a rogo ou a súplica. ~ V. *carta —a*.

rogo (ô) [Dev. de *rogar*.] ***S. m.* 1.** Ato ou efeito de rogar; rogação, rogativa, rogatória, pedido, petição, súplica. **2.** Oração, prece. **3.** Antigo tributo equivalente à jeira. [Pl.: *rogos* (ó). Cf. *rogo*, do v. *rogar*.]

rói-coiro [De *roer + coiro*.] ***S. m.*** *Bras. PB Pop.* Rói-couro. [Pl.: *rói-coiros*.]

rói-couro [De *roer + couro*; var. de *rói-coiro*.] ***S. m.*** *Bras. PB Pop.* Rua ou bairro onde se localiza o meretrício; zona. [Pl.: *rói-couros*.]

roído [Part. de *roer*.] ***Adj.*** *Bras. PE Pop.* V. *embriagado* (1). [Cf. *ruído*.]

roipteleácea [Do tax. *Rhoiptelea + -ácea*; tax. *Rhoipteleaceae*.] ***S. f.*** Espécime das roipteleáceas, família de plantas floríferas, da ordem das urticales, constituída somente de *Rhoiptelea chiliantha*, arbusto da China.

roipteleáceo [De *roipteleácea*, com var. suf. (v. *-áceo*).] ***Adj.*** *Bot.* Pertencente ou relativo às roipteleáceas.

rói-rói [Da 3ª pess. do sing. do pres. ind. de *roer*, repetida.] ***S. m.* 1.** *Bras.* V. *reco-reco* (3). **2.** *Bras. N.E. Pop.* V. *zunidor* (2). [Pl.: *rói-róis* e *róis-róis*.]

rojador (ô) [De *rojar + -dor*.] ***Adj. S. m.*** Que, ou aquele que (se) roja.

rojão[1] [De *rojar + -ão*[3].] ***S. m.* 1.** Rojo (1). **2.** *Pop.* Toque arrastado ou rasgado, de viola ou guitarra portuguesa: "cantando e dançando pela estrada ao rojão das guitarras." (José Vieira, *Sol de Portugal*, p. 160). **3.** *Bras.* V. *foguete* (1): "o estouro de bombas e rojões e os gritos da multidão anunciavam .... a chegada do candidato." (Almeida Fischer, *10 Contos Escolhidos*, p. 48). **4.** *Bras. Fig.* Ritmo intenso de vida, de modo de viver; diapasão. **5.** *Bras. Fig.* Ritmo intenso de ação, trabalho, combate; diapasão. **6.** *Bras.* Projetil-foguete. **7.** *Bras.* Marcha um tanto forçada. **8.** *Bras.* Trabalho contínuo e exaustivo. **9.** *Bras.* Passo de cavalo ou de outro animal, quando cavalgado. **10.** *Bras.* Agravamento de uma enfermidade. **11.** *Bras. N.E. Mús.* Baião (2) mais rápido, que acompanha os trechos mais fogosos das cantorias e desafios. ◆ **Aguentar o rojão.** *Bras. Fam.* Resistir com determinação; Aguentar firmemente uma situação difícil; Aguentar a barra, segurar a barra, segurar as pontas.

rojão[2] [Do esp. *rejón*.] ***S. m.*** *Taur.* Aguilhada para espicaçar touros.

rojão[3] [De *rojar + -ão*[3].] ***S. m.*** *Bras. Bot.* Quari-bravo.

rojão[4] [De *rijo*, poss.] ***S. m.*** *Lus.* V. *torresmo* (1): "apetitosos farnéis de rojões, galinha assada e bolinhos de bacalhau" (João da Silva Correia, *Farândola*, p. 85).

rojar [De *jorrar*, com metátese.] ***V. t. d.* 1.** Trazer ou levar de rastos; arrastar, arrojar: *Os presos rojavam cadeias.* **2.** Lançar, arremessar, atirar, arrojar: *As crianças rojavam pedras.* ***T. d. e i.* 3.** Lançar, arremessar, atirar, arrojar: "Rojem-me pedras!" (Zeferino Brasil, *Na Torre de Marfim*, p. 71.) ***T. c.* 4.** Tocar de leve; roçar: *A barra do vestido rojava pelo chão.* ***Int. P.* 5.** Arrastar-se pelo chão: "Eu rojo — tu te levantas, / Tu és livre — escrava eu sou!..." (Castro Alves, *Obra Completa*, p. 273); "No claustro agora viçam as urtigas, / Rojam-se cobras pelas velhas lájeas." (Camilo Pessanha, *Clepsidra e Outros Poemas*, p. 175); "parecia um corpo morto. A cabeça pendente oscilava, as pernas moles e os pés dobrados rojavam." (Manuel da Fonseca, *Aldeia Nova*, p. 70). **6.** Andar de rastos; rastejar: *O mendigo rojava-se, esmolando; Os soldados rojavam-se na linha de ataque.* **7.** Dar passos pesados e incertos; andar a custo. [Pres. ind.: *rojo*, etc.; pres. subj.: *roje*, etc. Cf. *rojo* (ô), s. m., e *Roge*, top.]

rojo (ô) [Dev. de *rojar*.] ***S. m.* 1.** Ato ou efeito de rojar(-se); rojão. **2.** Som produzido por esse ato. [Pl.: *rojos* (ô). Cf. *rojo*, do v. *rojar*.] ◆ **De rojo. 1.** De rastos; arrastando-se no chão. **2.** De repente, de sopetão.

rol [Do fr. *rôle*.] ***S. m.*** V. *lista* (1). [Pl.: *róis*.] ◆ **Cair no rol do esquecimento.** V. *cair no esquecimento*: *Dedicou-se à lavoura, e os estudos caíram no rol do esquecimento.* **Cair no rol dos esquecidos.** V. *cair no esquecimento*.

rola (ô) [T. onom.] ***S. f.* 1.** *Zool.* Designação comum a várias aves columbiformes, columbídeas, gêneros *Columbina Claravis*, etc. e suas espécies. Alimentam-se de sementes de gramíneas e outras plantas herbáceas. O seu estômago, em geral, contém bastante areia, que auxilia a triturar os alimentos. Ex.: rolinha, rola-cabocla, rola-azul, turueí. **2.** *Bras. N. N.E. MG RJ Chulo* O pênis. [Pl.: *rolas* (ô). Cf. *rola* e *rolas*, do v. *rolar*.]

rola-azul [De *rola + azul*.] ***S. f.*** *Bras. Zool.* Ave columbiforme, columbídea (*Claravis pretiosa*), distribuída do S. do México até o N. da Argentina, inclusive qua-

R

se todo o Brasil, de coloração azul-clara tirante a cinza, e asas pintadas de preto. [Sin.: *pomba-pararu, juriti-azul, picuipeba.* Pl.: *rolas-azuis.*]

rola-bosta [De *rolar*[1] + *bosta.*] *S. m. Bras. Zool.* V. *escaravelho* (1). [Pl.: *rola-bostas.*]

rola-cabocla [De *rola* + o f. de *caboclo.*] *S. f. Bras. Zool.* Designação das rolinhas de maior porte, sobretudo a *Columbina talpacoti*, da porção setentrional e oriental da América do Sul. Têm o corpo vináceo, mais escuro no dorso, asas pintadas de preto, rêmiges e cauda pardo-enegrecidas. [Sin.: *apicuí, caldo-de-feijão, rola-caldo-de-feijão, rola-grande, rola-roxa, rola-sangue-de-boi.* Pl.: *rolas-caboclas.*]

rola-caldo-de-feijão [De *rola* + *caldo-de-feijão.*] *S. f. Bras. Zool.* V. *rola-cabocla.* [Pl.: *rolas-caldo-de-feijão.*]

rola-cascavel [De *rola* + *cascavel.*] *S. f. Bras. Zool.* V. *fogo-pagou.* [Pl.: *rolas-cascavéis* e *rolas-cascavel.*]

rola-de-são-josé [De *rola* + *de* + o hier. *São José.*] *S. f. Bras. BA Zool.* V. *rola-pajeú.* [Pl.: *rolas-de-são-josé.*]

rolado [Part. de *rolar*[1].] *Adj.* Diz-se do mar com grandes ondas ou rolos. ~ V. *pedra —a e seixo —.*

rolador[1] (ô) [De *rolar*[1] + *-dor.*] *S. m.* Peça de maquinismo de tração elétrica.

rolador[2] (ô) [De *rolar*[2] + *-dor.*] *Adj.* Que rola ou arrulha.

rolagem [De *rolar*[1] + *-agem*[2].] *S. f.* **1.** Rolamento (1). **2.** Operação que consiste em fazer passar sobre um terreno destinado à lavoura um rolo[1] especial para triturar os torrões e igualar a superfície que vai ser semeada. **3.** *Bras. Econ.* Ato ou efeito de rolar[1] (4).

rola-gemedeira [De *rola* + *gemedeira.*] *S. f. Zool.* V. *juriti-vermelha* (2). [Pl.: *rolas-gemedeiras.*]

rola-grande [De *rola* + *grande.*] *S. f. Bras. Zool.* V. *rola-cabocla.* [Pl.: *rolas-grandes.*]

rolamento [De *rolar*[1] + *-mento.*] *S. m.* **1.** Ato ou efeito de rolar[1]; rolagem. **2.** Mecanismo que consta de bilhas ou pequenos cilindros de aço dispostos entre anéis, também de aço, e que, postos em funcionamento, diminuem o atrito e facilitam o movimento de rotação de outra peça, em geral um eixo giratório; rolimã. **3.** Fluxo de tráfego.

rolandiana [F. subst. de *rolandiano* (2).] *S. f.* Edição rolandiana.

rolandiano *Adj.* **1.** Diz-se do estabelecimento fundado em Lisboa pelo livreiro e impressor francês François Rolland, a Tipografia Rolandiana, a qual existiu até meados do séc. XIX e se fez notável pelas obras que editou. **2.** Diz-se de edição feita nessa tipografia.

rolândico [Do antr. *Rolando* + *-ico*[2].] *Adj.* Diz-se de algumas formações anatômicas, ou porque foram descritas por Luigi Rolando (1773-1831), ou em homenagem a esse anatomista e fisiologista italiano.

rolandiense *Adj. 2 g.* **1.** De, ou pertencente ou relativo a Rolândia (PR). ● *S. 2 g.* **2.** O natural ou habitante de Rolândia.

rolante [De *rolar*[1] + *-nte.*] *Adj. 2 g.* **1.** Que rola. **2.** V. *roleiro* (2). ~ V. *andaime —, escada —* e *esteira —.*

rolantense *Adj. 2 g.* **1.** De, ou pertencente ou relativo a Rolante (RS). ● *S. 2 g.* **2.** O natural ou habitante de Rolante.

rolão[1] [De *rolo*[1] + *-ão*[1].] *S. m.* **1.** A parte mais grossa da farinha de trigo; rala. **2.** Rolo de madeira que se põe sob grandes pedras ou grandes fardos para rolá-los com mais facilidade. **3.** Grande rolo[1] (7). **4.** *Cabo-verd.* Milho moído grosso: 🕮 "Agora ela recolhida o rolão com ambas as mãos e ia-o deitando para o pilão ..... Todo o rolão tinha de ser reduzido a farinha" (Manuel Lopes, *Chuva Braba*, p. 181). **5.** *Cabo-verd. Cul.* Papa feita com farinha de milho moído grosso, cozida em água e sal, que acompanha o guisado de carneiro ou galinha.

rolão[2] [De *rola* + *-ão*[1].] *S. m. Bras. N. N.E. Zool.* Espécie de rola (1) de penas acinzentadas.

rola-pajeú [De *rola* + o top. *Pajeú.*] *S. f. Bras. Zool.* Pequena rola campestre do interior do Brasil (*Columbina picui*). Ocorre tb. da Colômbia à Bolívia, no Chile, Argentina e Uruguai. [Sin.: *rola-de-são-josé, rolinha-branca, rolinha-pajeú* (v. *rola* [1]). Pl.: *rolas-pajeús* e *rolas-pajeú.*]

rola-pedrês [De *rola* + *pedrês.*] *S. f. Bras. Zool.* V. *pomba-trocal* (1). [Pl.: *rolas-pedreses.*]

rolar[1] [Do fr. *rouler.*] *V. t. d.* **1.** Fazer andar em roda; fazer girar; rodar: *O vento rola as pás do moinho.* **2.** Fazer avançar (alguma coisa), obrigando-a a dar voltas sobre si mesma: 🕮 "e todos os verões correria assim, ... rolando grúmulos vermelhos e resíduos roxos, o rio múrmuro, tão claro de nascente" (Alcides Maia, *Tapera*, p. 59); *Os estivadores rolavam pesados fardos.* **3.** Cortar (uma árvore) em rolos ou toros. **4.** *Bras. Econ.* Adiar o pagamento de (dívida, empréstimo), ger. substituindo-o por outro de vencimento posterior: *rolar a dívida externa. T. i.* **5.** Embolar-se, engalfinhar-se: *Rolou na arena com o adversário. Int.* **6.** *Mar.* Descair (a embarcação) por efeito do vento, do mar ou da correnteza. **7.** Ressoar, ecoar: 🕮 "Rola o trovão." (Alberto de Oliveira, *Poesias*, 3.ª série, p. 33.) **8.** Cair do alto, girando ou revoluteando: *Rolavam as pedras ladeira abaixo.* **9.** Rebolar-se, saracotear-se, bombolear-se: *As cabrochas rolavam, sambando.* **10.** Movimentar-se (as ondas), avançando: *Rolam vagas agitadas.* **11.** Correr, fluir: *As águas do rio rolavam mansamente.* **12.** Andar sobre rodas; rodar: *Rolavam os carros a grande velocidade.* **13.** Virar-se; revolver-se: *Insone, rolou na cama até o amanhecer.* **14.** Espalhar-se, propagar-se, circular: *É preciso que as boas notícias rolem sempre.* **15.** Rolar (5): *Foram vistos a rolar pelo chão.* **16.** *Bras. Gír.* Estender-se, desenrolar-se: *O samba rolou a noite inteira.* **17.** *Bras. Gír.* Ser servido ou consumido em grande quantidade: *O uísque rolava fartamente.* **18.** *Bras. Gír.* Acontecer, ocorrer: *Todos os sábados rola uma festa em sua casa.* [Pres. ind.: *rolo, rolas, rola*, etc. Cf. *rolo* (ô), s. m., e *rola* (ô), s. f. pl. *rolas* (ô).] ◆ **Rolar de rir.** Rir em demasia, geralmente dobrando o corpo.

rolar[2] [Voc. onom.] *V. int. T. d.* Arrulhar (1, 2 e 5). [Pres. ind.: *rolo, rolas, rola*, etc. Cf. *rolo* (ô), s. m., e *rola* (ô), s. f., pl. *rolas* (ô).]

rola-rola [Da 3.ª pess. do sing. do pres. ind. de *rolar*, repetida.] *S. m. Bras.* Peça cilíndrica de madeira sobre a qual alguém desliza, numa tábua, equilibrando-se e fazendo acrobacias. [Pl.: *rola-rolas* e *rolas-rolas.*]

rola-roxa [De *rola* o f. do adj. *roxo.*] *S. f. Bras. Zool.* V. *rola-cabocla.* [Pl.: *rolas-roxas.*]

rola-sangue-de-boi [De *rola* + *sangue-de-boi.*] *S. f. Bras. Zool.* V. *rola-cabocla.* [Pl.: *rolas-sangues-de-boi* e *rolas-sangue-de-boi.*]

rola-vaqueira [De *rola* + o f. de *vaqueiro.*] *S. f. Bras. PA Zool.* Ave columbídea (*Uropelia campestris*), dos cerrados do C.O. e do N.E. do Brasil, de dorso pardo, asas pintadas de preto e branco, peito e garganta lavados de vináceo, e meio da barriga branco; rolinha-vaqueira. [Pl.: *rolas-vaqueiras.*]

rolda *S. f. Ant.* Ronda (1).

roldana [Do ant. cat. *rotlana.*] *S. f.* Maquinismo formado por um disco que gira em torno de um eixo central, em cuja circunferência, que é canelada, passa um cabo, corda, correia, etc., cujas extremidades se ligam uma à força e outra à resistência; polia.

roldão [Var. de *rondão*[1] < fr. ant. *rondon.*] *S. m.* **1.** Confusão, baralhada, barafunda. **2.** Arremessão, precipitação. [F. alter. de *rondão*[1].] ◆ **De roldão.** Em tropel; atropeladamente; de baldão: 🕮 "Batalhariam ardidamente, loucamente, numa hora de febre e de paroxismo, e tudo tomariam de roldão!" (Antero de Figueiredo, *Leonor Teles*, p. 142.)

rolé [De or. incerta.] *El. s. m.* Us. na loc. *dar um rolé.* ◆ **Dar um rolé.** *Bras. Gír.* Dar uma volta; dar um giro. [Cf. *rolê.*]

rolê [Do fr. *roulé*, 'enrolado'.] *Adj.* **1.** ~ V. *bife —.* ● *S. m.* **2.** V. *bife enrolado.* **3.** *Bras. Cap.* Movimento de transição que o capoeirista executa agachado, de costas para o adversário, com o apoio das mãos e dos pés, com o objetivo de movimentar-se pelo chão. ◆ **Rolê de mergulho.** Rolê (3) executado com o corpo rente ao chão. [Cf. *rolé.*]

roleira [De *rolo*[1] + *-eira.*] *S. f.* Palmatória (2) onde se põe o rolo[1] (17) ou pavio de cera.

roleiro [De *rolar*[1] + *-eiro.*] *Adj.* **1.** Que rola (mar). **2.** Que gira; giratório, rolante.

roleta (ê) [Do fr. *roulette.*] *S. f.* **1.** Jogo de azar em que o número sorteado é indicado pela parada de uma bolinha numa das 37 casas numeradas duma roda que gira. **2.** Essa roda. **3.** A mesa da roleta (1). **4.** *Fam.* Boato falso. **5.** Instrumento de gravador (3): pequeno cilindro ou disco de aço, com pontas ou dentes agudos, o qual gira na extremidade de uma haste, à maneira de lápis, e é usado nas técnicas de pontilhado e maneira-negra. **6.** *Geom.* Lugar geométrico plano de um ponto fixo a uma curva móvel que gira, sem deslizar, sobre uma curva fixa. **7.** *Bras.* V. *borboleta* (10).

roleta-paulista *S. f. Bras.* Prova de ousadia ou fanfarronice em que o motorista, deliberadamente, cruza uma rua à disparada, em risco de colidir com os veículos que, com o sinal aberto para eles, rodem pela transversal. [Pl.: *roletas-paulistas.*]

roletar[1] [De *rolete* + *-ar*[2].] *V. t. d.* Cortar em redor de, fazendo rolete. [Pres. subj.: *rolete, roletes*, etc. Cf. *rolete* (ê) e pl. *roletes* (ê).]

roletar[2] [De *roleta* + *-ar*[2].] *V. t. d. Bras. Gír.* Ultrapassar (sinal fechado), em cruzamento, sem reduzir a velocidade e sem sinalizar.

roleta-russa *S. f.* Demonstração de coragem insensata, que consiste em colocar apenas uma bala no tambor de um revólver, girar o tambor e puxar o gatilho contra si próprio, correndo o risco de ser atingido, caso fique diante do cão a única bala da arma. [Pl.: *roletas-russas.*]

rolete (ê) [De *rolo*[1] + *-ete* (ê).] *S. m.* **1.** Pequeno rolo[1]. **2.** *Chapel.* Instrumento de chapeleiros para endireitar o fundo dos chapéus. **3.** Entrenó da cana. **4.** *Bras.* Rodela de cana-de-açúcar descascada, para chupar. [Pl.: *roletes* (ê). Cf. *rolete* e *roletes*, do v. *roletar.*]

roleteiro [De *roleta* + *-eiro.*] *S. m.* Indivíduo que trabalha junto à roleta (7).

rolha (ô) [Do lat. *rotula*, 'roda pequena', por via pop.] *S. f.* **1.** Peça geralmente cilíndrica, de cortiça, borracha, plástico, etc., usada para tapar gargalo de garrafas e outros frascos; tafulho. **2.** *Constr. Nav.* Batoque (2). **3.** *Bras. Fig.* Repressão da liberdade de falar ou de escrever; imposição de silêncio. **4.** *Bras. Pop. Deprec.* Censura (4). **5.** Pessoa astuta, manhosa. **6.** Homem vil, biltre, patife. [Pl.: *rolhas* (ô). Cf. *rolha* e *rolhas*, do v. *rolhar.*]

rolhador (ô) [De *rolhar* + *-dor.*] *S. m.* Aparelho próprio para rolhar garrafas.

rolhadura [De *rolhar* + *-dura.*] *S. f.* Operação de rolhar; rolhagem.

rolhagem [De *rolhar* + *-agem*[2].] *S. f.* Rolhadura.

rolhar [De *rolha* + *-ar*[2].] *V. t. d.* Arrolhar[1] (1). [Pres. ind.: *rolho, rolhas, rolha*, etc. Cf. *rolho* (ô), adj., flex. *rolha* (ô), *rolhas* (ô), e *rolha* (ô), s. f., pl. *rolhas* (ô).]

rolheiro[1] [De *rolha* + *-eiro.*] *S. m.* **1.** Aquele que faz rolhas: 🕮 "Prometo .... escrever a favor do comércio, da indústria, ... dos marceneiros, dos rolheiros, dos sebeiros" (Machado de Assis, *Crônicas*, I, pp. 235-237). **2.** Indivíduo que trabalha em cortiça.

rolheiro[2] [De *rolo*[1] + *-eiro*, com palatalização.] *S. m.* Molho de trigo ou de centeio amarrado pelo meio.

rolho (ô) [De *rolha.*] *Adj.* Gordo, obeso, nédio, anafado: 🕮 "Um sujeito pequeno, rolho, já velhusco" (José de Alencar, *Alfarrábios*, p. 31). [Flex.: *rolha* (ô), *rolhos* (ô), *rolhas* (ô). Cf. *rolho, rolhas, rolha*, do v. *rolhar.*]

roliço [De *rolo* + *-iço.*] *Adj.* **1.** Que tem forma de rolo; cilíndrico, redondo. **2.** Gordo, cheio de carnes; de formas arredondadas. ~ V. *pau —.*

rolimã [Do fr. *roulement.*] *S. m. Bras. S.* **1.** Rolamento (2): 🕮 "um ranger de dobradiças, de rolimãs sobre eixo não lubrificado." (Osmã Lins, *Nove, Novena*, p. 185). **2.** *P. ext.* Pequeno carro de madeira, que consiste numa tábua montada sobre rolimãs.

rolim-mourense *Adj. 2 g.* **1.** De, ou pertencente ou relativo a Rolim de Moura (RO). ● *S. 2 g.* **2.** O natural ou habitante de Rolim de Moura. [Pl.: *rolim-mourenses.*]

rolimorense *Adj. 2 g. S. 2 g.* V. *rolim-mourense.*

rolinha [De *rola* + *-inha.*] *S. f.* **1.** *Bras. Zool.* Ave columbiforme, columbídea (*Columbina minuta*) [v. *rola* (1)]. **2.** *Bras. PE* Certa dança popular acompanhada de canto.

rolinha-branca *S. f. Bras. Zool.* V. *rola-pajeú.* [Pl.: *rolinhas-brancas.*]

rolinha-carijó *S. f. Bras. Zool.* V. *fogo-pagou.* [Pl.: *rolinhas-carijós* e *rolinhas-carijó.*]

rolinha-cascavel *S. f. Bras. Zool.* V. *fogo-pagou.* [Pl: *rolinhas-cascavéis* e *rolinhas-cascavel.*]

rolinha-pajeú [De *rolinha* + o top. *Pajeú.*] *S. f. Bras. Zool.* V. *rola-pajeú.* [Pl.: *rolinhas-pajeús* e *rolinhas-pajeú.*]

rolinha-vaqueira [De *rolinha* + o f. de *vaqueiro.*] *S. f. Bras. Zool.* Rola-vaqueira. [Pl.: *rolinhas-vaqueiras.*]

rolinho [De *rolo* + *-inho*[1].] *S. m.* Pequeno rolo. ◆ **Rolinho primavera.** *Cul.* Iguaria da pastelaria chinesa feita com massa fina recheada com legumes e carne, e depois frita; é ger. servida com molho agridoce.

rolista [De *rolo*[1] + *-ista.*] *Adj. 2 g. S. 2 g. Bras. Gír.* Diz-se de, ou indivíduo que anda constantemente metido em rolos ou desordens; desordeiro, badernista, pândego.

rollínia [Do tax. *Rollinia* (do antr. [*Charles*] *Rollin*, naturalista francês [1661-1741], + lat. cient. *-ia*, v. *-ia*[2]).] *S. f. Bot.* **1.** Gênero de anonáceas que reúne cerca de 60 espécies nativas de regiões tropicais das Américas, algumas de frutos edules. **2.** Qualquer espécie desse gênero, como, p. ex., a *Rollinia deliciosa* (v. *fruta-de-condessa*). **3.** Qualquer espécime desse gênero.

rolo[1] (ô) [Do lat. *rotulu*, 'cilindro'.] *S. m.* **1.** Qualquer coisa de forma cilíndrica um tanto alongada: *o rolo da máquina de escrever; rolo de fumo; rolo de pastel.* **2.** Máquina dotada de um ou mais cilindros, em geral metálicos, destinada a nivelar o solo, quebrar torrões, etc. **3.** Pequeno cilindro de aço, cheio de pontas, que gira num eixo e tem longo cabo, pelo qual os pedreiros o manobram para tornar ásperos os pisos cimentados. **4.** Pequeno cilindro revestido de lã, com um eixo traspassado no centro e um cabo, próprio para a pintura de superfícies planas. **5.** Almofada (1) cilíndrica usada em camas e divãs. **6.** Embrulho, pacote, volume, fardo, etc., em forma de rolo[1] (1). **7.** Grande onda ou vaga; vagalhão. **8.** Massa gasosa mais ou menos densa, que lembra um cilindro: *rolo de fumaça.* **9.** Aquilo que gira formando rolo ou remoinho. **10.** Cabelo preso em forma de rolo[1] (1). **11.** Cilindro oco e vazado, de material leve, usado para enrolar o cabelo ao fazer a *mise-en-plis* (*q. v.*). **12.** Qualquer coisa enrolada como rolo[1] (1): *rolo de* *papel; rolo de filme; rolo de tapete.* **13.** *Art. Gráf.* Cada um dos cilindros que, compreendendo um eixo (*sabugo*) coberto de substância gelatinosa (*massa para rolos*) ou de matéria plástica, e dispostos em grupos, tomam, distribuem e transmitem a tinta à fôrma, nas máquinas de impressão. **14.** *Bibliol.* Forma característica do manuscrito em papiro. [V. *livro em rolo.*] **15.** *Fig.* Multidão de gente. **16.** *Bras. Pop.* Conflito ou briga em que se envolvem numerosas pessoas. [Sin., nesta acepç., quase todos eles bras. e pop.: *adevão, água-suja, alteração, angu, angu de caroço, aperta-chico, aranzel, arranca-rabo, arranca-toco, arregaço, arrelia, arruaça, bababi, baderna, bafa, bafafá, bagaço, balaio de gatos, bambá, bambaquerê, banguelê, bangulê, banzé, banzé de cuia, banzeiro, bereré, berzabum, bochinche* ou *bochincho, bode, bololô, bruega, chinfrim, cocoré, coisa-feita, confusa, confusão, cu de boi, cu de gato, desordem, destranque, embrulhada, esbregue, esparrame* ou *esparramo, esporro, estalada, estrago, estralada, estripulia, estrupício, fandango, fecha, fecha-fecha, forrobodó, frege, frevo, fubá, furdúncio* ou *furdunço, fuzuê, gangolina, grude, pampeiro, pau, pega, pega-pega, perequê, perereco, pipoco, porqueira, quebra-quebra, quebra-pau, quebra-rabicho, quelelê* ou *quilelê, quizumba, rififi, rixa, safarrascada, salseiro, sangangu, sarapatel, sarilho, sarrabulhada, sarrabulho, sarrafascada, seribolo, sororó, surumbamba, sururu, sururuzada, tempo-quente, trabuzana* ou *tribuzana, trança, trovoada, turumbamba, turundundum.*] **17.** *Bras.* Espécie de vela[3] (3) de cera, breu e resina, para iluminação. **18.** *Bras.* Transação comercial em que as partes contratantes entram não apenas com dinheiro, mas também com outros valores de natureza vária, estimados globalmente. [Pl.: *rolos* (ô). Cf. *rolo,* do v. *rolar.*] ◆ **Rolo batedor.** *Art. Gráf.* V. *rolo dador.* **Rolo carregador.** *Art. Gráf.* Rolo de madeira ou de metal, colocado sobre os rolos dadores para melhorar a distribuição da tinta. **Rolo compressor. 1.** Máquina pesada, rebocada ou de autopropulsão, que rola sobre cilindros, utilizada para comprimir revestimento de estradas e compactar solos. [Tb. se diz apenas *compressor.*] **2.** *Fig.* Manobra política em que uma maioria parlamentar impede, de forma avassaladora, a ação da minoria: *O rolo compressor governista impediu a instalação da CPI.* **Rolo dador.** *Art. Gráf.* O que apanha a tinta da mesa de distribuição ou do prato, para entintar a fôrma; rolo batedor, rolo entintador, rolo tocador. **Rolo de pastel.** Utensílio de madeira, de forma cilíndrica, usado para estender massa (5). **Rolo de sucção.** *Ind. Pap.* Cilindro oco, com a superfície crivada de furos ou fendas, e no interior do qual funciona uma caixa aspirante, usado em substituição ao manchão, para permitir maior rapidez à máquina de papel; cilindro de sucção. **Rolo distribuidor.** *Art. Gráf.* O que espalha a tinta na mesa de distribuição, onde a apanham os rolos dadores. **Rolo entintador.** *Art. Gráf.* V. *rolo dador.* **Rolo molhador.** *Art. Gráf.* Cada um dos rolos revestidos de pano que umedecem a pedra ou placa metálica, nas prensas litográficas e nas de ofsete; umedecedor. **Rolo pé de carneiro.** Máquina destinada à compactação de solos, constituída de um tambor de aço, ger. cheio de água ou areia, rebocado por trator e munido de saliências que penetram no terreno para submetê-lo a pressões muito elevadas. [Tb. se diz apenas *pé de carneiro.*] **Rolo tocador.** *Art. Gráf.* V. *rolo dador.* **Rolo tomador.** *Art. Gráf.* O que apanha a tinta do tinteiro e a leva à mesa de distribuição, ou ao prato.

rolo[2] (ô) [De *rola.*] ***S. m.*** O macho da rola (1). [Pl.: *rolos* (ô). Cf. *rolo,* do v. *rolar.*]

rolote [Do fr. *roulotte.*] ***S. m.*** *Lus.* Trailer (3).

rolotê [Do fr. *roulotté.*] ***S. m.*** Viés (2) costurado à peça, dobrado sobre si mesmo e preso pela última dobra com uma segunda costura, para servir de adorno ou de acabamento (bainhas, costuras internas, golas, etc.), ou simplesmente dobrado sobre si e costurado, para servir de alça.

rom[1] ***S. m.*** V. *cigano* (1).

rom[2] ***Adj. S. m.*** V. *rume*[2].

■ **ROM** [Acrôn. do ingl. *R(ead)-O(nly) M(emory).*] Sigla que designa um tipo de memória cujo conteúdo pode ser apenas lido (acessado), mas não modificado por novas gravações. [A ROM é uma memória de leitura aleatória como a RAM, porém seu conteúdo é parte intrínseca do dispositivo, registrada durante a fabricação deste (como no CD-ROM e em certos processadores); outros tipos de ROM, cujo conteúdo de memória é gravado (irreversivelmente) após a fabricação do dispositivo, recebem nomes específicos: *PROM, EPROM.*] [Cf. *RAM.*]

romã [Do lat. *romana* (*mala*), 'maçã romana'.] ***S. f.* 1.** O fruto da romãzeira. **2.** *Ant. Constr. Nav.* A parte mais grossa do mastro ou mastaréu, onde assentavam os curvatões do cesto da gávea.

romagem [Do provenç. *romeatge,* 'peregrinação a Roma'.] ***S. f.*** Romaria: "Ele se fizera meu guia na romagem penitencial aos sítios ermos" (Fialho d'Almeida, *Pasquinadas,* p. 334).

romaica [F. subst. do adj. *romaico.*] ***S. f.*** Dança dos gregos modernos.

romaico [Do gr. *rhomaïkós,* 'romano', denominação aplicada aos gregos após a conquista romana (146 a.C.).] ***Adj.* 1.** V. *neo-helênico* (1). ● ***S. m.* 2.** *Gloss.* Grego moderno (q. v.).

ró-mais ***S. m.*** *Fís. Part.* V. *rô-mais.* [Uso freq. em P. Pl.: *rós-mais.*]

rô-mais ***S. m.*** *Fís. Part.* Méson de massa 766,9 MeV/c^2, *isospin* 1, *spin* 1, paridade negativa, carga elétrica igual à do próton, composto de um *quark u* e de um *antiquark d* [símb.: ρ+]. [Pl.: *rôs-mais.*]

romana [De or. incerta.] ***S. f.*** Espécie de balança formada por uma alavanca com um braço menor, onde se põe o objeto por pesar, e um braço maior, graduado, onde se faz correr um peso até equilibrar os dois braços.

➔ **roman à clef** [ʁo'mɔ̃n a klɛf] [Fr.] ***S. m.*** *Liter.* Romance em que pessoas, lugares, etc., da vida real aparecem sob nome fictício.

romança [Do it. *romanza.*] ***S. f.* 1.** Nos sécs. XII e XIII, poema em língua românica, em oposição ao poema em latim, e que narrava feitos históricos ou aventuras galantes, mais ou menos fantasiosas; romance. **2.** *Mús.* Canção sobre aventuras e outros feitos, presente no cancioneiro popular. **3.** *Mús.* Composição, em geral curta, para canto e piano, de cunho sentimental ou patético, típica do séc. XIX. **4.** *Mús.* Composição instrumental de forma não muito bem definida, mas quase sempre de caráter lírico: "E o Luar, alvo, de opala, / As romanças sem palavras / À Vaga, algente, cantava..." (Martins Fontes, *Poesias,* V, p. 260.)

romançada [De *romance* + *-ada*[1].] ***S. f.* 1.** Grande porção de romances [v. *romance* (4)]. **2.** Os romances. [Sin. ger.: *romançaria.*]

romançaria [De *romance* + *-aria.*] ***S. f.*** Romançada.

romance [Do lat. tard. *romanice* (adv.) < lat. *romanicus,* 'de Roma'.] ***S. m.* 1.** *Gloss.* Cada uma das variedades surgidas da evolução do latim vulgar falado pelas populações que ocupavam as diversas regiões da Romània (3), e que se constituiu na fase preliminar de uma língua românica (q. v.). [Sin. desus.: *romanço.*] **2.** *Gloss.* Língua românica, por oposição ao latim; românico. **3.** Conto medieval, de ordinário em verso, no qual se narram aventuras ou amores de um herói de cavalaria. **4.** *Liter.* Descrição longa e em prosa das ações e sentimentos de personagens fictícios, numa transposição da vida para um plano artístico. [Cf., nesta acepç., *novela* (1) e *conto*[1] (5).] **5.** *P. ext.* Descrição exagerada ou fantasiosa: *Transformou o incidente num verdadeiro romance.* **6.** Enredo de coisas falsas ou inacreditáveis. **7.** Fato ou episódio real, mas tão complicado que parece inacreditável. **8.** Romança (1). **9.** *Liter. Pop. Bras.* Qualquer composição poética narrativa do romanceiro popular nordestino, quase sempre em sextilhas ou setilhas. **10.** *Liter. Pop. Bras. Restr.* Folheto impresso de mais de 16 páginas, especialmente os de assunto amoroso. **11.** *Bras.* Namoro; caso. [Sin. (nas acepçs. 4 a 7): *novela.*] ● ***Adj. 2 g.* 12.** V. *românico* (4). ~ V. *língua* —. ◆ **Romance de cavalaria.** *Liter.* Romance que trata de aventuras de cavaleiros. **Romance de capa e espada.** *Liter.* Aquele que trata das aventuras de heróis cavalheirescos e que se batiam à espada. **Romance de folhetim.** *Liter.* Romance publicado em capítulos na imprensa. **Romance de formação.** *Liter.* V. *Bildungsroman.* **Romance de tese.** *Liter.* Narrativa em prosa que incorpora uma doutrina oriunda dos campos não estéticos das ciências, da filosofia ou da religião, no intuito de defendê-la quando da discussão, no próprio enredo, de questões sociais, políticas ou religiosas. **Romance epistolar.** *Liter.* Aquele em que a narrativa se desenvolve pela troca de cartas entre os personagens. **Romance gótico.** *Liter.* O romance (sobretudo o romance inglês do séc. XVIII), de mistério, crime ou pavor, e que explora o lado mórbido, fantástico ou sobrenatural dos fatos. **Romance histórico.** *Liter.* Romance que utiliza personagens e reconta episódios da História, ficcionalizando-os. **Romance policial.** *Liter.* Narrativa com tom de suspense e mistério que, via de regra, envolve a ação de um policial ou detetive para desvendar um crime.

romanceação [De *romancear* + *-ção.*] ***S. f.*** Ato ou efeito de romancear.

romanceado [Part. de *romancear.*] ***Adj.* 1.** Acomodado à língua vernácula ou romance. **2.** Contado ou descrito em forma de romance. **3.** Escrito ao jeito de romance (4): *biografia romanceada; memórias romanceadas.*

romancear [De *romance* + *-ear*[2].] ***V. t. d.* 1.** Contar ou descrever em forma de romance (4): *O escritor romanceou fatos biográficos.* **2.** Dar forma atraente, pitoresca, a: *O povo gosta de romancear os fatos.* **3.** Apropriar (termos de outros idiomas) à linguagem vernácula ou romance; romanizar. ***Int.* 4.** Inventar histórias; escrever romances: *Bons escritores há que só principiaram a romancear na maturidade.* **5.** Contar fatos inverossímeis: *O fanfarrão adora romancear.* [Conjug.: v. *frear.*]

romanceco [De *romance* + *-eco.*] ***S. m.*** *Deprec.* Romance (4) de muito pouco ou nenhum valor.

romanceiro [De *romance* + *-eiro.*] ***S. m.* 1.** Coleção de romances filiados a várias escolas literárias. **2.** Coleção de poesias ou canções populares que formam a literatura poética e nacional dum povo; cancioneiro. **3.** Coleção de poesias ou canções escritas por poeta culto, mas de feição ou gosto mais ou menos popular; cancioneiro: *Uma obra-prima da poesia brasileira é o* Romanceiro da Inconfidência, *de Cecília Meireles, inspirado na Conjuração Mineira.* ● ***Adj.* 4.** Romântico (1).

romance-rio [Trad. do fr. *roman-fleuve.*] ***S. m.*** *Liter.* Romance (4) muito longo, com numerosos personagens, às vezes das mesmas famílias, em várias gerações. [Pl.: *romances-rios* e *romances-rio.*]

romancete (ê) [De *romance* + *-ete* (ê).] ***S. m.*** Pequeno romance (4).

romanche [Do rético *romonsch, rumonsch, rumansch.*] ***Adj. S. m.*** *Gloss.* Diz-se do, ou o dialeto reto-românico falado no cantão dos Grisões e que em 1938 passou a ser a quarta língua oficial suíça.

romancice [De *romance* + *-ice.*] ***S. f.*** *Fam. Deprec.* Devaneio romântico; fantasia.

romancismo [De *romance* + *-ismo.*] ***S. m.* 1.** Caráter romântico; romanesco. **2.** Descrições românticas.

romancista [De *romance* + *-ista.*] ***S. 2 g.*** Pessoa que escreve romances. [Cf. *novelista.*]

romanço ***S. m.*** *Gloss. Desus.* Romance (1).

romando [Do fr. *romand.*] ***Adj.*** De, ou pertencente ou relativo à Suíça francesa ou aos seus habitantes.

romanear [De *romana* + *-ear*[2].] ***V. t. d.*** Pesar (mercadoria) em balança romana, ou, p. ext., em qualquer balança. [Conjug.: v. *frear.*]

romaneio [Dev. de *romanear.*] ***S. m.*** *Com.* Lista especial de qualidade, quantidade e peso de mercadorias vendidas ou embarcadas.

romanesco (ê) [Do fr. *romanesque.*] ***Adj.* 1.** Que tem o caráter de romance, ou do que é romântico; romântico: "Estão mortas as mãos daquela Dona, / Brancas e puras como o luar que vela / As noites romanescas de Verona" (Alphonsus de Guimaraens, *Obra Completa,* p. 264). **2.** *P. ext.* Sonhador, devaneador, fantasioso, romântico: *temperamento romanesco.* **3.** Quimérico, fabuloso, utópico. ● ***S. m.* 4.** Romancismo (1). **5.** *Liter.* Direção da imaginação literária para o aventuroso, sem levar em conta a verossimilhança e a psicologia. **6.** *Liter.* Com traços e características do gênero literário romântico.

➔ **roman-fleuve** [ʁɔmɑ̃ flœv] [Fr.] ***S. m.*** *Liter.* V. *romance-rio.*

romani [Do cigano *romani,* 'cigano'.] ***S. m.*** *Gloss.* **1.** Língua indo-ariana falada pelos ciganos, e que se subdivide em dialetos espalhados por diversos países do mundo. **2.** V. *caló* (1). **3.** Vocábulo do romani (1 e 2). [Sin. ger.: *cigano; tzigano.* F. paral.: *români.*]

români ***S. m.*** *Gloss.* V. *romani.*

romània [Do lat. *Romania.* 'os países submetidos aos romanos'.] ***S. f.* 1.** O Império Romano. **2.** O conjunto dos falantes não romanos do latim. **3.** O conjunto das regiões do Império Romano em que o latim veio a substituir as línguas das populações autóctones. [Cf. *Barbária.*] **4.** O conjunto de países onde se falam línguas românicas. [Com cap.]

românico [Do lat. *romanicu.*] ***S. m.* 1.** *Gloss.* O conjunto das línguas neolatinas. [V. *balcano-românico, galo-românico, ibero-românico* e *ítalo-românico.*] **2.** *Gloss.* Romance (2). **3.** *Arquit. Art. Plást.* Estilo românico. ● ***Adj.* 4.** *Gloss.* Relativo às línguas românicas; romance, romano, romão. **5.** Relativo ao, ou próprio do estilo românico: *portal românico.* ~ V. *estilo* — e *língua* —*a.*

romani-ibérico ***S. m.*** *Gloss.* V. *caló* (1).

romanista [De *romano* + *-ista.*] ***S. 2 g.* 1.** Pessoa que estuda jurisprudência, história, ou outros assuntos relativos aos romanos. **2.** Filólogo especialista em línguas românicas.

romanística [De *romanista* + *-ica.*] ***S. f.*** Filologia ou linguística românica.

romanístico [De *romanista* + *-ico*[2].] ***Adj.*** Concernente à romanística, ou a romanista.

romanização [De *romanizar* + *-ção.*] ***S. f.* 1.** Ato ou efeito de romanizar(-se): *a romanização do direito; a* romanização da Lusitânia. 2. *Restr.* O uso do alfabeto latino para a transliteração de outros sistemas de escrita. [V. *pin-yin* e *Wade-Giles*.]

romanizado [Part. de *romanizar*.] ***Adj.*** Que foi objeto de romanização; que se romanizou.

romanizar [De *romano* + *-izar*.] ***V. t. d.*** **1.** Tornar romano (no tocante à Roma antiga); dar feição romana a: *As guerras romanizaram a Península Itálica.* **2.** Adaptar à índole das línguas românicas; romancear: *romanizar um vocábulo.* **3.** Escrever com caracteres romanos [v. *romano* (4)]. **4.** Influenciar segundo o estilo romano: *A expansão militar romanizou, em parte, a arquitetura da Ásia Menor.* ***P.*** **5.** Adotar as instituições, os costumes de Roma: *A Gália romanizou-se após as conquistas de Júlio Cesar.*

romanizável [De *romanizar* + *-vel*.] ***Adj. 2 g.*** Adaptável à índole das línguas românicas.

romano [Do lat. *romanu*, por via erudita.] ***Adj.*** **1.** De, ou pertencente ou relativo a Roma, cidade da Península Itálica, sede de um dos principais Estados da Antiguidade, ou à atual capital da Itália: *um cidadão romano; Augusto foi o primeiro imperador romano.* **2.** *Gloss. Desus.* V. *românico* (4). **3.** *Arquit. Art. Plást.* Diz-se do estilo derivado da arte grega e helenística, o qual se caracterizou pela introdução do arco na arquitetura, pelo desenvolvimento das construções militares e civis, e pelo realce dado à escultura (de marcante realismo), influenciando as primeiras manifestações artísticas da Idade Média. **4.** *Tip.* Diz-se das famílias de tipo redondo que se distinguem pela variação na espessura dos traços no desenho da letra e pela existência de remates ou serifas. [Cf. *redondo* (8).] **5.** Relativo ou pertencente à Igreja Católica: *católico romano; rito romano.* ~ V. *algarismo —, calendário —, católico —, cimento —, direito —, Igreja Católica Apostólica —a, luta —a* e *Pontífice —.* ● ***S. m.*** **6.** O natural ou habitante de Roma. **7.** *Tip.* O tipo romano (4). **8.** *P. ext.* Redondo (11). ◆ **Romano antigo.** *Tip.* Garaldino. **Romano moderno.** *Tip.* V. *didoniano.* **Romano transicional.** *Tip.* V. *real*[3] (5).

romano-bizantino ***Adj.*** *Arquit.* V. *romão* (2). [Pl.: *romano-bizantinos*.]

romanticismo [De *romântico* + *-ismo*.] ***S. m.*** Romantismo.

romântico ***Adj.*** **1.** Relativo a romance; romanceiro. **2.** Sonhador, devaneador, fantasioso, romanesco. **3.** Próprio de cenas amorosas ou romanescas; poético. **4.** Diz-se dos escritores e artistas adeptos do romantismo (1 e 2). **5.** Diz-se das obras literárias e artísticas ligadas ao romantismo (1 e 2). ~ V. *comédia —a.* ● ***S. m.*** **6.** Aquilo que tem caráter romanesco ou romântico. **7.** Escritor ou artista romântico. [Do ingl. *romantic*, pelo al. *romantisch* e pelo fr. *romantique*.]

romantismo [De *romântico* + *-ismo*, seg. o padrão erudito; fr. *romantisme*.] ***S. m.*** **1.** *Liter.* Importante movimento de escritores que, no princípio do séc. XIX, abandonaram as regras de composição e estilo dos autores clássicos, pelo individualismo, pelo lirismo e pelo predomínio da sensibilidade e da imaginação sobre a razão. **2.** *Art. Plást.* Escola estética surgida, paralelamente ao romantismo (1), como reação ao classicismo e ao neoclassicismo, e que se caracterizou pelo subjetivismo, pela liberdade de assuntos, de composição, de colorido, etc., como meios de expressão de sentimentos e estados de alma. **3.** Qualidade e caráter do que é romântico ou romanesco. **4.** *Filos.* Movimento de reação ao iluminismo (q. v.), cujos representantes principais foram Johann Gottlieb Fichte (1762-1814), Friedrich Wilhelm Joseph von Schelling (1775-1854), Friedrich von Schlegel (1772-1829) e Hegel (v. *hegelianismo*), filósofos idealistas alemães, e o teólogo alemão Friedrich Ernst Daniel Schleiermacher (1768-1834), que, na busca da unidade com o Absoluto, preconizava a volta aos temas medievais, a inspiração nas religiões orientais, a exaltação dos instintos, dos sentimentos, da imaginação e da fantasia, e a valorização dos transportes místicos. [F. paral.: *romanticismo*.]

romantizar [De *romântico* + *-izar*, seg. o padrão erudito.] ***V. t. d.*** **1.** Tornar romântico. **2.** Narrar à guisa de romance, como quem escreve romance. **3.** Descrever, contar, de maneira imaginosa; fantasiar: *As crianças muitas vezes romantizam os acontecimentos.* ***Int.*** **4.** Idear romances. **5.** Assumir ares de romântico: *Os homens mais severos romantizam quando começam a amar.* **6.** Narrar alguma coisa à guisa de romance: "Para que os meus amigos não digam que estou romantizando, deixo de .... esboçar o estado d'alma de Dona Alice, o seu horrível estado d'alma." (Viriato Correia, *Novelas Doidas*, pp. 21-22.) ***P.*** **7.** Assumir ares românticos.

romão [Do lat. *romanu*, por via pop.] ***Adj.*** **1.** V. *românico* (4). **2.** *Arquit.* Diz-se do estilo romano, em especial daquele que vigorou na Europa entre o séc. V e o XII; gótico antigo; romano-bizantino. [Flex.: *romã, romãos, romãs*.]

romãozinho [Dim. do antr. *Romão*.] ***S. m.*** *Bras. Pop.* V. *Diabo* (2).

romari *Bras.* ***S. 2 g.*** **1.** *Etnôn.* Indivíduo dos romaris, povo indígena extinto que habitava o N. de SE. ● ***Adj. 2 g.*** **2.** Pertencente ou relativo a esse povo. [Tb. us. como *s. 2 g. e 2 n.* (com cap.) e *adj. 2 g. e 2 n.*]

romaria [Do top. *Roma* (Itália), centro de peregrinações cristãs, + *-aria*[1].] ***S. f.*** **1.** Peregrinação a algum local religioso. **2.** Reunião de devotos [v. *romeiro* (1)] que participam de uma festa religiosa. **3.** Festa que se realiza em arraial (2). **4.** *Fig.* Aglomeração de pessoas em jornada. **5.** Ajuntamento de pessoas; multidão. [Sin.: *romagem*.]

romariense ***Adj. 2 g.*** **1.** De, ou pertencente ou relativo a Romaria (MG). ● ***S. 2 g.*** **2.** O natural ou habitante de Romaria.

romãzeira [De *romã* + *-zeira*.] ***S. f.*** *Bot.* Arvoreta punicácea (*Punica granatum*) originária da região mediterrânea, cultivada como ornamental e frutífera. Folhas pequenas e membranáceas; flores vistosas, vermelhas; o fruto é grande baga, com muitas sementes em camadas, as quais se acham envolvidas em arilo polposo; a casca encerra alcaloide medicinal. [Sin.: *romeira*.]

romãzeiral [De *romãzeira* + *-al*[1].] ***S. m.*** **1.** Quantidade mais ou menos considerável de romãzeiras dispostas proximamente entre si. **2.** Pomar de romãzeiras. [Sin. ger.: *romeiral*.]

rombencéfalo [De *romb(o)-* + *encéfalo*.] ***S. m.*** *Anat.* **1.** A mais posterior das três vesículas primárias que se formam durante o desenvolvimento embrionário do encéfalo, e que vem a dividir-se em *metencéfalo* e *mielencéfalo*. **2.** *Embr.* Porção posterior do encéfalo, a qual inclui o bulbo raquiano, a ponte (6) e o cerebelo.

▲ **rombi-** [Do gr. *rhómbos* ou *rhýmbos, ou*.] ***El. comp.*** = 'rombo[2]': *rombifoliado*. [Equiv.: *romb(o)-*: *rômbico, rombospermo*.]

rômbico [De *romb(o)-* + *-ico*[2].] ***Adj.*** Que tem forma de rombo[2].

rombifoliado [De *rombi-* + *-foli-* + *-ado*[1].] ***Adj.*** *Bot.* Que tem folha rombiforme; rombifólio.

rombifólio [De *rombi-* + *-fólio*.] ***S. m.*** *Bot.* Rombifoliado.

rombiforme [De *rombi-* + *-forme*.] ***Adj. 2 g.*** Que tem forma de rombo[2].

rombo[1] ***S. m.*** **1.** Furo, abertura, buraco de grandes proporções. **2.** Abertura forçada feita por um rompimento violento; arrombamento. **3.** *Fig.* Desfalque (4). **4.** *Fig.* Déficit: *o rombo nas contas da previdência social.*

rombo[2] [Do gr. *rhómbos*, pelo lat. *rhombu*.] ***S. m.*** **1.** *Geom.* Losango. ● ***Adj.*** **2.** Que não é aguçado; que não tem ponta aguçada; que não perfura. **3.** *Fig.* Estúpido, obtuso, imbecil; rombudo: *indivíduo rombo.*

▲ **romb(o)-** Equiv. de *rombi-*.

romboédrico [De *romboedro* + *-ico*[2].] ***Adj.*** **1.** Que tem forma de romboedro. **2.** *Min.* Diz-se do sistema cristalino que pode referir-se a três eixos iguais e oblíquos entre si, e caracterizado por um eixo de simetria ternária; trigonal.

romboedro [De *romb(o)-* + *-edro*.] ***S. m.*** *Geom.* Prisma cujas bases são paralelogramos.

romboidal [De *romboide* + *-al*[1].] ***Adj. 2 g.*** Que tem a figura de romboide.

romboide (ói) [Do gr. *rhomboeidés*.] ***S. m.*** **1.** *Geom.* Quadrilátero de ângulos não retos, de lados opostos iguais e lados contíguos diferentes; paralelogramo. ● ***Adj. 2 g.*** **2.** Que tem a forma de romboide (1). ❖

rombospermo [De *romb(o)-* + *-spermo*.] ***Adj.*** *Bot.* Que tem sementes romboidais.

rombudo [De *rombo*[2] + *-udo*.] ***Adj.*** **1.** Muito rombo[2]; muito pouco aguçado; que penetra dificilmente: *agulha rombuda.* **2.** *Fig.* V. *rombo*[2] (3). **3.** *Bras. CE Fam.* V. *roxo* (6).

romeira[1] [Fem. de *romeiro*.] ***S. f.*** **1.** Mulher que participa de uma romaria. **2.** Espécie de cabeção usado pelos peregrinos que iam a Santiago de Compostela. **3.** Cabeção, normalmente de renda ou de seda, que era de uso feminino.

romeira[2] ***S. f.*** *Bot.* Romãzeira.

romeiral [De *romeira*[2] + *-al*[1].] ***S. m.*** Romãzeiral.

romeiro [Do gr. *rhomaîos*, aplicado no Império do Oriente aos peregrinos que iam à Terra Santa e depois, pelo b.-lat. *romaeu*, aos que iam a Roma.] ***S. m.*** **1.** Homem que toma parte em romaria (1); peregrino. **2.** *Fig.* Defensor de grandes ideias. **3.** *Bras.* V. *piloto* (10).

romelandino ***Adj.*** **1.** De, ou pertencente ou relativo a Romelândia (SC). ● ***S. m.*** **2.** O natural ou habitante de Romelândia.

romenho [De *romani*, poss.] ***S. m.*** *Gloss.* V. *caló* (1).

romeno [Do rom. *românĭ*.] ***Adj.*** **1.** Da, ou pertencente ou relativo à Romênia (Europa). ● ***S. m.*** **2.** O natural ou habitante da Romênia. **3.** *Gloss.* Língua românica oriental, oficial da Romênia, falada também nalguns países circunvizinhos. **4.** Vocábulo dessa língua. [Cf. *romaico*.]

ró-menos ***S. m.*** *Fís. Part.* V. *rô-menos*. [Uso freq. em P. Pl.: *rós-menos*.]

rô-menos ***S. m.*** *Fís. Part.* Antipartícula (q. v.) do rô-mais [simb.: ρ^-]. [Pl.: *rôs-menos*.]

romeriano [Do antr. *Romero* + *-iano*.] ***Adj.*** **1.** Relativo ou pertencente ao escritor brasileiro Sílvio Romero (1851-1914), ou próprio dele. **2.** Que é seu admirador ou conhecedor profundo de sua obra. ● ***S. m.*** **3.** Admirador e/ou profundo conhecedor da obra de Sílvio Romero.

romeu [Do ficcion. *Romeu*, personagem da tragédia *Romeu e Julieta*, de Shakespeare (v. *shakespeariano*).] ***S. m.*** Namorado apaixonado.

romeu e julieta ***S. m.*** *Bras. RJ Gír.* Goiabada com queijo. [Pl.: *romeus e julietas*.] ☑

rominhol [Var. de *reminhol* (q. v.).] ***S. m.*** *Bras.* Lata com um cabo de pau, usada para retirar o melado quente do tacho. [Pl.: *rominhóis*.]

rompante [Var. de *rompente*.] ***Adj. 2 g.*** **1.** V. *rompente* (1 e 2). ● ***S. m.*** **2.** Arrogância, altivez, orgulho. **3.** *Pop.* Reação impetuosa e/ou violenta, ditada especialmente por sentimento de fúria ou de raiva. **4.** A primeira aduela de um arco que se assenta sobre o capitel.

rompão [De *romper* + *-ão*[3].] ***S. m.*** Cada um dos dois rebordos das extremidades da ferradura: "transmudando o cavalo em projetil e varando quadrados e levando de rojo o adversário no rompão das ferraduras" (Euclides da Cunha, *Os Sertões*, p. 120).

rompedeira [De *romper* + *-deira*.] ***S. f.*** **1.** Cunha encabada que os ferreiros usam para cortar o ferro incandescente; talhadeira. **2.** Punção dos serralheiros para perfurar.

rompedor (ô) [De *romper* + *-dor*.] ***Adj. S. m.*** Que ou o que rompe.

rompedura [De *romper* + *-dura*.] ***S. f.*** **1.** V. *rompimento*. **2.** Rasgão, rasgadura.

rompe-gibão [De *romper* + *gibão*.] ***S. m.*** *Bras. Bot.* Quixabeira [Pl.: *rompe-gibões*.]

rompente [Do lat. *rumpente*.] ***Adj.*** **1.** Que rompe, investe ou assalta. **2.** Altivo, arrogante, orgulhoso, rompante. **3.** *Heráld.* Diz-se de figura de quadrúpede que se apresenta erguido sobre as patas traseiras e com a cabeça volvida para o lado direito; rampante: "Foram timbrados pela natureza, / Nos teus escudos, os leões rompentes!" (Bulhão Pato, *Livro do Monte*, p. 226.)

romper [Do lat. *rumpere*.] ***V. t. d.*** **1.** Fazer em pedaços; despedaçar, espedaçar, partir, quebrar: *A queda rompeu o precioso vaso.* **2.** Estragar, abrindo um rasgão; rasgar: *A vegetação agreste rompeu as roupas dos excursionistas.* **3.** Rasgar em pedaços; lacerar, dilacerar: *O prego rompeu-lhe as carnes.* **4.** Sulcar (a terra); lavrar, abrir, arar: *A charrua rompe o terreno.* **5.** Abrir à força; arrombar: *Os assírios usavam aríetes para romper muralhas.* **6.** Cortar as águas de; navegar por; sulcar: *Vasos de guerra rompem o Mediterrâneo.* **7.** Abrir caminho por; passar pelo interior de; atravessar: *Os bandeirantes rompiam as selvas.* **8.** Dar princípio a; principiar, iniciar: *Um violento ataque de aviação rompeu a guerra.* **9.** Fazer parar por algum tempo; suspender, quebrar, interromper: *A chegada das visitas rompeu a tranquilidade da casa;* "Estavam os dois abraçados, ... quando .... um ai dolorido rompeu o silêncio da noite enluarada." (Nélson de Faria, *Tiziu e Outras Estórias*, p. 107). **10.** Transgredir, violar, infringir, quebrantar: *Quem rompeu o acordo de paz?* **11.** Pôr em debandada; vencer, derrotar, desbaratar: *As tropas aliadas romperam o exército inimigo.* **12.** Penetrar em; transpassar: *O punhal rompeu-lhe o coração.* **13.** Fazer estremecer com estrondo; atroar: *O tiroteio rompia os ares.* **14.** Afastar, desfazer; dissipar: *Conseguiremos romper todos os empecilhos.* **15.** Revelar (segredos). **16.** Extinguir (testamento, contrato, etc.): *As partes romperam o trato.* **17.** Andar por cima de; pisar: *Pés civilizados jamais haviam rompido a região.* ***T. i.*** **18.** Começar a manifestar, subitamente: *romper em cólera, em choro, em riso.* **19.** Opor-se, reagir, resistir: *Os modernos cientistas romperam com as teorias antiquadas.* **20.** Desfazer ou acabar ligação amorosa ou de amizade; cortar relação: *Rompeu com velhos amigos.* ***T. c.*** **21.** Sair com ímpeto; jorrar: *A água rompeu da terra.* **22.** Penetrar com violência; atravessar com ímpeto; arremessar-se: *Os soldados romperam pela mata agreste.* ***Bit. i.*** **23.** Acometer, investir, atacar: *O promotor rompeu contra o réu em graves afirmações.* ***Int.*** **24.** Arrojar-se contra alguém; atacar, investir, acometer: *As tropas romperam com ardor.* **25.** Principiar, começar: *À meia-noite rompeu a serenata;* "Correram-se as cortinas da tribuna real. Rompem as músicas.

Chegou el-rei" (Rebelo da Silva, *Contos e Lendas*, p. 175). **26.** Começar a surgir; nascer, despontar: "E a madrugada rompia." (Marques Rebelo, *Marafa*, p. 54.) **27.** Manifestar-se, mostrar-se, aparecer, surgir: *Pela manhã romperam os sinais de terra próxima.* **28.** Nascer, brotar, surgir, irromper: *Na primavera rompem as flores.* **29.** Sair ou irromper de repente; prorromper: *As lágrimas rompiam, dando vazão à tristeza.* **30.** Divulgar-se, propagar-se, propalar-se: *A boa-nova rompeu logo.* **31.** Desfazer ou acabar ligação amorosa ou de amizade: *Os noivos romperam sem ressentimentos; Os amigos romperam.* ***P.*** **32.** Separar-se com violência; quebrar-se, partir-se, despedaçar-se, espedaçar-se: *O vaso rompeu-se na queda.* **33.** Estragar-se, abrindo um rasgão; rasgar-se: *O sapato rompeu-se.* **34.** Abrir-se, fender-se; gretar-se: *A montanha rompeu-se com as chuvas;* "com o seu largo carão holandês, e o riso derramado pela boca fora, como um vinho generoso de pipa que se rompeu, o grande médico veio em pessoa abrir-lhes a porta." (Machado de Assis, *Histórias sem Data*, pp. 18-19). **35.** Parar por algum tempo; suspender-se, interromper-se: *Rompeu-se a calma com a entrada das crianças.* [Part.: *rompido* e *roto* (ô). Cf. *roto*, do v. *rotar*.] ● ***S. m.*** **36.** Rompedura, rompimento.

rompe-saias [De *romper* + o pl. de *saia*.] ***S. f. 2 n. Bot.*** Planta asterácea (*Helminthia echioides*) nativa do Mediterrâneo e que se expandiu por quase todo o mundo; tem pelos e ganchos, que aprisionam insetos e podem rasgar tecidos.

rompida [De *romper* + *-ida*[3].] ***S. f. Bras. S.*** Em corridas de animal, a partida. ◆ **Rompida na cola.** *Bras. S.* Vantagem inicial que, nas corridas, um animal dá a outro, colocando-se na cola ou cauda deste.

rompimento [De *romper* + *-imento*.] ***S. m.*** **1.** Ato ou efeito de romper(-se); rompedura. **2.** Interrupção de relações individuais ou internacionais. **3.** *Teatr.* Parte do cenário teatral resultante da junção de dois bastidores e uma bambolina. Geralmente se utiliza em cena mais de um rompimento, que por vezes representam, em perspectiva, elementos ambientais, como árvores, pedreiras, abóbadas sobre colunas, etc.

rompível [De *romper* + *-ível*.] ***Adj. 2 g.*** Que se pode romper.

rom-rom [T. onom.] ***S. m.*** Rumor contínuo provocado pela traqueia do gato, comumente quando descansa: "ouvia-se o rom-rom da gata" (Aquilino Ribeiro, *Terras do Demo*, p. 87). [Pl.: *rom-rons*.] ❊

ronca [Dev. de *roncar*.] ***S. f.*** **1.** V. *roncadura* (1). **2.** Espécie de fateixa composta de três ou quatro anzóis, própria para a pesca de peixe grosso. **3.** Bordão de gaita de foles. **4.** *Fig.* V. *ronco* (6). **5.** *Lus.* V. *roncadeira* (2). ◆ **Meter a ronca em.** *Bras.* V. *meter o pau em* (2): "O povo é mesmo aleivoso, mete a ronca na coitada como se ela fosse mulher-dama." (Ricardo Ramos, *Os Caminhantes de Santa Luzia*, p. 45.)

roncadeira [De *roncar* + *-deira*.] ***Adj.*** **1.** Fem. de *roncador*. ● ***S. f.*** **2.** Instrumento feito duma cabaça ou dum pequeno barril, com uma membrana ou pele de bexiga adaptada ao fundo e atravessada por um cordel encerado, pelo qual se corre a mão com força, produzindo um som rouco e áspero. [Cf. *cuíca* (2).] [Sin. (lus.), nesta acepç.: *ronca, sarronca*.]

roncador (ô) [De *roncar* + *-dor*.] ***Adj.*** **1.** Que ronca; roncante. ● ***S. m.*** **2.** O que ronca. **3.** *Bras. Zool.* Peixe cienídeo (*Bairdiella ronchus*), das costas do Atlântico ocidental, do Caribe ao S. do Brasil, de coloração prateada, com o dorso acinzentado, e que atinge cerca de 35cm de comprimento; bororó, cangangoá, canganguá, cangauá, cangoá, canguá, congoá, pescado-aratanha, robalo-miraguaia, ticopá. **4.** *Bras. Zool.* Peixe hemulídeo (*Conodon nobilis*), do Atlântico, desde o Texas (E.U.A.) ao S. do Brasil, de coloração que vai do marrom ao amarelado, mais escura no dorso, com oito faixas transversais, escuras, e nadadeiras amareladas. Comprimento: até 30cm. [Sin., nesta acepç.: *coró, corcoroca, coroque, ferreiro, pargo-branco*.] **5.** *Bras. Zool.* V. *canguá* (1). **6.** *Bras. Zool.* V. *cuíca* (4). **7.** *Bras. MA PA Mús.* V. *cuíca* (2). **8.** *Bras. N. Pop.* V. *queda-d'água*. **9.** *Bras. SP RS* V. *fanfarrão* (2).

roncadorense ***Adj. 2 g.*** **1.** De, ou pertencente ou relativo a Roncador (PR). ● ***S. 2 g.*** **2.** O natural ou habitante de Roncador. [Sin. ger.: *roncadoriano*.]

roncadoriano ***Adj. S. m.*** V. *roncadorense*.

roncador-taboca ***S. m. Bras. Zool.*** V. *castanha* (12). [Pl.: *roncadores-tabocas* e *roncadores-taboca*.]

roncadura [De *roncar* + *-dura*.] ***S. f.*** **1.** Ato ou efeito de roncar; roncaria, ronca, ronco. **2.** Bexiga inflada, que estoura com estrépito.

roncante [De *roncar* + *-nte*.] ***Adj. 2 g.*** Roncador (1).

roncar [Do lat. tard. *rhonchare*.] ***V. int.*** **1.** Respirar ruidosamente durante o sono; ressonar com ruído: "fazia maquinalmente o meu sinal da cruz, e daí a pouco roncava de ventre ao ar, lívido e com um suor frio, como um Tibério exausto." (Eça de Queirós, *O Mandarim*, pp. 55-56). **2.** Produzir estrondo ou fragor; estrondear, restrugir: *Roncam os trovões na tempestade.* **3.** Produzir borborigmo(s): *Era cedo para o almoço e a sua barriga já roncava.* ***T. i.*** **4.** Blasonar, jactar-se, vangloriar-se: *Este jovem ronca de inteligente.* ***T. d.*** **5.** Dizer com arrogância; bravatear: *Valentão, roncava ameaças.* [Conjug.: v. *trancar*. Pret. perf.: *ronquei*, ... *roncou*, etc. Pres. subj.: *ronque*, ... *ronquem*. Cf. *roncó*, *roncor* e *ronquém*.]

roncaria [De *roncar* + *-ia*[1].] ***S. f.*** **1.** V. *roncadura* (1). **2.** *Fig.* V. *fanfarrice* (2).

ronçaria [Do esp. *roncería*.] ***S. f.*** Qualidade de ronceiro.

roncear [De or. obscura.] ***V. int.*** Andar ronceiramente, com lentidão. [Conjug.: v. *frear*.]

ronceirice [De *ronceiro* + *-ice*.] ***S. f.*** Ronceirismo (1).

ronceirismo [De *ronceiro* + *-ismo*.] ***S. m.*** **1.** Qualidade, modos ou hábitos de ronceiro; indolência, ronceirice. **2.** Sistema contrário às ideias do progresso.

ronceiro [De *roncear* + *-eiro*.] ***Adj.*** **1.** Que se move com lentidão; vagaroso, lento: "Arrastados pesadamente por morosos mas robustos bois de grandes aspas, avançavam os ronceiros veículos, estalando, gemendo" (Júlio Ribeiro, *A Carne*, p. 32). **2.** Que não tem atividade, energia; indolente, preguiçoso, mole, molenga.

roncha [Do esp. *rocha*, com nasalização.] ***S. f. Bras. N.E.*** Mancha arroxeada no corpo, originada, em geral, de hemorragia subcutânea: "A cara deformada de equimoses, o peito todo lanhado, as costas cheias de ronchas" (Homero Homem, *Menino de Asas*, p. 109).

ronchar [De *roncha* (q. v.) + *-ar*[2].] ***V. t. d. Bras. N.E.*** Fazer ronchas em (alguém): *As pancadas roncharam a menina.*

roncice ***S. f.*** Hábito ou propósito de roncear.

ronco [Do gr. tard. *rhónchos*, pelo lat. tard. *ronchu*.] ***S. m.*** **1.** O som grave, barulhento, da respiração de quem ronca dormindo. **2.** V. *roncadura* (1). **3.** Ruído contínuo, cavernoso, grave, semelhante ao ronco (1): *o ronco de um motor; o ronco do trovão.* **4.** O grunhir dos porcos. **5.** Rom-rom. **6.** *Fig.* Bravata, fanfarrice, gabolice, ronca. **7.** *Med.* A respiração cava e difícil dos apoplécticos e agonizantes. **8.** *Med.* Ruído brônquico seco e rude, que se deve à obstrução parcial brônquica. **9.** *Bras. Zool.* V. *corcoroca* (3).

roncó [Do ior.] ***S. m. Bras. Rel.*** Lugar reservado nos candomblés onde os iniciandos passam meses, recebendo lições de culto e praticando sacrifícios para merecerem a confiança do orixá a que se dedicam; camarinha. [Cf. *roncou*, do v. *roncar*, e *roncor*.]

roncolho (ô) [De or. obscura.] ***Adj.*** **1.** Que só possui um testículo; monórquido. **2.** Malcastrado: *boi roncolho*. [Pl.: *roncolhos* (ô).]

roncor (ô) ***S. m. Bras. N.E.*** V. *ronqueira*[1] (1): *o roncor do peito do doente.* [Cf. *roncó*, s. m., e *roncou*, do v. *roncar*.]

ronda [Do ant. *rolda*, com infl. do esp. *ronda*.] ***S. f.*** **1.** Visita a algum posto, ou volta feita para inspecionar ou zelar pela tranquilidade pública. **2.** Grupo de soldados ou de guardas encarregado de vigilância, que percorre as ruas fazendo ronda. [Cf. *patrulha* (4).] **3.** Inspeção para verificar a boa ordem dalguma coisa. **4.** Diligência realizada com o intuito de descobrir algo. **5.** Dança de roda (17). **6.** *Mar. G.* Grumete auxiliar do oficial de serviço, e que tem por função servir de mensageiro dentro do navio ou estabelecimento naval. **7.** *Bras.* Trabalhador que percorre um trecho da linha duma estrada de ferro para prevenir ou remover qualquer obstáculo à circulação dos trens. **8.** *Bras. S.* Lugar onde pasta, vigiada pelos camaradas, a tropa. **9.** *Bras. S.* Jogo de azar jogado com um baralho e qualquer número de parceiros.

ronda-altense ***Adj. 2 g.*** **1.** De, ou pertencente ou relativo a Ronda Alta (RS). ● ***S. 2 g.*** **2.** O natural ou habitante de Ronda Alta. [Pl.: *ronda-altenses*.]

rondante [De *rondar* + *-nte*.] ***Adj. 2 g.*** **1.** Que ronda. ● ***S. 2 g.*** **2.** Pessoa que ronda. ● ***S. m.*** **3.** *Bras. PE* Pequena peça de madeira que aperta, por torcedura, qualquer amarração.

rondão[1] ***S. m.*** Roldão.

rondão[2] ***S. m. Bras. BA Zool.*** V. *barbeiro* (6).

rondar [De *ronda* + *-ar*[2].] ***V. t. d.*** **1.** Fazer ronda a; andar vigiando: *A patrulha rondou toda a cidade.* **2.** Andar à volta de; rodear: *As tropas rondaram o lamaçal;* "As galinhas rondavam a casa, voavam para os ramos baixos, trepavam aos mais altos, escondiam-se entre as folhas." (Coelho Neto, *Treva*, p. 322.) **3.** Manter sob observação ou vigilância; vigiar, espreitar, observar: *Antes do assalto, o marginal foi visto rondando a casa da milionária.* **4.** *Marinh.* Esticar ou puxar a parte branda ou folgada de (um cabo). [Antôn., nesta acepç.: *brandear* (3).] **5.** Assediar com fins amorosos: "Viúva moça, olhos rasgados, dona de terras, de negros, de dinheiro na canastra – a inhá Luísa começou logo a ser rondada." (Pedro Nava, *Baú de Ossos*, p. 164.) ***T. c.*** **6.** *Mar.* Mudar (o vento) de direção: *O vento rondou para o sul.* ***Int.*** **7.** Fazer ronda: *A patrulha passou a noite rondando.* **8.** Passear, vigiando, observando: *O detective saiu para rondar.* **9.** Andar à volta: *O cão, enraivecido, rondou longo tempo.* **10.** *Mar.* Rondar (5). [Sin., nas acepç. 1 a 3 e 6 a 8: *rondear*. Pres. subj.: *ronde, rondeis*, etc. Cf. *rondéis*, pl. de *rondel*.]

rondear [De *ronda* + *-ear*[2].] ***V. t. d. Int.*** V. *rondar* (1 a 3 e 6 a 8). [Conjug.: v. *frear*.]

rondel [Do fr. ant. *rondel*, atual *rondeau*.] ***S. m.*** *Arte Poét.* Composição poética de duas quadras e uma quintilha, com apenas duas rimas, sendo os dois últimos versos da segunda quadra iguais aos dois primeiros da primeira, e o primeiro desto o último da quintilha: "Ingênuo, qual essa criança, / Rimo rondéis, faço canções; / Sou, pelo sonho de esperança, / O eco de vários corações." (Martins Fontes, *Poesias*, V, p. 147.) [Pl.: *rondéis*. Cf. *rondeis*, do v. *rondar*, e *rondó*.]

→ **rondelle** [ron'del.le] [It.] ***S. f. pl. Cul.*** Massa caseira recheada com queijo, presunto, frango, salmão, etc. e enrolada em forma de rocambole.

rondinhense ***Adj. 2 g.*** **1.** De, ou pertencente ou relativo a Rondinha (RS). ● ***S. 2 g.*** **2.** O natural ou habitante de Rondinha.

rondo [Do fr. *ronde*.] ***S. m.*** *Calígr. Tip.* Espécie de letra de traços fortes, acentuadamente arredondados, e talhe vertical, e cuja versão tipográfica pertence à classe dos tipos escriturais. [Cf. *letra inglesa*.]

rondó [Do fr. *rondeau*.] ***S. m.*** **1.** *Arte Poét.* Composição poética com estribilho constante. **2.** *Arte Poét.* Denominação comum a dois poemas de forma fixa: *o rondó dobrado e o rondó simples.* **3.** *Mús.* Dança cantada ou canção dançada, de proveniência francesa (séc. XIII), que mais tarde, sobretudo na Itália e na Alemanha, passou para a música instrumental. **4.** *Mús.* Forma em que há um episódio que volta periodicamente (idêntico ou modificado), alternado com novos episódios. Desenvolveu-se do antigo rondó instrumental e, desde os meados do séc. XVIII, foi frequentemente admitida como último movimento da sonata, do quarteto, da sinfonia, etc. ◆ **Rondó dobrado.** *Arte Poét.* O que é formado de seis quadras sobre apenas duas rimas. **Rondó simples.** *Arte Poét.* Rondó também com apenas com duas rimas, e formado de três estâncias (a primeira de cinco versos, a segunda de três e a terceira de cinco), repetindo-se a primeira ou as primeiras palavras dela com o último verso, sem rima, da segunda e da terceira estâncias, o que dá ao poema um total de 15 versos.

rondonense[1] ***Adj. 2 g.*** **1.** De, ou pertencente ou relativo a Marechal Cândido Rondon (PR). ● ***S. 2 g.*** **2.** O natural ou habitante de Marechal Cândido Rondon.

rondonense[2] ***Adj. 2 g.*** **1.** De, ou pertencente ou relativo a Rondon (PR). ● ***S. 2 g.*** **2.** O natural ou habitante de Rondon.

rondonense[3] ***Adj. 2 g.*** **1.** De, ou pertencente ou relativo a Rondon do Pará (PA). ● ***S. 2 g.*** **2.** O natural ou habitante de Rondon do Pará.

rondoniano ***Adj.*** **1.** De, ou pertencente ou relativo ao Estado de Rondônia. ● ***S. m.*** **2.** O natural ou habitante desse estado. [Sin. ger.: *rondoniense*.]

rondoniense ***Adj. 2 g. S. 2 g.*** V. *rondoniano*.

rondonopolitano ***Adj.*** **1.** De, ou pertencente ou relativo a Rondonópolis (MT). ● ***S. m.*** **2.** O natural ou habitante de Rondonópolis.

ronga ***S. 2 g.*** **1.** *Etnôn.* Indivíduo dos rongas, um dos povos que habitam a província de Maputo, ao S. de Moçambique (África). ● ***S. m.*** **2.** *Gloss.* A língua falada pelos rongas, pertencente ao grupo banto. [Sin. (moç.), nesta acepç.: *landim*.] **3.** Vocábulo dessa língua. ● ***Adj. 2 g.*** **4.** Pertencente ou relativo aos rongas, ou à sua língua: "e todos os nomes que eu amo belos na língua ronga" (José Craveirinha, *Chigubo*, p. 33).

rongó ***S. f. Bras. PE Pop. Deprec.*** Meretriz.

ronha [Do lat. vulg. **ronea*, alter. de *aranea*.] ***S. f.*** **1.** Sarna que ataca ovelhas e cavalos. **2.** *P. ext.* Doença de plantas. **3.** *Pop.* Malícia, manha, astúcia, solércia: "Onde pensavas que existia amabilidade, havia ronha e muita!" (Coelho Neto, *A Conquista*, p. 195.)

ronhento [De *ronha* + *-ento*.] ***Adj.*** Que tem ronha; ronhoso.

ronhoso (ô) [De *ronha* + *-oso*.] ***Adj.*** Ronhento.

ronquear [De or. obscura.] ***V. t. d.*** Abrir, limpar e preparar em conserva (o atum). [Conjug.: v. *frear*.]

ronqueira[1] [De *ronco* + *-eira*.] ***S. f.*** **1.** O ruído da respiração produzido pelo catarro ou por outra causa de obstrução nas vias respiratórias; roncor, ronquido, pieira. **2.** Doença no pulmão do gado.

ronqueira[2] [Var. nasalada de *roqueira*.] ***S. f. Bras.*** Cano de ferro cheio de pólvora, preso a uma tora de madeira, e que detona com vivo estrondo: "Ao meio-dia, ...

estrondavam as ronqueiras festivas" (Viriato Correia, *Novelas Doidas*, p. 300).

ronquejar [De *ronco* + *-ejar*.] *V. int.* Dar roncos; roncar. [Conjug.: v. *pelejar*.]

ronquém[1] [De *ronquenho*.] *Bras. N.E. Adj. 2 g.* **1.** V. *ronquenho*. **2.** Que tem a voz muito grossa. [Cf. *ronquem*, do v. *roncar*.]

ronquém[2] [De *rouquenho* (1), com infl. de *ronquenho*.] *Adj. 2 g. Bras. N.E.* V. *rouquenho* (1). [Cf. *ronquem*, do v. *roncar*.]

ronquenho [De *ronco* + *-enho*.] *Adj.* Que tem ronqueira. [Var. (bras., N.E.): *ronquém*.]

ronquidão *S. f.* Ronquido (1).

ronquido [Do esp. *ronquido*.] *S. m.* **1.** Ruído provocado pelo estreitamento da traqueia do cavalo quando caminha muito ligeiro; ronquidão. **2.** V. *ronqueira*[1] (1).

ronronante [De *ronronar* + *-nte*.] *Adj. 2 g.* Que ronrona.

ronronar [De *rom-rom* + *-ar*[2], seg. o padrão erudito.] *V. int.* Fazer rom-rom.

ropálico [Do gr. *rhopalikós*, 'em forma de clava', pelo lat. tard. *rhopalicu*.] *Adj.* ~ V. *verso —*.

ropalócero [Do gr. *rhópalon*, 'porrete', 'clava', + *-cero*; tax. *Rhopalocera*.] *Zool. S. m.* **1.** Espécime dos ropalóceros, divisão de insetos lepidópteros, ger. diurnos, com antenas dilatadas para a parte apical, asas posteriores sem frênulo, com acoplamento do tipo amplexiforme, conhecidos pelo nome popular de borboletas. [Cf. *heterócero*.] • *Adj.* **2.** Pertencente ou relativo a eles.

rópia [De or. obsc.] *S. f. Prov. port.* V. *fanfarrice* (2). ◆ **De rópia. 1.** Com arrebatamento: "Esgueiramo-nos Rua da Saudade a baixo, ..., o batalhão que descia a rampa da caserna de rópia." (Aquilino Ribeiro, *Lápides Partidas*, p. 314.) **2.** De súbito: "A despeito dos meus protestos, o homem benemérito mandou Ermelinda buscar fronhas e ele abalou de rópia pedir mantas aos compadres." (Aquilino Ribeiro, *Mina Benigna*, p. 144.)

roque[1] [De or. incerta; poss. do ár. e persa *rūh*, 'elefante montado (*i. e.*, a torre, no jogo de xadrez)', pelo fr. (ant.) *roc*.] *S. m.* **1.** *Ant.* A torre do jogo de xadrez. **2.** Nesse jogo, o ato de rocar para proteger o rei.

roque[2] [Do ingl. *rock('n'roll)*.] *S. m. Mús.* V. *rock*.

→ **roquefort** [ʁɔkˈfɔʁ] [Fr.] *S. m.* Queijo forte, feito de leite de ovelha curado em condições especiais de temperatura e umidade para que se crie na sua massa um bolor azulado característico.

roque-gonzalense *Adj. 2 g.* **1.** De, ou pertencente ou relativo a Roque Gonzales (RS). • *S. 2 g.* **2.** O natural ou habitante de Roque Gonzales. [Pl.: *roque-gonzalenses*.]

roqueira [De *roca*[2] + *-eira*.] *S. f.* **1.** Antigo canhão de ferro para lançar pedras. **2.** Pedreiro (2). **3.** *Bras.* Ronqueira[2]: "De repente um tiro de roqueira estourou, depois outro e a foqueira virou tições malucos pelo terreiro afora." (Teotônio Brandão Vilela, *Andanças pela Crônica*, p. 9.) [Cf. *rouqueira*.]

roqueirada [De *roqueira* + *-ada*[1].] *S. f.* Tiro de roqueira (1).

roqueiro[1] [De *roca*[1] + *-eiro*.] *Adj.* **1.** Relativo a roca[1]. • *S. m.* **2.** Aquele que faz rocas. [Fem.: *roqueira*. Cf. *rouqueira*.]

roqueiro[2] [De *roca*[2] + *-eiro*.] *Adj.* **1.** Relativo a rocha ou roca[2]. **2.** Assentado ou fundado sobre rochas: *fortaleza roqueira*. **3.** Que tem a constituição das rochas: "O céu baço e sangrento de rigores, ao fim da tarde, para o lado do Marão roqueiro, foi-se acastelando de nuvens negras" (Pina de Morais, *Vidas e Sombras*, p. 23). [Fem.: *roqueira*. Cf. *rouqueira*.]

roqueiro[3] [De *roque*[2] + *-eiro*.] *S. m. Mús.* Instrumentista, cantor e/ou compositor de rock (q. v.).

roque-roque [Voc. onom.] *S. m.* **1.** Ato de roer. **2.** *Bras. Zool.* Peixe doradídeo (*Platydoras costatus*) da bacia amazônica e do Orinoco, com cerca de 17cm, coloração escura, marrom ou preta, com uma faixa branca nos flancos, parte inferior da cabeça e focinho tb. brancos, e nadadeiras escuras, com margens claras; graviola. [Pl.: *roques-roques* e *roque-roques*.]

roquete[1] (ê) [Do provenç. (ou cat.) *roquet*.] *S. m.* Sobrepeliz estreita com mangas, bordados de rendas e pregas miúdas: "Trindade despiu o roquete e a batina, fechou os gavetões da cômoda e dirigiu-se ao recinto da Matriz." (Oto Lara Resende, *Boca do Inferno*, p. 22.)

roquete[2] (ê) [De or. obsc.] *S. m. Heráld.* O triângulo heráldico: a posição de três peças quando dispostas no escudo em forma de aspa, *i. e.*, formando um triângulo, duas embaixo e uma em cima, ou, caso sejam enfeixadas, em disposição análoga.

roquete[3] (ê) [De *roca*[1] + *-ete* (ê).] *S. m.* Aparelho que imprime movimento de rotação a uma broca.

ror (ô) [De *horror*, com aférese.] *S. m. Pop.* **1.** V. *quantidade* (3): "Repetiu-se esta cena um ror de vezes!" (Artur Azevedo, *Contos fora da Moda*, p. 44.) **2.** Ajuntamento de pessoas ou coisas; multidão: "— Os ingleses chegaram! Estão subindo o penhasco, um ror deles..." (Antônio Celso, *A Porta de Jerusalém*, p. 18.)

roraimense (ãi) *Adj. 2 g.* **1.** Do, ou pertencente ou relativo ao Estado de Roraima. • *S. 2 g.* **2.** O natural ou habitante desse estado.

rorante [Do lat. *rorante*.] *Adj. 2 g.* **1.** *Poét.* Que orvalha. **2.** Que tem orvalho; orvalhoso, rorífero.

rorar [Do lat. *rorare*.] *V. t. d. Int. Bras. Poét.* V. *rorejar*: "Caio-lhe aos pés, tomo-lhe as pequeninas / Mãos que com a chuva de meus prantos roro" (Alberto de Oliveira, *Poesias*, 2.ª série, p. 319).

rorejante [De *rorejar* + *-nte*.] *Adj. 2 g. Poét.* Que roreja.

rorejar [Do lat. *rore*, 'orvalho', + *-ejar*.] *V. t. d.* **1.** Deitar gota a gota, destilar (orvalho, transpiração, etc.). **2.** Molhar com pequenas gotas, à maneira de orvalho; banhar, regar: *As lágrimas rorejavam-lhe o rosto*; "Iracema saiu do banho: o aljôfar d'água ainda a roreja, como à doce mangaba que corou em manhã de chuva." (José de Alencar, *Iracema*, p. 51). *Int.* **3.** Brotar em gotas (qualquer líquido); borbulhar: *Com o intenso calor o suor rorejava*; "rorejaram as lágrimas em alguns olhos" (Camilo Castelo Branco, *A Filha do Regicida*, p. 155). [Conjug.: v. *pelejar*.]

rórido [Do lat. *roridu*.] *Adj. Poét.* Rósculo, orvalhado: "atravessando regiões estéreis, supliciados pela sede, ... lambiam as folhas róridas" (Coelho Neto, *O Rajá do Pendjab*, p. 13).

roridulácea [Do tax. *Roridula* + *-ácea*; tax. *Roridulaceae*.] *S. f. Bot.* Espécime das roriduláceas, família de plantas da ordem das rosales, composta de duas espécies do gênero *Roridula*, que são arbustos habitantes das montanhas da África austral.

roriduláceo [De *roridulácea*, com var. suf. (v. *-áceo*).] *Adj. Bot.* Pertencente ou relativo às roriduláceas.

rorífero [Do lat. *roriferu*.] *Adj. Poét.* Que tem orvalho; orvalhoso, rorante.

rorífluo [Do lat. *rorifluu*.] *Adj. Poét.* De onde corre orvalho.

ró-ró [Voc. onom.] *S. m.* Onomatopeia do som do pião rodando. [Pl.: *rós-rós* e *ro-rós*.]

rorocoré *S. m. Bras. Zool.* V. *corocoxó*.

rorqual [De or. escandinava = 'baleia vermelha'.] *S. f. Zool.* Nome comum às baleias balenopterídeas.

rorqual-anã *S. f. Zool.* V. *baleia-anã*. [Pl.: *rorquais-anãs*.]

rorqual-gigante *S. f. Zool.* Baleia-azul. [Pl.: *rorquais-gigantes*.]

rorqual-menor *S. f. Zool.* V. *baleia-anã*. [Pl.: *rorquais-menores*.]

rortyano [Do antr. (*Richard*) *Rorty* + *-ano*[1].] *Adj.* **1.** Pertencente, ou relativo a, ou próprio de Richard Rorty (1931-2007), filósofo pragmatista norte-americano. **2.** Diz-se de grande admirador e/ou profundo conhecedor de sua obra. **3.** Grande admirador e/ou profundo conhecedor da obra de Rorty.

rosa [Do lat. *rosa*.] *S. f.* **1.** *Bot.* A flor da roseira, cuja corola dobrada, *i.e.*, com muitas pétalas formadas à custa da transformação dos estames, tem colorido variado (branco, amarelo, inúmeras tonalidades de vermelho, especialmente o muito claro), aspecto belo e delicado, e aroma agradável. **2.** *Bot.* A flor das rosáceas. **3.** A parte rosada das faces. **4.** Mulher muito bonita. **5.** Peça de latão usada pelos encadernadores para dourar os livros. **6.** Rosácea[1] (1). **7.** *Geom.* Rosácea[1] (4). **8.** *Mús.* Boca circular e ornamentada no tampo dos instrumentos de cordas dedilháveis da família do alaúde, e que também se encontra nos cravos, clavicórdios, e nas espinetas dos sécs. XV e XVI; rosácea, roseta. **9.** *Bras. MG Chulo* O ânus. • *S. m.* **10.** V. *cor-de-rosa* (3). • *Adj. 2 g. e 2 n.* **11.** Que é cor-de-rosa; róseo: *Trazia vestido e sapatos rosa*. **12.** Diz-se da cor-de-rosa: *lã de cor rosa*. ~ V. *rosas*.

rosaça [Do lat. *rosacea*, por via pop.] *S. f.* V. *rosácea*[1]: "Nos vidrais das nuvens, o sol da Itália relumbra como uma rosaça gótica" (Martins Fontes, *A Dança*, p. 44).

rosácea[1] [Do lat. *rosacea*.] *S. f.* **1.** Ornato arquitetônico em forma de rosa; rosa. **2.** Grande vitral de igreja semelhante a esse adorno. **3.** *Derm.* Dermopatia crônica incidente em ambos os sexos, mas com predominância de casos mais graves no sexo masculino, e que acomete, esp., o terço médio da face, caracterizando-se por eritema persistente e, não raro, por teleangiectasia com surtos agudos de edema, pápulas e pústulas; acne rosácea. **4.** *Geom.* Epitrocoide que tem uma forma que lembra a de uma flor com várias pétalas; rosa. **5.** *Mús.* V. *rosa* (8). [Var.: *rosaça*.]

rosácea[2] [Do tax. *Rosa* + *-ácea*; tax. *Rosaceae*.] *S. f. Bot.* Espécime das rosáceas, família de plantas floríferas, da ordem das rosales, composta de ervas, arbustos e árvores de folhas compostas e estipuladas, flores com cinco pétalas e muitos estames, gineceu tipicamente multicarpelar, dentro de um receptáculo muitas vezes fundo, e fruto variado. Há em todo o mundo perto de 2.000 espécies, muitas delas ornamentais e alimentares, economicamente importantes.

rosáceo[1] [Do lat. *rosaceu*.] *Adj.* Relativo a rosa.

rosáceo[2] [De *rosácea*[2], com var. suf. (v. *-áceo*).] *Adj. Bot.* Pertencente ou relativo às rosáceas.

rosa-cruz [Trad. do antr. *Rosenkreuz*, de *Christian Rosenkreuz*, cavaleiro (séc. XV), tido como fundador da *rosa-cruz* (2).] *S. f.* **1.** O sétimo e último grau ou quarta ordem do rito maçônico francês, e que tem por símbolos principais o pelicano, a cruz e a rosa. **2.** Seita de iluminados na Alemanha do séc. XVII. • *S. 2 g. e 2 n.* **3.** Maçom que atingiu o grau de rosa-cruz.

rosa-da-índia *S. f. Bot.* V. *cravo-de-defunto* (1). [Pl.: *rosas-da-índia*.]

rosa-da-montanha *S. f. Bras. Bot.* Árvore cesalpiniácea (*Brownea grandiceps*) de flores vistosas que se desfazem facilmente, folhas penadas, avermelhadas quando novas, e que é cultivada em virtude da beleza das volumosas inflorescências, globosas e vermelhas; sol-da-bolívia. [Pl.: *rosas-da-montanha*.]

rosa-de-cão *S. f. Bot.* V. *silvão*. [Pl.: *rosas-de-cão*.]

rosa-de-gueldres [De *rosa* + *de* + o top. *Gueldres*.] *S. f. Lus. Bot.* V. *noveleiro*[1] (2). [Pl.: *rosas-de-gueldres*.]

rosa-de-jericó [De *rosa* + *de* + o top. *Jericó*.] *S. f. Bot.* Erva brassicácea (*Anastatica hierochuntica*) anual, nativa dos desertos da Arábia até a Argélia. Depois de florescer, as folhas caem, e os ramos, tornados lenhosos, enrolam-se em novelo. O vento desenterra a planta e fá-la rolar a longas distâncias pelo deserto; vindo a chuva, abrem-se os ramos e soltam-se os frutos. É, pois, espécie que seca, parecendo morta, e revive novamente. [Sin.: *rediviva*. Pl.: *rosas-de-jericó*.]

rosadinha [De *rosada* (f. de *rosado*) + *-inha*.] *S. f. Bras. Bot.* V. *balata-rosada* (1).

rosado [Do lat. *rosatu*.] *Adj.* **1.** V. *cor-de-rosa* (1): "E, de entre as rendas e o arminho, / Saltam seus seios rosados" (Olavo Bilac, *Poesias*, p. 111). **2.** Diz-se dessa cor. **3.** Que contém na sua composição a essência de rosas. ~ V. *vinho —*. • *S. m.* **4.** V. *cor-de-rosa* (3): "Os dedos são de jaspe modelado; / E as unhas... só podiam as paletas / De um chinês imitar-lhes o rosado." (Gonçalves Crespo, *Obras Completas*, p. 184.)

rosa-do-campo *S. f.* **1.** *Bras. Bot.* Arbusto nictagináceo (*Bougainvillea glabra*) semiescandente, do agreste de Minas Gerais, extremamente conspícuo em virtude das inflorescências providas de magnas brácteas fortemente coloridas de róseo-avermelhado, diferindo pouco da sempre-lustrosa. [Pl.: *rosas-do-campo*.] **2.** Malvaísco (2). [Pl.: *rosas-do-campo*.]

rosa-do-japão [De *rosa* + *do*[1] + o top. *Japão*.] *S. f. Bras. Bot.* V. *hortênsia*. [Pl.: *rosas-do-japão*.]

rosa dos rumos *S. f. Náut. P. us.* Rosa dos ventos. [Pl.: *rosas dos rumos*.] ☑

rosa dos ventos *S. f. Náut.* Mostrador da agulha de marear, ou da agulha de navegação, constituído de um círculo de papel ou de outro material apropriado, onde aparecem marcados os pontos cardeais e os pontos colaterais, com os setores intermédios subdivididos em quartas, meias-quartas e quartos (ao todo, 128 divisões). [Nas agulhas modernas substituiu-se a rosa dos ventos por um círculo subdividido em graus de arco de 0 a 360, a partir do norte, no sentido do movimento dos ponteiros do relógio. Sin.: *rosa dos rumos*. Pl.: *rosas dos ventos*. V. *vento* (9).] ☑

rosa-grega [De *rosa* + o f. de *grego*.] *S. f. Bot.* V. *candelária* (2). [Pl.: *rosas-gregas*.]

rosal[1] [Do lat. *rosale*.] *S. m.* Roseiral: "Ninhos cantando! Em flor a terra toda! O vento / Despencando os rosais, sacudindo o arvoredo..." (Olavo Bilac, *Poesias*, p. 170.)

rosal[2] [Do lat. cient. *Ros-* (v. *rosale*) + *-al*[1].] *Adj. 2 g. Bot.* Pertencente ou relativo às rosales.

rosalandense *Adj. 2 g.* **1.** De, ou pertencente ou relativo a Nova Rosalândia (TO). • *S. 2 g.* **2.** O natural ou habitante de Nova Rosalândia.

rosale [Do tax. *Rosa* + *-ale*; tax. *Rosales*.] *S. f. Bot.* Espécime das rosales, ordem de dicotiledôneas que reúne 22 famílias muitas cultivadas como ornamentais, ou pelos frutos, ou pela madeira; inclui as rosáceas, as hidrangeáceas, as saxifragáceas e as crisobalanáceas.

rosalense *Adj. 2 g.* **1.** De, ou pertencente ou relativo a Santa Rosa da Serra (MG). • *S. 2 g.* **2.** O natural ou habitante de Santa Rosa da Serra.

rosalgar [Do ár. *rrahğal-ğār*.] *S. m.* **1.** Nome vulgar do realgar. • *S. 2 g.* **2.** *Bras. N.E.* Pessoa loura ou muito ruiva. • *Adj. 2 g.* **3.** Diz-se de indivíduo rosalgar.

rosália *S. f. Bras. Bot.* V. *amor-agarradinho*.

rosa-louca [De *rosa* + o f. de *louco*.] *S. f. Bras. L. Bot.* Arbusto malváceo (*Hibiscus mutabilis*) caracterizado pelo fato de a coloração de suas grandes flores mudar, no curso do dia, do vermelho para o branco. [Pl.: *rosas-loucas*.]

rosa-maravilha *Adj. 2 g. e 2 n. S. m.* Rosa-*shocking*. [Pl. do s. m.: *rosas-maravilhas* e *rosas-maravilha*.]

rosanense *Adj. 2 g.* 1. De, ou pertencente ou relativo a Rosana (SP). • *S. 2 g.* 2. O natural ou habitante de Rosana.

rosanilina [De *rosa* + *anilina*.] *S. f. Quím.* 1. Derivado metilado da pararrosalina. 2. Fucsina ou, p. ext., corante a ela relacionado.

rosar [De *rosa* + *-ar*[2].] *V. t. d.* 1. Fazer corar; ruborizar: "Tão grande escuridão naquela alma encheu-a de piedade: e um escrúpulo rosou-lhe as faces" (Eça de Queirós, *Últimas Páginas*, p. 74). *P.* 2. Tornar-se cor-de-rosa: "Refazia-se. Mais cheia do corpo. Tinha vindo amarela, cor de flor de algodão. Embranquecia e rosava-se, levemente." (José Américo de Almeida, *A Bagaceira*, p. 18.) 3. Corar, ruborizar-se, enrubescer(-se). 4. *Fig.* Ficar envergonhado, envergonhar-se; corar: *Rosou-se quando a surpreenderam na má ação.* [Sin. ger.: *rosear*.]

rosarense *Adj. 2 g.* 1. De, ou pertencente ou relativo a Rosário do Catete (SE). • *S. 2 g.* 2. O natural ou habitante de Rosário do Catete. [Cf. *rosariense*.]

rosariense[1] *Adj. 2 g.* 1. De, ou pertencente ou relativo a Rosário (MA). • *S. 2 g.* 2. O natural ou habitante de Rosário. [Cf. *rosarense*.]

rosariense[2] *Adj. 2 g.* 1. De, ou pertencente ou relativo a Rosário do Ivaí (PR). • *S. 2 g.* 2. O natural ou habitante de Rosário do Ivaí. [Cf. *rosarense*.]

rosariense[3] *Adj. 2 g.* 1. De, ou pertencente ou relativo a Rosário do Sul (RS). • *S. 2 g.* 2. O natural ou habitante de Rosário do Sul. [Cf. *rosarense*.]

rosariense[4] *Adj. 2 g.* 1. De, ou pertencente ou relativo a Rosário Oeste (MT). • *S. 2 g.* 2. O natural ou habitante de Rosário Oeste. [Cf. *rosarense*.]

rosário [Do lat. *rosariu*.] *S. m.* 1. Enfiada de 165 contas, correspondentes ao número de 15 dezenas de ave-marias e 15 padre-nossos, para serem rezados como prática religiosa. 2. O conjunto dessas orações: *recitar um rosário*. 3. *Fig.* Sucessão, série, enfiada: *um rosário de lamentações*; "O rosário dos dias ia desfiando as suas contas." (Alçada Baptista, *O Tecido do Outono*, p. 66.) 4. *Bras. Bot.* V. *biurá*.

rosário de ifá *S. m. Bras. Rel.* V. *opelé-ifá*. [Pl.: *rosários de ifá*.]

rosa-rubra [De *rosa* + o f. de *rubro*.] *S. f. Bot.* Arbusto rosáceo (*Rosa gallica*) escandente, de origem europeia e cultivado como ornamental graças às enormes e belas flores vivamente coloridas e perfumadas. Tem pétalas numerosas, em virtude da transformação de estames em pétalas, folhas penadas e serrilhadas, e caule aculeolado. [Pl.: *rosas-rubras*.]

rosas [Pl. de *rosa*.] *S. f. pl.* Alegrias, prazeres, venturas: *A vida não é feita de rosas*. ~ V. *rosa*. ◆ **De rosas.** Sereno, tranquilo (mar, céu, dia, tempo).

rosa-salmão *Adj. 2 g. e 2 n.* De um tom de rosa tirante ao salmão (2).

rosa-shocking (choquin) [De *rosa* + ingl. *shocking*, 'que choca, perturba'.] *Adj. 2 g. e 2 n.* 1. Que tem a tonalidade de cor-de-rosa muito viva, tirante a maravilha (6): *vestidos rosa-shocking; blusão de cor rosa-shocking*. • *S. m. 2 n.* 2. Essa tonalidade. [Sin. ger.: *rosa-maravilha*. Pl. do s. m.: *rosas-shocking*.]

rosbife [Do ingl. *roast beef*.] *S. m. Cul.* Peça de carne bovina, de forma alongada, cortada, em geral, do filé ou da alcatra, frita ou salteada na panela ou assada ao forno, de modo que a parte externa fique bem tostada e o interior, mais ou menos sangrento, e que é servida em fatias. [Cf. *bife* (1).]

rosca (ô) [De or. obscura.] *S. f.* 1. Espiral do parafuso ou de outro objeto qualquer. 2. Pão, bolo ou biscoito retorcido ou em forma de argola. 3. Cada uma das voltas da serpente enroscada. 4. *Pop.* V. *bebedeira* (1). 5. *Bras. Zool.* Designação comum às lagartas dos insetos lepidópteros, noctuídeos, especialmente os da subfamília dos agrotíneos. Atacam o coleto das plantas durante a noite, enterrando-se no solo durante o dia. Quando tocadas, enrolam-se rapidamente, permanecendo certo tempo como se estivessem mortas. Atacam o fumo, o algodoeiro, hortaliças, batatinha e plantas de jardim. [Sin., nesta acepç.: *lagarta-rosca*.] 6. *Mús.* V. *tom* (18). 7. *Bras. Chulo* V. *ânus*. 8. *Bras. Gír.* Coisa reles, de má qualidade. 9. *Metal.* Sulco helicoidal de passo uniforme, em superfícies de revolução cilíndricas ou cônicas, e que pode ser interna ou externa. [A rosca do parafuso ger. é externa, a da porca (2), interna.] • *S. 2 g.* 10. Pessoa manhosa, velhaca. [Pl.: *roscas* (ô). Cf. *rosca* e *roscas*, do v. *roscar*.]

roscado [Part. de *roscar*.] *Adj.* 1. Em que se fizeram roscas. 2. Fixado ou apertado com parafuso.

roscamento [De *roscar* + *-mento*.] *S. m. Metal.* Operação de usinagem para produzir rosca (9).

rosca-para-mulas [De *rosca* + *para* + o pl. de *mula*[1].] *S. f. Bras. Bot.* Saca-rolhas (3). [Pl.: *roscas-para-mulas*.]

roscar [De *rosca* + *-ar*[2].] *V. t. d.* 1. Fazer roscas em: *roscar uma porca, um parafuso*. 2. Apertar ou fixar com parafuso: *roscar uma tábua*. [Conjug.: v. *trancar*. Pres. ind.: *rosco*, *roscas*, *rosca*, etc. Cf. *rosca* (ô) e pl. *roscas* (ô).]

róscido [Do lat. *roscidu*.] *Adj.* Orvalhado, rórido.

roscoelita [Do antr. (*Henry E.*) *Roscoe* (-1915), engenheiro químico inglês, + *-ita*[3].] *S. f. Min.* Mineral monométrico, silicato básico de potássio, vanádio, alumínio e magnésio, da família das micas.

roscofe [Do antr. (*G. F.*) Roskopf (-1889), relojoeiro suíço que deu nome a uma antiga marca de relógio.] *Adj. 2 g. Bras.* 1. De má qualidade, ruim: *relógio roscofe; carro roscofe*. • *S. m.* 2. Us. na loc. *dar o roscofe*. ◆ **Dar o roscofe.** *Bras. PE AL Chulo* V. *dar o cu*.

→ **rosé** [ʁo'ze] [Fr.] *Enol. S. m.* 1. Vinho rosado (q. v.). • *Adj.* 2. Diz-se desse vinho.

rosear [De *rosa* + *-ear*[2].] *V. t. d. P.* V. *rosar*: "banhou-se na onda de púrpura que, descendo-lhe da fronte, derramou-se pelas espáduas, roseando a branca escumilha." (José de Alencar, *Lucíola*, p. 178); "É tudo cor-de-rosa! Tudo quanto se vê, roseia-se e resplandece." (Martins Fontes, *A Dança*, p. 44). [Conjug.: v. *frear*.]

roseína *S. f. Quím.* Fucsina.

roseira [Do lat. *rosaria*.] *S. f. Bot.* Designação comum a trepadeiras ou arbustos rosáceos, lenhosos, com inúmeras espécies originárias do hemisfério boreal, muitas delas cultivadas pela beleza das flores, as rosas, de acúleos pungentes. Corola ampla, alva ou de várias tonalidades, com muitos estames e ovário ínfero multicarpelar; o fruto é peculiar, carnoso e cinorródio.

roseiral [De *roseira* + *-al*[1].] *S. m.* 1. Quantidade mais ou menos considerável de roseiras dispostas proximamente entre si. 2. Terreno onde crescem roseiras: "invadindo o roseiral, colheram todas as rosas ao alcance de suas mãos" (Fernando Sabino, *O Grande Mentecapto*, p. 88). [Sin. ger.: *rosal*.]

roseirense *Adj. 2 g.* 1. De, ou pertencente ou relativo a Roseira (SP). • *S. 2 g.* 2. O natural ou habitante de Roseira.

roseirista [De *roseira* + *-ista*.] *S. 2 g.* Pessoa que se dedica ao cultivo de roseiras.

roselha (ê) [De *rosa* + *-elha*.] *S. f. Bot.* Arbusto cistáceo (*Cistus crispus*) compacto (60cm) e viloso, nativo na Europa, de folhas linear-lanceoladas ou oblongas, onduladas e rugosas, flores subsésseis e de um rosa intenso, em número de três a quatro, e cápsulas quinquevalves e polispermas.

rosélia *S. f. Bras. Bot.* V. *caruru-azedo*.

roselita [Do antr. (*Gustav*) *Rose* (1798-1873), mineralogista alemão, + *-lita*.] *S. f. Min.* Mineral triclínico, arseniato hidratado de cálcio, cobalto e magnésio.

róseo [Do lat. *roseu*.] *Adj.* 1. Da, relativo à, ou próprio da rosa. 2. Perfumado como a rosa. 3. V. *cor-de-rosa* (1): "amendoeiras e cerejeiras a se desfazerem em chuvas de pétalas róseas" (Rodrigo Otávio, *Minhas Memórias dos Outros*, nova série, p. 81); "uma luz rósea, de um róseo de corpo humano, como nas banhistas de Ingres, difundia-se por todo o ambiente." (Thiers Martins Moreira, *Os Seres*, p. 59). 4. Diz-se dessa cor: *fita de cor rósea*. 5. *Fig.* V. *cor-de-rosa* (2): "Não estamos, é certo, diante de um mundo róseo, bastando lembrar .... a crescente xenofobia em países da Europa ocidental." (Bóris Fausto, em *Folha de S.Paulo*, 17.06.2008.) • *S. m.* 6. V. *cor-de-rosa* (3): "uma luz rósea, de um róseo de corpo humano, ... difundia-se por todo o ambiente." (Thiers Martins Moreira, *Os Seres*, p. 59).

róseo-claro *Adj.* 1. De um tom claro de róseo. • *S. m.* 2. Essa cor. [Flex. do adj.: *róseo-claros*, *róseo-clara(s)*; pl. do s. m.: *róseos-claros*.]

róseo-escuro *Adj.* 1. De um tom escuro de róseo. • *S. m.* 2. Essa cor. [Flex. do adj.: *róseo-escuros*, *róseo-escura(s)*; pl. do s. m.: *róseos-escuros*.]

roséola [Do lat. *roseola*, 'um tanto rósea' (subentende-se *mancha*).] *S. f. Derm.* Qualquer das erupções cutâneas de cor rósea, que podem ter várias causas, surgindo, p. ex., na sífilis, na febre tifoide, na rubéola.

róseo-pálido *Adj.* 1. De um róseo pouco vivo. 2. Diz-se dessa cor. • *S. m.* 3. Essa cor. [Flex. do adj.: *róseo-pálidos*, *róseo-pálida(s)*; pl. do s. m.: *róseos-pálidos*.]

róseo-purpúreo *Adj.* 1. De um róseo tirante a purpúreo. • *S. m.* 2. Essa cor. [Flex. do adj.: *róseo-purpúreos*, *róseo-purpúrea(s)*. Pl. do s. m.: *róseos-purpúreos*.]

roseta[1] (ê) [De *rosa* + *-eta* (ê).] *S. f.* 1. Pequena rosa. 2. Designação comum a diferentes objetos cuja forma lembra a da rosa (1). 3. Pequena roda dentada da espora: "A roseta das esporas se cravou no vazio" (M. Cavalcanti Proença, *Manuscrito Holandês*, p. 87). 4. Distintivo de fita enrolada com forma semelhante à da rosa (1), usada na botoeira pelos dignitários de graus honoríficos. 5. Rodinha de crochê, de renda. 6. *Mús.* V. *rosa* (8). 7. *Tip.* Peça que, girando à entrada do componedor da linotipo, para este impele as matrizes, à proporção que vão caindo; estrela. 8. *Tip.* Carreto (3). 9. *Bras. BA MG Chulo* O ânus. [Pl.: *rosetas* (ê). Cf. *roseta*, *rosetas*, do v. *rosetar*.] ◆ **Em roseta.** *Bot.* 1. Diz-se da disposição circular, no solo, das folhas radiculares, a partir da extremidade do rizoma. 2. Diz-se da disposição circular das folhas, a partir da extremidade de um caule.

roseta[2] (ê) [Do esp. plat. *roseta*.] *S. f. Bras. S.* 1. *Bot.* V. *espinho-de-carneiro*. 2. Talos de capim seco, já muito catado pelos animais. [Pl.: *rosetas* (ê). Cf. *roseta*, *rosetas*, do v. *rosetar*.]

roseta-de-pernambuco [De *roseta*[1] + *de* + o top. *Pernambuco*.] *S. f. Bras. N.E. Bot.* Chula[2]. [Pl.: *rosetas-de-pernambuco*.]

rosetar [De *roseta*[1] (3) + *-ar*[2].] *V. t. d.* 1. *Bras. Centro de MG* Rosetear. *Int.* 2. *Bras. Gír.* Divertir-se à larga; folgar. 3. *Bras. Gír.* Divertir-se com pessoa do sexo oposto. [Pres. ind.: *roseto*, *rosetas*, *roseta*, etc. Cf. *roseta* (ê), s. f., pl. *rosetas* (ê), e *Roseta* (ê), top.]

rosete (ê) [De *rosa* + *-ete* (ê).] *Adj. 2 g.* De cor um tanto rosada: *vinho rosete*.

rosetear [De *roseta*[1] (3) + *-ar*[2].] *V. t. d.* 1. *Bras. MG S.* Esporear (o cavalo) com a roseta; rosetar: "Roseteou a ruana, fê-la encambitar-se levantando poeira no terreiro varrido." (Nélson de Faria, *Tiziu e Outras Estórias*, p. 155.) *Int.* 2. *Bras. Pop.* Rosetar (2 e 3). [Conjug.: v. *frear*.]

roseteiro [De *roseta*[2] (1) + *-eiro*.] *Bras. RS Adj.* 1. Diz-se de campo ruim, cheio de rosetas [v. *roseta*[2] (1)]. • *S. m.* 2. Esse campo. 3. Dono de chácara cujo pouco pasto existente fica, logo, reduzido a rosetas.

→ **rosh hashaná** [roʃ haʃa'na] [Hebr., 'cabeça do ano'.] *S. m. Rel.* Festa judaica que comemora o início do ano, e que corresponde ao primeiro e segundo dias de *Tishrei*, sétimo mês do calendário civil judaico. [Com cap.]

▲ **ros(i)-** [Do lat. *rosa*, *ae*.] *El. comp.* = 'rosa': *rosigastro*.

rosiano *Adj.* 1. Relativo ou pertencente a João Guimarães Rosa (1908-1967), ou próprio dele. 2. Que é seu admirador e/ou profundo conhecedor de sua obra. • *S. m.* 3. Admirador e/ou profundo conhecedor da obra de João Guimarães Rosa.

rosicler [Do fr. *rose* + *clair*.] *Poét. Adj. 2 g.* 1. De uma tonalidade róseo-pálida que lembra a da aurora. • *S. m.* 2. Essa tonalidade: "Vai despontando o rosicler da aurora" (Guerra Junqueiro, *A Morte de D. João*, p. 311).

rosigastro [De *ros(i)-* + *-gastro*.] *Adj. Zool.* Rodogástreo.

rosilho [Do esp. *rosillo*.] *Adj. S. m.* Diz-se de, ou equídeo de pelo avermelhado e branco, dando o aspecto de cor rosada: "No rosilho vem montado. / Mas, atrás dele, o inimigo / Cavalga em sombra, calado." (Cecília Meireles, *Obra Poética*, p. 744.) [Cf. *rucilho*.]

rosiluminoso (ô) [De *ros(eo)* + *-i-* + *luminoso*.] *Adj.* Róseo e luminoso: "E adorai a floresta cor-de-rosa, / Na qual resplende, roseando a serra, / A viridência rosiluminosa / Da Terra!" (Martins Fontes, *Paulistânia*, p. 98.)

rosita [De *ros(i)-* + *-ita*[3].] *S. f. Min.* Silicato de alumínio, com aspecto cor-de-rosa.

rosmaninhal [De *rosmaninho* + *-al*[1].] *S. m.* Quantidade mais ou menos considerável de rosmaninhos dispostos proximamente entre si.

rosmaninho [Do lat. *rosmarinu*, pelo arc. *rosmarinho*.] *S. m. Bot.* Erva lamiácea (*Lavandula stoechas*) nativa na região mediterrânea da Europa, cujas pequenas folhas e flores são aromáticas e têm grande importância, pelas propriedades emenagogas e para a extração de óleo essencial us. em perfumaria.

rosmarinho [Do lat. *rosmarinu*; tax. *Rosmarinus*.] *S. m. Bot.* 1. Gênero de plantas herbáceas e arbustos lamiáceos, aromáticos, nativos da Europa e da Ásia. 2. Qualquer espécie desse gênero, como, p. ex., a *Rosmarinus officinalis* ou *alecrim* (q. v.). 3. Qualquer espécime desse gênero.

rosnadela [De *rosnar* + *-dela*.] *S. f.* Ato ou efeito de rosnar; rosnadura.

rosnador (ô) [De *rosnar* + *-dor*.] *Adj.* Que rosna, ou rosna muito.

rosnadura [De *rosnar* + *-dura*.] *S. f.* Rosnadela: "Alguns cães de fila, ... grandes molossos ossudos e ferozes, afastam-se devagar, em rosnaduras ameaçadoras" (Euclides da Cunha, *Os Sertões*, p. 586).

rosnar [Voc. onom., poss.] *V. t. d.* 1. Dizer por entre dentes em voz baixa; murmurar, resmungar: "O criado rosnou uma resposta breve" (Aquilino Ribeiro, *Estrada de Santiago*, p. 18); "A vida íntima dele é abjecta. Rosnam coisas." (Graciliano Ramos, *Caetés*, p. 234). 2. Fazer constar em segredo, ou como em segredo; murmurar: *Rosnam por aí que foi decretada a prisão do magnata*. *T. i.* 3. Fazer constar em segredo, ou como em segredo; murmurar: "Começaram a rosnar dos amores deste advogado com a viúva do brigadeiro, quando eles não tinham passado ainda dos primeiros obséquios." (Machado de Assis,

Histórias sem Data, p. 201.) ***Int.* 4.** Emitir (o cão, o lobo, etc.) som surdo, diferente do latido, geralmente em sinal de ameaça, e arreganhando os dentes: "Arremeteu [o cão] de salto e .... ladrou, rosnou" (Coelho Neto, *Rei Negro*, p. 77). **5.** Resmungar, rezingar, resmonear: "O outro rosnou surdamente e com furor ....: / — Não, mil raios! Guanes é sôfrego..." (Eça de Queirós, *Contos*, p. 133.) ● ***S. m.* 6.** Ato de rosnar. **7.** Voz surda do cão, que sem latir ameaça e arreganha os dentes.

rosnento [De *rosnar* + *-ento*.] ***Adj. Bras. N. N.E.*** Que rosna muito.

rosqueado [Part. de *rosquear*.] ***Adj.*** Provido de roscas [v. *rosca* (1)].

rosquear [De *rosca* (1) + *-ear*[2].] ***V. t. d. Bras.*** Prover de roscas (pino, parafuso, etc.). [Conjug.: v. *frear*.]

rosquilha [De *rosca* (2) + *-ilha*.] ***S. f.*** Rosca (2) pequena (pão ou biscoito). [F. paral.: *rosquilho*.]

rosquilho [De *rosca* + *-ilho*.] ***S. m.*** Rosquilha.

rosquinha [De *rosca* + *-inha*.] ***S. f.* 1.** *Zool.* Molusco troquídeo (*Neomphalius viridulus*). **2.** *Bras.* Pequena rosca (2) em forma de anel, salgada e amanteigada. **3.** *Bras. SC* V. *cu de galinha*.

rossiniano ***Adj.*** Relativo ou semelhante a Gioacchino Antonio Rossini, compositor italiano (1792-1868), ou próprio dele ou de sua música.

rossio [De or. incerta.] ***S. m.* 1.** Praça larga; largo espaçoso. **2.** Terreno que antigamente o povo roçava e usufruía em comum. **3.** Ressaio. [Cf. *rocio*, do v. *rociar* e s. m., *rócio*, s. m., e *Róscio*, antr.]

rostear [De *rosto* + *-ear*[2].] ***V. t. d. Bras. S.* 1.** Enfrentar, encarar, arrostar: *Forte e valente, rosteia quem quer que o provoque*; "ninguém ousaria rostear esse poderio" (João Ubaldo Ribeiro, *O Feitiço da Ilha do Pavão*, p. 169). **2.** Derrubar (árvore) fazendo-a cair para o lado onde trabalham os derribadores. [Conjug.: v. *frear*.]

rostelo [Do lat. cient. *rostellum* < lat. *rostellum*, 'pequeno bico'.] ***S. m.* 1.** *Bot.* Clinândrio. **2.** *Zool.* Pequeno rostro dos anopluros. **3.** *Zool.* Proeminência arredondada, às vezes armada de ganchos, do escólex das tênias. **4.** *Zool.* Apófise da concha dos cefalópodes.

rostir [De or. obsc.] ***V. t. d.* 1.** *Gír.* Maltratar, bater, surrar. **2.** *Gír.* Bater no rosto de; esbofetear. **3.** *Gír.* Triturar com os dentes; mastigar: *rostir a comida*. **4.** *Bras.* Tocar levemente em; roçar: *Seu amplo vestido rostia as paredes do estreito corredor*; "esfregou, rostiu os seios de encontro ao fustão áspero da colcha branca." (Júlio Ribeiro, *A Carne*, p. 85). [Cf. *rustir*.]

rosto (ô) [Do lat. *rostru*, 'bico', 'focinho', com dissimilação.] ***S. m.* 1.** A parte anterior da cabeça; face, cara, semblante. **2.** Conjunto de caracteres do rosto; fisionomia: *homem de rosto cruel*. **3.** A parte dianteira, que se volta para o observador; frente. **4.** O anverso da medalha (1). **5.** *Bibliogr.* V. *página de rosto*. ◆ **Rosto a rosto.** V. *face a face*: "Encontrara-se rosto a rosto com a Marta" (José de Alencar, *Alfarrábios*, p. 101). **Rosto gravado.** *Bibliogr.* V. *portada* (3). **Dar de rosto com.** Dar de cara com. **De rosto.** V. *face a face*: "Enquanto as baralhava [as cartas], rapidamente olhava para ele, não de rosto, mas por baixo dos olhos." (Machado de Assis, *Várias Histórias*, p. 15.) **Fazer rosto a. 1.** Estar defronte de: *A casa faz rosto ao mar*. **2.** Resistir a, fazer face a. **Lançar em rosto a. 1.** Exprobrar (alguma coisa) a (alguém), cara a cara; acusar de; lançar em face a, atirar à cara de; atirar às bochechas de: *Lançou-lhe em rosto a sua covardia*. **2.** Lembrar a (alguém), de maneira ríspida ou crua, um erro passado, um favor recebido, etc. **Torcer o rosto a. 1.** Voltar as costas, fugir de (o inimigo). **2.** Mostrar-se desdenhoso em relação a: "torceriam o rosto às divagações em torno da linhagem dos Ataídes, que lhes pareceram denunciadores de um gosto secreto pelas coisas da heráldica e da genealogia, a que tanto se apegam os frívolos." (Ciro dos Anjos, *Abdias*, p. 16).

rostolho (ô) [De *rosto*.] ***S. m.*** Uma das peças no rosto (3) da fechadura. [Pl.: *rostolhos* (ó).]

rostrado [Do lat. *rostratu*.] ***Adj.* 1.** Que tem focinho. **2.** Rostriforme. **3.** Que tem esporão ou bico, ou é análogo a um deles.

rostral [Do lat. *rostrale*.] ***Adj. 2 g.* 1.** Diz-se da antena que alguns animais possuem no rostro. **2.** Adornado de rostros. **3.** Que tem a forma de rostro (2). **4.** Relativo ao rosto ou frontispício dos livros.

rostratulídeo [Adapt. do tax. *Rostratulidae*.] *Zool.* ***S. m.* 1.** Espécime dos rostratulídeos, família de aves caradriiformes, caracterizadas por terem apenas 10 rêmiges primárias, sexos com plumagem diferente, bico médio, com ápice curvado para baixo e caracteristicamente expandido. São encontradas na África, na Ásia, na Austrália e na América do Sul; no Brasil é conhecida apenas uma espécie: o bico-miúdo. ● ***Adj.* 2.** Pertencente ou relativo a eles.

▲ **rostri-** [Do lat. *rostrum, i*.] ***El. comp.*** = 'bico': *rostricórneo*. [Equiv.: *-rostro*: *platirrostro*.]

rostricórneo [De *rostri-* + *-corn(i)-* + *-eo*.] ***Adj. Zool.*** Que tem a antena sob uma ponta ou espécie de bico, que prolonga a cabeça.

rostriforme [De *rostri-* + *-forme*.] ***Adj. 2 g.*** Que tem forma de bico; rostrado.

rostro [Do lat. *rostru*.] ***S. m.* 1.** Bico das aves. **2.** Focinho de animais aquáticos. **3.** Prolongamento pontiagudo de vários órgãos vegetais. **4.** Tribuna adornada com proas de navios, onde os oradores romanos discursavam. **5.** Sugadouro dos insetos hemípteros. **6.** *Ant.* Rosto (1) (q. v.): "ao chegar com o rostro ao brasido, deitava a língua fora mui comprida, e a passava pelas áscuas" (P.e Manuel Bernardes, *Vários Tratados*, II, p. 476). **7.** *Ant. Constr. Nav.* Esporão de navio na época da marinha a remos.

▲ **-rostro** Equiv. de *rostri-*.

rosulado [De *rosa* + *-ula-* + *-ado*[1].] ***Adj. Bot.*** Diz-se da planta cujos entrenós são tão curtos que as folhas ficam demasiado aproximadas, lembrando o aspecto de uma rosa; arrosetado.

■ **rot** *Mat.* Símb. de *rotacional*.

rota[1] [Do lat. *rupta*, f. subst. part. pass. lat. *rumpere*.] ***S. f.* 1.** Combate, luta, peleja. **2.** Derrota[1] (2). [Pl.: *rotas*. Cf. *rota* (ô) e *rotas* (ô), flex. de *roto* (ô).]

rota[2] [Do lat. ecles. *rota*, por alusão ao trâmite dos procedimentos jurídicos desses tribunais.] ***S. f.* 1.** Tribunal pontifício que decide questões acerca de benefícios. **2.** Tribunal pontifício com jurisdição sobretudo em causas matrimoniais. [Pl.: *rotas*. Cf. *rota* (ô) e *rotas* (ô), flex. de *roto* (ô).]

rota[3] [Do fr. ant. *rote* (atual *route*) < lat. pop. *rupta*.] ***S. f.* 1.** Caminho, direção, rumo. **2.** *Náut.* Derrota[2]. [Pl.: *rotas*. Cf. *rota* (ô) e *rotas* (ô), flex. de *roto* (ô).] ◆ **Rota biossintética.** ***S. f.*** *Quím.* Sequência de reações bioquímicas empregada por um organismo vivo para produzir um metabólito (ou um conjunto deles). **Rota sintética.** ***S. f.*** *Quím.* Sequência de reações proposta ou usada para a preparação de uma dada substância (produto final), tendo como ponto de partida uma outra (ou outras) substância(s), ger. menos complexa(s) (produto de partida). **De rota batida.** Sem parar; sem interrupção; depressa, velozmente; em rota batida: "De rota batida, por montes e andurriais, pôs o fito numa quinta onde era fama morar gente grada e benfazeja." (Aquilino Ribeiro, *Estrada de Santiago*, p. 271.) **Em rota batida.** V. *de rota batida*.

rota[4] [Do malaio *rótan*] ***S. f.*** *Bot.* Palmeira arecácea (*Calamus rotang*) trepadeira, nativa de regiões tropicais, esp. da Índia e da Malásia, cujo estipe, leve e rijo, é us. no fabrico de utensílios diversos.

rota[5] [Do gaélico *crouth* ou *crwth*.] ***S. f.*** *Mús.* **1.** Na alta Idade Média, pequena harpa portátil, espécie de lira, originária das Ilhas Britânicas. **2.** Na Idade Média, a viela de roda (q. v.). **3.** O cânone circular [v. *cânone* (2)], (por analogia com a roda). [Pl.: *rotas*. Cf. *rota* (ô) e *rotas* (ô), flex. de *roto* (ô).]

▲ **rot(a)-** [Do lat. *rota, ae*.] ***El. comp.*** = 'roda': *rotáceo*. [Equiv.: *roti-*, *roto-*: *rotiforme*; *rotogravura*.]

rotação [Do lat. *rotatione*.] ***S. f.* 1.** Ato ou efeito de rotar; movimento giratório; giro em voltas sucessivas em torno de um eixo. **2.** V. *rodízio* (3). **3.** Renovação de estoques, de mão de obra, etc.; giro. **4.** *Agr.* Afolhamento. **5.** *Fís.* Movimento de um corpo rígido em que todas as partículas, num instante determinado, descrevem arcos de circunferência cujos centros estão sobre uma mesma reta, o eixo instantâneo de rotação. ◆ **Rotação da Terra.** Movimento executado pela Terra, em torno da linha dos polos de oeste para leste, em 23 horas, 56 minutos e 4 segundos, ou um dia. **Rotação do periélio.** *Astr.* Avanço do periélio. **Rotação específica.** *Quím.* O poder rotatório (q. v.) observado, dividido pela concentração (em gramas por mililitro de solução), ou pela densidade (no caso de substância pura), e pelo comprimento do tubo do polarímetro (em decímetros). [É ger. medido com luz de 599,6nm e a 25°C.] **Rotação galáctica.** *Astr.* Movimento das galáxias ao redor do seu eixo central. [A Via Láctea, nas proximidades do Sol, leva cerca de 200 milhões de anos para realizar uma volta completa.] **Rotação por minuto.** *Fís.* Unidade de medida de velocidade angular (q. v.) [abrev.: *rpm*].

rotáceo [De *rot(a)-* + *-áceo*[1].] ***Adj.*** Rotiforme. [Fem.: *rotácea*. Cf. *rutáceo* e *rutácea*.]

rotacional [De *rotacão* + *-al*[1], seg. o padrão erudito.] ***Adj. 2 g.* 1.** Referente à rotação. ● ***S. m.* 2.** *Mat.* Vetor que resulta do produto vetorial do operador nabla por uma função vetorial [símb.: *rot*].

rotacismo [Do lat. cient. *rhotacismus*.] ***S. m. E. Ling.* 1.** Uso habitual, ou pronúncia viciosa, do erre. **2.** Pronúncia ou escrita do erre em lugar de outra letra. **3.** Mudança de /s/ em /r/, como na passagem do /s/ da raiz lat. *flos* para *florem*, em ambiente intervocálico.

rotador (ô) [Do lat. *rotatore*.] ***Adj.* 1.** V. *rotante*. ● ***S. m.* 2.** *Anat.* Músculo que faz girar sobre o seu eixo as partes a que se acha ligado.

rotâmetro [Do ingl. *rotameter*.] ***S. m.*** *Fís.* Instrumento para medir o fluxo de um fluido num encanamento.

rotante [Do lat. *rotante*.] ***Adj. 2 g.*** Que roda ou gira; rotador, rotativo, rotatório: "O Céu puro e sereno, cravejado / De seus cristais rotantes, e banhado / Da diáfana luz, mui fraca e escura / Ideia pode dar desta pintura." (Fr. Francisco de S. Carlos, *A Assunção*, p. 268.)

rotar [Do lat. *rotare*.] ***V. int.*** Andar à roda; descrever órbita (3); girar, rodar: *Os astros rotam no infinito*. [Pres. ind.: *roto*, *rotas*, *rota*, etc.; fut. pret.: *rotaria*, etc. Cf. *roto* (ô), flex. *rota* (ô), *rotas* (ô); *roto* (ô), do v. *romper*; e *rotária*, fem. de *rotário*.]

rotariano [Do ingl. *rotarian*.] ***Adj. S. m.*** Diz-se de, ou membro de um *Rotary Club*, clube para homens de diversas profissões e atividades, filiado ao *Rotary International*, organização fundada nos E.U.A. em 1905, com o fim de prestar serviços à comunidade e estabelecer laços de compreensão mundial.

rotário [Do esp. *rotario*.] ***Adj.*** Relativo ou pertencente ao *Rotary Club* (v. *rotariano*), ou próprio dessa organização: *convenção rotária*; *expansão rotária*; *assuntos rotários*. [Fem.: *rotária*. Cf. *rotaria*, do v. *rotar*.]

rotativa [F. subst. de *rotativo*.] ***S. f.*** V. *prensa rotativa*.

rotatividade [De *rotativo* + *-(i)dade*.] ***S. f.* 1.** Qualidade de rotativo. **2.** V. *rodízio* (3): *rotatividade de culturas*. **3.** Intensidade de rotação (3): *A rotatividade da mão de obra tem aumentado nesta empresa*.

rotativismo [De *rotativo* + *-ismo*.] ***S. m.*** Revezamento dos partidos no poder.

rotativista[1] [De *rotativa* + *-ista*.] ***S. 2 g.*** *Art. Gráf.* Impressor que trabalha em rotativa. [Cf. *cilindrista* e *ofsetista*.]

rotativista[2] [De *rotativismo* + *-ista*.] ***Adj. 2 g.* 1.** Relativo ao, ou que é partidário do rotativismo. ● ***S. 2 g.* 2.** Partidário dele.

rotativo [De *rotar* + *-tivo*.] ***Adj.* 1.** Que faz rodar; que transmite rotação. **2.** V. *rotante*. **3.** Que se transmite em rodízio ou revezamento: *cargos rotativos*. **4.** *Tec.* Diz-se de motor ou qualquer outro equipamento em que peças móveis efetuam movimento de rotação. [Cf., nesta acepç., *alternativo* (5).] ~ V. *bomba —a*, *crédito —*, *estereotipia —a*, *impressão —a*, *máquina —a* e *prensa —a*.

rotatória [F. subst. de *rotatório*[1].] ***S. f. Bras.*** Largo circular destinado a facilitar o trânsito em cruzamentos, e que torna dispensável a construção de viadutos: "éramos orientados por uma simpática portuguesa que .... chamava rotatória de 'rotunda' e nunca nos falhou." (Luís Fernando Veríssimo, *O Globo*, 31.12.2009.) [V. *rotunda* (2).]

rotatório[1] [De *rotar* + *-tório*.] ***Adj.* 1.** V. *rotante*. **2.** Relativo a rotação. ~ V. *dispersão —a*, *evaporador —* e *poder —*.

rotatório[2] [Adapt. do tax. *Rotatoria*.] ***S. m. Adj. Zool.*** V. *rotífero*[2].

rotavírus [Do ingl. *rotavirus* (do lat. rota, 'roda', + virus); tax. *Rotavirus*.] ***S. m. 2 n.* 1.** *Microbiol.* Gênero de vírus ARN Reoviridae com aspecto rotiforme, que causa diarreia em crianças e em outros animais (como camundongos, bezerros, porcos). **2.** Espécie ou espécime desse gênero.

roteador (ô) [De *rotear* + *-dor*.] ***Adj. S. m.*** *Inform.* Diz-se de, ou computador ou equipamento us. para roteamento, em redes de computadores.

roteamento [De *rotear*[2] + *-mento*.] ***S. m.* 1.** Ato ou efeito de rotear[2]. **2.** *Inform.* Determinação da rota (ou direção imediata) de um bloco de informações enviado numa rede de computadores em que há comutação de pacotes (q. v.).

rotear[1] [De *roto* + *-ear*[2].] ***V. t. d.*** V. *arrotear*. [Conjug.: v. *frear*. Fut. pret.: *rotearia*, *rotearias*, etc. Cf. *rotearia*, s. f.]

rotear[2] [De *rota*[2] + *-ear*[2].] ***V. t. d.* 1.** Dirigir (uma embarcação) pela rota adequada para chegar ao seu destino; marear. **2.** *Inform.* Determinar a rota, isto é, a sequência de nodos a ser percorrida por (blocos de informações [v. *pacote* (8)] transmitidos numa rede de computadores). ***Int.* 3.** Marear, navegar. [Conjug.: v. *frear*. Fut. pret.: *rotearia*, *rotearias*, etc. Cf. *rotearia*, s. f.]

rotearia ***S. f.*** Trabalho de rotear[1] ou arrotear. [Cf. *rotearia*, do v. *rotear*.]

roteirense ***Adj. 2 g.* 1.** De, ou pertencente ou relativo a Roteiro (AL). ● ***S. 2 g.* 2.** O natural ou habitante de Roteiro.

roteirista [De *roteiro* + *-ista*.] ***S. 2 g.*** Autor de roteiro(s), especialmente de roteiros cinematográficos, de televisão, etc. ◆ **Roteirista de intervalos comerciais.**

Rád. Telev. Aquele que elabora a programação dos intervalos comerciais das emissoras.

roteirização [De *roteirizar* + *-ção.*] *S. f.* Ato ou efeito de roteirizar.

roteirizar [De *roteiro* + *-izar.*] *V. t. d. Bras.* Escrever o roteiro (6) de: *Roteirizou excelentemente o filme.*

roteiro [De *rota*[2] + *-eiro.*] *S. m.* **1.** *Náut.* Livro onde se descrevem minuciosamente o litoral, ilhas, baixios, portos, regimes de ventos, de correntes e de chuvas, faróis e outros dados de interesse para a navegação. [Sin., ant.: *derroteiro.*] **2.** Descrição pormenorizada de uma viagem; itinerário. **3.** Indicação metódica e minuciosa da situação e direção de caminhos, etc., duma povoação. **4.** Relação dos principais tópicos que devem ser abordados num trabalho escrito, numa discussão de trabalhos, etc.: *roteiro para discussões.* **5.** *Fig.* Norma, regulamento, regra, preceito. **6.** *Cin. Rád. Telev.* Documento que contém o texto de filme cinematográfico, vídeo, programa de rádio, etc., ger. estruturado em sequências ou cenas e com indicações técnicas destinadas a orientar a direção e a produção da obra. [Cf., nesta acepç., *script, storyboard* e *decupagem.*] **7.** Guia (18). ◆ **Roteiro de luz.** *Telev.* Indicação de efeitos de iluminação na produção de um espetáculo, de uma filmagem, ou de uma gravação.

rotenona [Do ingl. *rotenone.*] *S. f. Quím.* Substância cristalina, com ação inseticida, encontrada em alguns vegetais, como, p. ex., o timbó [fórm.: $C_{23}H_{22}O_6$].

rotfone *S. m. Mús.* Instrumento de metal, tubo cônico e palheta dupla, semelhante ao sarrussofone quanto ao timbre, e ao saxofone quanto à forma e à escala, mas com o diâmetro menor.

▲ **roti-** V. *rot(a)-*.

rotífero[1] [De *roti-* + *-fero.*] *Adj.* Que tem rodas.

rotífero[2] [Adapt. do tax. *Rotifera.*] *Zool. S. m.* **1.** Espécime dos rotíferos, classe de animais asquelmintos, cujo corpo é dotado de um disco anterior com cílios para locomoção e alimentação, e tem extremidade posterior afilada, com glândulas adesivas para fixação permanente ou temporária, sistema digestório completo, com órgão faringiano mastigador. São de tamanho microscópico, geralmente inferior a 1mm. • *Adj.* **2.** Pertencente ou relativo a eles. [Sin. ger.: *rotatório, troquelminto.*]

rotiforme [De *roti-* + *-forme.*] *Adj. 2 g.* Que tem forma de roda; rotáceo.

rotim [Do malaio *rótan*, pelo fr. *rotin.*] *S. m.* Ratã (1 e 2).

rotina [Do fr. *routine.*] *S. f.* **1.** Caminho já percorrido e conhecido, em geral trilhado maquinalmente; rotineira. **2.** Sequência de atos ou procedimentos que se observa pela força do hábito; rotineira. **3.** *Fig.* Uso, prática, norma geral de procedimento; ramerrão, rotineira: "A rotina, numa das suas formas mais estúpidas, é a persistência caturra numa primeira impressão." (Eça de Queirós, *Notas Contemporâneas*, pp. 28-29.) **4.** *Inform.* Conjunto de instruções relativas à execução de um cálculo ou função em um programa (9). [Os termos *rotina, sub-rotina, procedimento, função* e *macro* são equivalentes, diferindo mais quanto a contexto, técnicas e formas de uso.] [Cf. *sub-rotina.*] **5.** *Mar.* Horário estabelecido para as atividades diárias que se realizam a bordo de um navio. [Cf. *rutina.*]

rotineira [F. subst. do adj. *rotineiro.*] *S. f.* Rotina (1, 2 e 3).

rotineiro [De *rotina* + *-eiro.*] *Adj.* **1.** Respeitante à rotina. **2.** Que segue a rotina. • *S. m.* **3.** Indivíduo rotineiro.

rotinização [De *rotinizar* + *-ção.*] *S. f.* Ato ou efeito de rotinizar(-se).

rotinizar [De *rotinizar* + *-ção.*] *V. t. d. e P.* Transformar(-se) em rotina.

rotisseria [Do fr. *rôtisserie.*] *S. f.* Seção onde, nos supermercados, se vendem presunto, queijo e outras viandas.

roto (ô) [Do lat. *ruptu.*] *Adj.* **1.** Que se rompeu. **2.** Esburacado, rasgado; esfarrapado, esfrangalhado: *roupa rota.* **3.** V. *maltrapilho.* • *S. m.* **4.** V. *maltrapilho* (2). [Flex.: *rota* (ô), *rotos* (ô), *rotas* (ô). Cf. *roto, rotas, rota*, do v. *rotar*; *rota*, s. f., pl. *rotas*; e *Roto*, antr.] ◆ **Rir(-se) o roto do esfarrapado.** Rir(-se) o sujo do mal-lavado.

▲ **roto-** V. *rot(a)-*.

rotoestereotipia [De *roto-* + *estereotipia.*] *S. f. Tip.* V. *estereotipia curva* (1).

rotofoto [De *roto-* + *-foto.*] *S. f. Tip.* Fotocompositora (q. v.) baseada, como a monofoto (q. v.), no mecanismo da monotipo.

rotográfico [De *roto-* + *-graf(o)-* + *-ico*[2].] *Adj.* Referente a rotogravura.

rotogravador (ô) [De *roto-* + *gravador.*] *S. m. Fotograv.* Fotogravador que se dedica à rotogravura. [Cf. *heliogravador.*]

rotogravar [De *roto-* + *gravar.*] *V. t. d. Fotograv.* Reproduzir por meio de rotogravura.

rotogravura [De *roto-* + *gravura.*] *S. f.* **1.** *Fotograv.* Processo de heliogravura destinado a tiragem em prensa rotativa, e no qual a gravação se faz, quer em placas, depois encurvadas para adaptação aos cilindros, quer diretamente nos próprios cilindros, forrados de cobre ou cobertos de camada desse metal, por eletrodeposição. **2.** Estampa obtida por esse processo. ◆ **Rotogravura autotípica.** *Fotograv.* Processo de impressão rotográfica no qual o cilindro de cobre é gravado por meio de pontos de diferentes tamanhos e profundidade uniforme, produzidos por meio de retícula, combinando, assim, os métodos da autotipia e da rotogravura.

rotoimpressão (o-im) [De *roto-* + *impressão.*] *S. f.* Impressão rotativa. [Cf. *plani-impressão.*]

rotoplano [De *roto-* + *plano.*] *Adj.* ~ V. *máquina —a* e *prensa —a.*

rotor (ô) [F. red. do lat. *rotator*, 'que roda', pelo ingl. *rotor.*] *S. m.* **1.** Parte giratória de uma máquina ou motor, especialmente elétrico. **2.** *Aer.* Mecanismo rotatório dos helicópteros, com as respectivas pás.

rótula [Do lat. *rotula*, 'rodinha'.] *S. f.* **1.** Gelosia (1): "Entrava disfarçadamente, fechava as rótulas da janela" (Aluísio Azevedo, *O Mulato*, p. 129). **2.** *Anat. Denom. ant.* V. *patela* (1). **3.** *Constr.* Articulação situada entre dois elementos de uma estrutura, e destinada a permitir seus deslocamentos angulares relativos. [Cf. *rotula*, do v. *rotular.*]

rotulação [De *rotular*[2] + *-ção.*] *S. f.* Rotulagem.

rotulado[1] [De *rótula* + *-ado*[1].] *Adj.* **1.** Que tem rótula. **2.** Semelhante a uma rótula.

rotulado[2] [Part. de *rotular*[2].] *Adj.* Que se rotulou; em que se fez rotulagem.

rotulagem [De *rotular*[2] + *-agem*[2].] *S. f.* Ação ou efeito de rotular; rotulação.

rotular[1] [De *rótula* + *-ar*[1].] *Adj. 2 g. Anat. Denom. ant.* V. *patelar.*

rotular[2] [De *rótulo* + *-ar*[2].] *V. t. d.* **1.** Colocar rótulo ou etiqueta em; etiquetar: "enquanto rotulava uma poção ou fechava uma cápsula, o Seabra .... ria, desdentado, criticando o coletor" (Coelho Neto, *Treva*, p. 168). **2.** Servir de rótulo ou etiqueta a: *Tiras de papel afixadas rotulavam os frascos.* **3.** Atribuir, com simplismo, determinada qualidade a: *Rotular pessoas é um péssimo hábito.* ***Transobj.*** **4.** Classificar, considerar, qualificar, reputar, em geral superficialmente, com simplismo ou impropriedade: "O Sr. Fernando Magalhães, ainda que devoto de Machado [Machado de Assis], rotulou de romancista da hesitação" (Agripino Grieco, *Amigos e Inimigos do Brasil*, p. 41). [Pres. ind.: *rotulo, rotulas, rotula*, etc. Cf. *rótulo* e *rótula.*]

rotuliano [De *rótula* + *-iano.*] *Adj. Anat. Denom. ant.* V. *patelar.* ~ V. *tendão —.*

rótulo [Do lat. *rotulu*, 'rolo', 'cilindro'.] *S. m.* **1.** Pequeno impresso que se cola em embalagens e recipientes para indicar-lhes o conteúdo. **2.** *Encad.* Retângulo de pele, etc., que se cola na lombada de um livro, e sobre o qual se douram as indicações de autor, título e tomação; tomba. **3.** *Fig.* Qualificação simplista, geralmente feita através de chavões: *O homem consciente não aceita rótulos.* **4.** Ralo ou pequena grade que guarnece as portas, janelas, etc. **5.** *Inform.* Nome arbitrário atribuído a uma variável, rotina, ou outro elemento constituinte de programa (9), e que lhe serve de identificador (3). **6.** *Inform.* Identificação atribuída a disquete, CD, DVD ou disco rígido. [Cf. *rotulo*, do v. *rotular.*]

rotunda [Do lat. *rotunda*, 'redonda'.] *S. f.* **1.** Construção circular terminada em cúpula. **2.** Praça ou largo circular onde desembocam estradas, ruas ou avenidas. **3.** *Caligr. Tip.* Nome dado na Itália à versão nacional, arredondada, da letra gótica. **4.** *Teatr.* Pano de fundo, de flanela, feltro, etc., disposto em semicírculo no palco; pano de fundo.

▲ **rotundi-** [Do lat. *rotūndus, a, um.*] ***El. comp.*** = 'redondo', 'circular': *rotundicolo, rotundiventre.*

rotundicolo [De *rotundi-* + *-colo.*] *Adj. Zool.* Que tem o pescoço redondo.

rotundidade [Do lat. *rotunditate.*] *S. f.* **1.** Qualidade de rotundo ou redondo; redondeza. **2.** Gordura, adiposidade, corpulência, obesidade.

rotundifólio [Do lat. *rotundifoliu.*] *Adj. Bot.* Que tem folhas redondas.

rotundiventre [De *rotundi-* + *ventre.*] *Adj. 2 g. Zool.* Que tem o ventre arredondado.

rotundo [Do lat. *rotundu*, 'redondo'.] *Adj.* **1.** V. *redondo* (1 a 5): "Naquelas solidões de monte e penedia os pardais, revoando no telhado, pareciam aves consideráveis. E a massa rotunda e rubicunda do Pimentinha dominava, atulhava a região." (Eça de Queirós, *A Cidade e as Serras*, p. 203.) **2.** Categórico, decisivo, peremptório, redondo: "Admirei-me de negação tão rotunda e Rute proferiu: | — A mana tem razão, Deus não existe." (Aquilino Ribeiro, *Alemanha Ensanguentada*, p. 194.)

rotura [De *roto* + *-ura.*] *S. f.* V. *ruptura.*

roubada [F. subst. de *roubado.*] *S. f. Bras. Gír.* Mau negócio; logro.

roubado [Part. de *roubar.*] *Adj.* Em que houve, ou que foi objeto ou vítima de roubo.

roubalheira [De *roubo* + *-alh(a)-* + *-eira.*] *S. f.* **1.** Roubo vultoso e escandaloso. **2.** Roubo de bens do Estado, ou de qualquer empresa ou organização.

roubar [Do germ. *rauben*, 'arrebatar', 'roubar', pelo lat. vulg. **roubare.*] *V. t. d.* **1.** *Dir. Penal* Subtrair (coisa alheia móvel) para si ou para outrem, mediante grave ameaça ou violência à pessoa, ou depois de havê-la, por qualquer meio, reduzido à impossibilidade de resistir. **2.** Furtar, subtrair (coisa alheia): *O gatuno roubou as joias.* **3.** Despojar de dinheiro ou de valores. **4.** Praticar roubo em: *A quadrilha roubou várias residências.* **5.** Apropriar-se fraudulentamente de; subtrair: *O advogado desonesto roubou parte do espólio.* **6.** Cometer rapto contra; raptar: *roubar uma donzela.* **7.** Tirar com violência; despojar, saquear: *As tropas roubaram a cidade ocupada.* **8.** Arrebatar, enlevar; extasiar: *Esta música rouba a alma e requinta a sensibilidade.* **9.** Assenhorear-se ou apoderar-se de; conquistar, cativar: *Aquela bonita mulher roubou muitos corações.* **10.** Apresentar indevidamente (trabalho artístico ou científico, projeto, etc.) como de sua autoria; plagiar: *roubar uma música, uma novela.* **11.** Tomar, consumir, gastar: *A busca do processo vai roubar um bom tempo.* ***T. d. e i.*** **12.** Tomar furtivamente, ou por violência; furtar: *Roubaram ao turista elevada soma.* **13.** Libertar, livrar, salvar: *Um feliz acaso roubou da miséria a pobre família; A morte veio roubá-lo aos piores sofrimentos.* **14.** Tomar para si, furtiva e inesperadamente, como que roubando; furtar: *Roubou-lhe um beijo à saída do cinema;* "a brisa doudejava indiscreta arregaçando o lenço à donzela que passava, ou roubando um beijo à rosa perfumada." (Rebelo da Silva, *Contos e Lendas*, pp. 171-172). ***Int.*** **15.** Praticar roubos; proceder como ladrão: *A lei de Deus, assim como a dos homens, proíbe roubar.* ***T. i.*** **16.** Praticar adulteração, falsificação, contrafação: *O açougueiro rouba no peso da carne.* ***P.*** **17.** Fugir, esquivar-se, furtar-se a: *Esquisitão, rouba-se às manifestações de apreço dos amigos.*

roubo [Dev. de *roubar.*] *S. m.* **1.** Ato ou efeito de roubar. **2.** Aquilo que se rouba. **3.** *Fig.* Preço muito alto, que se considera extorsivo; assalto.

rouco [Do lat. *raucu.*] *Adj.* **1.** Que tem a fala áspera e cava, difícil de entender; que tem rouquidão. **2.** Diz-se do som semelhante à fala rouca. ~ V. *pato —.*

roufenhar [De *roufenho* + *-ar*[2].] *V. int.* Ter voz roufenha.

roufenho [Voc. onom.] *Adj.* Que tem som anasalado; fanhoso, rouquenho: "Cessou o roufenho lamento do saxofone." (Érico Veríssimo, *México*, p. 12.)

➔ **roulotte** [ʁuˈlɔt] [Fr.] *S. f. Lus.* V. *trailer* (3).

➔ **round** [ɹæwnd] [Ingl.] *S. m. Esport.* No boxe, um dos tempos de uma competição.

roupa [Do gót. **raupa*, 'presa'.] *S. f.* **1.** *Vest.* Peça feita de tecido, destinada a uso doméstico: *roupa de cama, roupa de banho.* **2.** *Vest.* Peça ou conjunto de peças de vestuário; traje, indumentária, indumento, induto. ◆ **Roupa de baixo.** Roupa lavável, de qualquer cor, geralmente de tecido fino, e que se usa junto ao corpo, sob outra roupa; roupa-branca. [Sin.: *roupa-branca* e (lus.) *roupa interior.*] **Roupa de banho. 1.** Toalha ou roupão us. após o banho. **2.** Maiô, biquíni, sunga ou calção próprios para o banho de mar ou piscina. **Roupa de cama.** Peça feita de tecido destinada a uso doméstico, para guarnecer cama, ou como coberta. **Roupa feita.** *Vest.* A que é confeccionada em série, com medidas padronizadas. **Roupa de ver a Deus.** *Bras. N.E. Pop.* Roupa nova, domingueira. **Roupa interior.** *Lus.* V. *roupa de baixo.* **Bater roupa.** *Bras. Fut.* Deixar escapulir (o goleiro) a bola chutada pelo adversário.

roupa-branca *S. f.* Roupa de baixo. [Pl.: *roupas-brancas.*]

roupa de franceses *S. f.* Coisa em que todos metem a colher ou à qual todos se julgam com direito. [Sin. (bras., chulo): *cu da mãe joana.* Pl.: *roupas de franceses.*] ☑

roupagem [De *roupa* + *-agem*[2].] *S. f.* **1.** Conjunto de roupas; roupa(s), vestes, fardagem. **2.** Rouparia (1). **3.** Pintura ou escultura que representa roupas. **4.** *Fig.* Aparência, aspecto: "É frequente, entre os brasileiros que se presumem intelectuais, a facilidade com que se alimentam .... de doutrinas dos mais variados matizes e com que sustentam, simultaneamente, as convicções mais díspares. Basta que tais doutrinas e convicções se possam impor à imaginação por uma roupagem vistosa" (Sérgio Buarque de Holanda, *Raízes do Brasil*, p. 113).

R

roupão [De *roupa* + *-ão*[1].] *S. m.* 1. *Vest.* Peça caseira de vestuário, longa e confortável, aberta na frente, de mangas compridas e cinto, usado sobre a roupa de dormir ou sobre a roupa de baixo, ou para se ficar à vontade; robe, chambre. 2. Peça semelhante ao roupão (1), de tamanho e comprimento da manga variáveis, de uso social em clubes, academias, etc. 3. *Lus.* Saída de praia. ◆ **Roupão de banho.** Roupão de tecido felpudo, próprio para enxugar o corpo.

roupar [De *roupa* + *-ar*[2].] *V. t. d. P.* V. *enroupar*.

rouparia [De *roupa* + *-aria*.] *S. f.* 1. Quantidade considerável de roupa; roupagem. 2. Local onde se guardam ou vendem roupas.

roupa-suja [De *roupa* + o f. de *sujo*.] *S. f.* Detalhes pouco lisonjeiros da vida de alguém. [Us. ger. com o v. lavar ou com o subst. *lavagem* ou *lavação* em expressões como: *roupa-suja se lava em casa* (não se expõe roupa-suja de ninguém); *lavagem de roupa-suja* (ato de expor a roupa-suja de), etc.] [Pl.: *roupas-sujas*.]

roupa-velha *S. f.* 1. *Bras. Cul.* Iguaria feita com as sobras, ger. desfiadas, de charque ou de outra carne duma refeição anterior. 2. *Bras. RS Cul.* Espécie de paçoca de carne-seca, feijão e farinha. [Pl.: *roupas-velhas*.]

roupa-velheiro [De *roupa velha* + *-eiro*.] *S. m.* Indivíduo que compra e vende roupa usada, velha. [Pl.: *roupas-velheiros*. Cf. *adeleiro*.]

roupeiro [De *roupa* + *-eiro*.] *S. m.* 1. Indivíduo que guarda a rouparia de uma casa ou de uma comunidade. 2. Indivíduo que faz roupas. 3. *Bras.* Móvel para se guardarem roupas, em geral semelhante à cômoda. 4. *Bras. Gír.* Gatuno que, no momento da ação, se posta de modo que encubra o punguista, seu parceiro.

roupeta (ê) [De *roupa* + *-eta* (ê).] *S. f.* 1. Hábito de sacerdote; batina: "Em terras heréticas trocou [o P.º Antônio Vieira] a roupeta ..., por vestuário de fidalgo" (Antônio José Saraiva e Óscar Lopes, *História da Literatura Portuguesa*, p. 514). ● *S. m.* 2. *Deprec.* Padre, sacerdote.

roupido [De *roupa* + *ido*[1].] *Adj.* Que está vestido ou provido de roupas; enroupado.

roupinha [De *roupa* + *-inha*.] *S. f. Lus. Vest.* Casaco justo e curto, usado pelas saloias e mulheres do campo.

roupiquinha *S. f. Bras. SP Pop.* Roupa modesta, simples.

rouqueira [De *rouco* + *-eira*.] *S. f.* 1. V. *rouquidão* (1). 2. V. *rouquido*. [Cf. *roqueira*, fem. de *roqueiro* e s. f.]

rouquejante [De *rouquejar* + *-nte*.] *Adj. 2 g.* Que rouqueja.

rouquejar [De *rouco* + *-ejar*.] *V. int.* 1. Emitir sons roucos; ter rouquidão. 2. Bramir, rugir: "O mar rouquejava na praia." (Coelho Neto, *Turbilhão*, p. 309.) 3. Estrondear, estrondar: "Cantavam ali perto pássaros, bem embora mais longe rouquejassem as metralhadoras." (Aquilino Ribeiro, *Caminhos Errados*, p. 214); "Um som longínquo cavernoso e oco / Rouqueja, e n'amplidão do espaço morre" (Gonçalves Dias, *Obras Poéticas*, II, p. 231). *T. d.* 4. Emitir, rouquejando: *Exasperado, rouquejou algumas palavras*; "Nenhuma goela entusiasmada rouquejava a *Marselhesa*." (Eça de Queirós, *Ecos de Paris*, p. 65). [Conjug.: v. *pelejar*.]

rouquenho [De *rouco* + *-enho*.] *Adj.* 1. Um pouco rouco. [Var. (bras., N.E.): *ronquém*[2].] 2. V. *roufenho*: "Sobre a ponte de pau, lento e rouquenho, / Lá do canavial verde e gemente, / Vem o carro de bois" (Fernando de Mendonça, *13 Decassílabos*, p. 11).

rouquice [De *rouco* + *-ice*.] *S. f.* V. *rouquidão* (1).

rouquidão [De *rouco* + *-idão*.] *S. f. Med.* 1. Aspereza na fala e dificuldade na pronúncia de palavras, devidas a embargo no órgão da fonação, rouquice, rouqueira, enrouquecimento. 2. V. *rouquido*.

rouquido [De *rouco* + *-ido*[1].] *S. m.* Som rouco de respiração estertorosa de enfermo ou moribundo; ronco, rouqueira, rouquidão.

rousseauniano (ussô) *Adj.* 1. Pertencente ou relativo a Jean-Jacques Rousseau (1712-1778), escritor e pensador suíço de língua francesa. 2. Que é admirador e/ou profundo conhecedor de sua obra. ● *S. m.* 3. Admirador e/ou profundo conhecedor da obra de Rousseau.

rouxinol [Do lat. vulg. **lusciniolu*, pelo provenç. ant. *rossinhol*.] *S. m.* 1. *Zool.* Ave passeriforme, muscicápidea (*Erithacus megarhynchos*), migratória, de distribuição pela Europa, Ásia e África, e cujo canto melodioso é emitido pelos machos, à noite, no período reprodutivo. Tem coloração geral parda com tons ruivos, cabeça mais escura, garganta e peito mais claros, bico quase negro na parte superior e amarelo na inferior. 2. *Bras. Zool.* V. *corrupião* (2). [Cf. *joão-pinto* e *garriça*.] 3. *Fig.* Pessoa que canta muito bem, que tem linda voz. [Pl.: *rouxinóis*.]

rouxinol-do-campo *S. m. Bras. Amaz. Zool.* V. *polícia-inglesa* (1). [Pl.: *rouxinóis-do-campo*.]

rouxinol-do-rio-negro *S. m. Bras. Zool.* Ave emberizídea icterínea (*Icterus chrysocephalus*) do L. da Colômbia, Equador, Peru, S.E. da Venezuela, Guianas e N. do Amazonas, com cerca de 20cm de comprimento, coloração preta, tendo amarelos o alto da cabeça, as coberteiras superiores menores da asa, uropígio e as coxas, e que constrói ninho suspenso em palmas de Miriti. [Pl.: *rouxinóis-do-rio-negro*.]

rouxinolear [De *rouxinol* + *-ear*[2].] *V. int.* Cantar como o rouxinol. [Conjug.: v. *frear*.]

▲ **-rova** Equiv. de *-roba*.

roxa (ô) [Fem. do adj. *roxo*.] *S. f.* 1. Nódoa roxa. 2. Mulata jovem e clara; roxinha: "as meninas do Manuel do Carmo, Chico Lisboa e Maneta, umas roxas peitudas e bundudas" (Bernardo Élis, *Veranico de Janeiro*, p. 24). [Cf. *rocha*.]

roxeado [Part. de *roxear*.] *Adj.* V. *arroxeado*[1].

roxear [De *roxo* + *-ear*[2].] *V. t. d. Int. P.* Tornar(-se) roxo; purpurear(-se); arroxear(-se), arroxar(-se). [Conjug.: v. *frear*.]

roxicré *S. m. Ant.* V. *rosicler*: "Num *vecchio* recanto, à porta de um casarão secular, armoriado, pintalgado de roxicré, ... as moças napolitanas e os pescadores de pérolas festejam o dia de *Santa Chiara*" (Martins Fontes, *A Dança*, pp. 40-41).

roxidão [De *roxo* + *-idão*.] *S. f.* 1. A cor roxa; roxura. 2. Qualidade de roxo.

roxinha [De *roxa* + *-inha*.] *S. f. Bras.* Roxa (2).

roxinho [De *roxo* + *-inho*[1].] *S. m. Bras. Bot.* V. *guarabu* (1).

roxo (ô) [Do lat. *russeu*, 'de cor vermelha carregada', pelo arc. *roixo*.] *Adj.* 1. Da cor da violeta, da ametista; violeta. 2. De cor entre o rubro e o violáceo; purpúreo. 3. Vermelho (1): "no mesmo mar undoso e vento frio / brasas roxas acende a roxa flama." (Luís de Camões, *Rimas*, p. 390). 4. Diz-se dessas cores: *paramentos de cor roxa; tecido de cor roxa quase preta*. 5. *Bras.* Muito intenso; excessivo, desmedido: *paixão roxa*. 6. *Bras. Fam.* Diz-se de namoro cheio de liberdade. [Sin. (nesta acepç., no CE): *rombudo*.] 7. *Bras. Fam.* Muito desejoso; ansioso: *Está roxo para resolver a situação*. 8. *Bras. Fam.* Vivamente inclinado ou interessado; apaixonado, louco: *É roxo pela pequena; Anda roxo pela pintura abstrata*. 9. *Bras. Fam.* Muito difícil; árduo: *trabalho roxo*. 10. *Bras.* V. *preto* (ê) (8). ~ V. *terra—a*. ● *S. m.* 11. A cor roxa; violeta. [Fem.: *roxa* (ô). Cf. *rocha*.]

roxo-azul *Adj. 2 g. S. m.* Diz-se de, ou a cor azul e roxa ao mesmo tempo: "— Ninfas, sereias, fadas e náiades / Do rio roxo-azul da Nostalgia." (Da Costa e Silva, *Poesias Completas*, p. 52.) [Flex. do adj. 2 g.: *roxo-azuis*; pl. do s. m.: *roxos-azuis*.]

roxo-claro *Adj.* 1. De um tom claro de roxo. ● *S. m.* 2. Essa cor. [Flex. do adj.: *roxo-claros, roxo-clara(s)*; pl. do s. m.: *roxos-claros*.]

roxo-escuro *Adj.* 1. De um tom escuro de roxo. ● *S. m.* 2. Essa cor. [Flex. do adj.: *roxo-escuros, roxo-escura(s)*; pl. do s. m.: *roxos-escuros*.]

roxo-forte *S. m. Bras. Pop.* V. *cachaça* (1). [Pl.: *roxos-fortes*.]

roxoquélis [Do antr. (*Mathias*) *Roxo*, geólogo brasileiro, + gr. *chélys*, 'tartaruga'; tax. *Roxochelys*.] *S. m. Paleont.* 1. Gênero de quelônios pleurodiros que habitaram o cretáceo no S. do Brasil (formação Bauru). 2. Espécie ou espécime desse gênero.

roxura [De *roxo* + *-ura*.] *S. f.* 1. A cor roxa; roxidão: "Negras roxuras pretensas / Com a noite acaba." (Fernando Pessoa, *Obra Poética*, pp. 149-150.) 2. Desejo, ânsia, excitação.

➔ **royal straight flush** [ˈɹɔjəl stɹejt flʌʃ] [Ingl.] *Loc. s. m.* V. *pôquer* (1).

➔ **royalty** [ˈɹɔjəltij] [Ingl.] *S. m.* Importância cobrada pelo proprietário de uma patente de produto, processo de produção, marca, etc., ou pelo autor de uma obra, para permitir seu uso ou comercialização. [Pl.: *royalties*.]

roycíano *Adj.* 1. Pertencente, relativo a, ou próprio do filósofo idealista norte-americano Josiah Royce (1855-1916). 2. Que é adepto de sua filosofia ou profundo conhecedor de sua obra. ● *S. m.* 3. Seguidor da filosofia de Royce ou profundo conhecedor de sua obra.

ró-zero *S. m. Fís. Part.* V. *rô-zero*. [Uso freq. em P. Pl.: *rós-zero*.]

rô-zero *S. m. Fís. Part.* Méson de massa 770,8 MeV/c^2, *isospin* 1, *spin* 1, paridade negativa, carga elétrica nula, composto de uma mistura de pares *quark-antiquark u* e *d* [simb.: ρ0]. [Pl.: *rôs-zero*.]

■ **rpm** Abrev. de *rotação por minuto* (q. v.).

■ **RR** Sigla do Estado de Roraima.

■ **RS** Sigla do Estado do Rio Grande do Sul.

■ **RTV** [Abrev. de *Rádio* e *Televisão*.] *Prop.* RTVC (q. v.).

■ **RTVC** [Abrev. de *Rádio*, *Televisão* e *Cinema*.] *Prop.* Sigla que designa setor de agência de propaganda responsável pela produção de peças para a mídia eletrônica; RTV.

■ **Ru** *Quím.* Símb. de *rutênio*.

rua [Do lat. *ruga*, 'ruga', posteriormente 'sulco', 'caminho'.] *S. f.* 1. Via pública para circulação urbana, total ou parcialmente ladeada de casas. 2. *P. ext.* Numa cidade, vila, etc., qualquer logradouro público ou outro lugar que não seja casa de residência, local de trabalho, etc.: *Foi para a rua cedo e ainda não voltou*. 3. Os habitantes de uma rua (1): *Toda a rua protestou contra o barulho*. 4. *Fig.* A ralé, a plebe. 5. *Tip.* Canal (20). 6. *Bras.* V. *comércio* (5). 7. *Bras.* Espaço entre as filas de qualquer plantação: "Uma rua de mangueiras levava à entrada da casa" (Coelho Neto, *Treva*, p. 79). 8. V. *olho da rua*. ● *Interj.* 9. Exprime despedida ríspida, violenta: *Vá-se, suma-se, fora: — Rua, espertalhão!* ◆ **Rua da amargura.** 1. O caminho que Jesus Cristo seguiu para o Calvário. 2. Grande sofrimento; tortura. **Arrastar pela rua da amargura.** Atacar a reputação de; provocar o descrédito de; fazer sofrer muito, humilhando, ferindo na honra; levar à rua da amargura. **Encher a rua de pernas.** *Bras. Fam.* Vadiar, vagabundear: "E demais, que diabo ficava ele fazendo aqui? Enchendo as ruas de pernas e gastando o pouco que tem..." (Aluísio Azevedo, *O Mulato*, p. 31.) **Levar à rua da amargura.** Arrastar pela rua da amargura. **Viver na rua.** Sair muito; permanecer em casa pouquíssimo tempo.

ruaceiro [F. aferética de *arruaceiro*, com alter. semântica.] *Adj. S. m.* Diz-se do, ou o indivíduo que é dado a viver na rua, passeando, à toa.

ruador (ô) [De *arruador*, com aférese.] *Adj. S. m. Bras.* V. *rueiro* (1 e 3).

ruamom [De or. incerta; do lat. cient. (*Strychnos*) *rouhamon*, poss.] *S. m. Bras. Bot.* Cipó loganiáceo (*Strychnos rouhamon*) da floresta pluvial, cujas folhas têm nervuras compridas bem marcadas e cujas flores são insignificantes, sendo os frutos bagas duras e amargas, de casca tóxica. [Sin.: *apuirana*.]

ruanda *S. m. Gloss.* 1. Língua banta falada em Ruanda, Burundi, na República Democrática do Congo (antigo Zaire) e ainda em Uganda e na Tanzânia (África). 2. Vocábulo dessa língua.

ruandês *Adj.* 1. De, ou pertencente ou relativo a Ruanda, república da África central. ● *S. m.* 2. O natural ou habitante de Ruanda. [Flex.: *ruandesa* (ê), *ruandeses* (ê), *ruandesas* (ê).]

ruano [Do esp. *ruano*.] *Adj.* Ruão[3] (q. v.).

ruante [Do fr. *rouant*.] *Adj. 2 g.* Diz-se do pavão que está com a cauda levantada.

ruão[1] [De *rua* + *-ão*[2].] *S. m.* Homem do povo; plebeu, peão.

ruão[2] [Do top. *Ruão* (fr. *Ruon*).] *S. m. Tec. Têx.* Tecido de linho que se fabricava em Ruão (França).

ruão[3] [Do esp. *ruano*.] *Adj.* 1. Diz-se do cavalo de pelo branco e pardo, ou de pelo branco com malhas escuras e arredondadas. 2. *Bras.* Diz-se do cavalo de pelo claro e crinas amarelas. [F. paral.: *ruano*.]

rubacão *S. m. Bras. N.E.* Baião de dois.

rubafo [Var. de *robafo*.] *S. m. Bras. Zool.* V. *traíra* (1).

➔ **rubato** [ɾuˈbato] [It.] *Adj. Mús.* 1. Diz-se de uma execução caracterizada pelo emprego de certas liberdades rítmicas, num intuito expressivo que depende unicamente do gosto musical do intérprete. ● *S. m.* 2. O trecho executado dessa maneira.

➔ **rubber** [ˈɹʌbɚ] [Ingl.] *S. m.* No jogo de bridge, série de três partidas.

rubedo [Do lat. dos alquimistas *rubedo* (do nom. do lat. *rubedo, inis*, 'a cor vermelha').] *S. m. Alq.* O último dos quatro estágios para atingir a pedra filosofal (q. v.), correspondente ao avermelhado quando ocorre a ressurreição ou iluminação da matéria que está a sofrer transmutação e o objetivo é alcançado; iose.

rubefação [Do lat. *rubefacere*, 'tornar vermelho', pelo modelo de palavras de igual terminação.] *S. f.* 1. *Med.* Vermelhidão da pele, provocada por inflamação. 2. *Geol.* Formação de tênue película ferruginosa por efeito da oxidação do ferro contido nos minerais das rochas.

rubefaciente [Do lat. *rubefaciente*.] *Adj. 2 g.* 1. Rubificante. ● *S. m.* 2. *Terap.* Medicamento para produzir rubefação.

rubejar [De *rúbeo* + *-ejar*.] *V. int.* Mostrar-se em sua cor rubra ou vermelha. [Normalmente é defect., conjugável só nas 3.ªs pess. Conjug.: v. *pelejar*.]

rubelita [Do lat. *rubellus*, 'avermelhado', + *-ita*[2].] *S. f. Min.* Variedade avermelhada de turmalina.

rubelitense *Adj. 2 g.* 1. De, ou pertencente ou relativo a Rubelita (MG). ● *S. 2 g.* 2. O natural ou habitante de Rubelita.

rubenesco (ê) *Adj.* De, ou pertencente ou relativo a, ou próprio de Petrus Paulus Rubens (1577-1640), pintor e diplomata flamengo, ou que o lembra: "Um outro menino .... recebia sobre os seus diminutos pés polpudos, saudáveis, rubenescos, a enfiada de beijos de todas as pequenas bocas inocentes, vermelhas" (Ramalho Ortigão, *As Farpas*, I, p. 84).

rubente [Do lat. *rubente*.] *Adj. 2 g.* Que tem cor vermelha ou rubra; rúbido, rubicundo: "A rubente alvorada mal rompia..." (Bulhão Pato, *Livro do Monte*, p. 241.)

rúbeo [Do lat. *rubeu.*] ***Adj. P. us. Poét.*** V. *rubro* (1): "sorrindo encantadoramente, com os olhos brejeiros, com a boca rúbea como uma flor de beijo..." (Martins Fontes, *A Dança*, p. 51).

rubéola [Do f. do lat. vulg. **rubeolu*, 'avermelhado', ou de *rúbeo.*] ***S. f. Med.*** Infecção causada por vírus e em que surgem exantema vermelho-pálido, linfadenopatia, rinorreia, faringite, artralgia, etc.; ocorre, principalmente, na infância, embora o aparecimento em adulto não seja raro. Em grávida, pode causar malformações no nascituro. [Sin.: *sarampo alemão.*]

rubescente [Do lat. *rubescente.*] ***Adj. 2 g.*** Que rubesce; que se torna vermelho: *râmulo rubescente.*

rubescer [Do lat. *rubescere.*] ***V. t. d. Int. P.*** V. *enrubescer*. [Conjug.: v. *crescer.*]

rubi [Do lat. med. *rubinu*, pelo cat. *robí.*] ***S. m.*** **1.** Variedade de coríndon, de cor vermelha muito viva. **2.** *Poét.* Cor muito vermelha. • ***Adj. 2 g.*** **3.** Diz-se dessa cor. ~ V. *vidro* —. [Var.: *rubim*. Cf. *Rúbi*, top.]

▲ **rubi-**^{1} [Do lat. *rubeus, a, um.*] ***El. comp.*** = 'vermelho', 'avermelhado': *rubificar*.

▲ **rubi-**^{2} [Do lat. *rubus, i.*] ***El. comp.*** = 'amora': *rubiforme.*

rubiácea [Do tax. *Rubia* (do lat. *rubia*, 'ruiva, a planta') + *-ácea*; tax. *Rubiaceae.*] ***S. f. Bot.*** Espécime das rubiáceas, família de plantas floríferas, da ordem das rubiales, composta de ervas até árvores de folhas opostas e estipuladas, flores pequenas (raro grandes), com estames isômeros e ovário ínfero, e frutos variados, em geral capsulares. Há cerca de 5.000 espécies, distribuídas pelo orbe todo, muitas das quais de grande importância, como, p. ex., o cafeeiro (*Coffea arabica*), a ipecacuanha (*Cephaelis ipecacuanha*), a quina (*Cinchona ledgeriana*), etc. ◆ **A preciosa rubiácea.** O café (1).

rubiacense ***Adj. 2 g.*** **1.** De, ou pertencente ou relativo a Rubiácea (SP). • ***S. 2 g.*** **2.** O natural ou habitante de Rubiácea.

rubiáceo [De *rubiácea*, com var. suf. (v. *-áceo*).] ***Adj. Bot.*** Pertencente ou relativo às rubiáceas.

rubial [Do lat. cient. *Rubi-* (v. *rubiale*) + *-al*^{1}.] ***Adj. 2 g. Bot.*** Pertencente ou relativo às rubiales.

rubiale [Do tax. *Rubia* (v. *rubiácea*) + *-ale*; tax. *Rubiales.*] ***S. f. Bot.*** Espécime das rubiales, ordem de vegetais dicotiledôneos, metaclamídeos que inclui as rubiáceas, as gelsemiáceas e as desfontaineáceas.

rubiatabense ***Adj. 2 g.*** **1.** De, ou pertencente ou relativo a Rubiataba (GO). • ***S. 2 g.*** **2.** O natural ou habitante de Rubiataba.

rubicano [Do esp. *rubicán.*] ***Adj.*** Diz-se do cavalo negro, baio ou alazão com pelos entremeados de branco. [Var.: *rubicão.*]

rubicão^{1} [Do top. *Rubicão*, rio do N. da Itália, que a separava da Gália Cisalpina.] ***El. s. m.*** Us. na expr. *atravessar o Rubicão*. ◆ **Atravessar o Rubicão.** Tomar uma decisão temerária, enfrentando as consequências. [Cf. *alea jacta est.*]

rubicão^{2} ***Adj.*** V. *rubicano.*

rubicundo [Do lat. *rubicundu.*] ***Adj.*** **1.** V. *rubente*: "Abre a romã, mostrando a rubicunda / Cor, com que tu, rubi, teu preço perdes" (Luís de Camões, *Os Lusíadas*, IX, 59). **2.** Diz-se de pessoa muito corada.

rubi da sibéria ***S. m.*** Variedade vermelha de turmalina. [Pl.: *rubis da sibéria.*] ☑

rubidez (ê) [De *rúbido* + *-ez.*] ***S. f.*** V. *rubor*: "Desbotava-se a rubidez das faces incendidas" (Visconde de Taunay, *Ao Entardecer*, pp. 28-29).

rubídio [De *rúbido* + *-io*^{3}.] ***S. m. Quím.*** Elemento de número atômico 37, metálico, branco-prateado, muito leve, pertencente ao grupo dos metais alcalinos [símb.: *Rb*].

rúbido [Do lat. *rubidu.*] ***Adj. Poét.*** **1.** V. *rubro* (1). "Do fogo... saem faúlhas rúbidas" (Martins Fontes, *A Dança*, p. 87); "A prumo atira o Sol as frechas rúbidas, / Sobre a vasta campina!" (Bulhão Pato, *Livro do Monte*, p. 101). **2.** V. *rubente.*

rubi do cabo [De *rubi* + *do* + o top. *Cabo.*] ***S. m.*** Variedade vermelha de granada. [Pl.: *rubis do cabo.*] ☑

rubificação [De *rubificar* + *-ção.*] ***S. f.*** Ato ou efeito de rubificar(-se).

rubificante [De *rubificar* + *-nte.*] ***Adj. 2 g.*** Que rubifica; rubefaciente.

rubificar [De *rubi-*^{1} + *-ficar.*] ***V. t. d.*** **1.** Tornar rubro; avermelhar, enrubescer, ruborizar. ***Int. P.*** **2.** Tornar-se rubro ou vermelho; avermelhar-se, enrubescer(-se), ruborizar(-se). [Conjug.: v. *trancar.*]

rubiforme [De *rubi-*^{2} + *-forme.*] ***Adj. 2 g.*** Semelhante à amora, ou à framboesa.

rubiginoso (ô) [Do lat. *rubiginosu.*] ***Adj.*** **1.** Ferrugento. **2.** De cor semelhante à da ferrugem.

rubim [De *rubi*, com nasalação.] ***S. m.*** **1.** Rubi: "e levem [os desembargadores] varas tão grossas, que com nada se possam torcer; porque algumas vi eu já lá tão delgadas, que com um rubim, ou diamante, se dobravam logo" (Diogo do Couto, *Soldado Prático* p. 103); "Torce, aprimora, alteia, lima / A frase; e, enfim. / No verso de ouro engasta a rima, / Como um rubim." (Olavo Bilac, *Poesias*, p. 2). [Dim. irreg.: *rubinete.*] **2.** *Bras. Bot.* Erva rubiácea (*Borreria tenella*) de flores alvas, considerada emética. **3.** *Bot.* Erva lamiácea (*Leonurus sibiricus*) de flores labiadas, roxo-claras, oriunda da China e do Japão, dispersa, principalmente, no S. e S.E. do Brasil, como ruderal, sendo us. na medicina popular como calmante, contra trombose, edema, problemas renais, etc. **4.** *Bot.* V. *cordão-de-frade.*

rubineiense (èi) ***Adj. 2 g.*** **1.** De, ou pertencente ou relativo a Rubineia (SP). • ***S. 2 g.*** **2.** O natural ou habitante de Rubineia.

rubinense ***Adj. 2 g.*** **1.** De, ou pertencente ou relativo a Rubim (MG). • ***S. 2 g.*** **2.** O natural ou habitante de Rubim.

rubinete (ê) ***S. m.*** Pequeno rubim (1).

rubitopázio [De *rubi* + *topázio.*] ***S. m. Bras. Zool.*** Certo pássaro da Amaz., de penas vermelhas e amarelas.

rubixá [Do tupi = 'principal'.] ***S. m. Bras. Zool.*** V. *japu* (1).

rublo [Do russo *rubl'*, 'bloco de madeira'.] ***S. m.*** Unidade monetária, e moeda, da Federação Russa, da Belarus e do Tadjiquistão, dividida em 100 copeques.

rubo [Do lat. *rubu.*] ***S. m. Bot.*** V. *silva* (1).

rubor (ô) [Do lat. *rubore.*] ***S. m.*** **1.** Qualidade de rubro. **2.** Cor vermelha: "Já estranho rubor inflama o oriente; / Rompe a manhã" (Raimundo Correia, *Poesias*, p. 17). **3.** Vermelhidão nas faces, provocada por uma reação de indignação, de vergonha, de modéstia, etc.; enrubescimento, ruborização. **4.** *Fig.* Vergonha, pejo, pudor, modéstia. [Sin.: *rubidez.*]

ruborescer [De *rubor* + *-escer.*] ***V. t. d. Int. P.*** Ruborizar(-se). [Conjug.: v. *crescer.*]

ruborização [De *ruborizar* + *-ção.*] ***S. f.*** **1.** Ato ou efeito de ruborizar(-se). **2.** V. *rubor* (3).

ruborizar [De *rubor* + *-izar.*] ***V. t. d.*** **1.** Tornar rubro ou vermelho; avermelhar, rubificar: *O grande incêndio ruborizava a noite.* **2.** Causar rubor (3) a; fazer corar; envergonhar: *As palavras picantes ruborizavam a dama.* ***Int. P.*** **3.** Avermelhar-se, rubificar-se: "À medida que o acendedor passava, uma sucessão de pontos luminosos pingava a indecisa claridade do último crepúsculo de manchas pálidas, que se ruborizavam pouco a pouco" (Inglês de Sousa, *O Missionário*, p. 407). **4.** Ter pudor; envergonhar-se, corar: *A moça ruborizou-se ante a cena indecorosa*; "A Senhora Ulpiana ruborizou fortemente e, se pudesse, escaparia àquele vexame" (Haroldo Maranhão, *As Peles Frias*, p. 30). [P. us. como int. Sin. ger.: *enrubescer* e *ruborescer*. Cf. *roborizar.*]

▲ **rubri-** [Do lat. *ruber, bra, brum.*] ***El. comp.*** = 'vermelho', 'rubro': *rubrifloro, rubrirrostro.*

rubrica (í) [Do lat. *rubrica*, 'tinta vermelha, rubra'.] ***S. f.*** **1.** Título dos livros de direito civil ou canônico. **2.** Letra ou linha inicial de capítulo, escrita em vermelho nos antigos manuscritos. **3.** Nota, não raro em letras vermelhas, nos missais, breviários ou outros livros litúrgicos, para indicar o modo de recitar ou celebrar o ofício. [Cf. *miniatura* (2).] **4.** Título ou entrada que constitui indicação geral do assunto, da categoria, de alguma coisa: *Este produto tanto pode ser taxado na rubrica de medicamentos como na de cosméticos.* **5.** Apontamento para fazer lembrar; lembrete, nota. **6.** Firma ou assinatura abreviada, reconhecida como autêntica. **7.** Almagre (1). **8.** Indicação escrita de como deve ser executado um trecho musical, uma mudança de cenário, um movimento cênico, uma fala, um gesto do ator, etc. **9.** *Tip.* Alteração que se faz numa chapa tipográfica, depois de impressa, para imprimir os títulos em vermelho nos livros religiosos e de direito. **10.** *Lus.* Programa (7).

rubricação [De *rubricar* + *-ção.*] ***S. f.*** Na confecção de um manuscrito, aposição dos títulos em tinta colorida após o término da cópia.

rubricador (ô) [De *rubricar* + *-dor.*] ***Adj.*** **1.** Que rubrica. • ***S. m.*** **2.** Aquele que rubrica. **3.** Indivíduo que rubricava os antigos manuscritos. **4.** *P. ext.* V. *iluminador* (3).

rubricar [De *rubrica* + *-ar*^{2}.] ***V. t. d.*** **1.** Pôr a rubrica (6) em: *O conferente rubricará todas as folhas.* **2.** Executar rubrica em (manuscrito). [Cf. *miniar.*] **3.** *Tip.* Fazer a rubrica de (chapa tipográfica). [Conjug.: v. *trancar.*]

rubricista [De *rubrica* + *-ista.*] ***S. 2 g.*** Especialista em rubricas.

rubricolo [De *rubri-* + *-colo.*] ***Adj. Zool.*** Diz-se de animal que tem o pescoço vermelho.

rubricórneo [De *rubri-* + *-corn(i)-* + *-eo.*] ***Adj. Zool.*** Que tem antenas vermelhas; ruficórneo.

rubrifloro [De *rubri-* + *-floro.*] ***Adj. Bot.*** Que tem flores vermelhas.

rubrigástreo [De *rubri-* + *-gastr(o)-* + *-eo.*] ***Adj. Zool.*** V. *rufigástreo.*

rubrípede [De *rubri-* + *-pede.*] ***Adj. 2 g. Zool.*** Que tem pés vermelhos; eritrópode.

rubriplúmeo [De *rubri-* + *pluma* + *-eo.*] ***Adj.*** De plumas rubras.

rubrirrostro [De *rubri-* + *-rostro.*] ***Adj. Zool.*** Que tem bico vermelho.

rubro [Do lat. *rubru.*] ***Adj.*** **1.** Vermelho (1) muito vivo; da cor de sangue: *lábios rubros; gravata rubra.* [Sin., p. us.: *rubente* e (poét.) *rúbeo, rúbido.*] **2.** Diz-se dessa cor: *toalha de cor rubra*; "De rubra cor se tinge / Teu rosto desmaiado." (Gonçalves Crespo, *Obras Completas*, p. 136). **3.** Corado, incendiado; afogueado: *faces rubras.* **4.** *Fig.* Exagerado, apaixonado nas opiniões e preferências: *É torcedor rubro do Olaria.* **5.** *Bras.* V. *americano*^{2}. • ***S. m.*** **6.** A cor rubra: *Na festa, o rubro das vestes era a nota dominante.* **7.** *Bras.* V. *americano*^{2}.

rubro-negro ***Adj. S. m.*** *Bras.* V. *flamenguista*. [Pl.: *rubro-negros.*]

ruçar [De *ruço* + *-ar*^{2}.] ***V. t. d.*** **1.** Tornar ruço ou pardacento. **2.** Tornar ruço ou grisalho; encanecer, agrisalhar: *A preocupação constante ruça cabelos jovens.* ***Int.*** **3.** Tornar-se ruço ou pardacento. ***Int. P.*** **4.** Começar a encanecer; agrisalhar-se: *Meus cabelos ruçaram da noite para o dia; Sua barba ruçou-se, continuando pretos os cabelos.* **5.** Começar a envelhecer; avelhentar-se. [F. paral.: *arruçar* e *enruçar*. Conjug.: v. *laçar*. Pres. ind.: *ruço, ruças, ruça*, etc. Cf. *russo*, flex. *russos, russa, russas*; o top. *Russas*; e *roçar.*]

➔ **ruche** [ʁyʃ] [Fr.] ***S. f.*** Rufo^{2} (1).

rucilho [Var. de *rosilho* (q. v.), com infl. de *ruço*, poss.] ***Adj.*** Diz-se do cavalo que tem o pelo mesclado de branco, vermelho e preto. [Cf. *rosilho.*]

ruço [Do lat. *roscidu*, 'orvalhado'.] ***Adj.*** **1.** Tirante a pardo; pardacento, pardaço. **2.** Diz-se do cabelo ou da barba grisalha, arruçada, ou da pessoa que tem cabelos ou barbas dessa cor. **3.** *Bras.* Desbotado pelo uso; surrado: *camisa ruça.* **4.** *Pop.* Que tem cabelo castanho muito claro. **5.** *Bras. Gír.* Difícil, complicado, apertado: "A coisa tá ficando ruça" (Rita Lee e Roberto de Carvalho, da música *Alô, alô, marciano*). • ***S. m.*** **6.** *Bras. Pop.* Indivíduo ruço (4). **7.** *Bras. RJ* Névoa densa que alcança a Serra do Mar e se espalha à maneira de massa compacta que impede a visibilidade e umedece ou molha o ambiente. [Flex.: *ruça, ruços, ruças*. Cf. *russo* e flex. *russa, russos, russas.*]

rucuiene ***S. 2 g. Adj. 2 g.*** *Bras.* V. *oaiana.*

rúcula [Do it. *rùcola*, dim. de *ruca*, do lat. *(e)ruca*, 'eruca'.] ***S. f.*** Erva ruderal (*Eruca sativa*) largamente usada como salada pelo sabor ligeiramente picante.

rude [Do lat. *rude.*] ***Adj. 2 g.*** **1.** Que não foi cultivado; inculto: *terra rude.* **2.** Que tem asperezas ou desigualdades de superfície; áspero, escabroso: *A tropa marchava a custo nos terrenos rudes.* **3.** Incivil, descortês, grosseiro: *um homem rude; palavras rudes.* **4.** Sem instrução; ignorante, estúpido, boçal: *um pobre moço rude.* **5.** Primitivo, primário: *sociedade rude; povo rude.* **6.** Simples, tosco, rústico: *mobília rude*; "Homens do mar! Ó rudes marinheiros / Tostados pelo sol dos quatro mundos!" (Castro Alves, *Poesias Escolhidas*, p. 327). **7.** Desastrado, desajeitado, desazado; estabanado. **8.** Severo, áspero; rigoroso: *clima rude.* [F. paral., p. us.: *rudo.*]

rudentura [Do fr. *rudenture.*] ***S. f. Arquit.*** Ornato em forma de bastão ou vara, us. para preencher as caneluras dos fustes das colunas, desde a base até o primeiro terço.

ruderal [Do lat. cient. *ruderalis.*] ***Adj. 2 g. Bot.*** Diz-se da planta que habita as cercanias das construções humanas: ruas, terrenos baldios, ruínas, etc. [Como tal ambiente, em geral, é relativamente rico em proteínas, as plantas ruderais são nitrófilas.]

rudez (ê) [De *rude* + *-ez.*] ***S. f.*** V. *rudeza*: "Quem na infância / Te poliu a rudez pura e singela?" (Machado de Assis, *Outras Relíquias*, p. 110.)

rudeza (ê) [De *rude* + *-eza.*] ***S. f.*** **1.** Qualidade ou caráter de rude. **2.** Maus modos; grosseria, indelicadeza, descortesia. **3.** Ignorância, estupidez, boçalidade. **4.** Severidade, rigidez, inflexibilidade. **5.** Maldade, crueldade, desumanidade. [F. paral.: *rudez.*]

rudimentar [De *rudimento* + *-ar*^{1}.] ***Adj. 2 g.*** **1.** Relativo a rudimento. **2.** Que tem o caráter de rudimento; elementar: *dados rudimentares; estudo rudimentar.* **3.** Que não ultrapassou o estágio de rudimento; que não se desenvolveu ou aperfeiçoou: *cultura rudimentar; os utensílios rudimentares do homem primitivo.*

rudimento [Do lat. *rudimentu.*] ***S. m.*** **1.** Elemento inicial; princípio, começo; esboço: "O major franzia um rudimento de sorriso na cara amarrada" (M. Cavalcanti Proença, *Manuscrito Holandês*, p. 114). **2.** Primeiras noções; princípios: "Não existe [nos E.U.A.] o problema do analfabetismo porque há muito que se cuidou de dar, a todos, os rudimentos do saber ou antes os instrumentos básicos para adquiri-lo." (Alceu Amoroso Lima, *A Realidade Americana*, p. 63.) **3.** Conhecimento geral, e superficial ou elementar (de uma arte ou ciência). **4.** Órgão que não se desenvolveu com perfeição. [Nas acepç. 2 e 3, é muito us. no pl.]

rudimentos [Pl. de *rudimento.*] ***S. m. pl.*** V. *rudimento* (2 e 3).

rudo [Do lat. vulg. *rudu*, da Península Ibérica.] ***Adj. P. us.*** V. *rude*: "Dai-me... a fúria grande e sonorosa, / E não de agreste avena, ou frauta ruda" (Luís de Camões, *Os Lusíadas*, I, 5); "vemos .... que a sábia e próvida Natureza encerra o precioso diamante nas entranhas de um rudo penedo" (D. Francisco Manuel de Melo, *Apólogos Dialogais*, p. 325).

rueiro [De *rua* + *-eiro.*] ***Adj.*** **1.** Que gosta de andar pelas ruas; arruador, ruador. **2.** Relativo a rua. ● ***S. m.*** **3.** Indivíduo rueiro; ruador.

ruela[1] [De *rua* + *-ela.*] ***S. f.*** Pequena rua; viela: "Sua cidadezinha... As estreitas ruelas / Que estão sempre a evocar, que estão sempre caladas..." (Ribeiro Couto, *Poesias Reunidas*, p. 92.)

ruela[2] ***S. f.*** Arruela (q. v.).

ruélia ***S. f.*** V. *ruéllia.*

ruéllia [Do antr. (*Jean*) *Ruel* ou *Ruellius* (-1539), médico e botânico francês, + *-ia*[2]; tax. *Ruellia.*] ***S. f. Bot.*** **1.** Grande gênero de plantas acantáceas, herbáceas e arbustivas, nativas da América tropical, dotadas de flores solitárias ou paniculadas, exuberantes. **2.** Qualquer espécie desse gênero, como, p. ex., a *Ruellia bahiensis* (ou *Dipteracanthus bahiensis*) e a *Ruellia herbstii* (ou *Dipteracanthus herbstii*) (v. *dipteracanto*), muitas delas cultivadas como ornamentais, pelas flores exuberantes. **3.** Qualquer espécime desse gênero, ou a flor dele.

rufado [Part. de *rufar.*] ***Adj.*** Tocado com acompanhamento de rufo[1] (1).

rufador (ô) [De *rufar*[1] + *-dor.*] ***Adj. S. m.*** Que, ou aquele que rufa.

rufar[1] [De *rufo*[1] + *-ar*[2].] ***V. t. d.*** **1.** Tocar, dando rufos [v. *rufo*[1] (1)]: *A bateria rufou os tambores.* ***Int.*** **2.** Produzir rufo[1] (1 ou 2), ou rufos: "pôs-se a rufar com desespero, ... cantando ao ritmo do tambor" (João Lúcio, *Bom-Viver*, p. 97); "ao som .... do tamboril a rufar" (Antero de Figueiredo, *Jornadas em Portugal*, p. 156); "Pingos de chuva rufavam na vidraça" (Humberto Crispim Borges, *Cacho de Tucum*; p. 41). [F. paral.: *arrufar.*]

rufar[2] [De *rufo*[2] + *-ar*[2].] ***V. t. d.*** **1.** Fazer rufos, pregas, apanhados, em: *rufar uma saia.* **2.** V. *arrufar*[2] (2). ***P.*** **3.** V. *arrufar*[2] (3).

▲ **rufi-** [Do lat. *rūfus, a, um.*] ***El. comp.*** = 'avermelhado', 'vermelho': *rufipalpo*, *rufitarso.*

rufianesco (ê) [De *rufião* + *-esco*, seg. o padrão erudito.] ***Adj.*** **1.** Próprio de rufião. **2.** Referente à vida de rufião.

rufianismo [De *rufião* (3) + *-ismo.*] ***S. m.*** Forma de lenocínio que consiste em viver parasitariamente, à custa de prostitutas.

rufião [Do fr. *rufian*, pelo ingl. *ruffian*, poss.] ***S. m.*** **1.** Indivíduo que se mete em brigas por causa de mulheres de má reputação. **2.** Indivíduo brigão. **3.** Indivíduo que vive a expensas de prostituta; alcoviteiro, cáften, rúfio, pincho. **4.** ***Bras. S.*** V. *garanhão* (1). **5.** ***Bras. S.*** Namorador, galanteador. [Fem.: *rufiona*; pl.: *rufiães* e *rufiões.*]

rufiar [De *rufi(ão)* + *-ar*[2].] ***V. int.*** **1.** Praticar atos ou ter vida de rufião. **2.** ***Bras. S.*** Procurar (o garanhão ou rufião) as éguas para a cobertura. [Pres. ind.: *rufio*, etc. Cf. *rúfio.*]

ruficarpo [De *rufi-* + *-carpo.*] ***Adj. Bot.*** Que tem frutos vermelhos; eritrocarpo.

ruficórneo [De *rufi-* + *-corn(i)-* + *-eo.*] ***Adj. Zool.*** Que tem antenas vermelhas; rubricórneo, eritrócero.

rufigástreo [De *rufi-* + *-gastr(o)-* + *-eo.*] ***Adj. Zool.*** Que tem ventre vermelho; eritrogástreo, rubrigástreo.

rufinérveo [De *rufi-* + *-nerv(i)-* + *-eo.*] ***Adj. Zool.*** Que tem nervos vermelhos.

rúfio ***S. m.*** V. *rufião* (3). [Cf. *rufio*, do v. *rufiar.*]

rufiona ***S. f.*** Fem. de *rufião* (q. v.).

rufipalpo [De *rufi-* + *palpo.*] ***Adj. Zool.*** Que tem palpos vermelhos.

rufista [De *rufar*[1] + *-ista.*] ***S. 2 g.*** Pessoa que rufa [v. *rufar*[1]].

rufitarso [De *rufi-* + *-tarso.*] ***Adj. Zool.*** Que tem tarsos vermelhos.

rufitomentoso (ô) [De *rufi-* + *tomento* + *-oso.*] ***Adj. Bot.*** Que tem tomentos vermelhos.

ruflar [Voc. onom.] ***V. int.*** **1.** Agitar-se com rumor análogo ao da ave que esvoaça: "Salva o castelo, os sinos cantam festa, / E ao vento os pavilhões sobem ruflando." (Araújo Porto-Alegre, *Colombo*, p. 702); "Brancura macia de penas, rumor leve / De asas que ruflam devagar" (Vicente de Carvalho, *Poemas e Canções*, p. 271). **2.** Fazer ruge-ruge, produzindo rumor como de saias longas ou tecido engomado que se dobra ou amarfanha; rugir. ***T. d.*** **3.** Fazer tremular; agitar: *O vento rufla as bandeiras.* **4.** Agitar, encrespar (as asas, as penas), para alçar voo: "Voa ruflando as diamantinas asas" (Araújo Porto-Alegre, *Colombo*, p. 568).

ruflo [Dev. de *ruflar.*] ***S. m.*** Ato ou efeito de ruflar: "Ruflos de asas, aromas de silvedos" (Luís Delfino, *Intimas e Aspásias*, p. 11).

rufo[1] [Voc. onom.] ***S. m.*** **1.** Toque do tambor com batidas rápidas e sucessivas; redobre: "Ouvia-se ainda o rufo abafado do tambor dos meninos marchando." (José Lins do Rego, *Ficção Completa*, I, p. 284.) **2.** ***P. ext.*** Som análogo ao do toque do tambor. **3.** Floreio dos dedos sobre um pandeiro; redobre.

rufo[2] [Do ingl. *ruff.*] ***S. m.*** **1.** Tira de pano pregueada ou franzida que guarnece vestimentas ou alfaias. [Sin., fr.: *ruche.*] **2.** Cada uma das pregas desse enfeite.

rufo[3] ***S. m.*** Espécie de lima com os bordos dentados.

rufo[4] [Do ingl. *roof*, 'telhado', poss. com alter. semântica.] ***S. m. Constr.*** Na junção de uma cobertura com a parede mais elevada, a proteção dessa junção contra a penetração de águas pluviais, mediante a aplicação de uma chapa em L embebida no reboco, e no material de cobertura, junto à parede.

rufo[5] [Do lat. *rufu.*] ***Poét. Adj.*** **1.** Ruivo (1). **2.** Vermelho[1] (1).

ruga [Do lat. *ruga.*] ***S. f.*** **1.** Prega ou dobra na pele; carquilha, gelha. **2.** Prega ou dobra em qualquer superfície.

rugado [Part. de *rugar.*] ***Adj.*** V. *enrugado.*

rugar [Do lat. *rugare.*] ***V. t. d. P.*** V. *enrugar*: "Nunca um sorriso ou lágrima furtiva / Viu-se rugar a tez da face sua" (Fontoura Xavier, *Opalas*, p. 85). [Conjug.: v. *largar.*]

rúgbi [Do ingl. *rugby* < top. *Rugby.*] ***S. m.*** Esporte inventado em 1823 no Colégio Rugby, na Inglaterra, praticado por duas equipes de 15 jogadores, com uma bola oval, que deve ser levada até o arco adversário (em forma de H), ou passada por cima da barra horizontal, com um chute.

ruge [Do fr. *rouge.*] ***S. m.*** Cosmético em pó ou em pasta, de uma tonalidade que varia entre o rosa e o vermelho, us. para colorir a face. [Sin. ingl., modernamente mais us.: *blush.*]

ruge-ruge [Voc. onom.] ***S. m.*** **1.** Ruído produzido por saias que roçam o chão; rugido; fru-fru: "O ruge-ruge de um vestido branco, / Que ia e vinha" (Alberto de Oliveira, *Poesias*, 3ª série, p. 119). **2.** Rumor produzido por qualquer coisa que range ou roça; rugido. **3.** ***Bras.*** Confusão, atropelo, desordem, barulho. [Pl.: *ruges-ruges* e *ruge-ruges.*]

▲ **rugi-** [Do lat. *rūga, ae.*] ***El. comp.*** = 'ruga': *rugífero.*

rugido [Do lat. *rugitu.*] ***S. m.*** **1.** O urro dos leões. **2.** ***Fig.*** Qualquer som cavernoso; bramido, frêmito. **3.** V. *ruge-ruge* (1 e 2): "nenhum rugido na mata" (Afonso Arinos, *Histórias e Paisagens*, p. 179); "Ouço-lhe as formas, num deslumbramento, / A sonata do belo; e nos rugidos / Da cambraia e do linho dos vestidos / Vibram acordes de acompanhamento." (Fontoura Xavier, *Opalas*, p. 117).

rugidor (ô) [De *rugir* + *-dor.*] ***Adj.*** **1.** Que ruge; rugiente. ● ***S. m.*** **2.** O que ruge.

rugiente [Do lat. *rugiente.*] ***Adj. 2 g.*** Rugidor (1).

rugífero [De *rugi-* + *-fero.*] ***Adj. Poét.*** Rugoso.

rugina [Do fr. *rugine.*] ***S. f. Cir.*** Instrumento cirúrgico, com que se descola de um osso o periósteo.

rugir [Do lat. *rugire.*] ***V. int.*** **1.** Soltar rugidos; emitir a voz (o leão, ou outra fera); bramir, urrar, fremir. **2.** Fazer ruge-ruge; ruflar: *Rugiam os vestidos e saias, no grande salão.* **3.** Produzir sons semelhantes a rugidos [v. *rugido* (1)]: *Ruge a tormenta; O temporal rugia*; "Rugia o vento no palmar sombrio." (Fagundes Varela, *Poesias Completas*, I, p. 145). **4.** Sussurrar mansamente; rumorejar: *A folhagem ruge, agitada pela brisa.* **5.** Ecoar, retumbar, ressoar: *Rugem trovões.* ***T. d.*** **6.** Roçar ou arrastar pelo chão com ruído: *As mulheres rugiam as longas caudas de suas roupas.* **7.** Bradar ou proferir num rugido: *Irado, rugiu impropérios.* ● ***S. m.*** **8.** Bramido, frêmito, rugido. [Normalmente, é defect., só us. nas 3.as pess.]

rugitar [Do lat. *rugitus*, 'ruído', + *-ar*[2].] ***V. int. Bras.*** Fazer ruído; sussurrar, rugir: "Uma história de amor que me contaram nas lindas várzeas onde nasci, ... quando a lua passeava no céu argenteando os campos, e a brisa rugitava nos palmares." (José de Alencar, *Iracema*, p. 50); "Rugitavam os palmares..." (Castro Alves, *Obra Completa*, p. 339).

rugosidade [Do lat. tard. *rugositate.*] ***S. f.*** Qualidade de rugoso.

rugoso (ô) [Do lat. *rugosu.*] ***Adj.*** Que tem rugas [v. *ruga* (1)]; engelhado; enrugado: "E tinha o velho pai nos ombros dela / A mão crestada e morta e já rugosa" (Gonçalves Dias, *Obras Poéticas*, II, p. 100).

ruiano ***Bras. Adj.*** **1.** Relativo ou pertencente a Rui Barbosa (1849-1923), orador, jurista, jornalista e homem público brasileiro, ou próprio dele: "Um estudo isento e sério da imensa mole de escritos ruianos impressiona precisamente pela sinceridade das ideias nos combates" (Américo Jacobina Lacombe, *À sombra de Rui Barbosa*, p. X). **2.** Que é admirador e/ou profundo conhecedor de sua obra. ● ***S. m.*** **3.** Grande admirador de Rui Barbosa e/ou profundo conhecedor de sua obra e/ou vida.

ruibarbo [Do lat. *rheu barbaru*, com possível infl. do antr. *Rui* na 1ª sílaba.] ***S. m. Bot.*** **1.** Erva poligonácea (*Rheum palmatum*) medicinal, originária da China, cujo rizoma encerra ácido crisofânico e é empregado como purgativo. **2.** Erva poligonácea (*Rheum rhaponticum*) de flores brancas, pecíolos comestíveis, e folhas tidas como venenosas.

ruibarbo-do-brejo ***S. m. Bras. Bot.*** V. *bariricó* (1). [Pl.: *ruibarbos-do-brejo.*]

ruibarbo-do-campo ***S. m. Bot.*** **1.** V. *bariricó* (1). **2.** ***Bras. RS*** V. *batatinha-do-campo* (1). **3.** V. *butua-de-corvo.* [Pl.: *ruibarbos-do-campo.*]

ruibarbo-dos-charcos [De *ruibarbo* + o pl. de *do*[1] + o pl. de *charco.*] ***S. m. Bot.*** V. *bariricó* (1). [Pl.: *ruibarbos-dos-charcos.*]

rui-barbosense ***Adj. 2 g.*** **1.** De, ou pertencente ou relativo a Rui Barbosa (BA e RN). ● ***S. 2 g.*** **2.** O natural ou habitante de Rui Barbosa. [Pl.: *rui-barbosenses.*]

ruidar (u-i) [De *ruído* + *-ar*[2].] ***V. int. P. us.*** Produzir ruído; sussurrar, rugir: "Grota, sanga, rechã, valo ou várzea florida, / Rampa a estremar a pique, água a ruidar perene." (Artur de Sales, *Poesias*, p. 196); "a chuva ruidava continuamente nas vidraças" (Carlos Malheiro Dias, *Os Teles de Albergaria*, p. 143).

ruído [Do lat. *rugitu*, que no lat. vulg. tomou o sentido de 'estrondo'.] ***S. m.*** **1.** Barulho provocado pela queda de um corpo. **2.** Qualquer estrondo; barulho, estrépito, fragor. **3.** Rumor contínuo e prolongado; bulício. **4.** ***Fig.*** V. *boato.* **5.** ***Fig.*** Alvoroço, barulho, escândalo, escarcéu. **6.** ***Fig.*** Aparato, fausto, ostentação, pompa. **7.** ***Eletrôn.*** Em um circuito, correntes ou tensões indesejáveis, usualmente não muito intensas, resultantes de causas incontroláveis, como, p. ex., movimento aleatório de elétrons num condutor, emissão ao acaso do catodo de uma válvula, etc. **8.** ***Teor. Com.*** Toda fonte de erro, distúrbio ou deformação de fidelidade na transmissão de uma mensagem visual, escrita, sonora, etc.; sinal indesejável que não pertence à mensagem intencionalmente transmitida. **9.** ***Fís.*** Som constituído por grande número de vibrações acústicas com relações de amplitude e fase distribuídas ao acaso. **10.** ***Med.*** Som[1] (2), normal ou patológico, percebido pela ausculta. [Cf. *roído*, part. de *roer* e adj.] ◆ **Ruído cósmico.** ***Astr.*** Radiação difusa observada pelos radiotelescópios, e que provém de áreas não específicas do espaço. **Ruído de dáctilo.** ***Med.*** Ruído (10) que se assemelha ao dáctilo (q. v.) da prosódia grega ou latina. **Ruído de fundo.** ***Eletrôn.*** Num sistema, ruído independente da presença do sinal. **Ruído de galope.** ***Card.*** Ritmo de galope (q. v.). **Ruído do reator.** ***Eng. Nucl.*** Variação da densidade de fluxo de nêutrons, provocada pelas flutuações estatísticas da população de nêutrons quando o reator nuclear funciona com potência média estável. **Ruído térmico.** ***Eletrôn.*** O que é originado pela agitação térmica dos elétrons condutores de corrente elétrica num componente que apresenta resistência.

ruidoso (u-i... ô) [De *ruído* + *-oso.*] ***Adj.*** **1.** Que faz ruído; que produz rumor; rumoroso, barulhento. **2.** Acompanhado de ruído. **3.** Que faz sensação; escandaloso; rumoroso. **4.** Pomposo, faustoso, aparatoso.

ruim (u-ím) [Do lat. vulg. da Península Ibérica **ruinu* (< lat. *ruína*, 'desmoronamento') ou de **ruíno*, 'ruinoso', der. de ruína.] ***Adj. 2 g.*** **1.** Que não tem préstimo; inútil: *canhões antigos, obsoletos e ruins foram restaurados.* **2.** Que prejudica (física ou moralmente); prejudicial, nocivo, mau. **3.** Que tem má índole; perverso, malvado, mau. **4.** Estragado, deteriorado, podre: *fruta ruim.* **5.** Que apresenta defeito; estragado, defeituoso: *O automóvel está ruim.* **6.** De má qualidade; ordinário: *tecido ruim.* ~ V. *cabelo —, colesterol —, doença —, ferida —, ramo —* e *vasilha —.* ◆ **Comer ruim.** ***Bras. N.E. Pop.*** V. *comer da banda podre.*

ruína [Do lat. *ruina*, 'desmoronamento'.] ***S. f.*** **1.** Ato ou efeito de ruir. **2.** Restos de construções desmoronados; ruinaria. **3.** Aniquilamento, destruição, extermínio: *As populações atingidas pela seca veem-se ameaçadas de ruína.* **4.** Perda de bens materiais ou morais; decadência material ou moral: *O jogo levou-o à ruína; O pecado arrasta as almas à ruína.* **5.** Decadência completa; queda, derrocada: *A questão militar acelerou a ruína do Império.* **6.** Causa de perda, de destruição: *A guerra foi sempre a ruína de sociedades ambiciosas.*

ruinaria (u-i) [De *ruína* + *-aria.*] ***S. f.*** **1.** Conjunto de ruínas. **2.** Ruína (2).

ruindade (u-in) [De *ruim* + *-(i)dade*.] *S. f.* **1.** Qualidade de ruim. **2.** Ação de pessoa (ou animal) ruim; maldade.
ruiniforme (u-i) [De *ruína* + *-iforme*.] *Adj. 2 g.* Que tem aspecto de ruínas.
ruinoso (u-i... ô) [Do lat. *ruinosu*.] *Adj.* **1.** Que está em ruína. **2.** Que ameaça ruir. **3.** Prejudicial, mau, nocivo, nocente: "A atividade sem juízo é mais ruinosa que a preguiça." (Marquês de Maricá, *Máximas, Pensamentos e Reflexões*, p. 25.)
ruinzeira (u-in) [De *ruim* + *-zeira*.] *S. f. Bras. C.O. Pop.* Primeiros sinais de doença; mal-estar.
rui-palmeirense *Adj. 2 g.* **1.** De, ou pertencente ou relativo a Senador Rui Palmeira (AL). ● *S. 2 g.* **2.** O natural ou habitante de Senador Rui Palmeira. [Pl.: *rui-palmeirenses*.]
ruir [Do lat. *ruere*.] *V. int.* Cair com ímpeto e depressa; desmoronar-se, despenhar-se; desabar: *O edifício condenado ruiu*; "Cai a floresta, majestosa e triste, / Sob as foices do tempo; os monumentos / Ruem do inverno aos pavorosos ventos" (Luís Guimarães, *Sonetos e Rimas*, p. 20). [Defect., não conjugável na 1ª pess. sing. do pres. ind. nem, portanto, no pres. subj. Pret. imperf. ind.: *ruía*, etc. Cf. *roía*, do v. *roer*.]
ruísta [Do antr. *Rui (Barbosa)* + *-ista*.] *Adj. 2 g. S. 2 g. Bras.* Admirador fervoroso de Rui Barbosa (v. *ruiano*) e/ou profundo conhecedor de sua vida e obra.
ruiva[1] [Do lat. *rubia*.] *S. f. Bot.* Erva rubiácea (*Rubia tinctorum*) nativa no Mediterrâneo, modesta, de folhas lanceoladas e flores minutas, cujas raízes contêm alizarina e outrora serviam para tingir tecidos; garança.
ruiva[2] [F. subst. do adj. *ruivo*.] *S. f.* **1.** Mulher de cabelo ruivo. **2.** *Zool.* Espécie de tordo. **3.** *Bras.* Rutílio (q. v.), entre os garimpeiros. **4.** *Bras. SP Prov. port.* Vermelhidão da aurora, ou do pôr do sol; arrebol. [V. *sol das almas*.]
ruivacento *Adj.* Um tanto ruivo; tirante a ruivo.
ruividão [De *ruivo* + *-idão*.] *S. f.* **1.** *Desus.* Qualidade de ruivo. **2.** A cor ruiva.
ruivinha [De *ruiva*[1] + *-inha*.] *S. f. Bras. L. Bot.* Erva rubiácea (*Relbunium hypocarpum*) rasteira, comum lugares abertos e com alguma umidade, de ramos muito delgados, folhas e flores alvas e pequeninas, e frutos que são bagas mínimas, de coloração alaranjada.
ruivo [Do lat. *rubeu*, 'vermelho', poss.] *Adj.* **1.** Amarelo-avermelhado. **2.** Diz-se do pelo ou do cabelo louro-avermelhado; fouveiro: *barba ruiva*. ● *S. m.* **3.** Indivíduo de cabelo ruivo. **4.** *Bras. Bot.* Planta poácea (*Aristida capillacea*) herbácea, anual, com inflorescência em panícula.
ruivor (ô) [De *ruivo* + *-or*.] *S. m.* Clarão solar no crepúsculo da tarde.
rular *V. int.* V. *arrulhar*: "Em torno das castas pombas, não rulam ternos pombinhos?" (Tomás Antônio Gonzaga, *Marília de Dirceu*, p. 19); "menos trépidas rulavam as correntezas" (Alcides Maia, *Ruínas Vivas*, p. 234).
rulê [Do fr. *roulé*, ou (fem.) *roulée*.] *Adj. 2 g.* ~ V. *gola —*.
rulo *S. m.* V. *arrulho* (1 a 3).
rum[1] [Do ingl. *rum*.] *S. m.* Espécie de aguardente obtida pela fermentação e destilação do melaço de cana-de-açúcar.
rum[2] [Do ior.] *S. m. Bras. Rel.* Nos candomblés, o atabaque maior; ilu.
ruma[1] [Var. de *rima*[2].] *S. f.* Pilha, montão, rima: *uma ruma de tijolos*; "As rumas de impressos, os maços de manuscritos, a farta documentação indispensável a quem quer escrever história" (Constâncio Alves, *Figuras*, p. 97).
ruma[2] [F. aferética de *arruma* < v. *arrumar*, poss.] *Interj. Bras.* Voz que os carreiros dirigem aos bois para guiá-los.
rumado *Adj.* ~ V. *carta —a*.
rumar [De *rumo* + *-ar*[2].] *V. t. d. e c.* **1.** *Náut.* Fazer (a embarcação) seguir em dada direção: *Rumar um navio para terra, para nordeste.* *T. c.* **2.** *Náut.* Dirigir-se: *O navio rumou para o porto.* **3.** Ir, dirigir-se, encaminhar-se: "Nosso plano era descobrir um abrigo para a chuva, aguardar o amanhecer e rumar diretamente para Santana" (Fernando Sabino, *O Homem Nu*, p. 22). [Sin. de 1 e 2: *fazer rumo*.]
rumba [Do esp. *rumba*.] *S. f.* Dança popular afro-cubana, em compasso binário, ritmo sincopado e muito variado, e cuja melodia se repete incansavelmente.
rumbeador (ô) [Do esp. plat. *rumbeador*.] *Adj. Bras. RS* Que sabe orientar-se através dos campos.
rumbear [Do esp. plat. *rumbear*.] *V. t. c. Bras. RS* Rumar (3). [Conjug.: v. *frear*.]
rumbeiro [De *rumba* + *-eiro*.] *S. m.* Cantor e/ou dançarino de rumbas.
rume[1] [Do lat. *rumen*, por via pop.] *S. m. Zool.* V. *pança* (1).
rume[2] [Do ár. *aūmī*, 'bizantino'; 'grego'; 'cristão ortodoxo'; 'turco'.] *S. 2 g.* **1.** Indivíduo dos rumes, denominação dada aos turcos europeus nos sécs. XVI a XVIII. ● *Adj. 2 g.* **2.** Pertencente ou relativo aos rumes. [Var.: *rom*[2], *rumi*.]
rúmen [Do lat. *rumen*, por via erudita.] *S. m. Zool.* V. *pança* (1). [Pl.: *rumens*.]
rúmex [Do tax. *Rumex* (do lat. *rumex*).] *S. m. 2 n. Bot.* **1.** Gênero de plantas herbáceas e arbustivas poligonáceas, nativas, esp., das regiões temperadas setentrionais, e dotadas de pequenas flores em racimos axilares, ger. agregados em grandes panículas. **2.** Qualquer espécie desse gênero, como, p. ex., a *Rumex acetosella* (v. *azeda-miúda*). **3.** Qualquer espécime desse gênero, ou a sua flor.
rumi *Adj. 2 g. S. 2 g.* V. *rume*[2].
ruminação [Do lat. *ruminatione*.] *S. f.* **1.** Ato ou efeito de ruminar. **2.** *Med.* Mericismo.
ruminado[1] [Do lat. *rumen, inis*, 'esôfago (dos ruminantes)'; 'ventre', 'cavidade', + *-ado*[1].] *Adj. Bot.* Provido de múltiplas fissuras, como a noz-moscada: *endosperma ruminado.*
ruminado[2] [Part. de *ruminar*.] *Adj.* Que sofreu ruminação.
ruminadoiro [De *ruminar* + *-doiro*[2].] *S. m. Zool.* Ruminadouro (q. v.).
ruminadouro [De *ruminar* + *-douro*[2]; var. de *ruminadoiro*.] *S. m. Zool.* Estômago em que os ruminantes armazenam a comida que será depois remastigada.
ruminante[1] [De *ruminar* + *-nte*.] *Adj. 2 g.* Que rumina.
ruminante[2] [Adapt. do tax. *Ruminantia*.] *Zool. S. m.* **1.** Espécime dos ruminantes, subordem de mamíferos artiodáctilos que encerra animais de estômago complexo, nos quais ocorre uma forma de ruminação no processo de digestão; dentes anteriores modificados, sendo os caninos reduzidos e os molares selenodontes. ● *Adj. 2 g.* **2.** Pertencente ou relativo a eles.
ruminar [Do lat. *ruminare*.] *V. t. d.* **1.** Entre os ruminantes, remastigar, remoer (os alimentos que voltam do estômago à boca): *O boi, a cabra e a girafa ruminam os alimentos.* **2.** *Fig.* Pensar muito em; refletir, matutar, parafusar em: *Passou um mês ruminando o assunto*; "Alguns ensaiavam queixas e lamentações, outros mais ruminavam blasfêmias e impropérios" (Geir Campos, *O Vestíbulo*, p. 24); "E ali passou a noite ruminando uma ideia maluca." (Eduardo Almeida Reis, *O Papagaio Cibernético*, p. 7). *Int.* **3.** Entre os ruminantes, remastigar, remoer os alimentos que voltam do estômago à boca: "qualquer coisa como a beatitude refletida nos olhos mansos dos bois, ruminando ao sol" (Conde de Ficalho, *Uma Eleição Perdida*, p. 62). **4.** *Fig.* Cogitar profundamente; pensar, refletir muito: *Ruminou longamente antes de responder.*
rumo [Do esp. *rumbo*.] *S. m.* **1.** *Náut.* Cada uma das direções marcadas na rosa dos ventos. **2.** *Náut.* Direção do movimento da embarcação, quando se está navegando. **3.** *Náut.* Ângulo que a direção para onde aponta a proa da embarcação faz com a direção do norte verdadeiro (*rumo verdadeiro*), ou com a direção do norte magnético (*rumo magnético*), ou, ainda, com a direção do norte da agulha (*rumo da agulha*). **4.** Caminho, direção, vereda. **5.** Modo de proceder; método. ◆ **Rumo a.** Em direção a; em direção de; para o lado de; em rumo de: "Desidéria tem um sonho, que é mais um pesadelo: está caminhando rumo a enormes chamas" (José Godói Garcia, *O Caminho de Trombas*, p. 207). **Rumo da agulha.** *Náut.* V. *rumo* (3). **Rumo magnético.** *Náut.* V. *rumo* (3). **Rumo verdadeiro.** *Náut.* V. *rumo* (3). **Açoitar em rumo de.** Andar apressadamente em direção a. **Cortar no rumo de.** *Bras. SP Pop.* Dirigir-se, encaminhar-se, rumar para: *Cortou no rumo do Maranhão.* **Desfechar o rumo.** *Náut.* Rumar (1 e 2). **Em rumo de.** V. *rumo a*. **Fazer rumo.** *Náut.* V. *rumar* (1 e 2).
rumor (ô) [Do lat. *rumore*.] *S. m.* **1.** Ruído de coisas que se deslocam. **2.** Murmúrio de vozes; burburinho. **3.** Informação, notícia, fama. **4.** V. *boato*. [Pl.: *rumores* (ô). Cf. *rumores*, do v. *rumorar*.]
rumorar [De *rumor* + *-ar*[2].] *V. int.* **1.** V. *rumorejar* (1 e 2). [Pres. subj.: *rumore, rumores*, etc. Cf. *rumores* (ô), pl. de *rumor*.] ● *S. m.* **2.** Ato de rumorar; rumorejo: "Ao pé da minha [chácara], ao rumorar / Das ramagens, melhor aprendi a cantar" (Alberto de Oliveira, *Poesias*, 4ª série, p. 192).
rumorejante [De *rumorejar* + *-nte*.] *Adj. 2 g.* Que rumoreja.
rumorejar [De *rumor* + *-ejar*.] *V. int.* **1.** Produzir rumor; sussurrar, rugir, ruidar; rumorar: "Lufadas rijas batiam de vez em quando o navio, rumorejando nos toldos" (Virgílio Várzea, *Nas Ondas*, p. 259). **2.** Sussurrar brandamente; sussurrar, rugir, rumorar: *Rumorejam as árvores agitadas pelo vento.* **3.** Falar em segredo; cochichar: *Os políticos rumorejavam num dos cantos da sala.* *T. d.* **4.** Fazer sussurrar ou ciciar: *A brisa rumoreja as folhas.* **5.** Fazer espalhar-se à boca pequena: *rumorejar uma notícia falsa.* [Conjug.: v. *pelejar*.]
rumorejo (ê) [Dev. de *rumorejar*.] *S. m.* Ato ou efeito de rumorejar; rumorar, burburinho.
rumoroso (ô) [De *rumor* + *-oso*.] *Adj.* V. *ruidoso* (1 e 3): "Calaram-se na tarde as rumorosas / moitas, cheias de pássaros no dia." (Odilo Costa Filho, *Boca da Noite*, p. 85.)
rumpi [Do ior.] *S. m. Bras. Rel.* Nos cultos afro-brasileiros, atabaque de porte médio, entre o *rum* e o *lé*; contrarrum.
rum-rum [T. onom.] *S. m.* V. *zum-zum* (1): "E esse rum-rum a espaços? / [... .....] É fora, no jardim, de calhau em calhau, / O muro a desabar com a chuva..." (Alberto de Oliveira, *Poesias*, 4ª série, p. 166.) [Pl.: *rum-runs*.]
runa[1] *S. f.* Seiva de pinheiro.
runa[2] [Do escand. ant. *run*, 'mistério', 'segredo'.] *S. f. Graf.* V. *alfabeto rúnico*.
runanaua *Bras. S. 2 g.* **1.** *Etnôn.* Indivíduo dos runanauas [ou (etnôn. bras.) *Runanawa, *Ruynanawa], povo indígena extinto, da família linguística pano, que habitava as margens dos rios Tarauacá e Gregório (AC). ● *Adj. 2 g.* **2.** Pertencente ou relativo a esse povo.
runcinado [Do lat. tard. *runcinatu*, 'aplainado, acepilhado'.] *Adj.* ~ V. *folha —a*.
rundi *S. m.* **1.** *Gloss.* Língua banta falada na República de Burundi e, em menor escala, em Uganda e na Tanzânia (África). [É a língua nacional do Burundi, embora seja identificada como a língua dos hutus, um dos três grupos étnicos do país, ao lado dos tútsis e dos tuás.] **2.** Vocábulo dessa língua. ● *Adj. 2 g.* **3.** Pertencente ou relativo ao rundi (1).
rundo *S. m. Luso-afr.* Espécie de batuque.
rúnico [De *runa* + *-ico*[2].] *Adj.* **1.** Referente a runas (v. *runa*[2]). **2.** Escritos em runas.
runjebe [Do ior.] *S. m. Bras. BA* Conta preta de Omolu, usada em pulseiras e colares.
runologia [De *runa*[2] + *-o-* + *-logia*.] *S. f.* Estudo dos caracteres rúnicos.
runológico [De *runologia* + *-ico*[2].] *Adj.* Respeitante à runologia.
runólogo [De *runo-*, como em *runologia*, + *-logo*.] *S. m.* Indivíduo versado em runologia.
rupequeiro *S. m. Bras. Zool.* V. *ararinha-de-cabeça-encarnada*.
rupestre [Do fr. *rupestre* < lat. cient. *rupestris* < lat. *rupes*.] *Adj. 2 g.* **1.** Litófilo. **2.** Gravado ou traçado na rocha: "A primeira vez que minha atenção foi despertada para as inscrições rupestres do interior do Brasil foi em 1907." (Gustavo Barroso, *Aquém da Atlântida*, p. 197.) **3.** Construído em rochedo: "algum cigano, desses que ainda hoje o turista vê com encanto nas casas milenárias, rupestres, furadas nos flancos das encostas que cingem Granada." (Afonso Arinos de Melo Franco, *A Alma do Tempo*, p. 8). ~ V. *arte —, gravura —, inscrição — e pintura —*.
▲ **rupi-** [Do lat. *rūpes, is*.] *El. comp.* = 'rocha': *rupícola*.
rupia[1] [Do gr. *rhúpos*, 'substância viscosa'; 'sujeira', pelo lat. cient. *rupia*.] *S. f. Patol.* Ulceração cuja crosta é mais espessa nas bordas do que no centro. [Cf. *rúppia*.]
rupia[2] [Do sânscr. *rūpya*, 'prata amoedada', pelo hind. *rupīyā*.] *S. f.* Unidade monetária, e moeda, da Índia, Paquistão, Nepal, Indonésia, Butão, Mascate, Omã, Sri Lanka, República das Maldivas e Maurício: "o Reginaldo nomeou-as todas [as moedas]: florins, coroas, rublos, dracmas, piastras, pesos, rupias" (Machado de Assis, *Histórias sem Data*, p. 143). [Cf. *rúppia*.]
rupícola [De *rupi-* + *-cola*[1].] *Adj. 2 g.* Que vive nas rochas.
rúppia [Do tax. *Ruppia* (do antr. [*Heinrich B.*] *Rupp* [-1719], botânico alemão, + lat. cient. + *-ia*, v. + *-ia*[2]).] *S. f. Bot.* **1.** Gênero de plantas potamogetonáceas, cosmopolitas, muito semelhantes aos capins. Vivem submersas nas águas salobras das lagoas próximas ao oceano. **2.** Espécie ou espécime desse gênero. [Cf. *rupia*.]
▲ **rupt(i)-** [Do lat. *rūptus, a, um*, part. pass. de *rumpĕre*.] *El. comp.* = 'quebrado', 'roto': *ruptório*, *ruptura* (< lat.).
rúptil [Do lat. *ruptus*, part. pass. de *rumpere*, 'romper', + *-il*[1].] *Adj. 2 g.* Que se pode romper; quebradiço; frágil. [Pl.: *rúpteis*.]
ruptilidade [De *rúptil* + *-(i)dade*.] *S. f.* Qualidade de rúptil; fragilidade.
ruptório [Do lat. *ruptus*, part. pass. de *rumpere* (v. *romper*), + *-ório*[1].] *S. m.* Instrumento cirúrgico para abrir fontanelas.
ruptura [Do lat. tard. *ruptura*, por via erudita.] *S. f.* **1.** Ato ou efeito de romper(-se); rompimento. **2.** Quebra de relações sociais, ou de compromisso: *ruptura de noivado.* **3.** Suspensão, corte, interrupção. **4.** Violação de contrato ou acordo. **5.** *Cir.* Solução de continuidade em um órgão, como, p. ex., rim, fígado, etc. [F. paral.: *rotura*.]

R

rural [Do lat. tard. *rurale.*] *Adj. 2 g.* 1. V. *campestre* (1): *paisagem rural.* 2. *Bras.* Pertencente ou relativo ao, ou próprio do campo (2); agrícola. 3. *Bras.* Pertencente ou relativo ao campo (4): *as populações rurais; zona rural.* ~ V. *dionisíacas rurais, dionísias rurais, extensão —, guerrilha — e parceria —.* ● *S. f.* 4. *Bras.* Caminhonete utilitária de marca Willys.

ruralismo [De *rural* + *-ismo.*] *S. m.* 1. Predomínio do campo, da agricultura, em relação à cidade, à indústria: *o ruralismo da economia egípcia.* 2. Doutrina ou ação dos ruralistas. 3. Emprego de cenas rurais na arte.

ruralista [De *rural* + *-ista.*] *Adj. 2 g.* 1. Relativo às atividades rurais e à defesa dos interesses das classes ligadas a essas atividades, esp. os proprietários rurais: *A bancada ruralista no Congresso.* 2. Diz-se de pessoa que se interessa pelas coisas ou problemas rurais ou agrícolas. 3. Diz-se de artista que nos seus trabalhos prefere cenas rurais, campestres. ● *S. 2 g.* 4. Aquele que defende ou representa os interesses das atividades e das classes rurais, esp. dos proprietários.

ruralizar [De *rural* + *-izar.*] *V. t. d.* 1. Tornar rural: *O governo pretende ruralizar a economia.* *Int. P.* 2. Adaptar(-se) à vida rural e agrícola: *Com a crise da indústria, parte da população urbana ruralizou; Citadino inveterado, pouco a pouco se ruralizou.*

▲ **ruri-** [Do lat. *rus, rūris.*] *El. comp.* = 'campo': *rurícola* (< lat.). [Equiv.: *ruro-, ruso-*: *rurografia; rusografia.*]

rurícola [Do lat. *ruricola.*] *Adj. 2 g.* 1. Que vive no campo; camponês. 2. Que é agricultor, lavrador. ● *S. 2 g.* 3. Agricultor, lavrador: "Devo .... ressaltar que essa povoação era São Luís do Quitunde, a sede do Comício Agrícola, grêmio de rurícolas, que foram os pioneiros do movimento associativo dos agricultores." (Carlos de Gusmão, *Boca da Grota*, p. 421.)

rurígena [Do lat. *rurigena.*] *S. 2 g.* Pessoa nascida no campo.

▲ **ruro-** V. *ruri-*.

rurografia [De *ruro-* + *-grafia.*] *S. f.* Tratado sobre os campos ou sua cultura. [F. paral.: *rusografia.*]

rurográfico [De *rurografia* + *-ico*².] *Adj.* Referente a rurografia. [F. paral.: *rusográfico.*]

rurógrafo [De *ruro-* + *-grafo.*] *S. m.* Indivíduo que escreve sobre rurografia. [F. paral.: *rusógrafo.*]

ruropolense *Adj. 2 g.* 1. De, ou pertencente ou relativo a Rurópolis (PA). ● *S. 2 g.* 2. O natural ou habitante de Rurópolis.

rus [Do tax. *Rhus.*] *S. m. 2 n. Bot.* 1. Gênero de pequenas árvores, trepadeiras ou arbustos anacardiáceos, que produzem exsudação irritante; algumas espécies são ornamentais. 2. Qualquer espécie desse gênero, como, p. ex., a *R. verniciflua*, da China, que fornece o charão.

ruscácea [Do tax. *Ruscus* + *-ácea*; tax. *Ruscaceae.*] *S. f. Bot.* Asparagácea.

ruscáceo [De *ruscácea*, com var. suf. (v. *-áceo*).] *Adj. Bot.* Asparagáceo.

rusga [De or. obscura.] *S. f.* 1. Barulho; desordem; confusão. 2. Pequena briga ou desentendimento entre duas ou mais pessoas: "Daí pequenas rusgas, dias de ressentimento mútuo, até as grandes discussões" (Gastão Cruls, *Contos Reunidos*, p. 344). 3. *Pop. Lus.* Caça aos vadios, gatunos ou malfeitores; batida policial: "Numa rusga geral aos freiráticos feita em 1742 pelos carregadores do bairro, são presos oitenta e tantos" (Júlio Dantas, *O Amor em Portugal no Século XVIII*, p. 78).

rusgar [De *rusga* + *-ar*².] *V. int.* Fazer rusga; questionar, brigar: *Aquele homem rusga a qualquer pretexto.* [Conjug.: v. *largar.*]

rusguento [De *rusga* + *-ento.*] *Adj. Bras.* 1. Que está sempre envolvido em rusgas; barulhento. 2. Que vive rezingando, sempre insatisfeito; implicante: "sujeitos tontos, rusguentos, praguejando" (Raimundo Morais, *País das Pedras Verdes*, p. 208).

➔ **rush** [rʌʃ] [Ingl.] *S. m.* 1. Grande afluência de veículos, tráfego muito intenso, em uma direção determinada: *o rush dos fins de semana; voltar para casa antes da hora do rush.* 2. Intenso movimento coletivo que visa a alcançar uma finalidade; corrida: *o rush do ouro; rush imobiliário.* 3. *Esport.* Esforço final e impetuoso com que um concorrente procura ultrapassar os seus competidores: "Meu pai, que sempre caprichou no vernáculo, explicou que o rush acontecia quando 'um atacante, com grande ímpeto e habilidade, leva de roldão a defesa adversária, chegando à frente do goleiro num átimo'." (João Ubaldo Ribeiro, *Sempre aos Domingos*, p. 247.)

ruskiniano [Do antr. *Ruskin* + *-iano.*] *Adj.* Pertencente ou relativo a John Ruskin (1819-1900), escritor e crítico de arte inglês, ou próprio dele.

rusma [Do gr. *chrísma*, 'óleo', pelo lat. tard. *chrisma*, pelo turco *Khirizma* e pelo fr. *rusma.*] *S. f.* Preparação depilatória, composta sobretudo de cal viva, e usada em certas regiões do Oriente Médio.

▲ **ruso-** V. *ruri-*.

rusografia [De *ruso-* + *-grafia.*] *S. f.* V. *rurografia.*

rusográfico [De *rusografia* + *-ico*².] *Adj.* V. *rurográfico.*

rusógrafo [De *ruso-* + *-grafo.*] *S. m.* V. *rurógrafo.*

russalhada [De *russo* + *-alhada.*] *S. f. Deprec.* 1. Grande porção de russos. 2. Os russos.

russano *Adj.* 1. De, ou pertencente ou relativo a Russas (CE). ● *S. m.* 2. O natural ou habitante de Russas.

russelliano [Do antr. *Russell* + *-iano.*] *Adj.* 1. Pertencente, relativo a, ou próprio do filósofo e matemático inglês Bertrand Arthur William Russell (1872-1970). 2. Que é adepto da filosofia de Bertrand Russell ou profundo conhecedor de sua obra. ● *S. m.* 3. Seguidor de sua filosofia ou profundo conhecedor de sua obra.

russianas [Fem. pl. subst. de *russiano.*] *S. f. pl. Bras. N.E.* Antigas botas de couro dito da Rússia. [Cf. *russilhonas.*]

russiano [De *russo* + *-iano.*] *Adj.* 1. *Desus.* Russo (1). ● *S. m.* 2. *Desus.* Indivíduo russo. 3. *Ant.* Indivíduo dos russianos, populações eslavas orientais da Rússia europeia, as quais se subdividiam em brancos, grandes e pequenos russianos. [Habitavam, respectivamente, a antiga Bielo Rússia ou Rússia Branca, a Grande Rússia (a Rússia propriamente dita) e a Pequena Rússia (a Ucrânia e a Rutênia).]

russificação [De *russificar* + *-ção.*] *S. f.* Ato ou efeito de russificar.

russificar [De *russo* + *-ificar.*] *V. t. d.* 1. Tornar russo. 2. Fazer adotar os usos e costumes russos: *russificar populações.* [Conjug.: v. *trancar.*]

russilhonas [De *russianas* (q. v.).] *S. f. Bras. S.* Botas de cano alto para montaria.

russo [Do finês *ruotsen*, 'remador', poss. pelo fr. *russe.*] *Adj.* 1. Da, ou pertencente ou relativo à Rússia ou aos seus habitantes. [Sin., desus.: *russiano.*] 2. *P. ext. Obsol.* Soviético (2): *o povo russo.* ~ V. *formalismo —, ponto — e salada —a.* ● *S. m.* 3. O natural ou habitante da Rússia. V. *eslavo* (1). 4. *P. ext. Obsol.* Soviético (3): *Os russos mandaram uma representação pequena, mas expressiva, ao Festival de Cinema.* 5. *Gloss.* Língua eslava, falada na Rússia e em países da antiga U.R.S.S., e que é escrita em alfabeto cirílico. V. *eslavo* (1). 6. Vocábulo dessa língua. [Flex.: *russa, russos, russas.* Cf. *ruço, ruças, ruça*, do v. *ruçar* e adj. e s.]

russo-americano *Adj.* Relativo à Rússia e aos E.U.A., ou que se efetua entre eles: *as relações russo-americanas; acordo russo-americano.* [Pl.: *russo-americanos.*]

russofilia [De *russo* + *-filia.*] *S. f.* Amor ou preferência à Rússia, aos russos.

russofílico [De *russofilia* + *-ico*².] *Adj.* Relativo a russofilia, ou a russófilo.

russófilo [De *russo* + *-filo*².] *Adj. S. m.* Que, ou aquele que é amigo dos russos.

ruste [Dev. de *rustir.*] *S. m. Bras. Gír.* Ladrão que rouba os companheiros na divisão do furto.

rusticador (ô) [De *rustidor*, com epêntese, poss.] *S. m. Bras. Gír.* Esconderijo.

rusticamente (ùs) [Do f. de *rústico* + *-mente.*] *Adv.* De modo rústico.

rusticar [Do lat. *rusticare, por *rusticari.*] *V. t. d.* 1. Talhar (a pedra), entre os ornatos em relevo. *Int.* 2. Viver no campo. 3. Dedicar-se a trabalhos campesinos. [Conjug.: v. *trancar.* Pres. ind.: *rustico*, etc.; fut. pret.: *rusticaria*, etc. Cf. *rústico* e *rusticaria*, s. f.]

rusticaria [De *rústico* + *-aria.*] *S. f.* V. *rusticidade.* [Cf. *rusticaria*, do v. *rusticar.*]

rusticidade [Do lat. *rusticitate.*] *S. f.* 1. Qualidade de rústico. 2. Indelicadeza, incivilidade, grosseria. [Sin. ger.: *rusticaria, rustiquez, rustiqueza.*]

rústico [Do lat. *rusticu.*] *Adj.* 1. V. *campestre* (1). 2. Rude, grosseiro, tosco, simples: *homem rústico.* 3. Diz-se da planta, ou, p. ext., do jardim, do pomar, que nascem por si sós, ou que crescem à vontade, sem requerer nenhum cuidado especial. 4. Diz-se dos móveis, utensílios, etc., simples e toscos, feitos por camponeses. 5. *P. ext.* Diz-se do que é feito ou fabricado para dar a impressão de rústico, tosco. ~ V. *capital —a* e *prédio —.* ● *S. m.* 6. Indivíduo que habita o campo; camponês. [Cf. *rustico*, do v. *rusticar.*]

rustidor (ô) [De *rustir* + *-dor.*] *S. m. Bras. Gír.* Esconderijo.

rustiquez (ê) [De *rústico* + *-ez.*] *S. f.* V. *rusticidade.*

rustiqueza (ê) [De *rústico* + *-eza.*] *S. f.* V. *rusticidade*: "o vulto garboso e delgado se achamboara na rustiqueza do remo e da lavoura" (Alberto Rangel, *Sombras n'Água*, p. 38).

rustir [Do fr. *roustir*, 'roubar', poss.] *V. t. d.* 1. Enganar, iludir. 2. Ocultar, encobrir. [Cf. *enrustir* e *rostir.*]

rusto [Dev. de *rustir.*] *S. m. Bras. Gír.* 1. Ato de rustir. 2. Logro na partilha do furto.

ruta [Do tax. *Ruta.*] *S. f. Bot.* 1. O gênero-tipo das rutáceas, que abrange plantas herbáceas e semiarbustivas eurasianas, que são fortemente odoríferas, e dotadas de flores amarelas ou esverdeadas de 4 ou 5 pétalas denteadas, em receptáculo. 2. Qualquer espécie desse gênero, como, p. ex., a *Ruta graveolens* [v. *arruda* (2)]. 3. Qualquer espécime desse gênero.

rutabaga [Do sueco dialetal *rotabagge*, 'couve-rábano', pelo fr. *rutabaga.*] *S. f. Bot.* 1. Cultivar de uma brassicácea próxima ao nabo, de talo grosso e polpa amarela, que é us., principalmente, na alimentação do gado. 2. O talo, edule, dessa cultivar.

rutácea [Do tax. *Ruta* (v. *ruta*) + *-ácea*; tax. *Rutaceae.*] *S. f. Bot.* Espécime das rutáceas, família de plantas floríferas, da ordem das geraniales, formada de arbustos e árvores cujas folhas, compostas, conduzem glândulas translúcidas. Flores hermafroditas; androceu diplostêmone; disco bem desenvolvido; gineceu pluricarpelar; frutos variados, os quais de ordinário se separam em mesocarpos na maturidade. Existem perto de 1.600 espécies em toda a Terra; o gênero *Citrus* fornece as frutas ditas cítricas.

rutáceo¹ [Do lat. *ruta*, 'arruda', + *-áceo.*] *Adj. Bot.* Referente, ou semelhante à arruda. [Cf. *rotáceo.*]

rutáceo² [De *rutácea*, com var. suf. (v. *-áceo*).] *Adj. Bot.* Pertencente ou relativo às rutáceas. [Cf. *rotáceo.*]

rutelídeo [Do tax. *Rutela* + *-ídeo*¹; tax. *Rutelidae.*] *Zool. S. m.* 1. Espécime dos rutelídeos, família de insetos coleópteros, de tamanho médio e cores brilhantes, próprios da América tropical. ● *Adj.* 2. Pertencente ou relativo a eles.

rutênio *S. m. Quím.* V. *rutênio.* [Uso freq. em P.]

rutênio *S. m. Quím.* Elemento de número atômico 44, pertencente ao grupo da platina, metálico, duro, brilhante, denso [símb.: *Ru*].

ruteno [De *Ruthenia*, nome da Rússia no lat. medieval.] *S. m.* 1. Indivíduo dos rutenos, povo eslavo espalhado pela Galícia (nas encostas dos montes Cárpatos, atualmente S.E. da Polônia e O. da Ucrânia), Lituânia e Hungria. 2. *Gloss.* Ucraniano (3). ● *Adj.* 3. Pertencente ou relativo a esse povo.

rutherford [Do antr. (*Ernest*) *Rutherford* (1871-1937), físico neozelandês.] *S. m. Fís. Nucl.* Unidade de atividade igual à atividade de um radionuclídeo em que ocorre um milhão de desintegrações por segundo [símb.: *Rd*]. É equivalente a 0,027 milicurie, e bem pouco utilizada.

rutherfórdio [Do antr. *Rutherford* (v. *rutherford*) + *-io*³.] *S. m. Quím.* 1. Elemento transférmico (q. v.) de número atômico 104 [símb.: *Rf*]; unilquádio. 2. *Desus.* Seabórgio (q. v.).

rutilação [De *rutilar* + *-ção.*] *S. f.* 1. Ato de rutilar; rutilo. 2. Brilho intenso; esplendor, resplendor.

rutilância [De *rutilar* + *-ância.*] *S. f.* Qualidade de rutilante.

rutilante [Do lat. *rutilante.*] *Adj. 2 g.* 1. Que rutila. 2. Muito brilhante; resplandecente, esplendoroso. [Sin. ger.: *rútilo.*]

rutilantemente [De *rutilante* + *-mente.*] *Adv.* De maneira rutilante; com rutilância.

rutilar [Do lat. *rutilare.*] *V. t. d.* 1. Tornar rútilo ou muito brilhante; fazer brilhar muito; fazer resplandecer: *O Sol rutila pedrarias.* 2. Emitir, despedir, lançar: *Seus olhos rutilavam chispas de ódio.* *Int.* 3. Brilhar muito; resplandecer, chamejar: *As joias rutilavam*; "E estrelas mil cravejam-te, fagueiras, / Estrelas falsas, mas que, assim de perto, / Rutilam tanto, como as verdadeiras." (Raimundo Correia, *Poesias*, p. 94). [Pres. ind.: *rutilo, rutilas, rutila*, etc. Cf. *rútilo*, adj., fem. *rútila*, e *Rútilo, Rútila*, antr.]

rutílio [De *rútilo* + *-io*³.] *S. m. Min.* Mineral tetragonal, óxido de titânio, minério de titânio. [F. paral.: *rutilo.* Sin. (bras.): *ruiva.*]

rutilo¹ *S. m.* V. *rutílio.* [Cf. *rútilo.*]

rutilo² [Dev. de *rutilar.*] *S. m. Bras.* Rutilação (1). [Cf. *rútilo.*]

rútilo [Do lat. *rutilu.*] *Adj.* V. *rutilante*: "Rebenta a trovoada em raios rútilos!" (Bulhão Pato, *Livro do Monte*, p. 102.) [Cf. *rutilo*, do v. *rutilar*, e s. m.]

rutina [Do lat. *ruta*, 'arruda', + *-ina*³.] *S. f. Quím.* Glicosídeo que se encontra no tomate, no tabaco, na arruda, de onde é extraído sob a forma de material cristalino, acicular, higroscópico, usado em medicina como hipotensor; rutinosídeo [fórm.: $C_{27}H_{30}O_{16}$]. [Cf. *rotina.*]

rutinosídeo *S. m. Quím.* Rutina.

rútulo [Do lat. *rutulu*, sing. de *rutuli.*] *S. m.* 1. Indivíduo dos rútulos, povo antigo do Lácio. ● *Adj.* 2. Pertencente ou relativo aos rútulos.

rutura *S. f.* V. *ruptura.* [Uso próprio de P.] ⊙

ruvinhoso (ô) [Do lat. *rubiginosu.*] *Adj.* 1. Que tem ferrugem; ferrugento, rubiginoso. 2. Que tem caruncho; carunchoso. 3. *Fig.* Difícil de contentar; caprichoso; mal-humorado.

ruzagá *S. 2 g. Adj. 2 g. Bras. N.E. Pop.* V. *rosalgar* (2 e 3).

ryliano (rai) *Adj.* 1. Pertencente, relativo a, ou próprio do filósofo inglês Gilbert Ryle (1900-1976). 2. Que é adepto da filosofia de Gilbert Ryle ou profundo conhecedor de sua obra. ● *S. m.* 3. Seguidor de sua filosofia ou profundo conhecedor de sua obra.

Minúscula Moderna	Maiúscula Moderna	Minúscula Carolíngia	Romano	Romano	Etrusco	Grego	Grego	Fenício
s	S	s	S	ς	ς	Σ	ς	W

Aurélio amava suas raízes, sua terra, sua querida Alagoas. Voltava para lá frequentemente para revê-la e rever amigos, como os intelectuais alagoanos Arnoldo Jambo e

Bráulio Leite. Aqui, com o poeta e teatrólogo carioca Paschoal Carlos Magno (entre Arnoldo e Bráulio).

s (ésse) *S. m.* **1.** A 19ª letra do nosso alfabeto. [Representa, quando em início de sílaba ou quando duplicada (ss), a consoante fricativa alveolar surda: *sábado, missa*; em posição intervocálica, representa a consoante fricativa alveolar sonora (soa como /z/): *asa, vesícula.*] **2.** A figura dessa letra, ou qualquer representação sua: ▤ *O s cursivo tem pouca semelhança com o s em letra de fôrma.* **3.** Som representado por essa letra. **4.** A forma dessa letra, com duas curvas sucessivas em direções opostas. **5.** *P. ext.* Aquilo que tem forma semelhante à da letra *s*: ▤ *O carro derrapou no S em declive.* [Ger. com cap., nas acepçs. 4 e 5.] ● *Num.* **6.** Décimo oitavo, numa série ordenada ou hierárquica cujos elementos são designados ou representados pelas letras do alfabeto, sem considerar o *k* como 11º elemento: ▤ *item s* (ou *item S*). **7.** Décimo nono, numa série em que a letra *k* designa ou representa o 11º elemento. [Pl. (nas acepçs. 1 a 5) indicado graficamente pela duplicação da letra: *ss*.]

■ **s** **1.** Símb. de *segundo*[1] (5). **2.** Abrev. de *sem*. **3.** Abrev. de *sobre*[3]. [Nas acepçs. 2 e 3, usa-se ger. seguido de sinal de barra (9).] **4.** *Fís. Part.* Símb. de *estranho* [= (ingl.) *s(trange)*].

■ **S** **1.** Abrev. de *são*[1], *santo* (14) ou *santa* (1), quando usados como títulos pessoais. **2.** Abrev. de *sul* (2, 4 e 6). **3.** *Fís.* Símb. de *entropia* (1). **4.** *Eletr.* Símb. de *siemens*. **5.** *Fís.-Quím.* Símb. de *svedberg*. **6.** *Quím.* Símb. de *enxofre*. **7.** *Quím.* Us. com referência a moléculas quirais que contêm estereocentro que porta quatro substituintes diferentes (S_1, S_2, S_3 e S_4), como designação de uma das duas configurações absolutas possíveis: aquela em que, estando o substituinte de menor prioridade (S_4) voltado para longe do observador, o sentido do percurso S_1-S_2-S_3 é o sentido anti-horário. [V. observação em ■ *R* (9).] [Us. com valor de adj., posposto a um substantivo: ▤ *enantiômero S.*] [Opõe-se a *R* (v. ■ *R* [9]).]

▲ **s-** [F. red. de *secundário*.] *Quím. Pref.* Designa a presença, numa molécula linear, de grupo funcional ligado a carbono secundário: *s-butanol*. [Sempre us. com hífen posposto. Tb. us., mas não recomendada, a f. *sec-*.]

▲ **S-** *Quím. El. comp.* Forma nomes de compostos que são enantiômeros do tipo S [v. ■ *S* (7)]. [Tb. us. entre parênteses: *(S)-*.]

▲ **-s-** Consoante de ligação: *haloisita* (q. v.).

sá *S. f. Bras.* Alter. de *sinhá* (v. *seus*[1]): 📖 "*sá* Nicota a se desepartar na turba incontível, bravia" (Adelino Magalhães, *Obras Completas*, I, p. 371).

sã [Do nama *san*, denominação pejorativa para 'bosquímano'.] *S. 2 g.* **1.** *Etnôn.* V. *bosquímano* (1). ● *S. m.* **2.** *Gloss.* V. *bosquímano* (2). **3.** Vocábulo do sã (2).

saá *S. m. Bras. Zool.* V. *sauá*.

saariano [Do top. *Saara* + *-iano*.] *Adj.* **1.** Relativo ou pertencente ao deserto de Saara (África), ou próprio dele. **2.** *Gloss.* Pertencente ou relativo a saariano (3). ● *S. m.* **3.** *Gloss.* Pequeno grupo de línguas que pertence à família nilo-saariana, que inclui línguas como o canúri e o tebu. **4.** Vocábulo do saariano (3). [Var. (lus.): *sariano*. Sin. ger.: *saárico*.]

saárico [Do top. *Saara* + *-ico*[2].] *Adj. S. m.* V. *saariano*.

sabá [Do hebr. *shabbath*, pelo fr. *sabbat*.] *S. m.* **1.** Descanso religioso que, conforme a legislação mosaica, devem os judeus observar no sábado, consagrado a Deus. **2.** Conciliábulo de bruxos e bruxas que, segundo superstição medieval, se reunia no sábado, à meia-noite, sob a presidência do Diabo.

sabacu [Do tupi.] *S. m. Bras. Zool.* **1.** V. *taquiri*. **2.** V. *arapapá* (1). **3.** V. *queixada* (3). [Var.: *sabucu*.]

sabacu-de-coroa *S. m. Bras. BA Zool.* V. *dorminhoco* (3). [Pl.: *sabacus-de-coroa*.]

sabadeador (ô) [De *sabadear* + *-dor*.] *Adj. S. m.* Que, ou aquele que sabadeia.

sabadear [De *sábado* + *-ear*[2].] *V. int.* **1.** Guardar o sábado, à maneira dos judeus; sabatizar. **2.** Não trabalhar no sábado. [Conjug.: v. *frear*.]

sábado [Do hebr. *shabbath*, pelo lat. *sabbatu*.] *S. m.* **1.** O sétimo dia da semana, começada no domingo. **2.** Dia de descanso, ou de descanso religioso, entre os judeus. **3.** Conciliábulo noturno de feiticeiros. ◆ **Sábado de aleluia.** O da semana santa; sábado santo. **Sábado gordo.** O que precede o domingo de carnaval. **Sábado magro.** O que precede o sábado gordo. **Sábado santo.** Sábado de aleluia.

sabagante *S. m. Bras. N.E. Pop.* Indivíduo, pessoa, sujeito. [F. paral.: *sabaquante*.]

sabão[1] [Do lat. *sapone*.] *S. m.* **1.** *Quím.* Sal metálico de ácido graxo. **2.** *Restr.* Produto detergente constituído de sais de sódio e de potássio, de ácidos graxos, e que serve para limpeza em geral. **3.** *Fam.* V. *descompostura* (2). **4.** *Fam.* V. *repreensão* (1). **5.** *Bras.* Rocha mais ou menos decomposta, que constitui o subsolo de algumas paragens do N.E., sobretudo do PI. **6.** *Bras. SP* Terra escorregadia. **7.** *Bras. RS* Modalidade do fandango, a qual no séc. XIX também foi popular em PE. ◆ **Sabão de coco.** *Quím.* O que se obtém com base no óleo de coco. **Sabão de Marselha.** *Quím.* O que é fabricado com óleo de oliva e potassa. **Sabão dos vidreiros.** *Tec.* Na indústria de vidro, o bióxido de manganês que, adicionado ao vidro comum, em fusão, provoca o desaparecimento da coloração verde. **Sabão duro.** *Quím.* Sabão consistente, com aparência jaspeada, obtido pela ação da soda sobre ácidos graxos. **Sabão líquido.** *Quím.* Sabão muito solúvel em água, de consistência líquida, obtido pela ação da potassa sobre óleo de coco e óleo de rícino, com adição de glicerol e açúcar. **Sabão transparente.** *Quím.* Sabão com aspecto transparente, que se obtém pela adição de álcool, glicerina e solução de açúcar à massa antes da cristalização. **Acabar-se como sabão na mão da lavadeira.** *Bras. N.E.* Desfazer-se ou consumir-se rapidamente, a olhos vistos. **Fazer sabão. 1.** *Bras. AL* V. *bolinar* (4). **2.** *Bras. MA* Praticarem (mulheres) o ato lésbico.

sabão[2] *S. m. Burl.* V. *sabichão* (4).

sabão da costa *S. m. Rel.* Sabão produzido originalmente na África ocidental, us., nos cultos afro-brasileiros, em rituais de purificação. [Pl.: *sabões da costa*.] ☑

sabão-de-macaco *S. m. Bras. Bot.* V. *saboeiro* (3). [Pl.: *sabões-de-macaco*.]

sabão-de-soldado *S. m. Bras. Bot.* **1.** Melão-de-soldado. **2.** V. *saboeiro* (3). [Pl.: *sabões-de-soldado*.]

sabãozeira [De *sabão*[1] + *-zeira*.] *Adj. (f.) S. f. Bras. AL Chulo* Diz-se de, ou moça dada à bolinagem, a fazer sabão (q. v.).

sabãozinho [De *sabão*[1] + *-zinho*.] *S. m. Bras. Bot.* V. *saboeiro* (3).

sabaquante *S. m. Bras. N.E. Pop.* V. *sabagante*.

sabarense *Adj. 2 g.* **1.** De, ou pertencente ou relativo a Sabará (MG). ● *S. 2 g.* **2.** O natural ou habitante de Sabará.

▲ **sabat(i)-** [Do lat. *sabbatum, i*, de or. hebr.] *El. comp.* = 'sábado': *sabático* (< lat.), *sabatina*.

sabatiano [Do antr. *Sabátio* + *-iano*.] *Adj. S. m.* Diz-se de, ou membro de uma seita cristã fundada no séc. IV por um certo Sabbathius, ou Sabátio, e que celebrava a Páscoa no mesmo dia que os judeus.

sabático [Do lat. tard. *sabbaticu* < gr. *sabbatikós*.] *Adj.* **1.** Relativo ao sábado, sabatino. **2.** Relativo ao sabá. **3.** Relativo a qualquer período em que se observe interrupção ou suspensão de certas atividades regulares. ~ V. *ano* —.

sabatina [De *sabat(i)-* + *-ina*[1].] *S. f.* **1.** Repetição, no sábado, das lições estudadas durante a semana. **2.** Recapitulação de lições. **3.** Oração do sábado. **4.** Tese que os estudantes de filosofia defendiam ao término de seu primeiro ano de curso. **5.** *Fig.* Discussão, debate, questão. **6.** *Bras. Turfe* Reunião turfística realizada aos sábados.

sabatinar [De *sabatina* + *-ar*[2].] *V. t. d.* **1.** Recapitular, recordar. **2.** Fazer resumo de; resumir, condensar. **3.** Submeter a sabatina; arguir. *Int.* **4.** Debater miúda e cavilosamente.

sabatineiro [De *sabatina* + *-eiro*.] *Adj.* Relativo a, ou próprio de sabatina.

sabatino [De *sabat(i)-* + *-ino*[1].] *Adj.* **1.** Concernente a sabatina. **2.** Sabático (1).

sabatismo [Do gr. *sabbatismós*, pelo lat. tard. *sabbatismu.*] ***S. m.*** Celebração dos sábados, entre judeus e em algumas igrejas protestantes.

sabatista [De *sabat(i)-* + *-ista.*] ***S. 2 g.*** Partidário da celebração do sábado em vez do domingo.

sabatizar [Do gr. *sabbatízein*, pelo lat. tard. *sabbatizare.*] ***V. int.*** Sabadear.

sabaudiense ***Adj. 2 g.*** **1.** De, ou pertencente ou relativo a Sabáudia (PR). ● ***S. 2 g.*** **2.** O natural ou habitante de Sabáudia.

sabável ***Adj. 2 g.*** *Bras.* Agradável ao paladar; gostoso, saboroso, saborido.

→**sabbaoth** [saba'ot] [Transliteração latina do hebr. *tzbaoth*, 'exércitos', 'hostes'.] ***S. m.*** Designação de Deus como Senhor dos exércitos.

sabe [Do cabo-verd. e do criol.] *Cabo-verd. Guin.* ***Adj. 2 g. e 2 n.*** **1.** Agradável, saboroso, gostoso: "Não sabia que Cabo Verde estava assim tão sabe..." (Lara Araújo, em *Aulil. Contos e Poemas*, p. 68.) ● ***Adv.*** **2.** Bem: "Às vezes há coisas que saem sabe" (Jorge Tolentino, em *Raízes* n.º 21, p. 105).

sabedor (ô) [De *saber* + *-dor.*] ***Adj. S. m.*** **1.** Que, ou aquele que sabe, que tem conhecimento de algo; ciente. **2.** Que, ou aquele que tem sabedoria; erudito, sábio.

sabedoria [De *sabedor* + *-ia*[1].] ***S. f.*** **1.** Grande conhecimento; erudição, saber, ciência: *Sua obra bem revela a sua sabedoria.* [Sin. (pop): *sabença.*] **2.** Qualidade de sábio: *A sabedoria de suas palavras convenceu-me.* **3.** Prudência, moderação, temperança, sensatez, reflexão: *Os sofrimentos deram-lhe grande sabedoria.* **4.** Conhecimento justo das coisas; razão: *Minerva, a deusa da sabedoria.* **5.** Ciência (2), segundo a concepção dos antigos: *Os egípcios eram notáveis por sua sabedoria.* **6.** *Maç.* Uma das três colunas simbólicas que sustentam uma loja (4). [Cf. *beleza* (5) e *força* (19).] **7.** *Rel.* Conhecimento inspirado nas coisas divinas e humanas: *Um dos sete dons do Espírito Santo é a sabedoria.* **8.** *Bras. Pop.* Qualidade de sabido (4); esperteza, astúcia, manha. ◆ **Sabedoria das nações.** Moral corrente expressa em provérbios; sabedoria popular. **Sabedoria popular.** Sabedoria das nações.

sabeia (éi) ***S. f.*** Fem. de *sabeu.* ❖

sabeísmo [De *sabeu* + *-ismo.*] ***S. m.*** **1.** Designação comum aos diversos cultos astrolátricos dos sabeus. **2.** Designação comum às seitas sabeístas.

sabeísta [De *sabeu* + *-ista.*] ***Adj. 2 g. S. 2 g.*** **1.** Relativo ao sabeísmo. **2.** Diz-se de, ou membro de uma seita judaico-cristã da Mesopotâmia, mencionada no Alcorão, de inspiração gnóstica, e eivada de magia e astrolatria. **3.** Diz-se de, ou membro de uma seita pagã, astrolátrica, do S. da Arábia, anterior ao islamismo, e que a ele sobreviveu durante algum tempo. [F. paral.: *sabeíta.*]

sabeíta ***Adj. 2 g. S. 2 g.*** Sabeísta.

sabelianismo [De *sabeliano* + *-ismo.*] ***S. m.*** *Rel.* Doutrina de Sabélio, heresiarca do séc. III, que negava a Trindade das pessoas em Deus e professava haver uma única pessoa divina, apenas, com nomes diversos, segundo os vários modos de se revelar. [Cf. *monarquianismo* e *modalismo.*]

sabeliano [Do lat. *sabellianu.*] ***S. m.*** Sectário do sabelianismo.

sabélico [Do lat. *sabellicu.*] ***Adj.*** **1.** Relativo aos sabelos, ou ao sabélico (3). **2.** *Graf.* Referente ao alfabeto desses povos. ~ V. *alfabeto* —. ● ***S. m.*** **3.** *Gloss.* Conjunto de línguas do osco-úmbrio (q. v.), por vezes chamadas dialetos, e de que é exemplo o sabino[1] (2). **4.** Vocábulo dessas línguas.

sabélio ***S. m.*** V. *sabelo* (1).

sabelo [Do lat. *sabellu.*] ***S. m.*** **1.** Indivíduo dos sabelos, grupo de populações antigas da Itália central, constituído essencialmente pelos montanheses dos Apeninos, ou seja, os sabinos, os picentinos, os lucanos e os samnitas. [Var.: *sabélio.*] ● ***Adj.*** **2.** Pertencente ou relativo a esse grupo.

sabença [De *saber* + *-ença.*] ***S. f.*** *Pop.* Sabedoria (1): "A passo e passo, no caminho da sabença não tardou [Álvaro Fróis da Fonseca] a revelar-se o ensaísta e crítico filosófico que, fascinado pela vida espiritual, matutou no existencialismo, investiu contra Sartre" (Clementino Fraga, *Reencontros Imaginários*, p. 229).

sabendas [De *saber.*] ***El. s. f. pl.*** Us. na loc. adv. *a sabendas.* ◆ **A sabendas.** *Ant.* De propósito; de caso pensado; adrede; cientemente.

saber [Do lat. *sapere*, 'ter gosto'.] ***V. t. d.*** **1.** Ter conhecimento, ciência, informação ou notícia de; conhecer: "Comiam todos o caldo, recolhidos e calados, quando o menino disse: || — Sei um ninho!" (Miguel Torga, *Bichos*, p. 55); *O general sabia antecipadamente os próximos ataques do inimigo.* **2.** Ter conhecimentos técnicos e especiais relativos a, ou próprios para: *O matemático sabia previamente o resultado da equação.* **3.** Estar convencido de; ter a certeza de: "Sócrates sabia que nada sabia e com este nada saber foi Sócrates o mais sábio dos homens." (Alberto Ramos, *Prosas de Ariel*, p. 92); "Sabei que não canto somente prazeres, / Sabei que não gemo somente de amores" (Junqueira Freire, *Obras Póstumas*, II, p. 195). **4.** Ser instruído em; conhecer: *saber geografia.* **5.** Ter meios, capacidade, para; conseguir: *Não sei dizer o que sinto.* **6.** Ter capacidade, conhecimento, para: *Sabe explicar o fato, pois presenciou tudo.* **7.** Ter a certeza de coisa futura; prever: *A cartomante sabia o futuro de cada um.* **8.** Poder explicar; compreender: *Não sei o que se passa.* **9.** Reter na memória; decorar: *O aluno sabia a poesia inteira.* **10.** Perguntar, indagar: *Veio saber se o doente já tivera alta.* **11.** Conseguir, alcançar: *Merece a situação que soube obter.* ***Transobj.*** **12.** Julgar, considerar; ter como: "Não o sabia poeta. Aquela descoberta a maravilhava." (Pascoal Carlos Magno, *Sol sobre as Palmeiras*, p. 97.) ***T. i.*** **13.** Ter conhecimento, informação, ciência ou notícia; estar informado: "Eu sei de certos senhores / Que desdenham, sérios, graves, / O doce aroma das flores / E o terno canto das aves." (Ricardo Gonçalves, *Ipês*, p. 49); "Cada um sabe de si, e Deus de todos" (prov.). **14.** Perguntar, indagar: *Veio saber da saúde do irmão.* **15.** Ter sabor ou gosto: "O licor tinha a mais bela cor de topázio, fina e transparente. E sabia gostosamente a frutos e a doce." (Maria Archer, *Fauno Sovina*, p. 98); "Era uma infusão descorada que sabia a malva e a formiga." (Eça de Queirós, *A Cidade e as Serras*, p. 162). ***Int.*** **16.** Ter conhecimento, erudição ou ciência; ser erudito. **17.** Ter conhecimento, informação ou notícia de alguma coisa; estar informado: *Não ousaram falar-lhe no assunto, porém ele já sabia.* **18.** Ter sabor; ser sápido: "Livros como vinhos: quanto mais velhos mais sabem." (Guilherme Figueiredo, *Despropósitos*, p. 37.) [Irreg. Pres. ind.: *sei, sabes, sabe*, etc.; pret. imperf.: *sabia*, etc.; perf.: *soube, soubeste, soube*, etc.; m.-q.-perf.: *soubera, souberas*, etc.; pres. subj.: *saiba, saibas*, etc.; imperf.: *soubesse, soubesses*, etc.; fut.: *souber, souberes*, etc. Cf. *sábia*, fem. de *sábio.*] ● ***S. m.*** **19.** Erudição, sabedoria. **20.** Prudência, tino, sensatez. **21.** Experiência, prática. **22.** *Bras. RJ* O anel de grau das professoras primárias. ◆ **Saber a. 1.** Ter o sabor de: *Este bolo sabe a amêndoas.* **2.** Dar a ideia de; lembrar, recordar: "Mas o caminho não andado / Sabe a caminho percorrido." (Alberto de Serpa, *Fonte*, p. 45.) **Saber bem.** Agradar ao paladar: *Este assado sabe bem.* **Saber entrar e sair.** Ter boas maneiras; ser bem-educado. **Saber mal.** Desagradar, desgostar ao paladar: *Aquele bolo da véspera sabia mal.* **A saber.** Expressão que antecede uma enumeração ordenada: *A sonata clássica compõe-se de 3 movimentos, a saber: alegro, adágio e presto.* **E não sei mais o quê.** Que sei eu? **Não saber o que possui. 1.** Ter um bem ou bens afetivos de valor inestimável. **2.** Ser muitíssimo rico. [Sin. ger.: *não saber o que tem.*] **Não saber o que tem.** V. *não saber o que possui.* **Que sei eu?** Fórmula que costuma concluir uma enumeração; e não sei mais o quê: "Quando eles eram vivos, o Ribeiro era um mulatinho de quem ninguém fazia caso; hoje é o Sr. tenente, o Sr. presidente da câmara, o Sr. *Apanha-Tudo*, que sei eu?" (Inglês de Sousa, *O Coronel Sangrado*, p. 115.)

saberê ***S. m.*** *Bras. Zool.* **1.** V. *querê-querê.* **2.** V. *maria-mole* (5). **3.** V. *jandaia* (3).

saberecar [Var. de *sapecar*[1], muito alterada.] ***V. t. d.*** *Bras.* Tostar, chamuscar, sapecar. [Outras var.: *sabrecar* e *sabererecar.* Conjug.: v. *trancar.*]

saberente ***Adj. 2 g. S. 2 g.*** *Bras. N.E.* V. *saberete* (4 e 5).

sabererecar ***V. t. d.*** *Bras.* V. *saberecar.* [Conjug.: v. *trancar.*]

saberete (ê) [De *saber* + *-ete* (ê).] ***S. m.*** *Fam.* **1.** Pouco saber. **2.** Conhecimento imperfeito, superficial. **3.** Sagacidade, manha. ● ***S. 2 g.*** **4.** *Bras. Pop.* Pessoa metida a saber tudo: "Metido a saberete, quer os pronomes no lugar, ... e emenda o interlocutor nas barbas, como se estivesse em aula." (Antônio Olavo Pereira, *Marcoré*, p. 57.) ● ***Adj. 2 g.*** **5.** *Bras. Pop.* Que é metido a saber tudo. [Var. nasalada, nas acepç. 4 e 5: *saberente.*]

sabe-tudo [Da 3.ª pess. do sing. do pres. ind. de *saber* + *tudo.*] ***S. 2 g. e 2 n.*** *Fam. Irôn.* V. *sabichão* (4).

sabeu [Do lat. *sabaeu.*] ***S. m.*** **1.** Indivíduo dos sabeus, povo bíblico astrólatra, que habitava o país de Sabá (S. da Arábia). **2.** *Gloss.* Língua semítica conhecida por inscrições encontradas no Iêmen (Oriente Médio). **3.** Vocábulo dessa língua. ● ***Adj.*** **4.** Pertencente ou relativo a Sabá ou aos sabeus. ~ V. *lágrima sabeia.* [Fem.: *sabeia.*]

sabiá [Do tupi.] ***S. m. e f.*** *Bras.* **1.** *Zool.* Designação comum a várias espécies de aves passeriformes, turdídeas, gênero *Turdus*, de colorido simples, cinzento-oliváceo, às vezes avermelhado. São pássaros muito populares, bons cantores, e onívoros. [Cf. *caraxué* (1). No N.E. do Brasil também é us. no fem.: "— Quando a sabiá canta é o tempo do amor" (José de Alencar, *Iracema*, p. 117). Ver tb. Adolfo Caminha, *A Normalista*, p. 38; Afrânio Peixoto, *Fruta do Mato*, p. 323. Também se vê esse gênero na canção *Sabiá*, de Antônio Carlos Jobim (1927-1994) e Chico Buarque de Holanda (1944), autores nascidos no S. do País: "é ainda lá / que eu hei de ouvir cantar / uma *sabiá*".] **2.** *Bot.* V. *sansão-do-campo.* **3.** *Pop.* V. *boqueira.*

sabiá-barranco ***S. m.*** *Bras. Zool.* V. *sabiá-branco* (1). [Pl.: *sabiás-barrancos* e *sabiás-barranco.*]

sabiá-branco ***S. m.*** *Bras. Zool.* **1.** Ave passeriforme, turdídea (*Turdus leucomelas*), distribuída desde o RS até o MA, de dorso cinzento-azeitonado, abdome cinzento, e garganta branca com estrias escuras. Alimenta-se de frutas e insetos, que geralmente apanha no chão, e frequenta as habitações rurais; é bom cantor. [Sin.: *sabiá-barranco, sabiá-cinzento.*] **2.** Sabiá-pardo. [Pl.: *sabiás-brancos.*]

sabiá-cachorro ***S. m.*** *Bras. Zool.* V. *japacanim* (2). [Pl.: *sabiás-cachorros* e *sabiás-cachorro.*]

sabiá-cavalo ***S. m.*** *Bras. Zool.* V. *sabiá-laranjeira.* [Pl.: *sabiás-cavalos* e *sabiás-cavalo.*]

sabiácea [Do tax. *Sabia* + *-ácea*; tax. *Sabiaceae.*] ***S. f.*** *Bot.* Espécime das sabiáceas, família de plantas da ordem das sapindales, composta de árvores e trepadeiras com folhas alternas e flores minutas. Há só umas 70 espécies tropicais, escassas no Brasil.

sabiáceo [De *sabiácea*, com var. suf. (v. *-áceo*).] ***Adj.*** *Bot.* Pertencente ou relativo às sabiáceas.

sabiacica (i-à) [Do tupi.] ***S. m.*** *Bras. Zool.* Ave psitaciforme, psitacídea (*Triclaria malachitacea*), do S.E. do Brasil, de coloração verde-clara, primeiras rêmiges da mão com margem anterior azul, assim como as retrizes exteriores, e o macho adulto com faixas azul-purpúreas do meio do tórax às coberteiras subcaudais anteriores. Após algum tempo em cativeiro, apresenta manchas amareladas. [Sin.: *araçuaiava.*]

sabiá-cinzento ***S. m.*** *Bras. Zool.* V. *sabiá-branco* (1). [Pl.: *sabiás-cinzentos.*]

sabiá-coleira ***S. m.*** *Bras. Zool.* Ave passeriforme, turdídea (*Turdus albicollis*), que ocorre de MG para o S. e se caracteriza pela coloração geral pardo-esverdeada, branca no meio do abdome e castanha nos lados, destacando-se na garganta uma mancha semilunar branca, que lhe valeu o nome. Frequenta as matas e alimenta-se de frutos e insetos. [Pl.: *sabiás-coleiras* e *sabiás-coleira.*]

sabiá-da-campina ***S. m.*** *Bras. Zool.* V. *trinca-ferro.* [Pl.: *sabiás-da-campina.*]

sabiá-da-capoeira ***S. m.*** *Bras. Zool.* V. *sabiá-da-mata.* [Pl.: *sabiás-da-capoeira.*]

sabiá-da-lapa ***S. m.*** *Bras. Zool.* Ave passeriforme, turdídea (*Turdus crotopezus*), do Brasil médio-oriental, de coloração cinzento-olivácea, muito parecida com a do sabiá-cinzento, e que tem hábitos idênticos aos do sabiá-laranjeira. [Pl.: *sabiás-da-lapa.*]

sabiá-da-mata ***S. m.*** *Bras. Zool.* Ave passeriforme, turdídea (*Turdus fumigatus*), com larga distribuição no Brasil, de coloração geral pardo-avermelhada, um pouco olivácea, garganta esbranquiçada raiada de pardo, parte inferior ferrugínea viva, mais pálida no meio do abdome. [Sin.: *sabiá-da-capoeira, sabiá-verdadeiro, caraxué-da-capoeira, caraxué-da-mata.* Pl.: *sabiás-da-mata.*]

sabiá-da-mata-virgem ***S. m.*** *Bras. Zool.* Ave passeriforme, cotingídea (*Lipaugus lanioides*), que ocorre de MG e ES até SC, de coloração geral cinérea, mais clara do lado abdominal, a garganta com estrias brancas. Frequenta as matas virgens, nas quais consegue disfarçar-se inteiramente, sendo difícil observá-lo. Alimenta-se de frutas em geral. [Sin.: *sabiá-do-mato-grosso, sabiá-da-serra, viruçu.* Pl.: *sabiás-da-mata-virgem.*]

sabiá-da-praia ***S. m.*** *Bras. Zool.* Ave passeriforme mimídea (*Mimus gilvus antelius*), do PA ao RJ, de dorso cinzento-plúmbeo, abdome branco, tendo os jovens o peito manchado. Vivem nas restingas, frequentando praias e alimentando-se de toda a sorte de artrópodes, e também de frutas. Alguns exemplares tornam-se bons cantores quando mantidos em cativeiro. [Sin.: *sabiá-da-restinga, sabiapiri.* Pl.: *sabiás-da-praia.*]

sabiá-da-restinga ***S. m.*** *Bras. Zool.* V. *sabiá-da-praia.* [Pl.: *sabiás-da-restinga.*]

sabiá-da-serra ***S. m.*** *Bras. SP Zool.* V. *sabiá-da-mata-virgem.* [Pl.: *sabiás-da-serra.*]

sabiá-de-barriga-vermelha ***S. m.*** *Bras. Zool.* V. *sabiá-laranjeira.* [Pl.: *sabiás-de-barriga-vermelha.*]

sabiá-do-banhado ***S. m.*** *Bras. RS Zool.* Perdizinha-do-campo. [Pl.: *sabiás-do-banhado.*]

sabiá-do-brejo ***S. m.*** *Bras. Zool.* V. *japacanim* (2). [Pl.: *sabiás-do-brejo.*]

sabiá-do-campo ***S. m.*** *Bras. Zool.* Ave passeriforme, mimídea (*Mimus saturninus*), distribuída por todo o Brasil, de dorso cinzento-escuro, abdome brancacento, asas plúmbeas, penas da cauda negras com extremidade branca, lado ventral estriado, e uma fita branca sobre os olhos. É ave tida por boa cantora e sobretudo imitadora de outros pássaros; vive de preferência nos cerrados e matas ralas, alimentando-se de insetos e toda a sorte de frutas. [Sin.: *sabiá-do-sertão, sabiapoca, arrebita-rabo, calandra, calhandra, galo-do-campo.* Pl.: *sabiás-do-campo.*]

sabiá-do-mato-grosso *S. m. Bras. Zool.* V. *sabiá-da-mata-virgem.* [Pl.: *sabiás-do-mato-grosso.*]

sabiá-do-piri *S. m. Bras. Zool.* V. *japacanim* (2). [Pl.: *sabiás-do-piri.*]

sabiá-do-sertão *S. m. Bras. Zool.* V. *sabiá-do-campo.* [Pl.: *sabiás-do-sertão.*]

sabiá-ferreiro *S. m. Bras. Zool.* Ave passeriforme, turdídea (*Turdus subalaris*), do Brasil meridional, de coloração plúmbea, com o abdome branco e a garganta da mesma cor, raiada de negro. Frequenta matas. [Pl.: *sabiás-ferreiros.*]

sabiá-gongá *S. m. Bras. PE Zool.* **1.** Ave passeriforme, fringilídea (*Saltator coerulescens mutus*), da Amaz., de dorso cinzento-escuro, a parte inferior cinzento-clara lavada de ocre na barriga, garganta branca, crisso ocre. Alimenta-se de sementes de modo geral, e frequenta áreas descampadas. **2.** V. *trinca-ferro.* [Pl.: *sabiás-gongás* e *sabiás-gongá.*]

sabiá-guaçu *S. m. Bras. Zool.* V. *japacanim* (2). [Pl.: *sabiás-guaçus.*]

sabiá-laranja *S. m. Bras. RS Zool.* V. *sabiá-laranjeira.* [Pl.: *sabiás-laranjas* e *sabiás-laranja.*]

sabiá-laranjeira *S. m. Bras. Zool.* Ave passeriforme, turdídea (*Turdus rufiventris*), do Brasil central e este-meridional, de coloração geral pardo-acinzentada, escura no dorso, peito e abdome vermelho-ferrugíneo, cor que a diferencia das demais espécies. É ave das mais populares do Brasil, decantada em poesias, pelo seu canto nostálgico e agradável. Frequenta as fazendas e outras habitações do interior do Brasil, alimentando-se de insetos, vermes e frutas de um modo geral. O gostar de laranjas e nidificar em laranjeiras valeu-lhe o nome popular. [Sin.: *sabiá-cavalo, sabiá-de-barriga-vermelha, sabiá-laranja, sabiá-piranga, sabiaponga, piranga, ponga.* Pl.: *sabiás-laranjeiras* e *sabiás-laranjeira.*]

sabiá-pardo *S. m. Bras. Zool.* Ave passeriforme, turdídea (*Turdus amaurochalinus*), do Brasil central e oriental, de dorso cinzento-azeitonado, abdome cinzento-claro, garganta branca estriada de escuro, e coberteiras das asas amarelas. Tem os mesmos hábitos do sabiá-laranjeira, porém seu canto é inferior. [Sin.: *sabiá-branco.* Pl.: *sabiás-pardos.*]

sabiá-pimenta *S. f. Bras. Zool.* V. *trinca-ferro.* [Pl.: *sabiás-pimentas* e *sabiás-pimenta.*]

sabiá-piranga [De *sabiá* + *-piranga.*] *S. m. Bras. Zool.* V. *sabiá-laranjeira.* [Pl.: *sabiás-pirangas.*]

sabiapiri (i-à) [De *sabiá* + o tupi = 'pequeno, minguado.'] *S. m. Zool.* V. *sabiá-da-praia.*

sabiapoca (i-à) [De *sabiá* + o tupi = 'estalar', 'arrebentar'.] *S. m. Bras. SP Zool.* V. *sabiá-do-campo.*

sabiaponga (i-à) [De *sabiá* + o tupi = 'estalar', 'arrebentar'.] *S. m. Bras. Zool.* V. *sabiá-laranjeira.*

sabiá-preto (ê) *S. m. Bras. Zool.* Sabiaúna. [Pl.: *sabiás-pretos.*]

sabiatinga (i-à) [De *sabiá* + *-tinga.*] *S. m. Bras. SP Zool.* V. *pintassilgo-da-mata.*

sabiá-tropeiro *S. m. Bras. Zool.* V. *vi-vió.* [Pl.: *sabiás-tropeiros.*]

sabiaúna (i-a-ú) [De *sabiá* + *-una.*] *S. m. Bras. Zool.* Ave passeriforme, turdídea (*Platycichla flavipes*), do Brasil este-meridional, de coloração geral negra, dorso cinzento-plúmbeo, abdome cinza, esbranquiçado na região posterior. A fêmea é parda. Vive nas matas, migrando durante o inverno para os locais abertos em busca de alimento. É tido como um dos melhores cantores entre os turdídeos. Alimenta-se de frutas em geral e também de insetos. [Sin.: *sabiá-preto.*]

sabiá-verdadeiro *S. m. Bras. BA Zool.* V. *sabiá-da-mata.* [Pl.: *sabiás-verdadeiros.*]

sabichã *S. f.* Sabichona.

sabichão *Fam. Irôn. Adj.* **1.** Que é grande sábio. **2.** Que alardeia sabedoria. • *S. m.* **3.** Grande sábio. **4.** Aquele que alardeia sabedoria. [Sin., nesta acepç.: *sabe-tudo* (fam. e irôn.), *sabão* (burl.). Fem.: *sabichona, sabichã.*]

sabichar [De *saber.*] *V. t. d.* Procurar saber; indagar, investigar, esquadrinhar.

sabichona *S. f.* Fem. de *sabichão*; sabichã.

sabichoso (ô) *Adj.* Diz-se daquele que usa mal o seu saber, em geral para a maledicência.

sabidas [F. pl. subst. de *sabido.*] *El. s. f. pl.* Us. nas loc. *às sabidas* e *às não sabidas.* ◆ **Às não sabidas.** Às ocultas; em segredo; secretamente. **Às sabidas.** Publicamente; às claras.

sabido [Part. de *saber.*] *Adj.* **1.** Que se sabe; conhecido. **2.** Conhecedor, sabedor, versado, perito: *É muito sabido em artes plásticas.* **3.** *Fig.* Circunspeto, prudente, cauteloso, cauto. **4.** *Fig.* Astuto, finório, velhaco, trapaceiro. • *S. m.* **5.** Indivíduo sabido (4): "Os sabidos passavam a perna nos bobos." (Nélson de Faria, *Tiziu e Outras Estórias*, p. 190.) ~ V. *sabidos.*

sabidos [Pl. subst. de *sabido.*] *S. m. pl.* Emolumentos, gratificações. ~ V. *sabido.*

sabin [Do antr. (*W. C.W.*) *Sabine* (1868-1919), físico norte-americano.] *S. m. Fís.* Unidade de medida de absorção de som por uma superfície, igual a um pé quadrado de superfície perfeitamente absorvedora.

sabina [Do lat. (*herba*) sabina, 'erva do país dos sabinos'.] *S. f. Bot.* Arbusto cupressáceo (*Juniperus sabina*) difuso, prostrado, e muito espalhado pelo solo, que é nativo na Europa, Ásia e América. Os ramos têm, quando triturados, odor forte e desagradável; as folhas são aciculares e duras; os frutos, globosos, duros, com 5mm de diâmetro, levam uma a três sementes.

sabinada [Do antr. (*Francisco*) *Sabino* (*Álvares da Rocha Vieira*) (1797-1846).] *S. f.* Revolução separatista ocorrida na BA, durante o período regencial, a qual tinha por objetivo desligar o governo provincial do da Regência.

sabineno [Do tax. (*Yuniperus*) *sabina* + *-eno*[2].] *S. m. Quím.* Qualquer de certos monoterpenos bicíclicos insaturados, com esqueleto como o do tujano [fórm.: $C_{10}H_{16}$].

sabinense *Adj. 2 g.* **1.** De, ou pertencente ou relativo a Sabino (SP). • *S. 2 g.* **2.** O natural ou habitante de Sabino.

sabino[1] [Do lat. *Sabinu.*] *S. m.* **1.** Indivíduo dos sabinos, antigo povo montanhês da Itália, o qual, absorvido pelas populações do Lácio, foi um dos povos que constituíram os latinos subsequentes. V. *sabelo* (1). **2.** *Gloss.* A língua itálica desse povo. [V. *sabélico* (3).] **3.** Vocábulo dessa língua. • *Adj.* **4.** Pertencente ou relativo aos sabinos, ou à sua língua.

sabino[2] [Do esp. plat. *sabino.*] *Adj.* Diz-se de equídeo de pelo branco mesclado de vermelho e preto.

sabinopolense *Adj. 2 g.* **1.** De, ou pertencente ou relativo a Sabinópolis (MG). • *S. 2 g.* **2.** O natural ou habitante de Sabinópolis.

sábio [Do lat. *sapidu*, 'que tem sabor'; no b.-lat. já significava 'ajuizado', 'prudente'.] *Adj.* **1.** Que tem muita sabedoria; que sabe muito; erudito. **2.** Que tem profundos conhecimentos numa dada matéria ou especialidade; conhecedor; perito, versado: *É um sábio zoólogo.* **3.** Que encerra muita sabedoria, erudição: *Grande erudito, acaba de publicar um livro sábio.* **4.** *Fig.* Judicioso, avisado, sensato, prudente, discreto: *As máximas e provérbios populares são, de modo geral, muito sábios.* **5.** *Fam.* Diz-se de animais altamente amestrados. [Superl. abs. sint.: *sapientíssimo.*] • *S. m.* **6.** Homem que sabe muito; erudito. **7.** *Fam.* Filósofo (2). **8.** Homem sensato, prudente, avisado. [Fem.: *sábia*; aum. deprec.: *sabichão.* Cf. *sabia*, do v. *saber.*]

sabir [Do prov. *sabir*, 'saber'.] *S. m. Gloss.* Denominação que se dava à língua de contato (q. v.) formada por elementos provenientes do italiano, do árabe, grego, turco e espanhol, desaparecida por volta de 1900, e que foi utilizada nos portos do Mediterrâneo desde a Idade Média; língua franca.

sabitu [Var. de *içabitu.*] *S. m. Bras. Zool.* V. *bitu*[1].

sabível [De *saber* + *-ível.*] *Adj. 2 g.* Que se pode saber.

sable [De or. eslava (cf. polonês *sabol*, russo *zobol*), pelo fr. *sable.*] *S. m. Heráld. Gal.* A cor preta do esmalte dos brasões.

saboarana [De or. tupi, poss.] *S. f. Bras. Amaz. Bot.* Árvore fabácea (*Swartzia laevicarpa*) da floresta pluvial. Produz linda madeira pardo-avermelhada e com listas violáceas, que pode ser muito semelhante à do jacarandá-da-baía, e é indicada para marcenaria de luxo. [Var.: *saboeirana.*]

saboaria [De *sabão* + *-aria*, com desnasalação e síncope.] *S. f.* **1.** Fábrica de sabão. **2.** Loja onde se vende sobretudo sabão. **3.** Depósito de sabão.

saboeira [De *sabão* + *-eira*, com desnasalação e síncope.] *S. f.* **1.** Vendedora de sabão. **2.** V. *saboneteira* (1).

saboeirana [De or. tupi, poss.] *S. f. Bras. Bot.* Saboarana.

saboeirense *Adj. 2 g.* **1.** De, ou pertencente ou relativo a Saboeiro (CE). • *S. 2 g.* **2.** O natural ou habitante de Saboeiro.

saboeiro [De *sabão* + *-eiro*, com desnasalação e síncope.] *S. m.* **1.** Fabricante ou vendedor de sabão. **2.** V. *saboneteira* (1). **3.** *Bras. Bot.* Árvore sapindácea (*Sapindus saponaria*) de ampla distribuição, com folhas penadas, flores alvas, pequenas, frutos e casca ricos em saponinas e que espumam intensamente em água, e sementes que contêm 20 a 30% de óleo; sabão-de-macaco, sabão-de-soldado, saboneteiro, sabãozinho, salta-martim, jequitiguaçu. **4.** *Bot.* V. *faveira-do-mato.*

saboga [Do lat. tard. *samauca.*] *S. f. Zool.* Savelha.

saboiano *Adj.* **1.** Da, ou pertencente ou relativo à Saboia (região do S.E. da França). **2.** *Gloss.* Diz-se do dialeto franco-provençal falado na Saboia. • *S. m.* **3.** O natural ou habitante da Saboia. **4.** *Gloss.* Dialeto saboiano (2).

saboneira [De *sabão* + *-eira*, seg. o padrão erudito.] *S. f.* V. *saboneteira* (1).

saboneiro [De *sabão* + *-eiro*, seg. o padrão erudito.] *S. m.* V. *saboneteira* (1).

sabonete (ê) [De *sabão* + *-ete* (ê), seg. o padrão erudito.] *S. m.* **1.** Pedaço de sabão fino e aromatizado, próprio para a limpeza corporal. **2.** *Pop.* V. *repreensão* (1). **3.** *Bras. Bot.* Árvore sapindácea (*Sapindus saponaria*) de até 8m, de folhas penadas, flores brancas, paniculadas, e frutos, saponáceos, providos de sementes pretas, esféricas, us. como bolas de gude. [Sin.: *árvore-do-sabão, fruta-de-sabão, saboneteira.*]

saboneteira [De *sabonete* + *-eira.*] *S. f.* **1.** Caixinha ou lugar próprio para o sabonete; saboneira, saboeira, saboeiro, saboneiro. **2.** *Fam. Pop.* Cada uma das duas depressões que, em pessoas magras, fazem ressaltar a saliência das clavículas. **3.** V. *sabonete* (3): "Nossa própria casa tinha alguma importância devido à fruta-pão e aos cajus, mas, do ponto de vista infantil, sua grande riqueza estava na saboneteira, árvore que produz a baleba ou bola de gude" (Rubem Braga, *As Boas Coisas da Vida*, pp. 102-103).

saboneteiro [De *sabonete* + *-eiro.*] *S. m. Bras.* V. *saboeiro* (3).

sabongo *S. m. Bras. N.E.* V. *sambongo*: "a cocada morena, a rapadura, o sabongo, o pão doce, ... o pé de moleque" (Mauro Mota, *Votos e Ex-Votos*, p. 18).

sabor (ô) [Do lat. *sapore.*] *S. m.* **1.** Impressão que as substâncias sápidas produzem na língua. **2.** Propriedade que têm tais substâncias de impressionar o paladar; paladar, gosto, saibo (q. v.). **3.** V. *gosto* (1). **4.** Qualidade comparável a qualquer coisa agradável ao paladar: *Compareceu ao passeio pelo sabor da novidade.* **5.** Qualidade, tom, caráter: *estilo de sabor clássico; palavras de sabor amargo.* **6.** Espécie, gênero, natureza: *Agrada-me aquele sabor de poesia.* **7.** Graça, espírito: *Suas histórias, escritas ou contadas, têm sempre muito sabor.* **8.** Capricho, vontade, talante. **9.** *Fís. Part.* Número quântico correspondente à propriedade que tem cada tipo de *quark*. Supõem-se seis variedades de sabores, associados aos seis diferentes tipos de *quarks*: *u, d, s, c, b* e *t*. [Trad., nesta acepç., do ingl. *flavor.*] ◆ **Ao sabor da maré.** Ao acaso; à sorte; à ventura. **Ao sabor de.** Conforme a vontade de; ao gosto de; à vontade de: *Prepotente, vive ao sabor dos seus caprichos; É bom velejar ao sabor do vento.*

saborear [De *sabor* + *-ear*[2].] *V. t. d.* **1.** Dar sabor (3) a: *A baunilha saboreou o bolo.* **2.** Causar bom sabor ao paladar de: *O doce saboreou o menino guloso.* **3.** Comer lentamente, com gosto: *O conviva saboreava o assado.* **4.** Comprazer-se ou deleitar-se com, comendo ou bebendo: *Bebia a pequenos goles, saboreando o vinho raro.* **5.** *P. ext.* Comprazer-se, deleitar-se, regozijar-se com: "Começou a vê-la, saboreou a confusão da moça, os medos, a alegria, a modéstia, as atitudes quase implorativas, um composto de atos e sentimentos que eram a apoteose do homem amado." (Machado de Assis, *Quincas Borba*, pp. 237-238.) **6.** Apreciar o sabor de: "saboreou o último gole de sua xícara de café" (Artur Azevedo, *Contos Cariocas*, p. 66). **7.** Tornar agradável e apetitoso. **8.** Causar prazer a. **9.** Entregar-se com delícia a; comprazer-se ou deleitar-se em; gozar voluptuosamente: *Após trabalhar anos a fio sem descanso, saboreava aquelas férias à beira-mar.* **10.** Regozijar-se, gloriar-se ou ufanar-se de: *Saboreou a vitória do seu time.* **11.** *Irôn.* Sofrer devagar: *Saboreava amargamente a derrota.* *P.* **12.** Deleitar-se comendo ou bebendo. **13.** Ficar gostando de algo, apetecendo-o sempre. **14.** Deliciar-se, deleitar-se, regozijar-se: "Nesta própria hora, já tão remota, me estou e ainda saboreando como presente nos feitiços do meu Lago dos Cedros" (Antônio Feliciano de Castilho, *Amor e Melancolia*, p. 312). [Conjug.: v. *frear.*]

saboreável [De *saborear* + *-vel.*] *Adj. 2 g.* Que pode ou deve ser saboreado.

saborido [De *sabor* + *-ido*[1].] *Adj.* V. *saboroso.*

saborosa [Do f. de *saboroso.*] *S. f. Bras. Bot.* V. *pitaia.*

saboroso (ô) [Do lat. tard. *saporosu.*] *Adj.* **1.** Que tem bom sabor ou gosto; gostoso. **2.** *Fig.* Agradável, deleitoso, delicioso. [Sin. ger.: *saborido.*]

saborra (ô) *S. f.* V. *saburra.*

sabotador (ô) [De *sabotar* + *-dor.*] *Adj. S. m.* Que, ou aquele que sabota.

sabotagem [Do fr. *sabotage.*] *S. f.* **1.** Ato ou efeito de sabotar. **2.** Crime que consiste na invasão ou ocupação de estabelecimento industrial, comercial ou agrícola, para impedir ou dificultar o curso normal do trabalho ou, com esse mesmo fim, danificar o estabelecimento, as coisas que nele existem, ou delas dispor.

sabotar [Do fr. *saboter.*] *V. t. d.* **1.** Abrir entalhe em (travessa de linha férrea), para o carril ficar um tanto inclinado. **2.** Danificar (instalações industriais; etc.) de caso pensado. **3.** Minar, solapar, prejudicar clandestinamente. **4.** Dificultar ou impedir (qualquer serviço ou atividade) por meio de resistência passiva. **5.** Trabalhar mais ou menos sorrateiramente contra (alguém, ou atividade, empreendimento, etc., dessa pessoa). ***Int.*** **6.** Cometer o crime de sabotagem.

sabra [Do hebr. *sabra.*] *S. f.* **1.** O fruto da figueira-da-barbária; figo-da-índia. • *S. 2 g.* **2.** *Pop.* Designação dos judeus nascidos no Estado de Israel: "Como Rabin, Ezer Weizman é um típico <u>sabra</u> (uma fruta típica dessa região, e que serve como apelido para os nascidos em Israel)" (*Jornal do Brasil*, 15.10.1996).

sabraço [De *sabre* + *-aço*.] *S. m. Bras.* Golpe de sabre.

sabre [Do magiar *száblya*, pelo al. *Sabel* e pelo fr. *sable*.] *S. m.* **1.** Arma branca, reta ou curva, que corta apenas de um lado. **2.** Espada curta; terçado.

sabre-baioneta *S. m.* Pequeno sabre, com um só gume e punho em cruzeta, adaptável à boca de fuzil, mosquetão e armas semelhantes, para usar no combate corpo a corpo; baioneta. [Pl.: *sabres-baionetas.*]

sabrecar *V. t. d. Bras.* V. *saberecar*. [Conjug.: v. *trancar*.]

sabucar *V. t. d. Int. Bras. GO* Alter. (algo violenta) de *sabujar*. [Conjug.: v. *trancar*.]

sabucu *S. m. Bras. Zool.* V. *sabacu*.

sabugado [Part. de *sabugar*.] *Adj. Bras. CE Pop.* **1.** Surrado, sovado, açoitado. **2.** Alquebrado, enfraquecido, fraco.

sabugal [De *sabugo* (2) + *-al*[1].] *S. m.* **1.** Quantidade mais ou menos considerável de sabugos [v. *sabugo* (2)] dispostos proximamente entre si. **2.** Área ocupada por sabugal (1).

sabugar [De *sabugo* + *-ar*[2].] *V. t. d. Bras. CE Pop.* **1.** Surrar com açoite. **2.** V. *surrar* (2). [Conjug.: v. *largar*.]

sabugo [Do lat. *sabucu*, 'sabugueiro'.] *S. m.* **1.** *Bot.* Eixo da inflorescência e da infrutescência do milho, que se hipertrofia, onde se inserem as flores e frutos (popularmente denominadas sementes) **2.** *Bot.* Sabugueiro. **3.** *Zool.* Parte interna e pouco resistente dos chifres dos animais. **4.** Parte do dedo a que está aderida a unha. **5.** *Zool.* Parte sólida da cauda dos animais, *i. e.*, a base ou ponto de inserção da cauda. **6.** Espiga de milho sem grãos. **7.** *Art. Gráf.* Eixo dos rolos de impressão. **8.** *Ind. Pap.* Eixo da bobina de papel; estanga, canudo, tarugo. ◆ **Não valer um sabugo.** *Bras. RS* Não ter nenhum valor.

sabugueirinho [De *sabugueiro* + *-inho*[1].] *S. m. Bras. C.O. Bot.* Erva rubiácea (*Borreria centranthoides*) dispersa pelos campos, de pequeninas flores alvas agregadas em glomérulos axilares, frutos capsulares, usada pelo povo como sucedâneo da ipeca; sabugueirinho-do-campo.

sabugueirinho-do-campo *S. m. Bras. Bot.* Sabugueirinho. [Pl.: *sabugueirinhos-do-campo.*]

sabugueiro [De *sabugo* + *-eiro*.] *S. m. Bot.* Arbusto caprifoliáceo (*Sambucus nigra*) ornamental, originário da Europa e cultivado em jardins, que tem folhas imparipenadas, e cujas flores, alvas e minutas, se reúnem em vastas inflorescências que, dessecadas, constituem droga clássica como sudorífero; sabugo.

sabugueiro-d'água *S. m. Bot.* V. *noveleiro*[1] (2). [Pl.: *sabugueiros-d'água.*]

sabujá[1] *S. m. Bras. MA Zool.* V. *rato-de-espinho*.

sabujá[2] *Bras. S. 2 g.* **1.** *Etnôn.* Indivíduo dos sabujás, povo indígena extinto que habitava a BA. • *Adj. 2 g.* **2.** Pertencente ou relativo a esse povo. [Tb. us. como *s. 2 g. e 2 n.* (com cap.) e *adj. 2 g. e 2 n.*]

sabujar [De *sabujo* + *-ar*[2].] *V. t. d.* **1.** Mostrar-se sabujo (2) com; bajular, adular: <u>*Sabuja*</u> *os poderosos.* ***Int.*** **2.** Mostrar-se sabujo (2); proceder como sabujo (2): *É dado a* <u>*sabujar*</u>. [Var., em GO: *sabucar* (q. v.).]

sabujice [De *sabujo* + *-ice*.] *S. f.* Qualidade, procedimento ou ato de sabujo (2); servilismo.

sabujiense *Adj. 2 g.* **1.** De, ou pertencente ou relativo a São João do Sabuji (RN). • *S. 2 g.* **2.** O natural ou habitante de São João do Sabuji.

sabujo [Do b.-lat. *segusiu*.] *S. m.* **1.** Cão de caça grossa: "Argemiro entrou na boca da cova e, a um aceno, entraram após ele monteiros, moços de besta, alãos, <u>sabujos</u> e lebréus, fazendo grande matinada." (Alexandre Herculano, *Lendas e Narrativas*, II, p. 23.) **2.** *Fig.* Homem servil, bajulador; capacho, sevandija. • *Adj.* **3.** Diz-se de homem servil, bajulador.

sabulícola [Do lat. *sabulum*, 'areia', + *-i-* + *-cola*[1].] *Adj. 2 g. Ecol.* Que habita solos arenosos.

sabuloso (ô) [Do lat. *sabulosu*.] *Adj.* Que tem areia; areento.

sabura [Do cabo-verd.] *S. f. Cabo-verd.* Prazer, encanto: "Seu primeiro carnaval / Gozando a <u>sabura</u> da noite / Nos braços de Djósa" (Onésimo Silveira, *Hora Grande*, p. 24).

saburá [Do tupi.] *S. m. Bras. N.* Resíduo do pólen, substância amarela agridoce existente nos alvéolos das colmeias. [Var.: *samorá, samora, borá.*]

saburra [Do lat. *saburra*, 'lastro'.] *S. f.* **1.** Matérias mucosas que se acreditava acumularem-se no estômago em consequência de más digestões. **2.** Crosta, ordinariamente esbranquiçada, que recobre a face superior da língua, durante certas doenças; sarro. **3.** *P. ext.* Casca, camada, revestimento. **4.** *P. ext.* Areia grossa que serve de lastro nos navios. [Var.: *saborra.*]

saburrar [Do lat. *saburrare*.] *V. t. d.* Lastrar (o navio) para dar-lhe equilíbrio estável.

saburrento [De *saburra* + *-ento*.] *Adj.* Saburroso: "tinha o estômago muito sujo, a língua <u>saburrenta</u>, o corpo a finar-se de reumatismo e tosse convulsa" (Aluísio Azevedo, *O Mulato*, p. 55).

saburroso (ô) [De *saburra* + *-oso*.] *Adj.* Que tem saburra; saburrento.

saburu *S. m. Bras. Zool.* V. *saguiru*.

■ **SAC** Abrev. de *Serviço de Atendimento ao Cliente*.

saca[1] [De *saco*.] *S. f.* **1.** Grande saco (1). **2.** Sacola (4). [Dim. irreg.: *sacola*.] **3.** Conteúdo de uma saca[1] (1), que, para certos produtos como o café, equivale a 60kg.

saca[2] [Dev. de *sacar*.] *S. f.* **1.** Ato ou efeito de sacar. **2.** V. *sacadela*. **3.** Ato de transportar gêneros ou mercadorias de um lugar para outro; exportação, sacada. **4.** A onda que avança para a praia. [Antôn., nesta acepç.: *ressaca* (1 e 2).]

saca[3] [De or. malgaxe, poss.] *S. f. Zool.* Gato selvagem de Madagascar (S.E. da África).

sacá *S. m. Bras. BA* Presente que se trocava, em animada festa, ao terminar o grande jejum dos malês.

sacã *S. f. Bras. SP* V. *sacanga*.

saca-balas [De *sacar* + o pl. de *bala*.] *S. m. 2 n.* Instrumento com que se extraem balas.

saca-bocado [De *sacar* + *bocado*.] *S. m.* Vazador (4). [Pl.: *saca-bocados.*]

saca-boi [De *sacar* + *boi*.] *S. m. Bras. PE* V. *limpa-trilhos*. [Pl.: *saca-bois.*]

sacaboia (ói) *S. f. Bras. Amaz. Zool.* V. *acutimboia* (2). ❖

saca-bucha [De *sacar* + *bucha*.] *S. m.* V. *saca-trapo*. [Pl.: *saca-buchas*. Cf. *sacabuxa*.]

sacabuxa [Adapt. do fr. ant. *saqueboute*.] *S. f. Ant. Mús.* **1.** Trombeta reta que no séc. XV tomou a forma recurvada de um Z, e que pode ser considerado um precursor do trombone. **2.** Registro de órgão, de tubos de palheta, e que imitava o som desse instrumento. [Cf. *saca-bucha*.]

sacaca [Do tupi.] *S. f. Bras. Amaz.* **1.** V. *bruxaria* (1 e 2). **2.** *Bot.* Arvoreta euforbiácea (*Croton cajucara*) da floresta úmida, de flores inconspícuas, reunidas em cachos, casca aromática, que entra na composição de saquinhos para perfumar roupa guardada, e madeira amarelada e mole.

sacação [De *sacar* + *-ção*.] *S. f. Bras. Gír.* Ato ou efeito de sacar (5).

sacada[1] [De *sacar* + *-ada*[1].] *S. f.* **1.** V. *sacadela*. **2.** Sacão (1). **3.** Saca[2] (3). **4.** Construção que avança da fachada de uma parede ou do nível doutra construção: <u>*sacada*</u> *do telhado.* **5.** Balcão saliente numa fachada, às vezes coberto por um alpendre; balcão, varandim: "As casas chamadas nobres .... tinham um andar superior com forro de cedro em largas tábuas, e <u>sacada</u> de ferro corrida em toda a frente." (Xavier Marques, *As Voltas da Estrada*, p. 13.)

sacada[2] [De *saco* + *-ada*[1].] *S. f.* **1.** Aquilo que um saco pode conter. **2.** Sacaria (1).

sacadela [De *sacar* + *-dela*.] *S. f.* Ato ou efeito de sacar (1 e 2) de cada vez; puxão, saca, sacalão, sacada, safanão.

sacado [Part. de *sacar*.] *S. m.* **1.** *Dir. Com.* Aquele contra quem se emitiu um título de crédito. **2.** *Bras. Amaz.* Tipisca.

sacador (ô) [De *sacar* + *-dor*.] *Adj.* **1.** Que saca. • *S. m.* **2.** Aquele que saca. **3.** *Dir. Com.* Aquele que emite contra alguém um título de crédito; emitente.

saca-estrepe-da-campina [De *sacar* + *estrepe* + *da* + *campina*.] *S. m. Bras. Bot.* Planta asterácea do gênero *Echinops*. [Pl.: *saca-estrepes-da-campina.*]

saca-estrepe-da-mata [De *sacar* + *estrepe* + *da* + *mata*[1].] *S. m. Bras. Bot.* Planta melastomácea, herbácea, do gênero *Aciotis*. [Pl.: *saca-estrepes-da-mata.*]

sacaí [Do tupi = 'pau seco, para lenha'.] *S. m. Bras. PA* V. *sacanga*. [Cf. *sacai*, do v. *sacar*.]

sacaiboia (a-i...ói) [Do tupi = 'cobra sacaí'.] *S. f. Bras. Zool.* V. *acutimboia* (1). ❖

sacal [De *saco* (12) + *-al*[1].] *Adj. 2 g. Bras. RJ Chulo* Enfadonho, tedioso, aborrecido, chato.

sacalão [De *sacar* + *-l-* + *-ão*[3].] *S. m.* **1.** V. *sacadela*. **2.** *Bras. RS* Ato de sofrear de chofre a cavalgadura para fazê-la parar imediatamente: "apenas dobrara o passo [o cavalo] logo, a um <u>sacalão</u> de rédeas, estacou empinado" (Alcides Maia, *Tapera*, p. 7).

sacamecra *Bras. S. 2 g.* **1.** *Etnôn.* Indivíduo dos sacamecras, povo indígena extinto, da família linguística timbira, tronco macro-jê, que habitava o MA. • *Adj. 2 g.* **2.** Pertencente ou relativo a esse povo. [Tb. us. como *s. 2 g. e 2 n.* (com cap.) e *adj. 2 g. e 2 n.*]

saca-molas [Do esp. *sacamuelas*.] *S. m. 2 n.* **1.** Boticão. **2.** *Fig. Deprec.* Mau dentista.

sacana [De or. obscura.] *Chulo Adj. 2 g.* **1.** Que não tem caráter; canalha, patife. **2.** Malandro, sabido, espertalhão. **3.** *Bras. S.* Diz-se de pessoa sem-vergonha, libidinosa, libertina. **4.** *Bras. S.* Diz-se de pessoa trocista, brincalhona, zombeteira. • *S. 2 g.* **5.** Pessoa sacana. • *S. m.* **6.** Indivíduo que masturba outro. • *S. f.* **7.** Masturbação.

sacanagem [De *sacana* + *-agem*[2].] *S. f.* **1.** *Bras.* Ato, procedimento ou dito de sacana; sacanice. **2.** *Bras. S.* Devassidão, bandalheira, libertinagem, sacanice. **3.** *Bras.* Salgadinho feito com salsicha, queijo, pimentão, etc., espetados num palito.

sacanear [De *sacana* + *-ear*[2].] *Bras. V. int. Chulo* **1.** Proceder como sacana. ***T. d.*** **2.** Irritar, aborrecer, apoquentar, amolar, chatear. [Conjug.: v. *frear*.]

sacanga [Do tupi = 'ramo seco'.] *S. f. Bras.* Galho seco de árvore; graveto, acendalha: "Um dia, quando Zé Minhoca apanhava <u>sacanga</u> de junto de uma tora de pau-d'arco — lavrado de pouco tempo .... — enxergou os dois irmãos, Belinha e Anacleto, abraçados, no chão." (Nélson de Faria, *Tiziu e Outras Estórias*, p. 183.) [Var.: *sacã* (SP). Sin.: *sacaí* (PA).]

saçanga *S. f. Bras. Pop.* Altercação, barulho, assuada, desordem.

sacanice [De *sacana* + *-ice*.] *S. f. Bras. Chulo* V. *sacanagem* (1 e 2).

sacão [De *sacar* + *-ão*[3].] *S. m.* **1.** Salto ou corcovo que uma cavalgadura dá para sacudir o cavaleiro; sacada. **2.** V. *sacadela*. ◆ **Aos sacões.** Aos arrancos; aos arquejos; ansiadamente: "<u>Aos sacões</u>, entre os soluços, atirava-me a história da fuga." (Maria Archer, *Fauno Sovina*, p. 234.)

saca-ponteiros [De *sacar* + o pl. de *ponteiro*.] *S. m. 2 n.* Instrumento com que os relojoeiros retiram os ponteiros dos relógios.

sacar [Do gót. *sakan*, 'pleitear', poss.] *V. t. d.* **1.** Tirar para fora à força; arrancar, tirar a puxões: <u>*Sacou*</u> *o violão e cantou.* **2.** Tirar com violência; puxar por, bruscamente: <u>*Sacou*</u> *o revólver e atirou.* **3.** Dar um saque[1] (4). **4.** Emitir (cheque, letra de câmbio, etc.). **5.** *Gír.* Entender, compreender; manjar: *Não* <u>*sacou*</u> *uma palavra do que diziam.* **6.** *Bras. Gír.* Olhar, observando: <u>*Sacou*</u> *a morena da cabeça aos pés.* ***T. i.*** **7.** Sacar (1): <u>*Sacou*</u> *do envelope e leu o sobrescrito.* **8.** Sacar (2): "Quintanilha, vexado e aborrecido, olhava a tela, até que <u>sacou</u> de um canivete e rasgou-a de alto a baixo." (Machado de Assis, *Relíquias de Casa Velha*, p. 115.) **9.** Tirar com violência; puxar: *O combatente* <u>*sacou*</u> *da espada e golpeou o adversário.* **10.** Fazer um saque[1] (3): *Não dispondo de fundos,* <u>*sacou*</u> *sobre o seu devedor; Vou* <u>*sacar*</u> *contra um banco.* ***T. d. e c.*** **11.** Sacar (1): <u>*Sacou*</u> *a carta anônima do bolso e jogou-a fora.* ***T. d. e i.*** **12.** Tirar, colher: *O cronista* <u>*sacava*</u> *de fatos triviais o material de sua crônica diária.* **13.** Auferir, colher, obter, tirar: <u>*Sacou*</u> *grande proveito da transação.* **14.** *Dir. Com.* Emitir (contra alguém) um título de crédito. ***T. c.*** **15.** Retirar (dinheiro) de instituição financeira; abater de conta bancária: <u>*Sacou*</u> *duzentos mil reais.* ***Int.*** **16.** Puxar qualquer arma, dirigindo-a contra um objetivo: *É bom no gatilho,* <u>*saca*</u> *rápido.* **17.** Sacar (15): *O banco estava fechado, não conseguiu* <u>*sacar*</u>. **18.** *Bras. Pop.* Contar mentiras; mentir, petar. **19.** *Bras. Pop.* Emitir opinião infundada; dar palpites. **20.** *Esport.* Ter o direito de sacar (3), ou efetuar saque[1] (4). ***P.*** **21.** Sair-se, escapar-se, livrar-se. [Conjug.: v. *trancar*. Fut. pret.: *sacaria, sacarias*, etc.; imper.: *saca, saque, saquemos, sacai, saquem*. Cf. *sacaí* e *sacaria*, s. f.]

sacarato [De *sacar(i)-* + *-ato*[2].] *S. m.* Alcoolato constituído pela combinação da sacarose com uma base.

▲**sacar(i)-** [Do lat. *saccharum* ou *saccharon*, *i* < gr. *sákcharon, ou*.] *El. comp.* = 'açúcar': *sacarífero, sacaroide*. [Equiv.: *-sacar(i)-, sacaro-: monossacarídeo, sacarologia*.]

▲**-sacar(i)-** V. *sacar(i)-*.

sacaria [De *saco* ou de *saca* + *-aria*.] *S. f.* **1.** Grande porção de sacos ou sacas; sacada. **2.** Indústria de sacos [v. *saco* (1)]. [Cf. *sacaria*, do v. *sacar*.]

saçaricar [De or. incerta.] *V. int. Bras. Pop. P. us.* **1.** Balançar o corpo, dançando ou andando; rebolar(-se), saracotear(-se). **2.** Divertir-se à larga; folgar. [Conjug.: v. *trancar*.]

sacárico *Adj. Quím.* ~ V. *ácido —*.

saçarico [Dev. de *saçaricar*.] *S. m. Bras. Pop. P. us.* **1.** Ato de saçaricar. **2.** *Joc.* Pessoa em cuja companhia alguém se diverte: "Quem não tem seu <u>saçarico</u>, / Saçarica mesmo só" (Luís Antônio, Oldemar Magalhães e Zé Mário, na marcha *Saçaricando*).

sacarídeo [De *sacar(i)-* + *-ídeo*[2].] *Adj.* **1.** Semelhante ao açúcar. • *S. m.* **2.** *Bioquím.* V. *glicídio*.

sacarífero [De *sacar(i)-* + *-fero*.] *Adj.* Que produz ou contém açúcar.

sacarificação [De *sacarificar* + *-ção*.] *S. f.* Ato ou efeito de sacarificar.

sacarificador (ô) [De *sacarificar* + *-dor*.] ***Adj.*** Sacarificante.

sacarificante [De *sacarificar* + *-nte*.] ***Adj. 2 g.*** Que sacarifica; sacarificador.

sacarificar [De *sacar(i)-* + *-ficar*.] ***V. t. d.*** Transformar industrialmente (o amido) em substâncias açucaradas, pela ação de fermentos ou do ácido sulfúrico. [Conjug.: v. *trancar*.]

sacarificável [De *sacarificar* + *-vel*.] ***Adj. 2 g.*** Que pode ser sacarificado.

sacarimetria [De *sacar(i)-* + *-metria*.] ***S. f.*** *Quím.* Técnica de medir a concentração de solução de sacarose, mediante a atividade óptica, por meio de polarímetro especial.

sacarimétrico [De *sacarimetria* + *-ico*[2].] ***Adj.*** Referente à sacarimetria.

sacarímetro [De *sacar(i)-* + *-metro*.] ***S. m.*** *Quím.* Polarímetro em que um dispositivo especial permite determinar a concentração de sacarose numa solução.

sacarina [De *sacar(i)* + *-ina*[3].] ***S. f.*** *Quím.* Substância cristalina, branca, muito doce, usada como substituto da sacarose; açúcar dos diabéticos [fórm.: $C_7H_5O_3NS$].

sacarino [De *sacar(i)-* + *-ino*[1].] ***Adj.*** **1.** Relativo ao, ou próprio do açúcar. **2.** Que contém açúcar. **3.** Doce como açúcar. **4.** Sacarívoro. ~ V. *diabetes —a*, *diabetes —*.

sacarívoro [De *sacar(i)-* + *-voro*.] ***Adj.*** Que se alimenta de açúcar; sacarino.

▲**sacaro-** [Do gr. *sákcharon, ou*.] V. *sacar(i)-*.

sacaroide (ói) [De *sacar(i)-* + *oide*.] ***Adj. 2 g.*** *Petr.* Diz-se da textura granular semelhante ao açúcar cristalizado. ❖

sacaróleo ***S. m.*** *Farm.* Forma (23) veiculada por açúcar.

saca-rolha ***S. m.*** Saca-rolhas. [Pl.: *saca-rolhas*.]

saca-rolhas [De *sacar* + o pl. de *rolha*.] ***S. m. 2 n.*** **1.** Instrumento com que se sacam rolhas de cortiça de garrafas ou de outros vasos. **2.** *Bot.* Nome comum a árvores e arbustos esterculiáceos do gênero *Helicteres* (v. *helicter*). **3.** Pequeno arbusto esterculiáceo (*Helicteres sacarolha*) nativo do Brasil, de folhas ovadas, serreadas, tomentosas, e flores alaranjadas, axilares; é cultivado como ornamental e para extração de fibras. [Sin.: *rosca-para-mulas*.] **4.** Arbusto esterculiáceo (*Helicteres baruensis*) nativo do Brasil, de folhas cordadas e flores branco-esverdeadas, em panículas; fornece fibras longas e resistentes. [Sin.: *embira-da-mata, embira-da-mata-branca, paineira*.] **5.** Arbusto ou pequena árvore esterculiácea (*Helicteres pentandra*) nativa da Amaz., de flores citrinas, depois róseas, e frutos tomentosos; malva-cajuçara, uaicima. **6.** Arbusto esterculiáceo (*Helicteres vuarame*) nativo do Brasil, de folhas oblongas ou ovadas, grandes flores amarelo-esverdeadas, e que é cultivado como ornamental; vuarame. **7.** Arbusto esterculiáceo (*Helicteres brevispina*) nativo do Brasil, de folhas cordadas, ovadas, e grandes flores amarelas; malvaísco, malvarisco. [Var.: *saca-rolha*.]

sacarologia (sà) [De *sacaro-* + *-logia*.] ***S. f.*** Tratado sobre o açúcar.

sacarológico (sà) [De *sacarologia* + *-ico*[2].] ***Adj.*** Respeitante à sacarologia.

sacarologista (sà) [De *sacarologia* + *-ista*.] ***S. 2 g.*** Sacarólogo.

sacarólogo [De *sacaro-* + *-logo*.] ***S. m.*** Especialista em sacarologia; sacarologista.

sacarose [De *sacar(o)-* + *-ose*[2].] ***S. f.*** *Quím.* Açúcar da cana e da beterraba, cristalino, incolor, doce, de largo emprego na alimentação humana [fórm.: $C_{12}H_{22}O_{11}$].

sacaroso (ô) [De *sacar(i)-* + *-oso*.] ***Adj.*** Da natureza do açúcar.

sacarrão ***S. m.*** Aum. de *saco* (1) (q. v.).

saca-saia [De *sacar* + *saia*.] ***S. f.*** *Bras. Zool.* V. *formiga-correição*: 📖 "a [*Hileia*] prodigiosa de Humboldt, extraordinária e imprevista, é povoada .... por uma formiga diabólica, justamente receada: a <u>saca-saia</u>." (Raimundo Morais, *Na Planície Amazônica*, p. 150). [Pl.: *saca-saias*.]

sacateira ***S. f.*** *Bras. BA Zool.* Certa qualidade de tainha.

saca-trapo [De *sacar* + *trapo*.] ***S. m.*** **1.** *Ant.* Haste de ferro com um dos extremos em forma de espiral, com que se retiravam as buchas das armas de fogo de carregar pela boca. **2.** *Fig. Pop.* Meio ardiloso para obter alguma coisa; astúcia, manha. [Sin. ger.: *saca-bucha*. Pl.: *saca-trapos*.]

saca-tutano [De *sacar* + *tutano*.] ***S. m.*** Espécie de garfo ou gancho com que se tira o tutano dos ossos. [Pl.: *saca-tutanos*.]

sacaveno ***Adj.*** **1.** De, ou pertencente ou relativo a Sacavém (Portugal). ● ***S. m.*** **2.** O natural ou habitante de Sacavém.

▲**saceli-** [Do lat. *saccĕllus, i*.] ***El. comp.*** = 'saquinho': *saceliforme*.

saceliforme (cè) [De *saceli-* + *-forme*.] ***Adj. 2 g.*** *Bot.* Que tem forma de pequeno saco (1).

sacelo[1] [Do lat. *saccellu*, dim. de *saccus*, 'saco'.] ***S. m.*** *Bot.* Cápsula de deiscência irregular.

sacelo[2] [Do lat. *sacellu*, dim. de *sacrum*, 'templo'.] ***S. m.*** *Ant.* Pequeno santuário ou templo.

sacerdócio [Do lat. *sacerdotiu*.] ***S. m.*** **1.** *Ecles.* Ministério ou funções do sacerdote. **2.** *Ecles.* Dignidade sacerdotal. **3.** *Ecles.* O corpo eclesiástico. **4.** *Fig.* Qualidade de venerável, nobre, superior. **5.** *Fig.* Missão ou profissão honrosa.

sacerdotal [Do lat. *sacerdotale*.] ***Adj. 2 g.*** Relativo a sacerdote, ou a sacerdócio.

sacerdotalismo [De *sacerdotal* + *-ismo*.] ***S. m.*** **1.** Supremacia dos sacerdotes; clericalismo, teocracia. **2.** Religião ou doutrina religiosa que prega ou admite a supremacia dos sacerdotes. **3.** *Deprec.* Religião em que as atividades e formas exteriores da vida religiosa são ou parecem ser mais importantes do que os valores e experiências considerados essenciais.

sacerdotalista [De *sacerdotal* + *-ista*.] ***Adj. 2 g.*** **1.** Relativo a, ou próprio de sacerdotalismo. ● ***S. 2 g.*** **2.** Adepto, seguidor ou defensor do sacerdotalismo.

sacerdote [Do lat. *sacerdote*.] ***S. m.*** **1.** Entre os antigos, aquele que tratava dos assuntos religiosos e tinha o poder de oferecer vítimas à divindade. **2.** Aquele que distribui os dons sagrados ou divinos; ministro do culto divino, da instrução religiosa e dos sacrifícios; padre. **3.** *Fig.* Aquele que exerce profissão muito honrosa ou cumpre missão elevada. **4.** *Bras.* Feiticeiro que oficia nas sessões de catimbó. [Fem.: *sacerdotisa*.] ◆ **Sumo sacerdote.** O sacerdote (1) principal, supremo.

sacerdotisa [Do lat. tard. *sacerdotissa*.] ***S. f.*** Mulher que, entre os pagãos, exercia as funções de sacerdote.

sacha [Dev. de *sachar*.] ***S. f.*** Sachadura.

sachador (ô) [De *sachar* + *-dor*.] ***Adj.*** **1.** Que sacha. ● ***S. m.*** **2.** Aquele que sacha; capinador. **3.** Sachola.

sachadura [De *sachar* + *-dura*.] ***S. f.*** Ato ou efeito de sachar; sacha.

sachar [Do lat. tard. *sarculare*.] ***V. t. d.*** **1.** Mondar com o sacho. **2.** Escavar com ele.

saché ***S. m.*** V. *sachê*.

sachê [Do fr. *sachet*.] ***S. m.*** Saquinho de pano cheio de plantas aromáticas, utilizado para perfumar a roupa. [F. paral.: *saché*; sin.: *cheiro*.]

sacho [Do lat. *sarculu*, pela f. **sarclu*.] ***S. m.*** Pequena enxada, estreita e longa, em geral com uma orelha (4) pontiaguda ou bifurcada na parte superior, acima do olho: 📖 "Ainda pegou no <u>sacho</u>, ainda mexeu na terra, chegou a espontar alguns arbustos" (João de Araújo Correia, *Cinza do Lar*, p. 85).

sachola [De *sacho* + *-ola*[1].] ***S. f.*** Pequena enxada de boca larga; sachador.

sacholada [De *sachola* + *-ada*[1].] ***S. f.*** Golpe ou ferimento com a sachola.

sacholar [De *sachola* + *-ar*[2].] ***V. t. d.*** **1.** Cavar com a sachola. **2.** Cavar superficialmente. **3.** Cavar, escavar. **4.** Ferir com sacho ou sachola.

saci [Do tupi.] ***S. m.*** *Bras.* **1.** *Etnogr.* Uma das mais populares entidades fantásticas do Brasil, negrinho de uma só perna, de cachimbo e com barrete vermelho (fonte, este último, de seus poderes mágicos), e que, consoante a crença popular, persegue os viajantes ou lhes arma ciladas pelo caminho; saci-cererê, saci-pererê, matimpererê, martim-pererê, matintapereira, matintaperera e matitaperê. **2.** *Zool.* Ave cuculídea (*Tapera naevia*) com cerca de 29cm de comprimento, distribuída do S. do México ao N. da Argentina, e em todo o Brasil, de coloração geral pardo-amarelada, com numerosas manchas escuras nas coberteiras das asas, topete avermelhado, com manchas claras e escuras, garganta, sobrancelha e abdome brancos, cauda longa e graduada. Alimenta-se de insetos e costuma pôr ovos em ninhos de joão-teneném. [Sin., nesta acepç., *crispim, fenfém, peitica, peito-ferido, peixe-frito, piririguá, roceiro-planta, sede-sede, seco-fico, sem-fim, tempo-quente*.]

▲ **saci-** [Do lat. *saccus, i*.] ***El. comp.*** = 'saco': *saciforme*. [Equiv.: *-saco*: *ovissaco*.]

saciabilidade [De *saciável* (*saciabil-*) + *-(i)dade*, seg. o padrão erudito.] ***S. f.*** Qualidade ou condição de saciável.

saciação [De *saciar* + *-ção*.] ***S. f.*** Ação ou efeito de saciar(-se).

saciar [Do lat. *satiare*.] ***V. t. d.*** **1.** Extinguir, matar (a fome ou a sede), comendo ou bebendo. **2.** Encher, fartar, satisfazer: 📄 *Nem todo o dinheiro do mundo <u>saciaria</u> pessoa tão caprichosa*. ***P.*** **3.** Comer ou beber até à saciedade; cevar-se, fartar-se: 📄 *No albergue, <u>saciou-se</u> o esfomeado andarilho*. **4.** Encher-se, fartar-se, satisfazer-se.

saciável [Do lat. tard. *satiabile*.] ***Adj. 2 g.*** Que pode ser saciado.

saci-cererê ***S. m.*** *Bras. Etnogr.* V. *saci* (1). [Pl.: *sacis-cererês* e *saci-cererês*.]

saciedade [Do lat. *satietate*.] ***S. f.*** **1.** Estado de quem se saciou; fartura. **2.** Satisfação plena do apetite; repleção. **3.** Aborrecimento, fastio, tédio. ◆ **À saciedade.** Até mais não poder; até fartar; exuberantemente; até à saciedade. **Até à saciedade.** V. *à saciedade*: 📖 "O beijo existe na memória, e na garganta do povo, porque o gaiato repetiu <u>até à saciedade</u> as monótonas inflexões daquela música nacional." (Latino Coelho, *Tipos Nacionais*, p. 30.)

saciforme [De *saci-* + *-forme*.] ***Adj. 2 g.*** Que tem forma de saco.

saci-pererê ***S. m.*** **1.** *Bras. Etnogr.* V. *saci* (1): 📖 "Julieta .... acreditava no <u>Saci-Pererê</u> .... Mas, se era um molequinho tão pequeno, de uma perna só, e pulando pelos ares, não chegávamos a achá-lo muito perigoso." (Cecília Meireles, *Obra Poética*, p. 101.) **2.** *Bras. PE Folcl.* Passo do frevo em que o dançarino, com a perna direita flexionada, o pé apoiado na curva da perna esquerda e os braços abertos, pula com um pé à direita e à esquerda, para a frente e para trás, girando com a perna esquerda e flexionando-a durante os saltos. [Pl.: *sacis-pererês* e *saci-pererês*.]

saco [Do semita, pelo gr. *sákkos* e pelo lat. *saccu*.] ***S. m.*** **1.** Receptáculo de papel, pano, couro, ou material plástico, oblongo, aberto em cima e fechado no fundo e nos lados. [Aum. irreg.: *sacarrão*; dim. irreg.: *saquete, saquitel*.] **2.** *Tec. Têx.* Tecido grosseiro, de juta ou de outra fibra similar; serapilheira. **3.** Conteúdo de um saco (1), que, para certos produtos como o cimento, equivale a 50kg. **4.** Pequena mala; maleta. **5.** Antiga vestimenta usada em sinal de luto ou de penitência. **6.** Roupa malfeita e muito larga. **7.** V. *papo*[1](3). **8.** *Anat.* Designação comum a diversas cavidades do organismo: 📄 <u>*saco*</u> *lacrimal*. **9.** Rede cônica dos aparelhos de arrastar a pesca. **10.** *Pop.* Pessoa gorda e mal-amanhada. **11.** *Bras.* Pequena enseada: 📄 *No <u>saco</u> de São Francisco, em Niterói, o mar não oferece perigo*. **12.** *Bras. Gír.* Enfado, amolação, caceteação, chatice, chateação: 📄 *A festa estava um <u>saco</u>; Que <u>saco</u> ter de esperar duas horas para ser atendido*. **13.** *Bras. Chulo* Os testículos. **14.** *Bras. PE BA* Grande corte, em forma circular ou de meia-lua, nos rebordos escarpados das serras. **15.** *Bras. BA* Provisão semanal de gêneros dos garimpeiros; filipe. **16.** *Bras. MG* Certa área de campo cercada de matas. **17.** *Bras. GO* Arco de círculo descrito por um rio. ◆ **Saco amniótico.** *Embr.* Saco membranoso de origem ectodérmica, que envolve o embrião e, mais tarde, o feto, armazenando o líquido amniótico. [Sin. pop.: *bolsa-d'água*.] **Saco coriônico.** *Embr.* Saco, dentro do útero e colado a ele, onde o feto, protegido pelo líquido amniótico, se desenvolve; vesícula coriônica. **Saco de água quente.** Saco de borracha, hermeticamente fechado por uma rolha em espiral, e que se enche de água quente para aliviar certas dores, aquecer contra o frio, etc. **Saco de café.** Pequeno saco de algodão ou de papel utilizado para coar café; coador. **Saco de carvão.** *Astr.* Nuvem de matéria cósmica, escura, situada nas proximidades da constelação do Cruzeiro do Sul, e que se mostra como uma mancha negra no céu. **Saco de dormir.** Espécie de saco, de tecido resistente, em geral acolchoado e dotado de fecho ecler, usado como cama por excursionistas, escoteiros, etc. [Sin. (lus.): *saco-cama*.] **Saco de pancada.** *Bras.* **1.** Pessoa que apanha muito. **2.** Pessoa que leva a culpa por todas as outras do grupo. **Saco embrionário.** *Bot.* Célula ger. grande, que corresponde ao gametófito feminino das angiospermas, presente no interior do nucelo, e numa de cujas extremidades estão o gameta feminino, ou oosfera, e as células vegetativas, ou sinérgides, havendo na outra extremidade três antípodas e, no centro, o núcleo secundário da célula. **Saco herniário.** *Med.* Numa hérnia, bolsa que contém formação ou formações anatômica(s) que tenha(m) penetrado através do orifício patológico que possibilitou a formação da bolsa. **Saco sem fundo.** *Fam.* **1.** V. *saco-roto*. **2.** Pessoa que come muito ou é muito gastadora. **3.** Empreendimento muito dispendioso. **Saco vitelínico.** *Embr.* V. *saco vitelino*. **Saco vitelino.** *Embr.* Vesícula formada pelo endoderma, e que tem como função o armazenamento de substâncias nutritivas para o embrião em desenvolvimento. Nos mamíferos ele se atrofia, embora sua formação seja essencial para o desenvolvimento normal do embrião; saco vitelínico (denom. ant.). **Saco vitelino primitivo.** *Embr.* Vesícula vitelina (q. v.). **Botar no mesmo saco.** Dar o mesmo tratamento ou valor a (pessoas ou coisas diferentes); meter no mesmo saco, pôr no mesmo saco. **Coçar o saco.** *Chulo* Ficar à toa. **Dar no saco.** *Bras. Chulo* Encher o saco de. **De saco cheio.** *Bras. Chulo* Enfastiado, aborrecido, amolado, chateado: 📄 *estar, ficar <u>de saco cheio</u>*. **Despejar o saco.** **1.** Dizer tudo o que sabe; desabafar. **2.** Delatar, denunciar; abrir o bico. **3.** Desabafar. [Sin. ger.: *esvaziar o saco*.] **Encher o saco.** *Bras. Chulo* **1.** Enfastiar-se, amolar-se, chatear-se; estar ou ficar de saco cheio. **2.** Enfadar, aborrecer, amolar (alguém); torrar o saco; torrar. **Estar sem saco.** *Bras. Gír. Chulo* Estar sem disposição,

S

sem paciência para alguma coisa. **Esvaziar o saco.** V. *despejar o saco*: "Quando acabei de esvaziar meu saco o amigo disse que eu estava exagerando, que o Werneck era assim mesmo" (Pedro Nava, *Beira-Mar*, p. 376). **Meter no mesmo saco.** V. *botar no mesmo saco.* **Pôr no mesmo saco.** V. *botar no mesmo saco.* **Puxar o saco de.** V. *bajular.* **Ser um saco furado.** *Bras. MA PI* Ser indiscreto; não guardar segredo. **Saco de gatos.** **1.** Grupo de pessoas que não se entendem: "Ao contrário do que se poderia pensar, não lhe parecia um saco de gatos, um baú de ossos, a casa da mãe Joana." (Flávio Moreira da Costa, *Nem Todo Canário É Belga*, p. 66.) **2.** Lugar (ou aquilo) em que reina a desordem; ninho de rato. **Torrar o saco.** *Bras. Chulo* V. *encher o saco.*

▲-saco Equiv. de *saci-.*

sacoca [De *saco* + *-oca.*] *S. f. Bras.* Pequena rede de pesca, de feitio semelhante ao de um saco.

saco-cama *S. m. Lus.* Saco de dormir. [Pl.: *sacos-camas* e *sacos-cama.*]

sacofaringiforme [Do tax. *Saccopharyngiformes.*] *Zool. S. m.* **1.** Espécime dos sacofaringiformes, ordem de peixes elopomorfos, marinhos, abissais, de ampla distribuição, com 4 famílias, todas desprovidas de escamas e com nadadeiras dorsal e anal longas. ● *Adj. 2 g.* **2.** Pertencente ou relativo a eles.

sacóforo [Do gr. *sakkophóros*, 'que traz um saco'.] *Adj.* **1.** *Hist. Nat.* Que tem órgão saculiforme. ● *S. m.* **2.** Penitente que se cobria de saco (5).

sacola [De *saco* + *-ola*[1].] *S. f.* **1.** Reunião de dois sacos, ou saco de dois fundos; alforje. **2.** *P. ext.* Algibeira. **3.** Bornal de pedinte: *O sacristão passou a sacola de esmolas por toda a igreja.* **4.** Saco (1), ger. mais largo que comprido, e de alça, usado para carregar compras; saca: *Chegara da feira com a sacola cheia de frutas.*

sacolé [Cruz. de *saco* com *picolé.*] *S. m. Bras.* **1.** Picolé vendido dentro de saco plástico. **2.** *Gír.* Saco plástico com pequena quantidade de droga (4).

sacoleiro [De *sacola* + *-eiro.*] *S. m.* Pessoa que compra mercadoria e a revende, com lucro, de porta em porta, ou em repartições, escritórios, etc. [Sin., SP: *marreteiro.*]

sacolejar [De *sacola* + *-ejar.*] *V. t. d.* **1.** Sacudir ou agitar repetidamente. **2.** Vascolejar, sacudir, agitar. **3.** Rebolar, saracotear: *sacolejar o corpo.* **4.** Comover ou impressionar vivamente. *Int. P.* **5.** Sacudir(-se) ou agitar(-se) repetidamente: *Com a buraqueira, o carro sacolejava bastante; O homem sacolejava-se no lombo do cavalo.* **6.** Rebolar(-se), saracotear(-se): *Sacolejava no ritmo da música; A cabrocha sacolejou-se toda.* [Conjug.: v. *pelejar.*]

sacolejo (ê) [Dev. de *sacolejar.*] *S. m.* Ato de sacolejar.

sacolinha [De *sacola* + *-inha.*] *S. f.* Pequena sacola. ◆ **Passar a sacolinha.** *Bras.* **1.** Fazer coleta de donativos durante culto religioso. **2.** Coletar dinheiro, a título de contribuição ou auxílio, com amigos ou conhecidos, para si ou para outrem.

sacopari [Alter. de *bacupari*, poss.] *S. m. Bras. L. Bot.* **1.** Árvore clusiácea (*Rheedia brasiliensis*) da floresta pluvial, que tem folhas coriáceas, com nervuras apertadas, e flores fasciculadas, pouco numerosas. Os frutos são bagas amarelas, de casca dura e polpa branca, de sabor ácido, e que podem ser comestíveis. **2.** V. *bacupari* (2).

saco-roto *S. m. Fam.* Pessoa que não guarda segredos, que divulga tudo que ouve; boquirroto; saco sem fundo. [Pl.: *sacos-rotos.*]

sacra [Do lat. *sacra*, 'sagradas palavras'.] *S. f. Rel.* Cada um dos três quadros que contêm o texto da parte fixa da missa, e que eram colocados sobre o altar, para ajudar a memória do celebrante; cartela: "Principia a missa. Altar quase nu: sacras, apenas uma – a central." (Antero de Figueiredo, *Toledo*, p. 79.)

sacracrinhas *Bras. S. 2 g. e 2 n.* **1.** *Etnôn.* Indivíduo dos sacracrinhas, povo indígena extinto que habitava a margem direita do rio Salitre (BA). [Tb. us. com cap.] ● *Adj. 2 g. e 2 n.* **2.** Pertencente ou relativo a esse povo.

sacralgia [De *sacro* (3) + *-alg(o)-*[2] + *-ia*[1].] *S. f. Patol.* Dor no sacro.

sacrálgico [De *sacralgia* + *-ico*[2].] *Adj.* Relativo a sacralgia.

sacralização [De *sacralizar* + *-ção.*] *S. f.* **1.** Ato ou efeito de sacralizar. **2.** *Med.* Fusão da quinta vértebra lombar com a primeira vértebra sacra.

sacralizar [De *sacro* (1) + *-al-* + *-izar.*] *V. t. d.* **1.** Atribuir caráter sagrado a. *P.* **2.** Tornar-se sagrado.

sacramentado [Part. de *sacramentar.*] *Adj.* **1.** Que recebeu algum sacramento. **2.** Que já recebeu o viático e o sacramento dos enfermos. **3.** *Bras. Fam.* Diz-se de documento legalmente formalizado. **4.** *Bras. Fam.* Diz-se de compromisso assumido, com empenho de palavra. ● *S. m.* **5.** Aquele que recebeu algum sacramento. **6.** Aquele que já recebeu o viático e o sacramento dos enfermos.

sacramental [Do lat. tard. *sacramentale.*] *Adj. 2 g.* **1.** Relativo ao sacramento. **2.** *Fig.* Habitual, consuetudinário. **3.** *Fig.* Obrigatório, forçoso. ~ V. *absolvição —, auto —, forma — e loa —.* ● *S. m.* **4.** Rito da Igreja Católica que, sem ter os efeitos dos sete sacramentos, é significativo e ligado à atividade salvadora da Igreja, como as bênçãos de pessoas, objetos e lugares, os funerais, etc. [Pl.: *sacramentais.* Cf. *sacramentais*, do v. *sacramentar.*]

sacramentano *Adj.* **1.** De, ou pertencente ou relativo a Sacramento (MG). ● *S. m.* **2.** O natural ou habitante de Sacramento.

sacramentar [De *sacramento* + *-ar*[2].] *V. t. d.* **1.** Administrar os sacramentos, sobretudo da confissão e comunhão, a. **2.** Dar a extrema-unção a: "o preto que viera à matriz de S. José chamar o vigário para sacramentar dous moribundos." (Machado de Assis, *Relíquias de Casa Velha*, p. 127). **3.** Sagrar, consagrar (a hóstia). **4.** Imprimir caráter sagrado a; tornar sagrado. **5.** *Bras. Fam.* Legalizar ou preencher todos os requisitos de (documento, trato, etc.). *P.* **6.** Receber os sacramentos. [Pres. ind.: *sacramento, sacramentas, sacramenta, sacramentamos, sacramentais, sacramentam.* Cf. *sacramento*, s. m., e *sacramentais*, pl. de *sacramental.*]

sacramentário [Do lat. tard. *sacramentariu.*] *S. m.* **1.** Antigo livro de cerimônias litúrgicas, especialmente para a administração dos sacramentos. **2.** Designação que os luteranos davam aos calvinistas e a todos os dissidentes que negavam fé à presença real na eucaristia.

sacramentense *Adj. 2 g.* **1.** De, ou pertencente ou relativo a Sacramento (MG). ● *S. 2 g.* **2.** O natural ou habitante de Sacramento.

sacramentino *Adj. S. m.* Diz-se de, ou religioso da Congregação do Santíssimo Sacramento, fundada por S. Julião Eymard em 1856, em Paris.

sacramento [Do lat. *sacramentu.*] *S. m.* **1.** *Ant.* Juramento. **2.** *Rel.* Sinal sagrado instituído por Jesus Cristo para distribuição da salvação divina àqueles que, recebendo-o, fazem uma profissão de fé. [São sete: *o batismo, a confirmação* ou *crisma, a eucaristia, a penitência* ou *confissão, a ordem, o matrimônio* e *a extrema-unção.*] **3.** *Rel. Restr.* A eucaristia. **4.** *Rel.* Qualquer sinal sagrado na medida em que significa a salvação oferecida por Cristo. [Cf. *sacramento*, do v. *sacramentar.*] ◆ **Sacramento dos enfermos.** *Rel.* V. *extrema-unção.* **Sacramentos de iniciação.** *Rel.* O batismo, a confirmação ou crisma e a eucaristia. **Últimos sacramentos.** *Rel.* A confissão, a comunhão sob a forma de viático, e a unção dos enfermos, *i. e.*, a extrema-unção: "No outro dia... recebe [Almeida Garrett] com unção os últimos sacramentos da Igreja." (José Osório de Oliveira, *O Romance de Garrett*, p. 183.)

sacrário [Do lat. *sacrariu.*] *S. m.* **1.** Lugar onde se guardam coisas sagradas. **2.** Lugar onde se guardam as hóstias consagradas. **3.** *Fig.* Vida íntima, particular; intimidade. **4.** *Fig.* Lugar reservado e respeitável.

sacratíssimo [Do lat. *sacratissimu.*] *Adj.* Superl. abs. sint. de *sagrado*: "Em que sacratíssimas ruínas, sob que árvores divinizadas por terem dado sombra ao Senhor, passara ela essa tarde nevoenta de Jerusalém?" (Eça de Queirós, *A Relíquia*, p. 140.)

sacrificador (ô) [Do lat. tard. *sacrificatore.*] *Adj. S. m.* Que, ou aquele que sacrifica; sacrificante.

sacrifical [Do lat. *sacrificale.*] *Adj. 2 g.* Respeitante ao sacrifício; sacrificial, sacrificatório. [Pl.: *sacrificais.* Cf. *sacrificais*, do v. *sacrificar.*]

sacrificante [Do lat. *sacrificante.*] *Adj. 2 g.* **1.** Sacrificador. ● *S. 2 g.* **2.** Sacrificador. ● *S. m.* **3.** Aquele que celebra missa; celebrante.

sacrificar [Do lat. *sacrificare.*] *V. t. d.* **1.** Oferecer em holocausto por meio de cerimônias próprias; imolar como vítima: *Os sacerdotes astecas sacrificavam seres humanos.* **2.** Prejudicar, lesar, danificar: *Sacrificou a árvore para colher os frutos.* **3.** Tornar vítima dum interesse, duma paixão, dum fim que se tem em vista, etc.; vitimar; danificar: *Para alcançar um grande público, o escritor sacrificou o estilo.* **4.** Renunciar voluntariamente a; abrir mão de: *Ordenando-se sacerdote, sacrificou os seus bens e sua posição social.* *T. d. e i.* **5.** Oferecer em sacrifício: *O penitente sacrificou a Deus o sábado.* **6.** Oferecer em holocausto; imolar. **7.** Consagrar inteiramente; dedicar com ardor: *O sábio às vezes sacrifica sua vida à ciência.* **8.** Desprezar (uma coisa) para dar mais realce ou importância (a outra): *Há escritores que sacrificam o conteúdo à forma*; "não condena o marido que não soube fazer-se amado, sacrificando a amores fáceis a felicidade do seu lar." (Bernardo Pinheiro Pindela, *Azulejos*, p. 102). **9.** Sujeitar, submeter: *Não posso sacrificá-lo aos meus caprichos.* *T. i. Int.* **10.** Fazer sacrifícios em honra de divindade. *P.* **11.** Oferecer-se em sacrifício. **12.** Votar-se inteiramente a alguém ou alguma coisa; consagrar-se de todo; dedicar-se com ardor. **13.** Tornar-se vítima de algum interesse ou ideal. **14.** Sujeitar-se, submeter-se: *Sacrifiquei-me à sua vontade.* [Conjug.: v. *trancar.*]

sacrificativo [De *sacrificar* + *-tivo.*] *Adj.* Próprio para o sacrifício.

sacrificatório [De *sacrificar* + *-tório.*] *Adj.* Sacrifical.

sacrificável [De *sacrificar* + *-vel.*] *Adj. 2 g.* Que pode ser sacrificado.

sacrificial [De *sacrifício* + *-al*[1].] *Adj. 2 g.* V. *sacrifical*: "Os leopardos iam lá beber o conteúdo de vasos sacrificiais. Por que fariam isso?" (Moacir Scliar, *Os Leopardos de Kafka*, p. 57.)

sacrifício [Do lat. *sacrificiu.*] *S. m.* **1.** Ato ou efeito de sacrificar(-se). **2.** Oferta solene à divindade de produtos da terra e animais. **3.** Oferta pessoal ou coletiva à divindade, simbolizada na destruição de um bem ou na imolação de uma vítima. **4.** A morte de Cristo. **5.** A missa: "— *Introibo ad altare Dei*, anunciou Padre Antônio com a voz comovida e trêmula com que sempre iniciava o sacrifício" (Inglês de Sousa, *O Missionário*, p. 112). **6.** Privação de coisa apreciada. **7.** Renúncia em favor de outrem. **8.** Abnegação, renúncia, desprendimento. ◆ **Santo Sacrifício.** O sacrifício da missa: "Aquela gente .... vinha à missa, mas era principalmente atraída pela cerimônia que devia seguir o Santo Sacrifício. Casava-se uma sobrinha do Neves Barriga com o filho dum fazendeiro do Urubus." (Inglês de Sousa, *O Missionário*, p. 101.) **Ir para o sacrifício.** *Bras. Turfe* Correr de faixa.

sacrifículo [Do lat. *sacrificulu.*] *S. m.* Na Roma antiga, acólito (3) que auxiliava o sacrificador das vítimas.

sacrilégio [Do lat. *sacrilegiu.*] *S. m.* **1.** Uso profano de pessoa, lugar ou objeto sagrado; profanação. **2.** Ato de impiedade; profanação: "Desejou apoderar-se dos resplendores das imagens e do bordão de S. José, de ouro, pesado. Afastou-se, com medo da tentação. Não cometeria semelhante sacrilégio." (Graciliano Ramos, *Insônia*, p. 27.) **3.** Ultraje feito a pessoa sagrada ou venerável. **4.** *P. ext.* Ação digna de censura ou reparação; ato condenável: *Cometeu um sacrilégio incendiando as matas.*

sacrílego [Do lat. *sacrilegu.*] *Adj.* **1.** Que cometeu sacrilégio. **2.** Em que há sacrilégio. ~ V. *filho —.*

sacrilíaco [De *sacro* (3) + *ilíaco.*] *Adj. Anat.* Comum ao sacro e ao osso ilíaco.

sacripanta [Var. de *Sacripante*, personagem violenta e de mau caráter, do poema *Orlando Innamorato*, de Matteo-Maria Boiardo (1434-1494), e do poema *Orlando Furioso*, de Luigi Ariosto (1474-1533).] *Adj. 2 g.* **1.** Diz-se de pessoa desprezível, capaz de quaisquer violências e indignidades. ● *S. 2 g.* **2.** Pessoa sacripanta. **3.** Pessoa falsamente beata.

sacripante *Adj. 2 g. S. 2 g.* Sacripanta (q. v.).

sacrisquiático [De *sacro* (3) + *isquiático.*] *Adj. Anat.* Sacrociático.

sacrista [Do b.-lat. *sacrista.*] *S. m. Fam. Deprec.* Sacristão.

sacristã [Fem. de *sacristão.*] *S. f.* **1.** Mulher de sacristão. **2.** Mulher encarregada da limpeza e arrumação da sacristia. **3.** Mulher que ajuda à missa.

sacristania [De *sacristão* + *-ia*[1], seg. o padrão erudito.] *S. f.* Cargo de sacristão.

sacristão [Do lat. **sacristanu.*] *S. m.* **1.** Homem encarregado da arrumação e guarda da sacristia. **2.** Aquele que se emprega habitualmente nos arranjos duma igreja, em ajudar à missa, etc. [Var., ant. e pop.: *sancristão.* Sin., deprec.: *escorropicha-galhetas* e *sacrista.* Fem.: *sacristã*; pl.: *sacristães* e *sacristãos.*]

sacristia [De *sacrista* + *-ia*[1].] *S. f.* Casa adjacente à igreja, ou que dela faz parte, e onde se guardam os paramentos e demais objetos do culto. [Var., ant. e pop.: *sancristia.*]

sacro [Do lat. *sacru.*] *Adj.* **1.** Sagrado (2): *música sacra.* **2.** *Fig.* Venerável, respeitável. ~ V. *drama —, orador —, osso —, promontório —* e *vértebra —a.* ● *S. m.* **3.** *Anat.* Osso sacro.

sacrociático [De *sacro* (3) + *ciático.*] *Adj. Anat.* Que se estende do sacro a cada ísquio; sacrisquiático.

sacrococcígeo [De *sacro* (3) + *coccígeo.*] *Adj. Anat.* Relativo, ao mesmo tempo, ao sacro e ao cóccix.

sacrossanto [Do lat. *sacrosanctu.*] *Adj.* **1.** Sagrado e santo. **2.** Inviolável, sagrado. **3.** Reconhecido como sagrado.

sacubaré [De or. tupi, poss.] *S. m. Bras. Bot.* Planta orquidácea do gênero *Cyrtopodium.*

sacudida [De *sacudir* + *-ida*[3].] *S. f.* Ato ou efeito de sacudir; sacudidura, sacudimento.

sacudidela [De *sacudir* + *-dela.*] *S. f.* **1.** Sacudida leve. **2.** *Fam.* Pequena surra ou sova.

sacudido [Part. de *sacudir.*] *Adj.* **1.** Movido em direções contrárias; agitado, sacolejado. **2.** Rude, brusco, desabrido: *Durante a briga, enfrentou o adversário com gestos e modos sacudidos.* **3.** Desembaraçado, ágil, desenvolto: *homem sacudido; movimentos sa-*

cudidos. **4.** *Bras.* Forte, saudável, galhardo, esbelto: *criança sacudida*. **5.** *Bras. S.* V. *valentão* (1).

sacudidor (ô) [De *sacudir* + *-dor*.] *Adj. S. m.* Que, ou aquele que sacode.

sacudidura [De *sacudir* + *-dura*.] *S. f.* V. *sacudida*.

sacudimento [De *sacudir* + *-mento*.] *S. m.* V. *sacudida*.

sacudir [Do lat. *succutere*, com dissimilação.] *V. t. d.* **1.** Agitar fortemente e repetidas vezes: *O mar, agitado, sacudia o navio*. **2.** Fazer tremer; abalar, comover: *O furacão sacudiu as paredes da casa*; "Em 1º de novembro de 1755, um terrível tremor de terra sacudiu Lisboa." (José Hermano Saraiva, *História Concisa de Portugal*, p. 243). **3.** Abanar, agitar, mover para um e outro lado: *sacudir a cabeça*; *Sacudiu o chicote no ar de um modo ameaçador*. **4.** Pôr fora, agitando com movimentos reiterados: *Sacudiu as migalhas que lhe haviam caído no colo*. **5.** Limpar, agitando: *sacudir a toalha de mesa*. **6.** Bater para limpar: *sacudir o tapete*. **7.** Estimular; incentivar, excitar: *As palavras de apoio sacudiram-lhe o ânimo*. **8.** Lançar por terra; arremessar, atirar fora; repelir: *Empinando, a besta sacudiu a carga*. *T. d. e i.* **9.** Arremessar ou atirar fora: *Cansado, sacudiu a mochila das costas*. **10.** *Fig.* Despedir, expedir, livrar: *Sacudiu dos ombros o encargo, entregando aos avós a educação da criança*. **11.** *Fig.* Fazer sair; expulsar: "Não podia sacudir dos olhos a cerimônia do enterro, nem dos ouvidos os soluços de Virgília." (Machado de Assis, *Memórias Póstumas de Brás Cubas*, p. 366.) *P.* **12.** Menear o corpo, em especial os quadris; saracotear-se. **13.** Abalar-se, estremecer, tremer: "A mata agita-se, revoluteia, contorce-se toda e sacode-se!" (Manuel Bandeira, *Estrela da Vida Inteira*, p. 95); "seus ombros sacudiam-se em soluços incontroláveis" (Guilherme Figueiredo, *História para se Ouvir de Noite*, p. 41). [Irreg. Conjug.: v. *acudir*.]

sacudu [Do fr. *sac au dos!*, 'ponham a mochila às costas!'] *S. m. Moç.* Mochila (1): "passou por ali, fardado de guerrilheiro, sacudu às costas." (Mia Couto, *Terra Sonâmbula*, p. 184).

sacular [De *sáculo* + *-ar*¹.] *Adj.* Relativo a sáculo.

▲**saculi-** [Do lat. *saccŭlus, i.*] *El. comp.* = 'saquinho': *saculiforme*.

saculiforme (sà) [De *saculi-* + *-forme*.] *Adj. 2 g.* Que tem forma de sáculo.

sáculo [Do lat. *sacculu*, 'saquinho'.] *S. m.* **1.** *Anat.* Vesícula (1) existente no labirinto membranoso de cada orelha interna. **2.** *Bot.* Espécie de saco que envolve a radícula de certos embriões. **3.** *Citol.* Cada uma das cisternas achatadas, que, superpostas, constituem um sáculo lameliforme. ◆ **Sáculo lameliforme.** *Citol.* Designação dada a cada pilha de cisternas do complexo golgiense, com suas vesículas associadas; dictiossomo (denom. ant.).

sacupema *S. f. Bras. Bot.* V. *sapopema* (1).

saçupemba [Do tupi.] *S. m. Bras. Zool.* Certo peixe do mar.

sacurê *S. m. Bras. SP* Certa doença que ataca a mandioca.

sacuritá *S. m. Bras. Zool.* **1.** V. *saguaritá*. **2.** V. *paguro* (2).

■ **SADC** [Do ingl. *S(outhern) A(frican) D(evelopement) C(ommunity)*.] Sigla de *Comunidade da África Meridional para o Desenvolvimento*.

sádico [Do fr. *sadique*.] *Adj.* **1.** Relativo a, ou em que há sadismo, ou próprio dele: *assuntos sádicos*; *pendores sádicos*; *literatura sádica*. **2.** Que é dado à prática do sadismo. **3.** *P. ext.* Que se deleita em fazer sofrer a outrem; mau, cruel, tirano.● *S. m.* **4.** Indivíduo sádico. [Sin. ger.: *sadista*. Cf. *masoquista*.]

sádico-anal [De *sádico* + *anal*¹.] *Adj. 2 g. Psican.* Diz-se da segunda fase do desenvolvimento sexual da criança, fase que se estende durante o segundo e o terceiro ano, e é caracterizada pela transformação das vias de excreção em zonas erógenas. [Pl.: *sádico-anais*.] [Na 5ª ed. do Volp., sem hífen; corrigido em errata.]

sadio [Do lat. *sanativu*.] *Adj.* **1.** Que dá saúde; higiênico; saudável. **2.** Que goza de boa saúde; saudável: "Lutero era um homem robusto e sadio. Os retratos deixados por Cranach, seu amigo, mostram-no cheio de carnes." (Vicente Licínio Cardoso, *Pensamentos Brasileiros*, pp. 33-34.)

sadismo [Do fr. *sadisme*.] *S. m.* **1.** *Psiq.* Parafilia em que a satisfação erótica advém de atos de violência ou crueldade física ou moral infligidos ao parceiro sexual; algolagnia ativa. **2.** *P. ext.* Prazer com o sofrimento alheio. [Cf. *masoquismo* e *sadomasoquismo*.]

sadista [Do antr. *Sade*, do Conde de Sade, Donatien-Alphonse-François (1740-1814), escritor francês, mais conhecido como Marquês de Sade.] *Adj. 2 g. S. 2 g.* V. *sádico*. [Cf. *masoquista*.]

sadomasoquismo [De *sad(ismo)* + *-o-*¹ + *masoquismo*; fr. *sadomasochisme*.] *S. m. Psiq.* Parafilia que consiste na conjugação do sadismo e do masoquismo. [Cf. *masoquismo* e *sadismo*.]

sadomasoquista [De *sadomasoquismo* + *-ista*.] *Psiq. Adj. 2 g.* **1.** Relativo ao, ou próprio do sadomasoquismo. **2.** Que é dado à prática do sadomasoquismo. ● *S. 2 g.* **3.** Indivíduo sadomasoquista.

sadrá [Do persa *sudrah* ou *sadreh*.] *S. f.* Veste sagrada dos persas.

saduceia (éi) *S. f.* Fem. de *saduceu*.❖

saduceísmo [De *saduceu* + *-ismo*.] *S. m.* A seita ou a doutrina dos saduceus.

saduceu [Do lat. tard. *sadducaeu*.] *S. m.* Cada um dos membros de uma seita ou partido religioso do judaísmo posterior ao séc. III a. C., recrutados entre as famílias sacerdotais, os quais, apresentando viva tendência a assimilar culturas estranhas, como a helênica e, posteriormente, a romana, discordavam dos outros israelitas quanto aos rituais de purificação, à crença na ressurreição dos mortos, nos anjos e na providência divina: "Escrevestes em ambos os Testamentos, e demonstrastes contra os saduceus a futura Ressurreição nossa, e de todos os mortais" (Pe. Antônio Vieira, *Sermões*, I, col. 811). [Fem.: *saduceia*.]

saeliano [Do ár. *Sahel*, 'praia' + *-iano*.] *Adj.* Pertencente ou relativo ao Sael, faixa de estepes secas ao S. do deserto do Saara (África): "Cedo, começariam [as tribos cameleiras] a saquear .... as povoações negras que se espalhavam pela larga e longa faixa de estepes saelianas, de savanas e cerrados" (Alberto da Costa e Silva, *A Enxada e a Lança*, p. 249).

saense (âen) *Adj. 2 g.* **1.** De, ou pertencente ou relativo a Senador Sá (CE).● *S. 2 g.* **2.** O natural ou habitante de Senador Sá.

safa [Imperat. de *safar*.] *Interj.* Exprime repugnância, tédio ou admiração: "Safa! Chove a cântaros!..." (Rebelo da Silva, *De Noite Todos os Gatos São Pardos*, p. 120); *Safa! que homem cacete!* [Sin., bras.: *livra*.]

safadagem [De *safado* + *-agem*¹.] *S. f.* V. *safadeza* (1).

safadeza (ê) [De *safado* + *-eza*.] *S. f.* **1.** Qualidade, dito, ato ou procedimento de indivíduo safado; vileza. [Sin.: *safadagem* e (bras.) *safadismo*, *safadice*.] **2.** Ato ou dito pornográfico; coisa imoral. [Sin., bras.: *safadice*.] **3.** *Bras.* Travessura, traquinagem, safadice.

safadice [De *safado* + *-ice*.] *S. f. Bras.* V. *safadeza*.

safadinho [De *safado* + *-inho*¹.] *Adj. Bras. N.E. Fam.* Diz-se de criança inquieta, travessa, traquinas.

safadismo [De *safado* + *-ismo*.] *S. m. Bras.* V. *safadeza* (1).

safado [Part. de *safar*.] *Adj.* **1.** Gasto ou deteriorado pelo uso; apagado: *moeda safada*. **2.** *Pop.* Desavergonhado, descarado, cínico, impudente. **3.** *Bras.* Pornográfico, imoral. **4.** *Bras. RJ S. Gír.* Encolerizado, indignado, danado; danado da vida; safado da vida: *Estava safado com o impostor*. **5.** *Bras. RJ S.* Travesso, traquinas, turbulento. ~ V. *terra —a*.● *S. m.* **6.** Indivíduo safado (2 e 3). ◆ **Comer safado.** *Bras. Pop.* V. *comer da banda podre*.

safanão [De *safar*.] *S. m.* **1.** Ato de safar com força. **2.** *Pop.* Bofetada, tapa. **3.** Puxão, sacadela: "Dois marinheiros .... arrastaram-se até a mesa de Justino e seguraram os ombros de Maria. Ela deu um safanão violento, indignada" (Reginaldo Guimarães, *Uma Blusa no Cais*, pp. 8-9).

safa-onça [De *safar* + *onça*².] *S. m. Bras. Gír.* Expediente ou recurso de emergência. [Pl.: *safa-onças*.]

safar [Do esp. *zafar* (galego ant. *çafar*), poss. do ár. *zăh*, 'ir para longe'.] *V. t. d.* **1.** Tirar, puxando; extrair: "Durante a leitura, Luís Ribeiro meteu o braço por baixo da mesa para safar uma bota" (Xavier Marques, *As Voltas da Estrada*, p. 118). **2.** Tirar, furtar, surripiar, surrupiar. **3.** Desembaraçar de tudo quanto possa estorvar; desembaraçar: *Safou o caminho, e os passantes tiveram livre trânsito*. **4.** Livrar, salvar: *A sorte imprevista safou-o*. *T. d. e i.* **5.** Tirar, roubar, furtar, surripiar. *P.* **6.** Esquivar-se, escapar; escapulir-se, fugir: "fugindo à nova investida, abaixou-se para safar-se do cerco que os braços do mulato lhe fecharam em volta do corpo." (Xavier Marques, *As Voltas da Estrada*, pp. 332-333). **7.** Gastar-se, deteriorar-se, pelo uso constante. [M.-q.-perf.: *safara*, etc.; inf. pess.: *safar*, *safares*, etc. Cf. *sáfara*, fem. de *sáfaro* e s. f.; *safáris*, pl. de *safári*; *sáfar*, s. m., e *Sáfar*, antr.]

sáfar [Do ár. *ṣafar* (v. etim. de *safári*).] *S. m.* O segundo mês do calendário muçulmano, de 29 dias. [Cf. *safar*, v.]

sáfara [F. subst. de *sáfaro*.] *S. f.* **1.** Terreno sáfaro, inculto. **2.** Penha; penhasco. [Cf. *safara*, do v. *safar*.]

safardana [Do hebr. *Sefardîm*.] *S. m.* Sujeito desavergonhado, abjeto, desprezível; salafrário.

safári [Do ár. *ṣafar*, 'viagem'.] *S. m.* Expedição de caça, especialmente na selva africana. [Pl.: *safáris*. Cf. *safares*, do v. *safar*.]

sáfaro [De or. incerta; do ár. *sahra*³, 'deserto', poss.] *Adj.* **1.** Inculto, agreste, rude, árido: "Ali o solo é sáfaro; chove pouco; não há rios; a água é difícil." (Alberto da Costa e Silva, *A Enxada e a Lança*, p. 420.) **2.** V. *estéril* (1): "sem poder, ao menos, murmurar a promessa, fê-la no coração — àquele mesmo deus salvador que ele arrancara da brenha e que sarava os enfermos, dava vista aos cegos, desentorpecia os entrevados, cobria de flores as terras sáfaras" (Coelho Neto, *Treva*, p. 144). **3.** Diz-se de animal bravio, difícil de amansar. **4.** *Fig.* Esquivo, estranho, intratável. **5.** *Fig.* Sáfio (1). **6.** *Fig.* Alheio, distante, apartado. [Fem.: *sáfara*. Cf. *safara*, do v. *safar*.]

safarrascada [De *safar* + *rascada* (2).] *S. f. Bras. RJ Gír.* Complicação, problema, dificuldade, encrenca. V. *rolo*¹ (16). [Var.: *sarrafascada*.]

safena [Do ár. *ṣāfin* ou *ṣāfin*, pelo lat. med. *saphena*.] *S. f. Anat.* Veia safena (q. v.).

safenado [De *safena* + *-ado*¹.] *Adj. S. m.* Diz-se de, ou aquele que se submeteu a uma operação de ponte de safena.

safeno [De *safena*.] *Anat. Adj.* **1.** De, ou pertencente ou relativo a safena. ~ V. *nervo —*, *veia grande —a*, *veia pequena —a*, *veia —a externa*, *veia —a interna*, *veia —a magna* e *veia —a parva*.● *S. m.* **2.** Nervo safeno.

sáfico [Do gr. *sapphikós*, pelo lat. *sapphicu*.] *Adj.* **1.** Pertencente ou relativo a Safo (séc. VII - séc. VI a. C.), poetisa grega, ou próprio dela. **2.** Referente ao safismo. **3.** *Arte Poét.* Diz-se da estrofe de três versos dactílicos e um adônio (em português, três decassílabos e um pentassílabo). ~ V. *verso —*.

safio [Do esp. *zafío*.] *S. m. Zool.* Peixe congrídeo cujo dorso é de um tom mais escuro que o do gênero-tipo dessa família (v. *congro*). [Cf. *sáfio*.]

sáfio [Do esp. *zafio*, de or. ár.] *Adj.* **1.** Grosseiro, rude, sáfaro: "E passada a sazão das rosas, / Tudo é vil, tudo é sáfio, árduo." (Manuel Bandeira, *Estrela da Vida Inteira*, p. 257.) **2.** Que não se fia, não confia; desconfiado. [Cf. *safio*.]

safira [Do hebr. *sappir*, pelo gr. *sáppheiros*, pelo lat. tard. *sapphiru* e pelo ant. *safir*.] *S. f.* **1.** *Min.* Pedra preciosa, variedade transparente de coríndon, cuja cor varia do azul-celeste ao azul-escuro. **2.** Agulha de eletrola fabricada com esse material. **3.** *P. ext.* A cor azul. ◆ **Tocar safira.** *Bras. PB Chulo* Masturbar-se.

safirense *Adj. 2 g.* **1.** De, ou pertencente ou relativo a São José da Safira (MG).● *S. 2 g.* **2.** O natural ou habitante de São José da Safira.

safírico [De *safira* + *-ico*².] *Adj.* Referente à safira; safirino.

safirino [Do lat. tard. *sapphirinu*.] *Adj.* Safírico.

safismo¹ [Do antr. *Safo* (séc. VII - séc. VI a. C.), poetisa grega, + *-ismo*.] *S. m.* Lesbianismo.

safismo² [De *safo* + *-ismo*.] *S. m. Bras. Mar. G. Gír.* Qualidade de safo (4).

safista [De *safismo*¹ + *-ista*.] *S. f.* Mulher que pratica o safismo¹; lésbica.

safo [Part. de *safar*, f. contrata de *safado*.] *Adj.* **1.** Que se safou. **2.** Livre, desembaraçado. **3.** Gasto, usado. **4.** *Bras. Gír.* Diz-se de quem age com desembaraço e revelando iniciativa; esperto, vivo.

safões *S. m. pl. Lus.* Meias-calças feitas de peles, usadas pelos pastores: "pequena igreja cheia de aldeões a tresandarem a curral com suas samarras e safões ovelhunos." (Antero de Figueiredo, *Toledo*, p. 95).

safra¹ [Do ár. *zubra(t)*, 'pedaço de ferro'.] *S. f.* **1.** Bigorna de ferreiro, maior do que a normal e com uma só ponta. **2.** *Fig.* Pessoa que se escraviza ao trabalho.

safra² [Do ár. *sufra(t)*, 'provisões de viagem', poss.] *S. f.* **1.** Produção agrícola de um ano. [Cf. *colheita* (2).] **2.** *Fig.* Trabalho, produção. **3.** *Bras. N.E.* Época da passagem de um grande cardume de tainhas, agulhas, peixes-voadores, etc. **4.** *Bras. RS* A época do ano em que normalmente se vende o gado gordo e produtos da indústria pastoril, lã e charque.

safra³ [De *açafrão*, poss.] *S. f.* Óxido de cobalto, usado na fabricação do vidro azul.

safranina [Do fr. *safranine*.] *S. f. Quím.* Corante vermelho, fluorescente, usado na indústria têxtil, nas artes fotográficas e em técnicas de microscopia [fórm.: $C_{20}H_{19}N_4C_1$].

safreiro [De *safra*² + *-eiro*.] *S. m. Bras.* Operário que só trabalha na época da safra².

safrejar [De *safra*² + *-ejar*.] *Bras. V. t. d.* **1.** Produzir (açúcar): "Em 1623 o dito engenho de Tomé Rocha já safrejava 430 arrobas de açúcar" (Revista do Museu do Açúcar de Pernambuco, vol. I, *ap.* Maria Rocha Accioly, *Amando a Vida*, pp. 67-68). *Int.* **2.** Explorar um engenho de açúcar ou de aguardente. **3.** Produzir (o engenho de açúcar): *Visitei alguns engenhos quando safrejavam*. [Conjug.: v. *pelejar*.]

safrista [De *safra*² + *-ista*.] *Bras. RJ S. 2 g.* **1.** Trabalhador que só tem emprego nos meses de colheita de safra² (1).● *Adj. 2 g.* **2.** Diz-se de safrista (1).

safrol [Do al. *Safran*, 'da cor do açafrão', + *-ol*³.] *S. m. Quím.* Substância líquida, oleosa, benzeno substituído com grupos metilenodioxila e alila, encontrado no óleo de sassafrás [fórm.: $C_{10}H_{10}O_2$]. [Pl.: *safróis*.]

safu [Do quimb.; ingl. *saphu.*] ***S. m. Bot. Angol. Santom.*** **1.** Árvore burserácea (*Canarium edule*) que habita regiões tropicais da África, e cujo fruto é comestível; safueiro. **2.** O fruto dessa árvore, oblongo, de coloração exterior roxo-escura, que se come assado ou cozido: "dizem que quem come safu já não sai de São Tomé." (Fernando Reis, *Roça*, p. 175).

safueiro [De *safu* + *-eiro.*] ***S. m. Bot.*** Safu (1).

saga[1] [Duma raiz germ. a que se filiam o al. *sagen* e o ingl. *to say*, 'dizer', pelo fr. *saga.*] ***S. f.*** **1.** Designação comum às narrativas em prosa, históricas ou lendárias, nórdicas, redigidas sobretudo na Islândia, nos sécs. XIII e XIV: "Sua imaginação [de Agripino Grieco] diverge, essencialmente, da mística e nebulosa imaginativa nórdica, da que, nas noites imensas das florestas escandinavas, nas brumas do Báltico ...., engendrou as sagas bárbaras e terríveis." (Ronald de Carvalho, *Estudos Brasileiros*, 2ª série, p. 94.) **2.** Canção baseada nalguma dessas narrativas. **3.** *P. ext.* Canção heroica ou lendária. **4.** *P. ext.* História ou narrativa rica de incidentes: "os Moura Alves têm a sua saga, uma história que talvez desse para escrever não um único livro, mas vários" (Maria Alice Barroso, *Um Nome para Matar*, p. 37).

saga[2] [Do lat. *saga.*] ***S. f.*** Entre os romanos, bruxa ou feiticeira.

sagacidade [Do lat. *sagacitate.*] ***S. f.*** **1.** Qualidade ou procedimento de sagaz. **2.** Agudeza ou sutileza de espírito; perspicácia. **3.** Finura, manha, astúcia, malícia.

sagacíssimo [Do lat. *sagacissimu.*] ***Adj.*** Superl. abs. sint. de *sagaz*.

sagaz [Do lat. *sagace.*] ***Adj. 2 g.*** **1.** Que tem agudeza de espírito; perspicaz, penetrante, arguto. **2.** Astuto, astucioso, manhoso, malicioso: "Ocorrera-lhe de súbito um expediente sagaz para sair daquela situação difícil." (Alexandre Herculano, *O Monge de Cister*, II, p. 276.) **3.** *Bras. SP* Diz-se do animal de montaria que anda desembaraçadamente, que é esperto e veloz. [Superl. abs. sint.: *sagacíssimo.*]

sage ***Adj. 2 g. Ant.*** Que sabe muito; circunspecto, prudente, experiente.

sagena ***S. f.*** V. *ságena*.

ságena [Do ár. *sign.*] ***S. f.*** Prisão. [Var.: *sagena, sájena, sejana, séjana.*]

sagez (ê) [De *sage* + *-ez.*] ***S. f. Ant.*** Qualidade ou caráter de sage; sageza, sajaria.

sageza (ê) [De *sage* + *-eza.*] ***S. f.*** V. *sagez*.

saginar [Do lat. *saginare.*] ***V. t. d.*** Tornar gordo; cevar, engordar.

sagitado [Do lat. *sagitta*, 'seta', + *-ado*[1].] ***Adj.*** **1.** V. *sagital* (1). **2.** *Bot.* Diz-se do órgão vegetal foliáceo que tem o ápice agudo e a base escavada, formando apêndices divergentes, de modo que o conjunto lembra uma ponta de lança: *folha sagitada*.

sagital [Do lat. *sagitta*, 'seta', + *-al*[1].] ***Adj. 2 g.*** Que tem forma de seta; sagitado. ~ V. *plano* — e *sutura* —.

sagitar [Do lat. tard. *sagittare.*] ***V. t. d.*** **1.** Dar forma de seta a. **2.** Expedir ou lançar à maneira de seta. [Pres. ind.: *sagito, ... sagitais, sagitam*; fut. pret.: *sagitaria*, etc. Cf. *sagitária*, fem. do adj. *sagitário* e s. f., e *sagitais*, pl. de *sagital.*]

sagitária [De *sagit(i)-* + *-ária*; tax. *Sagittaria.*] ***S. f. Bot.*** **1.** Gênero de plantas alismatáceas, aquáticas, nativas de regiões temperadas e tropicais, dotadas de folhas basais, ger. sagitadas ou hastadas, e de flores em escapos, com três sépalas e três pétalas brancas, decíduas. **2.** Qualquer espécie desse gênero, como, p. ex., a *Sagittaria montevidensis* [v. *flecha* (10)]. **3.** Qualquer espécime desse gênero, ou a flor dele. [Cf. *sagitaria*, do v. *sagitar.*]

sagitariano [De *sagitário* + *-ano*[1].] ***S. m.*** **1.** Indivíduo nascido sob o signo de Sagitário. • ***Adj.*** **2.** Diz-se de, ou pertencente ou relativo a sagitariano (1).

sagitário [Do lat. *sagittariu.*] ***Adj.*** **1.** Armado de arco e setas. [Fem.: *sagitária*. Cf. *sagitaria*, do v. *sagitar.*] • ***S. m.*** **2.** *Astr.* A nona constelação do Zodíaco, situada ao S. do equador celeste, entre Ofiúco e Capricórnio, e compreendida entre as ascensões retas de 17h41min e 20h25min e entre as declinações de -11,8° e -45,4°. **3.** O nono signo do Zodíaco, relativo aos que nascem entre 22 de novembro e 21 de dezembro. [Com cap., nas acepçs. 2 e 3.] **4.** Nas tropas do exército romano, arqueiro[1] (2).

▲**sagit(i)-** [Do lat. *sagitti-* < lat. *sagitta, ae.*] ***El. comp.*** = 'seta', 'flecha': *sagitária, sagitífero* (< lat.), *sagitifoliado*.

sagitífero [Do lat. *sagittiferu.*] ***Adj. Poét.*** Que traz setas; armado ou carregado de setas: "Arcos e sagitíferas aljavas" (Luís de Camões, *Os Lusíadas*, I, 67).

sagitifoliado (gì) [De *sagit(i)-* + *-foli-* + *-ado*[1].] ***Adj. Bot.*** Que tem folhas sagitais.

sagitiforme (gì) [De *sagit(i)-* + *-forme.*] ***Adj. 2 g.*** Em forma de seta.

sagração [Do lat. tard. *sacratione.*] ***S. f.*** **1.** Ato ou efeito de sagrar por meio de cerimônias religiosas. **2.** A própria cerimônia: *Embora longa, é bela a sagração de um bispo.* **3.** Ato de dar caráter sagrado a alguma coisa; consagração.

sagradense ***Adj. 2 g.*** **1.** De, ou pertencente ou relativo a Sagrada Família (RS). • ***S. 2 g.*** **2.** O natural ou habitante de Sagrada Família.

sagrado [Do lat. *sacratu.*] ***Adj.*** **1.** Que se sagrou ou que recebeu a consagração. **2.** Concernente às coisas divinas, à religião, aos ritos ou ao culto; sacro, santo. **3.** Inviolável, puríssimo, santo, sacrossanto: *sagrado amor.* **4.** Profundamente respeitável; venerável, santo. **5.** Que não deve ser tocado, infringido, violado: *os sagrados direitos do homem.* **6.** A que não se pode faltar; que não se pode deixar de cumprir: *dever sagrado.* [Superl. abs. sint.: *sacratíssimo.*] ~ V. *—a Escritura, —a Família, —a fórmula, — lenho, —a partícula, —as letras, banquete —, doença —a, estátua —a, fogo —, ministério —, monstro —, orador —, osso —* e *pano —*. • ***S. m.*** **7.** Aquilo que é ou foi sagrado.

→**sagrantino** [sagran'tino] [It.] ***S. m.*** **1.** *Vitic.* Casta de uva tinta, típica da Úmbria (v. *úmbrio*). **2.** *Enol.* Vinho produzido com essa uva.

sagrar [Do lat. *sacrare*, 'consagrar'.] ***V. t. d.*** **1.** Dedicar a Deus, aos deuses, ou ao serviço divino; consagrar: *sagrar um templo.* **2.** Benzer, santificar, abençoar; consagrar: *sagrar a hóstia.* **3.** Tornar venerado ou respeitado: *Sua vida de asceta sagrou o seu nome.* **4.** Investir numa dignidade por meio de cerimônia religiosa: *sagrar um bispo, um imperador.* ***T d. e i.*** **5.** Dedicar, ofertar: *O cavaleiro sagrou a alma a seu deus.* ***Transobj.*** **6.** Eleger, consagrar: *A Igreja sagrou santa a camponesa Joana d'Arc.*

sagre ***S. m. Ant.*** Falcão (3).

sagrense ***Adj. 2 g.*** **1.** De, ou pertencente ou relativo a Sagres (SP). • ***S. 2 g.*** **2.** O natural ou habitante de Sagres.

sagu [Do mal. *sagu.*] ***S. m.*** **1.** Substância amilácea que se extrai da parte central dos sagueiros. **2.** *Bot.* V. *sagueiro*. [Var.: *sagum.*]

saguá [Do tupi.] ***S. f. Bras. Zool.*** V. *caicanha*.

saguão [Do ár. *ṣuḥun*, pl. de *ṣaḥūn.*] ***S. m.*** **1.** Pátio estreito, acanhado e descoberto, no interior dum edifício. **2.** Espécie de alpendre à entrada dos conventos. **3.** *Ant. Bras. Prov. port.* Nos grandes edifícios, sala de entrada onde se acha a escadaria que conduz aos andares superiores; vestíbulo: "O teatro estava aberto: entrei: no saguão avistei o bilheteiro" (Joaquim Manuel de Macedo, *Os Romances da Semana*, p. 62).

saguaraji [Alter. de *sobraji.*] ***S. m. Bras. S. L. Bot.*** Árvore ramnácea (*Colubrina rufa*) das florestas úmidas. Folhas oblongas, com nervuras curvas; flores mínimas, esverdeadas e cimosas; o fruto é cápsula trilocular; a madeira, de tom róseo forte, pesada, dura e compacta, bastante parecida ao pau-brasil, serve sobretudo para obras externas. [Var. e sin.: *guaxumbo, sebraju, sobraji, sobraju, sobrasil, subraji.*]

saguaritá [De or. tupi, poss.] ***S. m. Bras. Zool.*** Molusco gastrópode, prosobrânquio, taisídeo (*Tahis haemastoma*), do Atlântico. Concha de superfície lisa ou com duas fileiras de nódulos, principalmente na última espira; coloração castanha, avermelhada internamente, com o lábio externo crenulado; comprimento: 8cm. Usa-se como alimento e serve para isca. [Var. ou f. paral.: *sacuritá*. Sin.: *muçarete.*]

saguaru ***S. m. Bras. Zool.*** V. *saguiru*.

saguate [Do hind.-persa *saughāt*, 'raridade', 'dádiva'.] ***S. m.*** **1.** *Desus.* Presente, dádiva, mimo, donativo: "E restituídas ao régulo as pretas submissas, entregue alguma ao lavadeiro à conta de saguate .... lá recolhia Isidoro à capital da Província" (Joaquim Paço d'Arcos, *Carnaval e Outros Contos*, p. 56). **2.** *Moç.* V. *gorjeta*: "Por que razão havia acreditado em um negrinho desconhecido que apenas andava à caça de saguates?" (Aníbal Aleluia, *Mbelele e Outros Contos*, p. 155.)

sagu-de-espinho ***S. m. Bot.*** Arbusto cicadáceo (*Encephalartos ferox*) espinhoso, que lembra uma palmeira; é nativo da África, tem folhas compostas penadas, dispostas em roseta, e longos folíolos coriáceos com espinhos marginais e apicais, sendo cultivado como ornamental. [Pl.: *sagus-de-espinho.*]

sagueiro (güei) [De *sagu* + *-eiro.*] ***S. m. Bot.*** **1.** Designação comum a diversas arecáceas do gênero *Metroxylon*, de cujo estipe se extrai o sagu. **2.** Arbusto cicadáceo (*Cycas revoluta*) semilenhoso, originário do Japão e da Indonésia; tem até 2m, e é dotado de uma coroa de folhas rijas e longas, e de seu caule se extrai fécula. [Sin. ger.: *palmeira-sagu, sagu.*] ❖

sagui (güi) [Do tupi.] ***S. m. Bras. Zool.*** Designação comum às espécies de primatas, calitriquídeos, com cinco gêneros e várias espécies em território brasileiro, todos os quais possuem o dedo polegar da mão muito curto e não oponível, e as unhas em forma de garras, dentes molares 2/2. São espécies pequenas, de cauda longa. [Var. e sin.: *massau, saguim, sauim, soim, sonhim, tamari, xauim* e (bras. N., impr.) *mico.*] ❖

sagui-amarelo (güi) ***S. m. Bras. RJ Zool.*** V. *mico-leão*. [Pl.: *saguis-amarelos.*] ❖

sagui-branco (güi) ***S. m. Bras. Zool.*** Primata calitriquídeo (*Marikina melanoleuca*), da região do rio Juruá, de pelagem toda branca, apenas ligeiramente lavada de ocráceo nos lombos, cauda e pés, face nua e os anéis da cauda quase imperceptíveis. Alimenta-se de insetos e frutas. [Pl.: *saguis-brancos.*] ❖

sagui-caratinga (güi) ***S. m. Bras. Zool.*** Sagui (*Hapale leucocephala*) de cabeça branca; caratinga (4). [F. red.: *caratinga*[2]. Pl.: *saguis-caratingas* e *saguis-caratinga.*] ❖

saguiguaçu (güi) [De *sagui* + *-guaçu.*] ***S. m. Bras. Zool.*** Pequeno macaco (*Callicebus personatus*), semelhante ao sagui. ❖

sagui-imperador (güi) ***S. m. Bras. Zool.*** Pequeno macaco, calitriquídeo (*Marikina imperator*), da região do rio Purus, no AC, que tem pelos brancos, muito longos, alguns com 6cm de comprimento, ou seja, uma quarta parte da extensão do corpo, em redor da boca, formando uma espécie de bigode, característico da espécie. A cabeça é parcialmente preta. [Pl.: *saguis-imperadores.*] ❖

saguim (güim) ***S. m. Bras. Zool.*** V. *sagui*. ❖

saguipiranga (güi) [De *sagui* + *-piranga.*] ***S. m. Bras. RJ Zool.*** V. *mico-leão*. ❖

sagui-preto (güi) ***S. m. Bras. Zool.*** Espécie de macaquinho da Amaz. (*Midas ursulus*). [Pl.: *saguis-pretos.*] ❖

saguira (güi) [Do tupi, poss.] ***S. f. Bras. Zool.*** V. *saguiru*. ❖

saguiru (güi) ***S. m. Bras. Zool.*** Peixe curimatídeo (*Curimata elegans*) com larga distribuição no Brasil, de coloração cinzento-escura, com tons azulados, que passa aos poucos para branco no abdome, com reflexos prateados. Comprimento: até 16cm. [Var. e sin.: *saguaru, saguira, saburu, biru, biruba, beiru, piabuçu.*] ❖

saguiúna (güi) [De *sagui* + *-una.*] ***S. m. Bras. BA Zool.*** Sauim-una. [Sobre o acento, ver *guaíba.*] ❄

sagum ***S. m.*** V. *sagu*.

saguntino ***Adj.*** **1.** De, ou pertencente ou relativo a Sagunto (Espanha). • ***S. m.*** **2.** O natural ou habitante de Sagunto.

saí[1] [Do ananita *sãi.*] ***S. m.*** Bonzo (1). [Cf. *sai*, do v. *sair.*]

saí[2] [Do tupi.] ***S. f. Bras. Zool.*** Designação comum a várias aves emberizídeas traupíneas, esp. do gênero *Tangara*; ger. têm cores brilhantes e apresentam dimorfismo sexual; saíra, tem-tem. [Cf. *sai*, do v. *sair.*]

saia [Do lat. vulg. **sagia* < lat. *sagum*, 'saio'.] ***S. f.*** **1.** Parte do vestuário feminino que desce da cintura sobre as pernas até uma altura variável, constituindo ou não uma peça independente. [Dim. irreg.: *saiote.*] **2.** *Pop.* Mulher (1): "era jeitoso para lidar com saia, e minha mulher, não digo que facilitou nem deu corda, mas era boba .... e o Zé Faustino aproveitou..." (Amadeu de Queirós, *Os Casos do Carimbamba*, p. 99); *Vive agarrado às saias.* **3.** Pano de mesa que cai dos lados até o chão. **4.** Antiga veste masculina de guerra. **5.** Saio (1). **6.** *Bras.* Chapa metálica posta no para-lama traseiro como acessório ou para diminuir a resistência do ar nessa parte. **7.** *Bras.* Retângulo de borracha ou de material similar, pendente sobre as rodas, na parte interna dos para-lamas de automóveis, para evitar que a lama se espalhe pela parte inferior do chassi. **8.** *Bras. N.E. Zool.* A cauda das reses. **9.** *Bras. PE Constr.* Parte dos aterros entre as faces laterais do prismoide determinado pela largura da plataforma e pelo talude natural das terras. **10.** *Bras. SP Bot.* Ramos secundários ou inferiores dos cafeeiros. **11.** *Bras. RS* V. *combinação* (7). [Cf. *saía*, do v. *sair.*] ◆ **Saia da chaminé.** *Constr. Nav.* Chapa suplementar que envolve a base da chaminé, na altura do convés, e se destina a impedir ou diminuir a irradiação do calor. **Saia da vela.** *Marinh. Desus.* Suplemento à esteira das velas latinas, que se usava com tempo favorável. **Saia de baixo.** *Bras.* V. *anágua*. **Saia do cabrestante.** *Constr. Nav.* Parte do cabrestante, por baixo do chapéu, em que se enrola o cabo ou amarra. **De saia curta.** *Bras. Gír.* De saia justa. **De saia justa.** *Bras. Gír.* **1.** Em situação desfavorável e/ou embaraçosa, desconcertante. **2.** Sem possibilidade de ação ou reação; de mãos atadas.

saia-bailarina ***S. f. Vest.*** Estilo de saia muito rodada e cujo comprimento vai até o tornozelo. [Pl.: *saias-bailarinas* e *saias-bailarina.*]

saia-balão ***S. f. Vest.*** **1.** Saia enfunada e retesada com arcos ou varas flexíveis, em forma de grande roda; merinaque: "O que eu não quero perder é a sua missa nova; avise-me a tempo para fazer um vestido à moda, saia-balão e babados grandes..." (Machado de Assis, *Dom Casmurro*, p. 137.) **2.** Saia cheia, apertada na cintura e bainha, muito popular na década de 1980. [Pl.: *saias-balões* e *saias-balão.*]

saia-barril *S. f. Vest.* Saia cujo tecido é cortado no viés, e que se ajusta na cintura e afunila na bainha. [Pl.: *saias-barris* e *saias-barril.*]

saia-calça [De *saia* + *calça*.] *S. f. Vest.* Calça larga, para mulher, cortada de maneira que dê a aparência de uma saia, e cuja entreperna, às vezes, é disfarçada por uma prega funda. [Pl.: *saias-calças.*]

saí-açu [De *saí* + *-açu.*] *S. m. Bras. Zool.* **1.** V. *sanhaço* (1). **2.** V. *saí-guaçu.* **3.** V. *saí-açu-azul.* [Pl.: *saís-açus.*]

saí-açu-azul *S. m. Bras. Zool.* Ave passeriforme, traupídea (*Thraupis episcopus*), da Amaz., de coloração cinzento-clara, asas e cauda enegrecidas, marginadas de azul, sendo brancas lavadas de azulado as coberteiras superiores menores da asa; saí-açu, sanhaçu. [Pl.: *saís-açus-azuis.*]

saia e camisa *S. f. Constr.* Forro de saia e camisa (q. v.). [Pl.: *saias e camisas* e *saias e camisa.*] ☑

saia-envelope *S. f. Bras. Vest.* Saia modelada a partir de um retângulo de tecido, que se envolve uma vez em torno do corpo, com frente reta e lisa, e traspassada e presa na cintura. [Pl.: *saias-envelopes* e *saias-envelope.*]

saia-justa [De *saia* + o f. de *justo*.] *S. f. Bras. Pop.* Situação desconfortável, embaraçosa; aperto, constrangimento. [Pl.: *saias-justas.*]

saial [De *saio* + *-al*[1].] *S. m.* Antiga vestidura grosseira, para homem ou mulher.

saí-andorinha *S. f. Bras. Zool.* Ave passeriforme, tersinídea (*Tersina viridis*), do Brasil oriental e centro-meridional. Coloração geral, azul-marinho; bico, fronte até parte posterior dos olhos, parte externa das retrizes e penas da cauda, negros; meio do abdome, branco, os lados ondulados de negro. A fêmea e os jovens têm coloração esverdeada. Alimenta-se de frutas, tendo especial predileção à erva-de-passarinho, da qual é uma das disseminadoras. [Sin.: *saí-arara, saí-buraqueira, saí-de-coleira, saíra-buraqueira.* Pl.: *saís-andorinhas* e *saís-andorinha.*]

saião [De or. incerta.] *S. m. Bras. Bot.* Erva crassulácea (*Bryophyllum calycinum*) subespontânea no Brasil, muito ramificada, de folhas carnosas, obtusas, crenadas, que têm a propriedade de, quando deixadas em repouso, emitir plantinhas pelas margens, e flores vistosas, tubulosas e esverdeadas; folha-da-fortuna.

saia rabo de peixe *S. f. Vest.* Saia ajustada até a altura dos joelhos, de onde se abre em drapeados regulares ou não. [Pl.: *saias rabo de peixe.*] ☑

saí-arara *S. f. Bras. Zool.* V. *saí-andorinha.* [Pl.: *saís-araras* e *saís-arara.*]

saí-azul *S. f. Bras. Zool.* Ave emberizídea traupínea (*Dacnis cayana*), com cerca de 13cm de comprimento e amplamente distribuída pela América do Sul e em partes da América Central. O macho é azul, com dorso alto, cauda e garganta pretos, e asas pretas marginadas de azul. A fêmea é verde, com cabeça azulada e garganta cinérea. [Sin.: *saí-bicudo, verdelinho.* Pl.: *saís-azuis.*]

saí-beija-flor *S. m. Bras. Zool.* **1.** Ave emberizídea traupínea (*Cyanerpes cyaneus*), distribuída do México à Bolívia e ao Brasil, de coloração geral azul-brilhante, redor dos olhos, parte do dorso, asas, cauda, meio da barriga e crisso pretos; o bico é fino e longo e as pernas vermelhas. A fêmea tem dorso verde-oliváceo, abdome verde-acinzentado, e meio do peito e do ventre amarelo; saí-de-pernas-vermelhas, sapitica. **2.** V. *tem-tem-do-espírito-santo.* [Sin. ger.: *saíra-beija-flor.* Pl.: *saís-beija-flor.*]

saí-bicudo *S. m. Bras. Zool.* V. *saí-azul.* [Pl.: *saís-bicudos.*]

saibo [Dev. ant. de *saber*, do tempo em que a 1.ª pess. sing. do pres. ind. era *saibo* (< lat. *sapio*), poss.] *S. m.* Sabor (2), em geral desagradável.

saibramento [De *saibrar* + *-mento.*] *S. m.* Ação de saibrar.

saibrão [De *saibro* + *-ão*[2].] *S. m.* Terreno argiloso e areento, bom para certas plantações, como a da cana-de-açúcar.

saibrar [De *saibro* + *-ar*[2].] *V. t. d.* Cobrir de saibro; balastrar.

saibreira [De *saibro* + *-eira.*] *S. f.* **1.** Lugar donde se extrai saibro. **2.** Terreno saibroso.

saibrento [De *saibro* + *-ento.*] *Adj.* Saibroso.

saibro [Do lat. *sabulu*, 'areia', pelo arc. *sabro.*] *S. m.* **1.** Mistura de argila e areia grossa, usada no preparo de argamassa. **2.** Produto da decomposição de rochas feldspáticas, principalmente granitos ou gnaisses, no qual ainda se pode ver a textura primitiva da rocha; arena. **3.** Areia grossa de rio.

saibroso (ô) [De *saibro* + *-oso.*] *Adj.* Que tem saibro; saibrento.

saí-buraqueira *S. f. Bras. Zool.* V. *saí-andorinha.* [Pl.: *saís-buraqueiras.*]

saicanga [De or. tupi, poss.] *S. m. Bras. Zool.* **1.** Peixe caracídeo (*Acestrorhamphus jenynsii*) da BA, e dos rios Paraíba e Uruguai. Tem boca muito grande e rasgada, com dentição forte, e coloração geral prateada, com dorso levemente oliváceo e a nadadeira caudal avermelhada. [Sin.: *bocarra.*] **2.** V. *peixe-cachorro* (2). [Var.: *seicanga.*]

saída [De *sair* + *-ida*[3].] *S. f.* **1.** Ato ou efeito de sair; saimento. **2.** Venda, comercialização, extração: 🗒 *Este artigo tem muita saída.* **3.** Exportação. **4.** Lugar por onde se sai. **5.** Momento em que se sai: 🗒 *Esperou-nos à saída da sessão das quatro.* **6.** Recurso, expediente: 🗒 *Vai ser multado, não tem saída.* **7.** *Bras.* Peça de vestuário usada por cima de vestidos de noite, biquínis, maiôs, etc., que ger. se retira quando no local de destino (festa, praia, piscina, etc.), e que se recoloca ao sair dele: 📖 "Não tiveram ânimo para enfrentar aquela multidão de banhistas grã-finos, com tantos biquínis desfilando na areia. As moças chegaram a tirar as saídas; mas, logo em seguida, as vestiram de novo" (Herberto Sales, *Histórias Ordinárias*, p. 99). [Cf. *saída de baile, saída de banho, saída de praia.*] **8.** *Bras. S.* Disparate, despautério, despropósito. **9.** *Inform.* Transferência de uma informação do processador central para outro dispositivo, como, p. ex., um periférico de interface com o usuário ou com um dispositivo intermediário de armazenamento. **10.** *P. ext. Inform.* Qualquer informação resultante de processamento. **11.** *Inform.* Dispositivo, processo ou canal que intervêm numa operação de transferência de dados. [Nas acepç. 11 a 13, corresponde ao ingl. *output*. Cf., quanto às mesmas acepç., *entrada* (16 a 18).] **12.** *Eng. Elétr.* Potência, tensão ou corrente fornecidas por um circuito, dispositivo ou equipamento. **13.** *Eng. Elétr.* Terminal de um circuito, dispositivo ou equipamento, que fornece potência, tensão ou corrente a uma carga a ele acoplada. ◆ **Saída biológica.** *Eng. Nucl.* Buraco biológico. **De saída.** *Bras.* Primeiro, inicialmente; antes de mais nada; para começo de conversa; de cara: 🗒 *De saída tomamos dois chopes.* **Não dar nem para a saída.** *Bras. Pop.* **1.** Não ter, não apresentar condições de desempenhar cargo, função, tarefa, de ser vitorioso em eleição, competição, etc.: 🗒 *As três candidatas a secretária não deram nem para a saída.* **2.** Não ser o suficiente para determinado fim.

saída-bangu *Bras. Fut.* Forma de iniciar, ou reiniciar, um jogo informal de futebol, a partir de um tiro efetuado por um dos goleiros. [Pl.: *saídas-bangus* e *saídas-bangu.*]

saída de baile *S. f.* Saída (7) us. por cima de vestido de baile. [Pl.: *saídas de baile.*] ☑

saída de banho *S. f.* Roupão de banho: 📖 "Fez realmente um dia lindo, e às nove horas em ponto, com as saídas de banho por cima dos maiôs, as moças embarcaram no automóvel." (Herberto Sales, *Histórias Ordinárias*, p. 98.) [Pl.: *saídas de banho.*] ☑

saída de praia *S. f.* Saída (7) us. por cima de biquíni, maiô, etc. [Sin. (lus.): *roupão.*] [Pl.: *saídas de praia.*] ☑

saí-de-bando *S. m. Bras. ES Zool.* V. *saí-militar.* [Pl.: *saís-de-bando.*]

saí-de-coleira *S. m. Bras. Zool.* V. *saí-andorinha.* [Pl.: *saís-de-coleira.*]

saí-de-fogo *S. m. Bras. Zool.* V. *sanhaço-de-fogo.* [Pl.: *saís-de-fogo.*]

saideira (a-i) [De *sair* + *-deira.*] *S. f. Bras. Gír.* O último (13): 📖 "conversavam demais, cuspiam no chão e terminavam por solicitar: — Bote a saideira, seu Tonho." (M. Onofre Júnior, em Nei Leandro de Castro, *Contistas Norte-Rio-Grandenses*, p. 65); "Tomo a saideira e me mando." (Flávio Moreira da Costa, *Nem Todo Canário É Belga*, p. 42).

saí-de-pernas-amarelas *S. m. Zool.* V. *tem-tem-do-espírito-santo.* [Pl.: *saís-de-pernas-amarelas*]

saí-de-pernas-vermelhas *S. m. Zool.* V. *saí-beija-flor* (1). [Pl.: *saís-de-pernas-vermelhas.*]

saí-de-sete-cores *S. f. Bras. Zool.* Designação comum a duas aves passeriformes, traupídeas, a *Tangara seledon*, do S.E. do Brasil, e a *T. chilensis*, da Amaz. Esta última tem coloração verde-clara, brilhante na cabeça, fronte, vértice e lados; occipício, dorso alto, cauda e asas pretos; dorso baixo e uropígio encarnados; garganta, peito, barriga e flancos azuis; meio do abdome, crisso e coxas pretos. [Sin.: *saíra-de-sete-cores, saíra-sete-cores, sete-cores.* Pl.: *saís-de-sete-cores.*]

saidinha [De *saída* + *-inha.*] *S. f.* Saída (1) ligeira, sem demora, ou inesperada.

saidinha de banco [De *saidinha* + *de* + *banco*[2].] *S. m. Bras. Gír.* Modalidade criminosa que consiste em assaltar um indivíduo que acabou de sacar dinheiro de um banco, principalmente de um caixa eletrônico: 📖 "Quadrilha que praticava saidinha de banco no Rio e em Niterói é desarticulada." (em *O Globo Online*, 02.10.2007.) [Pl.: *saidinhas de banco.*] ☑

saído [Part. de *sair.*] *Adj.* **1.** Que está fora; apartado, ausente. **2.** Editado, publicado. **3.** Saliente (1): 🗒 *olhos saídos; dentes saídos.* **4.** Diz-se de fêmea que anda com o cio. **5.** *Pop.* Esperto, desenvolto, atirado, desembaraçado. **6.** *Bras. Pop.* Intrometido, metediço, enxerido.

saidoiro (a-i) [De *sair* + *-doiro*[2].] *S. m. Bras. S.* Saidouro (q. v.).

saidor[1] (a-i... ô) [De *sair* + *-dor.*] *Adj.* **1.** Que sai. ● *S. m.* **2.** *Bras. RS* Cavaleiro que sempre sai em pé quando o cavalo roda e cai.

saidor[2] (a-i... ô) [Var. de *saidoiro.*] *S. m.* **1.** *Bras. SC* Saidouro. **2.** *Bras. RS* Lugar donde saem os cavalos na pista de corridas.

saidouro (a-i) [De *sair* + *-douro*[2]; var. de *saidoiro.*] *S. m. Bras. S.* Lugar, beira dum rio, que dá saída ao gado que o atravessou a nado; saidor.

saieta[1] (ê) [De *saia* + *-eta* (ê).] *S. f. Tec. Têx.* Tecido de lã apropriado para forros.

saieta[2] (ê) *S. f. Bras. GO MT* Bebida fermentada preparada com a polpa do buriti (2).

saí-guaçu [De *saí* + *-guaçu.*] *S. m. Bras. Zool.* Ave passeriforme, traupídea (*Tangara peruviana*), do S.E. do Brasil. O macho tem dorso castanho com uma mancha negra sobre a espádua, e parte abdominal verde-azulada; a fêmea é verde-azulada, com a coroa da cabeça castanha. [Sin.: *saí-açu, sairaçu, saíra-guaçu, saí-sapucaia.* Pl.: *saís-guaçus.*]

saijé *S. m. Bras. Zool.* V. *dourado* (8 e 9).

saimel [De or. obscura.] *S. m. Arquit.* A primeira pedra dum arco, e que assenta sobre capitel, cimalha ou ombreira. [Pl.: *saiméis.*]

saimento (a-i) [De *sair* + *-mento.*] *S. m.* **1.** Saída (1). **2.** V. *funeral* (2): 📖 "poucas pessoas concorreram ao enterro, ... porque na hora do saimento desabou uma chuva torrencial" (Coelho Neto, *Treva*, p. 169). **3.** *Bras.* Qualidade, ação, modos de indivíduo saído, atrevido, intrometido, enxerido; atrevimento, saliência.

saí-militar *S. m. Bras. Zool.* Ave passeriforme, traupídea (*Tangara cyanocephala*), da parte litorânea, do CE a SP, de coloração verde-brilhante, vértice e garganta azuis, fronte e dorso pretos, nuca vermelha, uropígio e pernas amarelados. Alimenta-se de frutas. [Sin.: *saí-de-bando, saíra-militar.* Pl.: *saís-militares.*]

saimiri [Do tax. *Saimiri* < port., de or. indígena.] *S. m. Zool.* **1.** Gênero de cebídeos que abrange pequenos macacos de hábitos arbóreos e gregários, e que habitam a América do Sul. Têm caninos aguçados e salientes, pelagem macia, arruivada, e cauda longa, ger. não preênsil. **2.** Qualquer espécie desse gênero, como, p. ex., a *Saimiri sciurea*, de longa cauda não preênsil e, ger., pelagem cinza tirante ao amarelo, face branca, nariz preto, e que é vulgarmente conhecida como macaco-de-cheiro. **3.** Qualquer espécime desse gênero.

sai não sai [Da 3.ª pess. do sing. do pres. ind. do v. *sair* + *não* + a mesma pess., repetida.] *S. m. 2 n.* Vai não vai (q. v.). [Não há no Volp.; registra-se sem hífen por anal. com *vai não vai.*] ☑ nota 1

sainete (ê) [Do esp. *sainete.*] *S. m.* **1.** Isca que se dava aos falcões para os amansar. **2.** Tudo o que atenua uma impressão desagradável; coisa agradável; atrativo, graça. **3.** Gosto especial; gosto, sabor: 📖 "— Esta [a ventura] é como esquisita fruta rara, / Por muito rara, muito apetecida; / Fruta, cujo sainete pouco dura, / Saboreada com vagar, embora" (Raimundo Correia, *Poesias*, p. 173). **4.** Picuinha, remoque, motejo. **5.** *Teatr.* Comédia curta, de duas ou três personagens: 📖 "Minha tia Custódia, que no Recolhimento de Freixinho desempenhara muitas vezes o papel de pastorinha em sainetes e autos pastoris, seguia a representação com o mais meticuloso e inteligente interesse." (Aquilino Ribeiro, *Uma Luz ao Longe*, p. 167.)

saino *Adj. S. m. Bras. SP Pop.* V. *zaino*: 📖 "montara no pingo saino" (Valdomiro Silveira, *Os Caboclos*, p. 25); "Bambeou as rédeas na tábua do pescoço do saino" (Id., *ib.*, p. 27).

➔**sainte-maure** [sẽt mɔʁ] [Fr.] *S. m. Cul.* Queijo de leite de cabra de forma cilíndrica, fabricado na Touraine (região a S.O. de Paris).

➔**saint-émilion** [sẽt emi'ljõ] [Fr.] *S. m. Enol.* Bordô tinto encorpado produzido nas encostas de Saint-Émilion (S.O. da França).

➔**saint-marcellin** [sẽ maʁse'lẽ] [Fr.] *S. m. Cul.* Queijo de leite de vaca fabricado no Dauphiné (S.E. da França), de consistência macia e crosta natural.

➔**saint-nectaire** [sẽ nek'tɛʁ] [Fr.] *S. m. Cul.* Queijo de leite de vaca fabricado na Alvérnia (Centro-Sul da França).

saio [De *saia*, por infl. do gênero de *homem.*] *S. m.* **1.** Antiga veste larga, com abas e fraldão; saia: 📖 "trajava um saio negro" (Alexandre Herculano, *O Bobo*, p. 41); "robustíssimos corpos cobertos de saios de malha ferrugenta" (Eça de Queirós, *A Ilustre Casa de Ramires*, p. 418). **2.** Antigo casacão de militares. [Cf. *saio*, do v. *sair.*]

saiote [De *saia* + *-ote*[1].] ***S. m.*** **1.** Dim. de *saia* (1). **2.** Saia curta, de tecido encorpado ou engomado, que as mulheres usam sob outra(s) saia(s): "Vinha depois a bailarina Milka, de saiote dourado, estrela da companhia" (Maria Julieta Drummond de Andrade, *O Valor da Vida*, p. 35). **3.** *Bras. BA* Tanga usada pelos remadores do São Francisco.

saipé [De or. indígena, poss.] ***S. m.*** *Bras. Zool.* V. *dourado* (9).

sair [Do lat. *salire*.] ***V. t. c.*** **1.** Passar (do interior para o exterior); ir ou passar para fora: *Todos saíram de casa*; "saiu ao terreiro" (Coelho Neto, *Treva*, p. 321). **2.** Afastar-se, partir, largar: *O vapor saiu do Rio pela manhã.* **3.** Afastar-se, ausentar-se, retirar-se: *Saiu do país em definitivo.* **4.** Proceder; provir, dimanar: *O calor sai da lareira.* **5.** Separar-se, soltar-se: *O prego saiu da parede.* **6.** Formar-se; terminar: *Saiu da Faculdade em 1987.* ***T. i.*** **7.** Fugir; afastar-se, desviar-se: *Não saia do assunto.* **8.** Desembaraçar-se, escapar(-se), livrar-se: *O soldado saiu do perigo com bravura*; "Ocorrera-lhe de súbito um expediente sagaz para sair daquela situação difícil." (Alexandre Herculano, *O Monge de Cister*, II, p. 276). **9.** Cessar de fazer parte; demitir-se: *Saiu do emprego.* **10.** Sobressair: *O bege quase não sai sobre o amarelo.* **11.** Separar-se de um grêmio ou cooperação: *Muitos associados saíram do clube.* **12.** Caber em sorte: *O primeiro saiu para São Paulo; Saiu-lhe o maior prêmio da loteria esportiva.* **13.** Mudar de estado ou posição: *A moça mal saiu da adolescência.* **14.** Ser parecido, física, moral e/ou intelectualmente, a um dos ascendentes; parecer-se; puxar: "A filha, que saía ao pai no feitio sisudo, não se lhe dava de acompanhar a mãe nos lanches vindicativos." (João de Araújo Correia, *Terra Ingrata*, pp. 203-204.) ***Int.*** **15.** Retirar-se, afastar-se, do lugar onde se encontrava: *Ninguém saiu antes do final*; "acabou a sobremesa, tomou o café, saiu" (Artur Azevedo, *Contos Cariocas*, p. 22). **16.** Ir para fora de casa, onde se achava retido por doença. **17.** Partir, ir-se, afastar-se: *O trem saiu há dois minutos.* **18.** Brotar, irromper: *Após muita escavação, a água saiu.* **19.** Nascer, aparecer, surgir: *Após três dias de chuva, o sol saiu.* **20.** Estampar-se, publicar-se: *O artigo saiu hoje.* **21.** Desfazer-se, desaparecer, sumir(-se): *Lava-se a camisa, e a sujeira não sai.* **22.** Ter saída (2): *Todas as roupas da moda saem muito.* ***Pred.*** **23.** Vir a ser; tornar-se: *Maria saiu boa professora.* **24.** Aparecer, surgir. **25.** Transformar-se, transmudar-se. ***T. d.*** **26.** Passar além de; atravessar, cruzar: "levantou do chão o seu chapéu velho, e, cambaleando como se estivesse bêbedo, saiu a porta." (Conde de Ficalho, *Uma Eleição Perdida*, p. 206). ***P.*** **27.** Escapar-se, livrar-se: *O rapaz saiu-se das dificuldades.* **28.** Dizer inesperadamente: *Sem mais nem menos, saiu-se com palavras ásperas.* **29.** Desviar-se, afastar-se. **30.** Atrever-se, ousar, afoitar. **31.** Deixar de ser tímido: *Com a vinda para a capital, o rapaz saiu-se: já fala naturalmente com as pessoas, já sabe galantear as moças.* **32.** Conseguir chegar a determinado resultado (favorável ou não): *Saiu-se da incumbência melhor do que se esperava; Saiu-se mal do negócio.* [Irreg. Pres. ind.: *saio, sais, sai, saímos, saís, saem*; pret. imperf.: *saía*, etc.; m.-q.-perf.: *saíra*, etc.; perf.: *saí, saíste, saiu*, etc.; pres. subj.: *saia*, etc. Cf. *saia* e *saíra*, s. f., *saio*, s. m., e *Saí*, top.] ◆ **Sair à francesa.** Sair de fininho. **Sair apagando.** *Bras. RS* Fugir em disparada. **Sair de atravessado.** *Bras. RS* **1.** Sair (o cavalo) atravessado em relação ao eixo da cancha. **2.** *Fig.* Receber mal a alguém. **Sair de em pé.** *Bras. RS* **1.** Desembaraçar-se (o cavaleiro), na rodada do cavalo, ficando em pé. **2.** *Fig.* Sair de reputação limpa em negócio. **Sair de fininho.** Sair procurando não ser notado, sub-repticiamente; sair à francesa.

saíra [Do tupi.] ***S. f.*** *Bras. Zool.* Tem-tem[2] (1). [Cf. *saíra*, do v. *sair*.]

saíra-amarela ***S. f.*** *Bras. Zool.* Ave emberizídea, traupínea (*Tangara cayana*), com cerca de 14cm de comprimento, encontrada em cerrados, matas de galeria e bordas de florestas das Guianas, Venezuela, Colômbia, Bolívia, Brasil (das regiões N. e N.E. ao Paraná), Paraguai e N. da Argentina. A coloração varia com a subespécie, mas predomina a amarelada com as asas azul-esverdeadas; o macho, quase sempre, apresenta máscara negra que pode estender-se até o peito, a fêmea é mais pálida e a máscara é restrita à face e à garganta. [Sin.: *cara-suja, frei-vicente, guiraperéá, saíra-cabocla, saíra-de-gravata, sanhaçuíra, sirico-melado, tem-tem, verdelinho*. Pl.: *saíras-amarelas*.]

saíra-beija-flor ***S. f.*** *Bras. Zool.* V. *saí-beija-flor*. [Pl.: *saís-beija-flor*.]

saíra-buraqueira ***S. f.*** *Bras. Zool.* V. *saí-andorinha*. [Pl.: *saíras-buraqueiras*.]

saíra-cabocla ***S. f.*** *Bras. Zool.* V. *saíra-amarela*. [Pl.: *saíras-caboclas*.]

sairaçu (a-i) [De *saíra* + *-açu*.] ***S. f.*** *Bras. Zool.* V. *saí-guaçu*.

saíra-de-gravata ***S. f.*** *Bras. PR* V. *saíra-amarela*. [Pl.: *saíras-de-gravata*.]

saíra-de-sete-cores ***S. f.*** *Bras. Zool.* V. *saí-de-sete-cores*. [Pl.: *saíras-de-sete-cores*.]

saíra-guaçu [De *saíra* + *-guaçu*.] ***S. f.*** *Bras. Zool.* V. *saí-guaçu*. [Pl.: *saíras-guaçus*.]

saíra-militar ***S. f.*** *Bras. Zool.* V. *saí-militar*. [Pl.: *saíras-militares*.]

sairara (a-i) ***S. m.*** *Bras. Zool.* V. *caiarara*.

saíra-sete-cores ***S. f.*** *Bras. Zool.* V. *saí-de-sete-cores*. [Pl.: *saíras-sete-cores*.]

saíra-verde ***S. f.*** *Bras. Zool.* Saí-verde. [Pl.: *saíras-verdes*.]

saíra-vermelha ***S. f.*** *Bras. Zool.* V. *sanhaço-de-fogo*. [Pl.: *saíras-vermelhas*.]

sairé (a-i) [Do tupi.] ***S. m.*** *Bras. AM PA* **1.** *Etnogr.* Dança e canto dos tapuios: "Dir-se-ia .... algum pobre tapuio louco que se ensaiasse para o religioso sairé, dançando ao som de instrumentos imaginários." (Inglês de Sousa, *O Missionário*, p. 247.) **2.** Espécie de andor que consiste num semicírculo de madeira, sobre o qual se apoiam dois semicírculos menores, encimados por uma cruz. **3.** *P. ext.* Festa popular durante a qual esse instrumento era carregado em procissão só de mulheres.

saireense (èên) ***Adj. 2 g.*** **1.** De, ou pertencente ou relativo a Sairé (PE). • ***S. 2 g.*** **2.** O natural ou habitante de Sairé.

sairuçu (a-i) ***S. m.*** *Bras. Zool.* V. *sanhaço-frade*.

sais [Pl. de *sal*.] ***S. m. pl.*** Substâncias voláteis dadas a pessoas desfalecidas para aspirarem e voltarem a si. ~ V. *sal*.

saí-sapucaia ***S. f.*** *Bras. Zool.* V. *saí-guaçu*. [Pl.: *saís-sapucaias* e *saís-sapucaia*.]

saitauá (a-i) [Do tupi = 'saí amarelo'.] ***S. m.*** *Bras. Amaz. Zool.* Caiarara-branco.

saivá (a-i) ***S. m.*** *Bras. SP* Capoeira ou mato ralo; vassoural.

saí-verde ***S. m.*** *Bras. Zool.* Ave passeriforme, traupídea (*Tangara desmaresti*), da faixa litorânea do Brasil este-meridional, coloração verde com manchas negras no dorso, fronte e mancha na garganta pretas, pescoço anterior amarelo, lado ventral amarelo-esverdeado. Frequenta matas e alimenta-se de frutas. [Sin.: *saíra-verde*. Pl.: *saís-verdes*.]

sajaria ***S. f.*** *Ant.* V. *sagez*.

sájena ***S. f.*** V. *ságena*.

sajene [Do russo, pelo fr. *sagène*.] ***S. f.*** Medida russa de comprimento, equivalente a 2,13m.

sajica [Do tupi.] ***Adj. 2 g.*** *Bras. AM* **1.** Forte, rijo. **2.** De fibra rija ou robusta.

sal [Do lat. *sale*.] ***S. m.*** **1.** *Quím.* Substância que se forma na interação entre um ácido e uma base. **2.** *Quím.* Cloreto de sódio, cristalino, branco, usado na alimentação; sal de cozinha [fórm.: $NaCl$]. **3.** *Alq.* Um dos elementos ou princípios formadores das coisas, esp. dos metais, junto com o enxofre e o mercúrio. [Seria o responsável pela união do mercúrio com o enxofre e pela fixidez e, segundo os alquimistas, não deve ser confundido com o sal comum.] **4.** *Fig.* Graça, espírito, vivacidade: *É um rapaz apagado, completamente sem sal.* **5.** Malícia espirituosa; pilhéria, chiste: *Suas histórias fazem rir, têm sempre muito sal.* ~ V. *sais*. ◆ **Sal ácido.** *Quím.* Sal que ainda tem um hidrogênio ácido em sua molécula. **Sal amargo.** *Quím.* Sulfato de magnésio heptaidratado, cristalino, incolor; sal de Epsom [fórm.: $Mg_2SO_4.7H_2O$]. **Sal amoníaco.** *Quím.* Cloreto de amônio cristalino, branco [fórm.: NH_4Cl]. **Sal ático.** Estilo apurado, como o dos atenienses. **Sal básico.** *Quím.* Sal que contém hidroxilas na sua molécula. **Sal curado. 1.** Sal marinho totalmente desidratado. **2.** Maneira sutil e delicada de pensar e de exprimir-se; graça fina e delicada. **Sal de azedas.** *Quím.* Bioxalato de potássio. **Sal de cozinha.** Sal (2). **Sal de Epsom.** *Quím.* Sal amargo. **Sal de Glauber.** *Quím.* Sulfato de sódio decaidratado, cristalino, incolor [fórm.: $Na_2SO_410H_2O$]. **Sal de Mohr.** *Quím.* Sulfato duplo de ferro II e amônio hexaidratado, cristalino, esverdeado [fórm.: $(NH_4)_2SO_4.\ FeSO_4.6H_2O$]. **Sal de Rochelle.** *Quím.* Tartarato duplo de sódio e potássio, cristalino, rômbico, incolor; sal de Seignette [fórm.: $C_4H_4O_6Na\,K\,.\,4H_2O$]. **Sal de Seignette.** *Quím.* Sal de Rochelle. **Sal duplo.** *Quím.* Sal que tem pelo menos dois cátions ou dois ânions, mas que não forma íons complexos em solução. **Sal fino.** Sal moído e refinado para melhor utilização doméstica. **Sal grosso.** Sal não refinado, tal como sai das salinas. **Sal interno.** *Quím.* Íon dipolar que se forma em certas substâncias que contêm grupos ácido e básico na mesma molécula.

sala [Do germ. *sal*, 'habitação com apenas uma vasta peça de recepção', pelo provenç. *sala*.] ***S. f.*** **1.** O compartimento principal duma casa, dum apartamento. **2.** O compartimento onde se fazem as refeições ou se recebem as visitas. **3.** Qualquer compartimento, mais ou menos amplo, duma casa, dum apartamento. **4.** Conjunto dos móveis e da decoração de uma sala: *sala colonial.* **5.** Compartimento vasto, num edifício aberto ao público: *sala de conferências; salas de aula; as salas de um museu.* **6.** Recinto apropriado para o exercício de alguma função: *consultório com três salas; sala de audiências.* [Dim. irreg.: *saleta*.] **7.** Local onde um artista, uma orquestra, uma companhia teatral, etc., se apresenta ao público; sala de espetáculo: *Sala Cecília Meireles* (no RJ). **8.** *Bras.* Sala de aula; classe: *Na minha sala há vários estudantes com mais de 30 anos; Essa matéria não foi dada em sala.* **9.** *Bras.* Os alunos que a frequentam; classe, turma: *Toda a sala se retirou, em sinal de protesto.* **10.** *Bras. N.* O primeiro dos compartimentos de um curral de peixe (q. v.). **11.** *Bras. N.* Parte da caiçara onde permanece o gado. ◆ **Sala de armas. 1.** Sala onde se guardam as armas, num quartel ou estabelecimento militar. **2.** Sala de recepção nos aquartelamentos militares, adornada com armaduras, panóplias, com armas, etc., e onde se realizam atos solenes. **3.** Sala destinada a exercícios de esgrima. **Sala de aula.** Local onde se ministra uma aula. **Sala de espera.** Compartimento qualquer onde se faz hora ou se aguarda o momento de ser atendido. **Sala de espetáculo.** Sala (7). **Sala de estar.** Peça da casa onde se reúnem a família e os amigos mais chegados. [Sin., ingl.: *living room*.] **Sala de fora.** *Bras. SP* Sala de visitas que geralmente fica sobre a rua: "Tem [a casa do sitiante remediado] .... sala de fora soalhada e algumas vezes até forrada." (Cornélio Pires, *Quem Conta um Conto...*, p. 137.) **Sala de jantar.** Peça da casa onde ger. se tomam as refeições principais. [Sin. (lus.): *casa de jantar*.] **Sala de recursos.** *Educ.* Local com equipamento e recursos pedagógicos específicos à natureza das necessidades especiais do alunado, onde se oferece a complementação do atendimento educacional realizado em classes do ensino comum, sendo o aluno atendido individualmente, ou em pequenos grupos, por professor especializado, e em horário diferente do que frequenta no ensino regular. **Sala dos milagres.** *Bras.* Dependência de igreja onde se guardam e expõem ex-votos; casa dos milagres. **Sala dos passos perdidos.** Sala de espera em tribunal, ministério, etc.; salão dos passos perdidos. **Fazer sala a. 1.** Receber e entreter (visitas): "precisava ir fazer sala às visitas... Há quanto tempo estavam ali!" (Machado de Assis, *Quincas Borba*, p. 65). **2.** *Fig.* Fazer corte a; lisonjear.

salá [Do ár. *ṣalā(t)*, 'oração', 'prece'.] ***S. f.*** *Rel.* **1.** Cada uma das cinco orações diárias da religião muçulmana. **2.** *Bras. P. ext.* Bênção; cumprimento, saudação. [Us., no Brasil, entre os malês.] [Var.: *açalá, azalá, celá*.]

salabórdia [Voc. de or. express.] ***S. f.*** *Chulo* Conversa insípida, acerca de coisas fúteis e sensabores.

salácia [Do lat. *salacia*.] ***S. f.*** *P. us.* V. *salacidade*.

salacidade [Do lat. *salacitate*.] ***S. f.*** Qualidade de salaz; devassidão, libertinagem. [Sin., p. us.: *salácia*.]

salacíssimo [Do lat. *salacissimu*.] ***Adj.*** Superl. abs. sint. de *salaz*.

salada [Do fr. *salade*.] ***S. f.*** *Cul.* **1.** Prato que se serve frio, e preparado com verduras e legumes (crus ou cozidos), carne, peixe, ovos cozidos, etc., temperados com molho de azeite e vinagre, ou com outro molho apropriado. [As saladas podem ser simples, feitas com um só legume ou verdura, ou mistas, *i. e.*, compostas de vários ingredientes.] **2.** *Fig.* Estado daquilo que foi moído, pisado, sovado. **3.** *Pop.* Confusão, embrulhada, trapalhada, mixórdia, mistifório, barafunda, salsada, salgalhada. ◆ **Salada de frutas.** Sobremesa feita de frutas cruas cortadas em pedacinhos embebidos em caldo de frutas, podendo ou não ser temperada com licor ou vinho, e açúcar. **Salada russa. 1.** Macedônia (1) de legumes picados e temperados com maionese. **2.** *Fig.* Mistura de coisas heterogêneas.

sala de dança ***S. m.*** *Bras. BA Pej. Rel.* Designação dada aos candomblés que não seguem a tradição africana. [Pl.: *salas de dança*.] ☑

saladeira [De *salada* + *-eira*.] ***S. f.*** Prato grande e fundo, ou espécie de travessa, no qual se põe a salada que se vai servir.

saladeiril [Do esp. plat. *saladeril*.] ***Adj. 2 g.*** *Bras. RS* **1.** Que se dedica à indústria do charque. **2.** Referente a saladeiro.

saladeirista [Do esp. plat. *saladerista*.] ***S. 2 g.*** *Bras. RS* Dono de saladeiro ou charqueada.

saladeiro [Do esp. plat. *saladero*.] ***S. m.*** *Bras. RS* V. *charqueada*.

sala-dois-quartos ***S. m. 2 n.*** *Bras.* Sala e dois quartos.

sala e dois quartos *S. m. 2 n. Bras.* Apartamento constituído de uma sala e dois quartos, às vezes com dependência para empregado(s); sala-dois-quartos: "procuram um sala e dois quartos pela Zona Sul e estão horrorizados com os Cr$ 25, 30 mil pedidos habitualmente" (Ana Maria Baiana, em *Jornal do Brasil*, "Domingo", ano V, nº 242). ☑

sala e quarto *S. m. Bras.* Apartamento constituído apenas de sala e quarto: "Eu, dona daquilo, passava aquele apartamento nos cobres, comprava outro, menor que fosse, um sala e quarto, um quarto só, mas com janelas dando para a amplidão." (Elsie Lessa, *A Dama da Noite*, p. 3.) [Pl.: *salas e quartos* e *sala e quartos*.] ☑

sala e três quartos *S. m. 2 n. Bras.* Apartamento constituído de uma sala e três quartos, em geral com dependência para empregado(s); sala três quartos. ☑

salafra [F. red. de *salafrário*.] *S. 2 g. Pop. Bras.* V. *salafrário*: "Tu parece uma cebola, carnuda e sumarenta, boa de morder... Quem tem razão é o salafra do Vivaldo..." (Jorge Amado, *Dona Flor e Seus Dois Maridos*, p. 415.)

salafrário [De or. obscura.] *S. m. Pop.* Homem ordinário, vil, patife, safardana: "A minha pobre filha única é abandonada pelo salafrário do marido" (Telmo Vergara, *Contos da Vida Breve*, p. 172). [F. red.: *salafra*.]

salalé [Do quicongo *selelé*, com dissimilação.] *S. m. Angol. Santom.* V. *cupim* (1 e 2): "em terra de salalé / não germina massambala." (Rui Duarte de Carvalho, *Hábito da Terra*, p. 66).

salamaleco [Corruptela do ár. *salām'alayk* (v. *salamaleque*).] *Interj.* Entre os malês, palavra de saudação ou cumprimento.

salamaleque [Do ár. *salām'alayk*, 'a paz esteja contigo', palavras usadas como cumprimento ou saudação.] *S. m.* **1.** Saudação, entre os muçulmanos. **2.** *Fig. Pop.* Cortesia, mesura ou cumprimento em que há exagero, afetação; rapapé, zumbaia. [F. red.: *salame*.]

▲**salamandr-** [Do gr. *salamándra, as*.] *El. comp.* = 'salamandra': *salamandrídeo, salamandrino*.

salamandra [Do gr. *salamándra*, pelo lat. *salamandra*.] *S. f.* **1.** *Zool.* Animal anfíbio, urodelo (*Caudata*), provido de cauda na fase adulta, com um ou dois pares de patas, e que, segundo o ambiente onde vive, pode apresentar brânquias ou não. A única espécie existente no Brasil é a *Bolitoglossa amazonica*, da região amazônica. ● *S. m.* **2.** Operário que, nas fundições e nas regiões petrolíferas, penetra nas caldeiras quentes a fim de consertá-las ou enfrenta os incêndios dos poços de petróleo para os apagar. **3.** *Lus.* Espécie de fogão pequeno, móvel, para aquecimento doméstico.

salamandrídeo [De *salamandr-* + *-ídeo*[1]; tax. *Salamandridae*.] *Zool. S. m.* **1.** Espécime dos salamandrídeos, família de anfíbios, caudados, tendo os indivíduos adultos corpo cilíndrico, pulmões, e pernas e rabo bem desenvolvidos. ● *Adj.* **2.** Pertencente ou relativo a eles.

salamandriforme [De *salamandr-* + *-iforme*.] *Adj. 2 g.* Cuja forma lembra a da salamandra.

salamandrino [De *salamandr-* + *-ino*[3]; tax. *Salamandrina*.] *S. m. Adj. Zool.* V. *mutabílio*.

salamanquense *Adj. 2 g.* **1.** De, ou pertencente ou relativo a Salamanca (Espanha). ● *S. 2 g.* **2.** O natural ou habitante de Salamanca. [Sin. ger.: *salamanquino, salamanticense, salamântico, salmanticense, salmantino*.]

salamanquino *Adj. S. m.* V. *salamanquense*.

salamanta [Alter. de *salamandra*.] *S. f. Bras. Zool.* Reptil ofídio, boídeo (*Epicrates cenchria*), de coloração geral castanha, com manchas negras ocelares nos flancos e comprimento de até 2m. Alimenta-se de aves e doutros pequenos animais. [Sin.: *cobra-de-veado, guaçuboia, limpa-mato, jiboia-vermelha*.]

salamanticense *Adj. 2 g. S. 2 g.* V. *salamanquense*.

salamântico *Adj. S. m.* V. *salamanquense*.

salame[1] [Do it. *salame*.] *S. m.* Enchido (3) de origem italiana feito de carne de porco picada, pequenos cubos de toucinho e pimenta em grãos, e que se come frio.

salame[2] [F. red. de *salamaleque*.] *S. m.* Salamaleque.

salamim *S. m.* V. *celamim*: "meio tostão de azeite, um salamim de arroz" (Visconde de Taunay, *Ao Entardecer*, p. 57).

salaminho [De *salame*[1] + *-inho*[1].] *S. m.* Variedade de salame[1] acondicionado em tripa fina e curta.

salão[1] [De *sala* + *-ão*[1], ou do it. *salone*, pelo fr. *salon*, língua esta em que, aliás, significa 'sala pequena'.] *S. m.* **1.** Grande sala. **2.** Exposição periódica ou anual, especialmente de obras de artistas plásticos, de novos modelos de diversas indústrias, etc.: *o salão de pintura de 1970; o salão de escultura da Bienal de São Paulo; o salão do automóvel; o salão náutico.* **3.** Certo tipo de estabelecimento comercial aberto ao público: *salão de chá; salão de beleza* (q. v.). **4.** *Fig.* Reunião de pessoas de sociedade, artistas, intelectuais, etc. **5.** *Bras.* Barbearia (2) ou cabeleireiro (3). ◆ **Salão de beleza.** Estabelecimento comercial frequentado, ger., por mulheres, especializado em tratamentos para aprimorar o aspecto físico, tais como, p. ex., limpeza de pele, massagens, banhos, trato dos cabelos; instituto de beleza. [Cf. *cabeleireiro* (3).] **Salão dos passos perdidos.** Sala dos passos perdidos. **De salão.** Que não transgride determinados padrões ou convenções morais ou sociais; não escandaloso: *anedota de salão*. [Us., em geral, ironicamente.] **Limpar o salão.** *Bras. Fam. Pop.* Limpar o nariz com o dedo; minerar.

salão[2] [Var. assimilada de *solão*[1].] *S. m.* **1.** Terreno arenoso ou barrento; solão. **2.** Fundo arenoso cheio de limo. **3.** *Bras.* Terreno impermeável por causa de uma camada pedregosa. **4.** *Bras. AM AC* Baixo de argila vermelha e dura, a qual, ruindo de uma escarpa talhada a pique sobre os rios, se deposita no leito destes, ocasionando problemas à navegação; torrão. **5.** *Bras. PE* Fundo do mar, ou do rio, duro e de areia fina. **6.** *Bras. BA* Terreno duro e que preserva a umidade por muito tempo. **7.** *Bras. PE* Terra misturada de argila corada, e fertilíssima.

salariado[1] [De *salário* + *-ado*[2].] *S. m.* Estado ou condição de salariado[2].

salariado[2] [De *salário* + *-ado*[1].] *Adj. S. m.* V. *assalariado*.

salarial [De *salário* + *-al*[1].] *Adj. 2 g. Bras.* Relativo a salário: *regime salarial; política salarial.* ~ V. *achatamento —, equiparação — e piso —.*

salário [Do lat. *salariu*, 'ração de sal', 'soldo'.] *S. m.* **1.** *Dir. Trab.* Contraprestação devida e paga diretamente pelo empregador ao empregado. **2.** *Dir. Trab.* Salário mínimo: *Ela paga dois salários a sua cozinheira.* **3.** Recompensa de serviços. **4.** *Maç.* Concessão de um novo grau ao maçom que recebeu todas as instruções do grau em que está. ◆ **Salário *in natura*.** *Dir. Trab.* Parcela do salário que não é paga em dinheiro, mas em alimentação, habitação, vestuário ou outras prestações que o empregador, por força do contrato ou do costume, fornece habitualmente ao empregado, observado o limite permitido por lei. **Salário mínimo.** *Dir. Trab.* A contraprestação mínima, fixada em lei, devida e paga diretamente pelo empregador a todo trabalhador, inclusive ao trabalhador rural, sem distinção de sexo, por dia normal de serviço, e capaz de satisfazer, em determinada época e região do país, as suas necessidades normais de alimentação, habitação, vestuário, higiene e transporte. [Cf. *salário-mínimo*. Tb. se diz apenas *salário*.] **Salário mínimo profissional.** *Dir. Trab.* Piso salarial (q. v.). **Décimo terceiro salário.** *Dir. Trab.* Gratificação anual devida a todos os empregados, independentemente da remuneração a que fizer jus, equivalente a 1/12 avos da remuneração devida em dezembro, por mês de serviço do ano correspondente; gratificação de Natal; gratificação natalina.

salário-base *S. m.* Entre categorias de trabalhadores mais categorizados e especializados, o menor salário. [Pl.: *salários-bases* e *salários-base*.]

salário-família *S. m.* Remuneração adicional, variável em função do número de dependentes, à qual têm direito os trabalhadores de empresas privadas, públicas ou mistas. [Pl.: *salários-famílias* e *salários-família*.]

salário-hora *S. m.* Salário que o empregado ganha por hora de trabalho. [Pl.: *salários-horas* e *salários-hora*.]

salário-mínimo *S. m. Bras.* **1.** Trabalhador que ganha salário mínimo. **2.** *P. ext.* Trabalhador baixamente remunerado. [Pl.: *salários-mínimos*. Cf. *salário mínimo*.]

sala-três-quartos *S. m. 2 n. Bras.* Sala e três quartos.

salaz [Do lat. *salace*.] *Adj. 2 g.* Impudico, luxurioso, libertino, devasso: *É um velhinho salaz, imoral*; "Pouco lias, / e só por moda as mais das vezes: / ligeiras ou salazes fantasias, / e vagos folhetins franceses..." (Carlos Magalhães de Azeredo, *Vida e Sonho*, p. 211). [Superl. abs. sint.: *salacíssimo*.]

salazarismo [Do antr. *Salazar* + *-ismo*.] *S. m.* **1.** Pensamento ou ação do político português Antônio de Oliveira Salazar (1889-1970). **2.** O regime implantado em Portugal por esse político. **3.** Adesão ao salazarismo ou simpatia por ele.

salazarista [De *salazarismo* + *-ista*.] *Adj. 2 g.* **1.** Relativo ao, ou próprio do salazarismo. **2.** Que é partidário do salazarismo (1 e 2). ● *S. 2 g.* **3.** Partidário do salazarismo (1 e 2).

salbanda [Do al. *Salband*, 'orla', 'limite'.] *S. f. Geol.* Região de contato, de espessura variável, entre um veeiro ou dique e a rocha encaixante.

salça-proa *S. f. Constr. Nav.* Proa em que a roda de proa é côncava e cujo pé avança mais do que o bico de proa. [Pl.: *salça-proas*.]

salchicha *S. f.* V. *salsicha*.

salchichão *S. m.* V. *salsichão*.

salchicharia *S. f.* V. *salsicharia*.

salchicheiro *S. m.* V. *salsicheiro*.

saldado [Part. de *saldar*.] *Adj.* Quitado, quite, pago, liquidado; saldo.

saldador (ô) [De *saldar* + *-dor*.] *Adj. S. m.* Que, ou aquele que salda.

saldanhense *Adj. 2 g.* **1.** De, ou pertencente ou relativo a Saldanha Marinho (RS). ● *S. 2 g.* **2.** O natural ou habitante de Saldanha Marinho.

saldar [Do it. *saldare*.] *V. t. d.* Pagar o saldo de; liquidar, solver (contas, dívidas, etc.): "vendera a casa para saldar dívidas" (Machado de Assis, *Várias Histórias*, p. 70). [Part.: *saldado* e *saldo*.]

saldo[1] [Do it. *saldo*.] *S. m.* **1.** Diferença entre receitas e despesas: *saldo orçamentário; O saldo das transações com o exterior foi positivo.* **2.** *Cont.* Diferença entre o total de créditos e o total de débitos lançados numa conta. **3.** Resto[1] (2). **4.** Resto do estoque de certa mercadoria vendida com desconto pelos negociantes. **5.** Diferença entre o número de pontos, etc., a favor e contra: *saldo de gois, saldo de vitórias.* **6.** Resultado, consequência: *A brincadeira acabou em conflito, envolvendo todo o mundo, e o saldo foi um morto e dois feridos.* **7.** *Fig.* Desforra, vingança, desforço. ◆ **Saldo credor.** *Cont.* Saldo[1] (2), quando o total de créditos é superior ao de débitos. **Saldo devedor.** *Cont.* Saldo[1] (2), quando o total de débitos é superior ao de créditos. **Saldo médio.** *Econ.* Numa conta bancária, a média do saldo credor de depósitos, em certo período: *Este banco só dá cheque especial a clientes com saldo médio alto.*

saldo[2] [Part. de *saldar*.] *Adj.* V. *saldado*.

saldunes [Do celta, pelo lat. *soldurios*, 'amigos fiéis, dedicados'.] *S. m. pl.* Aqueles que, entre os gauleses, prestavam juramento de eterna amizade, marchando para os combates atados por correntes, pois que nem a morte deveria separá-los.

saleiro[1] [Do lat. *salariu*, 'do sal', por via pop.] *Adj.* **1.** Concernente a sal. **2.** *Bras. RS* Diz-se do gado habituado a comer sal. ● *S. m.* **3.** Fabricante ou vendedor de sal. **4.** Recipiente para sal. **5.** Local onde se põe sal para o gado. **6.** *Bras. RS* Terreno em cujo solo abundam princípios salinos.

saleiro[2] *S. m.* A ponta dos galhos do veado, quando estes surgem.

salema [De or. obscura.] *S. f. Bras. Zool.* **1.** Peixe hemulídeo (*Anisotremus virginicus*) da costa atlântica ocidental, desde a Flórida até SC, de coloração prateada com faixas longitudinais amarelas e azuis, cabeça amarela com duas faixas pretas verticais, nadadeiras amarelas, exceto uma parte espinhosa da dorsal, que é escura. Chega a 40cm de comprimento. [Sin.: *corcoroca, ferrugem, frade, mercador, sambuari*.] **2.** V. *canhanha* (2).

salense[1] *Adj. 2 g. S. 2 g.* V. *moreira-salense*.

salense[2] *Adj. 2 g.* **1.** De, ou pertencente ou relativo a Sales (SP). ● *S. 2 g.* **2.** O natural ou habitante de Sales.

salense[3] *Adj. 2 g.* **1.** De, ou pertencente ou relativo a Sales de Oliveira (SP). ● *S. 2 g.* **2.** O natural ou habitante de Sales de Oliveira.

sal e pimenta *Adj. 2 g. e 2 n. Tec. Têx.* Diz-se de tecido tramado com fios pretos, brancos e cinzentos; pólvora com farinha. [Cf. *sal-pimenta*.] ☑

salepo [Do ár. *saḥlab*, pelo fr. *salep*.] *S. m.* **1.** *Bot.* Designação comum a várias orquídeas da Europa e Ásia, cujos tubérculos, translúcidos e de consistência semelhante à da carne, fornecem, se tratados pela água quente, um líquido turvo e acinzentado, rico em mucilagem, que é usado no tratamento da diarreia; satírio, satiriāo. **2.** A substância que se extrai dos tubérculos do salepo (1).

salernitano [Do lat. *salernitanu*.] *Adj.* **1.** De, ou pertencente ou relativo a Salerno (Itália). ● *S. m.* **2.** O natural ou habitante de Salerno.

salesiano [Do antr. *Sales* + *-iano*.] *Adj. S. m.* Diz-se de, ou religioso pertencente à congregação salesiana, também chamada *Sociedade de S. Francisco de Sales*, fundada por S. João Bosco em Turim, em 1859, e que se destina à educação de jovens.

salesopolense *Adj. 2 g.* **1.** De, ou pertencente ou relativo a Salesópolis (SP). ● *S. 2 g.* **2.** O natural ou habitante de Salesópolis. [Sin. ger.: *salesopolitano*.]

salesopolitano *Adj. S. m.* V. *salesopolense*.

saleta (ê) [De *sala* + *-eta* (ê).] *S. f.* Pequena sala.

saletense *Adj. 2 g.* **1.** De, ou pertencente ou relativo a Salete (SC). ● *S. 2 g.* **2.** O natural ou habitante de Salete.

salga [Dev. de *salgar*.] *S. f.* **1.** Ato de salgar; salgação, salgadura. **2.** *Bras. RS* Local onde se faz a salga, na charqueada.

salgação [De *salgar* + *-ção*.] *S. f.* **1.** V. *salga* (1). **2.** V. *bruxaria* (1 e 2).

salgadeira [De *salgar* + *-deira*.] *S. f.* **1.** Vasilha ou lugar onde se salga carne, peixe, etc. **2.** *Bot.* Erva quenopodiácea (*Atriplex halimus*) indígena do Mediterrâneo

S

e da África do Sul, de folhagem acinzentada, flores purpúreas, unissexuais, arrumadas em espigas apertadas, e que se usa como forragem e para cercas vivas.

salgadense[1] *Adj. 2 g.* 1. De, ou pertencente ou relativo a General Salgado (SP). ● *S. 2 g.* 2. O natural ou habitante de General Salgado.

salgadense[2] *Adj. 2 g.* 1. De, ou pertencente ou relativo a Salgado (SE). ● *S. 2 g.* 2. O natural ou habitante de Salgado.

salgadense[3] *Adj. 2 g.* 1. De, ou pertencente ou relativo a Salgado de São Félix (PB). ● *S. 2 g.* 2. O natural ou habitante de Salgado de São Félix.

salgadense[4] *Adj. 2 g.* 1. De, ou pertencente ou relativo a Salgado Filho (PR). ● *S. 2 g.* 2. O natural ou habitante de Salgado Filho.

salgadinense *Adj. 2 g.* 1. De, ou pertencente ou relativo a Salgadinho (PE). ● *S. 2 g.* 2. O natural ou habitante de Salgadinho.

salgadinhense *Adj. 2 g.* 1. De, ou pertencente ou relativo a Salgadinho (PB). ● *S. 2 g.* 2. O natural ou habitante de Salgadinho.

salgadinhos *S. m. pl. Bras.* Iguarias miúdas, de paladar mais ou menos salgado, tais como canapés, croquetes, empadinhas, bolinhos de bacalhau, etc., servidas, em geral, como aperitivo ou em reuniões festivas.

salgadio [De *salgado* + *-io*[2].] *Adj. S. m.* Que ou terreno que tem qualidades salinas.

salgado [Part. de *salgar*.] *Adj.* 1. Que tem sal. 2. Que tem excesso de sal. 3. Conservado em sal: *carnes salgadas*. 4. *Fig.* Chistoso, malicioso, picante. 5. Diz-se de preço elevado, acima do normal: *O preço deste carro está salgado*. ~ V. *água —a*, *banho —*, *couro — e salgados*. ● *S. m.* 6. Designação comum a certas partes da carne do porco (como, p. ex., o pernil, o lombo) sujeitas à salga e à defumação. [Cf., nesta acepç., *salsicharia*.]

salgador (ô) [De *salgar* + *-dor*.] *Adj. S. m.* Que, ou aquele que salga.

salgados [Pl. subst. do adj. *salgado*.] *S. m. pl.* Terrenos quase estéreis à beira-mar. ~ V. *salgado*.

salgadura [De *salgar* + *-dura*.] *S. f.* V. *salga* (1).

salgalhada [De *salgar* + *-alhada*.] *S. f. Pop.* V. *salada* (3).

salgamento [De *salgar* + *-mento*.] *S. m. Bras. Mar. G.* Contaminação da água destilada (para uso de caldeiras, etc.) ou da água doce (para beber, para banho, etc.) por água do mar, em consequência de vazamentos, mau funcionamento do grupo destilatório, etc.

salgar [Do lat. vulg. **salicare*.] *V. t. d.* 1. Temperar com sal. 2. Conservar em sal: "Seu Quincas salgava os peixes e guardava em salmoura especial as ovas de tainha" (Raul Bopp, *Putirum*, p. 215). 3. Impregnar de sal; deitar muito sal em: *A cozinheira, distraída, salgou o refogado*. 4. Fazer feitiço contra (alguém) espalhando sal à porta de sua casa. 5. *Fig.* Tornar mais intenso, mais veemente: *A distância salgava ainda mais a sua paixão*. *P.* 6. Impregnar-se de sal. [Conjug.: v. *largar*.]

sal-gema [De *sal* + *gema*.] *S. m. Min.* Mineral monométrico, cloreto de sódio, empregado em culinária como tempero, e na fabricação do carbonato de sódio; halita. [Pl.: *sais-gemas*.]

salgo *Adj. Bras. S.* Diz-se do equídeo que tem o(s) olho(s) gázeo(s).

salgueiral [De *salgueiro* + *-al*[1].] *S. m.* 1. Quantidade mais ou menos considerável de salgueiros dispostos proximamente entre si; sinceiral. 2. Área ocupada por salgueiral (1). [Sin. ger.: *sinceiral*.]

salgueirense[1] *Adj. 2 g.* 1. De, ou pertencente ou relativo a Salgueiro (PE). ● *S. 2 g.* 2. O natural ou habitante de Salgueiro.

salgueirense[2] *Adj. 2 g. Bras. RJ* 1. Pertencente ou relativo à Escola de Samba Acadêmicos do Salgueiro. 2. Que é membro ou grande admirador dessa escola de samba. ● *S. 2 g.* 3. Membro ou grande admirador dela.

salgueirinha [De *salgueiro*[1] + *-inha*.] *S. f. Bot.* Erva litrácea (*Lythrum salicaria*) polimorfa, oriunda da Europa, de folhas ovado-lanceoladas e pequenas, flores violáceas, solitárias nas axilas superiores das folhas, e frutos capsulares, com dois lóculos e muitas sementes.

salgueiro[1] [Do lat. **salicariu*.] *S. m.* 1. *Bot.* Designação comum a várias salicáceas do gênero *Salix*, de folhas delgadas, longos ramos pendentes, flores inconspícuas, dispostas em espigas cilíndricas, e que são cultivadas por seu valor ornamental; chorão, sinceiro, vime, vimeiro. 2. *Bras.* Árvore salicácea (*Salix chilensis* ou *S. humboldtiana*) de até 20m, de folhas simples, glabras, e inflorescências em espiguetas; ocorre de MG ao RS; salgueiro-do-rio, oeirana, uirana.

salgueiro[2] [De *salgar* + *-eiro*, poss.] *S. m. Bras. Gír.* Refeição; comida.

salgueiro-branco [De *salgueiro*[1] + *branco*.] *S. m. Bot.* Árvore salicácea (*Salix alba*) de folhas lanceoladas, flores amentiformes e frutos capsulares, glabros; nativa do Velho Mundo, é muito cultivada como ornamental e pelos galhos, de que se fazem trançados; sinceiro. [Pl.: *salgueiros-brancos*.]

salgueiro-chorão *S. m. Bot.* V. *chorão-salgueiro*. [Pl.: *salgueiros-chorões*.]

salgueiro-da-babilônia *S. m. Bot.* V. *chorão-salgueiro*. [Pl.: *salgueiros-da-babilônia*.]

salgueiro-do-rio [De *salgueiro*[1] + *do*[1] + *rio*.] *S. m. Bras. Bot.* V. *salgueiro*[1] (2). [Pl.: *salgueiros-do-rio*.]

▲sali- [Do lat. *sal*, *sălis*.] *El. comp.* = 'sal': *salicultura*, *salífero*.

salicácea [Do lat. cient. *Salic-* (do tax. *Salix*, do lat. *salix*, *icis*, 'salgueiro') + *-ácea*; tax. *Salicaceae*.] *S. f. Bot.* Espécime das salicáceas, família da ordem das violales composta de arbustos e árvores dioicos com folhas estipuladas e flores inconspícuas, as quais se ordenam em amentos. Engloba só os gêneros *Populus* e *Salix*, com umas 200 espécies, que vivem nas terras temperadas no hemisfério boreal; no Brasil há apenas uma espécie.

salicáceo [De *salicácea*, com var. suf. (v. *-áceo*).] *Adj. Bot.* Pertencente ou relativo às salicáceas.

▲salic(i)- [Do lat. *salix*, *ĭcis*.] *El. comp.* = 'salgueiro': *salicícola*, *salicíneo*.

salicícola [De *salic(i)-* + *-cola*[1].] *Adj. 2 g.* Que vive nos salgueiros.

salicifoliado (sà) [De *salic(i)-* + *-foli-* + *-ado*[1].] *Adj. Bot.* Que tem folhas semelhantes às do salgueiro.

salicilato [De *salicíl(ico)-* + *-ato*[3].] *S. m. Quím.* Éster ou sal do ácido salicílico.

salicílico [De *salic(i)-* + gr. *hýle*, 'madeira', + *-ico*[2].] *Adj. Quím.* ~ V. *ácido —*.

salicíneo [De *salic(i)-* + *-in(o)-*[2] + *-eo*.] *Adj.* Referente ou semelhante ao salgueiro.

salicívoro [De *salic(i)-* + *-voro*.] *Adj.* Diz-se do animal que come flores ou folhas de salgueiro.

sálico[1] [Do lat. med. *salicu*.] *Adj.* Sálio[2]. ~ V. *lei —a*.

sálico[2] [Da 1ª letra de *sílica* e das duas primeiras de *alumina* + *-ico*[2].] *Adj. Geol.* Diz-se dos minerais silicaluminosos da norma (7), *i. e.*, daqueles que figuram na composição mineralógica hipotética das rochas magmáticas. [Cf. *fêmico*.]

salícola [De *sali-* + *-cola*[1].] *Adj. 2 g.* 1. Que trata da cultura das salinas. 2. Que produz sal.

salicultura [De *sali-* + *-cultura*.] *S. f.* 1. Cultura ou exploração de salinas. 2. Produção artificial do sal.

saliência [Do lat. *salientia*, neutro pl. de *saliens*, *entis*.] *S. f.* 1. Qualidade de saliente. 2. Proeminência, ressalto. 3. *Bras. Fam.* Espevitamento, assanhamento, enxerimento.

saliêncio [Adapt. do tax. *Salientia*.] *S. m. Adj. Zool.* V. *anuro*[2].

salientar [De *saliente* + *-ar*[2].] *V. t. d.* 1. Tornar saliente. 2. Tornar bem visível ou distinto. *P.* 3. Tornar-se saliente ou notável; evidenciar-se, distinguir-se, sobressair.

saliente [Do lat. *saliente*, 'que salta', 'que sobressai'.] *Adj. 2 g.* 1. Que avança ou sai para fora do plano a que está unido; que sobressai ou ressalta. [Cf. *reentrante*.] 2. *Fig.* Que é objeto de reparo; que dá nas vistas; claro, evidente, notável. 3. *Fig.* Importante, valioso, fundamental. 4. *Bras.* Espevitado, assanhado, saído: *Muito saliente, namora todas as moças*. ● *S. m.* 5. A parte mais avançada de uma obra de fortificação ou de um entrincheiramento ou linha de entrincheiramento. ● *S. 2 g.* 6. Pessoa saliente (4).

salífero [De *sali-* + *-fero*.] *Adj.* Que tem ou produz sal.

salificação [De *salificar* + *-ção*.] *S. f.* Formação de um sal.

salificar [De *sali-* + *-ficar*.] *V. t. d.* 1. Tratar (um ácido) por uma base. 2. Transformar (uma substância) em sal. [Conjug.: v. *trancar*.]

salificável [De *salificar* + *-vel*.] *Adj. 2 g.* Que pode ser salificado; salinável. [Pl.: *salificáveis*. Cf. *salificáveis*, do v. *salificar*.]

salimancia (cí) [De *sali-* + *-mancia*.] *S. f.* Adivinhação que consiste em derramar sal sobre uma mesa e interpretar a forma e a direção das figuras formadas pelas parcelas.

salimante [De *sali-* + *-mante*.] *S. 2 g.* Pessoa que pratica a salimancia.

salimântico *Adj.* Relativo a salimancia, ou a salimante.

salina [Do lat. *salina*.] *S. f.* 1. Praia extensa e plana, ou terreno exposto ao vento, para onde se conduz e represa a água do mar a fim de que se evapore, deixando o sal, que é amontoado, curtido devidamente e ensacado para o comércio; marinha. 2. *P. ext.* A empresa industrial que explora a salina (1). 3. Monte de sal. 4. *Fig.* Coisa muito salgada.

salinação [De *salinar* + *-ção*.] *S. f.* 1. *Marn.* Operação consistente em evaporar a água da salina para fazer o sal depositar-se. 2. Formação natural do sal. [Sin. ger.: *salinagem*.]

salinagem [De *salinar* + *-agem*[2].] *S. f.* Salinação.

salinar [De *salina* + *-ar*[2].] *V. t. d.* Fazer a salinação de (a safra do sal).

salinável [De *salinar* + *-vel*.] *Adj. 2 g.* Salificável.

salineiro [Do lat. *salinariu*.] *Adj.* 1. Relativo a sal ou a salina. ● *S. m.* 2. *Marn.* Aquele que fabrica, empilha ou vende o sal.

salinense[1] *Adj. 2 g.* 1. De, ou pertencente ou relativo a Salinas (MG). ● *S. 2 g.* 2. O natural ou habitante de Salinas.

salinense[2] *Adj. 2 g.* 1. De, ou pertencente ou relativo a Salinas da Margarida (BA). ● *S. 2 g.* 2. O natural ou habitante de Salinas da Margarida.

salinense[3] *Adj. 2 g. S. 2 g.* V. *salinopolitano*.

salinidade [De *salino* + *-(i)dade*.] *S. f.* 1. Qualidade de salino. 2. Teor de substâncias salinas em um líquido. 3. Concentração de sais minerais dissolvidos numa massa de água oceânica, lacustre, etc. [Exprime-se em partes por mil (‰).]

salinização [De *salinizar* + *-ção*.] *S. f.* Ato ou efeito de salinizar(-se): "A crescente salinização do solo das margens e do delta do Nilo revelou ser uma consequência imprevista da construção da represa de Assuã e séria ameaça para a agricultura egípcia." (*Informativo*, setembro/1980, p. 64.)

salinizado [Part. de *salinizar*.] *Adj.* Em que houve salinização.

salinizar [De *salino* + *-izar*.] *V. t. d. P.* Tornar(-se) salino.

salino [Do lat. *salinu*.] *Adj.* 1. Que contém sal, ou é da natureza do sal, ou próprio dele: "Oh! aquela carne rija, sangrenta, ainda viva, que exala um cheiro tão fresco e salino!" (Eça de Queirós, *Contos*, p. 180.) 2. Que nasceu à beira-mar. 3. *Bras. RS* Diz-se do equídeo ou vacum de pelo salpicado de pintas brancas, pretas ou vermelhas: "ele na frente, montado num tordilho salino, ressoalhador." (Simões Lopes Neto, *Contos Gauchescos e Lendas do Sul*, p. 202). ~ V. *óxido —*.

salinometria [De *salino* + *-metria*.] *S. f.* Emprego do salinômetro.

salinométrico [De *salinometria* + *-ico*[2].] *Adj.* Relativo à salinometria.

salinómetro *S. m.* V. *salinômetro*. [Uso freq. em P.]

salinômetro [De *salino* + *-metro*.] *S. m.* Aerômetro que registra a concentração salina de uma solução.

salinopolitano *Adj.* 1. De, ou pertencente ou relativo a Salinópolis (PA). ● *S. m.* 2. O natural ou habitante de Salinópolis. [Sin. ger.: *salinense*[3].]

sálio[1] [Do lat. *saliu*.] *S. m.* 1. Cada um dos doze sacerdotes de Marte encarregados da guarda dos escudos sagrados que protegiam a Roma antiga. ● *Adj.* 2. Relativo a esses sacerdotes.

sálio[2] *S. m.* 1. Indivíduo dos sálios, tribo de francos que vivia primitivamente nas margens do Issel. ● *Adj.* 2. Pertencente ou relativo a essa tribo; sálico.

salitração [De *salitrar* + *-ção*.] *S. f.* Ato ou efeito de salitrar; salitrização.

salitrado [Part. de *salitrar*.] *Adj.* Que contém ou foi impregnado de salitre: "Que belo seria poder ficar uma hora à beira-mar, ... sentindo a aragem salitrada ....!" (Coelho Neto, *A Conquista*, p. 48.)

salitral [De *salitre* + *-al*[1].] *S. m.* Nitreira.

salitrar [De *salitre* + *-ar*[2].] *V. t. d.* 1. Transformar em salitre. 2. Misturar ou preparar com salitre. [Sin. ger.: *salitrizar*. Fut. pret.: *salitraria*, etc. Cf. *salitraria*, s. f.]

salitraria [De *salitre* + *-aria*.] *S. f.* Fábrica de refinação de salitre. [Cf. *salitraria*, do v. *salitrar*.]

salitre [Do cat. *salnitre*, pelo esp. *salitre*.] *S. m.* O nitrato de potássio; nitro. ◆ **Salitre do Chile.** O nitrato de sódio extraído das grandes jazidas naturais dos Andes (Chile) e utilizado como adubo nitrogenado mais facilmente assimilável pelas plantas.

salitreira [De *salitre* + *-eira*.] *S. f.* Jazida de salitre.

salitreiro [De *salitre* + *-eiro*.] *Adj. S. m.* Que, ou aquele que extrai o salitre.

salitrense *Adj. 2 g.* 1. De, ou pertencente ou relativo a Salitre (CE). ● *S. 2 g.* 2. O natural ou habitante de Salitre.

salitrização [De *salitrizar* + *-ção*.] *S. f.* Ato ou efeito de salitrizar; salitração.

salitrizar [De *salitre* + *-izar*.] *V. t. d.* V. *salitrar*.

salitroso (ô) [De *salitre* + *-oso*.] *Adj.* Que encerra salitre, ou é da natureza dele.

saliva [Do lat. *saliva*.] *S. f.* Líquido transparente e insípido segregado pelas glândulas salivares, e que serve para fluidificar os alimentos e facilitar sua ingestão, além de dar início, bioquimicamente, ao processo de digestão, mediante a ação da ptialina; cuspe, cuspo.

salivação [Do lat. tard. *salivatione*.] *S. f.* Ato ou efeito de salivar[2].

salival [De *saliva* + *-al*[1].] *Adj. 2 g.* Salivar[1] (1).

salivante [Do lat. *salivante*.] *Adj. 2 g.* V. *salivar*[1] (2).

salivar[1] [De *saliva* + *-ar*[1].] *Adj. 2 g.* 1. Referente à saliva; salival. 2. Que produz saliva; salivante. ~ V. *glândula —*.

salivar[2] [Do lat. *salivare*.] *V. int.* 1. Expelir saliva; cuspir, ensalivar: "mascava o seu tabaco forte, salivando a miúdo." (Inglês de Sousa, *O Missionário*, p. 376). ***T. d.*** 2. Expelir à maneira de saliva. 3. Molhar com saliva; ensalivar: "sacou do bolso um pedaço de fumo de rolo, um canivete, um maço de palhas de milho; escolheu uma das palhas, salivou-a com a língua como a um selo" (João Alphonsus, *Totônio Pacheco*, p. 107). ◆ **Estar, ficar salivando.** *Bras. Fam.* 1. Estar, ficar irado, irritado, possesso, como animal com raiva. 2. Estar, ficar aguado (9); aguar.

salivoso (ô) [Do lat. *salivosu.*] ***Adj.*** 1. Que contém saliva, ou é cheio dela. 2. Semelhante à saliva, ou que tem as suas propriedades.

salmanticense [Do lat. *salmanticense.*] ***Adj. 2 g. S. 2 g.*** V. *salamanquense.* ~ V. *salmanticenses.*

salmanticenses [Pl. de *salmanticense.*] ***S. m. pl.*** Teólogos e filósofos dominicanos da Universidade de Salamanca, famosos comentadores dos escritos de S. Tomás de Aquino. ~ V. *salmanticense.*

salmantino [Do esp. *salmantino.*] ***Adj. S. m.*** V. *salamanquense.*

salmão[1] [Do lat. *salmone.*] ***S. m.*** 1. *Zool.* Peixe salmônida (*Salmo salar*), peculiar aos mares europeus, e de carne apreciadíssima. 2. A cor avermelhada do salmão. ● ***Adj. 2 g. e 2 n.*** 3. Que tem essa cor: *saia salmão; vestidos salmão.* 4. Diz-se dessa cor: *Aprecio a cor salmão.*

salmão[2] [Var. de *signo de salomão.*] ***S. m.*** V. *estrela de davi.*

salmão-pequeno [De *salmão*[1] + *pequeno.*] ***S. m.*** *Bras. Zool.* V. *salmonete.* [Pl.: *salmões-pequenos.*]

salmear [De *salmo* + *-ear*[2].] ***V. t. d. Int.*** Salmodiar: "um sacerdote templário.... salmeava em voz baixa aquelas palavras do livro da Sabedoria" (Alexandre Herculano, *Lendas e Narrativas*, II, p. 102). [Conjug.: v. *frear.*]

sálmico [Do gr. *psalmikós.*] ***Adj.*** Referente ou semelhante a salmo.

salmilhado [De *sal* + *milho* + *-ado*[1].] ***Adj.*** *Bras.* Salpicado de branco e de amarelo; mosqueado, sarapintado, pintalgado. [Var.: *samilhado.*]

salmista [Do gr. *psalmistés*, pelo lat. tard. *psalmista.*] ***S. 2 g.*** 1. Pessoa que compõe salmos. 2. Designação comum aos autores dos salmos bíblicos, entre os quais, provavelmente, o rei Davi.

salmo[1] [Do gr. *psalmós*, pelo lat. tard. *psalmu.*] ***S. m.*** 1. Entre os antigos hebreus, poema religioso para ser acompanhado por qualquer instrumento, de cordas ou de sopro. 2. *Rel.* Oração em gênero poético, caracterizada por duplo ritmo, o das palavras e o das ideias, para ser acompanhada pelo saltério. 3. *Rel.* Cada um dos 150 poemas líricos do Antigo Testamento, primitivamente escritos em hebraico por autores diversos, mas atribuídos, na maioria, ao rei Davi (1015-975 a.C.?), e que eram cantados nos ofícios divinos do templo de Jerusalém, e depois foram aceitos pelas Igrejas cristãs como parte de sua liturgia: "ao reboar o templo com as harmonias dos cânticos e salmos, com as vibrações dos sons do órgão" (Alexandre Herculano, *O Bobo*, p. 29). ~ V. *salmos.*

salmo[2] [Do tax. *Salmo.*] ***S. m.*** *Zool.* 1. Gênero de peixes salmonídeos. 2. Qualquer espécie desse gênero, como, p. ex., a *Salmo solar* [v. *salmão* (1)]. 3. Qualquer espécime desse gênero.

salmodia [Do gr. *psalmodía.*] ***S. f.*** 1. Modo de cantar ou recitar salmos. 2. *P. ext.* Monotonia no ler, recitar ou declamar. 3. *Fig.* Estilo literário monótono, sem variedade. [F. paral.: *salmódia.* Cf. *salmodia*, do v. *salmodiar.*]

salmódia [Do lat. tard. *psalmodia* < gr. *psalmodía.*] ***S. f.*** Salmodia (q. v.). [Cf. *salmodia*, do v. *salmodiar*, e s. f.]

salmodiar [De *salmodia* + *-ar*[2].] ***V. t. d.*** 1. Cantar em tom uniforme, com pausas iguais e sem inflexão de voz. 2. Cantar tristemente. ***Int.*** 3. Entoar salmos sem inflexão de voz. 4. Cantar, ler ou recitar monotonamente. 5. Ter estilo monótono. [Sin. ger.: *salmear.* Pres. ind.: *salmodio, salmodias, salmodia*, etc. Cf. *salmódia.*]

salmoeira [Do esp. *salmuera.*] ***S. f.*** *P. us. no Brasil* V. *salmoura.*

salmoeiro ***S. m.*** Vasilha para a salmoura.

salmoira [Do esp. *salmuera.*] ***S. f.*** V. *salmoura.*

salmoirão ***S. m.*** V. *salmourão.*

salmoirar ***V. t. d.*** V. *salmourar.*

salmonado [De *salmão* + *-ado*[1], seg. o padrão erudito.] ***Adj.*** *Zool.* Cuja carne é avermelhada como a do salmão.

salmonejo (ê) [De *salmão* + *-ejo*, seg. o padrão erudito.] *Zool.* ***Adj.*** 1. Salmonídeo[1]. ● ***S. m.*** 2. *Bras.* V. *salmonete.*

salmonela [Do tax. *Salmonella* (do antr. [*Daniel Elmer*] *Salmon* [1850-1914], patologista norte-americano, + lat. cient. *-ella*); tax. *Salmonella.*] ***S. f.*** *Microbiol.* 1. Gênero de bactérias entéricas do homem e dos animais, o qual conta perto de mil sorotipos relacionados bioquimicamente. 2. Qualquer espécime desse gênero, como, p. ex., a *Salmonella typhi*, agente da febre tifoide, a *S. paratyphi*, da febre paratifoide (bacilos paratíficos A, B e C), e a *S. pullorum*, agente de doenças de interesse veterinário, como a diarreia branca dos pintos. 3. Qualquer espécime desse gênero.

salmonelíase [De *salmonela* + *-íase.*] ***S. f.*** *Patol.* Salmonelose.

salmonelose [De *salmonela* + *-ose*[1].] ***S. f.*** *Patol.* Infecção por salmonela; salmonelíase.

salmonete (ê) [De *salmão* + *-ete* (ê), seg. o padrão erudito.] ***S. m.*** *Zool.* Peixe actinopterígio, perciforme (*Mullus surmuletus*), do Atlântico, de coloração rósea viva, com três estrias longitudinais amarelas, uma barba negra no ápice da nadadeira dorsal, e comprimento de até 20cm. É peixe de fundo; raro nos mercados. [Sin.: *salmão-pequeno, salmonejo, trilha, pirametara.*]

salmonicultor (ô) [De *salmão* (*salmon-*) + *-i-* + *-cultor*, seg. o padrão erudito.] ***Adj. S. m.*** Que, ou aquele que se dedica à salmonicultura.

salmonicultura [De *salmão* (*salmon-*) + *-i-* + *-cultura*, seg. o padrão erudito.] ***S. f.*** Criação de salmões.

salmónida ***S. m. Adj. 2 g.*** *Zool.* V. *salmônida.* [Uso freq. em P.]

salmônida [Do lat. cient. *Salmon-* (v. *salmonídeo*) + *-ida*[1].] ***S. m. Adj. 2 g.*** *Zool.* V. *salmonídeo*[2].

salmonídeo[1] [Do lat. *salmo, onis*, 'salmão', + *-ídeo*[1].] ***Adj.*** Relativo ou semelhante ao salmão; salmonejo.

salmonídeo[2] [Do lat. cient. *Salmon-* (< tax. *Salmo* < lat. *salmo, onis*, 'salmão') + *-ídeo*[3]; tax. *Salmonidae.*] *Zool.* ***S. m.*** 1. Espécime dos salmonídeos, família de peixes actinopterígios, salmoniformes, de água doce, se bem que muitas espécies permaneçam nos mares por longo tempo, voltando aos rios para a desova; têm o corpo alongado, nadadeiras pélvica e dorsal raiadas, nadadeira adiposa presente, e cauda bifurcada. Originários dos lagos e rios das regiões frias e temperadas do hemisfério norte, têm hoje muitas espécies introduzidas artificialmente em vários países do mundo. São as trutas e os salmões. ● ***Adj.*** 2. Pertencente ou relativo a eles.

salmoniforme [Do lat. cient. *Salmon-* (v. *salmonídeo*) + *-iforme.*] *Zool.* ***S. m.*** 1. Espécime dos salmoniformes, ordem de peixes actinopterígios que apresentam nadadeiras dorsal e pélvica únicas, localizadas no meio ou um pouco atrás do corpo do animal. O grupo inclui numerosas famílias, como, p. ex., os esocídeos e os salmonídeos. Ex.: o salmão, a truta e o lúcio. ● ***Adj. 2 g.*** 2. Pertencente ou relativo a eles.

salmos [Pl. de *salmo.*] ***S. m. pl.*** A coleção das 150 orações poéticas inseridas no cânon bíblico. ~ V. *salmo.*

salmoura [Var. de *salmoira.*] ***S. f.*** 1. Porção de água saturada de sal marinho usada para conservação de carnes, peixes, azeitonas, etc.: "Seu Quincas salgava os peixes e guardava em salmoura especial as ovas de tainha e placas de gurujuba" (Raul Bopp, *Putirum*, p. 215). 2. Recipiente no qual se conservam substâncias orgânicas, com a respectiva água salgada. 3. Líquido que escorre da carne ou do peixe salgados.

salmourado [Part. de *salmourar.*] ***Adj.*** Posto ou conservado em salmoura.

salmourão [Var. de *salmoirão* < *salmoira* + *-ão*[1].] ***S. m.*** *Bras.* Solo resultante da decomposição parcial da mica e do feldspato. Este último se deposita junto a outros minerais residuais do solo original ou se acumula conjuntamente num manto de areia grossa e alvacenta. [Var.: *salmoirão.*]

salmourar [Var. de *salmoirar* < *salmoira* + *-ar*[2].] ***V. t. d.*** 1. Pôr em salmoura; salgar. 2. Moer, maltratar; pisar.

salmourense ***Adj. 2 g.*** 1. De, ou pertencente ou relativo a Salmourão (SP). ● ***S. 2 g.*** 2. O natural ou habitante de Salmourão.

saloaense (ãen) ***Adj. 2 g.*** 1. De, ou pertencente ou relativo a Saloá (PE). ● ***S. 2 g.*** 2. O natural ou habitante de Saloá.

salobre (ô) ***Adj. 2 g.*** V. *salobro*: "Água de coco verde / Doce e salobre" (Joaquim Cardoso, *Poesias Completas*, p. 53).

salobro (ô) [De *sal.*] ***Adj.*** 1. Que sabe um pouco a sal: "O próprio homem, quando a miséria é grande, assa-os [o mandacaru e outras cactáceas] às brasas e devora-lhes o miolo branco, salobro, fofo." (Gustavo Barroso, *Terra de Sol*, p. 13.) 2. Diz-se da água de salinidade inferior à das águas oceânicas e que contém em dissolução alguns sais ou substâncias que a fazem desagradável: "uma água infamemente salobra, com uns longes de sal de ferro" (Id., *ib.*, p. 27). [F. paral.: *salobre.*]

saloiada [De *saloio* + *-ada*[1].] ***S. f.*** 1. Multidão de saloios ou saloias. 2. Saloiice.

saloiice [De *saloio* + *-ice*[1].] ***S. f.*** Ação própria de saloio; saloiada.

saloio [Do ár. *salāwī*, 'habitante de Sale (Marrocos)'.] ***S. m.*** 1. Camponês das cercanias de Lisboa (Portugal). 2. *Fig.* Indivíduo rústico, grosseiro; aldeão. 3. Indivíduo finório, ardiloso, velhaco. ● ***Adj.*** 4. Que é aldeão; grosseiro, rústico. 5. Finório, velhaco.

salol [De *sal(icilato)* + *(fen)ol.*] ***S. m.*** *Quím.* Salicilato de fenila, cristalino, incolor, usado em medicina [fórm.: $C_{13}H_{10}O_3$]. [Pl.: *salóis.*]

salomão [Do antr. *Salomão* (v. *salomônico*).] ***S. m.*** Indivíduo que se tem por muito criterioso e vive a aconselhar.

salomeense (êen) [Do top. ant. *Salomé* (atual *São Sebastião*, do AL) + *-ense.*] ***Adj. 2 g.*** 1. De, ou pertencente ou relativo a São Sebastião (AL). ● ***S. 2 g.*** 2. O natural ou habitante de São Sebastião.

salomónico ***Adj. S. m.*** V. *salomônico.* [Uso freq. em P.]

salomônico [Do antr. *Salomão* + *-ico*[2], seg. o padrão erudito.] ***Adj.*** 1. Pertencente ou relativo a Salomão (1032-975 a.C.), rei dos hebreus, considerado um governante sábio e criterioso: *justiça salomônica.* 2. Das, ou pertencente ou relativo às Ilhas Salomão (arquipélago do Pacífico sul). ~ V. *coluna —a.* ● ***S. m.*** 3. O natural ou habitante das Ilhas Salomão.

saloneiro [De *salão*[1] + *-eiro*, seg. o padrão erudito.] ***S. m.*** *Bras.* Garçom de navio mercante.

salonicense ***Adj. 2 g.*** 1. De, ou pertencente ou relativo a Salonica (Grécia). ● ***S. 2 g.*** 2. O natural ou habitante de Salonica.

salonismo [De (*futebol de*) *salão* + *-ismo*, seg. o padrão erudito.] ***S. m.*** Prática de futsal (q. v.).

salonista [De *salonismo* + *-ista.*] *Bras.* ***S. 2 g.*** 1. Jogador de futsal. ● ***Adj. 2 g.*** 2. Referente ao salonismo: "Paulo Jorge acredita em triunfo e na conquista do primeiro turno salonista na noite do próximo sábado." (*Jornal de Alagoas*, 20.08.1980.)

➔**saloon** [sə'luwn] [Ingl.] ***S. m.*** Bar característico dos filmes de faroeste, em que, ger., há jogo, música e mulheres: "Das brigas a soco do cinema, aquelas de demolir saloon, ninguém saía com mais do que alguns hematomas, que duas cenas depois já tinham desaparecido, e os punhos ficavam intactos" (Luís Fernando Veríssimo, em *O Globo*, 29.05.2008).

salossantol [De *salo(l)* + *san*, de *sândalo*, + *-ol*[3].] ***S. m.*** Produto da dissolução do salol em essência de sândalo. [Pl.: *salossantóis.*]

salpa [Do gr. *sálpe*, pelo lat. *salpa*; tax. *Salpa.*] ***S. m.*** *Zool.* 1. O gênero-tipo dos salpídeos, que abrange tunicados pelágicos de corpo transparente, afusado, abundantes nos mares quentes. 2. Espécie ou espécime desse gênero; desmomiário.

salpicado [Part. de *salpicar.*] ***Adj.*** 1. Ligeiramente polvilhado de sal. 2. *Fig.* Manchado com pingos ou salpicos. 3. Entremeado, entressachado.

salpicador (ô) [De *salpicar* + *-dor.*] ***Adj. S. m.*** Que, ou aquele que salpica.

salpicadura [De *salpicar* + *-dura.*] ***S. f.*** 1. Ato ou efeito de salpicar; salpicamento. 2. Salpico (1).

salpica-lamas [De *salpicar* + o pl. de *lama*[1].] ***S. m. 2 n.*** *Bras. S. Gír.* Moço de recados de um cartório.

salpicamento [De *salpicar* + *-mento.*] ***S. m.*** Salpicadura (1).

salpicão [Do esp. *salpicón.*] ***S. m.*** *Cul.* 1. Paio ou chouriço grosso, preparado com lombo de porco ou presunto e temperado com sal, alho e, por vezes, vinho. 2. *Bras.* Prato frio basicamente preparado com galinha desfiada, presunto ou lombo cortados bem fino, misturados a um molho abundante feito com cebola, pimentão, cenoura (cortados em tirinhas), cheiro-verde e outros temperos regados com azeite e vinagre, e que se põe a macerar para apurar o sabor.

salpicar [De *sal* + *picar.*] ***V. t. d.*** 1. Salgar, temperar, espalhando gotas salgadas ou pedras de sal; salpresar: *salpicar a carne.* 2. Manchar com pingos ou salpicos: *O automóvel, ao passar na lama, salpicou-lhe a roupa.* 3. Fazer pintas variadas em; sarapintar. 4. Espalhar manchas em; manchar. 5. Macular, desacreditar, infamar: *O desfalque, embora pequeno, salpicou sua reputação.* 6. Espalhar, polvilhar. ***T. d. e i.*** 7. Dar cores diversas; matizar. 8. Manchar, sujar: *O caminhão, ao passar, salpicou-o de lama.* 9. Entremear, intervalar, entressachar: *Salpicou a conferência com citações de autores estrangeiros; Salpica de estrangeirismos os seus escritos.* [Conjug.: v. *trancar.*]

salpico [Dev. de *salpicar.*] ***S. m.*** 1. Pingo de lama que ressalta; salpicadura. 2. V. *pinta*[1] (1). 3. Cada uma das pedras de sal usadas para salgar a carne ou o peixe. ~ V. *salpicos.*

salpicos [Pl. de *salpico.*] ***S. m. pl.*** Pontinhos de cores ou de bordado, em diversos tecidos. ~ V. *salpico.*

salpídeo [Do tax. *Salpa* + *-ídeo*[1]; tax. *Salpidae.*] *Zool.* ***S. m.*** 1. Espécime dos salpídeos, pequena família de tunicados taliáceos cujo gênero principal, considerado único, em algumas classificações, é o salpa. ● ***Adj.*** 2. Pertencente ou relativo a eles.

sálpido [Do tax. *Salpa* (< lat. *salpa*) + *-ido*[3]; tax. *Salpida.*] *Zool.* ***S. m.*** 1. Espécime dos sálpidos, ordem de tunicados taliáceos, de corpo prismoide ou cilíndrico, bandas musculares incompletas embaixo, conver-

S

gentes na parte superior, tendo o adulto uma única abertura branquial. São transparentes quando vivos, e não têm larvas. • *Adj.* 2. Pertencente ou relativo a eles.

sal-pimenta [De *sal* + *pimenta*.] *S. f.* 1. Mistura de sal e pimenta. • *Adj. 2 g. e 2 n.* 2. Branco e cinzento; grisalho. [Cf. *sal e pimenta*. Pl.: *sais-pimentas* e *sais-pimenta*.]

sal-pimentar [De *sal-pimenta* + *-ar*[2].] *V. t. d.* 1. Temperar com sal e pimenta. 2. *Fig.* Maltratar com palavras acres.

salpinge [Do gr. *sálpinx, ingos*, 'trompa', pelo lat. tard. *salpinge*.] *S. m.* 1. *Anat.* V. *tuba auditiva*. 2. *Anat.* V. *tuba uterina*. 3. Entre os antigos gregos, trombeta cônica utilizada em cerimônias litúrgicas e nos exércitos.

salpingectomia [De *salping(o)-* + *-ectom-* + *-ia*[1].] *S. f. Gin.* Ablação de salpinge (1), e que pode ser unilateral ou bilateral.

salpingectômico *Adj.* V. *salpingectômico*. [Uso freq. em P.]

salpingectômico [De *salpingectomia* + *-ico*[2].] *Adj.* Relativo a salpingectomia.

salpíngico [De *salpinge* + *-ico*[2].] *Adj. Anat.* Pertencente ou relativo a salpinge (1 e 2).

salpingite [De *salpinge* + *-ite*[1].] *S. f. Gin. Otor.* Inflamação de salpinge (1 e 2).

▲**salping(o)-** [Do gr. *sálpinx, ingos*, 'trombeta'.] *El. comp.* = 'trompa': *salpingectomia, salpingociese*. [Equiv.: *-salping(o)-: oofarossalpingectomia*.]

▲ **-salping(o)-** Equiv. de *salping(o)-*.

salpingociese [De *salping(o)-* + *-ciese*.] *S. f. Obst.* Gravidez em tuba uterina; gravidez tubária.

salpingoscopia [De *salping(o)-* + *-scop-* + *-ia*[1].] *S. f. Otor.* Inspeção de tuba auditiva.

salpingoscópico [De *salpingoscopia* + *-ico*[2].] *Adj.* Relativo a salpingoscopia.

salpingoscópio [De *salping(o)-* + *-scópio*.] *S. m. Otor.* Instrumento utilizado na salpingoscopia.

salpintar [Cruz. de *sal(picar)* + *(sara)pintar*, decerto.] *V. t. d. Bras.* Fazer pintas variadas em; sarapintar; salpicar.

salpresar [De *salpreso* + *-ar*[2].] *V. t. d.* Salgar levemente; salpicar. [Pres. ind.: *salpreso, salpresas, salpresa*, etc. Cf. *salpreso* (ê) e as flex. *salpresa* (ê), *salpresas* (ê).]

salpreso (ê) [Do lat. **salpersu*, 'aspergido com sal'.] *Adj.* 1. Que se salpresou; salgado de leve. 2. *Bras.* Diz-se da carne, em geral de porco, conservada em sal. [Flex.: *salpresa* (ê), *salpresos* (ê), *salpresas* (ê). Cf. *salpreso, salpresas, salpresa*, do v. *salpresar*.]

salsa [Do lat. *(herba) salsa*, 'erva salgada'.] *S. f.* 1. *Bot.* Erva apiácea (*Petroselinum sativum* ou *P. crispum*) originária da Europa e, mundialmente, cultivada em hortas. Tem folhas partidas, herbáceas e aromáticas, e flores pequenas, brancas, organizadas em umbelas compostas. 2. *Cul.* Essa erva, amplamente usada como tempero de sabor característico e estimulante do apetite, ou como guarnição de certos pratos. [Sin., nessas acepç.: *salsa-crespa*.] 3. *Geol.* V. *vulcão de lama*. [Cf. *sarça*.]

salsa-americana *S. f. Bot.* V. *salsaparrilha*. [Pl.: *salsas-americanas*.]

salsa-ardente *S. f. Geol.* V. *vulcão de lama*. [Pl.: *salsas-ardentes*.]

salsa-branca [De *salsa*[1] + o f. de *branco*.] *S. f. Bras. Bot.* V. *algodão-bravo* (2). [Pl.: *salsas-brancas*.]

salsa-crespa [De *salsa*[1] + o f. de *crespo*.] *S. f. Bot.* Salsa (1 e 2). [Pl.: *salsas-crespas*.]

salsada [De *salsa*, poss.] *S. f.* 1. V. *salada* (3): "é o livrinho mais peco e mais parvo, que nunca heis visto; uma salsada de sagrado e profano" (Antônio Feliciano de Castilho, *Camões*, I, p. 89). 2. V. *mixórdia* (1).

salsa-da-praia [De *salsa*[1] + *da*[1] + *praia*.] *S. f. Bras. Bot.* Planta convolvulácea (*Ipomoea pes-caprae*) herbácea e rastejante, que se estende pelas areias das praias, de folhas arredondadas e reentrantes na ponta, flores vistosas, violáceas, infundibuliformes e numerosas, e frutos que são cápsulas. Tem látex. [Sin.: *pé-de-cabra*. Pl.: *salsas-da-praia*.]

salsa-do-brejo [De *salsa*[1] + *do*[1] + *brejo*.] *S. f. Bras. Bot.* Arbusto onagráceo (*Ludwigia anastomosans*) originário do Brasil, onde habita lugares úmidos; tem folhas glabras, flores amarelas e frutos capsulares. [Sin.: *erva-de-bicho*.] 2. V. *cruz-de-malta* (2). [Pl.: *salsas-do-brejo*.]

salsa-do-rio-grande-do-sul [De *salsa*[1] + *do*[1] + o top. *Rio Grande do Sul*.] *S. f. Bras. S. Bot.* Arbusto poligonáceo (*Muehlenbeckia sagittifolia*) escandente, cujos ramos são volúveis. Tem folhas sagitadas ou lanceoladas, herbáceas e acuminadas, flores pequeninas, apétalas e unissexuais, ordenadas em cachos delicados e solitários, e frutos que são nozes minutas, incluídas no cálice. [Pl.: *salsas-do-rio-grande-do-sul*.]

salsão [De *salsa* (1) + *-ão*[1].] *S. m. Bot.* Aipo.

salsaparrilha [Do esp. *zarzaparilla*, poss. com infl. de *salsa*.] *S. f. Bot.* Designação comum a cipós liliáceos do gênero *Smilax*, de cuja raiz se extrai uma droga considerada como eficiente depurativo. O caule, trepador, é provido de acúleos grossos; as folhas têm nervuras salientes; as flores são pequenas, e os frutos, bacáceos. [Sin.: *salsa-americana, zarza, japecanga* e (ant.) *jarrilho*.]

salsar [Do forro *salsá*.] *V. t. d. Santom.* Podar, cortar, desbastar: "salsas a bananeira / com um machim de prata; / capinas o mato / com um machim de raiva!" (Maria Manuela Margarido, em *Poetas de S. Tomé e Príncipe*, p. 81).

salseira [Do esp. *salsera*.] *S. f.* Recipiente em que se servem molhos à mesa; molheira.

salseirada [De *salseira* + *-ada*[1].] *S. f.* Salseiro (1).

salseiro [De *salso*, poss.] *S. m.* 1. Chuva abundante, de pouca duração, em zona limitada, e menos intensa que o aguaceiro; salseirada. 2. *Lus.* Vento baixo e violento. 3. *Bras.* Desordem, confusão; motim. V. *rolo*[1] (16).

salsicha [Do it. *salsiccia* < lat. tard. *salsicia*, neutro pl. de *salsicius*, 'salgado'.] *S. f.* 1. Enchido (3) feito ger. de carne de porco moída, com sal e diversos temperos, de aspecto e sabor característicos, e no qual se utilizam tripas de pequeno diâmetro. [Cf. *salsicharia*.] 2. Rastilho que se usava para atear fogo às minas. 3. *Bras. Fam.* Bassê. [Var. assimilada: *salchicha*.]

salsichão [De *salsicha* + *-ão*.] *S. m.* Salsicha grande e grossa. [Var.: *salchichão*.]

salsicharia [De *salsicha* + *-aria*.] *S. f.* 1. A arte de utilizar a carne de porco, ou de outro animal, só ou misturada com outras e com os respectivos temperos, na preparação de afiambrados, enchidos, ensacados ou salgados. [Tb. se diz *charcutaria*.] 2. Estabelecimento que fabrica ou vende esses tipos de carne. [Var. assimilada: *salchicharia*.]

salsicheiro [De *salsicha* + *-eiro*.] *S. m.* Fabricante ou vendedor de artigos de salsicharia. [Var. assimilada: *salchicheiro*.]

salsifi [Do it. *salsifica, salsefrica* (< lat. tard. *saxifrica*), pelo fr. *salsifis*.] *S. m. Bot.* Erva asterácea (*Tragopon porrifolius*) herbácea, europeia, dotada de capítulos de flores radiadas, vermelhos, inseridos em pedúnculos longos, e raiz tb. longa, fusiforme, e edule.

salsifi-negro *S. m. Bot.* Erva asterácea (*Scorzonera hispanica*) de longa raiz carnosa, flores grandes, amarelas, em semiflósculos férteis, hermafroditos, no ápice das ramificações, e fruto aquênio. [Pl.: *salsifis-negros*.]

salsinha [De *salsa* + *-inha*.] *S. f.* 1. Dim. de *salsa*. • *S. m.* 2. *Pop.* Homossexual (3).

salso [Do lat. *salsu*.] *Adj. Poét.* Salgado (1 e 2): "De veterano as faces / O salso pranto rega." (Alexandre Herculano, *Poesias*, p. 107.) [Diz-se particularmente do mar ou de suas águas: "Jaz a soberba Europa, a quem rodeia, / Pela parte do Arcturo e do Ocidente, / Com suas salsas ondas o Oceano, / E pela austral, o Mar Mediterrâneo." (Luís de Camões, *Os Lusíadas*, III, 6); "As salsas ondas do mar / As fundas feridas curam" (Guimarães Passos, *Horas Mortas*, p. 52).] ~ V. — *argento* e — *plano*.

salsolácea [Do tax. *Salsola* + *-ácea*.] *S. f. Bot.* V. *quenopodiácea*.

salsoláceo [Do tax. *Salsola* + *-áceo*.] *Adj. Bot.* V. *quenopodiáceo*.

salsugem [Do lat. *salsugine*.] *S. f.* 1. Lodo que contém substâncias salinas: "A maré atlântica, ... despida já da salsugem marinha e daquelas vidas microscópias, remonta além." (Raimundo Morais, *Na Planície Amazônica*, p. 31). 2. Detritos que flutuam próximo das praias, portos, etc. 3. Qualidade do que é salso. 4. *Derm.* V. *impetigo*.

salsuginoso (ô) [De *salsugem* + *-oso*, seg. o padrão erudito.] *Adj.* Que tem salsugem; cheio de salsugem.

salta-atrás [De *saltar* + *atrás*.] *S. 2 g. e 2 n. Bras. PE* Designação dada, no séc. XVIII, aos filhos de mameluco com negra.

salta-caminho [De *saltar* + *caminho*.] *S. m. Bras. CE Zool.* V. *tico-tico-do-mato* (1). [Pl.: *salta-caminhos*.]

salta-caroço (ô) [De *saltar* + *caroço*.] *S. m.* 1. Variedade de pêssego cujo caroço facilmente se desprende do mesocarpo. 2. *Bras. Med. Gír.* Parto espontâneo, sem dificuldades. [Pl.: *salta-caroços* (ó).]

saltada [De *saltar* + *-ada*[1].] *S. f.* 1. Salto grande. 2. Arremetida, ataque, investida. 3. Invasão, incursão. 4. Entrada ou visita rápida e imprevista. 5. Furto ou roubo com assalto.

saltado [Part. de *saltar*.] *Adj.* 1. Que ressai acima de um nível ou para fora de um plano; saliente. 2. Diz-se de olhos salientes, esbugalhados: "Os grandes olhos saltados, espantados do que viam, fecharam-se" (Nélson de Faria, *Tiziu e Outras Estórias*, p. 214).

saltadoiro [De *saltar* + *-doiro*[2].] *S. m.* Saltadouro (q. v.).

saltador (ô) [De *saltar* + *-dor*.] *Adj.* 1. Que salta; saltante. 2. Saltarelo (1). • *S. m.* 3. Aquele que salta. 4. *Mús.* V. *martinete*[4] (1). 5. *Bras. PE Zool.* V. *tiziu*. 6. *Bras. SP* Trecho da costa onde o movimento das águas do mar é vertical.

saltadouro [De *saltar* + *-douro*[2]; var. de *saltadoiro*.] *S. m.* Rede para pescar tainhas.

salta-martim [De *saltar* + antr. *Martim*.] *S. m. Bras.* 1. *Zool.* V. *pirilampo*. 2. *Bot.* V. *saboeiro* (3). [Pl.: *salta-martins*.]

saltante [Do lat. *saltante*.] *Adj. 2 g.* 1. Que salta; saltador. 2. *Heráld.* Diz-se de animal que se apresenta em atitude de saltar.

saltão [De *saltar* + *-ão*[1].] *Adj.* 1. Que salta muito, ou dá grandes saltos. • *S. m.* 2. Homem ou animal que salta muito, ou dá grandes saltos. 3. *Pop.* Mosquito, antes de completar a sua metamorfose. 4. *Bras. Zool.* Designação comum às formas jovens dos insetos ortópteros, locustídeos, principalmente os gafanhotos. [O nome provém de se locomoverem aos saltos, por não estarem ainda as asas desenvolvidas.] 5. *Bras. S. Zool.* Larva do tipo vermiforme, de certos dípteros que atacam a carne e o queijo.

saltão-da-praia *S. m. Bras. Zool.* Pulga-do-mar. [Pl.: *saltões-da-praia*.]

salta-pocinhas [De *saltar* + o pl. de *pocinha*, dim. de *poça*.] *S. m. 2 n.* 1. *Lus. Pop.* Indivíduo pretensioso, adamado, cheio de afetação no andar; pisa-flores, pisa-verdes. 2. Criança que não para quieta.

saltar [Do lat. *saltare*.] *V. int.* 1. Dar salto(s). 2. Descer ou apear-se de um salto: *Saltou e pediu que desarreassem o cavalo; Saltei do trem*. 3. Palpitar descompassadamente: *Ansioso, sentia o coração saltar.* 4. Brotar, irromper; espirrar, jorrar, esguichar: *Ao golpe do bisturi, o sangue saltou.* 5. Mudar repentinamente de direção (o vento). *T. i.* 6. Acometer, investir, assaltar, com o fim de roubar ou matar. *Bit. i.* 7. Mudar repentinamente de uma posição: *Saltou de soldado para sargento.* 8. Passar sem transição (duma coisa para outra). *T. d.* 9. Galgar, dando salto(s): *saltar o muro.* 10. Atravessar, pulando: *saltar um rio.* 11. Passar em claro; omitir: *saltar uma linha.* 12. Passar por cima de; menosprezar, desprezar. 13. *Bras.* Cobrir (a égua). 14. *Tip.* Omitir (palavra, frase ou período) na composição tipográfica. 15. *Bras. Pop.* Fazer vir: *Salta um chope, ó rapaz!* *T. c.* 16. Atirar-se, jogar-se, arremessar-se: *O gato saltou do quarto andar e não se machucou.* 17. Entrar, pulando: *Saltou para o barco.* *Bit. c.* 18. Passar, pulando: *O acrobata saltou do arame para o chão.*

salta-regra [De *saltar* + *regra*.] *S. m.* V. *acuta*. [Pl.: *salta-regras*.]

saltarelar [De *saltarelo* + *-ar*[2].] *V. int.* V. *saltaricar* (2).

saltarelo [Do it. *saltarello*.] *Adj.* 1. Que gosta de saltar; saltador. • *S. m.* 2. Dança viva, de origem italiana, em compasso de 3 por 8 ou 6 por 8, executada por pares que lhe imprimem um movimento cada vez mais rápido. 3. *Mús.* Composição que tem o caráter vivo e movimentado dessa dança: *O último movimento da Sinfonia Italiana, de Mendelssohn, é um saltarelo.*

saltaricar [De *saltar* + *-icar*.] *V. int.* 1. Dar saltinhos. 2. Andar sempre a dar saltinhos; andar aos saltos; saltarilhar, saltarinhar, saltarelar. [Conjug.: v. *trancar*.]

saltarilhar [De *saltar* + *-ilhar*.] *V. int.* V. *saltaricar* (2).

saltarilho [Dev. de *saltarilhar*.] *S. m.* Aquele que saltarilha.

saltarinhar [De *saltar* + *-inhar*.] *V. int.* V. *saltaricar* (2).

salta-toco (ô) [De *saltar* + *toco*.] *S. m. Bras. N.E. Zool.* V. *tiziu*. [Pl.: *salta-tocos* (ó).]

saltatório [Adapt. do tax. *Saltatoria*.] *Adj. S. m. Zool.* V. *ortóptero*.

saltatriz [Do lat. *saltatrice*.] *S. f.* 1. Mulher que salta. 2. Dançarina, bailarina. • *Adj. (f.)* 3. Que salta.

salteada [De *saltear* + *-ada*[1].] *S. f.* 1. Ato ou efeito de saltear[1]. 2. Acometimento, arremetida, assalto. [Sin. ger.: *salteamento*.]

salteado [Part. de *saltear*.] *Adj.* 1. Atacado de improviso; sobressalteado. 2. Assaltado, atacado. 3. Não sucessivo; entremeado.

salteador (ô) [De *saltear* + *-dor*.] *Adj.* 1. Que salteia. • *S. m.* 2. Aquele que salteia. 3. Ladrão de estrada.

salteamento [De *saltear* + *-mento*.] *S. m.* V. *salteada*.

saltear[1] [Adapt. de *salto*[1] + *-ear*[2].] *V. t. d.* 1. Atacar ou acometer de salto ou de repente, para roubar ou matar: *O ladrão salteou o viajante.* 2. Tomar de assalto, de improviso; atacar, acometer: *O general salteou de surpresa a praça.* 3. Roubar, saquear: *O bando salteou o caminhão.* 4. Acometer ou tomar de improviso: *A tristeza, à noite, costumava salteá-lo.* 5. Cair de improviso sobre; apanhar de surpresa; surpreender: "Passavam um dia de um lugar para outro: salteou-os uma chuva fria e importuna que os não largou na mor parte da jornada." (Fr. Luís de Sousa, *Vida de D. Fr. Bertolameu dos Mártires*, I, p. 96.) *Int.* 6. Ser salteador; viver de rapina. *P.* 7. Assustar-se, sobressaltar-se: *Saltearam-se com a estranha nova.* 8. Apavorar-se com uma notícia má. [Sin. ger.: *assaltar*. Conjug.: v. *frear*.]

saltear[2] [Adapt. do fr. *sauter*.] *V. t. d. T. d. e i. Cul.* Cozer (carne, ave, legume, etc.) em fogo forte e com muita gordura, sacudindo a caçarola ou a frigideira para não pegar no fundo: *Salteou o fígado com cebola e pimentão.* [Conjug.: v. *frear*.]

salteio [Dev. de *saltear*[1].] *S. m.* Ato de saltear[1].

salteira [De *salto* (10) + *-eira*.] *S. f.* **1.** *Bras.* Pequena sola que serve para altear o calçado. [Cf. *biqueira* (3).] **2.** *Bras. S.* Esporim de militares.

salteiro [De *salto* (11) + *-eiro*.] *S. m.* Fabricante de saltos.

saltense[1] *Adj. 2 g.* **1.** De, ou pertencente ou relativo a Salto (SP). ● *S. 2 g.* **2.** O natural ou habitante de Salto.

saltense[2] *Adj. 2 g.* **1.** De, ou pertencente ou relativo a Salto da Divisa (MG). ● *S. 2 g.* **2.** O natural ou habitante de Salto da Divisa.

saltense[3] *Adj. 2 g.* **1.** De, ou pertencente ou relativo a Salto de Pirapora (SP). ● *S. 2 g.* **2.** O natural ou habitante de Salto de Pirapora.

saltense[4] *Adj. 2 g.* **1.** De, ou pertencente ou relativo a Salto do Céu (MT). ● *S. 2 g.* **2.** O natural ou habitante de Salto do Céu.

saltense[5] *Adj. 2 g. S. 2 g.* V. *saltense-do-itararé*.

saltense[6] *Adj. 2 g. S. 2 g.* V. *salto-lontrense*.

saltense-do-itararé *Adj. 2 g.* **1.** De, ou pertencente ou relativo a Salto do Itararé (PR). ● *S. 2 g.* **2.** O natural ou habitante de Salto do Itararé. [Sin. ger.: *saltense*. Pl.: *saltenses-do-itararé*.]

saltério [Do gr. *psaltérion*, pelo lat. *psalteriu*.] *S. m.* **1.** *Mús.* Entre os gregos, designação comum aos instrumentos de cordas que se feriam com os dedos e não com o plectro. **2.** *Ant. Mús.* Instrumento de origem persa, de forma triangular ou trapezoidal, composto de uma caixa de ressonância com uma ou várias rosáceas, e de um número variável de cordas simples ou duplas, retesadas sobre a caixa por meio de cravelhas, e que eram feridas com os dedos ou com o plectro, ou percutidas com duas baquetas; címbalo: "Daí a pouco, porém, uma toada longínqua de harpas, doçainas e saltérios sussurrou a espaços trazida nas lufadas do vento." (Alexandre Herculano, *O Bobo*, p. 259.) [Uma vez provido de teclado, deu origem, desde o início do séc. XV, ao clavicórdio.] **3.** *Mús.* Instrumento moderno, de forma triangular, com 13 ordens de cordas que são tocadas com os dedos ou com um plectro. **4.** *Rel.* Designação que os Setenta (tradutores do Antigo Testamento em grego) deram ao hinário de Israel, *i. e.*, aos salmos [v. *salmo* (3)]. **5.** *Zool.* V. *folhoso* (2).

▲**salti-** [Do lat. *saltus, us*.] *El. comp.* = 'salto': *saltígrado*.

saltígrado [De *salti-* + *-grado*[1].] *Adj.* Que caminha aos saltos.

saltimbanco [Do it. *saltimbanco*.] *S. m.* **1.** Elemento de um elenco de artistas populares itinerantes. **2.** V. *bufo*[3] (1). **3.** Artista popular, histrião, que em geral se exibe nos circos ou nas feiras, ou por conta própria; pelotiqueiro: "O saltimbanco preparou o seu tablado em frente duma casa de boa aparência, rufou numa caixa, alvoroçou a aldeia que se abalou toda para o redor dele, e começou suas arlequinadas" (Camilo Castelo Branco, *A Enjeitada*, p. 121). **4.** *Fig.* Homem sem opiniões seguras, que não merece confiança nem consideração.

saltinho [De *salto* + *-inho*[1].] *S. m.* Dim. de *salto*. ◆ **Dar um saltinho a.** *Bras. N.E.* V. *dar um pulo a*.

saltitante [Do lat. tard. *saltitante*.] *Adj. 2 g.* **1.** Que saltita: "Amélia e Luísa também dançavam, tontas e saltitantes, nos braços de rapazes desconhecidos." (Maria Archer, *Fauno Sovina*, p. 206.) **2.** *Fig.* Muito feliz, alegre.

saltitar [Do lat. tard. *saltitare*.] *V. int.* **1.** Dar saltinhos frequentes: "A andorinha, frechando insetos pelos ares; / O melro, a saltitar nos ramos dos pomares" (Bulhão Pato, *Livro do Monte*, p. 53). **2.** Mostrar-se inconstante, volúvel, mudável. *Bit. i.* **3.** Divagar de um para outro assunto.

salto[1] [Do lat. *saltu*.] *S. m.* **1.** Movimento com que um homem ou um animal se eleva do solo ou do lugar onde se encontra, para vencer um espaço ou obstáculo; pulo. **2.** Movimento rápido com elevação, acima de uma superfície por efeito de queda ou reflexão: *saltos da bola.* [Cf. *ricochete* (1).] **3.** V. *queda-d'água*. **4.** Transição rápida; transposição: *Deu um salto de contínuo a chefe de seção.* **5.** Arremetida, investida, assalto. **6.** Trepidação, vibração. **7.** Subida repentina da voz fora do compasso. **8.** Em carteado, parada em que se jogam três cartas contra uma. **9.** Rede para pescar peixes que saltam fora da água. **10.** *Vest.* Parte saliente acrescentada à sola dum calçado, no calcanhar. **11.** *Tip.* Erro tipográfico que consiste em omissão de palavra, frase ou período. **12.** *Bras.* Padreação. ◆ **Salto à adriça.** *Marinh.* Ato ou efeito de agarrar a adriça para arriar um pouco a verga, a vela, etc., que ela sustém. **Salto agulha.** *Vest.* Salto[1] (10) com até 9cm de altura, muito fino na extremidade que toca o solo. **Salto anabela.** *Vest.* Salto[1] sólido que recobre toda a sola (2), e que é mais largo sob o calcanhar e mais estreito na base. **Salto à vara.** *Lus. Atlet.* Salto de vara. **Salto de prateleira.** Salto de bota ou de sapato com rebordo saliente: "Um grande chapéu de abas largas e direitas, ... calça justa sobre botas de salto de prateleira" (Afrânio Peixoto, *Viagens na Minha Terra*, p. 201). **Salto de pulga.** *Fam.* Distância muito pequena: *Daqui à casa da Helena é um salto de pulga.* **Salto de vara.** *Atlet.* O que consiste em ultrapassar um obstáculo colocado a certa altura, sem tocá-lo, utilizando como impulso uma vara que, apoiada ao solo, projeta o saltador para cima. [Sin., lus.: *salto à vara*.] **Salto em altura.** *Atlet.* Prova em que o atleta, partindo de uma pista em forma de leque, toma impulso para efetuar o salto sobre um obstáculo constante de dois suportes graduados que sustentam uma barra horizontal, não fixa e leve. **Salto em comprimento.** *Lus. Atlet.* Salto em distância. **Salto em distância.** *Atlet.* Prova em que o atleta, tomando impulso a partir de uma tábua de madeira maciça, arma o salto para cair numa caixa de areia situada imediatamente após a tábua. [Sin., lus.: *salto em comprimento*.] **Salto magnético.** *Geofís.* Mudança ab-rupta no campo magnético da Terra, produzida no lado iluminado do planeta como efeito de correntes geradas na alta atmosfera. **Salto ornamental.** Salto de trampolim, geralmente em piscina, durante o qual o atleta realiza acrobacia. [Sin., lus.: *salto para a água*.] **Salto para a água.** *Lus. Atlet.* Salto ornamental. **Salto plataforma.** *Vest.* Salto anabela muito alto. **Salto triplo.** *Atlet.* Prova com regras análogas às do salto em distância, e na qual o atleta cumpre três etapas: um salto antes da linha limite, caindo com o mesmo pé do impulso, um segundo salto para cair sobre o outro pé e um terceiro que lhe permite cair com os dois pés na caixa de areia. [Sin., lus.: *triplo salto*.] **Dar um salto a.** *Bras.* V. *dar um pulo a*. **Dar um salto em.** *Marinh.* Arriar ou folgar um pouco (um cabo, uma vela, etc.). **De salto.** **1.** Num pulo; dando um salto. **2.** De repente. **Jogar de salto alto.** *Bras. Gír. Fut.* Atuar bem abaixo da expectativa, por se superestimar (jogador ou equipe). **Triplo salto.** *Lus. Atlet.* Salto triplo.

salto[2] [Do lat. *saltu*, 'bosque', 'mata cerrada'.] *S. m.* *Desus.* **1.** Souto. **2.** Lugar elevado; outeiro.

salto do palhaço *S. m. Bras. Cap.* Golpe traumatizante em que o capoeirista apoia uma das mãos no chão e joga os dois pés para cima a fim de atingir o adversário, que está diante ou ao lado dele. [Pl.: *saltos do palhaço*.] ☑

salto-grandense *Adj. 2 g.* **1.** De, ou pertencente ou relativo a Salto Grande (SP). ● *S. 2 g.* **2.** O natural ou habitante de Salto Grande. [Pl.: *salto-grandenses*.]

salto-jacuiense (u-i) *Adj. 2 g.* **1.** De, ou pertencente ou relativo a Salto do Jacuí (RS). ● *S. 2 g.* **2.** O natural ou habitante de Salto do Jacuí. [Pl.: *salto-jacuienses*.]

salto-lontrense *Adj. 2 g.* **1.** De, ou pertencente ou relativo a Salto do Lontra (PR). ● *S. 2 g.* **2.** O natural ou habitante de Salto do Lontra. [Sin. ger.: *saltense*[6]. Pl.: *salto-lontrenses*.]

salto-mortal *S. m.* **1.** *Ginást.* Acrobacia em que o atleta dá uma volta completa no ar, para diante, para trás ou para um lado, sem as mãos tocarem o chão: "Vinha depois a bailarina Milka, ... que executava três saltos-mortais consecutivos, antes de pousar, leve e graciosa, numa perna só, sobre o dorso do cavalo baio" (Maria Julieta Drummond de Andrade, *O Valor da Vida*, p. 35). **2.** *Bras. Cap.* Golpe traumatizante em que o capoeirista, girando o corpo no ar, com apoio nas duas ou em uma das mãos, ou livremente, sem nenhum apoio, procura atingir o adversário com um ou dois pés. [Pl.: *saltos-mortais*.]

saltos-furtados *S. m. pl. Bras. PE* Manhas; negaças; subterfúgios.

saltria [Do gr. *psaltría*, pelo lat. *psaltria*.] *S. f.* Tangedora de cítara, entre os antigos.

salu *S. m. Bras. RS* Modalidade de fandango.

salubá [Do ior., poss.] *Interj. Bras. Rel.* Saudação que se dirige a Nanã, quando desce [v. *descer* (15)] num terreiro de candomblé ou centro de umbanda.

salubérrimo [Do lat. *saluberrimu*.] *Adj.* Superl. abs. sint. de *salubre*; salubríssimo: "lugares .... florescentes e salubérrimos .... reverteriam ao estado virgem e tornavam-se pelo abandono pestíferos e inabitáveis." (Ramalho Ortigão, *As Farpas*, IV, pp. 261-262).

salubre[1] *S. m.* Aparelho de cardagem, nas fábricas de fiação, para transformar o algodão em mecha.

salubre[2] [Do lat. *salubre*.] *Adj. 2 g.* **1.** Benéfico à saúde; saudável. **2.** Facilmente curável. [Superl. abs. sint.: *salubérrimo* e *salubríssimo*.]

salubridade [Do lat. *salubritate*.] *S. f. Hig.* **1.** Qualidade de salubre. **2.** Conjunto das condições propícias à saúde pública.

salubrificação [De *salubrificar* + *-ção*.] *S. f.* Ação ou efeito de salubrificar.

salubrificar [De *salubre* + *-ificar*.] *V. t. d.* Tornar salubre; sanear. [Conjug.: v. *trancar*.]

salubríssimo *Adj.* Salubérrimo.

saluçar *V. int. T. d. Ant. Pop.* V. *soluçar*: "Havia chorado .... Inté saluçava." (Nélson de Faria, *Bazé*, p. 51). [Conjug.: v. *laçar*.]

saluço *S. m. Ant. Pop.* V. *soluço*.

saludador (ô) [De *saludar* + *-dor*.] *S. m.* Curandeiro; benzedor.

saludar [Do esp. *saludar*.] *V. t. d.* Curar por meio de rezas; benzer para curar.

salumã *S. 2 g. Adj. 2 g. Bras.* V. *enauenê-nauê*.

salurese [De *sal* + *-ur(o)-*[1] + *-ese*.] *S. f. Med.* Eliminação, pela urina, de iontes de cloro e de sódio.

salurético [De *salur(ese)* + *-ético*.] *Adj.* **1.** Respeitante a salurese. ● *S. m.* **2.** *Farmac. Terap.* Medicamento que provoca salurese.

salutar [Do lat. *salutare*.] *Adj. 2 g.* **1.** Bom para a saúde; salubre. **2.** Fortificante; fortalecedor. **3.** *Fig.* Edificante, moralizador, construtivo: *medidas salutares*. [Pl.: *salutares*. Cf. *Salutáris*, top.]

salutífero [Do lat. *salutiferu*.] *Adj. Poét.* **1.** Que dá saúde; saudável. **2.** *Fig.* Útil, favorável, propício.

salva[1] [Dev. de *salvar*.] *S. f.* **1.** Conjunto de tiros de fuzilaria ou de artilharia dados simultaneamente, ou em rápida sucessão, sobre um alvo. **2.** Conjunto de bombas de profundidade ou torpedos lançados em sucessão rápida sobre um alvo. **3.** Saudação oficial manifestada por uma *salva*[1] (1) de artilharia: *Foi recebido com uma salva de 21 tiros.* **4.** *P. ext.* Repetição, ou grande número, de sons, palavras, ditos: *salva de gracejos*. **5.** Reserva, restrição, ressalva. **6.** Rodeio; subterfúgio. **7.** Tipo de bandeja redonda e pequena. [Originariamente era a prova que se fazia da comida e da bebida que iam ser servidas ao rei e grão-senhores para salvá-los de possível envenenamento; o prato em que eram servidas tomou o nome de *salva*.] **8.** *Bras. Fut. Desus.* Série consecutiva de chutes a gol. ◆ **Salva de gargalhadas.** Explosão de riso. **Salva de palmas.** Aplausos unânimes; ovação.

salva[2] [Do lat. *salvia*.] *S. f. Bot.* Erva lamiácea (*Salvia officinalis*) nativa na região mediterrânea da Europa, de uso medicinal e como tempero. Tem folhas lanceoladas e belas flores azuis a violáceas, agrupadas em racemos alongados; salveta.

salvação [Do lat. tard. *salvatione*.] *S. f.* **1.** Ato ou efeito de salvar(-se), ou de remir. **2.** Ato ou efeito de saudar; saudação. ◆ **Salvação da lavoura.** *Bras. Gír.* Pessoa, coisa ou ocorrência que chega no momento propício.

salvacionismo [De *salvação* (*salvacion-*) + *-ismo*, seg. o padrão erudito.] *S. m.* Tendência ou atitude daqueles que se dedicam de corpo e alma a um projeto de salvar da perdição, do crime, os indivíduos, sobretudo os já criminosos.

salvacionista [De *salvacionismo* + *-ista*.] *Adj. 2 g.* Pertencente ou relativo ao salvacionismo: "Não faço uma literatura salvacionista." (Mauro Ventura, *Dois Uísques e a Conta... com Luís Alberto Mendes*, em *Revista O Globo*, 30.03.2008.)

salvádego [Do lat. **salvaticu*.] *S. m. Lus.* Navio convenientemente equipado, destinado a acudir a navios em perigo ou naufragados.

salvador (ô) [Do lat. tard. *salvatore*.] *Adj.* **1.** Que salva. ● *S. m.* **2.** Aquele que salva. **3.** *Restr.* Jesus Cristo. [Com cap., nesta acepç.]

salvadorácea [Do tax. *Salvadora* (do antr. [*Juan*] *Salvador* [-1681], botânico espanhol) + *-ácea*; tax. *Salvadoraceae*.] *S. f. Bot.* Espécime das salvadoráceas, família de vegetais da ordem das sapindales, formada de espécies lenhosas de folhas compostas e flores paniculadas ou fasciculadas, e cujo fruto é baga ou drupa monospérmica. Ocorrem só 10 espécies na África e Ásia.

salvadoráceo [De *salvadorácea*, com var. suf. (v. *-áceo*).] *Adj. Bot.* Pertencente ou relativo às salvadoráceas.

salvador da pátria *S. m. Irôn.* Indivíduo que se considera providencial, capaz de tudo resolver. [Pl.: *salvadores da pátria*.] ☑

salvadorenho [Do esp. *salvadoreño*.] *Adj.* **1.** De, ou pertencente ou relativo a El Salvador (América Central) ou a San Salvador, sua capital. ● *S. m.* **2.** O natural ou habitante de El Salvador ou de San Salvador. [Sin. ger.: *salvatoriano*.]

salvadorense[1] *Adj. 2 g.* **1.** De, ou pertencente ou relativo a Salvador, capital da BA. ● *S. 2 g.* **2.** O natural ou habitante de Salvador. [Sin. ger., desus.: *soteropolitano*.]

salvadorense[2] *Adj. 2 g.* **1.** De, ou pertencente ou relativo a Salvador das Missões (RS). ● *S. 2 g.* **2.** O natural ou habitante de Salvador das Missões.

salvadorense[3] *Adj. 2 g.* **1.** De, ou pertencente ou relativo a Salvador do Sul (RS). ● *S. 2 g.* **2.** O natural ou habitante de Salvador do Sul.

salvados [Pl. de *salvado*, part. reg. de *salvar*.] *S. m. pl.* Restos que escaparam duma catástrofe, especialmente incêndio ou naufrágio: "Entre os destroços fumegantes, a ralé dos piores bairros discorre em cata de salvados para a rapina." (J. Lúcio d'Azevedo, *O Marquês de Pombal e a Sua Época*, p. 142.)

S

salva-folhas [De *salvar* + o pl. de *folha*.] *S. m. 2 n. Tip.* Alavanca que o minervista aciona para evitar o contato da fôrma com a folha de papel defeituosamente margeada; desligador da pressão.

salvagem[1] [De *salvar* + *-agem*[2].] *S. f.* **1.** Direito sobre aquilo que se salvou de um navio naufragado. **2.** *Mar. G.* Antiga peça de artilharia que atirava projetis de 16 libras. [Var.: *selvagem.*]

salvagem[2] [Do provenç. *salvatge.*] *Adj. 2 g. S. 2 g. Ant. Pop.* Selvagem[1].

salvaguarda [Do fr. *sauvegarde.*] *S. f.* **1.** Proteção e garantia (de direito, de liberdade, de segurança) concedidas por autoridade ou instituição a um indivíduo, a uma coletividade, a um estatuto. **2.** *Fig.* Salvo-conduto (2). **3.** Resguardo de um perigo; proteção, segurança, seguro, cautela. **4.** Defensor, protetor. **5.** Preservação (2) (q. v.). **6.** *Encad.* Cada uma das folhas de papel que se prendem provisoriamente no princípio e ao fim do livro, para evitar que se sujem até certo estágio do trabalho de encadernação; falsa-guarda, guarda suja, resguardo falso. [Cf., nesta acepç., *guarda* (8).]

salvaguardar [Do fr. *sauvegarder.*] *V. t. d.* **1.** Pôr fora de perigo; proteger, defender. **2.** Acautelar, ressalvar.

salva-mão [De *salvar* + *mão.*] *S. m. Art. Gráf.* Dispositivo de certas minervas e guilhotinas, destinado a evitar que as mãos do operário sejam apanhadas pela platina ou pela faca. [Pl.: *salva-mãos.*]

salvamento [Do lat. tard. *salvamentu.*] *S. m.* **1.** Ato, operação ou efeito de salvar; resgate; salvatagem: *O salvamento dos náufragos processou-se com bom êxito.* **2.** Segurança, garantia. **3.** Lugar seguro, livre de perigo. **4.** Bom êxito; sucesso. ◆ **Salvamento arqueológico.** *Arqueol.* Remoção de material arqueológico do seu local de origem, em sítios ameaçados de destruição, ger. em áreas que sofreräo impacto ambiental.

salvante [Do lat. tard. *salvante.*] *Adj. 2 g.* **1.** Que salva. • *Prep.* **2.** Exceto, tirante, salvo: *Saíram todos os alunos, salvante o Sigismundo*; "Não se pensava em empregos públicos, salvante os mais pobres." (Guedes de Miranda, *Eu e o Tempo*, p. 68).

salvar [Do lat. tard. *salvare.*] *V. t. d. e i.* **1.** Tirar ou livrar (de ruína ou perigo); pôr a salvo: *O médico salvou da morte a criança. T. d.* **2.** Livrar de ruína ou perigo: *O banhista salvou o rapaz.* **3.** Livrar de ruína ou perda total: *Os bombeiros salvaram parte dos móveis.* [Sin., nessas acepçs., *resgatar.*] **4.** Conservar; guardar, manter: *Tudo fez para salvar a honra da família.* **5.** Defender, preservar, poupar, salvaguardar: *A medida visa a salvar a sua autoridade.* **6.** Livrar da morte. **7.** Conservar salvo ou intato. **8.** Pôr como condição; acautelar. **9.** Desculpar, justificar: *Procurou salvar o seu engano.* **10.** Passar por cima de, saltando: *salvar um barranco*; "Dentro em pouco os capinhas, salvando a pulos as trincheiras, fugiam à velocidade espantosa do animal" (Rebelo da Silva, *Contos e Lendas*, p. 177). **11.** Dar a salvação a; livrar das penas do Inferno. **12.** Saudar, cumprimentar: *Salvou os presentes ao entrar.* **13.** Fazer cortesia a, saudar, com salvas de artilharia. **14.** *Inform.* Armazenar (um conjunto de informações), de forma a poder recuperá-las posteriormente, gravando-as, ger., em um dispositivo de memória secundária. [Cf., nesta acepç.: *gravar* (9).] *Int.* **15.** Dar salva de artilharia: *A passagem do cortejo presidencial, a fortaleza salvou. P.* **16.** Pôr-se a salvo dalgum perigo; livrar-se de um risco iminente. **17.** Abrigar-se, acolher-se, refugiar-se: *Protegeram-se da tempestade salvando-se num casebre ermo.* **18.** Livrar-se, escapar: *Salvou-se da incumbência não comparecendo ao encontro*; "É quase sempre por orgulho que nos salvamos da inveja." (Álvaro Lins, *Literatura e Vida Literária*, p. 218). **19.** Obter a salvação eterna; livrar-se das penas do Inferno. **20.** Saudar-se, cumprimentar-se.

salvatagem *S. f.* Salvamento (1).

salvatela [Do lat. med. *salvatella.*] *Adj. (f.) S. f.* ~ V. *veia —.*

salvatério [De *salvar.*] *S. m.* **1.** Salvação providencial. **2.** Expediente, escapatória: "Os seus velhos amigos vieram em seu auxílio com alvitres, salvatérios, tranquibérnias" (Camilo Castelo Branco, *História e Sentimentalismo*, p. 214). **3.** Desculpa, escusa.

salvaterrense *Adj. 2 g.* **1.** De, ou pertencente ou relativo a Salvaterra (PA). • *S. 2 g.* **2.** O natural ou habitante de Salvaterra.

salvatoriano *Adj. S. m.* V. *salvadorenho.*

salvável [De *salvar* + *-vel.*] *Adj. 2 g.* Que se pode salvar.

salva-vidas [De *salvar* + o pl. de *vida.*] *S. 2 g. e 2 n.* **1.** Embarcação, boia ou aparelho próprio para impedir o afogamento ou para o salvamento de náufragos. **2.** Pessoa em serviço nas praias para socorrer banhistas que se vejam ameaçados de afogar-se. [Sin.: *guarda-vidas, banhista* e (lus.) *nadador salva-vidas.*] **3.** *Bot.* V. *sombra-de-touro.* • *Adj. 2 g. e 2 n.* **4.** Diz-se de embarcação, boia ou aparelho para salvamento de náufragos. ~ V. *baleeira —, balsa —, boia —* e *colete —.*

salve [Do lat. *salve*, da 2ª pess. do sing. do imperat. pres. de *salvere*, 'ter saúde, passar bem'.] *Interj.* Exprime saudação: "Salve, lindo pendão da esperança!" (Olavo Bilac, "Hino à Bandeira Nacional", em *Poesias Infantis*, p. 137.)

salveira [De *salva*[1] + *-eira.*] *S. f. Bras.* Engenho pirotécnico para dar salvas.

salve-rainha [De *salve* + *rainha.*] *S. f.* **1.** Oração católica dedicada à Virgem Maria, e que principia por essas palavras. **2.** *Bras. Liter. Pop.* Espécie de pé-quebrado em que aparecem, como o quarto verso de cada quadra, trechos sucessivos da oração do mesmo nome. [Pl.: *salve-rainhas.*]

salve-se quem puder *S. m. 2 n.* Situação de pânico ou de grave perigo; corre-corre, debandada. ☑

salveta[1] (ê) [De *salva*[1] (7) + *-eta* (ê).] *S. f.* Pequena salva (7) ou prato em que assentam os candeeiros de bico.

salveta[2] (ê) [De *salva*[2] + *-eta* (ê).] *S. f. Bot.* Salva[2].

sálvia [Do tax. *Salvia* (do lat. *salvia*).] *S. f. Bot.* **1.** Gênero de plantas lamiáceas, herbáceas ou arbustivas, dotadas de flores de vários tamanhos e cores que têm cálice aberto bilabiado e duas anteras, uma delas ereta e perfeita, e a outra descaída e estéril. **2.** Qualquer espécie desse gênero, como, p. ex., a *Salvia officinalis* [v. *salva*[2]]. **3.** Qualquer espécime desse gênero, ou sua flor, ou sua folha.

sálvia-rosa *S. f. Bot.* Planta lamiácea (*Salvia involucrata*) arbustiva, perene, ereta, muito ramificada, com 1,50 a 2,50m, de folhas ovaladas, serrilhadas e inflorescências terminais em brácteas cor-de-rosa, das quais se originam flores odoríferas, com cálice e corola tubulares, róseos. [Pl.: *sálvias-rosa.*]

sálvia-vermelha [De *sálvia* + o f. de *vermelho*[1].] *S. f. Bot.* Planta lamiácea (*Salvia coccinea*) herbácea ou arbustiva, ereta, de altura variável, originária de regiões tropicais das Américas; tem folhas opostas, coriáceas, e inflorescências terminais eretas, e de um vermelho vivo. [Pl.: *sálvias-vermelhas.*]

salvífico [Do lat. tard. *salvificu.*] *Adj.* Que traz ou produz salvação.

salvina [De *salva*[2] + *-ina*[1].] *S. f. Bras. Amaz. Bot.* Arbusto lamiáceo (*Hyptis recurvata*) dos campos da ilha de Marajó (PA), que tem folhas coriáceas e aromáticas, e flores pequeninas dispostas em glomérulos axilares bastante densos.

salvínia [Do tax. *Salvinia.*] *S. f. Bot.* **1.** O gênero-tipo das salviniáceas, composto de aquáticas flutuantes, dotadas de folhas dísticas. **2.** Qualquer espécie desse gênero, como, p. ex., a *Salvinia auriculata*, nativa tb. do Brasil. **3.** Qualquer espécime desse gênero.

salviniácea [Do tax. *Salvinia* (do antr. [*Antonio M.*] *Salvini* [1653-1729], linguista italiano) + *-ácea*; tax. *Salviniaceae.*] *S. f. Bot.* Espécime das salviniáceas, família de pteridófitos da ordem das hidropteridales, composta de pequenas plantas aquáticas flutuantes, de folhas dísticas ou trísticas, inteiras ou bilobuladas, e em que os esporos se formam dentro dos esporocarpos.

salviniáceo [De *salviniácea*, com var. suf. (v. *-áceo*).] *Adj. Bot.* Pertencente ou relativo às salviniáceas.

salvo [Do lat. *salvu.*] *Adj.* **1.** Livre de perigo, morte, doença, dificuldade, etc. **2.** Remido (1). **3.** Animador, propício, favorável. **4.** Respeitado, resguardado, ressalvado. **5.** Excetuado, omitido, ressalvado. • *Prep.* **6.** Exceto, afora, salvante: "Não havia nada a fazer salvo telegrafar a José" (Francisco Jorge Torres, *Bruxaxá*, p. 18). ◆ **A salvo.** Sem perigo; com segurança: "Deus te leve a salvo, brioso e altivo barco" (José de Alencar, *Iracema*, p. 50). **Em salvo.** Em lugar seguro.

salvo-conduto [De *salvo* + *conduto*: 'caminho livre'.] *S. m.* **1.** Licença escrita para alguém viajar ou transitar livremente, passaporte: "obtido do Conde de Bolonha o necessário salvo-conduto para sair do reino, escolhido na sua coudelaria cavalo possante e corredor, ... monta-o dum pulo ágil, e .... abala .... de longada para Castela." (Antero de Figueiredo, *Toledo*, p. 93). **2.** *Fig.* Privilégio, prerrogativa, imunidade; salvaguarda. [Sin. ger.: *alforma.* Pl.: *salvo-condutos* e *salvos-condutos.*]

sam [De *senhora*, pelo forro[2].] *S. f. Santom.* **1.** Forma de tratamento, cerimoniosa, dispensado às senhoras: "tem carícias de sonho / nos olhos de Sam Marina." (Francisco José Tenreiro, *Obra Poética de Francisco José Tenreiro*, p. 54). **2.** Mulher respeitável: "Sans respeitadas, mulheres velhas depois abandonadas, recordando a vida fácil que tiveram" (Maria Manuela Margarido, em *Estudos Ultramarinos*, nº 3, p. 106).

samádi [Do sânscr. *samadhi*, 'aplicação', 'contemplação'.] *S. m. Filos.* Realização da última etapa do sistema iogue, na qual se atingem a suspensão e a compreensão do curso normal da existência, do que resulta a comunhão com a mãe universal.

samambaia [Do tupi = 'o que se torce em espiral'.] *S. f. Bras. Bot.* Nome comum a numerosos pteridófitos pertencentes a famílias diversas, como, p. ex., a conhecida como samambaia-de-metro, das polipodiáceas. [Var.: *sambambaia.*]

samambaia-chifre-de-veado *S. m. Bras. Bot.* Samambaia polipodiácea (*Platycerium bifurcatum*) epífita, acaule, originária da Austrália, Nova Caledônia e Nova Guiné; as folhas da base são chatas, têm forma de rim ou são arredondadas, e aderem ao substrato. [Tb. se diz apenas: *chifre-de-veado.* Pl.: *samambaias-chifre-de-veado.*]

samambaiaçu [De *samambaia* + *-açu.*] *S. f. Bras. Bot.* Xaxim. [Var.: *sambambaiaçu.*]

samambaia-de-metro [De *samambaia* + *de* + *metro*[1].] *S. m. Bras. Bot.* Samambaia polipodiácea (*Polypodium persicifolium*) rizomatosa, perene, de folhagem pendente, originária do Brasil; cada uma das frondes pode alcançar até 2m. [Pl.: *samambaias-de-metro.*]

samambaia-douradinha *S. f. Bras. Bot.* V. *douradinha* (4). [Pl.: *samambaias-douradinhas.*]

samambaial [De *samambaia* + *-al*[1].] *S. m.* **1.** *Bras.* Quantidade mais ou menos considerável de samambaias dispostas proximamente entre si. [Var.: *sambambaial.*] **2.** Área ocupada por samambaial (1). [Var.: *sambambaial.*]

samangar [De *samango* + *-ar*[2].] *V. int. Bras. N. N.E.* Estar ocioso. [Conjug.: v. *largar.*]

samango [De or. afr., poss.] *S. m.* **1.** *Bras. N. N.E.* Preguiçoso, indolente. **2.** V. *maltrapilho* (2). **3.** *Bras. Gír.* Policial, tira.

samanguaiá [De or. tupi, poss.] *S. m. Bras. Zool.* V. *cernambi* (3).

samão [Var. de *signo de salomão.*] *S. m. Bras.* V. *estrela de davi.*

sâmara [Do lat. *samara*, 'semente do olmo'.] *S. f. Bot.* Fruto seco, indeiscente e provido de asa, pelo quê costuma voar a longas distâncias, conduzido pelo vento. A asa-de-barata é um exemplo vulgar.

▲**samar(i)-** [Do lat. *samăra, ae.*] *El. comp.* = 'semente de olmo'; 'sâmara': *samarídeo, samariforme, samaroide.*

samarídeo [De *samar(i)-* + *-ídeo*[1].] *Adj. Bot.* Diz-se do fruto composto de muitas sâmaras ligadas pela base.

samariforme (sâ) [De *samar(i)-* + *-forme.*] *Adj. 2 g. Bot.* Semelhante a uma sâmara; samaroide: *fruto samariforme.*

samarinês *Adj.* **1.** Da, ou pertencente ou relativo à República de San Marino, encravada em território italiano, a leste de Florença. • *S. m.* **2.** O natural ou habitante da República de San Marino. [Flex.: *samarinesa* (ê), *samarineses* (ê), *samarinesas* (ê). Sin. ger.: *são-marinense.*]

samário [Do lat. cient. *samarium* < *samarskita.*] *S. m. Quím.* Elemento de número atômico 62, metálico, pertencente aos lantanídeos, cinzento, duro [símb.: *Sm*].

samaritanismo [De *samaritano* + *-ismo.*] *S. m.* Ação ou comportamento de indivíduo samaritano (3).

samaritano [Do lat. tard. *samaritanu.*] *Adj.* **1.** De, ou pertencente ou relativo a Samaria, antiga cidade da Palestina. **2.** Relativo ou pertencente a um grupo híbrido que se estabeleceu nessa região, e que os israelitas se recusaram a admitir como membro de seu povo. **3.** *Fig.* Caridoso, bom, beneficente (por alusão ao Bom Samaritano, personagem bíblica). • *S. m.* **4.** O natural ou habitante daquela cidade. **5.** Descendente daquele grupo híbrido. **6.** *Fig.* Indivíduo samaritano (3). **7.** *Gloss.* A língua dos samaritanos. ◆ **O Bom Samaritano.** Personagem duma parábola de Cristo apresentada como modelo de caridade.

samaroide (ói) [De *samar(i)-* + *-oide.*] *Adj. 2 g. Bot.* Samariforme. ❖

samarra [Do esp. *zamarra.*] *S. f.* **1.** Vestuário grosseiro e antigo de peles de ovelha. **2.** Pele de ovelha ou carneiro, ainda com a lã. **3.** Batina leve e simples de padre ou sacristão. [Var.: *chamarra* e *chimarra.*] • *S. m.* **4.** *Deprec.* Padre, religioso.

samarskita [Do antr. *Samarski*, de um engenheiro russo (séc. XIX), + *-ita*[3].] *S. f. Min.* Mineral ortorrômbico, escuro, de brilho resinoso, niobato e tantalato de ferro, ou de cálcio, ou de uranilo, como radicais bivalentes, e de cério e de ítrio como trivalentes.

samaúma [Var. de *sumaúma.*] *S. f. Bras. Bot.* V. *sumaúma* (1).

samaumeira (a-u) [De *samaúma* + *-eira.*] *S. f. Bras. Bot.* V. *sumaumeira.*

samauqui *S. m. Bras.* V. *sambaqui.*

samba [Do quimb. *Semba*, 'umbigada', do umbundo *samba*, 'estar animado, estar excitado', ou do luba e outras línguas bantas, *samba*, 'pular, saltar com alegria'.] *S. m.* **1.** *Bras.* Dança cantada, de origem africana, compasso binário e acompanhamento obrigatoriamente sincopado. **2.** *Bras.* A música que acompanha essa dança. **3.** *Bras.* V. *arrasta-pé* (1). **4.** *Bras. N.* V. *xiba* (1). **5.** *Bras. Pop.* V. *cachaça* (1). ◆ **Samba de breque.** *Bras. Mús. Pop.* Tipo de samba criado na cidade do Rio de Janeiro, no início da década de 1930, e no qual o cantor dá uma ou mais paradas súbitas (*breques*) a fim de encaixar frases faladas, de caráter humorístico. **Samba de enredo.** *Bras. Mús. Pop.* V. *samba-enredo*. **Samba de partido alto.** *Bras. Mús. Pop.* Gênero de samba muito próximo do batuque africano, e cultivado na cidade do Rio de Janeiro desde o fim do séc. XIX por grupos de negros já urbanizados. É dança de umbigada, com ritmo marcado por palmas, prato de cozinha raspado com faca, chocalho e outros instrumentos de percussão, e, às vezes, acompanhada pelo violão e pelo cavaquinho. [Segundo velhos sambistas, a expressão *partido alto* provém da alta dignidade desse samba, cultivado por minorias negras.]

sambá ***S. f. Bras.*** V. *concha* (2).

sambacaçote ***S. m. Bras. PE Zool.*** V. *girino*.

samba-canção [De *samba*[1] + *canção*.] ***S. m. Bras.*** **1.** *Mús. Pop.* Samba em que o caráter melódico sobrepuja o sincopado e cuja letra é sempre muito sentimental. **2.** Cueca de tecido, cujas pernas cobrem parte das coxas, em que a abertura da braguilha termina na cintura, na qual se fecha por botões ou pressão. [Pl.: *sambas-canções* e *sambas-canção*.]

sambacuim (u-ím) [De or. tupi, poss.] ***S. m. Bras. Bot.*** V. *embaúba-branca* (2). [Sin.: *imbaúba, matataúba*.]

sambacuité [De or. indígena.] ***S. f. Bras. Bot.*** Arbusto lamiáceo (*Hyptis mutabilis*) nativo da América tropical, dotado de folhas cordiformes, denteadas, e pequeninas flores esbranquiçadas, com manchas roxas, em espigas racemosas. É aromático, sendo us. na medicina popular. [Sin.: *alfavaca-de-caboclo, bamburral, sambaité*.]

samba de gafieira ***S. m. Bras. Mús.*** Samba de salão que se dança ger. aos pares. [Normalmente, além dos instrumentos tradicionais do samba, há instrumentos de metal como trombone.] [Pl.: *sambas de gafieira*.] ☑

samba de matuto ***S. m. Bras. AL*** Variante norte-litorânea dos pastoris pernambucanos; baianal, baianas. [Pl.: *sambas de matuto*.] ☑

samba de roda [De *samba*[1] + *de* + *roda*.] ***S. m. Bras. BA*** *Mús. Pop.* Denominação do samba baiano, que é, segundo os musicólogos, a principal fonte do samba carioca. [É ger. tocado com instrumentos como a viola e o pandeiro, e acompanhado por palmas.] [Pl.: *sambas de roda*.] ☑

sambado [Part. de *sambar*.] ***Adj.*** **1.** *Bras. Gír.* Gasto pelo uso: *roupa sambada*. **2.** Desgastado fisicamente; envelhecido: *Quer passar por moça, mas já está bem sambada*.

sambador (ô) [De *sambar* + *-dor*.] ***Adj. S. m. Bras.*** V. *sambista* (1 e 3).

samba em berlim [De *samba*[1] + *em* + o top. *Berlim*.] ***S. m.*** *Bras. Pop.* Bebida preparada com cachaça e coca-cola. [Pl.: *sambas em berlim*. F. red.: *samba*.] ☑

samba-enredo [De *samba*[1] + *enredo*.] ***S. m. Bras. Mús.*** *Pop.* Samba composto esp. para ser cantado durante os desfiles das escolas de samba por ocasião do carnaval. [A letra desse samba descreve o enredo do espetáculo em desfile, que pode ser de fundo histórico-patriótico, de crítica social, homenagem a uma personalidade, etc.] [Pl.: *sambas-enredos* e *sambas-enredo*.]

sambaetibano (a-e) ***Adj.*** **1.** De, ou pertencente ou relativo a Sambaetiba (RJ). • ***S. m.*** **2.** O natural ou habitante de Sambaetiba.

samba-*funk* ***S. m. Bras. Mús.*** Gênero musical em que há uma mistura de elementos do samba com elementos do *funk*. [Pl.: *sambas*-funk.]

sambaíba [Do tupi.] ***S. f. Bras. Bot.*** V. *sambaíba-de-minas-gerais*.

sambaíba-da-baía [De *sambaíba* + *da*[1] + o top. *Bahia* (sem *h*).] ***S. f. Bras. Bot.*** Arbusto tiliáceo (*Trichospermum*) do continente americano, esp. da América tropical, cuja casca é us. para fazer corda; sambaíba-de-sergipe. [Pl.: *sambaíbas-da-baía*.]

sambaíba-de-minas-gerais [De *sambaíba* + *de* + o top. *Minas Gerais*.] ***S. f. Bras. Bot.*** Árvore dilleniácea (*Curatella americana*) dispersa por todos os campos cerrados, que se caracteriza pelas amplas folhas, ásperas como lixa. Flores e frutos pequeninos. A casca serve para curtir couro, as folhas são empregadas para lixar madeira, e a madeira é usada em carpintaria, marcenaria e obras internas. [Tb. se diz apenas *sambaíba*. Sin.: *caimbé, cajueiro-bravo, cajueiro-bravo-do-campo, cajueiro-do-mato, cambarba, craibeira, lixeira, marajoara, penteeira, sambaíba-do-rio-são-francisco, sobro*. Pl.: *sambaíbas-de-minas-gerais*.]

sambaíba-de-sergipe [De *sambaíba* + *de* + o top. *Sergipe*.] ***S. f. Bras. Bot.*** Sambaíba-da-baía. [Pl.: *sambaíbas-de-sergipe*.]

sambaíba-do-rio-são-francisco ***S. f. Bras. Bot.*** V. *sambaíba-de-minas-gerais*. [Pl.: *sambaíbas-do-rio-são-francisco*.]

sambaibense (a-i) ***Adj. 2 g.*** **1.** De, ou pertencente ou relativo a Sambaíba (MA). • ***S. 2 g.*** **2.** O natural ou habitante de Sambaíba.

sambaibinha (a-i) [De *sambaíba* + *-inha*.] ***S. f. Bras. Bot.*** V. *cipó-caboclo*.

sambaité ***S. f. Bras. Bot.*** V. *sambacuité*.

samba-lenço [De *samba*[1] + *lenço*.] ***S. m. Bras. SP*** Modalidade de fandango. [Pl.: *sambas-lenços* e *sambas-lenço*.]

sambamba ***S. f. Bras.*** V. *charque*.

sambambaia ***S. f. Bras. Bot.*** V. *samambaia*.

sambambaiaçu ***S. f. Bras. Bot.*** V. *samambaiaçu*.

sambambaial ***S. m. Bras.*** V. *samambaial*.

sambanga [De or. afr., poss.] ***Adj. 2 g. S. 2 g. Bras. SP*** *Pop.* V. *tolo* (1 a 3 e 8).

sambango [De or. afr., poss.] ***S. m. Bras.*** Indivíduo fraco, sem forças.

sambaqui [Do tupi.] ***S. m. Bras.*** Designação dada a antiquíssimos depósitos, situados ora na costa, ora em lagoas ou rios do litoral, e formados de montões de conchas, restos de cozinha e de esqueletos amontoados por tribos selvagens que habitaram o litoral americano em época pré-histórica. [Sin.: no PA, *cernambi* (var. *sarnambi*), *mina de cernambi* ou apenas *mina*; na BA, *banco*; em SP e SC, *casqueiro, concheira* ou *ostreira*; noutros pontos do Brasil, *berbigueira, caieira* ou *caleira, ilha de casca, samauqui* e (lus.) *concheiro*. É o que se chama, em dinamarquês, *kjökkenmödding*.] ◆ **Falso sambaqui.** Grande acúmulo de conchas de origem natural, constituído em épocas geologicamente recentes.

sambaquieiro [De *sambaqui* + *-eiro*.] ***S. m. Bras. SP*** Aquele que explora um sambaqui.

sambar [De *samba*[1] + *-ar*[2].] ***V. int. Bras.*** **1.** Dançar o samba: "Ria, ria, sambava, suspendendo os braços tilintantes de pulseiras, fazendo o corpo de dobradiça, dando vivas e umbigadas no ar." (Marques Rebelo, *Marafa*, p. 59.) **2.** Dançar (1): "As crioulas baianas sambavam debaixo das mangueiras aromáticas" (Melo Morais Filho, *Festas e Tradições Populares do Brasil*, p. 151). **3.** Dar repetidos saltos. [Sin. ger., p. us.: *sambear*.]

sambarca [Dev. de *sambarcar*.] ***S. f.*** **1.** Travessa que se pregava nas portas das casas penhoradas. **2.** Faixa com que as mulheres cingiam o peito, passando-a sob os braços. **3.** Faixa com que se rodeia o peito das cavalgaduras a fim de que os tirantes não as firam. [Cf. *sambarco*.]

sambarcar [Do esp. *sobarcar* (< lat. vulg. **subbrachiare*), 'pôr ou trazer sob o braço coisa de vulto', poss.] ***V. t. d.*** *Ant.* Pôr sambarca (3) em.

sambarco [Var. de *sambarca*.] ***S. m.*** **1.** Sapato ou chinelo. **2.** Moeda de couro. [Cf. *sambarca*.]

sambaré [Do tupi.] ***S. m. Bras.*** Espécie de samburá usado nalgumas regiões da Amazônia. [Cf. *samburá*.]

samba-*rock* ***S. m. Bras. Mús.*** Gênero musical em que há uma mistura de elementos do samba com elementos do *rock*. [Pl.: *sambas*-rock.]

samba-roda [De *samba*[1] + *roda*.] ***S. m. Bras. SP*** Modalidade de fandango. [Pl.: *sambas-rodas* e *sambas-roda*.]

sambear [De *samba*[1] + *-ear*[2].] ***V. int. P. us.*** Sambar. [Conjug.: v. *frear*.]

sambeiro [De *samba*[1] + *-eiro*.] ***Adj. S. m. Bras.*** V. *sambista* (1 e 3): "Os sambeiros gritavam desrespeitosamente: | — Pisa, morena!" (Alberto Deodato, *Canaviais*, p. 28.)

sambenitar [De *sambenito* + *-ar*[2].] ***V. t. d.*** Ensambenitar.

sambenito [Do esp. *sambenito*.] ***S. m.*** Hábito de baeta amarela e verde, que os penitentes vestiam pela cabeça à moda de saco e trajavam nos autos de fé: "haviam de ir para a fogueira, como os réus da Inquisição, com a diferença que, em vez de sambenito, levariam uma capa de penas de papagaio..." (Machado de Assis, *Quincas Borba*, p. 51). ◆ **Fazer do sambenito gala.** Vangloriar-se de coisa desonrosa; fazer do baldão glória.

sambetara ***S. f. Bras. Zool.*** **1.** V. *castanha* (12). **2.** V. *papa-terra* (3).

sambexuga ***S. f. Ant. Pop. Zool.*** V. *sanguessuga*.

sambiquira [De or. tupi., poss.] ***S. f. Bras. S.*** **1.** V. *uropígio* (1). **2.** Titela da galinha.

sambista [De *samba*[1] + *-ista*.] *Bras.* ***S. 2 g.*** **1.** Exímio dançarino de samba; sambador, sambeiro. **2.** *Mús.* Compositor de sambas. • ***Adj. 2 g.*** **3.** Que é exímio dançarino de samba; sambador, sambeiro.

sambístico [De *sambista* + *-ico*[2].] ***Adj.*** Pertencente ou relativo ao samba ou aos sambistas.

sambladura ***S. f.*** V. *ensambladura*.

samblar [De *ensamblar*, com aférese.] ***V. t. d.*** V. *ensamblar*.

sambocar ***V. t. d. Bras. PE Pop.*** Tirar, extrair. [Conjug.: v. *trancar*.]

sambódromo [De *samba*[1] + *-o-* + *-dromo*.] ***S. m. Bras.*** Pista onde se exibem dançando e cantando escolas de samba, blocos carnavalescos, ranchos, etc.

sambongo [De or. afr.] ***S. m. Bras. N.E. Cul.*** Espécie de doce feito de coco ralado, ou mamão verde, e melado. [F. paral.: *sabongo*. Sin., em PE: *currumbá*.]

sambuari ***S. m. Bras. Zool.*** V. *salema* (1).

sambuca [Do gr. *sambúke*, pelo lat. *sambuca*.] ***S. f. Mús.*** *Ant.* **1.** Pequena harpa triangular. **2.** Instrumento de sopro do tipo da museta e da sacabuxa.

sambuco [Do ár. *sanbūq* ou *sunbūq*.] ***S. m.*** Espécie de embarcação indiana. [Var.: *zambuco*.]

sambudo ***Adj. Bras. N.E.*** De barriga inchada, crescida.

sambuio ***S. m. Bras. BA Zool.*** V. *canhanha* (2).

sambulho ***S. m. Bras. BA Zool.*** V. *canhanha* (2).

samburá [Do tupi.] ***S. m. Bras.*** Cesto feito de cipó ou de taquara, bojudo e de boca estreita, usado pelos pescadores para recolher peixes, camarões, etc., ou carregar seus petrechos; cofo. [Cf. *sambaré*.] ◆ **Pescar para o seu samburá.** *Bras.* Cuidar dos seus interesses; arrumar-se, arranjar-se.

samear [De *semear*, com dissimilação.] ***V. t. d. T. d. e i. Int.*** *Ant. Pop.* Semear: "Sameou Rodrigo, / Sameou Gonçalo; / Haverão do milho, / Se mondam o prado." (Francisco Rodrigues Lobo, *Églogas*, p. 249.) [Conjug.: v. *frear*.]

samessuga ***S. f. Bras. Zool.*** V. *sanguessuga*.

samexuga ***S. f. Bras. Pop.*** V. *sanguessuga*.

samexunga ***S. f. Bras. Pop.*** V. *sanguessuga*.

samideano [Do esperanto.] ***S. m.*** Adepto da mesma ideia. [Vocábulo com que os esperantistas se designam entre si.]

samilhado ***Adj. Bras.*** V. *salmilhado*.

sâmio [Do gr. *sámios*, pelo lat. *samiu*.] ***Adj.*** **1.** De, ou pertencente ou relativo à ilha de Samos (Grécia). • ***S. m.*** **2.** O natural ou habitante dessa ilha. **3.** Vaso frágil feito de terra sâmia.

samisém [Do jap. *samisen*, pelo chin. *san hsien*, 'três cordas'.] ***S. m.*** Instrumento japonês formado de pequena caixa de ressonância, quadrangular, com as duas superfícies recobertas de pele de gato e sobre cujo braço, longo e fino, se esticam três cordas que vibram por meio de um grande plectro de marfim. Foi adotado inicialmente pelas orquestras do teatro popular cabúqui, e, mais tarde, introduzido no teatro nô.

samnita [Do lat. *samnitas*, acus. pl. de *samnites*.] ***S. 2 g.*** **1.** Indivíduo dos samnitas, povo montanhês da Itália antiga. **2.** Entre os antigos romanos, designação comum a gladiadores que usavam um capacete com pluma e um grande escudo. • ***Adj. 2 g.*** **3.** Pertencente ou relativo aos samnitas [v. *samnita* (1)].

samo ***S. m.*** V. *entrecasca*.

samoano [Do top. *Samoa* + *-ano*[1].] ***Adj.*** **1.** Do, pertencente ou relativo ao Estado Independente de Samoa (Oceania), arquipélago composto de 9 ilhas. **2.** Da, pertencente ou relativo à Samoa Americana (Oceania), território externo dos E.U.A., composto por 7 ilhas. • ***S. m.*** **3.** O natural ou habitante de Samoa ou da Samoa Americana. **4.** *Gloss.* Língua austronésia falada nessas ilhas. **5.** Vocábulo dessa língua.

samoiédico [De *samoiedo* + *-ico*[2].] ***Adj.*** Pertencente ou relativo aos samoiedos ou à sua língua; samoiedo.

samoiedo [Do russo *samoed*, 'que come a si', 'canibal', pelo fr. *Samoyède*.] ***S. m.*** **1.** O natural ou habitante do extremo N. da Federação Russa (Eurásia), que habita as estepes confinantes com o Ártico, desde o mar Branco até o rio Ienissei, pertencente à família uralo-altaica. **2.** *Gloss.* O grupo de línguas urálias faladas pelos samoiedos. V. *uralo-altaico* (3). **3.** Vocábulo dessa língua. • ***Adj.*** **4.** Samoiédico.

samora ***S. f. Bras. RS*** V. *saburá*.

samorá ***S. f. Bras. SP*** V. *saburá*.

samorim [Do malaiala *tamudri*, 'rei do mar', alter. do sânscr. *samudri*.] ***S. m.*** Título do antigo rei ou rajá de Calecute (Índia).

samou [Do forro[2].] ***S. f.*** *Santom.* Companheira são-tomense do europeu, no tempo colonial: "tenho aí uma preta, a Rosário, minha samou há trinta e cinco anos. Viveu sempre aqui comigo, na casa da administração." (Luís Cajão, *A Estufa*, p. 63).

samouco [De or. obsc.] ***S. m.*** **1.** Crosta que a pedra traz, ao vir da pedreira. **2.** *Bot.* Arvoreta miricácea (*Myrica faya*) nativa na ilha da Madeira e nos Açores, que vai a 8m e tem folhas oblongo-lanceoladas, com pontos resinosos e translúcidos, flores unissexuais, com quatro estames, e que se ordenam em longas espigas cilíndricas, sendo os frutos drupas vermelhas, pequenas, carnosas e comestíveis.

samovar [Do russo *samovar*, 'que ferve por si mesmo'.] ***S. m.*** **1.** Espécie de caldeira portátil, de uso na Rússia, provida de um tubo central, na qual se põem brasas a fim de ferver e manter quente a água para usos domésticos, especialmente para a feitura do chá. **2.** *Bras.* Espécie de bule de metal nobre montado sobre uma armação provida de fogareiro, e que se usa para ferver e manter quente a água para o chá.

sampadjudo [Do cabo-verd.] *Cabo-verd.* ***Adj.*** **1.** Das, ou pertencente ou relativo às ilhas de Barlavento, do arquipélago de Cabo Verde (África). ● *S. m.* 2. O natural ou habitante dessas ilhas: "foram buscá-lo, depois do almoço, para atender um fulano que chamavam 'Holandês', parece que filho da Ilha, 'sampadjudo' que chegara de fora carregado de dinheiro" (Luís Romano, *Ilha*, p. 157). [Cf. *badio* e *badio de pé rachado.*]

sampaiense¹ *Adj. 2 g.* 1. De, ou pertencente ou relativo a General Sampaio (CE). ● *S. 2 g.* 2. O natural ou habitante de General Sampaio.

sampaiense² *Adj. 2 g.* 1. De, ou pertencente ou relativo a Sampaio (TO). ● *S. 2 g.* 2. O natural ou habitante de Sampaio.

sampana [Do chin. *san-pan*, 'três tábuas'.] *S. f.* No Extremo Oriente, pequena embarcação de boca aberta, impelida a vela ou a remo, usada para transportar passageiros e carga em águas abrigadas, ou para pesca. Os três tipos de sampanas — chinesas, japonesas e indianas — diferem muito entre si.

sampar [Do esp. plat. *zampar.*] *V. t. d. e i. Bras. S.* 1. Arremessar, atirar. 2. Aplicar, pespegar.

→**samsara** [sam'sara] [Sânscr., 'passagem por estados sucessivos'.] *S. m. Filos.* 1. Metempsicose. 2. No budismo, o curso da vida mundana.

■ **SAMU** Sigla de *Serviço de Atendimento Móvel de Urgência*.

samuco *S. m. Gloss.* 1. Família linguística à qual pertencem as línguas faladas por povos indígenas localizados principalmente na Bolívia e no Paraguai. Ex.: o chamacoco. 2. Vocábulo do samuco (1).

samurai [Do jap. *samurai*, 'servidor do imperador'.] *S. m.* Guerreiro japonês, membro da casta militar, a serviço de um daimio.

saná [De or. tupi, poss.] *S. f. Bras. Zool.* Designação comum a diversas espécies de frangos-d'água do gênero *Rallus*.

sanã¹ *S. f. Bras. Zool.* V. *sanã-de-samambaia*.

sanã² [De or. tupi, poss.] *S. f. Bras. Zool.* V. *saracura-sanã*.

sanabilidade [De *sanável* (*sanabil-*) + -*(i)dade*, seg. o padrão erudito.] *S. f.* Qualidade ou condição do que é sanável.

sanã-de-samambaia *S. f. Bras. Zool.* Ave gruiforme, ralídea (*Porzana albicollis*), do L. do Brasil, dorso pardo-oliváceo raiado de preto, garganta brancacenta, peito cinza, meio do abdome branco, e coberteiras de cauda brancas com listras negras. Alimenta-se de toda a sorte de artrópodes, vermes, pequenos peixes, e plantas aquáticas. [F. red.: *sanã*. Pl.: *sanãs-de-samambaia.*]

sanamaicá *Bras. S. 2 g.* 1. *Etnôn.* Indivíduo dos sanamaicás [ou (etnôn. bras.) *Sanamaiká], povo indígena extinto, do tronco linguístico tupi, que habitava a região das cabeceiras do rio Branco (RO). ● *Adj. 2 g.* 2. Pertencente ou relativo a esse povo.

sananduva [Do tupi.] *S. f. Bot.* 1. *Bras. S.* V. *corticeira* (2). 2. Árvore fabácea (Erythrina fusca) nativa de regiões tropicais das Américas, de até 30m, de folhas trifoliadas, flores amareladas, em racemos terminais, e frutos leguminiformes, estreitos e alongados; a madeira, leve, é útil. [Sin., nesta acepç: *açacurana, bico-de-arara, bucaré, feijão-bravo, mulungu, pau-de-jangada, suinã.*]

sananduvense *Adj. 2 g.* 1. De, ou pertencente ou relativo a Sananduva (RS). ● *S. 2 g.* 2. O natural ou habitante de Sananduva.

sanar [Do lat. *sanare*, por via erudita.] *V. t. d.* 1. Tornar são; curar, sarar: *Os medicamentos sanaram o doente.* 2. Remediar, atalhar, desfazer: "Parecia arrependida de todo o mal causado, prestes a saná-lo" (Machado de Assis, *Quincas Borba*, p. 238). 3. Obstar a (um mal ou dificuldade): *A reforma econômica e social tentará sanar os problemas de desenvolvimento. P.* 4. Remediar-se, ajeitar-se.

sanativo [Do lat. tard. *sanativu.*] *Adj.* 1. Que sana. 2. Próprio para sanar.

sanatório [Do b.-lat. *sanatoriu*, 'próprio para curar', pelo fr. *sanatorium.*] *S. m.* Estabelecimento que se destina a tratamento de doentes, em especial de tuberculosos e de psicopatas. ◆ **Sanatório de tuberculosos.** Casa de saúde destinada a receber doentes tuberculosos curáveis. [Tb. se diz apenas *sanatório.*]

sanável [Do lat. *sanabile.*] *Adj. 2 g.* Que se pode sanar.

sanca [Do lat. tard. *zanca.*] *S. f.* 1. Cimalha convexa que une as paredes de uma sala ao teto: "Larga escadaria dava acesso a esse apartamento, ... abrindo numa antecâmara ligada à sala de jantar, de pé-direito muito alto, sancas esculpidas e paredes apaineladas" (Melo Nóbrega, *O Soneto de Arvers*, p. 15). 2. Parte do telhado que assenta sobre a espessura da parede. 3. *Bras.* Moldura de uma parede que dissimula, de ordinário, as lâmpadas elétricas que iluminam uma sala.

sancadilha [Do esp. *zancadilla.*] *S. f.* 1. V. *cambapé* (1 e 2). 2. Cunha para calçar pontões.

sanção [Do lat. *sanctione*, 'ato de tornar santo, respeitado'.] *S. f.* 1. Aprovação dada a uma lei pelo chefe de Estado. 2. Parte da lei em que se apontam as penas contra os infratores dela. 3. Pena ou recompensa com que se tenta garantir a execução de uma lei: "— Sinto que não haja sanção na lei para tais desmandos..." (Xavier Marques, *As Voltas da Estrada*, p. 77.) 4. Providência estabelecida na cláusula penal dum contrato para o caso de arrependimento ou inexecução. 5. Aprovação por alguma autoridade: *Recebeu a sanção da Academia.* 6. *Fig.* Aprovação, confirmação; ratificação: *Tal neologismo ainda não recebeu a sanção do uso.* 7. Medida repressiva infligida por uma autoridade: *O corpo docente aplicou severas sanções contra os grevistas.* 8. *Sociol.* V. *sanção social.* [Cf. *sansão*, s. m., e *Sansão*, antr.] ◆ **Sanção social.** Aprovação ou reprovação que a sociedade ou o grupo social dá ao comportamento de um indivíduo ou conjunto de indivíduos, e que se manifesta por meio de atos informais ou formalizados, individuais ou coletivos, etc.

sancarrão [De *sanco* + -*arrão.*] *S. m.* 1. Grande sanco. ● *Adj.* 2. Desajeitado, desarranjado, feio. 3. Ignorante, estúpido, lerdo. [Fem. (do adj.): *sancarrona.*]

→**sancerre** [sɑ̃'sɛʀ] [Fr.] *S. m. Enol.* Vinho, ger. branco (*sauvignon*) mas com 20 por cento de sua produção representada por tintos (*pinot noir*) e *rosés* (*pinot gris*), fabricado na margem esquerda do rio Loire.

sancionado [Part. de *sancionar.*] *Adj.* 1. Que recebeu sanção (1). 2. *Fig.* Confirmado, aprovado.

sancionador (ô) [De *sancionar* + -*dor.*] *Adj. S. m.* Que, ou aquele que sanciona.

sancionar [De *sanção* + -*ar²*, seg. o padrão erudito.] *V. t. d.* Dar sanção a; confirmar, aprovar, ratificar. [Antôn.: *vetar* (1).]

sanclerlandense *Adj. 2 g.* 1. De, ou pertencente ou relativo a Sanclerlândia (GO). ● *S. 2 g.* 2. O natural ou habitante de Sanclerlândia.

sanco [De *sanca.*] *S. m.* 1. *Zool.* Perna de ave, desde a garra até à junta da coxa. 2. *Fig.* Perna fina.

sancristão *S. m. Ant. Pop.* V. *sacristão*: "lá se foram os três rumo ao rancho: de pé, na frente, Piano; atrás, na mulinha, o sancristão, e, mais atrás de tudo, o vigário" (Bernardo Élis, *Veranico de Janeiro*, p. 56).

sancristia *S. f. Ant. Pop.* V. *sacristia*.

→**sanctus** ['saŋktos] [Lat., '*santo*'.] *S. m. 2 n.* Parte da missa (1) que se inicia com a repetição tríplice dessa palavra, recitada ou cantada, em aclamação ao Senhor. [V. *liturgia da missa e ordinário* (10).]

sandaba *S. f. Bras.* Peça de uma rede de pesca usada na BA.

sandália [Do persa mod. *sandal*, pelo gr. *sandálion* e pelo lat. *sandalia*, pl. de *sandalium.*] *S. f. Vest.* 1. A mais antiga forma de calçado, originalmente feita de couro, e que consiste numa sola presa ao pé por tiras ou cordões. 2. Chinela antiga; abarca.

sândalo [Do sânscr. *xandana*, pelo persa *xāndāl*, pelo ár. *sandal* e pelo gr. tard. *sántalon* (< lat. med. *sandalu*); tax. *Santalum.*] *S. m.* 1. *Bot.* Gênero de árvores santaláceas, de folhas simples, oblongas, pequenas flores brancas, campanuladas, e que fornecem madeira amarelada, odorífera, e óleo essencial, obtido da raiz. 2. *Bot.* Qualquer espécie desse gênero, como, p. ex., a *Santalum album*, originária da Índia e adjacências, e de cuja madeira, resistente e aromática, se extrai um óleo de uso clássico, em perfumaria, para o fabrico do sândalo (5). 3. *Bot.* Qualquer espécime desse gênero. 4. Essência perfumada e balsâmica, extraída do tronco e das raízes do sândalo, e utilizada em preparados farmacêuticos. 5. Perfume fabricado com essa essência.

sandáraca [De or. oriental, pelo gr. *sandaráke* e pelo lat. *sandaraca.*] *S. f.* 1. Resina aromática de algumas árvores, especialmente da tuia. 2. *Min.* Arsênico rubro.

sande [F. red. de *sandwich.*] *S. f. Lus. Pop.* Sanduíche. [Tb. se diz *sandes.*]

sandejar [De *sandeu* + -*ejar.*] *V. int.* 1. Dizer sandices. 2. Agir como sandeu. [Conjug.: v. *pelejar.*]

sandes *S. f. 2 n. Lus. Pop.* Sande.

sandeu [Da mesma or. incerta que o esp. ant. *sandío.*] *Adj. S. m.* Idiota, parvo, tolo, néscio, estúpido. [Fem.: *sandia.*]

sândi [Do sânscr. *samdha*, 'composição'.] *S. m. E. Ling.* Mudança fonética que ocorre na fronteira entre morfemas, em consequência da juntura (4). ◆ **Sândi externo.** *E. Ling.* O que ocorre entre vocábulos: o /s/ final de *casas* realiza-se como [z] se a palavra seguinte começa por vogal, como em *casas amarelas.* **Sândi interno.** *E. Ling.* O que ocorre no interior do vocábulo.

sandia [De *sand-*, como em *sandeu*, + -*ia¹*.] *Adj. (f.) S. f.* V. *sandeu.*

sandice [De *sand-*, como em *sandeu*, + -*ice.*] *S. f.* Qualidade, condição ou ação de sandeu; necedade, parvoíce, insensatez, tolice.

sandicino *Adj. Desus.* De cor escarlate ou vermelha: "As folhas perderam a cor viçosa, o verde tenro, ganhando o colorido sandicino — eram como pequenos corações pendurados dos galhos" (Coelho Neto, *Sertão*, p. 140).

sandim [De or. obsc.] *S. m. Bot.* Arvoreta ramnácea (*Rhamnus alaternus*) caducifólia, nativa na Europa, que tem folhas ovadas ou ovado-lanceoladas, serrilhadas e brilhantes, pequenas flores congregadas em racemos curtos, e frutos drupáceos, preto-azulados.

sandinista [Do antr. (*César Augusto*) *Sandino* (1893-1934), general nicaraguense.] *Adj. 2 g. S. 2 g.* Diz-se de, ou partidário da Frente Sandinista de Libertação Nacional, movimento que lutou para a derrubada do regime liderado por Anastasio Somoza Debayle (1925-1980) na Nicarágua.

sandio [Do esp. *sandío* (atual *sandio*).] *Adj.* Próprio de sandeu; disparatado, insensato, tolo.

sandovalinense *Adj. 2 g. S. 2 g.* V. *sandovalino.*

sandovalino *Adj.* 1. De, ou pertencente ou relativo a Sandovalina (SP). ● *S. m.* 2. O natural ou habitante de Sandovalina. [Sin. ger.: *sandovalinense.*]

sanduba *S. m. Bras.* Sanduíche¹ (1).

sanduíche¹ [Do ingl. *sandwich* < antr. *Sandwich*, do Conde de Sandwich (1718-1792), nobre inglês, que introduziu essa modalidade de comida para não perder tempo na mesa de jogo.] *S. m.* 1. Duas ou mais fatias de pão intercaladas com queijo, presunto, carne, ovos, etc. 2. *Bras. Pop.* Imprensadura de uma (ou mais) pessoa ou coisa por duas (ou mais) outras: *Manuel e João deram um sanduíche no zagueiro do time adversário; O fusca ficou de sanduíche entre o caminhão e o poste.* [É do gênero f. em Portugal: "fez uma enorme e pingue sanduíche entre duas talhadas de broa" (Camilo Castelo Branco, *Novelas do Minho*, VII, p. 65).] ◆ **Sanduíche americano.** *Bras.* O que leva um ovo estrelado, além de carne, alface, tomate e cebola.

sanduíche² *S. m. Prop.* V. *anúncio-sanduíche.*

sanduicheira (u-i) [De *sanduíche* + -*eira.*] *S. f.* Aparelho para fazer sanduíche.

sandumonense *Adj. 2 g.* 1. De, ou pertencente ou relativo a Santos Dumont (MG). ● *S. 2 g.* 2. O natural ou habitante de Santos Dumont.

saneado [Part. de *sanear.*] *Adj.* 1. Em que houve saneamento; que se saneou. ● *S. m.* 2. *Lus.* Indivíduo que foi afastado de emprego ou cargo por motivos políticos, religiosos, morais, etc.: "Parece que Madrid é a sede da contrarrevolução, ali estão os nossos líderes do antigo regime e muitos saneados de empresas e governo." (Almeida Faria, *Cavaleiro Andante*, p. 45.)

saneador (ô) [De *sanear* + -*dor.*] *Adj.* 1. Que saneia. ~ V. *despacho* —. ● *S. m.* 2. Aquele que saneia.

saneamento [De *sanear* + -*mento.*] *S. m.* 1. Ato ou efeito de sanear(-se). 2. *Urb.* Conjunto de medidas que visam a assegurar as condições sanitárias necessárias à qualidade de vida de uma população, sobretudo por meio da canalização e do tratamento dos esgotos urbanos e industriais. ◆ **Saneamento básico.** *Urb.* Saneamento (2) essencial para o bem-estar de uma população, realizado, sobretudo, por meio da canalização dos esgotos urbanos.

sanear [De *san(i)-* + -*ear²*.] *V. t. d.* 1. Tornar são, habitável ou respirável: *O governo pretende sanear pântanos.* 2. Curar, sarar, sanar: *sanear enfermos.* 3. Remediar, reparar: *O jovem governador dispôs-se a sanear os erros da administração anterior.* 4. Restituir ao estado normal; tranquilizar: *A medida saneará os ânimos exaltados.* 5. Pôr ou estabelecer em princípios morais estritos: *sanear uma administração.* 6. Pôr cobro a; desfazer: *É impossível sanear tanta corrupção sem medidas enérgicas.* 7. Perdoar, desculpar. *T. d. e i.* 8. *Desus.* Reconciliar(-se), congraçar(-se). *P.* 9. Reconciliar-se, congraçar-se. [Conjug.: v. *frear.*]

saneável [De *sanear* + -*vel.*] *Adj. 2 g.* Que pode ser saneado.

sanedrim [Do gr. *synédrion*, 'assembleia', 'conselho', pelo aramaico *sanhedrim.*] *S. m.* V. *sinédrio.*

sanefa [Do ár. *ṣanīfa(t)*, 'borda'.] *S. f.* 1. Faixa de pano, larga, que se atravessa, como ornato, na parte superior dos cortinados, nas vergas das janelas, etc. 2. Cortina (1): "Leôncio, ... que os espiava através das sanefas entreabertas de uma alcova, não avistava Henrique e Malvina" (Bernardo Guimarães, *A Escrava Isaura*, p. 50). 3. Tábua atravessada, à qual se prende uma série de outras, a ela perpendiculares. 4. *Marinh.* Cortina de lona ou de brim que se amarra num vergueiro de toldo para resguardar o convés do sol, vento ou chuva, quando o navio está no porto, ou proteger o interior de embarcação miúda.

sanfenal [De *sanfeno* + -*al¹*.] *S. m.* Quantidade mais ou menos considerável de sanfenos dispostos proximamente entre si.

sanfeno [Do fr. *sainfoin.*] *S. m. Bot.* 1. V. *esparzeta.* 2. Erva fabácea (*Onobrychis vulgaris*) de origem europeia e cultivada como forrageira, considerada valiosa para solos ricos em calcário.

sanfona [Do gr. *symphonía*, pelo lat. *symphonia*, no lat. vulg. **sumphonia*.] *S. f.* **1.** *Mús. Ant.* Viela[2] (3). **2.** *Mús. Ant.* Viela de roda. **3.** *Mús.* Rabeca (2). **4.** *Mús. Bras.* V. *concertina*: “Vaga, gemendo, pelo ar dolente / O som longínquo de uma sanfona, / Que um pastor fere tremulamente.” (B. Lopes, *Val de Lírios*, p. 63.) **5.** *Bras. Pop. Mús.* V. *acordeão*. **6.** *Bras.* Ponto de tricô em que se sucedem alternadamente, pelo direito e pelo avesso, pontos de meia (v. *ponto de meia*), feitos em colunas verticais, que dão elasticidade ao tecido. **7.** *Bras. Tec. Têx.* O tecido feito com esse ponto. **8.** *Bras. Gír.* Tiras estreitas de papel, dobradas muitas vezes, que contêm a cola[1] (2) que alguns estudantes utilizam nas provas escritas.

sanfonado [De *sanfona* (4) + *-ado*[1].] *Adj. Bras.* Que lembra, pelo feitio, o fole da sanfona (4), ou a sanfona (6). ~ V. *janela —a* e *porta —a*.

sanfoneiro [De *sanfona* + *-eiro*.] *S. m.* Tocador de sanfona ou de acordeão: “quadrilha cadenciada, ... ao som da sanfona roufenha de Chico da Salu, sanfoneiro dos bons” (Nélson de Faria, *Bazé*, p. 111). [Sin.: *sanfonina* e (bras.) *sanfonista*.]

sanfonina [De *sanfona* + *-ina*[2].] *S. f.* **1.** Acordeão pequeno: “Fecho os olhos, a ouvir o murmurinho / De um concerto de violas / Da Beira, / De sanfoninas do Minho, / Cornamusas do Doiro e flautas do Alentejo.” (Martins Fontes, *Verão*, p. 60.) **2.** Cantiga desentoada. ● *S. 2 g.* **3.** V. *sanfoneiro*.

sanfoninar [De *sanfonina* + *-ar*[2].] *V. int.* **1.** Tocar sanfona. **2.** Tocar mal qualquer instrumento de corda. **3.** *Pop.* Falar importunamente. **4.** Importunar, serrazinar. *T. d.* **5.** Repisar, repetir.

sanfonista [De *sanfona* + *-ista*.] *S. 2 g. Bras.* V. *sanfoneiro*.

sanforizado [Part. de *sanforizar* (q. v.).] *Adj.* Que se sanforizou.

sanforizar [Do ingl. *sanforize*; nome comercial registrado.] *V. t. d.* Tratar (tecido) de maneira que não encolha nem se distenda.

sanga[1] [Do esp. plat. *zanja*.] *S. f. Bras. SC RS* **1.** Algirão. **2.** Pequeno regato, que seca facilmente. **3.** Escavação profunda no terreno, produzida pelas chuvas ou por correntes de água subterrâneas. **4.** Designação comum a produtos secundários do beneficiamento do arroz; quirera.

sanga[2] [Do quimb.] *S. f. Angol.* Grande vasilha de barro para transportar e/ou conservar a água; espécie de moringa (1): “De sangas na cabeça / as mulheres vão ao rio” (Jorge Macedo, *As Mulheres*, p. 5).

sangado [De *sanga* + *-ado*[1].] *Adj. Bras. SC RS* **1.** Preso em sanga[1] (1). **2.** *Fig.* Enfezado, raquítico.

sangalho [Do top. *Sangalhos*, concelho de Portugal.] *S. m.* Antiga medida de cinco celamins.

sangangu [Prende-se, talvez, a *angu* (2 a 4).] *S. m. Bras. N.E. Pop.* **1.** Desordem, conflito. V. *rolo*[1] (16). **2.** Mexerico, intriga, fuxico, trança.

sangão [Do esp. *zanjón*.] *S. m. Bras. RS* Sanga funda.

sangavira *S. f. Bras. SP* Tambor de jongo.

➔ **sangiovese** [sandʒoˈveze] [It.] *S. m.* **1.** *Vitic.* Casta de uva tinta predominante na fabricação do *chianti*. **2.** *Enol.* Vinho produzido com essa uva.

sango *S. m. Gloss.* **1.** Língua do grupo nigero-congolês, falada na República Centro-Africana. **2.** Pídgin de base lexical francesa usado nas Repúblicas Centro-Africana, de Camarões e do Chade. **3.** Vocábulo do sango (1 e 2).

sangra [Dev. de *sangrar*.] *S. f.* Líquido arroxeado que escorre da azeitona comprimida ou empilhada.

sangradeira [De *sangrar* + *-deira*.] *S. f.* **1.** *Zool.* Certa mutuca. **2.** Espécie de formão com que se sangram árvores produtoras de látex.

sangrado [Part. de *sangrar*.] *Adj.* **1.** A que se aplicou a sangria. **2.** *P. ext.* Ferido, magoado. **3.** *Fig.* Exausto; alquebrado, debilitado. **4.** *Edit.* Diz-se da mancha impressa, normalmente de fotografia, que é limitada apenas pelas bordas exteriores da página, sem nenhuma margem branca. ● *S. m.* **5.** *Edit.* Mancha sangrada [v. *sangrado* (4)].

sangradoiro [De *sangrar* + *-doiro*[2].] *S. m.* Sangradouro (q. v.).

sangrador[1] (ô) *S. m. Bras.* V. *sangradouro*.

sangrador[2] (ô) [Do esp. *sangrador*.] *Adj. S. m.* Que, ou aquele que sangra.

sangradouro [De *sangrar* + *-douro*[2]; var. de *sangradoiro*.] *S. m.* **1.** *Med.* Local na face anterior de prega de cotovelo e onde se praticava a sangria. **2.** Sulco ou lugar por onde se desvia parte da água dum rio ou duma fonte: “choveu nas cabeceiras e os sangradouros despejaram / lama e peixes, troncos e bichos mortos” (Odilo Costa Filho, *Cantiga Incompleta*, p. 20). **3.** *Bras.* Lugar, no pescoço ou no peito dos animais, onde se golpeia para os matar. **4.** *Bras.* Sarjeta, escoadouro, bueiro. **5.** *Bras. PI* Boqueirão, garganta entre serras, que se alaga na época das enchentes. **6.** *Bras. S.* Canal natural que comunica duas lagoas, um rio e uma lagoa, ou dois rios. **7.** *Bras. S.* Assado que se tira do sangradouro (3) da rês. [Var., bras.: *sangrador*.]

sangradura [Do esp. *sangradura*.] *S. f.* Ato ou efeito de sangrar; sangria.

sangramento [De *sangrar* + *-mento*.] *S. m. Med.* Saída de sangue de vaso (6) consequente a qualquer tipo de lesão vascular que a ocasione.

sangrar [Do esp. *sangrar*.] *V. t. d.* **1.** Tirar sangue a, com agulha (22) ou lanceta. **2.** Aplicar sangria (3) a. **3.** Tirar algum líquido a. **4.** Esvaziar, esgotar: *Grande gastador, e irresponsável, sangrou a bolsa do pai.* **5.** Extorquir bens, dinheiro, valores, a: *Sangrou os amigos um a um.* **6.** Extrair certos produtos naturais de: *sangrar uma mina.* **7.** Atormentar, magoar, ferir: *A contrariedade sangrou-lhe o coração.* **8.** Derramar, verter (sangue). **9.** Tirar a força a; enfraquecer, debilitar. **10.** *Edit.* Utilizar o recurso do sangrado (5). **11.** *Bras. N.E.* Fazer, com ferramenta apropriada, sulcos retangulares ou curvos em (a madeira), ao torneá-la. **12.** *Bras. N.E.* Entalhar normalmente (a madeira) para produzir os ressaltos terminais das molduras. **13.** *Bras. Pop.* Pedir dinheiro emprestado a, sem intenção de pagar. *Int.* **14.** Verter sangue: “O animal sangrava, esvaía-se, com o cogote aberto em talho fundo.” (Coelho Neto, *Treva*, p. 376); “Chico Monte caiu sangrando e ficou sem mexer, fingindo-se de morto.” (Lustosa da Costa, *Sobral do Meu Tempo*, p. 80). **15.** Vazar, esvaziar-se: *A represa sangrou.* **16.** Cair em gotas; gotejar. **17.** *Bras. S.* Aceder a pedido de dinheiro, a uma facada. **18.** Ferir um animal no sangradouro, ou um ser humano na região correspondente a esta: “Cafuz de força e agilidade sem medidas, cruento como Pajeú .... Era desses que lambem a faca depois de sangrar.” (João Felício dos Santos, *João Abade*, p. 94). ***P.*** **19.** Deixar-se sangrar. **20.** Verter sangue. **21.** Perder forças; enfraquecer-se, debilitar-se. **22.** Perder bens, riquezas.

sangrento [Do esp. *sangriento*.] *Adj.* **1.** De que sai ou brota sangue: *ferimento sangrento.* **2.** Coberto de sangue; sanguinolento, ensanguentado; sanguíneo, sanguento: *O assassino tentou esconder o punhal sangrento.* **3.** Em que há derramamento de sangue; cruento, sanguinolento: *lutas sangrentas.* **4.** *Bras.* Diz-se da carne malpassada.

sangria [Do esp. *sangría*.] *S. f.* **1.** Sangradura. **2.** Perda de sangue, natural ou provocada. **3.** *Med.* Ato ou efeito de sangrar, de dar saída artificial a certa quantidade de sangue duma veia. **4.** Extorsão astuciosa ou fraudulenta. **5.** Bebida refrigerante preparada com vinho, água, açúcar, suco de limão, e pedaços de frutas, em especial laranja e maçã. ◆ **Sangria desatada.** Coisa que exige atenção ou providência imediata.

sangue [Do lat. *sanguen*.] *S. m.* **1.** *Histol.* Líquido constituído de plasma e glóbulos sanguíneos, que circula pelo coração, artérias, vasos e capilares, e desempenha numerosas funções no organismo, tais como transporte de gases respiratórios, participação em mecanismos de defesa, etc. [Cf. *coração* (1) e *circulação* (5).] **2.** *Fig.* A vida, a existência: *Quanto sangue têm custado as guerras?* **3.** *Fig.* Família, prole, geração; progênie, raça: *São todos do mesmo sangue.* **4.** Suco, sumo. **5.** V. *menstruação* (1). **6.** *Teol.* A natureza, em oposição à graça. ◆ **Sangue arterial.** *Fisiol.* O que, tendo passado pelos pulmões, cedeu dióxido de carbono e recebeu oxigênio. **Sangue azul.** *Fig.* Nobreza, fidalguia. **Sangue de Cristo.** O vinho. **Sangue frio.** O sangue dos animais (peixes, reptis e invertebrados) cuja temperatura depende da do meio em que eles vivem. [Cf. *sangue-frio*.] **Sangue quente.** O dos animais (mamíferos e pássaros) que têm uma temperatura constante. **Sangue venoso.** *Fisiol.* O que, depois de ceder oxigênio às células, ainda não transitou pelos pulmões, tendo alto teor de dióxido de carbono. **Suar sangue.** Ter trabalho em excesso; realizar esforço exaustivo. **Subir o sangue à cabeça.** Ficar exasperado, enfurecido, encolerizado. **Ter o sangue quente.** V. *ter sangue nas veias* (1). **Ter sangue de barata.** Ser covarde, sem energia: “Era preciso ter cabelos no coração para fazer o que ele fez e ter sangue de barata para suportar tamanho desaforo.” (Domingos Olímpio, *Luzia-Homem*, p. 29.) **Ter sangue na guelra.** *Bras. Pop.* V. *ter sangue nas veias* (1). **Ter sangue nas veias. 1.** Ser genioso, exaltado, esquentado, irritadiço; ter o sangue quente, ter sangue na guelra. **2.** Ter brio, ser corajoso: “– Pois vou fazê-lo eu para te mostrar que tenho sangue nas veias e não água chilra como tu.” (Aquilino Ribeiro, *Os Avós dos Nossos Avós*, p. 212.)

sanguê [Do forro[2].] *S. f. Santom.* Mulher vestida tradicionalmente: “Em frente da Câmara o colorido lenço das sanguês / Cestas à cabeça, vozear sem fim...” (Alda Espírito Santo, *É Nosso o Solo Sagrado da Terra*, p. 141.)

sangue-de-adão [De *sangue* + *de* + o antr. *Adão* (v. *adâmico*).] *S. m. Bras. Bot.* V. *cardeal-do-brasil*. [Pl.: *sangues-de-adão*.]

sangue-de-boi *S. m. Bras. Zool.* Ave passeriforme, traupídea (*Ramphocelus brasilius*), da faixa costeira do Brasil este-central e este-meridional, de coloração vermelha, asas, cauda e pernas pretas, sendo a fêmea bruna, com o dorso vermelho tirante a pardo. Frequenta matas e terrenos abertos, preferindo as restingas, e alimenta-se de frutas e insetos. [Sin.: *canário-baeta, tapiranga, tié-fogo, tié-piranga, tié-sangue, tié-vermelho*. Pl.: *sangues-de-boi*.]

sangue de dragão *S. m. Quím.* Resina sólida, vermelha, extraída de cocos de diversas arecáceas, como, p. ex., dos da *Dracaena draco* (v. *dragoeiro*), e us. na indústria de vernizes. [Pl.: *sangues de dragão*.] ☑

sangue-de-drago *S. m. Bras. Bot.* Arvoreta euforbiácea (*Croton urucurana*) cujo tronco, ferido, deixa escorrer uma excreção viscosa, pegajosa, de forte coloração vermelha. As folhas, largas, são acuminadas e membranáceas, e as pequenas e alvas flores inserem-se em cachos. [Sin.: *urucurana*. Pl.: *sangues-de-drago*.]

sangue de tatu *Adj. 2 g. e 2 n. Bras. SP* Diz-se de certa terra de um tom roxo vivo, ótima para os cafezais. ☑

sangue-frio *S. m.* Calma, fleuma, impassibilidade, frieza ou presença de espírito em face de situação perigosa, angustiante, dolorosa, difícil: *Seu sangue-frio o manteve equilibrado no triste lance da morte do amigo.* [Pl.: *sangues-frios*. Cf. *sangue frio*.] ◆ **A sangue-frio.** Sem demonstrar emoção; sem compaixão; a frio.

sangueira [De *sangue* + *-eira*.] *S. f.* **1.** Grande quantidade de sangue derramado. **2.** Sangue que vertem os animais mortos. [F. paral., bras., pop.: *sangueiro*. Cf. *sanguera*.]

sangueiro[1] [De *sangue* + *-eiro*.] *S. m. Bras. Pop.* Sangueira (q. v.).

sangueiro[2] [De *sanga* + *-eiro*.] *S. m. Bras. PE* Fabricante de sangas [v. *sanga*[1] (4)].

sangue-novo *S. m. Bras. Pop.* Designação comum a certas erupções cutâneas. [Pl.: *sangues-novos*.]

sanguento (guen ou güen) [Do lat. vulg. *sanguinentu*.] *Adj.* V. *sangrento* (2): “Os varais, conformes à moda bizarra do tempo, terminavam em cabeças de dragões com as fauces abertas e sanguentas.” (Afonso Arinos, *Pelo Sertão*, p. 51); “A vida e só a vida! mas a vida tumultuosa, férvida, anelante, às vezes sanguenta — eis o drama.” (Álvares de Azevedo, *Obras Completas*, II, p. 5. ❖

sanguera (ê) [Var. de *sangueira*, poss.] *S. f. Bras. N.* A traqueia e o esôfago da rês abatida para consumo. [Cf. *sangueira*.]

sanguessuga [Do lat. *sanguisuga*.] *S. f.* **1.** *Zool.* Verme do filo dos anelídeos, da classe dos hirudíneos, que habita as águas doces e tem ventosas com que se liga aos animais a fim de sugar-lhes o sangue. É de uso medicinal para provocar sangrias desde a época romana. Ex.: *Hirudus medicinalis*. [Sin., bras.: *bicha*.] **2.** Pessoa que explora outra pedindo-lhe constantemente dinheiro; chupa-sangue. [Var. (pop.): *sambexuga, samessuga, samexuga, samexunga*.]

▲**sangui-** [Do lat. *sanguis, ĭnis*.] ***El. comp.*** = ‘sangue’: *sanguífero, sanguificar*.

sanguífero [De *sangui-* + *-fero*.] *Adj.* Que tem ou produz sangue.

sanguificação [De *sanguificar* + *-ção*.] *S. f.* **1.** Ato ou efeito de sanguificar. **2.** Formação de sangue. **3.** Hematose.

sanguificar [De *sangui-* + *-ficar*.] *V. t. d. Fisiol.* Converter em sangue. [Conjug.: v. *trancar*. Pres. ind.: *sanguifico*, etc. Cf. *sanguífico*.]

sanguificativo [De *sanguificar* + *-tivo*.] *Adj.* Sanguífico.

sanguífico [De *sangui-* + *-fico*.] *Adj.* Que sanguifica; sanguificativo. [Cf. *sanguifico*, do v. *sanguificar*.]

sanguina [Do fr. *sanguine*.] *S. f.* **1.** Lápis feito de ocre vermelho. **2.** Desenho feito com um desses lápis. **3.** Litografia que imita um desenho desse tipo. [F. paral.: *sanguínea*.]

sanguinária (gui ou güi) [F. subst. de *sanguinário*; o látex desta planta é cor de sangue.] *S. f. Bot.* Erva poligonácea (*Polygonum aviculare*) muito difundida na Europa e subespontânea no Brasil, que cresce de preferência em lugares úmidos. Tem caule prostrado, sulcado e com folhas no ápice, ócrea alva e curta, folhas ovadas, lanceoladas ou lineares, venosas, e com duas a cinco flores insignificantes na axila; sanguínea, sempre-noiva. ❖

sanguinário (gui ou güi) [Do lat. *sanguinariu*.] *Adj.* **1.** Que se compraz em ver derramar sangue; sanguinolento, sanguissedento, sanguíneo. **2.** *P. ext.* Feroz, cruel, cruento. ❖

sanguínea (guí ou güí) [Do lat. *sanguinea*.] *S. f.* **1.** V. *sanguina*. **2.** *Bot.* V. *sanguinária*. **3.** Variedade de pera e de maçã. ❖

sanguíneo (guí ou güí) [Do lat. *sanguineu*.] *Adj.* **1.** Relativo ao sangue; sanguino. **2.** Que tem ou parece ter

S

aumento da massa sanguínea; pletórico: "O pároco era um homem sanguíneo e nutrido, que passava entre o clero diocesano pelo *comilão dos comilões*." (Eça de Queirós, *O Crime do Padre Amaro*, p. 1.) **3.** Que tem cor de sangue. **4.** V. *sangrento* (2). **5.** V. *sanguinário* (1). ~ V. *capilar —, circulação —a, coágulo —, discrasia —a, glóbulo —, grupo —, plaqueta —a* e *pressão —a*. • *S. m.* **6.** Indivíduo pletórico, vermelho. **7.** V. *sanguinho* (1). ❖

sanguinhar [De *sanga*¹ + *-inhar*.] *V. int. Bras. RS* Patinar na lama; pisotear.

sanguinheiro [De *sanguino* + *-eiro*, com palatalização, ou de *sanguinho* + *-eiro*.] *S. m. Bot.* Árvore ramnácea (*Frangula nigra*) nativa na Europa, e cuja casca tem propriedades purgativas.

sanguinho [De *sanguino*, com palatalização.] *S. m.* **1.** Paninho que o sacerdote usa para enxugar o cálice após beber o vinho consagrado; sanguíneo, purificador. **2.** *Bot.* Arbusto cornáceo (*Cornus sanguinea*) ornamental, originário da Europa, de flores amarelas pequeninas, porém congregadas em densas inflorescências.

sanguinidade (gui ou güi) [De *sanguín(eo)* + *-(i)dade*.] *S. f.* Consanguinidade. ❖

sanguino [Alter. de *sanguíneo*.] *Adj.* **1.** Sanguíneo (1). **2.** Que causa morte ou efusão de sangue: "Um Rei, por nome Afonso, foi na Espanha, / Que fez aos Sarracenos tanta guerra, / Que por armas sanguinas, força e manha / A muitos fez perder a vida, e a terra." (Luís de Camões, *Os Lusíadas*, III, 23.) • *S. m.* **3.** Cor avermelhada.

sanguinolariídeo [Do tax. *Sanguinolaria* (gênero-tipo) + *-ídeo*¹; tax. *Sanguinolariidae*.] *Zool. S. m.* **1.** Espécime dos sanguinolariídeos, família de moluscos pelecípodes, de longos sifões e concha subelíptica pouco elevada, e que habitam os mares quentes, nas costas das Antilhas, Califórnia e Brasil; psamobiídeos. • *Adj.* **2.** Pertencente ou relativo a eles. [Sin. ger.: *psamobiídeo*.]

sanguinolência [Do lat. tard. *sanguinolentia*.] *S. f.* Qualidade ou estado de sanguinolento.

sanguinolento [Do lat. tard. *sanguinolentu*.] *Adj.* **1.** V. *sangrento* (2 e 3): "a mais obstinada e sanguinolenta guerra" (Correia Garção, *Obras Poéticas e Oratórias*, pp. 586-587). **2.** Misturado com, ou tinto de sangue. **3.** V. *sanguinário* (1). [Sin. ger.: *sanguinoso*.]

sanguinoso (gui ou güi... ô) [Do lat. tard. *sanguinosu*.] *Adj.* V. *sanguinolento*: "Sanguinoso punhal na mão sustenta." (Correia Garção, *Obras Poéticas e Oratórias*, p. 182.) ❖

sanguissedento [De *sangui-* + *sedento*.] *Adj. Poét.* V. *sanguinário* (1).

sanha [Do lat. *insania*, com aférese e palatalização, poss.] *S. f.* Ira, fúria, rancor, ódio: "um feitor amoroso e forte, ... cortado em pedaços pequeninos, com a fria sanha de muitas pequeninas vinganças ao serviço de uma forte vingança" (Cornélio Pena, *Fronteira*, p. 93).

sanhá [F. red. de *sanhaçu*.] *S. m. Bras. BA Zool.* Designação comum a diversos pássaros traupídeos.

sanhaço [Var. de *sanhaçu*.] *S. m. Bras. Zool.* **1.** Designação comum a várias aves passeriformes, traupídeas, gênero *Thraupis*. [Var. e sin., nesta acepç.: *assanhaço, papa-laranja, saí-açu*.] **2.** V. *sanhaço-de-mamoeiro*.

sanhaço-da-serra *S. m. Bras. Zool.* Sanhaçu-de-encontro. [Pl.: *sanhaços-da-serra*.]

sanhaço-de-coqueiro *S. m. Bras. Zool.* Ave passeriforme, traupídea (*Thraupis palmarum*), distribuída por todo o Brasil, de coloração verde-acinzentada, com vértice verde-claro, uma faixa brancacenta nas asas, dorso e cauda pardo-escuros. O costume de frequentar palmeiras valeu-lhe o nome popular. Alimenta-se de frutas, insetos e grãos. [Sin.: *sanhaço-pardo, sanhaçu-verde*. Pl.: *sanhaços-de-coqueiro*.]

sanhaço-de-fogo *S. m. Bras. Zool.* Ave passeriforme, traupídea (*Piranga flava saira*), do N. e C.O. do Brasil. O macho tem coloração vermelho-cochonilha; a fêmea é verde-azeitonada, com porção ventral amarelada. Alimenta-se, sobretudo, de insetos. [Sin.: *canário-do-mato, saí-de-fogo, saíra-vermelha*. Pl.: *sanhaços-de-fogo*.]

sanhaço-de-mamoeiro *S. m. Bras. Zool.* Ave passeriforme traupídea (*Thraupis sayaca*), do Brasil central e oriental, do MA ao RS. Dorso azul-escuro e ventre azul-esbranquiçado. É uma das espécies mais comuns no Brasil, e frequenta os arredores de habitações humanas. Alimenta-se de frutas e também de insetos. [Tb. se diz apenas *sanhaço* e *sanhaçu*. Pl.: *sanhaços-de-mamoeiro*.]

sanhaço-do-campo *S. m. Bras. Zool.* V. *bico-de-veludo*. [Pl.: *sanhaços-do-campo*.]

sanhaço-frade [Var. de *sanhaçu-frade*.] *S. m. Bras. Zool.* Ave passeriforme, traupídea (*Stephanophorus diadematus*), da faixa litorânea do Brasil este-meridional. A coloração geral é azul-suja; fronte, garganta, asas e cauda negros; alto da cabeça com manchas avermelhadas. O bico é curvo, grosso e curto. Vive bem em cativeiro, onde costuma reproduzir, e se alimenta de frutos e de insetos. [Sin.: *azulão-da-serra, azulão-de-cabeça-encarnada, azulão-do-campo, cairé, lindo-azul, sairuçu, sanhaçu-frade*. Pl.: *sanhaços-frades* e *sanhaços-frade*.]

sanhaço-pardo [Var. de *sanhaçu-pardo*.] *S. m. Zool.* **1.** *Bras.* V. *bico-de-veludo*. **2.** *Bras. PA* V. *sanhaço-de-coqueiro*. [Pl.: *sanhaços-pardos*.]

sanhaçotinga [De *sanhaço* + *-tinga*.] *S. m. Bras. SP Zool.* V. *tietinga*.

sanhaçu [Do tupi = 'saí grande'.] *S. m. Bras. Zool.* **1.** V. *sanhaço*. **2.** V. *saí-açu-azul*. **3.** V. *sanhaço-de-mamoeiro*.

sanhaçu-de-encontro *S. m. Bras. Zool.* Ave passeriforme, traupídea (*Thraupis ornata*), do Brasil este-meridional, de dorso verde, cabeça e peito azuis, e encontro com mancha amarela. Alimenta-se de frutas e insetos. [Sin.: *sanhaço-da-serra, guiramembé*. Pl.: *sanhaçus-de-encontro*.]

sanhaçu-frade *S. m. Bras. Zool.* V. *sanhaço-frade*. [Pl.: *sanhaçus-frade* e *sanhaçus-frades*.]

sanhaçuíra [De or. tupi.] *S. f. Bras. Zool.* V. *saíra-amarela*.

sanhaçu-pardo *S. m. Bras. Zool.* Sanhaço-pardo (q. v.). [Pl.: *sanhaçus-pardos*.]

sanhaçu-verde *S. m. Bras. N.E. Zool.* V. *sanhaço-de-coqueiro*. [Pl.: *sanhaçus-verdes*.]

sanhaja *S. 2 g. Adj. 2 g.* V. *azenegue* (1 e 3).

sanharão *S. m.* **1.** *Bras. Zool.* Abelha meliponínea (*Trigona truculenta*) agressiva, preta, reluzente, de asas muito escuras, e com 9 a 11mm de comprimento. Nidifica em tronco de árvores, e seu mel é pouco utilizável, pois na contrução do ninho utiliza fezes de animais e outros materiais em decomposição. [Sin.: *abelha-sanharó, sanharó*.] **2.** V. *tubuna* (1).

sanharó [Do tupi.] *S. m. Bras. Zool.* V. *sanharão*.

sanharoense (ò) *Adj. 2 g.* **1.** De, ou pertencente ou relativo a Sanharó (PE). • *S. 2 g.* **2.** O natural ou habitante de Sanharó.

sanhoá [De or. tupi, poss.] *S. f. Bras. Zool.* V. *caicanha*.

sanhoso (ô) [De *sanha* + *-oso*.] *Adj.* Que tem sanha; irascível; sanhudo.

sanhudo [De *sanha* + *-udo*.] *Adj.* **1.** V. *sanhoso*. **2.** *Fig.* Que causa medo; temível.

▲**san(i)-** [Do lat. *sānus, a, um*.] *El. comp.* = 'são', 'salubre': *sanear, sanificar*.

sanícula [Do tax. *Sanicula* (do lat. med. *sanicula*).] *S. f. Bot.* **1.** Gênero de plantas apiáceas, herbáceas, dotadas de folhas compostas, palmadas, flores unissexuadas em umbelas paniculadas, e frutos cobertos de pelo setáceo. **2.** Espécie ou espécime desse gênero.

sanícula-dos-montes *S. f. Bot.* Saxifraga-branca. [Pl.: *sanículas-dos-montes*.]

sanidade [Do lat. *sanitate*.] *S. f.* **1.** Qualidade ou estado de são. **2.** Salubridade; higiene. **3.** Normalidade física ou psíquica.

sanidina [Do gr. *sanís, ídos*, 'tábua' (cristais tabulares), + *-ina*¹.] *S. f. Min.* Mineral monolítico, variedade de ortoclásio de aspecto vítreo, transparente, que ocorre em certas rochas magmáticas efusivas.

sânie [Do lat. *sanie*, 'sangue corrompido'.] *S. f.* **1.** *Med.* Pus ou matéria purulenta gerada pelas úlceras e chagas não tratadas; icor. **2.** *P. ext.* Podridão (2).

sanificação [De *sanificar* + *-ção*.] *S. f.* Ato de sanificar.

sanificador (ô) [De *sanificar* + *-dor*.] *Adj.* **1.** Que sanifica; sanificante. • *S. m.* **2.** Aquele que sanifica.

sanificante [De *sanificar* + *-nte*.] *Adj. 2 g.* Sanificador (1).

sanificar [De *san(i)-* + *-ficar*.] *V. t. d.* Tornar são ou salubre; desinfetar, sanear. [Conjug.: v. *trancar*.]

saninaua *Bras. S. 2 g.* **1.** *Etnôn.* Indivíduo dos saninauas [ou (etnôn. bras.) *Saninawa], povo indígena extinto, da família linguística pano, que habitava na margem direita do rio Embira (AC). • *Adj. 2 g.* **2.** Pertencente ou relativo a esse povo.

sanioso (ô) [Do lat. *saniosu*.] *Adj.* Em que há sânie.

saníssimo [Do lat. *sanissimu*.] *Adj.* Superl. abs. sint. de *são*.

sanita *S. f. Lus.* V. *vaso sanitário*. "e vim aqui, e sentei-me na sanita, diante do espelho onde todas as manhãs me barbeio." (Lobo Antunes, *Os Cus de Judas*, p. 177).

sanitário [Do fr. *sanitaire*.] *Adj.* **1.** Relativo à saúde ou à higiene. **2.** Relativo a, ou próprio de banheiro (1): *louça sanitária*. ~ V. *água —, aparelho —, aterro —, bacia —a, louça —a* e *vaso —*. • *S. m.* **3.** V. *banheiro* (2).

sanitarista [De *sanitário* + *-ista*.] *Adj. 2 g. S. 2 g.* Diz-se de, ou especialista em saúde pública, em assuntos sanitários; higienista.

sanitização [Do ingl. *sanitization*.] *S. f. Hig.* Conjunto de procedimentos usados na indústria de produtos alimentares e que visam à manutenção das condições de higiene indispensáveis à obtenção de materiais de primeira qualidade.

sanitizador (ô) [De *sanitizar* + *-dor*.] *Adj. S. m.* Que, ou aquele que sanitiza.

sanitizar *V. t. d. Hig.* Promover a sanitização de: *Sanitizou as frutas antes de vendê-las.*

sanja [De or. incerta.] *S. f.* **1.** Abertura ou dreno para escoar águas. **2.** Valeta, rego.

sanjar [De *sanja* + *-ar*².] *V. t. d.* **1.** Fazer ou abrir sanjas em: *sanjar um terreno*. *Int.* **2.** Fazer ou abrir sanjas.

sânquia [Do sânscr.] *S. m. Filos.* Sistema ortodoxo de filosofia da Índia, surgido no séc. IV a. C., de caráter dualista, em oposição ao vedanta, e que atribui aos espíritos caráter inativo e à natureza, caráter dinâmico regido pela lei do carma. [V. *darsana*.]

sanquitar *V. t. d.* Voltear (a massa da broa) com farinha para ligá-la bem.

sansa *S. m.* Instrumento de cordas, de origem africana.

sansadurninho [Alter. do hag. *S. Saturnino*.] *Adj. S. m. Pop.* Diz-se de, ou indivíduo sonso, dissimulado, astuto, velhaco.

sansão [Do antr. *Sansão*, personagem bíblica, famosa por sua força física.] *S. m.* **1.** Espécie de guindaste empregado em certas construções. **2.** *Fig.* Indivíduo de extraordinária força física. [Cf. *sanção*.]

sansão-do-campo *S. m. Bot.* Árvore mimosácea (*Mimosa caesalpiniifolia*) de até 8m, de folhas compostas bipenadas, tronco espinhoso, sendo us. em paisagismo para formar cercas vivas defensivas. Ocorre no N.E., sendo característica das caatingas. [Sin.: *sabiá, cebiá*. Pl.: *sansões-do-campo*.]

sanscrítico [De *sânscrito* + *-ico*².] *Adj.* Relativo ao sânscrito; sânscrito.

sanscritismo [De *sânscrito* + *-ismo*.] *S. m.* **1.** Estudo do sânscrito. **2.** Doutrinas derivadas desse estudo.

sanscritista [De *sânscrito* + *-ista*.] *S. 2 g.* Pessoa versada no conhecimento do sânscrito, no sanscritismo.

sânscrito [Do sânscr. *samskrta, i. e., bhasa samskrta*, 'língua perfeita, regular'.] *S. m.* **1.** *Gloss.* Língua indo-europeia do ramo indo-ariano na qual foram escritos os quatro Vedas (c. 1200-900 a. C.), e que, entre os séculos VI a. C. e XI d. C., se tornou a língua da literatura e da ciência hindus; é mantida, ainda hoje, por razões culturais, como língua constitucional da Índia. [Foi descrita e codificada pelo gramático Panini no século V a. C. A descoberta de semelhanças entre o sânscrito, o latim e o grego foi responsável pelos avanços da filologia no Ocidente em fins do século XVIII.] **2.** Vocábulo dessa língua. • *Adj.* **3.** Sanscrítico.

sanscritologia (âns) [De *sânscrito* + *-logia*.] *S. f.* Tratado da língua e literatura sânscritas.

sanscritológico (âns) [De *sanscritologia* + *-ico*².] *Adj.* Referente à sanscritologia.

sanscritologista (âns) [De *sanscritologia* + *-ista*.] *S. 2 g.* Sanscritólogo.

sanscritólogo [De *sânscrito* + *-logo*.] *S. m.* Especialista em sanscritologia; sanscritologista.

➔**sans-culotte** [sɑ̃ ky'lɔt] [Fr., 'sem calção'.] *S. m. Hist.* Denominação dada pelos aristocratas aos adeptos da Revolução Francesa, que substituíram os calções (*culottes*) por calças compridas.

sansei [Do jap.] *S. 2 g.* Filho de nissei, nascido e criado na América. [Cf. *issei* e *nissei*.]

sanselimão [Var. de *signo de salomão*.] *S. m.* V. *estrela de davi*.

sansimonismo [Do antr. *Saint-Simon* + *-ismo*.] *S. m.* Sistema político e social de Claude Henri de Rouvroy, Conde de Saint-Simon (1760-1825), filósofo e economista francês, um dos precursores do socialismo.

sansimonista [De *sansimonismo* + *-ista*.] *Adj. 2 g.* **1.** Relativo ao, ou que é partidário do sansimonismo. • *S. 2 g.* **2.** Partidário desse sistema.

➔**sans peur et sans reproche** [sɑ̃ pœʀ e sɑ̃ ʀə'pʀɔʃ] [Fr.] Sem medo e sem censura, *i. e.*, que não conhece medo e não dá motivo a nenhuma censura.

santa [Fem. de *santo*.] *S. f.* **1.** Mulher canonizada: *Santa Cecília*. [Abrev.: *S.*] **2.** *Fig.* Mulher virtuosa, bondosa, inocente. **3.** Imagem de santa (1). **4.** Tratamento carinhoso, jocoso ou irônico dado a alguém: *minha santa*.

santa-adeliense *Adj. 2 g.* **1.** De, ou pertencente ou relativo a Santa Adélia (SP). • *S. 2 g.* **2.** O natural ou habitante de Santa Adélia. [Pl.: *santa-adelienses*.]

santa-albertinense *Adj. 2 g.* **1.** De, ou pertencente ou relativo a Santa Albertina (SP). • *S. 2 g.* **2.** O natural ou habitante de Santa Albertina. [Pl.: *santa-albertinenses*.]

santa-barbarense¹ *Adj. 2 g.* **1.** De, ou pertencente ou relativo a Águas de Santa Bárbara (SP). • *S. 2 g.* **2.** O natural ou habitante de Águas de Santa Bárbara. [Pl.: *santa-barbarenses*.]

santa-barbarense² *Adj. 2 g.* **1.** De, ou pertencente ou relativo a Santa Bárbara (MG). • *S. 2 g.* **2.** O natural ou habitante de Santa Bárbara. [Pl.: *santa-barbarenses*.]

santa-barbarense³ *Adj. 2 g.* **1.** De, ou pertencente ou relativo a Santa Bárbara de Goiás (GO). • *S. 2 g.* **2.** O natural ou habitante de Santa Bárbara de Goiás. [Pl.: *santa-barbarenses*.]

santa-barbarense[4] *Adj. 2 g.* **1.** De, ou pertencente ou relativo a Santa Bárbara d'Oeste (SP). ● *S. 2 g.* **2.** O natural ou habitante de Santa Bárbara d'Oeste. [Pl.: *santa-barbarenses.*]

santa-barbarense[5] *Adj. 2 g.* **1.** De, ou pertencente ou relativo a Santa Bárbara do Rio Pardo (SP). ● *S. 2 g.* **2.** O natural ou habitante de Santa Bárbara do Rio Pardo. [Pl.: *santa-barbarenses.*]

santa-barbarense[6] *Adj. 2 g.* **1.** De, ou pertencente ou relativo a Santa Bárbara do Sul (RS). ● *S. 2 g.* **2.** O natural ou habitante de Santa Bárbara do Sul. [Pl.: *santa-barbarenses.*]

santa-branquense *Adj. 2 g.* **1.** De, ou pertencente ou relativo a Santa Branca (SP). ● *S. 2 g.* **2.** O natural ou habitante de Santa Branca. [Pl.: *santa-branquenses.*]

santa-brigidense *Adj. 2 g.* **1.** De, ou pertencente ou relativo a Santa Brígida (BA). ● *S. 2 g.* **2.** O natural ou habitante de Santa Brígida. [Pl.: *santa-brigidenses.*]

santa-ceciliense *Adj. 2 g.* **1.** De, ou pertencente ou relativo a Santa Cecília do Pavão (PR). ● *S. 2 g.* **2.** O natural ou habitante de Santa Cecília do Pavão. [Sin. ger.: *pavonense.* Pl.: *santa-cecilienses.*]

santa-clarense *Adj. 2 g.* **1.** De, ou pertencente ou relativo a Santa Clara d'Oeste (SP). ● *S. 2 g.* **2.** O natural ou habitante de Santa Clara d'Oeste. [Pl.: *santa-clarenses.*]

santa-coca (ô) *S. f. Lus. Folcl.* Escultura dum monstro fantástico, que se exibe na procissão de *Corpus Christi* em Monção (Portugal). [Pl.: *santas-cocas* (ô).]

santa-cruz [Do f. do adj. *santo* + *cruz.*] *S. f. Bras.* Capelinha ou cruz à beira de estrada, erigida, não raro, em memória de alguém que ali foi morto. [Pl.: *santas-cruzes.* Cf. *Santa Cruz*, top. e antr.]

santa-cruzano *Adj.* **1.** De, ou pertencente ou relativo a Santa Cruz de Goiás (GO). ● *S. m.* **2.** O natural ou habitante de Santa Cruz de Goiás. [Pl.: *santa-cruzanos.*]

santa-cruzense[1] *Adj. 2 g.* **1.** De, ou pertencente ou relativo a Santa Cruz (ES, PB e RN). ● *S. 2 g.* **2.** O natural ou habitante de Santa Cruz. [Pl.: *santa-cruzenses.*]

santa-cruzense[2] *Adj. 2 g.* **1.** De, ou pertencente ou relativo a Santa Cruz Cabrália (BA). ● *S. 2 g.* **2.** O natural ou habitante de Santa Cruz Cabrália. [Pl.: *santa-cruzenses.*]

santa-cruzense[3] *Adj. 2 g.* **1.** De, ou pertencente ou relativo a Santa Cruz da Conceição (SP). ● *S. 2 g.* **2.** O natural ou habitante de Santa Cruz da Conceição. [Pl.: *santa-cruzenses.*]

santa-cruzense[4] *Adj. 2 g.* **1.** De, ou pertencente ou relativo a Santa Cruz da Vitória (BA). ● *S. 2 g.* **2.** O natural ou habitante de Santa Cruz da Vitória. [Pl.: *santa-cruzenses.*]

santa-cruzense[5] *Adj. 2 g.* **1.** De, ou pertencente ou relativo a Santa Cruz do Capibaribe (PE). ● *S. 2 g.* **2.** O natural ou habitante de Santa Cruz do Capibaribe. [Pl.: *santa-cruzenses.*]

santa-cruzense[6] *Adj. 2 g.* **1.** De, ou pertencente ou relativo a Santa Cruz do Escalvado (MG). ● *S. 2 g.* **2.** O natural ou habitante de Santa Cruz do Escalvado. [Pl.: *santa-cruzenses.*]

santa-cruzense[7] *Adj. 2 g.* **1.** De, ou pertencente ou relativo a Santa Cruz do Piauí (PI). ● *S. 2 g.* **2.** O natural ou habitante de Santa Cruz do Piauí. [Pl.: *santa-cruzenses.*]

santa-cruzense[8] *Adj. 2 g.* **1.** De, ou pertencente ou relativo a Santa Cruz do Rio Pardo (SP). ● *S. 2 g.* **2.** O natural ou habitante de Santa Cruz do Rio Pardo. [Pl.: *santa-cruzenses.*]

santa-cruzense[9] *Adj. 2 g.* **1.** De, ou pertencente ou relativo a Santa Cruz do Sul (RS). ● *S. 2 g.* **2.** O natural ou habitante de Santa Cruz do Sul. [Pl.: *santa-cruzenses.*]

santa-efigiense *Adj. 2 g.* **1.** De, ou pertencente ou relativo a Santa Efigênia de Minas (MG). ● *S. 2 g.* **2.** O natural ou habitante de Santa Efigênia de Minas. [Pl.: *santa-efigienses.*]

santa-ernestinense *Adj. 2 g.* **1.** De, ou pertencente ou relativo a Santa Ernestina (SP). ● *S. 2 g.* **2.** O natural ou habitante de Santa Ernestina. [Pl.: *santa-ernestinenses.*]

santa-fé [Do f. de *santo* + *fé.*] *S. f. Bras. L. a S. Bot.* Capim poáceo (*Canicum rivulare*) us. para cobrir palhoças, e cujos colmos atingem 1 a 2m e são eretos. Folhas lanceoladas ou lineares, e acuminadas, alcançando até 1,20m; espículas mínimas verdes ou arroxeadas, congregadas em panículas multifloras e densifloras. [Pl.: *santas-fés* e *santa-fés.*]

santa-feense[1] (êen) *Adj. 2 g.* **1.** De, ou pertencente ou relativo a Santa Fé (PR). ● *S. 2 g.* **2.** O natural ou habitante de Santa Fé. [Pl.: *santa-feenses.*]

santa-feense[2] (êen) *Adj. 2 g.* **1.** De, ou pertencente ou relativo a Santa Fé de Goiás (GO). ● *S. 2 g.* **2.** O natural ou habitante de Santa Fé de Goiás. [Pl.: *santa-feenses.*]

santa-feense[3] (êen) *Adj. 2 g.* **1.** De, ou pertencente ou relativo a Santa Fé de Minas (MG). ● *S. 2 g.* **2.** O natural ou habitante de Santa Fé de Minas. [Pl.: *santa-feenses.*]

santa-fé-sulense *Adj. 2 g.* **1.** De, ou pertencente ou relativo a Santa Fé do Sul (SP). ● *S. 2 g.* **2.** O natural ou habitante de Santa Fé do Sul. [Pl.: *santa-fé-sulenses.*]

santafezal (è) [De *santa-fé* + *-zal.*] *S. m.* **1.** *Bras.* Quantidade mais ou menos considerável de santa-fés dispostas proximamente entre si. **2.** Área ocupada por santafezal (1).

santa-gertrudense *Adj. 2 g.* **1.** De, ou pertencente ou relativo a Santa Gertrudes (SP). ● *S. 2 g.* **2.** O natural ou habitante de Santa Gertrudes. [Pl.: *santa-gertrudenses.*]

santa-helenense[1] *Adj. 2 g.* **1.** De, ou pertencente ou relativo a Santa Helena (MA, PB e PR). ● *S. 2 g.* **2.** O natural ou habitante de Santa Helena. [Sin. ger., só aplicável ao do MA: *helenense.* Pl.: *santa-helenenses.*]

santa-helenense[2] *Adj. 2 g.* **1.** De, ou pertencente ou relativo a Santa Helena de Goiás (GO). ● *S. 2 g.* **2.** O natural ou habitante de Santa Helena de Goiás. [Pl.: *santa-helenenses.*]

santa-ineense (êen) *Adj. 2 g.* **1.** De, ou pertencente ou relativo a Santa Inês (BA e PR). ● *S. 2 g.* **2.** O natural ou habitante de Santa Inês. [Sin. ger., só aplicável ao da BA: *santinense.* Pl.: *santa-ineenses.*]

santa-isabelense[1] *Adj. 2 g.* **1.** De, ou pertencente ou relativo a Santa Isabel (GO). ● *S. 2 g.* **2.** O natural ou habitante de Santa Isabel. [Pl.: *santa-isabelenses.*]

santa-isabelense[2] *Adj. 2 g.* **1.** De, ou pertencente ou relativo a Santa Isabel do Ivaí (PR). ● *S. 2 g.* **2.** O natural ou habitante de Santa Isabel do Ivaí. [Sin. ger.: *isabelense.* Pl.: *santa-isabelenses.*]

santa-isabelense[3] *Adj. 2 g.* **1.** De, ou pertencente ou relativo a Santa Isabel do Oeste (PR). ● *S. 2 g.* **2.** O natural ou habitante de Santa Isabel do Oeste. [Sin. ger.: *isabelense.* Pl.: *santa-isabelenses.*]

santa-isabelense[4] *Adj. 2 g.* **1.** De, ou pertencente ou relativo a Santa Isabel do Rio Negro (AM). ● *S. 2 g.* **2.** O natural ou habitante de Santa Isabel do Rio Negro. [Pl.: *santa-isabelenses.*]

santa-julianense *Adj. 2 g.* **1.** De, ou pertencente ou relativo a Santa Juliana (MG). ● *S. 2 g.* **2.** O natural ou habitante de Santa Juliana. [Pl.: *santa-julianenses.*]

santalácea [Do tax. *Santalum* (do lat. med. *sandalum, santalum*) + *-ácea*; tax. *Santalaceae.*] *S. f. Bot.* Espécime das santaláceas, família de plantas floríferas, da ordem das santalales, compostas de arbustos e algumas árvores que parasitam raízes. Flores pequeninas, monoclamídeas, de estames epipétalos; fruto drupáceo. Existem perto de 400 espécies dos climas temperados, raras ocorrentes no Brasil. Pertence a esta família o famoso sândalo, de madeira perfumada.

santaláceo [De *santalácea*, com var. suf. (v. *-áceo*).] *Adj. Bot.* Pertencente ou relativo às santaláceas.

santalal [Do lat. cient. *Santal-* (v. *santale*) + *-al*[1].] *Adj. 2 g. Bot.* Pertencente ou relativo às santalales.

santalale [Do tax. *Santalum* (v. *santalácea*) + *-ale*; tax. *Santalales.*] *S. f. Bot.* Espécime das santalales, ordem de vegetais dicotiledôneos, arquiclamídeos, que inclui, entre outras, as famílias das lorantáceas, santaláceas e olacáceas.

santali *S. m. Gloss.* **1.** Uma das línguas da Índia, da família austro-asiática, também falada em Bangladesh e no Nepal. **2.** Vocábulo dessa língua. [F. paral.: *santiali, sentali, sontal.*]

santa-lucense *Adj. 2 g.* **1.** Da, ou pertencente ou relativo à ilha de Santa Lúcia (mar do Caribe). ● *S. 2 g.* **2.** O natural ou habitante de Santa Lúcia. [Cf. *santa-luciense.*]

santa-luciense *Adj. 2 g.* **1.** De, ou pertencente ou relativo a Santa Lúcia (SP). ● *S. 2 g.* **2.** O natural ou habitante de Santa Lúcia. [Pl.: *santa-lucienses.* Cf. *santa-lucense.*]

santa-luzia [Do hag. *Santa Luzia*, santa protetora dos olhos.] *S. f.* **1.** *Bot.* V. *mata-olho* (1). **2.** V. *palmatória* (1). [Pl.: *santas-luzias.*]

santa-luziense[1] *Adj. 2 g.* **1.** De, ou pertencente ou relativo a Santa Luzia (BA, MA e PB). ● *S. 2 g.* **2.** O natural ou habitante de Santa Luzia. [Pl.: *santa-luzienses.*]

santa-luziense[2] *Adj. 2 g.* **1.** De, ou pertencente ou relativo a Santa Luzia do Itanhi (SE). ● *S. 2 g.* **2.** O natural ou habitante de Santa Luzia do Itanhi. [Pl.: *santa-luzienses.*]

santa-luziense[3] *Adj. 2 g.* **1.** De, ou pertencente ou relativo a Santa Luzia d'Oeste (RO). ● *S. 2 g.* **2.** O natural ou habitante de Santa Luzia d'Oeste. [Pl.: *santa-luzienses.*]

santa-luziense-do-paruá *Adj. 2 g.* **1.** De, ou pertencente ou relativo a Santa Luzia do Paruá (MA). ● *S. 2 g.* **2.** O natural ou habitante de Santa Luzia do Paruá. [Pl.: *santa-luzienses-do-paruá.*]

santa-margaridense *Adj. 2 g.* **1.** De, ou pertencente ou relativo a Santa Margarida (MG). ● *S. 2 g.* **2.** O natural ou habitante de Santa Margarida. [Pl.: *santa-margaridenses.*]

santa-maria [Do f. de *santo* + o hag. *Maria* (v. *mariano*).] *S. f. Bras. Bot.* V. *dedal-de-dama.* [Pl.: *santas-marias.*]

santa-marianense *Adj. 2 g.* **1.** De, ou pertencente ou relativo a Santa Mariana (PR). ● *S. 2 g.* **2.** O natural ou habitante de Santa Mariana. [Pl.: *santa-marianenses.*]

santa-mariense[1] *Adj. 2 g.* **1.** De, ou pertencente ou relativo a Santa Maria (RS). ● *S. 2 g.* **2.** O natural ou habitante de Santa Maria. [Pl.: *santa-marienses.*]

santa-mariense[2] *Adj. 2 g.* **1.** De, ou pertencente ou relativo a Santa Maria da Vitória (BA). ● *S. 2 g.* **2.** O natural ou habitante de Santa Maria da Vitória. [Pl.: *santa-marienses.*]

santa-mariense[3] *Adj. 2 g.* **1.** De, ou pertencente ou relativo a Santa Maria de Itabira (MG). ● *S. 2 g.* **2.** O natural ou habitante de Santa Maria de Itabira. [Pl.: *santa-marienses.*]

santa-mariense[4] *Adj. 2 g.* **1.** De, ou pertencente ou relativo a Santa Maria de Jetibá (ES). ● *S. 2 g.* **2.** O natural ou habitante de Santa Maria de Jetibá. [Pl.: *santa-marienses.*]

santa-mariense[5] *Adj. 2 g.* **1.** De, ou pertencente ou relativo a Santa Maria do Cambucá (PE). ● *S. 2 g.* **2.** O natural ou habitante de Santa Maria do Cambucá. [Pl.: *santa-marienses.*]

santa-mariense[6] *Adj. 2 g.* **1.** De, ou pertencente ou relativo a Santa Maria do Pará (PA). ● *S. 2 g.* **2.** O natural ou habitante de Santa Maria do Pará. [Pl.: *santa-marienses.*]

santa-mariense[7] *Adj. 2 g.* **1.** De, ou pertencente ou relativo a Santa Maria do Salto (MG). ● *S. 2 g.* **2.** O natural ou habitante de Santa Maria do Salto. [Pl.: *santa-marienses.*]

santa-mariense[8] *Adj. 2 g.* **1.** De, ou pertencente ou relativo a Santa Maria do Suaçuí (MG). ● *S. 2 g.* **2.** O natural ou habitante de Santa Maria do Suaçuí. [Pl.: *santa-marienses.*]

santana *S. f. Bras. Pop.* O mês de julho; mês de Santa Ana.

santana-garrotense *Adj. 2 g.* **1.** De, ou pertencente ou relativo a Santana dos Garrotes (PB). ● *S. 2 g.* **2.** O natural ou habitante de Santana dos Garrotes. [Pl.: *santana-garrotenses.*]

santanense[1] *Adj. 2 g.* **1.** De, ou pertencente ou relativo a Santana (AP e BA). ● *S. 2 g.* **2.** O natural ou habitante de Santana.

santanense[2] *Adj. 2 g.* **1.** De, ou pertencente ou relativo a Santana da Boa Vista (RS). ● *S. 2 g.* **2.** O natural ou habitante de Santana da Boa Vista.

santanense[3] *Adj. 2 g.* **1.** De, ou pertencente ou relativo a Santana de Cataguases (MG). ● *S. 2 g.* **2.** O natural ou habitante de Santana de Cataguases.

santanense[4] *Adj. 2 g.* **1.** De, ou pertencente ou relativo a Santana de Mangueira (PB). ● *S. 2 g.* **2.** O natural ou habitante de Santana de Mangueira.

santanense[5] *Adj. 2 g.* **1.** De, ou pertencente ou relativo a Santana do Deserto (MG). ● *S. 2 g.* **2.** O natural ou habitante de Santana do Deserto.

santanense[6] *Adj. 2 g.* **1.** De, ou pertencente ou relativo a Santana do Garambéu (MG). ● *S. 2 g.* **2.** O natural ou habitante de Santana do Garambéu.

santanense[7] *Adj. 2 g.* **1.** De, ou pertencente ou relativo a Santana do Ipanema (AL). ● *S. 2 g.* **2.** O natural ou habitante de Santana do Ipanema.

santanense[8] *Adj. 2 g.* **1.** De, ou pertencente ou relativo a Santana do Itararé (PR). ● *S. 2 g.* **2.** O natural ou habitante de Santana do Itararé.

santanense[9] *Adj. 2 g.* **1.** De, ou pertencente ou relativo a Santana do Jacaré (MG). ● *S. 2 g.* **2.** O natural ou habitante de Santana do Jacaré.

santanense[10] *Adj. 2 g.* **1.** De, ou pertencente ou relativo a Santana do Livramento (RS). ● *S. 2 g.* **2.** O natural ou habitante de Santana do Livramento.

santanense[11] *Adj. 2 g.* **1.** De, ou pertencente ou relativo a Santana do Manhuaçu (MG). ● *S. 2 g.* **2.** O natural ou habitante de Santana do Manhuaçu.

santanense[12] *Adj. 2 g.* **1.** De, ou pertencente ou relativo a Santana do Matos (RN). ● *S. 2 g.* **2.** O natural ou habitante de Santana do Matos.

santanense[13] *Adj. 2 g.* **1.** De, ou pertencente ou relativo a Santana do São Francisco (SE). ● *S. 2 g.* **2.** O natural ou habitante de Santana do São Francisco.

santanense[14] *Adj. 2 g.* **1.** De, ou pertencente ou relativo a Santana do Seridó (RN). ● *S. 2 g.* **2.** O natural ou habitante de Santana do Seridó.

santanense[15] *Adj. 2 g.* **1.** De, ou pertencente ou relativo a Santana dos Montes (MG). ● *S. 2 g.* **2.** O natural ou habitante de Santana dos Montes.

santanense[16] *Adj. 2 g. S. 2 g.* V. *araguaiense.*

santanense[17] *Adj. 2 g. S. 2 g.* V. *barra-santanense.*

santanense-da-ponte-pensa *Adj. 2 g.* **1.** De, ou pertencente ou relativo a Santana da Ponte Pensa (SP). ● *S. 2 g.* **2.** O natural ou habitante de Santana da Ponte Pensa. [Pl.: *santanenses-da-ponte-pensa.*]

santanense-do-acaraú *Adj. 2 g.* **1.** De, ou pertencente ou relativo a Santana do Acaraú (CE). ● *S. 2 g.* **2.** O natural ou habitante de Santana do Acaraú. [Pl.: *santanenses-do-acaraú.*]

santanense-do-cariri *Adj. 2 g.* **1.** De, ou pertencente ou relativo a Santana do Cariri (CE). ● *S. 2 g.* **2.** O natural ou habitante de Santana do Cariri. [Pl.: *santanenses-do-cariri.*]

santanesense *Adj. 2 g.* **1.** De, ou pertencente ou relativo a Santanésia (RJ). ● *S. 2 g.* **2.** O natural ou habitante de Santanésia.

santanopolinense *Adj. 2 g.* **1.** De, ou pertencente ou relativo a Santanópolis (BA). ● *S. 2 g.* **2.** O natural ou habitante de Santanópolis.

santantoninho [Do hipocorístico *Santo Antoninho*, dim. do hag. *Santo Antônio*.] *S. m.* Pessoa muito querida, muito mimada; santantoninho onde te porei.

santantoninho onde te porei [De *santantoninho* + *onde* + *te* + a 1ª pess. do sing. do fut. ind. de *pôr*.] *S. m. 2 n.* Santantoninho: "Aqui está este, que veio agora do Norte, ... tratado em toda a parte nas palmas das mãos, — um santantoninho onde te porei! — como ele mesmo confessa." (Cardoso de Oliveira, *Dois Metros e Cinco*, p. 53.)

santantônio [Var. de *santo-antônio* (q. v.).] *S. m. Bras.* **1.** Cabeçote de sela. **2.** Barra de aço, muito usual em carros de corrida, instalada para proteção do piloto em caso de capotagem.

santão [De *santo* + *-ão*[1].] *Adj. S. m.* V. *santarrão.*

santareno[1] *Adj.* **1.** De, ou pertencente ou relativo a Santarém (Portugal e PA). ● *S. m.* **2.** O natural ou habitante de Santarém. [Sin. ger.: com relação a Portugal, *escalabitano*; ao PA, *mocorongo*.]

santareno[2] *Adj.* **1.** De, ou pertencente ou relativo a Santarém Novo (PA). ● *S. m.* **2.** O natural ou habitante de Santarém Novo.

santa-ritense[1] *Adj. 2 g.* **1.** De, ou pertencente ou relativo a Santa Rita (MA e PB). ● *S. 2 g.* **2.** O natural ou habitante de Santa Rita. [Pl.: *santa-ritenses.*]

santa-ritense[2] *Adj. 2 g.* **1.** De, ou pertencente ou relativo a Santa Rita de Caldas (MG). ● *S. 2 g.* **2.** O natural ou habitante de Santa Rita de Caldas. [Pl.: *santa-ritenses.*]

santa-ritense[3] *Adj. 2 g.* **1.** De, ou pertencente ou relativo a Santa Rita de Cássia (BA). ● *S. 2 g.* **2.** O natural ou habitante de Santa Rita de Cássia. [Pl.: *santa-ritenses.*]

santa-ritense[4] *Adj. 2 g.* **1.** De, ou pertencente ou relativo a Santa Rita de Jacutinga (MG). ● *S. 2 g.* **2.** O natural ou habitante de Santa Rita de Jacutinga. [Pl.: *santa-ritenses.*]

santa-ritense[5] *Adj. 2 g.* **1.** De, ou pertencente ou relativo a Santa Rita do Araguaia (GO). ● *S. 2 g.* **2.** O natural ou habitante de Santa Rita do Araguaia. [Pl.: *santa-ritenses.*]

santa-ritense[6] *Adj. 2 g.* **1.** De, ou pertencente ou relativo a Santa Rita do Itueto (MG). ● *S. 2 g.* **2.** O natural ou habitante de Santa Rita do Itueto. [Pl.: *santa-ritenses.*]

santa-ritense[7] *Adj. 2 g.* **1.** De, ou pertencente ou relativo a Santa Rita do Pardo (MS). ● *S. 2 g.* **2.** O natural ou habitante de Santa Rita do Pardo. [Pl.: *santa-ritenses.*]

santa-ritense[8] *Adj. 2 g.* **1.** De, ou pertencente ou relativo a Santa Rita do Passa-Quatro (SP). ● *S. 2 g.* **2.** O natural ou habitante de Santa Rita do Passa-Quatro. [Pl.: *santa-ritenses.*]

santa-ritense[9] *Adj. 2 g.* **1.** De, ou pertencente ou relativo a Santa Rita do Sapucaí (MG). ● *S. 2 g.* **2.** O natural ou habitante de Santa Rita do Sapucaí. [Sin. ger.: *sapucaiense* (a-i). Pl.: *santa-ritenses.*]

santa-ritense[10] *Adj. 2 g.* **1.** De, ou pertencente ou relativo a Santa Rita d'Oeste (SP). ● *S. 2 g.* **2.** O natural ou habitante de Santa Rita d'Oeste. [Pl.: *santa-ritenses.*]

santa-rosense[1] *Adj. 2 g.* **1.** De, ou pertencente ou relativo a Barra de Santa Rosa (PB). ● *S. 2 g.* **2.** O natural ou habitante de Barra de Santa Rosa. [Pl.: *santa-rosenses.*]

santa-rosense[2] *Adj. 2 g. S. 2 g.* V. *nova-santa-rosense.* [Pl.: *santa-rosenses.*]

santa-rosense[3] *Adj. 2 g.* **1.** De, ou pertencente ou relativo a Santa Rosa (RS). ● *S. 2 g.* **2.** O natural ou habitante de Santa Rosa. [Pl.: *santa-rosenses.*]

santa-rosense[4] *Adj. 2 g.* **1.** De, ou pertencente ou relativo a Santa Rosa de Goiás (GO). ● *S. 2 g.* **2.** O natural ou habitante de Santa Rosa de Goiás. [Pl.: *santa-rosenses.*]

santa-rosense[5] *Adj. 2 g.* **1.** De, ou pertencente ou relativo a Santa Rosa de Lima (SE). ● *S. 2 g.* **2.** O natural ou habitante de Santa Rosa de Lima. [Pl.: *santa-rosenses.*]

santa-rosense[6] *Adj. 2 g.* **1.** De, ou pertencente ou relativo a Santa Rosa de Viterbo (SP). ● *S. 2 g.* **2.** O natural ou habitante de Santa Rosa de Viterbo. [Pl.: *santa-rosenses.*]

santa-rosense[7] *Adj. 2 g.* **1.** De, ou pertencente ou relativo a Santa Rosa do Sul (SC). ● *S. 2 g.* **2.** O natural ou habitante de Santa Rosa do Sul. [Pl.: *santa-rosenses.*]

santa-rosense[8] *Adj. 2 g.* **1.** De, ou pertencente ou relativo a Santa Rosa do Tocantins (TO). ● *S. 2 g.* **2.** O natural ou habitante de Santa Rosa do Tocantins. [Pl.: *santa-rosenses.*]

santarrão [De *santo* + *-arrão*; aum. deprec. de *santo*.] *Adj. S. m. Pop.* Que, ou aquele que finge santidade; falso devoto; santão, santilão, patamaz. [Fem.: *santarrona, santona, santilona.*]

santarrona *S. f.* V. *santarrão.*

santa-teresense[1] *Adj. 2 g.* **1.** De, ou pertencente ou relativo a Santa Teresa (RS). ● *S. 2 g.* **2.** O natural ou habitante de Santa Teresa. [Pl.: *santa-teresenses.*]

santa-teresense[2] *Adj. 2 g.* **1.** De, ou pertencente ou relativo a Santa Teresa do Oeste (PR). ● *S. 2 g.* **2.** O natural ou habitante de Santa Teresa do Oeste. [Pl.: *santa-teresenses.*]

santa-teresense[3] *Adj. 2 g.* **1.** De, ou pertencente ou relativo a Santa Teresa do Tocantins (TO). ● *S. 2 g.* **2.** O natural ou habitante de Santa Teresa do Tocantins. [Pl.: *santa-teresenses.*]

santa-teresinhense *Adj. 2 g.* **1.** De, ou pertencente ou relativo a Santa Teresinha (BA, MT, PB e PE). ● *S. 2 g.* **2.** O natural ou habitante de Santa Teresinha. [Pl.: *santa-teresinhenses.*]

santa-vitória [De *santa* + *vitória*.] *S. f. Bras. N.E. Fam.* V. *palmatória* (1). [Pl.: *santas-vitórias.*]

santa-vitoriense *Adj. 2 g.* **1.** De, ou pertencente ou relativo a Santa Vitória (MG). ● *S. 2 g.* **2.** O natural ou habitante de Santa Vitória. [Pl.: *santa-vitorienses.*]

santeiro [De *santo* + *-eiro*.] *Adj.* **1.** Devoto, beato. ● *S. m.* **2.** Escultor e/ou vendedor de imagens de santos.

santelmo [De *Santo* + *Elmo* (*Elmo* por *Ermo*, alter. de *Erasmo*, santo invocado pelos marinheiros do Mediterrâneo quando, por ocasião das tempestades, aparecia esta chama).] *S. m.* Chama azulada que, sobretudo por ocasião de tempestade, surge no tope dos mastros dos navios, produzida pela eletricidade. [Sin.: *fogo de santelmo* e (ant.) *elena.*]

santiagueiro [Do top. *Santiago* (Espanha) + *-eiro*.] *Adj. S. m.* Santiaguês.

santiaguense *Adj. 2 g.* **1.** De, ou pertencente ou relativo a Santiago (RS). ● *S. 2 g.* **2.** O natural ou habitante de Santiago.

santiaguês [Do esp. *santiagués*.] *Adj.* **1.** De, ou pertencente ou relativo a Santiago de Compostela (Espanha). ● *S. m.* **2.** O natural ou habitante dessa cidade. [Sin. ger.: *santiagueiro*. Flex.: *santiaguesa* (ê), *santiagueses* (ê), *santiaguesas* (ê).]

santiaguino *Adj.* **1.** De, ou pertencente ou relativo a Santiago do Chile (Chile). ● *S. m.* **2.** O natural ou habitante de Santiago do Chile.

santiali *S. m. Gloss.* V. *santali.*

santiamém *S. m. Fam.* V. *santiâmen.*

santiâmen *S. m. Fam.* V. *santiâmen.* [Uso freq. em P.]

santiâmen [Do lat. (*Spiritus*) *Sancti, amen*, palavras finais da oração pronunciada quando se faz o sinal da cruz (q. v.).] *S. m. Fam.* Momento, instante. [Var.: *santiamém* e (lus.) *santiámen*. Pl.: *santiamens* e (p. us. no Brasil) *santiâmenes.*]

santico [De *santo* + *-ico*[1].] *S. m. Pop.* Pingente em que se esmaltou a imagem dum santo.

santidade [Do lat. *sanctitate*.] *S. f.* Qualidade ou estado de santo. ◆ **Vossa Santidade.** Tratamento dado ao Papa.

santificação [Do lat. tard. *sanctificatione*.] *S. f.* Ato ou efeito de santificar(-se).

santificado [Part. de *santificar*.] *Adj.* Que se santificou, se tornou santo. ~ V. *dia —.*

santificador (ô) [Do lat. tard. *sanctificatore*.] *Adj.* **1.** Que santifica; santificante. ● *S. m.* **2.** Aquele que santifica.

santificante [Do lat. tard. *sanctificante*.] *Adj. 2 g.* Santificador (1).

santificar [Do lat. tard. *sanctificare*.] *V. t. d.* **1.** Tornar santo; sagrar: *As leis divinas santificam as boas ações*; "Este amor não é puro e nada o santifica" (Luís Delfino, *Posse Absoluta*, p. 66). **2.** Inscrever no rol dos santos; canonizar: *A Igreja santificou Joana d'Arc.* **3.** Conduzir pelo caminho da bem-aventurança. **4.** Tornar digno de veneração e respeito; tornar venerado; sublimar, glorificar: *A nobre causa a que servia santificava os seus atos.* **5.** Celebrar conforme os princípios da religião. **6.** Educar religiosamente. **7.** Moralizar por meio da religião: *Os jesuítas santificaram populações indígenas. P.* **8.** Tornar-se santo. **9.** Elevar-se ou moralizar-se pela prática rígida de princípios religiosos. [Conjug.: v. *trancar*.]

santificável [De *santificar* + *-vel*.] *Adj. 2 g.* Que pode ou deve ser santificado.

santigar [Var. de *santiguar* < lat. tard. *sanctificare*.] *V. t. d.* **1.** Deitar bênção a; benzer. *P.* **2.** Fazer o sinal da cruz; persignar-se, benzer-se. [Var.: *santiguar*. Conjug.: v. *largar*.]

santiguar *V. t. d. P.* V. *santigar.* [Conjug.: v. *averiguar*.]

santilão [De *santo*.] *S. m. Pop.* V. *santarrão.* [Fem.: *santilona.*]

santilona *S. f. Pop.* V. *santilão.*

santimónia *S. f.* V. *santimônia.* [Uso freq. em P.]

santimônia [Do lat. *sanctimonia*.] *S. f.* **1.** Modo ou aparência de santo. **2.** *Irôn.* Devoção religiosa: "D. Antônio assistia pouco na corte, para esquivar-se às censuras do tio cardeal, às esquisitas santimônias do primo Sebastião" (Camilo Castelo Branco, *D. Luís de Portugal*, p. 166).

santimonial [Do lat. tard. *sanctimoniale*.] *Adj. 2 g.* **1.** Referente a santimônia. **2.** Devoto, beato.

santinacense *Adj. 2 g.* **1.** De, ou pertencente ou relativo a Santo Inácio do Piauí (PI). ● *S. 2 g.* **2.** O natural ou habitante de Santo Inácio do Piauí.

santinense *Adj. 2 g. S. 2 g.* V. *santa-ineense.*

santinho [De *santo* + *-inho*[1].] *S. m.* **1.** Pequena imagem religiosa. **2.** *Fam.* Pessoa muito ajuizada e/ou virtuosa: *O garoto é considerado um santinho no colégio.* **3.** *Bras.* Pequeno retângulo de papel, de propaganda eleitoral, que traz a foto e, quando é o caso, o número do candidato: "Eram os meninos do Pavãozinho distribuindo santinhos de Darcy (Ribeiro), através das janelas dos carros" (*Jornal do Brasil*, 16.11.1986). ◆ **Santinho do pau oco.** *Fam.* V. *santo de pau oco* (1 e 2).

santir *S. m.* Instrumento oriental, originado do antigo saltério, de forma trapezoidal e cordas percutíveis com baquetas.

santíssimo [Do lat. *sanctissimu*.] *Adj.* **1.** Superl. abs. sint. de *santo*. ~ V. *—a Trindade.* ● *S. m.* **2.** *Rel.* O sacramento da Eucaristia. **3.** *Rel.* A hóstia consagrada.

santista[1] *Adj. 2 g.* **1.** De, ou pertencente ou relativo a Santos (SP). ● *S. 2 g.* **2.** O natural ou habitante de Santos.

santista[2] *Bras. Adj. 2 g.* **1.** Pertencente ou relativo ao Santos Futebol Clube (SP); praiano. **2.** Que é torcedor ou jogador dessa agremiação; praiano. ● *S. 2 g.* **3.** Membro, torcedor ou jogador dela; santos, peixeiro, praiano.

santo [Do lat. *sanctu*, 'estabelecido segundo a lei'; 'que se tornou sagrado'.] *Adj.* **1.** V. *sagrado* (2 a 4). **2.** *Rel.* Que vive segundo os preceitos religiosos, a lei divina. **3.** *Rel.* Segundo crenças religiosas, diz-se daquele que obteve o Céu como recompensa de suas virtudes; bem-aventurado. **4.** *Rel.* Diz-se daquele que a Igreja canonizou. **5.** Puro, imaculado, inocente. **6.** Respeitável, venerável, venerando: *um santo varão.* **7.** Que tem bom coração; bondoso em extremo: "Era uma santa criatura o padre Higino" (Viriato Correia, *Contos do Sertão*, p. 7). **8.** Que é próprio de santo: *Sofreu tudo com santa resignação.* **9.** Que não pode ser violado ou profanado: *a santa intimidade dos lares.* **10.** Respeitante às coisas divinas, à religião, ao culto. **11.** Útil, proveitoso; profícuo; eficaz: *um santo remédio.* ~ V. *ano —, —a casa, a —a Ceia, — Deus, dia —, dia — dispensado, —as espécies, Espírito —, a —a Família, guerra —a, — horror, — Lenho, — Ofício, os —os óleos, o Padre —, o — Padre, o — Pai, —as palavras, quinta-feira —a, — sacrifício, a —a Sé, semana —a, o — Sepulcro, sexta-feira —a, o — Sudário, Terra —a e a —a terrinha.* ● *S. m.* **12.** *Rel.* Segundo a tradição judaico-cristã, atributo de Deus e um dos seus nomes, realçando a transcendência da natureza divina. **13.** *Rel.* Aquele que participa da santidade divina pela observância da lei ou pelos sacramentos. **14.** *Rel.* Indivíduo que foi canonizado. [Nesta acepç., a palavra é us. nesta forma antes de nomes que principiam por vogal ou H (*Santo Antônio, Santo Agostinho, Santo Hilário*), usando-se, nos outros casos, a f. apocopada *São*: *São Bento, São Carlos*. A única exceção, rigorosamente, é *Santo Tirso*, pois as outras duas exceções geralmente lembradas apresentam oscilações: *Santo Tomás* ou *São Tomás*; *Santo Borja* ou (muito mais frequentemente, ao menos no Brasil) *São Borja*, que, aliás, como topônimo, ninguém diz de outro modo. (Abrev., nesta acepç.: *S.*)] **15.** *Rel.* Imagem de santo (14). **16.** *Fig.* Homem muito austero ou de bondade extraordinária. **17.** *Bras. Rel.* Nas religiões afro-brasileiras e sincretismos dela derivados, denominação dos orixás e de algumas outras entidades [v. *entidade* (6)] espirituais. [Aum. deprec.: *santão, santarrão*.] ~ V. *santos.* ◆ **Santo de casa não faz milagre.** Expr. que indica que não se dá o devido crédito ou mérito àquele(s) com o(s) qual (/quais) se convive: "— Santo de casa não faz milagre — e Seu Alberto sorria: — Dona Manuela não sabe que filha tem, Dona Leniza — e, desejando boa noite, foi-se encaminhando para o quarto." (Marques Rebelo, *A Estrela Sobe*, p. 91.) **Santo de pau oco.** *Fam.* **1.** Menino traquinas, porém calmo na aparência. **2.** *Fam.* Indivíduo santarrão, hipócrita, sonso. [Sin. ger.: *santinho do pau oco*.] **3.** *Ant. Bras.* Imagem de santo, feita de madeira, e que era oca por dentro, a fim de por ela se contrabandear ouro e diamantes. **Bai-**

xar o santo em alguém. V. *descer o santo em alguém.* **Bolar no santo.** *Bras. Rel.* Bolar[3] (1); cair no santo. **Cair no santo.** Bolar no santo. **Descer o santo em alguém.** Incorporar uma entidade: "Davam-lhe a palavra. Descia-lhe o santo. Tremia, empalidecia, elevava a voz, disparava suas frases em rajadas, em salvas, esmagava o concursante ao peso de citações de enfiadas de autores" (Pedro Nava, *Beira-Mar*, p. 374). **Descobrir um santo para cobrir outro.** *Fam.* Despir um santo para vestir outro. **Despir um santo para vestir outro.** *Fam.* Favorecer alguém em prejuízo de outrem ou de si mesmo; descobrir um santo para cobrir outro. **Não ser santo da devoção de. 1.** Não ter a mesma maneira de ser, de comportar-se, que. **2.** Não gozar das simpatias de. **Para baixo todo santo ajuda** Descer é sempre mais fácil que subir; descer é fácil; para baixo todos os santos ajudam: "(Já o ditado mais cínico e realista de todos – 'pra baixo todo santo ajuda' – nos tempos da Inquisição poderia dar fogueira.)" (Luís Fernando Veríssimo, *O Globo*, 01.03.2009). **Para baixo todos os santos ajudam.** V. *para baixo todo santo ajuda*: "– O lugar é azado! – resmungou um dos arrieiros. – Ó meu amo, quer V. S.ª fazer das tripas coração e botar cá pra baixo co' corpo? Como diz lá o ditado, pra baixo todos os santos ajudam! (Camilo Castelo Branco, *O Santo da Montanha*, p. 6.) **Só não chamar de santo.** Xingar de tudo quanto é nome feio. **Ter santo forte.** *Bras. Pop.* **1.** Ser imune a sortilégios ou bruxarias. **2.** V. *ter as costas largas* (1).

santo-aleixano *Adj.* **1.** De, ou pertencente ou relativo a Santo Aleixo (RJ). • *S. m.* **2.** O natural ou habitante de Santo Aleixo. [Pl.: *santo-aleixanos.*]

santo-amarense[1] *Adj. 2 g.* **1.** De, ou pertencente ou relativo a Santo Amaro (BA). • *S. 2 g.* **2.** O natural ou habitante de Santo Amaro. [Pl.: *santo-amarenses.*]

santo-amarense[2] *Adj. 2 g.* **1.** De, ou pertencente ou relativo a Santo Amaro da Imperatriz (SC). • *S. 2 g.* **2.** O natural ou habitante de Santo Amaro da Imperatriz. [Pl.: *santo-amarenses.*]

santo-angelense *Adj. 2 g.* **1.** De, ou pertencente ou relativo a Santo Ângelo (RS). • *S. 2 g.* **2.** O natural ou habitante de Santo Ângelo. [Pl.: *santo-angelenses.*]

santo-antoniense[1] *Adj. 2 g.* **1.** De, ou pertencente ou relativo a Santo Antônio (RN e RS). • *S. 2 g.* **2.** O natural ou habitante de Santo Antônio. [Pl.: *santo-antonienses.*]

santo-antoniense[2] *Adj. 2 g.* **1.** De, ou pertencente ou relativo a Santo Antônio das Missões (RS). • *S. 2 g.* **2.** O natural ou habitante de Santo Antônio das Missões. [Pl.: *santo-antonienses.*]

santo-antoniense[3] *Adj. 2 g.* **1.** De, ou pertencente ou relativo a Santo Antônio de Jesus (BA). • *S. 2 g.* **2.** O natural ou habitante de Santo Antônio de Jesus. [Pl.: *santo-antonienses.*]

santo-antoniense[4] *Adj. 2 g.* **1.** De, ou pertencente ou relativo a Santo Antônio de Lisboa (PI). • *S. 2 g.* **2.** O natural ou habitante de Santo Antônio de Lisboa. [Pl.: *santo-antonienses.*]

santo-antoniense[5] *Adj. 2 g.* **1.** De, ou pertencente ou relativo a Santo Antônio do Caiuá (PR). • *S. 2 g.* **2.** O natural ou habitante de Santo Antônio do Caiuá. [Pl.: *santo-antonienses.*]

santo-antoniense[6] *Adj. 2 g.* **1.** De, ou pertencente ou relativo a Santo Antônio do Jacinto (MG). • *S. 2 g.* **2.** O natural ou habitante de Santo Antônio do Jacinto. [Pl.: *santo-antonienses.*]

santo-antoniense[7] *Adj. 2 g.* **1.** De, ou pertencente ou relativo a Santo Antônio de Leverger (MT). • *S. 2 g.* **2.** O natural ou habitante de Santo Antônio de Leverger. [Pl.: *santo-antonienses.*]

santo-antoniense[8] *Adj. 2 g.* **1.** De, ou pertencente ou relativo a Santo Antônio do Monte (MG). • *S. 2 g.* **2.** O natural ou habitante de Santo Antônio do Monte. [Pl.: *santo-antonienses.*]

santo-antoniense[9] *Adj. 2 g.* **1.** De, ou pertencente ou relativo a Santo Antônio do Paraíso (PR). • *S. 2 g.* **2.** O natural ou habitante de Santo Antônio do Paraíso. [Pl.: *santo-antonienses.*]

santo-antoniense[10] *Adj. 2 g.* **1.** De, ou pertencente ou relativo a Santo Antônio do Planalto (RS). • *S. 2 g.* **2.** O natural ou habitante de Santo Antônio do Planalto. [Pl.: *santo-antonienses.*]

santo-antoniense[11] *Adj. 2 g.* **1.** De, ou pertencente ou relativo a Santo Antônio do Rio Abaixo (MG). • *S. 2 g.* **2.** O natural ou habitante de Santo Antônio do Rio Abaixo. [Pl.: *santo-antonienses.*]

santo-antoniense[12] *Adj. 2 g.* **1.** De, ou pertencente ou relativo a Santo Antônio dos Lopes (MA). • *S. 2 g.* **2.** O natural ou habitante de Santo Antônio dos Lopes. [Pl.: *santo-antonienses.*]

santo-antoniense[13] *Adj. 2 g.* **1.** De, ou pertencente ou relativo a Santo Antônio do S.O. (PR). • *S. 2 g.* **2.** O natural ou habitante de Santo Antônio do S.O. [Pl.: *santo-antonienses.*]

santo-antônio [Do hag. *Santo Antônio.*] *S. m.* **1.** *Bras.* Santantônio: "Solitário em seu *pangaré*, escanchado, apegando-se com frequência ao santo-antônio do selim, de quando em quando um romeiro atravessava a cena" (Melo Morais Filho, *Festas e Tradições Populares do Brasil*, p. 150). **2.** *Zool.* V. *peixe-voador.* [Pl.: *santo-antônios.*]

santo-augustense *Adj. 2 g.* **1.** De, ou pertencente ou relativo a Santo Augusto (RS). • *S. 2 g.* **2.** O natural ou habitante de Santo Augusto. [Pl.: *santo-augustenses.*]

santo-cristense *Adj. 2 g.* **1.** De, ou pertencente ou relativo a Santo Cristo (RS). • *S. 2 g.* **2.** O natural ou habitante de Santo Cristo. [Pl.: *santo-cristenses.*]

santo-daime *S. m. Bras.* **1.** Designação brasileira da *ayahuasca* (q. v.) entre algumas comunidades da Amaz. e outros grupos que a consomem para atingir estados místicos. **2.** Designação genérica das comunidades e grupos em que se consome ritualmente a *ayahuasca*, e cuja doutrina religiosa apresenta elementos cristãos, espíritas e de crenças da Amaz. [Pl.: *santo-daimes.*]

santo de roca *S. m.* Imagem de santo vestida em que a cabeça, os braços, parte das pernas e pés eram fixados na roca[1] (3). [Pl.: *santos de roca.*]

santo e senha *S. m.* **1.** Mensagem de uso militar, em que se anota a senha com o nome dum santo, para reconhecimento de seu portador. **2.** *P. ext.* Sinal previamente combinado, para se conhecer, sem indiscrição, quem é partidário e quem é adversário. [Pl.: *santo e senhas.*]

santo-estevense *Adj. 2 g.* **1.** De, ou pertencente ou relativo a Santo Estêvão (BA). • *S. 2 g.* **2.** O natural ou habitante de Santo Estêvão. [Pl.: *santo-estevenses.*]

santo-hipolitense *Adj. 2 g.* **1.** De, ou pertencente ou relativo a Santo Hipólito (MG). • *S. 2 g.* **2.** O natural ou habitante de Santo Hipólito. [Pl.: *santo-hipolitenses.*]

santo-inaciense *Adj. 2 g.* **1.** De, ou pertencente ou relativo a Santo Inácio (PR). • *S. 2 g.* **2.** O natural ou habitante de Santo Inácio. [Pl.: *santo-inacienses.*]

santola [De or. obscura.] *S. f. Zool.* V. *aranha-do-mar.*

santolina [Do tax. *Santolina* (alter. do lat. *santonica*).] *S. f. Bot.* **1.** Gênero de subarbustos asteráceos, nativos da região mediterrânea, de belas folhas lobadas e flores amarelas, em capítulos. **2.** Qualquer espécie desse gênero, como, p. ex., a *Santolina chamaecyparissus* (v. *abrótano-fêmeo*). **3.** Qualquer espécime desse gênero, ou a sua flor.

santolinha [De *santola* + *-inha.*] *S. f. Zool.* V. *aranha-do-mar.*

santomense *Adj. 2 g. S. 2 g.* V. *são-tomense.*

santomensismo [De *santomense* + *-ismo.*] *S. m.* **1.** Palavra ou locução própria dos santomenses. **2.** Modismo próprio da linguagem dos santomenses.

santona [De *santa* + *-ona*[1].] *S. f.* Fem. de *santão* (v. *santarrão*).

santônica [Do lat. *santonica* (*herba*), 'artemísia'.] *S. f.* **1.** *Bot.* Erva asterácea (*Artemisia santonica*) cujos botões florais são us. no preparo da santonica (2); sêmen-contra. **2.** *Farmac.* Preparado antelmíntico à base de santonina e óleo essencial.

santonina [De *santôn(ica)* + *-ina*[3].] *S. f. Quím.* Qualquer de duas lactonas sesquiterpênicas (α-santonina e β-santonina) com esqueletos como o eudesmano, encontradas em artemísias [fórm.: $C_{15}H_{18}O_3$].

santopolitano *Adj.* **1.** De, ou pertencente ou relativo a Santópolis do Aguapeí (SP). • *S. m.* **2.** O natural ou habitante de Santópolis do Aguapeí.

santor (ô) *S. m. Heráld.* Alter. de *sautor* (q. v.).

santoral [Do lat. (flos) *sanctorum*, 'flos-santório', + *-al*[1].] *S. m.* **1.** Hagiológio. **2.** Livro litúrgico que encerra os textos de celebração do ofício dos santos com festas fixas. [Cf., nesta acepç., *temporal*[1](7).]

santos *S. 2 g.* V. *santista*[2] (3). ~ V. *santo.*

santuário [Do lat. *sanctuariu.*] *S. m.* **1.** Lugar consagrado pela religião; lugar santo. **2.** O local mais sagrado do templo judaico de Jerusalém, onde se guardava a Arca da Aliança. **3.** Templo, igreja, basílica, capela. **4.** Sacrário, relicário. **5.** *Fig.* A parte mais íntima (do coração, da alma, etc.). **6.** V. *santuário ecológico.* **7.** *Ecol.* Área que não sofreu mudanças e que mantém condições favoráveis à preservação das espécies; santuário da vida silvestre. ◆ **Santuário ecológico.** *Ecol.* Área protegida em que é proibida a extração de espécies, em caráter permanente, com objetivo de preservá-las. [Tb. se diz apenas *santuário.*] **Santuário da vida silvestre.** V. *santuário* (7).

santuense *Adj. 2 g.* **1.** De, ou pertencente ou relativo a Santo Antônio do Içá (AM). • *S. 2 g.* **2.** O natural ou habitante de Santo Antônio do Içá.

sanumá *Bras. S. 2 g.* **1.** *Etnôn.* Indivíduo dos sanumás, povo indígena de família linguística ianomâmi que habita o AM. • *Adj. 2 g.* **2.** Pertencente ou relativo a esse povo. [Tb. us. como *s. 2 g. e 2 n.* (com cap.) e *adj. 2 g. e 2 n.*]

sanzala [Do quimb.] *S. f.* **1.** *Angol.* Aldeia tradicional africana: "encontrou à sua frente só sanzalas sem vida e foi-as atravessando uma por uma, dentro de um silêncio tão intenso que o respirar das árvores se tornara audível." (José Eduardo Agualusa, *D. Nicolau Água-Rosada e Outras Estórias Verdadeiras e Inverossímeis*, p. 28). **2.** *Santom.* Casa de serviçal (6), na roça (4): "Deparou-se-lhe a sanzala escancarada" (Luís Cajão, *A Estufa*, p. 221). **3.** *Santom.* O conjunto dessas casas: "E ali, neste centro nervoso, que está a 'casa de administração' (a 'casa-grande' do Brasil) e a sanzala dos trabalhadores" (Francisco Tenreiro, *A Ilha de São Tomé (Estudo Geográfico)*, p. 146).

saô *Afric. S. 2 g.* **1.** *Etnôn.* Indivíduo dos saôs, denominação comum a vários povos não islamizados que vivem ao S. do lago Chade, na África: "De argila, os saôs fizeram tudo" (Alberto da Costa e Silva, *A Enxada e a Lança*, p. 363). • *Adj. 2 g.* **2.** Pertencente ou relativo a esses povos, ou deles.

são[1] *S. m.* F. apocopada de santo (14), us. antes de nomes que principiam por consoante: São Francisco, São Paulo, São João. [Abrev.: *S.*]

são[2] [Do lat. *sanu.*] *Adj.* **1.** Que tem saúde; sadio: *homem são*: "Da travessia .... desprendia-se um cheiro animal bom, de corpo humano são, asseado." (Júlio Ribeiro, *A Carne*, p. 85); "era [Ramalho Ortigão] forte, era são, era bom, era alegre" (Eça de Queirós, *Notas Contemporâneas*, p. 29). **2.** Que recobrou o estado de saúde; curado. **3.** Ileso, incólume: *Escapou são e salvo.* **4.** Diz-se de objeto sem quebra ou defeito. **5.** Diz-se do fruto não apodrecido. **6.** Salubre, higiênico, salutar: *Vive no mais são dos climas.* **7.** Reto, íntegro, justo. **8.** Razoável, moderado. **9.** Puro, impoluto, imaculado. **10.** Franco, verdadeiro, sincero. • *S. m.* **11.** Indivíduo são. **12.** Qualidade do que é são. **13.** A parte sã de um objeto ou organismo. **14.** Algo em estado perfeito. [Flex.: *sã, sãos, sãs*; superl. abs. sint.: *saníssimo.*] ◆ **São e salvo.** Diz-se de quem escapa ileso de algum acidente, perigo, etc.

são-beneditense[1] *Adj. 2 g. S. 2 g.* V. *beneditense.* [Pl.: *são-beneditenses.*]

são-beneditense[2] *Adj. 2 g.* **1.** De, ou pertencente ou relativo a São Benedito do Rio Preto (MA). • *S. 2 g.* **2.** O natural ou habitante de São Benedito do Rio Preto. [Pl.: *são-beneditenses.*]

são-beneditense[3] *Adj. 2 g.* **1.** De, ou pertencente ou relativo a São Benedito do Sul (PE). • *S. 2 g.* **2.** O natural ou habitante de São Benedito do Sul. [Pl.: *são-beneditenses.*]

são-bentense[1] *Adj. 2 g.* **1.** De, ou pertencente ou relativo a São Bento (PB). • *S. 2 g.* **2.** O natural ou habitante de São Bento. [Sin. ger.: *são-bentino.* Pl.: *são-bentenses.*]

são-bentense[2] *Adj. 2 g.* **1.** De, ou pertencente ou relativo a São Bento Abade (MG). • *S. 2 g.* **2.** O natural ou habitante de São Bento Abade. [Pl.: *são-bentenses.*]

são-bentense[3] *Adj. 2 g.* **1.** De, ou pertencente ou relativo a São Bento do Sul (SC). • *S. 2 g.* **2.** O natural ou habitante de São Bento do Sul. [Pl.: *são-bentenses.*]

são-bentense[4] *Adj. 2 g.* **1.** De, ou pertencente ou relativo a São Bento do Una (PE). • *S. 2 g.* **2.** O natural ou habitante de São Bento do Una. [Pl.: *são-bentenses.*]

são-bentense[5] *Adj. 2 g. S. 2 g.* V. *serra-bentense.* [Pl.: *são-bentenses.*]

são-bentino *Adj. S. m.* V. *são-bentense*[1]. [Pl.: *são-bentinos.*]

são-bentista *Adj. 2 g.* **1.** De, ou pertencente ou relativo a São Bento do Sapucaí (SP). • *S. 2 g.* **2.** O natural ou habitante de São Bento do Sapucaí. [Sin. ger.: *sapucaiense* (a-i). Pl.: *são-bentistas.*]

são-bentoense *Adj. 2 g.* **1.** De, ou pertencente ou relativo a São Bento (MA). • *S. 2 g.* **2.** O natural ou habitante de São Bento. [Pl.: *são-bentoenses.*]

são-bento-grande *S. m. Bras. Cap.* **1.** Certo tipo de toque de berimbau. **2.** Jogo de capoeira em que o ritmo do berimbau impõe alta velocidade e exige grande agilidade do capoeirista. [Pl.: *são-bento-grandes.*]

são-bento-nortense *Adj. 2 g.* **1.** De, ou pertencente ou relativo a São Bento do Norte (RN). • *S. 2 g.* **2.** O natural ou habitante de São Bento do Norte. [Pl.: *são-bento-nortenses.*]

são-bento-pequeno *S. m. Bras. Cap.* Variação de são-bento-grande (1) tocado em andamento lento. [Pl.: *são-bento-pequenos.*]

são-bernardense *Adj. 2 g.* **1.** De, ou pertencente ou relativo a São Bernardo do Campo (SP). • *S. 2 g.* **2.** O natural ou habitante de São Bernardo do Campo. [Pl.: *são-bernardenses.*]

são-bernardo [Do hag. *São Bernardo.*] *S. m. Cinol.* Cão oriundo dos Alpes Suíços, de grande porte, com altura mínima de 0,70m, crânio largo, focinho curto, orelhas caídas lateralmente, pescoço forte e pelagem farta, macia e ondulada de cor ruiva com manchas brancas e vice-versa. É conhecido por socorrer vítimas de tempestades e avalanches. [Pl.: *são-bernardos.*]

S

são-bonifacense *Adj. 2 g.* **1.** De, ou pertencente ou relativo a São Bonifácio (SC). • *S. 2 g.* **2.** O natural ou habitante de São Bonifácio. [Pl.: *são-bonifacenses.*]

são-borjense *Adj. 2 g.* **1.** De, ou pertencente ou relativo a São Borja (RS). • *S. 2 g.* **2.** O natural ou habitante de São Borja. [Pl.: *são-borjenses.*]

são-braense *Adj. 2 g.* **1.** De, ou pertencente ou relativo a São Brás (AL). • *S. 2 g.* **2.** O natural ou habitante de São Brás. [Pl.: *são-braenses.*]

são-butiaense (i-à) *Adj. 2 g.* **1.** De, ou pertencente ou relativo a São Pedro do Butiá (RS). • *S. 2 g.* **2.** O natural ou habitante de São Pedro do Butiá. [Pl.: *são-butiaenses.*]

são-caetanense *Adj. 2 g. S. 2. g.* V. *sul-caetanense.* [Pl.: *são-caetanenses.*]

são-caetano *S. m. Bot.* Melão-de-são-caetano: "uma cacimba afogada em estendais de são-caetano e fedegoso-bravo" (Hugo de Carvalho Ramos, *Tropas e Boiadas*, p. 69). [Pl.: *são-caetanos.*]

são-caitanense *Adj. 2 g.* **1.** De, ou pertencente ou relativo a São Caitano (PE). • *S. 2 g.* **2.** O natural ou habitante de São Caitano. [Pl.: *são-caitanenses.*]

são-carlense[1] *Adj. 2 g.* **1.** De, ou pertencente ou relativo a São Carlos (SC e SP). • *S. 2 g.* **2.** O natural ou habitante de São Carlos. [Pl.: *são-carlenses.*]

são-carlense[2] *Adj. 2 g.* **1.** De, ou pertencente ou relativo a São Carlos do Ivaí (PR). • *S. 2 g.* **2.** O natural ou habitante de São Carlos do Ivaí. [Pl.: *são-carlenses.*]

são-cristóvão *S. 2 g.* São-cristovense[3] (3). [Pl.: *são-cristóvãos.*]

são-cristovense[1] *Adj. 2 g.* **1.** De, ou pertencente ou relativo a São Cristóvão (SE). • *S. 2 g.* **2.** O natural ou habitante de São Cristóvão. [Pl.: *são-cristovenses.*]

são-cristovense[2] *Bras. Adj. 2 g.* **1.** Pertencente ou relativo ao São Cristóvão de Futebol e Regatas (RJ); cadete. **2.** Que é torcedor ou jogador dessa agremiação; cadete. • *S. 2 g.* **3.** Membro, torcedor ou jogador dela; são-cristóvão, cadete. [Pl.: *são-cristovenses.*]

são-desideriano *Adj.* **1.** De, ou pertencente ou relativo a São Desidério (BA). • *S. m.* **2.** O natural ou habitante de São Desidério. [Pl.: *são-desiderianos.*]

são-dominguense[1] *Adj. 2 g.* **1.** De, ou pertencente ou relativo a São Domingos (BA e SE). • *S. 2 g.* **2.** O natural ou habitante de São Domingos. [Pl.: *são-dominguenses.*]

são-dominguense[2] *Adj. 2 g.* **1.** De, ou pertencente ou relativo a São Domingos do Maranhão (MA). • *S. 2 g.* **2.** O natural ou habitante de São Domingos do Maranhão. [Pl.: *são-dominguenses.*]

são-dominguense[3] *Adj. 2 g.* **1.** De, ou pertencente ou relativo a São Domingos do Sul (RS). • *S. 2 g.* **2.** O natural ou habitante de São Domingos do Sul. [Pl.: *são-dominguenses.*]

são-felense[1] *Adj. 2 g.* **1.** De, ou pertencente ou relativo a São Félix de Balsas (MA). • *S. 2 g.* **2.** O natural ou habitante de São Félix de Balsas. [Pl.: *são-felenses.*]

são-felense[2] *Adj. 2 g.* **1.** De, ou pertencente ou relativo a São Félix do Coribe (BA). • *S. 2 g.* **2.** O natural ou habitante de São Félix do Coribe. [Pl.: *são-felenses.*]

são-felicense[1] *Adj. 2 g.* **1.** De, ou pertencente ou relativo a São Félix do Piauí (PI). • *S. 2 g.* **2.** O natural ou habitante de São Félix do Piauí. [Pl.: *são-felicenses.*]

são-felicense[2] *Adj. 2 g.* **1.** De, ou pertencente ou relativo a São Félix do Araguaia (MT). • *S. 2 g.* **2.** O natural ou habitante de São Félix do Araguaia. [Pl.: *são-felicenses.*]

são-felista *Adj. 2 g.* **1.** De, ou pertencente ou relativo a São Félix (BA). • *S. 2 g.* **2.** O natural ou habitante de São Félix. [Pl.: *são-felistas.*]

são-fernandense *Adj. 2 g.* **1.** De, ou pertencente ou relativo a São Fernando (RN). • *S. 2 g.* **2.** O natural ou habitante de São Fernando. [Pl.: *são-fernandenses.*]

são-franciscano[1] *Adj.* **1.** *Bras.* Relativo ou pertencente ao rio São Francisco. **2.** *Bras.* Que habita na região banhada por ele: *a população são-franciscana.* [Pl.: *são-franciscanos.*]

são-franciscano[2] *Adj.* **1.** De, ou pertencente ou relativo a Muquém do São Francisco (BA). • *S. m.* **2.** O natural ou habitante de Muquém do São Francisco. [Pl.: *são-franciscanos.*]

são-franciscano[3] *Adj.* **1.** De, ou pertencente ou relativo a São Francisco (MG). • *S. m.* **2.** O natural ou habitante de São Francisco. [Pl.: *são-franciscanos.*]

são-franciscano[4] *Adj.* **1.** De, ou pertencente ou relativo a São Francisco do Conde (BA). • *S. m.* **2.** O natural ou habitante de São Francisco do Conde. [Pl.: *são-franciscanos.*]

são-franciscano[5] *Adj.* **1.** De, ou pertencente ou relativo a São Francisco do Maranhão (MA). • *S. m.* **2.** O natural ou habitante de São Francisco do Maranhão. [Sin. ger.: *franciscano.* Pl.: *são-franciscanos.*]

são-franciscano[6] *Adj. S. m.* V. *franciscano*[7]. [Pl.: *são-franciscanos.*]

são-franciscano-do-glória *Adj.* **1.** De, ou pertencente ou relativo a São Francisco do Glória (MG). • *S. m.* **2.** O natural ou habitante de São Francisco do Glória. [Pl.: *são-franciscanos-do-glória.*]

são-francisco-salense *Adj. 2 g.* **1.** De, ou pertencente ou relativo a São Francisco de Sales (MG). • *S. 2 g.* **2.** O natural ou habitante de São Francisco de Sales. [Pl.: *são-francisco-salenses.*]

são-francisquense *Adj. 2 g.* **1.** De, ou pertencente ou relativo a São Francisco (SE e SP). • *S. 2 g.* **2.** O natural ou habitante de São Francisco. [Pl.: *são-francisquenses.*]

são-gabrielense[1] *Adj. 2 g.* **1.** De, ou pertencente ou relativo a São Gabriel (BA). • *S. 2 g.* **2.** O natural ou habitante de São Gabriel. [Pl.: *são-gabrielenses.*]

são-gabrielense[2] *Adj. 2 g.* **1.** De, ou pertencente ou relativo a São Gabriel da Cachoeira (AM). • *S. 2 g.* **2.** O natural ou habitante de São Gabriel da Cachoeira. [Pl.: *são-gabrielenses.*]

são-geraldense[1] *Adj. 2 g.* **1.** De, ou pertencente ou relativo a São Geraldo (MG). • *S. 2 g.* **2.** O natural ou habitante de São Geraldo. [Pl.: *são-geraldenses.*]

são-geraldense[2] *Adj. 2 g.* **1.** De, ou pertencente ou relativo a São Geraldo da Piedade (MG). • *S. 2 g.* **2.** O natural ou habitante de São Geraldo da Piedade. [Pl.: *são-geraldenses.*]

são-geraldense[3] *Adj. 2 g.* **1.** De, ou pertencente ou relativo a São Geraldo do Araguaia (PA). • *S. 2 g.* **2.** O natural ou habitante de São Geraldo do Araguaia. [Pl.: *são-geraldenses.*]

são-gonçalense[1] *Adj. 2 g.* **1.** De, ou pertencente ou relativo a São Gonçalo do Abaeté (MG). • *S. 2 g.* **2.** O natural ou habitante de São Gonçalo do Abaeté. [Pl.: *são-gonçalenses.*]

são-gonçalense[2] *Adj. 2 g.* **1.** De, ou pertencente ou relativo a São Gonçalo do Pará (MG). • *S. 2 g.* **2.** O natural ou habitante de São Gonçalo do Pará. [Pl.: *são-gonçalenses.*]

são-gonçalense[3] *Adj. 2 g.* **1.** De, ou pertencente ou relativo a São Gonçalo do Piauí (PI). • *S. 2 g.* **2.** O natural ou habitante de São Gonçalo do Piauí. [Pl.: *são-gonçalenses.*]

são-gonçalense[4] *Adj. 2 g.* **1.** De, ou pertencente ou relativo a São Gonçalo do Rio Abaixo (MG). • *S. 2 g.* **2.** O natural ou habitante de São Gonçalo do Rio Abaixo. [Pl.: *são-gonçalenses.*]

são-gonçalense[5] *Adj. 2 g.* **1.** De, ou pertencente ou relativo a São Gonçalo do Rio Preto (MG). • *S. 2 g.* **2.** O natural ou habitante de São Gonçalo do Rio Preto. [Pl.: *são-gonçalenses.*]

são-gonçalense[6] *Adj. 2 g.* **1.** De, ou pertencente ou relativo a São Gonçalo do Sapucaí (MG). • *S. 2 g.* **2.** O natural ou habitante de São Gonçalo do Sapucaí. [Pl.: *são-gonçalenses.*]

são-gonçalense[7] *Adj. 2 g.* **1.** De, ou pertencente ou relativo a São Gonçalo dos Campos (BA). • *S. 2 g.* **2.** O natural ou habitante de São Gonçalo dos Campos. [Pl.: *são-gonçalenses.*]

são-gonçalo [Do hag. *São Gonçalo.*] *S. m. Bras. SP* Aquele que faz para outrem um pedido de casamento e, de certo modo, o patrocina. [Pl.: *são-gonçalos.*]

são-gotardense *Adj. 2 g.* **1.** De, ou pertencente ou relativo a São Gotardo (MG). • *S. 2 g.* **2.** O natural ou habitante de São Gotardo. [Pl.: *são-gotardenses.*]

são-joanense[1] [Do hag. *São João* + *-ense.*] *Adj. 2 g.* V. *são-joanino*[1]. [Pl.: *são-joanenses.*]

são-joanense[2] *Adj. 2 g.* **1.** De, ou pertencente ou relativo a São João (PE e PR). • *S. 2 g.* **2.** O natural ou habitante de São João. [Sin. ger., só aplicável ao do PR: *são-joanino.* Pl.: *são-joanenses.*]

são-joanense[3] *Adj. 2 g.* **1.** De, ou pertencente ou relativo a São João da Barra (RJ). • *S. 2 g.* **2.** O natural ou habitante de São João da Barra. [Pl.: *são-joanenses.*]

são-joanense[4] *Adj. 2 g.* **1.** De, ou pertencente ou relativo a São João da Boa Vista (SP). • *S. 2 g.* **2.** O natural ou habitante de São João da Boa Vista. [Pl.: *são-joanenses.*]

são-joanense[5] *Adj. 2 g.* **1.** De, ou pertencente ou relativo a São João da Paraúna (GO). • *S. 2 g.* **2.** O natural ou habitante de São João da Paraúna. [Pl.: *são-joanenses.*]

são-joanense[6] *Adj. 2 g.* **1.** De, ou pertencente ou relativo a São João das Duas Pontes (SP). • *S. 2 g.* **2.** O natural ou habitante de São João das Duas Pontes. [Pl.: *são-joanenses.*]

são-joanense[7] *Adj. 2 g.* **1.** De, ou pertencente ou relativo a São João del-Rei (MG). • *S. 2 g.* **2.** O natural ou habitante de São João del-Rei. [Pl.: *são-joanenses.*]

são-joanense[8] *Adj. 2 g.* **1.** De, ou pertencente ou relativo a São João do Araguaia (PA). • *S. 2 g.* **2.** O natural ou habitante de São João do Araguaia. [Pl.: *são-joanenses.*]

são-joanense[9] *Adj. 2 g. S. 2 g.* V. *caiuense.* [Pl.: *são-joanenses.*]

são-joanense[10] *Adj. 2 g. S. 2 g.* V. *caririense.* [Pl.: *são-joanenses.*]

são-joanense[11] *Adj. 2 g.* **1.** De, ou pertencente ou relativo a São João do Ivaí (PR). • *S. 2 g.* **2.** O natural ou habitante de São João do Ivaí. [Pl.: *são-joanenses.*]

são-joanense[12] *Adj. 2 g.* **1.** De, ou pertencente ou relativo a São João do Oriente (MG). • *S. 2 g.* **2.** O natural ou habitante de São João do Oriente. [Pl.: *são-joanenses.*]

são-joanense[13] *Adj. 2 g.* **1.** De, ou pertencente ou relativo a São João do Pau-d'Alho (SP). • *S. 2 g.* **2.** O natural ou habitante de São João do Pau-d'Alho. [Pl.: *são-joanenses.*]

são-joanense[14] *Adj. 2 g.* **1.** De, ou pertencente ou relativo a São João do Piauí (PI). • *S. 2 g.* **2.** O natural ou habitante de São João do Piauí. [Pl.: *são-joanenses.*]

são-joanense[15] *Adj. 2 g.* **1.** De, ou pertencente ou relativo a São João do Rio do Peixe (PB). • *S. 2 g.* **2.** O natural ou habitante de São João do Rio do Peixe. [Pl.: *são-joanenses.*]

são-joanense[16] *Adj. 2 g.* **1.** De, ou pertencente ou relativo a São João Nepomuceno (MG). • *S. 2 g.* **2.** O natural ou habitante de São João Nepomuceno. [Pl.: *são-joanenses.*]

são-joanense-da-mata *Adj. 2 g.* **1.** De, ou pertencente ou relativo a São João da Mata (MG). • *S. 2 g.* **2.** O natural ou habitante de São João da Mata. [Pl.: *são-joanenses-da-mata.*]

são-joanesco (ê) [Do hag. *São João* + *-esco.*] *Adj. Bras.* V. *são-joanino*[1]. [Pl.: *são-joanescos.*]

são-joanino[1] [Do hag. *São João* + *-ino*[1].] *Adj.* Relativo a São João; são-joanesco, são-joanense. [Cf. *joanino*[2].] [Pl.: *são-joaninos.*]

são-joanino[2] *Adj. S. m.* V. *são-joanense*[2]. [Pl.: *são-joaninos.*]

são-joão *S. m.* **1.** O dia de S. João, 24 de junho. **2.** Festa de S. João. [Pl.: *são-joões.*]

são-joão-tigrense *Adj. 2 g.* **1.** De, ou pertencente ou relativo a São João do Tigre (PB). • *S. 2 g.* **2.** O natural ou habitante de São João do Tigre. [Pl.: *são-joão-tigrenses.*]

são-joaquinense[1] *Adj. 2 g.* **1.** De, ou pertencente ou relativo a Novo São Joaquim (MT). • *S. 2 g.* **2.** O natural ou habitante de Novo São Joaquim. [Pl.: *são-joaquinenses.*]

são-joaquinense[2] *Adj. 2 g.* **1.** De, ou pertencente ou relativo a São Joaquim do Monte (PE). • *S. 2 g.* **2.** O natural ou habitante de São Joaquim do Monte. [Pl.: *são-joaquinenses.*]

são-jorgense[1] *Adj. 2 g.* **1.** De, ou pertencente ou relativo a São Jorge d'Oeste (PR). • *S. 2 g.* **2.** O natural ou habitante de São Jorge d'Oeste. [Sin. ger.: *jorgense.* Pl.: *são-jorgenses.*]

são-jorgense[2] *Adj. 2 g.* **1.** De, ou pertencente ou relativo a São Jorge do Ivaí (PR). • *S. 2 g.* **2.** O natural ou habitante de São Jorge do Ivaí. [Sin. ger.: *jorgense.* Pl.: *são-jorgenses.*]

são-josé-coroa-grandense *Adj. 2 g.* **1.** De, ou pertencente ou relativo a São José da Coroa Grande (PE). • *S. 2 g.* **2.** O natural ou habitante de São José da Coroa Grande. [Pl.: *são-josé-coroa-grandenses.*]

são-josé-divinense *Adj. 2 g.* **1.** De, ou pertencente ou relativo a São José do Divino (MG). • *S. 2 g.* **2.** O natural ou habitante de São José do Divino. [Pl.: *são-josé-divinenses.*]

são-joseense[1] (èen) *Adj. 2 g.* **1.** De, ou pertencente ou relativo a São José da Lagoa Tapada (PB). • *S. 2 g.* **2.** O natural ou habitante de São José da Lagoa Tapada. [Pl.: *são-joseenses.*]

são-joseense[2] (èen) *Adj. 2 g.* **1.** De, ou pertencente ou relativo a São José da Varginha (MG). • *S. 2 g.* **2.** O natural ou habitante de São José da Varginha. [Pl.: *são-joseenses.*]

são-joseense[3] (èen) *Adj. 2 g.* **1.** De, ou pertencente ou relativo a São José da Vitória (BA). • *S. 2 g.* **2.** O natural ou habitante de São José da Vitória. [Pl.: *são-joseenses.*]

são-joseense[4] (èen) *Adj. 2 g.* **1.** De, ou pertencente ou relativo a São José do Peixe (PI). • *S. 2 g.* **2.** O natural ou habitante de São José do Peixe. [Pl.: *são-joseenses.*]

são-joseense[5] (èen) *Adj. 2 g.* **1.** De, ou pertencente ou relativo a São José do Piauí (PI). • *S. 2 g.* **2.** O natural ou habitante de São José do Piauí. [Pl.: *são-joseenses.*]

são-joseense[6] (èen) *Adj. 2 g. S. 2 g.* V. *são-josé-seridoense.* [Pl.: *são-joseenses.*]

são-joseense[7] (èen) *Adj. 2 g.* **1.** De, ou pertencente ou relativo a São José dos Cordeiros (PB). • *S. 2 g.* **2.** O natural ou habitante de São José dos Cordeiros. [Pl.: *são-joseenses.*]

são-joseense[8] (èen) *Adj. 2 g.* **1.** De, ou pertencente ou relativo a São José dos Pinhais (PR). • *S. 2 g.* **2.** O natural ou habitante de São José dos Pinhais. [Pl.: *são-joseenses.*]

são-joseliense *Adj. 2 g.* **1.** De, ou pertencente ou relativo a São José das Palmeiras (PR). • *S. 2 g.* **2.** O natural ou habitante de São José das Palmeiras. [Pl.: *são-joselienses*.]

são-josé-seridoense (òên) *Adj. 2 g.* **1.** De, ou pertencente ou relativo a São José do Seridó (RN). ● *S. 2 g.* **2.** O natural ou habitante de São José do Seridó. [Sin. ger.: *são-joseense*. Pl.: *são-josé-seridoenses*.]

são-lourencense *Adj. 2 g.* **1.** De, ou pertencente ou relativo a São Lourenço da Mata (PE). ● *S. 2 g.* **2.** O natural ou habitante de São Lourenço da Mata. [Pl.: *são-lourencenses*.]

são-lourenciano *Adj.* **1.** De, ou pertencente ou relativo a São Lourenço (MG). ● *S. m.* **2.** O natural ou habitante de São Lourenço. [Pl.: *são-lourencianos*.]

são-lucareno *Adj. S. m.* V. *são-luqueno*. [Pl. *são-lucarenos*.]

são-ludgerense *Adj. 2 g.* **1.** De, ou pertencente ou relativo a São Ludgero (SC). ● *S. 2 g.* **2.** O natural ou habitante de São Ludgero. [Pl.: *são-ludgerenses*.]

são-luisense[1] (u-i) *Adj. 2 g.* **1.** De, ou pertencente ou relativo a São Luís (Portugal, RR e capital do MA). ● *S. 2 g.* **2.** O natural ou habitante de São Luís. [Sin., só aplicável ao do MA: *ludovicense*. Pl.: *são-luisenses*.]

são-luisense[2] (u-i) *Adj. 2 g.* **1.** De, ou pertencente ou relativo a São Luís do Norte (GO). ● *S. 2 g.* **2.** O natural ou habitante de São Luís do Norte. [Pl.: *são-luisenses*.]

são-luisense[3] (u-i) *Adj. 2 g.* **1.** De, ou pertencente ou relativo a São Luís Gonzaga (RS). ● *S. 2 g.* **2.** O natural ou habitante de São Luís Gonzaga. [Pl.: *são-luisenses*.]

são-luqueno *Adj.* **1.** De, ou pertencente ou relativo a São Lúcar (Espanha). ● *S. m.* **2.** O natural ou habitante de São Lúcar. [Sin. ger.: *são-lucareno*. Pl.: *são-luquenos*.]

são-mamedense *Adj. 2 g.* **1.** De, ou pertencente ou relativo a São Mamede (PB). ● *S. 2 g.* **2.** O natural ou habitante de São Mamede. [Pl.: *são-mamedenses*.]

são-manuelense *Adj. 2 g.* **1.** De, ou pertencente ou relativo a São Manuel (SP). ● *S. 2 g.* **2.** O natural ou habitante de São Manuel. [Pl.: *são-manuelenses*.]

são-marinense *Adj. 2 g. S. 2 g.* V. *samarinês*.

são-marquense *Adj. 2 g.* **1.** De, ou pertencente ou relativo a São Marcos (RS). ● *S. 2 g.* **2.** O natural ou habitante de São Marcos. [Pl.: *são-marquenses*.]

são-martinhense *Adj. 2 g.* **1.** De, ou pertencente ou relativo a São Martinho (RS e SC). ● *S. 2 g.* **2.** O natural ou habitante de São Martinho. [Pl.: *são-martinhenses*.]

são-mateuense[1] *Adj. 2 g.* **1.** De, ou pertencente ou relativo a São Mateus do Maranhão (MA). ● *S. 2 g.* **2.** O natural ou habitante de São Mateus do Maranhão. [Sin. ger.: *são-mateusense*. Pl.: *são-mateuenses*.]

são-mateuense[2] *Adj. 2 g.* **1.** De, ou pertencente ou relativo a São Mateus do Sul (PR). ● *S. 2 g.* **2.** O natural ou habitante de São Mateus do Sul. [Pl.: *são-mateuenses*.]

são-mateusense *Adj. 2 g. S. 2 g.* V. *são-mateuense[1]*. [Pl.: *são-mateusenses*.]

são-miguelense[1] *Adj. 2 g.* **1.** De, ou pertencente ou relativo a São Miguel (RN). ● *S. 2 g.* **2.** O natural ou habitante de São Miguel. [Sin. ger.: *micaelense*. Pl.: *são-miguelenses*.]

são-miguelense[2] *Adj. 2 g.* **1.** De, ou pertencente ou relativo a São Miguel Arcanjo (SP). ● *S. 2 g.* **2.** O natural ou habitante de São Miguel Arcanjo. [Pl.: *são-miguelenses*.]

são-miguelense[3] *Adj. 2 g.* **1.** De, ou pertencente ou relativo a São Miguel do Anta (MG). ● *S. 2 g.* **2.** O natural ou habitante de São Miguel do Anta. [Pl.: *são-miguelenses*.]

são-miguelense[4] *Adj. 2 g.* **1.** De, ou pertencente ou relativo a São Miguel do Araguaia (GO). ● *S. 2 g.* **2.** O natural ou habitante de São Miguel do Araguaia. [Pl.: *são-miguelenses*.]

são-miguelense[5] *Adj. 2 g.* **1.** De, ou pertencente ou relativo a São Miguel do Iguaçu (PR). ● *S. 2 g.* **2.** O natural ou habitante de São Miguel do Iguaçu. [Pl.: *são-miguelenses*.]

são-miguelense[6] *Adj. 2 g. S. 2 g.* V. *miguelense[3]*. [Pl.: *são-miguelenses*.]

são-miguelense[7] *Adj. 2 g.* **1.** De, ou pertencente ou relativo a São Miguel do Tapuio (PI). ● *S. 2 g.* **2.** O natural ou habitante de São Miguel do Tapuio. [Sin. ger.: *tapuiense*. Pl.: *são-miguelenses*.]

são-nicolauense *Adj. 2 g.* **1.** De, ou pertencente ou relativo a São Nicolau (RS). ● *S. 2 g.* **2.** O natural ou habitante de São Nicolau. [Pl.: *são-nicolauenses*.]

são-pauleiro *S. m. Bras. BA* Designação comum aos sertanejos que chegam a São Paulo para trabalhar nas fazendas de café e na derrubada de matas. [Pl.: *são-pauleiros*.]

são-paulino *Bras. Adj.* **1.** Pertencente ou relativo ao São Paulo Futebol Clube (SP); tricolor. **2.** Que é torcedor ou jogador dessa agremiação; tricolor. ● *S. m.* **3.** Membro, torcedor ou jogador dela; tricolor, são-paulo. [Pl.: *são-paulinos*.]

são-paulo *S. 2 g. Bras.* V. *são-paulino* (3). [Pl.: *são-paulos*.]

são-pedrense[1] *Adj. 2 g.* **1.** De, ou pertencente ou relativo a São Pedro (RN e SP). ● *S. 2 g.* **2.** O natural ou habitante de São Pedro. [Pl.: *são-pedrenses*.]

são-pedrense[2] *Adj. 2 g.* **1.** De, ou pertencente ou relativo a São Pedro da Serra (RS). ● *S. 2 g.* **2.** O natural ou habitante de São Pedro da Serra. [Pl.: *são-pedrenses*.]

são-pedrense[3] *Adj. 2 g.* **1.** De, ou pertencente ou relativo a São Pedro da União (MG). ● *S. 2 g.* **2.** O natural ou habitante de São Pedro da União. [Pl.: *são-pedrenses*.]

são-pedrense[4] *Adj. 2 g. S. 2 g.* V. *ivaiense[3]*. [Pl.: *são-pedrenses*.]

são-pedrense[5] *Adj. 2 g.* **1.** De, ou pertencente ou relativo a São Pedro do Paraná (PR). ● *S. 2 g.* **2.** O natural ou habitante de São Pedro do Paraná. [Pl.: *são-pedrenses*.]

são-pedrense[6] *Adj. 2 g.* **1.** De, ou pertencente ou relativo a São Pedro do Piauí (PI). ● *S. 2 g.* **2.** O natural ou habitante de São Pedro do Piauí. [Pl.: *são-pedrenses*.]

são-pedrense[7] *Adj. 2 g.* **1.** De, ou pertencente ou relativo a São Pedro do Suaçuí (MG). ● *S. 2 g.* **2.** O natural ou habitante de São Pedro do Suaçuí. [Pl.: *são-pedrenses*.]

são-pedrense[8] *Adj. 2 g.* **1.** De, ou pertencente ou relativo a São Pedro do Sul (RS). ● *S. 2 g.* **2.** O natural ou habitante de São Pedro do Sul. [Pl.: *são-pedrenses*.]

são-pedrense[9] *Adj. 2 g.* **1.** De, ou pertencente ou relativo a São Pedro do Turvo (SP). ● *S. 2 g.* **2.** O natural ou habitante de São Pedro do Turvo. [Pl.: *são-pedrenses*.]

são-pedro *S. m.* **1.** O dia de S. Pedro, 29 de junho. **2.** Festa de S. Pedro. [Pl.: *são-pedros*.]

são-pedro-caá [Do hag. *São Pedro* + *-cáa*.] *S. m. Bras. Bot.* V. *mentastro* (1). [Pl.: *são-pedro-caás*.]

são-rafaelense *Adj. 2 g.* **1.** De, ou pertencente ou relativo a São Rafael (RN). ● *S. 2 g.* **2.** O natural ou habitante de São Rafael. [Sin. ger.: *rafaelense*. Pl.: *são-rafaelenses*.]

são-raimundense *Adj. 2 g.* **1.** De, ou pertencente ou relativo a São Raimundo Nonato (PI). ● *S. 2 g.* **2.** O natural ou habitante de São Raimundo Nonato. [Pl.: *são-raimundenses*.]

são-romano *Adj.* **1.** De, ou pertencente ou relativo a São Romão (MG). ● *S. m.* **2.** O natural ou habitante de São Romão. [Pl.: *são-romanos*.]

são-roquense[1] *Adj. 2 g.* **1.** De, ou pertencente ou relativo a São Roque (SP). ● *S. 2 g.* **2.** O natural ou habitante de São Roque. [Pl.: *são-roquenses*.]

são-roquense[2] *Adj. 2 g.* **1.** De, ou pertencente ou relativo a São Roque de Minas (MG). ● *S. 2 g.* **2.** O natural ou habitante de São Roque de Minas. [Pl.: *são-roquenses*.]

são-salavá [De *são[1]* + *salavá*, alter. de *salvará*.] *S. m. Bras. Etnogr.* Espírito do mato, entidade do folclore ameríndio. [Pl.: *são-salavás*.]

são-sebastianense[1] *Adj. 2 g.* **1.** De, ou pertencente ou relativo a São Sebastião do Rio Preto (MG). ● *S. 2 g.* **2.** O natural ou habitante de São Sebastião do Rio Preto. [Pl.: *são-sebastianenses*.]

são-sebastianense[2] *Adj. 2 g.* **1.** De, ou pertencente ou relativo a São Sebastião do Umbuzeiro (PB). ● *S. 2 g.* **2.** O natural ou habitante de São Sebastião do Umbuzeiro. [Pl.: *são-sebastianenses*.]

são-simonense *Adj. 2 g.* **1.** De, ou pertencente ou relativo a São Simão (SP). ● *S. 2 g.* **2.** O natural ou habitante de São Simão. [Pl.: *são-simonenses*.]

são-tiaguense *Adj. 2 g.* **1.** De, ou pertencente ou relativo a São Tiago (MG). ● *S. 2 g.* **2.** O natural ou habitante de São Tiago. [Pl.: *são-tiaguenses*.]

são-tomé *S. f. Bras.* **1.** Espécie de bananeira originária da ilha de São Tomé (costa ocidental da África). **2.** O fruto da são-tomé, de casca roxa, próprio para assar. [Pl.: *são-tomés*.]

são-tomeense[1] (èên) *Adj. 2 g.* **1.** De, ou pertencente ou relativo a São Tomé (PR e RN). ● *S. 2 g.* **2.** O natural ou habitante de São Tomé. [Pl.: *são-tomeenses*. Cf. *são-tomense*.]

são-tomeense[2] (èên) *Adj. 2 g.* **1.** De, ou pertencente ou relativo a São Tomé das Letras (MG). ● *S. 2 g.* **2.** O natural ou habitante de São Tomé das Letras. [Pl.: *são-tomeenses*. Cf. *são-tomense*.]

são-tomense *Adj. 2 g.* **1.** Do, ou pertencente ou relativo ao arquipélago de São Tomé e Príncipe (costa ocidental da África). ● *S. 2 g.* **2.** O natural ou habitante desse arquipélago. [Sin. ger.: *santomense*. Pl.: *são-tomenses*. Cf. *são-tomeense*.]

são-tomensismo [De *são-tomense* + *-ismo*.] *S. m.* V. *santomensismo*.

são-valentinense *Adj. 2 g.* **1.** De, ou pertencente ou relativo a São Valentim do Sul (RS). ● *S. 2 g.* **2.** O natural ou habitante de São Valentim do Sul. [Pl.: *são-valentinenses*.]

são-valerense *Adj. 2 g.* **1.** De, ou pertencente ou relativo a São Valério do Sul (RS). ● *S. 2 g.* **2.** O natural ou habitante de São Valério do Sul. [Pl.: *são-valerenses*.]

são-valeriano *Adj.* **1.** De, ou pertencente ou relativo a São Valério da Natividade (TO). ● *S. m.* **2.** O natural ou habitante de São Valério da Natividade. [Pl.: *são-valerianos*.]

são-valeriense *Adj. 2 g. S. 2 g.* V. *são-valerense*.

são-vendelinense *Adj. 2 g.* **1.** De, ou pertencente ou relativo a São Vendelino (RS). ● *S. 2 g.* **2.** O natural ou habitante de São Vendelino. [Pl.: *são-vendelinenses*.]

são-vicentense *Adj. 2 g.* **1.** De, ou pertencente ou relativo a São Vicente (RN). ● *S. 2 g.* **2.** O natural ou habitante de São Vicente. [Pl.: *são-vicentenses*.]

são-vicentino[1] *Adj.* **1.** De, ou pertencente ou relativo a São Vicente e Granadinas, Estado independente situado nas Pequenas Antilhas. ● *S. m.* **2.** O natural ou habitante de São Vicente e Granadinas. [Sin. ger.: *granadinense*. Pl.: *são-vicentinos*.]

são-vicentino[2] *Adj.* **1.** De, ou pertencente ou relativo a São Vicente Ferrer (PE). ● *S. m.* **2.** O natural ou habitante de São Vicente Ferrer. [Pl.: *são-vicentinos*.]

sapa[1] [Do it. *zappa*, 'enxada'.] *S. f.* **1.** Abertura de fossos, trincheiras e galerias subterrâneas. **2.** Buraco escavado ao pé de um muro, de uma obra, etc., para derrubá-lo. **3.** Pá com que se levanta a terra escavada, ou que serve para qualquer obra de sapa[1] (1).

sapa[2] [De *sapo*.] *S. f. Zool.* A fêmea do sapo (1).

sapá *S. f. Bras.* V. *garoupa-gato*.

sapador (ô) [De *sapar* + *-dor*.] *S. m.* Soldado ou outro indivíduo que executa trabalhos de sapa[1] (1).

sapal *S. m.* Terra alagadiça, normalmente à beira dos rios.

sapalalo [De *sobrado[1]*, pelo umb. *osapalalo*, com aférese.] *S. m. Angol.* Sobrado[1] (3): 🕮 "Também esse sapalalo de madeira, de dois pisos e por isso era um sapalalo, com cinco quartos e uma imensa sala. Varandas nos dois lados e atrás. À frente, para a rua, a varanda era no piso superior." (Pepetela, *Yaka*, p. 129.)

sapão *S. m. Bras. Ant. Bot.* V. *pau-brasil*.

sapar [De *sapa[1]* + *-ar[2]*.] *V. int.* **1.** Trabalhar com a sapa[1] (3). **2.** Fazer trabalhos de sapa[1] (1 e 2).

sapará *Bras. S. 2 g.* **1.** *Etnôn.* Indivíduo dos saparás, povo indígena extinto, da família linguística caribe, que habitava as margens do rio Mucajaí (RR). ● *Adj. 2 g.* **2.** Pertencente ou relativo a esse povo. [Tb. us. como *s. 2 g.* e *2 n.* (com cap.) e *adj. 2 g.* e *2 n.*]

saparia [De *sapo* + *-aria*.] *S. f.* **1.** Grande quantidade de sapos: 🕮 "Chame a saparia / Em críticas céticas; / Não há mais poesia, / Mas há artes poéticas..." (Manuel Bandeira, *Estrela da Vida Inteira*, p. 51.) **2.** *Bras. SP Fam.* Corja, cambada.

saparrão [De *sapo* + *-arrão*.] *S. m.* **1.** Sapo grande. **2.** *Fig.* Indivíduo gordo e desajeitado.

sapata [De *sapato*.] *S. f.* **1.** Sapato largo, raso e grosseiro. **2.** Estribo antigo, de metal, em forma de chinelo. **3.** Peça de madeira sobre um pilar, a qual reforça ou equilibra a trave que assenta nela. **4.** Base de trilho de estrada de ferro. **5.** Peça metálica que, ao receber a ação do freio, se comprime contra os tambores das rodas, ocasionando a frenagem; tamanca. **6.** Parte de um mecanismo destinada a atritar sobre uma superfície a fim de absorver o excesso de potência. **7.** *Constr.* Fundação isolada, geralmente de concreto armado, cuja altura é pequena em relação à base; baseamento. **8.** *Marinh.* Peça de poleame, ovalada, com um furo no meio para passagem do cabo e uma goivadura na quina para recebimento da alça. [Cf. *macarrão* (2).] **9.** Rodela de camurça que se aplica nas chaves dos instrumentos de sopro para fechar hermeticamente os orifícios desses instrumentos; sapatilha. **10.** *Bras. Amaz.* Massa de borracha que se coagula no solo depois de sangrada a seringueira. **11.** *Bras. RS* V. *amarelinha[2]*. **12.** *Ant.* Berma (3). ◆ **Sapata escalonada.** *Constr.* Sapata (7) constituída por degraus em toda a volta.

sapatada [De *sapato* + *-ada[1]*.] *S. f.* **1.** Golpe com sapato ou sapata; sapateado. **2.** *Marinh.* Pancada do punho da escota na vela por efeito do vento. **3.** *Bras. AL* Cangapé (2).

sapatão [De *sapato* + *-ão[1]*.] *S. m.* **1.** Sapato grande. **2.** *Bras. PE AL* Sapato (1), por oposição a *sandália*. **3.** *Bras.* Cognome dado aos portugueses em SP, na época da Independência. V. *galego* (4). **4.** *Bras. Chulo* Lésbica.

sapataria [De *sapato* + *-aria*.] *S. f.* **1.** Ofício de sapateiro (1). **2.** Loja onde se vendem calçados [v. *calçado* (3)].

sapateada [De *sapatear* + *-ada[1]*.] *S. f.* **1.** Ato ou efeito de sapatear; sapateio. **2.** *Bras. RS* Antiga dança regional.

sapateado[1] [De *sapatear* + *-ado[1]*.] *Adj.* **1.** Que se executa sapateando: 🖹 *dança sapateada*. ● *S. m.* **2.** Dança espanhola, de ordinário sem acompanhamento musical, caracterizada por um sapateio rítmico. **3.** Dança popular em que se faz muito ruído com os saltos e as solas do sapato. [Sin., bras., nes-

S

ta acepç.: *bate-pé, racha-pé.*] **4.** Dança de origem norte-americana, executada com sapatos especiais dotados de chapa metálica na sola para produzir ruído característico.

sapateado[2] [De *sapato* + *-eado.*] *S. m.* Sapatada (1).

sapateador (ô) [De *sapatear* + *-dor.*] *Adj.* **1.** Que sapateia. ● *S. m.* **2.** Dançarino de sapateado.

sapatear [De *sapato* + *-ear*[2].] *V. int.* **1.** Bater no chão com o salto dos sapatos: "Os caboclos dançam nos sambas, sapateando, o xerém" (Gustavo Barroso, *Terra de Sol*, p. 219). **2.** Executar sapateado (2 a 4): "Cazuza e Sebastião pularam ao meio da sala e puseram-se a sapatear agilmente, com barulho, estalando os dedos e requebrando todo o corpo." (Aluísio Azevedo, *O Mulato*, p. 153.) **3.** Bater com os pés no chão em movimentos rápidos: *O pequeno sapateou de raiva.* *T. d.* **4.** Executar (uma dança) fazendo muito barulho com o calçado ou com os tacões deste. [Conjug.: v. *frear*.]

sapateio [Dev. de *sapatear.*] *S. m.* Sapateada (1).

sapateira [De *sapato* + *-eira.*] *S. f.* **1.** Mulher de sapateiro. **2.** Mulher que fabrica e/ou vende sapatos. **3.** Móvel onde se guardam sapatos. **4.** *Bras. Bot.* Designação comum a diversas plantas melastomáceas (*Melastoma longifolium, Melastoma malabathricum, Miconia prasina* e *Tococa guianensis*). **5.** *Bras. Zool.* Espécie de anta do vale do São Francisco. **6.** *Lus. Zool. Pop.* Denominação de vários crustáceos decápodes marinhos.

sapateiro [De *sapato* + *-eiro.*] *S. m.* **1.** Aquele que fabrica, vende ou conserta calçados. **2.** *Bras.* Barbeiro (10). **3.** *Bras.* Pescador que não apanha peixe. **4.** *Bras.* Artista inábil e charlatão.

sapateta (ê) [De *sapato* + *-eta* (ê).] *S. f.* **1.** Chinela. **2.** Barulho produzido pelos saltos do sapato ao andar.

sapatilha [De *sapato* + *-ilha.*] *S. f.* **1.** *Vest.* Sapato de bailarinos, leve e flexível, com ponta reforçada e, algumas vezes, com fitas que se entrelaçam à volta do tornozelo: "Jazia ele deitado no seu esquife de bronze, com sua bela roupa de ópera, ... a capa caindo em pregas até as sapatilhas com fivelas." (Lígia Fagundes Teles, *A Disciplina do Amor*, p. 123.) **2.** *Vest.* Sapato flexível, macio e de sola fina, de uso variado. **3.** *Chapel.* Peça de ferro com que os fulistas recalcam os chapéus para dar ao pelo unidade e consistência. **4.** Sapata (9). **5.** Botão de couro colocado na ponta de uma espada para evitar que ela fira alguém. **6.** *Lus.* Tênis (2).

sapatilho [De *sapato* + *-ilho.*] *S. m.* **1.** A primeira folha seca arrancada da cana-de-açúcar, quando se limpa esta. **2.** *Marinh.* Aro metálico, circular ou oval, geralmente de ferro zincado, com a periferia goivada, usado como berço e proteção às mãos [v. *mão* (19)], que se faz em cabos, sobretudo nos cabos de arame.

sapatinha [De *sapato* + *-inha.*] *S. f. Bras. BA* Sapato feminino de salto alto.

sapatinho [De *sapato* + *-inho*[1].] *S. m. Bras. Bot.* Erva euforbiácea (*Pedilanthus retusus*) semelhante ao sapatinho-do-diabo.

sapatinho-de-judeu *S. m. Bras. Bot.* V. *dois-amores*. [Pl.: *sapatinhos-de-judeu.*]

sapatinho-do-diabo *S. m. Bras. Bot.* **1.** V. *dois-amores*. **2.** V. *capuchinha*. [Pl.: *sapatinhos-do-diabo.*]

sapatinho-dos-jardins *S. m. Bot.* V. *dois-amores*. [Pl.: *sapatinhos-dos-jardins.*]

sapato [De or. incerta.] *S. m.* Calçado (3), em geral de sola dura, que cobre o pé. ◆ **Sapato abotinado.** *Bras.* O que sobe até à altura do maléolo. **Sapato cara de gato.** Charlote (2). **Esperar por sapatos de defunto.** Esperar por coisa incerta, ou de realização demorada. **Saber onde me/te/lhe, etc. aperta o sapato.** *Pop.* Conhecer os seus próprios problemas, dissabores ou incômodos.

sapato de defunto *S. m. Fam.* Promessa ou esperança de realização demorada ou incerta. [Pl.: *sapatos de defunto.*] ☑

sapato-de-vênus [De *sapato* + *de* + *vênus*[1].] *S. f. Bot.* Planta orquidácea (*Cypripedium calceolus*) vivaz, dotada de folhas lanceoladas, amplexicaules, com nervuras salientes, flor ger. única, com longo pedúnculo bracteífero, perianto pardo-purpúreo, grande labelo sem esporão, amarelado e com estrias purpúreas; é muito cultivada, pela sua beleza. [Pl.: *sapatos-de-vênus.*]

sapato-do-diabo *S. m. Bras. Bot.* V. *muxoxo* (3). [Pl.: *sapatos-do-diabo.*]

sapatorra (ô) [De *sapato* + *-orra.*] *S. f.* V. *sapatorro*: "abalavam, porta fora, batendo insolentemente com as sapatorras, de duas solas e viras salientes, nas lajes de seculares mármores" (Antero de Figueiredo, *Toledo*, p. 87).

sapatorro (ô) [De *sapato* + *-orro.*] *S. m.* Sapato grosseiro e malfeito: "O dançarino: — chapéu de pano, bicudo, todo orlado de guizos; sapatorros ferrados; calça apertada no alto, findando em forma de boca de sino" (Martins Fontes, *A Dança*, p. 42). [F. paral.: *sapatorra*. Sin., bras.: *sapatranca* ou *sapatrancas.*]

sapato-tênis *S. m. Bras.* V. *tênis* (2). [Pl.: *sapatos-tênis.*]

sapatranca [Aum. de *sapato.*] *S. f. Bras.* V. *sapatorro*.

sapatrancas [Pl.: de *sapatranca.*] *S. f. pl. Bras.* V. *sapatorro*.

sape[1] [*Voc. onom.*] *Interj.* Us. para afugentar gatos.

sape[2] *S. 2 g.* **1.** *Etnôn.* Indivíduo dos sapes, povo que habita a Serra Leoa (O. da África). ● *Adj. 2 g.* **2.** De, ou pertencente ou relativo a esse povo. [Var.: *sapé* e *sapi.*]

sapé[1] [Do tupi = 'o que alumia'.] *S. m.* **1.** *Bras. Bot.* V. *capim-sapé*. **2.** *Bras. PE* Cesto ou balaio para usos vários. **3.** *Bras. PR* Galho seco de pinheiro. [Var. pros., menos us.: *sapê.*]

sapé[2] *S. 2 g. Adj. 2 g.* V. *sape*[2]: "Os portugueses quinhentistas falam de um reino dos sapés, que se estenderia do cabo Verga à Serra Leoa" (Alberto da Costa e Silva, *A Enxada e a Lança*, p. 619).

sapê *S. m. Bras.* V. *sapé*[1]: "E as labaredas trêmulas se elevam / Lambendo as beiras de sapê do tecto" (Domingos José Gonçalves de Magalhães, *A Confederação dos Tamoios*, p. 205); "um ranchinho à toa, de sapê" (Coelho Neto, *Banzo*, p. 34); "É uma pobre cabana, antes uma coberta de sapê sobre muros de grosseiro estuque." (Rodrigo Otávio, *Contos de Ontem e de Hoje*, p. 211).

sapeação [De *sapear* + *-ção.*] *S. f. Bras. Pop.* Ação de sapear.

sapeaçuense (pè) *Adj. 2 g.* **1.** De, ou pertencente ou relativo a Sapeaçu (BA). ● *S. 2 g.* **2.** O natural ou habitante de Sapeaçu.

sapear [De *sapo* (3 e 4) + *-ear*[2].] *V. t. d.* **1.** *Bras. Pop.* Ficar olhando de fora, ou às ocultas: *sapear uma cena, um espetáculo.* **2.** Observar, sem tomar parte em: "Eu sempre fico sapeando de longe o jogo dos outros; não chego perto porque ninguém gosta." (Helena Morley, *Minha Vida de Menina*, p. 46.) [Conjug.: v. *frear*.]

sapeca[1] [Do mal. *sa-peku.*] *S. f.* Moeda chinesa, de cobre, com um orifício no centro.

sapeca[2] [Dev. de *sapecar*[1].] *S. f. Bras.* **1.** Ato ou efeito de sapecar[1]; sapecação. **2.** Chamuscadura, chamusca. **3.** V. *surra* (1). **4.** Maçada, estopada, caceteação.

sapeca[3] [De or. incerta.] *Adj. 2 g. S. 2 g.* **1.** Diz-se de, ou pessoa assanhada, saliente, namoradeira. **2.** Diz-se de, ou pessoa levada, arteira [v. *arteiro* (2)].

sapecação [De *sapecar*[1] + *-ção.*] *S. f. Bras.* Sapeca[2] (1).

sapecado [De *sapecar*[1] + *-ado*[1].] *Adj. S. m. Bras. S.* Diz-se de, ou animal de pelo vermelho-tostado.

sapecadoiro [De *sapecar*[1] + *-doiro*[2].] *S. m. Bras.* Sapecadouro (q. v.).

sapecadouro [De *sapecar*[1] + *-douro*[2], var. de *sapecadoiro.*] *S. m. Bras.* Lugar onde se procede à sapeca[2] (2) do mate.

sapecar[1] [Do tupi = 'queimar levemente', + *-ar*[2].] *V. t. d.* **1.** *Bras.* Chamuscar, crestar. **2.** *Bras. S. Pop.* V. *surrar* (2). **3.** *Bras. S. Pop.* Bater de leve. **4.** *Bras. N.E.* Realizar imperfeitamente. *T. d. e i.* **5.** *Bras.* Vibrar, meter, atirar: *Sapecou um bofetão no adversário. P.* **6.** Chamuscar-se, crestar-se: *Sapecou-se na fogueira.* [Conjug.: v. *trancar*.]

sapecar[2] [De *sapeca*[3] + *-ar*[2].] *Bras. V. int.* **1.** Namorar muito. **2.** Divertir-se; vadiar. *T. d.* **3.** *Fam.* Aprontar (4); arrumar: *Crianças! O que vocês estão sapecando aí? T. d. e i.* **4.** Dar, aplicar, furtiva, ágil e inesperadamente; tascar: *Sapecou-lhe um beijo à porta de casa; Irritada, sapecou-me um beliscão.* **5.** Dizer à queima-roupa (3): *Na frente de todos, sapecou-lhe vários impropérios.* [Conjug.: v. *trancar*.]

sapeense (èen) *Adj. 2 g.* **1.** De, ou pertencente ou relativo a Sapé (PB). ● *S. 2 g.* **2.** O natural ou habitante de Sapé.

sapejar [De *sapo* + *-ejar.*] *V. int.* Caminhar agachado, quase de rastos (à maneira do sapo). [Conjug.: v. *pelejar*.]

sapequeiro [De *sapecar*[1] + *-eiro.*] *S. m. Bras. N. N.E.* Terreno onde recentemente lavrou fogo.

sapequice [De *sapeca*[3] + *-ice.*] *S. f. Bras. Fam.* Sapequismo.

sapequismo [De *sapeca*[3] + *-ismo.*] *S. m. Bras. Fam.* Modos ou procedimento de sapeca[3]; sapequice.

saperê [De or. indígena, poss.] *Adj.* (*f.*) *Bras. SP* Diz-se da cana imprestável para a moagem ou para ser replantada, por ter a palha aderente ao colmo.

sape-sape [Do ingl. *soursop.*] *S. m. Angol. Santom. Bot.* V. *graviola*: "É um coqueiro esgalgado / Vive debruçado / murmurando, / Segredando / Ao sape-sape, / À palmeira / E à mangueira / Aquilo que ouve do vento." (Aires de Almeida Santos, *Meu Amor da Rua Onze*, p. 43.) [Pl.: *sape-sapes.*]

sapezal (pè) [De *sapé*[1] (1) + *-zal.*] *S. m. Bras.* **1.** Quantidade mais ou menos considerável de sapés [v. *sapé*[1] (1)] dispostos proximamente entre si. **2.** Área ocupada por sapezal (1). **3.** Terra estéril. [Sin. ger.: *sapezeiro.*]

sapezeiro (pè) [De *sapé* (1) + *-zeiro.*] *S. m. Bras.* V. *sapezal*.

sapi *S. 2 g. Adj. 2 g.* V. *sape*[2]: "aproximam-se das peças terracotas de Nok as peças em pedra-sabão .... criadas pelos sapes, sapés ou sapis, de Serra Leoa" (Alberto da Costa e Silva, *A Enxada e a Lança*, p. 164).

sápia *S. f.* Variedade de madeira de pinho.

sapicuá [Do guar.] *S. m. Bras.* Saco de matalotagem; picuá (2) (q. v.): "e um estirão de mais de cem vezes a distância de Nossa Senhora dos Olhos-d'Água à Maria da Fé. Pois ele bateu a pé, moço, bateu a pé com o sapicuá de farinha nas costas." (Rute Guimarães, *Água Funda*, p. 11).

sápido [Do lat. tard. *sapidu.*] *Adj.* Que tem sabor; saboroso, gostoso: "A sombra é doce, e eu gozo-a com sereno egoísmo, apetecendo pelo cheiro o fruto sápido das mangueiras." (Xavier Marques, *A Cidade Encantada*, p. 192.) [Antôn.: *insípido.*]

sapieira [Do tupi = 'queimado, seco por efeito do sol', + *-eira.*] *S. f. Bras. SP Pop.* Sapé e vegetais secos, nas capoeiras de terra ruim.

sapiência [Do lat. *sapientia.*] *S. f.* **1.** Qualidade de sapiente. **2.** Sabedoria divina. ◆ **Vossa Sapiência.** Tratamento irônico.

sapiencial [De *sapiência* + *-al*[1].] *Adj. 2 g.* **1.** Respeitante à sapiência. **2.** *Restr.* Relativo à reflexão sobre o destino humano, os caminhos para atingir a sabedoria e a conformação à ordem do universo, esp. aquela que se desenvolveu no antigo Oriente Médio, tal como expressa em alguns livros bíblicos. **3.** *Restr.* Relativo aos livros bíblicos que tratam desses temas. [Os livros sapienciais bíblicos são: Jó, Provérbios, Eclesiastes, Salmos, Cântico dos Cânticos, além dos deuterocanônicos Eclesiástico e Sabedoria.]

sapiente [Do lat. *sapiente.*] *Adj. 2 g.* **1.** Conhecedor das coisas divinas e humanas. **2.** Sabedor, sábio, erudito.

sapientíssimo [Do lat. *sapientissimu.*] *Adj.* Superl. abs. sint. de *sapiente* e *sábio*: "sou burríssimo como São Cristóvão, e sapientíssimo como Santo Tomás." (Jorge de Lima, *Obra Poética*, I, p. 426).

sapindácea [Do tax. *Sapindus* (do lat. *sapo, onis*, 'sabão', + lat. *indus*, 'indiano') + *-ácea*; tax. *Sapindaceae.*] *S. f. Bot.* Espécime das sapindáceas, família de plantas da ordem das sapindales, composta de arbustos, árvores e lianas com folhas compostas e flores pequenas. Muitas têm gavinhas. As flores têm um disco anular entre a corola e o androceu; 10 estames; carpelos uniovulados; fruto variável. Existem cerca de 1.200 espécies basicamente tropicais, numerosas das quais brasileiras.

sapindáceo [De *sapindácea*, com var. suf. (v. *-áceo*).] *Adj. Bot.* Pertencente ou relativo às sapindáceas.

sapindal [Do lat. cient. *Sapind-* (v. *sapindale*) + *-al*[1].] *Adj. 2 g. Bot.* Pertencente ou relativo às sapindales.

sapindale [Do tax. *Sapindus* (v. *sapindácea*) + *-ale*; tax. *Sapindales.*] *S. f. Bot.* Espécime das sapindales, ordem de vegetais dicotiledôneos arquiclamídeos, que engloba numerosas famílias, entre as quais as sapindáceas.

sapinhanguá [De or. tupi, poss.] *S. m. Bras. RJ Zool.* V. *cernambi* (3).

sapinho [De *sapo* + *-inho*[1].] *S. m.* Sapinhos (q. v.).

sapinhos [Pl. de *sapinho.*] *S. m. pl.* **1.** Espécie de aftas, brancas ou amareladas, que aparecem na mucosa bucal, produzidas por um cogumelo, e frequentes nos estados de acidose, sobretudo nas crianças; farfalho. **2.** Inflamação aos lados do freio da língua, nos cavalos. **3.** Saliência carnosa na língua dos cavalos. [Tb. us. no sing.]

sápio [Do tax. *Sapium.*] *S. m. Bot.* **1.** Gênero de árvores e arbustos euforbiáceos que reúne cerca de 100 espécies que ocorrem desde regiões tropicais das Américas até a Patagônia, sendo algumas cultivadas pelo látex, que produz borracha ger. de boa qualidade. **2.** Qualquer espécie desse gênero, como, p. ex., a *Sapium mannianum* ou *S. ellipticum* (v. *muxaxo*). **3.** Qualquer espécime desse gênero.

sapipoca [Do tupi.] *S. m. Bras. Zool.* Espécie de bagre muito comum nos rios brasileiros (*Rhamdia quelen*).

sapiranga [Do tupi = 'olho vermelho'.] *S. f. Bras. N.E. Pop.* V. *blefarite*: "as pestanas, as comera a sapiranga que lhe arroxeava as pálpebras." (José de Alencar, *Alfarrábios*, p. 36). [Sin., no S.: *sapiroca.*]

sapiranguense *Adj. 2 g.* **1.** De, ou pertencente ou relativo a Sapiranga (RS). ● *S. 2 g.* **2.** O natural ou habitante de Sapiranga.

sapiroca [Do tupi = 'olho esfolado'.] *S. f. Bras. S.* **1.** Sapiranga. ● *Adj. 2 g.* **2.** Diz-se dos olhos inflamados ou sem pestanas. **3.** Diz-se do equídeo de olhos brancos, inflamados ou depilados.

sapitica [De or. indígena, poss.] *S. f. Bras. Zool.* V. *saí-bejja-flor* (1).

sapituca [De possível or. indígena.] *S. f. Bras. SP Pop.* **1.** Embriaguez rápida; entontecimento. **2.** Desmaio, desfalecimento, síncope.

sapo [De or. incerta, poss. pré-romana.] *S. m.* **1.** *Zool.* Designação comum aos anfíbios anuros que, embora o início de sua evolução ocorra na água, têm na fase adulta hábitos terrestres e são peçonhentos. A pele dos sapos é rugosa, com verrugas e pequenos tubérculos. Há cerca de nove espécies, todas do gênero *Bufo*, conhecidas do Brasil. [Aum.: *saparrão*.] **2.** *Bras.* Doença que ataca os cascos dos cavalos. **3.** *Bras.* Fiscal disfarçado. **4.** *Bras. S. Gír.* Indivíduo que assiste a um jogo sem nele tomar parte; mirone, mirão, peru. ◆ **Engolir sapos.** *Bras.* Suportar coisas desagradáveis sem revidar, por impotência ou conveniência.

sapo-aru *S. m. Bras. Amaz. Zool.* Anfíbio anuro, pipídeo (Pipa pipa) de coloração pardo-esverdeada ou pardo-clara, com manchas ruivo-claras. Corpo achatado revestido de pequenos nódulos ou tubérculos, cabeça pontuda e apêndices dérmicos nos cantos da boca e ausência de língua, mãos com quatro dedos isolados, terminados em papilas sensoriais; pés com cinco dedos, ligados por membrana. Vive na água, onde se alimenta de animais aquáticos em geral, e os ovos são incubados no dorso das fêmeas. [Sin.: *aru, sapo-do-surinã*. Pl.: *sapos-arus* e *sapos-aru*.]

sapo-boi *S. m. Bras. Zool.* **1.** V. *intanha* (1). **2.** Anfíbio anuro, bufonídeo (*Bufo paracnemis*); durante muito tempo confundido com o *sapo-cururu* (q. v.), do qual se diferencia por ser de maior comprimento — até 22cm — e por duas séries de verrugas sobre a face interna da coxa; sapo-gigante. [Pl.: *sapos-bois* e *sapos-boi*.]

sapo-concho *S. m. Zool.* V. *cágado* (1). [Pl.: *sapos-conchos*.]

sapo-cornudo *S. m. Zool.* V. *intanha* (1). [Pl.: *sapos-cornudos*.]

sapo-cururu [De *sapo* + tupi-guar. *cururu*, 'sapo'; é, pois, um composto pleonástico.] *S. m. Bras. Zool.* **1.** Anfíbio anuro, bufonídeo (*Bufo marinus*), distribuído na América Central e América do Sul, de coloração geral amarelada com tons de verde, abdome amarelo-claro com manchas pardas, e pele com glândulas verrucosas. A fêmea é cinza-amarelada, manchada de negro, com o abdome branco-sujo. Comprimento: até 18cm. Alimenta-se de insetos e outros artrópodes, sendo considerado útil à agricultura. É a espécie mais comum no Brasil. [Sin.: *sapo-jururu, xué-guaçu, xué-açu*.] **2.** V. *cururu* (2). [Pl.: *sapos-cururus*.]

sapo-da-areia *S. m. Bras. Zool.* Anfíbio anuro, bufonídeo (*Bufo arenarum*), do S. do Brasil e dos países limítrofes, de dorso pardo com duas séries de ocelos mais escuros ao longo da linha mediana, e lado ventral cárneo. [Sin.: *sapo-da-praia*. Pl.: *sapos-da-areia*.]

sapo-da-praia *S. m. Bras. Zool.* Sapo-da-areia. [Pl.: *sapos-da-praia*.]

sapo-de-chifre *S. m. Bras. Zool.* V. *intanha* (1). [Pl.: *sapos-de-chifre*.]

sapo-do-mar *S. m. Bras. Zool.* Baiacu (1). [Pl.: *sapos-do-mar*.]

sapo-do-surinã *S. m. Bras. Zool.* V. *sapo-aru*. [Pl.: *sapos-do-surinã*.]

sapo-ferreiro *S. m. Bras. Zool.* Anfíbio anuro, hilídeo (*Hyla faber*), do Brasil meridional e oriental, de coloração amarelo-terrosa, com listra escura do extremo do focinho à confluência das coxas, estas e as pernas com faixas transversais, a parte inferior mais clara. Comprimento: até 11cm. Vive junto aos alagadiços e rios, e tem hábitos arborícolas. O seu coaxar lembra o som do bater de ferro contra ferro, donde o nome popular. [Sin.: *ferreiro, juiponga, tanoeiro*. Pl.: *sapos-ferreiros*.]

sapogenina [De *sapo(nina)* + *-gen(o)-* + *-ina*[3].] *S. f. Quím.* Aglicona de uma saponina.

sapo-gigante *S. m. Bras. Zool.* Sapo-boi (2). [Pl.: *sapos-gigantes*.]

sapo-intanha *S. m. Bras. Zool.* V. *intanha* (1). [Pl.: *sapos-intanhas* e *sapos-intanha*.]

sapo-jururu *S. m. Bras. Zool.* V. *sapo-cururu* (1). [Pl.: *sapos-jururus*.]

saponáceo [De *sapon(i)-* + *-áceo*[1].] *Adj.* **1.** Que é da natureza do sabão. **2.** Que se pode usar como sabão.

saponário [De *sapon(i)-* + *-ário*.] *Adj.* Diz-se de medicamento que tem sabão.

▲**sapon(i)-** [Do lat. *sapo, ōnis*.] *El. comp.* = 'sabão': *saponáceo, saponiforme*.

saponificação [De *saponificar* + *-ção*.] *S. f.* **1.** Ato ou efeito de saponificar. **2.** *Quím.* Formação de sais de ácidos carboxílicos e alcoóis pela ação de hidróxidos metálicos, ou de outros reagentes alcalinos, sobre ésteres.

saponificar [De *sapon(i)-* + *-ficar*.] *V. t. d.* **1.** *Quím.* Provocar saponificação (2). **2.** Converter em sabão. [Conjug.: v. *trancar*.]

saponificável [De *saponificar* + *-vel*.] *Adj. 2 g.* Que pode ser saponificado.

saponiforme [De *sapon(i)-* + *-forme*.] *Adj. 2 g.* Que tem aspecto de sabão.

saponina [De *sapon(i)-* + *-ina*[3]; fr. *saponine*.] *S. f. Quím.* Designação genérica de diversos glicosídeos e de suas misturas, que se extraem de certos vegetais. [Algumas saponinas são capazes de formar espuma, como a do sabão.]

sapopema [Do tupi = 'raiz chata'.] *S. f. Bras.* **1.** *Bot.* Grande raiz tubular que cerca a base do tronco de muitas árvores da floresta pluvial. [É particularmente comum na mata de terra firme da Amazônia e ocorre, p. ex., na sumaúma (q. v.). Var.: *sapopemba* e *sacupema*. Sin.: *catana*.] **2.** *Zool.* Peixe gasteropelecídeo (*Gasteropelecus sternicla*), da bacia amazônica, com cerca de 6cm de comprimento e que apresenta as nadadeiras peitorais compridas e levantadas; sua coloração varia do amarelo ao prateado, com uma faixa escura que vai do opérculo à base da nadadeira caudal. Alimenta-se ger. de insetos e suas larvas. [Sin., nesta acepç.: *peixe-borboleta, voador*.]

sapopemba *S. f. Bras. Bot.* V. *sapopema* (1).

sapopemense *Adj. 2 g.* **1.** De, ou pertencente ou relativo a Sapopema (PR). ● *S. 2 g.* **2.** O natural ou habitante de Sapopema.

sapo-pipa *S. f. Zool.* Espécie de sapo grande. [Pl.: *sapos-pipas* e *sapos-pipa*.]

saporé [Do tupi.] *S. m. Bras. SP* Bolor branco, abaixo do solo, e que ataca a raiz do café, da mandioca e doutras plantas. [Cf. *saporema*.]

saporema [Do tupi.] *S. m. Bras.* Doença das plantas, em especial da mandioqueira, caracterizada por suberização anormal. [Cf. *saporé*.]

▲ **sapori-** [Do lat. *sapor, ōris*.] *El. comp.* = 'sabor': *saporífero, saporífico*.

saporífero [De *sapori-* + *-fero*.] *Adj.* Que tem sabor; saporífico, saboroso. [Cf. *soporífero*.]

saporífico [De *sapori-* + *-fico*.] *Adj.* Saporífero. [Cf. *soporífico*.]

sapota [Do náuatle *tzapotl*, poss. pelo esp. *zapote*.] *S. f. Bot.* **1.** Árvore sapotácea (*Achras sapota*) originária da América Central, cujo látex contém 15% de borracha e serve para fabricar o famoso chicle, e cujo fruto (o sapoti), muito apreciado, é uma baga parda, carnosa e muito doce. [Sin.: *sapotizeiro*.] **2.** O fruto da sapota (1).

sapotácea [Do tax. *Sapota* (< esp. *zapote*) + *-ácea*; tax. *Sapotaceae*.] *S. f. Bot.* Espécime das sapotáceas, família de plantas da ordem das ericales, constituída de arbustos e árvores lactescentes, com folhas alternas e flores solitárias ou fasciculadas, hermafroditas, providas de numerosos estaminódios, ovário com cinco carpelos, cada um uniovulado, fruto bacáceo, frequentemente comestível. Há umas 600 espécies tropicais, particularmente no Brasil, algumas bem conhecidas, como o abieiro e a sapota.

sapotáceo [De *sapotácea*, com var. suf. (v. *-áceo*).] *Adj. Bot.* Pertencente ou relativo às sapotáceas.

sapota-do-peru [De *sapota* + *do*[1] + o top. *Peru*.] *S. f. Bras. Amaz. Bot.* Árvore bombacácea (*Matisia cordata*) da floresta pluvial, mais comum no Peru que no Brasil. O fruto é elíptico, com uns 10cm, verde-escuro e coriáceo; as sementes estão envolvidas numa polpa amarelada, doce e de sabor agradável. [Pl.: *sapotas-do-peru*.]

sapotaia [Do tupi.] *S. f. Bras. Bot.* **1.** Arbusto caparidáceo (*Capparis cynophalophora*) escandente, mais vulgar na restinga, e cujas folhas são coriáceas, arredondadas e pouco nervosas, sendo os frutos longas vagens quase cilíndricas, rosadas. **2.** V. *feijão-de-boi* (1 e 2).

sapoti [Do náuatle *tzapotl*, pelo esp. *zapote*.] *S. m. Bras.* O fruto da sapota (q. v.).

sapotizeiro (ti) [De *sapoti* + *-zeiro*.] *S. m. Bot.* Sapota (1).

saprema [De *alçaprema*, com aférese.] *S. f. Bras.* Calço que serve de apoio a uma alavanca, quando com ela se levantam pesos. [Cf. *alçaprema*.]

sapremar [De *saprema* + *-ar*[2].] *V. t. d. Bras.* Levantar (peso) com auxílio de saprema.

sapremia [De *sapr(o)-* + *-emia*.] *S. f. Med.* Toxemia devida à presença, no sangue, de substâncias pútridas.

▲ **sapr(o)-** [Do gr. *sapro-* < gr. *saprós, á, ón*.] *El. comp.* = 'podre', 'em decomposição': *sapremia, saprófito*.

sapróbico [De *sapróbio* + *-ico*[2].] *Adj. Ecol.* De, ou relativo a sapróbio.

sapróbio [De *sapr(o)-* + *-bio*.] *Adj. S. m. Ecol.* Diz-se de, ou organismo que se desenvolve na matéria orgânica em decomposição; nutrindo-se dela.

saprobionte [De *sapr(o)-* + *-bionte*.] *S. m. Ecol.* Organismo sapróbio.

saprobiose [De *sapr(o)-* + *-biose*.] *S. f. Ecol.* Vida dependente de matéria orgânica em decomposição.

saprobiótico [De *saprobi(ose)* + *-ótico*.] *Adj. Ecol.* Relativo à saprobiose, ou que a apresenta.

saprófago [De *sapr(o)-* + *-fago*.] *Adj. S. m. Ecol.* Que, ou aquele que se nutre de restos orgânicos em putrefação.

saprofilia [De *sapr(o)-* + *-filia*.] *S. f. Psiq.* Atração por coisas podres.

saprofílico [De *saprofilia* + *-ico*[2].] *Psiq. Adj.* **1.** Relativo a saprofilia. **2.** Que sofre de saprofilia; saprófilo. ● *S. m.* **3.** Aquele que sofre de saprofilia; saprófilo.

saprófilo [De *sapr(o)-* + *-filo*[2].] *Adj. S. m. Psiq.* Saprofílico (2 e 3).

saprofitia [De *saprófito* + *-ia*[1].] *S. f. Ecol.* Saprofitismo.

saprofítico [De *saprófito* + *-ico*[2].] *Adj. Ecol.* Relativo a, ou próprio de saprófito.

saprofitismo [De *saprófito* + *-ismo*.] *S. m. Ecol.* O modo de nutrição dos saprófitos; saprofitia.

saprófito [De *sapr(o)-* + *-fito*.] *Adj. S. m. Ecol.* Diz-se de, ou vegetal desprovido de clorofila como as burmanniáceas e certas orquídeas, que se nutre de matéria orgânica em decomposição.

saprogénese *S. f.* V. *saprogênese*. [Uso freq. em P.]

saprogênese [De *sapr(o)-* + *-gênese*.] *S. f. Biol.* Produção de putrefação na matéria orgânica.

saprogenético [De *sapro(gênese)* + *-ético*.] *Adj. Biol.* Saprogênico.

saprogênico [De *sapr(o)-* + *-gen(o)-* + *-ico*[2].] *Adj. S. m. Biol.* Relativo à, ou que causa, ou é causado pela saprogênese; saprogenético.

sapropel [De *sapr(o)-* + *-pel*.] *S. m. Geol.* Sedimento constituído essencialmente de restos orgânicos animais ou vegetais que não sofreram decomposição total. [Pl.: *sapropéis*.]

sapropelito [De *sapropel* + *-ito*[2].] *S. m. Geol.* Rocha sedimentar rica em sapropel.

saprotrofia [De *sapr(o)-* + *-trof(o)-* + *-ia*[2].] *S. f. Ecol.* Condição de saprotrófico.

saprotrófico [De *sapr(o)-* + *-trof(o)-* + *-ico*[2].] *Adj. Ecol.* Diz-se de, ou organismo que se nutre de matéria orgânica em decomposição; saprótrofo, saprovoro.

saprótrofo [De *sapr(o)-* + *-trofo*.] *Adj. S. m. Ecol.* V. *saprotrófico*.

saprovoro [De *sapr(o)-* + *-voro*.] *Adj. S. m. Ecol.* V. *saprotrófico*.

saprozoico [De *sapr(o)-* + *-zoico*.] *Adj. Ecol.* Saprozoítico.

saprozoítico [De *saprozoíto* + *-ico*[2].] *Adj.* De, ou relativo a saprozoíto; saprozoico.

saprozoíto [De *sapr(o)-* + *-zo(o)-* + *-ito*[2].] *Adj. S. m. Ecol.* Diz-se de, ou animal que retira sua nutrição de matéria orgânica em decomposição.

sapu *S. m. Bras. Zool.* V. *japu* (1).

sapuá [De or. tupi, poss.] *S. m. Bras. SP* Pequena porção de terreno cultivado.

sapucaia [Do tupi = 'fruto que faz saltar o olho'.] *S. f.* **1.** *Bras. N.E. a L. Bot.* Árvore lecitidácea (*Lecythis pisonis*) da floresta atlântica, de folhas oblongas e acuminadas, flores grandes, carnosas, violáceo-pálidas, e com muitos estames fundidos, sendo os frutos enormes cápsulas lenhosas e cilíndricas, com grandes sementes oleaginosas, muito apreciadas como alimento saboroso, e a madeira ótima para obras externas. [Sin.: *cumbuca-de-macaco, quatetê, sapucaieira*.] **2.** *Bras. RJ Pop.* Lixeira; monturo.

sapucaia-branca [De *sapucaia* + o f. de *branco*.] *S. f. Bras. L. Bot.* V. *sapucaia-mirim*. [Pl.: *sapucaias-brancas*.]

sapucaia-mirim *S. f. Bras. L. Bot.* Árvore lecitidácea (*Lecythis lanceolata*) que difere da sapucaia pelas folhas menores e mais estreitas; sapucaia-branca, sapucaieira-mirim. [Pl.: *sapucaias-mirins*.]

sapucaieira [De *sapucaia* + *-eira*.] *S. f. Bras. N.E. a L. Bot.* V. *sapucaia* (1).

sapucaieira-mirim *S. f. Bras. L. Bot.* V. *sapucaia-mirim*. [Pl.: *sapucaieiras-mirins*.]

sapucaiense[1] *Adj. 2 g.* **1.** De, ou pertencente ou relativo a Coronel Sapucaia (MS). ● *S. 2 g.* **2.** O natural ou habitante de Coronel Sapucaia. [Cf. *sapucaiense* (a-i)]

sapucaiense[2] *Adj. 2 g.* **1.** De, ou pertencente ou relativo a Sapucaia (RJ). ● *S. 2 g.* **2.** O natural ou habitante de Sapucaia. [Cf. *sapucaiense* (a-i).]

sapucaiense[3] *Adj. 2 g.* **1.** De, ou pertencente ou relativo a Sapucaia do Sul (RS). ● *S. 2 g.* **2.** O natural ou habitante de Sapucaia do Sul. [Cf. *sapucaiense* (a-i).]

sapucaiense[1] (a-i) *Adj. 2 g.* **1.** De, ou pertencente ou relativo a São Gonçalo do Sapucaí (MG). ● *S. 2 g.* **2.** O natural ou habitante de São Gonçalo do Sapucaí. [Cf. *sapucaiense*.]

sapucaiense[2] (a-i) *Adj. 2 g.* **1.** De, ou pertencente ou relativo a Sapucaí-Mirim (MG). ● *S. 2 g.* **2.** O natural ou habitante de Sapucaí-Mirim. [Cf. *sapucaiense*.]

sapucaiense[3] (a-i) *Adj. 2 g. S. 2 g.* V. *são-bentista*. [Cf. *sapucaiense*.]

sapucaiense[4] (a-i) *Adj. S. 2 g.* V. *santa-ritense*[9]. [Cf. *sapucaiense*.]

sapucainha (a-í) [De *sapucaia* + *-inha*.] *S. f. Bras. Bot.* Árvore flacourtiácea (*Carpatroche brasiliensis*) de até 20m, nativa do Brasil, de flores róseas, bagas globosas, com sementes que fornecem óleo medicinal, casca febrífuga e madeira pardo-escura; canudeiro, canudo-de-pito, pau-canudo, pau-de-cachimbo. **2.** V. *quinquió*.

S

sapucaio [De *sapucaia*, poss.] *S. m. Bras. CE Pop.* V. *diabo* (2).

sapucairana [Do tupi = 'semelhante à sapucaia'.] *S. f. Bras. Amaz. Bot.* Árvore lecitidácea (*Lecythis elliptica*) que se distingue da sapucaia pela forma dos frutos e pelas folhas elípticas.

sapudo [De *sapo* + *-udo*.] *Adj.* **1.** Grosso e baixo; atarracado: *um velhinho sapudo.* **2.** Gordo e grosseiro: *mão sapuda.*

sapuiá *Bras. S. 2 g.* **1.** *Etnôn.* Indivíduo dos sapuiás [ou (etnôn. bras.) *Sapuyá], povo indígena extinto, da família linguística cariri, que habitava próximo à margem direita do rio Paraguaçu (BA). ● *Adj. 2 g.* **2.** Pertencente ou relativo a esse povo.

sapupira [Do tupi.] *S. f. Bras. Amaz. Bot.* V. *sapupira-da-mata.* [Var.: *sebipira* e *sibipira.*]

sapupira-da-mata *S. f. Bras. Amaz. Bot.* Designação comum a três árvores fabáceas (*Bowdichia nitida, B. racemosa* e *B. brasiliensis*), da floresta densa e úmida, e que se caracterizam pela madeira castanho-escura, de fibras amarelas, muito dura e pesada, utilizada em construção e marcenaria; sucupira, sapupira, sebipira, sibipira, sipipira. [Pl.: *sapupiras-da-mata.*]

sapupira-da-várzea *S. f. Bras. Amaz.* Árvore fabácea (*Diplotropis martiusii*) que habita as várzeas inundáveis dos rios e cuja madeira é semelhante à da sapupira-da-mata. [Pl.: *sapupiras-da-várzea.*]

sapupira-do-campo *S. f. Bras. Bot.* V. *sucupira-do--cerrado.* [Pl.: *sapupiras-do-campo.*]

sapurana [Var. de *sapuruna.*] *S. f. Bras. Zool.* **1.** V. *corcoroca* (2 e 3). **2.** V. *cotinga*[2].

sapuruna [Do tupi.] *S. f. Zool.* **1.** *Bras. N.* V. *corcoroca* (2 e 3). **2.** *Bras. PE* V. *cotinga*[2]. [Var.: *sapurana.*]

saputá [Do tupi.] *S. m. Bras. Bot.* **1.** V. *boca-de-velha* (1). **2.** V. *bacupari-cipó.* **3.** Bacupari-de-capoeira (1). **4.** V. *bacupari-do-campo.*

sapuva [Do tupi.] *S. f. Bras. SP Bot.* Árvore fabácea (*Machaerium stipitatum*) de folhas imparipenadas, flores roxas, por vezes brancacentas, paniculadas, e cujo fruto é vagem alada, ou sâmara glabra; tem madeira de boa qualidade. [Sin.: *pau-de-malho, sapuvuçu.*]

sapuvão [De *sapuva* + *-ão*[1], poss.] *S. m. Bras. SP Bot.* V. *catinga-de-porco* (2).

sapuvuçu [De *sapuva* + *-uçu.*] *S. m. Bras. Bot.* V. *sapuva.*

saquarema *S. m.* **1.** *Bras.* Epíteto dado aos conservadores no tempo do Império, e que se origina do fato de a fazenda de Monte Alegre, pertencente ao Visconde de Itaboraí, grande prócer do partido, achar-se localizada no município de Saquarema (RJ): "Viu-se conservador em política, porque o pai o era, ... e ele começou na escola a execrar os liberais. E depois não era propriamente conservador, mas *saquarema*, como os liberais eram *luzias*." (Machado de Assis, *Esaú e Jacó*, p. 143.) [Cf. *luzia* e *ximango* (2).] **2.** *Bras. RJ* V. *caipira* (1).

saquaremense *Adj. 2 g.* **1.** De, ou pertencente ou relativo a Saquarema (RJ). ● *S. 2 g.* **2.** O natural ou habitante de Saquarema.

saque[1] [Dev. de *sacar.*] *S. m.* **1.** Ato ou efeito de sacar. **2.** Título de crédito (letra de câmbio, duplicata, etc.) emitido contra alguém. **3.** Ordem de pagamento que alguém emite contra outrem em poder de quem dispõe de fundos. **4.** Em certos jogos, como o tênis, o vôlei, o pingue-pongue, etc., jogada inicial, que consiste no lançamento da bola por cima da rede para o campo adversário; serviço. **5.** *Bras.* Mentira, lorota, peta. **6.** *Bras.* V. *palpite* (4).

saque[2] [Alter. do ant. *saco* < it. *sacco, i. e., mettere a sacco,* 'saquear'.] *S. m.* Ato ou efeito de saquear; saqueio.

saqué *S. m.* V. *saquê.*

saquê [Do jap. *sake.*] *S. m.* Bebida japonesa usual, obtida pela fermentação artificial do arroz, e servida em geral quente, durante as refeições. [Var. pros.: *saqué.*]

saqueador (ô) [De *saquear* + *-dor.*] *Adj. S. m.* Que, ou aquele que saqueia.

saquear [De *saque*[2] + *-ear*[2].] *V. t. d.* **1.** Despojar violentamente: *As tropas saquearam o território inimigo;* "ele *saqueava* povoações e matava gente" (Franklin Távora, *O Cabeleira*, p. 110). **2.** Tirar, roubar, furtar: *O fraudulento advogado saqueou-lhe a herança.* **3.** Assolar; devastar, talar: *O furacão saqueou a ilha. Int.* **4.** Roubar ou despojar pessoa, cidade, etc.: "Matam, queimam, *saqueiam*, furtam moças." (Álvares de Azevedo, *Obras Completas*, I, p. 177.)

saqueio [Dev. de *saquear.*] *S. m.* Saque[2].

saquelar [Do quimb. *ku-sakela.*] *V. t. d. Angol.* Adivinhar: "*saquelou* o meu destino: 'Pequeno assassino...'" (José Luandino Vieira, *João Vêncio: os Seus Amores*, p. 57).

saquete (ê) [De *saco* + *-ete* (ê).] *S. m.* Dim. de *saco* (q. v.).

saque-viagem *S. m.* Vôlei Tipo de saque muito usado no vôlei, em que o jogador, na hora de sacar, ataca a bola como se fosse uma cortada. [Pl.: *saques-viagens* e *saques-viagem.*]

saquilhão *S. m.* Ramo que se ata às aivecas do arado e torna mais largo o rego em que se vai plantar bacelo.

saquim [De or. hebr., poss.] *S. m.* Cutelo muito afiado, usado pelos judeus para as grandes reses.

saquinho [De *saco* + *-inho*[1].] *S. m.* Cartucho de pólvora com que se carregam as peças de artilharia.

saquirabiape *Bras. S. 2 g.* **1.** *Etnôn.* Indivíduo dos saquirabiapes [ou (etnôn. bras.) *Sakirabiap], povo indígena da família linguística tupari, tronco tupi, que habita em RO. ● *Adj. 2 g.* **2.** Pertencente ou relativo a esse povo.

saquiriabar *Bras. S. 2 g.* **1.** *Etnôn.* Indivíduo dos saquiriabares [ou (etnôn. bras.) *Sakiriabar], povo indígena que habita os municípios de Colorado do Oeste e Cerejeira (RO). ● *Adj. 2 g.* **2.** Pertencente ou relativo a esse povo.

saquitel *S. m.* Dim. irreg. de *saco* (q. v.): "*Saquitéis* de pano, sujos e empoeirados, pendentes de pregos, enfeitavam as paredes" (Guido Vilmar Sassi, *São Miguel*, p. 19). [Pl.: *saquitéis.*]

sara *S. 2 g.* **1.** *Etnôn.* Indivíduo dos saras, um dos maiores grupos étnicos do Chade (Centro-Norte da África). ● *S. m.* **2.** *Gloss.* Língua nilo-saariana falada no Chade. **3.** Vocábulo dessa língua. ● *Adj. 2 g.* **4.** Relativo a sara (1 e 2). [Cf. *sara*, do v. *sarar*, e *Sara*, antr.]

■ **SARA** *Med.* Sigla de *síndrome de angústia respiratória do adulto.*

sará *S. m. Bras. BA* Missa solene dos malês, rezada em cerimônia pública.

sarã [Do tupi.] *S. m. Bras. Bot.* Sarandi[1] (1).

sarabanda [Do esp. *zarabanda.*] *S. f.* **1.** Dança popular que apareceu na Espanha no séc. XII, mas cujo desenvolvimento importante se deu no séc. XVI. Era em compasso ternário, andamento vivo e caráter lascivo, que se modificou com o tempo, tornando-se grave e majestoso. No séc. XVII passou a fazer parte da suíte instrumental, como tempo lento, antes da jiga final. **2.** *Fig.* V. *repreensão* (1). **3.** Grande agitação, azáfama, tumulto, roda-viva: "Esta cidade [Lisboa], ... de permeio com dias ventosos e poeirentos, em que papéis, folhas e roupa andam numa *sarabanda* pelo ar, oferece-nos tardes e manhãs, mas sobretudo tardes, de uma serenidade luminosa, magnífica." (Irene Lisboa, *O Pouco e o Muito*, p. 157.)

sarabandear [De *sarabanda* + *-ear*[2].] *V. int.* **1.** Dançar a sarabanda. *T. d.* **2.** Dançar (1). [Conjug.: v. *frear.*]

sarabatana [Do persa, pelo ár. vulg.] *S. f.* **1.** Espécie de buzina ou porta-voz. **2.** Espécie de arma rudimentar, que consiste num tubo comprido, pelo qual se impelem, com o sopro, setas e pequenos projetis; entre os indígenas sul-americanos, são ger. empregadas setas envenenadas com curare. [Sin., nesta acepç.: *esgarapatana, esgaravatana, zarabatana.*]

sarabatucu [De or. tupi, poss.] *S. m. Bras. Amaz. Bot.* Designação comum a duas trepadeiras malpighiáceas (*Heteropteris suberosa* e *H. helicina*) lenhosas, habitantes da mata úmida, que o povo considera eficazes contra a disenteria, e de flores amarelas, vistosas, dispostas em compridos cachos, e frutos alados.

sarabiana [Do tupi.] *S. f. Bras. Zool.* V. *tucunaré* (2).

sarabulhento [De *sarabulho*[1] + *-ento.*] *Adj.* Que tem sarabulhos; sarabulhoso.

sarabulho [De or. obscura.] *S. m.* **1.** Aspereza na superfície da louça. **2.** *Fig.* Bostela, pústula. [Cf. *sarrabulho.*]

sarabulhoso (ô) [De *sarabulho* + *-oso.*] *Adj.* Sarabulhento.

saracá [De or. indígena, poss.] *S. f. Bras. Zool.* Espécie de formiga.

saraça [Do mal. *sarásah.*] *S. m. e f. Tec. Têx.* Certo tecido fino de algodão.

saracolê *S. 2 g. Adj. 2 g.* V. *soninquê*: "Os soninquês ou *saracolês* são os povos mais setentrionais da família mandê." (Alberto da Costa e Silva, *A Enxada e a Lança*, p. 256); "o reino de Gana pode ser considerado .... um estado *saracolê*" (Id., *ib.*, p. 258).

saracote *S. m.* V. *saracoteio.*

saracoteador (ô) [De *saracotear* + *-dor.*] *Adj. S. m.* Que, ou aquele que saracoteia.

saracoteamento [De *saracotear* + *-mento.*] *S. m.* V. *saracoteio.*

saracotear [De or. obscura.] *V. t. d.* **1.** Menear (o corpo, os quadris, etc.) com desenvoltura e graça; rebolar, bambolear, bambalear. *Int.* **2.** Vaguear por um lugar e por outro: *Saracoteou toda a tarde, procurando, em vão, encontrar a encomenda.* **3.** Estar num bulício continuado. *P.* **4.** Menear-se graciosa e desenvoltamente: "Era de maneiras feminis, uma falinha melíflua, cantante, viva, muito desempenado quando andava, *saracoteando-se* todo, em biquinhos de pés como se fosse levantar voo." (Trindade Coelho, *Os Meus Amores*, p. 128.) [Conjug.: v. *frear.*]

saracoteio [Dev. de *saracotear.*] *S. m.* Ato ou efeito de saracotear(-se); saracoteamento, saracote, rebolado, bamboleio, bambaleio, molejo.

saracuíra [De or. tupi.] *S. f. Bras. Zool.* V. *inhambuanhanga.*

saracura [Do tupi.] *S. f. Bras.* **1.** *Bot.* V. *ururé* (3). **2.** *Zool.* Designação comum às aves gruiformes, ralídeas, representadas no Brasil por 13 gêneros e várias espécies. São aves desconfiadas, que passam o dia escondidas na vegetação, saindo, em geral, à tarde, para se alimentar de insetos, crustáceos e peixes de pequeno porte. ◆ **Pintar a saracura.** *Bras. Fam.* V. *pintar o sete.*

saracuraçu [De *saracura* + *-açu.*] *S. f. Bras. Zool.* Ave gruiforme, ralídea (*Aramides ypecaha*), comum no Brasil, Argentina, Uruguai e Paraguai, de ventre vermelho-ferrugíneo, garganta branca, pescoço e base do peito cinza, bico verde, tarsos e pés avermelhados. É a maior das saracuras brasileiras. Frequenta os brejos, nutrindo-se de toda espécie de detritos, animais, e também de vegetais; saracuruçu.

saracura-da-canarana *S. f. Bras. Zool.* V. *frango-d'água* (1). [Pl.: *saracuras-da-canarana.*]

saracura-da-praia *S. f. Bras. Zool.* V. *saracura-do-mangue.* [Pl.: *saracuras-da-praia.*]

saracura-do-banhado *S. f. Bras. RS Zool.* V. *saracura--sanã* (1). [Pl.: *saracuras-do-banhado.*]

saracura-do-brejo *S. f. Bras. Zool.* Ave gruiforme, ralídea (*Aramides cajanea*), largamente distribuída desde a Costa Rica até o N. da Argentina e em todo o Brasil; de dorso superior oliváceo-esverdeado, dorso inferior e cauda enegrecidos, peito inferior e abdome vermelhos; saracura-três-potes, sericoia, sericora, três-potes. [Pl.: *saracuras-do-brejo.*]

saracura-do-mangue *S. f. Bras. Zool.* Ave gruiforme, ralídea (*Aramides mangle*), dos mangues da costa marítima do N. e L. do Brasil, de coloração vermelho--ferruginosa da cabeça ao abdome, cinzento-azulada na nuca, negra no abdome, retrizes com faixas pretas e brancas. Frequenta os manguezais, onde nidifica, e se alimenta de toda a sorte de pequenos animais, e também de vegetais. [Sin.: *saracura-da-praia.* Pl.: *saracuras-do-mangue.*]

saracura-sanã *S. f. Bras. Zool.* **1.** Ave gruiforme, ralídea (*Rallus sanguinolentus*), do S. da América do Sul, de coloração geral cinza-plúmbea, bico verde com base vermelha, pernas vermelho-escuras e cauda pardo-olivácea; sanã, saracura-do-banhado. **2.** Ave gruiforme, ralídea (*R. nigricans*), largamente distribuída pelo Brasil. Muito próxima da primeira, porém o bico é totalmente verde e a coloração bem mais escura. [Tb. se diz apenas *sanã*. Sin. ger.: *inhaçanã, inhaçanhã.* Pl.: *saracuras-sanãs.*]

saracura-três-potes *S. f. Bras. Zool.* V. *saracura-do--brejo.* [Pl.: *saracuras-três-potes*]

saracuruçu [De *saracura* + *-uçu.*] *S. f. Bras. Zool.* V. *saracuraçu.*

saracutinga [De or. tupi.] *S. f. Bras. S. Zool.* V. *tocandira.*

sarado [Part. de *sarar.*] *Adj.* **1.** Que sarou. **2.** *Bras. Gír.* V. *valentão* (1). **3.** *Bras. Gír.* Forte, rijo, resistente: "Seu Maneco, cabra *sarado*, duro que nem aroeira, curtia uma vontade doida de saborear uma fumacinha de fumo de rolo." (Nélson de Faria, *Tiziu e Outras Estórias*, p. 13.) **4.** *Bras. Gír.* Guloso, comilão, glutão. **5.** *Bras. Gír.* Esperto, sabido, velhaco, finório. **6.** *Bras. Gír.* Malhado[1] (3).

saragoça (ô) [Do top. *Saragoça* (Espanha), de onde se importava para Portugal o tecido.] *S. f.* **1.** *Tec. Têx.* Certo tecido de lã escura: "com a casaqueta de *saragoça* presa por um só botão junto ao pescoço" (Fialho d'Almeida, *Os Gatos*, IV, p. 233). **2.** *Vest.* Roupa feita com esse tecido: "Na sala d'espera da terceira classe .... dormem aos montes, rabuzanos ...., os pés descalços, e um cheiro a lobo que se evola das suas *saragoças* montanhesas." (Fialho d'Almeida, *O País das Uvas*, p. 86.)

saragoçano *Adj.* **1.** De, ou pertencente ou relativo a Saragoça (Espanha). ● *S. m.* **2.** O natural ou habitante de Saragoça.

saragoço (ô) *Adj. Bras. SP* Diz-se do perdigueiro de pelo branco com pintinhas escuras.

saragui *S. m. Bras. Zool.* Peixe caracídeo (*Chalceus macrolepidotus*) da região amazônica, com até 25cm de comprimento. Tem a nadadeira caudal rosa, brilhante, as outras variando do vermelho-escuro ao laranja ou amarelo, o dorso e abdome acinzentados, os flancos cinza-esverdeados ou azulados; araripirá.

saraíba [Alter. de *siriúba.*] *S. f. Bras. Bot.* V. *sereíba.*

saraiú *S. m. Bras. AM Zool.* Escorpião-grande.

saraiva [De or. obscura.] *S. f.* **1.** V. *granizo* (1). **2.** V. *saraivada.*

saraivada [De *saraiva* + *-ada*[1].] *S. f.* **1.** Bátega de saraiva ou granizo. **2.** *Fig.* Grande porção de coisas que sobrevêm como saraiva ou descarga (4), ou se sucedem com rapidez: *Saiu do recinto sob uma saraivada de protestos; Levou uma saraivada de tiros.* **3.** Grande quantidade de coisas que se arremessam, se atiram de golpe ou repentinamente: "'Belisário, você hoje trouxe flor?' Belisário retruca com uma saraivada de flores." (Raquel de Queirós, *100 Crônicas Escolhidas*, p. 31.) [Sin. ger.: *saraiva* e *granizada.*]

saraivar [De *saraiva* + *-ar*[2].] *V. int.* **1.** Cair saraivada (1). **2.** Precipitar-se em saraivada (2): *As balas saraivavam por entre a multidão assustada. T. d.* **3.** Bater ou açoitar com saraivada (3).

saraizal (a-i) *S. m. Bras. Bot.* Designação comum a árvores que vicejam em praia.

saramacano [Do top. *Saramaca*, rio do Suriname, + *-ano*[1].] *S. m. Gloss.* **1.** Crioulo (12) de base inglesa falado no Suriname (América do Sul). **2.** Vocábulo do saramacano (1).

saramago [Do ár. *sarmaq*, poss. pelo esp. *jaramago*.] *S. m. Bot.* Erva brassicácea (*Raphanus raphabustrym*) cuja raiz axial é napiforme. Alcança uns 60cm e é pilosiúscula. As folhas são partidas em segmentos ovados, de cinco a 11, denteados, sendo os superiores lanceolados; as flores, alvas, amarelas ou carminheadas, ordenam-se em cachos compridos; os frutos são pequenas síliquas cilíndricas, estriadas.

saramaguiano *Adj.* **1.** Pertencente ou relativo ao escritor português José Saramago (1922-2010), ou próprio dele. **2.** Que é seu admirador, e/ou profundo conhecedor de sua obra. ● *S. m.* **3.** Admirador e/ou profundo conhecedor da obra de José Saramago.

saramátulo [De or. obscura.] *S. m. Zool.* Cada um dos chifres do veado, quando ainda tenros.

saramba [Der. regress. de *sarambeque.*] *S. f. Bras. Mús.* Espécie de fandango batido; sarambeque: "— Isto é o tatu, isto é a saramba, isto é o quimbete, isto é a tirana, ... isto é .... o corta-jaca, o fandango, o sarrabalho?" (Martins Fontes, *A Dança*, p. 90.)

sarambé *S. m.* **1.** *Bras.* V. *sarambu*. **2.** *Bras. S. Pop.* V. *tolo* (8).

sarambelada *S. f. Bras.* Ação ou dito próprio de sarambé (2); tolice, asneira, bobagem.

sarambeque [Do esp. *zarambeque*.] *S. m.* **1.** *Lus.* Nos meados do séc. XVII, dança lasciva e desenvolta, considerada de origem negra, mas que no séc. XVIII foi dançada até nas casas nobres: "Os feitores, cumprindo ordens do alto, permitiram-lhe [à escravaria] os sarambeques e batuques nos terreiros" (Xavier Marques, *As Voltas da Estrada*, p. 15). **2.** *Bras. Mús.* Saramba. **3.** *Bras. MG Mús.* Modalidade do batuque. **4.** *Bras. BA* V. *sarambu*.

sarambu [De or. afr.] *S. m. Bras.* Dança de negros, originária da África; sarambé, sarambeque, sorongo[1] (q. v.).

saramoco (ô) *S. m. Bras. RS* Produção má, ou escassa, duma lavoura.

sarampão [Do lat. vulg. hispânico *sirimpione*, fonte tb. do esp. *sarampión* e cat. *sarampió*, *xarrampió* e *xarampió*.] *S. m. Pop.* Forma grave de sarampo.

sarampelo (ê) [De *sarampo* + *-elo*.] *S. m. Patol.* Sarampo benigno.

sarampento [De *sarampo* + *-ento*.] *Adj. S. m. Bras.* Diz-se de, ou indivíduo acometido de sarampo.

sarampiforme [De *sarampo* + *-iforme*.] *Adj. 2 g.* Que tem aspecto de sarampo.

sarampo [Der. regress. de *sarampão.*] *S. m.* **1.** *Med.* Doença infecciosa causada por vírus de elevado poder de contágio, e que apresenta exantema e pode complicar-se, entre outras condições mórbidas, com bronquite e broncopneumonia devidas a infecção bacteriana secundária. **2.** *Bras. AL Gír.* Relógio ordinário. ◆ **Sarampo alemão.** *Med.* Rubéola.

saranda [De *ciranda*, poss.] *Adj. S. m. Bras.* Vadio, vagabundo, vagamundo.

sarandagem [De *saranda* + *-agem*[2].] *S. f. Bras.* Vadiação, vagabundagem.

sarandalhas *S. f. pl.* **1.** Restos, aparas, limpaduras; maravalhas. **2.** *Fig.* V. *ralé* (1). [F. paral.: *sarandalhos*.]

sarandalhos *S. m. pl.* Sarandalhas (q. v.).

sarandear [De *cirandar*, poss.] *V. int. Bras. S.* **1.** Sarabandear (1). **2.** Saracotear-se, bambolear(-se), bambalear(-se). **3.** Corcovear (o equídeo). [Conjug.: v. *frear*.]

sarandi[1] [Do tupi.] *S. m. Bras.* **1.** *Bot.* Arbusto euforbiáceo (*Phyllanthus sellowianus*) que atinge até 2,5m, de folhas oblongo-lineares; flores pequenas, unissexuais, organizadas em longos racemos, e frutos que são cápsulas mínimas e globosas; sarã. **2.** *Bras. PR* Ilhota pedregosa. **3.** *S.* Terra estéril, maninha.

sarandi[2] [De *cirandinha*, poss.] *S. m. Bras. GO* V. *ciranda* (3).

sarandi-amarelo *S. m. Bras. Bot.* Amarilho (2). [Pl.: *sarandis-amarelos*.]

sarandiense *Adj. 2 g.* **1.** De, ou pertencente ou relativo a Sarandi (RS). ● *S. 2 g.* **2.** O natural ou habitante de Sarandi.

sarandizal [De *sarandi*[1] (1) + *-zal*.] *S. m.* **1.** *Bras. RS* Quantidade mais ou menos considerável de sarandis dispostos proximamente entre si. **2.** Área ocupada por sarandizal (1). [Var. sincopada: *saranzal*.]

saranga *Adj. 2 g. S. 2 g. Bras. SP GO Pop.* V. *tolo* (1 a 3 e 8). [F. paral.: *sarango*.]

sarango [F. paral. de *saranga*.] *Adj. S. m. Bras. SP GO* V. *tolo* (1 a 3 e 8).

sarangravaia *S. f. Bras. C.* Mato carrasquento, espinhento.

saranha [De or. indígena, poss.] *S. m. Bras. Zool.* V. *peixe-cachorro* (2).

saranzal *S. m. Bras.* V. *sarandizal*: "e deixando-se levar pela corrente, à toa, / sumiu na curva, atrás do saranzal..." (João Guimarães Rosa, *Magma*, p. 103).

sarapanel [De or. obscura.] *S. m. Arquit.* Arco abatido. [Pl.: *sarapanéis*.]

sarapantão [Alter. de **sarapintão* (< *sarapintar* + *-ão*[1]), poss.] *Adj. Pop.* V. *sarapintado*. [Fem.: *sarapantona*.]

sarapantar [De *espantar*, poss.] *V. t. d. P.* **1.** Espantar(-se), pasmar(-se); assustar(-se). **2.** Confundir(-se); aturdir(-se), atordoar(-se). *Int.* **3.** Causar espanto, pasmo, admiração: "Já na meninice fez [Macunaíma] coisas de sarapantar. De primeiro passou mais de seis anos não falando." (Mário de Andrade, *Macunaíma*, p. 9.) [Var.: *assarapantar*.]

sarapatel [De or. obscura.] *S. m.* **1.** *Cul.* Iguaria preparada com sangue, fígado, rim, bofe, tripas e coração de certos animais, especialmente porco e carneiro, com abundância de molho, e bem condimentada; chanfana, sarrabulho, picado. **2.** *Bras. Prov. port. Pop.* Balbúrdia, confusão, algazarra. V. *rolo*[1] (16). [Pl.: *sarapatéis*.]

sarape [Do esp.] *S. m.* Manta ou colcha de lã, etc., de uso no México e noutros países da América Latina.

sarapieira [De *sarape* + *-i-* + *-eira*.] *S. f.* **1.** *Bras. SP* V. *manta* (6). **2.** *Bras. GO* Asneira, tolice, bobagem.

sarapilheira *S. f.* V. *serapilheira*.

sarapintado [Part. de *sarapintar*.] *Adj.* Que tem pintas variadas; pintalgado, mosqueado, sarapantão.

sarapintar [De *pintar*, poss.] *V. t. d.* **1.** Fazer pintas variadas em; salpicar. **2.** Pintar de várias cores; mosquear, matizar, variegar.

sarapó [Do tupi = 'desprende mão', *i. e.*, 'desliza da mão'.] *S. m. Bras. N.* **1.** Beiju de coco. [V. *beiju*.] **2.** *Zool.* V. *carapó*.

sarapó-tuvira *S. m. Bras. Zool.* V. *carapó*. [Pl.: *sarapós-tuviras* e *sarapós-tuvira*.]

sarapueira [De *sarape* + *-i-* + *-eira*.] *S. f. Bras. SP* V. *manta* (6).

sarapuiano (u-i) *Adj.* **1.** De, ou pertencente ou relativo a Sarapuí (SP). ● *S. m.* **2.** O natural ou habitante de Sarapuí.

saraquá [De or. tupi, poss.] *S. m. Bras. S.* Cavadeira de pau usada na semeadura do milho. ◆ **Cada qual com seu saraquá.** *Bras. S.* **1.** Cada um em seu lugar, em sua ocupação; cada macaco no seu galho. **2.** Cada qual com o seu destino.

sarar [Do arc. *sarei*, 1ª pess. do sing. do fut. ind. do arc. *sar* < *saar* < *sãar* < lat. *sanare*.] *V. t. d.* **1.** Dar ou restituir a saúde a (quem está doente); curar: "Quando lhe traziam doentes para que ele os sarasse, ... Onofre .... gritava: 'Mas eu não sei! não posso; .... Pedi a Deus, orai a Deus.'" (Eça de Queirós, *Últimas Páginas*, p. 323.) **2.** Debelar, curar: "Esse ar puro do mar lhe sarava todas as feridas" (Xavier Marques, *Jana e Joel*, p. 173); "As [folhas] de jurubeba saram as chagas" (Fr. Vicente do Salvador, *História do Brasil*, p. 35). **3.** Corrigir, emendar, sanar: "Chorava pelas fomes que não podia fartar, por todos os males que não podia sarar." (Eça de Queirós, *Últimas Páginas*, p. 295.) **4.** Purificar, sanear. *T. i.* **5.** Curar-se, recuperar-se: *Com a medicação recomendada, sarou da gripe*; "Por enquanto está o Sr. Prudente de Morais a sarar da cicatriz da sua operação." (Eduardo Prado, *Coletâneas*, II, p. 395). *Int. P.* **6.** Recobrar a saúde; retornar ao estado normal: *O doente sarou; Adoeceu e sarou-se rápido.* [Pres. ind.: *saro*, *saras*, *sara*, etc.; pres. subj.: *sare*, etc. Cf. *sári*, *sara*, s. e adj., e *Sara*, antr.]

sarará [Do tupi = 'que tem pelos ruivos'.] *Bras. Adj. 2 g.* **1.** V. *albino* (1). **2.** *P. ext.* Diz-se da cor alourada ou arruivada do cabelo muito crespo característico de certos mulatos. **3.** Diz-se do cabelo crespo e dessa cor: "Apareceu um garoto amarelo, cabelo sarará, olhinhos ruins." (Homero Homem, *Menino de Asas*, p. 64.) **4.** *P. ext.* Diz-se de mestiço com cabelo sarará; sarassará: *mulata sarará*; "dentro d'água estava a mãe de Dunga, alta, magra, com seus cabelos amarelos de mulata sarará" (Lia Correia Dutra, *Navio sem Porto*, pp. 163-164). **5.** Falador, tagarela, palrador. ● *S. 2 g.* **6.** V. *albino* (2). **7.** *P. ext.* Mulato sarará (4); sarassará. **8.** Apelido que os caboclos da Amazônia dão ao cearense. ● *S. m.* **9.** *Zool.* Pequeno crustáceo decápode, da água salobra. ● *S. f.* **10.** *Zool.* V. *sarassará* (4).

sararaca [Do *caraíba*.] *S. f. Bras. Amaz.* Flecha que os índios usam para matar o pirarucu, a tartaruga, o peixe-boi, etc.

sararau [De *sarará* + o tupi = 'negro'.] *S. f. Bras. Zool.* V. *sarassará* (4).

sarassará [De *sarará*, repetido, com haplologia dupla.] *Adj. 2 g. S. 2 g.* **1.** *Bras. MA GO* V. *albino* (1 e 2). **2.** *Bras. MA GO* Sarará (4 e 7). ● *S. m.* **3.** *Bras. Zool.* V. *bagre-bandeira*. ● *S. f.* **4.** *Bras. Zool.* Inseto himenóptero, formicídeo (*Camponotus* (*m.*) *rufipes*), de coloração geral castanho-escura, com as pernas ruivo-avermelhadas. Protege o ninho com pedaços de pau e folhas amontoadas, carregando-o para local seguro se ameaçado. Tem fêmeas férteis, de asas ruivo-amareladas, transparentes, e é inimigo dos colmeais. [Sin. (nesta acepç.): *sarará*, *sararau*.]

sarau [Do gal. *serao*.] *S. m.* **1.** Festa noturna, em casa particular, clube ou teatro. **2.** Concerto musical noturno. **3.** Festa literária noturna, especialmente em casas particulares. [Sin. ger.: *serão*.]

saravá [Alter. de *salvar*.] *Interj.* Salve! [Us. nos cultos afro-brasileiros.]

saraveca *Bras. S. 2 g.* **1.** *Etnôn.* Indivíduo dos saravecas [ou (etnôn. bras.) *Saraveka], povo indígena extinto, da família linguística aruaque, que habitava as margens dos rios Alegre e Verde, na região da fronteira com a Bolívia. ● *Adj. 2 g.* **2.** Pertencente ou relativo a esse povo.

▲-sarca V. *sarc(o)-*.

sarça [De or. pré-romana, poss.] *S. f.* **1.** *Bot.* V. *silva*[1] (1). **2.** Silvedo, silvado, matagal. [Cf. *salsa*.]

sarçal [De *sarça* + *-al*.] *S. m.* Silvado (1).

sarcasmo [Do gr. *sarkasmós*, pelo lat. tard. *sarcasmu*.] *S. m.* V. *zombaria*: "O seu estilo tinha umas vezes o sarcasmo ferino da conversação ordinária" (Inglês de Sousa, *O Missionário*, p. 81).

sarcasta *S. 2 g.* Pessoa sarcástica.

sarcástico [Do gr. *sarkastikós*.] *Adj.* Que tem ou denota sarcasmo; escarnecedor, escarninho: *Zomba de tudo, é muito sarcástico; Tem um ar, um riso, uns modos sarcásticos.*

▲sarc(o)- [Do gr. *sárx*, *sarkós*.] *El. comp.* = 'carne': *sarcolema*; *sarcoderma*; *sarcólito*; *sarcóstomo*. [Equiv.: *-sarca*, *-sarc(o)-*, *-sarco*: *anasarca*; *hipersarcose*; *acrossarco*.]

▲-sarc(o)- V. *sarc(o)-*.

▲-sarco V. *sarc(o)-*.

sarcocárpio [De *sarc(o)-* + *-carp(o)-* + *-io*[3].] *S. m. Bot.* V. *sarcocarpo*.

sarcocarpo [De *sarc(o)-* + *-carpo*.] *S. m. Bot.* A parte do pericarpo, mais ou menos carnuda, entre a epiderme dos frutos e a membrana que se acha em contacto com a semente; carne, sarcocárpio.

sarcocele [Do gr. *sarkokéle*.] *S. f. Urol.* Qualquer tumor carnoso testicular. [Cf. *hidrocele*.]

sarcocistídeo [Do lat. cient. *Sarcocystid-* (< tax. *Sarcocystis*) + *-ídeo*[1]; tax. *Sarcocystidae*.] *S. m. Adj. Zool.* V. *sarcosporídio*.

sarcocola [Do gr. *sarkokólla*, pelo lat. *sarcocolla*.] *S. f.* Resina de sarcocoleira.

sarcocoleira [De *sarcocola* + *-eira*.] *S. f. Bot.* Pequena árvore penácea (*Penaea squamosa*) que dá uma resina, a sarcocola.

▲sarcod- [Do gr. *sarkṓdēs*, *es*, *es*, 'feito de carne'.] *El. comp.* = 'carnudo': *sarcodíneo*.

sarcoderma [De *sarc(o)-* + *-derma*.] *S. m. Bot.* Tegumento externo da semente, quando carnoso ou suculento.

sarcodíneo [De *sarcod-* + *-in(o)-*[3] + *-eo*; tax. *Sarcodina*.] *Adj. S. m. Zool.* V. *rizópode*[2].

sarcofagídeo [Do tax. *Sarcophaga* (do f. do lat. *sarcophagus*, 'sarcófago') + *-ídeo*[1]; tax. *Sarcophagidae*.] *Zool. S. m.* **1.** Espécime dos sarcofagídeos, família de insetos dípteros, braquíceros, grandes moscas que depositam suas larvas na carne. Ex.: a mosca-varejeira. ● *Adj.* **2.** Pertencente ou relativo a eles.

sarcófago [Do gr. *sarkophágos*, 'que come carne', pelo lat. *sarcophagu*.] *Adj.* **1.** Que corrói ou devora as carnes. ● *S. m.* **2.** Túmulo calcário onde os antigos punham os cadáveres que não desejavam queimar: "Em dous admiráveis sarcófagos, erguidos sobre esfinges e leões, jazem aí os despojos mortais de Pedro, o Cru, e Inês de Castro." (Afonso Arinos, *Histórias e Paisagens*, p. 208.) **3.** *P. ext.* Parte de um monumento fúnebre que representa o ataúde, conquanto não encerre o corpo do defunto. **4.** *P. ext.* Ataúde, ou a representação de um ataúde, numa grande cerimônia fúnebre.

sarcofilo [De *sarc(o)-* + *-filo*[1].] *S. m. Bot.* A folha suculenta.

sarcoide (ói) [Do gr. *sarkoeidés*.] *Adj. 2 g.* **1.** *Obsol.* Que se assemelha a tecido muscular; sarcóideo. **2.** Que apresenta tubérculos [v. *tubérculo* (5)] sem processo de caseificação (2); tuberculoide. ● *S. m.* **3.** *Patol. Obsol.* Tumor semelhante a sarcoma. ❖

sarcóideo *Adj.* Sarcoide (1).

S

sarcoidose [De *sarcoide* + *-ose*[1].] *S. f. Med.* Doença de evolução crônica, caráter progressivo, causa desconhecida, que pode comprometer quase todos os órgãos do corpo; caracteriza-se, do ponto de vista histológico, pela presença, no(s) órgão(s) comprometido(s), de tubérculos [*v. tubérculo* (5)] que não estão em processo de caseificação. [Sin.: *doença de Boeck-Schaumann.*]

sarcolema [De *sarc(o)-* + *-lema*[1].] *S. m. Histol.* Membrana celular de miócito; miolema.

sarcolemático [De *sarcolema* + *-ático.*] *Adj. Histol.* Referente a sarcolema.

sarcólito [De *sarc(o)-* + *-lito.*] *S. m.* Pedra transparente, da cor de carne.

sarcologia [De *sarc(o)-* + *-logia.*] *S. f. Anat.* Ramo da anatomia que trata dos tecidos moles do corpo.

sarcológico [De *sarcologia* + *-ico*[2].] *Adj.* Relativo à sarcologia.

sarcoma [Do gr. *sárkoma*, pelo lat. tard. *sarcoma.*] *S. m. Patol.* Tumor, ger. de alta malignidade, constituído de tecido semelhante ao conjuntivo embrionário; pode ocorrer em osso, músculo, cartilagem, etc.

sarcomatoso (ô) [De *sarcomat-*, por *sarcoma*, como em *sarcomático*, + *-oso.*] *Adj.* **1.** Respeitante a, ou que tem sarcoma. ● *S. m.* **2.** Aquele que tem sarcoma.

sarcômero *S. m. Histol.* V. *sarcômero.* [Uso freq. em P.]

sarcômero [De *sarc(o)-* + *-mero.*] *S. m. Histol.* V. *miômero.*

sarconfalocele (ôn) [De *sarc(o)-* + *-onfal(o)-* + *-cele*[1].] *S. f. Patol.* Tumor carnoso do umbigo.

sarcopioide (ói) [De *sarc(o)-* + *-pi(o)-* + *-oide.*] *Adj. 2 g.* Que tem o aspecto de carne e pus. ❖

sarcoplasma [De *sarc(o)-* + *-plasma.*] *S. m. Histol.* Citoplasma de fibra muscular.

sarcoplasmático [De *sarc(o)-* + *plasmático.*] *Adj. Citol. Histol.* ~ V. *retículo* —.

sarcoptídeo [Do tax. *Sarcoptes*, 'gênero-tipo', + *-ídeo*; tax. *Sarcoptidae.*] *Zool. S. m.* **1.** Espécime dos sarcoptídeos, família de pequeninos ácaros prurientes, que atacam a pele do homem e de outros mamíferos; abrange o gênero *Sarcoptes scabiei*, causador da sarna (q. v.). ● *Adj.* **2.** Pertencente ou relativo a eles.

sarcose [De *sarc(o)-* + *-ose*[1].] *S. f. Patol.* Aumento anormal de massa muscular.

sarçoso (ô) [De *sarça* + *-oso.*] *Adj.* **1.** Que tem sarças ou espinhos; espinhoso. **2.** Que produz sarças.

sarcospermo [De *sarc(o)-* + *-spermo.*] *S. m. Bot.* A semente, quando carnuda.

sarcosporídio [De *sarc(o)-* + *-(e)sporídio*; tax. *Sarcosporidia.*] *Zool. S. m.* **1.** Espécime dos sarcosporídios, ordem de protozoários, acnidosporídios, providos de esporos numerosos, dentro de um cisto grande (até 50mm de diâmetro). São parasitos de músculos de aves e mamíferos. ● *Adj.* **2.** Pertencente ou relativo a eles. [Sin. ger.: *sarcocistídeo.*]

sarcossomo [De *sarc(o)-* + *-somo.*] *S. m. Histol. Desus.* Mitocôndria de miócito.

sarcosteose [De *sarc(o)-* + *osteose.*] *S. f. Patol.* Ossificação de tecido muscular.

sarcóstomo [De *sarc(o)-* + *-stomo.*] *Adj. Zool.* Cuja boca é carnuda.

sarcótico [Do gr. *sarkotikós.*] *Adj.* Que acelera a regeneração das carnes.

sarda[1] [Do tax. *Sarda* (< lat. *sarda* < gr. *sárda*).] *S. f. Zool.* **1.** Gênero de peixes marinhos da família dos escombrídeos (q. v.). **2.** Qualquer espécie desse gênero, como, p. ex., a *Sarda chiliensis*, das costas do Pacífico, ou a *Sarda sarda* [v. *serra* (7)]. **3.** Qualquer espécime desse gênero. **4.** *Bras.* V. *sororoca* (2). **5.** *Bras.* V. *serra* (7).

sarda[2] [De or. obscura.] *S. f.* Cada uma das pequenas manchas pigmentadas, castanho-escuras, que surgem no rosto e no corpo de certas pessoas, sobretudo as de pele muito clara, e devidas ao aumento da deposição de melanina. [Sin.: *efélide, lentigem, lentigo, ovo de peru* e (bras.) *titinga.* M. us. no pl.]

sardana [Do cat. *sardana*, pelo esp.] *S. f.* Dança de roda, tradicional da Catalunha (Espanha), em andamento vivo, compasso de 6 por 8, e na qual os próprios participantes acompanham seus passos com a flauta e o tamboril.

sardanapalesco (ê) [Do antr. *Sardanapalo* (< lat. *Sardanapalus* < gr. *Sardanápalos*) + *-esco.*] *Adj.* **1.** Que vive na devassidão e no fausto, como Sardanapalo, personagem lendária (séc. IX a. C.) que, segundo a tradição clássica, teria sido rei da Assíria. **2.** Semelhante aos costumes de Sardanapalo; que os lembra.

sardanisca [De *sardão* + *-isca.*] *S. f. Bras.* **1.** *Zool.* V. *lagartixa* (1). **2.** *Fam.* Mulher delambida, presumida, afetada; sardanita.

sardanita [De *sardão* + *-ita*[1].] *S. f. Bras.* **1.** *Zool.* V. *lagartixa* (1). **2.** *Fam.* Sardanisca (2).

sardão *S. m. Zool.* Espécie de lagarto escuro (*Lacerta viridis*).

sardento [De *sarda*[2] + *-ento.*] *Adj.* Que tem sardas; sardoso, sardo, lentiginoso.

sardinha [Do lat. *sardina.*] *S. f.* **1.** *Zool.* Designação comum a várias espécies de peixes clupeídeos. Vivem aos cardumes e são utilizadas largamente, frescas ou industrializadas, na alimentação humana. Também se usam em óleos, farinhas e adubos. No rio Amazonas existem sete espécies de sardinhas verdadeiras. [Sin., lus.: *manjua.*] **2.** *Bras.* Brincadeira que consiste em pôr alguém uma das mãos sobre uma superfície e tentar retirá-la antes que outra pessoa consiga bater-lhe. **3.** *Bras. Gír.* Navalha (1). ◆ **Como sardinha em lata.** Extremamente apertado, espremido com outros, sem poder mexer-se ou virar-se: *As pessoas viajam nos trens da Central como sardinha em lata.* **Tirar a sardinha.** *Bras.* Bater fortemente com o indicador e o médio, por brincadeira, nas nádegas de alguém. **Tirar a sardinha (do fogo) com a mão do gato.** Tentar obter um proveito sorrateiramente, valendo-se de outrem e/ou até pondo-o em risco; tirar as castanhas do fogo com a mão do gato; tirar as castanhas do lume com a mão do gato. **Tirar sardinha.** *Jog. Inf.* Brincadeira em que algumas crianças estendem uma ou as duas mãos com as palmas para cima, enquanto outras nelas apoiam as próprias palmas, devendo as primeiras retirar de súbito suas mãos e bater nas costas das mãos do oponente.

sardinha-amazônica *S. f. Bras. Zool.* Peixe actinopterígio, caraciforme, caracídeo (*Triportheus angulatus*), da Amaz. e Paraguai, de coloração clara, uniforme, com leves manchas escuras na junção das escamas acima da linha lateral. Tem escamas grandes, ventre arredondado na frente, e o raio mediano da nadadeira caudal é mais longo que os demais. Comprimento: até 18cm. [Pl.: *sardinhas-amazônicas.*]

sardinha-bandeira *S. f. Bras. Zool.* V. *sardinha-laje.* [Pl.: *sardinhas-bandeiras* e *sardinhas-bandeira.*]

sardinha-branca *S. f. Bras. Amaz. Zool.* Peixe actinopterígio, clúpeo, clupeídeo (*Neosteus castalneanus*), da Amaz., especialmente do baixo Amazonas, de coloração amarelada e comprimento de até 45cm. [Pl.: *sardinhas-brancas.* Cf. *apapá* (1).]

sardinha-cascuda *S. f. Bras. Zool.* Peixe clupeídeo (*Herengula clupeola*), das costas brasileiras, da BA até SP. Coloração branca, brilhante, com as escamas marginadas de amarelo e os dois últimos raios da nadadeira anal mais longos que os anteriores. [Pl.: *sardinhas-cascudas.*]

sardinha-da-água-doce *S. f. Bras. Zool.* Peixe actinopterígio, clúpeo, clupeídeo (*Rhinosardinia amazonica*), da Amaz., de coloração prateada, tendente ao amarelo, nadadeira caudal grande, fortemente entalhada, e comprimento de até 80mm. [Pl.: *sardinhas-da-água-doce.* Cf. *apapá* (1).]

sardinha-de-água-doce *S. f.* V. *sardinha-da-água-doce.*

sardinha-de-galha *S. f. Bras. Zool.* V. *sardinha-laje.* [Pl.: *sardinhas-de-galha.*]

sardinha-de-gato *S. f. Bras. Zool.* Peixe actinopterígio, caraciforme, caracídeo (*Piabucus dentatus*), da Amaz., de coloração prateada, levemente escurecida na região do pedúnculo. [Pl.: *sardinhas-de-gato.*]

sardinha-dourada *S. f. Bras. Zool.* Peixe actinopterígio, clúpeo, clupeídeo (*Neosteus altamazonicus*), do terço superior do rio Amazonas, de coloração dourada, e pouco utilizado na alimentação por causa dos inúmeros espinhos bifurcados que tem. [Pl.: *sardinhas-douradas.* Cf. *apapá* (1).]

sardinha-facão *S. f. Bras. Zool.* V. *sardinha-laje.* [Pl.: *sardinhas-facões* e *sardinhas-facão.*]

sardinha-gato *S. f. Bras. Zool.* V. *sardinha-laje.* [Pl.: *sardinhas-gatos* e *sardinhas-gato.*]

sardinha-laje *S. f. Bras. Zool.* Peixe clupeídeo (*Opisthonema oglinum*), das costas da América, que tem o último raio da nadadeira dorsal longo e fino, as peitorais e ventrais pouco desenvolvidas, a caudal distintamente bifurcada, e os lóbulos muito longos. Atinge 29cm de comprimento, e usa-se na indústria de óleos e enlatados. [Sin.: *caiçara, sardinha-bandeira, sardinha-de-galha, sardinha-facão, sardinha-gato, sardinha-larga, sargo.* Pl.: *sardinhas-lajes* e *sardinhas-laje.*]

sardinha-larga *S. f. Bras. Zool.* V. *sardinha-laje.* [Pl.: *sardinhas-largas.*]

sardinha-prata *S. f. Bras. Zool.* Peixe actinopterígio, engraulídeo (*Lycengraulis grossidens*), comum das Guianas ao rio da Prata. Coloração amarela, com dorso mais escuro, às vezes com uma lista prateada longitudinal. Atinge 30cm de comprimento, e frequenta o alto-mar. [Pl.: *sardinhas-pratas* e *sardinhas-prata.*]

sardinha-verdadeira *S. f. Bras. Zool.* Peixe clupeídeo (*Sardinella aurita*), das costas do ES e RJ, de dorso azulado, flancos prateados, com pequena mancha na abertura das brânquias. O comprimento médio dos adultos é de 18 a 20cm. Sua pesca é feita em traineiras. Frequenta da costa ao alto-mar, realizando migrações periódicas. [Sin.: *maromba.* Pl.: *sardinhas-verdadeiras.*]

sardinheira [De *sardinha* + *-eira.*] *S. f.* **1.** Vendedora de sardinhas. **2.** Rede para pesca de sardinhas. **3.** Pesca de sardinha. **4.** *Bras. Bot.* Arvoreta rubiácea (*Bothriospora corymbosa*) da floresta pluvial, semelhante ao pau-mulato, dos pequenos; tem flores pequenas, alvas, racemosas e perfumadas.

sardinheiro [De *sardinha* + *-eiro.*] *Adj.* **1.** Referente a sardinha. ● *S. m.* **2.** Pescador ou vendedor de sardinha. **3.** *Min.* Pedra preciosa, cor de carne, sem brilho.

sárdio [Do lat. *sardiu*, i. e., *lapis sardius*, 'pedra de Sardes'.] *S. m. Min.* Variedade castanha de calcedônia: "a pedra sárdio, o topázio e a esmeralda" (Luís Guimarães [filho], *Pedras Preciosas*, p. 16).

sardo[1] [Do lat. *sardu.*] *Adj.* **1.** Da, ou pertencente ou relativo à Sardenha (Itália). ● *S. m.* **2.** O natural ou habitante da Sardenha. **3.** *Gloss.* Língua românica da ilha da Sardenha (Itália). [Por vezes o sardo é considerado um conjunto de línguas que engloba o *campidanês*, o *galurês*, o *logudorês*, o *sassarês.* Cada uma delas, por seu turno, apresenta subdivisão em dialetos. O nuorês, p. ex., seria, nessa classificação, um dialeto do logudorês.] **4.** Vocábulo do sardo (3).

sardo[2] [De *sarda*[2].] *Adj.* V. *sardento.*

sardoense *Adj. 2 g.* **1.** De, ou pertencente ou relativo a Sardoá (MG). ● *S. 2 g.* **2.** O natural ou habitante de Sardoá.

sardónia *S. f. Bot.* V. *sardônia.* [Uso freq. em P.]

sardônia [Do lat. *sardonia*, i. e., *herba sardonia*, 'erva da Sardenha'.] *S. f. Bot.* Pataluco.

sardónica *S. f. Min.* V. *sardônica.* [Uso freq. em P.]

sardônica [Do lat. *sardonycha* < lat. *sardonyx, ychis* < gr. *sardónyx.*] *S. f. Min.* Variedade de calcedônia, escuro-alaranjada ou vermelho-pardacenta.

sardónico[1] *Adj.* V. *sardônico*[1]. [Uso freq. em P.]

sardónico[2] *Adj.* V. *sardônico*[2]. [Uso freq. em P.]

sardônico[1] [Do fr. *sardonique* < gr. *sardónios*, var. de *sardánios*, 'que faz trejeitos ou careta'; 'convulsivo'.] *Adj.* ~ V. *riso* —.

sardônico[2] [De *sardônica*, com var. suf. (v. *-ico*[2]).] *Adj.* Relativo à sardônica.

sardoso (ô) [De *sarda*[2] + *-oso.*] *Adj.* V. *sardento.*

sargaça [De *sargaço.*] *S. f. Bras. Bot.* Pequena erva cistácea (*Cistus brasiliense*) que habita os campos do S.; tem flores amarelas, pentâmeras e dispostas em cachos, e fruto capsular.

sargaço [Do lat. *salicastru*, 'casta de videira silvestre', ou do lat. vulg. *salicaceu*, ambos do lat. cláss. *sálix, salicis*, 'salgueiro'; o port. é fonte do fr. *sargasse* e do ingl. *sargasso*, donde o tax. *Sargassum.*] *S. m. Bot.* **1.** Gênero de algas pardas dotadas de talos ramificados, com eminências diferenciadas — como, p. ex., segmentos foliares, vesículas aéreas, estruturas esporíferas — e que, inicialmente, se desenvolvem ao longo das costas tropicais, mas delas se desprendem, sendo impelidas para alto-mar, ocupando grandes superfícies. **2.** Espécie ou espécime desse gênero.

sargentão [De *sargento* + *-ão*[1].] *S. m. Bras. Deprec.* Oficial sem curso, ou que, tendo-o, possui cultura reduzida.

sargenteante [De *sargentear* + *-nte.*] *Adj. 2 g.* **1.** Que exerce as funções de sargento; que sargenteia. ● *S. m.* **2.** *Bras.* Praça (em regra o primeiro-sargento mais antigo, ou um subtenente) que, numa subunidade (companhia, bateria, esquadrão, etc.) se encarrega de organizar os serviços gerais.

sargentear [De *sargento* + *-ear*[2].] *V. int.* **1.** Exercer a função de sargento ou de sargenteante. **2.** Lidar afanosamente; afadigar-se. **3.** Andar de um lugar para outro; saracotear. [Conjug.: v. *frear.*]

sargento[1] [Do fr. ant. *sergent*, 'servidor'.] *S. m.* **1.** *Mil.* Graduação hierárquica acima de cabo e abaixo de suboficial ou subtenente. **2.** *Bras.* Denominação comum a *primeiro-sargento, segundo-sargento* e *terceiro-sargento.* **3.** *Zool.* V. *querê-querê* (1). **4.** *Bras. Zool.* V. *bagre-bandeira.* **5.** *Bras. Zool.* V. *galhudo* (4). **6.** *Bras. RJ* Modalidade de jogo de bilhar.

sargento[2] [Do fr. *serre-joint.*] *S. m. Carp.* Haste de aço ou madeira us. para segurar peças nas quais se trabalha.

sargento-mor [De *sargento*[1] + *mor.*] *S. m.* **1.** V. *hierarquia militar.* **2.** Oficial que detinha o posto de sargento-mor. [Pl.: *sargentos-mores.*]

sargo[1] [Do gr. *sárgos*, pelo lat. *sargu.*] *S. m. Zool.* **1.** V. *sardinha-laje.* **2.** V. *canhanha* (2).

sargo[2] *S. m. Bras. Zool.* V. *sargo-de-beiço.*

sargo-de-beiço *S. m. Bras. Zool.* Peixe hemulídeo (*Anisotremus surinamensis*), do Atlântico ocidental (da Flórida ao S. do Brasil), de coloração cinza-prateada, com uma larga faixa escura vertical no meio do corpo, e nadadeiras escuras. Atinge cerca de 60cm de comprimento. [F. red.: *sargo.* Sin.: *corcoroca, pirambu.* Pl.: *sargos-de-beiço.*]

sari *S. m.* V. *sári.*

sári [Do hindi *sārī.*] *S. m.* A mais importante vestimenta típica da mulher indiana: longa peça de tecido enrolada em volta do corpo, com uma das pontas formando a saia, e a outra ponta, drapeada, em torno da mama, de um ombro e, por vezes, da cabeça: 📖 "Sáris amarelos e azuis, / homens envoltos em velhos panos amarelados" (Cecília Meireles, *Poemas Escritos na Índia*, p. 19); "Os sáris de seda reluzem como curvos pavões altivos." (Id., *ib.*, p. 89). [Cf. *sare*, do v. *sarar*.]

sariano [De *Sara* (*Saara*) + *-iano*.] *Adj. S. m. Lus.* V. *saariano*.

sariema [Do tupi = 'crista em pé'.] *S. f. Bras. Zool.* V. *seriema*.

sariguê (güê) [Do tupi.] *S. m. Bras. Zool.* V. *gambá* (1). [Var.: *sarigueia*.] ❖

sarigueia (güéi) *S. f. Bras. Zool.* V. *sariguê*. ❖

sarilhar [De *sarilho* + *-ar*².] *V. t. d.* **1.** Ensarilhar. *Int.* **2.** Traquinar, trasguear.

sarilho [Do lat. vulg. **sericulu*, dim. de *sera*, 'tranca'.] *S. m.* **1.** Espécie de dobadoura. **2.** Cilindro disposto horizontalmente, e no qual se enrola corda, cabo ou corrente de um aparelho de levantar pesos. **3.** Cilindro em que se enrolam linhas, cabos elétricos, espias de bordo, etc., quando não estão em uso, para não se estragarem. **4.** Movimento rotativo. **5.** Movimento acelerado em redor de um trapézio de ginásio. **6.** Peça do maquinismo dos moinhos. **7.** Encosto ou descanso de armas, em grupos de três, nos acampamentos, formado, em geral, pelo entrelaçamento de varetas, hastes ou ramos. **8.** *Pop.* Barafunda, confusão, tumulto, roda-viva. **9.** *Pop.* V. *rolo*¹ (16). **10.** *Bras.* Roda dentada, de reduzido diâmetro, fixa ao eixo da roda-d'água nos engenhos movidos a água, e que transmite o movimento desta aos rodetes. **11.** *Bras. AL* Pau em torno do qual se enrola o fumo de rolo.

sarin [Do al.] *S. m. Mil.* Designação usual de um gás dos nervos (q. v.) fluorado [fórm.: $C_4H_{10}FO_2P$].

saripoca *S. m. Bras. Zool.* V. *araçaripoca*.

sarja¹ [De or. obscura.] *S. f.* Incisão superficial na pele para retirar sangue ou num tumor para drenar o pus; escarificação. [Cf. *sarja*, do v. *sarjar*.]

sarja² [Do fr. ant. *sarge*, atual *serge*.] *S. f. Tec. Têx.* **1.** Tecido entrançado de fio penteado, de seda, lã, algodão ou misto, e que tem ligamento sarja (2): 📖 "Trajava a donzela um roupão de sarja" (José de Alencar, *O Sertanejo*, p. 100). **2.** Ligamento (5) que resulta em estrias no sentido diagonal do tecido. [Dim. irreg.: *sarjeta* (v. *sarjeta*²).]

sarjação [De *sarjar* + *-ção*.] *S. f.* Sarjadura.

sarjadeira [De *sarjar* + *-deira*.] *S. f. Bras.* Sarjador (3).

sarjado [De *sarja* + *-ado*¹.] *Adj. Tec. Têx.* Feito com ligamento sarja.

sarjador (ô) [De *sarjar* + *-dor*.] *Adj.* **1.** Que sarja. ● *S. m.* **2.** Aquele que sarja. **3.** Variedade de lanceta para sarjar; sarjadeira.

sarjadura [De *sarjar* + *-dura*.] *S. f.* Ato ou efeito de sarjar; sarjação.

sarjão [De *sarja*² + *-ão*¹.] *S. m. Bras.* Sarjel.

sarjar [De *sarja*¹ + *-ar*².] *V. t. d.* Fazer sarjas ou incisões em; escarificar: 📖 "O meu avô tinha uma lanceta para sarjar tumores" (José Lins do Rego, *Meus Verdes Anos*, p. 66). [Pres. ind.: *sarjo, sarjas, sarja*, etc.; pres. subj.: *sarje, sarjes, sarje, sarjemos, sarjeis, sarjem*. Cf. *sarja* e *sarjéis*, pl. de *sarjel*.]

sarjel [De *sarja*² + *-el*.] *S. m. Tec. Têx.* Tecido grosso de lã; sarjão. [Pl.: *sarjéis*. Cf. *sarjeis*, do v. *sarjar*.]

sarjeta¹ (ê) [De *sarja*¹ + *-eta* (ê).] *S. f.* **1.** Escoadouro de águas; vala, valeta. **2.** *Restr.* Escoadouro, nas ruas e praças públicas, para as águas da chuva. **3.** *Bras. Fig.* Lodo (2): 📄 *O hábito de beber levou-o à sarjeta.*

sarjeta² (ê) [De *sarja*² + *-eta* (ê).] *S. f.* Sarja² estreita ou delgada.

sarmentáceo [De *sarmento* + *-áceo*.] *Adj. Bot.* Semelhante ao sarmento: 📄 *ramo sarmentáceo*.

sarmentício [Do lat. *sarmenticiu*.] *Adj.* V. *sarmentoso*.

sarmentífero [De *sarmento* + *-ífero*.] *Adj.* Que tem ou produz sarmentos.

sarmento [Do lat. *sarmentu*.] *S. m. Bot.* **1.** Originariamente, ramo da videira. **2.** *P. ext.* Qualquer ramo semelhante: muito longo, delgado, lenhoso e flexível. [Tem, de ordinário, os nós bem marcados. Os ramos do marmeleiro, p. ex., são sarmentos.] **3.** V. *pimpolho* (1).

sarmentoso (ô) [Do lat. *sarmentosu*.] *Adj.* **1.** Relativo ao, ou da natureza do sarmento. **2.** Que tem sarmento: 📄 *liana sarmentosa*. [Sin. ger.: *sarmentício*.]

sarna [Do pré-romano, pelo lat. tard. *sarna*.] *S. f.* **1.** V. *escabiose*. **2.** Doença das oliveiras, que se manifesta por tubérculos irregulares nos ramos novos. ● *S. 2 g.* **3.** *Pop.* Pessoa maçante, importuna, rabugenta. **4.** *Pop.* Pessoa comilona, glutona. ◆ **Sarna para se coçar.** *Pop.* O que causa ou pode causar aborrecimento, preocupação, cansaço, trabalho ou sofrimento: 📄 *Metido com essa gente, você está procurando sarna para se coçar; Se aceitou a incumbência, fique certo de que arranjou sarna para se coçar.* **Ser uma sarna.** *Bras.* **1.** Ser glutão; guloso. **2.** Ser maçante, importuno, cacete.

sarnambi [Var. de *cernambi*.] *S. m. Bras.* V. *sambaqui*.

sarnão [De *sarna* + *-ão*¹.] *S. m.* Sarna (1) de certos animais.

sarnento [De *sarna* + *-ento*.] *Adj.* **1.** Que tem sarna (1): 📖 "Um cachorro sarnento que todas as noites corta a frente da locomotiva" (Carlos Lacerda, *Xanã*, p. 15). **2.** Meio apodrecido; rançoso, râncido: 📄 *peixe sarnento*. **3.** *Fig.* Abatido, combalido, acanaveado. [Sin., nessas acepç.: *sarnoso*.] ● *S. m.* **4.** Indivíduo sarnento. **5.** *Bras. Pop.* V. *diabo* (2).

sarnoso (ô) [De *sarna* + *-oso*.] *Adj.* Sarnento (1 a 3).

saroba [Var. aferética de *picuçaroba*.] *S. f. Bras. Zool.* V. *pomba-legítima*.

sarobá [Do tupi.] *S. m. Bras. GO* Capoeira² (2) baixa ou rasa.

sarongue [Do mal.] *S. m.* Pedaço de tecido, ordinariamente de cores vivas, usado sobretudo pelas mulheres dalgumas regiões da Oceania para cobrir o tronco e a parte superior das coxas.

sarópode [Do gr. *sáros*, 'vassoura', + *-pode*.] *Adj. 2 g. Zool.* Que tem patas peludas.

saros [Do assírio da Babilônia, pelo gr. *sáros*.] *S. m. 2 n. Astr.* Intervalo de tempo entre a repetição de eclipses, e que compreende 6.585,32 dias, ou 18 anos, 11 dias e 8 horas. [Este período já era conhecido pelos caldeus e assírios, que, dessa forma, previam os eclipses.] [Sin.: *ciclo dos caldeus, ciclo dos saros*.]

sarova *S. f. Bras. Zool.* V. *pomba-legítima*.

sarpar *V. int. T. c. Desus.* V. *zarpar*: 📖 "As galés de Castela, havia meses ancoradas no Tejo, sarparam, tenderam velas e demandaram a barra" (Antero de Figueiredo, *Leonor Teles*, p. 229).

sarrabalho *S. m. Bras. S.* Modalidade de fandango (6): 📖 "isto é a revira, a chica, ... o bochinche, o corta-jaca, o fandango, o sarrabalho?" (Martins Fontes, *A Dança*, p. 90). [Cf. *serra-baia*.]

sarrabulhada [De *sarrabulho* + *-ada*¹.] *S. f.* **1.** Grande quantidade de sarrabulho. **2.** *Fig.* Confusão, desordem, trapalhada, mistifório. V. *rolo*¹ (16).

sarrabulho [De or. obscura.] *S. m.* **1.** O sangue coagulado do porco. **2.** *Cul.* Iguaria portuguesa feita com sarrabulho (1), carne, fígado e banha de porco, pão de trigo e temperos, especialmente cominho. **3.** *Pop.* V. *rolo*¹ (16). **4.** *Bras. Cul.* Sarapatel (1). **5.** *Bras. PE Cul.* Iguaria preparada com sangue e miúdos de carneiro. **6.** *Bras. S.* Bate-boca, altercação. [Var.: *serrabulho*. Cf. *sarabulho*.]

sarraceniácea [Do tax. *Sarracenia* (do antr. *Sarrazin*, médico e botânico canadense do séc. XVII) + *-ácea*; tax. *Sarraceniaceae*.] *S. f. Bot.* Espécime das sarraceniáceas, família de plantas floríferas, da ordem das teales, composta de ervas insetívoras cujas folhas são utriculares. As flores, hermafroditas, têm cálice e corola, e estames numerosos; o fruto é capsular. Existem apenas umas 12 espécies, que vivem nos pântanos norte-americanos.

sarraceniáceo [De *sarraceniácea*, com var. suf. (v. *-áceo*).] *Adj. Bot.* Pertencente ou relativo às sarraceniáceas.

sarracenial [Do lat. cient. *Sarraceni-* (v. *sarraceniale*) + *-al*¹.] *Adj. 2 g. Bot.* Pertencente ou relativo às sarraceniales.

sarraceniale [Do tax. *Sarracenia* + *-ale*; tax. *Sarraceniales*.] *S. f. Bot.* Espécime das sarraceniales, ordem de vegetais dicotiledôneos, incluída na ordem das teales.

sarraceniales *S. f. pl. Bot.* Ordem de vegetais dicotiledôneos, arquiclamídeos, que compreende apenas as seguintes famílias de plantas carnívoras: *sarraceniáceas, nepentáceas* e *droseráceas*, a última das quais é a única sul-americana.

sarraceno [Do ár. *xarqīn*, pl. de *xarqī*, 'oriental', pelo gr. bizantino *sarakenoí*, pelo lat. *sarracenu*, sing. de *sarraceni*.] *S. m.* **1.** Indivíduo dos sarracenos, povo nômade pré-islâmico, habitante dos desertos entre a Síria e a Arábia. **2.** Designação comum, na Idade Média, às populações muçulmanas do Oriente, da África e da Espanha. **3.** *P. ext.* Árabe, mouro. ● *Adj.* **4.** Pertencente ou relativo aos sarracenos.

sarrafaçal *S. m.* V. *borra-tintas* (2).

sarrafaçar [De or. obscura.] *V. int.* **1.** Cortar alguma coisa com instrumento mal-afiado. **2.** Fazer barulho, cortando ou aguçando. **3.** Trabalhar sem apuro ou grosseiramente. *T. d.* **4.** *Desus.* Sarjar. [Sin., nas acepç. 1 a 3: *sarrafar*. Conjug.: v. *laçar*.]

sarrafada [De *sarrafo* + *-ada*¹.] *S. f.* **1.** *Bras.* Golpe com sarrafo; paulada, cacetada. **2.** *Bras. Gír. Fut.* Pontapé desferido no adversário; sarrafo. ◆ **Dar sarrafadas em.** *Bras. Gír. Fut.* V. *sarrafear* (2).

sarrafão [De *sarrafo* + *-ão*¹.] *S. m.* V. *vigota*.

sarrafar *V. int.* Alter. de *sarrafaçar* (1 a 3).

sarrafascada [De *safarrascada*, com metátese.] *S. f. Bras. N. Pop.* V. *rolo*¹ (16).

sarrafear [De *sarrafo* + *-ear*².] *V. t. d.* **1.** Cortar em sarrafos [v. *sarrafo* (1)]. **2.** *Bras. Gír. Fut.* Jogar cometendo falta(s) violenta(s) contra (jogador ou clube adversário); baixar o sarrafo (2) em; dar sarrafadas em. [Conjug.: v. *frear*.]

sarrafo [Dev. de *sarrafar*.] *S. m.* **1.** Tira comprida e estreita de madeira; ripa. **2.** *Bras.* Pedaço de pau; cacete. **3.** *Bras. Gír. Fut.* Sarrafada (2). ◆ **Baixar o sarrafo em.** *Bras.* **1.** *Pop.* V. *meter a lenha em*. **2.** *Gír. Fut.* Sarrafear. [Sin. ger.: *baixar o pau em*.]

sarrafusca [De *sarrafascada*.] *S. f. Pop.* Motim, desordem, barulho, balbúrdia.

sarrão [Var. assimilada de *surrão*.] *S. m.* **1.** Saco ou taleigo de couro em que se conduzem os cereais para o moinho. **2.** Surrão (1).

sarrapilheira *S. f.* V. *serapilheira*.

sarrar¹ [De *sarro* + *-ar*².] *V. t. d. Int. Bras. Chulo* V. *bolinar* (*2 e 4*).

sarrar² *V. t. d. Int.* V. *serrar*.

sarrento [De *sarro* + *-ento*.] *Adj.* Que tem sarro; que está coberto de sarro.

sarreta (ê) [Do ant. *sarrar*².] *S. f. Constr. Nav.* Cada uma das tábuas estreitas colocadas no sentido de popa a proa, no fundo de uma embarcação, para proteger o tabuado do fundo. [F. paral.: *serreta* (ê). Cf. *cobro*³ (2).]

sarrido *S. m.* Cirro³: 📖 "Temia as sombras, o mesmo sarrido da sua respiração angusta fazia-lhe medo." (Coelho Neto, *Sertão*, pp. 43-44.)

sarrinho [De *sarro* + *-inho*¹.] *S. m. Bras. Zool.* Peixe actinopterígio, siluriforme, calictiídeo (*Corydoras barbatus*), do RJ e SP, de coloração cinza com máculas e pintas escuras, sobretudo nas nadadeiras dorsal e caudal. Comprimento: 6cm. Costuma roubar iscas nos anzóis. [Sin.: *maria-da-serra*.]

sarro [De or. pré-romana, poss.] *S. m.* **1.** Borra (1), principalmente depois de seca, que o vinho e outros líquidos deixam aderente ao fundo das vasilhas. **2.** Saburra (2). **3.** Resíduo de nicotina que fica no tubo de cachimbos e de piteiras. **4.** Crosta formada sobre os dentes que não se limpam; garro. **5.** Fuligem deixada nas armas pela pólvora. **6.** *Pop.* Hipóstase (1). **7.** *Zool.* Designação comum a diversos peixes. **8.** *Bras. Zool.* V. *coridora* (2). **9.** *Bras. Gír.* Pessoa ou coisa divertida, engraçada, gozada. **10.** *Bras. Chulo* V. *bolinagem*. ◆ **Tirar um sarro.** *Bras. Chulo* V. *bolinar* (2). **Tirar sarro com a cara (de alguém).** Escarnecer; debochar; fazer zombaria.

sarro-de-pito [De *sarro* + *de* + *pito*¹.] *S. m. Bras. SP Zool.* Berbigão (3). [Pl.: *sarros-de-pito*.]

sarronca *S. f. Prov. port.* **1.** Farronca (3). **2.** *Lus.* V. *roncadeira* (2).

sarrussofone [Do antr. *Sarrus*, músico francês do séc. XIX, + *-o-* + *-fone*.] *S. m. Mús.* Instrumento de sopro, metálico, de tubo cônico e palheta dupla, e que pela forma e timbre se aproxima do fagote.

sarsório [Do lat. tard. *sarsoriu*.] *S. m.* Antigo mosaico feito de mármores variegados.

sarta [Do lat. vulg. *sarta*.] *S. f.* Enfiada (1): 📄 *sarta de pérolas*.

sartar [De *sarta* + *-ar*².] *V. t. d.* V. *ensartar*: 📖 "cuida dos seus três filhos, do meneio da casa, e, entre camareiras, e aias, fia, borda e sarta pérolas e aljôfares." (Antero de Figueiredo, *Toledo*, pp. 155-156).

sartorial [De *sartório* + *-al*¹.] *Adj. 2 g. Anat.* Relativo a cada músculo sartório.

sartório [Do lat. cient. *sartorius* < lat. *sartor, oris*, 'que conserta', + lat. cient. *-ius* (v. *-io*³).] *Anat. S. m.* **1.** Músculo sartório. ● *Adj.* **2.** ~ V. *músculo* —.

sartriano [Do antr. *Sartre*+ *-iano*.] *Adj.* **1.** Pertencente ou relativo a Jean-Paul Sartre (1905-1980), escritor e filósofo francês, ou próprio dele. **2.** Que é grande admirador e/ou profundo conhecedor de sua obra. ● *S. m.* **3.** Grande admirador e/ou profundo conhecedor da obra de Sartre. [V. *filosofias existenciais*.]

saru [Do tupi.] *Adj. 2 g. Bras. AM* **1.** Diz-se de pessoa doida, inapta, ou coisa inutilizada, perdida, por efeito maléfico. **2.** Diz-se do lago que está sereno, silencioso, sem agitação de peixes, sendo nele, assim, infrutífera a pescaria.

saruê [Do tupi.] *S. m.* **1.** *Bras. N.E. Zool.* V. *gambá* (1). **2.** *Bras. N.E.* Espiga de milho com poucos grãos. **3.** *Bras. C.O.* Dança em que se misturam figuras da quadrilha francesa e passos de danças sertanejas, e na qual a marcação é feita num misto de francês estropiado e de português. ● *Adj. 2 g.* **4.** *Bras.* Albino(1).

sarutaiano *Adj.* **1.** De, ou pertencente ou relativo a Sarutaiá (SP). ● *S. m.* **2.** O natural ou habitante de Sarutaiá.

➔**sashimi** [saʃimi] [Jap.] *S. m. Cul.* Iguaria japonesa que consiste em uma fatia de peixe cru, e que se serve acompanhada de molho de soja e pasta de raiz-forte ou de *wasabi*.

sassafrás [Do esp. *sasafrás*.] *S. m. Bot.* **1.** V. *casca-preciosa* (1). **2.** V. *canela-sassafrás*. [Pl.: *sassafrases*.]

sassânida [Do lat. med. *sassanida*, do antr. persa *Sassan*.] *S. 2 g.* **1.** Membro de uma dinastia persa que construiu em volta do planalto da Pérsia (atual Irã) um império do mesmo nome, entre cerca de 224 e 652.

S

• *Adj. 2 g.* **2.** Pertencente ou relativo a essa dinastia, ou a esse império. ~ V. *sassânidas.*

sassânidas [Pl. de *sassânida.*] *S. m. pl.* A dinastia sassânida. ~ V. *sassânida.*

sassarês [Do top. *Sassari* + *-ês.*] *S. m.* **1.** *Gloss.* Dialeto do sardo[1] (3) falado na região de Sassari (N.O. da Sardenha). **2.** Vocábulo desse dialeto.

satã [Do b.-lat. *Satan* < gr. *satân* < hebr. *satan*, 'o adversário', 'o acusador', 'o demônio'.] *S. m.* Na tradição judaica mais primitiva, um dos anjos de Jeová, advogado ou representante dos homens junto a este, e que posteriormente, sob a influência do problema do mal e das soluções de tipo dualista dadas a esse problema, passou a significar o mau, o acusador, o tentador, o demônio. V. *diabo* (2).

satanás [Do lat. *satanas*, 'o que arma ciladas', 'inimigo'.] *S. m.* V. *diabo* (2). [Pl.: *satanases.*]

satanhoco [Do ronga.] *S. m. Moç. Chulo* Canalha, patife: "Satanhocos, hão-de comer poeira!" (Mia Couto, *Terra Sonâmbula*, p. 72.)

satânico [Do gr. *satanikós.*] *Adj.* **1.** Relativo a satã. **2.** *Fig.* Infernal, diabólico, atroz. • *S. m.* **3.** *Bras. Pop.* V. *diabo* (2).

satanismo [De *Satã* + *-ismo*, seg. o padrão erudito.] *S. m.* **1.** Qualidade de satânico. **2.** Adoração de satanás.

satanista [De *satanismo* + *-ista.*] *Adj. 2 g.* **1.** Referente ao, ou que é adepto do satanismo (2). • *S. 2 g.* **2.** Adepto do satanismo (2).

satanizar [De *satânico* + *-izar*, seg. o padrão erudito.] *V. t. d.* Dar feição satânica a.

satélite [Do lat. *satellite.*] *S. m.* **1.** *Astr.* Corpo celeste que gravita em torno de outro, denominado principal; secundário. **2.** *P. ext.* País ou nação sem autonomia política e/ou econômica. **3.** *Fig.* Pessoa que vive sob a dependência e proteção de outra. **4.** *Fig.* Companheiro inseparável. **5.** V. *capanga* (4). **6.** Guarda-costas (2). **7.** *Bras.* O mineral que normalmente ocorre junto ao diamante nos depósitos secundários aluvionários, associação resultante da densidade elevada não só dos satélites, mas do próprio diamante. [Entre as denominações vulgares dadas pelos garimpeiros a esse mineral, temos *agulha, bagageira, fava, feijão-preto, ferragem, fundinho, lacre, ogó, vidraço*.] • *Adj. 2 g.* **8.** Diz-se de nação ou país satélite. **9.** *Anat.* Diz-se de nervo (1) ou de veia(s) que acompanha(m) quase paralelamente as artérias. ◆ **Satélite artificial.** *Astron.* Veículo colocado em órbita à volta do Sol, de um planeta ou de um satélite; lua artificial, esputinique. **Satélite ativo.** *Astron.* Satélite de comunicações provido de equipamento capaz de modificar as ondas eletromagnéticas que recebe e, em seguida, retransmiti-las. **Satélite bélico.** *Astron.* Satélite artificial para fins bélicos; satélite estratégico. **Satélite de comunicações.** *Astron.* Satélite artificial para comunicações por ondas eletromagnéticas entre vários pontos da Terra. **Satélite de reconhecimento.** *Astron.* Satélite artificial da Terra, destinado a obter informações pela utilização de fotografias ou de televisões. **Satélite de teledifusão.** *Astron.* Satélite artificial capaz de retransmitir programas televisivos para receptores equipados com antenas parabólicas. **Satélite de 24 horas.** *Astron.* Satélite artificial cujo período orbital é de 24 horas. [Se um destes satélites tem uma órbita circular equatorial, mantém-se estacionário sobre a Terra. Cf. *satélite estacionário.*] **Satélite equatorial.** *Astron.* Satélite artificial cujo plano da órbita coincide com o plano do equador terrestre. **Satélite estacionário.** *Astron.* Satélite artificial da Terra, o qual possui uma órbita equatorial, que é descrita no sentido da rotação terrestre, completando uma revolução de 24 horas. **Satélite estratégico.** *Astron.* Satélite bélico. **Satélite galileano.** *Astr.* Cada um dos quatro satélites naturais do planeta Júpiter (Io, Europa, Ganimedes, Calisto), descobertos em 1610 pelo físico e astrônomo italiano Galileu Galilei (1564-1642). **Satélite geodinâmico.** *Astron.* Satélite artificial destinado a medir com precisão o movimento da crosta terrestre e as variações na intensidade do seu campo gravitacional. **Satélite geofísico.** *Astron.* Satélite artificial destinado a pesquisa geofísica. **Satélite meteorológico.** *Astron.* Satélite artificial da Terra, destinado a obter informações meteorológicas. **Satélite natural.** *Astr.* Satélite não criado pelo homem. **Satélite nuclear.** *Astron.* Satélite bélico que encerra em sua ogiva uma carga explosiva nuclear. **Satélite passivo.** *Astron.* Satélite de comunicações que serve simplesmente de refletor de ondas eletromagnéticas. **Satélite polar.** *Astron.* Satélite artificial cujo plano da órbita contém o eixo de rotação terrestre. **Satélite regular.** *Astr.* Satélite natural que tem massa da ordem de 1% da massa do principal. **Satélite superficial circular.** *Astron.* Satélite artificial hipotético, que teria uma órbita circular com o semieixo maior igual ao raio equatorial da Terra. **Satélite translunar.** *Astron.* Satélite artificial da Terra, colocado em uma órbita que passa além da Lua.

satelitismo [De *satélite* + *-ismo.*] *S. m.* **1.** Condição de satélite. **2.** *Biol.* Influência que certas bactérias exercem no desenvolvimento de outras no mesmo meio. **3.** *Fig.* Submissão a determinado ditame ou política.

satelitização [De *satelitizar* + *-ção.*] *S. f. Astron.* Ato de colocar em órbita um artefato especialmente construído com esse objetivo: "o Instituto de Pesquisas Espaciais lançou, depois de três tentativas fracassadas, um balão estratosférico de 74 mil m^3, que levou uma carga de 500 quilos de equipamentos científicos na missão Peroba, considerada o passo inicial para o programa de satelitização brasileira." (*Jornal do Brasil*, 20.11.1980).

satelitizador (ô) [De *satelitizar* + *-dor.*] *S. m. Astron.* Foguete, ou veículo intermediário, destinado a pôr em órbita um satélite artificial.

satelitizar [De *satélite* + *-izar.*] *V. t. d. Astron.* Realizar a satelitização de.

satelitizável [De *satelitizar* + *-vel.*] *Adj. 2 g. Astron.* Diz-se de um objeto que pode ser posto em órbita.

sateloide (ói) *S. m. Astron.* Corpo artificial, ou veículo, semelhante a um satélite artificial, mas que usa impulso a motor para permanecer em órbita. ❖

sateré-maué *Bras. S. 2 g.* **1.** *Etnôn.* Indivíduo dos sateré-maués [ou (etnôn. bras.) *Sataré-Mawé], povo indígena do tronco linguístico tupi, que habita os municípios de Maués, Barreirinha, Parintins e Novo Airão (AM). • *Adj. 2 g.* **2.** Pertencente ou relativo a esse povo. [Pl.: *sateré-maués.*]

satilha [De or. obsc.] *S. f. Bot.* Arbusto solanáceo (*Withania somnifera*), nativo da África, do Oriente Médio e Índia, cujas folhas e raízes apresentam propriedades sedativas, muito usadas na medicina indiana.

sátira [Do lat. *satira*, 'oferenda de vários frutos a Ceres'; 'mistura de prosa e verso'.] *S. f.* **1.** *Liter.* Na literatura latina, obra de caráter livre (no gênero, na forma, na métrica), e que censurava os costumes, as instituições e as ideias contemporâneas em estilo irônico ou mordaz. **2.** *Arte Poét.* Composição poética que visa a censurar ou ridicularizar defeitos ou vícios. **3.** Qualquer escrito ou discurso picante ou maldizente, crítico. **4.** Troça, zombaria, ironia. **5.** Censura jocosa. ◆ **Sátira menipeia.** *Liter.* Gênero de sátira (1) sério-cômica, criada por Menipo (v. *menipeu*) e introduzida em Roma por Varrão (116-27 a.C.); é geralmente em prosa, e caracteriza-se pela variedade de temas e pelo interesse na exposição de ideias: *O* Satíricon, *de Petrônio,* Gargântua e Pantagruel, *de Rabelais, e* As Viagens de Gulliver, *de Swift, são exemplos de sátira menipeia.*

satirense *Adj. 2 g.* **1.** De, ou pertencente ou relativo a Sátiro Dias (BA). • *S. 2 g.* **2.** O natural ou habitante de Sátiro Dias.

satirião [Do gr. *satýrion*, pelo lat. *satyrion*, por via pop.] *S. m. Bot.* V. *salepo* (1).

satiríase [Do gr. *satyríasis*, 'excitação mórbida, própria de sátiros', pelo lat. tard. *satyriase.*] *S. f. Med.* Excitação sexual masculina mórbida; ginecomania. [Cf. *afrodisia, hipersexualismo* e *ninfomania.*]

satírico [Do lat. tard. *satiricu.*] *Adj.* **1.** Relativo a sátira. **2.** Que satiriza ou envolve sátira. **3.** *P. ext.* Picante, mordaz, sarcástico. ~ V. *drama* —. • *S. m.* **4.** V. *satirista.*

satirídeo [Do tax. *Satyrus* (gênero-tipo) + *-ideo*[1]; tax. *Satyridae.*] *Zool. S. m.* **1.** Espécime dos satirídeos, família de insetos lepidópteros, ropalóceros, que são borboletas diurnas, de tamanho médio e antenas finas. • *Adj.* **2.** Pertencente ou relativo a eles.

satírio [Do gr. *satýrion*, pelo lat. *satyrion*, por via erudita.] *S. m. Bot.* V. *salepo* (1).

satirista [De *sátira* + *-ista.*] *S. 2 g.* **1.** Autor de sátiras. **2.** Pessoa maledicente, mordaz, sarcástica. [Sin. ger.: *satírico.*]

satirizar [De *sátira* + *-izar.*] *V. t. d.* **1.** Fazer sátira contra: "Gritaram que Raimundo atacava a moralidade pública e satirizava as pessoas mais respeitáveis da província." (Aluísio Azevedo, *O Mulato*, p. 141.) **2.** Criticar com sátira: "Alguns deles [os humoristas] atacam e satirizam, de preferência, os defeitos e as desgraças que são os seus próprios defeitos e as suas próprias desgraças." (Olavo Bilac, *Conferências Literárias*, p. 87.) **3.** Dirigir motejos picantes a. *Int.* **4.** Escrever sátiras.

sátiro [Do gr. *Sátyros*, pelo lat. *Satyru.*] *S. m.* **1.** Semideus lúbrico habitante das florestas, e que, segundo os pagãos, tinha chifres curtos e pés e pernas de bode; egipã. **2.** *Fig.* Homem devasso, luxurioso, libidinoso.

satisdar [Do lat. *satisdare.*] *V. int.* Dar fiança; prestar caução. [Irreg. Conjug.: v. *dar.*]

satisfa *S. f. Bras. Gír.* V. *satisfação.*

satisfação [Do lat. *satisfactione.*] *S. f.* **1.** Ato ou efeito de satisfazer(-se); contentamento. **2.** Contentamento, alegria, deleite, aprazimento. **3.** Pagamento, recompensa, retribuição: *Fez-lhe favores em satisfação de outros recebidos.* **4.** Indenização, reparação, expiação. **5.** Explicação, justificativa, justificação: *Tem de dar satisfação ao pai pela ausência tão longa.* **6.** Conta que se presta a outrem de uma incumbência. [F. red.: *satisfa.*]

satisfatório [Do lat. tard. *satisfactoriu.*] *Adj.* **1.** Que satisfaz. **2.** Sofrível, aceitável, regular, suficiente.

satisfazer [Do lat. *satisfacere.*] *V. t. d.* **1.** Realizar, desempenhar, cumprir: *O chefe satisfez o desejo dos empregados.* **2.** Pagar (uma dívida, um encargo); saldar, liquidar: *Cumpre satisfazer a dívida feita.* **3.** Saciar, mitigar, matar: *satisfazer a fome.* **4.** Agradar, contentar: *A nomeação para o cargo o satisfez.* **5.** Atender, contentar: "A criação da Universidade [que viria a chamar-se Universidade de Coimbra] por D. Dinis, em 1290, ... satisfaz a curiosidade intelectual de certas esferas eclesiásticas." (Feliciano Ramos, *História da Literatura Portuguesa*, p. 87); "O Sr. Érico Veríssimo se tornou escritor para satisfazer a necessidade de uma vocação" (Moisés Velinho, *Letras da Província*, p. 93). **6.** Corresponder ao desejo e à esperança de: *A sua atuação não satisfez o público exigente.* **7.** Reparar, indenizar: *satisfazer danos de guerra.* **8.** Convencer; persuadir: *A explicação não satisfez o aluno.* **9.** *Mat.* Tornar verdadeira (uma igualdade, uma equação ou uma relação): *A raiz 2 satisfaz a equação* $x^2 - x - 2 = 0$. *T. d. e i.* **10.** Reparar, indenizar: *Satisfez a família das ofensas. T. i.* **11.** Contentar; corresponder; bastar: *Os aposentos não satisfizeram às suas exigências.* **12.** Dar execução; obedecer, corresponder. **13.** Cumprir; executar: *Não satisfez com a sua obrigação.* **14.** Ser conveniente; convir: *A proposta não lhe satisfez. Int.* **15.** Corresponder ao que se deseja: "São muitas as definições de 'romance', mas poucas satisfazem." (Euclides Marques Andrade, *Relendo Charles Morgan*, p. 106.) **16.** Ser bastante ou suficiente; bastar; chegar a certa medida ou limite. *P.* **17.** Saciar-se, fartar-se: *O viajante almoçou até satisfazer-se.* **18.** Pagar-se, indenizar-se. **19.** Vingar-se, desforrar-se, desforçar-se: *O filho satisfez-se do agressor do pai.* **20.** Dar-se por satisfeito; contentar-se: *Satisfez-se com uma explicação.* [Irreg. Conjug.: v. *fazer.* Part.: *satisfeito.*]

satisfazível [De *satisfazer* + *-ível.*] *Adj. 2 g.* Que pode ser satisfeito.

satisfeito [Do lat. *satisfactu.*] *Adj.* **1.** Que se satisfez. **2.** Saciado, repleto, farto. **3.** Alegre, prazenteiro, contente. **4.** Executado, realizado, feito.

sativo [Do lat. *sativu.*] *Adj.* Que se semeia ou cultiva.

sátrapa [Do ant. persa *xatrapavan*, 'protetor do império', pelo gr. *satrápes* e pelo lat. *satrapa.*] *S. m.* **1.** Governador de província, na Pérsia antiga. **2.** *Fig.* Homem poderoso, dominador; déspota. **3.** Homem voluptuoso, indolente; sibarita.

satrapear [De *sátrapa* + *-ear*[2].] *V. int.* **1.** Blasonar de grande senhor. **2.** Governar com despotismo. [Conjug.: v. *frear.*]

satrapia [Do gr. *satrapeía*, pelo lat. *satrapia.*] *S. f.* **1.** Cargo ou governo de um sátrapa. **2.** Cada uma das províncias em que estava dividido o antigo Império Persa.

satubense *Adj. 2 g.* **1.** De, ou pertencente ou relativo a Satuba (AL). • *S. 2 g.* **2.** O natural ou habitante de Satuba.

saturabilidade [De *saturável* + *-(i)dade*, seg. o padrão erudito.] *S. f.* Qualidade de saturável.

saturação [Do lat. tard. *saturatione.*] *S. f.* **1.** Ato ou efeito de saturar(-se). **2.** *Fís.* Estado de um vapor em equilíbrio com o seu líquido. **3.** *Fís.* Estado de um material ferromagnético em que a indução magnética tem o valor máximo. **4.** *Fís.-Quím.* Estado de uma solução em que a concentração do soluto é a máxima compatível com as condições de temperatura e pressão da solução. **5.** *Ópt.* Qualidade de uma cor (2) que caracteriza a sua pureza, distinguindo-a de outra do mesmo matiz (4).

saturado [Do lat. *saturatu*; part. de *saturar.*] *Adj.* **1.** Impregnado, embebido, no mais alto grau. **2.** Farto, cheio, repleto: *Saturado, levantou-se da mesa.* **3.** Farto, cheio, enfastiado, aborrecido: *Já me fez muitas desatenções, estou saturado.* **4.** *Quím.* Diz-se de solução que encerra, a temperatura e pressão da experiência, o peso máximo do soluto. **5.** *Quím.* Diz-se de composto orgânico cuja estrutura molecular apresenta apenas ligações simples. ~ V. *gordura —a, hidrocarboneto —, sistema —* e *vapor —*.

saturador (ô) [Do lat. tard. *saturatore.*] *Adj.* **1.** Que satura; saturante. • *S. m.* **2.** Instrumento que satura.

saturante [Do lat. *saturante.*] *Adj. 2 g.* Saturador (1).

saturar [Do lat. *saturare.*] *V. t. d.* **1.** Fartar, encher, saciar: *Não há comida que sature o esfomeado.* **2.** Impregnar, penetrar, repassar: *O mau cheiro saturava o ar.* **3.** Levar à saturação. **4.** Ocupar todas as valências de (um átomo). **5.** Neutralizar (um ácido) por uma base. *T. d. e i.* **6.** Encher inteiramente; impregnar, repassar: *Os fumantes saturaram de fumaça o ambiente.* **7.** Fazer experimentar intensamente; encher, fartar: "esta ideia .... causava-lhe uma emoção desagradável, que ele procurava explicar pela insistência com que o Felisberto lhe espicaçava o fígado, saturando-o de aborrecimento." (Inglês de Sousa, *O Missionário*, p. 246). ***P.*** **8.** Experimentar intensamente; encher-se, fartar-se: "Assistiu [Luís de Camões] a tempestades, tomou parte em combates, sofreu perseguições e saturou-se de desgostos." (Capistrano de Abreu, *Ensaios e Estudos*, 1ª série, p. 155.)

saturável [Do lat. tard. *saturabile.*] ***Adj. 2 g.*** Que se pode saturar.

saturnais [Do pl. de *saturnal.*] ***S. f. pl.*** Antigas festas em honra de Saturno. ~ V. *saturnal.*

saturnal [Do lat. tard. *saturnale.*] ***Adj. 2 g.*** **1.** Relativo ao deus Saturno ou às festas em sua honra, ou próprio dele ou delas; saturnino, saturno. **2.** *P. us.* Orgíaco, saturno. • ***S. f.*** **3.** Festim de libertinagem; orgia. ~ V. *saturnais.*

▲ **saturn(i)-** [Do mit. lat. *Satūrnus, i,* 'Saturno, deus do tempo'; 'Saturno, o planeta'.] ***El. comp.*** = 'saturno': *saturnino* (< lat.), *saturnismo.*

saturnídeo [Do tax. *Saturnia* (< mit. lat. *Saturnia,* 'filha de Saturno, o deus do tempo') + *-ídeo*[1]; tax. *Saturnidae.*] *Zool.* ***S. m.*** **1.** Espécime dos saturnídeos, família de insetos lepidópteros, que são mariposas de grande tamanho. • ***Adj.*** **2.** Pertencente ou relativo a eles.

saturnino [Do lat. *saturninu.*] ***Adj.*** **1.** V. *saturnal* (1). **2.** Em astrologia, diz-se daqueles que nascem sob a influência de Saturno e daqueles que são de temperamento sombrio e melancólico. **3.** Referente ao chumbo e seus compostos [v. *saturno* (2)]. **4.** Diz-se de doença produzida pelo chumbo. • ***S. m.*** **5.** Em astrologia, indivíduo saturnino (2).

saturnismo [De *saturn(i)-* + *-ismo.*] ***S. m.*** *Med.* Envenenamento agudo ou crônico produzido pelo chumbo ou por algum de seus compostos.

saturno [Do mit. lat. *Saturnu.*] ***S. m.*** **1.** *Astr.* O segundo planeta, em volume, do sistema solar, com diâmetro 9,2 vezes maior que o da Terra e densidade oito vezes menor, e cuja constituição física se assemelha à dos outros grandes planetas exteriores: Júpiter, Urano e Netuno. Distingue-se dos demais membros do sistema solar pela formação anelar delgada, situada no plano equatorial e constituída de numerosas partículas de pequenas dimensões que em torno dele gravitam. São sete os anéis principais, separados por anéis escuros [v. *lacuna* (4)]. São conhecidos 18 satélites do planeta. **2.** *Alq. Desus.* Entre os antigos alquimistas, o chumbo. **3.** *Desus.* O tempo (1), que era personificado pelo deus Saturno (Cronos, na mitologia grega). **4.** *Pop.* Calor intenso, sem brisa. • ***Adj.*** **5.** V. *saturnal* (1 e 2). [Com cap., nas acepçs. 1 e 3.]

sauá [Do tupi.] ***S. m.*** **1.** *Bras. Zool.* Designação comum aos mamíferos primatas, cebídeos, gênero *Callicebus,* com cerca de 23 subespécies conhecidas no Brasil. Vivem em bandos e fazem grande alarido nas matas; alimentam-se sobretudo de frutos e folhas tenras, e dificilmente suportam o cativeiro. [Sin.: *uapuçá, iapuçá, japuçá, guigó, guicó, zogó, zogue-zogue, bizogue, boca-d'água.*] **2.** V. *cubiú.* [Var.: *saá.*]

saúba [Do tupi; cf. *saúva.*] ***S. f.*** *Bras. ES Zool.* V. *rabo-aberto.*

saubal (a-u) ***S. m.*** *Bras.* V. *sauval.*

→**sauce béarnaise** [sos beaʁ'nɛz] [Fr.] ***S. f.*** *Cul.* V. *molho bearnês.*

saúco [Do esp. *saúco.*] ***S. m.*** A parte do casco das cavalgaduras situada entre a tapa e a palma.

saudação (a-u) [Do lat. *salutatione.*] ***S. f.*** **1.** Ato ou efeito de saudar. **2.** Cumprimento (2). **3.** Homenagens de respeito e/ou admiração. ◆ **Saudação ao berimbau.** *Bras.* Gesto executado quase obrigatoriamente pelos capoeiristas ao pé do berimbau, *i. e.,* agachados em frente de um dos tocadores de berimbau, antes de iniciarem o jogo e depois de o terminarem. [A forma do gesto varia: ou é o sinal da cruz ou um simples toque no chão com uma das mãos, ou ambas à maneira do candomblé, podendo incluir leve toque no próprio berimbau, etc.] ◆ **Saudação maçônica.** *Maç.* Sinal que os irmãos fazem ao entrar em loja (4).

saudade [Do lat. *solitate,* 'soledade', 'solidão', pelo arc. *soydade, suydade,* poss. com infl. de *saúde.*] ***S. f.*** **1.** Lembrança nostálgica e, ao mesmo tempo, suave, de pessoas ou coisas distantes ou extintas, acompanhada do desejo de tornar a vê-las ou possuí-las; nostalgia: "Saudade! és a ressonância / De uma cantiga sentida, / Que, embalando a nossa infância, / Nos segue por toda a vida!" (Da Costa e Silva, *Pandora,* p. 83); "E uma saudade de casa começou a me agoniar." (José Lins do Rego, *Doidinho,* p. 171). **2.** Pesar pela ausência de alguém que nos é querido. **3.** *Bot.* Designação comum a diversas plantas dipsacáceas, principalmente da espécie *Scabiosa maritima,* e às suas flores; escabiosa, suspiro: "E ela deu-lhe do seio uma saudade / Murcha, e no entanto bela" (Gonçalves Dias, *Obras Poéticas,* II, p. 98). **4.** *Bot.* Planta asclepiadácea (*Asclepias umbellata*). **5.** *Bras. Zool.* V. *assobiador* (4). **6.** *Bras.* Cantiga da terra, entoada pelos marujos no alto-mar. ~ V. *saudades.* ◆ **Ficar na saudade.** V. *ficar a ver navios.* **Deixar na saudade.** V. *deixar a ver navios.* **Rebenqueado das saudades.** *Bras. RS* Que curte a dor das saudades, da separação.

saudade-da-campina ***S. f.*** *Bot.* V. *cega-olho* (1). [Pl.: *saudades-da-campina.*]

saudadense ***Adj. 2 g.*** **1.** De, ou pertencente ou relativo a Saudades (SC). • ***S. 2 g.*** **2.** O natural ou habitante de Saudades.

saudades [Pl. de *saudade.*] ***S. f. pl.*** Cumprimentos, lembranças afetuosas a pessoas ausentes. ~ V. *saudade.*

saudador (a-u... ô) [Do lat. *salutatore.*] ***Adj.*** **1.** Que saúda; saudante. • ***S. 2 g.*** **2.** Aquele que saúda.

saudante (a-u) [Do lat. *salutante.*] ***Adj. 2 g.*** Saudador (1).

saudar (a-u) [Do v. lat. *salutare.*] ***V. t. d.*** **1.** Cumprimentar, salvar, cortejar: "segue rua abaixo, dando as boas-tardes a todas as mulheres que, sentadas às portas, ... a saúdam à passagem." (Natércia Freire, *A Alma da Velha Casa,* p. 82); *Todos saudaram os noivos.* **2.** Dar testemunho exterior de respeito ou adesão a; aclamar: *O povo saudou o novo governo.* **3.** Dar sinais de alegria à vista de; louvar. ***P.*** **4.** Dirigir reciprocamente cumprimentos ou saudações: *Os presentes saudaram-se.* [Pres. ind.: *saúdo, saúdas, saúda, saudamos* (a-u), *saudais* (a-u), *saúdam;* pres. subj.: *saúde, saúdes,* etc.] • ***S. m.*** **5.** Cumprimento, saudação.

saudável (a-u) [Do lat. vulg. **salubile,* pela f. **saudabelle.*] ***Adj. 2 g.*** **1.** Conveniente à saúde; salutar, higiênico: *clima saudável.* **2.** Que tem saúde física; robusto, forte: *criança saudável.* **3.** *P. ext.* Útil, benéfico, proveitoso, vantajoso. **4.** Que tem ou revela saúde de espírito, mentalidade limpa e bem-formada: *Uma pessoa saudável valoriza as belas coisas da vida; Tem um riso saudável; Sua presença é saudável.* **5.** *P. ext.* Que proporciona ao espírito vantagem ou bem-estar; proveitoso, profícuo, benéfico, benfazejo, salutar: *conselho saudável; leitura saudável.*

saúde [Do lat. *salute,* 'salvação', 'conservação da vida'.] ***S. f.*** **1.** Estado do indivíduo cujas funções orgânicas, físicas e mentais se acham em situação normal; estado do que é sadio ou são. **2.** Força, robustez, vigor: *Esta criança está vendendo saúde.* **3.** Disposição do organismo: *É homem de boa saúde.* **4.** Disposição moral ou mental: *saúde de espírito.* **5.** Voto ou saudação que se faz bebendo à saúde de alguém; brinde: *Fizeram-se várias saúdes aos noivos.* • ***Interj.*** **6.** Emprega-se quando alguém espirra. **7.** *Lus.* Emprega-se quando alguém se despede, ou para estimular alguém a ir-se embora. ◆ **Sangrar em saúde.** Desviar antecipadamente a responsabilidade dum ato. **Ter saúde para.** *Bras. Pop.* Ser capaz de suportar, aguentar; ter paciência para: *Ninguém tem saúde para ler o que ele escreve.* **Vender saúde.** Ter saúde excelente: "Papai está bom? .... A você não se pergunta; essa cara é mesmo de quem vende saúde." (Machado de Assis, *Dom Casmurro,* p. 117.)

saudense (a-u) ***Adj. 2 g.*** **1.** De, ou pertencente ou relativo a Saúde (BA). • ***S. 2 g.*** **2.** O natural ou habitante de Saúde.

saudi-arábico ***Adj. S. m.*** V. *árabe-saudita.* [Pl.: *saudi-arábicos.*]

saudita [Do antr. *Ibn Saud,* de certo rei da Arábia, + *-ita*[2].] ***Adj. 2 g. S. 2 g.*** V. *árabe-saudita.*

saudosismo [De *saudoso* + *-ismo.*] ***S. m.*** **1.** Gosto ou tendência para superestimar o passado. **2.** *Liter.* Movimento literário português, essencialmente poético, da primeira metade do séc. XX, que enunciava uma doutrina filosófica muito vaga, baseada nos afetos característicos de uma pretensa "alma portuguesa", e cujo expoente foi o poeta Teixeira de Pascoais (1878-1952).

saudosista [De *saudosismo* + *-ista.*] ***Adj. 2 g.*** **1.** Relativo ao, ou próprio do saudosismo, ou que envolve saudosismo. **2.** Que é partidário dele. • ***S. 2 g.*** **3.** Partidário dele.

saudoso (ô) [Por **saudadoso* (< *saudade* + *-oso*), com haplologia.] ***Adj.*** **1.** Que causa saudades: *Muito lhe doeu a morte do saudoso amigo;* "Vai buscar a flauta, Rufino. Ouçam o Queirós. Não imaginam como ele é saudoso na flauta!" (Machado de Assis, *Várias Histórias,* p. 179). **2.** Que sente saudades: *É muito saudoso do passado;* "E, ao vir do Sol, saudoso e em pranto, / Inda as procuro [às estrelas] pelo céu deserto." (Olavo Bilac, *Poesias,* p. 51). **3.** Que denota saudades: "Pois, se os olhos seco / E não choro mais, / Inda se ouve um eco / De saudosos ais." (José Albano, *Rimas,* p. 111); *Lançou à terra natal, ao partir, um olhar saudoso.*

→**sauerkraut** [zawɐ'kʁawt] [Al., 'repolho azedo'.] ***S. m.*** V. *chucrute.* [Com cap.]

sauí ***S. m.*** *Zool.* **1.** *Bras.* V. *sagui.* • ***S. f.*** **2.** *Bras.* Lagarta-aranha.

sauiá (au-i) [Do tupi.] ***S. m.*** *Bras. Zool.* **1.** V. *rato-de-espinho.* **2.** Roedor equimiídeo (*Echimys armatus*) arborícola, noturno, distribuído das Guianas ao Ceará, de coloração dorsal marrom-avermelhada, com pelos aristiformes com cerca de 30cm, e coloração ventral amarelo-creme; a cauda é comprida, do tamanho do corpo. Prefere para morada as matas ribeirinhas, e emite periodicamente um som característico, que lhe valeu o nome popular de toró (q. v.) ou coró (q. v.).

sauim (au-ím) [Var. de *sauí.*] ***S. m.*** *Bras. Zool.* V. *sagui.*

sauimpiranga (au-ìm) [De *sauim* + *-piranga.*] ***S. m.*** *Bras. Zool.* V. *mico-leão.*

sauim-una (au-ìm) [De *sauim* + *-una.*] ***S. m.*** *Bras. Zool.* Mamífero primata, calitriquídeo (*Leontocebus chrysomela*), restrito ao S. da BA. A coloração do corpo, cara e braços é negra; membros posteriores vermelho-escuros; juba amarelo-ouro, antebraço, mãos e pés amarelo-escuros. Alimenta-se de frutos e insetos. [Sin.: *saguiúna.*] [Pl.: *sauins-unas.*]

sauí-una [De *sauí* + *-una.*] ***S. m.*** *Bras. Zool.* V. *sauim-una.* [Pl.: *sauís-unas.*]

sauna [Do finl.] ***S. f.*** **1.** Banho a vapor, de origem finlandesa, à temperatura de 60 a 80°C; banho finlandês. **2.** Equipamento apropriado para esse banho: *Comprou uma sauna.* **3.** *Fig.* Recinto quente; suadouro: *O cinema estava uma sauna.* **4.** *Bras. Gír.* Recinto fechado onde várias pessoas fumam maconha. [Cf. *saúna.*]

saúna [Do tupi.] ***S. f.*** *Bras. Zool.* Designação comum a dois peixes teleósteos mugilídeos (*Querimana curvidens, Q. brevirostris*), da costa brasileira. Diferem da tainha por terem as nadadeiras dorsal e anal cobertas de escamas e por não terem estrias escuras ao longo do corpo. [Cf. *sauna.*]

sauni ***S. m.*** *Bras. Amaz. Zool.* **1.** V. *bico-de-brasa.* **2.** Tangurupará-de-asa-branca.

saurá [Alter. de *araciuirá.*] ***S. m.*** *Bras. Amaz. Zool.* Ave passeriforme, cotingídea (*Phenicircus carnifex*), da Amaz., de coloração encarnada viva, com as asas, garganta e ponta da cauda pardas, e o dorso pardo-enegrecido. A fêmea é olivácea, lavada de encarnado no alto da cabeça e na cauda, com peito e abdome encarnados. Vive na mata virgem, e alimenta-se de frutas. [Sin.: *anambé, araciuirá, papa-açaí* e *uiratatá.*]

sáurio [De *saur(o)-* + *-io*[3]; tax. *Sauria.*] *Zool.* ***S. m.*** **1.** Espécime dos sáurios, subordem de reptis escamados, cujas formas mais primitivas são tetrápodes, e terrestres ou arborícolas; espécies rastejantes, destituídas de membros, desenvolveram-se, no entanto, em muitas famílias. Têm pele revestida de escamas epidérmicas, vértebras geralmente procelas, órgão copulador duplo e reversível, e fenda cloacal transversal. São os lagartos em geral. • ***Adj.*** **2.** Pertencente ou relativo a eles. [Sin. ger.: *lacertílio.*]

saurísquio [Adapt. do tax. *Saurischia.*] *Paleont.* ***S. m.*** **1.** Espécime dos saurísquios, ordem de dinossauros que apresentam os dois ossos inferiores da bacia unidos por sínfise, como os dos lagartos. Compreende dinossauros terópodes e saurópodes. • ***Adj.*** **2.** Pertencente ou relativo a eles.

▲**saur(o)-** [Do gr. *sauro-* < gr. *saûros, ou.*] ***El. comp.*** = 'lagarto', 'sáurio': *saurógrafo, saurologia.* [Equiv.: *-saur(o)-, -sauro: alepidossaurídeo, megalossauro.*]

▲**-saur(o)-** V. *saur(o)-.*

▲**-sauro** V. *saur(o)-.*

saurófago [De *saur(o)-* + *-fago.*] ***Adj.*** *Zool.* Diz-se de animal que come sáurios ou lagartos.

saurofídio [De *saur(o)-* + *ofídio.*] ***S. m. Adj.*** *Zool.* V. *escamado*[2].

saurografia [De *saur(o)-* + *-grafia.*] ***S. f.*** *Zool.* Descrição ou tratado acerca de reptis sáurios.

saurográfico [De *saurografia* + *-ico*[2].] ***Adj.*** Referente à saurografia.

saurógrafo [De *saur(o)-* + *-grafo.*] ***S. m.*** Especialista em saurografia.

saurólofo [De *saur(o)-* + *-lofo;* tax. *Saurolophus.*] ***S. m.*** *Paleont.* **1.** Gênero de dinossauros ornistíquios, ornitópodes, que tinham de 9 a 12m de comprimento, com grande cabeça dotada de crista que apontava para a região dorsal, como uma superfície óssea achatada que dava continuidade ao crânio. Viveram no cretáceo da América do Norte e da Ásia. **2.** Espécie ou espécime desse gênero.

saurologia [De *saur(o)-* + *-logia.*] ***S. f.*** Parte da zoologia que trata dos reptis sáurios.

saurológico [De *saurologia* + *-ico*[2].] ***Adj.*** Relativo à saurologia.

saurólogo [De *saur(o)-* + *-logo.*] ***S. m.*** Especialista em saurologia.

saurópode [De *saur(o)-* + *-pode*; tax. *Sauropoda*.] *Paleont.* ***S. m.*** **1.** Espécime dos saurópodes, subordem que abrange grandes dinossauros tetrápodes, herbívoros, de pescoço e cauda longos, que viveram nos períodos jurássico e cretáceo, e que inclui, p. ex., o diplódoco e o apatossauro. • ***Adj. 2 g.*** **2.** Pertencente ou relativo a eles.

sauropterígio [De *saur(o)-* + *-pterígio*; tax. *Sauropterygia*.] *Paleont.* ***S. m.*** **1.** Espécime dos sauropterígios, ordem de reptis adaptados à vida aquática, e que engloba os notossauros e plesiossauros. • ***Adj.*** **2.** Pertencente ou relativo a eles.

saururácea [Do tax. *Saururus* (v. *saur(o)-* e *-uro*) + *-ácea*; tax. *Saururaceae*.] ***S. f.*** *Bot.* Espécime das saururáceas, família de plantas da ordem das piperales, formada de plantas herbáceas perenes com folhas alternadas e estipuladas, flores hermafroditas com seis a oito estames e ovário unilocular, e sementes com endosperma e perisperma. Só há duas espécies, nenhuma das quais ocorre no Brasil.

saururáceo [De *saururácea*, com var. suf. (v. *-áceo*).] ***Adj.*** *Bot.* Pertencente ou relativo às saururáceas.

saussuriano (sô) [Do antr. *Saussure* + *-iano*.] ***Adj.*** **1.** De, ou pertencente ou relativo a Ferdinand de Saussure (1857-1913), linguista suíço, ou próprio dele. **2.** Que é profundo conhecedor de sua obra ou adepto de suas teorias linguísticas. • ***S. m.*** **3.** Profundo conhecedor da obra de Ferdinand de Saussure ou adepto de suas teorias linguísticas.

saussurita (sô) [Do antr. (*Horace Bénédict de*) *Saussure* (1740-1799), cientista suíço, + *-ita*[3].] ***S. f.*** Mineral esverdeado, resultante da alteração de certos feldspatos, tais como a albita.

→**sauternes** [so'tɛʁn] [Fr.] ***S. m. 2 n.*** *Enol.* Bordô branco licoroso produzido na região de mesmo nome.

sautor (ô) [Do fr. *sautoir*.] ***S. m.*** *Heráld.* V. *aspa* (3).

saúva [Var. de *saúba*, do tupi.] ***S. f.*** *Bras. Zool.* Designação comum aos insetos himenópteros, formicídeos, gênero *Atta*, distribuído por todo o Brasil. As saúvas são cortadeiras e carregadeiras, utilizando as folhas cortadas e outras substâncias para cultivarem o fungo com que se alimentam. São consideradas a mais importante das pragas agrícolas do Brasil. São sociais, e vivem em formigueiros subterrâneos, formados de várias panelas, canais e olheiros. [Sin.: *formiga-cortadeira, formiga-carregadeira, formiga-de-mandioca, formiga-cabeçuda, formiga-de-roça, lavradeira, roceira, cabeçuda, caçapó, cortadeira, maniuara*.]

sauval (a-u) [De *saúva* + *-al*[1].] ***S. m.*** *Bras.* **1.** Toca ou buraco de saúva. **2.** *P. ext.* Formigueiro (1). [Sin. ger.: *sauveiro*.]

sauveiro (a-u) [De *saúva* + *-eiro*.] ***S. m.*** *Bras.* V. *sauval*.

savacu [Do tupi.] ***S. m.*** *Bras. Zool.* V. *taquiri*.

savacu-de-coroa ***S. m.*** *Bras. Zool.* Ave ciconiiforme, ardeídea (*Nyctanassa violacea*), semelhante ao *taquiri* (q. v.), mas com o alto da cabeça branco, comum nos manguezais desde o litoral dos E.U.A. até o N. do Peru, e Brasil meridional até o RS. [Pl.: *savacus-de-coroa*.]

savana [Do caraíba, pelo esp. *sabana*.] ***S. f.*** **1.** *Ecol.* Planície das regiões tropicais de longa estação seca, com vegetação característica [v. *savana* (2)] e geralmente frequentada por diversos animais. **2.** *Fitogeogr.* Tipo de vegetação caracterizado por dois estratos: um estrato baixo, dominado por gramíneas com subarbustos de folhas grandes e duras, e outro formado de árvores baixas, retorcidas e afastadas entre si, de cascas grossas e fendidas. [Cf. *cerrado* (10 e 11).]

savânico [De *savana* + *-ico*[2].] ***Adj.*** *Fitogeogr.* Referente à, ou da natureza da savana: *mata savânica*.

savanícola [De *savana* + *-i-* + *-cola*[1].] ***Adj. 2 g.*** *Fitogeogr.* Que vive na savana: *árvore savanícola*.

savanização De *savanizar (de *savana* + *-izar*.) + *-ção*.] ***S. f.*** *Ecol.* Transformação de formações florestais em savanas, ger. pelo desmatamento para fins agropastoris, como ocorre, por ex., na Amazônia.

savart [V.C.I., do antr. (*Félix*) *Savart* (1791-1841), físico francês.] ***S. m.*** *Fís.* Unidade de intervalo logarítmico de frequência.

savata ***S. f.*** Savate (q. v.).

savate [Do fr. *savate*.] ***S. f.*** Certa luta francesa, a pontapés. [F. paral.: *savata*.]

saveirista [De *saveiro* + *-ista*.] ***S. 2 g.*** *Bras.* Tripulante e/ou dono de saveiro (3).

saveiro [Do ant. **saveleiro*, *savaleiro*, 'barco para a pesca do sável (sávalo)', < *sável* + *-eiro*.] ***S. m.*** **1.** *Lus.* Embarcação de fundo chato, de forma semelhante à meia-lua (1) (q. v.), de proa mais elevada que a popa, e usada especialmente para conduzir as redes que se lançam em frente à praia. **2.** *Lus.* Homem que tripula esse barco. **3.** *Bras. BA* Embarcação de um ou dois mastros, armando vela bastarda triangular, usada para transporte de passageiros no tráfego do porto, para transporte de carga, ou para pesca, e cujo tamanho varia entre os pequenos e os de 20 a 25 toneladas de deslocamento: "Ao largo vogavam barcos e saveiros" (Xavier Marques, *Jana e Joel*, p. 163). **4.** *Bras. RJ Ant.* Alvarenga.

sável [De or. pré-romana, poss.; céltica, talvez.] ***S. m.*** *Zool.* Peixe marinho clupeídeo (*Clupea alosa*), maior que o arenque, e que só se reproduz em águas doces.

savelha (ê) [De *sável*.] ***S. f.*** *Bras. Zool.* Peixe clupeídeo (*Brevoortia tyrannus aurea*), comum nas costas brasileiras, de coloração prateada, levemente mais escura no dorso. Atinge 30cm de comprimento, e é utilizado mais para óleos, farinha e adubo. [Sin.: *saboga*.]

savica [De or. obscura.] ***S. f.*** Peça da carruagem, que se enfia nas extremidades dos eixos, para pegar na chaveta das rodas.

savitu [Var. de *içabitu*.] ***S. m.*** *Bras. Zool.* V. *bitu*[1].

→**savoir-faire** [sa'vwaʁ fɛʁ] [Fr.] ***S. m.*** Habilidade; esperteza.

→**savoir-vivre** [sa'vwaʁ vivʁ] [Fr.] ***S. m.*** Conhecimento das normas da vida social, do uso da educação, do tato no convívio social.

sax (cs) ***S. m. 2 n.*** **1.** V. *saxofone*. **2.** V. *sax-tenorista*.

saxão (cs) [Do lat. *saxone*.] ***S. m.*** **1.** Indivíduo dos saxões, antigo povo germânico que habitava a Saxônia, região da Alemanha entre o rio Reno e o mar Báltico. **2.** O natural ou habitante da moderna Saxônia (Alemanha). **3.** *P. ext.* Inglês (por haver sido a Inglaterra invadida por diversas tribos saxônias). **4.** *Gloss.* Designação comum a diversos dialetos do baixo alemão. **5.** Vocábulo do saxão (4). • ***Adj.*** **6.** Pertencente ou relativo aos saxões ou saxônios. [Sin. ger.: *saxônio*. Pl.: *saxões*.] ◆ **Saxão ocidental.** *Gloss.* Dialeto do inglês antigo falado no reino saxão de Wessex.

saxátil (cs) [Do lat. *saxatile*.] ***Adj. 2 g.*** **1.** Que habita entre pedras. **2.** Aderente aos rochedos. [Sin. ger.: *saxícola*. Pl.: *saxáteis*.]

sáxeo (cs) [Do lat. *saxeu*.] ***Adj.*** Pétreo: "O calçamento / Sáxeo, de asfalto rijo, atro e vidrento, / Copiava a polidez de um crânio calvo." (Augusto dos Anjos, *Eu*, p. 22.)

saxícola (cs) [Do lat. *saxicola*.] ***Adj. 2 g.*** **1.** V. *saxátil*. • ***S. 2 g.*** **2.** Pessoa que adora pedras.

saxífraga (cs) [Do tax. *Saxifraga* < lat. tard. *saxifraga*.] ***S. f.*** *Bot.* **1.** O gênero-tipo das saxifragáceas, que abrange plantas herbáceas, ger. perenes, que em sua maioria habitam as regiões árticas e temperadas, e dotadas de exuberantes flores pentâmeras e folhas ger. basais, agrupadas em moitas. **2.** Qualquer espécie desse gênero, como, p. ex., a *Saxifraga umbrosa* e a *S. granulata* (v. *saxífraga-branca*). **3.** Qualquer espécime desse gênero. **4.** *Bras.* V. *arrebenta-pedra*.

saxífraga-branca [De *saxífraga* + o f. de *branco*.] ***S. f.*** *Bot.* Erva saxifragácea (*Saxifraga granulata*) robusta, cultivada como ornamental pela beleza das florações maciças. As flores, alvas e vistosas, ordenam-se em panículas. [Sin.: *sanícula-dos-montes*. Pl.: *saxífragas-brancas*.]

saxifragácea (cs) [Do tax. *Saxifraga* (v. *saxífraga*) + *-ácea*; tax. *Saxifragaceae*.] ***S. f.*** *Bot.* Espécime das saxifragáceas, família de plantas floríferas, da ordem das rosales, constituída de ervas e arbustos cujas flores se congregam em inflorescências amplas e compactas. Cálice e corola pentâmeros; estames em dois verticilos; gineceu variado, multiovulado. Existem perto de 1.100 espécies, de terras temperadas; destas, poucas alcançam as montanhas brasileiras, sendo uma delas, a hortênsia (*Hydrangea hortensia*), muito cultivada entre nós nas zonas serranas.

saxifragáceo (cs) [De *saxifragácea*, com var. suf. (v. *-áceo*).] ***Adj.*** *Bot.* Pertencente ou relativo às saxifragáceas.

saxífrago (cs) [Do lat. *saxifragu*.] ***Adj.*** Que quebra ou dissolve pedras.

saxofone (cs) [Do fr. *saxophone*.] ***S. m.*** *Mús.* **1.** Instrumento de sopro, de metal, com tubo cônico, provido de um sistema de chaves semelhante ao do oboé, e de embocadura de palheta simples como o do clarinete. [A família dos saxofones compreende, do agudo para o grave: *sopranino* em mi bemol; *soprano* em si bemol; *alto* em mi bemol; *tenor* em si bemol; *barítono* em mi bemol; *baixo* em si bemol.] **2.** Tocador de saxofone em uma orquestra; saxofonista. [F. red.: *sax*. F. paral., p. us.: *saxofono*.]

saxofonista (cs) [De *saxofone* + *-ista*.] ***S. 2 g.*** *Mús.* Saxofone (2).

saxofono (cs) ***S. m.*** *Mús. P. us.* V. *saxofone*.

saxónico ***Adj.*** V. *saxônico*. [Uso freq. em P.]

saxônico (cs) [Do lat. *saxone*, 'saxão', + *-ico*[2].] ***Adj.*** V. *saxão* (4).

saxónio (cs) ***Adj. S. m.*** V. *saxônio*. [Uso freq. em P.]

saxônio (cs) [Do lat. *saxone*, 'saxão', + *-io*[3].] ***Adj. S. m.*** V. *saxão*.

saxorne (cs) [Do antr. (*Adolphe*) *Sax* (séc. XIX), fabricante de instrumentos, + al. *Horn*, 'trompa'.] ***S. m.*** *Mús.* Instrumento de sopro, de metal, com tubo alongado e cônico, e embocadura de bocal, e dotado de pistões. [A família dos saxornes compreende, do agudo ao grave: o saxorne *sopranino*, pequeno bugle, em mi bemol; o *soprano* ou *bugle*, em si bemol; o *alto*, em mi bemol ou em fá; o *barítono* ou *tenor*, em si bemol; o *baixo*, *bombardino* ou *tuba*, em dó ou em si bemol; o *contrabaixo* ou *tuba*, em mi bemol, dó e si bemol.]

saxoso (csô) [Do lat. *saxosu*.] ***Adj.*** Pedregoso, pedrento.

saxotrompa (cs) [De *saxo(fone)* + *trompa*.] ***S. f.*** *Mús.* Instrumento de sopro, de metal, com três, quatro ou cinco pistões, e cujo tubo é mais cilíndrico e estreito que o dos saxornes.

sax-tenorista ***S. 2 g.*** *Mús.* Tocador de saxofone tenor. [Tb. se diz apenas *sax* e *tenorista*. Pl.: *sax-tenoristas*.]

sazão [Do lat. *satione*, 'sementeira'.] ***S. f.*** **1.** V. *estação* (6): "Na véspera à noite, ao recolher, encontrara .... um rubescente ramo de camélias. Seriam as últimas da sazão" (Aquilino Ribeiro, *O Homem Que Matou o Diabo*, p. 151). **2.** Tempo próprio para a colheita dos frutos. **3.** *Fig.* Ocasião própria; oportunidade, ensejo, azo. [Cf. *sezão*.]

sazonado [Part. de *sazonar*.] ***Adj.*** **1.** Pronto para se colher (fruto); maduro, amadurecido: "Em vez do fruto / Sazonado e maduro, que eu podia / Como em jardim colher, mordi no fruto / Pútrido e amargo" (Gonçalves Dias, *Obras Poéticas*, I, p. 78). **2.** *Fig.* Refletido, ponderado, experimentado.

sazonal [De *sazão* + *-al*[1], seg. o padrão erudito.] ***Adj. 2 g.*** **1.** Relativo a sazão ou estação. **2.** Próprio de, ou que se verifica em uma sazão ou estação. [Sin. ger.: *estacional*]

sazonalidade [De *sazonal* + *-(i)dade*.] ***S. f.*** Qualidade de sazonal.

sazonamento [De *sazonar* + *-mento*.] ***S. m.*** **1.** Ato ou efeito de sazonar(-se). **2.** *Constr.* Tratamento que se dá ao concreto durante alguns dias depois de lançado, com o fim de evitar a evaporação da água de amassamento; cura.

sazonar [De *sazão* + *-ar*[2].] ***V. t. d.*** **1.** Amadurecer, amadurar: *O sol ajuda a sazonar os frutos*; "É a umidade que nas leiras, / De mansinho, / Faz abrolhar as sementeiras, / Sazona, purpura a uva" (Martins Fontes, *Verão*, p. 50). **2.** Dar bom sabor a; temperar: *sazonar uma carne*. **3.** Tornar agradável, interessante. **4.** Tornar experimentado. ***Int. P.*** **5.** Tornar-se maduro: *As maçãs sazonaram-se*. **6.** Tornar-se perfeito; aperfeiçoar-se.

sazonável [De *sazonar* + *-vel*.] ***Adj. 2 g.*** **1.** Que está em condições de sazonar ou amadurecer. **2.** Apropriado para a produção; produtivo: *terras sazonáveis*.

■ **Sb** **1.** *Fotom.* Símb. de *stilb*. **2.** *Quím.* Símb. de *antimônio*.

■ **SBPC** Sigla de *Sociedade Brasileira para o Progresso da Ciência*.

■ **SBR** [Ingl., sigla de *s(tyrene-)b(utadiene)-r(ubber)*.] *Quím.* Copolímero de estireno e butadieno, que é um elastômero us. como borracha sintética na fabricação, p. ex., de pneumáticos.

s-butanol ***S. m.*** *Quím.* Álcool butílico secundário, o 2-butanol [fórm.: $C_4H_{10}O$]. [Pl.: *s-butanóis*.]

■ **Sc** *Quím.* Símb. de *escândio*.

■ **SC** Sigla do Estado de Santa Catarina.

▲**-scafo** Equiv. de *escaf(o)-*.

→**scanner** ['skænɚ] [Ingl.] ***S. m.*** *Inform.* **1.** Qualquer aparelho capaz de captar imagens e convertê-las em um conjunto correspondente de sinais elétricos. **2.** *Restr.* Periférico que realiza a transformação de imagens em dados digitais, ger. na forma de uma matriz de pontos. [Tb. us. como s. f.]

scarbroíta [Do top. *Scarborough* (Inglaterra) + *-ita*[3]; ingl. *scarbroite*.] ***S. f.*** *Min.* Carbonato básico de alumínio.

scheelita [De (*Karl W.*) *Scheele* (1742-1785), químico sueco, + *-ita*[3].] ***S. f.*** *Min.* Tungstato de cálcio, minério do qual se extrai o tungstênio e seus compostos [fórm.: $CaWO_4$].

→**scherzando** [skeɾ'tsando] [It.] ***Adv.*** *Mús.* Executando um trecho musical com rapidez, espírito, graça e leveza.

→**scherzo** ['skeɾtso] [It.] ***S. m.*** *Mús.* **1.** No séc. XVII, tipo de canção profana a várias vozes. **2.** Tipo de composição musical de caráter vivo e alegre, que Beethoven (v. *beethoveniano*) inseriu definitivamente nas grandes formas da sonata, da sinfonia e do quarteto, em substituição ao minueto. **3.** No séc. XIX, composição independente, de caráter dramático: *o scherzo nº 1 de Chopin*.

scheuchzeriácea (xói) [Do tax. *Scheuchzeria* (do antr. *Scheuchzer*, de *Johann Jakob Scheuchzer* e *Johann Scheuchzer*, botânicos suíços do séc. XVIII) + *-ácea*; tax. *Scheuchzeriaceae*.] ***S. f.*** *Bot.* Espécime das scheuchzeriáceas, família de vegetais monocotiledôneos, da ordem das naiadales, ou das alismatales, composta de ervas providas de inflorescências racemosas terminais, e da qual só há uma espécie no hemisfério boreal.

scheuchzeriáceo (xói) [De *scheuchzeriácea*, com var. suf. (v. *-áceo*).] ***Adj. Bot.*** Pertencente ou relativo às scheuchzeriáceas.

schmidtiano ***Adj.*** **1.** Relativo ou pertencente a Augusto Frederico Schmidt (1906-1965), poeta brasileiro, ou próprio dele. **2.** Que é admirador e/ou profundo conhecedor da obra desse autor. • ***S. m.*** **3.** Admirador e/ou profundo conhecedor da obra de Augusto Frederico Schmidt.

→**schnauzer** [ˈʃnawtsɐ] [Al.] ***S. m.*** *Cinol.* Cão originário da Alemanha, de porte médio, pelo duro e espesso, sobrancelhas muito evidentes, bigode abundante e barba rígida. [Com cap.]

→**scholar** [ˈskạlɚ] [Ingl.] ***S. m.*** Homem culto, estudioso, de formação humanística.

→**schottisch** [ˈʃɔtɪʃ] [Al., 'escocês'.] ***S. m.*** V. *xote*. [Com cap.]

schroedense ***Adj. 2 g.*** **1.** De, ou pertencente ou relativo a Schroeder (SC). • ***S. 2 g.*** **2.** O natural ou habitante de Schroeder.

schubertiano ***Adj.*** **1.** Pertencente ou relativo a Franz Schubert (1797-1828), compositor austríaco, ou próprio dele. **2.** Que é grande admirador, seguidor, e/ou profundo conhecedor de sua obra. • ***S. m.*** **3.** Grande admirador, seguidor, e/ou profundo conhecedor da obra de Schubert.

schumanniano [Do antr. al. (*Robert*) *Schumann* + *-iano*.] ***Adj.*** **1.** Pertencente ou relativo a Robert Schumann (1810-1856), compositor alemão, ou próprio dele. **2.** Que é grande admirador, seguidor, e/ou profundo conhecedor de sua obra. • ***S. m.*** **3.** Grande admirador, seguidor, e/ou profundo conhecedor da obra de Schumann.

→**schwabacher** [ˈʃvabaχeʁ] [Al.] ***S. m.*** *Tip.* Tipo gótico alemão, surgido no séc. XV, semelhante ao cursivo e de traços simples e vigorosos, com letras aneladas e caudatas, e usado às vezes como realce. [Com cap.]

→**schwyzerdütch** [ˈʃvitsertytʃ] [Alemânico.] ***S. m.*** *Gloss.* V. *alemânico* (2). [Com cap.]

■ **SCID** [Ingl., sigla de *S(evere) C(ombined) I(mmune) D(eficiency)*.] ***Adj. S. m.*** Diz-se de, ou estado experimental provocado em ratos de laboratório para investigações relativas a doenças, tais como *aids*, câncer, etc., e à ação de drogas, vacinas, etc., com o objetivo de aplicar em doentes que as apresentem os conhecimentos assim obtidos.

→**scilicet** [ˈskilẹkɛt] [Lat., de *scire*, 'saber', e *licet*, 'é permitido'.] Isto é.

▲**-sclero** V. *escler(o)-*.

▲**-scop-** [Do v. gr. *skopeîn*.] ***El. comp.*** = 'ato de ver'; 'examinar': *microscopia*. [V. *-scópio*.]

▲**-scópio** [Do lat. cient. *-scopium* < gr. *-skópion* (como no gr. *meteoroskópion*, 'instrumento para determinar a distância dos astros') v. gr. *skopeîn*.] ***El. comp.*** = 'instrumento para ver, observar': *endoscópio*, *microscópio*. [V. *-scop-*.]

→**scordatura** [skor̄daˈtura] [It.] ***S. f.*** *Mús.* Afinação anormal de uma ou várias cordas de certos instrumentos musicais, ou para aumentar-lhes a extensão ou por motivos técnicos.

scotismo [Do antr. *Scot* + *-ismo*.] ***S. m.*** *Filos.* Doutrina de Duns Scot (1266-1308), teólogo escocês, adversário do aristotelismo e de Tomás de Aquino, intérprete da escolástica e do realismo[1] (5).

■ **SCR** [Sigla do ingl. *silicon-controlled rectifier*, 'retificador controlado de silício'.] *Eletrôn.* V. *tiristor*.

→**scraper** [ˈskɹejpɚ] [Ingl.] ***S. m.*** Máquina de terraplenagem, a motor ou rebocada, que se usa para escavar, transportar e depositar terras.

→**script** [skɹɪpt] [Ingl., lit., 'texto escrito'; 'roteiro (de filme, etc.)'.] ***S. m.*** **1.** Texto dos diálogos e das indicações cênicas de um filme ou de peça teatral, novela de rádio ou televisão. [Cf. *roteiro* (6).] **2.** *Inform.* Programa que consiste numa sequência de instruções escritas numa linguagem própria para o emprego em determinado aplicativo. ◆ **Não estar (algo) no *script*.** *Bras. Pop.* Não estar previsto, não ser o esperado, ou não ser o combinado. [Ger. com referência a acontecimento.]

→**scripta** [ˈskr̄ipta] [Lat.] ***S. f.*** *E. Ling.* Conjunto de convenções gráficas que caracterizam os manuscritos de um *scriptorium* (q. v.).

→**scriptio continua** [ˈskr̄iptẹɔ kɔnˈtinoa] [Lat.] ***S. f.*** *Graf.* Escrita em que não há espaços separando as palavras.

→**scriptorium** [skr̄ẹpˈtorẹ(m)] [Lat.] ***S. m.*** Na Idade Média, recinto, ger. localizado num mosteiro, em que se copiavam livros.

■ **s.d.** Abrev. do lat. *sine data* (q. v.).

■ **SD** [Abrev. de *Secure Digital* (*Card*), '(cartão) digital seguro'.] *Inform.* Formato de cartão de memória capaz de criptografar os dados armazenados.

■ **SDE** Sigla de *Secretaria de Direito Econômico*.

se[1] [Do lat. *se*, acus. do pron. da 3.ª pess.] ***Pron. pess.*** **1.** Usa-se como objeto direto: "Tranquilize-se, que eu, pela minha parte, estou tranquilo." (Alexandre Herculano, *Cartas*, I, p. 107); "Evaristo recusa-se a colaborar conosco." (Vergílio Ferreira, *Aparição*, p. 32). **2.** É us. em verbos pronominais. Tem, por vezes, conservando a condição de objeto direto, caráter reflexivo, ou recíproco: *Feriu-se de leve*; "Vê-se no espelho; e vê, pela janela, / A dolorosa angústia vespertina: / Pálido, morre o sol..." (Olavo Bilac, *Tarde*, p. 54); *Desavieram-se; Trocaram tiros, e mataram-se.* **3.** Indica, frequentemente, a voz passiva, sendo chamado *partícula apassivadora*: "Já se diz há muito ano que honra e proveito não cabem num saco" (Almeida Garrett, *Viagens na Minha Terra*, p. 29); "Leonardo da Vinci, como se sabe, escreveu muitas regras e conselhos acerca da arte da pintura." (Thiers Martins Moreira, *Visão em Vários Tempos*, p. 18). **4.** Emprega-se, ainda, como índice da indeterminação do sujeito: *Vive-se, trabalha-se, passeia-se*; "Todas as palavras são inúteis, / desde que se olha para o céu." (Cecília Meireles, *Obra Poética*, p. 441); "Jantou-se, cantou-se, conversou-se até meia-noite" (Machado de Assis, *Contos sem Data*, p. 16). [Cf. *si, sé, me, nos, vos*.]

se[2] [Do lat. *si*.] ***Conj.*** **1.** Condicional: no caso de; dada a circunstância de que: "Rosas te brotarão da boca, se cantares!" (Olavo Bilac, *Poesias*, p. 173); "Há criaturas que, se a gente as fita, / Sente menos que amor, mais que amizade" (Guimarães Passos, *Versos de um Simples*, p. 58). [Às vezes prevalece à de condição a ideia de causa: *Se és tão rico, como todos sabem, por que não amparas alguns necessitados?* O *se* poderia, perdendo a frase o tom interrogativo, ser substituído por *visto que, dado que, desde que*, etc., mantendo-se perfeitamente o sentido. Observe-se o mesmo fato nestes versos de Olavo Bilac (*Poesias*, 221): "Se por vinte anos, nesta furna escura, / Deixei viver a minha maldição, / Hoje, velha e cansada de tortura, / Minh'alma se abrirá como um vulcão." Outras vezes o *se* traz uma positiva conotação temporal: "Domina [o homem forte], se vive; / Se morre, descansa / Dos seus na lembrança, / Na voz do porvir." (Gonçalves Dias, *Obras Poéticas*, II, p. 43.) Note-se bem: o primeiro *se* = 'enquanto', como também nestes versos de Luís de Camões (*Os Lusíadas*, IV, 100):"Não segue ele do Arábio a lei maldita, / Se tu pola de Cristo só pelejas?"; o segundo *se* = 'quando'. Pode, ainda, seguido de alguns verbos e da prep. *de*, equivaler a 'em vez de, em lugar de': "À tarde a irmã, ao ver como ele dormia, se havia de o chamar para jantar, tapou-o melhor e deixou-o." (Armindo Rodrigues, *A Vida perto de Nós*, p. 55).] **2.** Integrante: se porventura; se por acaso; se acaso: "vou expor-te um plano, um grande plano; quero saber se o aprovas." (Artur Azevedo, *Contos fora da Moda*, p. 131); "nem sabia mesmo se eles chegariam a entendê-lo." (Machado de Assis, *Histórias sem Data*, p. 16). [Cf. *cê* e *si*.]

■ **s.e.** *Bibliogr. Bibliot. Desus.* Sigla de *sem* [nome de] *editor*.

■ **Se** *Quím.* Simb. de *selênio*.

■ **SE** Sigla do Estado de Sergipe.

■ **S.E.** Abrev. de *sudeste* e de *sueste*.

sé [Do lat. *sede*.] ***S. f.*** **1.** Igreja episcopal, arquiepiscopal e patriarcal. **2.** Jurisdição episcopal. [Cf. *catedral* (3) e *sê*, do v. *ser*.] ◆ **Sé patriarcal.** Patriarcal (5). **A Santa Sé.** A Igreja Romana; o poder pontifício. **Velho como a sé de Braga.** Muitíssimo velho.

seabórgio (si) [Do antr. (*Glenn T.*) *Seaborg* (1912-1999), físico norte-americano, + *-io*[3].] ***S. m.*** *Quím.* Elemento transférmico (q. v.) de número atômico 106 [símb.: *Sg*]; uniléxio.

seabrense ***Adj. 2 g.*** **1.** De, ou pertencente ou relativo a Seabra (BA). • ***S. 2 g.*** **2.** O natural ou habitante de Seabra.

seara [Do lat. vulg. **senara*.] ***S. f.*** **1.** Campo de cereais. **2.** Extensão de terra semeada, cultivada. **3.** *Fig.* Agremiação, associação, partido. [Cf. *ceara*, do v. *cear*.] ◆ **Seara alheia.** Domínio ou atribuições de outrem.

searaense ***Adj. 2 g.*** **1.** De, ou pertencente ou relativo a Seara (SC). • ***S. 2 g.*** **2.** O natural ou habitante de Seara.

seareiro [De *seara* + *-eiro*.] ***S. m.*** **1.** Cultivador de seara. **2.** Pequeno lavrador.

sebaça ***S. f.*** *Bras. BA GO* **1.** Tomada de objetos alheios à mão armada. **2.** Assalto a propriedade, acompanhado de roubo.

sebáceo [Do lat. *sebaceu*.] ***Adj.*** **1.** Que é da natureza do sebo; sebento, seboso: "não havia que duvidar-lhes da pátria: indicava-a o cheiro dos seus vestidos, suavemente impregnados do fartum sebáceo de carneiro" (Alexandre Herculano, *Lendas e Narrativas*, II, p. 299). **2.** *Histol.* Que contém ou produz sebo (2). **3.** V. *sebento* (2). **4.** Gorduroso, gordurento. ~ V. *cisto* — e *glândula* —*a*.

sebastianense[1] ***Adj. 2 g.*** **1.** De, ou pertencente ou relativo a São Sebastião (SP). • ***S. 2 g.*** **2.** O natural ou habitante de São Sebastião.

sebastianense[2] ***Adj. 2 g.*** **1.** De, ou pertencente ou relativo a São Sebastião do Passé (BA). • ***S. 2 g.*** **2.** O natural ou habitante de São Sebastião do Passé.

sebastianense[3] ***Adj. 2 g.*** **1.** De, ou pertencente ou relativo a São Sebastião do Tocantins (TO). • ***S. 2 g.*** **2.** O natural ou habitante de São Sebastião do Tocantins.

sebastianense[4] ***Adj. 2 g.*** **1.** De, ou pertencente ou relativo a Sebastião Laranjeiras (BA). • ***S. 2 g.*** **2.** O natural ou habitante de Sebastião Laranjeiras.

sebastianismo [Do antr. *Sebastião* + *-ismo*.] ***S. m.*** O partido, as crenças ou as convicções dos sebastianistas.

sebastianista [Do antr. *Sebastião* + *-ista*.] ***S. 2 g.*** **1.** Designação dada aos que outrora acreditavam (e ainda hoje acreditam, por superstição) na volta de D. Sebastião (1554-1578), rei de Portugal que desapareceu na África. **2.** *Restr.* Caturra, retrógrado, reacionário. **3.** *Bras.* Designação pejorativa dos que continuaram monarquistas após a proclamação da República. **4.** *Bras.* Pessoa que, partidária ardorosa de uma situação política, espera vê-la retornar, quando isso, ao menos aparentemente, é impossível. • ***Adj. 2 g.*** **5.** Do, ou pertencente ou relativo ao rei D. Sebastião: "Nóbrega [Antônio Carlos Nóbrega] não só canta a velha lenda ibérica que nos chegou pela tradição oral, quanto propõe um mergulho no mito sebastianista e sua permanência no modo brasileiro de ser." (Lena Frias, em *Jornal do Brasil*, 31.10.1998.)

sebastianopolense ***Adj. 2 g.*** **1.** De, ou pertencente ou relativo a Sebastianópolis do Sul (SP). • ***S. 2 g.*** **2.** O natural ou habitante de Sebastianópolis do Sul.

sebastião [Do antr. *Sebastião*.] ***S. m.*** *Bras.* **1.** *Zool.* Tubarão carcarrinídeo (*Mustelus canis*) do Atlântico ocidental. Tem o corpo esguio, com até 1,5m de comprimento, dentes pequenos e numerosos, o dorso cinza-oliva ou marrom e o abdome esbranquiçado. Costuma frequentar os litorais, e tem carne apreciada. [Sin.: *bodinho, cação-angolista, cação-de-bico-doce, cação-fiúzo, cação-torrador, canejo, joão-dias, tolo*.] **2.** *Zool.* V. *corucão*. **3.** V. *tolo* (8).

sebastião-de-arruda ***S. m.*** *Bras. Bot.* **1.** Árvore fabácea (*Dalbergia decipularis*) nativa da BA, de flores alvas e depois amareladas, e frutos samariformes, reticulados; a madeira, muito resistente, é us. em marcenaria de luxo. **2.** V. *pau-de-rosas* (1).

sebasto ***S. m.*** Tira de pano, de cor diferente, em vestidos, paramentos, etc.

sebe [Do lat. *sepe*.] ***S. f.*** Cerca de arbustos, ramos, estacas ou ripas entrelaçadas, para vedar terrenos: "Nas sebes orvalhadas, / Entre folhas luzentes como espadas, / Cantavam rouxinóis." (Guerra Junqueiro, *A Velhice do Padre Eterno*, p. 168.) ◆ **Sebe viva.** Cerca feita com plantas; cerca viva.

sebeiro [De *sebo* + *-eiro*.] ***S. m.*** **1.** Pedaço de madeira que os calafates usam para colocar sebo nas brocas, verrumões, etc. **2.** Aquele que prepara e/ou vende sebo: "Prometo .... escrever a favor do comércio, da indústria, ... dos rolheiros, dos sebeiros, dos vinagreiros, dos foleiros" (Machado de Assis, *Crônicas*, I, pp. 235-237). **3.** *Bras. RS* Apelido dado pelos rio-grandinos (v. *rio-grandino*) aos pelotenses.

sebeneta ***S. f.*** *Lus. Cul.* **1.** Sarapatel (1). **2.** Cabidela.

sebenta [F. subst. do adj. *sebento*.] ***S. f.*** *Lus.* V. *apostila* (5): "atravessando lentamente com as minhas sebentas na algibeira o Largo da Feira, avistei sobre as escadarias da Sé Nova, romanticamente batidas pela lua, ..., um homem, de pé, que improvisava." (Eça de Queirós, *Notas Contemporâneas*, p. 367).

sebenteiro [De *sebenta* + *-eiro*.] ***Adj. S. m.*** *Lus.* Que, ou aquele que escreve sebentas, que as confecciona.

sebentice [De *sebento* + *-ice*.] ***S. f.*** **1.** Qualidade de sebento (2). **2.** Sujo na roupa.

sebento [De *sebo* + *-ento*.] ***Adj.*** **1.** V. *sebáceo* (1). **2.** Sujo, imundo, ensebado; sebáceo, seboso. • ***S. m.*** **3.** V. *seboso* (5).

sebereba [De or. tupi, poss.] ***S. f.*** *Bras. N.E.* V. *jacuba* (1).

seberiense (iên) ***Adj. 2 g.*** **1.** De, ou pertencente ou relativo a Seberi (RS). • ***S. 2 g.*** **2.** O natural ou habitante de Seberi.

sebinho [De *sebo* + *-inho*[1].] ***S. m.*** *Bras. Zool.* **1.** Ave passeriforme, cerebídea (*Coereba flaveola chloropyga*), distribuída por todo o Brasil, de dorso acinzentado, uma estria branca sobre os olhos, peito e abdome amarelos, penas da cauda com ponta branca. Alimenta-se de frutas, insetos e néctar de flores, e frequenta pomares e habitações rurais no interior do Brasil. [Sin.: *sebite* ou *sebito, amarelinho, tem-tem-coroado, guaratã, cambacica*.] **2.** Ave passeriforme, tiranídea (*Euscarthmornis nidipendulus*), que ocorre da BA até SP, de dorso verde, parte inferior cinzenta, e abdome branco. Alimenta-se de frutas e insetos, tendo especial predileção pela erva-de-passarinho. **3.** V. *caga-sebo* (1).

sebipira [Var. de *sapupira*.] ***S. f.*** *Bras. Bot.* V. *sapupira-da-mata*.

S

sebipira-falsa [De *sebipira* + o f. de *falso*.] *S. f. Bras. L. Bot.* V. *angelim-pedra*. [Pl.: *sebipiras-falsas*.]

sebista [De *sebo* + *-ista*.] *S. 2 g. Bras.* Proprietário de sebo (3). [Sin., lus.: *alfarrabista*.]

sebite [De *sebo*.] *Adj. 2 g. Bras. N.E. Pop.* **1.** Atrevido, intrometido, adiantado. **2.** Irrequieto, assanhado. **3.** V. *metido a sebo*. ● *S. 2 g.* **4.** *Bras. N.E. Pop.* Indivíduo sebite; sebo. ● *S. m.* **5.** *Bras. N. Zool.* V. *sebinho* (1).

sebito [De *sebo* + *-ito*¹.] *S. m. Bras. PE Pop. Zool.* V. *sebinho* (1).

sebo (ê) [Do lat. *sebu*.] *S. m.* **1.** Substância graxa e consistente, que se encontra nas vísceras abdominais dalguns quadrúpedes. **2.** *Histol.* Produto de secreção das glândulas sebáceas, constituído essencialmente de restos celulares, lipídios, etc., e que desempenha o papel de protetor da pele. **3.** *Bras.* Livraria onde se vendem livros usados; caga-sebo. [Sin. (lus., angol., cabo-verd., moç.): *alfarrabista*.] **4.** *Bras. Chulo* V. *namoro* (1). **5.** *Bras.* Sebite (4). ● *Interj.* **6.** *Gír.* Exprime impaciência, desapontamento, irritação; ora sebo. [Cf. *cebo*.] ◆ **Metido a sebo.** *Bras. Pop.* Diz-se de indivíduo pedante, vaidoso, metido a importante; seboso, sebite: "todo metido a sebo falando difícil, teimoso ...., mas um bocó." (Antônio de Alcântara Machado, *Novelas Paulistanas*, p. 242). **Ora sebo.** *Gír.* Sebo (5). **Passar sebo nas canelas.** *Bras. Pop.* V. *fugir* (1 e 2). **Pôr sebo nas canelas.** *Bras. Pop.* V. *fugir* (1 e 2).

sebo de vênus *S. m. Bras. GO* Esmegma: "Em suas *Lendas do Celeste Império*, Lin Mai conta que a Imperatriz Xulin conservava a juventude de seu rosto graças a um sabonete especial, feito de sebo de vênus, que fiéis súditos e súditas enviavam de todas as partes do vasto império." (Adovaldo Fernandes Sampaio, *Pouco antes da Guerra com os Koguis*, p. 93.) [Pl.: *sebos de vênus*.] ☑

seborreia (éi) [De *sebo* + *-reia*.] *S. f. Derm.* Hipersecreção das glândulas sebáceas; esteatorreia, hiperesteatose. ❖

seborreico (éi) [De *sebor(reia)* + *-reico*.] *Adj.* **1.** Referente a seborreia. **2.** Em que há seborreia. *Derm.* ❖

seborreide *S. f. Derm.* Erupção seborreica.

seboso (ô) [Do lat. *sebosu*.] *Adj.* **1.** V. *sebáceo* (1). **2.** Coberto ou sujo de sebo. **3.** *Bras.* V. *sebento* (2). **4.** *Bras. Pop.* V. *metido a sebo*. ● *S. m.* **5.** *Bras.* Indivíduo sujo, porcalhão, seboso; sebento.

■ **Sebrae** Sigla de *Serviço Brasileiro de Apoio às Micro e Pequenas Empresas*.

sebraju [Var. de *sobraju*.] *S. m. Bras. Bot.* V. *saguaraji*.

sebruno *Adj. S. m. Bras.* V. *cebruno*: "Montou num sebruno gordo, eu no meu rosilho, e tocamos." (Darci Azambuja, *Coxilhas*, p. 55.)

■ **sec** *Mat.* Símb. de *secante*² (3).

■ **sec-** *Mat.* Símb. impr. de *arco secante* (q. v.).

▲ **sec-** *Quím. Pref.* O mesmo que *s-*. [O uso dessa f. não é recomendado.]

seca [Dev. de *secar*.] *S. f.* **1.** Ato de pôr a secar; enxugo. **2.** *Pop.* Maçada, estopada, caceteação, chateação: "— Oh, estas penas elétricas!... Que seca!" (Eça de Queirós, *A Cidade e as Serras*, p. 34.) **3.** *Pop.* Conversa longa. **4.** *Bras. Pop.* Má sorte; azar. **5.** *Bras. RS Pop.* Conversa, prosa, cavaco, bate-papo. **6.** *Bras. MG GO Pop.* Cerimônia; luxo: *pessoa de muita seca*. ● *S. 2 g.* **7.** *Bras. Pop.* Pessoa maçante, importuna, cacete. [Pl.: *secas*. Cf. *seca* (ê) e pl. *secas* (ê); *Seca* (ê), top.; e *ceca*, el. s. f.]

seca (ê) [De *secar*.] *S. f.* **1.** Falta de chuvas; estiagem. **2.** Período em que a ausência ou carência de chuvas acarreta graves problemas sociais e econômicos: *Durante a seca de 1877, só no Ceará e vizinhanças morreram umas 500.000 pessoas de sede, inanição e epidemias.* **3.** *Bras. N.E. Pop.* V. *tuberculose*. [Pl.: *secas* (ê). Cf. *seca* e *secas*, do v. *secar* e s. f., e *ceca*, el. s. f.] ◆ **À seca.** A seco (2).

secação [De *secar* + *-ção*.] *S. f.* Secagem.

seca-d'água (sê) *S. f. Bras. CE Pop.* Inverno longo e rigoroso. [Pl.: *secas-d'água*.]

secadoiro [De *secar* + *-doiro*².] *S. m.* Secadouro (q. v.).

secador (ô) [De *secar* + *-dor*.] *Adj.* **1.** Que seca [v. *secar* (1)]. **2.** Que causa seca (2); maçador, enfadonho, importuno. **3.** *Bras. Pop.* Que dá seca (4); que azara; azarento. ~ V. *cilindro* —. ● *S. m.* **4.** Aparelho ou dispositivo destinado a secar (1); secadora: *secador de cabelos*; *secador de roupa*. **5.** Máquina para secar os grãos do café. **6.** *Bras. BA* Estufa para secar amêndoas de cacau. **7.** Aparelho para dessecar o fumo em folhas ou picado. **8.** Fio ou corda sobre a qual se estende roupa para secar. **9.** *Ind. Pap.* Cilindro secador. **10.** Indivíduo secador (2). **11.** *Bras. Pop.* Indivíduo secador (3). ◆ **Secador monolúcido.** *Ind. Pap.* Grande cilindro secador, de superfície polida, destinado a lustrar a superfície de papel, que contra ele é comprimida por uma prensa cilíndrica de pequeno diâmetro, e o qual, não sendo utilizada essa prensa, pode funcionar como secador comum; cilindro lustrador. [V. *papel monolúcido*.]

secadora (ô) [De *secar* + *-dora*.] *S. f.* Secador (4).

secadouro [De *secar* + *-douro*²; var. de *secadoiro*.] *S. m.* Lugar onde se põe a secar alguma coisa; enxugadouro.

seca-gás [De *secar* + *gás*.] *S. m. Bras. N.E. Pop.* V. *chupa-gás*. [Pl.: *seca-gases*.]

secagem [De *secar* + *-agem*².] *S. f.* Ato ou efeito de secar(-se) ou enxugar(-se); secação.

secante¹ [Do lat. *siccante*, 'que seca', part. pres. de *siccare*, 'secar'.] *Adj. 2 g.* **1.** Que seca. **2.** Que seca, importuna, chateia. ● *S. 2 g.* **3.** Pessoa secante¹ (2). ● *S. m.* **4.** Substância empregada pelos pintores, etc., para fazer secar com facilidade as tintas.

secante² [Do lat. *secante*, 'que corta', part. pres. de *secare*, 'cortar'.] *Adj.* **1.** Que corta. ~ V. *arco* — e *reta* —. ● *S. f.* **2.** *Geom.* Reta que intercepta uma curva em dois pontos. **3.** *Trig.* Função que é o inverso do cosseno [símb.: *sec*]. ◆ **Secante hiperbólica.** *Mat.* Função definida como o inverso do cosseno hiperbólico [símb.: *sech*]. **Secante hiperbólica inversa.** *Mat.* Arco secante hiperbólica. **Secante inversa.** *Mat.* Arco secante.

secantoide (ói) [De *secante*² + *-oide*.] *S. f. Mat.* Curva plana cujas coordenadas cartesianas satisfazem a equação $y = \sec x$. ❖

seção [Var. de *secção*.] *S. f.* **1.** Ato ou efeito de secionar(-se). **2.** Parte de um todo; segmento. **3.** Linha ou superfície divisória. **4.** Divisão ou subdivisão de obra, tratado, estudo: *capítulo dividido em três seções*. **5.** Em história natural, divisão de um gênero. **6.** Numa publicação, local reservado a determinada matéria ou assunto: *seção de esportes*; *seção literária*. **7.** Divisão que abrange certo número de matérias, em um curso: *seção de letras*; *seção de história*. **8.** Cada uma das divisões ou subdivisões de uma repartição pública ou de um estabelecimento qualquer, correspondente a serviço ou assunto determinado; setor: *seção eleitoral*; *seção médica*; *seção de pessoal*; *seção de arte*. **9.** Cada um dos trechos em que se divide o percurso de uma linha de transporte coletivo, e a partir do qual se renova o preço da passagem: *Daqui até onde eu moro são três seções de ônibus.* **10.** O conjunto dos balcões duma loja comercial que vendem um mesmo tipo de mercadoria: *seção de roupas*; *seção de bijuteria*. **11.** *Bot.* Subdivisão do gênero ou do subgênero: *gênero* Phthirusa, *seção* Passowia. **12.** *Cir.* Separação realizada mediante corte de órgão ou de estrutura (11). [Cf. *sessão* e *cessão*.] ◆ **Seção cônica.** *Geom.* V. *cônica*. **Seção de choque.** *Fís. Nucl.* Medida de probabilidade de ocorrência duma interação das partículas de um feixe com as de um meio, igual ao quociente do número de interações por unidade de tempo e por partícula, pela densidade de fluxo; seção eficaz. **Seção eficaz.** *Fís. Nucl.* Seção de choque. **Seção normal.** *Geom.* Seção reta. **Seção plana.** *Geom.* A que um plano determina em um sólido. **Seção reta.** *Geom.* A seção plana normal a um eixo do sólido; seção normal. **Seção rítmica.** Na orquestra de *jazz*, o grupo de instrumentos (piano, contrabaixo, guitarra e bateria) cuja função principal é expressar a pulsação de base, característica desse tipo de música.

secar [Do lat. *siccare*.] *V. t. d.* **1.** Tirar a umidade a; enxugar: *secar a roupa*. **2.** Esgotar, estancar: *O alto consumo de água secou os mananciais.* **3.** Tornar murcho; emurchecer, murchecer, ressequir: *O tempo seca as flores mais viçosas.* **4.** Fazer cessar; interromper: *É impossível secar uma vontade firme.* **5.** Dar seca (2) a; importunar, maçar, cacetear, paulificar. **6.** *Bras. Gír.* Dar azar a; azarar. *Int.* **7.** Deixar de ser úmido: *A camisa já secou.* **8.** Deixar de correr: *O rio secou.* **9.** Murchar, emurchecer, murchecer: *As frutas secaram.* **10.** Sumir(-se); evaporar-se: *A água secou.* **11.** Estancar-se, cessar. **12.** Mirrar(-se), definhar(-se), acabar(-se); secar-se: *A velha senhora secou depois da morte do marido.* **13.** *Bras. Gír.* Dar azar; trazer má sorte. *P.* **14.** Murchar, emurchecer: "Secou-se a rosa... Era rosa" (Laurindo Rabelo, *Obras Poéticas*, p. 162). **15.** Sumir(-se), evaporar: *O álcool secou-se.* **16.** V. *secar* (12): *De tanto sofrer, secou-se.* **17.** Estancar(-se); cessar. **18.** Secar (8): "Murcha-se o ramo, seca-se a corrente" (Alberto de Oliveira, *Poesias*, 1.ª série, p. 226). [Conjug.: v. *trancar*. Pres. ind.: *seco*, *secas*, *seca*, etc.; fut. pret.: *secaria*, etc. Cf. *ceco*, s. m.; *ceca*, el. s. f.; *seco* (ê), s. f.; *seco* (ê), adj. e s. m., e flex. *seca* (ê), *secas* (ê); *Seco* (ê), antr. e top., e *secaria*, s. f.]

secaria [De *secar* + *-ia*¹.] *S. f. Ind. Pap.* Parte da máquina de papel onde ficam os cilindros secadores. [Cf. *secaria*, do v. *secar*.]

secarrão [De *seco* + *-arrão*.] *Adj.* **1.** Muito seco. ● *S. m.* **2.** Indivíduo muito seco (12): "Até o secarrão do velho se emocionava" (Autran Dourado, *O Risco do Bordado*, p. 120). [Fem.: *secarrona*.]

secarrona *S. f.* Fem. de *secarrão*.

secativo [Do lat. tard. *siccativu*, por via semierudita.] *Adj.* **1.** Diz-se de preparação farmacêutica de ação adstringente nos tecidos vivos. ~ V. *óleo* —. ● *S. m.* **2.** *Terap.* Essa preparação. [Cf. *sicativo*.]

secável [De *secar* + *-vel*.] *Adj. 2 g.* Que se pode secar sem inconveniente: *Esta roupa é lavável e secável em máquina.*

secção [Do lat. *sectione*.] *S. f.* Seção.

seccional [De *secção* + *-al*¹, seg. o padrão erudito.] *Adj. 2 g.* Seccional. [Pl.: *seccionais*. Cf. *seccionais*, do v. *seccionar*.]

seccionamento [De *seccionar* + *-mento*.] *S. m.* Ato ou efeito de seccionar.

seccionar [De *secção* + *-ar*², seg. o padrão erudito.] *V. t. d.* *P.* V. *secionar*. [Pres. ind.: *secciono*, ... *seccionais*, *seccionam*; pret. imperf. ind.: *seccionava*, ... *seccionáveis*, *seccionavam*. Cf. *seccionais*, pl. de *seccional*, e *seccionáveis*, pl. de *seccionável*.]

seccionável [De *seccionar* + *-vel*.] *Adj. 2 g.* Secionável (q. v.). [Pl.: *seccionáveis*. Cf. *seccionáveis*, do v. *seccionar*.]

secessão [Do lat. *secessione*.] *S. f.* **1.** Ação de se desligar ou separar daquele ou daquilo a que se estava unido; separação. **2.** Separação de parte de um Estado para a constituição de outro: *guerra de secessão*; "Vocês no Brasil, por míngua de desenvolvimento econômico, a qual por sua vez decorre da falta de ferro, estão ameaçados duma tal intensificação do regionalismo que não me admirarei se desfechar em secessão." (Monteiro Lobato, *América*, p. 32).

secessionismo [De *secessão* (*secession-*) + *-ismo*, seg. o padrão erudito.] *Adj. 2 g.* Tendência, propensão a secessão, a separação.

secessionista [De *secessão* (*secession-*) + *-ista*, seg. o padrão erudito.] *Adj. 2 g.* **1.** De, ou relativo a secessão. **2.** Que é partidário da secessão (2). ● *S. 2 g.* **3.** Partidário dela.

secesso [Do lat. *secessu*.] *S. m. Desus.* Lugar afastado; retiro, esconso.

■ **sech** *Mat.* Símb. impr. de *arco secante hiperbólica* (q. v.).

■ **sech**⁻¹ *Mat.* Símb. de *secante hiperbólica*.

sécia [De or. incerta.] *S. f.* **1.** Mulher elegante, mas afetada, presumida. **2.** Espécie de roupão para senhora ou para menina. **3.** Veneta, capricho, mania. **4.** Predicado, prenda, atributo. **5.** *Bot.* Erva asterácea (*Callistephus chinensis*) anual, híspida, nativa na China, de folhas ovadas e profundamente denteadas, e capítulos terminais, vistosos, cujas cores variam do branco ao violáceo.

sécio [De or. incerta.] *Adj. S. m.* **1.** Que, ou aquele que se veste com afetação; presumido, casquilho, janota. **2.** Que, ou aquele que se saracoteia muito.

secional [Var. de *seccional*.] *Adj. 2 g.* Referente a seção. [Pl.: *secionais*. Cf. *secionais*, do v. *secionar*.]

secionamento [De *secionar* + *-mento*.] *S. m.* Ato ou efeito de secionar(-se).

secionar [Var. de *seccionar*.] *V. t. d.* **1.** Dividir em seções [v. *seção* (2)]; cortar. *P.* **2.** Dividir-se, cortar-se. [Pres. ind.: *seciono*, ... *secionais*, *secionam*; pret. imperf. ind.: *secionava*, ... *secionáveis*, *secionavam*. Cf. *secionais*, pl. de *secional*, e *secionáveis*, pl. de *secionável*.]

secionável [Var. de *seccionável*.] *Adj. 2 g.* Que se pode ou deve secionar. [Pl.: *secionáveis*. Cf. *secionáveis*, do v. *secionar*.]

seco (ê) [Do lat. *siccu*.] *Adj.* **1.** Desprovido de umidade, ou de líquido; enxuto: *o leito seco de um rio*; *palha seca*. **2.** Sem umidade atmosférica, ou sem chuva: *clima seco*; *vento seco*; *trovoada seca*. **3.** Sem vegetação; árido: *terra seca*. **4.** Diz-se da planta, ou de parte dela, que está ressequida ou murcha: *galho seco*. **5.** Privado da umidade ou do líquido que lhe é natural: *garganta seca*. **6.** Diz-se dos alimentos aos quais, mediante determinados processos, se extraiu a umidade, para melhor conservação: *carne seca*; *frutas secas*. **7.** Diz-se do pão ou de outro alimento que se come sem manteiga nem outro conduto. **8.** Magro, descarnado. **9.** *Fig.* Diz-se de ruído sem ressonância: *uma pancada seca*. **10.** *Fig.* De poucas palavras; sério, austero, severo: *Seu feitio seco impunha respeito geral.* **11.** *Fig.* Ríspido, rude, áspero: "No fim de contas, aquela recusa grosseira, seca, o ofendia!..." (Aluísio Azevedo, *O Mulato*, p. 222.) **12.** *Fig.* Que não manifesta carinho ou ternura; que não se deixa enternecer: *É uma pessoa seca, mas compreensiva.* **13.** *Fig.* Sem ornatos; severo, despojado: *estilo seco*. **14.** *Fig.* Sem rodeios; direto, objetivo: *informação seca e precisa*. **15.** *Pop.* Esgotado; vazio. **16.** Desejoso, sequioso: *Está seco por sair.* ~ V. *alfândega* —*a*, *avalancha* —*a*, *corte* —, *dique* —, *dobra* —*a*, *estufa* —*a*, *farinha* —*a*, *fio* —, *friso* —, *gangrena* —*a*, *lei* —*a*, *matriz* —*a*, *missa* —*a*, *névoa* —*a*, *ofsete* —, *pane* —*a*, *pedra* —*a*, *pilha* —*a*, *pólvora* —*a*, *recitativo* —, *relevo* —, *tirão* —, *tosse* —*a*, *verga* —*a* e *vinho* —. ● *S. m.* **17.** Lugar ou terreno seco, enxuto. **18.** *Bras. N.* Baixio de areia deixado a descoberto pela vazante. [Flex.: *seca* (ê), *secos* (ê), *secas* (ê). Cf. *seco*, *seca*, *secas*, do v. *secar*; *seca*, s. f., pl. *secas*; *ceco*, s. m., e *ceca*, el. s. f.] ~ V. *secos*. ◆ **A seco.** **1.** Sem qualquer provento. **2.** Apenas com o ordenado, sem comida; à seca. **3.** *Mús.* Diz-se do canto sem acompanhamento instrumental. **Em seco.** *Mar.* Diz-se da embarcação que se encontra inteiramente fora da água. **Mariscar no seco.** *Bras.* Bicar na terra à busca de insetos, grãos, etc. (a ave).

▲seco- [Do lat. *sec(tare)*, 'cortar', + *-o-*.] *Quím.* ***El. comp.*** Indica derivado de composto cíclico, no qual o anel foi aberto: *secologanina.*

secobarbital [De *seco-* + *barbital.*] ***S. m.*** *Quím.* Barbiturato, substância hipnótica de ação breve, us. antes da anestesia [fórm.: $C_{12}H_{17}NaN_2O_3$].

seco-fico (sê) [T. onom.] ***S. m. 2 n.*** *Bras. Zool.* V. *saci* (2).

secologanina [De *seco-* + *loganina.*] ***S. f.*** *Quím.* Substância sólida que é um glicosídeo isômero da loganina e participa na biossíntese de certos alcaloides [fórm.: $C_{17}H_{26}O_{10}$].

seco na paçoca (sê) ***Adj.*** *Bras. BA* V. *valentão* (1). [Pl.: *secos na paçoca.*] ☑

secos (ê) [Pl. de *seco.*] ***S. m. pl.*** Mantimentos sólidos ou secos, por oposição a *molhados* (q. v.): *armazém de secos e molhados.* ~ V. *seco.*

secreção [Do lat. *secretione*, 'separação'.] ***S. f.* 1.** *Fisiol.* Produto específico elaborado por glândula. **2.** *Fisiol.* Qualquer substância oriunda de secreção (1). **3.** *Geol.* Enchimento, parcial ou total, de cavidade existente na rocha, por infiltração de substâncias minerais. **4.** *P. ext.* Excreção. ◆ **Secreção interna.** *Fisiol.* Secreção, por certas glândulas do corpo, de hormônios que entram na circulação sanguínea.

secreta [F. subst. do adj. *secreto.*] ***S. f.* 1.** Em algumas universidades, tese defendida apenas em presença dos lentes. **2.** *Lit.* Oração que o celebrante da missa dizia em voz baixa, antes do prefácio (2). **3.** *Pop.* V. *latrina* (1). ● ***S. m.* 4.** Agente da polícia secreta.

secretante [De *secretar* + *-nte.*] ***Adj. 2 g.*** Que (se) segrega ou secreta.

secretar [Do lat. *secretus*, 'separado', + *-ar*[2].] ***V. t. d.*** Segregar (2).

secretaria [De *secretário* + *-ia*[1].] ***S. f.* 1.** Local ou repartição onde se faz o expediente relativo a qualquer administração e se guardam ou arquivam os documentos importantes. **2.** Ministério (6): *a Secretaria da Justiça.* [Cf. *secretária.*]

secretária [Fem. de *secretário.*] ***S. f.* 1.** Mulher que exerce as funções de secretário (1 a 4). **2.** Mesa onde se escreve e onde se guardam documentos importantes; secretário: "Braga Lopes apontou para uma carta aberta sobre a secretária de pau-rosa." (Artur Azevedo, *Contos fora da Moda*, p. 33.) **3.** *P. us.* Mulher que é confidente (2) de outrem. [Cf. *secretaria*, do v. *secretariar* e s. f.] ◆ **Secretária eletrônica.** Aparelho eletrônico acoplado ao telefone (2), e que se destina a gravar e a transmitir mensagens quando o destinatário do telefone está ausente ou impedido de atender. [Sin., lus.: *atendedor de chamadas.*]

secretariado [De *secretário* + *-ado*[2].] ***S. m.* 1.** Cargo ou função de secretário. **2.** O tempo que dura tal função. **3.** Local onde o secretário exerce as suas funções. **4.** O conjunto dos secretários de Estado. **5.** Setor administrativo sob a direção do secretário-geral: *o secretariado das Nações Unidas.*

secretariar [De *secretário* + *-ar*[2].] ***V. t. d.* 1.** Exercer as funções de secretário (1 a 5) junto de; ser secretário de: *Durante mais de um ano secretariou o Presidente.* ***Int.* 2.** Exercer as funções de secretário. [Pres. ind.: *secretario, secretarias, secretaria*, etc. Cf. *secretário* e *secretária.*]

secretário [Do lat. med. *secretariu.*] ***S. m.* 1.** Aquele que transcreve as atas das sessões duma assembleia. **2.** Aquele que se desincumbe de determinadas redações, que se ocupa da organização e do funcionamento de uma assembleia, de uma sociedade, de um serviço administrativo: *secretário de um partido político; secretário da Prefeitura.* **3.** Pessoa que no serviço público ou privado tem por função classificar, estenografar, dactilografar, digitar e redigir correspondência (2), classificar documentos, etc. **4.** Aquele que, trabalhando sob as ordens de alguém, se desincumbe de seus afazeres pessoais: *O seu secretário particular providenciou tudo para o bom êxito da comemoração.* **5.** *Bras.* Aquele que, no governo de um estado (9 a 11), exerce funções equivalentes às de ministro (3). **6.** Em certos países, ministro (3). **7.** Aquele que guarda os segredos de outrem. **8.** Livro que contém modelos de cartas. **9.** V. *carreira diplomática.* **10.** Secretária (2). **11.** *Maç.* Um dos oficiais de uma loja (4). **12.** *Bras.* Indivíduo que o cocheiro trazia à boleia, e encarregado de oferecer o coche aos transeuntes. [Cf. *secretario*, do v. *secretariar.*] ◆ **Secretário de Estado.** Título do ministro das Relações Exteriores dos E.U.A., e do cardeal que exerce essas funções no Vaticano. **Secretário de frente.** Profissional de espetáculo de diversões que chega antes às localidades a fim de licenciar o espetáculo, promover a publicidade, escolher o local de apresentação, etc.

secretário-geral ***S. m.* 1.** Título daquele que, num organismo público ou privado, se encarrega dos assuntos de ordem administrativa e organiza efetivamente o trabalho. **2.** Título do funcionário que ocupa o mais alto cargo administrativo em certas organizações: *o secretário-geral das Nações Unidas.* [Pl.: *secretários-gerais.*]

secreto [Do lat. *secretu*, 'separado'.] ***Adj.* 1.** Que não se pode, ou só a custo se pode descobrir, encontrar ou localizar; escondido, ignorado, oculto: *tesouro secreto; porta secreta.* **2.** Que deve ser conhecido apenas de um número limitado de pessoas; confidencial: *documentos secretos; informações secretas.* **3.** Restrito a um domínio reservado; impenetrável em virtude do mistério que o cerca: *ritos secretos; linguagem secreta.* **4.** Íntimo, interior, particular: *ambição secreta;* "Ninguém te viu o sentimento inquieto, / Magoado, oculto e aterrador, secreto, / Que o coração te apunhalou no mundo." (Cruz e Sousa, *Últimos Sonetos*, p. 18). [Sin. ger., p. us.: *segredo.*] ~ V. *agente —, língua —a, partes —as, serviço —* e *testamento —.* ● ***S. m.* 5.** *Ant.* Segredo.

secretor (ô) [Do lat. *secretus*, 'separado', + *-or.*] ***Adj. S. m.*** Que, ou aquilo que segrega. ~ V. *componente —.*

secretório [Do lat. *secretus*, part. pass. de *secernere*, 'separar', + *-ório.*] ***Adj.* 1.** Que segrega; secretor. **2.** Em que se dão secreções [v. *secreção* (1)].

sectário [Do lat. *secta*, 'seita', + *-ário.*] ***Adj.* 1.** Relativo ou pertencente a seita. **2.** *Fig.* Intolerante, intransigente: *indivíduo sectário; atitude sectária.* ● ***S. m.* 3.** Membro de uma seita. **4.** *Fig.* Partidário ferrenho; prosélito: "Assim como o órgão foi feito para reboar pelas arcarias profundas de uma catedral gótica, ... do mesmo modo o sino foi perfilhado pelo cristianismo para convocar os seus humildes sectários ocupados nos trabalhos campestres." (Alexandre Herculano, *Lendas e Narrativas*, II, p. 130). **5.** Indivíduo sectário.

sectarismo [De *sectário* + *-ismo.*] ***S. m.* 1.** Estreito espírito de seita. **2.** Espírito ou atitude sectária; intolerância.

sectarista [De *sectarismo* + *-ista.*] ***Adj. 2 g.*** Que revela sectarismo: *atitude sectarista.*

séctil [Do lat. *sectile.*] ***Adj. 2 g.*** Que se pode cortar. [Pl.: *sécteis.*]

secto ***Adj.*** *Bot.* ~ V. *folha —a.*

▲-secto [Do lat. *sĕctus, a, um*, part. pass. de *secāre*, 'cortar', 'separar'.] ***El. comp.*** = 'separado', 'segmentado': *bissecto, pedatissecto.*

sector (ô) ***S. m.*** Setor: "Desdobrava [Ladislau Neto] a sua operosidade em vários sectores." (Abelardo Duarte, *Ladislau Neto*, p. 117.)

sectura [Do lat. *sectura.*] ***S. f.*** Retalhação de substâncias medicinais com instrumentos cortantes.

secular [Do lat. *saeculare.*] ***Adj. 2 g.* 1.** Que se faz de século a século. **2.** Referente a século. **3.** Que data de um século; centenário: *casa três vezes secular.* **4.** Que existe há séculos: "Recresce o fogo em mares .... / E após .... tombam as selvas seculares ...." (Castro Alves, *Poesias Escolhidas*, p. 259). **5.** Muito antigo; antiquíssimo: *ruínas seculares.* **6.** Pertencente ao século (9); profano, leigo, temporal: *autoridade secular.* **7.** *Ecles.* Diz-se de eclesiástico(s) que participa(m) do século (10), da vida civil (em oposição àquele(s) pertencente(s) a uma ordem religiosa): *padre secular; clero secular.* ~ V. *aberração —, ano —, instituto —* e *paralaxe —.*

secularidade [Do lat. med. *saecularitate.*] ***S. f.* 1.** Qualidade de secular. **2.** Ato ou dito próprio de leigos ou pessoas seculares. **3.** Estado do clero secular.

secularização [De *secularizar* + *-ção.*] ***S. f.* 1.** Ato ou efeito de secularizar(-se). **2.** Fenômeno histórico dos últimos séculos, pelo qual as crenças e instituições religiosas se converteram em doutrinas filosóficas e instituições leigas. **3.** Transferência de um bem clerical a uma pessoa jurídica de direito público. **4.** Tomada de terras e bens da Igreja pelos nobres, ocorrida durante a Reforma Protestante.

secularizando [De *secularizar* + *-ando.*] ***S. m.*** Aquele que vai ser secularizado.

secularizar [De *secular* + *-izar.*] ***V. t. d.* 1.** Tornar secular ou leigo (o que era eclesiástico). **2.** Sujeitar à lei civil: *secularizar instituições religiosas.* **3.** Dispensar dos votos monásticos. [Nesta acepç., cf. *desfradar.*] **4.** Tomar (terras ou bens da Igreja): *Muitos nobres viram na Reforma uma possibilidade de secularizar terras da Igreja.* ***P.* 5.** Deixar de pertencer a uma ordem, ou à vida religiosa: "Agora o padre ...., se quiser secularizar-se, e entrar outra vez no mundo .... não é fácil" (Rebelo da Silva, *De Noite Todos os Gatos São Pardos*, p. 89).

seculo [Do quimb. *sekulu*, 'tio'; 'ancião do povo'.] ***S. m.*** *Angol.* Chefe de povoação ou conselheiro do soba: "Sempre que era chamado à tarefa de 'cidadão português no exercício de funções públicas', o seculo Paulino envergava o velho casacão verde" (Costa Andrade, *Estórias de Contratados*, p. 40). [Cf. *século.*]

século [Do lat. *saeculu.*] ***S. m.* 1.** Período de 100 anos, cujo início ou fim é determinado em relação a um momento arbitrariamente definido; centúria, centenário: *Fez-se no Museu de Arte Moderna uma exposição de um século de pintura americana.* **2.** Período de 100 anos, numerados de 1 a 100, de 101 a 200, de 201 a 300, etc., e contados a partir de um ponto inicial cronológico, em especial a partir da data do nascimento de Cristo: *século II d.C.; os pintores do século XVII.* **3.** Período de 100 anos: *Minha bisavó viveu exatamente um século.* **4.** Período de mais ou menos 100 anos, considerado como uma realidade histórica em virtude de certas características: *um século de progresso; um século de misticismo.* **5.** Tempo ou época notabilizada por algum fato extraordinário: *o século de Platão; o século da máquina a vapor; o século das Cruzadas.* **6.** Espaço de tempo muito longo: *Demorou um século para entregar o trabalho; Há séculos não é visto.* [Nesta acepç. é m. us. no pl.] **7.** Época, era: *mentalidade de outro século.* **8.** O tempo atual. **9.** O mundo, a vida no mundo considerado sob seus aspectos materiais, profanos, utilitários. **10.** *P. ext.* Vida secular (em oposição à vida religiosa). [Cf. *seculo*, s. m., e *Céculo*, mit.] ◆ **Do século.** Diz-se do que, ou de quem, num setor artístico, esportivo, científico ou administrativo, se considera como a grande realização de uma época: *a obra do século; o filme do século; o atleta do século.* **Por séculos dos séculos.** V. *por todos os séculos de séculos.* **Por todos os séculos de séculos.** Eternamente; para sempre; por séculos dos séculos: "preceito sagrado de tradição, portanto, que era preciso guardar, agora e sempre, por todos os séculos de séculos" (João da Silva Correia, *Farândola*, p. 21).

secundagem [De *secund(i)-* + *-agem*[2].] ***S. f.*** *Prop.* O tempo de duração, indicado em segundos, de comercial, *spot*, filmete, etc. [Cf. *minutagem.*]

secundar [Do lat. *secundare.*] ***V. t. d.* 1.** Auxiliar, ajudar (em funções); coadjuvar: *O estudo da geografia secunda o da história.* **2.** Fazer ou tentar fazer pela segunda vez. **3.** *Bras.* Responder, replicar. **4.** *Bras.* Tornar a fazer ou a dizer; repetir, reforçar: *Secundou o pedido do irmão, demonstrando grande empenho.* [F. paral.: *segundar*. Fut. pret.: *secundaria*, etc. Cf. *secundária*, fem. de *secundário.*]

secundário [Do lat. *secundariu.*] ***Adj.* 1.** Segundo[1] (1): *curso secundário.* **2.** Que é de menor importância em relação a outrem ou a outra coisa: *Desempenha na peça um papel secundário.* **3.** De pouco valor; insignificante, inferior: *Sua influência na literatura é secundária; É questão de interesse secundário.* **4.** *Bras.* Dizia-se, antes da atual reforma, do ensino ou instrução de grau intermediário entre o primário e o superior, e do curso ou do estabelecimento em que se ministrava essa instrução. **5.** Que lecionava no curso secundário. **6.** Que se destinava ao curso secundário: *gramática secundária.* ~ V. *acento —, articulação —a, bateria —a, carbono —, constrição —a, cor —a, cratera —a, enrolamento —, era —a, espermatócito —, estrutura —a, foco —, fogo —, folículo —, fonte —a, genitália —a, leitor —, lisossomo —, memória —a, mercado —, metabolismo —, metabólito —, mineral —, qualidade —a, quimioprofilaxia —a, radical —, rêmiges —as, setor —* e *sucessão —a.* ● ***S. m.* 7.** O curso secundário [v. *secundário* (4)]. **8.** *Astr.* Satélite (1). **9.** *Eng. Elétr.* Num transformador, indutância através da qual passa o fluxo magnético variável gerado pela corrente elétrica que é fornecida ao aparelho, e de onde se retira a tensão ou a corrente transformada; enrolamento secundário. **10.** *Geol. Obsol.* Era mesozoica.

secundarista [De *secundário* + *-ista.*] ***S. 2 g.*** *Bras.* Estudante do curso secundário.

▲secund(i)- [Do lat. *secūndus, a, um.*] ***El. comp.*** = 'segundo'; 'segunda vez'; 'segundo lugar': *secundina, secundípara.* [Equiv.: *secund(o)-*: *secundogênito.*]

secundifloro [De *secund(i)-* + *-floro.*] ***Adj.*** *Bot.* Que tem as flores inseridas de um lado só do eixo florífero: *espiga secundiflora.*

secundina [De *secund(i)-* + *-ina*[1].] ***S. f.* 1.** *Bot.* Tegumento interno do óvulo. **2.** Pelico (2). ~ V. *secundinas.*

secundinas [Pl. de *secundina.*] ***S. f. pl.*** *Obst. P. us.* Placenta e membranas expulsas após o nascimento. [Sin.: (tb. p. us.) *páreas* e (bras., pop.) *companheiras, derradeiras.*]

secundípara [De *secund(i)-* + *-para.*] ***S. f.*** *Obst.* Duípara.

secundíparo [De *secund(i)-* + *-paro.*] ***Adj.*** *Obst.* Duíparo.

▲secund(o)- Equiv. de *secund(i)-.*

secundogénito ***Adj. S. m.*** V. *secundogênito.* [Uso freq. em P. F. paral.: *segundogénito.*]

secundogênito [De *secund(o)-* + *-gênito.*] ***Adj.* 1.** Que foi gerado em segundo lugar. ● ***S. m.* 2.** Aquele que foi gerado em segundo lugar; filho segundo. [F. paral.: *segundogénito.*]

secura [De *seco* + *-ura*.] *S. f.* **1.** Qualidade de seco; sequidão. **2.** Ausência de umidade. **3.** Sede (ê) (1). **4.** Frieza, dureza, aspereza; sequidão. **5.** *Bras. N.E. Pop.* Desejo ardente, sobretudo de natureza sexual.

secure *S. f.* V. *segure.*

▲**securi-** [Do lat. *secūris, is.*] *El. comp.* = 'machadinha': *securiforme, securipalpo.*

securiforme [De *securi-* + *-forme.*] *Adj. 2 g.* Cuja forma é de machadinha ou secure.

securígero [Do lat. *securigeru.*] *Adj. Hist. Nat.* Que tem órgão ou apêndice securiforme.

securipalpo [De *securi-* + *palpo.*] *Adj. Zool.* Que tem palpos securiformes.

securitário [Do rad. ingl. *securit-* (< *security*, 'garantia', < lat. *securitas, atis*, 'segurança') + *-ário.*] *Adj.* **1.** Concernente a seguros. ● *S. m.* **2.** *Bras.* Funcionário de companhia de seguros.

securitização [De *securitizar* + *-ção.*] *S. f. Econ.* Operação de crédito caracterizada pelo lançamento de títulos com determinada garantia de pagamento. ◆ **Securitização da dívida.** *Econ.* Consolidação de uma dívida mediante a emissão, pelo devedor, de novos títulos, que incluem garantias adicionais. **Securitização de exportações.** *Econ.* Operação de empréstimo externo caracterizada pelo lançamento de títulos garantidos por receitas futuras de exportação.

securitizar [Do rad. ingl. *securit-*, como em *securitário*, + *-izar.*] *V. t. d.* Efetuar a securitização de.

seda (ê) [Do lat. *saeta*, 'cerda de porco', que na Idade Média deve ter-se aplicado ao fio da seda.] *S. f.* **1.** Fio natural segregado pelo bicho-da-seda (q. v.). **2.** *Tec. Têx.* Tecido fabricado com esse fio. **3.** *Tec. Têx.* Qualquer tecido fabricado com fibra vegetal ou sintética cuja consistência lembra a da seda (2); seda artificial. **4.** *Bras.* Pessoa delicada, amável. **5.** *Irôn.* Pessoa melindrosa, demasiado sensível; não me toques. **6.** *Bras. Gír.* Papel fino para enrolar cigarro de maconha. [Pl.: *sedas* (ê). Cf. *seda* e *sedas*, do v. *sedar*, e *ceda* (ê), *cedas* (ê), do v. *ceder.*] ~ V. *sedas.* ◆ **Seda artificial.** *Tec. Têx.* Seda (3). **Seda bruta.** *Tec. Têx.* Seda crua. **Seda crua.** *Tec. Têx.* Seda em rama, ou seda apenas fiada ou torcida, em fase de preparação para tecer; seda bruta. **Seda selvagem. 1.** A que é extraída do casulo de lagartas que não o bicho-da-seda. **2.** *Tec. Têx.* Tecido fabricado com seda selvagem. **Rasgar seda.** *Bras.* Desmanchar-se (duas pessoas) em amabilidades mútuas.

sedã [Do ingl. *sedan*, f. red. do ingl. *sedan-chair.*] *S. m.* Carro de passeio destinado, em geral, a quatro ou cinco pessoas: "surge um sedã azul e quase esmaga um outro menino, caído nas rodas traseiras." (Clarival do Prado Valadares, *Riscadores de Milagres*, p. 30). [Cf. *cupê.*]

seda-azul *S. f. Bras. Zool.* Telão-de-seda-azul. [Pl.: *sedas-azuis.*]

sedação [Do lat. *sedatione.*] *S. f.* Ato ou efeito de sedar[1].

sedaceiro [De *sedaço* + *-eiro.*] *S. m.* Indivíduo que trabalha em sedaços [v. *sedaço* (1)].

sedaço [De *seda* + *-aço.*] *S. m.* **1.** Seda rala para peneira. **2.** Peneira de seda. **3.** Instrumento próprio para coar leite.

seda-do-mar *S. f. Zool.* V. *bisso* (3). [Pl.: *sedas-do-mar.*]

seda do mar *S. f. Zool.* V. *bisso* (3). [Pl.: *sedas do mar.*] ☑

sedal[1] [Do lat. *sedes*, 'assento', + *-al*[1].] *Adj. 2 g. Anat.* Respeitante ao ânus; anal.

sedal[2] [De *seda* + *-al*[1], poss.] *S. m. Med. Obsol.* Meada (1) introduzida num trajeto subcutâneo visando a manter supuração, com objetivo terapêutico; sedenho.

sedalha [De *seda* + *-alha.*] *S. f.* Sedela.

sedalina [De *seda* + *-lina*, term. de *tricolina, popelina* e outros nomes de tecidos.] *S. f. Tec. Têx.* Certo tecido que lembra a seda (2).

➔**sedan** [sɪ'dæn] [Ingl.] *S. m.* V. *sedã.*

seda-palha [De *seda* + *palha.*] *S. f. Bras. Tec. Têx.* Palha de seda: "Ela trocara o vestido cor-de-rosa pelo outro, o de seda-palha, que só tinha usado uma vez." (Mário Palmério, *Chapadão do Bugre*, p. 27.) [Pl.: *sedas-palhas* e *sedas-palha.*]

sedar[1] [Do lat. *sedare.*] *V. t. d.* **1.** Acalmar, serenar (aquele ou aquilo que estava excitado). **2.** Moderar a ação excessiva de (um órgão ou um sistema). [Pres. ind.: *sedo, sedas, seda*, etc.; pres. subj.: *sede, sedes, ... sedem.* Cf. *cedo* (ê), adv.; *seda* (ê), s. f., pl. *sedas* (ê); *sede* (ê), s. f., pl. *sedes* (ê); *sedém*, s. m.; o pres. ind. e pres. subj. do v. *ceder*; e *Cédar*, top. e antr.]

sedar[2] [De *seda* + *-ar*[2].] *V. t. d.* V. *assedar.* [Pres. ind.: *sedo, sedas, seda*, etc.; pres. subj.: *sede, sedes, ... sedem.* Cf. *cedo* (ê), adv.; *seda* (ê), s. f., pl. *sedas* (ê); *sede* (ê), s. f., pl. *sedes* (ê); *sedém*, s. m.; o pres. ind. e pres. subj. do v. *ceder*; e *Cédar*, top. e antr.]

sedas (ê) [Pl. de *seda.*] *S. f. pl.* **1.** Pelos ásperos e longos dalguns animais: "as sedas da juba de um leão irritado." (Rebelo da Silva, *Contos e Lendas*, p. 180). **2.** *Pop.* Trajes de seda. **3.** Crinas de cavalo, impregnadas de resina, estendidas entre as duas extremidades do arco de certos instrumentos musicais de corda, e que servem para friccionar-lhes as cordas. ~ V. *seda.*

sedativo [De *sedar*[1] + *-tivo.*] *Adj.* **1.** Que seda ou acalma; calmante: *medicamento sedativo; O remédio tem ação sedativa, vai tirar-lhe a excitação;* "o sussurro do rio, as vozezinhas dos pequenos insetos ainda tornavam mais sedativa e profunda a inquebrantável imobilidade das coisas." (Graça Aranha, *Canaã*, p. 2). ● *S. m.* **2.** *Farm.* Qualquer substância de efeito sedativo (1). [Cf. *tranquilizante* (3).]

seda-vegetal (êd) *S. f. Bot.* V. *cipó-de-sapo.* [Pl.: *sedas-vegetais.*]

sede [Do lat. *sede*, 'assento'.] *S. f.* **1.** Lugar onde alguém pode sentar-se. **2.** Assento de pedra fixado na parede, junto à janela. **3.** Centro de governo duma diocese ou paróquia. **4.** A casa principal de uma ordem religiosa. **5.** Lugar onde se fixa um tribunal, um governo, uma administração, ou onde uma empresa comercial tem o seu principal estabelecimento. **6.** Ponto em que se concentram certos fatos ou fenômenos: *O cérebro é a sede do pensamento; Para muitos o Cristo é a sede do amor.* **7.** Lugar onde sucede um acontecimento: *Os Estados Unidos da América são uma das principais sedes das pesquisas espaciais.* **8.** *Tec.* Parte do corpo de uma válvula contra a qual se aperta ou se justapõe o tampão. [Pl.: *sedes.* Cf. *sede* (ê), s. f., pl. *sedes* (ê); *cede* e *cedes*, do v. *ceder*; e *sede, sedes*, do v. *sedar.*] ◆ **Sede gestatória.** A cadeira do Papa.

sede (ê) [Do lat. *site.*] *S. f.* **1.** Sensação experimentada na boca e na garganta e acompanhada de desejo imperioso de ingerir líquido; secura: "Dar de comer a quem tem fome, / Dar de beber a quem tem sede ...." (Antônio Nobre, *Só*, p. 43). **2.** *Fig.* Desejo veemente; cobiça, avidez: *sede de ouro; sede de sangue* **3.** *Pop.* Desejo de vingança. **4.** *Fig.* Impaciência, ânsia, aflição. **5.** Falta de umidade; secura. [Pl.: *sedes* (ê). Cf. *sede* e *sedes*, do v. *sedar* e s. f., e *cede, cedes*, do v. *ceder.*] ◆ **Sede de água.** *Pop.* Porção de água suficiente para saciar a sede. **Ir com muita sede ao pote.** Mostrar-se muito sôfrego, pouco ponderado, imprudente.

sedear [De *seda* + *-ear*[2].] *V. t. d.* Escovar (objetos de ourivesaria) com sedas. [Conjug.: v. *frear.* Part.: *sedeado.* Cf. *sediado.*]

sedeca [De *sede* (1)]. *S. f. Bras. N.E. Pop.* V. *diarreia.*

sedeiro [De *seda* + *-eiro.*] *S. m.* Instrumento próprio para assedar; rastelo.

sedela [De *seda* + *-ela.*] *S. f.* Cordel de sedas que sustenta o anzol, na pesca à linha; sedalha.

sedém [Var. apocopada de *sedenho.*] *S. m. Bras. N.E. MG Pop.* V. *sedenho* (4 e 5). [Cf. *sedem*, do v. *sedar*, e *cedem*, do v. *ceder.*]

sedenho [De *seda* + *-enho*, ou do esp. *sedeño.*] *S. m.* **1.** *P. us.* Sedal[2]. **2.** *Ant.* Cilício de sedas ásperas e mortificadoras. **3.** *Bras.* Crina cortada de que se fazem cordas. **4.** *Bras. Zool.* A cauda das reses e o respectivo cabelo; sedém (q. v.). **5.** *Bras. N.E. MG Pop.* Assento, nádegas, traseiro; sedém (q. v.).

sede-novense *Adj. 2 g.* **1.** De, ou pertencente ou relativo a Sede Nova (RS). ● *S. 2 g.* **2.** O natural ou habitante de Sede Nova. [Pl.: *sede-novenses.*]

sedentariedade [De *sedentári(o)* + *-edade.*] *S. f.* **1.** Qualidade de sedentário. **2.** Vida sedentária.

sedentário[1] [Do lat. *sedentariu.*] *Adj.* **1.** Que está comumente sentado; que anda ou se exercita pouco; inativo. **2.** Próprio de sedentário (1): *Leva uma vida sedentária.* **3.** Que tem habitação fixa. ● *S. m.* **4.** Aquele que tem vida sedentária.

sedentário[2] [Adapt. do tax. *Sedentaria.*] *Zool. S. m.* **1.** Espécime dos sedentários, ordem de anelídeos, poliquetas, cujo corpo apresenta duas ou mais regiões, com somitos e parápodes diferentes. Vivem em tubos ou galerias, alimentando-se de detritos ou plânctons. ● *Adj.* **2.** Pertencente ou relativo a eles. [Sin. ger.: *criptocéfalo.*]

sedentarismo [De *sedentário*[1] + *-ismo.*] *S. m.* Hábitos sedentários; vida sedentária.

sedentarizar [De *sedentário* + *-izar.*] *V. t. d. Int. P.* Tornar(-se) sedentário; fixar(-se) em determinado local: *A destruição da floresta dificulta a atividade de caça dos índios e os sedentariza; Assim que o homem se sedentarizou, começa a luta pela posse da terra.* **2.** Ter vida sedentária: *O videogame sedentariza as crianças; Casou-se e sedentarizou-se.*

sedente [Do esp. *sediente*, poss.] *Adj. 2 g. Poét.* Sedento. [Cf. *cedente.*]

sedento (ê) [De *sede* (ê) + *-ento.*] *Adj.* **1.** Que tem sede; sequioso. **2.** *Fig.* Muito desejoso ou ávido: *sedento de prazer.*

sederento [De *sede* (ê) + *-r-* + *-ento.*] *Adj. Desus.* Sedento: "E em cristal brilhante mão encantadora, / Mão de claros dedos água me servia; / Sederento bebo" (Alberto de Oliveira, *Poesias*, 2ª série, p. 234).

sede-sede (sê ... sê) [Voc. onom.] *S. m. Bras. Zool.* V. *saci* (2). [Pl.: *sede-sedes.*]

sedestre [Do rad. do v. lat. *sedere*, 'assentar', + *-estre.*] *Adj. 2 g.* Que está sentado. ~ V. *estátua —.*

sedeúdo [De *seda.*] *Adj.* V. *sedoso* (3).

sédia [Do it. *sedia.*] *S. f.* Cadeira, assento: "Venerou os renques elevados de um lado e do outro, onde se colocavam as sédias acadêmicas" (Pedro Nava, *O Círio Perfeito*, p. 346).

sediado [De *sede* + *-iado.*] *Adj.* Que tem sede (3 a 5): *estabelecimento sediado no Recife.* [Cf. *sedeado*, part. de *sedear.*]

sediar [De *sede* + *-iar*[2].] *V. t. d.* Servir de sede a; hospedar, abrigar: *Esta cidade sediará os jogos olímpicos.*

sedição [Do lat. *seditione.*] *S. f.* Perturbação da ordem pública; agitação, sublevação, revolta, motim: "Os outros comentavam os acontecimentos da cidade: assassinatos bárbaros, roubos, catástrofes, às vezes sedições." (Coelho Neto, *Treva*, p. 331.)

sedicioso (ô) [Do lat. *seditiosu.*] *Adj.* **1.** Que tem o caráter de sedição. **2.** Que incita à sedição ou dela participa. **3.** Indócil, indisciplinado. ● *S. m.* **4.** Indivíduo sedicioso.

sedígero [De *seda* + *-i-* + *-gero.*] *Adj.* Que produz seda.

sedimentação [De *sedimentar* + *-ção.*] *S. f.* **1.** Formação de sedimentos. **2.** *Geol.* Processo pelo qual substâncias minerais ou rochosas, ou substâncias de origem orgânica, se depositam em ambiente aquoso ou aéreo.

sedimentado [Part. de *sedimentar*[2].] *Adj.* **1.** Que sedimentou. **2.** *Fig.* Que está assentado, firme, bem fundado: *cultura sedimentada.*

sedimentador (ô) [De *sedimentar*[2] + *-dor.*] *Adj.* **1.** Que sedimenta. ● *S. m.* **2.** *Tec.* Tanque de sedimentação de onde se recolhe a lama sedimentada, que se quer obter isenta do líquido da suspensão original. [Cf. *clarificador* (3).]

sedimentar[1] [De *sedimento* + *-ar*[1].] *Adj. 2 g.* Resultante de processo de sedimentação; sedimentário, sedimentoso. ~ V. *bacia — e rocha —.*

sedimentar[2] [De *sedimento* + *-ar*[2].] *V. int.* **1.** Formar sedimentos. *T. d.* **2.** *Fig.* Tornar estável; dar sedimento a; consolidar: *Conseguimos sedimentar nossa amizade.* [Fut. pret.: *sedimentaria*, etc. Cf. *sedimentaria*, fem. de *sedimentário.*]

sedimentário [De *sedimento* + *-ário.*] *Adj.* V. *sedimentar*[1]. [Fem.: *sedimentária.* Cf. *sedimentaria*, do v. *sedimentar.*]

sedimento [Do lat. *sedimentu.*]. *S. m.* **1.** Substância depositada, pela ação da gravidade, na água ou ao ar. **2.** Camada que as águas, ao retirarem-se, deixam depositada. **3.** V. *borra* (ô) (1). [Cf. *cedimento.*] ◆ **Sedimento terrígeno.** *Geol.* Depósito oriundo de processos erosivos na superfície da terra firme, e sedimentado tanto no continente quanto no fundo dos oceanos. **Sedimento urinário.** *Patol.* Matéria sólida existente na urina, e que, quando esta é posta em frasco, em repouso, na posição vertical, se deposita no fundo dele, ao cabo de certo tempo.

sedimentologia [De *sedimento* + *-logia.*] *S. f. Geol.* Ramo da geologia que estuda a gênese dos sedimentos e o processo de formação das rochas.

sedimentológico [De *sedimentologia* + *-ico*[2].] *Adj. Geol.* Relativo à sedimentologia.

sedimentometria [De *sedimento* + *-metria.*] *S. f. Tec.* Método de análise granulométrica mediante a sedimentação das partículas num fluido, sob a ação da força da gravidade.

sedimentométrico [De *sedimentometria* + *-ico*[2].] *Adj.* Relativo à sedimentometria.

sedimentoscopia [De *sedimento* + *-scop-* + *-ia*[1].] *S. f. Patol.* Exame laboratorial de sedimento urinário.

sedimentoscópico [De *sedimentoscopia* + *-ico*[2].] *Adj.* Relativo a, ou realizado mediante sedimentoscopia.

sedimentoso (ô) [De *sedimento* + *-oso.*] *Adj.* **1.** Que tem muitos sedimentos. **2.** V. *sedimentar*[1].

sedinha [De *seda* + *-inha.*] *S. f.* **1.** *Bras. S. Bot.* Planta ciperácea, existente às margens de lagos e banhados, e cujas flores, dispostas em blocos brancos, têm cheiro adocicado. [Sin.: *cambraia.*] **2.** *Tec. Têx.* Tecido fino de algodão ou de seda: "O quarto respirava o frescor e aroma de jardim por duas vastas janelas, providas magnificamente .... dum toldo rolando na cimalha, dum estore de sedinha frouxa" (Eça de Queirós, *Contos*, pp. 96-97).

sedonho [De *sedas* (1) + *-onho.*] *S. m.* Doença dos suínos que faz nascerem-lhes pelos nas goelas.

sedosidade [De *sedoso* + *-(i)dade.*] *S. f.* Qualidade de sedoso.

sedoso (ô) [Do lat. *saetosu.*] *Adj.* **1.** Que tem seda [v. *seda* (1)]. **2.** Semelhante à seda: "Cabelos negros, finos, anelados, / Sedosos como retrós" (Austro-Costa, *Mulheres e Rosas*, p. 39). **3.** Que tem pelos; peludo, piloso; sedeúdo.

sedução [Do lat. *seductione.*] *S. f.* **1.** Ato ou efeito de seduzir ou ser seduzido. [Sin. (p. us.): *seduzimento.*] **2.** Qualidade de sedutor. **3.** Atração, encanto, fascínio. **4.** *Dir. Penal Obsol.* Crime que consistia em iludir mulher virgem, maior de 14 e menor de 18 anos, valendo-se da sua inexperiência ou justificável confiança para manter com ela conjunção carnal.

sédulo [Do lat. *sedulu.*] ***Adj.*** Ativo, cuidadoso, diligente. [Fem.: *sédula.* Cf. *cédula.*]

sedutor (ô) [Do lat. *seductore.*] ***Adj.*** **1.** Que seduz, atrai ou encanta. ● ***S. m.*** **2.** Aquele que seduz. **3.** Indivíduo que se aproveita de uma mulher por sedução (4).

seduzimento [De *seduzir* + *-mento.*] ***S. m. P. us.*** Sedução (1).

seduzir [Do lat. *seducere.*] ***V. t. d.*** **1.** Inclinar artificiosamente para o mal ou para o erro; desencaminhar: *Os prazeres seduzem muitos homens.* **2.** Enganar ardilosamente. **3.** Desonrar, recorrendo a promessas, encantos ou amavios: *Seduziu a menor.* **4.** Atrair, encantar, fascinar, deslumbrar: *Bela e culta, seduz quantos a conhecem;* "Ele [Charles Dickens] adorava o teatro e nada o seduzia mais do que a ideia de se tornar um profissional da ribalta." (Eugênio Gomes, *Espelho contra Espelho*, p. 202). **5.** Levar à rebelião; revoltar, sublevar. **6.** Subornar para fins sediciosos. [Irreg. Conjug.: v. *aduzir.*]

seduzível [De *seduzir* + *-vel.*] ***Adj. 2 g.*** Que pode ser seduzido.

sefaradita ***Adj. 2 g. S. 2 g.*** V. *sefardim.*

sefardim [Do hebr. tard. *sephāradhī*, naturais de *Sepharadh*, provável região da Ásia Menor que posteriormente os emigrantes asiáticos identificaram com a Península Ibérica.] ***Adj. 2 g. S. 2 g.*** Diz-se de, ou judeu descendente dos primeiros israelitas de Portugal e da Espanha, expulsos, respectivamente, em 1496 e 1492; sefaradita, sefardita.

sefardita ***Adj. 2 g. S. 2 g.*** V. *sefardim.*

sega [Dev. de *segar.*] ***S. f.*** **1.** Ato ou efeito de segar; ceifa, segada, segadura. **2.** O tempo que dura a ceifa; segada, segadura. [Pl.: *segas.* Cf. *sega* (ê), s. f., pl. *segas* (ê), e *cega, cegas*, do v. *cegar* e flex. de *cego.*]

sega (ê) [Do ár. *sikka(t).*] ***S. f.*** Ferro que se adapta ao timão do arado, adiante da relha, a fim de facilitar a lavra e cortar as raízes. [Pl.: *segas* (ê). Cf. *sega* e *segas*, do v. *segar* e s. f., e *cega, cegas*, do v. *cegar* e flex. de *cego.*]

segada [De *segar* + *-ada*[1].] ***S. f.*** V. *sega.* [Cf. *cegada*, s. f. e part. de *cegar.*]

segadeira [De *segar* + *-deira.*] ***S. f.*** Ceifeira (2).

segadoiro [De *segar* + *-doiro*[1].] ***S. m.*** Segadouro (q. v.).

segador (ô) [De *segar* + *-dor.*] ***Adj.*** Que, ou aquele que sega; ceifeiro.

segadouro [De *segar* + *-douro*[1].] ***Adj.*** **1.** Que serve para segar. **2.** Que está em condições de ser segado ou ceifado. [Var.: *segadoiro.*]

segadura [De *segar* + *-dura.*] ***S. f.*** V. *sega.*

segão [De *sega* (ê) + *-ão*[2].] ***S. m.*** Sega do arado.

segar [Do lat. *secare*, 'cortar', por via pop. Cf. *secar*, do lat. *siccare.*] ***V. t. d.*** **1.** Ceifar, cortar: "as moças que segavam erva de pernas roxas à mostra" (Aquilino Ribeiro, *Quando ao Gavião Cai a Pena*, p. 235). **2.** Pôr fim a; acabar com. ***Int.*** **3.** Ceifar: "O ceifeiro que segas cantando, / Ó moleiro das estradas, / Carros de bois, chiando..." (Antônio Nobre, *Só*, p. 27.) [Conjug.: v. *regar*. Pres. ind.: *sego, segas, sega*, etc. Cf. *cego*, adj. e s. m., flex. *cega, cegas; cego, cegas, cega*, do v. *cegar*; este verbo; e *sega* (ê), s. f., pl. *segas* (ê).]

sege [Do fr. *siège*, 'assento'.] ***S. f.*** **1.** Coche fora de uso, com duas rodas e um só assento, fechado com cortinas na parte dianteira: "No momento em que minha avó saía do adro para ir à cadeirinha, ... aconteceu espantar-se uma das bestas de uma sege" (Machado de Assis, *Quincas Borba*, p. 9). **2.** *P. ext.* Qualquer carruagem: "as vastas seges douradas atroando os ares com o fragor das suas rodas altas" (Olavo Bilac, *Ironia e Piedade*, p. 149).

segeiro [De *sege* + *-eiro.*] ***S. m.*** **1.** Fabricante de seges. **2.** *P. ext.* Fabricante de carruagens.

segetal [Do lat. *segetale.*] ***Adj. 2 g.*** **1.** Referente a searas. **2.** Que cresce nas searas.

segmentação [De *segmentar*[2] + *-ção.*] ***S. f.*** **1.** Ato ou efeito de segmentar[2]. **2.** *Market.* Análise de mercado, e que identifica classes ou grupos de consumidores com necessidades, características ou comportamentos semelhantes. [Pode ser feita do ponto de vista psicográfico, de renda, de ramo de atividade, etc., e visa ger. a orientar o desenvolvimento de produtos e/ou estratégias de *marketing* para cada classe ou grupo identificado.]

segmentado [Part. de *segmentar*[2].] ***Adj.*** **1.** Dividido em segmentos. **2.** A que se tirou segmento(s). **3.** Formado de segmentos; segmentar, segmentário. **4.** *Market.* Relativo a segmentação (2): *divulgação segmentada; cadastro segmentado; campanha segmentada; lista segmentada.*

segmental [De *segmento* + *-al*[1].] ***Adj. 2 g.*** Relativo a segmento, ou que é composto de segmentos. ~ V. *fonologia —.*

segmentar[1] [De *segmento* + *-ar*[1].] ***Adj. 2 g.*** **1.** Relativo a segmento: *linha segmentar.* **2.** Formado de segmentos; segmentado. [Sin. ger.: *segmentário.*]

segmentar[2] [De *segmento* + *-ar*[2].] ***V. t. d.*** **1.** Dividir em segmentos. **2.** Tirar segmento a. **3.** *Market.* Fazer a segmentação (2). [Fut. pret.: *segmentaria*, etc. Cf. *segmentária*, fem. de *segmentário.*]

segmentário [De *segmento* + *-ário.*] ***Adj.*** V. *segmentar*[1]. [Fem.: *segmentária.* Cf. *segmentaria*, do v. *segmentar.*]

segmentável [De *segmentar* + *-vel.*] ***Adj. 2 g.*** Que se pode dividir em segmentos.

segmento [Do lat. *segmentu.*] ***S. m.*** **1.** Porção de um todo; seção. **2.** Porção bem delimitada, destacada de um conjunto. **3.** *Bot.* Porção em que se subdividem as folhas partidas, fendidas e sectas. **4.** *E. Ling.* Unidade sonora mínima que pode ser identificada na cadeia da fala, como uma vogal ou uma consoante. **5.** *Geom.* Porção do círculo compreendida entre a corda e o arco respectivo. **6.** *Geom.* Porção limitada de uma reta. **7.** *Market.* Segmento de mercado (q. v.). **8.** *Telev.* Cada uma das sequências de um programa de TV, transmitidas sem intervalo. [Cf. *seguimento* e, nesta acepç., *bloco* (10).] ◆ **Segmento circular.** *Geom.* Qualquer das duas superfícies planas limitadas por uma circunferência e uma secante. **Segmento de mercado.** *Market.* Cada um dos grupos de consumidores determinado no processo de segmentação (2). [Tb. se diz apenas *segmento.*] [Cf. *nicho* (7), *público-alvo* e (ingl.) *target.*] **Segmento esférico.** *Geom.* Sólido limitado por uma zona e pelos planos de suas bases.

segnícia [Do lat. *segnitia.*] ***S. f.*** Indolência, apatia, preguiça, lentidão. [F. paral.: *segnície.*]

segnície [Do lat. *segnitie.*] ***S. f.*** V. *segnícia.*

segredamento [De *segredar* + *-mento.*] ***S. m. P. us.*** Ato de segredar: "sacudo as folhas do alto da cabeça / e cai um aviso, mania de segredamento" (Ana Cristina César, *Inéditos e Dispersos*, p. 188).

segredar [De *segredo* + *-ar*[2].] ***V. t. d. T. d. e i.*** **1.** Dizer em voz baixa, em segredo; cochichar: "inclinou-se para a companheira, com o leque à boca, risonha, segredando uma confidência." (Coelho Neto, *Turbilhão*, p. 251); "Pendurou-se no pescoço do Vulcão e segredou-lhe: / Vovô, os dois vão chegar amanhã, nesta mesma hora!" (Antônio Celso, *O Girassol de Ouro*, p. 75); "um guarda embuçado entregou-me um embrulho, segredando-me qualquer aviso" (Geir Campos, *O Vestíbulo*, p. 15). ***Int.*** **2.** Dizer segredos; cochichar: "Ora, uma vez alguém que ali passava: / — 'Tão lindas mãos lavando!' exclama. Achega-se / E segreda." (Alberto de Oliveira, *Poesias*, 3.ª série, p. 77.) [Pres. ind.: *segredo*, etc. Cf. *segredo* (ê).]

segredeiro [De *segredo* + *-eiro.*] ***Adj.*** Que segreda, diz segredos.

segredense ***Adj. 2 g.*** **1.** De, ou pertencente ou relativo a Segredo (RS). ● ***S. 2 g.*** **2.** O natural ou habitante de Segredo.

segredista [De *segredo* + *-ista.*] ***S. 2 g.*** **1.** Pessoa que fala em segredo, que gosta de cochichar. **2.** Pessoa que guarda segredos.

segredo[1] (ê) [Do s. lat. *secretu.*] ***S. m.*** **1.** Aquilo que não pode ser revelado; sigilo: "Calemos esta paz como um segredo / de amor feliz." (Odilo Costa Filho, *Boca da Noite*, p. 82); *É segredo profissional.* **2.** Aquilo que se oculta à vista, ao conhecimento; aquilo que não se divulga; sigilo: "O segredo é a alma do negócio" (prov.). **3.** Assunto, problema, negócio, conhecido apenas de uns poucos; sigilo: *segredo de Estado* (q. v.); Segredos *e Revelações da História do Brasil* (título de um livro de Gustavo Barroso) **4.** Aquilo que se diz à orelha de alguém. **5.** Silêncio, discrição, sigilo: *Peço-lhe todo o segredo em relação a este assunto;* "É que, à noite, lírio branco, / Os astros guardam segredo / Dos beijos dados a medo..." (Gonçalves Crespo, *Obras Poéticas*, p. 316)."Pediu-lhe que guardasse segredo sobre o que lhe contara" (Machado de Assis, *Histórias sem Data*, p. 88). **6.** Confidência, confissão. **7.** Aquilo que há de mais recôndito na pessoa humana: *Numa noite de confidências contou-me os seus segredos.* **8.** Mistério, enigma: *os segredos da natureza.* **9.** Razão misteriosa; causa secreta: *O segredo da sua beleza poucos o sabiam.* **10.** Sentido ou significação oculta, secreta: *Champollion decifrou o segredo dos hieróglifos.* **11.** O que há de mais difícil numa arte, ou numa ciência: *os segredos da arte de cozinhar; Einstein conhecia os segredos da alta matemática.* **12.** Meio ou processo particular e eficaz para atingir um fim: *segredo de fabricação; o segredo de agradar.* **13.** Lugar oculto; esconderijo, recesso, esconso. **14.** *Lus.* V. *solitária* (3). **15.** Dispositivo oculto ou disfarçado que é preciso manobrar de certa maneira para que o objeto de que faz parte possa funcionar: *fechadura de segredo.* **16.** Sucessão de movimentos que, executados neste dispositivo, o fazem funcionar. [Pl.: *segredos* (ê). Cf. *segredo*, do v. *segredar.*] ◆ **Segredo de abelha.** *Bras. PE* Coisa misteriosa, impenetrável. **Segredo de Estado.** **1.** Informação cuja divulgação é prejudicial aos interesses do Estado, sendo, assim, punida com sanções. **2.** Coisa que alguém evita divulgar, dela fazendo grande mistério. **Segredo de justiça.** *Jur.* Em certos atos processuais, impedimento de lhes dar publicidade, seja por exigência do decoro ou do interesse social. **Segredo de polichinelo.** Aquele que se tornou conhecido de todos. **Segredo maçônico.** *Maç.* Conjunto de conhecimentos passados ao maçom durante a sua carreira na ordem, e que só podem ser transmitidos a um novo irmão. **Segredo profissional.** Sigilo profissional. **Em segredo.** Confidencialmente, secretamente.

segredo[2] (ê) [Do adj. lat. *secretu*, por via pop.] ***Adj. P. us.*** Secreto (1 a 4).

segredoso (ô) [De *segredo*[1] + *-oso.*] ***Adj.*** Em que há segredos; cheio de segredos: "A ciência segredosa / Muitos fados descobre em ti diversos!" (Bernardo Guimarães, *Poesias Completas*, p. 416.)

segregação [Do lat. *segregatione.*] ***S. f.*** **1.** Ato ou efeito de segregar(-se). **2.** *Genét.* Separação dos cromossomos homólogos durante a meiose. ◆ **Segregação mineral.** *Geol.* Pequena porção de magma que se diferençou do restante por ocasião do resfriamento, e que se caracteriza pela acumulação irregular de certos elementos da rocha. **Segregação racial.** Política que objetiva separar e/ou isolar no seio de uma sociedade as minorias raciais e, p. ext., as sociais, religiosas, etc.; discriminação racial. [Cf. *integração racial.*]

segregacionismo [De *segregação* + *-ismo*, seg. o padrão erudito.] ***S. m.*** Política ou atitude política de segregação racial. [Cf. *racismo.*]

segregacionista [De *segregacionismo* + *-ista.*] ***Adj. 2 g.*** **1.** Relativo à, ou que é partidário da segregação racial. ● ***S. 2 g.*** **2.** Partidário dela.

segregador (ô) [De *segregar* + *-dor.*] ***Adj.*** Que (se) segrega.

segregante [De *segregar* + *-nte.*] ***Adj. 2 g.*** Que (se) segrega ou secreta.

segregar [Do lat. *segregare.*] ***V. t. d.*** **1.** Pôr de lado; pôr à margem; separar, marginalizar: *Os racistas são acusados de segregar os negros.* **2.** Produzir (secreção); expelir: "um bicho pequeno, ... segregando mau cheiro como o percevejo" (Ramalho Ortigão, *A Holanda*, p. 39). [Sin., nesta acepç.: *secretar.*] ***T. d. e i.*** **3.** Desligar, afastar, isolar: *É preciso segregá-lo das más companhias.* ***P.*** **4.** Afastar-se, isolar-se. [Conjug.: v. *regar.*]

segregatício [Do lat. *segregatus*, 'segregado', + *-ício.*] ***Adj.*** **1.** Referente a segregação. **2.** Próprio para segregar.

segregativo [Do lat. *segregativu.*] ***Adj.*** **1.** Que segrega. **2.** *E. Ling.* Partitivo (2).

seguida [De *seguir* + *-ida*[3].] ***S. f.*** Seguimento (1). ◆ **Em seguida.** Logo depois; seguidamente.

seguidilha [Do esp. *seguidilla.*] ***S. f.*** **1.** Dança popular espanhola, com música em compasso de 3 por 4 ou 3 por 8, geralmente em tom menor, e executada ao violão, com acompanhamento de castanholas: "os gitanos entoando a seguidilha" (Ramalho Ortigão, *As Farpas*, I, p. 83). [Há três tipos de seguidilha: *manchega*, de caráter muito vivo; *bolera*, mais comedida; e *gitana*, muito lenta e sentimental.] **2.** No jogo do pôquer, designação dada às sequências (máxima e mínima). ◆ **Seguidilha bolera.** V. *seguidilha* (1). **Seguidilha gitana.** V. *seguidilha* (1). **Seguidilha manchega.** V. *seguidilha* (1).

seguidilheiro [De *seguidilha* + *-eiro.*] ***S. m.*** Dançador e/ou cantor de seguidilhas.

seguidinho [De *seguido* + *-inho*[1].] ***Adv. Bras. S. Pop.*** Com muita frequência; seguidamente. [*Seguidinho* é adjetivo com função adverbial, e o diminutivo, neste caso, traz noção iterativa.]

seguido [Part. de *seguir.*] ***Adj.*** **1.** Imediato, contínuo, seguinte. **2.** Contínuo, ininterrupto: *Esperei-o horas seguidas.* **3.** Adotado, usado: *O livro seguido é excelente.* ~ V. *composição —a.* ● ***Adv.*** **4.** Seguidamente; sem descontinuar; ininterruptamente: "Não fitava de rosto, nem falava claro nem seguido" (Machado de Assis, *Dom Casmurro*, p. 169).

seguidor (ô) [De *seguir* + *-dor.*] ***Adj. S. m.*** **1.** Que, ou aquele que segue. **2.** Perseguidor, acossador. **3.** Continuador, prosseguidor. **4.** Partidário, prosélito, sequaz. **5.** *Tec. Mec.* V. *came.* ◆ **Seguidor catódico.** *Eletrôn.* Circuito em que o sinal de entrada é aplicado à grade de controle de uma válvula e o sinal de saída é retirado de uma impedância colocada no circuito do catodo da válvula. **Seguidor de emissor.** *Eletrôn.* Amplificador seguidor de emissor (q. v.). **Seguidor de fonte.** *Eletrôn.* Amplificador seguidor de fonte (q. v.). **Seguidor de tensão.** *Eletrôn.* Amplificador seguidor de tensão (q. v.).

seguiéria [Do tax. *Seguieria.*] ***S. f. Bot.*** **1.** Gênero de fitolacáceas que reúne seis espécies originárias de regiões tropicais da América do Sul, caracterizadas por forte odor aliáceo, e cujos frutos são sâmaras. **2.** Qualquer espécie desse gênero, como, p. ex., a

Seguieria langsdorffii (v. *pau-d'alho-falso*). **3.** Qualquer espécime desse gênero.

seguilhote *S. m. Bras. Zool.* Filhote de baleia que está mamando. Alimenta-se debaixo da água, e sai à superfície, como o faz a mãe, apenas para respirar. [Sin.: *baleato.*]

seguimento [De *seguir* + *-mento.*] *S. m.* **1.** Ato ou efeito de seguir; seguida. **2.** Consequência; resultado. **3.** *Bras. RS* Cilada, insídia, traição. [Cf. *segmento.*]

seguinte [De *seguir* + *-nte.*] *Adj. 2 g.* **1.** Que (se) segue; que vem ou ocorre depois; imediato, subsequente: *o dia seguinte; os fatos seguintes.* **2.** Que (se) segue; que se diz ou cita depois: *Dei-lhe a seguinte resposta: — Só irei se você for.* • *S. m.* **3.** Aquilo que (se) segue, que se diz ou cita depois: *Disse-lhe o seguinte: — Gosto de você.* ~ V. *seguintes.*

seguintes [Pl. de *seguinte.*] *S. m. pl.* **1.** Ângulos de alvenaria. **2.** Peças laterais das gelosias. ~ V. *seguinte.*

seguir [Do lat. vulg. **sequere* (lat. cláss. *sequi*).] *V. t. d.* **1.** Ir atrás de; marchar ou caminhar a pé; acompanhar: *Meu automóvel seguiu o caminhão durante o longo trajeto.* **2.** Correr no encalço de; perseguir: *O cão seguiu a caça até apanhá-la.* **3.** Acompanhar com a vista; observar, espiar: *A plateia seguiu atentamente o desfile.* **4.** Andar em; percorrer: "Ao clarão de um belo sol, ... levado pelo entusiasmo público, Paranhos [o Visconde do Rio Branco] seguia as mesmas ruas que, anos antes, voltando do Sul, pisara sozinho e condenado." (Machado de Assis, *Páginas Recolhidas*, p. 176). **5.** Ir tão depressa como: *O corredor não pôde seguir o velocíssimo adversário.* **6.** Ir ao longo de: *Siga o rio, e chegará ao mar.* **7.** Observar a evolução, a marcha de: *O sociólogo segue atento os fatos sociais.* **8.** Vir depois de; suceder a: *O castigo segue o crime.* **9.** Abandonar-se, entregar-se, submeter-se a: *Evitemos seguir cegamente os impulsos.* **10.** Tomar o partido de; aderir a: *Muitos pagãos acabaram seguindo o cristianismo.* **11.** Ser dirigido por: *O batalhão seguiu seu comandante.* **12.** Tomar em consideração; atender, atender a: *Sempre segue o conselho dos mais experientes.* **13.** Continuar, prosseguir: *O estudante seguiu a leitura com atenção.* **14.** Acompanhar atentamente: *O aluno seguia a aula.* **15.** Ser sectário de; aderir a: *O povo francês seguiu os revolucionários de 1789.* **16.** Proceder ou viver em harmonia com: *seguir os costumes da época.* **17.** Exercer, professar: *seguir o exemplo dos mais velhos.* **18.** Vir depois de; suceder-se a: *Mais de 20 vagões seguiam a locomotiva.* ***T. c.*** **19.** Tomar certa direção: *Seguiu pela esquerda.* ***Int.*** **20.** Continuar, prosseguir: *Depois de rápida interrupção, seguiu.* **21.** Partir; ir(-se): *O chefe da família seguiu meses antes.* ***P.*** **22.** Vir depois; suceder(-se): *Ao jantar seguiu-se uma agradável reunião.* **23.** Achar-se posto ou situado em continuação: *À assinatura seguia-se um pós-escrito.* **24.** Decorrer, resultar, provir: *Da irresponsabilidade seguiu-se a desgraça.* [Irreg. Muda o *e* em *i* na 1ª pess. sing. do pres. ind. e, pois, em todo o pres. subj., como *aderir*, e perde o *u* quando o *g* vem seguido de *o* ou *a*. Pres. ind.: *sigo, segues, segue, seguimos, seguis, seguem*; pres. subj.: *siga, sigas, siga, sigamos, sigais, sigam*. Cf. *cegue, cegues, ceguem*, do v. *cegar*.]

segunda[1] [F. subst. de *segundo*[1].] *S. f.* **1.** Segunda classe: *Comprou uma passagem de segunda.* **2.** *Mús.* Intervalo entre dois graus consecutivos na escala diatônica. **3.** *Mús.* Corda de instrumentos imediatamente superior à prima. **4.** *Autom.* A segunda marcha de velocidade de um veículo automóvel; segunda marcha. **5.** *Tip.* V. *segunda prova.*

segunda[2] *S. f.* V. *segunda-feira*: "Tudo ficou pronto num sábado à noitinha; o caminhão vinha na segunda cedo, retirar a tralha e os móveis." (Maria Julieta Drummond de Andrade, *Um Buquê de Alcachofras*, p. 50.)

segunda-feira [Do f. de *segundo*[1] + *feira.*] *S. f.* Segundo dia da semana principiada no domingo. [F. red.: *segunda*. Pl.: *segundas-feiras.*]

segundagem [De *segundo*[1] + *-agem*[2].] *S. f. Prop.* V. *secundagem.*

segundanista [De *segundo*[1] + *ano*[1] + *-ista.*] *S. 2 g.* Estudante que frequenta o segundo ano de um curso ou faculdade.

segundar [Do lat. *secundare*, por via pop.] *V. t. d.* Secundar: "Fica ela na caverna, pois que temiam que o demônio segundasse a entrada daquele castelo." (Alphonsus de Guimaraens, *Obra Completa*, p. 418.)

segundeiro [De *segundo*[1] + *-eiro.*] *Adj.* **1.** *P. us.* Secundário (1). **2.** Diz-se do moinho que mói apenas cereais de segunda ordem, milho miúdo e painço.

segundo[1] [Do lat. *secundu.*] *Num.* **1.** O ordinal correspondente a dois: *o segundo dos Pedros.* [Sin., p. us.: *secundário.*] • *Adj.* **2.** Mediato; indireto; secundário: *Além da causa imediata, bem conhecida, de sua resolução, há várias segundas causas.* **3.** Outro; novo: *Os combatentes gregos fizeram uma segunda maratona.* ~ V. *—a articulação, —a capa, — clichê, —a edição, —a fôrma, —a frente, — grau, —a infância, —a intenção, —a leitura, —a língua, —a prova, —a quadratura, — quarto, — sentido, — turno* e *— vigilante.* **4.** Aquele ou aquilo que ocupa o segundo lugar. • *S. m.* **5.** Unidade de medida de tempo no Sistema Internacional, igual à duração de 9.192.631.770 vezes o período de determinada radiação emitida, no seu estado fundamental, por um dos isótopos do césio (o nuclídeo césio 133) [símb.: *s*]. **6.** Unidade de medida de ângulo, ou de arco, igual a 1/60 do minuto (2) [símb.: ″]. **7.** *P. ext.* Espaço de tempo curtíssimo: *Vou e volto num segundo.* **8.** *Fig.* Rival, competidor: *Não há primeiro nem segundo.* **9.** Auxiliar ou assistente do boxeador. **10.** *Bras. S.* Aquele que é auxiliar ou companheiro de confiança de alguém, a sua segunda pessoa.

segundo[2] [Da prep. lat. *secundum.*] *Prep.* **1.** De acordo com; consoante, conforme: *agir segundo as leis; Evangelho segundo São Mateus*; "gostava, como todos os nobres barões de Espanha, principalmente de três cousas boas segundo a carnalidade: da guerra, do vinho e das damas" (Alexandre Herculano, *Lendas e Narrativas*, II, p. 20). • *Conj.* **2.** Conforme, consoante: *Dança segundo tocam.* **3.** À medida que, ao passo que: *Ia explicando o filme segundo se apresentavam as cenas; Atende os clientes segundo vão chegando.*

segundo[3] [Do adv. lat. *secundo.*] *Adv.* Em segundo lugar.

segundo-cadete [De *segundo*[1] + *cadete.*] *S. m.* **1.** V. *hierarquia militar*. **2.** Militar que detinha a posição hierárquica de segundo-cadete. [Pl.: *segundos-cadetes.*]

segundo-elevador [De *segundo*[1] + *elevador.*] *S. m. Tip.* V. *elevador* (4). [Pl.: *segundos-elevadores.*]

segundogénito *Adj. S. m.* V. *secundogênito*. [Uso freq. em P.]

segundogênito [De *segundo*[1] + *-gênito.*] *Adj. S. m.* V. *secundogênito.*

segundo-sargento [De *segundo*[1] + *sargento.*] *S. m.* **1.** V. *hierarquia militar*. **2.** Militar que detém a posição hierárquica de segundo-sargento. [Tb. se diz, no Brasil, apenas *sargento* (v. *sargento*[1] [2]). Pl.: *segundos-sargentos.*]

segundo-secretário *S. m.* V. *carreira diplomática*. [Pl.: *segundos-secretários.*]

segundo-tenente [De *segundo*[1] + *tenente.*] *S. m.* **1.** V. *hierarquia militar*. **2.** Oficial que detém o posto de segundo-tenente. **3.** V. *tenente* (3). [Tb. se diz, no Brasil, apenas *tenente* (v. *tenente* [5]). Pl.: *segundos-tenentes.*]

segura [Var. de *segure* (q. v.).] *S. f.* Espécie de enxó de tanoeiro. [Cf. *segure.*]

seguração [De *segurar* + *-ção.*] *S. f.* **1.** *P. us.* Segurança (1). **2.** Seguro (17) mercantil.

segurado [Part. de *segurar.*] *Adj.* **1.** Que está no seguro (17); que tem seguro: *Só dirige carro segurado.* • *S. m.* **2.** Pessoa que paga o prêmio de um seguro (17) e que, consequentemente, está garantida por este.

segurador (ô) [De *segurar* + *-dor.*] *Adj. S. m.* **1.** Que, ou aquele que segura. **2.** Que, ou aquele que, num seguro (17), se obriga, mediante cobrança de prêmio, pagável ao segurado ou ao beneficiário designado, a uma indenização, no caso de ocorrer um prejuízo determinado.

seguradora (ô) [De *segurar* + *-dora.*] *S. f. Bras.* Companhia de seguros [v. *seguro* (17)]; seguro.

segurança [De *segurar* + *-ança.*] *S. f.* **1.** Ato ou efeito de segurar: *Mal entrou no avião, foi apertando o cinto de segurança.* [Sin., p. us.: *seguração.*] **2.** Estado, qualidade ou condição de seguro. **3.** Condição daquele ou daquilo em que se pode confiar: *Compre estas ações: apresentam muita segurança.* **4.** Certeza, firmeza, convicção: *Respondeu às perguntas do mestre com muita segurança.* **5.** Confiança em si mesmo; autoconfiança: *Vive atrás da opinião alheia, não tem segurança.* **6.** Caução, garantia; seguro: *Dou-lhe a segurança da minha amizade.* **7.** Protesto, afirmação. [Sin., p. us., nessas acepçs.: *segureza, seguridade.*] **8.** Prenhez das fêmeas dos quadrúpedes. **9.** *Bras.* V. *alfinete de segurança.* • *S. 2 g.* **10.** *Bras.* Pessoa encarregada da segurança pessoal de alguém, ou de empresa, etc. [Cf. *guarda-costas* (2).]

segurar [De *seguro* + *-ar*[2].] *V. t. d.* **1.** Tornar seguro; firmar, fixar: *Dois pregos bastarão para segurar a tábua.* **2.** Amparar, impedindo que caia ou se arruíne: *As estacas seguram o prédio.* **3.** Agarrar, conter, prender: *Segurou o menino pelo braço.* **4.** Garantir, afirmar, assegurar. **5.** Pôr no seguro (17); firmar contrato de seguro de: *Segurou o automóvel.* **6.** Tranquilizar, serenar, sossegar: *A aceitação de seu álibi segurou o réu.* **7.** Não se desfazer de; guardar ou conservar, ao menos por algum tempo: *O editor lançou 10.000 exemplares do romance, e segurou a composição.* **8.** Não revelar, não passar adiante, evitando que se expanda ou propale: *segurar um boato, uma notícia.* ***T. d. e i.*** **9.** Afirmar, afiançar, garantir: *Seguro-lhe que o moço partira*; "Inda que aos da vossa raça / nem deslustre nem desonre / o Fado, com seus contrastes, / quero segurar-vos, Conde, / que em mim tendes um amigo, / entre vossos servidores." (Cecília Meireles, *Obra Poética*, p. 686). **10.** *Bras. S. Chulo* Conceber, emprenhar (o animal). ***P.*** **11.** Agarrar-se, apoiar-se. **12.** Prevenir-se, precaver-se, precatar-se. **13.** Fazer seguro (17) da própria vida.

segurável [De *segurar* + *-vel.*] *Adj. 2 g.* Que pode ser segurado.

segure [Var. de *secure* < lat. *secure.*] *S. f.* **1.** Machadinha que os lictores romanos traziam consigo para fazer as execuções. **2.** Machado grande: "Entrara a selva um dia um homem. Sopesava / Tersa afiada segure." (Alberto de Oliveira, *Poesias*, 1ª série, p. 200.) [Cf. *segura.*]

segurelha[1] (ê) [Do lat. tard. securiela.] *S. f.* **1.** Peça de metal em que penetra o ferro que segura a mó inferior das atafonas. **2.** Peça de madeira metida no espigão da mó inferior, para uniformizar o movimento da mó superior.

segurelha[2] (ê) [Do lat. tard. *securiela*, poss.] *S. f. Bot.* **1.** V. *alfavaca* (1). **2.** Erva lamiácea (*Satureja hortensis*) anual, nativa da Europa, de folhas lineares, flores brancas ou avermelhadas, em corimbos, e frutos aquênicos; alfavaca-do-campo.

segureza (ê) [De *seguro* + *-eza.*] *S. f. P. us.* V. *segurança* (1 a 7).

seguridade[1] [Do lat. *securitate*, por via pop.] *S. f. P. us.* V. *segurança* (1 a 7).

seguridade[2] [Do fr. *sécurité* ou do ingl. *security*, ambos do lat. *securitate.*] *S. f.* Conjunto de medidas, providências, normas e leis que visam a proporcionar ao corpo social e a cada indivíduo o maior grau possível de garantia, sob os aspectos econômico, social, cultural, moral e recreativo.

seguro [Do lat. *securu.*] *Adj.* **1.** Livre de perigo: *Está em lugar seguro.* **2.** Livre de risco; protegido, acautelado, garantido: "É a guerra aquela calamidade composta de todas as calamidades, em que não há mal algum, que ou se não padeça, ou se não tema; nem bem, que seja próprio, e seguro. O pai não tem seguro o filho, o rico não tem segura a fazenda" (P.e Antônio Vieira, *Sermões*, XIV, p. 9). **3.** Isento de receios; corajoso, afoito. **4.** Que não hesita, ou não vacila; firme: *É homem seguro em suas atitudes.* **5.** Certo, convencido, convicto: *Está seguro de suas razões.* **6.** Prudente, ponderado, comedido, cauteloso: *É muito seguro nos seus empreendimentos.* **7.** Que tem autoconfiança: *Seguro de si, compareceu perante o juiz.* **8.** Em quem se pode confiar; constante, leal: *amigo seguro.* **9.** Certo, indubitável, incontestável: "A impunidade é segura, quando a cumplicidade é geral." (Marquês de Maricá, *Máximas, Pensamentos e Reflexões*, p. 28); *São seguros os dados fornecidos pelo computador.* **10.** Eficaz, eficiente: *A empresa só progredirá com uma programação segura; É um remédio seguro.* **11.** Preso, fixo, firme: *A prateleira está bem segura.* **12.** Preso, encarcerado, custodiado. **13.** Robusto, rijo; firme: *É senhora já idosa, mas ainda segura.* **14.** V. *avaro* (1). **15.** Diz-se do tempo bom, estável, sem probabilidade de chuva: *Há três semanas o tempo está seguro.* **16.** *Bras. S.* Diz-se do animal prenhe: *vaca segura.* • *S. m.* **17.** Contrato pelo qual uma das partes (o segurador) se obriga a pagar a outra (o segurado) uma indenização, caso suceda a esta determinado evento incerto (o sinistro), como acidente, roubo, incêndio, etc., cobrando para assumir esse risco uma importância estabelecida no contrato (o prêmio). [Cf., nesta acepç., *apólice* (2), *prêmio* (4), *risco*[2] (3) e *sinistro* (7).] **18.** A indenização paga num seguro (17): *Fulano já recebeu o seguro pelo roubo de seu carro.* **19.** V. *salvaguarda* (3). **20.** Registro (10). **21.** Segurança (6). **22.** Seguradora: *O seguro pagou a batida do carro.* **23.** *Bras. Gír.* Em penitenciária, etc., cela onde ficam presos ameaçados de morte, etc., por outros presos. • *Adv.* **24.** Com segurança; seguramente: *Joga seguro; Aquele cirurgião opera rápido e seguro.* ◆ **Seguro de vida.** Seguro (17) que prevê indenização a sobrevivente(s) indicado(s), em caso de morte do segurado.

seguro-desemprego *S. m.* Benefício temporário que o trabalhador desempregado recebe do Governo, sob certas condições. [Pl.: *seguros-desempregos* e *seguros-desemprego.*]

seguro-saúde *S. m.* Seguro (17) que cobre despesas com médico, hospital, etc. [Pl.: *seguros-saúdes* e *seguros-saúde.*]

seiada [De *seio* + *-ada*[1].] *S. f. Bras.* Série de recôncavos na montanha.

seibo [De or. obsc.] *S. m. Bras. Bot.* Árvore fabácea (*Erythrina falcata*) de folhas trifolioladas, frutos que são vagens alongadas, madeira sem préstimo, e cultivada graças à beleza de suas flores sangüíneas e exóticas.

seicanga *S. f. Bras. Zool.* V. *saicanga*.

seichelense *Adj. 2 g.* **1.** Da, ou pertencente ou relativo à República de Seicheles, arquipélago composto por 115 ilhas (S.E. da África, oceano Índico). **2.** Respeitante ao seichelense (4). • *S. 2 g.* **3.** O natural ou habitante da República de Seicheles. • *S. m.* **4.** *Gloss.* Crioulo (12) de base francesa falado nessas ilhas; sesseluá. **5.** Vocábulo do seichelense (4).

seio [Do lat. *sinu*.] *S. m.* **1.** Curvatura, volta, sinuosidade. **2.** Enseada, golfo. **3.** Parte do corpo humano onde se situam as glândulas mamárias; peito: "arrancou uma flor que trazia no seio, atirou-lha e saiu de estrada fora" (Jaime d'Altavila, *Lógica de um Burro*, p. 143). **4.** *Anat.* Mama (1): "No seio da mulher há tanto aroma... / Nos seus beijos de fogo há tanta vida..." (Castro Alves, *Obra Completa*, p. 88.) **5.** A parte do colo feminino que fica a descoberto. **6.** Parte íntima; coração, alma, âmago. **7.** Centro, interior, âmago: *Os mortos voltam ao seio da terra*; "Um silêncio de morte entrou no seio às selvas." (Machado de Assis, *Poesias Completas*, p. 41). **8.** Ventre, útero: *O feto morreu no seio materno.* **9.** Meio, ambiente: *A discórdia não alcançou o seio familiar.* **10.** Intimidade, familiaridade: *Traíra-o o amigo de seu seio.* **11.** *Anat.* Designação comum a diversas cavidades existentes no corpo, como, p. ex., as de conteúdo aéreo de certos ossos do crânio e da face. **12.** *Marinh.* A parte mediana de um cabo, corrente, etc., que fica entre os seus chicotes. **13.** *Marinh.* A parte bamba ou frouxa de um cabo, corrente, etc., que não está rondado. [Cf. *ceio*, do v. *cear*.] ◆ **Seio coronário.** *Anat.* Formação (5) que recebe sangue da grande veia cardíaca e que se comunica com a aurícula direita. **Seio maxilar.** *Anat.* Cada um de dois seios paranasais, um em cada maxilar, e que se comunica com a cavidade de nasal do mesmo lado. **Seio paranasal.** *Anat.* Em ossos cranianos, cada cavidade revestida de mucosa e que se comunica com a cavidade nasal; seio perinasal. **Seio perinasal.** *Anat.* Seio paranasal. **Seio venoso.** *Embr.* Local do coração embrionário para o qual drenam todas as veias que a ele se dirigem. [Sin. (lat.): *sinus reuniens*.] **Seio vivo.** *Marinh.* A parte de um cabo, corrente, etc., que está sujeita a um esforço de tração. **Colher o seio de.** *Marinh.* Tirar o seio de. **Formar seio.** *Marinh.* Formar catenária (um cabo, corrente, etc.) por estar frouxo ou em virtude do seu comprimento. **Tirar o seio de.** *Marinh.* Rondar, tesar (um cabo, corrente, etc.); colher o seio de.

seira [De or. incerta.] *S. f.* Espécie de saco, ou cabaz feito de esparto, vime ou junco: "Uma seirinha com figos / e um copo de limonada." (Eugênio de Castro, *Obra Poética*, IX, p. 45.) [Cf. *cera* (ê), s. f., e *cera*, do v. *cerar*.]

seis [Do lat. *sex*.] *Num.* **1.** Quantidade que é uma unidade maior que cinco. **2.** Número (4) correspondente a essa quantidade. [Nessas acepçs., representa-se em algarismos arábicos por 6, e em algarismos romanos, por VI.] **3.** Que está marcado ou identificado com o número 6. **4.** Sexto (1). • *S. m.* **5.** Representação, em algarismos, do número seis. **6.** Carta de baralho ou face de peça de jogo de mesa marcada com esse número: *seis de copas.* **7.** Aquilo ou aquele que numa série ocupa o sexto lugar. **8.** A nota seis, em exame, concurso, ou avaliação.

seiscentismo [De *seiscentos* + *-ismo*.] *S. m.* Estilo, gosto ou escola literária ou artística do séc. XVII, ou século de Seiscentos.

seiscentista [De *seiscentos* + *-ista*.] *Adj. 2 g.* **1.** Pertencente ou relativo ao seiscentismo ou ao séc. XVII: *xilógrafo seiscentista; os costumes seiscentistas.* **2.** Diz-se do escritor ou artista desse século. • *S. 2 g.* **3.** Escritor ou artista do séc. XVII.

seiscentos [Do lat. *sexcentos*.] *Num.* **1.** Quantidade que é uma unidade maior que 599. **2.** Número (4) correspondente a essa quantidade. [Nessas acepçs., representa-se em algarismos arábicos por 600, e em algarismos romanos, por DC.] **3.** Que está marcado ou identificado com o número 600. **4.** Sexcentésimo (1). • *S. m.* **5.** O séc. XVII, ou o século de seiscentos; o período seiscentista. [Com cap., nesta acepç.] **6.** Representação, em algarismos, do número seiscentos. **7.** Aquilo ou aquele que numa série ocupa o sexcentésimo lugar. ◆ **Como seiscentos.** *Bras. Pop.* Em altíssimo grau; muitíssimo; como todos os diabos, como seiscentos diabos: "O capitão .... ainda não sabia o que era ágape, mas, vivo como seiscentos, atinou logo que só podia ser qualquer coisa relacionada com comida" (Wilson Lins, *Responso das Almas*, p. 121). **Dos seiscentos.** *Bras.* V. *do diabo*: "Quando se mete a querer explicar qualquer coisa, é um barulho dos seiscentos, uma gritaria dos meus pecados" (Visconde de Taunay, *Inocência*, p. 65).

seisdobro (ô) [De *seis* + *dobro*.] *Num. S. m.* Sêxtuplo.

▲-seísmo [Var. impr. de *-sismo*.] V. *sismo-*.

seis por nove *S. m. 2 n. Bras. Liter. Pop.* V. *nove palavras por seis.*

seita [Do lat. *secta*.] *S. f.* **1.** Doutrina ou sistema que diverge da opinião geral e é seguido por muitos. **2.** Conjunto de indivíduos que professam a mesma doutrina. **3.** Comunidade fechada, de cunho radical. **4.** Teoria de um mestre seguida por numerosos prosélitos. **5.** *Pop.* Facção, partido. [Cf. *ceita*, s. f., e *Ceita*, f. ant. do top. *Ceuta*.]

seiudo (ei-ú) [De *seio* + *-udo*.] *Adj. Bras.* De seios grandes (diz-se de mulher).

seiva [Do fr. *sève* (< lat. *sapa*, 'arrobe'), com infl. do arc. *saiva* < lat. *saliva*.] *S. f.* **1.** *Bot.* Líquido complexo que circula no organismo vegetal. [A *seiva ascendente*, *mineral* ou *xilemática* (anteriormente denominada *seiva bruta*) corre pelos vasos lenhosos e é formada da solução extraída do solo pelas raízes; a *seiva descendente*, *orgânica* ou *floemática* (anteriormente denominada *seiva elaborada*) circula pelos vasos do líber e forma-se da anterior, acrescida dos produtos da fotossíntese.] **2.** *P. ext.* Elementos vitais; sangue. **3.** Vigor, força, energia. **4.** Entusiasmo, alento, coragem. ◆ **Seiva ascendente.** *Bot.* V. *seiva* (1). **Seiva descendente.** *Bot.* V. *seiva* (1). **Seiva floemática.** *Bot.* V. *seiva* (1). **Seiva mineral.** *Bot.* V. *seiva* (1). **Seiva orgânica.** *Bot.* V. *seiva* (1). **Seiva xilemática** *Bot.* V. *seiva* (1).

seival [Por **seibal* < *seibo* + *-al*[1].] *S. m.* **1.** Quantidade mais ou menos considerável de seibos dispostos proximamente entre si. **2.** Terreno onde medram seibos. **3.** Banhado (1) muito extenso. **4.** Lugar úmido e alagadiço.

seivo *S. m. Bras. RS Ant.* Campo aberto sem tapume.

seivoso (ô) [De *seiva* + *-oso*.] *Adj.* **1.** Que tem seiva. **2.** Que ajuda a circulação da seiva.

seixa *S. f. Encad.* Cada uma das margens das pastas que ultrapassam o corte do livro.

seixada [De *seixo* + *-ada*[1].] *S. f.* Pedrada ou golpe com seixo.

seixal [De *seixo* + *-al*[1].] *S. m.* Lugar onde abundam seixos.

seixeiro [De *seixo* + *-eiro*.] *S. m. Bras. N.E. Pop.* Aquele que passa seixo.

seixo [Do lat. *saxu*.] *S. m.* **1.** Fragmento de rocha dura; pedra solta; calhau. **2.** *Bras. N.E.* Calote, logro. ◆ **Seixo rolado.** Seixo (1) sem arestas, porque arredondado pelo desgaste, e que se encontra à beira-mar e em margens e leitos de rios caudalosos; pedra rolada, brugalhau: "As roupas coloridas, dos senhores e dos escravos, enfeitavam as ruas calçadas de seixo rolado." (Ferreira Gullar, *Cidades Inventadas*, p. 14.) **Passar seixo.** *Bras. N.E. Pop.* Calotear: "os marujos, quando bêbedos, gostam de brigar, ... , passar seixo nas putas" (Lêdo Ivo, *Ninho de Cobras*, p. 87).

seixoso (ô) [Do lat. *saxosu*.] *Adj.* Abundante em seixos.

seja (ê) [Da 3.ª pess. do sing. do pres. subj. do v. *ser*.] *Conj.* **1.** Usada repetidamente, como alternativa, equivale a *ou*, *quer*. • *Interj.* **2.** Exprime consentimento ou resignação, equivalendo a *vá*, *vá lá*, *de acordo*, *faça-se*: "Seja! acabe-se tudo... e que a alegria / Doure essa grácil cabecinha loura." (Eugênio de Castro, *Obras Poéticas*, V, p. 146.) ◆ **Ou seja.** Ou melhor; isto é.

sejana *S. f.* V. *ságena*.

séjana *S. f.* V. *ságena*.

sela [Do lat. *sella*, 'cadeira'.] *S. f.* Arreio de cavalgadura, o qual constitui assento sobre que monta o cavaleiro. [Cf. *cela*, s. f., pl. *celas*, e *Cela*, *Celas*, top.] ◆ **Sela turca.** *Anat.* Cavidade no osso esfenoide, e onde está situada a glândula pituitária; sela túrcica. **Sela túrcica.** *Anat.* Sela turca. **Correr com a sela.** *Bras. CE* Abandonar o jogo, tendo ganho. **De sela na barriga.** *Pop.* Na miséria, na penúria; em petição de miséria: *Estroina, terminou deixando a família de sela na barriga.*

selada [F. subst. do adj. *selado*[1].] *S. f.* **1.** Depressão na lombada de uma elevação. **2.** Cavidade oblonga em uma montanha. [Cf. *celada*.]

selado[1] [Part. de *selar*[1].] *Adj.* **1.** Que tem sela, ou em que se pôs a sela: *cavalo selado.* **2.** *Fig.* Que faz vão ou curvatura; arqueado. **3.** *Bras. Prov. port.* Que tem o dorso curvado, arqueado: "Dez anos raquíticos escarranchados sobre égua velha, lerda, manca, estropiada, zarolha, selada, lazarenta" (Guido Vilmar Sassi, *Piá*, p. 7). [Fem.: *selada*. Cf. *celada*.] • *S. m.* **4.** Arqueamento das ilhargas. **5.** Curvatura da parte lateral do pé. **6.** *Bras. MG* Estirão de planalto, em forma de sela de animal, entre montanhas escarpadas, e por onde é mais fácil o trânsito.

selado[2] [Part. de *selar*[2].] *Adj.* Que tem selo. [Fem.: *selada*. Cf. *celada*.]

seladoiro [De *selar*[1] + *-doiro*[2].] *S. m.* Seladouro (q. v.).

selador[1] (ô) [De *selar*[1] + *-dor*.] *Adj. S. m.* Que, ou aquele que sela [v. *selar*[1] (1)].

selador[2] (ô) [De *selar*[2] + *-dor*.] *Adj.* **1.** Que sela [v. *selar*[2] (1 e 2)]alguma coisa. **2.** Aquilo que sela. **3.** *Constr.* Material aplicado sobre a superfície de um sólido para fechar-lhe os poros e impedir que absorva água, ou pintura subsequente. **4.** *Odont.* Substância à base de resina polimérica us. para selar defeitos estruturais de esmalte com a finalidade de prevenir cáries.

seladora (ô) [De *selar*[2] + *-dora*.] *S. f. Bras.* Máquina própria para selar[2] (6), especialmente sacos plásticos para congelados.

seladouro [De *selar*[1] + *-douro*[2]; var. de *seladoiro*.] *S. m.* **1.** Parte do corpo do animal onde se põe a sela; seladura. **2.** *Fig.* Talhe das roupas correspondente às ilhargas.

seladura [De *selar*[1] + *-dura*.] *S. f.* **1.** Ato ou efeito de selar[1]. **2.** V. *seladouro* (1).

selagão [De *sela* + *-g-* + *-ão*[1].] *S. m.* Sela com pequeno arção anterior e sem arção posterior.

selagem[1] [De *selar*[1] + *-agem*[2].] *S. f.* Ato ou efeito de selar[1]. [Cf. *celagem* e *silagem*.]

selagem[2] [De *selar*[2] + *-agem*[2].] *S. f.* Ato ou efeito de selar[2](-se). [Cf. *celagem* e *silagem*.]

selaginelácea [Do tax. *Selaginella* (do lat. *selago*, *inis*, 'certa planta', + lat. *-ella*, de dim.) + *-ácea*; tax. *Selaginellaceae*.] *S. f. Bot.* Espécime das selagineláceas, família de pteridófitos, da ordem das selaginelales, composta de ervas higrófilas do gênero *Selaginella*, o qual encerra umas 700 espécies intertropicais. Prótalo rudimentar, incluído nos esporos; folhas dicotomicamente ramificadas e providas de rizóforo; esporângios na base das folhas, e que produz esporos masculinos e femininos, os primeiros maiores que os segundos.

selagineláceo [De *selaginelácea*, com var. suf. (v. *-áceo*).] *Adj. Bot.* Pertencente ou relativo às selagineláceas.

selaginelal [Do tax. *Selaginella* (v. *selaginelácea*) + *-al*[1].] *Adj. 2 g. Bot.* Pertencente ou relativo às selaginelales.

selaginelale [Do tax. *Selaginella* (v. *selaginelácea*) + *-ale*; tax. *Selaginellales*.] *S. f. Bot.* Espécime das selaginelales, ordem de pteridófitos da classe das licopodíneas, caracterizada pelos prótalos reduzidos e esporângios heterosporados, e que engloba a família das selagineláceas.

selagote [De *sela* + *-g-* + *-ote*[1].] *S. m. Bras.* Sela rústica, muito usada no interior. [Cf. *serigote*.]

selante [De *selar* + *-nte*.] *Adj. 2 g. S. m.* Que, ou aquilo que sela.

seláquio[1] [Do gr. *sélachos* + *-io*[3].] *Adj.* Cartilaginoso (1 e 3).

seláquio[2] [Adapt. do tax. *Selachii*.] *Zool. S. m.* **1.** Espécime dos seláquios, ordem de cordados, elasmobrânquios, na maioria marinhos, com brânquias situadas em fendas isoladas ao lado da faringe, um espiráculo abrindo-se atrás de cada olho, e cloaca presente. São os tubarões e as raias. • *Adj.* **2.** Pertencente ou relativo a eles.

selar[1] [De *sela* + *-ar*[2].] *V. t. d.* **1.** Pôr sela em: "mandou José selar os cavalos." (Bariani Ortêncio, *Vão dos Angicos*, p. 101). *Int.* **2.** *Bras. Prov. port.* Ceder, arquear, com peso; flambar: *De tão cheia de livros, a prateleira da estante selou.* [Pres. ind.: *selo*, etc.; fut. pret.: *selaria*, etc. Cf. *selo* (ê) e *selaria*, s. f.]

selar[2] [De *selo* + *-ar*[2].] *V. t. d.* **1.** Pôr selo (3 e 4) em; estampilhar: *selar a carta.* **2.** Aplicar sinete ou chancela em; chancelar: *selar o documento.* **3.** Cerrar, fechar: *Era impossível selar-lhes as bocas.* **4.** Pôr fim a; concluir: *O escritor selou magistralmente a tragédia.* **5.** Tornar válido; confirmar, corroborar, ratificar: *Muitos selaram o pacto*; "Com o primeiro romance, *Os Buddenbrooks*, conseguiu [Thomas Mann] a admiração duradoura dos alemães; o prêmio Nobel selou a admiração universal ao escritor" (Oto Maria Carpeaux, *A Cinza do Purgatório*, p. 332). **6.** Fechar hermeticamente: *A polícia selou a caixa de documentos.* *P.* **7.** Manchar-se, sujar-se. **8.** Sujeitar-se, submeter-se. [Pres. ind.: *selo*, etc.; fut. pret.: *selaria*, etc. Cf. *selo* (ê), *celo* e *selaria*, s. f.]

selaria [De *sela* + *-aria*.] *S. f.* **1.** Arte ou ofício de seleiro. **2.** Estabelecimento de seleiro. **3.** Porção de selas e doutros arreios. **4.** Local onde se guardam selas e arreios. [Cf. *selaria*, do v. *selar*.]

selbaquense *Adj. 2 g.* **1.** De, ou pertencente ou relativo a Selbach (RS). • *S. 2 g.* **2.** O natural ou habitante de Selbach.

seleção [Do lat. *selectione*.] *S. f.* **1.** Ato ou efeito de selecionar; escolha fundamentada. **2.** Coleção de trechos ou peças literárias, de peças musicais, de filmes, etc., selecionados. **3.** Equipe constituída pelos melhores atletas, que num torneio ou competição desportiva representa uma cidade, um estado, um país, etc.; selecionado, combinado, escrete. **4.** *Bras. Restr.* A seleção brasileira de futebol. ◆ **Seleção canarinho.** *Bras.* A seleção brasileira de futebol, em virtude da

S

cor amarelo-ouro, que lembra a do canário-da-terra, da camisa dos seus jogadores. **Seleção de cores.** *Tip.* Operação essencial à reprodução gráfica de originais em cores, que consiste na separação das três cores básicas (magenta, ciano e amarelo) e mais o preto (cor auxiliar), componentes da cor original. **Seleção natural.** *Biol. Genét.* Sobrevivência das variedades animais e vegetais que melhor se adaptam a um ambiente, em detrimento das menos aptas, que terminam desaparecendo.

selecionado [Part. de *selecionar.*] ***Adj.*** **1.** Escolhido, joeirado. **2.** *P. ext.* Apurado, distinto, especial, seleto: *provar um vinho selecionado.* •***S. m.*** **3.** *Bras.* V. *seleção* (4): "Justamente na hora do primeiro jogo de nosso selecionado na Europa, realizava-se uma reunião da Diretoria do Banco, a que ele não poderia deixar de comparecer." (Fernando Sabino, *O Homem Nu*, p. 139.)

selecionador (ô) [De *selecionar* + *-dor.*] ***Adj. S. m.*** Que, ou aquele que seleciona.

selecionamento [De *selecionar* + *-mento.*] ***S. m.*** Ato de selecionar; seleção.

selecionar [De *seleção* + *-ar*[2], seg. o padrão erudito.] ***V. t. d.*** **1.** Fazer seleção de; escolher: *selecionar os melhores contos dum autor.* **2.** *Inform.* Em interfaces gráficas, determinar os elementos ou dados sobre os quais uma operação ou comando incidirá, marcando-os na tela do computador com algum tipo de destaque visual. [Sin., p. us.: *seletar.*]

selecionável [De *selecionar* + *-vel.*] ***Adj. 2 g.*** Que pode ser selecionado.

seleiro [De *sela* + *-eiro.*] ***S. m.*** **1.** Fabricante ou vendedor de selas: "Prometo .... escrever a favor do comércio, da indústria, ... dos asfaltistas, dos querosenEiros, dos seleiros, das lavadeiras e engomadeiras" (Machado de Assis, *Crônicas*, I, pp. 235-237). •***Adj.*** **2.** Que é bom cavaleiro ou se firma bem na sela. **3.** Diz-se do cavalo que já experimentou sela. [Cf. *celeiro.*]

selenato [De *selen(o)-* + *-ato*[2].] ***S. m.*** *Quím.* Qualquer sal com o ânion divalente SeO_4^{-2}.

seleneto (ê) [De *selen(o)-* + *-eto*[2].] ***S. m.*** *Quím.* Composto metálico de selênio e um metal.

seleniado [De *selen(o)-* + *-iado.*] ***Adj.*** Que tem selênio.

selénico ***Adj.*** V. *selênico.* [Uso freq. em P.]

selênico [De *selen(o)-* + *-ico*[2].] ***Adj.*** **1.** Relativo ou pertencente à Lua; lunar. **2.** Relativo ao selênio.

selenífero [De *selen(o)-* + *-ífero.*] ***Adj.*** Que contém selênio.

selénio ***S. m.*** *Quím.* V. *selênio.* [Uso freq. em P.]

selênio [De *selen(o)-* + *-io*[3].] ***S. m.*** *Quím.* Elemento de número atômico 34, não metálico, com três formas alotrópicas, utilizado em células fotossensíveis [símb.: *Se*].

selenita [Do gr. *selenítes*, 'da Lua'.] ***Adj. 2 g.*** **1.** Relativo ou pertencente à Lua. •***S. 2 g.*** **2.** Suposto habitante da Lua; lunícola. •***S. f.*** **3.** *Min.* A gipsita hialina.

selenito [De *selen(o)-* + *-ito*[2].] ***S. m.*** *Quím.* Qualquer sal com o ânion divalente SeO_3^{-2}.

selenitoso (ô) [De *selenita* + *-oso.*] ***Adj.*** Que contém selenita.

▲**selen(o)-** [Do gr. *selēno-* < gr. *selḗnē, ēs.*] ***El. comp.*** = 'Lua'; 'selênio': *selenotopografia*; *selênico.* [Equiv.: *-selen(o)-*: *parasselênio.*]

▲ **-selen(o)-** Equiv. de *selen(o)-.*

selenocêntrico [De *selen(o)-* + *-centr(o)-* + *-ico*[2].] ***Adj.*** *Astr.* Relativo ou pertencente ao centro da Lua. ~ V. *ascensão reta —a, coordenadas —as, latitude —a* e *longitude —a.*

selenodonte [De *selen(o)-* + *-odonte.*] ***Adj. 2 g.*** Que apresenta dentes alongados, com as extremidades transversais em forma de meia-lua.

selenofotografia [De *selen(o)-* + *fotografia.*] ***S. f.*** *Fot.* Fotografia lunar, obtida por meio do telescópio.

selenografia [De *selen(o)-* + *-grafia.*] ***S. f.*** *Astr.* Parte da astronomia que estuda a Lua, especialmente os seus aspectos físicos.

selenográfico [De *selenografia* + *-ico*[2].] ***Adj.*** **1.** Referente a selenografia. **2.** *Astr.* Relativo ao disco aparente da Lua. ~ V. *coordenadas —as, latitude —a* e *longitude —a.*

selenógrafo [De *selen(o)-* + *-grafo.*] ***S. m.*** Especialista em selenografia.

selenologia [De *selen(o)-* + *-logia.*] ***S. f.*** *Astr.* Ciência que estuda a origem, formação e constituição da Lua.

selenológico [De *selenologia* + *-ico*[2].] ***Adj.*** *Astr.* De, ou relativo a selenologia.

selenólogo [De *selen(o)-* + *-logo.*] ***S. m.*** *Astr.* Especialista em selenologia.

selenose [De *selen(o)-* + *-ose*[1].] ***S. f.*** **1.** *Derm.* V. *leuconiquia.* **2.** *Med.* Intoxicação causada pelo selênio ou seus sais.

selenóstato [De *selen(o)-* + *-stato.*] ***S. m.*** Instrumento fixo próprio para observação dos movimentos da Lua.

selenotopografia [De *selen(o)-* + *topografia.*] ***S. f.*** Descrição da superfície da Lua.

selenotopográfico [De *selenotopografia* + *-ico*[2].] ***Adj.*** Respeitante a selenotopografia.

seleta [Do lat. *selecta.*] ***S. f.*** **1.** Coleção de trechos literários escolhidos das obras de vários autores; florilégio. V. *antologia* (2). **2.** Variedade de pera suculenta e aromática. **3.** Variedade de laranja.

seletar [De *seleto* + *-ar*[2].] ***V. t. d.*** *P. us.* V. *selecionar.*

seletividade [De *seletivo* + *-(i)dade.*] ***S. f.*** **1.** Qualidade de seletivo. **2.** *Eletrôn.* Capacidade que tem um circuito destinado a receber sinais de determinada frequência de discriminar os sinais desejáveis dos indesejáveis ou espúrios.

seletivo [De *seleto* + *-ivo.*] ***Adj.*** **1.** Relativo a seleção. **2.** Próprio para selecionar: *textos seletivos.* ~ V. *crédito —.* •***S. m.*** **3.** Aparelho que, nas ferrovias, estabelece as comunicações do centro de controle de tráfego com as estações, e destas entre si, para controlar a circulação dos trens.

seleto [Do lat. *selectu.*] ***Adj.*** **1.** Escolhido, selecionado: *obras seletas.* **2.** *P. ext.* Especial, excelente, distinto.

seletor[1] (ô) [Do lat. *selectore.*] ***Adj.*** Que seleciona. ~ V. *barra da caixa —a* e *caixa —a.*

seletor[2] (ô) [Do ingl. *selector.*] ***S. m.*** **1.** *Eletrôn.* Dispositivo com que, num circuito, se fixa o valor de um parâmetro. **2.** Dispositivo que efetua uma operação de seleção.

seleucense [Do lat. *seleucense.*] ***Adj. 2 g.*** **1.** De, ou pertencente ou relativo a Selêucia, antiga cidade da Babilônia. •***S. 2 g.*** **2.** O natural ou habitante de Selêucia. [Sin. ger.: *selêucida.*]

selêucida [Do antr. *Seleuco*, general de Alexandre Magno (c. 350 a 280 a. C.), + *-ida*[5].] ***Adj. 2 g. S. 2 g.*** **1.** Seleucense. **2.** Diz-se de, ou membro de uma dinastia helenística que reinou na Ásia de cerca de 305 a 64 a. C. ~ V. *selêucidas.*

selêucidas [Pl. de *selêucida.*] ***S. m. pl.*** A dinastia selêucida. ~ V. *selêucida.*

→**self-made man** [sɛlf mejd mæn] [Ingl.] ***S. m.*** Pessoa que se fez por si mesma, *i. e.*, que alcançou uma situação social superior graças ao próprio esforço. [Pl.: *self-made men.*]

→**self-service** [sɛlf'sɚvis] [Ingl.] ***S. m.*** V. *autosserviço.*

selha (ê) [Do lat. *situla.*] ***S. f.*** **1.** Vaso redondo, feito de madeira e com bordas baixas: "A botica tinha laboratório: uma selha onde se lavavam os frascos" (João de Araújo Correia, *Terra Ingrata*, p. 61); "Oitenta mil ...., quase um cão por habitante; e as lojas tinham selhas de água à porta para lhes matar a sede." (Augusto Abelaira, *Enseada Amena*, p. 25). **2.** *Mar. Desus.* Tina de madeira, de forma troncônica, e que tinha a bordo várias aplicações. [Cf. *celha.*]

■ **SELIC** [Sigla de *Sistema Especial de Liquidação e Custódia.*] *Econ.* Sistema computadorizado de negociação de títulos públicos, em tempo real, ao qual têm acesso instituições financeiras credenciadas.

selim [De *sela* + *-im.*] ***S. m.*** **1.** Pequena sela rasa; selote: "era tarde, porque o senhor de Clavières, impaciente, tinha-se atirado de um salto acima do selim." (Ramalho Ortigão, *Em Paris*, p. 58). **2.** Pequeno assento de couro provido de molas, em que se senta o ciclista ou motociclista.

selineno [Do lat. tard. *selin(on)*, 'aipo', + *-eno*[2].] ***S. m.*** *Quím.* Qualquer de certos sesquiterpenos bicíclicos com esqueletos como o do eudesmano, e presentes, p. ex., no aipo [fórm.: $C_{15}H_{24}$].

selinho [De *selo* + *-inho*[1].] ***S. m.*** *Bras. Pop.* Beijo rápido que se dá nos lábios de alguém: "Pitboys .... agrediram e expulsaram um rapaz que deu um selinho num amigo." (Ancelmo Góis, em *O Globo*, 04.03.2009.)

selo (ê) [Do lat. *sigillu*, por via pop.] ***S. m.*** **1.** Peça, geralmente metálica, na qual se gravaram armas, divisa ou assinatura, e que se usa para imprimir sobre certos papéis, com o fim de validá-los ou autenticá-los. **2.** Carimbo, sinete, chancela. **3.** Marca estampada por carimbo, sinete, chancela ou máquina de franquear; estampilha. **4.** Estampilha adesiva, de valor convencional, comumente quadrada ou retangular, destinada a franquear o porte de correspondência e objetos expedidos pelo correio; selo postal. **5.** Estampilha do tesouro. **6.** Casa ou repartição onde se selam documentos para os tornar válidos e circulantes. **7.** Tudo o que sela ou fecha; fecho. **8.** *Fig.* Sinal, cunho, distintivo, marca: *O Dom Quixote de la Mancha é obra com o selo da genialidade.* **9.** Marca de fábrica, em certos artigos. **10.** Imposto que incide sobre certos papéis, documentos ou autos. **11.** *Edit.* Designação usual da marca de gravadora fonográfica, de editora ou de linha de produtos dessas empresas: *O cantor mudou de selo.* [Pl.: *selos* (ê). Cf. *selo*, do v. *selar.*] ◆ **Selo estampado.** *Bras.* O que é feito em máquina de franquear. **Selo por verba.** Imposto do selo que se paga diretamente à repartição arrecadadora, contra comprovante do recolhimento, em vez de fazê-lo por meio da colagem de estampilhas. **Selo postal.** Selo (4).

selo-de-salomão [De *selo* + *de* + o antr. *Salomão* (v. *salomônico*).] ***S. m.*** *Bot.* Erva liliácea (*Polygonatum vulgare*) procedente da Europa, de folhas subsésseis, largas, com nervuras longitudinais, de rizoma horizontal, com cicatrizes dos ramos anteriores, de flores tubulosas e pêndulas nas axilas foliares, e frutos que são bagas quase negras. [Pl.: *selos-de-salomão.*]

selote [De *sela* + *-ote*[1].] ***S. m.*** Selim (1): "teve cuidado de se pôr a salvo, abalando naquela mesma noite, com uma escolta de criados, ... armados de pistolas nos arções dos selotes, a caminho de Lisboa." (Júlio Dantas, *Abelhas Doiradas*, p. 91).

selva [Do lat. *silva.*] ***S. f.*** **1.** Lugar naturalmente arborizado; bosque, matagal, floresta. [F. paral. (ant.): *silva.*] **2.** *Fig.* Lugar onde se luta duramente, máxime pela sobrevivência: *A cidade grande é uma selva.* **3.** *Fig.* Grande porção de coisas, sobretudo emaranhadas.

selvagem[1] [Do ant., e hoje pop., *salvagem*[2], com dissimilação.] ***Adj. 2 g.*** **1.** Das selvas, ou próprio delas; selvático, silvático, silvestre: *insetos selvagens.* **2.** Habitante das selvas; silvícola, selvícola. **3.** V. *silvestre* (2): *frutos selvagens.* **4.** Inculto, sáfaro, agreste: *terra selvagem.* **5.** Desabitado, deserto, ermo: *região selvagem.* **6.** Bravo, bravio, feroz: *O tigre é extremamente selvagem.* **7.** Que ainda não foi domado, amansado, domesticado, ou que é difícil de o ser: *potro selvagem; gato selvagem.* **8.** Sem civilização, primitivo; bárbaro: *povos selvagens.* [Como qualificativo de povos e grupos étnicos (ou de indivíduos a estes pertencentes), esp. os não letrados e tecnologicamente menos desenvolvidos, o termo é evitado pelos antropólogos, que o consideram inexato e, muitas vezes, preconceituoso; o mesmo se aplica a seu uso substantivado (cf. acepç. 12).] **9.** *Fig.* Grosseiro, rude, bruto; selvático, silvático: *maneiras selvagens.* **10.** *Fig.* Arisco, intratável, inconversável; selvático, silvático: *temperamento selvagem.* ~ V. *águas selvagens* e *seda —.* •***S. 2 g.*** **11.** V. *silvícola* (2). **12.** *Fig.* Pessoa selvagem (8 a 10). [Cf. *salvagem.*]

selvagem[2] ***S. f.*** V. *salvagem*[1].

selvageria ***S. f.*** **1.** Qualidade de selvagem[1]. **2.** Ato, dito, modos ou procedimento de selvagem[1]. **3.** Rusticidade, incivilidade, grosseria. **4.** *Antrop. Obsol.* Em certos esquemas ou teorias evolucionistas, estágio evolutivo de uma sociedade ou grupo, caracterizado pela condição extremamente rudimentar das instituições sociais básicas, como a linguagem e as atividades econômicas de subsistência (como a coleta). [O termo é atualmente evitado pelos antropólogos, por ser considerado impreciso e pouco fundamentado, além de ter conotação depreciativa.] [F. paral.: *selvajaria.* Sin.: *selvagismo.*]

selvagíneo [De *selvagem*[1].] ***Adj.*** **1.** Que nasce ou se cria nas selvas; selvático, silvático, silvícola, selvícola. **2.** Relativo aos, ou próprio dos animais selvagens: "uma rapariga nova e pálida, vestida de branco, ... o ar selvagíneo" (Xavier Marques, *Jana e Joel*, p. 47). [F. paral.: *selvagino.*]

selvagino [De *selvag(em)*[1] + *-ino*[1].] ***Adj.*** V. *selvagíneo.*

selvagismo [De *selvag(em)*[1] + *-ismo.*] ***S. m.*** V. *selvageria.*

selvajaria [De *selvag(em)*[1] + *-aria.*] ***S. f.*** V. *selvageria.*

selvático [Var. de *silvático.*] ***Adj.*** **1.** V. *selvagem*[1] (1, 9 e 10): "O Guadamelato é uma ribeira que, descendo das solidões mais agras da Serra Morena, vem, através de um território montanhoso e selvático, desaguar no Guadalquivir" (Alexandre Herculano, *Lendas e Narrativas*, I, p. 3). **2.** V. *selvagíneo* (1).

selvatiqueza (ê) [De *selvático* + *-eza.*] ***S. f.*** *Desus.* Selvageria.

selvícola ***Adj. 2 g. S. 2 g.*** V. *silvícola*: "Firmara-se desde muito o princípio de combater o índio com o próprio índio, de sorte que cada aldeamento de catecúmenos era um reduto ante as incursões dos selvícolas soltos e indomáveis." (Euclides da Cunha, *Os Sertões*, p. 103.)

selvirense ***Adj. 2 g.*** **1.** De, ou pertencente ou relativo a Selvíria (MS). •***S. 2 g.*** **2.** O natural ou habitante de Selvíria.

selvoso (ô) [De *selva* + *-oso*, ou alter. de *silvoso.*] ***Adj.*** Em que há selvas [v. *selva* (1)]; silvoso.

sem [Do lat. *sine.*] ***Prep.*** Indica falta, privação, exclusão, ausência, condição, exceção: "Morrer sem uma lágrima, que a vida / Não vale a pena e a dor de ser vivida." (Manuel Bandeira, *Estrela da Vida Inteira*, p. 162); "Agonizas sem luz, sem amor, sem amigo, / sem ter quem te conceda a extrema-unção de um beijo!" (Olavo Bilac, *Poesias*, p. 168); *Levou a mercadoria sem compromisso; Não virei sem ele vir; Vieram todos os livros encomendados, sem dois ou três, aliás menos importantes.* [Antôn.: *com.* Cf. *cem.*]

▲ **sem-** [De *sem* (prep., do lat. *sine*).] ***Pref.*** Ocorre na língua a partir do séc. XIX em diante, em geral com as noções de 'privação', 'exclusão', 'ausência', ou 'inexistência': *sem-cerimônia, sem-lar, sem-sal, sem--terra, sem-teto, sem-vergonha*. [Sempre com hífen. Cf. *não-*.]

sema [Do gr. *sêma, atos*.] ***S. m. E. Ling.*** Traço semântico mínimo não passível de ocorrência independente.

▲ **sem(a)-** V. *semat(o)-*.

▲ **-sem(a)-** V. *semat(o)-*.

sem-abrigo ***Adj. 2 g. e 2 n. S. 2 g. e 2 n. Lus.*** Sem-teto.

semáfora [Fem. de *semáforo*.] ***S. f. Bras. Mar. G.*** Sistema de sinais para comunicações a pequenas distâncias, que consiste em empunhar duas bandeirolas próprias e ir colocando os braços em sucessivas posições, cada uma característica de uma letra ou de um algarismo.

semafórico [De *semáforo* + *-ico*[2].] ***Adj.*** Relativo a semáforo ou a semáfora.

semaforizado [Part. de *semaforizar (< *semáforo* + *-izar*).] ***Adj.*** Que é controlado por semáforo (2): *A via arterial tem cruzamentos semaforizados.*

semáforo [De *sem(a)-* + *-foro*.] ***S. m.* 1.** *Ant.* Mastro instalado nas costas marítimas para trocar sinais por meio de bandeiras ou de luzes com os navios à vista. **2.** Poste de sinalização ferroviária ou rodoviária que orienta o tráfego por meio de mudança de cor das luzes.

sem-amor ***S. 2 g. e 2 n.*** Pessoa a quem ninguém ama: "Ó alva de oiro e rosa! Ó luz dos Céus! / Ó lindo Amor dum sem-amor! Maria..." (Antônio Correia d'Oliveira, *Líricas*, I, p. 39.)

semana [Do lat. *septimana*, por via semierudita.] ***S. f.* 1.** Espaço de sete dias, contados do domingo ao sábado, inclusive. **2.** Espaço de sete dias consecutivos. **3.** Os seis dias imediatos ao domingo, usualmente consagrados ao trabalho. **4.** Espaço de tempo, correspondente ou não a uma semana, em que ocorre determinado fato: *a Semana de Arte Moderna*. **5.** Trabalho que dura uma semana. **6.** Semanada (2). ◆ **Semana donzela.** Semana solteira. **Semana furada.** Aquela em que há um ou mais dias feriados. **Semana inglesa.** Organização do trabalho como se faz na Inglaterra, onde ao repouso dominical se acrescenta meio dia de sábado. **Semana santa.** A última semana da quaresma (1), contada desde o domingo de Ramos até o de Páscoa. [V. *ano litúrgico*.] **Semana solteira.** A que não tem dia santo de guarda; semana donzela.

semanada [De *semana* + *-ada*[1].] ***S. f.* 1.** Quantia que se paga ou se dá semanalmente. **2.** O que se faz durante uma semana; semana.

semanal [De *semana* + *-al*[1].] ***Adj. 2 g.* 1.** Da semana, ou relativo a ela: *descanso semanal*. **2.** Que se faz, sucede ou aparece de semana a semana: *revista semanal*. [Sin. ger.: *semanário* e *hebdomadário*.] ~ V. *repouso* —.

semanário [De *semana* + *-ário*.] ***Adj.* 1.** V. *semanal*. ● ***S. m.* 2.** Camarista que ficava de serviço no paço por uma semana. **3.** Publicação semanal; hebdomadário.

semancol [De *se*[1] + *manc(ar)* + *-ol*[1].] ***S. m. Bras. Burl.*** V. *desconfiômetro* (1). [Pl.: *semancóis*.]

semancômetro [De *se*[1] + *manc(ar)* + *-o-* + *-metro*.] ***S. m. Bras. Burl.*** V. *desconfiômetro* (1).

semantema [Do rad. gr. *semant-*, do v. gr. *semaínein*, 'sinalizar'; 'significar', + *-ema*.] ***S. m. E. Ling.*** Radical (6).

semântica [Do gr. *semantiké*, i. e., *téchne semantiké*, 'a arte da significação'.] ***S. f. E. Ling.* 1.** Estudo das mudanças ou translações sofridas, no tempo e no espaço, pela significação das palavras; semasiologia, sematologia, semiótica. **2.** O estudo da relação de significação nos signos [v. *signo* (4 e 5)] e da representação do sentido dos enunciados. **3.** *P. us.* V. *semasiologia* (1).

semanticista [De *semântica* + *-ista*.] ***S. 2 g.*** Especialista em semântica.

semântico [Do gr. *semantikós*, 'que assinala', 'que indica'.] ***Adj.* 1.** Relativo à significação; significativo. **2.** Relativo à, ou próprio da semântica (2).

▲ **semasio-** [Do V.C.I. < gr. *sēmasía, as*, 'ação de sinalizar ou de dar uma ordem'; 'sinal', < v. gr. *sēmaínein*, 'sinalizar', 'dar um sinal', < gr. *sáma, atos*.] ***El. comp.*** = 'sinal', 'símbolo': *semasiologia, semasiológico, semasiologista*. [V. *semat(o)-*.]

semasiologia (mà) [De *semasio-* + *-logia*.] ***S. f.* 1.** *E. Ling.* O estudo das relações entre sinais e símbolos, e daquilo que eles representam. [Sin.: *semântica, sematologia, semiótica*.] **2.** *E. Ling.* V. *semântica* (1). **3.** *E. Ling.* O estudo do sentido das palavras, o qual parte do significante (2), para estudar o significado (4), em oposição à onomasiologia (q. v.). **4.** *Espir.* Linguagem dos sinais ou da comunicação dos espíritos por meio dos movimentos dos corpos inertes.

semasiológico (mà) [De *semasiologia* + *-ico*[2].] ***Adj.*** Referente à semasiologia.

semasiologista (mà) [De *semasiologia* + *-ista*.] ***S. 2 g.*** Especialista em semasiologia; semasiólogo.

semasiólogo [De *semasio-* + *-logo*.] ***S. m.*** Semasiologista.

▲ **semat(o)-** [Do gr. *sáma, atos*.] ***El. comp.*** = 'sinal': *sematologia, sematológico*. [Equiv.: *sem(a)-, -sem(a)-, -semat(o)-*: *sematológico; semáforo; hipersemia; parassematografia*. V. *semasio-* e *semio-*.]

▲ **-semat(o)-** V. *semat(o)-*.

sematologia (sê) [De *semat(o)-* + *-logia*.] ***S. f.* 1.** V. *semasiologia* (1). **2.** V. *semântica* (1).

sematológico (sê) [De *sematologia* + *-ico*[2].] ***Adj.*** Referente à sematologia.

semba[1] ***S. f. Rel.*** Mulher pertencente à hierarquia sacerdotal, na macumba.

semba[2] [Do quimb.] ***S. m. e f. Angol. Santom.*** Dança popular, originariamente da área de Luanda: "Dançávamos semba / Impedidos muitas vezes / Porque o patrão dizia que dançar era um sinal de protesto" (Carlos Espírito Santo, *Poesia do Colonialismo*, p. 19).

sembar [De *semba*[2] + *-ar*[2].] ***V. int. Angol.*** Dançar a semba[2]: "só na escassez de figurantes de uma das composições, sembam indivíduos do mesmo sexo." (Óscar Ribas, *Izomba*, p. 58).

semblante [Do cat. *semblant*, 'rosto'.] ***S. m.* 1.** Rosto, face, cara: "Felisberto Caldeira atravessou a sala com um semblante sereno" (Afonso Arinos, *Pelo Sertão*, p. 154). **2.** *Fig.* Aparência, fisionomia, aspecto: *Os fatos mudaram de semblante*.

sem-cerimônia ***S. f.*** V. *sem-cerimônia*. [Uso freq. em P. Pl.: *sem-cerimónias*.]

sem-cerimônia ***S. f.* 1.** Falta de cerimônia; descerimônia. **2.** Desdém às convenções sociais. **3.** Naturalidade, informalidade. **4.** Falta de polidez; grosseria. [Pl.: *sem-cerimônias*.]

sem-cerimonioso (ô) [De *sem-cerimônia* + *-oso*.] ***Adj.*** Que tem ou revela sem-cerimônia. [Pl.: *sem-cerimoniosos*.]

sem-dinheiro ***S. 2 g. e 2 n.*** Aquele que não tem dinheiro, que é muito pobre: "A moléstia é como a fome: só alcança os pobres, os sem-dinheiro." (Lima Barreto, *Feiras e Mafuás*, p. 58.)

sêmea [Do lat. *simila*.] ***S. f.* 1.** A flor da farinha de trigo. **2.** A parte da farinha de trigo que sobra depois de ser peneirada e separada do rolão. **3.** Farelo miúdo.

semeação [Do lat. *seminatione*, por via pop.] ***S. f.*** Semeadura (1).

semeada [F. subst. de *semeado*.] ***S. f.*** Terreno semeado; sementeira, semeadura.

semeado [Part. de *semear*.] ***Adj.*** Que se semeou; em que se lançaram sementes: *terra semeada*.

semeadoiro [De *semear* + *-doiro*[2].] ***Adj. S. m.*** Semeadouro (q. v.).

semeador (ô) [Do lat. *seminatore*, ou de *semear* + *-dor*.] ***Adj.* 1.** Que semeia; semeiteiro. ● ***S. m.* 2.** Aquele que semeia; semeiteiro. **3.** Máquina para semear cereais.

semeadouro [De *semear* + *-douro*[2]; var. de *semeadoiro*.] ***Adj. S. m.*** Diz-se do, ou o terreno preparado para receber a semente.

semeadura [De *semear* + *-dura*.] ***S. f.* 1.** Ato ou efeito de semear; semeação. **2.** V. *semeada*. **3.** Porção de cereais suficientes para semear-se um terreno.

semear [Do lat. *seminare*.] ***V. t. d.* 1.** Deitar sementes à terra, para que germinem: *O agricultor semeou trigo no campo*. [Sin., bras.: *ensementar*.] **2.** Espalhar ou deitar sementes em: *O camponês semeia a terra*. [Sin., p. us., nessas acepç.: *sementar*.] **3.** *Fig.* Espalhar, propalar, publicar: *Os jesuítas semearam o cristianismo*. **4.** Produzir, causar, ocasionar: *Seus atos impensados semearam indignação*. **5.** Estimular, promover, fomentar: *semear inquietações*. **6.** Colocar aqui e ali, sem ordem. ***T. d. e i.* 7.** Encher, alastrar, juncar: *A violência da batalha semeou o campo de cadáveres*; "Deus semeou d'almas o universo todo." (Guerra Junqueiro, *A Velhice do Padre Eterno*, p. 176). ***Int.* 8.** Deitar ou espalhar sementes para que germinem: *É tempo de semear*. [Conjug.: v. *frear*.]

semeável [De *semear* + *-vel*.] ***Adj. 2 g.*** Que pode ser semeado.

se me dão [De *se*[2] + *me* + 3ª pess. pl. do pres. ind. de *dar*.] ***El. s. m.*** Us. na expr. *fumar se me dão*. ◆ **Fumar se me dão.** *Bras. Joc.* Fumar à custa alheia; ser filante de cigarros.

semelhança [De *semelhar* + *-ança*.] ***S. f.* 1.** Qualidade de semelhante. **2.** Relação entre seres, coisas ou ideias que apresentam entre si elementos conformes, além daqueles comuns à espécie; parecença, analogia. **3.** Aspecto, aparência. **4.** Confronto, comparação, paralelo. [Sin. ger.: *similitude*.]

semelhante [De *semelhar* + *-nte*.] ***Adj. 2 g.* 1.** Análogo, parecido, conforme, convizinho: *homens semelhantes; pontos de vista semelhantes*. **2.** Similar (1). ~ V. *figuras —s*. ● ***Pron.* 3.** Tal, este, aquele: *Jamais cometi semelhante asneira*; "Para o romano, o mundo dos prodígios ficava a Ocidente. Semelhante tradição vinha de longe, através dos escritores gregos, sobretudo de Platão" (Aquilino Ribeiro, *Os Avós dos Nossos Avós*, p. 39). ● ***S. m.* 4.** Pessoa ou coisa da mesma natureza de outra, ou parecida com ela. **5.** Próximo (8): *Respeitar o seu semelhante*. ◆ **De semelhante.** *P. us.* Desta maneira; destarte; assim.

semelhar [Do lat. *similiare < lat. tard. *similare*.] ***V. pred.* 1.** Ser semelhante a; parecer-se com; ter a aparência de; lembrar: *O filho semelha o pai*; "os troncos retorcidos, com ramos que rompem esgalhando-se, semelham hidras" (Gustavo Barroso, *Terra de Sol*, p. 19). ***T. i.* 2.** Ter ares ou parecença (de alguém ou algo); parecer, assemelhar-se: *Sua fisionomia semelha à do avô paterno*. ***P.* 3.** Ser semelhante; parecer-se, semelhar, assemelhar: "Semelham-se a gaiolas, com viveiros, / As edificações somente emadeiradas" (Cesário Verde, *Obra Completa*, p. 103). [Conjug.: v. *aparelhar*.]

semelhável [De *semelhar* + *-vel*.] ***Adj. 2 g.*** Que se pode semelhar.

semema [De *sema* + *-ema*.] ***S. m. E. Ling.*** Conjunto ou feixe de semas (v. *sema*.)

sémen ***S. m.*** V. *sêmen*. [Uso freq. em P. Pl.: *sémenes*.]

sêmen [Do lat. *semen*, 'semente'.] ***S. m.* 1.** *Biol.* V. *esperma*. **2.** *Fig.* Semente (3). [Pl.: *semens* e (p. us. no Brasil) *sêmenes*.]

sémen-contra ***S. f. Bot.*** V. *sêmen-contra*. [Uso freq. em P. Pl.: *sémenes-contras*.]

sêmen-contra [F. red. da expr. lat. *semen contra vermes*, 'semente contra vermes'.] ***S. m. Bot.* 1.** Nome comum a várias ervas asteráceas us. no preparo de antelmínticos. **2.** Erva asterácea (*Artemisia cina*) com folhas tomentosas e flores em capítulos paniculados, nativa da Ásia e tb. cultivada pelas sementes ricas em santonina e em óleo essencial us. no preparo de antelmíntico. **3.** Santônica (1).

semenduara ***S. f. Bras. ES Zool.*** V. *pampo*[1] (1).

sementado [Part. de *sementar*.] ***Adj. P. us.*** Semeado. [Cf. *cementado* e *cimentado*.]

semental [De *semente* + *-al*[1].] ***Adj. 2 g.* 1.** Relativo a semente ou a semeadura. **2.** Que é bom reprodutor: *cavalo semental*. ● ***S. m.* 3.** Animal semental (2).

sementão [De *semente* + *-ão*[2].] ***S. m.*** V. *porta-sementes* (2).

sementar [De *semente* + *-ar*[2].] ***V. t. d. P. us.* 1.** Semear (1 e 2). **2.** *Bras.* Fornecer sementes a. **3.** Fornecer canas-de-açúcar a, para plantações. [Pres. ind.: *semento*, etc. Cf. *cimento*, s. m., e os v. *cimentar* e *cementar*.]

semente [Do lat. *semente*.] ***S. f.* 1.** *Bot.* Estrutura dos fanerógamos que conduz o embrião. Provém do óvulo fecundado e está incluída no fruto. Quase sempre é envolvida por um tegumento, a *testa*; pode sê-lo, ainda, por um segundo tegumento, o *tegme*, ou ser nua, o que é raro. Por dentro dos tegumentos há só o embrião, ou este se acompanha de endosperma. **2.** V. *esperma*. **3.** *Fig.* Germe, causa, origem; sementeira, sêmen: *Lançou entre os amigos a semente da desconfiança*. **4.** *Pop.* Fruto do girassol (1). [Não raro, a semente possui apêndices muito variados, tais como: pelos, asas, glândulas, arilo, etc. Quando germina, o embrião cresce e forma nova planta.] ◆ **Semente perispermada.** Semente provida de esperma. **Ficar para semente.** Viver muito além da média. [Cf. *cemente*, do v. *cementar*, e *cimente*, do v. *cimentar*.]

sementeira [De *semente* + *-eira*.] ***S. f.* 1.** V. *semeada*. **2.** V. *viveiro* (3). **3.** Mulher que semeia. **4.** *Fig.* Derramamento, derrame, proliferação. **5.** *Fig.* V. *semente* (3).

sementeiro [De *semente* + *-eiro*.] ***Adj.* 1.** Semeador (1). **2.** Diz-se do saco onde o semeador traz as sementes. ● ***S. m.* 3.** Semeador (2). [Cf. *cimenteiro*.]

semeóstoma [Adapt. do tax. *Semaeostommeae*.] ***Zool. S. f.* 1.** Espécime das semeostomas, subordem de discomedusas que se caracterizam pela boca central, com os cantos prolongados em lóbulos e tentáculos presentes. ● ***Adj. 2 g.* 2.** Pertencente ou relativo a elas.

semestral [De *semestre* + *-al*[1].] ***Adj. 2 g.* 1.** Relativo ou correspondente a semestre: *Estou pagando o carro em prestações semestrais*. **2.** Que se realiza ou aparece de seis em seis meses: *pagamento semestral; revista semestral*. [Sin. ger.: *semestre* e *semianual*.] ~ V. *palavra* —.

semestralidade [De *semestral* + *-(i)dade*.] ***S. f.* 1.** Quantia correspondente a um semestre; semestre. **2.** Qualidade de semestral.

semestralmente [De *semestral* + *-mente*.] ***Adv.*** De seis em seis meses; por semestre.

semestre [Do lat. *semestre*.] ***S. m.* 1.** Espaço de seis meses seguidos. **2.** Semestralidade: *Pagou ao sindicato o primeiro semestre*. ● ***Adj. 2 g.* 3.** V. *semestral*.

sem-família ***S. 2 g. e 2 n.*** Pessoa que não tem família.

sem-fim[1] [De *sem* + *fim*.] ***S. m.* 1.** Quantidade ou número indeterminado: "recortes de jornais e revistas e um sem-fim de papéis" (Maria Julieta Drummond de Andrade, *O Valor da Vida*, p. 50); *Viajou um* sem-fim *de vezes a Portugal.* **2.** Espaço indefinido, ilimitado; vastidão: *Vivia nos sem-fins das chapadas;* "E onde ninguém com o pensamento / Sequer chegou, me foi levando aquela / Nuvem, já por debaixo de uma estrela, / Já por cima, aos sem-fins do firmamento." (Alberto de Oliveira, *Poesias*, 2.ª série, p. 58). [Sin. ger.: *sem-termo*. Pl.: *sem-fins*. Cf. *sem fim*, loc. adj.]

sem-fim² [T. onom.] ***S. m. Bras. Zool.*** V. *saci* (2): "compassada, mas constante, chegava, intercadente, a mágoa de um sem-fim: — Peito ferido!... Peito ferido!..." (Afrânio Peixoto, *Bugrinha*, p. 6). [Pl.: *sem-fins*. Cf. *sem fim*, loc. adj.]

▲**semi-** [Do lat. *semi-*.] ***El. comp.*** = 'metade', 'meio', 'um de dois'; 'um tanto': *semianular, semicilíndrico, semiprecioso, semieixo*. [É seguido de hífen quando anteposto a palavra iniciada por *h* ou *i*: *semi-habitável, semi-infantil* (em tais casos, apenas o 2.º el. é flexionado na formação do plural); é grafado com *r* ou *s* duplicados quando anteposto a palavra iniciada por *r* ou *s*: *semirracional, semissólido*.]

semiaberto [De *semi-* + *aberto*.] ***Adj.*** **1.** Entreaberto: "O mistério que o ligeiro franzido das pálpebras, quando semiabertas, escondia." (Solange Berard Lajes, *Passagem*, p. 42.) **2.** *Restr.* Diz-se de regime carcerário em que o preso goza de liberdade relativa: fica livre durante o dia, mas é obrigado a voltar à noite, para dormir na prisão. ❖

semiabertura [De *semi-* + *abertura*.] ***S. f.*** Abertura incompleta; meia abertura. ❖

semiaculturado [De *semi-* + *aculturado*.] ***Adj.*** Que é parcialmente aculturado. ❖

semialma [De *semi-* + *alma*.] ***S. f.*** Espírito imperfeito; espírito boçal. ❖

semiamplexicaule (cs) [De *semi-* + *amplexicaule*.] ***Adj. 2 g. Bot.*** Diz-se da folha cuja base ou bainha abraça parcialmente o caule. ❖

semiamplitude [De *semi-* + *amplitude*.] ***S. f.*** **1.** *Estat.* Amplitude semitotal. **2.** *Fís.* Num movimento vibratório, metade da amplitude da vibração. ❖

semianalfabeto [De *semi-* + *analfabeto*.] ***Adj. S. m.*** Que, ou aquele que é meio analfabeto, que não foi completamente alfabetizado. ❖

semiângulo [De *semi-* + *ângulo*.] ***S. m.*** A metade dum ângulo. ❖

semiânime [Do lat. *semianime*.] ***Adj. 2 g.*** V. *semimorto* (1): "E, a tiritar e a arder, em cruel agonia, / semiânime, senti tudo o que sentiria, / Minha esponja de fel, se te visse morrer!" (Eugênio de Castro, *Obras Poéticas*, X, p. 66.) ❖

semianual [De *semi-* + *anual*.] ***Adj. 2 g.*** V. *semestral*. ❖

semianular [De *semi-* + *anular*¹.] ***Adj. 2 g.*** Que tem feitio de meio anel. ❖

semiapagado [De *semi-* + *apagado*.] ***Adj.*** Meio apagado; quase apagado: "Fita nos olhos teus, sorrindo, Alice / Os grandes olhos negros requebrados, / Mas os teus vê do albugo da velhice / Semiapagados." (Alberto de Oliveira, *Poesias*, 4.ª série, p. 49.) ❖

semiaquático [De *semi-* + *aquático*.] ***Adj.*** Diz-se do animal que possui, simultaneamente, hábitat terrestre e hábitat aquático. ❖

semiárido [De *semi-* + *árido*.] ***Adj.*** **1.** Um tanto árido; meio árido: "O sol destas terras semiáridas é paradoxal e caprichoso" (Vitorino Nemésio, *Caatinga e Terra Caída*, p. 89). **2.** *Geogr.* Diz-se de região ou clima que se caracteriza por um regime de chuvas escasso, irregular e concentrado num período de cerca de três meses, durante o qual ocorrem fortes e breves aguaceiros. ● ***S. m.*** **3.** *Geogr.* Região semiárida. ❖

semiativo [De *semi-* + *ativo*.] ***Adj.*** Não inteiramente ativo. ❖

semiautomático [De *semi-* + *automático*.] ***Adj.*** **1.** Que não é inteiramente automático. **2.** Diz-se de arma de fogo cujo mecanismo realiza automaticamente as operações de extração, ejeção e realimentação após o disparo, mas necessita que seja acionado o gatilho para realizar o disparo seguinte: *fuzil semiautomático*. ~ V. *balança —a*. ❖

semiauxiliar ***Adj. 2 g.*** ~ V. *verbo —*. ❖

semibárbaro [Do lat. *semibarbaru*.] ***Adj.*** Meio bárbaro; quase selvagem: "Os ritos semibárbaros dos Piagas" (Gonçalves Dias, *Obras Poéticas*, II, p. 247).

semibipedal [De *semi-* + *bípede* + *al*¹.] ***Adj. 2 g. Zool.*** Diz-se de postura que se aproxima da dos bípedes.

semibranco [De *semi-* + *branco*.] ***S. m.*** **1.** Aquele que é mais ou menos branco; que é um tanto branco: "À proporção que as mesclas se vão operando, que os novos descendentes se vão afastando dos tipos primitivos, surgem mestiços disfarçados que são então julgados semibrancos e curibocas e, por fim, o chamado branco nacional" (A. Austregésilo, *Obras Completas*, X, p. 156). ● ***Adj.*** **2.** Um tanto branco.

semibreve [De *semi-* + *breve*.] ***S. f. Mús.*** Figura que tem o valor de duas mínimas ou de metade da breve.

semibruto [De *semi-* + *bruto*.] ***Adj.*** Meio bruto; um tanto bruto: "Nascera de oito meses, coisa rara. O fórceps teve de ser aplicado pela mão semibruta do Dr. Rufino" (Gustavo Barroso, *Mississípi*, p. 16).

semicapro [Do lat. *semicapru*.] ***Adj. S. m.*** Diz-se de, ou ser mitológico cujo corpo é metade homem e metade bode.

semicarbazida [De *semi-* + *carbazida*.] ***S. f. Quím.*** Substância básica (fórm.: CH_5N_3O), derivada da ureia, us., ger., sob a forma de seu sal com ácido clorídrico (fórm.: CH_6ClN_3O), como reagente para a identificação de aldeídos e cetonas.

semicarbazona [De *semicarbaz(ida)* + *-ona*².] ***S. f. Quím.*** Designação genérica das substâncias, ger. sólidas, com pontos de fusão bem definidos, que resultam da reação entre aldeídos, ou cetonas, e a semicarbazida.

semicarbonizado [De *semi-* + *carbonizado*.] ***Adj.*** Não de todo carbonizado.

semicerrado [Part. de *semicerrar*.] ***Adj.*** Não inteiramente cerrado; entreaberto: "Era como se olhasse para dentro de mim mesmo, pálpebras semicerradas" (Gilberto Amado, *Depois da Política*, p. 198).

semicerrar [De *semi-* + *cerrar*.] ***V. t. d.*** **1.** Não fechar de todo; deixar entreaberto. ***P.*** **2.** Não se fechar de todo; ficar entreaberto: *Seus olhos semicerraram-se*.

semichas ***S. f. pl. Pop.*** Aquilo que sobeja ou se entorna ao medirem-se líquidos ou cereais.

semicilíndrico [De *semi-* + *cilíndrico*.] ***Adj.*** Que tem o feitio de meio cilindro.

semicircular [De *semi-* + *circular*.] ***Adj. 2 g.*** **1.** Que tem forma de semicírculo; semicírculo. **2.** Relativo ao semicírculo; hemicíclico, semicírculo. ~ V. *arco — e canais —es*.

semicírculo [Do lat. tard. *semicirculu*.] ***S. m.*** **1.** Metade de um círculo. **2.** *Geom.* Cada uma das regiões de um círculo em que um diâmetro o divide. ● ***Adj.*** **3.** V. *semicircular*.

semicircunferência [De *semi-* + *circunferência*.] ***S. f.*** **1.** Metade duma circunferência. **2.** *Geom.* Arco de circunferência com 180°.

semiclausura [De *semi-* + *clausura*.] ***S. f.*** Clausura ou encerro com o gozo de alguma liberdade.

semicolcheia [De *semi-* + *colcheia*.] ***S. f. Mús.*** Figura do valor de metade da colcheia.

semicómico ***Adj.*** V. *semicômico*. [Uso freq. em P.]

semicômico [De *semi-* + *cômico*.] ***Adj.*** Meio cômico; quase cômico.

semicondutivo [De *semicondut(or)* + *-ivo*.] ***Adj.*** De, ou relativo a, ou que tem as características de um semicondutor.

semicondutor (ô) [De *semi-* + *condutor*.] ***S. m. Fís.*** Condutor elétrico, cuja resistividade decresce com a temperatura, e em que a condução de carga pode efetuar-se por elétrons ou por íons ou por buracos. ◆ **Semicondutor extrínseco.** *Eletrôn.* Semicondutor cuja concentração de portadores de carga é determinada pelas impurezas (doadoras ou aceitadoras). **Semicondutor intrínseco.** *Eletrôn.* Semicondutor puro, ou com igual número de átomos doadores e aceitadores, que, sob condições de equilíbrio térmico, tem igual concentração de elétrons e buracos. **Semicondutor tipo N.** *Eletrôn.* Semicondutor extrínseco no qual os portadores majoritários são elétrons. **Semicondutor tipo P.** *Eletrôn.* Semicondutor extrínseco no qual os portadores majoritários são buracos.

semiconsciência [De *semi-* + *consciência*.] ***S. f.*** Estado intermediário entre a consciência e a inconsciência.

semiconsciente [De *semi-* + *consciente*.] ***Adj. 2 g.*** **1.** Que se acha em estado de semiconsciência: *A arteriosclerose o deixa apenas semiconsciente do que ocorre à sua volta.* **2.** Em que há semiconsciência: *Quando bêbado, dá respostas semiconscientes.*

semiconservativo [De *semi-* + *conservativo*.] ***Adj. Genét.*** ~ V. *replicação —a*.

semiconsoante [De *semi-* + *consoante*.] ***S. f. E. Ling.*** Semivogal (2).

semicoriáceo [De *semi-* + *coriáceo*.] ***Adj. Bot.*** Que é meio coriáceo.

semicrioulo [De *semi-* + *crioulo* (12).] ***S. m. E. Ling.*** V. *crioulo ide*.

semicristalino [De *semi-* + *cristalino*.] ***Adj.*** Que não é inteiramente cristalino: *mineral semicristalino*.

semicultismo [De *semi-* + *cultismo*.] ***S. m. E. Ling.*** V. *palavra semierudita*.

semicúpio [Do lat. med. *semicupiu*, 'meia cuba'.] ***S. m.*** **1.** Banho de imersão da parte inferior do tronco; banho de asseio, banho de assento: "Qualquer vertigem, qualquer espirro, ... qualquer reumatismo, ... é logo rebatido com o escalda-pé, com o suadouro, com a fricção, com o semicúpio." (Raimundo Morais, *País das Pedras Verdes*, p. 238.) **2.** Banheira ou bacia própria para esse banho.

semicúpula [De *semi-* + *cúpula*.] ***S. f. Arquit.*** Abóbada esferoidal de volta inteira.

semideia (éi) [Do lat. *semidea*.] ***S. f.*** Semideusa. ❖

semideiro [Do lat. *semitariu*.] ***S. m.*** Caminho estreito; atalho.

semidesértico [De *semi-* + *desértico*.] ***Adj.*** Meio desértico; não totalmente desértico.

semidesnatado [De *semi-* + *desnatado*.] ***Adj.*** Parcialmente desnatado.

semidestruído [De *semi-* + *destruído*.] ***Adj.*** Parcialmente destruído.

semideus [Do lat. *semideus*.] ***S. m.*** **1.** *Mit.* Ser imortal que, segundo os antigos, participava da divindade, como os faunos, as ninfas, etc. **2.** *Mit.* O filho de um deus e de uma mortal, ou de uma deusa e um mortal; herói. **3.** *P. ext.* Designação dada aos mortais deificados, tais como fundadores de cidades, antepassados das grandes tribos, guerreiros, benfeitores, etc. **4.** *Fig.* Homem excepcional pelo seu talento e pelas honras que lhe são concedidas. [Fem.: *semideusa* e *semideia*. Pl.: *semideuses*.]

semideusa [De *semi-* + *deusa*.] ***S. f.*** Fem. de *semideus*; semideia.

semidiáfano [De *semi-* + *diáfano*.] ***Adj.*** Um tanto diáfano.

semidiâmetro [Do lat. tard. *semidiametru*.] ***S. m.*** **1.** *Geom.* A metade do diâmetro de uma circunferência ou superfície esférica; raio. **2.** *Astr.* Distância angular medida entre o centro de um astro de disco aparente e o seu bordo.

semidisco [De *semi-* + *disco*.] ***S. m.*** A metade de um disco.

semiditongo [De *semi-* + *ditongo*.] ***S. m. E. Ling.*** V. *ditongo crescente*.

semidítono [De *semi-* + *dítono*.] ***S. m. Mús.*** Intervalo musical formado de um tom e um semitom. [Pode ser uma terça menor, ou uma segunda aumentada.]

semidiurno (i-ur) [De *semi-* + *diurno*.] ***Adj.*** **1.** De, ou relativo ao meio-dia. **2.** Que dura a metade de um dia.

semidivindade [De *semi-* + *divindade*.] ***S. f.*** **1.** Qualidade ou caráter de semideus. **2.** Semideus ou semideusa.

semidivino [Do lat. tard. *semidivinu*.] ***Adj.*** Quase divino: "Eu sonhava... O meu sonho era semidivino: / Duas almas num grande abraço estreito e longo" (Hermes-Fontes, *Microcosmo*, p. 35).

semidobrado [De *semi-* + *dobrado*.] ***Adj.*** Meio dobrado.

semidouto [Do lat. *semidoctu*.] ***Adj. S. m.*** Diz-se de, ou indivíduo meio douto ou de mediana cultura.

semidúplex (cs) [Do lat. *semiduplex* (nom.).] ***Adj. 2 g. e 2 n. Rel.*** Diz-se das festas ou celebrações em que o ofício divino era festivo só em parte. [F. paral.: *semidúplice*.]

semidúplice [Do lat. *semiduplice*.] ***Adj. 2 g. Rel.*** Semidúplex (q. v.).

semieixo [De *semi-* + *eixo*.] ***S. m.*** **1.** Cada um dos eixos que, num veículo automóvel, comunicam movimento às rodas motrizes. **2.** *Geom.* Semirreta a que se atribui um sentido. ◆ **Semieixo maior.** *Astr.* Elemento da órbita de um astro, que caracteriza as dimensões da elipse orbital; distância média. **Semieixo menor.** *Astr.* A metade do eixo menor da elipse orbital de um astro. ❖

semiempírico [De *semi-* + *empírico*.] ***Adj. Quím.*** Diz-se de método ou cálculo de química teórica que emprega certos parâmetros obtidos experimentalmente. [V. *ab initio* (2).]

semiencantado [De *semi-* + *encantado*.] ***Adj.*** Meio encantado; quase encantado: "um castelo de lenda, semiencantado" (Eça de Queirós, *Notas Contemporâneas*, p. 525). ❖

semiencoberto [De *semi-* + *encoberto*.] ***Adj.*** Meio encoberto: "descobriam os pequenos cardumes que viajavam semiencobertos" (Freitas Cavalcanti, *A Profecia das Águas*, p. 130). ❖

semiereto [De *semi-* + *ereto*.] ***Adj. Bot.*** Que é ereto até a metade do tronco.

semierguer [De *semi-* + *erguer*.] ***V. t. d. P.*** Erguer(-se) ou levantar(-se) a meio, não de todo; semilevantar(-se): "À chegada do trem, semierguendo a cortina, / Ela espia por trás da vidraça que a encobre." (Ribeiro Couto, *Poesias Reunidas*, p. 37); "semierguendo-se para se pôr sobre ela, ... o doutor lhe parecia um guarda-chuva branco e enorme a resguardar sua vergonha de mulher" (Jorge Amado, *Dona Flor e Seus Dois Maridos*, p. 348). ❖

semieruditismo [De *semi-* + *eruditismo*.] ***S. m. E. Ling.*** V. *palavra semierudita*. ❖

semierudito [De *semi-* + *erudito*.] ***Adj. E. Ling.*** Pertencente ou relativo a, ou próprio de palavra semierudita (q. v.). ❖

semiescandente [De *semi-* + *escandente*.] ***Adj. 2 g. Bot.*** Diz-se do vegetal cujo caule se apoia e ascende sobre outro pelas pontas dos ramos, assim formando um tronco mais ou menos ereto na porção inferior; subescandente. ❖

semiescravidão [De *semi-* + *escravidão*.] ***S. f.*** Escravidão quase completa; meia escravidão. ❖

semiescuro [De *semi-* + *escuro*.] ***Adj.*** Um tanto escuro; quase escuro: "Vinha a sós cismando pela semiescura / Pedregosa rampa" (Alberto de Oliveira, *Póstuma*, p. 25).❖

semiesfera [De *semi-* + *esfera.*] *S. f.* Metade de uma esfera; hemisfério.❖

semiesférico [De *semi-* + *esférico.*] *Adj.* Que tem forma de semiesfera; hemisférico.❖

semiespecializado [De *semi-* + *especializado.*] *Adj.* Meio especializado.❖

semifalante [De *semi-* + *falante*; trad. do ingl. *semi-speaker.*] *S. 2 g. E. Ling.* Falante bilíngue que domina, imperfeitamente, por tratar-se de língua em via de desaparecer, uma das línguas de sua comunidade. [Cf. *língua morta.*]

semifavor (ô) [De *semi-* + *favor.*] *S. m.* Pequeno favor ou obséquio.

semifendido [De *semi-* + *fendido.*] *Adj.* **1.** Meio fendido. **2.** Dividido em dois segmentos.

semifinal [De *semi-* + *final.*] *Adj. 2 g. S. f. Bras. Esport.* Em competições esportivas e quaisquer outras, diz-se da, ou a prova que antecede imediatamente a final. [Sin. (lus., substantivo apenas): *meia-final.*]

semifinalista [De *semifinal* + *-ista.*] *Adj. 2 g. S. 2 g. Bras.* Em competições esportivas e quaisquer outras, diz-se de, ou pessoa ou equipe que se classificou para disputar a prova que indicará os finalistas [v. *finalista* (4)], na decisão de um título, troféu, etc.

semifletido [De *semi-* + *fletido*, part. de *fletir.*] *Adj.* Que não está completamente fletido; meio fletido.

semiflósculo [De *semi-* + *flósculo.*] *S. m. Bot.* Cada uma das flores liguladas do capítulo das asteráceas. [Cf. *flósculo.*]

semifluido (úi) [De *semi-* + *fluido.*] *Adj.* Que não é completamente fluido.

semifundido [De *semi-* + *fundido.*] *Adj.* Meio fundido; um tanto fundido.

semifusa [De *semi-* + *fusa.*] *S. f. Mús.* Figura do valor de metade da fusa.

semiglobuloso (ô) [De *semi-* + *globuloso.*] *Adj. Bot.* Que tem forma semiesférica ou de meio globo.

semi-hebdomadário [De *semi-* + *hebdomadário.*] *Adj. 2 g.* Bissemanal.

semi-herbáceo [De *semi-* + *herbáceo.*] *Adj. Bot.* De consistência próxima à das plantas herbáceas.

semi-infantil [De *semi-* + *infantil.*] *Adj. 2 g.* Quase infantil; um tanto infantil: 📖 "A alma semi-infantil toda a céu recendia" (Alberto de Oliveira, *Póstuma*, p. 46).

semi-ínfero [De *semi-* + *ínfero.*] *Adj. Bot.* Diz-se do ovário concrescente ao receptáculo, mas que conserva livre a porção superior.

semi-integral [De *semi-* + *integral.*] *Adj. 2 g.* Diz-se do alimento parcialmente industrializado.

semi-inteiro *Adj. Mat.* Que pode ser expresso pela fórmula n+ (1/2), onde n é um número inteiro, positivo, ou zero.

semi-internato [De *semi-* + *internato.*] *S. m.* **1.** Estado ou condição de semi-interno. **2.** Escola cujos alunos são semi-internos. [Cf. *internato e externato.*]

semi-interno [De *semi-* + *interno.*] *Adj. S. m.* Diz-se de, ou aluno que, embora não resida no colégio, ali permanece todo o dia e, em geral, almoça e lancha.

semilenhoso (ô) [De *semi-* + *lenhoso.*] *Adj.* De consistência próxima à lenhosa.

semilevantar [De *semi-* + *levantar.*] *V. t. d. P.* Semierguer: 📖 "— Pois aqui estou, meu bem, cheguei ind'agorinha... — semilevantando-se lhe tomou da mão." (Jorge Amado, *Dona Flor e Seus Dois Maridos*, p. 415.)

semilíngue (güe) [De *semi-* + *-língue*; trad. do ingl. *semilingual.*] *Adj. 2 g. S. 2 g. E. Ling.* Diz-se de, ou o falante que, por ter mudado, na infância, muitas vezes de região, adquiriu várias línguas, sem alcançar, contudo, a proficiência de um falante-nativo em nenhuma delas.❖

semilíquido [De *semi-* + *líquido.*] *Adj.* Que não é nem líquido nem sólido; pastoso: 📖 "A terra nua dos caminhos, limosa, esverdeada nos taludes e nas rampas, empapada, semilíquida no leito plano, ... ora alteava-se em almofadas de lama, ora cavava-se em poças de água barrenta" (Júlio Ribeiro, *A Carne*, p. 53).

semilitúrgico [De *semi-* + *litúrgico.*] *Adj.* ~ V. *drama* —.

➔**sémillon** [semi'jõ] [Fr.] *S. m.* **1.** *Vitic.* Casta nobre de uva branca, cultivada sobretudo na Gironda (v. *girondino*), responsável pela produção de excelentes vinhos licorosos. **2.** *Enol.* Vinho produzido com essa uva.

semilog *Adj.* ~ V. *papel* —.

semilúcido [De *semi-* + *lúcido.*] *Adj.* Um tanto lúcido; quase lúcido: 📖 "esforços que são semipenosos porque são já semilúcidos" (Eça de Queirós, *Contos*, p. 169).

semilunar [De *semi-* + *lunar.*] *Adj. 2 g.* **1.** V. *luniforme.* ● *S. m.* **2.** *Anat.* Um dos ossos do carpo.

semilunático [Do lat. tard. *semilunaticu.*] *Adj.* Meio lunático; um tanto aluado; amalucado.

semilúnio [De *semi-* + *-lun(i)-* + *-io*³.] *S. m.* Metade de uma revolução da Lua.

semimanufaturado [De *semi-* + *manufaturado.*] *Adj.* **1.** Diz-se de produto apenas em parte industrializado. ● *S. m.* **2.** Produto semimanufaturado (1): 📖 "O ministro está articulando com os estados a isenção do Imposto sobre Circulação de Mercadorias e Serviços (ICMS) para a exportação de semimanufaturados." (*Jornal do Brasil*, 15.02.1992.)

semimarinho [De *semi-* + *marinho.*] *Adj.* **1.** Que tem hábitos marinhos e terrestres concomitantemente (diz-se de animal). **2.** Que habita águas marinhas e doces (diz-se de peixe).

semimaterial [De *semi-* + *material.*] *Adj. 2 g.* Que é material apenas em parte; quase material.

semimensal [De *semi-* + *mensal.*] *Adj. 2 g.* Que ocorre ou aparece duas vezes por mês; bimensal.

semimetal [De *semi-* + *metal.*] *S. m.* Designação comum às substâncias de aspecto metálico, friáveis e não dúcteis.

semimilionário [De *semi-* + *milionário.*] *S. m.* Aquele que é quase milionário: 📖 "Guimarães Airosa é assim, amanhece pobre e adormece semimilionário." (Jaime d'Altavila, *Lógica de um Burro*, p. 92.)

semimorto (ô) [Do lat. *semimortuu.*] *Adj.* **1.** Meio morto; exânime, semiânime, semivivo. **2.** *Fig.* Enfraquecido, amortecido, mortiço. **3.** Esgotado, fatigado, extenuado, esfalfado. [Pl.: *semimortos* (ó).]

seminação [Do lat. *seminatione*, por via erudita.] *S. f.* **1.** *Bot.* Dispersão natural das sementes de uma planta; disseminação. **2.** V. *inseminação.*

seminal [Do lat. *seminale.*] *Adj. 2 g.* **1.** Relativo ou pertencente a semente ou a sêmen. **2.** *Fig.* Produtivo, fértil. ~ V. *fluido* — e *vesícula* —.

seminarcose [De *semi-* + *narcose.*] *S. f. Anest.* Narcose incompleta.

seminário [Do lat. *seminariu.*] *S. m.* **1.** Viveiro de plantas onde se fazem as sementeiras. **2.** *Fig.* Centro de criação ou de produção: 📖 "O Lácio todo é um seminário de crendices e superstições, tiradas da terra e devolvidas à terra." (Aquilino Ribeiro, *Os Avós dos Nossos Avós*, p. 64.) **3.** *Ecles.* Estabelecimento escolar onde se formam os eclesiásticos. **4.** O conjunto dos educadores, pessoal e alunos de um seminário (3). **5.** Congresso científico ou cultural. **6.** Grupo de estudos em que se debate a matéria exposta por cada um dos participantes.● *Adj.* **7.** *Desus.* Seminal.

seminarista [De *seminário* + *-ista.*] *S. m.* Aquele que estuda como interno em um seminário (3), com o fim de se ordenar.

seminarístico [De *seminarista* + *-ico*².] *Adj.* Referente a, ou próprio de seminarista ou de seminário.

seminatural *Adj. 2 g.* Que não é totalmente natural.

▲**semin(i)-** [Do lat. *sēmen, inis.*] *El. comp.* = 'semente': *seminífero; semínula.* [Equiv.: *-semin(i)-*: *dissemínula.*]

▲**-semin(i)-** Equiv. de *semin(i)-*.

seminífero [De *semin(i)-* + *-fero.*] *Adj.* **1.** Que tem ou produz sementes ou sêmen. **2.** *Anat.* Diz-se de cada um dos túbulos em que os espermatozoides se formam e de onde são propelidos no sentido de deixar cada testículo.

semínima [De *semi-* + *mínima*, com haplologia.] *S. f. Mús.* Figura que vale a metade da mínima.

semino *S. m.* Cada uma das boias que sustêm certas redes de pesca.

seminu [Do lat. *seminudu.*] *Adj.* **1.** Meio nu. **2.** Maltrapilho, andrajoso, esfarrapado. [Fem.: *seminua.*]

seminudez (ê) [Do lat. *seminudus*, 'seminu', + *-ez.*] *S. f.* Estado de seminu; meia nudez.

semínula [De *semin(i)-* + *-ula.*] *S. f.* **1.** Pequena semente. **2.** Esporo (1). [F. paral.: *semínulo.*]

seminulífero [De *semínula* + *-ifero.*] *Adj.* Que tem semínulas.

semínulo [De *semin(i)-* + *-ulo.*] *S. m.* Semínula.

▲**semio-** [Do V.C.I. *semeio-, semio-* < gr. *sēmeio-* < gr. *sēmeîon, ou* < gr. *sáma, atos.*] *El. comp.* = 'sinal': *semiografia, semiologia.* [V. *semat(o)-.*]

semiobscuridade [De *semi-* + *obscuridade.*] *S. f.* Meia escuridão; meia-luz: 📖 "Rasgou o bilhete, sentindo em cima de si os olhos da mulher, que na semiobscuridade do quarto pareciam lançar chispas." (Wellington de Araújo Leão, em *Contos Alagoanos de Hoje*, p. 75.)❖

semioculto [De *semi-* + *oculto.*] *Adj.* Meio oculto; quase oculto: 📖 "Filas de portas e janelas, metros de sacadas semelhantes, semiocultas pelas faixas de sombras projetadas no calçamento" (Antônio Celso, *A Porta de Jerusalém*, p. 26).❖

semioficial [De *semi-* + *oficial.*] *Adj. 2 g.* Quase oficial; meio oficial.❖

semiografia [De *semio-* + *-grafia.*] *S. f.* Representação por meio de sinais; notação.

semiográfico [De *semiografia* + *-ico*².] *Adj.* Referente à semiografia.

semiologia [De *semio-* + *-logia.*] *S. f.* **1.** *E. Ling.* Ciência geral dos signos, segundo Ferdinand de Saussure (v. *saussuriano*), que estuda todos os fenômenos culturais como se fossem sistemas de signos, *i. e.*, sistemas de significação. Em oposição à linguística, que se restringe ao estudo dos signos linguísticos, ou seja, da linguagem, a semiologia tem por objeto qualquer sistema de signos (imagens, gestos, vestuários, ritos, etc.); semiótica (q. v.). **2.** *Med.* Estudo e descrição dos sinais e sintomas de uma doença; semiótica. [Cf., nesta acepç., *sintomatologia.*]

semiológico [De *semiologia* + *-ico*².] *Adj. E. Ling.* Referente à semiologia.

semiologista [De *semiologia* + *-ista.*] *S. 2 g. E. Ling.* Semiólogo.

semiólogo [De *semio-* + *-logo.*] *S. m. E. Ling.* Especialista em semiologia; semiologista.

semionotiforme [Do tax. *Semionotiformes.*] *Zool. S. m.* **1.** Espécime dos semionotiformes, ordem de peixes actinopterígios, com espécies extintas e existentes, estas agrupadas na família lepisosteídea. Ocorrem nas Américas do Norte e Central.● *Adj.* Pertencente ou relativo a eles. [Sin. ger.: *lepisosteiforme.*]

semiopaco [De *semi-* + *opaco.*] *Adj.* Meio opaco; quase opaco.❖

semioquímica (sê) [De *semio-* + *química.*] *S. f. Quím.* Estudo da comunicação entre organismos efetuada mediante substâncias químicas. [Cf. *mensageiro químico.*]

semioquímico (sê) [De *semioquímica*, com var. suf. (v. *-ico*²).] *Adj. Quím.* Relativo à, ou próprio da semioquímica.

semiótica [Do gr. *semeiotiké (téchne)*, 'a arte dos sinais'.] *S. f.* **1.** *E. Ling.* Denominação utilizada, principalmente pelos autores norte-americanos, para a ciência geral do signo; semiologia. **2.** *E. Ling.* V. *semasiologia* (1). **3.** *Desus.* Arte de comandar manobras militares por meio de sinais, e não da voz. **4.** *Med.* Semiologia. **5.** *E. Ling.* V. *semântica* (1).

semiótico [Do gr. *semeiotikós.*] *Adj.* Pertencente ou relativo à semiótica.

semiovoide (ói) [De *semi-* + *ovoide.*] *Adj. 2 g.* De forma próxima à da ovoide.❖

semipalmado [De *semi-* + *palmado.*] *Adj. S. m. Zool.* Diz-se de, ou animal que tem os dedos interligados por membrana que, contudo, não chega até a extremidade deles.

semiparasítico [De *semiparasito* + *-ico*².] *Adj.* Relativo a, ou próprio de semiparasito.

semiparasito [De *semi-* + *parasito.*] *Adj. S. m.* **1.** *Biol.* Que, ou o que é capaz de sobreviver independente de seu hospedeiro. **2.** *Bot.* Diz-se de, ou vegetal que, embora tenha capacidade de realizar fotossíntese e sintetizar compostos orgânicos, extrai minerais do vegetal hospedeiro.

semiparente [De *semi-* + *parente.*] *Adj. 2 g. S. 2 g.* Que, ou quem tem algum parentesco com outrem.

semipasta [De *semi-* + *pasta.*] *S. f. Ind. Pap.* A pasta alvejada e livre das principais impurezas, antes de ser refinada.

semipedal [Do lat. *semipedale.*] *Adj. 2 g.* Que tem meio pé de comprimento.

semipenoso (ô) [De *semi-* + *penoso.*] *Adj.* Um tanto penoso; meio penoso; quase penoso: 📖 "esforços que são semipenosos porque são já semilúcidos" (Eça de Queirós, *Contos*, p. 169).

semiperímetro [De *semi-* + *perímetro.*] *S. m.* A metade dum perímetro.

semipermeável [De *semi-* + *permeável.*] *Adj. 2 g. Fís.* Diz-se da membrana ou parede através da qual pode ocorrer osmose, mas que impede a mistura livre dos fluidos entre os quais se acha interposta.

semiplano [De *semi-* + *plano.*] *S. m. Geom.* Parte de um plano limitado por uma reta.

semipleno [Do lat. *semiplenu.*] *Adj.* **1.** Cheio até ao meio. **2.** *Jur.* Diz-se de prova incompleta.

semiportátil [De *semi-* + *portátil.*] *Adj. 2 g.* Quase portátil. [Pl.: *semiportáteis.*]

semiprecioso (ô) [De *semi-* + *precioso.*] *Adj.* Que não é completamente precioso; meio precioso. ~ V. *pedra* —*a.*

semiprova [De *semi-* + *prova.*] *S. f.* Prova semiplena.

semiputrefato [De *semi-* + *putrefato.*] *Adj.* Quase podre (1); semipútrido.

semipútrido [De *semi-* + *pútrido.*] *Adj.* Semiputrefato.

semiquímico [De *semi-* + *químico.*] *Adj.* ~ V. *pasta* —*a.*

semirracional [De *semi-* + *racional.*] *Adj. 2 g.* Muito pouco inteligente; pouco racional.❖

semirreal [De *semi-* + *real.*] *Adj. 2 g.* Que não é inteiramente real; meio irreal.❖

semirreboque [De *semi-* + *reboque.*] *S. m.* Reboque sem eixo dianteiro, parcialmente apoiado pelo veículo trator.❖

semirreligioso [De *semi-* + *religioso.*] *Adj.* **1.** Um tanto religioso: 📄 *um jovem semirreligioso.* **2.** Que não é inteiramente religioso: 📄 *educação semirreligiosa.*❖

semirreta [De *semi-* + *reta*.] *S. f. Geom.* Parte de uma reta limitada por um ponto. ❖

semirrígido [De *semi-* + *rígido*.] *Adj.* Meio rígido; quase rígido. ❖

semirrisonho [De *semi-* + *risonho*.] *Adj.* Meio risonho; um tanto risonho: "O príncipe encantado era esperado por um rostinho de auricalco semirrisonho e pudibundo" (Francisco Ribeiro Sampaio, *Renembranças*, p. 13). ❖

semirroto [De *semi-* + *roto*.] *Adj.* **1.** Meio roto. **2.** Meio quebrado. ❖

semissábio [De *semi-* + *sábio*.] *Adj.* **1.** Que tem ciência incompleta. **2.** Que fala de tudo, mas sabe pouco. ❖

semisselvagem [De *semi-* + *selvagem*.] *Adj. 2 g.* **1.** Quase selvagem: "As estranhas usanças, os costumes / Semisselvagens desse povo inculto" (Bernardo Guimarães, *Poesias Completas*, p. 195). **2.** Pouco civilizado; rude, grosseiro. ❖

semissintético [De *semi-* + *sintético*.] *Adj. Quím.* Preparado mediante reações que modificam um produto natural. ❖

semissistematização [De *semi-* + *sistematização*.] *S. f.* Sistematização incompleta ou imperfeita. ❖

semissólido [De *semi-* + *sólido*.] *Adj.* Que não é nem sólido nem líquido; pastoso. ❖

semissoma [De *semi-* + *soma*.] *S. f. Mat.* A metade de uma soma. ❖

semissono [De *semi-* + *sono*.] *S. m.* Sono incompleto, imperfeito; sonolência: "pálpebras rosadas, quase sempre oclusas, em constante semissono" (João Guimarães Rosa, *Sagarana*, p. 3). ❖

semita [Do antr. *Sem*, de uma personagem bíblica, + *-ita*².] *S. 2 g.* **1.** Indivíduo dos semitas, família etnográfica e linguística, originária da Ásia ocidental, e que compreende os hebreus, os assírios, os arameicos, os fenícios, os árabes. V. *semítico* (3). **2.** *Restr.* O judeu. ● *Adj.* **3.** Pertencente ou relativo aos semitas. [Cf. *sêmita*.]

sémita *S. f.* V. *sêmita*. [Uso freq. em P.]

sêmita [Do lat. *semita*.] *S. f.* Senda. [Cf. *semita*.]

semítico [De *semita* + *-ico*².] *Adj.* **1.** Pertencente ou relativo aos semitas e ao semítico (3). **2.** *Restr.* Pertencente ou relativo aos judeus. ● *S. m.* **3.** *Gloss.* O maior dos grupos de línguas da família camito-semítica, e que se estende do N. da África até o S.O. da Ásia. [O grupo inclui o hebraico, o aramaico, o assírio, o árabe, o maltês e várias línguas menos conhecidas da região da Etiópia, como, p. ex., o amárico e o tigrínia, e, ainda, o acádio, o amorita, o fenício, o moabita, estas mais antigas e já extintas.] **4.** Vocábulo do semítico (3).

semitismo [De *semita* + *-ismo*.] *S. m.* **1.** Caráter do que é semítico. **2.** *Restr.* Caráter do que é judeu. **3.** A civilização semítica, ou a sua influência. **4.** Idiotismo peculiar às línguas semíticas.

semitom [De *semi-* + *tom*.] *S. m. Mús.* O menor intervalo us. na música ocidental. [Pode ser diatônico, entre duas notas de nomes diferentes (*mi–fá*; *ré–mi* bemol), ou cromático, entre duas notas de nomes iguais, sendo uma alterada (*si* bemol– *si* bequadro; *ré–ré* sustenido).]

semitonal [De *semi-* + *tonal*.] *Adj. 2 g. Mús.* De, ou relativo a semitom.

semitonar [De *semitom* + *-ar*², seg. o padrão erudito.] *V. t. d. Mús.* **1.** Cantar ou entoar em semitom. **2.** Desafinar.

semitonto [De *semi-* + *tonto*.] *Adj.* Meio tonto; quase tonto: "esgueirava-se ao longo dos casebres, arrastando pela mão a filharada, semitonta de sono e entanguida de frio" (Hugo de Carvalho Ramos, *Tropas e Boiadas*, pp. 67-68).

semitotal [De *semi-* + *total*.] *Adj. 2 g.* Quase total.

semitransparente [De *semi-* + *transparente*.] *Adj. 2 g.* Um tanto transparente.

semitropical [De *semi-* + *tropical*.] *Adj. 2 g.* Meio tropical; quase tropical.

semiúmido [De *semi-* + *úmido*.] *Adj.* Meio úmido; quase úmido. ❖

semiuncial [De *semi-* + *uncial*.] *Adj. 2 g. S. f. Paleogr.* Diz-se da, ou a forma de transição da uncial latina para a minúscula, usada do séc. VI ao XII, e caracterizada pelo número maior de letras ascendentes e descendentes. [V. *uncial*.] ❖

semiusto [Do lat. *semiustu*.] *Adj. Poét.* Um tanto queimado.

semíviro [Do lat. *semiviru*.] *S. m.* Homem imperfeito; eunuco.

semiviver [De *semi-* + *viver*.] *V. int.* Viver incompletamente.

semivivo [Do lat. *semivivu*.] *Adj.* V. *semimorto*.

semivogal [De *semi-* + *vogal*.] *S. f. E. Ling.* **1.** Cada uma das vogais *i* e *u* quando, juntas a outra vogal, com ela formam uma sílaba. P. ex.: O *i* das palavras *herói* (*he-rói*) e *Mário* (*Má-rio*), e o *u* das palavras *troféu* (*tro-féu*) e *quadro* (*qua-dro*). **2.** Som que, embora ocupe uma das margens da sílaba como uma consoante, é foneticamente semelhante a uma vogal; semiconsoante. [Sin. (ingl.), nesta acepç.: *glide*.] [A letra *w* (que voltou a constar do alfabeto, segundo o acordo firmado entre países lusófonos) pode representar uma semivogal em palavras de origem inglesa (*watt*), e a letra *y* (que também voltou a constar do alfabeto) pode funcionar como semivogal em estrangeirismos (especialmente em anglicismos e em termos orientais: *yard*, *yen*).]

sem-justiça *S. f.* Ato injusto; injustiça, iniquidade.

sem-lar *S. 2 g. e 2 n.* Pessoa que não tem lar (4): "Que aos sem-lar e sem-pão, — homem ou ave, / Qualquer migalha vil lhes mata a fome, / Qualquer fiapo de lã basta a aquecê-los." (Alberto de Oliveira, *Poesias*, 4.ª série, p. 236.)

sem-luz *S. 2 g. e 2 n.* Pessoa que, física e/ou espiritualmente, vive nas trevas: "Choravam os sem-luz, / E os rijos peitos bravos." (Gomes Leal, *História de Jesus*, p. 108.)

sem-nome *Adj. 2 g. e 2 n.* Diz-se de ato indecente ou revoltante: *uma barbaridade sem-nome.*

sem-número *S. m. 2 n.* Número indeterminado; grande número: *Visitei-o um sem-número de vezes*; "é um sem-número de soldados de uniformes exóticos" (Xavier Marques, *A Cidade Encantada*, p. 36).

semodagem [De *sem* + *modo* + *-agem*².] *S. f. Bras. CE Pop.* **1.** Falta de bons modos. **2.** Travessura, traquinada: "Só lhe resta um recurso. Deus. Sim. Por que não? Era uma semodagem implorar isso aos céus: que não levasse tunda." (Manuel Lobato, *Garrucha 44*, p. 85.)

sêmola [Do it. *semola* < lat **simula* < lat. *simila*.] *S. f.* **1.** Farinha granulada resultante da moagem do grão do trigo ou de outros cereais e utilizada no preparo de massas, sopas, etc. **2.** Semolina.

semolina [Do it. *semolino*, com adapt. ao gênero de *sêmola*.] *S. f.* Fécula de farinha de arroz; sêmola.

semostração [De *se*¹ + *mostrar* + *-ção*.] *S. f. Bras. SP* **1.** Defeito de querer mostrar-se, de ostentar inteligência, conhecimento, dinheiro, luxo, etc. **2.** Vaidade, ostentação.

semostradeira [De *se*¹ + *mostrar* + *-deira*.] *Adj.* (*f.*) *S. f. Bras. MG SP* Diz-se de, ou mulher que tem o defeito da semostração: "Outras [quengas], velhas e sabidas, semostradeiras, pediam e ganhavam vidrinhos de cheiro, potes de brilhantinas rançosas." (Nélson de Faria, *Tiziu e Outras Estórias*, p. 37.)

semostrador (ô) [De *se*¹ + *mostrar* + *-dor*.] *Adj. S. m. Bras. SP* Diz-se de, ou aquele que tem o defeito da semostração. [Fem.: *semostradeira*.]

semoto [Do lat. *semotu*.] *Adj.* Afastado, distante, remoto.

semovente [Do lat. *semovente*, cujo sentido, aliás, é 'que se afasta'.] *Adj. 2 g.* **1.** Que se move por si próprio. ~ V. *bens –s*. ● *S. m.* **2.** Ser que anda ou se move por si mesmo.

sem-palavra *Adj. 2 g. e 2 n. S. 2 g. e 2 n.* Diz-se de, ou indivíduo que não cumpre os seus compromissos, ou não honra a palavra empenhada.

sem-pão *S. 2 g. e 2 n.* Pessoa faminta, que não tem pão (5): "Que aos sem-luz e sem-pão, — homem ou ave, / Qualquer migalha vil lhes mata a fome, / Qualquer fiapo de lã basta a aquecê-los." (Alberto de Oliveira, *Poesias*, 4.ª série, p. 236.)

sem-par [De *sem* + *par*.] *Adj. 2 g. e 2 n.* Que é único; sem igual: "Em teu seio formoso retratas / Este céu de puríssimo azul, / A verdura sem-par destas matas, / E o esplendor do Cruzeiro do Sul...". (Olavo Bilac, "Hino à Bandeira Nacional", em *Poesias Infantis*, p. 137.) [Cf. *sem par*.]

sempiternidade [Do lat. tard. *sempiternitate*.] *S. f. Filos.* Qualidade do que é sempiterno.

sempiterno [Do lat. *sempiternu*.] *Adj.* **1.** Que não teve princípio nem há de ter fim; eterno. **2.** Que dura sempre; perpétuo, contínuo. **3.** Antiquíssimo. **4.** *Filos.* Diz-se de acontecimento que se integra à eternidade, concebida esta como a totalidade dos eventos passados, presentes e futuros.

sempre [Do lat. *semper*.] *Adv.* **1.** Em todo o tempo; em qualquer ocasião: *Sempre atendem aos pedidos de pessoas influentes.* **2.** Sem cessar; continuamente, constantemente: *Desde criança esteve sempre a estudar.* **3.** Desde que nasceu, ou desde que algo passou a acontecer: *Ela sempre morou por aqui.* **4.** Em todo (o) caso; de qualquer modo: *Dormi apenas três horas, mas sempre deu para descansar.* **5.** Afinal, enfim, finalmente: *Puxa vida! sempre saiu o emprego de que ele tanto necessitava.* **6.** Na verdade; realmente: *Sim senhor! sempre és um patife!*; "— Este Lúcio sempre tem cada esquisitice..." (Mário de Sá-Carneiro, *A Confissão de Lúcio*, p. 105). ● *Conj.* **7.** Entretanto, contudo, todavia: *Afirma que é honesto; sempre tenho as minhas dúvidas.* ● *S. m.* **8.** Todo o tempo passado ou futuro. ◆ **Até sempre.** **1.** Até à vista; até mais ver; até logo. **2.** Sempre à disposição ou às ordens de alguém. **Para o sempre.** V. *para sempre*: "Oh! luz das pupilas para o sempre extinta" (Coelho Neto, *Sertão*, p. 141). **Para sempre.** Indefinidamente, eternamente, perpetuamente; para o sempre, para todo o sempre: "Se te encontrar pode ser que eu consiga / ser para sempre a Amada Amiga." (Cecília Meireles, *Obra Poética*, p. 853.) **Para todo o sempre.** V. *para sempre*: *Para todo o sempre estarei a seu lado.*

sempre-lustrosa [De *sempre* + o f. de *lustroso*.] *S. f. Bras. Bot.* Trepadeira nictaginácea (*Bougainvillea spectabilis*) lenhosa, de flores insignificantes, mas incluídas em magnas brácteas membranáceas, inseridas três a três, e de cores fortes: alvas, róseas, vermelhas ou roxas. Não produz fruto. [Sin.: *buganvília*, *cansarina*, *primavera*, *três-marias*. Pl.: *sempre-lustrosas*.]

sempre-noiva [De *sempre* + *noiva*.] *S. f. Bot.* V. *sanguinária*. [Pl.: *sempre-noivas*.]

sempre-verde [De *sempre* + *verde*; trad. do lat. *sempervirens*.] *Bot. Adj.* **1.** Diz-se de planta que permanece verdejante durante as estações frias, como o pinheiro, e quase todas as espécies tropicais, e cujas folhas são persistentes. ● *S. m.* **2.** Planta sempre-verde (1). [Pl.: *sempre-verdes*.]

sempre-viva [De *sempre* + o f. de *vivo*.] *S. f. Bot.* Erva asterácea (*Helichrysum bracteatum*) cujas inflorescências secas são vendidas como adorno, por não murcharem nem perderem a cor, e cujos capítulos são pequenos, solitários, de coloração muito variada. [Pl.: *sempre-vivas*.]

sempre-viva-rosa *S. f. Bras. Bot.* Planta asterácea (*Acroclinium roseum* ou *Helipterum roseum*) cujos capítulos se conservam depois de secos, como os da perpétua. [Pl.: *sempre-vivas-rosa*.]

sem-pudor *S. m. 2 n.* Falta de pudor; despudor, impudor, impudência.

sem-pulo *S. m. 2 n. Bras. Fut.* Chute desferido quando a bola ainda está no ar.

sem-razão *S. f.* **1.** Falta de razão; desrazão. **2.** Ato ou conceito sem fundamento, desarrazoado. **3.** Injustiça, injúria. [Pl.: *sem-razões*.]

sem-sal *Adj. 2 g. e 2 n.* **1.** Insulso, insosso. **2.** *Fig.* Sensaborão.

sem-segundo *Adj.* Único, sem-par. [Pl.: *sem-segundos*.]

sem-termo *S. m.* V. *sem-fim*¹. [Pl.: *sem-termos*. Cf. *sem termo*, loc. adj.]

sem-terra *Adj. 2 g. e 2 n. S. 2 g. e 2 n.* Diz-se de, ou trabalhador rural que não possui, ou não dispõe de terreno no qual possa exercer sua atividade.

sem-teto *Adj. 2 g. e 2 n. S. 2 g. e 2 n.* Diz-se de, ou indivíduo que não tem moradia, ger. por falta de condições econômicas: "Sem-teto fazem manifestação na rua Santa Branca após passeata" (*Folha de S.Paulo*, 12.01.1999.)

sem-trabalho *S. 2 g. e 2 n. Bras.* Pessoa que não encontra em que ganhar a vida, conquanto o procure.

sem-ventura *S. f. 2 n.* Falta de ventura; desventura, infelicidade.

sem-vergonha *Adj. 2 g. e 2 n.* **1.** *Bras.* Diz-se de pessoa que não tem vergonha, pudor, brio. **2.** *Bras. SP* Diz-se da planta que pega com facilidade. **3.** Diz-se daquilo que tem pouco ou nenhum préstimo, valor, etc.: "Me introduziram na saletinha da esquerda, uma espécie de luís-quinze muito sem-vergonha, dourado por inteiro, dando pro hol central." (Mário de Andrade, *Contos Novos*, p. 18.) ● *S. 2 g. e 2 n.* **4.** *Bras.* Pessoa sem-vergonha.

sem-vergonhez (ê) [De *sem-vergonha* + *-ez*.] *S. f. Bras.* V. *sem-vergonhice*. [Pl.: *sem-vergonhezes*.]

sem-vergonheza (ê) [De *sem-vergonha* + *-eza*.] *S. f. Bras.* V. *sem-vergonhice*. [Pl.: *sem-vergonhezas*.]

sem-vergonhice [De *sem-vergonha* + *-ice*.] *S. f.* **1.** *Bras.* Qualidade, ato, dito ou procedimento de sem-vergonha. **2.** Falta de vergonha. [Sin. ger.: *sem-vergonhismo*, *sem-vergonheza* e *sem-vergonhez*. Pl.: *sem-vergonhices*.]

sem-vergonhismo [De *sem-vergonha* + *-ismo*.] *S. m. Bras.* V. *sem-vergonhice*. [Pl.: *sem-vergonhismos*.]

■ **sen**¹ *Mat.* Símb. de *seno*.

■ **sen**² *Mat.* Símb. impr. de *arco seno* (q. v.).

sena¹ [Do lat. *sena*, 'de seis em seis'.] *S. f.* **1.** Carta de jogar, dado, ou peça de dominó com seis pintas ou pontos. [Pl.: *senas*. Cf. *cena*, s. f., pl. *cenas*, *Sena*, antr., e *Cenas*, top.] ~ V. *senas*. **2.** *Bras.* Loteria de números em que se sorteiam seis dezenas.

sena² [Do tax. *Senna* (< ár. *sana*).] *S. f. Bot.* Sene (q. v.). [Pl.: *senas*. Cf. *cena*, pl. *cenas*, *Sena*, antr., e *Cenas*, top.] ~ V. *senas*.

sena³ *S. 2 g.* **1.** *Etnôn.* Indivíduo dos senas, um dos povos que habitam as províncias de Sofala, Manica, Zambézia e Tete (Moçambique). ● *S. m.* **2.** *Gloss.* A língua falada pelos senas, pertencente ao grupo banto. [V. *chissena*.] ~ V. *senas*. ● *Adj. 2 g.* **3.** Pertencente ou relativo aos senas, ou à sua língua. [Pl.: *senas*. Cf. *cena*, pl. *cenas*, *Sena*, antr., e *Cenas*, top.]

senabentense *Adj. 2 g.* **1.** De, ou pertencente ou relativo a Senador José Bento (MG). • *S. 2 g.* **2.** O natural ou habitante de Senador José Bento.

■ **Senac** Sigla de *Serviço Nacional de Aprendizagem Comercial.*

senáculo [Do lat. *senaculu.*] *S. m.* Lugar ou praça onde o Senado romano realizava as suas sessões. [Cf. *cenáculo.*]

senado [Do lat. *senatu.*] *S. m.* **1.** Na Roma antiga, assembleia de patrícios que, sob a república, constituía a magistratura suprema, e que foi mantida sob o império, mas com poderes bem diminuídos. **2.** Local onde se realizava tal assembleia. **3.** Designação comum a certas assembleias políticas das repúblicas da Antiguidade, da Idade Média, ou dos tempos modernos: *o Senado de Esparta.* **4.** Câmara alta, nos países onde existem duas assembleias legislativas. **5.** *P. ext.* Local onde essa câmara se reúne. **6.** *Ant.* Câmara Municipal; Senado da Câmara. [Ger. com cap.] ◆ **Senado da Câmara.** *Ant.* Senado (6).

senador (ô) [Do lat. *senatore.*] *S. m.* **1.** Membro do Senado. [Fem.: *senadora* e (p. us.) *senatriz.*] **2.** *Bras. RS Fig.* Cavalo muito idoso.

senadora (ô) [Fem. de *senador.*] *S. f.* Aquela que é membra do Senado.

senador-cortense *Adj. 2 g.* **1.** De, ou pertencente ou relativo a Senador Cortes (MG). • *S. 2 g.* **2.** O natural ou habitante de Senador Cortes. [Pl.: *senador-cortenses.*]

senadorense *Adj. 2 g.* **1.** De, ou pertencente ou relativo a Senador Pompeu (CE). • *S. 2 g.* **2.** O natural ou habitante de Senador Pompeu.

senadoria [De *senador* + *-ia*[1].] *S. f.* V. *senatoria.*

■ **Senai** Sigla de *Serviço Nacional de Aprendizagem Industrial.*

senal [De or. obscura.] *Adj. 2 g.* Diz-se do diamante bruto e pequeníssimo. [Cf. *sinal.*]

sena-madureirense *Adj. 2 g.* **1.** De, ou pertencente ou relativo a Sena Madureira (AC). • *S. 2 g.* **2.** O natural ou habitante de Sena Madureira. [Pl.: *sena-madureirenses.*]

senão [De *se*[2] + *não.*] *Conj.* **1.** De outro modo; do contrário; aliás: *Lute, senão está perdido;* "O melhor é ires de vontade, senão vais a mal." (Domingos Monteiro, *Histórias das Horas Vagas*, p. 149). **2.** Mas sim; e sim; mas, porém: "por desgraça dele a primeira moeda grande que achara, não era ouro nem prata, senão ferro, duro ferro" (Machado de Assis, *Páginas Recolhidas*, p. 61); "Escritor: não somente certa maneira especial de ver as coisas, senão também impossibilidade de vê-las de outra qualquer maneira." (Carlos Drummond de Andrade, *Passeios na Ilha*, p. 120). • *Prep.* **3.** Exceto, salvo; a não ser: *Ninguém senão os irmãos Correias compareceu à cerimônia;* "não falava senão no seu priminho" (Camilo Castelo Branco, *Vulcões de Lama*, p. 20); "Bofé — disse D. João I, rindo — que não ando a meu talante senão com o arnês às costas!" (Alexandre Herculano, *Lendas e Narrativas*, I, p. 297); "um sapo não é feio senão porque a nossa concepção de beleza é muito diferente da que podem ter os sapos." (Patrícia Joyce, *Anúncio de Casamento*, p. 141). [Cf. *se não*, em frases onde há alternativa, incerteza, imprecisão, equivalendo o *se não*, portanto, a *ou*: *Comprarei duas estantes, se não três* (ou três); *É rico, se não riquíssimo* (ou riquíssimo); *Compareceu a maioria dos convidados, se não todos* (ou todos). Note-se que fica subentendida, em casos assim, a repetição do verbo: *Comprarei duas estantes, se não (comprar) três;* etc. Quanto à acepção 1, parece-nos que, em lugar de *senão*, se usará *se não*, virgulando-o, se houver pausa enfática: *Lute; se não, está perdido.*] • *S. m.* **4.** Defeito, mancha, mácula: "Nem um senão no todo dela existe. / É bela" (Alberto de Oliveira, *Poesias*, 4ª série, p. 120). [Cf. *sinão*, aum. de *sino*; *Sinão*, antr.; e *Cenão*, top.] ◆ **Senão quando.** De súbito; de repente; eis que; quando não: "chorava o seu desastre, ... sentada no chão. Senão quando, indo a passar um homem ébrio, viu o incêndio, viu a mulher, perguntou-lhe se a casa era dela." (Machado de Assis, *Quincas Borba*, p. 222). **Senão que.** Mas antes; mas sim; senão: *Recebeu a homenagem não contrafeito, senão que muito à vontade.*

senário [Do lat. *senariu.*] *Adj.* **1.** Que contém seis unidades. **2.** Que tem a base de seis: *sistema senário.* **3.** Diz-se do verso latino composto de seis pés jâmbicos. [Cf. *cenário.*]

senas [Pl. de *sena*[1].] *S. f. pl.* **1.** Peça do dominó que apresenta duas senas (v. *sena*[1]). **2.** Lance de dados em que todos caem com a sena para cima. [Cf. *cenas*, pl. de *cena.*] ~ V. *sena.*

senatoria [Do lat. *senator, oris*, + *-ia*[1].] *S. f. Bras.* Mandato de senador; senadoria. [A pronúncia corrente é *senatória* (q. v.). Cf. *senatória*, fem. de *senatório*, e *cenatória*, fem. de *cenatório.*]

senatória [Fem. de *senatório*, *i. e.*, 'cadeira senatória'.] *S. f.* V. *senatoria.*

senatorial [Do lat. *senator, oris*, 'senador', + *-ial*[1].] *Adj. 2 g.* Referente ao Senado; senatório.

senatório [Do lat. *senatoriu.*] *Adj.* Senatorial. [Fem.: *senatória.* Cf. *cenatório*, adj., fem. *cenatória*, e *senatória*, s. f.]

senatriz [Do lat. tard. *senatrice.*] *S. f. P. us.* Fem. de senador (q. v.).

➔**senatus consultum** [se'natos kon'sulto(m)] [Lat.] *S. m.* No antigo Senado romano, decreto com força de lei.

➔**senatusconsultum** [se,natoskon'sulto(m)] [Lat.] *S. m.* *Senatus consultum* (q. v.)

senciente [Do lat. *sentiente.*] *Adj. 2 g.* **1.** Que sente. **2.** Que tem sensações.

sencilha [Do esp. plat. *sencilla*, 'simples', 'ingênua'.] *S. f. Bras. RS* Dinheiro que, no jogo de cartas, é emprestado aos jogadores por um que não joga, mas que lucra uma percentagem sobre o dinheiro emprestado e sobre o ganho dos jogadores que receberam o empréstimo.

sencilheiro [Do esp. plat. *sencillero*, 'prestamista'.] *S. m. Bras. RS* Indivíduo que dá sencilha ou vive desse expediente.

senda [Do lat. *semita*, 'atalho'.] *S. f.* **1.** Caminho estreito; vereda: "Aprazível cousa era o ver, descendo dos outeiros para o vale por sendas torcidas, aquelas multidões" (Alexandre Herculano, *Lendas e Narrativas*, I, p. 231). **2.** *Fig.* Praxe, usança, hábito, rotina.

sendeiro [Do lat. *semitariu*, 'que anda por atalhos'.] *Adj. S. m.* **1.** Diz-se de, ou cavalar ou muar velho e ruim. **2.** *Pop.* Diz-se de, ou indivíduo desprezível por seu servilismo; sevandija. **3.** *Bras.* Diz-se de, ou o cavalo de carga, robusto, mas de corpulência escassa: "o velho casarão do governo fechava a vasta praça verdejante, em que os sendeiros da polícia montada pastavam sossegados" (Inglês de Sousa, *O Missionário*, p. 406). • *Adj.* **4.** *Bras. N.E. Pop.* De dimensões extensas; grande.

sendinês [Do top. *Sendim* (Portugal) + *-ês*, seg. o padrão erudito.] *S. m. Gloss.* **1.** Dialeto do português (também classificado como codialeto) falado em Sendim (Trás-os-Montes). [V. *barranquenho.*] **2.** Vocábulo desse dialeto.

sendos *Pron. distr. m. pl. Ant.* V. *senhos.*

sene [Var. de *sena*[2].] *S. m. Bot.* **1.** Designação comum a espécies cesalpiniáceas, esp. dos gêneros *Senna* e *Chamaecrista*, e de cujas pequenas folhas se extrai um purgativo empregado na medicina clássica. **2.** V. *favela-branca.* [Var.: *sena.* Cf. *Cene*, top.]

senécio [Do tax. *Senecio.*] *S. m. Bot.* **1.** Gênero de ervas, árvores e arbustos asteráceos, vastamente distribuído, e dotado de folhas alternas ou basais, capítulos de flores tubulares e radiadas, ou apenas tubulares, e de aquênios cilíndricos coroados por pápus piloso, branco. **2.** Qualquer espécie desse gênero, como, p. ex., a *Senecio brasiliensis* ou *tasneirinha.* **3.** Qualquer espécime desse gênero.

senecionídeo [Do lat. *senecio, onis*, 'certa planta', + *-ídeo*[3].] *Adj. Bot.* Relativo ou semelhante ao senécio.

senectude [Do lat. *senectute.*] *S. f.* Decrepitude, senilidade, velhice; senescência: "vestindo o cabeção e terçando da bengala de carrasco, duma bela cor de vinho velho, a que arrimava a trêmula senectude, meteu terreiro fora para a igreja." (Aquilino Ribeiro, *Estrada de Santiago*, p. 226).

sene-do-campo *S. f. Bras. MG Bot.* Arbusto cesalpiniáceo (*Cassia cathartica*) de folhas compostas, grandes flores amarelo-ouro, dispostas em racemos, e cujo fruto é uma vagem de até 5cm; tem propriedades purgativas. [Pl.: *senes-do-campo.*]

senegalês *Adj.* **1.** Do, ou pertencente ou relativo ao, ou próprio do Senegal (África); senegalesco. • *S. m.* **2.** O natural ou habitante do Senegal. [Flex.: *senegalesa* (ê), *senegaleses* (ê), *senegalesas* (ê).]

senegalesco (ê) [Do top. *Senegal* (África) + *-esco.*] *Adj.* Senegalês (1): "E sucederam-se trinta dias de um calor senegalesco contrastados com trinta noites frigidíssimas" (Antônio Versiani, *Viola de Queluz*, p. 103).

senembi [Var. de *sinimbu.*] *S. m. Bras.* V. *camaleão*[1] (1 e 2).

senembu [Var. de *sinimbu.*] *S. m. Bras.* V. *camaleão*[1] (1 e 2).

senescal [Do germ. *siniskalk.*] *S. m.* **1.** Antigo mordomo-mor ou vedor, em certas casas reais. **2.** Magistrado judicial ou governador-geral, em certos Estados: "o lenhador sentia abrir-se no seu coração .... uma ternura doce e melhor por aquela que, em tantos anos, tornara a sua pobre cabana lugar mais apetecível que a casa rica dum senescal" (Eça de Queirós, *Últimas Páginas*, p. 14).

senescalia [De *senescal* + *-ia*[1].] *S. f.* Cargo ou função de senescal.

senescência [Do lat. *senescentia.*] *S. f.* Qualidade ou estado de senescente.

senescente [Do lat. *senescente.*] *Adj. 2 g.* Que está envelhecendo.

senga [Dev. de *sengar.*] *S. f. Bras. S.* **1.** Restos, sobras, migalhas. **2.** Cascas de ostras e mariscos.

sengar [Do quimb. *kusenga*, 'repudiar'.] *V. t. d. Bras.* **1.** Separar por meio da peneira. **2.** Separar (o café) da casca, sacudindo a peneira. [Conjug.: v. *largar.*]

sengeano (gè) *Adj.* **1.** De, ou pertencente ou relativo a Sengés (PR). • *S. m.* **2.** O natural ou habitante de Sengés.

sengos *Pron. distr. m. pl. Ant.* V. *senhos.*

■ **senh** *Mat.* Símb. de *seno hiperbólico.*

senha[1] [Do lat. *signa*, 'sinais', neutro pl. de *signum*, tomado como fem.] *S. f.* **1.** Aceno, gesto, sinal. **2.** Gesto ou sinal combinado entre pessoas, a fim de se entenderem. **3.** Fórmula convencionada que serve para indicar que se está ciente do segredo de certa ação. **4.** Conjunto de duas palavras ou fórmulas convencionadas, utilizadas como sinal de reconhecimento, e que devem ser trocadas entre uma sentinela e quem se aproxima de seu posto. **5.** Recibo, quitação, cautela. **6.** Papel ou bilhete que autoriza readmissão numa assembleia ou num espetáculo. **7.** Documento que atesta o pagamento das respectivas taxas exigidas para certos exames ou atos. **8.** *Inform.* Cadeia de caracteres que autoriza o acesso a um conjunto de operações em um sistema de computadores ou em equipamentos computadorizados.

senha[2] *S. f. Bras.* V. *seu*[1].

senhor (ô) [Do lat. *seniore.*] *S. m.* **1.** Proprietário feudal. **2.** Dono de propriedade. **3.** Amo, patrão, dono. **4.** O que exerce influência, poder, dominação; dominador, soberano: *Portugal outrora foi o senhor dos mares.* **5.** O que tem domínio ou autoridade sobre si mesmo, sobre certas pessoas ou sobre certas coisas: *estar senhor de si; Fale diretamente com ele, que é senhor do assunto; Durante o motim o exército esteve sempre senhor da situação.* **6.** Título nobiliárquico: *D. Pedro, além de rei de Portugal e dos Algarves, era senhor da Guiné.* **7.** Indivíduo importante, distinto, nobre. **8.** Homem idoso. **9.** Tratamento cerimonioso ou respeitoso dispensado aos homens. **10.** Deus (1). **11.** Senhorio (3). • *Adj.* **12.** Imponente, grandioso, senhoril: "Quando apareciam as barbas e o par de bigodes longos, ... bengala de unicórnio, e um andar firme e senhor, dizia-se logo que era Rubião, — um ricaço de Minas." (Machado de Assis, *Quincas Borba*, p. 254.) **13.** *Bras.* Empregado antes de um nome comum, dá a ideia de coisa importante, grandiosa, excelente, excepcional: *um senhor barco; um senhor cais; uma senhora residência;* "Aí então é que era pegar e sangrar tatu!... Foi uma senhora matança!" (Simões Lopes Neto, *Casos do Romualdo*, p. 44). ◆ **Senhor de baraço e cutelo.** Aquele que dispunha da vida dos seus vassalos: "Pela força da necessidade .... o fidalgo se havia constituído senhor de baraço e cutelo, de alta e baixa justiça dentro de seus domínios" (José de Alencar, *O Guarani*, I, p. 89). **Adormecer no Senhor.** V. *morrer* (1): "Ele [D. Pedro II], o criador do Brasil moderno, adormeceu no Senhor e paira muito acima dos juízos dos homens" (Carlos de Laet, *Obras Seletas*, I, p. 61). **Estar senhor da situação.** Ter perfeito conhecimento e controle de uma situação difícil, perigosa: *Pairava a ameaça de golpe, mas o presidente estava senhor da situação.* **Estar senhor de si.** **1.** Estar mentalmente sadio. **2.** Manter-se tranquilo, seguro, confiante. **Nosso Senhor.** Jesus Cristo. **O senhor.** F. de tratamento dado à segunda pessoa: "— Ah! o senhor é que é o Pestana? perguntou Sinhazinha Mota, fazendo um largo gesto admirativo." (Machado de Assis, *Várias Histórias*, p. 61.) **Ser senhor do seu nariz.** Não ter de dar satisfações a ninguém; proceder como bem lhe parece. **Sim senhor.** Indica espanto, em geral irônico, ante algo que se vê ou ouve, ou de que se teve notícia.

senhora (ó ou ô) [Fem. de *senhor.*] *S. f.* **1.** Fem. de *senhor* (1 a 5, 7, 8, 9 e 11). **2.** Dona de casa. **3.** Esposa, mulher. **4.** Tratamento cerimonioso ou respeitoso dispensado às mulheres casadas ou àquelas que já não são muito jovens. [V. outras acepçs. em *senhor.*] ◆ **Minha Nossa Senhora.** V. *Nossa Senhora* (2). **Nossa Senhora.** **1.** A Virgem Maria; Nossa Mãe. **2.** Designa admiração ou espanto; Minha Nossa Senhora; Nossa Mãe, Santo Deus. [Tb. se diz apenas, nesta acepç., *Nossa* (q. v.).]

senhoraça [De *senhora* + *-aça.*] *S. f. Fam.* Mulher do povo que tentava parecer grande dama, vestindo-se com luxo ou garridice: "As próprias escravas se vestem como senhoraças: usam cambraias e holandas nos vestidos e adornam-se com arrecadas" (Eduardo Frieiro, *O Mameluco Boaventura*, p. 12).

senhoraço [De *senhor* + *-aço.*] *S. m.* **1.** Homem de baixa condição social que se insinua como pertencente a categoria superior. **2.** Homem importante; figurão.

senhora das águas *S. f. Bras. Folcl.* V. *boiuna* (1). [Pl.: *senhoras das águas.*] ☑

senhor de engenho *S. m. Bras.* Proprietário de engenho de açúcar. [Pl.: *senhores de engenho.* Cf. *senhor-de-engenho.*] ☑ notas 1 e 2

S

senhor-de-engenho *S. m. Bras. Zool.* Mero[1] (2). [Pl.: *senhores-de-engenho*. Cf. *senhor de engenho*.]

senhoreador (ô) [De *senhorear* + *-dor*.] *Adj. S. m.* **1.** Que, ou aquele que senhoreia. **2.** Que, ou aquele que domina, que infunde respeito; dominador.

senhorear [De *senhor* + *-ear*[2].] *V. t. d.* **1.** Tomar posse de; assenhorear-se de; conquistar: *Os soldados romanos senhorearam grande império.* **2.** Ter império ou influência moral sobre; cativar, conquistar, dominar: *Senhoreia-lhe a vontade*; "a perversidade, que senhoreia toda a Terra, vai cometer também o Céu" (Antônio Feliciano de Castilho, *As Metamorfoses*, p. 5). **3.** Captar o ânimo de. **4.** Atrair, granjear. **5.** Refrear, reprimir, conter. *T. i.* **6.** Exercer mando, domínio: *Grande chefe eleitoral, senhoreia sobre as populações do interior. Int.* **7.** Exercer domínio; fazer-se de senhor. *P.* **8.** Assenhorear-se: "Os castelhanos que se senhorearam de Portugal, se distinguiram, mais que nenhuma outra nação da Europa, na arte de Aristófanes e de Menandro" (Camilo Castelo Branco, *Noites de Insônia*, IX, p. 52). [Conjug.: v. *frear*.]

senhoria [De *senhor* + *-ia*[1].] *S. f.* **1.** Qualidade ou condição de senhor ou senhora. **2.** Domínio de um Estado ou potentado sobre uma terra: *a senhoria de Florença.* **3.** Essa própria terra. **4.** Proprietária de um prédio alugado ou arrendado. ◆ **Vossa Senhoria.** Tratamento cerimonioso empregado principalmente em linguagem comercial.

senhoriagem [De *senhorio* + *-agem*[2].] *S. f.* **1.** Tributo que era pago como reconhecimento de um senhorio. **2.** Direito que se pagava ao rei pela cunhagem da moeda. **3.** Nos antigos sistemas de moeda metálica, receita governamental decorrente da emissão de moeda, dada pela diferença entre o valor das moedas enquanto dinheiro e o custo do metal. **4.** Nos modernos sistemas de moeda fiduciária, receita governamental decorrente da emissão de moeda, dada pelo aumento da base monetária (q. v.).

senhorial [De *senhor* + *-ial*.] *Adj. 2 g.* Pertencente ou relativo a senhor, ou a senhorio: *terras senhoriais.*

senhoril [De *senhor* + *-il*[1].] *Adj. 2 g.* **1.** Próprio de senhor ou senhora. **2.** *P. ext.* Distinto, elegante, majestoso, nobre: *Tem um ar senhoril.*

senhorilidade [De *senhoril* + *-(i)dade*.] *S. f.* Qualidade de senhoril.

senhorinha [De *senhora* + *-inha*.] *S. f. Bras.* Senhorita (2 e 3).

senhorio [De *senhor* + *-io*[2].] *S. m.* **1.** Direito de senhor sobre alguma coisa; domínio, autoridade. **2.** Posse, domínio, propriedade: *Ao cabo de uns anos voltaram eles ao senhorio da casa e da chácara.* **3.** Proprietário de um prédio alugado ou arrendado; senhor. ◆ **Senhorio direto.** A entidade que recebe o foro de um prazo (3). **Senhorio útil.** A entidade que tem a posse de prédio enfitêutico e paga o respectivo foro.

senhorita [De *senhora* + *-ita*[1].] *S. f.* **1.** Mulher de baixa estatura. **2.** *Bras.* Moça solteira; senhorinha. **3.** Tratamento cerimonioso ou respeitoso dispensado a moça solteira; senhorinha.

senhor-velho *S. m. Bras.* O antigo dono do escravo. [Pl.: *senhores-velhos*.]

senhos [Do lat. *singulos*, 'um por um', 'um em cada um'.] ***Pron. distr. pl. Ant.*** Aplicava-se a dois ou mais objetos de igual natureza pertencentes ou referentes a duas ou mais pessoas, conduzindo ou tendo cada uma delas o seu; sengos, sendos: "E por piedade vós outros .... dizei senhas orações" (Gomes Eanes de Azurara, *Crônica do Descobrimento e Conquista de Guiné*, p. 416); "que fossem em terra e levassem aqueles dous homens e os deixassem ir com seu arco e setas, aos quais mandou dar senhas camisas novas .... e senhos cascavéis." (Pero Vaz de Caminha, *ap.* Leonardo Arroio, *A Carta de Pero Vaz de Caminha*, p. 76). [Cf. *cenhos*, pl. de *cenho*.]

■ **senh**[-1] *Mat.* Símb. impr. de *arco seno hiperbólico* (q. v.).

sênica *S. f.* V. *sênica*. [Uso freq. em P.]

sênica *S. f.* Alter. pop. de *arsênico*. [Cf. *cênica*, fem. de *cênico*.]

senil [Do lat. *senile*.] *Adj. 2 g.* **1.** Da velhice, ou relativo a ela ou aos velhos: *idade senil.* **2.** Próprio da velhice, da senilidade: *delírio senil*; "O pai com o seu egoísmo de velho achacado e raiva senil às sensuais brejeirices do filho, chegava-se pouco ao catre onde o febricitante esperneava" (Camilo Castelo Branco, *Sentimentalismo e História*, p. 177). **3.** Muito velho; decrépito: *aspecto senil.* ~ V. *demência* —.

senilidade [De *senil* + *-(i)dade*.] *S. f.* **1.** Qualidade ou estado de senil; decrepitude. **2.** Idade senil. **3.** Fraqueza intelectual resultante da velhice.

senilização [De *senilizar* + *-ção*.] *S. f.* Ato ou efeito de senilizar.

senilizar [De *senil* + *-izar*.] *V. t. d.* **1.** Tornar senil; envelhecer: *A moléstia e os desgostos senilizaram-no bem cedo.* **2.** Tornar velho artificialmente (madeiras, pinturas, etc.) para fins comerciais ou artísticos.

sénior *Adj. 2 g. S. m.* V. *sênior*. [Uso freq. em P. Pl.: *seniores* (ô).]

sênior [Do lat. *senior* (nom.), 'mais antigo', 'mais velho', comp. de *senex*.] *Adj. 2 g.* **1.** O mais velho (de dois). [Junta-se, por via de regra, ao nome da mais velha de duas pessoas da mesma família que têm nome idêntico.] ● *S. m.* **2.** Desportista que já conquistou primeiro prêmio. [Pl.: *seniores* (ô). Antôn.: *júnior*.]

seno [Do lat. *sinu*, 'curvatura'.] *S. m. Trig.* Função de um ângulo orientado definida pelo quociente entre a ordenada da extremidade do arco de circunferência subtendido pelo ângulo e o raio da circunferência [símb.: *sen*]. [Cf. *ceno*, s. m., e *Ceno*, top.] ◆ **Seno hiperbólico.** *Mat.* Função que é igual à metade da diferença entre duas exponenciais cujos expoentes são *x* e *-x* [símb.: *senh*]. **Seno hiperbólico inverso.** *Mat.* Arco seno hiperbólico. **Seno inverso.** *Mat.* Arco seno. **Seno verso.** *Mat.* A diferença entre a unidade e a função cosseno [símb.: *senv* e *vers*].

▲**sen(o)-** Equiv. de *sinu(s)-*.

senografia [De *sen(o)-* + *-grafia*.] *S. f. Radiol.* V. *mamografia*. [Cf. *cenografia* e *cinografia*.]

senográfico [De *senografia* + *-ico*[2].] *Adj.* Relativo à senografia. [Cf. *cenográfico* e *cinográfico*.]

senoidal [De *senoide* + *-al*[1].] *Adj. 2 g.* Relativo ao seno e/ou à senoide. ~ V. *curva* —.

senoide (ói) [De *sen(o)-* + *-oide*.] *S. f. Mat.* Curva que, num sistema cartesiano, representa a função seno; sinusoide, curva senoidal, curva sinusoidal. ❖

senoniano *Adj.* **1.** De, ou pertencente ou relativo à cidade de Sens (França). ● *S. m.* **2.** O natural ou habitante de Sens.

sensabor (ô) [De *sem* + *sabor*.] *Adj. 2 g.* **1.** Que não tem sabor; insípido. **2.** Desenxabido, desengraçado, sem-sal, insípido. ● *S. 2 g.* **3.** Pessoa sensabor. [Era de esperar a grafia com hífen (como em *sem-sal* e *sem-segundo*), mas tanto o vocabulário de 1943 quanto o atual registram apenas *sensabor*.]

sensaborão [De *sensabor* + *-ão*[1].] *Adj. S. m.* Diz-se de, ou indivíduo muito sensabor; sem-sal. [Fem.: *sensaborona*.]

sensaboria [De *sensabor* + *-ia*[1].] *S. f.* **1.** Qualidade de sensabor (1); insipidez. **2.** Qualidade do que é sensabor (2); insipidez. **3.** *Fam.* Ato ou sucesso desagradável, ou que causa ou pode causar desgostos; contratempo.

sensaborona *S. f.* Fem. de *sensaborão*.

sensação [Do lat. med. *sensatione*.] *S. f.* **1.** *Fisiol.* Impressão causada numa formação receptora por um estímulo, e que, por via aferente, é conduzida ao sistema nervoso central. **2.** *Psicol.* Processo sensorial consciente correlacionado com um processo fisiológico, e que proporciona ao homem e aos animais superiores o conhecimento do mundo externo. **3.** *Filos.* Conhecimento próprio da sensibilidade (11). **4.** Impressão física em geral: *sensação de dor*; *sensação de mal-estar.* **5.** Surpresa ou grande impressão devida a um acontecimento raro, incomum: *Sua chegada causou sensação.* **6.** Comoção moral; emoção: *A vitória das tropas causou viva sensação.*

sensacional [De *sensação* + *-al*[1], seg. o padrão erudito.] *Adj. 2 g.* **1.** Que produz sensação intensa. **2.** Referente a sensação. **3.** Que desperta viva admiração ou entusiasmo; espetacular, formidável: *um filme sensacional.*

sensacionalismo [De *sensacional* + *-ismo*.] *S. m.* **1.** Divulgação e exploração, em tom espalhafatoso, de matéria capaz de emocionar ou escandalizar. **2.** Uso de escândalos, atitudes chocantes, hábitos exóticos, etc., com o mesmo fim. **3.** Exploração do que é sensacional (3), na literatura, na arte, etc.

sensacionalista [De *sensacionalismo* + *-ista*.] *Adj. 2 g.* Em que há, ou que usa de sensacionalismo: *notícia sensacionalista*; *jornal sensacionalista.*

sensacionismo [De *sensação* + *-ismo*, seg. o padrão erudito.] *S. m.* **1.** Hábito de produzir sensações. **2.** *Filos.* Doutrina de Mach (v. *machismo*[2]) segundo a qual todo conhecimento provém, e só provém, das sensações; sensualismo.

sensatez (ê) [De *sensato* + *-ez*.] *S. f.* **1.** Qualidade de sensato; bom senso. **2.** Cautela, previdência, prudência. **3.** Discrição, reserva, circunspeção.

sensato [Do lat. tard. *sensatu*.] *Adj.* **1.** Que tem bom senso; judicioso. **2.** Prudente, previdente, cauteloso. **3.** Discreto, reservado, circunspecto.

sensibilidade [Do lat. tard. *sensibilitate*.] *S. f.* **1.** Qualidade de sensível. **2.** Faculdade de sentir; sentimento: *sensibilidade literária.* **3.** Faculdade que tem o organismo vivo de perceber as modificações do meio externo ou interno e de reagir a elas de maneira adequada; excitabilidade: *sensibilidade ao calor*; *sensibilidade da pele*; *sensibilidade estomacal.* **4.** Faculdade do ser humano sensível (2); impressionabilidade. **5.** Faculdade de experimentar sentimentos de humanidade, ternura, simpatia, compaixão. **6.** Faculdade que tem o artista de ser especialmente sensível aos elementos que, transmitidos à sua obra, são capazes de despertar emoções. **7.** Disposição para ofender-se ou melindrar-se; suscetibilidade. **8.** Emoção, sentimento, afetividade: *O "Pequenino Morto", de Vicente de Carvalho, é um poema cheio de sensibilidade.* **9.** *Automat.* O mínimo sinal de entrada capaz de causar, num sistema, um sinal de saída com características determinadas. **10.** *Estat.* A propriedade dum julgamento de uma hipótese no qual é muito grande a probabilidade de rejeição da hipótese quando ela é falsa. **11.** *Filos.* Faculdade que é fonte de conhecimento imediato e intuitivo, a qual se manifesta nas sensações propriamente ditas; sensualidade. [Cf., nesta acepç., *entendimento*]. **12.** *Fís.* Medição da capacidade de resposta de um instrumento de medida, usualmente expressa pelo quociente da intensidade do sinal de saída pela intensidade do sinal de entrada. **13.** *Fot.* Numa emulsão fotográfica, medida da capacidade de registrar imagens luminosas, usualmente expressa numa escala arbitrária; velocidade de emulsão; rapidez. ◆ **Sensibilidade química múltipla.** *Med.* Entidade patológica que resulta em quadro clínico variável e que decorre de violenta reação ao contato com substâncias químicas de uso habitual, tais como tintas solventes, pesticidas, etc. [Suspeitam-se também outros fatores causais, como fumaça decorrente de queima de poços de petróleo, como teria ocorrido na Guerra do Golfo Pérsico (v. *síndrome do Golfo*). Sigla: *SQM*.]

sensibilização [De *sensibilizar* + *-ção*.] *S. f.* **1.** Ato ou efeito de sensibilizar(-se). **2.** *Imun.* Exposição do corpo a um antígeno específico, do que resulta uma resposta imunológica.

sensibilizado [Part. de *sensibilizar*.] *Adj.* **1.** Abalado; comovido. **2.** Vivamente impressionado. **3.** Que se tornou sensível à ação da luz ou de outro agente qualquer. **4.** *Imun.* Diz-se do organismo em que se provocou sensibilização. ~ V. *papel* —.

sensibilizador (ô) [De *sensibilizar* + *-dor*.] *Adj.* **1.** Sensibilizante. **2.** Que torna sensível à ação da luz ou de outro agente qualquer.

sensibilizante [De *sensibilizar* + *-nte*.] *Adj. 2 g.* Que sensibiliza; sensibilizador.

sensibilizar [De *sensível* + *-izar*, seg. o padrão erudito.] *V. t. d.* **1.** Tornar sensível; causar abalo a; comover: *A tragédia sensibilizou a cidade*; "Sensibilizou-me até às lágrimas a notícia da sua prisão" (Camilo Castelo Branco, *Noites de Insônia*, I, p. 9). **2.** Abrandar o coração de: *As súplicas não sensibilizam os maus.* **3.** Impressionar vivamente, a fundo: *Apesar de sua intensa campanha, não consegue sensibilizar as massas*; "entre 1933 e 1935, fez [Austro-Costa], em sonetos decassilábicos, o comentário quotidiano dos fatos e incidentes que sensibilizavam a opinião pública ou lhe mereciam interesse especial." (Valdemar Lopes, *Austro-Costa, Poeta da Província*, p. 21). **4.** Tornar sensível à ação da luz ou de outro agente qualquer. *P.* **5.** Comover-se, compadecer-se, condoer-se, doer-se, apiedar-se.

sensificar [Do lat. tard. *sensificare*.] *V. t. d.* **1.** Tornar sensível; sensibilizar. **2.** Restabelecer a sensibilidade em. [Conjug.: v. *trancar*.]

sensitiva [F. subst. do adj. *sensitivo*.] *S. f. Bot.* V. *dormideira* (2).

sensitiva-mansa *S. f. Bot.* V. *carrapicho* (3). [Pl.: *sensitivas-mansas*.]

sensitividade [De *sensitivo* + *-(i)dade*.] *S. f.* Qualidade de sensitivo.

sensitivo [Do lat. **sensitu*, por *sensus*, part. pass. do v. lat. *sentire*, 'perceber pelos sentidos'.] *Adj.* **1.** Relativo ou pertencente aos sentidos. **2.** Que tem a faculdade de sentir: *órgão sensitivo.* **3.** Que se faz sentir; que produz impressão. **4.** *Fisiol.* Que tem a capacidade de receber estímulo (1). ~ V. *nervo* —. **5.** *Fig.* V. *sensível* (8). ● *S. m.* **6.** *Fig.* Indivíduo sensitivo (4).

sensitivo-motor (ô) [De *sensitivo* + *motor*.] *Adj.* ~ V. *nervo* —. [Pl.: *sensitivos-motores*.]

sensitometria [De *sensit(ivo)* + *-o-* + *-metria*.] *S. f. Fot.* Medida da sensibilidade de emulsões fotográficas.

sensitométrico [De *sensitometria* + *-ico*[2].] *Adj.* Relativo à sensitometria.

sensível [Do lat. *sensibile*.] *Adj. 2 g.* **1.** Que sente; dotado de sensibilidade: *seres sensíveis*; *pele sensível.* **2.** Que recebe facilmente as sensações externas: *Tem audição sensível para a música.* **3.** Que pode ser percebido pelos sentidos: *Cobriu-lhe as faces um leve rubor, apenas sensível.* **4.** Que, ao menor contato, se torna dolorido ou faz sofrer: *Com aquele golpe o braço lhe ficou demasiado sensível.* **5.** Capaz de sentimento em grau incomum; dotado de uma vida afetiva intensa; apto a sentir em profundidade as impressões, fazendo que delas participe toda a sua pessoa; emotivo. **6.** Capaz de experimentar sentimentos humanitários; humano, compassivo, sentimental. 7. Que se deixa impressionar, tocar, comover: *É sensível à boa literatura; Ninguém mais sensível que ele aos encantos femininos.* **8.** Que se ofende ou melindra com facilidade; suscetível, sensitivo, sentido. **9.** De certa importância; apreciável, considerável: *Houve uma alta sensível de preços no mercado automobilístico.* **10.** Claro, evidente, manifesto. [Sin., p. us., nessas acepçs.: *sensivo*.] **11.** Diz-se de instrumento que indica a menor diferença ou alteração. **12.** *Fisiol.* Que é conhecido pela sensibilidade. [Nesta acepç., opõe-se a *inteligível*.] **13.** *Mús.* Diz-se do sétimo grau da escala diatônica, quando ele se acha separado do oitavo por um semitom diatônico. ~ V. *calor —, corda —, horizonte —, mundo —* e *papel —*. ● *S. f.* **14.** *Mús.* O grau sensível (13). [Cf., nesta acepç., *subtônica* (2).]

sensivo [De *senso* + *-ivo*.] *Adj. P. us.* V. *sensível* (1 a 10).

senso [Do lat. *sensu*.] *S. m.* **1.** Faculdade de apreciar, de julgar, entendimento: "O capitão-mor, que tinha aliás o senso claro e reto, para não dar-se ao trabalho de meditar, incumbia o seu ajudante dessa ocupação secundária" (José de Alencar, *O Sertanejo*, p. 119). **2.** Juízo, tino, siso, discrição, circunspeção: "Desconfio que estou ficando louco... / Tanta coisa me passa na cabeça, / Que se senso me resta é já bem pouco." (Marcelo Gama, *Via-Sacra e Outros Poemas*, p. 44.) **3.** Faculdade de sentir ou apreciar; sentido: *Tem senso artístico; Tem o senso da medida.* **4.** *P. us.* Sentido (15). **5.** *Filos.* V. *sentido* (16). [Cf. *censo*.] ◆ **Senso comum.** Conjunto de opiniões e modos de sentir que, por serem impostos pela tradição aos indivíduos de uma determinada época, local ou grupo social, são ger. aceitos de modo acrítico como verdades e comportamentos próprios da natureza humana. **Senso moral.** *Filos.* Faculdade de reconhecer intuitiva e infalivelmente o bem e o mal, sobretudo nos fatos concretos. **Bom senso.** *Filos.* **1.** Faculdade de discernir entre o verdadeiro e o falso. [Cf. *senso comum*.] **2.** Aplicação correta da razão para julgar ou raciocinar em cada caso particular da vida. **3.** Capacidade de julgar e de resolver problemas conforme o senso comum.

sensor (ô) [Do lat. *sensus* (v. *sensitivo*) + *-or*.] *S. m.* Designação comum aos dispositivos tais como os radares, os sonares, os ecobatímetros, etc., por meio dos quais se pressentem ou localizam alvos inimigos, acidentes geográficos, etc., ou se sondam mares, oceanos, etc. [Cf. *censor*.]

sensorial [Do fr. *sensoriel*.] *Adj. 2 g.* **1.** Referente a sensório (3 a 5). **2.** *Fisiol.* Pertencente ou relativo a sensação: *órgãos sensoriais*. ~ V. *afasia —* e *nervo —*.

sensoriamento [De **sensoriar* (< *sensor* + *-iar*) + *-mento*.] *S. m.* Análise das condições geológicas e climáticas da Terra mediante a utilização de satélites com sensores destinados à detecção dessas condições, para levantamento de solos, mapeamento, controle de acidentes geológicos, etc.

sensório [Do b.-lat. *sensorium*, pelo fr. *sensorium*.] *Adj.* **1.** Respeitante à sensibilidade. **2.** Próprio para transmitir sensações. ● *S. m.* **3.** *Anat.* Qualquer centro nervoso sensitivo. **4.** *Anat.* Sede de sensação, de localização encefálica. **5.** *Med.* Estado de um indivíduo relativamente à sua consciência ou clareza mental. [Cf. *censório*.]

sensório-motor *Adj.* Relativo ao mesmo tempo a fenômeno sensorial e a atividade motora. [Pl.: *sensório-motores*.]

sensual [Do lat. tard. *sensuale*.] *Adj. 2 g.* **1.** Respeitante aos sentidos. **2.** Que denota sensualidade: *boca sensual*; "pelas tuas olheiras de veludo, / roxas, histéricas, sensuais..." (Austro-Costa, *Mulheres e Rosas*, p. 54); "Os véus tinham-lhe ciúme. Outras, tinham-lhe inveja. / E ao fitá-la os varões tinham pasmos sensuais." (Manuel Bandeira, *Estrela da Vida Inteira*, p. 12). **3.** Lúbrico, voluptuoso, lascivo: "Nua a deusa, nadando, a onda dos seios túmidos / Leva diante de si, amorosa e sensual" (Olavo Bilac, *Poesias*, p. 120). ● *S. 2 g.* **4.** Pessoa sensual (3). [Cf. *censual*.]

sensualidade [Do lat. tard. *sensualitate*.] *S. f.* **1.** Qualidade de sensual. **2.** Lubricidade, volúpia, lascívia, luxúria; sensualismo. **3.** Amor aos prazeres materiais. **4.** *Filos.* Sensibilidade (11).

sensualismo [De *sensual* + *-ismo*.] *S. m.* **1.** *Filos.* Sensacionismo (2). **2.** V. *sensualidade* (2).

sensualista [De *sensualismo* + *-ista*.] *Adj. 2 g.* **1.** Referente ao, ou que é partidário do sensualismo. ● *S. 2 g.* **2.** Partidário do sensualismo. [Cf. *censualista*.]

sensualização [De *sensualizar* + *-ção*.] *S. f.* Ação ou efeito de sensualizar(-se).

sensualizar [De *sensual* + *-izar*.] *V. t. d.* **1.** Excitar aos prazeres dos sentidos; tornar sensual. *P.* **2.** Tornar-se sensual.

sensualmente [De *sensual* + *-mente*.] *Adv.* De modo sensual; com sensualidade; lascivamente: "E, vagarosa, / Dos ombros solta, a camisa / Pelo seu corpo, amorosa / E sensualmente, desliza." (Olavo Bilac, *Poesias*, p. 112.)

sentada [De *sentar* + *-ada*[1].] *S. f.* **1.** Ato de sentar-se por pouco tempo. **2.** *Bras. RS* V. *assentado* (6). **3.** *Bras. RS* Parada repentina do cavalo que galopa. **4.** *Tip.* Remuneração mínima que se garante ao linotipista tarefeiro.

sentado [Part. de *sentar*.] *Adj.* **1.** Que se sentou; assentado. **2.** *Bras.* Diz-se do café onde se bebe e come sentado. **3.** *Bras.* Diz-se de refeição em que os convidados se servem ou são servidos sentados: *jantar sentado*.

sentador (ô) [De *sentar* + *-dor*.] *Adj.* **1.** Que senta ou se senta. **2.** *Bras. RS* Diz-se do cavalo habituado a sentar no cabresto. [Aplica-se tb., figuradamente, às pessoas.]

sentali *S. m. Gloss.* V. *santali*.

sentar [De *assentar*, com aférese.] *V. t. d.* **1.** Assentar (1). **2.** *Bras. S.* Parar (o cavalo) de repente, num galope. *T. d. e c.* **3.** Sentar (1): *Sentou a criança na cadeira.* *T. d. e i.* **4.** *Bras. Pop.* Atacar (11 e 13). **5.** *Bras. Pop.* Dar, aplicar em; bater, tascar: *sentar um bofetão em alguém.* *T. c.* **6.** Sentar (1): *Sentou no sofá da sala.* *Int.* **7.** Tomar assento; sentar-se, assentar-se: "Sentamos os três em redor do bolo." (Lígia Fagundes Teles, *Seminário dos Ratos*, p. 67); "Sentar aqui, olhando / o rio a passar, lento, / faz o pesar mais brando." (Alberto de Serpa, *Rua*, p. 60). *P.* **8.** Sentar (7): "Sentou-se ao pé de mim, falou da lua e dos ministros" (Machado de Assis, *Dom Casmurro*, p. 1); "Sentou-se à mesa do almoço .... com a retidão costumeira" (Luís Fernando Veríssimo, em *Jornal do Brasil*, "Domingo", 16.11.1980). **9.** Estabelecer-se, fixar-se.

sentença [Do lat. *sententia*.] *S. f.* **1.** Expressão que encerra um sentido geral ou um princípio ou verdade moral máxima. **2.** Rifão, anexim, provérbio (q. v.). **3.** Julgamento proferido por juiz, tribunal ou árbitro(s); veredicto. **4.** *P. ext.* Qualquer despacho ou decisão. **5.** Palavra ou frase que encerra uma decisão irrevogável. **6.** Julgamento divino. **7.** *E. Ling. Desus.* V. *oração* (4). **8.** *E. Ling. Desus.* Período, frase. **9.** *Lóg.* Proposição (6).

sentenciação [De *sentenciar* + *-ção*.] *S. f.* Método de ensinar a ler sentença por sentença.

sentenciado [Part. de *sentenciar*.] *Adj. S. m.* Diz-se de, ou indivíduo que foi objeto de sentença (3).

sentenciador (ô) [De *sentenciar* + *-dor*.] *Adj. S. m.* Que, ou aquele que sentencia.

sentencial [Do lat. tard. *sententiale*.] *Adj. 2 g.* V. *sentencioso*. [Pl.: *sentenciais*. Cf. *sentenciais*, do v. *sentenciar*.] ~ V. *cálculo —* e *lógica —*.

sentenciar [De *sentença* (< lat. *sententia*) + *-iar*[2].] *V. t. d.* *T. d. e i.* **1.** Julgar por sentença, decidir (causa). **2.** Condenar por meio de sentença: *O tribunal sentenciará os culpados; O juiz sentenciou o assassino à pena máxima.* **3.** Julgar, decidir, resolver acerca do mérito ou do demérito de. *Int. T. i.* **4.** Proferir ou pronunciar sentença: *O tribunal tardou a sentenciar.* **5.** Dar ou manifestar o seu voto; emitir a sua opinião: *O jurado sentenciou com a pena máxima.* [Pres. ind.: *sentencio, sentencias, ... sentenciais, sentenciam*. Cf. *sentenciais*, pl. de *sentencial*.]

sentencioso (ô) [Do lat. *sententiosu*.] *Adj.* **1.** Que tem forma de sentença. **2.** Que encerra sentença; conceituoso. **3.** Que se expressa com gravidade e laconismo, formulando decisões. **4.** Grave como um juiz. [Sin. ger. (p. us.): *sentencial*.]

sentido [Part. de *sentir*.] *Adj.* **1.** V. *sensível* (8). **2.** Pesaroso, triste, plangente: *choro sentido*; "Saudade! és a ressonância / De uma cantiga sentida, / Que, embalando a nossa infância, / Nos segue por toda a vida!" (Da Costa e Silva; *Pandora*, p. 83). **3.** Melindrado, magoado, ressentido: *Sentido com o que lhe fizeram, não os procurou mais.* **4.** Em princípio de putrefação; moído, passado: *carne sentida*. ● *S. m.* **5.** *Fisiol.* Cada uma das formas de receber sensações, segundo os órgãos destas. [São cinco os sentidos: *visão, audição, olfato, gosto* e *tato*.] **6.** Senso (3). **7.** Bom senso; juízo, tino: *Sua decisão apressada não revela muito sentido.* **8.** Intento, propósito; objetivo: *Ninguém compreendeu o sentido de tua atitude.* **9.** V. *acepção* (1): *palavra de duplo sentido.* **10.** Lado, aspecto, face: *Estudou a matéria em todos os sentidos.* **11.** Razão de ser; cabimento, lógica: *Que sentido tem isso?; Sua decisão radical não tem sentido.* **12.** Atenção; pensamento: *A criança está com o sentido na brincadeira.* **13.** Cuidado, cautela. **14.** Consciência (1): *No acidente perdeu os sentidos.* **15.** Orientação, direção, rumo: *O caminho bifurca-se em dois sentidos.* [Sin. (p. us.), nesta acepç.: *senso*.] **16.** *Filos.* Faculdade de conhecer de um modo imediato e intuitivo, a qual se manifesta nas sensações propriamente ditas; senso. ● *Interj.* **17.** Exprime busca, advertência, recomendação ou cautela. **18.** *Mil.* Voz de comando com que se ordena atenção para as ordens de manobras que virão em seguida. ~ V. *sentidos*. ◆ **Sentido anti-horário.** *Mat.* V. *sentido trigonométrico*. **Sentido antitrigonométrico.** *Mat.* Sentido oposto ao trigonométrico; sentido inverso, sentido horário, sentido negativo. [Opõe-se a *sentido trigonométrico*.] **Sentido direto.** *Mat.* V. *sentido trigonométrico*. **Sentido figurado.** Sentido metafórico de uma palavra, frase, parágrafo, etc. Ex.: *Em um formigueiro de gente, a palavra* formigueiro *está em sentido figurado.* **Sentido horário.** *Mat.* V. *sentido antitrigonométrico*. [Assim chamado por ser o sentido em que caminham os ponteiros dos relógios.] **Sentido inverso.** *Mat.* V. *sentido antitrigonométrico*. **Sentido negativo.** *Mat.* **1.** Sentido oposto ao positivo. [Tb. se diz, impr., *direção negativa*.] **2.** *Restr.* V. *sentido antitrigonométrico*. **Sentido positivo.** *Mat.* **1.** Sentido ao qual se atribui o sinal positivo quando se percorre uma curva. [Tb. se diz, impr., *direção positiva*.] **2.** *Restr.* V. *sentido trigonométrico*. **Sentido proibido.** *Lus.* Contramão (1). **Sentido trigonométrico.** *Mat.* Numa curva plana e fechada, o sentido de rotação que se convencionou positivo, e que é contrário ao do movimento dos ponteiros de um relógio; sentido direto, sentido positivo, sentido anti-horário. [Opõe-se a *sentido antitrigonométrico*.] **Fazer sentido.** Ser compreensível; ser lógico. **No bom sentido.** Com acepção positiva, sem maldade, sem querer ofender: "— .... Já fizemos alguma bagunça por aí. Bagunça no bom sentido, em benefício da ordem, entende?" (Carlos Heitor Cony, *Pilatos*, p. 89.) **No mau sentido.** Com acepção negativa. [Us. ger. para expressar que nos referimos ao valor negativo de algo ou de alguém.] **Segundo sentido.** Subsentido. **Sexto sentido.** Sentido ideal, supostamente capaz de perceber o que aos outros escapa; intuição: "O sexto sentido do romancista é o invento da surpresa." (Camilo Castelo Branco, *O Que Fazem Mulheres*, p. 146.) **Ter sentido.** Ser concebível; ser aceitável.

sentidos [Pl. de *sentido*.] *S. m. pl.* **1.** O conjunto das funções orgânicas que buscam o prazer sensual, a sensualidade. **2.** Faculdades intelectuais. ~ V. *sentido*.

sentimental [Do ingl. *sentimental*, pelo fr. *sentimental*.] *Adj. 2 g.* **1.** Relativo ao sentimento. **2.** V. *sensível* (6). **3.** Que se deixa comover com facilidade; sensível ao extremo. **4.** Que tem ou mostra sentimento, sincero ou simulado. **5.** Que afeta uma sensibilidade romanesca. ~ V. *drama —*. ● *S. 2 g.* **6.** Pessoa sentimental.

sentimentalão [De *sentimental* + *-ão*[1].] *Adj. S. m.* Que, ou aquele que é muito sentimental. [M. us. como s. m. Fem.: *sentimentalona*.]

sentimentalidade [De *sentimental* + *-(i)dade*.] *S. f.* Qualidade de sentimental; sentimentalismo.

sentimentalismo [De *sentimental* + *-ismo*.] *S. m.* **1.** Sentimentalidade. **2.** Tendência a vivenciar ou demonstrar seus sentimentos de modo exagerado. **3.** Gênero literário ou artístico em que predomina o excesso de sentimento.

sentimentalista [De *sentimental* + *-ista*.] *Adj. 2 g.* **1.** Referente ao sentimentalismo. **2.** Diz-se de pessoa dada ao sentimentalismo: "Mas nunca percas, nunca mais, de vista / aquele moço sentimentalista / que te quis muito e a quem quiseste um pouco!" (Guilherme de Almeida, *Toda a Poesia*, II, p. 42.) ● *S. 2 g.* **3.** Pessoa sentimentalista.

sentimentalizar [De *sentimental* + *-izar*.] *V. t. d.* Tornar sentimental (2 e 3).

sentimentaloide [De *sentimental* + *-oide*.] *Adj. 2 g.* Que é ridiculamente sentimental; piegas: "Queria encontrar um jeito de fazer perguntas sem denunciar-se, queria informações, não aquela baboseira sentimentaloide" (João Ubaldo Ribeiro, *O Sorriso do Lagarto*, p. 317).

sentimentalona *S. f.* Fem. de *sentimentalão*.

sentimento [De *sentir* + *-mento*.] *S. m.* **1.** Ato ou efeito de sentir(-se). **2.** Capacidade para sentir; sensibilidade: *sentimento artístico*. **3.** Faculdade de conhecer, perceber, apreciar; percepção, noção, senso: *sentimento do dever, das conveniências; Tem o sentimento de sua fraqueza.* **4.** Disposição afetiva em relação a coisas de ordem moral ou intelectual: *sentimento religioso; sentimento patriótico; sentimento de admiração.* **5.** Afeto, afeição, amor: *Grande é o seu sentimento pelo tio.* **6.** Entusiasmo, emoção; alma: *cantar com sentimento.* **7.** Pesar, tristeza, desgosto, mágoa. **8.** Palpite, pressentimento. ~ V. *sentimentos*.

sentimentos [Pl. de *sentimento*.] *S. m. pl.* **1.** Conjunto das qualidades morais do indivíduo. **2.** V. *pêsames*. ~ V. *sentimento*.

sentina [Do lat. *sentina*.] *S. f.* **1.** *Ant. Mar.* O porão das galés. **2.** V. *latrina* (1). **3.** *Fig.* Lugar muito sujo, imundo. **4.** *Fig.* Pessoa viciosa.

sentinela [Do it. *sentinella*.] *S. f.* **1.** Soldado armado que se coloca próximo de um posto para o guardar, para prevenir da aproximação de inimigo, etc. **2.** V. *guar-*

S

da (11). [Tb. us. no masc., nessas acepçs.] **3.** Qualquer coisa elevada em lugar deserto. **4.** Ato de guardar, vigiar ou espiar; guarda: *estar de sentinela.* **5.** V. *vigia* (7): *O cão era a sentinela da casa.* **6.** *Bras. Bot.* Capim poáceo (*Paspalum parviflorum*) de até 30cm, cujas espículas se reúnem em espigas compactas, achatadas e inseridas duas a duas na ponta do escapo. É considerado boa forragem para animais. **7.** *Bras. N.E.* V. *velório*[2]: "À tarde, meu pai enviou para a casa do morto várias garrafas de aguardente, bolachas, café, para a sentinela." (A. S. de Mendonça Júnior, *O Anel de Brilhantes e Outras Estórias*, p. 57.) ◆ **Sentinela, alerta!** Grito trocado entre sentinelas para conservarem-se em vigília e certificarem-se de que se mantêm nos postos. **Sentinela perdida.** A que fica em posto avançado e perigoso. **Render sentinela.** Substituí-la, trocá-la.

sentinelense *Adj. 2 g.* **1.** De, ou pertencente ou relativo a Sentinela do Sul (RS). ● *S. 2 g.* **2.** O natural ou habitante de Sentinela do Sul.

sentir [Do lat. *sentire.*] *V. t. d.* **1.** Perceber por meio dos sentidos [v. *sentido* (5)]: "Quando entrei no elevador, senti um perfume delicioso: âmbar." (Lígia Fagundes Teles, *A Disciplina do Amor*, p. 101); *sentir o ardor da pimenta; sentir o zumbido das abelhas.* **2.** Experimentar (sensação física ou moral); ser afetado por: *A moça sentiu tristeza; Sentia dores;* "Eu sinto muita saudade, você é contemporânea, / eu penso em tudo quanto faço, você é tão espontânea." (Aldir Blanc e Guinga, na canção *Catavento e Girassol.*) **3.** Ser sensível a: *As pessoas fúteis não sentem a verdadeira beleza.* **4.** Ouvir indistintamente; entreouvir: "Chego por ver-te / E ante os teus muros paro / Sinto um rumor de lendas pelo ar" (Raul Bopp, *Putirum*, p. 155). **5.** Pressentir (1): *Sentiu que algo estranho estava por acontecer.* **6.** Compreender, entender, perceber: *É difícil sentir de pronto a importância da grande obra.* **7.** Adivinhar, pressentir, pressagiar. **8.** Melindrar-se, ofender-se, ressentir-se com: *Senti as injúrias cometidas.* **9.** Sofrer a ação de; experimentar: *Muitos povos sentiram a opressão de ditadores.* **10.** Conhecer por certos indícios: *O cão sentia a presença do estranho.* **11.** Supor, conjeturar: *Sentiu que a sua presença era útil, e ficou.* **12.** Ter consciência de; dar fé ou notícia de; perceber: *Sentia o perigo da situação.* **13.** Reconhecer, verificar, observar: *Procurava, com perguntas capciosas, sentir a opinião do recém-chegado.* **14.** Levar a mal; estranhar; ressentir-se de: *Viu que o amigo sentira as suas palavras, julgando-as ofensivas.* **15.** Experimentar mudança física ou moral por causa de; ressentir-se de: *O animal sentiu a mudança de clima.* **16.** Ter sensação dolorosa ou desconfortável em. **17.** Estar convencido, possuído ou persuadido de; ter a consciência de. ***Transobj.*** **18.** Julgar, reputar, considerar: *Não o sinto saudável.* ***Int.*** **19.** Ter sensibilidade física ou moral. **20.** Ter pesar; sofrer: *Nos momentos de desgraça coletiva todos sentem.* ***P.*** **21.** Ter consciência do próprio estado; reconhecer-se: "A calma era absoluta. Não sei por quê, porém, sentia-me inquieto, quase ansioso" (Otávio de Faria, *Novelas da Masmorra*, p. 29); "Sentia-me um homem. Um homem devia fumar, ... jogar bilhar, viver à sua custa. Sentia-me também artista. O drama do artista misturou-se com o drama do homem." (E. di Cavalcanti, *Viagem da Minha Vida*, p. 73); "Sentia-se cada vez pior." (Miguel Torga, *Bichos*, p. 9). **22.** Imaginar-se, julgar-se: "Katherine Mansfield teria dito que, ao escrever sobre um cisne, sentia-se um cisne." (Hélio Pólvora, *A Força da Ficção*, p. 25.) **23.** Magoar-se, melindrar-se, ressentir-se: *O rapaz sentiu-se das ofensas recebidas.* [Irreg. Conjug.: v. *aderir*. Pres. ind.: *sinto, sentes*, etc.; pres. subj.: *sinta*, etc. Cf. *cinto*, s. m., *cinta*, s. f., o pres. ind. do v. *cintar*.] ● *S. m.* **24.** Modo de ver; opinião, parecer, entender, sentimento.

sento-seense (sèên) *Adj. 2 g.* **1.** De, ou pertencente ou relativo a Sento Sé (BA). ● *S. 2 g.* **2.** O natural ou habitante de Sento Sé. [Pl.: *sento-seenses.*]

senufo *S. 2 g.* **1.** *Etnôn.* Indivíduo dos senufos, povo da Costa do Marfim (O. da África). ● *Adj. 2 g.* **2.** Desse, ou pertencente ou relativo a esse povo. [Var.: *senufô.*]

senufô *S. 2 g. Adj. 2 g.* V. *senufo.*

■ **senv** *Mat.* Símb. de *seno verso.*

■ **senv**$^{-1}$ *Mat.* Símb. impr. de *arco seno verso* (q. v.).

senzala [Do quimb. *sanzala*, com dissimilação.] *S. f. Bras.* Conjunto de casas ou alojamentos que se destinavam aos escravos de uma fazenda ou de uma casa senhorial.

sépala [Do fr. *sépale* (do lat. cient. *sepalum*).] *S. f. Bot.* Peça do cálice. [Em muitas flores são verdes e, portanto, realizam fotossíntese. Quando se soldam entre si, as sépalas parecem meros dentículos, livres apenas no ápice.]

sepalino [De *sépala* + *-ino*[1].] *Adj. Bot.* Relativo ou pertencente à sépala: *glândulas sepalinas.*

▲**-sépalo** [Do lat. cient. *sepalum*, alter. do lat. cient. *skepalum*, t. criado pelo botânico alemão Necker.] ***El. comp.*** = 'sépala': *dissépalo, monossépalo.*

sepaloide (ói) [De *sépala* + *-oide.*] *Adj. 2 g. Bot.* Semelhante à sépala. ❖

separação [Do lat. *separatione.*] *S. f.* **1.** Ato ou efeito de separar(-se). **2.** Afastamento, apartamento, distância. **3.** Rompimento da união matrimonial. ◆ **Separação de corpos.** *Jur.* Medida cautelar nas ações de nulidade ou anulação de casamento, e de separação judicial, que tem por objetivo obrigar ou autorizar um dos cônjuges a deixar o domicílio conjugal. **Separação do dote.** *Jur.* Ação de retirar da administração do marido os bens dotais, quando a desordem nos negócios dele faça recear que estes fiquem sem segurança.

separado [Part. de *separar.*] *Adj.* **1.** Desligado, desunido. **2.** Afastado, apartado. **3.** Posto de lado; isolado. **4.** Que rompeu a união matrimonial. ◆ **Em separado.** À parte; separadamente.

separador (ô) [Do lat. tard. *separatore.*] *Adj.* **1.** Que separa. ~ V. *poder* —. ● *S. m.* **2.** Aquele ou aquilo que separa. **3.** Espécie de desnatadeira em que se emprega a força centrífuga para separar, numa mistura, líquidos de diferentes densidades.

separadora (ô) [De *separar* + *-dora.*] *S. f. Estat.* Classificadora.

separa o visgo [De *separar* + *o*[2] + *visgo.*] *S. m. 2 n. Bras. BA Folcl.* O segundo dos passos tradicionais do *samba de roda*: o dançarino suspende e abaixa um dos pés, fazendo em seguida um movimento lateral, como o de quem separa alguma coisa. [Cf. *corrido* (9).] ☑

separar [Do lat. *separare.*] *V. t. d.* **1.** Fazer a disjunção de (o que estava junto ou ligado); desunir, apartar, isolar: *Separou os melhores bocados para dar ao filho.* **2.** Apartar, afastar um ou uns do(s) outro(s): *Foi necessário separar os candidatos durante o exame.* **3.** Fazer cessar; interromper: *separar uma briga.* **4.** Formar obstáculo a; obstar à união de: *As divergências político-ideológicas separam o mundo moderno.* **5.** Estabelecer discórdia entre: *A herança acabou separando os irmãos.* **6.** Fazer romper (união matrimonial, compromisso, etc.): *Tanto fez que separou os noivos.* **7.** Sinalizar a constituição de (sílabas, palavras), seja ao escrever, ou ao falar. **8.** Repartir (um espaço, etc.) por meio de divisória posta de permeio; dividir, isolar: *separar uma sala.* ***T. d. e i.*** **9.** Desunir, apartar, dividir: *É bom separar o joio do trigo;* "Toma-a nas mãos, arranca-lhe a vida que nela palpita, / desfaze o barro vil, separa o que é meu do que não me pertence" (Abgar Renault, *A Outra Face da Lua*, p. 33). **10.** Reservar, destinar, guardar: *Separou um pedaço do bolo para o irmão.* **11.** Considerar à parte: *As primitivas instituições atenienses separavam os cidadãos dos metecos.* ***T. d. e c.*** **12.** Estar, situar-se entre: *Os Alpes separam a Itália da França.* ***Int.*** **13.** Desunir, apartar, isolar: "A vida separa muito mais do que a morte." (Murilo Mendes, *O Discípulo de Emaús*, p. 26.) ***P.*** **14.** Desagregar-se; desunir-se, apartar-se: *O ouro separa-se das impurezas.* **15.** Dividir-se, partir-se: *A estrada separava-se em três ramais.* **16.** Afastar-se, apartar-se, distanciar-se um ou uns de outro(s): "Na encruzilhada silenciosa do Destino, / As duas Sombras comovidas se abraçaram / E de então, nunca mais se separaram." (Olegário Mariano, *Toda uma Vida de Poesia*, I, p. 119); "A viúva e a filha .... desavieram-se por motivos de partilhas e separaram-se como inimigas mortais." (Júlio Dantas, *Abelhas Doiradas*, p. 165). **17.** Deixar (um casal) de viver em comum, divorciando-se ou desquitando-se: "Os dous esposos desavieram-se e logo se separaram judicialmente." (Artur Azevedo, *Contos Efêmeros*, p. 19.) [Pret. imperf. ind.: *separava, ... separáveis, separavam.* Cf. *separáveis*, pl. de *separável.*]

separata [Do lat. *separata.*] *S. f.* Publicação, em volume ou opúsculo, de artigo ou de outro trabalho saído em jornal ou em revista, empregando-se a mesma composição tipográfica.

separatismo [Do lat. *separatus*, part. pass. de *separare*, 'separar', + *-ismo.*] *S. m.* Tendência de certa parte do território de um Estado para separar-se deste e constituir-se em Estado independente.

separatista [Do lat. *separatus* (v. *separatismo*) + *-ista.*] *Adj. 2 g.* **1.** Respeitante à separação de um Estado, província, indivíduo, etc. **2.** Que tende a tornar-se independente. ● *S. 2 g.* **3.** Pessoa de ideias separatistas, favorável ao separatismo.

separativo [Do lat. tard. *separativu.*] *Adj.* Que pode separar; separatório. ~ V. *erro* —.

separatório [De *separar* + *-tório.*] *Adj.* **1.** Separativo. ● *S. m.* **2.** Vaso empregado para se fazer a separação de substâncias líquidas.

separatriz [Do lat. tard. *separatrice.*] *S. f. Estat.* Qualquer dos valores de uma variável aleatória para os quais a respectiva função de distribuição assume valores múltiplos inteiros de uma fração dada.

separável [Do lat. *separabile.*] *Adj. 2 g.* Que se pode separar.

sepeense *Adj. 2 g. S. 2 g.* V. *sepense.*

sepense *Adj. 2 g.* **1.** De, ou pertencente ou relativo a São Sepé (RS). ● *S. 2 g.* **2.** O natural ou habitante de São Sepé.

seperu *S. f. Bras. Bot.* V. *beberu.*

▲**sepi-** [Do lat. *sēpes, is.*] ***El. comp.*** = 'sebe': *sepícola.*

sépia [Do gr. *sepía*, pelo lat. *sepia*; tax. *Sepia.*] *S. f.* **1.** *Zool.* O gênero-tipo dos sepiídeos, que reúne moluscos cefalópodes de corpo oval, dotados de nadadeiras estreitas, compridas, grande concha interna, calcária, e bolsa tintória que contém fluido escuro. **2.** *Zool.* Qualquer espécie desse gênero, como, p. ex., a *Sepia officinalis* ou *siba* (q. v.). **3.** *Zool.* Qualquer espécime desse gênero. **4.** A tinta, de coloração escura, segregada por esse molusco ou dele extraída; siba. **5.** *P. ext.* Desenho feito com essa tinta. **6.** A cor dessa substância. ● *Adj. 2 g. e 2 n.* **7.** Que tem essa cor: "entramos num quarto pequeno, muito asseado, com as paredes enfeitadas de quadros e retratos meio sépia da umidade." (Reginaldo Guimarães, *Uma Blusa no Cais*, p. 54). **8.** Diz-se dessa cor.

sepícola [De *sepi-* + *-cola*[1].] *Adj. 2 g.* Que vive nas sebes ou cercas.

sepiídeo [Do tax. *Sepia* (< lat. *sepia*, 'siba') + *-ídeo*[1]; tax. *Sepiidae.*] *Zool. S. m.* **1.** Espécime dos sepiídeos, família de moluscos cefalópodes, que compreende as lulas e sépias. Vivem nas águas pouco profundas e arenosas, subindo graças a um mecanismo controlado pela concha interna, que consiste em câmaras muito delgadas situadas uma ao lado da outra. As câmaras mais antigas contêm gás. ● *Adj.* **2.** Pertencente ou relativo a eles.

sepiolita [Do gr. *sépion* ou *sepíon*, 'parte óssea de certos peixes'; 'espuma do mar', + *-lita.*] *S. f. Min.* Mineral ortorrômbico, silicato ácido de magnésio, mineral semelhante à argila, branco ou cinzento, macio, extraordinariamente leve e resistente ao calor.

sepse [Do gr. *sêpsis*, 'putrefação'.] *S. f. Med.* Presença no sangue, ou em órgão(s), de microrganismos patogênicos ou de suas toxinas; sepsia.

▲**seps(i)-** [Do gr. *sápsis, eōs* < v. gr. *sēpein*, 'putrefazer'.] ***El. comp.*** = 'putrefação': *sepsia, sepsiquimia.* [Equiv.: *-seps(i)-*: *antissepsia.* V. *septic(o)-.*]

▲**-seps(i)-** Equiv. de *seps(i)-.*

sepsia [De *seps(i)-* + *-ia*[1].] *S. f. Med.* Sepse.

▲**-sept-** *Quím.* ***El. comp.*** Designa, na nomenclatura sistemática dos elementos transférmicos (q. v.), a presença do dígito 7 no número atômico do elemento. Ex.: *unilséptio.*

septado [De *septo* + *-ado*[1].] *Adj. Bot.* Que tem septo; septoso, septífero: *filamento septado.*

septêmplice *Adj. 2 g. Poét.* V. *setêmplice.*

▲**sept(e)(n)-** [Do lat. *septem.*] ***El. comp.*** = 'sete': *septeto.* [Equiv.: *septi-, seten-, set(i)-*[2]: *septíssono, setenato, setívoco.*]

septena *S. f.* V. *setena.*

septenado *S. m.* V. *setenado.*

septenal *Adj. 2 g.* V. *setenal.*

septenário *Adj. S. m.* V. *setenário.*

septenato *S. m.* V. *setenato.*

septênfluo *Adj. Poét.* V. *setênfluo.*

septenfoliolado *Adj.* V. *septifoliolado.*

septenial *Adj. 2 g.* V. *setenial.*

septénio *S. m.* V. *septênio.* [Uso freq. em P.]

septênio *S. m.* V. *setênio.*

septenvirado *S. m.* V. *setenvirado.*

septenviral *Adj. 2 g.* V. *setenviral.*

septenvirato *S. m.* V. *setenvirato.*

septênviro *S. m.* V. *setênviro.*

septeto (ê) [De *sept(e)(n)-* + *-eto*[3].] *S. m. Mús.* **1.** Trecho para ser executado a sete vozes ou sete instrumentos. **2.** Conjunto vocal ou instrumental formado de sete executantes. [Sin. ger.: *séptuor* e *setimino.*]

▲**sept(i)-** [Do lat. cient. *sept-, septi-* < lat. cient. *septum.*] ***El. comp.*** = 'septo': *septífero, septiforme*[1], *septibrânquio.*

▲**septi-** V. *sept(e)(n)-.*

septibrânquio [De *sept(i)-* + *-brânquio*; tax. *Septibranchia.*] *Zool. S. m.* **1.** Espécime dos septibrânquios, ordem de moluscos, pelecípodes, que têm as brânquias transformadas em um septo muscular, horizontal, que é contínuo com o pé e separa uma câmara respiratória dorsal da cavidade do manto. ● *Adj.* **2.** Pertencente ou relativo aos septibrânquios.

septicemia [De *septic(o)-* + *-emia.*] *S. f. Med.* Processo infeccioso generalizado em que germes e suas toxinas invadem o sangue e nele se multiplicam. [Cf. *bacteremia.*]

septicémico *Adj.* V. *septicêmico.* [Uso freq. em P.]

septicêmico [De *septicemia* + *-ico*[2].] *Adj.* Referente à, ou da natureza da septicemia.

septicida [De *sept(i)- + -cida.*] ***Adj. 2 g. Bot.*** Diz-se da deiscência que se processa ao longo dos septos.

septicidade [De *séptico + -(i)dade.*] ***S. f. Med.*** Qualidade de séptico.

septiclávio ***S. m. Mús.*** V. *seticlávio.*

▲ **septic(o)-** [Do gr. *sēptikós, ḗ, ón* < gr. *sēptós, ḗ, ón,* 'pútrido'.] ***El. comp.*** = 'séptico': *septicemia.* [V. *septo-.*]

séptico [Do gr. *septikós,* 'que causa putrefação'.] ***Adj.*** **1.** Que provoca infecção. **2.** Que contém germes patogênicos. [Cf. *céptico.*] ~ V. *fossa —a.*

septicole ***Adj. 2 g. Poét.*** V. *seticole.*

septicolor (ôr) [De *septi- + -color.*] ***Adj. 2 g.*** V. *seticolor.*

septicorde [De *septi- + -corde.*] ***Adj. 2 g.*** V. *seticorde.*

septífero [De *sept(i)- + -fero.*] ***Adj.*** V. *setífero.*

septifoliolado [De *septi- + foliolado.*] ***Adj. Bot.*** Que tem sete folíolos.

septiforme^{1} [De *sept(i)- + -forme.*] ***Adj. 2 g.*** Que apresenta a forma de septo. [Cf. *setiforme.*]

septiforme^{2} [Do lat. tard. *septiforme.*] ***Adj. 2 g.*** Que tem sete formas. [Cf. *setiforme.*]

septífrago [De *sept(i)- + -frago.*] ***Adj. Bot.*** Diz-se da deiscência que se processa mediante a ruptura dos septos.

septilião ***Num.*** V. *setilião.*

septimestre ***Adj. 2 g. S. m.*** V. *setimestre.*

septingentésimo (zi) ***Num. S. m.*** V. *setingentésimo.*

septissecular [De *septi- + secular.*] ***Adj. 2 g.*** V. *setissecular.*

septissílabo [De *septi- + -sílabo.*] ***Adj. S. m.*** V. *setissílabo.*

septíssono [De *septi- + -sono.*] ***Adj.*** V. *setíssono.*

septívoco ***Adj. Poét.*** V. *setívoco.*

septo [Do lat. *septu.*] ***S. m.*** **1.** *Anat.* Designação genérica de formação (5) divisória de órgãos ou de cavidades. **2.** *Bot.* Parede divisória de um órgão cavitário em lojas ou lóculos: *O ovário bilocular tem um septo mediano.* **3.** *Quím.* Tampa vedante de borracha ou material semelhante, dotada de uma parte mais fina, que pode ser perfurada facilmente por uma agulha oca ou uma cânula. ◆ **Septo atrioventricular.** *Anat.* A parte do septo interventricular situada entre o átrio direito e o ventrículo esquerdo. **Septo escrotal.** *Anat.* Formação (5) fibromuscular que, disposta no plano mediano, divide o escroto em duas metades quase iguais. **Septo interatrial.** *Anat.* Formação (5) que separa, um do outro, os dois átrios [v. *átrio* (3)]. **Septo interventricular.** *Anat.* O que separa o ventrículo esquerdo do direito. **Septo nasal.** *Anat.* Formação (5) composta de porções óssea, cartilaginosa e membranosa, e que, no plano mediano, separa as duas cavidades nasais.

▲**septo-** [Do gr. *sēptós, ḗ, ón,* adj. verbal do gr. *sḗpein,* 'putrefazer'.] ***El. comp.*** = 'que apodrece', 'pútrido': *septometria, septômetro.* [V. *seps(i)-.*]

septometria [De *septo- + -metria.*] ***S. f.*** Emprego do septômetro.

septométrico [De *septometria + -ico^{2}.*] ***Adj.*** Relativo à septometria.

septómetro ***S. m.*** V. *septômetro.* [Uso freq. em P.]

septômetro [De *septo- + -metro.*] ***S. m.*** Instrumento destinado a recolher matérias orgânicas que contaminam o ar e a determinar as quantidades delas.

septoso (ô) [De *sept(i)- + -oso.*] ***Adj. Bot.*** V. *septado.*

septuagenário ***Adj. S. m.*** V. *setuagenário.*

septuagésima (zi) [Do lat. *septuagesima dies,* 'septuagésimo dia' (antes da Páscoa).] ***S. f. Lit.*** **1.** O primeiro dos três domingos antes da Quaresma^{1} (1). **2.** A quarta divisão do ano litúrgico (q. v.).

septuagésimo (zi) [Do lat. *septuagesimu.*] ***Num. S. m.*** Setuagésimo.

septuaginta [Do lat. *septuaginta.*] ***S. f. Teol.*** Designação da tradução grega do texto hebraico do Antigo Testamento, para uso da comunidade de judeus no Egito, feita nos sécs. III e II a.C., por 72 tradutores; versão dos setenta.

séptula ***S. f. Bot.*** V. *sétula.*

séptuor [Do lat. *septem,* 'sete', com infl. de *quátuor.*] ***S. m.*** V. *septeto.* [Pl.: *septúores.*]

septuplicar ***V. t. d. Int. P.*** V. *setuplicar.*

séptuplo ***Num. S. m.*** V. *sétuplo.*

sepulcral [Do lat. *sepulcrale.*] ***Adj. 2 g.*** **1.** Pertencente ou relativo a sepulcro: *pedras sepulcrais.* **2.** Que encerra sepulcros: *capela sepulcral.* **3.** *Fig.* Sombrio, lúgubre, fúnebre. **4.** *Fig.* Rouco, cavernoso, cavo: *voz sepulcral.*

sepulcrário [De *sepulcro + -ário.*] ***S. m.*** V. *cemitério* (1).

sepulcro [Do lat. *sepulcru.*] ***S. m.*** **1.** V. *sepultura* (1). **2.** Cavidade no centro do altar, ou da simples pedra de ara, onde se encerram as relíquias de santos, especialmente de mártires. **3.** *Fig.* Lugar onde morre muita gente; ataúde, sepultura. **4.** Aquilo que oculta ou esconde como um túmulo. ◆ **Sepulcros caiados.** Na linguagem bíblica, os hipócritas, os fariseus. **O Santo Sepulcro.** *Rel.* Aquele em que Jesus foi inumado.

sepultador (ô) [De *sepultar + -dor.*] ***Adj. S. m.*** Que ou o que sepulta.

sepultamento [De *sepultar + -mento.*] ***S. m.*** **1.** Ato de sepultar(-se). **2.** *Restr.* Enterro, inumação.

sepultante [Do lat. *sepultante.*] ***Adj. 2 g.*** Que sepulta.

sepultar [Do lat. tard. *sepultare.*] ***V. t. d.*** **1.** Depositar em túmulo, jazigo, etc.; enterrar, inumar: *sepultar um cadáver.* **2.** Guardar, esconder: *Discreta, sabe sepultar segredos.* **3.** Soterrar, subterrar: "desmoronados os altos edifícios, tremem, caem, espantam, ferem, matam e sepultam os desgraçados habitantes!" (Correia Garção, *Obras Poéticas e Oratórias,* p. 585). **4.** Submergir, afundar. **5.** Pôr fim a; fazer desaparecer; acabar: *Sepultou aquele amor não correspondido.* ***T. d. e i.*** **6.** Meter, introduzir, mergulhar: *Para defender-se do frio, sepultou as mãos no bolso do sobretudo.* ***P.*** **7.** Dar sepultura a si mesmo; enterrar ou inumar a si próprio: "Entrou por entre os socavões da Terra, / No solo entrou. / No coração de sua própria terra / Se sepultou." (Martins Fontes, *Vulcão,* p. 126.) **8.** Afastar-se do mundo; recolher-se, isolar-se.

sepulto [Do lat. *sepultu.*] ***Adj.*** Sepultado, enterrado, inumado. [Opõe-se a *insepulto.*]

sepultura [Do lat. *sepultura.*] ***S. f.*** **1.** Cova onde se sepultam os cadáveres. [Sin.: *cafofo, campa, carneiro, catacumba, cova, jazigo, sepulcro, tumba, túmulo, última morada.*] **2.** Ato de sepultar. **3.** *Fig.* Morte, falecimento. **4.** *Fig.* V. *sepulcro* (3). **5.** *Bras. PE AL* Escotilha por onde as barcacinhas e as canoas de embono recebem a carga.

sepultureiro [De *sepultura + -eiro.*] ***S. m.*** V. *coveiro* (1): "Ninguém vi, senão num banco, a enxada ao lado, / O sepultureiro" (Alberto de Oliveira, *Póstuma,* p. 24).

séquano [Do lat. *sequanu.*] ***S. m.*** **1.** Indivíduo dos séquanos, povo da Gália céltica que vivia à margem esquerda do Saona e cuja capital ficava onde é hoje Besançon (França). • ***Adj.*** **2.** Pertencente ou relativo a esse povo.

sequaz [Do lat. *sequace.*] ***Adj. 2 g.*** **1.** Que segue ou acompanha com assiduidade. • ***S. 2 g.*** **2.** Pessoa que segue ou acompanha com assiduidade. **3.** Partidário, prosélito, seguidor. **4.** Pessoa integrante de um bando ou partido.

sequeiro [De *seco + -eiro.*] ***Adj.*** **1.** Falto de água, não regadio; seco. • ***S. m.*** **2.** Terreno ou lugar não regadio; lugar seco. **3.** Lugar onde se estende roupa ou peças de cerâmica para secar. **4.** *Bras. BA* Trecho de rio de pouca profundidade e abundante em pedras.

sequela (qüe) [Do lat. *sequela.*] ***S. f.*** **1.** Ato de seguir. **2.** Seguimento, sequência, continuação. **3.** Resultado, consequência. **4.** Súcia, matula, bando. **5.** Série de coisas: "E principiava a sequela de autos inquisitoriais" (Marques Rebelo, *A Mudança,* p. 329). **6.** *Jur.* Peculiaridade dos direitos reais que consiste na faculdade ou poder do titular de seguir a coisa e subtraí-la de quem quer que a detenha ou possua. **7.** *Med.* Qualquer lesão anatômica ou funcional que permaneça depois de encerrada a evolução clínica de uma doença, inclusive de um traumatismo. ❖

sequência (qüên) [Do lat. *sequentia.*] ***S. f.*** **1.** Ato ou efeito de seguir. **2.** Seguimento, continuação. **3.** Série, sucessão. **4.** Parte do escrito iniciado noutro livro ou lugar. **5.** Em certos jogos carteados, série de cartas com valores consecutivos, com variação de naipes, ou sem ela, como no pôquer ou no pife-pafe. **6.** *Mat.* Função de uma variável inteira positiva; sucessão. **7.** *Mat.* Sequência infinita. **8.** *Cin. Telev.* Unidade de um filme que engloba uma ou mais cenas com coesão dramática. **9.** *Cin.* Cena (9). **10.** *Lit.* Hino que, na missa, é cantado como continuação do gradual e da aleluia; prosa. [V. *próprio* (12).] **11.** *Mús.* Em harmonia, a reprodução de um motivo melódico, rítmico ou harmônico, curto ou longo, em diferentes graus da escala, e que se faz, em geral, com segundas ascendentes ou descendentes. **12.** *Mús.* Na partitura de um filme, fragmento musical que geralmente corresponde a uma divisão do cenário ou da montagem. ◆ **Sequência alternada.** *Mat.* Aquela em que os termos são alternadamente positivos e negativos. **Sequência convergente.** *Mat.* Sequência infinita que tem um limite. **Sequência de controle.** *Inform.* Num sistema de computação, ordem na qual as instruções são executadas. **Sequência divergente.** *Mat.* Sequência infinita em que os termos, em módulo, tendem para infinito. **Sequência finita.** *Mat.* A que tem um número finito de termos. **Sequência infinita.** *Mat.* Função duma variável inteira positiva cujo domínio não é limitado à direita. [Tb. se diz apenas *sequência.*] **Sequência limitada.** *Mat.* A que tem um supremo e um ínfimo. **Sequência máxima.** No pôquer, a maior sequência, *i. e.,* que vai de 10 a ás. **Sequência mínima.** No pôquer, a que principia pela menor carta em jogo. **Sequência ordenada.** *Mat.* Aquela entre cujos membros se define uma relação de ordem. **Sequência polar norte.** *Astr.* Conjunto de estrelas boreais, de distâncias polares não muito grandes, e que têm as suas magnitudes bem definidas, servindo, assim, de elementos de comparação para as magnitudes de outras estrelas. **17.** *Cin.* Cena (9). ❖

sequenciador (ü) [De *sequenciar + -dor.*] ***Adj. S. m.*** Que ou aquilo que sequencia.

sequencial (qüen) [De *sequência + -al^{1}.*] ***Adj. 2 g.*** Em que há uma sequência. ~ V. *análise —.* ❖

sequenciamento (ü) [De *sequenciar + -mento.*] ***S. m.*** Ato, processo ou efeito de sequenciar.

sequenciar [De *sequência + -ar^{2}.*] ***V. t. d.*** **1.** Determinar ou organizar a sequência, a ordem de. **2.** *Bioquím.* Determinar a ordem de nucleotídeos no DNA ou no RNA, ou de aminoácidos, numa proteína.

sequente (qüen) [Do lat. *sequente.*] ***Adj. 2 g.*** **1.** Que (se) segue; seguinte. **2.** *Mat.* Sucessor (6). ❖

sequer [De *se^{2}* + a 3ª pess. do sing. do pres. ind. do v. *querer.*] ***Adv.*** Ao menos; pelo menos: *Tudo se arranjaria se ambos tivessem sequer um pouco de boa vontade;* "em todo o teu corpo não há sequer uma cicatriz" (José Paulo Moreira da Fonseca, *Tua Morada É a Viagem,* p. 27). ◆ **Nem sequer.** Nem ao menos: *Grosseiro, nem sequer agradeceu o presente.*

sequestração (qües) [Do lat. tard. *sequestratione.*] ***S. f.*** Ato ou efeito de sequestrar; sequestro. ❖

sequestrado (qües) [Part. de *sequestrar.*] ***Adj. S. m.*** Que, ou aquele que sofreu sequestro. ❖

sequestrador (qües... ô) [Do lat. tard. *sequestratore.*] ***Adj. S. m.*** Que, ou aquele que sequestra. ❖

sequestrante (qües) [De *sequestrar + -nte.*] ***Adj. 2 g.*** **1.** Que sequestra. **2.** *Quím.* Diz-se de reagente que, adicionado a uma solução, forma complexo ou quelato estável com um certo íon metálico, retirando-o da solução. • ***S. 2 g.*** **3.** Pessoa que sequestra. • ***S. m.*** **4.** *Quím.* Reagente sequestrante (2). ❖

sequestrar (qües) [Do lat. tard. *sequestrare.*] ***V. t. d.*** **1.** Fazer sequestro (1 e 2) de: "Duas ou três prestações insatisfeitas, o publicano ia, sequestrava os bens do insolvente e passava-lhe os anjinhos nos pulsos." (Aquilino Ribeiro, *Os Avós dos Nossos Avós,* p. 69); *Os malfeitores sequestraram a criança.* **2.** Pôr de parte; isolar, insular. **3.** Tomar com violência: *Os ladrões sequestraram o carregamento de ouro.* **4.** Desviar de sua rota, mediante violência: *sequestrar um avião, um navio.* ***T. d. e i.*** **5.** Afastar de lugares ou coisas perniciosas: *Pretendia sequestrá-la das más companhias.* ❖

sequestrável (qües) [De *sequestrar + -vel.*] ***Adj. 2 g.*** Que pode ser sequestrado. ❖

sequestro (qües) [Do lat. *sequestru.*] ***S. m.*** **1.** *Jur.* Apreensão judicial de bem litigioso, destinada a assegurar-lhe a entrega, oportunamente, à pessoa a quem se reconheça que ele deve tocar. **2.** *Dir. Proc.* Medida processual cautelar de apreensão de bens do devedor, nas circunstâncias autorizadas por lei, para assegurar futura penhora e satisfação do crédito do autor da demanda. [Cf., nessas acepçs., *arresto.*] **3.** *Dir. Penal* Crime que consiste em reter ilegalmente alguém, privando-o de sua liberdade. **4.** *Jur.* Objeto sequestrado, depositado. **5.** Sequestração. **6.** *Patol.* Porção de tecido morto, principalmente de tecido ósseo, que, no decurso de necrose, foi afastado do tecido são. ❖

sequestro-relâmpago ***S. m. Bras.*** Modalidade de roubo em que o assaltante aborda a vítima e, mediante ameaça, a obriga a sacar dinheiro, a usar o cartão de crédito em seu benefício, etc., ger. a libertando depois disso. [Pl.: *sequestros-relâmpagos* e *sequestros-relâmpago.*]

sequiar [Por **sequear,* de *seca + -ear^{2}.*] ***V. int. Bras. RS*** **1.** Conversar, prosear; cavaquear. **2.** Discutir, debater.

sequidão [De *seco + -idão.*] ***S. f.*** **1.** Secura (1 e 4): "E o mel de seus lábios, passado em meus lábios, / trazendo ao sequioso maior sequidão!" (Ascenso Ferreira, *Catimbó e Outros Poemas,* p. 118.) **2.** Desapego, desinteresse; frieza.

sequilho [De *seco + -ilho.*] ***S. m. Cul.*** Bolinho seco e farináceo, feito, em geral, de polvilho de araruta: "Depois do café, pão com manteiga, sequilhos, bolos, ... descemos ao porão" (Pedro Nava, *Beira-Mar,* p. 46).

sequioso (ô) [De *seco + -i- + -oso.*] ***Adj.*** **1.** Falto de água; muito seco. **2.** Que tem sede ou intenso desejo de beber; sedento. **3.** *Fig.* Extremamente desejoso; cobiçoso, ávido. • ***S. m.*** **4.** Indivíduo sequioso (2 e 3).

sequista [De *seca* (2) + *-ista.*] ***Adj. 2 g. S. 2 g. Bras.*** V. *maçante* (1 e 2).

séquito (qui ou qüi) [Do lat. *sequitu.*] ***S. m.*** **1.** Conjunto de pessoas que acompanham outra(s) por obrigação ou cortesia; comitiva, acompanhamento, cortejo. **2.** *Ant.* Seguimento (1). ❖

sequoia (ói) [Do tax. *Sequóia* (do antr. [*George Guess*] *Sequoya* [-1843], índio norte-americano que inventou um silabário para sua língua nativa).] ***S. f. Bot.*** **1.** Gênero monotípico de taxodiáceas sempre-verdes que habitam os E.U.A., da região do Óregon à Califórnia. **2.** A espécie desse gênero, a Sequoia sempervirens, árvore gigantesca, que fornece madeira valiosa. **3.** Qualquer espécime desse gênero. ❖

sequoia-gigante *S. f. Bot.* Árvore taxodiácea (*Sequoiodendron giganteus*) nativa da Califórnia (E.U.A.), considerada a mais alta do planeta, e que se estima alcance 3.000 anos de vida; a madeira é de boa qualidade, e é cultivada como ornamental. [Pl.: *sequoias-gigantes*.]

ser [Do lat. *sedere*, 'sentar-se', fundido com formas de *esse*.] *V. pred.* **1.** Liga o atributo ao sujeito: "A vida é combate" (Gonçalves Dias, *Obras Poéticas*, II, p. 43). **2.** Atribui ao sujeito a formação, ou a profissão, ou o cargo que ele exerce ou tem: *Ela é médica.* **3.** Auxilia os demais verbos na voz passiva: "Serás lido, Uraguai." (Basílio da Gama, *O Uraguai*, V, p. 101.) **4.** Empregado sem sujeito, indica o ponto ou o momento do tempo, a estação, a época: "Era alta noite" (Fagundes Varela, *Poesias Completas*, I, p. 145); *É verão.* **5.** Imprime, às vezes, energia à frase: *Ele é que não pode saber*; *Era que eu queria sair.* **6.** Estar, ficar; tornar-se: "Sonhamos. Quando, um dia, eu for velhinho, / hei de encontrar-te, velha, no caminho." (Guilherme de Almeida, *Toda a Poesia*, II, p. 13.) **7.** Causar, produzir: *Será uma alegria revê-lo.* **8.** Consistir em: "Que sempre o mal pior é ter nascido!" (Antero de Quental, *Sonetos*, p. 172.) **9.** Depender ou resultar de; consistir em: *Aprender é paciência; Educação é convivência.* **10.** Ser muito parecido com; ser a cara de: "Minha mãe entre lágrimas: | — Mano Cosme, é a cara do pai, não é? | — Sim, tem alguma cousa, os olhos, a disposição do rosto. É o pai, um pouco mais moderno" (Machado de Assis, *Dom Casmurro*, p. 281). **11.** Ter o sentido de; querer dizer: *Não sabe que glauco é 'verde-mar'.* **12.** Custar (1): *Quanto é o livro? Int.* **13.** Ter existência real; existir, haver: "E, em troca deste amor, viver do teu carinho, / Que eu não vivia, não, Mulher, se tu não fosses!" (José Duro, *Fel*, p. 63); "É melhor ficar / Calmo, sem procela, / No quieto mar / Que é nos olhos dela." (Alberto de Serpa, *Fonte*, p. 33). **14.** Acontecer, suceder, haver: *Se agora acontecem dessas coisas, que será no futuro? T. c.* **15.** Achar-se, encontrar-se, em um dado momento; estar: "Seja eu longe da pátria infindas léguas, / .... / Enquanto além divago, preso fica / Meu coração contigo." (Gonçalves Dias, *Obras Poéticas*, II, p. 142); "eu sou sob o poente de oiro / Que incendeia o Castelo." (Afonso Duarte, *Obra Poética*, p. 159); "Deus seja com a sua alma!" (Alexandre Herculano, *Lendas e Narrativas*, II, p. 21). **16.** Originar-se; provir; ser natural de: *Disse que era de São Paulo*; "Eu sou do Engenho de Dentro e você vive no vento do Arpoador. / Eu tenho um jeito arredio e você é expansiva — o inseto e a flor." (Aldir Blanc e Guinga, na canção *Catavento e Girassol*). *T. i.* **17.** Ter por dono; pertencer: *O livro é do menino.* **18.** Ter inclinação ou capacidade: *Este rapaz não é para estudo.* **19.** Ser próprio, digno; convir: *Este procedimento é de homem sério.* **20.** Mostrar-se favorável ou simpático; ser partidário: "As devotas e os fidalgos puritanos eram pelo espanhol" (Rebelo da Silva, *Contos e Lendas*, p. 172). [Irreg. Pres. ind.: *sou, és, é, somos, sois, são*; imperf.: *era, eras, era, éramos, éreis, eram*; perf.: *fui, foste* (ô), *foi, fomos, fostes* (ô), *foram*; m-q.-perf.: *fora* (ô), *foras* (ô), *fora* (ô), *fôramos, fôreis, foram*; fut. pret.: *seria, serias, seria, seríamos, seríeis, seriam*; imperat.: *sê, seja, sejamos, sede* (ê); *sejam*; pres. subj.: *seja, sejas*, etc.; imperf.: *fosse* (ô), *fosses* (ô), *fosse* (ô), *fôssemos, fôsseis, fossem* (ô); fut: *for* (ô), *fores* (ô), *for* (ô), *formos* (ô), *fordes* (ô), *forem* (ô); inf. pess.: *ser* (ê), *seres* (ê), etc.; ger.: *sendo*; part.: *sido*. Cf. *soes* (ô), do v. *soar*; *sóis*, do v. *soer* e pl. de *sol*; *hera*, s. f., e pl. *heras*; *Hera*, mit.; *foste*, s. m., e pl. *fostes*; *fora*, adv., interj. e s. m.; *foras*, pl. do s. m. *fora*; *séria, sérias*, flex. de *sério*; *seriamos* e *serieis*, do v. *seriar*; *eramos* e *ereis*, do v. *erar*; *sé*, s. f.; *sede*, do v. *sedar* e s. f.; o pres. subj. do v. *fossar*; *fósseis*, pl. de *fóssil*; *for*, s. m.; *seres*, pl. de *sere*; e *Ceres*, mit., astr. e top.] ● *S. m.* **21.** O que existe ou que supomos existir; ente: *Deus, o ser supremo; Há muito ser imaginário.* **22.** Todo ente vivo e animado: *os seres e as coisas.* **23.** Homem, indivíduo, pessoa, criatura: *Só lhe interessa no mundo um ser: seu filho.* **24.** A natureza íntima de uma pessoa; sua essência: *A ofensa abalou-o até o mais íntimo do seu ser.* **25.** Aquilo que é real: *O ser excede o parecer.* **26.** *Filos.* Posição de uma coisa ou de qualidades em si mesmas. [Cf., nesta acepç., *existência* (5 a 7).] **27.** *Filos.* O que se põe como existente. [Cf., nesta acepç., *ente* (4).] **28.** *Lóg.* Sinal de relação entre o sujeito e o predicado. ~ V. *seres* (ê). ◆ **Ser ali.** Ser encontrado em seu mais alto grau num indivíduo, num objeto, num lugar, etc.: *Mas que mulher! beleza é ali; Comprou uma antiguidade preciosa: requinte é ali.* **Ser assim.** Serem pessoas muito ligadas, íntimas. [Ao empregar-se esta expr., fricciona-se, mimicamente, os dedos indicadores distendidos.] **Ser bem.** Ser aceitável; ser justo; ser louvável. **Ser bom de.** *Bras.* Ser eficiente, brilhante, possante, hábil, em: *É bom de trabalho; É bom de murro.* **Ser com.** Dizer respeito a; concernir a: *Esta advertência não é com ele.* **Ser daqui.** Ser muito bom, muito bonito, muito gostoso, etc.: *os caramelos são daqui.* [Ao empregar-se esta expressão, aperta-se, em geral, o lobo da orelha esquerda. Cf. *da pontinha*.] **Ser de.** Ter propensão ou inclinação para; ser dado a: *O rapaz é de briga.* **Ser de crer.** Merecer fé; ser crível: *É de crer que, vendo a família em dificuldades, comece a trabalhar.* **Ser maior e vacinado.** *Bras.* Não ter satisfações que dar dos próprios atos; ser independente. **Ser morto e vivo em.** *Fam.* Ir com excepcional frequência a (um lugar): *Antônio Joaquim é morto e vivo na casa da viúva*; "D. Constança era morta e viva na escola primária." (João de Araújo Correia, *Terra Ingrata*, p. 182). **Ser ruim de.** *Bras.* Não ser eficiente, brilhante, possante, hábil, em: *É ruim de briga; São ruins de estudo.* **Ser servido.** Haver por bem; dignar-se: *Chefe de Estado, foi servido comparecer à cerimônia.* **Assim seja.** *Loc. interj.* Amém (1). **Como se nada fosse** V. *como quem não quer nada.* "Aparece no patamar como se nada fosse, toma altura às estrelas, se as há, e some-se na negrura como os outros." (Miguel Torga, *Novos Contos da Montanha*, p. 26.) **Em ser. 1.** Que ainda não foi vendido; que está disponível. **2.** Na própria substância ou espécie. **3.** Que foi produzido ou verificado: *ganhos em ser.* **É por aí.** Seguindo esta linha, este raciocínio; segue por aí. **Isto é. 1.** Expr. com que se introduz uma explicação ou desenvolvimento do que foi dito, ou uma enumeração; ou seja; a saber: *Camões cultivou todos os gêneros poéticos, isto é, o épico, o lírico e o dramático.* **2.** Serve também para introduzir uma retificação; ou seja; quer dizer; digo: *Pedro, isto é, Paulo, saiu tarde.* [Abrev. lat.: *i. e.*] **Já era.** *Bras. Pop.* Perdeu o valor ou a importância, o interesse, a atualidade; já não é usado; está superado. **Não ser de nada.** V. *ser de fritar bolinho(s).* **Não ser lá para que digamos.** *Fam.* V. *não ser lá essas coisas.* **Não ser lá para que se diga.** *Fam.* V. *não ser lá essas coisas.* **Não ser mole.** *Bras. Gír.* Não ser fácil; ser difícil ou perigoso, arriscado, complicado: "Suportar um purista da língua não é mole" (Décio Pignatari, *Signagem da Televisão*, p. 37). **Não ser ouvido nem cheirado.** Não ser consultado; não ser chamado a opinar. **Não ser para menos.** *Fam.* Ser natural ou normal; ser esperado ou compreensível. **O que é, o que é...?** *Bras. Inf.* Palavras que precedem adivinhação (2), ou uma pergunta. [Sin. (lus.): *qual a coisa, qual é ela...?*] **Ou seja.** V. *isto é.* **Qual é?** *Bras.* Indica estranheza. **Que é bom.** *Bras. Fam. Pop. Irôn.* Que seria uma boa solução, que seria recomendável: "os inconformados tomam tranquilizantes, deixam crescer a barba e se abrigam na arte. Suicídio, mesmo, que é bom, ninguém pensa a sério nele." (Carlos Heitor Cony, *Posto 6*, p. 156); *Ir à praia, todos vão, mas estudar, que é bom, ninguém estuda.* **Que é de... ?** O que é feito de, onde se meteu, que fim levou: "– Deve andar por aí... Vicente! Vicente! Que é do Vicente?!" (Miguel Torga, *Bichos*, p. 119.) **Por quem és (ou sois).** Expressão com a qual se insiste para que uma pessoa proceda de certo modo, faça ou deixe de fazer algo. **Quem é vivo sempre aparece.** Diz-se a quem aparece inesperadamente depois de uma ausência prolongada: "Quando cheguei à casa dela, Norminha disse, 'quem é vivo sempre aparece'." (Rubem Fonseca, *O Seminarista*, p. 28.) **Salvo seja.** Deus não permita (que do mal de que se fala seja vítima aquele que fala ou o que ouve).

sera *Bras. S. 2 g.* **1.** Indivíduo dos seras, povo tucano que vive na região situada entre os rios Tiquié e Piraparaná (N.O. do AM). [Tb. us. como *s. 2 g.* e *2 n.* (com cap.) e *adj. 2 g.* e *2 n.*] ● *Adj. 2 g.* **2.** Pertencente ou relativo a esse povo. [Cf. *cera*, do v. *cerar*, e *cera* (ê), *seira*, s. f.]

seráfico [Do lat. med. *seraphicu*.] *Adj.* **1.** Relativo ou pertencente aos serafins. **2.** Que evoca os serafins. **3.** *Fig.* Beatífico, místico: "Agregou-se ao préstito religioso um grupo angélico com cítaras e harpas sagradas, derramando no ar de incenso sonoridades diáfanas, músicas subtis e seráficas." (João Ribeiro, *Cartas Devolvidas*, p. 16.) **4.** *Fig.* Etéreo, sublime, elevado, excelso. ~ V. *ordem —a*.

serafim [Do hebr. *seraphim*, pl. de *seraph*, 'aquilo que queima, e que se purifica com o fogo', pelo lat. tard. *seraphim*.] *S. m. Rel.* **1.** Anjo da primeira hierarquia: "os serafins, a um sinal divino, encheram o céu com as harmonias de seus cânticos." (Machado de Assis, *Histórias sem Data*, p. 5). **2.** Pessoa de beleza rara.

serafina [De or. incerta.] *S. f.* **1.** *Tec. Têx.* Tecido de lã usado para forros e entretelas. **2.** *Tec. Têx.* Espécie de baeta encorpada, geralmente com desenhos ou debuxos. **3.** Um dos predecessores do harmônio. **4.** *Bras. BA* Pequeno órgão com tubos só de oito pés. **5.** *Bras. N.E. P. ext.* Qualquer órgão de igreja: "Do coro as vozes das filhas de Maria e os sons da serafina inundavam suavemente a nave." (Pelópidas Soares, *Cordão dos Bichos*, p. 10.)

serafinense *Adj. 2 g.* **1.** De, ou pertencente ou relativo a Serafina Correia (RS). ● *S. 2 g.* **2.** O natural ou habitante de Serafina Correia.

seral [Do ingl. *seral*.] *Adj. 2 g. Bot.* Diz-se de qualquer comunicação vegetal em evolução.

serão [Do lat. **seranu*, do lat. *serum*, 'tarde', ou *sera*, 'noitinha'.] *S. m.* **1.** Trabalho noturno, após o expediente normal; seroada. **2.** Duração ou remuneração desse trabalho. **3.** Tempo que decorre de logo após o jantar até a hora de dormir. **4.** Sarau.

serapieira *S. f. Bras.* Sarapieira (1).

serapilheira [Do lat. **sirpicularìu* < *scirpiculu* ou *sirpiculu*, 'referente ao junco'.] *S. f.* **1.** Aniagem. **2.** *Bras.* Camada de folhas, galhos, etc., de mistura com terra, que cobre o solo da mata. **3.** *Bras. Bot.* Designação comum às pequenas raízes que surgem à flor da terra. [Var.: *sarapilheira, sarrapilheira, serrapilheira*.]

sere *S. 2 g.* **1.** Indivíduo dos seres, antigo povo habitante da Ásia oriental, hoje China, muito conhecido pela confecção de estofos de seda. ● *Adj. 2 g.* **2.** Pertencente ou relativo aos seres. [Pl.: *seres*. Cf. *seres* (ê), do v. *ser* e pl. do s. m. *ser*, e *Ceres*, mit., astr. e top.]

sereia [Do mit. gr. *Seirén*, pelo mit. lat. (tard.) *Sirena*, por via pop.] *S. f.* **1.** Na mitologia grega, ser em forma de pássaro com cabeça de mulher que, pela maviosidade do seu canto, atraía os navegantes para os baixios do mar. [F. paral., nesta acepç. (poét.): *sirena*.] **2.** Na mitologia nórdica, ser que é metade de mulher, metade peixe. **3.** *Fig.* Mulher de canto suavíssimo. **4.** *Fig.* Mulher sedutora, que atrai fisicamente. **5.** V. *sirena* (1). **6.** *Zool.* Reptil semelhante à salamandra. **7.** *Fís.* Instrumento usado para determinar a frequência de um som. ◆ **Sereia do Mar.** *Bras. Rel.* V. *Iemanjá*. [Com cap.]

sereíba [Alter. de *siriúba*.] *S. f. Bras. Bot.* Designação comum a duas árvores verbenáceas (*Avicennia nitida* e *A. tomentosa*) características da vegetação de mangue. São delgadas, têm madeira dura, flores pequenas, inseridas em racemos, e seu fruto é uma drupa mole e achatada. [Var.: *saraíba, siriúva, siriúba*. Sin.: *mangue-branco, sereibuna*.]

sereibuna (e-i) [De *sereíba* + *-una*.] *S. f. Bras. Bot.* **1.** V. *sereíba*. **2.** V. *serutinta*.

serelepe *S. m. Bras. S.E. e S.* **1.** *Zool.* Esquilo (*Sciurus aestuans*) arborícola, com cerca de 30cm, incluindo a cauda, que tem ampla distribuição no Brasil. [Sin., em diversos estados do Brasil: *acutipuru, caitité, caticoco, caxinganga, caxinguelê, caxixe, caxinxa, caxinxe, coxicoco, cutia-de-pau, papa-coco, quatiaipé, quatimirim* e *quatipuru*. Cf. *quatipuruaçu* e *quatipuruzinho*.] **2.** *Fig.* Pessoa esperta, viva, astuciosa. ● *Adj. 2 g.* **3.** Vivo; esperto, ardiloso. **4.** Buliçoso, irrequieto. **5.** Faceiro, gracioso, provocante.

ser em situação *S. m. 2 n. Filos.* No existencialismo, condição em que o ser humano já se encontra, sempre, determinado por um conjunto de circunstâncias concretas e irremovíveis que hão de constituir-se em tema obrigatório da reflexão filosófica. ☑

serena [F. subst. do adj. *sereno* (v. *sereno*[2]).] *S. f.* **1.** Espécie de batedeira, de movimento sereno. **2.** *Lus.* *Chulo* Bufa.

serenada [De *sereno*[2] + *-ada*[1].] *S. f.* **1.** *P. us.* V. *serenata* (1): "Há pouco ainda a branda serenada / Nos bandolins chorava palpitantes" (Gonçalves Crespo, *Obras Completas*, p. 163). **2.** *Bras.* Garoa rápida. **3.** *Bras. S.* Relento, sereno: "Caiu a serenada silenciosa e molhou os pastos, as asas dos pássaros e a casca das frutas." (Simões Lopes Neto, *Contos Gauchescos e Lendas do Sul*, p. 334.)

serenagem [De *serenar* + *-agem*[2].] *S. f.* Ato de expor ao sereno, de serenar (4).

serenamento [De *serenar* + *-mento*.] *S. m.* Ato ou efeito de serenar(-se), acalmar(-se).

serenar [Do lat. *serenare*.] *V. t. d.* **1.** Tornar sereno[2]; acalmar: *A palavra do líder serenou a multidão.* **2.** Abrandar, aplacar: *O remédio serenou a dor.* **3.** Pacificar, apaziguar: *Cumpre serenar os ânimos.* **4.** Expor ao sereno. **5.** *Bras. N. N.E.* Apreciar (festa, etc.) do lado de fora. [Cf., nesta acepç., *ficar no sereno*.] *Int.* **6.** Tornar-se sereno; acalmar-se: *Depois de chorar muito, a criança serenou.* **7.** Abrandar-se, aplacar-se: *O temporal serenou.* **8.** *Bras.* Dançar com lentidão e languidez; requebrar-se. **9.** *Bras. N.E.* Ficar (algo) exposto ao sereno. **10.** *Bras. N.E.* Apreciar do lado de fora uma festa ou dança. **11.** *Bras. N.E.* Chuviscar, borriçar. **12.** *Bras. MG* Passear à noite. **13.** *Bras. BA Cineg.* Encastelar (5). *P.* **14.** Tornar-se sereno, calmo; tranquilizar-se. [Var.: *asserenar*.]

serenata [Do it. *serenata*.] *S. f.* **1.** Música de conjunto instrumental, geralmente cantada, melodiosa e simples, algo semelhante às trovas dos cantores ambulantes, executada ao ar livre, não raro sob a janela de alguém: seresta. [F. paral., p. us.: *serenada*.] **2.** Peça artística composta nos moldes da serenata (1).

serenatista [De *serenata* + *-ista*.] *S. 2 g. Bras.* V. *seresteiro* (2).

sereneiro [De *sereno*[2] + *-eiro*.] *S. m. Pop. Bras.* V. *seresteiro* (2).

serenidade [Do lat. *serenitate*.] *S. f.* **1.** Qualidade ou estado de sereno[2]. **2.** Suavidade; paz, tranquilidade.

sereníssimo [Do lat. *serenissimu*.] *Adj.* **1.** Superl. abs. sint. de *sereno*. **2.** Título dado, outrora, a algumas altas personalidades. **3.** Nos sécs. XV a XVIII, título dado à República de Veneza. **4.** Antigo título de honra de monarcas e infantes portugueses. **5.** Título de honra da casa de Bragança, em Portugal.

sereno[1] [Do esp. *sereno*.] *S. m.* **1.** Espécie de guarda-noturno, na Espanha. **2.** *Bras. RS* Guarda-noturno; vigia.

sereno[2] [Do lat. *serenu*.] *Adj.* **1.** Calmo, tranquilo, manso, sossegado: *É sereno, até no sofrimento; Vive em ambiente sereno.* **2.** Que denota serenidade, paz, tranquilidade de espírito: *olhar sereno.* **3.** Limpo de nuvens; claro, límpido: *noite serena*; "Depois de procelosa tempestade, / Noturna chuva, e sibilante vento, / Traz a manhã serena claridade, / Esperança de porto e salvamento" (Luís de Camões, *Os Lusíadas*, IV, 1). [Como observa Epifânio Dias, refere-se a "manhã" e não a "claridade".] ● *S. m.* **4.** Tênue vapor atmosférico, noturno; relento. **5.** *Bras.* Chuva fina e pouco duradoura. **6.** *Bras. Fam.* O ar livre, a rua, à noite. **7.** *Bras.* Agrupamento de gente do lado de fora de casa onde haja festa, ou de lugar onde haja gente famosa, etc. **8.** *Bras. Gír.* Vida noturna: "Esmeralda de Barros volta ao sereno carioca." (*Correio da Manhã*, 18.06.1970.) **9.** *Bras. RJ* Bacurau (5). ◆ **Ficar no sereno.** *Bras. MG* Apreciar festa, etc., do lado de fora. [Cf. *serenar* (5).]

serenterite [De *ser(o)-* + *enterite*.] *S. f. Patol. P. us.* Inflamação da camada serosa do intestino.

serere *S. 2 g.* **1.** *Etnôn.* Indivíduo dos sereres, povo que habita o Senegal (O. da África). ● *S. m.* **2.** *Gloss.* A língua falada pelos sereres: "Os fulas falam o mesmo idioma, aparentado ao serere e ao jalofo, que os tucolores." (Alberto da Costa e Silva, *A Enxada e a Lança*, p. 299.) ● *Adj. 2 g.* **3.** De, ou pertencente ou relativo a esse povo.

seres (ê) [Pl. de *ser*.] *S. m. pl.* Tudo quanto existe, tudo que foi criado; todas as criaturas. [Cf. *seres*, pl. de *sere*, e *Ceres*, mit., astr. e top.] ~ V. *ser*.

seresma (ê) [De or. obscura.] *S. f.* **1.** Mulher mole ou indolente e inútil. **2.** V. *bruxa* (2). **3.** Qualquer coisa asquerosa, nojenta. ● *S. m.* **4.** Paspalhão, parvalhão, parvajola, toleirão.

seresta [Das duas primeiras sílabas de *serenata*, poss.] *S. f. Bras.* **1.** Serenata (1). **2.** *Bras.* Peça artística, de cunho profundamente nacional, composta nos moldes da seresta (1).

seresteiro [De *seresta* + *-eiro*.] *S. m.* **1.** Aquele que compõe serestas. **2.** Indivíduo que participa de serestas ou serenatas; serenatista, sereneiro. ● *Adj.* **3.** Relativo a seresta: *"Impressões seresteiras", de Villa-Lobos.*

sergestídeo [Do tax. *Sergester* + *-ídeo*[1]; tax. *Sergestidae*.] *S. m.* **1.** Espécime dos sergestídeos, família de crustáceos decápodes, malacostráceos, macruros, cujo gênero-tipo é Sergestes. ● *Adj.* **2.** Pertencente ou relativo a eles.

sergipano *Adj.* **1.** Do, ou pertencente ou relativo ao Estado de Sergipe. ● *S. m.* **2.** O natural ou habitante de Sergipe. [Sin. (p. us.): *sergipense*.]

sergipense *Adj. 2 g. S. 2 g. P. us.* Sergipano.

serguilha [Do esp. *jerguilla*.] *S. f. Tec. Têx.* Tecido grosso de lã, sem pelo: "A natureza tomou uma vestidura penitencial, serguilha rota polvilhada de cinzas." (Aquilino Ribeiro, *Aldeia*, p. 185.) [Var.: *seriguilha* e *sirguilha*.]

▲**seri-** V. *seric(i)-*.

seriação [De *seriar* + *-ção*.] *S. f.* Ato ou efeito de seriar.

seriado [Part. de *seriar*.] *Adj.* **1.** Disposto em série; serial: *números seriados.* **2.** Que se faz ou realiza em séries: *curso seriado.* **3.** Diz-se de filme cinematográfico que se exibe por partes, formando uma série. ~ V. *publicação —a*. ● *S. m.* **4.** Filme cinematográfico seriado (3). **5.** Publicação seriada (q. v.).

serial [De *série* + *-al*[1].] *Adj. 2 g.* **1.** Referente a série; seriário. **2.** Seriado (1). **3.** *Inform.* Relativo a transferência ou processamento sequencial das unidades ou partes de um conjunto de informações, como, p. ex., dos *bits* de cada palavra (14). **4.** *Mús.* Relativo ao dodecafonismo. ~ V. *impressora —, interface —, música —, porta —* e *verbo —*. ● *S. f.* **5.** *Inform.* Interface serial (q. v.).

➔**serial killer** [ˈsɪrijəl ˈkɪlɚ] [Ingl.] *S. m.* V. *assassino em série*.

seriar [De *série* + *-ar*[2].] *V. t. d.* **1.** Dispor em série (1 a 3). **2.** Fazer a classificação de; ordenar. [Pres. ind.: *serio, serias, seria, seriamos, seriais, seriam*; fut. pret.: *seriaria*, etc.; pres. subj.: *serie, series, serie, seriemos, serieis, seriem*. Cf. *sério*, flex. *séria, sérias*; *Sério*, top.; *cério*, s. m.; *seriária*, fem. de *seriário*; *série*, s. f.; e *seria, serias, seríamos, seríeis*, do v. *ser*.]

seriário [De *série* + *ário*.] *Adj.* **1.** Serial (1). **2.** Que se faz por séries. [Fem: *seriária*. Cf. *seriaria*, do v. *seriar*.]

seribeiro *S. m. Bras. AL* V. *pescador* (3).

seribolo (ô) *S. m. Bras. N. Pop.* Desordem, confusão, barafunda, barulho. V. *rolo*[1] (16).

sericá [F. red. de *sericaia*.] *S. m. Lus. Cul.* V. *siricaia*.

sericaia *S. f. Cul.* V. *siricaia*.

seríceo [Do lat. tard. *sericeu*.] *Adj.* **1.** *Poét.* Referente a seda (1). **2.** *Poét.* De seda (1); sérico. **3.** *Poét.* Semelhante a seda (1); sedoso. **4.** *Bot.* Diz-se de qualquer indumento cujos pelos mostrem brilho que lembre a seda: *vilosidade serícea; folha serícea.*

▲**seric(i)-** [Do lat. *sericum, i*.] *El. comp.* = 'seda': *sericicultura, sericígeno, sericita*. [F. red.: *seri-*: *serigrafia*.]

sericícola [De *seric(i)-* + *-cola*[1].] *Adj. 2 g.* **1.** Respeitante à produção da seda. ● *S. 2 g.* **2.** V. *sericicultor* (1).

sericicultor (ê... ô) [De *seric(i)-* + *-cultor*.] *S. m.* **1.** Aquele que se ocupa da sericicultura; sericícola. **2.** Aquele que promove a indústria da seda (1). [Var.: *sericultor*.]

sericicultura (è) [De *seric(i)-* + *-cultura*.] *S. f.* **1.** Criação do bicho-da-seda. **2.** Preparo e fabricação da seda (1). [Var.: *sericultura*.]

sericígeno [De *seric(i)-* + *-geno*.] *Adj.* Que produz seda (1).

sericita [De *seric(i)-* + *-ita*[3].] *S. f. Min.* Mineral monolítico, variedade de moscovita, finamente cristalizada, que se forma, em geral, no filito, e de brilho sedoso, dado por esse mineral.

sericitense *Adj. 2 g.* **1.** De, ou pertencente ou relativo a Sericita (MG). ● *S. 2 g.* **2.** O natural ou habitante de Sericita.

sérico[1] [Do lat. *sericu*.] *Adj.* Seríceo (2). [Fem.: *sérica*. Cf. *cérica*.]

sérico[2] [De *ser(o)-* + *-ico*[2].] *Adj. Histol.* Relativo a soro (1).

sericoia (ói) [De or. tupi, poss.] *S. f. Bras. Zool.* V. *saracura-do-brejo*. [Var.: *sericora*.] ❖

sericora [Var. de *sericoia*.] *S. f. Bras. Zool.* V. *saracura-do-brejo*.

sericori [De *sericora* + *-i*.] *S. f. Bras. Zool.* Pequena sericoia.

sericultor (ô) [De *seri-* + *cultor*.] *S. m.* V. *sericicultor*.

sericultura [De *seri-* + *cultura*.] *S. f.* V. *sericicultura*.

seridó [Do top. *Seridó*.] *S. m. Bras.* **1.** A região nordestina entre o campo e a caatinga, que compreende terras do RN e da PB, e onde se realizam largas culturas de um algodão de fibra longa. [Com cap., nesta acepç.] **2.** Esse algodão.

seridoense[1] (ôen) *Adj. 2 g.* **1.** De, ou pertencente ou relativo a São Vicente do Seridó (PB). ● *S. 2 g.* **2.** O natural ou habitante de São Vicente do Seridó.

seridoense[2] (ôen) *Adj. 2 g.* **1.** Da, ou pertencente ou relativo à região de Seridó. ● *S. 2 g.* **2.** O natural ou habitante dessa região.

série [Do lat. *serie*.] *S. f.* **1.** Ordem de fatos ou de coisas ligadas por uma relação, ou que apresentam analogia; sucessão, sequência. **2.** Sequência ininterrupta. **3.** Sucessão determinada e limitada de objetos homogêneos que formam um conjunto: *Possui a série de selos comemorativa do centenário da Independência.* **4.** Cada uma das divisões ou subdivisões de uma classificação; classe, categoria: *Pertence à série dos esquizoides.* **5.** Quantidade considerável: *Uma série de pessoas ilustres estava presente à reunião; Sabe uma série de anedotas picantes.* **6.** *Bras.* Nos estabelecimentos de ensino escolar no Brasil, ano, classe: *Cursa a oitava série.* **7.** *Bibliogr. Bibliot.* Conjunto de obras independentes, de vários autores, com limitação de assunto ou sem ela, que um editor publica sob um título comum (*título de série*) e com os volumes em geral numerados; coleção. [Cf., nesta acepç., *publicação seriada*.] **8.** *Bot.* Categoria taxonômica intercalável entre a seção e a espécie, e que é formada de um grupo de espécies semelhantes, que difere de outros grupos específicos. **9.** *Fís.* No espectro de emissão dum elemento, conjunto de raias emitidas em transições eletrônicas com o mesmo estado final; série espectral. **10.** *Mat.* Série infinita. **11.** *Mús.* No dodecafonismo (q. v.), a sequência de 12 sons diferentes, tirados dos sons cromáticos da oitava, e que, ordenada segundo o gosto do compositor, substitui a escala diatônica e serve de base à obra musical, podendo ser usada na posição inicial, ou em suas diversas transposições. [Cf., nesta acepç., *música atonal* e *música serial*.] **12.** *Telev.* O conjunto de filmes ou programas sobre um mesmo tema, transmitidos em episódios, sob o mesmo título geral, em dias e horários determinados, ger. uma vez por semana. [Cf. *serie*, do v. *seriar*, e, nesta acepç., *minissérie* e *sitcom*.] ◆ **Série alternada.** *Mat.* Série infinita cujos termos são alternadamente positivos e negativos. **Série binomial.** *Mat.* O desenvolvimento em série de potências de uma potência real do binômio 1 + x. **Série colateral.** *Fís. Nucl.* Sequência de desintegrações que principia pela de um nuclídeo radioativo artificial e, num estádio determinado, se identifica com uma das famílias radioativas naturais; cadeia colateral. **Série complexa.** *Mat.* Série infinita cujos termos são complexos. **Série convergente.** *Mat.* Aquela em que o limite da sequência formada pelas somas parciais é finito. **Série de Balmer.** *Fís.* Série espectral do átomo de hidrogênio, na região visível do espectro. **Série de cossenos.** *Mat.* Série de Fourier de uma função par, e que, por isso, só contém os termos com as funções cosseno. **Série de Fourier.** *Mat.* A que se obtém desenvolvendo uma função periódica em uma série de senos e de cossenos de múltiplos inteiros da variável. **Série de Gauss.** *Mat.* Série hipergeométrica. **Série de Mac-Laurin.** *Mat.* Série de Taylor em que o valor de x_0 é igual a zero. **Série de potências.** *Mat.* Série em que o termo de ordem *n* é da forma $a_n x^n$. **Série de senos.** *Mat.* Série de Fourier de uma função ímpar, e que, por isso, só contém as funções seno. **Série de Taylor.** *Mat.* Desenvolvimento de uma função em série de potências. **Série divergente.** *Mat.* Série infinita que não tem limite. **Série do actínio.** *Quím. Nucl.* Família radioativa natural descendente do urânio 235, e cujos membros têm o número de massa 4n + 3. **Série do netúnio.** *Quím. Nucl.* Família radioativa natural descendente do netúnio 237, e cujos membros têm o número de massa 4n + 1. **Série do tório.** *Quím. Nucl.* Família radioativa natural descendente do tório 232, e cujos membros têm o número de massa da forma 4n. **Série do urânio.** *Quím. Nucl.* Família radioativa natural descendente do urânio 238, e cujos membros têm o número de massa da forma 4n + 2. **Série espectral.** *Fís.* Série (9). **Série estacionária.** *Estat.* Aquela em que a tendência secular é uma função constante da variável tempo. **Série exponencial.** *Mat.* A série de Taylor da função exponencial. **Série harmônica.** **1.** *Mat.* Série cujo termo geral é da forma 1/n. **2.** *Fís. Mús.* O número indeterminado de sons que acompanham um som gerador ou som fundamental. **Série hipergeométrica.** *Mat.* O desenvolvimento em série de potências da função hipergeométrica; série de Gauss. **Série infinita.** *Mat.* Sequência infinita em que o enésimo elemento é igual à soma dos *n* primeiros elementos de outra sequência infinita. [Tb. se diz apenas *série*.] **Série inteira.** *Mat.* Série funcional que é convergente para qualquer valor da variável. **Série oscilante.** *Mat.* **1.** Série divergente que não tem limite infinito. **2.** Série convergente que se aproxima do limite por valores alternadamente maiores e menores que ele. **Série radioativa.** *Quím. Nucl.* Sequência de nuclídeos radioativos em que cada um é formado pela desintegração espontânea do que o precede; família radioativa. **Série temporal.** *Estat.* Distribuição de uma variável em função do tempo. **Em série.** Em grande escala e segundo um mesmo padrão: *automóveis fabricados em série; confecção em série.* **Fora de série.** **1.** Em escala restrita e segundo padrões próprios. **2.** *Fig.* Fora do comum; incomum, excepcional, singular: *Aquela mulher, sem ser propriamente bela, é fascinante: é um tipo fora de série.*

seriedade [Do lat. tard. *serietate*.] *S. f.* **1.** Qualidade de sério. **2.** Modo, ar, gestos ou porte próprios de pessoa séria; gravidade. **3.** Inteireza de caráter; retidão.

seriema [Var. de *sariema* < tupi = 'crista em pé'.] *S. f. Bras. Zool.* Ave gruiforme, cariamídea (*Cariama cristata*), do N. da Argentina, Paraguai, Brasil central e oriental, de coloração cinzento-suja, com riscas escuras muito finas por todo o corpo, o abdome mais claro, penas da base do bico em forma de pincel, bico e pernas vermelhos. Durante o dia, vive nos descampados, alimentando-se de insetos, reptis e pequenos roedores; à noite, dorme empoleirada em árvores, onde também nidifica, usando gravetos de todos os tamanhos para construir o ninho. É tida como ave útil porque destrói permanentemente cobras e gafanhotos. Seu canto é muito característico, bem conhecido nos cerrados e caatingas.

seriense *Adj. 2 g.* **1.** De, ou pertencente ou relativo a Sério (RS). ● *S. 2 g.* **2.** O natural ou habitante de Sério.

serifa [Do ingl. *serif*.] *S. f. Tip.* Pequeno traço, ou, às vezes, simples espessamento, que remata, de um ou de ambos os lados, os terminais das letras não lineais de caixa-alta e caixa-baixa, e que pode ter a forma de filete, barra, etc.; remate.

serifado [De *serifa* + *-ado*[1].] *Adj. Tip.* Diz-se da letra que tem serifa.

serigaria [De *serigueiro*.] *S. f.* Fábrica ou estabelecimento de sedas; sirgaria.

serigola *S. f.* **1.** *Bras. Amaz.* Argola de couro ou de ferro que se passa, como freio, através das ventas do boi de montaria. **2.** *Bras. PE* Correia delgada que se passa sob a garganta das cavalgaduras a fim de prender a cabeçada.

serigote [Do al. *sehr gut*, 'muito bom'.] *S. m. Bras. S.* Espécie de lombilho. [Cf. *selagote.*]

serigrafar [De *seri-* + *graf(o)-* + *-ar*[2].] *V. t. d. Art. Gráf.* Imprimir ou reproduzir por meio de serigrafia. [Pres. ind.: *serigrafo*, etc. Cf. *serígrafo.*]

serigrafia [De *seri-* + *-grafia*; fr. *sérigraphie.*] *S. f. Art. Gráf.* **1.** Processo de reprodução de imagens e letreiros sobre superfícies planas ou curvas, de papel, pano, vidro, metal, etc., com o emprego de um caixilho com tela de seda, náilon, aço inoxidável, etc., formando uma espécie de estêncil (máscara) no qual as partes impermeabilizadas representam os claros do desenho ou as áreas reservadas a outras cores, e a tinta passa através das partes permeáveis premida pelo rodo ou puxador. [A tiragem faz-se manualmente, ou em prensas de que há modelos inteiramente automáticos, nos quais o rodo é fixo, e móvel o caixilho.] **2.** Estampa obtida por esse processo. [Sin. ger., ingl.: *silk-screen.*]

serigráfico [De *serigrafia* + *-ico*[2].] *Adj.* Relativo a serigrafia.

serígrafo [De *seri-* + *-grafo.*] *S. m.* **1.** Artista que faz serigrafias. **2.** Gráfico que trabalha em serigrafia. [Cf. *serigrafo*, do v. *serigrafar*.]

serigueiro [Do lat. tard. *sericariu.*] *S. m.* Indivíduo que faz obras de seda. [Var.: *sirgueiro.*]

seriguela (güe) [De or. incerta.] *S. f. Bot.* **1.** Árvore anacardiácea (*Spondias purpurea*) da América tropical de até 3m, caducifólia, com folhas penadas, e cujo fruto, elipsoide, amarelo e sumarento, é semelhante ao taperebá (q. v.), porém muito doce. **2.** O fruto dessa árvore. ❖

seriguilha *S. f.* V. *serguilha.*

seriíssimo *Adj.* Superl. abs. sint. de *sério*: "— Quer dizer que o caso é sério. || — <u>Seriíssimo</u> — confirmei." (Josué Montelo, *O Baile da Despedida*, p. 118.)

serina [De *ser(o)-* + *-ina*[3].] *S. f. Quím.* Aminoácido natural, que se pode considerar um derivado hidroxilado da alanina [fórm.: $C_3H_7NO_3$].

seringa [Do gr. *sýrinx, ingos*, pelo lat. tard. *syringa.*] *S. f.* **1.** *Med.* Instrumento portátil, de material plástico ou de vidro, que serve para aplicar ou para retirar líquidos do organismo ou para introduzir uma substância em cavidade ou em órgão oco do corpo. **2.** Bisnaga (2). **3.** *Fig. Pop.* Pessoa importuna ou esquisita. **4.** *Bras. Amaz.* Designação da goma-elástica extraída de várias espécies de *Hevea* [v. *borracha* (2), *caucho, cernambi* (5), etc.]. **5.** *Bras. MT* Curral afunilado com a parte larga voltada para a porta grande e a estreita para o corredor, nas charqueadas. [Cf. *seringa*, do v. *seringar*.] ◆ **Seringa hipodérmica.** Instrumento cilíndrico dotado de uma agulha oca, us. para injeção (8).

seringação [De *seringar* + *-ção.*] *S. f.* **1.** Ato ou efeito de seringar; seringada, seringadela. **2.** *Fig. Pop.* Maçada, estopada, chateação.

seringada [De *seringar* + *-ada*[1].] *S. f.* **1.** Expulsão do líquido da seringa. **2.** V. *seringação* (1).

seringadela [De *seringar* + *-dela.*] *S. f.* V. *seringação* (1).

seringador (ô) [De *seringar* + *-dor.*] *Adj. S. m. Bras. Pop.* V. *maçante* (1 e 2).

seringal [De *seringa* + *-al*[1].] *S. m.* **1.** Quantidade mais ou menos considerável de seringueiras dispostas proximamente entre si. **2.** Área ocupada por seringal (1). **3.** *Bras. Amaz.* Propriedade, fazenda, geralmente à margem de rios. [Pl.: *seringais*. Cf. *seringais*, do v. *seringar*.]

seringalista [De *seringal* + *-ista.*] *S. 2 g. Bras. Amaz.* Dono de seringal (2); seringueiro: "comprara duas toneladas de borracha de um <u>seringalista</u> de Santarém." (Milton Hatoum, *Cinzas do Norte*, p. 77). [Sin. (m. us.): *patrão.*]

seringar [De *seringa* + *-ar*[2].] *V. t. d.* **1.** Injetar o líquido de uma seringa em. **2.** Molhar ou borrifar com o líquido da seringa. **3.** *Pop.* Importunar, maçar, enfadar, apoquentar. [Conjug.: v. *largar*. Pres. ind.: *seringo, seringas, seringa, seringamos, seringais, seringam*. Cf. *seringa*, s. f., e *seringais*, pl. de *seringal*.]

seringarana [De *seringa* + *-rana.*] *S. f. Bras. Amaz. Bot.* Árvore euforbiácea (*Sapium marmieri*) cujo copioso látex fornece borracha tida como de boa qualidade, e que tem folhas lanceoladas e coriáceas, e flores pequeninas, inaparentes.

seringatório [De *seringar* + *-tório.*] *Adj.* **1.** Relativo à seringa. • *S. m.* **2.** Medicamento injetado com seringa.

seringueira [De *seringa* + *-eira.*] *S. f. Bot.* **1.** Nome comum a diversas árvores euforbiáceas do gênero *Hevea* (v. *hévea*). **2.** Árvore euforbiácea (*Hevea brasiliensis*) de folhas compostas, pequeninas flores em amplas panículas, e fruto que é uma grande cápsula com sementes ricas em óleo; a madeira é branca e leve, e o látex é de qualidade superior, pelo que foi explorada esp. na primeira metade do séc. XX, para a produção de borracha natural [Sin., nesta acepç.: *árvore-da-borracha, caucho, seringueira-branca, seringueira-legítima.*]

seringueira-barriguda [De *seringueira* + o f. de *barrigudo.*] *S. f. Bras. Amaz. Bot.* Árvore euforbiácea (*Hevea spruceana*) que se caracteriza pelo tronco dilatado no meio, e cujas folhas têm pelos na face inferior. O látex é resinoso e não fornece borracha. [Pl.: *seringueiras-barrigudas.*]

seringueira-branca [De *seringueira* + o f. de *branco.*] *S. f. Bras. Bot.* V. *seringueira* (2). [Pl.: *seringueiras-brancas.*]

seringueira-chicote *S. f. Bras. Amaz. Bot.* Árvore euforbiácea (*Hevea benthamiana*) de folhas providas de pelos ruivos na face inferior, e que fornece borracha de boa qualidade. [Pl.: *seringueiras-chicotes* e *seringueiras-chicote.*]

seringueira-itaúba *S. f. Bras. Amaz. Bot.* Árvore euforbiácea (*Hevea lutea*) caracterizada pelas folhas de face inferior violácea, e que produz borracha inferior. [Pl.: *seringueiras-itaúbas* e *seringueiras-itaúba.*]

seringueira-legítima [De *seringueira* + o f. de *legítimo.*] *S. f. Bras. Bot.* . V. *seringueira* (2). [Pl.: *seringueiras-legítimas.*]

seringueira-vermelha [De *seringueira* + o f. de *vermelho*[1].] *S. f. Bras. Amaz. Bot.* Árvore euforbiácea (*Hevea guianensis*) de folhas coriáceas, verde-escuras, erguidas para cima quando novas, e cujo látex, amarelo, gera borracha ordinária, amarelada; árvore-da-borracha. [Pl.: *seringueiras-vermelhas.*]

seringueiro [De *seringa* + *-eiro.*] *S. m. Bras. Amaz.* **1.** Indivíduo que se dedica à extração do látex da seringueira e com ele prepara a borracha; apanhador, machadinho. **2.** V. *seringalista.* **3.** *Bras. Zool.* V. *vi-vió.*

sério [Do lat. *seriu.*] *Adj.* **1.** Que merece atenção, cuidado, consideração; importante: *Não interromperam a reunião, pois tratavam de assunto <u>sério</u>.* **2.** Que tem valor, mérito, importância: *obra <u>séria</u>; literatura <u>séria</u>.* **3.** Feito com cuidado, desvelo, diligência: *trabalho <u>sério</u>.* **4.** Positivo, real; verdadeiro, sincero: *É <u>séria</u> a sua promessa de não mais beber.* **5.** Que denota gravidade, sobriedade; sóbrio, austero: *Costuma trajar roupas <u>sérias</u>; É homem de modos <u>sérios</u>.* **6.** Que constitui perigo, ameaça; perigoso, inquietante, grave: *acidente <u>sério</u>; Os permanentes atritos tornavam a situação familiar cada vez mais <u>séria</u>.* **7.** Grave, sisudo, severo, circunspecto: *É homem <u>sério</u>; Tem fisionomia <u>séria</u>.* **8.** Que cuida de suas funções ou obrigações com pontualidade, método e correção: *aluno <u>sério</u>, aplicado; rapaz novo e já tão <u>sério</u>.* **9.** Que age com honradez; honrado, honesto: *Confie nele, é homem <u>sério</u>; Só compre em casa <u>séria</u>.* **10.** Que não transgride as regras da moral sexual: *moça <u>séria</u>.* **11.** *Fam.* Que não ri. [Superl. abs. sint.: *seriíssimo*. Flex.: *séria, sérios, sérias*. Cf. *serio*, do v. *seriar*; *seria* e *serias*, deste v. e do v. *ser*; *cério*, s. m.; e *céreo*, adj.] • *S. m.* **12.** Gravidade, sisudez. **13.** *Pop.* Jogo infantil que consiste em duas pessoas se fitarem reciprocamente por algum tempo, perdendo a que primeiramente rir; sisudo. • *Adv.* **14.** Realmente, deveras: *<u>Sério</u>, já jantou?* **15.** A sério (q. v.). ◆ **A sério.** Com seriedade, gravidade; seriamente, sério: *Interpelou o filho <u>a sério</u>; Não leva nada <u>a sério</u>*; "Aos doze anos, lê-se o *Dom Quixote* a contrapelo, muito <u>a sério</u>, tomando as suas aventuras como as dum autêntico herói, perseguido pela má sorte e vítima das maquinações de gente proterva e malvada." (Eduardo Frieiro, *Os Livros, Nossos Amigos*, p. 17). **Levar a sério.** V. *tomar a sério.* **Sair do sério. 1.** Tornar-se menos, ou nada, grave; rir, folgar, divertir-se. **2.** *P. ext.* Praticar uma ação inabitual ou extraordinária. **Tomar a sério. 1.** Ligar importância a; dedicar-se a: *Sempre <u>tomou a sério</u> o trabalho.* **2.** Melindrar-se, magoar-se com (ato ou palavras de outrem): *<u>Tomou a sério</u> as minhas brincadeiras e rompeu relações.* [Sin. ger.: *levar a sério.*]

sério-cómico *Adj.* V. *sério-cômico.* [Uso freq. em P. Flex.: *sério-cómica, sério-cómicos, sério-cómicas.*]

sério-cômico *Adj.* Meio sério, meio cômico; joco-sério. [Flex.: *sério-cômica, sério-cômicos, sério-cômicas.*]

seritinguense *Adj. 2 g.* **1.** De, ou pertencente ou relativo a Seritinga (MG). • *S. 2 g.* **2.** O natural ou habitante de Seritinga.

sermão [Do lat. *sermone*, 'conversação'.] *S. m.* **1.** Discurso religioso geralmente pregado no púlpito; prédica, predicação, pregação. **2.** Arrazoado longo e enfadonho com que se procura convencer alguém. **3.** Admoestação com o objetivo de moralizar. **4.** *Fig.* V. *repreensão* (1). ◆ **Sermão encomendado.** *Fam.* Procedimento, atitude ou palavras insinuadas por outrem.

sermoa (ô) *S. f. Fam.* Sermão de pouco mérito.

sermonário [De *sermão* + *-ário*, seg. o padrão erudito.] *S. m.* **1.** Coleção de sermões. **2.** Autor de sermões.

ser no mundo *S. m. 2 n. Filos.* Segundo Heidegger (v. *heideggeriano*), caráter fundamental do *Dasein* (q. v.), pelo qual ele se encontra situado na abertura do ser: "Em Tartufo, a súmula dos hipócritas, ou melhor, de certa forma de ser hipócrita, o caráter criado, longe de ser um esquema rígido e desprovido de interesse psicológico, é, ao contrário, pela sua qualidade intrínseca, um símbolo que retrata uma nova maneira de <u>ser no mundo</u>: o tartufismo." (José Leme Lopes, *A Psiquiatria de Machado de Assis*, pp. 12-13.) ☑

▲ **ser(o)-** [Do lat. *serum, i.*] ***El. comp.*** = 'soro'; 'serosidade': *serologia*; *serenterite.*

seroada [De *serão* + *-ada*[1], com desnasalação.] *S. f.* **1.** Serão (1). **2.** Grande serão (1, 3 e 4); serão prolongado: "Todas estas miúdas aldeias .... estão impregnadas de lendas antigas, ... de velhos casos, contados e recontados nas <u>seroadas</u> do outono" (Antero de Figueiredo, *Jornadas em Portugal*, pp. 143-144).

seroante [De *seroar* + *-nte.*] *Adj. 2 g. S. 2 g.* Que, ou quem seroa.

seroar [De *serão* + *-ar*[2], com desnasalação.] *V. int.* Trabalhar de noite; fazer serão: "todas as *ouvreuses* .... trabalhavam .... com a aplicação e a presteza de quem estivesse <u>seroando</u> com tarefa posta." (Ramalho Ortigão, *Em Paris*, p. 163). [Conjug.: v. *coroar.*]

serocolite [De *ser(o)-* + *colite.*] *S. f. Patol. P. us.* Inflamação da superfície serosa do intestino grosso ou cólon.

seroconversão [De *ser(o)-* + *conversão.*] *S. f. Imun.* Fenômeno em que, como resposta a infecção ou a vacina, aparecem anticorpos no soro (1).

serodiagnóstico [De *ser(o)-* + *diagnóstico.*] *S. m. Med.* Sorodiagnóstico.

serôdio [Do lat. *serotinu*, por via pop.] *Adj.* **1.** Que vem tarde, fora do tempo; tardio: "Havia muito tempo, desconfiava o Eduardo que a sua locandeira sentia por ele uma dessas paixões <u>serôdias</u> e abjetas" (Artur Azevedo, *Contos Possíveis*, p. 83); "no novo mundo socialista, filho da rebeldia contra um feudalismo <u>serôdio</u>, a liberdade tem sentido revolucionário." (Fidelino de Figueiredo, *O Medo da História*, p. 108). **2.** Diz-se de fruto ou flor que aparece no fim da estação própria; extemporâneo, serotino, serôtino: *floração <u>serôdia</u>.* **3.** Antiquado, ultrapassado: *ideias <u>serôdias</u>.*

seroenterite *S. f. Patol.* V. *serenterite.*

serologia [De *ser(o)-* + *-logia.*] *S. f. Patol.* Sorologia

serológico [De *serologia* + *-ico*[2].] *Adj. Patol.* Sorológico.

serologista [De *serologia* + *-ista.*] *S. 2 g.* Sorologista.

serosa [F. subst. de *seroso.*] *S. f. Anat.* **1.** Cada uma das membranas que segregam serosidade em sua face interna, e revestem uma determinada cavidade do corpo; são elas as pleuras, o pericárdio e o peritônio. **2.** O revestimento de alguns órgãos, como o estômago, o cólon, etc., por membrana serosa, e que pode, ou não, ser completo. [Cf. *cerosa*, fem. de *ceroso.*]

serosidade [De *seroso* + *-(i)dade.*] *S. f. Med.* **1.** Qualidade de seroso. **2.** Líquido segregado e contido nas cavidades serosas. **3.** Líquido semelhante ao soro sanguíneo.

seroso [De *ser(o)-* + *-oso.*] *Adj.* **1.** Relativo a soro. **2.** Que contém soro: *sangue <u>seroso</u>.* [Sin., nessas acepçs.: *soroso.*] **3.** Abundante em serosidade. [Cf. *ceroso.*] ~V. *cavidade —a.*

serossanguíneo (guí ou güí) [De *ser(o)-* + *sanguíneo.*] *Adj.* Serossanguinolento. ❖

serossanguinolento [De *serossanguíneo* + *-lento.*] *Adj.* Constituído por serosidade e sangue; serossanguíneo.

seroterapia [De *ser(o)-* + *-terapia.*] *S. f. Terap.* Soroterapia.

seroterápico [De *seroterapia* + *-ico*[2].] *Adj.* Soroterápico.

serotino [Var. pros. de *serôtino.*] *Adj.* V. *serôdio* (2).

serótino *Adj.* V. *serôtino.* [Uso freq. em P.]

serôtino [Do lat. *serotinu*, por via erudita.] *Adj.* V. *serôdio* (2).

serotonina [Voc. farmac.] *S. f. Quím.* Substância cristalina, derivada da triptamina, encontrada em pequena quantidade no cérebro, que é um neurotransmissor e tem ação vasoconstritora; hidroxitriptamina [fórm.: $C_{10}H_{12}N_2O$].

serpão [De *serpol* > **serpom.*] *S. m. Bot.* Designação comum a espécies do gênero *Thymus*, nativas da Europa; são ervas que contêm timol como principal componente de sua essência (9), e cuja ação antisséptica é bem conhecida; serpilho.

ser para a morte *S. m. 2 n. Filos.* Segundo Heidegger (v. *heideggeriano*), condição pela qual o homem existe de modo próprio e em totalidade: a morte, tomada como fim inerente ao ser do homem, clareia e define a totalidade possível, o *Dasein* (q. v.). ☑

serpe [Do lat. *serpe*, de um nom. **serpes*, por *serpes.*] *S. f.* **1.** *Poét.* Serpente (1): "Depois da queimada, toda a zona onde o fogo lavrou é um imenso coivaral ....: .... os galhos mortos se estiram, como grandes <u>serpes</u> negras, carbonizadas" (Gustavo Barroso, *Terra de Sol*, pp. 19-20). **2.** Antiga peça de artilharia, semelhante à colubrina. **3.** *Fig. Pop.* V. *bruxa* (2). **4.** *Arquit.* Linha de ornato em forma de serpente. ◆ **Velho como a serpe.** Muito velho; muito idoso.

serpeamento [De *serpear* + *-mento*.] *S. m.* Ato ou efeito de serpear; serpenteamento.

serpeante [De *serpear* + *-nte*.] *Adj. 2 g.* Que serpeia; serpejante, serpentante, serpenteante.

serpear [De *serpe* + *-ear*[2].] *V. int.* **1.** Arrastar-se pelo chão em zigue-zagues, ou mover-se sinuosamente, como a serpente; ondular, cobrejar, colear. **2.** Ser ou mostrar-se tortuoso ou sinuoso; colear: "Mole e lascivo no tapiz da selva / Serpeia o arroio" (Fagundes Varela, *Poesias Completas*, I, p. 269); "O caminho serpeava entre o capim alto." (Ricardo L. Hoffmann, *A Superfície*, p. 188). [Sin. ger.: *serpejar, serpentar, serpentear*. Conjug.: v. *frear*.]

serpejante [De *serpejar* + *-nte*.] *Adj. 2 g.* V. *serpeante*.

serpejar [De *serpe* + *-ejar*.] *V. int.* V. *serpear*: "Assim é conhecido o caminho que serpeja pelas encostas da serra da Tijuca" (José de Alencar, *Sonhos d'Ouro*, p. 191). [Conjug.: v. *pelejar*.]

serpentante [De *serpentar* + *-nte*.] *Adj. 2 g.* V. *serpeante*.

serpentão [De *serpente* + *-ão*[2].] *S. m.* Instrumento de sopro, de bocal, e cujo tubo de madeira, recoberto de couro, é recurvado em forma de S, simples ou duplo, a fim de permitir ao executante atingir os seus nove orifícios; foi substituído pelo oficlide e pela tuba.

serpentar [De *serpente* + *-ar*[2].] *V. int.* V. *serpear*. [Fut. pret.: *serpentaria*, etc. Cf. *serpentária*.]

serpentária [Do lat. *serpentaria*.] *S. f. Bot.* Designação comum a ervas aristoloquiáceas, volúveis, que, na América do Norte, são tidas como eficazes contra mordeduras de cobra. Têm flores enormes, de formas extravagantes e colorido intenso, e malcheirosas; o fruto é uma grande cápsula. [Sin.: *dragonteia, serpentina* e (bras.) *cachimbo-de-turco, cipó-mil-homens* e *papo-de-peru*. Cf. *serpentaria*, do v. *serpentar*.]

serpentário [De *serpente* + *-ário*.] *S. m.* **1.** *Zool.* Ave acipitriforme (*Sagittarius serpentarius*) de rapina, da África meridional, com plumagem cinza e preta, crista de penas pretas, pernas longas e que se nutre sobretudo de serpentes que caça no solo, abatendo-as com as patas; secretário. **2.** Viveiro de serpentes. **3.** Lugar onde se criam cobras para estudos, nos institutos científicos.

serpente[1] [Do lat. *serpente*.] *S. f.* **1.** *Zool.* Designação geral dos ofídios, sobretudo das espécies peçonhentas. V. *cobra*[1] (1). **2.** *Fig.* Na tradição bíblica, o mal insinuante e ardiloso, ou o caos. **3.** *Pop.* Pessoa má ou traiçoeira. **4.** *Pop.* V. *bruxa* (2). **5.** Coisa nociva. ◆ **Serpente Infernal.** V. *diabo* (2). **Serpente Maldita.** V. *diabo* (2).

serpente[2] [Adapt. do tax. *Serpentes*.] *S. f. Zool.* Ofídio[2] (1).

serpenteamento [De *serpentear* + *-mento*.] *S. m.* Serpeamento.

serpenteante [De *serpentear* + *-nte*.] *Adj. 2 g.* V. *serpeante*.

serpentear [De *serpente* + *-ear*[2].] *V. int.* **1.** V. *serpear*: "Montanhas verdes de papel crepom, um rio fino, serpenteando, de celofane, uma vilazinha no canto" (Lia Correia Dutra, *Navio sem Porto*, p. 90). *T. d. e i.* **2.** Enrolar, envolver. [Conjug.: v. *frear*.]

serpentífero [De *serpente* + *-ífero*.] *Adj. Poét.* Em que há, ou que produz serpentes.

serpentiforme [De *serpente* + *-iforme*.] *Adj. 2 g.* Que tem forma de serpente; serpentino, serpentinado, anguiforme, ofiomorfo, ofiomórfico.

serpentina [F. subst. de *serpentino*.] *S. f.* **1.** Castiçal de três braços e três luzes que é costume acender no sábado de Aleluia. **2.** Castiçal de dois ou mais braços tortuosos, não raro ornado de pingentes de cristal, em cujas extremidades se põem velas: "Os molhos de velas de duas serpentinas .... embebiam o ar tépido, onde errava um perfume, numa refulgência ardente de sacrário" (Eça de Queirós, *Os Maias*, II, p. 177). **3.** Conduto, ger. metálico, que dá numerosas dobras sobre si mesmo, e dentro do qual circula um fluido que opera trocas de calor com o meio ambiente. [A serpentina (3) é utilizada para vários tipos de aquecimento ou resfriamento.] **4.** Antiga peça de artilharia, semelhante à colubrina. **5.** *Bot.* V. *serpentária*. **6.** *Min.* Mineral monoclínico, silicato ácido de magnésio, podendo este ser em parte substituído por ferro. **7.** *Bras.* Palanquim com cortinados, cujo leito é de rede. **8.** Fita estreita, de papel colorido, com muitos metros de comprimento, enrolada sobre si mesma e que se desenrola quando arremessada, e que se usa, especialmente, nas festas de carnaval. **9.** *Bras. Bot.* Certa trepadeira da Amazonas. ◆ **Limpar a serpentina.** V. *embriagar* (4): "Foi 'limpar a serpentina' no bar perto de casa e do mar, no começo da tarde." (Flávio Moreira da Costa, *Nem Todo Canário É Belga*, p. 15.)

serpentinado [De *serpentino* + *-ado*[1].] *Adj.* V. *serpentiforme*.

serpentino [Do lat. tard. *serpentinu*.] *Adj.* **1.** Relativo ou pertencente a, ou próprio de serpente: "torcia a cara ...., botando para fora uma língua de palmo, fina, comprida, serpentina." (Visconde de Taunay, *Ao Entardecer*, p. 33). **2.** V. *serpentiforme*. **3.** Diz-se de certos mármores que têm veios de serpentina.

serpete (ê) [Do fr. *serpette*.] *S. m.* Instrumento de jardinagem, de lâmina curva, e cujo cabo termina em saliência, para podar, cortar, etc.

serpiginoso (ô) [Do fr. *serpigineux*.] *Adj.* **1.** Semelhante a serpe; sinuoso. **2.** *Derm.* Diz-se de qualquer das dermopatias que dão à pele contornos sinuosos.

serpilho [Do lat. *serpyllu*, var. de *serpullu*.] *S. m. Bot.* Serpão.

serpol [Do lat. *serpullu*, pelo cat. *serpoll* e pelo esp. *serpol*.] *S. m.* Serpão (q. v.). [Pl.: *serpóis*.]

■ **Serpro** Sigla de *Serviço Federal de Processamento de Dados*.

serra [Do lat. *serra*.] *S. f.* **1.** Instrumento cortante, que tem como peça principal uma lâmina ou um disco dentado de aço. **2.** A própria lâmina ou disco cortante do dito instrumento ou ferramenta. **3.** *Fig.* Cadeia de montanhas com muitos picos e quebradas. **4.** *P. ext.* Monte (1). **5.** *Fig.* Elevação semelhante a uma serra (4): *O velho pescador, acostumado às serras de águas mansas ou violentas, saía com qualquer tempo.* **6.** Pilha, meda, montão. ● *S. m.* **7.** *Bras. Zool.* Peixe teleósteo, actinopterígio, perciforme, escombrídeo [v. *sarda*[1] (2)], do Atlântico, de dorso azul, abdome branco, comprimento de até 60cm, e peso entre 600 e 800g. A espécie é pelágica, e se caracteriza por ter seis a oito faixas oblíquas, azul-escuras, paralelas, e pínulas negras, dando aspecto de serra. [Sin., nesta acepç.: *serra-de-escama, sarda*.] **8.** *Zool.* V. *bonito-cachorro*. **9.** *Bras. RS* Mato estreito que segue as duas margens dos rios ou arroios. [Dim. irreg.: *serreta* (ê). Cf. *cerra*, do v. *cerrar*.] ◆ **Serra braçal.** Serra (1) movida, a braço, por dois homens. **Serra de água.** Serra (1) que é acionada por engenho hidráulico. **Serra tico-tico.** *Marc.* Pequena serra (1) mecânica que se desloca em movimento de vaivém. **Ir à serra.** *Fam.* Dar o cavaco; melindrar-se, irritar-se; subir à serra. **Subir à serra.** *Bras. Fam.* V. *ir à serra*. **Velho como a serra.** Muito velho; muito idoso.

serrã *S. f.* Fem. de *serrão* (q. v.).

serra-abaixo *S. f.* **1.** *Bras.* Designação da parte meridional do RJ. **2.** *Bras. S.* Região litorânea, compreendida entre o oceano e a serra do Mar. [Antôn.: *serra-acima*.]

serra-acima *S. f. Bras.* A parte setentrional do RJ. [Antôn.: *serra-abaixo*.]

serra-altense *Adj. 2 g.* **1.** De, ou pertencente ou relativo a Serra Alta (SC). ● *S. 2 g.* **2.** O natural ou habitante de Serra Alta. [Pl.: *serra-altenses*.]

serra-azulense[1] *Adj. 2 g.* **1.** De, ou pertencente ou relativo a Serra Azul (SP). ● *S. 2 g.* **2.** O natural ou habitante de Serra Azul. [Pl.: *serra-azulenses*.]

serra-azulense[2] *Adj. 2 g.* **1.** De, ou pertencente ou relativo a Serra Azul de Minas (MG). ● *S. 2 g.* **2.** O natural ou habitante de Serra Azul de Minas. [Pl.: *serra-azulenses*.]

serra-baia *S. f. Bras. RJ* Dança tradicional dos ciganos, com rodopios, sapateados e cantigas. [Pl.: *serra-baias*. Cf. *sarrabalho*.] ❖

serra-bentense *Adj. 2 g.* **1.** De, ou pertencente ou relativo a Serra de São Bento (RN). ● *S. 2 g.* **2.** O natural ou habitante de Serra de São Bento. [Sin. ger.: *são-bentense*. Pl.: *serra-bentenses*.]

serra-boca [De *serrar* + *boca* (ô).] *S. m. Bras. BA* Certo cabo de reboque. [Pl.: *serra-bocas*.]

serra-branquense *Adj. 2 g.* **1.** De, ou pertencente ou relativo a Serra Branca (PB). ● *S. 2 g.* **2.** O natural ou habitante de Serra Branca. [Pl.: *serra-branquenses*.]

serrabulho *S. m.* V. *sarrabulho*.

serra-caiadense *Adj. 2 g.* **1.** De, ou pertencente ou relativo a Serra Caiada (RN). ● *S. 2 g.* **2.** O natural ou habitante de Serra Caiada. [Pl.: *serra-caiadenses*.]

serração [De *serrar* + *-ção*.] *S. f.* **1.** Ato ou efeito de serrar; serradura, serramento, serradela, serragem. [Cf. *cerração*.] **2.** *Lus.* Serraria[1] (2). ◆ **Serração da velha.** *Pop.* **1.** O meio da quaresma. **2.** Brincadeira que se realizava em um dos dias da semana santa, especialmente no sábado de aleluia, e na qual um grupo de foliões serrava uma tábua como se esta fosse uma velha, entre gritos e lamúrias. [Fora da quaresma tb. se observava esse costume, à porta de pessoas que gozavam de pouca popularidade e/ou eram facilmente ridicularizáveis.]

serra-de-escama *S. f. Bras. Zool.* V. *serra* (7). [Pl.: *serras-de-escama*.]

serradela[1] [De *serrar* + *-dela*.] *S. f.* **1.** V. *serração* (1). **2.** Corte dado com a serra (1 e 2).

serradela[2] [Do lat. **serratella*, por *serratula*.] *S. f. Bot.* Planta fabácea (*Ornithopus sativus*) anual, que é forrageira e tem uso como medicinal.

serradiço *Adj.* Diz-se da madeira que foi serrada e aparada.

serrado[1] [Part. de *serrar*.] *Adj.* **1.** Que se serrou: *madeira serrada*. **2.** V. *serrátil*. **3.** *Bot.* Que tem dentes voltados para o ápice; serreado: *folha serrada*; *pétala serrada*. [Cf. *cerrado*.]

serrado[2] [De *serra* + *-ado*[1].] *Adj.* Que tem o aspecto dentado da serra.

serrador (ô) [De *serrar* + *-dor*.] *Adj.* **1.** Que serra. ● *S. m.* **2.** Aquele que serra. **3.** Serrote grande e recurvado, para a palha. **4.** *Bras. Zool.* V. *serra-pau*. **5.** *Bras. Zool.* V. *tiziu*. **6.** *Bras. Zool.* V. *tietê*. **7.** *Bras.* Jangada pequena, tripulada por um homem e conduzida pela jangada principal. **8.** *Bras.* Indivíduo que a tripula.

serra-douradense *Adj. 2 g.* **1.** De, ou pertencente ou relativo a Serra Dourada (BA). ● *S. 2 g.* **2.** O natural ou habitante de Serra Dourada. [Pl.: *serra-douradenses*.]

serradura [Do lat. tard. *serratura*.] *S. f.* **1.** V. *serração* (1). **2.** Pó de finas partículas que sai da madeira ao ser esta serrada; serragem, serrinho. [Cf. *cerradura*.]

serra-garoupa [De *serrar* + *garoupa*.] *S. m. Bras. Zool.* V. *cação-garoupa*. [Pl.: *serra-garoupas*.]

serragem [De *serrar* + *-agem*[1].] *S. f.* **1.** V. *serração* (1). **2.** *Bras.* V. *serradura* (2). **3.** *Bras.* Operação para libertar o diamante da ganga.

serra-grandense *Adj. 2 g.* **1.** De, ou pertencente ou relativo a Serra Grande (PB). ● *S. 2 g.* **2.** O natural ou habitante de Serra Grande. [Pl.: *serra-grandenses*.]

serra-joanense *Adj. 2 g.* **1.** De, ou pertencente ou relativo a São João da Serra (PI). ● *S. 2 g.* **2.** O natural ou habitante de São João da Serra. [Pl.: *serra-joanenses*.]

serra-leonês *Adj.* **1.** Da, ou pertencente ou relativo à República de Serra Leoa (África ocidental). ● *S. m.* **2.** O natural ou habitante da República de Serra Leoa. [Flex.: *serra-leonesa* (ê), *serra-leoneses* (ê), *serra-leonesas* (ê).]

serralha [Do lat. tard. *sarralia*.] *S. f. Bot.* Erva asterácea (*Sonchus oleraceus*) de pequeno porte, de origem europeia, e subespontânea no Brasil, onde é planta ruderal. Tem folhas muito recortadas e serruladas, e os capítulos são solitários e amarelos. É cultivada como hortaliça.

serralhar [De *serralh-*, como em *serralheiro*, + *-ar*[2].] *V. t. d.* **1.** Lavrar ou limar à maneira de serralheiro. *Int.* **2.** Trabalhar de serralheiro. **3.** Fazer barulho como os serralheiros.

serralharia [De um der. do lat. vulg. *serraculu*, 'fechadura', der. de *serrare*, 'serrar', + *-aria*.] *S. f.* **1.** Arte de trabalhar o ferro, de fabricar ou consertar objetos de ferro. **2.** Fábrica ou oficina para trabalhos em ferro batido ou forjado. [Var.: *serralheria*.]

serralheiro [De um der. do lat. vulg. *serraculu*, 'fechadura', der. de *serrare*, 'serrar', + *-eiro*.] *S. m.* Artífice que fabrica ou conserta objetos de ferro.

serralheria *S. f.* V. *serralharia*.

serralhinha [De *serralha* + *-inha*.] *S. f.* Variedade de serralha (q. v.).

serralho [Do persa, pelo turco e pelo it. *serraglio*.] *S. m.* **1.** Palácio do sultão, dos príncipes ou dos dignitários do Estado turco maometano. **2.** Parte desse palácio habitada pelas mulheres dessas personagens; harém. **3.** Mulheres que habitam o harém. **4.** *Fig.* V. *prostíbulo*.

serralitrense *Adj. 2 g.* **1.** De, ou pertencente ou relativo a Serra do Salitre (MG). ● *S. 2 g.* **2.** O natural ou habitante de Serra do Salitre.

serramalhense *Adj. 2 g.* **1.** De, ou pertencente ou relativo a Serra do Ramalho (BA). ● *S. 2 g.* **2.** O natural ou habitante de Serra do Ramalho. [Pl.: *serramalhenses*.]

serramento [De *serrar* + *-mento*.] *S. m.* V. *serração* (1). [Cf. *cerramento*.]

serrana [Fem. de *serrano*[1].] *S. f.* **1.** Mulher que habita as serras. **2.** *P. ext.* Mulher rústica; camponesa. **3.** *Lus. Poét.* Serranilha. **4.** *Bras. RS* Modalidade do fandango.

serra-negrense[1] *Adj. 2 g.* **1.** De, ou pertencente ou relativo a Serra Negra (SP). ● *S. 2 g.* **2.** O natural ou habitante de Serra Negra. [Pl.: *serra-negrenses*.]

serra-negrense[2] *Adj. 2 g.* **1.** De, ou pertencente ou relativo a Serra Negra do Norte (RN). ● *S. 2 g.* **2.** O natural ou habitante de Serra Negra do Norte. [Pl.: *serra-negrenses*. Sin. ger.: *serra-negrense-do-norte*.]

serra-negrense-do-norte *Adj. 2 g. S. 2 g.* V. *serra-negrense*[2]. [Pl.: *serra-negrenses-do-norte*.]

serranense[1] *Adj. 2 g.* **1.** De, ou pertencente ou relativo a Serrana (SP). ● *S. 2 g.* **2.** O natural ou habitante de Serrana.

serranense[2] *Adj. 2 g.* **1.** De, ou pertencente ou relativo a Serranos (MG). ● *S. 2 g.* **2.** O natural ou habitante de Serranos.

serrania [De *serrano*[1] + *-ia*[1].] *S. f.* **1.** Aglomeração de serras ou montanhas; cordilheira: "Em devaneio plácido / Velava, enquanto via / Ao longe — os altos píncaros / Da negra serrania" (Gonçalves Dias, *Obras Poéticas*, I, p. 312). [Sin., p. us.: *serraria*.] **2.** *Fig.* Ondas ou vagas encapeladas.

S

serranice [De *serrano*[1] + *-ice*.] ***S. f.*** Maneiras ou costumes de serrano[1] (4 e 5).

serranídeo [Do tax. *Serranus* + *-ídeo*[1]; tax. *Serranidae*.] *Zool.* ***S. m.*** **1.** Espécime dos serranídeos, grande família de peixes actinopterígios, perciformes, marinhos, com mais de trezentas espécies, e que habitam os mares temperados e tropicais. Ex.: o badejo. • ***Adj.*** **2.** Pertencente ou relativo a eles.

serraniense ***Adj. 2 g.*** **1.** De, ou pertencente ou relativo a Serrania (MG). • ***S. 2 g.*** **2.** O natural ou habitante de Serrania.

serranilha [Do esp. *serranilla*.] ***S. f.*** *Poét.* Canção pastoril dos antigos trovadores portugueses; serrana.

serrano[1] [De *serra* + *-ano*[1].] ***Adj.*** **1.** Relativo a serras: *zona serrana*. **2.** Que vive nas serras; montanhês. **3.** Diz-se de uma variedade de linho. • ***S. m.*** **4.** Habitante das serras; serrão. **5.** *P. ext.* Homem rústico; camponês. **6.** *Bras. RS* O natural ou habitante da região serrana, do município de Santa Maria para o norte. **7.** *Bras. RS* O natural ou habitante da serra do Tapes.

serrano[2] ***Adj.*** **1.** De, ou pertencente ou relativo a Serra (ES). • ***S. m.*** **2.** O natural ou habitante de Serra.

serrano[3] ***Adj. S. m.*** V. *serra-raizense*.

serrano[4] ***Adj.*** **1.** De, ou pertencente ou relativo a Serra do Mel (RN). • ***S. m.*** **2.** O natural ou habitante de Serra do Mel.

serrano[5] ***Adj.*** **1.** De, ou pertencente ou relativo a Serro (MG). • ***S. m.*** **2.** O natural ou habitante de Serro.

serrano[6] ***Adj. S. m.*** V. *passo-fundense*.

serrano[7] ***Adj. S. m.*** V. *paulense*[3].

serranopolino ***Adj.*** **1.** De, ou pertencente ou relativo a Serranópolis (GO). • ***S. m.*** **2.** O natural ou habitante de Serranópolis.

serrano-saudadense ***Adj. 2 g.*** **1.** De, ou pertencente ou relativo a Serra da Saudade (MG). • ***S. 2 g.*** **2.** O natural ou habitante de Serra da Saudade. [Pl.: *serrano-saudadenses*.]

serrão [De *serra* + *-ão*[2].] ***S. m.*** Serrano[1] (4). [Fem.: *serrã*.]

serra-osso [De *serrar* + *osso*.] ***S. m.*** *Bras. AM Pop.* V. *arrasta-pé* (1). [Pl.: *serra-ossos*.]

serra-pau [De *serrar* + *pau*.] ***S. m.*** *Bras. Zool.* Designação comum aos insetos coleópteros, cerambicídeos, de antenas muito alongadas, mandíbulas fortes e, em algumas espécies, providas de dentes córneos. São fitófilos, e alimentam-se de pólen ou da polpa de frutos maduros. As larvas são brocas, e vivem em galerias que elas mesmas abrem. [Pl.: *serra-paus*. Sin.: *serrador, tange-viola, toca-viola, visita*.]

serra-perna [De *serrar* + *perna*.] ***S. f.*** *Bras. Bot.* V. *arroz-bravo*. [Pl.: *serra-pernas*.]

serrapilheira ***S. f.*** V. *serapilheira*.

serrapinima ***S. f.*** *Bras. Zool.* V. *sororoca* (2).

serra-pretense ***Adj. 2 g.*** **1.** De, ou pertencente ou relativo a Serra Preta (BA). • ***S. 2 g.*** **2.** O natural ou habitante de Serra Preta. [Pl.: *serra-pretenses*.]

serrar [Do lat. *serrare*.] ***V. t. d.*** **1.** Cortar, separar, dividir, com serra ou serrote: *serrar uma árvore*. **2.** *Bras. Gír.* Obter gratuitamente, por meios hábeis; filar: *serrar um cigarro*. ***Int.*** **3.** Trabalhar com serra ou serrote. **4.** Produzir som estrídulo como o do serrote em ação. [Pres. ind.: *serro, serras, serra*, etc., fut. pret.: *serraria*, etc. Cf. *serro* (ê), s. m.; *Serro* (ê), top.; e *cerro* (ê), s. m., *cerro*, do v. *cerrar*, e este v.; *serra*, s. f. e s. m., e *serraria*, s. f.] ◆ **Serrar de cima.** Estar em situação vantajosa; dominar.

serra-raizense (a-i) ***Adj. 2 g.*** **1.** De, ou pertencente ou relativo a Serra da Raiz (PB). • ***S. 2 g.*** **2.** O natural ou habitante de Serra da Raiz. [Sin. ger.: *serrano*. Pl.: *serra-raizenses*.]

serra-redondense ***Adj. 2 g.*** **1.** De, ou pertencente ou relativo a Serra Redonda (PB). • ***S. 2 g.*** **2.** O natural ou habitante de Serra Redonda. [Pl.: *serra-redondenses*.]

serraria[1] [De *serrar* + *-ia*[1].] ***S. f.*** **1.** Armação de madeira sobre a qual se apoia o toro que se quer serrar. **2.** Estabelecimento industrial onde se cortam madeiras. [Sin. (lus.), nesta acepç.: *serração*.] [Cf. *cerraria*, do v. *cerrar*.]

serraria[2] [De *serra* + *-aria*.] ***S. f.*** *P. us.* Serrania (1) (q. v.). [Cf. *cerraria*, do v. *cerrar*.]

serrariense ***Adj. 2 g.*** **1.** De, ou pertencente ou relativo a Serraria (PB e RJ). • ***S. 2 g.*** **2.** O natural ou habitante de Serraria.

serra-serra [Da 3.ª pess. do sing. do pres. ind. de *serrar*, repetida.] ***S. m.*** *Bras. Zool.* **1.** Chico-preto (1). **2.** V. *tiziu*. [Pl.: *serra-serras* e *serras-serras*.]

serra-talhadense ***Adj. 2 g.*** **1.** De, ou pertencente ou relativo a Serra Talhada (PE). • ***S. 2 g.*** **2.** O natural ou habitante de Serra Talhada. [Pl.: *serra-talhadenses*.]

serrátil ***Adj. 2 g.*** **1.** Que tem o feitio, o aspecto dentado da serra; serrado, serreado, serrino, sérreo. **2.** *Geom.* Diz-se de um prisma triangular oblíquo. [Pl.: *serráteis*.]

serrazina [Do esp. *sarracina*.] ***S. f.*** **1.** Ato de serrazinar. • ***S. 2 g.*** **2.** Pessoa que serrazina. • ***Adj. 2 g.*** **3.** Que serrazina; maçante, enfadonho, cacete, chato.

serrazinar [De *serrazina* + *-ar*[2].] ***V. int. T. i.*** Ser importuno, maçador, cacete, persistindo no mesmo assunto ou pedido.

serreado[1] [De *serra* + *-eado*.] ***Adj.*** **1.** V. *serrátil* (1): "acendeu o cigarro num isqueiro de latão com tampo serreado" (Cornélio Pires, *Quem Conta um Conto...*, p. 79). **2.** *Bot.* Serrado[1] (3).

serreado[2] [Part. de *serrear*.] ***Adj.*** A que se deu forma de serra: *faca de lâmina serreada*.

serrear [De *serra* + *-ear*[2].] ***V. t. d.*** **1.** Dar a forma de serra a. **2.** Recortar ou dentear em forma de serra. [Conjug.: v. *frear*.]

serrense[1] ***Adj. 2 g.*** **1.** De, ou pertencente ou relativo a Amparo da Serra (MG). • ***S. 2 g.*** **2.** O natural ou habitante de Amparo da Serra.

serrense[2] ***Adj. 2 g.*** **1.** De, ou pertencente ou relativo a Santa Maria da Serra (SP). • ***S. 2 g.*** **2.** O natural ou habitante de Santa Maria da Serra.

serrense[3] ***Adj. 2 g.*** **1.** De, ou pertencente ou relativo a Serra dos Aimorés (MG). • ***S. 2 g.*** **2.** O natural ou habitante de Serra dos Aimorés.

sérreo [De *serra* + *-eo*.] ***Adj.*** **1.** V. *serrátil* (1). **2.** Relativo a serra (3 e 4); serril.

serreta[1] (ê) [De *serra* + *-eta* (ê).] ***S. f.*** Serra pequena.

serreta[2] (ê) ***S. f.*** *Constr. Nav.* V. *sarreta*.

▲ **serr(i)-** [Do lat. *serra, ae*.] ***El. comp.*** = 'serra': *serridênteo, serrípede, serrirrostro*.

serridênteo [De *serr(i)-* + *-dent(i)-* + *-eo*.] ***Adj.*** *Zool.* Que tem dentes serráteis.

serril [De *serra* + *-il*[1].] ***Adj. 2 g.*** **1.** Sérreo (2). **2.** Agreste, rústico, montanhês.

serrilha [De *serra* + *-ilha*.] ***S. f.*** **1.** Lavor denteado e que serve para adornos. **2.** Lavor denteado na periferia das moedas. **3.** Bordo denteado de qualquer objeto. **4.** Peça dos arreios, guarnecida de pontas de ferro, para sofrear ou domar cavalgadura cuja barbada guarnece. **5.** Moeda espanhola, de prata. [Cf. *cerrilha*.]

serrilhado [Part. de *serrilhar*.] ***Adj.*** Em que se fez serrilha.

serrilhador (ô) [De *serrilhar* + *-dor*.] ***S. m.*** Máquina para serrilhar moeda.

serrilhar [De *serrilha* + *-ar*[2].] ***V. t. d.*** **1.** Fazer serrilha em. ***Int.*** **2.** Puxar em sentido contrário as duas rédeas do cavalo, quando este toma o freio nos dentes. [Pres. ind.: *serrilho, serrilhas, serrilha*, etc. Cf. *serrilho*, s. m., *serrilha*, s. f., e *cerrilha*, s. f.]

serrilho [De *serrilha*.] ***S. m.*** Nos engenhos de açúcar, grande eixo ao qual está presa a roda gigante.

serrim [Do esp. *serrín*.] ***S. m.*** Espécie de forragem.

serrinhense ***Adj. 2 g.*** **1.** De, ou pertencente ou relativo a Serrinha (BA e RN). • ***S. 2 g.*** **2.** O natural ou habitante de Serrinha.

serrinho [De *serra* + *-inho*[2].] ***S. m.*** *Bras. RS* V. *serradura* (2).

serrino [De *serra* + *-ino*[1].] ***Adj.*** V. *serrátil* (1).

serrípede [De *serr(i)-* + *-pede*.] ***Adj. 2 g.*** *Zool.* Que tem pés serreados.

serrirrostro [De *serr(i)-* + *-rostro*.] ***Adj.*** *Zool.* Cujo bico é em forma de serra.

serritense ***Adj. 2 g.*** **1.** De, pertencente ou relativo a Serrita (PE). • ***S. 2 g.*** **2.** O natural ou habitante de Serrita.

serro (ê) [De *cerro*, com *s* por infl. de *serra* (4).] ***S. m.*** Espinhaço (3). [Pl.: *serros* (ê). Cf. *serro*, do v. *serrar*; *cerro*, do v. *cerrar*; e *cerro* (ê), s. m.; *Serro* (ê), top.]

serrolandense ***Adj. 2 g.*** **1.** De, ou pertencente ou relativo a Serrolândia (BA). • ***S. 2 g.*** **2.** O natural ou habitante de Serrolândia.

serrota [De *serra* + *-ota*[1].] ***S. f.*** *Bras.* Serrote (2): "O gado demora nos felizes rincões, onde ainda existem uns restos de secas pastagens acamadas nas abas das serrotas" (Gustavo Barroso, *Terra de Sol*, p. 21).

serrotado [Part. de *serrotar*.] ***Adj.*** **1.** Cortado com serrote. **2.** Serrado imperfeitamente. **3.** *Bras.* Rendilhado à maneira dos dentes do serrote.

serrotagem [De *serrotar* + *-agem*[2].] ***S. f.*** **1.** Ação ou efeito de serrotar. **2.** *Encad.* Cada um dos sulcos transversais abertos a serrote no dorso dos livros para receber as cordas da costura.

serrotar [De *serrote* + *-ar*[2].] ***V. t. d.*** **1.** Cortar com serrote. **2.** Serrar mal, ou irregularmente. **3.** *Encad.* Abrir sulcos transversais no dorso de (livro), com um serrote apropriado, a fim de proceder à costura dos cadernos.

serrote [De *serra* + *-ote*[1].] ***S. m.*** **1.** Lâmina dentada, como a da serra, mas sem outra armação senão um cabo, por onde se empunha. **2.** *Bras.* Pequeno monte ou serra; serrota. **3.** *Bras. RN* Dança popular, espécie de xote, executada por dois ou três pares, ao som da viola. **4.** Instrumento musical que é o próprio serrote (1), cuja lâmina vibra quando friccionada por um arco ou percutida por uma baqueta.

serrulado [De *serr(i)-* + *-ul(a)-* + *-ado*[1].] ***Adj.*** *Bot.* Que tem diminutos dentes dirigidos para a ponta.

sertã [Do lat. *sartagine*, com dissimilação.] ***S. f.*** Frigideira larga e rasa. [Cf. *certã*, fem. de *certão*.]

sertaneja (ê) [F. subst. de *sertanejo*.] ***S. f.*** *Bras. Mús.* Canção ou cantiga do sertão.

sertanejar [De *sertanejo* + *-ar*[2].] ***V. int.*** **1.** Percorrer os sertões; andar pelos sertões. **2.** Viver nos sertões. [Conjug.: v. *pelejar*.]

sertanejense ***Adj. 2 g.*** **1.** De, ou pertencente ou relativo a Sertaneja (PR). • ***S. 2 g.*** **2.** O natural ou habitante de Sertaneja.

sertanejo (ê) [De *sertão* + *-ejo*.] ***Adj.*** **1.** Do sertão. **2.** Que habita o sertão. **3.** Rústico, agreste, rude. **4.** V. *caipira* (3 e 4). ~ V. *música —a*. • ***S. m.*** **5.** Indivíduo sertanejo. **6.** V. *caipira* (1).

sertanense[1] ***Adj. 2 g.*** **1.** De, ou pertencente ou relativo a Sertão (RS). • ***S. 2 g.*** **2.** O natural ou habitante de Sertão.

sertanense[2] ***Adj. 2 g.*** **1.** De, ou pertencente ou relativo a Sertão Santana (RS). • ***S. 2 g.*** **2.** O natural ou habitante de Sertão Santana.

sertanezino ***Adj.*** **1.** De, ou pertencente ou relativo a Sertãozinho (SP). • ***S. m.*** **2.** O natural ou habitante de Sertãozinho.

sertania [De *sertão* + *-ia*[1], seg. o padrão erudito.] ***S. f.*** *Bras.* Os sertões. [Cf. *Sertânia*, top.]

sertaniense ***Adj. 2 g.*** **1.** De, ou pertencente ou relativo a Sertânia (PE). • ***S. 2 g.*** **2.** O natural ou habitante de Sertânia.

sertanista [De *sertão* + *-ista*, seg. o padrão erudito.] ***S. 2 g.*** *Bras.* **1.** Pessoa que se embrenhava nos sertões à cata de riquezas; bandeirante. **2.** *P. ext.* Grande conhecedor do sertão e dos hábitos sertanejos; especialista em assuntos do sertão. **3.** *P. us.* Sertanejo (5).

sertanizar [De *sertão* + *-izar*, seg. o padrão erudito.] ***V. int.*** *Bras. Ant.* Percorrer os sertões, penetrá-los.

sertanopolense ***Adj. 2 g.*** **1.** De, ou pertencente ou relativo a Sertanópolis (PR). • ***S. 2 g.*** **2.** O natural ou habitante de Sertanópolis.

sertão [De or. obscura.] ***S. m.*** **1.** Região agreste, distante das povoações ou das terras cultivadas. **2.** Terreno coberto de mato, longe do litoral. **3.** Interior pouco povoado. **4.** *Bras.* Zona pouco povoada do interior do Brasil, em especial do interior semiárido da parte norte-ocidental, mais seca do que a caatinga, onde a criação de gado prevalece sobre a agricultura, e onde perduram tradições e costumes antigos. [Cf. *certão*.] ◆ **Sertão bruto.** *Bras.* Sertão sem moradores, completamente desabitado. **Sertão de gravatá.** *Bras. BA* Designação que dão os matutos a uma extensão de terra coberta de gravatás. **Sertão de pedra.** *Bras. RN* A zona além do vale do Ceará-Mirim, assim chamada por ser, daí em diante, muito pedregoso o solo.

sertãozinhense ***Adj. 2 g.*** **1.** De, ou pertencente ou relativo a Sertãozinho (PB). • ***S. 2 g.*** **2.** O natural ou habitante de Sertãozinho.

seruaia [De or. indígena, poss.] ***S. f.*** *Bras. AM BA Bot.* V. *jeneúna*.

serubuna [Var. de *sereibuna*.] ***S. f.*** *Bras. Bot.* V. *serutinta*.

sérum [Do lat. *serum*.] ***S. m.*** *Histol.* V. *soro* (ô) (1 e 2).

serutinta [De or. tupi, poss.] ***S. f.*** *Bras. Bot.* Árvore verbenácea (*Avicennia nitida*) característica da vegetação de mangue (1); serubuna, sereibuna.

serva [Do lat. *serva*.] ***S. f.*** **1.** Criada, empregada. **2.** Mulher absolutamente sujeita a outrem; escrava. [Cf. *cerva*.] ◆ **Serva de Deus.** Freira (1).

servente [Do lat. *serviente*, por via pop.] ***Adj. 2 g.*** **1.** Que serve; servidor. • ***S. 2 g.*** **2.** Pessoa que serve, que ajuda outra em qualquer trabalho. **3.** Criado ou criada; serviçal. • ***S. m.*** **4.** Operário que auxilia o oficial, especialmente o pedreiro. [Cf. *sirvente*.]

serventia [De *servente* + *-ia*[1].] ***S. f.*** **1.** Qualidade do que serve; utilidade, préstimo, proveito. **2.** Uso, serviço, emprego, aplicação. **3.** Servidão (1). **4.** Serviço (14). **5.** Serviço provisório ou feito em nome de outrem. **6.** Trabalho do serventuário. **7.** Trabalho do servente.

serventuário [De *servente* + *-uário*.] ***S. m.*** **1.** Aquele que serve num ofício; ministrante. **2.** Funcionário auxiliar da justiça, que ocupa cargo criado em lei, com denominação própria, pago pelos cofres públicos ou remunerado mediante o pagamento de custas ou emolumentos (tabeliães, escrivães, oficiais de registros públicos, etc.).

serviçal [De *serviço* + *-al*[1].] ***Adj. 2 g.*** **1.** Que gosta de prestar serviços; obsequiador, prestadio, servidor. **2.** Zeloso, diligente. **3.** Concernente a criados ou servos. • ***S. 2 g.*** **4.** Criado ou criada; servente. **5.** Trabalhador ou trabalhadora assalariada. **6.** *Santom.* Trabalhador originário de Angola, Moçambique ou Cabo Verde, que, na época colonial, era empregado nas roças [v. *roça* (4)]: "terra de trabalho duro / S. Tomé é degredo! / degredo de serviçal!" (Carlos Espírito Santo, *Poesia do Colonialismo*, p. 68).

serviçalismo [De *serviçal* + *-ismo*.] ***S. m.*** Qualidade de serviçal.

serviço [Do lat. *servitiu*, 'a escravidão', 'os escravos'.] ***S. m.* 1.** Ato ou efeito de servir. **2.** Exercício de cargos ou funções obrigatórias. **3.** Duração desse exercício. **4.** Desempenho de qualquer trabalho, emprego ou comissão. **5.** Duração desse desempenho. **6.** Celebração de atos religiosos. **7.** Estado de quem serve por salário. **8.** Serventia (2). **9.** Obséquio, favor. **10.** Percentagem de uma conta de hotel, de restaurante, destinada à gratificação ao pessoal. **11.** Modo de servir: *Este restaurante tem um serviço rápido.* **12.** Conjunto de peças de louça, prata ou outro material, que servem para um jantar, um chá, etc.; aparelho: "Tomava-se .... chá com torradas .... . Vinha num serviço de prata, com aquela correção dos aparelhos finos" (Herberto Sales, *Dados Biográficos do Finado Marcelino*, p. 81). [Cf., nesta acepç., *baixela* (1).] **13.** As iguarias que se servem numa recepção ou reunião. **14.** Passagem, passadiço; serventia: *escada para serviço dos empregados.* **15.** O último parceiro no jogo da pela. **16.** Em certos jogos, tais como tênis, pingue-pongue, etc., o saque^{1} (4) ou série de saques. **17.** Na fabricação de rendas, denominação que se dá ao lavor. **18.** Vaso para excrementos. **19.** *Econ.* Atividade econômica de que não resulta produto tangível, em contraste com a produção de mercadorias. Ex.: transporte, comunicações, atividades de profissionais liberais, administração pública. **20.** *Econ.* Conjunto de pagamentos referentes a um empréstimo ou dívida, incluindo amortizações do principal, juros, e outras despesas, como comissões bancárias, mora, etc.: *serviço da dívida externa.* **21.** *Med.* Local de trabalho médico, em hospital público ou privado, e que se destina a diagnóstico e tratamento de doentes, podendo também ser us. para ensino médico de graduação e pós-graduação. **22.** *Bras.* Feitiçaria por encomenda. **23.** *Bras. BA MG* Lugar onde se exploram jazidas de ouro ou diamantes. **24.** *Bras.* Trabalho de garçom (em um restaurante). **25.** *Bras.* O que, em um restaurante, é servido antes da refeição, e que consta, em geral, de pão, manteiga, patê, azeitonas, etc. ◆ **Serviço ativo.** O prestado pelo militar, ainda que licenciado, dispensado, agregado ou em férias, antes de passar para a reserva ou ter sido reformado. **Serviço de carregação.** *Bras.* Serviço feito às pressas, descuidadamente. **Serviço de gancho.** *Bras. N.E. Fam.* Serviço ou qualquer coisa de execução muito difícil. **Serviço de informações.** *Bras.* **1.** Obtenção e prestação de informação (8), especialmente de natureza sigilosa. **2.** O pessoal ou a entidade dedicados a essa atividade. [Sin. ger.: *serviço secreto, inteligência*.] **Serviço militar.** Conjunto de obrigações que a lei impõe aos cidadãos para a defesa da pátria: *Olavo Bilac foi ardoroso defensor do serviço militar obrigatório.* **Serviço secreto.** *Desus.* V. *serviço de informações*. **Serviço social.** Serviço público ou privado de previdência ou assistência, destinado a proporcionar melhoria de condições sociais a seus beneficiários. **Dar o serviço.** *Bras. Gír.* Ceder, num interrogatório, confessando crime ou denunciando alguém; abrir: "Quero informações sobre o senador Vítor Freitas. Você acha que ela dá o serviço?" (Rubem Fonseca, *Agosto*, p. 63.) **De serviço. 1.** Nos edifícios e residências, diz-se de via de acesso, ou dependência, que deve ser usada para transporte de material de limpeza, por fornecedores, etc.: *elevador de serviço; entrada de serviço.* [Opõe-se, nesta acepç., a *social*.] **2.** Diz-se de quem foi escalado para plantão. **Fazer um serviço.** *Bras. N.E. Pop.* Assassinar alguém por empreitada^{2} (1). **Não brincar em serviço.** *Bras.* **1.** Cumprir uma obrigação com rapidez e eficiência; não perder tempo. **2.** Não desperdiçar oportunidade(s); não perder tempo. **Ser serviço.** *Bras. Fam.* Ser difícil, complicado, penoso, desagradável: *Conviver com gente maluca é serviço.*

serviço da noiva ***S. m.*** *Antrop.* Em certas sociedades, trabalho que um homem deve prestar aos pais da mulher com quem se casou ou pretende casar-se, e que, como costume, é a contrapartida social da cessão da mulher ao novo grupo familiar. [Cf. *preço da noiva*. Pl.: *serviços da noiva*.] ☑

servidão [Do lat. *servitudine*.] ***S. f.* 1.** Condição de servo ou escravo; escravidão; serventia. **2.** Sujeição, dependência. **3.** *Jur.* Encargo imposto num prédio, em proveito de outro, de proprietário diferente. **4.** *Jur.* Passagem, para uso do público, por um terreno que é propriedade particular. **5.** *Sociol.* Relação de dependência entre uma camada social e outra, sobreposta (uma aristocracia), e que se prende à obrigação de prestar serviços e tributos.

servidiço ***Adj.*** V. *servido* (1).

servido [Part. de *servir*.] ***Adj.* 1.** Que já serviu muitas vezes; usado, gasto, servidiço. **2.** Provido, fornecido, abastecido: *mesa servida.* ◆ **Estar bem servido.** Estar em situação aflitiva: "— Estaria bem servido se fosse a fazer-te todas as vontades! — a estas horas não teria onde cair morto!" (Aluísio Azevedo, *Filomena Borges*, p. 121.)

servidor (ô) [Do lat. *servitore*.] ***Adj.* 1.** Servente (1). **2.** Obsequiador, prestadio, serviçal. **3.** Que cumpre com correção os serviços e obrigações; pontual. ● ***S. m.* 4.** Indivíduo que serve. **5.** Criado, doméstico. **6.** Funcionário, empregado. **7.** *Inform.* Computador que provê, para toda uma rede, dados e serviços, compartilhando-lhe os recursos. [Cf., nesta acepç., *cliente* (4).] ◆ **Servidor de listas.** *Inform.* Mecanismo, com propósitos análogos aos de uma publicação ou de um fórum de debate, pelo qual toda mensagem postada por meio de correio eletrônico e enviada a um endereço especial (o endereço eletrônico da lista) é automaticamente distribuída a uma relação de destinatários (ditos assinantes ou membros da lista). **Servidor público.** *Jur.* Aquele que, pertencendo ou não ao quadro do funcionalismo, exerce oficialmente cargo ou função pública.

serviente [Do lat. *serviente*, por via erudita.] ***Adj. 2 g.*** *Jur.* Sujeito à servidão (3).

servil [Do lat. *servile*.] ***Adj. 2 g.* 1.** Relativo a, ou próprio de servo. **2.** Que segue com excessivo rigor um modelo ou original: *tradução servil.* **3.** *Teol.* Dizia-se das obras e trabalhos proibidos aos domingos e dias santos. **4.** *Fig.* Vil, torpe, ignóbil. **5.** *Fig.* Adulador, bajulador, subserviente.

servilão [De *servil* + *-ão*^{1}.] ***S. m.*** Homem demasiado servil.

servilha^{1} [Do lat. *servilia (calceamenta)*, 'sapatos de escravo'.] ***S. f.* 1.** *Ant.* Sapato de couro. **2.** *Bras.* Sapato de ourelo: "Raparigas de cor, arrastando servilhas de marroquim vermelho ou verde, ofereciam aos olhos dos homens o busto moreno meio nu" (Inglês de Sousa, *O Missionário*, p. 407).

servilha^{2} ***S. f.*** Barco sardinheiro.

servilheiro [De *servilha*^{2} + *-eiro*.] ***S. m.*** Tripulante de servilha^{2}; sardinheiro.

servilheta (ê) [Do esp. *servilleta*.] ***S. f.*** Criada, serva: "boleava-se num quebrar de quadris reles de servilheta." (Camilo Castelo Branco, *Sentimentalismo e História*, p. 162).

servilismo [De *servil* + *-ismo*.] ***S. m.*** Qualidade, ação, dito ou modos de quem é servil.

servilizar [De *servil* + *-izar*.] ***V. t. d. P.*** Tornar(-se) servil.

sérvio ***Adj.* 1.** Da, ou pertencente ou relativo à Sérvia, república situada nos Bálcãs, no S.E. da Europa. ● ***S. m.* 2.** O natural ou habitante da Sérvia. **3.** *Gloss.* O servo-croata (3), quando falado na Sérvia. **4.** Vocábulo dessa língua. [Fem.: *sérvia*. Cf. *servia*, do v. *servir*.]

servir [Do lat. *servire*.] ***V. int.* 1.** Viver ou trabalhar como servo. **2.** Exercer as funções de criado. **3.** Pôr na mesa ou oferecer individualmente comida e/ou bebida: *Às oito horas a criada serviu, e começamos a jantar.* **4.** Ajudar, auxiliar: *Alma abnegada, seu único desejo é servir.* **5.** Prestar serviços: "Ministro é vocábulo de significado dúbio: é o que serve e o que governa." (Carlos de Laet, *Obras Seletas*, I, p. 34.) **6.** Ser adequado ao tamanho, e ao gosto de alguém: *Esse vestido serve; As botas serviram direitinho.* ***T. i.* 7.** Prestar serviço militar: *Serviu na Aeronáutica.* **8.** Prestar serviços: *Serviu ao rei sempre com lealdade.* **9.** Ser útil, vantajoso, prestadio; convir: *Esse negócio lhe serve.* **10.** Ser oportuno; vir a propósito: *Noto que minhas sugestões não lhe servem.* **11.** Ser favorável; favorecer: *O navio partirá assim que o tempo sirva aos navegantes.* **12.** Ser causa: *Tua volta serviu de alegria.* **13.** Ter serventia (2): "Porta larga, uma janela de frente, outra de lado, sala grande para as aulas inúteis; o corredor servia de cozinha." (Osmã Lins, *Nove, Novena*, p. 103.) **14.** Prestar serviços como criado: *Há muitos anos que serve a esta família.* **15.** Prestar serviços de qualquer natureza: *Aquele advogado serve a esta firma desde a fundação.* **16.** Servir (6). ***T. d.* 17.** Prestar serviços a: "Sua Majestade pode tudo .... menos desonrar os cabelos brancos do criado que o serve há tantos anos." (Rebelo da Silva, *Contos e Lendas*, p. 181.) **18.** Ser prestável, útil, a; ajudar, auxiliar: *Gosta de servir os pobres.* **19.** Pôr na mesa ou oferecer individualmente (comida e/ou bebida): *O garçom serviu o jantar;* "Uma populaça de lacaios de librés de seda negra servia .... as vitualhas raras, vinhos do preço de joias" (Eça de Queirós, *O Mandarim*, p. 55). **20.** Desempenhar, ocupar, exercer: "serviu .... o cargo de promotor público" (Capistrano de Abreu, *Ensaios e Estudos*, 1.ª série, p. 221). **21.** Prestar serviço a; atender: "Ao jantar, num dos restaurantes mais afamados, reúnem-se ordinariamente com ele dois ou três homens e outras tantas mulheres, ... que se acham muitas vezes estreitamente aparentadas com o criado que o serve à mesa" (Ramalho Ortigão, *Em Paris*, pp. 236-237). ***T. d. e i.* 22.** Servir (17): *A empregada serviu-lhe o almoço;* "serviram-lhe um bom jantar" (Artur Azevedo, *Contos fora da Moda*, p. 128). **23.** Abastecer, prover, munir; encher: *Serviram-no de feijoada.* ***P.* 24.** Fazer uso; utilizar-se, usar, empregar: *O assassino serviu-se de uma faca;* "Servi-me de todas as armas da intriga para sobressair e ganhar popularidade" (Aluísio Azevedo, *Demônios*, p. 105). **25.** Tomar para si uma porção (de comida e/ou de bebida): *Sirva-se, meu caro;* "Serviu-se muito, com gula" (Eça de Queirós, *O Primo Basílio*, p. 230). **26.** Aproveitar o préstimo (de alguém). **27.** Haver por bem; dignar-se: *Sirva-se o meu velho amigo de satisfazer-me esta pretensão; Espero que se sirva prestar-me este favor.* [Irreg. Conjug.: v. *aderir*. Imperf. ind.: *servia*, etc. Cf. *sérvia*, fem. de *sérvio*, e *Sérvia*, top.]

servita ***S. 2 g.*** Religioso da ordem dos Servos de Maria, fundada em Florença (Itália) em 1233.

servível [De *servir* + *-vel*.] ***Adj. 2 g.*** Que serve; que tem utilidade ou presta serviço; útil: "Veste-lhe .... umas calças e uma camisa de algodão, ainda servíveis" (Euclides da Cunha, *À margem da História*, p. 89).

servo^{1} (é) [Do lat. *servu*.] ***S. m.* 1.** Aquele que não tem direitos, ou não dispõe de sua pessoa e bens. **2.** Na época feudal, indivíduo cujo serviço estava adstrito à gleba e se transferia com ela, embora não fosse escravo. **3.** Criado, servidor, servente; serviçal. **4.** Escravo (6): *servo do dever.* ● ***Adj.* 5.** Que não é livre. **6.** Que presta serviços; serviçal. **7.** Que tem a condição de criado ou escravo. [Cf. *cervo*.]

servo^{2} (é) ***S. m.*** *Automat.* V. *servomecanismo*. [Cf. *cervo*.]

▲ **servo-**^{1} ***El. comp.*** = 'sérvio': *servo-croata*.

▲ **servo-**^{2} [Do lat. *servus, a, um*.] ***El. comp.*** = '(de) controle automático': *servomecanismo, servomotor, servossistema*.

servo-croata [De *servo-*^{1} + *croata*.] ***Adj. 2 g.* 1.** Pertencente ou relativo aos sérvios e aos croatas, ou à língua servo-croata. ● ***S. m.* 2.** *Gloss.* Língua eslava falada, principalmente, na Bósnia Herzegóvina, Sérvia, Croácia, Macedônia e em Montenegro. [Recebe denominações diferentes conforme a região em que é falada: servo-croata, na Macedônia; bósnio, na Bósnia Herzegóvina; sérvio, na Sérvia e em Montenegro. É escrita em alfabeto latino na Bósnia Herzegóvina e na Croácia e, preferencialmente, em alfabeto cirílico na Sérvia e em Montenegro.] **3.** Vocábulo do servo-croata (2). [Pl.: *servo-croatas*.]

servofreio [De *servo-*^{2} + *freio*.] ***S. m.*** *Autom.* Componente do sistema de freio instalado entre o cilindro mestre e o pedal do freio, e que permite ao motorista frear o veículo com menor esforço físico.

servomecanismo [De *servo-*^{2} + *mecanismo*; ingl. *servomechanism*.] ***S. m.*** *Automat.* Mecanismo de controle automático. [Tb. se diz apenas *servo*.]

servomotor (ô) [De *servo-*^{2} + *motor*.] ***S. m.*** *Constr. Nav.* Máquina especial que carrega para um e outro bordo o leme do navio, obedecendo ao comando da roda do leme.

servossistema [De *servo-*^{2} + *sistema*.] ***S. m.*** *Automat.* Sistema de controle automático (q. v.).

sésamo [Do tax. *Sesamum* (do lat. *sesamum, i*).] ***S. m.*** *Bot.* **1.** Gênero de plantas pedaliáceas, herbáceas, tropicais, naturais da África e da Índia, dotadas de folhas íntegras ou sectas, e de flores de campânula irregular e cápsula desprotegida. **2.** Qualquer espécie desse gênero, como, p. ex., a *Sesamum indicum* [v. *gergelim* (1)]. **3.** Qualquer espécime desse gênero.

sesamoide (ói) ***Adj. 2 g.*** V. *sesamóideo*. ❖

sesamóideo [Do gr. *sesamoeidés*.] ***Adj.*** Parecido com a semente do sésamo. ~ V. *osso* —.

■ **Sesc** Sigla de *Serviço Social do Comércio*.

sesgo (ê) [Do esp. *sesgo*.] ***Adj.*** Oblíquo, torcido.

■ **Sesi** Sigla de *Serviço Social da Indústria*.

sesma (ê) [Por **sêsima* (do lat. *sex*, 'seis').] ***S. f.*** *Ant.* **1.** Sesmo (4). **2.** Antiga medida de comprimento, equivalente à terça parte do côvado. [Pl.: *sesmas* (ê). Cf. *sesma* e *sesmas*, do v. *sesmar*.]

sesmar [De *sesma* + *-ar*^{2}.] ***V. t. d.*** *Ant.* Dividir em sesmarias. [Pres. ind.: *sesmo, sesmas, sesma*, etc. Cf. *sesmo* (ê), s. m., *sesma* (ê), s. f., e pl. *sesmas* (ê).]

sesmaria [De *sesma* + *-aria*.] ***S. f.* 1.** Terra inculta ou abandonada. **2.** Lote de terra inculto ou abandonado, que os reis de Portugal cediam a sesmeiros que se dispusessem a cultivá-lo: "De dono em dono, vieram as terras que haviam de formar o sítio Casa Verde, parte de velhas sesmarias doadas a velhos paulistas, parar nas mãos nobres de Agostinho Delgado e Arouche" (Aureliano Leite, *Pequena História da Casa Verde*, p. 20). **3.** *Bras.* Antiga medida agrária, ainda hoje usada no RS, para áreas de campo de criação. [Havia a sesmaria do campo (que perdura) e a sesmaria do mato. A légua de sesmaria tem 3.000 braças, ou 6.600 metros.]

sesmeiro [De *sesma* + *-eiro*.] ***S. m.*** **1.** Aquele que dividia e distribuía as sesmarias [v. *sesmaria* (2)] **2.** Aquele a quem se concedia uma sesmaria (2) para cultivar.

sesmo (ê) [De *sesma*.] ***S. m.*** **1.** Terreno dividido em sesmarias. **2.** Lugar onde há sesmarias. **3.** *Ant.* Quinhão, partilha. **4.** *Ant.* A sexta parte de alguma coisa; sesma. [Pl.: *sesmos* (ê). Cf. *sesmo*, do v. *sesmar*.]

▲**sesqui-** [Do lat. *sesqui*.] ***El. comp.*** = 'um e meio': *sesquicentenário, sesquióxido.*

sesquiáltera [Do lat. *sesquialtera*, que, aliás, significa 'que contém outro tanto, e outro mais'.] ***S. f.*** **1.** *Mús.* Grupo de seis figuras, que se executam no mesmo tempo que quatro da mesma espécie, e no mesmo andamento. [Cf. *quiáltera*.] **2.** *Mat.* Cada uma de duas quantidades das quais uma contém a outra uma vez e meia.

sesquicentenário [De *sesqui-* + *centenário*.] ***S. m. Bras.*** **1.** Transcurso do centésimo quinquagésimo aniversário: *Em 1972 o Brasil comemorou o sesquicentenário de sua independência.* **2.** Comemoração desse fato. [Sin., nessas acepçs.: *tricinquentenário*.] ● ***Adj.*** **3.** Que tem, ou com que se comemoram 150 anos: "O sesquicentenário e rudimentar aparelho, afirmam os historiadores que ainda existe." (Arnoldo Jambo, *Diário de Pernambuco*, p. 84.)

sesquióxido (cs) [De *sesqui-* + *óxido*.] ***S. m.*** *Quím.* Óxido em que a proporção de átomos de oxigênio para o outro elemento é de três para dois.

sesquipedal [Do lat. *sesquipedale*.] ***Adj. 2 g.*** **1.** Que mede pé e meio de comprimento. **2.** *Burl.* Diz-se de certos versos ou palavras muito grandes e, p. ext., de outras coisas, como, p. ex., uma tolice: "O terror angustioso dos caminhos de ferro, ora pela trepidação, ora pela velocidade, recebeu o batismo de *siderodromofobia* e este nome sesquipedal é mais próprio ao medo dos maquinistas, condutores e *chauffeurs*." (A. Austregésilo, *Obras Completas*, III, p. 55); "consola-me o dito de Quincey de que é preciso ter algum talento para dizer uma asneira grande. E aquela é sesquipedal e honra-me um pouco." (João Ribeiro, *Cartas Devolvidas*, p. 195).

sesquiterpénico ***Adj.*** *Quím.* V. *sesquiterpênico*. [Uso freq. em P.]

sesquiterpênico [De *sesquiterpênico* + *-ico*[2].] ***Adj.*** *Quím.* Relativo aos sesquiterpenos.

sesquiterpeno [De *sesqui-* + *terpeno*.] ***S. m.*** *Quím.* Designação genérica dos terpenos [v. *terpeno* (1)] com quinze átomos de carbono, que se podem considerar resultantes da união de três isoprenos.

sesquiterpenoide (ói) *Quím.* ***Adj. 2 g.*** **1.** Semelhante em estrutura, ou derivado, de sesquiterpeno (1). ● ***S. m.*** **2.** Substância sesquiterpenoide. ❖

sessação [De *sessar* + *-ção*.] ***S. f.*** *Bras.* Sessamento. [Cf. *cessação*.]

sessamento [De *sessar* + *-mento*.] ***S. m.*** *Bras.* Ação de sessar; sessação. [Cf. *cessamento*.]

sessão [Do lat. *sessione*, 'ato de assentar-se'.] ***S. f.*** **1.** Espaço de tempo que dura a reunião de um corpo deliberativo, consultivo, etc. **2.** Espaço de tempo durante o qual funciona um congresso, uma junta, etc. **3.** Espaço de tempo durante o qual se realiza um trabalho ou parte dele: *Levou três sessões para pintar o retrato.* **4.** Assentada (2). **5.** *Maç.* Reunião que loja maçônica realiza. **6.** *Bras.* Nos teatros e cinemas em que se leva o programa diversas vezes ao dia, cada um desses espetáculos. [Cf. *seção* e *cessão*.]

sessar [Do quimb. *kusesa*.] ***V. t. d.*** *Bras.* Joeirar pela urupema; peneirar. [Pres. ind.: *sesso*, etc.; pres. subj.: *sesse, sesses, sesse, sessemos, sesseis, sessem*. Cf. *sesso* (ê), s. m.; o pres. subj. do v. *cessar*; *sésseis*, pl. de *séssil*; *cecém*, s. f.; *Séssis*, top.; e o v. *cessar*.]

sesseluá [Do seichelense *seselwa* < fr. *Seychellois*.] ***S. m.*** *Gloss.* Seichelense (3).

sessenta [Do lat. *sexaginta*, pelo arc. *sessaenta, sesseenta*.] ***Num.*** **1.** Quantidade que é uma unidade maior que 59. **2.** Número (4) correspondente a essa quantidade. [Nessas acepçs., representa-se em algarismos arábicos por 60, e em algarismos romanos, por LX.] **3.** Que está marcado ou identificado com o número 60. ● ***S. m.*** **4.** Representação do número sessenta. **5.** Aquilo ou aquele que numa série ocupa o sexagésimo lugar.

sessenta e nove ***S. m. 2 n.*** *Bras. Chulo* Prática, simultânea e recíproca, da felação entre um casal. ☑

sessenta e um ***S. m. 2 n.*** *Bras. MG* Certo jogo carteado. ☑

sessenta-feridas ***S. f. 2 n.*** *Bot.* V. *espinho-de-judeu*.

sessentão [De *sessenta* + *-ão*[1].] ***Adj. S. m.*** Sexagenário: "Homem sessentão, cheio de rabugens, pigarros e mais macacoas da velhice" (Monteiro Lobato, *Urupês, Outros Contos e Coisas*, p. 184). [Fem.: *sessentona*.]

sessentona ***S. f.*** Fem. de *sessentão*.

séssil [Do lat. *sessile*.] ***Adj. 2 g.*** **1.** Que não tem suporte. **2.** *Biol.* Diz-se do órgão fixado diretamente à parte principal de um ser vivo. **3.** *Biol.* Diz-se de organismo permanentemente fixo à superfície de substrato ou à superfície de outro organismo. **4.** *Bot.* Diretamente inserido, sem pedículo ou haste de sustentação: *folha séssil; flor séssil.* [Opõe-se, nesta acepç., a *pedicelado*.] **5.** *Patol.* Diz-se de tumor que não tem pedículo (2), *i. e.*, que está inserido pela base em algum órgão. [Pl.: *sésseis*. Cf. *sesseis*, do v. *sessar*, e *cesseis*, do v. *cessar*.]

▲**sessil(i)-** [Do lat. *sessĭlis, e*, 'que serve de assento'; 'que não tem suporte'.] ***El. comp.*** = 'séssil': *sessilifoliado, sessilifloro, sessiliventre.*

sessilifloro (sè) [De *sessil(i)-* + *-floro*.] ***Adj.*** *Bot.* Que tem flores sésseis.

sessilifoliado (sè) [De *sessil(i)-* + *-foli-* + *-ado*[1].] ***Adj.*** *Bot.* Que tem folhas sésseis.

sessiliventre (sè) [De *sessil(i)-* + *-ventre*; tax. *Sessiliventres*.] ***S. m. Adj. 2 g.*** *Zool.* V. *calastogastro*.

sesso (ê) [Do lat. *sessu*, 'ação de sentar-se'.] ***S. m.*** *Pop.* Nádegas. [Pl.: *sessos* (ê). Cf. *sesso*, do v. *sessar*, e *cesso*, do v. *cessar* e s. m.]

■ **Sest** Sigla de *Secretaria de Coordenação e Controle das Empresas Estatais*.

sesta [Do lat. *sexta* (*hora*).] ***S. f.*** **1.** Hora em que se descansa ou dorme após o almoço. **2.** O sono ou descanso nessa hora; codorno, tora[1]: "E, logo que o pecado / da gula se contenta, / cai o corpo estirado / em sesta longa e lenta." (Alberto de Serpa, *Almanaque de Lembranças Luso-Brasileiro*, p. 51.) **3.** A hora de calor mais intenso; meridiana. [Cf. *cesta* e *sexta*.] ◆ **Fazer a sesta.** Repousar logo após o almoço.

sesteada [De *sestear* + *-ada*[1].] ***S. f.*** *Bras. RS* **1.** Ato de sestear. **2.** Lugar, no campo, onde viajantes, tropeiros ou carreteiros almoçam e tiram a sesta.

sestear [De *sesta* + *-ear*[2].] ***V. t. d.*** **1.** Resguardar do calor (o gado). ***Int.*** **2.** Dormir a sesta: "Um dia, na hora do mormaço, todo o povo estava nas sombras sesteando" (Simões Lopes Neto, *Contos Gauchescos e Lendas do Sul*, p. 295). [Conjug.: v. *frear*.]

sesteiro ***S. m.*** Medida de três ou quatro alqueires. [Cf. *cesteiro*.]

sestércio [Do lat. *sestertiu*.] ***S. m.*** Antiga pequena moeda de cobre dos romanos. [Dim.: *sestercíolo*.]

sestercíolo [Do lat. tard. *sestertiolu*.] ***S. m.*** Pequeno sestércio.

sesterterpeno [Do lat. *sester-* (comb. do lat. *semistertius*), 'duas vezes e meia', 'dois e meio', + *terpeno*.] ***S. m.*** *Quím.* Designação genérica dos terpenos [v. *terpeno* (1)] com 25 átomos de carbono, que se podem considerar resultantes da união de cinco isoprenos.

séston [Do al. *Seston*.] ***S. m.*** *Biol. Ecol.* Conjunto de diminutos organismos vivos (*biosséston*) e material particulado inorgânico (*abiosséston* ou *trípton*) em suspensão em mar, lago, etc.

sestra [Do lat. *sinistra* (*manus*), 'a mão esquerda'.] ***S. f.*** *P. us.* A mão esquerda; sinistra. [Cf. *destra*.]

sestrar [De *sestro* + *-ar*[2].] ***V. int.*** *Bras. Gír.* Executar passos de capoeiragem (1).

sestro (é) [Do lat. *sinistru*, pelo arc. *seestro*.] ***Adj.*** **1.** Esquerdo, canhoto. **2.** *Fig.* Agourento: sinistro: "Salta a rajada ao norte, e franca e límpida, / Varre os sestros bulcões!..." (Bulhão Pato, *Livro do Monte*, p. 102.) ● ***S. m.*** **3.** Destino, sorte, fado, sina. **4.** Vício, hábito, mania, balda, cacoete: "Foi por esse tempo que ele adquiriu o sestro de mortificar o buço, puxando-o muito de um e outro lado." (Machado de Assis, *Histórias sem Data*, pp. 195-196); "Plácido agradeceu sorrindo. Não era novo o elogio, ao contrário; mas ele estava tão acostumado a ouvi-lo que o sorriso era já agora um sestro." (Id., *Esaú e Jacó*, p. 51). **5.** Maranha, ronha: *o sestro da mula.* [Pl.: *sestros*. Cf. *cestro*, pl. *cestros*, e *sestro* (ê), pl. *sestros* (ê).]

sestro (ê) ***S. m.*** V. *sistro*: "Um mulato tocava sestros e um rapazola moreno, da terra, ... cantava a viola" (Afonso Arinos, *Pelo Sertão*, p. 146). [No texto se lê *séstros*.]

sestroso (ô) [De *sestro* (é) + *-oso*.] ***Adj.*** **1.** Que tem sestro; manhoso, ronhoso. **2.** Esperto, vivo, sagaz, serelepe. **3.** *Bras. Gír.* Dado à capoeiragem.

➔**set**[1] [sɛt] [Ingl., 'conjunto', 'série'.] ***S. m.*** *Esport.* O total de pontos disputados numa partida de vôlei ou tênis. [É necessário vencer 6 *games* (q. v.) no tênis (ou 7, se houver empate de 5 a 5 ou 6 a 6) e 25 pontos no vôlei (ou 15 no quinto *set*, se houver empate de 2 a 2) para se vencer um *set*.]

➔**set**[2] [sɛt] [Ingl., abrev. de *setting*.] ***S. m.*** *Cin. Telev.* Cenário, ou local de filmagem ou gravação.

seta[1] [Do lat. *sagitta*, pelo arc. *saeta, seeta*.] ***S. f.*** **1.** Haste de madeira, guarnecida de uma ponta de ferro, e que se arremessa por meio de arco ou besta; flecha, amento. **2.** Sinal em forma de seta (1) indicativo de direção. **3.** Nos automóveis, cada um dos faroletes, posicionados à esquerda e à direita, que, piscando, indicam mudança de direção na marcha do veículo; pisca-pisca. **4.** Ponteiro de relógio. **5.** *Fig.* Palavra ou dito que fere a suscetibilidade ou a honra de outrem: *as setas da calúnia.* **6.** *Fig.* Dito sarcástico: *Seguro de si, respondeu com uma seta à provocação dos presentes.* **7.** *Fig.* Aquilo que tem efeito penetrante: *Irado, seus olhos eram duas setas.* **8.** *Astr.* Constelação boreal de pequena área, ao S. da Raposa e ao N. do Delfim e da Águia; Flecha. [Com cap., nesta acepç.] **9.** *Bras.* V. *atiradeira*. ◆ **Seta indicadora.** V. *seta* (3). **Seta do tempo.** Direção que se atribui ao tempo, em razão das assimetrias entre passado, presente e futuro.

seta[2] [Do lat. *seta*, por via erudita.] ***S. f.*** *Bot.* **1.** Pelo longo e teso; cerda. [Cf. *sedas* (ê).] **2.** Haste que sustenta a cápsula dos musgos.

setáceo [Do lat. *seta* + *-áceo*.] ***Adj.*** **1.** Da natureza das sedas ou pelos do porco. **2.** Provido de cerdas; cerdoso. **3.** *Bot.* Semelhante a uma seta[2]: *pelo setáceo.* [Cf. *cetáceo*.]

setada [De *seta*[1] + *-ada*[1].] ***S. f.*** Golpe ou ferimento com seta; flechada.

seta de amor [De *seta*[1] + *de* + *amor*.] ***S. f.*** *Min.* Agulha de rutílio dentro do quartzo hialino. [Pl.: *setas de amor*.] ☑

sete [Do lat. *septem*.] ***Num.*** **1.** Quantidade que é uma unidade maior que seis. **2.** Número (4) correspondente a essa quantidade. [Nessas acepçs., representa-se em algarismos arábicos por 7, e em algarismos romanos, por VII.] **3.** Que está marcado ou identificado com o número 7. **4.** Sétimo (1). ● ***S. m.*** **5.** Representação, em algarismos, do número sete. **6.** Carta de baralho ou face de peça de jogo de mesa marcada com esse número: *sete de copas.* **7.** Aquilo ou aquele que numa série ocupa o sétimo lugar. **8.** A nota sete, em exame, concurso, ou avaliação. ◆ **Pintar o sete. 1.** Praticar travessuras, diabruras, ou desatinos, desregramento; deitar e rolar: "Pois não andavam falando muito de Maria? Contavam que pintava o sete, ficara célebre com as extravagâncias e aventuras." (Mário de Andrade, *Contos Novos*, p. 17.) **2.** Divertir-se à grande: *Voltaram contentes da viagem, pintaram o sete o tempo todo.* **3.** Fazer coisas extraordinárias, fora do comum: *Toca muito bem, pinta o sete com o violão.* **4.** Judiar, maltratar: *Dá pena ver como pinta o sete com o pobre do bicho.* [Sin. ger.: *pintar a manta, pintar a saracura, pintar e bordar, pintar o caneco, pintar o diabo, pintar o faneco, pintar o simão, pintar o simão de carapuça*, e, simplesmente, *pintar*.]

setear [De *seta*[1] + *-ear*[2].] ***V. t. d.*** V. *assetear*. [Conjug.: v. *frear*.]

sete-barbas [De *sete* + o pl. de *barba*.] ***S. m. 2 n.*** *Bras.* **1.** Certo peixe de couro. **2.** Espécie de camarão.

sete-belo ***S. m.*** Em diversos jogos carteados, o sete de ouros. [Pl.: *setes-belos*.]

sete-cabrinhas [De *sete* + o pl. de *cabrinha*.] ***S. f. pl.*** *Astr. Pop.* V. *Plêiades*.

sete-casacas [De *sete* + o pl. de *casaca*.] ***S. f. 2 n.*** **1.** *Bras. Bot.* Arvoreta mirtácea (*Brittoa sellowiana*) que tem folhas oblongas e agudas, flores vistosas, alvas e solitárias nas axilas, e cujo fruto é uma baga que vai até 1cm de diâmetro e possui de 8 a 12 lojas. [Sin.: *ibirapiroca*.] **2.** V. *guabiroba-de-são-paulo*.

sete-cascas [De *sete* + o pl. de *casca*.] ***S. f. 2 n.*** V. *gonçalo-alves*.

sete-cascos [De *sete* + o pl. de *casco*.] ***S. m. 2 n.*** V. *gonçalo-alves*.

setecentismo [De *setecentos* + *-ismo*.] ***S. m.*** O estilo, gosto ou escola dos setecentistas.

setecentista [De *setecentos* + *-ista*.] ***Adj. 2 g.*** **1.** Pertencente ou relativo ao setecentismo ou ao séc. XVIII: *poemas setecentistas.* **2.** Diz-se de escritor ou artista desse século. ● ***S. 2 g.*** **3.** Escritor ou artista do séc. XVIII.

setecentos [De *sete* + o pl. de *cento*.] ***Num.*** **1.** Quantidade que é uma unidade maior que 699. **2.** Número (4) correspondente a essa quantidade. [Nessas acepçs., representa-se em algarismos arábicos por 700, e em algarismos romanos, por DCC.] **3.** Que está marcado ou identificado com o número 700. **4.** Setingentésimo (1). ● ***S. m.*** **5.** O séc. XVIII, ou o século de setecentos; o período setecentista: "Uma suavidade dengosa e açucarada invade, desde cedo, todas as esferas da vida colonial. Nos próprios domínios da arte e da literatura ela encontra meios de exprimir-se principalmente a partir do Setecentos e do Rococó." (Sérgio Buarque de Holanda, *Raízes do Brasil*, p. 31.) [Com cap., nesta acepç.] **6.** Representação, em algarismos, do número setecentos. **7.** Aquilo ou aquele que numa série de setecentos ocupa o setingentésimo lugar.

sete-chagas [De *sete* + o pl. de *chaga*.] ***S. f. 2 n.*** V. *capuchinha*.

sete-coiros [De *sete* + o pl. de *coiro*.] ***S. m. 2 n.*** *Bras. N.E.* Sete-couros.

sete-cores [De *sete* + o pl. de *cor* (ô).] ***S. f. 2 n.*** *Bras. Zool.* V. *saí-de-sete-cores*.

sete-couros [De *sete* + o pl. de *couro*.] ***S. m. 2 n.*** *Bras. N.E.* Espécie de tumor que aparece sob o couro do calcanhar, na planta do pé.

sete e meio *S. m. 2 n.* Jogo de cartas que se joga com o baralho sem os oitos, noves e dezes, e com as figuras valendo meio ponto, e no qual, dada uma carta a cada um dos parceiros, estes pedem as que julgam necessárias para se aproximar de sete pontos e meio, sem ultrapassar esse número: "o baralho esperava pela sua mestria: | — Quero desbastar sua riqueza no sete e meio, seu compadre." (José Cândido de Carvalho, *O Coronel e o Lobisomem*, p. 154).

sete em porta *S. m. 2 n. Bras. RS* Jogo carteado, com 21 ou mais baralhos, numa caixa donde o banqueiro tira duas cartas, nas quais se fazem as apostas, sem reservar nenhuma para si, consistindo a vantagem dele em pagar 50% quando a carta sai em porta, *i. e.*, quando é a primeira que se tira, e, ademais, em ganhar, neste caso, o total apostado na outra carta: "de noite facilitava umas mesas de primeira, de truco ou de sete em porta para tirar o cafife." (Simões Lopes Neto, *Contos Gauchescos e Lendas do Sul*, p. 212).

sete-em-rama *S. m. 2 n. Bot.* Planta rosácea (*Potentilla erecta*), de folhas heptafilas, nativa da Ásia e da Europa, cujo rizoma apresenta propriedades medicinais.

sete-estrelo [De *sete* + *estrelo*, por *estrela*.] *S. m. Astr. Pop.* V. *Plêiades*.

sete-flamas [De *sete* + o pl. de *flama*.] *S. f. pl.* A Ursa Maior [v. *ursa* (2)].

seteira [De *seta*[1] + *-eira*.] *S. f.* **1.** Abertura longa e estreita feita numa muralha, por onde se atiram setas contra os sitiantes; abocadura flecheira, frecheira. **2.** Fresta nas paredes dum edifício para iluminar o interior: "O quarto, sem janelas, ilumina-se com a claridade que vem de duas seteiras abertas para outro." (Thiers Martins Moreira, *Os Seres*, p. 21.)

seteirado [De *seteira* + *-ado*[1].] *Adj.* Que tem seteiras, ou aberturas a elas semelhantes.

seteiro [De *seta*[1] + *-eiro*.] *Adj. S. m.* Diz-se de, ou aquele que atira setas.

sete-lagoano *Adj.* **1.** De, ou pertencente ou relativo a Sete Lagoas (MG). • *S. m.* **2.** O natural ou habitante de Sete Lagoas. [Pl.: *sete-lagoanos*.]

setembrada [De *setembro* + *-ada*[1].] *S. f. Bras.* Setembrizada.

setembrino [De *setembro* + *-ino*[1].] *Adj.* Relativo a, ou próprio de setembro: *tardes setembrinas*.

setembrismo [De *setembrista* + *-ismo*.] *S. m.* A doutrina ou o partido setembrista.

setembrista [De *setembro* + *-ista*.] *Adj. 2 g.* **1.** Relativo à revolução de setembro de 1836 em Portugal, que se opôs à Carta constitucional. **2.** Que é partidário dessa revolução. • *S. 2 g.* **3.** Partidário dela.

setembrizada [De **setembrizar* (< *setembro* + *-izar*) + *-ada*[1].] *S. f. Bras.* Insurreição militar ocorrida em PE durante 14, 15 e 16 de setembro de 1831, no período de tensões políticas subsequente à abdicação de D. Pedro I; setembrada.

setembro [Do lat. *Septembre*, com mudança de declinação.] *S. m. Cronol.* O nono mês dos calendários juliano e gregoriano, com 30 dias.

setemês [De *sete* + *mês*.] *Adj. 2 g. S. 2 g. Bras.* Setemesinho. [Pl.: *setemeses* (ê).]

setemesinho [De *sete* + *mês* + *-inho*[2].] *Adj. S. m.* Diz-se de, ou criança nascida de sete meses: "É uma criança pequena, / pálida e setemesinha." (João Cabral de Melo Neto, *Duas Águas*, p. 218.) [Sin., bras.: *setemês*.]

setempartido [Do lat. *septem*, 'sete', + *partido*.] *Adj.* Dividido em sete partes.

setêmplice [Do lat. *septemplice*.] *Adj. 2 g. Poét.* **1.** Dobrado em sete. **2.** Que tem sete lâminas.

▲**seten-** V. *sept(e)(n)-*.

setena [Do lat. *septenae*, 'de sete em sete', no sing.] *Adj. (f.)* **1.** ~ V. *febre* —. • *S. f.* **2.** Setilha. **3.** Febre setena.

setenado [De *seten-* + *-ado*[2].] *S. m.* Setenato.

setenal [De *seten-* + *-al*[1].] *Adj. 2 g.* Que ocorre de sete em sete anos.

setenário [Do lat. *septenariu*.] *Adj.* **1.** Que vale ou contém sete. ~ V. *compasso* —. • *S. m.* **2.** Espaço de sete dias ou de sete anos. **3.** Festa religiosa que dura sete dias.

setenato [De *seten-* + *-ato*[1].] *S. m.* Poder político que dura um setênio; setenado.

setênfluo [De *seten-* + *-fluo*.] *Adj. Poét.* Que deriva ou corre de sete fontes.

setenial [De *setênio* + *-al*[1].] *Adj. 2 g.* Que dura um setênio.

setênio [Do lat. *septenniu*.] *S. m.* Período de sete anos.

seteno [Do lat. *septenos*, 'de sete em sete', no sing.] *S. m.* **1.** *P. us.* Período de sete dias. **2.** O sétimo dia, em que algumas doenças fazem crise.

setenta [Do lat. vulg. **setaginta* (< lat. *septuaginta*), pelo arc. *setaenta*.] *Num.* **1.** Quantidade que é uma unidade maior que 69. **2.** Número (4) correspondente a essa quantidade. [Nessas acepç., representa-se em algarismos arábicos por 70, e em algarismos romanos, por LXX.] **3.** Que está marcado ou identificado com o número 70. • *S. m.* **4.** Representação, em algarismos, do número setenta. **5.** Aquilo ou aquele que numa série ocupa o setuagésimo lugar.

setentão [De *setenta* + *-ão*[1].] *Adj. S. m.* Setuagenário. [Fem.: *setentona*.]

setentona *S. f.* Fem. de *setentão*.

setentrião [Do lat. *septentrione*, 'as sete estrelas da Ursa Menor'.] *S. m.* **1.** O polo norte. **2.** As regiões do Norte: "Do Setentrião avançavam os homens de Tarouca, Mondim e Cever com os párocos à cabeceira." (Aquilino Ribeiro, *Andam Faunos pelos Bosques*, p. 42.) **3.** Entre os antigos, o vento norte. [Antôn., nesta acepç.: *austro* e *noto*.]

setentrional [Do lat. *septentrionale*.] *Adj. 2 g.* **1.** Do, ou relativo ao setentrião. **2.** Situado no norte; hiperbóreo: *Europa setentrional*. **3.** Próprio do norte: *costumes setentrionais*. **4.** Que é natural ou habitante do norte: *povos setentrionais*. [Sin. ger.: *boreal*. Antôn., nessas acepç.: *austral*, *meridional*.] • *S. 2 g.* **5.** O natural ou habitante do norte.

setenvirado [Var. de *setenvirato*.] *S. m.* **1.** Cargo ou dignidade de setênviro. **2.** Tribunal ou assembleia dos setênviros.

setenviral [Do lat. *septemvirale*.] *Adj. 2 g.* Relativo ou pertencente aos setênviros.

setenvirato [Do lat. *septemviratu*.] *S. m.* Setenvirado.

setênviro [Do lat. *septemviru*.] *S. m.* Cada um dos sete magistrados e sacerdotes romanos incumbidos de fiscalizar banquetes em honra dos deuses e os que se realizavam depois dos jogos públicos.

sete-pontense *Adj. 2 g.* **1.** De, ou pertencente ou relativo a Sete Pontes (RJ). • *S. 2 g.* **2.** O natural ou habitante de Sete Pontes. [Pl.: *sete-pontenses*.]

sete-portas [De *sete* + o pl. de *porta*.] *S. f. 2 n. Bras. Zool.* V. *jataí* (3).

sete-quedense *Adj. 2 g.* **1.** De, ou pertencente ou relativo a Sete Quedas (MS). • *S. 2 g.* **2.** O natural ou habitante de Sete Quedas. [Pl.: *sete-quedenses*.]

sete-roncós *S. m. 2 n. Bras. BA* Aquirijebó.

sete-sangrias [De *sete* + o pl. de *sangria*.] *S. f. 2 n.* **1.** Pau-de-cangalha. **2.** *Bras. Bot.* Planta herbácea litrácea (*Cuphea carthagenensis*) de caule ereto, pouco ramificado, coloração avermelhada, com pilosidade intensa, glandulosa. É utilizada na medicina popular, como diurética, laxativa e para tratamento de hipertensão.

sete-virtudes [De *sete* + o pl. de *virtude*.] *S. f. 2 n. Bras. Pop.* V. *cachaça* (1).

▲**set(i)-**[1] [Do lat. *sēta, ae*.] *El. comp.* = 'seda'; 'seta[2]', 'cerda': *setícórneo*, *setífero*, *setoso*.

▲**set(i)-**[2] V. *sept(e)(n)-*.

setia [De or. obscura.] *S. f.* Cano de madeira, em geral com uma abertura na parte superior, e que conduz a água que faz mover os engenhos hidráulicos. [Cf. *sitia*, do v. *sitiar*.]

setial [De or. incerta; poss. do esp. *sitial*.] *S. m.* **1.** Banco ou assento adornado, nas igrejas. **2.** Escano, escabelo. **3.** Elevação de terra em que é possível sentar-se como em banco. [Pl.: *setiais*. Cf. *sitiais*, do v. *sitiar*.]

seticlávio [De *set(i)-*[2] + *-clav(i)-* + *-io*[3].] *S. m. Mús.* O conjunto das sete claves musicais.

seticole [Do lat. tard. *septicolle*.] *Adj. 2 g. Poét.* Que tem sete colinas ou montes: *a seticole Roma*.

seticolor (ô) [De *set(i)-*[2] + *-color*.] *Adj. 2 g.* Que tem sete cores.

seticorde [De *set(i)-*[2] + *-corde*.] *Adj. 2 g.* Que tem sete cordas.

setícórneo [De *set(i)-*[1] + *córneo*.] *Adj.* Que tem antenas que lembram sedas (q. v.).

setífero [De *set(i)-*[1] + *-fero*.] *Adj.* **1.** Referente a seda. **2.** Que produz seda; setígero. [Cf. *septífero*.]

setiforme [De *set(i)-*[1] + *-forme*.] *Adj. 2 g.* Que tem o aspecto de seda ou seta[2] (q. v.). [Cf. *septiforme*.]

setígero [Do lat. *setigeru*.] *Adj.* Setífero (2).

setilha [De *set(i)-*[2] + *-ilha*.] *S. f. Arte Poét.* Estrofe (rara) de sete versos; setena: *A "Última Canção do Beco", de Manuel Bandeira, é toda em setilhas*.

setilhão [De *set(i)-*[2] + *-ilhão*.] *Num.* Mil sextilhões; 10 elevado à 24.ª potência. [F. paral.: *setilião*.]

setilião [De *set(i)-*[2] + *-ilião*.] *Num.* V. *setilhão*.

sétima [F. subst. do num. *sétimo*.] *S. f. Mús.* Intervalo de sete graus consecutivos na escala diatônica.

setimestre [Do lat. tard. *septemmestre*.] *Adj. 2 g.* **1.** Que tem sete meses. • *S. m.* **2.** Espaço de sete meses seguidos.

setimino [Do it. *settimino*.] *S. m.* V. *septeto*.

sétimo [Do lat. *septimu*.] *Num.* **1.** Ordinal correspondente a sete. **2.** Fracionário correspondente a sete. • *S. m.* **3.** A sétima parte. **4.** Aquele ou aquilo que ocupa o sétimo (1) lugar.

setingentésimo (zi) [Do lat. *septingentesimu*.] *Num.* **1.** Ordinal correspondente a setecentos. **2.** Fracionário correspondente a setecentos. • *S. m.* **3.** A setingentésima parte. **4.** Aquele ou aquilo que ocupa o setingentésimo (1) lugar.

setissecular [De *set(i)-*[2] + *secular*.] *Adj. 2 g.* Que tem sete séculos.

setissílabo [De *set(i)-*[2] + *-sílabo*.] *Adj.* **1.** *E. Ling.* Que tem sete sílabas. • *S. m.* **2.** Verso ou palavra de sete sílabas. [Sin. ger.: *heptassílabo*.]

setíssono [De *set(i)-*[2] + *-sono*.] *Adj.* Que tem sete sons. [Var.: *septíssono*.]

setívoco [De *set(i)-*[2] + *-voco* (como em *equívoco*, *unívoco*).] *Adj. Poét.* Que tem sete vozes.

setoira *S. f.* Setoura (q. v.): "Já o trigo aloirava pela seara e as ceifeiras buíam na pedra as suas setoiras recurvas, quando, uma tarde, ... se notou que ele partira." (José Vieira, *Sol de Portugal*, p. 40.)

setor (ô) [Var. de *sector* < lat. *sectore*.] *S. m.* **1.** Subdivisão de uma região, zona, distrito, seção, etc.: *Trabalha no setor norte da cidade*. **2.** Seção (8): *setor médico*. **3.** Esfera ou ramo de atividade; campo de ação; âmbito: *setor financeiro*. **4.** *Mil.* Zona de ação no combate defensivo, ou circunscrição territorial confiada a uma unidade militar. **5.** *Mil.* Parte de um local fortificado posta sob o comando de um oficial. **6.** Instrumento de astronomia composto de um arco de 20° a 30° e de um óculo. **7.** *Fitogeogr.* Território florístico que se caracteriza pela presença de notáveis espécies endêmicas, dentro de uma província (8). **8.** *Geom.* Setor circular. ◆ **Setor circular.** *Geom.* Superfície plana compreendida entre uma circunferência e dois de seus raios. [Tb. se diz apenas *setor*.] **Setor de subsistência.** *Econ.* Setor (3) de uma economia voltado à produção para consumo próprio, e que é, ger., formado por pequenas unidades agrícolas. **Setor esférico.** *Geom.* Sólido gerado pela rotação de um setor circular em torno de um diâmetro que pode ser externo ao setor ou suportar um dos seus raios; sólido limitado por uma zona esférica e pelos planos que a determinam. **Setor informal.** *Econ.* V. *economia informal*. **Setor poligonal.** *Geom.* Superfície plana limitada por uma linha poligonal e dois segmentos de reta que unem os extremos dessa linha a um mesmo ponto. **Setor primário.** *Econ.* Conjunto de atividades (agricultura, atividades extrativas) voltadas à produção de mercadorias não transformadas. **Setor secundário.** *Econ.* Conjunto de atividades produtivas (indústria de transformação, construção civil) voltadas à transformação de matérias-primas em produtos acabados. **Setor terciário.** *Econ.* Conjunto de atividades produtivas (serviços em geral) de que não resultam bens tangíveis.

setorial [De *setor* + *-ial*.] *Adj. 2 g.* Relativo ou pertencente a setor.

setorista [De *setor* + *-ista*.] *S. 2 g. Jorn.* Designação de repórter que cobre especificamente determinada fonte regular de notícias, como palácio de governo, delegacia policial, assembleia legislativa, etc.

setorizar [De *setor* + *-izar*.] *V. t. d.* Dividir em setores.

setoso (ô) [De *set(i)-*[1] + *-oso*.] *Adj. Bot.* Que tem setas (v. *seta*[2]): *flor setosa*; *folha setosa*.

setoura [Var. de *setoira* < lat. *sectus*, part. pass. de *secare*, 'cortar, ceifar', + *-ória*, fem. de *-ório*, poss.] *S. f.* Foice para ceifar trigo ou feno.

➔**set-point** [set pɔjnt] [Ingl.] *S. m. Esport.* Num set[1], o ponto decisivo.

setra [Alter. de *seta*.] *S. m. Bras. SC Pop.* V. *atiradeira*.

setrossos *S. m. pl.* Cavilhas nas carretas das peças de artilharia.

setuagenário [Do lat. *septuagenariu*.] *Adj. S. m.* Que, ou aquele que está na casa dos setenta anos de idade; setentão.

setuagésima (zi) [Do lat. *septuagesima*.] *S. f. Cronol.* No calendário litúrgico da Igreja Católica usado até o Concílio Vaticano II, o terceiro domingo antes do primeiro da quaresma, ou setuagésimo dia, aproximadamente, antes da Páscoa.

setuagésimo (zi) [Do lat. *septuagesimu*.] *Num.* **1.** Ordinal correspondente a setenta. **2.** Fracionário correspondente a setenta. • *S. m.* **3.** A setuagésima parte. **4.** Aquele ou aquilo que ocupa o setuagésimo (1) lugar.

setubalão *Adj. S. m.* V. *setubalense*.

setubalense *Adj. 2 g.* **1.** De, ou pertencente ou relativo a Setúbal (Portugal). • *S. 2 g.* **2.** O natural ou habitante de Setúbal. [Sin. ger.: *setubalão*.]

sétula [De *set(i)-*[1] + *-ula*.] *S. f. Bot.* Seta[2] muito fina.

setuloso (ô) [De *sétula* + *-oso*.] *Adj. Bot.* Provido de sétula: *cálice setuloso*.

➔**setup** [set'ʌp] [Ingl.] *S. m. Inform.* V. *configuração* (4).

setuplicar [Do lat. **septuplice*, moldado em *septuplu*, 'sétuplo', + *-ar*[2].] *V. t. d. Int. P.* Tornar(-se) sete vezes maior; multiplicar(-se) por sete. [Conjug.: v. *trancar*.]

sétuplo [Do lat. *septuplu*.] *Num.* **1.** Que é sete vezes maior que outro. • *S. m.* **2.** Quantidade sete vezes maior que outra.

seu[1] [De *senhor*.] *S. m.* **1.** Equivale ao axiônimo *senhor* (*Sr.*), vindo claro o nome da pessoa, ou a outro axiôni-

S

mo, ou palavra designativa de profissão, etc.: "Seu Acrísio, jogador e quase cego, ... tenteava degraus e portas com o cajado." (Graciliano Ramos, *Infância*, p. 51); "— A que horas chega [o trem] a Caruaru? — Oito e meia. — Pontual, tem chegado? — Eu sei, seu doutor..." (José Carlos Cavalcanti Borges, *Contos Vários*, p. 27); *seu sargento*; *seu moço*. **2.** Com a mesma equivalência (podendo envolver desdém, desprezo, ou, ao contrário, simpatia, camaradagem, ou, ainda, malícia), usa-se seguido de algum substantivo, ou em fim de frase ou período, tendo, neste último caso, um matiz interjetivo: "Ele sorriu maliciosamente, e disse-me: — Seu maganão! Recordações do passado, hem?" (Machado de Assis, *Memórias Póstumas de Brás Cubas*, p. 326); "Dormiu bem, seu preguiçoso?" (Lúcia Benedetti, *Maria Isabel*, p. 205); "— Mas parece que o moço tinha razão de matar a moça. Qual tinha razão nada, seu! Bandido!" (Antônio de Alcântara Machado, *Novelas Paulistanas*, p. 75). [F. paral.: *sô* (q. v.), comum em Portugal na 1.ª acepç., e no Brasil us. só, talvez, na segunda. O fem. de *seu*, na 1.ª acepç., é, no Brasil, *sinhá*, *sinha*, *siá*, *sia*, *senha*. A heroína do romance *Vidas Secas*, de Graciliano Ramos, é Sinha Vitória (v. *sinha*). Na 2.ª acepç. só há no Brasil, parece, o fem. *sua* (v. *sua*[1]), *senha*[2] e *sinha*.]

seu² [Do lat. *seu*, por analogia com *meu*, em vez de *suu*.] ***Pron. poss.*** **1.** Pertencente à(s), ou próprio da(s), ou sentido pela(s) pessoa(s) de quem se fala; dele(s), dela(s): "Conta-lhe que eu morri murmurando o seu nome / No soluço final!" (Vicente de Carvalho, *Poemas e Canções*, p. 281); "Ele possuía mãos longas / e seus olhos eram meigos." (Jorge de Lima, *Obra Completa*, I, p. 174); "Íñigo Guerra e Dona Sol, enlevo ambos de seu pai" (Alexandre Herculano, *Lendas e Narrativas*, II, p. 11). **2.** Pertencente à(s) pessoa(s) com quem se fala e não tratada(s) por *tu* ou *vós*, mas por formas da 3.ª pessoa: *você(s)*, *o(s) senhor(es)*, *a(s) senhora(s)*, *V. S.ª(s)*, etc.; de você(s), do(s) senhor(es), etc.: "— E você, amada rapariga velha, como é seu nome?" (Moacir C. Lopes, *Cais, Saudade em Pedra*, p. 81); "Você não deve ter vergonha, / Pode tirar o seu chapéu" (Arlindo Marques Júnior e Roberto Roberti, na marcha *Nós, os Carecas*). **3.** Que ele(s), ela(s) ou o(s) senhor(es), etc., goza(m) ou desfruta(m) como se lhe(s) pertencesse, se fosse propriedade sua: *Ele ganhou o seu domingo cuidando da horta; Não deixe que nenhum chato estrague o seu feriado.* **4.** Que lhe(s) serve, lhe(s) convém, lhe(s) interessa: "Fui levá-lo ao Galeão, onde esperamos três horas o seu quadrimotor." (Carlos Drummond de Andrade, *Cadeira de Balanço*, p. 71); "Já estava na hora do seu bonde. Se corresse, ainda poderia apanhá-lo." (Lia Correia Dutra, *Navio sem Porto*, p. 128); *Então você percorreu várias lojas e não achou o seu sapato?* **5.** Que lhe(s) é devido; que lhe(s) cabe ou lhe(s) toca: *Ele conhece o seu lugar; Vocês não desanimem: terão sua recompensa.* **6.** Preferido por ele(s) ou ela(s), ou por você(s), o(s) senhor(es), etc.; da sua predileção: *Sabemos que o seu poeta é Fernando Pessoa; Esta é a sua música.* **7.** Passado ou vivido por ele(s), ela(s), ou por você(s), o(s) senhor(es), etc.: *Ele sofre as suas dificuldades; Você terá os seus dias de glória.* **8.** Dedicado ou reservado a ele(s), a ela(s), ao(s), senhor(es), etc.: *O dia de folga é seu, unicamente seu.* **9.** Onde ele(s), ela(s), o(s) senhor(es), etc., trabalha(m), exerce(m) atividade(s): *o seu escritório*; *o seu ministério.* **10.** Esse, aquele, o tal (falando de pessoa a quem já se fizera referência ou que se ia ou vai referir): *O seu pobre nunca mais apareceu?; Que é feito do seu homem?* [É de rigor, aqui, o uso do artigo.] **11.** Da sua amizade; do seu afeto; que lhe(s) é caro: *Aquele filho querido, o seu Antônio, não lhe causaria tal desgosto; F. é muito seu.* **12.** Algum, certo: *Nesta época, ali faz seu frio; Cheguei ao Rio em 1920: já faz seu tempo;* "Há sua notável diferença nestes dois modos de acudir ao pensamento." (Almeida Garrett, *Viagens na Minha Terra*, p. 209). **13.** Dele(s), dela(s), do(s) senhor(es), de você(s), etc., *i. e.*, inspirado ou provocado por ele(s), ela(s), o(s) senhor(es), etc.: "Vários são os motivos desta, dos quais o primeiro é dizer-lhe que saudades suas são mato" (José Veríssimo, *ap.* Fernando Néri, *Correspondência de Machado de Assis*, p. 102); *Tenho piedade, não tanto sua, mas de seus filhos.* **14.** Usa-se às vezes, pleonasticamente, para clareza ou realce, ou por ênfase, acompanhado de *dele(s)*, *dela(s)*: "entraram no coche, carruagem sua especial dele." (Camilo Castelo Branco, *O Judeu*, I, p. 34); "Faz-me infinita compaixão o seu desamparo dela!" (Id., *ib.*, p. 190); "levando o seu príncipe deles" (João Ribeiro, *O Folclore*, p. 27); "A vida continua. É seu ofício dela." (Antônio Carlos Vilaça, *O Anel*, p. 99). [Flex.: *sua*, *seus*, *suas*. Havendo no período referência de caráter possessivo a mais de uma pessoa, animal ou coisa, emprega-se *seu(s)*, *sua(s)*, com relação à que exerce a função de sujeito, e *dele(s)*, *dela(s)*, em relação à outra: "E sobre a rósea face [da filha], ora amarela, / A aurora sempre bela radiava. / E o pai, ancião, que a dor rasgava, / Cingia ao corpo seu o corpo dela." (Gonçalves Dias, *Obras Poéticas*, II, p. 104); "Georgina ajoelhou aos pés do frade, tomou as mãos dele nas suas" (Almeida Garrett, *Viagens na Minha Terra*, p. 313). Cf. *meu*, *teu*, *nosso*, *vosso*, *si*[2] e *consigo*.] ● ***S. m.*** **15.** Aquilo que pertence à pessoa de quem se fala, ou a você(s), ao(s) senhor(es), etc.: *Não gosta de juntar o seu com o alheio.* ~ V. *seus*. ◆ **Ter de seu. 1.** Ter bens de fortuna; não ser pobre: *É um homem que tem de seu.* **2.** Ser proprietário, dono de (algo): *Tem de seu, apenas, a casa onde mora.* **3.** Dispor de: *Trabalha demais, não tem de seu um minuto.*

seuacu *Bras.* ***S. 2 g.*** **1.** *Etnôn.* Indivíduo dos seuacus [ou (etnôn. bras.) *Sewacu], povo indígena extinto que habitava a margem esquerda do rio Purus e a margem direita do rio Pauini (AM). ● ***Adj. 2 g.*** **2.** Pertencente ou relativo a esse povo.

seus [Pl. de *seu*[2].] ***Pron. indef.*** **1.** Cerca de; mais ou menos; aproximadamente: "Dedicou-lhe Bandeira [Manuel Bandeira], menino de seus onze anos, uma série de quadras, em que caricaturava a nova figura do companheiro." (Sousa da Silveira, em *Homenagem a Manuel Bandeira*, p. 220.) **2.** Alguns, certos: *O caso não é simples: apresenta seus problemas; A questão tem seus porém.* ● ***El. s. m. pl.*** **3.** Us. na loc. *os seus*. ~ V. *seu*. ◆ **Os seus. 1.** A sua família (da pessoa a quem se fala, ou da de quem se fala): *Como vão os seus, meu caro?; Sente-se bem, porque os seus estão bem;* "A pobre rapariga sacrificou-se à felicidade dos seus." (Artur Azevedo, *Contos fora da Moda*, pp. 24-25). **2.** Os seus amigos íntimos, ou patrícios, ou aliados.

seu-vizinho [De *seu*[2] + *vizinho*.] ***S. m.*** *Fam.* V. *dedo anular*. [Pl.: *seus-vizinhos*.]

seva¹ [Dev. de *sevar*.] ***S. f.*** *Bras.* Ato de sevar a mandioca. [Cf. *ceva*, do v. *cevar* e s. f., e *Ceva*, antr.]

seva² ***S. f.*** *Bras.* Cipó ou corda horizontal onde se penduram, para secar, as folhas verdes do fumo. [Cf. *ceva*, do v. *cevar* e s. f., e *Ceva*, antr.]

sevadeira [De *sevar* + *-deira*.] ***S. f.*** *Bras.* **1.** A roda usada para sevar a mandioca. **2.** Aparelho com que se rala a mandioca para preparo de farinha; sevador. **3.** Mulher que seva mandioca. [Cf. *cevadeira*.]

sevador (ô) [De *sevar* + *-dor*.] ***S. m.*** *Bras.* Sevadeira (2). [Cf. *cevador*.]

sevandija [Poss. de um voc. hispânico pré-romano *sevandilia, der. do nome basco da lagartixa.] ***S. f.*** **1.** *Zool.* Designação comum aos parasitos e vermes imundos. ● ***S. 2 g.*** **2.** Pessoa que vive à custa dos outros; parasito. **3.** Pessoa vergonhosamente servil.

sevandijar-se [De *sevandija* + *-ar*[2] + *se*[1].] ***V. p.*** Tornar-se sevandija; rebaixar-se vergonhosamente; aviltar-se, envilecer-se.

sevar [Alter. de *sovar*.] ***V. t. d.*** *Bras.* Meter as raízes de (a mandioca) no caititu, para reduzi-las à massa de que se prepara a farinha. [Pres. ind.: *sevo*, *sevas*, *seva*, etc.; part.: *sevado*, f. *sevada*. Cf. *cevo*, *cevas*, *ceva*, do v. *cevar*, e este v.; *ceva*, s. f.; *cevo* (ê), s. m.; *cevada*, do v. *cevar*, s. f.; e fem. do adj. *cevado*; e *cevado*, adj. e s. m.]

severianense¹ ***Adj. 2 g.*** **1.** De, ou pertencente ou relativo a Doutor Severiano (RN). ● ***S. 2 g.*** **2.** O natural ou habitante de Doutor Severiano.

severianense² ***Adj. 2 g.*** **1.** De, ou pertencente ou relativo a Severiano de Almeida (RS). ● ***S. 2 g.*** **2.** O natural ou habitante de Severiano de Almeida.

severianense³ ***Adj. 2 g.*** **1.** De, ou pertencente ou relativo a Severiano Melo (RN). ● ***S. 2 g.*** **2.** O natural ou habitante de Severiano Melo.

severidade [Do lat. *severitate*.] ***S. f.*** **1.** Qualidade de severo. **2.** Ato severo, rigoroso. **3.** Inflexibilidade de caráter. **4.** Qualidade de estilo severo; sobriedade. **5.** Aspereza, rigor (falando-se de climas).

severinense ***Adj. 2 g.*** **1.** De, ou pertencente ou relativo a Severínia (SP). ● ***S. 2 g.*** **2.** O natural ou habitante de Severínia.

severizar [De *severo* + *-izar*.] ***V. t. d. P.*** Tornar(-se) severo.

severo [Do lat. *severu*.] ***Adj.*** **1.** Rígido, rigoroso: *regulamento severo.* **2.** Rígido de caráter; austero: *homem severo.* **3.** Grave, circunspecto, sério: *Tinha a face severa.* **4.** Que demanda circunspeção; importante: *assuntos severos.* **5.** Duro, áspero, ríspido: *Disse-lhe palavras severas.* **6.** Inflexível, implacável: "Vivia com severa parcimônia dos seus 800 réis havidos da Santa Casa" (Camilo Castelo Branco, *A Brasileira de Prazins*, p. 148). **7.** Que executa suas obrigações com pontualidade e exatidão; sério: *empregado severo.* **8.** Diz-se do estilo sóbrio, correto e elegante. **9.** Harmonioso e sóbrio; nobre: *Sentia-se bem em seus aposentos severos.* **10.** *Fig.* Bem definido; acentuado.

sevícia [Do lat. *saevitia*.] ***S. f.*** Sevícias. [Cf. *sevicia*, do v. *seviciar*.]

seviciador (ô) [De *seviciar* + *-dor*.] ***Adj. S. m.*** Que, ou aquele que sevicia.

seviciar [De *sevícia* + *-ar*[2].] ***V. t. d.*** Praticar sevícias em; maltratar fisicamente. [Pres. ind.: *sevicio*, *sevicias*, *sevicia*, etc. Cf. *sevícias* e *sevícia*.]

sevícias [Pl. de *sevícia*.] ***S. f. pl.*** **1.** Maus-tratos; ofensas físicas: "Fatigando-se das inovações, recorria às sevícias habituais: murros e açoites." (Graciliano Ramos, *Infância*, p. 238.) **2.** Atos de crueldade; desumanidade. [Us. tb. no sing. Cf. *sevicias*, do v. *seviciar*.]

sevilhana [F. subst. do adj. *sevilhano*.] ***S. f.*** **1.** Grande navalha de lâmina estreita e curva. **2.** Variedade de azeitona grande, para consumo; redondil. **3.** Canto popular de Sevilha (Espanha).

sevilhano ***Adj.*** **1.** De, ou pertencente ou relativo a Sevilha (Espanha). ● ***S. m.*** **2.** O natural ou habitante de Sevilha. [Sin. ger.: *hispalense*.]

sevirado [Do lat. *seviratu*, por via pop.] ***S. m.*** Sevirato.

sevirato [Do lat. *seviratu*, por via erudita.] ***S. m.*** Cargo ou funções de séviro; sevirado.

séviro [Do lat. *seviru*.] ***S. m.*** **1.** Na Roma antiga, membro de um colégio de seis pessoas. **2.** Cada um dos seis chefes das decúrias de cavaleiros.

sevo [Do lat. *saevu*.] ***Adj.*** Desumano, cruel, sanguinário: "Bem puderas, ó Sol, da vista destes / Teus raios apartar aquele dia, / Como da seva mesa de Tiestes / Quando os filhos por mão de Atreu comia!" (Luís de Camões, *Os Lusíadas*, III, p. 133.) [Cf. *cevo*, do v. *cevar*, e *cevo* (ê), s. m.]

sevruga ***S. m.*** *Zool.* Esturjão (*Acipenser stellatus*) da Europa e da Ásia, com até 2,20m de comprimento, de focinho comprido, barbilhões curtos, dorso cinza-escuro, flancos mais claros e ventre branco, e que fornece caviar, de mesmo nome, de alta qualidade.

▲**sex-** [Do lat. *sex*.] ***El. comp.*** = 'seis': *sexcelular*, *sexdigital*.

sexador (cs... ô) [De *sexar* + *-dor*.] ***S. m.*** *Bras.* Técnico que faz a identificação do sexo, e a separação dos pintos [v. *pinto* (1)] de um dia de vida: "Um excelente sexador separa cem pintinhos em três ou quatro minutos." (Sueli Gonçalves, em *Folha de S.Paulo*, 30.12.1986.)

sexagem (cs) [De *sexar* + *-agem*[2].] ***S. f.*** *Bras.* Técnica e atividade de sexador.

sexagenário (cs) [Do lat. *sexagenariu*.] ***Adj. S. m.*** Que, ou aquele que está na casa dos sessenta anos de idade; sessentão.

sexagésima (cs... zi) [Do lat. *sexagesima*.] ***S. f.*** **1.** Um sessenta avos de um todo. **2.** *Cronol.* No calendário litúrgico da Igreja Católica em uso até o Concílio Vaticano II, o segundo domingo antes do primeiro da quaresma, ou 60 dias, aproximadamente, antes da Páscoa.

sexagesimal (cs... zi) [De *sexagésimo* + *-al*[1].] ***Adj. 2 g.*** **1.** Relativo à sessenta. **2.** Que tem por base o número sessenta. **3.** Diz-se da divisão do grau ou da hora em sessenta minutos, e do minuto em sessenta segundos. ~ V. *número — e sistema —*.

sexagésimo (cs... zi) [Do lat. *sexagesimu*.] (cs...zi) ***Num.*** **1.** Ordinal correspondente a sessenta. **2.** Fracionário correspondente a sessenta. ● ***S. m.*** **3.** A sexagésima parte. **4.** Aquele ou aquilo que ocupa o sexagésimo (1) lugar.

sexangulado (cs) [Do lat. *sexangulatu*.] ***Adj.*** V. *sexangular*.

sexangular (cs) [De *sex-* + *angular*[1].] ***Adj. 2 g.*** *Geom.* Que tem seis ângulos; sexangulado, sexângulo.

sexângulo (cs) [Do lat. *sexangulu*.] ***Adj.*** *Geom.* V. *sexangular*.

➔**sex appeal** [sɛks əpiʎ] [Ingl.] Encanto físico que provoca o desejo sexual.

sexar (cs) [De *sexo* + *-ar*[2].] ***V. t. d.*** *Bras.* Identificar o sexo de [pinto (1) de um dia de vida].

sexcelular (cs) [De *sex-* + *celular*.] ***Adj. 2 g.*** Que tem seis células.

sexcentésimo (cs... zi) [Do lat. *sexcentesimu*.] ***Num.*** **1.** Ordinal correspondente a seiscentos. **2.** Fracionário correspondente a seiscentos. ● ***S. m.*** **3.** A sexcentésima parte. **4.** Aquele ou aquilo que ocupa o sexcentésimo (1) lugar.

sexdigital (cs) [De *sex-* + *-digit(i)-* + *-al*[1].] ***Adj. 2 g.*** Diz-se da mão ou do pé que tem seis dedos.

sexdigitário (cs) [De *sex-* + *-digit(i)-* + *-ário*.] ***Adj. S. m.*** Que, ou aquele cujo pé ou mão tem seis dedos.

sexenal (cs) [Do lat. *sexenne* + *-al*[1].] ***Adj. 2 g.*** **1.** Relativo a sexênio. **2.** Que ocorre de sexênio em sexênio.

sexénio (cs) ***S. m.*** V. *sexênio*. [Uso freq. em P.]

sexênio (cs) [Do lat. *sexenniu*.] ***S. m.*** Período de seis anos.

▲**sex(i)-** [Do lat. *sĕxus*, *i* ou *us*.] ***El. comp.*** = 'sexo': *sexífero*. [Equiv.: *sexo-*, *-sex(o)-*, *-sexo*: *sexologia*; *bissexuado*; *assexo*.]

sexífero (cs) [De *sex(i)-* + *-fero*.] ***Adj.*** Que tem sexo.

sexismo (cs) [De *sex(i)-* + *-ismo*.] ***S. m.*** Atitude discriminatória em relação ao sexo oposto.

sexista (cs) [De *sex(i)-* + *-ista.*] *Adj. 2 g.* **1.** Do, ou relativo ao sexismo. **2.** Que discrimina o sexo oposto. ● *S. 2 g.* **3.** Pessoa sexista (2).

sexo (cs) [Do lat. *sexu.*] *S. m.* **1.** Conformação particular que distingue o macho da fêmea, nos animais e nos vegetais, atribuindo-lhes um papel determinado na geração e conferindo-lhes certas características distintivas. **2.** O conjunto das pessoas que possuem o mesmo sexo. **3.** Sensualidade, volúpia, lubricidade; sexualidade: *A pequena é fogosa, é toda sexo.* **4.** *Bras.* Os órgãos genitais externos. **5.** Conjunção carnal entre dois indivíduos. ◆ **Discutir o sexo dos anjos.** Perder tempo com coisas sem importância e que não levam a resultado algum; ter discussões bizantinas. **Fazer sexo.** Ter relações sexuais; fazer amor; copular. **O belo sexo.** As mulheres; o sexo amável; o sexo fraco, o sexo frágil. **O sexo amável.** V. *o belo sexo*: "Eu porém via em V. Ex.ª uma bela exceção a essa regra pouco lisonjeira para o sexo amável." (Joaquim Manuel de Macedo, *Os Romances da Semana*, p. 238.) **O sexo devoto.** As beatas. **O sexo forte.** Os homens. **O sexo fraco.** V. *o belo sexo.* **O sexo frágil.** V. *o belo sexo.*

▲sexo- (cs) V. *sex(i)-.*

▲-sex(o)- (cs) V. *sex(i)-.*

▲-sexo (cs) V. *sex(i)-.*

sexodução (cs) [Do ingl. *sexoduction.*] *S. f. Genét.* Transferência de material genético de uma bactéria para outra através de um epissoma denominado fator F.

sexologia (cs) [De *sexo-* + *-logia.*] *S. f.* Ciência que estuda os problemas concernentes à sexualidade: "Só se fala em sexologia ....! que os sexólogos resolvem qualquer problema" (Lígia Fagundes Teles, *A Disciplina do Amor*, p. 116).

sexológico (cs) [De *sexologia* + *-ico*².] *Adj.* Referente à sexologia.

sexologista (cs) [De *sexologia* + *-ista.*] *S. 2 g.* Especialista em sexologia; sexólogo.

sexólogo (cs) [De *sexo-* + *-logo.*] *S. m.* Sexologista: "Mas eis que já vem por aí, como uma cachoeira cobrindo tudo, a moda dos sexólogos." (Lígia Fagundes Teles, *A Disciplina do Amor*, p. 116.)

➔sex shop [seks ʃɑp] [Ingl.] *S. m. e f.* Loja, ou seção desta, em que se vendem artigos para estímulo da libido ou coadjuvantes do ato sexual, além de livros, vídeos, etc., eróticos.

➔sex symbol [seks 'sɪmbəl] [Ing.] V. *símbolo sexual.*

sexta¹ (ês) [F. subst. de *sexto.*] *S. f. Mús.* Intervalo de seis graus consecutivos na escala diatônica. [Cf. *cesta* e *sesta*, s. f., e o top. *Sesta.*] ◆ **Sexta napolitana.** *Mús.* Em harmonia, a sexta menor da subdominante.

sexta² (ês) [Do lat. *sexta, i. e., hora sexta*, 'o meio-dia'.] *S. f.* **1.** Entre os antigos romanos, a terceira das quatro partes do dia. **2.** Na liturgia católica, hora canônica [v. *horas canônicas* (1)] subsequente à terça¹ (3) e correspondente às 12 horas do dia. [Cf. *cesta* (ê) e *sesta*, s. f., e *Sesta*, top.]

sexta³ (ês) *S. f.* V. *sexta-feira* (1). [Cf. *cesta* e *sesta*, s. f., e *Sesta*, top.]

sexta-doença *S. f. Patol.* V. *exantema súbito.* [Pl.: *sextas-doenças.*]

sexta-feira [De *sexta* + *feira.*] *S. f.* **1.** O sexto dia da semana principiada no domingo. [F. red.: *sexta.*] **2.** *Bras. Pop. Fam.* Amante² (6): "As reuniões da Maçonaria são às sextas, mas em vez de irem às Lojas, os homens vão é às casas de suas teúdas e manteúdas. Daí a gente chamar essas mulheres de sexta-feira." (Mário da Silva Brito, *Conversa Vai Conversa Vem*, p. 3.) [Pl.: *sextas-feiras.*] ◆ **Sexta-feira da Paixão.** A sexta-feira da semana santa, dia em que se comemora a morte de Cristo; sexta-feira maior, sexta-feira santa. **Sexta-feira maior.** V. *sexta-feira da Paixão.* **Sexta-feira santa.** V. *sexta-feira da Paixão.*

sextanista (ês) [De *sext(i)-* + *ano*¹ + *-ista.*] *S. 2 g.* Estudante que frequenta o sexto ano de um curso.

sextante (ês) [Do lat. *sextante.*] *S. m.* **1.** A sexta parte de uma circunferência ou arco de 60°. **2.** *Náut.* Instrumento óptico constituído de dois espelhos e uma luneta astronômica presos a um setor circular de 60° (1/6 do círculo), e destinado a medir a altura de um astro acima do horizonte. [Cf. *quadrante, quintante* e *oitante.*] **3.** *Astr.* Constelação equatorial, ao S. do Leão, ao N. e a E. da Hidra, a O. do Leão e da Taça. [Com cap., nesta acepç.] ◆ **Sextante de bolha.** Sextante, comumente usado na navegação aérea, no qual a visada ao horizonte é substituída por um nível de bolha tomado como referência.

sextavado (ês) [Part. de *sextavar.*] *Adj.* Que tem seis faces; hexagonal: *porca sextavada.*

sextavar (ês) [De *sexto*, com a term. de *oitavar.*] *V. t. d.* **1.** Talhar em forma sexangular. **2.** Dar seis faces a.

sexteto (êstê) [Do it. *sestetto.*] *S. m.* **1.** *Mús.* Composição musical para seis vozes ou instrumentos; sêxtuor. **2.** Conjunto dos músicos ou cantores que executam essa composição; sêxtuor. **3.** *Fís.* Termo espectral em que o número quântico do *spin* do átomo é igual a 5/2, e que tem, portanto, multiplicidade igual a seis.

▲sext(i)- [Do lat. *sextus, a, um.*] *El. comp.* = 'sexto'; 'seis': *sextanista, sextil, sextilha, sextilhão, sextina, sextissecular.*

sextil (ês) [De *sext(i)-* + *-il*¹.] *Adj. 2 g.* **1.** *Astr.* Diz-se da configuração (2) de dois astros quando a distância angular entre eles é de 60°. **2.** *Estat.* Qualquer separatriz que divide a área de uma distribuição de frequência em domínios cujas áreas são múltiplos inteiros de um sexto da área original.

sextilha (ês) [De *sext(i)-* + *-ilha.*] *S. f.* **1.** *Arte Poét.* Estrofe ou estância de seis versos: *Os poemas "O Caçador de Esmeraldas", de Olavo Bilac, e "Vozes d'África", de Castro Alves, são totalmente em sextilhas.* **2.** *Bras. Liter. Pop.* Estrofe de seis versos de sete sílabas, com o segundo, o quarto e o sexto rimados; verso de seis pés, colcheia, repente. [Cf. *sextina.*]

sextilhão (ês) [De *sext(i)-* + *-ilhão.*] *Num.* Mil quintilhões; 10 elevado à 21.ª potência. [F. paral.: *sextilião.*]

sextilião (ês) [De *sext(i)-* + *-ilião.*] *Num.* Sextilhão (q. v.).

sextina (ês) [De *sext(i)-* + *-ina*².] *S. f. Arte Poét.* Poema de forma fixa, por via de regra em versos decassílabos, composto de seis sextilhas e, quase invariavelmente, um terceto (denominado *tornada, envio* ou *remate*), e no qual cada uma das últimas palavras dos versos da 1.ª sextilha (não rimados, bem como os demais) se repete no fim dos versos das estrofes seguintes, mudando, porém, de posição, dentro de um mesmo processo: a 1.ª, 2.ª, 3.ª, 4.ª, 5.ª e 6.ª palavras finais, da 2.ª estrofe em diante, devem corresponder à 6.ª, 1.ª, 5.ª, 2.ª, 4.ª e 3.ª da estrofe anterior; no terceto, as seis palavras repetem-se, duas em cada verso, na ordem em que se acham na 1.ª sextilha. [Cf. *cistina* e *sextilha.*]

sextissecular (ês) [De *sext(i)-* + *secular.*] *Adj. 2 g.* Que tem seis séculos.

sexto (ês) [Do lat. *sextu.*] *Num.* **1.** Ordinal correspondente a seis. **2.** Fracionário correspondente a seis. ● *S. m.* **3.** A sexta parte. **4.** Aquele ou aquilo que ocupa o sexto (1) lugar. [Cf. *cesto*, s. m., pl. *cestos*; *cesto* (ê), s. m., pl. *cestos* (ê), e *Sesto*, top. e antr.]

sêxtulo (ês) [Do lat. *sextula*, com mudança de gênero.] *S. m.* **1.** Peso de quatro escrópulos. **2.** A sexta parte da onça¹ (1).

sêxtuor (ês) [De *sexto* + o final do lat. *quattuor*, 'quatro'.] *S. m.* Sexteto (1 e 2). [Pl.: *sextúores.*]

sextuplicação (ês) [De *sextuplicar* + *-ção.*] *S. f.* Ato ou efeito de sextuplicar(-se).

sextuplicar (ês) [Do lat. *sextuplice*, 'multiplicado por seis', + *-ar*².] *V. t. d. Int. P.* Multiplicar(-se) por seis.

sêxtuplo (ês) [Do lat. *sextuplu.*] *Num.* **1.** Que é seis vezes maior que outro. ● *S. m.* **2.** Quantidade seis vezes maior que outra. [Sin. ger.: *seisdobro.*] ~ V. *sêxtuplos.*

sêxtuplos (ê) [Pl. de *sêxtuplo.*] *S. m. pl.* Seis crianças nascidas do mesmo parto: "Sêxtuplos de Denver sobrevivem" (*Jornal do Brasil*, 18.09.1973). ~ V. *sêxtuplo.*

sexuado (cs) [De *sex(i)-* + *-uado.*] *Adj.* Que tem sexo. ~ V. *reprodução —a.*

sexual (cs) [De *sex(i)-* + *-ual.*] *Adj. 2 g.* **1.** Pertencente ou relativo ao sexo. **2.** Referente à cópula (1): *ato sexual.* **3.** Que possui sexo. **4.** Que caracteriza o sexo: *partes sexuais.* ~ V. *ciclo —, cromatina —, cromossomo —, dimorfismo —, perversão —, símbolo —* e *sistema —.*

sexualidade (cs) [De *sexual* + *-(i)dade.*] *S. f.* **1.** Qualidade de sexual. **2.** O conjunto dos fenômenos da vida sexual. **3.** Sexo (3).

sexualismo (cs) [De *sexual* + *-ismo.*] *S. m.* **1.** Estado ou condição do que tem sexo. **2.** A vida sexual; as funções sexuais.

sexualista (cs) [De *sexualismo* + *-ista.*] *Adj. 2 g.* Referente ao sexualismo.

sexualização [De *sexualizar* + *-ção.*] *S. f.* Ato ou efeito de sexualizar(-se).

sexualizar [De *sexual* + *-izar.*] *V. t. d. P.* **1.** Dar, ou tomar, caráter ou conotação sexual.

sexualmente (cs) [De *sexual* + *-mente.*] *Adv.* **1.** Por meio de relação sexual: *doença sexualmente transmissível.* **2.** Em relação ao sexo, em termos de sexo: *Ele é sexualmente ativo.*

sévxiro (cs) [Do lat. *sexviru.*] *S. m.* V. *séviro.*

➔sexy ['seksij] [Ingl.] *Adj. 2 g.* Que tem *sex appeal.*

sezão [Poss. do lat. *accessione*, 'acesso de febre intermitente', e de um cruz. com *sazão*, 'estação'.] *S. f.* **1.** Febre intermitente ou periódica: "Pipiu há uma semana curtia uma sezão das boas: batendo queixo, pernas e coração." (José Sarney, *Norte das Águas*, p. 19.) **2.** V. *malária.* [Pl.: *sezões*, f. talvez mais us. Cf. *sazão.*]

sezeno [Do fr. *seizain.*] *S. m.* Espécie de pano que tinha 1.600 fios de urdidura.

sezonático [De *sezão* + *-ático.*] *Adj.* **1.** Que causa sezões. **2.** Que sofre sezões. **3.** Diz-se de região em que costuma haver sezões.

sezonismo [De *sezão* + *-ismo.*] *S. m.* V. *malária.*

■ SF *Mús.* Abrev. de *sforzando.*

▲-sfera V. *esfer(o)-.*

➔sforzando [sfor'tsando] [It.] *Adv. Mús.* Passando rapidamente do piano ao forte. [Abrev.: *SF.*]

■ Sg *Quím.* Símb. de *seabórgio.*

➔shadow price ['ʃædow pɹajs] [Ingl.] *Econ.* V. *preço social.*

shakespeariano (xeiquispi) *Adj.* **1.** Pertencente ou relativo a William Shakespeare (c. 1564-1616), dramaturgo e poeta inglês, ou próprio dele. ● *S. m.* **2.** Grande admirador e/ou profundo conhecedor da obra de Shakespeare.

➔shalom [ʃa'lom] [Hebr., 'paz' (tb. us. como saudação).] *Interj.* Emprega-se como cumprimento ao chegar, ou sair de um lugar, ou como despedida.

shantala [Do antr. indiano *Shantala*, 'deusa Parvati'.] *S. f.* Técnica de massagem terapêutica para bebês, originária da Índia e divulgada pelo médico francês Frédérick Leboyeur.

➔shape [ʃejp] [Ingl.] *S. m. Surf.* A forma da prancha de surfe ou de *skate.*

➔share-of-market [ʃɛɹ/ʃæɹ əv 'maɹkit] [Ingl.] *S. m. Market.* Volume de dinheiro gasto pelos consumidores com determinada marca, comparado com o volume gasto com todas as marcas competidoras.

➔share-of-mind [ʃɛɹ/ʃæɹ əv majnd] [Ingl.] *S. m. Market.* Grau de identificação, na mente do consumidor, de determinada marca com sua linha de produtos (refrigerante, cerveja, cosmético, iogurte, etc.).

➔shareware ['ʃɛɹ,wɛɹ] [Ingl.] *S. m. Inform.* Modalidade de licenciamento de programa de computador, na qual os usuários o testam, gratuitamente, por determinado período.

➔sheik [ʃejχ] [Ár.] *S. m.* V. *xeque*².

➔shevat [ʃə'vat] [Hebr.] *S. m. Cronol.* O quinto mês do calendário judaico, que incide entre os meses de janeiro e fevereiro dos calendários juliano e gregoriano.

■ SHF [Abrev. do ingl. *Super High Frequency*, 'frequência superalta'.] *Fís.* V. *faixa de ondas centimétricas.*

➔shiitake ['ʃi:take] [Jap.] *S. m.* Cogumelo em forma de chapéu, de cor amarronzada, com diâmetro de 4 a 10cm, muito us. na culinária nipônica.

➔shimmy ['ʃimij] [Ingl.] *S. m.* **1.** Antiga dança norte-americana. **2.** *P. ext. Autom.* Oscilação ou vibração anormal das rodas dianteiras do automóvel, resultante de alinhamento incorreto ou defeituoso delas, ou de pressão desigual nos pneus dianteiros.

➔shiraz [ʃi'ɹaz] [Ingl.] *S. m.* V. *syrah.*

➔shish-kebab [ʃiʃke'bab] [Ár.] *S. m. Cul.* Prato comum no Oriente Médio – e tb. na Turquia e na Grécia – que consiste em pedaços de carne marinada, ger. de carneiro, colocados num espeto com cebola, tomate, etc., para serem grelhados ou cozidos.

shonkinito (xon) [Do top. *Shonkin* (E.U.A.) + *-ito*².] *S. m. Petr.* Rocha magmática intrusiva, constituída essencialmente de ortoclásio, nefelita, e um ou mais minerais fêmicos.

➔shopping ['ʃɑpɪŋ] [Ingl.] *S. m.* V. *shopping center*: "Os funcionários da loja não sabem que depois fomos tomar um café, ali no shopping mesmo" (Luís Fernando Veríssimo, *O Clube dos Anjos*, p. 11); "Estava começando o movimento da noite no shopping." (Id., *ib.*, p. 15).

➔shopping center ['ʃɑpɪŋ 'sentɚ] [Ingl.] *S. m.* Reunião de lojas comerciais, serviços de utilidade pública, casas de espetáculo, etc., em um só conjunto arquitetônico.

➔short [ʃɔɹt] [Ingl.] *S. m.* **1.** Calça curta para esporte, de senhora ou de homem. **2.** Filme breve, ger. de atualidade ou de caráter documentário.

➔shorts [ʃɔɹts] [Ingl.] *S. m. pl.* V. *short* (1).

➔show [ʃow] [Ingl.] *S. m.* Espetáculo de teatro, rádio, televisão, etc., ger. de grande montagem, que se destina à diversão, e com a atuação de vários artistas de larga popularidade, ou às vezes de um só: *um show de dança e música popular brasileira; o show do Chico Anísio.* ◆ **Dar um show.** *Bras. Fig.* **1.** Ter uma atuação brilhante; fazer um brilhareto; dar um baile: *O conferencista deu um show de erudição.* **2.** Dar escândalo; fazer cena: *O turista deu um show quando lhe roubaram a carteira.*

showmício [Do ingl. *show* + *(co)mício.*] *S. m.* Comício em que, além dos habituais discursos de candidato(s) a cargo eletivo, etc., há tb. números musicais.

➔showroom ['ʃowɹuwm] [Ingl.] *S. m. Market. Prop. Rel. Públ.* Ambiente preparado especialmente para apresentação e/ou demonstração de produtos e equipamentos a clientes.

➔shoyu [ʃo'jɯ] [Jap.] *S. m. Cul.* Molho feito com soja, trigo, água e sal.

S

➔ **shunt** [ʃʌnt] [Ingl.] ***S. m.*** **1.** *Cir.* V. *derivação* (4). **2.** *Fís.* Resistência que se introduz em circuito elétrico a fim de reduzir a intensidade da corrente, sobretudo nos galvanômetros sensíveis.

si[1] [Das letras iniciais de *Sancte Iohannes*; v. *ut*.] ***S. m.*** *Mús.* **1.** Nota correspondente ao sétimo grau da escala natural do modo maior (q. v.). [Corresponde a *B*, na notação alfabética dos países anglo-saxões, e a *H*, na notação us. nos países germânicos; cf. *ut*.] **2.** O sinal que representa essa nota, na pauta. [Cf. *se*.]

si[2] ***S. m.*** *Bras. AL SE BA Obsol.* Esse (1).

si[3] [Do lat. *sibi*.] ***Pron.*** Forma que assumem os pron. *ele(s)*, *ela(s)*, quando antecedidos de preposição, e que se refere ao sujeito da oração: "Que mato todo de flores, / Que cheiro exalam de si!" (Junqueira Freire, *Obras Póstumas*, II, p. 129); "Mariana olha-a com reservas, com aquele instinto infalível e feroz da boa matrona que quer conservar o seu homem para si." (Ciro dos Anjos, *O Amanuense Belmiro*, p. 17); "Se Deus tem determinado levar-me pera si, deixai-me ora ir com ele." (Fr. Luís de Sousa, *Vida de D. Fr. Bertolameu dos Mártires*, II, p. 150); "Não sei se disse que isto se passava em casa de uma baronesa, que tinha a modista ao pé de si, para não andar atrás dela." (Machado de Assis, *Várias Histórias*, p. 230). No ex. de Fr. Luís de Sousa note-se a diferença entre "pera si", referente ao sujeito da 1.ª oração (*Deus*), e "com ele", adjunto adverbial de *ir*, da segunda, cujo sujeito é *me*; e no exemplo de Machado é de notar a diferença entre "de si", referente a *baronesa* (sujeito), e "dela" (relativo ao objeto direto da segunda oração, *modista*). É, portanto, irregular o emprego de *si* neste passo de Castro Alves: "Pede [o Gênio] um beijo de amor — e as outras almas / Fogem pasmas de si." (*Obra Completa*, p. 87.) *As outras almas*, sujeito da 2.ª oração, não fogem *de si* mesmas, e sim do *Gênio*, sujeito da oração anterior; assim, deveria estar *dele* e não "de si". Apesar da condenação de muitos, o *si* — como também consigo (q. v.) — é usadíssimo em Portugal (e, embora muito menos, no Brasil), na 2.ª pess.: "juro por Deus, minha mãe, juro por si, que ainda a hei de fazer muito feliz..." (Antônio Patrício, *Serão Inquieto*, p. 178); "Esta carta .... não lhe leva a minha amizade por si porque v. já há muito aí a tem." (Fernando Pessoa, *Páginas de Doutrina Estética*, p. 87); "Você é um bom doente. Gosto de si!" (José Rodrigues Miguéis, *Um Homem Sorri à Morte — com Meia Cara*, p. 35) [Cf. *ele* (ê), *se*, *mim*, *ti*, *nos*, *vos*, *contigo*, *comigo*, *consigo*, *conosco* e *convosco*.] ◆ **Cheio de si.** Pretensioso, presunçoso. **De per si.** Considerado em si mesmo, sem relação com outros; isoladamente; em si. [V. *cada um de per si*.] **De si consigo.** V. *consigo* (5): "O alfeloeiro, quando o velho o despediu à entrada da Rua dos Anjos, de si consigo ajuizou que o homem não ia escorreito" (Camilo Castelo Branco, *A Filha do Regicida*, p. 95). **De si para consigo.** V. *consigo* (5). **De si para si.** V. *consigo* (5): "— E para onde teriam fugido as mulheres? inquiriu de si para si o matuto." (Franklin Távora, *O Matuto*, p. 201.) **Em si. 1.** De per si: *O estilo é mau, porém o romance, em si, é excelente.* **2.** Desacompanhado de quaisquer circunstâncias; num plano absoluto; absolutamente; abstratamente: *Considerando o caso em si, concluiu ser menos importante do que parece.* **3.** *Filos.* Independentemente do conhecimento. **4.** *Filos.* Independentemente de modo absoluto quanto à realidade. [Nesta acepç., tb. é us. o lat. *in se*.] **5.** *Filos.* Segundo Sartre (v. *sartriano*), modo de ser das coisas concretas, as quais são irrefletidas e sem possibilidade de construir um mundo interior, e que se opõe expressamente ao modo de ser do homem. [Nesta acepç., cf. *para si*.] **Entre si. 1.** Um ou uns com outro(s); um ou uns para com outro(s): *Acertaram entre si um encontro para o dia seguinte.* **2.** V. *consigo* (5): "Como entre si falando, / As águas vão passando, / Cantando, se é cantar o seu chorar a rir" (José Régio, *Mas Deus É Grande*, p. 26); "Cristina, depois de errar um olhar, do rosto de um para o outro, como a lhes perceber a emoção, dizia entre si, com a malícia própria do sexo: — Disfarçados!" (Afrânio Peixoto, *Bugrinha*, p. 83). **Fora de si.** Exaltado, desnorteado, desvairado. **Para si.** *Filos.* Caráter próprio do conhecimento que o ser consciente tem de si. [Cf. *em si* (5) e *por si* (3).] **Por si. 1.** Sem auxílio ou influência externa; espontaneamente; de si. **2.** *Filos.* Dependentemente da natureza ou da essência de um ser, e não dos acidentes dele ou das circunstâncias que o cercam. [Tb. se usa o equiv. lat. *per se*. Nesta acepç., opõe-se a *por acidente*.] **3.** *Filos.* Independentemente de outro sob algum aspecto do ser. [Nesta acepç., opõe-se a *por outro*. Cf. *para si*. V. *perseidade*.] **4.** *Filos.* Independentemente de qualquer outro sob todos os aspectos do ser e, particularmente, quanto à procedência. [Condição atribuída a Deus. Tb. se usa o lat. *a se*. Nesta acepç., opõe-se a *por outro*. V. *asseidade*.]

si[4] ***Adv.*** *Ant.* Sim (1): "— .... Veloso amigo, aquele outeiro / É melhor de descer que de subir. / — Si, é" (Luís de Camões, *Os Lusíadas*, V, p. 35). [Cf. *se*.]

■ **Si** *Quím.* Símb. de *silício*.

■ **SI** Sigla de *Sistema Internacional (de Unidades)*.

sia ***S. f.*** *Bras.* Alter. de *sinhá* (v. *seu*[1]).

siá ***S. f.*** *Bras.* Alter. de *sinhá* (v. *seu*[1]).

■ **Siafi** Sigla de *Sistema Integrado de Administração Financeira do Governo Federal*.

siagantrite [De *siag(o)-* + *antro* + *-ite*[1].] ***S. f.*** *Otor. Obsol.* Inflamação de mucosa de antro maxilar.

▲ **siagon-** [Do gr. *siagṓn*, *ónos* (ă).] ***El. comp.*** = 'queixo', 'mandíbula', 'maxila': *siagonagra*. [Equiv.: *siag(o)-*: *siagantrite*.]

siagonagra [De *siagon-* + *-agra*.] ***S. f.*** *Reum.* Dor gotosa em maxilar.

siagro ***S. m.*** *Bot.* V. *siagro*.

siagro [Do tax. *Syagrus*.] ***S. m.*** *Bot.* **1.** Gênero de arecáceas de folhas penadas, muitas delas nativas da América do Sul, e todas caracterizadas pelos grandes frutos de pericarpo espesso, fibroso, que encerra noz. [Sin.: *cocos*.] **2.** Qualquer espécie desse gênero, como, p. ex., a *Syagrus campestris* (v. *acumã*) e a *Syagrus coronata* ou *Cocos coronata* (v. *aricuri*). **3.** Qualquer espécime desse gênero. [Var.: *siagro*.]

sial [De *si(lício)* + *al(umínio)*.] ***S. m.*** *Geol.* Camada superior da crosta terrestre, de 50 a 100km de espessura, formada sobretudo de rochas de natureza granítica ricas em silício (Si) e alumínio (Al).

sialadenite [De *sial(o)-* + *adenite*.] ***S. f.*** *Med.* Inflamação de glândula salivar.

sialagogo (ô) [De *sial(o)-* + *-agogo*.] ***Adj. S. m.*** *Farmac.* Diz-se de, ou medicamento que provoca ou excita a salivação; ptialagogo.

siálico [De *sial(o)-* + *-ico*[2]; ingl. *sialic*.] ***Adj.*** *Bioquím.* ~ V. *ácido* —.

siálida [Do tax. *Sialis* (v. *sialídeo*) + *-ida*[1].] ***S. m. Adj. 2 g.*** *Zool.* V. *sialídeo*.

sialídeo [Do tax. *Sialis* (< gr. *sialís*, *ídos*, 'certo pássaro') + *-ídeo*[1]; tax. *Sialidae*.] *Zool.* ***S. m.*** **1.** Espécime dos sialídeos, família de insetos megalópteros com amplas asas posteriores, de cor preto-acinzentada, e cujas larvas são aquáticas; vivem próximo de rios de fraca correnteza, ou de lagoas, e são predadores. Conhecem-se poucas espécies neotrópicas. ● ***Adj.*** **2.** Pertencente ou relativo a eles.

sialismo [De *sial(o)-* + *-ismo*.] ***S. m.*** *Med.* Abundância de salivação.

▲ **sial(o)-** [Do gr. *síalon*, *ou* (ă).] ***El. comp.*** = 'saliva': *sialismo*, *sialofagia*. [Equiv.: *-sial(o)-*: *assialia*.]

▲ **-sial(o)-** Equiv. de *sial(o)-*.

sialofagia [De *sial(o)-* + *-fag(o)-* + *-ia*[1].] ***S. f.*** *Med.* Deglutição da saliva.

sialóideo [Do tax. *Sialis* + *-óideo*.] ***S. m. Adj.*** *Zool.* V. *megalóptero*.

sialomania [De *sial(o)-* + *-mania*.] ***S. f.*** *Psiq.* Hábito patológico de cuspir frequentemente, na ausência de sialorreia.

sialomaníaco [De *sialomania* + *-íaco*.] *Psiq.* ***Adj.*** **1.** Relativo a sialomania. **2.** Que tem sialomania; sialômano. ● ***S. m.*** **3.** Aquele que tem sialomania; sialômano.

sialómano ***Adj. S. m.*** V. *sialômano*. [Uso freq. em P.]

sialômano [De *sial(o)-* + *-mano*[1].] ***Adj. S. m.*** Sialomaníaco (2 e 3).

sialorreia (éi) [De *sial(o)-* + *-reia*.] ***S. f.*** *Med.* Secreção excessiva de saliva; ptialismo, polissialia. ❖

sialorreico (éi) [De *sial(o)-* + *-reico*.] ***Adj.*** Relativo a sialorreia. ❖

siamês ***Adj.*** **1.** Do, ou pertencente ou relativo ao Sião (atual Tailândia). **2.** Diz-se de uma raça de gatos de pelo curto e olhos azuis, importada do Sião para a Europa em fins do séc. XIX. ~ V. *irmãos siameses*. ● ***S. m.*** **3.** O natural ou habitante do Sião. **4.** *Gloss.* Tai (3). **5.** Vocábulo do siamês (4). [Flex.: *siamesa* (ê), *siameses* (ê), *siamesas* (ê).]

sianinha ***S. f.*** Zigue-zague (5), em geral de algodão; sinhaninha.

siar ***V. t. d.*** Fechar (as asas), para descer mais depressa. [Cf. *ciar* e *cear*.]

sia-vuma [Do ronga.] ***Interj.*** *Moç.* Exprime assentimento: assim seja!: "já o teu espírito conversava comigo... / — ... sia-vuma..." (Aldino Muianga, *Magustana*, p. 38).

➔ **sib** [sɪb] [Ingl.] ***S. m.*** *Antrop.* Clã (2).

siba [Do gr. *sepía*, pelo lat. *sepia*, com metafonia do *e* e absorção da semiconsoante.] ***S. f.*** **1.** *Zool.* Molusco cefalópode, dibranquiado, decápode (*Sepia officinalis*), do Atlântico, provido de bolsa tintória, pela qual segrega ou ejeta a sépia (4) com que escurece a água para fugir dos inimigos. [Sin. (lus.): *choco*[3].] **2.** Nome dado no comércio à concha calcária interna dos moluscos decápodes.

sibala [Var. de *sívala*.] ***S. f.*** *Bot.* V. *palmira*.

sibarismo [De *sibar(ita)* + *-ismo*.] ***S. m.*** **1.** Caráter de sibarita. **2.** Desejo excessivo de luxos e prazeres; sibaritismo.

sibarita [Do gr. *Sybarítes*, pelo lat. *Sybarita*.] ***Adj. 2 g.*** **1.** Da, ou pertencente ou relativo à antiga cidade grega de Síbaris (Itália). **2.** Diz-se de pessoa dada à indolência ou à vida de prazeres, por alusão aos antigos habitantes de Síbaris, famosos por sua riqueza e voluptuosidade. ● ***S. m.*** **3.** O natural ou habitante dessa cidade. **4.** Pessoa sibarita (2): "D. Manuel era um ser medíocre, para quem o mandar não passava de uma satisfação e de um gozo tão mesquinho e pouco nobre, como as delícias de sibarita opulento cuja vida, sem ser uma orgia, era apenas um deleite, e o reinar, em vez de ofício espinhoso, um mole abandono aos gostos delicados" (Oliveira Martins, *História de Portugal*, II, p. 19).

sibarítico [Do gr. *sybaritikós*, pelo lat. *sybariticu*.] ***Adj.*** Referente a, ou próprio de sibarita.

sibaritismo [De *sibarita* + *-ismo*.] ***S. m.*** **1.** Vida de sibarita (4). **2.** Sibarismo (2).

siberiano [Do top. *Sibéria* + *-ano*[1].] ***Adj.*** **1.** Da, ou pertencente ou relativo à Sibéria (Federação Russa). ● ***S. m.*** **2.** O natural ou habitante da Sibéria.

sibila (bí) [Do gr. *síbylla*, pelo lat. *sibylla*.] ***S. f.*** **1.** Entre os antigos, profetisa: "A poesia! .... a sibila reveladora das palavras misteriosas, cujas glosas foram as primeiras crenças, as primeiras religiões, as primeiras sociedades!" (Antero de Quental, *Prosas*, II, p. 8.) **2.** *Fam.* Bruxa, feiticeira.

sibilação [De *sibilar* + *-ção*.] ***S. f.*** Ato ou efeito de sibilar; silvo, sibilo.

sibilância [De *sibilante* + *-ia*[2], seg. o padrão analógico.] ***S. f.*** Qualidade de sibilante.

sibilante [Do lat. *sibilante*.] ***Adj. 2 g.*** **1.** Que sibila. **2.** *E. Ling.* Diz-se das consoantes fricativas alveolares surdas (como em *sala*, *massa*, *cidade*, *caçula*, *próximo*) e das fricativas alveolares sonoras (como em *zebra*, *casa*, *exato*), pelo efeito acústico de sibilo em sua emissão. [V. *consoante* (4).] ● ***S. f.*** **3.** *E. Ling.* Consoante sibilante (q. v.).

sibilantemente [De *sibilante* + *-mente*.] ***Adv.*** De maneira sibilante; com sibilação.

sibilar [Do lat. *sibilare*.] ***V. int.*** **1.** Assobiar, assoviar, silvar: "Rijo sibila o vento nas enxárcias" (Domingos José Gonçalves de Magalhães, *Suspiros Poéticos e Saudades*, p. 319); "uma frecha despedida dos bosques sibilou no ar" (Alexandre Herculano, *Lendas e Narrativas*, II, p. 88). **2.** Produzir som agudo e prolongado, assoprando. **3.** Assobiar como as cobras. **4.** V. *zumbir* (2). ***T. d.*** **5.** Absorver sibilando.

sibilino [Do lat. *sibyllinu*.] ***Adj.*** **1.** Relativo a sibila. **2.** *Fig.* De compreensão difícil; enigmático: "Fizera uma referência sibilina a outra questão correlata, que ela chamou 'a doença da mulher' e sobre a qual se recusou a fornecer esclarecimentos mais complexos." (Rodrigo M. F. de Andrade, *Velórios*, p. 94.)

sibilo [Do lat. *sibilu*.] ***S. m.*** **1.** Sibilação, silvo, zumbido, assobio: "O sibilo das balas que gemiam, / O horror, a confusão, gritos, suspiros, / Eram como uma orquestra a seus ouvidos [de Napoleão]!" (Domingos José Gonçalves de Magalhães, *Suspiros Poéticos e Saudades*, p. 265.) **2.** *Pneum.* Som anormal percebido por ausculta respiratória e que lembra o que resultaria se fossem despegadas duas superfícies oleadas; ocorre, p. ex., na asma.

sibipira [Var. de *Sapupira*.] ***S. f.*** *Bras. Bot.* V. *sapupira-da-mata*.

sibipiruna [De *sibipira* + *-una*.] ***S. f.*** *Bras. Bot.* Árvore cesalpiniácea (*Caesalpinia peltophoroides*) da floresta atlântica, cujos múltiplos folíolos são minutos e lembram a avenca. Flores amarelas, vistosas e dispostas em panículas. Apesar de escura e forte, a madeira é preferida como ornamental.

➔ **sibling** [ˈsɪblɪŋ] [Ingl.] ***S. 2 g.*** *Antrop.* Cada um dos indivíduos que descendem do mesmo pai e/ou da mesma mãe.

➔ **sic** [sik] [Lat., 'assim'.] ***Adv.*** Palavra que se pospõe a uma citação, ou que nesta se intercala, entre parênteses ou entre colchetes, para indicar que o texto original é bem assim, por errado ou estranho que pareça.

sica [Do lat. *sica*.] ***S. f.*** Punhal dos antigos romanos. [Cf. *cica*.]

sicambro [Do sing. do lat. *Sicambros*.] ***S. m.*** **1.** Indivíduo dos sicambros, antigo povo germano. ● ***Adj.*** **2.** Pertencente ou relativo a esse povo.

sicário [Do lat. *sicariu*.] ***S. m.*** Assassino pago para cometer toda a sorte de crimes: "Eleva sicários executores de homicídios infames à altura dos patriarcas da Independência" (Rui Barbosa, *Ensaios Literários*, p. 90).

sicatividade [De *sicativo* + *-(i)dade*.] ***S. f.*** Qualidade de sicativo.

sicativo [Do lat. tard. *siccativu*, por via erudita.] ***Adj.*** **1.** Que seca; secante. ● ***S. m.*** **2.** Medicamento que seca ou cicatriza feridas. [Cf. *secativo*.]

siciliana [F. subst. do adj. *siciliano*.] ***S. f.*** *Mús.* **1.** Originariamente, pequena composição poética, de caráter sentimental, destinada à música. **2.** Nos sécs. XVII e XVIII, dança de origem italiana e caráter pastoril, em andamento moderado e compasso cadenciado de 6 por 8 ou 12 por 8. Figurou em óperas, suítes, sonatas, concertos italianos, franceses e alemães, como um movimento expressivo e moderado, inserido entre dois movimentos mais vivos.

siciliano *Adj.* **1.** Da, ou pertencente ou relativo à Sicília (Itália). • *S. m.* **2.** O natural ou habitante da ilha da Sicília. **3.** *Gloss.* O dialeto dessa região. [Por ser muito diferente do italiano padrão, é, por vezes, classificado como uma língua distinta do italiano.] **4.** Vocábulo do siciliano (3). [Sin. ger.: *sículo*. Cf. *Ceciliano*, antr.]

sicite [Do gr. *sykítes, i. e., oînos sykítes*, 'vinho de figo', pelo lat. *sycites*.] *S. f.* Vinho de figos bebido pelos antigos.

siclo [Do hebr. *shekel*, pelo gr. *síklos* e pelo lat. *siclu*.] *S. m.* **1.** Unidade de peso utilizada no Oriente antigo: 📖 "– Toma perfumes, o peso de quinhentos siclos da melhor mirra, a metade menos de .... cana aromática." (João do Rio, *Sésamo*, p. 28.) **2.** Moeda dos hebreus, de prata pura, e que pesava seis gramas. [Cf. *ciclo*.] ◆ **Siclo novo.** Unidade monetária, e moeda, do Estado de Israel (S.O. da Ásia), dividida em 100 *agorot* (v. *agorá*).

sico *S. m. Bras. Zool.* V. *bicho-do-pé*.

▲ **sic(o)-** [Do gr. *syk-, syko-* < gr. *sŷkon, ou*.] *El. comp.* = 'figo': *sicófago, sicofanta* (< lat. < gr.), *sicoma* (< gr.), *sicomante*. [Equiv.: *sicon-*: *sicônio*.]

sicófago [De *sic(o)-* + *-fago*.] *Adj. S. m.* Que, ou aquele que se nutre de figos.

sicofanta [Do lat. *sycophanta* (< gr. *sykophántes*), por via semierudita.] *S. 2 g.* **1.** Denunciante de quem roubasse figos, entre os antigos gregos. **2.** Pessoa mentirosa, difamadora, delatora, velhaca: 📖 "O meu amigo reitor continuava no seu posto, eu é que fora rasurado como dispensável. O sicofanta literário, que se emboscara no ministério por trás dum rufador de caixa, assim o decretara." (Aquilino Ribeiro, *Estrada de Santiago*, p. 207.)

sicofantismo [De *sicofanta* + *-ismo*.] *S. m.* Caráter ou procedimento de sicofanta.

sicoma [Do gr. *sýkoma*.] *S. m. Derm.* Verruga, condiloma.

sicomancia (cí) [De *sic(o)-* + *-mancia*.] *S. f.* Adivinhação dos antigos, por meio de folhas de figueira, onde escreviam as perguntas de que se desejavam respostas.

sicomante [De *sic(o)-* + *-mante*.] *S. 2 g.* Pessoa que pratica a sicomancia.

sicomântico *Adj.* Referente a sicomancia, ou a sicomante.

sicômoro [Do gr. *sykómoron* ou *sykómoros*, pelo lat. tard. *sycomoru*.] *S. m.* **1.** *Bot.* Falso-plátano. **2.** Árvore morácea (*Ficus sycomorus*) nativa de regiões tropicais e meridionais da África, e cultivada pelos figos comestíveis e pela madeira. **3.** A madeira, útil, dessas árvores.

▲ **sicon-** [Do gr. *sŷkon, ou*.] Equiv. de *sic(o)-*.

sícone *S. m. Bot.* Sicônio.

sicónio *S. m. Bot.* V. *sicônio*. [Uso freq. em P.]

sicônio [De *sicon-* + *-io*[3].] *S. m. Bot.* **1.** Fruto múltiplo, de árvore do gênero *Ficus*, do qual o figo comum é exemplo típico. Consta de um amplo receptáculo fechado, salvo na porção superior, dentro do qual estão os legítimos frutos: minúsculos aquênios duros. **2.** A inflorescência que antecede a frutificação do sicônio (1).

sicorda *S. f. Constr. Nav.* Viga disposta no sentido longitudinal da embarcação, ligando os extremos de vaus interrompidos pela abertura de uma escotilha. [Cf. *corda* (9).]

sicose [Do gr. *sýkosis*, pelo lat. tard. *sycose*.] *S. f. Derm.* Cada um de vários tipos de dermopatia que se caracterizam por inflamações de folículos pilosos. ◆ **Sicose da barba.** *Derm.* Sicose vulgar (q. v.). **Sicose vulgar.** *Derm.* Infecção estafilocócica da área em que se situa a barba, com aparecimento de pápulas e de pústulas; não tratada adequadamente, pode tornar-se crônica; sicose da barba.

sicótico [De *sic(ose)* + *-ótico*.] *Adj.* Relativo a sicose.

sicrano [De or. controversa.] *S. m.* A segunda de duas ou três pessoas mencionadas indeterminadamente, cabendo à primeira o nome de *fulano*, e à terceira, se houver, o de *beltrano*: 📖 "cartas para fulano e sicrano, convites para reuniões" (Xavier Marques, *As Voltas da Estrada*, p. 116); "o aldeão macróbio evocava antigas pessoas que conhecera. Ali morava fulano, além beltrano, mais adiante sicrano" (Manuel Ribeiro, *A Planície Heroica*, p. 133). [Conforme se vê do último exemplo, há quem use *beltrano* como a segunda pessoa, e *sicrano* como a terceira.]

siçuíra *S. f. Bras. Zool.* V. *enxuí*.

sículo [Do lat. *siculu*.] *Adj. S. m.* V. *siciliano*.

sicupira *S. f. Bras. Bot.* V. *sucupira*.

sicupira-amarela *S. f. Bras. Bot.* V. *sucupira-amarela*. [Pl.: *sicupiras-amarelas*.]

sicupira-branca *S. f. Bras. Bot.* V. *sucupira-branca*. [Pl.: *sicupiras-brancas*.]

sicupira-do-cerrado *S. f. Bras. Bot.* V. *sucupira-do-cerrado*. [Pl.: *sicupiras-do-cerrado*.]

sicuri-de-galha-preta *S. m. Bras. Zool.* V. *cação-garoupa*. [Pl.: *sicuris-de-galha-preta*.]

sida [Do tax. *Sida* (do gr. *síde, es*).] *S. f. Bot.* **1.** Gênero de malváceas com cerca de 200 espécies originárias de regiões tropicais e subtropicais, em especial das Américas; encerram alcaloides. **2.** Qualquer espécie desse gênero, como, p. ex., a *Sida rhombifolia* [v. *guaxima* (2)] e a *Sida acuta* (v. *malva-reloginho*). **3.** Qualquer espécime desse gênero.

■ **SIDA** *Med.* Sigla de *síndrome de imunodeficiência adquirida*.

sidagã [Do ioruba.] *S. f. Bras. Rel.* V. *ossidagã*. [*Sidagã* é a f. m. us.]

sidático [De *sida* + *-ático*.] *Adj. S. m. Lus.* V. *aidético*.

sidatório [De *sida* + *-tório*.] *S. m. Lus.* Parte de hospital destinada a pessoas portadoras de sida (q. v.).

➔ **side-car** [sajdkaɹ] [Ingl.] *S. m.* **1.** Carrinho que se prende ao lado de uma motocicleta. **2.** *P. ext.* O conjunto da motocicleta com o *side-car* (1).

sideração [De *siderar* + *-ção*.] *S. f.* **1.** Suposta influência de um astro na vida ou saúde de alguém. **2.** Ato ou efeito de siderar; fulminação. **3.** *Med.* Estado de abatimento súbito das forças vitais, que se pode manifestar por parada respiratória e aspecto de morte aparente, e que pode ocorrer em certas situações, como, p. ex., narcose brusca pelo clorofórmio.

sideral [Do lat. *siderale*.] *Adj. 2 g.* **1.** Relativo aos astros, ou próprio deles: 📖 "Viu .... formas fluidas que se cruzavam com cintilações siderais, anjos, talvez." (Coelho Neto, *Treva*, p. 45.) **2.** Referente ao, ou próprio do céu; celeste. [Sin. ger.: *astral, sidérico* e *sidéreo*. Pl.: *siderais*. Cf. *siderais*, do v. *siderar*.] ~ V. *ano –, hora –, pêndula –, período –, relógio –* e *tempo –*.

sideralidade [De *sideral* + *-(i)dade*.] *S. f. Espir.* Estado do corpo astral após a morte.

siderar [Do lat. *siderare, por *siderari*.] *V. t. d.* **1.** Fulminar, aniquilar. **2.** *Fig.* Pôr perplexo, atordoado, atônito; atordoar, aturdir: 📄 *O medo siderou-o*; 📖 "Tanta pompa acabou de me siderar de todo e eu fechei os olhos assombrados." (Aquilino Ribeiro, *Cinco Réis de Gente*, p. 45). [Pres. ind.: *sidero, ... siderais, sideram*. Cf. *siderais*, pl. de *sideral*.]

sidéreo [Do lat. *sidereu*.] *Adj. Poét.* V. *sideral*.

▲ **sider(i)-** [Do lat. *sidus, ĕris*.] *El. comp.* = 'astro': *sidérico*[1], *siderismo*. [Equiv.: *sidero-*: *sideróstato*.]

sidérico[1] [De *sider(i)-* + *-ico*[2].] *Adj.* V. *sideral*.

sidérico[2] [De *sider(o)-* + *-ico*[2].] *Adj.* Relativo ao, ou próprio do ferro; férreo.

siderismo [De *sider(i)-* + *-ismo*.] *S. m.* Adoração dos astros; sabeísmo.

siderita [De *sider(o)-* + *-ita*[2].] *S. f. Min.* Mineral trigonal, carbonato de ferro, minério pobre de ferro.

siderito [De *sider(o)-* + *-ito*[2].] *S. m. Min.* Meteorito constituído essencialmente de elementos metálicos, em especial de uma mistura de ferro e níquel, com uma pequena quantidade de cobalto, fósforo, carbono, etc.

▲ **sider(o)-** [Do gr. *sídēro-* < gr. *sídēros, ou*.] *El. comp.* = 'ferro'; 'aço': *siderito, siderotecnia, siderólito*. [Equiv.: *-sider(o)-*: *hemossiderina, hemossiderose*.]

▲ **sidero-** [De *sider(i)-* + *-o-*.] Equiv. de *sider(i)-*.

▲ **-sider(o)-** Equiv. de *sider(o)-*.

siderogáster [De *sider(o)-* + *-gáster*.] *Adj. 2 g. Zool.* Cujo ventre é ferruginoso ou da cor da ferrugem. [Pl.: *siderogásteres*.]

siderografia [De *sider(o)-* + *-grafia*.] *S. f.* Arte de gravar em aço.

siderográfico [De *siderografia* + *-ico*[2].] *Adj.* Referente a siderografia.

siderógrafo [De *sider(o)-* + *-grafo*.] *S. m.* Aquele que pratica a siderografia; gravador em aço.

siderolítico [De *siderólito* + *-ico*[2].] *Adj.* Relativo a siderólito.

siderólito [De *sider(o)-* + *-lito*.] *S. m. Min.* Aerólito com grande proporção de minérios de ferro e de níquel, afora outros corpos não metálicos.

sideromancia (cí) [De *sider(o)-* + *-mancia*.] *S. f.* Adivinhação por meio duma barra de ferro candente, sobre a qual se atiravam pedaços de palha para se observar como ardiam e que direção tomava a fumaça.

sideromante [De *sider(o)-* + *-mante*.] *S. 2 g.* Pessoa que praticava a sideromancia.

sideromântico *Adj.* Relativo a sideromancia, ou a sideromante.

sideropolitano *Adj.* **1.** De, ou pertencente ou relativo a Siderópolis (SC). • *S. m.* **2.** O natural ou habitante de Siderópolis.

sideroscópio [De *sider(o)-* + *-scópio*.] *S. m.* Instrumento com que se estuda a influência dos ímãs nos corpos.

siderose [De *sider(o)-* + *-ose*[1].] *S. f.* **1.** *Pneum.* Pneumoconiose causada pela inalação de partículas de ferro. **2.** *Patol.* Depósito de ferro num órgão.

sideróstato [De *sidero-* + *-stato*.] *S. m.* Aparelho próprio para se estudar a luz dos astros.

siderotecnia [De *sider(o)-* + *-tecn(o)-* + *-ia*[1].] *S. f.* V. *siderurgia*.

siderotécnico [De *siderotecnia* + *-ico*[2].] *Adj.* Relativo a siderotecnia; siderúrgico.

sideróxilo [Do tax. *Sideroxylon*.] *S. m. Bot.* **1.** Gênero de árvores e arbustos sapotáceos nativos de regiões tropicais, muitos deles da América, que fornecem madeira dura e, alguns, frutos edules; exsudam resina us. como mástique. **2.** Qualquer espécie desse gênero, como, p. ex., a *Sideroxylon resiniferum* [v. *balata-rosada* (2)]. **3.** Qualquer espécime desse gênero.

siderurgia [Do gr. *siderourgía*.] *S. f.* **1.** Metalurgia do ferro e do aço. **2.** Arte de ferrador. [Sin. ger.: *siderotecnia*.]

siderúrgica [F. subst. de *siderúrgico*.] *S. f. Bras.* Estabelecimento ou empresa siderúrgica.

siderúrgico [De *siderurgia* + *-ico*[2].] *Adj.* Respeitante à siderurgia; siderotécnico. ~ V. *coque –*.

sidnona [Do top. *Sydn(ey)* (Austrália) + *-ona*[2].] *S. f. Quím.* Designação genérica de substâncias mesoiônicas que contêm anel pentagonal como o de uma lactona, porém com dois átomos de nitrogênio.

sidónio *Adj. S. m.* V. *sidônio*. [Uso freq. em P.]

sidônio [Do gr. *sidónios*, pelo lat. *sidoniu*.] *Adj.* **1.** De, ou pertencente ou relativo a Sídon, cidade da Fenícia. **2.** *Fig.* Diz-se da cor da pele semelhante à dos naturais de Sídon; ebúrneo. • *S. m.* **3.** O natural ou habitante de Sídon. [Fem.: *sidônia*. Cf. *Cidônia*, top.]

■ **Sidor** Sigla de *Sistema Integrado de Dados Orçamentários*.

sidra [Do hebr. *shechar*, pelo lat. *sicera* e pelo esp. *sidra*.] *S. f.* Bebida que se prepara com o suco fermentado da maçã. [Cf. *cidra*.]

sidrolandense *Adj. 2 g.* **1.** De, ou pertencente ou relativo a Sidrolândia (MS). • *S. 2 g.* **2.** O natural ou habitante de Sidrolândia.

siemens [V.C.I., do antr. (*Werner von*) *Siemens* (1816-1892), engenheiro alemão.] *S. m. Eletr.* Unidade de medida de condutância, igual ao inverso de um ohm [símb.: *S*].

sienítico [De *sienito* + *-ico*[2].] *Adj.* Referente a sienito.

sienito [Do top. *Siene* (atual Assuã, no Egito) + *-ito*[2].] *S. m. Petr.* Rocha magmática, granular, de profundidade, caracterizada pela presença de feldspato alcalino, mica, piroxênio e anfibólios.

sievert [V.C.I., do antr. (*Rolf M.*) *Sievert* (1896-1966), radiologista sueco.] *S. m. Med. Nucl.* Unidade us. para expressar danos biológicos causados por diferentes tipos de radiação ionizante, e que é igual à quantidade de radiação absorvida em *gray* (q. v.) vezes um fator que expressa a eficiência biológica da radiação; esse fator é igual a 1 para raios X, elétrons e múons, e varia de 5 a 20 para prótons, nêutrons e núcleos pesados [símb.: *Sv*]. É a unidade de dose equivalente do Sistema Internacional recomendada em substituição ao rem: 1 Sv = 100 rem. [1 *sievert* = 1 *gray* x eficiência biológica relativa da radiação.] [Pl.: *sieverts*.]

sifão [Do gr. *síphon*, 'tubo para aspirar água', pelo lat. *siphone*.] *S. m.* **1.** Tubo recurvado, em forma de *S*, de ramos desiguais, normalmente utilizado para transvasar líquidos sem inclinar os vasos que os contêm. **2.** Garrafa em que se introduz água gasosa sob pressão, e que contém um dispositivo que faz jorrar o líquido. **3.** Tubo de curvatura dupla em cujo interior fica certa porção de água, e que se adapta a pias, esgotos, latrinas, etc., para impedir a exalação do mau cheiro. **4.** *Med. Obsol.* Aparelho empregado para lavagem de certas cavidades do organismo, tais como a pleural, a estomacal, a nasal, etc. **5.** *Zool.* Órgão alongado de certos moluscos, por meio do qual se estabelece comunicação entre a cavidade respiratória e o exterior. **6.** *Zool.* Goteira que prolonga a concha.

▲ **sifil(i)-** [Do lat. cient. *syphil-, syphili-, syphilo-* < lat. cient. *syphilis* < ficción. *Syphilus*, de poema de Girolamo Frascatoro (1478?-1553), médico, poeta e geólogo veronês.] *El. comp.* = 'sífilis' (q. v.): *sifilicômio, sifilizar*. [Equiv.: *sifilo-*: *sifilofobia, sifilografia*.]

sifilicómio (sì) *S. m.* V. *sifilicômio*. [Uso freq. em P.]

sifilicômio (sì) [De *sifil(i)-* + *-cômio*.] *S. m.* Hospital especializado no tratamento da sífilis.

sifilide [Do fr. *syphilide*, t. criado pelo dermatologista francês Jean-Louis Alibert (1768-1837).] *S. f. Derm.* Designação genérica de lesões cutâneas sifilíticas.

sifiligrafia (sì) [De *sifil(i)-* + *-grafia*.] *S. f. Med.* V. *sifilografia*.

sifiligráfico (sì) [De *sifiligrafia* + *-ico*[2].] *Adj.* V. *sifilográfico*.

sifilígrafo [De *sifil(i)-* + *-grafo*.] *S. m. Med.* V. *sifilógrafo*.

sífilis [Do lat. cient. *syphilis* < ficción. *Syphilus*, do poema *Syphilis sive morbus gallicus*, de Girolamo Frascatoro (1478?-1553), médico, poeta e geólogo veronês; incorrendo na ira dos deuses, é a personagem castigada com uma moléstia, venérea, repugnante.]

S

S. f. *2 n.* *Med.* Doença infecciosa e contagiosa, transmitida sobretudo por contato sexual, transmissível à descendência, passível, de acordo com a fase evolutiva, de causar lesões em diferentes órgãos (ossos, articulações, sistema nervoso central, sistema cardiovascular, etc.), e cuja causa é um espiroqueta (gênero *Treponema*, espécie *T. pallidum*). [Sin.: *avariose, lues* e (pop.) *mal-americano, mal-canadense, mal-céltico, mal da baía de são paulo, mal de coito, mal de fiúme, mal de franga* ou *mal de frenga, mal de nápoles, mal de santa eufêmia, mal de são jó, mal de são névio, mal de são semento, mal dos cristãos, males, mal-escocês, mal-francês, mal-gálico, mal-germânico, mal-ilírico, mal-napolitano, mal-polaco, mal-turco, gálico, venéreo.*]

sifilítico [Do lat. cient. *syphiliticus.*] *Adj.* **1.** Respeitante à, ou próprio da sífilis. **2.** Que é doente de sífilis. [Sin., pop., nesta acepç.: *malinado.*] ● *S. m.* **3.** Indivíduo doente de sífilis.

sifilização (sì) [De *sifilizar* + *-ção.*] *S. f.* Ato ou efeito de sifilizar(-se).

sifilizar [De *sifil(i)-* + *-izar.*] *V. t. d.* **1.** Transmitir sífilis a. *P.* **2.** Contrair sífilis.

▲**sifilo-** Equiv. de *sifil(i)-.*

sifilofobia (sì) [De *sifilo-* + *-fobia.*] *S. f.* *Psiq.* **1.** Medo patológico de ter sífilis. **2.** Ilusão de estar com sífilis.

sifilofóbico (sì) [De *sifilofobia* + *-ico*[2].] *Psiq.* *Adj.* **1.** Relativo a sifilofobia. **2.** Que sofre de sifilofobia; sifilófobo. ● *S. m.* **3.** Aquele que sofre de sifilofobia; sifilófobo.

sifilófobo [De *sifilo-* + *-fobo.*] *Adj.* *S. m.* *Psiq.* Sifilofóbico (2 e 3).

sifilografia (sì) [De *sifilo-* + *-grafia.*] *S. f.* *P. us.* Parte da medicina que trata da sífilis.

sifilográfico (sì) [De *sifilografia* + *-ico*[2].] *Adj.* Concernente à sifilografia.

sifilógrafo [De *sifilo-* + *-grafo.*] *S. m.* *P. us.* Especialista em sifilografia.

sifiloma [De *sifil(i)-* + *-oma*[1].] *S. m.* *Patol.* Tumor de natureza sifilítica. [Cf. *goma*[1] (3).] ◆ **Sifiloma primário.** *Patol.* O cancro sifilítico.

sifilomania (sì) [De *sifilo-* + *mania.*] *S. f.* Mania em que o sifilítico prestes a estar curado sente, diante de qualquer distúrbio, a presença da doença.

sifilomaníaco (sì) [De *sifilomania* + *-íaco.*] *Psiq.* *Adj.* **1.** Relativo a sifilomania. **2.** Que tem sifilomania; sifilômano. ● *S. m.* **3.** Aquele que tem sifilomania; sifilômano.

sifilómano (sì) *Adj.* *S. m.* V. *sifilômano.* [Uso freq. em P.]

sifilômano (sì) [De *sifilo-* + *-mano*[1].] *Adj.* *S. m.* Sifilomaníaco (2 e 3).

sifonado [De *sifon(o)-* + *-ado*[1].] *Adj.* Provido de sifão.

sifonáptero [De *sifon(o)-* + *áptero*[1]; tax. *Siphonaptera.*] *Zool.* *S. m.* **1.** Espécime dos sifonápteros, ordem de insetos holometabólicos, ápteros, de sistema bucal pungitivo, corpo comprimido, pernas longas, adaptadas para o salto. Têm as larvas, vermiformes, e as pupas, abrigadas em casulos. Os adultos parasitam aves e mamíferos, e algumas espécies penetram no corpo do hospedeiro. São as pulgas e os bichos-do-pé. ● *Adj.* **2.** Pertencente ou relativo a eles. [Sin. ger.: *suctório.*]

▲**sifon(o)-** [Do gr. *síphōn, ōnos.*] *El. comp.* = 'sifão'; 'tubo': *sifonóforo; sifonáptero.*

sifonóforo [De *sifon(o)-* + *-foro;* tax. *Siphonophora.*] *Zool.* *S. m.* **1.** Espécime dos sifonóforos, ordem de cnidários hidrozoários, que vivem em colônias livres, em geral flutuantes, com vários tipos de pólipos, a parte superior da colônia com uma vesícula oca, nematocistos numerosos, desenvolvidos e de ação muito forte, e medusas incompletas, raramente livres. São marinhos ou pelágicos, comuns nos mares quentes. ● *Adj.* **2.** Pertencente ou relativo a eles.

sifonogamia [De *sifon(o)-* + *-gam(o)-* + *-ia*[1].] *S. f.* *Bot.* Fecundação das fanerógamas, em que as células espermáticas chegam à oosfera no interior do tubo polínico. [Opõe-se a *assifonogamia.*]

sifonóglifo [De *sifon(o)-* + *-glifo.*] *S. m.* Sulco longitudinal do tubo esofagiano dos cnidários.

sifonoide (ói) [De *sifon(o)-* + *-oide.*] *Adj.* *2 g.* Que tem forma de sifão. ❖

sifonostelia [De *sifonostelo* + *-ia*[1].] *S. f.* *Bot.* A existência de um sifonostelo (q. v.).

sifonostélico [De *sifonostelo* + *-ico*[2].] *Adj.* *Bot.* Relativo ao sifonostelo.

sifonostelo [De *sifon(o)-* + *-stelo.*] *S. m.* *Bot.* Estelo com um cilindro central de parênquima, dito *medula.*

sifonóstomo [De *sifon(o)-* + *-stomo.*] *Adj.* *Zool.* Cuja boca se prolonga em forma de sifão (5), como ocorre em certos caramujos marinhos.

sifunculado [Do lat. *siphunculus*, 'pequeno sifão', + *-ado*[3]; tax. *Siphunculata.*] *S. m.* *Adj.* *Zool.* V. *anopluro.*

sigilação [De *sigilar*[2] + *-ção.*] *S. f.* Ato ou efeito de sigilar.

sigilado [Part. de *sigilar*[2].] *Adj.* **1.** Sigiloso. **2.** Que foi objeto de sigilação. **3.** Diz-se de um tipo de cerâmica, galo-romana, decorada ou assinada por meio de marcas de buril ou de estampa.

sigilar[1] [De *sigilo* + *-ar*[1].] *Adj.* *2 g.* Relativo a sigilo.

sigilar[2] [Do lat. **sigillare.*] *V. t. d.* Pôr selo em; selar.

sigilariácea [Do tax. *Sigilaria* (< lat. *sigillum*, 'pequena marca', 'pequeno sinal', + lat. cient. *-aria*) + *-ácea;* tax. *Sigilariaceae.*] *S. f.* *Paleont.* Espécime das sigilariáceas, família de pteridófitos fósseis, de proporções avantajadas e com folhas compridas e estreitas, que viveram no carbonífero e no permiano.

sigilariáceo [De *sigilariácea*, com var. suf. (v. *-áceo*).] *Adj.* *Paleont.* Pertencente ou relativo às sigilariáceas.

sigilismo [De *sigilo* + *-ismo.*] *S. m.* Cisma religioso ocorrido em Coimbra (Portugal) na metade do séc. XVIII, que advogava a quebra do sigilo da confissão.

sigilista [De *siligismo* + *-ista.*] *Adj.* *2 g.* **1.** Referente ao, ou que é sectário do sigilismo. ● *S.* *2 g.* **2.** Sectário do sigilismo.

sigilo [Do lat. *sigillu*, 'selo'.] *S. m.* **1.** Segredo (1 a 3 e 5): 📖 "Datava dessa época sua ligação política com o Manuelzinho, a quem ia ver frequentemente, tendo com ele infindáveis conciliábulos, conservados em sigilo hermético." (Godofredo Rangel, *Os Humildes*, p. 111); "essa atividade discreta, misteriosa, invisível, passada toda ela no sigilo dos conclaves partidários." (Oliveira Viana, *Pequenos Estudos de Psicologia Social*, p. 69). **2.** *Ant.* Sinete de selo; marca, carimbo, selo: 📖 "Ele era belo; na espaçosa fronte / O dedo do Senhor gravado havia / O sigilo do gênio" (Fagundes Varela, *Poesias Completas*, I, p. 128). ◆ **Sigilo confessional.** Dever a que está obrigado o sacerdote de não revelar o que ouve em confissão (4). **Sigilo profissional.** Dever ético que impede a revelação de assuntos confidenciais ligados à profissão; segredo profissional.

sigilografia [De *sigilo* (2) + *-grafia.*] *S. f.* Ramo da arqueologia e da diplomática que estuda os selos.

sigilográfico [De *sigilografia* + *-ico*[2].] *Adj.* Referente a sigilografia.

sigiloso (ô) [De *sigilo* + *-oso.*] *Adj.* Que contém ou envolve sigilo; secreto, sigilado.

▲**sigl-** [Do lat. *sigla, ōrum*, 'abreviaturas' (pl.).] *El. comp.* = 'sigla'; 'sinal': *siglema, siglista, siglizar.* [Equiv.: *siglo-: siglógrafo; siglólogo; siglomania.*]

sigla [Do lat. tard. *sigla* (nom. neutro pl.).] *S. f.* **1.** *Paleogr.* Letra ou letras iniciais usadas como abreviaturas de palavras frequentes, como *C.*, para o prenome latino '*Caius*' ou '*Gaius*', ou *ex.*, para o lat. '*exemplum*', e que podiam ser duplicadas para a indicação do plural, como em *DD NN*, lat. '*domini nostri*', ou ainda invertidas, para a indicação do feminino, como (7), para lat. '*filia*', ou q, para o lat. '*puella*'. **2.** Acrograma. **3.** Sinal convencional; rubrica. **4.** Reunião das letras iniciais dos vocábulos fundamentais de uma denominação ou título, sem articulação prosódica, constituindo meras abreviaturas (ex.: E.F.C.B. = Estrada de Ferro Central do Brasil): 📖 "Chamam-se assim [ferros] os sinais de todos os feitios, ou letras, ou desenhos caprichosos com siglas, impressos, por tatuagem a fogo, nas ancas do animal, completados pelos cortes, em pequenos ângulos, nas orelhas." (Euclides da Cunha, *Os Sertões*, pp. 122-123.) [Cf., nesta acepç., *acrônimo, bigla, monograma, siglônimo* e *trigla.*]

siglação [De *siglar*[2] + *-ção.*] *S. f.* **1.** Ação ou efeito de siglar. **2.** Conjunto de fenômenos que se produzem ao siglar.

siglado [Part. de *siglar.*] *Adj.* Que se siglou, ou compôs em formas siglares.

siglador (ô) [De *siglar*[2] + *-dor.*] *Adj.* *S. m.* Que, ou aquele que compõe formas siglares.

siglar[1] [De *sigla* + *-ar*[1].] *Adj.* *2 g.* Pertencente ou relativo a siglas.

siglar[2] [De *sigla* + *-ar*[2].] *V. t. d.* Compor (formas siglares); siglizar.

siglatura [De *siglar*[2] + *-tura.*] *S. f.* **1.** Mecanismo compositivo das formas siglares, particularmente das siglas. **2.** Conjunto de princípios a que se acomoda a composição das siglas.

siglema [De *sigl-* + *-ema.*] *S. m.* Sigla que adota a forma própria do idioma em que se produz, utilizando apenas as partes fundamentais da denominação dada. Ex.: *Cemu = Campanha de Emergência de Melhoramentos Urbanos.*

siglista [De *sigl-* + *-ista.*] *S.* *2 g.* Pessoa que coleciona formas siglares.

siglística [De *sigl(a)* + *(lingu)ística.*] *S. f.* Ordem de ideias e estudos que compreendem os fenômenos linguísticos originados pelas formas siglares.

siglístico [De *siglística*, com var. suf. (v. *-ico*[2]).] *Adj.* Pertencente ou relativo à siglística.

siglizante [De *siglizar* + *-nte.*] *Adj.* *2 g.* Que sigliza.

siglizar [De *sigl-* + *-izar.*] *V. t. d.* Siglar[2].

▲**siglo-** [De *sigl-* + *-o-.*] Equiv. de *sigl-.*

siglógrafo [De *siglo-* + *-grafo.*] *S. m.* Aquele que registra, expõe e descreve formas siglares.

sigloide (ói) [De *sigl-* + *-oide.*] *S. m.* Siglema aparente, no qual ou se utilizam termos secundários, omitindo-se termos fundamentais, ou não se respeita o princípio de tomar dos vocábulos só a letra inicial. Ex.: *Cepal = Comissão Econômica para a América Latina.* ❖

siglologia [De *siglo-* + *-logia.*] *S. f.* Estudo das formas siglares.

siglológico [De *siglologia* + *-ico*[2].] *Adj.* Relativo à siglologia.

siglólogo [De *siglo-* + *-logo.*] *S. m.* Aquele que estuda as formas siglares.

siglomania [De *siglo-* + *-mania.*] *S. f.* Exageração e deformação no emprego de formas siglares.

siglomaníaco [De *siglomania* + *-íaco.*] *Adj.* Relativo a siglomania, ou a siglômano.

siglómano *Adj.* *S. m.* V. *siglômano.* [Uso freq. em P.]

siglômano [De *siglo-* + *-mano*[1].] *Adj.* *S. m.* Que, ou aquele que faz uso exagerado de formas siglares.

siglonimização [De *siglonimizar* + *-ção.*] *S. f.* Ação ou efeito de siglonimizar.

siglonimizar [De *siglônimo* + *-izar.*] *V. t. d.* Formar siglônimos.

siglónimo *S. f.* *E. Ling.* V. *siglônimo.* [Uso freq. em P.]

siglônimo [De *sigl-* + *-ônimo.*] *S. f.* *E. Ling.* Formação léxica resultante da justaposição do nome das iniciais de uma forma siglada própria. Ex.: *Becegê = Bacilos Calmette e Guérin* [Cf. *acrônimo* e *sigla.*]

siglonomia [De *sigl-* + *-onom(a)-* + *-ia*[1].] *S. f.* Enunciação, como elementos de uma palavra, do nome das siglas.

siglonómico *Adj.* V. *siglonômico.* [Uso freq. em P.]

siglonômico [De *siglonomia* + *-ico*[2].] *Adj.* Pertencente à siglonomia.

sigma [Do gr. *sígma*, pelo lat. *sigma.*] *S. m.* A 18ª letra do alfabeto grego (Σ, σ, ς), e que corresponde ao nosso *s.*

sigma-c-mais *S. m.* *Fís. Part.* Bárion de massa 2453,8 MeV/c^2, *isospin* 1, *spin* 1/2, paridade positiva, carga elétrica igual à do próton, charme +1, composto de *quarks u, d* e *c* [símb.: Σc+]. [Pl.: *sigmas-c-mais.*]

sigma-c-mais-mais *S. m.* *Fís. Part.* Bárion de massa 2453,1MeV/c^2, *isospin* 1, *spin* 1/2, paridade positiva, carga elétrica igual a duas vezes a carga do próton, charme +1, composto de *quarks u, u* e *c* [símb.: Σc++]. [Pl.: *sigmas-c-mais-mais.*]

sigma-c-zero *S. m.* *Fís. Part.* Bárion de massa 2452,4 MeV/c^2, *isospin* 1, *spin* 1/2, paridade positiva, carga elétrica nula, charme +1, composto de *quarks d, d* e *c* [símb.: Σc⁰]. [Pl.: *sigmas-c-zero.*]

sigma-mais *S. m.* *Fís. Nucl.* Bárion que, no estado fundamental, tem massa igual a 1189,37MeV/c^2, *isospin* 1, *spin* 1/2, paridade positiva, carga elétrica igual à do próton, estranheza -1, composto de *quarks u, u* e *s* [símb.: Σ+]. [Pl.: *sigmas-mais.*]

sigma-menos *S. m.* *Fís. Nucl.* Bárion que, no estado fundamental, tem massa igual a 1197,43MeV/c^2, *isospin* 1, *spin* 1/2, paridade positiva, carga elétrica igual à do elétron, composto de *quarks d, d* e *s* [símb.: Σ−]. [Pl.: *sigmas-menos.*]

sigmático [De *sigma* + *-ático.*] *Adj.* Em que existe a letra *s.*

sigmatismo [De *sigmat-*, por *sigma*, + *-ismo.*] *S. m.* Repetição viciosa do esse ou de outras sibilantes [v. *sibilante* (3)].

sigmatrópico [De *sigma* + *-trop(o)-* + *-ico*[2].] *Adj.* *Quím.* ~ V. *reação —a.*

sigma-zero *S. m.* *Fís. Nucl.* Bárion que no seu estado fundamental tem massa igual a 1192,55MeV/c^2, *isospin* 1, *spin* 1/2, paridade positiva, carga elétrica nula, estranheza -1, composto de *quarks u, d* e *s* [símb.: Σ0]. [Pl.: *sigmas-zero.*]

sigmoide (ói) [Do gr. *sigmoeidés.*] *Adj.* *2 g.* *Anat.* Diz-se de certas válvulas e cavidades, e de porção do intestino grosso no corpo humano, que têm forma de sigma. ~ V. *alça —* e *curva —.* ❖

sigmoidite [De *sigmoide* + *-ite*[1].] *S. f.* *Patol.* Inflamação da alça sigmoide.

signa [Do lat. *signa*, 'sinais', neutro pl. de *signum*, tomado como sing.] *S. f.* Bandeira, estandarte, insígnia, pendão, sina.

signatário [Do lat. *signatus*, 'assinado', + *-ário.*] *Adj.* *S. m.* Que, ou aquele que assina ou subscreve um documento.

significação [Do lat. *significatione.*] *S. f.* **1.** O que as coisas querem dizer. **2.** V. *acepção* (1). **3.** Aquilo que alguma coisa significa; significado.

significado [Do lat. *significatu.*] *S. m.* **1.** V. *acepção* (1). **2.** Palavra equivalente no mesmo ou em outro idioma. **3.** Significação (3). **4.** *E. Ling.* Aquilo que uma língua expressa acerca do mundo em que vivemos ou acerca de um mundo possível. [Corresponde ao conceito ou à noção, ao passo que o significante corresponde à forma.] ◆ **Significado gramatical.** Aquele que se estabelece dentro de um sistema linguístico determinado e que dele depende. **Significado lexical.** Aquele que se estabelece em relação ao mundo extralinguístico.

significador (ô) [Do lat. *significatore*.] ***Adj. S. m.*** Que ou o que significa.

significância [Do lat. *significantia*.] ***S. m.*** Valor (10).

significante [Do lat. *significante*.] ***Adj. 2 g.*** **1.** V. *significativo.* ● ***S. m.*** **2.** *E. Ling.* Sequência de fonemas (e, nas línguas com escrita, de grafemas) que constitui a base de um sentindo. [Para Saussure, o significante é "a imagem acústica da palavra"; para Matoso Câmara Jr., o significante é "o corpo fonológico que dá a significação".]

significar [Do lat. *significare*.] ***V. t. d.*** **1.** Ter o sentido de; querer dizer; dizer: "Em latim, *litteratura* significava instrução, saber relativo à arte de escrever e ler, ou ainda gramática, alfabeto, erudição, etc." (Vítor Manuel de Aguiar e Silva, *Teoria da Literatura*, p. 20.) **2.** Querer dizer; expressar, exprimir: *Um aceno de cabeça significou sua aprovação.* **3.** Ser sinal de; denotar: *A última derrota significou o deficiente preparo das tropas*; "a solidão deste povo [o norte-americano] significa a morte da alegria." (Fernando Sabino, *Medo em Nova Iorque. A Cidade Vazia*, p. 222). **4.** Dar a entender; mostrar: *A vacilação do presidente da companhia significa a ausência de diretrizes seguras.* **5.** Ser, constituir: *Os impostos significam a fonte de receita do Estado.* **6.** Traduzir-se por: *"to be or not to be" significa 'ser ou não ser'.* **7.** Ser o símbolo ou a representação de: *Luís XIV significa o absolutismo real.* **8.** *P. us.* Fazer conhecer; informar, participar. ***T. d. e i.*** **9.** *P. us.* Significar (8): *Chamei-o à parte e signifiquei-lhe a minha decepção.* **10.** *Lóg.* Relacionar (um termo) ao seu objeto seja por sua compreensão, seja por sua extensão, seja por meio de outros termos. [Conjug.: v. *trancar*.]

significativo [Do lat. *significativu*.] ***Adj.*** **1.** Que significa. **2.** Que expressa com clareza. **3.** Que contém revelação interessante. **4.** Importante, expressivo: *Setores significativos da população mundial já se preocupam hoje com o meio ambiente.* **5.** Que representa alteração expressiva de quadro clínico: *melhora significativa, piora significativa.* [Sin., de 1 a 4: *significante*.] ~ V. *algarismo* —.

signo [Do lat. *signu*.] ***S. m.*** **1.** Sinal, símbolo. **2.** *Astr.* Cada uma das 12 constelações que se localizam na faixa do Zodíaco (q. v.), a saber: Áries, Touro, Gêmeos, Câncer, Leão, Virgem, Libra, Escorpião, Sagitário, Capricórnio, Aquário, Peixes. **3.** *Astrol.* Cada uma dessas constelações, as quais, acredita-se, influenciam o destino e o caráter daqueles que nascem em cada período do ano correspondente a um signo (2): "O mar seria o meu elemento natural, se ao menos eu soubesse nadar. Além desse inconveniente há umas raízes que me prendem à terra, o que dá sempre assunto de conversa, pois o meu signo é Touro." (Carlos Lacerda, *A Casa do Meu Avô*, p. 178.) **4.** *E. Ling.* Unidade linguística que tem significante e significado; signo linguístico. [A imagem acústica de um signo linguístico não é a palavra falada (ou seja, o som material) mas a impressão psíquica desse som, segundo Saussure (v. *saussuriano*); no uso corrente, contudo, o termo *signo* designa frequentemente a palavra.] **5.** *Semiol.* Todo objeto, forma ou fenômeno que representa algo distinto de si mesmo: a cruz, significando 'cristianismo'; a cor vermelha, significando 'pare' (código de trânsito); uma pegada, indicando a 'passagem' de alguém; as palavras, designando 'coisas (ou classe de coisas)' do mundo real, etc. ◆ **Signo arbitrário.** *Semiol.* V. *símbolo* (16). **Signo do zodíaco.** *Astr.* Região do Zodíaco (q. v.) que compreende 1/12 dessa faixa da esfera celeste, tendo, assim, 30° de extensão. **Signo imotivado.** *Semiol.* V. *símbolo* (16). **Signo linguístico.** *E. Ling.* Signo (4). **Signo motivado.** *Semiol.* Aquele em que a razão pela qual um significante corresponde a um determinado significado é evidente, natural ou causal, a exemplo do que ocorre nos ícones e nos índices. **Sob o signo de.** Sob a influência de: *A Revolução Francesa implantou-se sob o signo da liberdade, da igualdade e da fraternidade.*

signo de salomão ***S. m.*** V. *estrela de davi.* [Var.: *samão, signo-saimão, signo-salmão, signo-salomão, sino-saimão, sino-salmão, sino-salomão, sanselimão.* Pl.: *signos de salomão*.] ☑

signo-saimão ***S. m.*** V. *signo de salomão.* [Pl.: *signos-saimões* e *signos-saimão*.]

signo-salmão ***S. m.*** V. *signo de salomão.* [Pl.: *signos-salmões* e *signos-salmão*.]

signo-salomão [Var. de *signo de salomão*.] ***S. m.*** V. *signo de salomão.* [Pl.: *signos-salomões* e *signos-salomão*.]

➔**sikh** [siχ] [Hind.] ***Adj. 2 g. S. 2 g.*** V. *sique.*

▲**sil(a)-** *Quím. El. comp.* Indica a presença, na molécula de uma substância, de um átomo de silício com valência 4, no lugar de um de carbono: *silolana.*

sílaba [Do gr. *syllabé*, pelo lat. *syllaba*.] ***S. f.*** **1.** *E. Ling.* Na cadeia da fala, cada uma das unidades estruturadas com base em sequências de vogais e consoantes e que se reúnem para constituir as palavras. [Cf. *coda, núcleo, onset, rima*[1].] **2.** *E. Ling.* A representação dessas unidades na escrita. **3.** *Fig. Fam.* Som articulado. [Cf. *silaba*, do v. *silabar*.] ◆ **Sílaba aberta.** *E. Ling.* Aquela que termina numa vogal, como em *pá*. **Sílaba ancípite.** *E. Ling.* Na métrica quantitativa clássica, sílaba de quantidade indiferente (longa ou breve). **Sílaba átona.** *E. Ling.* V. *intensidade* (3). **Sílaba breve.** *E. Ling.* Aquela em que a voz é quase instantânea, e que equivale a um único tempo. **Sílaba fechada.** *E. Ling.* A que termina numa consoante, como em *mar*; sílaba travada. **Sílaba longa.** *E. Ling.* Aquela em que a voz se prolonga por certo espaço de tempo, e que equivale a duas sílabas breves. **Sílaba postônica.** *E. Ling.* V. *intensidade* (3). **Sílaba pretônica.** *E. Ling.* V. *intensidade* (3). **Sílaba tônica.** *E. Ling.* V. *intensidade* (3). **Sílaba travada.** *E. Ling.* Sílaba fechada.

silabação [De *silabar* + *-ção*.] ***S. f.*** **1.** Ato ou efeito de silabar. **2.** Aprendizado de leitura que consiste em ler logo sílabas. **3.** *E. Ling.* A separação em sílabas, na escrita. [O critério implícito na tradição gramatical é a impossibilidade de uma sequência de consoantes começar uma palavra gráfica. Os dígrafos do português < *rr* > e < *ss* >, p. ex., não podem ocupar o início de uma palavra, e, por essa razão, são divididos: *ar-roz, as-sar.* Por outro lado, sequências como < *br* > e < *ch* > podem começar palavras, e, portanto, são mantidas na mesma sílaba: *Bra-sil, co-brir, cha-ve, ra-char*.]

silabada [De *sílaba* + *-ada*[1].] ***S. f.*** *E. Ling.* Erro de pronúncia, especialmente o que consiste em deslocar o acento tônico da palavra. [Ex.: *pégada*, por *pegada*; *ináudito*, por *inaudito*; *cocainomano*, por *cocainômano*.]

silabar [De *sílaba* + *-ar*[2].] ***V. t. d.*** **1.** *E. Ling.* Dividir (uma palavra) em sílabas na escrita. **2.** Ler ou pronunciar por sílabas. ***Int.*** **3.** *E. Ling.* Dividir em sílabas na escrita. **4.** Silabar (2). [Sin. ger.: *silabificar*. Pres. ind.: *silabo, silabas, silaba*, etc. Cf. *sílabo* e *sílaba*.]

silabário [De *silab(o)-* + *-ário*.] ***S. m.*** *Paleogr.* O conjunto dos sinais componentes de uma escrita silábica (q. v.).

silábico [Do gr. *syllabikós*.] ***Adj.*** **1.** Relativo às sílabas. **2.** Em sílabas. ~ V. *consoante —a, escrita —a* e *verso —.*

silabificar [De *sílaba* + *-ificar*.] ***V. t. d. Int.*** V. *silabar.*

silabismo [De *silab(o)-* + *-ismo*.] ***S. m.*** **1.** O princípio formador das escritas silábicas. [V. *fonetismo*.] **2.** Sistema de escrita em que se representa cada sílaba por um sinal próprio (v. *escrita silábica*).

▲**silab(o)-** [Do gr. *syllabé, es* (ã).] ***El. comp.*** = 'sílaba': *silabário, silábico* (< gr.), *silabismo, silabograma* g. [Equiv.: *-sílabo*: *heptassílabo*.]

sílabo [Do gr. *syllabós*, 'índice', pelo lat. *syllabu*.] ***S. m.*** **1.** Lista de erros que o Papa condenou. **2.** *Restr.* O sílabo promulgado por Pio IX em 1861. [Cf. *silabo*, do v. *silabar*.]

▲**-sílabo** Equiv. de *silab(o)-*.

silabograma (sì) [De *silab(o)-* + *-grama*.] ***S. m.*** *Paleogr.* Sinal de notação das escritas silábicas (v. *escrita silábica*).

silagem [De *silo* + *-agem*[2].] ***S. f.*** **1.** Ensilagem. **2.** Forragem tirada dos silos para alimentar os animais. [Cf. *selagem* e *celagem*.]

silano [De *sil(a)-* + *-ano*[2].] ***S. m.*** *Quím.* **1.** Substância gasosa, de cheiro repulsivo, inflamável espontaneamente em contato com o ar, us. como fonte de silício, muito puro, na fabricação de semicondutores [fórm.: SiH_4]. **2.** Qualquer substância que se pode considerar como derivada de um alcano (q. v.) por substituição de todos os átomos de carbono por átomos de silício. [O dissilano é o silano análogo do etano, e o silano (1) é o análogo do metano.]

sildenafila [Adapt. do ingl. *sildenafil*.] ***S. f.*** *Quím.* Fármaco que inibe a ação da enzima fosfodiesterase do tipo 5 [fórm.: $C_{22}H_{30}N_6O_4S$] e que é empregado, sob a forma de citrato, em medicamento para disfunção erétil.

silenciador (ô) [De *silenciar* + *-dor*.] ***Adj.*** **1.** Que silencia. ● ***S. m.*** **2.** Peça adaptável ao cano da arma de fogo, para silenciar o disparo. **3.** *Autom.* Silencioso (6).

silencial [De *silêncio* + *-al*[1].] ***Adj. 2 g.*** *Poét.* Silencioso: "Ali, ao luar, são todos bons amigos, / E as horas correm silenciais e calmas..." (Alphonsus de Guimaraens, *Obra Completa*, p. 201.)

silenciar [De *silêncio* + *-ar*[2].] ***V. t. d.*** **1.** Guardar silêncio, calar-se, a respeito de: *Prometeu silenciar o assunto.* **2.** Impor silêncio a; calar: *A resposta silenciou os descontentes.* **3.** Omitir (1): *Em seu depoimento, o réu silenciou um detalhe importante*; "Procurei ser objetivo e não silenciar nem o bem que ali [nos E.U.A.] encontrei nem os erros e os perigos que a sua civilização, a meu ver, contém." (Alceu Amoroso Lima, *A Realidade Americana*, p. 245). **4.** Matar; assassinar: *O bando silenciou a testemunha.* ***T. i.*** **5.** Guardar silêncio; calar(-se): *É preciso silenciar sobre o fato.* ***Int.*** **6.** Guardar silêncio; calar(-se): "Nunca explicar. Silenciar." (Iolanda Jordão, *Poesias*, p. 135.) [Pres. ind.: *silencio*, etc. Cf. *silêncio*.]

silenciário [Do lat. *silentiariu*.] ***S. m.*** **1.** Dignitário da corte bizantina. **2.** Designação comum a alguns religiosos que guardam grande silêncio.

silêncio [Do lat. *silentiu*.] ***S. m.*** **1.** Estado de quem se cala. **2.** Privação de falar. **3.** *P. ext.* Taciturnidade (1). **4.** Interrupção de correspondência epistolar: "Passou um ano. Uma manhã, depois dum grande silêncio de Basílio, recebeu da Bahia uma longa carta" (Eça de Queirós, *O Primo Basílio*, p. 19). **5.** Interrupção de ruído; calada. **6.** Sossego, calma, paz: "Um dorido silêncio vem da Lua / Sobre o parque dos plátanos sombrios." (Afonso Duarte, *Obra Poética*, p. 121); "O silêncio do fundo dos mares deve ser o mesmo do ventre materno." (Raquel Jardim, *Inventário das Cinzas*, p. 11). **7.** Sigilo, segredo. ● ***Interj.*** **8.** Para mandar calar ou impor sossego. [Cf. *silencio*, do v. *silenciar*.]

silencioso (ô) [Do lat. *silentiosu*.] ***Adj.*** **1.** Que está em silêncio. **2.** Que se abstém de falar; calado. **3.** Em que não há ruídos: "Vinha tombando a noite silenciosa" (Guerra Junqueiro, *A Velhice do Padre Eterno*, p. 161). **4.** Que não faz barulho. [Sin., poét., nessas acepçs.: *silente*.] ~ V. *pausa —a.* ● ***S. m.*** **5.** Indivíduo taciturno ou silencioso. **6.** Autopeça cilindriforme que se destina a reduzir o ruído provocado pela descarga dos gases dos motores de explosão; silenciador.

silente [Do lat. *silente*.] ***Adj. 2 g.*** *Poét.* Silencioso (1 a 4): "A noite cai silente e queda..." (Da Costa e Silva, *Sangue*, p. 73.)

silepse [Do gr. *sýllepsis*, 'ação de compreender', pelo lat. *syllepse*.] ***S. f.*** *E. Ling.* **1.** Figura pela qual a concordância das palavras se faz de acordo com o sentido e não segundo as regras da sintaxe. [A silepse pode ser: *de gênero*; ex.: "Admitindo a ideia de que eu fosse capaz de semelhante vilania, S. M. foi cruelmente injusto para comigo." (Alexandre Herculano, *Cartas*, II, p. 9); *de número*; ex.: "— O resto do exército realista evacua neste momento Santarém; vão em fuga para o Alentejo." (Almeida Garrett, *Viagens na Minha Terra*, p. 311); "Muita gente anda no mundo sem saber pra quê: vivem porque veem os outros viverem." (J. Simões Lopes Neto, *Contos Gauchescos e Lendas do Sul*, p. 235); *de gênero e número* (rara); ex.: "Eis que começa a gente do mar a queixar-se e dar culpas a quem os fizera navegar." (Fr. Luís de Sousa, *História de S. Domingos*, I, p. 207); *de pessoa*; ex.: "Quanto à pátria da Origem, todos os homens somos do Céu" (P.[e] Manuel Bernardes, *Nova Floresta*, I, p. 261); "Ambos recusamos praticar este ato" (Alexandre Herculano, Opúsculos, I, p. 183); "Os republicanos temos cumprido o nosso dever avisando ao povo." (Antônio da Silva Jardim, *Propaganda Republicana*, p. 247); "Quando Cristina acabou, todos a quisemos beijar." (Vergílio Ferreira, *Aparição*, p. 30).] **2.** Emprego de uma palavra no sentido próprio e no figurado, a um só tempo.

siléptico [Do gr. *sylleptikós*, 'que pode compreender'.] ***Adj.*** Relativo a, ou em que há silepse.

silesiano ***Adj.*** **1.** Da, ou pertencente, ou relativo à região da Silésia (Europa central). ● ***S. m.*** **2.** O natural ou habitante da Silésia.

sílex (cs) [Do lat. *silex*, 'pederneira' (nom.).] ***S. m. 2 n.*** Mistura irregular de calcedônia com certa proporção de sílica hidratada (opala); pederneira: "O seu único alívio era petiscar lume com um fuzil de sílex" (Camilo Castelo Branco, *Sentimentalismo e História*, p. 176). [F. paral.: *sílice*.]

sílfide [Do fr. *sylphide*.] ***S. f.*** **1.** Fem. de *silfo*: "Como em arejados pátios claros de castelos renanos por que desfilassem visões germânicas, ... sílfides serenas e encantadoras, ao luar das baladas, de cada estrela frígida, branca, desfila, vai desfilando nas rutilantes esferas uma Ilusão e um Sonho" (Cruz e Sousa, *Missal*, p. 139). **2.** *Fig. Poét.* Mulher franzina e delicada. **3.** Imagem vaporosa.

silfídico [De *sílfide* + *-ico*[2].] ***Adj.*** Referente a, ou que lembra uma sílfide.

silfo [Do lat. *sylphu*.] ***S. m.*** Na mitologia céltica e germânica da Idade Média, o gênio do ar: "Silfos correm nas campinas, / Brincam no ar as ondinas, / Dançam fadas peregrinas / No topo das serranias." (Fagundes Varela, *Poesias Completas*, I, p. 225.) [Fem.: *sílfide*.]

silha [Do esp. *silla*, 'cadeira'.] ***S. f.*** **1.** Pedra em que se assenta o cortiço das abelhas; silhar. **2.** Série de cortiços de abelhas. **3.** *Desus.* Cadeira (1). [Cf. *cilha*.]

silhal [De *silha* + *-al*[1].] ***S. m.*** **1.** Grande número de silhas. **2.** Lugar em que há silhas de abelhas.

silhão [De *silha* + *-ão*[2].] ***S. m.*** **1.** Construção no meio de um fosso, ou em volta de uma praça fortificada. **2.** Sela grande, com estribo apenas em um dos lados e um arção semicircular apropriado para senhoras cavalgarem de saia. **3.** Silha forte e larga. [Cf. *cilhão*.]

S

silhar [De *silha* + *-ar*¹.] *S. m.* **1.** Pedra lavrada em quadrado, própria para revestimento de paredes. **2.** Pedra que se estende de uma face até ao meio da parede. **3.** Silha (1). [Cf. *cilhar.*]

silharia [De *silhar* + *-ia*¹.] *S. f.* Obra em que se empregam silhares. [Cf. *cilharia*, do v. *cilhar.*]

silhueta (ê) [Do fr. *silhouette* < antr. (*Étienne de*) *Silhouette* (1709-1767), ministro das Finanças da França de março a novembro de 1759.] *S. f.* **1.** Desenho representativo do perfil de uma pessoa ou objeto, segundo os contornos que a sua sombra projeta. **2.** Desenho uniforme feito pela sombra de alguma pessoa ou coisa: "Luz — e uma sombra: na parede branca e nua do quarto desenhava-se a silhueta duma cabeça inclinada, em que reconheci o perfil do Diretor." (José Rodrigues Miguéis, *Léah e Outras Histórias*, p. 188.) [Pl.: *silhuetas* (ê). Cf. *silhueta* e *silhuetas*, do v. *silhuetar.*]

silhuetagem [De *silhueta* + *-agem*².] *S. f. Fot.* Processo que consiste em atenuar ou mesmo apagar o fundo de uma fotografia, para destacar uma figura.

silhuetamento [De *silhuetar* + *-mento.*] *S. m.* Ato ou efeito de silhuetar.

silhuetar [De *silhueta* + *-ar*².] *V. t. d.* **1.** Fazer a silhueta de. *P.* **2.** Aparecer em silhueta. [Pres. ind.: *silhueto*, *silhuetas*, *silhueta*, etc. Cf. *silhueta* (ê) e pl. *silhuetas* (ê).]

sílica [Do lat. cient. *silica* < lat. *silex, icis*, 'pederneira'.] *S. f. Quím.* Dióxido de silício, cristalino, abundantíssimo na crosta terrestre [fórm.: SiO_2]. [Cf. *síliqua.*]

sílica-gel *S. f. Quím. Impr.* Gel de sílica [Anglicismo, porém muito us.] [Pl.: *sílicas-géis* ou *sílicas-geles*, ou *sílicas-gel.*]

silicaluminoso (si...ô) [De *silic(i)-* + *-alumin(i)-* + *-oso.*] *Adj.* Composto de sílica e alume.

silicato [De *sílica* + *-ato*².] *S. m. Quím.* Numeroso grupo de substâncias minerais constituídas pela combinação da sílica com um ou mais óxidos metálicos e água, e que constituem fração importante das rochas da crosta terrestre. [V. *metassilicato* e *ortossilicato.*]

sílice [Do lat. *silice.*] *S. m.* Sílex. [Pl.: *sílices.*]

▲**silic(i)-** [Do lat. *silex, icis.*] *El. comp.* = 'pedra'; 'sílica'; 'sílex': *silicícola*, *silicose*. [Equiv.: *-silic(i)-*: *calcicossilicose.*]

▲**-silic(i)-** Equiv. de *silic(i)-*.

silícico [De *silício* + *-ico*².] *Adj.* Que é da natureza do silício, ou que o contém.

silicícola [De *silic(i)-* + *-cola*¹.] *Adj. 2 g. Bot.* Diz-se das plantas que crescem preferentemente nos terrenos silíciosos.

silicificação (si) [De *silicificar* + *-ção.*] *S. f.* **1.** *Min.* Processo de substituição dos constituintes orgânicos por sílica. **2.** Processo de decomposição das rochas que dá lugar à formação de sílica livre. **3.** *Bot.* Incrustação das paredes celulares por sílica.

silicificado (si) [Part de *silicificar.*] *Adj.* Que sofreu silicificação.

silicificar (si) [De *silic(i)-* + *-ficar.*] *V. t. d.* Sofrer silicificação. [Conjug.: v. *ficar.*]

silício [De *silic(i)-* + *-io*³.] *S. m. Quím.* Elemento de número atômico 14, não metálico, cinzento, leve, duro, muito abundante na crosta terrestre, semicondutor largamente utilizado em eletrônica de estado sólido [símb.: *Si*]. [Cf. *cilício*, s. m. e *cilício*, do v. *ciliciar.*]

silicioso (si...ô) [De *silic(i)-* + *-oso.*] *Adj.* **1.** Que contém sílica. **2.** Que é da mesma natureza do sílex.

silicoaluminato (si) [De *silic(i)-* + *-o-* + *aluminato.*] *S. m. Quím.* Qualquer de certas combinações de silicatos e aluminatos metálicos.

silicoborato (si) [De *silic(i)-* + *-o-* + *borato.*] *S. m. Quím.* Qualquer de certas combinações de silicatos e boratos metálicos.

sílico-humoso (ô) *Adj.* Que contém sílica e humo: *terreno sílico-humoso.* [Pl.: *sílico-humosos* (ó).]

siliconado [De *silicone* + *ado*¹.] *Adj.* **1.** Provido de silicone. **2.** *Restr.* Acrescido com silicone, por meio de cirurgia plástica: "Afinal, quem é que aguenta um verão com mil janeiros? E com 1 milhão de peitos e bundas devidamente siliconados?" (Roberto da Matta, em *O Estado de São Paulo*, 24.02.2010.)

silicone [Do ingl. *silicone.*] *S. m. Quím.* Designação genérica de polímeros com cadeias formadas por átomos de oxigênio e silício alternados, sendo cada um destes últimos ligado a dois grupos hidrocarbônicos, resistentes à oxidação, bons isolantes da eletricidade, repelentes da água, com largo espectro de utilização industrial.

silicose [De *silic(i)-* + *-ose*¹.] *S. f. Pneum.* Pneumoconiose devida à inalação de dióxido de silício, e que pode ocorrer, p. ex., pela aspiração de poeira de pedra, de areia, etc.; calicose.

silicoso (ô) [De *silic(i)-* + *-oso.*] *Adj.* Que tem sílica, ou é da natureza dela.

siligristido *Adj. Bras. MG Pop.* Saliente (4).

sililuia [Alter. de *aleluia.*] *S. f. Bras. Zool.* V. *aleluia* (6).

silindra [Alter. pop. do tax. *Syringa*, com infl. de *cilindro*, poss.] *S. f. Bot.* Arbusto saxifragáceo (*Philadelphus coronarius*). [Cf. *cilindra*, do v. *cilindrar.*]

síliqua [Do lat. *siliqua*, 'vagem'.] *S. f. Bot.* Fruto capsular que se abre em duas valvas, deixando no centro uma lâmina, e que é peculiar, p. ex., às brassicáceas e às bignoniáceas. [Cf. *sílica.*]

siliquiforme (si... qüi) [De *síliqua* + *-iforme.*] *Adj. 2 g. Bot.* Que tem forma de síliqua.

siliquoso (ô) [De *síliqua* + *-oso.*] *Adj. Bot.* Que tem síliqua, ou é da natureza dela.

➔**silk screen** [sɪlk skɹiːn] [Ingl.] *S. m.* V. *serigrafia.*

silimanita [Do antr. (*Benjamin*) *Silliman* (1816-1865), químico norte-americano, + *-ita*³.] *S. f. Min.* Mineral ortorrômbico, silicato de alumínio; fibrolita.

silo [De or. pré-romana, pelo esp. *silo.*] *S. m.* **1.** *Desus.* Tulha subterrânea. **2.** Nos estabelecimentos agrícolas, construção impermeável para conservar cereais ou forragem verde. **3.** Depósito para o armazenamento de cereais, em geral dotado de aparelhamento para carga e descarga. **4.** *Mil.* Fosso revestido de concreto e aço, e com aparelhagem complexa, no qual se mantêm, prontos para serem lançados, alguns tipos de mísseis balísticos intercontinentais.

silogeu [Do gr. *syllogeús*, 'aquele que coleciona, reúne'.] *S. m. Bras.* Casa onde se reúnem associações literárias e/ou científicas.

silogismo [Do gr. *syllogismós*, 'argumento', pelo lat. *syllogismu.*] *S. m. Lóg.* Dedução formal tal que, postas duas proposições, chamadas *premissas*, delas, por inferência, se tira uma terceira, chamada *conclusão*. ◆ **Silogismo apodíctico.** *Lóg.* Aquele cujas premissas são verdadeiras; silogismo demonstrativo. **Silogismo categórico.** *Lóg.* Silogismo composto de três juízos categóricos. **Silogismo demonstrativo.** *Lóg.* Silogismo apodíctico. **Silogismo dialético.** *Lóg.* Segundo Aristóteles (v. *aristotelismo*), aquele cujas premissas são prováveis (*epiquerema*). **Silogismo disjuntivo.** *Lóg.* O que tem como premissa maior uma proposição disjuntiva (4). **Silogismo erístico.** *Lóg.* V. *sofisma.* **Silogismo hipotético.** *Lóg.* Silogismo que tem ao menos uma premissa hipotética. **Silogismo modal.** O que tem por premissa pelo menos uma proposição modal.

silogística [F. subst. de *silogístico.*] *S. f. Lóg.* Teoria geral do silogismo.

silogístico [Do gr. *syllogistikós.*] *Adj.* Relativo a, ou que encerra silogismo.

silogizar [Do lat. tard. *syllogizare* < gr. *syllogizesthai.*] *V. int.* **1.** Concluir por meio de silogismo(s). **2.** Empregar silogismos.

silolana [De *sil(a)-* + *-olana.*] *S. f. Quím.* Substância heterocíclica com anel pentagonal, como o do ciclopentano, e que se pode considerar derivada deste por substituição de um metileno por um grupo SiH_2 [fórm.: $C_4H_{10}Si$].

silte [Do ingl. *silt.*] *S. m.* Material sedimentar: pequenas partículas de minerais diversos, de tamanho compreendido entre a areia e a greda (entre 0,05mm e 0,005mm de diâmetro), que normalmente constituem mantos situados no solo.

siltoso (ô) [De *silte* + *-oso.*] *Adj. Constr.* **1.** Relativo ao, ou da natureza do silte. **2.** Que contém grande quantidade de silte.

siluriano [De *siluro* (q. v.) + *-iano.*] *Geol. Adj.* **1.** ~ V. *período* —. ● *S. m.* **2.** Período siluriano.

silurídeo [Do tax. *Silurus* (< lat. *silurus*, 'certo peixe do rio Nilo') + *-ídeo*¹; tax. *Siluridae.*] *Zool. Adj.* **1.** Espécime dos silurídeos, família de peixes siluriformes, actinopterígios, desprovidos de escamas e de tecido adiposo, com uma grande nadadeira anal, não havendo espinhas nas nadadeiras ímpares. ● *S. m.* **2.** Pertencente ou relativo a eles.

siluriforme [Do tax. *Silurus* (v. *silurídeo*) + *-iforme.*] *Zool. S. m.* **1.** Espécime dos siluriformes, ordem de peixes ostariofisos, entre os quais se encontram algumas das principais famílias de peixes marinhos e de água doce, de corpo nu ou recoberto de placas ósseas, boca com dentes e, ger., dotados de barbilhões sensoriais. ● *Adj.* **2.** Pertencente ou relativo a eles.

siluro¹ [Adapt. do lat. *silures.*] *S. m.* **1.** Indivíduo dos siluros, povo antigo da Grã-Bretanha (do atual País de Gales). ● *Adj.* **2.** Pertencente ou relativo aos siluros.

siluro² [Do tax. *Silurus* (< lat. *silurus*).] *S. m. Zool.* **1.** O gênero-tipo dos silurídeos, que abrange várias espécies de peixes fluviais europeus que lembram bagres de água doce. **2.** Qualquer espécie desse gênero, como, p. ex., a *Silurus glanis*; todas as espécies têm barbilhão. **3.** Qualquer espécime desse gênero.

silva¹ [Do lat. *silva*, 'floresta'.] *S. f.* **1.** *Bot.* Designação comum a diversas plantas rosáceas, medicinais, do gênero *Rubus*; silveira, sarça. **2.** *Ant.* Selva (1). **3.** *Arte Poét.* Composição poética onde versos de 10 sílabas alternam com versos de seis. **4.** Miscelânea literária ou científica. **5.** Cilício de arame. **6.** Ornato da gola, do peito ou do canhão das fardas, inspirado na forma das folhas e das flores. **7.** Mancha de forma alongada ao lado das ventas do cavalo.

silva² [Do antr. *Silva.*] *El. s. f.* Us. na loc. *da silva.* ◆ **Da Silva.** *Bras. Fam.* Loc. (precedida, em geral, de um adjetivo no diminutivo) com a qual se procura dar ênfase ao que se afirma: *O homem está rico, riquinho da Silva*; "É que o sujeito está doido pra ser governo. Doidinho da Silva." (João Alphonsus, *Totônio Pacheco*, p. 226).

silvado [De *silva*¹ + *-ado*¹.] *S. m.* **1.** Moita de silvas ou de outras plantas congêneres; sarçal: "as amoras frescas dos silvados" (Trindade Coelho, *Os Meus Amores*, p. 50). **2.** Tapume de silvas. [Sin. ger.: *silvedo*, *silveira.*]

silva-jardinense *Adj. 2 g.* **1.** De, ou pertencente ou relativo a Silva Jardim (RJ). ● *S. 2 g.* **2.** O natural ou habitante de Silva Jardim. [Pl.: *silva-jardinenses.*]

silva-macha [De *silva*¹ (1) + *macha*, f. de *macho.*] *S. f. Bot.* V. *silvão.* [Pl.: *silvas-machas.*]

silvaniense *Adj. 2 g.* **1.** De, ou pertencente ou relativo a Silvânia (GO). ● *S. 2 g.* **2.** O natural ou habitante de Silvânia.

silvanita [Do top. *(Tran) silvânia* (Romênia), onde o mineral foi encontrado pela primeira vez, + *-ita*³.] *S. f. Min.* Mineral monoclínico, telureto de ouro e prata; mineral-minério de ouro e prata.

silvano [Do lat. *silvanu.*] *S. m.* **1.** Na mitologia romana, cada uma das diversas divindades dos bosques e dos campos: "Rodeado [Baco] de milhões de capros e silvanos, / Faunos cornutos, sátiros maganos" (Martins Fontes, *Verão*, p. 49). **2.** Habitante dos bosques. **3.** *Desus.* Homem rústico; lapuz.

silvanopolino *Adj.* **1.** De, ou pertencente ou relativo a Silvanópolis (TO). ● *S. m.* **2.** O natural ou habitante de Silvanópolis.

silvão [De *silva*¹ + *-ão*¹.] *S. m. Bot.* Espécie de silva¹ (1) (*Rubus canina*); silva-macha, rosa-de-cão.

silvar [Do lat. *sibilare*, por uma f. metatética *silbare.*] *V. int.* **1.** Produzir com a boca, ou com instrumento, assoprando, som agudo e prolongado. **2.** Assobiar, sibilar: *O vento silvava, anunciando furacão*; "A locomotiva silva" (José Vieira, *Sol de Portugal*, p. 144); "Todos os bicos de gás silvavam." (João do Rio, *As Religiões no Rio*, p. 127). *T. d.* **3.** Aspirar, produzindo silvo ou som parecido. **4.** Produzir com a boca, ou com instrumento, assoprando (som agudo e prolongado). **5.** Emitir, lançar, soltar, à maneira de silvo ou assobio: "Voavam no meu céu asas de corvos, / — Negras serpentes de ar, silvando agoiros." (Campos de Figueiredo, *Imagem do Dia*, p. 32.)

silvático [Do lat. *silvaticu.*] *Adj.* V. *selvagem*¹ (1, 9 e 10).

silvedo (ê) [De *silva*¹ (1) + *-edo.*] *S. m.* V. *silvado.*

silveira [De *silva*¹ + *-eira.*] *S. f. Bot.* **1.** V. *silva*¹ (1). **2.** V. *silvado.* **3.** *Bras. Cul.* Prato feito com carne picada, ou camarão, peixe, etc., misturados com ovos mexidos.

silveiranense *Adj. 2 g.* **1.** De, ou pertencente ou relativo a Silveirânia (MG). ● *S. 2 g.* **2.** O natural ou habitante de Silveirânia.

silveirense¹ *Adj. 2 g.* **1.** De, ou pertencente ou relativo a Silveira Martins (RS). ● *S. 2 g.* **2.** O natural ou habitante de Silveira Martins.

silveirense² *Adj. 2 g.* **1.** De, ou pertencente ou relativo a Silveiras (SP). ● *S. 2 g.* **2.** O natural ou habitante de Silveiras.

silvense *Adj. 2 g.* **1.** De, ou pertencente ou relativo a Silves (AM). ● *S. 2 g.* **2.** O natural ou habitante de Silves.

silvestre [Do lat. *silvestre.*] *Adj. 2 g.* **1.** Próprio das selvas; selvagem, selvático: *vegetação silvestre.* **2.** Que vegeta e se reproduz sem necessidade de cultura; selvagem, espontâneo: "tinha ímpetos .... de internar-se .... no mato até perder-se no vasto sertão, onde passaria a vida a comer frutos silvestres" (Inglês de Sousa, *O Missionário*, p. 205). **3.** Agreste, bravio, sáfaro. ~ V. *febre amarela* — e *mel* —.

silvestreno [Do tax.(*Pinus*) *sylvestr(is)* + *-eno*².] *S. m. Quím.* Qualquer de vários monoterpenos cíclicos, duplamente insaturados, isômeros do limoneno, porém com estruturas semelhantes à do isômero meta do cimeno [fórm.: $C_{10}H_{16}$].

▲**silvi-** [Do lat. *silvi-* < lat. *silva, ae.*] *El. comp.* = 'selva', 'floresta': *silvícola* (< lat.), *silvicultor*, *silvicultura.*

silvianopolense *Adj. 2 g.* **1.** De, ou pertencente ou relativo a Silvianópolis (MG). ● *S. 2 g.* **2.** O natural ou habitante de Silvianópolis.

silvícola [Do lat. *silvicola.*] *Adj. 2 g.* **1.** Que nasce ou vive nas selvas; selvagem, selvático. ● *S. 2 g.* **2.** Aquele que nasce ou vive na selvas; selvagem. [Var.: *selvícola.*]

silvicultor (ô) [De *silvi-* + *-cultor.*] *S. m.* Indivíduo que se dedica à silvicultura.

silvicultura [De *silvi-* + *-cultura.*] *S. f.* **1.** Ciência que tem por finalidade o estudo e a exploração das florestas. **2.** Cultura de árvores florestais.

silviídeo [Do tax. *Sylvia* (< antr. *Sylvia*) + *-ídeo*¹; tax. *Sylviidae.*] *Zool. S. m.* **1.** Espécime dos silviídeos, família de aves passeriformes, de pequeno porte, de plumagem marrom, cinza ou esverdeada e bico pontudo, e de distribuição quase universal. São as toutinegras. ● *Adj.* **2.** Pertencente ou relativo a eles.

silvita [De *sylvii*, do lat. cient. *sal digestivus sylvii*, 'cloreto de potássio', + *-ita*[3].] *S. f. Min.* Mineral monométrico, cloreto de potássio, empregado na extração do potássio para fins de adubação.

silvo [Dev. de *silvar*.] *S. m.* **1.** Qualquer som agudo e relativamente prolongado produzido pela passagem do ar comprimido entre membranas que vibram; apito: *O guarda deu dois silvos breves, e o carro parou*; "com outro dilacerante silvo o comboio mergulhou na noite..." (Eça de Queirós, *Os Maias*, II, p. 35). **2.** Sibilação, sibilo: *o silvo da ventania.* **3.** O assobio das serpentes.

silvoso (ô) [Do lat. *silvosu*.] *Adj.* **1.** Em que há silva ou selva; selvoso. **2.** Vedado com silvas.

sim [Do lat. *sic*, 'assim', pelo arc. *si*.] *Adv.* **1.** Exprime afirmação, acordo ou permissão: "uma criança .... a correr atrás das borboletas do vale .... uma criança que sim o amava ternamente" (Almeida Garrett, *Viagens na Minha Terra*, p. 202); "Mas era uma criança!... era a imagem duma criança. || É certo sim" (Id., *ib.*, p. 203); *— Posso sair? — Pode, sim.* **2.** Usa-se para retomar ou pedir que se retome o fio de um assunto, após interrupção mais ou menos longa, equivalendo aproximadamente a *ora*, ou *bem*: *Sim, eu ia dizendo que...; Sim, o rapaz de quem você fala meteu-se numa trapalhada — e daí?* ● *S. m.* **3.** Ato de consentir, expresso pela palavra *sim*: *dar o sim; dizer o sim*; "Afinal deu o sim, cobriu o rosto, e acesa em pejo desapareceu" (Rebelo da Silva, *Contos e Lendas*, p. 137). ◆ **Pelo sim, pelo não.** Na alternativa; por via das dúvidas. **Pois sim. 1.** Indica assentimento ou concordância; vá, vá lá, seja; pois não: "— .... Talvez esta secretária nos diga alguma coisa; mas está fechada. Como abri-la? | — Arrombe-se amanhã. | — Pois sim; mas vamos ver o resto do sótão." (Machado de Assis, *Contos Avulsos*, p. 152.) **2.** *Irôn.* Indica descrédito ou dúvida daquilo que se ouviu.

▲**sim-**[1] V. *sin-*[1].

▲**sim-**[2] [F. red. de *simétrico*.] *Quím. Pref. Obsol.* Indica 1 de 2 estereoisômeros de certos alcenos, compostos cíclicos e outras substâncias [cf. *as-*[4]]: *ácido sim-butenodioico* (= ácido *cis-butenodioico*).

sima [De *si(lício) + ma(gnésio)*.] *S. m. Geol.* Camada hipotética subjacente ao sial, rica em silício e magnésio. [Cf. *cima*.]

simanguaiá [Do tupi; v. *simongoiá*.] *S. f. Bras. Zool.* V. *cernambi* (3).

simão[1] [De *símio*, poss. com infl. do antr. *Simão*.] *S. m. Pop.* Qualquer macaco. ◆ **Pintar o simão.** *Bras. N.E. Pop.* V. *pintar o sete*. **Pintar o simão de carapuça.** *Bras. N.E. Pop.* V. *pintar o sete*: "Fazia [a menina-da] uma zoada que nem é bom lembrar .... Na cozinha a molecoreba também pintava o simão de carapuça." (Mário Brandão, *Almas do Outro Mundo*, p. 11.)

simão[2] *S. m. Bras. AL* Entre os pescadores, o vento sul, que sopra nas costas daquele estado.

simão-diense *Adj. 2 g.* **1.** De, ou pertencente ou relativo a Simão Dias (SE). ● *S. 2 g.* **2.** O natural ou habitante de Simão Dias. [Pl.: *simão-dienses*.]

simaruba [Do tax. *Simarouba, Simaruba*, do galibi.] *S. f. Bot.* **1.** Gênero de plantas simarubáceas, cujas raízes e cascas, amargas, têm uso medicinal. **2.** Espécie ou espécime desse gênero.

simarubácea [Do tax. *Simarouba* (v. *simaruba*) + *-ácea*; tax. *Simaroubaceae*.] *S. f. Bot.* Espécime das simarubáceas, família de plantas floríferas, da ordem das geraniales, composta de arbustos e árvores com folhas penadas e flores actinomorfas insignificantes, com disco bem desenvolvido, e por via de regra unissexuais. Compreendem umas 250 espécies tropicais, muitas nativas no Brasil, entre as quais o marupá.

simarubáceo [De *simarubácea*, com var. suf. (v. *-áceo*).] *Adj. Bot.* Pertencente ou relativo às simarubáceas.

simaruba-copaia *S. f. Bras. Bot.* V. *caroba-do-mato* (1). [Pl.: *simarubas-copaia* e *simarubas-copaias*.]

simaruba-falsa [De *simaruba* + o f. de *falso*.] *S. f. Bras. Bot.* V. *caroba-do-mato* (1). [Pl.: *simarubas-falsas*.]

simbiônica *S. f.* V. *simbiôntica*. [Uso freq. em P.]

simbiônica *S. f.* Simbiose entre a máquina e o homem.

simbionte [Do gr. *symbíon, ontos*, 'que vive junto com outro(s)'.] *Adj. 2 g. S. m. Ecol.* Diz-se do, ou o organismo que toma parte numa simbiose: *No líquen, a alga e o fungo são simbiontes.*

simbiôntico [De *simbionte* + *-ico*[2].] *Adj. Ecol.* Relativo a, ou em que ocorre simbiose: *célula simbiôntica.*

simbiose [Do gr. *symbíosis*, 'vida em comum com outro(s)'.] *S. f.* **1.** *Ecol.* Associação entre dois organismos, na qual ambos recebem benefícios, ainda que em proporções diversas. **2.** *P. ext.* Associação entre dois seres vivos que vivem em comum. **3.** *Fig.* Associação e entendimento íntimo entre duas pessoas, duas entidades, duas comunidades, etc.

simbiótico [Do gr. *symbiotikós*.] *Adj.* **1.** Relativo a, ou em que ocorre simbiose. **2.** Que vive em simbiose. **3.** *Fig.* Que revela ou tem grande dependência de alguém. **4.** *Fig.* Próprio de quem apresenta tal dependência: *comportamento simbiótico.*

simbléfaro [De *sim-*[1] + *-bléfaro*.] *S. m. Anat.* Aderência, mais ou menos completa, da pálpebra com o globo ocular.

simbólica [F. subst. de *simbólico*.] *S. f.* **1.** Conjunto de símbolos duma religião, duma época, dum povo, dum autor, etc.: "Há uma continuidade animista, pela qual o homem considera sempre os animais dotados de alma. A própria religião não refugiu a isso, através da simbólica zoológica, encarnando em figuras de animais, o peixe, o cordeiro, a pomba, ideias divinas, ou o diabo na serpente." (Renato Almeida, *Inteligência do Folclore*, p. 79); *A simbólica de James Joyce é elemento essencial em sua obra.* **2.** Ciência que procura explicar os símbolos.

simbólico [Do gr. *symbolikós*, pelo lat. *symbolicu*.] *Adj.* **1.** Referente a, ou que tem caráter de símbolo. **2.** Alegórico; metafórico. **3.** Referente aos formulários da fé. ~ V. *linguagem —a*, *lógica —a* e *nome —*.

simbolismo [De *símbolo* + *-ismo*.] *S. m.* **1.** Expressão ou interpretação por meio de símbolos. **2.** Escola literária do fim do séc. XIX, que se originou na França, surgida como reação contra o parnasianismo, e que, caracterizando-se por uma visão subjetiva, simbólica e espiritual do mundo, adotou novas formas de expressão, traduzindo as impressões por meio de uma linguagem em que dominava a preocupação estética. **3.** Escola de tendências análogas, nas artes plásticas e na música. **4.** *Maç.* O conjunto dos três primeiros graus (aprendiz, companheiro e mestre).

simbolista [De *simbolismo* + *-ista*.] *Adj. 2 g.* **1.** Relativo ao, ou que é sectário do simbolismo. ● *S. 2 g.* **2.** Sectário dele.

simbolístico [De *simbolista* + *-ico*[2].] *Adj.* Relativo aos simbolistas.

simbolização [De *simbolizar* + *-ção*.] *S. f.* Ato ou efeito de simbolizar.

simbolizador (ô) [De *simbolizar* + *-dor*.] *Adj. S. m.* Que, ou aquele que simboliza.

simbolizar [De *símbolo* + *-izar*.] *V. t. d.* **1.** Representar por meio de símbolo(s); exprimir ou representar simbolicamente; emblemar. **2.** Ser símbolo de; exprimir: *A espada simboliza a força.* *Int.* **3.** Falar ou escrever simbolicamente.

símbolo [Do gr. *sýmbolon*, pelo lat. *symbolu*.] *S. m.* **1.** Aquilo que, por um princípio de analogia, representa ou substitui outra coisa: *A balança é o símbolo da justiça*; "Salve, lindo pendão da esperança! / Salve, símbolo augusto da paz!" (Olavo Bilac, "Hino à Bandeira Nacional", *Poesias Infantis*, p. 137). **2.** Aquilo que, por sua forma ou sua natureza, evoca, representa ou substitui, num determinado contexto, algo abstrato ou ausente: *O Sol é o símbolo da vida; A água é o símbolo da purificação.* **3.** Aquilo que tem valor evocativo, mágico ou místico: *A cruz é o símbolo do cristianismo.* **4.** Objeto material que, por convenção arbitrária, representa ou designa uma realidade complexa: *A lei dos símbolos nacionais é explícita quanto à utilização da bandeira.* **5.** Elemento descritivo ou narrativo suscetível de dupla interpretação, associada quer ao plano das ideias, quer ao plano real: *Certos escritores, entre eles James Joyce, usam os símbolos como elementos básicos da expressão.* **6.** Elemento gráfico ou objeto que representa e/ou indica de forma convencional um elemento importante para o esclarecimento ou a realização de alguma coisa; sinal, signo: *símbolos matemáticos; símbolos biológicos; símbolos de meteorologia; símbolos de perigo.* **7.** Sinal que substitui o nome de uma coisa ou de uma ação: *O crescente, símbolo do islamismo, era considerado ameaça ao mundo cristão.* **8.** Figura convencional elaborada expressamente para representar uma coisa; emblema, insígnia: *os símbolos de um clube; os símbolos militares.* **9.** Pessoa ou personagem que representa determinado comportamento ou atividade: *Otelo é o símbolo do ciúme; Pelé é o símbolo do futebol.* **10.** Alegoria, comparação; metáfora: *Usou de símbolos para suavizar o rigor de sua opinião.* **11.** *E. Ling.* Termo empregado por certos autores para designar *signo*. [O *símbolo linguístico* corresponde a *símbolo* (1), ao passo que no signo a representação é arbitrária.] **12.** *Psicol.* Ideia consciente que representa e encerra a significação de outra inconsciente. **13.** *Numism.* Sinais ou figuras que identificam, nas moedas, nome de gravadores e locais onde foram cunhadas. **14.** *Numism.* Sinais ou figuras que identificam, nas moedas, características de ordem religiosa, militar ou são comemorativos a fatos ou eventos. **15.** *Quím.* Letra(s) que representa(m) um elemento químico: *Au é o símbolo do ouro.* **16.** *Rel.* Enunciado dos artigos de fé nas Igrejas cristãs, para uso da comunidade. [Cf., nesta acepç., *regra de fé*.] **17.** *Semiol.* Tipo de signo que, em oposição ao ícone (4) e ao indício (3), representa seu objeto independentemente da semelhança ou da casualidade, fundamentando-se numa convenção social (o signo linguístico, p. ex.); no objeto material que representa uma noção abstrata (a cruz que simboliza o cristianismo, a pomba que simboliza a paz). [O símbolo mantém uma relação instituída, convencional, com o referente.] [Sin.: *signo arbitrário, signo imotivado*.] ◆ **Símbolo astronômico.** *Astr.* Sinal gráfico que representa um objeto ou grandeza astronômica.

simbologia [Var. haplológica de *simbolologia*.] *S. f.* Estudo dos símbolos.

simbológico [De *simbologia* + *-ico*[2].] *Adj.* Concernente à simbologia; simbolológico.

simbolologia [De *símbolo* + *-logia*.] *S. f.* Simbologia (q. v.).

simbolológico [De *simbolologia* + *-ico*[2].] *Adj.* Simbológico (q. v.).

símbolo-marca *S. m. Prop.* Símbolo gráfico, geométrico ou figurativo, utilizado como marca[1] (22); marca-símbolo. [Pl.: *símbolos-marcas* e *símbolos-marca*.]

simbranquídeo [Do tax. *Synbranchidae*.] *Zool. S. m.* **1.** Espécime dos simbranquídeos, família de peixes simbranquiformes da Ásia, África e Américas, com 4 gêneros e 15 espécies. As nadadeiras dorsal e anal são vestigiais e a caudal, vestigial ou ausente; a maioria das espécies pode respirar ar atmosférico. *Adj. 2 g.* **2.** Pertencente ou relativo a eles.

simbranquiforme [Adapt. do tax. *Synbranchiformes*.] *Zool. S. m.* **1.** Espécime dos simbranquiformes, ordem de peixes teleósteos, anguiliformes, com 3 famílias e cerca de 100 espécies, quase todos de água doce. São desprovidos de nadadeiras pélvicas, de bexiga natatória e as escamas são ausentes ou muito pequenas; as brânquias, pouco desenvolvidas, situam-se na porção inferior do corpo. ● *Adj. 2 g.* **2.** Pertencente ou relativo a eles. [Sin. ger.: *simbrânquio*.]

simbrânquio [De *sim-*[1] + *-brânquio*; tax. *Symbranchii*.] *S. m. Adj. Zool.* V. *simbranquiforme*.

➔**simchat tora** [sim'hat to'rah] [Hebr., 'alegria da Torá'.] *S. m. Rel.* Festa judaica anual que celebra o término e o recomeço do ciclo de leitura da Torá. [Com cap.]

simetria [Do gr. *symmetría*, 'justa proporção'.] *S. f.* **1.** Correspondência, em grandeza, forma e posição relativa, de partes situadas em lados opostos de uma linha ou plano médio, ou, ainda, que se acham distribuídas em volta de um centro ou eixo. **2.** Harmonia resultante de certas combinações e proporções regulares. **3.** *Mat.* Propriedade duma função que não se altera numa determinada transformação de suas variáveis. **4.** *Geom.* Propriedade duma configuração que é invariante sob transformações que não alteram as relações métricas, mas alteram a posição dos seus elementos constitutivos. **5.** *Lóg.* Propriedade da relação que, afirmada entre A e B, pode ser afirmada entre B e A, sem transformação. [Cf. *assimetria*.] ◆ **Simetria axial.** *Geom.* Simetria em relação a rotações em torno de um eixo, ou a reflexões nesse eixo; simetria cilíndrica. **Simetria bilateral.** *Biol.* A simetria do corpo da maioria dos animais, em que este pode ser dividido em duas metades iguais. **Simetria central.** *Geom.* Simetria em relação à reflexão em um ponto; simetria polar. **Simetria cíclica.** *Mat.* Simetria de uma função sob permutação cíclica. **Simetria cilíndrica.** *Geom.* Simetrial axial. **Simetria circular.** *Geom.* Simetria axial de uma configuração plana. **Simetria esférica.** *Geom.* Simetria sob as rotações em torno de um ponto. **Simetria especular.** *Geom.* Simetria sob reflexão num plano. **Simetria polar.** *Geom.* Simetria central. **Simetria radial.** *Biol.* Disposição regular das partes de um corpo em torno de um eixo.

S

simétrico [De *simetria* + *-ico*[2].] *Adj.* **1.** Que tem simetria. **2.** Referente a simetria. ~ V. *determinante —, função —a, matriz —a* e *relação —a*. ● *S. m.* **3.** *Mat.* Inverso aditivo.

simetrizar [De *simetria* + *-izar*.] *V. t. d.* **1.** Ordenar com simetria; tornar simétrico. *T. i. Int.* **2.** Apresentar simetria em relação a outra coisa. **3.** Apresentar (duas ou mais coisas) simetria entre si.

simianismo [De *simiano* + *-ismo*.] *S. m.* **1.** Doutrina pela qual o homem é originário do macaco. **2.** Imitação simiana; macaqueação.

simiano [De *símio*[1] + *-ano*[1].] *Adj.* V. *simiesco*: "começou .... a estudar a linguagem dos macacos, anotando as várias expressões dos seus guinchos, e lançando os fundamentos da gramática simiana." (Olavo Bilac, *Crítica e Fantasia*, p. 270).

simiesco (ê) [De *símio*[1] + *-esco*.] *Adj. Zool.* Relativo, pertencente ou semelhante ao, ou próprio do símio[1] (1); macacal, macaqueiro, macaco, simiano, símio. ~ V. *mão —a*.

simiiforme [Adapt. do tax. *Simiiformes*.] *Zool. S. m.* **1.** Espécime dos simiiformes, subordem que compreende os pequenos macacos (cebóideos e cercopitecóideos), os grandes macacos, e o homem (hominóideos). [Os pequenos macacos e grandes macacos do Velho Mundo tinham um ancestral comum, e diferenciaram-se no oligoceno, ou no princípio do mioceno; os pequenos macacos do Novo Mundo tinha diferenciado mais cedo (no princípio do oligoceno ou final do eoceno). Com base em características anatômicas e critérios genéticos, tem sido sustentado que os ancestrais tanto dos gibões quanto dos orangotangos se separaram da linha ancestral do homem, dos gorilas e dos chimpanzés num estágio anterior, e que apenas subsequentemente essa linha se rompeu.] • ***Adj. 2 g.*** **2.** Pertencente ou relativo a eles. [Sin. ger.: *antropóideo*.]

símil [Do lat. *simile*.] ***Adj. 2 g.*** *Poét.* Semelhante. [Pl.: *símeis*; superl. abs. sint.: *simílimo*.]

similar [De *símil* + *-ar*[1].] ***Adj. 2 g.*** **1.** Que tem a mesma natureza, a mesma função, o mesmo efeito, ou a mesma aparência: *o macarrão e produtos similares*. • ***S. m.*** **2.** Objeto, artigo, produto similar.

similaridade [De *similar* + *-(i)dade*.] ***S. f.*** Qualidade ou caráter de similar.

símile [Do lat. *simile*.] ***S. m.*** **1.** Qualidade do que é semelhante. **2.** Comparação de coisas semelhantes: "para empregar um símile musical, não será [o verso alexandrino] tão melódico, como outros mais genuinamente nossos, mas é harmonioso como poucos." (Machado de Assis, *Crítica*, p. 111). • ***Adj. 2 g.*** **3.** Análogo, semelhante.

→**similia similibus curantur** [sẹ'milẹa sẹ'milẹbos ko'r̄antor̄] [Lat.] *Homeop.* Os semelhantes curam-se pelos semelhantes. [Lema da homeopatia, que se opõe ao lema da alopatia: *contraria contrariis curantur*, 'os opostos curam-se pelos opostos'. V. *similitude* (2).]

similifloro (sì) [De *símile* + *-ifloro*.] ***Adj.*** *Bot.* Cujas flores são todas semelhantes.

simílimo [Do lat. *simillimu*.] ***Adj.*** Superl. abs. sint. de *símil*.

similitude [Do lat. *similitudine*.] ***S. f.*** **1.** V. *semelhança*: "Fundo, silencioso, contrastando com as chapadas e as elevações onde o dia fulgura e a vida rumoreja, não nos impõe [o vale] a sua similitude com as almas recolhidas e pensativas, mas boas e fecundas?" (Amadeu Amaral, *O Elogio da Mediocridade*, p. 80.) **2.** *Homeop.* Princípio básico segundo o qual toda substância capaz de determinar certas manifestações em indivíduo saudável é suscetível de fazer desaparecer manifestações análogas em indivíduo doente. [V. *similia similibus curantur*.]

similitudinário [Do lat. *similitudine*, 'similitude', + *-ário*.] ***Adj.*** Em que há similitude; semelhante.

símio[1] [Do lat. *simiu*.] ***S. m.*** **1.** *Zool.* V. *macaco* (1). • ***Adj.*** **2.** V. *simiesco*.

símio[2] [Adapt. do tax. *Simia* < lat. *simius, ii*, 'macaco'.] *Zool.* ***S. m.*** **1.** Espécime dos símios, designação geral dos primatas que têm a cavidade orbitária fechada, em oposição aos prossímios, que a têm aberta. São os catarrinos e os platirrinos. • ***Adj.*** **2.** Pertencente ou relativo a eles.

simira [Do tax. *Simira*.] ***S. f.*** *Bras. Bot.* Planta rubiácea (*Psychotria parviflora*), das Guianas, de cuja casca se extrai tintura avermelhada.

simões-filhense ***Adj. 2 g.*** **1.** De, ou pertencente ou relativo a Simões Filho (BA). • ***S. 2 g.*** **2.** O natural ou habitante de Simões Filho. [Pl.: *simões-filhenses*.]

simolandense ***Adj. 2 g.*** **1.** De, ou pertencente ou relativo a Simolândia (GO). • ***S. 2 g.*** **2.** O natural ou habitante de Simolândia.

simonense[1] ***Adj. 2 g.*** **1.** De, ou pertencente ou relativo a Simões (PI). • ***S. 2 g.*** **2.** O natural ou habitante de Simões.

simonense[2] ***Adj. 2 g.*** **1.** De, ou pertencente ou relativo a Simões Pereira (MG). • ***S. 2 g.*** **2.** O natural ou habitante de Simões Pereira.

simonense[3] ***Adj. 2 g.*** **1.** De, ou pertencente ou relativo a Simonésia (MG). • ***S. 2 g.*** **2.** O natural ou habitante de Simonésia.

simongoiá [Do tupi.] ***S. f.*** *Bras. Zool.* V. *cernambi* (3).

simonia [Do lat. med. *simonia*, 'ato de Simão', *i. e.*, Simão, o Mago, que pretendeu comprar a S. Pedro o dom de conferir o Espírito Santo.] ***S. f.*** **1.** Tráfico de coisas sagradas ou espirituais, tais como sacramentos, dignidades, benefícios eclesiásticos, etc.: "repugnava-me, como uma certa simonia, o arriscar-me a por alguns cruzados malbaratar uma delícia do santuário de meu ânimo." (Antônio Feliciano de Castilho, *A Primavera*, p. 7). **2.** Venda ilícita de coisas sagradas.

simoníaco [Do lat. med. *simoniacu*.] ***Adj.*** **1.** Referente a simonia. • ***S. m.*** **2.** Aquele que praticou simonia.

simonte [De or. obscura.] ***Adj. 2 g.*** **1.** Diz-se do fumo da primeira folha usado para cheirar. • ***S. m.*** **2.** Esse fumo: "Um tanto trôpego, com o lenço de alcobaça na mão, tomando veneravelmente o simonte de antanho, foi cheio de respeito que o vi chegar." (Lima Barreto, *Clara dos Anjos*, p. 240.) **3.** *Bras. BA* V. *rapé*.

simpatia [Do gr. *sympátheia*, 'participação em, ou sensibilidade ao sofrimento do outro', 'compaixão', pelo lat. *sympathia*.] ***S. f.*** **1.** Tendência ou inclinação que reúne duas ou mais pessoas: *Entre os membros do Congresso reinava grande simpatia.* **2.** As relações que há entre pessoas que instintivamente se sentem atraídas entre si: *Era notória a simpatia entre o professor e os alunos.* **3.** Sentimento caloroso e espontâneo que alguém experimenta em relação a outrem: *ter simpatia; despertar simpatia.* **4.** Primeiros sentimentos de amor: *A simpatia entre Romeu e Julieta foi obra de um momento.* **5.** Faculdade de compartir as alegrias ou tristezas de outrem: *expressões de simpatia.* **6.** Atração que uma coisa ou uma ideia exerce sobre alguém: *Sempre teve simpatia pela pintura*; "Com a estada dos políticos liberais na Inglaterra, e em consequência da simpatia crescente da Marquesa de Alorna pela literatura alemã, aumenta em Portugal o gosto pela cultura anglo-germânica" (Feliciano Ramos, *História da Literatura Portuguesa*, p. 437). **7.** *Bras.* Interesse em atender às pretensões de alguém: *O funcionário olhou o caso com simpatia.* **8.** Pessoa muito simpática: *É feia, mas é uma simpatia.* **9.** *Bras.* Tratamento intencionalmente amistoso dado a alguém: *Conseguiu fazer andar o meu processo, simpatia?* **10.** *Bras.* Ritual posto em prática, ou objeto supersticiosamente usado, para prevenir ou curar uma enfermidade ou mal-estar. **11.** *Ant.* Tendência que se julgava existir entre as qualidades de certos corpos. [Antôn., nas acepçs. 1 a 4 e 6: *antipatia*.]

simpático [De *simpatia* + *-ico*[2]; fr. *sympathique*.] ***Adj.*** **1.** Que inspira simpatia. **2.** Que provém da simpatia. **3.** Respeitante à simpatia. **4.** Agradável, aprazível: *um recanto simpático.* [Antôn, nas acepçs. 1 e 2: *antipático*.] ~ V. *cordas —as, magia —a* e *tinta —a*. • ***S. m.*** **5.** *Anat.* V. *sistema nervoso autônomo*. [Cf. *simpátrico*.]

simpatista [De *simpatia* + *-ista*.] ***S. 2 g.*** Pessoa que sustenta serem os sentimentos que experimentamos em relação a outrem causados por emanações desse alguém.

simpatizante [De *simpatizar* + *-nte*.] ***Adj. 2 g. S. 2 g.*** **1.** Que, ou quem simpatiza com alguém ou com algo. **2.** Que, ou quem, sem pertencer a um partido, grupo, etc., adota suas tendências ou aprova sua política, ideias, etc.

simpatizar [De *simpatia* + *-izar*.] ***V. t. i.*** **1.** Ter simpatia; sentir inclinação, afeição ou tendência: "Paulo simpatizou com a casa, vendo-a em tão sossegado recanto, com poucos vizinhos" (Coelho Neto, *Turbilhão*, p. 95); "— Mas eu não detesto o Bastos; simpatizo até com ele" (Machado de Assis, *A Semana*, II, p. 165). ***P.*** **2.** Experimentar simpatia mútua: "Quando meninos, encontraram-se uma vez no Canela, e simpatizando-se de chofre, logo vieram a conversar." (O. G. Rego de Carvalho, *Somos Todos Inocentes*, p. 9.) [Antôn.: *antipatizar*.]

simpatria [De *sim-*[1] + gr. *pátra*, 'terra natal', 'pátria', + *-ia*[1]; ingl. *sympatry*.] ***S. f.*** *Biol. Ecol.* Existência de duas ou mais populações [v. *população* (5)] numa mesma região geográfica.

simpátrico [De *simpatria* + *-ico*[2]; ingl. *sympatric*.] ***Adj.*** *Biol. Ecol.* Relativo à simpatria. ~ V. *especiação —a*. [Cf. *simpático*.]

simpétala [De *sim-*[1] + *pétala*; tax. *Sympetae*.] ***S. f.*** *Bot.* Metaclamídea.

simpetálico [De *simpétala* + *-ico*[2].] ***Adj.*** *Bot.* V. *gamopétalo*.

simpétalo[1] [De *sim-*[1] + *-pétalo*.] ***Adj.*** *Bot.* V. *gamopétalo*.

simpétalo[2] [De *simpétala*.] ***Adj.*** *Bot.* Metaclamídeo.

simplacheirão ***Adj. S. m.*** Diz-se de, ou indivíduo muito simples ou simplório: "E ali fiquei eu, não sei que tempos, como um simplacheirão, de queixos caídos e mãos a abanar" (D. João da Câmara, *Contos*, p. 146). [Fem.: *simplacheirona*.]

simplacheirona ***S. f.*** Fem. de *simplacheirão*.

simplão [De *simples* + *-ão*[1].] ***S. m.*** *Bras. Gír. Desus.* Simplesmente (2).

simpléctico [Do gr. *symplektikós*, 'que serve para ligar'.] ***Adj.*** **1.** *Hist. Nat.* Que está entrelaçado com outro corpo. • ***S. m.*** **2.** *Zool.* Uma das peças ósseas da cabeça dos peixes. [Var.: *simplético*.]

simples[1] [Do lat. *simplice*, por via pop.] ***Adj. 2 g. e 2 n.*** **1.** Que não é duplo, múltiplo, ou desdobrado em partes: *A forma verbal amara pertence ao mais-que-perfeito simples de amar; Tomei um chope simples.* **2.** Que não é constituído de partes ou substâncias diferentes; singelo: *um objeto simples; medicamento simples.* **3.** Que não tem ornatos ou elementos acrescentados; singelo: *estilo simples; forma simples; prato simples.* **4.** Formado de poucos elementos, e, portanto, de fácil utilização ou compreensão; que não apresenta complexidade ou dificuldade; singelo: *mecanismo simples; problema simples.* **5.** Que se refere exclusivamente à acepção dada; que não encerra conotações; puro, mero: *uma simples formalidade; uma simples alusão*; "— E foi um sonho! um simples sonho!" (Machado de Assis, *Várias Histórias*, p. 57). [Usa-se, nesta acepç., anteposto ao substantivo.] **6.** Não acompanhado ou não ajudado por outro(s); só, único: *Um simples funcionário não pode dar atenção a tantas pessoas.* [Nesta acepç., usa-se anteposto ao substantivo.] **7.** Normal, vulgar, comum, ordinário: *Nos dias simples os alunos vestem uniforme de zuarte.* **8.** Sem luxo, aparato ou ostentação; modesto, singelo: *cerimônia simples e íntima; refeição simples.* **9.** Que se encontra no grau mais baixo de uma escala ou hierarquia: *um simples marinheiro; um simples som.* [Tb. nesta acepçs. se usa anteposto ao substantivo.] **10.** Que se deixa facilmente enganar; sem malícia; ingênuo, papalvo, tolo, crédulo, simplório, singelo; simplacheirão: *uma criatura simples.* **11.** Sem instrução; ignorante: *Certos imigrantes, embora simples, souberam fazer fortuna.* **12.** Modesto, humilde, pobre: *gente simples.* **13.** Natural, espontâneo: *Suas reações são simples e diretas.* [Superl. abs. sint., nessas acepçs.: *simplicíssimo* e (menos us.) *simplíssimo*.] **14.** *Bot.* Diz-se da flor cuja corola só tem uma série (ou ciclo) de pétalas; singelo. ~ V. *amostragem —, aspas —, avaria —, balcão —, charada —, circulação —, concreto —, dízima periódica —, folha*[1]*—, fólio*[2]*—, frequência —, função harmônica —, herpes —, hipertrofia —, juro —, lexia —, ligação —, máquina —, microscópio —, movimento harmônico —, olho —, palheta —, pêndulo —, período —, poliedro —, ponto*[1]*—, pontoação —, raiz —, razão —, regressão —, rondó —, sociedade —, sujeito —, tempo*[1]*—* e *voto —*. • ***S. 2 g. e 2 n.*** **15.** Pessoa simples, ignorante, humilde. [Tb. se emprega o pl. *símplices* (q. v.).] **16.** *Farm. Obsol.* Qualquer erva com atividade de medicamentosa comprovada ou suposta. • ***Adv.*** **17.** De modo simples; com simplicidade: *Escreve e fala simples*; "Vestia simples." (Machado de Assis, *Dom Casmurro*, p. 208).

simples[2] [Do pl. de *cimbre*, poss.] ***S. m. 2 n.*** *Constr.* V. *cimbre*: "via-se .... tal máquina de prumos, traveses, andaimes, cabrestantes, escadas, que bem se pudera comparar a composição daqueles simples à fábrica do mais delicado relógio." (Alexandre Herculano, *Lendas e Narrativas*, I, p. 300). [Tb. se emprega o pl. *símplices*.]

simplesmente [De *simples*[1] + *-mente*.] ***Adv.*** **1.** De maneira simples; com simplicidade. • ***S. m.*** **2.** *Obsol.* O grau mais baixo de aprovação em exames ou concursos, compreendido a princípio entre 1 e 5 e depois entre 4 e 5 (em escala de 1 a 10). [Sin., bras., gír., nesta acepç.: *simplão*.]

simplético ***Adj. S. m.*** *Hist. Nat.* V. *simpléctico*.

símplex (cs) ***Adj. 2 g. e 2 n.*** ~ V. *operação —*.

simplez (ê) [De *simples*[1] + *-ez*.] ***S. f.*** *P. us.* V. *simplicidade*: "a simplez e tendência para a credulidade próprias dos orientais" (Aquilino Ribeiro, *Constantino de Bragança*, p. 379).

simpleza (ê) [De *simples*[1] + *-eza*.] ***S. f.*** *P. us.* V. *simplicidade*: "na simpleza inocente da sua índole e da sua paixão, a Margarida usara da maior arma de uma mulher, diante de certos homens - a dependência." (Conde de Ficalho, *Uma Eleição Perdida*, p. 143).

símplice [Do lat. *simplice*, por via erudita.] ***Adj. 2 g.*** *P. us.* Simples[1]: "enlevado pela doce beleza setentrional dessa mocinha e pelos seus modos símplices e meigos, ... quedou-se a olhá-la" (Virgílio Várzea, *Nas Ondas*, p. 26). ~ V. *símplices*.

símplices [Do lat. *simplices*, 'simples' (subentende-se *medicamentos*).] ***S. m. pl.*** **1.** Ingredientes que figuram na composição dos medicamentos. **2.** Ingredientes empregados nas tintas. **3.** Elementos figurantes na composição dos corpos. ~ V. *símplice* e *simples*.

simplicidade [Do lat. *simplicitate*.] ***S. f.*** **1.** Qualidade do que é simples, do que não apresenta dificuldade ou obstáculo. **2.** Naturalidade, espontaneidade, elegância. **3.** Caráter próprio, não modificado por elementos estranhos. **4.** Forma simples e natural de dizer ou escrever; elegância. **5.** Ingenuidade, desafetação. **6.** Sinceridade, franqueza. [Sin. ger.: *simpleza* (p. us.), *simplez* (p. us.), *singeleza*.]

simplício-mendense ***Adj. 2 g.*** **1.** De, ou pertencente ou relativo a Simplício Mendes (PI). • ***S. 2 g.*** **2.** O natural ou habitante de Simplício Mendes. [Pl.: *simplício-mendenses*.]

simplicíssimo [Do lat. *simplicissimu*.] ***Adj.*** Superl. abs. sint. de *simples*[1]; simplíssimo.

simplicista [De *símplice* + *-ista*.] ***S. 2 g.*** **1.** Pessoa que curava por meio de símplices (1). **2.** Pessoa que escrevia acerca dos símplices (1).

simplificação [De *simplificar* + *-ção*.] ***S. f.*** **1.** Ato ou efeito de simplificar. **2.** *E. Ling.* Na aquisição ou no aprendizado de uma língua, o erro que decorre do processo de tornar regulares aspectos da língua-alvo que não o são, pela expansão do âmbito de aplicação de uma regra, ou pela transferência de um padrão existente na língua materna. [Uma criança pode generalizar a formação do pretérito perfeito de segunda conjugação em português, p. ex., e dizer formas corretas como *comi*, *bebi*, mas também *fazi*, em lugar de *fiz*.]

simplificador (ô) [De *simplificar* + *-dor*.] ***Adj. S. m.*** Que, ou aquele que simplifica.

simplificar [De *simpl(es)*[1] + *-ificar*.] ***V. t. d.* 1.** Tornar simples ou mais simples: *simplificar as operações.* **2.** Tornar fácil ou claro: *simplificar o estilo.* **3.** *Mat.* Reduzir (fração) a termos menores ou mais precisos. **4.** *Bras. Obsol.* Atribuir a nota simplesmente a (um examinando). [Conjug.: v. *trancar*.]

simplificativo [De *simplificar* + *-tivo*.] ***Adj.*** Que serve para simplificar.

simplificável [De *simplificar* + *-vel*.] ***Adj. 2 g.*** Que pode ser simplificado.

simplismo [De *simples*[1] + *-ismo*.] ***S. m.* 1.** Vício de raciocínio que consiste em desprezar elementos necessários da solução. **2.** Uso de meios ou processos demasiado simples.

simplíssimo ***Adj.*** Simplicíssimo: "A este quadro simplíssimo não ajustam grandes palavras" (Camilo Castelo Branco, *Doze Casamentos Felizes*, p. 144); "simples desocupados, simplíssimos maldizentes" (Machado de Assis, *A Semana*, III, p. 319).

simplista [De *simplismo* + *-ista*.] ***Adj. 2 g.* 1.** Que procede ou raciocina com simplismo, ou que o revela: *indivíduo simplista; solução simplista.* • ***S. 2 g.* 2.** Pessoa que procede ou raciocina com simplismo.

simplocácea [Do tax. *Symplocos* ou *Symplocus* + *-ácea*; tax. *Symplocaceae*.] ***S. f.*** *Bot.* Espécime das simplocáceas, família de cornales que abrange, apenas, o gênero *Symplocus* (v. *símploco*).

simplocáceo [De *simplocácea*, com var. suf. (v. *-áceo*).] ***Adj.*** *Bot.* Pertencente ou relativo às simplocáceas.

simploce [Do gr. *symploké*, 'entrelaçamento', pelo lat. tard. *symploce*.] ***S. f.*** *E. Ling.* Figura que consiste em principiar e/ou terminar frases pelas mesmas palavras. Ex.: "Eu vi a morta, Senhor! / Vi a morta — minha filha, noiva e irmã! / Vi o sorriso da morta, / Vi o repouso e a beleza da morta!" Augusto Frederico Schmidt, *Poesias Completas*, p. 151.)

símploco [Do tax. *Symplocos* ou *Symplocus* (do gr. *sýmplocos*, 'entrelaçado').] ***S. m.*** *Bot.* **1.** Gênero monotípico de simplocáceas que reúne cerca de 250 espécies nativas de regiões tropicais e subtropicais, esp. das Américas, e da Índia à Austrália, que são árvores, ger. perenes, com folhas espiraladas, flores bibracteoladas, ger. hermafroditas, racemosas, e frutos drupáceos ou bacáceos; são exploradas e/ou cultivadas pelas cascas, que contêm tinturas e mordentes, ou como medicinais. **2.** Qualquer espécie, ou espécime desse gênero.

simploriedade [De *simplóri(o)* + *-edade*.] ***S. f.*** Qualidade, maneiras ou procedimento de simplório.

simplório [De *simpl(es)* + *-ório*.] ***Adj. S. m.*** Diz-se de, ou indivíduo ingênuo, tolo, papalvo, simples.

simpodial [De *simpódio* + *-al*[1].] ***Adj. 2 g.*** *Bot.* Relativo ao, próprio do, ou da natureza do simpódio; simpódico. ~ V. *ramificação* —.

simpódico [De *simpódio* + *-ico*[2].] ***Adj.*** *Bot.* Simpodial.

simpódio [De *sim-*[1] + *-pod(o)-* + *-io*[3].] ***S. m.*** *Bot.* Tipo de ramificação que consiste numa série de gemas concrescentes que se unem num só corpo axial, e cujo crescimento apical cessa em pouco tempo, passando o desenvolvimento do eixo caulinar a ser efetuado por uma nova gema, próxima.

simposiarca [Do gr. *symposíarchos*.] ***S. m.*** Aquele que presidia um simpósio (1), na Grécia antiga.

simpósio [Do gr. *sympósion*, pelo lat. *symposiu*.] ***S. m.*** **1.** Na Grécia antiga, a segunda parte dum banquete ou festim, durante a qual os convidados bebiam, entregando-se a diversos jogos. **2.** Banquete, festim. **3.** Reunião de cientistas, técnicos, escritores, artistas, para discutir determinado(s) tema(s).

simptose [Do gr. *sýmptosis*.] ***S. f.*** *Med. Obsol.* Enfraquecimento orgânico.

sim-senhor ***S. m.* 1.** *Bras. Zool.* V. *vi-vió*. **2.** *Lus. Pop.* Nádegas: "e provavelmente anjinhos papudos, anjinhos à D. João V, com sim-senhor algodoado de nuvens brancas" (Aquilino Ribeiro, *Lápides Partidas*, p. 288). [Pl.: *sim-senhores*. Cf. *sim senhor*.]

simulação [Do lat. *simulatione*.] ***S. f.* 1.** Ato ou efeito de simular. **2.** Disfarce, fingimento; simulacro: *Essa história é uma simulação para arrancar dinheiro aos incautos.* **3.** Hipocrisia, fingimento, impostura: *A simulação de Silvério dos Reis pôs a perder a Conjuração Mineira.* **4.** Reprodução ou representação do funcionamento de um processo, fenômeno ou sistema relativamente complexo, por meio de outro, ger. para fins científicos de observação, análise e predição, ou para treinamento, diversão, etc. **5.** Experiência ou ensaio realizado com o auxílio de modelos [v. *modelo* (18)], esp. de modelos computacionais, relativos a processos ou objetos concretos que não podem ser submetidos a experimentação direta. **6.** *Jur.* Situação jurídica caracterizada pela realização de negócio discrepante da realidade, mediante acordo entre as partes, estabelecendo divergência intencional entre a vontade e a declaração, com o intuito de enganar terceiro. **7.** *Psicol.* Imitação de uma perturbação somática ou psíquica, com fins utilitários.

simulacro (lá) [Do lat. *simulacru*.] ***S. m.*** *Ant.* **1.** Imagem de divindade ou personalidade pagã; ídolo, efígie. **2.** Ação simulada para exercício ou experiência: *um simulacro de vestibular.* **3.** Falsificação, imitação: *Não passa de um simulacro de herói.* **4.** Fingimento, disfarce, simulação. **5.** Cópia ou reprodução imperfeita ou grosseira; arremedo: *O cenário de* O Guarani *era apenas um simulacro de floresta brasileira*; "Se, abastados e engrandecidos, viemos de humildes e pobres, pretendemos muitas vezes fazer esquecer ao mundo o nosso berço; mas no abrigo familiar, deixada tão viciosa vergonha, abrimos o larário doméstico e tiramos dele os deuses da meninice, grosseiros simulacros das imagens paternas" (Alexandre Herculano, *Opúsculos*, V, pp. 34-35). **6.** V. *fantasma* (3).

simulado [Do lat. *simulatu*] ***Adj.* 1.** Que se simulou; fingido: *desmaio simulado; bombardeio simulado.* **2.** Em que há simulação (2 e 3). **3.** Que age com simulação (2) ou dissimulação; dissimulado. • ***S. m.* 4.** Indivíduo simulado (3).

simulador (ô) [Do lat. *simulatore*.] ***Adj.* 1.** Que simula. • ***S. m.* 2.** Aquele que simula. ◆ **Simulador espacial.** *Astron.* Instrumento que simula as condições existentes no espaço e é usado para experimentar equipamento astronáutico ou para o treinamento de astronautas.

simular [Do lat. *simulare*.] ***V. t. d.* 1.** Fingir (o que não é): *A criança simulava ser filha do homem que a acompanhava.* **2.** Representar com semelhança; aparentar: "Vejo, / Como nos contos da mitologia, / Que a água verde do mar simula um prado imenso." (Martins Fontes, *Verão*, p. 48.) **3.** Disfarçar, dissimular: *Simulou bem a sua preocupação.* **4.** Fazer o simulacro de: *O falso escritor simulou a autoria de vários romances.* **5.** Reproduzir ou imitar, da forma mais aproximada possível do real, certos aspectos de (uma situação ou processo). **6.** *Inform.* Elaborar, empregar ou explorar modelos computacionais para a reprodução, representação ou imitação de (fenômeno, situação ou processo concretos). ***Int.* 7.** Proceder com simulação (2): "Simular é fingir o que não é; dissimular é encobrir o que é." (P.[e] Manuel Bernardes, *Nova Floresta*, IV, p. 5.)

simulatório [Do lat. tard. *simulatoriu*.] ***Adj.*** Em que há simulação.

simulcadência [Do lat. *simul*, 'juntamente', 'ao mesmo tempo', + *cadência*.] ***S. f.*** *E. Ling.* Terminação de frases ou períodos por palavras iguais.

simulcadente (sì) [Do lat. *simul*, 'juntamente', 'ao mesmo tempo', + *cadente*.] ***Adj. 2 g.*** Em que se observa simulcadência.

simulídeo [Do tax. *Simulium* + *-ídeo*[1]; tax. *Simuliidae*.] *Zool.* ***S. m.* 1.** Espécime dos simuliídeos, família de insetos dípteros, nematóceros, com mais de mil espécies e de distribuição universal. São os mosquitos vulgarmente chamados borrachudos. • ***Adj.* 2.** Pertencente ou relativo a eles.

simultaneidade [Do lat. med. **simultaneitate* < lat. med. *simultaneus* + *-(i)tas*, *-atis* (v. *-(i)dade*).] ***S. f.*** **1.** Caráter ou qualidade de simultâneo: *É mister a simultaneidade de ação técnica e administrativa.* **2.** Acontecimento ou ação que envolve duas ou mais coisas ou pessoas. [Sin. ger.: *concomitância*, *coincidência*, *tautocronia*, *tautocronismo*. Cf. *sincronia* (1).]

simultâneo [Do lat. med. *simultaneu*.] ***Adj.*** Que ocorre ou é feito ao mesmo tempo ou quase ao mesmo tempo que outra coisa; concomitante; tautócrono: *disparos simultâneos; catástrofe simultânea.* ~ V. *avales —s*, *interpretação —a* e *tradução —a*. [Cf. *sincrônico* (1 e 2).]

simum [Do ár. *samūm*, da raiz ár. *samm*, 'envenenar', pelo fr. *simoun*.] ***S. m.*** Vento abrasador que sopra do centro da África para o norte: "Chegaram os mais famosos, os mais ilustres ventos da Terra: / .... / —Simum, com arrepiadas, severas e longas barbas de areia quente" (Joaquim Cardoso, *Poesias Completas*, p. 69).

sin [V.C.I.] ***Adj. 2 g. e 2 n. S. m. 2 n.*** *Quím.* Diz-se de, ou um dos dois isômeros possíveis em certos compostos que apresentam ligação dupla entre dois átomos de nitrogênio, ou entre um de carbono e um de nitrogênio. [Corresponde ao isômero *Z* de um alceno. Cf. *anti*.]

▲**sin-**[1] [Do gr. *sýn*.] ***Pref.*** = 'reunião', 'ação conjunta': *sinestesia*. [Equiv.: *sim-*[1], *-sin-*: *simbléfaro*; *hemissingínico*.]

▲**sin-**[2] *Quím.* ***Pref.* 1.** Indica isômero sin: *sin-benzaldoxima*. **2.** Do (a), ou pelo(a) mesmo(a) lado (face). [Us. sempre com hífen.]

▲**-sin-** V. *sin-*[1].

sina [Do lat. *signa*, 'os signos'.] ***S. f.* 1.** Signa. **2.** *Fam.* Sorte, destino, fado, fadário. [Cf. *Cina*, antr. e top.]

sinafia [Do gr. *synápheia*, pelo lat. tard. *synaphia*.] ***S. f.*** Caso extremo de *enjambement* (q. v.), ocorrente quando dois versos se interpenetram de maneira que a última palavra de um se completa no outro: "É como a água eterna- / mente matutina." (Cassiano Ricardo, *Poesias Completas*, p. 436); "Vê com ardor / Teu belo cor- / po escultural!" (Antônio Feijó, *Poesias Completas*, p. 81).

sinagelástico [Do gr. *synagelastikós*.] ***Adj.*** Que vive em grupos ou bandos.

sinagoga [Do gr. *synagogé*, 'reunião', pelo lat. tard. *synagoga*.] ***S. f.* 1.** A partir do exílio babilônico (séc. VI a. C.), local de reunião dos israelitas, para a leitura da Bíblia e a prece. **2.** Assembleia de fiéis, entre os israelitas. **3.** Templo israelita. [Sin., nessas acepç.: *esnoga*.] **4.** *Bras. Pop.* Barulho, desordem, confusão. **5.** *Bras. Pop.* Reunião tumultuosa. **6.** *Bras. Pop.* Pândega, pagode. **7.** *Bras. Gír.* V. *cabeça* (1). **8.** *Bras.* Multidão que fica em volta do edifício da Bolsa de Valores durante o pregão.

sinagogal [De *sinagoga* + *-al*[1].] ***Adj. 2 g.* 1.** Relativo ou pertencente a sinagoga. **2.** Referente à celebração da liturgia israelita.

sinais [Pl. de *sinal*.] ***S. m. pl.* 1.** Feições do corpo humano. **2.** Dobre de finados. ~ V. *sinal*.

sinal [Do b.-lat. vulg. *signale*.] ***S. m.* 1.** Aquilo que serve de advertência, ou que possibilita conhecer, reconhecer ou prever alguma coisa: *sinal de perigo*; *sinais exteriores de riqueza*; *sinais de mau tempo.* **2.** Expediente convencionado para se transmitirem à distância, por meios visíveis ou auditivos, ordens, notícias, avisos, etc.: *sinal de alarma*; *sinais ferroviários.* **3.** *P. ext.* Ruído característico produzido por aparelhos de telecomunicação, e que indica ser possível usá-los: *O telefone não dá sinal.* **4.** Demonstração exterior dum pensamento ou duma intenção; aceno, gesto: *A enfermeira atendeu de pronto ao sinal do médico.* **5.** V. *símbolo* (6): *sinais zoológicos ou botânicos*; *sinais de trânsito.* **6.** Representação gráfica com sentido convencional: *sinais de pontuação*; *sinais taquigráficos*; *sinais matemáticos.* **7.** Indício, rasto, rastro: *O criminoso deixou sinais de sua passagem.* **8.** Marca, traço, vestígio: *Na radiografia viam-se os sinais de uma lesão anterior.* **9.** *Med.* Manifestação objetiva de estado mórbido, designada, com frequência, por nome de médico (*sinal de Babinski*, *sinal de Stellwag*) ou de paciente (*sinal de Musset*). [Cf., nesta acepç., *sintoma* (1).] **10.** Pequena mancha da pele, arredondada. **11.** Pinta[1] (2). [Nesta acepç., cf. *mosca* (4).] **12.** Marca, rótulo, letreiro. **13.** Prenúncio, presságio: "A perfeição é o sinal do começo da decadência e da morte." (Graça Aranha, *A Estética da Vida*, p. 186.) **14.** Aviso, advertência: *O árbitro deu o sinal para começar a partida.* **15.** Dinheiro ou objeto que o comprador dá ao vendedor para garantir a mercadoria ou contrato feito; arras, garantia, penhor. **16.** Firma de tabelião ou de signatário. **17.** *Fig.* Manifestação, prova: *Ofereceu-lhe um jantar em sinal de gratidão.* **18.** *Mat.* Símbolo de uma operação. **19.** *Eng. Elétr.* Impulso elétrico introduzido em um circuito ou fornecido por um circuito. **20.** *E. Ling.* Processo pelo qual o significado (4) é representado pelo significante (2). **21.** *Radiotéc.* Numa onda modulada, a oscilação que modula a outra. **22.** *Semiol.* V. *indício* (3). **23.** *Teor. Inf.* Suporte físico ou energético da mensagem: qualquer unidade que, em conformidade com as regras de um código, entra na composição da mensagem, como, p. ex., os fonemas, na linguagem, e os impulsos elétricos, na telegrafia. [Cf., nesta acepç., *sistema de comunicação*.] **24.** *Bras.* V. *sinaleira*. **25.** *Bras.* Ponto de parada de coletivos. **26.** *Bras. S.* Marca que se faz na orelha do animal cortando-a de várias formas. [Cf. *senal*.] ~ V. *sinais*. ◆ **Sinal aberto.** Ordem de prosseguir, que o sinal luminoso indica nas vias de tráfego, acendendo uma lâmpada verde; sinal verde. V. *sinaleira*. **Sinal aditivo.** *Mat.* Sinal da operação de soma. **Sinal de excitação.** *Eletrôn.* V. *excitação* (4). **Sinal de multiplicação.** *Mat.* Sinal multiplicativo. **Sinal de pontuação.** *E. Ling.* Cada um dos sinais que compõem um sistema de pontuação. [No português, *vírgula*, *ponto e vírgula*, *dois-pontos* e *ponto* indicam graus de vinculação entre elementos do texto. O *ponto de interrogação* assinala o fim de uma pergunta; o *ponto de exclamação* ou de *admiração*, o fim de uma exclamação. As *reticências* assinalam a suspensão da sentença; os *parênteses* indicam que o fluxo da sentença foi cortado para nele intercalar-se um comentário; os *colchetes* servem, basicamente, para evitar que parênteses fiquem dentro de parênteses. O *travessão* assinala, principalmente, a mudança de locutor.] **Sinal de revisão.** *Tip.* Sinal convencional com que os revisores indicam, à margem das provas, ger. repetindo a chamada [v. *chamada* (10)], a natureza da emenda que deve ser feita. **Sinal de supressão.** *Tip.* Deleatur. **Sinal de tráfego.** V. *sinaleira.* **Sinal diacrítico.** *Graf.* Sinal que se apõe a uma letra para dar-lhe novo valor, como cedilha, til, acentos, ou, nos alfabetos fonéticos, a um símbolo, para indicar as características de um som, tais como duração e articulação secundária. [Tb. se diz apenas *diacrítico.*] **Sinal dos tempos.** Acontecimento infausto ou ato repreensível como se indicasse a tristeza ou decadência da época, ou talvez como a lembrar, pelo seu excesso e dureza, que os tempos anunciados se aproximam, que não tarda o fim do mundo. **Sinal fechado.** Ordem de parar, que o sinal luminoso indica, nas vias de tráfego, acendendo uma lâmpada vermelha; sinal vermelho. V. *sinaleira.* **Sinal luminoso.** V. *sinaleira.* **Sinal modulador.** *Eletrôn.* Sinal, ger. de audiofrequência, que modifica a amplitude, ou a frequência, ou a fase duma onda portadora de alta frequência, durante a modulação (5). **Sinal multiplicativo.** *Mat.* Sinal da operação de multiplicação; sinal de multiplicação. **Sinal negativo.** *Mat.* O que indica um número ou grandeza negativa. **Sinal positivo.** *Mat.* O que indica um número ou grandeza positiva. **Sinal taquigráfico.** Representação gráfica, simplificada, das letras, das sílabas e dos fonemas, respectivamente nos sistemas taquigráficos de base literal, silábica e fonética. **Sinal verde. 1.** Sinal aberto; luz verde. **2.** *Fig.* Licença, permissão, consentimento. **Sinal vermelho.** Sinal fechado. **Avançar o sinal.** *Bras.* **1.** Não atender ao sinal fechado. **2.** *Fig.* Atribuir a si mesmo atitudes ou tomar providências que não sejam da alçada de sua competência e atribuições. **3.** *Pop.* Ter relações sexuais antes do casamento. **Dar sinal de si.** Fazer ato de presença, ou dar notícias de sua pessoa; manifestar-se, aparecer; dar sinal de vida. **Dar sinal de vida.** Dar sinal de si. **Por sinal.** A propósito; por falar nisso; aliás.

sinalagmático [Do gr. *synallagmatikós.*] ***Adj.*** ~ V. *contrato* —.

sinalar [De *sinal* + *-ar*[2].] ***V. t. d. Transobj. P. P. us.*** Assinalar.

sinal da cruz ***S. m.*** O gesto da liturgia cristã de fazer com a mão direita aberta uma cruz, pronunciando as palavras latinas *In nomine Patris, et Filii et Spiritus Sancti* (ou as palavras portuguesas *Em nome do Pai, do Filho e do Espírito Santo*). [Sin., fam.: *nome do padre.* Pl.: *sinais da cruz.*]

sinalefa [Do gr. *synaloiphé*, 'mistura', 'fusão', pelo lat. tard. *synaloepha.*] ***S. f.* 1.** *E. Ling.* Figura pela qual se reúnem duas sílabas em uma só, por elisão, crase ou sinérese. **2.** *Encad.* Filete (ê) (8).

sinaleira [De *sinal* + *-eira.*] ***S. f. Bras.*** Aparelho instalado nas ruas ou cruzamentos para dar, manual ou automaticamente, sinais luminosos reguladores do trânsito. [Sin.: *sinaleiro, sinal, semáforo, sinal luminoso, sinal de tráfego* e (em SP) *farol.*]

sinaleiro [De *sinal* + *-eiro.*] ***S. m.* 1.** Indivíduo incumbido de dar sinais a bordo. **2.** Aquele que nas estações de estrada de ferro faz sinal aos trens para avisar de que a linha se acha desimpedida. **3.** *Bras.* V. *sinaleira.*

sinalética [De *sinal* + o f. de *-ético.*] ***S. f.* 1.** Processo de registrar os sinais exteriores, marcas, cicatrizes, etc., que permitem identificar os criminosos. **2.** *Cont.* Sistema de fichário que permite reunir durante vários anos em uma só ficha as indicações duma conta.

sinalético [De *sinalética*, com var. suf. (v. *-ético*).] ***Adj.*** Da, ou relativo à *sinalética*: "se é que nome e apelidos alguma vez puderam acrescentar proveito .... às costumadas referências sinaléticas" (José Saramago, *História do Cerco de Lisboa*, p. 31).

sinalização [De *sinalizar* + *-ção.*] ***S. f.* 1.** Ato ou efeito de sinalizar. **2.** Sistema de sinais de tráfego usado nas cidades, nas estradas de ferro e de rodagem, etc. **3.** Indicação ou advertência destinada a orientar motoristas: *A sinalização daquela estrada é muito deficiente.* **4.** O conjunto dos sinais de trânsito de uma cidade, estrada, bairro, etc.

sinalizar [De *sinal* + *-izar.*] ***V. t. d.* 1.** Marcar com sinais. **2.** Indicar por meio de seta (3): *O motorista sinalizou que ia entrar à esquerda.* **3.** Indicar por meio de gesto, sinal, palavra, etc.: "Ele fez o gesto que sinalizava que o assunto estava encerrado, batendo com as palmas, levemente, nas coxas." (Luís Fernando Veríssimo, *O Jardim do Diabo*, p. 111.); "BC [Banco Central] sinaliza aumento do juro básico em um futuro próximo." (*Folha de S.Paulo*, 14.03.2008.) **4.** Pôr sinalização (2 e 3) em. ***Int.* 5.** Exercer as funções de sinaleiro. **6.** Sinalizar (2): *O carro parou de repente, sem sinalizar.*

sinandria [De *sin-*[1] + *-andr(o)-* + *-ia*[1].] ***S. f. Bot.*** Concrescência dos estames, que formam uma peça única.

sinandro [De *sin-*[1] + *-andro.*] ***S. m.* 1.** *Bot.* Androceu concrescente, como se vê nas lecitidáceas e campanuláceas. ● ***Adj.* 2.** Que apresenta sinandria: *flor sinandra.*

sinantéreo [De *sin-*[1] + *-anter(o)-* + *-eo.*] ***Adj. Bot.*** V. *sinantero.*

sinanteria [De *sin-*[1] + *-anter(o)-* + *-ia*[1].] ***S. f. Bot.*** Soldadura dos estames pelas anteras, ficando livres os filetes.

sinantérico [De *sin-*[1] + *-anter(o)-* + *-ico*[2].] ***Adj. Bot.*** V. *sinantero.*

sinantero [De *sin-*[1] + *-antero.*] ***Adj. Bot.*** Que apresenta sinanteria; sinantérico, sinantéreo: *androceu sinantero.*

sinantia [De *sin-*[1] + *-ant(o)-* + *-ia*[1].] ***S. f. Bot.*** Anormalidade consistente na soldadura anômala de duas flores vizinhas, pelos invólucros ou pelos pecíolos.

sinanto [De *sin-*[1] + *-anto.*] ***Adj. Bot.* 1.** Que apresenta sinantia. **2.** Cujas flores e folhas surgem simultaneamente.

sinantocarpado [De *sin-*[1] + *-ant(o)-* + *-carp(o)-* + *-ado*[1].] ***Adj. Bot.*** Diz-se da infrutescência produzida pela fusão dos frutos formados pelos ovários de flores vizinhas.

sinantocarpia [De *sin-*[1] + *-ant(o)-* + *-carp(o)-* + *-ia*[1].] ***S. f. Bot.*** Concrescência de vários frutos contíguos em desenvolvimento, dando uma infrutescência, como na jaca, no abacaxi, etc.

sinantocárpio [De *sinantocarpo* + *-io*[3].] ***Adj. Bot.*** Relativo ao sinantocarpo.

sinantocarpo [De *sin*[1] + *-ant(o)-* + *-carpo.*] ***S. m. Bot.*** Fruto composto resultante de sinantocarpia; sincarpo.

sinantropo [De *sin*[1]- + *-antropo.*] ***Ecol. Adj.*** Diz-se de alguns animais, como ratos, moscas, pardais, pombos, etc., que vivem próximos aos homens, por se beneficiar do ambiente criado por eles. ● ***S. m.* 2.** Animal sinantropo.

sinão [De *sino*[1] + *-ão*[1].] ***S. m.*** Sino grande. [Cf. *senão.*]

sinápico [Do gr. *sínapi*, 'mostarda', + *-ico*[2].] ***Adj.*** Referente à mostarda.

sinapismo [Do gr. *sinapismós*, pelo lat. tard. *sinapismu.*] ***S. m.*** *Terap.* Cataplasma de mostarda, que se aplica, por via de regra, como revulsivo: "E também como tu fui improvisado enfermeiro, Luísa. Também apliquei injeções, coloquei emplastos, sinapismos" (Marques Rebelo, *O Trapicheiro*, p. 256). [Cf. *sinaspismo.*]

sinapização [De *sinapizar* + *-ção.*] ***S. f.*** Ação de sinapizar.

sinapizar [Do gr. *sinapízein*, pelo lat. *sinapizare.*] ***V. t. d.*** *Terap.* Temperar ou polvilhar (medicamento) com mostarda.

sinapse [Do gr. *sýnapsis*, 'ação de juntar'.] ***S. f.* 1.** *Histol.* Junção, entre neurônios ou entre neurônios e outras células efetoras, onde os impulsos nervosos são transmitidos. **2.** *Citol.* Processo de alinhamento e de emparelhamento de cromossomos homólogos durante o estágio de zigoteno, da prófase I da meiose.

sinápsido[1] [Do gr. *sýnapsis*, 'conexão', + *-ido*[1].] ***Adj. Zool.*** Diz-se de crânio que apresenta uma abertura no temporal[2] (2), acima do qual este osso e o pós-orbital entram em contato.

sinápsido[2] [Adapt. do tax. *Synapsida.*] ***Paleont. S. m.* 1.** Espécime dos sinápsidos, subclasse de reptis que compreende os pelicossáurios e os terápsidos, e que se caracterizam por serem dotados de crânio sinápsido[1]; são considerados ancestrais dos mamíferos. ● ***Adj.* 2.** Pertencente ou relativo a eles.

sináptico [Do gr. *synaptikós.*] ***Adj. Histol.*** Da sinapse, ou relativo a ela.

sinaptonêmico [Do ingl. *synaptonemal*, com mud. de suf.; v. *-ico*[2].] ***Adj.*** ~ V. *complexo* —.

sinarquia [Do gr. *synarchía.*] ***S. f.* 1.** Poder comum ou compartilhado, esp. com referência ao triunvirato em Roma. **2.** Governo exercido simultaneamente por vários chefes de um Estado; administração coletiva.

sinartrose [De *sin-*[1] + *-artr(o)-* + *-ose*[1].] ***S. f. Anat.*** Forma de articulação em que os ossos são unidos por tecido conjuntivo fibroso contínuo, e que compreende três tipos: *sutura, sindesmose* e *gonfose.*

sina-sina ***S. f. Bras. Bot.*** Arvoreta ou arbusto cesalpiniáceo (*Parkinsonia aculeata*) de ampla dispersão na América tropical, África e Ásia, usado para compor sebes. Tem folíolos oblongos, coriáceos, minutos e numerosos, espinhos estipulares, flores amarelas, pequenas e reunidas em cachos; o legume, linear e moniliforme, atinge 25cm. [Pl.: *sinas-sinas* e *sina-sinas.*]

sinaspismo [Do gr. *synaspismós.*] ***S. m.*** Na Grécia antiga, formatura defensiva da falange, com os escudos unidos um ao outro. [Cf. *sinapismo.*]

sin-benzaldoxima (cs) ***S. f. Quím.*** O isômero da benzaldoxima em que hidrogênio e hidroxila estão do mesmo lado no grupo oxima. [Pl.: *sin-benzaldoximas.*]

sincanto [De *sin-*[1] + gr. *kanthós*, 'canto do olho'.] ***S. m. Anat.*** Aderência de globo ocular à órbita homolateral.

sincáride [Do tax. *Syncarida.*] ***Zool. S. m.* 1.** Espécime dos sincárides, divisão dos malacostráceos, coextensiva à ordem dos anaspidáceos. ● ***Adj. 2 g.* 2.** Pertencente ou relativo a eles.

sincarpado [De *sincarpo* + *-ado*[1].] ***Adj. Bot.*** V. *sincárpico.*

sincarpia [De *sin-*[1] + *-carp(o)-* + *-ia*[1].] ***S. f. Bot.*** Concrescência de carpelos em maior ou menor grau, formando um ovário.

sincárpico [De *sincarpia* + *-ico*[2].] ***Adj. Bot.*** Que apresenta sincarpia. [Opõe-se a *apocárpico.*]

sincarpo [De *sin-*[1] + *-carpo.*] ***S. m. Bot.*** Sinantocarpo.

sincategoremático [De *sin-*[1] + *categoremático.*] ***Adj.* 1.** *E. Ling.* Diz-se de vocábulo que não tem significado por si mesmo, que só tem significado quando acompanhado de outros. Ex.: as preposições. **2.** *E. Ling.* Diz-se de processo, ou dos elementos nele envolvidos, que não resulta em alteração de categoria gramatical: *a flexão é sincategoremática.* **3.** *Filos.* Diz-se de infinito potencial de partes. [Cf. *categoremático.*]

sinceiral [De *sinceiro* + *-al*[1].] ***S. m.*** V. *salgueiral*: "os rouxinóis dos nossos sinceirais" (Camilo Castelo Branco, *Doze Casamentos Felizes*, p. 11).

sinceiro [De or. controv.; de *saliceiro (do lat. *salix*, *icis*, 'salgueiro'), poss.] ***S. m.* 1.** *Bot.* V. *salgueiro*[1] (1): "Entre os sinceiros da margem / Murmura o claro Mondego" (Gonçalves Crespo, *Obras Completas*, p. 315). **2.** Salgueiro-branco (1). [Cf. *cinceiro.*]

sincelo (ê) [Do gr. med. *sýnkellos*, 'funcionário que dormia na cela do patriarca para vigiar-lhe o procedimento', pelo lat. med. *syncellu.*] ***S. m.*** *Lus.* Caramelos [v. *caramelo* (1)] pendentes das árvores, ou dos beirais dos telhados, e que se originam da congelação da chuva; códão: "Chuva, geada, sincelo em cima." (Miguel Torga, *Bichos*, p. 9.)

sinceridade [Do lat. *sinceritate.*] ***S. f.* 1.** Qualidade de sincero. **2.** Franqueza, lealdade, lhaneza, lisura. **3.** Boa-fé.

sincero [Do lat. *sinceru*, 'sem mistura'; 'sem malícia'; 'puro'.] ***Adj.* 1.** Que se expressa sem artifício, sem intenção de enganar; franco, leal. **2.** Que se mostra disposto a reconhecer a verdade; franco, leal: *O candidato revelou-se discreto e sincero.* **3.** Dito ou feito sem dissimulação: *confissão sincera; depoimento sincero.* **4.** Verdadeiro, autêntico, puro: *amizade sincera; arrependimento sincero.* **5.** Cordial, afetuoso: *Dê-lhe o meu sincero abraço.* **6.** Sem afetação ou disfarce: *acolhimento sincero.* **7.** De boa-fé; sem impostura ou malícia: *As negociações se processaram de modo sincero.*

sincicial [De *sincício* + *-al*[1].] ***Adj. 2 g. Citol.*** Relativo ou pertencente ao sincício.

sincício [Do lat. cient. *syncytium.*] ***S. m. Citol. Embr.*** Massa de citoplasma com muitos núcleos envolvidos por uma única membrana plasmática.

sinciciotrofoblasto (cìcio) [De *sincício* + *trofoblasto.*] ***S. m.*** *Embr.* Trofoblasto sincicial (q. v.).

sincinesia [Do gr. *synkínesis*, 'agitação', 'reviramento', + *-ia*[1].] ***S. f. Neur.*** Associação de um movimento involuntário a um voluntário, da qual resulta, p. ex., levantar o paciente os dois braços quando se lhe ordenou levantasse apenas um.

sincipital [Do lat. *sincipite*, 'metade da cabeça', + *-al*[1].] ***Adj. 2 g. Anat.*** Relativo ou pertencente ao sincipúcio.

sincipúcio [Do lat. *sinciputium, calcado em *sinciput.*] ***S. m. Anat.*** Porção anterior e superior da cabeça.

sinciput [Do lat. *sinciput*] ***S. m. Anat.*** V. *sincipúcio.*

sincito [De *sin-*[1] + *-cito.*] ***S. m. Citol. Embr. Desus.*** V. *sincício.*

sinclinal [De *sin-*[1] + *-clin(o)-*[2] + *-al*[1].] ***Adj. 2 g. Geol.*** Diz-se da dobra cuja concavidade é voltada para cima.

sínclise [Do gr. *sýnklisis*, 'inclinação mútua'.] ***S. f.*** *E. Ling.* O emprego de pronomes oblíquos átonos. [Cf. *cínclise* e *síncrise*, *ênclise* e *próclise.*]

sinclítica [F. subst. de *sinclítico.*] ***S. f. E. Ling.*** Palavra que se intercala em outra, perdendo, assim, o acento próprio.

sinclítico [Do gr. *synklitós*, do gr. *synklínein*, 'inclinar-se conjuntamente', + *-ico*[2].] ***Adj. E. Ling.*** Diz-se do pronome que se intercala em uma palavra. [Cf. *enclítico* e *proclítico.*]

sincliticismo [Do gr. *synklitós* (v. *sinclítico*) + *-ismo.*] ***S. m.* 1.** *E. Ling.* Conjunto de normas acerca da colocação dos pronomes oblíquos na frase. **2.** *Obst.* Situações em que existe paralelismo entre os planos da cabeça do feto e os da bacia materna.

sincondrose [De *sin-*[1] + *-condr(o)-* + *-ose*[1].] ***S. f. Anat.*** Tipo de articulação em que a cartilagem interveniente, antes que o indivíduo chegue à fase adulta, em geral se transforma em osso.

sincondrotomia [De *sin-*[1] + *-condr(o)-* + *-tom(o)-* + *-ia*[1].] ***S. f. Cir.*** Dissecção ou incisão de sincondrose.

sincondrotômico ***Adj. Cir.*** V. *sincondrotômico.* [Uso freq. em P.]

sincondrotômico [De *sincondrotomia* + *-ico*[2].] ***Adj. Cir.*** Relativo a sincondrotomia.

síncopa [Do lat. tard. *syncopa.*] ***S. f.*** V. *síncope.* [Cf. *sincopa*, do v. *sincopar.*]

sincopado [Part. de *sincopar*.] *Adj.* **1.** *E. Ling.* Diz-se de vocábulo em que houve síncope (2). **2.** *Mús.* Em que se fez síncope (3); unido por síncope. ~ V. *charada* —*a*.

sincopal [De *síncope* + *-al*[1].] *Adj. 2 g.* **1.** Referente à síncope. **2.** Que é do mesmo caráter da síncope.

sincopar [De *síncope* + *-ar*[2].] *V. t. d.* **1.** *E. Ling.* Suprimir (letra ou sílaba) por síncope (2); sincopizar. *Int.* **2.** *Mús.* Fazer síncope (3); estar unido por síncope. [Pres. ind.: *sincopo*, *sincopas*, *sincopa*, etc.; pres. subj.: *sincope*, etc. Cf. *síncopa* e *síncope*.]

síncope [Do gr. *synkopé*, 'ação de cortar', pelo lat. tard. *syncope*.] *S. f.* **1.** *Med.* Perda temporária de consciência devida a má perfusão sanguínea encefálica, e que pode ser em razão de causas diversas. [Sin.: *delíquio*, *desmaio*, *lipotimia*, (pop.) *fanico*, *chilique*, *passamento*, (bras., pop.) *biloura*, *cangolé*, *piloura*, *turica*.] **2.** *E. Ling.* Supressão de fonema(s), no interior da palavra. Ex.: *mor* em vez de *maior*. [Cf., nesta acepç., *haplologia*.] **3.** *Mús.* Som articulado sobre um tempo fraco ou parte fraca de um tempo, prolongado ou prolongada sobre o tempo forte ou a parte forte do tempo seguinte. [Cf., nesta acepç., *contratempo* (5).] [Cf. *sincope*, do v. *sincopar*.]

sincópico [De *síncope* + *-ico*[2].] *Adj.* Relativo a síncope.

sincopizar [De *síncope* + *-izar*.] *V. t. d.* **1.** *E. Ling.* Sincopar (1). *Int. P.* **2.** *Impr.* Ter síncope (1).

sincorologia [De *sin-*[1] + *-cor(o)-*[1] + *-logia*.] *S. f.* Parte da ecologia que trata da distribuição das comunidades no espaço e no tempo.

sincorológico [De *sincorologia* + *-ico*[2].] *Adj.* Respeitante à sincorologia.

sincotilédone [De *sin-*[1] + *cotilédone*.] *Adj. 2 g. Bot.* V. *sincótilo*.

sincotiledóneo *Adj. Bot.* V. *sincotiledôneo*. [Uso freq. em P.]

sincotiledôneo [De *sin-*[1] + *cotiledôneo*.] *Adj. Bot.* V. *sincótilo*.

sincotilia [De *sin-*[1] + *cotil(édone)* + *-ia*[1].] *S. f. Bot.* Concrescência, parcial ou total, dos dois cotilédones de uma plântula.

sincótilo [De *sin-*[1] + *-cótilo*.] *Adj. Bot.* Que apresenta sincotilia; sincotilédone, sincotiledôneo.

sincraniano [De *sin-*[1] + *craniano*.] *Adj. Anat.* V. *sincrânio*.

sincrânio [De *sin-* + *-crânio*.] *Adj. Anat.* Diz-se da maxila superior, dada a sua íntima ligação ao crânio; sincraniano.

sincrético [De *sincr(ise)* + *-ético*.] *Adj.* Relativo ao, ou em que há sincretismo; sincretista: *doutrina sincrética*.

sincretismo [Do gr. *synkretismós*, 'reunião de vários Estados da ilha de Creta contra o adversário comum', pelo fr. *syncrétisme*.] *S. m.* **1.** *Filos.* Tendência à unificação de ideias ou de doutrinas diversificadas e, por vezes, até mesmo inconciliáveis. [Cf., nesta acepç., *ecletismo* (1).] **2.** Amálgama de doutrinas ou concepções heterogêneas: "As inteligências que mais ou menos diretamente nos governam estão com relação à administração ultramarina num estado de sincretismo bramânico, em que nada se compreende, em que nada se resolve" (Ramalho Ortigão, *As Farpas*, IV, p. 270). **3.** Fusão de elementos culturais diferentes, ou até antagônicos, em um só elemento, continuando perceptíveis alguns sinais originários. **4.** *Psicol.* Percepção global e indistinta, da qual surgem, depois, objetos distintamente percebidos.

sincretista [Do fr. *syncrétiste*.] *Adj. 2 g.* **1.** Sincrético. • *S. 2 g.* **2.** Partidário do sincretismo.

sincretização [De *sincretizar* + *-ção*.] *S. f.* Ato ou efeito de sincretizar.

sincretizante [De *sincretizar* + *-nte*.] *Adj. 2 g.* Que sincretiza.

sincretizar [De *sincretismo* + *-izar*, seg. o padrão erudito.] *V. t. d.* Produzir sincretismo em.

sincretizável [De *sincretizar* + *-vel*.] *Adj. 2 g.* Que é passível de ser sincretizado.

síncrise [Do gr. *synkrisis*, 'reunião', 'comparação', pelo lat. tard. *syncrise*.] *S. f. E. Ling.* **1.** Oposição, antítese, contradição. **2.** Reunião de duas vogais em um ditongo. [Cf. *sínclise* e *cínclise*.]

sincrítico [Do gr. *synkritikós*, 'próprio para reunir, para estabelecer comparações'.] *Adj.* Referente à síncrise.

sincrocíclotron [Do ingl. *synchrocyclotron*.] *S. m. Fís. Nucl.* Tipo de acelerador de partículas pesadas, com trajetórias fechadas, e em que um campo elétrico de frequência variável é o campo acelerador.

sincronia [De *síncrono* + *-ia*[1].] *S. f.* **1.** Ato ou efeito de sincronizar (3). [Cf. *simultaneidade*.] **2.** *E. Ling.* Estágio da história de uma língua que é tomado para estudo. [Cf., nesta acepç. *diacronia*.]

sincronicidade [De *sincrônico* + *-(i)dade*.] *S. f.* Qualidade ou característica do que é sincrônico.

sincrónico *Adj.* V. *sincrônico*. [Uso freq. em P.]

sincrônico [De *síncrono* + *-ico*[2].] *Adj.* **1.** Que ocorre ao mesmo tempo. **2.** Relativo aos fatos concomitantes ou contemporâneos. **3.** Relativo a, ou em que há sincronia. **4.** *E. Ling.* Pertencente ou relativo a sincronia (2). [Sin., nas acepç. 1 e 2: *síncrono*. Cf. *simultâneo*.]

sincronismo [Do gr. *synchronismós*.] *S. m.* **1.** Relação entre fatos sincrônicos: "Toda a gente sabe que os tecidos se extinguem sem sincronismo com a extinção da consciência" (Fidelino de Figueiredo, *Entre Dois Universos*, p. 229). **2.** Fato sincrônico.

sincronista [De *síncrono* + *-ista*.] *Adj. 2 g. S. 2 g. P. ext.* Que, ou quem usa, na exposição dos fatos, o método sincrônico (3).

sincronístico [De *síncrono* + *-ist(a)-* + *-ico*[2].] *Adj.* Relativo ou pertencente ao sincronismo.

sincronização [De *sincronizar* + *-ção*.] *S. f.* **1.** Ato ou efeito de sincronizar. **2.** *Eletrôn.* Ato ou efeito de manter uma operação em conjugação ou entrosamento com outra.

sincronizado [Part. de *sincronizar*.] *Adj.* Que se sincronizou.

sincronizar [De *síncrono* + *-izar*.] *V. t. d.* **1.** Narrar, expor, descrever sincronicamente. **2.** Agir, atuar, trabalhar com sincronismo. **3.** Combinar (ações ou exercícios) para o mesmo tempo. **4.** *Cin.* Tornar (diálogo, música, ou efeitos de som) exatamente simultâneos com a ação exibida na tela.

síncrono [Do gr. *sýnkhronos*, 'contemporâneo', pelo lat. tard. *synchronu*.] *Adj.* **1.** V. *sincrônico* (1 e 2). **2.** Cujo tempo de realização é determinado por um mecanismo de sincronismo (ger. que se processa a uma taxa constante), sem depender do término de um evento ou processo precedente. **3.** Diz-se de programa ou dispositivo que realiza operações ou processos desse tipo. [Opõe-se a *assíncrono*.] ~ V. *motor* — e *transmissão* —*a*.

síncrotron *S. m. Fís.* Acelerador de partículas carregadas (elétrons, prótons, p. ex.) que são aceleradas em órbitas que se mantêm circulares em virtude da ação de campos magnéticos variáveis.

sindactilia [De *sin-* + *-da(c)til(o)-* + *-ia*[1].] *S. f. Ter.* Anomalia caracterizada pela união de dois ou mais dedos.

sindáctilo [De *sin-*[1] + *-dá(c)tilo*.] *Adj.* **1.** *Ter.* Diz-se de quem apresenta sindactilia. **2.** *Zool.* Que tem os dedos soldados entre si. • *S. m.* **3.** *Ter.* Quem apresenta sindactilia. [Var.: *sindátilo*.]

sindátilo *Adj. S. m. Ter. Zool.* V. *sindáctilo*.

sindectomia [Do rad. gr. *synd-*, raiz de *syndein*, 'ligar', + *-ectom-* + *-ia*[1].] *S. f. Oftalm.* Excisão parcial de conjuntiva.

sindectómico *Adj. Oftalm.* V. *sindectômico*. [Uso freq. em P.]

sindectômico [De *sindectomia* + *-ico*[2].] *Adj. Oftalm.* Relativo a sindectomia.

sindérese [Do fr. *syndérèse*.] *S. f.* **1.** Faculdade natural de julgar com retidão. **2.** Bom senso, discrição, ponderação, circunspeção. **3.** *Hist. Filos.* Na filosofia escolástica, aptidão natural e inata para a apreensão imediata dos princípios morais que devem orientar a prática. **4.** *Rel.* Posse natural dos princípios básicos da moralidade, inerente a toda ação humana consciente.

sinderético [De *sindér(ese)* + *-ético*.] *Adj.* Respeitante à sindérese.

síndese [Do gr. *sýndesis*, 'ligação'.] *S. f. E. Ling.* Síndeto.

sindesmite [De *sindesm(o)-* + *-ite*[1].] *S. f. Patol.* Inflamação de um ligamento (3).

▲**sindesm(o)-** [Do gr. *syndesmo-* < gr. *sýndesmos, ou*.] *El. comp.* = 'ligamento': *sindesmologia*, *sindesmose*.

sindesmografia [De *sindesm(o)-* + *-grafia*.] *S. f. Anat.* Descrição dos ligamentos [v. *ligamento* (3)].

sindesmográfico [De *sindesmografia* + *-ico*[2].] *Adj.* Referente a sindesmografia.

sindesmologia [De *sindesm(o)-* + *-logia*.] *S. f. Anat.* O estudo dos ligamentos [v. *ligamento* (3)].

sindesmológico [De *sindesmologia* + *-ico*[2].] *Adj.* Relativo a sindesmologia.

sindesmose [De *sindesm(o)-* + *-ose*[1].] *S. f. Anat.* Tipo de articulação em que há a interveniência de tecido conjuntivo fibroso que constitui membrana ou ligamento (3) interósseo.

sindesmotomia [De *sindesm(o)-* + *-tom(o)-* + *-ia*[1].] *S. f.* **1.** *Cir.* Dissecção ou incisão de ligamento (3). **2.** *Odont.* Técnica cirúrgica periodôntica que consiste em seccionar fibras ao redor da gengiva.

sindesmotómico *Adj. Cir.* V. *sindesmotômico*. [Uso freq. em P.]

sindesmotômico [De *sindesmotomia* + *-ico*[2].] *Adj. Cir.* Relativo a sindesmotomia.

sindesmótomo [De *sindesm(o)-* + *-tomo*.] *S. f. Odont.* Instrumento cirúrgico us. em sindesmotomia.

sindético [Do gr. *syndetikós*.] *Adj. E. Ling.* Diz-se da oração que se liga a outra por conjunção coordenativa. Ex.: *Estudou e ensinou*; *Trabalhou muito, mas continuou pobre*. [Cf. *assindético* e *polissindético*.] ~ V. *coordenação* —*a*.

síndeto [Do gr. *sýndeton*.] *S. m. E. Ling.* Presença de conjunção aditiva entre os termos de uma construção coordenada; síndese. [F. paral.: *síndeton*. Cf. *assíndeto* e *polissíndeto*.]

síndeton *S. m. E. Ling.* V. *síndeto*.

sindi [Do ár. *sindī*, 'de Sind (região do atual Paquistão)', hindustâni *sindhi* < sânscr. *sindhu*, 'rio (*i. e.*, o Indo, que atravessa essa região)'.] *S. m.* **1.** Certa raça zebu (q. v.). **2.** *Gloss.* Língua indo-ariana falada no Paquistão e na Índia. [É escrita em alfabeto árabe no Paquistão, e em gurmuqui, na Índia.] **3.** Vocábulo dessa língua. • *Adj. 2 g.* **4.** Diz-se dessa raça zebu. **5.** Pertencente ou relativo a sindi (2).

sindicação [De *sindicar* + *-ção*.] *S. f.* Ato ou efeito de sindicar; sindicância.

sindicado [Part. de *sindicar*.] *Adj. S. m.* Diz-se de, ou indivíduo contra quem se instaura sindicância.

sindical [De *síndico* (4) + *-al*[1].] *Adj. 2 g.* Pertencente ou relativo a sindicato; sindicatário. ~ V. *câmara* — e *central* —.

sindicalismo [De *sindical* + *-ismo*.] *S. m.* **1.** Doutrina que prega uma ação coletiva dos trabalhadores em defesa dos seus interesses: *sindicalismo revolucionário*. **2.** Ação que visa à criação e ao fortalecimento de sindicatos; movimento sindical: *O sindicalismo é mais desenvolvido entre trabalhadores urbanos*. **3.** Ação reivindicatória ou política dos sindicatos: *sindicalismo de resultados*; *O período de governo do Presidente João Goulart foi marcado pelo sindicalismo*.

sindicalista [De *sindicalismo* + *-ista*.] *Adj. 2 g.* **1.** Relativo ao, ou que é partidário do sindicalismo (1). • *S. 2 g.* **2.** Partidário dele. **3.** Dirigente sindical.

sindicalização [De *sindicalizar* + *-ção*.] *S. f.* Ação de sindicalizar(-se).

sindicalizado [Part. de *sindicalizar*.] *Adj.* Que se sindicalizou; que é membro de um sindicato.

sindicalizar [De *sindical* + *-izar*.] *V. t. d.* **1.** Reunir em sindicato. *P.* **2.** Reunir-se em sindicato; sindicar-se. **3.** Passar a pertencer a um sindicato, a ser membro dele; sindicar-se.

sindicalizável [De *sindicalizar* + *-vel*.] *Adj. 2 g.* Que pode ou deve sindicalizar-se.

sindicância [De *sindicar* + *-ância*.] *S. f.* **1.** Inquérito; sindicação. **2.** *Bras.* A função do síndico; sindicato. **3.** *Bras.* O exercício dessa função; sindicato.

sindicante [De *sindicar* + *-nte*.] *Adj. 2 g.* **1.** Que sindica. • *S. 2 g.* **2.** Pessoa que sindica; síndico.

sindicar [De *síndico* + *-ar*[2].] *V. t. d.* **1.** Fazer sindicância em; inquirir. **2.** Colher informações a respeito de (algo), por ordem superior. **3.** Organizar em sindicato; sindicalizar. *Int. T. i.* **4.** Realizar sindicâncias; tomar informações. *P.* **5.** Sindicalizar-se. [Pres. ind.: *sindico*, etc. Cf. *síndico*. Conjug.: v. *trancar*.]

sindicatado [De *sindicato* + *-ado*[2].] *S. m.* Operário sindicalizado.

sindicatário [De *sindicato* + *-ário*.] *Adj.* **1.** Sindical. • *S. m.* **2.** Membro de um sindicato.

sindicato [De *síndico* (4) + *-ato*[1]; fr. *syndicat*.] *S. m.* **1.** Associação que visa à defesa dos interesses de seus membros. **2.** *Dir. Trab.* Associação para fins de defesa dos direitos e interesses coletivos ou individuais, econômicos ou profissionais, de todos os que, como empregadores, empregados, agentes ou trabalhadores autônomos, ou profissionais liberais, exerçam a mesma atividade ou profissão. **3.** Reunião de pessoas ou firmas para ação comum em determinado negócio ou transação. **4.** *Deprec.* Especulação financeira ilícita. **5.** *Bras.* Sindicância (2 e 3). ◆ **Sindicato patronal** *Dir. Trab.* Organização dos empregadores para defender os interesses da categoria ou setor em negociações com o governo e com os trabalhadores.

sindicatório [De *sindicato* + *-ório*.] *Adj.* **1.** Relativo a sindicato. • *S. m.* **2.** Membro de um sindicato (1).

síndico [Do gr. *sýndikos*, 'advogado', 'defensor', pelo lat. tard. *syndicu*.] *S. m.* **1.** Antigo procurador de uma comunidade, de cortes, etc. **2.** Advogado de corporação administrativa. **3.** Sindicante (2). **4.** Indivíduo escolhido para zelar ou defender os interesses duma associação, duma classe, etc. **5.** *Bras.* Nos edifícios em que há condomínio, pessoa escolhida pelos condôminos para tratar dos interesses e da administração do imóvel. **6.** *Bras. Dir. Com. Desus.* Administrador duma falência, sob a imediata direção e superintendência do juiz, que o escolhia pela sua idoneidade moral e financeira entre os maiores credores do falido, sendo que a escolha podia recair em pessoa estranha, desde que idônea e de boa reputação, se três credores renunciassem seguidamente à nomeação. [Cf., nesta acepç., *liquidante* (3). Cf. *sindico*, do v. *sindicar*.]

sindiotáctico [Do V.C.I. *syndio* (< gr.) + *-tá(c)tico*.] *Adj. Quím.* ~ V. *polímero* —.

síndroma *S. f.* V. *síndrome*.

síndrome [Do gr. *syndromé*, 'reunião', 'concurso'.] *S. f.* **1.** *Med.* Estado mórbido caracterizado por um con-

S

junto de sinais e sintomas, e que pode ser produzido por mais de uma causa. Ex.: síndrome de obstrução intestinal, síndrome de insuficiência respiratória. **2.** *Genét.* Estado mórbido caracterizado por um conjunto de sinais e sintomas produzido por uma única alteração no material genético. [Ex.: *síndrome de Down.*] **3.** *Fig.* Conjunto de características ou de sinais associados a uma condição crítica, suscetíveis de despertar reações de temor e insegurança: *a síndrome da guerra nuclear; a síndrome da inflação galopante.* [Var.: *síndroma.*] ◆ **Síndrome de abstinência.** Conjunto de fenômenos psicológicos e somáticos incidível em pessoa que, bruscamente, é privada do uso de álcool, tabaco, certos medicamentos psicotrópicos, etc. **Síndrome de Adams-Stokes.** *Card. Neur.* V. *doença de Adams-Stokes.* **Síndrome de Alice no país das maravilhas.** *Psiq.* Estado ilusório, caracterizado por despersonalização, má avaliação do sentido de passagem do tempo, reconhecimento distorcido de objetos, alucinações e outras formas de ilusão. [Da obra de Lewis Carroll, pseudônimo de Charles Lutwidge Dodgson (1832-1898).] **Síndrome de angústia respiratória do adulto.** *Med.* Lesão pulmonar grave, de evolução rápida, e que surge poucos dias após algum tipo de agressão ao organismo, levando à insuficiência respiratória [sigla: *SARA*]. **Síndrome de Asperger.** *Psiq.* Perturbação do desenvolvimento mental, mais incidente no sexo masculino, que se assemelha ao autismo (q. v.), de cuja forma clássica difere pela ausência de demora no progresso da função cognitiva e no da linguagem, bem como na aptidão para a autoajuda, contribuindo esta última particularidade para distingui-la do autismo; a síndrome inclui, ainda, dificuldade de relacionamento social, comportamento reservado e limitação de interesses por parte do paciente que, no entanto, pode ter vida normal quando adulto. **Síndrome de Brown-Séquard.** A que resulta de lesão de uma metade da medula espinhal, e que se manifesta por hemiparaplegia com hemianestesia profunda do lado da lesão, além de hemianestesia táctil, dolorosa e térmica, do lado oposto. [De Charles Edouard Brown-Séquard (1818?-1894).] **Síndrome de Cushing.** *Endocr.* Síndrome decorrente de excessiva secreção de hormônios adrenocorticais ou a grande administração deles; suas manifestações se estendem a vários setores do corpo, como sejam acúmulo de gordura na face, pescoço e tronco, diabete melito, hipertensão arterial, osteoporose, amenorreia, e hipertricose, na mulher, impotência, no homem, etc. [Do antr. de (*Harvey Williams*) *Cushing* (1854-1934), cirurgião americano.] **Síndrome de despersonalização e desrealização.** *Psiq.* Distúrbio (3) que pode ocorrer na esquizofrenia, na depressão, etc., em que o indivíduo estranha o seu corpo e o seu ambiente, sendo estes percebidos como irreais. **Síndrome de Down.** *Med. Genét.* A que se caracteriza por apresentar-se o crânio pequeno e achatado em sentido anteroposterior, achatamento da junção dos ossos nasais, encurtamento de falanges, outras alterações de dedos de mãos e de pés e retardo mental que varia de moderado a intenso; mongolismo. **Síndrome de Estocolmo.** Sentimento de simpatia em relação a(os) sequestrador(es), por parte de indivíduo sequestrado por motivos políticos: "A síndrome de Estocolmo se revelou pela primeira vez em Estocolmo, Suécia, quando um diplomata alemão ocidental sequestrado e devolvido declarou simpatia pelo grupo terrorista Baader-Meinhoff." (*Jornal do Brasil*, 05.11.1985.) **Síndrome de Gilles de la Tourette.** *Patol.* V. *doença de Gilles de la Tourette.* **Síndrome de imunodeficiência adquirida.** *Med.* V. *aids* [sigla: *SIDA*]. **Síndrome de Klinefelter.** A observada em homens jovens, ger. com ginecomastia, frequentemente bem desenvolvidos fisicamente, magros, eunucoides, testículos pequenos, e que mostram *deficit* mental. [De Harry Fitch Klinefelter, médico americano (1912-?).] **Síndrome de Korsakoff.** *Psiq.* Aquela na qual se observam distúrbios de memória, manifestações pseudológicas e polineurite, esta de origem alcoólica ou não. [De Sergei S. Korsakoff (1854-1900), neurologista russo.] **Síndrome de lágrimas de crocodilo.** *Med.* Estado de patogenia obscura e que consiste em lacrimejamento durante mastigação; ocorre após paralisia facial e dever-se-ia a trajeto desgarrado de neurofibras em regeneração, dirigindo-se algumas destas, que se destinam a glândulas salivares, a glândulas lacrimais. [A denominação provém do fato de que os crocodilos lacrimejam quando mastigam.] **Síndrome de Meunière.** *Otor.* Doença de Meunière (q. v.). **Síndrome de Münchhausen.** *Psiq.* Perturbação mental em que o paciente, numerosas vezes, procura tratamento hospitalar, e até cirúrgico, pretendendo ter doença aguda, relatando, dramaticamente, fatos verossímeis relativamente a doença mas, na verdade, fictícios. [De Karl Friedrich Hieronymus, barão von Münchhausen (1720-1797).] **Síndrome de Parkinson.** *Neur.* A que exibe quadro clínico igual ao da doença de Parkinson, mas em que a causa é conhecida (traumática, infecciosa, etc.). **Síndrome de tensão pré-menstrual.** *Gin. Med.* Síndrome que pode ocorrer em dias que precedem a menstruação e que se caracteriza por fenômenos mentais (irritabilidade, insônia, instabilidade emocional), cefaleia, mastalgia, distensão abdominal, constipação, poliaciuria, adinamia. [Sin.: *síndrome pré-menstrual, tensão pré-menstrual.*] **Síndrome de Turner.** (de Henry Hubert Turner (1892-1970), endocrinologista americano). Encontrada no sexo feminino, exteriorizando-se por nanismo de aspecto infantil, aplasia ovariana completa, ou ovários muito pouco desenvolvidos, além de más-formações diversas, da face, do pescoço, dos membros, etc. **Síndrome de Weil.** *Psiq.* Grave forma clínica de leptospirose, em que há comprometimento renal, icterícia, hemorragia, enemia, perturbações da consciência e febre. [De Adolf Weil (1848-1916), médico alemão.] **Síndrome do Golfo.** *Med.* Doença (2) que surgiu entre soldados, principalmente norte-americanos, que estiveram na Guerra do Golfo Pérsico (1990-1991), e que seria uma forma de sensibilidade química múltipla (q. v.); o quadro clínico, de composição ainda maldefinida, inclui artralgias, erupções cutâneas, dor torácica, dispneia, insônia, surtos de diarreia, perda de cabelo, fadiga, hemorragias gengivais, distúrbios psicológicos, etc. [Como não foi observada entre habitantes da área em que ocorreu o conflito, é possível que se deva à ministração aos soldados de substância destinada a protegê-los da guerra química.] **Síndrome do pânico.** *Psiq.* Entidade psicopatológica em que um indivíduo deprimido, com, frequentemente, agorafobia, apresenta surtos, agudos e iterativos, de grande ansiedade, acompanhados de manifestações de angústia. **Síndrome geral de adaptação.** *Med.* Conjunto de fenômenos inespecíficos (neurológicos, endocrinológicos, etc.) desencadeados no organismo como reação a alguma agressão. **Síndrome nefrótica.** *Patol.* A que se caracteriza por edema generalizado, forte proteinuria, baixa de proteinemia, esp. notável quanto às albuminas e, frequentemente, hiperlipidemia. **Síndrome pré-menstrual.** *Gin. Med.* V. *síndrome de tensão pré-menstrual.*

sinecologia [De *sin-*[1] + *ecologia.*] *S. f.* **1.** Ramo da ecologia que trata das relações entre comunidades animais ou vegetais e o meio ambiente. **2.** Fitossociologia.

sinecológico [De *sinecologia* + *-ico*[2].] *Adj.* Relativo à sinecologia.

sinecura [Do lat. *sine cura*, 'sem cuidado'.] *S. f.* Emprego ou função que não obriga ou quase não obriga a trabalho; prebenda, veniaga.

sinecurismo [De *sinecura* + *-ismo.*] *S. m.* Sistema governamental apoiado nas sinecuras que promove.

sinecurista [De *sinecura* + *-ista.*] *S. 2 g.* Pessoa que tem sinecura(s) e/ou que gosta dela(s).

➔**sine data** ['sinɛ 'data] [Lat., 'sem data'.] Na descrição bibliográfica, indicação de ausência de data da publicação. [Abrev.: *s. d.*]

➔**sine die** ['sinɛ 'diɛ] [Lat., 'sem dia'.] Us. na expr. *adiar* sine die, *i. e.,* sem se fixar data para o adiamento.

sinédoque [Do gr. *synekdoché*, 'comparação de várias coisas simultaneamente', pelo lat. *synecdoche.*] *S. f. E. Ling.* Tropo que se funda na relação de compreensão e consiste no uso do todo pela parte, do plural pelo singular, do gênero pela espécie, etc., ou vice-versa: *o horizonte do leste; os Píndaros, os Virgílios, os Joões de Barros, os Machados, os Nabucos*; "Os Santos mais ilustres, os Agostinhos, os Ambrósios, os Jerônimos, permaneciam fora, pelos pátios divinos" (Eça de Queirós, *Notas Contemporâneas*, p. 368); os mortais, em lugar de os homens; "A vila fechada, de poucos fogos [= casas, lares], é .... defendida por fossos, barbacãs, cárcovas" (Antero de Figueiredo, *Jornadas em Portugal*, p. 76); "É verdade que há muita cousa boa" (Simões Lopes Neto, *Contos Gauchescos e Lendas do Sul*, p. 167); "Pois faz tanto ano!..." (Id., *ib.*, p. 224); *cidade de 500.000 almas* [por 500.000 habitantes]; etc. [Cf. *metonímia.*]

sinedrim [Var. de *sinédrio*, com infl. de *sanedrim.*] *S. m.* V. *sinédrio.*

sinédrio [Do gr. *synédrion*, 'assembleia reunida em sessão', pelo lat. tard. *synedriu.*] *S. m.* Entre os antigos judeus, tribunal, em Jerusalém, formado por sacerdotes, anciãos e escribas, o qual julgava as questões criminais ou administrativas referentes a uma tribo ou a uma cidade, os crimes políticos importantes, etc. [Var.: *sinedrim*; sin.: *sanedrim.*]

sineira [De *sino*[1] + *-eira.*] *S. f.* Abertura, nas torres, onde estão os sinos: "avistávamos, para oeste, numa garganta de montes, as sineiras brancas de Estombar." (Júlio Dantas, *Abelhas Doiradas*, p. 158).

➔**sine ira et studio** [si'nir̃et 'studęɔ] [Lat., 'sem cólera nem parcialidade'.] O modo pelo qual, segundo Tácito, a história deve ser escrita.

sineiro [De *sino*[1] + *-eiro.*] *S. m.* **1.** Aquele que tem por função tocar os sinos. **2.** Fabricante de sinos. ● *Adj.* **3.** Que tem sinos: *torre sineira; campanário sineiro.*

➔**sine loco** ['sinɛ 'lokɔ] [Lat.] Na descrição bibliográfica, indicação da ausência de especificação do lugar de publicação. [Abrev.: s. l.]

sinema [De *sin-*[1] + *-nema.*] *S. m. Bot. P. us.* **1.** A parte da coluna das orquídeas que representa os filetes estaminais concrescidos. **2.** Nas flores monadelfas, o conjunto dos filetes estaminais concrescidos. [Cf. *cinema.*]

sinemático [De *sinema* + *-ático.*] *Adj. Bot.* **1.** Referente aos estames. **2.** Que os forma ou concorre para formá-los. [Fem.: *sinemática.* Cf. *cinemático* e *cinemática.*]

➔**sine nomine** ['sinɛ 'nomęnɛ] [Lat.] Na descrição bibliográfica, indicação da ausência de especificação do nome do editor. [Abrev.: *s. n.*]

➔**sine qua non** ['sinɛ kwa noŋ] [Lat., 'sem a qual não'.] Expressão que indica uma cláusula ou condição sem a qual não se fará certa coisa.

sinequia [Do gr. *synécheia*, 'aderência'.] *S. f. Patol. Oftalm.* Aderência entre partes vizinhas, esp. de íris com córnea ou com cristalino.

sinequismo [Do gr. *synechismós* < v. gr. *synechízein*, 'tornar contínuo'.] *S. m. Filos.* Segundo Peirce (v. *peirciano*), a afirmação da continuidade como uma das ideias filosóficas fundamentais.

sinérese [Do gr. *synaíresis*, 'contração', pelo lat. tard. *synaerese.*] *S. f.* **1.** *E. Ling.* Contração de duas sílabas em uma só, mas sem alteração de letras nem de sons, como, p. ex., em *reu-nir*, *pie-da-de*, em vez de *re-u-nir*, *pi-e-da-de.* [Cf. *diérese* (2).] **2.** *Quím.* Exsudação espontânea da água de um gel que está em repouso.

sinergia [Do gr. *synergía*, 'cooperação'.] *S. f.* **1.** *Fisiol.* Ato ou esforço coordenado de vários órgãos na realização de uma função. **2.** Associação simultânea de vários fatores que contribuem para uma ação coordenada. **3.** Ação simultânea, em comum: "ao fundir-se em nós .... o *pré-espírito* das almas idas, como que se opera uma simbiose fecunda, se tal termo pode aplicar-se à sinergia de vida e morte." (Ricardo Jorge, *Sermões dum Leigo*, p. 6).

sinérgico [De *sinergia* + *-ico*[2].] *Adj.* Relativo a sinergia.

sinérgide [Do gr. *synergós*, 'ajudante', + *-ide*[1].] *S. f. Bot.* Cada uma das duas células de vida curta, que acompanham a oosfera, no saco embrionário maduro do óvulo de angiospermas.

sinergismo [Do lat. cient. *synergismus* (< gr. *synergós*, 'que trabalha junto'; 'cooperador', + lat. *-ismus*).] *S. m.* **1.** *Quím.* Ação cooperativa de duas ou mais substâncias, de modo que o efeito resultante é maior que a soma dos efeitos individuais destas. **2.** *Teol.* Doutrina protestante pela qual a salvação do homem se alcança mediante a colaboração da graça divina com a vontade humana.

sínese [Do gr. *sýnesis*, 'união'; 'inteligência', pelo lat. tard. *synese.*] *S. f. E. Ling.* Construção sintática na qual se leva mais em conta o sentido que o rigor da forma.

sinestesia [De *sin-*[1] + *-estes(i)-* + *-ia*[1].] *S. f.* **1.** *Psicol.* Relação subjetiva que se estabelece espontaneamente entre uma percepção e outra que pertença ao domínio de um sentido diferente (p. ex., um perfume que evoca uma cor, um som que evoca uma imagem, etc.). Ex.: "Avista-se o grito das araras." (João Guimarães Rosa, *Ave, Palavra*, p. 91); "Tem cheiro a luz, a manhã nasce... / Oh sonora audição colorida do aroma!" (Alphonsus de Guimaraens, *Obra Completa*, p. 100). **2.** Sensação, em uma parte do corpo, produzida pelo estímulo em outra parte. [Cf. *cenestesia* e *cinestesia.*]

sinestésico [De *sinestesia* + *-ico*[2].] *Adj.* Relativo à sinestesia.

sineta (ê) [De *sino*[1] + *-eta* (ê).] *S. f.* Sino pequeno. [Pl.: *sinetas* (ê). Cf. *sineta* e *sinetas*, do v. *sinetar.*]

sinetar [De *sinete* + *-ar*[2].] *V. t. d. Bras.* Marcar com sinete. [Pres. ind.: *sineto, sinetas, sineta*, etc.; pres. subj.: *sinete, sinetes*, etc. Cf. *sineta* (ê), pl. *sinetas* (ê), e *sinete* (ê), pl. *sinetes* (ê).]

sinete (ê) [Do fr. *signet*, ant. *sinet.*] *S. m.* **1.** Utensílio gravado em alto ou baixo-relevo, utilizado para imprimir no papel, no lacre, etc., assinatura, monograma, brasão, etc., de uma instituição ou pessoa. **2.** A própria gravação de tal marca; chancela. **3.** V. *carimbo* (1). **4.** *Fig.* Marca, sinal. **5.** *Tip.* Timbre (14). [Pl.: *sinetes* (ê). Cf. *sinete* e *sinetes*, do v. *sinetar.*]

sinfilo [De *sin-*[1] + *-filo*[3]; tax. *Symphyla.*] *Zool. S. m.* **1.** Espécime dos sinfilos, subclasse de animais miriápodes, progoniados; são pequenos (até 6mm de comprimento), os adultos com 12 pares de patas nos primeiros segmentos, antenas simples, de muitos artículos, e orifício genital entre o quarto par de patas. ● *Adj.* 2. Pertencente ou relativo a eles. [Var. pros.: *sínfilo*.]

sínfilo *S. m. Adj. Zool.* V. *sinfilo*.

sinfipléono [Adapt. do tax. *Symphypleona*.] *Zool. S. m.* 1. Espécime dos sinfipléonos, subordem de insetos colêmbolos, de corpo piriforme, abdome subgloboso, e a segmentação do tórax e dos quatro primeiros segmentos abdominais atrofiada. ● *Adj.* 2. Pertencente ou relativo a eles.

sínfise [Do gr. *sýmphysis*, 'reunião', 'coesão'.] *S. f.* 1. *Anat.* Tipo de articulação em que as superfícies ósseas estão unidas com firmeza por fibrocartilagem: *sínfise pubiana* 2. *Patol.* Aderência de dois folhetos duma serosa.

sinfisiano [De *sínfise* + *-iano*.] *Adj. Anat. Patol.* Relativo a sínfise (1 e 2); sinfisiário, sinfísio.

sinfisiário [De *sínfise* + *-iário*.] *Adj.* V. *sinfisiano*.

sinfísio [De *sínfise* + *-io*[3].] *Adj.* V. *sinfisiano*.

sinfisiotomia [De *sinfísio* + *-tom(o)-* + *-ia*[1].] *S. f. Obst.* Seção de fibrocartilagem da sínfise pubiana, com o fim de aumentar o diâmetro da pelve, para facilitar um parto.

sinfisiotómico *Adj.* V. *sinfisiotômico*. [Uso freq. em P.]

sinfisiotômico [De *sinfisiotomia* + *-ico*[2].] *Adj.* Referente a sinfisiotomia.

sinfito [Adapt. do tax. *Symphyta*, do neutro pl. do gr. *sýmphytos*.] *S. m. Adj. Zool.* V. *calastogastro*.

sinfonia [Do gr. *symphonía*, 'reunião de vozes, de sons', pelo lat. *symphonia*, retomando, entretanto, a prosódia grega.] *S. f.* 1. *Mús.* Entre os gregos, a consonância perfeita, *i. e.*, os intervalos de oitava, quarta e quinta justas. 2. *Mús.* Peça exclusivamente instrumental, que servia de prelúdio às grandes obras vocais: ópera, oratório, cantata, etc. 3. *Mús.* Realização orquestral da sonata[1] (5), caracterizada pela multiplicidade dos executantes para cada instrumento e pela diversidade dos timbres. 4. *Mús.* Conjunto de sinfonistas. 5. *Mús.* Peça em que o emprego da melodia acompanhada era baseado numa escrita acordal. 6. *Fig.* Conjunto variado e harmônico: *uma sinfonia de cores*. ◆ **Sinfonia concertante.** *Mús.* Composição que participa da natureza do concerto grosso e da sinfonia (3), e comporta vários solistas. **Sinfonia de abertura.** *Mús. P. us.* V. *abertura* (11). **Sinfonia de câmara.** *Mús.* A que é escrita para pequenos conjuntos instrumentais virtuosísticos.

sinfónica *S. f.* V. *sinfônica*. [Uso freq. em P.]

sinfônica [F. subst. de *sinfônico*.] *S. f.* Orquestra sinfônica.

sinfónico *Adj.* V. *sinfônico*. [Uso freq. em P.]

sinfônico [De *sinfonia* + *-ico*[2].] *Adj.* 1. Relativo a sinfonia. 2. Destinado a sinfonias, *i. e.*, a peças para diversos instrumentos: *orquestra sinfônica*. 3. Respeitante a orquestra: *concerto sinfônico*. 4. Destinado a orquestra: *A obra sinfônica de Beethoven*. ~ V. *banda —a*, *poema —* e *orquestra —a*.

sinfonista [De *sinfonia* + *-ista*.] *Adj. 2 g. S. 2 g.* 1. Que, ou quem compõe sinfonias. 2. Diz-se de, ou instrumentista de sinfonias.

singamia [De *sin-*[1] + *-gam(o)-* + *-ia*[1].] *S. f. Biol.* Anfimixia.

singâmico [De *singamia* + *-ico*[2].] *Adj.* Concernente à singamia.

singamídeo [Do tax. *Syngamus* (< gr. *syngámos*, 'unido pelo casamento') + *-ídeo*[1]; tax. *Syngamidae*.] *Zool. S. m.* 1. Espécime dos singamídeos, família de estrongilídeos que parasitam várias aves e mamíferos. Ex.: o *Syngamus trachealis*, parasito da traqueia da galinha. ● *Adj.* 2. Pertencente ou relativo a eles.

singapurano *Adj.* 1. De, ou pertencente ou relativo a Singapura (Sudeste Asiático). ● *S. m.* 2. O natural ou habitante de Singapura.

singapurense *Adj. 2 g. S. 2 g.* V. *singapurano*.

singeleira [De *singelo* + *-eira*.] *S. f.* Certa rede para a pesca de peixe miúdo. [Cf. *cingeleira*, fem. de *cingeleiro*.]

singelez (ê) [De *singelo* + *-ez*.] *S. f.* V. *singeleza*: "vagamente ciosa das remembranças de amor que, brandas, ressoavam na singelez nostálgica das doces músicas crioulas." (Alcides Maia, *Tapera*, p. 12).

singeleza (ê) [De *singelo* + *-eza*.] *S. f.* 1. Qualidade de singelo. 2. V. *simplicidade*. [F. paral.: *singelez*.]

singelo [Do lat. vulg. *singellu, por *singulu, sing. de *singuli*, 'um a um'.] *Adj.* 1. Simples (2 a 4, 8 e 10). 2. *Bot.* Simples (14): "Há rosas dobradas / E há-as singelas" (Guerra Junqueiro, *A Musa em Férias*, p. 110). ~ V. *talha —a* e *volta —a*.

singénese *S. f.* V. *singênese*. [Uso freq. em P.]

singênese [Do gr. *syngénesis*, 'criação simultânea'.] *S. f.* Hipótese que admite haverem sido criados simultaneamente todos os seres vivos.

singenesista [De *singênese* + *-ista*.] *Adj. 2 g. S. 2 g.* Diz-se de, ou partidário da singênese.

singlete (ê) *S. m.* V. *singleto*.

singleto (ê) [Do ingl. *singlet*.] *S. m. Fís.* 1. Raia espectral constituída por somente um componente. 2. Estado que origina tal raia, e que tem número quântico de *spin* igual a zero e, portanto, multiplicidade igual a um; estado singleto. [F. paral.: *singlete*.]

singnatídeo [Do tax. *Syngnathus*, gênero-tipo (v. *sin-* e *-gnato*), + *-ídeo*[1]; tax. *Syngnathidae*.] *Zool. S. m.* 1. Espécime dos singnatídeos, família de peixes gasterosteiformes, ger. marinhos, de corpo alongado, circundado por anéis ósseos, nadadeira dorsal única e a anal muito pequena; apresentam a mandíbula e a maxila unidas, formando um tubo, com a boca na extremidade. As fêmeas desta família põem seus ovos numa bolsa abdominal dos machos, onde são fertilizados e incubados. Compreende, entre outros, os gêneros *Hippocampus* (v. *cavalo-marinho*) e *Syngnathus* (v. *peixe-cachimbo*). ● *Adj.* 2. Pertencente ou relativo a eles.

síngnato [De *sin-*[1] + *-gnato*; tax. *Syngnatha*.] *S. m. Adj. Zool.* V. *quilópode*.

singradura [De *singrar* + *-dura*.] *S. f. Náut.* 1. Ato ou efeito de singrar. 2. Navegação diária feita entre dois meios-dias consecutivos. 3. Navegação feita num mesmo rumo: "Os pilotos atentos às singraduras, aos ventos e ao mar, tornavam-se responsáveis .... pelo que mandava o regimento que traziam" (Eugênio de Castro [o brasileiro], *Terra à vista*, pp. 92-93).

singráfico [De *síngrafo* + *-ico*[2].] *Adj.* Relativo a síngrafo.

síngrafo [Do gr. *syngraphos*, 'contrato escrito', pelo lat. *syngraphu*.] *S. m.* Documento de dívida assinado pelo credor e pelo devedor.

singrante [De *singrar* + *-nte*.] *Adj. 2 g. Ant. Náut.* Dizia-se da embarcação preparada para singrar.

singrar [Do escand. ant. *sigla*, 'navegar', pelo fr. ant. *singler*, atual *cingler*, pelo port. ant. *singlar*.] *V. int. Náut.* 1. Navegar à vela; velejar; navegar: "Singra o navio. Sob a água clara / Vê-se o fundo do mar, de areia fina..." (Camilo Pessanha, *Clepsidra e Outros Poemas*, p. 197); "Ao lado singrava um barco vermelho todo iluminado, especial para enfrentar incêndios no mar." (Fernando Sabino, *O Gato Sou Eu*, p. 13). *T. d.* 2. Percorrer navegando: "Voga o navio. Singra um caminho florido / de rosas e já não o mar" (Eduardo Guimaraens, *A Divina Quimera*, p. 198); "Importante frota mercante singrava aquelas águas claras" (Artur César Ferreira Reis, *O Seringal e o Seringueiro*, p. 33).

singular [Do lat. *singulare*.] *Adj. 2 g.* 1. Pertencente ou relativo a um; único, particular, individual. 2. Que não é vulgar; especial, raro, extraordinário: *uma personalidade singular*; "No coração da floresta reina uma singular mistura de silêncio e de rumores" (Oliveira Martins, *O Brasil e as Colônias Portuguesas*, p. 137). 3. Diferente, distinto, notável. 4. Excêntrico, extravagante, esquisito, bizarro. 5. *E. Ling.* Diz-se do número (11) que indica apenas um ser. 6. *Lóg.* Que se aplica a um só sujeito. [Cf., nesta acepç., *particular* (6).] 7. *Lóg.* Que convém a um só dos indivíduos da espécie. ~ V. *força —*, *integral —*, *juízo —*, *matriz —*, *ponto —*, *proposição —* e *solução —*. ● *S. m.* 8. *E. Ling.* O número singular dos nomes e dos verbos. [Cf. *cingular*.]

singularidade [Do lat. *singularitate*.] *S. f.* 1. Qualidade do que é singular. 2. Ato ou dito singular. 3. Extravagância, excentricidade. 4. *Mat.* Ponto singular. 5. *Cosm.* Região do espaço-tempo onde as leis da física atualmente conhecidas entram em colapso e as equações perdem o seu significado. ◆ **Singularidade essencial.** *Mat.* Ponto singular que não é um polo. **Singularidade isolada.** *Mat.* Ponto singular que tem pelo menos uma vizinhança que o envolve, e na qual não existem outros pontos singulares.

singularizar [De *singular* + *-izar*.] *V. t. d.* 1. Tornar singular, particular, específico ou peculiar; particularizar, especificar: *Não quis singularizar a sua pretensão*. 2. Distinguir dos outros; privilegiar: *A inteligência singulariza esta criança*. 3. Explicar minuciosamente; particularizar. 4. Fazer exceção de; excetuar. *P.* 5. Tornar-se singular; distinguir-se, salientar-se: *A cantora singularizou-se pela bela voz e desempenho*.

singulto [Do lat. *singultu*.] *S. m. Poét.* Soluço (2).

singultoso (ô) [De *singulto* + *-oso*.] *Adj. Poét.* Que tem singultos ou é entrecortado de singultos.

sinha *S. f. Bras. N.E. Pop.* V. *seu*[1]: "Sinha Vitória punha sal na comida." (Graciliano Ramos, *Vidas Secas*, p. 40); "— Danada! Sinha danada!" (Moreira Campos, *Os Doze Parafusos*, p. 62).

sinhá [De *sinhô*.] *S. f. Bras. Pop.* Tratamento dado pelos escravos a sua senhora; siá: "Conheceram [as negras] muito dono: / Embalaram tanto sono / De tanta sinhá gentil!" (Gonçalves Crespo, *Obras Completas*, p. 352); *Conversei com Sinhá Maria*.

sinhá-moça *S. f. Bras. Pop.* Tratamento que davam os escravos às filhas dos senhores ou às donzelas; sinhazinha: "as mucamas, [carregando] leves cestos de junco e embrulhos com objetos pertencentes às sinhás-moças" (Melo Morais Filho, *Festas e Tradições Populares do Brasil*, p. 105). [Pl.: *sinhás-moças*.]

sinhaninha (nhà) [De *sinhá* + antr. *Aninha*, dim. de *Ana*.] *S. f.* 1. *Bras.* Sianinha. 2. *Bras. N.E. Pop.* V. *cachaça* (1).

sinhara [Cruz. de *senhora* com *sinhá*.] *S. f. Bras. Pop.* V. *sinhá*.

sinhá-velha *S. f. Bras. Pop.* Tratamento que os escravos davam às senhoras idosas. [Pl.: *sinhás-velhas*.]

sinhazinha (nhà) [De *sinhá* + *-inha*.] *S. f.* 1. *Bras. Pop.* Sinhá-moça. [F. red. nesta acepç.: *nhazinha*.] 2. *Bras. Pop.* V. *cachaça* (1): "Essa paixão pela 'sinhazinha', como chamava ela, com ternura, começou na mesma noite em que perdeu Neco Bequé." (Francisco Julião, *Cachaça*, p. 52.) 3. *Bras. MA Rel.* V. *tobosse*.

sinhô [Alter. de *senhor*.] *S. m. Bras. Pop.* Tratamento que os escravos davam ao senhor; siô: "Essa neguinha Fulô / ficou logo pra mucama, / pra vigiar a Sinhá / pra engomar pro Sinhô!" (Jorge de Lima, *Obra Completa*, I, p. 291.) [Fem.: *sinhá*. Var. desnasalada: *siô*.]

sinhô-moço *S. m. Bras. Pop.* Tratamento que davam os escravos ao filho do sinhô; sinhozinho. [Pl.: *sinhôs-moços*.]

sinhô-velho *S. m. Bras. Pop.* Tratamento que os escravos davam aos senhores idosos. [Pl.: *sinhôs-velhos*.]

sinhozinho (nhô) [De *sinhô* + *-zinho*.] *S. m. Bras. Pop.* Sinhô-moço.

sini *S. m. Bras. Bot.* V. *aningaúba*.

sínico [Do lat. med. *Sina*, 'China', + *-ico*[2].] *Adj.* 1. Da, ou pertencente ou relativo à China (Ásia). 2. Referente aos chineses, nos antigos territórios portugueses. ● *S. m.* 3. *Gloss.* Grupo de línguas da família sino-tibetana faladas na China e em Taiwan. 4. Vocábulo do sínico (3). [Cf. *cínico*.]

sinimbu [Do tupi.] *S. m. Bras. Zool.* 1. V. *camaleão*[1] (1 e 2). 2. Iguana (2).

sinimbuense *Adj. 2 g.* 1. De, ou pertencente ou relativo a Sinimbu (RS). ● *S. 2 g.* 2. O natural ou habitante de Sinimbu.

sinistra [Do lat. *sinistra*, por via erudita.] *S. f.* A mão esquerda: "ao lado, o Imperador, ... segurando com a sinistra as rédeas chapeadas do negro cavalo, de guerra, erguendo na destra o cetro de oiro maciço." (Gustavo Barroso, *Livro dos Milagres*, p. 93). [F. paral. (p. us.): *sestra*. Cf. *destra*.]

sinistrado [Part. de *sinistrar*.] *Adj.* Que sofreu sinistro.

sinistrar [De *sinistro* + *-ar*[2].] *V. int.* Sofrer sinistro (7).

sinistrismo [De *sinistra* + *-ismo*.] *S. m.* V. *mancinismo*.

sinistro [Do lat. *sinistru*, por via erudita.] *Adj.* 1. Esquerdo (1). 2. Que é de mau agouro; fúnebre, funesto: "Eis a estrada poeirenta e sinistra da morte!" (Marcelo Gama, *Via-Sacra*, p. 136.) 3. De má índole; mau. 4. Que infunde receio; ameaçador, temível. ● *S. m.* 5. Desastre, ruína. 6. Grande prejuízo material; dano. 7. Ocorrência de prejuízo ou dano (incêndio, acidente, naufrágio, etc.) em algum bem sobre o qual se fez seguro (17).

▲**sinistro-** [Do lat. *sinĭster, tra, trum*.] *El. comp.* = 'esquerdo', 'que é do lado esquerdo': *sinistrogiro*, *sinistrógrado*.

sinistrogiro [De *sinistro-* + *-giro*.] *Adj.* 1. Diz-se do que gira para a esquerda. 2. Diz-se, em grafologia, da letra que é inclinada para a esquerda. [Antôn.: *dextrogiro*.] ~ V. *curva —a*.

sinistrógrado [De *sinistro-* + *-grado*[1].] *Adj. Paleogr.* Diz-se da escrita orientada da direita para a esquerda. [Cf. *destrógrado*.]

sinistrorso [Do lat. *sinistrorsu*, 'à esquerda'.] *Adj. Bot.* Diz-se do caule volúvel que gira para a esquerda. [Cf. *dextrorso*.]

sinistrose [De *sinistro* + *-ose*[1].] *S. f.* Série de insucessos, malogros, desastres financeiros, etc.: "A crise econômica, agravada pela sinistrose que se abateu sobre o país, faz das vendas neste fim de ano uma realidade .... amarga." (*Jornal do Brasil*, 28.12.1987.)

■ **Sinmetro** Sigla de *Sistema Nacional de Metrologia, Normalização e Qualidade Industrial*.

sino[1] [Do lat. *signu*, 'sinal', por via pop.] *S. m.* 1. Instrumento, em geral de bronze, obcônico, que tem uma sonoridade rica, mais ou menos aguda, de acordo com o tamanho e a espessura, e pode ser percutido na superfície interna por um badalo, ou na externa por um martelo; bronze. [Desde épocas remotas, os sinos são, em geral, instalados em torres e campanários.] 2. Cabine, com o feitio de pirâmide truncada, para uso de mergulhadores. 3. *Mús.* Conjunto de tubos metálicos de número e diâmetro variáveis, usados, nas orquestras, para produzir sons semelhantes ao do sino (1). [Aum.: *sinão*. Cf. *senão*.] ◆ **Sino de bordo.** *Mar.* Sino instalado a bordo dos navios para bater as horas e as meias horas dos quartos de serviço. **Sino de correr.** O que dava o toque de recolher.

sino[2] [Do lat. *sinu*, 'curvatura', 'sinuosidade'; 'seio'.] *S. m. Ant.* Golfo (1).

▲**sino-** [Do gr. *Sínai*, pelo lat. tard. *Sinae*.] *El. comp.* = 'da China', 'chinês': *sinologia*, *sino-tibetano*.

sinoatrial *Adj. 2 g.* ~ V. *nodo* —.

sínoca [Do gr. *synochos, i. e., sýnochos pyretós*, 'febre contínua'.] *Adj.* (*f.*) *Patol.* Dizia-se de certas febres contínuas.

sinodal [Do lat. tard. *synodale.*] *Adj. 2 g.* Pertencente ou relativo a sínodo; sinódico.

sinodático [De *sínodo* + *-ático.*] *Adj.* Que se efetua num só sínodo.

sinódico [Do gr. *synodikós*, pelo lat. tard. *synodicu.*] *Adj.* **1.** Sinodal. **2.** *Astr.* Referente à revolução dos planetas. ~ V. *mês* —, *período* —, *revolução* —*a.* ● *S. m.* **3.** Coleção de resoluções sinodais.

sínodo [Do gr. *sýnodos*, 'reunião', 'concílio', pelo lat. tard. *synodu.*] *S. m. Rel.* **1.** Assembleia regular de párocos e outros padres, convocada pelo bispo local: "No quarto século do cristianismo, aquela era tempestuosa de heresias e de cruentas disputas dos mistérios da religião nos sínodos, nos concílios entre bispos e arquimandritas facciosos, cresceu no coração dos homens de verdadeira fé o desejo de apartar-se do mundo" (João Ribeiro, *Floresta de Exemplos*, p. 33). **2.** Assembleia de bispos do mundo inteiro, que se reúne periodicamente desde 1967 para, sob a presidência do Papa, tratar de problemas da Igreja universal. **3.** Órgão colegiado e permanente do governo eclesiástico das Igrejas do Oriente.

sinodontídeo [Do lat. cient. *Synodont-* (< tax. *Synodus*) + *-ídeo*[1]; tax. *Synodontidae.*] *Zool. S. m.* **1.** Espécime dos sinodontídeos, família de peixes actinopterígios, marinhos, de cabeça ligeiramente achatada, grande boca com numerosos dentes aguçados, nadadeira dorsal única e nadadeira adiposa oposta à anal. São frequentadores das águas costeiras e, por vezes, enterram-se na areia. Têm distribuição cosmopolita. Ex.: o peixe-lagarto. ● *Adj.* **2.** Pertencente ou relativo a eles.

sinofilia [De *sino-* + *-filia.*] *S. f.* Amor à China, aos chineses.

sinofílico [De *sinofilia* + *-ico*[2].] *Adj.* Relativo a sinofilia, ou a sinófilo.

sinófilo [De *sino-* + *-filo*[2].] *Adj. S. m.* Que, ou aquele que tem sinofilia.

sinófris [De *sin-* + gr. *óphrys*, 'sobrancelha'.] *S. m. 2 n.* Confluência de sobrancelhas.

sinologia [De *sino-* + *-logia.*] *S. f.* Estudo do que se relaciona com a China. [Cf. *cinologia* e *cenologia.*]

sinológico [De *sinologia* + *-ico*[2].] *Adj.* Relativo a sinologia. [Cf. *cinológico* e *cenológico.*]

sinólogo [De *sino-* + *-logo.*] *Adj. S. m.* Que, ou aquele que é especialista em sinologia.

sinomónio *S. m. Quím.* V. *sinomônio.* [Uso freq. em P.]

sinomônio [De *sin-* + a term. de *feromônio.*] *S. m. Quím.* Substância aleloquímica que beneficia tanto o organismo emissor quanto o receptor.

sinonímia [Do gr. *synonymía*, pelo lat. tard. *synonymia*; fr. *synonymie.*] *S. f. E. Ling.* **1.** Qualidade ou caráter de sinônimo. **2.** Relação entre palavras sinônimas. **3.** Fato linguístico que se caracteriza pela existência de palavras sinônimas. **4.** Uso de sinônimos. [Antôn., nas acepç. 1 e 4: *antonímia.*]

sinonímica [F. subst. de *sinonímico.*] *S. f. E. Ling.* A arte ou o estudo dos sinônimos e de sua distinção.

sinonímico [De *sinonímia* + *-ico*[2].] *Adj. E. Ling.* Relativo a sinonímia, ou a sinônimos.

sinonimista [De *sinonímia* + *-ista.*] *Adj. 2 g. S. 2 g.* Que, ou quem se ocupa de sinônimos, de sinonímia.

sinonimizar [De *sinônimo* + *-izar.*] *V. t. d.* **1.** Tornar sinônimo. **2.** Dar a sinonímia de. *T. d. e i.* **3.** Tornar sinônimo: *sinonimizar uma palavra com outra. T. i.* **4.** Formar sinonímia: *O vocábulo brando sinonimiza com suave. Int.* **5.** Formar sinonímia: *As palavras sereno e plácido sinonimizam.*

sinónimo *Adj. S. m.* V. *sinônimo.* [Uso freq. em P.]

sinônimo [Do gr. *synónymon*, pelo lat. tard. *synonymon.*] *Adj.* **1.** *E. Ling.* Diz-se de palavra ou locução que tem a mesma ou quase a mesma significação que outra. ● *S. m.* **2.** *E. Ling.* Palavra ou expressão sinônima de outra: *dicionário de sinônimos.* [Antôn.: *antônimo.* Cf. *parônimo* e *homônimo.*] **3.** *Bot.* Nome aplicado a uma espécie vegetal posteriormente ao nome válido, que é o primeiro, se este foi dado de acordo com as regras aceitas.

sinopense[1] [Do lat. *sinopense.*] *Adj. 2 g.* **1.** De, ou pertencente ou relativo a Sinope, antigo porto do mar Negro (Ásia). ● *S. 2 g.* **2.** O natural ou habitante de Sinope. [Sin. ger.: *sinopeu.*]

sinopense[2] *Adj. 2 g.* **1.** De, ou pertencente ou relativo a Sinop (MT). ● *S. 2 g.* **2.** O natural ou habitante de Sinop.

sinopeu [Do lat. *sinopeu.*] *Adj. S. m.* V. *sinopense*[1]. [Fem.: *sinopeia.*]

sinopla *S. f.* V. *sinople*: "Vês bazares, quiosques e mesquitas? / Torres piramidais que o muçulmano / Sol, de áureas cores tinge e de sinopla?" (Raimundo Correia, *Poesias*, p. 73.)

sinople [Do gr. *Sinopís, ídos*, 'terra verde de Sinope' (antigo porto do mar Negro), pelo lat. *Sinope* e pelo fr. *sinople.*] *S. f.* **1.** *Heráld.* A cor verde do esmalte dos brasões, representada em traços diagonais que, partindo do ângulo inferior direito, vão até o ângulo superior esquerdo: "Goles, sinople, blau, toda a cor da armaria / Sob a fulguração brunida dos metais." (Júlio Dantas, *Sonetos*, p. 73.) **2.** *P. ext.* Cor mais ou menos igual a essa. **3.** Variedade de quartzo. [Var.: *sinopla.*]

sinopse [Do gr. *sýnopsis*, 'vista de conjunto', pelo lat. tard. *synopse.*] *S. f.* **1.** Golpe de vista lançado sobre uma ciência, um objeto de estudo ou de pesquisa. **2.** Narração breve; resumo, sumário, síntese, epítome: *sinopse de uma ópera*; "Peguei um pequeno volume, a Retórica, de Aristóteles .... . Enquanto lia, tomava notas, organizando quadros e sinopses." (Autran Dourado, *Nove Histórias em Grupos de Três*, p. 106). **3.** Apresentação concisa do conteúdo de um artigo, comunicado científico, etc., redigida pelo autor, ou por um redator da revista onde sai o trabalho, e que, usualmente posta entre o título e o texto, permite ao leitor decidir se convém ou não a leitura integral. [Cf., nesta acepç., *resumo* (3).] **4.** *Cin. Telev.* Texto curto que resume a história de um filme, o capítulo de uma novela, etc.

sinóptico [Do gr. *synoptikós*, 'que de um só golpe de vista abrange várias coisas'.] *Adj.* **1.** Relativo a sinopse. **2.** Que tem forma de sinopse; resumido. [Var.: *sinótico.*] ~ V. *índice* — e *sinópticos.*

sinópticos [Pl. de *sinóptico.*] *S. m. pl.* Os Evangelhos de S. Mateus, S. Marcos e S. Lucas, assim chamados porque permitem uma vista de conjunto, dada a semelhança de suas versões. [Var.: *sinóticos.*] ~ V. *sinóptico.*

sinorrizo [De *sin-*[1] + *-o-* + *-rizo.*] *Adj. Bot.* Diz-se do embrião cuja radícula está em parte soldada ao tecido nutritivo. [F. paral.: *sinrizo.*]

sino-russo [De *sino-* + *russo.*] *Adj.* Respeitante à China e à Rússia, a chineses e a russos. [Pl.: *sino-russos.*]

sino-saimão *S. m.* V. *signo de salomão.* [Pl.: *sinos-salmões e sinos-saimão.*]

sino-salmão *S. m.* V. *signo de salomão.* [Pl.: *sinos-salmões e sinos-salmão.*]

sino-salomão *S. m.* V. *signo de salomão.* [Pl.: *sinos-salomões e sinos-salomão.*]

sinosteografia [De *sin-*[1] + *-ost(e)(o)-* + *-grafia.*] *S. f. Anat.* Parte da anatomia que descreve as articulações.

sinosteográfico [De *sinosteografia* + *-ico*[2].] *Adj. Anat.* Relativo a sinosteografia.

sinosteologia [De *sin-*[1] + *-ost(e)(o)-* + *-logia.*] *S. f. Anat.* O estudo das articulações [v. *articulação* (3)].

sinosteológico [De *sinosteologia* + *-ico*[2].] *Adj. Anat.* Respeitante a sinosteologia.

sinosteose [De *sin-*[1] + *-ost(e)(o)-* + *-ose*[1].] *S. f. Anat.* **1.** A soldadura de ossos adjacentes, ou parte de um mesmo osso, por material como cartilagem ou tecido fibroso ossificados. **2.** A soldadura de dois ossos normalmente separados.

sinosteotomia [De *sin-*[1] + *-ost(e)(o)-* + *-tom(o)-* + *-ia*[1].] *S. f. Cir.* Dissecção das articulações.

sinosteotómico *Adj.* V. *sinosteotômico.* [Uso freq. em P.]

sinosteotômico [De *sinosteotomia* + *-ico*[2].] *Adj. Cir.* Referente a sinosteotomia.

sino-tibetano [De *sino-* + *tibetano.*] *Adj.* **1.** Da, ou pertencente ou relativo à China e ao Tibete. ● *S. m.* **2.** *Gloss.* Família de línguas faladas na China, em Mianmar, em grande parte da Tailândia e Vietnã. [Divide-se em dois grupos, o *tibetano-birmanês* e o *sínico.* Alguns estudiosos incluem o tai e línguas a ele mais estreitamente relacionadas neste segundo grupo, denominando-o *tai-chinês.*] **3.** Vocábulo do sino-tibetano (2). [Pl.: *sino-tibetanos.*]

sinótico *Adj.* V. *sinóptico.* ~ V. *sinóticos.*

sinóticos [Pl. de *sinótico.*] *S. m. pl.* V. *sinópticos.* ~ V. *sinótico.*

sinóvia [Do lat. do Renascimento *synovia* < gr. *syn-* + lat. *ovus*, 'ovo', + lat. *-ia* (v. *-ia*[2]).] *S. f. Anat.* Humor viscoso das articulações [v. *articulação* (3)], que lhes facilita os deslocamentos e que é segregado por membrana sinovial.

sinovial [De *sinóvia* + *-al*[1].] *Adj. 2 g.* Relativo à sinóvia. ~ V. *líquido* — e *membrana* —.

sinovite [De *sinóvia* + *-ite*[1].] *S. f. Patol.* Inflamação de membrana sinovial.

sin-periplanar *Adj. 2 g. Quím.* Diz-se da relação entre dois átomos, ou entre dois grupos de uma molécula, semelhante à que existe entre as metilas do butano na conformação em coincidência (q. v.). [Pl.: *sin-periplanares.*]

sínquise [Do gr. *sýnchysis*, 'confusão', 'mistura', pelo lat. tard. *synchyse.*] *S. f. E. Ling.* Inversão da ordem natural das palavras, de que resulta tornar-se obscura a frase; hipérbato exagerado. Ex.: "A grita se alevanta ao Céu, da gente" (Luís de Camões, *Os Lusíadas*, II, p. 91), por *A grita da gente se alevanta ao Céu*; "entre vinhedo e sebe / Corre uma linfa, e ele no seu de faia / De ao pé do Alfeu tarro escultado bebe." (Alberto de Oliveira, *Poesias*, 2.ª série, p. 111), em que, a começar da segunda oração, se entende: *e ele bebe no seu tarro escultado, de faia de ao pé do Alfeu*, (da margem do rio Alfeu). [Cf. *hipérbato* e *anástrofe.*]

sinrizo [De *sin-*[1] + *-rizo.*] *Adj. Bot.* Sinorrizo (q. v.).

sinsépalo [De *sin-*[1] + *-sépalo.*] *Adj. Bot.* Gamossépalo.

sintáctico *Adj.* V. *sintático.*

sintagma [Do gr. *sýntagma.*] *S. m.* **1.** Na Macedônia antiga, divisão da falange constituída por 256 soldados. **2.** Tratado cujo assunto está metodicamente dividido em classes, números, etc. **3.** *E. Ling.* O resultado da combinação de um determinante e de um determinado numa unidade linguística hierarquicamente mais alta, que pode ser uma palavra (p. ex.: *vanglória*, em que *vã* é determinante de *glória*), um constituinte de oração (p. ex.: *As crianças pequenas choram*, em que os adjuntos adnominais *as* e *pequenas* são determinantes de *crianças*), ou uma oração (p. ex.: *O aluno aprendeu a lição*, em que o predicado [*aprendeu a lição*] é determinante do sujeito [*O aluno*]). [Cf., nesta acepç., *paradigma* (5), *constituinte* (7).]

sintagmatarca [Do gr. *syntagmatárches.*] *S. m.* Chefe de um sintagma (1).

sintagmático [De *sintagma* + *-ático.*] *Adj.* Relativo a sintagma: *relações sintagmáticas.*

sintase [Do ingl. *synthase.*] *S. f. Bioquím.* Qualquer enzima que catalise uma reação de síntese, na qual duas unidades são ligadas sem a participação direta da ATP ou de outro trifosfato nucleosídeo.

sintática [Do gr. *syntaktiké*, fem. do adj. gr. *syntaktikós.*] *S. f. Semiol.* Parte da semiologia que se interessa especificamente pelas relações entre os signos [v. *signo* (5)].

sintático [Do gr. *syntaktikós*, 'que põe em ordem'.] *Adj.* **1.** Relativo ou pertencente à sintaxe. **2.** Que está de acordo com as regras da sintaxe. ~ V. *análise* —*a*, *contaminação* —*a*, *cruzamento* —, *função* —*a* e *haplologia* —*a.*

sintaxe (cs ou ss) [Do gr. *sýntaxis*, pelo lat. tard. *syntaxe.*] *S. f.* **1.** *E. Ling.* Parte da gramática que estuda a disposição das palavras na frase e a das frases no discurso, bem como a relação lógica das frases entre si; construção gramatical: "Aqui misturam-se com os artigos pífios, cuja sintaxe temos de arranjar, raspando-lhes os solecismos" (Coelho Neto, *Turbilhão*, p. 11). **2.** *E. Ling.* Essa disposição. **3.** *E. Ling.* Conjunto de aspectos da sintaxe de uma época ou de um autor: *a sintaxe quinhentista*; *a sintaxe de Eça de Queirós.* **4.** *E. Ling.* Livro que expõe essa parte da gramática. **5.** *Semiol.* O estudo das relações causais entre as palavras, expressões ou símbolos, e seus usuários.

sintáxico (cs ou ss) [De *sintaxe* + *-ico*[2].] *Adj.* V. *sintático.*

sintaxiologia (cs ou ss) *S. f.* Tratado sobre a sintaxe.

sintaxiológico (cs ou ss) *Adj.* Referente à sintaxiologia.

sintecar [De *sinteco* + *-ar*[2].] *V. t. d. Bras.* Aplicar sinteco em: *Mandou sintecar o soalho.* [Conjug.: v. *trancar.*]

sinteco [De um nome comercial.] *S. m.* Verniz transparente, durável, para revestimento de assoalhos.

sintema [Do gr. *sýnthema*] *S. m. E. Ling.* Na nomenclatura do linguista francês André Martinet (1908-1999), combinação de monemas que forma compostos ou derivados.

sintépalo [De *sin-*[1] + *-tépalo.*] *Adj. Bot.* Gamopétalo.

sinterização [De *sinterizar* + *-ção.*] *S. f. Quím.* Processo em que duas ou mais partículas sólidas se aglutinam pelo efeito do aquecimento a uma temperatura inferior à de fusão, mas suficientemente alta para possibilitar a difusão dos átomos das duas redes cristalinas.

sinterizar [Adapt. do ingl. (to) *sinter* (v. < *sinter*, 'depósito calcário', de or. germânica) + *-izar.*] *V. t. d. Quím.* Provocar a sinterização de.

síntese [Do gr. *sýnthesis*, pelo lat. tard. *synthese.*] *S. f.* **1.** Operação mental que procede do simples para o complexo. **2.** *P. ext.* V. *resumo* (2). **3.** Reunião de elementos concretos ou abstratos em um todo; fusão, composição. **4.** *Biol.* Operação química por meio da qual as células vivas fabricam as várias substâncias de que necessita o organismo a que pertencem. **5.** *Cir.* Reunião das bordas de uma ferida. **6.** *Cir.* Recomposição de ossos fraturados. **7.** *E. Ling.* Figura que consiste em reunir numa só duas palavras originalmente separadas. **8.** *Farmac.* Arte de compor medicamentos. **9.** *Filos.* Fusão de uma tese e de uma antítese numa noção ou numa proposição nova que retém o que elas têm de legítimo e as combina mediante a introdução de um ponto de vista superior. [Cf., nesta acepç., *dialética* (3).] **10.** *Lóg.* Composição de uma totalidade concreta ou abstrata a partir de elementos mais simples. **11.** *Lóg.* Determinação de proposições que são consequência de proposições consideradas como certas. **12.** *Mat.* Demonstração das proposições pela simples dedução das que já estão provadas. **13.** *Quím.* Preparação de composto a partir das substâncias elementares que o constituem, ou de substâncias compostas mais simples.

◆ **Síntese proteica.** *Citol. Genét.* Formação de cadeia polipeptídica segundo a tradução do código genético por um conjunto de ribossomos.

sintético [Do gr. *synthetikós*, 'que compõe ou reúne'; 'hábil em compor'.] *Adj.* **1.** Relativo a síntese. **2.** Posto em síntese; resumido: *explicação sintética*. **3.** Elaborado ou produzido artificialmente, por síntese química: *borracha sintética*; *fibra sintética*. **4.** Diz-se de produto fabricado com substâncias sintéticas: *tecido sintético*. **5.** *P. ext.* Que é uma imitação, ou análogo a algo naturalmente observável, mas resultante de processos inteiramente artificiais (esp. pelo uso de equipamento eletrônico ou computadorizado): *voz sintética*. ~ V. *aumentativo —, charada —a, diminutivo —, fibra —a, juízo —, língua —a, método —, resina —a, rota —a, superlativo absoluto —* e *voz passiva —a*.

sintetismo [Do gr. *synthetós*, do v. gr. *syntithénai*, 'compor', + *-ismo*.] *S. m. Cir.* O conjunto dos processos necessários para a síntese cirúrgica, *i. e.*, para a redução duma fratura, e para mantê-la reduzida.

sintetização [De *sintetizar* + *-ção*.] *S. f.* Ato ou efeito de sintetizar.

sintetizado [Part. de *sintetizar*.] *Adj.* **1.** De que se fez a síntese; tornado sintético. **2.** Compendiado, resumido, substanciado.

sintetizador (ô) [De *sintetizar* + *-dor*.] *S. m. Mús.* Instrumento eletrônico acionado por teclado, capaz de produzir, através de ondas sonoras, diferentes sons, ruídos e timbres, e de imitar outros instrumentos; sintetizador eletrônico. ◆ **Sintetizador eletrônico.** *Mús.* Sintetizador: "Pleno inverno gelado, agosto e madrugada na esquina da loja funerária, eles navegam entre *punks*, mendigos, néons, prostitutas e gemidos de sintetizador eletrônico" (Caio Fernando Abreu, *Os Dragões não Conhecem o Paraíso*, p. 57).

sintetizar [Do gr. *synthetós*, do v. gr. *syntithénai*, 'compor', + *-izar*.] *V. t. d.* **1.** Fazer a síntese de; tornar sintético. **2.** Compendiar, resumir, substanciar: "é natural que as obras mais notáveis sejam as que sintetizem, no ponto de vista literário, o sentimento coletivo." (Afonso Arinos, *Histórias e Paisagens*, p. 237). **3.** Produzir (material ou fenômeno semelhante a outro de origem natural), por meio de síntese artificial: *sintetizar sons, imagens*, etc.

sintetizável [De *sintetizar* + *-vel*.] *Adj. 2 g.* Que pode ser sintetizado.

sintipo [De *sin-*¹ + *tipo*.] *S. m. Biol.* Tipo que, numa série taxonômica, figura como holótipo, quando este não foi explicitamente designado.

síntipo *S. m. Biol.* V. *sintipo*.

sintoma [Do gr. *sýmptoma*, pelo lat. tard. *symptoma*.] *S. m.* **1.** *Med.* Qualquer fenômeno de caráter subjetivo provocado no organismo por uma doença, e que, descrito pelo paciente, auxilia, em grau maior ou menor, a estabelecer um diagnóstico. [Cf. *sinal* (9).] **2.** *Fig.* Sinal, indício. **3.** Presságio, pressentimento, agouro. **4.** *Bras. SP Pop.* Aparência, semelhança: "daí a nada voltaram os dois curiangos, desses que têm o porte e o sintoma da andorinha, e relaram novamente os ombros do Pedro." (Valdomiro Silveira, *Os Caboclos*, p. 158).

sintomático [Do gr. *symptomatikós*.] *Adj.* Relativo a, ou que constitui sintoma.

sintomatismo [De *sintomat(o)-* + *-ismo*.] *S. m. Terap.* Sistema medicinal consistente em atacar os sintomas duma doença e não a própria doença.

sintomatista [De *sintomatismo* + *-ista*.] *Adj. 2 g.* **1.** Referente ao sintomatismo. **2.** Que o segue. ● *S. m.* **3.** Aquele que o segue.

▲**sintomat(o)-** [Do gr. *sýmptōma, atos*, 'coincidência'; 'acontecimento'; 'sintoma'.] *El. comp.* = 'sintoma': *sintomatismo, sintomatologia*.

sintomatologia [De *sintomat(o)-* + *-logia*.] *S. f. Med.* Conhecimento e estudo dos sintomas que indicam estados mórbidos. [Cf. *semiótica* (4).]

sintomatológico [De *sintomatologia* + *-ico*².] *Adj.* Relativo à sintomatologia.

sintomia [Do gr. *syntomía*, 'concisão'.] *S. f. E. Ling.* Exposição abreviada; bosquejo, esboço, resumo.

sintonia [Do gr. *syntonía*.] *S. f.* **1.** *Eletrôn.* Condição de um circuito cuja frequência de oscilação é igual à de um outro circuito ou à de um campo oscilante externo. **2.** *Fig.* Acordo mútuo; harmonia, reciprocidade. **3.** *Psicol.* Estado de quem se encontra em correspondência ou harmonia com o meio.

sintónico *Adj.* V. *sintônico*. [Uso freq. em P.]

sintônico [De *sintonia* + *-ico*².] *Adj.* Que está em sintonia.

sintonina [Do gr. *sýntonos*, 'tenso', + *-ina*¹.] *S. f.* Substância orgânica existente no tecido muscular.

sintonização [De *sintonizar* + *-ção*.] *S. f.* **1.** Ato ou efeito de sintonizar. **2.** *Eletrôn.* Operação em que um circuito oscilante é ajustado para que a sua frequência de ressonância seja a de um determinado sinal.

sintonizador (ô) [De *sintonizar* + *-dor*.] *S. m. Eletrôn.* Componente ou conjunto de componentes que num circuito oscilante podem ser ajustados para que o circuito entre em sintonia com um sinal.

sintonizar [De *sintonia* + *-izar*.] *V. t. d.* **1.** Ajustar (um aparelho de rádio) ao comprimento da onda transmitida pela estação emissora: "— Ora vá! reticenciou o botequineiro rindo ainda, enquanto sintonizava o rádio para a B.B.C. de Londres." (João Alphonsus, *Eis a Noite!*, p. 109.) **2.** *Eletrôn.* Ajustar a frequência de ressonância de (um circuito oscilante). *T. i.* **3.** *Bras.* Harmonizar-se; afinar(-se): *Não sintonizou com os colegas de trabalho: Suas opiniões sintonizam com as minhas.* *Int.* **4.** Ajustar o aparelho de rádio ao comprimento da onda desejada. **5.** *Bras.* Harmonizar-se; afinar(-se), entrosar(-se). *P.* **6.** Sintonizar (5).

sintonizável [De *sintonizar* + *-vel*.] *Adj. 2 g.* Que pode ser sintonizado.

sintrã *S. f.* V. *sintrão*.

sintrão *Adj.* **1.** De, ou pertencente ou relativo a Sintra (Portugal). ● *S. m.* **2.** O natural ou habitante de Sintra. [Sin. ger.: *sintrense*. Flex.: *sintrã, sintrãos, sintrãs*.]

sintratriz [De *sin-*¹ + *tratriz*.] *S. f. Geom.* Lugar geométrico plano gerado por um ponto fixo sobre uma tangente móvel de uma tratriz.

sintrense *Adj. 2 g. S. 2 g.* V. *sintrão*.

sintro [Alter. de *absinto*.] *S. f. Bot.* V. *absinto* (1).

sintrofia [De *sin-*¹ + *-trofia*.] *S. f. Bot.* Alelositismo.

síntrofo [De *sin-*¹ + *-trofo*.] *Adj. Bot.* Diz-se do líquen que vive parasitariamente sobre outro líquen.

sinuado [Do lat. *sinuatu*, 'arqueado'.] *Adj.* ~ V. *folha —a*.

sinuca [Do ingl. *snooker*.] *S. f.* **1.** *Bras.* Variedade de bilhar (1), jogado normalmente com oito bolas, sobre uma mesa de seis caçapas: impelindo a jogadeira (q. v.), o jogador tenta encaçapar as outras sete bolas (pela ordem de valor, de um a sete: vermelha, amarela ou branca, verde, marrom, azul, cor-de-rosa e preta). [Sin.: *bilhar inglês*.] **2.** *P. ext.* Mesa, ou estabelecimento, onde se joga sinuca. **3.** Posição em que uma bola qualquer para, interpondo-se entre a jogadeira e a bola da vez (q. v.). **4.** *Fig. Gír.* Situação difícil ou embaraçosa para a qual o indivíduo não vislumbra qualquer saída ou solução; sinuca de bico. ◆ **Sinuca de bico.** *Bras.* **1.** Posição em que a jogadeira para à beira da caçapa, encostada ao ângulo que esta forma com a tabela, ficando interrompida a reta que une a bola da vez à jogadeira. **2.** *Fig. Gír.* Sinuca (4).

sinueleiro [De *sinuelo* + *-eiro*.] *Adj. Bras. S.* Diz-se do vacum manso, que faz parte do sinuelo.

sinuelo (ê) [Do esp. plat. *sinuelo*.] *S. m. Bras. S.* **1.** Cincerro (q. v.). **2.** *P. ext.* O gado manso habituado ao curral, e que se emprega nos trabalhos rurais como guia de animais xucros.

sinumbu [Var. de *sinimbu*.] *S. m. Bras. Zool.* V. *camaleão*¹ (1 e 2).

sinuosidade [Do lat. med. *sinuositate*.] *S. f.* **1.** Qualidade ou estado de sinuoso; flexuosidade, ondulação, tortuosidade. **2.** *Fig.* Rodeio, tergiversação.

sinuoso (ô) [Do lat. *sinuosu*.] *Adj.* **1.** Que apresenta curvas irregulares, em sentidos diferentes; ondulante, tortuoso, flexuoso: *linha sinuosa*; *rua sinuosa*; "E os vastos horizontes, familiares, mas duma tão perpétua novidade, abrangendo no mar faiscante o recorte sinuoso da costa." (M. Teixeira-Gomes, *Gente Singular*, p. 15). **2.** *Fig.* Que não se manifesta com franqueza ou retidão; tortuoso: *espírito sinuoso*. **3.** Manhoso, astucioso, ardiloso: "Esse fato era a decomposição da sociedade, lentamente, surdamente, progressivamente contaminada pela mansa e sinuosa corrupção política." (Ramalho Ortigão, *Últimas Farpas*, p. 312.)

sinupaliado [Adapt. do tax. *Sinupalliata*.] *Zool. S. m.* **1.** Espécime dos sinupaliados, ordem de metazoários, moluscos, pelecípodes, eulamelibrânquios, que têm a borda do manto com concavidade notável. ● *Adj.* **2.** Pertencente ou relativo a eles.

▲**sinu(s)-** [Do lat. *sinus, us*.] *El. comp.* = 'seio'; 'curvatura'; 'função seno': *sinusite*; *sinusoide*. [Equiv.: *sen(o)-*; *senografia, senoide*.]

sinusia [Do gr. *synousía*, 'convívio social'; 'sociedade', 'companhia'.] *S. f. Fitogeogr.* Comunidade estruturalmente definida mediante a consideração das formas de vida das espécies nela incluídas. Ex.: um andar arbóreo de uma mata, o estrato baixo do cerrado, os epífitos do mesmo tipo, etc. Substituiu, na faixa tropical, o conceito florístico de *associação*, peculiar à faixa temperada. [Var. pros.: *sinúsia*.]

sinúsia *S. f. Fitogeogr.* V. *sinusia*.

sinusial [De *sinusia* + *-al*¹.] *Adj. 2 g. Fitogeogr.* Relativo à, ou próprio da sinusia: *estrutura sinusial*.

sinusite [De *sinu(s)-* + *-ite*¹.] *S. f. Patol.* Inflamação de seio (11), aguda ou crônica, purulenta ou não, e que pode ocorrer em diferentes locais do corpo: *sinusite esfenoidal, sinusite maxilar*, etc.

sinusoidal [De *sinusoide* + *-al*¹.] *Adj. 2 g. Mat.* V. *senoidal*. ~ V. *curva —*.

sinusoide (ói) [De *sinu(s)-* + *-oide*.] *Adj. 2 g.* **1.** *Anat.* Semelhante a seio (11). ● *S. f.* **2.** *Mat.* V. *senoide*. **3.** *Anat.* Capilar com endotélio descontínuo, altamente permeável, encontrado, p. ex., no fígado. ❖

→**sinus reuniens** ['sinos r̄ɛ'uneɛns] [Lat.] *Embr.* Seio venoso (q. v.).

siô *S. m. Bras. Pop.* V. *sinhô*.

sionismo [Do top. *Sion*, denominação judaica de Jerusalém, onde há um monte com esse nome, + *-ismo*.] *S. m.* **1.** Estudo das coisas referentes a Jerusalém. **2.** Movimento político e religioso judaico iniciado no séc. XIX, que visava ao restabelecimento, na Palestina, de um Estado judaico, e que se tornou vitorioso em maio de 1948, quando foi proclamado o Estado de Israel.

sionista [De *sionismo* + *-ista*.] *Adj. 2 g.* **1.** Sionístico. **2.** Que é partidário do sionismo. ● *S. 2 g.* **3.** Partidário do sionismo.

sionístico [De *sionista* + *-ico*².] *Adj.* Relativo ao sionismo; sionista.

→**sioux** [sju] [Fr., de *nadoweissioux*, termo nativo.] V. *siú*.

sipai *S. m.* Sipaio (1).

sipaio [Do persa *sipahi*, 'pertencente à cavalaria'.] *S. m.* **1.** Soldado hindu exercitado por métodos europeus a princípio engajado a serviço da Companhia das Índias e depois, especialmente, o que se punha a serviço do exército indo-britânico; sipai. **2.** *Afric.* Policial africano a serviço da administração colonial: "não acreditou que o sipaio / seu primo / lhe ia dar bordoadas com o pau do ofício" (Arlindo Barbeitos, *Angola Angolê Angolema*, p. 35). [Var. afric., nesta acepç.: *cipaio*.]

siparuna [De or. indígena; tax. *Siparuna*.] *S. f. Bras. Bot.* **1.** Gênero de árvores ou arbustos monimiáceos. **2.** Qualquer espécie desse gênero, como, p. ex., a *Siparuna brasiliensis* (v. *limoeiro-bravo*). **3.** Qualquer espécime desse gênero.

sipaúba [De or. tupi, poss.] *S. f. Bras. Bot.* Arbusto combretáceo (*Combretum accedens*), do Brasil e das Guianas.

sipe [De or. obscura.] *S. f. Etnol.* Clã sem soberania política.

sipeira *S. f. Bras. Bot.* V. *beberu*.

sipia *S. f. Bras. SE Pop.* V. *cachaça* (1).

sipilho [De or. obscura.] *S. m. Marinh.* Extremidade dum cabo que, por estar mal torcida, não pode ser aproveitada. [Cf. *cepilho*.]

sipipira [Var. de *sapupira*.] *S. f. Bras. Bot.* Sucupira (2).

sipiri *S. m. Bras.* V. *beberu*.

sipoúba *S. f. Bras. Amaz. Bot.* Manopé.

sipuncúlida [Do tax. *Sipunculus* + *-ida*¹; tax. *Sipunculida, Sipunculoidea*.] *Zool. S. m.* **1.** Espécime dos sipuncúlidas, filo de enterozoários de simetria bilateral, corpo vermiforme, globuloso, sem segmentação e cerdas, dividido numa porção posterior mais dilatada e outra anterior, retrátil, tentáculos ocos em volta da boca, e ânus na base da parte anterior. São marinhos, de sexos separados, e vivem enterrados na areia ou na lama. ● *Adj. 2 g.* **2.** Pertencente ou relativo a eles. [Sin. ger.: *sipunculoide*.]

sipunculoide *S. m. Adj. 2 g. Zool.* V. *sipuncúlida*. ❖

sique [Do panjabi *sikh*, 'discípulo', 'aprendiz'.] *Adj. 2 g. S. 2 g.* Diz-se de, ou aquele que professa o siquismo.

siqueirense *Adj. 2 g.* **1.** De, ou pertencente ou relativo a Siqueira Campos (PR). ● *S. 2 g.* **2.** O natural ou habitante de Siqueira Campos.

siquiana *Bras. S. 2 g.* **1.** *Etnôn.* Indivíduo dos siquianas [ou (etnôn. bras.) *Sikiana], povo indígena extinto da família linguística caribe que habitava a margem direita do rio Cafuni (PA). ● *Adj. 2 g.* **2.** Pertencente ou relativo a esse povo.

siquismo [De *sique* + *-ismo*.] *S. m.* Religião monoteísta fundada no século XVI no N. da Índia pelo Guru Nanak (1469-1539), professada em especial pelos panjabis, e que rejeita o sistema de castas e a idolatria.

→**sir** [sɚ] [Ingl.] *S. m.* Tratamento dado a baronetes e cavaleiros (sempre seguido de prenome ou do nome completo). [Com cap.]

siracusano [Do lat. *syracusanu*.] *Adj.* **1.** De, ou pertencente ou relativo a Siracusa (Itália). ● *S. m.* **2.** O natural ou habitante de Siracusa.

sirage [Do ár. *sīraǧ*.] *S. m.* Óleo de gergelim.

sire [Do fr. *sire* < lat. *senior*, 'senhor' (q. v.).] *S. m. Gal.* Tratamento dado outrora aos senhores feudais, e que se dá hoje a imperadores e reis, ao falar-lhes ou escrever-lhes.

síren [Do tax. *Siren* < mit. lat. *Siren* < mit. gr. *Seirén*.] *S. m. Zool.* **1.** Gênero-tipo da família dos sirenídeos (q. v.). **2.** Espécie ou espécime desse gênero.

sirena [Do mit. gr. *Seirén*, pelo lat. tard. *Sirena*, por via erudita.] *S. f.* **1.** *Poét.* Sereia (1). **2.** Instrumento que produz sons mais ou menos estridentes, usado para

S

dar alarma, para pedir a passagem de veículo, como, p. ex., carro policial, ambulância, etc., para avisar da aproximação de navios, para assinalar o começo e o término de expedientes em fábricas, etc.; sereia, sirene: 📖 "A fábrica dos Peixotos apitava ...., com a potente sirena a três vozes" (João da Silva Correia, *Farândola*, p. 150); "Ouviu-se a sirena dum ambulância que chegava." (Érico Veríssimo, *Noite*, p. 128).

sirene [Do fr. *sirène* < mit. lat. tard. *Sirena*.] *S. f.* V. *sirena* (2): 📖 "Fumos das fábricas, gritos das sirenes, velocidades, qual a vossa entoação espiritual, o vosso etéreo significado?" (Teixeira de Pascoais, *Obras Completas*, VII, p. 2); "Um barulho de sirene veio crescendo e o pessoal que estava na direção da Rua Uruguaiana se afastou, dando passagem para cinco motocicletas." (Osvaldo França Júnior, *Um Dia no Rio*, p. 149).

sirénico *Adj.* V. *sirênico*. [Uso freq. em P.]

sirênico [De *sirena* + *-ico*[2].] *Adj.* **1.** *Poét.* Relativo às sirenas ou sereias. **2.** Da natureza das sereias; enganoso, ilusório: 📖 "o mar aterroriza e fascina, amedronta e aniquila; sorri à superfície, sirênico, falacioso" (Martins Fontes, *O Mar*, p. 10).

sirenídeo [Do tax. *Siren* (v. *síren*) + *-ídeo*[1]; tax. *Sirenidae*.] *Zool. S. m.* **1.** Espécime dos sirenídeos, família de anfíbios de corpo em forma de enguia, que compreende o gênero síren, do S. dos E.U.A. ● *Adj.* **2.** Pertencente ou relativo a eles.

sirénio *S. m.* **Adj.** *Zool.* V. *sirênio*. [Uso freq. em P.]

sirênio [Adapt. do tax. *Sirenia*.] *Zool. S. m.* **1.** Espécime dos sirênios, ordem de mamíferos aquáticos, que têm os membros anteriores transformados em nadadeiras, cauda horizontal em forma de remo, não fendida no meio, focinho muito grande, com alguns pelos, boca pequena, e são desprovidos de membros posteriores e de orelhas externas. Alimentam-se de gramíneas. São os peixes-bois, os manatis e os dugongos. ● *Adj.* **2.** Pertencente ou relativo a eles.

sirfídeo [Do tax. *Syrphus* + *-ídeo*[1]; tax. *Syrphidae*.] *Zool. S. m.* **1.** Espécime dos sirfídeos, família de insetos dípteros, braquíceros, que apresentam o terceiro artículo das antenas simples, e tromba curta e membranosa, com lábios grossos. ● *Adj.* **2.** Pertencente ou relativo a eles.

sirga [De or. obscura.] *S. f.* **1.** Ato ou efeito de sirgar; sirgagem. **2.** Corda com que se puxa uma embarcação ao longo da margem.

sirgagem [De *sirgar* + *-agem*[2].] *S. f.* Sirga (1).

sirgar [De *sirga* + *-ar*[2].] *V. t. d.* **1.** Puxar ou conduzir (uma embarcação) por meio de sirga. **2.** Atar com sirgas; prover de sirgas. [Conjug.: v. *largar*.]

sirgaria[1] [De *sirga* + *-aria*.] *S. f.* Estabelecimento onde se fabricam ou vendem sirgas [v. *sirga* (2)].

sirgaria[2] [De *sirgo* (3) + *-aria*.] *S. f.* Serigaria.

sirgo [Do lat. *sericu*, 'de seda'.] *S. m.* **1.** *Zool.* Bicho-da-seda. **2.** Seriguilha grossa. **3.** *Ant.* Seda (1).

sirgueiro *S. m.* V. *serigueiro*.

sirguilha *S. f.* V. *serguilha*: 📖 "Os aventais estreitinhos e curtos, encabeçados em funéus de linho bordado a cores, são de sirguilha com soberbos bordados em ponto de tapete" (Ramalho Ortigão, *As Farpas*, I, pp. 31-32).

siri [Do tupi.] *S. m. Bras.* Designação comum a todas as espécies de crustáceos decápodes, braquiúros, portunídeos, caracterizados por terem nadadeiras no último par de pernas. Vivem na água mas podem sair para as praias, onde se enterram. Alimentam-se de detritos em geral. A carne é muito saborosa.

siríaco [Do gr. *syriakós*, pelo lat. *syriacu*.] *Adj.* **1.** Relativo aos sírios. ● *S. m.* **2.** *Gloss.* V. *aramaico clássico*. **3.** Vocábulo do siríaco (2).

siriaçu [De *siri* + *-açu*.] *S. m. Bras. Zool.* **1.** Espécie de crustáceo decápode, braquiúro, portunídeo (*Callinectes exasperatus*), com hábitos semelhantes aos dos caranguejos. É o maior representante da família. [Sin.: *siri-do-mangue*.] **2.** V. *siri-chita*.

siri-azul *S. m. Bras. Zool.* V. *siripuã*. [Pl.: *siris-azuis*.]

siri-baú *S. m. Bras. Zool.* Espécime de crustáceo, decápode, braquiúro, calapídeo (*Hepatus princeps*), de coloração cinzenta com máculas avermelhadas, por vezes confluentes, de carapaça oval e pinças achatadas. [F. red.: *baú*[2]. Pl.: *siris-baús* e *siris-baú*.]

siri-branco *S. m. Bras. Zool.* Sirimirim. [Pl.: *siris-brancos*.]

siricaia [Do mal. *srikáya*.] *S. f. Bras. Cul.* Doce preparado com leite, açúcar, ovos, farinha e limão, e aromatizado com canela: 📖 "Com tantas filhas, para casá-las, que há de fazer? Tem a senhora uma fórmula de siricaia, de tal feitiço, que tocada, comida, infalivelmente está o sujeito preso, e é genro, na certa..." (Afrânio Peixoto, *Bugrinha*, p. 34.) [Var.: *sericaia*, *sericá* (f. red.).]

siri-candeia [De *siri* + o tupi = 'formoso'.] *S. m. Bras. Zool.* Crustáceo decápode, portunídeo (*Portunus spinimanus*), de coloração avermelhada e pinças muito longas. Ocorre da Carolina do Sul (E.U.A.) até o RJ, e tb. no Chile. [Pl.: *siris-candeias* e *siris-candeia*.]

siri-chita *S. m. Bras. Zool.* Espécie de crustáceo decápode, braquiúro, portunídeo (*Arenaeus cribarius*), facilmente reconhecível pela carapaça vermelho-escura com pingos brancos arredondados. [Sin.: *siri-da-areia*, *siriaçu*. Pl.: *siris-chitas* e *siris-chita*.]

sirico-melado *S. m. Bras. BA Zool.* V. *saíra-amarela*. [Pl.: *siricos-melados*.]

siri-corredor *S. m. Bras. Zool.* V. *siripuã*. [Pl.: *siris-corredores*.]

siricotico [De or. incerta.] *S. m. Pop.* V. *chilique* (2): 📖 "Vamos sair na bateria / Deixe de chilique / Deixe de siricotico." (Chico Buarque, na canção *Biscate*).

siri-da-areia *S. m. Bras. Zool.* V. *siri-chita*. [Pl.: *siris-da-areia*.]

siri-de-coral *S. m. Bras. AL Zool.* Certo crustáceo portunídeo. [Pl.: *siris-de-coral*.]

siri-do-mangue *S. m. Bras. Zool.* Siriaçu (1). [Pl.: *siris-do-mangue*.]

sirigaita [De or. controversa.] *S. f.* **1.** *Gír.* Mulher pretensiosa e muito saracoteadora: 📖 "Eu vi as sirigaitas de saias arregaçadas a correr" (Raul Pompeia, *Contos*, p. 22). **2.** Mulher espevitada, esperta, que tem resposta pronta para tudo. [Tb. us. (pouco) como adj.]

sirigaitar [De *sirigaita* + *-ar*[2].] *V. int. Fam.* Viver ou agir como sirigaita.

sirigoiá [De *siri* + o tupi *goiá*, var. de *guaiá*, 'caranguejo'.] *S. m. Bras. Zool.* Crustáceo decápode, braquiúro, portunídeo (*Cronius ruber*), distribuído desde a Flórida (E.U.A.) até SP. Tem coloração avermelhada, com manchas claras, e pinças não muito longas.

sirimirim [De *siri* + *-mirim*.] *S. m. Bras. Zool.* Crustáceo decápode, braquiúro, portunídeo (*Callinectes danae*), distribuído na costa brasileira desde PE até SC. Tem coloração vistosa, em tom variando do castanho-escuro ao verde-oliva, com áreas do amarelo-claro ao dourado e lado ventral azul-claro. Vive em fundos arenosos e limpos. [Sin.: *siri-branco*.]

siri-mole *S. m. Bras. Zool. Pop.* Designação popular para as espécies de crustáceos decápodes, braquiúros, no período de mudança de carapaça. [Pl.: *siris-moles*.]

siringe [Do gr. *sýrinx*, *sýringos*, 'flauta de pã', pelo lat. *syringe*.] *S. f.* **1.** *Mús.* V. *flauta de Pã*. **2.** *Zool.* Laringe inferior das aves, muito complexa nos pássaros canoros.

siringeal [De *siringe* + *-eal*.] *Adj. 2 g.* Relativo ou pertencente a siringe (2).

▲**siringo-** [Do gr. *sýrinx*, *sýringos*.] *El. comp.* = 'fístula', 'canal': *siringomielia*, *siringotomia*.

siringomielia [De *siringo-* + *-miel(o)-* + *-ia*[1].] *S. f. Neur.* Afecção caracterizada, anatomicamente, pela formação de cavidades na medula espinhal, e clinicamente, por distúrbios sensitivos, tróficos, motores e reflexos.

siringotomia [De *siringo-* + *-tom(o)-* + *-ia*[1].] *S. f. Cir.* Incisão de uma fístula.

siringotómico *Adj. Cir.* V. *siringotômico*. [Uso freq. em P.]

siringotômico [De *siringotomia* + *-ico*[2].] *Adj. Cir.* Relativo a siringotomia.

sirinhaense *Adj. 2 g.* **1.** De, ou pertencente ou relativo a Sirinhaém (PE). ● *S. 2 g.* **2.** O natural ou habitante de Sirinhaém.

sírio[1] [Do gr. *Seírios*, pelo lat. *Siriu*.] *S. m. Astr.* Grande estrela da constelação do Cão Maior. [Sin.: *Canícula* (vulg.) e *Siro* (p. us.). Cf. *círio*. Com cap.]

sírio[2] *S. m. Bras.* Saco para transportar farinha de mandioca. [Cf. *círio*.]

sírio[3] [Do gr. *sýrios*, pelo lat. *syriu*.] *Adj.* **1.** Da, ou pertencente ou relativo à Síria (Ásia). ● *S. m.* **2.** O natural ou habitante da Síria. [Sin. pop. (no AM): *judeu*.] **3.** *Gloss.* V. *árabe* (3). **4.** Vocábulo do sírio[3] (3). [F. paral. (p. us.): *siro*. Fem.: *síria*. Cf. *círio*.]

sírio-libanês *Adj.* Pertencente ou relativo à Síria e ao Líbano. [Flex.: *sírio-libanesa* (ê), *sírio-libaneses* (ê), *sírio-libanesas* (ê).]

siriómetro *S. m.* V. *siriômetro*. [Uso freq. em P.]

siriômetro [De *Sírio*[1] + *-metro*.] *S. m.* Unidade astronômica equivalente a um milhão de vezes a distância da Terra ao Sol, *i. e.*, 149,5 trilhões de quilômetros.

siri-patola *S. m. Bras. Zool.* V. *chama-maré*. [Pl.: *siris-patolas* e *siris-patola*.]

siripuã [De *siri* + *puã*.] *S. m. Bras. Zool.* Espécie de crustáceo decápode, braquiúro, portunídeo (*Callinectes sapidus*), distribuído desde os E.U.A. até o Uruguai, e um dos mais comuns no RJ. A coloração varia do cinzento ao verde-azulado, com tons avermelhados nos espinhos e dedos. [Sin.: *siri-azul*, *siri-corredor*, *azulão*, *caxangá*, *puã*.]

siriri[1] [Var. de *suiriri*.] *S. m. Bras. Zool.* **1.** V. *suiriri*. **2.** Ave passeriforme, tiranídea, gênero *Tyrannus*, particularmente as espécies *T. albogularis* e *T. melancholicus*, largamente distribuídas no Brasil, de coloração geral cinzento-esverdeada, cabeça cinzenta, meio do vértice escarlate. A primeira tem a garganta branca e o peito amarelo-esverdeado. [Sin., nesta acepç.: *suiriguaçu*, *tiriri*.]

siriri[2] *S. m. Bras. Zool.* V. *sururu* (1).

siriri[3] *S. m. Bras. Zool.* Pantufo[2].

siriri[4] *S. m. Bras. N.E. Folcl.* **1.** Dança de roda infantil. **2.** Dança popular acompanhada de música e cantoria.

siririca[1] [Do tupi = 'a ondulação leve da superfície das águas'.] *S. f.* **1.** *Bras.* Espécie de anzol. **2.** *Bras. RJ Zool.* Nome dado à fêmea do bem-te-vi (1) (q. v.).

siririca[2] *Adj. 2 g.* **1.** *Bras. SP Pop.* Sem modos; doidivanas, piririca. ● *S. f.* **2.** *Bras. Chulo* Masturbação no órgão sexual feminino. ◆ **Tocar siririca.** *Bras. Chulo* Masturbar(-se) (a mulher) com o dedo.

siriricar [De *siririca* + *-ar*[2].] *V. int. Bras.* Pescar com siririca[1] (1). [Conjug.: v. *trancar*.]

siririense *Adj. 2 g.* **1.** De, ou pertencente ou relativo a Siriri (SE). ● *S. 2 g.* **2.** O natural ou habitante de Siriri.

siriritinga [De *siriri*[1] + *-tinga*.] *S. m. Bras. Zool.* Ave passeriforme, tiranídea (*Myodynastes solitarius*), que ocorre em quase todo o Brasil. A coloração geral é pardo-escura, indistintamente pintada de esverdeado, cauda parda, marginada de vermelho, asas marginadas de esbranquiçado e avermelhado, com mancha amarela no vértice, e parte inferior branca, com largas estrias escuras. [Sin.: *bem-te-vi-do-mato*, *bem-te-vi-preto*, *bem-te-vi-riscado*.]

siriruia [Alter. de *aleluia*.] *S. f. Bras. Zool.* V. *aleluia* (6).

sirito [De or. obscura.] *S. m. Bras. N.* Recortes debruados nas barras das camisas e roupas brancas de mulher.

siriú [Var. apocopada de *siriúba*.] *S. f. Bras. Zool.* V. *juruva*.

siriúba [Do tupi = 'árvore do siri'.] *S. f. Bras. Bot.* V. *sereíba*. [Var.: *siriúva*.]

siriubal (i-u) [De *siriúba* + *-al*[1].] *S. m.* **1.** *Bras.* Quantidade mais ou menos considerável de siriúbas dispostas proximamente entre si. **2.** Área ocupada por siriubal (1).

siriúva [Var. de *siriúba*.] *S. f. Bras.* **1.** *Zool.* V. *juruva*. **2.** *Bot.* V. *sereíba*.

sirizada [De *siri* + *-zada*.] *S. f. Bras. Cul.* Iguaria preparada com siris.

siro[1] *S. m. P. us.* V. *sírio*[1]. [Cf. *Ciro*, antr. Com cap.]

siro[2] *Adj. S. m. P. us.* V. *sírio*[3]. [Cf. *Ciro*, antr.]

siroco (ô) [Do ár. *šarqī*, 'do leste', 'oriental' (v. tb. *xaroco*), pela forma pop. magrebina *soruq*, *saluq* ou *saluk*, pelo it. *scirocco*, e pelo fr. *sirocco*.] *S. m.* **1.** Vento quente do sueste, sobre o Mediterrâneo: 📖 "Os vapores quentes do siroco vão derreter a neve das alturas." (José Lins do Rego, *Gregos e Troianos*, p. 27.) **2.** Ventilador portátil, conectado a um conduto tubular de lona, usado para levar ar fresco aos compartimentos internos do navio nos quais se fazem reparos ou executam obras. [Var.: *xaloco*, *xaroco*.]

siroposo (ô) [Do it. *sciropposo*.] *Adj. P. us.* Xaroposo.

sirrum [Do ioruba *si*, 'definitivamente' + o ioruba *rum*, 'falecido'.] *S. m. Bras. Rel.* Cerimônia funerária dos candomblés de rito angola com duração de sete dias.

sirte [Do gr. *sýrtis*, pelo lat. *syrte*, 'areal'.] *S. f. e m.* **1.** Recife ou banco movediço de areia: 📖 "Por ela, a entesourar fortunas e fortunas, / Escondes [ó mar] nos parcéis, nas sirtes e nas dunas, / Teu fausto nupcial!" (Martins Fontes, *Verão*, p. 158.) **2.** *Fig.* Risco, perigo: 📖 "Valei-me, Virgem Maria. // Por entre escolhos, por entre sirtes, / Sede guia aos meus passos tristes." (Alphonsus de Guimaraens, *Obra Completa*, p. 168.)

sirvente [Do provenç. *sirventes*.] *S. f. Arte Poét.* Poesia crítica e satírica, em que se louvava e engrandecia um senhor feudal, e considerada em segundo plano pelos trovadores; sirventesca. [Cf. *servente*.]

sirventesca (ê) [De *sirvente* + o f. de *-esco*.] *S. f. Arte Poét.* Sirvente.

sisa [Do fr. ant. *assise*.] *S. f.* **1.** Designação antiga do hoje chamado *imposto de transmissão*: 📖 "A sisa — imposto sobre o valor das vendas de imóveis urbanos — é taxada em 10%" (Delso Renault, *O Rio Antigo nos Anúncios dos Jornais*, p. 30). **2.** *Fig.* Dedução (1) fraudulenta.

sisal [Do hisp.-amer. *sisal* (do top. *Sisal*, no México).] *S. m.* **1.** Nome comum a diversas agaváceas do gênero *Agave* (v. *agave*), que fornecem fibra. **2.** Planta agavácea (*Agave sisalana*) de folhas espatuladas, ger. sem espinhos nas margens, mas com espinho no ápice; fornece fibra de muito boa qualidade, com espinhos triangulares nas margens. Originária de Sisal (México), é a principal produtora de fibras exportadas por este porto. [Sin., nas acepçs. 1 e 2: *agave*.] **3.** *Tec. Têx.* Tecido feito com o sisal.

sisão [Do cat. *sisó*, pelo esp. *sisón*.] *S. m. Lus. Zool.* Ave pardacenta muito semelhante ao adem, que apresenta uma espécie de colar de penas negras no pescoço.

sisar [De *sisa* + *-ar*[2].] *V. t. d.* **1.** Impor sisa (1) a; tributar com sisa. *T. i.* **2.** Roubar nas compras, apresentando conta superior às despesas. *T. d. e i.* **3.** Tirar, arrebatar, arrancar. **4.** Subtrair fraudulentamente, furtar, surripiar. ***Int.*** **5.** Pagar sisa ou contribuição de registro por título oneroso. [Pres. subj.: *sise, sises, sise, sisemos, siseis, sisem*. Cf. *cizéis*, pl. de *cizel*.]

sisifismo [Do mit. *Sísifo* (v. *trabalho de Sísifo*) + *-ismo*.] ***S. m.*** O eterno recomeço de alguma coisa.

sismal [De *sism(o)* + *-al*[1].] ***Adj. 2 g.*** Diz-se da linha que mostra a direção de um sismo.

sismicidade [De *sísmico* + *-(i)dade*.] ***S. f.*** *Geofís.* Grandeza que indica a frequência e a intensidade sísmica de uma região.

sísmico [De *sism(o)* + *-ico*[2].] ***Adj.*** **1.** Relativo a, ou produzido por sismos ou terremotos: *abalo sísmico*; "São essas rechãs .... que fazem o aro da planura [a planície amazônica]. Uniram-se primeiro com a solda vomitada pelos vulcões do espinhaço americano, e, depois, com a massa fundida nos cataclismos sísmicos" (Raimundo Morais, *País das Pedras Verdes*, p. 36). **2.** Próprio de terremoto, ou que o lembra: "foi a resposta de repique e em sotaque tão de sisudo, a resvalar ao faceto, que o homem rompeu às gargalhadas, papeira e ventre possuídos de sísmicas tremuras." (Aquilino Ribeiro, *As Três Mulheres de Sansão*, p. 82). ~ V. *abalo —, foco —, ondas —as* e *vaga —a*.

sismo [Do gr. *seismós*, 'abalo'.] ***S. m.*** *Geofís.* Movimento do interior da Terra, o qual, conforme a localização de sua origem, pode produzir ondas mais ou menos intensas, e capazes de se propagarem pelo globo; terremoto, tremor de terra, abalo sísmico. [Cf. *cismo*, do v. *cismar*.]

▲**sism(o)-** [Do gr. *seismós, oû*.] ***El. comp.*** = 'sismo', 'terremoto': *sismógrafo, sismograma*. [Equiv.: *-seísmo, -sism(o)-, -sismo*: *bradisseísmo*; *assísmico*; *bradissismo*.]

▲**-sism(o)-** V. *sismo-*.

▲**-sismo** V. *sismo-*.

sismografia [De *sism(o)-* + *-grafia*.] ***S. f.*** Aplicação do sismógrafo.

sismográfico [De *sismografia* + *-ico*[2].] ***Adj.*** Referente à sismografia.

sismógrafo [De *sism(o)-* + *-grafo*.] ***S. m.*** *Geofís.* Instrumento que registra os sismos; sismômetro: "Aos sismógrafos, armados em toda a parte, não escapa o mínimo tremor, a mais célere crispadura da Terra." (Euclides da Cunha, *Contrastes e Confrontos*, pp. 256-257.) ◆ **Sismógrafo de torção.** *Geofís.* Sismógrafo que utiliza como elemento de reposição do pêndulo sísmico o momento de torção de um fio. **Sismógrafo horizontal.** *Geofís.* O que registra as componentes horizontais do movimento do solo. **Sismógrafo vertical.** *Geofís.* O que registra as componentes verticais do movimento do solo.

sismograma [De *sism(o)-* + *-grama*.] ***S. m.*** *Geofís.* Registro dos movimentos do solo, obtido por um sismógrafo.

sismologia [De *sism(o)-* + *-logia*.] ***S. f.*** O estudo dos tremores de terra ocorridos na superfície do globo terrestre.

sismológico [De *sismologia* + *-ico*[2].] ***Adj.*** Referente à sismologia.

sismologista [De *sismologia* + *-ista*.] ***S. 2 g.*** Sismólogo.

sismólogo [De *sism(o)-* + *-logo*.] ***S. m.*** Especialista em sismologia.

sismometria [De *sism(o)-* + *-metria*.] ***S. f.*** *Geofís.* Parte da sismologia que trata da medida dos sismos.

sismométrico [De *sismometria* + *-ico*[2].] ***Adj.*** Relativo ao sismômetro, ou à sismometria.

sismómetro ***S. m.*** *Geofís.* V. *sismômetro*. [Uso freq. em P.]

sismômetro [De *sism(o)-* + *-metro*.] ***S. m.*** *Geofís.* Sismógrafo.

sismonastia [De *sism(o)-* + *nastia*.] ***S. f.*** *Bot.* Nastia provocada pela ação de um golpe ou sacudidela, como se observa na dormideira (2), cujas folhas se fecham imediatamente após uma batida.

sismonástico [De *sismonastia* + *-ico*[2].] ***Adj.*** Referente à sismonastia.

siso [Do lat. *sensu*, 'sentido', pelo arc. *seso*.] ***S. m.*** **1.** Bom senso; juízo, tino, prudência, circunspeção: "Muito riso, pouco siso" (prov.). **2.** V. *dente de siso*. ◆ **De siso.** Sensatamente.

sissarcose [Do gr. *syssárkosis*, 'reunião por meio de carnes'.] ***S. f.*** *Anat.* União de ossos mediante músculos, como ocorre, p. ex., entre o osso hioide e a mandíbula.

sissítia [Do gr. *syssitía*.] ***S. f.*** Refeição coletiva, em Esparta e Creta (Grécia antiga).

sissomia [De *sissomo* + *-ia*[1].] ***S. f.*** *Ter.* Anomalia em que há fusão de dois corpos, com duas cabeças distintas.

sissómico ***Adj.*** *Ter.* V. *sissômico*. [Uso freq. em P.]

sissômico [De *sissomia* + *-ico*[2].] ***Adj.*** *Ter.* Relativo à sissomia.

sissomo [Do gr. *sýssomos*, 'unido em um só corpo'.] ***Adj. S. m.*** *Ter.* Que, ou aquele que apresenta sissomia.

sistáltico [Do gr. *systaltikós*, 'referente à sístole', pelo lat. tard. *systalticu*.] ***Adj.*** *Fisiol. Med.* V. *sistólico*.

sistema [Do gr. *sýstema*, 'reunião', 'grupo', pelo lat. tard. *systema*.] ***S. m.*** **1.** Conjunto de elementos, materiais ou ideais, entre os quais se possa encontrar ou definir alguma relação (5). **2.** Disposição das partes ou dos elementos de um todo, coordenados entre si, e que funcionam como estrutura organizada: *sistema penitenciário*; *sistema de refrigeração*. **3.** Reunião de elementos naturais da mesma espécie, que constituem um conjunto intimamente relacionado: *sistema fluvial*; *sistema cristalino*. **4.** Conjunto de instituições políticas ou sociais, e dos métodos por elas adotados, encarados quer do ponto de vista teórico, quer do de sua aplicação prática: *sistema parlamentar; sistema de ensino*. **5.** O conjunto das entidades relacionadas com determinado setor de atividade: *sistema bancário*; *sistema financeiro*. **6.** Reunião coordenada e lógica de princípios ou ideias relacionadas de modo que abranjam um campo do conhecimento: *o sistema de Kant*; *o sistema de Ptolomeu*. **7.** Conjunto ordenado de meios de ação ou de ideias, tendente a um resultado; plano, método: *sistema de vida*; *sistema de trabalho*; *sistema de defesa*. **8.** Técnica ou método empregado para um fim precípuo: *sistema Taylor* (de Frederick W. Taylor - 1856-1915); *sistema Braille* (de Louis Braille 1809-1852). **9.** Modo, maneira, forma, jeito: *Adotou um novo sistema de pentear os cabelos*. **10.** Complexo de regras ou normas: *um sistema de futebol*; *um sistema de corte e costura*. **11.** Qualquer método ou plano especialmente destinado a marcar, medir ou classificar alguma coisa: *sistema métrico*; *sistema decimal*. **12.** Hábito particular; costume, uso: *A cozinheira tinha o sistema de preparar as refeições com antecedência*. **13.** *Anat.* Conjunto de órgãos ou de estruturas que desempenham determinada(s) função/funções como, p. ex., o sistema digestório ou o sistema imunitário. **14.** *Biol.* Coordenação hierarquizada dos seres vivos em um esquema lógico e metódico, segundo o princípio de subordinação dos caracteres. [É um produto da inteligência humana derivado da necessidade de compreender a natureza o mais próximo possível da realidade.] **15.** *Comun.* Conjunto particular de instrumentos e convenções adotados com o fim de dar uma informação: *sistema radiotelegráfico*; *sistema de computadores*; *sistema audiovisual*. **16.** *E. Ling.* Conjunto de elementos linguísticos solidários entre si: *sistema fonológico*; *sistema sincrônico*. **17.** *E. Ling.* A própria língua quando encarada sob o aspecto estrutural. [As duas últimas acepçs. vêm sendo adotadas a partir de Ferdinand de Saussure (v. *saussuriano*).] **18.** *Filos.* Totalidade (2). **19.** *Fís.* Parte limitada do Universo, sujeita à observação imediata ou mediata, e que, em geral, pode caracterizar-se por um conjunto finito de variáveis associadas a grandezas físicas que a identificam univocamente. **20.** *Geol.* Conjunto de terrenos que corresponde a um período geológico. **21.** *Inform.* Conjunto de programas destinados a realizar funções específicas. **22.** *Mús.* Qualquer série determinada de sons consecutivos. ◆ **Sistema aberto.** **1.** *Fís.* O que pode trocar energia e massa com o exterior. **2.** *Lóg.* Sistema formal que comporta proposições contraditórias e, por isso, está excluído da lógica. **Sistema afocal.** *Ópt.* Sistema óptico que forma no infinito a imagem dum objeto no infinito. **Sistema anglo-norte-americano.** *Tip.* Sistema tipométrico baseado no ponto 0,351mm e usado nos países de língua inglesa. [V. *altura inglesa*.] **Sistema aplanético.** *Ópt.* Sistema óptico em que a aberração de esfericidade e a coma[1] (5) foram corrigidas. **Sistema articular.** *Anat.* O conjunto das articulações do corpo. **Sistema artificial.** *Bot.* Sistema baseado num órgão arbitrariamente escolhido pelo botânico. [Cf. *sistema sexual*.] **Sistema astigmático.** *Ópt.* Sistema óptico em que a imagem de um ponto é um segmento de reta, não sendo a imagem de uma reta, em geral, uma reta, mas sim uma linha curva. **Sistema autocolimador.** *Ópt.* Sistema óptico que pode ser focalizado (em geral, para o infinito) por um dispositivo de autocolimação. **Sistema binário.** *Mat.* Importante sistema de numeração, utilizado na tecnologia dos computadores, no qual a base é dois, e que só tem dois algarismos: o zero e o um. **Sistema Braille.** *Educ.* Sistema de escrita para cegos, universalmente adotado, inventado por Louis Braille (1809-1852), pedagogista francês, que consta de pontos em relevo para leitura com auxílio dos dedos. **Sistema cardio vascular.** *Anat.* Conjunto formado pelo coração e pelos vasos sanguíneos; sistema circulatório (denom. ant.). **Sistema cartesiano.** *Mat.* Sistema de coordenadas, em que estas são cartesianas. **Sistema c.g.s.** *Fís. Obsol.* Sistema de unidades de medida baseado em três unidades fundamentais: o centímetro, unidade de comprimento; o grama, unidade de massa; e o segundo, unidade de tempo. **Sistema c.g.s. eletromagnético.** *Fís. Obsol.* Sistema de unidades de medida em que três unidades fundamentais são as do sistema c.g.s. (centímetro, grama e segundo) e a permeabilidade do vácuo é tomada como a quarta unidade fundamental. **Sistema c.g.s. eletrostático.** *Fís. Obsol.* Sistema de unidades de medida em que três unidades fundamentais (centímetro, grama e segundo) são as do sistema c.g.s., e a permissividade do vácuo é a quarta unidade fundamental. **Sistema cilíndrico.** *Mat.* Sistema de coordenadas em que estas são cilíndricas. **Sistema circulatório.** *Anat.* V. *sistema cardiovascular*. **Sistema compatível.** *Álg.* Sistema de equações que admite pelo menos uma solução bem determinada. **Sistema conservativo.** *Fís.* Aquele em que não há dissipação de energia sob forma térmica. **Sistema construtivo.** *Arquit. Constr.* Numa construção, o conjunto de regras práticas para o uso adequado e coordenado de materiais e de mão de obra. **Sistema copernicano.** *Astr.* Sistema cosmológico heliocêntrico criado por Nicolau Copérnico (v. *copernicano*), e segundo o qual os planetas giravam em torno do Sol em movimentos circulares. **Sistema cristalino.** *Min.* Conjunto de eixos cristalográficos cujas posições referentes no espaço e cujos valores dimensionais definem e classificam os cristais em sete categorias: sistema monométrico ou isométrico, tetragonal ou quadrático, hexagonal, trigonal, ortorrômbico, monoclínico e triclínico. **Sistema cromático.** *Mús.* Sistema baseado na divisão da oitava em 12 partes iguais. **Sistema cúbico.** *Min.* V. *sistema isométrico*. **Sistema curinga.** *Teatr.* Fórmula de encenação posta em prática pelo diretor, dramaturgo e teórico brasileiro Augusto Boal (1931-2009), em que um ator pode desempenhar, numa peça, todos os papéis, e um papel, salvo o de protagonista, pode ser interpretado por todos os atores, a fim de evitar o efeito ilusório do espetáculo, criando o afastamento crítico, bem como para reduzir o elenco, por medida de economia, a um número fixo de atores, tenha a peça qualquer número de personagens. **Sistema de arquivos.** *Inform.* **1.** Forma de organização dos arquivos de um computador. **2.** Aplicativo com o objetivo específico de gerenciar arquivos de um banco de dados. **Sistema de barracão.** *Bras.* Sistema vigente em certos locais do interior brasileiro, e no qual o fazendeiro paga aos empregados com vales, aceitos apenas no barracão da fazenda, onde se vendem artigos de primeira necessidade a preços mais elevados que o normal. **Sistema decimal.** *Mat.* Sistema de números em que uma unidade de ordem vale 10 vezes a unidade de ordem imediatamente anterior. **Sistema de computador.** *Inform.* V. *sistema de processamento de dados*. **Sistema de comunicação.** *Comun.* Sistema de circulação de mensagens entre dois polos distintos no espaço ou no tempo. Compõe-se basicamente de: *fonte*, que produz a mensagem original; *emissor*, que codifica a mensagem em uma sequência de sinais, transmitindo-os através de um determinado canal; *canal*, meio utilizado para enviar os sinais; *receptor*, que exerce operação reversa à do emissor; *destinatário*, a quem se deseja alcançar com a mensagem. **Sistema de controle automático.** *Automat.* Qualquer combinação operável de um ou mais controladores automáticos ligados em malha fechada, com um ou mais processos; servossistema. **Sistema de coordenadas.** *Mat.* Conjunto de *n* números que determinam univocamente a posição de um ponto num espaço n-dimensional. **Sistema de ensino.** *Educ.* Conjunto organizado de escolas ou instituições escolares, com concepções e métodos de ensino bem definidos. **Sistema de equações.** *Mat.* Conjunto de equações que devem ter pelo menos uma solução que as satisfaça simultaneamente. **Sistema de informações.** *Inform.* Sistema que manipula informações por meio do uso de banco de dados. **Sistema de logaritmos.** *Mat.* O conjunto dos logaritmos dos números numa base. **Sistema de numeração.** *Mat.* O conjunto de regras para representação dos números. **Sistema de posicionamento global.** Aquele que permite ao usuário, de posse de um receptor, obter sua posição precisa na superfície da Terra (em um mapa digital ou pelas coordenadas geográficas). [Este sistema é formado por um conjunto de satélites artificiais orbitando a Terra e emitindo sinais de rádio, por estações na superfície que os controlam, e pelos receptores, que captam e processam os sinais, e calculam, por triangulação, a posição. Sin.: *sistema de posicionamento global por satélite*, GPS.] **Sistema de posicionamento global por satélite.** V. *sistema de posicionamento global*. **Sistema de preços.** *Econ.* Conjunto de mecanismos de fixação de preços numa economia de mercado, visto como elemento determinante da alocação de recursos produtivos, e que se opõe ao sistema de planejamento econômico centralizado. **Sistema de processamento.** *Inform.* V. *sistema de processamento de dados*. **Sistema de processamento de dados.** *Inform.* Conjunto complexo e organizado de procedimentos e equipamentos, ger.

S

baseados em circuitos eletrônicos, capaz de manipular e transformar dados segundo um plano determinado, produzindo resultados a partir da informação representada por esses dados. [V. *processamento de dados*.] **Sistema de referência.** *Fís.* Referencial (3). **Sistema Didot.** *Tip.* Sistema tipométrico baseado no ponto de 0,3759mm. [Estabelecido pelo impressor francês François Ambroise Didot (1730-1804), segundo a medida criada por Fournier. Cf. *altura francesa* e *sistema Fournier*.] **Sistema digestivo.** *Anat.* V. *sistema digestório*. **Sistema digestório.** *Anat.* Conjunto dos órgãos que participam da digestão, distribuídos no tubo digestório e órgãos anexos (glândulas salivares, pâncreas, fígado, etc.); sistema digestivo (denom. ant.). **Sistema dissipativo.** *Fís.* Aquele em que ocorre dissipação de energia sob forma térmica. **Sistema distribuído.** *Inform.* Aquele em que diversos computadores interconectados, cada qual com capacidade de realizar independentemente certas funções ou tarefas, podem trabalhar coordenadamente em processos que envolvam informações ou recursos remotos, de tal modo que a distribuição das informações e tarefas entre os diversos componentes não se torne aparente ao usuário, o qual se limita a operar a máquina e os recursos locais. **Sistema duodecimal.** *Mat.* Sistema de numeração em que a base é doze. **Sistema especialista.** *Inform.* Sistema de computador relacionado à inteligência artificial, e cuja função é realizar inferências baseadas em regras e dados fornecidos. **Sistema esquelético.** *Anat.* O conjunto dos ossos e cartilagens do corpo; sistema ósseo (denom. ant.). **Sistema estomatognático.** *Anat.* Conjunto de estruturas anatômicas (ossos, nervos, músculos, dentes, etc.) que participam da mastigação, deglutição e tb. da fonação. **Sistema excretor.** *Anat.* V. *sistema urinário*. **Sistema executivo.** *Inform.* V. *sistema operacional*. **Sistema fechado. 1.** *Fís.* Aquele que pode trocar energia com o exterior, mas cujas paredes ou fronteiras não permitem a passagem de substâncias materiais. **2.** *Lóg.* Sistema formal cujo domínio está definido com exatidão, e que não comporta nenhuma proposição que não se possa demonstrar como falsa, ou como verdadeira. **Sistema filogenético.** *Bot.* Sistema de classificação dos vegetais baseado na teoria da evolução. [É o único que se usa hoje em dia, e que classifica, também, as plantas fósseis.] **Sistema formal.** *Lóg.* Expressão simbólica de uma teoria que se estrutura conforme axiomas e regras operatórias bem determinadas. **Sistema fonador.** *Anat.* O conjunto dos órgãos da fala, constituído das seguintes partes: a) pulmões, brônquios e traqueia, órgãos respiratórios que fornecem a corrente de ar para a fonação; b) laringe, onde se localizam as cordas vocais, que produzem a energia sonora utilizada na fonação; c) cavidades supralaríngeas – faringe, boca e fossas nasais – que funcionam como caixas de ressonância; aparelho fonador (denom. ant.). [A cavidade bucal varia de forma e volume, em função dos movimentos de órgãos ativos, sobretudo a língua.] **Sistema Fournier.** *Tip.* Sistema tipométrico (hoje usado somente na Bélgica) baseado no ponto original de 0,3487mm. [É criação do tipógrafo francês Pierre Simon Fournier (1712-1768.)] **Sistema gaussiano.** *Fís. Obsol.* Sistema de unidades de medidas elétricas e magnéticas em que todas as quantidades elétricas são medidas no sistema c.g.s. eletrostático e as magnéticas no sistema c.g.s. eletromagnético. **Sistema genital.** *Anat.* Conjunto dos órgãos (masculinos: pênis, saco escrotal, testículos, ductos condutores de espermatozóides e glândulas acessórias, e femininos: vulva, vagina, útero, tuba uterina, ovários) responsáveis pela reprodução ou que dela participam; sistema reprodutor (denom. ant.). **Sistema geocêntrico.** *Astr.* Sistema cosmológico que admitia ser a Terra o centro do Universo, em torno da qual giravam todos os astros. [Cf. *sistema ptolomaico*.] **Sistema Giorgi.** *Fís.* Sistema de unidades de medidas que coincide, praticamente, com o sistema métrico, e no qual as unidades fundamentais são o metro, o quilograma e o segundo, e a permeabilidade do vácuo é igual a 10^{-7}. **Sistema heliocêntrico.** *Astr.* Sistema cosmológico que admite ser o Sol o centro do Universo, girando em torno dele os astros do sistema solar. [Cf. *sistema copernicano* e *sistema kepleriano*.] **Sistema heterogêneo.** *Fís.-Quím.* O que é constituído por mais de uma fase e, portanto, tem propriedades que podem diferir de um ponto para outro. **Sistema hexagonal.** *Min.* O sistema cristalino caracterizado por um eixo de simetria senário. **Sistema homogêneo.** *Fís.-Quím.* O que é constituído por uma só fase, *i. e.*, aquele que em qualquer ponto tem as mesmas propriedades. **Sistema imunitário.** *Imun.* Aquele constituído por componentes celulares e moleculares e que se destina, primordialmente, a reconhecer outras moléculas, distinguindo entre o que é próprio de um organismo daquilo que não o é, vindo, então, nesse caso, a defendê-lo contra organismos e substâncias estranhas; sistema imunológico (denom. ant.). **Sistema imunológico.** *Imun.* V. *sistema imunitário*. **Sistema indeterminado.** *Álg.* Sistema de equações que admite uma infinidade de soluções. **Sistema internacional de unidades.** Sistema de unidades de medida baseado em seis unidades fundamentais: o metro, unidade de comprimento; o quilograma, unidade de massa; o segundo, unidade de tempo; o ampère, unidade de corrente elétrica; o kelvin, unidade de temperatura termodinâmica; e a candela, unidade de intensidade luminosa. **Sistema isolado.** *Fís.* O que não pode trocar nem energia nem massa com o exterior. **Sistema isométrico.** *Min.* Sistema cristalino que se caracteriza essencialmente por três eixos cristalográficos iguais e retangulares, tendo os cristais desse sistema quatro eixos de simetria ternários; sistema monométrico, sistema cúbico. **Sistema kepleriano.** *Astr.* Sistema cosmológico heliocêntrico, criado pelo astrônomo alemão Johann Kepler (1571-1630), e segundo o qual os planetas giram em torno do Sol seguindo órbitas elípticas. **Sistema límbico.** *Anat. Fisiol.* Região cerebral formada pela circunvolução do corpo caloso e pela do hipocampo (3), e que atua sobre o funcionamento de vísceras, regulação metabólica e vida emocional. **Sistema linear.** *Mat.* O constituído por equações lineares. **Sistema métrico decimal.** Sistema de unidades de medida baseado no metro, e que usa múltiplos e submúltiplos decimais. **Sistema MKS.** *Fís.* Sistema de unidades de medida baseado em três unidades fundamentais: o metro, unidade de comprimento; o quilograma, unidade de massa; e o segundo, unidade de tempo. **Sistema monitor.** *Inform.* V. *sistema operacional*. **Sistema monoclínico.** *Min.* Sistema cristalino que se caracteriza essencialmente por três eixos cristalográficos desiguais, dois deles perpendiculares entre si, e o terceiro perpendicular ao eixo horizontal, porém oblíquo em relação ao vertical. **Sistema monométrico.** *Min.* V. *sistema isométrico*. **Sistema mononuclear fagocitário.** *Histol.* Sistema reticuloendotelial. **Sistema MTS.** *Fís.* Sistema de unidades de medida baseado em três unidades fundamentais: o metro, unidade de comprimento; a tonelada, unidade de massa; e o segundo, unidade de tempo. **Sistema muscular** *Anat.* O conjunto dos músculos do corpo. **Sistema não linear.** *Mat.* O que envolve pelo menos uma equação não linear. **Sistema não saturado.** *Lóg.* Sistema formal que comporta proposições que não se podem demonstrar nem como verdadeiras nem como falsas. **Sistema natural.** *Bot.* Sistema de classificação no qual os caracteres empregados levam em conta as afinidades naturais das plantas, merecendo consideração, assim, todos os órgãos, conquanto se dê preferência à morfologia floral. **Sistema nervoso autônomo.** *Anat.* Porção do sistema nervoso, tanto aferente quanto eferente, que inerva musculatura cardíaca e lisa, e controla secreções glandulares diversas. Não se encontra sob o controle da vontade, e divide-se em dois grandes setores: o simpático e o parassimpático. [Sin.: *sistema nervoso vegetativo* e *sistema nervoso da vida vegetativa*.] **Sistema nervoso central.** *Anat.* Porção do sistema nervoso composta de encéfalo, medula espinhal e meninges que os recobrem. **Sistema nervoso da vida vegetativa.** *Anat.* V. *sistema nervoso autônomo*. **Sistema nervoso periférico.** *Anat.* O conjunto formado por todos os integrantes do sistema nervoso que se encontram fora do crânio e da coluna vertebral. **Sistema nervoso vegetativo.** *Anat.* V. *sistema nervoso autônomo*. **Sistema octal.** *Mat.* Sistema de numeração em que a base é oito, adotado na tecnologia de computadores. **Sistema *on-line*.** *Inform.* Sistema de caráter interativo, com a capacidade de aceitar dados diretamente no computador a partir do lugar onde são criados e enviar os resultados do processamento diretamente para a área onde são necessários, efetuando o transporte de dados através de canais ou linhas de comunicação; são evitados estágios intermediários, tais como gravações de dados em fita, ou disco magnético, ou impressão fora de linha. **Sistema oolítico.** *Geol.* Camada espessa de sedimentos calcários da Europa, do jurássico inferior, caracterizada pela presença de grânulos semelhantes a pequenos ovos. [Tb. se diz apenas *oolítico*.] **Sistema operacional.** *Inform.* Conjunto de programas básicos que permite ao usuário gerenciar o uso dos recursos de um computador [sigla: *SO*]. **Sistema ortorrômbico.** *Min.* Sistema cristalino que pode referir-se a três eixos cristalográficos desiguais dispostos em ângulo reto, e caracterizado, no essencial, por um eixo de simetria dupla, que é a interseção de dois planos de simetria, ou, então, perpendicular a dois eixos de simetria. **Sistema ósseo** *Anat.* V. *sistema esquelético*. **Sistema planetário.** *Astr.* O conjunto dos planetas que giram em redor do Sol. [Cf. *sistema solar*.] **Sistema polar.** *Mat.* Sistema de coordenadas em que estas são polares. **Sistema presidencial.** V. *presidencialismo*. **Sistema ptolomaico.** *Astr.* Sistema cosmológico geocêntrico, criado pelo astrônomo grego Cláudio Ptolomeu, no séc. II d. C., e segundo o qual todos os astros giravam em torno da Terra em movimentos circulares ou combinação de movimentos circulares. [Cf. *sistema geocêntrico*.] **Sistema quadrático.** *Min.* Sistema cristalino que pode referir-se a três eixos retangulares, dois deles iguais, e caracterizado por um eixo de simetria quádrupla; sistema tetragonal. **Sistema quimiorreceptor.** *Fisiol.* Conjunto de formações [v. *formação* (5)] sujeito à influência de alterações na tensão sanguínea de oxigênio e de dióxido de carbono, e que desempenha papel importante na regulação funcional respiratória. **Sistema racionalizado.** *Fís.* Sistema de unidades de medidas elétricas e magnéticas, derivado do sistema métrico ou do c.g.s., e no qual as unidades destes aparecem multiplicadas por potências apropriadas de 4p com o objetivo de tornar mais simples ou mais simétricas algumas expressões teóricas. **Sistema reprodutor** *Anat.* V. *sistema genital*. **Sistema respiratório.** *Anat.* Conjunto dos órgãos responsáveis pela respiração: nariz, faringe, laringe, traqueia, pulmões e brônquios. **Sistema reticuloendotelial.** *Histol.* O constituído por células que, situadas em diferentes locais do organismo, têm características reticulares e endoteliais e dispõem de capacidade fagocitária, intervêm na formação de células sanguíneas, no metabolismo do ferro, desempenham funções de defesa contra infecções, etc.; sistema mononuclear fagocitário. **Sistema saturado.** *Lóg.* Sistema formal cujo domínio comporta proposições que não se podem demonstrar, nem como verdadeiras nem como falsas, mas cujas respectivas negativas se podem demonstrar como falsas, ou como verdadeiras. **Sistema sexagesimal.** *Mat.* Sistema de numeração em que a base é sessenta. **Sistema sexual.** *Bot.* Sistema artificial, criado por Lineu (v. *lineano*), em que as plantas são classificadas segundo os caracteres tomados aos órgãos reprodutivos. [Cf. *sistema artificial*.] **Sistema solar.** *Astr.* Conjunto de planetas [v. *planeta* (1)], planetas-anões, asteroides, satélites, cometas, meteoritos e poeira cósmica que gravitam em redor do Sol. [Cf. *sistema planetário*.] **Sistema Taylor.** Taylorismo. **Sistema telescópico.** *Ópt.* Sistema afocal imerso em ar. **Sistema temperado.** *Mús.* Sistema que consiste em dividir a oitava em 12 semitons exatamente iguais, e que é usado na afinação de certos instrumentos de sons fixos (piano, órgão, etc.), de modo que uma tecla pode servir para produzir mais de uma nota, de nomes diferentes, mas de som igual, como, p. ex., dó, si sustenido e ré dobrado bemol, o que era impossível no temperamento desigual (q. v.). [Sin.: *temperamento igual*.] **Sistema tetragonal.** *Min.* Sistema quadrático. **Sistema triclínico.** *Min.* Sistema cristalino que pode referir-se a três eixos desiguais oblíquos. **Sistema trigonal.** *Min.* Sistema cristalino caracterizado por um único eixo de simetria ternária e três eixos cristalográficos iguais, dispostos simetricamente em torno do eixo ternário, e fazendo com este um ângulo diferente de 90 graus. **Sistema urinário** *Anat.* Conjunto dos órgãos responsáveis pela produção e eliminação da urina: rins, ureteres, bexiga e uretra; sistema excretor (denom. ant.). **Sistemas analógicos.** *Fís.* Sistemas de natureza diferente cujo comportamento se descreve por equações idênticas. **Por sistema.** Por ideia ou juízo preconcebido.

sistemata [Do lat. tard. *systema, atis* (< gr. *sýstema, atos*), p. anal. com *diplomata* e *numismata*, ambos do fr., poss.] ***S. 2 g.*** Especialista em sistemática.

sistemática [F. subst. do adj. *sistemático*.] ***S. f.* 1.** Sistematização. **2.** *Biol.* Ciência que se ocupa das classificações dos seres vivos; taxinomia. **3.** *Tip.* Medida tipográfica baseada no cícero.

sistemático [Do gr. *systematikós*, pelo lat. tard. *systematicu*.] ***Adj.* 1.** Referente ou conforme a um sistema: *Todo organograma deve ser sistemático.* **2.** Que segue um sistema: *plano sistemático.* **3.** Ordenado, metódico. **4.** Coerente com determinada linha de pensamento e/ou de ação: *É sistemático em suas atitudes; Tem um procedimento sistemático, é fiel aos seus princípios.* **5.** *Biol.* Relativo à sistemática (1). [Sin., nessas acepçs.: *sistêmico*.] **6.** *Bras.* Diz-se do indivíduo que, por ser metódico ao extremo, se torna ranheta, ranzinza. ~ V. *amostragem –a, bloco –, botânica –a, erro –* e *índice –*. • ***S. m.* 7.** *Tip.* O material tipográfico (quadrados, fios, vinhetas, etc.) cuja medida se baseia no cícero.

sistematização [De *sistematizar* + *-ção*.] ***S. f.*** Ato ou efeito de sistematizar; sistemática.

sistematizador (ô) [De *sistematizar* + *-dor*.] ***Adj.* 1.** Que sistematiza; sistematizante. • ***S. m.* 2.** Aquele que sistematiza.

sistematizante [De *sistematizar* + *-nte*.] *Adj. 2 g.* Sistematizador (1).

sistematizar [De *sistemat(o)-* + *-izar*.] *V. t. d.* **1.** Reduzir diversos elementos a sistema: *O novo gerente sistematizou a organização da firma.* **2.** Agrupar em um corpo de doutrina: *O apóstolo S. Paulo sistematizou o cristianismo.* **3.** Tornar sistemático (3 e 4).

sistematizável [De *sistematizar* + *-vel*.] *Adj. 2 g.* Que se pode sistematizar.

▲**sistemat(o)-** [Do gr. *sýstēma, atos*.] *El. comp.* = 'sistema': *sistematizar, sistematologia.*

sistematologia [De *sistemat(o)-* + *-logia*.] *S. f.* O estudo dos sistemas.

sistematológico [De *sistematologia* + *-ico*[2].] *Adj.* Relativo à sistematologia.

sistémico[1] *Adj.* V. *sistêmico*[1]. [Uso freq. em P.]

sistémico[2] *Adj.* V. *sistêmico*[2]. [Uso freq. em P.]

sistêmico[1] [De *sistema* + *-ico*[2].] *Adj.* **1.** Sistemático (1 a 5). **2.** Referente à visão orgânica, lógica de um sistema: *um enfoque sistêmico; um objetivo sistêmico.*

sistêmico[2] [Do ingl. *systemic*.] *Adj. Med.* Que afeta todo o corpo; generalizado. ~ V. *circulação —a* e *doença —a*. [Seria preferível a f. *sistemático*, que, no entanto, não é us. nesta acepç.]

sistente [Do lat. *sistente*, part. pres. de *sistere*, 'suster', 'manter'.] *Adj. 2 g.* ~ V. *articulação —*.

sistilo [Do gr. *sýstylos*, 'de colunas aproximadas', pelo lat. *systylu*, por via erudita.] *Adj. S. m. Arquit.* Diz-se da, ou a construção na qual os intercolúnios têm dois diâmetros de coluna ou quatro módulos.

sistino [De antr. *Sisto* + *-ino*[1].] *Adj.* Relativo ao Papa Sisto IV (1414-1484): *capela sistina.*

sistolar [De *sístole* + *-ar*[1].] *Adj. 2 g.* V. *sistólico*.

sístole [Do gr. *systolé*, 'contração', pelo lat. tard. *systole*.] *S. f.* **1.** *E. Ling.* V. *hiperbibasmo*. **2.** *Fisiol. Med.* Estado de contração de miócitos cardíacos. [Cf., nesta acepç., *diástole* (1).]

sistólico [De *sístole* + *-ico*[2].] *Adj.* Relativo a, ou próprio de sístole; sistolar, sistáltico.

sistro [Do gr. *seîstron*, pelo lat. *sistru*.] *S. m.* **1.** Antigo instrumento egípcio de percussão, que consistia num pequeno arco metálico atravessado horizontalmente por pequenas hastes também de metal, as quais, agitadas por meio de um cabo, produziam som agudo e prolongado: "Crótalos, búzios, tímpanos, badalos, / Sistros ressoam!" (Martins Fontes, *Verão*, p. 21.) **2.** Espécie de marimba com lâminas metálicas. **3.** *Etnogr.* Instrumento musical, us., na América do Sul, entre os índios cadiueus, constituído por uma forquilha entre cujas extremidades é esticada uma corda em que são enfiados discos que se entrechocam quando o instrumento é sacudido. [Var.: *sestro*.]

■ **SISU** Sigla de *Sistema de Seleção Unificada*.

sisudez (ê) [De *sisudo* + *-ez*.] *S. f.* **1.** Qualidade de sisudo. **2.** Seriedade, gravidade, circunspeção. **3.** Juízo, bom senso. **4.** Gravidade de porte. [Pl.: *sisudezes* (ê). F. paral.: *sisudeza*.]

sisudeza (ê) [De *sisudo* + *-eza*.] *S. f.* V. *sisudez*: "A sisudeza do semblante arguia o incômodo da consciência." (Camilo Castelo Branco, *A Queda dum Anjo*, p. 158.)

sisudo [Do lat. **sensutu*, 'ajuizado', pelo arc. *sesudo*.] *Adj.* **1.** Que tem siso. **2.** Sério, grave, circunspeto. **3.** Prudente, sensato, moderado. ● *S. m.* **4.** Indivíduo sisudo. **5.** *Pop.* Sério (13).

sitar [Do hindi *sitār*.] *S. m. Mús.* Instrumento hindu, de braço longo, montado com três ou quatro cordas dedilháveis. [Cf. *citar*.]

sitarrão [De *sítio*[1] + *-arrão*.] *S. m. Bras. N.* Sítio[1] (6 e 7) grande.

➔**sitcom** [sɪtkąm] [Ingl., acrôn. *situation comedy*.] *S. m.* Série cômica para TV, ger. com roteiro linear e cenários simples.

➔**site** [sajt] [Ingl., lit., 'sítio', 'lugar'.] *S. m. Inform.* **1.** Qualquer servidor (7) da *Web*, ou, p. ext., o endereço (v. *URL*) em que pode ser acessado. **2.** Conjunto de páginas em formato de hipertexto que podem ser acessadas através de um endereço eletrônico único. [Cf. *homepage*.]

sitiado [Part. de *sitiar*.] *Adj.* **1.** Cercado ou assediado por tropas militares. ● *S. m.* **2.** Aquele que está sitiado.

sitiador (ô) [De *sitiar* + *-dor*.] *Adj. S. m.* Sitiante[1].

sitiano [De *sítio*[1] + *-ano*[1].] *S. m. Bras. PA* V. *caipira* (1).

sitiante[1] [De *sitiar* + *-nte*.] *Adj. 2 g. S. 2 g.* Que, ou quem sitia; sitiador.

sitiante[2] [De **sitiar* (< *sítio*[1] + *-ar*[2]) + *-nte*.] *S. 2 g. Bras. S.* Proprietário ou morador de sítio[1] (7 e 8). [Sin.: *sitieiro* (SP), *situante* (ES).]

sitiar [Adapt. occitana do b.-lat. *situare*.] *V. t. d.* **1.** Pôr sítio[2] a; cercar, assediar: *As tropas sitiaram a cidade por 10 dias.* **2.** *P. ext.* Cercar, rodear, assediar: *Jornalistas sitiaram o presidente eleito.* [Pres. ind.: *sitio, sitias, sitia, sitiamos, sitiais, sitiam*. Cf. *sítio*, s. m., *Sítio*, antr. e top., *Cítia*, top., *setia*, s. f., e *setiais*, pl. de *setial*.]

sitibundo [Do lat. tard. *sitibundu*.] *Poét. Adj.* **1.** Sedento, sequioso. ● *S. m.* **2.** Indivíduo sequioso, sedento: "Sonhei-a —: fonte de corrente fria, / Límpida como o sitibundo pede" (Alberto de Oliveira, *Poesias*, 2ª série, p. 334).

sitieiro [De *sítio*[1] + *-eiro*.] *S. m. Bras. SP* V. *sitiante*[2].

sitiense *Adj. 2 g.* **1.** De, ou pertencente ou relativo a Sítio da Abadia (GO). ● *S. 2 g.* **2.** O natural ou habitante de Sítio da Abadia.

▲**sitio-** [Do gr. *sítion*, ou < gr. *sîtos, ou*.] *El. comp.* = 'trigo', 'pão'; 'alimento'; 'alimentação': *sitiofobia, sitiófobo, sitiologia.* [V. *sito-*.]

sítio[1] [Da mesma or. incerta que o esp. *sitio*; poss. alter. do lat. *situs*, 'posição'; a term. *-io* talvez se deva à infl. de *assédio* (lat. *obsidio*) ou do v. *sitiar*.] *S. m.* **1.** Lugar que um objeto ocupa. **2.** Chão descoberto; espaço de terra; terreno. **3.** Lugar, local, ponto. **4.** Lugar assinalado por acontecimento notável. **5.** Localidade, povoação. **6.** *Bras.* Estabelecimento agrícola de pequena lavoura. **7.** *Bras.* Fazendola. **8.** *Bras.* Moradia rural, ou chácara nas imediações da cidade. **9.** *Bras.* Trato[1] (1) que se arrendou ou cedeu a moradores ou lavradores dum engenho de açúcar, mediante prestação de serviços ou partilha dos frutos. **10.** O campo, a roça (em oposição à cidade). **11.** Qualquer local do interior. [Diz-se que é *do sítio* quem quer que more na roça.] **12.** *Inform.* V. *site*. [Mais us. em Portugal.] [Cf. *sitio*, do v. *sitiar*.] ◆ **Sítio arqueológico.** Local onde se encontram vestígios de ocupação humana pretérita; jazida arqueológica. **Sítio ativo.** *Quím.* Porção da estrutura molecular de uma enzima à qual se liga o substrato e/ou na qual se passa a reação química catalisada pela enzima. **Sítio histórico.** Local que tem valor histórico pela presença de testemunhos do seu processo de ocupação, ou por outros significados históricos e/ou etnográficos relevantes, e que é objeto de preservação. **Sítio paleontológico.** Local onde se encontram fósseis de vegetais e/ou de animais; jazida paleontológica. **Sítio urbano.** O local em que a cidade se desenvolve, em contraposição a áreas naturais, ou rurais.

sítio[2] [Dev. de *sitiar*.] *S. m.* Ato ou efeito de sitiar. [Cf. *sitio*, do v. *sitiar*.]

sitioca [De *sítio*[1] + *-oca*.] *S. f. Bras.* Pequeno sítio[1] (7), ou fazendola.

sitiofobia [De *sitio-* + *-fobia*.] *S. f. Psiq.* Sitofobia (q. v.).

sitiofóbico [De *sitiofobia* + *-ico*[2].] *Adj. S. m. Psiq.* V. *sitofóbico*.

sitiófobo [De *sitio-* + *-fobo*.] *Adj. S. m. Psiq.* V. *sitofóbico* (2 e 3).

sitiologia [De *sitio-* + *-logia*.] *S. f.* O estudo dos alimentos ou da alimentação.

sitiológico [De *sitiologia* + *-ico*[2].] *Adj.* Relativo à sitiologia.

sítio-matense *Adj. 2 g.* **1.** De, ou pertencente ou relativo a Sítio do Mato (BA). ● *S. 2 g.* **2.** O natural ou habitante de Sítio do Mato. [Pl.: *sítio-matenses*.]

sítio-novense[1] *Adj. 2 g.* **1.** De, ou pertencente ou relativo a Sítio Novo (MA e RN). ● *S. 2 g.* **2.** O natural ou habitante de Sítio Novo. [Pl.: *sítio-novenses*.]

sítio-novense[2] *Adj. 2 g.* **1.** De, ou pertencente ou relativo a Sítio Novo do Tocantins (TO). ● *S. 2 g.* **2.** O natural ou habitante de Sítio Novo do Tocantins. [Pl.: *sítio-novenses*.]

sítio-quintense *Adj. 2 g.* **1.** De, ou pertencente ou relativo a Sítio do Quinto (BA). ● *S. 2 g.* **2.** O natural ou habitante de Sítio do Quinto. [Pl.: *sítio-quintenses*.]

sito[1] [Do lat. *situ*, 'deterioração'; 'sujeira'; 'mofo'.] *S. m.* Bolor, bafio, mofo. [Cf. *cito*, do v. *citar*.]

sito[2] [Do lat. *situ*, part. pass. de *sinere*, 'consentir, permitir'.] *Adj.* Que se situa. [Cf. *cito*, do v. *citar*. Fem.: *sita*. Cf. *cita*.]

▲**sito-** [Do gr. *sito-* < gr. *sîtos, ou*.] *El. comp.* = 'trigo (no estado natural)'; 'trigo (farináceo)'; 'pão'; 'alimento', 'alimentação': *sitofagia, sitófago*. [Equiv.: *sitio-* (q. v.); *-sit(o)-*, *-sito*: *alelositismo; aposítico; autosito* (< gr.), *parasito* (< gr.). V. *parasit(o)-*.]

▲**-sit(o)-** V. *sito-*.

▲**-sito** V. *sito-*.

sitofagia [De *sitófago* + *-ia*[1].] *S. f.* A alimentação do sitófago.

sitófago [Do gr. *sitophágos*.] *Adj. S. m.* Que, ou aquele que se alimenta de trigo.

sitofobia [De *sito-* + *-fobia*.] *S. f. Psiq.* Medo patológico de alimentar-se; sitiofobia.

sitofóbico [De *sitofobia* + *-ico*[2].] *Psiq. Adj.* **1.** Relativo a sitofobia. **2.** Que sofre de sitofobia; sitófobo, sitiófobo. ● *S. m.* **3.** Aquele que sofre de sitofobia; sitófobo, sitiófobo. [Sin. ger.: *sitiofóbico*.]

sitófobo [De *sito-* + *-fobo*.] *Adj. S. m. Psiq.* V. *sitofóbico* (2 e 3).

sitosterol [De *sito-* + *-sterol*.] *S. m. Quím.* Qualquer de certos esteróis (α-, β- e γ-sitosterol) encontrados em plantas; o γ-sitosterol, p. ex., está presente no óleo de soja, e é seu principal esterol [fórm.: $C_{29}H_{50}O$]. [Pl.: *sitosteróis*.]

situação [De *situar* + *-ção*.] *S. f.* **1.** Ato ou efeito de situar(-se). **2.** O modo como alguma coisa ou pessoa está situada em relação a determinado ambiente; posição, localização: *É boa a situação da casa quanto à exposição ao sol; O detetive observou a situação da vítima no momento do crime.* **3.** Colocação ou arranjo das diversas partes de um grupo de pessoas ou de coisas em relação recíproca; distribuição: *A situação dos convidados à mesa obedecia às normas do cerimonial.* **4.** *Fig.* Condição social, ou econômica, ou afetiva, emocional, em que alguém se acha: *A família está em ótima situação; A situação do casal é demasiado tensa.* **5.** *Fig.* Encontro de acontecimentos; conjunto de circunstâncias; lance, conjuntura: *Nesta situação, só me resta aceitar; Está em situação desesperadora.* **6.** *Fig.* Estado especial de qualquer empresa, empreendimento ou negócio: *situação de um banco, de uma viagem.* **7.** *Fig.* Posição especial de um indivíduo quanto à sua profissão, ao seu ramo de atividade: *Tem boa situação na firma; Goza de ótima situação na classe média.* **8.** *Fig.* Cada um dos momentos de uma ação real ou fictícia que provocam interesse ou emoção, ou concorrem para um determinado desenlace; lance, passagem, passo: *As situações dramáticas, no filme, foram habilmente alternadas com momentos de humor.* **9.** *Fig.* Determinada fase de uma atividade ou experiência, que apresenta certas condições típicas: *Não raro em situações idênticas as crianças reagem de modo diferente.* **10.** *Bras.* O conjunto de forças ou outros elementos de caráter político ou social que se encontram no poder: *O prefeito está com a situação.* [Antôn., nesta acepç.: *oposição* (2).]

situacional [De *situação* + *-al*[1], seg. o padrão erudito.] *Adj. 2 g.* **1.** De, ou pertencente ou relativo a situação. **2.** Próprio ou específico de uma determinada situação.

situacionismo [De *situação* + *-ismo*, seg. o padrão erudito.] *S. m. Bras.* **1.** Partido político dos que se encontram no poder. **2.** Permanência de uma situação política.

situacionista [De *situacionismo* + *-ista*.] *Adj. 2 g.* **1.** Referente ou pertencente ao situacionismo. ● *S. 2 g.* **2.** Pessoa pertencente ao situacionismo.

situado [Part. de *situar*.] *Adj.* **1.** Que se situou ou situa. **2.** Posto, construído, desenvolvido ou localizado em determinado lugar ou posição.

situante [Do b.-lat. *situante*.] *S. m. Bras. ES* V. *sitiante*[2].

situar [Do b.-lat. *situare*.] *V. t. d. e i.* **1.** Pôr, colocar, estabelecer: *O historiador situou a importância do fato em suas devidas proporções.* **2.** Determinar ou assinalar (lugar a): *Situou o lugar de honra ao chefe da representação estrangeira.* ***T. d. e c.*** **3.** Edificar em lugar próprio ou escolhido: *Situou a capela no outeiro.* **4.** Dispor geograficamente: "São as lembranças de Pernambuco .... que sugerem a Garrett a ideia de situar no Brasil a primeira parte do seu novo romance, *Helena*." (José Osório de Oliveira, *O Romance de Garrett*, p. 171.) ***P.*** **5.** Colocar-se, pôr-se; estar ou ficar situado: *O visitante situou-se à esquerda do dono da casa;* "Antero [Antero de Quental] situa-se, com Camões, entre os mais pensantes ou pensadores dos nossos muitos poetas." (Agostinho de Campos, *Estudos sobre o Soneto*, p. 27). **6.** Tomar conhecimento, ou conhecer a situação (q. v.) de; formar opinião: *— Por enquanto, nada posso responder, pois ainda não me situei sobre o assunto.* [Part.: *situado*, e *sito*, fem. *sita*. Cf. *cito*, do v. *citar* e s. m., e *cita*, do mesmo v., *cita*[1], s. f., *cita*[2], s. 2 g., s. m. e adj. 2 g.]

situável [De *situar* + *-vel*.] *Adj. 2 g.* Que se pode situar.

sítula [Do lat. *situla*.] *S. f.* Vaso de madeira, de forma arredondada. [Cf. *cítola*.]

siú *S. 2 g. S. m. Adj. 2 g.* V. *dacota*.

siuano (i-u) *Gloss. S. m.* **1.** Família de línguas indígenas que geograficamente ocupa a região das Grandes Planícies: Montana, Dacota do Norte, Dacota do Sul, Wyoming, Nebrasca, Kansas, Colorado, Oklahoma, Texas e Novo México (E.U.A.); Manitoba, Saskatchewan, Alberta e Territórios do N.O. (Canadá). [São exemplos de línguas dessa família o *arkansas*, o *dacota*, o *hidatsa* e o *kansa*.] **2.** Vocábulo do siuano (1). ● *Adj.* **3.** Relativo a siuano (1).

siúba *S. f. Bras. PB Pop.* V. *cachaça* (1).

siusi *Bras. S. 2 g.* **1.** *Etnôn.* Indivíduo dos siusis, povo indígena extinto da família linguística aruaque que habitava nas margens do rio Içana, região do alto rio Negro conhecida como Boca do Cachorro (AM). ● *Adj. 2 g.* **2.** Pertencente ou relativo a esse povo. [Tb. us. como *s. 2 g. e 2 n.* (com cap.) e *adj. 2 g. e 2 n.*]

sivala [Do javanês.] *S. f. Bot.* V. *palmira*.

➔**sivan** [si'van] [Hebr.] *S. m. Cronol.* O nono mês do calendário judaico, que incide entre os meses de maio e junho dos calendários juliano e gregoriano.

sizetese [Do gr. *syzétesis*, 'discussão'.] *S. f. E. Ling.* Figura pela qual se principia ou se estabelece uma discussão.

S

sizígia [Do gr. *syzygía*, 'conjunção', pelo lat. tard. *syzygia*.] *S. f. Astr.* Conjunção ou oposição de um planeta, especialmente a Lua, com o Sol (o que se observa no plenilúnio e no novilúnio). [Var.: *sizígio*. Cf. *maré*[1] *de sizígia*.]

sizígio *S. m. Astr.* V. *sizígia*.

→**skate** [skejt] [Ingl.] *S. m.* V. *esqueite*.

→**skené** ['skene] [Gr.] *S. f. Teatr.* V. *orquestra* (8).

→**sketch** [sketʃ] [Ingl.] *S. m.* V. *esquete*.

→**skinhead** ['skınhed] [Ingl.] *S. 2 g.* Indivíduo, ger. jovem, de cabelos raspados, que costuma apresentar comportamento xenófobo, homofóbico e racista.

skinneriano [Do antr. (*Burrhus Frederic*) *Skinner* + *-iano*.] *Adj.* **1.** Pertencente, relativo a, ou próprio de Burrhus Frederic Skinner (1904-1990), cientista estadunidense do comportamento. **2.** Que é adepto das concepções de Skinner, ou profundo conhecedor da sua obra. ● *S. m.* Seguidor de suas concepções, ou profundo conhecedor de sua obra.

skutterudita [Do top. *Skutterud* (Noruega), + -ita[3].] *S. f. Min.* Mineral isométrico, arsenieto de cobalto e níquel.

→**sky-surf** [skaj sərf] [Ingl.] *S. m. Esport.* Esporte aéreo no qual um paraquedista salta com uma pequena prancha presa aos pés e faz evoluções [v. *evolução* (3)] durante 30 segundos de queda livre, sempre acompanhado de um cinegrafista.

■ **s.l.** Abrev. do lat. *sine loco* (q. v.).

→**slack** [slæk] [Ingl., 'frouxo', > *slacks*, 'calças compridas avulsas, para usar sem casaco'.] *S. m.* Conjunto de calças compridas e camisa ou blusa do mesmo tecido, usado especialmente pelas mulheres.

s-lépton [De *s(upersimétrico)* + *lépton*.] *S. m. Fís. Part.* S-partícula (q. v.) de lépton. [Pl.: *s-léptons*.]

→**slice** [slajs] [Ingl.] *S. m. Tên.* Rebatida de efeito no tênis, em que a raquete atinge a bola num plano inclinado, de cima para baixo.

→**slide** [slajd] [Ingl.] *S. m.* V. *eslaide*.

→**slip** [slıp] [Ingl.] *S. m. Lus.* V. *sunga* (3).

→**slivovitz** [ʃli'vovits] [Al. < servo-croata *Sljivovica*.] *S. f.* Aguardente de ameixa, feita sobretudo na Europa oriental e na península balcânica.

sloânea [Do tax. *Sloanea* (do antr. [*Hans*] *Sloane* [1660-1753], naturalista inglês, + lat. cient. *-ea*).] *S. f. Bot.* **1.** Grande gênero de árvores eleocarpáceas nativas de Madagascar e de regiões tropicais da Ásia à Austrália; têm folhas alternas, pequenas flores apétalas com numerosos estames, fruto capsular e madeira ger. duríssima, útil. **2.** Qualquer espécie desse gênero, como, p. ex., a *Sloanea monosperma* (v. *castanha-brava*). **3.** Qualquer espécime desse gênero. [Var.: *esloânea*.]

→**slogan** ['slowgən] [Ingl.] *S. m.* Palavra ou frase usada com frequência, em geral associada a propaganda comercial, política, etc.

■ **Sm** *Quím.* Símb. de *samário*.

→**smartphone** ['smaɹt,fown] [Ingl.] *S. m. Inform.* Aparelho de telefonia celular com recursos avançados, semelhantes ao de um computador pessoal, permitindo, assim, p.ex, o acesso à internet sem fio.

→**smash** [smæʃ] [Ingl.] *S. m. Esport.* No tênis, e em alguns outros esportes disputados com raquete, golpe de cima para baixo, similar ao saque, executado ger. em bolas altas ou, às vezes, em resposta a um *lob*.

smithsonita [Do antr. (*James*) *Smithson* (1765-1829), químico inglês, + *-ita*[3].] *S. f. Min.* Mineral trigonal, carbonato de zinco, minério de zinco.

→**smoking** ['smowkıŋ] [Ingl., por *smoking jacket*.] *S. m. Vest.* Roupa masculina com paletó, ger. preta, de lapelas de cetim, usada como traje de cerimônia à noite. [Sin. (ingl.): *black-tie*. Em ingl. a palavra não existe com tal acepç.; o termo correspondente é *tuxedo*.]

→**smorzando** [smoɾ'tsando] [It.] *Mús. Adv.* Indica que a sonoridade se deve ir extinguindo gradualmente.

■ **s.n.** Abrev. do lat. *sine nomine* (q. v.).

■ **Sn** *Quím.* Símb. de *estanho*[1].

→**snowboard** ['snowbɔɹd] [Ingl.] *S. m. Esport.* Modalidade esportiva em que o atleta desliza na neve, sobre uma prancha de médio porte, semelhante a um *skate*.

■ **SO** Sigla de sistema operacional (q. v.).

■ **S.O.** Abrev. de *sudoeste*.

▲**so-** V. *sub-*.

▲**-so-** V. *sub-*.

só [Do lat. *solu*.] *Adj. 2 g.* **1.** Desacompanhado, solitário: "Piedade! esse impudor ofende o olhar gelado / Das que viveram sós, das que morreram puras!" (Olavo Bilac, *Poesias*, p. 158.) **2.** Que é só um; único: "Eu era o seu guia / Na noite sombria, / A só alegria / Que Deus lhe deixou" (Gonçalves Dias, *Obras Poéticas*, II, p. 24). **3.** Afastado da convivência; isolado: *É um homem só*; "Só, abre os braços e nenhum apoio encontra..." (Belmiro Braga, *Cantos e Contos*, p. 49). **4.** Ermo, deserto: *Habita lugares sós, para além das montanhas.* **5.** Desamparado; solitário, desajudado: *Os órfãos ficaram sós no mundo.* ● *Adv.* **6.** Apenas, somente; unicamente: *Não escolha profissão só pelas vantagens monetárias.* [Cf. *sô*.] **7.** Não mais do que; apenas, somente: *Ela só tem quinze anos.* ● *S. m.* **8.** Aquele que vive sem companhia: "Volúpia dos abandonados... / Dos sós... ouvir a água escorrer, / Lavando o tédio dos telhados / Que se sentem envelhecer..." (Manuel Bandeira, *Estrela da Vida Inteira*, p. 36.) **9.** No voltarete, parceiro que joga somente as cartas que teve e não compra nenhuma. [Cf. *sô*.] ◆ **A sós.** Sem mais companhia; consigo: *Gosta de estar a sós*; "ela se achava a sós comigo" (Alberto de Oliveira, *Poesias*, 2.ª série, p. 298). **Que só.** Como: *É esperto que só o irmão.*

sô [Alter. de *senhor*.] *S. m. Pop.* Senhor (9); seu: "'Entre, sô doutor!'" (Alexandre Herculano, *Lendas e Narrativas*, II, p. 251); "No eu sair, sô moço já tinha o cavalo pronto, escondido." (Afonso Arinos, *Pelo Sertão*, p. 170); "Gente, onde estará sô Manuel?" (Id., *ib.*, p. 35); "Sô Ribeiro, isso é coisa da minha mulher." (Pepetela, *O Desejo de Kianda*, p. 64); *Que é que houve, sô?* [Cf. *só*.]

soabrir [De *so-* + *abrir*.] *V. t. d. P.* Abrir(-se) um pouco, de manso; entreabrir(-se): "O velho soabriu as pesadas pálpebras, e passou do neto ao estrangeiro um olhar baço." (José de Alencar, *Iracema*, p. 108); "O peristilo arcual da tua boca se move: / Soabre-se: a fulva luz que a ilumina contemplo..." (Alphonsus de Guimaraens, *Obra Completa*, p. 105). [Irreg. Conjug.: v. *abrir*.]

soada [De *soar* + *-ada*[1].] *S. f.* **1.** Ato ou efeito de soar. **2.** Toada de cantiga. **3.** Rumor, ruído. **4.** Boato, fama, notícia. **5.** Rumor indistinto. [Cf. *suada*, fem. de *suado*.]

soadeiro [De *soado* + *-eiro*.] *Adj.* Afamado, famoso, notável.

soado [Part. de *soar*.] *Adj.* **1.** Que soou. **2.** Celebrado, célebre, afamado. [Cf. *suado*, part. de *suar* e adj.]

soagem [Do lat. *solagine*.] *S. f. Bot.* Planta boraginácea (*Echium murale*) arbustiva, de pequenas flores congregadas em espigas escorpioides, que por sua vez se congregam em panículas, e brácteas foliáceas. O fruto é núcula tuberculosa ou rugosa.

soalha [Do lat. vulg. **sonacula*, 'coisinhas soantes'.] *S. f.* **1.** Cada uma das chapas metálicas do pandeiro: "E, em vez de deixar o pandeiro, levantou-o bem alto, ... sacudiu-o convulsivamente no ar, as soalhas vibrando em chorrilho." (Herberto Sales, *Histórias Ordinárias*, p. 176.) **2.** *Ant. Náut.* Espécie de régua que, na balestilha (1), podia deslizar ao longo do virote (3).

soalhado [Part. de *soalhar*[2].] *Adj.* **1.** Assoalhado[1]. ● *S. m.* **2.** *Arquit.* V. *soalho*[1]. **3.** Madeiramento para soalhar[2].

soalhar[1] [De *soalha* (1) + *-ar*[2].] *V. t. d.* **1.** Agitar as soalhas de (um pandeiro). *Int.* **2.** Agitarem-se (as soalhas de um pandeiro): *O pandeiro soalhou demoradamente.*

soalhar[2] [De *soalho*[1] + *-ar*[2].] *V. t. d.* V. *assoalhar*[1].

soalhar[3] [Do lat. **soliculare*, **soliclare* < *soliclu*, *soliculu*, dim. afetivo de *sol*, *solis*, pelas f. **solelhar*, **soelhar*.] *V. t. d.* Assoalhar[2] (1).

soalheira [De *soalho*[2] + *-eira*.] *S. f.* **1.** A luz e o calor mais intensos do Sol: "Embaixo das árvores copadas, nos batedouros, os animais se abrigavam da soalheira." (Francisco Marins, ... *e a Porteira Bateu!*, p. 164.) **2.** A hora do maior brilho e calor do Sol: *Esperou passar a soalheira para sair.* **3.** Exposição aos raios solares. **4.** Torreira (3). [Var., bras.: *soleira*.]

soalheiro [De *soalho*[2] + *-eiro*.] *Adj.* **1.** Exposto à ação dos raios solares: *terraço soalheiro.* **2.** Bem banhado de sol; que tem pouca sombra: *jardim soalheiro.* ● *S. m.* **3.** Lugar exposto aos raios solares; soalho. **4.** Agrupamento de sujeitos ociosos e maledicentes, que se reúnem, geralmente, ao sol. **5.** *Bras. S.* Terreno na aba das serras, exposto ao nascente. [Cf., nesta acepç., *noruega* (1).]

soalho[1] [Do lat. **solaculu* < *solum*, 'solo'.] *S. m. Arquit.* Piso (3) de madeira; soalhado, sobrado. [Var.: *assoalhado*.] ◆ **Soalho à inglesa.** *Arquit.* Soalho paralelo cujas tábuas são unidas por macho e fêmea; soalho de macho e fêmea. **Soalho caveirado.** *Arquit.* Aquele cujas tábuas têm direções diferentes, formando desenhos geométricos. **Soalho de macho e fêmea.** *Arquit.* Soalho à inglesa.

soalho[2] [Dev. de *soalhar*[3].] *S. m.* Soalheiro (3).

soante [Do lat. *sonante*.] *Adj. 2 g.* Que soa; sonante.

soão [Do lat. vulg. *solanu*, *i. e.*, *ventu solanu*, 'vento que sopra da direção onde nasce o Sol'.] *S. m. Lus. Náut.* Vento quente que na latitude de Portugal sopra entre leste e sueste. [Cf. *suão*.]

→**soap opera** [sowp 'ɑpɹə] [Ingl.] Novela radiofônica de caráter sentimental, em capítulos, e destinada à propaganda de algum produto (originariamente, o sabonete).

soar [Do lat. *sonare*.] *V. int.* **1.** Emitir ou produzir som; retumbar, ecoar: *O sino soou chamando os fiéis para a missa.* **2.** Ser indicado ou anunciado por um som: *As seis horas soaram*; "Soaram doze horas nas igrejas daqueles vales." (Camilo Castelo Branco, *A Queda dum Anjo*, p. 103); "Vai alta a lua! na mansão da morte / Já meia-noite com vagar soou" (Soares de Passos, *Poesias*, p. 12). **3.** Fazer-se ouvir; ser pronunciado: *O h não soa na palavra hora.* **4.** Divulgar-se, espalhar-se, propalar-se: "De repente soou na vila uma notícia extraordinária: o caixeiro ia casar com a sobrinha ou afilhada .... que o velho e rico prior de Santo Antônio tinha em casa." (Conde de Ficalho, *Uma Eleição Perdida*, pp. 193-194.) **5.** Emitir canto; cantar: *Soa o canário na gaiola.* **6.** Ter repercussão; repercutir, ecoar: *Na hora do perigo as advertências do pai lhe soaram na alma.* *T. i.* **7.** Agradar, convir, interessar: *Esta compra não lhe soa.* *T. d.* **8.** Tanger, tocar: *O músico soou o violão*; "Quando o sino da igreja soa as trindades, a aldeia anima-se de uma vida que parece ter dormido todo o santo dia." (Natércia Freire, *A Alma da Velha Casa*, p. 107). **9.** Emitir, produzir (som). **10.** Mostrar por meio de sons ou ruídos; indicar: *Os efusivos cumprimentos soavam alegria.* **11.** Dar, bater (horas): *O carrilhão soava 10 horas.* **12.** Celebrar, exaltar: *O hino soava os grandes feitos militares.* *Pred.* **13.** Ter características de; parecer: *Seu riso soou como provocação.* [Normalmente só conjugável nas 3.ªs pess. Conjug.: v. *coroar*. Pres. ind.: *soo* (ô), *soas* (ô), *soa* (ô), etc.; pres. subj.: *soe* (ô), *soes* (ô), *soe* (ô), *soemos*, *soeis*, *soem* (ô). Cf. *sói*, *sóis*, *soem*, do v. *soer*; *sóis*, pl. de *sol*; *sois*, do v. *ser*; e *suar*, v.] ◆ **Soar bem.** Cair bem. **Soar mal.** Cair mal.

soassar [De *so-* + *assar*.] *V. t. d.* Assar levemente.

sob (ô) [Do lat. *sub*.] *Prep.* De maneira geral, dá ideia da posição de uma coisa em relação a outra que lhe fica por cima, e tem, entre outros, mais ou menos, os seguintes empregos: **1.** Debaixo de; por baixo de: "Sob a névoa de azuis, que envolve todo o espaço, / A paisagem parece uma gravura de aço." (Ronald de Carvalho, *Poemas e Sonetos*, p. 13); "Singra o navio. Sob a água clara / Vê-se o fundo do mar, de areia fina..." (Camilo Pessanha, *Clepsidra e Outros Poemas*, p. 197). **2.** À sombra de: "Deu com os olhos no automóvel parado sob a mangueira" (Moreira Campos, *Portas Fechadas*, p. 29). **3.** Ao abrigo de; com o amparo ou proteção de: *É triste viver sob o teto alheio.* **4.** Debaixo de autoridade, comando, vontade, orientação de: *Portugal esteve 60 anos, de 1580 a 1640, sob o domínio espanhol*; "Em companhia de Tomé de Sousa vieram seis jesuítas, sob a direção do Padre Manuel da Nóbrega." (João Ribeiro, *História do Brasil*, p. 87). **5.** No tempo de; no governo de; no reinado de: *A Biblioteca Nacional foi criada sob D. João VI, em 1808.* **6.** Com afirmação ou força de: *Garanto, sob minha palavra, que só lhe farei o bem.* [Cf. *sobre*.]

▲**sob-** V. *sub-*. [O AOLP prescreve o uso do hífen nos casos de anteposição deste pref. a palavra iniciada por *b*, *h* ou *r* que inicie sílaba: *sob-reptício*.]

soba [Do quimb. *soba*, 'chefe'.] *S. m.* Chefe ou régulo de tribo africana: "Quando o povo de Tchipinda levantou uma paliçada à volta da senzala ...., o soba fez a sua entrada solene no terreiro" (Castro Soromenho, *Rajada e Outras Histórias*, p. 66). [Var.: *sova*. Sin. (moç.): *régulo*.]

sobaco *S. m.* Sovaco (q. v.).

sobado [De *soba* + *-ado*[2].] *S. m.* Território governado por um soba.

sobalçar [De *sob* + *alçar*.] *V. t. d.* **1.** Alçar muito, bem alto. **2.** Exaltar, aclamar, enaltecer. [Conjug.: v. *laçar*.]

sobarba [De *so-* + *barba*.] *S. f. Ant.* Parte ou acessório de qualquer cobertura da cabeça, destinada a atar-se sob a barba, *i. e.*, embaixo do queixo.

sobarbada [De *sobarba* + *-ada*[1].] *S. f.* **1.** Barbela (3) de corda. **2.** Golpe por baixo da barba.

sobe e desce [Da 3.ª pess. do sing. do pres. ind. de *subir* + a mesma pess. de *descer*.] *S. m. 2 n.* Ação, ou movimento repetido de subir e descer: *Era incessante o sobe e desce dos elevadores.*

sobeira [De *so-* + *beira*.] *S. f. Constr.* Ordem de telhas dispostas debaixo da beira do telhado para sustentar e reforçar as do beiral; beira-sobeira, beira-severa.

sobejamente [Do f. de *sobejo* + *-mente*.] *Adv.* De sobejo.

sobejar [De *sobejo* + *-ar*[2].] *V. int. T. i.* **1.** Ser por demais; sobrar, superabundar: "Afirmam que a vida é breve, / Engano, — a vida é comprida: / Cabe nela amor eterno / E ainda sobeja vida." (Antônio Boto, *As Canções*, p. 81.) *P.* **2.** Ter de sobejo; suprir-se fartamente. [Conjug.: v. *pelejar*.]

sobejidão [De *sobejo* + *-idão*.] *S. f.* **1.** Qualidade do que é sobejo. **2.** Grande abundância, excesso, demasia. **3.** Grande número; imensidade. **4.** Viço, pujança.

sobejo (ê) [Do esp. *sobejo*.] *Adj.* **1.** Que sobeja; demasiado, excessivo. **2.** Enorme, inumerável, imenso. ● *S. m.* **3.** Sobra, resto: "tomou no pote da varanda seu caneco d'água, pinchou o sobejo na parede" (Bernardo Élis, *Veranico de Janeiro*, p. 87). [Tb. us.

no pl.] ● *Adv.* **4.** De sobejo. ~ V. *sobejos*. ◆ **De sobejo.** De sobra; sobejamente, sobejo: "Sabia-se de sobejo que a fonte da Corredoura era eterna" (Miguel Torga, *Contos da Montanha*, p. 11).

sobejos (ê) [Pl. de *sobejo*.] *S. m. pl.* Sobras, restos. ~ V. *sobejo*.

sôbelo *Ant.* Sôbolo: "O Gaudêncio ficou diante do almocreve, ... muito direito, que era homem bem-parecido sôbelo alto." (Aquilino Ribeiro, *Terras do Demo*, p. 24.) [Flex.: *sôbela, sôbelos, sôbelas*.]

soberana [Fem. de *soberano*.] *S. f.* **1.** Mulher que exerce o poder soberano sobre um Estado. **2.** Rainha (1). **3.** Imperatriz. **4.** *Fig.* Mulher que, entre outras, ocupa o primeiro lugar.

soberania [De *soberano* + *-ia*¹.] *S. f.* **1.** Qualidade de soberano: *Teve por muito tempo a Grã-Bretanha a soberania dos mares.* **2.** Poder ou autoridade suprema de soberano (7): *A soberania dos Braganças exerceu-se em Portugal e no Brasil.* **3.** Autoridade moral, tida como suprema; poder supremo: *a soberania da racionalidade.* **4.** Propriedade que tem um Estado de ser uma ordem suprema que não deve a sua validade a nenhuma outra ordem superior. **5.** O complexo dos poderes que formam uma nação politicamente organizada.

soberanizar [De *soberano* + *-izar*.] *V. t. d.* **1.** Elevar à soberania; tornar soberano. **2.** Exaltar, engrandecer, sublimar.

soberano [Do lat. vulg. *superanu*, 'que está de cima'.] *Adj.* **1.** Que detém poder ou autoridade suprema, sem restrição nem neutralização: *Neste caso a justiça é soberana.* **2.** Dominador, poderoso: *a classe soberana.* **3.** *Fig.* Supremo, absoluto: *vaidade soberana; desprezo soberano.* **4.** *Fig.* Excelente, magnífico: "A bordo vinha uma águia. Era um presente / Que um potentado, — um certo rei do Oriente, / Mandava a outro: um mimo soberano." (Luís Guimarães, *Sonetos e Rimas*, p. 13.) **5.** *Fig.* Altivo, arrogante: *olhar soberano.* **6.** *Fig.* Eficiente, eficaz; poderoso: *um medicamento soberano.* ● *S. m.* **7.** Chefe de Estado monárquico; monarca. **8.** Indivíduo ou ser moral que exerce o poder soberano; imperante. **9.** *Fig.* Aquele que influi poderosamente. **10.** A libra esterlina (q. v.).

soberba (ê) [F. subst. do adj. *soberbo*.] *S. f.* **1.** Elevação ou altura de uma coisa em relação a outra. **2.** Orgulho excessivo; altivez, arrogância, presunção, sobrançaria, sobranceria.

soberbaço [De *soberbo* + *-aço*.] *Adj. S. m.* **1.** Que, ou aquele que se apresenta com muita soberba (2). **2.** Diz-se de, ou indivíduo ridiculamente vaidoso.

soberbão [De *soberbo* + *-ão*¹.] *Adj. S. m.* **1.** Muito soberbo. **2.** Arrogante em demasia. [Fem.: *soberbona*.]

soberbete (ê) [De *soberbo* + *-ete* (ê).] *Adj. S. m.* Que, ou aquele que tem uns ares de soberba.

soberbia [De *soberbo* + *-ia*¹.] *S. f.* **1.** Qualidade de soberbo. **2.** Soberba exagerada.

soberbíssimo *Adj.* Superbíssimo.

soberbo (ê) [Do lat. *superbu*.] *Adj.* **1.** Que é mais alto ou está mais elevado que outro: "Canta, filho do sol da zona ardente, / Destes cerros soberbos, altanados!" (Castro Alves, *Poesias Escolhidas*, p. 312.) **2.** Orgulhoso ao extremo; arrogante, altivo, presunçoso, sobranceiro. [Sin., pop., nesta acepç.: *soberboso*.] **3.** Grandioso, sublime, magnífico: "Há .... nos Maias duas cenas soberbas, duas cenas cheias de veemência e grande fôlego" (Fialho d'Almeida, *Pasquinadas*, p. 280). **4.** Luxuoso, superfino, esplêndido, magnífico: "as espadas em bainhas lavradas pendem de soberbos talins." (Rebelo da Silva, *Contos e Lendas*, p. 175). [Superl. abs. sint.: *soberbíssimo, superbíssimo*.] ● *S. m.* **5.** Indivíduo soberbo (2). [Aum.: *soberbão, soberbaço*. Dim.: *soberbete*.]

soberboso (ô) [De *soberbo* + *-oso*.] *Adj. Pop.* V. *soberbo* (2).

sobernal [Do lat. **supernale* < lat. *super*, 'por cima'.] *S. m.* **1.** Excesso de trabalho físico ou intelectual. **2.** Estado resultante desse excesso; esgotamento, ergastenia. [Corresponde ao fr. *surmenage*.]

sobestar [Do lat. *substare*.] *V. t. i.* Estar abaixo; ser inferior. [Irreg. Conjug.: v. *estar*.]

sobgrave [De *sob-* + *grave*.] *Adj. 2 g. Mús.* Inferior ao grave.

sobiador (ô) *S. m. Bras.* V. *assobiador* (4).

sobiar *V. int. T. d. P. us.* V. *assobiar*: "Vento sul sobiou na cumbuca" (Bernardo Guimarães, *Poesias Completas*, p. 144).

sobnegar [De *sob-* + *negar*.] *V. t. d. T. d. e i. P. P. us.* Sonegar. [Conjug. v. *largar*.]

soboadã [Do jeje.] *S. m. Bras. Rel.* Vodum correspondente ao Oxumarê nagô. [Com cap.]

sóbole [Do lat. *sobole*.] *S. m.* **1.** *Bot.* Ramo que se origina de uma gema subterrânea, e que forma uma nova planta quando se desenvolve e se liberta da planta de origem. [Os sóboles podem constituir um intricado sistema subterrâneo radiciforme, mas de origem e estrutura caulinar, como em *Andira humilis*, do cerrado.] **2.** *Fig.* Geração; prole.

sobolífero [De *sóbole* + *-ífero*.] *Adj. Bot.* Provido de sóboles: *subarbusto sobolífero.*

sôbolo *Ant.* Equivalente da prep. *sobre* e *lo* (sobre o); sôbelo: "Sôbolos rios que vão / por Babilônia me achei" (Luís de Camões, *Rimas*, p. 120). [Flex.: *sôbola, sôbolos, sôbolas*.]

soboró *Adj. 2 g. Bras. C.O.* Seco, chocho: *espiga com grãos soborós.*

soborralhadoiro [De *soborralhar* + *-doiro*².] *S. m.* Soborralhadouro (q. v.).

soborralhadouro [De *soborralhar* + *-douro*²; var. de *soborralhadoiro*.] *S. m.* Vassoura ou varredouro de forno.

soborralhar [De *soborralho* + *-ar*².] *V. t. d.* Meter no borralho.

soborralho [De *so-* + *borralho*.] *S. m.* **1.** Calor alimentado pelo borralho. **2.** Brasa ou outra coisa que está sob o borralho.

sobosque [De *so-* + *bosque*.] *S. m. Fitogeogr.* V. *submata*.

sobpé [De *sob-* + *pé*.] *S. m.* V. *sopé*.

sobpor [De *sob-* + *pôr*.] *V. t. d. e i.* **1.** Pôr debaixo ou por baixo; soto-pôr. **2.** Ter em menos conta; menosprezar, desdenhar. [Antôn.: *sobrepor*. Irreg. Conjug.: v. *pôr*.]

sobra [Dev. de *sobrar*.] *S. f.* **1.** Ato ou efeito de sobrar. **2.** Sobejo (3). ~ V. *sobras*. ◆ **De sobra.** Demasiadamente, demasiado; sobejamente; de sobejo; sobejo. **Levar as sobras.** Ser punido, castigado, etc., imerecidamente, por falta, ou ato, cometido por outrem: "quando as balas começam a assoviar, o jeito é passar sebo nas canelas, — o que .... não impediu o povo da favela do Coroado de levar as sobras dos 5 mil tiros .... que os dois grupos despejaram generosamente nesta terça-feira." (Rui Castro, em *Jornal do Brasil*, 01.10.1993).

sobraçar [De *so-* + *braço* + *-ar*².] *V. t. d.* **1.** Meter debaixo do braço, mantendo seguro ou preso: "Terminadas as tarefas, saíram os dois, o engenheiro sobraçando um rolo de desenhos." (Nélson de Faria, *Cabeça-Torta*, p. 119.) **2.** Firmar nos braços ao caminhar; sustentar, apoiar, amparar: *Sobraçava, atencioso, a velha senhora.* **3.** *P. ext.* Servir de apoio moral a; sustentar, amparar: *sobraçar as almas abatidas.* *P.* **4.** Andar de braço dado com alguém. **5.** Abraçar-se. [Conjug.: v. *laçar*.]

sobradar [De *sobrado*¹ + *-ar*².] *V. t. d.* **1.** Construir sobrado¹ em. **2.** V. *assoalhar*¹ (1).

sobradinhense *Adj. 2 g.* **1.** De, ou pertencente ou relativo a Sobradinho (BA e RS). ● *S. 2 g.* **2.** O natural ou habitante de Sobradinho.

sobrado¹ [Do lat. *superatu*, 'que está por cima'.] *S. m.* **1.** *Arquit.* V. *soalho*¹. **2.** *Arquit.* Andar de um edifício acima do térreo. **3.** *Bras. Angol. Cabo-verd.* Casa de dois ou mais pavimentos: *Dos velhos sobrados da cidade velha de Salvador muitos já foram demolidos.* **4.** *Bras. BA* Casa-grande (2).

sobrado² [Part. de *sobrar*.] *Adj.* **1.** Que sobrou, ou que sobra; demasiado, excessivo. **2.** *Fig.* Rico, farto, abastado: *sobrado de méritos.*

sobraji *S. m. Bras. Bot.* V. *saguaraji*.

sobraju *S. m. Bras. Bot.* V. *saguaraji*.

sobral [De *sobro* + *-al*¹.] *S. m.* **1.** Quantidade mais ou menos considerável de sobros ou sobreiros dispostos proximamente entre si; sobreiral, soveral. **2.** Área ocupada por sobral (1). [Sin. ger.: *sobreiral, soveral*.]

sobralense *Adj. 2 g.* **1.** De, ou pertencente ou relativo a Sobral (CE). ● *S. 2 g.* **2.** O natural ou habitante de Sobral.

sobraliense *Adj. 2 g.* **1.** De, ou pertencente ou relativo a Sobrália (MG). ● *S. 2 g.* **2.** O natural ou habitante de Sobrália.

sobrançaria [De *sobranc(eiro)* + *-aria*.] *S. f.* **1.** Qualidade de sobranceiro. **2.** V. *soberba* (2). [F. paral.: *sobranceria*.]

sobrancear [De *sobranc(eiro)* + *-ear*².] *V. t. d.* **1.** Estar ou ficar sobranceiro a. **2.** Dominar pela altura; dominar: "No alto de um outeiro, sobranceávamos o horizonte." (Godofredo Rangel, *Andorinhas*, p. 144.) **3.** Pôr em cima; sobrepor. [Conjug.: v. *frear*.]

sobranceiro [Do arc. **sobrança* < lat. tard. *superantia* < lat. *superans*, part. pres. de *superare*, 'passar por cima', 'superar', + *-eiro*.] *Adj.* **1.** Que está superior, acima de; que domina; proeminente: "Lá da Estrada da Beira, / duma casa pequena / aos campos sobranceira, / qualquer coisa de novo nos acena." (Alberto de Serpa, *Almanaque de Lembranças Luso-Brasileiro*, p. 54.) **2.** *Fig.* Que vê ou olha do alto. **3.** Orgulhoso, arrogante [v. *soberbo* (2)]: "Fixou-o [Oliveira Lima, a Alexandre de Gusmão].... por uma de suas faces encantadoras: a adorável complacência de uma alma sobranceira às ruínas de um amor não correspondido" (Euclides da Cunha, *Contrastes e Confrontos*, p. 71). **4.** Animoso, corajoso, ousado. **5.** Que sobressai, ressalta, se distingue: *Com seu estilo sobranceiro, dominou a escola romântica.* ● *Adv.* **6.** Com sobrançaria; desdenhosamente. **7.** Em lugar elevado; em situação proeminente.

sobrancelha (ê) [Do lat. *superciliu*, pelo arc. *sobrencelha*.] *S. f.* V. *sobrancelhas*.

sobrancelhas (ê) *S. f. pl. Anat.* Pelos dispostos em forma de semicírculo na pele da margem superior de cada órbita; supercílios, sobrolho. [Tb. us., menos, no sing.]

sobrancelhudo [De *sobrancelha* + *-udo*.] *Adj.* **1.** Que tem sobrancelhas espessas: "Uma, robustona, homaça, quase de bigode, narigão, sobrancelhuda, e que eu chamava Cloto, mantinha a roca em movimento" (Gilberto Amado, *Depois da Política*, p. 41). **2.** *Fig.* Carrancudo, sombrio; severo, austero. [Sin. ger.: *supercilioso* (q. v.).]

sobranceria *S. f.* V. *sobrançaria*.

sobrar [Do lat. *superare*, por via pop.] *V. t. i.* **1.** Haver em excesso; ser demasiado; sobejar: *O dinheiro sobrava-lhe.* **2.** Ficar, restar: *Está esgotado, poucas forças lhe sobram.* **3.** Ser mais que suficiente; chegar ou bastar bem: *Esta comida sobra para matar-me a fome.* *T. c.* **4.** Estar superior; sobrancear: *As águas da enchente sobravam por sobre os telhados.* *Int.* **5.** Ficar, restar: *Almoçou-se largamente, e pouca comida sobrou.* **6.** Ser demasiado; sobejar: *Sobravam razões para que o jovem se rebelasse.* **7.** Ser relegado, esquecido; ficar sobrando: *Todos da casa foram convidados, apenas ele sobrou.* **8.** Não ser procurado ou atendido; não ser alvo de atenção: *O diretor atendeu a várias pessoas, e ele, que esperava desde cedo, sobrou; Foi à reunião, e ficou sobrando.* [Pres. ind.: *sobro, sobras, sobra*, etc.; pres. subj.: *sobre, sobres*, etc. Cf. *sobro* (ô), s. m., e *sobre* (ô), prep. e s. m., pl. *sobres* (ô).]

sobras [Pl. de *sobra*.] *S. f. pl.* **1.** Restos, sobejos. **2.** *Encad.* Folhas ou cadernos excedentes depois de feita a alçagem dos volumes de uma edição. ~ V. *sobra*.

sobrasar [De *so-* + *brasa* + *-ar*².] *V. t. d.* Pôr brasas debaixo de.

sobrasil [De or. obsc.] *S. m. Bras. Bot.* **1.** Árvore rubiácea (*Rustia formosa*) do interior da floresta atlântica, de folhas oblongo-lanceoladas, amplas e herbáceas, flores pequenas, alvas e vermelhas, paniculadas, e cujos frutos são pequenas cápsulas. **2.** V. *saguaraji*. **3.** V. *canafístula* (3).

sobre¹ (ô) *S. m. Marinh.* V. *sobrejoanete*. [Pl.: *sobres* (ô). Cf. *sobre* e *sobres*, do v. *sobrar*.]

sobre² (ô) [F. red., eufêmica, de *sobrecu*.] *S. m. Bras. Pop. Zool.* V. *uropígio* (1). [Pl.: *sobres* (ô). Cf. *sobre* e *sobres*, do v. *sobrar*.]

sobre³ (ô) [Do lat. *super*, por via pop.] *Prep.* Palavra usada largamente – nos casos seguintes, além de outros: **a)** Para estabelecer a ligação entre verbo, adjetivo ou substantivo que antecede o complemento terminativo, que lhe determina a significação, e esse complemento: "Desce por fim sobre o meu coração / O olvido" (Camilo Pessanha, *Clepsidra e Outros Poemas*, p. 171); **b)** Como elemento formador de adjuntos adverbiais que: **1.** Na parte superior de; em cima de, por cima ou acima de: "O jornal dobrado / Sobre a mesa simples" (João Cabral de Melo Neto, *Duas Águas*, p. 121); "Sobre os campos a bruma ondeia, devagar." (Ronald de Carvalho, *Poemas e Sonetos*, p. 12); "Sobre as ondas oscila o batel docemente..." (Olavo Bilac, *Poesias*, p. 79); "Navego em naves de sonho / sobre os caminhos do mar." (Tiago de Melo, *Vento Geral*, p. 106). **2.** Em posição superior e distante: "E ora da vida ao fim, // Em vindo o último sono, é meu desejo / Tê-lo [ao céu fluminense] sereno assim, todo estrelado, / Ou todo sol, aberto sobre mim." (Alberto de Oliveira, *Poesias*, 4ª série, p. 42.) **3.** Acima de; em lugar superior; em situação dominante ou de influência; com alçada em relação a: *Pedro II reinou sobre o nosso país durante meio século.* **4.** Acima de; mais que ou mais do que: "Sobre todos, Bassenge, absolutamente terrorista, agita três espectros do futuro" (Euclides da Cunha, *Contrastes e Confrontos*, p. 35). **5.** No encalço de; no rasto de; atrás de: *O policial correu sobre o assassino.* **6.** Ao encontro de, agressivamente; contra: *A fera cresceu sobre o caçador.* **7.** Próximo de; cerca de; por volta de: "Sobre a tarde tomou ele uma resolução suprema" (Machado de Assis, *Contos Avulsos*, p. 158). **8.** Pela superfície de; ao longo de: *Viam-se, sobre o mar, brilhar as ardentias.* **9.** Do lado ou para o lado de; para: *O escritório do advogado deita sobre a rua.* **10.** De preferência a; acima de: "Amar a Deus sobre todas as coisas" (o primeiro dos 10 mandamentos da Lei de Deus). **11.** À conta de; à responsabilidade ou ao cargo de: "Em Lisboa, quando recebia as rendas em letras sobre Anjos e Cª, ou sobre Mayer e Filhos, tinha apenas a impressão vaga de ser rico" (Conde de Ficalho, *Uma Eleição Perdida*, p. 14). **12.** Em seguida a, depois de; após:

S

"Às tardes, sobre o jantar, ... ia ali fumar um charuto." (Machado de Assis, *Relíquias de Casa Velha*, p. 61); "Ao fim da undécima garrafa o inglês, obrigado pelas leis do combate a beber consecutivamente copo sobre copo, estava debaixo da mesa." (Ramalho Ortigão, *Em Paris*, p. 103); "Sobre um beijo outro beijo, e sobre um ano outro ano..." (Júlio Dantas, *A Ceia dos Cardeais*, p. 13); *Sobre a chuva veio o frio*; "Escrevi cartas sobre cartas" (Machado de Assis, *Várias Histórias*, p. 89). **13.** Em contato com; rente ou junto de: *Tinha o paletó sobre a pele.* **14.** Além de; a mais de: "O rei de Tule era velho, e sobre velho, enfermo." (Fialho d'Almeida, *O País das Uvas*, p. 97); "Sobre serem feias e ineptas, eram pobres" (Camilo Castelo Branco, *Doze Casamentos Felizes*, p. 38). **15.** Num total de; em: *Lucrou 100.000 sobre 800.000 reais empregados*; *O menino ganhou dois livros sobre cada dúzia que vendeu.* **16.** Em comparação de; para: *três metros de comprimento sobre dois de largura.* **17.** Usando como assunto, matéria, base: *Escreveu uma peça sobre* O Primo Basílio, *de Eça de Queirós*; *Carlos Gomes compôs a ópera O Guarani sobre o romance homônimo, de José de Alencar.* **18.** Acerca de; relativamente a; em relação a; a respeito de: "Sobre histórias de amor o interrogar-me / É vão, é inútil, é improfícuo, em suma" (Augusto dos Anjos, *Eu*, p. 116). **19.** Por causa de; em razão de; por: *Suspirava e chorava sobre seu destino triste.* **20.** Com fundamento ou base em; segundo; por: *É perigoso julgar alguém sobre informações suspeitas ou impressão superficial.* **21.** À vista de; de acordo com; segundo, conforme: *Fez uma pintura sobre o modelo que lhe dei.* **22.** Em nome de; em testemunho de; por: *Jurou sobre a felicidade dos seus que era inocente.* **23.** Com a caução ou garantia de; a troco de; mediante: *Emprestou o dinheiro sobre hipoteca*; *Conseguiu o empréstimo sobre penhor.* **24.** Como prêmio de, ou imposto aplicado a: *Pagou ao corretor comissão altíssima sobre a venda do sítio*; *O governo criou novas taxas sobre várias mercadorias.* **c)** Junto de adjetivo ou substantivo, equivale a 'além de, ademais': *Sua ocupação é estéril sobre cansativa*; *Sobre rico, é inteligente*; *Sobre excelente poeta, é grande prosador.* **d)** Junto de adjetivo (em geral substantivado), equivale a 'quase, tirante ou tendente a, um tanto, próximo de': "O rosto magro, ligeiramente sobre o comprido, dava-lhe um ar grave de mais velha." (José Régio, *Histórias de Mulheres*, pp. 15-16.) **e)** Entra na formação de alguns advérbios: *sobremodo, sobremaneira, sobretudo*, etc. **f)** O *sobre* associa-se a outra preposição, que, por sua vez, rege a ideia geral do adjunto adverbial regido por ele: *descer de sobre a árvore*; *O passarinho voou da casa alta para sobre uma baixinha.* [Cf. *sobre*, do v. *sobrar* e s. m., e *sob*.]

sobre[4] (ô) [F. red. de *pau-de-sobre*.] ***S. m. Bras. Bot.*** V. *faia*[1] (2).

▲**sobr(e)-** [Do lat. *super*, por via pop.] ***Pref.*** V. *super-*: *sobreaquecer, sobrecarregar.* [É seguido de hífen quando anteposto a *e* ou *h*: *sobre-excitar, sobre-humano* (em tais casos, apenas o 2.º el. é flexionado na formação do plural); é grafado com *r* ou *s* duplicados quando anteposto a palavra iniciada por *r* ou *s*: *sobrerrestar, sobressemear*.]

sobreabundância [De *sobr(e)-* + *abundância*.] ***S. f.*** V. *superabundância.*

sobreabundante [De *sobr(e)-* + *abundante*.] ***Adj. 2 g.*** V. *superabundante.*

sobreabundar [De *sobr(e)-* + *abundar*.] ***V. int. T. i.*** V. *superabundar*: "o autor não veio dar conselhos, embora *sobreabunde* em opiniões." (José Saramago, *Viagem a Portugal*, p. 13).

sobreafligir [De *sobr(e)-* + *afligir*.] ***V. t. d.*** Afligir sobremaneira. [Conjug.: v. *dirigir*.]

sobreaguado [De *sobr(e)-* + *aguado*.] ***Adj.*** Coberto de água; alagado, inundado.

sobreagudo [De *sobr(e)-* + *agudo*.] ***Adj.*** Muito agudo; superagudo.

sobrealcunha [De *sobr(e)-* + *alcunha*.] ***S. f.*** Alcunha em seguida a outra; segunda alcunha.

sobreanca [De *sobr(e)-* + *anca*.] ***S. f.*** V. *xairel.*

sobreano [De *sobr(e)-* + *ano*[1].] ***S. m. Bras. RS MT*** Rês de cria com mais de um ano.

sobreapelido [De *sobr(e)-* + *apelido*.] ***S. m.*** Segundo apelido ou sobrenome.

sobreaquecer [De *sobr(e)-* + *aquecer*.] ***V. t. d.*** Superaquecer. [Conjug.: v. *aquecer*.]

sobreaquecimento [De *sobr(e)-* + *aquecimento*.] ***S. m.*** Superaquecimento (1).

sobreárbitro [De *sobr(e)-* + *árbitro*.] ***S. m.*** Terceiro árbitro, que dirime as divergências de deliberação entre dois outros; juiz que desempata; desempatador, superárbitro.

sobrearco [De *sobr(e)-* + *arco*.] ***S. m.*** **1.** Enxalço construído sobre a verga das portas ou das janelas. **2.** *Constr.* V. *verga* (4).

sobreavaliação [De *sobreavaliar* + *-ção*.] ***S. f.*** Ato ou efeito de sobreavaliar; superavaliação.

sobreavaliar [De *sobr(e)-* + *avaliar*.] ***V. t. d.*** **1.** Conferir a (algo) valor acima do real. **2.** Dar excessivo mérito, ou importância, a. [Sin. ger.: *superavaliar*.]

sobreaviso [De *sobr(e)-* + *aviso*.] ***S. m.*** **1.** Precaução, prevenção, cautela. **2.** *Dir. Trab.* Condição do empregado que permanece em sua própria casa, aguardando, a qualquer momento, o chamado para o serviço, sendo remunerado por essas horas de espera, que serão contadas à razão de um terço do salário normal. • ***Adj.*** **3.** Acautelado, prevenido, cuidadoso. ◆ **De sobreaviso.** De atalaia; à espera; alerta: *Estava de sobreaviso, e acorreu ao primeiro chamado.*

sobreaxilar (cs) [De *sobr(e)-* + *axilar*.] ***Adj. 2 g. Bot.*** Situado por cima da axila de uma folha; supra-axilar.

sobreazedar-se [De *sobr(e)-* + *azedar* + *se*[1].] ***V. p.*** Azedar mais, ou em demasia: "Este mau humor sobreazedou-se num lanço de ciúme" (Camilo Castelo Branco, *O Santo da Montanha*, p. 162).

sobrebailéu [De *sobr(e)-* + *bailéu*.] ***S. m. Constr. Nav.*** Bailéu posto sobre outro.

sobrebico [De *sobr(e)-* + *bico*[1].] ***S. m. Zool.*** A parte superior do bico das aves.

sobrecabado [De *sobr(e)-* + *cabo*[1] + *-ado*[1].] ***Adj. P. us.*** Situado em lugar alto; eminente, proeminente, elevado.

sobrecabeceado [Part. de *sobrecabecear*.] ***S. m. Encad.*** V. *cabeçada* (3).

sobrecabecear [De *sobr(e)-* + *cabecear*.] ***V. t. d. Encad.*** V. *cabecear* (8). [Conjug.: v. *frear*.]

sobrecama [De *sobr(e)-* + *cama*.] ***S. f. P. us.*** Colcha.

sobrecana [De *sobr(e)-* + *cana*[1].] ***S. f. Veter.*** V. *esparavão.*

sobrecanja ***S. f. Bras. RJ Gír. Desus.*** Sobrecasaca.

sobrecapa [De *sobr(e)-* + *capa*[1].] ***S. f.*** **1.** Cobertura móvel de papel, impressa, geralmente decorada ou ilustrada, que protege a capa de um livro, serve como elemento publicitário, e contém quase sempre material informativo, em geral impresso nas orelhas; jaqueta. **2.** *Bras. BA* Envoltório interno que cobre a torcida de um charuto.

sobrecarga [De *sobr(e)-* + *carga*.] ***S. f.*** **1.** Carga excessiva. **2.** Aquilo que se acresce à carga. **3.** Aquilo que transtorna o equilíbrio da carga. **4.** Espécie de cilha para apertar a carga das bestas. **5.** Marca que se sobrepõe oficialmente a certos selos da correspondência, quer para lhes alterar o valor, quer para mudar-lhes a especificação. • ***S. m.*** **6.** *Ant. Mar.* Aquele que, como representante do armador, dirigia o carregamento de um navio.

sobrecarregado [Part. de *sobrecarregar*.] ***Adj.*** **1.** Que se sobrecarregou. **2.** A que se deu sobrecarga. **3.** *P. ext.* Que tem muitos compromissos (de trabalho, financeiros, etc.), ou muitos afazeres. **4.** *P. ext.* Diz-se de indivíduo que sofre muitas pressões, muitas cobranças profissionais e/ou afetivas.

sobrecarregar [De *sobr(e)-* + *carregar*.] ***V. t. d.*** **1.** Carregar (1) em demasia: *Sobrecarregou a carroça, fazendo arriar o animal.* **2.** Aumentar excessivamente. **3.** Vexar, oprimir, humilhar: *Na Idade Média os senhores feudais sobrecarregavam o povo.* **4.** Aumentar encargos a. **5.** Imprimir sobrecarga (5) em. ***P.*** **6.** Pegar peso excessivo. **7.** Tomar encargos excessivos. [Conjug.: v. *regar*.]

sobrecarta [De *sobr(e)-* + *carta*.] ***S. f.*** **1.** Carta seguida a outra com que tem relação. **2.** V. *envelope* (1).

sobrecasaca [De *sobr(e)-* + *casaca*.] ***S. f. Vest.*** Casaco masculino, atualmente em desuso, que atingia a altura dos joelhos e, convencionalmente, imprimia certa dignidade a quem o trazia: "Estava de pé, sobrecasaca abotoada, a mão esquerda no dorso de uma cadeira" (Machado de Assis, *Dom Casmurro*, p. 338). [Sin.: *redingote, robissão* (bras.), *sobrecanja* (bras., RJ), *sutambaque* (bras.), *balandrau* (bras., N.E.).]

sobreceleste [De *sobr(e)-* + *celeste*.] ***Adj. 2 g.*** Mais do que celeste; divino; sobrecelestial: "na sala espiritualizada pela atmosfera astral, pela fluidez de um éter azul, sobreceleste." (Martins Fontes, *A Dança*, p. 66).

sobrecelestial [De *sobr(e)-* + *celestial*.] ***Adj. 2 g.*** V. *sobreceleste.*

sobrecenho [Do esp. *sobreceño*, poss.] ***S. m.*** Semblante severo, carrancudo; má catadura.

sobrecéu [De *sobr(e)-* + *céu*.] ***S. m.*** Cobertura levantada por cima dum leito ou pavilhão; dossel: "O monumento Brenzoni em S. Fermo de Verona, obra suposta de Nanni di Bartolo (142?), tem por pano de fundo uma enorme cortina pendente do sobrecéu, pesadona e desengraçada" (Ricardo Jorge, *Passadas de Erradio*, p. 41).

sobrechegar [De *sobr(e)-* + *chegar*.] ***V. int. T. i.*** Sobrevir. [Conjug.: v. *chegar*.]

sobrecheio [De *sobr(e)-* + *cheio*.] ***Adj.*** **1.** Cheio em demasia; acogulado. **2.** Empanturrado, farto[2], enfartado.

sobrecincha [Do esp. plat. *sobrecincha*.] ***S. f. Bras. S.*** Tira de couro, própria para apertar os arreios por cima do coxinilho ou da badana.

sobreclaustra ***S. f.*** V. *sobreclaustro.*

sobreclaustro [De *sobr(e)-* + *claustro*.] ***S. m.*** Claustro superior. [Var.: *sobreclaustra*.]

sobrecoberta [De *sobr(e)-* + *coberta*.] ***S. f.*** Coberta construída acima de outra.

sobrecomum [De *sobr(e)-* + *comum*.] ***Adj. 2 g. S. m.*** *E. Ling.* Diz-se de, ou substantivo designativo de pessoa, que tem apenas um gênero, quer se refira a alguém do sexo feminino, quer do masculino. Exemplos: *carrasco, cônjuge, testemunha, criança, criatura*, etc. [Quando se quer discriminar o sexo, diz-se, p. ex.: *uma* criança *do sexo feminino*, *a* testemunha era *um homem idoso*, *o* carrasco *era uma mulher*.]

sobrecopa [De *sobr(e)-* + *copa*.] ***S. f.*** Tampa convexa, que completa certas copas e cálices antigos: "Devo observar que, na descrição dos cálices destinados ao sacramento da Eucaristia, distinguem-se a copa, isto é, a parte superior em que se deita o vinho, e o pé. Sobrecopa ou tampa é a parte complementar em cálices de mais luxo." (M. Said Ali, *Meios de Expressão e Alterações Semânticas*, p. 183.)

sobrecoser [De *sobr(e)-* + *coser*.] ***V. t. d.*** Fazer sobrecostura em.

sobrecostilhar [Do esp. plat. *sobrecostillar*.] ***S. m. Bras.*** A manta de carne que se tira de cima da costela da rês.

sobrecostura [De *sobr(e)-* + *costura*.] ***S. f.*** Costura sobre duas peças já cosidas uma à outra.

sobrecoxa (ô) [De *sobr(e)-* + *coxa*.] ***S. f. Bras. Pop.*** Denominação do que é, nas aves, anatomicamente, a verdadeira coxa.

sobrecu [De *sobr(e)-* + *cu*.] ***S. m. Pop. Zool.*** V. *uropígio* (1).

sobrecurva [De *sobr(e)-* + *curva*.] ***S. f. Veter.*** Tumor duro, na curva do jarrete da cavalgadura.

sobredáctilo [De *sobr(e)-* + *dáctilo*.] ***Adj. E. Ling.*** V. *bisesdrúxulo.* [Var.: *sobredátilo*.]

sobredátilo [Var. de *sobredáctilo*.] ***Adj. E. Ling.*** V. *bisesdrúxulo.*

sobredental [De *sobr(e)-* + *dente* + *-al*[1].] ***Adj. 2 g.*** Situado por cima dos dentes, ou acima deles.

sobredente [De *sobr(e)-* + *dente*.] ***S. m.*** Dente acavalado em outro.

sobredeterminação [De *sobr(e)-* + *determinação*.] ***S. f.*** *Filos.* Estado de acontecimento que é sobredeterminado.

sobredeterminado [De *sobr(e)-* + *determinado*.] ***Adj.*** *Filos.* Diz-se de acontecimento que é precedido por vários outros, sendo cada um deles condição suficiente para produzi-lo.

sobredistender [De *sobr(e)-* + *distender*.] ***V. t. d.*** Distender excessivamente.

sobredistensão [De *sobr(e)-* + *distensão*.] ***S. f.*** Ação ou efeito de sobredistender; distensão excessiva.

sobredito [De *sobr(e)-* + *dito*, part. pass. de *dizer*.] ***Adj.*** V. *supracitado.*

sobredivino [De *sobr(e)-* + *divino*.] ***Adj.*** Mais que divino; superdivino, supradivino.

sobredoirado [Part. de *sobredoirar*.] ***Adj.*** V. *sobredourado.*

sobredoirar ***V. t. d. P.*** V. *sobredourar.*

sobredominância [De *sobr(e)-* + *dominância*.] ***S. f. Genét.*** Situação genética na qual um caráter (10) é mais fortemente expresso no heterozigoto do que em qualquer dos homozigotos; superdominância.

sobredominante [De *sobr(e)-* + *dominante*.] ***S. f. Mús.*** Superdominante.

sobredose [De *sobr(e)-* + *dose*.] ***S. f. Lus.*** Superdose.

sobredourado [De *sobr(e)-* + *dourado*.] ***Adj.*** **1.** Que tem dourados por cima. • ***S. m.*** **2.** Ornato dourado. [Var.: *sobredoirado*.]

sobredourar [De *sobr(e)-* + *dourar*.] ***V. t. d.*** **1.** Dourar por cima. **2.** *Fig.* Exornar, adornar, ornamentar. **3.** Exaltar, nobilitar, engrandecer: *Sua nova vitória veio sobredourar as anteriores.* **4.** Enfeitar, adornar, disfarçar, com artifícios mais ou menos cavilosos, para induzir em erro; dourar: *Sobredourou as vantagens do negócio para angariar clientes.* **5.** Iluminar as partes mais elevadas ou os cimos de: *O Sol sobredourava os montes.* ***P.*** **6.** Ganhar em realce, em esplendor. [Var.: *sobredoirar*.]

sobre-eminência [De *sobr(e)-* + *eminência*.] ***S. f.*** **1.** Qualidade de sobre-eminente. **2.** Elevação extraordinária; preeminência. [F. paral.: *supereminência*.] ❖

sobre-eminente [De *sobr(e)-* + *eminente*.] ***Adj. 2 g.*** Muito elevado; magnífico; supereminente. ❖

sobre-emissão [De *sobr(e)-* + *emissão*.] ***S. f. Fin.*** Emissão excessiva de papel-moeda, títulos, etc. ❖

sobre-erguer [De *sobr(e)-* + *erguer*.] ***V. t. d. e i.*** Erguer mais alto (que outra coisa): *Sobre-ergue a cabeça aos que o rodeiam.* [Conjug.: v. *erguer*.] ❖

sobre-estadia [De *sobr(e)-* + *estadia*.] ***S. f. Jur. Mar. Merc.*** Tempo de permanência de navio mercante num porto, excedente ao estabelecido para a sua carga e/ou descarga; contraestadia. ❖

sobre-estar [De *sobr(e)-* + *estar.*] ***V. int. T. d.*** V. *sobrestar:* "Em vista desta informação, sobre-esteve o egresso na diligência de descobrir ama" (Camilo Castelo Branco, *Vulcões de Lama*, p. 146). [Irreg. Conjug.: v. *estar.*] ❖

sobre-estimar [De *sobr(e)-* + *estimar.*] ***V. t. d.*** V. *superestimar.* ❖

sobre-exaltado (z) [Part. de *sobre-exaltar.*] ***Adj.*** Exaltado em excesso; superexaltado. ❖

sobre-exaltar (z) [De *sobr(e)-* + *exaltar.*] ***V. t. d.*** Exaltar em excesso; superexaltar. ❖

sobre-excedente [De *sobre-exceder* + *-nte.*] ***Adj. 2 g.*** Que sobre-excede. ❖

sobre-exceder [De *sobr(e)-* + *exceder.*] ***V. t. d.*** **1.** Exceder muito; ultrapassar: "no amplo tombadilho .... espalhava-se uma multidão de passageiros, que fora enorme e sobre-excedera mesmo a lotação dos camarotes à partida do Rio" (Virgílio Várzea, *Nas Ondas*, p. 254). ***T. d. e i.*** **2.** Avantajar-se; ser superior; superar: "Em seu gracioso andar sobre-excedia / Da pantera a felina gentileza" (Gonçalves Crespo, *Obras Completas*, p. 154). ***T. i.*** **3.** Ir muito além. **4.** Levar vantagem; avantajar-se, sobrelevar: "E, então, julguei ouvir, bem distinto no ouvido, / Uma, que a todas mais sobre-excedia em graça, / Murmurejar: 'Silêncio! é nossa irmã que passa!'" (Teófilo Dias, *Fanfarras*, p. 12.) ❖

sobre-excelência [De *sobr(e)-* + *excelência.*] ***S. f.*** Qualidade de sobre-excelente. ❖

sobre-excelente [De *sobr(e)-* + *excelente.*] ***Adj. 2 g.*** Mais que excelente; sublime; exceleso. ❖

sobre-excitação [De *sobre-excitar* + *-ção.*] ***S. f.*** **1.** Ato ou efeito de sobre-excitar. **2.** Excitação nervosa acima da normal; superexcitação, supraexcitação. ❖

sobre-excitante [De *sobre-excitar* + *-nte.*] ***Adj. 2 g.*** Que sobre-excita; superexcitante, supraexcitante. ❖

sobre-excitar [De *sobr(e)-* + *excitar.*] ***V. t. d.*** **1.** Excitar vivamente. **2.** Agitar ou impressionar intensamente o ânimo de. ***T. d. e i.*** **3.** Estimular; induzir, excitar: "Uns repentes impensados sacodem a alma de sua modorra, e a sobre-excitam a desejos vagos." (Camilo Castelo Branco, *Amor de Salvação*, p. 214.) [Sin. ger.: *superexcitar* e *supraexcitar.*] ❖

sobreface [De *sobr(e)-* + *face.*] ***S. f.*** Espaço que separa do ângulo externo de um baluarte o flanco prolongado.

sobrefaturamento [De *sobrefaturar* + *-mento.*] ***S. m.*** Superfaturamento.

sobrefaturar [De *sobr(e)-* + *faturar.*] ***V. t. d.*** V. *superfaturar.*

sobrefoliáceo [De *sobr(e)-* + *-foli-* + *-áceo.*] ***Adj. Bot.*** Que está sobre a folha, aderente a ela, por cima dela.

sobregata [De *sobr(e)-* + *gata.*] ***S. f. Marinh.*** O joanete do mastro da gata.

sobregatinha [De *sobregata* + *-inha.*] ***S. f. Marinh.*** Vela redonda que se larga acima da sobregata.

sobregávea [De *sobr(e)-* + *gávea.*] ***S. f. Marinh.*** Gávea alta, nos navios que têm gáveas dobradas.

sobregoverno (ê) [De *sobr(e)-* + *governo.*] ***S. m.*** Governo supremo; autoridade superior.

sobre-horrendo [De *sobr(e)-* + *horrendo.*] ***Adj.*** Muitíssimo horrendo. [Pl.: *sobre-horrendos.*]

sobre-humanismo [De *sobre-humano* + *-ismo.*] ***S. m.*** Qualidade ou caráter de sobre-humano; supra-humanismo. [Pl.: *sobre-humanismos.*]

sobre-humanizar [De *sobre-humano* + *-izar.*] ***V. t. d. P.*** Tornar(-se) sobre-humano; sublimar(-se).

sobre-humano [De *sobr(e)-* + *humano.*] ***Adj.*** **1.** Que supera as forças humanas ou a natureza do homem. **2.** *Fig.* Sublime, excelso. **3.** Sobrenatural (3). [Sin. ger.: *extra-humano, super-humano, supra-humano* e *ultra-humano.* Pl.: *sobre-humanos.*]

sobreinteligível (e-in) [De *sobr(e)-* + *inteligível.*] ***Adj. 2 g.*** Superior à inteligência humana.

sobreintendente (e-in) [De *sobr(e)-* + *intendente.*] ***Adj. 2 g. S. 2 g.*** V. *superintendente.*

sobreintender (e-in) [De *sobr(e)-* + *intender.*] ***V. t. d.*** V. *superintender.*

sobreira [De *sobreiro* (q. v.).] ***S. f. Prov. port. Bot.*** Sobreiro muito velho, ou muito grande.

sobreiral [De *sobreiro* + *-al*[1].] ***S. m.*** V. *sobral.*

sobreiro [Do adj. lat. **suberariu* do lat. *suber*, 'sobreiro'.] ***S. m. Bot.*** Árvore fagácea (*Quercus suber*) natural da região mediterrânea e aí muito cultivada para a extração de cortiça. Tem folhas lobadas, flores pequenas em amento, casca grossa e mole, retirada cada 9 ou 10 anos para, depois de seca, ser enviada às fábricas. [F. paral.: *sovereiro.* Sin.: *carvalho-corticeiro, sobro.*]

sobreirritar (e-i) [De *sobr(e)-* + *irritar.*] ***V. t. d.*** Irritar ao máximo.

sobrejacente [De *sobr(e)-* + *jacente.*] ***Adj. 2 g.*** Que está ou jaz por cima: "Comprou as sentinelas que limaram as grades de uma janela sobrejacente ao mar" (Camilo Castelo Branco, *D. Luís de Portugal*, p. 16). [Antôn.: *subjacente.*]

sobrejeção [De *sobr(e)-* + *ejeção.*] ***S. f. Mat.*** Correspondência de um conjunto sobre outro; função sobrejetora.

sobrejetor (ô) [De *sobr(e)-* + *ejetor.*] ***Adj.*** ~ V. *função —a.*

sobrejoanete (ê) [De *sobr(e)-* + *joanete.*] ***S. m. Marinh.*** **1.** Cada uma das vergas que se cruzam nos mastaréus de joanete. [Nos navios de três mastros a contar de vante, denominam-se *vergas de sobre de proa, de sobre grande* e *da sobregatinha.*] **2.** Cada uma das velas que envergam nas vergas de sobrejoanete, e se chamam *sobre de proa, sobre grande* e *sobregatinha.* [F. red.: *sobre.*]

sobrejoanetinho [De *sobrejoanete* + *-inho*[1].] ***S. m. Marinh.*** Cada uma das vergas que cruzam por cima das vergas de sobrejoanete, e denominadas *sobrejoanetinho de proa* (no mastro do traquete) e *sobrejoanetinho grande* (no mastro grande). ◆ **Sobrejoanetinho de proa.** *Marinh.* V. *sobrejoanetinho.* **Sobrejoanetinho grande.** *Marinh.* V. *sobrejoanetinho.*

sobrejuiz (u-í) [De *sobr(e)-* + *juiz.*] ***S. m. Ant.*** O juiz para quem se recorria. [Pl.: *sobrejuízes.*]

sobrelanço [De *sobr(e)-* + *lanço.*] ***S. m.*** **1.** Lanço superior a outro(s). **2.** Lanço que se segue a outro.

sobrelátego [Do esp. plat. *sobrelátigo.*] ***S. m. Bras. RS*** Tira de guasca que faz parte dos arreios da cavalgadura, atando, do lado direito, a barrigueira ou cincha ao travessão dos arreios.

sobreleito [De *sobr(e)-* + *leito.*] ***S. m. Constr.*** Superfície inferior de cada uma das camadas que constituem a parede.

sobrelevação [De *sobrelevar* + *-ção.*] ***S. f.*** Ato ou efeito de sobrelevar.

sobrelevante [De *sobrelevar* + *-nte.*] ***Adj. 2 g.*** Que sobreleva.

sobrelevar [De *sobr(e)-* + *elevar.*] ***V. t. d.*** **1.** Ser mais alto que; exceder em altura; sobrepujar. **2.** Tornar mais alto; elevar; levantar, erguer: *sobrelevar um muro.* **3.** Levantar do chão; erguer. **4.** Dominar; vencer, sobrepujar: *Seu heroísmo sobrelevava qualquer temor.* **5.** Exceder, ultrapassar, sobrepujar: "Minha alma vive da alma dela e não conhece .... uma força que seja capaz de sobrelevar a força do seu espírito." (Rocha Pombo, *No Hospício*, p. 106.) **6.** Aguentar, suportar: *Sobrelevou conformado a árdua tarefa.* ***T. i.*** **7.** Distinguir-se; destacar-se: *Sobreleva dentre os demais alunos.* **8.** Levar vantagem; sobre-exceder: "O perfume artificial das violetas de Parma com que se perfuma a renda das mantilhas sobreleva ao acre aroma selvagem dos rosmaninhos." (Ramalho Ortigão, *Banhos de Caldas e Águas Minerais*, p. 189); "— Tirem as carapuças. Rezemos um padre-nosso e uma ave-maria por alma do nosso irmão! – tornou o cabecilha em voz que, de compungida, mal sobrelevava ao sussurro da torrente." (Aquilino Ribeiro, *Caminhos Errados*, p. 282). ***P.*** **9.** Distinguir-se, destacar-se, sobressair.

sobreliminar [De *sobr(e)-* + *liminar.*] ***S. m.*** Viga atravessada sobre os esteios de uma ponte levadiça.

sobreloja [De *sobr(e)-* + *loja*[1].] ***S. f.*** **1.** Nos prédios de vários andares, especialmente naqueles onde existem lojas ou outros estabelecimentos comerciais, pavimento situado entre o rés do chão e o primeiro andar e caracterizado pelo pé-direito reduzido. [Sin.: *entressolho.*] **2.** Cada uma das lojas situadas nesse pavimento. [Sin. ger., bras.: *jirau.*]

sobrelotação [De *sobr(e)-* + *lotação.*] ***S. f.*** **1.** Superlotação. **2.** O excedente da lotação normal de um navio.

sobrelotado [Part. de *sobrelotar.*] ***Adj. Bras.*** Superlotado.

sobrelotar [De *sobr(e)-* + *lotar.*] ***V. t. d. Bras.*** Superlotar.

sobremachinho [De *sobr(e)-* + *machinho.*] ***S. m.*** Protuberância causada pela inflamação dos tendões de cavalgadura.

sobremaneira [De *sobr(e)-* + *maneira.*] ***Adv.*** Muito, excessivamente, extraordinariamente; sobremodo: "já ele .... estava no meio dos dois, sobremaneira inquieto" (Júlio Dinis, *Serões da Província*, I, p. 39).

sobremanhã [De *sobr(e)-* + *manhã.*] ***S. f.*** **1.** O fim da manhã; o começo do dia. ● ***Adv.*** **2.** Ao raiar o dia; ao amanhecer: "Sobremanhã parti." (Alberto de Oliveira, *Poesias*, 1.ª série, p. 210.)

sobremão [De *sobr(e)-* + *mão*[1].] ***S. m. Veter.*** Tumor em qualquer dos membros anteriores da cavalgadura. [Pl.: *sobremãos.*] ◆ **De sobremão.** **1.** Com empenho; com esmero. **2.** Com fartura. **3.** Com todo o descanso.

sobremaravilhar [De *sobr(e)-* + *maravilhar.*] ***V. t. d. e i.*** **1.** Maravilhar em excesso. **2.** Espantar; assombrar, maravilhar. ***Int.*** **3.** Provocar grande admiração, assombro, pasmo; maravilhar ao extremo: "A canoa costeia sempre, turvando a calma dos reflexos. A água sobremaravilha, é um veludo escuro, estampado com imagens que dançam..." (Alberto Rangel, *Sombras n'Água*, p. 40.) ***P.*** **4.** Admirar-se, assombrar-se, maravilhar-se.

sobremesa (ê) [De *sobr(e)-* + *mesa* (3).] ***S. f.*** Fruta, doce ou outra iguaria leve ou delicada que se come, normalmente ao fim de uma refeição; pospasto, sobrepasto, postres ou postre.

sobremodo [De *sobr(e)-* + *modo.*] ***Adv.*** V. *sobremaneira:* "os parlamentares temiam sobremodo os defensores humildes do honrado General Bentes." (Lima Barreto, *Numa e a Ninfa*, p. 258).

sobremordida [De *sobr(e)-* + *mordida.*] ***S. f. Odont.*** Trespasse dos dentes incisivos superiores sobre os inferiores no plano vertical.

sobremunhoneira [De *sobr(e)-* + *munhoneira.*] ***S. f.*** Cada uma das cintas de ferro para apertar e segurar os munhões das peças de artilharia.

sobrenadante [De *sobrenadar* + *-nte.*] ***Adj. 2 g.*** **1.** Que sobrenada. ● ***S. 2 g.*** **2.** Aquele ou aquilo que sobrenada.

sobrenadar [De *sobr(e)-* + *nadar.*] ***V. int.*** **1.** Nadar à superfície. **2.** Andar ou mover-se à tona da água; boiar, flutuar: "O balde bate n'água, sobrenada um pouco, enche-se, vai ao fundo." (Guido Vilmar Sassi, *Piá*, p. 11.)

sobrenatural [De *sobr(e)-* + *natural.*] ***Adj. 2 g.*** **1.** Que ultrapassa o natural; que não é atribuído à natureza. **2.** Relacionado com fenômenos extraterrenos: "Tu [João de Deus] representas toda essa Lisboa / De glórias quase sobrenaturais" (Augusto dos Anjos, *Eu*, p. 72). **3.** Que está acima da natureza humana, sobre-humano: *É de uma bondade sobrenatural.* **4.** Fantástico, extraordinário; excessivo. **5.** *Rel.* Diz-se de tudo que é ligado à ação da graça divina, por estar acima da essência e do agir da criatura. [Sin., nessas aceps.: *supernatural, supranatural* e *preternatural.*] ● ***S. m.*** **6.** Aquilo que é superior à natureza. **7.** O que é sobrenatural (2 e 5). **8.** Aquilo que é extraordinário ou maravilhoso.

sobrenaturalidade [De *sobrenatural* + *-(i)dade.*] ***S. f.*** Qualidade de sobrenatural; sobrenaturalismo, supranaturalismo.

sobrenaturalismo [De *sobrenatural* + *-ismo.*] ***S. m.*** **1.** V. *sobrenaturalidade.* **2.** Doutrina baseada na crença do sobrenatural. **3.** *Deprec.* Tendência a tudo explicar pela ação da graça divina, em detrimento da causalidade própria da criatura. [Sin. ger.: *supranaturalismo.*]

sobrenaturalista [De *sobrenatural* + *-ista.*] ***Adj. 2 g.*** Supranaturalista (1).

sobrenaturalizar [De *sobrenatural* + *-izar.*] ***V. t. d. P.*** Tornar(-se) sobrenatural.

sobrenervo (ê) [De *sobr(e)-* + *nervo.*] ***S. m.*** Tumor que se forma sobre um nervo.

sobrenome [De *sobr(e)-* + *nome.*] ***S. m.*** **1.** Nome que vem após o primeiro do batismo, ou prenome. **2.** Nome que é usado posposto ao nome de família; nome, apelido: *A mulher adota, geralmente, o sobrenome do marido.* [Cf. *patronímico.*]

sobrenomear [De *sobrenome* + *-ear*[2].] ***V. transobj.*** **1.** Dar sobrenome a; pôr sobrenome em. **2.** Apelidar, alcunhar, apodar. [Conjug.: v. *frear.*]

sobrenumerável [De *sobr(e)-* + *numerável.*] ***Adj. 2 g.*** Sem conta; inúmero; inumerável.

sobreolhar [De *sobr(e)-* + *olhar.*] ***V. t. d.*** Olhar sobranceiramente, com desprezo ou desdém; olhar por cima do ombro.

sobreosso (ô) [De *sobre*[2] + *osso.*] ***S. m. Veter.*** Doença causada por golpe ou ferida sobre o osso ou cana dos pés das cavalgaduras, e caracterizada pelo engrossamento desse osso.

sobrepaga [De *sobre*[2] + *paga.*] ***S. f.*** Aquilo que se paga além do combinado; gratificação, gorjeta.

sobrepairar [De *sobr(e)-* + *pairar.*] ***V. t. i. Int.*** Pairar mais alto: "Era como um espírito sobrepairando a tantas miseriazinhas" (João Alphonsus, *Eis a Noite!*, p. 81); "A figura do gordo Chesterton, ... o mais sensato dos malabaristas do *humour*, sobrepairava e segredava aos meus ouvidos advertências contra o perigo da sedução do gigantismo." (Alceu Amoroso Lima, *A Realidade Americana*, p. 21).

sobrepartilha [De *sobr(e)-* + *partilha.*] ***S. f. Jur.*** Nova partilha feita nos autos de um inventário, a qual compreende bens remotos da sede do juízo, bens litigiosos ou de liquidação difícil, e bem assim os sonegados e aqueles que se descobrirem após a partilha.

sobrepartilhar [De *sobrepartilha* + *-ar*[2].] ***V. t. d.*** Realizar ou promover a sobrepartilha de.

sobreparto [De *sobr(e)-* + *parto*[1].] ***S. m.*** **1.** Conjunto de fenômenos que ocorrem no organismo após o parto e o delivramento, até a volta à normalidade. **2.** Período em que esses fenômenos se operam. ● ***Adv.*** **3.** Depois do parto: *Convém evitar complicações sobreparto.*

sobrepasso [De *sobr(e)-* + *passo*[1].] ***S. m. Bras.*** **1.** *Fut.* Infração cometida pelo goleiro que, dentro de sua

S

grande área, dá o quarto passo consecutivo com a bola nas mãos, ou quicando-a no campo. **2.** *Basq.* Infração cometida pelo jogador que, de posse da bola e sem quicá-la na quadra, muda o pé de apoio.

sobrepasto [De *sobr(e)-* + *pasto*.] ***S. m.*** V. *sobremesa*: "A cozinha mineira, pouco abundante nos pratos de sal, ... é de uma riqueza extraordinária em matéria de sobrepastos." (Pedro Nava, *Baú de Ossos*, p. 160).

sobrepé [De *sobr(e)-* + *pé*.] ***S. m.*** Sobreosso na coroa posterior do pé das bestas.

sobrepeliz [Do lat. **superpellicia, i. e., vestis superpellicia*, 'veste de peliça para sobrepor'.] ***S. f.*** Veste branca, com rendas ou sem elas, usada pelos clérigos sobre a batina: "de estolas rutilantes e franjadas pendidas no braço ou com as sobrepelizes alvas e rendadas destacando forte na batina preta, curvam-se [os sacerdotes] genuflexos diante do Altar-Mor" (Cruz e Sousa, *Obra Completa*, p. 432).

sobrepensado [Part. de *sobrepensar*.] ***Adj.* 1.** Muito pensado. • ***Adv.* 2.** De caso pensado; de propósito; propositadamente.

sobrepensar [De *sobr(e)-* + *pensar*.] ***V. t. d. T. i.* 1.** Pensar maduramente. **2.** Refletir ou pensar muito a respeito de; meditar; sobrepesar.

sobrepesar [De *sobr(e)-* + *pesar*.] ***V. t. d. T. i.* 1.** Sobrepensar (2). **2.** Pôr sobrecarga em; sobrecarregar. ***Int.* 3.** Ser muito incômodo ou molesto. **4.** Provocar intensa tristeza. [Pres. ind.: *sobrepeso*, etc. Cf. *sobrepeso* (ê).]

sobrepeso (ê) [De *sobr(e)-* + *peso*.] ***S. m.*** Sobrecarga, contrapeso. [Pl.: *sobrepesos* (ê). Cf. *sobrepeso*, do v. *sobrepesar*.]

sobrepor [De *sobr(e)-* + *pôr*.] ***V. t. d. e i.* 1.** Pôr em cima ou por cima: *O carregador sobrepôs saco a saco, formando uma pilha.* **2.** V. *apor* (4). **3.** Pôr em cima; colocar sobre (em geral, para ocultar). **4.** Acrescentar, juntar, adicionar: *Sobrepôs um crime a tantos já cometidos.* **5.** Dobrar sobre a face superior. **6.** Considerar com preferência; ter em mais alta conta; antepor: *Sobrepôs seus interesses particulares aos da nação.* ***P.* 7.** Pôr-se ou colocar-se sobre: *As águas barrentas das chuvas sobrepunham-se às da corrente límpida.* **8.** Suceder, seguir-se, sobrevir. [F. paral.: *superpor*. Antôn.: *sobpor, soto-pôr, subpor*. Irreg. Conjug.: v. *pôr*. Part.: *sobreposto*.]

sobreporta [De *sobr(e)-* + *porta*.] ***S. f.*** A parte superior da porta; bandeira.

sobreposição [De *sobr(e)-* + *posição*.] ***S. f.* 1.** Ato ou efeito de sobrepor(-se). **2.** Colocação ou posição de uma coisa sobre outra; aposição. **3.** Acrescentamento, acréscimo, junção. [Sin. ger.: *superposição*.]

sobreposse [De *sobr(e)-* + *posse*.] ***Adv.* 1.** Por demais; demasiadamente; em excesso: "Era talvez sobreposse a variedade dos adornos" (Machado de Assis, *Papéis Avulsos*, p. 110). **2.** Com afetação. **3.** A contragosto. ◆ **À sobreposse.** Sem espontaneidade; contra vontade.

sobreposta [F. subst. do adj. *sobreposto*.] ***S. f.*** *Tec.* Numa junta, peça metálica, ou de plástico, que se superpõe à gaxeta, contra a qual é comprimida, a fim de constituir vedamento estanque.

sobreposto (ô) [Part. de *sobrepor*.] ***Adj.* 1.** Posto em cima; superposto. • ***S. m.* 2.** Adorno que se põe sobre vestidos, jaezes, etc. [Nesta acepç., tb. us. no pl.]

sobrepostos (ó) [Pl. de *sobreposto*.] ***S. m. pl.*** Sobreposto (2).

sobrepovoar [De *sobr(e)-* + *povoar*.] ***V. t. d.*** Desenvolver a população de. [Conjug.: v. *coroar*.]

sobrepratear [De *sobr(e)-* + *pratear*.] ***V. t. d.* 1.** Pratear por cima. **2.** Cobrir com lâminas de prata. [Conjug.: v. *frear*.]

sobrepreço [De *sobr(e)-* + *preço*.] ***S. m.*** Preço (ou valor) acima do normal: "Um juiz apontou sinais de sobrepreço em indenizações pagas .... nas desapropriações para a construção do Rodoanel de SP." (*Folha de S.Paulo*, 26.06.2008.)

sobreprova [De *sobr(e)-* + *prova*.] ***S. f.*** *Jur.* Prova adicional; confirmação.

sobrepujamento [De *sobrepujar* + *-mento*.] ***S. m.*** Ato ou efeito de sobrepujar; sobrepujança.

sobrepujança [De *sobrepujar* + *-ança*.] ***S. f.*** Sobrepujamento.

sobrepujante [De *sobrepujar* + *-nte*.] ***Adj. 2 g.* 1.** Que sobrepuja. **2.** V. *superabundante*.

sobrepujar [De *sobr(e)-* + *pujar*.] ***V. t. d.* 1.** Exceder em altura; sobrelevar: *Este gigante sobrepuja qualquer homem.* **2.** Ultrapassar, exceder, superar: *Nosso poderio sobrepuja o das tropas inimigas.* **3.** Passar por cima de; tornar-se superior a; vencer, dominar: *Sua coragem sobrepuja todos os perigos.* **4.** Exceder física ou moralmente; mostrar-se superior a; avantajar-se a: "Ainda hoje, entre os selvagens, os deuses do mal sobrepujam os deuses do bem" (Graça Aranha, *A Estética da Vida*, p. 127). **5.** Vencer, dominar, subjugar; sobrelevar: *O lutador sobrepujou facilmente o adversário.* ***Int. T. i.* 6.** Sobressair, destacar-se. **7.** Levar vantagem; exceder.

sobrepujável [De *sobrepujar* + *-vel*.] ***Adj. 2 g.*** Que pode ser sobrepujado.

sobrequilha [De *sobr(e)-* + *quilha*.] ***S. f.*** *Constr. Nav.* Peça ou conjunto de peças presas à quilha para reforçar a ligação das cavernas com esta: "tamboretes e cavilhas, o leme, a barra do leme, fragmentos da sobrequilha" (Xavier Marques, *Jana e Joel*, p. 24).

sobrerrestar [De *sobr(e)-* + *restar*.] ***V. t. d. Int.*** Restar ou ficar depois de outro; sobreviver, restar. ❖

sobrerrodela [De *sobr(e)-* + *rodela*.] ***S. f.*** *Veter.* Tumor sobre o joelho das cavalgaduras. ❖

sobrerrolda [De *sobr(e)-* + *rolda*.] ***S. m. e f.*** *Ant.* Sobrerronda: "Aqui veríeis os esculcas a aninharem-se nas guaritas das torres; os roldas e sobrerroldas a fugirem pelos adarves" (Alexandre Herculano, *Lendas e Narrativas*, II, p. 44). ❖

sobrerroldar [De *sobre-* + *rolda* + *-ar*[2].] ***V. t. d. Int.*** *Ant.* Sobrerrondar. ❖

sobrerronda [De *sobr(e)-* + *ronda*; var. de *sobrerrolda*.] ***S. f.* 1.** Vigia das rondas. • ***S. m. e f.* 2.** Pessoa que vigia o serviço das rondas. ❖

sobrerrondar [De *sobr(e)-* + *ronda* + *-ar*[2]; var. de *sobrerroldar*.] ***V. t. d.* 1.** Vigiar como sobrerronda. **2.** Olhar, examinar, investigar. ***Int.* 3.** Fazer sobrerronda. ❖

sobrerrosado [De *sobr(e)-* + *rosado*.] ***Adj.* 1.** Tirante a rosado. **2.** De um tom rosado mais forte. ❖

sobrescrever [De *sobr(e)-* + *escrever*.] ***V. t. d.* 1.** Escrever sobre. **2.** Sobrescritar (1). [Part.: *sobrescrito*.]

sobrescritar [De *sobrescrito* + *-ar*[2].] ***V. t. d.* 1.** Pôr sobrescrito (2) em; sobrescrever; endereçar: "meteu a folha de papel em um envelope e sobrescritou-a." (Aluísio Azevedo, *O Coruja*, p. 239). ***T. d. e i.* 2.** Destinar ou dirigir correspondência: *Sobrescritou uma carta a seu pai.* [Part. irreg.: *sobrescrito*.]

sobrescrito [De *sobr(e)-* + *escrito*, part. de *escrever*.] ***S. m.* 1.** V. *envelope* (1). **2.** Aquilo que se escreve no envelope, para remessa, e que é, em geral, o nome e endereço do destinatário; endereço. **3.** *P. ext. Fig.* Destinatário: *A ironia trazia sobrescrito certo.*

sobresdrúxulo [De *sobr(e)-* + *esdrúxulo*.] ***Adj.*** *E. Ling.* V. *bisesdrúxulo*.

sobresperar [De *sobr(e)-* + *esperar*.] ***V. t. d. Int.*** Esperar muito, ou por muito tempo: *Sobresperou, em vão, o emprego prometido; Está farto de sobresperar.*

sobressaia [De *sobr(e)-* + *saia*.] ***S. f.*** Segunda saia, para ser usada sobre a outra: "em grossas pregas arqueadas caía-lhe dos quadris a sobressaia de chamalote claro" (Afonso Arinos, *Pelo Sertão*, p. 143). ❖

sobressair [De *sobr(e)-* + *sair*.] ***V. int.* 1.** Ser ou estar saliente; realçar; ressair: *A sacada do palacete sobressai muito.* **2.** Ressaltar, distinguir-se, salientar-se: *O estilo sobressai pela elegância.* **3.** Dar na vista; atrair a atenção: *A beleza da moça sobressaía no baile*; "Na gola da capa e no corpete sobressaíam as finas rendas da gravata e dos punhos." (Rebelo da Silva, *Contos e Lendas*, p. 176). **4.** Ser ou tornar-se visível; distinguir-se: *O vestido negro fazia sobressair o seu talhe esbelto.* ***T. i.* 5.** Sobrelevar, sobrepujar, avultar: "As figuras fundamentais da avó e da mãe sobressaem às dos homens." (Graça Aranha, *A Estética da Vida*, p. 220); *Na escola, sobressai a todos os colegas.* **6.** Ser ou tornar-se visível; distinguir-se. **7.** Ver-se ou ouvir-se distintamente entre outras coisas ou sons: *Sua voz sobressai a todas as outras.* ***P.* 8.** Distinguir-se, salientar-se: *Sobressaiu-se como escritor.* [Irreg. Conjug.: v. *sair*. Pres. subj.: *sobressaia, sobressaias*, etc.]

sobressalente [Do esp. *sobresaliente*.] ***Adj. 2 g.* 1.** Diz-se de peça ou acessório de reserva destinado a substituir o que se gasta ou avaria pelo uso. • ***S. m.* 2.** Peça ou acessório que tem esse fim; peça de reposição: "agulhas de marear, barômetros, ... cronômetros, bandeiras, sinais, faróis e mais uma infinidade de sobressalentes náuticos." (Virgílio Várzea, *Histórias Rústicas*, p. 93). **3.** *Restr.* Pneu sobressalente; estepe. [Var.: *sobresselente*.]

sobressaltar [De *sobr(e)-* + *saltar* (na ant. acepç. de *assustar*) + *-ar*[2].] ***V. t. d.* 1.** Tomar de assalto ou de improviso; surpreender, assaltar: *O resultado inesperado sobressaltou-o.* **2.** Assustar, amedrontar, atemorizar; sobressaltear: *Os bombardeios sobressaltam a população civil.* **3.** Passar além de; transpor: *sobressaltar obstáculos.* **4.** *P. us.* Passar em claro; omitir; saltar. ***P.* 5.** Ter sobressaltos; ficar apreensivo; inquietar-se, impressionar-se. **6.** Assustar-se, amedrontar-se, atemorizar-se; sobressaltear-se.

sobressaltear [De *sobressalto* + *-ear*[2].] ***V. t. d.* 1.** Atacar inopinadamente ou à traição; saltear, saltar. **2.** Sobressaltar (2): "todas essas coisas anômalas que, há dez anos, sobressalteiam a Europa — têm o beneplácito dos mais frios pensadores da Germânia." (Euclides da Cunha, *Contrastes e Confrontos*, p. 34). ***P.* 3.** Sobressaltar-se (6). [Conjug.: v. *frear*.]

sobressalto [Dev. de *sobressaltar*.] ***S. m.* 1.** Ato ou efeito de sobressaltar (2 e 6). **2.** Movimento brusco, provocado por emoção repentina e violenta: *Embora tão sereno habitualmente, teve um sobressalto com a notícia.* **3.** Tremor ou estremecimento súbito e involuntário. **4.** Inquietação, medo, temor: *Vive em sobressalto.* **5.** Acontecimento inesperado, imprevisto; surpresa. **6.** Desordem, confusão. **7.** *Fig.* Perturbação intensa; reação: *um sobressalto de indignação.*

sobressano ***S. m.*** *Constr. Nav.* Ripa ou barrote preso por baixo da quilha, para protegê-la em caso de encalhe; falsa-quilha.

sobressarar [De *sobr(e)-* + *sarar*.] ***V. int.* 1.** Obter melhoras passageiras. ***T. d.* 2.** Curar superficialmente; aliviar, paliar.

sobressaturação [De *sobressaturar* + *-ção*.] ***S. f.* 1.** Ato ou efeito de sobressaturar(-se); supersaturação. **2.** *Fís.* Supersaturação (2). **3.** *Fís.-Quím.* Supersaturação (3). ❖

sobressaturar [De *sobr(e)-* + *saturar*.] ***V. t. d.* 1.** Levar à sobressaturação. ***P.* 2.** Saturar-se em excesso. [Sin. ger.: *supersaturar*.] ❖

sobresselente [Var. de *sobressalente* (q. v.).] ***Adj. 2 g.* 1.** Que sobressai; saliente. **2.** Que excede; excedente, demasiado. **3.** Que é acrescentado como reserva. • ***S. m.* 4.** Aquilo que sobressai. **5.** Tudo o que sobeja e é próprio para suprir faltas.

sobressemear [De *sobr(e)-* + *semear*.] ***V. t. d.* 1.** Semear sobre o semeado. **2.** Semear superficialmente. [Conjug.: v. *frear*.] ❖

sobressentença [De *sobr(e)-* + *sentença*.] ***S. f.*** *Jur.* Sentença confirmada em segunda instância. ❖

sobressinal [De *sobr(e)-* + *sinal*.] ***S. m.*** Sinal ou insígnia sobre as vestes. ❖

sobressolar [De *sobr(e)-* + *solar*[5].] ***V. t. d.*** Pôr novas solas em (calçado gasto ou usado). ❖

sobressoleira [De *sobr(e)-* + *soleira*.] ***S. f.*** Peça que assenta sobre a soleira. ❖

sobressubstancial [De *sobr(e)-* + *substancial*.] ***Adj. 2 g.*** Muito substancial; supersubstancial. ❖

sobrestamento [De *sobrestar* + *-mento*.] ***S. m.*** Ato ou efeito de sobrestar.

sobrestante [Do lat. *superstante*.] ***Adj. 2 g.* 1.** Que sobrestá; sobranceiro. **2.** V. *superintendente*. • ***S. m.* 3.** Guarda, vigia. • ***S. 2 g.* 4.** V. *superintendente*.

sobrestar [Do lat. *superstare*.] ***V. int.* 1.** Não prosseguir; parar, deter-se: "Florinda era prudente. Tanto que se viu desarmada, sobresteve, dominou a sua justa indignação" (Franklin Távora, *O Cabeleira*, p. 102). **2.** Não tentar; abster-se. **3.** Estar sobranceiro ou iminente; ameaçar. ***T. d.* 4.** Suspender, sustar: *Sobresteve os trabalhos até segunda ordem.* **5.** Ir no encalço de; perseguir. **6.** Demorar, retardar. [F. paral.: *sobre-estar*. Irreg. Conjug.: v. *estar*.]

sobrestimar ***V. t. d.*** Sobre-estimar.

sobretarde [De *sobr(e)-* + *tarde*.] ***S. f.* 1.** O fim da tarde; lusco-fusco. • ***Adv.* 2.** À noitinha, ao entardecer: "Sobretarde descíamos à praia ou íamos ao Passeio Público" (Machado de Assis, *Dom Casmurro*, p. 306).

sobretaxa [De *sobr(e)-* + *taxa*.] ***S. f.* 1.** Taxa suplementar ou adicional. **2.** *Fin.* Tributo adicional lançado sobre uma mercadoria já onerada por outro.

sobretaxar [De *sobr(e)-* + *taxar*.] ***V. t. d.*** Impor sobretaxa a.

sobretecer [De *sobr(e)-* + *tecer*.] ***V. t. d. e i.*** Tecer sobre tecido; entretecer. [Conjug.: v. *aquecer*.]

sobreteima [De *sobr(e)-* + *teima*.] ***S. f.* 1.** Grande teimosia. • ***Adv.* 2.** Com pertinácia; teimosamente.

sobretensão [De *sobr(e)-* + *tensão*.] ***S. f.* 1.** *Fís.-Quím.* Diferença entre o potencial elétrico de um eletrodo quando através dele passa uma corrente apreciável e o potencial do eletrodo quando ele funciona em condições de reversibilidade termodinâmica. **2.** *Eng. Elétr.* Elevação súbita da tensão (4) numa instalação elétrica.

sobreterrestre [De *sobr(e)-* + *terrestre*.] ***Adj. 2 g.*** V. *supraterrâneo*.

sobretítulo [De *sobr(e)-* + *título*.] ***S. m.* 1.** *Edit.* O primeiro título (*título principal*) quando há um título alternativo (q. v.): *Moby Dick* ou *a Baleia* (em que *Moby Dick* é o sobretítulo e *a Baleia* é o título alternativo). **2.** *Jorn.* Título secundário que, colocado antes do título principal da matéria, serve para introduzi-lo ou complementá-lo.

sobretoalha [De *sobr(e)-* + *toalha*.] ***S. f.*** Toalha que se põe por cima de outra, para protegê-la.

sobretudo [De *sobr(e)-* + *tudo*.] ***S. m.* 1.** *Vest.* Casaco grande usado sobre a roupa, como proteção contra o frio. • ***Adv.* 2.** Principalmente, especialmente.

sobrevalorização [De *sobrevalorizar* + *-ção*.] ***S. f.*** *Econ.* Ato ou efeito de sobrevalorizar: "Com a sobrevalorização da taxa real de câmbio, as importações argentinas subiram de US$3,5 bilhões em 1978 para US$9,4 bilhões em 1980" (Mário Henrique Simonsen,

30 Anos de Indexação, p. 158); "dois estudos feitos por bancos estrangeiros .... indicam que a sobrevalorização cambial no Brasil é de 9% a 10%" (*Jornal do Brasil*, 29.10.1998); "Estudo revela que áreas da indústria de bens de capital perderam com sobrevalorização da moeda e abertura comercial" (*Id.*, 09.08.1999).

sobrevalorizar [De *sobr(e)-* + *valorizar.*] *V. t. d.* **1.** Supervalorizar. **2.** *Econ.* Fixar valor excessivamente alto para (taxa de câmbio).

sobrevento[1] [De *sobr(e)-* + *vento.*] *S. m.* Rajada de vento súbita e forte.

sobrevento[2] [Do lat. *superventu.*] *S. m.* Acontecimento imprevisto e que origina transtorno.

sobreverga [De *sobr(e)-* + *verga.*] *S. f. Arquit.* Trabalho ornamental que acompanha a verga (4) de porta, janela, etc.

sobreveste [De *sobr(e)-* + *veste.*] *S. f.* **1.** Peça de vestuário que se usa sobre outra: "Era um formidável homem d'armas, de barba ruiva, findando em bico, ... e largo, robusto peito cingido numa sobreveste negra." (Eça de Queirós, *Últimas Páginas*, p. 424.) **2.** V. *sobretudo* (1).

sobrevestir [De *sobr(e)-* + *vestir.*] *V. t. d.* **1.** Vestir sobre outras vestes. **2.** Sobrepor; revestir. [Irreg. Conjug.: v. *vestir.*]

sobrevida [De *sobr(e)-* + *vida.*] *S. f.* **1.** Estado do que sobrevive a outro. **2.** Prolongamento da vida além de determinado prazo: *O médico deu-lhe uns meses de sobrevida.* **3.** Tempo de vida que ultrapassa determinado limite: *Após a comprovação do mal, teve uma sobrevida de dois anos.*

sobrevigiar [De *sobr(e)-* + *vigiar.*] *V. t. d.* Vigiar como chefe.

sobrevindo [Part. de *sobrevir.*] *Adj.* **1.** Que sobreveio. • *S. m.* **2.** Aquele que sobreveio ou chegou inesperadamente.

sobrevir [De *sobr(e)-* + *vir.*] *V. int.* **1.** Vir sobre ou depois de alguma coisa; vir ou ocorrer em seguida ou depois: "Começava orando, a ansiedade recrescia, a fé desamparava-me, e então sobrevinha o desprezo de Deus, a negação da Providência" (Camilo Castelo Branco, *Amor de Perdição*, p. 205); *Quando a crise parecia contornada, sobrevieram novas agitações.* **2.** Chegar ou suceder inopinadamente: *A tarde corria tranquila, quando sobreveio o temporal. T. i.* **3.** Acontecer, ocorrer, depois de outra coisa: *A pneumonia sobreveio à forte gripe.* [Sin. ger.: *sobrechegar.* Irreg. Conjug.: v. *vir.*]

sobrevirtude [De *sobr(e)-* + *virtude.*] *S. f.* Véu que as freiras usam sobre a touca.

sobrevivência [De *sobreviver* + *-ência.*] *S. f.* **1.** Qualidade ou estado de sobrevivente; supervivência. **2.** Duração contínua no espaço e no tempo: *a sobrevivência do cristianismo.* **3.** O que permanece de uma situação antiga ou de um antigo sentimento: *a sobrevivência dos passados laços de amizade.*

sobrevivente [De *sobreviver* + *-nte.*] *Adj. 2 g. S. 2 g.* Que, ou quem sobrevive; supervivente, sobrevivo, supérstite. [Us. geralmente em relação àqueles que escaparam a uma catástrofe.]

sobreviver [Do lat. *supervivere.*] *V. int.* **1.** Continuar a viver, a ser, a existir, depois de outras pessoas ou de outras coisas: *Morreram todos na catástrofe, só ele sobreviveu.* **2.** Continuar a viver, a ser, a existir: "Se eu morrer antes [do cão], como presumo, sobreviverei no nome do meu bom cachorro." (Machado de Assis, *Quincas Borba*, p. 7.) **3.** Viver de modo precário, cheio de dificuldades: *O que ganha é suficiente, apenas, para sobreviver. T. i.* **4.** Continuar a viver, a ser, a existir, depois (de alguém, ou de verificar-se alguma coisa): *Sobreviveu aos pais e irmãos*; "Ultrajada por Sexto Tarquínio, Lucrécia resolve não sobreviver à desonra" (Machado de Assis, *A Semana*, II, p. 152). **5.** Escapar, resistir: *Poucos sobreviveram à terrível guerra.*

sobrevivo [De *sobr(e)-* + *vivo.*] *Adj. S. m. Desus.* V. *sobrevivente.*

sobrevoar [De *sobr(e)-* + *voar.*] *V. int.* **1.** Voar por cima: *Olhou para o bando de aves que sobrevoava com alarido. T. d.* **2.** Voar por cima de: "Vários helicópteros sobrevoaram o navio." (Fernando Sabino, *O Gato Sou Eu*, p. 13); "Só algumas moscas brilhantes haviam penetrado na sala de jantar e sobrevoavam o açucareiro." (Clarice Lispector, *Laços de Família*, p. 125). [Conjug.: v. *coroar.*]

sobrevoo [Dev. de *sobrevoar.*] *S. m.* Ação de sobrevoar; voo por cima. ❖

sobriedade [Do lat. *sobrietate.*] *S. f.* **1.** Qualidade de sóbrio; temperança. **2.** *Fig.* Moderação, comedimento.

sobrinho [Do lat. *sobrinu*, 'primo'; 'filho do primo'.] *S. m.* Filho de irmão ou irmã, ou de cunhado ou cunhada.

sobrinho-neto *S. m.* Filho do sobrinho ou da sobrinha. [Pl.: *sobrinhos-netos.*]

sóbrio [Do lat. *sobriu.*] *Adj.* **1.** Moderado no comer e/ou no beber: "Meu pai, que a bordo fora sempre sóbrio, bebia agora imenso, embebedava-se." (Antônio Patrício, *Serão Inquieto*, p. 111.) **2.** Que não está sob o efeito de bebidas alcoólicas. **3.** Parco, frugal, simples.

sobro (ô) [Do lat. **suberu*, por *suber*, 'sobreiro'.] *S. m. Bot.* **1.** V. *sobreiro.* **2.** Árvore proteácea (*Roupala gardneri*) comum no Brasil central, que tem folhas espessas e rígidas, flores minutas formando racemos, e madeira durável e de bonito aspecto, por ser mosqueada, mas sem qualquer importância. **3.** V. *peroba-rosa.* **4.** V. *sambaíba-de-minas-gerais.* [Pl.: *sobros* (ó). Cf. *sobro*, do v. *sobrar.*]

sob-roda *S. f.* Saliência, pedregulho ou qualquer acidente semelhante em uma estrada ou rua, e capaz de estorvar o andamento dum veículo. [Pl.: *sob-rodas.*]

sobrolho (ô) [De *sobr(e)-* + *olho*, com síncope.] *S. m.* V. *sobrancelhas*: "Arqueou os sobrolhos, de pena no ar, e repetiu, como naquela idade, talvez: 'Coitada!'" (Irene Lisboa, *Voltar atrás para Quê?*, p. 142.) [Pl.: *sobrolhos* (ó).]

sobrosso (ô) [De *sobreosso*, com síncope.] *S. m. Bras. N.E. Pop. Ant.* Temor, medo, receio: "Pelo menos me lembro nitidamente do sobrosso que me causava a cantiga da menina enterrada viva no conto 'A madrasta'" (Manuel Bandeira, *Poesia e Prosa*, II, p. 11). [V. *sobreosso*, f. originária de *sobrosso*, e hoje sem uso no sentido figurado. Tal como se vê, persiste uma das acepçs. translatas de *sobrosso*, já antiquada em Portugal, fato não raro em nossa fala popular. Pl.: *sobrossos* (ó).]

soca[1] [Do tupi = 'renovo', 'pimpolho'.] *S. f.* **1.** *Bot.* Nome vulgar de rizoma ou caule subterrâneo. **2.** *Bras.* A segunda produção da cana depois de cortada a primeira. [A primeira é *planta*; a segunda, *soca*; a terceira, *ressoca*; a quarta, *contrassoca*.] **3.** *Bras.* Touceira de capim. **4.** *Bras. N.E.* A segunda colheita do fumo. **5.** *Bras. ES* A segunda colheita do arroz. **6.** *Bras. RS* Entre os ervateiros, a árvore de mate quando podada. **7.** *Bras. S. de MG* Fumo de qualidade inferior. **8.** *Bras. SC* Espiga de milho. ◆ **Ir na soca.** *Bras. RJ* Levar uma soca. **Levar uma soca.** Ser colhido e agitado (o banhista) por uma grande onda; ir na soca.

soca[2] *S. f. Prov. port.* Tamanco (1).

socado [Part. de *socar.*] *Adj.* **1.** Que levou socos; soqueado. **2.** Amassado, pisado, achatado. **3.** *Bras.* Metido, escondido; oculto. **4.** Gordo e baixo; atarracado. **5.** *Bras.* Pilado (1). • *S. m.* **6.** *Bras. S.* Lombilho curto, usado sobretudo pelos domadores.

socador (ô) [De *socar* + *-dor.*] *Adj.* **1.** Que soca. **2.** *Bras.* V. *trotador* (1). • *S. m.* **3.** Aquele que soca. **4.** *Bras.* Utensílio com que se soca, tritura, amassa: *socador de alho*; *socador de feijão.* [Sin., nesta acepç.: *soquete* (ê).] **5.** *Bras. PA MA Mús.* V. *cuíca* (2). **6.** *Bras. MA Mús.* Crivador (3).

socadura [De *socar* + *-dura.*] *S. f.* Ato de socar.

socairo[1] [Do cat. *socaire.*] *S. m.* **1.** *Marinh.* A parte de um cabo que, depois de dar volta a um cabrestante, guincho, cabeço, etc., é aguentada à mão, para ir sendo colhida ou largada segundo as necessidades da manobra. **2.** *Marinh.* A parte de um cabo que está com volta em um cabeço ou noutra peça fixa. **3.** Correia ou corda com que se sustêm carros nas descidas.

socairo[2] *S. m.* **1.** Abrigo natural. **2.** Gruta ou recôncavo que serve de abrigo no sopé de um monte. **3.** Base ou sopé de um monte.

soçaite [Do ingl. *society.*] *S. m. Bras. Gír.* A elite econômica da sociedade, que se distingue por suas atividades mundanas; a alta sociedade; a alta-roda; a grã-finagem.

socalcar [De *so-* + *calcar*[2].] *V. t. d.* **1.** Calcar bem; pisar, amassar, achatar. **2.** Fazer socalcos em. [Conjug.: v. *trancar.*]

socalco [Dev. de *socalcar.*] *S. m.* **1.** Porção de terreno mais ou menos plana. **2.** Espécie de degrau, numa encosta, sustentado por muro ou botaréu.

socancra [De or. incerta.] *Adj. 2 g. S. 2 g.* **1.** Diz-se de, ou pessoa sonsa. **2.** V. *avaro* (1 e 3). ◆ **À socancra.** Com dissimulação; pela sonsa; pelas caladas, à socapa.

socapa [De *so-* + *capa*[1].] *S. f.* **1.** Disfarce; fantasia. **2.** Manha, astúcia. ◆ **À socapa.** Com disfarce; à sorrelfa; furtivamente: "Nessas ocasiões, a sogra fazia uma careta, e as escravas riam à socapa." (Machado de Assis, *Páginas Recolhidas*, p. 78); "Apontavam-se influentes mandões locais, cujas velhas relações com o Conselheiro sugeriam, veemente, a presunção de que o estivessem auxiliando à socapa, fornecendo-lhe recursos e instruindo-o dos menores movimentos da investida." (Euclides da Cunha, *Os Sertões*, pp. 260-261).

socar[1] [De *soco* (ô) + *-ar*[2].] *V. t. d.* **1.** Dar socos [v. *soco*[1] (ô) (1)] em; esmurrar, soquear: "E a médium socava a mesa violentamente." (Mário Donato, *A Parábola das 4 Cruzes*, p. 79); *O lutador socou o adversário.* **2.** Dar sova ou surra em; sovar, surrar, espancar. **3.** Contundir, pisar. **4.** Espalmar a massa de (pão) com os punhos cerrados. **5.** Calcar no gral ou pilão; esmigalhar, moer: *socar café.* **6.** Apertar ou calcar (a pólvora) no canhão ou na espingarda pela boca. **7.** Calcar com o soquete. **8.** *Marinh.* Apertar fortemente, com o macete, uma volta ou nó dados em (um cabo náutico). *T. d. e c.* **9.** Enfiar, meter, pôr em, de maneira descuidada e excessiva: *Socou a roupa na mala. P.* **10.** *Bras.* Esmurrar-se mutuamente; trocar socos. **11.** Esconder-se; meter-se: *Onde se socou esse menino?* **12.** Refugiar-se; recolher-se. [Conjug.: v. *trancar.*]

socar[2] [De *soca*[1] + *-ar*[2].] *V. int. Bras.* Brotar, renascer (a cana-de-açúcar). [Normalmente é defect., conjugável só nas 3.ªs pess. Conjug.: v. *trancar.*]

socarrão [Do esp. *socarrón.*] *Adj. S. m.* Diz-se de, ou indivíduo velhaco, manhoso, astuto. [Fem.: *socarrona.*]

socarrona *S. f.* Fem. de *socarrão.*

socava [De *so-* + *cava.*] *S. f.* Cova subterrânea.

socavado [Part. de *socavar.*] *Adj.* **1.** Escavado por baixo. • *S. m.* **2.** Matérias retiradas das escavações. **3.** Desentulho (2).

socavão [De *socava* + *-ão*[1].] *S. m. Bras. BA S. C.O.* **1.** Grande socava: "Num esconso socavão da escarpa, estreita passagem sem dúvida aberta pela erosão, enfurnou-se o esperto." (Wilson Lins, *Responso das Almas*, p. 40.) **2.** Esconderijo, abrigo. **3.** Lapa, gruta. **4.** Lugar retirado: "E, lá de longe, nos socavões daquelas matas, eu não tirava o juízo daquela filha" (Viriato Correia, *Novelas Doidas*, p. 127). [Pl.: *socavãos* e *socavões.*]

socavar [De *so-* + *cavar.*] *V. t. d.* **1.** Escavar por baixo. *Int.* **2.** Fazer escavação.

➔**soccer** ['sɑkə] [Ingl.] *S. m.* Futebol (2).

sochantrado [De *sochantre* + *-ado*[2].] *S. m.* Cargo de sochantre; sochantria.

sochantre [De *so-* + *chantre.*] *S. m.* Substituto de chantre.

sochantrear [De *sochantre* + *-ear*[2].] *V. int.* Exercer o cargo de sochantre. [Conjug.: v. *frear.*]

sochantria [De *sochantre* + *-ia*[1].] *S. f.* Sochantrado.

sociabilidade [De *sociável* + *-(i)dade*, seg. o padrão erudito.] *S. f.* **1.** Qualidade de sociável: "Estradas são laços que a sociabilidade humana espalha pela superfície da Terra." (E. Roquete-Pinto, *Seixos Rolados*, p. 243.) **2.** Tendência para a vida em sociedade; socialidade. **3.** Maneiras de quem vive em sociedade.

sociabilização [De *sociabilizar* + *-ção.*] *S. f.* Ação ou ato de sociabilizar(-se).

sociabilizar [De *sociável* + *-izar*, seg. o padrão erudito.] *V. t. d.* **1.** Tornar sociável; socializar. **2.** Reunir em sociedade. *P.* **3.** Tornar-se sociável; socializar-se.

sociais [F. pl., subst., do adj. *social.*] *S. f. pl.* O setor de um estádio, de um hipódromo, etc., reservado aos sócios. ~ V. *social.*

social [Do lat. *sociale.*] *Adj. 2 g.* **1.** Da sociedade (2, 3, 4 e 6), ou relativo a ela: *fenômeno social*; *mudança social.* **2.** Sociável (2 e 3). **3.** Que interessa à sociedade. **4.** Próprio dos sócios de uma sociedade, comunidade ou agremiação: *quadro social.* **5.** *Bras.* Nos edifícios e residências, diz-se de via de acesso, ou dependência, vedada a entregadores de encomendas, a cargas, ou a fornecedores, etc.: *entrada social*; *elevador social*; *banheiro social.* [Nesta acepç., opõe-se a *de serviço.*] **6.** *Biol.* Diz-se de inseto, como a abelha, formiga, etc., que vive em sociedades organizadas, e que é especializado em determinadas funções. ~ V. *antropologia —*, *assistência —*, *assistente —*, *barreira —*, *biologia —*, *camisa —*, *capital —*, *ciências sociais*, *cisto —*, *comunicação —*, *contabilidade —*, *convenção —*, *darwinismo —*, *desvio —*, *dialetologia —*, *distância —*, *encargos sociais*, *escória —*, *estratificação —*, *estrutura —*, *evolução —*, *evolucionismo —*, *grupo —*, *indicador —*, *marketing —*, *mobilidade —*, *morfologia —*, *ordem —*, *papel —*, *preço —*, *previdência —*, *psicologia —*, *razão —*, *rede —*, *sanção —*, *serviço —*, *sociais* e *teatro —.* • *S. f.* **7.** O setor de um estádio, de um hipódromo, etc., reservado aos sócios. • *S. m.* **8.** Aquilo que diz respeito à sociedade, esp. ao que diz respeito às questões de estrutura, organização e desenvolvimento social, e condições de vida das camadas menos favorecidas. **9.** *P. ext.* O que diz respeito ao bem-estar dos menos favorecidos.

socialidade [Do lat. *socialitate.*] *S. f.* Sociabilidade (2).

socialismo [Do fr. *socialisme.*] *S. m.* **1.** Doutrina que prega a primazia dos interesses da sociedade sobre os dos indivíduos, e defende a substituição da livre-iniciativa pela ação coordenada da coletividade na produção de bens e na repartição da renda. **2.** Sistema político que adota essa doutrina. ◆ **Socialismo científico.** O que se baseia na doutrina do materialismo histórico (q. v.) e propõe a estatização dos meios de produção; socialismo marxista, socialismo revolucionário. [Opõe-se a *socialismo utópico.*] **Socialismo marxista.** V. *socialismo científico.* **Socialismo revolucionário.** V. *socialismo científico.*

S

Socialismo utópico. O que se baseia em programas idealistas de reforma da sociedade (como os propostos no início do séc. XIX por Owen, Saint-Simon e Fourier), e não na análise da realidade econômica. [Opõe-se a *socialismo científico*.]

socialista [Do fr. *socialiste.*] *Adj. 2 g.* **1.** Referente ao, ou que é partidário do socialismo. ~ V. *realismo —*. ● *S. 2 g.* **2.** Partidário do socialismo.

➔**socialite** [ˈsoʃəlajt] [Ingl.] *S. f.* Mulher de destaque na sociedade.

socialização [De *socializar* + *-ção*.] *S. f.* **1.** Ato de pôr em sociedade. **2.** Extensão de vantagens particulares, por meio de leis e decretos, à sociedade inteira. **3.** *Sociol.* Processo pelo qual os indivíduos em instituições como família, escola, etc., aprendem e internalizam valores, padrões de comportamento, etc., que lhes permitem viver e interagir dentro de uma cultura particular. **4.** *Sociol.* Processo de integração mais intensa dos indivíduos no grupo.

socializador (ô) [De *socializar* + *-dor*.] *Adj.* **1.** Socializante (1). ● *S. m.* **2.** Aquele que socializa.

socializante [De *socializar* + *-nte*.] *Adj. 2 g.* **1.** Que se destina a socializar; socializador. **2.** Que tende para o socialismo.

socializar [De *social* + *-izar*.] *V. t. d.* **1.** Tornar social; sociabilizar. **2.** Reunir em sociedade; pôr sob o regime de associação. **3.** Tornar socialista: *socializar um país. P.* **4.** Sociabilizar-se.

socializável [De *socializar* + *-vel*.] *Adj. 2 g.* Que é passível de socialização.

sociável [Do lat. *sociabile.*] *Adj. 2 g.* **1.** Que se pode associar. **2.** Que gosta de viver em sociedade; que é dado à vida social; social: "Sendo extremamente sociável, Edmundo [Edmundo da Luz Pinto] não faltava a reuniões grandes ou pequenas, particulares ou oficiais." (Carolina Nabuco, *Oito Décadas*, p. 133.) **3.** Tendente à vida em sociedade; social. **4.** *Fig.* Civilizado, urbano. ● *S. f.* **5.** *Bras.* Espécie de sege colonial.

socieconómico (sò) *Adj.* V. *socieconômico*. [Uso freq. em P.]

socieconômico (sò) *Adj.* V. *socioeconômico*.

sociedade [Do lat. *societate.*] *S. f.* **1.** Agrupamento de seres que vivem em estado gregário: *sociedade humana; sociedade de abelhas.* **2.** Conjunto de pessoas que vivem em certa faixa de tempo e de espaço, seguindo normas comuns, e que são unidas pelo sentimento de consciência do grupo; corpo social: *a sociedade medieval; a sociedade moderna.* **3.** Grupo de indivíduos que vivem por vontade própria sob normas comuns; comunidade: *sociedade cristã; sociedade de hippies.* **4.** Meio humano em que o indivíduo se encontra integrado: *A sociedade constitui-se de classes de diferentes níveis.* **5.** Relação entre pessoas; vida em grupo; participação, convivência, comunicação: *O homem precisa da sociedade dos seus semelhantes.* **6.** Conjunto de indivíduos que mantêm relações sociais e mundanas: *os prazeres da sociedade; homem de sociedade.* **7.** Grupo de pessoas que se submetem a um regulamento a fim de exercer uma atividade comum ou defender interesses comuns; agremiação, centro, grêmio, associação: *Sociedade Brasileira de Autores Teatrais; Sociedade Protetora dos Animais; sociedade esportiva; sociedade secreta.* **8.** A sede de tais sociedades; clube, grêmio: *Reunimo-nos aos sábados na sociedade.* **9.** Companhia de pessoas que se agrupam em instituições ou ordens religiosas; companhia. **10.** Parceria, associação. **11.** *Jur.* Contrato pelo qual duas ou mais pessoas se obrigam reciprocamente a contribuir, com bens ou serviços, para o exercício de atividade econômica e a partilha, entre si, dos resultados. **12.** *Sociol.* Corpo orgânico estruturado em todos os níveis da vida social, com base na reunião de indivíduos que vivem sob determinado sistema econômico de produção, distribuição e consumo, sob um dado regime político, e obedientes a normas, leis e instituições necessárias à reprodução da sociedade como um todo; coletividade. ◆ **Sociedade anônima.** *Dir. Com.* Aquela que tem o capital dividido em ações, limitando-se a responsabilidade dos sócios (*acionistas*) ao valor de emissão das ações subscritas ou adquiridas; companhia, sociedade por ações. **Sociedade civil.** *Dir. Com. Desus.* Sociedade simples (q. v.). **Sociedade comercial.** *Dir. Com.* Antiga designação da sociedade em que duas ou mais pessoas estipulam pôr em comum os seus bens, total ou parcialmente, ou, ainda, a sua indústria, para praticar habitualmente atos de comércio e dividir os lucros e perdas que houver. **Sociedade corretora.** *Econ.* Instituição do sistema financeiro, que opera principalmente na compra e venda de títulos e valores mobiliários, em especial no mercado de ações. **Sociedade da informação.** Termo com que se designa um estado ou condição geral da sociedade, em que as atividades de produção de informação e os serviços de distribuição desta tendem a assumir grande importância econômica. **Sociedade de capital e indústria.** *Dir. Com.* A que se constitui de duas espécies de sócios: uma que entra com os fundos necessários (para comerciar em caráter permanente ou para alguma operação mercantil em particular) e outra com prestação de serviços (*indústria*) em geral de caráter técnico especializado. **Sociedade de classificação.** *Mar. Merc.* Sociedade de natureza privada, destinada a classificar, registrar e certificar que foram observadas as normas de segurança e conforto estabelecidas para a construção dos navios mercantes. [Os navios são classificados para fins de seguro, pagamentos de taxas e para informações de interesse dos armadores, fretadores, compradores e comerciantes em geral.] **Sociedade de consumo.** Regime econômico em que a produção tende crescentemente a uma elaboração cada vez mais diversificada e exigente de bens de consumo. **Sociedade de economia justa.** *Dir. Com.* V. *sociedade de economia mista.* **Sociedade de economia mista.** *Dir. Com.* A que é criada por lei, com natureza de sociedade anônima, destinada a exploração econômica de interesse público, sendo que as ações com direito a voto pertencem majoritariamente ao poder público; empresa de economia mista; sociedade de economia justa. **Sociedade de fato.** *Dir. Com.* A que se forma para exploração de negócio comum sem atender as formalidades legais de registro de seu contrato social, responsabilizando-se os sócios perante terceiros, solidária e ilimitadamente, por todas as obrigações sociais; sociedade em comum. **Sociedade em comum.** *Dir. Com.* Sociedade de fato. **Sociedade em conta de participação.** *Dir. Com.* Aquela em que o contrato social não é levado a registro, abrigando tão somente contratantes, e cuja atividade constitutiva do objeto social é exercida unicamente pelo sócio ostensivo, em seu nome individual e sob sua própria e exclusiva responsabilidade, participando os demais dos resultados correspondentes. **Sociedade em nome coletivo.** *Dir. Com.* Aquela em que o quadro societário só pode ser integrado por pessoas físicas, sendo, pessoalmente, cada um dos sócios responsável, de forma solidária e ilimitada, pelas obrigações sociais. **Sociedade empresária.** *Dir. Com.* A que tem por objeto o exercício de atividade própria de empresário, estando obrigada a fazer seu registro no órgão público de empresas mercantis da respectiva sede, antes do início de sua atividade. **Sociedade limitada.** *Dir. Com.* Aquela em que a responsabilidade de cada sócio é restrita ao valor de suas cotas, mas todos respondem solidariamente pela integralização do capital social; sociedade por cotas. **Sociedade por ações.** *Dir. Com.* V. *sociedade anônima.* **Sociedade por cotas.** *Dir. Com.* Sociedade limitada. **Sociedade simples.** *Dir. Com.* Aquela em que duas ou mais pessoas conjugam capital ou ainda seu trabalho para obtenção de lucro em atividades de natureza não comercial; sociedade civil (desus.). **Sociedades primitivas.** *Etnol.* V. *povos naturais.*

societariado [De *societário* + *-ado*[2].] *S. m.* **1.** Qualidade de societário. **2.** Grupo de societários.

societário [Adapt. do fr. *sociétaire.*] *Adj.* **1.** Da, ou relativo à sociedade (11): "O tenente Gregório ajudou Paulo a conseguir uma licença... importante... para a empresa dele, a Cemtex, na qual aliás eu tenho uma participação societária." (Rubem Fonseca, *Agosto*, p. 188.) **2.** Que faz parte de uma sociedade; associado, sócio. **3.** Diz-se do animal que vive em sociedade. ● *S. m.* **4.** Membro de uma sociedade; sócio.

➔**societas sceleris** [sɔˈkietas skeˈleres] [Lat., 'associação criminosa'.] *Jur.* Quadrilha ou bando criminoso.

▲**soci(o)-** [Do fr. *socio-*, formado em 1840 por Auguste Comte (v. *comtista*), a partir do rad. do fr. *social* e de *société.*] *El. comp.* = 'social'; 'sociedade'; 'fenômeno social': *sociocracia, socioeconômico, sociolinguística, sociologia.*

sócio [Do lat. *sociu*, 'companheiro'.] *S. m.* **1.** Membro de uma sociedade; societário. **2.** Aquele que se associa com outro numa empresa, da qual espera auferir lucros. **3.** Membro de uma associação ou clube. **4.** V. *cúmplice* (2). [Sin., nessas acepçs.: *associado.*] **5.** Companheiro, parceiro. ● *Adj.* **6.** Associado, societário. ◆ **Sócio correspondente.** Sócio não efetivo. **Sócio de indústria.** O que não entra com capital, mas tão só com o seu trabalho, conhecimentos, experiência, etc.

sociobiologia (sò) [De *soci(o)-* + *biologia*; ingl. *sociobiology.*] *S. f.* O estudo biológico do comportamento e de outras características sociais dos animais e dos seres humanos, cuja base teórica é a ideia darwiniana de evolução (conforme as modificações trazidas pelas teorias genéticas mais recentes), e que procura explicar a evolução dos fenômenos sociais em função da contribuição destes para a preservação da espécie, tendo como princípio básico a ideia de que as ações dos indivíduos tendem sempre a maximizar a preservação de seu patrimônio genético na espécie. [Cf., *biologia social, biossociologia* e *etologia*.]

sociobiológico (sò) [De *sociobiologia* + *-ico*[2].] *Adj.* Relativo ou pertencente a sociobiologia.

sociobiologista (sò) [De *sociobiologia* + *-ista*.] *S. 2 g.* Especialista em sociobiologia; sociobiólogo.

sociobiólogo (sò) [De *sociobio-*, como em *sociobiologia*, + *-logo*.] *S. m.* Sociobiologista.

sociocentrado (sò) [De *soci(o)-* + *centrado*.] *Adj.* V. *sociocêntrico.*

sociocêntrico (sò) [De *soci(o)-* + *-centr(o)-* + *-ico*[2].] *Adj.* **1.** Que tem a sociedade ou o grupo social como centro do interesse ou da ação. **2.** *Antrop.* Diz-se de qualquer sistema de classificação (como, p. ex., terminologia de parentesco) em que o universo social é concebido e representado independentemente da posição ocupada pelo indivíduo tomado como referência. [Sin. ger.: *sociocentrado*. Cf. *egocêntrico*.]

sociocracia (sò) [Do fr. *sociocratie* (v. *soci(o)-* e *-cracia*).] *S. f.* Forma de governo teórica, em que o poder cabe à sociedade como um todo.

sociocrático (sò) [De *sociocracia* + *-ico*[2], seg. o padrão erudito.] *Adj.* Referente a sociocracia.

sociocultural (sò) [De *soci(o)-* + *cultural*.] *Adj. 2 g.* Social e cultural, simultaneamente; relativo a uma sociedade ou um grupo social, e à cultura que lhe é própria.

socioeconómico (sò) *Adj.* V. *socioeconômico*. [Uso freq. em P.]

socioeconômico (sò) [De *soci(o)-* + *econômico*.] *Adj.* Relativo a fatores sociais e econômicos, e sua inter-relação. [Var.: *socieconômico*.]

sociofilia (sò) [De *soci(o)-* + *-filia*.] *S. f.* Gosto pelo que seja relativo ao social.

sociofílico (sò) [De *sociofilia* + *-ico*[2].] *Adj.* Relativo a sociofilia, ou a sociófilo.

sociófilo [De *soci(o)-* + *-filo*[2].] *Adj. S. m.* Que, ou aquele que tem sociofilia.

sociofobia (sò) [De *soci(o)-* + *-fobia*.] *S. f. Psiq.* Aversão ao que seja relativo ao social.

sociofóbico (sò) [De *sociofobia* + *-ico*[2].] *Psiq. Adj.* **1.** Relativo a sociofobia. **2.** Que tem sociofobia; sociófobo. ● *S. m.* **3.** Aquele que tem sociofobia; sociófobo.

sociófobo [De *soci(o)-* + *-fobo*.] *Adj. S. m. Psiq.* Sociofóbico (2 e 3).

sociogenia (sò) [De *soci(o)-* + *-genia*.] *S. f.* **1.** Estudo sobre a formação da sociedade. **2.** Tratado ou compêndio de sociogenia. **3.** Exemplar de um desses tratados ou compêndios.

sociogénico (sò) *Adj.* V. *sociogênico*. [Uso freq. em P.]

sociogênico (sò) [De *sociogenia* + *-ico*[2].] *Adj.* Relativo a sociogenia.

sócio-gerente [De *sócio* + *gerente*.] *S. m. Com.* Sócio incumbido, temporária ou definitivamente, da administração de uma sociedade, por determinação contratual ou por escolha dos demais sócios. [Pl.: *sócios-gerentes*.]

sociolatria (sò) [De *soci(o)-* + *-latria*.] *S. f. Filos.* O culto da sociedade preconizado por Comte (v. *comtista*).

sociolinguista (sò... güis) [Voc. deduz. de *sociolinguística*; v. *linguista*.] *Adj. 2 g. S. 2 g. E. Ling.* Diz-se de, ou especialista em sociolinguística. ❖

sociolinguística (sò... güís) [De *soci(o)-* + *linguística*.] *S. f. Antrop. E. Ling. Sociol.* Conjunto de estudos linguísticos, antropológicos e sociológicos que tratam dos aspectos sociais do uso da língua, esp. das variações linguísticas que se dão no interior de um grupo, conforme as diferentes posições, funções ou circunstâncias dos indivíduos ou dos subgrupos de que estes fazem parte. [No âmbito da linguística, é tb. conhecida como *dialetologia social* e *dialetologia urbana*, e tem como objetivos: o estabelecimento das fronteiras dos fenômenos linguísticos em seu contexto social e a identificação dos processos de mudança linguística em marcha.] [Cf. *geografia linguística* (1) e *etnolinguística*.] ❖

sociolinguístico (sò...güís) [De *sociolinguística*, com var. suf. (v. *-ico*[2]).] *Adj.* Relativo ou pertencente a sociolinguística ou ao seu objeto de estudo. ❖

sociologia [De *soci(o)-* + *-logia*.] *S. f.* **1.** Estudo objetivo das relações que se estabelecem, consciente ou inconscientemente, entre pessoas que vivem numa comunidade ou num grupo social, ou entre grupos sociais diferentes que vivem no seio de uma sociedade mais ampla. **2.** Estudo objetivo das relações que surgem e se reproduzem, especificamente, com base na coexistência de diferentes pessoas ou grupos em uma sociedade mais ampla, bem como das instituições, normas, leis e valores conscientes ou inconscientes que essas relações tendem a gerar no seio do grupo. **3.** Estudo objetivo das relações sociais, *i. e.*, das relações que só se estabelecem com fundamento na coexistência social, as quais se concretizam em normas, leis, valores e instituições consciente ou inconscientemente incorporadas pelos indivíduos que constituem a sociedade. **4.** Tratado ou compêndio de sociologia. **5.** Exemplar de um desses tratados ou compêndios. ◆ **Sociologia do conhecimento.** Análise das condições sociais em que se produzem os conhecimentos. **Sociologia econômica.** Estudo das leis, instituições e sistemas econômicos enquanto produtos das relações entre indivíduos que vivem socialmente. **Sociologia vegetal.** Fitossociologia.

sociológico [De *sociologia* + *-ico*^{2}.] ***Adj.*** Referente à sociologia.

sociólogo [De *soci(o)-* + *-logo.*] ***S. m.*** Indivíduo dedicado ao estudo da sociologia.

sociologuês (sò) [De *sociólogo* + *-ês.*] ***S. m.*** *Irôn.* O linguajar excessivamente tecnicista de certos sociólogos.

sociopata (sò) [De *soci(o)-* + *-pata* (q. v.).] ***Adj.*** **1.** Que sofre de sociopatia ou que tem personalidade antissocial (q. v.). ● ***S. 2 g.*** **2.** Indivíduo sociopata.

sociopatia (sò) [De *soci(o)-* + *-patia.*] ***S. f.*** *Psiq.* V. *personalidade antissocial.*

sociopático [De *sociopatia* + *-ico*^{2}.] *Psiq.* ***Adj.*** **1.** Relativo a sociopatia. **2.** Antissocial (2). ~ V. *personalidade —a.*

sociopolítico (sò) [De *soci(o)-* + *político.*] ***Adj.*** Social e político, simultaneamente; que reúne elementos ou aspectos sociais e políticos.

sociorreligioso (sò... ô) [De *soci(o)-* + *religioso.*] ***Adj.*** Que é social e religioso, simultaneamente; que envolve elementos ou aspectos relativos à religião e a instituições ou costumes sociais. [Pl.: *sociorreligiosos* (sò...ó).]

soclo [Do fr. *socle.*] ***S. m.*** *Arquit.* V. *soco* (4).

soco [Do lat. *soccu.*] ***S. m.*** **1.** *Teatr.* Calçado com base de madeira, usado pelos gregos que representavam comédias ou farsas. **2.** *P. ext.* Comédia, assunto de pouca importância. **3.** V. *tamanco* (1): "A regateira de Lisboa bate violentamente as palmas, a do Porto descalça o soco e põe-no ante si com a sola virada para o ar." (Alexandre Herculano, *O Monge de Cister*, II, p. 26.) **4.** *Arquit.* Base quadrangular de um pedestal; plinto, soclo: "No soco da estátua lia-se em grandes letras a palavra — felicidade" (Bernardo Pinheiro Pindela, *Azulejos*, p. 7). **5.** *P. ext.* Supedâneo, peanha, pedestal. **6.** *Arquit.* Base aparente das paredes dos edifícios. **7.** Parte inferior da harpa, sobre a qual assenta a caixa de ressonância e onde funciona o seu sistema de pedais. [Pl.: *socos.* Cf. *soco* (ô), s. m. e interj., e pl. *socos* (ô).]

soco^1 (ô) [Dev. de *socar.*] ***S. m.*** **1.** Golpe com a mão fechada; murro. **2.** Cavidade que, ao ser lançado, um pião^1 (1) faz em outro. [Pl.: *socos* (ô). Cf. *soco*, do v. *socar* e s. m., e pl. *socos.*]

soco^2 (ô) ***Interj.*** *Bras. PA* Indica reprovação ou espanto. [Cf. *soco*, do v. *socar* e s. m.]

socó [Do tupi.] ***S. m.*** *Bras.* **1.** *Zool.* Designação comum a várias espécies de aves ardeídeas, especialmente as dos gêneros *Tigrisoma, Butorides* e *Zebrilus.* Alimentam-se de peixes e vivem ger. isoladas ou aos pares, perto de rios, lagoas e terrenos alagadiços. **2.** *Etnogr.* Entre os índios da região do Brasil central, armadilha em forma de cone, feita com lascas de madeira ou talas de babaçu, us. para apanhar peixes em águas rasas.

socó-boi ***S. m.*** *Bras. Zool.* Designação comum às aves ciconiiformes, ardeídeas, gênero *Tigrisoma*, especialmente a *T. lineatum*, que tem a parte superior do corpo preta finamente listrada de amarelo, pescoço preto listrado de vermelho, parte inferior cinzento-azulada listrada de amarelo no peito e de preto e branco nos flancos. Os jovens são pretos, pintados de amarelo-avermelhado. Ocorre da América Central até a Argentina. [Pl.: *socós-bois* e *socós-boi.*]

soçobra [Dev. de *soçobrar.*] ***S. f.*** V. *soçobro* (1).

soçobramento [De *soçobrar* + *-mento.*] ***S. m.*** Ato ou efeito de soçobrar(-se).

soçobrar [Do cat. *sotsobrar*, pelo esp. *sozobrar.*] ***V. t. d.*** **1.** Revolver de baixo para cima e vice-versa; subverter. **2.** Fazer naufragar; afundar. **3.** Agitar, perturbar, desvairar: *Por pouco a notícia desastrosa não o soçobrou.* **4.** Pôr em perigo; perder. ***Int.*** **5.** Afundar-se, naufragar; subverter-se, submergir(-se): "Mulheres e homens se seguravam às cordas, agarravam-se às bordas do saveiro, o vento zunia, a pequena embarcação ameaçava soçobrar a cada momento." (Jorge Amado, *Os Velhos Marinheiros*, p. 67.) **6.** Reduzir-se a nada; aniquilar-se; perder-se: *As manobras do mau governante fizeram que a nação soçobrasse;* "O Sol vem subindo no céu esbraseado, e inversamente vai soçobrando a pouco e pouco na Terra a vida animal." (Ramalho Ortigão, *A Holanda*, p. 290). ***P.*** **7.** Perturbar-se, agitar-se. **8.** Desanimar(-se), esmorecer. [Pres. ind.: *soçobro*, etc. Cf. *soçobro* (ô).]

soçobro (ô) [Dev. de *soçobrar.*] ***S. m.*** **1.** Ato ou efeito de soçobrar(-se). **2.** Naufrágio (2). **3.** Desastre, sinistro. **4.** *Fig.* Desânimo, desalento. [F. paral.: *soçobra.* Pl.: *soçobros* (ô). Cf. *soçobro*, do v. *soçobrar.*]

soçoca [Do tupi = 'partir-se em pedaços'.] ***S. f.*** *Bras. AM* Modo de pescar arpoando a água a esmo.

soçocar [De *soçoca* + *-ar*^{2}.] ***V. int.*** *Bras. AM* Praticar a soçoca. [Conjug.: v. *trancar.*]

sococó [De or. incerta.] ***S. m.*** *Bras. Amaz. Bot.* **1.** Árvore melastomatácea (*Mouriri ulei*) cujos frutos vermelhos são comestíveis e cuja madeira é muito dura. **2.** Árvore rutácea (*Sohnreyia excelsa*) ornamental e semelhante a uma palmeira; só floresce uma vez, morrendo depois da frutificação. [Sin. ger.: *socoró.*]

socó-criminoso ***S. m.*** *Zool.* **1.** *Bras.* V. *socozinho* (1). **2.** *Bras. SP* V. *dorminhoco* (3). [Pl.: *socós-criminosos.*]

socó-de-bico-largo ***S. m.*** *Bras. Zool.* V. *arapapá* (1). [Pl.: *socós-de-bico-largo.*]

socó-estudante ***S. m.*** *Bras. Zool.* V. *socozinho* (1). [Pl.: *socós-estudantes.*]

socó-grande ***S. m.*** *Bras. Zool.* V. *maguari.* [Pl.: *socós-grandes.*]

socoí (cò) [Do tupi = 'socó pequeno'.] ***S. m.*** *Bras. Zool.* **1.** Ave ciconiiforme, ardeídea (*Zebrilus undulatus*) do N.O. do Brasil, de dorso negro, listrado de vermelho, alto da cabeça e cauda negros, fronte, lados da cabeça e pescoço ferrugíneos, e pintas pretas no peito e nos flancos. Alimenta-se de peixes e crustáceos. **2.** Ave ciconiiforme, ardeídea (*Ixobrychus involucris*), do S. do Brasil. **3.** V. *socozinho* (1).

soco-inglês ***S. m.*** Peça metálica, inteiriça, constituída por quatro anéis ligados, pelos quais se metem os dedos da mão, menos o polegar, e que serve para aplicar godemes, podendo ferir gravemente o adversário. [Pl.: *socos-ingleses.*]

socolor (ôr) [De *so-* + *color.*] ***El. prep.*** Us. na loc. prep. *socolor de.* ◆ **Socolor de.** V. *sob color de*: "deuses novos e tristes, / E maus, duros e maus, socolor de humildade." (Alberto de Oliveira, *Poesias*, 3ª série, p. 81).

socó-mirim [De *socó* + *-mirim.*] ***S. m.*** *Bras. Zool.* V. *socozinho.* [Pl.: *socós-mirins.*]

socopé (ò... ò) [De *só com o pé*, pelo forro^2.] ***S. m.*** *Santom.* Dança popular com acompanhamento de coro, tambores, canzás e pitos: "Ouço os passos no ritmo / calculado do socopé, / os pés raízes da terra / enquanto a voz do coro / insiste na sua queixa" (Maria Manuela Margarido, em *Poetas de S. Tomé e Príncipe*, p. 80).

socoró [Do tupi.] ***S. m.*** *Bras. Bot.* V. *sococó.*

socorrense^1 ***Adj. 2 g.*** **1.** De, ou pertencente ou relativo a Nossa Senhora do Socorro (SE). ● ***S. 2 g.*** **2.** O natural ou habitante de Nossa Senhora do Socorro.

socorrense^2 ***Adj. 2 g.*** **1.** De, ou pertencente ou relativo a Socorro (SP). ● ***S. 2 g.*** **2.** O natural ou habitante de Socorro.

socorrense^3 ***Adj. 2 g.*** **1.** De, ou pertencente ou relativo a Socorro do Piauí (PI). ● ***S. 2 g.*** **2.** O natural ou habitante de Socorro do Piauí.

socorrer [Do lat. *succurrere.*] ***V. t. d.*** **1.** Defender, proteger, auxiliar, ajudar: *cumpre socorrer os fracos.* **2.** Prover de remédio; remediar: "a que salvava os desvalidos, / a que socorria os doentes" (Cecília Meireles, *Obra Poética*, p. 852). **3.** Dar esmola a; esmolar: *Socorrer os pobres é dever cristão.* **4.** Prestar socorro, auxílio, a: *O barco socorreu os náufragos.* **5.** *Bras. BA* Abastecer do necessário a embarcação de (outrem), para a pesca da baleia. ***P.*** **6.** Pedir socorro; buscar: "O poeta [Cervantes] voltava de novo, para viver, a socorrer-se às suas antigas funções de exator público em diferentes sítios das Espanhas." (Latino Coelho, *Cervantes*, p. 103.) **7.** Lançar mão; valer-se: *Para saldar o débito socorreu-se das economias.*

socorrimento [De *socorrer* + *-imento.*] ***S. m.*** *P. us.* Socorro (1 e 2).

socorrista [De *socorro* + *-ista.*] ***S. 2 g.*** *Bras.* **1.** Pessoa profissionalmente habilitada a prestar socorros ou atendimento em casos de acidentes, de mal súbito, etc.: *curso de socorrista.* **2.** Membro de organização criada para esse fim: *Esta senhora foi socorrista voluntária em 1942.*

socorrível [De *socorrer* + *-ível.*] ***Adj. 2 g.*** Que se pode socorrer.

socorro (ô) [Dev. de *socorrer.*] ***S. m.*** **1.** Ato ou efeito de socorrer. **2.** Ajuda ou assistência vinda do exterior a alguém que se encontra em situação difícil (perigo, necessidade, desamparo, etc.): *prestar socorro; pedir socorro.* [Sin., p. us., nessas acepç.: *socorrimento.*] **3.** Os meios usados para tal fim: *Os helicópteros levaram os socorros necessários aos expedicionários perdidos na selva.* **4.** Ajuda material ou financeira: *O socorro aos flagelados não foi suficiente.* **5.** Reforço de tropas ou munições: *Chegou ao forte um socorro que permitiu enfrentar o inimigo.* **6.** Amparo, apoio, assistência: *Nos momentos de aflição uns pedem socorro ao padre, outros ao analista.* **7.** Atendimento que se dá a uma pessoa acidentada ou acometida de mal súbito: *primeiros socorros; socorros urgentes.* **8.** V. *reboque*^{2} (4). **9.** Auxílio da religião: *É devota de Nossa Senhora do Perpétuo Socorro.* ● ***Interj.*** **10.** Para pedir auxílio ou defesa. [Pl.: *socorros* (ó).] ◆ **Primeiros socorros.** *Med.* Socorro (7) de emergência que pode ser prestado por médicos, enfermeiros, ou leigos.

socovão [Var. de *socavão.*] ***S. m.*** Subterrâneo por baixo de uma casa.

socó-vermelho ***S. m.*** *Bras. Zool.* Ave ardeídea (*Ardea eruthromela*); garça-vermelha. [Pl.: *socós-vermelhos.*]

socozinho (cò) [De *socó* + *-zinho.*] ***S. m.*** **1.** *Bras. Zool.* Ave ardeídea (*Butorides striatus*) do litoral marítimo e margens de rios e lagos de áreas tropicais e subtropicais das Américas, Ásia, África e Austrália. Tem cerca de 35cm de comprimento, topete negro, dorso cinza-esverdeado, com penas das asas marginadas de branco, abdome cinza-claro, garganta branca, pescoço curto, bico negro e pernas curtas amarelas. [Sin.: *socó-criminoso, socó-estudante, socoí, socó-mirim, ana-velha, maria-mole.*] **2.** V. *pescada-banana.*

socrático [Do gr. *sokratikós*, pelo lat. *socraticu.*] ***Adj.*** **1.** Relativo ou pertencente a Sócrates, ou ao socratismo (q. v.), ou próprio daquele ou deste; maiêutico. **2.** Que é partidário do socratismo. ~ V. *escolas —as, ironia —a* e *paradoxo —.* ● ***S. m.*** **3.** Partidário do socratismo.

socratismo [De *Sócrates* + *-ismo.*] ***S. m.*** *Filos.* **1.** Atitude e qualquer das doutrinas atribuídas a Sócrates (c. 470-399 a. C.), filósofo grego, caracterizadas sobretudo pela consideração de problemas morais e humanos e pelo abandono expresso dos temas ligados à natureza, e que visa, mediante o diálogo, à definição do bem. [São concepções marcantes do socratismo a chamada *ironia socrática*, a *agnosia* e o *paradoxo socrático.*] **2.** Cada uma das doutrinas das chamadas escolas socráticas, que compreendem a escola cínica, a escola cirenaica e a escola de Mégara, cujas relações com Sócrates são difíceis de precisar, mas que tomavam esse filósofo como exemplo ideal do sábio.

soda^1 [Do ár. (da Sicília) *sūdā*, 'negro'; 'dor de cabeça'; 'planta com que se cura dor de cabeça, e de que se extrai o carbonato de sódio', pelo it. e pelo lat. med. *soda.*] ***S. f.*** **1.** Hidróxido de sódio; soda cáustica. **2.** Carbonato de sódio do comércio. **3.** Água artificialmente gaseificada tomada como acompanhamento de bebidas alcoólicas ou como refrigerante, quando se lhe adiciona algum xarope. ◆ **Soda cáustica.** Soda^1 (1). **Pedir soda.** *Bras. Gír.* Render-se, entregar-se.

soda^2 [Do it. *soda* (v. *soda*^{1}).] ***S. f.*** *Bot.* Erva quenopodiácea (*Salsola kali*) originária da Eurásia e bastante difundida como planta daninha, muito ramificada, e que forma tufos espessos. Folhas escamiformes, pequeninas, pontudas e suculentas; flores insignificantes, sésseis nas axilas; o fruto é um utrículo achatado. Quando nova, serve como forrageira.

sodade ***S. f.*** *Bras. Cabo-verd. Pop.* Saudade (1).

sodado [Part. de *sodar.*] ***Adj.*** Misturado com soda^1. ~ V. *cal —a.*

sodalício [Do lat. *sodalitiu.*] ***S. m.*** Sociedade de pessoas que vivem juntas ou em comum.

sodalita [De *soda*^{1} + *al(umínio)* + *-ita*^{3}.] ***S. f.*** *Min.* Mineral monométrico, silicato de alumínio e sódio, com cloreto de sódio na proporção de três moléculas do primeiro para um agrupamento cloro-sódio.

sodamida [De *soda*^{1} + *amida.*] ***S. f.*** *Quím.* Amida (2) sódica [fórm.: $NH_2^-Na^+$].

sodar [De *soda*^{1} + *-ar*^{2}.] ***V. t. d.*** Misturar com soda.

sódico [De *soda*^{1} + *-ico*^{2}.] ***Adj.*** **1.** Respeitante a soda^1. **2.** Relativo ao sódio.

sódio [De *soda*^{1} + *-io*^{3}.] ***S. m.*** *Quím.* Elemento de número atômico 11, metálico, branco-prateado, mole, muito leve e reativo, pertencente aos metais alcalinos [símb.: *Na*].

sodomia [Do lat. med. *sodomia.*] ***S. f.*** Conjunção sexual anal, entre homem e mulher, ou entre homossexuais masculinos.

sodómico ***Adj.*** V. *sodômico.* [Uso freq. em P.]

sodômico [De *sodomia* + *-ico*^{2}.] ***Adj.*** Relativo à sodomia; sodomítico.

sodomita [Do lat. tard. *sodomita.*] ***S. 2 g.*** **1.** Quem pratica a sodomia. **2.** O natural ou habitante de Sodoma (antiga cidade da Palestina meridional).

sodomítico [Do lat. tard. *sodomiticu.*] ***Adj.*** **1.** Sodômico. **2.** Referente a, ou próprio de sodomitas.

sodomizar [De *sodomia* + *-izar.*] ***V. t. d.*** Praticar a sodomia com.

sodra [De or. obscura.] ***S. f.*** Sulco que alguns cavalos apresentam nas coxas.

sodrelandino ***Adj.*** **1.** De, ou pertencente ou relativo a Sodrelândia (RJ). ● ***S. m.*** **2.** O natural ou habitante de Sodrelândia.

soeiras [De *soer.*] ***S. f. pl.*** *Ant.* Usos, usanças, costumeiras. [Cf. *sueiras*, pl. de *sueira.*]

soer [Do lat. *solere.*] *V. int.* **1.** Ser comum, frequente, vulgar; ocorrer ou acontecer geralmente; costumar: *Em Belém sói chover quase todas as tardes. T. d.* **2.** Ter por costume ou hábito; fazer ou praticar com frequência: "Rompe o silêncio o jovem Jagoanharo, / Que entre eles soem falar primeiro os moços" (Domingos José Gonçalves de Magalhães, *A Confederação dos Tamoios*, p. 40); "Todos os povos soem ser ingratos para com seus homens públicos" (Oliveira Lima, *Memórias*, p. 151). **3.** Apresentar como realidade ou como tendência habitual, costumeira: "Quando feita .... por tradutores idôneos, a tradução literal sói ser fiel e reversível" (Benedito Silva, em *Informativo*, ano 4, dezembro de 1972, p. 8). [Defect. Não conjugável na 1.ª pess. sing. do pres. ind. nem, pois, no pres. subj.; quanto ao mais, segue o v. *moer*. Pres. ind.: *sóis, sói, soemos, soeis, soem*; perf.: *soí, soeste* (ê), *soeu*, etc. Cf. *sois*, do v. *ser*; *soe* (ô), *soes* (ô), do v. *soar*; e *sueste*.]

soerguer [Do *so-* + *erguer*.] *V. t. d.* **1.** Erguer um pouco; solevar, solevantar: "fincou os cotovelos na cama, conseguindo apenas soerguer a cabeça, que logo descaiu, pesada." (Coelho Neto, *Turbilhão*, p. 116). *P.* **2.** Levantar-se por um pouco: "Desperta num sobressalto, soergue-se, olha em torno, atordoado, procurando orientar-se" (Érico Veríssimo, *Noite*, p. 167). **3.** Erguer-se a custo. [Conjug.: v. *erguer*.]

soerguimento [De *soerguer* + *-imento*.] *S. m.* Ato ou efeito de soerguer(-se).

soez (ê) [Do esp. *soez*.] *Adj. 2 g.* **1.** Vil, torpe, reles: "Iam Jesus e S. Pedro, certo dia, por um distante caminho, quando avistaram ao longe um bandido soez e barbudo que apertava aos peitos uma inocente e formosa donzela." (João Ribeiro, *Cartas Devolvidas*, p. 38); "um magnífico panorama, capaz de fazer poeta o mais soez espírito do mundo." (Machado de Assis, *Contos Avulsos*, p. 221). **2.** De pouco valor, ordinário, vulgar; ignorante: "Na família as semelhanças são naturais; e isso que fazia pasmar ao bom Montaigne não traz o menor espanto ao mais soez dos homens" (Id., *Outras Relíquias*, p. 3). [Cf. *Suez* (ê), top.]

■ **SOF** Sigla de *Secretaria de Orçamento Federal*.

sofá [Do ár. *suffa(t)*, 'esteira'; 'coxim', pelo turco *sofa* e pelo fr. *sofa*.] *S. m.* Móvel, estofado ou não, ordinariamente com braços e encosto, onde podem sentar-se duas ou mais pessoas.

sofá-bicama *S. m. Bras.* Bicama (q. v.). [Pl.: *sofás-bicamas*.]

sofá-cama *S. m. Bras.* Sofá dobradiço que serve de sofá e de cama: "alojei-o no meu quarto, indo dormir no sofá-cama da sala." (Autran Dourado, *Nove Histórias em Grupos de Três*, p. 166). [Pl.: *sofás-camas*.]

sofá de arrasto *S. m. Bras. N.E. Pop.* V. *esteira*[2] (1). [Pl.: *sofás de arrasto*.] ☑

sofá-rasteiro *S. m. Bras. N.E. Pop.* V. *esteira*[2] (1). [Pl.: *sofás-rasteiros*.]

▲**-sofia** [Do gr. *-sophía* (como no gr. *theosophía*, 'ciência das coisas divinas') < gr. *sophía, as*, 'habilidade manual'; 'saber', 'ciência'; 'sabedoria', < gr. *sophós, é, ón*.] *El. comp.* = 'sabedoria'; 'saber'; 'ciência': *bibliotecosofia, filosofia*, (< gr.), *logosofia, pansofia*. [Observe-se a ocorrência, talvez por ultracorreção, de variantes prosódicas: *acrosofia/acrossofia, antroposofia/antropossofia, misosofia/misossofia*. V. *sof(o)-* e *-ia*[1].]

sofisma [Do gr. *sóphisma*, 'sutileza de sofista', pelo lat. *sophisma*.] *S. m.* **1.** *Lóg.* Argumento aparentemente válido, mas, na realidade, não conclusivo, e que supõe má-fé por parte de quem o apresenta; falácia, silogismo erístico. [Cf. *paralogismo*.] **2.** *Lóg.* Argumento que parte de premissas verdadeiras, ou tidas como verdadeiras, e chega a uma conclusão inadmissível, que não pode enganar ninguém, mas que se apresenta como resultante das regras formais do raciocínio; falácia. **3.** *P. ext.* Argumento falso formulado de propósito para induzir outrem a erro: "Mas isso ainda não é o melhor do caso. Onde está o seu sal, é numa dessas circunstâncias, com que o acaso de vez em quando confunde os que se desviam do caminho reto, para o dos estratagemas e sofismas." (Rui Barbosa, *Réplica*, p. 100.) **4.** *Bras. Pop.* Engano, logro, burla, tapeação. [Cf. *sofisma*, do v. *sofismar*.] ◆ **Sofisma da acentuação.** *Lóg.* Sofisma verbal decorrente da entonação com que se pronunciam alguns de seus termos; sofisma da ênfase. **Sofisma da composição.** *Lóg.* O que consiste em atribuir ao todo propriedade de cada uma das partes. **Sofisma da divisão.** *Lóg.* O que consiste em atribuir às partes de um todo, ou aos elementos de uma coleção, características próprias do todo, ou da coleção. **Sofisma da ênfase.** *Lóg.* Sofisma da acentuação. **Sofisma da falsa causa.** *Lóg.* O que considera que um acontecimento, só por preceder a um outro, é causa dele. **Sofisma da generalização apressada.** *Lóg.* Sofisma do acidente convertido. **Sofisma do acidente.** *Lóg.* O que consiste na aplicação de uma regra geral a um caso particular em que, por circunstâncias especiais, a regra não se aplica. **Sofisma do acidente convertido.** *Lóg.* O que consiste em generalizar a partir da observação insuficiente de casos particulares; sofisma da generalização apressada. **Sofisma formal.** *Lóg.* Raciocínio invalidado pela aplicação incorreta das regras de inferência. **Sofisma não formal.** *Lóg.* O que decorre da indeterminação do sentido, próprio ou contextual, das palavras utilizadas; sofisma verbal. **Sofisma verbal.** *Lóg.* Sofisma não formal.

sofismar [De *sofisma* + *-ar*[2].] *V. t. d.* **1.** Deturpar com sofismas; sofisticar: *Importa não sofismar os fatos.* **2.** Burlar sofismando. **3.** *Fig.* Enganar ou lograr com sofismas. *Int.* **4.** Empregar sofisma; sofisticar. **5.** Raciocinar sofismando. [Pres. ind.: *sofismo*, etc. Cf. *sufismo*, s. m.]

sofismável [De *sofismar* + *-vel*.] *Adj. 2 g.* Que pode ser sofismado.

sofista [Do gr. *sophistés*, 'sábio', posteriormente 'impostor', pelo lat. *sophista*.] *S. 2 g. Hist. Filos.* **1.** Cada um dos personagens contemporâneos de Sócrates (v. *socratismo*) que chamavam a si a profissão de ensinar a sabedoria e a habilidade, e entre os quais se destacam Protágoras (480-410 a. C.), que afirmava ser o homem a medida de todas as coisas, e Górgias (485-380 a. C.), que atribuía grande importância à linguagem. Os sofistas desenvolveram especialmente a retórica, a eloquência e a gramática. [Cf. *sofisma* (1 e 2).] ● *Adj. 2 g.* **2.** Que argumenta com sofismas, ou é dado a empregá-los. [Cf. *sufista*.]

sofistaria [De *sofista* + *-aria*.] *S. f.* **1.** Discurso sofístico. **2.** Conjunto de sofismas.

sofística [Do gr. *sophistiké*, pelo lat. *sophistice*.] *S. f. Hist. Filos.* A arte dos sofistas.

sofisticação [De *sofisticar* + *-ção*.] *S. f.* **1.** Ato ou efeito de sofisticar; sofisticaria. **2.** *Bras.* Qualidade de sofisticado (2 a 4).

sofisticado [Part. de *sofisticar*.] *Adj.* **1.** Falsificado, contrafeito, adulterado. **2.** *Bras.* Que não é natural; artificial, afetado. **3.** *Bras.* Falsamente refinado ou intelectual: *vocabulário sofisticado.* **4.** *Bras.* Requintado ao extremo; aprimorado: *decoração sofisticada.*

sofisticador (ô) [De *sofisticar* + *-dor*.] *Adj.* **1.** Que sofistica; sofisticante. ● *S. m.* **2.** Aquele que sofistica.

sofisticante [De *sofisticar* + *-nte*.] *Adj. 2 g.* Sofisticador (1).

sofisticar [De *sofístico* + *-ar*[2].] *V. t. d.* **1.** Sofismar (1). **2.** Falsificar, contrafazer, adulterar. **3.** Tratar com sutileza. **4.** *Bras.* Tornar sofisticado (3 e 4). *Int.* **5.** Sofismar (4). *P.* **6.** Tornar-se sofisticado. [Conjug.: v. *trancar*. Pres. ind.: *sofistico, sofisticas, sofistica*, etc.; pret. imperf. ind.: *sofisticava, ... sofisticáveis, sofisticavam*; fut. pret.: *sofisticaria*, etc. Cf. *sofístico, sofística*, s. f. e fem. de *sofístico*, e *sofisticaria*, s. f.]

sofisticaria [De *sofístico* + *-aria*.] *S. f.* Sofisticação (1). [Cf. *sofisticaria*, do v. *sofisticar*.]

sofístico [Do gr. *sophistikós*, pelo lat. *sophisticu*.] *Adj.* **1.** Relativo a sofisma. **2.** Em que há sofisma. **3.** Que emprega sofismas. [Cf. *sofistico*, do v. *sofisticar*.]

sofito [Do it. *soffito*, 'águas furtadas'.] *S. m. Arquit.* Face com ornatos, por sob uma arquitrave.

soflagrante [De *so-* + *flagrante*.] *El. s. m. Bras. Pop.* Us. na loc. adv. *no soflagrante*. ◆ **No soflagrante.** *Bras. Pop.* No momento mesmo; imediatamente, logo.

▲**sof(o)-** [Do gr. *sophós, é, ón*, 'hábil'; 'prudente'; 'sábio'.] *El. comp.* = 'sábio': *sofomania*. [Equiv.: *-sofo*: *logósofo, misósofo, teósofo* (< gr.). V. *-sofia*.]

▲**-sofo** [Do gr. *-sophos, os, on* < gr. *sophós, oû*.] Equiv. de *sof(o)-*.

sofocleano [Do antr. *Sófocles* + *-iano*.] *Adj.* **1.** Relativo ou pertencente ao poeta dramático grego Sófocles (496-406 a.C.), ou próprio dele, ou de seu estilo. **2.** Que é seu admirador e/ou profundo conhecedor de sua obra. ● *S. m.* **3.** Admirador e/ou profundo conhecedor da obra de Sófocles.

sofocliano [Do antr. *Sófocles* + *-iano*.] *Adj.* **1.** Relativo ou pertencente a Sófocles (c. 496-406 a. C.), poeta dramático grego, ou próprio dele. ● *S. m.* **2.** Grande admirador e/ou profundo conhecedor de sua obra.

sofomania [De *sof(o)-* + *-mania*.] *S. f.* Mania de passar por sábio.

sofomaníaco [De *sofomania* + *-iaco*.] *Psiq. Adj.* **1.** Relativo a sofomania. **2.** Que tem sofomania; sofômano. ● *S. m.* **3.** Aquele que tem sofomania; sofômano.

sofómano *Adj. S. m.* V. *sofômano*. [Uso freq. em P.]

sofômano [De *sof(o)-* + *-mano*[1].] *Adj. S. m.* Sofomaníaco (2 e 3).

sofralda [De *so-* + *fralda*.] *S. f. Bras. SP* Aba ou sopé de montanha ou de serra: "A geada grande .... estendeu-se ao longo das lombadas e sofraldas" (Valdomiro Silveira, *Os Caboclos*, p. 130).

sofraldar [De *so-* + *fralda* + *-ar*[2].] *V. t. d.* **1.** Erguer a fralda de. **2.** *Fig.* Soerguer, solevar (qualquer coisa), para descobrir o que há debaixo dela. **3.** Suspender, levantar, erguer: *sofraldar um cortinado;* "Mas — que cruel! — ao dar um passo adiante, / Enquanto a barra do roupão sofralda, / Pisa um cravo gentil de láctea alvura!" (Francisca Júlia, *Esfinges*, p. 114). *P.* **4.** Erguer ou levantar o próprio vestuário.

sofrê [Voc. onom.] *S. m. Bras. BA Zool.* V. *corrupião* (1): "E ouço rolinhas, bem-te-vis e sofrês chilrearem nas mangueiras copadas." (Ciro dos Anjos, *Montanha*, p. 355.) [F. paral.: *sofreu*.]

sofreada [De *sofrear* + *-ada*[1].] *S. f.* V. *sofreamento*.

sofreadura [De *sofrear* + *-dura*.] *S. f.* V. *sofreamento*.

sofreamento [De *sofrear* + *-mento*.] *S. m.* Ato ou efeito de sofrear(-se); sofreada, sofreadura.

sofrear [Do lat. *suffrenare*.] *V. t. d.* **1.** Sustar ou modificar a andadura de (a cavalgadura), puxando ou retesando as rédeas: "Na sombra de um ingazeiro o capitão sofreou o cavalo." (José Cândido de Carvalho, *O Coronel e o Lobisomem*, p. 59.) **2.** Reprimir, conter, refrear: *Nem todos sabem sofrear as paixões;* "Entra afouta o caminho da amargura, / A custo sofreando internas mágoas / Da amarga vida, breve flor como ela" (Machado de Assis, *Poesias Completas*, p. 242). **3.** Emendar, corrigir. *P.* **4.** Reprimir-se, conter-se, moderar-se. [Conjug.: v. *frear*.]

sofreável [De *sofrear* + *-vel*.] *Adj. 2 g.* Que pode ser sofreado.

sofredor (ô) [De *sofrer* + *-dor*.] *Adj. S. m.* Que, ou aquele que sofre.

sôfrego [De *sofrer*.] *Adj.* **1.** Apressado no comer e/ou no beber. **2.** Ávido, sequioso, ambicioso. **3.** Impaciente, insofrido, malsofrido.

sofreguidão [De *sôfrego* + *-idão*.] *S. f.* **1.** Ato, modo ou qualidade de sôfrego. **2.** Impaciência, pressa. **3.** Desejo, ambição, cobiça, avidez.

sofrenaço [Do esp. plat. *sofrenazo*.] *S. m. Bras. RS* Puxão forte nas rédeas para que o animal pare ou recue; sofrenada, sofrenão.

sofrenada [Do esp. plat. *sofrenada*.] *S. f. Bras. RS* V. *sofrenaço*.

sofrenão [De *sofrenar* + *-ão*[3].] *S. m. Bras. RS* V. *sofrenaço*.

sofrenar [Do esp. plat. *sofrenar*.] *V. t. d. Bras. RS* Sofrear (o cavalo) para fazê-lo parar ou recuar.

sofrente [De *sofrer* + *-nte*.] *Adj. 2 g.* Que sofre ou padece; sofredor: "é que bem no fundo do meu ser sofrente, / por ouvir o sino soar alegremente, / da saudade o sino solta o triste dobre." (Gilca da Costa Melo Machado, *Poesias*, p. 92).

sofrer [Do lat. **sufferere*, por *sufferre*.] *V. t. d.* **1.** Ser atormentado, afligido por; padecer: *O canceroso sofre dores terríveis;* "Oh meu Senhor, ensina o teu servo, que sofre o tormento da incerteza!" (Eça de Queirós, *Últimas Páginas*, p. 282). **2.** Tolerar, suportar, aguentar: *Sofre, com humildade, o desdém dos parentes ricos.* **3.** Admitir, permitir, tolerar, consentir: *Fez ver ao filho que não sofreria insubordinação;* "Nos domínios rurais, a autoridade do proprietário de terras não sofria réplica. Tudo se fazia consoante sua vontade, muitas vezes caprichosa e despótica." (Sérgio Buarque de Holanda, *Raízes do Brasil*, p. 48). **4.** Ser vítima de, passar por, experimentar (coisa desagradável ou danosa): "A concentração de capitais nas mãos da plutocracia sofreu um abalo que parecia mortal." (Alceu Amoroso Lima, *A Realidade Americana*, p. 103.) **5.** *P. ext.* Passar por; experimentar: *Os gêneros alimentícios sofreram um aumento considerável no último ano. Int.* **6.** Sentir dor física ou moral: "Cabecinha boa de menino triste, / de menino triste que sofre sozinho, / que sozinho sofre, — e resiste." (Cecília Meireles, *Obra Poética*, p. 29.) **7.** Experimentar prejuízos; decair, declinar: *Os países europeus muito sofreram com a guerra.* **8.** Padecer com paciência. *T. i.* **9.** Ser acometido (de alguma doença), ou sujeito a ela; padecer: "o coronel Barbosa .... sofria de reumatismo" (Júlio Ribeiro, *A Carne*, p. 9). **10.** Padecer; sacrificar-se: *Sofria pelos amigos. P.* **11.** Conter-se, reprimir-se, sofrear-se.

sofreu [Var. de *sofrê*.] *S. m. Bras. N.E. Zool.* V. *sofrê*.

sofrido [Part. de *sofrer*.] *Adj.* **1.** Que sofre com paciência; paciente. **2.** Que já sofreu, ou que sofre muito. **3.** Sofredor: "Vulcão guardara a imagem de uma população sofrida, analfabeta, doente e desamparada." (Antônio Celso, *Girassol de Ouro*, p. 87.) **4.** Que revela sofrimento: *Escreveu páginas sofridas.*

sofrimento [De *sofrer* + *-imento*.] *S. m.* **1.** Ato ou efeito de sofrer. **2.** Dor física. **3.** Angústia, aflição, amargura. **4.** Paciência, resignação. **5.** Infortúnio; desastre.

sofrível [De *sofrer* + *-ível*.] *Adj. 2 g.* **1.** Que se pode sofrer; suportável. **2.** Quase suficiente; moderado: *Tem obtido resultados sofríveis com o tratamento.* **3.** Acima de medíocre; razoável: *Ofereceu-lhe uma joia de sofrível valor.* **4.** Que está entre o bom e o mau: *Seu comportamento tem sido sofrível, de algum tempo para cá.* ● *S. m.* **5.** *Obsol.* Nota escolar sofrível (4).

→**softa** ['softa] [Turco, do persa *sukta*, 'em chamas, incendiado'.] *S. m.* Estudante muçulmano de teologia e leis sacras.

→**softball** ['sɔftbɔl] [Ingl.] *S. m.* Jogo semelhante ao beisebol, porém com sete jogadores e uma bola maior e mais leve.

→**soft news** [sɔft njuwz] [Ingl.] *S. f. 2 n. Jorn.* Material jornalístico que trata de amenidades, de assuntos que não são sérios.

→**software** ['sɔftwɛjɹ/'sɔftwæɹ] [Ingl., voc. cunhado por analogia com *hardware* (q. v.), de *soft*, 'macio', 'mole' + *ware*, 'artigo', 'utensílio'.] *S. m. Inform.* **1.** Em um sistema computacional, o conjunto dos componentes que não fazem parte do equipamento físico propriamente dito e que incluem as instruções e programas (e os dados a eles associados) empregados durante a utilização do sistema. **2.** Qualquer programa ou conjunto de programas de computador: *um software para processamento de texto.* [Tb. se usa sem flexão do pl., tal como em ingl.]

soga [Do lat. tard. *soca, soga.*] *S. f.* **1.** Corda de esparto. **2.** Corda grossa. **3.** *Bras. RS* Guasca usada para prender animais ao poste. ◆ **Andar à soga.** *Bras. RS* Estar enamorado. **Levar à soga.** *Bras. RS* Prender (alguém) por afeto; dominar; trazer à soga. **Trazer à soga.** *Bras. RS* V. *levar à soga.*

sogabano [Do hauçá *shugaban-um*, 'nosso chefe'.] *S. m. Bras. Rel.* Sacerdote do culto malê.

sogaço [Do esp. plat. *sogazo.*] *S. m. Bras. RS* **1.** Golpe com a soga. **2.** Soga muito bonita e/ou muito boa.

sogar [De *soga* + *-ar*[2].] *V. t. d.* Prender com soga. [Conjug.: v. *largar.* Cf. *sugar.*]

sogra [Do lat. vulg. *socra*, que substituiu o lat. cláss. *socrus*, 'sogra'.] *S. f.* Mãe do marido, em relação à mulher, ou mãe da mulher, em relação ao marido.

sograr [De *sogro* + *-ar*[2].] *V. int. Bras. Gír.* Ser sustentado pelo sogro. [Pres. ind.: *sogro*, etc. Cf. *sogro* (ô).]

sogro (ô) [Do seu correspondente fem. *sogra* (q. v.), que era muitíssimo empregado, dada a sua influência (a da sogra) no meio familiar, quer pela ger. difícil relação entre nora e sogra, quer pela convivência doméstica de ambas, e não diretamente do lat. *socere* (*socer, eris*), 'sogro'.] *S. m.* Pai do marido, em relação à mulher, ou da mulher, em relação ao marido. [Fem.: *sogra* (ó); pl. *sogros* (ô). Cf. *sogro*, do v. *sograr.*]

soguá [De *soguaguá*, com síncope.] *S. m. Bras. Zool.* V. *curimbatá-da-lagoa.*

soguagrá *S. m. Bras. Zool.* V. *curimbatá-da-lagoa.*

soguaguá *S. m. Bras. Zool.* V. *curimbatá-da-lagoa.*

sogueiro [Do esp. plat. *soguero.*] *S. m. Bras. RS* Encerra (2) gramada, bem menor do que o potreiro, onde ficam presos os animais que devem ser usados a qualquer momento.

soia (ói) [Do forro[2].] *S. f. Santom.* Narrativa popular, contada ou cantada nos nozados: "Chegava a um nozado, sentava-se numa roda, largava uma soia, dando rédea solta à sua fértil imaginação e logo acorriam as raparigas, ávidas das passagens sempre picantes da soia que parecia nunca mais ter fim" (Albertino Bragança, *Rosa do Riboque e Outros Contos*, p. 85). ❖

soidade *S. f. Ant. Pop.* Saudade (1).

soidão (o-i) *S. f. Ant.* Solidão: "Deixa a soidão dos montes escalvados" (Guerra Junqueiro, *A Velhice do Padre Eterno*, p. 56); "Uma quase soidão, saudades, desenganos..." (Alberto de Oliveira, *Poesias*, 3ª série, p. 171). [F. ainda hoje us. na poesia.]

→**soi-disant** [swadi'zã] [Fr.] *Adj.* **1.** Que pretende ser; pretenso. ● *Adv.* **2.** Segundo se pretende.

soído [De *sonido* (q. v.), com desnasalação.] *S. m.* Rumor, ruído, som, sonido: "Com que fim foram inventados os brincos?... As damas, tanto as antigas como as modernas, lera em Plínio, costumam trazer arrecadas pelo prazer de ouvir o soído leve de suas pérolas junto do ouvido." (Alberto de Oliveira, *ap.* Graciliano Ramos, *Contos e Novelas*, II, p. 42.)

soidoso (ô) *Adj. Ant. Pop.* Saudoso.

soim (oím) *S. m. Bras. Zool.* V. *sagui.*

→**soirée** [swa'ʁe] [Fr.] *S. f.* Reunião social, ou de outro tipo, que ocorre à noite. [Cf. *matinê.*]

soiteira *S. f. Bras. S.* V. *açoiteira.*

soito *S. m.* V. *souto.*

soja [Do jap. *shoyu.*] *S. f. Bot.* Erva fabácea (*Glycine max* ou *G. hispida*) nativa da China e do Japão, de folhas com três folíolos cordiformes, flores brancas, amarelas ou violáceas, e vagens híspidas. Tem centenas de variedades, é forrageira e cultivada em várias regiões do planeta, principalmente pelas sementes alimentícias de que se fazem vários produtos sucedâneos de alimentos de origem animal, como carne, leite e queijo e tb. pelo óleo. [Sin.: *feijão-soja, feijão-chinês.*]

sojicultor (ô) [De *soja* + *-i-* + *-cultor.*] *Adj. S. m.* Que, ou quem se dedica à sojicultura.

sojicultura [De *soja* + *-i-* + *-cultura.*] *S. f.* Lavoura de soja.

sojigar [Alter. de *subjugar.*] *V. t. d. Bras. N.E. MG Açor. Pop.* Dominar, conter, aguentar, subjugar; sujigar: "Montando a cavalo que nem homem, ... sojigava bichos meio xucros, vaquejava com os camaradas." (Nélson de Faria, *Tiziu e Outras Estórias*, p. 47.) [Normalmente é us. no sentido físico. Conjug.: v. *largar.* Cf. *sojugar.*]

sojoada [De *soja* + *-oada.*] *S. f. Cul.* Iguaria semelhante à feijoada, mas que leva feijão-soja em vez de outro feijão.

sojugar *V. t. d. Ant.* Subjugar. [Conjug.: v. *largar.*]

sol[1] [Do lat. *sole.*] *S. m.* **1.** *Astr.* Estrela em torno da qual giram a Terra e os outros planetas do sistema solar, e que, comparada a outras, é relativamente pequena e de brilho fraco, parecendo maior e mais brilhante por se encontrar mais perto. [Sua luz leva oito minutos e meio para atingir a Terra, ao passo que o da segunda estrela mais próxima do nosso planeta (*Próxima do Centauro*) o faz em três anos e quatro meses. Nesta acepç., a rigor, deve-se escrever com inicial maiúscula]: "Viva e trabalhe plena luz: depois, / Seja-me dado ainda ver, morrendo, / O claro Sol, amigo dos heróis!" (Antero de Quental, *Sonetos*, p. 117.) **2.** A luz e o calor desse astro. **3.** Lugar iluminado pelo Sol[1] (1) [em oposição a *sombra* (5)]: *Nos estádios, o lado do sol é menos procurado pelos frequentadores.* **4.** A imagem tradicional do Sol[1] (1), que consta de um círculo do qual partem raios em todas as direções: *A criança desenhou um sol com olhos, nariz e boca.* **5.** Na mitologia tupi-guarani, Coaraci. **6.** *Fig.* Brilho, esplendor, luz: "E o sol da liberdade em raios fúlgidos / Brilhou no céu da Pátria neste instante." (Osório Duque-Estrada, em *Hino Nacional Brasileiro.*) **7.** *Fig.* Alegria, felicidade: *A filha é um sol em sua vida.* **8.** *Fig.* Dia (4), ou dia de existência: "Três sóis havia que Martim e Iracema estavam nas terras dos pitiguaras" (José de Alencar, *Iracema*, p. 99); "E inúbias soam, convocando os chefes, / Que em círculo se formam, começando / Desde Coaquira, que mais sóis contava, / 'Té o mais moço descendo em anos'." (Domingos José Gonçalves de Magalhães, *A Confederação dos Tamoios*, p. 40). **9.** *Fig.* Grande talento; gênio. **10.** *Zool.* Peixe plectógnato (*Mola mola*). **11.** *Heráld.* Círculo com 12 raios, esmaltado em ouro. [Pl.: *sóis.* Cf. *sois*, do v. *ser*, e *soes* (ô), do v. *soar.*] ◆ **Sol médio.** *Astr.* Astro fictício (q. v.), que parte junto com o Sol verdadeiro do ponto vernal e percorre o equador em um ano, com movimento uniforme, enquanto o Sol verdadeiro percorre a eclíptica com o movimento variado, durante o mesmo tempo. **De sol a sol.** Desde o nascer até o pôr do Sol: "Pelos descampados .... rechinavam de sol a sol carros de bois tirados por seis cangas" (Xavier Marques, *As Voltas da Estrada*, p. 11). **Partir o sol.** Dividir o campo dos duelistas de jeito que o sol não dê de rosto nos combatentes. **Quer chova, quer faça sol.** Em qualquer circunstância. **Tapar o sol com peneira.** Fugir à evidência; negar ou dissimular o que é evidente: *Quer tapar o sol com peneira, mas é impossível: o escândalo é público e notório.* **Ver o sol quadrado.** *Bras. Gír.* Estar encarcerado.

sol[2] [F. red. de *solve*; v. *ut.*] *S. m. Mús.* **1.** Nota correspondente ao quinto grau da escala natural do modo maior (q. v.). [Corresponde a *G*, na notação alfabética; cf. *ut.*] **2.** O sinal que representa essa nota, na pauta. [Pl.: *sóis.* Cf. *sois*, do v. *ser*, e *soes* (ô), do v. *soar.*]

sol[3] [Do esp. *sol.*] *S. m.* Antiga unidade monetária, e moeda, do Peru, que se dividia em 100 centavos, e que em 1º de janeiro de 1986 foi substituída pelo inti (q. v.); solar. [Pl.: *soles.*] ◆ **Sol novo.** Unidade monetária, e moeda, do Peru que substituiu o inti em 1991.

sol[4] [F. red. de *hidrossol.*] *S. m. Fís.-Quím.* Coloide em que a fase dispersora é um líquido, e a fase dispersa um sólido. [Pl.: *sóis* e *soles.*] ◆ **Sol aquoso.** *Fís.-Quím.* Hidrossol.

sola [Do lat. vulg. **sola*, (que substituiu o lat. cláss. *solea*), fonte tb. do esp. *suela.*] *S. f.* **1.** Couro curtido de boi, para calçados, bolsas, etc. **2.** Parte inferior do calçado, que assenta no chão. **3.** Cabeçalho para puxar a grade ou a charrua. **4.** *Fig.* A planta do pé. **5.** *Bras. Fut.* Falta cometida pelo jogador que entra de sola (q. v.). **6.** *Bras. Gír.* Arma cortante ou perfurante. **7.** *Bras. RJ* Espécie de beiju. ◆ **De sola e vira.** *Bras. SP Pop.* Diz-se de pessoa bem preparada para alguma coisa; de virar e romper. **Entrar de sola.** *Bras.* **1.** *Fut.* Disputar faltosamente a bola, atingindo, ou em risco de atingir, o adversário com a sola da chuteira. **2.** *Fig.* Agir, logo de começo, grosseira ou agressivamente; entrar de borzeguins. **Não chegar às solas dos sapatos de.** V. *não chegar aos pés de.* **Sola de plataforma.** Sola de sapato muito grossa: *A sola de plataforma compensa a altura do salto, dando mais firmeza ao andar.*

solado[1] [Part. de *solar*[5].] *Adj.* **1.** Em que se pôs sola (calçado). **2.** *Bras.* Diz-se de bolo ou de outra massa que, sob a ação do calor do forno, não cozinhou ou assou por igual, ficando, por isso, endurecida, pesada e borrachenta. ● *S. m.* **3.** *Bras.* A sola do calçado.

solado[2] [De *solo*[1] + *-ado*[1].] *Adj.* Imóvel e preso ao solo; alapardado. [Diz-se do coelho depois que é abatido na caça.]

solador (ô) [De *solar*[5] + *-dor.*] *S. m. Bras.* Aquele que sola calçados.

solagem [De *solar*[5]+ *-agem*[2].] *S. f.* Ato ou efeito de solar[5] (1).

solais *S. m. 2 n. Bras. S.* Parte da pedra que, no alto de morro ou de serra, principia a inclinar-se para o declive: "ninguém lhe queria, a não ser a Sabiá: aquela era um rochedo de tapiocanga, no solais das vertentes: quebrar, podia quebrar, mas não vergava nem um dedo..." (Valdomiro Silveira, *Os Caboclos*, p. 60).

solama [De *sol*[1] + *-ama.*] *S. m. Bras.* V. *solão*[2]: "A solama batia no verniz movediço do mar e reverberava intensamente." (Gustavo Barroso, *Mississípi*, p. 97.)

solanácea [Do tax. *Solanum* + *-ácea*; tax. *Solanaceae.*] *S. f. Bot.* Espécime das solanáceas, família de plantas da ordem das solanales, composta de ervas, arbustos e trepadeiras, sendo poucas as árvores. Folhas alternas; flores solitárias ou cimosas, pentâmeras e actinomorfas; fruto: baga ou cápsula. Conhecem-se umas 2.000 espécies em todo o planeta, muitas das quais brasileiras. O tomateiro, o tabaco, o pimentão, várias pimentas, a beladona, a batateira, etc., são solanáceas úteis (não falando das ornamentais).

solanáceo [De *solanácea*, com var. suf. (v. *-áceo*).] *Adj. Bot.* Pertencente ou relativo às solanáceas.

solanal [Do tax. *Solanum* + *-al*[1].] *Adj. 2 g. Bot.* Pertencente ou relativo às solanales.

solanale [Do tax. *Solanum* + *-ale*; tax. *Solanales.*] *S. f. Bot.* Espécime das solanales, ordem de plantas com cinco famílias e aproximadamente 4.200 espécies, amplamente distribuídas pelo mundo.

solancar [De **solanco*, f. sincopada de *solavanco*, + *-ar*[2].] *V. int. Bras. Pop.* Trabalhar com afinco em serviço pesado. [Conjug.: v. *trancar.*]

solandre [Do fr. *solandre*, de or. incerta.] *S. m. Veter.* **1.** Fenda na dobra do curvilhão das cavalgaduras. **2.** V. *esparavão.*

solanense *Adj. 2 g.* **1.** De, ou pertencente ou relativo a Solânea (PB). ● *S. 2 g.* **2.** O natural ou habitante de Solânea.

solanidina *S. f. Quím.* Aglicona de solanina, que desta pode ser obtida por hidrólise e que é um alcaloide esteroidal [fórm.: $C_{27}H_{43}NO$].

solanina [Do tax. *Solan(um) (tuberosum)* + *-ina*[3]; fr. *solanine.*] *S. f. Quím.* Qualquer de certos glicosídeos isoméricos, venenosos, encontrados em batatas [fórm.: $C_{45}H_{73}NO_{15}$].

solano [Do tax. *Solanum.*] *S. m. Bot.* **1.** O gênero-tipo das solanáceas, que abrange ervas, árvores e arbustos vastamente distribuídos por regiões tropicais e temperadas, ger. dotados de folhas com veios espinhosos, flores cimosas, rotiformes, brancas, purpúreas ou amarelas, e fruto bacáceo; várias espécies fornecem alimentos importantes, ou são ornamentais. **2.** Qualquer espécie desse gênero, como, p. ex., a *Solanum tuberosum* (v. *batata-inglesa*). **3.** Qualquer espécime desse gênero.

solante *S. 2 g. Bras.* Parceiro do jogo do solo.

solão[1] *S. m.* Salão[2] (1).

solão[2] [De *sol*[1] + *-ão*[1].] *S. m. Bras.* **1.** Sol abrasador, que esquenta em excesso. **2.** Grande calor do Sol. [Sin. ger.: *solama, solina.* Cf. *sulão.*]

solapa [De *so-* + *lapa*[1].] *S. f.* **1.** Cova encoberta ou tapada de modo que não se veja. **2.** *Pop.* Ardil, manha, astúcia, ronha. **3.** Orelha de livro. ◆ **À solapa.** Às escondidas; à socapa.

solapado [Part. de *solapar.*] *Adj.* **1.** Escavado, minado. **2.** Oculto, recôndito. **3.** Dissimulado, disfarçado.

solapador (ô) [De *solapar* + *-dor.*] *Adj. S. m.* Que, ou aquele que solapa. [F. paral.: *assolapador.*]

solapamento [De *solapar* + *-mento.*] *S. m.* Ato ou efeito de solapar(-se).

solapão [De *solapa* + *-ão*[1].] *S. m. Bras.* Cavidade nas ribanceiras dos rios, produzida por erosão.

solapar [De *solapa* + *-ar*[2].] *V. t. d.* **1.** Formar lapa ou cava em; escavar, minar: *A água das chuvas solapou os alicerces;* "as matérias que se haviam de purgar [na confissão], se encruam, e ficam dentro solapando e encancerando a consciência." (Pe. Manuel Bernardes, *Vários Tratados*, II, p. 348). **2.** Aluir, abalar: *O terremoto solapou a cidade;* "E, apesar dessa borda ser a mais elevada e a mais resistente, a erosão, marinha e eólia, desgasta-a, corrói-a, solapa-a, desbarrancando-a e esfrangalhando-a." (Raimundo Morais, *País das Pedras Verdes*, p. 243). **3.** Arruinar, destruir, demolir: *A evolução das sociedades pouco a pouco solapou as bases da escravidão.* **4.** Ocultar, esconder, encobrir. *P.* **5.** Encobrir-se, ocultar-se. [F. paral.: *assolapar.*]

solapo [De *solapa*.] *S. m. Bras. AM* Cavidade nas ribanceiras dos rios ou dos igarapés, sob as raízes das árvores, e onde se abrigam os peixes nas horas de calor.

solar[1] [De *solo*[1] + *-ar*[1].] *S. m.* **1.** Antiga morada de família; mansão. **2.** Morada de família nobre; palácio.

solar[2] [Do lat. *solare*.] *Adj. 2 g.* **1.** Do Sol[1] (1), ou a ele relativo. **2.** Que tem a forma aproximada do sol[1] (4): *ornato solar; plexo solar.* **3.** Claro, vibrante: "xexéus assobiando / gargalhadas finas, / galos de campina / de canto solar" (Odilo Costa Filho, *Cantiga Incompleta*, p. 14); *F. é um espírito solar.* ~ V. *ano —, arco —, atividade —, calendário —, célula —, ciclo —, coletor —, constante —, coroa —, dia —, dia — médio, dia — verdadeiro, disco —, eclipse —, energia —, espectro —, filtro —, física —, grânulo —, letra —, mancha —, mês —, nutação —, plexo —, poro —, proeminência —, propulsão —, protuberância —, quadrante —, relógio —, sistema —, tempo —, tempo — médio, tempo — verdadeiro, teto — e vento —.*

solar[3] [De *sola* + *-ar*[2].] *V. t. d.* **1.** Pôr solas em (calçado): *O sapateiro sola 10 pares de sapato por dia.* **2.** *Bras.* Tornar (bolo, etc.) endurecido, murcho, ao assar ou cozer: *A cozinheira inexperiente solou o bolo.* ***Int.*** **3.** *Bras.* Ficar (o bolo, etc.), ao cozer, endurecido e sem crescimento.

solar[4] *S. m.* Sol[3].

solar[5] [De *sola* + *-ar*[1].] *Adj. 2 g.* Referente a sola.

solar[6] [De *solo*[2] + *-ar*[2].] *V. int. Mús.* Tocar um solo[2] (1).

solar[7] [De *solo*[3] + *-ar*[2].] *V. int.* Ganhar no jogo do solo (3).

solarengo [De *solar*[1] + *-engo*.] *Adj.* **1.** Relativo ou pertencente a, ou próprio de solar[1]. **2.** Que tem aspecto ou feitio de solar[1]: "Por entre graves e senhoriais ciprestes, vê-se uma casa solarenga, quase em ruínas, com suas torres e ameias" (Antônio Correia d'Oliveira, *Líricas*, p. 131). ● *S. m.* **3.** Dono de solar[1].

solário [Do lat. *solariu*.] *S. m.* **1.** Terraço que cobria as casas antigas. **2.** Lugar de um estabelecimento hospitalar exposto à luz solar e destinado à helioterapia. **3.** *P. ext.* Terraço ou outro local onde se tomam banhos de sol[1] (2). **4.** Entre os antigos romanos, relógio de sol.

solarização [Do ingl. *solarization*.] *S. f. Fot.* Fenômeno que consiste na transformação de um negativo em positivo, e que pode ocorrer quando há uma superexposição muito grande; efeito Sabatier.

solau[1] [Do cat. *solau*, poss.] *S. m. Arte Poét.* Antigo romance em verso, geralmente acompanhado de música: "E Telmo que te não conte mais histórias, que te não ensine mais trovas e solaus. Poetas e trovadores padecem todos da cabeça..." (Almeida Garrett, *Frei Luís de Sousa*, p. 93.)

solau[2] *S. m. Bras.* Ladeira lamacenta e de acesso difícil.

solavancar [De *solavanco* + *-ar*[2].] *V. int.* Dar solavancos: "a carriola solavancando num rolo leve de poeira" (Eça de Queirós, *A Ilustre Casa de Ramires*, p. 103); "então o carro subia lento, rangendo, solavancando" (Coelho Neto, *Treva*, p. 31). [Conjug.: v. *trancar*.]

solavanco [De *solevar*, poss.] *S. m.* **1.** Balanço inesperado e/ou violento de um veículo, ou das pessoas que ele carrega. **2.** *P. ext.* Abalamento ou sacudidela brusca. [Sin. ger.: *tranco*.]

solaz [Do lat. *solatiu*.] *S. m.* **1.** Distração, recreio. **2.** Conforto, consolação. ● *Adj. 2 g.* **3.** Consolador, consolativo.

solcris [De *Sol*[1] + *cris*[3].] *S. m. Ant.* Eclipse do Sol[1] (1). [Pl.: *solcrises*.]

solda[1] [Dev. de *soldar*.] *S. f. Metal.* Substância metálica e fusível us. para ligar peças também metálicas. ◆ **Solda a explosão.** *Metal.* União de dois metais devida ao impacto causado por uma explosão que, à grande velocidade, lança um deles ao encontro do outro, soldando-os. **Solda autógena.** *Metal.* Solda de dois metais por fusão parcial deles, conseguida por meio do maçarico. **Solda de bismuto.** *Metal.* Solda que se efetua com liga de bismuto, chumbo e estanho, de ponto de fusão muito baixo, us. na selagem dos extintores automáticos de incêndio. **Solda de chumbo.** *Metal.* Solda que se efetua usando-se liga de chumbo e estanho, de baixo ponto de fusão, relativamente mole, e pouco resistente. **Solda de prata.** *Metal.* Solda que se efetua mediante liga de prata, zinco e cobre, e é muito dura e resistente. **Solda elétrica.** *Metal.* Solda que se efetua pela ação de um arco elétrico.

solda[2] [Var. aferética de *consolda*.] *S. f. Bot.* Erva rubiácea (*Galium mollugo*) de caule quadrangular e que forma tufos, folhas uninérveas com a ponta muito prolongada, flores minutas e congregadas em panículas amplas, fruto indeiscente e bilocular. É daninha em vários lugares. [Sin.: *molugem*.]

sol-da-bolívia [De *sol*[1] + o top. *Bolívia*.] *S. m. Bot.* Rosa-da-montanha. [Pl.: *sóis-da-bolívia*.]

soldabrasagem [De *solda*[1] + *abrasagem*.] *S. f. Metal.* Processo de união de materiais em que o metal de adição se distribui por capilaridade na fresta formada pelas superfícies da junção, após fundir-se.

soldada [De *soldo* + *-ada*[1].] *S. f.* **1.** Quantia com que se paga o trabalho de criados, operários, etc.; salário. **2.** Salário de tripulante de embarcação mercante: "Destacava-se .... no grupo dos marujos desembarcados que ali andavam à gandaia e ao léu, gozando boemiamente as soldadas de três ou quatro meses de mar, o Mateus Sabrosa" (Virgílio Várzea, *Nas Ondas*, p. 3). **3.** *Fig.* Recompensa, prêmio.

soldadeiro [De *soldada* + *-eiro*.] *Adj. S. m.* Que, ou aquele que recebe a soldada.

soldadesca (ê) [Do it. *soldatesca*.] *S. f. Deprec.* **1.** A classe militar; a gente de guerra; a tropa. **2.** Bando de soldados indisciplinados.

soldadesco (ê) [De *soldado* + *-esco*.] *Adj.* Relativo a soldados, ou próprio deles.

soldadinho [De *soldado* + *-inho*[1].] *S. m. Bras.* **1.** *Zool.* Ave passeriforme, traupídea (*Tangara cyanocephala cearensis*), do N.E. do Brasil, de coloração geral verde, fronte e dorso alto pretos, cabeça e garganta azuis, asas e cauda negras, as coberteiras superiores da cauda com pontas azul-claras formando faixa fina. **2.** Recruta recém-incorporado, ou que está prestando o serviço militar. ~ V. *soldadinhos*.

soldadinhos *S. m. pl. Bras. PE* Duas filas de castanhas, uma em frente da outra, que dois brincantes, um de cada lado, tentam derrubar, lançando uma castanha comum. ~ V. *soldadinho*.

soldado[1] [Part. de *soldar*.] *Adj.* **1.** Que foi unido com solda. **2.** Ligado, preso, colado. ~ V. *cal –a*.

soldado[2] [Do it. *soldato*.] *S. m.* **1.** Indivíduo alistado nas fileiras do exército, ou nas forças policiais estaduais. [Sin. poét., nesta acepç.: *mílite*.] **2.** V. *hierarquia militar*. **3.** Militar que detém a posição hierárquica de soldado. **4.** Qualquer militar. **5.** *Fig.* Aquele que luta por uma causa; partidário, sectário, defensor, paladino: *os Soldados de Cristo; os soldados da democracia.* **6.** *Bras. Zool.* Peixe teleósteo, perciforme, caetodontídeo (*Holocanthus tricolor*), do Atlântico, comum no N.E. do Brasil. Tem cabeça, parte anterior do corpo, região torácica, abdominal e nadadeiras amarelo-cromo, a dorsal marginada de vermelho, lábios pretos e o resto do corpo negro-azulado. Comprimento de 35cm. [Sin., nesta acepç.: *paru-soldado, tambuatá, tamuatá, vigário*.] **7.** *Zool.* Ave emberizídea, icterínea (*Cacicus chrysopterus*), com cerca de 20cm de comprimento, distribuída do S.E. do Brasil ao N. da Argentina e ainda Paraguai e Bolívia. Tem coloração preta, com uropígio e encontros amarelos e bico verde-azulado. Alimenta-se de frutas e insetos e vive em matas. [Sin., nesta acepç.: *inhapim, japim-soldado, melro, nhapim, tecelão*.] **8.** *Bras. Zool.* V. *capitão* (13) **9.** *Zool.* V. *encontro* (11) **10.** *Zool.* Em algumas sociedades de térmites e de algumas formigas como, p. ex., a formiga-correição, adulto assexuado, dotado de cabeça volumosa e que se ocupa, esp., da defesa do ninho. ◆ **Soldado desconhecido.** Soldado morto em combate e não identificado, cujo túmulo em alguns países é lugar de reverência cívica nacional à memória de todos os soldados mortos pela pátria. [A iniciativa partiu da França, após a I Guerra Mundial.] **Soldado do fogo.** Bombeiro[1] (2). **Soldado gregal.** Soldado raso. **Soldado raso.** Militar sem graduação; soldado gregal. **Soldado recruta.** Recruta (1).

soldado-do-bico-preto *S. m. Bras. Zool.* V. *encontro* (11). [Pl.: *soldados-do-bico-preto*.]

soldado-pago *S. m. Bras. Zool.* V. *encontro* (11). [Pl.: *soldados-pagos*.]

soldador (ô) [De *soldar* + *-dor*.] *Adj. S. m.* Que, ou aquele que solda.

soldadura [De *soldar* + *-dura*.] *S. f.* **1.** Ato ou efeito de soldar(-se); soldagem. **2.** A parte por onde se soldou. **3.** *Veter.* Tumor subcutâneo nas costelas das cavalgaduras.

soldagem [De *soldar* + *-agem*[2].] *S. f.* Soldadura (1).

soldanela [Do fr. *soldanelle*.] *S. f. Bot.* Planta convolvulácea (*Calystegia soldanella*) rastejante, de folhas grossas, reniformes, com as aurículas arredondadas, e corola grande, rosada ou vermelha; couve-marinha.

soldanela-d'água *S. f. Bras. Bot.* Erva gencianácea (*Limnanthemum humboldtianum*) modesta, que vive em alagadiços e poças, cujas folhas são arredondadas e herbáceas, ficando na superfície do líquido, e as flores são alvas e reunidas em pequenas inflorescências; aperana. [Pl.: *soldanelas-d'água*.]

soldão *S. m. Ant.* V. *sultão*.

soldar [Do lat. *solidare*.] *V. t. d.* **1.** Unir ou pegar com solda[1]: *soldar uma peça de metal.* ***T. d. e i.*** **2.** Ligar, unir, prender: *soldar um cabo a outro maior.* ***Int. P.*** **3.** Unir-se, pegar-se, colar-se. **4.** Cicatrizar-se, fechar (a ferida). [Pres. ind.: *soldo*, etc. Cf. *soldo* (ô), s. m.]

sol das almas *S. m. Bras. N.E. S. GO* Arrebol da manhã ou da tarde [v. *ruiva*[2] (4)]: "Deitadas molengas em folhas macias! / Na sombra rajada das bananeiras lentas / Iluminadas por um sol das almas." (Ascenso Ferreira, *Catimbó e Outros Poemas*, p. 106); "Uma faixa de luz da serra à fronte / — Sol das almas lhe chamam — aparece, / Mas logo esmaia, e é trevas o horizonte." (Alberto de Oliveira, *Poesias*, 1.ª série, p. 226). [Pl.: *sóis das almas*.]

soldável [De *soldar* + *-vel*.] *Adj. 2 g.* Que se pode soldar.

soldo (ô) [Do lat. *solidu*, 'firme, consistente', *i. e.*, *nummu solidu*, 'moeda inteira, não fracionada'.] *S. m.* **1.** *Ant.* Quantia paga mensalmente pelo governo às praças de pré, ou praças de primeira linha. **2.** *Bras. Mil.* Quantia básica, de referência, para pagamento de militar, à qual se acrescentam percentuais que variam com a categoria hierárquica, especialidade, tempo de serviço, etc. **3.** *Desus.* Moeda francesa correspondente a um vigésimo do franco, *i. e.*, a cinco cêntimos. [Pl.: *soldos* (ô). Cf. *soldo*, do v. *soldar*.]

soldra [De or. obscura.] *S. f.* Nas cavalgaduras, saliência sobre a articulação da coxa com a perna.

solé *S. m. Bras. Zool.* V. *parati*[2].

solear [Do lat. cient. *soleus* < lat. *solea*, 'sandália', 'alparcata', + *-ar*[1].] *Adj. 2 g.* ~ V. *músculo —*.

solecar *V. t. d. Marinh.* Deixar recorrer pouco a pouco (um cabo que está sob tensão ou que porta um peso). [Conjug.: v. *trancar*.]

solecismo [Do gr. *soloikismós*, pelo lat. *soloecismu*.] *S. m.* **1.** *E. Ling.* Erro de sintaxe: "A linguística, porém, prova que, na origem, todas as transformações sintáticas foram solecismos." (Mário Barreto, *Últimos Estudos*, p. 39.) **2.** *P. ext.* Erro, culpa, falha.

solecista [De *solecismo* + *-ista*.] *Adj. 2 g. S. 2 g.* Que, ou quem comete solecismos.

solecizar [De *solecismo* + *-izar*, seg. o padrão erudito.] *V. int.* Incorrer em solecismo(s).

soledade [Do lat. *solitate*, pelo arc. *soidade*, 'refeito'.] *S. f.* **1.** Lugar ermo, deserto; solidão: "— Eu sou filha dos ermos, / Das soledades azuis!" (Alberto de Oliveira, *Poesias*, 1.ª série, p. 35.) **2.** Tristeza característica de quem se acha só ou abandonado: "as suas horas de soledade, lá nessa descampada Castela, quantas saudades do filho amado, quanto rancor contra o rei, ... contra a corte —, ... contra todos!" (Antero de Figueiredo, *Leonor Teles*, p. 68).

soledadense[1] *Adj. 2 g.* **1.** De, ou pertencente ou relativo a Soledade (PB e RS). ● *S. 2 g.* **2.** O natural ou habitante de Soledade.

soledadense[2] *Adj. 2 g.* **1.** De, ou pertencente ou relativo a Soledade de Minas (MG). ● *S. 2 g.* **2.** O natural ou habitante de Soledade de Minas.

sol e dó [De *sol*[2] + *e* + *dó*.] *S. m. Pop.* **1.** Música simples, corriqueira, sem modulações e outros acordes a não ser os da dominante (sol) e o da tônica (dó): "Juntaram-se os dois na esquina / E tocaram concertina / E dançaram o sol e dó" (do cancioneiro popular português). **2.** Concerto de guitarra, cavaquinho, flauta e outros instrumentos populares. **3.** *P. ext.* Conjunto de instrumentos populares que executa música trivial. **4.** *Pej.* Gênero de música muito banal. [Pl.: *sol e dós*.]

soleídeo [Do tax. *Solea* + *-ídeo*[1]; tax. *Soleidae*.] *Zool. S. m.* **1.** Espécime dos soleídeos, família de peixes marinhos, heterossomos, actinopterígios, de corpo achatadíssimo, e que no estado adulto apresentam os dois olhos de um mesmo lado. São vulgarmente conhecidos pelos nomes de linguado, solha, tapa, língua-de-mulata, etc. ● *Adj.* **2.** Pertencente ou relativo a eles.

soleira[1] [De *solo*[1] + *-eira*.] *S. f.* **1.** Peça de madeira ou de pedra que forma a parte inferior do vão da porta e está ao nível do piso: "E os dois vultos chegaram à porta da choça, fechada, em que se via, sobre a soleira, a luz que vinha de dentro." (Cornélio Pires, *Quem Conta um Conto...*, p. 227.) **2.** Estribo de carruagem. **3.** Ferro por baixo das tesouras do coche. **4.** A correia da espora que passa por sob o calçado. **5.** *Metal.* O piso de tijolos refratários de certos tipos de forno.

soleira[2] *S. f. Bras.* V. *soalheira*.

solene [Do lat. *solemne*, 'que retorna todos os anos', 'anualmente festejado', 'festejado'.] *Adj. 2 g.* **1.** Que se celebra com pompa e magnificência em cerimônias públicas: *Os oitenta anos do grande escritor representaram acontecimento solene.* **2.** Que se efetua com aparato e pompa: *missa solene; sessão solene.* **3.** Acompanhado de formalidades e fórmulas ditadas por leis ou costumes capazes de imprimir um caráter de importância e estabilidade: *juramento solene; contrato solene.* **4.** Que infunde respeito; imponente, majestoso: *magistrado solene; tom solene.* **5.** *Fam.* Que tem um tom pomposo, enfático, afetado, sentencioso: *O discurso foi tão solene quanto vazio.* ~ V. *ato —, contrato — e voto —.*

solenial [De *solen(o)-* + *-ial*.] *Adj. 2 g.* ~ V. *tecido —.*

solenidade [Do lat. *solennitate*.] *S. f.* **1.** Festividade solene (1). **2.** Qualidade ou caráter de solene: *Bela foi a solenidade da distribuição dos prêmios.* **3.** Conjunto de formalidades que acompanham certos atos, para os autenticar ou validar. **4.** *Fam.* Ênfase, arrogância, ostentação.

solenídeo [Do tax. *Solen* + *-ídeo*¹; tax. *Solenidae*.] *Zool.* *S. m.* **1.** Espécime dos solenídeos, família de moluscos marinhos, bivalves, dotados de conchas curvas, estreitas e alongadas. ● *Adj.* **2.** Pertencente ou relativo a eles.

solenização [De *solenizar* + *-ção*.] *S. f.* Ato ou efeito de solenizar.

solenizador (ô) [De *solenizar* + *-dor*.] *Adj.* *S. m.* Que, ou aquele que soleniza.

solenizar [De *solene* + *-izar*.] *V. t. d.* **1.** Celebrar com solenidade: *Solenizaram a Independência.* **2.** Tornar solene; dar aspecto solene a.

▲**solen(o)-** [Do gr. *sōlḗn, ênos.*] *El. comp.* = 'canal'; 'tubo': *solenóglifo, solenostelo.*

solenogastro [De *solen(o)-* + *-gastro*; tax. *Solenogastres*.] *S. m. Adj. Zool.* V. *aplacóforo.*

solenoglífico [De *solenóglifo* + *-ico*².] *Adj. Zool.* Relativo a, ou próprio de solenóglifo.

solenóglifo [De *solen(o)-* + *-glifo*.] *Adj. S. m. Zool.* Diz-se de, ou ofídio que apresenta, na maxila, colmilhos em cujo interior há canalículos que portam veneno.

solenoidal [De *solenoide* + *-al*¹.] *Adj. 2 g.* Que tem forma de solenoide. ~ V. *campo — e vetor —.*

solenoide (ói) [Do gr. *solenoeidés*, 'em forma de tubo'.] *S. m. Fís.* Indutor constituído por um conjunto de espiras circulares paralelas e muito próximas, com o mesmo eixo retilíneo. ❖

solenostélio [De *solenostelo* + *-io*³.] *Adj. Bot.* Relativo ou pertencente ao solenostelo.

solenostelo [De *solen(o)-* + *-stelo*.] *S. m. Bot.* Sifonostelo em que o xilema se mostra perfurado pelas lacunas foliares, as quais, em conjunto, têm superfície idêntica à da parte sólida.

solércia [Do lat. *sollertia*.] *S. f.* Qualidade de solerte; ardil, astúcia, manha.

solerte [Do lat. *sollerte*.] *Adj. 2 g.* Diz-se de pessoa sagaz, manhosa ou velhaca: "o político tortuoso e solerte que .... faz da política um meio de existência e supre com a esperteza criminosa a superioridade de pensar" (Euclides da Cunha, *Contrastes e Confrontos*, p. 176).

soles [De or. obscura.] *S. m. 2 n.* Cambão a que se prendem duas ou mais juntas de bois.

soleta (ê) [De *sola* + *-eta* (ê).] *S. f.* **1.** Sola fina para calçado. **2.** V. *palmilha* (1).

soletração [De *soletrar* + *-ção*.] *S. f.* **1.** Ato ou efeito de soletrar. **2.** Método de aprender a ler no qual se toma a letra como unidade de leitura. **3.** Leitura muito vagarosa, soletrada.

soletrador (ô) [De *soletrar* + *-dor*.] *Adj. S. m.* Que, ou aquele que soletra.

soletrar [De *só* + *letra* + *-ar*².] *V. t. d.* **1.** Ler pronunciando separadamente as letras e juntando-as em sílabas: "quis aprender a ler ....; mas a natureza opôs-se-lhe, logo que ele, após um ano de canseira, entrou a soletrar palavras de três sílabas." (Camilo Castelo Branco, *Amor de Salvação*, p. 59). **2.** Ler pausadamente e com atenção. **3.** Ler devagar ou por partes. **4.** Ler por alto; ler mal. **5.** Decifrar, deslindar. **6.** Perceber, entender. **7.** *Bras. S. Pop.* Contar, narrar, expor. *Int.* **8.** Separar as letras de cada palavra, aglutinando-as em sílabas, para fazer a leitura desta.

solevamento [De *solevar* + *-mento*.] *S. m.* Ato de solevar(-se).

solevantar [De *so-* + *levantar*.] *V. t. d.* **1.** Levantar um pouco; soerguer, solevar. **2.** Levantar a pouca distância. **3.** Erguer com dificuldade, a custo ou gradualmente. *P.* **4.** Erguer-se um pouco, a custo ou gradualmente.

solevar [De *so-* + *levar*, 'levantar'.] *V. t. d.* **1.** Solevantar, soerguer: "solevando e abaixando o lençol fino com o arfar cadenciado do seio, ela tinha uma expressão de tranquilidade que me pareceu insolente" (José Régio, *Histórias de Mulheres*, p. 266). *P.* **2.** Erguer-se, levantar-se.

solfa [Do it. *solfa*.] *S. f. Mús.* **1.** Solfejo (3). **2.** Música escrita. **3.** Música vocal. **4.** Qualquer música. **5.** *Bras. Liter. Pop.* Romance cantado; cantiga: *a solfa do Boi Surubim.* **6.** *Restr. Bras. Liter. Pop.* A parte musical do verso cantado.

solfado [Part. de *solfar*².] *Adj.* Diz-se do papel pautado à largura da folha.

solfar¹ [De *solfa* + *-ar*².] *V. t. d. Int.* V. *solfejar.*

solfar² [Do it. *sodo fare*, 'tornar sólido, firme'.] *V. t. d. Encad.* **1.** Consertar a margem de (folha de livro). [V. *espelhar* (3).] **2.** Aumentar a margem de (folha de livro), colocando-lhe tira de papel.

solfatara [Do it. *solfatara*.] *S. f.* Cratera de vulcão em estágio senil, que expele gás sulfídrico ou vapores de enxofre; enxofreira, sulfureira: "As goelas dos vulcões, as brechas das solfataras, os dentes e as agulhas das erosões milenárias igualam-se na crespidão da serrania" (Alberto Rangel, *Livro de Figuras*, pp. 223-224). [Cf. *sulfatara*, do v. *sulfatar*.]

solfejar [Do it. *solfeggiare*.] *Mús. V. t. d.* **1.** Ler ou entoar (um trecho musical), vocalizando-o, ou pronunciando-o o nome das notas, e dando a cada nota o seu valor e a sua acentuação, de acordo com as indicações do compasso e do ritmo. *Int.* **2.** Ler ou entoar os nomes das notas de uma peça musical. [Sin. ger.: *solfar.* Conjug.: v. *pelejar.*]

solfejo (ê) [Do it. *solfeggio*.] *S. m. Mús.* **1.** Exercício musical para aprender a solfejar. **2.** Ato ou efeito de solfejar. **3.** Arte de solfejar; solfa. **4.** Compêndio ou caderno de exercícios musicais, para se aprender a solfejar.

solferino [Do top. *Solferino* (Itália).] *S. m. Bras.* A cor escarlate, ou entre o encarnado e o roxo, que é us. nas vestes episcopais.

solfista [De *solfa* + *-ista*.] *S. 2 g.* **1.** Pessoa que solfeja. **2.** *Pop.* Músico (1).

sol-fora [De *sol*¹ + *fora*.] *S. m.* O nascer do Sol, o amanhecer: "Desde o sol-fora que andam naquela / Faina constante pelos trigais" (Conde de Monsaraz, *Musa Alentejana*, p. 16). [Pl.: *sóis-fora*.]

solha (ô) [Do lat. *solea*, 'sandália', 'alpercata', e tb. 'linguado'.] *S. f. Bras. Zool.* V. *linguado* (5). [No Brasil, o nome é m. us. para designar a espécie *Solea brasiliensis*, da costa atlântica. Pl.: *solhas* (ô). Cf. *solha* e *solhas*, do v. *solhar*.]

solhar¹ *Adj. 2 g. Anat.* V. *solear.*

solhar² [De *soalhar*, com contração das vogais iniciais.] *V. t. d.* Assoalhar, soalhar. [Pres. ind.: *solho, solhas, solha*, etc. Cf. *solho* (ô), *solha* (ô) e pl. *solhas* (ô).]

solheira *S. f. Lus.* Aparelho de pesca fluvial, de instalação fixa, com redes presas a varas cravadas no fundo do rio ou ria.

solho (ô) *S. m.* F. contrata de *soalho*¹: "Mas a janela treme, o solho geme, e a chuva / Contra as vidraças bate os negros véus de viúva" (José Régio, *Mas Deus É Grande*, p. 59). [Em Afonso Arinos (*Pelo Sertão*, p. 35), o vocábulo aparece com acento agudo no *ó*, indicativo de abertura da vogal tônica. Pl.: *solhos* (ô). Cf. *solho*, do v. *solhar*.]

▲**sol(i)-** [Do lat. *solus, a, um*.] *El. comp.* = 'só', 'único': *solípede, solipsismo.*

▲**soli-**¹ [Do lat. *solum, i*.] *El. comp.* = 'solo': *solifluxão.*

▲**soli-**² [Do lat. *sol, solis*.] *El. comp.* = 'sol¹': *solífugo*¹.

solia [De or. obsc.] *S. f.* **1.** *Tec. Têx.* Antigo tecido de lã. **2.** *Vest.* Roupa feita com esse tecido.

solicitação [Do lat. *sollicitatione*.] *S. f.* **1.** Ato ou efeito de solicitar; pedido. **2.** Pedido insistente; rogo, súplica. **3.** Tentação capaz de atrair; convite, apelo: *as solicitações da sociedade de consumo.* **4.** Causa exterior (força, variação de temperatura) capaz de alterar o estado de tensão de um corpo ou de nele provocar uma deformação.

solicitador (ô) [Do lat. *sollicitatore*.] *Adj.* **1.** Que solicita; solicitante. ● *S. m.* **2.** Aquele que solicita; solicitante. **3.** Auxiliar de advogado, habilitado por lei para requerer em juízo ou promover o andamento das ações, com diversas restrições legais. ◆ **Solicitador acadêmico.** *Bras.* Estudante de direito, matriculado no penúltimo ou no último ano das faculdades, legalmente habilitado para procurar em juízo, com diversas restrições expressas em lei.

solicitante [Do lat. *sollicitante*.] *Adj. 2 g. S. 2 g.* Solicitador (1 e 2).

solicitar [Do lat. *sollicitare*.] *V. t. d.* **1.** Procurar, buscar, requestar: *Solicitava, de preferência, a amizade de pessoas influentes.* **2.** Pedir ou rogar com instância: *Solicitava, ansioso, a remuneração a que fizera jus.* **3.** Requerer (1): *Solicitava o despacho de um processo;* "Nenhum homem de estudo desgasta, como em Portugal, as escadas das secretarias a inquirir notícias ou a solicitar despachos" (Ramalho Ortigão, *Em Paris*, p. 253). **4.** Promover como solicitador. *T. d. e i.* **5.** Induzir, arrastar, incitar, atrair, impelir: *O passado de glória solicitava o ex-guerreiro a novas batalhas.* **6.** Pedir com instância; rogar com vivo empenho: *Mais uma vez solicitou providências às autoridades.* **7.** Convocar, convidar: *O magistrado solicitou os réus a se pronunciarem.* **8.** Induzir, incitar, arrastar: *As más companhias solicitaram-no a um comportamento duvidoso.* *Int.* **9.** Fazer requerimentos perante os tribunais e promover negócios forenses na qualidade de solicitador. *P.* **10.** Ter cuidados; inquietar-se. [Pres. ind.: *solicito*, etc. Cf. *solícito*, adj.]

solicitável [De *solicitar* + *-vel*.] *Adj. 2 g.* Que se pode solicitar.

solícito [Do lat. *sollicitu*.] *Adj.* **1.** Cuidadoso, diligente, zeloso: *enfermeira solícita.* **2.** Inquieto, apreensivo, receoso: *A mãe solícita não desviava os olhos do menino que andava.* **3.** Prestimoso, prestativo, prestadio. [Cf. *solicito*, do v. *solicitar*.]

solicitude [Do lat. *sollicitudine*.] *S. f.* **1.** Qualidade de solícito. **2.** Afã ou empenho em atingir um objetivo: *Graças à solicitude da equipe da NASA, as viagens espaciais têm-se realizado com segurança e bom êxito.* **3.** Desejo de atender a alguma solicitação da melhor forma possível; boa vontade: *A solicitude do funcionário o ajudou a localizar o processo perdido;* "Sob condição .... de o servirem com pressurosa solicitude, Chico tolerava-as." (José Régio, *Histórias de Mulheres*, p. 102). **4.** Zelo em prestar qualquer espécie de assistência; desvelo, dedicação: *a solicitude de um médico, de um professor.* **5.** Atenção inquieta; cuidado constante: *O menino tratou com solicitude do cãozinho atropelado.* **6.** Atenção, delicadeza, consideração: *O moço humilde foi recebido com solicitude pela família do padrinho.*

solidanense *Adj. 2 g.* **1.** De, ou pertencente ou relativo a Solidão (PE). ● *S. 2 g.* **2.** O natural ou habitante de Solidão.

solidão [Do lat. *solitudine*.] *S. f.* **1.** Estado do que se encontra ou vive só; isolamento: "Como tenho pensado em ti na solidão das noites úmidas, / De névoa úmida, / Na areia úmida!" (Manuel Bandeira, *Estrela da Vida Inteira*, pp. 81-82.) [Sin., poét.: *solitude*.] **2.** Lugar ermo e despovoado: *Brasília foi construída na solidão dos cerrados do centro do País.* **3.** Situação ou sensação de quem vive isolado numa comunidade: *No internato, o menino sentia mais que nunca a sua solidão.* ◆ **Solidão a dois.** Estado de casados ou amantes que, embora vivam juntos, dir-se-ia viverem sós, por não haver entre eles nenhum entendimento.

solidar [Do lat. *solidare*.] *V. t. d.* **1.** Solidificar (1). **2.** Confirmar, corroborar. [Pres. ind.: *solido*, etc.; fut. do pret.: *solidaria*, etc. Cf. *sólido*, adj. e s. m., e *solidária*, fem. de *solidário*.]

solidariedade [De *solidári(o)* + *-edade*.] *S. f.* **1.** Qualidade de solidário. **2.** Laço ou vínculo recíproco de pessoas ou coisas independentes. **3.** Adesão ou apoio a causa, empresa, princípio, etc., de outrem. **4.** Sentido moral que vincula o indivíduo à vida, aos interesses e às responsabilidades dum grupo social, duma nação, ou da própria humanidade. **5.** Relação de responsabilidade entre pessoas unidas por interesses comuns, de maneira que cada elemento do grupo se sinta na obrigação moral de apoiar o(s) outro(s): *solidariedade de classe.* **6.** Sentimento de quem é solidário (6): *A catástrofe despertou a solidariedade de todos.* **7.** Dependência recíproca: *É visível na obra desse artista a solidariedade entre a razão e a intuição.* **8.** *Jur.* Vínculo jurídico entre os credores ou entre os devedores em uma mesma relação obrigacional, cada um deles, respectivamente, com direito ao recebimento ou ao pagamento da dívida toda, de sorte que cada credor pode exigir ou cada devedor está obrigado a pagar integralmente a prestação objeto daquela obrigação.

solidário [De *sólido* + *-ário*.] *Adj.* **1.** Que responsabiliza cada um de muitos devedores pelo pagamento total de uma dívida. **2.** Que concede a cada um de vários credores o direito de receber a totalidade da dívida. **3.** *P. ext.* Que se encontra ligado por um ato solidário (1 e 2): *credor solidário.* **4.** Diz-se daqueles que têm responsabilidade ou interesse recíproco. **5.** Aderido a causa, empresa, opinião, etc., de outro(s): *O jornal ficou solidário ao governo.* **6.** Que partilha o sofrimento alheio, ou se propõe mitigá-lo: *Foi solidário com o amigo quando este perdeu a mulher.* [Fem.: *solidária*. Cf. *solidaria*, do v. *solidar*.] ~ V. *dívida — a.*

solidarismo [De *solidário* + *-ismo*.] *S. m. Filos.* Doutrina que dá prioridade à solidariedade como princípio moral, situando-a acima da justiça, ou da caridade, etc.

solidarização [De *solidarizar* + *-ção*.] *S. f.* Ato ou efeito de solidarizar(-se).

solidarizar [De *solidário* + *-izar*.] *V. t. d. T. d. e i. P.* Tornar(-se) solidário.

solidéu [Do lat. *soli Deo*, 'somente a Deus'.] *S. m.* **1.** *Rel.* Pequeno barrete, em forma de calota, com que bispos e alguns padres cobrem o alto da cabeça: "um solidéu vermelho surgiu topetando uma cabeça empoada e frisada de príncipe da Igreja Patriarcal." (Júlio Dantas, *O Amor em Portugal no Século XVIII*, p. 124). **2.** Barrete semelhante ao solidéu (1), ou de outra forma, usado sobretudo por pessoas calvas, e pelos judeus, em determinadas ocasiões: "tinha [Anatole France] na cabeça aquele solidéu de veludo vermelho, incendiário, que lhe dava .... ares de Mefistófeles ameno ou de benfazejo cardeal-diabo" (Aquilino Ribeiro, *Por Obra e Graça*, p. 132).

solidez (ê) [De *sólido* + *-ez*.] *S. f.* **1.** Qualidade ou estado de sólido. **2.** Resistência, durabilidade. **3.** *Fig.* Segurança, firmeza, estabilidade: *a solidez de uma instituição.* **4.** *Fig.* Qualidade do que é real, efetivo; fundamento, base: *a solidez de um argumento.* **5.** *Fig.* Segurança, certeza, garantia: *a solidez da palavra empenhada.*

solidificação [De *solidificar* + *-ção.*] *S. f.* **1.** Ato ou efeito de solidificar(-se). **2.** Passagem direta do estado líquido ao estado sólido.

solidificado [Part. de *solidificar.*] *Adj.* Que se solidificou; em que houve solidificação.

solidificador (ô) [De *solidificar* + *-dor.*] *Adj. S. m.* Que ou o que solidifica.

solidificar [De *sólido* + *-ificar.*] *V. t. d.* **1.** Tornar sólido; solidar. **2.** Fortalecer, robustecer: *A leitura da Bíblia solidificou a sua fé.* **3.** Tornar estável, firme, resistente: *O seu comportamento íntegro solidificou a confiança que nele depositavam.* **4.** Congelar: *O frio solidificou a água. P.* **5.** Tornar-se sólido, firme ou estável. **6.** Congelar-se. [Conjug.: v. *trancar.*]

sólido [Do lat. *solidu.*] *Adj.* **1.** Que não é vazio ou oco; maciço: *O escultor feriu com o cinzel a pedra sólida.* **2.** Que tem consistência, podendo ser mais ou menos espesso; encorpado: *alimento sólido.* [Opõe-se, nesta acepç., a *líquido* (1).] **3.** Que dificilmente se deixa destruir por uma força externa (atrito, pressão, tempo, etc.); que se mantém coeso e rígido; resistente: *casa sólida, sapato sólido.* **4.** Forte, robusto: *velho sólido.* **5.** Que tem fundamento real; seguro: *fortuna sólida.* **6.** *Fig.* Digno de confiança; incontestável: *razões sólidas; conhecimentos sólidos.* **7.** *Fig.* Firme, seguro, sério; duradouro: *casamento sólido; amizade sólida.* **8.** *Fig.* Que não se altera ou afeta com facilidade: *saúde sólida; nervos sólidos.* **9.** *Fam.* Bem aplicado; adequado; enérgico: *um sólido bofetão.* ~ V. *ângulo —, cloro —, descarga —a, estado —, geometria —a* e *maré —a.* • *S. m.* **10.** Qualquer corpo sólido (1 a 3). **11.** *Fís.* Substância caracterizada por um arranjo regular de suas partículas constitutivas, que formam uma rede espacial definida e característica. **12.** Solidez (2). **13.** *Geom.* Corpo que tem três dimensões e é limitado por superfícies fechadas. [Cf. *solido*, do v. *solidar.*] ◆ **Sólido de revolução.** *Geom.* Sólido (13) gerado pela rotação de uma superfície plana em torno de um eixo.

solidónia *S. f. Bot.* V. *solidônia.* [Uso freq. em P.]

solidônia [De or. obsc.] *S. f. Bot.* Arbusto asteráceo (*Trixis divaricata*) escandente, originário da América do Sul, dotado de folhas lanceoladas, flores em panículas corimbíferas e frutos que são aquênios cilíndricos; carvalhinha, celidônia, guiné. **2.** Erva nictaginácea (*Boerhavia paniculata*) de flores róseas, paniculadas, e raízes eméticas e purgativas; celidônia, erva-tostão.

solifluxão (cs) [De *soli-*^{1} + lat. *fluxio, onis*, 'fluxo', 'corrimento'.] *S. f. Geol.* Deslocamento de terra ou de blocos rochosos das montanhas, provocado pelo encharcamento.

solífugo^{1} [De *soli-*^{2} + *-fugo*^{1}.] *Adj. Poét.* **1.** Que foge da luz do Sol^{1} (1). **2.** Amigo das trevas; noturno.

solífugo^{2} [Adapt. do tax. *Solifugae*, do pl. do lat. tard. *solifuga*, alter. do lat. *salpuga*, 'formiga ou aranha venenosa'.] *S. m. Adj. Zool.* V. *solpúgido.*

soliloquiar [De *solilóquio* + *-ar*^{2}.] *V. int.* Falar sozinho, em solilóquio; monologar. [Pres. ind.: *soliloquio*, etc. Cf. *solilóquio.*]

solilóquio [Do lat. *soliloquiu.*] *S. m.* **1.** Fala de alguém consigo mesmo; monólogo: "continuava em seu pungente solilóquio: eu é que sou o medíocre, eu é que sou o espesso" (Jorge de Lima, *Guerra dentro do Beco*, p. 111). **2.** Forma dramática ou literária do discurso em que a personagem extravasa de maneira ordenada e lógica os seus pensamentos e emoções em monólogos, sem dirigir-se especificamente a qualquer ouvinte. [Cf. *soliloquio*, do v. *soliloquiar.*]

soliloquista [De *solilóquio* + *-ista.*] *S. 2 g.* Pessoa que gosta de soliloquiar, dada a solilóquios.

solimão [Do ár. *sulaymānī*, 'de Salomão'.] *S. m. Pop.* **1.** Sublimado corrosivo. **2.** Qualquer poção venenosa.

solina *S. f. Bras. Prov. port.* V. *solão*^{2}. [Cf. *sulina*, fem. de *sulino.*]

solinhadeira [De *solinhar* + *-deira.*] *S. f.* Martelo de cavouqueiro.

solinhar [De *so-* + *linha* + *-ar*^{2}.] *V. t. d. Int.* **1.** Lavrar pedra ou madeira, seguindo direção marcada; desbastar. **2.** Abalar, destruir, arruinar.

solinho [Dev. de *solinhar.*] *S. m.* Ato ou efeito de solinhar.

sólio [Do lat. *soliu.*] *S. m.* **1.** Assento real; trono. **2.** Cadeira pontifícia. **3.** *Fig.* O poder real ou papal.

solípede [Do lat. cient. *soliped-, solipes < lat. solidus*, 'sólido', + lat. *pes. pedis* (v. *ped(i)-*).] *Adj. 2 g. S. 2 g. Zool.* Diz-se de, ou animal que só tem um casco em cada pé.

solipsismo [De *sol(i)-* + lat. *ipse*, 'mesmo', + *-ismo.*] *S. m.* **1.** *Filos.* Doutrina segundo a qual a única realidade no mundo é o eu: "o equivalente concreto do que os filósofos chamam de solipsismo, isto é, da atitude que consiste em sustentar que o eu individual de que se tem consciência, com as suas modificações subjetivas, é que forma toda a realidade" (Temístocles Linhares, *Introdução ao Mundo do Romance*, p. 463). [Cf. *idealismo subjetivo* e *subjetivismo* (2 e 3).] **2.** *P. ext.* Vida ou costume de quem vive na solidão.

solipsista *Adj. 2 g.* **1.** De, ou relativo a solipsismo. **2.** Que é sectário do solipsismo. • *S. 2 g.* **3.** Sectário do solipsismo.

solista [De *solo*^{2} + *-ista.*] *Mús. S. 2 g.* **1.** Pessoa que executa um solo vocal ou instrumental. **2.** Artista que se distingue pelo virtuosismo musical, principalmente nos solos. • *Adj. 2 g.* **3.** Que executa solo^{2} (1): *músico solista; instrumento solista.* [Cf. *sulista.*]

solitária [F. subst. do adj. *solitário.*] *S. f.* **1.** *Bras. Zool.* Animal trematódeo, cestódeo, esp. os tenióideos, cujo corpo em forma de fita é dividido em anéis ou proglotes, com cabeça ou escólex provido de ventosas ou ganchos. São parasitos do intestino dos vertebrados, com ciclo evolutivo através de um ou mais hospedeiros intermediários [cf. *cisticerco*], nos tecidos em que ocorrem as formas larvárias. As solitárias mais notadas pelo povo são as grandes espécies do gênero *Taenia*, sobretudo *T. solium*, tendo o porco como hospedeiro intermediário, e *T. saginata*, cujo ciclo é feito através do boi, sendo ambas parasitas do homem. [Sin.: *tênia* e *verme solitário.*] **2.** Colar ou gargantilha cujos anéis se assemelham aos da tênia. **3.** *Bras.* Cela de presídio na qual se isola o sentenciado turbulento ou perigoso. [Sin., nesta acepç.: *surda* e (lus.) *segredo.*] **4.** *Bras.* A pena cumprida nessa cela.

solitário [Do lat. *solitariu.*] *Adj.* **1.** Desacompanhado, isolado: *viajante solitário; árvore solitária.* **2.** Que decorre em solidão: *vida solitária.* **3.** Que gosta de estar só; que se sente impelido à solidão: *sábio solitário; monge solitário.* **4.** Que não se adapta à sociedade; misantrópico: *temperamento solitário.* **5.** Que não convive com seus semelhantes: *animal solitário.* **6.** Situado em lugar ermo, despovoado: *casa solitária.* **7.** Abandonado de todos; reduzido à solidão. **8.** *Bot.* Que nasce isolado e assim permanece: *flor solitária.* ~ V. *elétron —, verme —* e *vício —.* • *S. m.* **9.** Monge que vive isolado do mundo; anacoreta, eremita, ermitão. **10.** Aquele que vive na solidão: "É doce ao solitário a voz de um anjo / Na sua solidão" (Gonçalves Dias, *Obras Poéticas*, II, p. 101). **11.** Joia em que se engastou uma só pedra preciosa, especialmente o diamante: "Rubião chamou-lhe de bonita, e ofereceu-lhe o solitário que tinha no dedo" (Machado de Assis, *Quincas Borba*, p. 287). **12.** A pedra assim engastada. **13.** Pequeno vaso, alto e estreito, para se porem flores sobre a mesa.

solito [Do esp. platino *solito.*] *Adj. Bras. MG S.* Sozinho. [Cf. *sólito.*]

sólito [Do lat. *solitu.*] *Adj.* Habitual, usual, frequente. [Cf. *solito.*]

sóliton [Do ingl. *soliton.*] *S. m. Fís. Part.* Onda solitária estável que representa uma solução de certas equações de propagação que aparecem em várias áreas da física, como a mecânica dos fluidos, a óptica, a física dos plasmas, e a física de partículas.

solitude [Do lat. *solitudine.*] *S. f. Poét.* Solidão (1): "Ah, quem mo reduzira [o tempo] ao minuto que passa, / — Fosse ele de paixão inerte e merencória, / Na solitude, no silêncio e na desgraça!" (Manuel Bandeira, *Estrela da Vida Inteira*, p. 41.)

solmização [De *sol*^{2} e *mi*^{1}, notas musicais, como se existisse um verbo *solmizar*, + *-ção.*] *S. f. Mús.* Modo de designar os graus da escala por determinadas sílabas que os representam e que, com o uso, se identificam com eles. Foi aplicado pelos gregos, mas a sua sistematização deve-se a Guido d'Arezzo (séc. XI), que organizou os hexacordes (v. *hexacorde*) e designou cada uma de suas notas pela 1ª sílaba de cada um dos versos do hino a S. João Batista: *ut* (q. v.), *ré, mi, fá, sol* e *lá*, depois de observar que estas sílabas subiam um grau da escala a cada verso consecutivo. [V. *si*^{1}.]

solo^{1} [Do lat. *solu.*] *S. m.* **1.** Porção da superfície terrestre onde se anda, se constrói, etc.; terra; chão: *o solo pátrio.* **2.** O solo (1) considerado quanto a suas qualidades geográficas e produtivas. **3.** Parte superficial, não consolidada, do manto do intemperismo, a qual encerra matéria orgânica e vida bacteriana, e possibilita o desenvolvimento das plantas. **4.** Material da crosta terrestre, não consolidado, que ordinariamente se distingue das rochas, de cuja decomposição em geral provém, por serem suas partículas desagregáveis pela simples agitação dentro da água. **5.** *Ginást.* Etapa da apresentação de ginástica artística, em que o ginasta, com as mãos livres, se apresenta numa série de movimentos acrobáticos. ◆ **Solo alóctone.** *Geol.* Solo formado de elementos exógenos, por efeito do transporte de material de outras regiões. **Solo aluvial.** *Geol.* O resultante do transporte de materiais desagregados pelas águas correntes e pelos ventos. **Solo concrecionado.** *Constr.* Solo cujas partículas se apresentam ligadas entre si por um cimento qualquer. **Solo eluvial.** *Geol.* O formado pela desagregação e decomposição de rochas existentes no próprio lugar. **Solo estabilizado.** *Constr.* Solo cujas características de resistência foram melhoradas por meio de um tratamento especial. **Solo oceânico.** Parte da crosta terrestre ou do sima sobre a qual assentam os depósitos marinhos. **Solo orgânico.** Solo proveniente da decomposição de organismos vegetais.

solo^{2} [Do esp. *solo*, 'só', poss.] *S. m.* Jogo de cartas de andamento semelhante ao do voltarete e, quanto ao valor das cartas, à manilha.

solo^{3} [Do it. *solo*, do lat. *solus*, 'sozinho'.] *S. m.* **1.** *Mús.* Trecho musical executado por uma só voz ou um só instrumento, com acompanhamento ou sem ele, num conjunto coral ou orquestral: *solo de soprano; solo de oboé.* **2.** *Mús.* Bailado executado por uma só pessoa. **3.** *Bras. Aer.* O primeiro voo que faz sozinho o aluno de pilotagem aérea. • *Adj. 2 g. e 2 n.* **4.** *Mús.* Diz-se da voz ou do instrumento que executa um trecho musical que lhe é especificamente destinado: *barítono solo; violoncelo solo.* **5.** *P. ext.* Desacompanhado, a sós: *carreira solo.* ◆ **Solo inglês.** *Bras.* Espécie de quadrilha (3) muito popular durante a Maioridade e o Segundo Reinado. **A solo.** Solo^{2} (5).

solo-asfalto [De *solo*^{1} + *asfalto.*] *S. m. Constr.* Mistura, em proporções adequadas e sob condições especificadas, de solo e asfalto, para estabilização do primeiro. [Pl.: *solos-asfaltos.*]

solo-cimento [De *solo*^{1} + *cimento.*] *S. m. Constr.* Mistura, em proporções adequadas e sob condições especificadas, de solo e cimento, para estabilização do primeiro. [Pl.: *solos-cimentos.*]

solonopolense *Adj. 2 g.* **1.** De, ou pertencente ou relativo a Solonópole (CE). • *S. 2 g.* **2.** O natural ou habitante de Solonópole.

solovox (cs) [De *sol(i)-* + *-o-* + lat. *vox*, 'voz', 'som'.] *S. m. 2 n.* Instrumento eletrônico provido de pequeno teclado, com registros ou sem eles, us. na execução de certo tipo de música popular, e que, aplicado ao piano, produz uma linha melódica insistente de som que imita o timbre de alguns instrumentos.

sol-pôr [De *Sol*^{1} + *pôr.*] *S. m.* O pôr do Sol; poente, ocaso, sol-posto: "Sol-pôr, entre pinhais..." (Antônio Nobre, *Só*, p. 24); "estava José em casa, era isto pela hora do sol-pôr, e estava comendo o seu jantar" (José Saramago, *O Evangelho Segundo Jesus Cristo*, p. 37). [Pl.: *sol-pores.*]

sol-posto [De *Sol*^{1} + *posto*^{2} (2).] *S. m.* V. *sol-pôr.* [Pl.: *sóis-postos* (ó).]

solpúgido [Do tax. *Solpuga* (< lat. *salpuga, solpuga, solipuga*, 'certa aranha ou formiga venenosa') + *-ido*^{3}; tax. *Solpugida.*] *Zool. S. m.* **1.** Espécime dos solpúgidos, ordem de artrópodes aracnídeos, que têm o corpo com os dois últimos segmentos torácicos livres, quelíceras muito grandes, duplamente segmentadas, abdome articulado e respiração traqueal. Vivem em lugares secos. • *Adj.* **2.** Pertencente ou relativo a eles. [Sin. ger.: *solífugo*^{2}.]

sol-quadrado [De *sol*^{1} + *quadrado.*] *S. m. Bras. Gír.* Prisão, xadrez, xilindró. [Pl.: *sóis-quadrados.*]

solressol [De *sol*^{2} + *ré*^{3} + *sol*^{2} (notas musicais).] *S. m. Gloss.* Língua auxiliar de comunicação (q. v.) criada pelo músico francês Jean François Sudre no início do séc. XIX, e cujo vocabulário era constituído apenas pelas sete notas musicais, combinadas ou não, o que lhe permitia ser falada, cantada ou assobiada. [Pl.: *solressóis.*]

solsticial [Do lat. *solstitiale.*] *Adj. 2 g.* Respeitante ao solstício. ~ V. *coluro —* e *ponto —.*

solstício [Do lat. *solstitiu.*] *S. m. Astr.* Época em que o Sol passa pela sua maior declinação boreal ou austral, e durante a qual cessa de afastar-se do equador. [Os solstícios situam-se, respectivamente, nos dias 22 ou 23 de junho para a maior declinação boreal, e nos dias 22 ou 23 de dezembro para a maior declinação austral do Sol. No hemisfério sul, a primeira data se denomina *solstício de inverno* e a segunda, *solstício de verão*; e, como as estações são opostas nos dois hemisférios, essas denominações invertem-se no hemisfério norte.] ◆ **Solstício de inverno.** V. *solstício.* **Solstício de verão.** V. *solstício.*

solta (ô) [Dev. de *soltar.*] *S. f.* **1.** Ato ou efeito de soltar(-se). **2.** Peia para cavalgadura. **3.** *Bras.* Pastagem onde o gado se recupera. **4.** *Bras.* Mantença do gado na engorda. [Pl.: *soltas* (ô). Cf. *solta* e *soltas*, do v. *soltar.*] ~ V. *soltas.* ◆ **À solta.** Sem peias; livremente; às soltas: "José Maria ria à solta, ria de um modo estridente e diabólico." (Machado de Assis, *Histórias sem Data*, p. 165); "A face sobre a mão, e os seios lindos / Batendo à solta na macia tela / Da roupa de dormir que os modelava..." (Álvares de Azevedo, *Obras Completas*, I, p. 173). **De solta.** *Bras.* Diz-se do pássaro habituado a retornar à gaiola depois de voar livremente.

soltada [De *soltar* + *-ada*^{1}.] *S. f. Bras.* Ato de soltar a matilha, na caça.

soltador (ô) [De *soltar* + *-dor*.] ***Adj. S. m.*** Que, ou aquele que solta.

soltamento [De *soltar* + *-mento*.] ***S. m.*** Soltura (1).

soltar [De *solto* + *-ar*[2].] ***V. t. d.* 1.** Desatar, desprender, desligar: *soltar um nó.* **2.** Tornar livre; dar liberdade a; restituir à liberdade: *O menino abriu a gaiola e soltou os passarinhos;* "Diogo do Rego, potentado caprichoso, ... vai à cadeia, ameaça o guarda, solta o preso." (Oliveira Viana, *Populações Meridionais do Brasil*, p. 238). **3.** Deixar frouxo; afrouxar: *Soltou as rédeas do animal.* **4.** Deixar escapar dos lábios, do bico, etc.; deixar ouvir; emitir, despedir: "De repente o velho soltou um grito sufocado" (Rebelo da Silva, *Contos e Lendas*, p. 180); "Da selva o vate inspirado, / O sabiá namorado, / Na laranjeira pousado / Soltava ternos gorjeios." (Casimiro de Abreu, *Obras*, p. 62); "Solta um pássaro o canto." (Olavo Bilac, *Poesias*, p. 136); "Soltou palavrões" (Murilo Rubião, *O Ex-Mágico*, p. 30). **5.** Apresentar fluxo involuntário de: *Quando muito tenso, soltava sangue pelo nariz.* **6.** Desfazer, resolver, solver, dirimir: *Aclarou o assunto soltando as dúvidas ainda existentes.* **7.** Exalar, emitir, desprender: *Estas flores soltam um perfume agradável.* **8.** Desobrigar de compromisso; quitar. **9.** Dizer, pronunciar, proferir: *Só abre a boca para soltar tolices.* **10.** Lançar, atirar, disparar, arremessar: *O combatente soltou o tiro sem titubear.* **11.** Largar da mão; deixar cair: *A criada soltou o prato, quebrando-o.* **12.** Liberar; desprender: *Soltou a imaginação.* **13.** Liberar (recursos, financiamento, etc.): *A empresa soltou a verba necessária às obras.* **14.** Fazer funcionar; regularizar: *Mamão solta o intestino.* **15.** *Mar.* Desfraldar (velas). ***T. d. e i.* 16.** Dar, aplicar: *O lutador soltou vários murros no adversário.* **17.** Dar, doar: *Soltou dinheiro para os filhos.* ***T. c.* 18.** Cair; desprender-se: *A folha soltou da árvore.* ***T. i.* 19.** *Fam.* Largar, deixando, ou ficando livre: *Mal soltou da mão da criança, perdeu-a de vista; Soltou do braço do noivo, para aproximar-se da vitrine.* ***P.* 20.** Pôr-se a caminho; sair. **21.** Desatar-se, desligar-se, desprender-se: *O cabo soltou-se, livrando a embarcação.* **22.** Pôr-se em liberdade; escapar: *O preso soltou-se.* **23.** Correr livremente. **24.** Desinibir-se: *Estava, a princípio, muito reservado, mas bebeu um pouco e soltou-se.* **25.** *Pop.* Peidar-se. [Pres. ind.: *solto, soltas, solta*, etc. Cf. *solto* (ô), adj., e flex. *solta* (ô), *soltos* (ô); e *solta* (ô), s. f., pl. *soltas* (ô).]

soltas (ô) ***El. s. f. pl.*** Us. na loc. *às soltas*. ~ V. *solta* (ô). ◆ **Às soltas.** À solta: "Vão às soltas pelo orbe as guerras, os flagícios." (Antônio Feliciano de Castilho, *As Geórgicas*, p. 65.)

solteira [Fem. de *solteiro*.] ***S. f.* 1.** Mulher que ainda não se casou. **2.** *Bras. Zool.* Peixe caracídeo (*Leporellus vittatus*), da região cisandina, com uma faixa escura nos lados do corpo, dividida pela linha lateral, pintas negras na cabeça, e faixas nas nadadeiras caudal e dorsal. Alimenta-se de lodo. **3.** *Bras. Zool.* V. *guaivira*. **4.** *Bras. BA Zool.* V. *xarelete* (1).

solteirão [De *solteiro* + *-ão*[1].] ***Adj. S. m.*** Que, ou o homem maduro ou velho que ainda não se casou. [Fem.: *solteirona*.]

solteirice [De *solteiro* + *-ice*.] ***S. f. Bras.*** V. *solteirismo*.

solteirismo [De *solteiro* + *-ismo*.] ***S. m. Bras.*** Estado ou condição de solteiro; celibato, solteirice.

solteiro [Do lat. *solitariu*, por via pop.] ***Adj.* 1.** Que ainda não casou. **2.** *Fig.* Carente, carecente, falto: "Que faz quem vive / Órfão de mimos, viúvo de esperanças, / Solteiro de venturas, que não tive?" (Antônio Nobre, *Despedidas*, p. 16.) **3.** *Marinh.* Diz-se de qualquer cabo que não está sendo usado, mas disponível para uso. **4.** *Bras. Fam.* Diz-se da pessoa casada cujo cônjuge está ausente. **5.** *Bras. Fam.* Que já não está casado; desquitado, separado. ● ***S. m.* 6.** *Bras. N.* Que não tem filhos (diz-se de fêmea de um animal). ~ V. *cabo — e semana —a*. **7.** Indivíduo que ainda não se casou: "A vida de casado é boa, / mas a vida de solteiro é melhor" (Rubens Soares e Felisberto Silva, no samba *Solteiro é Melhor*).

solteirona ***S. f.*** Fem. de *solteirão*.

solto (ô) [Do lat. **soltu* < lat. **sovitu*, por *solutu*.] ***Adj.* 1.** Cujas partes não são aderentes; desagregado: *Sabe fazer um arroz solto.* **2.** Que está livre; desatado, desprendido: *Gosta de usar os cabelos soltos.* **3.** Largo, folgado: *roupas soltas.* **4.** Posto em liberdade: *O réu pode-se defender solto.* **5.** *Fig.* Livre, dissoluto, licencioso: *vida solta.* **6.** *Fig.* Sem peias: *Parece que o Diabo anda solto.* **7.** *Fig.* Entrecortado, interrompido: *lamentos soltos.* **8.** *Fig.* Desobrigado, desagravado, quite. **9.** *Bras.* Sozinho, abandonado: *A criança ficou solta no mundo.* [Flex.: *solta* (ô), *soltos* (ô), *soltas* (ô). Cf. *solto, soltas, solta*, do v. *soltar*.] ~ V. *urina —a e versos —s*.

soltura [De *solto* + *-ura*.] ***S. f.* 1.** Ato ou efeito de soltar(-se); soltamento. **2.** Liberdade concedida a quem estava preso ou encarcerado. **3.** *Fig.* Atrevimento, arrojo, ousadia. **4.** *Fig.* Licenciosidade, libertinagem, desvergonha, pouca-vergonha. **5.** *Fig.* Solução, interpretação, explicação: *a soltura do problema.* **6.** V. *diarreia*. ◆ **Soltura de ventre.** V. *diarreia*.

solubilidade [De *solúvel* + *-(i)dade*, seg. o padrão erudito.] ***S. f.* 1.** Qualidade de solúvel. **2.** Propriedade de substância que forma solução com outra. **3.** *Quím.* Medida da capacidade que tem uma substância de se dissolver em outra, expressa pela concentração da solução saturada da primeira na segunda.

solubilização [De *solubilizar* + *-ção*.] ***S. f.*** Ato ou efeito de solubilizar.

solubilizar [De *solúvel* + *-izar*, seg. o padrão erudito.] ***V. t. d.*** Tornar (uma substância) solúvel.

soluçado [Part. de *soluçar*.] ***Adj.*** Entrecortado por soluços.

soluçante [De *soluçar* + *-nte*.] ***Adj. 2 g.*** Que soluça.

soluçantemente [De *soluçante* + *-mente*.] ***Adv.*** De modo soluçante; com soluço; soluçando: "E este Anseio, este Sonho, este Desejo / Enche as Esferas soluçantemente." (Cruz e Sousa, *Últimos Sonetos*, p. 164.)

solução [Do lat. *solutione*.] ***S. f.* 1.** Ato ou efeito de solver; solvência. **2.** Meio de superar ou resolver uma dificuldade, um problema: *Depois de meses de tratamento, a solução foi a cirurgia.* **3.** Operação mental que por meio da dedução ou da ilação consegue reduzir diversos elementos analisáveis a um resultado lógico: *Excelente a solução que ele deu ao problema do menor abandonado.* **4.** Aquilo com que se dá por encerrado um assunto; conclusão, desfecho, termo: *A solução da crise surgiu após algumas concessões das partes interessadas.* **5.** Pagamento definitivo: *solução de uma dívida.* **6.** Separação das partes de um todo; divisão, interrupção, dissolução; solução de continuidade. **7.** Palavra, locução ou frase que representa a decifração de uma charada ou de um enigma. **8.** *Mat.* Resultado de um problema ou de uma equação. **9.** *Fís.-Quím.* Sistema homogêneo com mais de um componente. **10.** *Farm.* Líquido que contém outra substância dissolvida: *Este remédio pode ser tomado em solução de água açucarada.* ◆ **Solução de continuidade.** V. *solução* (6). **Solução de Lugol.** *Quím.* Mistura de iodo e iodeto de potássio dissolvidos em água, us. como antisséptico, desinfetante, e em certos ensaios de coloração. **Solução final. 1.** Extermínio de uma raça, genocídio dos judeus. **2.** *P. ext.* Assassinato: "É a maneira de resolver esse delicado e angustiante problema era sempre a mesma, uma solução final, por elas considerada um gesto de amor absoluto. A morte era sempre uma bênção para os doentes desenganados." (Rubem Fonseca, *Histórias de Amor*, p. 21.) [Calque do ingl. *final solution*, este, tb., calque do al. *Endlösung*.] **Solução geral.** *Mat.* Numa equação diferencial, solução que envolve o maior número possível de constantes ou de funções arbitrárias essenciais. Quando a equação diferencial é ordinária, é a solução que envolve um número de constantes arbitrárias essenciais igual à ordem da equação diferencial. [Sin.: *integral geral*.] **Solução ideal.** *Fís.-Quím.* A que é formada sem variação de volume e sem absorção ou desprendimento de calor. [Quando os componentes são líquidos, ela obedece à lei de Raoult.] **Solução inteira.** *Alg.* Solução de uma equação que consiste em número inteiro. **Solução particular.** *Mat.* Numa equação diferencial, solução obtida da solução geral quando se atribuem valores particulares às constantes ou se fixam as funções arbitrárias; integral particular. **Solução singular.** *Mat.* Numa equação diferencial, solução que não é geral, porque não contém constantes ou funções arbitrárias, nem é particular, porque não pode ser obtida a partir da geral; integral singular. **Solução tampão.** *Quím.* Aquela que é capaz de manter inalterado o valor de seu pH, resistindo à adição, dentro de limites, de reagentes ácidos ou alcalinos. [Tb. se diz apenas *tampão*.] **Solução titulada.** *Quím.* Solução com título (13) conhecido.

soluçar [Do lat. *suggluttiare* < lat. cláss. *singultare*, alterado por infl. de *glutire*, 'deglutir', e. do *soluço* + *-ar*[2].] ***V. int.* 1.** Dar soluços [v. *soluço* (1)]: "Tertuliano, abraçado ao cadáver, soluçava convulsivamente." (Artur Azevedo, *Contos fora da Moda*, p. 12.) **2.** Chorar (2). **3.** *Fig.* Sussurrar (o mar); bramir, rugir. **4.** Agitar-se, inquietar-se. **5.** Arfar, ofegar. ***T. d.* 6.** Exprimir por entre soluços: *Soluçou demoradamente as suas mágoas;* "Um deixava naquela saudosa praia a mãe doente e entrevada, arrastada até ali para soluçar a última despedida ao filho que partia para a guerra." (Inglês de Sousa, *Contos Amazônicos*, p. 27). **7.** Fazer ou deixar ouvir ou soar tristemente, à maneira de soluço: "um fiozinho de voz, cheio de unção religiosa, ergueu-se, cantou, gorjeou, trilou, soluçou um motete de Scarlatti" (Júlio Dantas, *Espadas e Rosas*, p. 114); "Saudade! Amor da minha terra... O rio / Cantigas de águas claras soluçando." (Da Costa e Silva, *Sangue*, p. 41); "Um harmônio / Soluça uma valsa / Monótona, desigual" (Antônio Boto, *As Canções*, p. 251). [Var. (ant. pop.) dissimilada: *saluçar*. Conjug.: v. *laçar*.] ● ***S. m.* 8.** Soluço.

solucionar [De *solução* + *-ar*[2], seg. o padrão erudito.] ***V. t. d.*** Dar solução a; resolver, decidir: *solucionar uma questão.*

soluço [Do lat. *sugglutiu* lat. cláss. *singultus*, alterado por infl. de *gluttire*, 'deglutir'.] ***S. m.* 1.** *Med.* Fenômeno reflexo que consiste numa contração diafragmática involuntária, espasmódica, que produz o início de movimento inspiratório, o qual subitamente é detido pelo fechamento da glote, com a produção de ruído característico. **2.** Pranto entrecortado por inspiração ruidosa: "A Perfeição é a alma estar sonhando / Em soluços, soluços" (Cruz e Sousa, *Últimos Sonetos*, p. 24); *Entre soluços confessou que era culpado.* [Sin., poét., nesta acepç.: *singulto*.] **3.** Suspiro ruidoso. **4.** *Ant. Mar.* O arfar do navio. **5.** *P. ext.* O arfar das ondas. **6.** *Fig.* Qualquer ruído semelhante ao soluço (2): *os soluços do vento.* **7.** *Fig.* Ruído forte; fragor: *os soluços da tempestade.* [Var. (ant. pop.) dissimilada: *saluço*.]

soluçoso (ô) [De *soluço* + *-oso*.] ***Adj.* 1.** Que soluça. **2.** Que se manifesta por ou entre soluços [v. *soluço* (2)], ou como que dessa maneira: *despedida soluçosa;* "Sou como um vale, numa tarde fria, / Quando as almas dos sinos, de uma em uma, / No soluçoso adeus da ave-maria / Expiram longamente pela bruma." (Olavo Bilac, *Tarde*, p. 36).

solutivo [De *soluto* + *-ivo*.] ***Adj.* 1.** Que pode solver ou dissolver. **2.** Que laxa; laxante.

soluto [Do lat. *soluto*, 'dissolvido'.] ***Adj.* 1.** Solto, dissolvido. ● ***S. m.* 2.** *Fís.-Quím.* Numa solução, componente cuja fração molar é muito pequena, ou muito menor que a de um outro componente, denominado *solvente*. **3.** Substância dissolvida.

solúvel [Do lat. *solubile*.] ***Adj. 2 g.*** Que se pode solver, dissolver ou resolver. ~ V. *vidro —*.

solvabilidade [Do fr. *solvabilité*.] ***S. f.*** V. *solvibilidade*.

solvatação ***S. f. Fís.-Quím.*** O fenômeno de fixação de moléculas do solvente por um íon ou por uma partícula em solução.

solvável [Do fr. *solvable*.] ***Adj. 2 g.*** Solvível.

solvência [De *solver* + *-ência*.] ***S. f.* 1.** Qualidade ou condição de solvente. **2.** Solução (1). **3.** V. *solvibilidade*.

solvente [Do lat. *solvente*.] ***Adj. 2 g.* 1.** Que solve ou pode solver. **2.** Que paga ou pode pagar suas dívidas. **3.** Diz-se do devedor cujo ativo é superior ao passivo. ● ***S. m.* 4.** *Fís.-Quím.* Numa solução, componente cuja fração molar é próxima da unidade, ou é muito maior que a dos outros, e que, nas mesmas condições de temperatura e pressão, se encontra no mesmo estado físico da solução. **5.** Líquido capaz de dissolver um grande número de substâncias: *a acetona é um bom solvente.* ◆ **Solvente anfiprótico.** *Fís.-Quím.* O que é capaz de receber ou de ceder prótons, e que pode, portanto, funcionar como ácido ou como base (32). **Solvente aprótico.** *Fís.-Quím.* O que não é protogênico. **Solvente protofílico.** *Fís.-Quím.* O que tem caráter básico e, pois, tendência a receber ou fixar íons hidrogênio. **Solvente protogênico.** *Fís.-Quím.* O que tem caráter ácido e, pois, tendência a ceder íons hidrogênio.

solver [Do lat. *solvere*.] ***V. t. d.* 1.** Explicar, resolver: "Ele poderia escavar documentos, demonstrar-lhes a autenticidade, solver enigmas, desvendar mistérios" (J. Capistrano de Abreu, *Ensaios e Estudos*, 1.ª série, p. 139). **2.** Pagar, quitar. **3.** Separar, desligar, desatar. **4.** Dissolver (1). [Cf. *sorver*.]

solvibilidade [De *solvível* + *-(i)dade*, seg. o padrão erudito.] ***S. f.*** Qualidade de solvível; solvabilidade, solvência.

solvível [Do lat. **solvibile* < lat. *solvere*, 'pagar'.] ***Adj. 2 g.*** Que se pode solver ou pagar. [Sin.: *solvável*.]

solvólise [Do ingl. *solvolysis*.] ***S. f. Fís.-Quím.*** Reação em que uma substância em solução se decompõe pela ação do solvente; liólise.

som[1] [Do lat. *sonu*.] ***S. m.* 1.** *Fís.* Fenômeno acústico que consiste na propagação de ondas sonoras produzidas por um corpo que vibra em meio a material elástico (especialmente o ar): *Por meio da técnica o homem já conseguiu ultrapassar a velocidade do som; Nem todos os sons são captados pela audição humana.* **2.** Sensação auditiva criada por esse fenômeno; ruído: *O clarão do relâmpago, em geral, antecede de alguns segundos o som do trovão.* **3.** Som musical: *um som de violoncelo, de flauta; O som é a matéria-prima da música.* **4.** A linguagem falada; a palavra: *Não emitiu um som sequer durante toda a noite.* **5.** *E. Ling.* Emissão de voz (1 e 10): *som nasal, som sonoro.* **6.** Ar; aparência; caráter; tom: *Há nas suas maneiras um som falso.* **7.** *Mús. Fam.* A música, o ritmo: *Dançamos ao som de uma orquestra regional.* **8.** *Fam.* O acompanhamento (6): *cantar ao som do piano.* **9.** *Bras. Neol.* Música, especialmente popular, apresentada em circunstâncias especiais

S

(espetáculos, festas, discos, orquestras ou conjuntos de boates, etc.): *um novo som, na noite carioca; O som da festa foi um fracasso.* **10.** *Bras.* Equipamento sonoro (toca-discos, gravador, microfone, etc.). **11.** *Bras. Gír.* Estilo característico de cantor, instrumentista ou conjunto de música popular: *O som dos Beatles é inconfundível.* ◆ **Som da fala.** *E. Ling.* Fone¹. **Som diferencial.** *Mús.* Terceiro som produzido pela execução de dois sons simultâneos de elevação diferente. **Som entretido.** *Mús. Concr.* Aquele em que a forma e a matéria permanecem constantes em seu desenrolar temporal. **Som formado.** *Mús. Concr.* Aquele em que a forma e/ou a matéria variam em seu desenrolar temporal. **Som fundamental.** *Acúst.* Numa sequência de sons harmônicos, o mais grave e cuja frequência é um divisor da frequência de todos os outros. [Tb. se diz apenas *fundamental*.] **Som musical.** *Mús.* O que provém de uma vibração periódica, e se caracteriza pela altura, pela intensidade e pelo timbre. **Som natural.** *Mús.* **1.** O que não é alterado por acidente (12). **2.** O que é produzido sem o uso de equipamentos, como, p. ex., a voz humana. **Som óptico.** *Cin.* Método de gravação de som em filmes cinematográficos que utiliza pista sonora de base fotográfica. **Som timpânico.** *Med.* Aquele obtido pela percussão (4) de um local do corpo, como, p. ex., um setor do abdome, e determinado pela presença de gás no local percutido. **Alto e bom som.** Em voz alta, bem claro, sem temer consequências; em alto e bom som: "Regozijos cortesãos, tedéus, festas solenes, ... proclamavam alto e bom som que voltara Balduíno Braço de Ferro." (Aquilino Ribeiro, *Portugueses das Sete Partidas*, p. 208); *dizer, declarar, afirmar alto e bom som.* **Ao som de.** *Lus.* Acompanhado de. **Ao som do mar.** *Lus. Mar.* À matroca (2). **Em alto e bom som.** V. *alto e bom som*: "Todos o conheciam, todos o repetiam em alto e bom som para que ele o não ignorasse, mas *ela* amava-o" (Maria Amália Vaz de Carvalho, *Contos e Fantasias*, p. 25).

som² *S. m.* Unidade monetária, e moeda, da República da Quirguízia (C.O. da Ásia).

soma¹ [Do lat. *summa*.] *S. f.* **1.** *Mat.* Operação de adição. **2.** *Mat.* O resultado de uma adição. **3.** *Mat.* V. *união* (14). **4.** *Fig.* Grande porção; abundância; cópia: *Possui considerável soma de bens materiais.* **5.** *Fig.* Totalidade, conjunto, somatório: *soma de informações.* **6.** Porção de dinheiro; quantia: "incumbia-o de receber grandes somas ou levá-las ao Banco" (Artur Azevedo, *Contos Cariocas*, p. 204). ◆ **Soma algébrica.** *Álg.* Soma de grandezas positivas e negativas. **Soma aritmética.** *Mat.* Soma de grandezas positivas. **Soma linear.** *Álg.* Subespaço constituído por todas as somas dos elementos de dois subespaços de um mesmo espaço vetorial. **Soma lógica.** *Lóg.* Alternativa (3).

soma² [Do sânscr. *soma*.] *S. m.* Preparação alcoólica que os hindus védicos derramavam sobre o fogo dos sacrifícios.

soma³ [Do gr. *sôma*, 'corpo'.] *S. m. Biol.* **1.** Conjunto das células somáticas, constituintes do organismo vivo, e que se diferenciam a partir das células germinativas. **2.** O organismo considerado como expressão material, em oposição às funções psíquicas.

soma⁴ [De or. afr.] *S. m.* Chefe de tribo, no S. de Angola (África).

▲-soma V. *somat(o)-*.

somação¹ [Do *somar* + *-ção*.] *S. f. Mat.* Somatório (1).

somação² [De **somar* (de *soma³* + *-ar²*) + *-ção*.] *S. f. Genét.* V. *flutuação* (13).

somali *Adj. 2 g.* **1.** Da, ou pertencente ou relativo à Somália (África oriental). ● *S. 2 g.* **2.** O natural ou habitante da Somália. ● *S. m.* **3.** *Gloss.* Língua cuxita falada na Somália, na Etiópia, no Quênia e no Djibuti. **4.** Vocábulo dessa língua. [Sin. ger.: *somaliano*.]

somaliano *Adj. S. m.* V. *somali*.

soman [Do al.] *S. m. Mil.* Designação usual de um gás dos nervos (q. v.) fluorado [fórm.: $C_7H_{16}FO_2P$].

somana *S. f. Ant. Bras. Pop.* Semana: "ua só vez na somana / comer carne sem cozer" (Joam Roiz de Castel Branco, *ap.* Garcia Resende, *Cancioneiro Geral*, tomo III, p. 122); "passado um dia e noute, correu assi os outros per toda a somana" (Jorge Ferreira de Vasconcelos, *Memorial das Proezas da Segunda Távola Redonda*, p. 112); "Deus deu à terra um dia na somana para descansar" (P.ᵉ Antônio Vieira, *Sermões*, XII, p. 219); "—... E o pagamento que recebeu tresantonte? / — Separei um pouco pra passar a somana" (Amadeu de Queirós, *João*, p. 93).

somar [De *soma¹* + *-ar²*.] *V. t. d.* **1.** Fazer a soma de; adicionar (quantidade) a fim de achar a soma: *Somando as parcelas, obteremos o total.* **2.** Sintetizar, resumir: *Somou as mágoas, as frustrações, as doenças, e concluiu que a vida não lhe fora feliz.* **T. c. 3.** Ter ou apresentar como soma; importar em; ser equivalente a: *As despesas somam 200 reais.* **T. d. e i. 4.** Juntar (quantidade) para achar a soma; adicionar: *É impossível somar libras com dólares; Somou os lucros recentes aos do ano anterior.* **Bit. c. 5.** Juntar (número, parcela, quantia, etc.) a outro número, parcela, quantia, etc.; adicionar: *somar dois a quatro.* **Int. 6.** Realizar a operação de soma: *Sabe somar e multiplicar.* **7.** Reunir, concentrar esforços com vista a uma causa de interesse comum: *A hora é de somar, não de dividir.* **P. 8.** Juntar-se, reunir-se, agregar-se, formando um conjunto: *Os esforços não se dispersam: somam-se.* **9.** Acrescentar-se, reunir-se, juntar-se: "E então percebeu que as batidas de roupa sobre a tábua da tina não se ouviam mais e que aos gritos de Jessé somaram-se outros" (Leonardo Arroio, *Absalão e o Rei*, p. 53). **10.** Resumir-se, reduzir-se; cifrar-se.

somático [Do gr. *somatikós*.] *Adj. Biol.* Referente ao corpo. [V. *soma³*. Opõe-se a *alotípico*.] ~ V. *célula —a* e *modificação —a*.

somativo [De *somar* + *-tivo*.] *Adj.* ~ V. *avaliação —a*.

somatização [De *somatizar* + *-ção*.] *S. f.* Ato ou efeito de somatizar.

somatizar [De *somático* + *-izar*, seg. o padrão erudito.] *V. t. d. Int.* Transferir para o plano físico (fenômeno de natureza psicológica): *Somatizou os problemas apresentando forte dor de cabeça; Têm tendência a somatizar.*

▲somat(o)- [Do gr. *sōmato-* < gr. *sôma, atos*.] *El. comp.* = 'corpo', 'matéria'; 'corpo humano'; 'soma³'; 'cromossomo': *somático* (< gr.), *somatologia, somatópago, somatopleura.* [Equiv.: *som(o)-, -soma, -somat(o)-, -som(o)-, -somo: somito; epissoma; metassomatismo, metassomatose; microssomia, cromossomo, autossomo, centrossomo.*]

▲-somat(o)- V. *somat(o)-*.

somatologia (sô) [De *somat(o)-* + *-logia*.] *S. f.* Ciência que trata da fisiologia e anatomia do corpo humano.

somatológico (sô) [De *somatologia* + *-ico²*.] *Adj.* Referente à somatologia.

somatopagia [De *somat(o)-* + *-pag(o)-* + *ia¹*.] *S. f. Ter.* Má-formação em que fetos gêmeos têm maior ou menor fusão dos troncos.

somatópago [De *somat(o)-* + *-pago*.] *Adj. S. m. Ter.* Diz-se de, ou os fetos gêmeos que apresentam somatopagia.

somatopleura (sô) [De *somat(o)-* + *-pleura*.] *S. f. Embr.* Parede do corpo de embrião constituída por mesoderma e ectoderma.

somatório [De *somar* + *-tório*.] *S. m.* **1.** *Mat.* Soma dos termos de uma sequência qualquer; somação. **2.** *Fig.* Soma¹ (5). **3.** *Estat.* Soma de soma dos resultados. ● *Adj.* **4.** Que indica uma soma.

somatoscopia (sô) [De *somat(o)-* + *-scop-* + *-ia¹*.] *S. f. Med.* Exame do corpo humano.

somatoscópico (sô) [De *somatoscopia* + *-ico²*.] *Adj.* Referente à somatoscopia.

sombra [Do lat. *umbra*, pelo lat. vulg. *sulumbra* (= *sub illa umbra*) e pelo arc. **soombra*.] *S. f.* **1.** Espaço sem luz, ou escurecido pela interposição de um corpo opaco: *a sombra de uma árvore.* **2.** Zona privada de luz em virtude da interposição de um corpo opaco: "Essa pessoa estava na sombra formada pelo telhado baixo e inclinado em declive, do sótão." (Ariano Suassuna, *A Pedra do Reino*, p. 516.) **3.** Parte de um corpo que não recebe luz direta: *a sombra das órbitas; as sombras de uma escultura.* **4.** Reprodução, numa superfície mais clara, do contorno de uma figura que se interpõe entre esta e o foco luminoso: "Lembro-me bem. A ponte era comprida, / E a minha sombra enorme enchia a ponte" (Augusto dos Anjos, *Eu*, p. 22). **5.** Lugar abrigado dos raios solares: *Meu apartamento está no lado da sombra.* **6.** Ausência de luz solar; noite. **7.** Escuridão, treva(s); sombras: *Repentinamente a sombra nos envolveu.* **8.** Região não iluminada; obscuridade, escuridão, escuro: *Escondeu-se na sombra.* **9.** *Radiol.* Imagem resultante da interrupção de passagem de radiação, como ocorre em radiografia de formação (5) radiopaca. **10.** Parte escura, mancha. **11.** V. *abajur* (1). **12.** V. *fantasma* (3). **13.** V. *capanga* (4). **14.** *Fig.* Mácula, nódoa, defeito, senão: *A deslealdade era uma sombra em seu caráter.* **15.** *Fig.* Vestígio, traço, sinal, indício: *Não há sombra de dúvida a esse respeito;* "Sofia deu-lhe a mão gentilmente, sem sombra de rancor." (Machado de Assis, *Quincas Borba*, p. 117). **16.** *Fig.* Coisa impalpável, imaterial: *a sombra dos entes que se foram.* **17.** *Fig.* Aspecto, semblante, ar: *Recebeu-me de boa sombra.* [V. *de boa sombra* e *de má sombra*.] **18.** Disfarce, aparência, simulação: *A sombra da alegria não lhe ocultava a preocupação.* **19.** *Fig.* Aquilo que entristece a alma: *Sentiu invadi-lo a sombra da saudade.* **20.** *Fig.* O que impede a comunicação, o relacionamento entre pessoas: *Surgiu entre eles uma sombra.* **21.** *Fig.* Mistério, enigma: *Paira uma sombra em sua vida.* **22.** *Fig.* Isolamento, solidão: *Velho, vive retirado na sombra.* **23.** *Fig.* Pessoa que, pela magreza e/ou pelas atitudes misteriosas, lembra um fantasma. **24.** *Fig.* Pessoa que acompanha ou persegue outra constantemente. **25.** *Fig.* Pessoa que imita outra. **26.** *Art. Plást.* A parte menos iluminada de uma pintura, um desenho, uma gravura. **27.** *Art. Plást.* O conjunto das tonalidades mais escuras usadas por um artista para obter efeitos de sombra (1 a 3). **28.** Cosmético para as pálpebras. ~ V. *sombras*. ◆ **Sombra e água fresca.** Vida ociosa ou despreocupada; ócio, ociosidade, despreocupação: *O que ele quer é sombra e água fresca.* **À sombra.** *Irôn.* Na cadeia. **À sombra de.** *Fig.* Sob a proteção de; ao abrigo de: *A embarcação colocou-se à sombra do promontório, para escapar à borrasca.* **De boa sombra. 1.** Bem-encarado, de bom aspecto: *um rapaz de boa sombra.* **2.** De bom grado; com prazer: "Recebeu-me de boa sombra, largando o esfregão para fazer as honras da casa." (Monteiro Lobato, *Urupês, Outros Contos e Coisas*, p. 8.) **De má sombra. 1.** Mal-encarado: *É um tipo de má sombra.* **2.** De má vontade, a contragosto: "Se via a mulher triste interrogava-a de má sombra" (Coelho Neto, *Treva*, p. 165). **Fazer sombra a.** Escurecer as boas qualidades de (alguém), com o próprio merecimento. **Nem por sombra.** Nem por sombras: "Artifícios de pintura, nem por sombra. As elegantes da época, em qualquer situação, devem ser idealizadas — .... — não queimadas de sol ou tintas de carmim, mas com as faces 'cor de leite'" (Miécio Tati, *O Mundo de Machado de Assis*, p. 109). **Nem por sombras.** De modo nenhum; absolutamente não; absolutamente; nem por sombra. **Ser uma sombra do que foi.** Ter perdido qualidades ou dons que lhe eram característicos, como a vivacidade, a agilidade mental, o poder de sátira, a beleza, o viço, a graça, o encanto; estar em decadência: *Quem a vê e ouve, hoje, não a conhece; é uma sombra do que foi.*

sombração *S. f. Bras. Pop.* V. *assombração*.

sombra-de-azevim *S. m. Bot.* V. *azevinho*. [Pl.: *sombras-de-azevim*.]

sombra-de-touro *S. f. Bot.* **1.** Árvore celastrácea (*Maytenus ilicifolia*) nativa da América do Sul, de folhas elípticas, coriáceas, denteadas, flores axilares, frutos capsulares ovoides, avermelhados, e dos quais se extrai óleo; congorsa, erva-cancerosa, espinheira-santa, espinho-de-deus, salva-vidas. [Era outrora us. como medicinal.] **2.** Grande árvore santalácea (*Acanthosyris falcata*) originária de regiões temperadas da América do Sul, de folhas lanceoladas, flores umbeliformes e frutos drupáceos violáceos, edules. **3.** Árvore santalácea (*Jodina rhombifolia*) nativa da Argentina, Brasil e Uruguai, de folhas rígidas, romboidais, flores axilares branco-amareladas e frutos edules, com sementes oleaginosas. **4.** V. *azevinho*. [Pl.: *sombras-de-touro*.]

sombra-de-vaca *S. f. Bras. Bot.* Sombreiro¹ (3). [Pl.: *sombras-de-vaca*.]

sombral [De *sombra* + *-al¹*.] *S. m.* Lugar resguardado do sol por arvoredo ou latadas.

sombrar *V. t. d. Desus.* V. *assombrar*.

sombras [Pl. de *sombra*.] *S. f. pl.* **1.** Escuridão, trevas. **2.** As almas dos mortos. ~ V. *sombra*.

sombreação [De *sombrear* + *-ção*.] *S. f.* V. *sombreamento*.

sombreado [Part. de *sombrear*.] *Adj.* **1.** Em que há sombra. ● *S. m.* **2.** Num quadro ou desenho, gradação do escuro.

sombreamento [De *sombrear* + *-mento*.] *S. m.* Ação ou efeito de sombrear; assombreamento, sombreação.

sombrear [De *sombra* + *-ear²*.] *V. t. d.* **1.** Dar sombra a; cobrir de sombras; sombrejar, assombrear: "Ela então costumava sentar-se à sombra duma laranjeira que, perto do poço, sombreava, num úmido conforto, a vereda mais larga da quinta." (Natércia Freire, *A Alma da Velha Casa*, p. 12); "dous seculares e formosos plátanos que sombreavam o portal do presbitério." (Alexandre Herculano, *Lendas e Narrativas*, II, p. 122). **2.** Tornar, à maneira de sombra, menos claro ou menos branco, escuro ou mais escuro; escurecer: "Sombreavam-lhe o rosto oval fino bigode e pera." (José de Alencar, *Guerra dos Mascates*, p. 59.) **3.** Macular, manchar, infamar, desdourar: "depois, num crescendo de cólera e de angústia, se referiu à mácula que para sempre lhe sombrearia o nome." (Euclides da Cunha, *Os Sertões*, p. 347). **4.** Desgostar; entristecer, contristar. [F. paral, us. nessas acepçs.: *assombrear*.] *Int.* **5.** Dar sombreado a uma tela, desenho, etc. *P.* **6.** Cobrir-se de sombras; assombrar-se, sombrejar-se. [Conjug.: v. *frear*.]

sombreireiro [De *sombreiro¹* + *-eiro*.] *S. m.* Fabricante ou vendedor de sombreiros; chapeleiro.

sombreiro¹ [De *sombra* + *-eiro*.] *S. m.* **1.** Aquilo que dá sombra. **2.** Chapéu de aba larga. **3.** Árvore fabácea (*Clitoria fairchildiana* ou *C. racemosa*) com até 12m, tronco curto, folhas compostas trifoliadas, decíduas, flores arroxeadas, racemosas, e frutos que são vagens deiscentes. Excelente para sombreamento, é us. como ornamental e para arborização urbana e rural. [Sin., bras.: *sombra-de-vaca*.]

sombreiro[2] *S. m. Zool.* V. *anequim* (1).

sombrejar [De *sombra* + *-ejar*.] *V. t. d. Int. P.* Cobrir(-se) de sombras; sombrear(-se). [Conjug.: v. *pelejar*.]

sombrela [De *sombra* + *-ela*.] *S. f.* Campânula ou vaso para proteger das intempéries as plantações delicadas.

sombriense *Adj. 2 g.* **1.** De, ou pertencente ou relativo a Sombrio (SC). ● *S. 2 g.* **2.** O natural ou habitante de Sombrio.

sombrinha [De *sombra* + *-inha*.] *S. f.* **1.** Pequeno guarda-chuva de tecido bordado ou colorido, que era usado pelas senhoras. **2.** *Fot.* Tipo de refletor, empregado basicamente em estúdio, utilizado para produzir luz difusa. **3.** *Bras.* V. *guarda-chuva*. ~ V. *sombrinhas*.

sombrinhas [Pl. de *sombrinha*, 'pequena sombra'.] *S. f. pl.* Cenas ou paisagens projetadas sobre uma tela por meio de lanterna mágica (q. v.). ~ V. *sombrinha*.

sombrio [De *sombra* + *-io*[2].] *Adj.* **1.** V. *sombroso* (1). **2.** Que não está exposto ao sol. **3.** Triste, melancólico, fúnebre, sombroso: "Desde então para cá fiquei sombrio! / Um penetrante e corrosivo frio / Anestesiou-me a sensibilidade / E a grandes golpes arrancou as raízes / Que prendiam meus dias infelizes / A um sonho antigo de felicidade!" (Augusto dos Anjos, *Eu*, p. 105.) **4.** Carrancudo, torvo, trombudo. **5.** Áspero, ríspido, severo. **6.** Despótico, tirânico. ● *S. m.* **7.** Lugar sombrio. **8.** *Zool.* V. *caminheiro* (5).

sombroso (ô) [De *sombra* + *-oso*.] *Adj.* **1.** Em que há, ou que produz sombra; sombrio, umbroso: "Pela estrada que vai de Elêusis a Atenas, caminham, em direção ao templo de Eros, no bosque sombroso, três raparigas no viçor da idade." (Martins Fontes, *A Dança*, p. 11.) **2.** V. *sombrio* (3): "O coro religioso, derramando-se pela floresta, impregnava-se dos ruídos e murmúrios da ramagem aflada pela brisa, o que lhe dava um timbre grave e sombroso." (José de Alencar, *O Sertanejo*, p. 67.)

som-direto *S. m. Cin.* Técnica de filmagem em que a gravação do som é feita simultaneamente com a imagem. [Pl.: *sons-diretos*.]

someiro [Do esp. *somera*.] *S. m.* **1.** No órgão (5), cada uma das grandes caixas de madeira para as quais o ar é enviado sob pressão e cuja tábua superior é perfurada a distâncias regulares para nela se fixarem os pés dos tubos. **2.** Pequena trave que serve de verga a uma porta ou janela. **3.** Designação comum a duas peças, nos antigos prelos. **4.** Pedra que sustém outra, em que se apoia uma platibanda. **5.** Pedra assentada sobre coluna ou pé-direito, e que recebe a primeira aduela.

som e luz *S. m. 2 n.* Espetáculo que utiliza efeitos sonoros e de iluminação, ou de combinação de música, ou de efeitos sonoros com jogo de luz, para realçar ou dramatizar a apresentação.

somenos [De *so-* + *menos*.] *Adj. 2 g. e 2 n.* **1.** De menor valor que outro; inferior: "e para todos os lados luzinhas bruxuleiam, pelas artérias somenos da cidade." (Fialho d'Almeida, *Lisboa Galante*, p. 166). **2.** Ordinário, reles, vil. [Tb. se diz *de somenos*.]

somente (ò) [Do f. do lat. *solus* + *-mente*, pelos arc. *solamente*, *soamente* e *soomente*.] *Adv.* **1.** Unicamente, exclusivamente, só: *Trabalharão naquela obra somente 10 pessoas, nem mais uma sequer.* **2.** Apenas, só: "D. Isabel viera à sala, pálida, angulosa, quebrada de feições, apesar de ter somente trinta e sete anos" (Mário Sete, *Senhora de Engenho*, p. 12).

som-guia [De *som*[1] + *guia*.] *S. m. Son.* Trilha sonora provisória, que serve para orientar a definitiva posteriormente gravada no estúdio de som. [Pl.: *sons-guias*.]

somiê [Do fr. *sommier*.] *S. m.* **1.** Estrado provido de molas e recoberto de tecido, sobre o qual se assenta o colchão. **2.** *Bras.* Sofá sem braços e sem encosto.

somitegaria [De *somítego* + *-aria*.] *S. f.* Somiticaria.

somítego *Adj. S. m.* Somítico: "Um será liberal, outro avaro; este é mãos-largas, aquele somítego" (Aquilino Ribeiro, *O Príncipe Perfeito*, p. 17).

somiticar [De *somítico* + *-ar*[2].] *V. int. Bras. Fam.* Proceder com somiticaria; mostrar-se somítico. [Conjug.: v. *trancar*. Pres. ind.: *somitico*, etc. Cf. *somítico*.]

somiticaria [De *somítico* + *-aria*.] *S. f.* Qualidade ou ação de somítico. [Sin.: *avareza*, *mesquinhez*, *somitegaria*, *sovinice* e (bras.) *somitiquice*.]

somítico [Alter. de *semítico*, poss.] *Adj. S. m.* V. *avaro* (1 e 3). [Cf. *somitico*, do v. *somiticar*.]

somitiquice [De *somítico* + *-ice*.] *S. f. Bras.* V. *somiticaria*.

somito [De *som(o)-* + *-ito*[1].] *S. m. Embr.* Cada uma das massas de células mesenquimais que se dispõem de modo segmentar ao longo do tubo neural do embrião, e das quais migram células que darão origem à maior parte do esqueleto axial.

➔**sommelier** [sɔmə'lje] [Fr.] *S. m.* O encarregado dos vinhos, e que os serve, num restaurante.

➔**sommier** [sɔ'mje] [Fr.] *S. m.* V. *somiê*.

▲**som(o)-** V. *somat(o)-*.

▲**-som(o)-** V. *somat(o)-*.

▲**-somo** V. *somat(o)-*.

sonador (ô) [Do esp. plat. *sonador*.] *Adj. Bras. RS* Diz-se do cavalo que emite, galopando, um ruído semelhante ao do ressonar; ressolhador.

sonâmbula [F. subst. de *sonâmbulo*.] *S. f. Bot.* V. *açafrão-da-terra* (2).

sonambular [De *sonâmbulo* + *-ar*[2].] *V. int.* Andar ou agir como sonâmbulo. [Pres. ind.: *sonambulo*, etc. Cf. *sonâmbulo*.]

sonambúlico [Do fr. *somnambulique*.] *Adj.* De, ou próprio de sonâmbulo.

sonambulismo [Do fr. *somnambulisme*.] *S. m. Med.* Doença ou estado de automatismo ambulatório que ocorre durante o sono, e em que o indivíduo realiza atos mais ou menos coordenados e dos quais, quando desperta, não se recorda.

sonâmbulo [Do fr. *somnambule*.] *Adj.* **1.** *Med.* Diz-se de pessoa que anda, fala e se levanta durante o sono; noctâmbulo. **2.** Diz-se de pessoa que age automaticamente, de maneira desconexa. **3.** Que não tem nexo; disparatado. ● *S. m.* **4.** Indivíduo sonâmbulo. [Cf. *sonambulo*, do v. *sonambular*.]

sonância [Do lat. *sonantia*.] *S. f.* **1.** Qualidade de sonante. **2.** Música, melodia: "Eu toco em minha viola / Sonâncias de meu país" (Junqueira Freire, *Obras Póstumas*, II, p. 115).

sonante [Do lat. *sonante*.] *Adj. 2 g.* Soante. ~ V. *moeda* —.

sonar [Do ingl. *sonar*, acrôn. de *so(und) n(avigating) a(nd) r(anging)*.] *S. m.* **1.** Técnica e equipamento para detectar objetos imersos em água e determinar-lhes a posição e a velocidade, utilizando a emissão de pulsos de ultrassons e a recepção e identificação do eco. ● *Adj. 2 g.* **2.** Relativo a essa técnica e equipamento.

sonata[1] [Do it. *sonata*.] *S. f. Mús.* **1.** No séc. XVI, qualquer peça de polifonia vocal quando executada por instrumentos, em oposição à cantata (3) e à tocata[2] (1). **2.** No séc. XVI, composição do tipo da canção polifônica, mas escrita para conjunto de instrumentos de arco ou para órgão, e sem forma obrigada: *A sonata nasceu na Itália e difundiu-se por outros países da Europa.* **3.** Durante o séc. XVII, peça instrumental semelhante à suíte (2). [Cf., nesta acepç., *partita* (2) e *suíte*[1] (2).] **4.** No último quartel do séc. XVII, peça instrumental monotemática, de construção ternária (q. v.), e que consta de três movimentos, alternadamente rápidos e lentos, como na antiga suíte, mas que, em vez de serem designados pelos nomes de danças, o são pelos respectivos andamentos (alegro, adágio, presto): *a sonata op. 5 de Corelli.* [Cf., nesta acepç., *sonata bitemática* e *construção ternária*.] **5.** Sonata clássica (q. v.): *Beethoven introduziu importantes inovações na sonata.* **6.** Sonata cíclica (q. v.). **7.** Modernamente, peça instrumental em que a estrutura clássica se transforma pela adoção da escrita linear e da politonalidade, pelo emprego de quartos de tom, etc. [Dim.: *sonatina*.] ◆ **Sonata bitemática.** *Mús.* A que resultou da reorganização da sonata (4) e cujo movimento inicial segue geralmente o esquema da construção ternária (q. v.): exposição com o primeiro tema na tonalidade principal, ponte modulante, segundo tema numa tonalidade vizinha; desenvolvimento dos dois temas que se opõem e modulam para o tom principal; reexposição dos dois temas no tom principal, e coda (q. v.). **Sonata cíclica.** *Mús.* No séc. XIX, modalidade de sonata (5) em que os temas dos diversos movimentos se baseiam num mesmo motivo cíclico, a fim de reforçar a estrutura melódica da obra e afirmar-lhe a unidade. [Tb. se diz apenas *sonata*.] **Sonata clássica.** *Mús.* A começar do séc. XVIII, peça instrumental, de ordinário em três movimentos de caráter e andamentos diversos, condicionados entre si pela tonalização modulatória: o primeiro em andamento vivo, com o mesmo esquema da sonata bitemática; o segundo, lento e de ordinário em forma da canção estrófica e variada; o terceiro, rápido e de concepção mais livre, sendo comum intercalar, entre ele e o andante que o precede, um minueto com trio (2) ou um *scherzo*. [A estrutura da sonata clássica serviu de base a várias formas musicais, como o trio (1), o quarteto, o quinteto, na música de câmara, a sinfonia e o concerto, na orquestra, e as peças musicais de forma livre. Tb. se diz apenas *sonata*.] **Sonata monotemática.** *Mús.* A que se baseia num só tema, o qual evolve dentro de uma construção ternária (q. v.).

sonata[2] [De *sono* + *-ata* (suf. arbitrário, no caso).] *S. f.* Soneca (2): "Nada, toca a dormir uma sonata boa!" (Guerra Junqueiro, *A Velhice do Padre Eterno*, p. 242.)

sonatina [Do it. *sonatina*.] *S. f. Mús.* Pequena sonata[1] de caráter leve ou fácil: "atacava com brio, com decidida alacridade, os acordes de uma sonatina que ainda hoje deve errar no espaço" (Augusto Meyer, *No Tempo da Flor*, p. 30).

sonda [Do escand., pelo fr. *sonde*.] *S. f.* **1.** *Náut.* Instrumento destinado a medir a profundidade das águas, ou a reconhecer-lhes a natureza do fundo, e que consta, em princípio, de uma peça de chumbo presa a uma linha: *Com o auxílio da sonda as caravelas ancoraram em Porto Seguro.* **2.** *P. ext.* Profundidade das águas; fundura, fundo. **3.** *P. ext.* Os algarismos que, nas cartas marítimas, indicam a profundidade da água. **4.** *Náut.* Qualquer instrumento com que se fazem sondagens. **5.** O efeito da sondagem. **6.** Aparelho de perfuração que atinge grandes e médias profundidades para conhecimento do subsolo. **7.** Sonda (6) empregada nos poços petrolíferos. **8.** Instrumento que se eleva a grandes altitudes, com equipamento destinado a explorar a atmosfera: *sonda meteorológica.* **9.** Haste de ferro empregada pelos aduaneiros para examinar certas mercadorias. **10.** *Fig.* Meio de investigação. **11.** Sonda espacial. **12.** *Med.* Tubo, flexível ou rígido, que se introduz em ducto e/ou canal, natural ou não, do organismo, com o fim de reconhecer-lhe o estado ou de extrair ou introduzir algum tipo de matéria: *alimentar por sonda; sonda uretral; sonda vesical.* ◆ **Sonda espacial.** *Astron.* Engenho utilizado nos voos espaciais exploratórios para a coleta de informações sobre o espaço exterior. [Tb. se diz apenas *sonda*.] **Sonda lunar.** *Astr.* Sonda espacial destinada a colher informações acerca da Lua e do espaço lunar.

sondá [De *sondar* (da loc. *linha de sondar*).] *S. f. Bras.* Linha comprida e grossa, para pescaria com anzol.

sondador (ô) [De *sondar* + *-dor*.] *Adj. S. m.* Que, ou aquele que sonda.

sondagem [De *sondar* + *-agem*[2].] *S. f.* **1.** Ato ou efeito de sondar. **2.** Exploração local e metódica de um meio (ar, água, solo, etc.) por meio de aparelhos e processos técnicos especiais: *sondagem submarina; sondagem atmosférica.* **3.** Perfuração no terreno para verificação de sua natureza geológica, de lençóis de água, de jazidas, etc. **4.** Observação cautelosa; investigação, pesquisa. **5.** *Med.* Introdução de sonda (12) no organismo. **6.** *Estat.* Método de pesquisa que consiste em recolher dados parciais que permitam um resultado representativo do assunto em apreço: *sondagem de opinião; sondagem do mercado.* ◆ **Sondagem aerológica.** *Met.* Conjunto de observações e cálculos feitos por meio de um teodolito e de balões de borracha repletos de oxigênio, para se conhecer a circulação dos ventos nas altas camadas da atmosfera, e de grande utilidade para a aviação e para a artilharia.

sondaia *S. f. Bras. Zool.* V. *suindara*.

sondar [De *sonda* + *-ar*[2].] *V. t. d.* **1.** Examinar com sonda. **2.** *Náut.* Determinar a profundidade de (uma porção de mar, oceano, rio, etc.). **3.** Determinar a altura do líquido contido em um tanque, porão, etc. **4.** Avaliar, calcular, estimar. **5.** Procurar, conhecer. **6.** Investigar, explorar, perscrutar. **7.** Inquirir com cautela. **8.** *Med.* Introduzir sonda (12) em. *Int.* **9.** *Gír.* Morrer, falecer.

sondareza (ê) [Do esp. *sondaresa*, *sondaleza*, por um cruz. de *sonda*, 'sonda', com *guindaleza*, 'certo tipo de cabo[2] (6)'.] *S. f. Marinh.* **1.** Cabo calabroteado, de linho, cuja bitola varia entre 25 e 50mm. **2.** Qualquer cabo usado em aparelho de sondar.

sondável [De *sondar* + *-vel*.] *Adj. 2 g.* Que se pode sondar.

sone [Do ingl. *sone*.] *S. m. Fís.* Unidade de medida de intensidade de um som (julgada essa intensidade pela sensação que ele provoca em um observador), e que é a intensidade de um som de 1.000Hz que está 40dB acima do limiar de audibilidade do observador.

soneca [De *sono* + *-eca*.] *S. f.* **1.** Sonolência (2). **2.** Breve espaço de tempo que se passa dormindo; sonata.

sonega [Dev. de *sonegar*.] *S. f.* V. *sonegação*.

sonegação [De *sonegar* + *-ção*.] *S. f.* Ato ou efeito de sonegar(-se); sonegamento, sonega.

sonegado [Part. de *sonegar*.] *Adj.* Que foi objeto de sonegação. ~ V. *sonegados*.

sonegador (ô) [De *sonegar* + *-dor*.] *Adj. S. m.* Diz-se de, ou aquele que sonega.

sonegados [Pl. subst. de *sonegado*.] *S. m. pl.* Objetos de que houve sonegação. ~ V. *sonegado*.

sonegamento [De *sonegar* + *-mento*.] *S. m.* V. *sonegação*.

sonegar [Do lat. *subnegare*.] *V. t. d.* **1.** Ocultar, deixando de descrever ou de mencionar nos casos em que a lei exige a descrição ou a menção. **2.** Ocultar com fraude. **3.** *P. ext.* Ocultar, encobrir; esconder; encapotar. *T. d. e i.* **4.** Tirar às ocultas; furtar, surrupiar: *Sonegou-lhe um anel.* **5.** Deixar de pagar. **6.** Ocultar com fraude, astúcia ou habilidade; dissimular, ocultar, esconder: "A necessidade mórbida de sonegar ao mundo a origem que o humilhava inspirou a Machado de Assis .... a adoção de um figurino convencional para o trato com os homens." (Moisés

Velinho, *Letras da Província*, p. 186.) *P.* 7. Eximir-se ao cumprimento de uma ordem. [Conjug.: v. *carregar*.]

soneira [De *sono* + *-eira*.] *S. f.* V. *sonolência* (2 e 4).

sonetar [De *soneto* + *-ar²*.] *V. int. T. d.* Sonetear. [Pres. ind.: *soneto, sonetas, soneta*, etc. Cf. *soneto* (ê).]

sonetaria [De *soneto* + *-aria*.] *S. f. Deprec.* Grande quantidade de sonetos.

sonetear [De *soneto* + *-ear²*.] *V. int.* 1. Fazer sonetos. *T. d.* 2. Celebrar em sonetos. 3. Dar forma de soneto a. [F. paral.: *sonetar*. Conjug.: v. *frear*.]

sonetilho [De *soneto* + *-ilho*.] *S. m. Arte Poét.* Soneto composto de versos de medida curta: "B. Lopes .... não tardou a desencantar-se: louvava-se e admirava-se não o homem e, sim, o poeta. Se a este exaltavam, lendo e aplaudindo-lhe os sonetilhos, ... àquele se erguiam as 'barreiras', contra as quais em vão se debatera Cruz e Sousa." (Melo Nóbrega, *Evocação de B. Lopes*, p. 64.)

sonetista [De *soneto* + *-ista*.] *Adj. 2 g. S. 2 g.* Que, ou quem faz sonetos.

soneto (ê) [Do it. *sonetto*.] *S. m. Arte Poét.* Composição poética de 14 versos, dispostos ou em dois quartetos e dois tercetos (*soneto italiano*, o mais cultivado) ou em três quartetos e um dístico (*soneto inglês*). [Alguns poetas (Luís Delfino, p. ex., no Brasil) apresentam sonetos em que os tercetos vêm em primeiro lugar.] [Pl.: *sonetos* (ê). Cf. *soneto*, do v. *sonetar*.] ◆ **Soneto estrambótico.** *Arte Poét.* Soneto a que se acrescentou um estrambote (q. v.). **Soneto inglês.** *Arte Poét.* V. *soneto*. **Soneto italiano.** *Arte Poét.* V. *soneto*.

songai *S. 2 g.* 1. *Etnôn.* Indivíduo dos songais, povo que vive na grande curva do rio Níger, na República do Mali (África). ● *Adj. 2 g.* 2. De, pertencente ou relativo a esse povo.

songamonga [Do hisp.-amer. *songa*, 'burla', e de um *monga* criado pela rima.] *S. 2 g. Fam.* Pessoa sonsa, dissimulada: "— Não se faça de tola, songamonga..." (Amando Fontes, *Os Corumbas*, p. 117.)

➔**songbook** ['sɔŋbʊk] [Ingl.] *S. m.* Álbum de canções, ger. de um mesmo compositor.

sonhador (ô) [De *sonhar* + *-dor*.] *Adj.* 1. Que sonha; devaneador: *Nunca vi homem mais sonhador do que ele.* 2. Próprio de, ou que sugere sonho: *Estava reclinada, com um ar vago, numa atitude sonhadora.* ● *S. m.* 3. Aquele que sonha; devaneador. [Sin. ger.: *sonhoso*.]

sonhar [Do lat. *somniare*.] *V. int.* 1. Ter sonho(s): "Eu sonhava. O meu sonho era semidivino" (Hermes-Fontes, *Microcosmo*, p. 35). 2. Entregar-se a fantasias e devaneios: "Sonhou muito [Graciliano Ramos], mas sempre protestou que não tinha vocação para o sonho." (Valdemar de Sousa Lima, *Graciliano Ramos em Palmeira dos Índios*, p. 31); *Vive a sonhar, sem ver a realidade. T. i.* 3. Pensar com insistência; ter a ideia fixa: "que jovem não sonhou algum dia em escrever poemas, romances, aventuras?" (Maria Julieta Drummond de Andrade, *Um Buquê de Alcachofras*, p. 52); *Vive sonhando em viajar; Sonha com a glória.* 4. Ver em sonhos: "Sonhara de noite com ele; pode ser que ele estivesse sonhando com ela." (Machado de Assis, *Várias Histórias*, p. 53.) *T. d.* 5. Ver em sonhos. 6. Imaginar em sonhos: *Sonhei que era médico.* 7. Supor, imaginar, prever: *Mal poderia sonhar tal calamidade.* 8. Ter (sonho): "E reconto o passado, / No vago misticismo de quem sonha / Um sonho abandonado." (Martins Fontes, *Verão*, p. 205.) *P.* 9. Imaginar-se, julgar-se, considerar-se, em sonho: "Sonho-me às vezes rei, nalguma ilha, / Muito longe, nos mares do Oriente" (Antero de Quental, *Sonetos*, p. 81).

sonhável [De *sonhar* + *-vel*.] *Adj. 2 g.* Que pode ser sonhado; a que se pode aspirar.

sonhim *S. m. Bras. N.E. MG Pop. Zool.* V. *sagui*.

sonho [Do lat. *somniu*.] *S. m.* 1. Sequência de fenômenos psíquicos (imagens, representações, atos, ideias, etc.) que involuntariamente ocorrem durante o sono: *um sonho agradável; um sonho aflitivo;* "o sonho coincidiu com a realidade, e as mesmas bocas uniram-se na imaginação e fora dela." (Machado de Assis, *Várias Histórias*, p. 55). 2. O objeto do sonho (1); aquilo com que se sonha: *O meu sonho desta noite foi uma viagem à Lua.* 3. Sequência de pensamentos, de ideias vagas, mais ou menos agradáveis, mais ou menos incoerentes, às quais o espírito se entrega em estado de vigília, geralmente para fugir à realidade; devaneio, fantasia: *Esta criança vive num mundo de sonhos.* 4. Desejo veemente; aspiração: *O seu sonho era ser aviador.* 5. Aquilo que enleva, transporta, pela extraordinária beleza natural ou estética: *A interpretação do quarteto foi um sonho; Aquele trecho de natureza é um sonho.* 6. Coisa ou pessoa muito bonita; visão: *Greta Garbo foi um sonho que empolgou uma geração inteira.* 7. Ideia dominante perseguida com interesse e paixão: *sonho de paz; sonho de liberdade.* 8. O que é produto da imaginação; fantasia, ilusão; quimera: *Seus planos não passam de sonhos.* 9. *Cul.* Doce muito fofo, preparado com farinha de trigo cozida, leite e ovos, frito em gordura quente, e passado em açúcar e canela, ou servido com calda rala, podendo também ser recheado. [Sin., lus.: *bola de berlim*.] ◆ **Sonho dourado.** 1. Sonho (7) ou aspiração dominante. 2. Esperança de felicidade: "O mundo — um sonho dourado, / A vida — um hino d'amor!" (Casimiro de Abreu, *Obras*, p. 93.) **Um sonho.** V. *um amor* (1).

sonhoso (ô) [De *sonho* + *-oso*.] *Adj. S. m.* V. *sonhador*: "A cabeleira, os olhos vagos e sonhosos." (Autran Dourado, *As Imaginações Pecaminosas*, p. 94); "o timbre da fala grave e distinta, os olhos parados nas nuvens, um jeito de sonhoso." (Id., *ib.*, p. 96).

▲**soni-** [Do lat. *sōmnus, i.*] *El. comp.* = 'sono': *soníloquo, sonífero* (< lat.). [Equiv.: *-son(i)-*.]

▲**-son(i)-** V. *soni-*.

sonial [Do lat. *somniale*.] *Adj. 2 g.* Referente aos, ou próprio dos sonhos.

sónico *Adj.* V. *sônico*. [Uso freq. em P.]

sônico [De *son(o)-* + *-ico²*.] *Adj.* 1. Relativo ao som. 2. Relativo à velocidade do som. ~ V. *onda —a* e *ortografia —a*.

sonido [Do esp. *sonido*.] *S. m.* 1. Qualquer som; rumor, ruído: "Nem já a rama dos pinhais rumorejava aquele seu saudoso sonido" (Camilo Castelo Branco, *Amor de Salvação*, pp. 11-12). 2. Estrondo, estrépito.

sonífero [Do lat. *somniferu*.] *Adj.* 1. Que dá ou provoca sono. 2. *Farmac. Terap.* Diz-se de substância ou medicamento que provoca o sono, como, p. ex., alcaloides do ópio e seus derivados, barbitúricos, etc. ● *S. m.* 3. *Farmac. Terap.* Medicamento ou substância sonífera. [Sin. ger.: *hipnótico*.]

soníloquo [De *soni-* + *-loquo*.] *Adj. S. m.* Que, ou aquele que fala durante o sono.

soninquê *S. 2 g.* 1. *Etnôn.* Indivíduo dos soninquês, povo mandê, majoritariamente muçulmano, da África ocidental. ● *Adj. 2 g.* 2. De, pertencente ou relativo a esse povo. [Sin. ger.: *saracolê*.]

sonípede [Do lat. *sonipede*.] *Adj. 2 g. S. 2 g. Poét.* Que, ou quem faz rumor com os pés ao andar.

sonneratiácea [Do tax. *Sonneratia* (do antr. [*Pierre*] *Sonnerat* [-1814], naturalista francês, + lat. cient. *-ia* [v. *-ia²*]) + *-ácea*; tax. *Sonneratiaceae*.] *S. f. Bot.* Espécime das sonneratiáceas, família de plantas da ordem das mirtales, constituída de apenas oito espécies de árvores dos trópicos do Velho Mundo, de folhas opostas, magnas e flores grandes.

sonneratiáceo [De *sonneratiácea*, com var. suf. (v. *-áceo*).] *Adj. Bot.* Pertencente ou relativo às sonneratiáceas.

sono [Do lat. *somnu*.] *S. m.* 1. *Fisiol.* Estado de repouso normal e periódico que, no homem e nos outros animais superiores, se caracteriza esp. pela suspensão temporária da atividade perceptiva e motora voluntária. 2. Estado de quem dorme: *Pelo sono o organismo repara as suas forças.* 3. Um período de sono: *Teve um sono agitado.* 4. Desejo provocado pela necessidade de dormir: *Sentiu sono e foi-se deitar.* 5. *Fig.* Inércia, inatividade: *o sono da natureza.* 6. *Fig.* Moleza, indolência, preguiça. 7. *Fig.* O repouso eterno; a morte. ◆ **Sono artificial.** *Anest. Med.* Sono que é induzido por algum sonífero. **Sono crepuscular.** *Med.* Condição de analgesia e amnésia na qual o indivíduo, embora responda a estímulo doloroso, não o retém na memória. **Sono de chumbo.** V. *sono de pedra*. **Sono de pedra.** Sono muito profundo, do qual não se desperta com facilidade; sono de chumbo, sono pesado. **Sono dos justos.** Bem-aventurança. **Sono hibernal.** Hibernação. **Sono leve.** Sono do qual se desperta com facilidade: "— Mamãe .... tem o sono muito leve; se acordasse agora, coitada, tão cedo não pegava no sono." (Machado de Assis, *Páginas Recolhidas*, p. 83.) **Sono pesado.** V. *sono de pedra*. **Apanhar sono.** *Moç.* Conciliar o sono: "nenhum de nós conseguiu apanhar sono." (Mia Couto, *Terra Sonâmbula*, p. 198). **Dormir a sono solto.** Dormir profundamente: "Caía [Lima Barreto] nas sarjetas e assim se deixava ficar, dormindo a sono solto, como qualquer pobre-diabo das ruas." (Francisco de Assis Barbosa, *A Vida de Lima Barreto*, p. 216.) **Ferrar no sono.** Adormecer profundamente; bater a cama nas costas; garrar no sono: "entrou de noite sem ser pressentido e esperou que ele ferrasse bem no sono." (Gondim da Fonseca, *Histórias de João Mindinho*, p. 13). **Garrar no sono.** *Bras. N.E. Pop.* V. *ferrar no sono*. **O sono eterno.** O último sono. **O último sono.** A morte; o sono eterno: "ainda usamos de metáforas, dizemos que os defuntos dormem, chamamos à morte o último sono." (Raquel de Queirós, *100 Crônicas Escolhidas*, p. 34). **Passar pelo sono.** Dormir um pouco, ligeiramente: "Às onze horas passou pelo sono." (Machado de Assis, *Várias Histórias*, p. 155); "Mas não dormiu — passou apenas pelo sono" (Josué Montelo, *Janelas Fechadas*, p. 225). **Pegar no sono.** Começar a dormir; adormecer: "E voltava-se de um para outro lado da cama, sem conseguir pegar no sono." (Aluísio Azevedo, *Casa de Pensão*, p. 164.)

▲**son(o)-** [Do lat. *sŏnus, i.*] *El. comp.* = 'som', 'ruído': *sônico, sonômetro, sonoplastia*. [Equiv.: *-sono: uníssono*.]

▲**-sono** Equiv. de *son(o)-*.

sonocaptor (ô) *S. m.* V. *pickup* (1).

sonofletor (ô) *S. m.* Caixa onde são instalados alto-falantes; caixa acústica. ◆ **Sonofletor infinito.** Aquele em que o ar existente na parte traseira do alto-falante não tem comunicação com o ar da parte dianteira.

sonoite [De *so-* + *noite*.] *S. f. Desus.* O anoitecer; lusco-fusco. [F. paral.: *sonoute*.]

sonolência [Do lat. *somnolentia*.] *S. f.* 1. Sono imperfeito. 2. Disposição para dormir; sopor, soneca, sono. 3. Transição entre o sono e a vigília; meio-sono, modorra. 4. *Fig.* Entorpecimento, inércia, inatividade. [Sin., nas acepç. 2 e 4: *lombeira, soneira*.]

sonolento [Do lat. *somnolentu*.] *Adj.* 1. Que tem sonolência; assonorentado. 2. Que provoca sono. 3. Relativo à sonolência. 4. *Fig.* Inerte, imóvel, inativo. 5. *Fig.* Mole, vagaroso. 6. *Fig.* Que corre ou parece correr devagar: "O córrego sonolento / Murmura o acompanhamento / Com trinclidos de cristal." (Ricardo Gonçalves, *Ipês*, p. 42.)

sonolúcido [Adapt. do ingl. *sonolucent*.] *Adj. Radiol.* Diz-se do meio que, durante exame ultrassonográfico, permite a passagem de ondas ultrassônicas sem que elas retornem a seu ponto de partida.

sonometria [De *son(o)-* + *-metria*.] *S. f.* Medição das vibrações sonoras.

sonométrico [De *sonometria* + *-ico²*.] *Adj.* Respeitante à sonometria.

sonómetro *S. m. Fís.* V. *sonômetro*. [Uso freq. em P.]

sonômetro [De *son(o)-* + *-metro*.] *S. m. Fís.* 1. Instrumento que se constitui de uma ou mais cordas estendidas sobre uma caixa de ressonância, e usado na realização de experiências acústicas, particularmente na determinação de frequência de sons. 2. Qualquer instrumento destinado a medir o nível de intensidade de sons e ruídos: "A principal medida [no combate à poluição sonora] consiste na utilização do aparelho denominado sonômetro, destinado a medir os sons e ruídos emitidos pelos veículos." (*Jornal do Brasil*, 08.05.1974.)

sonoplasta [De *son(o)-* + *-plasta*.] *S. 2 g.* Pessoa que trabalha em sonoplastia, ou se dedica ao estudo dela; sonotécnico.

sonoplastia [De *son(o)-* + *-plast(o)-* + *-ia¹*.] *S. f.* Arte e técnica de compor e fazer funcionar os ruídos e efeitos acústicos e musicais que constituem o elemento sonoro dos espetáculos teatrais, filmes, programas de rádio e televisão, etc.; sonotécnica. [Cf. *sonorização* (2 e 4).]

sonora [F. subst. de *sonoro*.] *S. f.* 1. *E. Ling.* Consoante sonora (q. v.). 2. *Bras. AL* Tom ou toada em que os cantadores populares cantam.

sonorense *Adj. 2 g.* 1. De, ou pertencente ou relativo a Sonora (MS). ● *S. 2 g.* 2. O natural ou habitante de Sonora.

sonoridade [Do lat. *sonoritate*.] *S. f.* 1. Qualidade de sonoro. 2. Qualidade (timbre, altura, intensidade) do som musical: *a sonoridade do violoncelo.* 3. Efeito sonoro harmonioso: *Tem cada intérprete uma sonoridade diferente.* 4. Propriedade que possuem certos corpos de tornar os sons mais intensos (v. *ressonância*): *a sonoridade da caixa de um violino.* 5. Qualidade que têm certos corpos ou certos ambientes de reforçar os sons emitidos por um corpo sonoro (v. *ressonância*): *a sonoridade de uma sala.* 6. *Cin.* Gravação de sons em filmes cinematográficos.

sonorização [De *sonorizar* + *-ção*.] *S. f.* 1. *Son.* Ato ou efeito de sonorizar. 2. *Son.* Designação genérica de processo de gravação sonora. [Cf., nesta acepç., *fonografia* (3) e *sonoplastia*.] 3. *E. Ling.* Passagem de um som surdo a sonoro por influência do ambiente (9); vozeamento. [Na passagem do latim ao português, as consoantes surdas intervocálicas sonorizam-se por influência das vogais, que são fonemas essencialmente sonoros. Assim, p. ex., lat. *caritate* > port. *caridade*; lat. *acetu* > port. *azedo*.]

sonorizador (ô) [De *sonorizar* + *-dor*.] , Que, ou aquele ou aquilo que sonoriza.

sonorizar [De *sonoro* + *-izar*.] *V. t. d.* 1. Tornar sonoro: "E o cincerro da madrinha, badalando compassadamente aos movimentos do animal, sonorizava aquela grande extensão erma." (Afonso Arinos, *Pelo Sertão*, p. 12.) 2. Instalar (e operar) sistema composto, ger., de microfone, amplificador, caixas de som, mesa de som, etc., para difusão sonora de (espetáculo, comício, palestra, etc.). 3. Registrar a parte de áudio em (filme ou outro produto audiovisual). *Int.* 4. Produzir som; soar.

sonoro [Do lat. *sonoru*.] *Adj.* 1. Que produz ou reforça o som. 2. Que emite som intenso; sonoroso: "E lhe veio sonora gargalhada que assustou o silêncio da rua" (Tito Batini, *Inácio, Pastor de Nuvens*, p. 167). 3. *Fig.* Harmonioso, suave, melodioso: *A liberdade não é uma expressão sonora, mas um poder que se exerce.* 4. *E. Ling.* Produzido com vibração das pregas vocais. [Cf., nesta acepç., *surdo* (9).] ~ V. *agregado —, boia —a, consoante —a, intensidade —a, onda —a* e *trilha —a*.

sonoroso (ô) [Do lat. *sonorosu*.] *Adj.* 1. Sonoro (2): "Sonorosas trombetas incitavam / Os ânimos alegres ressoando" (Luís de Camões, *Os Lusíadas*, II, 100). 2. Que tem som alto e agradável; melodioso, sonoro: "Com toucas na cabeça, e navegando, / Anafis sonorosos vão tocando." (Id., *ib.*, I, 47.).

sonoteca [De *son(o)-* + *-teca*.] *S. f. Neol.* Arquivo de gravações de vários tipos de ruídos e efeitos sonoros.

sonotécnica [De *son(o)-* + *técnica*.] *S. f.* Sonoplastia.

sonotécnico [De *sonotécnica*, com var. suf. (v. *-ico*²).] *Adj.* 1. Pertencente ou relativo à sonotécnica. ● *S. m.* 2. Sonoplasta.

sonoterapia [De *sono* + *-terapia*.] *S. f. Psiq. Desus.* Método de tratamento empregado em certos transtornos mentais, que consiste em produzir e manter sono artificial em um paciente, mediante o uso de drogas e sob rígido controle, por período que, ger., se pode estender de poucos dias a três semanas; narcoterapia.

sonoterápico [De *sonoterapia* + *-ico*².] *Adj. Terap.* Relativo à sonoterapia.

sonoute *S. f. Desus.* V. *sonoite*.

sonsa [F. subst. de *sonso*.] *S. f.* V. *sonsice* (2). ◆ **Pela sonsa.** Com disfarce; pela sonsice; à socancra, à sorrelfa.

sonsice [De *sonso* + *-ice*.] *S. f.* 1. Qualidade de sonso. 2. Sagacidade dissimulada; sorrelfa, sonsa. ◆ **Pela sonsice.** V. *pela sonsa*.

sonsinho [De *sonso* + *-inho*¹.] *Adj.* V. *sonso*.

sonso [De or. express.] *Adj.* 1. Dissimulado, manhoso, astuto, velhaco, solerte; sonsinho. ● *S. m.* 2. Indivíduo sonso.

sonsonete (ê) [Do esp. *sonsonete*.] *S. m.* Inflexão especial com que se profere uma ironia.

sontal *S. m. Gloss.* V. *santali*.

sonurno [Do lat. *somnurnu*.] *Adj.* 1. Referente ao sono. 2. Que é visto em sonhos; sonhado.

soo [Do forro².] *S. m. Santom. Cul.* Guisado feito de peixe, óleo de palma, tomate, mandioca, inhame, matabala e rodelas de banana crua: "viu a cabeceira do doente .... toda manchada de soo de banana entornado" (Sacramento Neto, *Milongo*, p. 41). ❖

sopa (ô) [Do germ. *suppa*, 'pedaço de pão embebido em um líquido', pelo b.-lat.] *S. f.* 1. Caldo com carne, legumes, massas ou outra substância sólida, servido, normalmente, como o primeiro prato do jantar. 2. Pedaço de pão molhado num líquido; coisa muito molhada. "Mas à chegada teve logo o amigo acolhimento da patroa nova. Festas no lombo, leite, sopas de café." (Miguel Torga, *Bichos*, p. 10.) 3. *Fam.* Coisa que se pode fazer, resolver ou vencer com facilidade: *Este trabalho é uma sopa.* 4. *Bras.* Cascalho consolidado em rocha na mineração. 5. *Bras. N.E.* V. *ônibus*: "A 'sopa' de Recife saía a uma hora, e todos os passageiros já estavam a postos" (José Lins do Rego, *Bota de Sete Léguas*, p. 138). ◆ **Sopa de cavalo cansado.** *Lus. Cul.* Pedaços de pão mergulhados em vinho tinto e temperados com açúcar e canela. **Sopa de pedra.** *Lus. Cul.* Prato regional da cozinha lusa, feito de feijão, batata, carne de porco e enchidos, ao qual se acrescenta uma pedra na tigela ou terrina, para servir. **Sopa juliana.** V. *juliana*². **Sopa paraguaia.** *Bras. MS Cul.* Bolo feito de farinha de milho, queijo, cebola, manteiga, leite, ovos e sal. **Às sopas.** *Lus.* À custa de alguém: "Baltasar disse, Tenho de procurar trabalho, e Blimunda também irá trabalhar, não podemos ficar às sopas" (José Saramago, *Memorial do Convento*, [8ª ed.] p. 104). **Cair a sopa no mel.** Vir uma coisa muito a propósito. **Dar sopa.** 1. Oferecer facilidade de ser roubado, ou de ser enganado, ou passado para trás, etc.: *Jorge deu sopa e ficou sem a carteira; Ele deu sopa e o colega tomou-lhe o lugar.* 2. Mostrar-se (a pessoa) fácil de ser conquistada; dar confiança: *Mulher honesta não deve dar sopa.* 3. Existir em abundância, podendo-se adquirir ou alcançar com facilidade: *A banana está dando sopa.* 4. *Bras. Gír. Mil.* Ficar à vista e sob o fogo do inimigo: *Quem der sopa pode levar um tiro.* **Dar uma sopa.** Dar uma canja. **Estar às sopas de.** *Lus.* V. *viver às sopas de.* **Ser sopa.** *Bras. Pop.* V. *ser pinto*. **Tomar sopa com.** *Bras. BA MG* Tomar liberdade, confiança, com (alguém). **Viver às sopas de.** *Lus.* Ser sustentado por ou viver à custa de.

sopapar [De *sopapo* + *-ar*².] *V. t. d.* Sopapear.

sopapear [De *sopapo* + *-ear*².] *V. t. d.* Dar sopapos em; sopapar: "O cabo da guarda sopapeou o Quirino, ... fazendo-o cambetear para dentro da salinha." (Cornélio Pires, *Quem Conta um Conto...*, p. 111.) [Conjug.: v. *frear*.]

sopapo [De *so-* + *papo*.] *S. m.* 1. Murro, soco. 2. Bofetão, tapa, tapona. ◆ **A sopapo.** *Bras.* De sopapo (2). **De sopapo.** 1. De repente; de estalo; subitamente: *Chegou de sopapo, sem ninguém esperar.* 2. *Bras.* Diz-se de habitação entaipada com barro que se atira com a mão; a sopapo: *Morava numa casa de sopapo.*

sope [Do ronga.] *S. m. Moç.* Aguardente: "bebe interminavelmente o sope." (Ungulani Ba Ka Khosa, *Ualalapi*, p. 81). [Sin. (moç.): *tontonto*.]

sopé [De *so-* + *pé*.] *S. m.* 1. Base (de montanha); falda: "Palmilhando as covoadas da serra do Cajueiro, em cujo sopé ficava a fazenda, José Brilhante .... achou um ninho e uma fortaleza." (Gustavo Barroso, *Heróis e Bandidos*, p. 164.) 2. A parte inferior de encosta, muro, etc. [F. paral.: *sobpé*.]

sopeador (ô) [De *sopear* + *-dor*.] *Adj. S. m.* Que, ou aquele que sopeia.

sopeamento [De *sopear* + *-mento*.] *S. m.* Ato ou efeito de sopear.

sopear [De *so-* + *pé* + *-ar*².] *V. t. d.* 1. Pôr debaixo dos pés; calcar. 2. Estorvar o movimento de. 3. Conter, reprimir, refrear: *Cheguei a tempo de sopear-lhe a ira;* "Percebe-se na contextura do livro o esforço do erudito a sopear a imaginação e a encarreirar o enredo pelos torcidos e complicados meandros da mais rigorosa exação." (Ramalho Ortigão, *Primeiras Prosas*, p. 187.) [Conjug.: v. *frear*.]

sopeira [De *sopa* + *-eira*.] *S. f.* Terrina para sopa (1).

sopeiro [De *sopa* + *-eiro*.] *Adj.* 1. Referente a sopa (1). 2. Que é próprio para conter sopa (1). 3. Que gosta de sopa (1). ● *S. m.* 4. Aquele que gosta de sopa (1); sopista. 5. Aquele que se alimenta à custa de outro.

sopesar [De *so-* + *pesar*.] *V. t. d.* 1. Tomar com a mão o peso de. 2. Levantar com a mão. 3. Equilibrar o peso de: "Na destra mão sopesa o iverapeme" (Gonçalves Dias, *Obras Poéticas*, II, p. 21). 4. Contrapesar; contrabalançar. 5. Repartir metódica ou parcimoniosamente. *P.* 6. Manter-se em equilíbrio; equilibrar-se. [Pres. ind.: *sopeso*, etc. Cf. *sopeso* (ê), s. m.]

sopesável [De *sopesar* + *-vel*.] *Adj. 2 g.* Que pode ser sopesado.

sopeso (ê) [Dev. de *sopesar*.] *S. m.* Ato ou efeito de sopesar. [Pl.: *sopesos* (ê). Cf. *sopeso*, do v. *sopesar*.]

sopetarra *S. f. Fam.* Sopa (1) grande.

sopetear [De **sopeta* (< *sopa* + *-eta*) + *-ear*².] *V. t. d.* 1. Embeber muitas vezes (o pão) em um líquido. 2. Saborear, gozar, desfrutar. [Conjug.: v. *frear*.]

sopista [De *sopa* + *-ista*.] *S. 2 g.* Sopeiro (4).

sopitado [Part. de *sopitar*.] *Adj.* 1. Caído em sonolência; adormecido. 2. Acalmado, abrandado, serenado. 3. Adamado, amaricado, efeminado. [Sin. ger.: *sopito*.]

sopitamento [De *sopitar* + *-mento*.] *S. m.* Ato ou efeito de sopitar.

sopitar [Do lat. **sopitare*, calcado em *sopitus*, part. pass. de *sopire*, 'adormecer'.] *V. t. d.* 1. Fazer dormir; adormecer. 2. Tirar a energia a; adormentar; entorpecer: "O torpor que lhe invadira o corpo sopitou-o completamente, e nem lhe deu tempo de escolher o lugar onde acomodar-se." (José de Alencar, *O Sertanejo*, p. 276.) 3. Acalmar, abrandar, serenar: *sopitar os ânimos.* 4. Alquebrar, enfraquecer, debilitar. 5. Tornar semelhante a uma mulher; efeminar. 6. Fazer nascer, ou alimentar, esperanças em. 7. Conter, dominar, vencer, sopear: "E, incapazes de negar a beleza e de sopitar a inveja, assaltaram a ave de Juno, magoaram-na, ofenderam-na" (João Ribeiro, *Floresta de Exemplos*, p. 200). [Sin. ger.: *soporizar*.]

sopitável [De *sopitar* + *-vel*.] *Adj. 2 g.* Que pode ser sopitado.

sopito [Do lat. *sopitu*.] *Adj.* V. *sopitado*: "Que o teu lábio sorria / Enquanto a dor sopita não desperta" (Raimundo Correia, *Poesias*, p. 174).

sopontadura [De *sopontar* + *-dura*.] *S. f.* Ato ou efeito de sopontar.

sopontar [De *so-* + *ponto*¹ + *-ar*².] *V. t. d.* Marcar (palavras) com pontos por baixo, para indicar serem elas escusadas.

sopor (ô) [Do lat. *sopore*.] *S. m.* 1. Prostração mórbida; modorra. 2. V. *sonolência* (2). 3. Estado comatoso: "Era esta, então, que experimentava os efeitos do tóxico e entrava a ter náuseas, tonturas, estado de sopor, e até perturbações mais graves" (Gastão Cruls, *4 Romances*, pp. 286-287). [Cf. *supor*.]

soporado [Do lat. *soporatu*.] *Adj.* Que tem ou causa sopor. [Cf. *supurado*.]

soporativo [Do lat. *soporatus*, 'impregnado de substância soporífera', + *-ivo*.] *Adj. S. m.* V. *soporífero*. [Cf. *supurativo*.]

soporífero [Do lat. *soporiferu*.] *Adj.* 1. Que produz sono ou sopor. 2. *Fig.* Enfadonho, fastidioso, tedioso, maçante, cacete. ● *S. m.* 3. Substância que sopita ou faz dormir: "Pela madrugada, à custa de soporíferos, consigo ser dominado por uma doce sonolência." (Ascendino Leite, *Passado Indefinido*, p. 121.) 4. *Fig.* Coisa fastidiosa, maçante, enfadonha. [Sin. ger.: *soporativo* e *soporífico*. Cf. *saporífero*.]

soporífico [De *sopor* + *-i-* + *-fico*.] *Adj. S. m.* V. *soporífero*. [Cf. *saporífico*.]

soporizar [De *sopor* + *-izar*.] *V. t. d.* V. *sopitar*.

soporoso (ô) [De *sopor* + *-oso*.] *Adj.* 1. Relativo a, ou próprio de sopor. 2. Que tem ou está em sopor; sonolento.

soportal [De *so-* + *portal*.] *S. m.* Parte inferior do portal; soleira.

soprador (ô) [De *soprar* + *-dor*.] *S. m. Art. Gráf.* Cada uma das aberturas ligadas aos tubos que, no margeador automático, sopram ar entre as folhas de papel, para separá-las. [Cf. *sugador* (3).]

soprador de apito *S. m. Bras. Gír. Fut.* Árbitro (3) que atua mal numa partida de futebol. [Pl.: *sopradores de apito*.] ☑

sopranino [Do it. *sopranino*.] *Adj. 2 g. S. 2 g. Mús.* Diz-se de, ou o instrumento mais agudo da família dos saxornes, saxofones, sarrussofones, etc.

sopranista [De *soprano* + *-ista*.] *S. m.* Homem que, por efeito de propositada intervenção cirúrgica, ou por especial disposição dos órgãos da fonação, canta com voz de soprano.

soprano [Do it. *soprano*.] *S. 2 g. Mús.* 1. A voz mais aguda de mulher ou de menino. [Sin.: *tiple*.] 2. Cantor ou cantora com voz de soprano. ● *Adj. 2 g. S. m.* 3. Diz-se de, ou o instrumento agudo, dentro de um grupo de instrumentos da mesma família: *saxorne soprano.*

soprar [Do lat. vulg. **suplare* (cláss. *sufflare*).] *V. t. d.* 1. Dirigir o sopro sobre ou para: *Soprou o pó do livro.* 2. Dirigir o sopro sobre (o fogo), para o avivar ou para o apagar. 3. Agitar com sopro: "O vento sopra as macieiras e levanta do caminho o palhiço seco do centeio." (José Vieira, *Sol de Portugal*, p. 59.) 4. Encher de ar por meio de sopro: *O menino soprou o balão.* 5. Favorecer, bafejar, favonear: *A sorte sopra, muitas vezes, os que menos precisam.* 6. Estimular ocultamente; sugerir: *Seus escritos sopram oposição ao regime.* 7. Dizer (lição, resposta de prova, etc.) em voz baixa, para prevenir ou remediar ignorância ou falta de memória de outrem: *O colega soprou a resposta da segunda questão.* 8. Retirar ou separar (peças) no jogo de damas. *T. d. e i.* 9. Insinuar, inspirar: *A boa situação que conquistara soprava-lhe o gosto de viver.* 10. Cochichar, segredar: *Aproximou-se dela e soprou-lhe palavras de amor.* *Int.* 11. Emitir sopro. 12. Agitar-se, produzir-se (vento); aflar: "Só o vento continuava ainda a soprar, arrancando das árvores um rumor prolongado e sombrio." (Lúcio Cardoso, *O Desconhecido*, p. 11); "O vento sopra com mais intensidade." (Viana Moog, *Um Rio Imita o Reno*, p. 95). [F. paral.: *assoprar*. Pres. ind.: *sopro, sopras*, etc. Cf. *sopro* (ô).]

sopresa (ê) [Dev. de *sopresar*.] *S. f.* Ação de sopresar. [Cf. *sopresa*, do v. *sopresar*.]

sopresar [De *so-* + *presa* + *-ar*².] *V. t. d.* 1. Tomar de assalto; apresar. 2. Embair, enganar, com falsas aparências. [Pres. ind.: *sopreso, sopresas, sopresa*, etc. Cf. *sopresa* (ê).]

soprilho [De *sopro* + *-ilho*.] *S. m.* Variedade de seda muito rala ou transparente.

sopro (ô) [Dev. de *soprar*.] *S. m.* 1. Ato ou efeito de soprar. 2. Ato de expelir com alguma força o ar aspirado. 3. Movimento de ar impelido pela boca. [Sin., nessas acepç.: *assopradura, assopramento, assopro*.] 4. O ar expirado; bafo, hálito. 5. Agitação do ar; brisa, viração, aragem: "não se ouvia o menor sussurro e as folhas do arvoredo apenas aflavam com o brando sopro da viração." (José de Alencar, *O Sertanejo*, p. 112). 6. Miasma, exalação. 7. Som, ruído: *Não se ouvia o sopro da tuba.* 8. Ruído ritmado que lembra a respiração: *o sopro de um fole.* 9. Gases em ignição, onda de choque e onda de calor que saem da boca de uma arma de fogo na ocasião do tiro. 10. *Fig.* Influxo, influência, força: *sopro do entusiasmo; o sopro da fé.* 11. *Med.* Ruído anormal que se verifica pela auscultação e pode localizar-se em diversos órgãos: *sopro cardíaco; sopro respiratório.* [Pl.: *sopros* (ô). Cf. *sopro*, do v. *soprar*.] ~ V. *sopros*. ◆ **Sopro anfórico.** *Pneum.* O sopro ouvido ao nível de certas cavernas do pulmão e noutros estados mórbidos desse órgão, semelhante ao que se obtém quando se sopra dentro de uma garrafa.

sopros (ô) [Pl. de *sopro*.] *S. m. pl. Mús.* O conjunto dos instrumentos de sopro. ~ V. *sopro*.

soque [Dev. de *socar*¹.] *S. m. Bras.* Ato de socar ou pilar.

soqueado [Part. de *soquear*.] *Adj.* Socado (1).

soquear [De *soco*[1] + *-ear*[2].] *V. t. d.* Dar socos em; socar: "Agarrou-se aos cabelos do irmão, soqueando-lhe o rosto." (Guido Vilmar Sassi, *Piá*, p. 25.) [Conjug.: v. *frear*.]

soqueira[1] [De *soca*[1] + *-eira*.] *S. f.* 1. O raizame das canas, e doutras plantas, após o corte. 2. *Bras. PE* Engenho que produz muita soca[1] (2).

soqueira[2] [De *soco*[1] + *-eira*.] *S. f. Bras. SP RS* Boxe (2).

soqueixar [De *soqueixo* + *-ar*[2].] *V. t. d.* Ligar ou prender por baixo do queixo.

soqueixo [De *so-* + *queixo*.] *S. m.* 1. Ligadura por sob o queixo. 2. Lenço ou pano amarrado por baixo do queixo.

soquete [Do fr. *socquette*.] *S. f. Bras.* Meia curtíssima, que chega apenas à altura do tornozelo. [Cf. *soquete* (ê).]

soquete[1] (ê) [De *soco*[1] + *-ete* (ê).] *S. m.* 1. Soco aplicado com pouca força. 2. Utensílio para socar a pólvora e a bala dentro do canhão. 3. Ferramenta apropriada para socar ou comprimir terra à volta de postes, mourões, etc., ou para firmar a pedra nos calçamentos. 4. *Bras.* Socador (4). [Cf. *soquete*.]

soquete[2] (ê) [Do ingl. *socket*.] *S. m.* 1. *Mec.* Chave para colocar ou extrair porcas e parafusos em lugares profundos, que consiste em uma haste redonda de ferro, com uma extremidade oca correspondente a uma porca ou cabeça de parafuso. 2. *Mec.* Abertura ou oco ou peça oca, ger. com rosca, que serve de suporte a algo. 3. *Eletr.* Suporte para válvula ou lâmpada.

soquete[3] (ê) [Do esp. plat. *zoquete*.] *S. m. Bras. S.* 1. Carne cozida ou fervida. 2. *Cul.* Cozido (3) acompanhado de pirão. 3. Comida de má qualidade. [Cf. *soquete*.]

soquetear [De *soquete*[1] + *-ear*[2].] *V. t. d.* Comprimir com o soquete; socar. [Conjug.: v. *frear*.]

soqueteiro [Do esp. plat. *zoquetero*.] *Adj. S. m. Bras. S.* Diz-se de, ou indivíduo vadio, que anda pelas estâncias a prestar algum serviço em troca do soquete[3] diário; gaudério.

sor[1] (ô) [De *senhor*, com síncope.] *S. m.* V. *senhor*: "— Mas venha cá, sor Coelho." (Virgílio Várzea, *Nas Ondas*, p. 12.)

sor[2] (ô) [De *soror*, com síncope do *r* e contração das vogais.] *S. f.* Soror. [Só em posição proclítica: *Sor Teresa*.]

▲**-sor** V. *-or*.

soral [De *soro* (com o tônico aberto) + *-al*[1].] *Adj. 2 g. Bot.* 1. Relativo ao soro. 2. Diz-se da zona do talo liquênico onde se formam os sorédios, quando são circunscritos.

sorar [De *soro* (ô) + *-ar*[2].] *V. t. d.* Converter em soro (ô); dessorar. [Pres. ind.: *soro*, etc. Cf. *soro* (ô).]

sorbato [De *(ácido) sórb(ico)* + *-ato*[2].] *S. m. Quím.* Qualquer sal ou éster do ácido sórbico.

➔**sorbet** [sɔʀ'be] [Fr.] *S. m.* Sorvete feito de suco de frutas, ou de licor, etc.: *sorbet de marasquino, de pera.*

sórbico *Adj. Quím.* ~ V. *ácido —.*

sorbitol [Voc. farmac.] *S. m. Quím.* Alditol produzido a partir da glicose, us. como edulcorante [fórm.: $C_6H_{14}O_6$]. [Pl.: *sorbitóis*.]

sorbônico *Adj.* V. *sorbônico*. [Uso freq. em P.]

sorbônico [De *Sorbona* + *-ico*[2].] *Adj.* Pertencente ou relativo à Sorbona, sede dos cursos públicos das faculdades da Universidade de Paris.

sorbonista [De *Sorbona* + *-ista*.] *S. 2 g.* 1. Estudante da Sorbona. 2. Doutor da Sorbona.

sorção [Do ingl. *sorption*.] *S. f. Fís.-Quím.* Fenômeno simultâneo de adsorção e absorção.

sorda (ô) [De *açorda*, poss.] *S. f. Bras. RS* Caldo de carne engrossado com farinha de mandioca, e ao qual se acrescentam ovos.

sordícia [Do lat. *sorditia*.] *S. f.* V. *sordidez*: "O casamento do filho mais novo de el-rei D. Manuel com D. Isabel, filha de D. Jaime, ... é um quadro da vida particular de dous chefes de família, que se rivalizam em competência de velhacaria, de má-fé, de sordícias baixas." (Camilo Castelo Branco, *Narcóticos*, I, p. 13.)

sordície [Do lat. *sorditie*.] *S. f.* V. *sordidez*.

sordidez (ê) [De *sórdido* + *-ez*.] *S. f.* 1. Estado de imundície, de repelente abandono, caracterizado por miséria extrema: *Muitos escravos morriam na viagem, tal era a sordidez dos navios negreiros.* 2. Coisa ou pessoa suja, emporcalhada, nojenta, repugnante. 3. *Fig.* Baixeza, infâmia, vileza, indignidade, torpeza. 4. *P. ext.* Avareza sórdida; mesquinhez. [Sin. ger.: *sordícia* ou *sordície* e *sordideza*.]

sordideza (ê) [De *sórdido* + *-eza*.] *S. f.* V. *sordidez*.

sórdido [Do lat. *sordidu*.] *Adj.* 1. Que tem ou denota sordidez (1); imundo, abjeto, repugnante: *mocambo sórdido; estalagem sórdida;* "Divago como os cães danados / A horas mortas, por becos sórdidos!" (Manuel Bandeira, *Estrela da Vida Inteira*, p. 251). 2. Que é ou se apresenta sujo, emporcalhado, nojento: *mendigo sórdido; roupas sórdidas.* 3. *Fig.* Que denota o emprego de meios degradantes e baixos para alcançar um fim; ignóbil, vil, torpe: *vitória sórdida; procedimento sórdido.* 4. *Fig.* Corrompido pelo mal ou pelo vício; indigno, infame, corruto: *chantagista sórdido; prostituta sórdida.* 5. *Fig.* Indecoroso, indecente, obsceno: *espetáculo sórdido.* 6. *Fig.* Miserável, mesquinho [v. *avaro* (1)]: *O homem sórdido ama o dinheiro, mas não ama a vida.* 7. *Fig.* Próprio de quem é sórdido (6); miserável, desgraçado, mesquinho: "A vida que leva é sórdida; come para não morrer, pouco e ruim." (Machado de Assis, *Várias Histórias*, p. 31.)

soredial [De *sorédio* + *-al*[1].] *Adj. 2 g. Bot.* Relativo ao, ou da natureza do sorédio: *corpúsculo soredial.*

sorediífero [De *sorédio* + *-ífero*.] *Adj. Bot.* Que tem sorédios: *zona sorediífera.*

sorédio [Do lat. cient. *soredium* < gr. *sorós* (v. *soro*).] *S. m. Bot.* Corpúsculo formado no talo de muitos liquens, constante de hifas e algas, e que, separado do talo, começa a crescer e reproduz o líquen, caso venha a cair em local favorável.

sorete (ê) [Do esp. plat. *sorete*.] *S. m. Bras. RS* As fezes, quando expelidas em pedaços secos e duros.

sórex [Do tax. *Sorex*.] *S. m. Zool.* 1. O gênero-tipo dos soricídeos, que abrange pequenos mamíferos de pelagem densa e curta e focinho móvel, dotado de vários receptores sensoriais. 2. Qualquer espécie desse gênero, como, p. ex., a *Sorex palustris* (v. *musaranho-de-água*). 3. Qualquer espécime desse gênero.

sorgo (ô) [Do it. *sorgo* (< lat. vulg. *suricum*, lat. *syricum*, 'procedente da síria'); tax. *Sorghum*.] *S. m. Bot.* 1. Gênero de poáceas das regiões tropicais do Velho Mundo, economicamente muito importantes, atualmente subespontâneas no Novo Mundo, e que são largamente cultivadas, pelos grãos, até mesmo em regiões temperadas. 2. Qualquer espécie desse gênero, como, p. ex., a *Sorghum vulgare* ou milho-zaburro, ou milho-da-guiné, denominado *mapira*, em Moçambique, e a *S. nigricans* ou *angolens*, chamada *maçambala* (tb. grafado *massambala*), em Angola. 3. Qualquer espécime desse gênero ou os seus grãos. [Pl.: *sorgos* (ô).]

sorgo-de-alepo *S. m. Bot.* V. *maçambará*. [Pl.: *sorgos-de-alepo*.]

soriano [Do esp. *soriano*.] *Adj.* 1. De, ou pertencente ou relativo a Sória (Espanha). ● *S. m.* 2. O natural ou habitante de Sória.

soricídeo [Do lat. cient. *Soric-* (< tax. *Sorex* < lat. *sorex, icis*, 'rato do campo') + *-ídeo*[1]; tax. *Soricidae*.] *Zool. S. m.* 1. Espécime dos soricídeos, família de mamíferos insetívoros, de tamanho muito pequeno, focinho afilado, orelhas escondidas sob a pelagem, dentes incisivos superiores centrais grandes e com duas pontas, uma anterior, em forma de gancho, e outra posterior. Apenas um gênero é conhecido na América do Sul, ao norte, na região andina. ● *Adj.* 2. Pertencente ou relativo a eles.

sorífero [De *soro* + *-ífero*.] *Adj. Bot.* Que tem soros: *fronde sorífera.*

sorites [Do gr. *sorítes*, 'silogismo amontoado', pelo lat. *sorites*.] *S. m. 2 n. Lóg.* Polissilogismo da forma *A é B, B é C, C é D*, então *A é D*; ou da forma *C é D, B é C, A é B*, então *A é D*.

sorna (ô) [Do ant. provenç. *sorn*, 'escuro', pelo esp. (gír.) *sorna*, 'noite'.] *S. f.* 1. Indolência, moleza, preguiça. 2. Sono, soneira, soneca. ● *S. 2 g.* 3. Pessoa indolente, preguiçosa, inerte. 4. V. *maçante* (2). ● *Adj. 2 g.* 5. Diz-se de sorna (3 e 4). [Pl.: *sornas* (ô). Cf. *sorna* e *sornas*, do v. *sornar*.]

sornar [De *sorna* + *-ar*[2].] *V. int.* Fazer as coisas com indolência: ser pachorrento; proceder com sorna. [Pres. ind.: *sorno, sornas, sorna*, etc. Cf. *sorna* (ô) e pl. *sornas* (ô).]

sorneiro [De *sornar* + *-eiro*.] *Adj. S. m.* Diz-se de, ou aquele que sorna.

soro [Do gr. *sorós*, 'montão'.] *S. m. Bot.* 1. Grupo de esporângios de criptógamos vasculares. 2. Grupo de gametângios ou de esporângios das algas. [Pl.: *soros*. Cf. *soro* (ô) e pl. *soros* (ô).]

soro (ô) [Do lat. hispânico *soru*, var. do lat. cláss. *serum*.] *S. m.* 1. *Histol.* A porção fluida do sangue obtida após a coagulação dele. 2. *Histol.* Líquido amarelo-claro que corresponde ao plasma sem fibrinogênio. 3. *Terap.* Soro sanguíneo de animais em que se inocularam bactérias ou toxinas, e que é utilizado com fins profiláticos ou terapêuticos: *soro antitetânico; soro antidiftérico.* 4. *Terap.* Solução de substância mineral ou orgânica usada para hidratação ou alimentação de pacientes, ou para veiculação de medicamentos: *soro fisiológico* (que contém cloreto de sódio); *soro glicosado* (que contém glicose). 5. Líquido transparente, amarelo-pálido, que aparece no leite coalhado e é subproduto da fabricação de queijos. [Pl.: *soros* (ô). Cf. *soro*, do v. *sorar* e s. m., e pl. *soros*.] ◆ **Soro da verdade.** *Med. Leg. Impr.* Substância como, p. ex., um barbitúrico, us. para obter o relaxamento do autodomínio de um indivíduo que se recusa a confessar ou a depor em processo criminal. [Na realidade, nem a substância é um soro, nem há certeza de que produza bom resultado.] [Cf. *narcoanálise*.]

soró *S. m. Bras. N.* V. *baseado*[1].

soroalbumina [De *soro* (ô) + *albumina*.] *S. f. Quím.* Albumina encontrada no soro sanguíneo, com massa molecular da ordem de 45.000.

soroca [Do tupi = 'rasgar-se'.] *S. f.* 1. *Bras. Bot.* Arbusto ou arvoreta morácea (*Sorocea ilicifolia*) da floresta atlântica, de folhas rígidas, oblongas, acuminadas e serreadas, flores mínimas e agregadas em compacto receptáculo, e cujo fruto é uma sorose vermelha e carnosa, de paladar agradável; bainha-de-espada. 2. *Bras.* Toca de onça. 3. *Bras. SP* Rasgão ou desmoronamento de terras arrastadas em consequência da infiltração da água no subsolo, com desagregação das camadas inferiores e queda das superiores. [Cf., nesta acepç., *sorocabuçu*.]

sorocabano *Adj.* 1. De, ou pertencente ou relativo a Sorocaba (SP) ou à zona servida pela Estrada de Ferro Sorocabana. ● *S. m.* 2. O natural ou habitante de Sorocaba ou dessa zona.

sorocabuçu [Do tupi.] *S. m. Bras. SP* Soroca (3) de grande vulto.

sorocístico [De *sorocisto* + *-ico*[2].] *Adj.* Relativo a sorocisto; orrocístico.

sorocisto [De *soro* (ô) + *cisto*.] *S. m. Patol.* Cisto cujo conteúdo é soro (1); orrocisto.

sorodiagnóstico [De *soro* (ô) + *diagnóstico*.] *S. m. Imun.* Diagnóstico de doenças, particularmente infecciosas, mediante provas imunológicas que utilizam o soro (1).

sorogrupo [De *soro* (ô) + *grupo*.] *S. m. Microbiol.* Conjunto de sorotipos assim agrupados por possuírem antígenos comuns.

soro-imune (ô) *S. m. Impr.* V. *antissoro*. [Pl.: *soros-imunes* (ô).]

sorologia [De *soro* (ô) + *-logia*.] *S. f.* Ramo da imunologia que se ocupa do estudo, *in vitro*, das reações que, no soro (1), ocorrem entre antígeno e anticorpo; serologia.

sorológico [De *sorologia* + *-ico*[2].] *Adj.* Relativo a soro (1); serológico.

sorologista [De *sorologia* + *-ista*.] *S. 2 g.* Especialista em sorologia.

soronegativo (ô) [De *soro* + *negativo*.] *Adj.* Diz-se de indivíduo que apresenta reação negativa a exame sorológico que detecta anticorpos específicos contra determinado antígeno.

soronga *Adj. 2 g. S. 2 g.* V. *sorongo*[2].

sorongo[1] *S. m.* 1. Dança de origem africana, que pertencia ao tipo do fandango ou do bolero. 2. *Bras. PE BA* No séc. XIX, dança de salão, de características coreográficas nitidamente espanholas. 3. *Bras. MG* Dança negra, de origem africana, do tipo batuque ou samba. 4. V. *arrasta-pé* (1). [Cf. *surungo* e *sarambu*.]

sorongo[2] *Bras. Adj.* 1. V. *tolo* (1 a 3). 2. Perturbado, atônito, tonto. ● *S. m.* 3. V. *tolo* (8). [Var.: *soronga*. Cf. *surungo*.]

soropositivo (ô) [De soro + positivo.] *Adj.* Diz-se de indivíduo que apresenta reação positiva a exame sorológico que detecta anticorpos específicos contra determinado antígeno.

soror (ô) [Do lat. *sorore*.] *S. f.* Tratamento dado às freiras: "Todo o mosteiro encheu-se de tristeza, / E ninguém soube de que dor escrava / morrera a divinal soror Teresa..." (Maranhão Sobrinho, *Papéis Velhos*, p. 24.) [É o fem. de *frei*. A pronúncia mais corrente, e não incorreta, é *sóror*. Pl.: *sorores* (ô).]

sóror [Do lat. *soror* (nom.), 'irmã'.] *S. f.* V. *soror*. [Pl.: *sórores*.]

sororal [Do lat. *soror, oris*, 'irmã', + *-al*[1].] *Adj. 2 g.* Pertencente ou relativo a soror. [Sin. (p. us.): *sorório*.] ~ V. *poliginia —.*

sororato [Do lat. *soror, oris*, 'irmã', + *-ato*[1].] *S. m. Antrop.* 1. Em certas sociedades, costume mais ou menos institucionalizado, pelo qual um homem, após a morte da esposa, se casa com a irmã solteira desta. 2. *Impr.* V. *poliginia sororal*.

sororicida [Do lat. *sororicida*.] *Adj. 2 g.* 1. Diz-se de quem assassina irmã ou freira. ● *S. 2 g.* 2. Assassino de irmã ou freira.

sororicídio [Do lat. *sororicidiu*.] *S. m.* Assassinato de irmã ou de freira.

sorório [Do lat. *sororiu*.] *Adj. P. us.* Sororal.

sororó *S. m. Bras. RJ Gír.* 1. Briga, distúrbio. 2. V. *rolo*[1] (16).

sororoca [Do tupi = 'desfazer-se'.] *S. f. Bras.* 1. Ruído produzido pelos estertores de um moribundo: "as vozes do responso pareciam a sororoca da morte, o arquejo do moribundo" (Amadeu de Queirós, *Os Casos do Carimbamba*, p. 79). 2. *Zool.* Peixe escombrídeo (*Scomberomorus maculatus*), do Atlântico, de dorso azulado, abdome prateado, e três séries de manchas longitudinais douradas sobre os flancos.

Nada em pequenos cardumes, e é pescado com rede, espinhel e corrico; alimenta-se de peixes. [Sin.: *cavala-pintada, escalda-mar, sarda, serrapinima.*] **3.** *Zool.* Peixe escombrídeo (*Scomber colias*), do Atlântico

sororocar [De *sororoca* + *-ar*[2].] ***V. int. Bras.*** Estertorar em agonia. [Conjug.: v. *trancar*. Cf. *sururucar*.]

sorose [De *soro* + *-ose*[1].] ***S. f. Bot.*** Infrutescência constituída pela fusão de bagas, como o abacaxi e a jaca.

soroso (ô) [De *soro* (ô) + *-oso*.] ***Adj.*** Seroso (1 e 2).

soroterapia [De *soro* (ô) + *-terapia*.] ***S. f. Terap.*** Tratamento mediante administração de soro obtido de organismo imunizado, principalmente de animais; orroterapia, seroterapia.

soroterápico [De *soroterapia* + *-ico*[2].] ***Adj. Terap.*** Relativo a soroterapia; seroterápico.

sorotipo [De *soro* (ô) + *-tipo*.] ***S. m. Microbiol.*** Característica de um microrganismo em relação aos seus antígenos, e que possibilita discriminar grupos ou variedades dentro de uma mesma espécie, com a utilização de métodos imunológicos.

sorrabar [De *so-* + *rabo* + *-ar*[2].] ***V. t. d.*** **1.** Andar atrás ou no encalço de. **2.** *Fig.* Adular, bajular, sabujar.

sorrate [Der. regress. de *sorrateiro*.] ***El. s. m.*** Us. na loc. adv. *de sorrate*. ◆ **De sorrate.** V. *à sorrelfa*.

sorrateiro [Do lat. *subreptu*, 'tomado por astúcia', com infl. de *rato*, + *-eiro*, poss.] ***Adj.*** **1.** Que faz as coisas manhosamente, pela calada, de sorrate: "A instantes um vulto esgueirava-se sorrateiro, lançava ao fogo ramos secos, folhas." (Coelho Neto, *Rei Negro*, p. 290.) **2.** Matreiro, manhoso, astuto.

sorrelfa [De or. obscura.] ***S. f.*** **1.** V. *sonsice* (2). **2.** Disfarce para enganar; fantasia, socapa. ● ***S. 2 g.*** **3.** Pessoa manhosa ou astuta: "E Soledad seguia-lhes, sorrelfa, os olhares febris, que se apunhalavam, ansiosos, diante dela, impudicamente." (Urbano Tavares Rodrigues, *A Noite Roxa*, p. 84.) **4.** V. *avaro* (3). ● ***Adj. 2 g.*** **5.** V. *avaro* (1). ◆ **À sorrelfa.** À socapa; de sorrate; sorrateiramente.

sorrelfo [De *sorrelfa*.] ***Adj. Desus.*** Dissimulado, sonso.

sorridente [Do lat. *subridente*.] ***Adj. 2 g.*** **1.** Que sorri. **2.** Risonho, alegre, prazenteiro: *rosto sorridente*; "olhos miúdos e sorridentes." (Pedro Nava, *Beira-Mar*, p. 35). **3.** Acolhedor, afável: *rapaz sorridente; expressão sorridente*. **4.** Esperançoso, propício, promissor: *futuro sorridente*.

sorrir [Do lat. *subridere*.] ***V. int. P.*** **1.** Rir sem ruído; rir de leve, apenas com uma ligeira contração dos músculos faciais: "O caboclo não ri, sorri apenas" (Inglês de Sousa, *Contos Amazônicos*, p. 7); "As damas... sorriam-se para os gentis campeadores, e seus olhos cheios de luz e de promessas estimulavam até os tímidos." (Rebelo da Silva, *Contos e Lendas*, p. 175). **2.** Mostrar-se alegre; alegrar-se: *Sorriu consigo mesmo ao relembrar os fatos.* ***T. i.*** **3.** Dirigir, lançar sorrisos: *Alegre, sorria para todos.* **4.** Prazer, aprazer, agradar: "Pedro seria médico, Paulo advogado; tal foi a primeira escolha das profissões .... A marinha sorria à mãe, pela distinção particular da escola." (Machado de Assis, *Esaú e Jacó*, p. 29); *Sorria-lhe a beleza sadia do campo.* **5.** Dar esperanças; mostrar-se prometedor: *A ideia sorriu-lhe, pois parecia exequível.* **6.** Ser favorável; favorecer: *A sorte sorriu a meu amigo.* **7.** Ser objeto de desejo; ser cobiçado, apetecido: *Sorri-lhe o cargo de ministro.* **8.** Troçar, zombar, mofar: *Sorriu da ingenuidade do rapaz.* ***T. d. e i.*** **9.** Significar de modo risonho; exprimir agradavelmente: *Sorriu ao companheiro o encantamento de que estava possuído.* **10.** Dar, esboçar (sorrisos): *Sorriu ao namorado o mais belo de seus sorrisos.* ***T. d.*** **11.** Dar, esboçar (sorriso): *Sorri um sorriso de satisfação;* "Minervino ficou sorrindo um sorriso triste" (Nélson de Faria, *Tiziu e Outras Estórias*, p. 144). [Irreg. Conjug.: v. *rir*.] ◆ **Sorrir amarelo.** Sorrir de modo forçado, contrafeito; rir amarelo: "Camilo estremeceu, tinha medo: depois sorriu amarelo, ... e foi andando." (Machado de Assis, *Várias Histórias*, p. 11.)

sorrisense ***Adj. 2 g.*** **1.** De, ou pertencente ou relativo a Sorriso (MT). ● ***S. 2 g.*** **2.** O natural ou habitante de Sorriso.

sorriso [Do lat. *subrisu*, part. pass. de *subridere*, 'sorrir'.] ***S. m.*** **1.** Ato ou efeito de sorrir(-se). **2.** Movimento e expressão de um rosto que sorri: *O sorriso, na criança e no adulto, exterioriza uma gama numerosa de sentimentos.* ◆ **Sorriso amarelo.** Sorriso forçado, contrafeito; riso amarelo.

sorro (ô) [Var. de *zorro*[1].] *Bras. RS* ***Adj.*** **1.** V. *zorro*[1] (4). ● ***S. m.*** **2.** V. *zorro*[1] (6). ◆ **Sorro manso.** *Bras. RS Fig.* Indivíduo falso, dissimulado.

sorte [Do lat. *sorte*.] ***S. f.*** **1.** Força que determina ou regula tudo quanto ocorre, e cuja causa se atribui ao acaso das circunstâncias ou a uma suposta predestinação: *São imprevisíveis os caprichos da sorte.* **2.** Destino, fado, sina: *Nascer e morrer é a sorte de todos os viventes.* **3.** Destino, termo, fim: *Passou a vida a fazer o mal, mas teve uma triste sorte.* **4.** Modo de viver; condição social ou material: *Fez-se um plano para melhorar a sorte dos flagelados.* **5.** Acidente da fortuna; casualidade, acaso: *Enfrentou a sorte, e venceu.* **6.** Felicidade, fortuna, dita, ventura; boa estrela, boa sorte: *Teve a sorte de ver os filhos bem encaminhados; É homem de sorte.* **7.** Adversidade, fatalidade; má sorte: *os golpes da sorte; a ironia da sorte.* **8.** Acontecimento fortuito; casualidade, acaso: *Esse jogo só depende de sorte.* **9.** Modo de resolver alguma coisa ao acaso; sorteio: *Recorreram à sorte para ver quem pagaria a conta.* **10.** Bilhete ou outra coisa premiada em loteria ou sorteio: *A sorte saiu para quem mais precisava.* **11.** Quinhão ou porção que cabe a alguém numa partilha: *Não lhe coube por sorte a velha mansão de seus avós.* **12.** Arte ou manobra por meio da qual se pretende influir de modo nefasto ou benfazejo no destino de alguém; sortilégio: *A velha sabia fazer sortes para afastar o mau-olhado.* **13.** Gênero, classe, espécie: "Sabem todos o que foi que determinou o desapreço da coroa portuguesa pelas terras achadas por Pedro Álvares Cabral: foi a ausência de riquezas de qualquer sorte, metais ou pedras preciosas, especiarias, etc." (Rodolfo Garcia, *História Política e Administrativa do Brasil*, p. 41.) **14.** Modo, maneira, forma, jeito: *Olhou-o de tal sorte que o outro logo desistiu do intento.* **15.** *Taur.* Manobra para farpear o touro. **16.** *Tip.* Cada uma das letras ou sinais que, em quantidades determinadas, compõem uma fonte de tipos. [Cf., nesta acepç., *polícia* (7).] **17.** *Bras. CE* Cada rês que toca ao vaqueiro por pagamento. ◆ **Sorte cotó.** *Bras. Pop.* Pouca sorte (6); má sorte. **Sorte de campo.** *Bras. RS* Medida agrária de 2.700 quadras. **Sorte grande.** Bilhete sorteado com o maior prêmio na loteria: "– Estou pedindo a Deus que nos faça tirar a sorte grande. / – A sorte grande!... Mas como, se nós não compramos bilhetes de loteria, mamãe?" (Vivaldo Coaraci, *91 Crônicas Escolhidas*, p. 50.) [Sin. (lus.): *taluda*.] **À sorte.** Ao acaso; aleatoriamente: *Tirou um número à sorte e foi premiado.* **Dar sorte.** *Bras.* Ter bom êxito num empreendimento, numa atividade, em qualquer coisa; ter sorte: *Fiz umas transações, e dei sorte: fiquei independente; Não dei sorte com esse carro: vive na oficina.* **Deitar a sorte.** V. *ler a sorte de*. **De sorte que.** De maneira que; de modo que. **Desta sorte.** Assim; assim sendo; deste modo; destarte. **Jogar a sorte.** V. *lançar a sorte*. **Lançar a sorte.** Tentar obter ou resolver algo valendo-se do acaso; jogar a sorte; lançar os dados. **Ler a sorte de.** Dizer a sina, o futuro de uma pessoa pelas linhas da mão, pelas cartas do baralho, pela bola de cristal, etc.; ler a buena-dicha de; deitar a sorte. **Rebenqueado da sorte.** *Bras. RS* Desenganado, desiludido. **Tirar a sorte.** Ganhar em loteria ou sorteio. [Cf. *tirar à sorte*.] **Tirar à sorte.** Decidir o destino por meio de sorteio. [Cf. *tirar a sorte*.] **Tirar a sorte grande. 1.** Ganhar o prêmio máximo em loteria, sorteio, etc. **2.** *Fig.* Enriquecer de modo repentino ou imprevisível. **3.** *Fig.* Ser muito afortunado em determinadas circunstâncias: *Tirou a sorte grande, com o marido que tem!*

sorteado [Part. de *sortear*.] ***Adj.*** **1.** Escolhido por sorte. **2.** Variado, sortido. [Diz-se de cores, fazendas e drogas.] **3.** Em que recaiu o prêmio, num sorteio: *bilhete sorteado.* **4.** Diz-se do cidadão obrigado a prestar o serviço militar por haver sido o seu nome sorteado. ● ***S. m.*** **5.** *Bras.* Cidadão sorteado (4).

sorteador (ô) [De *sortear* + *-dor*.] ***Adj. S. m.*** Que, ou aquele que sorteia.

sorteamento [De *sortear* + *-mento*.] ***S. m. P. us.*** Sorteio.

sortear [De *sorte* + *-ear*[2].] ***V. t. d.*** **1.** Determinar ou escolher por sorte: *Os alunos sortearam o representante da turma.* **2.** Distribuir por sorte; rifar: *Sorteamos as entradas para o baile.* **3.** Variar, sortir. [Conjug.: v. *frear*.]

sorteio [Dev. de *sortear*.] ***S. m.*** Ato ou efeito de sortear. [Sin., p. us.: *sorteamento*.] ◆ **Sorteio militar.** *Mil.* Aquele a que se submete, anualmente, a classe (23) de indivíduos convocáveis para prestarem serviço militar, a fim de completar os quadros do pessoal subalterno não qualificado.

sortido [Part. de *sortir*.] ***Adj.*** **1.** Abastecido, provido. **2.** Que tem sortimento grande: *supermercado sortido;* "Depois as prateleiras que, durante o ano, passavam vazias, contendo apenas .... alguns foguetes e bombas, se apresentavam sortidas" (Guiomar Alcides de Castro, *São Miguel dos Campos*, p. 157). **3.** Variado (em cor, tipo, espécie, etc.): *camisas sortidas; balas sortidas.* ● ***S. m.*** **4.** Sortimento (2). [Cf. *surtido*, part. de *surtir*.]

sortilégio [Do lat. med. *sortilegiu*, 'escolha de sortes', ou seja, de objetos destinados a predizer o futuro.] ***S. m.*** **1.** V. *bruxaria* (1 e 2): "rezas e orações, maus-olhados e presságios, sortilégios de rezadores e pais de santos, pajé e xamãs" (Renato Almeida, *Inteligência do Folclore*, p. 144). **2.** Sedução ou fascinação exercida por dotes naturais ou por artifícios: "Joaninha .... ocupa-me todo o tempo, ... como se fora um logogrifo impossível de decifração. Instintivamente penso que ela deve ser o sortilégio de tudo quanto a cerca" (Afrânio Peixoto, *Fruta do Mato*, p. 77). **3.** Maquinação, trama.

sortílego [Do lat. *sortilegu*.] ***Adj. S. m.*** Que, ou aquele que faz sortilégios.

sortilha [Do b.-lat. **sorticula* < lat. *sors, sortis*, 'sorte'.] ***S. f. Ant.*** Anel empregado sobretudo em sortilégios e na magia.

sortimento [De *sortir* + *-mento*.] ***S. m.*** **1.** Ato ou efeito de sortir(-se). **2.** Provisão de mercadorias de várias espécies; sortido. **3.** O conjunto de mercadorias que constituem o acervo de uma casa comercial. **4.** Grande número de coisas diversas.

sortir [Do lat. *sortire*, 'obter por sorte', 'obter'.] ***V. t. d.*** **1.** Abastecer, prover: *Abriu uma casa comercial e tratou de sorti-la.* **2.** Variar, combinar, misturar: *sortir as cores da pintura.* ***T. d. e i.*** **3.** Abastecer, prover: *Os navios sortiram a cidade de trigo estrangeiro.* ***Int.*** **4.** Caber em sorte. ***P.*** **5.** Abastecer-se, prover-se. [Irreg. Pres. ind.: *surto, surtes, surte, sortimos, sortis, surtem*; imperat.: *surte .... sorti*, etc.; pres. subj.: *surta, surtas*, etc. Cf. *surtir*.]

sortista [De *sorte* + *-ista*.] ***S. 2 g.*** **1.** *Bras. S.* Cartomante. **2.** *Bras. PR RS* Pessoa que faz bruxaria; bruxo, macumbeiro: "eu fui naquela sortista que faz trabalho e falei sobre teu caso, deixei o nome da fulana, ela me disse que é para fazer defumação no quarto e na roupa" (Dalton Trevisan, *Desastres do Amor*, p. 170).

sortudo [De *sorte* + *-udo*.] *Bras. Gír.* ***Adj.*** **1.** Diz-se daquele que tem muita sorte, que obtém boas coisas com facilidade; lanzudo, peludo: "vai te dar um cargo de diretor da Companhia Anilinas São Pedro. Coisa de importância, com secretária bonita e telefone às ordens. Vai ser sortudo assim na China!" (José Cândido de Carvalho, *Por que Lulu Bergantim não Atravessou o Rubicon*, p. 9). ● ***S. m.*** **2.** Indivíduo sortudo.

soruma ***S. f.*** *Moç.* V. *maconha*.

sorumbático [De **soombrático*, calcado no ant. *soombra*, 'sombra', com metátese, + *-ático*.] ***Adj.*** Sombrio, triste, tristonho, macambúzio: "sorumbático como uma cegonha, ilhava-se na penumbra de sua barbearia desfrequentada, a remoer cogitações tristes." (Godofredo Rangel, *Os Humildes*, p. 195).

sorumbatismo [De *sorumbático* + *-ismo*, seg. o padrão erudito.] ***S. m. Bras.*** Qualidade ou estado de sorumbático.

sorva (ô) [Do lat. *sorba*, pl. de *sorbum*.] ***S. f.*** **1.** *Bot.* Sorveira (1). **2.** *Bot. Bras. Amaz.* Árvore apocinácea (*Couma utilis*) da floresta densa, caracterizada pelas bagas, comestíveis, do tamanho de uma cereja. O látex é doce e pode ser bebido, servindo para preparar a sorva (5). [Sin., nesta acepç.: *sorva-pequena, cumaí, cumã, sorveira*.] **3.** *Bot.* Árvore apocinácea (*Couma guianensis*) da floresta úmida, caracterizada pelos frutos bacáceos comestíveis, e cujo látex é amargo, não servindo para beber. [Sin., nesta acepç.: *sorva-do-peru, sorveira, sorveiro*.] **4.** O fruto da sorva ou da sorveira. **5.** Balata preparada com a sorva (1). [Pl.: *sorvas* (ô). Cf. *sorva* e *sorvas*, do v. *sorvar*.]

sorvado [Part. de *sorvar*.] ***Adj.*** **1.** Meio podre (fruto). **2.** *Fig.* Alquebrado, abatido, combalido.

sorva-do-peru [De *sorva* + *do*[1] + o top. *Peru*.] ***S. f.*** *Bras. Amaz. Bot.* V. *sorva* (3). [Pl.: *sorvas-do-peru*.]

sorva-grande ***S. f.*** *Bras. Amaz. Bot.* Árvore apocinácea (*Couma macrocarpa*) da floresta pluvial, caracterizada pelas bagas comestíveis, do tamanho do limão, e cujo látex, abundante, é adocicado e potável, sendo bebido com água ou com café. [Sin.: *cumã-uaçu, sorveira*. Pl.: *sorvas-grandes*.]

sorvalhada [De *sorva* + *-alhada*.] ***S. f.*** Grande porção de frutas esparramadas pelo chão.

sorva-pequena [De *sorva* + o f. de *pequeno*.] ***S. f.*** *Bras. Amaz. Bot.* V. *sorva* (2). [Pl.: *sorvas-pequenas*.]

sorvar [De *sorva* + *-ar*[2].] ***V. int. P.*** **1.** Principiar a apodrecer (fruta). **2.** Amolecer (a fruta) por princípio de fermentação. **3.** Estar combalido, abatido, alquebrado. ***T. d.*** **4.** Fazer amolecer (a fruta) e ter começo de fermentação. [Pres. ind.: *sorvo, sorvas, sorva*, etc. Cf. *sorvo* (ô), do v. *sorver* e s. m., e *sorva* (ô), *sorvas* (ô), do v. *sorver* e s. f.]

sorvedoiro [De *sorver* + *-doiro*[2].] ***S. m.*** Sorvedouro (q. v.).

sorvedouro [De *sorver* + *-douro*[2]; var. de *sorvedoiro*.] ***S. m.*** **1.** Redemoinho de água no mar ou nos rios; voragem. V. *turbilhão* (2). **2.** V. *abismo* (1). **3.** *Fig.* O que origina gastos ou sacrifícios exagerados: *A fazenda é um sorvedouro de dinheiro.* **4.** *Tip.* Parte do distribuidor da linotipo onde deslizam as matrizes em sua volta ao magazine; coletor radiado. **5.** *Eletrôn.* Nó-sorvedouro (q. v.).

sorvedura [De *sorver* + *-dura*.] ***S. f.*** Sorvo (1).

S

sorveira [De *sorva* + *-eira*.] *S. f.* **1.** *Bot.* Árvore rosácea (*Sorbus domestica*) originária da Europa mediterrânea, dotada de folhas compostas imparipenadas, flores em cimeiras corimbiformes, e fruto piriforme ou subgloboso, comestível quando sorvado; sorva. **2.** *Bras. Amaz.* V. *sorva* (2 e 3). **3.** *Bras. Amaz.* V. *sorva-grande*.

sorveiro [De *sorva* (ô) + *-eiro*.] *S. m. Bras. Bot.* V. *sorva* (3).

sorver [Do lat. *sorbere*.] *V. t. d.* **1.** Haurir ou beber, aspirando: *sorver um líquido;* "moqueando e comendo cuatá, sorvendo mel de abelha brava, bebendo água dos cipós" (Raimundo Morais, *País das Pedras Verdes*, p. 189); "as pontas dos nossos dedos .... transformaram-se numa espécie de ventosa do polvo, numas bocas de sanguessuga, que se dilatavam e contraíam incessantemente, sorvendo gulosos o ar e a umidade." (Aluísio Azevedo, *Pegadas*, p. 152); "Sorvo o perfume que tua alma exala" (Gonçalves Dias, *Obras Poéticas*, II, p. 154). **2.** Beber aos sorvos ou aos poucos: "E, calmamente, sorvemos longos goles de cerveja, até espertar o corpo." (Lima Barreto, *Vida e Morte de M. J. Gonzaga de Sá*, p. 159.) **3.** Embeber-se ou impregnar-se de; chupar, sugar; absorver: *A flanela sorveu toda a água.* **4.** Atrair para baixo; tragar: *O mar bravio sorveu a nau.* **5.** Submergir, afundar, subverter. **6.** *Fig.* Abrigar, recolher: *A casa, embora pequena, sorveu os desabrigados.* **7.** Destruir, aniquilar; devastar: *A peste sorveu milhares de habitantes.* [Pres. ind.: *sorvo* (ô), *sorves*, *sorve*, etc.; pres. subj.: *sorva* (ô), *sorvas* (ô), etc. Cf. *sorvo*, *sorvas*, *sorva*, do v. *sorvar*, e *solver*.]

sorvetaria [De *sorvete* + *-aria*.] *S. f. Bras. P. us.* Sorveteria (q. v.).

sorvete (ê) [Do turco *xorbet*, pelo fr. *sorbet* e pelo it. *sorbetto*, com infl. de *sorver*, poss.] *S. m.* Designação comum a várias iguarias doces, feitas de suco de frutas ou de leite (com ovos, chocolate, etc.) e congeladas até adquirirem consistência semelhante à da neve. [Os sorvetes podem ser preparados industrialmente ou congelados nos refrigeradores domésticos. Sin., p. us.: *gelado*.] ◆ **Virar sorvete.** Sumir(-se), desaparecer. V. *fugir* (1 e 2).

sorveteira [De *sorvete* + *-eira*.] *S. f.* Máquina de fazer sorvetes.

sorveteiro [De *sorvete* + *-eiro*.] *S. m. Bras.* Vendedor ambulante de sorvetes.

sorveteria [De *sorvete* + *-eria*.] *S. f. Bras.* **1.** Estabelecimento onde se fabricam ou vendem sorvetes. **2.** Local onde se vendem sorvetes e outras iguarias, para consumo imediato, que são servidas em mesinhas ou em balcões. [F. paral. (p. us.): *sorvetaria*.]

sorvo (ô) [Dev. de *sorver*.] *S. m.* **1.** Ato ou efeito de sorver; sorvedura. **2.** Trago, gole, golo: "E pondo o gargalo à boca, bebeu em sorvos lentos, que lhe faziam ondular o pescoço peludo." (Eça de Queirós, *Contos*, p. 138.) [Pl.: *sorvos* (ô). Cf. *sorvo*, do v. *sorvar*.]

■ **S.O.S.** [Abrev. do ingl. *Save our souls*.] Pedido de socorro integrante do código internacional de sinais.

sósia [Do antr. *Sósia* < lat. *sosia*, de um personagem da comédia *Anfitrião*, de Plauto (v. *plautino*); o deus Mercúrio toma as feições do escravo Sósia para mais facilmente cumprir uma missão.] *S. 2 g.* Pessoa muito parecida com outra; menecma.

soslaiar [De *soslaio* + *-ar*[2].] *V. t. d.* Olhar de soslaio, de esguelha, obliquamente: "[Chico Barqueiro] ficou depois soslaiando o outro, sem saber mais o que arrumar." (João Guimarães Rosa, *Sagarana*, p. 146.)

soslaio [Do ant. provenç. *d'eslais*, 'impetuosamente', pelo esp. *soslayo*.] *S. m.* Obliquidade, través, esguelha. ◆ **De soslaio.** De esguelha; de esconso; de través; de lado; obliquamente: "quando .... a olhava, a furto, de soslaio, lá encontrava o seu olhar ardente e polido" (Afrânio Peixoto, *Fruta do Mato*, p. 80).

sossega [Dev. de *sossegar*.] *S. f.* **1.** Ato de sossegar(-se). **2.** Repouso, descanso. **3.** *Fam.* Sono (1). ● *S. m.* **4.** *Cul.* Biscoito semelhante ao sonho (9), feito com farinha de trigo e ovos.

sossegado [Part. de *sossegar*.] *Adj.* **1.** Quieto, tranquilo, calmo: *recanto sossegado; criança sossegada.* **2.** Pacífico, pacato: *Embora muito moço, é sossegado.* **3.** Livre de preocupações; descansado: *Fique sossegado: tudo correrá bem.*

sossegador (ô) [De *sossegar* + *-dor*.] *Adj.* Que sossega ou tranquiliza.

sossega-leão [De *sossegar* + *leão*.] *S. m.* **1.** *Bras. CE* Gradil quadrado onde se põe a criança de idade tenra com o objetivo de assegurar-lhe proteção: "magnífico pedaço de homem, com vinte e oito anos apenas, e três de casado, o primeiro filho em casa dos pais de Judite, e ainda no sossega-leão, de cueiros e urinado, esforçando-se, agarrado às grades, por ficar em pé" (Moreira Campos, *Portas Fechadas*, p. 70). **2.** *Bras. BA* Bonde fechado. [Pl.: *sossega-leões*.] **3.** *Bras. Pop.* Medicamento antipsicótico; calmante.

sossegar [Do lat. vulg. **sessicare*, calcado em *sessus*, 'assento', pelo arc. *sessegar*.] *V. t. d.* **1.** Pôr em sossego; aquietar: *Foi à cocheira sossegar os animais agitados com a tempestade.* **2.** Dar descanso a; pôr em descanso; fazer que descanse: "Maior amor nem mais estranho existe / Que o meu, que não sossega a coisa amada / E quando a sente alegre, fica triste, / E se a vê descontente, dá risada." (Vinícius de Morais, *Antologia Poética*, p. 146); *Depois de anos e anos de trabalho, quer agora sossegar o corpo.* **3.** Tranquilizar, acalmar: *Procurou sossegar a mãe aflita.* *Int. P.* **4.** Estar ou ficar quieto; aquietar-se: *As crianças, cansadas, sossegaram; Por fim os inquietos sossegaram-se.* **5.** Acalmar-se, Tranquilizar-se, serenar(-se): *O mar, tão agitado, sossegou; Os ventos desabridos sossegaram-se.* **6.** Adormecer, dormir. [Var.: *assossegar*. Conjug.: v. *regar*. Pres. ind.: *sossego*, etc. Cf. *sossego* (ê).]

sossego (ê) [Dev. de *sossegar*.] *S. m.* **1.** Ato ou efeito de sossegar. **2.** Ausência de agitação; tranquilidade; calma, quietude, paz: *o sossego do campo.* **3.** Ausência de preocupações; tranquilidade, paz: *sossego do espírito.* **4.** Aquilo ou aquele que proporciona sossego, descanso: *Esta babá é um sossego para a família.* **5.** Estado de repouso; descanso, parada: *O doente não tinha sossego na cama.* [Pl.: *sossegos* (ê). Cf. *sossego*, do v. *sossegar*. Var.: *assossego* (ê).]

sosseguense *Adj. 2 g.* **1.** De, ou pertencente ou relativo a Sossego (RJ). ● *S. 2 g.* **2.** O natural ou habitante de Sossego.

sosso[1] (ô) *S. 2 g.* **1.** *Etnôn.* Indivíduo dos sossos, povo que vive sobretudo na República da Guiné (África). ● *Adj. 2 g.* **2.** De, ou pertencente ou relativo a esse povo. [Var.: *suçu* e *sussu*.]

sosso[2] (ô) [De *insosso*, com aférese.] *Adj.* ~ V. *pedra* —*a*.

sostra (ô) [De or. obsc.] *S. f.* Mulher suja e preguiçosa, inútil: "A criada que cozinhava era uma sostra, não sabia fazer caldo de franga" (Camilo Castelo Branco, *Sentimentalismo e História*, p. 177).

sota [Do cat. *sota*, pelo esp. *sota*.] *S. f.* **1.** Dama, nas cartas de baralho. **2.** Folga, descanso. **3.** *Mar.* V. *aberta* (9). ● *S. m.* **4.** O que monta o cavalo da sela. **5.** Cocheiro, boleeiro. **6.** Subordinado, subalterno. ~ V. *sotas*. ◆ **Dar sota e ás a.** Ser mais esperto que (outrem): "Sim, senhores, o frade dava sota e ás ao mais espertalhão dos doutores." (Aquilino Ribeiro, *O Malhadinhas*, p. 143.) **Orelhar a sota.** Jogar cartas.

▲**sota-** Equiv. de *soto-*. [É sempre seguido de hífen: *sota-capitão*, *sota-vento*.]

sota-capitão [De *sota-* + *capitão*.] *S. m. Ant.* Soto-capitão. [Pl.: *sota-capitães*.]

sotádico [Do gr. *sotadikós*, pelo lat. *sotadicu*.] *Adj.* **1.** De Sótades (séc. III a. C.), poeta grego, que escreveu obras licenciosas. **2.** Obsceno, erótico. ~ V. *verso* —.

sotaina [Do it. *sottana*.] *S. f.* **1.** Batina de padre. ● *S. m.* **2.** Padre, sacerdote.

sótão [Do lat. vulg. **subtulu* < lat. *subtus*, 'debaixo'.] *S. m.* **1.** Pavimento situado imediatamente abaixo da cobertura de um edifício, e caracterizado pelo pé-direito reduzido ou pela disposição especial que permite adaptá-lo ao desvão do telhado: "A casa tinha um andar térreo e um pequeno sótão." (Domingos Monteiro, *O Primeiro Crime de Simão Bolandas*, p. 31.) **2.** Espaço vazio na armadura do telhado, que normalmente serve de depósito. [Pl.: *sótãos*.]

sota-piloto [De *sota-* + *piloto*.] *S. m. Ant. Mar.* Substituto do piloto. [Pl.: *sota-pilotos*.]

sota-proa [De *sota-* + *proa*.] *S. m. Bras. Mar.* O remador da segunda bancada a contar da proa. [Pl.: *sota-proas*.]

sotaque [De or. obscura.] *S. m.* **1.** Dito picante ou repreensivo; remoque, motejo, picuinha. **2.** *E. Ling.* Pronúncia característica de um indivíduo, de uma região, etc.; acento.

sotaquear [De *sotaque* + *-ear*[2].] *V. t. d.* Jogar remoque a; motejar de (alguém). [Conjug.: v. *frear*.]

sotas [Pl. de *sota*.] *S. f. pl.* Num carro puxado por mais de uma parelha, a que vai na frente. ~ V. *sota*.

sota-ventear [De *sota-vento* + *-ear*[2].] *V. t. d.* **1.** Levar (o navio) para sota-vento. *Int.* **2.** *Mar.* Perder barlavento; cair ou navegar para sota-vento. [Sin., ant.: *sulaventear*.] *P.* **3.** Ir de barlavento para sota-vento. [Conjug.: v. *frear*. Antôn.: *barlaventear*.] [Na 5ª ed. do Volp., sem hífen; corrigido em errata.] ❖

sota-vento [De *sota-* + *vento*.] *S. m. Mar.* O lado para onde vai o vento; bordo contrário àquele de onde sopra o vento. [Sin., ant.: *julavento*, *sulavento*. Antôn.: *barlavento*[1]. Pl.: *sota-ventos*] ◆ **Cair para sota-vento.** *Mar.* Andar (a embarcação) lateralmente para sota-vento, por efeito do vento e/ou do mar, conservando-se, entretanto, aproada ao mesmo rumo. ❖

sota-voga [De *sota-* + *voga*.] *S. m. Mar.* O remador da segunda bancada a contar da popa. [Pl.: *sota-vogas*.]

soteia (éi) *S. f.* V. *açoteia*. ❖

soteriologia [Do gr. *sotérion*, 'salvação', + *-logia*.] *S. f.* Parte da teologia que trata da salvação do homem.

soteriológico [De *soteriologia* + *-ico*[2].] *Adj.* Relativo à soteriologia.

soteropolitano [De *Soterópolis* (< gr. *sotérion*, 'salvação', + *-polis*), helenização do nome da cidade de Salvador, + *-t-* + *-ano*[1].] *Adj. S. m. Desus.* V. *salvadorense*[1].

soterração [De *soterrar* + *-ção*.] *S. f.* Soterramento.

soterrado [Part. de *soterrar*.] *Adj.* **1.** Coberto de terra. **2.** Metido debaixo da terra.

soterramento [De *soterrar* + *-mento*.] *S. m.* Ato ou efeito de soterrar(-se); soterração.

soterrâneo *Adj. S. m. P. us.* V. *subterrâneo*.

soterrar [De *so-* + *terra* + *-ar*[2].] *V. t. d.* **1.** Cobrir de terra; enterrar, soverter; subterrar: *O desabamento soterrou muitas pessoas.* **2.** *P. us.* Causar grande terror a; assustar; aterrorizar. *P.* **3.** Meter-se por baixo da terra. [Antôn.: *dessoterrar*.]

➔**sotie** [so'ti] [Fr., 'loucura', 'tolice'.] *S. f. Teatr.* Farsa de caráter satírico dos sécs. XIV e XV, cujas personagens usavam trajes de bufos para representar diferentes personagens ridículas, numa alegoria à sociedade da época.

soto *S. m.* **1.** *Etnôn.* Indivíduo dos sotos, povo que habita a região do reino de Lesoto (S.E. da África). **2.** *Gloss.* A língua banta desse povo. [Juntamente com o inglês é língua oficial do país.] **3.** Vocábulo dessa língua. ● *Adj.* **4.** Pertencente ou relativo aos sotos, ou à sua língua.

▲**soto-** [Do lat. *sŭbtus*.] *El. comp.* = 'debaixo', 'posição inferior': *soto-mestre*, *soto-pôr*. [Equiv.: *sota-*: *sota-piloto*.] [É sempre seguido de hífen.]

sotoar [Do fr. *sautoir*.] *S. m. Heráld.* V. *aspa* (3).

soto-capitão [De *soto-* + *capitão*.] *S. m. Ant. Mar.* Substituto do capitão a bordo; imediato; sota-capitão. [Pl.: *soto-capitães*.]

soto-mestre [De *soto-* + *mestre*.] *S. m. Mar. Ant.* Substituto do mestre a bordo. [Hoje se usa *contramestre*. Pl.: *soto-mestres*.]

soto-ministro [De *soto-* + *ministro*.] *S. m.* Entre os jesuítas, aquele que superintende os confrades incumbidos dos serviços de cozinha, despensa, etc. [Pl.: *soto-ministros*.] ❖

soto-pôr [De *soto-* + *pôr*.] *V. t. d. e i.* **1.** Pôr por baixo; subpor: *Soto-ponha os livros aos cadernos.* **2.** Omitir, postergar, preterir, pospor: "Malsinando os políticos traidores de seus ideais e que tudo soto-põem aos seus baixos interesses, a imagem de que se socorre é ainda de poeta amoroso" (José Veríssimo, *História da Literatura Brasileira*, p. 297); "Como os homens são loucos quando intentam / As nações soto-pôr aos seus caprichos!" (Domingos José Gonçalves de Magalhães, *A Confederação dos Tamoios*, p. 170). [Sin. ger.: *sobpor*. Antôn.: *sobrepor*. Irreg. Conjug.: v. *pôr*.] ❖

soto-posto (ô) [Part. de *soto-pôr*.] *Adj.* Posto por baixo. [Pl.: *soto-postos*.] [Na 5ª ed. do Volp., sem hífen; corrigido em errata.] ❖

soto-soberania [De *soto-* + *soberania*.] *S. f.* Soberania subordinada a outra. [Pl.: *soto-soberanias*.] ❖

sotrancão [De *so-* + *tranca* + *-ão*[2].] *Adj.* Dissimulado, sonso, sorna.

sotrancar [De *so-* + *trancar*.] *V. t. d.* Cingir com os braços; abarcar. [Conjug.: v. *trancar*.]

sotreta (ê) [Do esp. plat. *sotreta*.] *Adj. 2 g. S. 2 g. Bras. S.* **1.** Diz-se de, ou pessoa torpe, vil. **2.** Diz-se de, ou coisa imprestável. **3.** Diz-se de, ou animal cavalar ruim, sendeiro.

soturnense *Adj. 2 g.* **1.** De, ou pertencente ou relativo a Faxinal do Soturno (RS). ● *S. 2 g.* **2.** O natural ou habitante de Faxinal do Soturno.

soturnez (ê) [De *soturno* + *-ez*.] *S. f. Bras.* Soturnidade.

soturnidade [De *soturno* + *-(i)dade*.] *S. f.* Qualidade ou estado de soturno. [Sin., (bras.): *soturnez*.]

soturno [Alter. do astr. *Saturno*; seg. os astrólogos, as pessoas nascidas sob o influxo desse planeta eram de caráter melancólico.] *Adj.* **1.** Triste, sombrio, lúgubre: *as batidas soturnas do tambor;* "E sons soturnos, suspiradas mágoas, / Mágoas amargas e melancolias, / No sussurro monótono das águas, / Noturnamente, entre ramagens frias." (Cruz e Sousa, *Faróis*, p. 59). **2.** Silencioso, taciturno: *Figuras soturnas velavam o morto.* **3.** Que infunde pavor; medonho, lúgubre, funesto: *A noite, o parque era soturno e cheio de mistério.* **4.** Diz-se da atmosfera sombria, carregada ou brumosa: *tempo soturno; dia soturno.* ● *S. m.* **5.** Escuridão, treva.

souá [Var. de *sauiá*.] *S. m. Bras. Zool.* Espécie de rato-de-espinho. [Cf. *sauiá*.]

➔**soubrette** [su'bʀɛt] [Fr.] *S. f.* Atriz que desempenha papel de criada de quarto.

➔**soul** [sow] [Ingl.] *S. m. Mús.* Tipo de música negra americana que se originou no início dos anos 1950 a partir da fusão do *rhythm and blues* e da música *gospel*, e cujas principais características são o fervor dos coros e a improvisação.

sourense *Adj. 2 g.* **1.** De, pertencente ou relativo a Soure (PA). ● *S. 2 g.* **2.** O natural ou habitante de Soure.

sousafone [Do antr. (*John Philip*) *Sousa* (-1932), maestro e compositor popular americano, + *-fone*.] *S. m. Mús.* Hélicon cujo pavilhão é dirigido para cima.

sousalita [Do antr. (*A. J. A. de*) *Sousa*, mineralogista brasileiro, + *-lita*.] *S. f. Min.* Mineral monoclínico, fibroso, verde, produto de alteração da escorzalita.

sousandradino [Do antr./pseud. *Sousândrade* + *-ino*[1].] *Adj.* **1.** Relativo ou pertencente ao poeta brasileiro Sousândrade (Joaquim de Sousa Andrade [1833-1902]), ou próprio dele. **2.** Que é seu admirador e/ou profundo conhecedor de sua obra. ● *S. m.* **3.** Admirador e/ou profundo conhecedor da obra de Sousândrade.

sousão [Do top. *Sousa* (rio da região duriense, Portugal) + *-ão*[2].] *S. m. Bot.* Casta de videira europeia (*Vitis vinifera*), de uvas cor-de-vinho, usada na preparação do vinho do Porto (q. v.); uva-tinta, tinta.

sousense *Adj. 2 g.* **1.** De, ou pertencente ou relativo a Sousa (PB). ● *S. 2 g.* **2.** O natural ou habitante de Sousa.

→**sous la coupole** [su laku'pɔl] [Fr.] Sob a cúpula (da Academia). Ex.: *ser recebido* sous la coupole, *i. e., ser eleito membro da Academia.*

souto [Do lat. *saltu*.] *S. m.* Bosque espesso; salto: "aqui a terra seca; além o lameiro; acolá a bouça, o chão de pinhal ou o souto de castanheiros." (Ramalho Ortigão, *As Farpas*, I, pp. 56-57). [Var.: *soito*.]

souto-soarense *Adj. 2 g.* **1.** De, ou pertencente ou relativo a Souto Soares (BA). ● *S. 2 g.* **2.** O natural ou habitante de Souto Soares. [Pl.: *souto-soarenses*.]

→**souvenir** [suv'niʀ] [Fr.] *S. m.* Suvenir (q. v.).

sova[1] [Dev. de *sovar*.] *S. f.* **1.** Ato ou efeito de sovar. **2.** V. *surra* (1). **3.** *Bras.* Uso diário. **4.** *Bras. Fam.* Surra (4).

sova[2] *S. m. P. us.* V. *soba*.

sovacada [De *sovaco* + *-ada*[1].] *S. f. Bras.* V. *arrasta-pé* (1).

sovaco [Da mesma or. incerta que o esp. *sobaco*.] *S. m.* V. *axila* (1). [F. paral.: *sobaco*.] ◆ **Sofrer que só sovaco de aleijado.** *Bras. N.E. Pop.* Sofrer muito; sofrer que só pé de cego.

sovado [Part. de *sovar*.] *Adj.* **1.** Que levou sova[1] (1); surrado, batido, espancado: *animal sovado.* **2.** Amassado, pisado. **3.** Diz-se da massa (5) que, depois de trabalhada, é batida com força sobre a mesa. **4.** *Bras.* Moído de cansaço; fatigado. **5.** *Bras.* Muito usado; surrado: *roupa sovada.*

sovador (ô) [De *sovar* + *-dor*.] *S. m. Bras. RS* Mordaça (4).

sovaqueira [De *sovaco* + *-eira*.] *S. f. Bras.* **1.** V. *axila* (1): "suor frio porejava-lhe a raiz dos bigodes, escorria-lhe do canto da boca murcha, do cangote, descia-lhe pela suã, molhava-lhe a sovaqueira." (Nélson de Faria, *Bazé*, p. 108). **2.** O suor do sovaco. **3.** O cheiro desse suor; sovaquinho. **4.** *Bras. S.* Ferida feita pela cincha no sovaco do cavalo.

sovaquete (ê) [De *sovar*.] *S. m.* Ato de tirar a pela da casa, no jogo da pela.

sovaquinho [De *sovaco* + *-inho*[1].] *S. m.* **1.** Sovaqueira (3). ● *Adj.* **2.** Diz-se do cheiro dos sovacos suados.

sovar [De or. obscura.] *V. t. d.* **1.** Bater a massa de; amassar. **2.** Pisar (uvas). **3.** Bater com pancadas; moer. **4.** V. *surrar* (2). **5.** *Fig.* Usar muito. **6.** *Bras. S.* Tornar flexível; amaciar. [Aplica-se especialmente em relação ao couro cru, no preparo de arreios ou cordas empregadas em serviços rurais.] **7.** Montar (um cavalo) durante vários dias a fio.

sovela [Do lat. **subella*, por *subula*.] *S. f.* **1.** Instrumento de ferro ou de aço, em forma de haste cortante e pontuda, que os sapateiros e correeiros usam para furar o couro a fim de coser. **2.** *Zool.* V. *mosquito*[1] (1). ◆ **À sovela.** Empinado, arrepiado. **Em cima da sovela.** V. *na bucha*.

sovelada [De *sovelar* + *-ada*[1].] *S. f.* **1.** Ato ou efeito de sovelar. **2.** Furo ou golpe com a sovela (1).

sovelão [De *sovela* + *-ão*[1].] *S. m.* Sovela grande.

sovelar [De *sovela* + *-ar*[2].] *V. t. d.* **1.** Furar com sovela. **2.** *Fig.* Furar, perfurar. **3.** *Bras. N.E.* V. *apoquentar*. *P.* **4.** *Bras. N.E.* V. *apoquentar*.

soveleiro [De *sovela* + *-eiro*.] *S. m.* Aquele que fabrica ou vende sovelas.

soveral [Do lat. **suberale*.] *S. m.* V. *sobral*: "No soveral havia todo o gênero de caça" (Alexandre Herculano, *Lendas e Narrativas*, II, p. 20).

sovereiro [Do lat. **suberariu* (subentende-se *arbore*).] *S. m.* V. *sobreiro*.

soverter [Var. de *subverter*.] *V. t. d.* **1.** *Ant.* Subverter. **2.** *Bras.* Fazer desaparecer; fazer sumir-se; sumir: *Dizem que, depois de matar o adversário, o soverteu.* **3.** *Bras.* Soterrar (1). *P.* **4.** *Ant.* Subverter-se. **5.** *Bras.* Desaparecer, sumir(-se); levar fim: "Ficou a fama nas redondezas que ele era o diabo mesmo e se soverteu pro fundo do rio" (José de Morais Rocha, "O Major Fausto" *ap. Revista do Brasil*, agosto de 1940, p. 52).

sovéu [Do esp. plat. *sobeo*.] *S. m. Bras. S.* Laço grosseiro e forte, para pegar touros.

sovi [De or. indígena, poss.] *S. m. Bras. Zool.* **1.** V. *gavião-pomba* (3). **2.** V. *sururina* (1).

soviete [Do russo *sovet*, 'conselho celebrado por diversas pessoas', pelo fr. *soviet*, e pronunciado alfabeticamente, pois o russo soa *saviet*.] *S. m. Hist.* Designação comum a conselhos integrados por delegados operários, camponeses e soldados, aparecidos na Rússia pela primeira vez na Revolução de 1905, e que, com a Revolução de Outubro de 1917, passaram a ser um órgão deliberativo daquele país. ◆ **Soviete Supremo.** O órgão deliberativo da ex-U.R.S.S.

soviético [De *soviete* + *-ico*[2].] *Adj.* **1.** Relativo ou pertencente aos sovietes; sovietista. **2.** *P. ext.* Relativo ou pertencente à União das Repúblicas Socialistas Soviéticas (U.R.S.S.), estado nascido da Revolução de 1917 e extinto em 1990, e constituído por 15 repúblicas soviéticas socialistas, uma das quais federativa. ● *S. m.* **3.** *P. ext.* O natural ou habitante da União das Repúblicas Socialistas Soviéticas (U.R.S.S.). [Sin., impr., nas acepç. 2 e 3: *russo*.]

sovietismo [De *soviete* + *-ismo*.] *S. m.* **1.** Sistema político dos sovietes. **2.** *P. ext.* Comunismo.

sovietista [De *soviete* + *-ista*.] *Adj. 2 g.* **1.** Soviético (1). ● *S. 2 g.* **2.** Partidário do sovietismo. **3.** *P. ext.* Comunista (3).

sovietização [De *sovietizar* + *-ção*.] *S. f.* Ato ou efeito de sovietizar.

sovietizar [De *soviético* + *-izar*, seg. o padrão erudito.] *V. t. d.* **1.** Tornar soviético ou russo; russificar. **2.** Implantar o sovietismo ou bolchevismo em; bolchevizar. **3.** *P. ext.* Implantar o socialismo em; socializar, bolchevizar.

sovina [Da mesma or. incerta que o esp. *sobina*.] *S. f.* **1.** Torno de madeira. **2.** Instrumento perfurante em forma de lima[1]. ● *S. 2 g.* **3.** V. *avaro* (3). ● *Adj. 2 g.* **4.** V. *avaro* (1).

sovinada [De *sovina* (2) + *-ada*[1].] *S. f.* **1.** Picada ou golpe com sovina ou com outro instrumento perfurante. **2.** *Fig.* Dito picante; motejo, remoque.

sovinar [De *sovina* (2) + *-ar*[2].] *V. t. d.* **1.** Furar com sovina ou com qualquer instrumento semelhante. **2.** *Fig.* Magoar, molestar; afligir.

sovinaria [De *sovina* + *-aria*.] *S. f.* V. *sovinice*.

sovinice [De *sovina* + *-ice*.] *S. f.* Qualidade de sovina (3); avareza, mesquinharia, somiticaria, sovinaria.

sozinho (sò) [De *só* + *-zinho*.] *Adj.* **1.** Completamente só. **2.** Abandonado, largado, desamparado. **3.** Que é só um; único, isolado: *uma palmeira sozinha na planície.* **4.** Desacompanhado, solitário, só: *E um homem sozinho desde que perdeu a mulher.* **5.** Diz-se de quem, embora precise de uma companhia, se encontra só: *A criança perdeu-se e ficou sozinha na praia.* **6.** Que não tem nenhuma ajuda ou assistência: *Ela é sozinha para fazer todo o trabalho.* **7.** Sem ação exterior voluntária; sem intervenção de ninguém; por si mesmo: *A árvore caiu sozinha.* [A rigor, neste sentido, a palavra será antes um advérbio, e flexiona-se por atração.]

■ **SP** Sigla do Estado de São Paulo.

→**spa** [spa] [Do top. *Spa*, estância hidromineral, na Bélgica.] *S. m.* Estabelecimento que reúne serviços de hotelaria e outros, terapêuticos ou de cuidados corporais (banhos medicinais, dieta alimentar, exercícios, etc.).

→**spaghetti western** [spə'getį 'westən] [Ingl.] Filme de bangue-bangue produzido na Itália.

→**spalla** ['spal.la] [It.] *S. m. Mús.* O primeiro violino da orquestra.

→**spam** [spæm] [Ingl.] *S. m. Inform.* Mensagem publicitária ou não, recebida via correio eletrônico, sem o consentimento ou solicitação do usuário.

→**spammer** ['spæmɚ] [Ingl.] *S. 2 g. Inform.* Aquele que envia spam.

spandex [Nome comercial.] *S. m. 2 n. Tec. Têx.* Elastano.

→**sparring** ['spɛjɹɪŋ/'spaɹɪŋ] [Ingl.] *S. m.* Parceiro de boxeador para treinar.

s-partícula [De *s(uper)-* + *partícula*.] *S. f. Fís. Part.* Nas teorias supersimétricas, partícula hipotética associada às partículas conhecidas, e que só difere destas no valor do *spin* e da massa. [Os companheiros supersimétricos de férmions são bósons e vice-versa.] [Pl.: *s-partículas*.]

▲**-spasmo** Equiv. de *espasm(o)-*.

■ **SPC** Sigla de *Serviço de Proteção ao Crédito*.

→**speaker** ['spijkɚ] [Ingl.] *S. m. Rád.* Locutor.

▲**-spect-** [Do lat. *spectāre*.] *El. comp.* = 'olhar', 'observar': *intuspectivo*.

→**speech** [spijtʃ] [Ingl.] *S. m.* **1.** Pequeno discurso de circunstância. **2.** Breve exposição verbal sobre determinado assunto.

→**spencer** ['spensɚ] [Ingl.] *S. m. Vest.* Jaqueta curta, até a altura da cintura, com abotoamento duplo, us. originariamente por homens e adaptado para mulheres no séc. XIX.

spenceriano *Adj.* **1.** Pertencente, ou relativo a, ou próprio de Herbert Spencer (1820-1903), filósofo evolucionista inglês. **2.** Que é admirador e/ou profundo conhecedor de sua obra. ● *S. m.* **3.** Grande admirador e/ou profundo conhecedor da obra de Spencer.

▲**-sperma** V. *espermat(o)-*.

▲**-spermat(o)-** V. *espermat(o)-*.

▲**-sperm(o)-** V. *espermat(o)-*.

▲**-spermo** V. *espermat(o)-*.

→**spiccato** [spik'kato] [It.] *S. m. Mús.* Tipo especial de destacado, us. nos instrumentos de arco, de preferência em passagens rápidas de valores idênticos.

→**spin** [spin] [Ingl.] *S. m. Fís.* Número quântico associado a uma partícula, e que lhe mede o momento angular intrínseco. De acordo com as regras da mecânica quântica, o *spin* pode tomar apenas certos valores especiais, iguais a um número inteiro, ou a um número semi-inteiro, multiplicado pela constante de planck (q. v.) reduzida. [Pl.: *spins*.] ◆ **Spin isobárico.** *Fís. Nucl.* Número quântico associado a um núcleon, ou a um núcleo, e que mede o momento angular total próprio da partícula em unidades iguais à constante de Planck (q. v.) reduzida. **Spin isotópico.** *Fís. Nucl.* Número quântico associado aos hádrons para distinguir entre membros de um conjunto de partículas de massa muito próxima que diferem nas suas propriedades eletromagnéticas (carga elétrica), mas que têm propriedades idênticas com relação às interações fortes; *isospin*. [Esses conjuntos são chamados multipletos. O termo *spin* é us. simplesmente como analogia ao momento angular intrínseco com o qual o *spin* isotópico tem uma semelhança formal.]

▲**-spinal** [Do lat. *spinālis, e*.] *El. comp.* = 'da, ou referente à espinha dorsal': *cerebrospinal*.

→**spinning** ['spɪnɪŋ] [Ingl.] *S. m. Esport.* Exercício praticado em bicicleta estacionária especial, dotada de várias regulagens, inclusive para controlar a dificuldade do pedalar.

spinoziano [Do antr. (*Baruch*) *Spinoza* + *-iano*.] *Adj. S. m.* V. *espinosista*.

spinozismo *S. m.* V. *espinosismo*.

spinozista [Do antr. (*Baruch*) *Spinoza* + *-ista*.] *Adj. 2 g. S. 2 g.* V. *espinosista*.

→**spiritual** ['spijɹɪtʃuwəl] [Ingl.] *S. m. Mús.* Negro spiritual (q. v.).

▲**-spong(i)-** V. *espong(i)-*.

▲**-spôngia** V. *espong(i)-*.

▲**-spor(o)-** V. *espor(o)-*.

▲**-sporo** V. *espor(o)-*.

→**spot**[1] [spɑt] [Ingl., f. red. de *spot-light*.] *S. m.* **1.** Foco (14). **2.** *Rád. Telev.* Designação usual de mensagem publicitária breve veiculada em rádio ou televisão. [É mais us. para rádio; em TV se utiliza ger. o termo *comercial* (q. v.).]

→**spot**[2] [spɑt] [Ingl.] *S. m.* V. *spot market*: "Durante a manhã, o grama [de ouro] negociado no *spot* .... acusou valorização nominal de 3,8%." (*Gazeta Mercantil*, 16.01.1990.) ◆ **Spot market.** Compra e venda de mercadorias, moeda estrangeira, etc. com pagamento em dinheiro e entrega imediata; mercado à vista. [Tb. se diz apenas *spot*.]

→**spray** [spɹej] [Ingl.] *S. m.* **1.** Jato gasoso de aerossol (1) ou de líquido, que se espalha como névoa, ou que é aplicado sobre uma superfície. **2.** O aerossol ou o líquido us. desta maneira (inseticida, desodorante, perfume, tinta, fixador de cabelo, etc.). **3.** Recipiente fechado provido de dispositivo capaz de emitir *spray* (1). [Nesta acepç., cf. atomizador, nebulizador e vaporizador.]

→**spread** [spɹɛd] [Ingl.] *S. m. Econ.* **1.** Taxa de risco cobrada pelo emprestador, adicionalmente aos juros, que varia de acordo com o tomador. **2.** Diferença entre o custo de captação de dinheiro por um banco e a taxa de juros por ele cobrada dos tomadores de empréstimos. **3.** Em mercados de moeda estrangeira, diferença entre as taxas de câmbio de venda e de compra. **4.** Em bolsas de valores, a diferença entre o preço pedido e o preço ofertado.

→**sprinkler** ['spɹɪŋklɚ] [Ingl.] *S. m. Constr.* Peça dotada de dispositivo sensível à elevação de temperatura e destinado a espargir água sobre incêndio; chuveiro automático.

→**sprinter** ['spɹɪntɚ] [Ingl.] *S. m. Turfe* Cavalo cuja especialidade é correr distâncias pequenas.

→**spyware** ['spajwɛɹ] [Ingl.] *S. m. Inform.* Programa espião, que, sem o conhecimento e consentimento do usuário, instala-se e opera no computador para obter informações sigilosas ou monitorar as atividades neste realizadas.

■ **sq in.** Abrev. de *polegada quadrada*. [Em ingl., *square inch*.]

■ **SQL** [Sigla do ingl. *S(tructured) Q(uery) L(anguage)*, 'linguagem estruturada de consulta'.] *Inform.* Sigla que designa uma linguagem padrão para programa-

S

ção, operação interativa e comunicação de sistemas de bancos de dados relacionais.

■ **SQM** *Med.* Sigla de *sensibilidade química múltipla.*

s-quark [De *s(upersimétrico)* + *quark.*] *S. m. Fís. Part.* S-partícula (q. v.) de *quark.* [Pl.: *s-quarks.*]

→**squash** [skwaʃ] [Ingl.] *S. m. Esport.* Jogo semelhante ao tênis, porém com raquetes mais longas e de aro menor, jogado em meia-quadra cercada por paredes, e no qual a bola deve sempre bater na parede antes da jogada seguinte.

→**squid** [skwid] [Acrôn. do ingl. *superconducting quantum interference devices.*] *S. m. Fís.* Dispositivo supercondutor capaz de medir campos magnéticos, voltagens e correntes elétricas extremamente fracos.

■ **Sr**[1] *Quím.* Símb. de *estrôncio.*

■ **Sr**[2] Abrev. de *senhor.*

→**sranan** ['sɹanan] [Termo nativo, do top. *Suriname.*] *S. m. Gloss.* Crioulo (12) de base inglesa falado no Suriname; surinamês.

▲**-(s)são** [Do lat. *-(s)sione.*] V. *-ão*[3].

■ **S.S.E.** Abrev. de *su-sudeste* e de *su-sueste.*

■ **SSI** [Sigla do ingl. *Small Scale Integration.*] *Microeletrôn.* V. *integração em pequena escala.*

■ **S.S.O.** Abrev. de *su-sudoeste.*

■ **SSP** Sigla de *Secretaria de Segurança Pública.*

■ **S.S.W.** Abrev. de *su-sudoeste.*

■ **St** *Fís.* Símb. de *stokes.*

→**staccato** [stak'kato] [It.] *S. m. Mús.* V. *destacado*[2].

stackhousiácea [Do tax. *Stackhousia* (do antr. [*John*] *Stackhouse* [-1819], botânico inglês, + lat. cient. *-ia* [v. *-ia*[2]]) + *-ácea*; tax. *Stackhousiaceae.*] *S. f. Bot.* Espécime das stackhousiáceas, família de plantas floríferas, composta de ervas perenes, de folhas sem estípulas e flores em espigas ou glomérulos, perianto pentâmero, gamopétalo na parte superior; estames em número de cinco, e dois a cinco carpelos, cada qual com apenas um óvulo. Habitam a Austrália e terras adjacentes.

stackhousiáceo [De *stackhousiácea*, com var. suf. (v. *-áceo*).] *Adj. Bot.* Pertencente ou relativo às stackhousiáceas.

→**staff** [stæf] [Ingl.] *S. m.* **1.** Pessoal (5) cujas atividades supõem grau mínimo de aptidão ou competência: *Um staff jovem e dinâmico duplicou a produtividade da empresa.* **2.** Grupo qualificado de pessoas que assistem a um chefe, a um dirigente, em organizações governamentais ou privadas: *Com o novo governo, houve um remanejamento do staff presidencial.*

stalinismo [Do antr. *Stalin* + *-ismo.*] *S. m.* **1.** Desenvolvimento teórico e prático do marxismo-leninismo (q. v.), realizado por Iosif Vissarionovitch Djugatcvilli, dito Stalin (1897-1953), e que se baseia na tese do "socialismo em um só país", a antiga U.R.S.S. **2.** O conjunto dos métodos de condução política, econômicos e sociais aplicados por Stalin, no período em que predominou politicamente na U.R.S.S. (1924-1953). **3.** Adesão ao stalinismo, ou simpatia por ele.

stalinista [De *stalinismo* + *-ista.*] *Adj. 2 g.* **1.** Relativo ao, ou próprio do stalinismo (1 e 2). **2.** Que é partidário ou seguidor do stalinismo (1). ● *S. 2 g.* **3.** Indivíduo stalinista.

▲**-stamin(i)-** Equiv. de *estamin(i)-.*

→**stand** [stænd] [Ingl.] *S. m.* V. *estande.*

→**standard** ['stændə̆d] [Ingl.] *S. m.* **1.** Modelo, padrão. ● *Adj. 2 g. e 2 n.* **2.** Sem nenhuma característica especial; comum: *um carro standard.*

→**stand-by credit** ['stændbaj 'kɹɛdɪt] [Ingl.] *Econ.* V. *linha de crédito.*

▲**-stano** *Quím.* Equiv. de *estan(i)-.*

→**star** [stɑɹ] [Ingl.] *S. 2 g.* Estrela de cinema ou de teatro.

→**starter** ['stɑɹtə] [Ingl.] *S. m. Turfe* Indivíduo encarregado, nos hipódromos, de dar a partida em cada páreo, movimentando o *starting gate.*

→**starting gate** ['stɑɹtɪŋ gejt] [Ingl.] *Turfe* Aparelho usado na largada dos páreos, e do qual há dois modelos: o que levanta as cintas, na partida, e o que alinha os cavalos antes da largada.

▲**-stase** [Do gr. *stásis, eōs* (ā), 'ação de pôr de pé'.] *El. comp.* = 'parada', 'detenção': *bacterióstase, ficóstase.* [Equiv.: *estasio-, -(e)stas(i)-: estasiofobia; batiperestasia, isostasia.*]

▲**stat-** *Eletr. Pref.* Anteposto ao nome de uma unidade elétrica prática, forma o nome da unidade correspondente no sistema c.g.s. eletrostático.

▲**-stata** V. *-stato.*

→**states** [stejts] [Ingl.] *S. m. pl.* F. red. de *United States of America* (Estados Unidos da América). [Com cap.]

▲**-stat(o)-** V. *-stato.*

▲**-stato** [Do gr. *statós, ḗ, ón* (ă).] *El. comp.* = 'estacionário'; 'parado': *aeróstato, higróstato.* [Equiv.: *-stata, -stat(o)-: aeróstata; hidrostático.*]

→**statu quo** ['stato kwɔ] [Lat.] V. *status quo.*

→**status** ['status] [Lat., 'modo de estar'; 'estado', 'condição'.] *S. m. 2 n.* **1.** Situação, estado ou condição de alguém ou algo, esp. perante a opinião das pessoas ou em função do grupo ou categoria em que é classificado, e que pode lhe conferir direitos, privilégios, obrigações, limitações, etc. **2.** *Antrop. Sociol.* O grau de distinção ou de prestígio, ou a situação hierárquica de um indivíduo ou grupo de indivíduos perante os demais membros de seu grupo social, dependente de avaliações e critérios variáveis conforme as diferentes sociedades, e associados a ações, comportamentos e expectativas correspondentes. **3.** *Antrop. Sociol. Restr.* Essa distinção ou prestígio, considerados como um dos aspectos ou fatores que constituem a estratificação social (q. v.). **4.** *Antrop. Sociol. Restr.* A posição de um indivíduo no grupo, definida como o conjunto de direitos e deveres associados ao seu papel na organização social. [Cf., nesta acepç., *papel social.*]

→**status quo** ['status kwɔ] [Lat.] Significa o estado em que se achava anteriormente certa questão. [F. preferível a *statu quo.*]

→**steak tartare** ['stejk taʁ'taʁ] [Fr.] *S. m. Cul.* Prato de origem russa, feito com carne de vaca picada ou moída, servida crua, e temperos como sal, pimenta, cebola picada, salsa, molho inglês e alcaparras, acompanhado de um ovo também cru.

→**steeple-chase** ['stijpəl tʃejs] [Ingl.] *Turfe Corrida de obstáculos.*

▲**-steg(o)-** [Do gr. *stégos*, 'teto', 'cobertura', < gr. *stegein*, 'cobrir'.] *El. comp.* = 'cobertura', 'revestimento': *electrostegia, galvanostegia.*

▲**-stelo** [Do lat. cient. *stēle* < gr. *stḗlē, ēs*, 'estela'.] *El. comp.* = 'estelo': *actinostelo, atactostelo, dictiostelo, protostelo, sifonostelo, solenostelo.*

▲**-stem(o)-** V. *-stêmone.*

▲**-stemo** V. *-stêmone.*

▲**-stêmone** [Do gr. *stḗmōn, onos*, 'urdidura'; 'fio'.] *El. comp.* = 'filete', 'estame': *diplostêmone, tetrastêmone.* [Equiv.: *-stem(o)-, -stemo, -stemon(o)-: ginostêmio; ginóstemo; anisostemonia.*]

▲**-stemon(o)-** V. *-stêmone.*

stendhaliano *Adj.* **1.** Pertencente ou relativo ao escritor francês Henri Beyle, dito Stendhal (1783-1843), ou próprio dele. **2.** Que é seu admirador ou profundo conhecedor de sua obra. ● *S. m.* **3.** Admirador e ou profundo conhecedor da obra de Stendhal.

▲**-sten(o)-** Equiv. de *esten(o)-*[2].

stent [Do antr. (*Charles R.*) *Stent* (1807-1885), dentista inglês.] *S. m. Cir.* Instrumento de que há mais de um tipo, conforme a sua utilização: manter fixo um enxerto cutâneo, melhorar a permeabilidade em um vaso sanguíneo, etc.

→**step** [stɛp] [Ingl.] *S. m.* Atividade esportiva em que o praticante sobe e desce, alternadamente, um pequeno degrau de madeira, sem se deslocar.

▲**-sterno** V. *estern(o)-.*

▲**-ster(o)(l)-** V. *-sterol.*

▲**-sterol** [De *esterol* < *(cole)sterol.*] *Quím. El. comp.* = 'esterol': *ergosterol, lanosterol, sitosterol.* [Ocorre, tb., como infixo: *-ster(o)(l)-: androsterona, testosterona.*]

■ **STF** Sigla de *Supremo Tribunal Federal.*

▲**-stico** [Do gr. *stíchos, ou.*] *El. comp.* = 'linha': *macróstico.*

stilb [Do ingl. *stilb* < gr. *stílbe*, 'lampião'.] *S. m. Fotom.* Unidade de medida de luminância, igual a uma candela por centímetro quadrado [símb.: *Sb*]. [Pl.: *stilbs.*]

→**still** [stɪl] [Ingl.] *S. m.* V. *fotografia de cena.*

▲**-stil(o)-**[1] V. *estil(i)-.*

▲**-stil(o)-**[2] V. *estil(o)-*[2].

▲**-stilo**[1] V. *estil(i)-.*

▲**-stilo**[2] Equiv. de *estil(o)-*[2].

■ **STJ** Sigla de *Supremo Tribunal de Justiça.*

■ **STM** Sigla de *Superior Tribunal Militar.*

→**stokes** [stowks] [V.C.I., do antr. (*George G.*) *Stokes* (1819-1903), matemático e físico inglês.] *S. m. 2 n. Fís.* Unidade c.g.s. de medida de viscosidade cinemática igual à de um líquido cuja viscosidade é um poise e cuja massa volumétrica é um grama por centímetro cúbico. Vale 10^4 unidades MKS de viscosidade cinemática [símb.: *St*].

▲**-stoma-** V. *estomat(o)-.*

▲**-stoma** V. *estomat(o)-.*

▲**-stom(o)-** V. *estomat(o)-.*

▲**-stomo** V. *estomat(o)-.*

→**stop** [stɑp] [Ingl.] Palavra usada em sinalização de trânsito: *Pare!*

→**storyboard** ['stɔɹijbɔɹd] [Ingl.] *Cin. Telev. S. m.* Roteiro de filme, programa de TV, programa multimídia, *site* ou outra obra audiovisual, em que se apresentam, sequencialmente, os quadros [v. *quadro* (14)] acompanhados do texto do áudio correspondente, além de outras informações técnicas, como efeitos visuais, efeitos sonoros, etc.

→**straight flush** [stɹejt flʌʃ] [Ingl.] V. *pôquer* (1).

→**strapontin** [stʁapɔ̃'tɛ̃] [Fr.] *S. m.* Assento móvel, suplementar, em teatro; coxia.

strasburgeriácea [Do tax. *Strasburgeria* (do antr. [*E.*] *Strasburger*, botânico alemão) + *-ácea*; tax. *Strasburgeriaceae.*] *S. f. Bot.* Espécime das strasburgeriáceas, família da ordem das parietales, constituída apenas do gênero *Strasburgeria*, que contém uma espécie arbórea de folhas estipuladas e flores solitárias encontrada na Nova Caledônia.

strasburgeriáceo [De *strasburgeriácea*, com var. suf. (v. *-áceo*).] *Adj. Bot.* Pertencente ou relativo às strasburgeriáceas.

▲**-strato** V. *estrati-.*

straussiano [Do antr. *(Claude Lévi-)Strauss* + *-iano.*] *Adj.* **1.** Pertencente ou relativo a, ou próprio de Claude Lévi-Strauss (1908-2009), antropólogo francês: 📖 "O título de seu livro — Mitopoética de Nove Artistas Brasileiros — partindo da locução straussiana, deixa bem às claras que o seu intuito é visualizar .... aquela mensagem do ignoto" (Clarival do Prado Valadares, em *Mitopoética de 9 Artistas Brasileiros*, de Lélia Coelho Frota, p. 12). **2.** Que é grande admirador e/ou profundo conhecedor de sua obra. ● *S. m.* **3.** Grande admirador e/ou profundo conhecedor da obra de Lévi-Strauss.

stravinskyano *Adj.* **1.** Pertencente ou relativo a Igor Stravinsky, compositor russo (1882-1971), ou próprio dele. **2.** Diz-se de grande admirador, seguidor, e/ou conhecedor profundo de sua obra. ● *S. m.* **3.** Grande admirador, seguidor e/ou conhecedor profundo da obra de Stravinsky.

→**stress** [stɹɛs] [Ingl.] *S. m. Med.* V. *estresse.*

→**stretto** ['stretto] [It., 'estreito'.] *S. m. Mús.* Na fuga musical, o instante em que se estreitam os intervalos do aparecimento do tema nas diversas vozes.

→**stricto sensu** ['strikto 'senso] [Lat.] Em sentido restrito. [Antôn.: *lato sensu.*]

strindberguiano *Adj.* **1.** Relativo ou pertencente ao escritor sueco August Strindberg (1849-1912), ou próprio dele: 📖 "Da noção do pecado original decorre a cosmologia strindberguiana, mesmo na sua primeira fase naturalista, quando se proclamava ateu" (Sábato Magaldi, *Aspectos da Dramaturgia Moderna*, p. 7). **2.** Que é seu admirador e/ou profundo conhecedor de sua obra. ● *S. m.* **3.** Admirador e/ou profundo conhecedor da obra de August Strindberg.

→**strip-tease** [stɹɪp'tijz] [Ingl.] *S. m.* Ato de se despir lentamente em público, em espetáculo, ao som de música e com dança e/ou movimentos eróticos.

→**strip-teaser** [stɹɪp'tijzə] [Ingl.] *S. 2 g.* Pessoa que faz *strip-tease.*

→**strudel** ['ʃtʁudel] [Al.] *S. m. Cul.* Torta de massa folhada, de origem austríaca e muito comum na Baviera (v. *bávaro*), com recheio de frutas cozidas, como o *Apfelstrudel* (q. v.). [Com cap.]

→**stud** [stʌd] [Ingl.] *S. m. Turfe* O conjunto dos cavalos de corrida pertencentes a uma pessoa ou a um grupo.

su [F. red. de *sucesso.*] *S. m. Bras. Gír.* Sucesso; grande êxito.

▲**su-** V. *sub-.*

sua[1] *S. f.* V. *seu*[1] (2): 📖 "Que tal minha cara? Você nem disse nada, sua bruxa!" (Lígia Fagundes Teles, *O Jardim Selvagem*, p. 86.)

sua[2] [Do lat. *sua.*] *Pron.* **1.** Flex. de *seu*[2]. ● *S. f.* **2.** *Bras. Gír.* Sua intenção, seu objetivo: *Qual é a sua?* ◆ **A sua. 1.** Seu parecer; sua opinião: *Ele, lá na sua, não concorda com o advogado; Na sua, o rapaz não tem razão.* [M. us. em Portugal que no Brasil.] **2.** *Bras. Gír.* Modo de viver, sentir, pensar, proceder, muito pessoal, que varia de acordo com o temperamento ou a situação de cada um: *estar, ficar na sua; Fiquei na minha; Ele e nós estamos na nossa;* 📖 "Os filhos saltaram, muito na deles, e entraram na patota." (Marisa Raja Gabaglia, *Milho pra Galinha, Mariquinha*, p. 12). **Em sua.** V. *in*[2]. **Fazer das suas.** Proceder mal, como de costume: 📖 "tenho que me atualizar com a vida das minhas criaturas que andam fazendo das suas pelas minhas costas" (Cora Rónai, *O Terceiro Tigre*, pp. 126-127). **Levar a sua avante. 1.** Alcançar os seus desígnios: 📖 "Eles levaram a sua avante .... porque eu estava desarmado." (Franklin Távora, *O Matuto*, p. 44.) **2.** Impor a sua vontade, fazer valer a sua opinião.

suã [Do guar. = 'espinha dorsal'.] *S. f. Bras.* **1.** Carne da parte inferior do lombo do porco. **2.** Espinha ou vértebra desse animal abatido: *arroz de suã.* [Em SP: *assuã.*]

suabe [Adapt. do ingl. *swab.*] *S. m.* Chumaço de algodão, ou de outro material absorvente, preso a uma extremidade adequadamente esterilizada de uma haste, e que se emprega ou para colheita, por atrição, de material destinado a ser estudado bacteriologicamente, ou para a aplicação local de medicamento.

suaçu [Do tupi.] *S. m. Bras. Zool.* Veado[1] (1).

suaçuapara [Do tupi = 'veado curvo', *i. e.*, de chifres tortos.] *S. m. Bras. Zool.* V. *cariacu*. [Var.: *açuçuapara* e *suçuapara*.]

suaçuapita *S. m. Bras. Zool.* V. *veado-mateiro*.

suaçuetê *S. m. Bras. Zool.* V. *cervo* (1).

suaçuiense[1] (u-i) *Adj. 2 g.* 1. De, ou pertencente ou relativo a Santa Maria do Suaçuí (MG). • *S. 2 g.* 2. O natural ou habitante de Santa Maria do Suaçuí.

suaçuiense[2] (u-i) *Adj. 2 g.* 1. De, ou pertencente ou relativo a São Brás do Suaçuí (MG). • *S. 2 g.* 2. O natural ou habitante de São Brás do Suaçuí.

suaçupita [Do tupi = 'veado vermelho'.] *S. m. Bras. Zool.* V. *veado-mateiro*.

suaçupucu [Do tupi = 'veado comprido'.] *S. m. Bras. Zool.* V. *cervo* (1).

suaçutinga [Do tupi = 'veado branco'.] *S. m. Bras. Zool.* V. *veado-campeiro*.

suadeira [De *suar* + *-deira*.] *S. f. Bras. RS* V. *bastos* (1).

suadir [Do lat. *suadere*.] *V. t. d. T. d. e i. Int. P. P. us.* Persuadir (q. v.).

suado [Part. de *suar*.] *Adj.* 1. Que está com a pele coberta de suor. 2. Em que há suor ou vestígios de suor: *Mandou para o tintureiro a roupa suada.* 3. *Fig.* Que custou muito trabalho ou esforço: *Economiza muito o seu dinheiro suado.* 4. *Bras.* Que está com a superfície coberta de vapor de água condensado: *copo suado; A garrafa de cerveja está suada.* 5. Que se faz ou realiza suando, à custa de suor: "Tu [Espinosa] trabalhas, tu pensas, e executas, / Sóbrio, tranquilo, desvelado e terno, / A lei comum, e morres, e transmutas / O suado labor no prêmio eterno." (Machado de Assis, *Poesias Completas*, p. 318.) [Fem.: *suada*. Cf. *soado* e *soada*.]

suadoiro [De *suar* + *-doiro*[2].] *S. m.* Suadouro (q. v.).

suador (ô) [De *suar* + *-dor*.] *Adj.* 1. Que sua. 2. V. *sudorífero* (1). • *S. m.* 3. Aquele que sua. 4. Agasalho, bebida, remédio que faz suar [v. *sudorífero* (2)]: *Tomou um suador e melhorou da gripe.*

suadouro [De *suar* + *-douro*[2]; var. de *suadoiro*.] *S. m.* 1. Ato ou efeito de suar. 2. V. *sudorífero* (2). 3. Lugar muito quente; sauna. 4. Lavagem de vasilhas com água quente, sal, etc. 5. Parte do lombo da cavalgadura onde se assenta a sela; peitudo. 6. Xairel de lã. 7. *Bras. RJ Gír.* Modalidade de conto do vigário que consiste em uma meretriz levar o cliente a determinado lugar, para ali roubá-lo, sozinha ou com ajuda de sequazes.

suaíle *S. 2 g. S. m. Adj. 2 g.* Suaíli.

suaíli [Do ingl. *swahili* < ár. *sawahil*.] *S. 2 g.* 1. *Etnôn.* Indivíduo dos suaílis, povo banto que habita Zanzibar (v. *zanzibarita*) e costas adjacentes. • *S. m.* 2. *Gloss.* A língua banta falada pelos suaílis, largamente usada como língua franca (2) em países da África oriental e central. É ainda a língua oficial do Quênia e da Tanzânia, a língua nacional da República Democrática do Congo (antigo Zaire) e segunda língua corrente em Burundi, Ruanda e Uganda. 3. Vocábulo do suaíli (2). • *Adj. 2 g.* 4. Pertencente ou relativo aos suaílis ou à sua língua. [F. paral.: *suaíle*.]

suão [De *sulano*.] *Adj.* 1. Do sul: "— Simão — disse-lhe ele — não cortes o vento suão com teus passos." (Domingos Monteiro, *O Primeiro Crime de Simão Bolandas*, p. 61.) • *S. m.* 2. O que é do sul. 3. Vento quente do sul: "O suão aquecido nas cinzas das queimadas soprava abrasador." (D. João da Câmara, *Contos*, p. 1.) [Cf. *soão*.]

suar [Do lat. *sudare*.] *V. int.* 1. Deitar suor pelos poros; transpirar: *O forte calor fazia-me suar.* 2. Verter umidade; ressumar: "Cerveja ficou no ponto, garrafas suando." (José Carlos Cavalcanti Borges, *O Assassino*, p. 27.) 3. Cair em gotas; gotejar, destilar. *T. c.* 4. Verter, brotar, manar: *Com a seca, não sua do riacho uma gota de água. T. i.* 5. Esforçar-se, empenhar-se à exaustão; matar-se com trabalho; afadigar-se: *O operário sua pelo pão. T. d.* 6. Verter pelos poros; transpirar: *O doente suava uma água amarelada; Suou toda a cerveja que bebeu.* 7. Deixar cair gota a gota; gotejar, destilar. 8. Ensopar de suor: *O atleta suou todo o uniforme.* 9. Obter à custa de grande trabalho: *O concorrente suou o primeiro prêmio.* 10. Esforçar-se, empenhar-se, para obter algo difícil: *Conseguiu vencer a corrida, mas suou bastante.* [Pres. ind.: *suo, suas, sua,* etc.; pres. subj.: *sue, sues, sue, suemos, sueis, suem;* fut. subj.: *suar, suares,* etc. Cf. *suis*, pl. de *sul; soemos, soeis,* dos v. *soer* e *soar;* este verbo; *Soar*, top.; e *Soares*, antr. e top.]

suarabácti [Do sânscr. *svarabhakti*, 'separação por meio de vogal'.] *S. m. E. Ling.* Modalidade de epêntese (q. v.) que consiste em desfazer um grupo de consoantes pela intercalação de uma vogal, como, p. ex., em *barata*, primitivamente *brata* (< lat. *blatta*), e *porão*, anteriormente *prão* (< lat. *planu*); anaptixe.

suarabáctico [De *suarabácti* + *-ico*[2].] *Adj.* Referente à suarabácti.

suarda [De *suar*, poss.] *S. f.* 1. Substância gordurosa existente na lã de ovelhas. 2. Sedimento gorduroso que os panos deixam no pisão. 3. Nódoa na lã por cardar. 4. *Bras. Pop.* Sujidade na gola do vestuário.

suarento [De *suar* + *-ento*.] *Adj.* 1. Que tem suor. 2. Úmido e pegajoso de suor: "Viu-a a vir pelo braço de um sujeito gordo, muito gordo, suarento" (Artur Azevedo, *Contos Possíveis*, p. 82).

suas *Pron. indef.* Fem. de *seus*: "Chegou o dia de batizar-se o rapaz: foi madrinha a parteira; sobre o padrinho houve suas dúvidas" (Manuel Antônio de Almeida, *Memórias de um Sargento de Milícias*, p. 110).

suasivo *Adj.* V. *persuasivo*.

suasório [Do lat. *suasoriu*.] *Adj.* V. *persuasivo*: "a necessidade é tão suasória conselheira de tolerância e docilidade que nem os evangelistas e santos doutores lhe ganham." (Camilo Castelo Branco, *Noites de Lamego*, p. 109); *palavras suasórias*.

suástica [Do sânscr. *sva sti ka*, 'boa sorte'.] *S. f.* 1. Símbolo cruciforme, com as hastes recurvas formando quatro ângulos retos, como o gama[1] (1) maiúsculo, que representava a felicidade, a saudação e a salvação, entre brâmanes e budistas. 2. Esta cruz, com os braços voltados para a direita, e que veio a ser adotada pelo hitlerismo como emblema oficial do partido nazista e do Terceiro Reich (q. v.). [Sin. ger.: *cruz gamada*.]

suave [Do lat. *suave*.] *Adj. 2 g.* 1. Que revela, ou em que há suavidade (1): "Eu nunca vi rosa / em suaves molhos, / que para meus olhos / fosse mais fermosa." (Luís de Camões, *Rimas*, p. 102.) 2. Agradável aos sentidos; delicado: "Porque ninguém, como ela, tem no mundo / Este esquisito, este suave cheiro." (Luís Delfino, *Íntimas e Aspásias*, p. 11); *carícia suave; voz suave; acordes suaves.* 3. Ameno, aprazível, deleitoso, brando: *clima suave; brisa suave.* 4. Afetuoso, delicado, terno, meigo, doce: *pessoa suave; olhar suave.* 5. Pouco intenso; brando: *dor suave; brilho suave; cor suave.* 6. Benévolo, benigno, complacente: *advertência suave; palavras suaves.* 7. Não exagerado; moderado, módico: *prestações suaves; doses suaves.* 8. Que decorre ou se faz sem esforço: *vida suave; trabalho suave.* ~ V. *negativo — e vinho —*.

suavidade [Do lat. *suavitate*.] *S. f.* 1. Qualidade daquilo que proporciona aos sentidos um prazer brando e delicado, ou que revela moderação e equilíbrio: *A suavidade é sempre repousante; Tem suavidade no falar;* "E tanta suavidade / Havia, de fazer chorar nesse sol-posto." (Manuel Bandeira, *Estrela da Vida Inteira*, p. 43). 2. Maciez, macieza, brandura: *a suavidade do veludo; a suavidade dos cabelos.* 3. Graça, elegância, delicadeza: *suavidade de formas.* 4. Doçura ou delicadeza de sentimentos ou atitudes: *A suavidade da amiga traz-lhe sempre grande bem-estar.* 5. Alegria ou prazer espiritual: *a suavidade da graça.*

suaviloquência (qüên) [Do lat. *suaviloquentia*.] *S. f.* Suavidade ou doçura nas palavras, na linguagem. ❖

suaviloquente (qüen) [Do lat. *suaviloquente*.] *Adj. 2 g.* Que tem suaviloquência; suavíloquo. ❖

suaviloquentíssimo (qüen) *Adj.* Superl. abs. sint. de *suavíloquo*. ❖

suavíloquo [Do lat. *suaviloquu*.] *Adj.* Suaviloquente. [Superl. abs. sint.: *suaviloquentíssimo*.]

suavização [De *suavizar* + *-ção*.] *S. f.* Ato ou efeito de suavizar(-se).

suavizador (ô) [De *suavizar* + *-dor*.] *Adj.* Que suaviza.

suavizante [De *suavizar* + *-nte*.] *Adj. 2 g.* Que suaviza.

suavizar [De *suave* + *-izar*.] *V. t. d. P.* 1. Tornar(-se) suave, brando: "No campo de Viana a verdura da vegetação suaviza a luz" (Ramalho Ortigão, *As Farpas*, I, p. 39). 2. *Fig.* Mitigar(-se), abrandar(-se), amenizar(-se): *Este comprimido suavizará tua dor; O sofrimento, aos poucos, suavizou-se.*

suázi *Adj. 2 g.* 1. Do, ou pertencente ou relativo ao Reino da Suazilândia (S. da África). • *S. 2 g.* 2. O natural ou habitante do Reino da Suazilândia. • *S. m.* 3. *Gloss.* Língua banta da Suazilândia, também falada na África do Sul. [É língua oficial da Suazilândia, juntamente com o inglês.] 4. Vocábulo dessa língua.

sub *S. 2 g. e 2 n.* F. red. de designação ou posto de autoridade imediatamente abaixo daquele que comanda ou chefia: *O sub tem toda a obediência ao comandante; O chefe deu ordens severas ao sub.* [É muitas vezes us. em sentido irônico.]

▲ **sub-** [Do lat. *sub*.] *Pref.* = 'posição inferior, inferioridade'; 'movimento de baixo para cima'; 'de novo'; 'quase', 'um tanto', 'insuficiente', 'menor'; 'posposição': *subaquático, subestrutura, subnutrição; sublevar* (< lat.); *sublocar; subglabro, subarbusto; subtítulo.* [Equiv.: *so-, -so-, sob-, su-, sus-*: *sobraçar; assorear; sobgrave; súcubo* (< lat.), *sufixo* (< lat.); *suspender* (< lat.).] [É seguido de hífen quando anteposto a palavra iniciada por *b*, *h* ou *r*: *sub-bosque, sub-humano/subumano, sub-rogar*.]

suba [Dev. de *subir*.] *S. f. Bras. RS Pop.* Alta de preços.

subacada [Por *sobacada* < *sobaco* + *-ada*[1].] *S. f. Bras. Pop.* V. *arrasta-pé* (1).

subacaule [De *sub-* + *acaule*.] *Adj. 2 g. Bot.* Que tem caule muito curto.

subaéreo [De *sub-* + *aéreo*.] *Adj.* Localizado por baixo da camada inferior da atmosfera.

subafluente [De *sub-* + *afluente*.] *S. m.* Afluente de afluente.

subagência [De *sub-* + *agência*.] *S. f.* Agência (3 e 4) que recebe ordens de outra, que não tem autonomia.

subagente [De *sub-* + *agente*.] *S. 2 g.* Indivíduo encarregado de uma subagência.

subagudo [De *sub-* + *agudo*.] *Adj. Med.* Diz-se da doença entre aguda e crônica.

subaiense *Adj. 2 g.* 1. De, ou pertencente ou relativo a Subaio (RJ). • *S. 2 g.* 2. O natural ou habitante de Subaio.

subalado [De *sub-* + *alado*.] *Adj. Bot. Zool.* Que tem apêndices parecidos com asas.

subalar [Do lat. *subalare*.] *Adj. 2 g.* Que fica ou existe sob asas.

subalimentação [De *sub-* + *alimentação*.] *S. f.* 1. Estado de pessoa insuficientemente alimentada, o qual, prolongando-se, pode comprometer a saúde ou provocar a morte; fome. 2. Alimentação deficiente em calorias, *i. e.*, sob o aspecto energético. [Sin. ger.: *subnutrição*.]

subalimentado [De *sub-* + *alimentado*, part. de *alimentar*.] *Adj. S. m.* Diz-se de, ou aquele que se encontra em estado de subalimentação; subnutrido.

subalimentar 1. [De *sub-* + *alimentar*.] *V. t. d. P.* 2. Alimentar(-se) mal ou insuficientemente.

subalpino [De *sub-* + *alpino*.] *Adj. Fitogeogr.* Situado nas fraldas dos Alpes (Europa), ou junto à cadeia de montanhas principal.

subalternação[1] [De *subalternar*[1] + *-ção*.] *S. f.* 1. Ato ou efeito de subalternar[1]. 2. Subalternidade (1). 3. *Lóg.* Oposição entre a proposição universal afirmativa, ou a proposição universal negativa, e as proposições particulares da mesma qualidade. [Cf., nesta acepç., *subalterno* e *superalterno*.]

subalternação[2] [De *subalternar*[2] + *-ção*.] *S. f.* Ato ou efeito de subalternar-se.

subalternado [Part. de *subalternar*[1].] *Adj. P. us.* Subalterno.

subalternar[1] [De *subalterno* + *-ar*[2].] *V. t. d.* 1. Tornar subalterno; pôr em lugar ou ordem subalterna; subalternizar. *T. d. e i.* 2. Tornar subalterno. 3. Submeter, dominar, subjugar.

subalternar[2] [De *sub-* + *alternar*.] *V. int. P.* Revezar-se, alternar-se.

subalternidade [De *subalterno* + *-(i)dade*.] *S. f.* 1. Qualidade, condição ou situação de subalterno; subalternação. 2. Dependência, sujeição.

subalternização [De *subalternizar* + *-ção*.] *S. f.* Ação ou efeito de subalternizar(-se).

subalternizar [De *subalterno* + *-izar*.] *V. t. d.* 1. Tornar subalterno; dar categoria inferior a; subalternar. *P.* 2. Tornar-se subalterno: "Mesmo que amar é subalternizar-se. Quem ama curva-se. Quem ama, meu caro amigo, transige." (Albino Forjaz de Sampaio, *Crônicas Imorais*, p. 100.) 3. Rebaixar-se, aviltar-se, envilecer-se, humilhar-se.

subalterno [Do lat. *subalternu*.] *Adj.* 1. Diz-se daquele que está sob as ordens de outro; inferior, subordinado. 2. *Lóg.* Na oposição por subalternação, diz-se da proposição particular com relação à proposição universal da mesma qualidade. [Cf., nesta acepç., *superalterno*.] ~ V. *oficial —*. • *S. m.* 3. Indivíduo subalterno (1).

subalugar [De *sub-* + *alugar*.] *V. t. d. T. d. e i.* V. *sublocar*: *Subalugou um quarto de sua residência; Vai subalugar a sala a um senhor idoso.* [Conjug.: v. *largar*. Pres. subj.: *subalugue, subalugues, subalugue, subaluguemos, subalugueis, subaluguem*. Cf. *subaluguéis*, pl. de *subaluguel*.]

subaluguel [De *sub-* + *aluguel*.] *S. m.* V. *sublocação*. [Var.: *subaluguer*. Pl.: *subaluguéis*. Cf. *subalugueis*, do v. *subalugar*.]

subaluguer [De *sub-* + *aluguer*.] *S. m.* V. *subaluguel*.

subanel [De *sub-* + *anel*.] *S. m. Álg.* Subconjunto de um anel que, em relação às operações deste, é também um anel. [Pl.: *subanéis*.]

subantártico [De *sub-* + *antártico*.] *Adj.* Diz-se da região circunvizinha ao círculo polar antártico ou nela situado.

subapical [De *sub-* + *ápice* + *-al*[1].] *Adj. 2 g. Biol.* Diz-se do que está situado pouco abaixo do ápice: *soros subapicais*.

subaponeurótico [De *sub-* + *aponeurótico*.] *Adj. Anat.* Subjacente a aponeurose.

subaproveitar [De *sub-* + *aproveitar*.] *V. t. d. P.* Aproveitar(-se) de maneira inadequada, ou incompleta.

subáptero [De *sub-* + *áptero*.] *Adj. Zool.* Que tem certa semelhança com os insetos ápteros.

S

subaquático [De *sub-* + *aquático*.] *Adj.* Que está debaixo de água. [Sin., p. us.: *subáqueo*.]

subáqueo (que ou qüe) [De *sub-* + *áqueo*.] *Adj. P. us.* Subaquático. ❖

subaracnóideo [De *sub-* + *aracnoide* + *-eo*.] *Adj. Anat.* Situado sob a aracnoide (1).

subarbústeo [De *subarbusto* + *-eo*.] *Adj. Bot.* Subarbustivo (1).

subarbustivo [De *subarbusto* + *-ivo*.] *Adj. Bot.* **1.** Diz-se do tronco cujos ramos secam anualmente; subarbústeo. **2.** Relativo a, ou próprio de subarbusto; sufruticoso: *porte subarbustivo.*

subarbusto [De *sub-* + *arbusto*.] *S. m. Bot.* Planta baixa, cuja parte aérea é anual, embora lignificada, e cuja parte subterrânea, em geral mais possante, é perene, e refaz a aérea na época favorável ao crescimento. É característica da vegetação campestre, submetida anualmente a uma estação seca.

subarqueado [De *sub-* + *arqueado*.] *Adj.* Pouco arqueado.

subarrendamento [De *subarrendar* + *-mento*.] *S. m.* Ato ou efeito de subarrendar. [Cf. *sublocação*.]

subarrendar [De *sub-* + *arrendar*.] *V. t. d.* **1.** Transferir a um terceiro os direitos de (coisa arrendada), com as obrigações assumidas: *Subarrendou sua fazenda. T. d. e i.* **2.** Transferir a um terceiro os direitos de coisa arrendada, com as obrigações assumidas: *Subarrendei o sítio a um japonês.* [Cf. *sublocar*.]

subarrendatário [De *subarrendar* + *-tário*.] *Adj. S. m.* Diz-se de, ou aquele que tomou de subarrendamento um prédio, uma propriedade, etc. [Cf. *sublocatário*.]

subártico [De *sub-* + *ártico*.] *Adj.* Que está situado em, ou é relativo ou pertencente às regiões localizadas imediatamente ao S. do Ártico.

subárvore [De *sub-* + *árvore*.] *S. f.* A árvore (2) definida pelos nós descendentes de determinado nó de uma árvore original.

subasta [Do esp. *subasta*.] *S. f.* Subastação.

subastação [De *subastar* + *-ção*.] *S. f.* Ato ou efeito de subastar; subasta.

subastar [Do lat. *subhastare*.] *V. t. d.* Vender em hasta ou leilão por mandado judicial.

subatómico *Adj.* V. *subatômico*. [Uso freq. em P.]

subatômico [De *sub-* + *atômico*.] *Adj. Fís.* Referente a, ou próprio de fenômenos que se passam em escala menor que as dimensões de um átomo. ~ V. *partícula —a*.

subavaliação [De *subavaliar* + *-ção*.] *S. f.* Ato ou efeito de subavaliar.

subavaliar [De *sub-* + *avaliar*.] *V. t. d.* **1.** Conferir a (algo) valor abaixo do real. **2.** Não dar o devido mérito a.

subaxilar (cs) [De *sub-* + *axilar*.] *Adj. 2 g. Bot.* Inferaxilar.

sub-bailio [De *sub-* + *bailio*.] *S. m. P. us.* Substituto do bailio. [Var.: *sub-balio*. Pl.: *sub-bailios*.]

sub-balio *S. m.* V. *sub-bailio*. [Pl.: *sub-balios*.]

sub-base [De *sub-* + *base*.] *S. f. Constr.* Camada que se põe sob a base de um pavimento, quando não é aconselhável construir aquela diretamente sobre o subleito. [Pl.: *sub-bases*.]

sub-bibliotecário [De *sub-* + *bibliotecário*.] *S. m. Obsol.* Imediato ou substituto do bibliotecário. [Pl.: *sub-bibliotecários*.]

sub-bilabiado [De *sub-* + *bilabiado*.] *Adj. Bot.* Quase bilabiado. [Pl.: *sub-bilabiados*.]

sub-bosque [De *sub-* + *bosque*.] *S. m. Fitogeogr.* V. *submata*. [Pl.: *sub-bosques*.]

sub-braquicéfalo [De *sub-* + *braquicéfalo*.] *Adj. S. m.* Diz-se de, ou aquele que é um tanto braquicéfalo. [Pl.: *sub-braquicéfalos*.]

subcampanulado [De *sub-* + *campanulado*.] *Adj.* Cuja forma lembra a de uma campânula; aproximadamente campanulado.

subcapilar [De *sub-* + *capilar*.] *Adj. 2 g.* Que é quase tão tênue como um cabelo.

subcategoria [De *sub-* + *categoria*.] *S. f.* Categoria inferior.

subcaudal [De *sub-* + *caudal*[2].] *Adj. 2 g. Zool.* Situado por baixo da cauda.

subchefe [De *sub-* + *chefe*.] *S. 2 g.* Funcionário imediatamente abaixo do chefe, ou que o substitui.

subchefia [De *subchefe* + *-ia*[1].] *S. f.* **1.** Funções de subchefe. **2.** Local onde esse as exerce.

subcilíndrico [De *sub-* + *cilíndrico*.] *Adj.* Que se aproxima da forma cilíndrica.

subcinerício [Do lat. *subcineritiu*.] *Adj.* **1.** Relativo a cinza. **2.** Que está sob a cinza. **3.** Cozido debaixo do borralho.

subcircular [De *sub-* + *circular*.] *Adj. 2 g.* Que não é propriamente circular; quase circular.

subclasse [De *sub-* + *classe*.] *S. f.* **1.** Divisão de uma classe: "Para as senhoras seria necessário estabelecer uma infinidade de classes e subclasses, tendo às vezes entre si diferenças insensíveis à percepção de um pobre homem como eu." (Graciliano Ramos, *Linhas Tortas*, p. 57.) **2.** *Mat.* Subconjunto (2). **3.** *Hist. Nat.* Categoria taxonômica situada entre a classe e a ordem. [V. *grupos taxonômicos*.]

subclassificação [De *sub-* + *classificação*.] *S. f.* Divisão de uma classificação.

subclavicular [De *sub-* + *clavicular*.] *Adj. 2 g. Anat.* Localizado debaixo de clavícula; subclávio.

subclaviforme [De *sub-* + *claviforme*.] *Adj. 2 g.* Que tem aproximadamente a forma de uma clava ou maça.

subclávio [De *sub-* + lat. *clavis* (por *clavícula*) + *-io*[3].] *Adj. Anat.* Subclavicular.

subcobertura [De *sub-* + *cobertura*.] *S. f. Mat.* Subconjunto da cobertura de um conjunto, que é também cobertura desse conjunto.

subcomandante [De *sub-* + *comandante*.] *S. m. Exérc. Aer.* Designação genérica dada ao militar do mesmo quadro do comandante e que, seguindo-se a este em grau hierárquico, é o seu substituto legal.

subcomissão [De *sub-* + *comissão*.] *S. f.* Comissão secundária formada por uma parte dos membros de uma comissão para se ocupar de determinados assuntos: *uma subcomissão parlamentar.*

subcomissário [De *sub-* + *comissário*.] *S. m.* Aquele que ocupa cargo imediatamente abaixo do de comissário, ou que é substituto dele; vice-comissário.

subconjuntival [De *sub-* + *conjuntival*.] *Adj. 2 g. Anat.* Situado debaixo de conjuntiva.

subconjunto [De *sub-* + *conjunto*.] *S. m.* **1.** Divisão dum conjunto. **2.** *Mat.* Conjunto cujos elementos são também elementos de outro conjunto; conjunto contido em outro; subclasse.

subconsciência [De *sub-* + *consciência*.] *S. f.* Consciência obscura, ou semiconsciência.

subconsciente [De *sub-* + *consciente*.] *Adj. 2 g.* **1.** Pertencente ou relativo ao subconsciente ou à subconsciência. • *S. m.* **2.** *Psicol.* O conjunto dos processos e fatos psíquicos que estão latentes no indivíduo, mas lhe influenciam a conduta e podem facilmente aflorar à consciência: *As tendências, os hábitos, as lembranças, os conhecimentos pertencem ao domínio do subconsciente.* [Cf., nesta acepç., *consciente* (8) e *inconsciente* (9).]

subconsumo [De *sub-* + *consumo*.] *S. m. Econ.* Insuficiência de procura, em relação à oferta total de bens.

subcontíguo [Do *sub-* + *contíguo*.] *Adj.* Quase contíguo.

subcontinental [De *sub-* + *continental*.] *Adj. 2 g.* De, ou relativo a subcontinente.

subcontinente [De *sub-* + *continente* (4).] *S. m.* Grande extensão de um continente que, tendo em vista uma particularidade geográfica, se encontra como que independente dele, tal como a Índia ou o S. da África.

subcontrárias [De *sub-* + o fem. pl., substantivado, do adj. *contrário*.] *S. f. pl. Lóg.* Proposições que estão em oposição e só diferem pela qualidade, tendo a forma geral: *'algum S é P, algum S não é P'*.

subcontrariedade [De *subcontrári(o)* + *-edade*.] *S. f. Lóg.* Oposição entre a proposição particular afirmativa e a proposição particular negativa, que têm sujeito e predicado idênticos, mas que diferem quanto à qualidade, pela qual ambas podem ser verdadeiras. [Cf. *disjunção* (5).]

subcontrário [De *sub-* + *contrário*.] *Adj. Lóg.* Em oposição de subcontrariedade (diz-se de cada uma das proposições). V. *subcontrariedade*.

subcordiforme [De *sub-* + *cordiforme*.] *Adj. 2 g. Bot.* Que se aproxima da forma do coração; quase cordiforme.

subcoriáceo [De *sub-* + *coriáceo*.] *Adj.* De consistência quase coriácea; que é entre membranoso e coriáceo.

subcorpo (ô) [De *sub-* + *corpo*.] *S. m. Álg.* Subconjunto de um corpo que, em relação às operações deste, é também um corpo. [Pl.: *subcorpos* (ó).]

subcorrente [De *sub-* + *corrente*.] *S. f. Ocean.* Corrente que existe sob a corrente superficial, o mais das vezes em direção oposta a ela.

subcostal [De *sub-* + *costal*.] *Adj. 2 g. Anat.* Situado debaixo de costela.

subcrítico [De *sub-* + *crítico*.] *Adj. Eng. Nucl.* ~ V. *reator —*.

subcultura [De *sub-* + *cultura*.] *S. f.* Grupo de pessoas com uma cultura própria, que se distingue de forma aberta ou velada da cultura de um grupo maior do qual faz parte.

subcutâneo [Do lat. *subcutaneu*.] *Adj.* **1.** Situado por baixo da cútis ou da pele; intercutâneo: *tecido subcutâneo.* **2.** Que se dá ou aplica sob a pele: *infecção subcutânea, vacina subcutânea.* ~ V. *tela —a*.

subdécuplo [De *sub-* + *décuplo*.] *Adj.* Que de 10 partes contém uma.

subdelegação [De *sub-* + *delegação*.] *S. f.* **1.** Ato ou efeito de subdelegar. **2.** Funções ou repartição de subdelegado. **3.** Sucursal de estabelecimento.

subdelegado [De *sub-* + *delegado*.] *S. m.* O imediato ou substituto do delegado.

subdelegante [De *subdelegar* + *-nte*.] *Adj. 2 g.* Que subdelega.

subdelegar [De *sub-* + *delegar*.] *V. t. d. e i.* **1.** Transmitir (um encargo) a quem o assumiu como delegado. **2.** Transmitir por delegação. [Conjug.: v. *regar*.]

subdelírio [De *sub-* + *delírio*.] *S. m. Psiq.* Delírio de pouca intensidade, ou fase prodrômica de um delírio (1).

subdérmico [De *sub-* + *derme* + *-ico*[2].] *Adj.* Situado ou ocorrente sob a derme.

subdesenvolvido [De *sub-* + *desenvolvido*.] *Adj.* **1.** Diz-se de indivíduo, povo, sociedade, economia, etc., em estado de subdesenvolvimento. • *S. m.* **2.** Indivíduo ou país subdesenvolvido. **3.** *Bras. Deprec.* Indivíduo sem educação, que se porta mal: *Um grupo de subdesenvolvidos rasgou o estofo das poltronas do cinema.* [Cf. *desenvolvido*.]

subdesenvolvimento [De *sub-* + *desenvolvimento*.] *S. m.* **1.** *Econ.* Condição de economias que apresentam níveis relativamente baixos de produtividade, renda *per capita*, desenvolvimento tecnológico, indicadores sociais, etc., o que costuma ser explicado pelas características de sua evolução histórica: "O subdesenvolvimento é .... um processo histórico, autônomo, e não uma etapa pela qual tenham, necessariamente, passado as economias que já alcançaram grau superior de desenvolvimento." (Celso Furtado, *Teoria e Política do Desenvolvimento Econômico*, p. 189.) [Cf., nesta acepç., *desenvolvimento* (3)] **2.** *Bras.* Miséria, fome.

subdiaconato [De *subdiácono* + *-ato*[1].] *S. m.* Dignidade, ordens ou estado de subdiácono.

subdiaconisa [Do lat. *subdiaconissa*.] *S. f.* Mulher de subdiácono, nos tempos antigos da Igreja.

subdiácono [Do lat. *subdiaconu*.] *S. m.* Clérigo que recebeu a primeira ordem sacra, a imediatamente inferior à de diácono: "Celebrante, diácono e subdiácono ajoelhavam orando em silêncio" (Vitorino Nemésio, *O Retrato do Semeador*, p. 127). [Cf. *subdiaconisa*.]

subdialecto *S. m. E. Ling.* V. *subdialeto*.

subdialeto [De *sub-* + *dialeto*.] *S. m. E. Ling.* Diferenciação regional de um dialeto.

subdireção [De *sub-* + *direção*.] *S. f.* **1.** Cargo de subdiretor. **2.** Repartição da competência deste.

subdiretor (ô) [De *sub-* + *diretor*.] *S. m.* O imediato ou substituto do diretor.

subdiretoria [De *subdiretor* + *-ia*[1], ou de *sub-* + *diretoria*.] *S. f.* **1.** Cargo ou função exercida por subdiretor. **2.** Repartição onde é exercido esse cargo.

subdiretório [De *sub-* + *diretório*.] *S. m. Inform.* Diretório que faz parte de outro, segundo a estrutura hierárquica [v. *árvore* (2)] da organização dos arquivos em disco.

súbdito *Adj. S. m.* V. *súdito*.

subdividido [Part. de *subdividir*.] *Adj.* Dividido, após uma divisão anterior.

subdividir [Do lat. *subdividere*.] *V. t. d.* **1.** Dividir novamente. **2.** Fazer subdivisões em: *subdividir um terreno. P.* **3.** Separar-se em várias divisões: *O exército subdividiu-se para combater o inimigo.* **4.** Dividir-se novamente: *O partido subdividiu-se a fim de atender ao apelo dos candidatos.*

subdivisão [Do lat. *subdivisione*.] *S. f.* Nova divisão daquilo que já estava dividido.

subdivisionário [De *subdivisão* + *-ário*, seg. o padrão erudito.] *Adj.* Relativo a subdivisão.

subdivisível [De *sub-* + *divisível*.] *Adj. 2 g.* Que pode ser subdividido.

subdominante [De *sub-* + *dominante*.] *S. f. Mús.* O quarto grau da escala diatônica de qualquer tonalidade, imediatamente abaixo da dominante.

subdomínio [De *sub-* + *domínio*.] *S. m. Álg.* Subconjunto de um domínio que, em relação às operações deste, é também um domínio.

subeditor (ô) [De *sub-* + *editor*.] *S. m.* Auxiliar imediato do editor.

subeditoria [De *subeditor* + *-ia*[1], ou de *sub-* + *editoria*.] *S. f.* Cargo ou função de subeditor.

subelíptico [De *sub-* + *elíptico*.] *Adj.* Que se aproxima da forma da elipse; quase elíptico.

subemenda [De *sub-* + *emenda*.] *S. f.* Emenda (a um projeto de lei) proposta com base em outra, feita precedentemente.

subemisférico [De *sub-* + *hemisférico*.] *Adj.* Quase hemisférico. [Var.: *sub-hemisférico*.]

subemprazamento [De *subemprazar* + *-mento*.] *S. m. Jur.* Subenfiteuse.

subemprazar [De *sub-* + *emprazar*.] *V. t. d.* Subenfiteuticar.

subempregado [De *sub-* + *empregado*.] *S. m.* **1.** Aquele que está em situação de subemprego. • *Adj.* **2.** Que está em situação de subemprego.

subemprego (ê) [De *sub-* + *emprego*.] *S. m.* Situação de pessoas que, embora tenham ocupação remunerada, exercem atividades de baixa produtividade, como, p. ex., vigia de automóveis, ou só têm emprego parte do tempo, como certos trabalhadores rurais.

subendocárdico [De *sub-* + *endocárdico*.] *Adj. Anat.* Situado abaixo do endocárdio.

subenfiteuse [De *sub-* + *enfiteuse*.] *S. f. Jur.* Contrato em que o foreiro sub-roga a outrem os seus direitos e obrigações decorrentes da enfiteuse, mantendo-se, no entanto, responsável perante o senhorio; subemprazamento.

subenfiteuta [De *sub-* + *enfiteuta*.] *S. 2 g. Jur.* Pessoa que adquiriu um prédio por subenfiteuse.

subenfiteuticar [De *subenfitêutico* + *-icar*.] *V. t. d.* Transmitir por subenfiteuse; subemprazar. [Conjug.: v. *trancar*. Pres. ind.: *subenfiteutico*, etc. Cf. *subenfitêutico*.]

subenfitêutico [De *sub-* + *enfitêutico*.] *Adj.* Respeitante a subenfiteuse. [Cf. *subenfiteutico*, do v. *subenfiteuticar*.]

subentender [De *sub-* + *entender*.] *V. t. d.* Entender ou perceber (o que não estava exposto ou bem explicado); admitir mentalmente; supor. [Cf. *subtender*.]

subentendido [Part. de *subentender*.] *Adj.* **1.** Que se subentende ou subentendeu. ● *S. m.* **2.** Aquilo que está na mente, mas não foi expresso: *O colunista escreveu um artigo cheio de reticências e subentendidos*; "De contínuo surgiam entre nós pequeninas questões, ridículos desacordos, a propósito dos quais nos fulminávamos com olhares secos e palavras de ferozes subentendidos." (José Régio, *Histórias de Mulheres*, p. 240).

subepático [De *sub-* + *hepático*.] *Adj. Anat.* Situado sob o fígado. [Var.: *sub-hemisférico*.] ❖

subepiderme [De *sub-* + *epiderme*.] *Adj. 2 g. Impr.* V. *subepidérmico*.

subepidérmico [De *sub-* + *epidérmico*.] *Adj.* Situado ou ocorrente sob a epiderme.

subepígrafe [De *sub-* + *epígrafe*.] *S. f.* Epígrafe inferior a outra.

subequatorial [De *sub-* + *equatorial*.] *Adj. 2 g.* Limítrofe do equador; quase equatorial.

súber [Do lat. *suber*, 'sobreiro'.] *S. m. Bot.* Tecido formado por células mortas, decorrente da impregnação de suas paredes celulóticas com suberina, que é impermeável; felema. [É o tecido que constitui a cortiça, e reveste sobretudo raízes e caules velhos.] [Pl.: *súberes*.]

suberina [De *súber* + *-ina*[1].] *S. f. Bot.* Substância inerte e resistente à ação da água e de outros líquidos, constituída por uma mistura complexa de ácidos graxos, e sais e ésteres destes ácidos, presente na parede celular de vegetais vascularizados.

suberização [De *suberizar* + *-ção*.] *S. f. Bot.* Formação de súber ou de cortiça.

suberizado [Part. de *suberizar*.] *Adj. Bot.* Em que ocorreu suberização.

suberizar [De *súber* + *-izar*.] *V. t. d.* **1.** *Bot.* Transformar em cortiça. *T. i.* **2.** Adquirir o aspecto de cortiça.

suberoso (ô) [De *súber* + *-oso*.] *Adj. Bot.* Que é da natureza do súber, ou próprio dele: *célula suberosa*.

subescandente [De *sub-* + *escandente*.] *Adj. 2 g. Bot.* Semiescandente.

subescapular [De *sub-* + *escapular*.] *Adj. 2 g. Anat.* Situado abaixo de espádua.

subespaço [De *sub-* + *espaço*.] *S. m. Álg.* Subconjunto de um espaço vetorial que é também um espaço vetorial.

subespécie [De *sub-* + *espécie*.] *S. f.* **1.** Divisão duma espécie. **2.** *Hist. Nat.* Categoria taxonômica em que se divide a espécie quando esta comporta mais de um tipo bem definido; variedade. [V. *grupos taxonômicos*.]

subespontâneo [De *sub-* + *espontâneo*.] *Adj. Fitogeogr.* Diz-se da planta ou espécie que, introduzida num país ou região, se dá tão bem que se espalha espontaneamente. Ex.: a *Thunbergia alata*, pequena trepadeira de origem africana, de flores alvas ou amarelas, chamada no Brasil *cu-de-mulata*.

subestação [De *sub-* + *estação*.] *S. f.* **1.** Numa rede elétrica, estação secundária que transforma a corrente de uma central, distribuindo-a pelas linhas acessórias dela dependentes. **2.** Estação secundária, ligada à principal: *Ali há uma subestação de trens destinada apenas a receber ou expedir carga.*

subestima [Dev. de *subestimar*.] *S. f. Bras.* Ato ou efeito de subestimar; subestimação.

subestimação [De *subestimar* + *-ção*.] *S. f.* Subestima. [Antôn.: *superestimação*.]

subestimar [De *sub-* + *estimar*.] *V. t. d. Bras.* Não dar a devida estima, apreço, valor, a; não ter em grande conta; desdenhar: *Grave erro é subestimar as forças do inimigo*; "Não subestimava Alberto Torres a dificuldade desse problema interno." (Barbosa Lima Sobrinho, *Presença de Alberto Torres*, p. 279). [Antôn.: *superestimar*.]

subestrutura [De *sub-* + *estrutura*.] *S. f.* Parte inferior duma estrutura.

subexposição [De *sub-* + *exposição*.] *S. f. Fot.* Impressionamento insuficiente de uma chapa fotográfica por haver sido exposta durante um tempo muito limitado.

subface [De *sub-* + *face*.] *S. f. Zool.* A parte inferior da cabeça de um inseto.

subfalar [De *sub-* + *falar*.] *S. m. E. Ling.* Subdialeto. [V. *falar* (28).]

subfamília [De *sub-* + *família*.] *S. f. Hist. Nat.* Categoria taxonômica situada entre a família e o gênero. [V. *grupos taxonômicos*.]

subfaturamento [De *subfaturar* + *-mento*.] *S. m.* Ato ou efeito de subfaturar.

subfaturar [De *sub-* + *faturar*.] *V. t. d.* Emitir fatura com preço abaixo do efetivamente cobrado, para burlar o fisco ou, no caso de exportação, as normas de compra e venda de moeda estrangeira, sendo a diferença recebida à parte, sem escrituração.

subfebril [De *sub-* + *febril*.] *Adj. 2 g.* Relativo a um fraco estado febril.

subfilo [De *sub-* + *filo*.] *S. m. Hist. Nat.* Categoria taxonômica situada entre o filo e a classe. [V. *grupos taxonômicos*.]

subfoliáceo [De *sub-* + *foliáceo*.] *Adj. Bot.* Semelhante a uma folha.

subfretar [De *sub-* + *fretar*.] *V. t. d. T. d. e i.* Fretar outra vez (embarcação já fretada): *subfretar um navio*; *subfretar barcos a terceiros*.

subgenérico [De *subgênero* + *-ico*[2].] *Adj.* Respeitante a subgênero.

subgênero *S. m. Hist. Nat.* V. *subgênero*. [Uso freq. em P.]

subgênero [De *sub-* + *gênero*.] *S. m. Hist. Nat.* Categoria taxonômica situada entre o gênero e a espécie. [V. *grupos taxonômicos*.]

subgerente [De *sub-* + *gerente*.] *S. 2 g.* Funcionário imediatamente abaixo do gerente, ou que o substitui.

subglabro [De *sub-* + *glabro*.] *Adj. Bot.* Quase glabro.

subgloboso (ô) [De *sub-* + *globoso*.] *Adj. Bot.* Quase globoso.

subglobuloso (ô) [De *sub-* + *globuloso*.] *Adj. Bot.* Quase globuloso.

subgrave [De *sub-* + *grave*.] *Adj. 2 g. Mús.* Na escala geral dos sons, diz-se da região gravíssima que se estende do dó-2 (dó menos 2) ao dó 1.

subgrupado [Part. de *subgrupar*.] *Adj.* Que forma subgrupo; reunido em subgrupo.

subgrupar [De *subgrupo* + *-ar*[2].] *V. t. d.* Reunir ou dispor em subgrupos.

subgrupo [De *sub-* + *grupo*.] *S. m.* **1.** Cada uma das divisões de um grupo. **2.** *Álg.* Subconjunto de um grupo que, em relação à operação deste, é também um grupo. **3.** *E. Ling.* Conjunto de línguas muito próximas no interior de uma família.

sub-hemisférico *Adj.* V. *subemisférico*. [Pl.: *sub-hemisféricos*.] ❖

sub-hepático *Adj. Anat.* V. *subepático*. [Pl.: *sub-hepáticos*.] ❖

sub-humano [De *sub-* + *humano*.] *Adj.* **1.** Que está abaixo do nível humano: "A força do seu observar é capaz até mesmo de fazê-lo sair da sua condição social para constatar a miséria sub-humana dos índios e escravos" (José Guilherme Merquior, *De Anchieta a Euclides*, p. 4). **2.** Desumano, inumano. [Pl.: *sub-humanos*.] [Var.: *subumano*.] ❖

subida [De *subir* + *-ida*[3].] *S. f.* **1.** Ato de subir: *a subida ao morro*; *a subida ao trono*. [Sin., p. us.: *subimento*.] **2.** Acréscimo, aumento: *subida de preços*. **3.** Terreno inclinado, ladeira, quando se sobe; aclive. [Antôn.: *descida*.]

subideira [De *subir* + *-deira*.] *S. f. Bras. Zool.* V. *arapaçu-grande*.

subido [Part. de *subir*.] *Adj.* **1.** Que está em posição mais elevada; alto, elevado, erguido, levantado: *cabelos subidos na nuca*; *decote subido*. **2.** Alto, elevado: "Esse afinco ao trabalho consciencioso e profundo é virtude que o Sr. Arnaldo Gama possui no mais subido grau." (Ramalho Ortigão, *Primeiras Prosas*, p. 187); "Mandou-lhe, por eles, entregar a legítima de sua mãe, que era uma quinta a meia légua distante, e alguns valores em baixela de prata e joias de subido preço" (Camilo Castelo Branco, *Doze Casamentos Felizes*, p. 205). **3.** *Fig.* Que excede os outros; elevado, celso, excelso: *subida honra*; *subidos méritos*. **4.** *Fig.* Nobre, ilustre: *os subidos heróis da epopeia lusitana*. **5.** *Fig.* Pomposo, aparatoso (estilo, linguagem). ● *S. m.* **6.** *Tip.* Elevado (5).

subimento [De *subir* + *-mento*.] *S. m. P. us.* Subida (1).

subinquilino [De *sub-* + *inquilino*.] *S. m.* Sublocatário.

subinspetor (ô) [De *sub-* + *inspetor*.] *S. m.* Funcionário ou empregado que está imediatamente abaixo do inspetor.

subinspetoria [De *subinspetor* + *-ia*[1].] *S. f.* **1.** Funções de subinspetor. **2.** Lugar onde ele as exerce.

subinte [De *subir* + *-nte*.] *Adj. 2 g.* Que sobe; ascendente.

subintendência [De *sub-* + *intendência*.] *S. f.* Repartição ou cargo de subintendente.

subintendente [De *sub-* + *intendente*.] *S. m.* O imediato ou substituto do intendente.

subintervalo [De *sub-* + *intervalo*.] *S. m. Mat.* Subconjunto de um intervalo; intervalo cujos extremos pertencem a outro.

subintrante [Do lat. *subintrante*.] *Adj. 2 g. Med.* Diz-se da crise mórbida que se manifesta antes de totalmente extinta a crise anterior.

subir [Do lat. *subire*, 'ir de baixo para cima'.] *V. int.* **1.** Transportar-se ou elevar-se a lugar mais alto; ir para cima: *O elevador subiu*. **2.** Elevar-se no ar; erguer-se para a atmosfera; alar-se: *O balão subia lentamente*. **3.** Crescer em altura: *A árvore já principia a subir*. **4.** Atingir preço mais elevado; encarecer: *Os gêneros alimentícios subiram no mês passado*. **5.** Elevar-se a uma situação social superior: *Não são muitos os pobres que conseguem subir*. **6.** Passar (a voz) do grave ao agudo. **7.** Começar a surgir; nascer, despontar: "os dois amigos romperam a correr desesperadamente pela rampa de Santos e pelo Aterro, sob a primeira claridade do luar que subia." (Eça de Queirós, *Os Maias*, II, p. 566). **8.** Aproximar-se do zênite: *O Sol já sobe*. **9.** Montar, cavalgar: *Mal o peão subiu, a cavalgadura disparou*. **10.** Ir a uma localidade serrana: *Todo fim de semana o casal sobe*. *T. c.* **11.** Transportar-se (a um lugar mais alto); elevar-se, ascender, atingir: *Os alpinistas subiram ao cume da montanha*; "— Desejo de subir a inatingíveis cimos" (Hermes-Fontes, *Gênese*, p. 69). **12.** Entrar em veículo, embarcação, etc.: *Subiu para o trem*; *Subiu ao navio*. **13.** Estender-se ou alastrar-se para cima: *A doença de pele subiu pelo corpo*. **14.** Trepar (6): *Subiu na escada e caiu*. **15.** Pôr-se (em algum lugar elevado): *O orador subiu ao palanque*. *T. i.* **16.** Ascender, alçar-se; chegar; atingir: "Esposas carinhosas e submissas, filhas meigas e tímidas, no interior da casa e no seio da família, quando era preciso davam exemplo de uma bravura e arrojo que subiam ao heroísmo." (José de Alencar, *O Sertanejo*, p. 198.) **17.** Seguir os devidos trâmites para chegar a autoridade ou repartição superior: *O processo já subiu à Presidência da República*. **18.** Elevar-se a um cargo ou posição social superior: *O balconista subiu a gerente*. **19.** Elevar-se, chegar, montar: "Sua correspondência sobe a milhares de cartas por semana." (Alceu Amoroso Lima, *A Realidade Americana*, pp. 219-220.) *T. d.* **20.** Percorrer, andando para cima: *Subiu a ladeira*; "Subiu os seis degraus de pedra, e mal teve tempo de bater, a porta abriu-se, e apareceu-lhe Vilela." (Machado de Assis, *Várias Histórias*, p. 19). **21.** Trepar por; galgar: *subir um muro*. **22.** Exaltar, exalçar, enaltecer, engrandecer: *Os chefes militares sobem a coragem dos comandados*. **23.** Tornar mais agudo; elevar: *A cantora subiu a voz*. **24.** Puxar, transportar, para um lugar mais elevado; fazer subir: *O guindaste subiu a carga*. "E, tomando primeiro nos braços Joaquim, e depois Braulino, subiu-os para a charrete." (Herberto Sales, *Os Pareceres do Tempo*, p. 444.) **25.** Aumentar o preço de; encarecer: *O clube subiu a mensalidade*. *T. d. e i.* **26.** Promover, elevar: *Os merecimentos subiram o cabo a sargento*. *P.* **27.** Transportar-se (a lugar alto, ou mais alto); levantar-se; elevar-se, subir: "Para chamar a Ventura / subi-me a um alto rochedo!" (Antônio Correia d'Oliveira, *A Minha Terra*, III, p. 29); "Sobe-se do peito um clarão de sonho — / E as lágrimas rolam quentes no meu rosto." (Antônio Boto, *As Canções*, p. 242). [Irreg. Conjug.: v. *acudir*.]

subitamente [Do f. de *súbito* + *-mente*.] *Adv.* De modo súbito; repentinamente, de repente.

subitaneidade [De *subitâne(o)* + *-eidade*.] *S. f.* Qualidade ou caráter de subitâneo: *A subitaneidade da manobra do governo aturdiu o meio financeiro*.

subitâneo [Do lat. *subitaneu*.] *Adj.* Súbito (1).

súbitas [Subst. do f. pl. do adj. *súbito*.] *El. s. f. pl.* Us. na loc. adv. *a súbitas*. ◆ **A súbitas.** De repente; de súbito; subitamente, súbito: "Entrei na sala a passo mesurado, e quase a súbitas." (Camilo Castelo Branco, *Amor de Salvação*, p. 197.)

súbito [Do lat. *subitu*.] *Adj.* **1.** Que ocorre ou surge sem serprevisto; repentino, inesperado, subitâneo: *mal súbito*; *paixão súbita*. ~ V. *exantema* — e *morte* —*a*. ● *S. m.* **2.** Acontecimento repentino. ● *Adv.* **3.** Repentinamente, subitamente: "Súbito outra visão negra me espanta!" (Augusto dos Anjos, *Eu*, p. 110.) ◆ **De súbito.** A súbitas; subitamente, súbito: "Na hora suave do morrer do dia / As mãos presas, de súbito, gelaram." (Ribeiro Couto, *Poesias Reunidas*, p. 28.)

subjacência [De *subjacente* + *-ia*[2], seg. o padrão analógico.] *S. f.* Estado ou condição de subjacente.

subjacente [Do lat. *subjacente*.] *Adj. 2 g.* **1.** Que jaz ou está por baixo: *camadas subjacentes*. **2.** *Fig.* Que não se manifesta, mas está oculto ou subentendido: *propósitos subjacentes*. [Antôn.: *sobrejacente*.]

subjazer [Do lat. *subjacere*.] *V. int.* Estar ou ficar subjacente. [Conjug.: v. *jazer*.]

subjeção [De lat. *subjectione.*] *S. f. E. Ling.* Figura pela qual o orador interroga o adversário e, supondo a resposta ou prevendo o que responderia, dá logo a réplica.
subjetivação[1] [De *subjetivar* + *-ção.*] *S. f.* Ato ou efeito de subjetivar.
subjetivação[2] [De *subjetivar* + *-ção.*] *S. f.* Ato ou efeito de subjetivar.
subjetivar [De *subjetivo* + *-ar*[2].] *V. t. d.* Tornar ou considerar subjetivo: "eu tinha subjetivado os agentes da sensação e dado maior valor à minha sombra que à luz exterior." (Domício da Gama, *Histórias Curtas*, p. X).
subjetividade [De *subjetivo* + *-(i)dade.*] *S. f.* **1.** Qualidade ou caráter de subjetivo. **2.** *Filos.* Domínio do que é subjetivo.
subjetivismo [De *subjetivo* + *-ismo.*] *S. m.* **1.** Em ciências sociais, modo de pensar que enfatiza ou leva em conta exclusivamente os aspectos subjetivos (como intenção, ação, consciência, etc.) daquilo que é estudado ou daquele que estuda ou interpreta. **2.** *Filos.* Tendência a atribuir caráter subjetivo à realidade, à verdade e aos valores. **3.** *Filos.* Tendência a reduzir toda existência à existência do pensamento em geral. [Cf., nas acepçs. 2 e 3, *idealismo subjetivo* e *solipsismo* (1).]
subjetivista [De *subjetivismo* + *-ista.*] *Adj. 2 g.* **1.** Relativo a, ou caracterizado por subjetivismo. • *S. 2 g.* **2.** Adepto ou seguidor do subjetivismo; pessoa que pensa de maneira subjetivista.
subjetivo [Do lat. *subjectivu.*] *Adj.* **1.** Relativo a sujeito. **2.** Existente no sujeito. **3.** Individual, pessoal; particular: *É muito subjetiva a sua visão do assunto.* **4.** Passado unicamente no espírito de uma pessoa. **5.** Diz-se do que é válido para um só sujeito e que só a ele pertence, pois integra o domínio das atividades psíquicas, sentimentais, emocionais, volitivas, etc. deste sujeito. [Cf., nesta acepç., *objeto* (9).] **6.** *Filos.* Que provém de um sujeito enquanto agente individual, ou coletivo. [Cf., nesta acepç., *objeto* (10).] ~ V. *direito* —, *idealismo* —, *material* —, *novação* —a, *pronome* — e *vertigem* —a. • *S. m.* **7.** Aquilo que é subjetivo.
→**sub judice** [sub 'judeke] [Lat., 'em juízo'.] *Jur.* Sob apreciação judicial.
subjugação [Do lat. *subjugatione.*] *S. f.* Ato ou efeito de subjugar(-se).
subjugador (ô) [Do lat. *subjugatore.*] *Adj.* **1.** Que subjuga; subjugante. • *S. m.* **2.** Aquele que subjuga.
subjugante [Do lat. *subjugante.*] *Adj. 2 g.* Subjugador (1).
subjugar [Do lat. *subjugare.*] *V. t. d.* **1.** Submeter pela força das armas: *Roma subjugou o Mediterrâneo.* **2.** Dominar moralmente: *A personalidade forte subjuga as fracas.* **3.** Influir profundamente em; impressionar ao extremo: *A Suma Teológica, de Santo Tomás de Aquino, subjugou as demais fontes do pensamento cristão da Idade Média.* **4.** Dominar, vencer: *Facilmente o lutador subjugou o adversário.* **5.** Conter, reprimir, refrear: *O homem forte subjuga as emoções.* **6.** Meter (bois) ao jugo; jungir. **7.** Amansar, domesticar: *O peão subjugou o potro bravio. P.* **8.** Conter-se; dominar-se. [Conjug.: v. *largar.*]
subjugável [De *subjugar* + *-vel.*] *Adj. 2 g.* Que pode ou deve ser subjugado.
subjunção [De *sub-* + *junção.*] *S. f.* Junção imediata.
subjuntiva [F. subst. do adj. *subjuntivo.*] *S. f. E. Ling.* A semivogal de um ditongo decrescente; pospositiva.
subjuntivo [Do lat. *subjunctivu.*] *Adj.* **1.** Subordinado, dependente. ~ V. *modo* —. • *S. m.* **2.** *E. Ling.* Modo subjuntivo (q. v.).
sublacustre (sub-la) [De *sub-* + *lacustre.*] *Adj. 2 g.* Que fica por baixo das águas de um lago.
sublegenda (sub-le) [De *sub-* + *legenda.*] *S. f. Jur.* Praxe que tem origem no direito uruguaio, e pela qual o eleitor podia votar, em sufrágio proporcional, numa fração do partido não integrada na maioria, contando-se o voto, no entanto, para a legenda. [A sublegenda foi instituída através do ato complementar nº 4, de 20 de novembro de 1965 (durante o regime de exceção criado pelo golpe militar de 1964) e perdurou até a edição da Lei nº 7.551/86.]
subleito (sub-lei) [De *sub-* + *leito.*] *S. m. Constr.* Terreno de fundação de um pavimento.
sublenhoso (sub-le... ô) [De *sub-* + *lenhoso.*] *Adj. Bot.* Diz-se das plantas cujos caules não se acham de todo lignificados.
sublevação (sub-le) [Do lat. *sublevatione.*] *S. f.* Ato ou efeito de sublevar(-se); rebelião, revolta; levante: "vê-se o Santo à testa de uma revolução autêntica, a comandar os pobres na sublevação contra os ricos" (Antônio Sérgio, *Ensaios*, VI, p. 150); "Foi o que se viu a 15 de novembro de 1889: uma parada repentina e uma sublevação; um movimento refreado de golpe e transformando-se, por um princípio universal, em força; e o desfecho feliz de uma revolta." (Euclides da Cunha, *À margem da História*, p. 309).
sublevador (sub-le...ô) [De *sublevar* + *-dor.*] *Adj. S. m.* Que, ou aquele que subleva.
sublevar (sub-le) [Do lat. *sublevare.*] *V. t. d.* **1.** Levantar de baixo para cima: "viram num golpe a última tigela de pinga, sublevam o fardo e partem para a vila a passo acelerado." (Amadeu de Queirós, *Os Casos do Carimbamba*, p. 95); "A moça tragou o soluço que lhe sublevava o seio" (José de Alencar, *Senhora*, p. 235). **2.** Incitar à revolta; revoltar, amotinar: *Os líderes sublevaram os escravos. P.* **3.** Revoltar-se, rebelar-se, amotinar-se: *Os prisioneiros sublevaram-se.*
sublide (sub-li) [De *sub-* + *lide*[1].] *S. m. Jorn.* Desdobramento do lide[1] (q. v.) em segundo parágrafo. [A utilização deste recurso é frequentemente condenada.]
sublimação [Do lat. *sublimatione.*] *S. f.* **1.** Ato ou efeito de sublimar(-se). **2.** *Fís.* Transição da fase sólida para o vapor. **3.** *Psican.* Processo inconsciente que consiste em desviar a energia da libido (q. v.) para novos objetos, de caráter útil.
sublimado [Part. de *sublimar.*] *Adj.* **1.** Elevado à maior altura, ou a uma grande altura; engrandecido. **2.** Volatilizado quimicamente. • *S. m.* **3.** Substância sublimada. ◆ **Sublimado corrosivo.** *Quím.* O cloreto mercúrico, cristalino, branco, venenoso [fórm.: $HgCl_2$].
sublimar [Do lat. *sublimare.*] *V. t. d.* **1.** Tornar sublime. **2.** Erguer à maior altura, ou a uma grande altura: "Canções, direi melhor, que a alma extasiam, / E do corpo mortal arrebatando-a, / Ao vago espaço a sobem, e a sublimam / Às puras regiões de excelsos gozos." (Domingos José Gonçalves de Magalhães, *A Confederação dos Tamoios*, p. 101.) **3.** Exaltar, exalçar, engrandecer: *As grandes navegações sublimaram a nação portuguesa no século XV*; "Direi como venceram oceanos / E conquistaram glórias que os sublima" (José Albano, *Rimas*, p. 82); "Quando o homem sublima as coisas, nascem os deuses pagãos; quando sublima o semelhante, nasce Cristo" (Miguel Torga, *Diário*, IX, p. 45). **4.** Elevar à maior perfeição; purificar. **5.** Fazer passar (um corpo) diretamente do estado sólido ao gasoso; meteorizar. **6.** Purificar por sublimação. **7.** Fazer a sublimação de. *T. d. e i.* **8.** Elevar (a honras, dignidades): *O povo sublimou o líder à chefia do governo. P.* **9.** Tornar-se sublime. **10.** Exaltar-se, exalçar-se, engrandecer-se: "Quando o homem sublima as coisas, nascem os deuses pagãos; quando sublima o semelhante, nasce Cristo; quando se sublima a si próprio, nasce o tirano." (Miguel Torga, *Diário*, IX, p. 45.) **11.** Distinguir-se, sobressair, salientar-se, relevar-se.
sublimatório [De *sublimar* + *-tório.*] *Adj.* **1.** Respeitante à sublimação. • *S. m.* **2.** Vaso onde se recolhem os produtos das sublimações químicas.
sublimável [De *sublimar* + *-vel.*] *Adj. 2 g.* Que se pode sublimar.
sublime [Do lat. *sublime.*] *Adj. 2 g.* **1.** Que atingiu um grau muito elevado na escala dos valores morais, intelectuais ou estéticos; quase perfeito: *gesto sublime; devotamento sublime; argumentação sublime; poesia sublime; escultura sublime.* **2.** Cujos méritos transcendem o normal; inexcedível; muito admirável: *Tiradentes foi sublime em seu martírio.* **3.** Diz-se de quem está em posição superior à de outros, ou distinta da de outros; insigne, celso, excelso, preexcelso, preexcelente: *Era amado e respeitado o sublime imperador; O sublime patriarca distribuía justiça.* **4.** Esplêndido, esplendente, magnífico: *O astro sublime brilhava no céu.* **5.** Grandioso, augusto, magnífico, esplêndido, soberbo: "Meu Deus! Como é sublime um canto ardente / Pelas vagas sem fim boiando à toa!" (Castro Alves, *Obra Completa*, p. 278.) **6.** Encantador; maravilhoso; divino: *música sublime; sublime enlevo.* **7.** Muito bonito; formosíssimo, gentil, lindo: *uma sublime figura de mulher.* **8.** Nobre, pomposo, elevado, erguido: *estilo sublime; eloquência sublime.* ~ V. — *Porta.* • *S. m.* **9.** Aquilo que é sublime: *Comoveu-se ante o sublime daquela cena.* **10.** O mais elevado grau da perfeição.
sublimidade [Do lat. *sublimitate.*] *S. f.* **1.** Qualidade de sublime. **2.** Grande altura ou elevação. **3.** Perfeição, primor, excelência. **4.** A maior grandeza.
subliminal (sub-li) [De *sub-* + lat. *limine*, 'soleira', + *-al*[1].] *Adj. 2 g.* Subliminar.
subliminar (sub-li) [De *sub-* + lat. *limine*, 'soleira', + *-ar*[1].] *Adj. 2 g.* **1.** Que é inferior, ou que não ultrapassa o limiar. **2.** *Psicol.* Diz-se de um estímulo que não é suficientemente intenso para que o indivíduo tome consciência dele, mas que, repetido, atua no sentido de alcançar um efeito desejado: *propaganda subliminar.* [F. paral.: *subliminal.*]
sublinear (sub-li) [De *sub-* + *linear.*] *Adj. 2 g.* Que se escreve por baixo de linhas; interlinear.
sublingual (sub-li) [De *sub-* + *lingual.*] *Adj. 2 g.* **1.** *Anat.* Que está debaixo da língua. • *S. f.* **2.** Cada uma de duas glândulas salivares, localizadas na base da língua e responsáveis por cerca de 5% da saliva segregada.
sublinha (sub-li) [De *sub-* + *linha.*] *S. f.* Linha traçada por baixo de palavra: "Um livro que foi de seu uso [de Zacarias de Góis e Vasconcelos]...., marcado em partes, a lápis encarnado, tem uma sublinha nas seguintes palavras .... atribuídas ao Conde de Oxford, em resposta ao Duque de Buckingham, 'que não buscava a sua amizade nem temia o seu ódio'" (Machado de Assis, *Páginas Recolhidas*, pp. 169-170).
sublinhador (sub-li...ô) [De *sublinhar* + *-dor.*] *Adj. S. m.* Que, ou aquele que sublinha.
sublinhar (sub-li) [De *sublinha* + *-ar*[2].] *V. t. d.* **1.** Traçar uma sublinha em: *Sublinhou a palavra para emprestar-lhe maior realce.* **2.** Tornar sensível. **3.** Acentuar bem: *Pronunciou a frase sublinhando os adjetivos.* **4.** Pôr em relevo; destacar, salientar: *Os jornais sublinharam os detalhes do terrível crime.*
sublista (sub-lís) [De *sub-* + *lista.*] *S. f.* Lista que é parte de outra lista, ou que conta como um item ou elemento desta.
subliterário [De *sub-* + *literário.*] *Adj.* De, ou relativo a subliteratura.
subliterato (sub-li) [De *sub-* + *literato.*] *S. m.* Indivíduo que faz subliteratura; literato inferior, medíocre.
subliteratura (sub-li) [De *sub-* + *literatura.*] *S. f.* Literatura medíocre, de qualidade inferior.
sublobulado (sub-lo) [De *sub-* + *lobulado.*] *Adj.* Dividido em lóbulos.
sublocação (sub-lo) [De *sublocar* + *-ção.*] *S. f.* Ato ou efeito de sublocar; subaluguel, subaluguer. [Cf. *subarrendamento.*]
sublocador (sub-lo... ô) [De *sublocar* + *-dor.*] *S. m.* Aquele que subloca.
sublocar (sub-lo) [De *sub-* + *locar.*] *V. t. d.* **1.** Dar a terceiro em nova locação, no todo ou em parte (o imóvel de que se é locatário): *Sublocou um quarto de seu apartamento. T. d. e i.* **2.** Dar a terceiro em nova locação, no todo ou em parte, o imóvel de que se é locatário: *Sublocou a casa que alugara em Petrópolis a um velho amigo.* [Sin. ger.: *subalugar.* Cf. *subarrendar.* Conjug.: v. *trancar.*]
sublocatário (sub-lo) [De *sublocar* + *-tário.*] *S. m.* Aquele que recebe por sublocação; subinquilino. [Cf. *subarrendatário.*]
sublunar (sub-lu) [De *sub-* + *lunar.*] *Adj. 2 g.* Situado abaixo da Lua, ou entre a Terra e a Lua.
submamário [De *sub-* + *mamário.*] *Adj. Anat.* Localizado por baixo de mama.
submandatário [De *sub-* + *mandatário.*] *S. m.* Substabelecido (2).
submandibular [De *sub-* + *mandibular.*] *Anat. Adj. 2 g.* **1.** Situado debaixo da mandíbula. • *S. f.* **2.** Cada uma de duas glândulas salivares, localizadas entre a mandíbula e a base da língua, e responsáveis por cerca de 70% da saliva segregada.
submarino [De *sub-* + *marinho.*] *Adj. S. m. P. us.* V. *submarino* (1): "os olhos da minha imaginação enxergavam através da água os rochedos de sorvedouros submarinhos" (Alexandre Herculano, *Lendas e Narrativas*, II, p. 331).
submarinista [De *submarino* + *-ista.*] *S. 2 g.* Tripulante dum submarino.
submarino [De *sub-* + *marino.*] *Adj.* **1.** Que está debaixo das águas do mar; submarinho: *flora submarina.* ~ V. *bacia* —a, *bomba* —a, *cabo* —, *caça* —a, *litologia* —a, *pesca* —a, *plataforma* —a e *telégrafo* —. • *S. m.* **2.** *Mar. G.* Navio de guerra destinado a operar submerso, sendo suas principais missões afundar navios inimigos por meio de torpedos e bombardear instalações inimigas por meio de mísseis. ◆ **Submarino atômico.** Aquele para cuja propulsão se usa energia atômica; submarino nuclear. [Cf. *submarino convencional.*] **Submarino convencional.** Aquele cuja propulsão à superfície se faz por meio de motores diesel, e em imersão se faz por meio de motores elétricos acionados pela energia elétrica armazenada em baterias de acumuladores; submersível. [Cf. *submarino atômico.*] **Submarino nuclear.** Submarino atômico (q. v.).
submata [De *sub-* + *mata.*] *S. f. Fitogeogr.* O conjunto da vegetação que cresce por baixo das árvores altas de bosques e matas, e que é constituída de arvoretas, arbustos e plantas herbáceas. [Sin.: *sub-bosque, sobosque.*]
submaxilar (cs) [De *sub-* + *maxilar.*] *Adj. 2 g. Anat.* Situado debaixo de maxilar.
submental [De *sub-* + *mento* + *-al*[1].] *Adj. 2 g. Anat.* Situado sob o mento ou o queixo.
submergido [Part. de *submergir.*] *Adj.* Submerso.
submergir [Do lat. *submergere.*] *V. t. d.* **1.** Cobrir de água; inundar, alagar: "Além aparecia ao longe um mar doce. Era o Quixeramobim, que pejado com as chuvas do inverno, transbordara do leito submergindo toda a zona adjacente." (José de Alencar, *O Sertanejo*, p. 213.) **2.** Fazer sumir totalmente na água; afundar: "no Recife, os naturais, por falta de

defesa, obstruíram a enseada do porto, submergindo velhos navios." (João Ribeiro, *História do Brasil*, p. 149); *O mar encapelado submergiu o bote.* **3.** Levar com ímpeto; arrastar. **4.** Fazer desaparecer; destruir. **5.** Fazer desaparecer, fazer sumir; ocultar, encobrir. **6.** Absorver, abismar: *Tristes pensamentos o submergiam.* ***Int. P.*** **7.** Ficar inteiramente mergulhado na água. **8.** Ir ao fundo; afundar. **9.** Embrenhar-se; internar-se, adentrar-se; desaparecer: "De longe e especialmente do lugar onde estava o capitão-mor, o que se viu foi o cavalo submergir-se na folhagem" (José de Alencar, *O Sertanejo*, p. 238). [Part.: *submergido* e *submerso*.]

submergível [De *submergir* + *-vel*.] ***Adj. 2 g.*** Que pode submergir-se; submersível.

submersão [Do lat. *submersione*.] ***S. f.*** **1.** Ato ou efeito de submergir(-se). **2.** Abatimento do casco de uma cavalgadura, devido a pancada.

submersível [De *submerso* (q. v.) + *-ível*.] ***Adj. 2 g.*** **1.** Submergível. **2.** *Bot.* Diz-se da planta que, após a florescência, submerge na água. **3.** *Mar.* Diz-se do aparelho, equipamento, etc., construído para funcionar submerso, sob determinadas condições: *Para esgoto de compartimentos alagados usa-se muitas vezes um tipo de bomba submersível.* ~ V. *bomba —*. ● ***S. m.*** **4.** *Desus.* Submarino convencional (q. v.).

submerso [Do lat. *submersu*, part. pass. do v. lat. *submergere*, 'submergir' (q. v.).] ***Adj.*** Que submergiu; submergido: *Retiraram da piscina o corpo submerso; Estava absorto em cismas, submerso; Procura trazer à tona as lembranças submersas do passado.*

submeter [Do lat. *submittere*.] ***V. t. d.*** **1.** Reduzir à obediência, à dependência; sujeitar, subjugar: *Alexandre da Macedônia submeteu todos os povos por ele conquistados.* **2.** Dominar, vencer: *O forte pugilista submeteu o adversário.* ***T. d. e i.*** **3.** Tornar objeto de; subordinar: *Submeti-o à minha orientação.* **4.** Oferecer a exame ou apreciação: *O Presidente submeteu o projeto à Câmara*; "E mesmo o Galvão e o padre Soares, entalando-o a um canto, chegaram a submeter-lhe o plano de um discurso, uma interpelação ao governo" (Conde de Ficalho, *Uma Eleição Perdida*, p. 135). **5.** Fazer passar por: "Sua tortura da forma levava-a [a Virgínia Woolf] a submeter os seus escritos a oito e até nove revisões, mesmo quando se tratava de um simples artigo ocasional." (Eugênio Gomes, *Espelho contra Espelho*, p. 248.) ***P.*** **6.** Sujeitar-se, entregar-se, render-se. **7.** Obedecer às ordens e vontade de outrem.

submetido [Part. de *submeter*.] ***Adj.*** Que se submeteu.

submetralhadora (ô) [De *sub-* + *metralhadora*.] ***S. f.*** Metralhadora de pequeno calibre e reduzido tamanho, destinada especificamente a operações policiais.

subministração [Do lat *subministratione*.] ***S. f.*** Ato ou efeito de subministrar.

subministrador (ô) [Do lat. *subministratore*.] ***Adj. S. m.*** Que, ou aquele que subministra.

subministrar [Do lat. *subministrare*.] ***V. t. d. e i.*** Prover do necessário; fornecer, ministrar: *subministrar alimentos; subministrar avultada quantia aos necessitados.*

subministro [De *sub-* + *ministro*.] ***S. m.*** Auxiliar imediato ou substituto de um ministro.

submissão [Do lat. tard. *submissione*.] ***S. f.*** **1.** Ato ou efeito de submeter(-se) (a uma autoridade, a uma lei, a uma força); obediência, sujeição, subordinação: *submissão à vontade divina, ao poder econômico, às regras do jogo; a submissão dos vencidos.* **2.** Disposição para aceitar um estado de dependência; docilidade: *a submissão de um animal a seu dono.* **3.** Estado de rebaixamento servil; humildade afetada; subserviência: *a submissão abjeta dos alcoviteiros.*

submisso [Do lat. *submissu*.] ***Adj.*** **1.** Que se submeteu ou se submete, se sujeitou ou se sujeita: *pessoa submissa.* **2.** Em que há, ou que envolve submissão: *tom submisso; comportamento submisso.* **3.** Obediente, dócil: *criança submissa.* **4.** Humilde, respeitoso: *Sua atitude submissa escondia um temperamento altivo.* **5.** Resignado, conformado: *A mulher, submissa, ouvia calada.*

submucoso (ô) [De *sub-* + *mucoso*.] ***Adj.*** Situado sob membrana mucosa.

submúltiplo [De *sub-* + *múltiplo*.] ***S. m. Mat.*** Número inteiro que é divisor de outro inteiro.

submundo [De *sub-* + *mundo*.] ***S. m.*** **1.** O conjunto dos marginais ou delinquentes vistos como grupo social organizado. **2.** O ambiente próprio deles.

subnormal [De *sub-* + *normal*.] ***Adj. 2 g.*** **1.** Que está um pouco abaixo ou um pouco aquém do normal. ● ***S. f.*** **2.** *Mat.* Projeção, sobre o eixo dos x, do segmento da normal a uma curva compreendido entre o ponto da curva e a interseção da normal com aquele eixo.

subnuclear [De *sub-* + *núcleo* + *-ar*[1].] ***Adj. 2 g. Fís. Part.*** De, ou relativo a partículas que se situam dentro do núcleo de um átomo.

subnutrição [De *sub-* + *nutrição*.] ***S. f.*** V. *subalimentação*.

subnutrido [Part. de *subnutrir*.] ***Adj. S. m.*** Que, ou aquele que se acha em estado de subnutrição; subalimentado: "Meninas de doze, treze anos, prostitutas, subnutridas, doentes" (João Clímaco Bezerra, *A Vinha dos Esquecidos*, p. 39).

subnutrir [De *sub-* + *nutrir*.] ***V. t. d.*** Nutrir insuficientemente.

suboccipital [De *sub-* + *occipital*.] ***Adj. 2 g. Anat.*** Localizado abaixo do occipício.

subocular [Do lat. *suboculare*.] ***Adj. 2 g. Anat.*** Situado abaixo de olho (1).

suboficial [De *sub-* + *oficial*.] ***S. m.*** **1.** V. *hierarquia militar*. **2.** Praça que detém a graduação de suboficial.

subondulado [De *sub-* + *ondulado*.] ***Adj.*** Que tem pequenas ondulações.

suborbicular [De *sub-* + *orbicular*.] ***Adj. 2 g.*** Que se situa sob a órbita.

suborbitário [De *sub-* + *orbitário*.] ***Adj. Anat.*** Infraorbitário.

subordem [De *sub-* + *ordem*.] ***S. f. Biol.*** Categoria taxonômica situada entre a ordem e a família. [V. *grupos taxonômicos*.]

subordinação [Do lat. *subordinatione*.] ***S. f.*** **1.** Ato ou efeito de subordinar(-se). **2.** Estado de dependência ou obediência em relação a uma hierarquia (de posição ou de valores); submissão: *a subordinação do clero à autoridade papal; a subordinação do Ocidente à moral cristã.* **3.** *E. Ling.* Modalidade de construção de períodos na qual uma ou mais orações, ditas *subordinadas*, dependem de outra(s) ou da principal: *Sei que ele sairá; Sei que ele é meu amigo e que não me trairá.* [Cf., nesta acepç., *coordenação* (2), *correlação* (5) e *justaposição* (6).] **4.** *Lóg.* Relação das espécies com os gêneros.

subordinada [F. subst. do adj. *subordinado*.] ***S. f. E. Ling.*** Oração subordinada (q. v.).

subordinado [Part. de *subordinar*.] ***Adj.*** **1.** Dependente, inferior, subalterno: *homem subordinado; classe subordinada; posição subordinada.* **2.** Que, em conexão com outra coisa, ocupa lugar inferior; secundário: *Silenciou nos aspectos subordinados da questão.* **3.** *E. Ling.* Que não se apresenta sob forma independente; dependente. ~ V. *oração —a*. ● ***S. m.*** **4.** Aquele que está sob as ordens de outro; subalterno.

subordinador (ô) [De *subordinar* + *-dor*.] ***Adj.*** **1.** Que subordina; subordinante. ● ***S. m.*** **2.** Aquele que subordina.

subordinante [De *subordinar* + *-nte*.] ***Adj. 2 g.*** Subordinador (1).

subordinar [Do lat. med. *subordinare*.] ***V. t. d.*** **1.** Estabelecer em ordem de dependência do inferior ao superior, ou do que é dominado ao que domina; fazer dependente; dominar, subjugar, sujeitar: *O Império Romano subordinou vários povos.* **2.** Ligar a um princípio ou coisa superior. ***T. d. e i.*** **3.** Pôr sob a dependência de; sujeitar, submeter: *A portaria subordinou os funcionários à presidência*; "O serviço de trânsito subordinava o pedestre a regras difíceis." (Graciliano Ramos, *Viagem*, p. 48). **4.** *E. Ling.* Ligar por subordinação; tornar dependente: *O pronome relativo que subordina esta oração à anterior.* ***P.*** **5.** Pôr-se sob a dependência de; submeter-se, sujeitar-se: *Os cidadãos subordinam-se às leis.* **6.** *E. Ling.* Ligar-se por subordinação; tornar-se dependente.

subordinativa [F. subst. de *subordinativo*.] ***S. f. E. Ling.*** Conjunção subordinativa (q. v.).

subordinativo [De *subordinar* + *-tivo*.] ***Adj.*** Que denota ou estabelece subordinação. ~ V. *conjunção —a*.

subordinável [De *subordinar* + *-vel*.] ***Adj. 2 g.*** Que se pode subordinar.

subornação [Do lat. *subornatione*.] ***S. f. P. us.*** V. *suborno*.

subornador (ô) [Do lat. *subordinatore*.] ***Adj. S. m.*** Que, ou aquele que suborna.

subornamento [De *subornar* + *-mento*.] ***S. m. P. us.*** V. *suborno*.

subornar [Do lat. *subornare*.] ***V. t. d.*** **1.** Dar dinheiro ou outros valores a, para conseguir vantagens, coisa oposta à justiça, ao dever ou à moral; peitar: *O vigarista quis subornar o policial.* **2.** Atrair com engano; aliciar para mau fim. [Pres. ind.: *suborno*, etc. Cf. *suborno* (ô), s. m.]

subornável [De *subornar* + *-vel*.] ***Adj. 2 g.*** Que pode ser subornado; comprável.

suborno (ô) [Dev. de *subornar*.] ***S. m.*** **1.** Ato ou efeito de subornar (1); peita. **2.** Aliciamento para atos culpáveis; corrompimento. [Sin. ger.: *corrução* e (p. us.) *subornação, subornamento*.] [Pl.: *subornos* (ô). Cf. *suborno*, do v. *subornar*.]

subósseo [De *sub-* + *ósseo*.] ***Adj. Anat.*** Subjacente a osso.

subpadrão [De *sub-* + *padrão*.] ***S. m. E. Ling.*** Variedade ou forma linguística que não se apresenta em conformidade com a norma institucionalizada e, por isso, não goza de prestígio social; não padrão. [Posposto a substantivo, tem valor adjetivo.]

subpapilar [De *sub-* + *papilar*.] ***Adj. 2 g. Anat.*** Que se encontra sob papila(s).

subparágrafo [De *sub-* + *parágrafo*.] ***S. m. E. Ling.*** Divisão de parágrafo.

subpericárdico [De *sub-* + *pericárdico*.] ***Adj. Anat.*** Situado debaixo do pericárdio.

subperiósteo [De *sub-* + *periósteo*.] ***Adj.*** Situado abaixo do periósteo.

subpolar [De *sub-* + *polar*.] ***Adj. 2 g.*** Que se acha debaixo do polo.

subpor (ô) [De *sub-* + *pôr*.] ***V. t. d. e i.*** **1.** Pôr debaixo; soto-pôr: *Subpus ao seu o meu nome.* **2.** Pôr abaixo de, em plano secundário ou inferior: "As delícias de carne e pensamento / Com que o instinto da espécie nos engana / Subpor ao generoso sentimento / De uma afeição mais simplesmente humana." (Manuel Bandeira, *Estrela da Vida Inteira*, p. 162.) [Antôn.: *sobrepor*. Irreg. Conjug.: v. *pôr*.]

subprefeito [De *sub-* + *prefeito*.] ***S. m.*** Chefe de uma subprefeitura.

subprefeitura [De *subprefeito* + *-ura*.] ***S. f.*** Cada uma das subdivisões administrativas de alguns municípios.

subprocurador (ô) [Do lat. *subprocuratore*.] ***S. m. Bras.*** Membro de procuradoria subordinado hierarquicamente ao procurador. ◆ **Subprocurador de justiça.** *Bras.* Procurador da justiça, nalguns estados.

subproduto [De *sub-* + *produto*.] ***S. m.*** **1.** Produto que se retira do que resta de uma substância da qual se extraiu o produto principal: *os subprodutos do petróleo.* **2.** Tudo que resulta secundariamente de outra coisa: *os subprodutos da imaginação; Seus contos são subprodutos dos de Guimarães Rosa.*

sub-raça [De *sub-* + *raça*.] ***S. f.*** Raça considerada (não cientificamente) inferior quer do ponto de vista étnico, quer do ponto de vista econômico ou social. [Pl.: *sub-raças*.]

sub-racional [De *sub-* + *racional*.] ***Adj. 2 g.*** Que não faz uso integral da razão; não inteiramente racional: "Na juventude a gente 'entende' o que leu de uma maneira peculiar, confiando numa espécie de leitura inconsciente, sub-racional, que está captando e decifrando tudo mesmo que a gente não saiba." (Luís Fernando Veríssimo, em *Jornal do Brasil*, 31.07.1998.)

subraji ***S. f. Bras. Bot.*** V. *saguaraji*.

sub-ramo ***S. m. Hist. Nat.*** Categoria taxonômica entre o ramo e a classe; subfilo. [V. *grupos taxonômicos*.] [Pl.: *sub-ramos*.]

sub-região [De *sub-* + *região*.] ***S. f.*** Divisão de uma região. [Pl.: *sub-regiões*.]

sub-regional [De *sub-região* + *-al*[1], seg. o padrão erudito.] ***Adj. 2 g.*** Relativo ou pertencente a sub-região. [Pl.: *sub-regionais*.]

sub-reino [De *sub-* + *reino*.] ***S. m. Hist. Nat.*** Categoria taxonômica situada entre o reino e o filo (zoologia), ou entre o reino e o ramo (botânica). [V. *grupos taxonômicos*.] [Pl.: *sub-reinos*.]

sub-reitor (ô) [De *sub-* + *reitor*.] ***S. m.*** Auxiliar imediato ou substituto do reitor; pró-reitor. [Pl.: *sub-reitores*.]

sub-reitoria [De *sub-reitor* + *-ia*[1].] ***S. f.*** **1.** Cargo ou funções de sub-reitor. **2.** Lugar onde as exerce. [Pl.: *sub-reitorias*.]

sub-remunerado [De *sub-* + *remunerado*.] ***Adj.*** Remunerado abaixo de seu merecimento e valor: *O novo emprego, depois dos quarenta anos, o deixou, injustamente, sub-remunerado.* [Pl.: *sub-remunerados*.]

sub-repassar [De *sub-* + *repassar*.] ***V. t. d. Fin.*** Transferir total ou parcialmente (cota de crédito orçamentário ou adicional, recebida mediante repasse) para uma unidade administrativa subordinada ou vinculada.

sub-repasse [De *sub-* + *repasse*.] ***S. m. Fin.*** Transferência total ou parcial de cota de crédito orçamentário ou adicional, recebida mediante repasse, para uma unidade administrativa subordinada ou vinculada. [Pl.: *sub-repasses*.]

sub-repção [Do lat. *subreptione*.] ***S. f.*** **1.** Omissão ou alteração fraudulenta de fatos que iriam influir em determinadas medidas de ordem moral, legal, disciplinar, etc.: *A sub-repção leva a conclusões enganosas.* **2.** Ato de alcançar uma graça ou benefício por meios sub-reptícios. **3.** Roubo, furto, subtração. [Pl.: *sub-repções*.]

sub-reptício [Do lat. *subrepticiu*.] ***Adj.*** **1.** Obtido por meio de sub-repção, ilicitamente; fraudulento: *depoimento sub-reptício.* **2.** Feito às ocultas; furtivo: *tráfico sub-reptício de drogas.* [Pl.: *sub-reptícios*.]

sub-retranca [De *sub-* + *retranca*.] ***S. f. Edit.*** Tipo de retranca que identifica um texto associado ao texto principal. [Cf. *retranca* (4). Pl.: *sub-retrancas*.]

sub-rogação [Do lat. *subrogatione*.] ***S. f.*** **1.** Ato ou efeito de sub-rogar. **2.** Substituição duma pessoa por outra, na mesma relação jurídica. **3.** Transferência das qualidades jurídicas de uma coisa para outra que pertence ao mesmo patrimônio. [Pl.: *sub-rogações*.]

S

sub-rogado [Part. de *sub-rogar*.] *Adj.* **1.** Investido na qualidade e direitos de outrem. **2.** Transmitido por sucessão. [Pl.: *sub-rogados*.]

sub-rogador (ô) [De *sub-rogar* + *-dor*.] *Adj.* **1.** V. *sub-rogante*. ● *S. m.* **2.** Aquele que sub-roga. [Pl.: *sub-rogadores*.]

sub-rogante [De *sub-rogar* + *-nte*.] *Adj.* *2 g.* Que sub-roga; sub-rogador, sub-rogatório. [Pl.: *sub-rogantes*.]

sub-rogar [Do lat. *subrogare*.] *V. t. d. e i.* **1.** Pôr em lugar de alguém; substituir. **2.** Transferir direito ou encargo a. *P.* **3.** Assumir, tomar o lugar de outrem. [Conjug.: v. *largar*.]

sub-rogatório [De *sub-rogar* + *-tório*.] *Adj.* V. *sub-rogante*. [Pl.: *sub-rogatórios*.]

sub-rogável [De *sub-rogar* + *-vel*.] *Adj.* *2 g.* Que pode ser sub-rogado. [Pl.: *sub-rogáveis*.]

sub-rostrado [De *sub-* + *rostrado*.] *Adj. Hist. Nat.* Que tem a aparência de um pequeno bico. [Pl.: *sub-rostrados*.]

sub-rotina [De *sub-* + *rotina*.] *S. f. Inform.* Parte de uma rotina (4) que realiza uma tarefa específica no programa (9). [Cf. *rotina*.]

sub-rotundo [De *sub-* + *rotundo*.] *Adj. Bot.* Quase redondo; arredondado, globoso: *folha sub-rotunda; semente sub-rotunda.* [Pl.: *sub-rotundos*.]

subsaariano [De *sub-* + *saariano*.] *Adj. S. m.* Diz-se de, ou região africana situada ao sul do deserto de Saara, ou de habitante dessa região, ou de língua ali falada, etc.

subsalário [De *sub-* + *salário*.] *S. m.* Salário abaixo da qualificação, merecimento ou valor do indivíduo: *O desemprego prolongado o obrigou a aceitar um subsalário, apesar de seus títulos universitários.*

subscrever [Do lat. *subscribere*.] *V. t. d.* **1.** Escrever por baixo: *Subscreveram seus nomes.* **2.** Assinar, firmar: *subscrever um documento.* **3.** Aceitar ou aprovar escrito, julgamento, opinião: *Subscreveria com honra qualquer coisa por ele redigida; Subscrevo, sem pestanejar, o seu parecer.* **4.** *Econ.* Comprometer-se a comprar títulos de uma empresa (ações, debêntures, etc.), esp. por ocasião de seu lançamento inicial. *T. i.* **5.** Anuir; aquiescer, conformar-se: *Subscrevo ao regimento que o mestre elaborou.* **6.** Obrigar-se a certa cota ou contribuição: *Subscreveu para a estátua a Machado de Assis.* **7.** Tomar parte em subscrição. *T. c. e i.* **8.** Subscrever (6): *Subscreveu 200 reais para um asilo.* *P.* **9.** Assinar-se, firmar-se. [Part.: *subscrito*.]

subscrição [Do lat. *subscriptione*.] *S. f.* **1.** Ato ou efeito de subscrever(-se). **2.** Compromisso de contribuição com certa quantia para obra meritória, homenagem, etc.: *O busto de Catulo Cearense foi erigido por subscrição pública.* **3.** A própria quantia subscrita: *A subscrição ultrapassou o previsto.* **4.** V. *assinatura* (4). **5.** Lista feita com vista a angariar recursos para determinado fim: *Ia de porta em porta com uma subscrição para ajudar os pobres da paróquia.* **6.** V. *colofão*. **7.** *Econ.* Compromisso, feito por investidor, de compra de títulos de uma empresa (ações, debêntures, etc.), esp. por ocasião do lançamento inicial desses títulos no mercado: "No ato da subscrição das ações a serem realizadas em dinheiro, o subscritor pagará a entrada" (*Lei das Sociedades Anônimas*, art. 85). **8.** *Econ.* Processo de lançamento de títulos de uma empresa para compra por investidores: *Encerrou-se ontem a subscrição de ações da companhia X.*

subscritar [De *subscrito* + *-ar*².] *V. t. d.* Pôr a assinatura embaixo de; assinar, subscrever.

subscrito [Do lat. *subscriptu*, part. pass. de *subscribere*, 'subscrever'.] *Adj. S. m.* Que, ou aquilo que está escrito por baixo.

subscritor (ô) [Do lat. *subscriptore*.] *Adj.* **1.** Que subscreve. ● *S. m.* **2.** Aquele que subscreve; assinante.

subseção [Var. de *subsecção* < *sub-* + *secção*.] *S. f.* Divisão de seção.

subsecção *S. f.* Subseção (q. v.).

subsecivo [Do lat. *subsecivu*.] *Adj.* **1.** Que sobeja ou excede, e, por isso, se corta ou se despreza; sobejo. **2.** Que ultrapassa o necessário; demasiado, excessivo, supérfluo. **3.** Acessório, secundário, sobressalente, sobresselente. **4.** Que resta ou sobra sem aproveitamento: *As horas subsecivas do dia escolar eram dedicadas à recreação.*

subsecretariado [De *subsecretário* + *-ado*².] *S. m.* **1.** Posto ou funções de subsecretário. **2.** Repartição onde ele exerce essas funções. **3.** Subdivisão dum secretariado (2).

subsecretariar [De *subsecretário* + *-ar*².] *V. t. d.* **1.** Ser o subsecretário de. *Int.* **2.** Exercer as funções de subsecretário. [Pres. ind.: *subsecretario*, etc. Cf. *subsecretário*.]

subsecretário [De *sub-* + *secretário*.] *S. m.* Alto funcionário de uma instituição, ou de um governo, que está abaixo do secretário ou do ministro: *subsecretário para assuntos latino-americanos.* [Cf. *subsecretario*, do v. *subsecretariar*.]

subsecutivo [Do lat. *subsecutus*, part. pass. de *subsequi*, 'seguir de perto', + *-ivo*.] *Adj.* Que subsegue imediatamente; consecutivo.

subseguir [De *sub-* + *seguir*.] *V. t. d.* **1.** Seguir-se a; estar ou vir depois de. *P. Int.* **2.** Seguir-se imediatamente: "Desde o alvorecer do século XIII, o comércio com a Flandres já se mostrava ponderável .... No século que subsegue, ... descobrem e pesquisam os navegantes mais de mil quilômetros de costas africanas." (Paulo Mercadante, *A Consciência Conservadora no Brasil*, p. 18.) [Irreg. Conjug.: v. *seguir*.]

subsentido [De *sub-* + *sentido*.] *S. m.* Intenção ou ideia oculta, reservada; segundo sentido.

subsequência (qüên) [Do lat. *subsequentia*.] *S. f.* **1.** Qualidade de subsequente. **2.** Continuação, seguimento; sequência. ✣

subsequente (qüen) [Do lat. *subsequente*.] *Adj. 2 g.* Que subsegue no tempo ou no lugar; imediato, ulterior, seguinte: "O desfecho dos amores palacianos de Camões e de D. Catarina de Ataíde é o objeto da comédia [*Tu só, Tu, Puro Amor...*, de Machado de Assis], desfecho que deu lugar à subsequente aventura de África" (Machado de Assis, *Páginas Recolhidas*, p. 180). ✣

subserviência [Do lat. *subservientia*.] *S. f.* **1.** Qualidade, modos ou procedimento de subserviente; servilismo, submissão. **2.** Adulação, bajulação, servilismo.

subserviente [Do lat. *subserviente*.] *Adj. 2 g.* **1.** Que serve às ordens de outrem; amouco, servil. **2.** Condescendente em demasia.

subséssil [De *sub-* + *séssil*.] *Adj. 2 g. Bot.* Quase séssil. [Pl.: *subsésseis*.]

subsidência [Do ingl. *subsidence*.] *S. f. Met.* Descida lenta, sobre uma região extensa, de uma massa de ar que, acompanhada geralmente de divergência horizontal nas camadas inferiores, se aquece por compressão.

subsidiado (si) [Part. de *subsidiar*.] *Adj.* **1.** Que tem ou recebe subsídio; subvencionado: *hospital subsidiado; bolsista subsidiado.* **2.** Que vive ou se sustenta de subsídio: *As instituições beneficentes subsidiadas dependem da generosidade do público e do governo.* ● *S. m.* **3.** Aquele que percebe subsídio do Estado ou de alguém.

subsidiar (si) [De *subsídio* + *-ar*².] *V. t. d.* **1.** Dar subsídio a: *O Governo Federal subsidiou o Estado do Rio.* **2.** Contribuir com subsídio para; auxiliar, ajudar. [Pres. ind.: *subsidio*, etc.; fut. pret.: *subsidiaria*, etc. Cf. *subsídio*, s. m., e *subsidiária*, fem. de *subsidiário* e s. f.]

subsidiária (si) [F. subst. de *subsidiário*.] *S. f.* Empresa controlada por outra, a qual detém o total ou a maioria de suas ações. [Cf. *subsidiaria*, do v. *subsidiar*.]
◆ **Subsidiária integral.** *Jur. Com.* Sociedade anônima cujo capital pertence integralmente a uma outra sociedade anônima.

subsidiário (si) [Do lat. *subsidiariu*.] *Adj.* **1.** Relativo a, ou que tem o caráter de subsídio: *meios subsidiários; verba subsidiária.* **2.** Que concede subsídio; que ajuda: *instituições subsidiárias da comunidade.* **3.** Diz-se de um elemento secundário que reforça outro de maior importância ou para este converge: *os rios subsidiários do Amazonas; As estradas subsidiárias são indispensáveis ao transporte de mercadorias.* **4.** *P. ext.* De importância menor; secundário, acessório: *Desprezou os pontos básicos para tratar de assuntos subsidiários.* **5.** Que é controlado por outra entidade, ou é parte acessória dela: *Os hospitais e laboratórios subsidiários da Faculdade de Medicina; Os orfanatos são subsidiários da Santa Casa da Misericórdia.* **6.** Diz-se de empresa cujo capital é controlado por uma outra empresa. **7.** Que vem em reforço ou apoio do que se alegou ou se estudou: *prova subsidiária; dado subsidiário.* [Fem.: *subsidiária*. Cf. *subsidiaria*, do v. *subsidiar*.]

subsídio (sí) [Do lat. *subsidiu*.] *S. m.* **1.** Contribuição pecuniária ou de outra ordem que se dá a qualquer empresa ou a particular; auxílio, ajuda: *pedir subsídio; cortar subsídios.* **2.** Quantia que o Estado arbitra ou subscreve para obras de interesse público; subvenção: *Foram aumentados este ano os subsídios destinados ao cinema nacional.* **3.** Quantia ou auxílio que um Estado concede a outro em virtude de acordos ou convenções. **4.** *Bras.* Vencimentos dos membros do poder legislativo federal, estadual ou municipal. [Cf. *subsidio*, do v. *subsidiar*.] ~ V. *subsídios*.

subsídios (sí) [Pl. de *subsídio*.] *S. m. pl.* Dados, informações, elementos; contribuição: *subsídios para a elaboração dum relatório, dum ensaio.* ~ V. *subsídio*.

subsimilar [De *sub-* + *similar*.] *Adj. 2 g.* Aproximadamente similar; mais ou menos similar.

subsíndico [De *sub-* + *síndico*.] *S. m.* Auxiliar ou substituto do síndico.

subsinuoso (ô) [De *sub-* + *sinuoso*.] *Adj.* Um tanto sinuoso.

subsistema [De *sub-* + *sistema*.] *S. m.* Conjunto de partes inter-relacionadas integrante de um sistema mais amplo.

subsistência (sis) [Do lat. *subsistentia*.] *S. f.* **1.** Estado ou qualidade de pessoas ou coisas que subsistem: *a subsistência de um hábito.* **2.** Conservação das coisas; permanência, estabilidade: *a subsistência de uma lei.* **3.** Conjunto do que é necessário para sustentar a vida; sustento: *meios de subsistência.* [V. *agricultura de subsistência, economia de subsistência, setor de subsistência.*]

subsistente (sis) [Do lat. *subsistente*.] *Adj. 2 g.* **1.** Que subsiste. **2.** Que continua a existir.

subsistir (sis) [Do lat. *subsistere*.] *V. int.* **1.** Ser, existir. **2.** Existir na sua substância; existir individualmente. **3.** Ter ou estar com vida; viver. **4.** Estar em vigor; vigorar; manter-se: *A Declaração dos Direitos do Homem e do Cidadão subsiste ainda, em essência, em várias legislações.* **5.** Conservar a sua força ou ação: "pode a sorte separar-nos, ou a morte de um ou de outro; mas o amor subsiste, longe ou perto, na morte ou na vida" (Machado de Assis, *Páginas Recolhidas*, p. 203).

subsolador (ô) [De *subsolar*² + *-dor*.] *Adj.* **1.** Diz-se do arado ou da charrua própria para subsolar². ● *S. m.* **2.** O arado ou a charrua própria para esse fim; subsoladora.

subsoladora (ô) [De *subsolar*² + *-dora*.] *S. f.* Subsolador (2).

subsolagem [De *subsolar*² + *-agem*².] *S. f.* Ato, operação ou efeito de subsolar².

subsolar¹ [De *sub-* + *solar*³.] *Adj. 2 g.* Que está debaixo do Sol.

subsolar² [De *subsolo* + *-ar*².] *V. t. d.* Arrotear até o subsolo; arrotear com o subsolador.

subsolo [De *sub-* + *solo*¹.] *S. m.* **1.** Camada do solo imediatamente por baixo da camada visível ou arável. **2.** Parte de uma construção localizada abaixo do rés do chão: *A adega está no subsolo.*

subsônico *Adj. Fís.* V. *subsônico*. [Uso freq. em P.]

subsônico [De *sub-* + *sônico*.] *Adj. Fís.* **1.** Diz-se de, ou relativo a velocidade menor que a do som. **2.** Que tem essa velocidade. [Opõe-se a *supersônico*.] ~ V. *onda — a*.

substabelecer [De *sub-* + *estabelecer*.] *V. t. d.* **1.** Pôr em vez de outrem ou de outra coisa; nomear como substituto. *T. d. e i.* **2.** Transferir para outrem (encargo ou procuração recebida); sub-rogar: *A empresa em falência substabeleceu a outra firma o trabalho contratado; Substabeleci-lhe a procuração.* *Int.* **3.** Transferir para outrem encargo ou procuração recebida: *Concedeu a seu advogado poderes para substabelecer.* [Conjug.: v. *aquecer*.]

substabelecido [Part. de *substabelecer*.] *Adj.* **1.** Diz-se daquele a quem se substabeleceu, se transferiu encargo ou mandato anteriormente recebido. ● *S. m.* **2.** Aquele a quem se substabeleceu; submandatário.

substabelecimento [De *substabelecer* + *-imento*.] *S. m.* Ato ou efeito de substabelecer.

substância [Do lat. *substantia*.] *S. f.* **1.** A parte real, ou essencial, de alguma coisa: *substância orgânica; substância mineral; a substância do espírito.* **2.** A natureza dum corpo; aquilo que lhe define as qualidades materiais; matéria: *A substância do gelo e da neve é a mesma, porém sob formas diferentes.* **3.** O que é necessário à permanência material de alguma coisa; o que tem propriedades de força, vigor, resistência: *As pirâmides do Egito são obras cuja substância atravessa os séculos.* [Var. ou f. paral., nesta acepç.: *sustância*.] **4.** O que é necessário à vida; o que alimenta: *Uma dieta rica em substância.* [Var. ou f. paral. (nesta acepç.): *sustância* e (pop.) *sustança*.] **5.** Qualquer matéria caracterizada por suas propriedades específicas: *Aplicada a substância na ferida, logo o doente sentiu alívio.* **6.** O que não é aparente ou superficial; o que realmente importa ao espírito; fundo, conteúdo: *O romance é bem escrito, mas falta-lhe substância.* **7.** O que constitui a base, o ponto fundamental de uma questão, de um assunto; o essencial; o substancial: *Concordo em substância, mas temos uns pormenores para discutir.* **8.** O assunto, o objeto de um pensamento, um texto, uma alocução: *a substância de uma mensagem.* **9.** *E. Ling.* A expressão linguística focalizada como um conjunto de elementos que têm valor individualmente e não como um sistema de interdependências em que o valor de cada elemento é determinado. [Cf., nesta acepç., *forma* (13).] **10.** *Filos.* Na tradição aristotélico-tomista, o que há de permanente nas coisas que mudam, e que é o suporte sempre idêntico das sucessivas qualidades resultantes das transformações; hipóstase. [Cf., nesta acepç., *acidente* (8), *essência* (5) e *substrato* (9).] **11.** *Filos.* O que existe por si mesmo, sem supor outro ser de que seja atributo. **12.** *Quím.* Matéria uniforme, de composição química conhecida ou definida; substância pura.

[Cf. *substancia*, do v. *substanciar*.] ◆ **Substância ativa.** *Quím. Nucl.* Substância radioativa. **Substância branca.** *Histol.* Tecido nervoso que constitui a porção condutora do encéfalo e da medula espinhal e que se compõe, principalmente, de neurofibras mielinizadas, o que lhe confere a cor branca. **Substância cinzenta.** *Histol.* Tecido nervoso que se compõe principalmente de corpos celulares de neurônios e neurofibras não mielinizadas. **Substância composta.** *Quím.* Substância pura, eletricamente neutra, cuja composição contém átomos de elementos diferentes; composto. **Substância fônica.** *E. Ling.* A fala enquanto um conjunto de propriedades físicas dos sons. **Substância fundamental.** *Histol.* V. *matriz extracelular*. **Substância gráfica.** *E. Ling.* A escrita enquanto um conjunto de elementos visuais. **Substância intersticial.** *Histol.* V. *matriz extracelular*. **Substância iônica.** *Quím.* Composto iônico. **Substância molecular.** *Quím.* Composto molecular. **Substância psicoativa.** *Farmac.* Qualquer substância química ou medicamento capaz de modificar o humor, o comportamento, o processo cognitivo, etc., de um indivíduo. V. *psicotrópico*. **Substância pura.** *Quím.* Aquela em que as menores partículas representativas (moléculas, agregados de íons ou átomos) são todas iguais. **Substância radioativa.** *Quím. Nucl.* A que contém um nuclídio radioativo; substância ativa. **Substância simples.** *Quím.* Substância pura cuja composição contém somente átomos do mesmo elemento. [As substâncias simples podem ser moleculares, como o oxigênio (O_2), o ozônio (O_3) e o nitrogênio (N_2), ou monoatômicas, como os gases nobres.] **Em substância.** Excluindo minúcias; substancialmente; em resumo; em suma. **Puxado à substância.** Puxado à sustância.

substanciado [Part. de *substanciar*.] ***Adj.*** De que se extraiu a substância; resumido, sintetizado.

substancial [De *substância* + *-al*[1].] ***Adj. 2 g.*** **1.** Que tem substância; substancioso. **2.** Nutritivo, alimentício, substancioso: *sopa substancial*; "posto que a cozinha de Homero seja mais substancial que delicada, gostava de ver matar um boi, passá-lo pelo fogo e comê-lo com essa mistura de mel, cebola, vinho e farinha, que devia ser mui grata ao paladar antigo." (Machado de Assis, *A Semana*, II, pp. 59-60). **3.** Essencial, fundamental, básico: *contribuição substancial; argumento substancial.* **4.** Importante, sensível, considerável, vultoso: *Teve um aumento substancial nos seus vencimentos.* **5.** Que encerra muitos ensinamentos. ~ V. *forma —*. ● ***S. m.*** **6.** O que alimenta; o que tem substância. **7.** O fundamental; o essencial.

substancialidade [Do lat. *substancialitate*.] ***S. f.*** Qualidade de substancial.

substancialismo [De *substancial* + *-ismo*.] ***S. m. Filos.*** Caráter de doutrina que admite a existência de substância ou de substâncias, como ocorre, p. ex., no aristotelismo.

substancialista [De *substancialismo* + *-ista*.] ***Adj. 2 g.*** *Filos.* Diz-se de doutrina que admite o substancialismo.

substancializar [De *substancial* + *-izar*.] ***V. t. d.*** **1.** Transformar em substância. **2.** Considerar como substância.

substanciar [De *substância* + *-ar*[2].] ***V. t. d.*** **1.** Dar comida de substância a; nutrir, reforçar. **2.** Fortalecer, robustecer, avigorar. **3.** Expor sumariamente; resumir, sintetizar, compendiar. [Pres. ind.: *substancio, substancias, substancia*, etc. Cf. *substância*.]

substancioso (ô) [De *substância* + *-oso*.] ***Adj.*** **1.** V. *substancial* (1 e 2). **2.** Que dá força, energia.

substantificação [De *substantificar* + *-ção*.] ***S. f.*** Ação ou efeito de substantificar.

substantificar [Do lat. *substante*, part. pres. de *substare*, 'existir', + *-ificar*.] ***V. t. d.*** Dar forma concreta a. [Conjug.: v. *trancar*.]

substantivação [De *substantivar* + *-ção*.] ***S. f.*** *E. Ling.* Ato ou efeito de substantivar.

substantivado [Part. de *substantivar*.] ***Adj.*** **1.** Tornado substantivo (4). **2.** Empregado como substantivo (4).

substantival [De *substantivo* + *-al*[1].] ***Adj. 2 g.*** Referente ao, ou da natureza do substantivo (4).

substantivar [De *substantivo* + *-ar*[2].] ***V. t. d.*** **1.** Dar o caráter de substantivo (4) a; tornar substantivo. **2.** Empregar como substantivo (4): *Substantivar verbos no infinitivo é recurso muito usado.* [Var.: *assubstantivar*.]

substantivo [Do lat. *substantivu*.] ***Adj.*** **1.** Que, por si só, designa a própria substância de um ser real ou metafísico: *Aquela jovem era a expressão substantiva da beleza; A imagem substantiva do absoluto decorre de tendências puramente individuais.* **2.** Que define, caracteriza ou acentua alguma coisa: *A menor incidência de mortalidade infantil é a consequência substantiva de acertadas medidas de profilaxia.* **3.** Importante, essencial; substancial: "Objetivo do plano apresentado pelo governo Bush é criar a aparência de que as autoridades respondem à crise, sem na prática fazer nada de substantivo." (*Folha de S.Paulo*, 01.04.2008.) **4.** *E. Ling.* Equivalente a um substantivo (5), ou que o traz implícito: *oração substantiva*. ~ V. *corante —, direito —, lei —a, pronome —* e *verbo —*. ● ***S. m.*** **5.** *E. Ling.* Palavra com que se nomeia um ser ou um objeto (*substantivo concreto*), uma ação, qualidade, estado (*substantivo abstrato*), considerados separados dos seres ou objetos a que pertencem; nome. ◆ **Substantivo abstrato.** *E. Ling.* V. *substantivo* (4). **Substantivo comum.** *E. Ling.* O que denota os seres de uma espécie em sua totalidade. **Substantivo concreto.** *E. Ling.* V. *substantivo* (4). **Substantivo de dois gêneros.** *E. Ling.* Aquele que tem só uma forma para os dois gêneros (masc. e fem.), e em que o determinante (3) da palavra denota o sexo do ser a que se refere. [Ex.: *dentista*: *o* dentista, *a* dentista; *o* agente, *a* agente; *o* imigrante, *a* imigrante; *o* indígena, *a* indígena. (V. *comum de dois*. Cf. *epiceno*.)] **Substantivo de dois gêneros e de dois números.** *E. Ling.* Aquele que tem só uma forma para os dois gêneros (masc. e fem.) e para os dois números (sing. e pl.). [Ex.: *papa-léguas*: *o* papa-léguas, *a* papa-léguas, *os* papa-léguas, *as* papa-léguas.] **Substantivo feminino.** *E. Ling.* Aquele de gênero (9) feminino (3). **Substantivo feminino de dois números.** *E. Ling.* Aquele que tem só uma forma para os dois números (sing. e pl.). [Ex.: *práxis*: *a* práxis, *as* práxis; *léxis*: *uma* léxis, *duas* léxis; *cântaris*: *uma* cântaris, *duas* cântaris.] **Substantivo feminino e masculino.** *E. Ling.* Aquele que se emprega ou como substantivo feminino ou como substantivo masculino, sem que o gênero da palavra, entretanto, corresponda a um dos dois sexos. [Ex.: *aluvião*: *uma* aluvião, *dois* aluviões.] [Sin.: *substantivo masculino e feminino*.] **Substantivo masculino.** *E. Ling.* Aquele de gênero (9) masculino (4). **Substantivo masculino de dois números.** *E. Ling.* Aquele que tem só uma forma para os dois números (sing. e pl.). [Ex.: *abana-moscas*: *um* abana-moscas, *dois* abana-moscas; *abraxas*: *um* abraxas, *dois* abraxas.] **Substantivo masculino e feminino.** *E. Ling.* V. *substantivo feminino e masculino*. [Ex.: *caipora*: *a ira dos* caiporas; *a façanha da* caipora; *diabete*: *o* diabete, *a* diabete.] **Substantivo masculino e feminino de dois números.** *E. Ling.* Aquele que tem só uma forma para os dois números. [Ex.: *uma papa-moscas, um papa-moscas*.] **Substantivo próprio.** *E. Ling.* O que denota um ser específico entre todos os de uma espécie.

substatório [Do lat. *substatus*, part. pass. de *substare*, 'estar debaixo', + *-ório*, com alter. semântica.] ***Adj.*** **1.** Que faz sobrestar em alguma coisa. **2.** Que encerra preceito para que se sobresteja.

substituibilidade (u-i) [De *substituível* + *-(i)dade*, seg. o padrão erudito.] ***S. f.*** Qualidade do que é substituível.

substituição (u-i) [Do lat. *substitutione*.] ***S. f.*** **1.** Ato ou efeito de substituir(-se). **2.** Colocação de pessoa ou de coisa no lugar de outra; troca, permutação. **3.** *Quím.* Reação em que um átomo (ou grupo) é trocado por outro.

substituído [Part. de *substituir*.] ***Adj.*** **1.** Que se substituiu. **2.** *Quím.* Que contém substituinte (3). ● ***S. m.*** **3.** Aquele que se substituiu.

substituinte (u-ín) [De *substituir* + *-nte*.] ***Adj. 2 g.*** **1.** Que substitui. ● ***S. m.*** **2.** Aquele que substitui. **3.** *Quím.* Qualquer átomo ou grupo que pode ocupar o lugar de um outro átomo, ou grupo, de uma molécula. **4.** *P. ext.* Cada um dos átomos, ou grupos, diretamente ligados a um dado átomo.

substituir [Do lat. *substituere*.] ***V. t. d.*** **1.** Colocar (pessoa ou coisa) em lugar de; trocar: *A diretoria substituiu o gerente incapaz.* **2.** Ser, existir ou fazer-se em vez de: *O trabalho deve substituir o ócio.* **3.** Fazer o serviço ou as vezes de: *O reserva substituiu o jogador titular.* **4.** Tomar o lugar de; ir para o lugar de: *Em 1789 a burguesia francesa substituiu a nobreza no poder.* ***T. d. e i.*** **5.** Pôr, estabelecer, dar ou fornecer (em lugar de outro): *Instruiu os auxiliares para que à antiga inquietação do povo substituíssem confiança nos novos dirigentes*; "O esteta substitui a ideia de beleza à ideia de verdade e à ideia de bem" (Fernando Pessoa, *Páginas de Doutrina Estética*, p. 69). **6.** Tirar, mudar ou deslocar (para pôr outro): *Substituíram a antiga sede por uma nova.* ***P.*** **7.** Pôr-se ou ser posto em lugar de outra pessoa: *O professor recém-formado substituiu-se ao mestre aposentado.* [Conjug.: v. *atribuir*.]

substituível [De *substituir* + *-vel*.] ***Adj. 2 g.*** Que pode ser substituído.

substitutivo [Do lat. tard. *substitutivu*.] ***Adj.*** **1.** *Med.* Diz-se do medicamento irritante que altera o modo da inflamação, tornando-a mais facilmente curável. ● ***S. m.*** **2.** Emenda, substituição.

substituto [Do lat. *substitutu*.] ***Adj.*** **1.** Que substitui. **2.** *Econ.* Diz-se de dois bens, como, p. ex., manteiga e margarina, que satisfazem aproximadamente às mesmas necessidades do consumidor, de tal forma que, ao subir o preço de um deles, o consumo do outro aumenta. [Opõe-se, nesta acepç., a *complementar*[1] (4).] ● ***S. m.*** **3.** Indivíduo ou algo que substitui outro, ou lhe faz as vezes.

substrato [Do lat. *substratu*.] ***S. m.*** **1.** O que constitui a parte essencial do ser; a essência. **2.** *P. ext.* Base, fundamento; essência: "No Brasil, no fundo de toda a poesia, mesmo liberta, jaz aquela porção de tristeza, aquela nostalgia irremediável, que é o substrato do nosso lirismo." (Graça Aranha, *Espírito Moderno*, p. 18.) **3.** *P. ext.* Resíduo, resto: *o substrato de uma solução alcoólica.* **4.** *Biol.* Qualquer objeto, ou material sobre o qual se desenvolve um organismo vivo, ou sobre o qual está fixado: substância, ou estrato, subjacente a esse organismo. **5.** *Biol.* Meio[1] (14) nutriente que serve de base para o desenvolvimento de um organismo. **6.** *Eletrôn.* Material semicondutor no qual é fabricado um circuito integrado. **7.** *E. Ling.* Língua de determinada área que foi substituída por uma outra, geralmente a de um povo invasor, mas que deixou traços nesta. **8.** *E. Ling.* Em situações de pidginização ou de crioulizacão, língua falada pelo grupo socialmente dominado. [Cf., nesta acepç., *superstrato*.] **9.** *Filos.* O que serve de suporte a outra existência, considerada esta outra como modo ou acidente. [Cf., nesta acepç., *substância* (10).] **10.** *Quím.* Substância que se considera, mais ou menos arbitrariamente, como o participante passivo de uma dada reação, o que permite classificar tal reação quanto ao efeito provocado por outra substância, que será o reagente, participante ativo. **11.** *Bioquím.* Substância ou grupamento a que se liga uma determinada enzima.

substrução [Do lat. *substructione*.] ***S. f.*** Fundamentos de um edifício; alicerce.

subsultar [Do lat. *subsultare*.] ***V. int.*** *Poét.* Saltar repetidamente; saltitar.

subsumir [De *sub-* + lat. *sumere*, 'tomar', 'acolher', 'aceitar'.] ***V. t. d.*** *Filos.* **1.** Conceber (um indivíduo) como compreendido numa espécie **2.** Conceber (uma espécie) como compreendida em um gênero. **3.** Considerar (um fato) como aplicação de uma lei.

subsunção [De *sub-* + lat. *sumptione*, 'ação de tomar', 'aquilo que se toma'.] ***S. f.*** *Filos.* Operação de subsumir.

subtálamo [De *sub-* + *tálamo*.] ***S. m.*** *Anat.* Porção ventral do tálamo.

subtangente [De *sub-* + *tangente*.] ***S. f.*** *Mat.* Comprimento da projeção, sobre o eixo dos x, do seguimento de uma tangente a uma curva, compreendido pelo ponto de tangência e pela interseção da tangente com aquele eixo.

subtender [Do lat. *subtendere*.] ***V. t. d.*** Estender por baixo. [Cf. *subentender*.]

subtenente [De *sub-* + *tenente*.] ***S. 2 g.*** **1.** V. *hierarquia militar*. **2.** Militar que detém a posição hierárquica de subtenente.

subtensa [Do lat. *subtensa*.] ***S. f.*** *Mat.* Corda (de um arco).

subterfúgio [Do lat. *subterfugiu*.] ***S. m.*** Ardil empregado para se esquivar a dificuldades; pretexto, evasiva.

subterfugir [Do lat. *subterfugere*.] ***V. t. i.*** **1.** Usar de subterfúgios; escapar ardilosamente; esquivar-se com subterfúgio. ***T. d.*** **2.** Fugir a; não tratar diretamente; tergiversar a respeito de; ladear. [Irreg. Conjug.: v. *fugir*.]

subterminal [De *sub-* + *terminal*.] ***Adj. 2 g.*** Que está quase na extremidade; quase terminal.

subterrâneo [Do lat. *subterraneu*.] ***Adj.*** **1.** Que fica debaixo da terra, ou naturalmente ou por haver sido construído lá; subtérreo: *curso de água subterrâneo; rede de esgotos subterrânea; garagem subterrânea.* **2.** Que ocorre debaixo da terra: *a vida subterrânea das formigas.* **3.** *Fig.* Feito clandestinamente; secreto, ilegal: *O movimento subterrâneo de resistência à ocupação nazista começou em 1940.* **4.** *Fig.* Feito às ocultas com o fim de solapar, comprometer ou destruir alguém ou algo: *Fez contra mim uma campanha subterrânea.* **5.** *Fig.* Obscuro; misterioso: *Sentia um subterrâneo desejo de aproximar-se daquela criatura.* ~ V. *drenagem —a, economia —a* e *lençol —*. ● ***S. m.*** **6.** Lugar subterrâneo, natural ou artificial; furna: *A maioria das pinturas pré-históricas encontram-se em subterrâneos.* **7.** Passagem, galeria ou compartimento construído no subsolo de uma edificação: *O subterrâneo ficou inundado com a enchente.* [Sin. ger., p. us.: *soterrâneo*.] ~ V. *subterrâneos*.

subterrâneos [Pl. de *subterrâneo*.] ***S. m. pl.*** A vida, o movimento, a atividade, as manobras secretas, ocultas, de uma instituição, organização, etc.: *os subterrâneos da política; os subterrâneos da indústria cinematográfica*; "Esses fatos mostram .... como funcionavam os subterrâneos do Café Nice, as lutas imensas que ali se travavam contra a péssima espé-

S

cie de gente que infestava o meio musical." (Nestor de Holanda, *Memórias do Café Nice*, p. 92).

subterrar [De *sub-* + *terra* + *-ar*[2].] *V. t. d.* V. *soterrar* (1).

subtérreo [Do lat. *subterreu.*] *Adj.* Subterrâneo (1): "Eis que um soluço amigo / Subtérreo ao meu responde — cousa estranha! / Pulsava em ânsias, a chorar comigo, / O coração de pedra da montanha." (Alberto de Oliveira, *Poesias*, 2ª série, p. 332.)

subtil [Do lat. *subtile*, 'delgado', 'tênue'.] *Adj. 2 g.* V. *sutil*.

subtileza (ê) *S. f.* V. *sutileza*.

subtilidade [Do lat. *subtilitate.*] *S. f. P. us.* V. *sutilidade*.

subtilização *S. f.* V. *sutilização*.

subtilizador (ô) *Adj. S. m.* V. *sutilizador*.

subtilizar *V. t. d. T. d. e i. Int. P.* V. *sutilizar*.

subtipo [De *sub-* + *tipo.*] *S. m. Hist. Nat.* Tipo secundário, subordinado a um tipo primário.

subtítulo [De *sub-* + *título.*] *S. m. Edit. Jorn.* Expressão ou palavra que se segue ao título principal, complementando-o; título subordinado a outro: *Museus: sua importância na educação dos povos; Cinema Brasileiro Anos 80: política, poética e pobreza* (onde *sua importância na educação dos povos* e *política, poética e pobreza* são subtítulos).

subtônica *S. f. E. Ling.* V. *subtônica*. [Uso freq. em P.]

subtônica [De *sub-* + *tônica.*] *S. f.* 1. *E. Ling.* A sílaba que recebe acento secundário (q. v.). 2. *Mús.* O sétimo grau da escala diatônica, quando se acha separado do oitavo grau pelo intervalo de um tom. [Cf., nesta acepç., *sensível* (13 e 14).]

subtónico *Adj.* V. *subtônico*. [Uso freq. em P.]

subtônico [De *sub-* + *tônico.*] *Adj.* 1. *E. Ling.* Que recebe acento secundário. 2. *Mús.* Pertencente ou relativo a subtônica (2). ~ V. *sílaba —a e vogal —a*.

subtotal [De *sub-* + *total.*] *S. m.* Total (2) parcial.

subtração [Do lat. *subtractione.*] *S. f.* 1. Ato ou efeito de subtrair(-se). 2. Roubo, furto. 3. *Mat.* Operação inversa à da adição; diminuição.

subtraendo [Do lat. *subtrahendu*, gerundivo de *subtrahere*, 'subtrair'.] *S. m. Mat.* Número que se tira do outro numa subtração.

subtrair [Do lat. *subtrahere.*] *V. t. d.* 1. Tirar às escondidas, ou fraudulentamente; furtar, roubar, surripiar. 2. Fazer desaparecer; retirar. *T. c.* 3. Subtrair (6). *T. d. e i.* 4. Tirar, deduzir: *Subtrai o tempo de estudo às suas horas de descanso.* 5. Fazer escapar; livrar; afastar: "Ele compreendia a necessidade de subtrair o amigo à constante preocupação que lhe consumia parte da vida." (José de Alencar, *Encarnação*, p. 335); *Subtraiu os netos à tutela do genro desonesto.* *Bit. c.* 6. Tirar (número, parcela, quantia, etc.) de outro número, parcela, quantia, etc.; diminuir, deduzir. *Int.* 7. Realizar a operação de subtração. *P.* 8. Esquivar-se, fugir, escapar. [Irreg. Conjug.: v. *sair.*]

subtrativo [Do lat. *subtractus*, part. pass. de *subtrahere*, + *-ivo.*] *Adj.* 1. Relativo à subtração. • *S. m.* 2. O termo da diferença; diminuidor.

subtriangular [De *sub-* + *triangular*[1].] *Adj. 2 g.* Quase triangular; aproximadamente triangular.

subtribo [De *sub-* + *tribo.*] *S. f.* Tribo secundária, subalterna a outra primária.

subtrigonal [De *sub-* + *trígono* + *-al*[1].] *Adj. 2 g. Anat.* Situado sob o trígono vesical.

subtropical [De *sub-* + *tropical.*] *Adj. 2 g.* V. *clima —*.

subulado [Do lat. *subula*, 'sovela', + *-ado*[1].] *Adj. Bot.* Que tem forma de, ou é semelhante a sovela, *i. e.*, que se estreita para o ápice e termina em ponta fina: *bráctea subulada; folha subulada.*

subumanidade [De *sub-* + *humanidade.*] *S. f.* 1. Qualidade ou procedimento de subumano. 2. Desumanidade; inumanidade.

subumano *Adj.* V. *sub-humano*.

subungulado [De *sub-* + *ungulado*; tax. *Subungulata.*] *Zool. S. m.* 1. Espécime dos subungulados, designação antiga dos animais cordados, mamíferos, ungulados, plantígrados, com os cinco dedos de cada pé funcionais. No grupo eram incluídos os hiracoides e proboscídeos. • *Adj.* 2. Pertencente ou relativo a eles.

subunidade [De *sub-* + *unidade.*] *S. f.* Subdivisão de uma unidade.

suburbano [Do lat. *suburbanu.*] *Adj.* 1. Pertencente ou relativo a subúrbio. 2. Que mora em subúrbio. • *S. m.* 3. Aquele que mora em subúrbio.

subúrbio [Do lat. *suburbiu.*] *S. m.* 1. Cercanias de cidade ou de outra povoação. [Cf. *suburgo.*] 2. *Bras. RJ* Bairro afastado do centro da cidade e que, originalmente, era ligado a este apenas por linha ferroviária. [Cf. *suburgo.*]

suburgo [De *sub-* + *burgo*, ou cruz. de *subúrbio com burgo.*] *S. m. Bras. Pop.* Aldeola sem movimento, sem vida. [Cf. *subúrbio.*]

subutilização [De *subutilizar* + *-ção.*] *S. f.* Ato ou efeito de subutilizar.

subutilizar [De *sub-* + *utilizar.*] *V. t. d.* 1. Utilizar pouco, ou em pequeno grau: *Pouco esclarecido, subutiliza o equipamento agrícola da fazenda.* 2. *Econ.* Não utilizar plenamente (os fatores de produção disponíveis, ou a capacidade de produção existente): *Numa recessão, os empresários subutilizam as instalações produtivas.*

subvenção [Do lat. tard. *subventione.*] *S. f.* Auxílio pecuniário, por via de regra concedido pelos poderes públicos.

subvencionado [Part. de *subvencionar.*] *Adj.* Que recebe subvenção.

subvencionador (ô) [De *subvencionar* + *-dor.*] *Adj. S. m.* Que, ou aquele que subvenciona.

subvencional [De *subvenção* + *-al*[1], seg. o padrão erudito.] *Adj. 2 g.* Relativo a, ou que constitui subvenção.

subvencionar [De *subvenção* + *-ar*[2], seg. o padrão erudito.] *V. t. d.* Conceder subvenção a.

subvencionável [De *subvencionar* + *-vel.*] *Adj. 2 g.* Que se pode ou deve subvencionar.

subverbete (ê) [De *sub-* + *verbete.*] *S. m.* Verbete secundário, no qual se esclarecem as divisões, espécies, modalidades, etc., que o verbete principal apresenta. Ex.: *Verso agudo, verso alexandrino, versos brancos são subverbetes de* verso.

subversão [Do lat. *subversione.*] *S. f.* 1. Ato ou efeito de subverter(-se). 2. Insubordinação às leis ou às autoridades constituídas; revolta contra elas. 3. Destruição, transformação da ordem política, social e econômica estabelecida; revolução.

subversivo [Do lat. *subversus*, part. pass. de *subvertere*, 'subverter', + *-ivo.*] *Adj. S. m.* 1. V. *subversor*. 2. Que, ou aquele que pretende destruir ou transformar a ordem política, social e econômica estabelecida; revolucionário.

subversor (ô) [Do lat. *subversore.*] *Adj. S. m.* Que, ou aquele que subverte ou pode subverter; subvertedor, subversivo.

subvertedor (ô) [De *subverter* + *-dor.*] *Adj. S. m.* V. *subversor*.

subverter [Do lat. *subvertere.*] *V. t. d.* 1. Voltar de baixo para cima; revolver. 2. Destruir, aniquilar (o que está assente); arruinar, derrubar: *A grande enchente subverteu a vila; Procurou subverter a ordem;* "A lei de Rio Branco vem subverter os princípios estabelecidos pelos grandes jurisconsultos, quando sentenciavam que o escravo não gera senão para a escravidão." (Xavier Marques, *As Voltas da Estrada*, pp. 125-126). 3. Perturbar completamente; transtornar, desordenar: *O inverno russo subverteu os planos de Napoleão e de Hitler;* "Debalde tentou destacar uma ideia desse caos e refletir sobre o acontecimento, que lhe subvertera a existência." (José de Alencar, *O Sertanejo*, p. 154). 4. Perverter, corromper: *subverter os costumes.* 5. Agitar, sublevar, revolucionar. 6. Fazer soçobrar; submergir, afundar: *A tempestade subverteu a embarcação.* *P.* 7. Afundar-se nas águas; submergir-se. 8. Sofrer destruição; arruinar-se, aniquilar-se.

subvéspero [Do lat. *subvesperu.*] *Adj. 2 g.* Diz-se do vento que sopra do poente; subvespertino.

subvespertino [Do lat. tard. *subvespertinu.*] *Adj.* Subvéspero.

subzona [De *sub-* + *zona.*] *S. f.* Divisão de uma zona.

suca [Do ronga.] *Interj. Moç.* V. *fora* (7): "Afastou-se aos pontapés e esmurrões: / — Suca!!! Olha que chamo a polícia e prendem-te ...." (João Dias, *Godido e Outros Contos*, p. 39.)

■ **Sucam** Sigla de *Superintendência de Campanhas de Saúde Pública*.

sução *S. f.* V. *sucção*.

sucará [De or. indígena, poss.] *S. m. Bras. Bot.* V. *espinho-de-santo-antônio* (1).

sucata [Do ár. *suqāṭa(t)*, 'coisas que caem'; 'pedaços', 'despojos'.] *S. f.* 1. Estrutura, objeto ou peça metálica inutilizada pelo uso ou pela oxidação, e que pode ser refundida para utilização posterior. 2. Qualquer obra metálica inutilizada; ferro-velho. 3. Depósito de ferro-velho.

sucatagem [De *sucatar* + *-agem*[2].] *S. f.* Ato de sucatar (1).

sucatar [De *sucata* + *-ar*[2].] *V. t. d.* 1. Transformar em sucata. 2. Vender como sucata. 3. *Fig.* Deixar que (algo) sofra destruição, ou desvalorização, ou depreciação. [Sin. ger.: *sucatear.*]

sucateamento [De *sucatear* + *-mento.*] *S. m.* 1. Ato ou efeito de sucatear. 2. *Fig.* Destruição total: "É imperativo afastar a ameaça de sucateamento da indústria." (*Gazeta Mercantil*, 24.10.1987.)

sucatear [De *sucata* + *-ear*[2].] *V. t. d.* V. *sucatar*.

sucateiro [De *sucata* + *-eiro.*] *S. m.* 1. Indivíduo que negocia com sucata (1). 2. *Fig.* Indivíduo que trabalha mal; matão, lambão.

sucção [Do lat. med. *suctione.*] *S. f.* Ato ou efeito de sugar. [Var.: *sução.*]

succinato *S. m. Quím.* Qualquer sal ou éster do ácido succínico.

succínico *Adj. Quím.* ~ V. *ácido —*.

sucedâneo [Do lat. *succedaneu.*] *Adj.* 1. Diz-se do medicamento que pode substituir outro, por ter mais ou menos as mesmas propriedades. • *S. m.* 2. Esse medicamento. 3. *P. ext.* Substância que pode substituir outra. 4. Qualquer coisa capaz de substituir outra: "Daí resultou o drama de Baudelaire, Verlaine, Rimbaud, Pessanha, almas atormentadas pela angústia metafísica, pela idealização da beleza como sucedâneo da perfeição moral" (Henriqueta Lisboa, *Vigília Poética*, p. 125).

suceder [Do lat. *succedere*, 'vir depois'.] *V. int.* 1. Dar-se (algum fato); acontecer, realizar-se, ocorrer: "Sucedeu por esse tempo um desastre" (Machado de Assis, *Memórias Póstumas de Brás Cubas*, p. 233); "Lembrei-me do que sucedera; repassei uma a uma as circunstâncias do dia anterior" (José de Alencar, *Lucíola*, p. 118). *T. i.* 2. Vir ou acontecer depois; seguir-se: "D. José morreu em 1777 e sucedeu-lhe no trono a filha, D. Maria I" (José Hermano Saraiva, *História Concisa de Portugal*, p. 255); "O terror desfazia as linhas, a coragem as recompunha, e os combates sucediam aos combates." (Machado de Assis, *A Semana*, II, p. 60). 3. Surtir efeito; ter bom resultado: *Muito lhe sucedeu o conselho.* 4. Acontecer, realizar-se, ocorrer: "Os miseráveis causam ao mundo um grande mal-estar. Juro que me sinto culpado de tudo o que lhes sucede." (Joraci Camargo, *Anastácio*, p. 31.) 5. Substituir num emprego, numa dignidade; ser substituto: "Borges sucedeu ao pai no trabalho, fez-se construtor como ele" (Aluísio Azevedo, *Filomena Borges*, p. 10). 6. Entrar (na vaga de outrem) por direito de sucessão, por eleição ou por nomeação: *Paulo VI sucedeu a João XXIII.* 7. Tomar o lugar de outrem ou de outra coisa: *Roma sucedeu à Grécia, mas aproveitou-lhe a cultura.* 8. Vir depois, decorrer ou acontecer sucessivamente: "— O senhor quer talvez lembrar-me que os autocratas têm o costume de tiranizar os povos e vexá-los de imposições; razão por que os povos, quando os expulsam, se tornam excessivamente exigentes para com os truões que lhes sucedem." (José de Alencar, *Lucíola*, p. 107); "Vamos subindo até ao ponto mais alto. E ao calor abrasador de Atenas sucede uma deliciosa temperatura que nos envolve o corpo como num banho de piscina." (José Lins do Rego, *Gregos e Troianos*, p. 130). *Bit. i.* 9. Ocupar o lugar de outrem por vaga ou sucessão; substituir: *Com o advento da República, Deodoro sucedeu a D. Pedro II no mando do País.* 10. Ser chamado por lei ou testamento, em uma herança. *T. d.* 11. *Desus.* Herdar por sucessão. *P.* 12. Suceder (8): *Esteve à morte, sucederam-se dias de boa saúde, e de repente piorou;* "Os castelos no ar, o vento os leva, / E sempre ao riso se sucede o pranto." (João Penha, *Ecos do Passado*, p. 121). [Nas acepç. 1 a 4 e 12, é defect., conjugável somente nas 3as pess.]

sucedido [Part. de *suceder.*] *Adj. S. m.* Que, ou aquilo que sucedeu.

sucedimento [De *suceder* + *-imento.*] *S. m.* 1. Sucessão (1): "as sentinelas que, no quartel, assistiam ao sucedimento dos dias e das noites" (Lêdo Ivo, *Ninho de Cobras*, p. 103). 2. V. *sucesso* (1).

sucessão [Do lat. *successione.*] *S. f.* 1. Ato ou efeito de suceder(-se); sucedimento. 2. Série de fenômenos ou fatos que se sucedem e são normalmente ligados por uma relação causal. 3. Sequência de pessoas ou de coisas que se sucedem e/ou se substituem ininterruptamente ou com pequenos intervalos. 4. Transmissão de direitos e/ou encargos segundo certas normas: *A sucessão do trono de Portugal sofreu grave crise em 1580.* 5. Transmissão do patrimônio de um finado a seus herdeiros e legatários. [Cf., nesta acepç., *testamento* (1), *legado*[1] (1) e *herança* (3).] 6. *Fig.* Descendência, prole. 7. *Ecol.* Processo evolutivo sequencial, de acréscimo ou de substituição, de espécies em uma dada área. 8. *Mat.* Sequência (6). ◆ **Sucessão legítima.** 1. A que provém de disposição da lei. 2. Conjunto de normas de direito civil que devem ser observadas no deferimento da herança aos herdeiros. **Sucessão primária.** *Ecol.* Sucessão (7) em uma área virgem. **Sucessão secundária.** *Ecol.* Sucessão (7) em área que sofreu algum tipo de perturbação. **Sucessão testamentária.** 1. A que se origina de disposição de última vontade, por meio de testamento. 2. Complexo de normas de direito civil disciplinadoras desse tipo de sucessão.

sucessível [Do lat. *successum*, supino do v. lat. *succedere* (v. *suceder*), + *-ível.*] *Adj. 2 g. Jur.* Que pode suceder, na qualidade de herdeiro ou a qualquer outro título.

sucessivo [Do lat. tard. *successivu.*] *Adj.* Que vem depois, ou em seguida; contínuo, consecutivo. ~ V. *aval — e contrato —*.

sucesso [Do lat. *successu.*] *S. m.* 1. Aquilo que sucede; acontecimento, sucedimento: "Durante estes quatro meses os sucessos políticos tinham trazido D. João I a Santarém" (Alexandre Herculano, *Len-*

das e Narrativas, I, p. 293). 2. Resultado, conclusão. 3. Parto[1] (2): *ter bom sucesso* (ter parto feliz); *A mulher do Pedro morreu de sucesso.* 4. Bom êxito; resultado feliz: "a psiquiatria, sim, essa também se usa pra criança. Embora sem muito sucesso, porque a cura da criança sempre depende da cura dos adultos que convivem com ela." (João Uchoa Cavalcanti Neto, *O Menino*, p. 24). 5. Livro, espetáculo, filme, etc., que alcança grande êxito; cartaz: "a marcha [*O Teu Cabelo não Nega*, de Lamartine Babo] foi o mais espetacular sucesso de todos os tempos, na folia carioca." (Nestor de Holanda, *Memórias do Café Nice*, p. 147). 6. Autor, artista, etc., de grande prestígio e/ou popularidade; cartaz: *Jorge Amado é o maior sucesso entre os nossos romancistas;* "Lorna Luft, irmã de Liza Minelli, o novo sucesso da noite de Nova Iorque." (*Jornal do Brasil*, 11.12.1972). 7. *Bras. N.E. Pop.* Desastre, acidente, sinistro: *Perdeu a mão num sucesso;* "Não deu parte à polícia. Também não adiantava: o subdelegado já havia registrado o caso como sucesso." (Adalberon Cavalcanti Lins, *Curral Novo*, p. 63). ◆ **Mau sucesso.** *Bras. Pop.* V. *aborto* (1).

sucessor (ô) [Do lat. *successore.*] *Adj.* 1. Que sucede a outrem. ● *S. m.* 2. Aquele que sucede a outrem. 3. Aquele que substitui outrem num cargo ou função. 4. Aquele que tem as mesmas qualidades de outrem morto ou afastado da atividade a que pertencem ambos. 5. Aquele que herda; herdeiro. 6. *Alg.* Natural que segue imediatamente a outro; sequente.

sucessorial [De *sucessório* + *-al*[1].] *Adj. 2 g. Bras.* 1. Sucessório. 2. Referente a sucessor.

sucessório [Do lat. tard. *successoriu.*] *Adj.* Relativo a sucessão; sucessorial.

súcia [Der. regress. de *suciadade*, pronúncia inculta de *sociedade.*] *S. f.* Agrupamento de pessoas de má índole e/ou mal-afamadas; matula, mamparra, malta, manada, corja, caterva: "Viu-o atirar o insulto duríssimo, quase com repugnância — era uma súcia de poltrões." (Marques Rebelo, *Marafa*, p. 33.) [Cf. *sucia*, do v. *suciar.*]

suciar [De *súcia* + *-ar*[2].] *V. int.* 1. Fazer parte de uma súcia. 2. Vadiar, vagabundar. [Pres. ind.: *sucio, sucias, sucia*, etc. Cf. *súcio* e *súcia.*]

suciata [De *súcia.*] *S. f.* 1. Reunião de pessoas de má fama: "Enganar-me a mim para sair de casa e ir-se meter em suciatas .... no meio de uma corja de peraltas e vadios! nunca tal esperei!..." (Bernardo Guimarães, *O Seminarista*, p. 141.) 2. Patuscada, pândega, folgança.

súcino [Do lat. *suc(c)inu*, 'âmbar-amarelo'.] *S. m.* V. *âmbar* (2).

sucinto [Do lat. *succintu.*] *Adj.* Que consta de poucas palavras; breve, resumido, condensado, conciso: *estilo sucinto; exposição sucinta;* "Emílio Levasseur descreve a situação e a superfície do país, as suas fronteiras, com o exame sucinto das questões concernentes a elas" (Rui Barbosa, *Ensaios Literários*, p. 180).

súcio [Do esp. *sucio*, 'sujo'.] *S. m.* Aquele que integra uma súcia; vagabundo, biltre. [Cf. *sucio*, do v. *suciar.*]

➔**sucker** ['sʌkər] [Ingl.] *S. m. Bot.* Ramo aéreo procedente de uma raiz gemífera, o qual, separado da planta-mãe, pode formar nova planta. [Não são raros os vegetais lenhosos que assim se reproduzem. No cerrado do Brasil central há muitos exemplos; devastado o cerrado, numerosas raízes tornam-se gemíferas e emitem *suckers*, que, à primeira vista, parecem jovens plantas oriundas de sementes, mas estão ligados subterraneamente a outra planta, adulta.]

suco [Do lat. *suc(c)u.*] *S. m.* 1. Líquido contido nas substâncias animais ou vegetais; sumo: *suco de carne; suco de laranja.* 2. Qualquer líquido orgânico segregado por glândula ou mucosa: *suco pancreático; suco gástrico.* 3. *Fig.* Essência, substância. 4. *Bras. Fam.* Coisa excelente, deliciosa, bonita, bem-posta ou benfeita. ◆ **Suco nuclear.** *Citol. Desus.* V. *nucleoplasma.*

sucoso (ô) [Do lat. *suc(c)osu.*] *Adj.* V. *suculento* (1 a 3).

sucre [Do esp. *sucre*, do antr. (*Antonio José de*) *Sucre* (1795-1830), general venezuelano libertador de larga parte da América espanhola.] *S. m.* Antiga unidade monetária, e moeda, do Equador, dividida em 100 centavos.

sucrinha [De *açucrinha*, com aférese.] *S. 2 g. Cabo-verd.* Açucrinha (q. v.): "Era sempre guerra lá em casa quando havia qualquer doce, fosse sucrinha, fosse rebuçado." (Germano Almeida, em *Ponto & Vírgula*, nº 6, p. 26.)

▲**sucro-** [Do fr. *sucre.*] *El. comp.* = 'açúcar': *sucroquímica.*

sucroalcooleiro [De *sucro-* + *alcooleiro.*] *Adj.* Do, relativo ou pertencente ao açúcar e ao álcool: *setor sucroalcooleiro.*

sucroquímica [De *sucro-* + *química.*] *S. f.* Ramo da química que se ocupa do açúcar.

sucroquímico [De *sucroquímica*, com var. suf. (v. *-ico*[2]).] *Adj.* Referente à sucroquímica.

suctorial [De *suctório* + *-al*[1].] *Adj. 2 g. Zool.* Diz-se do órgão que realiza a sucção. [Estruturas adequadas à sucção encontram-se em muitos animais, como os protozoários tentaculíferos, por isso também chamados *suctórios*, e em peixes, como, p. ex., as lampreias e os polvos.]

suctório[1] [Adapt. do tax. *Suctoria*, neutro pl. do lat. *suctorius.*] *Zool. S. m.* 1. Espécime dos suctórios, classe de animais cilióforos, caracterizados por terem cílios quando jovens; os adultos possuem pedúnculos, que os fixam ao meio onde se encontram, e tentáculos com discos adesivos na superfície oposta. ● *Adj.* 2. Pertencente ou relativo a eles. [Sin. ger.: *tentaculífero.*]

suctório[2] [Do tax. *Suctoria.*] *S. m. Adj. Zool.* V. *sifonáptero.*

suçu *S. 2 g. Adj. 2 g.* V. *sossô*[2].

sucuabo [De or. indígena, poss.] *S. m. Bras.* Linha de pescar, protegida contra os dentes do peixe.

suçuaia [Do tupi.] *S. f. Bras. Bot.* Erva asterácea (*Elephantopus mollis*) ruderal, comum em terrenos baldios nas cidades, e que serve de pasto. É baixa e tem folhas basais, ásperas e grossas; tem capítulos pequenos, reunidos num escapo central. Planta nativa do continente americano, é comum no Brasil e considerada planta daninha; na medicina popular utilizam-se suas folhas e raízes na forma de infusão. [Sin.: *língua-de-vaca, tapirapecu.*]

suçuapara *S. m. Bras. Zool.* V. *suaçuapara.*

suçuapita [De or. tupi, poss.] *S. m. Bras. Zool.* V. *veado-mateiro.*

suçuarana [Do tupi.] *S. f. Bras.* 1. *Zool.* Mamífero carnívoro, felídeo (*Felis (Puma) concolor*), comum em toda a América nos tempos coloniais. A coloração é amarelo-avermelhada queimada, mais escura no dorso, amarelo-claro na parte ventral, e os filhotes nascem pintados com manchas escuras no corpo. Mede 1,20m de corpo e 65cm de cauda. Alimenta-se de pequenos mamíferos, e tb. de aves e, até, de reptis. [Sin.: *jaguaruna, onça-parda, onça-vermelha, perma.*] 2. *Fig.* Mulher de mau gênio.

sucúbico [De *súcubo* + *-ico*[2].] *Adj.* Referente a, ou próprio de súcubo.

súcubo [Do lat. med. *succubu*, 'o que se deita por debaixo de outro' (< lat. tard. *succuba*, com infl. de *incubus.*] *Adj.* 1. Que se coloca por baixo. 2. *Bot.* Diz-se das folhas das hepáticas quando a margem anterior (ou superior) é recoberta pela margem posterior (ou inferior) da folha subsequente. ● *S. m.* 3. Demônio feminino que, segundo velha crença popular, vem pela noite copular com um homem, perturbando-lhe o sono e causando-lhe pesadelos. 4. Indivíduo sem força de vontade, que se deixa sugestionar por outro de personalidade mais forte (*íncubo*), a tal ponto que sua volição se anula de todo, passando ele a ser dirigido pelo último de maneira absoluta. [Antôn.: *íncubo.*]

suculência [De *suculento* + *-ia*[2], seg. o padrão analógico.] *S. f.* 1. Qualidade de suculento. 2. Abundância de suco.

suculento [Do lat. *suc(c)ulentu.*] *Adj.* 1. Que tem suco ou sumo; sumarento. 2. Que tem chorume; gordo, chorudo. 3. Substancial, nutritivo, alimentício. [Sin., nessas acepçs.: *sucoso.*] 4. *Bot.* Diz-se da planta ou das partes dela que se mostram carnosas e espessas em virtude da presença de abundantes parênquimas de reserva, nos quais quase sempre há água armazenada: *folha suculenta.*

sucumbência [Do lat. **succumbentia*, ou do ingl. *succumbence.*] *S. f.* Ato ou processo de sucumbir.

sucumbido [Part. de *sucumbir.*] *Adj.* Desanimado, desalentado, descoroçoado, descorçoado.

sucumbir [Do lat. *succumbere*, 'estar deitado embaixo', 'cair debaixo'.] *V. t. i.* 1. Cair sob o peso de; abater-se, vergar, dobrar-se: *Os fracos sucumbem às adversidades.* 2. Não resistir; ceder: "Retraído, a princípio, sem querer aceitar a maravilhosa oferta, acabei sucumbindo ao desejo de tocar aquele prodígio, de o possuir para mim e só para mim." (Macedo Miranda, *Pequeno Mundo Outrora*, p. 13.) 3. Ceder aos esforços de outrem: *A escravidão sucumbiu à consciência abolicionista. Int.* 4. Perder o ânimo; mostrar-se abatido em extremo; desalentar(-se), desanimar(-se), esmorecer. 5. Morrer, perecer, falecer: *O doente não reagiu ao medicamento e sucumbiu.* 6. Ser vencido; ser derrotado. 7. Cessar de existir; acabar(-se): *A revista sucumbiu pouco depois de lançada.* 8. Ser suprimido ou abolido.

sucupira [Do tupi.] *S. f. Bras. Bot.* 1. Designação comum a árvores fabáceas do gênero *Ormosia*, caracterizadas pelas sementes muito duras e de coloração vermelho-sanguínea, com uma mancha negra. São árvores providas de frutos do tipo vagem. 2. V. *sapupira-da-mata.* [Var.: *sicupira.*]

sucupira-amarela [De *sucupira* + o f. de *amarelo.*] *S. f. Bras. Bot.* V. *angelim-pedra.* [Pl.: *sucupiras-amarelas.* Var.: *sicupira-amarela.*]

sucupira-branca *S. f. Bras. Bot.* V. *faveiro* (2). [Pl.: *sucupiras-brancas.* Var.: *sicupira-branca.*]

sucupira-do-cerrado *S. f. Bras. N.E. a L. Bot.* Árvore fabácea (*Bowdichia virgiliodes*) muito dispersa pelos cerrados e matas secas, que tem pequeno porte e perde as folhas penadas durante a floração, quando se cobre de flores violáceas. O fruto é um legume pequeno e coriáceo, com sementes vermelhas, e a madeira é de excelente qualidade, igual à da sapupira-da-mata. [Var.: *sicupira-do-cerrado*; sin.: *sapupira-do-campo.* Pl.: *sucupiras-do-cerrado.*]

sucupirense *Adj. 2 g.* 1. De, ou pertencente ou relativo a Sucupira do Norte (MA). ● *S. 2 g.* 2. O natural ou habitante de Sucupira do Norte.

sucuri [Do tupi.] *S. f. Zool. Bras.* Reptil boídeo (*Eunectes murinos*), das regiões de grandes rios e pântanos do Brasil, de coloração cinzento-esverdeada, tendente ao oliva, com manchas arredondadas escuras dispostas aos pares, ventre amarelado, cabeça com escamas, e desprovido de peçonha. Chega a 10m de comprimento. Vive na água, em rios e lagoas, alimentando-se de peixes, aves e mamíferos, que engole após triturar-lhes os ossos por compressão muscular. [Sin.: *sucuriú, sucuriju, sucuruju, sucurijuba, sucurujuba, boiaçu, boiguaçu, boiçuboia, boiuçu, boioçu, boiçu, boiuna, boitiapoia, arigboia, anaconda, viborão.*]

sucuriiú-tapuia *Bras. S. 2 g.* 1. *Etnôn.* Indivíduo dos sucuriiús-tapuias [ou (etnôn. bras.) *Sukuriyú-Tapuya], povo indígena da família linguística aruaque, que habita as margens do rio Içana, região do alto rio Negro (AM). ● *Adj. 2 g.* 2. Pertencente ou relativo a esse povo. [Pl.: *sucuriiús-tapuias.*]

sucuriju *S. f. Bras. Zool.* V. *sucuri.*

sucurijuba [Do tupi = 'sucuri amarela'.] *S. f. Bras. Zool.* V. *sucuri.*

sucuriú *S. f. Bras. Zool.* V. *sucuri.*

sucursal [Do fr. *succursale.*] *Adj. 2 g.* 1. Diz-se do estabelecimento que depende de uma casa matriz. ● *S. f.* 2. Estabelecimento sucursal; filial. [Sin., lus.: *delegação.*] 3. *Dir. Com.* Estabelecimento comercial acessório e distinto de outro, que é o principal, de cujos negócios trata e a cuja administração se liga, sem, no entanto, constituir filial ou agência desse outro.

sucuru [De or. indígena, onom. talvez.] *S. m. Bras. Zool.* V. *joão-bobo.*

sucuruju [F. apocopada de *sucurujuba.*] *S. f. Bras. Zool.* V. *sucuri.*

sucurujuba [Var. de *sucurijuba.*] *S. f. Bras. Zool.* V. *sucuri.*

sucussão [Do lat. *sucussione.*] *S. f.* Ação de sacudir; abalo.

sucutuba *Adj. 2 g. Bras.* 1. Suculento, nutritivo, alimentício. 2. Gostoso, saboroso.

sucuuba [Do tupi.] *S. f.* 1. *Bras. Bot.* Nome comum a árvores apocináceas do gênero *Himathantus* que se caracterizam por folhas grandes, flores amplas e alvas, e látex branco, tido por venenoso. 2. Árvore apocinácea (*Himathantus sucuuba*) lactescente, de até 16m, folhas simples, alternas, coriáceas, inflorescências em cimeiras terminais, e frutos foliculares geminados, que têm numerosas sementes aladas; sucuuba-verdadeira.

sucuubarana [De *sucuuba* + *-rana.*] *S. f. Bras. Bot.* Árvore malpighiácea (*Pterandra arborea*), nativa da Amazônia.

sucuuba-verdadeira [De *sucuuba* + o f. de *verdadeiro.*] *S. f. Bras. Bot.* Sucuuba (2). [Pl.: *sucuubas-verdadeiras.*]

sudação [Do lat. *sudatione.*] *S. f. Med.* Ação ou efeito de suar.

■ **Sudam** Sigla de *Superintendência do Desenvolvimento da Amazônia.*

sudâmina [Do lat. **sudamine*, der. de *sudare*, 'suar'.] *S. f. Patol.* Erupção de pequenas vesículas transparentes, que sobrevém a suores abundantes.

sudanês *Adj.* 1. Do, ou pertencente ou relativo ao Sudão (África). ● *S. m.* 2. O natural ou habitante do Sudão. [Flex.: *sudanesa* (ê), *sudaneses* (ê), *sudanesas* (ê).] 3. *Gloss.* Árabe falado no Sudão, e ainda em partes do Egito e Eritreia (África).

sudário [Do lat. *sudariu.*] *S. m.* 1. Pano com que outrora se limpava o suor. 2. Véu com que, na Antiguidade, se cobria a cabeça dos mortos. 3. Espécie de lençol para envolver cadáveres; mortalha. 4. Tela que representa o rosto ensanguentado de Cristo. 5. *Fig.* Exposição (tratando-se de coisas censuráveis): *o sudário das barbaridades cometidas.* ◆ **O Santo Sudário.** Mortalha de Cristo. [Cf. *verônica* (1).]

sudatório [Do lat. *sudatoriu.*] *Adj.* V. *sudorífero* (1).

■ **Sudene** Sigla de *Superintendência do Desenvolvimento do Nordeste.*

sudeste [Do anglo-saxônio *southeast*, pelo fr. *sud-est.*] *S. m.* 1. Sueste (1). 2. O vento que sopra da direção sudeste (1). **3.** Região ou regiões situadas a sudeste (1). **4.** *Geogr. Bras.* V. *Grande Região.* [Com cap., nesta acepç.] **5.** Sueste (3). ● *Adj. 2 g.* **6.** Sueste (4 e 5). ◆ **Sudeste Asiático.** Região da Ásia que compreende os seguintes países: Brunei, Camboja, Singapura, Filipinas, Indonésia, Laos, Malásia, Mianmar, Tailândia, Timor-Leste e Vietnã.

sudistas *S. 2 g. pl.* V. *sulistas.*

súdito [Var. de *súbdito* < lat. *subditu.*] *Adj.* **1.** Que está submetido à vontade de outrem; sujeito. ● *S. m.* **2.** Aquele que está submetido à vontade de outrem; vassalo.

sud-menucciano *Adj.* **1.** De, ou pertencente ou relativo a Sud Menucci (SP). ● *S. m.* **2.** O natural ou habitante de Sud Menucci. [Pl.: *sud-menuccianos.*]

sudoestada [De *sudoeste* + *-ada*[1].] *S. f.* Vento forte que sopra do S.O.

sudoeste [Do anglo-saxônio *southwest*, pelo fr. *sud-ouest.*] *S. m.* **1.** *Astr.* Ponto do horizonte situado a 45° do S. e do O. [Abrev.: *S.O.* ou *S. W.*] **2.** Vento que sopra dessa direção. ● *Adj. 2 g.* **3.** Relativo ao Sudoeste (1), ou dele procedente: *vento sudoeste.* **4.** Situado a Sudoeste (1): *região sudoeste.*

sudoração [De **sudorar* (< *sudor(i)-* + *-ar*[2]) + *-ção.*] *S. f.* Transpiração excessiva.

sudoral [De *sudor(i)-* + *-al*[1].] *Adj. 2 g.* Referente a suor.

sudorese [Do lat. cient. *sudoresis* (v. *sudor(i)-* e *-ese*).] *S. f. Fisiol.* Secreção de suor; transpiração; hidrorreia[2]. [Opõe-se a *adiaforese.*]

▲**sudor(i)-** [Do lat. *sūdor, ōris.*] *El. comp.* = 'suor', 'transpiração': *sudoral, sudorífico.*

sudorífero [Do lat. tard. *sudoriferu.*] *Adj.* **1.** Que faz suar; sudatório, sudorífico, hidrótico, diaforético, suador. ~ V. *poro* —. ● *S. m.* **2.** Aquilo que faz suar; sudorífico, suadouro ou suadoiro, suador.

sudorífico [De *sudor(i)-* + *-fico.*] *Adj. S. m.* V. *sudorífero.*

sudoríparo [De *sudor(i)-* + *-paro.*] *Adj.* **1.** Que produz suor: *glândula sudorípara.* **2.** Relativo a suor.

sudra [Do sânscr. *sudra.*] *S. m. e f.* Pária (1).

sudro *S. m.* V. *sudra.*

sueca [F. subst. do adj. *sueco.*] *S. f.* **1.** Espécie de bisca, na qual joga com dez cartas cada parceiro. **2.** *Mús.* Espécie de quadrilha de andamento rápido.

sueco [Alter. do ant. *suécio* < top. *Suécia.*] *Adj.* **1.** Da, ou pertencente ou relativo à Suécia (Europa). ~ V. *ginástica —a.* ● *S. m.* **2.** O natural ou habitante da Suécia. **3.** *Gloss.* Língua germânica falada na Suécia e Finlândia (Europa). **4.** Vocábulo dessa língua.

suede [Do fr. *suède.*] *S. m. Tec. Têx.* Couro fino e acamurçado, destinado ao fabrico de artigos indumentários: *luvas de suede.*

suedine [Do fr. *suédine.*] *S. f. Tec. Têx.* Tecido de algodão, cuja textura imita o suede.

sueira[1] [De *suar* + *-eira.*] *S. f. Bras.* Trabalheira, cansaço, estafa. [Pl.: *sueiras.* Cf. *soeiras.*]

sueira[2] *S. f.* Certa pedra preciosa antiga: "Leva anéis de cobre com aventurinas, / Brincos de sueiras, manto de agnelinas." (Eugênio de Castro, *Obras Poéticas*, I, p. 107.) [Pl.: *sueiras.* Cf. *soeiras.*]

sueltista [De *suelto* + *-ista.*] *S. 2 g. Bras.* Autor de sueltos; topiquista.

suelto (ê) [Do esp. *suelto*, 'solto (ô)'.] *S. m.* V. *tópico* (11).

suestada [De *sueste* + *-ada*[1].] *S. f.* Vento forte que sopra do sueste: "no inverno, varrem-no [ao mar, nas costas do S. do Brasil] procelas desfeitas, suestadas, lestadas irresistíveis e até mesmo ciclones que são causa de constantes naufrágios" (Virgílio Várzea, *Nas Ondas*, p. 197).

sueste [Var. de *sudeste.*] *S. m.* **1.** *Astr.* Ponto do horizonte situado a 45° do S. e do E. [Abrev.: *S.E.*] **2.** O vento que sopra dessa direção. **3.** *Mar.* Chapéu ou capa de oleado, próprio de marinheiros: "Trazia o sueste acachapado sobre a nuca e longo casaco de pano amarelo oleado" (Virgílio Várzea, *Nas Ondas*, p. 25). ● *Adj. 2 g.* **4.** Relativo ao sueste (1), ou dele procedente: *vento sueste.* **5.** Situado a sueste (1): *região sueste.* [Cf. *soeste* (ê), do v. *soer.*]

suéter [Do ingl. *sweater.*] *S. m. e f. Bras. Vest.* Agasalho fechado, feito de malha de lã tricotada, us. por esportistas no final do século XIX e que, a partir do século XX, se associou a uma peça com manga, que chega até a cintura, ou é mais longa: "já dava formas fantasiosas aos seus planos de enriquecimento mais rápido, quando notou uma garota apertada num suéter vermelho, que caminhava em sua direção" (Otávio Issa, *Os Inquietos*, p. 9); "Então tricotou uma suéter para o inverno." (Clarice Lispector, *A Via-Crúcis do Corpo*, p. 18). [Sin., lus.: *camisola.*] [Pl.: *suéteres.*]

sueto (ê) [Do lat. *suetu*, 'costumado'.] *S. m.* **1.** Feriado escolar. **2.** Descanso, folga; ócio: "Quem se não lembra daqueles bons dias santos dos doze anos, em que o sol era mais formoso que nos dias de trabalho, sem excetuar a folgada quinta-feira do sueto escolástico?" (Alexandre Herculano, *Lendas e Narrativas*, II, p. 284.) **3.** *Desus.* Costumeira, usança.

suevo [Do lat. *suevu.*] *S. m.* **1.** Indivíduo dos suevos, povo germânico que se fixou na Suábia (Europa). ● *Adj.* **2.** Pertencente ou relativo aos suevos.

sufa [Do mandinga, pelo criol.] *S. m. Guin.* Auxiliar do chefe tradicional: "O rei mandou logo os seus sufas para irem ver se era verdade ou não." (Teresa Montenegro e Carlos de Morais, *Uori: Stórias de Lama e Philosophia*, p. 6.)

sufeta *S. m.* V. *sufete*: "O mesmo sucede com as moedas, onde a par dum exergo sibilino ou quase monossilábico, o buril descreveu uma cabeça vigorosa, de Astarte ou de sufeta" (Aquilino Ribeiro, *Os Avós de Nossos Avós*, p. 57).

sufete [Do lat. *sufete.*] *S. m.* Cada um dos magistrados supremos da antiga Cartago. [Var.: *sufeta.*]

sufi [Do ár., *ṣūfīī*, lit., '(homem) de lã (alusão aos trajes dos primeiros ascetas)'.] *S. m.* **1.** *Rel.* Cada um dos adeptos de um grupo religioso místico muçulmano, de práticas ascéticas e tendências panteístas, que se difundiu desde os primeiros séculos do Islã. **2.** *Desus.* Designação dada no Ocidente ao rei da Pérsia; sufista.

suficiência [Do lat. *sufficientia.*] *S. f.* **1.** Qualidade ou classificação de suficiente. **2.** Aptidão bastante; habilidade, capacidade. **3.** *Estat.* Propriedade dos estimadores paramétricos que permite um resumo das informações trazidas pela amostra, ou seja, resume os dados sem perder nenhuma informação sobre o parâmetro.

suficiente [Do lat. *sufficiente.*] *Adj. 2 g.* **1.** Que satisfaz; bastante. **2.** Que está entre o bom e o sofrível. **3.** Assaz numeroso ou considerável: *Havia um público suficiente na sala de conferências.* **4.** Capaz, apto, hábil. ~ V. *condição* —. ● *S. m.* **5.** Aquilo que basta; o bastante: *Tem o suficiente para viver.* **6.** Nota (10) suficiente (2).

sufismo [De *sufi* + *-ismo.*] *S. m.* Misticismo arábico-persa, que sustenta ser o espírito humano uma emanação do divino, no qual se esforça para reintegrar-se. [Cf. *sofismo*, do v. *sofismar.*]

sufista [De *sufi* + *-ista.*] *Adj. 2 g.* **1.** Relativo ao sufismo. ● *S. 2 g.* **2.** Sufi (2). [Cf. *sofista.*]

sufixação (cs) [De *sufixar* + *-ção.*] *S. f. E. Ling.* **1.** Ato ou efeito de sufixar. **2.** Derivação (4) em que há o emprego de sufixos.

sufixal (cs) [De *sufixo* + *-al*[1].] *Adj. 2 g.* Referente a sufixo(s).

sufixar (cs) [De *sufixo* + *-ar*[2].] *V. t. d.* **1.** Juntar sufixo(s) a. *Int.* **2.** Juntar sufixo(s).

sufixo (cs) [Do lat. *suffixu*, 'fixado debaixo', 'fixado depois'.] *S. m. E. Ling.* Afixo que se pospõe ao radical. ◆ **Sufixo derivacional.** *E. Ling.* Aquele que entra na formação de palavras por derivação. **Sufixo flexional.** *E. Ling.* Desinência (2).

suflê [Do fr. *soufflé.*] *S. m. Cul.* Iguaria de origem francesa, preparada com farinha de trigo, a que se adicionam outros ingredientes (queijo, camarão, legumes, frutas, etc.) reduzidos a purê, tudo ligado com gema de ovo e claras batidas em neve, e levado ao forno: "você botou em seu prato quase metade do suflê de camarão" (Jorge Amado, *Dona Flor e Seus Dois Maridos*, p. 274).

sufocação [Do lat. *suffocatione.*] *S. f.* **1.** Ato ou efeito de sufocar(-se). **2.** Falta de ar; abafação, abafamento. **3.** Dificuldade séria de respirar. **4.** Suspensão da respiração; asfixia. **5.** *Med.* Impedimento à respiração, ou a asfixia que dele resulta, e que pode levar à morte. [Sin. ger.: *sufocamento.*]

sufocador (ô) [De *sufocar* + *-dor.*] *Adj.* **1.** V. *sufocante* (1). ● *S. m.* **2.** Aquele que sufoca. **3.** Vaso de ferro onde é lançado o carvão, depois de sair dos carbonizadores, para que não se inflame.

sufocamento [De *sufocar* + *-mento.*] *S. m.* V. *sufocação.*

sufocante [Do lat. *suffocante.*] *Adj. 2 g.* **1.** Que sufoca; sufocador, sufocativo. **2.** V. *abafante* (1): "Fome e sede, calores sufocantes" (Ricardo Gonçalves, *Ipês*, p. 81).

sufocar [Do lat. *suffocare.*] *V. t. d.* **1.** Causar sufocação a; impedir ou reprimir a respiração de: *A asma sufocava o doente.* **2.** Dificultar a respiração de; abafar: *O calor sufocava a plateia.* **3.** Matar por asfixia. **4.** Impedir de manifestar-se ou de continuar; extinguir, debelar, reprimir: *As autoridades sufocaram a revolta.* **5.** Reprimir, abafar, atalhar: *Os soluços sufocavam-lhe a voz; A objeção da família sufocou-lhe a vocação.* **6.** *P. ext.* Abalar profundamente; impressionar, comover: *A boa nova sufocara-o a ponto de não o deixar expressar-se.* ***Int.*** **7.** Perder a respiração; sufocar-se. **8.** Fazer perder a respiração; asfixiar, abafar: "Modorra estúpida. O calor sufoca." (Martins Fontes, *Volúpia*, p. 79); "Na pequena sala, nublada de fumo, tresandando a cera, o calor sufocava. Mamede ousou propor abrir uma janela." (Coelho Neto, *Turbilhão*, p. 336). **9.** Sentir os efeitos da sufocação. ***P.*** **10.** Perder a respiração; sufocar. **11.** Respirar a custo. **12.** Ficar preso; reprimir-se: *Com o susto, pareceu-lhe que a respiração se sufocara.* **13.** Conter-se, refrear-se, reprimir-se. [Conjug.: v. *trancar.*]

sufocativo [De *sufocar* + *-tivo.*] *Adj.* **1.** V. *sufocante* (1). **2.** Próprio para repressões.

sufoco (ô) [Dev. de *sufocar.*] *S. m. Bras. Fam.* **1.** Grande urgência; pressa; azáfama, afã. **2.** Grande inquietação; medo, ansiedade, angústia. **3.** Aperto, apertura, dificuldade.

sufragâneo [Do b.-lat. *suffraganeu.*] *S. m.* **1.** Bispo ou bispado dependente de um metropolitano. ● *Adj.* **2.** Diz-se de sufragâneo (1). **3.** *P. ext.* Subordinado, dependente.

sufragar [Do lat. tard. *suffragare.*] *V. t. d.* **1.** Apoiar, aprovar, favorecer, com sufrágio ou voto: *O povo sufragou um bom candidato ao Senado.* **2.** Rezar em intenção de (a alma de alguém), ou de (alguém): *sufragar os mortos; Sufragou a alma do grande amigo.* **3.** Aplicar esmolas, obras pias, ofícios divinos, etc., em benefício de (a alma de alguém): *Sufraga sempre a alma de seu tio e benfeitor.* **4.** Pedir, suplicar, com sufrágios ou orações. [Conjug.: v. *largar.*]

sufrágio [Do lat. *suffragiu.*] *S. m.* **1.** Voto, votação: *Homens e mulheres têm direito ao sufrágio.* **2.** Apoio, adesão: *As medidas propostas obtiveram o sufrágio de todos.* **3.** Ato pio ou oração pelos mortos. ◆ **Sufrágio proporcional.** Processo de votação em que os mandatos parlamentares são conquistados não pela maioria simples de votos, mas por quocientes eleitorais representativos das correntes de opinião organizadas. O quociente eleitoral é o que resulta da divisão do número de votantes pelo de cadeiras por preencher na circunscrição, e o partido obtém tantos mandatos quantos sejam os quocientes que couberem na votação da sua legenda. **Sufrágio universal.** Direito de voto a todos os cidadãos.

sufragista [De *sufrágio* + *-ista.*] *Adj. 2 g.* **1.** Respeitante ao sufrágio. **2.** Que é partidário do sufrágio universal. ● *S. 2 g.* **3.** Partidário dele. ● *S. f.* **4.** *Restr.* Mulher que reivindica para o seu sexo o direito de voto em assembleias políticas.

■ **Suframa** Sigla de *Superintendência da Zona Franca de Manaus.*

sufruticoso (ô) *Adj. Bot.* Subarbustivo (2).

sufumigação [Do lat. tard. *suffumigatione.*] *S. f.* **1.** Fumigação dada por baixo de algo. **2.** Combustão de substâncias aromáticas para purificar a atmosfera. **3.** *Terap.* Aplicação de vapor medicinal a qualquer parte do corpo. [Sin. ger.: *sufumígio.*]

sufumigar [Do lat. *suffumigare.*] *V. t. d.* Aplicar a sufumigação a. [Conjug.: v. *largar.*]

sufumígio *S. m. Terap.* V. *sufumigação.*

sufusão [Do lat. *suffusione.*] *S. f. Med.* Extravasamento (especialmente sanguíneo).

sugação [De *sugar* + *-ção.*] *S. f.* Ato ou efeito de sugar.

sugadoiro [De *sugar* + *-doiro*[2].] *S. m.* Sugadouro (q. v.).

sugador (ô) [De *sugar* + *-dor.*] *Adj.* **1.** Que suga. ● *S. m.* **2.** Sugadouro. **3.** *Art. Gráf.* Cada um dos tipos do margeador de sucção dotados de ventosas de borrachas [chupetas] que apanham as folhas. [Cf., nesta acepç., *soprador.*] **4.** *Bras.* V. *chupador* (3).

sugadouro [De *sugar* + *-douro*[2]; var. de *sugadoiro.*] *S. m. Zool.* Órgão de certos insetos que serve para chupar ou sugar; sugador.

sugar [Do lat. *sugere*, com mudança de conjugação.] *V. t. d.* **1.** Chupar, sorver, chuchar. **2.** Sorver por sucção o líquido de: "Os vegetais felizes / Mergulhavam as sôfregas raízes / A procurar na terra as seivas boas, / Com a avidez e as raivas tenebrosas / Das pequeninas feras vigorosas / Sugando à noite os peitos das leoas." (Guerra Junqueiro, *A Velhice do Padre Eterno*, p. 168.) **3.** Tirar, extrair. **4.** *P. ext.* Subtrair com fraude; extorquir: *Sugou uma fortuna da família.* ***T. d. e i.*** **5.** Tirar à força ou por ardil; extorquir: *O vigarista sugava dinheiro aos incautos.* [Conjug.: v. *largar.* Cf. *sogar.*]

sugerir [Do lat. *suggerere.*] *V. t. d. T. d. e i.* **1.** Fazer que se apresente ao espírito (uma noção) por menção ou associação de ideias: *A casa abandonada sugeria desconsolo;* "A música sugere a ilusão de outra vida" (Martins Fontes, *Vulcão*, p. 46); "Eternidade sugere transcendentalismo." (Geraldo França de Lima, *Branca Bela*, p. 69); *Ali, tudo lhe sugere tranquilidade; O descuido do guarda sugeriu ao preso a ideia da fuga.* **2.** Lembrar, propor, aventar: *Um dos diretores da empresa sugeriu a alteração dos estatutos; Sugeriu ao reitor medidas de grande alcance para o ensino.* **3.** Dizer a meia voz ou em segredo. **4.** Proporcionar, fornecer, ocasionar: *Nem sempre o desenvolvimento sugere progresso.* [Irreg. Conjug.: v. *aderir.*]

sugesta *S. f. Bras. Gír.* V. *sugestão* (7).

sugestão [Do lat. *suggestione.*] *S. f.* **1.** Ato ou efeito de sugerir. **2.** Aquilo que se sugere. **3.** Estímulo, instigação: *Só viajou por sugestão dos pais.* **4.** Coisa que se dá a entender; insinuação. **5.** Proposta, parecer, alvitre: *Suas sugestões foram aprovadas pela* *diretoria*. **6.** *Psicol.* Processo pelo qual se controla o poder de decisão de um ou mais indivíduos. **7.** *Bras. Gír.* Ameaça ou intimidação com o objetivo de conseguir alguma coisa. [F. red., nesta acepç.: *sugesta*.] ◆ **Sugestão hipnótica.** Vontade, sentimento ou ideia provocada em quem se acha em estado de hipnose.

sugestionabilidade [De *sugestionável* + *-(i)dade*, seg. o padrão erudito.] *S. f.* **1.** Qualidade de sugestionável. **2.** *Psicol.* Aptidão para receber sugestões, *i. e.*, para reagir a um sinal (ordem ou objeto) maquinalmente, sem participação ativa da vontade.

sugestionamento [De *sugestionar* + *-mento*.] *S. m.* Ato ou efeito de sugestionar.

sugestionar [De *sugestão* + *-ar*², seg. o padrão erudito.] *V. t. d.* **1.** Produzir sugestão em; inspirar, estimular, sugerir. **2.** Fazer que se apresente ao espírito; insinuar, sugerir: "Aqui e além, recantos e arvoredos / Sugestionavam trágicos segredos" (Conde de Monsaraz, *Musa Alentejana*, p. 231). *P.* **3.** Experimentar o efeito de sugestão.

sugestionável [De *sugestionar* + *-vel*.] *Adj. 2 g.* Que pode ser sugestionado.

sugestivo [Do lat. *suggestus*, part. pass. de *suggerere*, 'sugerir' + *-ivo*.] *Adj.* **1.** Que sugere; próprio para sugerir. **2.** Insinuante, atraente.

sugesto [Do lat. *suggestu*.] *S. m.* Tribuna da qual os oradores romanos discursavam ao povo.

sugilação [Do lat. *suggillatione*.] *S. f.* **1.** Ato ou efeito de sugilar. **2.** *Med.* Leve equimose cutânea. **3.** Lividez cadavérica.

sugilar [Do lat. *suggillare*.] *V. t. d.* **1.** Produzir equimose(s) em; contundir. **2.** *Fig.* Infamar, difamar, vituperar; manchar.

suia [De or. indígena, poss.] *S. f. Bras. BA Zool.* Maitaca (1 e 2).

suiá *Bras. S. 2 g.* **1.** *Etnôn.* Indivíduo dos suiás [ou (etnôn. bras.) *Suyá], povo indígena da família linguística jê, tronco macro-jê, que habita a região do rio Suiá-Miça, afluente do Xingu (MT). ● *Adj. 2 g.* **2.** Pertencente ou relativo a esse povo.

suíça *S. f.* Suíças (q. v.): "A suíça, a sua grande vaidade, desce em flocos de neve tufada, abundante, ... indo morrer em ondulações caprichosas nas lapelas da sobrecasaca." (Gonçalves Crespo, *Obras Completas*, p. 434.)

suíças [Fem. pl. subst. do adj. *suíço*.] *S. f. pl.* Barba que se deixa crescer nos lados da face. [Tb. é us. (menos) no sing.]

suicida (u-i) *Adj. 2 g.* **1.** Diz-se de pessoa que se matou a si própria, que se suicidou. **2.** *P. ext.* Diz-se de pessoa que tem tendência a suicidar-se. **3.** Que serviu de instrumento de suicídio: *arma suicida*. **4.** De que se participa com a certeza de morrer, ou como que com essa certeza: *luta suicida*. **5.** Que envolve dano, perdas ou ruína certa: *A oposição do Ministro à decisão presidencial foi atitude suicida*. ● *S. 2 g.* **6.** Pessoa que se suicidou: *O corpo do suicida já foi removido*.

suicidar-se (u-i) [De *suicídio* + *-ar*² + *se*¹.] *V. p.* **1.** Dar a morte a si próprio: "Quando há anos morreu a bailarina russa ...., lembro-me eu de que se suicidou um entusiasta da arte rítmica" (João da Silva Correia, *Farândola*, p. 15). **2.** Arruinar-se por culpa de si mesmo; perder-se.

suicídio (u-i) [Do lat. *sui*, 'de si', + *-cídio*.] *S. m.* **1.** Ato ou efeito de suicidar-se. **2.** *Fig.* Desgraça ou ruína procurada de livre vontade ou por falta de discernimento. **3.** *Bras.* Na sinuca (1), o ato de encaçapar a jogadeira, e que é motivo para penalização. [Sin., p. us., nas acepç. 1 e 2: *autocídio*.]

suicidomania (u-i) [De *suicíd(io)* + *-o-* + *-mania*.] *S. f. Psiq.* Obsessão do suicídio.

suicidomaníaco (u-i) [De *suicidomania* + *-íaco*.] *Psiq. Adj.* **1.** Relativo a suicidomania. **2.** Que sofre de suicidomania; suicidômano. ● *S. m.* **3.** Aquele que sofre de suicidomania; suicidômano.

suicidômane *Adj. S. m.* V. *suicidômano*. [Uso freq. em P.]

suicidômano [De *suicíd(io)* + *-o-* + *-mano*¹.] *Adj. S. m.* Suicidomaníaco (2 e 3).

suíço [Do top. *Suíça*.] *Adj.* **1.** Da, ou pertencente ou relativo à Suíça (Europa); helvécio. ● *S. m.* **2.** O natural ou habitante da Suíça. **3.** Helvécio (2).

suídeo [Adapt do tax. *Suidae*.] *Zool. S. m.* **1.** Espécime dos suídeos, família de mamíferos artiodáctilos, suiformes, omnívoros, de pernas curtas, pele revestida de pelos rijos e escassos; têm o focinho projetado, terminando em forma de disco, defesas curvadas para cima e caninos com crescimento persistente nos machos. Originários do Velho Mundo, as espécies domesticadas têm, atualmente, distribuição universal. ● *Adj.* **2.** Pertencente ou relativo a eles.

suiforme (u-i) [Adapt. do tax. *Suiformes*.] *Zool. S. m.* **1.** Espécime dos suiformes, subordem de mamíferos artiodáctilos, que reúne os suídeos, os taiaçuídeos, e os hipotamídeos, caracterizados pelos caninos superiores modificados em defesa e pela presença de bunodonte² (1). ● *Adj. 2 g.* **2.** Pertencente ou relativo a eles.

→**sui generis** ['suẹ 'ʒenẹris] [Lat., 'de seu próprio gênero'.] Que não apresenta analogia com nenhuma outra (pessoa ou coisa); peculiar.

suiná (u-i) [F. apocopada de *suinara*.] *S. f. Bras. Zool.* V. *suindara*.

suinã (u-i) [De or. indígena, poss.] *S. f. Bras. Bot.* **1.** V. *flor-de-coral* (2). **2.** V. *sananduva* (2).

suinara (u-i) *S. f. Bras. Zool.* V. *suindara*.

suinaria (u-i) [De *suíno* + *-aria*.] *S. f. Bras.* Grande porção de suínos; porcaria.

suindá (u-in) [F. apocopada de *suindara*.] *S. f. Bras. Zool.* V. *suindara*.

suindara (u-in) [Do tupi.] *S. f. Bras. Zool.* Ave estrigiforme, titonídea (*Tyto alba tuidara*), comum em todo o Brasil, exceto na Amaz. Coloração pardo-amarelada, bastante clara, finamente pintada de preto e coberta de manchas brancas em forma de gota, parte inferior pintada de pardo, e a cauda listrada de escuro. [Var.: *suinara*, *suindá*, *suiná*, *sondaia*, *tuidara*, *tuindá*; sin.: *coruja-branca*, *coruja-católica*, *coruja-das-torres*, *coruja-de-igreja*, *corujão-de-igreja*, *rasga-mortalha*.]

suingue (u-í) [Do ingl. *swing*.] *S. m.* **1.** Elemento rítmico do *jazz*, de pulsação sincopada, e que caracteriza esse tipo de música. **2.** Estilo de *jazz* surgido na década de 1930, de andamento moderado, ritmo insistente e vivaz, e que era geralmente apresentado por grandes conjuntos instrumentais. **3.** Dança ao som de suingue (2). **4.** *Bras. Chulo* Orgia sexual em que participam dois ou mais casais. [Sin., nas acepç. 1 a 3: *swing*.]

suíno¹ [Do lat. *suinu*.] *Adj.* **1.** Pertencente ou relativo ao porco, ou próprio dele; porcino, porqueiro. ● *S. m.* **2.** Porco (1).

suíno² [Adapt. do tax. *Suina*.] *S. m. Adj. Zool.* V. *suiforme*.

suinocultor (u-i... ô) [De *suíno* + *-cultor*.] *S. m.* Aquele que se dedica à suinocultura; criador de porcos.

suinocultura (u-i) [De *suíno* + *-cultura*.] *S. f.* Criação de porcos.

suiriguaçu (u-i) *S. m. Bras. Zool.* V. *siriri*¹ (2).

suiriri [Do tupi.] *S. m. Bras. Zool.* Ave passeriforme, tiranídea (*Satrapa icterophrys*), do Brasil oriental e central, de dorso verde-azeitonado, asas e cauda negras, sobrancelhas e lado inferior amarelos. Alimenta-se de insetos. [Var.: *siriri*.]

suiriri-do-campo *S. m. Bras. RS Zool.* V. *bem-te-vi-do-gado*. [Pl.: *suiriris-do-campo*.]

suiruá (u-i) [De or. tupi, poss.] *S. m. Bras. Zool.* V. *crejuá*.

suí-suí [Voc. onom., pelo forro².] *S. m. Santom. Zool.* Pássaro cinzento e azul, de canto característico: "Um bando de suí-suís encheu o espaço, assustado com o estrondo." (Albertino Bragança, *Rosa do Riboque e Outros Contos*, p. 70.) [Pl.: *suí-suís*.]

suíte¹ [Do fr. *suite*.] *S. f.* **1.** *Mús.* Originariamente, qualquer sequência de danças destinadas a um coro ou à interpretação instrumental. **2.** *Mús.* Nos sécs. XVII e XVIII, série de composições instrumentais em forma de danças estilizadas, de estrutura binária e monotemática, e que se sucedem, alternando os movimentos rápidos com os lentos, e ligadas entre si por estreito parentesco tonal (tonalidade única ou alternância do modo maior com o menor sobre a tônica escolhida). [Cf., nesta acepç., *partita* (2) e *sonata* (3).] **3.** *Mús.* Atualmente, qualquer conjunto de peças cuja ligação se justifica pelo contraste de andamentos: *a suíte Campestre, de F. Mignone*. **4.** *Bras.* Acomodação em hotel, hospital, etc. constituída de quarto, banheiro e sala ou saleta. **5.** *Bras.* Quarto de residência que tem anexo um banheiro exclusivo. **6.** *Jorn. Bras.* Matéria com novas informações sobre fato já noticiado anteriormente.

suíte² *El. s. m.* Us. na expr. *dar o suíte*. ◆ **Dar o suíte.** *Bras. Gír.* Ir-se embora.

suja [F. red. de *sujeira*.] *S. f. Bras. Gír.* V. *sujeira* (2): *Fez uma suja com o velho amigo*.

sujar [De *sujo* + *-ar*².] *V. t. d.* **1.** Tornar sujo; emporcalhar: *O menino sujou a camisa*. [Sin. (no N. do Brasil, no sentido material): *brear*, *labrear*.] **2.** Tornar impuro; manchar, macular, conspurcar: *Aquele crime sujou a honra da família*. **3.** Perverter, corromper, depravar: *As más companhias sujaram o jovem*. **4.** *Bras. Gír.* Desmentir; contradizer. *Int.* **5.** Fazer dejeções; defecar: "Chove chuva! / Pra nascer capim! / Pro boi comer! / Pro boi sujar! / Pro sabiá ciscar!" (Ascenso Ferreira, *Catimbó e Outros Poemas*, p. 115.) **6.** Acontecer (alguma coisa muito ruim) ou dar (algo) errado: "Ao me sentar para comer, ouvi um grito injuriado na vizinha .... – Saia daqui, peste, saia! / – Ih! Sujou! – exclamei. (Walcyr Carrasco, *Anjo de Quatro Patas*, p. 102). *T. i.* **7.** Ser surpreendido em ato criminoso, indevido, etc.: "Era hora de ajeitar o roubo, dividi-lo .... porque se sujasse, para quem estivesse com o flagrante, tudo estaria perdido. (Paulo Lins, *Cidade de Deus*, pp. 76-77.) *P.* **8.** Praticar atos infamantes. **9.** Tornar-se sujo; emporcalhar-se. **10.** Macular a própria honra. **11.** Evacuar involuntariamente. [Como gíria, é us. na 3ª pessoa do pres. do ind., interjetivamente, para indicar a aproximação ou chegada inesperada de alguém, que não pode ver ou ouvir o que se faz ou fala.]

sujeição [Do lat. *subjectione*.] *S. m.* **1.** Ato ou efeito de sujeitar(-se). **2.** Dependência; submissão, obediência: *a sujeição dos vencidos*; *sujeição à moda*. **3.** Servidão, escravidão. **4.** Constrangimento, acanhamento.

sujeira [De *sujo* + *-eira*.] *S. f.* **1.** Imundície, porcaria. **2.** Ação incorreta ou indecente; bandalheira, tratantada. [F. red. (gír.), nesta acepç.: *suja*.] ◆ **Esconder a sujeira embaixo do tapete.** Esconder algo desonesto ou condenável; varrer a sujeira para baixo do tapete. **Varrer a sujeira para baixo do tapete.** V. *esconder a sujeira embaixo do tapete*.

sujeita [Fem. de *sujeito* (7).] *S. f.* Mulher indeterminada, ou cujo nome se quer omitir: "saiu de casa, andou pela capital como marceneiro e depois voltou com uma sujeita ruiva que usava uns vestidos escandalosamente decotados." (Viriato Correia, *Novelas Doidas*, p. 115).

sujeitador (ô) [De *sujeitar* + *-dor*.] *Adj. S. m.* Que, ou aquele que sujeita.

sujeitar [Do lat. *subjectare*.] *V. t. d.* **1.** Reduzir à sujeição, tornar sujeito (o que era livre); dominar, subjugar: *Muitos personagens históricos tentaram sujeitar a humanidade*. **2.** Constranger a um domínio moral; tornar obediente; ou dependente: *Com sua inteligência sujeita os menos cultos*. **3.** Dominar, reprimir, sofrear, sufocar: *Não conseguiu sujeitar o acesso de cólera*. **4.** Fixar (uma coisa) para torná-la estável; imobilizar. *T. d. e i.* **5.** Submeter, subordinar: *O imperador sujeitou o reino inteiro a seu domínio*; "sujeitou a mulata a tão rudes trabalhos e tão cruel tratamento, que em breve a precipitou no túmulo" (Bernardo Guimarães, *A Escrava Isaura*, p. 35). **6.** Constranger, obrigar, coagir: *A miséria extrema sujeita muitos ao crime*. *P.* **7.** Render-se à lei; submeter-se, adstringir-se. **8.** Conformar-se, obedecendo. **9.** Conformar-se com a sorte. [Part.: *sujeitado* e *sujeito*.]

sujeitável [De *sujeitar* + *-vel*.] *Adj. 2 g.* Que se pode sujeitar.

sujeito [Do lat. *subjectu*, 'posto debaixo'.] *Adj.* **1.** Súdito (1). **2.** Escravizado, cativo. **3.** Obrigado, constrangido, adstrito. **4.** Que se sujeita à vontade dos outros; obediente, dócil. **5.** Dependente, submetido: "Tudo à morte anda sujeito" (José Albano, *Rimas*, p. 28). **6.** Exposto, passível: *Esta decisão é sujeita a futura reformulação*. ● *S. m.* **7.** Indivíduo indeterminado, ou cujo nome se quer omitir: "Deixara sua casa e filho único sob a vigilância de um irmão clérigo, sujeito de clara fama e varão doutíssimo." (Camilo Castelo Branco, *O Bem e o Mal*, p. 39); "Dinheiro corria como água da serra; qualquer sujeito tinha contos de réis." (Afrânio Peixoto, *Bugrinha*, p. 173). **8.** Súdito, vassalo. **9.** Assunto, tema. **10.** Indivíduo que não se nomeia: *É um sujeito sem moral*. **11.** *E. Ling.* Denominação que, partindo da identificação da oração com uma proposição lógica, veio a substituir, ainda na Idade Média, a tradicional denominação de suposto² (q. v.) para a nomeação do termo da oração a respeito do qual se enuncia algo. **12.** *Filos.* O indivíduo real, que é portador de determinações e que é capaz de propor objetivos e praticar ações. [Cf., nesta acepç., *objeto* (10).] **13.** *Filos.* Na relação de conhecimento, o correlato objeto, isto é, o que conhece, em oposição ao que é conhecido: o pensamento, a percepção, a intuição, etc. [Cf., nesta acepç., *conhecimento* (10), *objeto* (9) e *teoria do conhecimento*.] **14.** *Filos.* Agente, fonte de atividade. **15.** *Jur.* Titular de um direito. **16.** *Jur.* Cada uma das pessoas vinculadas a uma relação jurídica. **17.** *Lóg.* Na proposição, termo de que se nega ou se afirma alguma coisa. **18.** *Mús.* O tema em que se baseia a fuga. **19.** *Bras.* Designação que davam os sertanejos aos escravos. **20.** *Bras. Pej.* Indivíduo reles, imprestável, mau: *É um sujeito sem moral*. ◆ **Sujeito composto.** *E. Ling.* O que tem mais de um núcleo. **Sujeito determinado.** *E. Ling.* O que pode ser identificado na oração, quer se apresente de forma explícita, quer implícita. **Sujeito indeterminado.** *E. Ling.* O que não está expresso na oração, ou por não se desejar que ele seja conhecido, ou pela impossibilidade de sua explicitação. **Sujeito oculto.** *E. Ling.* O que se acha subentendido na oração, mas é passível de ser identificado. **Sujeito simples.** *E. Ling.* O que só tem um núcleo, *i. e.*, aquele em que o verbo se refere a um único elemento. **Sujeito zero.** *E. Ling.* Em análise sintática, sujeito (11) inexistente: *A oração Choveu muito tem sujeito zero*.

sujidade [De *sujo* + -*(i)dade*.] *S. f.* **1.** Qualidade ou estado de sujo. **2.** Cisco, pó, poeira. **3.** Excremento, fezes.

sujigar *V. t. d. Ant. Bras. N.E. Açor. Pop.* V. *sojigar*: "Sujigou o bruto, amarrou-lhe as mãos e peou-o." (Bernardo Élis, *Ermos e Gerais*, p. 7.); "Mas agora tomava corpo aquela saudade funda, que o vinha sujigando ao cair da tarde." (Ricardo Ramos, *Terno de Reis*, p. 263). [Conjug.: v. *largar*.]

sujigola [F. haplológica do arc. *sujiga-gola*, de *sujigar*, 'subjugar', + *gola*, (q. v.).] *S. f.* Correia da cabeçada, que passa por sob o queixo do animal.

sujismundo [Do ficcion. *Sugismundo*, criado em 1971 pelo publicitário Ruy Perotti, e que não tomava banho, vivia rodeado de moscas e jogava lixo nas ruas.] *S. m.* Indivíduo que, em vez de pôr o lixo em local apropriado, o atira nas ruas, praças, praias, etc., sujando-as: "O prefeito (....) afirmou ontem que pretende combater os sujismundos propondo uma meta de limpeza para os cariocas" (Isabela Bastos, em *O Globo*, 24.11.2009).

sujo [Do lat. *sucidu*, 'úmido', pelas f. **sucio*, **susiu*.] *Adj.* **1.** Falto de limpeza; cheio de sujidade(s); emporcalhado, porco, imundo, sórdido: *vestido sujo; mãos sujas.* **2.** Manchado, conspurcado, maculado: *indivíduo venal, sujo.* **3.** Infeccionado, contagiado. **4.** Em que há muitas incorreções ou emendas: *prova tipográfica suja.* **5.** *Fís.* Diz-se do horizonte brumoso, um tanto embaçado. **6.** *Fig.* Diz-se do mar pouco profundo e onde existem recifes, baixos e outros perigos à navegação. **7.** *Fig.* Que encerra elementos, dados, informações inconvenientes ou prejudiciais a alguém: *Tem ficha suja na polícia.* **8.** *Fig.* Indecente, indecoroso, imoral, obsceno: *É um tipo sujo, incapaz de respeitar as senhoras.* **9.** *Fig.* Indigno, desonesto, sórdido, torpe, canalha. **10.** *Bras.* Em quem não se pode confiar. **11.** *Bras.* Que perdeu o crédito; desmoralizado. ~ V. *guarda —a*, *língua —a* e *minuano —*. ● *S. m.* **12.** *Pop.* Sujeira, imundície, imundícia, porcaria. **13.** Indivíduo sujo. **14.** *Bras.* Folião que sai à rua pobremente fantasiado, ou com um tipo de fantasia improvisada ou conseguida, a bem dizer, sem despesas. **15.** *Bras. Pop.* V. *diabo* (2): "Soldado para ela tinha parte com o Sujo." (Bernardo Élis, *Veranico de Janeiro*, p. 73.) **16.** *Bras. MG* Vegetação superveniente à derrubada de uma floresta primária ou secundária. ◆ **Rir-se o sujo do mal-lavado.** *Bras.* Zombar de outrem por defeito ou defeitos que também lhe são próprios; rir-se o roto do esfarrapado.

→**sukiaki** [sukija'ki] [Jap.] *S. m. Cul.* Prato oriental, feito com filé mignon, acelga, brotos de feijão, cebola e cebolinha, macarrão de batata e tofu, acrescido de molho à base de *shoyo*, saquê e açúcar.

→**sukiyaki** [sukija'ki] [Jap., 'grelhado numa relha de arado'] *S. m. Cul.* Prato feito com fatias de carne (ger. bovina), legumes cortados em tiras, cogumelos *shiitake* e tofu, cozidos na mesa com saquê e molho de soja.

sul [Do anglo-saxônico *suth*, pelo fr. *sud*; o *l* vem de f. obsoletas em que o artigo se aglutinou, como *suleste* e *suloeste*.] *S. m.* **1.** *Astr.* Ponto da esfera celeste que é a interseção do plano meridiano com o horizonte real, e situado, para os observadores que estão no hemisfério austral, do lado do polo elevado. **2.** *Geogr.* Ponto cardeal que se opõe diretamente ao norte (2) e fica à direita do observador voltado para o este. **3.** O polo sul. **4.** Região ou regiões situadas ao sul (2). **5.** O vento que sopra do sul (2). **6.** *Bras. Geogr.* V. *Grande Região*. [Com cap., nas acepçs. 2, 4 e 6.] ● *Adj. 2 g.* **7.** Relativo ao sul (1 e 2), ou dele procedente: *vento sul.* **8.** Situado ao sul (1 e 2): *região sul; zona sul.* ~ V. *cone —*, *hemisfério —*, *latitude —* e *polo —*. [Abrev., nas acepçs. 1, 2, 4 e 5: *S*. Pl.: *suis*. Cf. *sues*, do v. *suar*.]

sula[1] [Do lat. tard. *sulla*.] *S. f. Bot.* Erva fabácea (*Hedysarum coronarium*) ornamental, oriunda da Europa, alta e ramosa, de folhas penadas, com 6 a 14 folíolos elípticos ou arredondados, pubescentes, flores pequenas, de um vermelho forte, perfumadas e arrumadas em densos racemos, e fruto leguminoso.

sula[2] *S. f. Bras. N.* V. *caçula*[1] (1).

sul-africano *Adj.* **1.** Da, ou pertencente ou relativo à África do Sul. ● *S. m.* **2.** O natural ou habitante da África do Sul. [Flex.: *sul-africana*, *sul-africanos*, *sul-africanas*.]

sul-americano *Adj.* **1.** Da, ou pertencente ou relativo à América do Sul. ~ V. *tripanossomíase —a*. ● *S. m.* **2.** O natural ou habitante da América do Sul. [Flex.: *sul-americana*, *sul-americanos*, *sul-americanas*.]

sulano [De *sul* + -*ano*[1].] *S. m.* V. *sulvento*.

sulão [De *sul* + -*ão*[2].] *S. m. Bras. N.E.* V. *sulvento*. [Cf. *solão*.]

sulapeba *S. f. Bras. BA Zool.* V. *garoupa-gato*.

sulaque *S. m. Bras.* Gaveta das máquinas do vapor.

sul-asiático *Adj.* **1.** Da, ou pertencente ou relativo à Ásia do Sul. ● *S. m.* **2.** O natural ou habitante da Ásia do Sul. [Pl.: *sul-asiáticos*.]

sulaventear [De *sulavento* + -*ear*[2].] *V. int. Ant.* Sota-ventear (2). [Conjug.: v. *frear*.]

sulavento [Do fr. *sous-le-vent*.] *S. m. Ant.* V. *sota-vento*.

sul-caetanense *Adj. 2 g.* **1.** De, ou pertencente ou relativo a São Caetano do Sul (SP). ● *S. 2 g.* **2.** O natural ou habitante de São Caetano do Sul. [Pl.: *sul-caetanenses*.]

sulcagem [De *sulcar* + -*agem*[2].] *S. f.* Ato ou operação de sulcar.

sulcar [Do lat. *sulcare*.] *V. t. d.* **1.** Fazer sulcos em: *O arado sulcava a terra.* **2.** Cortar as águas de; navegar por: *A lancha sulca os mares com rapidez*; "Pintam [os sonhos]que os mares sulco da Bahia, / onde passei a flor da minha idade" (Tomás Antônio Gonzaga, *Marília de Dirceu*, p. 145). **3.** Cavar rugas, pregas ou fendas em; enrugar: *As preocupações sulcam sua testa; A idade sulcou aquele belo rosto.* **4.** Atravessar, cortar: *A estrada Belém-Brasília sulca o sertão brasileiro*; "Parti! sulquei as vagas do oceano" (Gonçalves Dias, *Obras Poéticas*, II, p. 239). [Conjug.: v. *trancar*.]

sulcável [De *sulcar* + -*vel*.] *Adj. 2 g.* Que pode ser sulcado.

sul-cerro-grandense *Adj. 2 g.* **1.** De, ou pertencente ou relativo a Cerro Grande do Sul (RS). ● *S. 2 g.* **2.** O natural ou habitante de Cerro Grande do Sul. [Pl.: *sul-cerro-grandenses*.]

sulco [Do lat. *sulcu*.] *S. m.* **1.** Rego aberto pelo arado ou pela charrua. **2.** Ruga, prega, carquilha. **3.** *Anat.* Depressão observável em estruturas corporais: *sulco gengival.* ◆ **Sulco fechado.** *Mús. Concr.* Técnica utilizada por Pierre Schaeffer (1910), que consiste em gravar uma célula musical em um sulco circular a fim de possibilitar ao compositor a indefinida repetição do objeto sonoro. **Sulco neural.** *Embr.* Aquele que se forma ao longo do eixo central da placa neural por um processo de invaginação.

sulcoplastia [De *sulco* + -*plast(o)*- + -*ia*[1].] *S. f. Odont.* Cirurgia plástica para correção de posicionamento do sulco gengival.

sul-coreano *Adj.* **1.** Da, ou pertencente ou relativo à Coreia do Sul. ● *S. m.* **2.** O natural ou habitante da Coreia do Sul. [Flex.: *sul-coreana*, *sul-coreanos*, *sul-coreanas*.]

suleiro [De *sul* + -*eiro*.] *Adj. S. m. Bras.* V. *sulista* (2 e 4).

sul-europeu *Adj.* **1.** Da, ou pertencente ou relativo ao S. da Europa. ● *S. m.* **2.** O natural ou habitante do S. da Europa. [Flex.: *sul-europeia*; *sul-europeus*; *sul-europeias*.]

sulfa [F. red. de *sulfanilamida*.] *S. f. Quím.* Qualquer derivado da sulfanilamida, esp. os que são medicamentos antibacterianos.

sulfacetamida [De *sulf(anilamida)* + *acetamida*.] *S. f. Quím.* Substância cristalina, sulfonamida derivada da sulfanilamida, us. como medicamento antibacteriano [fórm.: $C_8H_{10}N_2O_3S$].

sulfadiazina [Voc. farmac.] *S. f. Quím.* Substância cristalina, sulfonamida derivada da sulfanilamida, us. como medicamento antibacteriano [fórm.: $C_{10}H_{10}N_4O_2S$].

sulfamato [De *(ácido) sulfâm(ico)* + -*ato*[2].] *S. m. Quím.* Qualquer sal do ácido sulfâmico.

sulfametoxazol (cs) [Voc. farmac.] *S. m. Quím.* Substância cristalina, sulfonamida derivada da sulfanilamida, us. como medicamento antibacteriano [fórm.: $C_{10}H_{11}N_3O_3S$]. [Pl.: *sulfametoxazóis*.]

sulfâmico *Adj. Quím.* ~ V. *ácido —*.

sulfanilamida [De *(ácido) sulfanil (ico)* + *amida*.] *S. f. Quím.* Substância branca cristalina, amarga, produto sintético derivado do ácido sulfanílico empregado no tratamento de certas infecções estreptocócicas [fórm.: $C_6H_8N_2O_2S$].

sulfanílico [De *sulf(o)*- + *anílico*.] *Adj. Quím.* ~ V. *ácido —*.

sulfarsenieto (ê) [De *sulf(o)*- + *arsenieto*.] *S. m. Quím.* Combinação de um sulfeto com um arsenieto.

sulfatagem [De *sulfatar* + -*agem*[2].] *S. f.* Ato de sulfatar.

sulfatar [De *sulfato* + -*ar*[2].] *V. t. d.* **1.** Embeber de sulfato de cobre ou de ferro. **2.** Aspergir (videiras, etc.) com uma solução de sulfato, contra certas doenças: "A Moça — mulher de cinquenta anos — é que salvava a vinha .... Ela própria .... é que sulfatava e enxofrava os campos." (João de Araújo Correia, *Cinza do Lar*, p. 121.) [M.-q.-perf.: *sulfatara*, etc. Cf. *sulfatara*.]

sulfatização [De *sulfatizar* + -*ção*.] *S. f.* Ato ou efeito de sulfatizar.

sulfatizar [De *sulfato* + -*izar*.] *V. t. d.* Transformar em sulfato.

sulfato [De *sulf(o)*- + -*ato*[2].] *S. m. Quím.* Qualquer sal do ácido sulfúrico. ◆ **Sulfato ácido.** *Quím.* V. *bissulfato*.

sulfênico *Adj. Quím.* V. *sulfênico*. [Uso freq. em P.]

sulfênico *Adj. Quím.* ~ V. *ácido —*.

sulfetação [De *sulfetar* + -*ção*.] *S. f.* Ato ou efeito de sulfetar; sulfuretação.

sulfetado [Part. de *sulfetar*.] *Adj.* A que se juntou sulfeto.

sulfetar [De *sulfeto* + -*ar*[2].] *V. t. d.* Juntar com sulfeto; sulfuretar. [Pres. ind.: *sulfeto*, etc. Cf. *sulfeto* (ê).]

sulfeto (ê) [De *sulf(o)*- + -*eto*[2].] *S. m. Quím.* Composto binário de enxofre e um elemento ou grupamento positivo; sal, ou éster, do ácido sulfídrico; sulfureto. [Pl.: *sulfetos* (ê). Cf. *sulfeto*, do v. *sulfetar*.]

sulfidrato [De *sulf(o)*- + -*idr(o)*- + -*ato*[2].] *S. m. Quím.* Antiga designação dos sulfetos ácidos.

sulfídrico [De *sulf(o)*- + -*idr(o)*- + -*ico*[2].] *Adj. Quím.* ~ V. *ácido — e gás —*.

sulfidrila [De *sulf(o)*- + -*idr(o)*- + -*ila*[2].] *S. f. Quím.* O grupo monovalente -SH, característico, p. ex., dos tióis.

sulfinato [De *sulfín(ico)* + -*ato*[2].] *S. m. Quím.* Qualquer sal ou éster do ácido sulfínico.

sulfínico *Adj. Quím.* ~ V. *ácido —*.

sulfite [De *sulf(ito)*.] *Adj. 2 g.* ~ V. *papel —*.

sulfito [De *sulf(o)*- + -*ito*[3].] *S. m. Quím.* Designação comum aos sais e ésteres do ácido sulfuroso.

sul-florense-da-serra *Adj. 2 g.* **1.** De, ou pertencente ou relativo a Flor da Serra do Sul (PR). ● *S. 2 g.* **2.** O natural ou habitante de Flor da Serra do Sul. [Sin. ger.: *florense-da-serra*. Pl.: *sul-florenses-da-serra*.]

▲**sulf(o)-** V. *sulfur-*.

▲**-sulf(o)-** V. *sulfur-*.

sulfoantimoneto (ê) *S. m. Quím.* Qualquer composto que é um sulfeto e um antimoneto.

sulfoarsenieto (ê) *S. m. Quím.* V. *sulfarsenieto*.

sulfobactéria [De *sulf(o)*- + *bactéria*.] *S. f. Microbiol.* Tiobactéria.

sulfobacteriáceo [De *sulfobactéria* + -*áceo*.] *Adj. Biol.* Pertencente ou relativo às sulfobacteriáceas; tiobacteriáceo.

sulfobismuteto (ê) [De *sulf(o)*- + *bismuto* + -*eto*[2].] *S. m. Quím.* Qualquer de certos sais metálicos que contêm enxofre e bismuto.

sulfocianato [De *sulf(o)*- + *cianato*.] *S. m. Quím.* V. *tiocianato*.

sulfona [De *sulf(o)*- + -*ona*[2].] *S. f. Quím.* Designação genérica das substâncias que têm o grupo $-SO_2-$ unido a dois grupos hidrocarbônicos.

sulfonação [De **sulfonar* (< *sulfôn[ico]* + -*ar*[2]) + -*ção*.] *S. f. Quím.* Operação química em que se introduz um grupamento sulfônico em um composto.

sulfonado *Adj. Quím.* Diz-se de qualquer óleo ou material graxo que foi submetido à ação do ácido sulfúrico.

sulfonamida [De *sulfôn(ico)* + -*amida*.] *S. f. Quím.* Designação genérica de substâncias que têm o grupo $-SO_2NR_2$, onde R é um átomo de hidrogênio ou grupo hidrocarbônico, e que se podem considerar derivadas de ácido sulfônico por substituição da hidroxila deste por grupo amina.

sulfônico *Adj. Quím.* V. *sulfônico*. [Uso freq. em P.]

sulfônico [De *sulfona* + -*ico*[2].] *Adj. Quím.* ~ V. *ácido —*.

sulfonitro [De *sulf(o)*- + *nitro*.] *S. m. Expl.* Mistura de enxofre e de nitrato de potássio, usada como combustível em pirotécnica.

sulforricinado [De *sulf(o)*- + *rícino* + -*ado*[1].] *Adj. Quím.* ~ V. *óleo —*.

sulfosseleneto (ê) [De *sulf(o)*- + -*selen(o)*- + -*eto*[2].] *S. m. Quím.* Qualquer de certos sais metálicos que contêm enxofre e selênio.

sulfóxido (cs) [De *sulf(o)*- + *óxido*.] *S. f. Quím.* Designação genérica de substâncias que têm o grupo -SO- unido a dois grupos hidrocarbônicos.

sulfoxilato (cs) [De *sulfoxíl(ico)* + -*ato*[2].] *S. m. Quím.* Designação genérica dos sais do ácido sulfoxílico.

sulfoxílico (cs) [De *sulf(o)*- + -*ox(o)*- + -*il*- + -*ico*[2].] *Adj. Quím.* V. *ácido —*.

▲**sulfur-** [Do lat. *sūlfur* ou *sūlphur*, *ŭris*.] *El. comp.* = 'enxofre': *sulfúrico*. [Equiv.: *sulf(o)*-, -*sulf(o)*-, -*sulfur(i)*-: *sulfeto*, *sulfocianato*; *persulfato*; *dessulfurizar*.]

súlfur [Do lat. *sulfur*.] *S. m.* Enxofre: "Entre o espesso betume e a lava e o súlfur que arde, / Entre a deflagração de corpos mil que troam, / Ele, o átomo se viu." (Alberto de Oliveira, *Poesias*, 2.ª série, p. 34.) [Pl.: *súlfures*. Cf. *sulfures*, do v. *sulfurar*.]

sulfuração [De *sulfurar* + -*ção*.] *S. f.* Ato ou efeito de sulfurar.

sulfurado [Part. de *sulfurar*.] *Adj.* Que foi tratado ou combinado com enxofre.

sulfurar [De *sulfur*- + -*ar*[2].] *V. t. d.* **1.** Misturar ou combinar com enxofre. **2.** Preparar com enxofre; enxofrar. [Pres. ind.: *sulfure*, *sulfures*, etc. Cf. *súlfures*, pl. de *súlfur*.]

sulfureira *S. f.* V. *solfatara*.

sulfúreo [Do lat. *sulfureu*.] *Adj.* **1.** Da natureza do enxofre. **2.** Em cuja composição entra o enxofre; sulfuroso: "Belial emprenha-se na montanha de escórias fumegantes e sulfúreas, bem ao centro do reino de gritos e estertores, onde Éris, a Discórdia, dominava os infernos" (Alberto Rangel, *Livro de Figuras*, p. 181).

sulfuretação [De *sulfuretar* + -*ção*.] *S. f.* Ato ou efeito de sulfuretar; sulfetação.

sulfuretar [De *sulfureto* + *-ar*[2].] *V. t. d.* Sulfetar. [Pres. ind.: *sulfureto*, etc. Cf. *sulfureto* (ê).]

sulfureto (ê) [De *sulfur-* + *-eto*[2].] *S. m.* Sulfeto. [Pl.: *sulfuretos* (ê). Cf. *sulfureto*, do v. *sulfuretar*.]

▲-sulfur(i)- V. *sulfur—*.

sulfúrico [De *sulfur-* + *-ico*[2].] *Adj.* Relativo ou pertencente ao enxofre. ~ V. *ácido — e éter —*.

sulfurino [De *sulfur-* + *-ino*[1].] *Adj.* Que tem a cor do enxofre.

sulfurização [De *sulfurizar* + *-ção*.] *S. f. Quím.* Operação química em que se introduz um grupamento sulfeto num composto.

sulfurizar [De *sulfur-* + *-izar*.] *V. t. d. Quím.* Efetuar sulfurização de.

sulfuroso (ô) [Do lat. *sulfurosu*.] *Adj.* Sulfúreo (2). ~ V. *ácido — e gás —*.

sulídeo [Do tax. *Sula* + *-ídeo*[1]; tax. *Sulidae*.] *Zool. S. m.* **1.** Espécime dos sulídeos, família de aves pelicaniformes, de bico afilado, com margens serrilhadas, pescoço mais curto que a cauda, e narinas obliteradas no adulto. Nidificam em rochedos da costa ou em ilhas oceânicas. São os atobás. ● *Adj.* **2.** Pertencente ou relativo a eles.

sulimão *S. m. Bras. SP Pop.* Solimão.

sulinense *Adj. 2 g.* **1.** De, ou pertencente ou relativo a Sulina (PR). ● *S. 2 g.* **2.** O natural ou habitante de Sulina.

sulino [De *sul* + *-ino*[1].] *Adj. S. m. Bras.* V. *sulista* (2 e 4): "Há todo um capítulo por escrever ainda, na história da literatura sulina, sobre a influência do campo na formação dos nossos escritores." (Augusto Meyer, *Prosa dos Pagos*, p. 148.) [Fem.: *sulina*. Cf. *Solino*, *Solina*, antr., e *solina*.]

suliota [Do gr. mod., pelo fr. *souliote*, ou do top. *Suli* + *-ota*[2].] *Adj. 2 g.* **1.** Do, pertencente ou relativo ao Suli, no Epiro (Grécia antiga). ● *S. 2 g.* **2.** O natural ou habitante do Suli.

sulipa [Do ingl. *sleeper*, 'dormente'.] *S. f.* **1.** *Bras. N.E.* V. *dormente* (12). **2.** *Bras. PE* V. *tamanco* (1).

sulista [De *sul* + *-ista*.] *Adj. 2 g.* **1.** Do, ou pertencente ou relativo ao Sul de uma região ou país. **2.** *Bras.* Do, ou pertencente ou relativo ao Sul brasileiro; sulino, suleiro. V. *Grande Região*. ● *S. 2 g.* **3.** O natural ou habitante do S. de uma região ou país. **4.** *Bras.* O natural ou habitante do S. do Brasil; sulino, suleiro. ● *S. m.* **5.** *E. Ling.* Nos estudos dialetológicos sobre o português do Brasil, diz-se da variedade falada na área linguística que compreende, além de São Paulo, Paraná, Santa Catarina e Rio Grande do Sul, o Mato Grosso do Sul, o Sul de Goiás e de Minas Gerais. [V. *falar* (29).] [Cf. *solista*.] ~ V. *sulistas*.

sulistas [Pl. de *sulista*.] *S. 2 g. pl.* Os partidários dos estados do Sul, nos E.U.A., durante a Guerra de Secessão (1861-1865). [Cf. *federais*.] ~ V. *sulista*.

sul-mato-grossense *Adj. 2 g.* **1.** De, ou pertencente ou relativo ao Mato Grosso do Sul. ● *S. 2 g.* **2.** O natural ou habitante desse estado. [Pl.: *sul-mato-grossenses*.]

sul-mineiro *Adj.* Do, ou pertencente ou relativo ao S. de MG. [Pl.: *sul-mineiros*.]

sul-nova-alvoradense *Adj. 2 g.* **1.** De, ou pertencente ou relativo a Nova Alvorada do Sul (MS). ● *S. 2 g.* **2.** O natural ou habitante de Nova Alvorada do Sul. [Pl.: *sul-nova-alvoradenses*.]

sul-paraibano (a-i) *Adj. S. m.* V. *paraibano-do-sul*. [Pl.: *sul-paraibanos*.]

sul-rio-grandense *Adj. 2 g. S. 2 g.* V. *rio-grandense-do--sul*. [Pl.: *sul-rio-grandenses*.]

sultana [Fem. de *sultão*.] *S. f.* **1.** Cada uma das mulheres do sultão, em especial a favorita. **2.** Na Turquia, título que se dava às filhas do sultão. **3.** *Bot.* V. *açafroa*. **4.** Maria-sem-vergonha. *Bot.*

sultanado [De *sultão* + *-ado*[2], seg. o padrão erudito.] *S. m.* Sultanato.

sultanato [De *sultão* + *-ato*[1], seg. o padrão erudito.] *S. m.* **1.** Dignidade ou posto de sultão. **2.** País governado por um sultão. [F. paral.: *sultanado*.]

sultanear [De *sultão* + *-ear*[2], seg. o padrão erudito.] *V. int.* Viver como sultão. [Conjug.: v. *frear*.]

sultanesco (ê) [De *sultão* + *-esco*, seg. o padrão erudito.] *Adj.* Referente a, ou próprio de sultão; sultânico.

sultânico [De *sultão* + *-ico*[2], seg. o padrão erudito.] *Adj.* Sultanesco.

sultão [Do ár. *sulṭān*, 'aquele que domina ou governa', 'soberano'; 'poder', 'domínio'.] *S. m.* **1.** Antigo título do imperador da Turquia. **2.** Título dado a alguns príncipes maometanos e tártaros. **3.** *Fig.* Senhor absoluto. **4.** Príncipe de grande poder. **5.** Homem que possui muitas amantes; paxá. [Fem.: *sultana*.] ◆ **Sultão das Matas.** *Bras. Rel.* Denominação de Oxoce nos candomblés de caboclo.

sulvento [De *sul* + *vento*.] *S. m.* Vento do sul: "Farfalhavam os penachos das inajás, jauaris e tucumãs, riçadas pelo sulvento" (Alberto Rangel, *Sombras n'Água*, p. 72). [Sin.: *sulano* ou *sulão*.]

sul-vietnamita *Adj. 2 g.* **1.** Do, ou pertencente ou relativo ao antigo Vietnã do Sul (Ásia). ● *S. 2 g.* **2.** O natural ou habitante do antigo Vietnã do Sul. [Pl.: *sul-vietnamitas*. Cf. *norte-vietnamita* e *vietnamita*.]

sum[1] [De *senhor*, pelo forro[2].] *S. m. Santom.* Forma de tratamento, cerimoniosa, dispensada aos homens: "A casa de sum Anselmo não seria tão grande" (Sacramento Neto, *Tonga Sofia*, p. 85).

sum[2] *S. m.* Unidade monetária, e moeda, da República do Usbequistão (Ásia).

suma[1] [Do lat. *summa*, 'soma', 'total'.] *S. f.* **1.** Soma[1]. **2.** Epítome, resumo, súmula. **3.** *Rel.* Designação comum a alguns tratados teológicos medievais, que continham um resumo de toda a teologia. ◆ **Em suma.** Em resumo; em substância; resumidamente.

suma[2] [F. red. de *cipó-suma*.] *S. f. Bras. Bot.* V. *piriguara*[2].

sumaca[1] [Do hol. *schmake*.] *S. f. Bras.* Antigo navio à vela, muito usado na costa do Brasil, semelhante ao patacho, porém menor, de mastreação constituída de gurupés e dois mastros inteiriços: o de vante, que cruza duas vergas, e o de ré, que enverga vela latina: "as barcaças pesadonas, as sumacas, os brigues e palhabotes audazes em bordejo" (Alberto Rangel, *Sombras n'Água*, p. 68).

sumaca[2] *S. f. Bras. MA* V. *charque*.

sumagral [De *sumagre* + *-al*[1].] *S. m.* **1.** Grande quantidade de sumagres dispostos proximamente entre si. **2.** Área ocupada por sumagral (1).

sumagrar [De *sumagre* + *-ar*[2].] *V. t. d.* Tingir ou curtir com sumagre.

sumagre [Do ár. *summāq*.] *S. m.* **1.** *Bot.* Arbusto anacardiáceo (*Rhus coriaria*) de origem asiática, que atinge até 6m, de folhas com 9 a 15 folíolos ovados ou oblongos, denteados e pubescentes na face inferior, flores inconspícuas esverdeadas e reunidas em panículas terminais frouxas, drupas rubras e densamente pubescentes, e cuja casca e folhas fornecem tanino. **2.** Pó um tanto grosseiro, resultante da trituração dessa planta, usado em medicina, na tinturaria e em curtumes. [Var.: *açumagre*, *sumaque*.]

sumagreiro [De *sumagre* + *-eiro*.] *S. m.* Preparador de sumagre para tinturaria.

sumanta [Do esp. plat. *sumanta*.] *S. f. Bras. S.* V. *surra* (1): "livrai-nos da sumanta e dai-nos pão" (Manuel Lobato, *Garrucha 44*, p. 85).

sumaque *S. m.* V. *sumagre*.

sumaré [Do tupi.] *S. m. Bras. Bot.* Planta orquidácea (*Cyrtopodium punctatum*) de folhas longas e lineares, flores amarelas, dispostas em amplas e ornamentais inflorescências frouxas, e cujo odor lembra o do tabaco, sendo o fruto uma cápsula com sementes mínimas. É orquídea terrestre. [Sin.: *rabo--de-tatu*, *bisturi-do-mato*.]

sumaré-de-pedras [De *sumaré* + *de* + o pl. de *pedra*.] *S. m. Bras. Bot.* Planta orquidácea (*Cyrtopodium andersoni*) que pouco difere do sumaré. [Pl.: *sumarés-de-pedras*.]

sumareense (êen) *Adj. 2 g.* **1.** De, ou pertencente ou relativo a Sumaré (SP). ● *S. 2 g.* **2.** O natural ou habitante de Sumaré.

sumarento [T. de or. express. a partir de *sumo*[1], *-r-* e *-ento*.] *Adj.* Que tem sumo ou muito sumo (v. *sumo*[1]); sucoso, sumoso.

sumariante [De *sumariar* + *-nte*.] *Adj. 2 g.* **1.** Que sumaria. ● *S. 2 g.* **2.** *Bras.* Juiz que preside ao sumário de culpa.

sumariar [De *sumário* + *-ar*[2].] *V. t. d.* Tornar sumário; sintetizar, resumir, compendiar: *O trabalho consiste em sumariar uma obra.* [Pres. ind.: *sumario*, etc. Cf. *sumário*.]

sumário [Do lat. *summariu*.] *Adj.* **1.** Resumido, breve, conciso, sintético: *estudo sumário.* **2.** Realizado sem formalidades; simples. ● *S. m.* **3.** V. *resumo* (2): "O sumário da vida humana são enganos e desenganos." (Marquês de Maricá, *Máximas, Pensamentos e Reflexões*, p. 61.) **4.** Linhas que, no começo de um capítulo, indicam o assunto nele tratado. **5.** *Bibliol.* Enumeração das principais divisões (capítulo, seções, artigos, etc.) de um documento, na mesma ordem em que a matéria nele se sucede; visa a facilitar visão do conjunto da obra e a localização de suas partes, e, para tanto, deve aparecer no início da publicação e indicar, para cada parte, a paginação (conforme *Normas Brasileiras*); índice de matéria, índice sinóptico, tábua da matéria. [Cf., nesta acepç., *índice* (1).] [Cf. *sumario*, do v. *sumariar*.] ◆ **Sumário de culpa.** *Jur.* V. *formação de culpa*.

sumarização [De **sumarizar* (< *sumário* + *-izar*) + *-ção*.] *S. f. Liter.* Recurso literário que consiste na redução do tempo da narrativa.

sumaúma [Do tupi.] *S. f.* **1.** *Angol. Bras. Cabo-verd. Guin. Lus. Moç. Santom. Bot.* Gigantesca árvore bombacácea (*Ceiba pentandra*) das florestas inundáveis, de tronco imenso e com raízes tubulares, folhas com cinco a sete folíolos oblongos, e flores alvas, vistosas e fasciculadas. As cápsulas estão cheias de paina, que serve para fazer salva-vidas. Com a madeira, branca e leve, fabricam-se caixotes, brinquedos e jangadas. [Var.: *samaúma*. Sin.: *sumaúma-da-várzea*, *sumaumeira*, *árvore-da-seda*, *árvore-da-lã*, *ocá* (guin. e santom.), *mafumeira*, *poilão* (cabo-verd. e guin.).] **2.** A paina da sumaúma (1): "Sua pele macia — era sumaúma...." (Viriato da Cruz, *Poemas*, p. 9.)

sumaúma-da-várzea *S. f. Bras. Amaz. Bot.* V. *sumaúma* (1). [Pl.: *sumaúmas-da-várzea*.]

sumaúma-do-igapó *S. f. Bras. Bot.* V. *butua-de-corvo*. [Pl.: *sumaúmas-do-igapó*.]

sumaumeira (a-u) [De *sumaúma* + *-eira*.] *S. f. Bras. Amaz. Bot.* V. *sumaúma* (1). "Numa ilhota no meio do canal, uma sumaumeira escurecia um sobrado branco." (Milton Hatoum, *Cinzas do Norte*, p. 40.) [Var.: *samaumeira*.]

sumbaré *S. m. Bras. S. Pop.* V. *namoro* (1).

sumé [De or. indígena.] *S. m. Bras.* Personagem lendária, que os índios acreditam haver aparecido misteriosamente entre eles, haver-lhes ensinado a agricultura, e afinal, desgostosa dos homens, desaparecido, com o mesmo mistério. [Foi identificada pelos jesuítas como S. Tomé.] [Com cap.]

súmeas *S. f. pl.* V. *chúmeas*.

sumeense (mèè) *Adj. 2 g.* **1.** De, ou pertencente ou relativo a Sumé (PB). ● *S. 2 g.* **2.** O natural ou habitante de Sumé.

sumério *Adj.* **1.** Da, ou pertencente ou relativo à Suméria, antiga região da baixa Mesopotâmia (Ásia). ● *S. m.* **2.** O natural ou habitante da Suméria. **3.** *Gloss.* A língua desse povo, de filiação incerta, extinta como língua falada por volta de 2000 a. C., mas que permaneceu como língua escrita até o desaparecimento da escrita cuneiforme, já no início da era cristã. **4.** Vocábulo do sumério (3).

sumetume *S. m. Bras. N.* **1.** O respiradouro por onde a paca se evade, ao ser acuada pelos cachorros. **2.** Saída de galeria subterrânea.

sumição [De *sumir* + *-ção*.] *S. f.* V. *sumiço*.

sumiço [De *sumir* + *-iço*.] *S. m.* Desaparecimento, extravio, descaminho; sumição, sumidura.

sumidade [Do lat. *summitate*.] *S. f.* **1.** Qualidade de alto, eminente. **2.** O ponto mais alto; cumeeira, cimo, cume. **3.** *Fig.* Pessoa que sobressai às outras por seus talentos ou saber.

sumidiço *Adj.* Que some ou desaparece facilmente.

sumido [Part. de *sumir*.] *Adj.* **1.** Que quase não se vê. **2.** Desaparecido, oculto. **3.** Fundo, encovado: *olhos sumidos.* **4.** Apagado, desaparecido, desfigurado: *letras sumidas.* **5.** Que mal se ouve; fraco, longínquo, distante: "A voz era tão sumida que Sofia mal podia escutá-la" (Machado de Assis, *Quincas Borba*, p. 285). **6.** Magro, descarnado, chupado.

sumidoiro [De *sumir* + *-doiro*[2].] *S. m.* Sumidouro (q. v.).

sumidourense *Adj. 2 g.* **1.** De, ou pertencente ou relativo ao Sumidouro (RJ). ● *S. 2 g.* **2.** O natural ou habitante do Sumidouro.

sumidouro [De *sumir* + *-douro*[2]; var. de *sumidoiro*.] *S. m.* **1.** Abertura por onde um líquido se escoa, podendo tratar-se de um rio que desapareça terra adentro ressurgindo em outros sítios mais baixos; escoadouro. **2.** Lugar onde somem muitas coisas. **3.** Sarjeta, valeta. **4.** V. *mictório* (2). **5.** Coisa em que se desperdiça muito dinheiro. **6.** *Astr.* Região de onde a energia é dissipada, por um processo físico qualquer. **7.** *Constr.* Poço não revestido, destinado ao despejo de líquidos domiciliares, esp. os extravasados de fossas sépticas (v. *fossa séptica*), para serem absorvidos pelo solo envolvente. **8.** *Bras. BA MG GO* Itararé. **9.** *Bras. BA MG GO* V. *grunado*.

sumidura [De *sumir* + *-dura*.] *S. f.* V. *sumiço*.

sumilher [Do fr. *sommelier*, poss. pelo esp. *sumiller*.] *S. m.* Reposteiro (2) do paço.

sumir [Do lat. *sumere*, 'tomar'.] *V. t. d.* **1.** Fazer desaparecer: *O verão tropical some as nuvens do céu*; "O mancebo estendeu cordialmente a mão ao companheiro, que a sumiu em sua manopla" (José de Alencar, *O Sertanejo*, p. 93); "Sim! era preciso acabar com ela! despachá-la! Sumi-la por uma vez!" (Aluísio Azevedo, *O Cortiço*, p. 323). **2.** Esquecer em lugar de que não se tem lembrança; perder: *Sumiu o dinheiro durante a viagem.* **3.** Pôr a pique; submergir, afundar. **4.** Esconder, ocultar, encobrir: *Usa peruca para sumir a calvície.* **5.** Gastar, consumir: *O jogo sumiu-lhe a fortuna.* **6.** Apagar, eliminar, expungir: *O tempo sumiu a memória de grandes homens.* **7.** Reduzir ao nada; destruir, arrasar, aniquilar. *T. i.* **8.** Sumir (1); dar sumiço: "A polícia chegou [no restaurante universitário] atirando e matou um garoto, depois quis carregar o corpo para longe, sumir com ele." (Ana Maria Machado, *Tropical Sol da Liberdade*, pp. 68, 69). *T. d. e i.* **9.** Introduzir, meter: *Interrogado, sumiu o rosto entre as mãos.* *P.* (*no Brasil*) *Int.* **10.** Afundar-se, submergir(-se): *O navio sumiu-se nas águas; Vários botes sumiram.* **11.** Esconder-se, ocultar-se, desaparecer: "Some-se devagar o sol e já aparece uma lua partida" (José

S

Lins do Rego, *Gregos e Troianos*, p. 122); "um deles [os esteiros], muito sinuoso, afunda-se visível por espaço longo, fraldeia a colina ...., some, reaparece muito longe .... tornar a sumir." (Júlio Ribeiro, *A Carne*, p. 124); "Apertou-lhe as mãos; sumiu na direção do rio" (Caci Cordovil, *Ronda do Fogo*, p. 108); "Minha mãe apontou para o fim da rua onde sumia o corpo daquela criatura simples: — Corre, meu filho, lá vai Cristiana." (E. di Cavalcanti, *Viagem da Minha Vida*, I, p. 28); "Maria nascia com a noite, sumia no dia." (Elias José, *Inquieta Viagem no Fundo do Poço*, p. 23); "Mandar para os quintos — Mandar para o diabo, para um lugar longe, mandar que se retire, que suma, que se vá embora." (Antenor Nascentes, *Tesouro da Fraseologia Brasileira*, p. 253). **12.** Extinguir-se, apagar-se: *Com a lavagem a mancha sumiu-se; Esta nódoa não some.* **13.** Perder-se, desaparecer: *O avião sumiu-se na costa da Europa; Diversos livros meus sumiram.* **14.** Fugir, abalar. **15.** Ausentar-se, retirar-se: *Cansado, sumiu-se para os seus aposentos; Sumiu, foi viver no campo.* **16.** Deixar de existir; desaparecer: "O meu interesse sumiu-se como a água que a areia absorve." (Eça de Queirós, *Contos*, p. 53.) [Us. quase em todo o Brasil como intransitivo, e esse uso, inteiramente razoável, observa-se em numerosos dos nossos bons escritores. Irreg. Muda o *u* da raiz em *o* na 2ª e 3ª pess. sing. e 3ª pl. do pres. ind., e na 2ª sing. do imperat.: *somes, some, somem; some.*]

sumista [De *suma* + *-ista*.] ***S. 2 g.*** Pessoa que elabora sumas, sínteses e compêndios.

sumo[1] [Do gr. *zomós*, 'suco', com infl. do lat. *succu*, 'suco extraído de plantas'.] ***S. m.*** Suco (1).

sumo[2] [Do lat. *summu*.] ***Adj.*** **1.** Que se acha no lugar mais elevado. **2.** Máximo, extremado, supremo: "o certo é que não chegamos a falar, e, no entanto, o assunto é de suma importância para ambos nós ...." (Aluísio Azevedo, *O Mulato*, p. 212). **3.** Excelente, exceleso, poderoso. **4.** Grande, extraordinário. **5.** Que advém de poder superior e sobrenatural. [Superl. abs. sint. de *alto*[2]. Antôn.: *ínfimo*.] ~ V. — *pontífice* e — *sacerdote*. ● ***S. m.*** **6.** Cume, cimo. **7.** *Fig.* O auge, o ápice, o requinte.

sumô [Do jap. *sumo*.] ***S. m.*** Espécie de luta japonesa, corpo a corpo, na qual perde o lutador que é expulso do ringue ou que deixa alguma parte do seu corpo que não os pés tocar o chão: "Tentou um rabicho igual ao dos lutadores japoneses de sumô." (Herberto Sales, *Armado Cavaleiro, o Audaz Motoqueiro*, p. 12.) [Os competidores são, em geral, homens corpulentos, e usam uma tanga muito reduzida.]

sumo da cana [De *sumo*[1] + *da*[1] + *cana*[1].] ***S. m. Bras. SP Pop.*** V. *cachaça* (1). [Pl.: *sumos da cana*.]

sumoscapo [Do it. *summoscapo*, do lat. *summus*, 'parte superior', + lat. scapus, *i*, 'fuste de coluna'.] ***S. m.*** *Arquit.* Extremidade superior do fuste de uma coluna.

sumoso (ô) [De *sumo*[1]+ *-oso*.] ***Adj.*** V. *sumarento*.

sumpção [Do lat. *sumptione*.] ***S. f.*** Ato ou efeito de engolir. [Var.: *sunção*.]

sumpes ***S. m. 2 n. Bras. PR*** V. *arrasta-pé* (1).

sumpto [Do lat. *sumptu*.] ***S. m.*** Total das despesas; gasto. [Var.: *sunto*.]

sumptuário ***Adj.*** V. *suntuário*.

sumptuosidade [Do lat. *sumptuositate*.] ***S. f.*** V. *suntuosidade*.

sumptuoso (ô) [Do lat. *sumptuosu*.] ***Adj.*** V. *suntuoso*.

súmula [Do lat. *summula*.] ***S. f.*** Pequena suma; breve resumo; epítome, sinopse: "No que se refere à autenticidade da poesia, seria difícil tentar uma súmula do que se tem entendido, através dos tempos, por poesia genuína." (Péricles Eugênio da Silva Ramos, *O Amador de Poemas*, p. 24.) [Cf. *sumula*, do v. *sumular*.] ◆ **Súmula vinculante.** *Jur.* Em matérias com jurisprudência consolidada, disposição que obriga os juízes a seguir o entendimento adotado pelo Supremo Tribunal Federal ou pelos tribunais superiores.

sumular [De *súmula* + *-ar*[2].] ***V. t. d. P. us.*** Fazer a súmula de; resumir. [Pres. ind.: *sumulo, sumulas, sumula*, etc. Cf. *súmula*.]

sumulista [De *súmula* + *-ista*.] ***S. 2 g.*** Autor de súmula(s).

suna [Do ár. *sunna(t)*, 'uso', 'tradição'; 'princípio'.] ***S. f.*** *Rel.* **1.** Entre os muçulmanos, conjunto de preceitos extraídos das práticas do profeta Maomé, conforme os relatos da tradição, compilados como complemento ao Corão. **2.** A ortodoxia muçulmana; a seita dos sunitas.

■ **Sunab** Sigla de *Superintendência Nacional de Abastecimento*.

sunção ***S. f.*** V. *sumpção*. [Uso próprio de P.]

➔**sundae** ['sʌndej] [Ingl.] ***S. m.*** Porção (2) de sorvete que leva calda de chocolate, de frutas, etc., além de creme *chantilly*, noz picada ou outra cobertura.

sundanês [Do top. *Sunda*, ilhas da Indonésia, + *-ês*.] *Gloss.* ***S. m.*** **1.** Língua austronésia falada nas ilhas de Sunda, principalmente em Java (Indonésia). **2.** Vocábulo dessa língua. ● ***Adj.*** **3.** Pertencente ou relativo ao sundanês (1).

sundidé [Do ior.] ***S. m. Bras. Rel.*** Ritual do candomblé em que se faz correr pela cabeça da iniciada o sangue do animal votivo imolado ao seu orixá, para que a natureza deste nela se impregne.

sundo [Do quimb. *sundu*, 'vulva'.] ***S. m. Bras.*** **1.** O ânus. **2.** As partes pudendas da mulher.

suné ***S. m. Bras. RN Gír.*** Pederasta passivo.

sunfa ***S. f. Bras. RS Pop.*** V. *surra* (1).

sunga [Dev. de *sungar*.] ***S. f. Bras.*** **1.** Espécie de calção para crianças. **2.** Calção cavado, próprio para banho de mar. [É, nesta acepç., do g. m. em alguns estados, entre os quais o CE.] **3.** Cueca semelhante a sunga (2). [Sin. ger. (lus.): *slip*.]

sungar [Do quimb. *kussunga*, 'puxar'.] ***V. t. d.*** **1.** *Bras.* Suspender os cós de (calça ou saia); assungar: "Com um gesto maquinal, sungou as calças muito altas sobre a cintura" (Gustavo Barroso, *Mississípi*, p. 15). **2.** Puxar para cima; erguer, levantar; assungar. **3.** Reter com esforço (o muco do nariz), deixando de assoar-se. [Conjug.: v. *largar*.]

sunguê [De *senhor*, pelo forro[2].] ***S. m. Santom.*** Senhor (9): "Pronto, Sunguê! — a garrafa brilhou nas mãos de Sum Anacleto e o líquido doirado encheu o cálice." (Sum Marky, *Vila Flogá*, p. 171.)

sunguilar [Do quimb. *ku-sung'ila*, 'pernoitar', + *-ar*[2].] ***V. int.*** *Angol.* Passar o serão conversando de forma amena: "À roda desta fogueira, em carne e osso, é convosco que vamos sunguilar, com todos vós amigos que a vida dispersou por esta Angola" (Jofre Rocha, *Crônicas de Ontem e de Sempre*, p. 15).

sunita [De *suna* + *-ita*[2].] *Rel.* ***S. 2 g.*** **1.** No islamismo, designação comum aos muçulmanos ortodoxos, os quais reconhecem a autoridade dos quatro primeiros califas, por oposição aos xiitas. ● ***Adj. 2 g.*** **2.** Pertencente ou relativo aos sunitas: *comunidade sunita*.

sunto ***S. m.*** V. *sumpto*.

suntuário [Var. de *sumptuário* lat. *sumptuariu*.] ***Adj.*** **1.** Referente a despesas ou a luxo. **2.** V. *suntuoso* (2). ~ V. *lei —a*.

suntuosidade [Var. de *sumptuosidade*.] ***S. f.*** **1.** Qualidade de suntuoso. **2.** Grande luxo; magnificência, aparato, pompa.

suntuoso (ô) [Var. de *sumptuoso*.] ***Adj.*** **1.** Com que se fez grande despesa. **2.** Em que há grande luxo; pomposo, magnificente, aparatoso, suntuário.

sununga [Do tupi = 'rumorejar', 'ribombar'.] ***S. f. Bras.*** Plantação de mandioca no verão.

suor (ó) [Do lat. *sudore*.] ***S. m.*** **1.** Humor aquoso incolor, de odor particular, segregado pelas glândulas sudoríparas e eliminado através dos poros da pele. **2.** Ação de suar; saída ou emissão de suor; transpiração: *Pouco depois de ingerido o medicamento, era incessante o suor.* **3.** *Fig.* Trabalho árduo, fruto de grandes fadigas; trabalheira.

suor de alambique ***S. m. Bras. PB Pop.*** V. *cachaça* (1). [Pl.: *suores de alambique*.]

supedâneo [Do lat. *suppedaneu*.] ***S. m.*** **1.** Banco para descanso dos pés; escabelo. **2.** Estrado de madeira onde o padre põe os pés enquanto diz a missa; estrado. **3.** *Fig.* Base, pedestal, peanha.

supeditar [Do lat. *suppeditare*, 'servir de estribeiro'.] ***V. t. d. e i.*** Fornecer, ministrar, administrar: *Supeditei-lhe argumentos para a sua defesa*; "autoridades mais altas nos supeditarão, contrariamente, exemplos do mais puro vernaculismo em abono da próclise" (Rui Barbosa, *Réplica*, p. 329).

▲**super-** [Do lat. *super*.] ***Pref.*** = 'excesso', 'aumento'; 'posição acima, em cima ou por cima'; 'superioridade'; 'em seguida': *superdotado*; *superpor* (< lat.); *supervenção* (< lat.), *supersaturar*. [É seguido de hífen quando anteposto a palavra iniciada por *h* ou *r* (em tais casos, apenas o 2º el. é flexionado na formação do plural): *super-homem, super-resfriado*. Equiv.: *sobr(e)-*, ver.]

superabundância [Do lat. *superabundantia*.] ***S. f.*** Qualidade de superabundante; grande abundância; fartura, exuberância; exabundância, sobreabundância.

superabundante [Do lat. *superabundante*.] ***Adj. 2 g.*** Que superabunda; demasiado, sobejo, exuberante, exabundante, sobreabundante, sobrepujante.

superabundar [Do lat. *superabundare*.] ***V. int.*** **1.** Existir ou manifestar-se em abundância ou em excesso; sobejar, exuberar, sobreabundar: *Este ano o café superabundou.* ***T. i.*** **2.** Ser mais do que necessário; exceder. **3.** Estar cheio; estar repleto; transbordar, sobreabundar: *A cidade superabundou de malfeitores.*

superação [Do lat. *superatione*.] ***S. f.*** Ato ou efeito de superar.

superado [Part. de *superar*.] ***Adj.*** **1.** Vencido, subjugado. **2.** Afastado, removido. **3.** Ultrapassado, obsoleto: *conceitos superados.*

superagudo [De *super-* + *agudo*.] ***Adj.*** **1.** Sobreagudo. **2.** *Mús.* Diz-se, na escala geral dos sons, da região agudíssima que se estende do dó5 ao dó7.

superalimentação [De *super-* + *alimentação*.] ***S. f.*** **1.** Ato ou efeito de superalimentar(-se). **2.** *Terap.* Método terapêutico que consiste em aumentar a quantidade de alimento ingerida por um indivíduo além das exigências do apetite.

superalimentar [De *super-* + *alimentar*.] ***V. t. d. P.*** Alimentar(-se) em excesso.

superalterno [De *super-* + *alterno*.] ***Adj.*** *Lóg.* Na oposição de subalternação, diz-se da proposição universal com relação à proposição particular de mesma qualidade. [Cf. *subalterno* (2).]

superante [Do lat. *superante*.] ***Adj. 2 g.*** Que supera, excede, se avantaja.

superaquecer [De *super-* + *aquecer*.] ***V. t. d.*** Submeter (sólido ou fluido) a temperaturas elevadas; sobreaquecer. [Conjug.: v. *aquecer*.]

superaquecido [Part. de *superaquecer*.] ***Adj.*** Que sofreu superaquecimento. ~ V. *vapor —*.

superaquecimento [De *superaquecer* + *-imento*.] ***S. m.*** **1.** Ato ou efeito de superaquecer; sobreaquecimento. **2.** *Fís.* Aquecimento de um líquido a uma temperatura superior à de ebulição na pressão a que estiver submetido, sem que haja vaporização.

superar [Do lat. *superare*.] ***V. t. d.*** **1.** Vencer, subjugar, dominar: *Os exércitos de Alexandre superaram muitos povos.* **2.** Destruir, devastar, arrasar, aniquilar. **3.** Livrar-se de; afastar, remover: "O meu estado é de gravidade, — sei — mas até o momento não tinha dúvida de que superaria a crise." (Benedito Salomon da Costa e Silva, *Seis Contos*, p. 9.) **4.** Passar além de; exceder, ultrapassar: *Os resultados superaram as expectativas.* **5.** Passar por cima de; passar além de; sobrelevar. **6.** Levar vantagem a; sobrepujar: *Teixeira de Pascoais é grande poeta, mas Fernando Pessoa supera-o.* [Pres. ind.: *supero*, etc. Cf. *súpero*, adj.]

superárbitro [De *super-* + *árbitro*.] ***S. m.*** V. *sobreárbitro*.

superativado [Part. de *superativar*.] ***Adj.*** A que se deu atividade maior, ou excessiva.

superativar [De *super-* + *ativar*.] ***V. t. d.*** Dar atividade maior, ou excessiva, a.

superavaliação [De *superavaliar* + *-ção*.] ***S. f.*** Sobreavaliação.

superavaliar [De *super-* + *avaliar*.] ***V. t. d.*** V. *sobreavaliar*.

superável [Do lat. *superabile*.] ***Adj. 2 g.*** Que pode ser superado.

➔**superavit** [supe'rawit] [Lat., 3ª pess. sing. perf. ind. de *superare*, 'superar', 'exceder'; 'sobrar'.] ***S. m. 2 n.*** Superávit (q. v.).

superávit [Aport. do lat. *superavit*, 'sobrou'.] ***S. m.*** Diferença, a mais, entre receitas e despesas; saldo positivo: *O superávit da balança comercial aumentou no primeiro trimestre do ano.* [Pl. *superávits*. Antôn.: *déficit*.] [Voc. registrado na 1ª impress. da 5ª ed. do Volp.; eliminado em errata virtual; mantida, porém, a f. lat.]

superavitário [De *superávit* + *-ário*.] ***Adj.*** Que apresenta superávit. [Antôn.: *deficitário*.]

superbíssimo [Do lat. *superbissimu*.] ***Adj.*** Super. abs. sint. de *soberbo*; sobérbissimo: "Vede-lo em feias guerras ocupado / .... / Não contra o superbíssimo otomano, / Mas por sair do jugo soberano." (Luís de Camões, *Os Lusíadas*, VII, 4.)

supercalandra [De *super-* + *calandra*[1].] ***S. f.*** *Ind. Pap.* Calandra que, separada da máquina contínua, comporta de cinco a cerca de 18 cilindros de ferro fundido aquecidos internamente a vapor, alternados com outros de papel ou de algodão comprimido, entre os quais se faz passar a folha de papel sem fim, para lhe dar acetinagem mais acentuada que a comum. [V. calandra[1] (1).]

supercalandrado [Part. de *supercalandrar*.] ***Adj.*** ~ V. *papel —*.

supercalandrar [De *supercalandra* + *-ar*[2].] ***V. t. d.*** *Ind. Pap.* Acetinar (o papel) na supercalandra.

supercampeã ***S. f.*** Fem. de *supercampeão* (q. v.).

supercampeão [De *super-* + *campeão*.] ***S. m. Bras.*** Indivíduo, equipe ou grêmio esportivo que conquistou o supercampeonato. [Fem.: *supercampeã*.]

supercampeonato [De *super-* + *campeonato*.] ***S. m. Bras.*** Campeonato supremo.

superciliar[1] [De *supercílio* + *-ar*[1].] ***Adj. 2 g.*** De, ou relativo a supercílio.

superciliar[2] [De *supercílio* + *-ar*[2].] ***V. int.*** Franzir o supercílio: "— Boa vida! .... disse a mulata superciliando: Pois sim.... !" (Coelho Neto, *Rei Negro*, p. 82.) [Pres. ind.: *supercilio*, etc. Cf. *supercílio*.]

supercílio [Do lat. *supercíliu*.] ***S. m.*** V. *sobrancelhas*. [Us. tb. no pl.] [Cf. *supercilio*, do v. *superciliar*.]

supercilioso (ô) [Do lat. *superciliosu*.] ***Adj.*** **1.** V. *sobrancelhudo* (1). **2.** *Fig.* V. sobrancelhudo (2): "Contra frases, porém, como a seguinte com o devido no feminino a concordar, nada têm que dizer os críticos mais superciliosos em pontos de pureza e elegância acadêmicas da linguagem" (Mário Barreto, *Últimos Estudos*, p. 36).

supercimento [De *super-* + *cimento*.] *S. m.* Cimento de grande resistência e pega rápida, que se obtém de matérias-primas de alta qualidade, por processos especiais de fabricação.

supercivilização [De *super-* + *civilização*.] *S. f.* Civilização superior, altamente requintada: "Decerto o empecia a preguiça, e talvez ainda o pudico recato de transpor toda a imensa distância que se alargava desde a sua complicada supercivilização até à rude simplicidade daquelas almas naturais" (Eça de Queirós, *A Cidade e as Serras*, p. 281).

supercivilizado [De *super-* + *civilizado*.] *Adj.* Civilizado em extremo.

superclasse [De *super-* + *classe*.] *S. f. Hist. Nat.* Categoria taxonômica situada abaixo do filo e que engloba duas ou mais classes. [V. *grupos taxonômicos*.]

supercomputador [De *super-* + *computador*.] *S. m. Inform.* Computador de grande capacidade de processamento, sobretudo numérico.

supercondutividade [De *super-* + *condutividade*.] *S. f. Fís.* Propriedade que apresentam alguns metais, ligas e combinações caracterizada pelo quase total desaparecimento da resistividade elétrica abaixo de uma determinada temperatura; supracondutividade.

supercondutor (ô) [De *super-* + *condutor*.] *Adj. S. m. Fís.* Diz-se de, ou metal que apresenta supercondutividade; supracondutor.

superconjunção [De *super-* + *conjunção*.] *S. f. Astr.* Conjunção simultânea de quase todos os planetas do sistema solar; alinhamento: "Todos os nove planetas do sistema solar estarão reunidos, hoje, no mesmo lado do Sol, em ângulo de 95 graus, às 20h32min (hora de Brasília). O fenômeno, raro, chama-se superconjunção" (*Jornal do Brasil*, 10.03.1982).

supercorda [De *super-* + *corda*; trad. do ingl. *superstring*.] *S. f. Fís. Part.* V. *teoria das supercordas*.

supercrítico [De *super-* + *crítico*.] *Adj.* **1.** *Fís. Nucl.* Diz-se de um sistema em que a quantidade de material físsil é maior do que a massa crítica, sob condições determinadas. **2.** *Fís.-Quím.* Diz-se de, ou referente ao que está em condições de temperatura e de pressão superiores às do respectivo ponto crítico. ~ V. *fluido —*.

supercromático [De *super-* + *cromático*.] *Adj.* ~ V. *lente —a*.

superdivino [De *super-* + *divino*.] *Adj.* V. *sobredivino*.

superdominância [De *super-* + *dominância*.] *S. f. Genét.* Sobredominância.

superdominante [De *super-* + *dominante*.] *S. f. Mús.* O sexto grau da escala diatônica, e/ou a segunda nota modal (q. v.); sobredominante.

superdose [De *super-* + *dose*.] *S. f.* Dose excessiva, em geral de tóxico. [Corresponde ao ingl. *overdose*. Sin. (lus.): *sobredose*.]

superdotado [De *super-* + *dotado*.] *Adj. S. m. Bras.* Diz-se de, ou indivíduo dotado de inteligência invulgar.

superego [De *super-* + *ego*.] *S. m.* **1.** *Psic.* Instância (9) da personalidade formadora de ideais, e que age inconscientemente sobre o ego (3) contra as pulsões suscetíveis de provocar sentimento de culpa. **2.** *Fam.* Exemplo, modelo de alguém.

superelevação [De *super-* + *elevação*.] *S. f. Constr.* Inclinação transversal das pistas das rodovias, ou diferença de nível entre os trilhos das vias férreas, estabelecidas nos trechos em curva para compensar certos efeitos de força centrífuga.

supereminência [Do lat. *supereminentia*, por via erudita.] *S. f.* V. *sobre-eminência*.

supereminente [Do lat. *supereminente*, por via erudita.] *Adj. 2 g.* V. *sobre-eminente*.

superespira [De *super-* + *espira*; trad. do ingl. *supercoil*.] *S. f. Bioquím.* Disposição adotada, p. ex., pelo ADN, no qual a hélice dupla que o constitui está, por sua vez, enrolada em forma helicoide, o que lhe permite um arranjo mais compacto. [A formação de superespiras pode ser visualizada como um aumento, ou diminuição, da torção das duas fitas da hélice dupla.]

superespiralado [De *superespira* + *-al-* + *-ado*¹.] *Adj. Bioquím.* Diz-se de ácido desoxirribonucleico que contém superespiras.

superestima [Dev. de *superestimar*.] *S. f.* Ação ou efeito de superestimar; superestimação.

superestimação [De *superestimar* + *-ção*.] *S. f.* Superestima. [Antôn.: *subestimação*.]

superestimar [De *super-* + *estimar*.] *V. t. d.* **1.** Estimar muito ou em excesso. **2.** *Bras.* Dar apreço ou valor exagerado a; ter em altíssima conta: *É erro superestimar a influência individual na história*; "Superestimando erroneamente a influência da hereditariedade, achavam eles [os naturalistas] inútil qualquer resistência às inclinações que nos marcam desde o berço." (Brito Broca, *Horas de Leitura*, pp. 132-133); "Como bom filho do século 19, superestimava [Ramalho Ortigão] as possibilidades da Ciência." (Id., *ib.*, p. 27). [Sin. ger.: *sobre-estimar*. Antôn.: *subestimar*.]

superestrutura [De *super-* + *estrutura*.] *S. f.* **1.** O complexo das ideologias religiosas, filosóficas, jurídicas e políticas de determinada classe social, dominante numa sociedade. **2.** *Constr. Nav.* Construção feita sobre o convés principal duma embarcação, podendo estender-se ou não de um bordo ao outro, e cuja cobertura é, em geral, outro convés.

superestrutural [De *superestrutura* + *-al*¹.] *Adj. 2 g.* Relativo à superestrutura.

superexaltado (z) [Part. de *superexaltar*.] *Adj.* Sobre-exaltado.

superexaltar (z) [Do lat. *superexaltare*.] *V. t. d.* Sobre-exaltar.

superexcitação [De *superexcitar* + *-ção*.] *S. f.* V. *sobre-excitação*.

superexcitado [De *super-* + *excitado*.] *Adj.* Excitado em extremo; agitado: "O Rio não era esse lugar superexcitado de agora; havia uma sobriedade tropical." (Ana Teresa Jardim, *A Mesa Branca*, p. 82.)

superexcitante [De *superexcitar* + *-nte*.] *Adj. 2 g.* V. *sobre-excitante*.

superexcitar [De *super-* + *excitar*.] *V. t. d. T. d. e i.* V. *sobre-excitar*.

superexigente (z) [De *super-* + *exigente*.] *Adj. 2 g.* Exigente em extremo.

superexposição [De *super-* + *exposição*.] *S. f. Fot.* Impressionamento excessivo de uma chapa fotográfica por haver sido exposta durante muito tempo.

superfamília [De *super-* + *família*.] *S. f. Hist. Nat.* Categoria taxonômica que compreende duas ou mais famílias afins. [V. *grupos taxonômicos*.]

superfaturado [Part. de *superfaturar*.] *Adj.* Que se superfaturou.

superfaturamento [De *superfaturar* + *-mento*.] *S. m.* Ato ou efeito de superfaturar; sobrefaturamento.

superfaturar [De *super-* + *faturar*.] *V. t. d.* **1.** *Econ.* Emitir (fatura) com preço acima do efetivamente cobrado, em geral para burlar as normas de compra e venda de moeda estrangeira, sendo o excesso devolvido à parte, sem escrituração. **2.** Cobrar (preço excessivo), p. ex., em obra pública. [Sin. ger.: *sobrefaturar*.]

superfetação [Do lat. med. *superfetatione*.] *S. f.* **1.** *Obst.* Concepção (1) que ocorre quando, no mesmo útero, já há um feto em desenvolvimento. **2.** *Fig.* Coisa que se acrescenta inutilmente a outra; excrescência, redundância.

superficiagente *Adj. 2 g. S. 2 g. Fisiol.* Surfatante (q. v.).

superficial [Do lat. *superficiale*.] *Adj. 2 g.* **1.** Referente à superfície. **2.** *Fig.* Pouco profundo: *talho superficial*. **3.** Desprovido de profundidade; pouco sólido. **4.** Sem seriedade; leviano. **5.** Que só concerne à obviedade ou às aparências; que não atinge o essencial da questão: *argumento superficial*. ~ V. *circular —*, *escoamento —*, *filme —*, *lençol —*, *satélite —* e *tensão —*.

superficialidade [De *superficial* + *-(i)dade*.] *S. f.* Qualidade de superficial; superficialismo.

superficialismo [De *superficial* + *-ismo*.] *S. m.* Superficialidade.

superficialmente [De *superficial* + *-mente*.] *Adv.* De maneira superficial.

superfície [Do lat. *superficie*.] *S. f.* **1.** Extensão de uma área limitada: *A superfície do Brasil é de 8.511.965km²*. **2.** A parte externa dos corpos; face. **3.** *Fig.* Aparência, aspecto. **4.** *Geom.* Configuração geométrica com duas dimensões. ◆ **Superfície canal.** *Mat.* Envoltória de uma família monoparamétrica de esferas de raio constante com centro ao longo de uma curva espacial. Ex.: a superfície toroidal. **Superfície catacáustica.** *Geom.* Superfície cáustica formada pela reflexão de raios luminosos numa outra superfície. **Superfície cáustica.** *Geom.* Envoltória dos raios luminosos provenientes de uma fonte punctiforme refletidos por um espelho ou refratados por um dióptrico. **Superfície cilíndrica.** *Geom.* Superfície regrada em que a geratriz se mantém paralela a uma direção. [Tb. se diz, impr., *cilindro*.] **Superfície cônica.** *Geom.* Superfície regrada cuja geratriz passa sempre por um ponto fixo. [Tb. se diz, impr., *cone*.] **Superfície convexa.** *Geom.* A que fica sempre de um mesmo lado de qualquer dos seus planos tangentes. **Superfície coordenada.** *Mat.* Qualquer das superfícies pertencentes às três famílias que formam um sistema de coordenadas espaciais. Ex.: uma superfície cilíndrica circular nas coordenadas cilíndricas. **Superfície de revolução.** *Geom.* Superfície gerada pela rotação de uma curva em torno de um eixo; superfície cuja equação em coordenadas cilíndricas pode ser escrita independentemente do ângulo. [Sin.: *superfície de rotação*.] **Superfície de rotação.** *Geom.* Superfície de revolução. **Superfície desenvolvível.** *Mat.* A que se pode obter de um plano por meio de uma deformação que lhe conserva as propriedades métricas; a que tem curvatura total identicamente nula. [Tb. se diz apenas *desenvolvível*.] **Superfície de segundo grau.** *Mat.* Superfície quadrática. **Superfície de translação.** *Geom.* Superfície gerada pela translação de uma curva; superfície cujas equações paramétricas podem ser escritas como de duas funções, uma de cada parâmetro. **Superfície diacáustica.** *Geom.* Superfície cáustica formada pela refração de raios luminosos. [Tb. se diz apenas *diacáustica*.] **Superfície equipotencial.** *Fís.* Lugar geométrico dos pontos do espaço que têm o mesmo potencial. **Superfície esférica.** *Geom.* Lugar geométrico dos pontos do espaço equidistantes de um ponto fixo; esfera. **Superfície focal.** **1.** *Mat.* Qualquer das duas superfícies que constituem o lugar geométrico dos centros de curvatura principal de uma superfície. **2.** *Ópt.* Lugar geométrico dos pontos focais de uma lente. **Superfície frontal.** *Met.* Superfície de separação entre duas massas de ar; frente. **Superfície helicoidal.** *Geom.* A que é gerada pelo movimento helicoidal de uma curva. **Superfície material.** *Fís.* Superfície geométrica a que se atribui uma distribuição uniforme de massa. **Superfície mínima.** *Mat.* Superfície cuja curvatura média é identicamente nula. [Não é necessariamente a superfície de área mínima que passa por uma curva reversa fechada.] **Superfície nodal.** *Mat.* Superfície formada pelos pontos nodais das curvas de uma família. **Superfície poliédrica.** *Geom.* Superfície constituída por segmentos de planos que se interceptam. **Superfície quadrática.** *Mat.* Aquela que é representada analiticamente por uma equação de segundo grau a três variáveis, como esfera, elipsoide, hiperboloide, etc. **Superfície quádrica** *Mat.* Superfície quadrática. **Superfície regrada.** *Geom.* Superfície gerada por uma reta que se move. **Superfície reversa.** *Geom.* Aquela cujos pontos não podem estar em um mesmo plano. **Superfície toroidal.** *Geom.* Superfície gerada pela rotação de uma circunferência de círculo em torno de um eixo que lhe é coplanar e externo.

superfinidade [De *superfino* + *-(i)dade*.] *S. f.* Qualidade de superfino.

superfino [Do fr. *superfin*.] *Adj.* **1.** Muito fino; de qualidade superior: "Cem mulheres em flor, cem nairas superfinas, / Aos pés dele, no liso chão, / Espreguiçam sorrindo as suas graças finas" (Machado de Assis, *Poesias Completas*, p. 315). **2.** Da melhor qualidade; excelente.

superfluidade (u-i) [Do lat. *superfluitate*.] *S. f.* **1.** Qualidade de supérfluo. **2.** Coisa supérflua: *Gasta dinheiro em superfluidades*.

superfluidez (u-i... ê) [De *super-* + *fluidez*.] *S. f. Fís.* Propriedade que o hélio líquido apresenta de, em temperaturas muito baixas, sua viscosidade tornar-se praticamente nula.

supérfluo [Do lat. *superfluu*.] *Adj.* **1.** Que é demais; inútil por excesso; desnecessário: "esta misantropia o defendeu do amor como dum sentido supérfluo, adormecendo-lhe o sexo, como se ele fora um bicho para que não houvesse na natureza ser complementar." (Fialho d'Almeida, *O País das Uvas*, p. 51). ● *S. m.* **2.** Aquilo que é supérfluo: "O rico não distingue o supérfluo do essencial: é essencial o que lhe garante os lucros." (Murilo Mendes, *O Discípulo de Emaús*, p. 87.)

superfosfato [De *super-* + *fosfato*.] *S. m. Tec. Quím.* Adubo inorgânico que se obtém tratando fosfato de cálcio pelo ácido sulfúrico concentrado, e que é uma mistura de fosfatos e sulfato de cálcio.

supergalo *S. m. Esport.* V. *peso-supergalo*.

super-herói *S. m.* **1.** Personagem fictício, ger. dotado de poderes sobre-humanos, personificação do bem e opositor do mal, seja este representado por pessoa, ou por situação adversa, ou perigosa. **2.** Pessoa que, pela sua ação, coragem, etc., lembra o super-herói (1): *Os bombeiros, muitas vezes, são verdadeiros super-heróis*.

super-heterodino *Adj. S. m. Radiotéc.* V. *super-heteródino*.

super-heteródino [De *super-* + *heteródino*.] *Adj. S. m. Radiotéc.* Diz-se de, ou princípio de funcionamento dos receptores de radiodifusão e de televisão baseado na transposição da frequência recebida para uma faixa de frequência intermediária. [Var. pros.: *super-heterodino*.]

super-hidratação [De *super-* + *hidratação*.] *S. f. Terap.* Hidratação acima da normal ou da desejada, em determinado caso.

super-homem [De *super-* + *homem*.] *S. m.* **1.** Indivíduo que se julga acima do estalão humano pelo poder de seu pensamento, pela força de sua vontade, etc. **2.** Homem de força física ou faculdades extraordinárias.

super-humano [De *super-* + *humano*.] *Adj.* V. *sobre-humano*.

S

superintendência [De *superintender* + *-ência*.] ***S. f.*** **1.** Ato de superintender. **2.** Cargo ou funções de superintendente. **3.** Lugar onde o superintendente exerce as suas funções.

superintendente [Do lat. *superintendente*.] ***Adj. 2 g. S. 2 g.*** Que, ou quem superintende; sobreintendente, sobrestante.

superintender [Do lat. *superintendere*.] ***V. t. d.*** **1.** Dirigir (repartição, empresa, comissão, obras, etc.) na qualidade de chefe. **2.** Inspecionar, supervisionar. [Sin. ger.: *sobreintender*.]

superior (ô) [Do lat. *superiore*.] ***Adj. 2 g.*** **1.** Que está mais acima que; mais elevado; súpero: *Este monte é superior àquele.* **2.** Que atingiu um grau muito elevado, supremo, sumo: *É homem de cultura superior.* **3.** De qualidade excelente: *produto superior.* **4.** Que emana de autoridade mais elevada: *ordens superiores.* **5.** Que dirige um convento: *madre superiora.* [Note-se que o adj., geralmente invariável, nesta acepç. se flexiona. Cf. *superiora*.] **6.** Diz-se da instrução ou do ensino de nível universitário, e do curso em que se ministra essa instrução. **7.** Relativo ao ensino superior: *o estatuto do magistério superior.* ~ V. *agricultura —*, *alheta —*, *animal —*, *colículo —*, *conjunção —*, *convés —*, *corte —*, *curso —*, *educação —*, *ensino —*, *espaço —*, *extremo —*, *letra —*, *manto —*, *membro —*, *músculo oblíquo —*, *normal —*, *oficial —*, *passagem meridiana —*, *pente —*, *planeta —* e *veia cava —*. • ***S. m.*** **8.** Aquele que dirige um convento; abade. [Fem.: *superiora*.] • ***S. 2 g.*** **9.** Pessoa que exerce autoridade sobre outrem.

superiora (ô) [Fem. de *superior* (8).] ***S. f.*** Freira que dirige um convento; abadessa.

superiorato [De *superior* + *-ato*[1].] ***S. m.*** Cargo ou dignidade de superior ou superiora.

superioridade [De *superior* + *-(i)dade*.] ***S. f.*** **1.** Qualidade do que é superior. **2.** Vantagem, primazia.

superiorização [De *superiorizar* + *-ção*.] ***S. f.*** Ato ou efeito de superiorizar(-se).

superiorizar [De *superior* + *-izar*.] ***V. t. d. P.*** Tornar(-se) superior.

superlargura [De *super-* + *largura*.] ***S. f.*** *Constr.* Acréscimo à largura das pistas das rodovias, ou da bitola das vias férreas, nos trechos em curva, para compensar certos efeitos da força centrífuga.

superlativador (ô) [De *superlativar* + *-dor*.] ***Adj. S. m.*** Diz-se de, ou aquele que abusa dos superlativos.

superlativar [De *superlativo* + *-ar*[2].] ***V. t. d.*** Tornar superlativo; dar forma de superlativo a.

superlativo [Do lat. *superlativu*.] ***Adj.*** **1.** Que exprime uma qualidade em grau muito alto, ou no mais alto grau. • ***S. m.*** **2.** *E. Ling.* O adjetivo com a significação elevada ao mais alto grau. ◆ **Superlativo absoluto.** *E. Ling.* O que, sem estabelecer comparação, denota que um ser apresenta em elevado grau determinada qualidade, ou numa só palavra (adjetivo + sufixo = *superlativo absoluto sintético*. Ex.: *Pedro é* inteligentíssimo), ou com ajuda de outra palavra (geralmente um advérbio que indica excesso = *superlativo absoluto analítico*. Ex.: *Pedro é* muito inteligente, *Pedro é* imensamente inteligente). **Superlativo absoluto analítico.** *E. Ling.* V. *superlativo absoluto*. **Superlativo absoluto sintético.** *E. Ling.* V. *superlativo absoluto*. **Superlativo relativo.** *E. Ling.* O que denota que, em comparação à totalidade dos seres que apresentam a mesma qualidade, um sobressai por possuí-la em grau maior (*superlativo relativo de superioridade*. Ex.: *Pedro é o aluno mais inteligente do colégio*), *ou menor* (*superlativo relativo de inferioridade*: *Pedro é o aluno menos inteligente do colégio*). [Os advérbios podem também aparecer no superlativo: *Mora* pertíssimo; *Falou* muitíssimo; e, na linguagem clássica, a forma do superlativo absoluto pode equivaler à do superlativo relativo: *a* belíssima *das mulheres* (= a mais bela das mulheres).] **Superlativo relativo de inferioridade.** *E. Ling.* V. *superlativo relativo*. **Superlativo relativo de superioridade.** *E. Ling.* V. *superlativo relativo*.

superleve ***Adj. 2 g.*** *Esport.* V. *peso —*.

superlotação [De *superlotar* + *-ção*.] ***S. f.*** *Bras.* Ação ou efeito de superlotar; lotação excessiva; sobrelotação.

superlotado [Part. de *superlotar*.] ***Adj.*** *Bras.* Cuja lotação foi excedida; cheio em demasia; sobrelotado: *cinema superlotado; trem superlotado.*

superlotar [De *super-* + *lotar*.] ***V. t. d.*** *Bras.* Exceder a lotação de; sobrelotar: *O povo superlotou o Maracanã.*

supermãe [De *super-* + *mãe*.] ***S. f.*** **1.** Mãe cujas boas qualidades excedem as das mães comuns. **2.** Mãe protetora em excesso, que restringe a liberdade, as ações, o desenvolvimento emocional normal do filho.

supermédio ***Adj.*** *Esport.* V. *peso —*.

supermeio-médio ***Adj.*** *Esport.* V. *peso —*.

supermercadista [De *supermercado* + *-ista*.] ***S. 2 g.*** Proprietário e/ou administrador de supermercado: "Supermercadistas continuam intranquilos" (*Jornal do Brasil*, 26.08.1987).

supermercado [De *super-* + *mercado*; ingl. *supermarket*.] ***S. m.*** *Mercad.* Loja de autosserviço (1), onde em ampla área se expõe à venda grande variedade de mercadorias, particularmente gêneros alimentícios, bebidas, artigos de limpeza doméstica e perfumaria popular: "Nas cidades há escolas, hospital moderno, supermercado, clube, piscina e cinema." (Raquel de Queirós, *O Caçador de Tatu*, p. 107.)

supermilionário [De *super-* + *milionário*.] ***Adj. S. m.*** V. *multimilionário*: "Ainda outro dia fui cuidar de um príncipe árabe, supermilionário do petróleo." (Maria Julieta Drummond de Andrade, *O Valor da Vida*, p. 141.)

superministro [De *super-* + *ministro*.] ***S. m.*** Ministro (3) que acumula poderes muito acima dos de seu cargo.

supermosca ***S. m.*** *Esport.* V. *peso-supermosca*.

:**supernal** [De *superno* + *-al*[1].] ***Adj. 2 g.*** V. *superno*.

supernatural [De *super-* + *natural*.] ***Adj. 2 g.*** V. *sobrenatural* (1 a 5).

superno [Do lat. *supernu*.] ***Adj.*** **1.** Muito elevado; superior: "Se acaso és a visão excelsa e grave, / Que antevejo num lúcido e superno / Sonho, bem-vindo sejas neste instante!" (Leopoldo Brígido, *Poemas do Tempo*, p. 70.) **2.** *Fig.* Muito bom; ótimo, excelente. [Sin. ger.: *supernal*.]

supernovo (ô) [De *super-* + *novo*.] ***Adj.*** Excessivamente novo.

▲**super(o)-** [Do lat. *supĕrus, a, um*.] ***El. comp.*** = 'que está em cima, superior': *superovariado*. [Equiv.: *súpero-*: *superoanterior*.]

súpero [Do lat. *superu*.] ***Adj.*** **1.** Superior (1). **2.** Supremo (1). **3.** *Bot.* Diz-se do ovário livre unido ao receptáculo apenas pela base. [Superl. abs. sint.: *supérrimo*. Antôn.: *ínfero*. Cf. *supero*, do v. *superar*.]

▲**súpero-** Equiv. de *super(o)-*.

superoanterior [De *súpero-* + *anterior*.] ***Adj. 2 g.*** Situado na parte superior e anterior. ❄ nota 1

superocupado [De *super-* + *ocupado*.] ***Adj.*** Ocupado em excesso; ocupadíssimo.

superoito ***S. f. 2 n.*** *Cin.* Bitola (q. v.) utilizada ger. em produção amadora. ❖

superolateral [De *súpero-* + *lateral*.] ***Adj. 2 g.*** Situado na parte superior, ao lado. ❄ nota 1

súpero-ovariado [De *súpero-* + *-ovar(i)(o)-* + *-ado*[1].] ***Adj.*** *Bot.* Que tem ovário súpero. [Var.: *superovariado*. Pl.: *súpero-ovariados*.]

superordem [De *super-* + *ordem*.] ***S. f.*** *Hist. Nat.* Categoria taxonômica situada abaixo da classe e que engloba duas ou mais ordens. [V. *grupos taxonômicos*.]

superorganismo [De *super-* + *organismo*.] ***S. m.*** *Ecol.* Epiorganismo.

superosculação [De *super-* + *osculação*.] ***S. f.*** *Geom.* Propriedade de duas figuras geométricas de terem contato de ordem mais alta que a segunda ordem.

superovariado [De *super(o)-* + *-ovar(i)(o)-* + *-ado*[1].] ***Adj.*** *Bot.* V. *súpero-ovariado*.

superoxidação (cs) [De *superoxidar* + *-ção*.] ***S. f.*** Ação ou efeito de superoxidar.

superoxidar (cs) [De *super-* + *oxidar*.] ***V. t. d.*** Levar (uma substância já oxidada) a uma valência superior.

superóxido (cs) ***S. m.*** *Quím.* Ânion radical que se pode formar pela redução do oxigênio molecular [fórm.: $\cdot O\text{-}O^-$]. ◆ **Superóxido dismutase.** *Bioquím.* Enzima que catalisa o desproporcionamento do ânion superóxido em oxigênio e peróxido de hidrogênio e, portanto, colabora para a ação de antioxidantes nos organismos.

superpena ***S. m.*** *Esport.* V. *peso-superpena*.

superpesado ***Adj.*** *Esport.* V. *peso —*.

superpopulação [De *super-* + *população*.] ***S. f.*** Excesso de população; superpovoamento.

superpor [Do lat. *superponere*.] ***V. t. d. e i. P.*** V. *sobrepor*. [Irreg. Conjug.: v. *pôr*.]

superposição [Do lat. *superpositione*.] ***S. f.*** **1.** Sobreposição. **2.** *Cin.* Técnica fotográfica de impressionar à luz a película cinematográfica mais de uma vez. **3.** *Estat.* Relação entre dois conjuntos de valores de uma variável aleatória em que o conjunto interseção não é nulo; transvariação.

superposto (ô) [Part. de *superpor*.] ***Adj.*** Sobreposto (1).

superpotência [De *super-* + *potência*; trad. do ingl. *superpower*.] ***S. f.*** Potência (9) que se destaca, pelo poder militar, das outras nações também militarmente poderosas.

superpovoado [Part. de *superpovoar*.] ***Adj.*** Em que há superpovoamento: "Quando as Ilhas dos Açores ficaram superpovoadas, além de empobrecidas por erupções vulcânicas e prolongadas estiagens, muitos de seus habitantes emigraram para o nosso país." (Hélio Viana, *História do Brasil*, I, p. 25.)

superpovoamento [De *super-* + *povoamento*.] ***S. m.*** **1.** Superpopulação. **2.** Estado de uma região cujos recursos já não são suficientes para satisfazer as necessidades da população.

superpovoar [De *super-* + *povoar*.] ***V. t. d.*** Tornar superpovoado. [Conjug.: v. *coroar*.]

superpremiado [De *super-* + *premiado*.] ***Adj.*** Premiado inúmeras vezes.

superprodução [De *super-* + *produção*.] ***S. f.*** **1.** *Econ.* Produção de mercadoria(s) em excesso, *i. e.*, em quantidade superior às possibilidades de absorção do mercado consumidor, aos preços vigentes: *A superprodução de café trouxe uma queda em seu preço.* **2.** *Cin. Teatr. Telev.* Produção (5), em geral de alto custo, que envolve inúmeros atores, cenários ricos ou grandiosos, efeitos especiais, etc.

superproteção [De *super-* + *proteção*.] ***S. f.*** Ato ou efeito de superproteger; proteção exagerada.

superproteger [De *super-* + *proteger*.] ***V. t. d.*** Proteger em demasia. [Conjug.: v. *reger*.]

superprotegido [Part. de *superproteger*.] ***Adj. S. m.*** Diz-se de, ou aquele que goza de superproteção.

superpurgação [De *super-* + *purgação*.] ***S. f.*** *Med.* Purgação excessiva.

superquadra [De *super-* + *quadra*.] ***S. f.*** *Bras. DF* Área residencial aberta ao público, em contraposição a condomínio fechado, com uma única entrada para veículos, emoldurada por larga faixa verde densamente arborizada, com edificações de gabarito uniforme de seis ou três pavimentos sobre pilotis livres, e equipamentos de uso comum, como *playgrounds* e escolas [Em Brasília, ficam situadas em quatro sequências contínuas, ao longo do eixo rodoviário.]

super-realidade [De *super-* + *realidade*.] ***S. f.*** Realidade imaginária que os sentidos não apreendem; uma como que realidade acima da realidade: "Existe na super-realidade poética da imaginação uma verdade muito mais viva do que a da realidade positiva." (Álvaro Lins, *O Relógio e o Quadrante*, p. 132.)

super-realismo [De *super-* + *realismo*.] ***S. m.*** V. *surrealismo*.

super-realista [De *super-* + *realista*.] ***Adj. 2 g. S. 2 g.*** V. *surrealista*.

super-requintado [De *super-* + *requintado*.] ***Adj.*** Requintado em extremo.

super-resfriado [De *super-* + *resfriado*.] ***Adj.*** ~ V. *vapor —*.

supérrimo [Do lat. *superrimu*.] ***Adj.*** Superl. abs. sint. de *súpero* e de *alto*[2] (q. v.).

supersafra [De *super-* + *safra*.] ***S. f.*** Safra (1) muito acima da normal.

supersalário [De *super-* + *salário*.] ***S. m.*** Salário muito acima do normal.

supersaturação [De *super-* + *saturação*.] ***S. f.*** **1.** Sobressaturação (1). **2.** *Fís.* Estado metaestável dum vapor submetido a uma pressão superior à de equilíbrio com o respectivo líquido na mesma temperatura; sobressaturação. **3.** *Fís.-Quím.* Estado metaestável duma solução na qual a concentração do soluto é maior que a concentração da solução saturada na mesma temperatura; sobressaturação.

supersaturar [De *super-* + *saturar*.] ***V. t. d. P.*** V. *sobressaturar*.

supersauro [Do tax. *Supersaurus*.] ***S. m.*** *Paleont.* **1.** Gênero de dinossauros saurópodes, os maiores até hoje conhecidos, com até 30m de comprimento; relacionam-se aos braquissauros, e habitaram a região do Colorado (E.U.A.), no jurássico. **2.** Espécie ou espécime desse gênero.

supersecreção [De *super-* + *secreção*.] ***S. f.*** *Med.* Secreção abundante.

supersecreto [De *super-* + *secreto*.] ***Adj.*** Secreto ao máximo grau; ultrassecreto.

supersensível [De *super-* + *sensível*.] ***Adj. 2 g.*** **1.** Superior à ação dos sentidos; suprassensível. **2.** Hipersensível.

supersimetria [De *super-* + *simetria*.] ***S. f.*** *Fís. Part.* No espaço-tempo, teoria que implementa uma simetria entre bósons e férmions e com a qual se espera unificar as quatro interações fundamentais. De acordo com essa teoria, toda partícula elementar conhecida teria uma companheira supersimétrica (v. *s-partícula*) que teria as mesmas propriedades, salvo *spin* e massa. Férmions de *spin* 1/2, como léptons e *quarks*, têm companheiro supersimétrico de *spin* zero, enquanto bósons de *spin* 1, como o fóton, têm companheiro supersimétrico de *spin* 1/2. [Os companheiros supersimétricos dos férmions são nomeados antepondo-se um *s* ao nome do férmion, enquanto para os bósons se adiciona *-ino* ao nome usual.]

supersimétrico [De *supersimetria* + *-ico*[2].] ***Adj.*** *Fís. Part.* Relativo à, ou que tem supersimetria.

supersimples [De *super-* + *simples*.] ***Adj. 2 g. e 2 n.*** Simples em extremo grau.

supersom [De *super-* + *som*.] ***S. m.*** *Fís.* Ultrassom.

supersónico ***Adj.*** *Fís.* V. *supersônico*. [Uso freq. em P.]

supersônico [De *super-* + *sônico*.] ***Adj.*** *Fís.* **1.** Diz-se de, ou relativo a velocidade maior que a do som. **2.**

Que tem essa velocidade. [Opõe-se a *subsônico*.] ~ V. *avião — e velocidade — a*. ● *S. m.* 3. Avião supersônico.

superstição [Do lat. *superstitione*.] *S. f.* 1. Sentimento religioso baseado no temor ou na ignorância, e que induz ao conhecimento de falsos deveres, ao receio de coisas fantásticas e à confiança em coisas ineficazes; crendice. 2. Crença em presságios tirados de fatos puramente fortuitos. 3. Apego exagerado e/ou infundado a qualquer coisa: *A moça tem a superstição do número treze.*

supersticiosidade [De *supersticioso* + *-(i)dade*.] *S. f.* 1. Qualidade de supersticioso. 2. Tendência para a superstição.

supersticioso (ô) [Do lat. *superstitiosu*.] *Adj.* 1. Que tem superstição: *Nossos índios eram muito supersticiosos.* 2. Em que há, ou que envolve ou é fruto de superstição: *crença supersticiosa.* ● *S. m.* 3. Indivíduo supersticioso.

supérstite [Do lat. *superstite*.] *Adj. 2 g.* V. *sobrevivente*: *cônjuge supérstite.*

superstrato [De *super-* + *-strato*.] *S. m. E. Ling.* 1. Língua dum povo conquistador, posteriormente abandonada, e que exerce influência no idioma dos vencidos, idioma esse adotado pelos conquistadores. 2. Numa situação de pidginização ou de crioulização, língua falada pelo grupo socialmente dominante, e que fornece a maior parte do vocabulário. [V. *língua lexificadora*. Cf. *substrato*.]

supersubstancial [De *super-* + *substancial*.] *Adj. 2 g.* Sobressubstancial.

supertônico *Adj. Mús.* V. *supertônico*. [Uso freq. em P.]

supertônico [De *super-* + *tônico*.] *Adj. Mús.* Diz-se do segundo grau da escala diatônica.

superumeral [De *super-* + *umeral*.] *Adj. 2 g.* 1. Situado sobre ombro(s). 2. Que se coloca sobre ombro(s).

supervacâneo [Do lat. *supervacaneu*.] *Adj.* V. *supervácuo*.

supervácuo [De *super-* + *vácuo*.] *Adj.* Supérfluo, vão, inútil, baldado; supervacâneo.

supervaidade [De *super-* + *vaidade*.] *S. f.* Vaidade excessiva.

supervaidoso (ô) [De *super-* + *vaidoso*.] *Adj.* Vaidoso em extremo; excessivamente vaidoso.

supervalorizar [De *super-* + *valorizar*.] *V. t. d.* 1. Valorizar acima do que é tido como normal; sobrevalorizar. *P.* 2. Valorizar-se em demasia.

supervenção [Do lat. *superventione*.] *S. f.* Ato ou efeito de sobrevir; superveniência.

superveniência [De *superveniente* + *-ia*[2], seg. o padrão analógico.] *S. f.* 1. Qualidade de superveniente. 2. Supervenção.

superveniente [Do lat. *superveniente*.] *Adj. 2 g.* 1. Que sobrevém. 2. Que aparece ou vem depois.

superviolento [De *super-* + *violento*.] *Adj.* Violento em demasia.

supervisão [Do ingl. *supervision*.] *S. f.* 1. Ação ou efeito de supervisar ou de supervisionar. 2. Função de supervisor.

supervisar [Do ingl. *(to) supervise*.] *V. t. d.* Dirigir, orientar ou inspecionar em plano superior. [Sin., bras.: *supervisionar*.]

supervisionar [De *supervisão* + *-ar*[2], seg. o padrão erudito.] *V. t. d. Bras.* Supervisar.

supervisor (ô) [Do ingl. *supervisor*.] *S. m.* Aquele que supervisa ou supervisiona.

supervivência [Do lat. *superviventia*.] *S. f.* Sobrevivência.

supervivente [Do lat. *supervivente*.] *Adj. 2 g. S. 2 g.* Sobrevivente.

supetão [Aum. de **súpeto*, f. pop. de *súbito*.] *El. s. m.* Us. na loc. adv. *de supetão*. ◆ **De supetão.** De súbito; de repente; repentinamente, imprevistamente: "ocê não achou, também, bom o tempero dela? — É supimpa, 'tá se vendo." ... "deu uma volta com ela [a mula] pelas ruas e assim de supetão encontrou quem lhe desse até cinco contos de réis" (Bernardo Élis, *Veranico de Janeiro*, p. 108).

supimpa *Adj. 2 g. Bras. Fam.* Muito bom; ótimo, excelente, superior: "ocê não achou, também, bom o tempero dela? — É supimpa, 'tá se vendo." (Antônio Versiani, *Viola de Queluz*, p. 21).

supinação [Do lat. *supinatione*.] *S. f.* 1. *Anat. Med.* Movimento destinado à adoção de posição supina (q. v.), o que ocorre com mão(s), pé(s) e corpo. 2. *Anat.* Movimento que resulta em posição em que a borda medial de cada pé se encontra em elevação. 3. *Med.* A posição de supinação (1). 4. *Med.* A posição de supinação (2). 5. *Med.* A posição do paciente deitado sobre o dorso, estando a face e as palmas das mãos voltadas para cima.

supinador (ô) [Do lat. *supinator*, comp. de super. de *supinatus*.] *Anat. S. m.* 1. Músculo supinador. ● *Adj.* 2. ~ V. *músculo —*.

supino [Do lat. *supinu*.] *Adj.* 1. Alto, elevado, superior. 2. Em estado de supinação (1): *mãos supinas.* 3. Deitado de costas: "uma sinistra cena, dentro da igreja, onde no chão, coberto pela sua esfarrapada batina, o corpo semiputrefato de Antônio Conselheiro jazia supino" (Menotti del Picchia, *A Longa Viagem*, I, p. 37). 4. *Fig.* Em alto grau; demasiado, excessivo: *ignorância supina.* ~ V. *posição — a*. ● *S. m.* 5. *E. Ling.* Forma nominal do verbo latino.

suplantação [Do lat. *supplantatione*.] *S. f.* Ato ou efeito de suplantar.

suplantador (ô) [Do lat. *supplantatore*.] *Adj. S. m.* Que, ou o que suplanta.

suplantar [Do lat. *supplantare*.] *V. t. d.* 1. Pôr debaixo dos pés, calcar, pisar. 2. Abater, prostrar, derribar, derrubar. 3. Humilhar, vexar, rebaixar. 4. Levar vantagem a. 5. Ser superior a; exceder, sobrepujar: *A safra deste ano suplantou a do ano passado*; "Subitamente um formidável brado suplantou o barulho das ondas." (Xavier Marques, *Jana e Joel*, p. 59).

suplementação [De *suplementar*[2] + *-ção*.] *S. f.* Ato ou efeito de suplementar[2].

suplementar[1] [De *suplemento* + *-ar*[1].] *Adj. 2 g.* 1. Relativo a, ou que serve de suplemento. 2. Que amplia; adicional. [Sin. ger.: *suplementário*.] ~ V. *ângulo — e linha —*.

suplementar[2] [De *suplemento* + *-ar*[2].] *V. t. d.* 1. Fornecer suplemento para; acrescer alguma coisa a: *suplementar uma verba.* 2. Servir de suplemento ou aditamento a: *É ótimo o glossário que suplementa aquele volume de contos regionais.* 3. Suprir ou compensar a deficiência de: *Tomei um copo de leite para suplementar o almoço.* [Fut. pret.: *suplementaria*, etc. Cf. *suplementária*, fem. de *suplementário*.]

suplementário [De *suplemento* + *-ário*.] *Adj.* V. *suplementar*. [Fem.: *suplementária*. Cf. *suplementaria*, do v. *suplementar*.]

suplemento [Do lat. *supplementu*.] *S. m.* 1. O que serve para suprir; suprimento. 2. O que se dá a mais: *suplemento salarial.* 3. Parte que se adiciona a um todo para ampliá-lo, esclarecê-lo e aperfeiçoá-lo. 4. Páginas com matéria especial, geralmente ilustrada, que se ajuntam à matéria ordinária, em certos números de um jornal. 5. Aditamento, acréscimo. 6. *Geom.* Ângulo suplementar.

suplência [Do lat. *supplentia*, do v. lat. *supplere*, 'suprir'.] *S. f.* 1. Ato de suprir. 2. Cargo de suplente. 3. Tempo de exercício desse cargo: *Durante a minha suplência tudo correu bem.*

suplente [Do lat. *supplente*.] *Adj. 2 g.* 1. Que supre; substituto. ● *S. 2 g.* 2. Pessoa que supre; substituto. 3. Pessoa que pode ser chamada a exercer certas funções, na falta daquela a quem elas cabiam efetivamente. ● *S. m.* 4. *Esport.* V. *reserva* (17).

supletivismo [De *supletivo* + *-ismo*.] *S. m. E. Ling.* Expressão de uma categoria gramatical através de uma forma que se constitui numa exceção ao paradigma porque apresenta outra raiz, em vez de realizar-se por meio das desinências regulares; heteronímia. [Ex.: no verbo *ser, sou, és, fui*.]

supletivo [Do lat. *suppletivu*.] *Adj.* 1. Que supre ou se destina a suprir; supletório. ~ V. *curso — e ensino —*. 2. Relativo ao supletivismo. ● *S. m.* 3. Ensino supletivo.

supletório [Do lat. *suppletus*, part. pass. de *supplere*, 'suprir', + *-ório*.] *Adj.* Supletivo (1).

súplica [Dev. de *suplicar*.] *S. f.* 1. Ato ou efeito de suplicar; suplicação. 2. Pedido ou oração instante e humilde; prece. [Cf. *suplica*, do v. *suplicar*.]

suplicação [Do lat. *supplicatione*.] *S. f.* Súplica (1).

suplicado [Part. de *suplicar*.] *Adj.* 1. Pedido com instância e humildade; rogado, implorado. ● *S. m.* 2. *Jur.* Aquele contra quem um suplicante requer em juízo.

suplicante [Do lat. *supplicante*.] *Adj. 2 g.* 1. Que suplica; súplice. ● *S. 2 g.* 2. Pessoa que suplica. 3. *Jur.* Requerente, impetrante. ● *S. m.* 4. *Bras. Pop.* Qualquer indivíduo, indeterminadamente: *Que quer de mim aquele suplicante?*

suplicar [Do lat. *supplicare*.] *V. t. d. T. d. e i. Int.* Pedir com instância e humildade; rogar, implorar, pedir: *O mendigo suplicava esmolas*; "A que chorava pelas culpas / de seus mortos impenitentes, / e suplicava a Deus piedade, para seus ilustres parentes! ...." (Cecília Meireles, *Obra Poética*, p. 852); "Sua prece deseja, sábia e lenta, / Agradecer em vez de suplicar" (Odilo Costa Filho, *Cantiga Incompleta*, p. 16). [Conjug.: v. *trancar*.] [Pres. ind.: *suplico, suplicas, suplica*, etc. Cf. *súplica*.]

suplicatório [De *suplicar* + *-tório*.] *Adj.* Que contém súplica.

súplice [Do lat. *supplice*.] *Adj. 2 g.* 1. Que suplica; suplicante: "Prometeu sacudiu os braços manietados / E súplice pediu a eterna compaixão" (Machado de Assis, *Poesias Completas*, p. 291). 2. Que se prostra, pedindo.

supliciado [Part. de *supliciar*.] *Adj.* 1. Que sofreu suplício; justiçado. ● *S. m.* 2. Aquele que sofreu suplício ou foi justiçado.

supliciar [De *suplício* + *-ar*[2].] *V. t. d.* 1. Infligir suplício a: *Os senhores supliciavam negros escravos.* 2. Aplicar a pena de morte a; executar. 3. Torturar, afligir, molestar, magoar. [Pres. ind.: *suplicio*, etc. Cf. *suplício*.]

suplício [Do lat. *suppliciu*.] *S. m.* 1. Dura punição corporal, imposta por sentença. 2. Pena capital. 3. Execução dessa pena. 4. *Fig.* Pessoa ou coisa que aflige muito; tortura. [Cf. *suplicio*, do v. *supliciar*.] ~ V. *suplícios*. ◆ **Suplício da roda.** Roda (20). **Suplício de Tântalo.** O sofrimento de quem, desejando ardentemente alguma coisa, sempre a vê escapar-se quando prestes a ser alcançada, ou, desejando algo que está à vista, ou à mão, não o pode desfrutar. [V. *tantálico*.]

suplícios [Pl. de *suplício*.] *S. m. pl.* Disciplinas ou correias para açoitar por penitência ou castigo. ~ V. *suplício*.

supor [Do lat. *supponere*, pela f. **supoer*.] *V. t. d.* 1. Estabelecer ou alegar por hipótese. 2. Conjeturar, presumir, imaginar: *Suponho que o trem não tarda*; "figurou na cabeça a passagem de Carlota .... Supôs até que lhe ouvia a voz" (Machado de Assis, *Outras Relíquias*, p. 59). 3. Trazer à ideia. *T. d. e i.* 4. *P. us.* Imputar (1): *Supôs o crime a um pobre inocente.* *Transobj.* 5. Conjeturar, presumir, imaginar: "Alguns vizinhos supunham-no doido" (Machado de Assis, *Contos sem Data*, p. 84); "Supunha o meu coração morto para o amor" (Artur Azevedo, *Contos Possíveis*, p. 6); "Chega-me o pranto, foge-me a calma / Quando suponho teu termo breve" (B. Lopes, *Val de Lírios*, p. 3). [Irreg. Conjug.: v. *pôr*. Cf. *sopor*.]

suportabilidade [De *suportável* + *-(i)dade*, seg. o padrão erudito.] *S. f.* Qualidade de suportável.

suportar [Do lat. *supportare*.] *V. t. d.* 1. Ter sobre si; sustentar: *Aquele móvel suporta muito peso.* 2. Estar debaixo de. 3. Sofrer, tolerar, admitir: *Anos a fio suportou calúnias dos opositores.* 4. Resistir a; aguentar: *A base não suportará tamanho peso*; "Ele era da raça dos que suportam / Todo o peso da vida" (Augusto Frederico Schmidt, *Poesias Completas*, p. 521). 5. Sustentar (1): *É esta coluna que suporta a construção.* 6. Sofrer com resignação, paciência: *Suportou o descaso do filho por anos.* 7. Admitir a presença ou a ação de: *Não suporta os desonestos.*

suportável [De *suportar* + *-vel*.] *Adj. 2 g.* Que se pode suportar.

suporte [Dev. de *suportar*.] *S. m.* 1. Aquilo que suporta ou sustenta alguma coisa. 2. Aquilo em que algo se firma ou assenta. 3. Material que serve de base para a aplicação de tinta, esmalte, verniz, etc. 4. *E. Ling.* Material (papiro, pergaminho, papel, pedra, vinil, disco magnético, película fotográfica, etc.) capaz de receber e conservar a inscrição de um texto e de propiciar sua veiculação. 5. *Álg.* Conjunto de elementos entre os quais se estabelecem relações e operações que lhes dão as características de grupo, ou de anel, ou de domínio, etc. 6. *Art. Gráf.* Suporte de impressão. 7. *Bibliogr.* Material sobre o qual se registram informações manuscritas, gravadas, digitalizadas, etc. ◆ **Suporte atlético.** Cinto dotado de saco para segurar e proteger os testículos, usado por doentes de hérnia ou de varicocele, ou por atletas; colhoneira, colhoneiro. **Suporte de impressão.** *Art. Gráf.* Qualquer material (papel, cartão, etc.) que recebe a impressão das fôrmas nas máquinas de imprimir. [Tb. se diz apenas *suporte*. Cf. *material subjetivo*.]

suposição [Do lat. *suppositione*.] *S. f.* 1. Ato ou efeito de supor. 2. Hipótese, conjetura.

supositício [Do lat. *suppositiciu*.] *Adj.* 1. Atribuído falsamente a alguém; suposto. 2. Fingido, falso. [Sin. ger.: *supositivo*.]

supositivo [Do lat. *suppositivu*.] *Adj.* 1. V. *supositício*. 2. Que apresenta os caracteres de suposição.

supositório [Do lat. *suppositoriu*.] *S. m. Farm.* Forma farmacêutica sólida, cônica ou cilíndrica, que se introduz pelo ânus e que, ao derreter-se, libera medicamento(s) a ser(em) absorvido(s) pelo reto.

supostamente [Do f. de *suposto*[1] + *-mente*.] *Adv.* De maneira suposta; com suposição.

suposto [Do lat. *suppositum*.] *S. m. Ant. E. Ling.* Na nomenclatura gramatical latina da Idade Média, denominação para todos os termos que precedessem o verbo, à exceção de seus modificadores, *grosso modo* equivalente a *sujeito* (11). [Cf. *aposto* (4).]

suposto (ô) [Do lat. *suppostu*.] *Adj.* 1. Hipotético, fictício. 2. Supositício (1). 3. *Bras. N.E.* Diz-se do dente postiço: "enquanto chorava o abandono, o riso morto na boca de dentes supostos, os olhos constantemente vermelhos, ... os cabelos sem pente permaneciam numa rebeldia feroz" (Mílton Dias, *As Cunhãs*, pp. 54-55). ● *S. m.* 4. Aquilo que subsiste por si; substância. 5. Coisa suposta. ● *Adv.* 6. Ainda que; embora; suposto que: "a dureza de certo o não vira, suposto voltasse para ele muitas vezes, ... a face" (*Livro Negro de Padre Dinis*, p. 215). ◆ **Suposto que.** 1. Na suposição ou hipótese de que; dado o caso que; dado que; admitido que. 2. Suposto (6).

S

➔**suppliers' credit** [sə'plajə·z 'kɹɛdɪt] [Ingl., 'crédito de fornecedores'.] *Com.* Em comércio internacional, financiamento concedido ao importador pelo próprio exportador, ou por este negociado junto a um banco.

➔**supra** ['supra] [Lat.] Citado ou mencionado acima ou anteriormente. [Antôn.: *infra*.]

▲ **supra-** [Do lat. supra.] *Pref.* = 'sobre', 'acima'; 'superposição'; 'superioridade'; 'aumento ou intensidade': *supracitado, supranormal.* [É seguido de hífen quando anteposto a palavra iniciada por *a* ou *h*: *supra-axilar, supra-homem* (em tais casos, apenas o 2º el. é flexionado na formação do plural); é grafado com *r* ou *s* duplicados quando anteposto à palavra iniciada por *r* ou *s*: *suprarrealismo, suprassumo.*]

supra-axilar (cs) [De *supra-* + *axilar.*] *Adj. 2 g. Bot.* Sobreaxilar.

supracitado [De *supra-* + *citado.*] *Adj.* Citado, mencionado ou dito acima ou antes; já referido; sobredito, supradito.

supracondutividade [De *supra-* + *condutividade.*] *S. f. Fís.* Supercondutividade.

supracondutor (ô) [De *supra-* + *condutor.*] *Adj. S. m.* Supercondutor.

supradito [Do lat. *supradictu.*] *Adj.* V. *supracitado.*

supradivino [De *supra-* + *divino.*] *Adj.* V. *sobredivino*: 📖 "Eterna e bela, belamente eterna, como este mundo divino e supradivino." (Machado de Assis, *Quincas Borba*, p. 13.)

supraesofágico [De *supra-* + *esofágico.*] *Adj. Anat.* Situado acima do esôfago. ❖

supraesternal [De *supra-* + *esternal.*] *Adj. 2 g. Anat.* Situado acima do esterno. ❖

supraexcitação [De *supra-* + *excitação.*] *S. f.* V. *sobre-excitação.* ❖

supraexcitante [De *supra-* + *excitante.*] *Adj. 2 g.* V. *sobre-excitante.* ❖

supraexcitar [De *supra-* + *excitar.*] *V. t. d. T. d. e i.* V. *sobre-excitar.* ❖

suprafacial [De *supra-* + *face* + *-al*¹; ingl. *suprafacial.*] *Adj. 2 g. Quím.* Pela mesma face de uma molécula (ou grupo desta), em reações pericíclicas.

supra-hepático [De *supra-* + *hepático.*] *Adj. Anat.* Situado acima do fígado.

supra-homem [De *supra-* + *homem.*] *S. m.* Super-homem.

supra-humanismo [De *supra-* + *humanismo.*] *S. m.* Sobre-humanismo.

supra-humano [De *supra-* + *humano.*] *Adj.* V. *sobre-humano.*

suprajacente [De *supra-* + *jacente.*] *Adj. 2 g.* Que jaz ou está por cima.

supralaríngeo [De *supra-* + *laríngeo.*] *Adj. Anat.* Situado acima da laringe.

supralitoral [De *supra-* + *litoral.*] *S. 2 g. Ocean.* Região costeira banhada pelo mar, situada acima da linha de maré mais alta; supramaré.

supramaré [De *supra-* + *maré.*] *S. f. Ocean.* Supralitoral.

supramolécula [De *supra-* + *molécula.*] *S. f. Quím.* Composto em que duas ou mais moléculas, que podem existir independentemente, estão unidas por interações intermoleculares.

supramolecular [De *supra-* + *molécula* + *-ar*¹.] *Adj. 2 g. Quím.* Próprio ou relativo a supramolécula. ~ V. *química —.*

supramundano [De *supra-* + *mundano.*] *Adj.* Que é superior ao mundo.

supranacional [De *supra-* + *nacional.*] *Adj. 2 g.* Diz-se daquilo que transcende o conceito de nação, do que é nacional.

supranatural [De *supra-* + *natural.*] *Adj. 2 g.* V. *sobrenatural* (1 a 5).

supranaturalismo [De *supra-* + *naturalismo.*] *S. m.* Sobrenaturalismo.

supranaturalista [De *supranaturalismo* + *-ista.*] *Adj. 2 g.* 1. Relativo ao supranaturalismo; sobrenaturalista. 2. Que é partidário do supranaturalismo. ● *S. 2 g.* 3. Partidário do supranaturalismo.

supranormal [De *supra-* + *normal.*] *Adj. 2 g.* Que ultrapassa o nível normal.

supranumerado [De *supra-* + *numerado.*] *Adj.* Numerado acima, antes ou atrás.

supranumerário [De *supra-* + *numerário.*] *Adj.* 1. Que excede o número fixado. ● *S. m.* 2. O que está acima do número estabelecido.

supraorbitário [De *supra-* + *orbitário.*] *Adj. Anat.* Situado acima da órbita (2). ❖

suprapartidário [De *supra-* + *partidário.*] *Adj.* Que está acima dos partidos [v. *partido* (4)].

suprapartidarismo [De *suprapartidário* + *-ismo.*] *S. m.* Sistema, convicção ou pendor suprapartidário.

suprarrealismo [De *supra-* + *realismo.*] *S. m.* V. *surrealismo.* ❖

suprarrealista [De *supra-* + *realista.*] *Adj. 2 g. S. 2 g.* V. *surrealista.* ❖

suprarrenal [De *supra-* + *renal.*] *Anat. Adj. 2 g.* 1. Situado acima dos rins; adrenal. ~ V. *glândula — e medula —.* ● *S. f.* 2. Glândula suprarrenal. ❖

suprassegmental [De *supra-* + *segmental.*] *E. Ling. Adj. 2 g.* 1. Diz-se de, ou relativo a traços que atuam sobre mais de um segmento (4), como os contornos de entonação; não segmental, plurissegmental. ~ V. *fonologia —.* ● *S. m.* 2. Efeito vocal que se estende por sobre mais de um segmento (4), tais como acento, ritmo, entoação. ❖

suprassensível [De *supra-* + *sensível.*] *Adj. 2 g.* Supersensível (1). ❖

suprassumo [Do lat. *supra summu*, 'acima do mais alto'.] *S. m.* O ponto mais alto; o mais alto grau; auge; requinte: 📖 "O homem pensa e produz pensamentos belos e podemos dizer que o suprassumo da beleza está nos pensamentos belos." (José Oiticica, *Curso de Literatura*, p. 45.) ❖

supratemporal [De *supra-* + *têmpora* + *-al*¹.] *Adj. 2 g.* Situado acima das têmporas.

supraterrâneo [De *supra-* + *terra* + *-âneo.*] *Adj.* 1. Que ocorre sobre a Terra. 2. Relativo à superfície da Terra. [Sin. ger.: *sobreterrestre.*]

supratorácico [De *supra-* + *torácico.*] *Adj. Anat.* Localizado acima do tórax.

supraversão [De *supra-* + *versão.*] *S. f. Odont.* Projeção de um dente além do plano de oclusão.

supremacia [Do ingl. *supremacy*, pelo fr. *suprémacie.*] *S. f.* 1. Superioridade, preeminência, hegemonia. 2. Poder supremo.

suprematismo [Do fr. *suprématisme.*] *S. m. Art. Plást.* Movimento iniciado pelo pintor abstracionista russo Kasimir Malevitch (1878-1935), e caracterizado por arranjos pictóricos de austeras formas geométricas. [Cf. *construtivismo* (2).]

suprematista [De *suprematismo* + *-ista.*] *Adj. 2 g.* 1. Relativo ao, ou que é partidário do suprematismo. ● *S. 2 g.* 2. Partidário dele.

supremo [Do lat. *supremu.*] *Adj.* 1. Que está acima de tudo; súpero. 2. Referente a Deus. 3. Derradeiro, último, extremo. 4. Superior, sumo: 📖 "És supremo! Os meus átomos se ufanam / De pertencer-te, oh! Dor" (Augusto dos Anjos, *Eu*, 30ª ed., p. 199). [Superl. abs. sint. de *alto*². Antôn.: *ínfimo.*] ~ V. *Ente —, expiação —a, honras —as, Soviete — e — Tribunal Federal.* ● *S. m.* 5. *Mat.* O menor dos limites superiores de um conjunto de números reais; extremo superior. 6. Supremo Tribunal Federal: 📝 *É ministro do Supremo.* [Com cap., nesta acepç.]

supressão [Do lat. *suppressione.*] *S. f.* 1. Ato ou efeito de suprimir. 2. *Tip.* Alteração (q. v.) consistente no corte de palavras, frases ou períodos, feita pelo autor em provas tipográficas.

supressivo [Do lat. *suppressivu.*] *Adj.* Que suprime; supressor, supressório.

supresso [Do lat. *suppressu.*] *Adj.* Suprimido.

supressor (ô) [Do lat. *suppressore.*] *Adj.* 1. V. *supressivo.* ● *S. m.* 2. *Genét.* Gene que sofreu uma mutação (3), resultando numa característica que anula o efeito de outra mutação, e revertendo ao fenótipo original. 3. *Quím.* Substância que provoca, em uma molécula que esteja em um estado excitado, o retorno ao estado fundamental. [Ger., o supressor, concomitantemente, passa ao estado excitado.]

supressório [De *supressor* + *-io*³.] *Adj.* V. *supressivo.*

supridor (ô) [De *suprir* + *-dor.*] *Adj. S. m.* Que, ou aquele que supre.

suprimento [De *suprir* + *-mento.*] *S. m.* 1. Ato ou efeito de suprir. 2. Auxílio, ajuda, socorro. 3. Suplemento (1). 4. Empréstimo (2). 5. *Bras.* Fornecimento; provisão. ◆ **Suprimento de fundos.** Adiantamento em dinheiro feito por órgão público a um seu servidor, em geral, para cobertura de gastos de pequena monta, como, p. ex., despesas postais, com exigência de prestação de contas posterior.

suprimido [Part. de *suprimir.*] *Adj.* Que se suprimiu; que foi objeto de supressão; supresso.

suprimir [Do lat. *supprimere.*] *V. t. d.* 1. Impedir que apareça; impedir a publicação, a vulgarização, a divulgação de: 📝 *A censura suprimiu o editorial.* 2. Cortar, eliminar: 📝 *Transcreveu o artigo suprimindo alguns trechos.* 3. Fazer que desapareça, que se extinga; extinguir: 📝 *Sonhava suprimir a miséria do mundo.* 4. Cassar, anular, abolir: 📝 *O Governo suprimirá as garantias individuais.* 5. Passar em silêncio; não dizer ou mencionar; omitir: 📝 *Pensando melhor, resolveu suprimir sua opinião.* [Part.: *suprimido* e *supresso.*]

suprimível [De *suprimir* + *-vel.*] *Adj. 2 g.* Que se pode suprimir.

suprir [Do lat. *supplere*, 'completar'.] *V. t. d.* 1. Completar, inteirar, preencher: 📝 *O exército tentou suprir a força que lhe faltou.* 2. Fazer as vezes de; substituir: 📝 *A força bruta não supre a inteligência.* 3. Remediar, diminuir, minorar: 📝 *Sua presença animadora supriu as dificuldades da reunião.* 4. Preencher a falta de; prevenir. *T. d. e i.* 5. Prover, abastecer: 📝 *Os armazéns não chegam para suprir a população de alimentos;* 📖 "Isto me faz pensar na heroica luta que os nossos romancistas são chamados a empreender em silêncio para suprir com substância própria o que vulgarmente não encontram em volta de si." (Moisés Velinho, *Letras da Província*, p. 110). 6. Trocar, substituir: 📝 *Supriu o leite por água. T. i.* 7. Servir de auxílio; acudir, remediar: 📝 *Vendeu as joias para suprir às despesas.* 8. Dar o necessário para a subsistência: 📝 *Supre a toda a família.*

suprível [De *suprir* + *-vel.*] *Adj. 2 g.* Que pode ser suprido.

supupara *S. f. Bras. N.E. Pop.* V. *cachaça* (1).

supuração [Do lat. *suppuratione.*] *S. f. Patol.* Ato ou efeito de supurar.

supurado [Part. de *supurar.*] *Adj.* Que está em supuração: 📝 *apêndice supurado.* [Cf. *soporado.*]

supurante [Do lat. *suppurante.*] *Adj. 2 g.* Que supura.

supurar [Do lat. *suppurare.*] *Med. V. int.* 1. Formar pus; converter-se em pus. 2. Eliminar pus. *T. d.* 3. Lançar, expelir (matéria purulenta). [Part.: *supurado.* Cf. *soporado.*]

supurativo [De *supurar* + *-tivo.*] *Terap. Adj.* 1. Que produz supuração, ou a facilita; supuratório. ● *S. m.* 2. Medicamento que facilita a supuração. [Cf. *soporativo.*]

supuratório [Do lat. *suppuratoriu.*] *Adj.* Supurativo (1).

suputação [Do lat. *supputatione.*] *S. f.* Ato ou efeito de suputar.

suputar [Do lat. *supputare.*] *V. t. d.* Calcular, computar.

suputável [De *suputar* + *-vel.*] *Adj. 2 g.* Que pode ser suputado.

sura¹ [Do lat. *sura.*] *S. f. Anat.* Panturrilha (1). [Cf. *surá.*]

sura² [Do concani *sur.*] *S. f.* 1. O suco ou seiva das palmeiras cortadas 2. *P. ext.* Vinho feito com a sura (1); maluvo: 📖 "Pelas manhãs, só os passos dos candongueiros da sura, recolhendo, ainda fresco, o suco das palmeiras cortadas." (Ascêncio de Freitas, *Carmem Era o Nome*, p. 33.) [Cf. *surá.*]

sura³ [Do ár. *sura(t).*] *S. f.* Capítulo ou seção do Alcorão (q. v.). [Var.: *surata.* Cf. *surá.*]

sura⁴ [Fem. de *suro.*] *Adj.* 1. *Zool. Bras.* Fem. de suru (1). ● *S. f.* 2. *Bras. MA* Suru (2). [Cf. *surá.*]

▲ **-sura** V. *-ura.*

surá [Do top. *Surate* (Índia), pelo ingl. *Surah.*] *S. m. Tec. Têx.* Tecido fino, leve e macio, de seda brilhante, natural ou sintética. [Cf. *sura.*]

sural [De *sura*¹ + *-al*¹.] *Adj. 2 g. Anat.* Relativo ou pertencente a sura¹.

suramina [Voc. farmac.] *S. f. Quím.* Substância sólida, que é um pó branco, higroscópico, aromático, que contém seis grupos de ácido sulfônico e é us., sob forma de sal sódico, como anti-helmíntico [fórm.: $C_{51}H_{34}N_6Na_6O_{23}S_6$].

surata *S. f.* V. *sura*³.

surcar [De *sulcar*, com assimilação.] *V. t. d. P. us.* Sulcar (q. v.): 📖 "Surco de bravo golfo dilatado / As desertas campinas procelosas." (Domingos dos Reis Quita, *Obras*, II, p. 88.) [Conjug.: v. *trancar.*]

surculoso (ô) [Do lat. *surculosu.*] *Adj. Bot.* Que tem brotos ou renovos.

surda [F. subst. do adj. *surdo.*] *S. f.* 1. *E. Ling.* Consoante surda (q. v.). 2. *Bras. Pop.* V. *solitária* (3). 3. *Lus. Gír.* Gratificação cujo total se encobre. ~ V. *surdas.*

surdas [F. subst. do pl. do adj. *surdo.*] *El. s. f. pl.* Us. na loc. adv. *às surdas.* ~ V. *surda.* ◆ **Às surdas.** Sem rumor; sem ser pressentido; em surdina: 📖 "caminhando às surdas pelo corredor, abriu o armário subtilmente, depôs a carta e desapareceu." (Camilo Castelo Branco, *Mistérios de Fafe*, p. 20).

surdear [De *surdo* + *-ear*².] *V. int.* Fingir surdez. [Conjug.: v. *frear.*]

surdez (ê) [De *surdo* + *-ez.*] *S. f. Otor.* Qualidade ou afecção de surdo; ensurdecência, ensurdecimento. ◆ **Surdez de condução.** *Otor.* A que resulta de lesão de meato acústico externo ou de orelha média (que são as vias de condução do som). **Surdez neurossensorial.** *Otor.* A que resulta de lesão de orelha interna ou de nervo auditivo.

surdimutismo [De *surdo* + *-i-* + *mutismo.*] *S. m. P. us.* Surdo-mudez.

surdina [Do it. *sordina.*] *S. f. Mús.* 1. Pequena peça móvel que se aplica a diversos instrumentos musicais a fim de abafar-lhes a sonoridade e alterar-lhes o timbre. 2. O pedal esquerdo do piano. ◆ **Surdina uá-uá.** 1. *Mús.* Surdina (1), originária do jazz, us. no trombone e trompete, e que produz um som anasalado, que pode ser assim representado: uá-uá. 2. Pedal que produz este mesmo som na guitarra. **À surdina.** Pelas caladas; em surdina; à socapa: 📖 "As seculares eram abeatadas, umas pobretonas, falavam muito baixinho, à surdina" (Camilo Castelo Branco, *História e Sentimentalismo*, p. 226). **Em surdina.** V. *à surdina.*

surdinar [De *surdina* + *-ar*².] *V. int.* **1.** Produzir murmúrio brando; rumorejar, suavemente. *T. d.* **2.** Cantar ou dizer em surdina: 📖 "Felicidade... Sombra que só vejo, / Longe do Pensamento e do Desejo, / Surdinando harmonias e sorrindo" (Raul de Leoni, *Luz Mediterrânea*, p. 57).

surdir [Do fr. ant. *sourdre*.] *V. int.* **1.** Sair da terra; brotar (água). **2.** Emergir, irromper. **3.** Aparecer, surgir: 📖 "no céu, ainda claro, a lua, em crescente, surdia, luminosa e doce." (Pedro Rabelo, *A Alma Alheia*, p. 194). **4.** *Mar.* Ir adiante, navegando. *T. c.* **5.** Emergir; sair. *T. i.* **6.** Resultar, provir, advir: *Nenhum proveito surdiu de seus esforços*; 📖 "Nenhuma dessas sensações [a olfativa, a gustativa e a tátil].... desperta sentimento de beleza. Este surde unicamente das sensações visuais e das sensações auditivas." (José Oiticica, *Curso de Literatura*, p. 45).

surdista *S. 2 g.* Tripulante de salva-vidas a quem incumbe socorrer náufragos.

surdo [Do lat. *surdu*.] *Adj.* **1.** Que não ouve, ou quase não ouve; mouco. **2.** Pouco sonoro; pouco audível: *um baque surdo.* **3.** Feito em silêncio ou sem ruído. **4.** Oculto, secreto, esconso: 📖 "Um surdo anseio, uma secreta curiosidade aflita perseguia-me a vida inteira: — tornar a encontrar algum dia .... a namoradinha da Floresta" (Lúcio de Mendonça, *Horas do Bom Tempo*, p. 206). **5.** Feito, tramado, maquinado às ocultas, em surdina: 📖 "passei a sofrer uma das campanhas mais surdas e mais infamantes de que ouvi falar. Volantes mimeografados. Telefonemas. Telegramas .... Cartas anônimas para meus amigos, parentes" (Nestor de Holanda, *Memórias do Café Nice*, p. 85). **6.** Diz-se da marcha feita sem ruído. **7.** *Fig.* Insensível, impassível, indiferente: 📖 "O governo permanece completamente surdo e indiferente a todas essas sugestões." (Ramalho Ortigão, *As Farpas*, IV, p. 264.) **8.** De pouco brilho (pintura). **9.** *E. Ling.* Produzido sem vibração das pregas vocais. [Cf., nesta acepç., *sonoro* (4).] **10.** *Mar.* Que não obedece: *O navio está surdo ao leme.* **11.** *Mar.* Que não faz ruído. ~ V. *consoante —a, dor —a, poleame —, vinho —* e *voga —a.* ● *S. m.* **12.** Aquele que não ouve, ou que ouve muito mal. **13.** *Bras. Mús.* V. *tambor-surdo.*

surdo-mudez (ê) [De *surdo-mudo* + *-ez*.] *S. f.* Qualidade de surdo-mudo. [Sin., p. us.: *surdimutismo.* Pl.: *surdo-mudezes.*]

surdo-mudo *Adj. S. m.* Diz-se de, ou aquele que é, a um tempo, surdo e mudo. [Flex.: *surda-muda, surdos-mudos, surdas-mudas.*]

➔**surf** [sɘf] [Ingl.] *S. m.* V. *surfe.*

surfar [De *surfe* + *-ar*².] *V. int. Bras.* Praticar o surfe.

surfatante [Do ingl. *surfactant* < *surf(ace) act(ive) a(ge)nt.*] *Adj. 2 g. S. m.* **1.** *Fisiol.* Diz-se de, ou substância secretada por células alveolares pulmonares, presente em alvéolos e em vias respiratórias, e que se destina a reduzir a tensão superficial de líquidos pulmonares, desta maneira facilitando a capacidade elástica pulmonar; superficiagente. **2.** *Quím.* Tensioativo.

surfe [Do ingl. *surf.*] *S. m. Esport.* Modalidade esportiva em que o atleta desliza numa onda de pé sobre uma prancha.

surfista [De *surfe* + *-ista.*] *S. 2 g. Bras.* Pessoa que pratica o surfe.

surgência [De *surgir* + *-ência.*] *S. f.* Afloramento natural de água subterrânea, em pontos do terreno, poços ou fissuras nas rochas.

surgente [De *surgir* + *-nte.*] *Adj.* Que surge.

surgida [De *surgir* + *-ida*².] *S. f. Bras. BA* Reaparecimento da baleia após o mergulho.

surgidoiro [De *surgir* + *-doiro*².] *S. m.* Surgidouro (q. v.).

surgidouro [De *surgir* + *-douro*²; var. de *surgidoiro.*] *S. m.* Lugar onde surgem e ancoram embarcações.

surgimento [De *surgir* + *-mento.*] *S. m.* Ato ou efeito de surgir.

surgir [Do lat. *surgere.*] *V. int.* **1.** Chegar por via marítima; aportar, ancorar: 📖 "Surge diante a frota lusitana, / Pega no fundo a âncora pesada." (Luís de Camões, *Os Lusíadas*, II, 174); *A embarcação surgiu na hora certa.* **2.** Vir do fundo para a superfície; emergir: *Após alguns dias do naufrágio os restos do navio surgiram.* **3.** Erguer-se, elevar-se, levantar-se. **4.** Raiar, despontar, nascer: *O Sol acaba de surgir.* **5.** Aparecer de repente; sobrevir: *Já não o esperávamos quando surgiu, sorridente.* **6.** Manifestar-se; aparecer: *Após os primeiros debates surgiram novos problemas.* **7.** Vir, chegar: *Surgirá o tempo em que os homens viverão sem guerras?* **8.** Decorrer, passar, transcorrer: *Dez anos surgiram antes que pudesse rever-te.* *T. i.* **9.** Ocorrer, acudir, vir: *Grandes ideias surgiram à mente daquele sábio.* **10.** Acordar, despertar: *Por fim, surgiu do sono.* *T. c.* **11.** Sair, proceder, provir: *De onde surgiu você?* [F. paral., p. us.: *assurgir.* Conjug.: v. *dirigir*, mas tem dois part.: *surgido* e *surto.*]

suri [V. *suro.*] *Adj. 2 g. Bras. SP* **1.** *Zool.* V. *suru* (1). **2.** Sem mangas (camisa).

suricata [Do tax. *Suricata* < fr. *suricate, surikate.*] *S. f. Zool.* **1.** Gênero monoespecífico de mamíferos escavadores, viverrídeos, que habitam o S. da África, e que se relacionam aos mangustos, mas são tetradáctilos; têm pelagem acinzentada, com listras escuras, hábitos diurnos, e, quando parados, ficam eretos sobre as patas traseiras. **2.** A espécie desse gênero: *Suricata tetradactyla* ou *S. suricatta.* **3.** Qualquer espécime desse gênero. [Sin. nas acepç. 2 e 3: *suricato, suricate.*]

suricate [Do fr. *suricate, surikate*, de uma língua sul-africana.] *S. m. Zool.* V. *suricata* (2 e 3).

suricato [Adapt. do tax. *Suricata.*] *S. m. Zool.* V. *suricata* (2 e 3).

➔**surimi** [suri'mi] [Jap.] *S. m. Cul.* Processado de peixe, com vários formatos.

surinamês [De *Suriname* + *-ês.*] *Adj.* **1.** Do, ou pertencente ou relativo ao, ou próprio do Suriname (antiga Guiana Holandesa, América do Sul). ● *S. m.* **2.** O natural ou habitante do Suriname. **3.** *Gloss.* Sranan (q. v.). [Flex. (nas acepç. 1 e 2): *surinamesa* (ê), *surinameses* (ê), *surinamesas* (ê).]

surineia (éi) *S. f. Bras. Bot.* V. *canela-inhaíba.* ❖

➔**surmenage** [syʀmɘ'naʒ] [Fr.] *S. f.* Estafa (3).

suro [De or. obscura.] *Adj. Bras. Zool.* V. *suru* (1).

surote *Adj. 2 g. Bras. MG Zool.* V. *suru* (1).

surpreendedor (ô) [De *surpreender* + *-dor.*] *Adj.* V. *surpreendente*: 📖 "toda esta aparência de cansaço ilude. Nada mais surpreendedor do que vê-la desaparecer de improviso." (Euclides da Cunha, *Os Sertões*, p. 115).

surpreendente [De *surpreender* + *-nte.*] *Adj. 2 g.* **1.** Que surpreende. **2.** Magnífico, maravilhoso, admirável. [Sin. ger.: *surpreendedor.*]

surpreender [Do fr. *surprendre.*] *V. t. d.* **1.** Apanhar de improviso; saltear: *Tentaremos surpreender os inimigos.* **2.** Induzir em erro. **3.** Aparecer inesperadamente diante de: *O pai surpreendeu-o quando saía às ocultas.* **4.** Causar surpresa a; espantar, admirar: *A beleza da jovem surpreendeu os rapazes.* **5.** Maravilhar, espantar, assombrar: *A visão do impossível surpreendeu os incréus.* **6.** Obter furtivamente. *T. d. e i.* **7.** Conseguir com astúcia; obter por fraude: *O fraudulento advogado surpreendeu muito dinheiro ao ingênuo cliente.* *Int.* **8.** Causar surpresa: 📖 "Não surpreende .... que tenha [Gilberto Amado] feito de um famoso ganhador de causas no foro uma das figuras centrais do romance [*Inocentes e Culpados*]" (Homero Sena, *Gilberto Amado e o Brasil*, p. 163). *P.* **9.** Espantar-se, admirar-se: *Surpreendeu-se de vê-lo presente.* [Sin. ger. p. us.: *surpresar.* Part.: *surpreendido* e *surpreso.*]

surpreendido [Part. de *surpreender.*] *Adj.* Perplexo, admirado, surpreso (q. v.).

surpresa (ê) [Do fr. *surprise.*] *S. f.* **1.** Ato ou efeito de surpreender(-se). **2.** Aquilo que surpreende. **3.** Acontecimento imprevisto; sobressalto. **4.** Prazer inesperado. [Pl.: *surpresas* (ê). Cf. *surpresa* e *surpresas*, do v. *surpresar.*]

surpresar [De *surpresa* + *-ar*².] *V. t. d. T. d. e i. P. P. us.* V. *surpreender*: 📖 "Queriam surpresá-lo em erro, como o do Custódio. Mas cadê jeito de pegá-lo no soflagrante?" (Manuel Lobato, *Garrucha 44*, p. 92.) [Pres. ind.: *surpreso, surpresas, surpresa*, etc. Cf. *surpresa* (ê), pl. *surpresas* (ê), e *surpreso* (ê).]

surpreso (ê) [Part. irreg. de *surpreender*; fr. *surpris.*] *Adj.* Perplexo, admirado, surpreendido. [Flex.: *surpresa* (ê), *surpresos* (ê) e *surpresas* (ê). Cf. *surpreso, surpresas, surpresa*, do v. *surpresar.*]

surra [Dev. de *surrar.*] *S. f.* **1.** Ação ou efeito de surrar, de espancar. [Sin., na maioria pop. ou fam.: *carga, chegadela, coça, esfrega, esmola, malha, moedela, pancadaria, pisa, póla, roda de pau, sova, tareia, tosa, tosquiadela, trepa, tunda, zurzidela* e (bras.) *bababi, bate-bate, biaba, bordoeira, buduna, camaçada, chá de casca de vaca, fubeca, fubecada, mela, muxinga, piau, refresco, sapeca, sumanta, sunfa, tasca, tuzina, vareio.*] **2.** *Bras. Fam.* Maçada, caceteação, esfrega, seca: *Meu primo deu-me uma surra: falou duas horas sem parar.* **3.** *Bras. Fam.* Derrota expressiva infligida ao adversário; banho: *Depois da surra que levou, o clube campeão foi desclassificado.* **4.** *Bras. Fam.* Esforço demasiado que produz cansaço; sova: *Na época de festas o trabalho de balconista é uma surra; Este ano o vestibular foi uma surra.*

surra de língua *S. f. Bras. Fam.* **1.** V. *descompostura* (2). **2.** V. *repreensão* (1). [Pl.: *surras de língua.*] ☑

surrado¹ [Part. de *surrar.*] *Adj.* **1.** Curtido, pisado, batido. **2.** Espancado, sovado. **3.** Gasto pelo uso: *vestido surrado.*

surrado² [De *surro* + *-ado*¹.] *Adj.* Coberto de surro; sujo.

surrador (ô) [De *surrar* + *-dor.*] *Adj. S. m.* Que, ou aquele que surra.

surragem [De *surrar* + *-agem*².] *S. f.* Surramento.

surramento [De *surrar* + *-mento.*] *S. m.* Ato ou efeito de surrar; surragem.

surrão [Do ár. *ṣurra(t)*, 'bolsa'.] *S. m.* **1.** Bolsa ou saco de couro usado sobretudo para farnel de pastores; sarrão. **2.** Indivíduo muito sujo; porco. **3.** Roupa suja e gasta: 📖 "Estendido ao lado, nas ervas úmidas, dormia .... um homem, que decerto por ali guardava porcos, porque vestia um grosso surrão de coiro e trazia, pendurada da cinta, uma buzina de porqueiro." (Eça de Queirós, *Contos*, p. 143.) ◆ **Arrastar surrão.** *Bras. SP Pop.* Alardear ou roncar valentias; fazer bazófias; bazofiar.

surrar [De or. incerta.] *V. t. d.* **1.** Curtir, pisar ou machucar (peles). **2.** Dar surra (1) em; bater em; maltratar com pancadas. [Sin., nesta acepç., na maioria pop. e fam.: *coçar, desasar, espancar, malhar, moer, sapecar, sovar, tarear, tosar, tundar, tungar*, e (bras.) *brochar, fubecar, muxurundar, sabugar, sapecar* e (lus.) *afanfar.*] *P.* **3.** Gastar-se (peça de vestuário) por efeito do uso.

surreal [Do fr. *suréel.*] *Adj.* **1.** Próprio do surrealismo. **2.** Que se afasta da razão ou da realidade, causando estranheza; absurdo.

surrealismo [Do fr. *surréalisme.*] *S. m.* Moderna escola de literatura e arte iniciada em 1924 por André Breton (1896-1966), escritor francês, caracterizada pelo desprezo das construções refletidas ou dos encadeamentos lógicos e pela ativação sistemática do inconsciente e do irracional, do sonho e dos estados mórbidos, valendo-se frequentemente da psicanálise. Visava, em última instância, à renovação total dos valores artísticos, morais, políticos e filosóficos: 📖 "O surrealismo procurava conjugar arte, sonho e realidade na tentativa de compreender além da realidade empírica." (Bella Jozef, *Jorge Luis Borges*, p. 47.) [São preferíveis, porém p. us., as formas *super-realismo* e *suprarrealismo.* Cf. *automatismo* (4).]

surrealista [Do fr. *surréaliste.*] *Adj. 2 g.* **1.** Relativo ao surrealismo. **2.** Diz-se do artista ou da obra que segue o surrealismo: *São notáveis os quadros surrealistas de Salvador Dali.* ● *S. 2 g.* **3.** Artista que adota o surrealismo. [Preferíveis, mas p. us., as f. *super-realista* e *suprarrealista.*]

surriada [De **surriar*, de or. onom.] *S. f.* **1.** Descarga de artilharia ou de espingardaria: 📖 "todos queriam .... assistir .... às descargas da artilharia, às surriadas da mosquetaria" (Oliveira Martins, *História de Portugal*, II, p. 64). **2.** Borrifos das ondas que rebentam. **3.** Troça, zombaria, apupo, escárnio: 📖 "— Sou cinza (dizia a velha) mas um dia fui fogo! — sob a surriada e a zombaria dos que a ouviam." (João Ribeiro, *Floresta de Exemplos*, p. 114.)

surriba [Dev. de *surribar.*] *S. f.* Ato ou efeito de surribar.

surribar [De *sub-* + *riba* + *-ar*², poss.] *V. t. d.* **1.** Escavar (a terra), para afofar. **2.** Fazer escavação em redor de (árvore transplantada), a fim de que se desenvolva melhor.

surriola [De or. obscura.] *S. f. Constr. Nav.* Pau de surriola.

surripiar [Adapt. do lat. *surripere*, 'furtar'.] *V. t. d. T. d. e i. Pop.* Subtrair às escondidas; furtar, roubar: *Surripiou a bolsa da velha.* [Var., bras., pop. *surrupiar.* Sin., lus.: *abarbatar.*]

surro [De or. obscura.] *S. m.* **1.** Sujeira no rosto, nas mãos e nos pés, sobretudo a proveniente do suor. **2.** Porcaria, cisco, pó.

surrobeco [De or. *incerta.*] *S. m. Lus.* Pano grosseiro e durável, semelhante ao burel, porém um pouco mais largo, fabricado na Covilhã e no Alentejo: 📖 "as jaquetas de pano de Saragoça com remendos de surrobeco pardo nos cotovelos surrados" (Antero de Figueiredo, *Toledo*, p. 141).

surrupeia (éi) *S. f. Bras. CE* Espécie de peia para cavalo e boi.

surrupeio *S. m. Bras. N.E. Zool.* V. *embuá.*

surrupiar *V. t. d. T. d. e i. Bras. Pop.* V. *surripiar*: 📖 "Os devotos deixavam as moedas, em oferenda ao santo, mas os moleques e os malandros surrupiavam-nas." (Guido Vilmar Sassi, *São Miguel*, p. 69.)

➔**sursis** [syʀ'si] [Fr.] *S. m. Jur.* Suspensão condicional da pena.

➔**sursum corda** ['sursoŋ 'korda] [Lat.] Elevai os corações. [Frase que o sacerdote católico pronuncia ao celebrar a missa, no começo do prefácio. Cita-se como exortação a sentimentos elevados.]

surtar [De *surto* + *-ar*².] *V. int. Bras. Fam.* Apresentar, mais ou menos repentinamente, sintomas associados às psicoses; ter um surto psicótico.

surtida [Do it. *sortita.*] *S. f.* **1.** Investida de sitiados contra sitiantes. **2.** Lugar apropriado, por onde se sai contra o inimigo. **3.** Investida, ataque, arremetida: 📖 "Agora se limitava a acompanhar o piloto nas suas surtidas sobre as hostes inimigas, quando o teco-teco se fazia em bombardeiro e despejava bombas em cima da cabeça da gente." (Fernando Sabino, *O Homem Nu*, p. 27.)

S

surtir [De *sortir*, poss.] *V. t. d.* **1.** Ter como consequência, produzir, alcançar (efeito): "O seu plano surtira bom efeito." (Inglês de Sousa, *O Missionário*, p. 216); *As negociações não surtiram os resultados esperados. T. i.* **2.** Ter consequência, boa ou má: *Seus esforços surtiram-lhe bem.* **3.** Produzir resultado; produzir efeito: *Abandonou ambos os planos, pois nenhum lhe surtiu.* [Defect., conjugável só nas 3.as pess. Part.: *surtido*. Cf. *sortido* e *sortir*.]

surto [Do lat. **surctu*, por *surrectus*, part. pass. de *surgere*, 'surgir'.] *Adj.* **1.** Diz-se da embarcação ancorada, amarrada à boia ou ao cais. • *S. m.* **2.** Voo alto. **3.** Desejo intenso; ambição, cobiça. **4.** Arranco, arrancada, impulso. **5.** *Eng. Elétr.* Variação brusca e momentânea da corrente ou da tensão de um circuito elétrico. **6.** Aparecimento repentino; irrupção: *surto de malária.*

surtum [Do fr. *surtout*, 'sobretudo', poss.] *S. m. Bras. SP* Espécie de jaleco de baeta, usadíssimo outrora.

suru [V. *suro*.] *Adj. 2 g.* **1.** *Bras. Zool.* Diz-se de animal sem cauda ou que só tem o coto da cauda; suri, suro, surote, bicó, cotó, nabuco, nambi, pitoco, rabi, rabicó, torado. [Fem.: *sura*.] • *S. m.* **2.** *Bras. BA* Papagaio (5) sem cauda, com pequenas barbatanas de papel de seda. [Sin., nesta acepç., no MA: *sura*.]

suruanã [De or. tupi, poss.] *S. f. Bras. Zool.* Reptil quelônio, quelonídeo (*Chelone mydas*), dos mares tropicais, com pés providos de duas unhas, e carapaça com até 1m de comprimento. A coloração da parte superior varia do pardacento ao pardo-escuro com tons esverdeados com manchas amarelas, e a parte inferior é amarelada.

suruba [Do tupi.] *Adj. 2 g.* **1.** *Bras.* Bom, excelente, forte, supimpa. • *S. f.* **2.** *Bras.* Grande cacete; bengalão. **3.** *Bras. S. Chulo* Namoro escandaloso. V. *namoro* (1). **4.** *Bras. Chulo* Orgia sexual em que participam mais de duas pessoas; surubada, bacanal.

surubada [De *suruba* + *-ada*[1].] *S. f.* **1.** *Bras.* Pancada com suruba (2). **2.** *Bras. RJ Chulo* V. *suruba* (4).

surubi [Do tupi.] *S. m. Bras. Zool.* V. *surubim*.

surubim [Var. de *surubi*.] *S. m. Bras. Zool.* Designação comum a bagres pimelodídeos, gêneros *Platystomatichthys, Pseudoplatystoma* e *Sorubimichthys*, de porte avantajado e cabeça grande, achatada. [Sin.: *loando, loango*. Outras var.: *surumi, surumbi*.]

surubim-caparari *S. m. Bras. Zool.* V. *surubim-pintado*. [Pl.: *surubins-capararis* e *surubins-caparari*.]

surubim-chicote *S. m. Bras. Zool.* V. *surubim-mena* (2). [Pl.: *surubins-chicotes* e *surubins-chicote*.]

surubim-lenha *S. m. Bras. Zool.* V. *surubim-mena* (2). [Pl.: *surubins-lenhas* e *surubins-lenha*.]

surubim-lima *S. m. Zool.* V. *jurupensém*. [Pl.: *surubins-limas*.]

surubim-mena *S. m. Bras. Zool.* **1.** Bagre pimelodídeo (*Platystomatichthys sturio*) da Amaz., de coloração geral pardo-avermelhada, abdome prateado, flancos com manchas negras. Tem cabeça grande, maxila terminada em rostro, barbilhão maxilar mais longo que o corpo, nadadeira caudal com pontas longas e afiladas. Alcança até 30cm de comprimento. [Sin.: *peixe-lenha, pirapéua, pirapeuaua, pirajupeva*.] **2.** Bagre pimelodídeo (*Sorubimichthys planiceps*) da bacia dos rios Amazonas e Orinoco, de corpo roliço e alongado e cabeça grande e achatada, coloração de marrom a cinza escura, com o ventre branco com manchas escuras; alcança até 1,5m de comprimento. [Sin.: *peixe-lenha, surubim-lenha, surubim-chicote*. Pl.: *surubins-menas*.]

surubim-pintado *S. m. Bras. Zool.* Bagre pimelodídeo (*Pseudoplatystoma corruscans*), da bacia dos rios Amazonas, Prata e São Francisco, de coloração pardo-clara com manchas escuras transversais, algumas marginadas de branco, máculas redondas, escuras, entremeando as raias transversais, e abdome branco-nacarado. Pode alcançar mais de 1,5m de comprimento. [Tb. se diz apenas *pintado*. Sin.: *surubim-caparari, brutelo, caparari, piracajara*. Pl.: *surubins-pintados*.]

surubim-rajado *S. m. Bras. Zool.* Bagre pimelodídeo (*Pseudoplatystoma fasciatum*), amplamente distribuído na América do Sul (bacia dos rios Amazonas, Orinoco, Paraná e outras). O dorso varia do pardo ao acinzentado, com faixas transversais; o ventre é branco, com manchas arredondadas e as nadadeiras têm numerosas pintas. Alcança até 2m de comprimento. [Sin.: *pirambucu, piracambucu, cambucu, bagre-rajado*. Pl.: *surubins-rajados*.]

surubinense *Adj. 2 g.* **1.** De, ou pertencente ou relativo a Surubim (PE). • *S. 2 g.* **2.** O natural ou habitante de Surubim.

surucar [De or. express., poss.] *V. int. Bras.* Desabar, ruir; afundar. [Conjug.: v. *trancar*.]

surucuá [Do tupi.] *S. m. Bras. Zool.* Designação comum a várias espécies de aves trogoniformes, trogonídeas, especialmente as dos gêneros *Trogon* e *Trogonurus*, de cores muito brilhantes e pele extremamente fina, insetívoras e frequentadoras das matas virgens.

surucuá-de-barriga-amarela *S. m. Bras. Zool.* Ave trogonídea (*Trogon stricilatus*), muito difundida pelo Brasil, de dorso verde lustroso, nuca e vértice de um tom de cobre tirante a azul, face e garganta negras, peito azul, e barriga amarela. A fêmea é cinza-escura, com barriga amarela. Alimenta-se de insetos e vive em matas virgens. [Sin.: *pata-choca, perua-choca, peru-de-sol, pavãozinho-do-mato, capitão-do-mato*. Pl.: *surucuás-de-barriga-amarela*.]

surucuá-de-barriga-vermelha *S. m. Bras. Zool.* Designação comum a duas espécies de trogonídeos: *Trogon melanurus*, do N.O. do Brasil, AM, PA, MA, e N. e O. de MT, e *Trogon surrucura*, do S.E. O primeiro é verde-azulado brilhante, com cabeça, garganta e peito azul-esverdeados, e peito separado do abdome vermelho por uma fita branca. [Sin.: *surucuá-tatá*. Pl.: *surucuás-de-barriga-vermelha*.]

surucuá-pequeno *S. m. Bras. Zool.* Pequeno surucuá da Amazônia (*Trogon violaceus ramonianus*). [Pl.: *surucuás-pequenos*.]

surucuá-tatá [De *surucuá* + o tupi = 'fogo', pela coloração vermelha do baixo-ventre.] *S. m. Bras. Zool.* Surucuá-de-barriga-vermelha. [Pl.: *surucuás-tatás* e *surucuás-tatá*.]

surucucu [Do tupi.] *S. f.* **1.** *Bras. Angol. Zool.* V. *jararacuçu*. **2.** *Bras. Zool.* V. *surucutinga*. **3.** *Bras. Fig. Fam.* Mulher de mau gênio.

surucucu-de-fogo *S. f. Bras. N.E. Zool.* V. *surucutinga*. [Pl.: *surucucus-de-fogo*.]

surucucu-de-patioba *S. f. Bras. BA Zool.* V. *jararaca-verde*. [Pl.: *surucucus-de-patioba*.]

surucucu-de-pindoba *S. f. Bras. Zool.* V. *jararaca-verde*. [Pl.: *surucurus-de-pindoba*.]

surucucu-do-pantanal *S. f. Bras. MT Zool.* Boipevaçu. [Pl.: *surucucus-do-pantanal*.]

surucucu-dourada *S. f. Bras. Zool.* V. *jararacuçu*. [Pl.: *surucucus-douradas*.]

surucucu-pico-de-jaca *S. f. Bras. BA* V. *surucutinga*. [Pl.: *surucucus-pico-de-jaca*.]

surucucu-pindoba *S. f. Bras. Zool.* V. *jararaca-verde*. [Pl.: *surucucus-pindobas* e *surucucus-pindoba*.]

surucucu-pinta-de-ouro *S. f. Bras. Zool.* V. *jararaca-verde*. [Pl.: *surucucus-pinta-de-ouro*.]

surucucurana [De *surucucu* + *-rana*.] *S. f. Bras. N. Zool.* V. *cobra-d'água* (1). [Var.: *surucurana*.]

surucucu-tapete *S. f. Bras. Zool.* V. *jararacuçu*. [Pl.: *surucucus-tapetes* e *surucucus-tapete*.]

surucucutinga *S. f. Bras. Zool.* V. *surucutinga*.

surucura [Var. de *saracura*, poss.] *S. f. Bras. Bot.* V. *maracujá-sururuca*.

surucurana *S. f. Bras. Zool.* V. *surucucurana*.

surucutinga [Var. de *surucucutinga* < *surucucu* + *-tinga*.] *S. f. Bras. Zool.* Reptil ofídio, crotalídeo (*Lachesis muta*), das matas tropicais brasileiras, que pode atingir 3,60m de comprimento e é a maior cobra venenosa do Brasil. Tem na cabeça escamas tuberculiformes; a cauda termina em acúleo córneo; a coloração geral é rósea, e sobre ela se destacam, na região dorsal, figuras romboédricas escuras. Vive nas matas virgens ou capoeirões bastante desenvolvidos, e alimenta-se de roedores e outros pequenos animais. Ao contrário das jararacas, é muito arisca, afastando-se mal entra em contato com o homem. [Var.: *surucucutinga*. Sin.: *surucucu, surucucu-de-fogo, surucucu-pico-de-jaca, cobra-topete*.]

suruí *Bras. S. 2 g.* **1.** *Etnôn.* Indivíduo dos suruís [ou (etnôn. bras.) *Aikewara], povo indígena da família linguística tupi-guarani, tronco tupi, que habita o município de Marabá (PA). **2.** *Etnôn.* Indivíduo dos suruís [ou (etnôn. bras.) *Paíter], povo indígena da família linguística mondé, tronco tupi, que habita os municípios de Pimenta Bueno e Cacoal (RO). • *Adj. 2 g.* **3.** Pertencente ou relativo a esses povos.

suruiá *S. m. Bras. SP* Pequena rede de lanço fixa em duas hastes de pau dispostas em ângulo.

surujê *S. m. Bras. MG* Montículo de terra feito pelos cupins.

surulina[1] *S. f. Bras. Inf.* Brinquedo de crianças que dançam em roda, cantando.

surulina[2] *S. f. Bras. MA Zool.* V. *sururina* (1).

suruma [De várias línguas moçambicanas.] *S. f. Moç.* V. *maconha* (2): "Suruma no cachimbo do negro velho, de olhos já vidrados." (Ilídio Rocha, *Os Quatros Cavalos Já Chegados*, p. 11.)

surumbamba [Var. de *turumbamba*.] *S. m. Bras.* V. *rolo*[1] (16): "Os que entraram de fora por curiosidade não puderam sair e viam-se metidos no surumbamba." (Aluísio Azevedo, *O Cortiço*, p. 184.)

surumbi *S. m. Bras. Amaz. Zool.* V. *surubim*.

surumi *S. m. Bras. Amaz. Zool.* V. *surubim*.

surunganga *Adj. S. m. Bras. MG* **1.** Valente, corajoso. **2.** V. *valentão* (1 e 3): "Uns dizem que os jurados ficaram com medo de condenar o facínora .... Outros alegam que lhe reconheceram .... a inocência nas garatujas dúbias que o perigoso surunganga escrevera a cada um de todos os jurados, dias antes do julgamento." (Manuel Lobato, *Garrucha 44*, p. 23.)

surungo [Var. de *sorongo*.] *S. m. Bras. RS* V. *arrasta-pé* (1).

surupango *S. m. Bras.* Brinquedo de crianças que dançam em roda, cantando.

sururina [Voc. onom., poss.] *S. f. Bras. Amaz. Zool.* Designação comum às aves tinamiformes, tinamídeas (*Crypturellus soui*), com dorso e alto da cabeça pardo-oliváceos e abdome avermelhado. [Var., no MA: *surulina*. Sin.: *turuirim, tururi, turiri, sovi*.]

sururu [Do tupi.] *S. m.* **1.** *Bras. Zool.* Molusco bivalve (*Mytilus falcatus*) mitilídeo que habita o litoral nordeste e S.E. do Brasil, e as lagoas Manguaba e Mundaú, em Alagoas, estado em que desempenha papel econômico de importância na alimentação humana. A concha tem uma camada nacarada, verde e violácea, externamente parda na frente e escura em sua maior parte. [Var.: *siriri*[2]; sin.: *sururu-de-alagoas, alastrim*.] **2.** *Bras. Zool.* V. *mexilhão* (2). **3.** *Bras.* V. *rolo*[1] (16). **4.** *Bras. MA* Festa de estudantes. **5.** *Bras. S.* Revolta, motim. ◆ **Sururu de capote.** *Bras. AL Zool.* O sururu (1) que se vende ainda preso à valva: "Um litro de sururu 'de capote' custa no máximo 200 réis" (Raul Lima, *Presença de Alagoas*, p. 84).

sururuca[1] [Do tupi.] *S. f. Bras.* **1.** Espécie de peneira grossa. **2.** Urupema (1).

sururuca[2] *S. f. Bras. Bot.* V. *maracujá-sururuca* (q. v.).

sururucar [De *sururuca* + *-ar*[2].] *Bras. V. t. d.* **1.** Fazer passar pela sururuca (1) ou peneira; peneirar. *Int.* **2.** Fazer com o corpo movimentos peneirados; sacracotear. **3.** *Bras.* Entre os índios urubus-caapores, copular (2). [Conjug.: v. *trancar*. Cf. *sororocar*.]

sururucujá [Do tupi.] *S. m. Bras. Bot.* Maracujá-pintado.

sururu-de-alagoas *S. m. Bras. Zool.* V. *sururu* (1). [Pl.: *sururus-de-alagoas*.]

sururuzada [De *sururu* + *-zada*.] *S. f. Bras. Pop.* V. *rolo*[1] (16).

sus [Do lat. *sus*, 'para cima'.] ***Interj.*** Eia; coragem; ânimo: "Assoma a estrela-d'alva, e quer nascer o dia! / Sus! para o campo fresco!" (Antônio Feliciano de Castilho, *As Geórgicas*, p. 185.) [Cf. *Suz*, top.]

■ **SUS** Sigla de *Serviço Único de Saúde*.

▲**sus-** V. *sub-*.

susanense *Adj. 2 g.* **1.** De, ou pertencente ou relativo a Susano (SP). • *S. 2 g.* **2.** O natural ou habitante de Susano.

susceptância [Do ingl. *susceptance*.] *S. f. Eng. Elétr.* Num circuito de corrente alternada, o quociente do componente da corrente que está em quadratura com a tensão pela tensão aplicada; quociente da reatância do circuito pelo quadrado do módulo da impedância.

susceptibilidade [Do lat. med. *susceptibilitate*.] *S. f.* V. *suscetibilidade*.

susceptibilizar [De *susceptível* + *-izar*, seg. o padrão erudito.] *V. t. d. P.* V. *suscetibilizar*.

susceptível [Do lat. tard. *susceptibile*.] *Adj. 2 g.* V. *suscetível*: "Ele era muito susceptível e por essa razão temia muito ferir susceptibilidades alheias." (Nestor Vítor, *Obra Crítica*, I, p. 41.)

suscetância *S. f. Eng. Eletr.* V. *susceptância*. [Uso próprio de P.] ⊙

suscetibilidade [Var. de *susceptibilidade*.] *S. f.* **1.** Qualidade de suscetível. **2.** Tendência para sentir influências ou contrair enfermidades; idiossincrasia. **3.** Disposição para se ressentir com facilidade; melindre. **4.** *Fís.* Quociente entre o módulo da magnetização de um material sujeito a um campo elétrico e o módulo da indução magnética provocada pelo mesmo campo no vácuo.

suscetibilizar [Var. de *susceptibilizar*.] *V. t. d.* **1.** Ofender de leve; melindrar. *P.* **2.** Considerar-se ofendido, ressentir-se, melindrar-se.

suscetível [Var. de *susceptível*.] *Adj. 2 g.* **1.** Passível de receber impressões, modificações ou adquirir qualidades; capaz: *A conjuntura é sempre suscetível de transformações.* **2.** Que se ofende com facilidade; melindroso. • *S. 2 g.* **3.** Pessoa suscetível ou melindrosa.

suscitação [Do lat. tard. *suscitatione*.] *S. f.* **1.** Ato ou efeito de suscitar. **2.** Sugestão, instigação.

suscitado [Part. de *suscitar*.] *Adj. S. m.* Diz-se de, ou aquele contra quem se suscitou impedimento ou se arguiu incompetência.

suscitador (ô) [Do lat. tard. *suscitatore*.] *Adj. S. m.* Que, ou aquele que suscita; suscitante.

suscitante [Do lat. *suscitante*.] *Adj. 2 g. S. 2 g.* Suscitador.

suscitar [Do lat. *suscitare*.] *V. t. d.* **1.** Fazer nascer; fazer aparecer: *O acasalamento suscita as novas gerações.* **2.** Provocar, promover, causar: *A tola intervenção suscitou risos.* **3.** Lembrar, sugerir: *A presença do governante suscitou a figura dos vaidosos* *reis do passado.* **4.** Provocar ou produzir a aparição de: *As injustiças suscitaram descontentes.* **5.** Levantar ou apresentar como impedimento; opor como dificuldade. ***T. d. e i.*** **6.** Fazer aparecer; causar: *Além de não auxiliar o pobre pai, suscita-lhe profundos desgostos.*

suscitável [De *suscitar* + *-vel.*] ***Adj. 2 g.*** Que pode ser suscitado.

■ **Susep** Sigla de *Superintendência de Seguros Privados.*

suserania [De *suserano* + *-ia*[1].] ***S. f.*** **1.** Qualidade ou poder de suserano: "Neste período, a história dos reis de França, de Alemanha, de Itália, de Castela, de Leão, de Navarra e de Aragão, como a das suseranias das várias províncias, principados e condados que viviam na rancorosa inimizade dos seus orgulhos e ambições, é a história da traição" (Antero de Figueiredo, *D. Pedro e D. Inês,* p. 160). **2.** Território dominado por um suserano.

suserano [Do fr. *suzerain.*] ***Adj.*** **1.** Que possui um feudo, do qual outros dependem: "Estes barões sertanejos só nominalmente rendiam preito e homenagem ao rei de Portugal, seu senhor suserano" (José de Alencar, *O Sertanejo,* p. 249). **2.** Referente aos soberanos que têm vassalagem de Estados aparentemente autônomos. ● ***S. m.*** **3.** Senhor feudal.

➔**sushi** [suʃi] [Jap.] ***S. m. Cul.*** Iguaria japonesa feita com bolinho de arroz temperado com saquê e vinagre, acompanhado de uma pequena fatia de peixe cru, ou fruto do mar aferventado, e que se serve com molho de soja e pasta de raiz-forte ou de *wasabi.*

➔**suspect** ['sʌspekt] [Ingl.] ***S. m. Market.*** Indivíduo que se enquadra no perfil idealizado de consumidor para determinado produto ou serviço.

suspeição [Do lat. tard. *suspectione.*] ***S. f.*** **1.** Desconfiança, dúvida, suspeita. **2.** *Jur.* Situação jurídica processual, prevista em lei, que faz presumir suspeita de parcialidade em relação ao juiz, funcionário da Justiça e ao próprio Ministério Público, impondo o afastamento de qualquer deles do processo pelo temor de que atuem em detrimento do interesse ou direito de uma das partes. [Cf., nesta acepç., *exceção* (7).]

suspeita [F. subst. de *suspeito.*] ***S. f.*** Opinião, geralmente desfavorável, acerca de alguém ou de algo, desconfiança, intuição, pressentimento, suposição.

suspeitador (ô) [De *suspeitar* + *-dor.*] ***Adj. S. m.*** Que, ou aquele que suspeita.

suspeitar [Do lat. *suspectare.*] ***V. t. d.*** **1.** Ter suspeita de; julgar com certa base; supor com dados mais ou menos seguros; conjeturar: *Suspeito que obtive boa nota nos exames.* **2.** Desconfiar de; recear: *O capitão suspeita a aproximação da borrasca.* **3.** Levantar suspeitas contra. **4.** Pressentir; prever: *O moribundo suspeitava a morte.* ***Transobj.*** **5.** Considerar ou tachar por suspeitas: *Suspeita-o de tolo.* ***T. i.*** **6.** Ter desconfianças ou suspeitas; supor ou considerar mal; desconfiar: *Suspeita dos mais fiéis seguidores.* **7.** Desconfiar, recear: "Sem suspeitarem de que alguém os visse, / Trocaram beijos ao luar tranquilo." (Augusto Gil, *Luar de Janeiro,* p. 75.)

suspeitável [De *suspeitar* + *-vel.*] ***Adj. 2 g.*** De que se pode suspeitar.

suspeito [Do lat. *suspectu.*] ***Adj.*** **1.** Que infunde suspeitas; duvidoso, suspeitoso: *procedimento suspeito.* **2.** Que inspira cuidados: *um mal suspeito.* **3.** De cuja existência ou verdade não se tem certeza ou conhecimento. **4.** Que aparenta ter defeitos. **5.** Que inspira desconfiança. ~ V. *testemunha —a.* ● ***S. m.*** **6.** Indivíduo suspeito (5).

suspeitoso (ô) [De *suspeito* + *-oso.*] ***Adj.*** **1.** Que tem suspeitas ou receios. **2.** V. *suspeito* (1).

suspender [Do lat. *suspendere.*] ***V. t. d.*** **1.** Fixar, suster, pendurar, no ar; deixar pendente: *O pai suspendeu a criança.* **2.** Trazer ou conservar pendente ou pendurado: *A jovem senhora suspende riquíssimo colar;* "Ao lobo de cada orelha / Suspendia uma esmeralda, / Menos brilhante que os olhos, / Que eram brilhantes sem jaça." (Alberto de Oliveira, *Poesias,* 3ª série, p. 112). **3.** Interromper temporariamente: *O maquinista suspendeu a marcha da locomotiva.* **4.** Privar provisoriamente de um cargo ou dos respectivos proventos: *O chefe suspendeu o funcionário por um mês.* **5.** Impedir por algum tempo a publicação de: *A censura suspendeu o jornal.* **6.** Fazer cessar; impedir; deter; conter: *As medidas governamentais suspenderam o prosseguimento da agitação.* **7.** Interromper a ação de; sustar: *As medidas científicas suspenderam a radiação prejudicial.* **8.** Demorar, retardar, adiar: *Foi obrigado a suspender a viagem.* **9.** Enlevar, arrebatar: *O espetáculo suspendeu a assistência;* "Pela aberta da folhagem, / Que inda não douro o sol, uma figura / Deliciosa, um busto sobre as ondas / Suspende o caçador." (Machado de Assis, *Poesias Completas,* p. 270). **10.** Pôr de lado; sustar ou fazer sustar a realização de um pedido, encomenda, etc., de (algo): *— Garçom, suspenda o filé e traga risoto.* ***T. d. e i.*** **11.** Privar, despojar: *O novo ministro suspendeu-o das funções que exercia.* **12.** Carregar, portar: "Negras mulheres suspendendo às tetas / Magras crianças" (Castro Alves, *Poesias Escolhidas,* p. 330). ***P.*** **13.** Estar em lugar muito alto. **14.** Ficar suspenso; pendurar-se. **15.** Parar, interromper-se. ***Int.*** **16.** *Mar.* Levantar âncora. [Part.: *suspendido* e *suspenso.*]

suspensão [Do lat. *suspensione.*] ***S. f.*** **1.** Ato ou efeito de suspender(-se). **2.** *Fís.-Quím.* Sistema constituído por uma fase líquida ou gasosa na qual está dispersa uma fase sólida com partículas de dimensões superiores às de um coloide, e que sedimentam, com maior ou menor rapidez, sob a ação da gravidade. **3.** Gancho ou objeto apropriado para suspender. **4.** Espécie de miragem na qual os objetos parecem suspensos, sem refletir a imagem. **5.** Pena disciplinar infligida ao funcionário público, ou ao empregado, em caso de falta grave ou de reincidência, e que consiste em afastá-lo temporariamente do cargo, com perda dos vencimentos. **6.** *E. Ling.* Reticência (1). **7.** *Mús.* Fermata sobre uma pausa. **8.** *Mús.* Retardo (2). **9.** *Paleogr.* Processo de abreviatura por supressão de uma ou mais letras finais. [Sin., nesta acepç.: *apócope;* v. *braquigrafia* (1), *sigla* (1). Cf. *aférese, contração* (7).] ◆ **Suspensão acéfala.** *Paleogr.* V. *aférese.* **Suspensão Cardan.** Dispositivo mecânico que possibilita, graças às articulações que possui, a rotação de uma peça em torno de três eixos ortogonais. **Suspensão condicional da pena.** *Jur.* Adiamento da execução de certas penas graves impostas a criminosos ou contraventores primários, por medida de política criminal, desde que em determinado período de tempo não pratiquem nova infração, e ao cabo da qual se dá por extinta a sua punibilidade. **Suspensão da instância.** *Jur.* Interrupção do curso de um processo por motivo de força maior, por convenção das partes, ou pela morte de um dos litigantes ou do procurador de qualquer deles. **Suspensão de ordens.** *Rel.* Pena que consiste em privar do exercício de suas ordens, temporária ou definitivamente, um sacerdote da Igreja Católica.

suspense [Do ingl. *suspense.*] ***S. m. Angl.*** Momento de tensão forte no enredo de um filme, uma peça de teatro, um romance, etc.: "A fim de criar o suspense dramático, Ésquilo inicia a tragédia [*Os Persas*] com o coro dos anciãos persas inquietos com a ausência de notícias do exército de Xerxes." (Sábato Magaldi, *Temas da História do Teatro,* p. 9.)

suspensivo [Do lat. *suspensus,* 'suspenso', + *-ivo.*] ***Adj.*** **1.** Que pode suspender. **2.** Que provoca ou determina suspensão: *medida de efeito suspensivo.* **3.** *E. Ling.* Que suspende o sentido de uma oração.

suspenso [Do lat. *suspensu.*] ***Adj.*** **1.** Pendurado, pendente. **2.** Cessado temporariamente; interrompido. **3.** Parado, sustado. **4.** Perplexo, irresoluto, indeciso. **5.** *E. Ling.* Que faz sentido incompleto. ~ V. *bloco —, jardim —, ponte —a* e *vale —.*

suspensoide (ói) [Do ingl. *suspensoid.*] ***S. m. Fís.-Quím.*** Designação antiga de um sol[4]. ✧

suspensor (ô) [Do lat. *suspensus,* 'suspenso', + *-or.*] ***S. m. Bot.*** Fileira de células superpostas que sustenta no ápice o embrião em desenvolvimento e o desloca na direção do endosperma.

suspensório [Do lat. *suspensus,* 'suspenso', + *-ório.*] ***Adj.*** **1.** Apropriado para fazer suspender. **2.** Que suspende. ● ***S. m.*** **3.** *Urol.* Dispositivo feito de material firme e flexível, e que serve para dar sustentação à bolsa escrotal e, naturalmente, ao conteúdo dela. **4.** *Bras. N.* Dispositivo das máquinas de vapor que permite a inversão da marcha e variação da expansão. **5.** *Vest.* Acessório da vestimenta masculina, que no século XVIII era feito de corda; a partir de 1900, as duas alças do suspensório uniram-se nas costas e passaram, na frente, a ser presas nas calças por botões ou grampos de metal. Nos anos 1960 e 1970 tornou-se um artigo unissex. [Nesta acepç., tb. us. no pl.] ~ V. *suspensórios.* ◆ **Pôr suspensório em cobra.** *Bras. Fam.* Realizar empreendimento difícil e/ou perigoso.

suspensórios [Pl. de *suspensório.*] ***S. m. pl.*** Suspensório (5).

suspicácia [De *suspicaz* + *-ia*[2], seg. o padrão erudito.] ***S. f.*** Qualidade de suspicaz.

suspicacíssimo [Do lat. *suspicacissimu.*] ***Adj.*** Superl. abs. sint. de *suspicaz.*

suspicaz [Do lat. *suspicace.*] ***Adj. 2 g.*** **1.** Que provoca suspeita; suspeito. **2.** Que tem suspeitas; desconfiado: "Como matreiro e suspicaz que era, Filipe Augusto exigiu, para que retirasse as tropas, que lhe fossem dados reféns." (Aquilino Ribeiro, *Portugueses das Sete Partidas,* p. 189.) [Superl. abs. sint.: *suspicacíssimo.*]

suspiração [Do lat. *suspiratione.*] ***S. f.*** **1.** Ato ou efeito de suspirar. **2.** *Fig.* Ato ou efeito de suspirar várias vezes, seguidamente.

suspirado [Part. de *suspirar.*] ***Adj.*** **1.** Acompanhado de suspiros; suspiroso. **2.** Muito apetecido; ardentemente desejado; anelado.

suspirador (ô) [De *suspirar* + *-dor.*] ***Adj. S. m.*** Que, ou aquele que suspira.

suspirante [De *suspirar* + *-nte.*] ***Adj. 2 g.*** Que suspira.

suspirar [Do lat. *suspirare.*] ***V. t. d.*** **1.** Significar por meio de suspiros: *suspirar amores.* **2.** Ter saudades de: *Os velhos vivem a suspirar os bons tempos.* **3.** Desejar veementemente; ambicionar. **4.** Exprimir com tristeza; narrar com melancolia. ***T. i.*** **5.** Desejar ardentemente; ambicionar, almejar, anelar: *Suspira pela viagem;* "Minha alma, ó Deus, a outros céus aspira: / Se um momento a prendeu mortal beleza, / É pela eterna pátria que suspira..." (Antero de Quental, *Sonetos,* p. 188). **6.** Estar enamorado: *Faz anos que suspira por ela.* ***Int.*** **7.** Dar suspiros [v. *suspiro* (1)]: "Ai! Canta a cavatina do delírio, / Ri, suspira, soluça, anseia e chora..." (Castro Alves, *Obra Completa,* p. 123.) **8.** Soprar brandamente; bafejar: "Pelas corolas túmidas de orvalho / Suspirava um favônio, carinhoso" (Raimundo Correia, *Poesias,* p. 50). **9.** Rumorejar, sussurrar, murmurar.

suspiro [Dev. de *suspirar.*] ***S. m.*** **1.** Respiração entrecortada e mais ou menos demorada, produzida por desgosto ou por incômodo físico. **2.** Desejo ardente; ânsia, cobiça. **3.** Som doce e melancólico: *Saíram do violão suspiros de saudade.* **4.** Gemido, lamento, ai. **5.** Gemido amoroso. **6.** Murmúrio, sussurro. **7.** Orificiozinho próprio para extrair um líquido em pequena quantidade. **8.** Acessório que se instala em uma canalização, compartimento, recipiente, tanque, etc., para permitir o escapamento de ar em excesso ou de gases indesejáveis. **9.** *Cul.* Pasta de claras de ovo batidas com açúcar, utilizada, em geral, para coberturas e recheios de tortas; merengue. **10.** *Cul.* Doce feito com essa pasta levada ao forno; merengue. **11.** *Bras. Bot.* V. *perpétua* (2). **12.** *Bot.* V. *saudade* (3).

suspiroso (ô) [De *suspiro* + *-oso.*] ***Adj.*** **1.** Que suspira; lamentoso. **2.** Suspirado (1). **3.** Referente a suspiro.

sussu ***S. 2 g. Adj. 2 g.*** V. *sosso*[1].

sussurrante [Do lat. *susurrante.*] ***Adj. 2 g.*** Que sussurra; rumorejante: "Por toda a parte a água sussurrante, a água abundante..." (Eça de Queirós, *A Cidade e as Serras,* p. 205.)

sussurrar [Do lat. *susurrare.*] ***V. int.*** **1.** Causar sussurro ou murmúrio; produzir ruído: "sussurrava e luzia um fio d'água." (Eça de Queirós, *Contos,* p. 143); "Sussurrava, brilhando, o azul, florido de aves." (Teófilo Dias, *Fanfarras,* p. 11). **2.** V. *zumbir* (2). ***T. d.*** ***T. d. e i.*** **3.** Dizer em voz baixa; segredar: "O dono do botequim juntara-se aos jogadores e ficaram todos sussurrando comentários e rindo." (Gustavo Barroso, *Mississípi,* p. 116); *Aproximando-se da pequena sussurrou-lhe um galanteio.*

sussurro [Do lat. *susurru.*] ***S. m.*** **1.** Som confuso; murmúrio. **2.** Ato de falar em voz baixa. **3.** Zumbido de alguns insetos.

sustação [De *sustar* + *-ção.*] ***S. f.*** Ato ou efeito de sustar.

sustança [Do lat. *substantia,* por via pop.] ***S. f. Pop.*** **1.** V. *substância* (4). **2.** *Bras.* V. *sustância* (2).

sustância [Do lat. *substantia,* por via semierudita.] ***S. f.*** **1.** V. *substância* (3 e 4). **2.** *Pop.* Vigor, força, robustez, sustança: "Cobrei sustância / com mocotó!" (Jorge de Lima, *Obra Completa,* I, p. 295.) ◆ **Puxado à sustância. 1.** Vigoroso, forte, substancioso: *discurso puxado à sustância.* **2.** Substancioso, suculento: *almoço puxado à sustância.* **3.** Magnífico, pomposo, faustoso, faustuoso: *um casamento puxado à sustância.* **4.** *Pop.* Correto, perfeito; elegante: "vi lá uma rapariga das Taipas, a coisa mais fresca, mais puxada à sustância, mais benfeita que meus olhos lobrigaram." (Camilo Castelo Branco, *Quatro Horas Inocentes,* p. 24). [Tb. se diz *puxado à substância.*]

sustar [Do lat. *substare,* 'estar debaixo'.] ***V. t. d.*** **1.** Fazer parar; interromper, suspender: *A direção do teatro sustou a venda de ingressos;* "sustou a marcha, esperando reconhecer um vulto de homem que parecia mover-se à porta da botica." (Xavier Marques, *O Sargento Pedro,* p. 84); "levava a mão aos olhos, sustando as lágrimas que vinham escorrendo pelo cavado do rosto." (Josué Montelo, *Janelas Fechadas,* p. 232). ***Int. P.*** **2.** Parar, suspender-se, interromper-se, sobrestar.

sustatório [De *sustar* + *-tório.*] ***Adj.*** Que é próprio para sustar; que faz sobrestar.

sustável [De *sustar* + *-vel.*] ***Adj. 2 g.*** Que se pode sustar.

sustenido [Do esp. *sostenido.*] ***S. m. Mús.*** Sinal (#) que eleva de um semitom o som da nota que está à sua direita. [Cf. *bemol* e *bequadro.*]

sustenizar [De *susteni(do)* + *-izar.*] ***V. t. d. Mús.*** Subir (a nota) de um semitom.

sustentabilidade [De *sustentável* + *-(i)dade,* seg. o padrão erudito.] ***S. f.*** Qualidade de sustentável.

S

sustentação [Do lat. *sustentatione.*] *S. f.* **1.** Ato ou efeito de sustentar(-se). **2.** V. *sustentáculo* (2). **3.** Alimento, sustento. **4.** Manutenção, conservação. **5.** Confirmação, ratificação. **6.** *Prop.* Fase de campanha publicitária que se segue à do lançamento (16).

sustentáculo [Do lat. *sustentaculu.*] *S. m.* **1.** Aquilo que sustenta ou sustém. **2.** Base, suporte, amparo, apoio, sustentação. [Sin. ger. e fig.: *propugnáculo.*]

sustentador (ô) [De *sustentar* + *-dor.*] *Adj.* **1.** Que sustenta; sustentante. ~ V. *epiteliócito* —. ● *S. m.* **2.** Aquele que sustenta. **3.** *Astron.* Motor utilizado para fornecer impulso prolongado a um veículo espacial.

sustentante [Do lat. *sustentante.*] *Adj. 2 g.* Sustentador (1).

sustentar [Do lat. *sustentare.*] *V. t. d.* **1.** Segurar por baixo; servir de escora a; impedir que caia; suportar, apoiar: *As colunas sustentarão o edifício.* **2.** Afirmar categoricamente: *Sustentou que presenciara o assassinato.* **3.** Ratificar, reafirmar, confirmar: *Sustentarei minhas acusações quantas vezes for preciso.* **4.** Fazer face a; resistir a; sustar: *Sustentou muitas investidas.* **5.** Conservar, manter: *Não conseguiu sustentar o bom conceito a que fizera jus.* **6.** Alimentar física ou moralmente: "eu tenho dois filhos, que podem ser nossos. Se eu os sustentei, você os educou." (Joraci Camargo, *Anastácio*, p. 29). **7.** Prover de víveres ou munições: *sustentar uma tropa.* **8.** Fornecer ou garantir o necessário para a sobrevivência de: *sustentar família.* **9.** Impedir a ruína ou a queda de; amparar. **10.** Dar ânimo a; animar. **11.** Proteger, favorecer, auxiliar. **12.** Sofrer com resignação, com firmeza; aguentar: *Não sustentando as violências, fugiu.* **13.** Defender com argumentos, com razões: *sustentar uma tese.* **14.** Estimular, incitar, instigar. **15.** Pelejar a favor de. **16.** Ser contrário, opor-se, a. *P.* **17.** Conservar a mesma posição; suster-se, equilibrar-se. **18.** Alimentar-se, nutrir-se: "Como os profetas sustentei-me de raízes" (Eugênio de Castro, *Obras Poéticas*, IV, p. 121).

sustenta-seios [De *sustentar* + o pl. de *seio.*] *S. m. 2 n. Bras.* V. *sutiã.*

sustentável [Do lat. *sustentabile.*] *Adj. 2 g.* **1.** Que se pode sustentar. **2.** Capaz de se manter mais ou menos constante, ou estável, por longo período.

sustento [Dev. de *sustentar.*] *S. m.* **1.** Ato ou efeito de sustentar(-se). **2.** O que serve de alimentação; alimento, sustentação.

suster [Do lat. *sustinere.*] *V. t. d.* **1.** Segurar para que não caia; sustentar: *Susteve a criança que ia caindo da escada.* **2.** Fazer face a; opor-se a; resistir a; sustentar: *A tropa susteve as arremetidas.* **3.** Reprimir, conter, refrear, sofrear: "Caetaninha não pôde suster o riso, quando o padrinho, expondo a matéria, perguntou-lhes se eles sabiam que existiam e por quê." (Machado de Assis, *Histórias sem Data*, p. 196.) **4.** Fazer parar; deter: *O cavaleiro susteve a marcha em que vinha.* **5.** Restringir, moderar. **6.** Fazer que não se perca ou acabe; conservar, manter: *A firmeza de seu caráter susteve a confiança do povo em sua administração.* **7.** Nutrir, alimentar, sustentar. *P.* **8.** Manter-se, conservar-se. **9.** Ter-se em pé; firmar-se, equilibrar-se. **10.** Conter-se, comedir-se: *Colérico, não conseguiu suster-se e disse tudo que lhe veio à mente.* [Irreg. Conjug.: v. *ter.*]

sustimento [De *suster* + *-imento.*] *S. m.* Ato ou efeito de suster(-se).

sustinente [Do lat. *sustinente.*] *Adj. 2 g.* Que sustém.

susto [De or. incerta.] *S. m.* **1.** Medo repentino; sobressalto. **2.** Temor provocado por notícias ou fatos imprevistos. **3.** *P. ext.* Medo, receio.

su-sudeste [De *su(l)* + *sudeste.*] *S. m. Adj. 2 g.* V. *su-sueste.* [Abrev.: S.S.E. Pl.: *su-sudestes.*]

su-sudoeste [De *su(l)* + *sudoeste.*] *S. m.* **1.** *Geogr.* Ponto do horizonte a meia distância angular do S. e do S.O. [Com cap. Abrev.: *S.S.O.* ou *S.S.W.*] **2.** Vento que sopra desse ponto. **3.** Região ou regiões situadas ao su-sudoeste (1). [Com cap., nesta acepç.]. ● *Adj. 2 g.* **4.** Relativo ao su-sudoeste (1), ou dele procedente: *vento su-sudoeste.* **5.** Situado ao su-sudoeste (1): *região su-sudoeste.* [Pl.: *su-sudoestes.*]

su-sueste [Var. de *su-sudeste* < *su(l)* + *sudeste.*] *S. m.* **1.** *Geogr.* Ponto do horizonte a meia distância angular do S. e do S.E. [Abrev.: *S.S.E.*] **2.** Vento que sopra desse ponto. **3.** Região ou regiões situadas ao su-sueste (1). ● *Adj. 2 g.* **4.** Relativo ao su-sueste (1), ou dele procedente: *vento su-sueste.* **5.** Situado ao su-sueste (1): *região su-sueste.* [Sin. ger.: *su-sudeste.* Pl.: *su-suestes.*]

suta [De or. obscura.] *S. f.* **1.** Instrumento com que se marcam ângulos no terreno. **2.** Espécie de esquadro, de peças móveis, para traçar ângulos. [Cf., nesta acepç., *acuta.*] **3.** *Bras. GO* Espécie de mutirão (q. v.) em que pessoas amigas vão alta noite, de surpresa, à casa dum fazendeiro necessitado de qualquer serviço urgente, e cantando se dirigem ao trabalho, donde retornam à noitinha, a cantar, entoando, após o jantar, uma reza seguida de danças e cantigas. [Cf., nesta acepç., *traição* (5) e *estalada* (5).]

sutache [Do húngaro *sujtás*, pelo fr. *soutache.*] *S. f.* Trancinha de seda, lã ou algodão, usada como enfeite de peças de vestuário: "veludos e crinolinas, sutaches e aljofres eram encontradiços nas vendas" (Nélson de Faria, *Cabeça-Torta*, p. 8).

sutambaque *S. m. Bras.* V. *sobrecasaca.*

sutamento [De *sutar* + *-mento.*] *S. m.* Ato ou efeito de sutar.

sutar [De *suta* + *-ar*².] *V. t. d.* Ajustar (uma peça) a outra peça servindo-se da suta (2). [Pres. subj.: *sute, sutes, sute, sutemos, suteis, sutem.* Cf. *súteis*, pl. de *sútil.*]

sutiã [Do fr. *soutien(-gorge).*] *S. m. Vest.* Roupa íntima feminina destinada a sustentar ou modelar as mamas: "Depois de anunciar que se livraria do sutiã, a modelo prometeu que tiraria o resto" (*Jornal do Brasil*, 05.09.1981). [Sin.: *corpete, corpinho, porta-seios, sustenta-seios* e (bras., RN e BA) *califom.*]

sutil [Var. de *subtil* < lat. *subtile.*] *Adj. 2 g.* **1.** Tênue, fino, delgado, grácil: *fios sutis.* **2.** Agudo, penetrante, fino: *audição sutil; observação sutil.* **3.** Muito miúdo; quase impalpável. **4.** Feito com delicadeza. **5.** Que anda sem fazer rumor. **6.** *Fig.* Perspicaz, hábil, engenhoso, talentoso: *um pesquisador atento e sutil.* ● *S. m.* **7.** Sutileza: *Admirei-lhe o sutil do comentário.* [Pl.: *sutis*; superl. abs. sint.: *sutilíssimo* e *sutílimo.* Cf. *sútil.*]

sútil [Do lat. *sutile.*] *Adj. 2 g.* Composto de pedaços cosidos; cosido. [Pl.: *súteis.* Cf. *sutil*, adj., *suteis*, do v. *sutar*, e *consútil.*]

sutileza (ê) [De *sutil* + *-eza*; var. de *subtileza.*] *S. f.* **1.** Qualidade de sutil. **2.** Delicadeza, finura, tenuidade. **3.** Penetração de espírito; talento. **4.** Dito ou argumento de alguém com o fim de embaraçar outrem, ou que o embaraça. [Sin., p. us.: *sutilidade.*]

sutilidade [Var. de *subtilidade.*] *S. f. P. us.* V. *sutileza.*

sutílimo [Do lat. *subtilimu.*] *Adj.* Superl. abs. sint. de *sutil*; sutilíssimo.

sutilíssimo [Do lat. *subtilissimu.*] *Adj.* Superl. abs. sint. de *sutil.*

sutilização [De *sutilizar* + *-ção*; var. de *subtilização.*] *S. f.* Ação ou efeito de sutilizar(-se).

sutilizador (ô) [De *sutilizar* + *-dor*; var. de *subtilizador.*] *Adj. S. m.* Que, ou aquele que sutiliza.

sutilizar [De *sutil* + *-izar*; var. de *subtilizar.*] *V. t. d.* **1.** Tornar sutil; volatilizar, vaporizar. **2.** Aprimorar, apurar; aperfeiçoar: "Estou lutando desde o princípio destas explicações sobre a desagregação da nossa amizade, contra uma razão que me pareceu inventada enquanto escrevia, para sutilizar psicologicamente o conto." (Mário de Andrade, *Contos Novos*, p. 114.) **3.** Inventar com delicadeza. *T. d. e i.* **4.** Roubar, furtar, com sutileza. *Int.* **5.** Raciocinar ou discorrer com sutileza. **6.** Disputar de modo sutil, hábil, engenhoso. *P.* **7.** Tornar-se sutil; volatilizar-se, vaporizar-se. **8.** Tornar-se sutil, hábil, engenhoso, talentoso.

sutinga [Do tupi = 'vela branca de embarcação'.] *S. f. Bras. Bot.* Variedade de mandioca.

sutra [Do sânscr. *sūtra*, 'linha', 'fio'; 'regra', 'aforismo'.] *S. m.* **1.** Na literatura da Índia, tratado onde se reúnem, sob a forma de breves aforismos, as regras do rito, da moral, da vida cotidiana.

sutura [Do lat. *sutura.*] *S. f.* **1.** Suturação. **2.** *Cir.* Operação que consiste em unir as bordas de uma ferida, para fechá-la; juntura, costura. **3.** *Anat.* União ou articulação de dois ossos que engranzam um no outro, por meio de recorte dentado. **4.** *Bot.* Linha, mais ou menos engrossada, que ocorre nos bordos dos carpelos concrescentes. [No ovário monocarpelar a sutura está em oposição à nervura central.] ◆ **Sutura coronal.** *Anat.* A que une o osso frontal aos dois ossos parietais; sutura frontal. **Sutura frontal.** *Anat.* Sutura coronal. **Sutura lambdoide.** *Anat.* A que une o osso occipital aos dois ossos parietais, e cuja forma lembra o lambda (1). [Tb. se diz apenas *lambdoide.*] **Sutura sagital.** *Anat.* A que une os dois ossos parietais.

suturação [De *suturar* + *-ção.*] *S. f.* Ação de suturar; sutura.

sutural [De *sutura* + *-al*¹.] *Adj. 2 g.* De, ou relativo a sutura.

suturar [De *sutura* + *-ar*².] *V. t. d.* Fazer sutura (1) de.

suumba [Do tupi.] *S. f. Bras. AM* O peso de madeira ligado à flecha denominada *sararaca.*

suvenir [Do fr. *souvenir.*] *S. m.* Objeto característico de um lugar, vendido como lembrança a viajantes, especialmente a turistas. [Pl.: *suvenires.*]

suxar [De or. obscura.] *V. t. d.* Tornar frouxo, suxo; soltar, alargar: *suxar um nó.*

suxo [Dev. de *suxar.*] *Adj.* Que se suxou; frouxo, lasso, bambo.

■ **Sv** *Med. Nucl.* Símb. de *sievert.*

svedberg [Do antr. (*Theodor*) *Svedberg* (1884-1971), químico sueco.] *S. m. Fís.-Quím.* Unidade de medida de constante de sedimentação igual a 10–13 s [símb.: *S*].

■ **S.W.** [Abrev. do ingl. *Southwest.*] V. *sudoeste.*

➔**swab** [swąb] [Ingl.] *S. m.* Suabe.

➔**swap** [swąp] [Ingl. 'permuta'.] *S. m. Econ.* **1.** Compra de moeda estrangeira à vista vinculada a venda futura. **2.** Operação financeira caracterizada por uma troca, entre duas partes, de obrigações de pagamento com características distintas, como, p. ex., um débito de juros fixos por um débito de juros flutuantes: "O tamanho do mercado de *swaps* supera agora o das ações nas bolsas de Tóquio e Nova Iorque combinadas." (*Gazeta Mercantil*, 27-29.06.1992.)

➔**swarmers** ['swɔrmɘ·z] [Ingl.; pl. de *swarmer.*] *S. m. pl. Bot.* Elementos de reprodução, móveis por flagelos, zoósporos ou gametas.

➔**sweepstake** ['swijpstejk] [Ingl.] *S. m.* Sistema de loteria combinada com uma corrida de cavalos.

➔**swell** [swel] [Ingl.] *S. m. Surf.* Ondulação periódica no mar.

➔**swing** [swiŋ] [Ingl.] *S. m.* V. *suingue* (1 a 3).

➔**syrah** [si'ʁa] [Fr.] *S. m. Vitic.* Casta nobre de uva tinta, predominante na parte setentrional do vale do rio Ródano. **2.** *Enol.* Vinho produzido com essa uva. [Sin. ger. (ingl.): *shiraz.*]

Minúscula Moderna	Maiúscula Moderna	Minúscula Carolíngia	Romano	Romano	Etrusco	Grego	Grego	Fenício
t	T	ꞇ	T	T	T	T	X	+

Há 35 anos, Aurélio publicou o dicionário que leva seu nome. Fruto de muitos anos de trabalho árduo. Contou com a colaboração de sua esposa e assistente,

Marina Baird Ferreira, e seus assistentes Margarida dos Anjos, Elisabete Dodsworth, Elza Tavares, Paulo Farah, entre outros.

t (tê) ***S. m.*** **1.** A 20ª letra do alfabeto. [Representa a consoante oclusiva dental surda: *tudo, até, atlas, trem.* Quando seguido de *i*, e quando seguido de *e* em sílaba aberta átona, soa como consoante palatoalveolar (som de /tx/, em diversas pronúncias regionais: *atitude, tipo, sorte, teatro.*] **2.** A figura dessa letra, ou qualquer representação sua: *O monograma traz um P floreado e um T anguloso.* **3.** O som representado por essa letra. **4.** A forma dessa letra, com dois segmentos retos perpendiculares: *uma sala em T.* **5.** *P. ext.* Aquilo que tem forma semelhante à da letra *t*: *As duas ruas formam um T.* [Ger. com cap., nas acepçs. 4 e 5.] ● ***Num.*** **6.** Décimo nono, numa série ordenada ou hierárquica cujos elementos são designados ou representados pelas letras do alfabeto, sem considerar o *k* como 11º elemento: *coluna T (ou coluna t).* **7.** Vigésimo, numa série em que o 11º elemento é designado ou representado pela letra *k*. [Pl. (nas acepçs. 1 a 5) indicado graficamente pela duplicação da letra: *tt.*]

■ **t 1.** Abrev. de *tomo.* **2.** Abrev. de *tempo.* [Ger. us. em equações e fórmulas científicas.] **3.** Símb. de *tonelada* (2). **4.** *Fís.* Símb. de *tesla.* **5.** *Fís. Nucl.* Símb. de *tríton.* **6.** *Fís. Part.* Símb. de *top.*

■ **T 1.** Abrev. de *tradutor* ou *tradutora.* **2.** Abrev. de *tera-* (q. v.). **3.** *Fís.* Símb. de *temperatura absoluta.* **4.** *Fís.* Símb. de *período* (7).

▲ **t-** [F. red. de *terciário.*] *Quím.* ***Pref.*** Designa a presença, numa molécula, de duas metilas (e uma alquila linear) ligadas ao carbono alfa e a um grupo funcional monovalente: *t-pentanol.* [Sempre us. com hífen posposto. Tb. us., mas não recomendada, a f. *terc-.*]

▲ **-t-** Consoante de ligação.

ta Contr. do pron. *te* e do pron. *a* (v. *a*²): *Se queres comprar a casa, eu ta vendo barato.* [Cf. *tá.*]

■ **Ta** *Quím.* Símb. de *tântalo.*

tá¹ ***Interj.*** Alto lá; basta; chega: 📖 "tá, tá, tá, V. M.cê é o relógio de Belas? Grandes cousas tenho ouvido de seu bom gosto." (D. Francisco Manuel de Melo, *Apólogos Dialogais*, p. 3); *Tá! não preciso de nada mais.* [Cf. *ta.*]

tá² [Var. aferética de *está*, 3ª pess. do sing. do pres. ind. de *estar.*] *Bras. Pop.* **1.** Está bem; está combinado; aceito, concordo, topo: *Tá, faremos o negócio amanhã.* **2.** Está bem; estou ouvindo ou entendendo: *— Alô! está falando aqui o Carlos. | — Tá, que há de novo?* [Cf. *ta.*]

taã ***S. f.*** *Bras. Zool.* V. *tachã.*

taba¹ [Do tupi = 'aldeia'.] ***S. f.*** *Bras.* Aldeia de ameríndios.

taba² ***S. f.*** *Bras. RS* Tava.

tabaca¹ [De *tabaco* (4).] ***S. f.*** *Bras. N.E. Chulo* A vulva.

tabaca² [De *babaca*².] ***Adj. 2 g. S. 2 g.*** *Bras. Gír.* V. *tolo* (1 a 3 e 8).

tabacada [De *tabaco* (v. a expr. *apanhar para o seu tabaco*) + *-ada*¹.] ***S. f.*** *Bras. Pop.* Bofetada, tapa, tabefe.

tabacal [De *tabaco* + *-al*¹.] ***S. m.*** **1.** Quantidade mais ou menos considerável de pés de tabaco dispostos proximamente entre si. **2.** Área ocupada por tabacal (1). ● ***Adj. 2 g.*** **3.** Tabaqueiro (1).

tabacarana [De *tabaco* + *-a-* + *-rana.*] ***S. f.*** *Bras. Amaz. Bot.* **1.** V. *quitoco.* **2.** Fumo-bravo-do-amazonas.

tabacaria [De *tabaco* + *-aria.*] ***S. f.*** Estabelecimento onde se vendem cigarros, charutos, tabaco, objetos de fumantes. [Sin.: *charutaria* (bras.), *cigarraria* (bras., RS), *estanco* (lus.).]

tabaco [Do esp. *tabaco*, de or. controv.] ***S. m.*** *Bot.* **1.** Grande erva solanácea (*Nicotiana tabacum*) molemente tomentosa, de origem sul-americana, de folhas amplas, oblongas, acuminadas e macias, flores vistosas, tubulosas e róseas, e que possui nicotina, razão por que a infusão das folhas serve para matar parasitos. Dessecadas, as folhas constituem o fumo ou tabaco. [Sin., bras.: *fumo.*] **2.** V. *fumo* (6). **3.** *Bras. N.E.* V. *rapé.* **4.** *Bras. N.E. Chulo* A vulva: 📖 "Francelino tinha passado nos peitos a menina de Zé Gonçalo. Ela dera o tabaco." (José Lins do Rego, *Banguê*, p. 92.) ◆ **Apanhar para o seu tabaco.** Ser castigado por imprudência ou falta cometida; levar para o seu tabaco. **Levar para o seu tabaco.** Apanhar para o seu tabaco.

tabaco-bom ***S. m.*** *Bras. Zool.* V. *corucão.* [Pl.: *tabacos-bons.*]

tabaco de caco ***S. m.*** Caco (5). [Pl.: *tabacos de caco.*] [Na 5ª ed. do Volp., com hífen; corrigido em errata.] ☑

tabacudo [De *tabaca*² + *-udo.*] ***Adj.*** *Bras. BA Pop.* Ignorante, bronco, obtuso.

tabagismo [Do fr. *tabagisme.*] ***S. m.*** **1.** Abuso do tabaco. **2.** Intoxicação provocada por esse abuso. [A f. *tabaquismo*, preconizada pelos puristas, é muito p. us.]

tabagista [De *tabagismo* + *-ista.*] ***S. 2 g.*** Pessoa dada ao tabagismo (q. v.); tabaquista.

tabagístico [De *tabagismo* + *-ist(a)-* + *-ico*².] ***Adj.*** Relativo ao, ou próprio do tabagismo.

tabaiacu [Do tupi.] ***S. m.*** *Bras. PE* Designação comum a diversos recifes submersos, alongados e pouco sinuosos; taci.

tabajara *Bras.* ***S. 2 g.*** **1.** *Etnôn.* Indivíduo dos tabajaras, povo indígena que habita o município de Amarante (MA). ● ***Adj. 2 g.*** **2.** Pertencente ou relativo a esse povo. [Tb. us. como *s. 2 g. e 2 n.* (com cap.) e *adj. 2 g. e 2 n.*]

tabanagira ***S. f.*** *Bras.* V. *maconha* (2).

tabanca [Do cabo-verd. e do criol.] ***S. f.*** **1.** *Cabo-verd.* Associação de socorros mútuos, na ilha de Santiago, com atividades festivas (cortejo com cantos e danças) e culturais: 📖 "A Tabanca desapareceu / Anatematizada como vergonhosa reminiscência africana" (Virgínio Pires, em *No Reino de Caliban I*, p. 289). **2.** *Guin.* Povoação, aldeia: 📖 "ameaçavam destruir toda a colheita da população da tabanca." (Abdulai Sila, *Eterna Paixão*, p. 30).

tabânida [Do tax. *Tabanus* + *-ida*¹.] ***S. m. Adj. 2 g.*** *Zool.* V. *tabanídeo.*

tabanídeo [Do tax. *Tabanus* (do lat. *tabanus*, 'tavão') + *-ídeo*¹; tax. *Tabanidae.*] *Zool.* ***S. m.*** **1.** Espécime dos tabanídeos, família de insetos dípteros, braquíceros, conhecidos por mutucas. Tamanho médio ou grande, sendo as fêmeas hematófagas. As larvas, cilíndricas, desenvolvem-se nos pântanos, lamas e solos úmidos. A maioria das espécies é nociva, por sugarem o sangue do homem e dos animais domésticos, e, na África ocidental, algumas formas do gênero *Chrysops* podem transmitir filaríase. ● ***Adj.*** **2.** Pertencente ou relativo a eles.

tabapuanense ***Adj. 2 g.*** **1.** De, ou pertencente ou relativo a Tabapuã (SP). ● ***S. 2 g.*** **2.** O natural ou habitante de Tabapuã.

tabaque ***S. m.*** *Mús. Bras.* F. aferética de *atabaque* (2).

tabaqueação [De *tabaquear* + *-ção.*] ***S. f.*** Ato de tabaquear.

tabaquear [De *tabaco* + *-ear*².] ***V. t. d.*** **1.** Tomar pitadas de (tabaco ou rapé): *Cultiva hábitos do passado: ainda tabaqueia o bom rapé.* **2.** Sorver o fumo ou tabaco de (cigarro, charuto, cachimbo, etc.); fumar: *tabaquear um bom charuto.* ***Int.*** **3.** Tomar pitadas de tabaco ou rapé. **4.** Sorver tabaco ou fumo; fumar. [Conjug.: v. *frear.*]

tabaqueira [De *tabaco* + *-eira.*] ***S. f.*** **1.** Bolsa ou caixa para tabaco ou rapé: 📖 "O cônego assistia a tudo isto, calado, rufando sobre a sua tabaqueira de oiro as unhas brunidas a cinza de charuto" (Aluísio Azevedo, *O Mulato*, p. 40). **2.** *Lus.* Indústria de cigarro; fabricante de cigarro. ~ V. *tabaqueiras.* ◆ **Tabaqueira anatômica.** *Anat.* Depressão no dorso de cada mão, na base do polegar, situada entre os tendões dos músculos longo extensor do polegar e curto extensor do polegar, e onde, comumente, o tomador de rapé colocava este pó para inalá-lo; boceta anatômica.

tabaqueiras [Pl. de *tabaqueira.*] ***S. f. pl.*** Ventas (1). ~ V. *tabaqueira.* ◆ **Ir às tabaqueiras de.** Esbofetear; esmurrar; ir às fuças de.

tabaqueiro [De *tabaco* + *-eiro.*] ***Adj.*** **1.** Referente a tabaco; tabacal. **2.** Diz-se daquele que usa tabaco. ● ***S. m.*** **3.** Aquele que usa tabaco. **4.** *Pop.* Nariz de ventas largas. **5.** *Bras.* V. *cornimboque.*

tabaquento [De *tabaco* + *-ento*.] ***Adj.*** Recendente a tabaco: "O meu mestre era um padre português, velho, tabaquento, e carrança" (Olavo Bilac, *Últimas Conferências e Discursos*, p. 352).
tabaquismo [De *tabaco* + *-ismo*.] ***S. m.*** V. *tabagismo*.
tabaquista [De *tabaco* + *-ista*.] ***S. 2 g.*** **1.** Tabagista. **2.** Rapezista.
tabarana [De or. tupi, poss.] ***S. f.*** *Bras.* **1.** *Zool.* V. *tubarana* (1). **2.** Facão chato.
tabardilão [De *tabardilho*, poss.] ***S. m.*** *Bras.* Epizootia dos equídeos.
tabardilha [De *tabardo* + *-ilha*.] ***S. f.*** Tabardo pequeno.
tabardilho [Do esp. *tabardillo*.] ***S. m.*** Febre acompanhada de exantemas.
tabardo [De or. incerta.] ***S. m.*** Antigo capote, de mangas e capuz: "Tabardo novo de brístol fino, com forro de seda" (Antônio Feliciano de Castilho, *Camões*, I, p. 59). [Dim. irreg.: *tabardilha*.]
tabaréu [Do tupi = 'propenso à aldeia'.] ***S. m.*** **1.** Soldado bisonho. **2.** *Fig.* Indivíduo que pouco sabe do seu ofício. **3.** *Bras.* V. *caipira* (1): "Os tabaréus estavam voltando para as suas roças" (Jorge Medauar, *Água Preta*, p. 178). [Fem.: *tabaroa*.]
tabaroa (ô) [Fem. de *tabaréu*.] ***S. f.*** Mulher do campo; caipira, matuta: "Ah! tabaroas morenas de olhos negros, ... bocas que recendem mais que bogaris..." (Coelho Neto, *A Conquista*, p. 9.)
tabasco [Nome comercial, registrado.] ***S. m.*** Molho (1) muito condimentado, feito de malagueta (1) madura.
tabatinga [Do tupi = 'barro branco'.] ***S. f.*** **1.** *Bras.* Argila sedimentar, mole, untuosa, e com certo teor de matéria orgânica. **2.** *Bras. GO* Terra argilosa de variegadas cores. [Var.: *tauatinga*, *tobatinga*.]
tabatingal [De *tabatinga* + *-al*[1].] ***S. m.*** *Bras. S.* Terreno onde há tabatinga em abundância.
tabatinguense ***Adj. 2 g.*** **1.** De, ou pertencente ou relativo a Tabatinga (AM e SP). ● ***S. 2 g.*** **2.** O natural ou habitante de Tabatinga.
tabe [Do lat. *tabe*.] ***S. f.*** *Neur.* Neuropatia crônica devida a infecção pelo *Treponema pallidum*, e em que se observam lesões degenerativas na medula espinhal e em troncos nervosos sensitivos; clinicamente, observam-se fortes crises dolorosas, distúrbios sensitivos, distúrbios funcionais de vários órgãos, como, p. ex., estômago e laringe, e ataxia locomotora progressiva. [F. paral.: *tabes*; equiv. (lat.) *tabes dorsalis, tabes dorsualis*.]
tabebuia [Do tax. *Tabebuia*, de or. tupi.] ***S. f.*** *Bot.* **1.** Grande gênero de árvores e arbustos bignoniáceos nativos de regiões tropicais das Américas. [Sin.: *tecoma*.] **2.** Qualquer espécie desse gênero, como, p. ex., a *Tabebuia alba* (v. *ipê-amarelo*), a *T. caraiba* [v. *caraíba*[2] (1)], e a *T. cassinoides* (v. *caxeta*). **3.** Qualquer espécime desse gênero.
tabebuia-do-brejo ***S. f.*** *Bras. Bot.* V. *caxeta*. [Pl.: *tabebuias-do-brejo*.]
tabefe [Do ár. *tabī*, 'cozido'; 'guisado'.] ***S. m.*** **1.** Espécie de gemada preparada com leite, ovos e açúcar fervidos. **2.** Soro de leite coalhado. **3.** *Pop.* Tapa, soco, sopapo.
tabeira [De *táb(ua)* + *-eira*.] ***S. f.*** *Carp.* V. *cabeira*.
tabela [Do lat. *tabella*.] ***S. f.*** **1.** Pequena tábua, quadro ou papel, onde se registram nomes de pessoas ou de coisas. **2.** Escala de serviço. **3.** Relação, rol, lista, mapa, catálogo; tábua. **4.** Relação de preços máximos de mercadorias, sujeita a controle oficial. **5.** Registro ordenado de cálculos antecipadamente feitos, e que indica os respectivos resultados; índice. **6.** Bordo interno da mesa de bilhar; tablilha. **7.** Caixilho afixado à parede, em que se atravessam horizontalmente hastes, com bolinhas enfiadas, e que serve para marcar os pontos ganhos no jogo de bilhar. **8.** *Tip.* Quadro com cabeçalho e casas formadas por filetes que contêm linhas e colunas de palavras e algarismos. **9.** *Fut. Bras.* Jogada na qual dois ou mais jogadores, na corrida, trocam passes entre si; um-dois. **10.** *Basq.* Suporte retangular da cesta, feito de acrílico, ou madeira, ou cimento, etc. ◆ **Tabela mestra.** *Bras. Mar.* Distribuição de todo o pessoal da tripulação de um navio pelos vários encargos de bordo e pelos postos a serem ocupados nas fainas gerais (incêndio, colisão, abandono, combate, etc.). [Sin., lus.: *detalhe*.] **Tabela periódica.** *Quím.* Aquela em que os elementos são organizados em linhas, que correspondem aos períodos [v. *período* (13)], e colunas, que formam os grupos [v. *grupo* (3)]. [Antigamente, a tabela periódica era ordenada segundo os pesos atômicos dos elementos; hoje, usam-se os números atômicos, em ordem crescente.] **Tabela price.** *Mat. Fin.* Tabela que mostra as prestações referentes à amortização e aos juros de uma dívida, calculadas de forma a terem um valor constante, ao longo do período de pagamento. **Cair pelas tabelas. 1.** Sentir-se mal, e/ou fatigado, ou adoentado, etc.: *Depois do enfarte meu tio vive caindo pelas tabelas.* **2.** Atravessar uma situação difícil, desagradável ou penosa: *A nova legislação fiscal fez muita gente cair pelas tabelas.* **3.** Não achar-se em bom estado (coisa, situação, etc.). *Fam.* **Por tabela.** *Fam.* Indiretamente: *Censurou-o por tabela.*
tabelado [Part. de *tabelar*[2].] ***Adj.*** Que foi submetido a tabelamento (2): *produto tabelado; preços tabelados.*
tabelador [De *tabelar* + *dor*.] (ô) ***Adj. S. m.*** Que, ou aquele que tabela.
tabelamento [De *tabelar* + *-mento*.] ***S. m.*** **1.** Ação ou efeito de tabelar[2]. **2.** Controle oficial de preços por meio de tabelas.
tabelar[1] [De *tabela* + *-ar*[1].] ***Adj. 2 g.*** **1.** Relativo a tabela. **2.** Que tem forma de tabela (1).
tabelar[2] [De *tabela* + *-ar*[2].] ***V. t. d.*** **1.** Fazer tabela de: *Tabelar dados é função de estatístico.* **2.** Sujeitar a uma tabela os preços de: *O governo tabelou o arroz.* ***T. i.*** **3.** *Bras. Fut.* Fazer tabela (9): "Afonsinho tabelou com Rogério e centrou da linha de fundo." (*Jornal do Brasil*, 29.10.1973.)
tabeliã [Fem. de *tabelião*.] ***S. f.*** *Bras.* Tabelioa (3).
tabeliado [De *tabelião* + *-ado*[2], com síncope e desnasalação.] ***S. m.*** **1.** V. *tabelionato*. **2.** Antigo imposto pago pelos tabeliães.
tabelião [Do lat. tard. *tabellione*.] ***S. m.*** Notário público, que reconhece assinaturas e faz ou registra escrituras e outros documentos; notário. [Pl.: *tabeliães, tabeliãs*. Fem.: *tabelioa* (q. v.) e (bras.) *tabeliã*. Como adj. só se usa no fem.: *tabelioa* (q. v.).]
tabeliar [De *tabelião* + *-iar*[2].] ***V. int.*** Exercer o cargo de tabelião ou notário.
tabelinha [De *tabela* + *-inha*.] ***S. f.*** *Bras. Fut.* Jogada semelhante à tabela (9), porém a curta distância e a grande velocidade.
tabelioa (ô) [Fem. de *tabelião*.] ***Adj.*** ***(f.)*** **1.** Diz-se de certas palavras ou expressões que constituem forma usual: "Após meia dúzia de palavras tabelioas de um exórdio conciso, leu o libelo" (José Veríssimo, *Cenas da Vida Amazônica*, p. 143). **2.** Diz-se das fórmulas us. nos instrumentos lavrados por tabeliães. ~ V. *letra* —. ● ***S. f.*** **3.** *Pop.* Mulher de tabelião. [Sin., bras., nesta acepç.: *tabeliã*.]
tabelionado [De *tabelião* + *-ado*[2], seg. o padrão erudito.] ***S. m.*** V. *tabelionato*.
tabelional [De *tabelião* + *-al*[1], seg. o padrão erudito.] ***Adj. 2 g.*** **1.** Relativo a tabelião. **2.** Tabelionesco.
tabelionático [De *tabelionato* + *-ico*[2].] ***Adj.*** Relativo a tabelionato.
tabelionato [De *tabelião* + *-ato*[1], seg. o padrão erudito.] ***S. m.*** **1.** Ofício de tabelião. **2.** Escritório de tabelião. [Sin. ger.: *tabelionado, tabeliado*.]
tabelionesco (ê) [De *tabelião* + *-esco*, seg. o padrão erudito.] ***Adj.*** Próprio de tabelião; tabelional.
tabeliónico ***Adj.*** V. *tabeliônico*. [Uso freq. em P.]
tabeliônico [De *tabelião* + *-ico*[2], seg. o padrão erudito.] ***Adj.*** Relativo a, ou próprio de tabelião; tabelionesco.
taberna [Do lat. *taberna*.] ***S. f.*** **1.** Casa onde se vende vinho a varejo; baiuca, bodega, locanda, tasca, tasco. **2.** Casa de pasto ordinária; locanda, tasca, tasco. [Var.: *taverna*.]
tabernáculo [Do lat. *tabernaculu*.] ***S. m.*** **1.** *Rel.* Tenda portátil, que foi o santuário do deus dos hebreus, durante a peregrinação destes pelo deserto, símbolo da convivência ou encontro entre Deus e o homem. **2.** *Rel.* A parte do Templo de Jerusalém (q. v.) onde ficava a Arca da Aliança. **3.** Tabulão. **4.** *Pop.* Residência, habitação.
tabernal [De *taberna* + *-al*[1].] ***Adj. 2 g.*** **1.** Próprio de taberna; tabernário. **2.** Sujo, imundo. [Var.: *taverna l*.]
tabernário [Do lat. *tabernariu*, por via erudita.] ***Adj.*** Tabernal (1). ~ V. *comédia —a* e *fábula —a*. [Var.: *tavernário*.]
tabernear [De *taberna* + *-ear*[2].] ***V. int.*** Fazer vida de taberneiro: "há um taberneiro que fabrica em cada ano duas pipas de vinho. Com essas duas pipas taberneia, baldroca e aquartilha seis" (Ramalho Ortigão, *As Farpas*, I, p. 54). [Conjug.: v. *frear*.]
taberneiro [Do lat. *tabernariu*, por via pop.] ***S. m.*** **1.** Proprietário de taberna; baiuqueiro. **2.** Vendedor de vinho em taberna. **3.** V. *vendeiro*. **4.** *Fig.* Indivíduo pouco asseado; porco. [Var.: *taverneiro*.]
tabernoca [De *taberna* + *-oca*.] ***S. f.*** *Fam.* Pequena taberna: "Consumia as semanas e os meses prostrado nas escadinhas duma tabernoca da minha rua" (José Gomes Ferreira, *O Mundo dos Outros*, p. 140).
tabes [Do lat. *tabes* (nom.), 'putrefação'.] ***S. f.*** *Neur.* V. *tabe*.
tabescente [Do lat. *tabescente*.] ***Adj. 2 g.*** **1.** Que está sofrendo de tabe. **2.** Que está ficando tábido.
➔ **tabes dorsalis** ['tabes dɔr'sales] [Lat.] *Neur.* V. *tabe*.
➔ **tabes dorsualis** ['tabes dɔrso'ales] [Lat.] *Neur.* V. *tabe*.
tabético [De *tabe* + *-ético*.] ***Adj.*** Tábido (2).
tabi [Do top. ár. *ᶜatābī*, subúrbio de Bagdá onde se fabricava esse tecido.] ***S. m.*** *Desus.* Certo tafetá grosso e ondeado.
tabica [Do ár. *taṭbīqa(t)*, 'placa metálica, us. para cobrir o arreio dos animais'.] ***S. f.*** **1.** Cunha que se encrava no topo de um madeiro que se está serrando, a fim de facilitar a serragem. **2.** *Constr. Nav.* Sarrafo preso no topo das balizas, de proa a popa, rematando a borda de embarcação miúda aberta. **3.** *Bras.* Chibata feita de taboca, ou de outra haste flexível. **4.** *Bras. Fig.* Pessoa magríssima.
tabicada [De *tabica* (3) + *-ada*[1].] ***S. f.*** *Bras.* Pancada com tabica (3).
tabicar[1] [De *tabica* (1) + *-ar*[2].] ***V. t. d.*** Pôr tabica (1) em. [Conjug.: v. *trancar*.]
tabicar[2] [De *tabique* + *-ar*[2].] ***V. t. d.*** Pôr tabique (1) em. [Conjug.: v. *trancar*.]
tabidez (ê) [De *tábido* + *-ez*.] ***S. f.*** Estado ou qualidade de tábido.
tábido [Do lat. *tabidu*.] ***Adj.*** **1.** Podre, corrupto: "Deus verte a flama sidérea / Na escura e tábida vasa" (Raimundo Correia, *Poesias*, p. 289). **2.** *Patol.* Que sofre de tabe; tabético.
tabífico [Do lat. *tabificu*.] ***Adj.*** **1.** Que corrompe ou apodrece. **2.** *Patol.* Que produz tabe.
tabijara ***S. m.*** *Bras. PR* Valente. V. *valentão* (3).
tabique [Do ár. *taèbīk*, 'parede de ladrilhos'.] ***S. m.*** **1.** Espécie de parede pouco espessa, ger. de tábuas, e que serve para dividir os quartos nas casas; tapume: "os nossos leitos estavam apenas separados pelo fino, frágil tabique coberto de ramarias azuis!" (Eça de Queirós, *A Relíquia*, p. 131). **2.** V. *taipa* (1). **3.** *Anat.* Membrana que divide uma cavidade; septo.
tabirense ***Adj. 2 g.*** **1.** De, ou pertencente ou relativo a Tabira (PE). ● ***S. 2 g.*** **2.** O natural ou habitante de Tabira.
tabizar [De *tabi* + *-izar*.] ***V. t. d.*** Tornar ondulado como o tabi.
tabla[1] [Do lat. *tabula*, 'tábua', por via pop.] ***S. f.*** **1.** Lâmina; chapa. ● ***Adj.*** **2.** Diz-se do diamante chato e lapidado.
tabla[2] ***S. m.*** Tambor bengalês, de origem árabe, cuja principal característica está no esticamento da membrana por meio de pequenos cilindros colocados entre a cordagem e o fuste, e que se toca com a mão direita, enquanto a esquerda percute um segundo tambor.
tablada [Do esp. plat. *tablada*.] ***S. f.*** *Bras. RS* **1.** Espécie de feira de gado. **2.** V. *charqueada*.
tablado [Do lat. *tabulatu*, por via pop.] ***S. m.*** **1.** Parte do teatro onde os atores representam; palco: "E quando algum dos seus heróis voltar a aparecer durante algumas noites, no tablado de um teatro de Paris..." (Eça de Queirós, *Cartas Familiares e Bilhetes de Paris*, pp. 185-186.) **2.** Palanque (1). **3.** Estrado de madeira. **4.** *Bras. RS* Assoalho de pontes.
tablatura [Do fr. *tablature*.] ***S. f.*** *Mús.* **1.** Na Idade Média e no Renascimento, sistema de notação musical, em forma de partitura, usado para a grafia das polifonias instrumentais, ou instrumentais e vocais, e no qual apenas a voz recebia notação normal, enquanto as outras partes se apresentavam em notação alfabética ou cifrada. Usavam-se, para os instrumentos de sopro, sistemas especiais, que mostravam os respectivos orifícios, ora tapados pelos dedos, ora descobertos, para darem as diversas notas e, ainda, sinais suplementares para a dinâmica e a rítmica. **2.** *P. ext.* Sistema de notação musical que utiliza algarismos, letras, símbolos ou diagramas para representar as posições das mãos do executante ou as configurações de determinados instrumentos a fim de produzir as notas musicais. [Tb. se diz *tavolatura* (q. v.).] ◆ **Tablatura de alaúde.** *Mús.* Sistema de notação usado para esse instrumento, e que utilizava letras, números e outros sinais, não para representarem os sons, mas para indicarem ao executante as diversas posições dos dedos da mão esquerda sobre o braço do instrumento. [Sistema equivalente é hoje empregado no ensino do violão como instrumento acompanhador.]
➔ **tableau** [ta'blo] [Fr., 'quadro'.] ***S. m.*** Us. como interjeição após o relato de um incidente, no sentido de: *'Imagine(m) a cena!'*
➔ **tablet** ['tæblɪt] [Ingl.] ***S. m.*** *Inform.* **1.** Computador de uso pessoal que possui tela sensível ao toque. **2.** Tipo especial de caneta, us. para registrar notas diretamente na tela do computador.
tablete [Do fr. *tablette*.] ***S. m.*** *Bras.* Produto alimentar ou medicamento solidificado, que se apresenta sob a forma de placa, ger. retangular: *um tablete de chocolate e outro de manteiga de cacau.*
➔ **tablier** [tablije] [Fr.] ***S. m.*** *Lus.* Painel (7): "no *tablier* havia um autocolante com um chimpanzé de braços cruzados atrás da cabeça, em defesa do direito à preguiça." (Clara Pinto Correia, *Ponto Pé de Flor*, p. 102.)

tablilha [Do esp. *tablilla*.] *S. f.* 1. Tabela (6). 2. *Fig.* Meio indireto.

tablita *S. f. Bras.* Tabela que indica os descontos aplicáveis a dívidas ou obrigações contraídas numa situação de inflação alta, para uso em período posterior de inflação baixa ou nula, como em seguida a um congelamento de preços.

tabloide (ói) [Do ingl. *tabloid*.] *Adj. 2 g. Bras.* 1. Que tem forma de pastilha. • *S. m.* 2. Publicação em formato de meio jornal. ❖

tabo[1] *S. m.* Embarcação asiática e africana, de um mastro e vela latina.

tabo[2] *S. m. Adj. Lus.* V. *tabu*[1]: "Alguns povos primitivos invertem em certos períodos os <u>tabos</u>, invertem a legalidade e praticam tudo quanto é proibido." (Augusto Abelaira, *Bolor*, p. 65.)

taboa (ô) *S. f. Bras. SP Bot.* V. *tabua*.

taboãoense *Adj. 2 g.* 1. De, ou pertencente ou relativo a Taboão da Serra (SP). • *S. 2 g.* 2. O natural ou habitante de Taboão da Serra.

taboca[1] [Do tupi.] *S. f.* 1. *Bras. Bot.* Bambu (1), taquara. 2. *Bras. N.E.* Gomo de bambu (1) que se enche de pólvora no fabrico de foguetes, pistolões, etc. 3. *Zool.* Inseto himenóptero, formicídeo (*Camponotus abdominalis*). 4. *Bras. BA* Vendinha. 5. *Bras. BA* Obreia de açúcar em forma de cone.

taboca[2] [De *tábua* (8).] *S. f. Bras. Gír.* 1. Logro, burla, decepção. 2. Negativa, recusa. ◆ **Passar taboca.** *Bras. Gír.* Romper noivado para casar com outrem.

taboca-gigante [De *taboca*[1] + *gigante*.] *S. f. Bras. Amaz. Bot.* Bambu poáceo (*Gadua superba*) que habita as florestas pluviais, cujos colmos medem de 6 a 20m de altura e de 15 a 20cm de diâmetro. As sementes são feculentas e alimentares; com as hastes se fazem esteios de casas, escadas e canos. [Sin.: *taquaruçu*. Pl.: *tabocas-gigantes*.]

tabocal [De *taboca* + *-al*[1].] *S. m. Bras.* 1. Quantidade mais ou menos considerável de tabocas [v. *taboca*[1] (1)] dispostas proximamente entre si; taquaral. 2. Área ocupada por tabocal (1). [Sin. ger.: *taquaral*.]

taboeira [De *tamboeira*, com desnasalação.] *S. f. Bras. Bot.* Qualquer planta que cresce ou se desenvolve mal. [Cf. *tamboeira*.]

taboense *Adj. 2 g.* 1. De, ou pertencente ou relativo a Monsenhor Tabosa (CE). • *S. 2 g.* 2. O natural ou habitante de Monsenhor Tabosa.

taboqueador (ô) [De *taboquear* + *-dor*.] *Adj. S. m. Bras.* Que, ou aquele que taboqueia.

taboquear [De *taboca*[2] + *-ear*[2].] *V. t. d. Bras.* 1. Passar a taboca[2] em; lograr; desiludir. 2. Faltar à palavra dada a: *Prometeu colocar o amigo, e o <u>taboqueou</u>.* [Conjug.: v. *frear*.]

taboqueiro [De *taboca*[2] + *-eiro*.] *Adj.* 1. *Bras.* Que vende caro; careiro. 2. *Bras.* Caloteiro, taboqueador. • *S. m.* 3. *Bras. BA* Proprietário de taboca[1] (4).

taboquense *Adj. 2 g.* 1. De, ou pertencente ou relativo a Tabocas do Brejo Velho (BA). • *S. 2 g.* 2. O natural ou habitante de Tabocas do Brejo Velho.

taboquinha [De *taboca* + *-inha*.] *S. f. Bras. AM a RJ Bot.* Capim poáceo (*Panicum latifolium*) semiescandente de mata ou descampado. Folhas ovado-lanceoladas, acuminadas, estriadas e de margem áspera; as espiguetas medem 3mm, e agregam-se em espigas dispostas em panículas.

tabu[1] [Do polinésio *tabu*, 'sagrado', 'intocável', 'proibido', pelo ingl. *taboo*.] *S. m.* 1. Em certos povos e sociedades, proibição ou restrição de natureza ritual e religiosa, que determina que certos objetos, indivíduos, lugares ou atos, por serem considerados sagrados ou esp. impuros e perigosos, sejam evitados, e que como instituição social ger. está associada a fortes sanções e à crença de que sua violação traz castigo sobrenatural. 2. *P. ext.* Proibição convencional imposta por tradição ou costume a certos atos, modos de vestir, temas, palavras, etc., tidos como impuros, e que não pode ser violada, sob pena de reprovação e perseguição social: *<u>tabus</u> alimentares.* 3. Aquilo que é objeto de uma dessas proibições: *O incesto é um <u>tabu</u> em todas as sociedades.* 4. *P. ext.* Aquilo cujo uso, prática ou menção é objeto de forte censura, ger. por temor, vergonha, etc.: *Para eles, sexo ainda é um <u>tabu</u>.* 5. Escrúpulo sem justificativa ou fundamento positivo: *É uma pessoa cheia de <u>tabus</u>.* • *Adj. 2 g.* 6. Que tem caráter sagrado, sendo interdito a qualquer contato: *armas <u>tabus</u>.* 7. Que é proibido, perigoso, por ser considerado impuro, impudico. 8. *Fig.* Que é objeto de forte censura; que é interdito, proibido: *assuntos <u>tabus</u>.* [Sin. ger. (lus.): *tabo*.]

tabu[2] [De or. obscura.] *S. m. Bras.* Açúcar que, por se haver queimado ao apurar, ou não ser bem limpo, não coalha bem na fôrma, nem entesta para se lhe pôr barro e purgá-lo.

tabu[3] *S. m. Bras. BA Bot.* V. *tabua*.

tabua [De or. obscura.] *S. f. Bras. Bot.* Grande erva tifácea (*Typha domingensis*) de até 3m, que vive em águas paradas e rasas, pois radica-se no fundo lamacento por meio de um rizoma, que é comestível. Tem folhas ensiformes, pontudas e resistentes, flores unissexuais e inconspícuas arrumadas em espigas grossas e compactas, de sexos separados, e espigas frutíferas com pelos que parecem paina. As folhas servem para fazer esteiras e cestos, e podem dar celulose para papel. [Var.: *taboa* e *tabu*. Sin.: *partasana* e (lus.) *bunho*. Cf. *tábua*, s. f., e *Tábua*, top.]

tábua [Do lat. *tabula*, por via pop.] *S. f.* 1. Peça plana, de madeira. 2. Peça plana similar à tábua (1), mas de outro material: *as <u>Tábuas</u> da Lei.* 3. Quadro, tela. 4. V. *tabela* (3). 5. Mesa de jogo ou de refeições. 6. Cada um dos lados do pescoço do cavalo e doutros animais: "Caminhou para o cavalo e pousou a mão na <u>tábua</u> do pescoço." (M. Cavalcanti Proença, *Manuscrito Holandês*, p. 86.) 7. *Anat.* Designação da camada externa ou da camada interna de osso craniano, formada cada uma por tecido ósseo composto e separadas uma da outra por tecido ósseo esponjoso. 8. *Mat.* Quadro de números metodicamente ordenados que permite obter, com pouca demora, o valor numérico de um resultado que se deseja. [Ex.: *<u>tábua</u> de multiplicar*; *<u>tábua</u> de quadrados*; *<u>tábua</u> de logaritmos*.] 9. *Bras.* Recusa a pedido de casamento: "Foi pedir em casamento a terrível Ciganinha e levou formidável <u>tábua</u>" (Visconde de Taunay, *Ao Entardecer*, p. 72). 10. *Bras.* Engano propositado; logro: *Mau-caráter, acabou dando uma <u>tábua</u> no amigo.* 11. *Bras. Zool.* V. *guaivira*. [Cf. *tabua*.] ◆ **Tábua corrida.** *Arquit.* Piso de tábuas, em geral, largas e contínuas. **Tábua de bater roupa.** *Bras. N.E. Pop. Fig.* Mulher cujo busto quase não tem relevo. **Tábua de logaritmos.** *Mat.* Tabela dos logaritmos dos números numa base. **Tábua de matéria.** V. *sumário* (5). **Tábua de salvação.** Último expediente ou recurso para situação aflitiva. **Tábua rasa.** 1. Superfície plana preparada para receber uma inscrição, porém onde nada ainda se gravou. 2. Quadro ou tela antes de receber as tintas. **Tábuas da Lei.** *Rel.* 1. Segundo o Antigo Testamento, o código que continha os dez mandamentos da lei de Deus. 2. As duas peças de pedra em que esses mandamentos foram gravados. **Tábuas de Bacon.** Coleções de exemplos típicos que registram a presença, a ausência, ou o grau de intensidade de uma qualidade ou fenômeno, e que foram preconizadas por Francis Bacon (v. *baconiano*) como uma ordenação preliminar daqueles fenômenos ou qualidades a partir da qual se desenvolveria a indução. **Tábuas de comutação.** Em atuária, tábuas utilizadas para facilitar os cálculos sobre seguros. **Fazer tábua rasa de.** 1. Suprimir inteiramente (o que existe), para substituí-lo por coisas novas. 2. Não fazer caso de; não levar em conta, em consideração; desprezar, ignorar: "O sexo, insubmisso, urgente, <u>fez tábua rasa dos</u> pudores da epiderme e de outras relutâncias inconfessadas" (Miguel Torga, *Traço de União*, p. 115). [Sin. ger.: *fazer tábula rasa de*.] **Levar tábua.** *Bras.* Ser logrado, desenganado. **Na tábua da venta.** Cara a cara; na presença; nas bochechas: *Recebeu insultos <u>na tábua da venta</u>, e não revidou.* **Ser uma tábua.** *Bras.* Não ter seios ou nádegas salientes.

tabuada [De *tábua* + *-ada*[1].] *S. f.* 1. *Mat.* Tabela das operações elementares com números de um ou dois algarismos, usada no aprendizado das quatro operações e de outras noções elementares. 2. Livrinho que contém essa tabela. 3. A repetição oral dessa tabela: *Antigamente as crianças cantavam a <u>tabuada</u>.* 4. Índice de livro. 5. *Fig. Fam.* Repertório, compilação.

tabuadense *Adj. 2 g. S. 2 g.* V. *aparecidense*[2].

tabuado [Do lat. *tabulatu*, por via pop.] *S. m.* Conjunto de peças de madeira, unidas entre si ou colocadas lado a lado, que constituem forro de assoalho, o próprio assoalho, revestimento de parede, a própria parede, etc.; tabuame: *O <u>tabuado</u> do assoalho está empenado; A parede era revestida de um <u>tabuado</u> de jacarandá.*

tabual [De *tabua* + *-al*[1].] *S. m.* 1. Quantidade mais ou menos considerável de tabuas dispostas proximamente entre si. 2. Área ocupada por tabual (1).

tabuame [De *tábua* + *-ame*.] *S. m.* 1. Porção de tábuas. 2. Tabuado: "o vocabulário de marinharia me fascinou sempre como uma língua de peregrinos; então fui um desenvolto grumete a correr sobre o <u>tabuame</u> de peroba, cheirando a serragem e a novo." (Carlos Lacerda, *A Casa do Meu Avô*, pp. 179-180).

tabuão [De *tábua* + *-ão*[1].] *S. m. Bras. RS* 1. Tábua grande; prancha. 2. Estiva ou ponte de madeira bruta para se atravessarem pequenos cursos de água ou terrenos encharcados.

tabuiaiá [Do tupi.] *S. m. Bras. Zool.* V. *cauanã*. [Var.: *tabujajá*.]

tabuinha (u-í) [De *tábua* + *-inha*.] *S. f.* 1. Tábua pequena e delgada. 2. Conjunto de fasquias ou ripas usadas nos vãos das portas ou janelas para evitar o sol e/ou os olhares de estranhos.

tabuizar [De *tabu* + *-izar*.] *V. t. d.* Transformar em tabu: "Conta-nos Rosário Farani Mansur Guérios .... que as culturas ocidentais <u>tabuízam</u> palavras que se referem ao nome de Deus, do Diabo, de excreções fisiológicas .... bem como ao ato sexual." (Mário Eduardo Viaro, em *Língua Portuguesa* (revista), p. 64.) [Conjug.: *ajuizar*.]

tabujajá [Var. de *tabuiaiá*.] *S. m. Bras. Zool.* V. *cauanã*.

tábula [Do lat. *tabula*, por via erudita.] *S. f.* 1. Pequena peça redonda, ger. de osso ou de marfim, usada em vários jogos. 2. Pequena placa de madeira, marfim ou metal, escavada para conter camada de cera, na qual os romanos escreviam com um estilo; códex, pugilar. [Usava-se frequentemente em grupos de duas, três, cinco ou mais unidades (*díptico*, *tríptico*, *pentáptico*, *políptico*), ligadas por charneiras, formando conjunto, igualmente chamado *códex*, que se fechava como um livro e podia receber atacas, as quais se usavam quando continham mensagens sigilosas.] [Var.: *távola*. Pl.: *tábulas*. Cf. *tabula* e *tabulas*, do v. *tabular*.] ◆ **Tábula rasa.** *Filos.* No empirismo mais radical, estado de indeterminação completa, de vazio total, que caracteriza a mente antes de qualquer experiência. **Fazer tábula rasa de.** Fazer tábua rasa de.

tabulado [Do lat. *tabulatu*, por via semierudita.] *S. m.* 1. Tabuado. 2. Palco improvisado.

tabulador (ô) [Trad. do ingl. *tabulator*.] *S. m.* Dispositivo das máquinas de escrever que permite, mediante a simples pressão de uma tecla, alinhar o carro em posições previamente fixadas.

tabulão [De *tábula* + *-ão*[1].] *S. m.* Mesa de ourives; tabernáculo.

tabular[1] [Do lat. *tabulare*.] *Adj. 2 g.* 1. Relativo a tábuas, quadros, mapas, etc., ou ao emprego deles. 2. Que tem forma de tábua ou tabela. 3. *Bibliol.* Diz-se do livro xilografado (q. v.), em razão das pequenas tábuas (pranchas) gravadas com que era impresso; tabulário. ~ V. *composição —*, *livro —* e *raiz —*.

tabular[2] [Trad. do ingl. *(to) tabulate*.] *V. t. d.* 1. Marcar em (máquina de escrever) o(s) ponto(s) em que deve parar o carro quando comprimido o tabulador. 2. *Inform.* Mover o cursor na tela de vídeo até uma coluna específica. 3. *Inform.* Dispor dados em formato colunar. [Pres. ind.: *tabulo, tabulas, tabula*, etc.; fut. pret.: *tabularia*, etc. Cf. *tábula*, s. f., pl. *tábulas*, e *tabulária*, fem. de *tabulário*.]

tabulário [De *tabular*[1] + *-io*[2].] *Adj. Bibliol.* Tabular[1] (3). [Fem.: *tabulária*. Cf. *tabularia*, do v. *tabular*.] ~ V. *livro —*.

tabule [Do ár. (sírio-libanês) *tabbūla(t)*.] *S. m. Cul.* Salada à base de trigo-sarraceno, com tomate, cebola, cheiro-verde, etc., picados.

tabuleirense[1] *Adj. 2 g.* 1. De, ou pertencente ou relativo a Tabuleiro (MG). • *S. 2 g.* 2. O natural ou habitante de Tabuleiro.

tabuleirense[2] *Adj. 2 g.* 1. De, ou pertencente ou relativo a Tabuleiro do Norte (CE). • *S. 2 g.* 2. O natural ou habitante de Tabuleiro do Norte.

tabuleirense[3] *Adj. 2 g.* 1. De, ou pertencente ou relativo a Tabuleiro Grande (RN). • *S. 2 g.* 2. O natural ou habitante de Tabuleiro Grande.

tabuleiro [De *tábula* + *-eiro*.] *S. m.* 1. Peça de madeira, de metal ou de outro material, com fundo chato e rebordos, destinada a conter e/ou transportar diversos objetos; bandeja. 2. Quadro de madeira ou de outra matéria, subdividido em 64 quadrados alternadamente pretos e brancos, onde se jogam o xadrez, as damas, etc. 3. Patamar[1] (1). 4. Parte plana duma ponte ou viaduto que se apoia nas colunas ou nos arcos e recebe a superestrutura das estradas. 5. V. *talhão*[1] (1). 6. V. *leira* (2). 7. Talho (10). 8. Parte em que assenta o teclado do piano. 9. *Bras.* Planalto pouco elevado, em geral arenoso e de vegetação rasteira. 10. *Bras.* Banco de areia que se forma no meio da corrente e aparece na vazante. 11. *Bras. AM* Ninho de tartarugas. 12. *Bras. N.E.* Faixa de terra de poucas árvores e quase sem nenhum arbusto. 13. *Bras. MG* Designação comum a planaltos cuja superfície não tem nível perfeito, e que são separados por escarpas ab-ruptas. 14. *Bras. S.* V. *assadeira*.

tabuleta (ê) [De *tábula* + *-eta* (ê).] *S. f.* 1. Tábua de madeira, metal, plástico, etc., com letreiro, que se usa colocar à porta de certos estabelecimentos e em edifícios públicos. 2. Letreiro, anúncio. 3. Sinal, aviso. 4. *Bras. RS* Tábua que se ata por meio de um arame ao focinho dos bezerros para os impedir de mamar; destetadeira.

tabuliforme [Do lat. *tabula*, 'tábua', + *-iforme*.] *Adj. 2 g.* Que tem forma de tábua, ou de tabuleiro.

tabulista [Do lat. *tabula*, 'tábua', + *-ista*.] *S. 2 g.* Pessoa que faz tábuas ou tabelas astronômicas ou geométricas, etc.

T

tabun [Do al. *Tabun*.] *S. m. Mil.* Designação de um gás dos nervos nitrogenado [fórm.: $C_5H_{11}N_2O_2P$].

taburno [De or. obscura.] *S. m.* **1.** Estrado, tablado. **2.** Peça de madeira, em forma de telha, us. para transportar torrões para as paredes das marinhas. **3.** Tampa das sepulturas, nas igrejas.

taca[1] [F. aferética de *ataca*, poss.] *S. f. Bras.* **1.** Pancada, bordoada. **2.** Relho, mangual: "o rapazola .... estalou a taca. A Faísca amiudou o passo puxando a tropa." (Coelho Neto, *Banzo*, p. 83). ◆ **Meter a taca em.** *Bras. Fam.* V. *meter o pau em* (2).

taca[2] [Do tax. *Tacca*.] *S. f. Bot.* **1.** O gênero-tipo das tacáceas, que reúne plantas herbáceas tropicais de rizomas trepadores, folhas compostas, basais, e pequenas flores em umbelas. **2.** Qualquer espécie desse gênero, como, p. ex., a *Tacca pinnatifida*, de folhas irregularmente recortadas, e que só difere das amarilidáceas pelo ovário unilocular, tendo um bolbo rico em amido. **3.** Qualquer espécime desse gênero.

taça [Do ár. *ṭāsa(t)*.] *S. f.* **1.** Vaso largo, de pouca profundidade, ger. provido de pé, para beber. **2.** Troféu com o feitio desse vaso. **3.** Copo (1). **4.** O conteúdo de uma taça; taçada: *Tomou duas taças de champanha.*

tacaca [De *maritacaca*, com aférese.] *S. f. Bras. Pop.* **1.** Suor humano fétido; bodum. **2.** Mau cheiro. **3.** *N.E. Zool.* V. *gambá* (1).

tacacá [De or. caribenha.] *S. m. Bras. AM PA Cul.* Mingau quase líquido de goma de tapioca temperado com tucupi, jambu, camarão e pimenta.

tacacazeiro (cacà) [De *tacacá* + *-zeiro*.] *S. m. Bras. Bot.* **1.** Árvore esterculiácea (*Sterculia elata*) de até 40m, nativa da Amaz., de madeira avermelhada, grandes frutos lenhosos, que se abrem por uma fenda, e sementes oleaginosas. **2.** Boceta-de-mula. **3.** V. *embira* (6).

tacácea [Do tax. *Tacca* + *-ácea*; tax. *Taccaceae*.] *S. f. Bot.* Espécime das tacáceas, família da ordem das liliifloras que compreende apenas o gênero *Tacca* (v. *taca*[2]).

tacáceo [De *tacácea*, com var. suf. (v. *-áceo*).] *Adj. Bot.* Pertencente ou relativo às tacáceas.

tacada [De *taco*[1] + *-ada*[1].] *S. f.* **1.** Pancada com taco[1] (1 e 2). **2.** Lucro de soma vultosa. **3.** Golpe imprevisto. **4.** *Bras. N.E.* Grande porção; bolada. **5.** *Bras. N.E.* Ato de pedir dinheiro emprestado ou dado; facada. **6.** *Esport.* Na sinuca, ato de impulsionar a bola branca contra a bola visada. **7.** *Esport.* No golfe, no hóquei, no polo e em alguns outros esportes, ato de impulsionar a bola com um taco. ◆ **Tacada de cego.** *Bras. N.E.* Grande pancada. **De uma tacada.** *Bras.* De uma vez; duma assentada.

taçada [De *taça* + *-ada*[1].] *S. f.* Taça (4).

tacadeira [De *tacar* + *-deira*.] *S. f.* Jogadeira.

tacaimboense (ôen) *Adj. 2 g.* **1.** De, ou pertencente ou relativo a Tacaimbó (PE). ● *S. 2 g.* **2.** O natural ou habitante de Tacaimbó.

tacana [Do tupi.] *S. f. Bras. Etnol.* Entre os tapirapés, casa destinada a danças e outras reuniões do sexo masculino. [Cf. *casa dos homens*.]

tacanharia [De *tacanho* + *-aria*.] *S. f.* V. *tacanhice*.

tacanhear [De *tacanho* + *-ear*[2].] *V. int.* Proceder com tacanhice. [Conjug.: v. *frear*.]

tacanhez (ê) [De *tacanho* + *-ez*.] *S. f.* V. *tacanhice*.

tacanheza (ê) [De *tacanho* + *-eza*.] *S. f.* V. *tacanhice*.

tacanhice [De *tacanho* + *-ice*.] *S. f.* Qualidade, ato ou proceder de quem é tacanho; tacanharia, tacanhez, tacanheza.

tacanho [Do hebr. *taqanah*, poss.] *Adj.* **1.** De pequena estatura; baixo. **2.** Pequeno, curto. **3.** V. *avaro* (1): "Os pródigos e dissipadores do seu e alheio censuram de tacanhos, insociáveis e apoucados os prudentes, econômicos e poupados." (Marquês de Maricá, *Máximas, Pensamentos e Reflexões*, p. 309); "muito menos caberá à multidão pretender cercear o poder criador do gênio, sob o pretexto de tacanhas conveniências." (Adelino Magalhães, *Obras Completas*, II, p. 228). **4.** Manhoso, astucioso, sagaz. **5.** Que não revela visão, largueza de vistas, nas ideias; estúpido, inhenho: "Semelhante escola é produtora de monstros, ou só deve engendrar espíritos estupendamente tacanhos." (Raimundo Correia, *Poesia Completa e Prosa*, p. 587.)

tacanhoba *S. f. Bras. MA* Tanga usada por canoeiros e jangadeiros.

tacaniça [De or. obscura.] *S. f.* **1.** Lanço de telhado que resguarda os lados do edifício. **2.** Viga que vai da cumeeira ao ângulo formado pelo encontro da parede da fachada com a lateral, nas casas de telhado de quatro águas: "via-se .... uma casa de tacaniça, de aspecto quase claustral, que convidava ao repouso." (Franklin Távora, *Lourenço*, p. 142).

tacão [Do it. *taccone*.] *S. m.* **1.** O salto do calçado: "As lajes do claustro, calcadas pelo tacão de nossas botinas de visitantes apressados, estão cobertas .... de inscrições" (Afonso Arinos, *Histórias e Paisagens*, p. 213). **2.** Pedaço de sola, de pau, de cortiça, empregado na sua fabricação. **3.** *Fig.* Pateada em teatro.

tacapaço [De *tacape* + *-aço*.] *S. m. Bras. Etnol.* **1.** Grande tacape. **2.** Golpe de tacape.

tacape [Do tupi.] *S. m.* Arma ofensiva, espécie de maça us. por índios americanos; tangapema, ivirapema ou ivirapeme. [Aum. irreg.: *tacapaço*. Cf. *clava*.]

tacar[1] [De *atacar*, com aférese.] *V. t. d. Bras.* **1.** Dar taca[1] (1) em; bater, surrar. *T. d. e i.* **2.** *Pop.* Atacar (11 a 14). [Conjug.: v. *trancar*.]

tacar[2] [De *taco*[1] + *-ar*[2].] *V. t. d. Bras.* Dar tacada em (bola de bilhar, de golfe, etc.).

tacaratuense *Adj. 2 g.* **1.** De, ou pertencente ou relativo a Tacaratu (PE). ● *S. 2 g.* **2.** O natural ou habitante de Tacaratu.

tacaré [Do tupi = 'haste curva'.] *S. m. Bras. Bot.* Espécie de mandioca.

tacauá *S. f. Bras. Amaz. Zool.* V. *tacuá*.

taceira [De *taça* + *-eira*.] *S. f.* Mostrador onde os ourives expõem taças e outros vasos.

tacelo (ê) *S. m. Escult.* V. *tasselo*.

tacha[1] [Do ant. provenç. *tacha*, pelo esp. *tacha*.] *S. f.* Pequeno prego de cabeça larga e chata; brocha: "Corcéis de ricos, com arreios de prata e selas com tachas de ouro" (Agripa Vasconcelos, *Gongo Soco*, p. 15). [Cf. *taxa*, do v. *taxar*, e s. f.]

tacha[2] [Do fr. *tache*.] *S. f.* **1.** Mancha, nódoa; mácula. **2.** *P. ext.* Defeito moral; mácula. [Cf. *taxa*, do v. *taxar*, e s. f.]

tacha[3] [De *tacho*.] *S. f. Bras.* Tacho grande, us. nos engenhos de açúcar: "Nas tachas, o mel fervia, engrossava" (Mário Sete, *Senhora de Engenho*, p. 122). [Cf. *taxa*, do v. *taxar*, e s. f.]

tachá [Voc. onom.] *S. m. Bras. Zool.* V. *guarandi*.

tachã [Voc. onom.] *S. f. Bras. Zool.* Ave anseriforme, anhimídea (*Chauna torquata*), que ocorre da Argentina ao Paraguai, e no C.O. e S. do Brasil. Tem coloração geral cinzenta, e zona nua, vermelha, no meio do pescoço, nas pernas e em volta dos olhos. A garganta e parte do pescoço, acima da zona nua, recoberta de gola de penugem negra realçada por segunda gola de penugem branca; encontro da asa com forte esporão córneo, e cabeça com crista. Vive nos alagadiços, alimentando-se de vegetais tenros. [Sin.: *anhumapoca, anhupoca, inhumapoca, chaiá, chajá, taã, xaiá, xajá*.]

tachada [De *tacho*[1] + *-ada*[1].] *S. f.* **1.** O que um tacho (1) pode conter. **2.** Tacho (1) cheio: "No armazém, ferve uma tachada de leite coalhado" (Adalberon Cavalcanti Lins, *Curral Novo*, p. 318). **3.** *Gír.* V. *bebedeira* (1). [Cf. *taxada*, part. fem. de *taxar*.]

tachador (ô) [De *tachar* + *-dor*.] *Adj. S. m.* Que, ou aquele que tacha. [Cf. *taxador*.]

tachão[1] [De *tacha*[1] + *-ão*[1].] *S. m.* **1.** Tacha[1] grande. **2.** *Encad.* Cada um dos pregos que outrora se punham no centro e nos cantos das pastas de certas encadernações, como ornato e proteção.

tachão[2] [De *tacho*[1] + *-ão*[1].] *S. m.* Tacho (1) grande.

tachar [De *tacha*[2] + *-ar*[2].] *V. transobj.* Pôr tacha ou defeito em; acusar, censurar, notar: *Às primeiras respostas, o professor tachou-o de ignorante*; "Se Francisco de Sá de Miranda tachou indiretamente de *pasquinadas* as farsas do seu coevo [Gil Vicente], não lhe faltaria direito a mais sensível desforra" (Camilo Castelo Branco, *História e Sentimentalismo*, p. 35); "Não me tachem de espírito vil." (Machado de Assis, *A Semana*, II, p. 421). [Pres. ind.: *tacho, tachas, tacha*, etc.; pres. subj.: *tache*, etc. Cf. *taxo, taxas, taxa, taxe*, do v. *taxar*; *taxa*, s. f., pl. *taxas*; *taxe* (cs), s. f.; e *táxi* (cs), s. m. e s. f.] "Sobre a grande confusão que reina quanto ao significado dos verbos *tachar* e *taxar*, leia-se a erudita observação do professor Aires da Mata Machado Filho (*Escrever certo*, 2.ª série, pp. 32-35), de onde se transcreve o seguinte: 'Vejamos agora a lição que é possível colher da consulta ao dicionário. Parece-me que a dúvida caberá, quanto à grafia do verbo, em frases como: F. *taxou* de exemplar o seu procedimento; F. *tachou* de imprestável o seu trabalho. O nó da questão está na etimologia e na semântica dos vocábulos em apreço. *Taxar* (com *x*) é regular o preço de, donde *avaliar, julgar*, em sentido translato. (L. de Vasconcelos, *Lições de Português*, p. 185). (O título exato dessa obra de Leite de Vasconcelos não é *Lições de Português*, e sim *Lições de Filologia Portuguesa*.) Assim, examinando o procedimento de alguém, posso *taxá-lo* de exemplar ou de incorreto. Entretanto não ficaria bem dizer que F. *tachou* (com *ch*) de exemplar o seu procedimento. *Tachar* vem de *tacha*, que quer dizer mancha, defeito. Pôr *tacha, tachar*, é pôr defeito, encontrar senão. Explica-se pois a mistura de águas, nas vertentes semânticas desses dois vocábulos. É erro dizer *tachar* de bom um trabalho, e tanto se pode dizer *taxar* de bom como *taxar* de mau pelas razões ainda agora expostas. Ambos os verbos significam, ao cabo de contas, o resultado de um julgamento'." (Francisco Fernandes, *Dicionário de Verbos e Regimes*, s. v. *taxar*.)]

tachar-se [De *tacho* (3) + *-ar*[2] + *se*[1], poss.] *V. p. Gír.* Embriagar-se, embebedar-se.

tachear [De *tacha*[1] + *-ear*[2].] *V. t. d. Bras.* **1.** Pregar tachas em. **2.** Adornar com tachas. [Sin. ger.: *tachonar*. Conjug.: v. *frear*.]

tacheiro [De *tacho* + *-eiro*.] *S. m. Bras. N.E.* Nos engenhos de açúcar, ajudante que se encarrega dos tachos.

tachim [De or. obscura.] *S. f.* Capa de couro, ou caixa, com que se protege livro ou álbum de encadernação de luxo.

tachismo [Do fr. *tachisme* (< fr. *tache*, 'mancha', + fr. *-isme*).] *S. m. Art. Plást.* Técnica de pintura abstrata surgida por volta de 1960, em que a cor se aplica em manchas, e que é uma das manifestações da arte informal (q. v.).

tachista [De *tachismo* + *-ista*.] *Adj. 2 g.* **1.** Referente ao, ou próprio do tachismo. **2.** Que é adepto ou seguidor dessa técnica de pintura. ● *S. 2 g.* **3.** Adepto ou seguidor do tachismo.

tacho *S. m.* **1.** Vaso de metal ou de barro, largo e de pouca fundura, em geral com asas. **2.** *Fam.* Cozinheira (1). **3.** Antiga medida portuguesa equivalente a 25 litros. **4.** *Bras. Pop.* Piano ruim, velho, ou desafinado: "— Pois, se em vez de piano, lhe haviam dado um tacho, um verdadeiro tacho, para executar um noturno de Chopin! dificílimo." (Aluísio Azevedo, *Casa de Pensão*, p. 121.) **5.** *Bras. N.E.* Relógio ruim. **6.** *Gír.* V. *dinheiro* (3). ◆ **Tacho areado.** *Bras. CE Pop.* Indivíduo vermelho e ruivo. [Cf. *taxo*, do v. *taxar*.]

tachonado [Part. de *tachonar*.] *Adj.* Cravado de tachões (v. *tachão*[1]).

tachonar [De *tachão*[1] + *-ar*[2], seg. o padrão erudito.] *V. t. d.* **1.** V. *tachear*. *T. d. e i.* **2.** Esmaltar, mesclar, matizar.

taci [Do tupi = 'pedra cortada, separada'.] *S. m. Bras. PE* Tabaiacu.

tacibense *Adj. 2 g.* **1.** De, ou pertencente ou relativo a Taciba (SP). ● *S. 2 g.* **2.** O natural ou habitante de Taciba.

tacibura [Do tupi.] *S. f. Bras. Amaz.* V. *formiga-lava-pé*.

tacimense *Adj. 2 g.* **1.** De, ou pertencente ou relativo a Tacima (PB). ● *S. 2 g.* **2.** O natural ou habitante de Tacima.

tacipitanga [Do tupi = 'formiga vermelha'.] *S. f. Bras. Amaz. Zool.* V. *formiga-lava-pé*.

tacitifluo [De *tácito* + *-i-* + *-fluo*.] *Adj.* Que corre ou escorre sem ruído.

tácito [Do lat. *tacitu*.] *Adj.* **1.** Silencioso, calado. **2.** Em que não há rumor; silencioso: *ambiente tácito, ideal para a meditação.* **3.** Que não se exprime por palavras; subentendido, implícito: *aprovação tácita; Distantes embora, a identidade dos ideais criou entre eles uma tácita aliança*; "Escuta a queixa tácita e celeste / Que este silêncio fala a ti, tão triste..." (Francisca Júlia, *Esfinges*, p. 122). **4.** Que, por não ser expresso, de algum modo se deduz. **5.** Oculto, secreto.

taciturnidade [Do lat. *taciturnitate*.] *S. f.* **1.** Qualidade de taciturno. **2.** Solidão, soledade. **3.** Tristeza, melancolia; misantropia.

taciturno [Do lat. *taciturnu*.] *Adj.* **1.** Que fala pouco; silencioso, calado. **2.** Triste, tristonho: "O funcionário americano era louro, magro e jovial. O mexicano gordo, cabeludo e taciturno" (Érico Veríssimo, *México*, p. 15).

taco[1] [De or. obscura, poss. onom. (express. do ruído que faz o taco ao tocar a bola).] *S. m.* **1.** Pau roliço, comprido, com que se impulsionam as bolas no jogo de bilhar. **2.** Pau com que se toca a bola, nos esportes do golfe, do polo, do hóquei, etc. **3.** Peça de atafona. **4.** Bucha de espingarda caçadeira ou de peça de artilharia. **5.** Pedaço de madeira que se embute na parede para receber pregos ou parafusos de fixação; bucha, tarugo. **6.** Pedaço de madeira de soalho us. para revestir pisos em lajes de concreto armado. **7.** *Grav.* Prancha (4). **8.** *Bras. S. Gír.* Indivíduo jeitoso, capaz, hábil: *O rapaz é taco para esportes.* **9.** *Bras. S. Gír.* Indivíduo valente, corajoso, temível como parceiro. **10.** *Bras.* Talento, engenho, habilidade: "que confiança, que fé no taco, que certeza de que estava no caminho certo!" (João Ubaldo Ribeiro, *Sempre aos Domingos*, p. 210); "— Vai em frente, Hipólito. Confio no teu taco." (Rubem Mauro Machado, *O Executante*, p. 20.) **11.** *Lus. Gír.* V. *dinheiro* (3). ◆ **Taco a taco.** Pau a pau.

taco[2] *S. m. Bras. N.E.* Bocado, pedaço, tico.

▲**taco-** [Do gr. *táchos, eos-ous*.] *El. comp.* = 'velocidade': *tacômetro*.

tacógrafo [De *taco-* + *-grafo*.] *S. m.* Aparelho que registra velocidades; tacômetro registrador.

tacómetro *S. m.* V. *tacômetro*. [Uso freq. em P.]

tacômetro [De *taco-* + *-metro*.] *S. m.* Instrumento para medir velocidades, especialmente as de rotação de um motor ou de um eixo; taquímetro, conta-giros, conta-voltas. ◆ **Tacômetro registrador.** Tacógrafo.

taconhapé *Bras. S. 2 g.* **1.** *Etnôn.* Indivíduo dos taconhapés, povo indígena extinto que habitava a região do rio Iriri, afluente do Xingu (PA). ● *Adj. 2 g.* **2.** Pertencente ou relativo a esse povo. [Sin. ger.: *tacunapéua*. Tb. us. como *s. 2 g. e 2 n.* (com cap.) e *adj. 2 g. e 2 n.*]

tacruque-craque *Bras. S. 2 g.* **1.** *Etnôn.* Indivíduo dos tacruques-craques [ou (etnôn. bras.) *Takruk-krak], povo indígena extinto da família linguística botocudo, que habitava a margem direita do rio Doce, MG divisa com ES. ● *Adj. 2 g.* **2.** Pertencente ou relativo a esse povo. [Pl.: *tacruques-craques*.]

tacteabilidade *S. f.* V. *tateabilidade*.

tacteável *Adj. 2 g.* V. *tateável*.

tactel [Marca registrada.] *S. m. Tec. Têx.* Tecido não tecido (q. v.) de fibras sintéticas de poliamida, us. na confecção de roupas esportivas.

táctica *S. f.* V. *tática*.

▲**-tá(c)tica** [Do f. do gr. *taktikós, é, ón* (v. *ta(c)tico-*).] *El. comp.* = 'organização'; 'estudo da ordem ou da organização de': *fonotática*.

▲**ta(c)tico-** [Do gr. *taktikós, é, ón* < v. gr. *tássein*, 'pôr em ordem'.] *El. comp.* = 'organização militar'; 'tática': *tacticografia, tacticógrafo*.

táctico [Do gr. *taktikós*.] *Adj. Quím.* V. *polímero* —.

▲**-tá(c)tico** [Do gr. *-taktikós, é, ón* (*i*) (como no gr. *syntaktikós*) < v. gr. *tássein*, 'pôr em ordem'.] V. *tax(i)-*[1].

tacticografia [De *ta(c)tico-* + *-grafia*.] *S. f.* Taticografia.

tacticográfico [De *tacticografia* + *-ico*[2].] *Adj.* Taticográfico.

tacticógrafo [De *ta(c)tico-* + *-grafo*.] *S. m.* Taticógrafo.

táctil [Do lat. *tactile*.] *Adj. 2 g.* Tátil. [Pl.: *tácteis*.]

tactilidade [De *táctil* + *-(i)dade*.] *S. f.* Tatilidade.

tactismo [De *tacto* + *-ismo*.] *S. m. Biol.* Tatismo.

tacto *S. m.* Tato[1]: 📖 "Difícil identificar imediatamente as formas que ali se acumulavam. O tacto descobriu uma coisa redonda e lisa, a curva de uma cantoneira." (Carlos Drummond de Andrade, *Contos de Aprendiz*, p. 42.)

tactossol [Do ingl. *tactosol*.] *S. m. Quím.* Solução coloidal com partículas anesféricas e propriedades peculiares de escoamento. [Pl.: *tactossóis*.]

tactura *S. f.* Tatura.

tacuá *S. f. Bras. Amaz. Zool.* Designação comum aos insetos himenópteros, formicídeos, gênero *Camponotus*, que vivem em formigueiros construídos nas árvores que, quando tocados, fazem um barulho característico, que lembra um sopro forte e prolongado; taracuá, tracuá, tacauá, traguá.

tacuatibe *Bras. S. 2 g.* **1.** *Etnôn.* Indivíduo dos tacuatibes [ou (etnôn. bras.) *Takwatib], povo indígena extinto, do tronco linguístico tupi, que habitava a região situada entre os rios Branco e Barão de Melgaço (RO). ● *Adj. 2 g.* **2.** Pertencente ou relativo a esse povo.

taçuíra [Do tupi = 'formiga'.] *S. f. Bras. Amaz. Zool.* V. *formiga-lava-pé*.

tacuité (u-i) [De or. indígena, poss.] *S. m. Bras. MA Zool.* V. *queixada* (3).

tacula [Do quimb.] *S. f. Angol.* **1.** *Bot.* Árvore fabácea (*Pterocarpus tinctorius*) de madeira vermelha, utilizada para obras de marcenaria e carpintaria: 📖 "Rolou uns toros de tacula da serração para a beira da estrada" (Antônio Jacinto, *Fábulas de Sanji*, p. 39). **2.** Pó vermelho extraído da casca dessa árvore, e utilizado como cosmético, tintura (2), ou remédio tradicional: 📖 "Hoje levantei-me cedo / pintei de tacula e água fria / o corpo aceso" (Paula Tavares, *Ritos de Passagem*, p. 30).

tacuná *Bras. S. 2 g.* **1.** *Etnôn.* Indivíduo dos tacunás, povo indígena extinto que habitava as margens dos rios Javari e Jutaí (AM). ● *Adj. 2 g.* **2.** Pertencente ou relativo a esse povo. [Tb. us. como *s. 2 g. e 2 n.* (com cap.) e *adj. 2 g. e 2 n.*]

tacunapéua *S. 2 g. Adj. 2 g. Bras.* V. *taconhapé*.

tacuniapé *Bras. S. 2 g.* **1.** *Etnôn.* Indivíduo dos tacuniapés [ou (etnôn. bras.) *Takunyapé], povo indígena extinto, do tronco linguístico tupi, que habitava a margem direita do baixo rio Xingu (PA). ● *Adj. 2 g.* **2.** Pertencente ou relativo a esse povo.

taçura [De or. indígena, poss.] *S. f. Bras. Zool.* V. *bicho-do-pé*.

tacuri [Var. de *tacuru*.] *S. m. Bras. RS* V. *cupim* (2).

tacuru[1] [Do tupi.] *S. m. Bras. S. MT* V. *cupim* (2).

tacuru[2] *S. m. Bras.* F. apocopada de *tacuruba*: 📖 "Tabuleiros de negras velhas, ao lado de fogões improvisados com tacurus de pedra de ferro, se estendiam em frente ao circo" (Cornélio Pires, *Quem Conta um Conto...*, p. 100).

taçuru [De or. indígena.] *S. m. Bras. S. Zool.* V. *bicho-do-pé*.

tacurua *S. f. Bras.* V. *tacuruba*.

tacuruba [Do tupi = 'pedaços de pedra'.] *S. f. Bras.* Trempe feita de três pedras, na qual se assenta panela. [Var.: *itacurua, tacurua, tacuru*.]

tacuruense *Adj. 2 g.* **1.** De, ou pertencente ou relativo a Tacuru (MS). ● *S. 2 g.* **2.** O natural ou habitante de Tacuru.

tacuruzal [Do esp. plat. *tacuruzal*.] *S. m. Bras. S.* Extensão de terreno coberta de tacurus (v. *tacuru*[1]).

tadalafila [Adapt. do ingl. *tadalafil*.] *S. f. Quím.* Fármaco que inibe a ação da enzima fosfodiesterase do tipo 5 [fórm.: $C_{22}H_{19}N_3O_4$] e que é empregado em medicamento para disfunção erétil.

tadarida [Do tax. *Tadarida*.] *S. m. Zool.* **1.** Gênero de mamíferos quirópteros, molossídeos, que reúne morcegos cosmopolitas, de hábitos migratórios, e que habitam, preferencialmente, cavernas. **2.** Espécie ou espécime desse gênero.

tadjique *Adj. 2 g.* **1.** De, ou pertencente ou relativo à República do Tadjiquistão (C.O. da Ásia). ● *S. 2 g.* **2.** O natural ou habitante do Tadjiquistão. **3.** Indivíduo dos tadjiques, população iraniana do E. do Irã, do N. do Afeganistão, do Usbequistão e da maior parte do Tadjiquistão. ● *S. m.* **4.** *Gloss.* Língua indo-europeia do grupo indo-iraniano, falada no Tadjiquistão, onde é língua oficial, no Cazaquistão, na Quirguízia, no Usbequistão e ainda na Ucrânia; persa-tadjique. [É por vezes classificada como dialeto do persa (3).] **5.** *Gloss.* Qualquer dialeto persa falado no Afeganistão.

➔**taedium vitae** ['tajdɛo 'vitaj] [Lat.] Desgosto da vida.

➔**tae-kwon-do** [taj kwan do] [Coreano.] *S. m. Esport.* Forma de luta desarmada coreana inspirada no caratê e no *kung-fu*, e que surgiu nos meados do século XX.

tael [Do mal. *tahil*.] *S. m.* Unidade monetária tradicional chinesa cujo valor varia nas diversas regiões. [Pl.: *taéis*.]

tafetá [Do persa *tāftah*, part. pass. de *tāften*, 'tecer', pelo fr. *taffetas*.] *S. m. Tec. Têx.* **1.** Tecido lustroso e armado, de seda ou de poliéster, e de trama finíssima: 📖 "tirou do bolso um pequeno embrulho de tafetá, atado com um torçal de prata." (José de Alencar, *O Sertanejo*, p. 102); "vestido de tafetá preto de gola alta" (Lígia Fagundes Teles, *A Disciplina do Amor*, p. 89). **2.** Tipo de ligamento (5) us. nos mais antigos tecidos que se conhecem, de superfície lisa, textura regular e leves nervuras no sentido da trama; era, originariamente, tecido em seda.

tafiá [Do crioulo antilhano, pelo fr. *tafia*.] *S. m.* V. *cachaça* (1).

▲**tafo-** [Do gr. *táphos, ou*.] *El. comp.* = 'sepultura'; 'local de sepultura'; *p. ext.* 'local em que se guarda, esconde': *tafofobia*. [Equiv.: *-taf(o)-*: *bibliotáfio*.]

▲**-taf(o)-** Equiv. de *tafo-*.

tafofobia [De *tafo-* + *-fobia*.] *S. f. Psiq.* Medo doentio de ser sepultado vivo.

tafofóbico [De *tafofobia* + *-ico*[2].] *Psiq. Adj.* **1.** Relativo a tafofobia. **2.** Que sofre de tafofobia; tafófobo. ● *S. m.* **3.** Aquele que sofre de tafofobia; tafófobo.

tafófobo [De *tafo-* + *-fobo*.] *Adj. S. m. Psiq.* Tafofóbico (2 e 3).

tafona *S. f. Bras. RS* V. *atafona*.

tafoneiro [De *tafona* + *-eiro*.] *Adj. Bras. RS* **1.** Diz-se do cavalo maldomado, que se acostumou a só se deixar governar para um lado. **2.** Diz-se de boi que trabalha na atafona. ● *S. m.* **3.** Atafoneiro.

taforeia (éi) [Do ár. *tayfūrya(t)*, 'prato'; 'escudela'.] *S. f.* Embarcação para transporte de cavalos.

taful [Do armênio *thaphúr*, 'vagabundo', poss.; esp. *tahur*.] *Adj. 2 g.* **1.** Casquilho, loução, garrido: ▯ *traje taful*; 📖 "Mocinha taful, muito galante, que não tinha menos de uns trinta namorados!..." (Veiga Miranda, *Pássaros Que Fogem...*, p. 65); "E como andava garrida, sempre com figuinhas sob as rendas do vestido taful, para conjurar os olhares vesgos da inveja" (Coelho Neto, *Turbilhão*, p. 118). **2.** Alegre, festivo: 📖 "Hoje, quando ele aí vai, de áloe [aloés] e cardamomo / Na cabeça, com ar taful, / Dizem que ensandeceu" (Machado de Assis, *Poesias Completas*, p. 316). [Var., nessas acepç.: *tafulo*.] ● *S. m.* **3.** Janota, peralta, casquilho. **4.** Jogador profissional. [Pl.: *tafuis*.]

tafulão [De *taful* + *-ão*[1].] *S. m. Bras.* Sedutor de mulheres; conquistador.

tafular [De *taful* + *-ar*[2].] *V. int.* **1.** Ter vida de taful. **2.** Trajar-se com excessivo apuro; janotar.

tafularia [De *taful* + *-aria*.] *S. f.* **1.** Ação de taful. **2.** Grupo de tafuis. [Sin. ger.: *tafulice*.]

tafuleira [De *taful* + *-eira*.] *S. f. Bras. RS* Moça tafula, garrida; tafulona.

tafulhar *V. t. d. P.* V. *atafulhar*.

tafulho[1] [Dev. de *tafulhar*.] *S. m.* Ato ou efeito de tafulhar(-se).

tafulho[2] [Var. de *tapulho*.] *S. m.* **1.** Bucha ou peça com que se tapa um orifício. **2.** Rolha (1).

tafulice [De *taful* + *-ice*.] *S. f.* Tafularia.

tafulo [Var. de *taful*.] *Adj.* **1.** Taful (1 e 2). ● *S. m.* **2.** *Bras. S. Pop.* Namorado; amante.

tafulona [De *taful* + *-ona*[1].] *S. f. Bras. RS* Tafuleira.

tagal [Do mal. *tugal*.] *Adj. 2 g.* Filipino[1] (1).

tagalo [Do mal.] *S. m.* **1.** Filipino[1] (2). **2.** *Gloss.* Língua austronésia falada nas Filipinas (Sudeste Asiático), e que é a base do filipino.

tagano [Do top. lat. *Tagus*, 'Tejo', + *-ano*[1].] *Adj.* Tejano.

tagantaço [De *tagante* + *-aço*.] *S. m. Bras.* Tagantada.

tagantada [De *tagante* + *-ada*[1].] *S. f.* Golpe com tagante. [Sin., bras.: *tagantaço*.]

tagantar [De *tagante* + *-ar*[2].] *V. t. d.* Bater ou açoitar com tagante; tagantear.

tagante [Do esp. *tajante*, 'talhante', pelo galego.] *S. m.* Azorrague antigo: 📖 "tomando [D. Pedro, o Cru] do tagante de pontas de ferro, que sempre trazia à cinta, azorragou com ele, de alto a baixo, a cara do Coelho" (Antero de Figueiredo, *D. Pedro e D. Inês*, pp. 171-172).

taganteador (ô) [De *tagantear* + *-dor*.] *Adj. S. m.* Que, ou aquele que taganteia.

tagantear [De *tagante* + *-ear*[2].] *V. t. d.* Tagantar. [Conjug.: v. *frear*.]

tagarela [De formação expressiva, poss.] *Adj. 2 g.* **1.** Que fala muito e à toa; galrão. ● *S. 2 g.* **2.** Pessoa tagarela; tramela, taramela, tarelo, galrão. ● *S. f.* **3.** Gritaria, barulho, motim. **4.** *Bras.* Peça dos moinhos de fubá, que regula a velocidade das mós.

tagarelado [Part. de *tagarelar*.] *Adj.* Muito falado, muito bisbilhotado.

tagarelagem [De *tagarelar* + *-agem*[2].] *S. f.* V. *tagarelice*: 📖 "Na tagarelagem dos cafés e dos meios frívolos, ele se sentia à vontade, no relaxamento dos trajos caseiros." (Adelino Magalhães, *Obras Completas*, I, p. 199.)

tagarelamente [De *tagarela* + *-mente*.] *Adv.* Com tagarelice; em vozerio.

tagarelante [De *tagarelar* + *-nte*.] *Adj. 2 g.* **1.** Que tagarela. **2.** Próprio de pessoa tagarela.

tagarelar [De *tagarela* + *-ar*[2].] *V. int.* **1.** Falar muito; parolar, palrar: 📖 "O bando de moças, as gentis roceiras, tagarelavam, riam de qualquer coisa, fazendo contraste com as que não se levantavam das cadeiras, conservando-se mudas, apalermadas." (Melo Morais Filho, *Festas e Tradições Populares do Brasil*, p. 297.) [Sin.: *taramelar, tarelar, matraquear* (bras.); *pautear* (bras., S.); *mapiar* (bras., MT).] **2.** Ser indiscreto; divulgar segredos.

tagarelice [De *tagarela* + *-ice*.] *S. f.* **1.** Costume de tagarelar. **2.** Modos de tagarela. **3.** Dito indiscreto; indiscrição. [Sin. ger.: *tagarelagem*.]

tagarino [Do ár. *tagrī*(v. *zegri*) + *-ino*[1].] *Adj. S. m.* Zegri.

tagarote [De or. berbere, poss.] *S. m. Fig.* Homem pobre que vive à custa alheia.

tagaté [De or. incerta.] *S. m.* **1.** Afago com a mão; carícia, cafuné. **2.** Lisonja, adulação, bajulação: 📖 "O Doutor Godinho .... fazia tagatés ao governo civil e ao clero diocesano" (Eça de Queirós, *O Crime do Padre Amaro*, pp. 277-278).

tagetes [Do tax. *Tagetes*.] *S. m. 2 n. Bot.* **1.** Gênero de plantas asteráceas, herbáceas, nativas das regiões tropicais da América, dotadas de folhas opostas, penatífidas, e de exuberantes capítulos de flores radiadas ou amarelas, ou laranja. **2.** Qualquer espécie desse gênero, como, p. ex., a *Tagetes patula* e a *T. lucida* (v. *cravo-de-defunto*). **3.** Qualquer espécime desse gênero, ou a flor dele.

tágico [Do top. lat. *Tagus*, 'Tejo', + *-ico*[2].] *Adj. Poét.* De, ou relativo ao Tejo, rio de Portugal.

tágide [Do top. lat. *Tagus*, 'Tejo'.] *S. f.* Ninfa do Tejo, rio de Portugal. [Criação poética de André de Resende (-1573), humanista e arqueólogo português, adotada por Camões (v. *camoniano*) e fixada na literatura portuguesa. Com cap.]

tagídeo [De *Tágide* + *-eo*.] *Adj.* Relativo às Tágides.

tagnani *Bras. S. 2 g.* **1.** *Etnôn.* Indivíduo dos tagnanis, povo indígena extinto, da família linguística nambiquara, que habitava a região do rio Roosevelt (RO). ● *Adj. 2 g.* **2.** Pertencente ou relativo a esse povo. [Tb. us. como *s. 2 g. e 2 n.* e *adj. 2 g. e 2 n.*]

taguá *S. m. Adj. 2 g. Bras.* V. *tauá*.

taguaíno *Adj.* **1.** De, ou pertencente ou relativo a Taguaí (SP). ● *S. m.* **2.** O natural ou habitante de Taguaí.

taguara [Do tupi.] *S. f. Bras. Zool.* V. *xarelete*.

taguari *Bras. S. 2 g.* **1.** *Etnôn.* Indivíduo dos taguaris, povo indígena extinto que habitava a região dos rios Jamundá e Trombetas (AM). ● *Adj. 2 g.* **2.** Pertencente ou relativo a esse povo. [Tb. us. como *s. 2 g. e 2 n.* (com cap.) e *adj. 2 g. e 2 n.*]

taguatinguense *Adj. 2 g.* **1.** De, ou pertencente ou relativo a Taguatinga (TO). ● *S. 2 g.* **2.** O natural ou habitante de Taguatinga.

taguicati [De or. indígena.] *S. m. Bras. Zool.* V. *queixada* (3).

➔**tahine** [ta'ʃinə] [Ár.] *S. f.* V. *taíne*.

tai *S. 2 g.* **1.** *Etnôn.* Indivíduo dos tais, povo com afinidades mongóis, que habita o S.E. da Ásia (Laos, Tailândia, Vietnã e a China meridional). ● *S. m.* **2.** *Gloss.* Família de línguas faladas na Tailândia, Laos, N. do Vietnã e parte da China (Extremo Oriente), e

T

que inclui cerca de 40 línguas, entre elas o tai (3) e o laosiano. 3. *Gloss.* A língua oficial da Tailândia; siamês, tailandês. 4. Vocábulo dessa língua. ● *Adj. 2 g.* 5. Pertencente ou relativo aos tais, ou a tai (2 e 3).

taiá [Do tupi.] *S. m. Bras. Bot.* V. *taioba* (1).

taiabucu *S. m. Bras. Zool.* V. *peixe-cachorro* (2).

taiaçu [Do tupi = 'dente grande'.] *S. m. Zool.* 1. *Bras.* V. *queixada* (3). 2. *Bras. AM Zool.* V. *taquiri.*

taiaçu-carapiá [De *taiaçu* + *carapiá*.] *S. m. Bot.* V. *babosa-branca.* [Pl.: *taiaçus-carapiás* e *taiaçus--carapiá*.]

taiaçuense *Adj. 2 g.* 1. De, ou pertencente ou relativo a Taiaçu (SP). ● *S. 2 g.* 2. O natural ou habitante de Taiaçu.

taiaçuídeo [De *taiaçu* + *-ídeo*¹; tax. *Tayassuidae*.] *Zool. S. m.* 1. Espécime dos taiaçuídeos, família de mamíferos artiodáctilos, sem cauda, com quatro dedos nos membros anteriores e três nos posteriores, e que têm no dorso uma glândula que produz forte cheiro almiscarado. São vulgarmente conhecidos pelos nomes de porco-do-mato, caititu e queixada. ● *Adj.* 2. Pertencente ou relativo a eles.

taiaçuíra [Do tupi = 'ave porco-do-mato'.] *S. m. Bras. Zool.* V. *jacu-estalo.*

taiá-gigante *S. m. Bras. Bot.* Planta arácea (*Alocasia portei*) ereta, herbácea, rizomatosa, perene, de haste espessa, e com folhagem decorativa. [Pl.: *taiás--gigantes*.]

taiá-jararaca [De *taiá* + *jararaca*.] *S. m. Bras. Amaz. Bot.* Grande planta arácea (*Dracontium asperum*) herbácea, que vive em lugares úmidos, de folhas grandes e herbáceas, e cujas hastes chegam até 2m de altura e a 2 a 4cm de diâmetro, tendo manchas escuras e claras. O nome vulgar provém de ser o suco empregado contra mordeduras de cobras. [Pl.: *taiás-jararacas* e *taiás-jararaca*.]

taibu *S. m. Bras. Zool.* V. *gambá* (1).

→**tai chi chuan** [tàj tʃíj tʃyán] [Chin.] *S. m.* Arte marcial chinesa, cujos exercícios tb. se prestam à atividade ginástica e à meditação.

tai-chinês *Adj.* 1. Pertencente ou relativo aos tais e aos chineses. ● *S. m.* 2. *Gloss.* V. *sino-tibetano* (2). [Flex. (na acepç. 1): *tai-chineses* (ê), *tai-chinesa* (ê), *tai--chinesas* (ê).]

taieira *S. f. Bras. SE* Festejo que ocorre no Dia de Reis.

taifa [Do ár. *ṭā'ifa(t)*, 'grupo de pessoas que têm as mesmas ideias ou a mesma ocupação'.] *S. f. Mar. G.* 1. *Ant.* Conjunto de soldados e marinheiros que guarneciam, durante o combate, a tolda e o castelo da proa. 2. *Bras.* Designação comum ao pessoal subalterno das especialidades de cozinheiro, barbeiro, padeiro e arrumador (copeiro, camaroteiro, etc.). 3. *Hist.* Cada uma das unidades políticas autônomas em que se dividiu o califado espanhol de Córdova, após seu desmantelamento, em 1301.

taifeiro [De *taifa* + *-eiro*.] *S. m.* 1. *Mar. G.* Qualquer homem que faz parte da taifa (1). 2. *Mar. Merc.* Criado de bordo. 3. *Mar. G.* Tripulante encarregado dos serviços de câmara: servir a mesa, limpar e arrumar camarotes e salões, etc.

taiga [Do russo *taigá*.] *S. f. Fitogeogr.* Floresta boreal de coníferas, na qual domina o gênero *Pinus*.

tailandense *Adj. 2 g.* 1. De, ou pertencente ou relativo a Tailândia (PA). ● *S. 2 g.* 2. O natural ou habitante de Tailândia.

tailandês *Adj.* 1. Da, ou pertencente ou relativo à Tailândia (antigo Sião, Ásia). ~ V. *boxe* —. ● *S. m.* 2. O natural ou habitante da Tailândia. 3. *Gloss.* Tai (3). [Flex. (nas acepçs. 1 e 2): *tailandesa* (ê), *tailandeses* (ê), *tailandesas* (ê).]

→**tailleur** [ta'jœʀ] [Fr.] *S. m.* Traje feminino composto de casaco e saia; costume.

taimado [Do esp. *taimado*.] *Adj. S. m.* Diz-se de, ou indivíduo malicioso; velhaco, matreiro.

taimbé (a-im) *S. m. Bras.* Var. aferética de *itaimbé* (q. v.).

taíne [Do ár. *ṭaḥīn*.] *S. f. Cul.* Massa de gergelim.

tainha (a-í) [Do gr. *tagenías*, 'bom para frigir', pelo lat. **tagenia* (< **tagínia*).] *S. f. Zool.* 1. Designação comum a várias espécies de peixes teleósteos, perciformes, mugilídeos, gênero *Mugil*, do Atlântico. Têm as nadadeiras dorsal e anal desprovidas de escamas e o corpo com listras longitudinais escuras. [Sin.: *cambira, curimã, curumã, mugem, tapiara, targana*.] 2. *Tip.* Barra de metal-tipo que, suspensa pelo alimentador, serve para restabelecer o crisol da linotipo. [Nesta acepç., cf. *pão de chumbo*.]

tainha-de-corso *S. f. Zool.* V. *tainha-verdadeira.* [Pl.: *tainhas-de-corso*.]

tainha-seca [De *tainha* (1) + o f. do adj. *seco*.] *S. f. Zool.* V. *tainha-verdadeira.* [Pl.: *tainhas-secas*.]

tainha-verdadeira [De *tainha* (1) + o f. do adj. *verdadeiro*.] *S. f. Bras. Zool.* Peixe actinopterígio, perciforme, mugilídeo (*Mugil brasiliensis*), da costa brasileira, de dorso oliváceo-denegrido, tendente ao azulado, flancos prateados, abdome branco, listras longitudinais plúmbeas formadas pelas máculas das escamas, e comprimento de até 1m. A espécie realiza migrações periódicas do S. para o N., penetrando nos rios e lagos para desovar. Os alevinos retornam de novo ao mar, afastando-se da costa. A carne e a ova da tainha-verdadeira são industrializadas em larga escala. [Sin.: *tainha-de-corso, tainha-seca.* Pl.: *tainhas-verdadeiras*.]

tainheira (a-i) [De *tainha* (1) + *-eira*.] *S. f. Bras.* 1. Rede us. na pesca da tainha. 2. Canoa provida de uma rede, e destinada ao mesmo fim.

tainheiro (a-i) [De *tainha* (1) + *-eiro*.] *S. m.* 1. Pescador de tainhas. 2. Barco para a pesca de tainhas.

tainhota (a-i) [De *tainha* + *-ota*¹.] *S. f. Bras. Zool.* V. *curimã* (1).

tainhota-voadeira (a-i) [De *tainhota* + o f. do adj. *voador*.] *S. f. Bras. Zool.* 1. Peixe exocetídeo (*Hirundichthys speculiger*) de distribuição circuntropical; tem o dorso azul-iridescente, abdome brancacento, e comprimento de até 30cm. Suas nadadeiras peitorais, grandes e aliformes, permite-lhe realizar voos planados de mais de 100m de extensão acima do nível do mar. 2. Peixe exocetídeo (*Cheilopogon* [*Cypselurus*] *melanurus*) do Atlântico, de coloração prateada e dorso azul-esverdeado. As nadadeiras peitorais são grandes, aliformes, escuras e com uma área central transparente, as pélvicas são tb. aliformes, mas menores, a dorsal é baixa e situa-se próximo à cauda. São capazes de planeio. [Sin., nesta acepção: *voador, voador-do-alto.* F. red.: *voadeira.* Pl.: *tainhotas-voadeiras*.]

taino [Desta língua.] *Adj.* 1. De, ou pertencente ou relativo aos tainos ou à sua língua. ● *S. m.* 2. Indígena das Antilhas, de um povo já extinto. 3. *Gloss.* A língua araucana desse povo. 4. Vocábulo dessa língua.

taioba [Do tupi = 'folha de taiá'.] *S. f.* 1. *Bras. Bot.* Erva arácea (*Xanthosoma violaceum*) originária da América tropical e muito cultivada como alimento, de folhas longamente pecioladas e sagitadas, de tonalidade azulada, e que, picadas e cozidas, servem como verdura. Tb. o rizoma, amiláceo e mucilaginoso, é comestível depois de cozido. [Var.: *taiova.* Sin.: *arão, aro, jarro, mangarito-roxo, pé-de-bezerro, taiá, talo, tarro*.] 2. *Bras. Bot.* V. *inhame-branco.* 3. *Bras. N.E. Chulo* As nádegas. 4. *Bras. N.* Prisão, cadeia, xadrez. ● *S. m.* 5. *Bras. RJ Desus.* Bonde fechado, de segunda classe, que transportava passageiros e bagagem; loré.

taiobal [De *taioba* + *-al*¹.] *S. m.* 1. *Bras.* Quantidade mais ou menos considerável de pés de taioba dispostos proximamente entre si. 2. Área ocupada por taiobal (1).

taiobeirense *Adj. 2 g.* 1. De, ou pertencente ou relativo a Taiobeiras (MG). ● *S. 2 g.* 2. O natural ou habitante de Taiobeiras.

taioca [Do tupi = 'formiga pardo-avermelhada'.] *S. f. Bras.* 1. *Zool.* V. *tauoca.* ● *S. 2 g.* 2. Cafuzo, mestiço.

taioense (ò) *Adj. 2 g.* 1. De, ou pertencente ou relativo a Taió (SC). ● *S. 2 g.* 2. O natural ou habitante de Taió.

taiova *S. f. Bras. Bot.* V. *taioba* (1).

taipa¹ [De or. incerta; poss. do ár.-hisp. *ṭābyya(t)*.] *S. f.* Parede feita de barro ou de cal e areia com enxaimés e fasquias de madeira; tabique, estuque, taipal, pau a pique: 📖 "através das paredes de <u>taipa</u> caiada, ouvia-se o ressonar tranquilo do João Pimenta e do Felisberto" (Inglês de Sousa, *O Missionário*, p. 338). ◆ **Taipa de mão.** *Constr.* Taipa de barro atirado com a mão; parede de pescoção. **Taipa de pilão.** *Constr.* Taipa de cascalho e saibro socados.

taipa² [De *tapa*.] *S. f. Bras.* Tapa¹ (2).

taipais [Pl. de *taipal*.] *S. m. pl.* 1. Portas ou anteparos que resguardam as vidraças: 📖 "O comércio fechava meias portas e não tirava os <u>taipais</u>." (Antero de Figueiredo, *Jornadas em Portugal*, p. 60.) 2. Tábuas que alteiam as bordas de um carro de bois, de uma carroceria, etc.; anteparos. 3. Caixa ou armação de madeira us. como molde para a construção em concreto armado. ~ V. *taipal.*

taipal [De *taipa*¹ + *-al*³.] *S. m.* 1. V. *taipa*¹ (1). 2. Cada uma das tábuas entre as quais se calca o barro, na construção das taipas. [Sin. ger.: *taipão*.] ~ V. *taipais.*

taipamento [De *taipar* + *-mento*.] *S. m.* Ato de taipar.

taipão [De *taipa*¹ + *-ão*¹.] *S. m.* Taipal.

taipar [De *taipa*¹ + *-ar*².] *V. t. d.* 1. Construir com taipas. 2. Calcar (o barro ou a cal) na taipa. 3. Limitar ou dividir com taipa.

taipeira *S. f. Bras. Zool.* V. *uruçu-boi* (1).

taipeiro [De *taipa*¹ + *-eiro*.] *Adj.* 1. Que faz taipas. ● *S. m.* 2. Aquele que as faz. 3. *Bras. N.E.* Prato muito cheio de várias comidas.

taipe-xixi *Bras. S. 2 g.* 1. *Etnôn.* Indivíduo dos taipes--xixis, povo indígena extinto que habitava a margem direita do rio Jurema (MT). ● *Adj. 2 g.* 2. Pertencente ou relativo a esse povo. [Tb. us. como *s. 2 g. e 2 n.* (com cap.) e *adj. 2 g. e 2 n.*] [Pl.: *taipes-xixis*.]

taipuense *Adj. 2 g.* 1. De, ou pertencente ou relativo a São Miguel de Taipu (PB). ● *S. 2 g.* 2. O natural ou habitante de São Miguel de Taipu.

tairetano *Adj.* 1. De, ou pertencente ou relativo a Tairetá (RJ). ● *S. m.* 2. O natural ou habitante de Tairetá.

taita [Do esp. plat. *taita*, 'papai', poss.] *Adj. S. m. Bras. RS* V. *valentão* (1 e 3).

taitiano (a-i) [Do top. *Taiti*, ilha da Polinésia Francesa, + *-ano*¹.] *Adj.* 1. Do, pertencente ou relativo ao Taiti, território francês no Pacífico sul, ou ao taitiano (3). ● *S. m.* 2. O natural ou habitante do Taiti. 3. *Gloss.* Língua austronésia falada nas ilhas da Sociedade (Polinésia Francesa), esp. no Taiti, onde é língua nacional, juntamente com o francês. [É o pídgin de toda a Polinésia Francesa.] 4. Vocábulo dessa língua.

taititu *S. m. Bras. Zool.* V. *caititu* (1).

taiuiá (ai-ui) [Do tupi.] *S. m. Bras. Bot.* 1. Grande trepadeira cucurbitácea (*Cayaponia tayuya*) herbácea, de folhas partidas em vários segmentos e associadas a gavinhas, flores pequenas e amarelas, e cujos frutos são bagas de efeito purgativo acentuado. [Sin.: *caiapó, purga-de-gentio*.] 2. V. *abobrinha-do-mato* (3). [Var.: *tajujá*.] 3. V. *espelina.*

taiuiá-grande *S. m. Bras. Bot.* V. *abóbora-d'anta.* [Pl.: *taiuiás-grandes*.]

taiuiá-miúdo *S. m. Bras. Bot.* V. *abóbora-do-mato.* [Pl.: *taiuiás-miúdos*.]

taiuvense (ai-u) *Adj. 2 g.* 1. De, ou pertencente ou relativo a Taiuva (SP). ● *S. 2 g.* 2. O natural ou habitante de Taiuva.

→**taiwan** [taj'wan] [Min., do top. *Taiwan* (Ásia).] *S. m. Gloss.* V. *min.*

taiwanês [Do top. *Taiwan* + *-ês*.] *Adj.* 1. Da, ou pertencente ou relativo à ilha de Taiwan ou Formosa, República da China (Ásia). ● *S. m.* 2. O natural ou habitante de Taiwan ou Formosa. [Sin. ger.: *formosino.* Flex.: *taiwaneses* (ê), *taiwanesa(s)* (ê).]

tajá [Do tupi.] *S. m. Bras. Amaz. Bot.* V. *tinhorão.*

tajã [De or. obscura.] *S. m.* Sabre mourisco, de folha curta e larga.

tajabucu [Do tupi = 'tajá longo'.] *S. m. Bras. Zool.* V. *peixe-cachorro* (2).

tajacica [Do tupi.] *S. f. Bras. Zool.* V. *amboré.*

tajaçu *S. f. Bras. Zool.* 1. V. *queixada* (3). 2. V. *taquiri.*

tajaçu-carapiá *S. f. Bras. Bot.* V. *babosa-branca.* [Pl.: *tajaçus-carapiás* e *tajaçus-carapiá*.]

tajaçuíra [Var. de *taiaçuíra*.] *S. f. Bras. Zool.* V. *jacu--estalo.*

tajujá *S. m. Bras. Bot.* V. *taiuiá.*

tajupá *S. m. Bras.* V. *tijupá* (1 a 4).

tajupar *S. m. Bras.* V. *tijupá* (1 a 4).

tajurá [Do tupi.] *S. m. Bras. Bot.* V. *tinhorão.*

→**taka** ['taka] [Bengali.] *S. m.* Unidade monetária, e moeda, de Bangladesh, divida em 100 paisas.

→**take** ['tejk] [Ingl.] *S. m. Cin. Telev.* Tomada (4): 📄 *A lei de direitos autorais proíbe a exibição de take de sambistas sem prévia autorização da escola de samba.*

tal [Do lat. *tale*, 'semelhante'.] *Pron.* 1. Semelhante, análogo, tão bom, tão grande, etc.: 📄 *<u>Tal</u> amor não se encontra facilmente.* 2. Este, aquele; um certo: 📄 *Ofendeu-se por lhe terem mencionado <u>tal</u> defeito.* 3. Isso, aquilo: 📖 "— Falei-lhe e não me respondeu; não me incomodei com isso, nem por <u>tal</u> esfriou a minha paixão" (Joaquim Manuel de Macedo, *Os Romances da Semana*, p. 12). 4. Us. depois de um substantivo, pode substituir um nome que se quer ou se finge ocultar: 📖 "Todos sabem que o senhor foi contratado pela loja <u>tal</u> da rua <u>tal</u> para recomendar os seus produtos." (Carlos Drummond de Andrade, em *Jornal do Brasil*, 11.12.1980.) 5. *Lus.* Designa quantidade que excede em número redondo; tanto(s): 📄 *Tem sessenta e <u>tal</u> anos de idade; Aquela igreja tem um século e <u>tal</u>.* ● *S. 2 g.* 6. *Bras. Gír.* Pessoa que tem, ou julga ter valor excepcional em qualquer coisa; o notável, o batuta, o bamba, o ás: 📄 *Este camarada é o <u>tal</u>.* ◆ **Tal e qual.** V. *tal qual.* **Tal qual.** 1. Exatamente o mesmo, sem nenhuma diferença: 📄 *Copiou o vestido da amiga <u>tal qual</u>.* 2. Do mesmo modo que, assim como, como, qual: 📖 "Eu quisera viver / <u>tal qual</u> os passarinhos" (Gilca da Costa Melo Machado, *Poesias*, p. 125). [Sin. ger.: *tal e qual*.] **De tal.** Expr. us. quando não se sabe, ou não interessa dizer, o sobrenome de alguém: 📄 *Maria <u>de tal</u>.* **E tal.** 1. Expr. com que se encerra uma enumeração, citação, etc.: 📄 *Honesto, aplicado <u>e tal</u>, mas não é inteligente; Disse-lhe coisas agradáveis, elogiou-a, <u>e tal</u>, mas não resolveu o caso.* 2. *Lus.* E tantos. **Que tal.** Quejando. **Um tal de.** Expressão denotativa de desdém, empregada antes de um nome próprio: 📄 *<u>um tal de</u> Pedro.*

▲**-tal-** V. *tal(o)-*.

tala¹ [Dev. de *talar*².] *S. f.* Ato de talar². ~ V. *talas.*

tala² [Do lat. *tabula* (pelas f. **tabla, talla*), por via pop.] *S. f.* 1. Peça de madeira, etc., us. por sapateiros e seleiros para segurar os cabedais, quando os cosem. 2. Aparelho (5) rígido ou flexível, que se destina a imobilizar partes de membros, como, p. ex., ossos fraturados. 3. Peça de sabugueiro, em duplicado, us. na castração de solípedes. 4. *Bras.* Chicote feito de uma só tira de couro. 5. *Bras. SP* A parte chata desse chicote. 6. *Bras. S. Bot.* Nervura da folha do jerivá e de outras palmeiras. 7. *Bras. S.* Galho de jerivá. 8. *Bras. S.* Chibata improvisada com uma haste dessa palmeira ou com uma vara flexível. ~ V. *talas.* ◆ **Tala de junção.** *Bras. N.E.* Fixa (4). **Ganhar na tala.** *Bras. S.* Ganhar (o cavalo) com muito esforço.

tala[3] [Do ingl. *tala*] *S. f.* Unidade monetária, e moeda, do Estado Independente de Samoa (Oceania).

talá [Do quíchua.] *S. m. Bot.* V. *talá-verdadeiro.*

talabardão [De or. incerta.] *S. m. Constr. Nav.* 1. Alcatrate (1). 2. *Bras.* Ponte que corre junto à borda de alguns navios.

talabartaria [De *talabarte* + *-aria.*] *S. f. Bras. RS* 1. Loja ou oficina de talabarteiro. 2. Ofício de talabarteiro. [F. paral.: *talabarteria.*]

talabarte [Do provenç. ant. *talabart*, talvez pelo esp. *talabarte.*] *S. m.* V. *boldrié* (1).

talabarteiro [De *talabarte* + *-eiro.*] *S. m. Bras. RS* Seleiro, correeiro.

talabarteria [De *talabarte* + *-eria.*] *S. f. Bras. RS* Talabartaria.

talaço [De *tala* + *-aço.*] *S. m. Bras. S.* Golpe ou surra com a tala[2] (8).

talácua [Do macua *etalakho.*] *S. f. Moç.* Formiga carnívora, que se desloca em grupos compactos: "esses intermediários .... invadem a cidade e são nela, na maioria dos casos, piores que a 'talácua'." (Rodrigues Júnior, *Negros e Brancos*, p. 48).

talado[1] [De or. incerta.] *S. m.* Arco da broca dos ourives.

talado[2] [Part. de *talar*[2].] *Adj.* Devastado, arrasado, assolado: "E os campos talados, / E os arcos quebrados, / E os piagas coitados / Já sem maracás" (Gonçalves Dias, *Obras Poéticas*, II, p. 23).

talador (ô) [De *talar*[2] + *-dor.*] *Adj. S. m.* Que, ou aquele que tala ou devasta.

talagada [Alter. pop. de *taleigada* (q. v.).] *S. f. Bras. Pop.* Porção de bebida alcoólica que se toma duma só vez: "Todos se acercam, quando ele se senta na mesa e pede uma talagada de cachaça." (Fernando Sabino, *O Homem Nu*, p. 97.)

talagarça [Var. de *telagarça* < *tela* + *garça*[2] (q. v.).] *S. f. Tec. Têx.* Tecido de algodão com ligamento aberto, como uma tela, e engomado, us. para aplicação de bordados: "E dir-se-ia que a aranha / silenciosa e esquecida / também revive o primitivo afã, / e, fiandeira do sonho de outra vida, / borda na talagarça, / que se esgarça, / o nome da saudosa Castelã..." (Hermes Fontes, *A Fonte da Mata...*, p. 133.)

talalgia [Do lat. *talum*, 'calcanhar', + *-alg(o)-*[2] + *-ia*[1].] *S. f. Med.* Dor em calcanhar.

találgico [De *talalgia* + *-ico*[2].] *Adj. Med.* Relativo a talalgia.

talambor (ô) [De or. incerta.] *S. m.* Fechadura de segredo.

talamencéfalo [De *talam(o)-* + *-encéfalo.*] *S. m. Anat.* Região do diencéfalo que compreende tálamo, metatálamo e epitálamo.

talamento [De *talar*[2] + *-mento.*] *S. m.* Ato ou efeito de talar[2].

talâmico [De *talam(o)-* + *-ico*[2].] *Adj.* 1. *Anat.* Relativo ou pertencente ao tálamo (4). 2. *Bot.* Relativo ao tálamo (3).

▲**talam(o)-** [Do gr. *thálamos, ou*, 'quarto nupcial'; 'quarto'.] *El. comp.* = 'tálamo (3 e 4)': *talamencéfalo, talâmico, talamocelo.* [Equiv.: *-talam(o)-, -tálamo*: *hipotalamocortical, monotálamo.*]

▲**-talam(o)-** V. *talam(o)-.*

tálamo [Do gr. *thálamos*, pelo lat. *thalamu.*] *S. m.* 1. Leito conjugal: "Uma lenda mal-intencionada e inverossímil refere que a piedosa rainha Branca lhe franqueara o tálamo de viúva a título de arras à valentia." (Aquilino Ribeiro, *Portugueses das Sete Partidas*, pp. 220-221.) 2. *Fig.* Casamento, núpcias, bodas. 3. *Bot.* Receptáculo (4). 4. *Anat.* Porção do talamencéfalo que constitui a parte média e maior do diencéfalo e se localiza entre o epitálamo e o hipotálamo. [Pl.: *tálamos.* Cf. *talamos*, do v. *talar.*]

▲**-tálamo** V. *talam(o)-.*

talamocelo (tà) [De *talam(o)-* + *-celo*[2].] *S. m. Anat.* O terceiro ventrículo do cérebro.

talante [Do gr. *tálanton*, pelo provenç. ant. *talant.*] *S. m.* 1. Vontade, desejo, arbítrio: *Procede a seu talante.* 2. Empenho, diligência.

talão[1] [Do lat. vulg. *talone* < lat. *talus, i*, 'calcanhar', pelo fr. *talon.*] *S. m.* 1. A parte posterior do pé. 2. A parte traseira do calçado. 3. Vide baixa que se deixa na poda para dar uvas no ano seguinte. 4. Parte não destacável de blocos de cheques, recibos, etc.; canhoto, toco. 5. *P. ext.* Bloco de folhas com uma parte destacável e outra não; talonário: *talão de cheques.* 6. *Mús.* Parte inferior do arco dos instrumentos de cordas friccionáveis, na qual penetra o parafuso que regula o esticamento das crinas. 7. Aro maciço da parte interna dos pneumáticos dos automóveis. 8. *Arquit.* Gola (2). ◆ **Talão de justificação.** *Tip.* Rebordo da extremidade do componedor; bloco de justificação.

talão[2] *S. m.* V. *telão*[1].

talar[1] [Do lat. *talare.*] *Adj. 2 g.* 1. Relativo ou pertencente a talão[1]. 2. Que desce até o calcanhar: "Trajava roupas talares" (Casimiro de Abreu, *Obras*, p. 408). ● *S. m.* 3. Vestido, bata ou batina que desce até os calcanhares. ~ V. *talares.*

talar[2] [Do germ. **talon*, pelo esp. *talar.*] *V. t. d.* 1. Abrir valas em, a fim de escoar os campos; sulcar. 2. Destruir, assolar, devastar: "Os holandeses talaram os nossos campos, bateram e assolaram o nosso território." (Mons. Cícero de Vasconcelos, *Sobre a História da Catedral de Maceió*, p. 10.) [Pres. ind.: *talo, talas, tala, talamos, talais, talam.* Cf. *tálamos*, pl. de *tálamo.*]

talares [Pl. subst. de *talar*[1].] *S. m. pl. Mit.* Asas que Mercúrio tinha nos calcanhares. ~ V. *talar*[1].

talas [Pl. de *tala*[2].] *S. f. pl. Fig.* Dificuldades, apuros: *De repente se viu em talas para pagar suas dívidas.* ~ V. *tala.*

talassa[1] [Do gr. *thálassa*, 'mar' (v. *thálassa! thálassa!*): o vocábulo encimou uma mensagem enviada do Brasil ao Cons.º João Franco (1855-1929), então presidente do Conselho de Ministros de Portugal.] *Adj. 2 g. Lus. Deprec. Obsol.* 1. Monárquico: "É portanto uma manifestação de caciques talassas, que pretendem ser no tempo da República o mesmo que eram no tempo da extinta monarquia." (Raul Brandão, *Memórias*, II, p. 69); "Julgamos, pois, cumprir um dever, desmascarando estes trapaceiros audaciosos e embusteiros talassas." (Id., *ib.*, p. 69). ● *S. 2 g.* 2. Monarquista (3).

talassa[2] [Do lat. cient. *thalassa* < gr. *thálassa*, 'mar' (v. *talassa*[1]).] *S. f. Astr.* Um dos satélites de Netuno, com diâmetro de 80km e órbita quase circular de 50.000km, em sentido direto e no plano equatorial. [Foi descoberto em 02.07.1989 pela sonda espacial norte-americana *Voyager* 2.] [Com cap.]

talassemia [De *talass(o)-* + *-emia.*] *S. f. Hemat.* Grupo heterogêneo de anemias hemolíticas hereditárias que têm como característica comum uma baixa na taxa de síntese de uma ou mais cadeias polipeptídicas hemoglobínicas.

talassémico *Adj. S. m.* V. *talassêmico.* [Uso freq. em P.]

talassêmico [De *talassemia* + *-ico*[2].] *Adj.* 1. Relativo a talassemia. ● *S. m.* 2. Aquele que sofre de talassemia.

talassia [De *talass(o)-* + *-ia*[1].] *S. f.* Enjoo de mar.

talássico [De *talass(o)-* + *-ico*[2].] *Adj.* Relativo ao mar.

talassiófito [De *talass(o)-* + *-io-* + *-fito.*] *S. m. Obsol. Bot.* Designação comum aos vegetais que crescem no fundo do mar ou nas rochas marítimas que acompanham o mar.

▲**talass(o)-** [Do gr. *thalasso-* < gr. *thálassa, thalássēs* (*thálatta*) (*ā*).] *El. comp.* = 'mar'; 'água do mar'; 'água salgada': *talássico, talassofobia.* [Equiv.: *-talass(o)-*: *hipotalássico.*]

▲**-talass(o)-** Equiv. de *talass(o)-.*

talassociclo [De *talass(o)-* + *ciclo.*] *S. m. Ecol.* Biociclo (3) das águas salgadas.

talassocracia [Do gr. *thalassokratía.*] *S. f.* Domínio de potência marítima; império ou domínio dos mares.

talassocrata [Var. pros. de *talassócrata.*] *Adj. 2 g. S. 2 g.* Que, ou quem domina os mares. [Sobre a prosódia deste voc., v. *-crata.*]

talassócrata [De *talass(o)-* + *-crata.*] *Adj. 2 g. S. 2 g.* Talassocrata (q. v.).

talassocrático [De *talassocrata* + *-ico*[2].] *Adj.* Referente a talassocracia, ou a talassocrata.

talassofilia [De *talass(o)-* + *-filia.*] *S. f.* Gosto exagerado por mar.

talassofílico [De *talassofilia* + *-ico*[2].] *Adj.* 1. Relativo a talassofilia. 2. Que tem talassofilia; talassófilo. ● *S. m.* 3. Aquele que tem talassofilia; talassófilo.

talassófilo [De *talass(o)-* + *-filo*[2].] *Adj. S. m.* Talassofílico (2 e 3).

talassofobia [De *talass(o)-* + *-fobia.*] *S. f. Psiq.* Medo patológico de mar.

talassofóbico [De *talassofobia* + *-ico*[2].] *Psiq. Adj.* 1. Relativo a talassofobia. 2. Que sofre de talassofobia; talassófobo. ● *S. m.* 3. Aquele que sofre de talassofobia; talassófobo.

talassófobo [De *talass(o)-* + *-fobo.*] *Adj. S. m. Psiq.* Talassofóbico (2 e 3).

talassografia [De *talass(o)-* + *-grafia.*] *S. m.* No antigo conceito de geografia, o estudo dos mares. [Cf. *oceanografia.*]

talassográfico [De *talassografia* + *-ico*[2].] *Adj.* Referente a talassografia.

talassometria [De *talass(o)-* + *-metria.*] *S. f.* Medida das profundidades marítimas; emprego do talassômetro.

talassométrico [De *talassometria* + *-ico*[2].] *Adj.* Relativo a talassometria, ou a talassômetro.

talassómetro *S. m.* V. *talassômetro.* [Uso freq. em P.]

talassômetro [De *talass(o)-* + *-metro.*] *S. m.* Sonda marítima.

talassosfera [De *talass(o)-* + *-sfera.*] *S. f. Geogr.* V. *hidrosfera.*

talassosférico [De *talassosfera* + *-ico*[2].] *Adj.* Relativo a talassosfera; hidrosférico.

talassoterapia [De *talass(o)-* + *-terapia.*] *S. f. Terap.* Tratamento de doenças no qual se prescrevem banhos de mar, viagens marítimas, climas marítimos.

talassoterápico [De *talassoterapia* + *-ico*[2].] *Adj.* Relativo a talassoterapia.

talaveira [Do top. *Talavera* (Espanha), poss.] *S. m.* 1. *Bras. Ant. Burl.* Qualquer criado do paço. 2. *Bras. RS* V. *galego* (4). 3. *Bras. RS* Indivíduo que não sabe montar a cavalo.

talaveirada [De *talaveira* + *-ada*[1].] *S. f. Bras. RS* 1. Serviço de montaria malfeito. 2. Pexotada de pessoas que não sabem montar a cavalo. 3. Porção de talaveiras ou portugueses; galegada.

talavera *S. f. Bras. MA Folcl.* A terceira parte do lelê[3], caracterizada por passos que os brincantes sempre dançam de braços dados.

talá-verdadeiro *S. m. Bot.* Pequena árvore ulmácea (*Celtis tala*) nativa da Argentina e do RS, de frutos drupáceos, edules, amarelos e doces; grão-de-galo, talá, taleira. [Pl.: *talás-verdadeiros.*]

tálcico [De *talco* + *-ico*[2].] *Adj.* Composto de talco.

talco [Do ár. *talq*, 'designação de minerais diversos, como gesso (gipsita), talco, mica, etc.', pelo lat. med. *talcum.*] *S. m. Min.* 1. Mineral monoclínico, silicato de magnésio hidratado, que se mostra em agregados lamelares. 2. Produto feito desse mineral pulverizado, e que se usa medicinal ou higienicamente sobre a pele. 3. *Fig.* Falso brilho; ouropel.

talcoso (ô) [De *talco* + *-oso.*] *Adj.* Da natureza do talco.

taleiga [Do ár. *taᶜlayqa(t)*, 'saco', 'bolsa'.] *S. f.* 1. Saco pequeno e largo: "Era o pequeno Vasco o almocreve que todas as manhãs ia, tangendo um burro carregado de taleigas, entregar o trigo aos fregueses do pai." (José Vieira, *Sol de Portugal*, p. 73.) 2. Antiga medida para sólidos e líquidos. [Var.: *teiga.*]

taleigada [De *taleiga* ou *taleigo* + *-ada*[1].] *S. f.* Porção contida numa taleiga ou num taleigo. [Cf. *talagada.*]

taleigo [De *taleiga.*] *S. m.* Saco pequeno e longo.

taleira[1] [De *tala*[2] + *-eira.*] *S. f. Constr.* Peça de madeira ou metal, estreita e comprida, us. como reforço nas emendas entre peças ou elementos da construção.

taleira[2] [De *talá* + *-eira.*] *S. f. Bot.* V. *talá-verdadeiro.*

talentaço [De *talento* + *-aço.*] *S. m.* 1. *Fam.* Grande talento. 2. Pessoa de talento excepcional; talentão: "o negociante entregara a questão a uns velhotes do seu arruamento, enquanto o professor ia eleger padrinhos entre os talentaços da escola em que prelecionava." (Fialho d'Almeida, *Pasquinadas*, pp. 43-44).

talentão [De *talento* + *-ão*[1].] *S. m.* Talentaço (2).

talento [Do gr. *tálanton*, 'soma de sessenta minas', pelo lat. *talentu.*] *S. m.* 1. Peso e moeda da Antiguidade grega e romana: "Tinha-o presenteado [a Anacreonte] o soberano com uma bolsa de cinco talentos." (Antônio Feliciano de Castilho, *A Lírica de Anacreonte*, p. 13.) 2. *Fig.* Aptidão natural, ou habilidade adquirida. 3. Inteligência excepcional; engenho. 4. *P. ext.* Pessoa talentosa: *Guimarães Rosa é um dos talentos de nossa literatura.* 5. *Bras. Prov. port. Pop.* Força física; pulso, vigor, alento: "Sabem os possíveis e complacentes leitores que cousa seja talento, em todo o sertão deste nosso Brasil? Força física, nada mais." (Visconde de Taunay, *Ao Entardecer*, p. 60.)

talentoso (ô) [De *talento* + *-oso.*] *Adj.* Que tem talento (3); muito inteligente.

táler [Do al. *Thaler.*] *S. m.* Antiga moeda alemã, de prata. [Pl.: *táleres.*]

talético [Do antr. gr. *Tháles, etos* 'Tales', + *-ico*[2].] *Adj.* 1. Pertencente ou relativo a Tales de Mileto (séc. VI a. C.), filósofo grego, ou próprio dele. 2. Que é partidário da doutrina desse filósofo. ● *S. m.* 3. Partidário dela.

talha[1] [Dev. de *talhar.*] *S. f.* 1. Ato ou efeito de talhar ou entalhar; talhadura, talhamento, talho, entalhadura. 2. *Grav.* Talho (11). 3. *Grav.* Filete de metal levantado pelo buril do ourives ou do gravador. 4. Nas marinhas, certo número de alqueires de sal. 5. Antigo tributo ou derrama. 6. Aparelho que serve para levantar objetos pesados. 7. Certo número de achas ou feixes de lenha. 8. No jogo de banca ou monte, uma parada (8). 9. *Marinh.* Aparelho de laborar constituído de um cadernal de dois gornes e um moitão (*talha singela*), ou de dois cadernais de dois gornes (*talha dobrada*), ligado por um cabo de fibra (*beta*). 10. *Urol.* Cistotomia. 11. *Bras.* Obra de talha: *O interior da igreja de São Francisco da Bahia é revestido de talha dourada.* ◆ **Talha dobrada.** *Marinh.* V. *talha* (9). **Talha patente.** *Marinh.* Aparelho de laborar us. para içar e arriar grandes pesos, e constituído de caixas, roldanas e engrenagens de ferro ligadas por meio de correntes. **Talha singela.** *Marinh.* V. *talha* (9).

talha[2] [Do lat. vulg. **tinacula* (< **tenacula*), der. do lat. *tina*.] *S. f.* **1.** Vaso de barro de grande bojo: "Água fresca deve estar nos potes, moringas e talhas." (Regina Lacerda, *Papa-Ceia*, p. 99.) **2.** Vaso de lata ou de zinco, para azeite; pote.

talhada [F. subst. do adj. *talhado*.] *S. f.* **1.** Porção que se corta de certos corpos; fatia, naco, lasca. **2.** *Fam.* V. *repreensão* (1). **3.** Punição, castigo. **4.** *Bras. S. Cul.* Doce feito de rapadura e farinha de mandioca.

talhadão [De *talhado* + *-ão*[1].] *S. m. Bras.* **1.** Racha do solo. **2.** Entrada de gruta. **3.** Talhado (5).

talhadeira [De *talhar* + *-deira*.] *S. f.* Instrumento de aço para talhar.

talha-dente [De *talhar* + *dente*.] *S. m. Bot.* Planta poácea (*Oryzopsis milliacea*) nativa do Mediterrâneo, de folhas planas e panículas multifloras. [Pl.: *talha-dentes*.]

talhadia [De *talhado* + *-ia*[1].] *S. m.* **1.** O corte da madeira das árvores. **2.** V. *talho* (2). **3.** *Bras.* Processo de silvicultura baseado na reprodução por meio de brotos ou renovos.

talhadiço *Adj. Bras.* Diz-se de mato que se pode cortar ou roçar.

talhado [Part. de *talhar*.] *Adj.* **1.** Cortado, retalhado, dividido, golpeado. **2.** Apropriado, próprio, adequado: *Quer-se um bom chefe, e ele é o homem talhado.* **3.** Ajustado, convencionado: *Pagarei o preço talhado.* **4.** Coagulado, coalhado: *leite talhado.* • *S. m.* **5.** *Bras.* Trecho de um rio, apertado entre ribanceiras íngremes, por vezes a pique; talhadão. **6.** *Bras. N. C.O.* Aba pedregosa das serras; precipício, despenhadeiro. **7.** *Bras. MA* Barrancas de rio quando mais ou menos altas, constituindo um pequeno *cañón* (q. v.).

talhador (ô) [De *talhar* + *-dor*.] *Adj.* **1.** Que talha. • *S. m.* **2.** Aquele que talha. **3.** Aquele que corta a carne nos açougues; cortador. **4.** Cutelo de cortar carne. **5.** Prato onde se trincha carne.

talhadura [De *talhar* + *-dura*.] *S. f.* V. *talha*[1] (1).

talha-frio [De *talhar* + (*a*[3]) + *frio*.] *S. m.* Instrumento com que os marceneiros lavram madeira. [Pl.: *talha-frios*.]

talha-mar [De *talhar* + *mar*.] *S. m.* **1.** V. *quebra-mar*. **2.** *Constr. Nav.* A parte vertical ou quase vertical do patilhão (1). **3.** *Constr. Nav.* A aresta externa da proa da embarcação. **4.** *Bras. Zool.* Ave caradriiforme, rincopídea (*Rhynchops nigra*), dos grandes rios do N. e de toda a costa atlântica do Brasil. Tem coloração escura, tendente ao preto no dorso, abdome e fronte brancos, bico amarelo-alaranjado na base e preto na ponta, e a mandíbula mais longa que a maxila. Costuma voar junto da água, alimentando-se de peixes. [Sin.: *corta-água, corta-mar, bico-rasteiro*. Pl.: *talha-mares*.]

talhamento [De *talhar* + *-mento*.] *S. m.* V. *talha*[1] (1).

talhante [De *talhar* + *-nte*.] *Adj. 2 g.* **1.** Que talha; cortante. • *S. 2 g.* **2.** *Lus.* Açougueiro, magarefe.

talhão[1] [De *talho* + *-ão*[2].] *S. m.* **1.** Terreno para cultura; tabuleiro, talho. **2.** *Bras. BA* Posta de baleia esquartejada.

talhão[2] *S. m. Bras. Zool.* Peixe actinopterígio, bericomorfo, holocentrídeo (*Corniger spinosus*), do Atlântico, de coloração geral amarelo-cromo, com tonalidades violáceas sob luz incidente. Tem espinhos no pré-opérculo e no subopérculo, e escamas fortemente pectinadas na margem livre.

talhar [Do lat. vulg. *taleare*, 'cortar'.] *V. t. d.* **1.** Dar ou fazer talho em; golpear; cortar: *Talhou o dedo com a lâmina.* **2.** Gravar, esculpir, entalhar: *Talhando o mármore, os gregos legaram-nos belas imagens.* **3.** Cortar à feição do corpo; cortar (o pano) para fazer roupas. **4.** Aquinhoar, partilhar. **5.** Sulcar, fender, abrir, cortar: *Os remos talhavam as águas tranquilas.* **6.** Preparar, dispor: *Não talhou bem os itens da reunião.* **7.** Causar, originar: *O terremoto talhou grandes prejuízos.* **8.** *Fig.* Determinar com antecipação; traçar: *Todo homem, em grau maior ou menor, talha o próprio destino.* **9.** Fazer coalhar, coagular: *O calor talhou o leite. T. d. e i.* **10.** Fazer à imitação; ajustar, moldar, adaptar: *Talha o seu comportamento pelo dos amigos.* **11.** Predestinar, preparar, predispor: "Tobias possuía um conjunto de qualidades que o talhavam para liderar movimentos." (Hermes Lima, *Tobias Barreto*, p. 237.) *Int.* **12.** Coagular-se (o leite) quando é fervido. **13.** Decompor-se, corromper-se, estragar-se. **14.** Cortar o pano (o alfaiate, a modista) para roupa. **15.** Ser banqueiro (no jogo de banca ou monte); jogar contra todos, em jogos de parada. *P.* **16.** Abrir-se, rachar-se. **17.** Corromper-se, estragar-se. **18.** Coagular-se, coalhar-se.

talharia [De *talha*[1] ou *talho* + *-aria*.] *S. f.* Grande porção de talhos ou talhas.

talharim [Do it. *taglierini*, com infl. de *talhar*.] *S. m.* **1.** Massa alimentícia em forma de tiras. **2.** Iguaria feita com talharim cozido em água e sal, servido com molhos diversos, e polvilhado com queijo parmesão ralado.

talharola [Do fr. *taillerole*.] *S. f.* Instrumento de tecelão, utilizado para cortar os fios que ficam fora da trama na fabricação do veludo.

talhe [Do fr. *taille*, poss.] *S. m.* **1.** Feitio ou feição do corpo ou de qualquer objeto; talho: "Era ela, não havia dúvida: a mesma boca, o mesmo talhe de rosto, a mesma expressão nos olhos" (José Gomes Ferreira, *O Mundo dos Outros*, p. 20). **2.** *Cost.* Modo de talhar ou cortar um traje. **3.** Feição particular dada à caligrafia (3). **4.** V. *tronco*[1] (3): "Lúcia deixou pender a cabeça sobre o seio, cruzou as mãos nos joelhos dobrando o talhe, como a estatueta da Safo de Pradier" (José de Alencar, *Lucíola*, p. 147).

talher [Do it. *tagliere*, 'utensílio de madeira sobre o qual se corta a carne', poss.] *S. m.* **1.** O conjunto de garfo, faca e colher. **2.** *Fig.* O lugar de cada pessoa à mesa. ◆ **Talher de galhetas.** Galheteiro. **Ter o seu talher na sociedade.** Ter situação social definida; ser pessoa de posição social.

talhinha [De *talha*[1] + *-inha*.] *S. f. Marinh. Ant.* Aparelho para levantar pequenos pesos.

talho [Dev. de *talhar*.] *S. m.* **1.** V. *talha*[1] (1). **2.** Ferimento causado por objeto cortante: *Deu um talho na palma da mão.* **3.** Desbaste dos ramos das árvores; poda, talhadia. **4.** Corte de carne, no açougue. **5.** Cepo sobre o qual se corta a carne. **6.** V. *açougue* (1). **7.** Banco pequeno e tosco. **8.** Talhe (1). **9.** V. *talhão*[1] (1). **10.** *Marn.* Compartimento nas salinas; tabuleiro. **11.** *Grav.* Corte ou sulco praticado na madeira ou no metal; talha. **12.** *Bras. Chulo* Os grandes lábios do órgão sexual feminino. ◆ **A talho.** V. *a talho de foice*: "Vem a talho observar que o Rio Grande intelectual acolhera os acenos de rebeldia literária [do modernismo] sem maiores comoções." (Moisés Velinho, *Letras da Província*, p. 40.) **A talho de foice.** A propósito; a jeito; à feição; a lanço; a talho.

talho-doce *S. m.* Gravura a talho-doce. [Pl.: *talhos-doces*.]

tália [Do tax. *Thalia*.] *S. f.* **1.** *Bot.* Pequeno gênero de plantas marantáceas, herbáceas, em sua maioria aquáticas, dotadas de folhas basais, largas e de longa haste, e de panículas terminais de flores purpúreas. **2.** *Bot.* Qualquer espécie desse gênero, como, p. ex., a *Thalia geniculata* (v. *arumarana*). **3.** *Bot.* Qualquer espécime desse gênero. **4.** *Zool.* Gênero de tunicados pelágicos que, em algumas classificações, são considerados subgênero dos salpas (v. *salpa*). **5.** *Zool.* Espécie, ou espécime desse gênero. [Cf. *Talia*, mit.]

taliáceo [Do tax. *Thalia* (v. *tália* [3]) + *-áceo*; tax. *Thaliaceae*.] *Zool. S. m.* **1.** Espécime dos taliáceos urocordados, livre-natantes, planctônicos, que se caracterizam pela presença de sifões em extremidades opostas; a corrente hídrica, que fornece a alimentação, a troca gasosa e a propulsão, entra pelo sifão bucal e sai pelo atrial. Estão agrupados em três ordens: os doliólidos, os sálpidos e os pirosômidos. • *Adj.* **2.** Pertencente ou relativo a eles.

talião [Do lat. *talione*.] *S. m.* V. *pena de talião*.

talictro [Do tax. *Thalictrum* (lat. *thalictrum* < gr. *tháliktron*).] *S. m. Bot.* **1.** Gênero de plantas ranunculáceas, herbáceas, vastamente distribuídas, dotadas de folhas ternadas, pequenas flores apétalas, polígamas ou unissexuadas, e fruto que consiste em vários aquênios. **2.** Espécie ou espécime desse gênero, ou a flor dele. [Var., nesta acepç.: *talitro*. Cf. *tálitro*.]

talidomida [Voc. farmac.; ingl. *thalidomide*.] *S. f. Quím.* Substância cristalina, heterocíclica, aromática, que tem dois grupos imida e existe em duas formas enantioméricas e us. contra a hanseníase [fórm.: $C_{13}H_{10}N_2O_4$]. [Já foi us. como sedativo e teve o uso interrompido, quando se descobriu que um dos enantiômeros da talidomida provoca teratogenia em grávidas.]

taliforme [De *talo* + *-iforme*.] *Adj. 2 g. Bot.* Em forma de talo.

talim [Do ár. *tahlīl*.] *S. m.* **1.** V. *boldrié* (1): "as espadas em bainhas lavradas pendem de soberbos talins." (Rebelo da Silva, *Contos e Lendas*, p. 175). **2.** *Mar. G.* Cinto de couro, ou de pano bordado com fio dourado, donde pendem duas tiras com gato de escape na ponta, destinadas a aguentar a espada us. pelos oficiais, suboficiais ou primeiros-sargentos.

talingado [Part. de *talingar*.] *Adj.* Que se talingou.

talingadura [De *talingar* + *-dura*.] *S. f. Marinh.* Ato ou efeito de talingar.

talingar [Do esp. *estalingar*, com aférese.] *V. t. d. e i. Marinh.* Ligar (a amarra) a (o anete da âncora ou da boia) ou a (a paixão[2]). [Conjug.: v. *largar*.]

talino [De *talo* + *-ino*[1].] *Adj. Bot.* Relativo ou pertencente ao talo (1): *bordo talino.*

tálio [Do gr. *thallós*, 'ramo verde', + *-io*[3].] *S. m. Quím.* Elemento de número atômico 81, metálico, branco-azulado, mole [símb.: *Tl*].

talionar [De *talião* + *-ar*[2], seg. o padrão erudito.] *V. t. d.* Aplicar a pena de talião a.

talionato [De *talião* + *-ato*[1], seg. o padrão erudito.] *S. m.* V. *pena de talião*.

talipe [Do lat. cient. *talipes* (< lat. *talus, i*, 'calcanhar', + lat. *pes, pedis*, 'pé').] *S. m. Ort.* V. *tálipe*.

tálipe [Do lat. cient. *talipes* (< lat. *talus, i*, 'calcanhar', + lat. *pes, pedis*, 'pé').] *S. m. Ort.* Má-formação congênita de pé causada por algum tipo de torção que lhe alterou o aspecto ou a posição, e de que há várias formas.

talisca *S. f.* **1.** Fenda na rocha: "Dentre as taliscas de uma pedra brota / E salta, onde espinhoso o cardo medra, / E, vivíssima prata, gota a gota, / Escorre, como a lágrima da pedra." (Alberto de Oliveira, *Poesias*, 2ª série, p. 39.) **2.** Pequena lasca; estilha. **3.** *Bras.* Peça fina de madeira que se embebe nos encaixes feitos longitudinalmente nas tábuas duma porta, duma janela, etc. **4.** *P. ext.* Sarrafo pouco espesso.

talísias [Adapt. do gr. *thalýsia*.] *S. f. pl.* Na Grécia antiga, festas da colheita, em que se ofereciam primícias a deuses como Ártemis, Deméter e Dioniso.

talismã [Do gr. *télesma*, 'cerimônia religiosa', pelo persa *tilismat*, pl. de *tilism*, e pelo fr. *talisman*.] *S. m.* **1.** Objeto de formas e dimensões variadas, ao qual se atribuem poderes extraordinários de magia ativa, possibilitando a realização de aspirações ou desejos. [Cf. *amuleto* e *fetiche* (1).] **2.** *Fig.* Encantamento, encanto.

talismânico [De *talismã* + *-ico*[2].] *Adj.* **1.** Referente a talismã. **2.** Que tem suas supostas virtudes.

talisquento [De *talisca* + *-ento*.] *Adj.* Que tem talisca(s).

tálitre *S. m. Bot.* V. *tálitro*.

talitro *S. m. Bot.* V. *talictro*. [Cf. *tálitro*.]

tálitro [Do lat. *talitru*, 'piparote no nariz'.] *S. m.* **1.** Nó na articulação dos dedos. **2.** Piparote. [Var.: *tálitre*. Cf. *talitro*.]

➔**talk-show** ['tɔkʃow] [Ingl.] *S. m. Telev.* Programa que mescla jornalismo e entretenimento, com apresentação de entrevista, música, esporte, etc.

talma [Do antr. (*François-Joseph*) *Talma* (1763-1826), ator francês.] *S. m.* Capa curta e ampla, que cobria parte das costas, ombros e peito, e que se usava no séc. XIX.

talmude [Do hebr. *talmud*, 'estudo', 'ensino'.] *S. m.* Doutrina e jurisprudência da lei mosaica, com explicações dos textos jurídicos do Pentateuco, e a Michná, *i. e.*, a jurisprudência elaborada pelos comentadores entre o III e o VI séculos. [Com cap.]

talmúdico [De *talmude* + *-ico*[2].] *Adj.* Relativo ou pertencente ao Talmude.

talmudista [De *talmude* + *-ista*.] *S. 2 g.* Seguidor do Talmude.

talo [Do gr. *thallós*, 'ramo verde', pelo lat. *thallu*.] *S. m.* **1.** *Bot.* Corpo vegetativo das plantas não vascularizadas, filamentoso ou laminar, e constituído de células pouco diferenciadas. Às vezes apresenta aspecto bastante complexo, como se fosse uma planta vascularizada, mas é só aparência: não há nem caule, nem raiz, nem folhas legítimas. As algas e liquens têm talo. [Cf. *caule*.] **2.** *Arquit.* Fuste ou tronco de coluna à qual faltam base e capitel. **3.** *Bras. Bot.* V. *taioba* (1). [Pl.: *talos*. Cf. *tálus*.]

▲**tal(o)-** [Do gr. *thallós, oû*.] *El. comp.* = 'ramo verde', 'rebento'; 'talo': *talófito*[1], *taloide*. [Equiv.: *-tal-, -talo*: *heterotalia, homotalia, meritalo, peritalo*.]

▲**-talo** V. *tal(o)-*.

talocha [Do fr. *taloche*.] *S. f. Constr.* V. *desempenadeira* (1).

talodi [Do top. *Talodi* (montanha do Sudão, África).] *S. m. Gloss.* V. *cordofaniano* (2).

talofítico [De *talófito* + *-ico*[2].] *Adj. Bot.* Pertencente ou relativo a talófito[1].

talófito[1] [De *tal(o)-* + *-fito*.] *Adj. S. m. Bot.* Diz-se de, ou vegetal provido de talo. [Cf. *cormófito*.]

talófito[2] [Adapt. do tax. *Thallophyta*.] *Bot. S. m.* **1.** Espécime dos talófitos, grupo de vegetais talosos [v. *talo* (1)], em antiga classificação. • *Adj.* **2.** Pertencente ou relativo a eles.

taloide (ói) [De *talo* + *-oide*.] *Adj. 2 g. Bot.* Semelhante ao talo (1): *hepática taloide.* ❖

talol [Do sueco *tall*, 'abeto', + suf. sueco *-öl*, 'óleo'.] *S. m. Quím.* Substância negra, líquida, oleosa, obtida do licor negro da indústria de papel e us. na fabricação de graxas, resinas e vernizes. [Pl.: *talóis*.]

talonado [De *talão*[1] + *-ado*[1], seg. o padrão erudito.] *Adj.* Diz-se de bloco formado por folhas com uma parte destacável; talonário.

talonagem [De *talonar* + *-agem*[1], seg. o padrão erudito.] *S. f. Art. Gráf.* Ato ou efeito de talonar.

talonar [De *talão* + *-ar*[2], seg. o padrão erudito.] *V. int. Art. Gráf.* Fazer talões [v. *talão*[1] (5)]. [Cf. *blocar*.]

talonário [De *talão* + *-ário*, seg. o padrão erudito.] ***Adj.*** 1. Talonado. ● ***S. m.*** 2. Talão[1] (5): *talonário de cheques.*

taloneado [Part. de *talonear.*] ***Adj.*** Que sofreu chicotada; chicoteado.

talonear [Do esp. plat. *talonear.*] ***V. t. d. Int. Bras. RS*** Dar com a tala ou chicote; chicotear: *Taloneia o animal desnecessariamente; Tem gosto em talonear.* [Conjug.: v. *frear.*]

taloneiro [De *talão* + *-eiro*, seg. o padrão erudito.] ***S. m. Art. Gráf.*** Bloquista.

talose [Do rad. *tal-* (< [ácido] talônico) + *-ose*[2].] ***S. f. Quím.*** Aldoexose da qual existem dois enantiômeros [fórm.: $C_6H_{12}O_6$].

taloso (ô) [De *talo* + *-oso.*] ***Adj.*** 1. Que tem talo. 2. Relativo a talo.

talpa [Do tax. *Talpa.*] ***S. f. Zool.*** 1. O gênero-tipo dos talpídeos (q. v.). 2. Qualquer espécie desse gênero, como, p. ex., a *Talpa europaea*, a toupeira europeia comum, e a *Talpa caeca*, cujos olhos, atrofiados, são recobertos por membrana. 3. Qualquer espécime desse gênero.

talpídeo [Do tax. *Talpidae.*] ***Zool. S. m.*** 1. Espécime dos talpídeos, família de mamíferos insetívoros, de hábitos cavernícolas, que abrange as espécies do gênero *Talpa* (v. *talpa*), que se caracterizam pela pele negra, aveludada, pelas potentes patas anteriores, e pelos olhos atrofiados. ● ***Adj.*** 2. Pertencente ou relativo a eles.

taluda ***S. f. Lus.*** Sorte grande (q. v.).

taludamento [De *taludar* + *-mento.*] ***S. m. Bras.*** Ação de taludar.

taludão [De *taludo* + *-ão*[1].] ***S. m.*** Indivíduo muito taludo (2), muito desenvolvido fisicamente. [Fem: *taludona.*]

taludar [De *talude* + *-ar*[2].] ***V. t. d. Bras.*** Fazer talude em: "Deixei, afinal, aquele tristonho morro da Saúde, que há dois meses retalho, e mino, e terrapleno, rasgando-lhe em degraus as encostas, taludando-o e artilhando-o" (Euclides da Cunha, *Contrastes e Confrontos*, p. 189).

talude [Do fr. *talus*, pelo esp. *talud.*] ***S. m.*** 1. Terreno inclinado; escarpa, rampa. 2. Superfície inclinada de uma escavação, de um aterro; escarpa, escarpadura, escarpamento: "A terra nua dos caminhos, limosa, esverdeada nos taludes e nas rampas, empapada, semilíquida no leito plano, ... ora alteava-se em almofadas de lama, ora cavava-se em poças de água barrenta" (Júlio Ribeiro, *A Carne*, p. 53). 3. Inclinação dessa superfície, expressa por uma fração. 4. *Tip.* Escarpa formada pelo relevo que constitui o olho do tipo; corte. ◆ **Talude continental.** *Ocean.* A parede, de declividade acentuada, que mergulha da extremidade da plataforma para os abismos oceânicos.

taludo [De *talo* + *-udo.*] ***Adj.*** 1. Que tem talo resistente. 2. Grande, corpulento, desenvolvido.

taludona ***S. f.*** Fem. de *taludão.*

taludote [De *taludo* + *-ote*[1].] ***Adj. 2 g.*** Um tanto taludo; grandote.

tálus [Do fr. *talus.*] ***S. m. 2 n. Geol.*** Depósito de sopé de escarpas, resultante da ação da gravidade sobre fragmentos rochosos soltos, ordinariamente misturados com terra. [Cf. *talos*, pl. de *talo.*]

talvegue [Do al. *Talweg*, 'caminho do vale'.] ***S. m.*** 1. Linha sinuosa, no fundo de um vale, pela qual as águas correm, e que divide os planos de duas encostas. 2. O canal mais profundo do leito de um curso de água.

talvez (ê) [De *tal* + *vez*. Antes de ter a acepção dubitativa, significou 'alguma vez'; vejam-se, adiante, exemplos.] ***Adv.*** 1. Indica possibilidade ou dúvida; acaso, porventura, quiçá: *Talvez chova hoje*; "Talvez um dia meu amor se extinga" (Machado de Assis, *Poesias Completas*, p. 44); "O oficial era moço, talvez não tinha trinta anos" (Almeida Garrett, *Viagens na Minha Terra*, p. 185); "Olhos cerrados, boca entrecerrada, / Parecia dormir. Talvez dormia." (Alberto de Oliveira, *Poesias*, 2.ª série, p. 318). [Note-se: nos dois primeiros exemplos o *talvez*, anteposto ao verbo, leva-o, como de praxe, ao modo subjuntivo (*chova, extinga*), enquanto nos dois últimos o verbo vai para o modo indicativo (*tinha, dormia*), fato que se observa bem menos frequentemente, mas não demasiado raro, quando o *talvez* sugere uma dúvida fraca, vizinha da certeza. Nas acepçs. seguintes (q. v.) só se pode usar o indicativo.] 2. *P. us.* Às vezes; por vezes: "Talvez o lenhador quando acomete / O tronco d'alto cedro corpulento, / Vem-lhe tingido o fio da segure / De puro mel, que abelhas fabricaram" (Gonçalves Dias, *Obras Poéticas*, II, pp. 248-249). 3. Numa ou noutra ocasião; alguma vez: "A nave, que não toca / No porto a salvamento, / Talvez os rotos mastros / Atira à beira-mar." (Id., *ib.*, II, p. 147); "Talvez a rica of'renda aplaca os Deuses, / E saudável conselho a noite inspira!" (Id., *ib.*, II, p. 299). ◆ **Talvez... talvez.** *P. us.* Ora... ora; umas vezes... outras vezes: "Sussurro profundo! Marulho gigante! / Talvez um — silêncio!... talvez uma — orquestra..." (Castro Alves, *Obra Completa*, p. 357.)

tama ***S. m. Gloss.*** V. *nama* (2)

tamacarica [Do tupi.] ***S. f. Bras.*** Toldo de embarcação. [Cf. *panacarica.*]

tamaindé (a-in) ***Bras. S. 2 g.*** 1. *Etnôn.* Indivíduo dos tamaindés, povo indígena extinto, da família linguística nambiquara, que habitava a região do rio Papagaio (MT). ● ***Adj. 2 g.*** 2. Pertencente ou relativo a esse povo. [Tb. us. como *s. 2 g. e 2 n.* (com cap.) e *adj. 2 g. e 2 n.*]

tamanca [De *tamanco.*] ***S. f.*** 1. Tamanco (1) de gáspea estreita. 2. *Bras.* Sapata (5). 3. *Marinh.* Peça de ferro ou de madeira, com uma ou mais roldanas de eixo vertical, onde gorne um cabo que tenha de fazer retorno. ◆ **Pisar nas tamancas.** *Bras. Gír.* V. *crescer nos cascos*: "E outras afrontas vieram. Dona Lúcia pisou nas tamancas." (José Cândido de Carvalho, *Olha para o Céu, Frederico!*, p. 38.) **Subir nas tamancas.** *Bras. Gír.* V. *crescer nos cascos.* **Trepar(-se) nas tamancas.** *Bras. RJ Gír.* V. *crescer nos cascos*: "Viramundo .... trepou nas tamancas ao saber que o adversário o chamara de ignorante." (Fernando Sabino, *O Grande Mentecapto*, p. 102.)

tamancada [De *tamanco* + *-ada*[1].] ***S. f.*** Pancada com tamanco.

tamancão [De *tamanco* + *-ão*[1].] ***S. m. Bras. N.E. a S. Bot.*** V. *caxeta.*

tamancar [De *tamanco* + *-ar*[2].] ***V. t. d. Bras.*** Fazer (qualquer obra) mal e precipitadamente; alinhavar, atamancar. [Conjug.: v. *trancar.*]

tamancaria [De *tamanco* + *-aria.*] ***S. f.*** Lugar onde se fabricam e/ou vendem tamancos.

tamanco [De or. incerta.] ***S. m.*** 1. Calçado grosseiro, cuja base é de madeira e não de sola; soco, tamanca. [Sin., bras., PE.: *sulipa*, (bras., MA) *chamató* e (lus.) *soca, soco.*] 2. *Bras.* Cepo (8). 3. *Bras. N.E.* Tábua dos bordos da jangada onde se fincam os pés do banco do mastro. 4. *Bras. N.E.* Peça do carro de bois sobre a qual giram os eixos. ◆ **Trepar-se nos tamancos.** *Bras. RJ V. crescer nos cascos.*

tamancudo [De *tamanco* + *-udo.*] ***Adj. Bras.*** Rústico, grosseiro, baixo.

tamanduá [Do tupi.] ***S. m.*** 1. *Bras. Zool.* Mamífero desdentado, mirmecofagídeo, cujo alimento básico são os cupins, e não formigas, como se propala. [Sin.: *papa-formigas.*] 2. *Bras. S.* V. *avaro* (3). 3. Questão moral difícil de resolver. 4. Grande mentira; maranhão, carapetão.

tamanduá-açu [De *tamanduá* + *-açu.*] ***S. m. Bras. Zool.*** Tamanduá-bandeira. [Pl.: *tamanduás-açus.*]

tamanduá-bandeira ***S. m. Bras. Zool.*** Mamífero desdentado, mirmecofagídeo (*Myrmecophaga judata* ou *M. tridactyla*), das regiões tropicais e subtropicais da América do Sul. Mede cerca de 1,10m de comprimento e quase outro tanto de cauda, a qual é provida de pelagem densa e longa. Coloração cinza-escura, com uma mancha negra, orlada por estreita listra branca, estendendo-se do pescoço e do peito, obliquamente, para as costas; mãos providas de quatro dedos, porém com apenas três unhas visíveis. Tem hábitos terrestres, alimenta-se de cupins; é animal muito dócil. [Sin.: *iurumi, jurumim, tamanduá-açu, tamanduá-cavalo* e (lus.) *urso-formigueiro*. Pl.: *tamanduás-bandeiras* e *tamanduás-bandeira.*]

tamanduá-cavalo ***S. m. Bras. Zool.*** V. *tamanduá-bandeira.* [Pl.: *tamanduás-cavalos* e *tamanduás-cavalo.*]

tamanduá-colete ***S. m. Bras. Zool.*** Mamífero desdentado, mirmecofagídeo (*Myrmecophaga tetradactyla*), com quatro subespécies no Brasil. Tem coloração amarelada, com uma banda escura em forma de colete, cauda preênsil, quatro dedos nas mãos e cinco nos pés. Arborícola, mede 60cm de corpo e 35cm de cauda. [Sin.: *tamanduá-mirim, jaleco, melete, mixila.* Pl.: *tamanduás-coletes* e *tamanduás-colete.*]

tamanduaense (àen) ***Adj. 2 g.*** 1. De, ou pertencente ou relativo a Tamanduá (SE). ● ***S. 2 g.*** 2. O natural ou habitante de Tamanduá.

tamanduaí [De *tamanduá* + *-í.*] ***S. m. Bras. Zool.*** Mamífero desdentado, mirmecofagídeo (*Cyclopes didactylus*), característico da Amaz., mas que ocorre, porém, até AL. Tem coloração amarelo-ruiva, pelagem densa e muito macia, cauda preênsil, dois dedos na mão e quatro nos pés, e mede cerca de 25cm de corpo e outro tanto de cauda. Vive nas matas e é essencialmente arborícola.

tamanduá-mirim [De *tamanduá* + *-mirim.*] ***S. m. Bras. Zool.*** V. *tamanduá-colete.* [Pl.: *tamanduás-mirins.*]

tamanhão [De *tamanho* + *-ão*[1].] ***Adj.*** 1. Muito grande. ● ***S. m.*** 2. Indivíduo alto, robusto e encorpado. [Fem.: *tamanhona.*]

tamanhinho [De *tamanho* + *-inho*[1].] ***Adj.*** Muito pequeno; pequenino.

tamanho [Do lat. *tam magnu*, 'tão grande'.] ***Adj.*** 1. Tão grande: "Oh! que saudades tamanhas / Das montanhas, / Daqueles campos natais!" (Casimiro de Abreu, *Obras*, p. 57.) 2. Tão distinto; tão notável; tão valente: *Tamanho combatente não poderia sair-se mal na luta.* ● ***S. m.*** 3. Grandeza, corpo, dimensão, volume. ◆ **Do tamanho de um bonde.** *Bras. Pop.* Muito grande, muito alto ou volumoso (pessoa ou coisa).

tamanho-família ***Adj. 2 g. e 2 n. Bras. Fam.*** 1. Diz-se de embalagem (garrafa, caixa, etc.) cujo conteúdo corresponde ao de cerca de duas ou três embalagens comuns. 2. *Fig.* Muito grande; fora dos padrões normais.

tamanquear [De *tamanco* + *-ear*[2].] ***V. int.*** 1. Andar de tamancos. 2. Fazer bulha, andando com tamancos. [Conjug.: v. *frear.*]

tamanqueira [De *tamanco* + *-eira.*] ***S. f. Bras. Bot.*** 1. Árvore rutácea (*Zanthoxylum rhoifolium* ou *Fagara rhoifolia*) que ocorre em todo o país, principalmente na mata pluvial da encosta atlântica, penetrando ainda no cerrado, de folhas penadas, aculeadas, serreadas e glandulosas, pequenas flores e frutos tb. pequenos, foliculares e monospérmicos, de um vermelho vivo, quando maduros, sendo o tronco revestido de acúleos. A madeira, pardacenta e sedosa, é us. em mobiliário, marcenaria e carpintaria, e tb. na confecção de tamancos. [Sin.: *juva, junevê, juvenê, juvevê, espinho-de-vintém, guaritá, maminha-de-cadela, maminha-de-porca, tembetari, tembetaru, tinguaciba.*] 2. Árvore laurácea (*Endlicheria sericea*) nativa da Amaz., de folhas coriáceas, flores amarelas, paniculadas, e frutos bacáceos, ovoides. 3. V. *caxeta.*

tamanqueira-de-leite ***S. f. Bras. Amaz. Bot.*** Árvore apocinácea (*Malouetia duckei*) lactescente, da floresta pluvial, de folhas ovadas, curtamente pecioladas, flores alvas, vistosas e ordenadas em inflorescências umbeliformes, e cujo fruto é um folículo muito comprido, cilíndrico, delgado, com sementes pilosas. [Pl.: *tamanqueiras-de-leite.*]

tamanqueiro [De *tamanco* + *-eiro.*] ***S. m.*** 1. Fabricante e/ou vendedor de tamanco (1). 2. *Bras. L. a S. Bot.* Arvoreta verbenácea (*Aegiphila sellowiana*) da floresta pluvial, de folhas grandes, oblongas, agudas e membranáceas, flores e frutos inaparentes, e cuja madeira, branca, leve e macia, serve para tamancos, caixas, brinquedos, lápis, violões, etc.; cambarazinho.

tamanquim ***Bras. S. 2 g.*** 1. *Etnôn.* Indivíduo dos tamanquins, povo indígena extinto, que habitava a margem esquerda do rio S. Francisco, a S.O. de PE. ● ***Adj. 2 g.*** 2. Pertencente ou relativo a esse povo. [Tb. us. como *s. 2 g. e 2 n.* (com cap.) e *adj. 2 g. e 2 n.*]

tamaquaré [Do tupi.] ***S. m.*** 1. *Bras. Amaz. Bot.* Nome comum a várias clusiáceas do gênero *Caraipa* (v. *caraípa*) de flores vistosas, alvas e perfumadas, e cujas madeiras, fortes e duráveis, são utilizáveis em carpintaria. O tronco, ferido, cede um látex espesso e vermelho-escuro, e as sementes contêm uma gordura escura e de cheiro pouco agradável. [Sin.: *taquaré.*] 2. *Bot.* Árvore clusiácea (*Caraipa excelsa*) de folhas ovadas ou oblongas, flores racemosas, em panículas, e frutos capsulares oblíquos, com semente alada. 3. Óleo medicinal fabricado com a seiva dessas árvores. 4. *Zool.* Designação comum aos iguanídeos de quilha serrilhada no dorso e que vivem, geralmente, em troncos de árvores. 5. *Zool.* Réptil lacertílio, iguanídeo (*Plica plica*), da Amaz., que se alimenta de artrópodes; taquaré. 6. *Astr.* Cassiopeia: "este saurиozinho [o tamaquaré], tão admirado pelos homens, figura também em uma constelação boreal, a Cassiopeia, que os índios chamam Tamaquaré." (Eurico Santos, *Histórias, Lendas e Folclore de Nossos Bichos*, p. 393). [Var., na Amaz.: *taquaré* (q. v.).]

tamaquaré-miúdo ***S. m. Bras. Bot.*** Árvore clusiácea (*Caraipa minor*) nativa da Amaz., de folhas pubescentes e frutos capsulares; fornece óleo medicinal e a madeira é us. em carpintaria. [Sin.: *baratinha*. Pl.: *tamaquarés-miúdos.*]

tâmara [Do ár. *tamara(t)*, 'tâmara seca'.] ***S. f.*** Fruto da tamareira; datil.

tâmara-da-terra ***S. f. Bras. Bot.*** V. *jerivá* (1). [Pl.: *tâmaras-da-terra.*]

tamaral [De *tâmara* + *-al*[1].] ***S. m.*** 1. Quantidade mais ou menos considerável de tamareiras dispostas proximamente entre si. 2. Área ocupada por tamaral (1).

tamarana [Do tupi.] ***S. f. Bras. Etnol.*** Cuidaru.

tamararé ***S. 2 g. Adj. 2 g. Bras.*** V. *tamaré.*

tamaratana ***S. f. Bras. Zool.*** V. *curimã.*

tamaré ***Bras. S. 2 g.*** 1. *Etnôn.* Indivíduo dos tamarés, povo indígena extinto, da família linguística nambiquara, que habitava as cabeceiras do rio Jaúna (MT). ● ***Adj. 2 g.*** 2. Pertencente ou relativo a esse povo. [Sin. ger.: *tamararé*. Tb. us. como *s. 2 g. e 2 n.* (com cap.) e *adj. 2 g. e 2 n.*]

tamareira [De *tâmara* + *-eira.*] ***S. f. Bot.*** Palmeira arecácea (*Phoenix dactylifera*) ornamental, característica dos oásis dos desertos africanos, cultivada graças ao fruto, a tâmara, importante como matéria alimentar; datileira.

T

tamarga [Do lat. **tamarica*, por *tamarice*.] *S. f. Bot.* Arbusto ou arvoreta tamaricácea (*Tamarix africana*) proveniente da África, de folhas ovadas, acuminadas, semiamplexicaules e decíduas, flores pequenas, congregadas em curtos racemos (2 a 3cm), e cujas cápsulas contêm numerosas sementes minutas, com um tufo de pelos no ápice. [Var.: *tramaga*. Sin.: *tamargueira, tramagueira*.]

tamargal [De *tamarga* + *-al*[1].] *S. m.* **1.** Quantidade mais ou menos considerável de tamargas dispostas proximamente entre si. **2.** Área ocupada por tamargal (1). [Var.: *tramagal*.]

tamargueira [De *tamarga* + *-eira*.] *S. f. Bot.* V. *tamarga*.

tamari [Do tupi, poss.] *S. m. Bras. Zool.* V. *sagui*.

tamaricácea [Do lat. cient. *Tamaric-* (do tax. *Tamarix*, e este do lat. *tamarix, icis*) + *-ácea*; tax. *Tamaricaceae*.] *S. f. Bot.* Espécime das tamaricáceas, família de violales composta de arbustos e árvores de folhas minutas, escamiformes ou aciculares, e flores racemosas. Há umas 100 espécies, vastamente distribuídas pelas regiões quentes, e por via de regra halófilas.

tamaricáceo [De *tamaricácea*, com var. suf. (v. *-áceo*).] *Adj. Bot.* Pertencente ou relativo às tamaricáceas.

tamárice [Do tax. *Tamarix*.] *S. f. Bot.* **1.** O gênero-tipo das tamaricáceas, que reúne árvores e arbustos ericoides nativos do Mediterrâneo oriental e da Ásia tropical, dotado de folhas alvas escamiformes, e pequeninos racemos de flores alvas ou róseas. **2.** Qualquer espécie desse gênero, como, p. ex., a *Tamarix africana* (v. *tamarga*). **3.** Qualquer espécime desse gênero.

tamarina *S. f. Bras. PB* V. *tamarindo* (2 e 3).

tamarindal [De *tamarindo* + *-al*[1].] *S. m.* **1.** Quantidade mais ou menos considerável de tamarindos dispostos proximamente entre si. **2.** Área ocupada por tamarindal (1).

tamarindeiro [De *tamarindo* + *-eiro*.] *S. m. Bot.* V. *tamarindo* (2).

tamarindo [Do ár. *tamrhindī*, 'tâmara da Índia', pelo lat. med. *tamarindu*; tax. *Tamarindus*.] *S. m. Bot.* **1.** Gênero monoespecífico de árvores cesalpiniáceas. **2.** A espécie desse gênero, *Tamarindus indica*, nativa das regiões tropicais da África, e da Ásia ocidental, de folhas penadas, com pequenos folíolos, flores amarelas e pouco visíveis, e cujos frutos, edules, são legumes indeiscentes em cujo interior há uma polpa ácida e comestível, apreciada para refrescos. [Sin., nesta acepç.: *tamarindeiro, tamarineira, tamarineiro, tamarinheiro* e (bras.) *tamarina, jubaí*.] **3.** Qualquer espécime desse gênero, ou seu fruto; tamarina. **4.** O fruto dele; tamarina.

tamarineira *S. f. Bot.* V. *tamarindo* (2).

tamarineiro *S. m. Bot.* V. *tamarindo* (2).

tamarinheiro *S. m. Bot.* V. *tamarindo* (2).

tamaru *S. m. Bras. Zool.* F. apocopada de *tamarutaca*.

tamarutaca [Do tupi.] *S. f. Bras. Zool.* V. *tamburutaca*.

tamatá *S. m. Bras. Zool.* V. *tambuatá* (1 e 2).

tamatarana *S. f. Bras. Zool.* V. *curimã* (1).

tamati [De or. tupi.] *S. f. Bras. Zool.* V. *mija-mija*.

tamatiá [Do tupi.] *S. m.* **1.** *Bras. Zool.* V. *arapapá* (1). **2.** *Bras. AM Pop.* O clitóris.

tamatião [Do tupi = 'o que tem bico de gancho'.] *S. m. Bras. Zool.* V. *dorminhoco* (3).

tamaxeque *S. m. Gloss.* Língua berbere dos tuaregues; tuaregue. [V. *berbere* (2).]

tamazirte *S. m. Gloss.* Rifenho (3).

tamba [Do tupi.] *S. f. Bras.* Bebida de uso entre os indígenas, feita de beiju grande cozido e diluído em água.

tambá [Do tupi = 'ostra'.] *S. m. Bras.* V. *concha* (2).

tambaca [Do sânscr. *tammraka*, pelo mal. *tambága*.] *S. f.* **1.** Liga de cobre e zinco. **2.** Mistura fundida de ouro e prata.

tambaco [Do tupi = 'ostra', poss.] *S. m. Bras. Zool.* Molusco marinho (*Barnea costata*).

tambafóli [De or. tupi.] *S. m. Bras. Zool.* Molusco marinho (*Pholas costata*), que causa estragos às construções navais.

tambaque[1] [Var. de *tabaque*.] *S. m. Mús.* **1.** *Bras. SP* Batuque (2) que ocorre por ocasião das festas de Nossa Senhora do Rosário. **2.** V. *atabaque* (2).

tambaque[2] [Var. de *tambaca*.] *S. m. Bras. N.* Metal inferior; ouro falso; ouropel, pechisbeque.

tambaqui [Do tupi.] *S. m. Bras. Zool.* **1.** Designação comum aos peixes actinopterígios, caraciformes, caracídeos, do gênero *Colossoma*, muito comuns na Amaz. A espécie mais conhecida é o *C. bidens*, da bacia amazônica e do Paraguai, de coloração geral cinza, com laivos dourados no dorso, e abdome amarelado. Alimenta-se de frutos, que são utilizados na pesca com linha. É dos peixes melhores e mais comuns do mercado de Manaus (AM). [Sin.: *curupeté*.] **2.** V. *pacu* (3).

tambarutaca [Var. de *tamarutaca*.] *S. f. Bras. Zool.* V. *tamburutaca*.

tambatajá [Do tupi.] *S. f. Bras. AM RJ Bot.* Erva arácea (*Syngonium auritum*) lactescente e escandente, das matas úmidas, de folhas sagitadas, trissectas, com segmentos oblongo-acuminados, e flores unissexuais, minutas, e organizadas em espigas compactas protegidas por grandes brácteas amarelo-esverdeadas.

tambauense (a-u) *Adj. 2 g.* **1.** De, ou pertencente ou relativo a Tambaú (SP). • *S. 2 g.* **2.** O natural ou habitante de Tambaú.

tambeense (êên) *Adj. 2 g.* **1.** De, ou pertencente ou relativo a També (PE). • *S. 2 g.* **2.** O natural ou habitante de També.

tambeira [Fem. de *tambeiro*.] *S. f. Bras. S.* Novilha mansa.

tambeirada [De *tambeiro* + *-ada*[1].] *S. f. Bras. S.* Porção de gado manso e de pequeno porte.

tambeiro [Do esp. platino *tambero*.] *S. m.* **1.** *Bras. S. MT* Touro ou boi habituado ao tambo[2] (3). **2.** *Bras. S. Zool.* Filho de vaca que foi ordenhada por algum tempo; bezerro. **3.** *Bras. S.* Gado manso. [Nesta acepç., cf. *tombeiro*.] **4.** *Bras. S.* Poldro filho da madrinha ou guia das tropas de animais.

também [De *tam* (tão) + *bem*.] *Adv.* **1.** Da mesma forma; igualmente: "A mão pálida tremia, / Contando o seu grande bem. / Mas, como o dele, batia / Dela o coração também." (Manuel Bandeira, *Estrela da Vida Inteira*, p. 18.) **2.** Outrossim; além disso; ainda: "Pois polos doze pares dar-vos quero / Os doze de Inglaterra, e o seu Magriço. / Dou-vos também aquele ilustre Gama, / Que para si de Eneias toma a fama." (Luís de Camões, *Os Lusíadas*, I, 12.) **3.** Por outro lado: "Há o que em Oxford se ensina e há também o que em Oxford se aprende." (Luís Forjaz Trigueiros, *Ventos e Marés*, p. 143.) **4.** Em compensação; em todo caso: "Na vasta escala da ornitologia / Se águia não é, também não é graúna." (Emílio de Meneses, *Mortalhas*, p. 68.) **5.** Mas diga-se; mas, porém: "Na aula de catecismo, não contava nada a Dona Ediná. Também, não tinha coragem de levantar os olhos para os santos..." (Macedo Miranda, *As Três Chaves*, p. 29.) **6.** Diga-se de passagem; aliás: *Ganhou a eleição — também não era para menos*; "Não deu parte à polícia. Também não adiantava" (Adalberon Cavalcanti Lins, *Curral Novo*, p. 63). • *Interj.* **7.** Exprime estranheza, descontentamento, desgosto: *Você diz que não tem amigos. Também! com esse temperamento difícil!*

tambetá [Do tupi, poss.] *S. m. Bras.* Vaso de cerâmica indígena.

tambetara [Do tupi, poss.] *S. f. Bras. Zool.* **1.** V. *castanha* (12). **2.** V. *papa-terra* (3).

tambetaru [Do tupi, poss.] *S. m. Bras. Bot.* Quebra-machado (1).

tambi *S. m. Zool. Bras.* V. *piquira* (6).

tambica [De or. obscura.] *S. f.* Chumbo de rede [v. *chumbo* (4)].

tambicu [De or. tupi, poss.] *S. m. Bras. Zool.* V. *peixe-cachorro* (2).

tambiú [Do tupi.] *S. m. Bras. Zool.* Peixe caracídeo (*Astianax bimaculatus*) da América do Sul cisandina, de coloração prateada, com duas manchas negras, uma atrás de cada opérculo, e nadadeira caudal amarela; atinge até 11cm. [Sin.: *canivete, lambari-pintado, matupiri, piaba-do-rabo-amarelo, piaba-rodoleira, piau-da-lagoa*.]

tambo[1] [De *tálamo* (q. v.), pela f. *taãbo*.] *S. m.* **1.** Bodas; tálamo. **2.** *Obsol.* Mesa baixa, no refeitório em que, por castigo, os frades comiam.

tambo[2] [Do quíchua *támpu*, 'pouso', 'albergue', pelo esp. plat.] *S. m.* **1.** *Bras.* Casa de campo. **2.** *Bras. AM* Espécie de palhota ou barracão. **3.** *Bras. RS* Estábulo onde se ordenham vacas, para venda de leite.

tamboarense *Adj. 2 g.* **1.** De, ou pertencente ou relativo a Tamboara (PR). • *S. 2 g.* **2.** O natural ou habitante de Tamboara.

tamboeira [Var. de *tamboera*.] *S. f.* **1.** *Bras. N.E.* Raiz mirrada da mandioca ou da macaxeira, não aproveitada na colheita; pororom. **2.** *Bras. N.E.* A cana que cresceu pouco. **3.** *Bras. N.E.* V. *batuera*. **4.** *Bras. AL* Aguaceiro com trovão e relâmpago, que cai, de ordinário, em outubro. [Cf. *taboeira*.]

tamboera (ê) [Do tupi = 'espiga extinta', 'sabugo de milho', 'carolo'.] *S. f. Bras.* V. *batuera*. [Var.: *tamboeira*.]

tambona *S. f. Bras. S.* Espécie de cafeteira.

tambor (ô) [Do ár. (*aṭ-*)*ṭanbūr*, 'instrumento de percussão', poss. do persa *tabīr(ah), taburāk*, e com infl. de *ṭunbūr*, 'certo instrumento musical de cordas; alaúde'.] *S. m.* **1.** *Mús.* Qualquer dos instrumentos de percussão, com uma ou duas membranas esticadas, as quais, percutidas, produzem sons indeterminados. **2.** *Mús.* Designação comum aos instrumentos de percussão que constam de uma caixa cilíndrica de madeira ou de metal, cujas bases são revestidas de pele tensa e percutidas com baquetas ou macetas, e cuja sonoridade varia de acordo com as diferentes dimensões do instrumento: *O bombo é o mais grave dos tambores*. **3.** *Mús.* Tambor (2) de tipo médio (tambor-surdo, caixa-clara, tarol), dotado ou não de cordas sobre o timbre, percutido com baquetas e tocado com as peles em posição horizontal ou inclinada. [Cf., nessas acepçs., *tamboril*[1] (1) e *tamborim*. Var., us. nessas acepçs.: *atambor*.] **4.** *Mús.* Pessoa que toca tambor: "Para se fazer militar começou por tambor na célebre companhia dos jovens boiardos." (Ramalho Ortigão, *As Farpas*, II, p. 57.) **5.** Peça do revólver, cilíndrica, na qual se acomodam as balas, e que, girando em torno de um eixo, após cada disparo, coloca outra bala em posição de ser deflagrada. **6.** Grande vasilha metálica, cilíndrica, usada para transportar combustíveis líquidos: *tambor de gasolina*; *tambor de óleo*. **7.** Tímpano (2). **8.** O cilindro em que, nos guindastes e outros aparelhos de força, se enrola o cabo. **9.** O cilindro das fechaduras. **10.** Designação comum a diversos objetos cilíndricos. **11.** *Autom.* O cubo da roda. **12.** *Tip.* Cilindro de grande diâmetro que caracteriza a prensa de rotação simples; bombo. **13.** *Bras. RS Gír.* Bacia do rinhadeiro. ◆ **Tambor basco.** *Mús.* Pandeiro (1). **Tambor de guerra.** *Mús.* V. *caixa-clara*. **Tambor grande.** *Mús.* Tambor de timbre mais grave, us. juntamente com o crivador e o médio punga ou no tambor de crioula. **Tambor magnético.** *Inform. Obsol.* Cilindro com superfície magnética, onde se armazenam dados. **Tambor militar.** V. *caixa de rufo*.

tamboramento [De *tamborar* + *-mento*.] *S. m. Metal.* Operação de usinagem na qual as peças são colocadas no interior de um tambor rotativo, junto, ou não, a materiais especiais, para serem rebarbadas ou receberem acabamento.

tamborar [De *tambor* + *-ar*[2].] *V. t. d. Metal.* Realizar o tamboramento de.

tambor de crioula *S. m. Bras. MA Folcl. Mús.* V. *punga*[2]. [Pl.: *tambores de crioula*.]

tambor de mina *S. m. Bras.*, *MA* Ritual e cerimônia afro-brasileira, com dança marcada por tambores e cantos, dos negros-minas [v. *mina*[2] (2)], principalmente fons. [Pl.: *tambores de mina*.]

tamborejar [De *tambor* + *-ejar*.] *V. int.* Produzir ruído semelhante ao do rufo do tambor; tamborilar: "As ramarias roçavam o telhado, onde a chuva tamborejava com intermitências." (José Rodrigues Miguéis, *Gente da Terceira Classe*, p. 109.)

tamborete (ê) [Do fr. *tabouret*, com infl. de *tambor*.] *S. m.* **1.** Cadeira de braços e sem espaldar. **2.** Assento para uma pessoa, sem encosto, de madeira ou de outro material, e de tampo redondo ou quadrado. **3.** *Tip.* Bloco de madeira, de face lisa, que se coloca sobre a fôrma e se golpeia com o maço, para nivelar os tipos; aplanador, assentador. **4.** *Bras. N.E.* Indivíduo de estatura baixa. ◆ **Tamborete de provas.** *Tip.* Tamborete com a face revestida de flanela, usado para tirar provas; assentador de provas.

tamborete de brega *S. 2 g. Bras. BA Pop.* Pessoa de estatura muito baixa. [Sin., bras., PB: *tamborete de forró*. Pl.: *tamboretes de brega*.]

tamborete de forró *S. 2 g. Bras. PB* Tamborete de brega. [Pl.: *tamboretes de forró*.]

tamboréu *S. m. Bras.* Espécie de jogo em que se utiliza pandeiro e peteca ou, às vezes, pequena bola de borracha.

tamboril[1] [De *tamborim* (q. v.), por dissimilação.] *S. m. Mús.* **1.** Instrumento de percussão, espécie de cítara com seis cordas percutíveis com uma baqueta, e que serve para acompanhar as danças regionais das Vascongadas (Espanha) e do Béarn (França). O executante percute as cordas com a baqueta na mão direita, e com a esquerda toca o galubé. [Cf. *tambor* (1 a 3).] **2.** *P. ext.* Dança provençal ritmada pelo tamboril, em compasso binário e andamento vivo. **3.** Tamborim (1): "ao som... do tamboril a rufar e do bombo a troar, o *Fandango* salta animado, em dança de roda" (Antero de Figueiredo, *Jornadas em Portugal*, p. 156). [Dim. irreg. de 1 e 3: *tamborilete*.]

tamboril[2] [Var. de *tamburi* (q. v.), por infl. de *tamboril*[1].] *S. m. Bras. Bot.* **1.** *Amaz.* Árvore fabácea (*Enterolobium maximum*), da mata úmida, de tronco e copa muito amplos, folhas penadas, flores pequeninas, e cujo fruto apresenta a forma de alça intestinal achatada e contém polpa branca e adocicada, sendo a madeira castanha e grosseira. **2.** V. *canafístula* (3).

tamborilada [De *tamborilar* + *-ada*[1].] *S. f.* Toque de tambor ou de tamboril.

tamborilante [De *tamborilar* + *-nte*.] *Adj. 2 g.* Que tamborila.

tamborilar [De *tamboril* + *-ar*[2].] *V. int.* **1.** Tocar com os dedos ou com um objeto em qualquer superfície, imitando o rufar do tambor: "tamborilava com os dedos no balcão" (Antero de Figueiredo, *Jornadas em Portugal*, p. 290). **2.** Produzir som análogo ao do tambor: "quero morrer tranquilamente, metodicamente, ouvindo os soluços das damas, as falas baixas dos homens, a chuva que tamborila nas folhas de tinhorão da chácara" (Machado de Assis, *Memórias Póstumas de Brás Cubas*, p. 3). **3.** Importunar com ditos ou sons inarmônicos. • *S. m.* **4.** Tamborilo.

tamboril-bravo *S. m. Bras. Bot.* V. *canafístula* (3). [Pl.: *tamboris-bravos*.]

tamborileiro [De *tamboril* + *-eiro*.] *Adj. S. m.* Diz-se de, ou aquele que toca tambor ou tamboril.

tamborilense *Adj. 2 g.* **1.** De, ou pertencente ou relativo a Tamboril (CE). • *S. 2 g.* **2.** O natural ou habitante de Tamboril.

tamborilete (ê) [De *tamboril*[1] + *-ete* (ê).] *S. m.* Pequeno tamboril[1] (1 e 3).

tamborilo [Dev. de *tamborilar*.] *S. m.* Som análogo ao do tambor; tamborilar: "A chuva continuava a desabar com o seu tamborilo sonolento" (José Rodrigues Miguéis, *Léah*, p. 193).

tamborim [De *tambor* + *-im*.] *S. m. Mús.* **1.** Tambor pequeno; tamborino. **2.** Tambor provençal, de fuste cilíndrico e alongado, com pele nas duas extremidades, percutido com uma só baqueta, e que é tocado simultaneamente com o pífaro ou o galubé pelo mesmo executante. [Cf. *tambor* (1 a 3).]

tamborino [De *tambor* + *-ino*[2].] *S. m. Mús.* Tamborim (1): "Gira em volteios colubrinos, / Lentos, elásticos, felinos, / Ao retumbar dos tamborinos." (Martins Fontes, *Fantástica*, p. 120.)

tambor-mor *S. m.* Chefe dos tambores, em um regimento. [Pl.: *tambores-mores*.]

tambor-onça *S. m. Bras. Mús.* **1.** V. *cuíca* (2). **2.** Espécie de cuíca, muito us. no carimbó paraense. [Pl.: *tambores-onças* e *tambores-onça*.]

tambor-surdo *S. m. Mús.* Tambor (3) de fuste alto, sem cordas sobre a membrana inferior, e que tem, por isso, uma sonoridade abafada; caixa-surda, surdo. [Pl.: *tambores-surdos*.]

tambozeiro *S. m. Bras. MA Folcl. Mús.* Coureiro (3).

tambu[1] [De *tambor*.] *S. m. Bras. SP Mús.* Grande atabaque us. no jongo e no batuque.

tambu[2] [Do guar., pelo esp. plat. *tambú*.] *S. m.* V. *coró*[2].

tambuatá [Var. de *tamuatá* < tupi.] *S. m. Bras. Zool.* **1.** Designação comum a várias espécies de peixes do gênero *Corydoras* e de outros afins, cujo corpo é revestido de placas ósseas do mesmo tipo. Alguns deles não ultrapassam 4 a 5cm e são muito apreciados para aquários. **2.** Peixe actinopterígio, siluriforme, calictiídeo (*Callichthys callichthys*), largamente distribuído pelo Brasil. O corpo é revestido por duas séries de placas ósseas verticais, imbricadas, 27 dorsais e 25 ventrais; coloração pardo-escura tendente ao cinza-escuro; comprimento: 20cm. [Sin., nessas acepçs.: *tamatá, tamuatá, camboatá, peixe-de-enxurrada, peixe-do-mato*.] **3.** V. *soldado* (8).

tambuladeira [De or. incerta.] *S. f. Enol. P. us. no Brasil* Pequena taça com 2cm de profundidade por 8cm de diâmetro, munida de uma asa e própria para degustar vinho.

tambu-peroba *S. m. Bras. Bot.* V. *guatambu* (4). [Pl.: *tambus-perobas* e *tambus-peroba*.]

tamburi [Do tupi = 'tronco que exsuda humores'.] *S. m. Bras. Bot.* **1.** Árvore fabácea (*Enterolobium contortisiliquum*) da Mata Atlântica, que tem o tronco muito grosso e a copa imensa, esgalhada; os frutos, leguminosos, contêm saponina, e a madeira, pardo-avermelhada, macia, é excelente para a fabricação de canoas de tronco inteiro. [Sin.: *orelha-de-negro, pau-de-sabão, timboúva, timburi*.] **2.** V. *canafístula* (3).

tamburipará [Var. de *tamburupará*.] *S. m. Bras. Zool.* V. *bico-de-brasa*.

tamburupará [Do tupi.] *S. m. Bras. Zool.* V. *bico-de-brasa*. [Var.: *tamburipará*.]

tamburutaca [Var. de *tamarutaca* < *tamarutaca*.] *S. f. Bras. Zool.* Designação comum a várias espécies de crustáceos estomatópodes com até 34cm de comprimento, embora muitas delas não ultrapassem 4cm. Com aspecto de louva-a-deus ou de lagosta, diferem desta última por serem desprovidos de antena longa e terem três segmentos do cefalotórax livres, bem como pelas patas anteriores preênseis. Vivem no fundo do mar, ocultando-se em lama ou areia, e são carnívoras. [Sin.: *lagosta-gafanhoto, mãe-do-camarão*.]

tamearama [Do tupi.] *S. f. Bras. AM a MG Bot.* Trepadeira euforbiácea (*Dalechampia scandens*) polimorfa, de folhas tripartidas e mesmo inteiras, membranáceas e pilosas, estípulas lanceoladas, flores unissexuais no interior de um invólucro foliáceo trífido, e cujos frutos são pequenas cápsulas tricocas; urtiga-tamearama, caajacara.

tametara [Do tupi = 'pedra do beiço'.] *S. f. Bras.* Metara.

tamiça [Alter. do lat. *thomice*.] *S. f.* Cordel de esparto, delgado.

tamiceiro [De *tamiça* + *-eiro*.] *Adj. S. m.* Que, ou aquele que fabrica e/ou vende tamiça.

tâmil [Do tâmil *tamil*, 'melodiosidade'.] *S. 2 g.* **1.** *Etnôn.* Indivíduo dos tâmeis, povo do S. da Índia e do N. e O. do Sri Lanka. • *S. m.* **2.** *Gloss.* Língua dravídica, que é língua oficial no estado de Tâmil Nadu (anteriormente Madras, S.E. da Índia), também falada no Sri Lanka e na Malásia, em Singapura e na Indonésia. [Seus registros escritos datam do século III a. C., em alfabeto tâmil. Atualmente é escrita em alfabeto granta.] **3.** Vocábulo dessa língua. **4.** *Graf.* O alfabeto tâmil. • *Adj. 2 g.* **5.** Pertencente ou relativo aos tâmeis, ou a tâmil (2 e 4). [F. paral.: *tâmul*. Pl.: *tâmiles, tâmeis*.]

tamina [F. aferética do quimb. *ritamina*, 'tigela'.] *S. f. Bras.* **1.** Vaso com que se media a ração diária dos escravos. **2.** Essa ração. **3.** Porção de água que era permitido a cada pessoa tirar das fontes públicas nos tempos de seca. ◆ **Por tamina.** À ração, aos poucos.

tamis [Do fr. *tamis*.] *S. m.* **1.** Peneira de seda us. em farmácia ou laboratório. **2.** *Tec. Têx.* Tecido inglês de lã: "a luz desmaiava em penumbra passando pelos tamises das cortinas e dos reposteiros." (Coelho Neto, *Obra Seleta*, I, p. 269). **3.** *Fig.* Peneira, filtro, crivo: "o comum dos homens, quando percebe uma coisa, percebe-a de modo fragmentado, como que fazendo-a passar através do tamis de sua própria existência e de sua própria experiência." (Mário Faustino, *Poesia — Experiência*, pp. 50-51). [Pl.: *tamises*.]

tamisação [Do fr. *tamisation*.] *S. f.* Ato ou efeito de tamisar.

tamisar [Do fr. *tamiser*.] *V. t. d.* **1.** Passar pelo tamis; peneirar. **2.** *Fig.* Depurar, joeirar. [Pres. ind.: *tamiso, tamisas, tamisa*, etc. Cf. *Tâmisa*, top.]

tamiseiro [De *tamis* + *-eiro*.] *S. m.* Aquele que faz, ou vende tamises ou peneiras.

tamo [Do tax. *Tamus* (do lat. *tammus*, poss).] *S. m. Bot.* **1.** Gênero de trepadeiras dioscoreáceas, de raízes tuberosas, de ramos volúveis, folhas cordadas, e flores em racemos axilares. **2.** Qualquer espécie desse gênero, como, p. ex., a *Tamus communis*, oriunda da Europa, Ásia e África, de folhas cordadas, ovadas, inteiras ou trilobadas, flores pequenas, unissexuadas, arrumadas em racemos compridos e lassos, cujo fruto é uma baga subglobosa e carnosa, e cujos ramos, volúveis, partem de um grosso tubérculo subterrâneo. **3.** Qualquer espécime desse gênero.

tamoeiro [De *tamão* + *-eiro*, com desnasalação e síncope.] *S. m.* **1.** Peça central do carro de bois. **2.** Peça de couro que segura o carro à canga.

tamoio *Bras. S. 2 g.* **1.** *Etnôn.* Indivíduo dos tamoios [ou (etnôn. bras.) *Tamoyo], povo indígena extinto, do tronco linguístico tupi, que habitava as margens dos rios São Francisco (MG) e Paraíba do Sul (RJ). • *Adj. 2 g.* **2.** Pertencente ou relativo a esse povo.

tampa [Do gót. **tappa*, 'batoque' (em al. mod., *Zapfen*).] *S. f.* **1.** Peça movediça para tapar vaso ou caixa; tapador, tapadouro, tapadura. **2.** V. *tampo*[1] (2). **3.** Prensa de penteeiro. **4.** *Bras. Gír.* Chapéu (1). ◆ **Roer tampa de penico.** *Bras. Gír.* Estar em má situação; passar privação, dificuldade; estar na pior: "— Queria dormir com você, querida... Mas, é claro... Muitos hão de querer, estão por aí roendo tampa de penico." (Jorge Amado, *Dona Flor e Seus Dois Maridos*, p. 289.)

tampado [Part. de *tampar*.] *Adj. Bras.* **1.** Encoberto, tapado. **2.** Denso, cerrado. ◆ **Comer tampado.** *Bras. N.E. Pop.* V. *comer da banda podre*.

tampadura [De *tampar* + *-dura*.] *S. f.* Ato de tampar.

tampão [Do fr. *tampon*.] *S. m.* **1.** Tampa (1) grande. **2.** V. *tampo*[1] (2). **3.** Peça que serve para tampar a saída do esgoto de tanques, pias, etc. **4.** Grande rolha. **5.** Bucha (1). **6.** Chumaço (4). **7.** *Grav.* Chumaço de algodão coberto de pano ou couro, us. para entintar a placa de metal ou a pedra litográfica. [Cf., nesta acepç., *boneca* (4).] **8.** *Lus.* Calota (2). **9.** *Quím.* solução tampão. ◆ **Tampão hemostático.** *Biol.* Matriz fibrilar formada pela polimerização de fibrina, e que prende plaquetas e células sanguíneas; coágulo sanguíneo. **Tampão higiênico.** *Bras.* Tampão cilíndrico, de material absorvente, que se introduz no canal vaginal durante a menstruação, ou após certas intervenções cirúrgicas ginecológicas, ou em certos casos de corrimento (2), e us. para conter e absorver a perda de sangue e/ou as secreções; absorvente interno. **Tampão vaginal.** *Bras.* Chumaço (4) que se usa por ocasião de menstruação, ou após certas intervenções cirúrgicas ginecológicas; absorvente higiênico e (lus.) penso higiênico.

tampar [De *tampa* ou *tampo* + *-ar*[2].] *V. t. d.* Pôr tampa ou tampo[1] em.

tampinha [De *tampa* + *-inha*.] *S. f. Bras.* **1.** Tampa (1) de garrafas de refrigerante, de cerveja, etc. **2.** Certo jogo popular; chapinha (2). • *S. 2 g.* **3.** *Pop.* Pessoa de estatura muito baixa.

tampo[1] [Var. de *tampa*.] *S. m.* **1.** Peça circular onde se entalham as aduelas das cubas, tinas, cascos, etc. **2.** Peça de madeira, de plástico, etc., que cobre a bacia dos aparelhos sanitários; tampa, tampão. **3.** A parte superior da caixa de ressonância dos instrumentos de cordas. ~ V. *tampos*.

tampo[2] *S. m. Bras. N.E.* A pele da rês morta por doença. ~ V. *tampos*.

tamponamento [Do fr. *tamponnement*.] *S. m.* Ato ou efeito de tamponar.

tamponar [Do fr. *tamponner*.] *V. t. d.* **1.** Obstruir com tampão; tapar. **2.** *Quím.* Controlar o pH (de uma solução) mediante a adição de solução tampão, ou de reagentes que a formem.

tampos [Pl. de *tampo*.] *S. m. pl. Bras. Chulo* O hímen. ~ V. *tampo*. ◆ **Tirar os tampos a.** *Bras. Chulo* Deflorar, desflorar, descabaçar.

tampouco [De *tam* (= *tão*) + *pouco*.] *Adv.* Também não: "Não dormi, tampouco estive acordado." (Benedito Salomon da Costa e Silva, *Seis Contos*, p. 15); "Não posso explicar Deus. Ele tampouco." (Guilherme Figueiredo, *Despropósitos*, p. 98). [Em Portugal, a grafia usual é *tão-pouco*. Cf. *tão pouco*, em frases como: *Tenho tão pouco entusiasmo por este livro!*]

tam-tam [Do concani *tam'tam*, ou do bengali *tantan*, pelo fr. *tam-tam*, 'gongo', 'tambor de bronze'.] *S. m.* **1.** Gongo[1] (1) chinês. **2.** Na África central, o tambor (1). [Pl.: *tam-tans*.]

tamuana *Bras. S. 2 g.* **1.** *Etnôn.* Indivíduo dos tamuanas, povo indígena extinto que habitava a margem direita do rio Amazonas (AM). • *Adj. 2 g.* **2.** Pertencente ou relativo a esse povo. [Tb. us. como *s. 2 g.* e *2 n.* (com cap.) e *adj. 2 g.* e *2 n.*]

tamuatá [Do tupi.] *S. m. Bras. Zool.* **1.** V. *tambuatá* (1 e 2). **2.** V. *soldado* (8).

tamucu [De or. indígena, poss.] *S. m. Bras. Zool.* V. *peixe-cachorro* (2).

tâmul *S. 2 g. S. m. Adj. 2 g.* V. *tâmil*.

tamuria [Do rad. do gr. *thameiós*, 'frequente', + *-uria*.] *S. f. Med.* V. *tamúria*.

tamúria [Do rad. do gr. *thameiós*, 'frequente', + *-úria*.] *S. f. Med.* Micção frequente. [F. paral.: *tamuria*.]

tamuripará *S. m. Bras. Zool.* V. *bico-de-brasa*.

➔**tamuz** [ta'muz] [Hebr.] *S. m. Cronol.* O décimo mês do calendário judaico, que incide entre os meses de junho e julho dos calendários juliano e gregoriano.

■ **tan** *Mat.* Símb. impr. de *arco tangente* (q. v.).

tana *S. 2 g. Adj. 2 g. Bras.* V. *tariana*.

tanabiense *Adj. 2 g.* **1.** De, ou pertencente ou relativo a Tanabi (SP). • *S. 2 g.* **2.** O natural ou habitante de Tanabi.

tanaceto (ê) [Do tax. *Tanacetum* (do lat. tard. *tanacetum*).] *S. m. Bot.* **1.** Gênero de plantas asteráceas, herbáceas, muito odoríferas, de folhagem ger. recortada, e capítulos de pequenas flores disciformes, em corimbos. **2.** Qualquer espécie desse gênero, como, p. ex., a *Tanacetum vulgare* (v. *tasneira*). **3.** Qualquer espécime desse gênero.

tanado [Adapt. do fr. *tanné*.] *Adj.* Que tem cor de castanha, semelhante à do couro curtido com tanino; trigueiro: "Toda a vida me há de lembrar a sua figurinha impassível e tanada" (Fialho d'Almeida, *Pasquinadas*, p. 329).

tânagra [Do gr. *Tánagra*, cidade da Beócia, pelo ingl. *tanagra*.] *S. f.* **1.** Estatueta de terracota, muito elegante, trabalhada com extrema perfeição, e da qual se encontrou grande quantidade na necrópole de Tânagra, na Beócia (v. *beócio*). **2.** *P. ext. Fig.* Mulher perfeita de corpo, esbelta, elegante, como essas estatuetas.

tanagreu [Do lat. *tanagraeu*.] *Adj. S. m.* Tanagriano (1 e 4).

tanagriano [Do top. *Tânagra* (Beócia) + *-iano*.] *Adj.* **1.** De, ou pertencente ou relativo a Tânagra, cidade grega célebre por suas estatuetas; tanagreu. [V. *tânagra* (1).] **2.** Relativo a, ou que lembra uma tânagra (1): *proporções tanagrianas*. **3.** *P. ext.* Esbelto como uma tânagra (1): *mulher tanagriana*. • *S. m.* **4.** O natural ou habitante de Tânagra; tanagreu.

tanagrídeo [Do tax. *Tanagra* + *-ídeo*[1]; tax. *Tanagridae*.] *Adj. S. m. Zool.* V. *traupídeo*.

tanaidáceo [Do lat. cient. *Tanaid-* (< tax. *Tanais*) + *-áceo*; tax. *Tanaidacea*.] *Zool. S. m.* **1.** Espécime dos tanaidáceos, pequena ordem de crustáceos malacostráceos, marinhos, de corpo minúsculo, provido de pequena carapaça, e telso não articulado. • *Adj.* **2.** Pertencente ou relativo a eles.

tanajuba *S. f. Bras. Zool.* V. *guaruba*.

tanajura [Do tupi.] *S. f. Bras.* **1.** *Zool.* Designação comum às fêmeas ou rainhas dos insetos himenópteros, formicídeos, esp. as do gênero *Atta sexdens*, que perdem as asas após o voo nupcial, indo formar novos formigueiros. Elas levam consigo pequena parcela de cogumelo a fim de darem início à nova cultura. [Sin.: *caiapó, içá*.] **2.** *Bras. Pop.* Pessoa de nádegas muito desenvolvidas.

tananá [Do tupi.] *S. m. Bras. Amaz. Zool.* Inseto ortóptero, pseudofilídeo (*Chlorocoelus tanana*), da Amaz., de coloração verde-pálida, e com até 6cm de

T

comprimento. Essa espécie emite uma estridulação característica.

tanante [Do fr. *tannant*.] ***Adj. 2 g. Bot.*** Que serve para curtir couro por encerrar tanino: *casca <u>tanante</u>.*

▲-tanasia [Do gr. *-thanasía* (como no gr. *athanasía*, 'imortalidade') < gr. *thánatos* (v. *tanat(o)-*) + gr. *-ía* (v. *-ia*[1]).] ***El. comp.*** = 'morte', 'tipo de morte': *apotanasia, cacotanasia* (< gr.). [Embora o étimo grego postule *-tanasia*, é comum a variação prosódica em *-tanásia*, como, p. ex., em *eutanasia/eutanásia, distanasia/distanásia*.]

tanásia [Do lat. med. *tanasia*.] ***S. f. Bot.*** Tasneira.

▲-tanásia V. *-tanasia*.

tanatau [De or. tupi.] ***S. m. Bras. Zool.*** Ave falconiforme, falconídea (*Micrastur mirandollei*), do Brasil setentrional e oriental. A coloração da parte superior do corpo é pardo-acinzentada, sendo a parte inferior branca, com algumas estrias pretas; cauda preta, listrada de pardo. [Var.: *tanató*.]

▲tanato- [Do gr. *thánatos, ou (ăă)*.] ***El. comp.*** = 'morte': *tanatognose, tanatoscopia*.

tanató ***S. m. Bras. Zool.*** V. *tanatau*.

tanatofilia [De *tanato-* + *-filia*.] ***S. f. Psiq.*** Atração pela morte, ou por assuntos letais.

tanatofílico [De *tanatofilia* + *-ico*[2].] ***Psiq. Adj.* 1.** Relativo a tanatofilia. **2.** Que sofre de tanatofilia; tanatófilo. • ***S. m.* 3.** Aquele que sofre de tanatofilia; tanatófilo.

tanatófilo [De *tanato-* + *-filo*[2].] ***Adj. S. m. Psiq.*** Tanatofílico (2 e 3).

tanatofobia [De *tanato-* + *-fobia*.] ***S. f. Psiq.* 1.** Medo injustificado de morte iminente. **2.** Medo patológico da morte.

tanatofóbico [De *tanatofobia* + *-ico*[2].] ***Psiq. Adj.* 1.** Relativo a tanatofobia. **2.** Que sofre de tanatofobia; tanatófobo. • ***S. m.* 3.** Aquele que sofre de tanatofobia; tanatófobo.

tanatófobo [De *tanato-* + *-fobo*.] ***Adj. S. m. Psiq.*** Tanatofóbico (2 e 3).

tanatogénese ***S. f. Med. Leg.*** V. *tanatogênese*. [Uso freq. em P.]

tanatogênese [De *tanato-* + *-gênese*.] ***S. f. Med. Leg.*** Estudo da origem e causas da morte.

tanatogenético [De *tanatogên(ese)* + *-ético*.] ***Adj.*** Relativo a tanatogênese.

tanatognose [De *tanato-* + *-gnose*.] ***S. f. Med. Leg.*** Diagnóstico da morte.

tanatologia [De *tanato-* + *-logia*.] ***S. f.* 1.** Tratado sobre a morte. **2.** Teoria da morte. **3.** *Med. Leg.* Parte da medicina legal que se ocupa da morte e dos problemas médico-legais com ela relacionados.

tanatológico [De *tanatologia* + *-ico*[2].] ***Adj.*** Relativo a tanatologia.

tanatologista [De *tanatologia* + *-ista*.] ***S. 2 g.*** Especialista em tanatologia; tanatólogo.

tanatólogo [De *tanato-* + *-logo*.] ***S. m.*** Tanatalogista.

tanatomania [De *tanato-* + *-mania*.] ***S. f. Psiq.*** Obsessão pela morte.

tanatomaníaco [De *tanatomania* + *-íaco*.] ***Psiq. Adj.* 1.** Relativo a tanatomania. **2.** Que tem tanatomania; tanatômano. • ***S. m.* 3.** Aquele que tem tanatomania; tanatômano.

tanatómano ***Adj. S. m. Psiq.*** V. *tanatômano*. [Uso freq. em P.]

tanatômano [De *tanato-* + *-mano*[1].] ***Adj. S. m. Psiq.*** Tanatomaníaco (2 e 3).

tânatos [Do mit. gr. *Thánatos*, lit., 'morte'.] ***S. m.* 1.** Deus da morte, filho da Noite e Hipnos. [Com cap.] **2.** *Psican.* Pulsão de morte, de destruição. [Cf. *Eros*.]

tanatoscopia [De *tanato-* + *-scop-* + *-ia*[1].] ***S. f. Med. Leg.*** Exame de cadáver.

tanatoscópico [De *tanatoscopia* + *-ico*[2].] ***Adj.*** Relativo a tanatoscopia.

tanazar [De *atanazar* (q. v.), com aférese.] ***V. t. d.*** V. *atanazar*.

tancá ***S. m.*** V. *tancar*.

tancagem [Do ingl. *tankage*.] ***S. f.* 1.** Armazenagem de líquidos em tanques. **2.** A capacidade desses tanques.

tancar [Do chinês *tán-kiá*, 'ovo-casa'.] ***S. m.*** Embarcação miúda, de fundo chato, com uma cobertura semicircular feita de varas de bambu e esteiras, movida com dois remos (um à popa, como esparrela, e outro em um dos bordos), usada nos portos chineses para transporte de passageiros e, ger., governado por mulheres. [Var.: *tancá*.]

tancareira [De *tancar* + *-eira*.] ***S. f.*** Aquela que governa um tancar: "No começo, os labores foram difíceis, extenuantes para a sua minguada compleição de <u>tancareira</u> incipiente." (Henrique de Sena Fernandes, *Nam Van, Contos de Macau*, p. 1.)

tanchagem [F. metatética do ant. *chantagem* < lat. *plantagine*.] ***S. f. Bras. Bot.*** Erva plantaginácea (*Plantago major*) rosulada, de origem europeia, e amplamente divulgada como ruderal, de folhas espatuladas e moles, inseridas pela base, e flores mínimas e paleáceas, que se inserem em espigas delgadas e cilíndricas, muito alongadas.

tanchagem-da-água ***S. f. Bot.*** V. *tanchagem-de-água*. [Pl.: *tanchagens-da-água*.]

tanchagem-d'água ***S. f. Bot.*** V. *tanchagem-de-água*. [Pl.: *tanchagens-d'água*.]

tanchagem-de-água ***S. f. Bot.*** V. *alisma* (2).

tanchão [F. metatética do ant. *chantão* < lat. **plantone*.] ***S. m.* 1.** Chantão (q. v.). **2.** Esteio de videira.

tanchar [F. metatética de *chantar* < lat. *plantare*, 'plantar'.] ***V. t. d.*** Plantar ou cravar (estacas) na terra.

tanchim ***S. m. Bras.*** V. *canivete* (4).

tanchina ***S. f. Bras. Zool.*** V. *canivete* (4).

tanchoeira [De *tanchão* + *-eira*.] ***S. f.*** V. *chantão*.

tancredense ***Adj. 2 g.* 1.** De, ou pertencente ou relativo a Presidente Tancredo Neves (BA). • ***S. 2 g.* 2.** O natural ou habitante de Presidente Tancredo Neves.

tandem[1] [Do lat. *tandem*, 'finalmente', pelo ingl. *tandem*, 'um depois ou atrás do outro'.] ***S. m.*** Conjunto de unidades alinhadas, uma atrás da outra: *potenciômetros em <u>tandem</u>.*

tandem[2] [Do ingl. *tandem* (*bicycle*).] ***S. m.*** Bicicleta de dois assentos, um atrás do outro.

tando [Do chissena.] ***S. m. Moç.*** Planície savânica: "O sol tinha caído como incêndio em <u>tando</u> seco, cerrada a noite escura, só estrelas." (Ascêncio de Freitas, *E as Raiva Passa Por Cima, Fica Engrossar um Silêncio*, p. 106.)

tanduju [De or. tupi, poss.] ***S. m. Bras. Zool.*** Peixe actinopterígio, perciforme, uranoscopídeo (*Astrocopus sexspinosus*), do Atlântico, distribuído do RJ à Argentina. Tem dorso cinza, abdome brancacento, focinho truncado, boca verticalmente fendida, olhos implantados em cima da cabeça e 45cm de comprimento. Vive nas profundidades, escondido na areia. [Sin.: *mira-céu*.]

tanga [Do quimb. *tanga*, 'pano', 'capa'.] ***S. f.* 1.** Espécie de avental usado por certos povos para cobrir o corpo desde o ventre até as coxas; encacho, encache, tangueiro. **2.** *Bras. Vest.* Biquíni (1) formado por dois triângulos de tecido, presos por uma tirinha, e que deixa o lado do corpo e, às vezes, as nádegas, quase completamente nus. **3.** *Bras.* V. *varanda* (7). ◆ **De tanga.** *Gír.* Em má situação financeira; mal de vida; sem nada de seu: *Perdeu o modesto emprego, e está <u>de tanga</u>*; "— Olha, menino, a Régua .... Se não fosse o Porto, vocês andavam lá <u>de tanga</u>..." (João de Araújo Correia, *Sem Método*, p. 85). **De tanga, pote e esteira.** *Bras. AL Gír.* Em miséria extrema.

tanganhão ***S. m.*** Tangomau (3): "Mas eram bem vivas ainda as recordações daquele comércio [de escravos] e nelas .... muito havia com que comover a alma nacional e suscitar-lhe uma reação de sentimentos humanos e piedosos em favor das vítimas dos <u>tanganhões</u> e capitães de navio." (Xavier Marques, *Vida de Castro Alves*, p. 189.)

tangão [Do fr. *tangon*.] ***S. m. Teatr.*** Refletor portátil constituído de um suporte metálico vertical, cuja extremidade superior sustenta uma caixa onde estão dispostas lâmpadas para iluminação difusa, e que é colocado ao lado de outros, lateralmente ao palco, por trás dos bastidores: "Estão acesos <u>tangões</u>, gambiarras e ribaltas para lhe esmaltar a pele [da atriz] e afagar as linhas do corpo." (Antero de Figueiredo, *Cômicos*, p. 131.)

tangapema [Do tupi = 'espada de ferro'.] ***S. f. Bras.*** V. *tacape*: "Durava esta festa pelo menos dois dias e de ordinário três. No primeiro atam ao pescoço do prisioneiro a *maçarana*, que é feita de algodão ou de embira, e pintam a *maça*, <u>tangapema</u>, como escrevem alguns, ou *iverapeme* como escrevem outros, com a qual deverá ser sacrificado." (Gonçalves Dias, *O Brasil e a Oceania*, p. 131.)

tangar[1] [De *tanga* + *-ar*[2].] ***V. t. d.*** Cobrir com tanga (1). [Conjug.: v. *largar*.]

tangar[2] [De *tango* + *-ar*[2].] ***V. int.*** Dançar o tango (2 e 3): "Concentrados, os oficiais do tango <u>tangavam</u>." (Tristão da Cunha, *Histórias do Bem e do Mal*, p. 131.) [Conjug.: v. *largar*.]

tangará [Do tupi.] ***S. m. Bras. Zool.*** Designação comum às seguintes aves passeriformes, piprídeas: atangará, fandangueiro, dançador, dançarino, uirapuru (1), uirapuru-de-cabeça-branca, uirapuru-de-cabeça-encarnada, uirapuru-de-costa-azul.

tangará-açu [De *tangará* + *-açu*.] ***S. m. Bras. Bot.*** Arbusto poligonáceo (*Coccoloba crescentiaefolia*), nativo do Brasil, e cujo fruto tem propriedades medicinais, adstringentes e antidiarreicas. [Pl.: *tangarás-açus*.]

tangaracá [Do tupi = 'erva dos tangarás'.] ***S. m. Bras. Bot.*** Pequena erva asterácea (*Eclipta erecta*) higrófila, cujas folhas moles e capítulos brancos têm pequenas dimensões.

tangará-de-cabeça-branca ***S. m. Bras. Zool.*** V. *uirapuru-de-cabeça-branca*. [Pl.: *tangarás-de-cabeça-branca*.]

tangaraense (garà) ***Adj. 2 g.* 1.** De, ou pertencente ou relativo a Tangará (SC). • ***S. 2 g.* 2.** O natural ou habitante de Tangará.

tangarazinho (garà) [De *tangará* + *-zinho*.] ***S. m. Bras. Zool.*** Ave passeriforme, piprídea (*Ilicura militaris*), de coloração negra no dorso alto, vermelho-clara brilhante no dorso posterior, metade inferior das asas vermelho-clara, garganta e pescoço pardacentos, e lado inferior branco. Alimenta-se de frutas e insetos.

tangarense[1] ***Adj. 2 g.* 1.** De, ou pertencente ou relativo a Tangará (RN). • ***S. 2 g.* 2.** O natural ou habitante de Tangará.

tangarense[2] ***Adj. 2 g.* 1.** De, ou pertencente ou relativo a Tangará da Serra (MT). • ***S. 2 g.* 2.** O natural ou habitante de Tangará da Serra.

tangedoira [Fem. de *tangedoiro*.] ***S. f.*** V. *tangedoura*.

tangedoiro [De *tanger* + *-doiro*[1].] ***S. m.*** V. *tangedoura*.

tangedor (ô) [De *tanger* + *-dor*.] ***Adj. S. m.*** Que, ou aquele que tange. [Fem. pl.: *tangedoras*. Cf. *tangedouras*.]

tangedoura [Fem. de *tangedouro*.] ***S. f.*** Cada um dos prumos que sustentam os foles das forjas de ferreiro, e por onde o fole é tocado; tangedoira, tangedoiro, tangedouro. [Cf. *tangedoras*, fem. pl. de *tangedor*.]

tangedouro [De *tanger* + *-douro*[2]; var. de *tangedoiro*.] ***S. m.*** V. *tangedoura*.

tange-fole [De *tanger* + *fole*.] ***S. m.* 1.** Indivíduo que tange os foles, nas forjas. **2.** *Fig.* Aquele que faz falar um tagarela. [Pl.: *tange-foles*.]

tangência [De *tangente* + *-ia*[2], seg. o padrão analógico; fr. *tangence*.] ***S. f.*** Qualidade de tangente. [Cf. *tangencia*, do v. *tangenciar*.]

tangencial [De *tangência* + *-al*[1].] ***Adj. 2 g.* 1.** Relativo a tangência, ou a tangente. **2.** Diz-se de seção longitudinal paralela ao eixo, sem passar por ele. [Cf. *tangenciais*, do v. *tangenciar*.] ~ V. *aceleração —, coordenada —, curvatura —* e *tensão —*.

tangenciar [De *tangência* + *-ar*[2].] ***V. t. d.* 1.** Seguir a tangente de. **2.** Passar ou estar muito próximo de; tocar, roçar: *Fez a curva <u>tangenciando</u> a cerca.* **3.** Relacionar-se, ligar-se, com: "Estruturalmente, pois, o romance nada tem que ver com o cinema. Assenta em bases diversas. Quando muito, parafraseando Thibaudet, empenhado em estabelecer as diferenças entre o conto e o romance, se poderia dizer que o cinema <u>tangencia</u> a parte divina do romance." (Temístocles Linhares, *Introdução ao Mundo do Romance*, p. 119.) [Pres. ind.: *tangencio, tangencias, tangencia, tangenciamos, tangenciais, tangenciam*. Cf. *tangência* e *tangenciais*, pl. de *tangencial*.]

tangente [Do lat. *tangente*, 'que toca'.] ***Adj. 2 g.* 1.** Que tange ou que tangencia. ~ V. *plano —, reta —* e *vetor —*. • ***S. f.* 2.** *Trig.* Função de um ângulo orientado, definida pelo quociente entre a ordenada e a abscissa da extremidade de um arco de circunferência subtendido pelo ângulo; quociente entre o seno e o cosseno de um arco [símb.: *tg* e (impr.) tan^{-1}]. **3.** *Geom.* Num ponto de uma curva ou de uma superfície, limite da secante que passa por este ponto e por outro, quando este tende para aquele [símb.: *tg* e (impr.) tan^{-1}]. **4.** *Bras.* Trecho retilíneo de uma estrada, assim chamado porque nas extremidades tangencia curvas. ◆ **Tangente hiperbólica.** *Mat.* Função definida pelo quociente entre o seno hiperbólico e o cosseno hiperbólico [símb.: *tanh* e *tgh*]. **Tangente hiperbólica inversa.** *Mat.* Arco tangente hiperbólica. **Tangente inversa.** *Mat.* Arco tangente. **Pela tangente.** A custo; dificilmente, apertadamente: *Escapou <u>pela tangente</u>; Passou nos exames <u>pela tangente</u>.*

tangentoide (ói) [De *tangente* + *-oide*.] ***Adj. 2 g.* 1.** Semelhante à tangente. • ***S. f.* 2.** *Mat.* Curva que, num sistema cartesiano de coordenadas, representa a função tangente. ❖

tanger [Do lat. *tangere*.] ***V. t. d.* 1.** Tocar (instrumentos): "<u>Tangeu</u> nervosa e apaixonadamente, / No dourado salão, a harpa dourada." (Alberto de Oliveira, *Poesias*, 2.ª série, p. 138); "Sagramor .... <u>tange</u> com inocência a sua flauta." (Eugênio de Castro, *Obras Poéticas*, III, p. 93). **2.** Tocar (alimárias) para as estimular na marcha: "Lá vem o vaqueiro, pelos atalhos, / <u>tangendo</u> as reses para os currais..." (Ascenso Ferreira, *Catimbó e Outros Poemas*, p. 39.) **3.** Tocar (fole de ferreiro). **4.** Pôr em fuga com energia ou violência. ***Int.* 5.** Soar, ressoar, ecoar: "<u>Tange</u> longe um sino, numa igreja em festa" (Gilca da Costa Melo Machado, *Poesias*, p. 90). **6.** Tocar qualquer instrumento. ***T. i.* 7.** Dizer respeito; referir-se, concernir, tocar: *Interessa-se por tudo o que <u>tange</u> à condição humana dos cidadãos.* [Muda o *g* em *j* antes de *o* e *a*: *tanjo, tanja*, etc. Cf. *Tânger*, top.]

tangerina [De (*laranja*) *tangerina* (v. *tangerino*[2]).] ***S. f.*** O fruto da tangerineira. [Sin., em regiões diversas do Brasil: *bergamota* ou *vergamota, laranja-cravo, laranja-mimosa, mandarina, mexerica* e *mimosa*.]

tangerineira [De *tangerina* + *-eira*.] ***S. f. Bot.*** Árvore rutácea (*Citrus nobilis*) de até 3m de altura, originária da China, de ramos espinhosos, folhas com glândulas, e cujos frutos têm forma globosa, cor amarela forte, polpa acídula e aromática, e casca rica em óleo essencial (q. v.). [Sin., em regiões diversas do Brasil: *bergamoteira* ou *vergamoteira*, *laranja-cravo*, *laranja-mimosa*, *mexeriqueira*.]

tangerino[1] [De *tanger* + *-ino*[1].] *S. m. Bras. N.E.* Tangedor pedestre, ou, às vezes, a cavalo, de gado vacum: 📖 "fizera os duzentos quilômetros do sertão ao litoral, parte de trem, outra parte a pé, acompanhando uns tangerinos que traziam gado para Fortaleza." (Raquel de Queirós, *100 Crônicas Escolhidas*, p. 3). [Sin., bras., MG: *tocador*.]

tangerino[2] [Do top. *Tânger* + *-ino*[1].] *Adj.* **1.** De, ou pertencente ou relativo a Tânger, zona franca e porto do Marrocos (v. *marroquino*), no estreito de Gibraltar. ● *S. m.* **2.** O natural ou habitante de Tânger. [Sin. ger.: *tingitano*.]

tange-tange [Da 3.ª pess. do sing. do pres. ind. de *tanger*, repetida.] *S. m. Bras. Bot.* Nome comum a arbustos fabáceos do gênero *Lupinus* (v. *lupino*), de folhas compostas e flores em racemos terminais, como, p. ex., a *Lupinus uncinatus*. [Pl.: *tange-tanges* e *tanges-tanges*.]

tange-viola [De *tanger* + *viola*[1].] *S. m. Bras. Zool.* V. *serra-pau*. [Pl.: *tange-violas*.]

tangibilidade [De *tangível* + *-(i)dade*, seg. o padrão erudito.] *S. f.* Qualidade de tangível.

tangimento [De *tanger* + *-imento*.] *S. m.* Ato ou efeito de tanger.

tangível [Do lat. tard. *tangibile*.] *Adj. 2 g.* **1.** Que pode ser tangido, tocado ou apalpado; palpável, sensível. **2.** *P. ext.* Que os sentidos podem apreender; perceptível, sensível, visível (fig.): *um sinal tangível*. **3.** *Econ.* Diz-se de bens econômicos, ativos, etc., que têm existência física. [Opõe-se, nesta acepç., a *intangível* (3).]

tanglomanglo *S. m. Bras.* **1.** Doença atribuída a feitiçaria; malefício, bruxedo, sortilégio. **2.** *Pop.* Doença, mal. **3.** V. *caiporismo*. [F. paral.: *tangolomango*.]

tango [De or. afr., pelo esp. plat. *tango*.] *S. m. Mús.* **1.** Espécie de pequeno tambor africano. **2.** A dança executada ao som desse instrumento. **3.** Canto e dança espanhola que migrou para a América Latina em fins do séc. XIX, originando diversas variantes, principalmente na Argentina, Cuba e Brasil. **4.** Na Argentina, dança criada sob a influência da habanera, da milonga e de certas melodias populares europeias, e que adquiriu configuração especial por efeito de seus contatos com o candombe. É ger. escrito no modo menor, em compasso binário, andamento moderado e ritmo sincopado e langoroso. [Tb. se diz *tango argentino*.] ◆ **Tango argentino.** *Mús.* Tango (4).

tangófilo [De *tango* + *-filo*[2].] *Adj. S. m.* Diz-se de, ou aquele que muito gosta de dançar o tango.

tangolomango *S. m. Bras.* Tanglomanglo.

tangomania [De *tango* + *-mania*.] *S. f.* Gosto excessivo, doentio, de dançar o tango.

tangomaníaco [De *tangomania* + *-íaco*.] *Adj.* **1.** Relativo a tangomania. **2.** Que tem tangomania; tangômano. ● *S. m.* **3.** Aquele que tem tangomania; tangômano.

tangomão *S. m.* V. *tangomão*.

tangômano *Adj. S. m.* V. *tangômano*. [Uso freq. em P.]

tangômano [De *tango* + *-mano*[1].] *Adj. S. m.* Tangomaníaco (2 e 3).

tangomão *S. m.* V. *tangomau*. [Var.: *tangomano*. Fem.: *tangoma*.]

tangomau [De or. afric., poss.] *S. m.* **1.** Nos séculos XVI-XVIII, português que deixava sua pátria fugido, esp. o que ia para a Costa da Guiné e geralmente se africanizava, adotando os costumes e até mesmo a religião da terra: 📖 "Se colhe ser mais própria a interpretação dos que por Tangomau entendem ao que foge da sua terra" (P.e Rafael Bluteau, *Vocabulário Português e Latino*, t. 8, p. 40); "manda el Rey, que se lhe mande a sentença pronunciada contra os bens do Tangomau" (Id., *ib.*, p. 40). [Cf. *lançado* (8).] **2.** Descendente mulato de tangomau (1). [Sin. (no Senegal, na Gâmbia, na Guiné e na Guiné-Bissau): *luso-africano*.] **3.** Nos séculos XVI-XVIII, aquele que, na África, esp. na Guiné, trocava mercadorias por escravos, que eram vendidos aos portugueses; tanganhão: 📖 "pois as nações em África brigavam entre si e os derrotados e prisioneiros eram vendidos para os tangomaus ou para os comerciantes nos portos." (Ana Maria Gonçalves, *Um Defeito de Cor*, p. 416). [Var.: *tangomão*.]

tanguari [Do tupi = 'veia torta, retorcida'.] *S. m. Bras. RS* A aorta do boi, depois de cozida.

tangueiro [De *tanga* + *-eiro*.] *Adj.* **1.** Relativo a tanga (1). ● *S. m.* **2.** V. *tanga* (1).

tanguista [De *tango* + *-ista*.] *S. 2 g.* Dançador de tango.

tangurupará [Do tupi.] *S. m. Bras. Amaz. Zool.* V. *bico-de-brasa*.

tangurupará-de-asa-branca *S. m. Bras. Zool.* Ave piciforme, buconídea (*Monasa atra*), que ocorre no extremo N. do Brasil até a margem setentrional do rio Amazonas. Tem coloração preta, encontro da asa branco, parte inferior cinzenta, e bico encarnado. [Sin.: *sauni*. Pl.: *tanguruparás-de-asa-branca*.]

■ **tanh** *Mat.* V. *tangente hiperbólica*.

■ **tanh**[−1] *Mat. Impr.* Símb. de *arco tangente hiperbólica* (q. v.).

tanhaçu *S. m. Bras. Zool.* V. *queixada* (3).

tanhaçuense *Adj. 2 g.* **1.** De, ou pertencente ou relativo a Tanhaçu (BA). ● *S. 2 g.* **2.** O natural ou habitante de Tanhaçu.

tanhocati *S. m. Bras. Zool.* V. *queixada* (3).

tani [Do tupi.] *S. m. Bras. Bot.* Espécime de cipó com que se enrolam as folhas de fumo depois de secas.

tanibuca [Do tupi.] *S. f. Bras. Amaz. Bot.* Árvore combretácea (*Terminalia tanibouca*) das várzeas do Amazonas, de folhas grandes e acumuladas na ponta dos ramos, flores pequeninas e agregadas em cachos espiciformes, e cujos frutos são sâmaras drupáceas, secas e duras. Madeira cinza-escura, de boa qualidade; a casca é tanífera.

taniça [Do tupi.] *S. f. Bras. MA* **1.** Fumo de rolo. **2.** Tala de madeira que protege o fumo de rolo.

tânico [De *tanino* + *-ico*[2].] *Adj. Quím.* V. *ácido* ~.

tanífero [F. haplológica de *taninífero* < *tanino* + *-ífero*.] *Adj.* Que produz ou contém tanino.

tanino [Do fr. *tannin*, *tanin*.] *S. m. Quím.* Classe de substâncias adstringentes encontradas em certos vegetais, que dão coloração azul com sais de ferro, usadas no curtimento de couros e também como mordentes.

taninoso (ô) [De *tanino* + *-oso*.] *Adj.* Que contém tanino.

tanjão [De *tanger* + *-ão*[2].] *Adj. S. m.* Que, ou aquele que só se movimenta quando o tocam; preguiçoso. [Fem.: *tanjona*.]

tanjona *S. f.* Fem. de *tanjão*.

➔**tannat** [ta'na] [Fr.] *S. m.* **1.** *Vitic.* Casta nobre de uva tinta cultivada no S.O. da França e no Uruguai; produz vinhos tânicos de lenta evolução como o *madiran*. **2.** *Enol.* Vinho produzido com essa uva.

tano [Do teua.] *Adj. S. m.* Teua.

tanoa (ô) [F. dissimilada de *tonoa* (q. v.).] *S. f.* Ofício de tanoeiro; tanoaria, tonelaria. [Cf. *tanoa*, do v. *tanoar*.]

tanoano [Do ingl. *Tanoan*, termo cunhado em 1891 por J. W. Powell (1834-1902), etnólogo e geólogo norte-americano, a partir do teua *thaáno*, 'índio tano'.] *Gloss. S. m.* **1.** Família de línguas indígenas norte-americanas que reunia línguas de várias aldeias pueblanas do Novo México e do Arizona (E.U.A.). **2.** Vocábulo tanoano. ● *Adj.* **3.** Pertencente ou relativo a tanoano (1).

tanoar [De *tanoa* + *-ar*[2].] *V. int.* Exercer o ofício de tanoeiro. [Conjug.: v. *coroar*.] [Pres. ind.: *tanoo*, *tanoas*, *tanoa*, etc.; fut. pret.: *tanoaria*, etc. Cf. *tanoa*, s. f., e *tanoaria*, s. f.]

tanoaria [De *tanoa* + *-aria*.] *S. f.* **1.** Oficina, arruamento ou obra de tanoeiro; tonelaria. **2.** V. *tanoa*. [Cf. *tanoaria*, do v. *tanoar*.]

tanoca *S. f. Zool.* **1.** *Bras. Amaz.* V. *formiga-correição*. **2.** *Bras.* V. *tauoca*.

tanoeiro [De *tanoa* + *-eiro*.] *S. m.* **1.** Aquele que faz e/ou conserta pipas, cubas, barris, dornas, tinas, etc.; toneleiro. **2.** *Bras. Zool.* V. *perereca* (1). **3.** *Bras. Zool.* V. *sapo-ferreiro*. **4.** *Bras. Gír.* Cão, cachorro.

tanque[1] [De um dev. de *estancar* (v. *estanque*), com aférese.] *S. m.* **1.** Reservatório de pedra ou de metal, para conter água. **2.** *P. ext.* Reservatório para qualquer outro líquido: *tanque de gasolina*; *tanque de azeite*. [Sin. (lus.), nessas acepç.: *depósito*.] **3.** Reservatório (2), ger. com bica, us. para lavar roupa à mão; com tamanho e forma variados, feito de alvenaria, louça, plástico, fibra ou metal, em ger. com pouca profundidade e uma parte da estrutura um tanto inclinada com pequenos degraus, que servem de apoio na hora de esfregar a roupa. **4.** Pequeno açude ou lagoa artificial. **5.** *Bras. N.E.* Açude (1). **6.** *Constr. Nav.* Compartimento estanque destinado a armazenar líquidos (água, óleo combustível, etc.). ◆ **Tanque de aguada.** *Bras. Constr. Nav.* Tanque (6) destinado a armazenar a água potável consumida a bordo. **Tanque de prova.** *Bras. Constr. Nav.* Piscina longa e dotada de numerosos acessórios, na qual se realizam provas hidrodinâmicas em madeira de casco de protótipos de embarcações. **Tanque misturador.** *Ind. Pap.* Cuba de cimento revestida de azulejos (ou de aço, protegida por esmalte sintético), equipada com hélice ou com outro dispositivo para conservar a homogeneidade da massa de papel nela depositada. [Tb. se diz apenas *misturador*.]

tanque[2] [Do ingl. *tank*, que é, curiosamente, o port. *tanque*[1] de torna-viagem. Na I Guerra Mundial, ao construírem-se os primeiros desses carros, disseram aos operários que eram grandes reservatórios de água para o Egito.] *S. m.* Carro de guerra, blindado, apropriado a percorrer terrenos acidentados; carro de combate.

tanqueiro [De *tanque*[1] + *-eiro*.] *S. m.* Transportador de granéis líquidos em caminhões-tanque.

tanque-novense *Adj. 2 g.* **1.** De, ou pertencente ou relativo a Tanque Novo (BA). ● *S. 2 g.* **2.** O natural ou habitante de Tanque Novo. [Pl.: *tanque-novenses*.]

tanquense *Adj. 2 g.* **1.** De, ou pertencente ou relativo a Tanque d'Arca (AL). ● *S. 2 g.* **2.** O natural ou habitante de Tanque d'Arca.

tanquinhense *Adj. 2 g.* **1.** De, ou pertencente ou relativo a Tanquinho (BA). ● *S. 2 g.* **2.** O natural ou habitante de Tanquinho.

tanquinho [De *tanque*[1] (3) + *-inho*[1].] *Adj. 2 g. e 2 n.* **1.** Diz-se de barriga ou abdome com a musculatura bem definida, graças a exercícios físicos e a alimentação balanceada. ● *S. m.* **2.** Essa barriga ou abdome. **3.** Lava-roupas, em forma de tanque, sem a função de centrifugação.

tanseira [De or. incerta.] *S. f.* A parte do cano da bota onde se liga a presilha.

tanso [De or. obscura.] *Adj. S. m.* **1.** Parvo, tolo, palerma. **2.** Vagaroso, lento, mole.

tantã [De *tonto*, poss.] *Adj. 2 g. Bras. Fam.* Amalucado, maluco, desequilibrado, tonto: 📖 "Andava bruburu, banzando pelos cantos, meio tantã." (M. Cavalcanti Proença, *Manuscrito Holandês*, p. 83.)

tantalato [De *tântalo* + *-ato*[2].] *S. m. Quím.* Qualquer sal derivado dos ácidos tantálicos.

tantalesco (ê) [Do mit. *Tântalo* + *-esco*.] *Adj.* Que lembra, pelo sofrimento, o suplício de Tântalo (v. *tantálico*[1]): *Passamos horas tantalescas esperando a morte ou a melhora de nosso amigo*.

tantálico[1] [Do mit. *Tântalo* + *-ico*[2].] *Adj.* Relativo a, ou próprio de Tântalo, figura lendária, cujo suplício, por haver roubado os manjares dos deuses para dá-los a conhecer aos homens, era estar perto de água, que se afastava quando tentava bebê-la, e sob árvores que encolhiam os ramos quando lhes tentava colher os frutos.

tantálico[2] [De *tântalo* + *-ico*[2].] *Adj. Quím.* Diz-se de qualquer dos ácidos fracos provenientes da hidratação do pentóxido de tântalo.

tantalita [De *tântalo* + *-ita*[3].] *S. f. Min.* Mineral ortorrômbico, tantalato e niobato de ferro e manganês, minério de tântalo.

tantalização [De *tantalizar* + *-ção*.] *S. f.* Ato ou efeito de tantalizar.

tantalizante [De *tantalizar* + *-nte*.] *Adj. 2 g.* Que tantaliza.

tantalizar [Do mit. *Tântalo* (v. *tantálico*[1]) + *-izar*.] *V. t. d.* **1.** Espicaçar ou atormentar com alguma coisa que, apresentada à vista, excite o desejo de possuí-la, frustrando-se este desejo continuamente por se manter o objeto dele fora de alcance, à maneira do suplício de Tântalo (v. *tantálico*[1]). **2.** *P. ext.* Provocar desejos irrealizáveis em.

tântalo [Do mit. *Tântalo* (v. *tantálico*[1]).] *S. m. Quím.* Elemento de número atômico 73, metálico, branco-acinzentado, denso, muito duro, us. em ligas especiais [símb.: *Ta*].

tantanguê *S. m. Bras.* Entre crianças, brinquedo de esconder. [Var.: *tontonguê*.]

tantão [De *tanto* (3) + *-ão*[1].] *S. m.* Porção ou quantia indeterminada, porém grande: 📖 "subi até uma certa altura, mas desanimei quando olhei para cima e vi o tantão que faltava." (José J. Veiga, *Os Cavalinhos de Platiplanto*, p. 45).

tantas *El. s. f. pl.* Us. na loc. *as tantas*. ◆ **As tantas.** Hora indeterminada, imprecisa: 📖 "lá para as tantas, eu estava tocando a campainha da tal casa." (Rubem Fonseca, *A Coleira do Cão*, p. 169); *Só trabalha das tantas em diante; Saiu de casa às tantas da manhã, e ainda não voltou*.

tantas-folhas [Do fem. pl. do pron. indef. *tanto* + o pl. de *folha*.] *S. f. pl. Bras. Zool.* V. *folhoso* (2).

tantear [Var. de *tentear*[1].] *V. t. d.* V. *tentear*[1] (2): 📖 "eu via com os olhos, os pensamentos diante deles, como se fossem cousas que se pudesse tantear e com as mãos..." (J. Simões Lopes Neto, *Contos Gauchescos e Lendas do Sul*, p. 298).

tanto [Do lat. *tantu*, 'tão grande', us. com o sentido de 'tão numeroso', já no lat. vulg.] *Pron. indef.* **1.** Tão grande; tamanho: *Nunca vi tanta dedicação*. **2.** Tão numeroso: *Tantas lágrimas abonam o teu arrependimento!* ● *S. m.* **3.** Porção ou quantia indeterminada. **4.** Volume, tamanho, extensão (iguais aos de outro): *Este móvel tem dois tantos do outro: não caberá no mesmo lugar*. **5.** Igual quantidade. **6.** O dobro. ● *Adv.* **7.** Tantas vezes; com tanta frequência: 📖 "Água mole em pedra dura tanto bate até que fura" (prov.). **8.** Em tão alto grau. **9.** Em tal quantidade. **10.** De tal maneira. **11.** Com tal força. ~ V. *tantos*. ◆ **E tanto.** Expr. com que se encarece ou elogia uma pessoa ou coisa mencionada imediatamente antes: 📖 "A galega era um pedaço e tanto" (José Lins do Rego, *Usina*, p. 167); "Coitada. Vai sentir muita falta dele, era um marido e tanto, compreensivo, traba-

T

lhador." (Luís Vilela, *Tremor de Terra*, p. 81); "Era uma bunda e tanto, das de tanajura." (Jorge Amado, *Dona Flor e Seus Dois Maridos*, p. 391). **Se tanto.** No máximo.

tantos [Pl. de *tanto*.] ***Pron. indef.*** Tal (que não se quer, não se pode, ou não importa mencionar): "Não hesitou em .... dizer-lhe que tinha uma casa às suas ordens, na Praia de Botafogo, número tantos." (Machado de Assis, *Quincas Borba*, pp. 69-70); "Sucedia, por exemplo, que recebessem convite para um baile no dia tantos." (Policarpo Feitosa, *Gisinha*, p. 15). – V. *tanto*. ◆ **E tantos.** Designa quantidade excedente a um número redondo: *Possui mil e tantos livros; Tem cento e tantos anos;* "Uma senhora de engenho, na Bahia, pelos anos de mil setecentos e tantos, tendo algumas pessoas íntimas à mesa, anunciou .... um certo doce particular." (Machado de Assis, *Várias Histórias*, p. 137). [Sin., lus.: *e tal*.]

tantra [Do sânscr. *tantra*, 'uso', 'trama'.] ***S. m.*** O conjunto dos livros de doutrina religiosa elaborados na Índia a partir do séc. VII, que reúnem crenças, símbolos, rituais, e práticas mágicas diversas, e que do séc. XV em diante contribuíram para a formação do tantrismo.

tântrico [De *tantra* + *-ico*[2].] ***Adj.*** De, ou relativo a tantra ou a tantrismo.

tantrismo [Do sânscr.] ***S. m. Filos.*** Religião sincrética, derivada do hinduísmo, do budismo e de cultos populares, e que se cristalizou por volta do séc. XV, caracterizada pela magia e ocultismo, associados a complexo simbolismo, à iconolatria e à prática iogue. [Cf. *mandala*, *mantra* e *tantra*.]

tanzaniano ***Adj.*** **1.** Da, ou pertencente ou relativo à Tanzânia (África oriental), república resultante da união, em 1964, de Tanganica e de Zanzibar. ● ***S. m.*** **2.** O natural ou habitante da Tanzânia.

tão [F. apocopada do lat. *tantu*.] ***Adv.*** Tanto. [Modifica só adjetivos e advérbios.] ◆ **Tão logo.** Logo que; apenas, mal: "Em 1808, tão logo aportou à Bahia, D. João VI .... expediu uma Carta Régia, criando o primeiro curso médico-cirúrgico." (Clementino Fraga Filho e Alice Reis Rosa, *Temas de Educação Médica*, p. 13.)

taoca [Do tupi.] ***S. f. Zool.*** **1.** *Bras. Amaz.* V. *formiga-correição*. **2.** V. *tauoca*.

taoísmo [Do chin. *tao*, 'caminho', + *-ismo*.] ***S. m. Filos.*** Ensinamento filosófico-religioso desenvolvido sobretudo por Lao-tse (séc. VI a. C.) e Tchuang-tseu (séc. IV a. C.), filósofos chineses, cuja noção fundamental é o *Tao* — o *Caminho* — que nomeia o grande princípio de ordem universal, sintetizador e harmonizador do *Yin* (q. v.) e do *Yang* (q. v.), e ao qual se tem acesso por meio da meditação e da prática de exercícios físicos e respiratórios.

taoísta [De *taoísmo* + *-ista*.] ***Adj. 2 g.*** **1.** Pertencente ou relativo ao taoísmo. **2.** Que é adepto do taoísmo. ● ***S. 2 g.*** **3.** Adepto do taoísmo.

tão pouco ***Adv. Lus.*** Tampouco.

tão só ***Adv.*** Tão somente: "vós sois meu, tão só meu, tão somente meu." (Machado de Assis, *Páginas Recolhidas*, p. 202); "onde há tão só aridez, a donzela acena com o futuro melhor" (Nélson de Oliveira, *Pequeno Dicionário de Percevejos*, p. 78).

tão somente ***Adv.*** F. reforçada de *somente*; tão só: "Outro amigo meu, que não gostava de romances, costumava excetuar tão somente os de Júlio Verne, dizendo que neles a gente aprendia." (Machado de Assis, *A Semana*, II, p. 205.)

tapa[1] [Do gót. **tappa*, 'tampa'.] ***S. f.*** **1.** Ação ou efeito de tapar. **2.** A parte exterior do casco das bestas. [Sin., bras.: *taipa*.] **3.** Peça adaptável à boca do tubo-alma de uma boca de fogo, para protegê-la do tempo quando não está em uso. **4.** *Bras.* Pano com que se vendam os olhos do burro pouco manso, para que se deixe arrear. **5.** *Bras. Zool.* Peixe actinopterígio, soleídeo (*Achirus achirus*), do Atlântico, desde as Antilhas até o Uruguai, de forma idêntica à do linguado (q. v.). Vive pousado no fundo, em areia, lama ou laje, saindo para alimentar-se de sardinhas e outros peixes; penetra também na água doce. É comum no rio Amazonas.

tapa[2] [F. red. de *tapa-boca*.] ***S. f. e m.*** **1.** Pancada com a mão, forte ou leve, em qualquer parte do corpo: "Uma tapa forte no rostinho: abria os olhos num esforço." (Sineide Medeiros Leandro, *ap.* Nei Leandro de Castro, *Contistas Norte-Rio-Grandenses*, p. 102); "o baiano riu alto, deu-lhe um tapa amigável no ombro." (José Geraldo Vieira, *A Mulher Que Fugiu de Sodoma*, p. 157). **2.** V. *bofetada* (1). **3.** Argumento irrespondível, que não tem réplica. **4.** *Bras.* Tragada em cigarro de maconha; barrufo, barrufada, pega, brasa, tapinha.

tapa[3] ***S. 2 g. Adj. 2 g. Bras.*** Nupê (1 e 3).

tapa-boca [De *tapar* + *boca* (ô).] ***S. m.*** **1.** Bofetada na boca, para fazer calar. **2.** Espécie de manta de lã para agasalhar a boca. [Pl.: *tapa-bocas*.]

tapa-buraco [De *tapar* + *buraco*.] ***S. 2 g. e 2 n.*** Pessoa que substitui outra numa emergência.

tapa-buracos [De *tapar* + o pl. de *buraco*.] ***S. m. 2 n.*** *Bras. BA Pop.* Pedreiro (3).

tapação [De *tapar* + *-ção*.] ***S. f.*** V. *tapamento* (1).

tapaciriba ***S. f. Bras. Bot.*** V. *esporão-de-galo*.

tapacoá *Bras.* ***S. 2 g.*** **1.** *Etnôn.* Indivíduo dos tapacoás, povo indígena extinto que habitava as margens do rio Sono (GO). ● ***Adj. 2 g.*** **2.** Pertencente ou relativo a esse povo. [Tb. us. como *s. 2 g. e 2 n.* (com cap.) e *adj. 2 g. e 2 n.*]

tapacuá ***S. 2 g. Adj. 2 g.*** *Bras. Etnôn.* V. *tapecoá*.

tapacurá *Bras.* ***S. 2 g.*** **1.** *Etnôn.* Indivíduo dos tapacurás [ou (etnôn. bras.) *Tapakurá], povo indígena extinto que habitava a região próxima à margem direita do médio rio Tapajós (PA). ● ***Adj. 2 g.*** **2.** Pertencente ou relativo a esse povo.

tapada [F. subst. do adj. *tapado*.] ***S. f.*** **1.** Terreno murado; cerca. **2.** Área rodeada de muros, com bosques, campos e água corrente, e destinada à criação e preservação da caça para gozo de particulares; parque.

tapadão [De *tapado* + *-ão*[1].] ***S. m.*** Indivíduo muito estúpido. [Fem.: *tapadona*.]

tapado [Part. de *tapar*.] ***Adj.*** **1.** Encoberto, tampado. **2.** *Fig.* Estúpido, tolo, bronco, obtuso, ignorante. **3.** *Bras. Pop.* Fechado, cerrado; firme. **4.** *Bras. SP* Muito seguido; sem interrupções: *conversa tapada.* **5.** *Bras. RS* Diz-se do animal de pelame escuro, sem mancha branca nenhuma. – V. *pelo*[2] — *e rio* —. ● ***S. m.*** **6.** *Bras. RS* Casacão de inverno para senhoras.

tapadoiro [De *tapar* + *-doiro*[1].] ***S. m.*** Tapadouro (q. v.).

tapador (ô) [De *tapar* + *-dor*.] ***S. m.*** **1.** O que tapa. **2.** V. *tampa* (1).

tapadouro [De *tapar* + *-douro*[1]; var. de *tapadoiro*.] ***S. m.*** **1.** V. *tampa* (1). **2.** Extremidade do eixo que sai para fora da roda, nos coches.

tapadura [De *tapar* + *-dura*.] ***S. f.*** **1.** V. *tapamento* (1). **2.** V. *tampa* (1). **3.** V. *tapume* (1). **4.** A porção de fio que tapa a trama; tecedura.

tapagem [De *tapar* + *-agem*[2].] ***S. f.*** **1.** V. *tapamento* (1). **2.** V. *tapume* (1). **3.** Tapume de varas, no rio, para apanhar peixe. **4.** Excremento, fezes. **5.** *Bras.* Barragem de terra para represar rios, riachos, igarapés, a fim de reter o peixe ou fazer reservatório de água. **6.** *Bras. MA* Barragem de pindoba, construída nos rios e destinada à pesca.

tapaiuna[1] (ai-ú) *Bras.* ***S. 2 g.*** **1.** *Etnôn.* Indivíduo dos tapaiunas [ou (etnôn. bras.) *Tapayuna], povo indígena da família linguística jê, tronco macro-jê, que habita o Parque Indígena do Xingu, situado nas margens do alto rio Xingu (MT). ● ***Adj. 2 g.*** **2.** Pertencente ou relativo a esse povo. [Sin. ger.: *beiço de pau*.]

tapaiuna[2] (ai-ú) [De or. indígena.] ***S. m.*** **1.** *Bras.* V. *tapanhaúna*. ● ***S. f.*** **2.** *Bras. Amaz. Bot.* Árvore cesalpiniácea (*Dicorynia ingens*) de grande porte e própria da mata úmida. A madeira escura é pardo-avermelhada com tons violáceos e serve para construção civil, para estacas e dormentes, e, esp., para fabricar tonéis.

tapaiuno (ai-ú) ***S. m. Bras.*** V. *tapanhaúna*.

tapajó *Bras.* ***S. 2 g.*** **1.** *Etnôn.* Indivíduo dos tapajós, povo indígena extinto que habitava a margem direita do baixo rio Tapajós (PA). ● ***Adj. 2 g.*** **2.** Pertencente ou relativo a esse povo. [Tb. us. como *s. 2 g. e 2 n.* (com cap.) e *adj. 2 g. e 2 n.*]

tapajônia [Do top. *Tapajós* (Amaz.), com a term. de palavras como *Amazônia*.] ***S. f. Bras.*** A região banhada pelo rio Tapajós e seus afluentes. [Com cap.]

tapajônica [F. subst. de *tapajônico*.] ***S. f.*** *Bras. PA Arqueol.* Cerâmica dos indígenas que habitavam a área entre o rio Tapajós e o Xingu, e que apresenta grande variedade de formas, mas obedece ao mesmo estilo decorativo, com sobrecarga de figuras e animais, sobressaindo dois tipos: o de gargalo e o de cariátide.

tapajônico [De *Tapajônia* (q. v.) + *-ico*[2].] ***Adj.*** **1.** Pertencente ou relativo à Tapajônia. **2.** Diz-se da arte e, principalmente, da cerâmica feita pelos indígenas que habitavam essa região: *cerâmica tapajônica.*

tapalhão [De *tapa*[2] + *-alhão*.] ***S. m.*** Tapão (1): "Sentiu as pálpebras caírem sobre os olhos, a cabeça reclinar sobre o peito .... Acordou com um tapalhão na nuca: — Você não vai comer?" (Fernando Sabino, *O Homem Nu*, p. 116.)

tapa-luz [De *tapar* + *luz*.] ***S. m.*** V. *abajur* (1). [Pl.: *tapa-luzes*.]

tapamento [De *tapar* + *-mento*.] ***S. m.*** **1.** Ato ou efeito de tapar; tapadura, tapação, tapagem. **2.** V. *tapume* (1).

tapa-missa [De *tapar* + *missa*.] ***S. m. Bras.*** **1.** Véu que as mulheres usavam na cabeça para irem à igreja. **2.** Trepa-moleque (2). **3.** *Pop.* Indivíduo de estatura muito elevada. [Pl.: *tapa-missas*.]

tapa-nariz [De *tapar* + *nariz*.] ***S. m.*** Faixa de tecido com que se agasalham o pescoço e o nariz; tapa-ventas. [Pl.: *tapa-narizes*.]

tapanhaúna [De or. indígena.] ***S. 2 g. Bras. Obsol.*** Designação comum aos negros africanos aqui residentes. [F. paral.: *tapanhuna*, *tapanhuno*, *tapaiuna* e *tapaiuno*.]

tapanhoacanga [Var. de *tapunhunacanga*.] ***S. f.*** *Bras. MG* V. *canga*[3].

tapanhuna ***S. m.*** V. *tapanhaúna*.

tapanhuno ***S. m. Bras.*** V. *tapanhaúna*.

tapa-nuca [De *tapar* + *nuca*.] ***S. f. Bras.*** Capa que se adapta ao boné para resguardar do sol o pescoço. [Pl.: *tapa-nucas*.]

tapa-olho (ô) [De *tapar* + *olho*.] ***S. m.*** *Bras. Pop.* **1.** Bofetão, tapa. **2.** V. *tapa-olhos*. [Pl.: *tapa-olhos*.]

tapa-olhos [De *tapar* + o pl. de *olho*.] ***S. m. 2 n.*** Bofetada nos olhos. **2.** *Pop.* V. *venda*[2]. [F. paral.: *tapa-olho*.]

tapar [De *tapa*[1] + *-ar*[2].] ***V. t. d.*** **1.** Cobrir com tampa ou testo; tampar: *A cozinheira tapou a panela.* **2.** Fechar, arrolhar, rolhar: *tapar a garrafa.* **3.** Fechar, cerrar: *Tapou a boca para não dizer a verdade; Tapou os ouvidos.* **4.** Encher de qualquer coisa, entupir, para fazer desaparecer (orifício). **5.** Encobrir, esconder: *As cortinas tapam as cenas que decerto ocorrem na casa fronteira.* **6.** Cobrir, abrigar: *Pudicamente, tapou o corpo; No inverno usa cachecol para tapar o pescoço.* **7.** Tapar com venda[2]; vendar: *tapar os olhos.* **8.** Ocultar, esconder: *As vestes tapavam-lhe o colo.* **9.** Fazer tapagem em; pôr tapume em. ***P.*** **10.** Cobrir-se, abafar-se.

taparubense ***Adj. 2 g.*** **1.** De, ou pertencente ou relativo a Taparuba (MG). ● ***S. 2 g.*** **2.** O natural ou habitante de Taparuba.

tapa-sexo (cs) [De *tapar* + *sexo*.] ***S. m.*** Peça, de tecido ou outro material, para tapar o púbis. [Pl.: *tapa-sexos*.]

tapauense ***Adj. 2 g.*** **1.** De, ou pertencente ou relativo a Tapauá (AM). ● ***S. 2 g.*** **2.** O natural ou habitante de Tapauá.

tapa-ventas [De *tapar* + o pl. de *venta*.] ***S. m. 2 n.*** Tapa-nariz.

tapaxana *Bras.* ***S. 2 g.*** **1.** *Etnôn.* Indivíduo dos tapaxanas, povo indígena extinto que habitava a região do rio Solimões situada entre os rios Jutaí e Javari (AM). ● ***Adj. 2 g.*** **2.** Pertencente ou relativo a esse povo. [Tb. us. como *s. 2 g. e 2 n.* (com cap.) e *adj. 2 g. e 2 n.*]

tape *Bras.* ***S. 2 g.*** **1.** *Etnôn.* Indivíduo dos tapes, povo indígena extinto que habitava o RS. ● ***Adj. 2 g.*** **2.** Pertencente ou relativo a esse povo. [Tb. us. como *s. 2 g. e 2 n.* (com cap.) e *adj. 2 g. e 2 n.*]

tapeação [De *tapear*[2] + *-ção*.] ***S. f. Bras.*** Ato ou efeito de tapear[2].

tapeacuaçu [Do tupi.] ***S. m. Bras. Bot.*** Árvore tiliácea (*Luehea speciosa*) de ampla dispersão desde as Antilhas à Amaz., e que ocorre na mata e no cerrado. Folhas grandes, finas, serreadas e com três nervuras longitudinais; flores alvas e racemosas; os frutos são cápsulas lenhosas com sementes aladas. Da madeira branca, não muito pesada, nem dura, se fazem peças encurvadas, como hélices de avião e coronhas. [Sin.: *açoita-cavalo*, *ivitinga*, *papeá-guaçu*.]

tapeador (ô) [De *tapear*[2] + *-dor*.] ***Adj. S. m.*** *Bras. Pop.* Que, ou aquele que tapeia, logra, ilude.

tapear[1] [De *tapa*[2] + *-ear*[2].] ***V. t. d.*** *Bras.* **1.** Dar tapa[2] em. **2.** Conduzir (o cavalo) quando montado, sem freio, por meio de tapas. [Conjug.: v. *frear*. M.-q.-perf.: *tapeara*, etc. Cf. *tapiara*.]

tapear[2] ***V. t. d.*** **1.** *Bras. Pop.* Enganar, iludir, burlar, lograr, embaçar. ***P.*** **2.** Não aceitar ou não querer ver a verdade; enganar-se, iludir-se. [Conjug.: v. *frear*. M.-q.-perf.: *tapeara*, etc. Cf. *tapiara*.]

tapeba *Bras.* ***S. 2 g.*** **1.** *Etnôn.* Indivíduo dos tapebas, povo indígena que habita o município de Caucaia, a 16km de Fortaleza (CE). ● ***Adj. 2 g.*** **2.** Pertencente ou relativo a esse povo. [Tb. us. como *s. 2 g. e 2 n.* (com cap.) e *adj. 2 g. e 2 n.*]

tapeçar [Do esp. *tapizar*.] ***V. t. d.*** V. *atapetar*: "O chão fora tapeçado com uma grande alcatifa mourisca" (José de Alencar, *O Sertanejo*, p. 257). [Conjug.: v. *laçar*.]

tapeçaria [Do esp. *tapicería*.] ***S. f.*** **1.** Estofo tecido, lavrado ou bordado, para paredes, móveis ou soalhos; alcatifa; tapete: "desejara então viver num daqueles castelos escoceses, ... mobilados com arcas góticas e troféus d'armas, forrados de largas tapeçarias" (Eça de Queirós, *O Primo Basílio*, p. 15). **2.** *Fig.* Terreno com verdura. **3.** A relva e as flores que cobrem um terreno. **4.** *Bras.* Loja onde se vendem tapetes.

tapeceiro [Do esp. *tapicero*.] ***S. m.*** Fabricante e/ou vendedor de tapetes.

tapecuim (u-ím) ***S. m. Bras.*** V. *cupim* (2). [Cf. *tapicuim*.]

→**tape deck** [tejp dɛk] [Ingl.] V. *toca-fitas*.

tapejara [Do tupi = 'aquele que toma o caminho'.] ***S. m.*** *Bras.* **1.** Prático, conhecedor de caminhos ou de uma região: "Naquela escuridão fechada nenhum tapejara seria capaz de cruzar pelos trilhos do campo" (Simões Lopes Neto, *Contos Gauchescos e Lendas do*

Sul, p. 281). [Sin.: *vaqueano* (no S., C.O. e MG) e *baqueano* (no N. e N.E.).] **2.** *Bras. RS* Aquele que conduz embarcação com segurança, firme ao leme. **3.** Pessoa hábil e entendida. ● ***Adj.*** **4.** *Bras. RS* V. *valentão* (1). [Var.: *tapijara*.]

tapejarense ***Adj. 2 g.*** **1.** De, ou pertencente ou relativo a Tapejara (PR e RS). ● ***S. 2 g.*** **2.** O natural ou habitante de Tapejara.

tapema [Do tupi.] ***S. m.*** *Bras. Zool.* V. *gavião-tesoura*.

tapense ***Adj. 2 g.*** **1.** De, ou pertencente ou relativo a Tapes (RS). ● ***S. 2 g.*** **2.** O natural ou habitante de Tapes.

tapera [Do tupi = 'aldeia extinta'.] ***S. f.*** *Bras.* **1.** Habitação ou aldeia abandonada. **2.** Casa arruinada. **3.** Fazenda inteiramente abandonada e em ruínas. ● ***Adj. 2 g.*** **4.** Diz-se de pessoa a quem falta um olho ou os dois. **5.** *Bras. SP* Amalucado, maluco, tonto.

taperá [Do tupi = 'saído da tapera'.] ***S. f.*** *Zool.* Ave passeriforme, hirundinídea (*Phaeoprogne tapera fusca*), que ocorre em toda a América do Sul cisandina. A coloração é pardo-acinzentada, mais clara na parte inferior, com o meio do peito e o abdome brancos. [Sin.: *andorinha-do-campo, chabó, major*.]

taperá-rabo-de-tesoura ***S. m.*** *Bras. Zool.* Poruti. [Pl.: *taperás-rabo-de-tesoura*.]

taperebá [Var. de *tapiribá*.] ***S. m.*** *Bras. Bot.* V. *cajazeira*.

taperebá-açu [De *taperebá* + *-açu*.] ***S. m.*** *Bras. Bot.* **1.** *Amaz.* Árvore anacardiácea (*Poupartia amazonica*) peculiar às florestas pluviais de solo argiloso, cujo tronco é parecido com o do cedro, embora a madeira não tenha valor, e cujo fruto é pentagonal, achatado, de sabor ácido, e se usa para fazer refrescos; taperebá-cedro. **2.** V. *cajá-manga*. **3.** V. *cedro-branco* (2). [Pl.: *taperebás-açus*.]

taperebá-cedro ***S. m.*** *Bras. Bot.* **1.** Taperebá-açu (1). **2.** V. *cedro-branco* (2). [Pl.: *taperebás-cedros* e *taperebás-cedro*.]

taperebá-do-sertão ***S. m.*** *Bras. Bot.* V. *cajá-manga*. [Pl.: *taperebás-do-sertão*.]

taperebazinho (bà) [De *taperebá* + *-zinho*.] ***S. m.*** *Bras. Bot.* Folha-de-papagaio.

→**tape recorder** [tejp ɹɨˈkɔɹdɚ] [Ingl.] Gravador de fita magnética.

taperense^{1} ***Adj. 2 g.*** **1.** De, ou pertencente ou relativo a Tapera (RS). ● ***S. 2 g.*** **2.** O natural ou habitante de Tapera.

taperense^{2} ***Adj. 2 g.*** **1.** De, ou pertencente ou relativo a São José da Tapera (AL). ● ***S. 2 g.*** **2.** O natural ou habitante de São José da Tapera.

taperibá [Do tupi.] ***S. m.*** *Bras. Bot.* **1.** Subarbusto ou erva cesalpiniácea (*Cassia leptocarpa*) de flores racemosas e legumes com sementes oblíquas; é nativa das regiões tropicais das Américas. **2.** V. *cajazeira*. **3.** V. *cajá* (1).

taperoaense^{1} (âen) ***Adj. 2 g.*** **1.** De, ou pertencente ou relativo a Taperoá (PB). ● ***S. 2 g.*** **2.** O natural ou habitante de Taperoá.

taperoaense^{2} (âen) ***Adj. 2 g.*** **1.** De, ou pertencente ou relativo a Taperoá (BA). ● ***S. 2 g.*** **2.** O natural ou habitante de Taperoá.

taperu [Do tupi.] ***S. m.*** *Bras. N. N.E. Zool.* V. *tapuru* (1).

taperuçu [De *taperá* + *-uçu*.] ***S. m.*** *Bras. Zool.* V. *andorinhão*.

tapetão [De *tapete* + *-ão^{1}*.] ***S. m.*** *Bras. Fut. Gír.* Tribunal onde são resolvidas as questões jurídicas referentes ao futebol: "Para evitar manobra do Vasco no tapetão, o Botafogo entra com um mandado de garantia no Superior Tribunal." (*Revista Placar*, 03.08.1990.)

tapetar [De *tapete* + *-ar^{2}*.] ***V. t. d. P.*** V. *atapetar*: "Havemos de mandar tapetar esse soalho, pôr outras cortinas mais confortáveis nas janelas..." (Carlos Malheiro Dias, *Os Teles de Albergaria*, p. 193.) [Pres. subj.: *tapete, tapetes*, etc. Cf. *tapete* (ê) e pl. *tapetes* (ê).]

tapete (ê) [De provável or. iraniana, pelo gr. *tápes, etos*, e pelo lat. *tapete*.] ***S. m.*** **1.** Peça confeccionada com fibras têxteis e destinada a cobrir, total ou parcialmente, soalhos, escadas, móveis, etc. [Cf. *alcatifa* e *alfombra*.] **2.** *P. ext.* Peça feita com outros materiais e que se destina ao mesmo fim: *um tapete de linóleo*. **3.** Tapete (1) de diferentes dimensões us. para decorar pisos, abafar ruído, etc. **4.** Aquilo que, à semelhança de tapete (1), cobre determinada superfície: *tapete de relva; tapete de neve*. **5.** *Bras. Gír. Fut.* Tapete verde. [Sin. ger.: *tapiz*. Pl.: *tapetes* (ê). Cf. *tapete* e *tapetes*, do v. *tapetar*.] ◆ **Tapete oriental.** Designação comum aos tapetes [v. *tapete* (1)] feitos a mão em diversas regiões da Ásia (Pérsia, Turquia, Cáucaso, China, etc.). **Tapete verde.** *Bras. Gír. Fut.* O campo de futebol, esp. o que está em boas condições. **Puxar o tapete a alguém.** V. *puxar o tapete de alguém*. **Puxar o tapete de alguém.** Agir deslealmente com alguém, com vistas a desprestigiá-lo; puxar o tapete a alguém, puxar o tapete debaixo dos pés de alguém. **Puxar o tapete debaixo dos pés de alguém.** V. *puxar o tapete de alguém*: "Mas David puxara-lhe o tapete debaixo dos pés. Por despeito, por vingança pessoal, dissera o ministro." (Miguel Sousa Tavares, *Equador*, p. 463).

tapetear [De *tapete* + *-ear^{2}*.] ***V. t. d. P.*** V. *atapetar*: "Sobre o moital da verde ramaria / que tapeteia o adormecido vale, / Hoje pela manhã teve a agonia, / A mais tranquila e suave, o indiano galo." (Alphonsus de Guimaraens, *Obra Completa*, p. 500.) [Conjug.: v. *frear*.]

tapeteiro [De *tapete* + *-eiro*.] ***S. m.*** Aquele que faz ou vende tapetes.

→**tapetum** [taˈpētum] (é) [Lat. cient.] ***S. m.*** *Zool.* Em muitos mamíferos noturnos, camada de células situadas na retina ou na coroide, e que contém cristais de zinco e proteína. [À noite, quando a pupila do animal está inteiramente dilatada, a luz refletida no *tapetum* tem um brilho peculiar, caso o animal se vire em direção a um clarão súbito, como, por ex., o de um farol. [Pl. *tapeta*.]

tapiá [Do tupi.] ***S. m. e f.*** **1.** *Bras. Bot.* Árvore capparidácea (*Crataeva tapia*) muito disseminada na restinga, de folhas com três folíolos ovado-lanceolados, acuminados e membranáceos, flores alvas, longamente pediceladas, com estames muito compridos, ordenadas em racemos na ponta dos ramos, e cujo fruto é uma baga esférica, alaranjada, de uns 4cm de diâmetro. **2.** V. *iricurana* (2).

tapiaçu [De *tapiçuá*, com metátese, poss.] ***S. f.*** *Bras. Zool.* V. *tubiba*.

tapiá-guaçu [De *tapiá* + *-guaçu*.] ***S. f.*** *Bras. Bot.* V. *crista-de-peru*. [Pl.: *tapiás-guaçus*.]

tapiaí [Do tupi.] ***S. f.*** *Bras. Amaz. Zool.* V. *tapicuim*.

tapiá-mirim [De *tapiá* + *-mirim*.] ***S. m. e f.*** *Bras. Bot.* V. *iricurana* (2). [Pl.: *tapiás-mirins*.]

tapiara^{1} [Do tupi, poss.] ***S. f.*** *Bras. Zool.* V. *tainha* (1). [Cf. *tapeara*, do v. *tapear*.]

tapiara^{2} [Alter. de *tapejara*, poss.] ***Adj. 2 g. S. 2 g.*** *Bras. SP Pop.* Estradeiro, velhaco, espertalhão, trapaceiro. [Cf. *tapeara*, do v. *tapear*.]

tapichi [Do esp. *tapichí*.] ***S. m.*** *Bras. S.* V. *nonato* (4).

tapiçuá [Do tupi.] ***S. f.*** *Bras. Zool.* V. *tubiba*.

tapicuém [Do tupi = 'cova de formigas'.] ***S. m.*** *Bras. GO* Ninho de formigas, cônico, que atinge 1m ou pouco mais de altura.

tapicuim (u-ím) [Do tupi.] ***S. f.*** *Bras. Amaz. Zool.* Inseto himenóptero, formicídeo (*Dinoponera grandis*), de coloração preta, e que pode atingir 30mm de comprimento. Diferencia-se da tocandira por não ter tubérculo no protórax e no pedúnculo do primeiro segmento abdominal. É de índole pacata. Constrói ninhos de terra com cerca de 1m de diâmetro e 30cm de altura. [Sin.: *formigão, tapiaí, tapii*. Cf. *tapecuim*.]

tapicuri [Do tupi.] ***S. m.*** *Bras.* **1.** Vinho feito de mandioca. **2.** *Bot.* V. *bacupari-cipó*. **3.** *Bot.* V. *bacupari-do-campo*.

tapicuru^{1} [Do tupi.] ***S. m.*** *Bras. Zool.* Denominação comum a duas aves ciconiiformes, tresquiornitídeas (*Mesembrinibis cayaennensis* e *Plegadis falcinellus guarauna*), das zonas temperadas e tropicais das Américas setentrional e meridional. A primeira é escura, com lustro verde-metálico, garganta e região nua em volta dos olhos, bico e pernas verdes; a segunda é castanha, com cauda e asas verde-douradas. Têm bico largo e curvo. Alimentam-se de pequenos crustáceos e insetos que vivem na água ou na lama, e detritos de maneira geral. [Sin.: *caraúna, curicaca-parda, guaraúna, maçarico-preto*.]

tapicuru^{2} ***S. m.*** *Bras. AL Zool.* V. *bicheira* (2).

tapieira [Do tupi = 'mel de tapir'.] ***S. f.*** *Bras. Zool.* V. *uruçu-boi* (1).

tapigo [De *tapar*.] ***S. m.*** **1.** V. *tapume* (1). **2.** Barricada.

tapii [Do tupi.] ***S. f.*** *Bras. Amaz. Zool.* V. *tapicuim*.

tapiira [Do tupi] ***S. f.*** *Bras. Zool.* V. *anta^{2}* (1).

tapijara ***S. m.*** V. *tapejara*.

tapinambaba [Do tupi.] ***S. f.*** *Bras. CE* Massame de linhas com anzóis das jangadas.

tapinha^{1} [De *tapa^{1}* + *-inha*.] ***S. f.*** *Bras. Pop.* Fralda de criança.

tapinha^{2} [De *tapa^{2}* + *-inha*.] ***S. m.*** *Bras. RJ Gír.* V. *tapa^{2}* (4).

tapinhoã [Do tupi.] ***S. m.*** *Bras. L.* Árvore laurácea (*Mezilaurus navalium*) da floresta pluvial, de folhas oblongas e coriáceas, flores inconspícuas e racemosas, e cujo fruto é uma baga elipsoide e sem cúpula. A madeira, amarelo-pardacenta, pesada, dura, é muito resistente, serve para construções pesadas e embarcações, e sua casca encerra tanino. [Sin.: *canela-tapinhoã*.]

tapioca [Do tupi = 'sedimento', 'coágulo'.] ***S. f.*** **1.** *Bras.* Beiju (q. v.) que tem no interior uma camada de coco ralado. **2.** *Bras. AM S.* Fécula alimentícia que se extrai da mandioca; goma. **3.** *Bras. MA Zool.* Certo peixe marítimo parecido à sardinha. **4.** *Bras. N.E.* V. *papagaio* (5).

tapiocaba [Do tupi.] ***S. m.*** *Bras. Zool.* Espécie de vespídeo.

tapioca de purga ***S. f.*** *Bras.* **1.** Fécula da raiz da jalapa. **2.** Fécula extraída da raiz da fava-de-santo-inácio-falsa (q. v.), us. para fins medicinais; goma de batata. [Pl.: *tapiocas de purga*.] notas 1 e 2

tapioca-de-purga ***S. f.*** *Bras. Bot.* V. *fava-de-santo-inácio-falsa*. [Pl.: *tapiocas-de-purga*.]

tapiocanga [Alter. de *tapanhoacanga*.] ***S. f.*** *Bras. MG* V. *canga^{3}*.

tapiocano [De *tapioca* + *-ano^{1}*.] ***S. m.*** *Bras.* V. *caipira* (1): "O tapiocano é desinfeliz, caipira sem tirar nem pôr." (Manuel Lobato, *Garrucha 44*, p. 47.)

tapiocuí [Do tupi.] ***S. m.*** *Bras. AM* Entre os índios, farinha de tapioca.

tapiolita [Do mit. *Tapio*, deusa da floresta na mitologia finlandesa, + *-lita*.] ***S. f.*** *Min.* Mineral tetragonal, tantalato e niobato de ferro, com algo de manganês; minério de tântalo.

tapir [Do tupi.] ***S. m.*** *Zool.* **1.** Qualquer de vários grandes mamíferos perissodáctilos tapirídeos, que habitam a Península Malaia e Sumatra (Ásia); são dotados de corpo pesado, pelo escasso, focinho que se prolonga em probóscide curta e móvel, cauda rudimentar, patas robustas, as dianteiras de quatro dedos e as traseiras, de dois, e, ger., têm hábitos noturnos; são tímidos, dóceis, e frequentam florestas que sejam próximas a rios. **2.** V. *anta^{2}* (1).

tapira [Do tupi.] ***S. f.*** *Bras. Zool.* V. *anta^{2}* (1).

tapiracoiana ***S. f.*** *Bras. Bot.* V. *canafístula* (1).

tapiragem ***S. f.*** *Etnol.* Processo de mudar artificialmente a cor das penas de aves vivas, empregado por diversas tribos indígenas brasileiras.

tapiraiense (a-í) ***Adj. 2 g.*** **1.** De, ou pertencente ou relativo a Tapiraí (MG e SP). ● ***S. 2 g.*** **2.** O natural ou habitante de Tapiraí.

tapiramutaense ***Adj. 2 g.*** **1.** De, ou pertencente ou relativo a Tapiramutá (BA). ● ***S. 2 g.*** **2.** O natural ou habitante de Tapiramutá.

tapirana ***Bras. S. 2 g.*** **1.** *Etnôn.* Indivíduo dos tapiranas, povo indígena extinto que habitava as margens do rio Tocantins (PA). ● ***Adj. 2 g.*** **2.** Pertencente ou relativo a esse povo. [Tb. us. como *s. 2 g. e 2 n.* (com cap.) e *adj. 2 g. e 2 n.*]

tapiranga [Do tupi = 'plumagem vermelha'.] ***S. f.*** *Zool.* **1.** *Bras.* V. *olho-de-boi* (4). **2.** *Bras. BA* V. *sangue-de-boi*.

tapirapé ***Bras. S. 2 g.*** **1.** *Etnôn.* Indivíduo dos tapirapés, povo indígena da família linguística tupi-guarani, tronco tupi, que habita os municípios de Santa Terezinha e Luciara (MT). ● ***Adj. 2 g.*** **2.** Pertencente ou relativo a esse povo. [Tb. us. como *s. 2 g. e 2 n.* (com cap.) e *adj. 2 g. e 2 n.*]

tapirapecu [Do tupi = 'língua de tapira'.] ***S. m.*** *Bras. Bot.* V. *suçuaia*.

tapiratibano ***Adj. S. m.*** V. *tapiratibense*.

tapiratibense ***Adj. 2 g.*** **1.** De, ou pertencente ou relativo a Tapiratiba (SP). ● ***S. 2 g.*** **2.** O natural ou habitante de Tapiratiba. [Sin. ger.: *tapiratibano*.]

tapiraua ***Bras. S. 2 g.*** **1.** *Etnôn.* Indivíduo dos tapirauas, povo indígena extinto, do tronco linguístico tupi, que habitava a margem esquerda do baixo rio Tocantins (PA). ● ***Adj. 2 g.*** **2.** Pertencente ou relativo a esse povo. [Tb. us. como *s. 2 g. e 2 n.* (com cap.) e *adj. 2 g. e 2 n.*]

tapireçá ***S. m.*** *Bras. Zool.* V. *olho-de-boi* (4).

tapirense ***Adj. 2 g.*** **1.** De, ou pertencente ou relativo a Tapira (MG e PR). ● ***S. 2 g.*** **2.** O natural ou habitante de Tapira.

tapiretê [Do tupi = 'tapir verdadeiro'.] ***S. m.*** *Bras. Zool.* V. *anta^{2}* (1).

tapiri [Do tupi.] ***S. m.*** *Bras. AM* **1.** V. *cabana*. **2.** Espécie de barraca. [Var.: *itapiri*. Cf. *papiri*.]

tapiriba [Do tupi.] ***S. f.*** *Bras. Bot.* V. *cajá* (1).

tapirídeo [Do tax. *Tapirus* (de or. tupi) + *-ídeo^{1}*; tax. *Tapiridae*.] *Zool.* ***S. m.*** **1.** Espécime dos tapirídeos, família de mamíferos perissodáctilos, ungulados, de grande porte, patas relativamente curtas, com quatro dedos na mão e três no pé. Têm pequena tromba, com a qual respiram e que usam como ferramenta auxiliar para pastar. Hábitos anfíbios, noturnos e vegetarianos. São as antas. ● ***Adj.*** **2.** Pertencente ou relativo a eles.

tapiro [Do tax. *Tapirus*.] ***S. m.*** *Zool.* **1.** O gênero-tipo dos tapirídeos. **2.** Qualquer espécie desse gênero, como, p. ex., a *Tapirus indicus* [v. *tapir* (1)] e a *T. terrestris* [v. *anta^{2}* (1)]. **3.** Qualquer espécime desse gênero.

tapirotério [De *tapir* + *-o-* + *-tério^{1}*.] ***S. m.*** *Paleont.* Mamífero fóssil semelhante ao tapir.

tapiti^{1} [Do tupi.] ***S. m.*** *Bras. Zool.* Mamífero lagomorfo, leporídeo (*Sylvilagus brasiliensis*), com quatro subespécies distribuídas por todo o Brasil, de coloração amarela, pardacenta, com pequenas manchas pretas. Mede cerca de 35cm de comprimento e assemelha-se à lebre. Por não cavar buracos, prefere viver escondido na vegetação. Alimenta-se de plantas tenras. [Sin.: *candimba, coelho-do-mato, lebre*.]

tapiti^{2} ***S. m.*** *Bras.* V. *tipiti* (1).

tapiúba [Do tupi, poss.] *S. f. Bras. Zool.* Espécie de formiga.

tapiucaba (i-u) [Do tupi = 'caba tapiú'.] *S. m. Bras. Zool.* Inseto vespídeo (*Polybia dimidiata*).

tapixingui *S. m. Bras. Bot.* Capixingui (q. v.).

tapiz [Do gr. bizantino *tapétion* (pronunciado *tapítion*), pelo fr. ant. *tapiz*.] *S. m.* Tapete: 📖 "Mole e lascivo no tapiz da selva / Serpeia o arroio" (Fagundes Varela, *Poesias Completas*, I, p. 269).

tapizar [De *tapiz* + *-ar*[2].] *V. t. d. P.* V. *atapetar*: 🗎 *tapizar uma sala*; 📖 "E a relva que o tapiza [o terreno] é densa e aveludada" (Gonçalves Dias, *Meditação*, p. 5); 🗎 *Os campos tapizam-se de florezinhas amarelas.*

tapoaia *Bras. S. 2 g.* **1.** *Etnôn.* Indivíduo dos tapoaias [ou (etnôn. bras.) *Tapoáya], povo indígena extinto que habitava as cabeceiras do rio Cautário (RO). ● *Adj. 2 g.* **2.** Pertencente ou relativo a esse povo.

tapona [De *tapa*[2] + *-ona*[1].] *S. f.* **1.** *Gír.* Pancada, bofetada, tapa. **2.** *Bras. Cap.* Golpe traumatizante, aplicado com a mão, o que é excepcional na capoeira, e em que o capoeirista, após fingir que vai fugindo, roda todo o corpo com o braço estendido e a mão aberta, visando a atingir o rosto do adversário.

tápsia [Do gr. *thapsía*, pelo lat. *thapsia*; tax. *Thapsia*.] *S. f. Bot.* **1.** Gênero de plantas apiáceas, herbáceas, nativas da região do Mediterrâneo, dotadas de flores em umbelas compostas, sem invólucro, e de frutos alados. **2.** Qualquer espécie desse gênero, como, p. ex., a *Thapsia garganica*, cuja raiz é medicinal. **3.** Qualquer espécime desse gênero.

tapucaiá [De or. indígena.] *S. f. Bras. Zool.* V. *cauanã*.

tapucaja [De or. indígena.] *S. f. Bras. Zool.* V. *jaburu* (1).

tapuia [Do nheengatu.] *Bras. S. 2 g.* **1.** *Etnôn.* Designação dada pelos índios de língua tupi-guarani aos povos indígenas cujas línguas pertencem a outro tronco linguístico. ● *Adj. 2 g.* **2.** Pertencente ou relativo a tapuia (1).

tapuiense *Adj. 2 g. S. 2 g.* V. *são-miguelense*[7].

tapuio [Var. de *tapuia*, do tupi.] *S. m.* **1.** *Bras.* Tapuia (1). **2.** *Bras.* Índio. **3.** *Bras.* Mestiço de índio. **4.** *Bras. BA* Qualquer mestiço trigueiro e de cabelos lisos e negros. [V. *caboclo*[1] (3).]

tapuirana [Do tupi.] *S. f. Bras. Tec. Têx.* Certo tecido com que se fazem redes.

tapuísa [Do tupi, poss.] *S. m. Bras. PA MA* Rancho ou choça improvisada por caçadores ou exploradores.

tapuiuçu *Bras. S. 2 g.* **1.** *Etnôn.* Indivíduo dos tapuiuçus [ou (etnôn. bras.) *Tapuiussú], povo indígena extinto que habitava a margem esquerda do rio Amazonas (PA). ● *Adj. 2 g.* **2.** Pertencente ou relativo a esse povo.

tapuji *S. m. Bras. Zool.* V. *curimã* (1).

tapulhar [De *tapulho* + *-ar*[2].] *V. t. d.* **1.** Vedar com tapulhos; tapar. **2.** Entupir, atulhar.

tapulho [Do esp. *tapujo*, poss.] *S. m.* Aquilo que serve para tapar.

tapume [De *tapar* + *-ume*.] *S. m.* **1.** Vedação de um terreno feita com madeiras ou silvas; sebe, cerca, tapagem, tapamento, tapadura, tapigo, vedação, vedo. **2.** Vedação provisória, feita de tábuas: 📖 "O rapaz tombara dentro da área da construção, e a portinhola do tapume estava cerrada." (Carlos Drummond de Andrade, *Fala, Amendoeira*, p. 281.) **3.** Tabique (1).

tapunhunacanga [Do tupi = 'cabeça de negro'.] *S. f. Bras.* V. *canga*[3].

tapuoca *S. f. Bras. Bot.* V. *agoniada*.

tapuraense (purà) *Adj. 2 g.* **1.** De, ou pertencente ou relativo a Tapurá (MT). ● *S. 2 g.* **2.** O natural ou habitante de Tapurá.

tapuru [Do tupi.] *S. m.* **1.** *Bras. Zool.* V. *bicheira* (2). [Var., no N. e N.E.: *taperu*.] **2.** *Bras. N. N.E.* O bicho de fruta: 📖 "Catava tapurus em coquinhos de buriti, enchia a boca com essas larvas cruas, mastigava e engolia a gosma" (Milton Hatoum, *Cinzas do Norte*, p. 175).

tapururuca [Do tupi = 'pedra friável'.] *S. f. Bras.* V. *piçarra* (2).

taquara [Do tupi.] *S. f. Bras.* **1.** *Bot.* Designação comum a diversas plantas poáceas, ger. dotadas de caule oco, como, por ex., a *Bambusa tacuara*, de colmo arbóreo de 6 a 7m de altura e 5 a 6cm de diâmetro, ramos cilíndricos, estriados, bainha cilíndrica, estriada na parte superior e glabra na inferior, e grandes panículas áfilas. **2.** *Zool.* V. *juruva*.

taquaraço [De *taquara* + *-aço*.] *S. m. Bras.* Pancada com vara, flecha, etc., feitas de taquara: 📖 "Com os nossos piquetes trata de os ir dizimando o quanto possível, poupando os balins e o conteúdo e os cabacinhos da pólvora. Derreia-os a porretaços ou a taquaraços da frecharia." (Alberto Rangel, *Fura-Mundo!*, pp. 326-327.)

taquaraçuense *Adj. 2 g.* **1.** De, ou pertencente ou relativo a Taquaraçu de Minas (MG). ● *S. 2 g.* **2.** O natural ou habitante de Taquaraçu de Minas.

taquaral [De *taquara* + *-al*[1].] *S. m. Bras.* V. *tabocal*.

taquaralense *Adj. 2 g.* **1.** De, ou pertencente ou relativo a Taquaral de Goiás (GO). ● *S. 2 g.* **2.** O natural ou habitante de Taquaral de Goiás.

taquaranense *Adj. 2 g.* **1.** De, ou pertencente ou relativo a Taquarana (AL). ● *S. 2 g.* **2.** O natural ou habitante de Taquarana.

taquara-trepadora (ô) *S. f. Bras. Bot.* V. *criciúma*. [Pl.: *taquaras-trepadoras* (ô).]

taquaré [Var. de *tamaquaré*.] *S. m. Bras.* **1.** *Bot.* Tamaquaré (1). **2.** *Zool.* Tamaquaré (4).

taquarense *Adj. 2 g.* **1.** De, ou pertencente ou relativo a Taquara (RS). ● *S. 2 g.* **2.** O natural ou habitante de Taquara.

taquari [Do tupi = 'taquara pequena'.] *S. m.* **1.** *Bras. Bot.* V. *criciúma*. **2.** *Bot. Bras. Amaz.* Arvoreta euforbiácea (*Mabea angustifolia*) das capoeiras secas, de flores apétalas, inconspícuas e unissexuais, madeira mole e leve, sementes oleaginosas, e cujos ramos novos são fistulosos e servem para fazer canudos de cachimbo, contendo o seu látex alguma borracha; canudo-de-pito. **3.** *Bras. Bot.* Árvore euforbiácea (*Mabea paniculata*) de até 7m, nativa do N. do Brasil, de ramos tomentosos e inflorescências com brácteas ovaladas; abiori. **4.** *Bras. Zool.* V. *taquiri*. **5.** Canudo de cachimbo. **6.** Certo cachimbo feito de bambu. ● *Adj. 2 g.* **7.** *Bras.* Diz-se da espingarda de pequeno calibre.

taquariço [De *taquari* + *-(d)iço*[2].] *Adj.* Que lembra o taquari (4) ou taquiri; magro, delgado.

taquari-de-cavalo *S. m. Bras. Bot.* Taquari-do-mato. [Pl.: *taquaris-de-cavalo*.]

taquari-do-mato *S. m. Bras. AM a RJ Bot.* Poácea (*Oplismenus compositus*) cujos colmos são decumbentes, reptantes, finos, frágeis e de pontas ascendentes, e cujas folhas são ovado-lanceoladas, acuminadas, mais ou menos violáceas. As espiguetas medem 4 a 5mm, e organizam-se em espigas finas, que se ordenam em panículas. [Sin.: *taquari-de-cavalo*. Pl.: *taquaris-do-mato*.]

taquariense[1] *Adj. 2 g.* **1.** De, ou pertencente ou relativo a Alto Taquari (MT). ● *S. 2 g.* **2.** O natural ou habitante de Alto Taquari.

taquariense[2] *Adj. 2 g.* **1.** De, ou pertencente ou relativo a Taquari (RS). ● *S. 2 g.* **2.** O natural ou habitante de Taquari.

taquarinha [De *taquara* + *-inha*.] *S. f. Bras.* **1.** *Bot.* V. *criciúma*. **2.** *Zool.* V. *bicho-pau* (1).

taquaritinguense[1] *Adj. 2 g.* **1.** De, ou pertencente ou relativo a Taquaritinga (SP). ● *S. 2 g.* **2.** O natural ou habitante de Taquaritinga.

taquaritinguense[2] *Adj. 2 g.* **1.** De, ou pertencente ou relativo a Taquaritinga do Norte (PE). ● *S. 2 g.* **2.** O natural ou habitante de Taquaritinga do Norte.

taquaritubense *Adj. 2 g.* **1.** De, ou pertencente ou relativo a Taquarituba (SP). ● *S. 2 g.* **2.** O natural ou habitante de Taquarituba.

taquarizal [De *taquari* + *-zal*.] *S. m. Bras.* Terreno onde vicejam taquaris.

taquaruçu [Do tupi = 'taquara grande'.] *S. m. Bras. Bot.* Taboca-gigante.

taquaruçuense *Adj. 2 g.* **1.** De, ou pertencente ou relativo a Taquaruçu (MS). ● *S. 2 g.* **2.** O natural ou habitante de Taquaruçu.

taquaruçusense *Adj. 2 g.* **1.** De, ou pertencente ou relativo a Taquaruçu do Sul (RS). ● *S. 2 g.* **2.** O natural ou habitante de Taquaruçu do Sul.

taquaruva [Do tupi = 'árvore da taquara'.] *S. f. Bras. Bot.* Nome vulgar de certa espécie de taquara [v. *taquara* (1)].

taqueador (ô) [De *taquear* + *-dor*.] *S. m. Bras.* Operário que taqueia.

taqueamento [De *taquear* + *-mento*.] *S. m. Bras.* Ação ou efeito de taquear.

taquear [De *taco*[1] (6) + *-ear*[2].] *V. t. d. Bras.* Revestir (o piso) de tacos. [Conjug.: v. *frear*.]

taqueira[1] [De *taco*[1] + *-eira*.] *S. f.* Utensílio em que se guardam os tacos do bilhar; taquilha.

taqueira[2] *S. f. Bras.* Espécie de abóbora pequena e chata.

taqueiro [De *taco*[1] + *-eiro*.] *S. m. Bras.* Operário especializado no assentamento de soalhos de tacos. [V. *taco*[1] (6).]

▲**taqueo-** [Do gr. *tacheôs*, gen. masc. sing. de *tachýs, eîa, ý*.] *El. comp.* = 'rápido', 'breve': *taqueografia, taqueógrafo, taqueometria, taqueômetro*. [Equiv.: *taqui-*: *taquicardia, taquifagia, taquigrafar*.]

taqueografia [De *taqueo-* + *-grafia*.] *S. f.* Emprego do taqueógrafo.

taqueográfico [De *taqueografia* ou *taqueógrafo* + *-ico*[2].] *Adj.* Relativo a taqueografia, ou a taqueógrafo.

taqueógrafo [De *taqueo-* + *-grafo*.] *S. m.* Aparelho usado na elaboração de cartas geográficas.

taqueometria [De *taqueo-* + *-metria*.] *S. f.* O conjunto dos processos para levantar plantas topográficas com o taqueômetro.

taqueométrico [De *taqueometria* + *-ico*[2].] *Adj.* Relativo a taqueometria.

taqueômetro *S. m.* V. *taqueômetro*. [Uso freq. em P.]

taqueômetro [De *taqueo-* + *-metro*.] *S. m.* Teodolito (q. v.) dotado de dispositivo óptico para a medição indireta de distâncias e que, por isso, proporciona maior rapidez nos levantamentos topográficos.

taquera *S. f. Bot.* V. *cabaceiro-amargoso*.

▲**taqui-** [Do gr. *tachýs, eîa, ý*.] Equiv. de *taqueo-*.

taquiantese [De *taqui-* + *antese*.] *S. f. Bot.* Adiantamento no fenômeno da floração, em plantas adaptadas a climas mais ou menos diversos do de seu próprio hábitat.

taquicardia [De *taqui-* + *-cardia*.] *S. f. Card.* Aumento do número de batimentos cardíacos por minuto. [Há vários tipos de taquicardia, como a auricular, a ventricular, etc.]

taquicárdico [De *taquicardia* + *-ico*[2].] *Card. Adj.* **1.** Relativo a, ou que tem taquicardia. ● *S. m.* **2.** Aquele que a tem.

taquifagia [De *taqui-* + *-fag(o)-* + *-ia*[1].] *S. f. Med.* O comer às pressas, sem mastigar e ensalivar bem os alimentos.

taquifágico [De *taquifagia* + *-ico*[2].] *Adj.* Relativo a taquifagia.

taquífago [De *taqui-* + *-fago*.] *Adj. S. m.* Que, ou aquele que come muito depressa.

taquifasia [De *taqui-* + *-fas(i)-* + *-ia*[1].] *S. f. Psiq.* V. *taquilalia*.

taquifásico [De *taquifasia* + *-ico*[2].] *Adj. Psiq.* V. *taquilálico*.

taquifemia [De *taqui-* + gr. *phéme*, 'revelação', 'divulgação', 'fala', + *-ia*[1].] *S. f. Psiq.* V. *taquilalia*.

taquifêmico [De *taquifemia* + *-ico*[2].] *adj. Psiq.* V. *taquilálico*.

taquifilaxia (cs) [De *taqui-* + *-filax-* + *-ia*[1].] *S. f. Imun.* Fenômeno mediante o qual se obtém rápida imunização contra efeitos tóxicos de uma substância pela injeção de doses subsequentes dessa substância, resultando efeitos de intensidade decrescente.

taquiglossídeo [Do tax. *Tachyglossus* + *-ídeo*[1]; tax. *Tachyglossidae*.] *Zool. S. m.* **1.** Espécime dos taquiglossídeos, família de mamíferos prototérios, monotremados, insetívoros, fossoriais, e com várias características de aves; ovíparos, apresentam cloaca, bico córneo, língua vermiforme, mamas protegidas em bolsa ventral, pelagem espinhosa e ausência de dentes. Há duas espécies, localizadas nos gêneros *Tachyglossus* e *Zaglossus*, e que ocorrem na Austrália, Nova Guiné e Tasmânia. São as equidnas. ● *Adj.* **2.** Pertencente ou relativo a eles.

taquigrafar [De *taqui-* + *grafar*.] *V. t. d. Int. Taquigr.* Estenografar: 📖 "Sou eleitor, voto, desejo saber o que fazem e dizem os meus representantes. Não podendo ir às câmaras, aprovo este meio de fazer da própria casa do eleitor uma galeria, taquigrafando e publicando os discursos." (Machado de Assis, *A Semana*, II, p. 362.) [Pres. ind.: *taquigrafo*, etc. Cf. *taquígrafo*.]

taquigrafia [De *taqui-* + *-grafia*.] *S. f.* V. *estenografia*.

taquigráfico [De *taquigrafia* + *-ico*[2].] *Adj.* Referente a taquigrafia; estenográfico. ~ V. *sinal* —.

taquígrafo [De *taqui-* + *-grafo*.] *S. m. Taquigr.* V. *estenógrafo*. [Cf. *taquigrafo*, do v. *taquigrafar*.]

taquigrama [De *taqui-* + *-grama*.] *S. m. Taquigr.* **1.** Sinal ou sinais taquigráficos que formam uma ou mais palavras. **2.** Qualquer escrito taquigráfico. [Sin. ger.: *estenograma*.]

taquilalia [De *taqui-* + *-lal(o)-* + *-ia*[1].] *S. f. Psiq.* Distúrbio em que há aceleração exagerada da fala; taquifasia, taquifemia.

taquilálico [De *taquilalia* + *-ico*[2].] *Adj. Psiq.* Relativo a taquilalia, ou que apresenta este distúrbio, taquifásico, taquifêmico.

taquilha [Do esp. *taquilla*, poss.] *S. f.* Taqueira[1].

taquimetria [De *taqui-* + *-metria*.] *S. f.* Medida de velocidade por meio de taquímetro.

taquimétrico [De *taquimetria* + *-ico*[2].] *Adj.* Referente a taquimetria.

taquímetro [De *taqui-* + *-metro*.] *S. m.* V. *tacômetro*.

táquion *S. m. Fís. Part.* Partícula hipotética que viaja a uma velocidade superior à da luz, e que, segundo a teoria da relatividade, teria energia imaginária.

taquipneia (éi) [De *taqui-* + *-pneia*.] *S. f. Med.* Respiração superficial e acelerada. ❖

taquipneico (éi) [De *taqui-* + *-pneico*.] *Adj.* **1.** Relativo a, ou que sofre de taquipneia. ● *S. m.* **2.** Aquele que sofre de taquipneia. ❖

taquiri [Do tupi.] *S. m. Bras. Zool.* Ave ciconiforme, ardeídea (*Nycticorax nycticorax hoactli*), comum desde o S. dos E.U.A. até o N. da Argentina, de dorso superior preto-esverdeado, dorso inferior, cauda e asas pardo-claros, e alto da cabeça preto, com algumas penas mais compridas no occipício. Os indivíduos jovens são pretos pintados de amarelado. [Var.: *taquari*. Sin.: *dorminhoco, garça-cinzenta,* *arapapá-de-bico-comprido, guacuru, sabacu, savacu, taiaçu, tajacu.*]

taquisfigmia [De *taqui-* + *-(e)sfigm(o)-* + *-ia*[1].] *S. f. Med.* Aumento do número de pulsações por minuto.

taquisfígmico [De *taquisfigmia* + *-ico*[2].] *Adj.* **1.** Relativo a taquisfigmia, ou que dela sofre. ● *S. m.* **2.** Indivíduo taquisfígmico.

taquisurídeo [Adapt. do tax. *Tachysuridae.*] *S. m. Adj. Zool.* V. *arídeo.*

tara[1] [Do ár. *tarha(t)*, 'mercadoria rejeitada', da raiz *trh*, 'deixar', 'rejeitar'.] *S. f.* **1.** Abatimento no peso de mercadorias, atendendo-se ao vaso ou envoltório em que estão acondicionadas. **2.** Recipiente que contém ou pode conter certo gênero. **3.** Substância em pequenos fragmentos us. em duplas pesagens. **4.** Peso de um veículo sem a carga. **5.** Falha, quebra. **6.** Defeito físico ou moral. **7.** Degeneração, depravação.

tara[2] [Do sânscr. *tara*, 'estrela', pelo dravídico *tara.*] *S. f.* **1.** Antiga moeda de prata, da Índia meridional. **2.** Peso de prata, na Tailândia (Sudeste Asiático).

tarã [Do tupi.] *S. f. Bras. Zool.* Ave ciconiiforme, tresquiornitídea (*Cercibis oxycera*), do N.O. do Brasil, de coloração escura, com brilho azul metálico, e cauda alongada e pontuda; trombeteiro.

tarabaíno *Adj.* **1.** De, ou pertencente ou relativo a Tarabaí (SP). ● *S. m.* **2.** O natural ou habitante de Tarabaí.

taracaiá *S. m. Bras. Zool.* V. *tracajá.*

taraceiro [De or. obscura.] *S. m. Cir. Oftalm. Desus.* Operação destinada a eliminar a opacidade da córnea ou alterar-lhe a cor.

taracena *S. f. Ant. Constr. Nav.* V. *teracena.*

taracuá *S. f. Bras. Amaz. Zool.* V. *tacuá.*

tarado [De *tara*[1] + *-ado*[1].] *Adj.* **1.** Que tem marcado o peso da tara[1] (1). **2.** *Fig.* Que tem falha ou defeito. **3.** Desequilibrado (em sentido moral). **4.** *Bras.* Que é sexualmente degenerado. **5.** *Bras. Gír.* Atraído em alto grau; fascinado; gamado: *Ele é tarado pela pequena; Anda tarado com o carro que ganhou.* ● *S. m.* **6.** Indivíduo tarado (3 e 4); anormal.

tarafe [Do cabo-verd.] *S. m. Cabo-verd. Bot.* Arbusto tamaricáceo (*Tamarix gallica*) herbáceo, decíduo, de flores numerosas, nativo do Oriente Médio e da região mediterrânea: "A descida por entre tufos de tarafes decorreu sem dificuldade." (Teixeira de Sousa, *Djunga*, p. 58.)

taraguira [Do tupi.] *S. f. Bras. Zool.* Reptil lacertílio, iguanídeo (*Tropidurus torquatus*), do Brasil este-meridional. Cabeça, face dorsal e face externa das patas pardo-acinzentadas; dorso com duas faixas escuras longitudinais e pequenas manchas, também escuras; parte anterior das espáduas com mancha negra e vermelho-tijolo desde as coxas até o fim da cauda. Vive nas baixadas quentes, lugares arenosos e encostas de pedreiras, em cujas fendas se oculta e nidifica. [Var.: *tarauira, teraíra.* Sin.: *camaleão-de-pedreira.*]

taraguirapeva [De *taraguira* + *-peva.*] *S. f. Bras. Zool.* V. *cuviara.*

taraíra *S. f. Bras. Zool.* V. *traíra* (1).

taralhão [Do lat. *hortulanu*, poss.] *S. m.* **1.** *Zool.* Molusco bivalve, foladídeo (*Pholas dactylus*), do Atlântico, Mediterrâneo e Adriático, de coloração branca e até 3cm de comprimento. Vive em cavidades abertas nas rochas calcárias. **2.** *Pop.* Homem intrometido, metediço. **3.** *Gír.* Rapaz já crescido.

taralhar *V. int. Bras.* Pipiar, pipilar.

tarambola [De or. obscura.] *S. f. Zool.* V. *maçarico* (4).

tarambote [Voc. express., poss.] *S. m. Pop.* **1.** Concerto vocal e instrumental: "mal olhava para os lados, indiferente às casas que fulguravam ....; às músicas, que ressoavam em tarambotes" (Coelho Neto, *Turbilhão*, p. 156). **2.** Canção popular antiga.

taramela [De *tramela*, com epêntese.] *S. f.* **1.** V. *tramela* (1 a 3). **2.** V. *tagarela* (2).

taramelagem [De *taramelar* + *-agem*[2].] *S. f. Bras.* Ação de taramelar; tagarelice; falatório.

taramelar [De *taramela* + *-ar*[2].] *V. int.* **1.** Dar à taramela; falar demais; tagarelar; matraquear; palrar. *T. d.* **2.** Pronunciar; dizer. **3.** Fechar com taramela. [Sin. ger.: *taramelear.*]

taramelear [De *taramela* + *-ear*[2].] *V. int. T. d.* V. *taramelar.* [Conjug.: v. *frear.*]

tarampabo [De or. obscura.] *S. m. Bot.* V. *bacaba* (3).

tarampantão *S. m.* Onomatopeia do som do tambor.

tarangalho [De or. obscura.] *S. m. Bras. Zool.* V. *agulha-branca* (1). [F. paral.: *tarnagalho.*]

tarantela [Do it. *tarantella.*] *S. f.* **1.** Dança popular napolitana, de andamento muito vivo, em compasso de 3/8 ou 6/8, acompanhada pelo pandeiro e pelas castanholas, e que primitivamente era cantada. **2.** Música para essa dança: "As danças modernas conservam quase todas o cunho característico dos países de que procedem: a valsa, da Alemanha, a tarantela, da Itália, ... a mazurca, da Polônia." (Ramalho Ortigão, *Contos e Páginas Dispersas*, p. 23). **3.** Composição instrumental e erudita com as características dessa música.

tarantismo [Do it. *tarantismo.*] *S. m. Psiq.* Distúrbio (3) caracterizado pela vontade incontrolável de dançar; tarantulismo. [O tarantismo atingia, outrora, massas populares consideráveis, e supunha-se que era produzido por picadura de tarântula, aranha comum na Apúlia (Itália), onde se originou o termo. Tratava-se, possivelmente, de uma forma de histeria coletiva.]

tarântula [Do it. *tarantola.*] *S. f.* **1.** *Zool.* Espécie de aranha europeia licosídea (*Lycosa tarentula*), cuja picada causa febre, delírio e, segundo a crença popular, singulares sintomas que levariam o doente a cantar e dançar. **2.** *Terap.* Medicamento feito com o suco desse animal. [Var.: *tarêntula.*]

tarantulismo [De *tarântula* + *-ismo.*] *S. m. Psiq.* Tarantismo.

tarapé [Do tupi.] *S. f. Bras. Amaz. Zool.* Inseto himenóptero formicídeo (*Cryptocerus atratus*) que é uma grande formiga de cabeça achatada. [Os indígenas das margens do Solimões e do Japurá acreditavam que, enfiando a cabeça da tarapé na ponta da flecha, esta não se desviaria do alvo.] [Sin.: *tarapema, curupé.*]

tarapema [Do tupi.] *S. m. Zool. Amaz.* V. *tarapé.*

tarapitinga [Do tupi.] *S. f. Bras. Zool.* V. *pirapitinga* (1).

tarar [De *tara*[1] + *-ar*[2].] *V. t. d.* **1.** Pesar, para descontar a tara[1] (1). **2.** Marcar (vasilhas, sacos, etc.) com o peso da tara[1] (1). [Sin., nessas acepç.: *tarear.*] *T. i.* **3.** *Bras. Gír.* Apaixonar-se, enamorar-se loucamente; gamar: *Ao primeiro contato tarou pela moça.* *Int.* **4.** *Bras. Gír.* Proceder como tarado (3 e 4). **5.** *Bras. Gír.* Apaixonar-se, enamorar-se loucamente; gamar: *Ao ver tão rara beleza, tarou.*

tarara [Do fr. *tarare*, de or. onomatopaica.] *S. f.* Aparelho com que se limpa o grão de trigo.

tarará *S. m. Bras.* Onomatopeia do som da trombeta.

tararaca [De or. indígena, poss.] *S. f.* **1.** *Bras. S. Zool.* Espécie de rato silvestre. ● *Adj. 2 g.* **2.** *Bras. RS* Desajeitado, desastrado. **3.** Que anda às apalpadelas; tonto.

tararira *S. f. Bras. Zool.* V. *traíra* (1).

tararucu [Do tupi.] *S. m. Bras. Bot.* V. *fedegoso* (2).

tarasca [Do fr. *tarasque* ou do provenç. *tarasco.*] *S. f.* **1.** Boneco que representa um animal monstruoso, e que era exibido no Pentecostes em Tarascon e noutras cidades do S. da França. **2.** Monstro (1). **3.** Mulher feia e de mau gênio. **4.** Espada velha e enferrujada; chanfalho. **5.** *Bras. RJ Zool.* V. *arapaçu-grande.*

tarascano [De *tarasco*[2] + *-ano*[1].] *S. m. Gloss.* Língua indígena mexicana; tarasco.

tarasco[1] [De *tarasca.*] *Adj. S. m.* Arisco, áspero, desabrido.

tarasco[2] *S. m.* **1.** Indivíduo dos tarascos, antigo povo que habitava o México à época da chegada dos colonizadores espanhóis. **2.** *Gloss.* Tarascano. ● *Adj.* **3.** Pertencente ou relativo aos tarascos, ou ao tarasco (2).

taratufo [Alter. do al. *Kartoffel*, 'batata'.] *S. m. Bras. Bot.* Certo tubérculo comestível.

tarauacaense (cà) *Adj. 2 g.* **1.** De, ou pertencente ou relativo a Tarauacá (AC). ● *S. 2 g.* **2.** O natural ou habitante de Tarauacá.

tarauxi [De or. indígena, poss.] *S. m. Bras. Bot.* V. *paracaxi.*

tarauira (au-í) *S. f. Bras. Zool.* V. *taraguira.* ❖

taráxaco (cs) [Do tax. *Taraxacum.*] *S. m. Bot.* **1.** Gênero de ervas asteráceas, perenes, quase cosmopolitas, de rizoma perpendicular que emite simultaneamente escapos floríferos e folhas, que são radiculares, glabras e dispostas em roseta, lanceoladas; os capítulos são grandes, multifloros, e solitários no ápice dos escapos. **2.** Qualquer espécie desse gênero, como, p. ex., a *Taraxacum officinale* [v. *dente-de-leão* (1)] **3.** Qualquer espécime desse gênero. [As folhas de algumas espécies são us. como saladas e as flores, melíferas, têm uso na medicina popular.]

tarazede *S. f. Astr.* Nome tradicional da estrela gama da Águia. [Com cap.]

tarbucha *S. f.* V. *tarbuche.*

tarbuche [Do fr. *tarbouche*, de um hibridismo turco-persa *tarbūš.*] *S. m.* Espécie de barrete oriental, us. por turcos e árabes, de formato cilíndrico e ornado de borla, semelhante ao fez marroquino. [Var.: *tarbucha.*]

tarca [Do esp. plat. *tarja.*] *S. f. Bras. S.* Pedaço de pau ou de couro em que se anota, com pequenos cortes, o número de reses marcadas durante o dia, ou o de quaisquer animais, ou objetos, que estão sendo contados.

tardada [De *tardar* + *-ada*[1].] *S. f.* V. *tardança.*

tardador (ô) [De *tardar* + *-dor.*] *Adj. S. m.* Que, ou aquele que tarda, que é vagaroso.

tardamento [De *tardar* + *-mento.*] *S. m.* V. *tardança.*

tardança [De *tardar* + *-ança.*] *S. f.* Ato ou efeito de tardar; demora, delonga, tardada, tardamento.

tardão [De *tarde* + *-ão*[1].] *Adv. Bras. Fam.* Muito tarde.

tardar [Do lat. *tardare.*] *V. t. d.* **1.** Adiar, demorar, diferir, espaçar, retardar: *Já não podemos tardar a solução de tão graves problemas.* *T. i.* **2.** Proceder com tardança; não se apressar: *Não tarde em responder, ou perderá o negócio*; "Estou velho, meu menino; não tardo em pedir reforma e ir morrer em algum buraco." (Machado de Assis, *Páginas Recolhidas*, p. 38). **3.** Ficar ou demorar-se em algum lugar ou posição; permanecer por um tempo mais ou menos longo: *Tardou a levantar-se para atender ao chamado.* *Int.* **4.** Ir ou vir tarde; demorar a ir ou vir; demorar(-se): *Tardaram, e perderam a festa*; "Não tarda meio-dia." (José de Alencar, *O Tronco do Ipê*, p. 171); "O sono não podia tardar. Não tardou. Um minuto depois dormia." (Medeiros e Albuquerque, *Surpresas...*, pp. 134-135).

tarde [Do lat. *tarde.*] *Adv.* **1.** Depois do tempo próprio, conveniente ou ajustado. **2.** Perto da noite. ● *S. f.* **3.** Tempo entre o meio-dia e a noite. ◆ **Tarde e a más horas.** Demasiadamente tarde; tarde e às más horas. **Tarde e às más horas.** Tarde e a más horas: "Ainda lhes soavam aos ouvidos .... aquelas terríveis palavras com que a mãe os intimidara, um dia, que lhe apareceram em casa tarde e às más horas." (Trindade Coelho, *Os Meus Amores*, p. 181.)

tardego (ê) [De *tarde* ou *tardo* + *-ego.*] *Adj.* **1.** Tardio, serôdio. **2.** Tardo; retardatário.

tardeza (ê) [De *tarde* + *-eza.*] *S. f.* Qualidade de tardo.

tardezinha [De *tarde* + *-zinha.*] *S. f.* Us. na loc. *de tardezinha.* ◆ **De tardezinha.** De tardinha.

tardiamente [Do f. de *tardio* + *-mente.*] *Adv.* **1.** De modo tardio; tarde. **2.** A hora tardia.

tardígrado[1] [Do lat. *tardigradu.*] *Adj. Poét.* Lentígrado. [Antôn.: *centígrado.*]

tardígrado[2] [Adapt. do tax. *Tardigrada.*] *Zool. S. m.* **1.** Espécime dos tardígrados, filo de animais de corpo cilíndrico, superficialmente segmentado, com até 1mm de comprimento, quatro pares de patas não articuladas, curtas e grossas, cada uma com duas ou quatro unhas no ápice. Vivem na água doce, junto aos musgos e liquens terrestres, e há tb. algumas espécies marinhas. ● *Adj.* **2.** Pertencente ou relativo a eles.

tardinha [De *tarde* + *-inha.*] *S. f.* O fim da tarde. ◆ **De tardinha.** No fim da tarde; de tardezinha.

tardinheiro [De *tard-*, como em *tarde* e *tardo*, + *-inh(o)-* + *-eiro.*] *Adj. S. m.* Que, ou aquele que é tardo, tardio, preguiçoso, vagaroso, por hábito.

tardio [Do b.-lat. *tardivu.*] *Adj.* **1.** Que vem fora de tempo; serôdio. **2.** V. *tardo* (1). ~ V. *ejaculação —a, grego — e hipersensibilidade —a.*

tardívago [De *tardo* + *-i-* + *-vago.*] *Adj.* Que vagueia lentamente, com tardeza.

tardo [Do lat. *tardu.*] *Adj.* **1.** Que anda vagarosamente; preguiçoso, tardio, tardinheiro, tardonho: "os carreiros seguiam à frente dos tardos bois" (Melo Morais Filho, *Festas e Tradições Populares do Brasil*, p. 293). **2.** Próprio de pessoa ou de animal que é tardo (1); vagaroso, lento: "uma rês horrivelmente magra arrasta o passo tardo, vagaroso" (Gustavo Barroso, *Terra de Sol*, p. 14).

tardonho [De *tardo* + *-onho.*] *Adj.* **1.** V. *tardo* (1). **2.** Lento, demorado, vagaroso: "esperar o longo amanhecer e o tardonho crepúsculo do Sol" (Amadeu Amaral, *João*, p. 33).

tardoz [De or. obscura.] *S. f.* **1.** Face tosca da cantaria que fica para o interior da parede. **2.** *P. ext.* A face posterior de mármore, de porta, etc.: "no tardoz da porta uma cruz de S. Lázaro, pregada com massa." (Alexandre Herculano, *Lendas e Narrativas*, II, p. 238).

tarear[1] [De *tara*[1] + *-ear*[2].] *V. t. d.* **1.** Tarar (1 e 2). **2.** *Bras.* Equilibrar (a carga) no lombo do animal. [Conjug.: v. *frear.*]

tarear[2] [De *tareia* + *-ar*[2].] *V. t. d. Lus.* V. *surrar* (2). [Conjug.: v. *frear.*]

tarecada [De *tareco* + *-ada*[1].] *S. f.* **1.** Ação de tareco (1); traquinada. **2.** Grande porção de tarecos [v. *tareco* (2 e 3)]. [Sin., bras., S., nesta acepç.: *tarecagem, tarecama.*]

tarecagem [De *tareco* + *-agem*[2].] *S. f. Bras. S.* V. *tarecada* (2).

tarecaí *S. m. Bras. Zool.* V. *tracajá.*

tarecama *S. f. Bras. S.* V. *tarecada* (2).

tarecena *S. f. Ant. Constr. Nav.* V. *teracena.*

tareco [Do ár. *tarayk*, 'coisas de pouco valor'.] *S. m.* **1.** Indivíduo irrequieto, buliçoso. **2.** Utensílio de escasso valor. **3.** Objeto velho; tralha, cacareco. **4.** *Bras. PE AL Cul.* Biscoitinho arredondado feito de massa de pão de ló. **5.** *Bras. GO Cul.* Bolo[1] (2) frito. **6.** *Bras. MG* Caminho ruim.

tarefa [Do ár. *tarīha(t).*] *S. f.* **1.** Trabalho a ser executado, ger. envolvendo dificuldade, esforço ou prazo deter-

T

minado: *O novo governo terá a tarefa de equilibrar o orçamento; Lavar os pratos é sua tarefa diária.* **2.** Modalidade de contrato de trabalho em que se calcula o salário pelo serviço executado; empreitada. **3.** *Inform.* Programa (9), ou rotina (4) em execução. **4.** *Bras.* Talha para onde corre o azeite, nos lagares. **5.** *Bras.* Unidade de área, equivalente no CE a 3.630m^2; em AL e SE, a 3.052m^2; e na BA, a 4.356m^2: "Trabalhava inutilmente num pedaço de terra de meia dúzia de tarefas que lhe deixara o pai" (Ranulfo Prata, *Navios Iluminados*, p. 24).

tarefeiro [De *tarefa* + *-eiro*.] *S. m.* **1.** Aquele que se incumbe de tarefas; empreiteiro. **2.** Trabalhador que deve fazer uma coisa em determinado tempo. **3.** Aquele que recebe por tarefa ou por unidade produzida.

tarega [Do malaiala *taragan*.] *S. m.* Indivíduo que compra e vende tarecos. [V. *tareco* (2 e 3) e *adeleiro*.]

taregicagem *S. f.* Profissão de tarega.

tareia (êi) [Do esp. *tarea* < ár. *tarīḥa(t)*, 'tarefa'.] *S. f.* **1.** V. *surra* (1): "E embora passem o tempo zangados e ele lhe dê grandes tareias, isso não o impede de à noite lhe fazer filhos." (Augusto Abelaira, *Bolor*, p. 54.) **2.** *Ant.* Tarefa. *Lus.*

tarelar [De *tagarelar*, com síncope.] *V. int.* Tagarelar, taramelar, matraquear, palrar.

tarelo [F. sincopada de *tagarelo*.] *S. m.* V. *tagarela* (2).

tarentino [Do lat. *tarentinu*.] *Adj.* **1.** De, ou pertencente ou relativo à região ou à cidade de Tarento (Itália). • *S. m.* **2.** O natural ou habitante de Tarento.

tarêntula *S. f. Zool.* V. *tarântula*.

tareroque [Do tupi.] *S. m. Bras. Bot.* V. *mata-pasto* (1).

targana *S. f. Zool.* V. *tainha* (1).

targélias [Adapt. do gr. *thargélia*.] *S. f. pl.* Na antiga Atenas e nas cidades jônias, festas de cunho agrário e expiatório em honra de Apolo e de Ártemis, celebradas no mês de targélion.

targélio *S. m. Cronol.* V. *targélion*.

targélion [Do gr. *thargelión*.] *S. m. Cronol.* O décimo primeiro mês do calendário grego, com 30 dias, que correspondia aproximadamente ao mês de maio do calendário gregoriano.

→**target** ['taugit] [Ingl.] *S. m.* **1.** *Market.* Segmento de mercado para o qual se desenvolve determinado composto de *marketing*. **2.** *Prop.* V. *público-alvo*.

targum [Do hebr.] *S. m.* Conjunto de traduções e comentários de textos bíblicos que datam do séc. VI a. C.

tari [De or. indiana, poss.] *S. m.* Licor alcoólico, feito com suco fermentado de várias palmeiras.

taria *S. 2 g. Adj. 2 g. Bras.* V. *tariana*.

tariana *Bras. S. 2 g.* **1.** *Etnôn.* Indivíduo dos tarianas, povo indígena da família linguística aruaque, que habita a região do alto rio Negro, conhecida como Boca do Cachorro (AM), e a Colômbia. • *Adj. 2 g.* **2.** Pertencente ou relativo a esse povo. [Tb. us. como *s. 2 g. e 2 n.* (com cap.) e *adj. 2 g. e 2 n.* Outras f.: *tana, taria, tariano*.]

tariano *S. 2 g. Adj. 2 g. Bras. Etnôn.* V. *tariana*.

tarifa [Do ár. *taʿrīfa(t)*, 'definição'; 'notificação'; 'lista de preços'.] *S. f.* **1.** *Econ.* V. *imposto de importação*: *A redução de tarifas estimulou a importação de automóveis.* **2.** *Econ.* Tabela indicativa da incidência de impostos alfandegários. **3.** Taxa (3): *tarifas telefônicas, bancárias, de transporte aéreo.* ◆ **Tarifa aduaneira.** *Econ.* V. *imposto de importação*. [Tb. se diz apenas *tarifa*.] **Tarifa alfandegária.** *Econ.* V. *imposto de importação*. [Tb. se diz apenas *tarifa*.] **Tarifa pública.** *Econ.* Preço de serviço público como, p. ex., correio, transportes, energia elétrica, etc.

tarifação [De *tarifar* + *-ção*.] *S. f.* Ato de tarifar.

tarifaço [De *tarifa* + *-aço*.] *S. m. Bras. Pop.* Aumento simultâneo de várias tarifas públicas: "Cuba terá tarifaço após 25 anos de congelamento." (*Jornal do Brasil*, 01.06.1994.)

tarifado [Part. de *tarifar*.] *Adj.* Que tem, ou a que se deu determinada tarifa.

tarifar [De *tarifa* + *-ar*[2].] *V. t. d.* Aplicar a tarifa a; fixar por tarifa os preços ou direitos de. [Fut. pret.: *tarifaria*, etc. Cf. *tarifária*, fem. de *tarifário*.]

tarifário [De *tarifa* + *-ário*.] *Adj.* Relativo a tarifa. [Fem.: *tarifária*. Cf. *tarifaria*, do v. *tarifar*.]

tarima [Do ár. *tarīma(t)*, 'estrado', 'cama de madeira'.] *S. f.* **1.** Estrado atapetado debaixo de um dossel. **2.** Tarimba (1). [Var.: *tarimba*.]

tarimba [Var. de *tarima*.] *S. f.* **1.** Estrado de madeira onde dormem os soldados, nos quartéis e postos de guarda; tarima. **2.** Cama rude, dura, desconfortável. **3.** *Fig.* Vida de caserna; vida de soldado. **4.** *Bras.* Larga experiência; grande prática: *A tarimba do médico indica-o para a delicada cirurgia.*

tarimbado [De *tarimba* + *-ado*[1].] *Adj. Bras.* Que tem tarimba (4); muito experiente: *médico tarimbado.*

tarimbar [De *tarimba* + *-ar*[2].] *V. int. Mil. Gír.* Servir no exército; ser soldado.

tarimbeiro [De *tarimba* + *-eiro*.] *Adj.* **1.** Que dorme em tarimba (1). **2.** Diz-se do oficial que passou pelos postos de soldado, cabo e sargento, sem haver cursado estudos superiores. **3.** *Fig.* Grosseiro, incivil. • *S. m.* **4.** Aquele que dorme em tarimba (1). **5.** Oficial tarimbeiro (2).

▲**-tário** [Do lat. *-tarĭu* < *-t-* (< part. pass. lat.) + *-arĭu* (v. *-ário*).] *Suf. nom.* formador de voc. eruditos ger. a partir de radicais verbais = 'que recebe, ou tem o benefício, o gozo, ou a responsabilidade de'; 'agente' (menos comum): *abdicatário, adjudicatário, alienatário, alugatário, arrendatário, delegatário, designatário, destinatário, endossatário, indicatário, locatário, renunciatário; dispensatário, liquidatário, signatário.*

tarioba [Do tupi = 'concha em forma de folha'.] *S. m. Bras. Zool.* Molusco bivalve, donacídeo (*Iphigenia brasiliana*), distribuído desde as Antilhas até o S. do Brasil. É comestível, e pode conservar-se vários dias fora da água mercê do perfeito ajustamento das valvas. Vendem-se no mercado quando atingem tamanho superior a 5cm.

tariota [Alter. de *tralhoto* (q. v.).] *S. f. Bras. MA Zool.* V. *tralhoto*.

tarira *S. f. Bras. Zool.* V. *traíra* (1).

tarja [Do frâncico **targa*, 'escudo', pelo fr. *targe*.] *S. f.* **1.** Ornato de pintura, desenho ou escultura na orla ou no contorno dalgum objeto. **2.** Orla, guarnição. **3.** *Tip.* Lista preta posta em papéis, envelopes, objetos, etc., para indicar luto. **4.** Escudo antigo. **5.** Fita usada em lapela ou manga que, quando preta, é sinal de luto, e, de cor, distintivo de clube, associação, defesa de uma causa, etc. ◆ **(De) tarja preta.** Diz-se de medicamento de venda restrita, possível apenas mediante a apresentação de receita especial, para controle e registro oficiais. [A caixa de tal produto apresenta uma tarja preta que a circunda.]

tarjado [Part. de *tarjar*.] *Adj.* Orlado ou guarnecido com tarja; orlado: *papel tarjado* (us. em cartas e cartões de pêsames); "Isidro recebeu uma carta tarjada. Abriu-a a tremer: era a notícia desoladora da morte do pai." (Coelho Neto, *Treva*, p. 18).

tarjar [De *tarja* + *-ar*[2].] *V. t. d.* Cercar, orlar, guarnecer de tarja.

tarjeta (ê) [De *tarja* + *-eta* (ê).] *S. f.* **1.** Pequena tarja. **2.** Pequeno ferrolho de ferro.

tarlatana [Do esp. *tarlatana*, poss.] *S. f. Tec. Têx.* Tecido de algodão, transparente e encorpado us. para forros de vestuários, aparelhos de fraturas, etc.; bocaxim: "Eram as cinco joias do Porto [cinco meninas de aparência cristalina] em delicadeza de espírito e de cintura — tão subtis que pareciam almas deplorativas da Divina Comédia envoltas em tarlatanas." (Camilo Castelo Branco, *Novelas do Minho*, V, p. 16.)

tarnagalho *S. m. Bras. Zool.* V. *agulha-branca* (1).

taró[1] *S. m.* V. *tarô*.

taró[2] *S. m. Bras. N.E.* V. *tarol*.

taró[3] [De or. incerta.] *S. m. Lus.* Frio; vento cortante e frio: "— Uff! Cheguei com um taró." (Aquilino Ribeiro, *Andam Faunos pelos Bosques*, p. 81.)

tarô [Do fr. *tarot*.] *S. m.* **1.** Coleção de 78 cartas, maiores que as do baralho (1), de desenho diverso, usadas sobretudo por cartomantes; baralho: "— Bom dia, calim / mulher do calom. / Lês sorte nas cartas: / que diz o tarô?" (Stella Leonardos, *Romanceiro do Bequimão*, p. 101). **2.** Modalidade de jogo de cartas com o tarô (1). [Var. pros.: *taró*.]

tarol *S. m. Mús.* Tambor (3) intermediário entre a caixa-clara (q. v.) soprano e a contralto, de diâmetro maior e dois bordões, caracterizado pelo som claro e vibrante; tarola, caixa chata: "Às horas de formatura dois taróis rufavam durante cinco minutos" (Moacir C. Lopes, *Maria de Cada Porto*, p. 79). [Var. ou f. paral.: *tarola* e (bras., N.E.) *taró*. Cf. *caixa clara*.]

tarola *S. f.* V. *tarol*.

tarolo (ô) [De *toro*, poss.] *S. m.* Pequeno toro ou acha de lenha.

tarona *S. 2 g. Adj. 2 g. Bras.* V. *tiriió*.

taropé [De or. obsc.] *S. m. Bot.* V. *caapiá-verdadeiro*.

taroque [De or. obscura.] *S. m. Bras.* V. *cornimboque*.

tarouco [De or. obscura.] *Adj.* **1.** Idiota, atoleimado, apatetado. **2.** Desmemoriado por efeito da velhice; caduco. • *S. m.* **3.** *Ant. Mar.* V. *toco* (7).

tarouquice [De *tarouco* + *-ice*.] *S. f.* Idiotice, estupidez, parvoíce.

tarozeiro (ò) [De *taró* + *-zeiro*.] *S. m. Bras. N.E. Folcl.* Indivíduo que toca o tarol ou taró numa zabumba (2).

tarrabufado *Adj.* **1.** *Bras.* Diz-se do modo apressado de tocar sanfona, imprimindo movimentos rápidos ao fole. **2.** *Bras.* Diz-se da correspondente maneira de dançar. • *S. m.* **3.** *Bras. CE* Palavreado enfático.

tarraçada [De *tarraço* + *-ada*[1].] *S. f.* Grande porção de bebida: "tarraçadas de vinho" (Olavo Bilac, *Crítica e Fantasia*, p. 137).

tarraco [Der. regress. de *atarracar*, com aférese, poss.] *Adj. S. m.* Diz-se de, ou homem baixo e gordo, atarracado.

tarraço [De *tarro* + *-aço*.] *S. m.* Tarro (1) grande.

tarraconense [Do lat. *tarraconense*.] *Adj. 2 g.* **1.** De, ou pertencente ou relativo a Tarragona (Espanha). • *S. 2 g.* **2.** O natural ou habitante de Tarragona.

tarrada [De *tarro* + *-ada*[1].] *S. f.* **1.** Quantidade de líquido que um tarro pode conter. **2.** Tarro (1) cheio.

tarrafa [Do ár. *ṭarrāḥa(t)*, 'almofadão'; 'assento acolchoado'.] *S. f.* **1.** Pequena rede de pesca, circular, com chumbo nas bordas e uma corda ao centro, pela qual o pescador a retira fechada da água, depois de havê-la arremessado aberta. [Cf. *chumbeira* (1).] **2.** Capa ou capote roto. **3.** *Bras. N.* Espécie de renda.

tarrafar [De *tarrafa* + *-ar*[2].] *V. int. T. d.* Pescar com tarrafa; tarrafear: *Vive de tarrafar; Tarrafou boa porção de peixes.*

tarrafe [Do árabe *tarf*, 'tamarindeiro', poss., pelo criol.] *S. m. Guin.* **1.** Mangue (1): "irromperam em fuga voando baixo, quase a tocar a água, para os lados do tarrafe e onde o mar começa." (Alexandre Barbosa, *Guinéus*, p. 46). **2.** *Bot.* V. *mangue-vermelho*: "procurava recordar-se do sítio onde vira a canoa presa ao tronco dum tarrafe." (Fausto Duarte *Auá*, p. 190).

tarrafeação [De *tarrafear* + *-ção*.] *S. f.* Ato ou efeito de tarrafear: "Missunga prepara-se para assistir a tarrafeação, a lanceação, o encontro do peixe no rio." (Dalcídio Jurandir, *Marajó*, p. 190.)

tarrafeador (ô) [De *tarrafear* + *-dor*.] *S. m.* Aquele que pesca com tarrafa, que tarrafeia: "Os tarrafeadores passam no rio, acompanhando o enterro." (Dalcídio Jurandir, *Marajó*, p. 193.)

tarrafear [De *tarrafa* + *-ear*[2].] *V. int. T. d.* **1.** Tarrafar: *Tarrafeia sempre aos domingos;* "Furar a terra .... não era a mesma coisa que matar cavala no alto, tarrafear carapeba, limpar os currais." (José Lins do Rego, *Riacho Doce*, p. 104). **2.** *Bras. N.* Pegar na cauda do boi, para derrubá-lo. [Conjug. v. *frear*.]

tarrafense *Adj. 2 g.* **1.** De, ou pertencente ou relativo a Tarrafas (CE). • *S. 2 g.* **2.** O natural ou habitante de Tarrafas.

tárraga [Do esp. *tárraga*.] *S. f.* Dança espanhola do séc. XVII.

tarraxa [De or. incerta.] *S. f.* **1.** Rosca (1); tarraxo. **2.** Cunha, cavilha, tarraxo. **3.** Utensílio de serralheiro com que se fazem as roscas dos parafusos. **4.** *Bras.* Pistolão, cunha.

tarraxar [De *tarraxa* + *-ar*[2].] *V. t. d. T. d. e c.* V. *atarraxar*.

tarraxo *S. m.* V. *tarraxa* (1 e 2).

tarrenego [De *te*[1] + *arrenegar*.] *Interj.* Designa esconjuro, repulsa ou censura; some-te, deixa-me, abrenúncio; tesconjuro.

tarro [Da mesma or. incerta do esp. *tarro*.] *S. m.* **1.** Vaso para onde se ordenha o leite: "Trazem as cabras, rebentando, os úberes! / Começam-se a ordenhar. Dá, qual mais mansa, / Um tarro, a trasbordar, de leite espúmeo!" (Bulhão Pato, *Livro do Monte*, p. 117.) [Aum. irreg.: *tarraço*.] **2.** *P. ext.* Vaso, vasilha: "um tarro com mel ou uma pequena infusa com leite" (Brito Camacho, *Quadros Alentejanos*, p. 23). **3.** *Bras. RS Bot.* V. *taioba* (1).

tarsal [De *tarso* + *-al*[1].] *Adj. 2 g. Anat.* V. *tarsiano*.

tarsalgia [De *tars(o)-* + *-alg(o)-*[2] + *-ia*[1].] *S. f. Med.* Dor em tarso (1).

tarsálgico [De *tarsalgia* + *-ico*[2].] *Adj.* Relativo a tarsalgia.

tarsectomia [De *tars(o)-* + *-ectom-* + *-ia*[1].] *S. f. Cir.* Resseção de tarso (1) ou de algum dos seus ossos.

tarsectômico *Adj. Cir.* V. *tarsectômico*. [Uso freq. em P.]

tarsectômico [De *tarsectomia* + *-ico*[2].] *Adj. Cir.* Relativo a tarsectomia.

tarsense [Do lat. *tarsense*, 'de Tarso'.] *Adj. 2 g.* **1.** Relativo à antiga cidade de Tarso, na Ásia Menor. • *S. 2 g.* **2.** O natural ou habitante de Tarso. [Sin. ger.: *tarsience*.]

tarsiano [De *tarso* + *-iano*.] *Adj. Anat.* Relativo a tarso; társico, tarsal.

társico [De *tarso* + *-ico*[2].] *Adj. Anat.* V. *tarsiano*.

tarsiense [Do top. *Tarso* + *-i-* + *-ense*.] *Adj. 2 g. S. 2 g.* V. *tarsense*: "por mais repassadas do Espírito Santo que lhes parecessem as palavras do grande santo tarsiense [S. Paulo de Tarso], não puderam vencer alguns ouvintes certa sonolência que os tomava" (Léu Vaz, *Páginas Vadias*, p. 28).

tarsiiforme [Do tax. *Tarsius* + *-iforme*; tax. *Tarsiiformes*.] *S. m. Adj. 2 g. Zool.* V. *tarsióideo*.

társio [De *tars(o)-* + *-io*[2].] *S. m. Anat.* V. *tarso* (2).

tarsióideo [Do tax. *Tarsius* + *-óideo*; tax. *Tarsioidea*.] *Zool. S. m.* **1.** Espécime dos tarsióideos, subordem de primatas do grupo dos lemuroides. Apresentam evolução acentuada; têm face achatada, crânio redondo, olhos e órbitas separadas da fossa temporal. Ex.: o gálago. • *Adj.* **2.** Pertencente ou relativo a eles. [Sin. ger.: *tarsiiforme*.]

tarsite [De *tars(o)-* + *-ite*[1].] *S. f. Oftalm.* V. *blefarite*.

tarso [Do gr. *tarsós*.] *S. m. Anat.* **1.** Porção posterior do esqueleto de cada pé, constituída por sete ossos dispostos em forma de grade; tondinho. **2.** Cada uma de quatro formações constituídas de tecido conjuntivo, firmes, que dão configuração às pálpebras, e em que se implantam os cílios; cartilagem palpebral, cartilagem ciliar, társio. **3.** O terceiro segmento do pé das aves. **4.** A sexta peça do pé simples dos crustáceos. **5.** A última parte do pé dos insetos. ◆ **Tarso picnaspídio.** *Zool.* Tarso das aves passeriformes cujos escudos da face anterior se alongam por toda a extensão dele, deixando a descoberto uma parte da face interna. [Tb. se diz apenas *picnaspídio*.]

▲tars(o)- [Do gr. *tarsós, oû*.] *El. comp.* = 'tarso (1 e 2)': *tarsalgia, tarsite, tarsoplastia*. [Equiv.: *-tars(o)-, -tarso*: *macrotársico; longitarso, metatarso*.]

▲-tars(o)- V. *tars(o)-*.

▲-tarso V. *tars(o)-*.

tarsoplastia [De *tars(o)-* + *-plast(o)-* + *-ia*[1].] *S. f. Cir. Plást.* Operação plástica realizada em tarso (2).

tartago [Do lat. *tartaru*.] *S. m. Bot.* Arbusto euforbiáceo (*Jatropha podagrica*) suculento, leitoso, originário da América Central e Antilhas; tem até 0,80m de altura, tronco dilatado na base, folhas peltadas, muito recortadas, espessas, coriáceas, prateadas na página inferior, e pequenas flores vermelhas dispostas em inflorescências com hastes longas. [Sin.: *batata-do-inferno*.]

tartamelar [Cruz. de *tartamudear* com *taramelar*.] *V. int. T. d.* V. *tartamudear*.

tartamelear [Cruz. de *tartamudear* com *taramelear*.] *V. int. T. d.* V. *tartamudear*. [Conjug.: v. *frear*.]

tartamelo [Cruz. de *tartamudo* com **taramelo* < *taramelar*.] *Adj. S. m.* V. *tartamudo*.

tartamudeado [Part. de *tartamudear*.] *Adj.* Dito com dificuldade, com voz trêmula, com gaguejo.

tartamudeante [De *tartamudear* + *-nte*.] *Adj. 2 g.* Próprio de quem tartamudeia, que tem a voz trêmula, insegura: 📖 "com a outra mão procurava-lhes as cabeças, o seu ar tartamudeante de cego, esboçando afagos que só uma outra [criança] recebia ...." (Fialho d'Almeida, *Estâncias d'Arte e de Saudade*, p. 142).

tartamudear [De *tartamudo* + *-ear*[2].] *V. int.* **1.** Gaguejar, entaramelar-se, tartarear, tartamelar, tartamelear: 📖 "Vê-la crescer .... florir! Viço e perfume. / Já sorri. Quer falar. Tartamudeia. / Diz mamãe" (Marcelo Gama, *Via-Sacra e Outros Poemas*, p. 135). **2.** Falar com tremura na voz, por susto, medo ou surpresa; tartamelar, tartamelear. *T. d.* **3.** Dizer ou proferir gaguejando; tartamelar, tartamelear: 📖 "adiantava-se pela sala, quase roçando o tapete com os cabelos brancos, tartamudeando adulações" (Eça de Queirós, *O Mandarim*, p. 56). [Conjug.: v. *frear*.]

tartamudeio [Dev. de *tartamudear*.] *S. m.* **1.** Ato ou efeito de tartamudear. **2.** V. *tartamudez*.

tartamudez (ê) [De *tartamudo* + *-ez*.] *S. f.* **1.** Estado de tartamudo. **2.** Dificuldade de falar; gaguez, gagueira. [Sin. ger.: *tartamudeio*.]

tartamudo [De uma base onom. *ta(r)t-*, como em *tártaro*[3] e *tátaro*, + *mudo*.] *Adj. S. m.* **1.** Que, ou aquele que tartamudeia (v. *gago*): 📖 "Regina, surpresa, afogueada, a sondar-me o olhar, foi-me explicando, tartamuda, a visita do seu antigo amante: — um pedido de dinheiro." (Antero de Figueiredo, *Cômicos*, p. 151.) **2.** Que, ou aquele que pronuncia as palavras a custo; entaramelado. [Sin. ger.: *tartamelo*.]

➔tartan ['tɑːtən] [Ingl.] *S. m. Tec. Têx.* Tecido de tecelagem plana, de lã ou de algodão, com padronagem tipicamente escocesa.

tartana [Do provenç. *tartano*.] *S. f. Lus.* Embarcação de formas esguias e coberta corrida, de um só mastro, com vela latina e velas de proa, us. no Mediterrâneo para transporte e pesca.

tartaranha [De *tartana*, poss.] *S. f. Pesc.* Rede de pesca, em forma de saco, que se arrasta pelo fundo.

tartarato [De *tartár(ico*[2]) + *-ato*[2].] *S. m. Quím.* Qualquer sal ou éster do ácido tartárico.

tartarear [De *tártaro*[3] + *-ear*[2].] *V. int.* **1.** V. *tartamudear* (1). **2.** Chalrar, chilrear (a criança). **3.** Tagarelar, parolar. [Conjug.: v. *frear*.]

tartareio [Dev. de *tartarear*.] *S. m.* Ato ou efeito de tartarear.

tartáreo [Do lat. *tartareu*.] *Adj. Poét.* Relativo ao Tártaro[1] ou Inferno; tartárico.

tartárico[1] [De *tártaro*[1] + *-ico*[2].] *Adj. Poét.* Tartáreo.

tartárico[2] [De *tártaro*[2] + *-ico*[2].] *Adj.* Relativo ao tártaro[2]; tartaroso. ~ V. *ácido* —.

tartarizar [De *tártaro*[2] + *-izar*.] *V. t. d.* Misturar com tártaro[2] (1).

tártaro[1] [Do gr. *Tártaros*, pelo lat. *Tartaru*, 'o lugar mais profundo do Inferno'.] *S. m. Poét.* Inferno (1). [Ger. com cap.]

tártaro[2] *Adj. S. m.* V. *tátaro*.

tártaro[3] [Do lat. tard. (dos alquimistas) *tartaru*.] *S. m.* **1.** Depósito salino, rico em tartarato, que o vinho deixa nas paredes dos tonéis. **2.** Depósito que se forma no interior das caldeiras. **3.** *Odont.* Odontólito. ◆ **Tártaro emético.** *Quím.* Sal duplo cristalino e incolor, us. como emético [fórm.: $K(SbO)C_4H_4O_6$].

tártaro[4] [Desta língua.] *S. m.* **1.** *Etnôn.* Indivíduo dos tártaros, povos mongóis e túrcicos que na Idade Média invadiram o O. da Ásia e o L. da Europa. **2.** Indivíduo dos tártaros, povo túrcico que habita principalmente a região da Tartária (Federação Russa). **3.** *Gloss.* Língua altaica desse povo. **4.** Vocábulo dessa língua. ● *Adj.* **5.** Relativo ou pertencente aos tártaros ou à Tartária.

tartaroso (ô) [De *tártaro*[2] + *-oso*.] *Adj.* **1.** Que tem tártaro[2]. **2.** Tartárico[2].

tartaruga [Do it. *tartaruga*.] *S. f.* **1.** *Zool.* Designação comum aos reptis quelônios aquáticos, que vêm a terra apenas para a desova. Na maioria das espécies, os membros locomotores são adaptados para natação. **2.** *Bras. Amaz. Zool.* V. *tartaruga-de-pente*. **3.** A carapaça da tartaruga (1): ▣ *brincos de tartaruga*. **4.** *Bras.* Tartarugada. **5.** V. *ebulidor*. **6.** Cada um dos dispositivos, ger. amarelos, instalados ao longo de estradas ou ruas para divisão de pistas ou sinalização de faixas. [Por vezes tb. us. como redutores de velocidade ou como delimitadores de vaga em estacionamento.] ● *S. 2 g.* **7.** *Pej.* Pessoa velha e feia.

tartaruga-aruanã *S. f. Bras. Zool.* V. *tartaruga-verde*. [Pl.: *tartarugas-aruanãs* e *tartarugas-aruanã*.]

tartarugada [De *tartaruga* + *-ada*[1].] *S. f. Bras. AM Cul.* Iguaria feita com tartaruga (1); tartaruga.

tartaruga-da-amazônia *S. f. Bras. Zool.* V. *tracajá*. [Pl.: *tartarugas-da-amazônia*.]

tartaruga-de-couro *S. f. Bras. Zool.* Reptil quelônio, ateco, dermoquelídeo (*Dermochelys coriacea*), dos mares tropicais e subtropicais. É a maior das espécies existentes, tendo de comprimento até 2,30m e de peso até 800kg. Coloração pardo-escura; carapaça coriácea com sete arestas longitudinais. [Sin.: *tartaruga-lira*. Pl.: *tartarugas-de-couro*.]

tartaruga-de-pente *S. f. Bras. Zool.* Reptil quelônio, quelonídeo (*Chelonia imbricata*), dos mares tropicais e subtropicais. Tem carapaça castanha tirante ao pardo-escuro, escudos com manchas amarelas, plastrão amarelado, escudos da cabeça e das pernas pardos com margens amarelas. Comprimento: até 1m. Os escudos de sua carapaça são fortemente imbricados. [Sin.: *tartaruga, tartaruga-verdadeira*. Pl.: *tartarugas-de-pente*.]

tartaruga-do-amazonas *S. f. Bras. Zool.* Reptil quelônio, pleurodiro (*Podocnemis expansa*), da Amaz. e do Orinoco. Coloração pardo-olivácea manchada de escuro; plastrão amarelado, com manchas pardas; bordo superior do olho, mancha atrás deste e outra mancha dobrada no escudo interparietal, amarelas. Comprimento: até 90cm. A carne e os ovos desta espécie, atualmente protegida por lei, são muito apreciados pelos habitantes da região. Aos machos se dá o nome de *capitari* (q. v.), e as fêmeas recebem os nomes de *iurará, jurará* ou *jururá*. [Pl.: *tartarugas-do-amazonas*.]

tartaruga-do-mar *S. f. Zool.* Designação comum a várias espécies de reptis marinhos, quelônios, queloniídeos, com plastrão de 13 escudos ou com a carapaça sem escudos, dedos imóveis, inteiramente soldados por membranas. Os exemplares adultos são de grande porte. [Pl.: *tartarugas-do-mar*.]

tartaruga-lira *S. f. Bras. Zool.* Tartaruga-de-couro. [Pl.: *tartarugas-liras* e *tartarugas-lira*.]

tartaruga-verdadeira *S. f. Bras. Zool.* V. *tartaruga-de-pente*. [Pl.: *tartarugas-verdadeiras*.]

tartaruga-verde *S. f. Bras. Zool.* Grande tartaruga queloniídea (*Chelonia mydas*), comum em águas do Atlântico. [Pl.: *tartarugas-verdes*.]

tartaruguinha [De *tartaruga* + *-inha*.] *S. f. Bras. Zool.* Certo inseto coleóptero.

➔ tarte [taʁt] [Fr.] *S. f. Lus.* Torta (1) doce.

tartrazina [Do rad. *tartr-* (< fr. *tartre*, 'tártaro') + *-azina*.] *S. f. Quím.* Substância cristalina, amarela, que é um corante us. em tecidos, alimentos, cosméticos, etc.; amarelo de tartrazina [fórm.: $C_{16}H_9N_4Na_3O_9S_2$].

tartufaria [De *tartufo* + *-aria*.] *S. f.* V. *tartufice*.

tartuficamente (tù) [Do f. de *tartúfico* + *-mente*.] *Adv.* À maneira de tartufo; hipocritamente.

tartuficar [De *tartufo* + *-ificar*.] *V. t. d.* Enganar, embair, com tartufices. [Conjug.: v. *trancar*.]

tartufice [De *tartufo* + *-ice*.] *S. f.* Ato ou dito de tartufo; tartufismo, tartufaria.

tartúfico [De *tartufo* + *-ico*[2].] *Adj.* De, ou relativo a tartufo; hipócrita.

tartufismo [De *tartufo* + *-ismo*.] *S. m.* V. *tartufice*.

tartufista [De *tartufo* + *-ista*.] *Adj. 2 g. S. 2 g.* Que, ou aquele que diz tartufice(s) ou se comporta como tartufo.

tartufo [Do ficción. *Tartuffe*, protagonista da comédia homônima de Molière (v. *molièresco*).] *S. m.* **1.** Homem hipócrita: 📖 "A bajulação é estratégia vergonhosa de que se socorrem os tartufos." (Nestor Vítor, *Folhas Que Ficam*, p. 120.) **2.** Devoto falso.

tarubá [Do tupi.] *S. m. Bras. AM* Bebida fermentada feita de beijuaçu dissolvido em água.

taruca [Do esp. plat. *taruca* < quíchua *taruka*.] *S. f. Zool.* V. *vicunha* (1).

taruga [Var. de *taruca*.] *S. f. Zool.* V. *vicunha* (1).

tarugar [De *tarugo* + *-ar*[2].] *V. t. d.* Prender ou pregar com tarugo. [Conjug.: v. *largar*.]

tarugo [De or. obscura.] *S. m.* **1.** Espécie de torno usado para ligar duas peças de madeira ou de outra substância. **2.** V. *taco*[1] (5). **3.** *Ind. Pap.* V. *sabugo* (8). **4.** *Bras. Pop.* Homem baixo e atarracado.

tarumã *Bras. S. 2 g.* **1.** *Etnôn.* Indivíduo dos tarumás, povo indígena extinto, de língua isolada, que habitava a margem esquerda do baixo rio Negro (AM). ● *Adj. 2 g.* **2.** Pertencente ou relativo a esse povo. [Tb. us. como *s. 2 g. e 2 n.* (com cap.) e *adj. 2 g. e 2 n.*]

tarumã [Do tupi.] *S. m. Bras. Amaz. Bot.* Árvore verbenácea (*Vitex orinocensis*) que habita as florestas das margens dos rios, semelhante ao *pimenteiro* (q. v.), e cuja madeira, pardo-escura, serve para obras em lugares úmidos: esteios, mourões, dormentes, etc.

tarumã-da-várzea *S. m. Bras. Amaz. Bot.* Árvore verbenácea (*Vitex cymosa*) das florestas inundáveis, idêntica ao *tarumã* (q. v.), mas que floresce logo após a queda da folhagem, e cujos frutos agridoces parecem azeitonas. [Pl.: *tarumãs-da-várzea*.]

tarumã-de-espinhos [De *tarumã* + *de* + o pl. de *espinhos*.] *S. m. Bras. S. Bot.* Árvore verbenácea (*Citharexylon barbinerve*) da floresta atlântica de folhas lanceoladas, com dois nectários engrossados no pecíolo, e cuja madeira é muito boa e dura. [Pl.: *tarumãs-de-espinhos*.]

tarumã-do-campo *S. m. Bras. Amaz. Bot.* Árvore verbenácea (*Vitex flavens*) peculiar aos campos de terra firme, semelhante ao *tarumã* (q. v.), inclusive pela madeira e utilidade; tarumãtuíra. [Pl.: *tarumãs-do-campo*.]

tarumaí [De *tarumã* + *-í*.] *S. m. Bras. MT Bot.* Arbusto ou arvoreta ramnácea (*Rhamnidium elaeocarpum*) de folhas oblongas, mais ou menos obtusas, membranáceas, flores pequeninas, alvas e congregadas em cimeiras axilares dicótomas, e cujo fruto é uma baga elipsoide rostrada, de cerca de 1cm, sendo a semente oleaginosa.

tarumã-mirim [De *tarumã* + *-mirim*.] *S. m. Bras. Bot.* Árvore verbenácea (*Vitex sellowiana*) da floresta atlântica, idêntica ao *tarumã* (q. v.). [Pl.: *tarumãs-mirins*.]

tarumã-tuíra [De *tarumã* + tupi = 'roxo'.] *S. m. Bras. Bot.* Tarumã-do-campo.

tarumirinense *Adj. 2 g.* **1.** De, ou pertencente ou relativo a Tarumirim (MG). ● *S. 2 g.* **2.** O natural ou habitante de Tarumirim. [F. paral.: *tarumirinhense*.]

tarumirinhense *Adj. 2 g. S. 2 g.* V. *tarumirinense*.

tasca[1] [Dev. de *tascar*.] *S. f.* **1.** Ato ou efeito de tascar. **2.** *Bras. RJ Pop.* V. *surra* (1).

tasca[2] [De or. obscura.] *S. f.* V. *taberna*.

tascadeira [De *tascar* + *-deira*.] *S. f.* Espadeladeira.

tascante[1] [De **tasca* (< *tasca*[2] + *-ar*[2]) + *-nte*.] *S. m. Pop.* Tasqueiro.

tascante[2] [De *tascar* + *-nte*.] *Adj. 2 g.* Que tasca.

tascar [Da mesma or. incerta que o esp. *tascar*.] *V. t. d.* **1.** V. *estomentar*. **2.** Morder (o freio). **3.** Morder; roer. **4.** *Bras.* Tirar pedaço(s) de, mordendo; mordicar, mordiscar: ▣ *Tascou o biscoito do colega*. **5.** *Bras.* Rasgar (balão de S. João ou papagaio de papel, quando vêm caindo). **6.** *Bras. Pop.* Bater em; surrar: ▣ *Quando criança, vivia tascando o irmão menor*. *T. d. e i.* **7.** *Bras.* Dar um pedaço de (coisa que se está comendo ou desfrutando): ▣ *Tasquei um pedaço de bolo para o meu irmão*. **8.** *Bras.* Dar, ou sapecar[2] (4): ▣ *Tascou-lhe um beijo em plena Avenida Presidente Vargas; Antes de descer do ônibus, o assaltante ainda tascou um tapa no trocador*. **9.** *Bras. Pop.* Atear, tacar, pôr (fogo) em: ▣ *Magoada, tascou fogo nas coisas do ex-namorado*. **10.** *Bras.* Dar com, bater em, involuntariamente ou não; colidir: ▣ *Distraído, tascou a cabeça no armário da cozinha*. *Int.* **11.** Passar a mão; pegar; aproveitar-se: 📖 "A nega é minha / Ninguém tasca / Eu vi primeiro" (de uma música popular brasileira). [Conjug.: v. *trancar*.]

tasco[1] [Var. de *tasca*[2].] *S. m.* V. *taberna*.

tasco[2] [Dev. de *tascar*.] *S. m.* **1.** Casca de linho; tomento, boiceira. **2.** *Bras. Fam.* Pedaço, bocado: ▣ *Dê-me um tasco desse bolo*.

tasmânia [Do top. *Tasmânia* (v. *tasmaniano*).] *S. f. Bot.* Planta fagácea (*Nothofagus cunninghamii*), da Austrália, cuja madeira é us. em marcenaria.

tasmaniano [Do top. *Tasmânia*, ilha da Austrália assim denominada em homenagem a seu descobridor, o holandês (*Abel Janszoon*) *Tasman* (1603-1659), + *-iano*.] *Adj.* **1.** Da, ou pertencente ou relativo à Tasmânia (Oceania). ● *S. m.* **2.** O natural ou habitante da Tasmânia. **3.** *Gloss.* Ramo extinto do indo-pacífico cujas línguas eram aí faladas. **4.** Vocábulo do tasmaniano (3).

tasna [De or. obsc.] *S. f. Bot.* Erva asterácea (*Senecio praealtus*) nativa da Europa.

tasneira [De *tasna* + *-eira*.] *S. m. Bot.* Planta asterácea (*Tanacetum vulgare*) herbácea, subespontânea, procedente da Europa e cujas folhas, amargas, têm odor desagradável e propriedades insetífugas; tanásia.

tasneirinha [De *tasneira* + *-inha*.] *S. f. Bras. Bot.* Erva asterácea (*Senecio brasiliensis*) ereta, de flores amarelas, reunidas em densos capítulos corimbosos, e cujo fruto é um aquênio pequeno, cilíndrico, glabro, com papus branco. [Sin.: *catião, craveiro-do-campo, flor-das-almas, erva-lanceta, maria-mole, malmequer-amarelo*.]

tasqueiro [De *tasca*[2] ou *tasco*[1] + *-eiro*.] *S. m.* Dono de tasca[2] ou tasco[1]; taberneiro, tascante.

tasquinha [De *tasca*[1] + *-inha*.] *S. f.* **1.** Espadela (1). **2.** *Bras. Fam.* Pedacinho, bocadinho [v. *tasco*[2] (2)].

tasquinhar [De *tascar* + *-inhar*.] *V. t. d.* **1.** V. *estomentar*. **2.** *Fam.* Comer (1). *Int. T. i.* **3.** Separar o tasco do linho. **4.** Comer com pouco apetite; debicar. **5.** Falar mal da vida alheia.

tassalho [De or. obsc.] *S. m.* Fatia grande, ger. de carne; grande naco: "Depois, com um tassalho nas mãos, sem garfo, nem faca, cada qual vai devorando o manjar, engordurando os lábios, como o podia fazer um contemporâneo de Platão." (Ferreira de Castro, *Obra Completa*, 3º vol., p. 366.)

tasselo (ê) [Do it. *tassello*.] *S. m. Arquit. Escult.* Cada uma das peças, ger. de gesso, de um modelo, estátua, etc.

tassofobia [Do rad. do v. gr. *thássein*, 'sentar-se', + *-o-* + *-fobia*.] *S. f. Psiq.* Medo patológico de estar sentado ociosamente.

tassofóbico [De *tassofobia* + *-ico*[2].] *Psiq. Adj.* **1.** Relativo a tassofobia. **2.** Que sofre de tassofobia; tassófobo. ● *S. m.* **3.** Aquele que sofre de tassofobia; tassófobo.

tassófobo [Do rad. do v. gr. *thássein*, 'sentar-se', + *-o-* + *-fobo*.] *Adj. S. m. Psiq.* Tassofóbico (2 e 3).

tasso-fragosense *Adj. 2 g.* **1.** De, ou pertencente ou relativo a Tasso Fragoso (MA). ● *S. 2 g.* **2.** O natural ou habitante de Tasso Fragoso. [Pl.: *tasso-fragosenses*.]

➔ **taste-vin** [test vẽ] [Fr.] *S. m. 2 n. Enol.* V. *tambuladeira*.

tata [Do quimb.] *S. m. Bras. Rel.* **1.** No candomblé de rito angola e nas seitas umbandistas por ele influenciadas, título do chefe do terreiro ou do chefe de um conjunto de templos. **2.** Na cabula, denominação das entidades [v. *entidade* (6)] cultuadas.

tatá [Do lat. *tata*, 'papai'.] *S. m.* Papá (1).

tata de inquice *S. m. Bras. Rel.* Pai de santo, em alguns candomblés de rito angola ou angola-congo. [Pl.: *tatas de inquice*. Fem.: *mameto de inquice*.]

tataíra [Do tupi = 'abelha de fogo'.] *S. f. Bras. Zool.* Abelha meliponínea (*Oxytrigona tataira*) de cabeça e abdome ferrugíneos, e preto o resto do corpo. Nidifica em ocos de árvores, paredes, etc. É agressiva e, quando pica, segrega um líquido fortemente cáustico. [Sin.: *abelha-caga-fogo, abelha-de-fogo, barra-fogo, caga-fogo, mija-fogo*.]

tataíuba [Var. de *tatajuba*.] *S. f. Bras. Bot.* V. *bagaceira*[2].

tatajiba [Do tupi = 'árvore de fogo'.] *S. f. Bras. Bot.* V. *bagaceira*[2].

tatajuba [Var. de *tatajiba*.] *S. f. Bras. Bot.* **1.** V. *bagaceira*[2]. **2.** V. *limãorana*. [Var.: *tataúba*.]

tatalante [De *tatalar* + *-nte*.] *Adj. 2 g.* Que tatala, produz ruído como o de ossos que se entrechocam, de asas que se agitam, etc.: "suspendeu-se no mato, às súbitas, o cantar das pombas, perseguindo-se de galho em galho, tatalantes" (Alcides Maia, *Ruínas Vivas*, p. 153).

tatalar [Voc. onom.] *V. int. Bras.* **1.** Produzir som seco semelhante ao entrechocar de ossos. **2.** Produzir rumor; rumorejar, rumorar. *T. d.* **3.** *Bras.* Agitar produzindo um ruído seco: "— Ave que as asas múltiplas tatala..." (Gilca da Costa Melo Machado, *Poesias*, p. 61.) ● *S. m.* **4.** Ruído semelhante ao do ar vibrado por asas.

tatamba [De or. express.] *S. 2 g. Bras.* **1.** V. *tátaro* (1). **2.** Toleirão, pateta.

tatame [Do jap. *tatami*.] *S. m.* **1.** Esteira retangular, feita de palha de arroz, us., nas casas japonesas, para cobrir o chão. **2.** *P. ext.* Esteira sobre a qual se pratica o judô.

tatana [Do tsonga.] *S. m. Moç.* **1.** Pai: "Tatana, sabes que Nguanasse abandonou a nossa casa?" (Lindo Nhlongo, *2 Peças de Teatro — Os Noivos ou Conferência Dramática sobre o Lobolo*, p. 29.) **2.** Senhor (9): "Tatana Xiluveki era um misto de conselheiro e moço de recados do meu pai." (Albino Magaia, *Malungate*, p. 18.)

tatapora [Do tupi = 'fogo que salta'.] *S. f. Bras.* V. *varicela*. [Tb. se usa no pl.]

tatarana [Do tupi = 'semelhante ao fogo'.] *S. f. Bras. Zool.* Designação comum às lagartas urticantes dos insetos lepidópteros, esp. megalopigídeos, capazes de provocar reações que variam de um eritema ligeiro, idêntico a uma queimadura leve, a lesões mais extensas, com formação de vesículas e fenômenos gerais (náuseas, reação ganglionar, febre). [Cf. *mandorová*. Var.: *taturana*. Sin.: *ambira, bicho-cabeludo, lagarta-cabeluda, lagarta-de-fogo*.]

tataraneto [De or. incerta; poss. do port. ant. **trasneto*, 'bisneto', fonte, pela f. **traneto*, de **tra-traneto*, 'filho do bisneto', donde (com dissimilação e suarabácti) o port. *tataraneto*.] *S. m.* V. *tetraneto*.

tataranha [De *tátaro*.] *Adj. 2 g. S. 2 g.* Diz-se de, ou pessoa tímida, acanhada, atada.

tataranhar [De *tataranha* + *-ar*[2].] *V. int.* **1.** Tartamudear, gaguejar. **2.** Parecer que faz alguma coisa, mas não a fazer, por acanhamento ou por malícia. **3.** Embaraçar-se, acanhar-se.

tataranho [Der. regress. de *tataranhar*.] *Adj. S. m.* Diz-se de, ou aquele que tataranha.

tataravó [De *avó*, mas por fonte incerta (v. *tataravô* e *tataraneto*).] *S. f.* Fem. de *tataravô*.

tataravô [De *avô*, mas por fonte incerta; poss. do port. ant. **tresavô*, por anal. com *tataraneto* (q. v.).] *S. m.* V. *tetravô*: "o senhor de Clavières mandava trocar o cavalo em que ia montar por um outro do mais fino sangue, cuja família se conhecia até o tataravô" (Ramalho Ortigão, *Em Paris*, p. 57).

tatarema [Do tupi = 'fogo fedorento'.] *S. f. Bras. Bot.* V. *bagaceira*[2].

tátaro [Voc. express.] *Adj. S. m.* **1.** Que, ou quem fala trocando o *c* por *t*; tatibitate, tatamba. **2.** V. *gago*. [Var.: *tártaro*, (f. sincopada) *tato*[2].]

tataúba [Var. de *tatajuba*.] *S. f. Bras. Bot.* V. *bagaceira*[2].

tate *Interj.* **1.** Cautela; veja lá. ● *Adv.* **2.** E assim foi; assim aconteceu.

tateabilidade [De *tateável* + *-(i)dade*, seg. o padrão erudito.] *S. f.* Qualidade de tateável; tatilidade.

tateamento [De *tatear* + *-mento*.] *S. m.* Ato de tatear, de apalpar; apalpação.

tateante [De *tatear* + *-nte*.] *Adj. 2 g.* Que tateia.

tatear [De *tato*[1] + *-ear*[2].] *V. t. d.* **1.** Aplicar o tato a; apalpar: "Ele tateia o chão com os pés à procura dos chinelos" (José J. Veiga, *A Máquina Extraviada*, p. 67). **2.** Pesquisar, investigar. **3.** Sondar, examinar, procedendo com cautela. *Int.* **4.** Tocar nas coisas (com as mãos, com os pés, ou com bengala, cajado, etc.), para guiar-se: "Cego de amor, em vão tateio a vida inteira" (Da Costa e Silva, *Sangue*, p. 23); "bebeu um gole de água do copo que, tateando, pôde encontrar" (Maria Julieta Drummond de Andrade, *Um Buquê de Alcachofras*, p. 17). [Conjug.: v. *frear*.]

tateável [De *tatear* + *-vel*.] *Adj. 2 g.* Tátil (2).

tatera [Do tupi.] *S. f. Bras. Zool.* Miolinho.

tateto (ê) [Var. de *cateto* (ê) (2).] *S. m. Zool.* **1.** *Bras. RS* V. *caititu* (1). **2.** *Bras. SP* Espécie de formiga.

➔ **tête-vin** [tat vẽ] [Fr.] *S. m. 2 n. Enol.* V. *tambuladeira*.

tatibitate [Voc. onom.] *Adj. 2 g. S. 2 g.* **1.** Que, ou quem fala trocando certas consoantes. [Cf. *tátaro*.] **2.** *P. ext.* Gago ou tartamudo. **3.** Diz-se de, ou pessoa muito acanhada, ou apatetada, inhenha.

tatibitatear [De *tatibitate* + *-ear*[2].] *V. int.* **1.** Falar como tatibitate (1): *Faz certa aflição vê-lo tatibitatear.* *T. d.* **2.** Dizer, pronunciar, como tatibitate: *Tatibitateou umas frases, e foi-se embora.* [Conjug.: v. *frear*.]

tática [Do gr. *taktikḗ (téchne)*, *i. e.*, 'arte de manobrar tropas'.] *S. f.* **1.** Parte da arte da guerra que trata da disposição e da manobra das forças durante o combate ou na iminência dele. **2.** Parte da arte da guerra que trata de como travar um combate ou uma batalha. [Cf., nesta acepç., *estratégia* (2).] **3.** *Fig.* Processo empregado para sair-se bem num empreendimento. **4.** *Fig.* Meios postos em prática para sair-se bem de qualquer coisa.

tático[1] [Do gr. *taktikós*.] *Adj.* **1.** Relativo ou pertencente a tática. **2.** Feito ou usado com tática. **3.** Que resulta de uma tática. **4.** Que tem objetivo limitado (em opos. a *estratégico*). ● *S. m.* **5.** Indivíduo perito em tática.

tático[2] [De *tatismo* + *-ico*[2], seg. o padrão erudito.] *Adj. Bot.* Relativo ao, ou próprio do tatismo: *movimento tático.*

taticografia (tà) [Var. de *tacticografia*.] *S. f.* **1.** Delineamento de manobras militares. **2.** Representação gráfica de evoluções guerreiras.

taticográfico (tà) [Var. de *tacticográfico*.] *Adj.* Relativo a taticografia.

taticógrafo [Var. de *tacticógrafo*.] *S. m.* Especialista em taticografia.

taticumã [Do tupi = 'fuligem'.] *S. m. Bras.* V. *picumã*.

tátil [Var. de *táctil* < lat. *tactile*.] *Adj. 2 g.* **1.** Relativo ao tato. **2.** Suscetível de ser tateado; tateável. [Pl.: *táteis*.]

tatilidade [Var. de *tactilidade*.] *S. f.* **1.** Qualidade de tátil. **2.** Capacidade de sentir ou de ser sentido pelo tato; tateabilidade.

tatismo [Var. de *tactismo* (do lat. *tactus*, 'tato', + *-ismo*.)] *S. m. Biol.* Reação dos organismos que se orientam e se movimentam de acordo com a direção de um estímulo externo, físico ou químico. [Pode ser positivo, quando o organismo vai em direção ao estímulo, ou negativo, quando o organismo dele se afasta.]

tato[1] [Var. de *tacto* < lat. *tactu*, 'ação de tocar', 'toque'.] *S. m.* **1.** *Neur.* O sentido através do qual se percebem as sensações mecânicas, dolorosas, térmicas, de contato. **2.** O ato de apalpar, de tatear. **3.** Cautela, prudência, tino: *São problemas delicados, é preciso tato para resolvê-los.* **4.** Habilidade, capacidade, vocação.

tato[2] *Adj. S. m. Bras. Prov. port.* V. *tátaro*.

➔ **tatoo** [tæ'tuw] [Ingl.] *S. f.* V. *tatuagem* (1 e 2).

tatu [Do tupi.] *S. m.* **1.** *Bras. Zool.* Designação comum aos mamíferos desdentados, dasipodídeos, com seis gêneros no Brasil e aproximadamente 11 espécies. Noctívagos, alimentam-se de raízes, frutos, insetos, e até de carniça. Os tatus reproduzem-se por poliembrionia, e todos os indivíduos de um mesmo parto têm o mesmo sexo. **2.** *Bras. Zool.* Iguaria feita com a carne do tatu. **3.** *Bras. Zool.* Variedade de porco doméstico. **4.** *Bras. Bot.* V. *pau-marfim* (1). [Sin., nesta acepç.: *pau-marfim*.] **5.** *Bras. Amaz.* Coberta feita de folhas e palmas que serve de abrigo contra a chuva. **6.** *Bras. RS* V. *lagarto* (4). **7.** *Bras. RS* Modalidade de fandango (6). **8.** *Bras. RS* Parte do barbaquá onde se deposita a erva-mate para secagem. **9.** *Bras. GO* Dança de roda em que, no centro, o dançarino cantador narra uma caçada de tatu, e a cada verso seu a roda responde em coro: "Redondo, sinhá." ~ V. *tatus*. ◆ **Levar um tatu.** *Bras. Pop.* Cair.

tatuaçu [Do tupi = 'tatu grande'.] *S. m. Bras. Zool.* Tatu-canastra.

tatuador (ô) [De *tatuar* + *-dor*.] *S. m.* **1.** Indivíduo que exerce a tatuagem, que tatua. **2.** *Bras. Etnol.* Instrumento cortante, fabricado por povos indígenas brasileiros a partir de variados materiais (como lascas de sílex ou quartzo, unhas de gavião, dentes de peixe-cachorro, etc.), com o qual se fazem incisões decorativas na pele, que são posteriormente tornadas indeléveis com o uso de substâncias corantes.

tatuagem [De *tatuar* + *-agem*[2].] *S. f.* **1.** Processo de introduzir sob a epiderme substâncias corantes a fim de apresentar na pele desenhos e pinturas. **2.** O desenho ou pintura feitos por esse processo. **3.** Marca, sinal, estigma. [Nas acepç. 1 e 2, tb. se usa o ingl. *tatoo*.]

tatuaíva [Do tupi = 'tatu ruim'.] *S. m. Zool.* V. *tatu-de-rabo-mole*.

tatuapara [Do tupi = 'tatu vergado'.] *S. m. Bras. Zool.* V. *tatu-bola*.

tatuar [Do ingl. *(to) tattoo* (< s. ingl. *tattoo* < taitiano *tatau*, 'sinal', 'pintura'), pelo fr. *tatouer*.] *V. t. d.* **1.** Fazer tatuagem em; imprimir ou gravar desenho sobre o corpo de. **2.** *P. ext.* Marcar, assinalar. *P.* **3.** Fazer tatuagem em si mesmo, ou deixar que a façam.

tatu-bola *S. m. Bras. Zool.* **1.** Designação comum aos mamíferos desdentados, dasipodídeos, gênero *Tolypeutes*. **2.** *Bras. N.E. GO* Mamífero dasipodídeo (*Tolypeutes tricinctus*), que tem apenas três cintas de placas móveis que lhe permitem enrolar-se em forma de bola. **3.** *Bras. MT* Mamífero dasipodídeo (*Tolypeutes matacos*), de MT e dos países vizinhos, dotado de apenas quatro unhas anteriores e provido de um dente a mais na série molar, o que o diferencia do *T. tricintus*; mataco. [Sin. ger.: *tatuapara, apara, apar*. Pl.: *tatus-bolas* e *tatus-bola*.]

tatucaba [De *cabatatu*, com inversão dos elementos, ou de *tatu* + *caba*.] *S. m. Bras. Amaz. Zool.* V. *marimbondo-tatu*.

tatu-canastra *S. m. Bras. Zool.* Mamífero desdentado, dasipodídeo (*Priodontes giganteus*), da região cisandina. É a maior das espécies existentes; mede cerca de 85cm de corpo e 45cm de cauda. Tem 11 a 13 cintas de placas móveis, 24 a 26 dentes em cada ramo maxilar, e a unha média da mão chega a 15cm. Não se adapta ao cativeiro. [Sin.: *tatuaçu*. Pl.: *tatus-canastras* e *tatus-canastra*.]

tatu-cascudo *S. m. Bras. Zool.* V. *tatupeba*. [Pl.: *tatus-cascudos*.]

tatucaua [De *tatu* + tupi = 'cabeça'.] *S. m. Bras. Amaz. Zool.* V. *marimbondo-tatu*.

tatu-de-folha *S. m. Bras. Zool.* V. *tatu-galinha*. [Pl.: *tatus-de-folha*.]

tatu-de-mão-amarela *S. m. Bras. Zool.* V. *tatupeba*. [Pl.: *tatus-de-mão-amarela*.]

tatu-de-rabo-mole *S. m. Bras. Zool.* Designação comum às espécies de tatus dasipodídeos, gênero *Cabassous*, caracterizados por ter a cauda com placas pequenas, não cobrindo inteiramente a pele, unhas muito grandes, e corpo com até 45cm de comprimento. Ao todo, quatro espécies são conhecidas do Brasil. [Sin.: *tatuaíva, tatuxima, cabaçu, cabuçu*. Pl.: *tatus-de-rabo-mole*.]

tatuetê [Do tupi = 'tatu verdadeiro'.] *S. m. Bras. Zool.* V. *tatu-galinha*.

tatu-galinha *S. m. Bras. Zool.* Mamífero desdentado, dasipodídeo (*Dasypus novemcinctus*), distribuído da Venezuela até a Argentina pela porção cisandina. Tem o corpo com nove cintas de placas móveis, e apenas quatro dedos nas mãos. A carne é muito apreciada, comparável à da galinha. [Sin.: *tatu-verdadeiro, tatu-de-folha, tatu-veado, tatuetê*. Pl.: *tatus-galinhas* e *tatus-galinha*.]

tatuí [Do tupi = 'tatu pequeno'.] *S. m. Zool.* Pequeno crustáceo decápode, anomuro que habita praias arenosas, fazendo escavações na areia; tem coloração branca, com cerca de 3cm de comprimento. Sua semelhança com os tatus valeu-lhe o nome comum. Vive enterrado na areia, a pouca profundidade. [Sin: *tatuíra*.]

tatuiano (u-i) *Adj. S. m.* Tatuiense.

tatuiense (u-i) *Adj. 2 g.* **1.** De, ou pertencente ou relativo a Tatuí (SP). ● *S. 2 g.* **2.** O natural ou habitante de Tatuí. [Sin. ger.: *tatuiano*.]

tatuíra *S. m. Bras. Zool.* Tatuí.

tatupeba [Do tupi = 'tatu chato'.] *S. m. Bras. Zool.* Mamífero desdentado, dasipodídeo (*Euphractus sexcinctus*), comum em todo o Brasil, com três subespécies. Corpo com seis cintas de placas móveis e pelagem densa, porém de pelos curtos. As placas da carapaça são grossas, grandes e com contornos bem definidos. [F. red.: *peba*. Sin.: *papa-defunto, tatupoiú, tatu-de-mão-amarela, tatu-cascudo, tatu-peludo, peludo*.]

tatu-peludo [De *tatu* + *peludo*[1].] *S. m. Bras. Zool.* V. *tatupeba*. [Pl.: *tatus-peludos*.]

tatupoiú *S. m. Bras. Zool.* V. *tatupeba*.

tatuquira [Do tupi.] *S. m. Bras. Zool.* V. *flebótomo* (2).

tatura [Var. de *tactura* < lat. *tactus*, 'tato', + *-ura*.] *S. f.* Ato ou efeito de tatear.

taturana [Var. de *tatarana* (q. v.).] *S. f. Bras.* **1.** *Zool.* V. *tatarana*. **2.** *Zool.* Espécime de vespídeo. **3.** V. *albino* (2).

tatus [Pl. de *tatu*.] *Adj. pl. 2 g. Bras.* Diz-se dos irmãos que não têm irmã ou das irmãs que não têm irmão, por alusão ao fato de o tatu só ter, em cada ninhada, filhotes do mesmo sexo. ~ V. *tatu*.

tatu-tapuia *S. 2 g. Adj. 2 g. Bras. Etnôn.* V. *adzâneni*. [Pl.: *tatus-tapuias*.]

tatu-veado *S. m. Bras. Zool.* V. *tatu-galinha*. [Pl.: *tatus-veados* e *tatus-veado*.]

tatu-verdadeiro *S. m. Bras. Zool.* V. *tatu-galinha*. [Pl.: *tatus-verdadeiros*.]

tatuxima [De or. tupi.] *S. m. Bras. Zool.* V. *tatu-de-rabo-mole*.

tatuzeiro [De *tatu* + *-zeiro*.] *S. m.* Cão bom caçador de tatu: "estavam presentes o capitão Felizardo, já falecido, o licenciado Silvinha, além dos peões, sem falar nos cachorros, por sinal bons tatuzeiros." (J. Simões Lopes Neto, *Casos do Romualdo*, p. 41).

tatuzinho [De *tatu* + *-zinho*.] *S. m. Bras.* **1.** *Zool.* Designação de crustáceos isópodes, terrestres, armadilidiídeos (*Armadillidium vulgare* e outras espécies próximas). O seu aspecto e maneira de enrolar o corpo, como se fossem um tatu-bola, valeu-lhes o nome popular. Quando em grande número, podem causar dano às plantas. [Sin.: *bicho-de-conta, papa-breu*.] **2.** *Bot.* Baratinha (1).

tau[1] [Do gr. *taû*, pelo lat. tard. *tau*.] *S. m.* **1.** A 19.ª letra do alfabeto grego (Τ, τ), e que corresponde ao nosso *t*. **2.** Figura heráldica em forma de *T*, que os cônegos de Santo Antão usavam em seus hábitos. **3.** *Fís. Part.* Lépton descoberto em 1975, de massa 1777,1 MeV/c^2, *spin* 1/2, carga elétrica igual à do elétron e número leptônico +1 [símb.: τ]. [Presume-se a existência de um neutrino associado a esta partícula, o neutrino do tau, que ainda não foi encontrado experimentalmente.]

tau[2] *Interj.* Voz imitativa de tiro ou pancada.

tauá [Do tupi = 'argila amarela'.] *S. m. Bras.* **1.** Argila aluvional colorida por óxido de ferro. **2.** Tinta amarela extraída dessa argila. **3.** *Zool.* V. *papa-cacau*. ● *Adj. 2 g.* **4.** Amarelo (1). [Var.: *taguá*.]

tauaçu [Do tupi = 'pedra grande'.] *S. m. Bras. N.E.* Pedra que serve de âncora às jangadas.

tauaense[1] (auà) *Adj. 2 g.* **1.** De, ou pertencente ou relativo a Santo Antônio do Tauá (PA). ● *S. 2 g.* **2.** O natural ou habitante de Santo Antônio do Tauá.

tauaense[2] (auà) *Adj. 2 g.* **1.** De, ou pertencente ou relativo a Tauá (CE). ● *S. 2 g.* **2.** O natural ou habitante de Tauá.

tauandê *S. 2 g. Adj. 2 g. Bras. Etnôn.* V. *tauité*.

tauari[1] [Do tupi.] *S. m.* **1.** *Bras. Amaz. Bot.* Designação comum a espécies de lecitidáceas pertencentes a vários gêneros, grandes árvores da floresta de madeira de boa qualidade e frutos pixídios. **2.** Fibra têxtil us. como mortalha de cigarro: "Os moços fumam o perfumado tabaco do rio Preto em seus longos cigarros de tauari" (José Veríssimo, *Cenas da Vida Amazônica*, p. 330). **3.** Pequena palhoça, nas roças, seringais e feitorias.

tauari[2] *Bras. S. 2 g.* **1.** *Etnôn.* Indivíduo dos tauaris [ou (etnôn. bras.) *Tawarí], povo indígena extinto que habitava a margem direita do rio Embira (AC). ● *Adj. 2 g.* **2.** Pertencente ou relativo a esse povo.

tauatinga *S. f. Bras.* V. *tabatinga*.

tauató *S. m. Bras. Zool.* V. *tanatau*.

tauató-pintado *S. m. Bras. Zool.* Ave falconiforme, acipitrídea (*Accipiter pectoralis*), da América meridional, de dorso preto com penas estreitamente marginadas de branco, rêmiges e cauda listradas, fita nucal, lados da cabeça, do pescoço e do peito vermelhos, garganta branca com estria mediana preta, meio do peito pintado de vermelho, e abdome branco pintado de preto. [Pl: *tauatós-pintados*.]

taubateano (è) *Adj.* **1.** De, ou pertencente ou relativo a Taubaté (SP). ● *S. m.* **2.** O natural ou habitante de Taubaté.

tauiri (au-i) [Do tupi.] *S. m. Bras.* Labirinto entre ilhas e pedrais, formado pelos vários canais em que se divide nalguns trechos o rio Tocantins.

tauismo (au-ís) *S. m.* V. *taoismo*.

tauista (au-ís) *Adj. 2 g. S. 2 g.* V. *taoista*.

tauité (au-i) *Bras. S. 2 g.* **1.** *Etnôn.* Indivíduo dos tauités, povo indígena extinto da família linguística nambiquara que habitava as margens do rio Barão de Melgaço (RO). ● *Adj. 2 g.* **2.** Pertencente ou relativo a esse povo. [Sin. ger.: *tauandê*. Tb. us. como *s. 2 g. e 2 n.* (com cap.) e *adj. 2 g. e 2 n.*]

taulipangue *Bras. S. 2 g.* **1.** *Etnôn.* Indivíduo dos taulipangues, tribo indígena caraíba que vive na região situada entre o monte Roraima e o rio Uraricuera (alto rio Branco). ● *Adj. 2 g.* **2.** Pertencente ou relativo a essa tribo.

tau-mais *S. m. Fís. Part.* Antipartícula do tau (q. v.) [símb.: τ+]. [Pl.: *taus-mais*.]

taumaturgia [Do gr. *thaumatourgía*.] *S. f.* Obra de taumaturgo.

taumatúrgico [De *taumaturgia* + *-ico*[2].] *Adj.* Relativo à, ou próprio da taumaturgia.

taumaturgo [Do gr. *thaumatourgós*.] *Adj. S. m.* Que, ou aquele que faz milagres: "Ao lado era o altar de Santo Antônio, o taumaturgo, no seu hábito de franciscano pobre" (Júlio Brandão, *Contos Escolhidos*, p. 125).

tauoca [De or. tupi, poss.] *S. m. Bras. Amaz. Zool.* Ave passeriforme, formicariídea (*Formicarius analis*), da Amaz., de dorso pardo-oliváceo, garganta preta, peito e barriga cinzentos, crisso vermelho. Vive na mata e alimenta-se de insetos. [Var.: *taoca, taioca, tioca, tanoca*; sin.: *pinto-do-mato*.]

tauónico *Adj. Fís. Part.* V. *tauônico*. [Uso freq. em P.]

tauônico *Adj. Fís. Part.* ~ V. *neutrino* —, *número* —.

taura [Do esp. plat. *tauro*, 'jogador astuto'.] *Adj. S. m. Bras. RS* V. *valentão* (1 e 3).

táureo [Do lat. *taureu*.] *Adj. Poét.* Taurino.

taurepangue *Bras. S. 2 g.* **1.** *Etnôn.* Indivíduo dos taurepangues [ou (etnôn. bras.) *Taulipang, *Taurepang, *Pemon, *Arekuna], povo indígena da família linguística caraíba, que habita no município de Boa Vista (RR) e na Venezuela. ● *Adj. 2 g.* **2.** Pertencente ou relativo a esse povo.

▲taur(i)- [Do lat. *taūrus, i*.] *El. comp.* = 'touro': *tauricéfalo*. [Equiv.: *tauro-*: *taurocéfalo*; em Quím., *tauro-* = 'taurina': *taurocólico*.]

tauricéfalo [De *taur(i)-* + *-céfalo*.] *Adj.* V. *taurocéfalo*.

tauricida [De *taur(i)-* + *-cida*.] *Adj. 2 g. S. 2 g.* Que, ou quem mata touros.

tauricídio [De *taur(i)-* + *-cídio*.] *S. m.* Ação de matar touro(s).

tauricorne [Do lat. tard. *tauricornis*.] *Adj.* Que tem cornos de touro; tauricórneo.

tauricórneo [De *taur(i)-* + *-corn(i)-* + *-eo*.] *Adj.* Tauricorne.

taurífero [Do lat. *tauriferu*.] *Adj.* Em que se criam, ou onde pastam touros.

tauriforme [Do lat. *tauriforme*.] *Adj. 2 g.* Que tem forma de ou é semelhante ao touro.

taurina [De *taur(i)-* (por ser descoberta em bile de vacum) + *-ina*[3].] *S. f. Quím.* Substância cristalina, incolor, o ácido 2-amino-etanossulfônico, encontrado nos tecidos de vários animais e um nutriente importante durante o crescimento dos mamíferos, inclusive crianças [fórm.: $C_2H_7NO_3S$].

taurino [Do lat. *taurinu*.] *S. m.* **1.** Indivíduo nascido sob o signo de Tauro ou Touro. ● *Adj.* **2.** Diz-se de, ou pertencente ou relativo a taurino (1). **3.** Pertencente ou relativo a, ou próprio de touro: *pescoço taurino*; "Inunda-lhe o suor oleoso a testa bronca, / O cachaço taurino e as papeiras" (Guerra Junqueiro, *A Velhice do Padre Eterno*, p. 227). [Sin., poét.: *táureo*.]

tauro[1] [Do lat. *tauru*.] *S. m. Astrol.* Touro (5). [Com cap.]

tauro[2] [Do tax. *Taurus*.] *S. m. Zool.* V. *bós*.

▲tauro- V. *taur(i)-*.

taurobólio [Do gr. *taurobólion*, pelo lat. *tauroboliu*.] *S. m.* Sacrifício de um touro em honra de Cíbele e de outras divindades.

taurróbolo [Do lat. *taurobolu*.] *S. m.* Sacerdote que realizava o taurobólio.

taurocéfalo [De *tauro-* + *-céfalo*.] *Adj.* Que tem a cabeça de touro.

taurocolato [De *taurocól(ico)* + *-ato*[2].] *S. m. Quím.* Sal ou éster do ácido taurocólico.

taurocólico [De *tauro-* + *cólico*.] *Adj. Quím.* ~ V. *ácido* —.

taurofilia [De *tauro-* + *-filia*.] *S. f.* Paixão por touradas, pela tauromaquia.

taurófilo [De *tauro-* + *-filo*[2].] *Adj. S. m.* Diz-se de, ou aquele que tem taurofilia.

taurofobia [De *tauro-* + *-fobia*.] *S. f. Psiq.* Medo patológico de touros.

taurofóbico [De *taurofobia* + *-ico*[2].] *Psiq. Adj.* **1.** Relativo a taurofobia. **2.** Que sofre de taurofobia; taurófobo. ● *S. m.* **3.** Aquele que sofre de taurofobia; taurófobo.

taurófobo [De *tauro-* + *-fobo*.] *Adj. S. m. Psiq.* Taurofóbico (2 e 3).

tauromaquia [Do gr. *tauromachía*.] *S. f.* A arte de tourear.

tauromáquico [De *tauromaquia* + *-ico*[2].] *Adj.* Relativo a tauromaquia.

▲tauto- [Do gr. *tautó*, crase de *tò autó*, 'o mesmo'.] *El. comp.* = 'mesmo': *tautometria, tautossilábico*.

tautócrona [F. subst. de *tautócrono*.] *S. f. Mat.* Trajetória de uma partícula que, sujeita à ação de uma força, chega a um ponto em um mesmo intervalo de tempo, qualquer que tenha sido o ponto de partida.

tautocronia [De *tauto-* + *-cron(o)-* + *-ia*[1].] *S. f.* V. *simultaneidade*.

tautocronismo [De *tauto-* + *-cron(o)-* + *-ismo*.] *S. m.* V. *simultaneidade*.

tautócrono [De *tauto-* + *-crono*.] *Adj.* V. *simultâneo*.

tautofonia [Do gr. *tautophonía*.] *S. f.* Repetição excessiva do mesmo som.

tautofónico *Adj.* V. *tautofônico*. [Uso freq. em P.]

tautofônico [De *tautofonia* + *-ico*[2].] *Adj.* Relativo a, ou em que há tautofonia.

tautograma [De *tauto-* + *-grama*.] *S. m.* Composição poética em que todas as palavras começam pela mesma letra.

tautogramático [De *tautograma* + *-ático*.] *Adj.* Relativo a, ou da natureza do tautograma: *versos tautogramáticos*.

tautologia [Do gr. *tautología*.] *S. f.* **1.** Vício de linguagem que consiste em dizer, por formas diversas, sempre a mesma coisa: "A gramática usual é uma série de círculos viciosos, uma tautologia infinita." (João Ribeiro, *Cartas Devolvidas*, p. 45.) **2.** *Filos.* Proposição que tem por sujeito e predicado um mesmo conceito, expresso ou não pelo mesmo termo. **3.** *Lóg.* Raciocínio que consiste em repetir com outras palavras o que se pretende demonstrar. **4.** *Lóg.* Função lógica que sempre se converte em uma proposição verdadeira sejam quais forem os valores assumidos por suas variáveis. [Cf., nas acepç. (2 e 3), *truísmo*.]

tautológico [De *tautologia* + *-ico*[2].] *Adj.* Relativo a, ou que tem o caráter de tautologia.

tautomeria [De *tauto-* + *-mer(o)-*[1] + *-ia*[1].] *S. f. Quím.* Isomeria em que substâncias com conectividades diferentes (ger. pela posição de um hidrogênio) se interconvertem, mantendo-se, sempre, em equilíbrio; tautomerismo. [Ex.: cetona e enol, oxima e nitrosocomposto.]

tautomérico [De *tautômero* + *-ico*[2].] *Adj. Quím.* Próprio de, ou relativo a tautômero.

tautomerismo [De *tauto-* + *-mer(o)-*[1] + *-ismo*.] *S. m. Quím.* Tautomeria

tautómero *S. m. Quím.* V. *tautômero*. [Uso freq. em P.]

tautômero [De *tauto-* + *-mero*.] *S. m. Quím.* Isômero por tautomeria.

tautometria [De *tauto-* + *-metria*.] *S. f.* Simetria excessiva, que degenera em vício; monotonia.

tautométrico [De *tautometria* + *-ico*[2].] *Adj.* Relativo a tautometria.

tautossilábico [De *tautossilabismo* + *-ico*[2], seg. o padrão erudito.] *Adj.* Em que há tautossilabismo.

tautossilabismo [De *tauto-* + *sílaba* + *-ismo*.] *S. m.* Repetição de sílabas idênticas, da qual se originam termos de caráter familiar. Ex.: *Didi, Lalá, Lili, Zezé*.

tauxia [Do ár. *tawšya(t)*, ou dev. de *tauxiar*.] *S. f.* **1.** Obra de embutidos de ouro, prata, etc., em aço ou em ferro; damasquinagem, damasquinaria: "assiste, com a corte, ... a justas e torneios entre grandes senhores que entram na liça vestidos de arneses com tauxia de oiro" (Antero de Figueiredo, *Toledo*, p. 156). **2.** Obra incrustada, marchetada: *tauxia de marfim e ébano*.

tauxiado [Part. de *tauxiar*.] *Adj.* Ornado ou lavrado com tauxia: "A outra [mala], de velho couro tauxiado, fora mandada por dona Catarina" (Josué Montelo, *O Baile da Despedida*. p. 161).

T

tauxiar [Do ár. *tawšya(t)*, 'adorno'; 'bordado', + *-ar*[2].] ***V. t. d.*** **1.** Ornamentar ou lavrar com tauxia; damasquinar. **2.** Embutir, embeber, marchetar. **3.** *Fig.* Corar, ruborizar: *O sangue afluía-lhe às faces, tauxiando o rosto.* [F. paral.: *atauxiar.*]

tava [Var. de *taba*, do esp. plat. *taba.*] ***S. f. Bras. RS*** **1.** O osso do jarrete da rês vacum. **2.** Jogo gaúcho, que consiste em se atirar ao ar o tava (1) com um lado chato e outro redondo, vencendo aquele que fizer tombar a parte chata (sorte) para baixo; jogo do osso.

tavanês [De *tavão* + *-ês*, seg. o padrão erudito.] ***Adj.*** **1.** Estouvado, desajeitado, estavanado. **2.** Ativo, expedito, diligente. [Flex.: *tavanesa* (ê), *tavaneses* (ê), *tavanesas* (ê).]

tavão [Do lat. *tabanu.*] ***S. m. Zool.*** V. *mosca-da-madeira*: "Mordido do tavão, partindo desvairado, / Busca embalde uma sombra, onde se acoite, o gado!" (Bulhão Pato, *Livro do Monte*, p. 44.)

tavarense ***Adj. 2 g.*** **1.** De, ou pertencente ou relativo a Tavares (PB e RS). ● ***S. 2 g.*** **2.** O natural ou habitante de Tavares.

tavém *Bras.* ***S. 2 g.*** **1.** *Etnôn.* Indivíduo dos tavéns, povo indígena extinto que habitava a margem esquerda do rio Paraná (PR). ● ***Adj. 2 g.*** **2.** Pertencente ou relativo a esse povo. [Tb. us. como *s. 2 g. e 2 n.* (com cap.) e *adj. 2 g. e 2 n.*]

taverna ***S. f.*** V. *taberna.*

tavernal ***Adj. 2 g.*** V. *tabernal.*

tavernário ***Adj.*** V. *tabernário.*

taverneiro ***S. m.*** V. *taberneiro.*

tavoca [Var. de *taboca*[1].] ***S. f. Bras.*** Restinga em mata de carrascal.

távola ***S. f.*** V. *tábula.*

tavolageiro [De *tavolagem* + *-eiro.*] ***S. m.*** Dono de tavolagem (1), e/ou aquele que a explora.

tavolagem [De **tavolar* (< *távola* + *-ar*[2]) + *-agem*[2].] ***S. f.*** **1.** Casa de jogo. **2.** Vício de jogar; jogo: *casa de tavolagem.*

tavolatura [Do it. *tavolatura.*] ***S. f. Mús.*** Tablatura (q. v.).

tavorense ***Adj. 2 g.*** **1.** De, ou pertencente ou relativo a Joaquim Távora (PR). ● ***S. 2 g.*** **2.** O natural ou habitante de Joaquim Távora.

tavuá [De or. indígena, poss.] ***S. f. Bras. Amaz. Zool.*** V. *papa-cacau.*

taxa [Dev. de *taxar.*] ***S. f.*** **1.** *Econ.* Tributo, imposto. **2.** *Jur.* Tributo cobrado como remuneração de serviços específicos prestados ao contribuinte, ou postos à disposição deste: *taxa de limpeza pública.* [Opõe-se, nesta acepç., a *imposto* (3).] **3.** Preço cobrado por certos serviços; tarifa: *Cartas registradas pagam taxa adicional; O banco debitou-me uma taxa pela emissão do talão de cheques.* **4.** Relação entre duas grandezas; proporção: *taxa de crescimento da população* (*i. e.*, crescimento em relação à população anterior); *taxa de colesterol no sangue* (*i. e.*, dosagem da substância em relação ao volume sanguíneo). **5.** *Mat.* Razão entre as variações de duas grandezas das quais a primeira é dependente da segunda. [Cf. *tacha*, do v. *tachar* e s. f.] ◆ **Taxa bruta de mortalidade.** *Demogr.* Relação entre o número de óbitos num ano e a população total média nesse ano. **Taxa bruta de natalidade.** *Demogr.* Relação entre o número de nascidos vivos num ano e a população total média nesse ano. **Taxa de atividade.** *Demogr.* Relação entre a população economicamente ativa (q. v.) e a população total. **Taxa de câmbio.** *Econ.* **1.** Relação de troca entre duas moedas. **2.** Preço de moeda estrangeira em unidades da moeda nacional. **Taxa de compromisso.** *Econ.* Taxa cobrada por bancos sobre a parcela ainda não utilizada de um empréstimo já contratado. **Taxa de fecundidade geral.** *Demogr.* Relação entre o número de nascidos vivos num ano e o número médio de mulheres em idade fértil (15-49 anos), nesse ano. **Taxa de fecundidade total.** *Demogr.* Número médio de filhos tidos pelas mulheres de uma população, ao fim de seu período fértil. **Taxa de juro.** *Econ.* V. *taxa de juros.* **Taxa de juros.** *Econ.* Relação percentual entre os juros cobrados, por período de tempo, e o capital emprestado. **Taxa de mortalidade infantil.** *Demogr.* Relação entre o número de óbitos de crianças com menos de um ano de idade, num dado ano, e o número de nascidos vivos nesse ano. **Taxa de risco.** *Econ.* A cobrada pelo emprestador, acima da taxa de juros, como remuneração pelo risco de inadimplência do devedor. **Taxa Referencial de Juros.** *Econ.* Taxa divulgada mensalmente pelo Banco Central, a partir de fevereiro de 1991, calculada com base na remuneração mensal média dos depósitos ou aplicações em instituições financeiras, e que é utilizada como indexador de débitos fiscais, contratos privados, etc. [Sigla: *TR.* Cf. *Bônus do Tesouro Nacional* e *Obrigação Reajustável do Tesouro Nacional.*] **Taxa Referencial Diária.** *Econ.* Indexador diário, baseado na variação proporcional da Taxa Referencial de Juros (q. v.), usado principalmente na atualização monetária de débitos fiscais. [Sigla: *TRD.*] **Taxa SELIC.** *Econ.* Taxa de juros de títulos públicos, fixada periodicamente pelo Comitê de Política Monetária do Banco Central (COPOM), que funciona como a taxa de juros básica do sistema financeiro.

taxação [Do lat. *taxatione*, 'estimação', 'avaliação'; 'cláusula'.] ***S. f.*** Ato ou efeito de taxar.

taxácea (cs) [Do tax. *Taxus* (do lat. *taxus, i*, 'teixo') + *-ácea*; tax. *Taxaceae.*] ***S. f. Bot.*** Espécime das taxáceas, família de gimnospermas, da classe das coníferas, cujos estames são peltados, e cujo pólen é destituído de vesículas aeríferas, tendo a flor feminina um só carpelo, o qual conduz um óvulo terminal. A família contém poucas espécies, das zonas frias.

taxáceo (cs) [De *taxácea*, com var. suf. (v. *-áceo*).] ***Adj.*** *Bot.* Pertencente ou relativo às taxáceas.

taxador (ô) [De *taxa* + *-dor.*] ***Adj. S. m.*** Que, ou aquele que taxa. [Cf. *tachador.*]

taxar [Do lat. *taxare.*] ***V. t. d.*** **1.** Tributar (1): "O país vivia de expedientes, isto é, de cinquenta em cinquenta anos, descobria-se nele um produto que ficava sendo a sua riqueza. Os governos taxavam-no a mais não poder" (Lima Barreto, *Os Bruzundangas*, p. 47); "Taxar as exportações .... significa [ria] cortar os lucros da classe de senhores da grande agricultura." (Celso Furtado, *Formação Econômica do Brasil*, p. 96). **2.** Estabelecer ou fixar (taxas [v. *taxa* (3)]): *O correio taxa os telegramas pelo número de palavras.* **3.** *P. us.* Fixar ou regular o preço de; limitar, moderar. ***T. d. e i.*** **4.** Dar, fazer, conceder, regularmente. ***T. d. e c.*** **5.** Fixar (certa porção ou quantia): *Taxou o bilhete do metrô em 1 real.* ***Transobj.*** **6.** Avaliar, julgar; qualificar: *Taxou o trabalho de impecável.* [Pres. ind.: *taxo, taxas, taxa*, etc.; pres. subj.: *taxe*, etc.; part.: *taxado*, fem. *taxada.* Cf. *tacho, tachas, tacha, tache*, do v. *tachar*; *tacho*, s. m.; *tacha*, s. f., pl. *tachas*; *tachada*, s. f.; *taxe* (cs), s. f.; *táxi*, s. m.; *taxi*, s. m. e s. f.; e *tachar.*]

taxaspidiano (cs) [De *tax(i)-*[1] + *-aspid(i)-* + *-ano*[1].] ***Adj.*** *Zool.* Diz-se do tarso das aves quando os escudos anteriores abrangem, de cada lado, a metade de ambas as faces laterais do tarso, mas sem passar para o lado posterior, que é coberto por outros escudos pequenos.

taxativamente [Do f. de *taxativo* + *-mente.*] ***Adv.*** **1.** De maneira taxativa; restritivamente, limitativamente. **2.** Sem admitir réplica ou contestação: *Respondeu taxativamente, para não prolongar a discussão.*

taxativo [De *taxar* + *-tivo.*] ***Adj.*** **1.** Que taxa; limitativo, restritivo. **2.** Que não admite réplica ou contestação: *opinião taxativa; É homem taxativo.*

taxe (cs) [Do gr. *táxis*, 'ordem', 'arranjo'.] ***S. f. Med.*** Pressão que se faz sobre uma hérnia para reduzi-la. [Cf. *taxe*, do v. *taxar*; *táxi* (cs), s. m.; *taxi*, s. m. e s. f.; e *tache*, do v. *tachar.*]

▲**-taxe** (cs) V. *tax(i)-*[1].

▲**taxeo-** (cs) [Do gr. *taxeōs*, gen. de *táxis, eōs.*] V. *tax(i)-*[1]. [F. preferível a *taxio-.*]

taxeologia (tàcs) [De *taxeo-* + *-logia.*] ***S. f.*** V. *taxilogia.*

taxeológico (tàcs) [De *taxeologia* + *-ico*[2].] ***Adj.*** V. *taxilógico.*

taxeólogo (tàcs) [De *taxeo-* + *-logo.*] ***S. m.*** V. *taxílogo.*

taxeonomia (tàcs) [De *taxeo-* + *-nom(o)-* + *-ia*[1].] ***S. f.*** V. *taxinomia.*

taxeonômico (tàcs) [De *taxeonomia* + *-ico*[2].] ***Adj.*** V. *taxinômico.*

taxeonomista (tàcs) [De *taxeonomia* + *-ista.*] ***S. 2 g.*** V. *taxinomista.*

taxi[1] [Do tupi = 'cavado'.] ***S. f. Bras. Amaz. Zool.*** V. *formiga-lava-pé.* [Cf. *táxi* (cs), s. m.; *taxe*, do v. *taxar*; *taxe* (cs), s. f., e *tache*, do v. *tachar.*]

taxi[2] [Do tupi = 'árvore das taxis' (v. *taxi*[1]).] ***S. m. Bras. Bot.*** **1.** V. *raiz-de-jacaré-açu.* **2.** Grande árvore cesalpiniácea (*Sclerolobium goeldianum*). **3.** Arvoreta poligonácea (*Triplaris schomburgkiana*). **4.** V. *taxizeiro.* [Cf. *táxi* (cs), s. m.; *taxe*, do v. *taxar*; *taxe* (cs), s. f., e *tache*, do v. *tachar.*]

▲ **tax(i)-**[1] (cs) [Do gr. *táxis, eōs* < v. gr. *tássein*, 'arrumar'; 'pôr em ordem', 'ordenar'.] ***El. comp.*** = 'ordem'; 'ordenação'; 'disposição'; 'organização'; 'classificação'; 'relativo a ordem, a disposição'; 'relativo a classificação'; 'que tem certa ordem'; 'que determina certa ordem': *taxaspidiano, taxinomia, taxilogia.* [Equiv.: *-tá(c)tico* (q. v.), *-taxe, taxeo-* (q. v.), *-tax(i)-, -taxia, taxio-* (q. v.), *taxo-*: *antotáctico, filotáctico, isotáctico; parataxe; taxeonomia, taxeologia; biotáxico, pilotaxítico; antotaxia, biotaxia; taxologia, taxonomia.*]

▲ **tax(i)-**[2] (cs) [Do tax. *Taxus* < lat. *taxus, i.*] ***El. comp.*** = 'teixo': *taxícola, taxiforme, taxíneo.*

▲ **-tax(i)-** (cs) V. *tax(i)-*[1].

táxi (cs) [F. red. de *taxímetro.*] ***S. m.*** Automóvel destinado ao transporte de passageiros, e provido de taxímetro (q. v.); carro de praça: "Entro para um táxi na Bremer Str. e dou o endereço: — Biblioteca Imperial..." (Aquilino Ribeiro, *Alemanha Ensanguentada*, p. 47.) [Cf. *taxi*, s. m. e s. f.; *taxe* (cs), s. f.; *taxe*, do v. *taxar*; e *tache*, do v. *tachar.*] ◆ **Fazer táxi.** *Aer.* Taxiar.

▲**-taxia** (cs) [Do gr. *-taxía, as* < gr. *táxis, eōs* + gr. *-ía* (v. *-ia*[1]).] V. *tax(i)-*[1].

táxi-aéreo ***S. m. Bras.*** Avião de aluguel, pequeno. [Pl.: *táxis-aéreos.*]

taxiar (cs) [Adapt. do ingl. (*to*) *taxi* (v. *-ar*[2]).] ***V. int.*** *Aer.* Deslocar-se (o avião) em terra ou na água, preparando-se para decolar, ou após pousar; fazer táxi; rolar.

taxi-branco [De *taxi*[2] + *branco.*] ***S. m. Bras. Bot.*** Árvore cesalpiniácea (*Tachigalia alba*) de tronco esbranquiçado, folíolos lanceolados e pequenas flores alvas, paniculadas. [Pl.: *taxis-brancos.*]

taxícola (cs) [De *tax(i)-*[2] + *-cola*[1].] ***Adj. 2 g.*** Que vive nos teixos como parasito.

taxidermia (tàcs) [De *tax(i)-*[1] + *-derm(o)-* + *-ia*[1].] ***S. f.*** Arte ou processo de empalhar animais [v. *empalhar* (4)].

taxidérmico (tàcs) [De *taxidermia* + *-ico*[2].] ***Adj.*** Relativo a taxidermia.

taxidermista (tàcs) [De *taxidermia* + *-ista.*] ***S. 2 g.*** Especialista em taxidermia.

taxidermizar (tàcs) [De *taxidermia* + *-izar.*] ***V. t. d.*** Empalhar (4) animais: "Levava-me [ao rio Negro] o propósito de realizar observações sobre a fauna... coligir exemplares, taxidermizá-los ou trazê-los vivos para o Jardim Zoológico do Rio de Janeiro" (José Cândido de Carvalho, *Notas de Viagem ao Rio Negro*, pp. XIII-XIV).

taxiforme (tàcs) [De *tax(i)-*[2] + *-forme.*] ***Adj. 2 g.*** *Bot.* Diz-se das plantas cujas folhas têm disposição quase igual à do teixo.

→**taxi-girl** ['tæksij gəl] [Ingl.] ***S. f.*** Moça empregada em boates ou noutros lugares de diversões para dançar com os fregueses a tanto por dança.

taxilogia (tàcs) [De *tax(i)-*[1] + *-logia.*] ***S. f.*** Ciência das classificações; taxeologia, taxiologia, taxologia.

taxilógico (tàcs) [De *taxilogia* + *-ico*[2].] ***Adj.*** Relativo a taxilogia; taxeológico, taxiológico, taxológico.

taxílogo (cs) [De *tax(i)-*[1] + *-logo.*] ***S. m.*** Autor de uma classificação ou de um tratado de classificação; taxeólogo, taxiólogo, taxólogo.

taxímetro (cs) [Do fr. *taximètre.*] ***S. m.*** Aparelho que, em carros de aluguel, mede e registra o preço que se deve pagar pelo percurso efetuado. [Cf. *hodômetro, velocímetro* e *táxi.*]

taxina (cs) [De *tax(i)-*[2] + *-ina*[3].] ***S. f. Quím.*** Qualquer de certos alcaloides (p. ex., taxina A, fórm.: $C_{35}H_{47}NO_{10}$), tóxicos, encontrados no teixo (*Taxus baccata*), ou mistura destes.

taxíneo (cs) [De *tax(i)-*[2] + *-in(o)-*[2] + *-eo.*] ***Adj.*** Relativo ou semelhante ao teixo.

taxinomia (tàcs) [De *tax(i)-*[1] + *-nom(o)-* + *-ia*[1]; fr. *taxinomie.*] ***S. f.*** **1.** Ciência da classificação. **2.** *Biol.* Sistemática (1). **3.** *E. Ling.* Classificação das palavras. [F. paral.: *taxeonomia, taxionomia, taxonomia.*]

taxinómico (tàcs) ***Adj. S. m.*** V. *taxinômico.* [Uso freq. em P.]

taxinômico (tàcs) [De *taxinomia* + *-ico*[2].] ***Adj.*** Relativo a taxinomia; taxeonômico, taxionômico, taxonômico.

taxinomista (tàcs) [De *taxinomia* + *-ista.*] ***S. 2 g.*** Especialista em taxinomia; taxeonomista, taxionomista, taxonomista.

▲ **taxio-** (cs) V. *tax(i)-*[1]. [A melhor forma é *taxeo-.*]

taxiologia (tàcs) [De *taxio-* + *-logia.*] ***S. f.*** V. *taxilogia.* [A melhor f. seria *taxeologia.*]

taxiológico (tàcs) [De *taxiologia* + *-ico*[2].] ***Adj.*** V. *taxilógico.* [A melhor f. seria *taxeológico.*]

taxiólogo (tàcs) [De *taxio-* + *-logo.*] ***S. m.*** V. *taxílogo.* [A melhor f. seria *taxeólogo.*]

taxionomia (tàcs) [De *taxio-* + *-nom(o)-* + *-ia*[1].] ***S. f.*** V. *taxinomia.* [A melhor f. seria *taxeonomia* (v. *taxeo-*).]

taxionómico (tàcs) ***Adj. S. m.*** V. *taxionômico.* [Uso freq. em P.]

taxionômico (tàcs) [De *taxionomia* + *-ico*[2].] ***Adj.*** V. *taxinômico.* [A melhor f. seria *taxeonômico.*]

taxionomista (tàcs) [De *taxionomia* + *-ista.*] ***S. 2 g.*** V. *taxinomista.* [A melhor f. seria *taxeonomista.*]

taxi-preto (ê) [De *taxi*[1] + *preto.*] ***S. m. Bras. Bot.*** Pajeú (1). [Pl.: *taxis-pretos.*]

taxira [Do tupi = 'cavadeira'.] ***S. f. Bras. Zool.*** Espécie de formiga.

taxirana [Do tupi = 'semelhante à taxi[2]'.] ***S. f. Bras. Amaz. Bot.*** Árvore cesalpiniácea (*Sclerolobium chrysophyllum*) da floresta pluvial, de folhas penadas com folíolos subcoriáceos e acuminados, flores pequenas, amarelas, dispostas em longos racemos, e cujos frutos são legumes indeiscentes e coriáceos, sendo a madeira branca e sem valor, salvo para carvão.

taxista (cs) [De *táxi* + *-ista.*] ***S. 2 g.*** Motorista de táxi.

taxizal [De *taxi*[2] + *-zal.*] ***S. m.*** **1.** *Bras.* Quantidade mais ou menos considerável de taxizeiros dispostos proximamente entre si. **2.** Área ocupada por taxizal (1).

taxizeiro [De *taxi*^{2} + *-zeiro*.] ***S. m. Bras. Bot.*** Nome comum a várias árvores cesalpiniáceas, a algumas fabáceas, e a outras poligonáceas, que habitam a Amaz.; taxi, pau-de-novato, pau-formiga.

taxo (cs) [Do lat. *taxu*; tax. *taxus*.] ***S. m. Bot.*** **1.** O gênero-tipo das taxáceas, que abrange árvores e arbustos de folhas lineares, espiraladas, e fruto que é um arilo carnoso, de suco venenoso, que encerra semente dura. **2.** Qualquer espécie desse gênero, como, p. ex., a *Taxus baccata* (v. *teixo*). **3.** Qualquer espécime desse gênero.

▲**taxo-** (cs) V. *tax(i)-*^{1}.

taxodiácea (cs) [Do tax. *Taxodium* + *-ácea*; tax. *Taxodiaceae*.] ***S. f. Bot.*** Espécime das taxodiáceas, família da classe das pinópsidas nativa de regiões temperadas da América do Norte e da Ásia, que reúne dez gêneros de árvores monoicas, perenes ou decíduas, dotadas de folhas lineares ou aciculares, em espiral, cones masculinos que lembram amentos, e femininos, globosos.

taxodiáceo (tàcs) [De *taxodiácea*, com var. suf. (v. *-áceo*).] ***Adj. Bot.*** Pertencente ou relativo às taxodiáceas.

taxol (cs) [De *tax(i)-*^{2} + *-ol*^{2}.] ***S. m. Quím.*** Produto natural, encontrado em certos tipos de teixo (*Taxus brevifolia*), us. no tratamento de vários tipos de câncer [fórm.: $C_{47}H_{51}NO_{14}$]. [Pl.: *taxóis*.]

taxologia (tàcs) [De *taxo-* + *-logia*.] ***S. f.*** V. *taxilogia*.

taxológico (tàcs) [De *taxologia* + *-ico*^{2}.] ***Adj.*** V. *taxilógico*.

taxólogo (cs) [De *taxo-* + *-logo*.] ***S. m.*** V. *taxílogo*.

táxon (cs) [De *tax(i)-*^{1} + *-on*; ingl. *taxon*.] ***S. m.*** Unidade taxonômica reconhecida internacionalmente. [Os nomes *Lacerta, Lacertidae, Squamata, Sauria*, p. ex., são exemplos de táxons que designam, respectivamente, gênero, família, ordem e subordem.] [Pl.: *táxons* e *taxa*.]

taxónimo (cs) ***S. m.*** V. *taxônimo*. [Uso freq. em P.]

taxônimo (cs) [De *tax(i)-*^{1} + *-ônimo*.] ***S. m.*** Palavra que designa cada um dos grupos taxonômicos.

taxonomia (cs) [De *taxo-* + *-nom(o)-* + *-ia*^{1}; ingl. *taxonomy*.] ***S. f. Biol.*** V. *taxinomia*.

taxonómico (cs) ***Adj.*** V. *taxonômico*. [Uso freq. em P.]

taxonômico (cs) [De *taxonomia* + *-ico*^{2}.] ***Adj.*** V. *taxinômico*. ~ V. *grupos —s*.

taxonomista (cs) [De *taxonomia* + *-ista*.] ***S. 2 g.*** V. *taxinomista*.

taxópsida [Do tax. *Taxopsida*.] ***S. m. Adj. 2 g. Bot.*** V. *pinópsida*.

taxuri [Do tupi.] ***S. m. Bras. Zool.*** Fruxu.

taylorismo (tei) [Do antr. (*F. W.*) *Taylor* (1856-1915), engenheiro norte-americano + *-ismo*.] ***S. m.*** Sistema de organização do trabalho derivado das ideias de F. W. Taylor, que recomendava a adoção de métodos e normas visando à maximização do rendimento da mão de obra, com base numa análise minuciosa de cada tarefa a ser executada.

taylorista (tei) [De *taylorismo* + *-ista*.] ***Adj. 2 g.*** **1.** Relativo ao, ou que é adepto do taylorismo. • ***S. 2 g.*** **2.** Adepto desse sistema.

■**Tb** *Quím.* Símb. de *térbio*.

t-butanol [De *t-* + *butano* + *-ol*^{2}.] ***S. m. Quím.*** Álcool butílico terciário, o 2-metil-2-propanol [fórm.: $C_4H_{10}O$]. [Pl.: *t-butanóis*.]

■**Tc** *Quím.* Símb. de *tecnécio*.

■**TCE** Sigla de *Tribunal de Contas do Estado*.

tchã [Voc. onom.] ***S. m. Bras. Fam.*** **1.** Toque especial; apuro, requinte: *O cabeleireiro deu um tchã ao seu penteado.* **2.** Charme, encanto pessoal: *Ela tem muito tchã.*

tchau [Do it. *ciao*.] ***Interj.*** Até a vista; até logo.

tcheco ***S. m.*** V. *checo*.

tchecoeslovaco ***Adj. S. m.*** V. *checoslovaco*. ❖

tcheco-eslovaco ***Adj.*** Relativo simultaneamente aos tchecos e aos eslovacos. [Pl.: *tcheco-eslovacos*. Cf.: *tchecoslovaco*.]

tchecoslovaco ***S. m.*** V. *checoslovaco*.

tcheque ***Adj. 2 g. S. 2 g.*** V. *checo* (1 a 3).

tchi ***S. m.*** V. *mina*^{2} (1).

tchilóli [Do forro^{2}.] ***S. m. Santom.*** Representação teatral ao ar livre, falada, cantada e dançada unicamente por homens, baseada no auto *A Tragédia do Marquês de Mântua e do Imperador Carlos Magno*: "Tchilóli / Apitos / tambores / canas de bambu / tremem / ressoam / excitam os corpos / que dançam / e que ouvem / escoa-se a tarde" (Maria Olinda Beja, *No País do Tchilóli*, p. 57).

tcholonador (ô) [Do criol.] ***S. m. Guin.*** Intérprete, tradutor: "quando há uma pessoa no meio, um tcholonador por exemplo, uma pessoa diz uma coisa, ele diz outra." (Abdulai Sila, *A Última Tragédia*, p. 92).

tchôpi [De *tshitshopi*, com aférese.] ***S. 2 g.*** **1.** *Etnôn.* Indivíduo dos tchôpis, um dos povos que habitam as províncias de Inhambane e Gaza (Moçambique). • ***S. m.*** **2.** *Gloss.* Língua banta falada pelos tchôpis. **3.** Vocábulo dessa língua. • ***Adj. 2 g.*** **4.** Pertencente ou relativo aos tchôpis, ou à sua língua: "Do Bairro novo que aqui nasceu / fugiram as timbilas tchôpis" (Fonseca Amaral, em *Poetas de Moçambique*, p. 50). [Var.: *chôpi*.]

tchova ***S. m. Moç.*** Pequena carroça de carga, constituída por tabuleiro metálico assente em duas rodas de automóvel e empurrada por um ou vários homens; tchova-xitaduma: "a Polícia de Trânsito confiscara o seu 'Tchova' por falta de matrícula" (Albano Júnior, *Xiphefo*, nº 10, p. 5).

tchovar [De *tchova* + *-ar*.] ***V. t. d. Moç.*** Empurrar: "Justino ainda teve que tchovar a carrinha" (Mia Couto, *Estórias Abensonhadas*, p. 45).

tchova-xitaduma ***S. m. 2 n. Moç.*** Tchova: "O carro era despesa demasiada. Assim, se arrumou o caixão em tchova-xitaduma." (Mia Couto, *Estórias Abensonhadas*, p. 52.)

tchur [De *choro*, pelo criol.] ***S. m. Guin.*** Choro (7): "não matas quando há tchur, então para que é que te serve ter essas vacas?" (Abdulai Sila, *A Última Tragédia*, p. 93).

■ **TCM** Sigla de *Tribunal de Contas do Município*.

■ **TCP/IP** Sigla do ingl. *transmission control protocol/ internet protocol*, 'protocolo de controle de transmissão/ protocolo de internet', e que designa uma combinação de protocolos que se tornou o padrão convencional entre as redes que formam a Internet.

■ **TCU** Sigla de *Tribunal de Contas da União*.

■ **TDA** *Psiq.* **1.** Abrev. de *transtorno de déficit de atenção*. *P. ext.* **2.** Aquele que sofre desse trastorno.

■ **TDAH** *Psiq.* **1.** Abrev. de *transtorno de déficit de atenção com hiperatividade*. *P. ext.* **2.** Aquele que sofre desse transtorno.

te^{1} [Do lat. *te*, acus. do pron. *tu*.] ***Pron. pess.*** Designa a 2ª pess. do sing. dos dois gêneros, tomada como objeto direto e equivalente a *a ti*: "E, abrindo as asas para o eterno abrigo, / Divino Amor, escuta que eu te chamo, / Divino Amor, espera que eu te sigo." (José Albano, *Rimas*, p. 238); "E te amo como se ama um passarinho morto." (Manuel Bandeira, *Estrela da Vida Inteira*, p. 36); "Por mim quantas vezes / Quase tu mataste, / Quase te mataste, / Quase te mataram." (Id., *ib.*, p. 244). [Note-se, no último exemplo, o emprego do primeiro *te* na voz reflexa.] [Cf. *ti, té, tê*, e *me, lhe, se, nos*, e *vos*.]

te^{2} [Dativo do pron. *tu*; da f. sintética *ti* (< lat. *tibi*, **tihi*), tornada átona e confundida com o acus.] ***Pron. pess.*** **1.** Designa a 2ª pess. do sing. dos dois gêneros tomada como objeto indireto, e equivalente a *a ti*: *Obedeço-te*; "Pode a teus pés curvar-se o mundo inteiro; / Podem render-te os homens vassalagem" (José de Alencar, *Obra Completa*, IV, p. 623); "Falo-te daqui, da montanha, ouvindo os cepos a estalar na chaminé, ouvindo as vagas do vento." (Vergílio Ferreira, *Aparição*, p. 21); "Se passo uma hora sem ver-te, / Dizer-te que acho medonho / O mundo é nada dizer-te." (Guimarães Passos, *Versos de um Simples*, p. 21). - Equivale tb. a: **2.** Em ti: *Alguém te insultou, te bateu?* **3.** Para ti: *Vou adquirir-te um exemplar daquele romance; Compraram-te umas lembranças de aniversário.* **4.** De ti: "Estás longe? eu te estou perto." (João Ribeiro, *Versos*, p. 30.) **5.** Diante de ti; a teus olhos: *Quando te surgiu a visão, deste um berro, não foi?* **6.** Com certos verbos, indica a voz passiva: *Sei que te batizaste e te crismaste na Candelária.* **7.** Pode exercer a função de dativo ético: *Disseram-me que pediste ao Jorge, com toda a franqueza, que não te andasse com fofocas.* **8.** Às vezes substitui o possessivo, elegantemente: "Uivaria de amor a fera bruta / Que pelas grenhas te sentisse a mão" (João de Deus, *Campo de Flores*, I, p. 113); "Abriram-te o ventre no hospital." (Antônio Patrício, *Serão Inquieto*, p. 150). [Cf. *ti, té, tê*, e *me, lhe, se, nos, vos*.]

■**Te** *Quím.* Símb. de *telúrio*.

té ***Prep.*** F. aferética de *até*: "Traz um bigodão colado no beiço, o qual se despenha em catarata, té lhe ocultar o queixo e o colarinho." (Fialho d'Almeida, *Pasquinadas*, p. 10.) [Cf. *tê* e *te*.]

tê^{1} ***S. m.*** A letra *t*. [Pl.: *tês*. Cf. *tez* (ê), *té* e *te*.]

tê^{2} ***S. m.*** *régua-tê*. [Pl.: *tês*. Cf. *tez* (ê), *té* e *te*.]

teácea [Do tax. *Thea* (gênero-tipo) + *-ácea*; tax. *Theaceae*.] ***S. f. Bot.*** Espécime das teáceas, família da ordem das teales, composta de arbustos e árvores de folhas alternas e coriáceas, e belas flores, muito vistosas. Cálice e corola com número de peças superior ao usual; apresenta cinco ou mais estames e fruto capsular ou bacáceo. Compreende cerca de 600 espécies tropicais e subtropicais, poucas brasileiras, e entre estas a camélia e o chá-da-índia.

teáceo^{1} [Do fr. *théacée*.] ***Adj.*** Relativo ao chá.

teáceo^{2} [De *teácea*, com var. suf. (v. *-áceo*).] ***Adj. Bot.*** Pertencente ou relativo às teáceas.

teada [De *teia*^{1} + *-ada*^{1}.] ***S. f.*** Teia de pano; lençaria.

teagem [De *teia*^{1} + *-agem*^{2}.] ***S. f.*** **1.** Teia, tela. **2.** *Anat.* Tela (10).

teal [Do tax. *Thea* + *-al*^{1}.] ***Adj. 2 g. Bot.*** Pertencente ou relativo às teales.

teale [Do tax. *Thea* + *-ale*; tax. *Theales*.] ***S. f. Bot.*** Espécime das teales, ordem de dicotiledôneas que reúne 18 famílias entre as quais as clusiáceas, as teáceas e as ocnáceas.

teândrico [De *te(o)-* + *-andr(o)-* + *-ico*^{2}.] ***Adj.*** **1.** Divino-humano. **2.** *Rel.* Diz-se das ações de Jesus Cristo, em que a divindade transparecia através da humanidade.

teantropia [De *te(o)-* + *-antrop(o)-* + *-ia*^{1}.] ***S. f.*** Tratado acerca de Deus feito homem.

teantrópico [De *teantropia* + *-ico*^{2}.] ***Adj.*** Relativo a teantropia.

teantropista [De *teantropia* + *-ista*.] ***S. 2 g.*** Pessoa que atribui a Deus qualidades ou paixões humanas.

teantropo (ô) [Do gr. tard. *theántropos*.] ***S. m.*** Cristo, considerado como Deus e como homem.

tear [De *teia*^{1} + *-ar*^{1}.] ***S. m.*** **1.** *Tec. Têx.* Aparelho ou máquina destinada a produzir tecidos [v. *tecido* (3)], tapeçarias, tapetes, etc.: *tear manual*; *tear mecânico*. **2.** *Ind. Pap.* Rede metálica, em geral de latão, que constitui o fundo da fôrma usada na fabricação manual do papel. [Cf., nesta acepç., *tela* (12).] **3.** *Encad.* V. *costurador* (2). **4.** O conjunto das rodas de um relógio. **5.** *Bras.* Aparelho para serrar mármore em blocos.

➔**teaser** ['tijzə] [Ingl.] ***S. m. Prop.*** Mensagem publicitária curta destinada a despertar a atenção e a curiosidade do público para anúncio a ser lançado posteriormente. [Neste tipo de anúncio, não há indicação clara nem do anunciante, nem do produto.]

teatinada [De *teatino* (2 e 3) + *-ada*^{1}.] ***S. f. Bras. RS*** Porção de teatinos.

teatinar [De *teatino* + *-ar*^{2}.] ***V. int. Bras. RS*** Levar vida de vagabundo; andar de estância a estância como soqueteiro ou gaudério.

teatino [Do it. *teatino*.] ***S. m.*** **1.** Religioso da congregação fundada em Roma por S. Caetano de Tiene (1480-1547) e Gian Pietro Caraffa (1476-1559), futuro Papa Paulo IV. V. *caetano*. **2.** *Bras. S.* O cavalo ou boi e, p. ext., a coisa que não se sabe a quem pertence. **3.** *Bras. S.* Forasteiro, estrangeiro. • ***Adj.*** **4.** *Bras. S.* Diz-se do cavalo ou boi ou, p. ext., da coisa que não se sabe a quem pertence. **5.** *Bras. S.* Forasteiro, forâneo.

teatrada [De *teatro* + *-ada*^{1}.] ***S. f. Fam.*** Função teatral.

teatral [Do lat. *theatrale*.] ***Adj. 2 g.*** **1.** Relativo ao, ou próprio do teatro, da arte teatral. **2.** Que busca produzir efeito no espectador. **3.** *Fig.* Ostentoso, espetaculoso. ~ V. *carpintaria —, convenção —* e *golpe —*.

teatralidade [De *teatral* + *-(i)dade*.] ***S. f.*** **1.** Qualidade de teatral. **2.** Tom teatral.

teatralismo [De *teatral* + *-ismo*.] ***S. m. Bras.*** Conjunto de efeitos teatrais.

teatralização [De *teatralizar* + *-ção*.] ***S. f.*** Ato ou efeito de teatralizar.

teatralizado [Part. de *teatralizar*.] ***Adj.*** Que se teatralizou.

teatralizar [De *teatral* + *-izar*.] ***V. t. d.*** **1.** Adaptar (um texto) à cena, ao teatro; tornar representável no teatro: *Vão teatralizar o romance* Fogo Morto, *de José Lins do Rego.* **2.** Dar feição teatral a; tornar teatral: "trazia [Shakespeare] os ombros cansados e o coração dorido de teatralizar a Loucura, a Perversidade, o Amor dos Príncipes e dos Senhores..." (Alberto Rangel, *Livro de Figuras*, p. 177). **3.** *Fig.* Tornar comovente, dramático, buscando angariar simpatia: *Para conseguir o que pretendia, teatralizou a sua situação.*

teatralizável [De *teatralizar* + *-vel*.] ***Adj. 2 g.*** Que se pode teatralizar, adaptar ao teatro: *Há romances que já nascem teatralizáveis.*

teatralmente [De *teatral* + *-mente*.] ***Adv.*** **1.** De modo teatral ou à maneira do teatro. **2.** Espetaculosamente; de forma dramática ou trágica.

teatreco [De *teatro* + *-eco*^{1}.] ***S. m. Deprec.*** Teatro insignificante; ordinário; teatrelho.

teatrelho (ê) [De *teatro* + *-elho*.] ***S. m. Desus.*** Teatro ordinário.

teatrista [De *teatro* + *-ista*.] ***Adj. 2 g. S. 2 g.*** Que, ou quem frequenta regularmente o teatro.

teatro [Do gr. *théatron*, 'lugar aonde se vai para ver', pelo lat. *theatru*.] ***S. m.*** **1.** Edifício onde se representam obras dramáticas, óperas, etc. **2.** A arte de representar; o palco. **3.** Coleção das obras dramáticas de um autor, época ou nação. **4.** Lugar onde se passa algum acontecimento memorável; palco: *A planície de Maratona foi teatro de uma grande batalha entre gregos e persas.* ◆ **Teatro ambiental.** *Teatr.* Expressão us. para designar as novas relações cênicas entre os atores e o público, visando a aproximá-los no mesmo espaço. **Teatro cabúqui.** *Teatr.* V. *cabúqui*. **Teatro da crueldade.** *Teatr.* Expressão proposta por Antonin

T

Artaud (1896-1948) para designar teatro de caráter metafísico, em que a palavra literária se torna menos importante que a emoção, e o desempenho destaca em especial o corpo do ator, apelando para os sentidos do público. **Teatro de arena.** *Teatr. Bras.* Casa de espetáculos cujo palco fica ao centro e ao nível da plateia circundante. **Teatro de bolso.** *Teatr.* Teatro de pequenas dimensões. **Teatro de bulevar.** *Teatr.* **1.** O *vaudeville*. **2.** *P. ext.* Repertório de comédias ligeiras, mundanas, caracterizadas por quiproquós e situações imprevistas. **Teatro declamado.** *Teatr.* Aquele em que os atores se valem apenas da fala. **Teatro de fantoches.** *Teatr.* **1.** Aquele em que se fazem representar as diversas espécies de fantoches. **2.** *Restr.* Teatro de marionetes. **Teatro de marionetes.** *Teatr.* Aquele em que se fazem representar as diversas espécies de fantoches, especialmente marionetes; teatro de fantoches. **Teatro de operações.** *Mil.* Área geográfica sujeita a um comandante superior único, responsável por todas as operações bélicas que nela se devam realizar. [A amplitude de cada teatro de operações depende de grande número de fatores, variáveis com as circunstâncias. Cf. *campo de batalha*.] **Teatro de rebolado.** *Teatr. Bras.* V. *teatro rebolado*: "os grupos que se ajuntam às portas dos teatros de rebolado, os pequenos engraxates ambulantes" (Lêdo Ivo, *A Morte do Brasil*, p. 10). **Teatro de revista.** *Teatr.* V. *revista*[1] (3). **Teatro de vanguarda.** *Teatr.* Expressão em voga na França, após a II Guerra Mundial, e com que os autores e encenadores procuravam impor-se contra as práticas do teatro convencional. [Pela imprecisão do termo *vanguarda*, tal teatro se define melhor como teatro do absurdo (q. v.).] **Teatro dialético.** *Teatr.* Expressão proposta pelo dramaturgo e encenador Bertolt Brecht (v. *brechtiano*) para designar o teatro épico, e com que procura definir sua produção da maturidade, na qual se evidencia a análise dialética da realidade. [V. *dialética* e *teatro épico*.] **Teatro do absurdo.** *Teatr.* Expressão cunhada pelo crítico inglês Martin Esslin para englobar a produção teatral dos dramaturgos surgidos após a II Guerra Mundial que, rompendo com gêneros tradicionais, dramatizaram o absurdo existencial. **Teatro do oprimido.** *Teatr.* Expressão proposta pelo dramaturgo, encenador e teórico brasileiro Augusto Boal (1931-2009) para caracterizar as várias técnicas que visam a libertar o espectador de qualquer forma de opressão. Compreende, entre outras, o *teatro-foro* (ensaio das alternativas que preparam uma ação na realidade); o *teatro-invisível* (a penetração da ficção na realidade); e o *teatro-imagem* (a utilização da imagem como linguagem, cujo objetivo é ajudar o público a ver o que está olhando). **Teatro épico.** *Teatr.* Gênero de teatro didático que se caracteriza sobretudo pela fabulação e pelo efeito de distanciamento (q. v.), e cujas peças são estruturadas de forma a despertar a atividade crítica do espectador, em termos éticos e sociais, e a evitar a empatia da catarse (4). [Largamente utilizado pelo antigo teatro religioso e catequético, sua conceituação teórica só veio à luz em 1927, na obra de Bertolt Brecht (v. *brechtiano*).] **Teatro experimental.** *Teatr.* Teatro em que se buscam novas formas de expressão, questionando todos os componentes da montagem e recusando sempre o conhecido. **Teatro nô.** *Teatr.* Nô. **Teatro pobre.** *Teatr.* Expressão proposta pelo encenador e teórico polonês Jerzy Grotowski (1933-1999) para ressaltar as virtudes de um teatro essencial, que aprofunda o desempenho e a relação do ator com o público, e dispensa tudo o que se possa considerar acessório, como cenários, figurinos, música, etc. **Teatro político.** *Teatr.* Tendência teorizada sobretudo pelo encenador alemão Erwin Piscator (1893-1966), e segundo a qual o teatro deve veicular a luta de classes, e a arte é apenas meio, e não fim. **Teatro popular.** *Teatr.* Designação us. pelos animadores teatrais com o objetivo de devolver o teatro ao povo, para que ele não seja privilégio das classes mais favorecidas; não se limitam ao barateamento dos ingressos, mas procuram fazer uso de uma linguagem que tenha poder de comunicação. **Teatro rebolado.** *Bras.* Revista[1] (3) cujas características principais são os diálogos e as canções picantes ou maliciosas, e os trajes sumários das vedetes. [Tb. se diz apenas *rebolado*. Sin.: *teatro de rebolado*.] **Teatro social.** *Teatr.* Designação que consagra a função do teatro na sociedade, procurando não confundi-lo com o sectarismo ideológico dos espetáculos de propaganda, que visam a converter o espectador a esta ou àquela causa. **Fazer teatro.** *Fig.* Imprimir dramaticidade às próprias palavras e/ou atitudes, para suscitar comoção ou interesse.

teatro-foro *S. m. Teatr.* V. *teatro do oprimido*. [Pl.: *teatros-foros*.]

teatro-imagem *S. m. Teatr.* V. *teatro do oprimido*. [Pl.: *teatros-imagens*.]

teatro-invisível *S. m. Teatr.* V. *teatro do oprimido*. [Pl.: *teatros-invisíveis*.]

teatrólogo [De *teatro* + *-logo*.] *S. m.* **1.** Autor de peças teatrais; comediógrafo, dramaturgo. **2.** Qualquer indivíduo que se ocupa de teatro.

teatro-revista *S. m. Bras.* Revista[1] (3). [Pl.: *teatros-revistas* e *teatros-revista*.]

teba *Adj. S. m. Bras.* V. *tebas*.

tebaico [Do gr. *thebaïkós*, pelo lat. *thebaicu*.] *Adj.* **1.** V. *tebano* (1). **2.** Relativo ao ópio, muito comercializado, então, na cidade de Tebas (Egito). ~ V. *extrato* —. ● *S. m.* **3.** V. *tebano* (3).

tebaida [Do top. *Tebaida* (Egito).] *S. f. Fig.* Retiro, solidão, ermo.

tebaína *S. f. Quím.* Alcaloide cristalino, incolor, venenoso, encontrado no ópio [fórm.: $C_{19}H_{21}NO_3$].

tebaísmo [Do fr. *thébaïsme*.] *S. m.* Intoxicação pelo ópio.

tebano [Do lat. *thebanu*.] *Adj.* **1.** De, ou pertencente ou relativo a Tebas, cidade da Grécia antiga e do antigo Egito; tebaico. **2.** De, ou pertencente ou relativo a Tebas (MG). ● *S. m.* **3.** O natural ou habitante das antigas cidades de Tebas; tebaico. **4.** O natural ou habitante de Tebas (MG).

tebas [Do antr. *Tebas* (séc. XVIII), arquiteto improvisado da antiga Sé de São Paulo.] *Adj. 2 n. S. m. 2 n. Bras. S. Gír.* **1.** Diz-se de, ou indivíduo graúdo, importante. **2.** V. *valentão* (1 e 3). **3.** Diz-se de, ou indivíduo hábil, adestrado. [Var.: *teba*.]

tebexê [Do ior.] *S. m. Bras. Rel.* Auxiliar da mãe de santo, que puxa as cantigas nas sessões do candomblé.

tebu *S. m. Gloss.* Língua saariana falada em Níger e no Chade (N. da África).

■**TEC** Abrev. de *transistor de efeito de campo* (q. v.).

teca[1] [Do sânscr., pelo malaiala-tâmil *tekku*.] *S. f. Bot.* Árvore verbenácea (*Tectona grandis*) de grande porte, nativa na Ásia e de grande importância em quase todo o mundo pela excelente madeira, clara e durável, de folhas amplas, arredondadas e membranáceas, e flores pequenas, ordenadas em grandes panículas frouxas.

teca[2] [Do gr. *théke*, 'cofre', 'estojo', pelo lat. *theca*.] *S. f.* **1.** Qualquer estrutura que forma um invólucro protetor. **2.** *Anat.* Designação genérica de formação (5), protetora de bainha. ◆ **Teca folicular.** *Biol. Embr.* Cápsula de tecido conjuntivo que envolve folículo em crescimento, atuando na nutrição folicular e na formação de corpo-amarelo.

teca[3] *S. f. Pop.* V. *dinheiro* (5).

▲ **-teca** [Do lat. cient. *-theca* < gr. *thḗkē, ēs*.] V. *tec(o)-*.

tecar [De *teco*[1] + *-ar*[2].] *V. int. Bras.* **1.** No gude, dar um peteleco em uma bola, fazendo-a acertar (outra bola). *T. d.* **2.** No gude, fazer uma bola acertar em (outra), com peteleco. **3.** Na sinuca, fazer uma bola acertar em (outra) com uma tacada: *Tecou a bola sete.* **4.** *Bras. Pop.* Acertar pedra ou outro objeto em: *tecar o passarinho.* **5.** *Bras. Gír.* Dar teco ou tiro em; balear: *Tecou o inimigo, e quase o matou.* [Conjug.: v. *trancar*.]

tecebá *S. m. Bras. Rel.* V. *teçubá*.

tecedeira [De *tecer* + *-deira*.] *S. f.* Fem. de *tecedor*.

tecedor (ô) [De *tecer* + *-dor*.] *Adj.* **1.** Que tece pano. **2.** Intrigante, mexeriqueiro. ● *S. m.* **3.** Tecelão (q. v.). **4.** *Fig.* Indivíduo intrigante, mexeriqueiro. [Fem.: *tecedeira*.]

tecedura [De *tecer* + *-dura*.] *S. f.* **1.** Ato de tecer; tecelagem: "não lhe receava Rosa a competência na tecedura do algodão e do tucum" (Inglês de Sousa, *Contos Amazônicos*, p. 4). **2.** Tapadura (4). **3.** Conjunto de fios que se cruzam com a urdidura. **4.** *Fig.* Intriga, enredo, mexerico.

tecelã *S. f.* Teceloa.

tecelagem [De *tecel-*, como em *tecelão* (q. v.), + *-agem*[2].] *S. f.* **1.** Trabalho ou indústria de tecelão. **2.** Tecedura (1). ◆ **Tecelagem plana.** *Tec. Têx.* Processo têxtil pelo qual se produz o tecido, especificamente, pelo cruzamento em ângulos retos de dois sistemas de fios paralelos, a urdidura e a trama.

tecelão [De *tecer* + *-l-* + *-ão*[2].] *S. m.* **1.** Aquele que tece pano ou trabalha em teares; tecedor. [Fem: *tecelã* e, irreg., *teceloa*.] **2.** *Zool.* V. *soldado* (9).

teceloa (ô) *S. f.* Fem. de *tecelão*; tecelã.

tecer [Do lat. *texere*.] *V. t. d.* **1.** Entrelaçar regularmente os fios de: *Já os antigos egípcios teciam o linho.* **2.** Fazer (teia ou tecido) com fios; urdir, tramar, travar: *Mãos habilidosas teciam lindos panos.* **3.** Compor, entrelaçando; trançar: *Na mata virgem os cipós tecem barreiras quase intransponíveis.* **4.** Preparar, engendrar, armar, urdir: *tecer intrigas.* **5.** Fazer aparecer; produzir, gerar, engendrar, formar: "A luz das velas, frouxa e vacilante, tecia sombras enormes, esbatidas e inquietas." (Umberto Peregrino, *Três Mulheres*, p. 85). **6.** *Fig.* Coordenar, compor (obra que exige trabalho e cuidado): *Teceu um belo ensaio literário;* "E teço versos como quem refaz / a vida." (Odilo Costa Filho, *Boca da Noite*, p. 91). **7.** Levantar, promover, provocar: *tecer disputas.* *T. d. e i.* **8.** Mesclar, entrecortar: *A morte da filha teceu de tristeza e saudade o resto de seus dias.* **9.** *Fig.* Ornar, ornamentar: *As flores tecem a mata de um belíssimo colorido.* *Int.* **10.** Exercer o ofício de tecelão. **11.** Fazer teias. **12.** Fazer mexericos, intrigas, tramas. **13.** Perpassar, cruzando-se. **14.** Mexer (as crianças com braços e pernas; os bois, quando não estão quietos no carro). *P.* **15.** Entrelaçar-se, enredar-se, entreter-se. **16.** Formar-se, organizar-se, preparar-se. [M.-q.-perf.: *tecera* (ê), etc. Cf. *téssera*.]

tecido [Part. de *tecer*.] *Adj.* **1.** Que se teceu. **2.** *Fig.* Urdido, preparado. ● *S. m.* **3.** *Tec. Têx.* Produto artesanal ou industrial que resulta do entrelaçamento regular de fios verticais e horizontais de algodão, seda, lã ou de outra fibra natural ou sintética, e que é us. na confecção de peças de vestuário, de certos artigos domésticos ou decorativos, de embalagens, etc.; pano, fazenda, tela. **4.** *Biol.* Conjunto de células de origem comum igualmente diferenciadas para o desempenho de certas funções, num organismo vivo. **5.** *Histol.* Conjunto de células de origem comum igualmente especializadas para o desempenho de certas funções, num organismo vivo. ◆ **Tecido adiposo.** *Histol.* Variedade especial de tecido conjuntivo, cujas células se caracterizam por armazenar gordura. **Tecido aos quadrados.** *Tec. Têx.* Xadrez (3). **Tecido areolar.** *Histol.* Tecido conjuntivo frouxo. **Tecido cartilaginoso.** *Histol.* Tecido conjuntivo de sustentação, de consistência rígida, mas com certa elasticidade, e que apresenta resistência a trações e suporta pressões. **Tecido conjuntivo.** *Histol.* Tecido de origem mesenquimatosa que apresenta diversos tipos celulares, separados por grande quantidade de material intercelular constituído por fibras e rico em matriz extracelular. **Tecido conjuntivo frouxo.** *Histol.* Tipo de tecido conjuntivo em que há menor concentração de fibras; tecido areolar. **Tecido de granulação.** *Patol.* Tecido de neoformação, vascularizado, e que é, de hábito, observado durante o processo cicatricial, formando finalmente a cicatriz. É composto de pequenas granulações vermelhas, translúcidas, nodulares. **Tecido de Penélope.** V. *teia de Penélope*. **Tecido epitelial.** *Histol.* Epitélio (1). **Tecido muscular.** *Histol.* Aquele constituído por células alongadas, os miócitos, com as propriedades de contração e de extensão. **Tecido não urdido.** *Tec. Têx.* Tecido formado por processo de feltragem, em que as fibras são agrupadas por umidade e pressão, formando uma manta compacta. **Tecido nervoso.** *Histol.* Aquele constituído por neurônios e por neuróglia, e que se distribui pelo organismo, interligando-se e formando uma rede de comunicações que constitui o sistema nervoso. **Tecido ósseo.** *Histol.* Tipo de tecido conjuntivo de sustentação, formado por células (osteócitos, osteoblastos e osteoclastos) e por uma substância fundamental sólida, calcificada, a matriz óssea. **Tecido plano.** *Tec. Têx.* Tecido (3) cuja trama e urdidura estão em posição transversal. **Tecido solenial.** *Zool.* Tecido (5) que se forma no interior de canais de pólipos coloniais e que reveste as comunicações das cavidades gástricas. **Tecido urbano.** *Urb.* A cidade, onde as áreas construídas, os vazios, o sistema viário, e todos os demais elementos são comparados metaforicamente ao entrelaçamento de fios de um tecido; malha urbana.

tecidual [De *tecido* + *-ual*.] *Adj. 2 g.* Relativo a tecido (5). ~ V. *hormônio* —.

▲ **-técio** [Do lat. cient. *-thecium* < gr. **thēkíon*, dim. do gr. *thḗkē, ēs*.] *El. comp.* = 'receptáculo', 'caixinha': *anfitécio, apotécio, hipotécio, peritécio*.

tecível [De *tecer* + *-ível*.] *Adj. 2 g.* Que se pode tecer.

tecla [De or. incerta.] *S. f.* **1.** Cada uma das alavancas de madeira que, postas em movimento pelos dedos do executante, acionam o mecanismo que faz soar o piano, o cravo, o órgão e instrumentos congêneres. **2.** *P. ext.* A parte da tecla (1) que é premida pelos dedos do executante: *as teclas pretas do piano.* **3.** *P. ext.* As chaves ou botões de certos instrumentos musicais. **4.** *P. ext.* Nas máquinas de escrever, de calcular, etc., peça que aciona, mediante pressão dos dedos, o mecanismo impressor relativo a letra, número ou sinal nela indicado. **5.** *P. ext.* Botão (9) de certos aparelhos, como o rádio, o gravador, etc. **6.** *Tip.* Peça que, nas máquinas compositoras e fotocompositoras, determina, quando premida, a colocação da matriz na posição de compor ou a correspondente perfuração da bobina de papel. ◆ **Bater na mesma tecla.** Insistir no mesmo assunto; tocar na mesma tecla; insistir na mesma tecla. **Insistir na mesma tecla.** V. *bater na mesma tecla*. **Tocar na mesma tecla.** V. *bater na mesma tecla*.

tecladista [De *teclado* + *-ista*.] *S. 2 g.* **1.** *Mús.* Instrumentista que toca teclado. **2.** *Tip.* Operador do teclado (2). [Cf., nesta acepç., *monotipista*.]

teclado [De *tecla* + *-ado*[1].] *S. m.* **1.** Conjunto de teclas dum instrumento musical ou de certas máquinas. **2.** Unidade compositora da máquina monotipo. **3.** *Inform.* Dispositivo periférico de entrada, composto por teclas, e que permite a digitação de dados e a seleção de funções. ◆ **Teclado transpositor.** *Mús.* Teclado dos harmônios, que tem mobilidade cromática ascendente e descendente, a qual permite ao executante realizar mecanicamente um transporte imediato para qualquer tom.

teclar [De *tecla* + *-ar*[2].] *V. int.* **1.** Bater nas, ou pressionar as teclas (de); teclear: "Compunha [música] só, teclando ou escrevendo" (Machado de Assis, *Várias Histórias*, p. 68). **2.** Teclar (3): *Estávamos teclando, quando a luz acabou.* ***T. i.*** **3.** Comunicar-se, por texto, via telefone celular ou internet: *Disse que iria teclar com o namorado, que está na Europa.*

tecleador (ô) [De *teclear* + *-dor*.] *S. m.* Operador de máquinas dotadas de teclado, como as compositoras tipográficas, a máquina de escrever, etc.

teclear [De *tecla* + *-ear*[2].] *V. int.* **1.** Realizar a tarefa de tecleador. **2.** Teclar. [Conjug.: v. *frear*.]

tecnécio [Do lat. cient. *technetium* < gr. *technétos*, 'artificial', + suf. lat. *-ium*.] *S. m. Quím.* Elemento de número 43, artificial, radioativo, metálico, branco--prateado, denso [símb.: *Tc*].

técnica [F. subst. do adj. *técnico*.] *S. f.* **1.** A parte material ou o conjunto de processos de uma arte: *técnica cirúrgica; técnica jurídica.* **2.** Maneira, jeito ou habilidade especial de executar ou fazer algo: *Este aluno tem uma técnica muito sua de estudar.* **3.** Prática (4). [Cf. *tecnologia*.] ◆ **Técnica das exposições múltiplas.** *Astr.* Exposições múltiplas. **Técnicas de ensino.** *Educ.* Maneira ou forma de ensinar.

tecnicalidade [Do ingl. *technicality*.] *S. f.* V. *tecnicidade*.

tecnicamente [Do f. do adj. *técnico* + *-mente*.] *Adv.* De modo técnico; segundo a técnica; conforme os preceitos ou normas de uma arte ou ciência.

tecnicidade [De *técnico* + *-(i)dade*.] *S. f.* Qualidade ou caráter do que é técnico; tecnicismo, tecnicalidade.

tecnicismo [De *técnico* + *-ismo*.] *S. m.* **1.** Tecnicidade. **2.** Abuso da tecnicidade. **3.** Tecnônimo[2]. ◆ **Tecnicismo educacional.** *Pedag.* Fase ou período da história da educação brasileira que priorizava o uso exagerado de técnicas de ensinar.

tecnicista [De *tecnicismo* + *-ista*.] *Adj. 2 g.* Relativo ao, ou próprio do tecnicismo.

técnico [Do gr. *technikós*, 'relativo à arte', pelo lat. *technicu*.] *Adj.* **1.** Peculiar a uma determinada arte, ofício, profissão ou ciência: *termo técnico.* ~ V. *agente —, análise —a, atmosfera —a, canal —, competência —a, escala —a, falta —a, ficha —a, nocaute —* e *norma —a.* ● *S. m.* **2.** Indivíduo que aplica determinada técnica (1): especialista, perito, experto: *técnico de administração; técnico em educação.* [Cf. *tecnologista*.]

tecnicolor (ôr) [Do ingl. *technicolor*, nome comercial.] *Adj. 2 g.* **1.** Diz-se de certo processo de cinema em cores ou, p. ext., de qualquer filme colorido. ● *S. m.* **2.** Esse processo, ou um desses filmes. ◆ **Em tecnicolor.** *Pop.* Muito colorido, com muitas cores: *sonhar em tecnicolor.*

tecnicolorido [De *tecnicolor* + *-ido*[1].] *Adj.* Colorido pelo processo tecnicolor.

▲**tecno-** [Do gr. *techno-* < gr. *téchnē, ēs*.] *El. comp.* = 'arte'; 'técnica'; 'ofício'; 'indústria': *tecnocracia, tecnologia* (< gr.). [Equiv.: *-tecn(o)-*: *heterotecnia, hialotecnia*.]

▲**-tecn(o)-** Equiv. de *tecno-*.

tecnóclise [De *tecn(o)-* + *-clise*[3].] *S. f. Odont.* Limpeza da cavidade oral com dispositivos especiais, para a higiene dos dentes e demais estruturas bucais.

tecnocracia [De *tecno-* + *-cracia*.] *S. f.* Sistema de organização política e social baseado na predominância dos técnicos.

tecnocrata [De *tecno-* + *-crata*.] *S. 2 g.* **1.** Partidário da tecnocracia. **2.** Político, administrador ou funcionário que procura soluções meramente técnicas e/ou racionais, desprezando os aspectos humanos e sociais dos problemas.

tecnocrático [De *tecnocrata* + *-ico*[2].] *Adj.* Relativo a, ou próprio da tecnocracia, dos tecnocratas.

tecnofobia [De *tecno-* + *-fobia*.] *S. f.* Medo ou aversão a tecnologia, ou a novas tecnologias.

tecnografia [De *tecno-* + *-grafia*.] *S. f.* Descrição das artes e dos seus processos.

tecnográfico [De *tecnografia* + *-ico*[2].] *Adj.* Relativo a tecnografia.

tecnologia [Do gr. *technología*, 'tratado sobre uma arte'.] *S. f.* **1.** Conjunto de conhecimentos, esp. princípios científicos, que se aplicam a um determinado ramo de atividade: *tecnologia mecânica.* **2.** A totalidade desses conhecimentos: *Vivemos a era da tecnologia.* **3.** *Desus.* Terminologia técnica. [Cf. *técnica*.] ◆ **Tecnologia bipolar.** *Microeletrôn.* Processo de fabricação de circuitos integrados baseado em transistores bipolares. **Tecnologia MOS.** *Microeletrôn.* Processo de fabricação de circuitos integrados baseado em transistores de efeito de campo de porta isolada e capacitadores MOS.

tecnológico [De *tecnologia* + *-ico*[2].] *Adj.* Relativo a tecnologia. ~ V. *desemprego —*.

tecnologista [De *tecnologia* + *-ista*.] *S. 2 g.* Pessoa versada em tecnologia; tecnólogo. [Cf. *técnico* (2).]

tecnólogo [Do gr. *technológos*.] *S. m.* Tecnologista.

tecnonímia [De *tecnônimo* + *-ia*[2].] *S. f.* Emprego de tecnônimos, esp. como prática ou costume social.

tecnonímico [De *tecnônimo* + *-ico*[2].] *Adj.* Relativo a tecnônimo ou a tecnonímia.

tecnónimo *S. m. Antrop. Etnol.* V. *tecnônimo*. [Uso freq. em P.]

tecnônimo[1] [Do gr. *téknon*, 'filho', + *-ônimo*, com haplologia.] *S. m. Antrop.* Designação que se dá a um indivíduo, na qual se faz referência ao nome de seu filho ou filha. [Em diversos povos e culturas, o tecnônimo substitui o nome próprio pessoal após o nascimento do primeiro filho do indivíduo, e tem usualmente a forma *pai de A* ou *mãe de B*.]

tecnônimo[2] [De *tecn(o)-* + *-ônimo*.] *S. m.* Termo ou expressão de área técnica ou tecnológica; tecnicismo.

teco[1] [Voc. onom.] *S. m. Bras.* **1.** Choque que se produz com uma bola em outra, no gude. **2.** *Pop.* Pancada com pedra ou com outro objeto arremessado: *Recebeu um teco que lhe abriu a cabeça.* **3.** *Gír.* V. *peteleco*. **4.** *Gír.* V. *tiro*[1] (3): *Levou dois tecos sem saber de onde partiram.* ◆ **Dar o teco.** *Bras. Pop.* Ficar zangado; estrilar.

teco[2] *S. 2 g. Adj. 2 g. Bras.* V. *emerenhom*.

▲**tec(o)-** [Do gr. *thḗkē, ēs*.] *El. comp.* = 'receptáculo', 'armário'; 'coleção', 'local em que se guarda (certa coisa)': *tecodonte*[1]. [Equiv.: *-teca, -técio* (q. v.), *-tec(o)-*, *-teco*: *ranfoteca; filmoteca, videoteca; cenotecário; ateco*.]

▲**-tec(o)-** V. *tec(o)-*.

▲**-teco** V. *tec(o)-*.

tecó [Do tupi = 'costume'.] *S. m. Bras. N.* **1.** Cacoete, sestro. **2.** Estado habitual do indivíduo; hábito. ● *Adv.* **3.** Assim-assim; na forma do costume.

tecodonte[1] [De *tec(o)-* + *-odonte*.] *Adj. 2 g. S. m. Zool.* Diz-se de, ou animal cujos dentes estão implantados em alvéolos.

tecodonte[2] [Adapt. do tax. *Thecodontia*.] *Paleont. S. m.* **1.** Espécime dos tecodontes, ordem que abrange reptis tecodontes (v. *tecodonte*[1]), e os mais primitivos arcossáurios que viveram do permiano ao triásico; eram, poss., os ancestrais dos dinossauros ornitísquios e saurísquios. ● *Adj. 2 g.* **2.** Pertencente ou relativo a eles.

tecodontiano [De *tecodonte*[1] + *-iano*.] *Paleont. S. m.* **1.** Espécime reptiliano pertencente ao primeiro grupo de reptis cujos dentes eram implantados em alvéolos. ● *Adj.* **2.** Diz-se de tecodontiano (1).

tecóforo [De *tec(o)-* + *-foro*; tax. *Thecophora*.] *Zool. S. m.* **1.** Espécime dos tecóforos, subordem de cordados, reptis quelônios de corpo revestido por uma carapaça e plastrão, com vértebras torácicas e costelas soldadas à carapaça. São a maioria das tartarugas, cágados e jabutis. ● *Adj.* **2.** Pertencente ou relativo a eles.

tecoma [Do tax. *Tecoma*, do *náuatle*.] *S. m. e f. Bot.* Tabebuia (1).

tecomorfo [De *tec(o)-* + *-morfo*.] *Adj. S. m. Zool.* Diz-se de, ou animal protegido ou por carapaça, ou por placas que formam uma carapaça.

teco-teco [Voc. onom.] *S. m. Bras.* Avião pequeno, de um só motor de explosão, de reduzida potência, para trajetos curtos: "Partira há cinco anos, de teco-teco, em viagem de recreio." (Humberto Crispim Borges, *Cacho de Tucum*, p. 162). [Pl.: *teco-tecos*.]

▲**tecti-** [Do lat. *tectus, a, um*, part. pass. do v. lat. *tegĕre*, 'cobrir'.] *El. comp.* = 'coberto'; 'protegido': *tectibranquiado, tectibrânquio*.

tectibranquiado [De *tecti-* + *-branqui(o)-* + *-ado*[3]; tax. *Tectibranchiata*.] *S. m. Adj. Zool.* V. *tectibrânquio*.

tectibrânquio [De *tecti-* + *-brânquio*; tax. *Tectibranchia*.] *Zool. S. m.* **1.** Espécime dos tectibrânquios, ordem de moluscos gastrópodes, opistobrânquios, de cabeça grande, ger. em concha, e providos de manto e ctenídeo. A concha, quando presente, é fina, incluída nas dobras do manto e do pé. ● *Adj.* **2.** Pertencente ou relativo a eles. [Sin. ger.: *tectibranquiado*.]

tecto [Do lat. *tectu*.] *S. m.* Teto[1] (q. v.): "fundo branco em geral, nos tectos e caixas dos camarotes, e fundo azul-celeste nas pilastras do arco do proscênio" (João Francisco Lisboa, *Obras*, IV, p. 603).

tectónica *S. f.* V. *tectônica*. [Uso freq. em P.]

tectônica [Do gr. *tektoniké* (*téchne*), 'arte de construir'.] *S. f.* **1.** Arte de construir edifícios. **2.** Parte da geologia que trata das deformações da crosta terrestre devidas às forças internas que sobre ela se exerceram; geotectônica, geodinâmica. [Var.: *tetônica*.]

tectónico *Adj.* V. *tectônico*. [Uso freq. em P.]

tectônico [Do gr. *tektonikós*, pelo lat. *tectonicu*.] *Adj.* Relativo à tectônica. [Var.: *tetônico*.] ~ V. *bacia —a* e *lago —*.

tectonismo [De *tectônico* + *-ismo*, seg. o padrão erudito.] *S. m.* O processo de deformação da crosta terrestre pela formação dos continentes, baías oceânicas, platôs, montanhas, dobras [v. *dobra*[1] (3)] e demais forças internas.

tectonito [De *tecton*, f. abrev. de *tectônico*, + *-ito*[2].] *S. m. Geol.* Rocha que evidencia movimentações tectônicas suficientes para alterar sua textura original.

tectrice [Do lat. cient. *tectrix, icis*, do f. do lat. *tector*.] *S. f.* **1.** *Zool.* Cada uma das penas que recobrem a cauda e as asas das aves. **2.** *Anat.* Cada uma das lâminas que constituem a parte posterior do osso frontal. ● *Adj.* **3.** *Zool.* Diz-se de tectrice (1). **4.** *Anat.* Diz-se de tectrice (2). [Var.: *tectriz* e *tetriz*.]

tectriz *S. f. Adj. Anat. Zool.* V. *tectrice*.

teçubá [Do ior.] *S. m. Bras. Rel.* Rosário us. pelos alufás [v. *alufá* (1 e 2)], constituído por três séries de 33 contas de madeira, terminadas por uma bola. [Var.: *tecebá*.]

tecum *S. m. Bras. Bot.* V. *tucum*.

tecuma [Var. de *tecum*.] *S. m. Bras. Bot.* V. *tucum* (4).

tecuna *S. 2 g. Adj. 2 g. Bras.* Ticuna[2].

teda [Do lat. *taeda*, 'pinheiro resinoso'; 'archote'.] *S. f.* Archote (1).

tedesco (ê) [Do it. *tedesco*.] *Adj. S. m.* Tudesco.

tedéu *S. m.* V. *te-déum*: "Regozijos cortesãos, tedéus, festas solenes, ... proclamavam alto e bom som que voltara Balduíno Braço de Ferro." (Aquilino Ribeiro, *Portugueses das Sete Partidas*, p. 208).

➔**te deum** [te 'deo(m)] [Lat.] V. *te-déum*.

te-déum [Do lat. *te*, 'te', 'a ti', + *Deum*, 'Deus'; Subentende-se *laudamus*, 'louvamos'.] *S. m. Lit.* **1.** Cântico da Igreja católica, em ação de graças, que principia por essas palavras latinas; hino ambrosiano. **2.** Cerimônia que acompanha esse cântico. [Pl.: *te-déuns*.]

tediento [De *tédio* + *-ento*.] *Adj.* Que entedia: "Sim! deixa-me a gozar este langor tediento / Que é mais libertação da alma" (A. J. Pereira da Silva, *Holocaustos*, p. 43).

tedífero [Do lat. *taediferu*.] *Adj. Poét.* Que traz ou leva teia[2].

tédio [Do lat. *taediu*.] *S. m.* Aborrecimento, fastio, nojo, desgosto: "Cantando, ao luar, errei nas ruas da Alemanha, / Armei na França minha tenda de campanha... / E tédio, tédio, tédio e nada mais!" (Antônio Nobre, *Só*, p. 92).

tediosamente [Do f. de *tedioso* + *-mente*.] *Adv.* De maneira tediosa; com ou produzindo tédio.

tedioso (ô) [Do lat. tard. *taediosu*.] *Adj.* **1.** Que inspira ou causa tédio: *pessoa tediosa; romance tedioso.* **2.** *P. us.* Cheio de tédio; entediado, maçado.

➔**tee** [tij] [Ingl.] *S. m. Esport.* No golfe, pequena peça em formato de taça, de madeira ou plástico, que sustenta a bola para cada tacada inicial de uma jogada.

➔**teenager** ['tijnejdʒəʳ] [Ingl.] *S. 2 g.* Jovem adolescente de 13 a 19 anos.

tefeense (eên) *Adj. 2 g.* **1.** De, ou pertencente ou relativo a Tefé (AM). ● *S. 2 g.* **2.** O natural ou habitante de Tefé.

tefe-tefe [Voc. onom.] *S. m.* **1.** O arfar do peito; o pulsar do coração. **2.** *Fig.* Paixão amorosa. **3.** *Bras. SP Gír.* Automóvel. [Pl.: *tefe-tefes*.] ● *Adv.* **4.** Aos saltinhos.

▲**tefro-** [Do gr. *tephro-* < gr. *téphra, as*.] *El. comp.* = 'cinza': *tefromancia*.

tefroíta [De *tefro-* + *-ita*[3].] *S. f. Min.* Silicato de manganês do grupo das olivinas.

tefromancia (cí) [De *tefro-* + *-mancia*.] *S. f.* Adivinhação em que se usava a cinza dos sacrifícios.

tefromante [De *tefro-* + *-mante*.] *S. 2 g.* Pessoa que praticava a tefromancia.

tefromântico *Adj.* Relativo a tefromancia, ou a tefromante.

tefrósia [Do tax. *Tephrosia*.] *S. f. Bot.* **1.** Gênero de ervas, arbustos e subarbustos fabáceos que habitam regiões tropicais e subtropicais, dotadas de folhas imparipenadas e flores racemosas, terminais. **2.** Qualquer espécie desse gênero, como, p. ex., a *Tephrosia nitens* (v. *ajaré*). **3.** Qualquer espécime desse gênero.

tefrosina [Do tax. *Tephrosia* (v. *tefrósia*) + *-ina*[3].] *S. f. Quím.* Substância cristalina, semelhante à rotenona e, como esta, inseticida, encontrada em certos tipos de timbó [fórm.: $C_{23}H_{22}O_7$].

tegali *S. m. Gloss.* V. *cordofaniano* (2).

tegão *S. m.* V. *canoura*. [Pl.: *tegãos*.]

tegme [Do lat. *tegmen*, 'envoltório', 'cobertura', por via pop.] *S. m. Bot.* Nas sementes que têm dois tegumentos, aquele que é mais interno; baganha, tégmen.

T

tégmen [Do lat. *tegmen*, 'envoltório', 'cobertura', por via erudita.] *S. m. Bot.* V. *tegme*. [Cf. *testa* (6). Pl.: *tegmens* e (p. us. no Brasil) *tégmenes*.]

tégmina [Do lat. *tegmina*, pl. de *tegmen*, 'envoltório', 'cobertura'.] *S. f. Zool.* A asa anterior, mais ou menos coriácea, dos ortópteros.

tegui [De or. indígena, poss.] *S. m. Bras. Zool.* V. *tovaca*.

tégula [Do lat. *tegula*, 'telha', por via erudita.] *S. f. Zool.* Escama que cobre a base da asa dos insetos de várias ordens, como dípteros, himenópteros e lepidópteros.

tegular [Do lat. *tegula*, 'telha', + *-ar*¹.] *Adj. 2 g.* Diz-se do mineral divisível em lâminas delgadas e longas, como, p. ex., a ardósia.

tegumentar [De *tegumento* + *-ar*¹.] *Adj. 2 g.* Relativo a tegumento, ou da natureza dele; tegumentário. ~ V. *leishmaniose* —.

tegumentário [De *tegumento* + *-ário*.] *Adj.* Tegumentar.

tegumento [Do lat. *tegumentu*.] *S. m.* **1.** *Anat. Zool.* O que cobre o corpo do homem e dos animais (pele, pelos, penas, escamas): "David Ouguet era um irlandês, homem mediano em quase tudo, ... salvo na barriga, cujos tegumentos tinham sofrido grande distensão" (Alexandre Herculano, *Lendas e Narrativas*, I, p. 251). **2.** *Bot.* Qualquer estrutura que reveste e protege um órgão vegetal, ou parte dele. **3.** *Bot.* Camada externa de tecido, ou o conjunto delas, que, nas plantas floríferas, envolve a nucela (2) e dá origem à testa (6); integumento.

teia¹ (êi) [Do lat. *tela*, por via pop.] *S. f.* **1.** V. *tela* (1). **2.** *Fig.* Estrutura, organização: *teia de espionagem*. **3.** *Fig.* Enredo, intriga: *teia dos acontecimentos*. **4.** Teia de aranha. **5.** Aquilo que prende, que enreda, que emaranha; trama: *Vive numa teia de infortúnios*. **6.** Gradeamento existente em algumas igrejas, tribunais e salas de sessão pública para a separação dos assistentes. **7.** *Ant.* Obra de tábuas unidas que, em certas igrejas, separam os homens das mulheres. [Cf. *Teia*, antr.] ◆ **Teia alimentar.** *Ecol.* Conjunto de cadeias alimentares interconectadas, ger. representado como um diagrama das relações entre os diversos organismos de um ecossistema. **Teia de aranha.** Tela (1) de fios finíssimos que formam uma espécie de rede elástica e que é produzida pelas aranhas a fim de captar os insetos de que necessitam para sua alimentação. [Tb. se diz apenas *teia*. Cf. *teias de aranha*.] **Teia de Penélope.** Trabalho que recomeça indefinidamente; tela de Penélope, bordado de Penélope, obra de Penélope, tecido de Penélope. [Segundo a lenda grega, Penélope, mulher de Ulisses, permaneceu-lhe fiel à sua longa ausência, alegando aos pretendentes que não se casaria enquanto não terminasse a feitura de uma grande tela, que tecia durante o dia e desmanchava à noite.] **Teias de aranha.** *Fig.* Crendices ou fantasias que se metem na cabeça de certas pessoas. [Cf. *teia de aranha*.] **Cortar a teia da vida de.** Tirar a vida a; matar.

teia² (êi) [Do lat. *taeda*.] *S. f. Poét.* Tocha, facho, archote. [Cf. *Teia*, antr.]

teicopsia [Do gr. *teîchos*, 'muro'; 'parede', + *-opsia*.] *S. f. Med.* V. *escotoma cintilante*.

teiforme [Do fr. *théiforme*.] *Adj. 2 g.* **1.** Semelhante a chá. **2.** *Farmac.* Diz-se de infusão preparada ao modo do chá.

teiga [De *taleiga*.] *S. f.* **1.** Espécie de cesto. **2.** Antiga medida para cereais.

teiídeo [Do tax. *Teius* + *-ideo*¹; tax. *Teiidae*.] *Zool. S. m.* **1.** Espécime dos teiídeos, família de reptis escamados, sáurios, que reúne lagartos da América do Sul. Ex.: teiú, calango. ● *Adj.* **2.** Pertencente ou relativo a eles.

teima [Do gr. *théma*, 'assunto de um discurso', 'proposição', pelo lat. *thema*, por infl. de cultismos como *freima*, etc.] *S. f.* Insistência em fazer alguma coisa, ainda que enfrentando dificuldades ou obstáculos; teimosia; obstinação.

teimar [De *teima* + *-ar*².] *V. t. i.* **1.** Insistir, obstinar-se: "— Mas o peior [*sic*] é que ela teima em não dar-se a conhecer" (Joaquim Manuel de Macedo, *Os Romances da Semana*, p. 25); "A febre abrandava. A dor na nuca e por cima das sobrancelhas é que ainda teimava em ficar." (Mário Palmério, *Vila dos Confins*, p. 144). *T. d.* **2.** Pretender com insistência; insistir em: *Teima que já está curado e quer ter alta*. *Int.* **3.** Ser teimoso; insistir em alguma coisa: *Não adianta teimar: a ordem já foi dada*. [Var.: *ateimar*.]

teimosa [F. subst. do adj. *teimoso*.] *S. f. Bras. CE Pop.* V. *cachaça* (1): "Despontam o dia com uns largos tragos de aguardente, a teimosa." (Euclides da Cunha, *Os Sertões*, p. 130.)

teimosia [De *teimoso* + *-ia*¹.] *S. f.* **1.** Qualidade, ação ou procedimento de teimoso. **2.** V. *teima*. **3.** Pertinácia exagerada. [Sin. ger.: *teimosice*.]

teimosice [De *teimoso* + *-ice*.] *S. f.* V. *teimosia*.

teimoso (ô) [De *teima* + *-oso*.] *Adj.* **1.** Que teima: *criança teimosa; ruído teimoso*. **2.** Obstinado, pertinaz. **3.** *Fig.* Insistente, prolongado: *chuva teimosa*. ● *S. m.* **4.** Aquele que teima. **5.** *Bras.* V. *joão-teimoso*.

teína [Do lat. cient. *theina*.] *S. f.* Princípio ativo do chá.

teipe [Do ingl. *tape*.] *S. m.* **1.** F. red. de *videoteipe* (q. v.). **2.** Qualquer fita magnética ou digital: *teipe de áudio*.

teiró [F. correspondente ao galego *teiroa* (< **te(l)eiro(l)a*, dim. de *tieira*, < esp. *telera* < lat. *tela*, pl. de *telum*, 'dardo').] *S. f. e m.* **1.** Peça do arado, que tem mão no dente e corta a terra. [Var.: *ateiró*.] **2.** Parte da fecharia de certas armas de fogo. **3.** *Fig.* Teima, implicância, birra. **4.** Discussão, contenda, rixa: "Inimigo acérrimo de D. Luís Antônio, com quem vivia de teiró, era ele que a ouvir elogios ao governo do Morgado não perdia a ocasião de chacotear, enristando a espátula dos unguentos: Como D. Tareja, tem muito que mostrar e pouco que se veja." (Alberto Rangel, *Fura-Mundo*, p. 65.) **5.** *Bras. RS* Dúvida, desconfiança.

teiru [De or. indígena.] *S. m. Bras. MT Etnogr.* **1.** Flauta dos índios parecis. **2.** Cantiga com que esses índios celebram a morte do cacique de Uauazareoiteco.

teísmo¹ [De *te(o)-* + *-ismo*.] *S. m. Filos.* Doutrina que admite a existência de um deus pessoal, causa do mundo. [Cf. *ateísmo, deísmo* e *panteísmo*.]

teísmo² [Do fr. *théisme*.] *S. m. Med.* O conjunto dos acidentes produzidos pelo abuso do chá.

teísta [De *teísmo*¹ + *-ista*.] *Adj. 2 g. S. 2 g.* Diz-se de, ou pessoa sectária do teísmo¹.

teité [Do tupi = 'coitado'.] *Interj. Bras. PA* Exprime compaixão.

teitei [Do tupi.] *S. m. Bras. Zool.* V. *gaturamo*.

teiú [Do tupi = 'comida de gentalha'.] *S. m. Bras.* **1.** *Zool.* Designação indígena do lagarto (1) (q. v.). **2.** *Zool.* Reptil lacertílio, teiídeo (*Tupinambis teguixim*), amplamente distribuído no Brasil. É o maior dos lagartos brasileiros, medindo até quase 2m de comprimento. Coloração geral preto-azulada, com fitas transversais malhadas de amarelo-escuro, pernas com manchas e salpicos. Vive em buracos no solo, alimenta-se de toda sorte de pequenos animais e de frutas. Sua carne é comestível, e a pele, muito cotada no mercado. [Var.: *tiú*; sin.: *teiú-açu, tejo, teju, tejuguaçu*.] **3.** *Bot.* Árvore flacourtiácea (*Casearia sylvestris*) nativa das regiões tropicais das Américas, dotada de sementes oleíferas.

teiú-açu [Do tupi = 'lagarto grande'.] *S. m. Bras. Zool.* V. *teiú* (2). [Pl.: *teiús-açus*.] ❖

teixe [Var. de *dixe*.] *S. m.* Berloque antigo, de ouro.

teixeira-soarense *Adj. 2 g.* **1.** De, ou pertencente ou relativo a Teixeira Soares (PR). ● *S. 2 g.* **2.** O natural ou habitante de Teixeira Soares. [Pl.: *teixeira-soarenses*.]

teixeirense¹ *Adj. 2 g.* **1.** De, ou pertencente ou relativo a Teixeira (PB). ● *S. 2 g.* **2.** O natural ou habitante de Teixeira.

teixeirense² *Adj. 2 g.* **1.** De, ou pertencente ou relativo a Teixeira de Freitas (BA). ● *S. 2 g.* **2.** O natural ou habitante de Teixeira de Freitas.

teixeirense³ *Adj. 2 g.* **1.** De, ou pertencente ou relativo a Teixeiras (MG). ● *S. 2 g.* **2.** O natural ou habitante de Teixeiras.

teixo [Do lat. *taxu*.] *S. m. Bot.* Árvore ou arbusto taxáceo (*Taxus baccata*) espontânea na Europa, América do Norte, região mediterrânea, Japão, Coreia e Manchúria, muito cultivada como planta ornamental.

tejadilho [Do esp. *tejadillo*.] *S. m.* Teto de veículos: "Dous carros com tejadilhos forrados de tela escura .... levam o primogênito e as três filhas de Bastos Leite" (Xavier Marques, *As Voltas da Estrada*, p. 191).

tejano [De *Tejo* (rio da Espanha e de Portugal) + *-ano*¹.] *Adj.* Referente ao rio Tejo; tagano.

tejo¹ [Do esp. plat. *tejo*.] *S. m. Bras. Zool. S.* Jogo que consiste em arremessar moedas sobre um facão cravado no solo.

tejo² *S. m. Bras. N.E. Zool.* V. *teiú* (2): "o *tejuaçu* (um grande lagarto que o sertanejo chama de tejo ou *teiú* e *tiú*)" (Ulisses Lins de Albuquerque, *O Sertanejo e o Sertão*, p. 235).

tejoila [De or. obscura.] *S. f. Zool.* Um dos ossos do casco do cavalo. [F. paral.: *tejoula*.]

tejoula *S. f. Zool.* Tejoila.

teju [Var. de *teiú*.] *S. m. Bras.* **1.** *Zool.* V. *teiú* (2). **2.** *Bot.* V. *gafanhoto* (4). [Cf. *tiju*.]

tejuaçu [Var. de *teiú-açu*.] *S. m. Bras.* **1.** *Bot.* V. *caapiá-verdadeiro*. **2.** *Zool.* V. *teiú* (2): "um grosso tejuaçu aquecia-se ainda sonolento aos raios do sol matutino" (José de Alencar, *O Sertanejo*, p. 238).

tejuçuoquense *Adj. 2 g.* **1.** De, ou pertencente ou relativo a Tejuçuoca (CE). ● *S. 2 g.* **2.** O natural ou habitante de Tejuçuoca.

tejuguaçu [Var. de *tejuaçu*.] *S. m. Bras. Zool.* V. *teiú* (2).

tejupaense (pà) *Adj. 2 g.* **1.** De, ou pertencente ou relativo a Tejupá (SP). ● *S. 2 g.* **2.** O natural ou habitante de Tejupá.

tejutiú *S. m. Bras. Bot.* V. *gafanhoto* (4).

tela [Do lat. *tela*, por via erudita.] *S. f.* **1.** Aquilo que foi tecido; o conjunto formado pelo entrelaçamento de fios; teia, trama. **2.** *Tec. Têx.* Denominação comum aos tecidos com ligamento tafetá, e confeccionados com fios de origem vegetal, como os de algodão, linho, juta, cânhamo, etc. **3.** *Tec. Têx.* V. *tecido* (3). **4.** Tecido (3) esticado em chassi, e sobre o qual se pintam os quadros. **5.** Quadro (4) pintado sobre tela. **6.** *P. ext.* Objeto de discussão. **7.** Momento em que se discute. **8.** Painel sobre o qual se projetam filmes cinematográficos, eslaides, transparências de retroprojeção, etc. [Sin., lus.: *ecrã*.] **9.** *P. ext.* O cinema, a arte cinematográfica; a sétima arte. [Sin., lus.: *ecrã*.] **10.** *Anat.* Designação genérica de membrana fina, semelhante a rede, teagem. **11.** *Edit. Eletrôn.* A imagem exibida em uma tela (13). **12.** *Ind. Pap.* Tira sem fim de malha metálica fina e delicada, feita de fios de bronze, bronze fosforoso ou liga semelhante, e que, estendida entre dois eixos e movendo-se horizontalmente, constitui a parte essencial da mesa de fabricação da máquina de papel. [Cf., nesta acepç., *tear* (2).] **13.** *Tec.* Superfície de armazenamento eletrostático de um tubo de raios catódicos mediante a qual a informação é visualmente apresentada. Constitui o dispositivo utilizado para exibição de dados num terminal-vídeo (q. v.). **14.** *Bras.* Tecido de arame para cercados. ◆ **Tela coroide.** *Anat.* Prega dupla de pia-máter que contribui para formar o teto do terceiro ventrículo; tela coróidea. **Tela coróidea.** *Anat.* Tela coroide. **Tela subcutânea.** *Histol.* Tecido conjuntivo frouxo, situado abaixo da derme, responsável pelo deslizamento da pele sobre as estruturas em que se apoia. [Denominação antiga: *hipoderme*.]

telado [Part. de *telar*.] *Adj.* **1.** Diz-se de papel, estampa, etc., reforçado no avesso com tela fina. **2.** Diz-se de porta ou janela guarnecida de telas de arame para impedir que entrem insetos. ~ V. *papel* —. [Cf. *tilado*.]

telagarça *S. f. P. us.* Talagarça.

telalgia¹ [De *tel(e)-*¹ + *-alg(o)-*² + *-ia*¹.] *S. f. Med.* Dor referida (q. v.).

telalgia² [De *tel(e)-*³ + *-alg(o)-*² + *-ia*¹.] *S. f. Med.* Dor em mamilo (1).

telálgico¹ [De *telalgia*¹ + *-ico*².] *Adj.* Relativo a telalgia¹.

telálgico² [De *telalgia*² + *-ico*².] *Adj.* Relativo a telalgia².

telamão [Do lat. *telamones*, f. do pl., < gr. *telamón, ônos*.] *S. m. Arquit.* Estátua em figura de homem, us. para suster entablamentos, cornijas, brasões, etc.; atlante. [Pl.: *telamões*. Cf. *cariátide*.]

télamon *S. m. Arquit.* V. *telamão*.

telangiectasia *S. f. Patol.* V. *teleangiectasia*.

telangiectásico [De *telangiectasia* + *-ico*².] *Adj.* Relativo a telangiectasia.

telão¹ [Do esp. *telón*.] *S. m. Teatr.* Pano com anúncios que pende adiante do pano de boca: "E os teatros ali estavam, com as gambiarras iluminadas, o telão a abrir-se às pancadas do sinal de Molière, a multidão, a fortuna, a glória..." (Melo Nóbrega, *O Soneto de Arvers*, p. 26.) [Var.: *talão*.]

telão² [De *tela* + *-ão*¹.] *S. m. Telev. Bras.* Tela grande, semelhante à de cinema, utilizada em *shows*, estádios esportivos, praças públicas, etc., para projeção de imagens de TV por meio de projetor multimídia (q. v.). [Cf. *videowall*.]

telão-de-seda-azul *S. f. Bras. Zool.* Inseto lepidóptero, morfídeo (*Morpho aega*), do S. do Brasil, de coloração azul-clara com as bordas das asas internamente tendendo ao marrom, e faixa mediana mais escura. [F. red.: *seda-azul*. Pl.: *telões-de-seda-azul*.]

telar [De *tela* + *-ar*².] *V. t. d.* **1.** Reforçar (estampas, mapas, etc.) colando-os sobre tecido fino; entelar. [Cf. *laminar*² (2).] **2.** *Bras.* Guarnecer (portas e janelas) de telas de arame, para impedir a entrada de insetos. [Cf. *tilar*.]

telaro [Do it. *telaro*.] *S. m. Teatr.* No teatro renascentista italiano, cada um dos prismas triangulares giratórios, similares aos periactos (v. *periacto*) do antigo teatro grego.

tele *S. f. Fot.* V. *teleobjetiva*.

▲**tel(e)-**¹ [Do gr. *têle-* < gr. *têle*, adv.] *El. comp.* = 'longe', 'ao longe': *telalgia*¹, *telêmetro, telescópio*.

▲**tel(e)-**² [De *televisão*.] *El. comp.* = 'televisão'; 'tela de monitor (8)': *telenovela, telespectador; teleplastia*².

▲**tel(e)-**³ [Do gr. *thēlḗ, ês*.] *El. comp.* = 'mamilo': *telalgia*², *teleplastia*², *telite*. [Equiv.: *-tel(e)-*: *endotélio*.]

▲**-tel(e)-** Equiv. de *tel(e)-*³.

teleangiectasia [De *tel(e)-*¹ + *-angi(o)-* + *-ectas-* + *-ia*².] *S. f. Patol.* Dilatação de vaso capilar ou de artéria terminal, e que ocorre ger. sob a pele, aí formando mancha.

telearca [Do gr. *teleárches*.] *S. m.* Na Grécia antiga, comandante de uma telearquia.

telearco [Do gr. *teléarchos*.] *S. m.* Na Grécia antiga, agente de polícia em Tebas.

telearquia [Do gr. *telearchía*.] *S. f.* Entre os gregos antigos, tropa de 2.048 homens.
teleator (ô) [De *tel(e)-*[2] + *ator*.] *S. m. Bras.* Ator de telenovela ou teleteatro. [Fem.: *teleatriz*.]
teleatriz [De *tel(e)-*[2] + *atriz*.] *S. f. Bras.* Fem. de *teleator* (q. v.).
telecine [De *tel(e)-*[2] + *cine*.] *S. m. Telev.* Aparelho que permite a transmissão por TV de filmes cinematográficos e de eslaides. [Cf. *telefilme, cinescópio*.]
telecinesia [De *tel(e)-*[1] + *-cines(i)-* + *-ia*[1].] *S. f.* Em parapsicologia e no espiritismo, movimentação aparente de um objeto, produzida por um médium ou parapsicólogo, sem ação mecânica.
telecinético [De *telecin(esia)* + *-ético*.] *Adj.* Pertencente ou relativo a telecinesia.
■ **Telecom** Sigla de *Associação Brasileira de Telecomunicações*.
telecomandado [Part. de *telecomandar*.] *Adj.* Comando a distância; teledirigido, teleguiado.
telecomandar [De *tel(e)-*[1] + *comandar*.] *V. t. d.* **1.** Comandar a distância (projetis, aeronaves, navios, maquinismos, etc.). **2.** *Fig.* Exercer comando ou domínio sobre (alguém), mesmo a distância.
telecomando [De *tel(e)-*[1] + *comando*.] *S. m.* Comando de projetis, aeronaves, navios, maquinismos, etc., realizado a distância, por fios ou por ondas hertzianas.
telecomunicação [De *tel(e)-*[1] + *comunicação*.] *S. f.* Processo de comunicação a longa distância que utiliza como meio de transmissão linhas telegráficas, telefônicas, satélites ou micro-ondas. [V. *teleprocessamento*.] ~ V. *telecomunicações*.
telecomunicações [Pl. de *telecomunicação*.] *S. f. pl.* Comunicações (2). ~ V. *telecomunicação*.
teleconduzir [De *tel(e)-*[1] + *conduzir*.] *V. t. d.* Teleguiar; telecomandar.
teleconferência [De *tel(e)-*[1] + *conferência*.] *S. f.* Modalidade interativa de telecomunicação mediante a qual três ou mais pessoas, em diferentes locais, se comunicam ao mesmo tempo via linha telefônica, rede de computadores, radiofonia, etc. [V. *videoconferência*.]
telecurso [De *tel(e)-*[2] + *curso*.] *S. m.* Curso (8) projetado para teleducação.
teledifusão [De *tel(e)-*[2] + *difusão*.] *S. f.* Emissão e transmissão de notícias, programas, etc., por meio da televisão.
teledinâmico [De *tel(e)-*[1] + *dinâmico*.] *Adj.* Que transmite ao longe a força, a potência.
teledireção [De *tel(e)-*[1] + *direção*.] *S. f.* Direção à distância; telecomando.
teledirigido [Part. de *teledirigir*.] *Adj.* Dirigido à distância; telecomandado, teleguiado.
teledirigir [De *tel(e)-*[1] + *dirigir*.] *V. t. d.* Dirigir à distância; telecomandar.
teledrama [De *tel(e)-*[2] + *drama*.] *S. m.* Adaptação de peça teatral, romance, conto, etc., à televisão.
teledramaturgia [De *tele-* + *dramaturgia*.] *S. f.* **1.** Apresentação de peças teatrais, novelas, minisséries, etc., pela televisão. **2.** O conjunto dessas obras assim apresentadas.
teledramatúrgico [De *teledramaturgia* + *-ico*[2].] *Adj.* Referente a teledramaturgia.
teleducação [De *tel(e)-*[2] + *educação*.] *S. f.* Processo educacional que, empregando meios instrucionais como a televisão, o rádio, a correspondência postal, etc., se caracteriza pela não contiguidade do professor; ensino à distância; educação à distância.
teleducando [De **teleducar* (< *tel(e)-*[2] + *educar*) + *-ando*.] *S. m.* Aluno de telecurso.
teleferagem [De *tel(e)-*[1] + *-fer(o)-* + *-agem*[2].] *S. f.* Teleferismo.
teleférico [Do fr. *téléphérique*.] *Adj.* **1.** Que transporta ao longe. ● *S. m.* **2.** Cabo que, movendo-se, transporta ao longe uma carga. **3.** Espécie de ascensor, ou veículo suspenso por cabos, que transporta passageiros ou mercadorias de um monte a outro, ou de um monte a um ponto baixo: *o teleférico do Pão de Açúcar.* [Cf. *funicular* (5).]
teleferismo [De *teleférico* + *-ismo*, seg. o padrão erudito.] *S. m.* Transporte por meios teleféricos; teleferagem.
telefilme [De *tel(e)-*[2] + *filme*.] *S. m. Cin. Telev.* Filme produzido esp. para a televisão.
telefonada [De *telefonar* + *-ada*[1].] *S. f.* V. *telefonema* (1).
telefonador [De *telefonar* + *-dor*.] *S. m.* Pessoa que se está comunicando pelo telefone: "Procuro esclarecer ao telefonador que não sou o Nosso Bar" (Carlos Drummond de Andrade, *A Bolsa & a Vida*, p. 67).
telefonar [De *telefone* + *-ar*[2].] *V. int.* **1.** Fazer uso de telefone: *Não costuma telefonar sem necessidade;* "esperei-a com impaciência: a hora chegou, passou, ela não apareceu. Meia hora depois telefonei: não estava no escritório." (José Rodrigues Miguéis, *Gente da Terceira Classe*, p. 140). [Sin. (bras., gír.): *bater um fio*.] *T. i.* **2.** Fazer comunicações pelo telefone; tocar, ligar: *Não gosta que lhe telefonem antes das 12 horas;* "Pensei em telefonar para os amigos mas hoje os amigos estão ocupados." (Lígia Fagundes Teles, *A Disciplina do Amor*, p. 113); "Uma tarde me telefonou da sua repartição .... dizendo emocionado achar-se no céu, entre as nuvens." (Fernando Sabino, *Medo em Nova Iorque. A Cidade Vazia*, p. 82). [Sin., bras., gír.: *bater um fio*.] *T. d. e i.* **3.** Comunicar pelo telefone; tocar, ligar, dizendo: *Telefonaram-lhe que sua sogra estava mal. T. d.* **4.** Comunicar pelo telefone: *Telefonou imediatamente a notícia da catástrofe; Telefonou que voltará no sábado.*
telefone [Do fr. *téléphone*.] *S. m.* **1.** Aparelho para transmitir à distância a palavra falada. [Var., p. us.: *telefono*.] **2.** *Restr.* Telefone (1) de uso corrente, que consta de um mecanismo elétrico capaz de efetuar a ligação entre duas linhas, e de peça(s) destinada(s) a emitir e receber mensagens faladas. [Sin., bras.: *aparelho*.] **3.** Os números e/ou letras por meio dos quais se efetua a ligação telefônica. [F. red., nessas acepçs.: *fone*.] **4.** *Bras. Gír.* Tapa que se aplica, simultaneamente, com as mãos em concha, nos dois ouvidos do agredido; telefonema. **5.** *Lus. Pop.* Esguicho (5) manual, acoplado ou não a um chuveiro, que se usa, p. ex., para dar ou tomar banho. ◆ **Telefone celular.** *Bras.* Telefone portátil, pessoal, utilizado em telefonia celular. [Sin. lus.: *telemóvel*.]
telefonema [De *telefone* + *-ema*.] *S. m.* **1.** Comunicação telefônica; telefonada, ligada. **2.** *Bras. Gír.* Telefone (4).
telefone sem fio *S. m. Jog. Inf.* Telegrama sem fio. [Pl.: *telefones sem fio*.] ☑
telefonia [De *tel(e)-*[1] + *-fon(o)-* + *-ia*[1].] *S. f.* **1.** Processo de transmissão da palavra falada ou de sons a distância através de cabos ou fios, ou de ondas hertzianas. **2.** *Lus.* Rádio[3] (4): "enquanto espera o jantar, entretém-se a ouvir telefonia" (Luís Forjaz Trigueiros, *Ainda Há Estrelas no Céu*, p. 149). ◆ **Telefonia celular.** Sistema de telefonia que utiliza transmissores de rádio de baixa potência para cobrir área delimitada, ou restrita, denominada célula. [Equipamentos eletrônicos permitem que cada ligação telefônica seja transferida de uma célula para outra célula, possibilitando a comunicação a longa distância.] **Telefonia sem fio.** V. *radiotelefonia*.
telefónico *Adj. S. m.* V. *telefônico*. [Uso freq. em P.]
telefônico [De *telefonia* + *-ico*[2].] *Adj.* **1.** Relativo a telefonia, ou a telefone. **2.** Feito por meio de telefone. ~ V. *lista —a*. ● *S. m.* **3.** Empregado de companhia telefônica.
telefonista [De *telefone* + *-ista*.] *S. 2 g.* **1.** Pessoa que tem por ofício dar, receber e retransmitir telefonemas. **2.** Pessoa que tem por ofício, em companhias ou postos telefônicos, atender o público informando, completando ligações, etc.
telefono *S. m.* V. *telefone* (1).
telefoto [De *tel(e)-*[1] + *-foto*.] *S. f.* Fotografia transmitida e reproduzida por ondas radioelétricas.
telefotografar [De *telefotografia* + *-ar*[2].] *V. t. d.* Tirar telefotografia(s) de.
telefotografia [De *tel(e)-*[1] + *fotografia*.] *S. f.* **1.** Arte de fotografar a grandes distâncias. **2.** *P. ext.* Fotografia tirada a grandes distâncias.
telefotográfico [De *telefotografia* + *-ico*[2].] *Adj.* Relativo a telefotografia.
telefotógrafo [De *tel(e)-*[1] + *fotógrafo*.] *S. m.* **1.** Aquele que pratica a telefotografia. **2.** Aparelho para telefotografar.
telega [Do turco, pelo rus. *telega* e pelo fr.] *S. f.* Carroça de quatro rodas usada na Rússia para transportar mercadorias.
telegonia [De *tel(e)-*[1] + *-gon(o)-*[2] + *-ia*[1].] *S. f. Biol. Desus.* Suposto fenômeno segundo o qual, na descendência de um macho com uma fêmea, poderá ocorrer o aparecimento de características derivadas de outro macho com que, anteriormente, a mesma fêmea tivera descendência.
telegónico *Adj.* V. *telegônico*. [Uso freq. em P.]
telegônico [De *telegonia* + *-ico*[2].] *Adj.* Relativo a telegonia.
telegrafar [De *telégrafo* + *-ar*[2].] *V. t. d.* **1.** Enviar notícia de, comunicar, pelo telégrafo: *Telegrafou sua chegada próxima. T. d. e i.* **2.** Comunicar pelo telégrafo: *Telegrafou o fato ao seu jornal;* "E telegrafou ao Silvério que desatulhasse o vale" (Eça de Queirós, *A Cidade e as Serras*, p. 101). *T. i.* **3.** Comunicar-se com alguém pelo telégrafo: *Telegrafou ao noivo. Int.* **4.** Mandar telegrama: *Urge telegrafar.* [Pres. ind.: *telegrafo*, etc. Cf. *telégrafo*.]
telegrafia [De *telégrafo* + *-ia*[1].] *S. f.* Processo de transmissão de mensagens a distância, por meio de um código de sinais e através de fios. ◆ **Telegrafia sem fio.** Radiotelegrafia.
telegraficamente (grà) [Do f. de *telegráfico* + *-mente*.] *Adv.* **1.** De modo telegráfico; pelo telégrafo. **2.** *Fig.* Abreviadamente, resumidamente: *Contar telegraficamente as mais palpitantes novidades.*
telegráfico [De *telégrafo* + *-ico*[2].] *Adj.* **1.** Relativo a telégrafo. **2.** Expedido pelo telégrafo: *notícia telegráfica; carta telegráfica.* **3.** *Fig.* Muito resumido; lacônico.
telegrafista [De *telégrafo* + *-ista*.] *S. 2 g.* Pessoa que, nas estações telegráficas, transmite ou recebe telegramas.
telégrafo [De *tel(e)-*[1] + *-grafo*, porém pelo fr. *télégraphe*, voc. criado em 1792 por Miot.] *S. m.* **1.** Qualquer sistema de transmissão de mensagens entre pontos distantes por meio de sinais. **2.** Casa ou lugar onde ele funciona. [Cf. *telegrafo*, do v. *telegrafar*.] ◆ **Telégrafo Morse.** Sistema telegráfico, invenção do norte-americano S. F. B. Morse (1791-1872), que emprega, na transmissão de mensagens, um código formado por pontos e traços (.-). **Telégrafo sem fio.** Aquele em que a transmissão de sinais é feita por ondas hertzianas. [Cf. *rádio*[3].] **Telégrafo submarino.** Aquele em que as mensagens são transmitidas por meio de cabos imersos no fundo do mar.
telegrama [De *tel(e)-*[1] + *-grama*; fr. *télégramme*.] *S. m.* **1.** Comunicação telegráfica. **2.** Mensagem escrita, transmitida por telegrafia, para ser entregue ao destinatário. **3.** *Bras.* Pedaço de papel, com um orifício, que se faz subir, pelo fio, até o papagaio (5) suspenso no ar. **4.** *Bras. Gír.* Entre os ladrões, tira de papel que se cola no fecho de uma porta a fim de verificar se esta foi aberta, ou não, depois de assim selada. ◆ **Telegrama fonado.** Telegrama recebido da, ou ditado à agência telegráfica, pelo telefone; fonograma. **Telegrama pré-datado.** O que se passa de antemão e que o Correio só entregará ao destinatário na data determinada. **Telegrama retido.** *Bras. MA Fig. Pop.* Coisa já sabida e que se conta como novidade. **Passar telegrama.** *Bras.* **1.** Em certos jogos carteados, dar a entender ao seu parceiro, por uma jogada legítima, as cartas que se têm na mão. **2.** *Pop.* V. *defecar* (5).
telegrama sem fio *S. m. Jog. Inf.* Jogo de salão, em que cada participante segreda ao vizinho o que acabou de lhe ser cochichado pelo companheiro anterior, devendo o último da fileira dizer alto a frase (ou palavra) que entendeu, para confrontá-la com a mensagem inicial, só então anunciada pelo primeiro da fila; telefone sem fio. [Pl.: *telegramas sem fio*.] ☑
teleguiado [Part. de *teleguiar*.] *Adj.* **1.** Diz-se dos engenhos guiados à distância por meio das ondas hertzianas, e, esp., dos mísseis balísticos intercontinentais. **2.** *Bras. P. ext.* Orientado, dirigido, industriado por outrem. **3.** *Bras. P. ext.* Que não tem orientação própria; que nada delibera por si; que só age a mando ou por influência de outra pessoa. ~ V. *míssil —*. ● *S. m.* **4.** Engenho teleguiado, principalmente de caráter bélico.
teleguiar [De *tel(e)-*[1] + *guiar*.] *V. t. d.* **1.** Guiar (engenhos, foguetes, aviões, etc.) à distância, por meio das ondas hertzianas. **2.** *Bras. P. ext.* Exercer influência ou domínio sobre (outrem).
teleimpressor (e-i... ô) [De *tel(e)-*[1] + *impressor*.] *S. m.* **1.** Teletipo. **2.** Teletipista.
telejornal [De *tel(e)-*[2] + *jornal*.] *S. m. Bras.* Noticiário apresentado pela televisão.
telejornalismo [De *telejornal* + *-ismo*.] *S. m. Bras.* Atividade jornalística exercida em telejornal.
telejornalístico [De *telejornalismo* + *-ist(a)-* + *-ico*[2].] *Adj. Bras.* Relativo a telejornalismo.
telêmaco-borbense *Adj. 2 g.* **1.** De, ou pertencente ou relativo a Telêmaco Borba (PR). ● *S. 2 g.* **2.** O natural ou habitante de Telêmaco Borba. [Pl.: *telêmaco-borbenses*.]
➔**telemarketing** [tɛlɔˈmaɹketɪŋ] [Ingl.] *S. m. Market.* Forma de *marketing* direto (q. v.) que utiliza o telefone como recurso sistemático e interativo de comunicação, para as atividades de atendimento, promoção, pós-venda, obtenção de informações sobre o mercado, etc. [Cf. *teleoperador*.] ◆ **Telemarketing ativo.** *Market.* Aquele em que a empresa telefona para o cliente. **Telemarketing passivo.** *Market.* Telemarketing receptivo. **Telemarketing receptivo.** *Market.* Aquele em que o consumidor ou cliente potencial telefona para a empresa; *telemarketing* passivo.
telemática [De *tele(comunicação)* + *(infor)mática*.] *S. f.* Ciência que trata da manipulação e utilização da informação através do uso combinado de computador e meios de telecomunicação.
telemático [De *telemática*, com var. suf. (v. *-ico*[2]).] *Adj.* De, ou relativo à telemática.
telemetria [De *tel(e)-*[1] + *-metria*.] *S. f.* Técnica da obtenção, processamento e transmissão de dados a distância.
telemétrico [De *telemetria* + *-ico*[2].] *Adj.* Relativo a telemetria.
telemetrista [De *telêmetro* + *-ista*.] *S. 2 g.* Pessoa que trabalha com o telêmetro.
telémetro *S. m.* V. *telêmetro*. [Uso freq. em P.]

telêmetro [De *tel(e)-*[1] + *-metro.*] *S. m.* Instrumento óptico para medir a distância existente entre um observador e um ponto inacessível; distanciômetro.

telemicroscópio [De *tel(e)-*[1] + *microscópio.*] *S. m. Ópt.* Luneta destinada a observações a curta distância, e que tem um aumento relativamente grande.

telemóvel [De *tel(e)-*[1] + *móvel.*] *S. m. Lus.* Telefone celular.

telencefálico [De *telencéfalo* + *-ico*[2].] *Adj. Embr.* Relativo ao telencéfalo.

telencéfalo [De *tel(e)-*[1] + *encéfalo.*] *S. m. Embr.* Porção anterior do prosencéfalo, a qual dá origem aos hemisférios cerebrais.

telenovela [De *tel(e)-*[2] + *novela.*] *S. f. Bras.* Novela (3) teatralizada, apresentada em televisão: 📖 "A telenovela de maior sucesso de Dias Gomes foi *O Bem-Amado*, de 1973." (Samina Campedelli, *Dias Gomes*, p. 9.) [Cf. *teleteatro.*]

▲**tele(o)-** [Do gr. *téleos, a, on.*] *El. comp.* = 'relativo ao fim'; 'extremo', 'acabado', 'completo'; 'perfeito'; 'amadurecido': *teleologia, teleósteo.* [Equiv.: *-tel(e)(o)-*: *disteleologia.*]

▲ **-tel(e)(o)-** V. *tele(o)-*.

teleobjetiva [De *tel(e)-*[1] + *objetiva.*] *S. f. Ópt.* Objetiva em que os planos principais estão na frente da lente frontal, com distância focal bastante grande e plano focal próximo à última lente do sistema, e utilizada para fotografar objetos distantes. [F. red.: *tele.*]

teleofuncionalismo (tè) [De *tele(o)-* + *funcionalismo.*] *S. m.* O funcionalismo (q. v.) que inclui a influência que possa exercer a finalidade nos processos que determinam a vida psíquica.

teleologia [Do gr. *tele(o)-* + *-logia.*] *S. f. Filos.* **1.** Estudo da finalidade. **2.** Doutrina que considera o mundo como um sistema de relações entre meios e fins; teologismo. [Cf., nesta acepç., *finalismo.*] **3.** Estudo dos fins humanos.

teleológico [De *teleologia* + *-ico*[2].] *Adj.* **1.** Relativo a teleologia. **2.** *Filos.* Diz-se de argumento, conhecimento ou explicação que relaciona um fato com sua causa final.

teleologismo [De *teleologia* + *-ismo.*] *S. m. Filos.* Teleologia (2).

teleoperador[1] (ô) [De *tel(e)-*[1] + *operador.*] *S. m. Astron.* **1.** Indivíduo que controla, à distância, um telerrobô. **2.** Braço mecânico cujos movimentos sucessivos são dirigidos à distância por um operador.

teleoperador[2] (ô) [De *tele(marketing)* + *operador.*] *S. m. Market.* Profissional que faz o atendimento telefônico em *telemarketing*; operador de *telemarketing*.

teleósteo [De *tele(o)-* + *-ósteo*; tax. *Teleostei.*] *Zool. S. m.* **1.** Espécime dos teleósteos, infraclasse de actinopterígios, que reúne todos os peixes de esqueleto ósseo, à exceção de poucas ordens de peixes primitivos. ● *Adj.* **2.** Pertencente ou relativo a eles.

teleouvinte [De *tel(e)-*[2] + *ouvinte.*] *S. 2 g.* Ouvinte (1) de televisão.

telepatia [De *tel(e)-*[1] + *-patia.*] *S. f.* Transmissão ou comunicação extrassensorial de pensamentos e sensações, a distância, entre duas ou mais pessoas. [Cf. *transmissão de pensamento.*]

telepático [De *telepatia* + *-ico*[2].] *Adj.* Relativo à, ou próprio da telepatia.

telepatina *S. f. Quím.* Harmina.

teleplastia[1] [De *tel(e)-*[1] + *-plast(o)-* + *-ia*[1].] *S. f. Espir.* Manifestação material de uma pessoa num lugar donde está ausente.

teleplastia[2] [De *tel(e)-*[2] + *-plast(o)-* + *-ia*[1].] *S. f. Cir. Plást.* Visualização obtida em computador, segundo programação, do que deverá ser o resultado pós-operatório de uma intervenção cirúrgica plástica.

teleplástico[1] [De *teleplastia*[1] + *-ico*[2].] *Adj. Espir.* Relativo a teleplastia[1].

teleplástico[2] [De *teleplastia*[2] + *-ico*[2].] *Adj. Cir. Plást.* Relativo a teleplastia[2].

telepontaria [De *tel(e)-*[1] + *pontaria.*] *S. f.* Pontaria a grande distância.

teleporte *S. f.* Transmissão à distância. ◆ **Teleporte quântico.** *Fís.* Propriedade que têm sistemas quânticos emaranhados de trocarem informação entre si, sem que haja transporte de energia ou matéria.

teleporto (ô) [De *tele(comunicação)* + *porto.*] *S. m.* Prédio dotado de modernos e poderosos recursos de telecomunicação, e que se destina a abrigar empresas, organizações, etc.

teleprocessamento [De *tel(e)-*[1] + *processamento.*] *S. m.* Modalidade de tratamento da informação por um sistema de processamento de dados, que utiliza meios de telecomunicação. Este tipo de tratamento implica a transmissão de dados do ponto em que são gerados até o computador central para processamento e retransmissão dos resultados ao ponto de origem. [V. *telecomunicação.*]

➔**teleprompter** [tɛlə'pɹamptə] [Ingl., marca registrada.] *S. m. Cin. Teatr. Telev.* Prompter.

telerradiografia (àd) [De *tel(e)-*[1] + *radiografia.*] *S. f. Radiol.* Radiografia obtida estando a ampola de raios X afastada de 2 a 3m do indivíduo a ser radiografado, de modo que se suprima a deformação cônica da imagem.

telerradiográfico [De *telerradiografia* + *-ico*[2].] *Adj. Radiol.* Relativo a telerradiografia.

telerrobô [De *tel(e)-*[1] + *robô.*] *S. m. Astron.* Robô que pode ser operado a distância.

telescopia [De *tel(e)-*[1] + *-scop-* + *-ia*[1].] *S. f.* Aplicação do telescópio.

telescópico [De *telescópio* + *-ico*[2].] *Adj.* **1.** Relativo a telescópio. **2.** Realizado com auxílio de telescópio. **3.** Capaz de discernir objetos distantes. **4.** Diz-se de tubo, cilindro ou cone constituído de partes que se acomodam umas dentro das outras, permitindo variar seu comprimento (como o tripé telescópico de certas máquinas fotográficas). **5.** *Astr.* Diz-se de astro que somente é visível através de um telescópio. ~ V. *sistema —.*

telescópio [De *tel(e)-*[1] + *-scópio.*] *S. m. Ópt.* **1.** Instrumento óptico destinado à observação de objetos longínquos, constituído por uma objetiva e uma ocular. **2.** *Astr.* Telescópio astronômico. **3.** *Astr.* V. *telescópio refletor.* **4.** *Astr.* Constelação austral, ao S. do Sagitário e da Coroa Austral, a O. do Índio, a E. do Altar e ao N. do Pavão. [Com cap., nesta acepç.] **5.** *Bras. Zool.* Designação comum aos peixes actinopterígios, cipriniformes, ciprinídeos (*Carassius auratus*), de olhos muito grandes, salientes, exoftálmicos, situados bem na frente da cabeça. [Cf. *peixe-vermelho.*] ◆ **Telescópio astronômico.** *Astr.* Qualquer dos instrumentos de óptica próprios para a observação astronômica. [Tb. se diz apenas *telescópio.*] **Telescópio equatorial.** *Astr.* Telescópio astronômico cuja montagem comporta um eixo paralelo ao eixo do mundo (q. v.), o que o torna adequado ao acompanhamento do movimento diurno dos astros. **Telescópio refletor.** *Astr.* Tipo de telescópio astronômico, cuja objetiva é constituída por um espelho côncavo. [Tb. se diz apenas *refletor* ou *telescópio.*] **Telescópio refrator.** *Astr.* Tipo de telescópio astronômico, cuja objetiva é constituída por uma lente ou por um sistema de lentes; luneta astronômica. [Tb. se diz apenas *refrator.*]

telésia [Do fr. *télésie* < gr. *telésios*, 'acabado', 'perfeito'.] *S. f. Min. Obsol.* Coríndon.

telespectador (ô) [De *tel(e)-*[2] + *espectador.*] *Bras. Adj.* **1.** Que é espectador de televisão: 📄 *o público telespectador.* ● *S. m.* **2.** Espectador de televisão; tevente.

telespetador *Adj. S. m.* V. *telespectador.* [Uso próprio de P.] ⊙

telesporídio *Adj. S. m. Zool.* V. *telosporídio.*

telessorteio [De *tel(e)-*[2] + *sorteio.*] *S. m. Market. Telev.* Sorteio de prêmios promovido entre telespectadores que ligam para determinados telefones indicados durante programa televisivo.

telestáceo [Do tax. *Telesto* + *-áceo*; tax. *Telestaceae.*] *Zool. S. m.* **1.** Espécime dos telestáceos, ordem de cnidários alcionários, cujas colônias são formadas de ramificações, cada qual com um pólipo axial e outros laterais, com base delgada. ● *Adj.* **2.** Pertencente ou relativo a eles.

teleteatro [De *tel(e)-*[2] + *teatro.*] *S. m. Bras.* Peça teatral televisionada. [Cf. *telenovela.*]

teletema [De *tel(e)-*[2] + *tema.*] *S. m.* Tema de programa de televisão.

teleterapia [De *tel(e)-*[1] + *(radio)terapia.*] *S. f. Radiol.* Modalidade de radioterapia em que a fonte de que emana a radiação está distanciada do corpo. [Cf. *braquiterapia.*]

teletexto (ês) [De *tel(e)-*[2] + *texto.*] *S. m.* **1.** Sistema de telecomunicação em que o aparelho normal de TV, equipado com decodificador específico, é utilizado como receptor de informação alfanumérica e gráfica. [Diferentemente do videotexto (q. v.), o sistema de teletexto não é interativo.] **2.** A informação visualizada por meio de teletexto (1).

teletipista [De *teletipo* + *-ista.*] *S. 2 g.* Pessoa que opera o teletipo; teleimpressor.

teletipo [Do ingl. *teletype* < *teletypewriter.*] *S. m.* Aparelho telegráfico, empregado sobretudo em grandes jornais, centrais de polícia, etc., cujo transmissor é semelhante a uma máquina de escrever comum, e cujo receptor imprime diretamente, sem auxílio do código morse, as mensagens escritas, prontas para leitura imediata; teleimpressor. [Cf. *telex.*]

telétipo *S. m. Lus.* V. *teletipo.*

teleutósporo [Do gr. *teleuté*, 'realização', + *-o-* + *-sporo.*] *S. m. Micol.* Teliósporo.

telever [De *tel(e)-*[2] + *ver.*] *Bras. V. t. d.* **1.** Ver (um espetáculo) pela televisão. *Int.* **2.** Ver um espetáculo pela televisão. [Irreg. Conjug.: v. *ver.*]

televisamento [De *televisar* + *-mento.*] *S. m.* Televisionamento.

televisão [De *tel(e)-*[1] + *visão.*] *S. f.* **1.** Tecnologia de telecomunicação que permite a transmissão instantânea de imagem e som, gerados ao vivo ou gravados em videoteipe, mediante ondas eletromagnéticas ou transmissão a cabo (v. *televisão a cabo*). [Originalmente criada para radiodifusão de som e imagem, presta-se tb. à utilização em circuito fechado e, esp., com a invenção do videoteipe, para utilização doméstica, empresarial, etc.] **2.** Televisor (2): 📖 "acendeu a luz e abriu a janela, ligou a televisão." (Ricardo Ramos, *Os Inventores Estão Vivos*, p. 29). **3.** Meio de comunicação que utiliza a televisão (1) para difundir informações, espetáculos, etc. **4.** Televisora [abrev.: *TV*]. ◆ **Televisão aberta.** *Telev.* Designação genérica das emissoras de TV, que utilizam sinais não codificados para transmissão de seus programas, tornando-os assim disponíveis para o público em geral. **Televisão a cabo.** *Telev.* Serviço de telecomunicação, não aberto ao público em geral, que consiste na distribuição de sinais de vídeo e de áudio a assinantes/usuários do serviço, mediante transporte por meio físico. **Televisão de alta-definição.** *Telev.* Sistema ou tecnologia que aumenta a resolução (9) da imagem recebida, e que, no sistema de padrão NTSC, passa a ter cerca de 1.125 linhas de resolução em vez das anteriores 525 linhas. **Televisão digital.** **1.** *Telev.* Serviço de televisão onde o sinal de vídeo é transmitido em formato digital. **2.** O aparelho de televisão com esta característica. **Televisão fechada.** *Telev.* Designação genérica das emissoras de TV, como, p. ex., a televisão por assinatura, que utilizam sinais codificados para a transmissão de programas que só podem ser reproduzidos em televisores dotados de decodificador especial. **Televisão *pay-per-view*.** *Telev.* Televisão por demanda. **Televisão por assinatura.** *Telev.* Serviço de teledifusão de sons e imagens a assinantes, mediante sinais esp. codificados e utilização de canais de espectro radioelétrico. [Abrev.: *TVA.*] **Televisão por demanda.** *Telev.* Serviço de TV por assinatura (q. v.) no qual o cliente paga por programa a que assiste; televisão *pay-per-view*.

televisar [De *tel(e)-*[1] + *visar.*] *V. t. d.* Televisionar.

televisionado [Part. de *televisionar.*] *Adj.* Transmitido por televisão. ~ V. *imprensa —a.*

televisionamento [De *televisionar* + *-mento.*] *S. m.* Ato ou efeito de televisionar; televisamento.

televisionar [De *televisão* + *-ar*[2], seg. o padrão erudito.] *V. t. d.* Transmitir por televisão; televisar.

televisivo *Adj.* V. *televisual.*

televisor (ô) [De *tel(e)-*[1] + *visor.*] *Adj.* **1.** Em que se faz televisão (1): 📄 *estação televisora.* ● *S. m.* **2.** Aparelho que recebe imagens televisionadas; televisão.

televisora (ô) [Fem. do adj. *televisor.*] *S. f.* Estação de televisão; televisão.

televisual [De *tel(e)-*[2] + *visual.*] *Adj. 2 g.* Relativo ou pertencente à televisão: 📖 "É assim que me perguntam, vez por outra, por que emprego o adjetivo televisual quando todo mundo utiliza 'televisivo'." (Décio Pignatari, *Signagem da Televisão*, p. 37.)

televizinho [De *tel(e)-*[2] + *vizinho.*] *S. m. Bras. Irôn.* Telespectador (2) que, não possuindo televisor próprio, assiste a programas transmitidos pelo aparelho do vizinho.

telex (cs) [Do fr. *télex.*] *S. m. 2 n.* **1.** *Telec.* Modalidade de serviço telegráfico que permite comunicação bilateral, realizado por meio de máquinas teleimpressoras, e no qual a ligação entre correspondentes passa por uma ou mais estações comutadoras. [Cf., nesta acepç., *teletipo.*] **2.** *P. ext.* Mensagem recebida por telex (1).

telexar (cs) [De *telex* + *-ar*[2].] *V. t. d.* Transmitir por telex.

telexograma (cs) [De *telex* + *-o-* + *-grama.*] *S. m. Telec.* Mensagem (1) transmitida e recebida por meio de telex (q. v.).

telha (ê) [Do lat. *tegula.*] *S. f.* **1.** *Constr.* Peça, em geral de barro cozido, usada na cobertura de edificações. **2.** *Tip.* V. *estereotipia curva* (2). **3.** *Mar.* Aba de ferro na base da abita e onde se prende a primeira volta da amarra. **4.** *Mar.* Fasquia de madeira que guarnece a parte de ré da verga, e pela qual se encosta ao mastro. **5.** *Lus. Constr. Nav.* Pestana (9). **6.** *Tip.* Peça do tinteiro da prensa, que regula o fluxo da tinta; faca. **7.** *Fam.* Mania, veneta, tineta; telhice. **8.** *Bras. Fam.* Cabeça; mente: 📄 *Não está bom da telha.* ◆ **Telha colonial.** *Constr.* V. *telha-canal.* **Telha de espigão.** *Constr.* Telha que cobre cumeeira e espigões do vigamento do telhado; telha-cumeeira. **Telha de fibra de vidro.** *Constr.* V. *telha plástica.* **Telha de poliéster.** *Constr.* V. *telha plástica.* **Telha metálica.** *Constr.* Telha de aço galvanizado ou zincado, ou de alumínio, comumente ondulada, us. na cobertura de grandes vãos. **Telha plástica.** *Constr.* Telha obtida a partir de um composto de plástico, reforçado por fibras de vidro; telha de fibra de vidro, telha de poliéster. **Dar na**

telha. Dar na veneta. **Estar com a telha.** *Lus.* Estar irritado, de mau humor. **Ter uma telha a mais.** V. *ter um parafuso de menos.* **Ter uma telha de menos.** V. *ter um parafuso de menos*: 📖 "....tendo uma telha de menos, viviam, pelo contrário, sempre a tomar pitos, nunca recebidos com humildade." (Ciro dos Anjos, *A Menina do Sobrado*, p. 24).

telha-canal *S. f. Constr.* Telha curva, cujo formato se assemelha a um meio tronco de cone oco; telha colonial; canal, telha-paulista. [Pl.: *telhas-canais* e *telhas-canal*.]

telha-cumeeira *S. f. Constr.* Telha de espigão. [Pl.: *telhas-cumeeiras* e *telhas-cumeeira*.]

telhado [Part. de *telhar*.] *S. m.* **1.** *Constr.* Parte exterior e superior da cobertura de um edifício, em geral constituída por telhas. **2.** *Arquit.* O conjunto das telhas que cobrem uma construção. **3.** *Constr.* Cobertura de um edifício. **4.** Prego de arame. **5.** *Fam.* Grande mania ou telha (7). [Cf. *tilhado*.] ◆ **Telhado de vidro.** Má reputação; passado não muito honroso.

telhador (ô) [De *telhar* + *-dor*.] *S. m.* **1.** Aquele que telha. **2.** Tampa duma vasilha de barro. **3.** *Maç.* Encarregado de verificar os documentos dos visitantes e sua condição maçônica.

telhadura [De *telhar* + *-dura*.] *S. f.* **1.** Ato ou efeito de telhar. **2.** Lugar onde se fabricam telhas.

telha-francesa [De *telha* + o f. de *francês*.] *S. f. Constr.* Telha plana, retangular, com uma pequena saliência que a fixa à ripa; telha-marselhesa. [Pl.: *telhas-francesas*.]

telhal [De *telha* + *-al*¹.] *S. m.* Forno onde se cozem telhas.

telha-marselhesa [De *telha* + o f. de *marselhês*.] *S. f. Constr.* Telha-francesa. [Pl.: *telhas-marselhesas*.]

telhamento [De *telha* + *-mento*.] *S. m.* **1.** Ato ou efeito de telhar. **2.** *Maç.* Processo em que o visitante responde a testes que comprovam sua condição de iniciado, bem como seus graus.

telhão [De *telha* + *-ão*¹.] *S. m.* **1.** Telha grande. **2.** Telha prensada.

telha-paulista *S. f. Constr.* V. *telha-canal*. [Pl.: *telhas-paulistas*.]

telhar [De *telha* + *-ar*².] *V. t. d.* Cobrir com telhas; atelhar. [Conjug.: v. *aparelhar*.]

telha-vã [De *telha* + *vã* (*i. e.*, 'sem forro'), fem. de *vão*.] *S. f.* **1.** Telhado sem forro: 📖 "Mantinha-os [os olhos] nos caibros cheios de fuligem da telha-vã, sem que os percebesse." (Moreira Campos, *As Vozes do Morto*, pp. 75-76). **2.** Telha que não leva argamassa. [Pl.: *telhas-vãs*.]

telheira [De *telha* + *-eira*.] *S. f.* Fábrica de telhas; olaria.

telheiro [De *telha* + *-eiro*.] *S. m.* **1.** Fabricante de telhas. **2.** Construção constituída por uma cobertura suportada por pilares, e aberta em todas as suas faces ou só parcialmente fechada. **3.** Alpendre (1).

telhense *Adj. 2 g.* **1.** De, ou pertencente ou relativo a Telha (SE). ● *S. 2 g.* **2.** O natural ou habitante de Telha.

telhice [De *telha* + *-ice*.] *S. f. Fam.* V. *telha* (7).

telho (ê) [Do lat. *tegulu*, 'telhado'.] *S. m.* **1.** Tampa de barro. **2.** Pedaço de barro que serve de tampa. **3.** Pedaço de telha; caco.

telhudo [De *telha* + *-udo*.] *Adj.* Que tem telha (7) ou mania(s); maníaco: 📖 "Não falava à toa, pelo prazer de intrigar, não. Sabiam-no telhudo, mas não fuxiqueiro." (Nélson de Faria, *Tiziu e Outras Estórias*, p. 183.)

télico [De *tel(o)-* + *-ico*².] *E. Ling. Adj.* **1.** ~ V. *aspecto* —. ● *S. m.* **2.** Aspecto télico (q. v.).

teligonácea [Do tax. *Thelygonum* ou *Theligonum* + *-ácea*; tax. *Thelygonaceae* ou *Theligonaceae*.] *S. f. Bot.* Espécime das teligonáceas, família de plantas floríferas, da ordem das mirtales, constituída de três espécies do gênero *Thelygonum*, o qual engloba ervas de folhas opostas e estipuladas, cuja consistência é membranácea. Habitam das ilhas Canárias até a Ásia oriental.

teligonáceo [De *teligonácea*, com var. suf. (v. *-áceo*).] *Adj. Bot.* Pertencente ou relativo às teligonáceas.

telilha [Do esp. *telilla*.] *S. f.* Tela fina.

teliospórico [De *teliósporo* + *-ico*².] *Adj. Micol.* Relativo ao teliósporo.

teliósporo [Do lat. med. *telium* + *-sporo*.] *S. m. Micol.* Esporo formado tardiamente, que não germina logo, permanecendo em repouso um período mais ou menos longo, e que, ao germinar, origina um promicélio de quatro células, cada uma das quais gera um esporo, que tem a significação de um basídio. Ocorre nas uredinales; teleutósporo.

teliostádio [De *telio-*, f. red. de *teliósporo*, + *estádio*.] *S. m. Micol.* A fase final do desenvolvimento dos uredinales, durante a qual se formam os teliósporos.

telista [De *tela* + *-ista*.] *S. m. Ind. Pap.* Prensista (2).

telite [De *tel(e)-*³ + *-ite*¹.] *S. f. Med.* Inflamação de mamilo (1).

telitocia [Do gr. *thelytokía*.] *S. f.* Partenogênese com produção apenas de fêmeas. [Var. menos boa: *telitoquia*.]

telitoquia *S. f.* V. *telitocia*.

teliz [Do lat. *trilix*, 'tecido com três fios', pelo ár. *tillis*.] *S. f.* Pano com que se cobre a sela do equídeo: 📖 "A seguir, ... iam cavalos ajaezados com ricos telizes de damasquino branco" (Antero de Figueiredo, *D. Pedro e D. Inês*, p. 218).

▲tel(o)- [Do gr. *télos, eos-ous*.] *El. comp.* = 'consumação', 'realização'; 'fim', 'termo': *telodendro*, *telosporídio*. [Equiv.: *-tel(o)*: *atélico*.]

▲-tel(o)- Equiv. de *tel(o)-*.

telodendro [De *tel(o)-* + *-dendro*.] *S. m. Histol.* Porção final de axônio, ger. muito ramificada.

telófase [De *tel(o)-* + *-fase*².] *S. f. Citol. Genét.* Estágio final da divisão celular em que os cromossomos não estão mais espiralados e são envolvidos por envoltórios nucleares.

telomerase [De *telômero* + *-ase*.] *S. f. Bioquím.* Qualquer de certas enzimas, constituídas por ARN e proteínas associadas, que catalisa a replicação dos telômeros, e que, normalmente, não se encontram (ou estão inativas) nas células sadias de organismos superiores, estando sua presença associada, provavelmente, à reprodução descontrolada de células cancerosas.

telómero *S. m. Bioquím.* V. *telômero*. [Uso freq. em P.]

telômero [De *tel(o)-* + *-mero*.] *S. m. Bioquím.* Fragmento que consiste em sequências repetidas de seis nucleotídeos, situado no fim de cromossomo, e que tem como função garantir que cada replicação do ADN tenha sido completada, sendo que, a cada divisão de uma célula, algumas sequências do telômero são descartadas: 📖 "Telômeros, relógio do envelhecimento?" (*Ciência Hoje*, abril/1998, p. 32.)

telónio *S. m. Rel.* V. *telônio*. [Uso freq. em P.]

telônio [Do lat. tard. *teloniu*.] *S. m. Rel.* Agência onde se fazia o câmbio de moedas entre os judeus, no tempo de Cristo.

telosporídio [De *tel(o)-* + *-(e)sporídio*; tax. *Telosporidia*.] *Zool. S. m.* **1.** Espécime dos telosporídios, classe de protozoários esporozoários, móveis ou fixos, que parasitam as células de seus hospedeiros, e cujos esporos se formam no fim do período vegetativo. Algumas espécies podem completar seu ciclo vital num só hospedeiro. ● *Adj.* **2.** Pertencente ou relativo a eles. [F. paral.: *telesporídio*.]

telso [Do gr. *télson*, 'limite'.] *S. m. Zool.* O último anel do abdome dos crustáceos.

telugu *S. m. Gloss.* Língua dravídica falada no S.E. da Índia.

telureto (ê) [De *telur(i)-* + *-eto*².] *S. m. Quím.* Composto de telúrio e um metal.

▲telur(i)- [Do lat. *tellus, ūris*.] *El. comp.* = 'terra'; 'solo': *telúrico*, *telurismo*. [Em *Quím.*, 'telúrio': *telureto*.] [Equiv.: *-telur(i)-*: *aerotelúrico*.]

▲-telur(i)- Equiv. de *telur(i)-*.

telúrico [De *telur(i)-* + *-ico*².] *Adj.* **1.** Relativo à Terra. **2.** Relativo ao solo. **3.** Relativo ao telúrio. ~ V. *raia* —*a*.

telurífero [De *telúrio* + *-fero*.] *Adj.* Que contém telúrio.

telúrio [De *telur(i)-* + *-io*³.] *S. m. Quím.* Elemento de número atômico 52, não metálico, preto-acinzentado [símb.: *Te*].

telurismo [De *telur(i)-* + *-ismo*.] *S. m.* **1.** Influência do solo de uma região nos costumes, caráter etc., dos habitantes. **2.** *Med.* Suposta produção de doenças por emanações provenientes do solo.

tema [Do gr. *théma*, 'proposição', pelo lat. *thema*.] *S. m.* **1.** Proposição que vai ser tratada ou demonstrada; assunto: 🖹 *O tema da palestra é a arte grega.* **2.** Exercício escolar para retroversão ou análise: 📖 "Eugênio se ocupava em escrever algumas cousas, que não eram os seus temas de latim" (Bernardo Guimarães, *O Seminarista*, p. 55). **3.** Texto em que se baseia um sermão. **4.** *E. Ling.* A raiz (10) acrescida de índice temático (q. v.), como *canta-* em *cantamos*, *cantaremos*. **5.** *E. Ling.* O conjunto formado pelo radical (6) e pelos elementos que a ele se apõem, como prefixos e elementos que formam as diferentes classes de palavras de uma língua. [V. *tematologia*.] **6.** *E. Ling.* Tópico (9). [Cf., nesta acepç., *comentário* (4).] **7.** *Mús.* Motivo (6) que dá origem e no qual se desenvolve a composição. [Pl.: *temas*. Cf. *tema* e *temas*, do v. *temer*.]

temapara [Do tupi, poss.] *S. m. Bras. Zool.* Réptil sáurio (*Polychrus marmoratus*).

temário [De *tema* + *-ário*.] *S. m. Bras.* Conjunto de temas ou assuntos que se devem tratar num congresso literário, científico, artístico, ou de outra natureza.

temática [F. subst. de *temático*.] *S. f.* Conjunto de temas caracterizadores de uma obra artística ou literária: 📖 "Para a poesia tradicional, cultivada desde o Renascimento, a fonte da inspiração seriam os grandes autores clássicos, já admitidos como modelos de excelência, e que forneciam a temática e o sistema imagístico para ser imitados pelos novos escritores" (Afrânio Coutinho, *A Tradição Afortunada*, p. 67).

temático [Do gr. *thematikós*.] *Adj.* Pertencente ou relativo ao tema. ~ V. *índice* —, *papel* — e *vogal* —*a*.

tematologia [Do gr. *théma, atos*, 'tema', + *-logia*.] *S. f. E. Ling.* Parte da morfologia em que se estuda a constituição das formas específicas ou temas [v. *tema* (5)] de cada uma das classes gramaticais que entram no discurso e foram classificadas na lexicologia.

tematológico [De *tematologia* + *-ico*².] *Adj. E. Ling.* Relativo a tematologia.

temba [De or. afr., poss.] *S. m. Bras. MG Pop.* V. *diabo* (2).

tembé¹ [Var. de *tembê*, poss.] *S. m. Bras.* Margem ou beira de abismo; despenhadeiro; tembezeira (bè) ou tembezeira (bê).

tembé² *Bras. S. 2 g.* **1.** *Etnôn.* Indivíduo dos tembés, povo indígena da família linguística tupi-guarani, tronco tupi, que habita os municípios de Paragominas, Viseu, Ourém e Marabá (PA) e Carutapera, Cândido Mendes, Turiaçu e Monção (MA). ● *Adj. 2 g.* **2.** Pertencente ou relativo a esse povo. [Tb. us. como *s. 2 g. e 2 n.* (com cap.) e *adj. 2 g. e 2 n.*]

tembê [Do tupi = 'beira', 'margem'.] *S. m. Bras.* Tembé¹.

tembequara [De or. tupi.] *Adj. 2 g. S. 2 g. Bras.* Dizia-se de, ou índio que furava os beiços. [Cf. *tembetá*.]

tembetá [Do tupi = 'lábio inferior' + o tupi = 'pedra'.] *S. m. Etnol.* Entre diversos grupos indígenas brasileiros, adorno de forma ger. alongada, confeccionado com matéria-prima mineral, introduzido em furo no lábio inferior. [Cf. *labrete*, *botoque*.]

tembetara *S. f. Bras. Zool.* **1.** V. *castanha* (12). **2.** V. *papa-terra* (3).

tembetari [Var. de *tembetaru*.] *S. m. Bras. Bot.* V. *tamanqueira* (1).

tembetaru [Do tupi.] *S. m.* **1.** *Bras. Bot.* V. *tamanqueira* (1). **2.** V. *coentrilho* (1).

tembetaru-de-espinho *S. m. Bras. Bot.* V. *espinho-de-vintém*. [Pl.: *tembetarus-de-espinho*.]

tembezeira (bè) [De *tembé* (q. v.) + *-zeira*.] *S. f. Bras.* Tembé¹. [Var. pros.: *tembezeira* (bê).]

tembezeira (bê) [De *tembé* (q. v.) + *-zeira*.] *S. f. Bras.* V. *tembezeira* (bè).

temblar [Do esp. *templar*, 'moderar', 'temperar', confundido com *temblar*, 'tremer'.] *V. t. d. Bras.* Afinar (instrumentos) uns pelos outros.

tembleque [Do esp. plat. *tembleque*.] *S. m.* **1.** *Bras.* Enfermidade do gado, produzida pela ingestão de cogumelos tóxicos. ● *Adj.* **2.** *Bras. RS* Trêmulo, bambo, fraco, enclenque.

temente [De *temer* + *-nte*.] *Adj. 2 g.* Que teme: 🖹 *Tarcísio é homem temente a Deus.*

temer [Do lat. *timere*.] *V. t. d.* **1.** Ter medo, temor ou receio de; recear: 🖹 *Não tema as feras: estamos bem armados.* **2.** Tributar grande reverência ou respeito a: 🖹 *temer os pais.* *T. i.* **3.** Ter medo, temor ou receio; recear: 📖 "O homem que é forte / Não teme da morte" (Gonçalves Dias, *Obras Poéticas*, II, p. 42); "Temo de regressar... / E mata-me a saudade..." (Camilo Pessanha, *Clépsidra e Outros Poemas*, p. 233). **4.** Ter medo, receio, temor; ter cuidados; preocupar-se, inquietar-se: 📖 "Outro erro de Verbena .... foi que, temendo pela morte do seu gafanhoto de estimação, entrouxara-o de vitaminas." (Macedo Miranda, *As Três Chaves*, p. 59). *Int.* **5.** Sentir susto, receio ou temor: 📖 "Todos andavam no Convento assombrados; ele só não temia, antes estava alegre." (Fr. Luís de Sousa, *Vida de D. Fr. Bertolameu dos Mártires*, I, p. 65.) *P.* **6.** Ter medo, receio: 🖹 *Bravos, de nada se temem.* [Pres. ind.: *temo, temes, teme*, etc.; pres. subj.: *tema, temas, tema*, etc. Cf. *Têmis*, antr. e mit., e *tema*, s. m., pl. *temas*.]

temerário [Do lat. *temerariu*.] *Adj.* **1.** Arriscado, imprudente, perigoso. **2.** Arrojado, audacioso, atrevido; precipitado. **3.** Que indica ou implica temeridade: 🖹 *golpe temerário.* **4.** Sem fundamento, sem base; infundado: 🖹 *juízo temerário.*

temeridade [Do lat. *temeritate*.] *S. f.* Qualidade ou ação de temerário; imprudência, ou arrojo, ousadia.

temero (ê ou é) [De *temer*.] *Bras. N. N.E. Pop. Adj.* **1.** Temível. **2.** Temerário (2): 📖 "Pois sou vaqueiro de fama, / Com minha vara na mão, / Como ninguém sou temero / Na frente do boiadão." (Juvenal Galeno, *Lendas e Canções Populares*, p. 121.) ● *S. m.* **3.** Indivíduo temerário (2): 📖 "Daí provém talvez o supersticioso terror que inspira a fosforescência desses olhos [os da onça] ao mais valente sertanejo, ao temero que jamais pestanejou em face da morte" (José de Alencar, *O Sertanejo*, p. 69).

temeroso (ô) [De *temor* + *-oso*, com assimilação, por infl. de *temer*.] *Adj.* **1.** Que infunde temor; terrível: 📖 "E o incêndio temeroso, doudejante, ensanguentado, galopa, voa e vai queimando, queimando..." (Gustavo Barroso, *Terra de Sol*, p. 17.) **2.** Que experimenta temor; que tem medo; medroso, tímido: 📖 "Temerosa de si mesma, olhou em redor." (João

T

da Silva Correia, *Farândola*, p. 54); "As crianças se retraem, temerosas, envergonhadas." (Guido Vilmar Sassi, *Piá*, p. 31).

temibilidade [De *temível* + *-(i)dade*, seg. o padrão erudito.] *S. f.* Qualidade ou caráter de temível: "Por que sepultar na cadeia, por um período longo, alguém que praticou um ato que não indica perversidade, temibilidade? É preciso encontrar outras formas de sanção." (Evandro Lins e Silva, *O Salão dos Passos Perdidos* — Depoimento ao CPDOC, p. 238.) [Cf. *periculosidade*.]

temibilíssimo *Adj.* Superl. abs. sint. de *temível*.

temido [Part. de *temer*.] *Adj.* **1.** Que causa medo; assustador. **2.** Destemido, valente. **3.** Que tem medo; medroso, tímido.

temiminó *Bras. S. 2 g.* **1.** *Etnôn.* Indivíduo dos temiminós, povo indígena extinto, do tronco linguístico tupi, que habitava a costa do ES. ● *Adj. 2 g.* **2.** Pertencente ou relativo a esse povo. [Outra f.: *timiminó*. Tb. us. como *s. 2 g. e 2 n.* (com cap.) e *adj. 2 g. e 2 n.*]

temível [De *temer* + *-ível*.] *Adj. 2 g.* Que se deve ou pode temer; que infunde temor. [Superl. abs. sint.: *temibilíssimo*.]

temor (ô) [Do lat. *timore*.] *S. m.* **1.** Ato ou efeito de temer; medo; susto: "Que nos perigos grandes o temor / É maior vinte vezes que o perigo" (Luís de Camões, *Os Lusíadas*, IV, 29). **2.** Sentimento de reverência ou de respeito: *temor a Deus*. **3.** *Fig.* Pessoa ou coisa que causa medo. **4.** Pontualidade, zelo, escrúpulo. [Cf. *timor*, s. 2 g., e o top. *Timor*.]

temorizar [De *temor* + *-izar*.] *V. t. d. P.* Atemorizar: "O visconde, porém, não se temorizou, subiu e dizem que foi ao pico da montanha." (Lima Barreto, *Os Bruzundangas*, p. 146.)

temoroso (ô) [De *temor* + *-oso*.] *Adj. Ant.* Temeroso (q. v.).

tempão [De *tempo* + *-ão*[1].] *S. m. Bras.* Grande espaço de tempo: "— Sou um artista, compreende? Faz um tempão que estou observando você, estudando os seus traços, tentando desenhar o seu retrato." (Érico Veríssimo, *Noite*, p. 29.)

têmpera [Do it. *tempera*, poss.] *S. f.* **1.** Ato ou efeito de temperar; temperamento. **2.** *Metal.* Tratamento térmico que se dá a metais, esp. ao aço, introduzindo-os candentes em água fria, óleo ou salmoura. **3.** *Metal.* O banho em que se temperam os metais. **4.** Temperatura (1). **5.** V. *pintura a têmpera* (1 e 2). **6.** Cunha (1) em diversos aparelhos. **7.** *Fig.* Índole, feitio; temperamento. **8.** Inteireza de caráter; austeridade. **9.** Preparação que se dava aos falcões e outras aves na véspera do dia em que haviam de ser empregados na caça. [Cf. *tempera*, do v. *temperar*.]

temperado [Part. de *temperar*.] *Adj.* **1.** Em que se deitou tempero; adubado. **2.** Moderado, suave, agradável, delicado. **3.** Próprio da zona temperada (q. v.): *clima temperado*. **4.** Que tem ou adquiriu têmpera (2): *metais temperados*. **5.** *Mús.* Diz-se do intervalo, escala, etc., ou instrumento, que se apresenta segundo o sistema temperado (q. v.). ~ V. *aço —, clima —, sistema —, vidro —* e *zona —a*.

temperador (ô) [Do lat. *temperatore*.] *Adj. S. m.* Que, ou aquele que tempera; moderador.

temperamental [De *temperamento* + *-al*[1].] *Adj. 2 g.* **1.** Relativo a temperamento. **2.** De caráter instável, emotivo. **3.** Diz-se de quem reage seguindo tão só os impulsos de seu temperamento. ● *S. 2 g.* **4.** Pessoa temperamental.

temperamento [Do lat. *temperamentu*.] *S. m.* **1.** Estado fisiológico ou constituição particular do corpo; compleição. **2.** O conjunto dos traços psicofisiológicos de uma pessoa, e que lhe determinam as reações emocionais, os estados de humor, o caráter: *um temperamento agressivo*. **3.** Índole, feitio, caráter, têmpera. **4.** Sensualidade, lubricidade. **5.** Têmpera (1). **6.** Mistura proporcional de coisas; mescla, combinação. **7.** Temperança (2). **8.** *Mús.* V. *sistema temperado*. ◆ **Temperamento desigual.** *Mús.* Sistema usado para a afinação dos instrumentos, em que a oitava é dividida em intervalos de quintas naturais. [Opõe-se a *temperamento igual*. Cf. *sistema temperado*.] **Temperamento igual.** *Mús.* V. *sistema temperado*.

temperança [Do lat. *temperantia*.] *S. f.* **1.** Qualidade ou virtude de quem é moderado, ou de quem modera apetites e paixões; sobriedade. **2.** Moderação, comedimento, temperamento. **3.** Economia, parcimônia.

temperante [Do lat. *temperante*.] *Adj. 2 g.* **1.** Que tem têmpera. **2.** Que tem temperança. **3.** Calmante, lenitivo.

temperar [Do lat. *temperare*.] *V. t. d.* **1.** Deitar tempero em: *temperar a carne*. [Sin., desus.: *adubar*.] **2.** Tornar mais fraco ou brando; suavizar, amenizar: "Cortinas escuras temperavam a luz, quebrando a violência do Sol" (Coelho Neto, *Turbilhão*, p. 264). **3.** Misturar proporcionalmente: *temperar cimento, água e areia para obter boa massa*. **4.** Reprimir o excesso de; moderar, conter: *O homem maduro deve temperar as paixões*. **5.** Conciliar, reconciliar, harmonizar, congraçar: *temperar os desavindos*. **6.** Moderar o gosto de: *temperar o vinho com água*. **7.** *Metal.* Dar consistência, rijeza, a (metais): *temperar o aço*. **8.** *Fig.* Fortalecer, avigorar: *As situações difíceis temperam os ânimos*. **9.** Dispor, organizar. **10.** *Mús.* Afinar (instrumentos musicais de sons fixos), dando-lhes o temperamento igual (v. *sistema temperado*): "Passava os dias dormindo, jogando cartas, temperando o violão" (Marques Rebelo, *Marafa*, p. 30). *T. d. e i.* **11.** Conciliar, harmonizar: *Na educação dos filhos, tempera brandura com energia*. **12.** Ajuntar, juntar, acrescentar: *Tempere à sua cultura um pouco de humanismo*; "O companheiro encarregado de saudá-lo temperou em sua oração biografia com humor" (Érico Veríssimo, *O Senhor Embaixador*, p. 3). *T. i.* **13.** Concordar; harmonizar-se: *Não tempero com tuas opiniões radicais*. **14.** *Bras. Fam.* Procurar adaptar-se às condições da vida; dar-se. *P.* **15.** Moderar-se, conter-se. **16.** Fortalecer-se, avigorar-se: *O moral da tropa temperou-se em árduas batalhas*. [Pres. ind.: *tempero, temperas, tempera*, etc. Cf. *tempero* (ê) e *têmpera*.]

temperatura [Do lat. *temperatura*.] *S. f.* **1.** Medida do calor ou frio num ambiente ou objeto. [Ger. usa-se uma escala, como a *Celsius* (v. escala *Celsius*). [Sin., desus.: *tempérie*.] **2.** Nível de calor existente num corpo: *a temperatura humana normal é cerca de 36,5 ºC*. **3.** Temperatura alta; estado febril: *O doente está sem temperatura*. **4.** *Fig.* Situação ou estado moral. **5.** *Fig.* Atividade, ação. **6.** *Fís.* Grandeza termodinâmica intensiva comum a todos os corpos que estão em equilíbrio térmico e que está relacionada ao grau de agitação das partículas (átomos, moléculas, etc.) que os constituem. ◆ **Temperatura absoluta.** *Fís.* A que não depende de medida nem da substância ou propriedade utilizada para medi-la, e que usualmente é medida na escala Kelvin [símb.: *T*]. **Temperatura basal.** *Fisiol.* Temperatura do corpo, estando este em repouso absoluto. **Temperatura Celsius.** *Fís.* V. *temperatura centígrada*. **Temperatura centesimal.** *Fís.* V. *temperatura centígrada*. **Temperatura centígrada.** *Fís.* A que é medida na escala centígrada; temperatura Celsius, temperatura centesimal. **Temperatura crítica.** *Fís.* Temperatura acima da qual um gás real não pode ser liquefeito por compressão isotérmica. **Temperatura Curie.** *Fís.* Temperatura acima da qual uma substância ferromagnética perde o ferromagnetismo e passa a paramagnética. **Temperatura de cor.** *Fís.* Temperatura que se determina pela comparação entre a energia irradiada por um corpo num certo comprimento de onda (ou numa faixa de comprimentos de onda) e a energia irradiada por um corpo negro no mesmo comprimento de onda (ou na mesma faixa de comprimentos de onda). **Temperatura efetiva.** *Fís.* Temperatura igual à de um corpo negro que emitiu para o conjunto de todos os comprimentos de onda um fluxo total igual ao do corpo considerado. **Temperatura internacional.** *Fís.* A que é medida na escala internacional de temperatura. **Temperatura Kelvin.** *Fís.* Temperatura absoluta medida na escala Kelvin. **Temperatura reduzida.** *Fís.* O quociente da temperatura absoluta de um gás pela sua temperatura crítica. **Temperatura termodinâmica.** *Fís.* Num sistema isolado, a derivada parcial da energia interna pela entropia.

temperatural [De *temperatura* + *-al*[1].] *Adj. 2 g.* Relativo a temperatura.

tempera-viola [De *temperar* + *viola*.] *S. m. Bras. ES Zool.* V. *trinca-ferro*. [Pl.: *tempera-violas*.]

tempereiro [De *temperar* + *-eiro*.] *S. m.* **1.** Utensílio que as tecedeiras usam para esticar o pano no tear. **2.** Cada um dos paus da nora[2].

tempérie [Do lat. *temperie*.] *S. f. Desus.* Temperatura (1).

temperilha [De *tempero* + *-ilha*.] *S. f.* **1.** Coisa que tempera. **2.** *Fig.* Meio de moderar a má disposição de alguém.

temperilho [De *tempero* + *-ilho*.] *S. m.* **1.** Governo das rédeas. **2.** Modo de governá-las com destreza. **3.** Tempero (1) ordinário. **4.** *Veter.* Mistura proporcionada de alimentos apetitosos com medicamentos, para ser propinada a animais doentes.

tempero (ê) [Dev. de *temperar*.] *S. m.* **1.** Designação comum aos ingredientes que se adicionam a qualquer iguaria e servem para realçar-lhe o sabor. [Sin.: *condimento* e, p. us., *adubo*.] **2.** Estado da comida temperada. **3.** Meio de dirigir ou efetuar uma negociação. **4.** Paliativo; remédio. [Pl.: *temperos* (ê). Cf. *tempero*, do v. *temperar*.] ◆ **Virado no tempero.** *Bras. PB Pop.* **1.** Zangado, irritado. **2.** Travesso, traquinas.

tempestade [Do lat. *tempestate*.] *S. f.* **1.** Agitação violenta da atmosfera, às vezes acompanhada de chuva, vento, granizo ou trovões; procela, temporal. **2.** Grande estrondo. **3.** *Fig.* Agitação moral: "Nas tempestades da vida, / Das rajadas no furor, / Foi-se a noite, tem auroras / O Gondoleiro do amor." (Castro Alves, *Poesias Completas*, p. 44.) **4.** *Fig.* Grande perturbação; agitação, desordem. ◆ **Tempestade em copo de água.** Espalhafato, grande agitação, por motivo frívolo. **Tempestade magnética.** *Geofís.* Perturbação súbita e intensa no campo magnético terrestre, provocada, geralmente, pela atividade solar.

tempestear [De *tempest(ade)* + *-ear*[2].] *V. t. d.* **1.** Agitar, maltratar, perseguir. *Int.* **2.** V. *tempestuar* (1). [Conjug.: v. *frear*.]

tempestivamente [Do f. de *tempestivo* + *-mente*.] *Adv.* De modo tempestivo; oportunamente; a tempo.

tempestividade [Do lat. *tempestivitate*.] *S. f.* Qualidade de tempestivo; oportunidade.

tempestivo [Do lat. *tempestivu*.] *Adj.* Que vem ou sucede no tempo devido; oportuno.

tempestuar [De *tempestu(oso)* + *-ar*[2].] *V. int.* **1.** Fazer estrondo como a tempestade; estrondear, tempestear. **2.** Agitar-se violentamente: "na alma ingênua e arrebatada de D. João tempestuaram .... duas paixões agitadíssimas" (Antero de Figueiredo, *Leonor Teles*, p. 167). **3.** Enfurecer-se, enraivecer-se, irar-se.

tempestuosidade [De *tempestuoso* + *-(i)dade*.] *S. f.* Qualidade de tempestuoso.

tempestuoso (ô) [Do lat. tard. *tempestuosu*.] *Adj.* **1.** Que traz tempestade; proceloso. **2.** Sujeito a tempestade. **3.** *Fig.* Muito agitado; violento: "Essas fases de mudança de regime costumam ser tempestuosas, contraditórias, desconcertantes, comumente autofágicas." (Barbosa Lima Sobrinho, *Presença de Alberto Torres*, p. 89.)

templário [De *templo* + *-ário*.] *S. m.* Cavaleiro do Templo (5): "Como um templário deslumbrado, a cruz a santificar a cervilheira altiva, levei o meu balção de cavaleiro aos prélios do mistério, e de lá voltei desolado, porque não se colhem estrelas como se fossem rosas." (Alphonsus de Guimaraens, *Obra Completa*, pp. 430-431.)

templo [Do lat. *templu*.] *S. m.* **1.** *Rel.* Edifício público destinado ao culto religioso. **2.** *Rel.* Templo cristão; igreja. **3.** Lugar descoberto e elevado que em Roma era consagrado pelos áugures. **4.** *Maç.* Lugar onde se realizam as reuniões maçônicas. **5.** Sala onde se realizam as sessões da Maçonaria. **6.** Ordem militar e religiosa fundada em Jerusalém, em 1123, por Hugo de Payns, com o fim de proteger os peregrinos, e supressa pelo Papa em 1312. [Com cap., nesta acepç.] **7.** *Fig.* Lugar misterioso e respeitável. **8.** Recordação eterna das ações memoráveis. ◆ **Cobrir o templo.** *Maç.* Retirar-se do templo durante os trabalhos da loja (4). **Templo de Jerusalém.** *Rel.* Edifício religioso dos judeus, inaugurado em 955-959 a.C. por Salomão (v. *salomônico*), destruído em 586 a.C. por Nabucodonosor, rei de Babilônia, reconstruído em 516 a.C. e novamente destruído em 70 d.C. pelo imperador romano Tito, e do qual só resta o Muro das Lamentações (q. v.).

tempo[1] [Do lat. *tempus*, pela f. *tempos*, que foi sentida como um pl. port. de que se tiraria um singular.] *S. m.* **1.** A sucessão dos anos, dos dias, das horas, etc., que envolve, para o homem, a noção de presente, passado e futuro: *o curso do tempo; O tempo é um meio contínuo e indefinido no qual os acontecimentos parecem suceder-se em momentos irreversíveis;* "O tempo .... Horas de horror e tédio da memória..." (Manuel Bandeira, *Estrela da Vida Inteira*, p. 41). **2.** Momento ou ocasião apropriada (ou disponível) para que uma coisa se realize: *Não tive tempo para ler os jornais; Ainda é tempo de reconsiderar sua decisão*. **3.** Época (3): "O que se usava nesse tempo, como tratamento de respeito mais comum, ainda mesmo entre namorados de menor intimidade, era *senhor* e *senhora*." (Miécio Tati, *O Mundo de Machado de Assis*, p. 134.) **4.** As condições meteorológicas: *O tempo está bom*. **5.** Estação, quadra: *o tempo da colheita; o tempo da estiagem*. **6.** Certo período, visto do ângulo daquele que fala, com quem se fala, ou de quem se fala; época: *No meu tempo o colégio tinha poucos alunos; Isso não é de teu tempo; No tempo dele as coisas eram outras*. **7.** O período em que se vive; época, século: *É homem de seu tempo*. **8.** *E. Ling.* Cada um dos conjuntos de formas flexionadas em que se subdivide a conjugação de um verbo. [Embora tenha como princípio organizador a localização de uma situação em relação ao momento da fala, pode também traduzir aspecto (8) ou modo (9), como se depreende de termos da *Nomenclatura Gramatical Brasileira*: *pretérito* (indicação de tempo) *perfeito* (indicação de aspecto).] **9.** *E. Ling.* A expressão gramatical da noção de tempo. **10.** *E. Ling.* Período de tempo durante o qual uma unidade de fala é pronunciada. **11.** *Esport.* Cada um dos períodos em que se dividem certas partidas: *Os jogos de futebol compreendem, em regra, dois tempos.* 12. *Fís.* Coordenada que, juntamente com as coordenadas espaciais, é necessária para localizar univocamente uma ocorrência física. 13. *Mús.* Cada uma das partes, em andamentos diferentes, em que se dividem certas peças musicais, como a sonata, a suíte, o quarteto, etc.; movimento. 14. *Mús.* Andamento (4). 15. *Mús.* Duração de cada uma das unidades do compasso: *compasso de dois tempos; compasso de três tempos.* ◆ **Tempo absoluto.** *E. Ling.* Tempo (9) que localiza uma situação em relação ao momento da fala, isto é, ao presente. [Basicamente, os tempos absolutos são o *presente*, em que se dá o ato de fala, o *passado*, que localiza uma situação como anterior ao presente, e o *futuro*, que localiza uma situação como posterior ao presente.] **Tempo astronômico.** *Astr.* Intervalo de tempo medido segundo as convenções da astronomia. **Tempo civil.** *Astr.* Tempo cuja origem é deslocada de 12 horas em relação ao tempo solar médio. **Tempo compartilhado.** *Inform.* Designação de uma modalidade de processamento em que o tempo do processador é dividido entre as tarefas em execução. [Cf. *multitarefa*.] **Tempo composto.** *E. Ling.* O que se conjuga com um verbo auxiliar: *tenho dito.* **Tempo comum.** *Lit.* Período que decorre entre os ciclos do Natal e da Páscoa. **Tempo da janambura.** *Bras.* V. *tempo do Onça.* **Tempo da salga.** *Bras. AM* Época em que se pesca e salga o pescado. **Tempo das efemérides.** *Astr.* Tempo cuja medida se baseia na duração do ano trópico de 1900, e que é independente da rotação terrestre. **Tempo das vacas gordas.** Período de prosperidade, abastança, riqueza. **Tempo das vacas magras.** Período de escassez, pobreza, penúria. **Tempo de acesso.** *Inform.* Intervalo de tempo entre o instante em que se pede um tipo de manipulação com dados (leitura ou gravação de dados) em um dispositivo de armazenamento, até o instante em que o resultado dessa manipulação é fornecido (disponibilidade ou gravação de dados); tempo de entrada. **Tempo de coagulação.** *Hemat.* Período de tempo necessário para que ocorra coagulação de sangue contido em tubo de vidro. **Tempo de D. João Charuto.** *Bras.* V. *tempo do Onça.* **Tempo de entrada.** *Inform.* Tempo de acesso. **Tempo de Friedmann.** *Cosm.* Lapso de tempo decorrido desde o bigue-bangue. [O tempo de Friedmann deve ser corrigido do parâmetro de desaceleração (q. v.), ao contrário do tempo de Hubble, que considera apenas a constante de Hubble.] **Tempo de geração.** *Fís. Nucl.* Num reator nuclear, tempo médio necessário para que os nêutrons produzidos numa fissão provoquem novas fissões. **Tempo de Hubble.** *Cosm.* Idade estimada do Universo com base no bigue-bangue. [Para um valor da constante de Hubble H_0 = 55km por segundo por megaparsec, o tempo de Hubble é de H_0-1 = 17,7 x 10^9 anos.] **Tempo de projeção.** *Cin.* Tempo decorrido na projeção de um filme; duração. [Cf. *metragem* (3).] **Tempo de relaxação.** *Fís.* Intervalo de tempo necessário para que um sistema afastado de sua posição de equilíbrio retorne a essa posição sem a ação de agentes externos. **Tempo de residência.** *Tec.* Intervalo de tempo em que um material permanece no interior de um componente determinado de um equipamento. **Tempo de resolução.** *Fís.* Num dispositivo contador de impulsos, intervalo de tempo mínimo que deve separar dois impulsos consecutivos para que o dispositivo os registre como dois acontecimentos distintos. **Tempo de resposta.** *Inform.* Tempo transcorrido desde o instante em que uma mensagem é gerada num terminal (q. v.), até o instante em que é recebida a correspondente mensagem de resposta. É o tempo que um sistema precisa para reagir a uma determinada entrada. **Tempo de sangramento.** *Hemat.* O período de tempo que dura a hemorragia que é provocada por punção, padronizada e controlada, em área escolhida, como, p. ex., lobo de orelha. **Tempo de vida.** *Quím.* Tempo necessário para que se reduza a 36,79% a concentração de uma substância ou a intensidade de um fenômeno. **Tempo de voo.** *Fís. Part.* Tempo decorrido entre o instante em que uma partícula deixa uma fonte e o instante em que ela atinge o detector. **Tempo do Onça.** *Bras.* Tempo muito antigo, muito afastado; tempo da janambura, tempo de D. João Charuto, tempo do rei velho, tempo do ronca, tempo dos Afonsinhos, tempo dos Afonsinos. **Tempo do rei velho.** V. *tempo do Onça.* **Tempo do ronca.** *Bras.* V. *tempo do Onça.* **Tempo dos Afonsinhos.** V. *tempo do Onça.* **Tempo dos Afonsinos.** V. *tempo do Onça.* **Tempo em que se amarrava cachorro com linguiça.** *Pop. Joc.* Tempo antigo (em geral, com relação ao baixo preço das coisas): *Quer comprar tudo como se vivesse no tempo em que se amarrava cachorro com linguiça.* **Tempo geológico.** *Geogr.* O tempo decorrido desde a consolidação da crosta terrestre até os dias atuais e que se divide em eras, períodos, épocas e idades. **Tempo integral.** Expediente completo, com o número de horas regulamentado pela lei (em repartição, escritório, casa comercial, etc.). [Sin.: *horário integral*, e (ingl.) *full time*.] **Tempo local.** *Cronol.* Tempo relativo a um ponto da superfície da Terra. **Tempo morto.** *Automat.* 1. Intervalo de tempo entre o início de um sinal de entrada e o início do sinal de saída que lhe corresponde num transdutor. 2. Intervalo de tempo decorrido entre o instante em que se toma uma decisão e aquele em que a decisão surte efeito. **Tempo pascal.** *Lit.* Período que decorre entre o segundo domingo da Páscoa e o domingo de Pentecostes. **Tempo próprio.** *Fís.* O tempo medido num referencial solidário com uma partícula. **Tempo real.** *Inform.* Designação de certa modalidade de processamento cujo resultado é obtido em um curto espaço de tempo após a entrada dos dados, e que, portanto, é suficientemente rápido para poder acompanhar o curso de certos eventos variantes no tempo. **Tempo relativo.** *E. Ling.* Tempo (9) que localiza uma situação em relação a um ponto de referência estabelecido no discurso, e que não é, necessariamente, o presente da enunciação. [Em *quando você chegar, eu já terei saído*, o verbo *sair* tem como ponto de referência algum ponto no futuro, e *chegar* situa-se temporalmente em relação a *sair*.] **Tempos fabulosos.** Tempos muito recuados, dos quais a mitologia pagã representa a vaga tradição. **Tempo sideral.** *Astr.* Tempo cuja medida se baseia na rotação terrestre, tomando-se para referência a passagem do ponto vernal pelo meridiano superior local. **Tempo simples.** *E. Ling.* O que se conjuga sem um verbo auxiliar. **Tempo solar médio.** *Astr.* Tempo baseado na rotação diurna de um astro fictício, o sol médio, em torno da Terra, movimento esse que se processa com velocidade variável. **Tempo solar verdadeiro.** *Astr.* Tempo baseado na rotação diurna aparente do Sol em torno da Terra, movimento esse que se processa com velocidade variável. **Tempo universal.** *Astr.* Tempo referido a um meridiano origem, que, por convenção, é o meridiano de Greenwich. **A tempo.** 1. No momento próprio; em boa hora; oportunamente. 2. Ainda em tempo (2); ainda a horas: *chegar a tempo.* **A tempo e a hora.** Em ocasião oportuna, apropriada; no momento adequado; a tempo e a horas: "cuidava de tudo a tempo e a hora" (Machado de Assis, *Quincas Borba*, p. 282). **A tempo e a horas.** A tempo e a hora: "recomendou-lhe que não abandonasse o enfermo durante a noite, pois era preciso medicá-lo a tempo e a horas." (Artur Azevedo, *Contos Cariocas*, p. 44). **A um só tempo.** V. *a um tempo só.* **A um tempo.** V. *a um tempo só*: "formou-se-lhe aquele caráter híbrido e singular, aristocrata e rude a um tempo." (Aluísio Azevedo, *O Coruja*, p. 31). **A um tempo só.** Ao mesmo tempo; a um só tempo; a um tempo: "Essa fina Senhora, requestada / Por todos os valentes cavaleiros, / A um tempo só amantes e guerreiros / Todos, por causa de uma só amada" (Guimarães Passos, *Versos de um Simples*, p. 251). **Dar tempo ao tempo.** Esperar com paciência e confiança por uma solução, um resultado, etc., que virá com o passar do tempo. **Dar um tempo.** *Bras. Pop.* 1. Aguardar um pouco, fazer uma pausa. 2. Interromper algum relacionamento ou alguma atividade por um certo período: *Os dois namorados acharam melhor dar um tempo em sua relação.* **Desabar o tempo.** *Bras. Pop.* Chover forte. **De tempo a tempo.** De quando em quando; de vez em quando; de vez em vez; de tempo em tempo; de tempos a tempos. **De tempo em tempo.** V. *de tempo a tempo.* **De tempos a tempos.** V. *de tempo a tempo*: "Sucede que de tempos a tempos passa um camião." (José Cardoso Pires, *Jogos de Azar*, p. 180.) **Em dois tempos.** Muito rapidamente; num abrir e fechar de olhos: "o arrieiro botou a panela na trempe, e, em dois tempos, podia-se comer um arroz com carne-seca" (Ciro dos Anjos, *A Menina do Sobrado*, p. 174). **Em tempo.** Antes que seja tarde demais; ainda a tempo. **Em tempo de.** Em risco de; a ponto de; a pique de: "Começou a dançar sozinha diante do mar, em tempo de ser engolida pelas ondas." (Aníbal Machado, *Histórias Reunidas*, p. 189.) **Em tempo recorde.** *Bras.* O mais depressa possível; acima de qualquer prognóstico de tempo: *Faz tudo em tempo recorde; Teve a aposentadoria em tempo recorde.* **Em tempos.** No passado; em tempos idos: "ele sabia que o caminho por onde descia tivera em tempos o nome de rua dos Ciganos" (Pedro Nava, *O Círio Perfeito*, p. 380). **Fechar o tempo.** *Bras.* Fechar-se o tempo. **Fechar-se o tempo.** *Bras.* 1. Escurecer, ameaçando chuva. 2. *Fig.* Ter início um motim, uma desordem, uma briga. [Tb. se diz *fechar o tempo*.] **Ganhar tempo.** Adiar ou delongar a solução de um caso, a tomada de uma providência, etc., à espera de melhor oportunidade: *Não podendo vencer a batalha, ganhou tempo até que chegassem reforços.* **Já não é/era sem tempo.** Já deveria ter acontecido antes. **Lutar contra o tempo.** Tentar terminar uma tarefa, etc., antes que o tempo a ela destinado se esgote. **Matar o tempo.** Empregá-lo em ocupações que servem tão só para evitar o tédio e a inação; distrair-se; recrear-se. **Não ter tempo nem para se coçar.** Não dispor de tempo para coisa alguma; andar atarefadíssimo. **Nesse ou neste meio tempo.** Nesse ínterim; entrementes. **Perder o tempo e o latim.** Aconselhar, pedir, argumentar ou explicar-se em vão. **Pisar no tempo.** *Bras. Pop.* V. *fugir* (1 e 2). **Primeiro tempo.** *Mec.* V. *admissão* (4).

tempo[2] [De uma língua banta.] *S. m. Bras. Rel.* Inquice correspondente ao orixá Iroco dos nagôs. [Com cap.]

tempolábil [De *tempo* + *lábil*.] *Adj. 2 g.* Que se altera com o tempo. [Pl.: *tempolábeis*.]

tempo-quente *S. m. Bras.* 1. Desordem, barulho. 2. Discussão ou repreensão acalorada. 3. V. *rolo*[1] (16). 4. *Bras. RJ Zool.* V. *saci* (2). [Pl.: *tempos-quentes*.]

temporã *S. f.* Fem. de *temporão*: "Oh, essa primeira flor temporã, que pica .... o cimo das folhagens verdes!" (Fialho d'Almeida, *Pasquinadas*, p. 185.)

têmpora [Voc. deduz. de *têmporas*.] *S. f. Anat.* Cada uma das duas porções laterais da cabeça, situadas acima do zigoma (3). ~ V. *têmporas*.

temporada [De *tempor-*, como em *temporal*, + *-ada*[1].] *S. f.* 1. Grande espaço de tempo. 2. Certo espaço de tempo. 3. V. *estação* (8). 4. Período do ano adequado ou fixado para a realização de certas atividades artísticas, esportivas, sociais, etc.: *temporada lírica; temporada de turfe.*

temporal[1] [Do lat. *temporale*.] *Adj. 2 g.* 1. Relativo a tempo; temporário, temporâneo. 2. Profano, mundano. [Nesta acepç., opõe-se a *espiritual* (1).] 3. Leigo, secular. ~ V. *canal —, conjunção —, lobo —, poder —* e *série —*. ● *S. m.* 4. O poder temporal. 5. V. *tempestade* (1). 6. Vendaval (1). 7. *Rel.* A parte dos livros litúrgicos do Ofício Divino onde se encontram as festas móveis. [Nesta acepç., cf. *santoral* (2).] ● *S. f.* 8. *E. Ling.* Conjunção temporal (q. v.).

temporal[2] [Do lat. tard. *temporale*.] *Anat. Adj. 2 g.* 1. Relativo à fonte (10) ou à têmpora. ● *S. m.* 2. Cada um de dois ossos da cabeça, de forma irregular e situação inferolateral, que contém os órgãos da audição. 3. Cada um de dois lobos situados um de cada lado, no cérebro, em posição lateral e inferior.

temporalidade [Do lat. tard. *temporalitate*.] *S. f.* Qualidade de temporal ou provisório; interinidade. ~ V. *temporalidades*.

temporalidades [Pl. de *temporalidade*.] *S. f. pl.* 1. Bens temporais; coisas mundanas. 2. Rendimentos eclesiásticos; prebendas, benesses. ~ V. *temporalidade*.

temporalização [De *temporalizar* + *-ção*.] *S. f.* 1. Ação ou efeito de temporalizar. 2. Secularização.

temporalizar [De *temporal* + *-izar*.] *V. t. d.* Tornar temporal; secularizar.

temporaneidade [De *temporân(eo)* + *-eidade*.] *S. f.* Qualidade de temporâneo; temporariedade.

temporâneo [Do lat. tard. *temporaneu*.] *Adj.* 1. V. *temporário* (1 e 2). 2. V. *temporal*[1] (1).

temporão [Do lat. vulg. **temporanu*, 'que vem ou se faz a tempo'.] *Adj.* 1. Que vem ou acontece fora ou antes do tempo próprio; extemporâneo: "A luta precoce pela vida, o casamento temporão dos noivos, ... predispõem à esterilização" (A. Austregésilo, *Obras Completas*, IV, p. 431). 2. Diz-se da flor que aparece ou do fruto que amadurece antes ou depois do tempo próprio; extemporâneo: "Estrada de Santiago é fruto temporão do meu quintal, quando ainda lhe dardejava o sol bravo do meio-dia." (Aquilino Ribeiro, *Estrada de Santiago*, p. 7); "Oh, essa primeira flor temporã, que pica .... o cimo das folhagens verdes!" (Fialho d'Almeida, *Pasquinadas*, p. 185); "não obsta que ainda hoje ao romper da primavera .... se cubram [as campinas] de milhares de variedades de tulipas singelas, dobradas, serôdias e temporãs" (Ramalho Ortigão, *A Holanda*, pp. 203-204). 3. Diz-se do filho que nasce muito depois do irmão que o precede imediatamente, ou muito depois do casamento dos pais. ● *S. m.* 4. Filho temporão. [Flex.: *temporã, temporãos, temporãs*.]

temporariamente (orà) [Do f. de *temporário* + *-mente*.] *Adv.* Por certo tempo; transitoriamente: *Instalou-se temporariamente numa tenda.*

temporariedade [De *temporári(o)* + *-edade*.] *S. f.* Qualidade de temporário; temporaneidade.

temporário [Do lat. *temporariu*.] *Adj.* 1. Que dura algum tempo; transitório, temporâneo. 2. Provisório, interino, temporâneo: *cargo temporário.* 3. V. *temporal*[1] (1). ~ V. *estrela —a, prisão —a* e *rio —*.

têmporas [Do lat. *tempora*, 'têmporas', neutro pl. de *tempus, oris*, 'têmpora', poss. der. de uma raiz indo-europeia com a acepç. de 'bater'.] *S. f. pl.* 1. *Anat.* V. *têmpora*: "Usava os cabelos, negros e densos, em

T

graciosos bandós sobre as têmporas." (Virgílio Várzea, *Nas Ondas*, p. 20.) **2.** *Lit.* Dias de preces especiais e jejuns, numa semana de cada estação do ano, segundo o rito católico.

tempório [Do lat. *temporiu.*] *Adj.* De ocorrência precoce, antecipada: "a ilusão de ausência tempória não basta para recompor-lhe a figura [de Machado de Assis]; não bastam os seus retratos, ainda o que ele tirou há dois anos." (Mário de Alencar, *Alguns Escritos*, p. 33).

temporização [De *temporizar* + *-ção.*] *S. f.* Ato ou efeito de temporizar; temporizamento.

temporizador (ô) [De *temporizar* + *-dor.*] *Adj.* **1.** Que temporiza. ● *S. m.* **2.** Aquele que temporiza. **3.** *Eletrôn.* Circuito que tem a função de ligar ou desligar outro circuito num instante de tempo prefixado.

temporizamento [De *temporizar* + *-mento.*] *S. m.* Temporização.

temporizar [Do lat. *tempus, oris*, 'tempo', + *-izar.*] *V. t. d.* **1.** Adiar, retardar, demorar, delongar: *temporizar um acordo.* *T. i.* **2.** Transigir; condescender; contemporizar: *Temporizou habilmente com o opositor.* **3.** Haver-se com delongas. *Int.* **4.** Esperar outra ocasião.

▲**temporo-** [De *têmpora* + *-o-*[1].] *El. comp.* = 'têmpora': *temporomandibular*.

temporomandibular [De *temporo-* + *mandibular.*] *Adj. 2 g. Odont.* Diz-se da articulação entre o côndilo mandibular e a cavidade glenoidal do osso temporal [v. *temporal*[2] (2)].

tempo-será [De *tempo* + a 3.ª pess. do sing. do fut. ind. de *ser.*] *S. m. 2 n. Bras.* **1.** V. *esconde-esconde*. **2.** Pique no qual um participante tem que pegar os demais: "entre ele e a mulher havia, porém, a mesa de jantar, e os dois começaram a correr em torno desta como fazem as crianças, quando brincam o "tempo-será". (Aluísio Azevedo, *A Condessa Vésper*, p. 180).

→**tempranillo** [tempra'niʎo] [Esp.] *S. m.* **1.** *Vitic.* Casta de uva tinta, muito cultivada na Espanha. **2.** *Enol.* Vinho produzido com essa uva.

tempura [Do jap. *tenpura*, do port. *tempero*, poss.] *S. f. Cul.* Prato japonês feito com frutos do mar e legumes, cobertos com massa de farinha e ovos, e depois fritos.

tem-tem[1] [Da expr. *tem(-te, não caias).*] *S. m.* Equilíbrio das criancinhas que dão os primeiros passos. [Pl.: *tem-tens.*]

tem-tem[2] [Do tupi.] *S. m. Bras. Zool.* **1.** Ave falconídea (*Micrastur semitorquatus*), com larga distribuição no Brasil, de dorso escuro, face, coleira e lado ventral brancos, uma faixa escura do lado da cabeça à orelha, e asas curtas. **2.** V. *gaturamo*. **3.** V. *saí*[2]. **4.** V. *saíra-amarela*. [Pl.: *tem-tens.*]

tem-tem-coroado [De *tem-tem*[2] + *coroado*[1].] *S. m. Bras. PA Zool.* V. *sebinho* (1). [Pl.: *tem-tens-coroados.*]

tem-tem-de-estrela [De *tem-tem*[2] + *de* + *estrela.*] *S. m. Bras. Zool.* V. *gaturamo-verdadeiro*. [Pl.: *tem-tens-de-estrela.*]

tem-tem-do-espírito-santo [De *tem-tem*[2] + *do*[1] + *Espírito Santo*, hier.] *S. m. Bras. Zool.* Ave emberizídea traupínea (*Cyanerpes caeruleus*), das bacias do Orinoco e do Amazonas, Guianas, Colômbia e Equador, de coloração geral azul, com garganta, asas, cauda e meio da barriga pretos, pernas amarelas e bico longo, encurvado. A fêmea é verde, com a fronte, lados da cabeça e garganta ocre-claro, peito e flancos verdes, pintados de esbranquiçado e azul, e meio de abdome e crisso amarelo-esverdeados; saí-beija-flor, saí-de-pernas-amarelas. [Pl.: *tem-tens-do-espírito-santo.*]

tem-tem-verdadeiro [De *tem-tem*[2] + *verdadeiro.*] *S. m. Bras. Zool.* V. *gaturamo-verdadeiro*. [Pl.: *tem-tens-verdadeiros.*]

tem-tenzinho [De *tem-tem*[2] + *-zinho.*] *S. m. Bras. Zool.* Ave (*Falco albigularis*), que ocorre desde o México e em quase todo o Brasil. Colorido denegrido, com manchinhas e traços brancos; cabeça preta, com larga coleira branca logo abaixo; parte do abdome, e pernas, vermelho-ferrugíneas. Persegue aves com grande habilidade, conseguindo capturar pombas e andorinhas para sua alimentação. [Sin.: *coleirinha* e *cauré*. Pl.: *tem-tenzinhos.*]

temulência [Do lat. *temulentia.*] *S. f.* **1.** Qualidade ou estado de temulento. **2.** *Med.* Estado mórbido semelhante à intoxicação, a embriaguez.

temulento [Do lat. *temulentu.*] *Adj.* **1.** V. *ébrio* (2). **2.** Em que há orgias ou cenas de embriaguez.

■ **ten** *Mús.* Abrev. de *tenuta* (2).

tenacidade [Do lat. *tenacitate.*] *S. f.* **1.** Qualidade de tenaz. **2.** *Fig.* Constância, afinco, contumácia. **3.** *Fig.* Apego, aferro. **4.** Avareza, sovinice. **5.** *Fís.* Medida da quantidade de energia absorvida por um material até sua fratura final.

tenacíssimo [Do lat. *tenacissimu.*] *Adj.* Superl. abs. sint. de *tenaz*.

tenalgia [De *ten(o)-* + *-alg(o)-*[2] + *-ia*[1].] *S. f. Med.* Dor em tendão.

tenálgico [De *tenalgia* + *-ico*[2].] *Adj. Med.* Relativo a tenalgia.

tenalha [Do lat. vulg. *tenacula*, pelo provenç. *tenalha.*] *S. f.* Pequena obra de fortificação com duas faces e um ângulo reentrante para o lado do campo.

tênar [Do gr. *thénar* (nom.), 'palma da mão'.] *S. m. Anat.* Saliência formada, em cada mão, pelos músculos curto abdutor, oponente e flexor do polegar. [Pl.: *tênares*. Cf. *antítenar*.]

tenaz [Do lat. *tenace.*] *Adj. 2 g.* **1.** Muito aderente. **2.** Que tem grande coesão. **3.** Viscoso, pegajoso. **4.** Que segura com firmeza. **5.** Pertinaz, aferrado, obstinado: *Tenaz, tudo consegue.* **6.** Constante, firme: *afeição tenaz.* **7.** *Fig.* V. *avaro* (1). [Superl. abs. sint.: *tenacíssimo.*] ● *S. f.* **8.** Instrumento de ferreiro ou de serralheiro, parecido a uma tesoura, provido de longos cabos, e usado para tirar ou pôr peças nas forjas ou para segurar ferro em brasa e malhar na bigorna; ferros. **9.** Espécie de pinça de hastes resistentes, para prender e manter corpos.

tença [Do lat. *tenentia*, 'coisas que se têm', 'bens', 'haveres'.] *S. f.* **1.** *Jur.* Pensão periódica, ordinariamente em dinheiro, que alguém recebe do Estado, ou de particular, para seu sustento: *D. Sebastião concedeu a Camões, pela publicação de* Os Lusíadas, *a tença anual de quinze mil-réis.* **2.** Ato de ter. **3.** *Mar.* Qualidade do fundo do mar, para efeitos de segurar âncora: *fundo de boa tença.* [Cf. *tensa*, fem. de *tenso*.]

tenção [Do lat. vulg. **tentione*, de **tentiare*, der. de *tentus, a, um*, part. pass. de *tendere*, 'contender'.] *S. f.* **1.** Resolução, plano, intento, intenção: *Se a sua tenção é ir rápido, tome um avião;* "— Esta bolsa, mamãe Justa, é que eu trouxe do Recife para Arnaldo. Tinha feito tenção de não lha dar mais, por causa da desobediência que ele praticou" (José de Alencar, *O Sertanejo*, p. 191). **2.** Devoção, veneração. **3.** Assunto, tema: *a tenção do livro.* **4.** Briga, contenda. **5.** *Heráld.* Divisa relativa a feitos gloriosos. **6.** *Jur.* Voto escrito e fundamentado que, nos julgamentos de segunda instância, os juízes divergentes dão em separado. [Nesta acepç., cf. *voto vencido*. Cf. ger.: *tensão.*] ◆ **Tenções dobradas.** V. *trocadilho* (1).

tencel [Marca registrada.] *S. m. Tec. Têx.* **1.** Liocel (q. v.). **2.** Tecido de alta resistência, com o toque e a maciez da seda, produzido com essa fibra.

tencionar [De *tenção* (*tencion-*) + *-ar*[2], seg. o padrão erudito.] *V. t. d.* **1.** Fazer tenção de; projetar, planejar, intencionar: *Tenciono conhecer todo o Brasil.* *Int.* **2.** *Jur.* Escrever tenção (6) em processo judicial. [Fut. pret.: *tencionaria*, etc. Cf. *tencionária*, fem. de *tencionário*.]

tencionário [De *tença.*] *S. m.* Aquele que recebe tença (1). [Fem.: *tencionária*. Cf. *tencionaria*, do v. *tencionar*.]

tenda [Do lat. *tenta.*] *S. f.* **1.** Barraca de campanha, de excursionistas, etc. **2.** Barraca de feira: "Noutras ruas, sob tendas de lona, havia cozinhas, grandes barricas de cerveja ou de vinho." (Eça de Queirós, *Últimas Páginas*, p. 201.) **3.** Pequena mercearia; locanda, quitanda. **4.** A mercadoria que o tendeiro ambulante traz à venda. **5.** A caixa em que ele carrega as suas quinquilharias. **6.** Pequena oficina de ferreiro, marceneiro, sapateiro, etc. **7.** A parte dos engenhos de açúcar na qual ficam os tachos. **8.** *Bras.* Conjunto de copos de folha usados pelos mangabeiros na extração do látex da mangabeira. **9.** *Bras.* Local de reuniões de espíritas e umbandistas. [Dim. irreg.: *tendilha*; deprec.: *tendola.*] ◆ **Tenda árabe de trabalho.** *Joc.* Gabinete de estudo. **Tenda de oxigênio.** *Med.* Dispositivo de matéria plástica que, colocado em leito de paciente, permite que este receba um fluxo permanente de oxigênio.

tendal[1] [De *tenda* + *-al*[1].] *S. m.* **1.** Lugar em que se tosquiam ovelhas. **2.** Lugar onde se assentam as fôrmas, nos engenhos de açúcar. **3.** *Ant.* Toldo armado na parte de ré das galés e de outras embarcações movidas a remo.

tendal[2] [De *estendal*, poss. com aférese.] *S. m.* **1.** Varal onde se estende o charque ou o peixe. **2.** Entreposto onde se expõe a carne das reses abatidas no matadouro, para ser vendida aos açougueiros. **3.** Armação onde se expõe a roupa lavada para enxugar; varal, estendal, estendedouro, estendedor, secador. **4.** Grande porção de animais mortos.

tendão [Do lat. médico **tendo, onis*, que por infl. de *tendere*, 'estender', substituiu o lat. *tenon, ontis.*] *S. m. Anat.* Cordão de tecido conjuntivo fibroso, redondo ou achatado, no qual termina um músculo, e que serve para inserir esse músculo num osso ou noutra formação (5). ◆ **Tendão calcâneo.** *Anat.* Grande tendão localizado na parte posterior de cada perna, formado pela reunião dos músculos gêmeos e solear e inserindo-se no calcâneo; tendão de aquiles (denom. ant.). **Tendão de aquiles.** *Anat.* V. *tendão calcâneo*. **Tendão patelar.** *Anat.* Tendão que, em cada perna, se estende da patela à tíbia; tendão rotuliano (denom. ant.). **Tendão rotuliano.** *Anat.* Tendão patelar.

tendedeira [De *tender* + *-deira.*] *S. f.* Tábua sobre a qual se tende o pão que se vai cozer.

tendedor (ô) [De *tender* + *-dor.*] *Adj.* **1.** Que tende; tendente. ● *S. m.* **2.** Aquele que tende, que apresenta tendências para algo.

tendedura [De *tender* + *-dura.*] *S. f.* Ato ou efeito de tender.

tendeiro [De *tenda* + *-eiro.*] *S. m.* **1.** Homem que vende em tenda. **2.** Proprietário de tenda. **3.** *Pop.* V. *diabo* (2).

tendência [Do lat. *tendentia*, neutro pl. de *tendens, tis*, 'tendente'.] *S. f.* **1.** Inclinação, propensão: *A tendência dos fatos deixa-nos entrever o futuro.* **2.** Vocação, pendor: *Nota-se a tendência do menino para militar.* **3.** Força que determina o movimento de um corpo. **4.** Intenção, disposição. **5.** Orientação assumida por movimento político, artístico, etc.

tendencial [De *tendência* + *-al*[1].] *Adj. 2 g.* Em que há ou que apresenta tendência.

tendencialidade [De *tendencial* + *-(i)dade.*] *S. f.* Caráter de tendencial.

tendenciosidade [De *tendencioso* + *-(i)dade.*] *S. f.* **1.** Qualidade ou comportamento de tendencioso. **2.** *Estat.* V. *viés* (3).

tendencioso (ô) [De *tendência* + *-oso.*] *Adj.* **1.** Que revela ou envolve alguma intenção secreta: *juiz tendencioso; obra tendenciosa; declaração tendenciosa.* **2.** *Estat.* Viesado. ~ V. *estimador —*.

tendente [Do lat. *tendente.*] *Adj. 2 g.* **1.** Que tende: "Os mais extravagantes critérios eram adotados, as mais estranhas normas se exigiam, todas tendentes a dificultar o aparecimento de novos escritores." (Guilherme Figueiredo, *Cobras & Lagartos*, p. 45); "O instinto sexual, normalmente tendente para o sexo oposto, é o mais rudimentar dos instintos morais." (Fernando Pessoa, *Páginas de Doutrina Estética*, p. 72). **2.** Que se inclina. **3.** Que tem vocação.

tendepá *S. m. Bras. Pop.* Rixa, briga; contenda: "pra banda de baixo armou-se um tendepá .... Assovios, gritos, empurrões .... arreda, gente!" (Bernardo Élis, *Veranico de Janeiro*, p. 78).

tender [Do lat. *tendere.*] *V. t. d.* **1.** Estirar; estender: *tender a mão.* **2.** Encher, enfunar: "As galés de Castela, havia meses ancoradas no Tejo, sarparam, tenderam velas e demandaram a barra" (Antero de Figueiredo, *Leonor Teles*, p. 229). **3.** Desfraldar, hastear: *tender a bandeira.* **4.** Bater e arredondar na masseira, etc. (o pão que se vai cozer). *T. i.* **5.** Ter vocação; inclinar-se; propender: *Desde criança tende para a advocacia.* **6.** Dirigir-se, encaminhar-se; propender: *Vai mal de negócios, tende para a falência.* **7.** Visar, ter em vista ou por fim; dispor-se, destinar-se: *As conversações tendiam a apaziguar os ânimos.* **8.** Apresentar tendência, inclinação ou disposição para algo: "Toda contemplação tende a formar em nós um composto de representações característico, afim com a coisa contemplada." (Rosário Fusco, *Introdução à Experiência Estética*, p. 37); "Já no tempo de Plauto .... tendia o dativo a expressar-se pelo acusativo com *ad*." (Carlos Henrique da Rocha Lima, *Uma Preposição Portuguesa*, p. 15); "Tendem para a poesia, segundo creio, todos os gêneros literários." (Henriqueta Lisboa, *Vigília Poética*, p. 33). **9.** Aproximar-se, acercar-se: *A cor dos seus olhos tende para o verde.* **10.** Aspirar, pretender: *O bom artista tende para o domínio técnico de sua arte.* *T. c.* **11.** Inclinar-se, voltar-se: *O navio tendeu para a esquerda.* *P.* **12.** Alargar-se, estender-se. [Inf. pess.: *tender, tenderes*, etc. Cf. *tênder* e pl. *tênderes*.]

tênder[1] [Do ingl. *tender.*] *S. m.* Vagão do carvão e da água engatado à locomotiva. [Pl.: tênderes. Cf. *tender* e *tenderes* (ê), do v. *tender*.]

tênder[2] *S. m. Bras. Mar. G.* V. *navio-tênder*. [Pl.: *tênderes*. Cf. *tender* e *tenderes* (ê), do v. *tender*.]

tênder[3] [Do ingl. *tender*, 'tenro', 'macio'.] *S. m. Cul.* **1.** Presunto defumado industrialmente, com ou sem osso. **2.** Iguaria preparada com este presunto.

tendilha [De *tenda* + *-ilha.*] *S. f.* Pequena tenda.

tendilhão [De *tendilha* + *-ão*[1].] *S. m.* Tenda de campanha.

tendinha [De *tenda* + *-inha.*] *S. f. Bras. RJ* **1.** Botequim de baixa classe. **2.** Pequena mercearia de favela ou de lugar muito pobre; birosca (q. v.).

tendinite [Do fr. *tendinite.*] *S. f. Patol. Med.* Inflamação de tendão.

tendinoso (ô) [Do fr. *tendineux.*] *Adj.* Pertencente ou relativo a tendão. ~ V. *reflexo —*.

tendola [De *tenda* + *-ola*[1].] *S. f.* Tenda ordinária, reles.

tênebra [Do lat. *tenebra*, por via erudita.] *S. f.* Treva.

tenebrário [Do lat. tard. *tenebrariu*, 'obscuro'.] *S. m. Lit.* Candelabro cujas velas vão sendo apagadas progressivamente, durante o Ofício de Trevas, na Semana Santa.

tenebricosidade [Do lat. tard. *tenebricositate.*] ***S. f.*** *Desus.* Qualidade de tenebricoso.

tenebricoso (ô) [Do lat. tard. *tenebricosu.*] ***Adj.*** Acompanhado de escuridão ou perturbação da vista e do entendimento.

tenebrionídeo [Do lat. cient. *Tenebrion-* (< tax. *Tenebrio* < lat. *tenebrio, onis,* 'o que foge da luz') + *-ídeo*[1]; tax. *Tenebrionidae.*] *Zool.* ***S. m.*** **1.** Espécime dos tenebrionídeos, família de insetos coleópteros, que reúne besourinhos castanho-escuros ou negros, cosmopolitas, destruidores da farinha e do trigo nos silos. ● ***Adj.*** **2.** Pertencente ou relativo a eles.

tenebrosidade [Do lat. tard. *tenebrositate.*] ***S. f.*** Qualidade de tenebroso.

tenebroso (ô) [Do lat. *tenebrosu.*] ***Adj.*** **1.** Cheio ou coberto de trevas; caliginoso, escuro: *cavernas tenebrosas*; "aqui, ali, no vasto céu tenebroso, estrelas faiscavam." (Coelho Neto, *Turbilhão*, p. 181). **2.** *Fig.* Horrível, terrível, medonho: *cenas tenebrosas*. **3.** Indigno, vil, desprezível. **4.** Criminoso, perverso: *desígnios tenebrosos*. **5.** Aflitivo, pungente.

tenedura [De or. obscura.] ***S. f.*** *Bras. S.* Excremento de animais selvagens.

tenência [Do lat. *tenentia.*] ***S. f.*** **1.** *Ant.* Cargo de tenente. **2.** *Ant.* Habitação de tenente. **3.** Antiga repartição do tenente-general de artilharia. **4.** *Bras. Pop.* Vigor, firmeza. **5.** *Bras. Pop.* Precaução, prudência. **6.** *Bras. S.* Jeito, costume, hábito. ◆ **Tomar tenência de.** *Bras. Pop.* Observar ou examinar prudentemente; tomar tento de; assuntar.

tenente [Do lat. *tenente*, 'que segura, ocupa (um lugar)'; f. red. de *lugar-tenente* (q. v.).] ***S. m.*** **1.** *Ant.* Substituto de um chefe na ausência deste. **2.** V. *hierarquia militar.* **3.** Na Marinha de Guerra, qualquer oficial dos postos de segundo-tenente a capitão-tenente. **4.** Militar que detém a posição hierárquica de tenente. **5.** *Bras.* Denominação comum a *primeiro-tenente* e *segundo-tenente*.

tenente-ananiense ***Adj. 2 g.*** **1.** De, ou pertencente ou relativo a Tenente Ananias (RN). ● ***S. 2 g.*** **2.** O natural ou habitante de Tenente Ananias. [Pl.: *tenente-ananienses.*]

tenente-brigadeiro ***S. m.*** **1.** V. *hierarquia militar.* **2.** Oficial que detém o posto de tenente-brigadeiro. [Tb. se diz, no Brasil, apenas *brigadeiro* (v. *brigadeiro* [3]). Pl.: *tenentes-brigadeiros.*]

tenente-coronel ***S. m.*** **1.** V. *hierarquia militar.* **2.** Oficial que detém o posto de tenente-coronel. [É muito us. *tenente-coronel,* abreviadamente, para designar *tenente-coronel-aviador.* V. *coronel*[1] (3). Pl.: *tenentes-coronéis.*]

tenente-coronel-aviador ***S. m.*** **1.** V. *hierarquia militar.* **2.** Oficial que detém o posto de tenente-coronel-aviador. [V. *tenente-coronel.* Pl.: *tenentes-coronéis-aviadores.*]

tenente do mar ***S. m.*** **1.** V. *hierarquia militar.* **2.** *Ant.* Oficial que detinha o posto de tenente do mar. [Pl.: *tenentes do mar.*] ☑

tenente-general ***S. m.*** **1.** V. *hierarquia militar.* **2.** *Ant.* Oficial que detinha o posto de tenente-general. [Pl.: *tenentes-generais.*]

tenentiano ***Adj.*** **1.** De, ou pertencente ou relativo a Campo do Tenente (PR). ● ***S. m.*** **2.** O natural ou habitante de Campo do Tenente. [Sin. ger.: *campense.*]

tenentismo [De *tenente* + *-ismo.*] ***S. m.*** *Hist. Bras.* **1.** Os movimentos militares liderados por tenentes das forças armadas, e que culminaram na Revolução de 1930, que pôs fim à Primeira República. **2.** A ideologia deles.

tenesmo (ê) [Do gr. *teinesmós, tenesmós*, pelo lat. tard. *tenesmu.*] ***S. m.*** *Med.* Desejo de defecar ou de urinar acompanhado de sensação dolorosa no reto ou na bexiga, respectivamente, e de impossibilidade de defecar ou urinar.

tenesmódico [Do gr. *teinesmódes*, 'semelhante ao *tenesmo*', + *-ico*[2].] ***Adj.*** Acompanhado de tenesmo.

tengo-tengo ***Adv.*** *Bras. N.E. Pop.* Sem grande esforço; devagarinho.

tenharim ***Bras. S. 2 g.*** **1.** *Etnôn.* Indivíduo dos tenharins, povo indígena da família linguística tupi-guarani, tronco tupi, que habita os municípios de Manicoré, Humaitá e Auxiliadora (AM). ● ***Adj. 2 g.*** **2.** Pertencente ou relativo a esse povo. [Tb. us. como *s. 2 g. e 2 n.* (com cap.) e *adj. 2 g. e 2 n.*]

tênia ***S. f.*** *Zool.* V. *tênia*. [Uso freq. em P.]

tênia [Do tax. *Taenia.*] ***S. f.*** *Bras. Zool.* **1.** O gênero-tipo dos teniídeos, que abrange várias espécies de parasitos do intestino dos vertebrados. **2.** Qualquer espécie desse gênero, como, p. ex., a *Taenia solium* e a *T. saginata* [v. *solitária* (1)]. **3.** Qualquer espécime desse gênero. [Cf. *Tênea*, top.]

teníase [De *teni(o)-* + *-íase.*] ***S. f.*** *Med.* Infecção causada por qualquer verme do gênero *Taenia*.

tenífugo [De *teni(o)-* + *-fugo*[2].] ***Adj. S. m.*** *Terap.* Diz-se de, ou substância medicamentosa que expulsa do organismo vermes do gênero *Taenia*.

teniídeo [Do tax. *Taeniidae.*] *Zool.* ***S. m.*** **1.** Espécime dos teniídeos, família de platelmintos tenioídeos, cujo gênero-tipo é a tênia (q. v.), e que abrange parasitos intestinais do homem e de outros vertebrados. ● ***Adj.*** **2.** Pertencente ou relativo a eles.

▲ **teni(o)-** [Do lat. cient. *taenio-* < gr. *tainía, as.*] ***El. comp.*** = 'fita', 'em forma de fita'; 'raia'; 'filamento cromossômico'; 'tênia': *teniope, teniossomo; tenífugo.* [Equiv.: *-ten(o)-, -teno: nipotenídio; politenia, politênico; anfiteno, paquiteno, zigiteno.*]

teniobrânquio [De *teni(o)-* + *-brânquio.*] ***Adj.*** *Zool.* Que tem as brânquias em forma de fita.

tenioide (ói) [De *teni(o)-* + *-oide.*] ***Adj. 2 g.*** Semelhante à tênia. ❖

tenioídeo [Do tax. *Taenia* + *-óideo*; tax. *Taenioidea.*] *Zool.* ***S. m.*** **1.** Espécime dos tenioídeos, ordem de platelmintos, cestódeos, que têm escólex, em geral com quatro ventosas bem formadas, ger. provido de ganchos no ápice, aberturas genitais laterais, proglótides livres ou unidas na fase adulta. O grupo inclui a maioria dos cestódeos parasitas de vertebrados, entre eles o homem. ● ***Adj.*** **2.** Pertencente ou relativo a eles.

teniope [De *teni(o)-* + *-ope.*] ***Adj. 2 g.*** *Zool.* Que apresenta listras de cor nos olhos.

tenióptero [De *teni(o)-* + *-ptero.*] ***Adj.*** *Zool.* Que tem listras de cor nas nadadeiras, ou nas asas.

teniossomo [De *teni(o)-* + *-somo.*] ***Adj.*** *Zool.* Que tem o corpo em forma de fita.

tenioto [De *teni(o)-* + *-oto*[3].] ***Adj.*** *Zool.* Que tem orelhas compridas e estreitas.

ténis ***S. m. 2 n.*** V. *tênis.* [Uso freq. em P.]

tênis [Do ingl. *tennis.*] ***S. m. 2 n.*** **1.** Jogo de origem inglesa, com raquetes e bola, em campo adrede preparado, dividido em duas partes por uma rede de malhas por cima da qual a bola deve passar. **2.** Sapato de lona, couro, etc., us. na prática do tênis e de outros esportes, ou ainda com traje informal; sapato-tênis, basquete e (lus.) sapatilha. [Cf. *Tenes*, antr.]

tênis de mesa ***S. m. 2 n.*** *Esport.* Pingue-pongue. ☑

tenista [De *tênis* + *-ista.*] ***S. 2 g.*** Jogador de tênis (1).

tenístico [De *tênis* + *-ist(a)-* + *-ico*[2].] ***Adj.*** Relativo ao, ou próprio do tênis.

tennantita [Do antr. (*S.*) *Tennant* (1761-1815), químico inglês, + *-ita*[3].] ***S. f.*** *Min.* Mineral isométrico, sulfoarsenieto de cobre e ferro.

▲ **ten(o)-** [Do gr. *ténōn, ontos.*] ***El. comp.*** = 'tendão': *tenalgia, tenorrafia.*

▲ **-ten(o)-** V. *teni(o)-.*

▲ **-teno** V. *teni(o)-.*

tenoísmo [Do jap. *teno*, 'imperador que é encarnação da divindade', + *-ismo.*] ***S. m.*** Obediência formal dos japoneses ao seu imperador.

tenor[1] (ô) [Do it. *tenore.*] *Mús.* ***S. m.*** **1.** A mais aguda das vozes masculinas. **2.** Homem dotado dessa voz. **3.** Na polifonia medieval, designação da voz mais baixa, a que entoava o tema, *i. e.*, a melodia tirada do canto gregoriano. ● ***Adj. 2 g. e 2 n.*** **4.** Diz-se dos instrumentos de sopro cuja tessitura corresponde à da voz de tenor: *saxofone tenor; trompa tenor.* ◆ **Tenor de banheiro.** *Joc.* Mau cantor; cantor de banheiro.

tenor[2] (ô) ***S. m.*** *Prov. port.* Vaso de barro onde se guarda a banha ou manteiga de porco, azeitonas, açúcar, etc.: "Esses tipos principais [de vasilhas] são a talha, o pote, o cântaro, o caneco, o tenor, a tarefa, a púcara, o gomil, a escudela" (Ramalho Ortigão, *O Culto da Arte em Portugal*, p. 148).

tenorino [Do it. *tenorino.*] ***S. m.*** Tenor ligeiro, que canta em falsete.

tenorista ***S. 2 g.*** V. *sax-tenorista.*

tenorrafia [De *ten(o)-* + *-raf(i)-* + *-ia*[1].] ***S. f.*** *Cir.* Sutura de tendão.

tenorráfico [De *tenorrafia* + *-ico*[2].] ***Adj.*** *Cir.* Relativo à tenorrafia.

tenossinovite [De *ten(o)-* + *-sinovite.*] ***S. f.*** *Patol. Med.* Inflamação de bainha de tendão.

tenotomia [De *ten(o)-* + *-tom(o)-* + *-ia*[1].] ***S. f.*** *Cir.* Seção de tendão.

tenotómico ***Adj.*** *Cir.* V. *tenotômico.* [Uso freq. em P.]

tenotômico [De *tenotomia* + *-ico*[2].] ***Adj.*** *Cir.* Relativo à tenotomia.

tenreiro [De *tenro* + *-eiro.*] ***Adj.*** *P. us.* Tenro.

tenrificar [De *tenro* + *-ificar.*] ***V. t. d. P.*** Tornar(-se) tenro ou brando; atenrar(-se).

tenro [Do lat. *teneru.* Cf. *terno*[2].] ***Adj.*** **1.** Mole, brando; macio: *carne tenra.* **2.** Delicado, mimoso: *bela e tenra mulher.* **3.** Fresco, viçoso. **4.** Que tem pouco tempo; recente, novo: *amizade tenra*; "Um bando de girafas rodeia uma mimosa a que vai trincando, delicadamente, nos trêmulos cimos, as folhinhas mais tenras." (Eça de Queirós, *Contos*, p. 167). **5.** Pouco crescido.

tenrura [De *tenro* + *-ura.*] ***S. f.*** Qualidade ou estado de tenro: "Que requinte de temperos! que tenrura de carnes! que rebuscado de formas! Comia-se com a boca, com os olhos, com o nariz." (Machado de Assis, *Memórias Póstumas de Brás Cubas*, p. 294.)

tensão [Do lat. tard. *tensione.*] ***S. f.*** **1.** Qualidade ou estado do que é tenso. **2.** *Fisiol. Med. Psiq.* Estado em que há sensação ou de retesamento (de músculos estriados esqueléticos, p. ex.), ou em que se é levado além de um limite normal de emoção. **3.** *Med.* Estado de grande aplicação ou concentração física e/ou mental. **4.** *Eng. Elétr.* Diferença de potencial elétrico entre dois pontos de um circuito; tensão elétrica; voltagem. [Abrev.: *v* (de voltagem).] **5.** *Mec.* Quociente da intensidade de uma força pela área da superfície sobre a qual ela atua. **6.** *E. Ling.* V. *articulação* (5). **7.** Tense. [Cf. *tenção.*] ◆ **Tensão de cisalhamento.** *Fís.* Num corpo sujeito a uma força cortante, força por unidade de área da seção transversal do corpo. **Tensão de compressão.** *Fís.* Num corpo sujeito a uma compressão, força de compressão por unidade de área da seção reta do corpo perpendicular à compressão. **Tensão de corte.** *Eletrôn.* Numa válvula, a menor tensão negativa que, aplicada à grade de controle, reduz a zero a corrente de placa. **Tensão de pico inverso.** *Eletrôn.* Numa válvula, o valor máximo da tensão de placa que pode ser aplicada à placa num sentido contrário ao do funcionamento normal da válvula. **Tensão de placa.** *Eletrôn.* Numa válvula eletrônica, tensão aplicada à placa. **Tensão de polarização.** *Eletrôn.* Tensão que se aplica a um dispositivo eletrônico para garantir-lhe operação numa região específica de sua curva característica. [Tb. se diz apenas *polarização.*] **Tensão de ruptura.** *Eletr.* Potencial de ruptura. **Tensão de tração.** *Fís.* Num corpo sujeito a uma tração, força de tração por unidade de seção reta do corpo perpendicular à tração. **Tensão de vapor.** *Fís.* Pressão de vapor. **Tensão direta.** *Eletrôn.* Tensão aplicada aos terminais de um retificador no sentido que corresponde à passagem da maior corrente para essa tensão. **Tensão elétrica.** V. *tensão* (4). **Tensão emocional.** Sensação de apreensão, de incerteza. **Tensão interfacial.** *Fís.* Energia por unidade de área de uma interface. **Tensão inversa.** *Eletrôn.* Tensão com polaridade tal que produz a menor corrente numa junção PN. **Tensão nervosa.** *Med.* Sensação de apreensão, incerteza, medo. **Tensão normal.** Aquela em que a força atua perpendicularmente à superfície. **Tensão pré-menstrual.** *Med.* V. *síndrome de tensão pré-menstrual.* **Tensão superficial.** *Fís.* Tensão interfacial de um sistema constituído por um líquido em equilíbrio com um gás ou com o seu próprio vapor. **Tensão tangencial.** Aquela em que a força atua num plano tangente à superfície.

tense ***S. f.*** *Arte Poét.* Gênero poético dos trovadores provençais; diálogo ou controvérsia entre dois trovadores, em que cada um sustentava um tema, conservando obrigatoriamente as rimas propostas pelo rival; tensão.

tensioativo ***Adj.*** *Quím.* Diz-se de composto que abaixa a tensão superficial de um líquido em que esteja dissolvido. [Var.: *tensoativo.*]

tensiolítico [Do lat. tard. *tensio* (nom.), 'tensão', + gr. *lytikós*, 'capaz de dissolver, de liberar'.] ***Adj. S. m.*** *Med.* V. *tranquilizante* (2 e 3).

tensiómetro ***S. m.*** V. *tensiômetro.* [Uso freq. em P.]

tensiômetro [Do lat. tard. *tensio* (nom.), 'tensão', + *-metro.*] ***S. m.*** **1.** Instrumento para determinar o grau de esticamento de um arame. **2.** *Med. Desus.* Aparelho com que se mede a pressão arterial.

tensionado [Part. de *tensionar.*] ***Adj.*** Que se tensionou; que está sob tensão.

tensional [De *tensão* + *-al*[1], seg. o padrão erudito.] ***Adj. 2 g.*** De, ou relativo a tensão.

tensionamento [De *tensionar* + *-mento.*] ***S. m.*** Ato ou efeito de tensionar.

tensionante [De *tensionar* + *-nte.*] ***Adj.*** Que tensiona, que provoca tensão: "E imagina Raul .... o quanto lhe seria tensionante entrar num recinto público e ser devassado por todos os olhares" (Rubem Mauro Machado, *Lobos*, p. 138).

tensionar [De *tensão* (*tension-*) + *-ar*[2], seg. o padrão erud.] ***V. t. d.*** **1.** Produzir tensão em; tornar tenso: "A apressada realidade do tempo amedronta-a. Sua eficácia, tensionando os personagens, insinua-lhe, no entanto, que a linha do horizonte é fugidia." (Nélida Piñon, *Vozes do Deserto*, p. 68). ***Int.*** **2.** Estar sob tensão.

tensivo [Do lat. *tensivu.*] ***Adj.*** Que produz tensão.

tenso [Do lat. *tensu.*] ***Adj.*** **1.** Estendido com força; esticado; retesado: *linha tensa*; "Embala-me, pendente da mangueira, / Na tensa corda, meu balanço amigo!" (Alberto de Oliveira, *Poesias*, 2ª série, p. 305). **2.** Em que há, ou que implica tensão (3): "conservava ainda não sei que frescor de primavera nas formas dos seus músculos de trabalho, distendidos num esforço tenso de animal de tiro."

T

(José Gomes Ferreira, *O Mundo dos Outros*, p. 129). **3.** Em estado de tensão (2): 📖 "Quem vive excitado, tenso, odiando, aborrecido e submetido a choques psíquicos, é vítima certa de fadiga, mesmo sem fazer trabalho algum." (Mário Filizzola, *Como Emplacar 100 Anos*, pp. 158-159). **4.** *Fig.* Muito aplicado. [Fem.: *tensa*. Cf. *tença*.]

tensoativo *Adj. Quím.* V. *tensioativo*.

tensor (ô) [De *tenso* + *-or*.] *Adj.* **1.** Que estende. ● *S. m.* **2.** *Anat.* Qualquer músculo que promova extensão duma formação (5). **3.** *Mat.* Conjunto de n^2 grandezas que se transformam, quando se passa de um sistema de coordenadas para outro, em outras tantas grandezas, mediante expressões que envolvem o somatório dos produtos das derivadas parciais das coordenadas novas em relação às antigas; entidade matemática que generaliza um vetor e representa diversas grandezas físicas. ◆ **Tensor das deformações.** *Fís.* Tensor que representa as deformações de um corpo. **Tensor das tensões.** *Fís.* O tensor que indica as tensões em um corpo. **Tensor de inércia.** *Fís.* Tensor de segunda ordem cujos componentes são os momentos de inércia e os produtos de inércia de um corpo rígido; tensor dos momentos. **Tensor dos momentos.** *Fís.* Tensor de inércia.

tensorial [De *tensor* + *-ial*[1].] *Adj. 2 g.* ~ V. *cálculo — e campo —*.

tenta [Dev. de *tentar*.] *S. f.* **1.** *Cir.* Instrumento cirúrgico para sondar feridas ou dilatar aberturas. **2.** Corrida de novilhos, logo depois da ferra e da enchocalhação, ou por divertimento ou a fim de experimentar-lhes a disposição para as lides tauromáquicas.

tenta-cânula [De *tentar* + *cânula*.] *S. f. Cir.* Instrumento cirúrgico que serve para conduzir, em segurança, ponta de bisturi.

tentação [Do lat. *tentatione*.] *S. f.* **1.** Ato ou efeito de tentar. [Sin.: *tentativa* e (*p. us.*) *tentamento*.] **2.** Disposição de ânimo para a prática de coisas diferentes ou censuráveis. **3.** Efeito de tentar-se; desejo veemente: 📄 *Sentiu a tentação de beijá-la.* **4.** Pessoa ou coisa que tenta; perdição. ● *S. m.* **5.** *Bras. Pop.* V. *diabo* (2).

tentaculado [De *tentáculo* + *-ado*[1].] *Adj. Zool.* Que tem tentáculos; tentaculífero.

tentacular [De *tentáculo* + *-ar*[2].] *Adj. 2 g.* **1.** Relativo a tentáculo. **2.** Provido de tentáculos. **3.** Que se desenvolve em todas as direções: 📄 *cidade tentacular*.

tentaculífero[1] [De *tentáculo* + *-ífero*.] *Adj. Zool.* Tentaculado.

tentaculífero[2] [Adapt. do tax. *Tentaculifera*.] *S. m. Adj. Zool.* V. *suctório*[1].

tentaculiforme [De *tentáculo* + *-iforme*.] *Adj. 2 g.* Que tem forma de tentáculo (1).

tentaculização [De **tentaculizar* (< *tentáculo* + *-izar*) + *-ção*.] *S. f.* Movimentação dos tentáculos.

tentáculo [Do lat. cient. *tentaculum* < v. lat. *tentare*, 'experimentar', 'apalpar', + lat. cient. *-culum* (v. *-culo*).] *S. m.* **1.** *Zool.* Apêndice móvel, não articulado, na cabeça ou na parte anterior dos animais, e que lhes serve de órgão do tato ou de preensão. **2.** *Zool.* Nos corais e nas anêmonas-do-mar, cada uma das extensões tubulares, móveis, que se dispõem como um anel em volta da boca. **3.** *Fig.* Cada um dos meios de que a ambição e/ou a astúcia se valem para alcançar ou apreender aquilo que as tenta.

tentadiço *Adj.* Que se deixa tentar facilmente.

tentado [Part. de *tentar*.] *Adj.* **1.** Seduzido, atraído. **2.** *Jur.* Diz-se do crime cuja execução teve começo, mas que, por circunstâncias alheias à vontade do criminoso, não chegou a consumar-se.

tentador (ô) [Do lat. *tentatore*.] *Adj.* **1.** Que tenta; tentante, tentativo. ● *S. m.* **2.** Aquele que tenta. **3.** *Fig.* V. *diabo* (2).

tentame [Do lat. *tentamen*, por via pop.] *S. m.* Ensaio, tentativa: 📄 *tentame literário*; 📖 "o rasgo da mentalidade caracteristicamente helênica é o tentame de unificar as multiplicidades sentidas, de dissipar ilogismos, de buscar a harmonia e a organização inteligível" (Antônio Sérgio, *Ensaios*, VI, pp. 53-54).

tentâmen [Do lat. *tentamen*, por via erudita.] *S. m.* V. *tentame*. [Pl.: *tentamens* e, p. us. no Brasil, *tentâmenes*.]

tentamento [De *tentar* + *-mento*.] *S. m. P. us.* V. *tentação* (1).

tentante [Do lat. *tentante*.] *Adj. 2 g.* V. *tentador* (1).

tentar [Do lat. *tentare*.] *V. t. d.* **1.** Empregar meios para obter (o que se deseja ou empreende); diligenciar, intentar: 📄 *Tentou inutilmente eleger-se deputado.* **2.** Tratar de conseguir; buscar, procurar: 📄 *Tentou, com uma aliança, evitar a derrota*; 📖 "Aos 13 anos, diante da desolação materna [provocada pela viuvez], tenta [Benjamin Constant] o suicídio." (Vicente Licínio Cardoso, *Pensamentos Brasileiros*, p. 275). **3.** Pôr em prática; empreender: 📄 *Com o que amealhara tentou a montagem da loja.* **4.** Experimentar, exercitar: 📖 "E, assim, as suas pupilas negras / Parecem duas toutinegras / Tentando as asas para voar!" (Antônio Nobre, *Só*, p. 139). **5.** Arriscar-se ou aventurar-se a: 📖 "Vistes aquela insana fantasia / De tentarem o mar com vela e remo" (Luís de Camões, *Os Lusíadas*, VI, 29). **6.** Pôr à prova; experimentar: 📄 *Tentou quatro roscas no parafuso, mas nenhuma serviu.* **7.** Sondar, tentear. **8.** Instigar para o mal, para o pecado: 📄 *O Diabo tenta as boas almas.* **9.** Causar desejo a; despertar vontade em, ou provocar, tendo em vista determinado fim ou objetivo: 📄 *As facilidades oferecidas não tentaram o rapaz.* **10.** Experimentar a fé ou paciência de. **11.** Procurar seduzir: 📄 *O demônio tentou Santo Antônio.* **12.** Instaurar (demanda): 📄 *Tentarei uma ação de despejo.* **13.** Proceder à tenta de (novilhos). *P.* **14.** Deixar-se seduzir. **15.** Apetecer vivamente alguma coisa. **16.** Arriscar-se, aventurar-se.

tentativa [F. subst. de *tentativo*.] *S. f.* **1.** V. *tentação* (1). **2.** Experiência, ensaio, tentame. **3.** Crime tentado.

tentativo [De *tentar* + *-tivo*.] *Adj.* **1.** V. *tentador* (1). **2.** Que pode ser tentado ou experimentado; tentável.

tentável [De *tentar* + *-vel*.] *Adj. 2 g.* Tentativo (2).

tentê [Do cabo-verd.] *S. m. Cabo-verd.* Peneiração, peneiramento. (Ger. us. na expr. *balaio de tentê* [q. v.].)

tenteador (ô) [De *tentear*[1] + *-dor*.] *Adj. S. m.* Que, ou aquele que tenteia.

tentear[1] [De *tenta* + *-ear*[2].] *V. t. d.* **1.** Sondar ou investigar com tenta (1). **2.** Apalpar, palpar, tatear; tantear: 📄 *Tenteava as paredes, procurando localizar-se na escuridão*; 📖 "Seu Acrísio, jogador e quase cego, ziguezagueava, batia nas paredes, tenteava degraus e portas com o cajado." (Graciliano Ramos, *Infância*, p. 51). **3.** Sondar, examinar: 📄 *Tenteou a proposta, disposto a aceitá-la.* **4.** Experimentar, ensaiar. [Conjug.: v. *frear*.]

tentear[2] [De *tento*[1] + *-ear*[2].] *V. t. d.* **1.** Dar tento[1], atenção, sentido ou cuidado a. **2.** Dirigir com tento[1]; pesar: 📄 *tentear as próprias ações.* **3.** *P. ext.* Calcular; dirigir: 📄 *Tenteava o jogo do amigo.* **4.** Examinar ou observar com cuidado, com precaução. **5.** Distribuir ou empregar com tento[1] ou parcimônia: 📄 *tentear os gastos.* **6.** Paliar, entreter. **7.** Economizar para que dure. [Conjug.: v. *frear*.]

tentear[3] [De *tento*[2] + *-ear*[2].] *V. t. d.* Marcar com tento[2]. [Conjug.: v. *frear*.]

tenteio[1] [Dev. de *tentear*[1].] *S. m.* Ato ou efeito de tentear[1].

tenteio[2] [Dev. de *tentear*[2].] *S. m.* **1.** Ato ou efeito de tentear[2]. **2.** *Bras. RS* Governo das rédeas do cavalo.

tenteiro [De or. obscura.] *S. m. Bras. Bot.* Acapurana-da-terra-firme.

tentém *S. m. Bras. Zool.* Tem-tem[2].

tenterê [De or. indígena, poss.] *S. f. Bras. MA Zool.* Espécie de jacaré.

tentilhão [De *tintim*, voc. onom.] *S. m. Zool.* Pássaro de pequeno porte, fringilídeo (*Fringilla coelebs*), da Europa, etc. de coloração bastante viva e de canto mavioso.

tento[1] [Do lat. *tentu*, part. pass. de *tentare*, 'segurar'.] *S. m.* **1.** Atenção, cuidado, sentido; tino; juízo. **2.** Cálculo, cômputo. **3.** Pauzinho em que se apoia a mão para pintar com firmeza. **4.** *Mús.* Forma de música instrumental, esp. para órgãos, baseada na imitação canônica, e us. pelos portugueses e espanhóis dos sécs. XVI e XVII. **5.** *Gír.* Tapa, bofetada. ◆ **A tento.** Com cautela. **Tomar tento.** Prestar toda a atenção; tomar cuidado.

tento[2] [Do lat. *talentu*, 'moeda', 'penhor', por via pop.] *S. m.* **1.** Peça de metal, ou de outro material qualquer, com a qual se marcam pontos no jogo: 📖 "Não jogavam a dinheiro; mas o Falcão tinha tal sede ao lucro, que contemplava os próprios tentos, sem valor, e contava-os de dez em dez minutos, para ver se ganhava ou perdia." (Machado de Assis, *Histórias sem Data*, p. 135.) **2.** Ponto marcado no jogo. ◆ **Lavrar um tento.** Fazer o que deve ou convém; sair-se bem numa empresa; acertar; marcar um tento. **Marcar um tento.** V. *lavrar um tento*.

tento[3] [Do esp. plat. *tiento*.] *S. m. Bras. S.* **1.** Tirinha de couro, na parte posterior dos arreios, à qual se prende qualquer coisa que se deseje trazer à garupa. **2.** Tira de couro us. em diversos misteres da vida pastoril.

tento-carolina *S. m. Bras. Bot.* V. *tento-da-carolina*. [Pl.: *tentos-carolinas* e *tentos-carolina*.]

tento-da-carolina *S. m. Bras. Bot.* Árvore mimosácea (*Adenanthera pavonina*) cujas cascas e folhas têm propriedades medicinais; flores amarelas, em racemos axilares ou paniculados, no ápice dos ramos, e cujos frutos são vagens estreitas com sementes lenticulares, vermelho-escuras, us., por serem muito duras, para fazer colares. Fornece madeira escura, compacta, us. em marcenaria de luxo. [F. red.: *carolina*. Pl.: *tentos-da-carolina*.]

tento-grande *S. m. Bras. L. Bot.* Arvoreta fabácea (*Ormosia arborea*) muito disseminada nas restingas arenosas do litoral, caracterizada pelas sementes de pouco mais de 1cm de diâmetro, de intensa coloração vermelha com uma pequena mancha negra em um dos lados, e com as quais se fazem colares vistosos. [Pl.: *tentos-grandes*.]

tentório [Do lat. *tentoriu*.] *S. m.* Barraca de campanha.

tento sem fim [De *tento*[3] + *sem* + *fim*.] *S. m. Bras. SP* Laço tecido com tiras de couro. [Pl.: *tentos sem fim*.] ☑

ténue *Adj. 2 g.* V. *tênue*. [Uso freq. em P.]

tênue [Do lat. *tenue*.] *Adj. 2 g.* **1.** Delgado, fino, sutil: 📄 *arame tênue*; 📖 "Sai do telhado / Tênue fumo e se enovela" (Alberto de Oliveira, *Poesias*, 2ª série, p. 254). **2.** Débil, frágil, grácil: 📄 *o tênue corpo da menina*; 📖 "Viram-no subir a ladeira ao tênue luar que dava à lagoa e à pequena localidade .... uma flutuação irreal de cidadezinha de sonho." (João Alphonsus, *Eis a Noite!*, p. 115). **3.** Pequeníssimo. **4.** Pouco importante ou ponderável; de substância escassa: 📄 *argumentos tênues*.

→tenue de ville [tə'ny də vil] [Fr.] Traje de passeio (q. v.).

▲tenui- [Do lat. *tenŭis, e*.] *El. comp.* = 'tênue', 'delicado': *tenuicórneo*, *tenuifloro*.

tenuicórneo (ê... u-i) [De *tenui-* + *-corn(i)-* + *-eo*.] *Adj. Zool.* Que tem antenas ou cornos delgados.

tenuidade (ê... u-i) [Do lat. *tenuitate*.] *S. f.* Qualidade de tênue.

tenuifloro (ê... u-i) [De *tenui-* + *-floro*.] *Adj. Bot.* Que tem flores pequenas.

tenuifoliado (ê... u-i) [De *tenui-* + *-foli-* + *-ado*[1].] *Adj. Bot.* Que tem folhas pequenas.

tenuilívido (ê... u-i) [De *tenui-* + *lívido*.] *Adj.* Levemente lívido.

tenuípede (tê) [De *tenui-* + *-pede*.] *Adj. 2 g. Zool.* Que tem pés pequenos.

tenuipene (ê... u-i) [De *tenui-* + *-pene*.] *Adj. 2 g. Zool.* Que tem penas pequenas.

tenuirrostro[1] (ê... u-i) [De *tenui-* + *-rostro*.] *Adj. Zool. Desus.* Que tem bico delgado e comprido.

tenuirrostro[2] (ê... u-i) [Adapt. do tax. *Tenuirostres*.] *Zool. Desus. S. m.* **1.** Espécime dos tenuirrostros, grupo de aves passeriformes, de bico longo e delgado, ger. insetívoras. ● *Adj.* **2.** Pertencente ou relativo a eles.

tenuta [Do it. *tenuta*.] *S. f. Mús.* **1.** Prolongamento de um som ou de um acorde por tempo mais ou menos indeterminado, e que se obtém pela ligação de notas semelhantes. **2.** Notação expressa por um pequeno traço horizontal ou pela abreviatura *ten*, que, posta sobre ou sob uma ou mais notas musicais, indica que esta ou estas devem ser sustentadas durante todo o tempo dos seus valores. [Abrev., nesta acepç.: *ten.*]

tenuto [Do it. *tenuto*, 'sustentado'.] *Adj. Mús.* Diz-se do andamento não apressado, sustentado.

▲te(o)- [Do gr. *theós, oû*.] *El. comp.* = 'Deus', 'divindade': *teísmo*[1], *teopsia*. [Equiv.: *-te(o)-*: *triteísmo*.]

▲-te(o)- Equiv. de *te(o)-*.

teobroma [Do tax. *Theobroma*.] *S. m. Bot.* **1.** Gênero de esterculiáceas que reúne cerca de 20 espécies nativas das regiões tropicais das Américas. **2.** Qualquer espécie desse gênero, como, p. ex., a *Theobroma cacao* (v. *cacaueiro*). **3.** Qualquer espécime desse gênero.

teobromina [Do tax. *Theobroma* (< gr. *theós*, 'deus', 'divindade', + gr. *brôma*, 'manjar dos deuses') + *-ina*[3].] *S. f. Quím.* Alcaloide cristalino, incolor, venenoso, encontrado no cacau [fórm.: $C_7H_8N_4O_2$].

teocêntrico [De *te(o)-* + *-centr(o)-* + *-ico*[2].] *Adj.* Que tem Deus como centro de todas as coisas.

teocentrismo [De *teocêntrico* + *-ismo*, seg. o padrão erudito.] *S. m.* Crença ou doutrina que vê em Deus o centro do universo, de todas as coisas.

teocracia [Do gr. *theokratía*.] *S. f.* **1.** Forma de governo em que a autoridade, emanada dos deuses ou de Deus, é exercida por seus representantes na Terra. **2.** O Estado com essa forma de governo.

teocrata [Var. pros. de *teócrata*.] *S. 2 g.* **1.** Pessoa que exerce poder teocrático. **2.** Sectário da teocracia. [Sobre a prosódia deste voc., v. *-crata*.]

teócrata [De *te(o)-* + *-crata*.] *S. 2 g.* Teocrata (q. v.).

teocraticismo [De *teocrático* + *-ismo*.] *S. m.* Influência e/ou poder da teocracia.

teocrático [De *teocrata* + *-ico*[2].] *Adj.* **1.** Pertencente ou relativo a teocracia ou a teocrata. **2.** Próprio de teocracia.

teocratização [De *teocratizar* + *-ção*.] *S. f.* Ação de teocratizar.

teocratizado [Part. de *teocratizar*.] *Adj.* Tornado teocrático.

teocratizar [De *teocrático* + *-izar*, seg. o padrão erudito.] *V. t. d.* Submeter a um poder teocrático.

teodiceia (éi) [Do al. *Theodicee* < gr. *theós*, 'deus', 'divindade', + gr. *díke*, 'justiça'.] *S. f. Filos.* Termo cunhado por Leibniz (v. *leibniziano*) para designar a doutrina que procura conciliar a bondade e onipotência divinas com a existência do mal no mundo. ✧

teodolito [Do ingl. *theodolite*.] *S. m.* Instrumento óptico para medir com precisão ângulos horizontais e ângulos verticais, muito us. em trabalhos topográficos e geodésicos. [Cf. *trânsito* (9) e *taqueômetro*.]

teodorense *Adj. 2 g.* **1.** De, ou pertencente ou relativo a Teodoro Sampaio (BA e SP). • *S. 2 g.* **2.** O natural ou habitante de Teodoro Sampaio.

teofania [Do gr. *theophâneia* ou *theophanía*.] *S. f. Rel.* Manifestação de Deus em algum lugar, acontecimento ou pessoa: "Quando a ex-mestra tornar-se monja, verá a figura de Samuel em forma de teofania." (Manuel Lobato, *Os Outros São Diferentes*, p. 99.)

teofânico [De *teofania* + *-ico*[2].] *Adj.* Relativo a teofania.

teofilandense *Adj. 2 g.* **1.** De, ou pertencente ou relativo a Teofilândia (BA). • *S. 2 g.* **2.** O natural ou habitante de Teofilândia.

teofilina [Do fr. *théophylline*.] *S. f. Quím.* Alcaloide encontrado no chá, cristalino, incolor, venenoso [fórm.: $C_7H_8NO_4$].

teófilo-otonense *Adj. 2 g.* **1.** De, ou pertencente ou relativo a Teófilo Otoni (MG). • *S. 2 g.* **2.** O natural ou habitante de Teófilo Otoni. [Pl.: *teófilo-otonenses*.]

teofobia [De *te(o)-* + *-fobia*.] *S. f. Psiq.* Temor patológico a Deus ou deuses.

teofóbico [De *teofobia* + *-ico*[2].] *Psiq. Adj.* **1.** Relativo a teofobia. **2.** Que sofre de teofobia; teófobo. • *S. m.* **3.** Aquele que sofre de teofobia; teófobo.

teófobo [De *te(o)-* + *-fobo*.] *Adj. S. m. Psiq.* Teofóbico (2 e 3).

teofrastácea [Do tax. *Theophrasta* + *-ácea*; tax. *Theophrastaceae*.] *S. f. Bot.* Espécime das teofrastáceas, família de plantas da ordem das primulales, composta de arbustos e árvores de folhas alternas que se agrupam comumente na ponta dos ramos. Flores hermafroditas ou unissexuais; fruto drupáceo ou seco. Existem apenas umas 50 espécies, todas intertropicais.

teofrastáceo [De *teofrastácea*, com var. suf. (v. *-áceo*).] *Adj. Bot.* Pertencente ou relativo às teofrastáceas.

teogonia [Do gr. *theogonía*.] *S. f.* **1.** *Filos.* Doutrina mística relativa ao nascimento dos deuses, e que frequentemente se relaciona com a formação do mundo. **2.** Conjunto de divindades cujo culto forma o sistema religioso dum povo politeísta.

teogónico *Adj.* V. *teogônico*. [Uso freq. em P.]

teogônico [De *teogonia* + *-ico*[2].] *Adj.* Relativo a teogonia.

teogonista [De *teogonia* + *-ista*.] *S. 2 g.* Pessoa versada em teogonia.

teolandense *Adj. 2 g.* **1.** De, ou pertencente ou relativo a Teolândia (BA). • *S. 2 g.* **2.** O natural ou habitante de Teolândia.

teologal [De *teólogo* + *-al*[1].] *Adj. 2 g.* Pertencente ou relativo a teologia. [Pl.: *teologais*.] ~ V. *virtudes teologais*.

teologastro [De *teólogo* + *-astro*.] *S. m. Deprec.* Teólogo medíocre, de meia-tigela.

teologia [Do gr. *theología*, 'ciência dos deuses'.] *S. f.* **1.** Estudo das questões referentes ao conhecimento da divindade, de seus atributos e relações com o mundo e com os homens, e à verdade religiosa. **2.** *Restr.* O estudo racional dos textos sagrados, dos dogmas e das tradições do cristianismo. **3.** Tratado ou compêndio de teologia (1 e 2). **4.** O conjunto de conhecimentos relativos a teologia (1 e 2), ou que têm implicações com ela, ministrados em cursos ou nas respectivas faculdades. **5.** Os teólogos.

teológico [Do gr. *theologikós*, pelo lat. tard. *theologicu*.] *Adj.* Relativo a teologia.

teologismo [De *teologia* + *-ismo*.] *S. m.* Abuso dos princípios teológicos.

teologizar [De *teologia* + *-izar*.] *V. int.* Discorrer acerca de teologia.

teólogo [Do gr. *theológos*, pelo lat. *theologu*.] *S. m.* **1.** Especialista em teologia. **2.** Aquele que estuda teologia ou sobre ela escreve.

teologúmeno [Do fr. *théologoumène*.] *S. m.* Princípio teológico.

teomancia (cí) [Do gr. *theomanteía*.] *S. f.* Adivinhação por suposta inspiração divina.

teomania [De *te(o)-* + *-mania*.] *S. f. Psiq.* **1.** Tendência doentia para a religiosidade. **2.** Transtorno (5) em que o indivíduo acredita que é Deus, ou está inspirado ou possuído por divindade.

teomaníaco [De *teomania* + *-íaco*.] *Psiq. Adj.* **1.** Relativo a teomania. **2.** Que sofre de teomania; teômano. • *S. m.* **3.** Aquele que sofre de teomania; teômano.

teómano *Adj. S. m.* V. *teômano*. [Uso freq. em P.]

teômano [De *te(o)-* + *-mano*[1].] *Adj. S. m. Psiq.* Teomaníaco (2 e 3).

teomante [Do gr. *theómantis*.] *S. 2 g.* Pessoa que pratica a teomancia.

teomântico *Adj.* Relativo a teomancia, ou a teomante.

teónimo *S. m.* V. *teônimo*. [Uso freq. em P.]

teônimo [De *te(o)-* + *-ônimo*.] *S. m.* Nome de um deus.

teopsia [De *te(o)-* + *-opsia*.] *S. f.* Aparição súbita de uma divindade.

teor (ô) [Do lat. *tenore*, 'andamento contínuo'; 'disposição'; 'teor'.] *S. m.* **1.** Texto ou conteúdo de uma escrita: "Quando terminou a leitura da carta, cujo teor não me era desconhecido, puxou do seio um pequeno lenço bordado e com ele enxugou o canto dos olhos" (Herberto Sales, *Dados Biográficos do Finado Marcelino*, pp. 39-40). **2.** *Fig.* Norma, sistema, regra: *Teremos um novo teor de trabalho.* **3.** *Fig.* Modo, maneira, gênero, qualidade. **4.** Proporção, em um todo, de uma substância determinada.

teorema [Do gr. *theórema*, 'objeto de atenção', 'assunto de estudo', pelo lat. tard. *theorema*.] *S. m.* Proposição que, para ser admitida ou se tornar evidente, necessita de demonstração.

teorético [Do gr. *theoretikós*, pelo lat. tard. *theoreticu*.] *Adj.* Teórico (1): "Só em relação com este centro, fundo, ou foco, e sem nunca o perder de vista, as investigações de caráter teorético podem ser fecundas." (José Régio, em João Gaspar Simões, *Perspectiva da Literatura Portuguesa do Século XIX*, p. 180.)

teoria [Do gr. *theoría*, 'ação de contemplar, examinar'; 'estudo'; 'deputação solene que as cidades gregas mandavam às festas dos deuses'; 'festa solene', 'pompa', 'procissão', pelo lat. tard. *theoria*, mas conforme a prosódia grega.] *S. f.* **1.** Conhecimento especulativo, meramente racional. **2.** Conjunto de princípios fundamentais duma arte ou duma ciência. **3.** Doutrina ou sistema fundado nesses princípios. **4.** Opiniões sistematizadas. **5.** Noções gerais; generalidades: *a teoria do cinema.* **6.** Suposição, hipótese. **7.** Utopia; quimera. **8.** Na Grécia antiga, embaixada sagrada que um Estado enviava para o representar nos grandes jogos esportivos, consultar um oráculo, levar oferendas, etc. **9.** Conjunto de pessoas que marcham processionalmente: "Cântaro alentejano ao ombro, vão teorias de raparigas robustas, caminho da fonte" (Afrânio Peixoto, *Viagens na Minha Terra*, p. 200). **10.** Série, sequência: "No Amazonas, o poeta [Gonçalves Dias] se reencontra com a poesia. Há de ter influído nesse reencontro a teoria de emoções vividas no seu regresso ao Maranhão." (Josué Montello, *Estante Giratória*, p. 82.) **11.** *Filos.* Conjunto de conhecimentos não ingênuos que apresentam graus diversos de sistematização e credibilidade, e que se propõem explicar, elucidar, interpretar ou unificar um dado domínio de fenômenos ou de acontecimentos que se oferecem à atividade prática. **12.** *Lóg.* Do ponto de vista estritamente formal, o sistema de proposições em que não se encontram proposições contraditórias, nem nos axiomas, nem nos teoremas que deles se deduzem. ◆ **Teoria da ciência.** *Filos.* Epistemologia. **Teoria da comunicação.** Teoria que estabelece os fundamentos científicos da comunicação; possui caráter interdisciplinar e apresenta-se, deste prisma, como a imbricação de diversas áreas de conhecimento (semiologia, teoria da informação, linguística, sociologia, etc.). **Teoria da forma.** *Filos.* Gestaltismo. **Teoria da informação.** Teoria científica voltada essencialmente para a análise matemática dos problemas relativos à transmissão de sinais [v. *sinal* (22)] no processo de comunicação. **Teoria da literatura.** Conhecimento sistematicamente organizado aplicado à obra literária; análise ou explicação da natureza dela. **Teoria da relatividade.** *Fís.* Teoria muito geral que afirma serem invariantes as leis físicas expressas em referenciais inerciais e não inerciais. **Teoria da ressonância.** *Quím.* Teoria us. principalmente na química orgânica, que considera certas moléculas melhor representadas pela superposição de várias estruturas canônicas (q. v.) do que por qualquer fórmula estrutural isolada. **Teoria das ideias.** *Filos.* Doutrina fundamental do platonismo, que consiste em conceber entidades eternas e imutáveis que seriam objeto de conhecimento verdadeiro e de que as coisas do mundo sensível constituiriam pálidos reflexos. **Teoria das partículas compostas.** *Cosm.* Teoria segundo a qual ocorre, numa classe de partículas elementares, um aumento do número dessas partículas de massas cada vez maiores. **Teoria das supercordas.** *Fís. Part.* Teoria supersimétrica (v. *supersimetria*) na qual as partículas elementares, em vez de serem objetos pontuais, têm uma extensão linear infinitesimal e são representadas por cordas unidimensionais. A escala de comprimento característica de uma corda seria da ordem de 10^{-33}cm, enquanto que sua escala de energia seria da ordem de 10^{19} GeV. Esta teoria proporciona uma formulação quântica da gravitação que permitiria uma visão unificada de todas as interações fundamentais (q. v.). Nas teorias unificadas, o espaço tem dez ou mais dimensões que englobam o espaço-tempo quadridimensional. **Teoria de acumulação.** *Cosm.* Teoria segundo a qual os planetesimais supostamente colidem entre si, unem-se e, eventualmente, arrebatam matéria suficiente para formarem os planetas. **Teoria de campo.** *Fís. Part.* Cada uma de uma classe de teorias que descrevem as interações através de campos, como, p. ex., a eletrodinâmica. **Teoria de *gauge*.** *Fís. Part.* Cada uma de uma classe de teorias de campo que descrevem as interações fundamentais e que se caracterizam por ser invariantes, relativamente a certas transformações de simetria, cujo efeito pode variar com o ponto do espaço-tempo considerado. Nestas teorias, as interações entre partículas podem ser explicadas pela troca de partículas intermediárias, os bósons de *gauge*, tais como o fóton, os bósons W e Z-zero, os glúons e o gráviton. **Teoria do bigue-bangue.** *Cosm.* Teoria segundo a qual o Universo, em seu estado inicial, se apresentava sob forma bastante condensada e que sofreu violenta explosão. É a teoria atualmente mais aceita para explicar a formação do Universo. [Sin.: *bigue-bangue*, *grande explosão* e (em ingl.) *big-bang*.] **Teoria do caos.** *Fís.* Conjunto de conceitos matemáticos e técnicas computacionais us. para estudar o comportamento caótico nas ciências naturais. A teoria do caos foi introduzida, inicialmente, na meteorologia, para explicar a dificuldade na previsibilidade de certos fenômenos meteorológicos. **Teoria do conhecimento.** *Filos.* Estudo da origem e do valor do conhecimento em que se focaliza, especialmente, a relação entre o sujeito e o objeto e, nessa relação, o modo e os graus de atividade ou passividade de cada um deles; gnoseologia, gnosiologia. [Cf. *conhecimento*, *epistemologia* e *metodologia*.] **Teoria dos autômatos.** *Inform.* Estudo de processos computacionais e suas relações com entradas e saídas, de especial aplicação em linguagens de programação. **Teoria dos *quanta*.** *Fís.* Teoria que supõe serem descontínuas e discretas as variações de várias grandezas pertinentes aos fenômenos naturais. **Teoria do vórtex.** *Cosm.* Teoria cosmogônica do sistema solar, imaginada por Descartes (v. *cartesianismo*) em 1644, e que supõe que os planetas e o Sol foram formados pela acumulação da matéria que se movia em vórtices. **Teoria econômica.** *Econ.* Economia (1). **Teoria eletrofraca.** *Fís. Part.* Teoria que unifica as interações eletromagnéticas e as interações fracas. **Teoria quantitativa da moeda.** *Econ.* Teoria explicativa da demanda de meios de pagamento numa economia, cuja principal conclusão é que um excesso de moeda, em relação à demanda, provoca inflação.

teórica [F. subst. do adj. *teórico*.] *S. f. Ant.* Teoria.

teórico[1] [Do gr. *theorikós*, pelo lat. tard. *theoricu*.] *Adj.* **1.** Relativo a teoria; teorético. ~ V. *física —a*, *química —a* e *vão —*. • *S. m.* **2.** Aquele que reconhece cientificamente os princípios, a teoria de uma arte. **3.** *Fam.* Utopista.

teórico[2] *S. m.* V. *teóricon*.

teóricon [Do gr. *theorikón*.] *S. m.* Quantia concedida pelo Estado ateniense aos cidadãos pobres, desde o fim do séc. V, para garantir-lhes o acesso aos espetáculos teatrais e às festas públicas. [F. paral.: *teórico*.]

teórida [Do gr. *theorís*, *theorídos*.] *S. f.* Na Grécia antiga, nau que transportava os teoros.

teorismo [De *teoria* + *-ismo*.] *S. m.* Gosto ou paixão das teorias.

teorista [De *teoria* + *-ista*.] *S. 2 g.* Pessoa que, embora conheça os princípios de uma ciência, não a pratica ou não sabe praticá-la.

teorização [De *teorizar* + *-ção*.] *S. f.* Ação ou efeito de teorizar.

teorizador (ô) [De *teorizar* + *-dor*.] *Adj. S. m.* Que, ou aquele que teoriza.

teorizante [De *teorizar* + *-nte*.] *Adj. 2 g.* Que teoriza; teorizador: "Este chanceler [Gouveia de Almeida], teorizante de política, mostrava conhecer a Índia" (Fidelino de Figueiredo, *Últimas Aventuras*, p. 354).

teorizar [De *teoria* + *-izar*.] *V. t. d.* **1.** Expor ou explicar por teoria(s); fundamentar com teoria(s). **2.** Reduzir a teorias. **3.** Metodizar, ordenar. *Int.* **4.** Expor teorias. **5.** Tratar um assunto teoricamente.

teoro [Do gr. *theorós*.] *S. m.* Na Grécia antiga, deputado enviado pelas cidades gregas, particularmente por Atenas, para assistir aos grandes jogos (olímpicos, píticos, ístmicos e nemeus) ou para consultar o oráculo de Delfos.

teose [Do gr. *théosis*.] *S. f.* Deificação, divinização.

teosebia [Do gr. *theosébeia*.] *S. f.* Culto consagrado a Deus.

teosinto [Do náuatle *teoxintli*.] *S. m. Bot.* Planta poácea (*Euchlaena mexicana*) herbácea, nativa no México, onde é utilizada como forrageira sob o nome de *teosinte*, e que os cientistas consideram como a forma primitiva do milho, que teria dela provindo mediante longo processo de cultivo e seleção.

teosofia [Do gr. *theosophía*.] *S. f.* **1.** *Filos.* Conjunto de doutrinas religioso-filosóficas que têm por objeto a união do homem com a divindade, mediante a elevação progressiva do espírito até à iluminação. **2.** *Rel.* Doutrina espiritualista iniciada por Helena Petrovna Blavatsk (1831-1891), mística russa, ligada ao budismo e ao lamaísmo. [Sin., nesta acepç.: *teosofismo.*]

teosófico [De *teosofia* + *-ico*[2].] ***Adj.*** Respeitante a teosofia.

teosofismo [De *teosofia* + *-ismo.*] ***S. m.*** **1.** Caráter das especulações teosóficas. **2.** Teosofia (2).

teosofista [De *teosofia* + *-ista.*] ***S. 2 g.*** Pessoa que segue ou ensina as teorias teosóficas; teósofo.

teósofo [Do gr. *theósophos.*] ***S. m.*** Teosofista.

tepacuema [Do tupi.] ***S. f.*** *Bras. AM* Fenômeno lunar de que provém a parada do fluxo e refluxo das marés, descobrindo trechos do rio por vezes nunca vistos. [Cf. *tipacoema.*]

tépala [Do fr. *tépale*, voc. formado por analogia com *sépale* e *pétale.*] ***S. f.*** *Bot.* Cada uma das folhas que compõem o perigônio de uma flor em que não há diferenciação em cálice e corola.

tepalino [De *tépala* + *-ino*[1].] ***Adj.*** *Bot.* Relativo ou pertencente à tépala.

▲-tépalo [De *tépala* (< fr.), seg. o modelo de *-pétalo* e *-sépalo.*] ***El. comp.*** = 'tépala': *gamotépalo, sintépalo.*

tepe [Do pré-romano **tippe.*] ***S. m.*** Torrão cuneiforme us. na construção de muralhas.

tepente [Do lat. *tepente.*] ***Adj. 2 g.*** *P. us.* V. *tépido.*

tepidamente (tè) [Do f. de *tépido* + *-mente.*] ***Adv.*** **1.** De modo tépido. **2.** *Fig.* Frouxamente, fracamente, com tibieza.

tepidário [Do lat. *tepidariu.*] ***S. m.*** Nas termas da Roma antiga, recinto com bancos, no qual quem saía do banho quente se acostumava, aos poucos, a uma temperatura mais suave, antes de entrar no banho frio.

tepidez (ê) [De *tépido* + *-ez.*] ***S. f.*** **1.** Estado de tépido; tepor. **2.** *Fig.* Tibieza; fraqueza, frouxidão, tepor.

tépido [Do lat. *tepidu.*] ***Adj.*** **1.** Que tem pouco calor; morno, tíbio. **2.** *Fig.* Frouxo, fraco. [Sin. ger., p. us.: *tepente.*]

tepor (ô) [Do lat. *tepore.*] ***S. m.*** V. *tepidez.*

teque [Adapt. do ingl. *tackle.*] ***S. m.*** *Marinh.* Aparelho de laborar constituído de dois moitões ligados por um cabo de fibra, a *beta* (ê).

tequê ***S. m. Adj. 2 g.*** V. *anzico.*

teque-teque [Voc. onom.] ***S. m.*** **1.** *Bras. AM PA* Vendedor ambulante de fazendas e objetos de armarinho; mascate. **2.** *Bras. RJ Zool.* V. *caga-sebo* (1). [Pl.: *teque-teques.*]

tequila [Do top. *Tequila*, distrito do Estado de Jalisco, México.] ***S. f.*** Espécie de aguardente mexicana feita da destilação de uma planta da América Central, o *Agave tequilana*: "No lugar da sala de jantar, o bar, um grande balcão alastrado de copos e alguns pares morenos bebericando a sua tequila" (Viana Moog, *Toia*, p. 49).

tequileiro [De *tequila* + *-eiro.*] ***S. m.*** *Bartender* (q. v.) especializado em preparar e servir tequila, ger. de modo performático (no qual a bebida é servida diretamente na boca do cliente, que, em seguida, tem a cabeça agitada pelo tequileiro).

ter [Do lat. *tenere*, 'segurar'.] ***V. t. d.*** **1.** Ter a posse de; possuir, haver: *Tem muito dinheiro.* **2.** Poder dispor de; poder gozar: *Terá férias em janeiro.* **3.** Segurar nas mãos ou entre elas. **4.** Trazer consigo; carregar: *— Você tem fósforos? — Você tem fogo?* **5.** Conservar preso ou seguro; não largar; suster; prender; segurar: *Não conseguiu ter por muito tempo a avezinha capturada.* **6.** Manter; conservar; ocupar: *Teve por longos anos um cargo importante.* **7.** Entrar na posse de; receber: *Com a morte do pai teve uma grande herança.* **8.** Conseguir, alcançar, obter: *A muito custo chegou a ter o lugar de chefe.* **9.** Adquirir, conquistar, atrair, granjear: *Educadíssimo, teve de pronto a simpatia geral.* **10.** Encerrar, conter: *O barril de carvalho tinha uísque envelhecido.* **11.** Compreender, abranger. **12.** Ter certas dimensões: *O salão tem toda a extensão do andar.* **13.** Sofrer ou padecer de: *Esta criança tem asma.* **14.** Sentir, sofrer, experimentar (impressão, sensação, sentimento, etc.): *ter coragem, ter paciência, ter amor.* **15.** Dar à luz; parir: *Teve Márcia um belo filho.* **16.** Dar existência a; gerar, procriar: "Que se casem, tenham numerosos filhos, e Jeová lhes abençoe a prole." (Ciro dos Anjos, *O Amanuense Belmiro*, p. 124.) **17.** Contar com (pessoa cuja vinculação com o sujeito é específica): *Tem ainda o pai; Tem um bom médico.* **18.** Poder beneficiar-se da ajuda, dos cuidados de: *Tão doente, se não tivesse o marido, não sei como sobreviveria.* **19.** Ser composto ou formado de; constar de: *O livro tem 500 páginas.* **20.** Ser dotado de; possuir: *Esta menina tem boa índole.* **21.** Estar na posse de; gozar, desfrutar, fruir: *A criança tem boa saúde.* **22.** Apresentar, trazer: *ter cabelos grisalhos; ter nariz adunco; ter boa audição;* "Tem os olhos cheios de esperança / De uma cor que mais ninguém possui." (Roberto Carlos e Erasmo Carlos, na canção *Olha*). [Nesta acepç., com adj. atributivo do objeto e que o caracteriza.] **23.** Apresentar (algo) semelhante a: *Tem os olhos da mãe, e o nariz do pai.* **24.** Valer, importar. **25.** Vestir, trajar, trazer: *Tinha, na cerimônia da posse, uma bela toalete.* **26.** Dar provas de; revelar: *Teve perspicácia ao responder à questão.* **27.** Ocupar, exercer: *Tenho o cargo de professor.* **28.** Dirigir, administrar. **29.** Dispor de (alguém) para trabalhar: *A empresa tem oito funcionários; Ela tem faxineira às sextas.* **30.** Fazer parar; deter; conter: *Não conseguindo ter a cavalgadura, saltou.* **31.** Reprimir, conter, refrear, suster, atalhar: *O médico pediu-lhe que tivesse a respiração por segundos.* **32.** Passar por; viver: *Teve maus momentos durante a viagem.* **33.** Ser possuído, dominado ou dirigido por. **34.** Ser frequentado, visitado por: *A sessão de teatro tinha muitos espectadores.* **35.** Contar com (pessoa[s]) em casa; receber: *Hoje terei muitos convidados.* **36.** Seguir, adotar: *Tenho a mesma opinião que você.* **37.** Proceder com; haver-se ou avir-se com: *Pedi-lhe que tivesse cautela.* **38.** Seguir; adotar; professar: *Nunca tivemos opiniões divergentes.* **39.** Receber (castigo, prêmio, remuneração, etc.): *Trabalhou, e teve a recompensa do seu esforço.* **40.** Emitir; pronunciar; dar: *Interrogado, teve resposta negativa.* **41.** Mostrar, fazer: *Teve um gesto de recusa.* **42.** Dar por assentado ou certo; admitir, concordar; julgar, supor: *Tenho que a sua prova foi a melhor;* "Léon Séché .... tem que os homens de grande imaginação, como Hugo, Lamartine, Vigny, procedem antes das mães, e os que se assinalam pelo espírito crítico, de análise e raciocínio, ... dependem antes do sangue paterno." (Xavier Marques, *Vida de Castro Alves*, p. 12). **43.** Tomar (18): *ter aulas de piano.* • ***Impess.*** **44.** *Bras. Angol. Cabo-verd. Guin. Moç. Santom. Pop.* Haver, existir: "Tem certos dias em que eu penso em minha gente / E sinto assim todo o meu peito se apertar." (Garoto, Chico Buarque de Holanda e Vinícius de Morais, da canção *Gente Humilde*); "tinha uma pedra no meio do caminho" (Carlos Drummond de Andrade, *Poemas*, p. 15); "Onde só tem o breu / Vem me trazer o sol" (Ronaldo Bastos e Flávio Venturini, na canção *Noites com Sol*); "Tem gente fazendo das tripas coração — e vendendo." (Luís Fernando Veríssimo, em *O Globo*, 13.07.1999). ***T. i.*** **45.** Ter necessidade ou obrigação de; dever, precisar: *Tenho de ir a São Paulo; Por que tem você de sair?* [Nesta acepç., tb. se usa seguido de *que*, construção esta considerada, ger., menos recomendável, embora bastante us.: "o governo teve que descer à necessidade de desmentir a grotesca atoarda." (Rui Barbosa, *Cartas de Inglaterra*, p. 21); "Tem gente tentando matar cachorro a grito, não conseguindo, e tendo que fugir do cachorro irritado." (Luís Fernando Veríssimo, em *O Globo*, 13.07.1999); "Se eu quiser falar com Deus, / tenho que me aventurar, / Tenho que subir aos céus / sem cordas pra segurar" (Gilberto Gil, na canção *Se Eu Quiser Falar com Deus*).] ***T. c.*** **46.** Contar de existência; contar: *A criança tem cinco anos.* **47.** Ter certas dimensões: *O salão tem 50 metros quadrados.* ***T. d. e i.*** **48.** Estar interessado ou relacionado; interessar-se: *Que tem ele com a tua vida?* **49.** Trazer consigo, ou em si (literal ou figuradamente): *Tinha a criança ao peito;* "Hoje eu tenho apenas uma pedra no meu peito / Exijo respeito / Não sou mais um sonhador." (Chico Buarque de Holanda, do samba-canção *Samba do Grande Amor*). **50.** *Fig.* Guardar, conservar: *Tenho na lembrança o seu rosto de pele alva.* **51.** Dedicar, consagrar: "O egípcio não era apenas um embevecido da beleza delicada de sua mulher. Tinha-lhe amor, dava-lhe liberdade, acreditava na sua inteligência" (Carlos Cavalcanti, *História das Artes*, I, p. 39). ***T. d. e c.*** **52.** Acolher, abrigar, hospedar: *Tive-o em casa após a morte dos pais.* ***Transobj.*** **53.** Possuir, haver: "e, na vida que levamos, / só temos certo o perigo." (Cecília Meireles, *Obra Poética*, p. 685). **54.** Deixar ver; apresentar, mostrar: *Horas depois do susto, ainda tinha o rosto lívido.* **55.** Reputar, considerar, julgar: "Homero tem por suave a estrídula voz da cigarra, e lhe compara os bons discursos." (Manuel Odorico Mendes, *Ilíada de Homero*, p. 47); *Sempre o tive como pessoa de bem.* ***Int.*** **56.** Ser possuidor de bens, recursos financeiros, etc.: *Diz que é pobre, mas tem, ora se tem.* ***P.*** **57.** Segurar-se, aguentar-se, manter-se: "Estavam de joelhos ambos, o frade e a dama; ele mal se tinha, ela amparava em seus braços .... o amortecido corpo do velho." (Almeida Garrett, *Viagens na Minha Terra*, p. 313); "Luísa mal se podia ter sobre o cavalo" (Franklin Távora, *O Cabeleira*, p. 219). **58.** Considerar-se, reputar-se: *Tem-se por grande homem.* **59.** Conter-se, dominar-se, refrear-se, reprimir-se: *Não conseguindo ter-se, agrediu o vizinho.* **60.** Apegar-se, ater-se: *Tem-se muito à família.* ~ V. *teres.* [Irreg. Pres. ind.: *tenho, tens, tem, temos, tendes, têm*; imperf.: *tinha, tinhas*, etc.; perf.: *tive, tiveste, teve, tivemos, tivestes, tiveram*; m.-q.-perf.: *tivera, tiveras*, etc.; fut. pres.: *terei, terás*, etc.; fut. do pret.: *teria, terias*, etc.; imperat.: *tem, tende*, etc.; pres. subj.: *tenha, tenhas*, etc.; imperf.: *tivesse, tivesses*, etc.; fut.: *tiver, tiveres*, etc.; inf. pess.: *ter, teres* (ê), *ter, termos* (ê), *terdes* (ê), *terem* (ê). Cf. *termos*, pl. do s. m. *termo*; *Termos*, pl. do antr. *Termo*; e *terém*, s. m.] ◆ **Ter com quê.** *Bras. Pop.* Ter dinheiro; ser abastado. **Ter de.** V. *ter* (45). **Ter para si.** Estar convencido de: "Tenho para mim que a poesia de Junqueira Freire não tem em nossa história literária o lugar que merece." (José Lins do Rego, em *Discursos de Posse e Recepção na Academia Brasileira de Letras*, p. 26.) **Ter por onde.** **1.** Ter recursos, meios, possibilidades, para (alguma coisa): *Pode gastar à vontade; tem por onde pagar.* **2.** Ter motivo ou razão para: *Tem por onde ser orgulhoso.* **Ter que se lhe diga.** Diz-de de algo difícil de obter ou de realizar, de algo que exige muito esforço: "É difícil. Isto de começar num monturo e só parar na crista dum castanheiro, tem que se lhe diga." (Miguel Torga, *Bichos*, p. 59.) **Não ter nada a ver.** *Bras.* Não ter valor; não corresponder à realidade: *Os seus argumentos não têm nada a ver.* **Não ter onde cair morto.** Estar em sérias dificuldades financeiras; estar na miséria, não ter um vintém. "— Estaria bem servido se fosse a fazer-te todas as vontades! — a estas horas não teria onde cair morto!" (Aluísio Azevedo, *Filomena Borges*, p. 121.) **Não ter que ver.** *Bras. N.E. Fam.* Ser muitíssimo parecido com: *O pequeno não tem que ver o pai.*

▲ tera- ***Pref.*** **1.** Anteposto ao nome duma unidade de medida, forma o nome de uma unidade derivada 10^{12} vezes maior que a primeira. **2.** *Inform.* Anteposto ao nome de uma unidade empregada em sistemas binários, indica multiplicação dessa unidade por 2^{40} (aproximadamente 1,1 trilhão) [símb.: *T*]: *1 terabyte = 1 TB =* 2^{40} *bytes.*

▲-ter(a)- V. *terat(o)-.*

→terabyte ['tɛrəbajt] [Ingl.] ***S. m.*** *Inform.* Unidade de medida de informação, equivalente a 2^{40} *bytes* [símb.: *TB*].

teracena [Do ár. *dāraṣ-ṣinā'a(t)* (v. *arsenal*).] ***S. f.*** *Ant. Constr. Nav.* Local onde se construíam embarcações e onde havia armazéns para guardar os aprestos a elas destinadas. [F. paral.: *taracena, tarecena, terçana* e *tercena.*]

terafosídeo [Do tax. *Theraphosa* + *-ídeo*[1]; tax. *Theraphosidae.*] *Zool.* ***S. m.*** **1.** Espécime dos terafosídeos, família de artrópodes, aracnídeos, araneídeos, que compreende aranhas de grande porte, comumente as dos gêneros *Grammostola* e *Acanthoscurria*. Escuras e de pelos longos, são errantes, vivendo algumas espécies em galerias subterrâneas. Vulgarmente conhecidas como aranhas-caranguejeiras. • ***Adj.*** **2.** Pertencente ou relativo a eles.

terafosomorfa [Do tax. *Theraphosa* + *-o-* + *-morfa.*] ***S. f.*** *Zool.* Migalomorfa.

terafosomorfo [De *terafosomorfa.*] ***Adj.*** *Zool.* Migalomorfo.

teraíra [Var. de *taraguira.*] ***S. m.*** *Bras. MA Zool.* V. *taraguira.*

teralito [Var. pros. de *terálito.*] ***S. m.*** *Petr.* Rocha intrusiva, caracterizada pela associação de plagioclásio e nefelita, e que tem, ainda, piroxênio como constituinte fêmico. [Seria melhor *terálito*, que, no entanto, é f. p. us.]

terálito [Do gr. *therân*, 'caçar', 'procurar com ardor', + *-lito.*] ***S. m.*** *Petr.* Teralito (q. v.).

terapeuta[1] [Do gr. *therapeutés.*] ***S. 2 g.*** Aquele que exerce alguma forma de terapêutica.

terapeuta[2] V. *psicoterapeuta.*

terapêutica [Do gr. *therapeutiké*, pelo lat. *therapeutica.*] ***S. f.*** *Med.* Parte da medicina que estuda e põe em prática os meios adequados para aliviar ou curar os doentes; terapia. ◆ **Terapêutica ocupacional.** *Psiq.* V. *terapia ocupacional.* **Terapêutica ortomolecular.** Orientação terapêutica que tem por objetivo restaurar, no plano molecular, as concentrações e funções normais de substâncias, como vitaminas, minerais, etc., normalmente presentes no organismo; terapia ortomolecular.

terapêutico [Do gr. *therapeutikós.*] ***Adj.*** **1.** Relativo a terapêutica: *método terapêutico.* **2.** Curativo, medicinal: *substância terapêutica.* ~ V. *pneumotórax —, prova —a* e *vacina —a.*

terapia[1] [Do gr. *therapeía.*] ***S. f.*** Terapêutica. ◆ **Terapia ocupacional.** *Psiq.* Aquela em que se procura desenvolver e aproveitar o interesse do paciente por um determinado trabalho ou ocupação; terapêutica ocupacional, laborterapia, ergoterapia. [Nesta acepç., cf. *praxiterapia.*] **Terapia ortomolecular.** Terapêutica ortomolecular.

terapia[2] V. *psicoterapia*: "A psicologia freudiana foi reduzida a uma terapia de luxo para angústias individuais." (Luís Fernando Veríssimo, *O Popular*, p. 19.)

▲-terapia [Do gr. *therapeía, as* < v. gr. *therapeúein*, 'servir'; 'honrar'; 'assistir', 'cuidar', 'tratar', + gr.

-*ía* (v. -*ia*[1].)] *El. comp.* = 'tratamento (de)'; 'tipo de tratamento que tem certo princípio, meio ou fundamento'; 'cura': *oftalmoterapia, biblioterapia; actinoterapia, aeroterapia, bacterioterapia, calcioterapia, hidroterapia; autoterapia.*

terapista [Do ingl. *therapist.*] *S. 2 g. Angl.* Terapeuta.

terápsido [Adapt. do tax. *Therapsida.*] *Paleont. S. m.* 1. Espécime dos terápsidos, ordem de reptis sinápsidos que viveram do permiano superior ao início do jurássico, e que são considerados ancestrais dos mamíferos. • *Adj.* 2. Pertencente ou relativo a eles.

terarca [Do gr. *thérarchos*, por anal. com monarca e patriarca.] *S. m.* Aquele que, entre os antigos, comandava soldados montados em elefantes.

terarquia [Do gr. *therarchía.*] *S. f.* Na Antiguidade, parelha ou grupo de elefantes de guerra.

teratia [De *terat(o)-* + -*ia*[1].] *S. f.* Monstruosidade, anomalia; teratismo.

teratismo [De *terat(o)-* + -*ismo.*] *S. m.* V. *teratia.*

▲**terat(o)-** [Do gr. *terato-* < gr. *téras, atos*, 'sinal enviado pelos deuses'; 'coisa monstruosa', 'animal monstruoso', 'monstro'.] *El. comp.* = 'monstro', 'monstruosidade': *teratoide, teratogenia.* [Equiv.: -*ter(a)-*, -*terat(o)-*: *hemiteria, hemiteratia.*]

▲ **-terat(o)-** V. *terat(o)-.*

teratoblastoma [De *terat(o)-* + -*blast(o)-* + -*oma*[1].] *S. m. Patol.* Tumor (2) em cuja composição estão elementos embrionários, e que difere do teratoma (q. v.) por não incluir todas as camadas germinativas; teratoide.

teratofobia [De *terat(o)-* + -*fobia.*] *S. f. Psiq.* 1. Aversão patológica a monstro (1). 2. Medo patológico de dar à luz um monstro (1).

teratofóbico [De *teratofobia* + -*ico*[2].] *Psiq. Adj.* 1. Relativo a teratofobia. 2. Que sofre de teratofobia; teratófobo. • *S. m.* 3. Aquele que sofre de teratofobia; teratófobo.

teratófobo [De *terat(o)-* + -*fobo.*] *Adj. S. m. Psiq.* Teratofóbico (2 e 3).

teratogénese *S. m. Ter.* V. *teratogênese.* [Uso freq. em P.]

teratogênese [De *terat(o)-* + -*gênese.*] *S. f. Ter.* Presença e desenvolvimento, no útero, de anomalias que levam a má-formações.

teratogenia [De *terat(o)-* + -*genia.*] *S. f. Ter.* Teratogênese.

teratogénico *Adj. S. m.* V. *teratogênico.* [Uso freq. em P.]

teratogênico [De *teratogenia* + -*ico*[2].] *Adj.* 1. Relativo a teratogenia. • *S. m.* 2. *Genét.* Agente físico ou químico capaz de provocar teratogenia.

teratoide (ói) [De *terat(o)-* + -*oide.*] *Adj. 2 g.* 1. Semelhante a monstro. • *S. m.* 2. *Patol.* Teratoblastoma. ❖

teratologia [Do gr. *teratología*, 'narração de coisas maravilhosas'.] *S. f. Patol.* Estudo das monstruosidades.

teratológico [De *teratologia* + -*ico*[2].] *Adj.* Relativo a teratologia.

teratologista [De *teratologia* + -*ista.*] *S. 2 g.* Especialista em teratologia; teratólogo.

teratólogo [Do gr. *teratológos*, 'aquele que narra prodígios'.] *S. m.* Teratologista.

teratoma [De *terat(o)-* + -*oma*[1].] *S. m. Patol.* Tumor (2) constituído de tecidos diferentes, nenhum dos quais se origina na área em que ele ocorre.

teratopagia [De *teratópago* + -*ia*[1].] *S. f. Ter.* Condição de teratópago.

teratopágico [De *teratópago* + -*ico*[2].] *Adj. Ter.* Relativo a teratopagia.

teratópago [De *terat(o)-* + -*pago.*] *Adj. S. m. Ter.* Diz-se de, ou gêmeos colados e parcialmente soldados. [Cf. *xifópago* (1).]

teratoscopia [Do gr. *teratoskopía*, 'observação dos presságios'.] *S. f.* 1. Adivinhação antiga, fundada na observação dos fenômenos que se julgavam prodigiosos. 2. Adivinhação por meio das monstruosidades físicas humanas ou animais.

teratoscópico [De *teratoscopia* + -*ico*[2].] *Adj.* Relativo a teratoscopia.

térbio [Do top. *Ytterby*, Suécia, + -*io*[3], com aférese.] *S. m. Quím.* Elemento de número atômico 65, metálico, pertencente ao grupo dos lantanídeos [símb.: *Tb*].

▲**terc-** *Quím. Pref.* V. *t-.* [O uso da f. *terc-* não é recomendado.]

terça[1] (ê) [Fem. de *terço.*] *Num. (f.)* 1. V. *terço* (1 e 2). • *S. f.* 2. A terça parte de um todo; terceira. 3. Na liturgia católica, hora canônica [v. *horas canônicas* (1)] subsequente à prima[2] (1) e correspondente às 9 da manhã; tércia. 4. *Constr.* Peça de madeira que se sobpõe aos caibros a fim de que não se verguem: 📖 "Se mestre Reginaldo, o carapina, não estivesse pelas fazendas, ... assentando terças e cumeeiras... a ele tocaria fazer aquela obra de arte." (Nélson de Faria, *Tiziu e Outras Estórias*, p. 137). 5. *Mús.* Terceira (5). 6. *Tip.* Prova que, nas oficinas de jornais, se tira antes de mandar uma página para a calandra ou a máquina, para verificação final das emendas. 7. *Bras.* Forma de parceria agrícola (q. v.) em que uma das partes recebe um terço da colheita, tocando à outra os dois terços restantes. 8. *Bras.* O terço da colheita, numa parceria desse tipo. 9. *Bras. CE* Certa medida de líquidos. [Pl: *terças* (ê). Cf. *terça* e *terças*, do v. *terçar*, e *tersa, tersas*, flex. de *terso.*]

terça[2] (ê) *S. f.* V. *terça-feira.* [Pl.: *terças* (ê). Cf. *terça* e *terças*, do v. *terçar*, e *tersa, tersas*, flex. de *terso.*]

terçã [Do lat. *tertiana* (*febre*).] *S. f.* 1. Febre terçã. • *Adj.* (*f.*) 2. ~ V. *febre* —.

terçada [De *terçado.*] *S. f.* Pancada com terçado (1 e 2).

terçado [Part. de *terçar.*] *S. m.* 1. Espada de folha curta; sabre: 📖 "os terçados dos sargentos dos voluntários da Carta e do batalhão do Algarve ficaram na bainha." (Bulhão Pato, *Memórias*, I, p. 99). 2. *Bras.* Facão grande: 📖 "vinham armados de espingardas, terçados, chuços e espadas." (Inglês de Sousa, *Contos Amazônicos*, p. 232). • *Adj.* 3. Que se terçou. ~ V. *cal* —*a.*

terçador (ô) [De *terçar* + -*dor.*] *Adj. S. m.* Que, ou aquele que terça, pugna em favor de alguém.

terça-feira [De *terça*[1] + *feira.*] *S. f.* O terceiro dia da semana que principia no domingo. [F. red.: *terça*[2]. Pl.: *terças-feiras.*] ◆ **Terça-feira gorda.** O último dia do carnaval.

terçana *S. f. Ant. Constr. Nav.* V. *teracena.*

terção [De or. incerta.] *S. m.* Rebento da cepa que não se cortou na ocasião da poda.

terçar [De *terço* + -*ar*[2].] *V. t. d.* 1. Misturar (três coisas): 🖹 *terçar farinha, leite e ovos.* 2. Dividir em três partes: 🖹 *terçar os bens.* 3. Pôr em diagonal, de través (a lança ou a espada). 4. Amassar (a cal) com água e areia. *T. i.* 5. Intervir a favor de alguém; interceder: 🖹 *Terçou pelo amigo preso.* 6. Lutar a favor; pugnar em defesa: 🖹 *Terçou com veemência pela doutrina do mestre.* ***Bit. i.*** 7. Terçar (7): 🖹 *Terçou com a justiça pelos injustamente presos.* [Conjug.: v. *laçar*. Pres. ind.: *terço, terças, terça*, etc. Cf. *terço* (ê), num. e s. m.; *terça* (ê), fem. do num. *terço* (ê) e s. f., pl. *terças* (ê); *terço*, adj., e flex. *tersa, tersas.*]

terceira [F. subst. do num. *terceiro.*] *Num.* (*f.*) 1. Fem. de *terceiro* (1). • *S. f.* 2. Terça[1] (2). 3. Mulher que intercede; medianeira, intercessora, alcoviteira. 4. A terceira classe em navios, trens, etc.: 🖹 *passageiros da terceira.* 5. *Mús.* Intervalo de três graus conjuntos na escala diatônica; terça. ◆ **Terceira proporcional.** *Mat.* Numa proporção com os meios iguais, a terceira grandeza.

terceiranista [De *terceiro* + *ano*[1] + -*ista.*] *S. 2 g.* Estudante do terceiro ano de um curso ou de qualquer faculdade.

terceirização [De *terceirizar* + -*ção.*] *S. f.* 1. Ato, processo ou efeito de terceirizar. 2. *P. ext.* Condição ou estado do que se terceirizou ou de quem trabalha como terceirizado (3).

terceirizado [Part. de *terceirizar.*] *Adj.* 1. Que se terceirizou, passou por terceirização. 2. Contratado em sistema de terceirização. • *S. m.* 3. Funcionário terceirizado (2): 📖 "Sindicalistas preparam atos por jornada menor e lei para terceirizados." (Claudia Rolli, em *Folha de S.Paulo*, 19.01.2010.)

terceirizar [De *terceiro* + -*izar.*] *V. t. d. Econ.* Transferir a terceiros (atividade ou departamento que não faz parte de sua linha principal de atuação): 📖 "[A empresa X] — atacadista de remédios — pôs à venda sua frota de 55 veículos, depois de fechar contrato com a locadora [Y] , para terceirizar esse departamento" (*Gazeta Mercantil*, 06.07.1993); "Estamos tentando melhorar, no entanto, e pensando, inclusive, em terceirizar o serviço" (Luís Fernando Veríssimo, *Domingo*, em *Jornal do Brasil*, 15.03.1998).

terceiro [Do lat. *tertiariu*, por via pop.] *Num.* 1. Ordinal equivalente a três. [Sin. (p. us.): *terço.*] ~ V. *décimo* — *salário, Ordem* —*a, O* — *Reich,* —*a dentição,* —*a força,* —*a infância,* — *estado e* — *mundo.* • *S. m.* 2. Aquele ou aquilo que ocupa o terceiro lugar. 3. Intercessor, alcoviteiro. 4. *Bras.* Parceiro trabalhador, na parceria agrícola à terça. 5. *Jur.* Pessoa estranha a uma relação ou ordenação jurídica. 6. *Jur.* Pessoa que, sem ser autor nem réu, intervém legitimamente em demanda alheia. ~ V. *terceiros.*

terceirogénito *Adj. S. m.* V. *terceirogênito.* [Uso freq. em P.]

terceirogênito [De *terceiro* + -*gênito.*] *Adj. S. m.* Que, ou aquele que foi gerado em terceiro lugar; terceiro filho.

terceiro-mundista [De *terceiro-mundo* + -*ista.*] *Adj. 2 g.* 1. De, ou pertencente ou relativo ao Terceiro Mundo (q. v.). • *S. 2 g.* 2. O natural ou habitante do Terceiro Mundo. [Pl.: *terceiro-mundistas.*]

terceiros [Pl. de *terceiro.*] *S. m. pl.* 1. Os outros: 🖹 *Mantém-se vigilante na presença de terceiros.* 2. *Rel.* Membros da confraria de uma ordem terceira (q. v.). ~ V. *tercero.*

terceiro-sargento *S. m.* 1. V. *hierarquia militar.* 2. Praça que detém a graduação de terceiro-sargento. [Tb. se diz, no Brasil, apenas *sargento* (v. *sargento*[1] [2]). Pl.: *terceiros-sargentos.*]

terceiro-secretário *S. m.* V. *carreira diplomática.* [Pl.: *terceiros-secretários.*]

tercena *S. f. Ant. Constr. Nav.* V. *teracena.*

tercenário [De *terça*[1].] *S. m.* 1. Aquele que recebe a terça parte de uma herança. 2. Beneficiado eclesiástico que tinha a terça parte da prebenda de um cônego: 📖 "diversos arcediagos, ... um arcipreste, muitos cônegos e vários tercenários" (Antero de Figueiredo, *Jornadas em Portugal*, p. 188).

tercerizável [De *tercerizar* + -*vel.*] *Adj. 2 g.* Que se pode tercerizar.

tercetar [De *terceto* + -*ar*[2].] *V. int. P. us.* Fazer tercetos. [Pres. ind.: *terceto*, etc. Cf. *terceto* (ê).]

terceto (ê) [Do it. *terzetto.*] *S. m.* 1. *Arte Poét.* Estrofe de três versos. 2. *Mús.* Composição para três vozes. [Nesta acepç., cf. *trio*[1] (1).] 3. *Mús.* Conjunto de três vozes. [Pl.: *tercetos* (ê). Cf. *terceto*, do v. *tercetar.*]

tércia [Do lat. *tertia, i. e., hora tertia*, 'a terceira hora'.] *S. f.* Terça[1] (3).

terciado [Do lat. *tertia, i. e., pars tertia*, 'a terça parte', + -*ado*[1].] *Adj. Heráld.* Diz-se de escudo dividido em três seções iguais.

terciarão [Do fr. *tierceron.*] *S. m. Arquit.* Arcos cujas extremidades partem dos ângulos de uma abóbada ogival.

terciário [Do lat. *tertiariu*, por via semierudita.] *Adj.* 1. Que está ou vem em terceiro lugar ou ordem. 2. *Med.* Diz-se dos efeitos posteriores que se seguem imediatamente a certas afecções orgânicas. ~ V. *carbono* —, *cor* —*a, era* —*a, estrutura* —*a, período* —, *rêmiges* —*as e setor* —. • *S. m.* 3. Membro de uma ordem terceira. 4. *Geol.* Período terciário. 5. *Geol. Obsol.* Era cenozoica.

tercil [De *terço* + -*il*[1].] *S. m. Estat.* Qualquer das separatrizes que dividem a área de uma distribuição de frequência em domínios de áreas iguais a múltiplos inteiros de um terço da área total.

tercina [De *terço* + -*ina*[1].] *S. f. Mús.* Tresquiáltera.

tércio [Do lat. *tertiu*, por via semierudita.] *Ant. Num.* 1. Terceiro (1). 2. *Taur.* A terça parte da arena, a contar da trincheira.

tércio-décimo [De *tércio* + *décimo.*] *Num.* 1. Trezeno. 2. *Taur.* A terça parte da arena, a contar da trincheira. [Pl.: *tércio-décimos.*]

tercionário *Adj. S. m.* Que, ou aquele que tem terças.

terciopelo (ê) [Do esp. *terciopelo.*] *S. m.* Veludo de pelos muito juntos: 📖 "O caixão .... vai posto sobre duas azêmolas a par, ... cobertas com gualdrapas de terciopelo vermelho." (Antero de Figueiredo, *Toledo*, p. 167.)

terciopeludo [De *terciopelo* + -*udo.*] *Adj.* Que tem muito pelo.

terço (ê) [Do lat. *tertiu*, por via pop.] *Num.* 1. *P. us.* Terceiro (1). [No fem. é empregado em *terça-feira.*] 2. Fracionário correspondente a três: 🖹 *a terça parte.* • *S. m.* 3. A terça parte de qualquer coisa. 4. A terça parte do rosário (1). 5. A terça parte de um fuste (3). 6. *Mil.* Antigo corpo de tropas; regimento. 7. *Marinh.* Parte da verga equidistante dos extremos. 8. *Bras. RS* Surrão de couro. [Pl.: *terços* (ê). Cf. *terço*, do v. *terçar*, e *terso*, adj., pl. *tersos.*]

terçó [Do lat. *tertiolu*, dim. de *tertius*, 'terceiro'.] *S. m. Bras. RS* O filho mais novo.

terçol [De or. controversa.] *S. m. Oftalm.* Pequeno abscesso na borda das pálpebras; hordéolo. [Pl.: *terçóis*. Cf. *tersol.*]

terebintáceo [De *terebinto* + -*áceo.*] *Adj. Bot.* Referente ou semelhante ao terebinto.

terebinteno [De *terebinto* + -*eno*[2].] *S. m.* Substância orgânica constituída principalmente por α-pineno, que é a parte mais importante da essência da terebintina.

terebintina [De *terebinto* + -*ina*[1].] *S. f.* 1. Designação comum às resinas extraídas de coníferas e de plantas da ordem *Terebinthales*. 2. *Bras. Pop.* V. *cachaça* (1).

terebintina de veneza *S. f.* Terebintina produzida por algumas espécies de lariço. [Pl.: *terebintinas de veneza.*] ☑

terebintinado [Part. de *terebintinar.*] *Adj.* Preparado ou misturado com terebintina.

terebintinagem [De *terebintinar* + -*agem*[2].] *S. f.* Ação ou efeito de terebintinar.

terebintinar [De *terebintina* + -*ar*[2].] *V. t. d.* Preparar ou misturar com terebintina.

terebinto [Do lat. *terebinthu* (do gr. *terébinthos*); tax. *Terebinthus.*] *S. m. Bot.* Arvoreta anacardiácea (*Pistacea terebinthus*) nativa da região mediterrânea, de folhas decíduas, com nove a 13 folíolos mucronados, flores pequenas, unissexuais e apétalas, arrumadas em panículas, e cujo fruto é uma drupa minuta, orbicular-achatada, negro-purpúrea e engelhada. Exsuda, mediante incisão, uma goma transparente e aromática.

T

térebra [Do lat. *terebra*, 'verruma'.] ***S. f.* 1.** Máquina de guerra com que os antigos romanos perfuravam muralhas. **2.** Ovipositor em forma de sabre. [Cf. *terebra*, do v. *terebrar*.]

terebrante[1] [Do lat. *terebrante*, part. pass. de *terebrare* (v. *terebrar*).] ***Adj. 2 g.*** Que terebra. ~ V. *dor* —.

terebrante[2] [Adapt. do tax. *Terebrantia*, do neutro pl. do part. pres. do v. lat. *terebrare*, 'furar com verruma'.] *Zool.* ***S. m.* 1.** Espécime dos terebrantes, subordem de insetos tisanópteros cujas fêmeas têm um ovopositor saciforme, para depositar seus ovos na epiderme das plantas. • ***Adj. 2 g.* 2.** Pertencente ou relativo a eles.

terebrar [Do lat. *terebrare*.] ***V. t. d.* 1.** Furar com verruma. **2.** *P. ext.* Furar, perfurar. [Pres. ind.: *terebro, terebras, terebra*, etc. Cf. *térebra*.]

terecaí [Do caraíba *tore'kai*.] ***S. f.*** *Bras. Zool.* V. *tracajá*.

teredinídeo [Do lat. cient. *Teredin-* (< tax. Teredo < lat. *teredo, inis*, 'caruncho') + *-ídeo*[1]; tax. *Teredinidae*.] *Zool.* ***S. m.* 1.** Espécime dos teredinídeos, família de moluscos da classe dos lamelibrânquios, de concha reduzida, mas de bordos muito cortantes. Destroem a madeira, nutrindo-se da celulose. • ***Adj.* 2.** Pertencente ou relativo a eles.

teredo [Do tax. *Teredo* (< lat. *teredo*).] ***S. m.*** *Zool.* **1.** O gênero-tipo dos teredinídeos. **2.** Qualquer espécie desse gênero, três das quais se conhecem no Brasil; têm aspecto vermiforme e numa das extremidades duas pequenas valvas com sulcos providos de dentes. Com eles, em movimento rotatório, cava galerias em madeira submersa, com a qual se alimenta, causando prejuízos de monta às embarcações de madeira, e aos embarcadouros e cais. **3.** Qualquer espécime desse gênero. [Sin., nas acepçs. 2 e 3: *gusano, busano, turu, ubiraçoca*.]

tereftalato [De *tereftál(ico)* + *-ato*[2].] ***S. m.*** *Quím.* Qualquer éster do ácido tereftálico.

tereftálico [De *tere(binteno)* + *ftálico*.] ***Adj.*** *Quím.* ~ V. *ácido* —.

terém [De *trem*, com suarabácti.] ***S. m.*** *Bras. Gír.* V. *treco* (1). [Cf. *terem* (ê), do v. *ter*.] ~ V. *teréns*.

teremembé ***S. m.*** *Bras.* V. *tremembé*[1].

teremim [Do antr. (*Leon*) *Theremin*.] ***S. m.*** *Mús.* Instrumento musical eletromagnético, de natureza monofônica, inventado pelo russo Leon Theremin (1896-1993), e cujos sons, em portamento constante, são obtidos por movimentos da mão, que se aproxima ou se afasta do instrumento. Ao aproximar-se a mão, os sons se tornam mais agudos; ao afastar-se, mais graves. O teremim, cujo âmbito abrange mais ou menos seis oitavas, emite os mais variados timbres, desde a voz humana até diversos instrumentos comuns, e traduz todas as intensidades e todas as gradações sonoras que existem dentro do intervalo de semitom.

terém-terém [Do tupi, de or. onom.] ***S. m.*** *Bras. Zool.* V. *quero-quero*. [Pl.: *terém-teréns*.]

terena *Bras.* ***S. 2 g.* 1.** *Etnôn.* Indivíduo dos terenas, povo indígena da família linguística aruaque, que habita as margens do rio Aquidauana (MS). • ***Adj. 2 g.* 2.** Pertencente ou relativo a esse povo. [Tb. us. como *s. 2 g. e 2 n.* (com cap.) e *adj. 2 g. e 2 n.*]

terenense ***Adj. 2 g. S. 2 g.*** V. *tereno*[2].

tereno[1] [De or. obscura.] ***S. m.*** *Bras. Zool.* V. *gaturamo-rei* (1).

tereno[2] ***Adj.* 1.** De, ou pertencente ou relativo a Terenos (MS). • ***S. m.* 2.** O natural ou habitante de Terenos. [Sin. ger.: *terenense*.]

teréns [De *trens*, pl. de *trem*, com suarabácti.] ***S. m. pl.*** *Bras. N.E.* Objetos de uso doméstico; trastes, móveis, trens: "vendeu o que tinha, comprou uma égua para ajudar o jumentinho a transportar os teréns com umas criações que iria comendo pelo caminho com a família." (Francisco Julião, *Cachaça*, pp. 46-47). ~ V. *terém*.

tereré [De or. guarani, poss.] ***S. m.* 1.** *Bras. S. MT* Refresco de mate, servido com bombilha, e que se distingue do chimarrão por ter água fria em vez de água quente. **2.** *Bras. Pop.* Conversa, papo, que se tem durante a merenda, entre os dois turnos de serviço.

terereca [Do tupi.] ***Adj. 2 g.*** *Bras.* **1.** Falador, palrador, tagarela. **2.** Buliçoso, inquieto. **3.** Que se agita muito e pouco faz. **4.** Inconstante, volúvel. **5.** *Bras. SP* Diz-se do pião que, tendo a ponta rombuda, gira saltando. • ***S. 2 g.* 6.** *Bras.* Pessoa terereca.

teres (ê) [De *ter*.] ***S. m. pl.*** Posses, bens, haveres: "Era D. Grácia uma dama nobre em tudo, poderosa de teres e com dotes de inteligência e de coração" (Aquilino Ribeiro, *Portugueses das Sete Partidas*, p. 238). ~ V. *ter*.

teresense ***Adj. 2 g.* 1.** De, ou pertencente ou relativo a Santa Teresa (ES). • ***S. 2 g.* 2.** O natural ou habitante de Santa Teresa.

teresinense[1] ***Adj. 2 g.* 1.** De, ou pertencente ou relativo a Teresina, capital do PI. • ***S. 2 g.* 2.** O natural ou habitante de Teresina.

teresinense[2] ***Adj. 2 g.* 1.** De, ou pertencente ou relativo a Teresina de Goiás (GO). • ***S. 2 g.* 2.** O natural ou habitante de Teresina de Goiás.

teresinhano ***Adj.* 1.** De, ou pertencente ou relativo a Santa Teresinha do Progresso (SC). • ***S. m.* 2.** O natural ou habitante de Santa Teresinha do Progresso.

teresinhense[1] ***Adj. 2 g.* 1.** De, ou pertencente ou relativo a Teresinha (PE). • ***S. 2 g.* 2.** O natural ou habitante de Teresinha.

teresinhense[2] ***Adj. 2 g.* 1.** De, ou pertencente ou relativo a Santa Teresinha do Itaipu (PA). • ***S. 2 g.* 2.** O natural ou habitante de Santa Teresinha do Itaipu.

teresopolitano ***Adj.* 1.** De, ou pertencente ou relativo a Teresópolis (RJ). • ***S. m.* 2.** O natural ou habitante de Teresópolis.

tereterê [Do tupi = 'revirado'.] ***S. m.*** *Bras. N. MG* Terra lodosa e fofa; solo pantanoso; atoleiro: "evitam — porque as conheciam de outras jornadas — nascentes das fraldas dos morros, que são tereterê traiçoeiro." (Nélson de Faria, *Tiziu e Outras Estórias*, p. 207).

▲ **tereti-** [Do lat. *teres, ĕtis*.] ***El. comp.*** = 'cilíndrico', 'redondo'; 'delicado', 'delgado': *tereticaule, teretifoliado, teretirrostro*.

tereticaude [De *tereti-* + *-caude*.] ***Adj. 2 g.*** *Zool.* Que tem cauda cilíndrica e delgada.

tereticaule [De *tereti-* + *-caule*.] ***Adj. 2 g.*** *Bot.* Que tem caule cilíndrico e delgado.

tereticolo [De *tereti-* + *-colo*.] ***Adj.*** *Zool.* Que tem pescoço delgado.

teretifoliado [De *tereti-* + *-foli-* + *-ado*[1].] ***Adj.*** *Bot.* Que tem folhas de seção circular.

teretiforme [De *tereti-* + *-forme*.] ***Adj. 2 g.*** V. *cilíndrico*.

teretirrostro [De *tereti-* + *-rostro*.] ***Adj.*** *Zool.* Que tem bico delgado.

teréu-teréu [Voc. onom.] ***S. m.*** *Bras. Zool.* V. *quero-quero*. [Pl.: *teréu-teréus*.]

tergal[1] [Do fr. *tergal*, marca registrada.] ***S. m.* 1.** *Quím.* Nome comercial de copolímero do ácido tereftálico com etilenoglicol, que é uma fibra us. em tecidos para vestuário. **2.** *Tec. Têx.* Denominação genérica dos tecidos produzidos com tergal (1).

tergal[2] [Do lat. *tergum*, 'costas', 'dorso', + *-al*[1].] ***Adj. 2 g.*** *Anat.* Relativo à região dorsal.

tergeminado [De *tergêmino* + *-ado*[1].] ***Adj.*** *Bot.* Triplicado (falando-se das folhas).

tergémino ***Adj.*** V. *tergêmino*. [Uso freq. em P.]

tergêmino [Do lat. *tergeminu*.] ***Adj.* 1.** Tríplice, triplo. **2.** Trigêmeo (3).

tergito [Do lat. *tergum*, 'costas', 'dorso', + *-ito*[2], com analogia.] ***S. m.*** *Zool.* Placa dorsal dos segmentos do corpo dos artrópodes.

tergiversação [Do lat. *tergiversatione*.] ***S. f.* 1.** Ato ou efeito de tergiversar. **2.** Rodeio, evasiva.

tergiversador (ô) [Do lat. tard. *tergiversatore*.] ***Adj.* 1.** Que tergiversa; tergiversante. • ***S. m.* 2.** Aquele que tergiversa.

tergiversante [Do lat. *tergiversante*.] ***Adj. 2 g.*** Tergiversador (1).

tergiversar [Do lat. **tergiversare*, por *tergiversari*, 'virar as costas'.] ***V. int.* 1.** Voltar as costas: "A ema, ... uma vez surpreendida no caminho, não tergiversa; galopa à frente, com velocidade superior à do automóvel." (Xavier Marques, *Terras Mortas*, p. 177.) **2.** Procurar rodeios, evasivas; usar de subterfúgios: "Apertado, tergiversou e acabou escusando-se com a razão de não poder por si só deliberar em matéria tão importante." (Id., *As Voltas da Estrada*, p. 186.)

tergiversável [De *tergiversar* + *-vel*.] ***Adj. 2 g.*** Capaz de tergiversar.

tergo [Do lat. *tergu*.] ***S. m.*** O dorso; as costas.

teriacal [Do lat. *theriaca* + *-al*[1].] ***Adj. 2 g.* 1.** Relativo a teriaga. **2.** Que tem a virtude da teriaga.

teriaga [Do gr. *theriaké*, pelo lat. *theriaca*.] ***S. f.* 1.** *Hist. Med.* Medicamento em cuja composição, variável, entravam dezenas de ingredientes e que os antigos supunham eficaz contra picadura de qualquer animal venenoso; era apresentado sob forma de electuário, com mel. **2.** Remédio caseiro. **3.** Coisa de sabor amargo. [Var.: *triaga*.]

teridiídeo [Do tax. *Theridion* (gênero-tipo) + *-ídeo*[1]; tax. *Theridiidae*.] *Zool.* ***S. m.* 1.** Espécime dos teridiídeos, família de aracnídeos, araneomorfos, araneídeos, que reúne aranhas pequenas e médias, com olhos protuberantes e cerdas no tarso das quartas patas, us. para lançar fios de teia sobre suas presas. O grupo inclui a viúva-negra (q. v.). • ***Adj.* 2.** Pertencente ou relativo a eles.

teringoá [Do tupi.] ***S. f.*** *Bras. Zool.* Espécie de abelha silvestre.

▲**terio-** Equiv. de *-tério*[1].

tério [Adapt. do tax. *Theria*, do pl. do gr. *theríon*, 'animal selvagem'.] *Zool.* ***S. m.* 1.** Espécime dos térios, subclasse de mamíferos atuais ou extintos, vivíparos, placentários ou aplacentários. São os marsupiais e mamíferos eutérios. Distinguem-se dos prototérios pelos dentes e pelas estruturas laterais do crânio, formadas, cada uma, por um alisfenoide e um escamoso (5). • ***Adj.* 2.** Pertencente ou relativo a eles.

▲**-tério**[1] [Do gr. *thēríon, ou*.] ***El. comp.*** = 'animal', 'animal selvagem': *prototério*. [Equiv.: *terio-*: *teriomórfico*.]

▲**-tério**[2] [Do gr. *-tḗrion* (como no gr. *baptistḗrion*, 'sala de banhos').] ***El. comp.*** = 'lugar onde': *biotério, batistério* (< gr.), *necrotério*.

teriomórfico [De *terio-* + *-morf(o)-* + *-ico*[2].] ***Adj.*** Que tem forma de animal.

terjurar [De *trejurar*, com metátese.] ***V. t. d. Int. T. i.*** V. *trejurar*.

terma [Do lat. *therma*.] ***S. f.*** *P. us.* Termas (q. v.).

termal [De *term(o)-* + *-al*[1].] ***Adj. 2 g.*** *P. us.* **1.** Quente, ou relativo ao calor. **2.** Relativo a termas (2 e 3): *estação termal*. [Sin. ger.: *térmico*.] ~ V. *água* — e *estância* —.

termalidade [De *termal* + *-(i)dade*.] ***S. f.*** Qualidade ou natureza das águas termais.

termalização [De **termalizar* (*termal* + *-izar*) + *-ção*.] ***S. f.*** *Fís. Nucl.* Redução da energia de nêutrons, por meio de um moderador apropriado, para que fiquem em equilíbrio térmico com o meio onde se encontram.

termântico [Do gr. *thermantikós*, pelo lat. *thermanticu*.] ***Adj.* 1.** Que produz calor. **2.** Excitador, excitante.

termas [Do gr. *thérmai*, pelo lat. *thermas*.] ***S. f. pl.* 1.** Na Roma antiga, estabelecimento público de banhos. **2.** Estabelecimento para uso terapêutico de águas medicinais, especialmente termais. **3.** V. *balneário* (3). [Sin. ger.: *terma*.]

termelectricidade ***S. f.*** V. *termeletricidade*.

termeléctrico ***Adj.*** V. *termelétrico*.

termelétrica [Fem. de *termelétrico*.] ***Adj. (f.)* 1.** Diz-se de usina ou planta geradora de energia elétrica em que a fonte primária de energia é uma fonte térmica. • ***S. f.* 2.** Usina termelétrica.

termeletricidade [Var. de *termoeletricidade*.] ***S. f.* 1.** *Fís.* Designação comum aos fenômenos em que estão associadas diferenças de temperatura e diferenças de potenciais elétricos. **2.** Eletricidade gerada por máquinas térmicas.

termelétrico [De *term(o)-* + *elétrico*.] ***Adj.*** Relativo a termeletricidade. ~ V. *usina —a*.

termeletromotriz [De *term(o)-* + *-ele(c)tr(o)-* + *motriz*.] ***Adj. (f.)*** ~ V. *força* —.

termelétron [De *term(o)-* + *elétron*.] ***S. m.*** *Fís.* Elétron emitido por um corpo aquecido.

termestável [De *term(o)-* + *estável*.] ***Adj. 2 g.*** *Quím.* V. *termoestável*.

termestesia [De *term(o)-* + *-estes(i)-* + *-ia*[1].] ***S. f.*** *Neur.* Capacidade que tem o corpo de reconhecer variações de temperatura.

termia [De *term(o)-* + *-ia*[1].] ***S. f.*** *Fís.* Unidade de medida de calor, igual à quantidade de calor necessária para aquecer de 14,5°C a 15,5°C uma tonelada de água, e que vale 4,1855 x 10^6 J [símb.: *th*].

termiatria [De *term(o)-* + *-iatria*.] ***S. f.*** Parte da terapêutica que trata das águas termais.

termiátrico [De *termiatria* + *-ico*[2].] ***Adj.*** Relativo a termiatria.

térmico [De *term(o)-* + *-ico*[2].] ***Adj.* 1.** Relativo ao calor; termal. **2.** Que conserva o calor: *garrafa térmica*. **3.** V. *termal*. ~ V. *amplitude —a, análise —a, barreira —a, choque —, condutividade —a, energia —a, equilíbrio —, fonte —a, garrafa —a, inversão —a, máquina —a, morte —a, motor —, nêutron —, radioemissão —a, reator —* e *ruído —*.

termidor (ô) [Do fr. *thermidor*.] ***S. m.*** *Cronol.* V. *calendário republicano*.

termidoriano [Do fr. *thermidorien*.] ***Adj.* 1.** Relativo aos fatos de 9 do termidor do ano II da Revolução Francesa. • ***S. m.* 2.** Cada um dos instigadores e autores do golpe político de 9 do termidor.

terminação [Do lat. *terminatione*.] ***S. f.* 1.** Ato ou efeito de terminar(-se); fim, conclusão, remate. **2.** Limite, extremidade. **3.** Parte final de uma palavra. ◆ **Terminação falsa.** *Arte Poét.* V. *enjambement*.

terminadoiro [De *terminar* + *-doiro*[2].] ***S. m.*** *Astr.* Terminadouro (q. v.).

terminadouro [De *terminar* + *-douro*[2]; var. de *terminadoiro*.] ***S. m.*** *Astr.* Círculo máximo que, num planeta ou num satélite, separa o hemisfério iluminado do hemisfério escuro, e cujo plano é perpendicular à reta que liga o centro do Sol ao centro do astro considerado; círculo de iluminação.

terminais [Adapt. do lat. *terminalia*, por via pop.] ***S. f. pl.*** Na antiga Roma, festas anuais instituídas por Numa em honra do deus Júpiter *Terminus*, para que ele protegesse os limites das propriedades.

terminal [Do lat. *terminale*.] ***Adj. 2 g.* 1.** Relativo ao termo ou remate. **2.** Referente à demarcação dos campos. **3.** Diz-se da parte de algo que ou termina ou remata: *inflorescência terminal*. ~ V. *bacia —, doença —, doente —* e *fase —*. **4.** Ponto onde terminam ou para onde convergem os ramais ou linhas de uma rede (8): *terminal ferroviário*; *terminal rodo-*

viário. **5.** Num aeroporto, local de partida e chegada de passageiros; terminal aéreo. ● *S. m.* **6.** A parte que termina; extremidade; fim: *o terminal de estrada de ferro.* **7.** *Eng. Elétr.* Dispositivo com que se pode conectar fácil e rapidamente um circuito a outro, ou um componente a um circuito. **8.** Dispositivo conectado a um sistema de computador através de um canal de comunicação e que transmite e/ou recebe informações. **9.** Ponto de uma rede (q. v.) de teleprocessamento (q. v.) por onde dados podem entrar e/ou sair. **10.** Num aeroporto, local de partida e chegada de passageiros; terminal aéreo. ◆ **Terminal aéreo.** V. *terminal* (10). **Terminal marítimo.** *Mar. Merc.* Instalação própria para atracação e descarregamento ou carregamento de grandes navios petroleiros ou graneleiros. **Terminal rodoviário.** V. *rodoviária* (1).

terminália¹ [Do tax. *Terminalia* (do lat. *terminalis*, 'terminal', + lat. cient. *-ia*, v. *-ia²*).] *S. f. Bot.* **1.** Grande gênero de árvores e arbustos combretáceos das regiões tropicais, dotados de folhas íntegras, grupadas no final dos ramos, e pequenas flores apétalas, espiculadas. **2.** Qualquer espécie desse gênero, como, p. ex., a *Terminalia catappa* (v. *amendoeira-da-praia*) e a *T. brasiliensis* (v. *merendiba*). **3.** Qualquer espécime desse gênero.

terminália² [Do lat. cient. *terminalia*, neutro pl. do lat. *terminalis*, 'terminal'.] *S. f. Zool.* O conjunto de segmentos posteriores do abdome dos insetos, modificados para formar os órgãos reprodutores.

terminálias [Adapt. do lat. *terminalia*, por via erudita.] *S. f. pl.* V. *terminais*.

terminal-impressor *S. m.* Terminal (5) (q. v.) que exibe a informação sob forma de caracteres impressos, podendo ou não ter teclado. É utilizado como dispositivo de entrada e/ou saída de informação. [Pl.: *terminais-impressores*.]

terminal-remoto *S. m.* Terminal (5) (q. v.) conectado a um sistema de computador, o qual está em uma instalação distante deste, acarretando a utilização de canais de telecomunicação. [Pl.: *terminais-remotos*.]

terminal-vídeo *S. m.* Terminal (5) (q. v.) com dispositivo de tela (q. v.) para exibição da informação e geralmente com teclado. É utilizado como dispositivo de entrada e/ou saída de informação. [Pl.: *terminais-vídeos* e *terminais-vídeo*.]

terminante [Do lat. *terminante*.] *Adj. 2 g.* **1.** Que termina; terminativo. **2.** Categórico, decisivo: "Tomou-se de coragem, e concluiu com voz avolumada, cortando o ar com gesto terminante: — A isto vimos nós cá." (Antero de Figueiredo, *Leonor Teles*, p. 86.)

terminar [Do lat. *terminare*.] *V. t. d.* **1.** Pôr termo a; acabar, findar, concluir: *O professor terminou a aula indicando a bibliografia.* **2.** Demarcar, delimitar, delinear; determinar: *terminar um terreno.* **3.** Ocupar a extremidade de: *A praça termina a avenida.* **4.** Pôr fim a, ou desfazer (relacionamento amoroso ou de amizade); romper: *Eles terminaram o namoro.* *T. i.* **5.** Ter certa desinência (o vocábulo): *Os verbos que terminam em er pertencem à segunda conjugação.* **6.** Ter como desfecho, ou apresentar-se de certo modo, jeito, etc., no final; resultar em, transformar-se: *A festa de aniversário por pouco não terminou em pancadaria; Às vezes, as comédias terminam em drama.* **7.** Dar fim a relacionamento amoroso; romper: *Terminou com o noivo.* *T. c.* **8.** Ter seu limite em (certo ponto, local, etc.): *Esta rua termina na praia.* *T. d. e i.* **9.** Terminar (4): *Vinícius terminou o namoro com a Rafaela.* *Int.* **10.** Chegar ao seu termo; findar, acabar; terminar-se: *O ano terminou.* **11.** Romper relacionamento, ou compromisso: *Depois de três anos de noivado, eles terminaram.* *P.* **12.** Terminar (8): *Aquele estado termina-se, ao Sul, no mar.* **13.** Terminar (10): *O passeio terminou-se.* [Pres. ind.: *termino*, etc. Cf. *término*.] ◆ **Terminar com.** Ter (alguma coisa) por limite.

terminativo [De *terminar* + *-tivo*.] *Adj.* **1.** Que faz terminar. **2.** Terminante (1). ~ V. *complemento —*.

terminável [De *terminar* + *-vel*.] *Adj. 2 g.* Que pode ser terminado.

terminismo [Do lat. *terminus*, 'termo', + *-ismo*.] *S. f. Filos.* **1.** Nominalismo. **2.** No ockhamismo (q. v.), doutrina segundo a qual a ciência concerne aos seres singulares, uma vez que os termos [v. *termo* (17 e 18)] representam os próprios indivíduos.

término [Do lat. *terminu*, por via erudita.] *S. m.* **1.** Fim, termo. **2.** Baliza, limite. [Cf. *termino*, do v. *terminar*.]

terminolateral (tèr) [De *termin(al)* + *-o-* + *lateral*.] *Adj. 2 g. Cir.* Diz-se da implantação de extremidade de um órgão em parede lateral de outro.

terminologia [Do lat. *terminu* (< port. *termo* [q. v.]) + *-logia*.] *S. f.* **1.** Conjunto dos termos [v. *termo* (5)] próprios duma arte ou duma ciência; nomenclatura. **2.** Tratado acerca desses termos. **3.** Emprego de palavras peculiares a um escritor, a uma região, etc. **4.** Estudo da identificação e delimitação de conceitos peculiares a qualquer ciência, profissão, arte, ofício, etc., e da designação de cada um deles por um certo termo. **5.** *E. Ling.* Disciplina linguística *lato sensu* voltada para o estudo e a utilização do sistema de símbolos e sinais linguísticos us. para comunicação humana em áreas especializadas do saber. ◆ **Terminologia de parentesco.** *Antrop.* Em cada sociedade ou cultura, conjunto estruturado de termos empregados pelos indivíduos para classificar seus parentes por cognação ou afinidade.

terminológico [De *terminologia* + *-ico²*.] *Adj.* Relativo a terminologia.

terminoterminal (tèrmino) [De *termin(al)* + *-o-* + *terminal*.] *Adj. 2 g. Cir.* Diz-se da união, construída artificialmente, de extremidades secionadas de órgãos.

termíon [De *term(o)-* + *íon*.] *S. m. Fís.* Íon emitido por um corpo aquecido.

termiônico *Adj.* V. *termiônico*. [Uso freq. em P.]

termiônico [De *térmion* + *-ico²*.] *Adj. Eletrôn.* ~ V. *válvula —a*.

termistor (ô) [De *term(o)-* + o final de *resistor*.] *S. m. Fís.* Resistor cuja resistência decresce fortemente com a elevação de temperatura, e que é, em regra, constituído por um semicondutor.

termita [De *term(o)-* + *-ita³*.] *S. f. Mil.* Agente incendiário constituído pela mistura íntima de magnésio (ou alumínio) e óxido de ferro finamente pulverizados. [Cf. *térmita*.]

térmita [Var. de *térmite*.] *S. f. Zool.* V. *cupim* (1). [Cf. *termita*.]

térmite [Do lat. tard. *termite* < lat. *tarmes, itis*, 'verme'.] *S. f. Zool.* V. *cupim* (1).

termiteira [De *térmite* + *-eira*.] *S. f.* V. *cupim* (2): "Estava claro que a cidade era uma termiteira de mentirosos" (José Saramago, *Ensaio sobre a Lucidez*, p. 52).

termiteiro [De *térmite* + *-eiro*.] *S. m.* V. *cupim* (2).

termo [Do gr. *thérme*, 'calor'.] *S. m.* Garrafa térmica. [Pl.: *termos*. Cf. *termo* (ê), s. m., e *termos* (ê), do v. *ter* e pl. de *termo* (ê).]

termo (ê) [Do lat. *terminu*, pelo arc. *termio*.] *S. m.* **1.** Limite, em relação ao tempo e ao espaço; fim: "Deixava atrás o poço, e seguia até uma das hortas do vale, termo habitual dos meus passeios." (Conde de Ficalho, *Uma Eleição Perdida*, p. 227); "Pensam que a morte hão de encontrar bem antes / Do termo deste itinerário infindo..." (Vicente de Carvalho, *Poemas e Canções*, p. 59). **2.** Marco, baliza. **3.** Tempo determinado; prazo. **4.** Extensão, espaço. **5.** V. *vocábulo*: *Não empregue termos chulos.* **6.** Declaração exarada em processo. **7.** Maneira, forma, teor. **8.** Adjacência, circunvizinhança. **9.** Fronteiras, raias, confins. **10.** *E. Ling.* Vocábulo ou locução que denomina conceito, prévia e rigorosamente definido, peculiar a uma ciência, arte, profissão, ofício. **11.** *E. Ling.* Constituinte (7) de uma oração. [V. *termos acessórios, termos essenciais* e *termos integrantes*.] **12.** *Fís.* Símbolo do nível de energia ou do estado de um átomo ou molécula. **13.** *Jur.* Peça em que se formaliza determinado ato ou negócio jurídico. **14.** *Jur.* Limite do prazo. **15.** *Jur.* Dia em que principia ou em que se extingue a eficácia de um negócio jurídico. **16.** *Jur.* Nalguns estados brasileiros, subdivisão da comarca, sob a jurisdição dum juiz ou dum pretor. **17.** *Lóg.* Expressão verbal de um objeto e do conceito que o representa. **18.** *Lóg.* Elemento de uma relação lógica e, particularmente, o sujeito, o predicado e os termos maior, menor e médio de um silogismo. **19.** *Mat.* Qualquer elemento constitutivo de uma expressão. [Pl.: *termos* (ê). Cf. *termo*, pl. *termos*, e *Termo*, antr.] ~ V. *termos* (ê). ◆ **Termo de impressão.** *Edit.* Designação comum às informações habitualmente constantes do colofão (q. v.) para abranger os casos em que são postas no princípio do livro (em geral no verso da folha de rosto). **Termo de intercâmbio.** *Econ.* V. *relação de troca*. **Termo espectral.** *Fís.* Numa série espectral, cada uma das parcelas que definem as respectivas raias. **Termo lógico.** *Lóg.* Na Lógica formal, símbolo ou palavra da linguagem comum que representa as funções lógicas, os quantificadores, os indicadores de operações e os indicadores modais; constante lógica. **Termo maior.** *Lóg.* No silogismo categórico, o termo que serve de predicado à conclusão. **Termo médio.** *Lóg.* Num silogismo, o termo que é comum à premissa maior e à premissa menor, e que é eliminado na conclusão. **Termo menor.** *Lóg.* No silogismo categórico, o termo que serve de sujeito à conclusão secular. **Termos acessórios.** *E. Ling.* Aqueles de natureza acidental na frase: o adjunto adnominal, o adjunto adverbial e o aposto. **Termos essenciais.** *E. Ling.* Aqueles que formam a estrutura básica da oração: o sujeito e o predicado. **Termos integrantes.** *E. Ling.* Aqueles que complementam o significado de outros: o complemento nominal, os complementos verbais e o agente da voz passiva. **A termo.** *Econ.* Com liquidação ou entrega posterior (diz-se de operações em bolsas de valores ou bolsas de mercadorias). **A termo que.** De maneira que; de modo que; de sorte que. **Em termos. 1.** Guardadas as devidas proporções; relativamente: *— F. é muito culto. — Bom, em termos.* **2.** Em linguagem adequada, apropriada.

▲**term(o)-** [Do gr. *termo-* < gr. *thérmē*, *ēs*.] *El. comp.* = 'calor'; 'temperatura': *termogenia, termolábil; termeletricidade*. [Equiv.: *-term(o)-*, *-termo*: *mesotérmico; megatermo*.]

▲**-term(o)-** V. *term(o)-*.

▲**-termo** V. *term(o)-*.

termoanálise [De *term(o)-* + *análise*.] *S. f. Fís.-Quím.* Análise térmica.

termobarometria [De *termobarômetro* + *-ia¹*.] *S. f.* Emprego do termobarômetro.

termobarométrico [De *termobarômetro* + *-ico²*.] *Adj.* Relativo ao termobarômetro.

termobarómetro *S. m. Fís.* V. *termobarômetro*. [Uso freq. em P.]

termobarômetro [De *termo(metro)* + *barômetro*.] *S. m. Fís.* Instrumento que reúne as propriedades do termômetro e do barômetro.

termocautério [De *term(o)-* + *cautério*.] *S. m. Cir.* Instrumento que cauteriza ou seciona tecido(s) mediante a ação de lâmina quente.

termocópia [De *term(o)-* + *cópia*.] *S. f.* Cópia obtida em termocopiadora.

termocopiadora (ô) [De *term(o)-* + o f. de *copiador*.] *S. f.* Aparelho com que se obtêm cópias de documentos, por contato, em papel especial com emulsão sensível, na qual a absorção dos raios infravermelhos se traduz pela libertação de calor.

termodifusão [De *term(o)-* + *difusão*.] *S. f. Fís.* O fenômeno simultâneo de transporte de massa e de energia térmica que ocorre num fluido em que existem gradientes de temperatura.

termodifusivo [De *termodifus(ão)* + *-ivo*.] *Adj. Fís.* Que produz termodifusão.

termodinâmica [De *term(o)-* + *dinâmica*.] *S. f.* Parte da física que investiga os processos de transformação de energia e o comportamento dos sistemas nesses processos.

termodinâmico [De *termodinâmica*, com var. suf. (v. *-ico²*).] *Adj.* Relativo à termodinâmica. ~ V. *equilíbrio —, fronteira —a, função —a, probabilidade —a, temperatura —a* e *variável —a*.

termoeléctrica *Adj. S. m.* V. *termoelétrica*. [Uso freq. em P.]

termoelectricidade *S. f. Fís.* V. *termoeletricidade*.

termoeléctrico *Adj.* V. *termoelétrico*.

termoelectromotriz *Adj. (f.)* V. *termeletromotriz*.

termoelemento [De *term(o)-* + *elemento*.] *S. m. Fís.* Termopar.

termoelétrica *S. f.* V. *termelétrica*.

termoeletricidade [De *term(o)-* + *eletricidade*.] *S. f. Fís.* V. *termeletricidade*.

termoelétrico *Adj.* V. *termelétrico*.

termoeletromotriz *Adj. (f.)* V. *termeletromotriz*.

termoelétron *Fís.* V. *termelétron*.

termoestável *Adj. 2 g. Quím.* Termorrígido.

termoestesia *S. f. Neur.* V. *termestesia*.

termofilia [De *term(o)-* + *-filia*.] *S. f. Bot.* **1.** Preferência por ambientes quentes. **2.** Benefício oriundo da ação de temperaturas altas.

termofílico [De *termofilia* + *-ico²*.] *Adj.* Relativo a termofilia.

termófilo [De *term(o)-* + *-filo²*.] *Adj. Bot.* Que apresenta termofilia: *erva termófila* (a que vive em local quente, como na Amaz.); *semente termófila* (a que germina melhor depois de haver sido aquecida).

termofobia [De *term(o)-* + *-fobia*.] *S. f. Psiq.* Aversão patológica a temperatura elevada.

termofóbico [De *termofobia* + *-ico²*.] *Psiq. Adj.* **1.** Relativo a termofobia. **2.** Que sofre de termofobia; termófobo. ● *S. m.* **3.** Aquele que sofre de termofobia; termófobo.

termófobo [De *term(o)-* + *-fobo*.] *Adj. S. m. Psiq.* Termofóbico (2 e 3).

termóforo [De *term(o)-* + *-foro*.] *S. m. Fís.* Instrumento antigo com que se pode atribuir a um sistema uma quantidade conhecida de calor.

termogénese *S. f.* V. *termogênese*. [Uso freq. em P.]

termogênese [De *term(o)-* + *-gênese*.] *S. f.* Produção do calor nos seres vivos.

termogenia [De *term(o)-* + *-genia*.] *S. f.* Produção do calor.

termogénico *Adj.* V. *termogênico*. [Uso freq. em P.]

termogênico [De *termogenia* + *-ico²*.] *Adj.* **1.** Que produz calor. **2.** Diz-se dos aparelhos destinados a produzir mecanicamente o calor.

termografia [De *term(o)-* + *-grafia*.] *S. f.* **1.** Sistema de imprimir pequenas chapas, pelo qual a impressão tipográfica normal adquire relevo mediante pulverização com resina, que adere à tinta fresca e intumesce por aquecimento na estufa a que são le-

T

vadas as folhas em esteira de velocidade regulável; relevo tipográfico. **2.** *Radiol.* Método de diagnóstico de certas doenças, como tumores de mama, mediante utilização de registro fotográfico, feito por câmara de infravermelho, das temperaturas da superfície do corpo, com base na irradiação infravermelha dele emanada.

termográfico [De *termografia* + *-ico*².] *Adj.* Relativo a termografia.

termógrafo [De *term(o)-* + *-grafo.*] *S. m. Fís.* Instrumento que mede a temperatura e registra a medição.

termoiônico (o-i) *Adj.* V. *termiônico.* [Uso freq. em P.]

termoiônico (o-i) [De *term(o)-* + *íon* + *-ico*².] *Adj.* V. *termiônico.*

termolábil [De *term(o)-* + *lábil.*] *Adj. 2 g. Quím.* Diz-se de substância que se decompõe no aquecimento.

termologia [De *term(o)-* + *-logia.*] *S. f.* Parte da física referente ao calor.

termológico *Adj.* Relativo a termologia.

termoluminescência [De *term(o)-* + *luminescência.*] *S. f. Fís.* Luminescência provocada em algumas substâncias pelo aquecimento.

termomagnético [De *term(o)-* + *magnético.*] *Adj.* Relativo ao, ou próprio do termomagnetismo.

termomagnetismo [De *term(o)-* + *magnetismo.*] *S. m. Fís.* Magnetização provocada pelo calor.

termomanómetro *S. m.* V. *termomanômetro.* [Uso freq. em P.]

termomanômetro [De *term(o)-* + *manômetro.*] *S. m.* Espécie de termômetro que mede temperaturas altas por variações de pressão.

termometria [De *term(o)-* + *-metria.*] *S. f.* Conjunto de regras e processos para a medição de temperatura dos sistemas.

termométrico [De *termometria* + *-ico*².] *Adj.* Relativo a termometria, ou ao termômetro. ~ V. *gradiente — vertical.*

termómetro *S. m.* V. *termômetro.* [Uso freq. em P.]

termômetro [De *term(o)-* + *-metro.*] *S. m.* **1.** *Fís.* Instrumento de medição de temperatura, cujo funcionamento se baseia no estabelecimento de equilíbrio térmico entre ele e o sistema cuja temperatura se quer determinar: "com o termômetro de axila em axila, a tomar a temperatura de corpos queimados pela febre" (Coelho Neto, *Turbilhão*, p. 76). **2.** *Fig.* Indicação dum estado ou de certas condições físicas ou morais.

termonuclear [De *term(o)-* + *nuclear.*] *Adj. 2 g.* **1.** Diz-se de fenômeno ou sistema em que ocorre grande desprendimento de energia graças à fusão de núcleos leves para formar núcleos pesados. **2.** *Fís. Nucl.* Diz-se de usina ou planta geradora de energia em que a fonte térmica é um reator nuclear. ~ V. *bomba —, reação —* e *usina —.* ● *S. f.* **3.** Usina termonuclear.

termopar [De *term(o)-* + *par.*] *S. m. Fís.* Sistema constituído por um par de soldas de dois metais diferentes, e no qual se estabelece uma força eletromotriz quando as duas soldas estão em temperaturas diferentes; termoelemento.

termopenetração [De *term(o)-* + *penetração.*] *S. f. Med.* Diatermia médica (q. v.).

termopilha [De *term(o)-* + *pilha.*] *S. f. Fís.* Conjunto de termopares dispostos em série, e que é capaz de fornecer correntes relativamente grandes.

termoplástico [De *term(o)-* + *plástico.*] *Quím. Adj.* **1.** Diz-se de polímero que amolece ao ser aquecido e endurece ao ser resfriado. ~ V. *clichê —.* ● *S. m.* **2.** Polímero termoplástico.

termoplegia [De *term(o)-* + *-pleg-* + *-ia*¹.] *S. f. Med.* V. *intermação.*

termoplégico *Adj.* Relativo a termoplegia.

termopódio [De *term(o)-* + *-pod(o)-* + *-io*³.] *S. m.* Espécie de bacia usada para pedilúvios.

termoquímica [De *termoquímica*, com var. suf. (v. *-ico*²).] *S. f.* Parte da termodinâmica que trata das quantidades de calor postas em jogo nas reações químicas.

termoquímico [De *termoquímica*, com var. suf. (v. *-ico*²).] *Adj.* Relativo a termoquímica. ~ V. *caloria —a.*

termorrígido [De *term(o)-* + *rígido.*] *Adj. Quím.* Diz-se de polímeros que não amolecem pela ação do calor; termoestável.

termos (ê) [Pl. de *termo* (ê).] *S. m. pl.* **1.** Modos; procedimentos; ações. **2.** Relações. **3.** Arquejos de agonia; estertores, vascas. [Cf. *termos*, pl. do s. m. *termo*, e *Termos*, pl. do antr. *Termo.*] ~ V. *termo* (ê).

termosfera [De *term(o)-* + *-sfera.*] *S. f. Geofís.* Camada atmosférica situada entre 80 e 400km de altitude.

termosférico *Adj.* Relativo a termosfera.

termossifão [De *term(o)-* + *sifão.*] *S. m.* Aparelho de aquecimento por circulação de água quente.

termostato [De *term(o)-* + *-stato.*] *S. m. Fís.* Dispositivo destinado a manter constante a temperatura dum sistema. [Var. pros., p. us.: *termóstato.*]

termóstato *S. m. Fís. P. us.* Termostato.

termostável *Adj. 2 g. Quím.* V. *termoestável.*

ternado [De *terno*¹ + *-ado*¹.] *Adj. Bot.* Composto de três partes: *folha ternada.*

ternar [De *terno*¹ + *-ar*².] *V. int. Pop.* Fazer o terno, em um jogo.

ternário [Do lat. *ternariu.*] *Adj.* Constituído de três. ~ V. *azeótropo —, compasso —, construção —a* e *operação —a.*

terneirada [Do hisp.-amer. *ternerada.*] *S. f. Bras. S.* Bando de terneiros ou bezerros; terneiragem.

terneiragem [Do esp. plat. *terneraje.*] *S. f. Bras. S.* Terneirada.

terneiro [De *terno*² + *-eiro*, ou f. metatética de *tenreiro.*] *S. m.* **1.** *Bras. PE* Feto do gado vacum. **2.** *Bras. RS* A cria da vaca até um ano de idade; bezerro.

terneirona [Aum. de *terneira*, fem. de *terneiro.*] *S. f. Bras.* Terneira gorda e taluda.

terninho [De *terno*¹ + *-inho*¹.] *S. m. Bras.* Terno¹ (5): "Atravessei a rua e encontrei você lá, de terninho bege" (Maria Julieta Drummond de Andrade, *Um Buquê de Alcachofras*, p. 25).

terno¹ [Do lat. *terni*, 'de três em três', numa f. do sing.] *S. m.* **1.** Grupo de três coisas ou pessoas; trio, trindade. **2.** Dado ou carta de jogar com três marcas. **3.** *Folcl.* Rancho (1) constituído de pessoas burguesas, que só cantavam às portas das casas conhecidas, onde eram recebidas pelos amigos. [Nesta acepç., cf. *rancho* (7) e *reisado.*] **4.** *Bras.* Vestuário masculino, composto de paletó, calças e, às vezes, colete, da mesma fazenda e cor. [Sin.: N.E., *uniforme* e (pop.) *liforme*, e, N., *fato.*] **5.** *Bras. P. ext.* Traje esporte feminino, composto de calça e casaco, em geral da mesma fazenda e cor; terninho. **6.** *Bras.* Grupo de três aves domésticas — um macho e duas fêmeas. **7.** Terno de grupo (q. v.). **8.** *Bras.* V. *loto*². **9.** *Bras. S.* O conjunto das parelhas dos bois de uma carreta. **10.** *Bras. S.* Grupo de três peões que, nos rodeios ou mangueiras, faz o serviço de marcação. **11.** *Bras. MG* Grupo de pessoas. ◆ **Terno de grupo.** *Bras.* No jogo do bicho, aposta em três grupos [v. *grupo* (14)] diferentes, os quais devem constar na relação dos sete prêmios sorteados. [Tb. se diz apenas *terno.*]

terno² [Do lat. *teneru*, 'tenro, mole'.] *Adj.* **1.** Meigo, afetuoso. **2.** Brando, suave: "Uns como que suspiros / De amor, uns ternos ais" (Machado de Assis, *Poesias Completas*, p. 49); "Ó caro ruído embalador, / Terno como a canção das amas! / Canta as baladas que mais amas, / Para embalar a minha dor!" (Manuel Bandeira, *Estrela da Vida Inteira*, p. 37). **3.** Que inspira dó, compaixão: *ternas queixas.*

terno de música *S. m. Bras. AL Mús.* V. *terno de zabumba.* [Pl.: *ternos de música.*] ☑

terno de reis *S. m. Bras.* Folia de reis (2). [Pl.: *ternos de reis.*] ☑

terno de zabumba *S. m. Bras. N.E. Mús.* Conjunto instrumental de percussão e de sopro [dois pífaros, uma caixa e um bombo (1)] que anima os bailes populares e acompanha as danças dramáticas. [Sin.: *banda cabaçal* ou apenas *cabaçal* (N.E.), *banda-de-couro* (N.E.), *terno de música* e *esquenta-mulher* (AL). Tb. se diz apenas *zabumba.* Pl.: *ternos de zabumba.*] ☑

ternura [De *terno* + *-ura.*] *S. f.* **1.** Qualidade de terno². **2.** Meiguice, carinho. **3.** Afeto brando ou sem grandes transportes: "Fascinado estava o Miguel, mas não pela imagem que lhe descrevia Inhá, senão pelo original que tinha diante de si, e o embebia na meiguice de seu olhar, e na ternura de seu carinho." (José de Alencar, *Til*, p. 29.)

terófito [Do gr. *théros*, 'verão', 'colheita', + *-fito.*] *Adj. S. m. Bot.* Diz-se de, ou planta anual, ou efêmera, que sobrevive, na forma de semente, a condições desfavoráveis.

terópode [Do tax. *Theropoda.*] *Paleont. S. m.* **1.** Espécime dos terópodes, subordem de dinossauros saurísquios, carnívoros, que se deslocavam em posição bípedal, e tinham, ger., garras e dentes afiados. ● *Adj. 2 g.* **2.** Pertencente ou relativo a eles.

terósporo [Do gr. *théros*, 'verão', 'colheita', + *-sporo.*] *S. m. Micol.* Esporo que germina imediatamente e, se isto não se der, tem vida curta.

tero-tero [Do tupi, de or. onom.] *S. m. Bras. Zool.* V. *quero-quero.* [Pl.: *tero-teros.*]

terpénico *Adj. Quím.* V. *terpênico.* [Uso freq. em P.]

terpênico [De *terpeno* + *-ico*².] *Adj. Quím.* Relativo a terpeno.

terpeno [Do rad. *terp-* (< al. *Terpentin*, 'terebintina') + *-eno*².] *S. m. Quím.* **1.** Designação genérica de certos hidrocarbonetos insaturados, encontrados em resinas e óleos essenciais e cuja biossíntese acarreta a união de dois ou mais fragmentos derivados do isopreno, o que se reflete, comumente, em suas estruturas, que podem ter 10 (monoterpenos), 15 (sesquiterpenos), 20 (diterpenos), e, eventualmente, 25 (sesterterpenos), 30 (triterpenos), ou mais átomos de carbono. **2.** Monoterpeno. **3.** Qualquer derivado de um terpeno (1); substância terpenoide.

terpenoide (ói) [De *terpeno* + *-oide.*] *Quím. Adj. 2 g.* **1.** Semelhante em estrutura, ou derivado, de terpeno (1). ● *S. m.* **2.** Substância terpenoide. ❖

terpina [De *terp(eno)* + *-ina*³.] *S. f. Quím.* Terpinol.

terpineno [De *terpina* + *-eno*².] *S. m. Quím.* Qualquer dos monoterpenos cíclicos duplamente insaturados, isômeros do limoneno, ou mistura destes [fórm.: $C_{10}H_{16}$].

terpineol [De *terpina* + *-e-* + *-ol*².] *S. m. Quím.* Qualquer de três alcoóis monoterpênicos cíclicos insaturados (α-terpineol, β-terpineol e γ-terpineol), existentes em óleos vegetais, e us. em produtos cosméticos e como desinfetantes [fórm.: $C_{10}H_{18}O$]. [Pl.: *terpineóis.*]

terpinol [De *terpina* + *-ol*².] *S. m. Quím.* Substância líquida, mistura de isômeros, alcoóis, que são obtidos por hidratação do limoneno; terpina [fórm.: $C_{10}H_{20}O_2$]. [Us., sob forma de hidrato, como antitussígeno.] [Pl.: *terpinóis.*]

terra [Do lat. *terra.*] *S. f.* **1.** *Astr.* O terceiro planeta do sistema solar, pela ordem de afastamento do Sol, com um diâmetro equatorial de 12.756,8km e um diâmetro polar de 12.713,8km, e cujo movimento de rotação se efetua em 23 horas, 56 minutos e 4 segundos, enquanto o movimento de translação em torno do Sol se realiza em 365,3 dias. Apresenta-se envolto numa massa gasosa — a *atmosfera.* [Com cap., nesta acepç.] **2.** Solo sobre o qual se anda. **3.** A parte branda do solo. **4.** A parte sólida da superfície do globo. **5.** Poeira, pó: *Entrou-me terra nos olhos.* **6.** Lugar de origem; pátria, torrão, gleba; terra natal: "Vi terras da minha terra." (Manuel Bandeira, *Estrela da Vida Inteira*, p. 173); *Somos da mesma terra.* **7.** Localidade; lugar; povoação: *Anda de terra em terra por esse Brasil afora;* "Vi terras da minha terra." (Id., *ib.*, p. 173). **8.** Lugar, local: *Pelos seus hábitos se vê que não é da terra.* **9.** Habitantes de determinado lugar: *A terra em peso foi saudar o herói.* **10.** Propriedade rústica, em geral de tamanho considerável: *Sua terra confina com a minha; Só emprega dinheiro em terra.* [Us. tb. no pl.] **11.** Espaço não construído de uma propriedade; terreno: *A casa é boa, mas tem pouca terra.* **12.** Região, território. **13.** Argila própria para escultura. **14.** Vida temporal, profana. **15.** *Constr.* Solo ou mistura de solos que às vezes contêm fragmentos de rochas. **16.** *Econ.* Recursos naturais (terra cultivável, minerais, florestas, etc.) vistos como fator de produção (q. v.). **17.** *Eletr.* Grande corpo condutor arbitrariamente considerado com potencial elétrico zero. **18.** *Eng. Elétr.* Num circuito, ponto que tem potencial zero em relação à terra (17). ◆ **Terra apurada.** *Bras. SP* Designação comum a certas terras roxas muito férteis; apurada. **Terra a terra.** **1.** Junto da costa; costeando. **2.** *Fig.* Sem elevação ou grandeza; rasteiramente: *O orador falou terra a terra.* [F. paral.: *terra terra.* Cf. *terra a terra*, adj.2g.2n.] **Terra batida.** *Constr.* Piso rústico feito de terra socada. **Terra caída.** *Bras.* Desmoronamento dos barrancos de terras marginais do rio Amazonas, produzido pelas enchentes. [Antôn.: *terra crescida.*] **Terra crescida.** *Bras.* Terra acrescida pela formação de bancos e praias, que, dilatando-se, originam ilhas e restingas. [Antôn: *terra caída.*] **Terra da Promissão.** Segundo a Bíblia, a terra de Canaã, prometida por Deus a Abraão e à sua descendência. **Terra de infusórios.** *Geol.* V. *trípole.* **Terra de ninguém.** **1.** Espaço entre duas trincheiras inimigas, não dominado por nenhuma delas. **2.** *Fig.* Situação ou assunto em que todos se intrometem ou sobre que todos opinam. **Terra de planta.** *Bras.* Terreno próprio para a agricultura, e a ela destinado. **Terra de Siena.** Argila que contém óxido e hidróxido de ferro em quantidade, e que pode apresentar todos os matizes entre o amarelo e o vermelho. **Terra dos Marechais.** *Bras.* Epíteto do Estado de Alagoas. [Sin., joc.: *terra do sururu.*] **Terra do sururu.** *Bras. Joc.* O Estado de Alagoas; Terra dos Marechais: "Maceió daquele tempo ainda não possuía edifícios altos, o 'Bela Vista' era um grande e belo prédio a encher de orgulho a província como o mais bonito .... da terra do sururu." (Carlos de Gusmão, *Boca da Grota*, p. 392.) **Terra favada.** *Bras. PI* Terra fofa, frouxa. **Terra firme.** **1.** A parte sólida do globo. **2.** *Bras. Amaz.* Porção alta do terreno, aonde não chegam as inundações. **Terra fresca.** *Bras. N.E.* Terreno molhado, úmido, comumente situado à margem dos rios e dos açudes. **Terra natal.** V. *terra* (6). **Terra preta.** *Bras.* **1.** Terreno antropogênico, diferenciado da terra circundante, onde se acham fragmentos de cerâmica, restos vegetais e animais carbonizados, etc., que lhe conferem altíssima fertilidade; terra preta de índio. [Algumas dessas áreas foram, comprovadamente, formadas ao longo de milhares de anos.] **2.** V. *terra vegetal.* **Terra preta de índio.** *Bras.* Terra preta (1). **Terra refratária.** Argila que resiste ao fogo e só funde a temperaturas elevadíssimas. **Terra roxa.** *Bras. SP* Terreno vermelho-escuro, originado pela decomposição de lençóis de rochas efusivas basálticas e famoso por sua fertilidade. **Terra safada.** *Bras. S.* Terreno improdutivo, esgotado. **Terra Santa.** A Palestina. **Terras devolutas.** *Jur.* Aquelas que, embora não destinadas a algum uso público, nem pertencendo a qualquer pessoa de direito privado, se encontram sob o domínio público, como bens integrantes do patrimônio da União, dos estados ou dos municípios. **Terra terra.** V. *terra a terra.* **Terra vegetal.** *Bras.* A que possui grande quantidade de matéria orgânica vegetal decomposta; terra preta, humo, terriço. **Botar, deitar, lançar, etc. por terra.** Pôr abaixo; arrasar, destruir. **Cheio de terra.** V. *cheio de luxo.* **Descer à terra.** V. *morrer* (1). **Largar terra para favas.** *Pop.* V. *fugir* (1 e 2).

▲terra- Equiv. de *terr(i)-*.

terra a terra [De *terra* + *a*³ + *terra*.] *Adj. 2 g. e 2 n.* **1.** Sem elevação nem largueza de ideias; trivial, rasteiro: *vocabulário terra a terra.* **2.** Diz-se de pessoa que crê apenas nas coisas materiais, e que procede de modo objetivo, prático: "em vida, [Catarina] foi bastante prática, terra a terra" (Adriana Lisboa, *Os Fios da Memória*, p. 111). **3.** Que revela praticidade, objetividade: *A sua atitude foi bem terra a terra.* [Cf. *terra a terra*, loc.] ☑

terra-bonense *Adj. 2 g.* **1.** De, ou pertencente ou relativo a Terra Boa (PR). ● *S. 2 g.* **2.** O natural ou habitante de Terra Boa. [Pl.: *terra-bonenses.*]

terraço [Do fr. *terrasse.*] *S. m.* **1.** Balcão descoberto e amplo; varanda. **2.** Cobertura plana dum edifício, feita de pedra, de argamassa ou de outro material. [Sin., bras., p. us.: *eirado, terreiro, terrado.*] **3.** Espaço descoberto sobre um edifício ou ao nível de um andar dele. [Sin. bras., p. us.: *eirado.*] **4.** Plataforma ou superfície de terra com nível elevado e lados inclinados. **5.** Patamar construído em terreno inclinado para proteger o solo da ação das águas pluviais ou aumentar-lhe a capacidade de absorção. **6.** *Geol.* Superfície plana ou levemente inclinada, em geral com frente escarpada, que margeia um rio, um lago ou o mar, e atesta, por meio de testemunhos geológicos e geomorfológicos, as variações do nível das águas fluviais, lacustres e marítimas através dos tempos. **7.** *Ocean.* Trecho plano, normalmente imerso, da praia, entre a arrebentação e zona seca.

terraço-jardim *S. m. Arquit.* Jardim suspenso. [Pl.: *terraços-jardins* e *terraços-jardim.*]

terracota [Do it. *terra cotta.*] *S. f.* **1.** Argila modelada e cozida em forno. **2.** Objeto assim obtido: "Os anjos-músicos das terracotas de Andrea della Robbia empunham instrumentos cujos nomes lembram flores: violas, violetas..." (Agripino Grieco, *São Francisco de Assis e a Poesia Cristã*, p. 9.)

terrado [De *terra* + *-ado*¹.] *S. m. P. us.* V. *terraço* (2): "Estão as bancadas e os terrados formigando de povo" (José Saramago, *Memorial do Convento*, [8ª ed.] p. 97).

terraformação [Do ingl. *terraformation.*] *S. f. Astr.* Modificação artificial de um planeta ou satélite, para que um dia possa ser habitado; usa-se ger. em relação a Marte.

terraformar [Adapt. do ingl. (*to*) *terraform.*] *V. t. d.* Transformar (um planeta) de forma que venha a parecer-se com a Terra. [T. us., esp., em ficção científica.]

terral [Do lat. tard. *terrale.*] *Adj. 2 g.* **1.** Relativo à terra; terrestre. **2.** Diz-se do vento que sopra da terra para o mar. ● *S. m.* **3.** Vento que sopra da terra para o mar. [Sin., bras., SP, nesta acepç.: *terralão*. Cf. *viração* (1).]

terralão [De *terral* + *-ão*².] *S. m. Bras. SP* Terral (3).

terramoto *S. m.* V. *terremoto*: "Ao terceiro dobre o castelo tremeu e vacilou nos alicerces, como se um terramoto o abalasse." (Rebelo da Silva, *Contos e Lendas*, pp. 41-42); "Inóspitas, acanhadas, [as casas] exibiam soluções absurdas na reconquista dos solos que o terramoto desconfigurara." (Mário Cesariny, *Titânia*, p. 21).

terra-nova *S. m. Cinol.* Cão originário da ilha Terra Nova (Canadá), de grande porte, pelo comprido e sedoso, e pés espalmados, o que lhe permite nadar com facilidade. [Pl.: *terras-novas* e *terra-novas.*]

terra-novense¹ *Adj. 2 g.* **1.** De, ou pertencente ou relativo a Terra Nova (BA e PE). ● *S. 2 g.* **2.** O natural ou habitante de Terra Nova. [Pl.: *terra-novenses.*]

terra-novense² *Adj. 2 g.* **1.** De, ou pertencente ou relativo a Terra Nova do Norte (MT). ● *S. 2 g.* **2.** O natural ou habitante de Terra Nova do Norte. [Pl.: *terra-novenses.*]

terrantês [De **terrante* (*terra* + *-nte*) + *-ês*.] *Adj.* **1.** O natural de uma terra ou povoação. [Flex.: *terrantesa* (ê), *terranteses* (ê), *terrantesas* (ê).] ● *S. m.* **2.** Espécie de uva branca. [Pl.: *terranteses* (ê).]

terrão *S. m. Ant.* Torrão (q. v.).

terrapina [Do ingl. *terrapin*, de or. algonquiana.] *S. f. Zool.* Tartaruga aquática, testudinídea, gênero *Malachemys*, que habita as águas doces e salobras da América do Norte.

terraplanagem [De *terraplanar* + *-agem*²; var. de *terraplenagem.*] *S. f. Pop.* V. *terraplenagem.*

terraplanar [De *terraplano* + *-ar*²; var. de *terraplenar.*] *V. t. d. Pop.* V. *terraplenar.*

terraplano *S. m. Pop.* V. *terrapleno.*

terraplenagem [De *terraplenar* + *-agem*².] *S. m.* Conjunto de operações de escavação, transporte, depósito e compactação de terras, necessárias à realização de uma obra; movimento de terra. [Var.: *terraplanagem.*] ◆ **Terraplenagem compensada.** Terraplenagem na qual os volumes de corte e de aterro se equivalem, tornando mínimos os volumes de bota-fora e de empréstimo. **Terraplenagem manual.** A que é executada com ferramentas comuns (pás, enxadas, picaretas) e veículos de tração animal. **Terraplenagem mecanizada.** A que é executada com máquinas e veículos especializados.

terraplenar [De *terrapleno* + *-ar*².] *V. t. d.* Executar a terraplenagem de. [Var.: *terraplanar* e *aterraplanar.*]

terrapleno [Do it. *terrapieno.*] *S. m.* **1.** Terreno resultante da terraplenagem; repleno, aterrado. **2.** Terreno aplainado; repleno.

terráqueo [Do lat. med. *terraqueu*, pelo ingl. *terraqueous* ou pelo fr. *terraquée.*] *Adj.* **1.** V. *terrestre* (1). ~ V. *orbe* —. ● *S. m.* **2.** O habitante da Terra (por oposição aos supostos habitantes de outros planetas). [Cf. *terrícola.*]

terrareense *Adj. 2 g.* **1.** De, ou pertencente ou relativo a Terra de Areia (RS). ● *S. 2 g.* **2.** O natural ou habitante de Terra de Areia.

terra-riquense *Adj. 2 g.* **1.** De, ou pertencente ou relativo a Terra Rica (PR). ● *S. 2 g.* **2.** O natural ou habitante de Terra Rica. [Pl.: *terra-riquenses.*]

terra-roxense *Adj. 2 g.* **1.** De, ou pertencente ou relativo a Terra Roxa (SP e PR). ● *S. 2 g.* **2.** O natural ou habitante de Terra Roxa. [Pl.: *terra-roxenses.*]

terras-raras *S. f. pl. Quím.* V. *lantanídeos.*

terratenente [De *terra-* + lat. *tenente*, 'que tem'.] *S. 2 g.* **1.** Proprietário de terra. **2.** *P. ext.* Pessoa que manda, que tem prestígio, influência, numa localidade.

terreal [De *terra* + *-eal.*] *Adj. 2 g.* **1.** V. *terrestre* (1). **2.** V. *mundano* (1): *prazeres terreais.*

terreiro [Do lat. *terrariu*, ou de *terra* + *-eiro.*] *Adj.* **1.** V. *terrestre* (1). **2.** Térreo (2): "Larga e baixa, a casa terreira acaçapava-se entre o arvoredo do quintal que a beirava de um e outro lado" (José de Alencar, *Guerra dos Mascates*, p. 38). ● *S. m.* **3.** Espaço de terra plano e largo. **4.** Largo, praça. **5.** V. *terraço* (2). **6.** Largo ao ar livre onde há folguedos e cantos ao desafio. **7.** *Bras.* Local onde se realizam celebrações de cultos afro-brasileiros: macumbas, candomblés, etc. ◆ **Chamar a terreiro.** Desafiar.

terremoto [Do lat. *terrae motu*, 'movimento da terra', pelo it. *terremoto.*] *S. m. Geofís.* V. *sismo.* [Var.: *terramoto.*]

terrenal [De *terreno* + *-al*¹.] *Adj. 2 g.* V. *terrestre* (1).

terrenalidade [De *terrenal* + *-(i)dade.*] *S. f.* Terrenidade.

terrenho [De *terra* + *-enho.*] *Adj.* **1.** V. *terrestre* (1). **2.** V. *mundano* (1).

terrenidade [De *terreno* + *-(i)dade.*] *S. f.* Qualidade do que é terreno, mundano, em oposição ao espírito, à alma; terrenalidade.

terreno [Do lat. *terrenu.*] *Adj.* **1.** V. *terrestre* (1). **2.** Semelhante à, ou da cor da terra (2); terroso: "Os olhos encovados, e a postura / Medonha e má, e a cor terrena e pálida" (Luís de Camões, *Os Lusíadas*, V, 39). **3.** Diz-se dessa cor. **4.** V. *mundano* (1). ● *S. m.* **5.** Terra (11). **6.** Porção de terra cultivável; campo. **7.** Ramo de atividade; setor: *Matemática é o seu terreno.* **8.** Tema, assunto. ◆ **Terreno aluviano.** Terreno formado por aluvião. **Terreno concertado.** *Bras. MG* Terreno levemente ondulado ou pouco acidentado. **Terreno de marinha.** *Bras. Jur.* O que está situado na costa marítima, continental ou insular, e nas margens dos rios e lagoas, até uma distância de 33m para a parte da terra, medidos horizontalmente desde a posição da linha da preamar média no ano de 1831, nos locais onde se faça sentir a influência das marés. **Terreno geológico.** Porção da crosta terrestre que, sob o aspecto cronológico, pertence a uma determinada idade, época, período e era, e, do ponto de vista estratigráfico, faz parte dum determinado andar, série, sistema e grupo. **Terreno marginal.** *Bras. Jur.* O que é banhado pelas correntes navegáveis, fora do alcance das marés, e vai até à distância de 15m para a parte da terra, medidos horizontalmente a começar da linha média das enchentes ordinárias. **Terreno mastozoótico.** Terreno que contém restos fósseis de mamíferos. **Terreno permeável.** O que se deixa facilmente atravessar pela água. **Terreno undante.** *Bras. S.* Terra acidentada, cheia de altos e baixos, ondeante. **Despachar terreno.** *Bras. RS Pop.* Andar (o cavalo) com muita velocidade. **Ganhar terreno. 1.** Conquistar vantagens numa empresa, negócio, etc. **2.** Propagar-se, espalhar-se, difundir-se: *Dia a dia suas ideias ganham terreno.* **Perder terreno. 1.** Ver reduzirem-se as vantagens, os privilégios, num empreendimento, negócio, etc. **2.** Diminuir em influência ou prestígio. **Preparar o terreno.** Tomar as providências necessárias para alcançar um objetivo. **Sondar o terreno.** V. *apalpar* (4).

terrento [De *terra* + *-ento.*] *Adj.* V. *terroso* (2).

térreo [Do lat. *terreu.*] *Adj.* **1.** V. *terrestre* (1). **2.** Que fica ao rés do chão; terreiro: "Nesse tempo moravam no Caminho Grande, numa casinha térrea" (Aluísio Azevedo, *O Mulato*, p. 14); "Desci ao andar térreo da casa" (Id., *Pegadas*, p. 128). ~ V. *pavimento* —. ● *S. m.* **3.** O pavimento térreo (2); rés do chão: *Mora no térreo.*

terrestre [Do lat. *terrestre.*] *Adj. 2 g.* **1.** Pertencente ou relativo à, ou próprio da Terra; terreno, terrenal, terrenho, terreal, terreiro, térreo, terráqueo. **2.** Proveniente da terra, ou que nasce nela. **3.** Pertencente ou relativo à terra (4). **4.** Que se efetua por terra: *ofensiva terrestre.* **5.** *Fig.* V. *mundano* (1). ~ V. *brisa* —, *campo magnético* —, *crosta* —, *elipsoide* —, *esfera* —, *física* —, *indutor* —, *latitude* —, *longitude* —, *luz* —, *magnetismo* —, *maré* —, *órbita* — e *polo magnético* —.

terréu [De *terra.*] *S. m.* Baldio (3).

▲terr(i)- [Do lat. *terra, ae.*] *El. comp.* = 'Terra', 'terra': *terreiro, território* (< lat.), *terrícola* (< lat.), *terrívomo.* [Equiv.: *terra-*; *terratenente.*]

terribilidade [Do lat. tard. *terribilitate.*] *S. f.* Qualidade de terrível.

terribilíssimo [Do lat. tard. *terribilissimu.*] *Adj.* Superl. abs. sint. de *terrível*: "Em negras nuanças lúgubres e aziagas, / Vejo terribilíssimas adagas / Atravessando os ares bruscamente." (Augusto dos Anjos, *Eu*, p. 103.)

terriço *S. m.* **1.** Adubo formado de substâncias animais ou vegetais em decomposição e misturadas com a terra sobre a qual se decompusera. **2.** V. *terra vegetal.*

terrícola [Do lat. *terricola.*] *Adj. 2 g. S. 2 g.* Que, ou pessoa ou animal que habita na Terra. [Cf. *terráqueo* (2).]

➔terrier ['tɛrjɚ] [Ingl.] *S. m.* Designação comum aos cães de várias espécies, destinados originalmente a perseguir e expulsar das tocas a caça miúda, e que se caracterizam pelo focinho quadrado e por ter ou pelagem basta e longa, ou lisa. [Cf. *fox-terrier.*]

terrificância [De *terrificar* + *-ância.*] *S. f.* Qualidade de terrificante: "uma crise de tal profundidade e alcance, que em matéria de terrificância não pede meças a nenhuma convulsão ulterior" (Léu Vaz, *Páginas Vadias*, p. 20).

terrificante [Do lat. *terrificante.*] *Adj. 2 g.* Que terrifica; terrífico, terrível.

terrificar [Do lat. *terrificare.*] *V. t. d.* Causar terror a; assustar; apavorar, aterrorizar, terrorizar, terrorar. [Conjug.: v. *trancar.* Pres. ind.: *terrifico*, etc. Cf. *terrífico.*]

terrífico [Do lat. *terrificu.*] *Adj.* V. *terrificante.* [Cf. *terrifico*, do v. *terrificar.*]

terrígeno [Do lat. tard. *terrigenu.*] *Adj.* Produzido ou gerado na terra. ~ V. *depósito* — e *sedimento* —.

terrina [Do fr. *terrine.*] *S. f.* **1.** Vaso de louça, metal, etc., ordinariamente com tampa, no qual se leva à mesa a sopa ou o caldo. **2.** *Cul.* Espécie de patê, em geral de fabricação caseira e altamente apurada, em cuja textura aparecem pedacinhos dos ingredientes usados em sua preparação; patê. [Tb. é us. o fr. *terrine.*]

terrinada [De *terrina* + *-ada*¹.] *S. f. Pop.* Conteúdo de uma terrina (1) cheia.

➔terrine [tə'ʁin] [Fr.] *S. f.* V. *terrina.*

terrinha [De *terra* + *-inha.*] *El. s. f.* us. na loc. *a santa terrinha.* ◆ **A santa terrinha.** *Joc.* Expressão com que se referem a Portugal os portugueses, e também os brasileiros.

terriola [De *terr(i)-* + *-ola*¹.] *S. f.* Pequena povoação; lugarejo, aldeola.

terríssono [Do lat. tard. *terrisonu.*] *Adj.* Que aterroriza pelo som ou pelo estrondo.

territorial [Do lat. tard. *territoriale.*] *Adj. 2 g.* Relativo a território. ~ V. *águas territoriais, atmosfera* — e *mar* —.

territorialidade [De *territorial* + *-(i)dade.*] *S. f.* **1.** Condição do que faz parte do território de um Estado. **2.** Limitação da força imperativa das leis ao território do Estado que as promulga.

territorialização [De *territorializar* + *-ção.*] *S. f.* **1.** Ato ou efeito de territorializar. **2.** *Antrop.* Atribuição, por parte de determinado poder, de uma base territorial fixa a um grupo social, implicando sua reorganização social e a reelaboração de sua existência sociocultural.

territorializar [De *territorial* + *-izar.*] *V. t. d.* Demarcar (território).

território [Do lat. *territoriu.*] *S. m.* **1.** Extensão considerável de terra; torrão. **2.** A área de um país, ou estado, ou província, ou cidade, etc. **3.** Nos E.U.A., região que não constitui Estado e é administrada pela União. **4.** *Jur.* Base geográfica do Estado, sobre a qual exerce ele a sua soberania, e que abrange o solo, rios, lagos,

T

mares interiores, águas adjacentes, golfos, baías e portos. 5. *Jur.* A parte juridicamente atribuída a cada Estado sobre os rios, lagos e mares contíguos, e bem assim o espaço aéreo que corresponde ao território, até a altura determinada pelas necessidades da polícia e segurança do país, devendo-se, ainda, considerar como parte do território os navios de guerra, onde quer que se encontrem, e os navios mercantes em alto-mar ou em águas nacionais.

terrível [Do lat. *terribile*.] ***Adj. 2 g.*** 1. Que infunde ou causa terror; terrificante, terrífico: *monstro terrível.* 2. Que produz resultados funestos. 3. Extraordinário, estranho. 4. Muito grande; enorme: *terrível mágoa.* 5. Muito ruim; péssimo. [Superl. abs. sint.: *terribilíssimo*.] • ***S. m.*** 6. Um dos cargos de loja maçônica.

terrívomo [De *terr(i)-* + *-vomo*.] ***Adj.*** Que expele ou lança terra.

terroada [De *terrão* + *-ada*^{2}, com síncope e desnasalação.] ***S. f.*** *Bras.* V. *torroada*.

terror (ô) [Do lat. *terrore*.] ***S. m.*** 1. Qualidade de terrível. 2. Estado de grande pavor ou apreensão. 3. Grande medo ou susto; pavor. 4. Época da Revolução Francesa, da queda dos girondinos (31 de maio de 1793) até à queda de Robespierre (27 de julho de 1794). [Nesta acepç., com cap.] 5. Pessoa ou coisa que espanta, amedronta, aterroriza: *Aquele delegado é um terror; O latim é o terror de muitos estudantes.* [Pl.: *terrores* (ô). Cf. *terrores*, do v. *terrorar*.] ◆ **Terror branco.** Os excessos perpetrados pelos realistas no S. da França durante os primeiros anos da Restauração.

terrorado [Part. de *terrorar*.] ***Adj.*** Aterrorizado.

terrorar [De *terror* + *-ar*^{2}.] ***V. t. d.*** V. *terrificar*. [Pres. subj.: *terrore, terrores*, etc. Cf. *terrores* (ô), pl. de *terror*.]

terrorismo [De *terror* + *-ismo*.] ***S. m.*** 1. Modo de coagir, ameaçar ou influenciar outras pessoas, ou de impor-lhes a vontade pelo uso sistemático do terror. 2. Forma de ação política que combate o poder estabelecido mediante o emprego da violência.

terrorista [De *terror* + *-ista*.] ***Adj. 2 g.*** 1. Relativo ao, ou que tem o caráter de terrorismo: *métodos terroristas*. 2. Que é partidário do terrorismo. • ***S. 2 g.*** 3. Partidário dele. 4. *P. ext.* Pessimista (3).

terrorizante [De *terrorizar* + *-nte*.] ***Adj. 2 g.*** Que causa terror; aterrorizante, terroroso.

terrorizar [De *terror* + *-izar*.] ***V. t. d.*** V. *aterrorizar*.

terroroso (ô) [De *terror* + *-oso*.] ***Adj.*** Terrorizante.

terroso (ô) [Do lat. tard. *terrosu*.] ***Adj.*** 1. Que tem cor, aparência, natureza ou mistura de terra; terrulento, terreno. 2. Embaciado, baço, terrento: "A pele terrosa, baça, seca, esticada sobre os ossos." (Léu Vítor, *Círculo de Giz*, p. 152.)

terrulento [Do lat. tard. *terrulentu*.] ***Adj.*** 1. V. *terroso* (1). 2. Baixo, vil.

tersinídeo [Do tax. *Tersina* + *-ídeo*^{1}; tax. *Tersinidae*.] *Zool.* ***S. m.*** 1. Espécime dos tersinídeos, família monoespecífica de aves caracterizadas por terem o bico chato e largo, triangular e pontiagudo. Vivem nas matas das Américas Central e do Sul e são frugívoras (v. *saí-andorinha*). • ***Adj.*** 2. Pertencente ou relativo a eles.

terso [Do lat. *tersu*.] ***Adj.*** 1. Puro, limpo: "Dormimos separados, em quartos contíguos, sorvendo inclusive com a boca um reconfortante odor de panos tersos." (Osmã Lins, *Nove, Novena*, p. 123.) 2. Lustroso, polido: "vimos um dos muitos palácios de Montezuma, todo de jaspe e mármores tersos" (Gastão Cruls, *4 Romances*, p. 86). 3. *Fig.* Correto, vernáculo: "O mais, de seu o tinha ele [Bocage]; e com que abundância. Estilo terso, e nobre; linguagem pura, e clara; dicção concisa, e ornada; versificação deliciosa, como nenhuma, nem antes, nem depois dele, ainda entre nós apareceu" (Antônio Feliciano de Castilho, *As Metamorfoses*, I, p. XXX). [Flex.: *tersa, tersos, tersas*. Cf. *terço, terças, terça*, do v. *terçar*, e *terço* (ê), num. e s. m., pl. *terços* (ê).]

tersol [De *terso* + *-ol*^{1}, poss.] ***S. m.*** *Ant.* V. *manutérgio*. [Pl.: *tersóis*. Cf. *terçol*.]

→**tertius** ['tẽrtẹos] [Lat.] ***S. m.*** 1. O terceiro (candidato). 2. *Turfe* Terceira força (2).

tertúlia [Do esp. *tertulia*.] ***S. f.*** 1. Reunião familiar. 2. Agrupamento de amigos. 3. Assembleia literária: "de regresso, as reuniões de quinta-feira no habitáculo desarrumado dos ficcionistas .... Naturalmente, nessas tertúlias, ... os censores à Pontmartin e Planche eram desancados" (Agripino Grieco, *Estrangeiros*, p. 158).

▲**-tes-** Equiv. de *-tese*.

tesadeira [De *tesar* + *-deira*.] ***S. f.*** Máquina com que se esticam tecidos nos lanifícios.

tesão [Do lat. *tensione*, 'tensão', por via pop.] ***S. m.*** 1. Tesura (1). 2. Força, intensidade. 3. Manifestação de força; violência: "Meu bom Critilo, / Não se isentar o Cristo desse imposto / Foi um grande tesão, mas necessário, / Por não se abrir a porta a maus exemplos." (Tomás Antônio Gonzaga, *Obras Completas*, p. 262.) • ***S. m. e f.*** 4. *Chulo* Estado do pênis em ereção. 5. *Chulo* Potência sexual: "Nem o chá de folhas, / nem o chá de raízes amargas / lhe trazia a tesão, a firmeza dos pés, a firmeza das mãos" (H. Dobal, *A Serra das Confusões*, "O Velho"). 6. *Chulo* Desejo carnal; excitação. 7. *Bras. Chulo* Indivíduo que inspira desejos carnais; tesudo.

tesar [De *teso*^{2} (ê) + *-ar*^{2}.] ***V. t. d.*** 1. *Marinh.* V. *entesar* (1 a 3): "A bordo do *Lima I* .... ia uma faina de mil demônios, sob a lupa dos marinheiros e o tling-tling sonoro e alegre do bolinete, virando e tesando as amarras" (Virgílio Várzea, *Nas Ondas*, p. 2). 2. *Mar. G. Bras.* Exigir de (um subordinado), com rigor, o cumprimento das suas obrigações. [Pres. ind.: *teso, tesas, tesa*, etc. Cf. *teso* (ê), s. m. e adj., e as flex. *tesa* (ê), *tesas* (ê).]

tesaurismose [De *tesaurismo (< gr. *thesaurós*, 'tesouro', 'depósito', + *-ismo*) + *-ose*^{1}.] ***S. f.*** *Patol.* Doença metabólica, de que há vários tipos, e em que ocorre um acúmulo, em determinadas células, de certa substância (glicídios, lipídios, proteínas, etc.).

tesauro [Do lat. *thesauru*.] ***S. m.*** *E. Ling.* Vocabulário controlado e dinâmico de descritores (q. v.) relacionados semântica e genericamente, que cobre de forma extensiva um ramo específico de conhecimento; *thesaurus*.

tesconjuro [De *te*^{1} + *esconjuro*, 1ª pess. do sing. do pres. do ind. de *esconjurar*.] ***Interj.*** V. *tarrenego*: "Cruz! Tesconjuro! bradou o moço." (Visconde de Taunay, *Inocência*, p. 220.)

tese [Do gr. *thésis*, 'ato de pôr', 'proposição', pelo lat. *these*.] ***S. f.*** 1. Proposição que se expõe para, em caso de impugnação, ser defendida. 2. Proposição formulada nos estabelecimentos de ensino superior e médio para ser defendida em público. 3. *P. ext.* Discussão da própria tese. 4. A publicação que contém uma tese. 5. *Filos.* O primeiro momento do processo dialético. [Cf. *dialética* (3).] 6. V. *tésis*. ◆ **Em tese.** De acordo com o que se supõe; em princípio; em teoria.

▲**-tese** [Do gr. *thésis, eōs*.] ***El. comp.*** = 'posição', 'colocação': *epêntese* (< lat.). [Equiv.: *-tes-; homotesia*.]

teseias [Adapt. do gr. *théseia* ou *theseîa*.] ***S. f. pl.*** Na antiga Atenas, festas celebradas em honra de Teseu, herói ático por excelência, com procissão, sacrifícios, distribuição de alimentos aos pobres, banquetes e jogos.

tésis [Do gr. *thésis*, pelo lat. *thesis*.] ***S. f. 2 n.*** 1. *Mús.* Entre os gregos, o momento em que os dançarinos punham o pé no chão; designa, portanto, a parte acentuada do ritmo. 2. *Mús.* Na métrica musical, o tempo forte do compasso. 3. *Liter.* Na versificação latina, a parte do pé (em geral uma ou mais sílabas breves) não marcada por acento métrico. 4. *P. ext.* Abaixamento do tom ou da voz. [F. paral.: *tese*. Cf. *ársis*.]

tesla [Do antr. (*N. Kola*) *Tesla* (1857-1943), físico e inventor iugoslavo, naturalizado norte-americano.] ***S. m.*** *Fís.* Unidade de medida de indução magnética no Sistema Internacional, e que é igual à indução magnética dum campo magnético uniforme e invariável que exerce uma força igual a um newton por metro de um condutor retilíneo imerso no campo, em direção normal a este, e conduzindo uma corrente elétrica invariável de um ampère [símb.: *T*].

tesmofórias [Adapt. do gr. *thesmophória*, pelo lat. *thesmophoria*.] ***S. f. pl.*** Na antiga Atenas, e também em outras cidades da Grécia, festas que, de 9 a 13 de novembro, as mulheres celebravam em honra da deusa Deméter, a Ceres dos romanos, para agradecer à deusa a semeadura de inverno.

tesmóteta [Do gr. *thesmothétes*.] ***S. m.*** Na antiga Atenas, cada um dos seis arcontes que se acrescentaram aos três primeiros (o arconte propriamente dito, o rei e o polemarco), magistrados que presidiam a diversos tribunais e eram encarregados da guarda e revisão das leis.

teso^1 (ê) [Da loc. *monte teso*.] ***S. m.*** 1. Monte alcantilado ou íngreme. 2. Cimo de monte. 3. Morro quase a pique. 4. *Bras. Amaz.* Parte alta do terreno que em uma superfície inundada fica acima do nível das águas. 5. *Bras. RS* Terreno mais alto que fica junto à barranca dos rios. 6. *Bras. PA* Aterro superficial feito pelos marajoaras em terrenos alagadiços, para habitação ou cemitério, sendo o mais conhecido o de Pacoval, no lago Arari. [Pl.: *tesos* (ê). Cf. *teso*, do v. *tesar*.]

teso^2 (ê) [Do lat. *tensu*, por via pop.] ***Adj.*** 1. Esticado, retesado; tenso: *O cabo estava teso.* 2. Hirto, ereto, inteiriçado: "Vovó estava deitada, tesa, imóvel, de mãos juntas." (Lia Correia Dutra, *Navio sem Porto*, p. 57.) 3. Imóvel, fixo. 4. Seguro, firme. 5. Corajoso, audaz: *homem teso, dado à luta.* 6. Forte, rijo: *Está idoso, porém teso.* 7. Impetuoso, arrebatado. 8. Íngreme, alcantilado. 9. Áspero, ríspido. 10. *Bras. Pop.* V. *pronto* (10). • ***S. m.*** 11. V. *pronto* (12). [Flex.: *tesa* (ê), *tesas* (ê), *tesos* (ê). Cf. *teso, tesas* e *tesas*, do v. *tesar*.]

tesoira ***S. f.*** Tesoura (q. v.).

tesoirada [De *tesoira* + *-ada*^{1}.] ***S. f.*** V. *tesourada*.

tesoira de costas ***S. f.*** *Bras.* V. *tesoura de costas*. [Pl.: *tesoiras de costas*.] ☑

tesoira de frente ***S. f.*** *Bras.* V. *tesoura de frente*. [Pl.: *tesoiras de frente*.] ☑

tesoira-do-brejo ***S. f.*** *Bras. Zool.* V. *tesoura-do-brejo*. [Pl.: *tesoiras-do-brejo*.]

tesoirão [De *tesoira* + *-ão*^{1}.] ***S. m.*** V. *tesourão*.

tesoirar [De *tesoira* + *-ar*^{2}.] ***V. t. d.*** V. *tesourar*.

tesoiraria [De *tesoiro* + *-aria*; var. de *tesouraria*.] ***S. f.*** V. *tesouraria*.

tesoiras [Pl. de *tesoira*.] ***S. f. pl.*** V. *tesouras*.

tesoireiro [De *tesoiro* + *-eiro*; var. de *tesoureiro*.] ***S. m.*** V. *tesoureiro*.

tesoirinha [De *tesoira* + *-inha*.] ***S. f.*** V. *tesourinha*.

tesoiro ***S. m.*** V. *tesouro*.

tesoura [Var. de *tesoira* < lat. *tonsoria* (*ferramenta*), 'ferramentas de cortar'.] ***S. f.*** 1. Instrumento cortante, constituído por duas lâminas reunidas por um eixo, sobre o qual se movem, abrindo em cruz. 2. Peça longitudinal, de madeira ou de ferro, nos jogos dianteiros dos carros de quatro rodas. 3. Cruzamento das rédeas com que os cocheiros dirigem uma parelha de tiro. 4. *Constr. Nav.* Cada um dos barrotes de madeira presos obliquamente aos jazentes, para os segurarem na carreira de construção. 5. *Fig.* Pessoa maledicente. 6. *Arquit. Constr.* Conjunto de peças de madeira ou de ferro, que sustenta a cobertura de um edifício; asna: "Veem-se os trapiches de acesso aos barracões, madeira de lei, esteios de acariquara, tesouras de itaúba, soalho de acapu" (Raimundo Morais, *Na Planície Amazônica*, p. 57). 7. *Bras. Zool.* Ave passeriforme, tiranídea (*Muscivora tyrannus*), de coloração geral cinzento-clara, alto da cabeça preto, meio do vértice amarelo, asas e uropígio pardo-escuros, cauda preta e retrizes exteriores marginadas de branco na parte basal; piranha. 8. *Bras. Zool.* V. *lacrainha*. 9. *Bras. Cap.* Golpe desequilibrante em que o capoeirista salta com uma perna atrás do joelho do adversário e a outra no seu abdome, com o objetivo de derrubá-lo. • ***S. m.*** 10. *Bras. Zool.* V. *chama-maré*. 11. *Bras. Zool.* Espécie de crustáceo decápode, braquiúro, ocipodídeo, que ocorre das Antilhas até SP, e cuja carapaça tem cerca de 2cm de comprimento. Vive nos mangues. ~ V. *tesouras*.

tesourada [De *tesoura* + *-ada*^{1}; var. de *tesoirada*.] ***S. f.*** 1. Golpe com tesoura. 2. Ato de tesourar.

tesoura de costas ***S. f.*** *Bras. Cap.* Tesoura (9) executada a partir de um rolê (3). [Pl.: *tesouras de costas*.] ☑

tesoura de frente ***S. f.*** *Bras. Cap.* Tesoura (9) executada a partir de uma negativa (4). [Pl.: *tesouras de frente*.] ☑

tesoura-do-brejo [Var. de *tesoira-do-brejo*.] ***S. f.*** *Bras. Zool.* Ave passeriforme, tiranídea (*Gubernetes yetapa*), do Brasil central e este-meridional, de coloração geral cinzenta, asas e cauda pretas, garganta branca com orla castanha, e penas externas da cauda muito longas. Vive em lugares descampados, perto de terrenos alagadiços, e alimenta-se de insetos. [Pl.: *tesouras-do-brejo*.]

tesoura-do-campo [Var. de *tesoira-do-campo*.] ***S. f.*** *Bras. RS Zool.* Ave passeriforme, tiranídea (*Yetapa risivora*), de MT e RS, e dos países limítrofes. Tem cauda longa, bifurcada, penas flexíveis, retrizes externas com 20cm de comprimento, coloração geral cinzenta, asas e cauda pretas, garganta branca orlada de castanho. Alimenta-se de insetos. [Sin.: *galito*. Pl.: *tesouras-do-campo*.]

tesourão [De *tesoura* + *-ão*^{1}; var. de *tesoirão*.] ***S. m.*** 1. *Encad.* Aparelho para cortar papelão; mesa de ferro com esquadro, calçador e lâmina (faca) presa a um dos lados, com cabo que se empunha para fazer o corte. [Sin.: *facão, cisalha* e (lus.) *cesária*.] 2. *Tip.* Aparelho que, nas máquinas de fundir material branco, corta os fios e entrelinhas nas medidas desejadas. 3. *Bras. RJ Zool.* V. *alcatraz*^{1}. 4. *Bras. RJ Zool.* V. *gavião-tesoura*.

tesourar [De *tesoura* + *-ar*^{2}; var. de *tesoirar*.] ***V. t. d.*** 1. Cortar com a tesoura. 2. Destruir, dilacerar, cortando. 3. *Fam.* Falar mal de; malhar, pichar, meter a lenha em, descer o malho em, meter o pau em, baixar o porrete em, meter a ripa em, baixar o sarrafo em.

tesouraria [De *tesouro* + *-aria*.] ***S. f.*** 1. Cargo ou repartição do tesoureiro. 2. Casa ou lugar onde se guarda e administra o tesouro público. 3. Escritório de companhia ou de banco, onde se efetuam transações monetárias. [Var.: *tesoiraria*.]

tesouras [Var. de *tesoiras*.] ***S. f. pl.*** Penas da ponta da asa, menores que as voadeiras. ~ V. *tesoura*.

tesoureiro [Do lat. tard. *thesaurariu*.] ***S. m.*** 1. Guarda de tesouro. 2. Empregado superior da administração do tesouro público. 3. Encarregado da tesouraria de um banco, associação, companhia, etc. [Var.: *tesoireiro*.]

tesourense ***Adj. 2 g.*** 1. De, ou pertencente ou relativo a Tesouro (MT). • ***S. 2 g.*** 2. O natural ou habitante de Tesouro.

tesourinha [De *tesoura* + *-inha*; var. de *tesoirinha*.] *S. f.* **1.** Pequena tesoura para unhas. **2.** *Bot.* V. *gavinha*. **3.** *Bras. Zool.* Ave passeriforme, cotingídea (*Phibalura flavirostris*), do S.E. do Brasil, de cauda longa e bifurcada, com 12cm de comprimento, coloração geral amarelo-negra, dorso amarelo-oliváceo com penas marginadas de negro, nuca cinzento-clara, vértice com penas vermelhas, garganta amarelo-vivo, peito branco com estrias negras, cauda e asas negras, retrizes marginadas de verde, rêmiges secundárias esbranquiçadas. Frequenta as matas, emigrando para os campos em certo período do ano. **4.** *Bras. Zool.* V. *lacrainha*.

tesouro [Do gr. *thesaurós*, pelo lat. *thesauru*.] *S. m.* **1.** Grande porção de dinheiro ou de objetos preciosos. **2.** Lugar onde são arrecadadas ou guardadas as riquezas. **3.** Órgão, ou conjunto de órgãos, responsável por administrar os recursos financeiros do governo, esp. do governo federal: "[Em 1967], vários novos fatores vieram a pressionar a caixa do Tesouro, tais como o aumento do Fundo de Participação dos Estados e Municípios" (Mário Henrique Simonsen, *Inflação: Gradualismo x Tratamento de Choque, 1970*, p. 45). [Com cap., nesta acepç.] **4.** Coleção de objetos úteis, belos ou preciosos, ou de coisas de grande estimação. **5.** Coleção de palavras e/ou peculiaridades de uma língua, ou de determinado ramo do conhecimento, etc.: *Grande Dicionário Português ou Tesouro da Língua Portuguesa*, de Frei Domingos Vieira; *Tesouro da Fraseologia Brasileira*, de Antenor Nascentes. **6.** Dicionário analógico. **7.** Repositório de obras que constituem um patrimônio: *A arquitetura barroca mineira destaca-se em nosso tesouro cultural.* **8.** Coisa ou pessoa de muita valia. **9.** *Jur.* Depósito antigo de moeda ou de coisas preciosas, enterrado ou oculto, e de cujo possuidor não há memórias. [Var.: *tesoiro*.] ◆ **Tesouro público.** *Econ.* V. *fazenda* (5).

tessálico [Do gr. *thessalikós*, pelo lat. *thessalicu*.] *Adj.* V. *tessálio* (1).

tessálio [Do gr. *thessálios*, pelo lat. *thessaliu*.] *Adj.* **1.** Da, ou pertencente ou relativo à Tessália (N. da Grécia); tessálico, téssalo. ● *S. m.* **2.** O natural ou habitante da Tessália; téssalo.

téssalo [Do gr. *thessalós*, pelo lat. *thessalu*.] *Adj. S. m.* V. *tessálio*.

tessalonicense [Do lat. *thessalonicense*.] *Adj. 2 g.* **1.** De, ou pertencente ou relativo a Tessalonica (Grécia). ● *S. 2 g.* **2.** O natural ou habitante de Tessalonica.

tessar [Nome comercial.] *S. f. Fot.* Tipo de objetiva que usa um sistema óptico assimétrico e anastigmático de alta correção.

tessela [Do lat. *tessella*.] *S. f.* **1.** Pedra quadrada com que se lajeiam compartimentos de edifício. **2.** Cubo ou peça de mosaico.

tesselário [Do lat. tard. *tesselariu*.] *S. m.* **1.** Operário que prepara pedras ou tijolos para pavimentos; mosaísta. **2.** Fabricante de dados.

téssera [Do lat. *tessera*.] *S. f.* **1.** Designação comum aos objetos que serviam de senha, entre os primitivos cristãos. **2.** Cubo ou dado marcado nas seis faces. **3.** Tabuleta quadrada na qual os chefes militares traçavam suas ordens, para um subalterno, o tesserário, transmiti-las às tropas. [Cf. *tecera* (ê), do v. *tecer*.]

tesserário [Do lat. *tesserariu*.] *S. m.* Entre os antigos, aquele que transmitia aos soldados, por meio de téssera, as ordens recebidas dos chefes.

tessitura [Do it. *tessitura*.] *S. f.* **1.** *Mús.* Conjunto dos sons que abrangem uma parte da escala geral e convêm melhor a uma determinada voz ou a um determinado instrumento. **2.** *P. ext.* O conjunto das notas mais frequentes numa peça musical, constituindo a extensão média em que está ela escrita. **3.** *Fig.* Organização; contextura.

testa [Do lat. *testa*.] *S. f.* **1.** *Anat.* Parte do rosto entre os olhos e raiz dos cabelos anteriores da cabeça; fronte. [Aum. irreg.: *testaça*.] **2.** *Fig.* Frente, dianteira: "A figura proeminente .... era um cavaleiro de grande porte e alta estatura, que então ocupava o centro na testa do primeiro grupo." (José de Alencar, *Guerra dos Mascates*, p. 52.) **3.** *Marinh.* Cada um dos lados verticais ou quase verticais duma vela redonda. **4.** *Marinh.* O lado de uma vela latina quadrangular, ou o de uma vela latina triangular de embarcação moderna de recreio ou de regata, que encosta no mastro. [Cf., nesta acepç., *esteira*[2] (2), *gurutil* (2) e *valuma*.] **5.** *Marinh.* Nas redes de pesca, cada um dos lados perpendiculares às tralhas. **6.** *Bot.* Revestimento externo, de constituição variável, de uma semente; espermatoderme. [Cf., nesta acepç., *episperma* e *tegme*.] ◆ **Testa coroada.** Monarca, soberano. **À testa de.** Na direção, no comando de: "era homem que corria as sete partidas .... com a esperança de que alguma hora o pusessem à testa de um exército." (Aquilino Ribeiro, *A Retirada dos Dez Mil*, p. 319). **Comer com a testa.** *Bras. N.E.* Ver (o que se deseja) sem o poder possuir; ver. **Enfeitar a testa de.** *Bras. Gír.* Ser infiel a, trair (a pessoa a quem se está ligado por amor carnal); cornear. **Fazer testa a.** Resistir, opor-se, a; fazer face a.

testabilidade [Do ingl. *testability*, ou do fr. *testabilité*.] *S. f. Filos.* Qualidade das teorias que possibilitam previsões e, por isso, podem ser verificadas. [Cf. *verificabilidade*.]

testaça [De *testa* + *-aça*.] *S. f.* Testa (1) grande.

testáceo[1] [Do lat. *testaceu* (< lat. *testa*, 'tijolo'; 'concha').] *Adj.* **1.** Que tem concha. **2.** Da cor do tijolo.

testáceo[2] [Adapt. do tax. *Testacea*, do neutro pl. do lat. *testaceus*, 'que tem concha'.] *S. m. Zool.* **1.** Espécime dos testáceos, animais protozoários, rizópodes, da ordem Testacea, cujo corpo está situado dentro de uma carapaça de sílica ou carbonato de cálcio, possuindo uma só câmara. São na maioria de água doce. ● *Adj.* **2.** Pertencente ou relativo a eles.

testaçudo [De *testaça* + *-udo*.] *Adj. S. m.* Testudo.

testada [De *testa* + *-ada*[1].] *S. f.* **1.** Parte da rua ou da estrada que fica à frente de um prédio; testeira: "Sozinho, na testada da casa fechada, experimentou a princípio certa revolta." (Xavier Marques, *As Voltas da Estrada*, p. 300.) **2.** Pancada com a testa. **3.** *Bras.* Tolice, asneira. **4.** *Bras.* Linha que separa de logradouro público uma propriedade particular. ◆ **Varrer a testada.** Desviar de si certa responsabilidade.

testa de ferro *S. m.* Indivíduo que se apresenta como responsável por empreendimento ou atos de outrem; homem de palha, títere. [Pl.: *testas de ferro*.] ☑

testado [Part. de *testar*[2].] *Adj.* **1.** Que foi submetido a teste[1]. **2.** Dado como bom; verificado, examinado.

testador (ô) [De *testar*[1] + *-dor*.] *Adj. S. m.* Que, ou aquele que testa ou faz testamento; testante.

testagem [De *testar* + *-agem*[2].] *S. f.* Ato ou efeito de testar.

testamental [Do lat. tard. *testamentale*.] *Adj. 2 g.* Relativo a, ou que tem a natureza do testamento. [Sin. ger.: *testamentário*.]

testamentaria [De *testamento* + *-aria*.] *S. f.* Cargo ou função de testamenteiro. [Cf. *testamentária*, fem. de *testamentário*.]

testamentário [Do lat. *testamentariu*.] *Adj.* V. *testamental*. ~ V. *carta —a*, *cédula —a*, *herdeiro —* e *sucessão —a*. [Fem.: *testamentária*. Cf. *testamentaria*.]

testamenteiro [Do lat. *testamentariu*, que, aliás, quer dizer 'aquele que redige um testamento'.] *S. m.* **1.** Aquele que cumpre ou faz cumprir um testamento. **2.** Indivíduo a quem o testador encarrega expressamente de cumprir as disposições de sua última vontade. ● *Adj.* **3.** Que anda sempre a fazer testamentos.

testamento [Do lat. *testamentu*.] *S. m.* **1.** *Jur.* Ato personalíssimo, unilateral, gratuito, solene e revogável, pelo qual alguém, com observância da lei, dispõe de seu patrimônio, total ou parcialmente, para depois de sua morte, podendo, ainda, nomear tutores para seus filhos menores, reconhecer filhos e fazer outras declarações de última vontade. **2.** *Rel.* Aliança de Deus com os homens, quer feita através de Moisés — o Antigo Testamento —, quer através de Jesus Cristo — o Novo Testamento. [Os livros sagrados que se prendem a uma ou outra dessas alianças dividem em duas grandes partes a Bíblia cristã.] **3.** *Bras. Burl.* Nomeações, concessões, favores, feitos nos últimos dias de um governo. ◆ **Testamento aberto.** *Jur.* V. *testamento particular*. **Testamento aeronáutico.** *Jur.* O que é lavrado em viagem aérea a bordo de aeronave militar ou comercial, perante pessoa designada pelo comandante, em presença de duas testemunhas, podendo ser, quanto à forma, público ou cerrado. **Testamento autêntico.** *Jur.* Testamento público (q. v.). **Testamento cerrado.** *Jur.* O que é escrito em carta sigilada, pelo punho do testador ou mecanicamente, e complementado pelo auto de aprovação feito por oficial público, perante duas testemunhas idôneas; testamento secreto, testamento místico. **Testamento conjuntivo.** *Jur.* Pacto sucessório entre duas pessoas, em geral marido e mulher, no qual fazem declarações de última vontade em benefício recíproco, ou de terceiro, e que é expressamente proibido pelo direito brasileiro; testamento de mão comum. **Testamento de mão comum.** *Jur.* Testamento conjuntivo. **Testamento hológrafo.** *Jur.* V. *testamento particular*. **Testamento marítimo.** *Jur.* O que, em viagens de alto-mar, nos navios nacionais, de guerra ou mercantes, é lavrado pelo comandante ou pelo escrivão de bordo, em obediência às declarações do testador, ou sob seu ditado, perante duas testemunhas, podendo ser, quanto à forma, público ou cerrado. **Testamento militar.** *Jur.* O que é feito por militar ou pessoa a serviço do exército em campanha, dentro do país ou fora dele, ou que se acha em praça sitiada, ou de comunicações cortadas, em presença de duas testemunhas, ou de três se o testador não souber ou não puder assinar, caso este em que assinará por ele a terceira. **Testamento místico.** *Jur.* V. *testamento cerrado*. **Testamento nuncupativo.** *Jur.* **1.** Testamento feito em circunstâncias excepcionais declaradas na cédula, de próprio punho e assinado pelo testador, sem testemunhas, o qual poderá ser confirmado, a critério do juiz. **2.** Testamento feito de viva voz, proibido no direito brasileiro atual, salvo no caso dos militares e pessoas a serviço do país em guerra, durante as operações de campanha, ou quando feridas. **Testamento particular.** *Jur.* O que é escrito e assinado pelo testador, e lido perante três testemunhas, que o assinam imediatamente depois; testamento aberto, testamento hológrafo, testamento privado. **Testamento privado.** *Jur.* V. *testamento particular*. **Testamento público.** *Jur.* O que é escrito por oficial público em seu livro de notas, por ditado ou declaração do testador, perante este e duas testemunhas idôneas; testamento autêntico. **Testamento secreto.** *Jur.* V. *testamento cerrado*. **Antigo Testamento.** *Rel.* Velho Testamento. **Mandar em testamento.** Legar (2). **Novo Testamento.** *Rel.* Parte da Bíblia que reúne os textos cristãos escritos em grego durante os sécs. I e II de nossa era, e constitui, com o Velho Testamento (q. v.), o livro sagrado do cristianismo. **Velho Testamento.** *Rel.* Parte da Bíblia que reúne os textos escritos em hebraico e aramaico pelos hebreus, e constitui, até hoje, o livro sagrado dos israelitas, sendo também, com o Novo Testamento (q. v.), o livro sagrado dos cristãos.

testamento de judas *S. m. Bras. Liter. Pop.* Composição poética, quase sempre do tipo pé-quebrado, e de caráter satírico, com a qual, na semana da Paixão, o cantador ou poeta popular, falando por Judas, faz a partilha dos defeitos do apóstolo traidor entre as pessoas mais conhecidas na sua comunidade. [Pl.: *testamentos de judas*.] ☑

testante [Do lat. *testante*.] *Adj. 2 g. S. 2 g.* Testador.

testar[1] [Do lat. *testari*.] *V. t. d. e i.* **1.** Deixar em testamento; legar: *Testou à mulher todos os seus bens.* **2.** Deixar como em testamento; transmitir, passar, legar: "Nenhum século, depois de rijo lidar, se foi envolver no sudário do passado, sem testar à história mais um nome, um feito, um laurel, uma glória" (Antero de Quental, *Prosas*, I, p. 45). *T. d.* **3.** Deixar por morte; deixar em disposição testamentária. *Int.* **4.** Fazer o seu testamento: *Morreu sem testar*; "Enquanto durou o inventário, e principalmente a denúncia dada por alguém contra o testamento, alegando que o Quincas Borba, por manifesta demência, não podia testar, o nosso Rubião distraiu-se" (Machado de Assis, *Quincas Borba*, p. 39). *T. i.* **5.** Dispor (de alguma coisa) em testamento: *Testou de todos os seus bens.* **6.** Dar testemunho; testemunhar. [Pres. ind.: *testo*, etc.; pres. subj.: *teste*, *testes*, *teste*, *testemos*, *testeis*, *testem*. Cf. *testo* (ê), *texto* e *teste*, s. m., e *têxteis*, pl. de *têxtil*.]

testar[2] [De *teste* + *-ar*[2].] *V. t. d.* **1.** Submeter a teste[1]; aplicar testes a: *Testaram rigorosamente os candidatos; Precisamos testar a resistência dos atletas.* **2.** Submeter a teste ou experiência (máquina, instrumento, material, etc.); fazer funcionar experimentalmente; provar, experimentar. [Pres. ind.: *testo*, etc.; pres. subj.: *teste*, *testes*, *teste*, *testemos*, *testeis*, *testem*. Cf. *testo* (ê), *texto* e *teste*, s. m., e *têxteis*, pl. de *têxtil*.]

testavilhar *V. int. Bras. RS* **1.** Tropeçar; escorregar: "no mover-se enredou as esporas no timãozinho que caíra, e testavilhou maneado..." (Simões Lopes Neto, *Contos Gauchescos e Lendas do Sul*, p. 144). **2.** Vacilar, titubear. **3.** Descuidar-se; distrair-se.

➔ **test drive** [test dəjv] [Ingl.] *S. m.* **1.** Avaliação do desempenho de um veículo, feita por especialista, ao dirigi-lo. **2.** O ato de dirigir um veículo, antes de comprá-lo, para avaliação de seu desempenho.

teste[1] [Do ingl. *test*.] *S. m.* **1.** Exame, verificação ou prova para determinar a qualidade, a natureza ou o comportamento de alguma coisa, ou de um sistema sob certas condições. **2.** Método, processo, procedimento ou meios utilizados para tal exame, verificação ou prova. **3.** *Psicol.* Medida ou cálculo de determinadas características afetivas, intelectuais (nível mental, aptidões, conhecimentos), sensoriais ou motoras de um indivíduo, que permite situá-lo objetivamente em relação a outros membros do grupo social a que ele pertence. **4.** *Bras.* Exame ou prova para avaliar o grau de conhecimentos ou a capacidade de alguém: *os testes do vestibular.* **5.** Exame médico de laboratório. **6.** *Fig.* Prova ou provação.

teste[2] [Do lat. *teste*.] *S. f. Desus.* Testemunha.

testectomia [De *test(i)-* + *-ectom-* + *-ia*[1].] *S. f. Urol.* Orquiectomia.

testectómico *Adj. Urol.* V. *testectômico*. [Uso freq. em P.]

T

testectômico [De *testectomia* + *-ico*[2].] *Adj. Urol.* Relativo a testectomia.

teste-diagnóstico *S. m. Inform.* Rotina específica projetada para localizar o mau funcionamento do computador; diagnóstico. [Pl.: *testes-diagnósticos* e *testes-diagnóstico*.]

testeira [De *testa* + *-eira*.] *S. f.* **1.** Testada (1). **2.** Parte dianteira; frente. **3.** Lenço ou tira de pano que se coloca na testa dos recém-nascidos. **4.** Pedaço de pano branco que assenta na testa das religiosas. **5.** A parte da cabeçada que cinge a cabeça da cavalgadura; topeteira: "No centro da testeira [da égua madrinha] enlaçarotada de fitas multicoloridas, um espelho pequenino e oval firmava-se às correias, preso por anéis de fio de prata." (Nélson de Faria, *Cabeça-Torta*, p. 7.) **6.** Cabeceira de caixão ou de mesa. **7.** V. *testico*. **8.** *Tip.* Êmbolo que lança o chumbo em fusão no molde da linotipo.

testemunha [Dev. de *testemunhar*.] *S. f.* **1.** Pessoa chamada a assistir a certos atos autênticos ou solenes. **2.** Pessoa que viu ou ouviu alguma coisa, ou que é chamada a depor sobre aquilo que viu ou ouviu. **3.** Coisa que atesta a verdade de algum fato; prova, testemunho. **4.** *Bibliogr.* Folha ou parte de folha que, geralmente em exemplar de edição de luxo, se evita aparar, dobrando-a para dentro, a fim de constituir prova do formato do papel. **5.** *Grav.* V. *bisel* (4). **6.** *Topogr.* V. *dama*[3]. ~ V. *testemunhas*. ◆ **Testemunha auricular.** A que ouviu contar o fato; testemunha de ouvido. **Testemunha de ouvido.** Testemunha auricular. **Testemunha de vista.** A que presenciou um fato; testemunha ocular. **Testemunha de viveiro.** *Bras. Gír.* A que é industriada para prestar depoimento falso. **Testemunha informante.** A que é autorizada por lei a depor no juízo criminal sem prestar compromisso de dizer a verdade. **Testemunha instrumentária.** Aquela que assiste aos atos formalizados num instrumento (6), cuja validade depende da presença dela. **Testemunha numerária.** A que se compromete, no juízo criminal, sob palavra de honra, a dizer a verdade do que souber e lhe for perguntado. **Testemunha ocular.** Testemunha de vista. **Testemunha suspeita.** Aquela que, por ser parenta, amiga ou inimiga duma das partes, não merece fé em juízo.

testemunha de Jeová *S. 2 g.* Pessoa que segue a seita Testemunhas de Jeová (q. v.). [Pl.: *testemunhas de Jeová*.] ☑

testemunhador (ô) [De *testemunhar* + *-dor*.] *Adj. S. m.* Que, ou aquele que testemunha.

testemunhal [Do lat. tard. *testimoniale*.] *Adj. 2 g.* **1.** Relativo a testemunha. **2.** Fornecido ou apresentado por testemunha: *prova testemunhal*. **3.** *Prop.* Diz-se de campanha ou anúncio que utiliza depoimento favorável de alguém que, supostamente, conhece e/ou experimentou produto ou serviço anunciado. ● *S. m.* **4.** *Ecles.* Documento com que um superior eclesiástico recomenda um súdito para que possa ser ordenado por outrem. [Pl.: *testemunhais*. Cf. *testemunhais*, do v. *testemunhar*.]

testemunhante [De *testemunhar* + *-nte*.] *Adj. 2 g.* Que constitui testemunho; testemunhador: "Eis um glorioso edifício [os Jerônimos, em Lisboa], o mais evocativo, o mais testemunhante .... o mais genuinamente português de todos os nossos monumentos" (Ramalho Ortigão, *Arte Portuguesa*, p. 133).

testemunhar [Do lat. **testimoniare*.] *V. t. d.* **1.** Dar testemunho acerca de; declarar ter visto, ouvido ou conhecido; testificar; testar: *Foi a juízo testemunhar o crime.* **2.** Confirmar, comprovar, demonstrar: *A excelência da obra testemunha o talento do autor.* **3.** Ver, presenciar: *Testemunhei a vitória e posso afirmar que foi honesta.* **4.** Manifestar, expressar, revelar: *testemunhar alegria*; *testemunhar pesar*. *T. d. e i.* **5.** Confirmar, comprovar, demonstrar. **6.** Manifestar, expressar, revelar: "São Patrício foi um grande santo .... E todos os grandes, como todos os pequenos, sempre lhe testemunharam a maior veneração." (Gustavo Barroso, *Livro dos Milagres*, p. 19.) *T. i.* **7.** Dar testemunho; servir de testemunha: *testemunhar contra um réu.* **8.** Ser testemunho (2 e 3) de: "Os caminhos que para lá convergem .... testemunham ainda da sua vulgar opulência." (Aquilino Ribeiro, *Andam Faunos pelos Bosques*, p. 86). *Int.* **9.** Dar testemunho acerca de algo; confirmá-lo: "Anunciaram que você morreu. / Meus olhos, meus ouvidos testemunham. / A alma profunda, não." (Manuel Bandeira, *Estrela da Vida Inteira*, p. 191.)

testemunhas [Pl. de *testemunha*.] *S. f. pl.* **1.** Pedras que se põem ao lado de um marco. **2.** Árvores que se acham ao pé de outra que serve de baliza. ◆ **Testemunhas de Jeová.** Seita religiosa hostil ao catolicismo romano e ao protestantismo, e que surgiu nos E.U.A., em 1872, organizada por Charles Taze Russell (1852-1916). [Cf. *testemunha de Jeová*.]

testemunhável [De *testemunhar* + *-vel*.] *Adj. 2 g.* **1.** Que pode ser testemunhado. **2.** Que confirma, comprova. **3.** Que merece crédito. **4.** *Dir. Proc. Penal* Diz-se da cópia das peças dum processo feita a pedido de quem agrava de um despacho, não consentindo o juiz que o agravo se escreva. ~ V. *carta —*.

testemunho [Do lat. *testimoniu*.] *S. m.* **1.** A declaração ou alegação duma testemunha em juízo; depoimento: "no século seguinte [o XVIII] já nenhuns vestígios dele [o castelo de Faria] restavam, segundo o testemunho de um historiador nosso." (Alexandre Herculano, *Lendas e Narrativas*, I, p. 218). **2.** Prova, testemunha. **3.** Indício, vestígio. **4.** *Arqueol.* Num sítio arqueológico, área de terreno não escavada, seja para observação dos perfis dos estratos [v. *estrato* (1)], seja para a realização de estudos futuros; bloco testemunho. **5.** *E. Ling.* Forma de um texto em determinado suporte (4). **6.** *Geol.* Qualquer das elevações isoladas que restaram da destruição erosiva de uma região. **7.** *Topogr.* V. *dama*[1]. ◆ **Falso testemunho. 1.** Depoimento prestado de má-fé. **2.** Afirmação caluniosa; calúnia, difamação: "Quanto à língua, nunca alevantei falsos testemunhos". (Aquilino Ribeiro, *Estrada de Santiago*, pp. 111-112.)

▲**test(i)-** [Do lat. *testis, is*.] *El. comp.* = 'testículo': *testectomia*, *testicondo*. [Equiv.: *testo-*: *testosterona*.]

testicárdine [Adapt. do tax. *Testicardines*.] *S. m. Adj. 2 g. Zool.* V. *articulado*[2].

testico [De *testa* + *-ico*[2].] *S. m.* Cada uma das cabeceiras da serra; testeira, testo (ê).

testicondia [De *testicondo* + *-ia*[1].] *S. f.* Qualidade ou condição de testicondo.

testicondo [De *test(i)-* + lat. *conditus*, 'guardado', 'escondido', com síncope.] *Adj.* Diz-se do cavalo cujos testículos são recolhidos no ventre.

testicular [De *testículo* + *-ar*[1].] *Adj. 2 g.* Relativo ou pertencente a testículo; testiculoso.

testículo [Do lat. *testiculu*.] *S. m. Anat.* Cada um de dois órgãos ovoides situados na bolsa escrotal, que produzem espermatozoides e, em células especializadas, testosterona. [Sin., gír.: *bago*. Tb. us. no pl.]

testículo-de-cão *S. m. Bot.* Variedade de orquídea (*Orchis mascula*). [Pl.: *testículos-de-cão*.]

testículos [Pl. de *testículo*.] *S. m. pl.* V. *testículo*.

testiculoso (ô) [De *testículo* + *-oso*.] *Adj.* **1.** Testicular. **2.** *Bot.* Diz-se dos órgãos vegetais bilobados.

testificação [Do lat. *testificatione*.] *S. f.* Ato ou efeito de testificar.

testificador (ô) [De *testificar* + *-dor*.] *Adj. S. m.* Que, ou aquele que testifica; testificante.

testificante [Do lat. *testificante*.] *Adj. 2 g. S. 2 g.* Testificador.

testificar [Do lat. *testificari*.] *V. t. d.* **1.** V. *testemunhar* (1). **2.** Afirmar, assegurar. **3.** Comprovar, atestar: "A eleição de Feijó para regente único ainda testifica a vitória dos moderados." (Paulo Mercadante, *A Consciência Conservadora no Brasil*, p. 121.) **4.** Afirmar, declarar, assegurar. *T. i.* **5.** V. *atestar* (6). [Conjug.: v. *trancar*.]

testilha [De *testa* + *-ilha*.] *S. f.* **1.** Briga, luta. **2.** Debate, disputa, discussão: "Não lhe impediu .... a incursão pelos domínios da doutrina que no ano imediato volvesse às testilhas e bulhas do Porto." (Costa Rego, *Águas Passadas*, p. 143.)

testilhante [De *testilhar* + *-nte*.] *Adj. 2 g. S. 2 g.* Que, ou pessoa que testilha, luta.

testilhar [De *testilha* + *-ar*[2].] *V. int. T. i.* **1.** Brigar, lutar. **2.** Discutir, debater, altercar.

testilho [De *testa* + *-ilho*.] *S. m.* **1.** Testeira de caixão. **2.** Cada uma das duas faces laterais e internas da chaminé, da verga para cima.

testo[1] [De *testa*.] *Adj. Fam.* **1.** Enérgico, firme, resoluto. **2.** Que não admite brincadeiras; sério. [Pl.: *testos*. Cf. *testo* (ê), s. m., pl. *testos* (ê), e *texto*, s. m., pl. *textos*.]

testo[2] [De *testo* (ê).] *S. m. Bras. CE Pop.* Murro, soco. [Pl.: *testos*. Cf. *testo* (ê), s. m., pl. *testos* (ê), e *texto*, s. m., pl. *textos*.]

testo (ê) [Do lat. *testu*.] *S. m.* **1.** Tampa de barro ou de ferro, para vasilhas: "como a panela levantasse fervura, a Rita ergueu-se maquinalmente, foi arredar o testo espumou a panela e voltou para a cadeira." (Conde de Ficalho, *Uma Eleição Perdida*, p. 250). **2.** V. *testico*. **3.** A testa do boi. **4.** *Bras.* Camada de fuligem, endurecida, do fundo das panelas. **5.** Camada de barro destinada a filtrar a água dos pães de açúcar. ~ V. *testos* (ê). [Pl.: *testos* (ê). Cf. *testo*, do v. *testar* e s. m., pl. *testos*, e *texto*, s. m., pl. *textos*.]

▲**testo-** Equiv. de *test(i)-*.

testos (ê) [Pl. de *testo*.] *S. m. pl.* **1.** Os lados horizontais da serra braçal. **2.** *Pop.* Cabeça, mioleira. ~ V. *testo* (ê).

testosterona [De *testo-* + *-ster(o)(l)-* + *-ona*[2].] *S. f. Quím.* Hormônio masculino, cristalino, acicular e, quimicamente, cetona esteroidal hidroxilada [fórm.: $C_{19}H_{28}O_2$].

testudíneo [Do lat. cient. *Testudin-* (< tax. *Testudo*) + *-eo*.] *S. m. Adj. Zool.* V. *quelônio*.

testudinídeo [Do lat. cient. *Testudin-* (< tax. *Testudo*) + *-ídeo*[1].] *Zool. S. m.* **1.** Espécime dos testudinídeos, família de quelônios criptodiros que reúne tartarugas terrestres, herbívoras, com carapaça alta, pernas curtas e fortes, e pés revestidos de escamas grossas e providos de garras. ● *Adj.* **2.** Pertencente ou relativo a eles.

testudo [De *testa* + *-udo*.] *Adj.* **1.** Que tem grande testa ou cabeça; testaçudo. **2.** *Fig.* Teimoso, obstinado, cabeçudo, testaçudo. ● *S. m.* **3.** Indivíduo testudo; testaçudo. **4.** *Bras. Zool.* V. *peixe-galo* (2).

tesudo [De *tes(ão)* + *-udo*.] *Bras. Chulo Adj.* **1.** Que tem ou sente muita tesão. ● *S. m.* **2.** Aquele que tem ou sente muita tesão. **3.** Tesão (7).

tesura [De *teso* + *-ura*.] *S. f.* **1.** Qualidade ou estado de teso. **2.** Vaidade, orgulho.

teta [Do gr. *thêta*, pelo lat. imp. *theta*.] *S. m.* A 8.ª letra do alfabeto grego (Θ, θ), correspondente a um *t* aspirado. [Pl.: *tetas*. Cf. *teta* (ê), s. f., pl. *tetas* (ê), e *tetas* (ê), s. m. 2 n.]

teta (ê) [De or. express.] *S. f.* **1.** Glândula mamária; poma, mama, peito, seio, tetina (lus.): "as peixeiras, quase todas negras, ... rebolando os grossos quadris trêmulos e as tetas opulentas." (Aluísio Azevedo, *O Mulato*, p. 10). **2.** Úbere, ubre: "Ele mesmo ordenhava as vacas de uma a uma. E o contato daquelas tetas pejadas dava-lhe uma alegria tão grande que mais parecia um pecado." (João Clímaco Bezerra, *O Semeador de Ausências*, p. 121.) **3.** *Fig.* Manancial, fonte. [Pl.: *tetas* (ê). Cf. *teta*, s. m., pl. *tetas*.]

tetania [De *tétano* + *-ia*[1].] *S. f. Med.* Síndrome que se caracteriza por manifestações neuromusculares bruscas, como parestesias das extremidades, dispneia, dores torácicas ou abdominais, contraturas, em geral, dos membros superiores, embora os inferiores possam também ser comprometidos. Em certos casos, chega a haver perda de consciência. [Ocorre em diversas situações, tais como baixa de função da glândula paratireóidea, deficiência de vitamina D, etc., e deve-se a distúrbio de metabolismo do cálcio.]

tetânico [Do lat. *tetanicu*.] *Adj.* **1.** Relativo a tétano. **2.** Da natureza do tétano. [Cf. *titânico*.]

tetaniforme [De *tétano* + *-iforme*.] *Adj. 2 g.* Semelhante ao tétano.

tetanização [De *tetanizar* + *-ção*.] *S. f.* Ato ou efeito de tetanizar.

tetanizante [De *tetanizar* + *-nte*.] *Adj. 2 g.* Que tetaniza.

tetanizar [De *tétano* + *-izar*.] *V. t. d.* Tornar tetânico.

tétano [Do gr. *tétanos*, 'rigidez espasmódica dos membros, tétano', pelo lat. *tetanu*.] *S. m.* **1.** *Med.* Doença infecciosa causada pelo *Clostridium tetani* e que incide principalmente no homem e no cavalo. Caracteriza-se por trismo, espasmos musculares generalizados, opistótono, espasmo de glote, etc. [Sin., pop.: *mal do veado*.] **2.** *Fisiol.* Contração muscular tônica contínua; tonismo. ◆ **Tétano de recém-nascido.** *Med.* Tétano resultante de infecção da ferida umbilical; mal de sete dias.

tetas (ê) [Pl.: de *teta* (ê).] *S. m. 2 n. Chulo* Maricas, maricão. [Cf. *tetas*, pl. de *teta*.]

tete [Do gr. *thés, thetós*.] *S. m.* Na Atenas da época de Sólon, cidadão da quarta e última classe, a dos proletários, que não possuíam terras, e cujo rendimento não chegava a 200 medimnos.

➔**tête-à-tête** [tet a tet] [Fr.] *S. m.* Palestra particular entre duas pessoas.

teteia (éi) [De or. express.] *S. f.* **1.** Dixe de criança. **2.** Enfeite, berloque: "um anel com pedra, um broche de libra e talvez outras miudezas, teteias e argolas." (Raquel de Queirós, *A Donzela e a Moura-Torta*, p. 47). **3.** *Bras.* Pessoa ou coisa muito graciosa. **4.** *Bras. AL* Vara com uma sacola na ponta, para colher frutas. "Com a teteia, colhia mangas-rosas enormes e suculentas." (Lêdo Ivo, *As Alianças*, p. 91.) [Cf., nesta acepç., *corrupixel*.] ❖

tetequera (qüe) [Do tupi = 'o que foi corpo'; 'cadáver'; 'solidificado', 'endurecido'.] *S. f. Bras. SP* Designação comum a certas depressões que foram leito do rio Paraíba do Sul e ora se encontram cobertas de vegetação. ❖

tetérrimo [Do lat. *taeterrimu*.] *Adj.* Superl. abs. sint. de *tetro* (q. v.).

té-té-té [Voc. onom.] *Adj. 2 g.* **1.** *Bras.* Reincidente. ● *Adv.* **2.** *Bras.* A miúdo, amiúde, frequentemente. [Pl.: *té-té-tés*.] ☑

tetéu [Voc. onom.] *S. m. Bras. Zool.* V. *quero-quero*.

tetéu-de-savana *S. m. Bras. AM Zool.* Téu-téu-da-savana. [Pl.: *tetéus-de-savana*.]

tético [Do gr. *thetikós*, 'próprio para colocar'; 'próprio para estabelecer, criar', 'positivo'.] *Adj. Mús.* Diz-se do ritmo musical que tem início no começo do compasso, *i. e.*, no tempo forte.

▲-tético [Do gr. *-thetikós, ḗ, ón* < gr. *thetikós, ḗ, ón.*] ***El. comp.*** = 'próprio para colocar', 'relativo a ação de dispor, de colocar', 'relativo a (voc. terminado em *-tese*)': *hipotético* (< gr.), *homotético, protético* (< gr.).

tetigonióideo [Do tax. *Tettigonia* + *-óideo*; tax. *Tettigoniodea.*] ***S. m. Adj. Zool.*** V. *ensífero*[2].

tetim ***S. m.*** Espécie de betume feito de pó de tijolo, cal e azeite.

tetina [De *teta* (ê) + *-ina*[1].] ***S. f. Lus.*** **1.** V. *teta* (1); mama. **2.** Chupeta (2 e 3).

tetipoteira [De um el. tupi incerto + *-eira.*] ***S. f. Bras. Bot.*** V. *erva-de-passarinho.*

teto[1] [Var. de *tecto*, do lat. *tectu.*] ***S. m.*** **1.** *Arquit.* A face superior, interna, de um recinto (casa, edifício, aposento), que assenta sobre as paredes que o formam. **2.** *P. ext. Arquit.* Telhado (1): *A cabana tinha o teto de palha.* **3.** *P. ext.* Habitação, abrigo: "Ele viu, ele viu, num sonho lacrimante, / A sua infância, o lar, o teto de seus pais" (Gonçalves Crespo, *Obras Completas*, p. 339). **4.** *Aer.* Acima da superfície da terra ou da água, a altura da camada mais baixa de nuvens ou de fenômenos atmosféricos obscurecedores da visão do piloto (nevoeiro, névoa seca, chuva, etc.). **5.** *Fig.* O limite máximo; o máximo: *Qual o seu teto para o preço do apartamento?; O banco empresta até o teto de R$ 100 mil.* [Pl.: *tetos*. Cf. *teto* (ê), s. m., e pl. *tetos* (ê).] ◆ **Teto falso.** *Arquit.* Teto formado por forro, de estuque, madeira, etc., de modo a rebaixar o pé-direito do recinto. **Teto solar.** Teto feito com material que deixa passar a luz solar, filtrando-a.

teto[2] ***S. m. Gloss.*** **1.** Língua nacional de Timor-Leste, da família malaio-polinésia; tétum. **2.** Vocábulo dessa língua. [Cf. *teto* (ê), s. m.]

teto (ê) [De *teta* (ê).] ***S. m. Bras. S. Prov. port.*** O bico da teta da vaca e doutros animais. [Pl.: *tetos* (ê). Cf. *teto*, s. m., e pl. *tetos*.]

tetónica ***S. f.*** V. *tetônica*. [Uso freq. em P.]

tetônica ***S. f.*** V. *tectônica*.

tetónico ***Adj.*** V. *tetônico*. [Uso freq. em P.]

tetônico ***Adj.*** V. *tectônico*.

tetra[1] ***Adj. 2 g. e 2 n. S. 2 g. e 2 n.*** V. *tetracampeão*: "Enquanto Parreira é tetra, os dirigentes (!?!) do 'clube X' são tétricos." (Renato Maurício Prado, em *O Globo*, 20.02.2000.)

tetra[2] ***S. m.*** V. *tetracampeonato*.

▲tetr(a)- [Do gr. *tetr-, tetra-* < gr. *téttares*, 'quatro'.] ***El. comp.*** = 'quatro': *tetracampeão, tetravô, tetralépide, tetradínamo.* [Equiv.: *-tetr(a)-*: *autotetraploide.*]

▲-tetr(a)- Equiv. de *tetr(a)-*.

tetrabíblio [De *tetr(a)-* + *-bíblio.*] ***S. m.*** **1.** Conjunto formado por quatro obras. **2.** Obra formada por quatro livros.

tetrabrânquio [De *tetr(a)-* + *-brânquio*; tax. *Tetrabranchia.*] *Zool.* ***S. m.*** **1.** Espécime dos tetrabrânquios, ordem de moluscos cefalópodes, de concha externa, multilocular e sifunculada, dois pares de brânquias e nefrídios, sem bolsa de tinta, tentáculos numerosos, desprovidos de ventosas. São os náutilos. ● ***Adj.*** **2.** Pertencente ou relativo a eles.

tetracaína [De *tetr(a)-* + *(pro)caína.*] ***S. f. Quím.*** Éster aromático que contém dois grupamentos amina, us. como anestésico local [fórm.: $C_{15}H_{24}N_2O_2$].

tetracampeã ***S. f.*** Fem. de *tetracampeão* (q. v.).

tetracampeão [De *tetr(a)-* + *campeão.*] ***Adj. S. m.*** **1.** Diz-se de, ou indivíduo, equipe, etc., que foi campeão por quatro vezes (consecutivas ou não) em competição ou modalidade esportiva, artística, ou cultural, ou em concurso: *O Brasil é tetracampeão da Copa do Mundo de futebol; Zagalo é tetracampeão, esteve nas Copas de 58, 62, 70 e 94!* **2.** *Restr.* Diz-se de, ou indivíduo que participou da conquista de um tetracampeonato: "Carlos Alberto Parreira — o técnico tetracampeão do Mundo" (Renato Maurício Prado, em *O Globo*, 20.02.2000). [F. red.: *tetra*. Fem.: *tetracampeã*.]

tetracampeonato [De *tetr(a)-* + *campeonato.*] ***S. m.*** **1.** Campeonato (2) obtido por um mesmo disputante pela quarta vez. **2.** *Restr.* Aquele que é conquistado pela quarta vez consecutiva. [F. red.: *tetra*.]

tetracárpico [De *tetr(a)-* + *-carp(o)-* + *-ico*[2].] ***Adj. Bot.*** Que tem quatro frutos.

tetrácero [Do gr. *tetrákeros.*] ***Adj. Zool.*** Que tem quatro antenas, ou quatro tentáculos.

tetracético ***Adj.*** ~ V. *ácido etilonodiamino —*.

tetracíclico [De *tetr(a)-* + *-cicl(o)-* + *-ico*[2].] ***Adj.*** **1.** *Bot.* Diz-se das flores que têm quatro verticilos. **2.** *Quím.* Que contém quatro anéis, ger. fundidos, na estrutura molecular.

tetraciclina [De *tetracíclico* + *-ina*[3].] ***S. f. Quím.*** Antibiótico, que é um glicosídeo de origem natural [fórm.: $C_{22}H_{24}N_2O_8$].

tetracloreto (êto) [De *tetraclor(o)-* + *-eto*[2].] ***S. m. Quím.*** Termo us. em certas locuções, como tetracloreto de carbono, e que indica a presença de 4 átomos de cloro. ◆ **Tetracloreto de carbono.** *Quím.* Tetraclorometano.

▲tetraclor(o)- [De *tetr(a)-* + *-clor(o)-.*] ***Quím. El. comp.*** = 'que contém quatro átomos de cloro': *tetracloreto*.

tetraclorodibenzodioxina (cs) [Voc. farmac.] ***S. f. Quím.*** Substância extremamente tóxica, que é produzida, como subproduto, na preparação de certos desfolhantes [fórm.: $C_{12}H_4Cl_4O_2$].

tetraclorometano [De *tetraclor(o)-* + *metano.*] ***S. m. Quím.*** Líquido incolor, mais denso que a água, não inflamável, tóxico, us. como solvente; tetracloreto de carbono [fórm.: CCl_4].

tetracolo [Do gr. *tetrákolon*, pelo lat. *tetracolon.*] ***S. m. E. Ling.*** Período de quatro membros.

tetracólon ***S. m. E. Ling.*** V. *tetracolo*.

▲tetracont(a)- [De *tetr(a)-* + gr. *-konta*, 'dezena', como no gr. *triákonta* (v. *triacont(a)-*).] ***El. comp.*** = '40': *tetracontano*.

tetracontaedro [De *tetracont(a)-* + *-edro.*] ***S. m. Geom.*** Poliedro de 40 faces.

tetracontágono [De *tetracont(a)-* + *-gono.*] ***S. m. Geom.*** Polígono de 40 faces. [A pronúncia correta seria *tetracontagono*, v. *-gono.*]

tetracontano [De *tetracont(a)-* + *-ano*[2].] ***S. m. Quím.*** Qualquer alcano acíclico com quarenta átomos de carbono, esp. o linear [fórm.: $C_{40}H_{82}$].

tetracorde ***S. m. Mús.*** V. *tetracórdio*.

tetracórdio [De *tetracordo* < gr. *tetráchordon*, pelo lat. *tetrachordon.*] ***S. m. Mús.*** **1.** Série de quatro sons ou quatro notas por graus conjuntos, dividida em dois tons e um semitom. **2.** *Ant.* Lira com quatro cordas. **3.** Sistema de quatro sons, cujos extremos estavam a um intervalo de quarta justa, e que constituía a unidade fundamental da música grega. Os dois sons extremos eram fixos; os dois outros, móveis; e a união de dois tetracórdios formava a escala de oitava. [Var.: *tetracorde, tetracordo.*]

tetracordo ***S. m. Mús.*** V. *tetracórdio*.

tetracórico [Do ingl. *tetrachoric.*] ***Adj. Estat.*** V. *correlação —a*.

tetracosaedro [De *tetr(a)-* + gr. *eíkosin*, 'vinte', + *-edro.*] ***S. m. Geom.*** Poliedro de 24 faces.

tetracoságono [De *tetr(a)-* + gr. *eíkosin*, 'vinte', + *-gono.*] ***S. m. Geom.*** Polígono de 24 lados. [A pronúncia correta seria *tetracosagono*, v. *-gono.*]

tetracromia [De *tetra-* + *-crom(o)-* + *-ia*[1].] ***S. f. Fotograv.*** Quadricromia (1).

tetractinélido [Do tax. *Tetractina* + *-el(a)-* + *-ido*[3]; tax. *Tetractinellida.*] *Zool.* ***S. m.*** **1.** Espécime dos tetractinélidos, subclasse de poríferos demospôngios, que reúne esponjas de espículas grandes, com quatro raios que se unem em ângulos iguais, ou, por vezes, desprovidas de espículas, e de corpo ger. arredondado, ou achatado, sem ramificações. Vivem, em sua maioria, em águas rasas. ● ***Adj.*** **2.** Pertencente ou relativo a eles.

tetracúspide [De *tetr(a)-* + *-cúspide.*] ***S. f. Geom.*** V. *astroide*.

tétrada [De *tetra-* + *-ada*[1].] ***S. f. Mat.*** Operador formado pela justificação de quatro vetores. [Cf. *díada, políada* e *tríada*.]

tetradáctilo [Do gr. *tetradáktylos.*] ***Adj. Zool.*** Que tem quatro dedos. [Var.: *tetradátilo*.]

tetradátilo ***Adj. Zool.*** V. *tetradáctilo*.

tétrade [Do gr. *tetrás, ádos*, 'o número quatro'; fr. *tétrade.*] ***S. f.*** **1.** Grupo de quatro elementos solidários. **2.** *Citol. Genét.* Par de homólogos composto por quatro cromátides durante a fase de paquiteno da prófase I da meiose; bivalente. **3.** *Bot.* Conjunto de quatro grãos (micrósporos) de pólen que se originam da célula-mãe mediante meiose. **4.** *Mat.* Operador formado pela justaposição de quatro vetores.

tetradecaedro [De *tetr(a)-* + *decaedro.*] ***S. m. Geom.*** Poliedro de 14 faces.

tetradecágono [De *tetr(a)-* + *decágono.*] ***S. m. Geom.*** Polígono de 14 lados. [A pronúncia correta seria *tetradecagono*, v. *-gono.*]

tetradecanoico (ói) ***Adj. Quím.*** ~ V. *ácido —*. ❖

tetradelfo [De *tetr(a)-* + *-adelfo.*] ***Adj. Bot.*** Diz-se do androceu cujos estames estão reunidos em quatro feixes.

tetrádico [De *tétrada* + *-ico*[2].] ***S. m. Mat.*** Soma de duas ou mais tétradas.

tetradimensional [De *tetr(a)-* + *dimensão* + *-al*[1], seg. o padrão erudito.] ***Adj. 2 g.*** Relativo a, ou que tem quatro dimensões.

tetradinamia [De *tetradínamo* + *-ia*[1].] ***S. f. Bot.*** Existência de seis estames, quatro maiores e dois mais curtos, como, p. ex., nas brassicáceas.

tetradínamo [De *tetr(a)-* + *-dínamo.*] ***Adj. Bot.*** Que apresenta tetradinamia: *androceu tetradínamo*.

tetraedral [De *tetraedro* + *-al*[1].] ***Adj. 2 g. Geom.*** Tetraédrico (1). ~ V. *orbital —*.

tetraédrico [De *tetraedro* + *-ico*[2].] ***Adj.*** **1.** *Geom.* Referente a, ou próprio de um tetraedro; tetraedral. **2.** Que tem forma de tetraedro.

tetraedrita [De *tetraedro* + *-ita*[3].] ***S. f. Min.*** Panabásio.

tetraedro [Do gr. *tetráedron.*] ***S. m. Geom.*** Poliedro de quatro faces.

tetraexaédrico (cs ou z) [De *tetraexaedro* + *-ico*[2].] ***Adj. Geom.*** Relativo ao tetraexaedro. [Var.: *tetra-hexaédrico*.]

tetraexaedro (cs) [De *tetr(a)-* + *hexaedro.*] ***S. m. Geom.*** Poliedro limitado por 24 triângulos isósceles iguais, formando, quatro a quatro, ângulos tetraédricos iguais. [Var.: *tetra-hexaedro*.]

tetrafalangarca [Do gr. *tetraphalangárches.*] ***S. m.*** Comandante de uma tetrafalangarquia.

tetrafalangarquia [Do gr. *tetraphalangarchía.*] ***S. f.*** Entre os gregos antigos, corpo de infantaria formado de quatro falanges, ou seja, 16.384 homens.

tetrafenileno [De *tetr(a)-* + *fenileno.*] ***S. m. Quím.*** Hidrocarboneto aromático pentacíclico, cujas moléculas podem ser consideradas formadas por quatro anéis benzênicos fundidos a lados alternados de um ciclo-octatetraeno central [fórm.: $C_{24}H_{16}$].

tetráfido [De *tetr(a)-* + *-fido.*] ***Adj. Bot.*** Diz-se dos órgãos vegetais divididos em quatro lóbulos.

tetrafilídeo [Adapt. do tax. *Tetraphyllidea.*] *Zool.* ***S. m.*** **1.** Espécime dos tetrafilídeos, ordem de animais platelmintos, cestóideos, com escólex provido de quatro ventosas alongadas, geralmente com ganchos, e que são parasitos de elasmobrânquios. ● ***Adj.*** **2.** Pertencente ou relativo a eles.

tetrafilo [De *tetr(a)-* + *-filo*[1].] ***Adj. Bot.*** Que tem quatro folhas ou quatro folíolos.

tetrafluoreteno [De *tetr(a)-* + *-fluor(o)-* + *-eteno.*] ***S. m. Quím.*** Substância gasosa, análoga ao eteno, porém com átomos de flúor no lugar dos de hidrogênio, e que é us. para produção de polímeros; tetrafluoretileno [fórm.: C_2F_4].

tetrafluoretileno [De *tetr(a)-* + *-fluor(o)-* + *-etileno.*] ***S. m. Quím.*** Tetrafluoreteno.

tetrafoliado [De *tetr(a)-* + *-foli-* + *-ado*[1].] ***Adj. Bot.*** Cujas folhas estão dispostas de quatro em quatro.

tetrafonia [De *tetr(a)-* + *-fon(o)-* + *-ia*[1].] ***S. f. Son.*** V. *quadrifonia*.

tetrafônico [De *tetrafonia* + *-ico*[2].] ***Adj. Son.*** V. *quadrifônico*.

tetrágino [De *tetr(a)-* + *-gino.*] ***Adj. Bot.*** Que tem quatro pistilos.

tetragonal [De *tetrágono* + *-al*[1].] ***Adj. 2 g.*** **1.** Que tem forma de tetrágono; tetrágono. **2.** *Quím.* Diz-se de átomo cujas valências se orientam segundo os eixos que vão do centro aos vértices de um tetraedro, ou de orbitais que têm tal disposição, ou da hibridização que nela resulta. **3.** *Quím.* Diz-se de ciclo ou anel formado por quatro átomos. ~ V. *sistema —*.

tetragónico ***Adj. Geom.*** V. *tetragônico*. [Uso freq. em P.]

tetragônico [De *tetrágono* + *-ico*[2].] ***Adj. Geom.*** Que tem quatro lados ou quatro ângulos.

tetragonismo [Do gr. *tetragonismós.*] ***S. m.*** Qualidade de tetrágono.

tetrágono [Do gr. *tetrágonon*, pelo lat. tard. *tetragonu.*] ***S. m. Geom.*** **1.** Quadrângulo, quadrilátero. ● ***Adj.*** **2.** Tetragonal. [A pronúncia correta seria *tetragono*, v. *-gono.*]

tetragonocéfalo [De *tetrágono* + *-céfalo.*] ***Adj. Zool.*** Que tem cabeça quadrangular.

tetragonóptero [De *tetrágono* + *-ptero.*] ***Adj. Zool.*** Diz-se dos peixes cujas barbatanas são quadradas.

tetragrama [De *tetr(a)-* + *-grama.*] ***Adj. 2 g.*** **1.** Que tem quatro letras. ● ***S. m.*** **2.** Conjunto de quatro letras que forma palavra, firma ou sinal. **3.** *Mús.* Pauta musical de quatro linhas, empregada no cantochão.

tetra-hexaédrico (cs ou z) ***Adj. Geom.*** V. *tetraexaédrico*. [Pl.: *tetra-hexaédricos*.] ❖

tetra-hexaedro (cs ou z) ***S. m. Geom.*** V. *tetraexaedro*. [Pl.: *tetra-hexaedros*.] ❖

▲tetraidr(o)- [De *tetr(a)-* + *-idr(o)-.*] ***Quím. El. comp.*** Indica combinação com quatro átomos de hidrogênio: *tetraidrofurano*.

tetraidrocanabinol (a-i) [De *tetraidr(o)-* + *canabinol.*] ***S. m. Quím.*** Substância fenólica, encontrada nas folhas e flores da maconha e principal responsável pelos efeitos — narcótico, alucinógeno e antiemético — causados pelo consumo desta [fórm.: $C_{21}H_{30}O_2$]. [Trata-se de uma mistura de isômeros, dos quais um é o principal.] [Sigla: *THC*.] [Pl.: *tetraidrocanabinóis*.]

tetraidrofurano (a-i) [De *tetraidr(o)-* + *furano.*] ***S. m. Quím.*** Substância líquida, inflamável, éter cíclico derivado do furano por hidrogenação, e us. como solvente; oxolana [fórm.: C_4H_8O]. [Sigla: *THF*.]

tetraidropirano (a-i) [De *tetraidr(o)-* + *pirano.*] ***S. m. Quím.*** Substância líquida heterocíclica, derivada do pirano por hidrogenação e us. como solvente; oxano [fórm.: $C_5H_{10}O$].

tetraidropirrol (a-i) [De *tetraidr(o)-* + *pirrol.*] ***S. m. Quím.*** Pirrolidina. [Pl.: *tetraidropirróis*.]

tetralépide [De *tetr(a)-* + *-lépide.*] ***Adj. 2 g. Bot.*** Que tem quatro escamas.

tetralogia [Do gr. *tetralogía*.] *S. f.* **1.** *Patol.* Termo genérico aplicado a quatro sintomas ou lesões que, ocorrendo concorrentemente, caracterizam certas doenças. **2.** *Mús.* Conjunto de quatro óperas. [Usa-se principalmente com relação a *O Anel dos Nibelungos*, ciclo dramático de Richard Wagner (1813-1883) que compreende as óperas *O Ouro do Reno*, *A Valquíria*, *Siegfried* e *O Crepúsculo dos Deuses*, todas baseadas no tema da maldição ligada à posse do ouro.] **3.** *Teatr.* Conjunto de quatro peças teatrais — três tragédias e um drama satírico — que os antigos poetas gregos apresentavam em concurso. ◆ **Tetralogia de Fallot.** *Card.* Cardiopatia em que se encontra estenose de artéria pulmonar, comunicação interventricular, dextroposição da aorta e hipertrofia ventricular direita.

tetralógico [De *tetralogia* + *-ico*[2].] *Adj.* Relativo a tetralogia.

tetrâmero[1] [De *tetr(a)-* + *-mero*.] *Adj. Zool.* Dividido em quatro partes.

tetrâmero[2] [Adapt. do tax. *Tetramera*.] *Zool. S. m.* **1.** Espécime dos tetrâmeros, seção da ordem dos insetos coleópteros à qual pertencem os que têm quatro artículos nos tarsos. ● *Adj.* **2.** Pertencente ou relativo a eles.

▲**tetrametil-** [De *tetr(a)-* + *-metil-*.] *Quím. El. comp.* = 'que contém quatro grupos metila na molécula': *tetrametilsilano*.

tetrametilsilano [De *tetrametil-* + *silano*.] *S. m. Quím.* Substância líquida, muito volátil, incolor, derivada do silano (1), que é usada como padrão em espectroscopia de ressonância magnética nuclear, servindo como referência para deslocamento químico [fórm.: C_4SiH_{12}].

tetrâmetro [Do gr. *tetrámetros*, pelo lat. tard. *tetrametru*.] *S. m. Arte Poét.* Verso grego ou latino de quatro pés.

tetramitídeo [Do tax. *Tetramitidae*.] *Zool. S. m.* **1.** Espécime dos tetramitídeos, família de protozoários da classe dos mastigóforos. São flagelados habitantes de águas doces e salgadas. ● *Adj.* **2.** Pertencente ou relativo a eles.

tetrandria [De *tetrandro* + *-ia*[1].] *S. f. Bot.* Ocorrência de quatro estames [v. *estame* (3)] iguais. [Cf. *tetrândria*.]

tetrândria [Do lat. cient. *Tetrandria*.] *S. f. Bot.* O conjunto de vegetais tetrandros, segundo o sistema de Lineu (v. *lineano*). [Cf. *tetrandria*.]

tetrandro [De *tetr(a)-* + *-andro*.] *Adj. Bot.* Que apresenta tetrandria: *flor tetrandra*.

tetranemo [De *tetr(a)-* + *-nemo*.] *Adj.* Que tem quatro filamentos ou tentáculos.

tetraneto [De *tetr(a)-* + *neto*.] *S. m.* Filho do trineto ou da trineta: "sou pagão, tetraneto dum daqueles romanos, enviados à Hispânia, e que repartiam os ócios do cargo entre a mulher, a mesa e a caça." (Aquilino Ribeiro, *Maria Benigna*, p. 277). [Var.: *tataraneto*.]

tetraniquídeo [Do tax. *Tetranychus* + *-ídeo*[1]; tax. *Tetranychidae*.] *Zool. S. m.* **1.** Espécime dos tetraniquídeos, família de artrópodes aracnídeos, acarinos, da qual há espécies atuais e fósseis. ● *Adj.* **2.** Pertencente ou relativo a eles.

tetraodontídeo [Do lat. cient. *Tetraodont-* (< tax. *Tetraodon*) + *-ídeo*[1]; tax. *Tetraodontidae*.] *S. m. Adj. Zool.* V. *tetrodontídeo*.

tetrapétalo [De *tetr(a)-* + *-pétalo*.] *Adj. Bot.* Que tem quatro pétalas.

tetraplegia [De *tetr(a)-* + *-pleg-* + *-ia*[1].] *S. f. Neur.* V. *quadriplegia*.

tetraplégico [De *tetraplegia* + *-ico*[2].] *Neur. Adj.* **1.** Relativo a tetraplegia, ou que a tem. ● *S. m.* **2.** Aquele que tem tetraplegia.

tetraploide (ói) [De *tetr(a)-* + *-ploide*.] *Adj. 2 g. Biol.* Que tem quatro vezes o número haploide de cromossomos característico da espécie. ❖

tetrápode [Do gr. *tetrápous*, *odos*.] *Adj. 2 g.* **1.** Quadrúpede. **2.** *Zool.* Diz-se de animais cordados, gnatostomados, com dois pares de membros, esqueleto ósseo, aberturas nasais ligadas à boca, e coração com duas aurículas; quadrúpede. ● *S. m.* **3.** Animal tetrápode (2); quadrúpede.

tetrapodologia [De *tetrápode* + *-o-* + *-logia*.] *S. f.* Tratado acerca dos quadrúpedes.

tetrapodológico [De *tetrapodologia* + *-ico*[2].] *Adj.* Relativo à tetrapodologia.

tetrápole [Do gr. *tetrápolis*.] *S. f.* Na Antiguidade, confederação de quatro cidades.

tetráptero [De *tetr(a)-* + *-ptero*.] *Adj.* **1.** *Zool.* Que tem quatro asas. **2.** *Bot.* Que tem quatro apêndices aliformes.

tetraquénio *S. m. Bot.* V. *tetraquênio*. [Uso freq. em P.]

tetraquênio [De *tetr(a)-* + *aquênio*.] *S. m. Bot.* Fruto esquizocárpico constituído de quatro aquênios, como, por ex., as boragináceas.

tetrarca [Do gr. *tetrárches*, pelo lat. *tetrarcha*.] *S. m.* **1.** Governador duma tetrarquia. **2.** Cada um dos quatro reis de uma tetrarquia.

tetrarcado [De *tetrarca* + *-ado*[2].] *S. m.* Cargo ou dignidade de tetrarca.

tetrarquia [Do gr. *tetrarchía*.] *S. f.* **1.** Cada uma das quatro partes, províncias ou governos em que se dividiam alguns Estados. **2.** Governo de quatro reis. **3.** Subdivisão da falange grega. **4.** As funções de um tetrarca.

tetrarritmia [De *tetrarritmo* + *-ia*[1].] *S. f.* Qualidade ou caráter de tetrarritmo.

tetrarritmo [Do gr. *tetrárrhythmos*, pelo lat. tard. *tetrarhythmu*.] *Adj.* Que tem quatro ritmos. ~ V. *verso* —.

tetráscele [Do gr. *tetraskelés*.] *S. m.* A suástica de quatro pernas.

tetraspermo [De *tetr(a)-* + *-spermo*.] *Adj. Bot.* Que encerra quatro grãos.

tetrasporângio [De *tetr(a)-* + *esporângio*.] *S. m. Bot.* Esporângio no qual, mediante duas divisões sucessivas, se formam quatro tetrásporos haploides, e que é comum em talos diploides de muitas rodofíceas e feofíceas.

tetrásporo [De *tetr(a)-* + *-sporo*.] *S. m. Bot.* Aplanósporo que se forma, em número de quatro, no interior de um tetrasporângio, como ocorre em algas rodofíceas e feofíceas.

tetrassépalo [De *tetr(a)-* + *-sépalo*.] *Adj. Bot.* Que tem quatro sépalas.

tetrassilábico [De *tetrassílabo* + *-ico*[2].] *Adj.* Tetrassílabo (1).

tetrassílabo [Do gr. *tetrasýllabos*, pelo lat. tard. *tetrasyllabu*.] *Adj.* **1.** *E. Ling.* Que tem quatro sílabas; tetrassilábico. ● *S. m.* **2.** Palavra ou verso de quatro sílabas.

tetrassubstituído [De *tetr(a)-* + *substituído*.] *Adj. Quím.* Que tem quatro substituintes.

tetrastémone *Adj. 2 g. Bot.* V. *tetrastêmone*. [Uso freq. em P.]

tetrastêmone [De *tetr(a)-* + *-stêmone*.] *Adj. 2 g. Bot.* Que tem quatro estames.

tetrástico [Do gr. *tetrástichos*, pelo lat. tard. *tetrastichu*.] *Adj.* **1.** Que tem quatro fileiras ou séries. **2.** Constituído de quatro versos. ● *S. m.* **3.** *Arte Poét.* Estrofe de quatro versos; quarteto, quadra.

tetrastilo [Do gr. *tetrástylon*, pelo lat. tard. *tetrastylu*.] *S. m.* Edifício com quatro ordens de colunas.

tetrástomo [De *tetr(a)-* + *-stomo*.] *Adj. Zool.* Que tem quatro bocas sugadoras.

tetraterpeno [De *tetr(a)-* + *terpeno*.] *S. m. Quím.* Designação genérica dos terpenos [v. *terpeno* (1)] com quarenta átomos de carbono, que se podem considerar resultantes da união de oito isoprenos.

tetravalente [De *tetr(a)-* + *valente* (5).] *Adj. 2 g. Quím.* Que tem quatro valências.

tetravó *S. f.* Fem. de tetravô.

tetravô [De *tetr(a)-* + *avô*.] *S. m.* Pai do trisavô ou da trisavó; tataravô. [Fem.: *tetravó*.]

tetrazina [De *tetraz(o)-* + *-ina*[3].] *S. f. Quím.* Qualquer de duas substâncias aromáticas heterocíclicas com anel hexagonal que contém quatro átomos de nitrogênio [fórm.: $C_2H_2N_4$].

▲ **tetraz(o)-** [De *tetr(a)-* + *-az(o)-*.] *Quím. El. comp.* = 'que contém quatro átomos de nitrogênio': *tetrazol*.

tetrazol [De *tetraz(o)-* + *-ol*[2].] *S. m. Quím.* Qualquer de duas substâncias aromáticas heterocíclicas isoméricas, com anel pentagonal que contém quatro átomos de nitrogênio [fórm.: CH_2N_4]. [Pl.: *tetrazóis*.]

tetricidade [Do lat. *taetricitate*.] *S. f.* Qualidade de tétrico: "Recolheram .... os despojos da soberana no tríplice caixão ao convento da Ajuda, com as pompas da procissão .... escoada entre alas de religiosos formiguejando nas ruas, na tetricidade dos sinos e das salvas." (Alberto Rangel, *Dom Pedro I e a Marquesa de Santos*, p. 168.)

tétrico [Do lat. *taetricu*.] *Adj.* **1.** Muito triste; fúnebre, lúgubre: *sons tétricos*; "Era uma cena dolorosa, tétrica, que cortava o coração." (Júlio Ribeiro, *Padre Belchior de Pontes*, p. 255). **2.** Horrível, hórrido, medonho, tetro. **3.** Rígido, severo.

tetril [Do ingl. *tetryl*.] *S. m. Expl.* Explosivo reforçador, cristalino-amarelado ou pardo, utilizado em espoletas [fórm.: $C_6H_2(NO_2)_3(NCH_3NO_2)$].

tetriz *Adj. S. f.* V. *tectriz*.

tetro [Do lat. *taetru*.] *Adj.* **1.** Negro, escuro, sombrio. **2.** Horrível, medonho, tétrico: "Até ousou descer do Tênaro as gargantas, / fundo ingresso a Plutão; pôr temerário as plantas / no luco horrendo e negro, atravessar o tetro / bando dos manes" (Antônio Feliciano de Castilho, *As Geórgicas*, p. 283). [Superl. abs. sint.: *tetérrimo*.]

tetrodo (ô) [Do ingl. *tetrode*.] *S. m. Eletrôn.* Válvula eletrônica com quatro eletrodos: um catodo, uma placa, uma grade de controle e uma grade adicional.

tétrodo *S. m. Eletrôn.* V. *tetrodo*.

tetrodontídeo [Do lat. cient. *Tetrodont-* (< tax. *Tetrodon*) + *-ídeo*[1]; tax. *Tetrodontidae*.] *Zool. S. m.* **1.** Espécime dos tetrodontídeos, família de peixes actinopterígios, plectógnatos, cujos maxilares são guarnecidos por placas e divididos ao meio. ● *Adj.* **2.** Pertencente ou relativo a eles. [F. paral.: *tetraodontídeo*.]

tetrodotoxina (cs) [Do tax. *Tetrodo(ntidae)* (v. *tetrodontídeo*) + *toxina*.] *S. f. Quím.* Substância extremamente venenosa, encontrada em certos peixes tetrodontídeos [fórm.: $C_{11}H_{17}N_3O_8$].

tetroftalmo [De *tetr(a)-* + *-oftalmo*.] *Adj.* Que tem quatro olhos.

tetrose [Do ingl. *tetrose*.] *S. f. Quím.* Ose com quatro átomos de carbono.

tetróxido (cs) [De *tetr(a)-* + *-óxido*.] *S. m. Quím.* Qualquer óxido que contenha na sua molécula 4 átomos de oxigênio.

tetudo [De *teta* (ê) + *-udo*.] *Adj.* Que tem mamas ou tetas grandes; mamudo.

tétum *S. m. Gloss.* Teto[2].

teu [Do lat. *tuu*, pela f. *tou*, influenciada por *meu*.] *Pron. poss.* **1.** Pertencente à, ou próprio da, ou experimentado ou inspirado pela pessoa a quem se fala, por ti: *teu livro*; *o teu apartamento*; "Pode a teus pés curvar-se o mundo inteiro" (José de Alencar, *Obra Completa*, IV, p. 623); "que torvo crime / Eu cometi jamais que assim me oprime / Teu gládio vingador?!..." (Castro Alves, *Obra Completa*, p. 292); "Minh'alma é uma andorinha... / Abre-lhe o seio teu." (Id., *ib.*, p. 134); "— Deixa lá os teus escrúpulos" (Artur Azevedo, *Contos Cariocas*, p. 19); "Teu puro amor o coração me acalma; / Provo a doçura do teu bem-querer." (Martins Fontes, *Vulcão*, p. 17); "Por teu amor, desci às pávidas geenas / Dos não ouvidos ais, das não ouvidas penas." (Gomes Leal, *A Mulher de Luto*, p. 182); *Grandes são as tuas saudades, porém ele não tem saudades tuas.* **2.** Pertencente ao povo e/ou à terra a que nos dirigimos usando a 2.ª pess. sing.: "Do que a terra mais garrida / Teus risonhos, lindos campos têm mais flores" (Osório Duque-Estrada, em *Hino Nacional Brasileiro*). **3.** Que gozas ou desfrutas como se te pertencesse, se fosse propriedade tua: *Não perdeste o teu domingo trabalhando: ganhaste-o.* **4.** Que te serve, te convém, te interessa: *O teu ônibus já passou*; *Encontraste na feira o teu azeite de dendê?* **5.** Que te é devido; que te cabe ou te toca: *Um dia terás o teu lugar ao sol.* **6.** Preferido por ti; da tua predileção: *Sem sombra de dúvida, Camões é o teu poeta.* [Obrigatório, aqui, o emprego do artigo.] **7.** Passado ou vivido por ti: *Felizmente já se foram teus anos de miséria*; "Vivo, choro em teu pranto; e, em teus dias felizes, / No alto, como uma flor, em ti pompeio e exulto!" (Olavo Bilac, *Tarde*, p. 15). **8.** Dedicado ou reservado a ti: *Não aceitarei nenhum outro convite: o próximo domingo é teu.* **9.** Onde tu trabalhas, exerces atividade: *a tua repartição*; *o teu colégio.* **10.** Esse, aquele, o tal (com relação a pessoa a quem dantes já te havias referido ou a quem te vais referir, a respeito de quem ias ou vais falar): *— Então, como se chamava o teu vagabundo?*; *— Anda, descreve-me o teu herói.* [É de rigor, neste caso, o uso do artigo.] **11.** Da tua amizade; do teu afeto; que te é ou a quem és caro: *Sei que ele é de tua absoluta confiança, é muito teu*; "Adeus! Estimo tanto que continue bem o que começou sob tão bons auspícios. | Saudade do teu | Capistrano" (Capistrano de Abreu, *Correspondência*, I, p. 53). [Flex.: *tua, teus, tuas*.] ● *S. m.* **12.** Aquilo que pertence à pessoa a quem se fala, a ti: *Contenta-te do teu, não cobices o alheio.* [Cf. *meu, seu, nosso, vosso*, e *téu*, s. m.] ~ V. *teus*.

téu [Do tupi *teu*.] *S. m. Bras. Zool.* V. *tovaca*. [Cf. *teu*.]

teua [Do ingl. *Tewa*.] *S. m.* **1.** Cada um dos sete grupos indígenas das aldeias pueblanas do Novo México e do Arizona (E.U.A.). **2.** *Gloss.* Língua tanoana dos teuas. ● *S. 2 g.* **3.** Indivíduo de qualquer um desses grupos [v. *teua* (1)]. **4.** Vocábulo dessa língua. ● *Adj. 2 g.* **5.** Pertencente ou relativo às aldeias teuas, aos teuas, ou à sua língua. [Sin. ger.: *tano*.]

teúba [Do tupi.] *S. f. Bras.* Pequena abelha amarelada. [Cf. *tiúba*.]

têucrio [Do tax. *Teucrium* (do lat *teucria, ae*, 'carvalhinha').] *S. m. Bot.* **1.** Gênero de ervas e arbustos lamiáceos que reúne cerca de 100 espécies de distribuição cosmopolita, algumas do Mediterrâneo, e que são cultivadas ou como ornamentais, ou como medicinais, ou para a extração de tinturas. **2.** Qualquer espécie desse gênero, como a *Teucrium scordium* (v. *escórdio*), a *T. chamaedrys* [v. *carvalhinha* (1)], ou a *T. polium* (v. *pólio*[1]). **3.** Qualquer espécime desse gênero.

teucro [Do lat. *teucru*.] *Adj. S. m.* V. *troiano*: "Ali as cruéis Parcas lhe mostraram / As ilíacas roupas, que pendentes / Do tálamo dourado descobriram /

O lustroso pavês, a teucra espada." (Correia Garção, *Obras Poéticas e Oratórias*, p. 383.)

teúdo [Do lat. *tenutu, por *tentu*, part. pass. de *tenere*, 'segurar'.] *Adj.* Que se teve ou se tem conservado: *concubina teúda e manteúda.*

teueiá *Bras. S. 2 g.* **1.** *Etnôn.* Indivíduo dos teueiás [ou (etnôn. bras.) *Teweyá], povo indígena extinto, da família linguística caribe, que habitava a região próxima à margem esquerda do rio Surumu (RR). ● *Adj. 2 g.* **2.** Pertencente ou relativo a esse povo.

teurgia (e-ur) [Do gr. *theourgía*, pelo lat. tard. *theurgia*; fr. *théurgie*.] *S. f.* **1.** Espécie de magia baseada em relações com os espíritos celestes. **2.** Arte de fazer milagres. **3.** *Filos.* No neoplatonismo, arte de fazer descer Deus à alma para criar um estado de êxtase.

teúrgico [Do gr. *theourgikós*, pelo lat. tard. *theurgicu*; fr. *théurgique*.] *Adj.* Relativo à teurgia.

teurgista (e-ur) [De *teurgia* + *-ista*.] *S. 2 g.* Pessoa que pratica a teurgia, ou que dela se ocupa; teurgo.

teurgo (e-úr) [Do gr. *theourgós*, pelo lat. tard. *theurgu*.] *S. m.* Teurgista.

teus [Pl. de *teu*.] *S. m. pl.* Us. na loc. subst. *os teus*. ~ V. *teu*. ◆ **Os teus. 1.** A tua família; os teus parentes: *Como vão os teus?* **2.** Os teus amigos, aliados, sequazes, correligionários. [Cf. *meus, seus, nossos, vossos*.]

teutão [Do lat. *teutone*.] *S. m.* **1.** Indivíduo dos teutões, povo antigo da Germânia que habitava nas margens do Báltico. ● *Adj. 2 g.* **2.** Pertencente ou relativo a esse povo.

téu-téu [Do tupi; voc. onom.] *S. m. Bras. Zool.* V. *quero-quero*. [Pl.: *téu-téus*.]

téu-téu-da-savana *S. m. Bras. RR AP Zool.* Ave pernalta (*Burhinus bistriatus*) de porte avantajado (tem cerca de 45cm), olhos grandes e amarelos, e bico e dedos curtos; o dorso é estriado de cor de terra, o píleo é negro, e a barriga e a faixa alar são brancas. Insetívora, é boa voadora, e põe no chão, ger. entre pedaços de estrume. [Pl.: *téu-téus-da-savana*.]

teutidídeo [Do lat. cient. *Teuthid-* (< tax. *Teuthis*) + *-ídeo*[1]; tax. *Teuthididae*.] *Zool. S. m.* **1.** Espécime dos teutidídeos, família de peixes teleósteos, perciformes, marinhos, cujo animal tipo é o barbeiro (7) (q. v.). ● *Adj.* **2.** Pertencente ou relativo a eles.

teuto *Adj.* V. *teutônico*.

▲ **teuto-** [De *teuto*.] *El. comp.* = 'teutônico', 'teuto': *teuto-brasileiro, teutomania*.

teuto-brasileiro [De *teuto-* + *brasileiro*.] *Adj.* **1.** Relativo à Alemanha e ao Brasil, ou a alemães e brasileiros: *o acordo comercial teuto-brasileiro.* **2.** De origem alemã e brasileira; *indivíduo teuto-brasileiro*; "Em Santa Cruz, cidade de vida inteiramente alemã, vi, num domingo, numerosos cavaleiros teuto-brasileiros, montados à gaúcha, ... chapéu de abas largas, calças de botões de prata, laço" (E. Roquete-Pinto, *Seixos Rolados*, p. 74). ● *S. m.* **3.** Indivíduo teuto-brasileiro (2). [Flex.: *teuto-brasileira, teuto-brasileiros, teuto-brasileiras*.]

teutóideo [Adapt. do tax. *Teuthoidea*.] *Zool. S. m.* **1.** Espécime dos teutóideos, ordem de moluscos cefalópodes que apresentam uma concha interna alongada, oito braços e dois tentáculos maiores. São as lulas, que provavelmente evoluíram dos belemnites. ● *Adj.* **2.** Pertencente ou relativo a eles.

teutomania [De *teuto-* + *-mania*.] *S. f.* Germanismo (2).

teutomaníaco [De *teutoman(ia)* + *-íaco*.] *Adj.* **1.** Relativo a teutomania. **2.** Que tem teutomania; teutômano. ● *S. m.* **3.** Aquele que tem teutomania.

teutómano *S. m.* V. *teutômano*. [Uso freq. em P.]

teutômano [De *teuto-* + *-mano*[1].] *Adj.* e *S. m.* Teutomaníaco (2 e 3).

teutónico *Adj.* V. *teutônico*. [Uso freq. em P.]

teutônico [Do lat. *teutonicu*.] *Adj.* **1.** Relativo aos teutões, ou aos germanos. **2.** Relativo à Alemanha e aos alemães. [F. red.: *teuto*. Cf. *germânico*.] ~ V. *ordem — a*.

teutoniense *Adj. 2 g.* **1.** De, ou pertencente ou relativo a Teutônia (RS). ● *S. 2 g.* **2.** O natural ou habitante de Teutônia.

teutonismo [De *teutônico* + *-ismo*, seg. o padrão erudito.] *S. m.* Doutrina que prega a união absoluta dos povos germânicos. [Cf. *germanismo*.]

teutonista [De *teutonismo* + *-ista*.] *Adj. 2 g.* **1.** Relativo ao, ou que é partidário do teutonismo. ● *S. 2 g.* **2.** Partidário do teutonismo.

tevê [Das letras *t* e *v*, usadas como abrev. de *televisão*.] *S. f.* V. *televisão*: "Ainda agora, a nova tevê anuncia que suas transmissões estão sendo perfeitamente captadas em Cabo Frio." (Carlos Drummond de Andrade, *Fala, Amendoeira*, p. 207.)

tevécia *S. f. Bot.* V. *thevétia*.

tevente [De *tevê* + *-nte*; f. irregular.] *S. 2 g. Bras.* Telespectador (2).

➔**tevet** [te'vet] [Hebr.] *S. m. Cronol.* O quarto mês do calendário judaico, que incide entre os meses de dezembro e janeiro dos calendários juliano e gregoriano.

tevétia *S. f. Bot.* V. *thevétia*.

texano (cs) [Do anglo-amer. *texan*.] *Adj.* **1.** Do, ou pertencente ou relativo ao Estado do Texas (E.U.A.). ● *S. m.* **2.** O natural ou habitante desse Estado.

têxtil (ês) [Do lat. *textile*.] *Adj. 2 g.* **1.** Que se pode tecer; de que se fazem tecidos: *fibra têxtil*; "Havia uma intensa exploração de riqueza vegetal — em madeiras de construção civil e naval, em plantas resinosas e tintoriais, oleaginosas e têxteis." (Craveiro Costa, *História das Alagoas*, p. 89.) **2.** Relativo a tecelões ou à tecelagem: "Certo membro feminino da família real .... inaugurou um novo tecido inglês, honra da indústria têxtil" (Marques Rebelo, *Correio Europeu*, p. 44). ~ V. *fio — e fibra —*. [Pl.: *têxteis*. Cf. *testeis*, do v. *testar*.]

textilidade (ês) [De *têxtil* + *-(i)dade*.] *S. f.* Qualidade de têxtil.

texto (ês) [Do lat. *textu*, 'tecido'.] *S. m.* **1.** Conjunto de palavras, de frases escritas: *o texto de um livro, de um estatuto, de uma inscrição.* **2.** Obra escrita considerada na sua redação original e autêntica (por oposição a sumário, tradução, notas, comentários, etc.): *o texto da Bíblia; o texto da lei.* **3.** *Restr.* Palavras bíblicas que o orador sacro cita, fazendo-as tema de sermão. **4.** Página ou fragmento de obra característica de um autor: *um texto de Machado de Assis.* **5.** Texto (1) manuscrito ou impresso (por oposição a ilustração). **6.** Qualquer texto (1) destinado a ser dito ou lido em voz alta: *um texto teatral; o texto de um noticiário.* **7.** *E. Ling.* Excerto de língua escrita ou falada, de qualquer extensão, que constitui um todo unificado. **8.** *E. Ling.* Toda e qualquer expressão, ou conjunto de expressões, que a escrita fixou. [Pl.: *textos*. Cf. *testo* (ê), s. m., pl. *testos* (ê); *testo*, do v. *testar*; e *testo*, s. m. e adj., pl. *testos*.] ◆ **Texto em curva.** *Edit. Eletrôn.* Texto digitado em forma de desenho, impossibilitando a troca de fontes ou alterações no conteúdo. **Texto manchetado.** *Rád.* Texto jornalístico curto, escrito de forma simplificada, em manchetes. **Fora do texto.** *Art. Gráf.* Diz-se de qualquer material ilustrativo impresso à parte, ger. em papel especial e em folhas não numeradas ou com numeração própria, que se intercalam entre os cadernos de um livro.

texto-legenda *S. m.* Legenda (4) mais desenvolvida, que, além de informar, glosa ou comenta a fotografia. [Pl.: *textos-legendas*.]

textual (ês) [De *texto* + *-ual*.] *Adj. 2 g.* **1.** Do, ou relativo ao texto. **2.** Que está num texto. **3.** Reproduzido, transcrito ou citado fielmente: *São estas as palavras textuais.* ~ V. *crítica — e gênero —*.

textualidade (ês) [De *textual* + *-(i)dade*.] *S. f.* Qualidade de textual.

textualista (ês) [De *textual* + *-ista*.] *Adj. 2 g.* e *S. 2 g.* Literalista.

textualmente (ês) [De *textual* + *-mente*.] *Adv.* De modo textual; conforme as palavras do texto.

textuário (ês) [De *texto* + *-uário*.] *S. m.* Livro que contém apenas texto, sem comentários ou anotações.

textura (ês) [Do lat. *textura*.] *S. f.* **1.** Ato ou efeito de tecer. **2.** Tecido, trama, contextura: "Olhava-as, como se pudesse existir, nas rosas ofertadas por outra, uma textura diferente." (Osmã Lins, *Nove, Novena*, p. 83.) **3.** *Caligr. Tip.* Designação dada na Alemanha à letra de fôrma (q. v.). **4.** *Geol.* Aspecto geral de uma rocha, no que diz respeito às suas partículas constituintes, *i. e.*, tamanho, forma, cristalização e arranjo. **5.** *Tec. Têx.* Contextura (3). ◆ **Textura cristaloblástica.** *Geol.* Textura das rochas metamórficas que sofreram recristalização sem passar pela fusão. **Textura fluidal.** *Geol.* Textura comum às massas vítreas das rochas extrusivas, e que lembra um alinhamento ondulado de corrente fluida. **Textura hialopilítica.** *Geol.* Textura de rochas magmáticas extrusivas que têm micrólitos aciculares espalhados em matriz vítrea. **Textura hipidiomórfica.** *Geol.* Textura das rochas magmáticas profundas, onde ocorrem minerais idiomórficos juntamente com minerais sem forma própria, *i. e.*, xenomórficos. **Textura porfirítica.** *Geol.* Aquela em que se observam cristais maiores imersos em uma massa fundamental cristalina ou vítrea, e que ocorre nas rochas magmáticas. **Textura porfiroblástica.** *Geol.* A resultante do crescimento de minerais novos, de dimensões notavelmente maiores que o resto envolvente, e que é própria dos xistos e gnaisses. **Textura porfiroide.** *Geol.* Textura semelhante só no aspecto à textura porfirítica, e que pode ocorrer em rochas magmáticas ou metamórficas. **Textura vacuolar.** *Geol.* Textura da rocha que contém cavidades devidas aos gases isolados no seio do magma. **Textura xenoblástica.** *Geol.* Textura xenomórfica. **Textura xenomórfica.** *Geol.* Textura das rochas constituídas por minerais xenomórficos; textura xenoblástica.

textural (ês) [De *textura* + *-al*[1].] *Adj. 2 g. Med.* Relativo ou pertencente aos tecidos do organismo.

texturização [De *texturizar* + *-ção*.] *S. f.* Ato ou efeito de texturizar.

texturizar [De *textura* + *-izar*.] *V. t. d. P.* Dar certa textura a, ou tomá-la: *texturizar uma parede.*

texturizável [De *texturizar* + *-vel*.] *Adj. 2 g.* Que se pode texturizar.

texugado [De *texugo* + *-ado*[1].] *Adj. Fig.* Gordo como texugo (2); muito gordo.

texugo [Da mesma or. incerta que os esp. *tesugo* e *tasugo* (provincianismos); poss. do gót. *thahsuks, dim. de *thahsus.] *S. m.* **1.** *Zool.* Mamífero carnívoro, fissípede, caniforme, mustelídeo (*Melesmeles meles*), plantígrado, onívoro, de pelagem cinzenta e negra, com laterais brancas na cabeça. Habita florestas da Europa e do N. da Ásia, cava tocas profundas, e hiberna para melhor resistir ao frio; seus pelos rijos são utilizados na fabricação de pincéis. **2.** *Pop.* Pessoa muito gorda, muito nutrida.

texugueira [De *texugo* + *-eira*.] *S. f.* Toca de texugo (1).

tez (ê) [De or. obscura.] *S. f.* **1.** Epiderme do rosto. **2.** Cútis, pele. [Cf. *tês*, pl. de *tê*.]

■ **TFR** Sigla de *Tribunal Federal de Recursos*.

■ **tg** *Trig. Geom.* V. *tangente* (2 e 3).

■ **tg**$^{-1}$ *Mat.* Símb. impr. de *arco tangente* (q. v.).

■ **tgh** *Mat.* V. *tangente hiperbólica*.

■ **tgh**$^{-1}$ *Mat.* Símb. impr. de *arco tangente hiperbólica* (q. v.).

■ **th** *Fís.* Símb. de *termia*.

■ **Th** *Quím.* Símb. de *tório*.

➔**thálassa! thálassa!** ['θalasa 'θalasa] [Gr., 'o mar! o mar!'.] Grito de desafogo dos soldados gregos quando avistaram o mar Negro, em sua retirada na Ásia Menor (401-399 a. C.). [Na verdade, a forma usada por Xenofonte (c. 430 a. C.-c. 355 a. C.), historiador, filósofo e general ateniense, em sua obra *Anábase* (VII, 7, 24) é *thálatta! thálatta!*, em dialeto ático.]

■ **THC** [Ingl. *tetrahydrocannabinol*.] *Quím.* Sigla de *tetraidrocanabinol*.

thenardita [Do antr. (*Luis J.*) *Thénard* (1777-1857), químico francês, + *-ita*[3].] *S. f. Min.* Mineral ortorrômbico, sulfato de sódio.

➔**thesaurus** [t^h^e'sawros] [Lat., pelo ingl.] *S. m.* **1.** Tesouro (6 e 7). **2.** *E. Ling.* V. *tesauro*.

thevétia [Do tax. *Thevetia* (do antr. [*André*] *Thevet* (-1592), viajante e autor francês, + lat. cient. *-ia*, v. *-ia*[2]).] *S. f. Bot.* **1.** Gênero de apocináceas que reúne oito espécies nativas das regiões tropicais das Américas, que são cultivadas como ornamentais. **2.** Qualquer espécie desse gênero, como, p. ex., a *Thevetia ahouai* (v. *agaí*). **3.** Qualquer espécime desse gênero. [Var.: *tevécia* e *tevétia*.]

■ **THF** [Ingl. *tetrahydrofuran*.] *Quím.* Sigla de *tetraidrofurano*.

thomsonita [Do antr. (*Thomas*) *Thomson* (1773-1852), químico escocês, + *-ita*[3].] *S. f. Min.* Mineral ortorrômbico, aluminossilicato hidrato de cálcio e sódio, da família das zeólitas.

➔**thriller** ['θɪɫə] [Ingl.] *S. m.* Narrativa, peça de teatro ou filme empolgante e/ou que inspira horror.

thunbérgia [Do tax. *Thunbergia* (do antr. [*Carl P.*] *Thunberg* [1743-1828], botânico sueco, + lat. cient. *-ia*, v. *-ia*[2]).] *S. f. Bot.* **1.** Gênero de trepadeiras acantáceas, ger. lenhosas, nativas de regiões tropicais do Velho Mundo, dotadas de folhas opostas, grandes flores, e cápsulas rostriformes. **2.** Qualquer espécie desse gênero, como, p. ex., a *Thunbergia alata* (v. *olho-preto*). **3.** Qualquer espécime desse gênero, ou a flor dele.

thurniácea [Do tax. *Thurnia* (do antr. [*Everard Ferdinand*] *Thurn* [1852-1932], botânico, explorador e fotógrafo inglês) + *-ácea*; tax. *Thurniaceae*.] *S. f. Bot.* Espécime das turniáceas, família de plantas monocotiledôneas, da ordem das juncales, constituída de ervas com folhas graminiformes e inflorescências que contêm glomérulos. Só há o gênero *Thurnia*, com duas espécies.

thurniáceo [De *thurniácea*, com var. suf. (v. *-áceo*).] *Adj. Bot.* Pertencente ou relativo às thurniáceas.

ti [Do lat. *tibi*, com infl. de *mihi* < *mi*.] *Pron. pess.* oblíquo, da 2.ª pess. do sing., usa-se acompanhado de preposição, salvo *com* (caso em que se emprega, como se sabe, *contigo* e não *com ti*): "Falo a ti — doce virgem dos meus sonhos" (Casimiro de Abreu, *Obras*, p. 49); *Nada faria contra ti*; "Ah! falávamos de ti!" (Gonçalves Dias, *Teatro*, p. 19); "Pensa em mim, como em ti saudoso penso, / Quando a lua no mar se vai doirando" (Álvares de Azevedo, *Obras Completas*, I, p. 313); *Que houve entre ti e teu primo?; Há profunda amizade entre ele e ti; Leva para ti esta lembrança*; "E ela tão apaixonada por ti!..." (Artur Azevedo, *Contos fora da Moda*, p. 116); "Subiste para além na alma da brisa: / E eu, que fiquei sem ti, no mundo arrasto / O sudário das minhas pobres mágoas ...." (Alphonsus de Guimaraens, *Obra Completa*, p. 283); *Conversamos longamente sobre ti.*

T

[Cf. *mim, si, nos*[3], *vos, contigo, comigo, consigo, conosco, convosco* e *te*.]

■ **Ti** *Quím.* Símb. do *titânio*.

tia [Do gr. *theía*, pelo lat. tard. *thia*.] ***S. f.*** **1.** Irmã dos pais, em relação aos filhos destes. **2.** *P. ext.* Mulher do tio, em relação aos sobrinhos deste. **3.** *Fam.* Solteirona. [Sin., fam. e inf., nessas acepçs.: *titia*.] **4.** *Bras.* Tratamento carinhoso dado por jovens às amigas dos pais, por amigos às mães de seus amigos, ou por meninos a suas professoras. **5.** *Bras. Gír.* Homossexual de meia-idade ou idoso. **6.** *Gír.* Dona de lupanar. ◆ **Ficar para tia.** Não casar (a mulher); ficar solteirona. [Sin., bras.: *encravar, encalhar, ficar para titia, ficar no barricão, ir para o barricão, ficar no caritó, ficar para galo de S. Roque, ficar na peça, ir para a prateleira*.]

▲ **ti(a)-** ***El. comp.*** *Quím.* Indica a presença, na molécula de uma substância, de um átomo de enxofre, em substituição a carbono: *tiabendazol*. [Tb. ocorre como infixo -ti(a)-: *oxatiolana*.]

▲ **-ti(a)-** *Quím. V. ti(a)-*.

tiã [De or. afr., decerto.] ***S. m.*** *Bras. Rel.* Amuleto dos pretos malês.

tia-avó ***S. f.*** Irmã dos avós, em relação aos netos destes. [Pl.: *tias-avós*.]

tiabendazol [De *ti(a)-* + *bendazol*.] ***S. f.*** *Quím.* Substância heterocíclica aromática, derivada do benzimidazol, us. como anti-helmíntico [fórm.: $C_{10}H_7N_2S$]. [Pl.: *tiabendazóis*.]

tíade [Do gr. *thyás, thyádos,* pelo lat. *thyade*.] ***S. f.*** V. *bacante* (1).

tiambo ***S. m.*** *Bras.* Variedade de cana-de-açúcar.

tiamida [De *ti(a)-* + *-amida*.] ***S. f.*** *Quím.* Cada um dos derivados das amidas em consequência de substituição do oxigênio por enxofre.

tiamina [De *ti(a)-* + *-amina*.] ***S. f.*** *Bioquím.* Cátion derivado de uma base heterocíclica aromática [fórm.: $C_{12}H_{17}N_4OS^+$], ger. isolado como cloreto [fórm.: $C_{12}H_{17}N_4OS{+}Cl^-$], encontrado em cereais, ovos, fermentos, e cuja ausência da dieta humana provoca o beribéri; aneurina. [É a vitamina B1, parte do *complexo vitamínico B*.]

tiana [Do ingl. *thiane* (este do gr. *theîon*, 'enxofre').] ***S. f.*** *Quím.* Substância orgânica heterocíclica saturada, com anel de seis átomos, sendo um de enxofre [fórm.: $C_5H_{10}S$].

tianguaense (guà) ***Adj. 2 g.*** **1.** De, ou pertencente ou relativo a Tianguá (CE). • ***S. 2 g.*** **2.** O natural ou habitante de Tianguá.

tianha ***S. f.*** *Bras. Pop.* **1.** Teimosia, birra. **2.** Mau costume. **3.** *Bras. SP* Ira, raiva. **4.** Antipatia, ojeriza.

tiantreno [De *ti(a)-* + *-antreno*.] ***S. m.*** *Quím.* Substância cristalina heterocíclica aromática, cujas moléculas se podem considerar derivadas do antraceno por substituição dos dois metinos centrais por dois átomos de enxofre [fórm.: $C_{12}H_8S_2$].

tiaporanga ***S. f.*** *Bras. Pop.* V. *bebedeira* (1): "se a gente fica na tiaporanga e faz uma estripulia qualquer, aí ninguém não quer saber se foi a pinga que trepou e buliu no sentido, ou se não foi!" (Valdomiro Silveira, *Os Caboclos*, p. 25).

tiara [Do persa, pelo gr. *tiára*, e pelo lat. *tiara*.] ***S. f.*** **1.** Mitra do Pontífice: "Significa a tiara pontifícia (ou frígio, como lhe chamou o Papa Inocêncio III, ou coroa de glória, como lhe chamou Eusébio Cesariense) a suma honorificência de Cristo: cinge-se agora (pode ser que não fosse esta a princípio a sua figura) com três coroas umas a outras sobrepostas; porque a três esferas chega a jurisdição do Pontífice romano: ao Céu, à Terra, e debaixo da Terra." (Pe. Manuel Bernardes, *Nova Floresta*, II, p. 196.) **2.** *Fig.* Dignidade pontifícia. **3.** Ornamento de cabeça usado outrora por soberanos do Oriente. **4.** Adorno em forma de arco que serve para prender os cabelos.

tia-segunda ***S. f.*** Tia-avó. [Pl.: *tias-segundas*.]

tiatã [Voc. onom.] ***S. m.*** *Bras. SP Zool.* V. *azulão* (1).

tiã-tiã-preto ***S. m.*** *Bras. Zool.* V. *tiziu*. [Pl.: *tiã-tiãs-pretos*.]

tiazina [Do ingl. *thiazine*.] ***S. f.*** *Quím.* Classe de substâncias orgânicas caracterizadas por um anel com quatro átomos de carbono, sendo um de enxofre e um de nitrogênio.

tiazol [De *ti(a)-* + *-az(o)-* + *-ol*[2].] ***S. m.*** *Quím.* Substância líquida incolor, aromática e heterocíclica, com anel pentagonal em que um metino separa um átomo de nitrogênio e um de enxofre [fórm.: C_3H_3NS]. [Pl.: *tiazóis*.]

tiba [Do tupi = 'abundância'.] ***S. f.*** *Bras.* **1.** Lugar onde há reunidas muitas pessoas ou coisas; tuba. • ***Adj. 2 g.*** **2.** Cheio, atestado; tibi. **3.** *Bras. N.E.* Grande, grosso, considerável. **4.** V. *valentão* (1).

tibaca [Var. de *quibaca*.] ***S. f.*** *Bras. Bot.* **1.** Bráctea da inflorescência das palmeiras. **2.** *Bras. AL* V. *cangaço* (5).

tibajiense ***Adj. 2 g.*** **1.** De, ou pertencente ou relativo a Tibaji (PR). • ***S. 2 g.*** **2.** O natural ou habitante de Tibaji.

tibauense ***Adj. 2 g.*** **1.** De, ou pertencente ou relativo a Tibau do Sul (RN). • ***S. 2 g.*** **2.** O natural ou habitante de Tibau do Sul.

tibe ***Interj.*** *Bras. N.E. Pop.* Exprime repulsa ou desprezo; tibes, tibe-vote: "Cruzes! Tibe! .... O cinema estava acabando de apodrecer a gente com as micagens de uns saltimbancos impalpáveis e mudos." (Alberto Rangel, *Lume e Cinza*, p. 169.)

tiberino [Do lat. *tiberinu*.] ***Adj.*** Pertencente ou relativo ao rio Tibre (Itália), ou à região por ele banhada.

tibes ***Interj.*** *Bras. N.E. Pop.* V. *tibe*.

tibetano (bè) [Do top. *Tibete* + *-ano*[1].] ***Adj.*** **1.** De, ou pertencente ou relativo ao Tibete ou *Xizang* (China). • ***S. m.*** **2.** O natural ou habitante do Tibete. **3.** *Gloss.* Língua sino-tibetana falada no Tibete, Butão e Nepal (Extremo Oriente). [Nesta acepç., tb. se usa o chinês *zang*.]

tibetano-birmanês (bè) ***Adj.*** **1.** Relativo ao Tibete e à Birmânia. [Flex.: *tibetano-birmanesa* (ê), *tibetano-birmaneses* (ê), *tibetano-birmanesas* (ê).] • ***S. m.*** **2.** *Gloss.* V. *sino-tibetano* (2). [Sin. ger.: *tibeto-birmanês*.]

tibeto-birmanês (bè) ***Adj. S. m.*** V. *tibetano-birmanês*. [Flex. (como adj.): *tibeto-birmaneses* (bè... ê), *tibeto-birmanesa* (bè...ê), *tibeto-birmanesas* (bè... ê).]

tibe-vote (vô) ***Interj.*** *Bras. N.E. Pop.* V. *tibe*.

tibi [De *tiba*.] ***Adj. 2 g.*** **1.** *Bras. N.E. Pop.* Cheio, atestado, apinhado, tiba. **2.** *Bras. MG* V. *tubi* (2 e 3).

tíbia [Do lat. *tibia*.] ***S. f.*** **1.** *Anat.* Cada um dos dois ossos de cada perna, o mais grosso e mais interno. **2.** A canela da perna. **3.** *Zool.* A terceira articulação das pernas dos insetos. **4.** *Poét.* Flauta de pastor: "Da tíbia a voz canora eu vejo pelos ares / Deuses, ninfas" (João Ribeiro, *Versos*, p. 146).

tibial [Do lat. *tibiale*, que significa, aliás, 'de flauta'.] ***Adj. 2 g.*** Pertencente ou relativo à tíbia.

tibiez (ê) [De *tíbio* + *-ez*.] ***S. f.*** V. *tibieza*.

tibieza (ê) [De *tíbio* + *-eza*.] ***S. f.*** **1.** Qualidade de tíbio. **2.** Fraqueza, debilidade. **3.** Frouxidão, indolência. [F. paral.: *tibiez*. Sin. ger.: *entibiamento*.]

tíbio [Do lat. *tepidu*, por via pop.] ***Adj.*** **1.** Morno, tépido: *água tíbia*. **2.** Frouxo, fraco: "Assim que a Lua coou em torno a sua tíbia claridade amarelenta, Maurício aproximou-se da luz, sôfrego, a fronte em suor, numa ansiedade muda." (Cruz e Sousa, *Obra Completa*, p. 586.) **3.** Sem ardor, sem entusiasmo; indolente: "Arde, e inflama-te, tíbio coração, em amor" (Fr. Tomé de Jesus, *Trabalhos de Jesus*, I, p. 246). **4.** Raro, escasso.

tibira ***S. f.*** *Bras. N.* Vaca que dá pouco leite, ou cujo leite não espuma.

tiborna [De or. obscura.] ***S. f.*** **1.** Pão quente embebido em azeite novo. **2.** *Fig.* V. *mixórdia* (1 e 2). **3.** Líquido entornado. **4.** *Bot.* Aguapé ordinária. **5.** *Bras.* Fezes do alambique, após a destilação. [Cf. *vinhoto*.] **6.** *Bras. N.E. Pop.* Coisa ruim, desprezível, sem valor; porcaria. **7.** *Bras. Bot.* Arbusto apocináceo (*Himatanthus drasticus*) que ocorre desde as Guianas até o Ceará, de folhas obovadas, semicoriáceas, e cujo caule contém látex utilizado pela população como vermífugo e tem tb. outros usos medicinais.

tibornice [De *tiborna* + *-ice*.] ***S. f.*** *Fam.* V. *mixórdia* (1 e 2).

tibum [Voc. onom.] ***Interj. S. m.*** *Bras. AM Pop.* Tibungo (1 e 2).

tibuna [De or. tupi, poss.] ***S. m.*** *Bras. Zool.* V. *tubuna* (1).

tibungar [De *tibungo* + *-ar*[2].] ***V. int.*** *Bras. N.E.* **1.** Cair na água. **2.** Mergulhar, afundar-se. [Sin.: *bungar*. Conjug.: v. *largar*.]

tibungo [Voc. onom.] ***Interj.*** *Bras. N.E.* **1.** Voz imitativa do som produzido por um corpo ao cair na água; tibum. • ***S. m.*** **2.** *Bras. N.E.* Onomatopeia da queda na água; tibum. **3.** Mergulho (1).

tibuquina [Do tax. *Tibouchina*.] ***S. f.*** *Bot.* **1.** Gênero de arbustos e, raramente, ervas melastomatáceos, dotados de folhas íntegras e grandes flores purpúreas de cálice piloso. **2.** Qualquer espécie desse gênero, como, p. ex., a *Tibouchina stenocarpa* (v. *quaresmeirinha*). **3.** Qualquer espécime desse gênero ou a sua flor.

tiburciano ***Adj.*** ~ V. *charada —a*.

tiburo ***S. m.*** *Bras. Zool.* V. *guaivira*.

tiburtino [Do lat. *tiburtinu*.] ***Adj.*** **1.** Da, ou pertencente ou relativo à antiga cidade de Tíbure, ou Tíbur, atual Tívoli (Itália). • ***S. m.*** **2.** O natural ou habitante de Tíbure. [Cf. *tivolino*.]

ticaca ***S. f.*** **1.** *Bras. Zool.* V. *gambá* (1). **2.** *Joc.* Coisa sem valor ou importância; pinoia, titica.

tição [Do lat. tard. *titione*.] ***S. m.*** **1.** Pedaço de lenha acesa ou meio queimada. **2.** *Fig.* Preto, negro. **3.** *Pej.* Indivíduo negro. **4.** V. *diabo* (2).

ticar [Do ingl. *(to) tick* (v. *-ar*[2]).] ***V. t. d.*** **1.** Dar baixa em, mediante sinal em forma de V [v], ou furo, etc., em (parágrafo, alínea, palavra, parcela de uma soma, etc.). **2.** Dar pequenos cortes em (peixe, carne, etc.), para que o tempero possa entranhar: "senti cheiro de limão, alho e pimenta, e vi tia Ramira ticando peixe na cozinha." (Milton Hatoum, *Cinzas do Norte*, p. 20). ***Int.*** **3.** Ticar (1) parágrafo, alínea, palavra, etc.: *Conferiu, mas não ticou*. [Conjug.: v. *trancar*.]

▲ **-(t)ício** [Do lat. *-(t)itĭu*.] ***Suf. nom.*** = 'possibilidade de praticar ou sofrer uma ação'; 'relação': *acomodatício*; *alimentício*. [Equiv.: *-(d)iço*[1]: *alagadiço, arrojadiço, movediço, quebradiço*. Alternam-se, às vezes: *acomodadiço, acomodatício*.]

➔ **ticket** ['tɪkɪt] [Ingl.] ***S. m.*** V. *tíquete*.

tico[1] ***S. m.*** *Bras.* **1.** Pedacinho de qualquer coisa. **2.** Pequena quantidade; bocado, taco.

tico[2] [Dev. de *ticar*.] ***S. m.*** Tique[2].

tico[3] ***S. m.*** V. *tique*[1] (2).

tiçoada [De *tição* + *-oada*, com desnasalação.] ***S. f.*** **1.** Pancada com tição. **2.** *P. ext.* Pancada, paulada, golpe.

ticodendrácea [Do tax. *Ticodendr(on)* + *-ácea*; tax. *Ticodendraceae*.] ***S. f.*** *Bot.* Espécime das ticodendráceas, família da ordem das fagales, que compreende, apenas, o gênero *Ticodendron*.

ticodendráceo [De *ticodendrácea*, com var. suf. (v. *-áceo*).] ***Adj.*** *Bot.* Pertencente ou relativo às ticodendráceas.

tiçoeiro [De *tição* + *-eiro*, com desnasalação.] ***S. m.*** Utensílio de ferro com que se atiça o fogo ou se revolve a brasa a fim de avivá-la.

tiçonado [De *tição* + *-ado*[1], seg. o padrão erudito.] ***Adj.*** **1.** Chamuscado, crestado. **2.** Malhado de negro.

ticonha [De or. obscura.] ***S. f.*** *Bras. Zool.* Raia miliobatídea (*Rhinoptera bonasus*), do Atlântico, com numerosos dentes, dorso de coloração que vai do marrom-claro ao marrom-escuro e superfície ventral branca ou branco-amarelada, e que chega a alcançar cerca de 1m de envergadura. É uma espécie gregária e migrante, alimentando-se principalmente de moluscos e crustáceos. [Sin.: *raia-focinho-de-vaca, raia-sapo*.]

ticopá [De or. obscura.] ***S. f.*** *Zool.* **1.** *Bras.* Peixe hemulídeo (*Pomadasys crocro*), do Atlântico ocidental, desde a Flórida ao S. do Brasil, de dorso plúmbeo, abdome prateado, nadadeiras escuras, três ou quatro estrias longitudinais nos flancos, e comprimento de até 35cm; corcoroca. **2.** *Bras. ES* V. *roncador* (3). **3.** *Bras.* V. *corvina* (2).

tico-tico [Do tupi.] ***S. m.*** *Bras.* **1.** *Zool.* Ave passeriforme, fringilídea (*Zonotrichia capensis*), do Brasil e países limítrofes, de coloração parda, lavada de vermelho e pintada de preto no dorso alto, alto da cabeça pardo-escuro com três estrias cinzentas longitudinais, asas e cauda marginadas de vermelho ou cinzento, coberteiras superiores médias da asa marginadas de branco, colar lateral vermelho; maria-é-dia, maria-judia. **2.** *Pej.* Pessoa ou coisa pequenina. **3.** Escola primária. [Pl.: *tico-ticos*.] ~ V. *tico-ticos*. ◆ **Espantar tico-tico.** *Bras. RJ Gír.* Dar passos disfarçados, fazer negaças, nas brigas, para enganar o adversário.

tico-tico-do-biri ***S. m.*** *Bras. Zool.* V. *cachimbó*. [Pl.: *tico-ticos-do-biri*.]

tico-tico-do-campo ***S. m.*** *Bras. Zool.* Ave passeriforme, fringilídea (*Myospiza humeralis*), do N.E. e C.O. do Brasil, de coloração pardo-acinzentada, com estrias amarelas no dorso, loros e encontros claros. Frequenta lugares descampados, e se alimenta de sementes e também de insetos. [Sin.: *tico-tico-rasteiro, canário-pardo, manimbé*. Pl.: *tico-ticos-do-campo*.]

tico-tico-do-mato ***S. m.*** *Bras. Zool.* **1.** Ave passeriforme, fringilídea (*Arremon taciturnus*), distribuída desde a Amaz. até RJ e MT, de dorso verde-oliva, cabeça preta, uma estria longitudinal no meio do vértice, coleira dorsal e flancos cinzentos, sobrancelha, garganta, meio do peito e abdome brancos, lados do peito pretos, encontro amarelo; pai-pedro, coroado, salta-caminho, jesus-meu-deus. **2.** V. *pixarro*. [Pl.: *tico-ticos-do-mato*.]

tico-tico-do-piri ***S. m.*** *Bras. Zool.* V. *cachimbó*. [Pl.: *tico-ticos-do-piri*.]

tico-tico-do-sertão ***S. m.*** *Bras. Zool.* V. *tico-tico-rei* (2). [Pl.: *tico-ticos-do-sertão*.]

tico-tico-guloso ***S. m.*** *Bras. Zool.* V. *pixarro*. [Pl.: *tico-ticos-gulosos*.]

tico-tico-rasteiro ***S. m.*** *Bras. Zool.* V. *tico-tico-do-campo*. [Pl.: *tico-ticos-rasteiros*.]

tico-tico-rei ***S. m.*** *Bras. Zool.* **1.** Ave emberizídea (*Coryphospingus cucullatus*) com ampla distribuição na América do Sul. O macho tem coloração vermelho-escura, mais clara no abdome, asas e cauda pretas, topete com penas escarlates, alongadas; a fêmea, pardacenta com o abdome avermelhado, não tem topete. Frequentam as várzeas e se alimentam de sementes e insetos; araguirá, foguinho, tico-tico-rei-vermelho, vinte-e-um-pintado. **2.** Ave emberizídea (*Coryphospingus pileatus*), próxima ao tico-tico-rei (1), com cerca de 13cm, e tb. com ampla distribuição na América do Sul. O macho tem coloração cinzenta, topete escarlate, com borda negra; a fêmea, pardacenta com o ventre amarelo-pálido, não tem topete; galinho-da-serra, tico-tico-do-sertão, tico-tico-rei-cinza. [Sin. ger.: *abre-e-fecha, cravina, galo-do-mato*. Pl.: *tico-ticos-reis* e *tico-ticos-rei*.]

tico-tico-rei-cinza *S. m.* V. *tico-tico-rei* (2). [Pl.: *tico-ticos-reis-cinza* e *tico-ticos-rei-cinza*.]

tico-tico-rei-vermelho *S. m. Bras. Zool.* V. *tico-tico-rei* (1). [Pl.: *tico-ticos-reis-vermelhos* e *tico-ticos-rei-vermelhos*.]

tico-ticos [Pl.: de *tico-tico*, ou de *tico*[1], repetido, poss.] *S. m. pl. Pop.* Dinheiro miúdo; trocado: *Tenho ainda uns tico-ticos para tomar café*. ~ V. *tico-tico*.

ticuanga *S. f. Bras. AM Cul.* Bolo de massa de mandioca com coco, castanha-do-pará, açúcar, etc.

ticuca *S. f. Bras.* V. *cuca*[5].

ticum *S. m. Bras. Bot.* V. *tucum*.

ticumbi *S. m. Bras. ES Folcl.* Modalidade da congada, mais simples e menos dramática, e que termina com um bailado que denomina o auto: "vim ver festa de bons pretos / vim à terra capixaba / vim à Conceição da Barra / pra assistir o ticumbi" (Stella Leonardos, *Geolírica*, p. 87).

ticuna[1] [De or. indígena, poss.] *S. f. Bras.* V. *curare* (1).

ticuna[2] *Bras. S. 2 g.* **1.** *Etnôn.* Indivíduo dos ticunas [ou (etnôn. bras.) *Tukuna, ou *Magüta], povo indígena de língua isolada que habita a região do alto Solimões (AM). ● *Adj. 2 g.* **2.** Pertencente ou relativo a esse povo. [Outras f.: *tecuna, tucuna*.]

tiçuna *Adj. 2 g. S. Bras. RJ* Diz-se de, ou preto retinto.

ticura [Var. de *tucura*.] *S. m. Bras. Zool.* V. *gafanhoto* (1).

tié [Do tupi.] *S. m. Bras. Zool.* Designação comum aos pássaros traupídeos: "No meio da orquestra concertada pelos cantos dos sabiás, das graúnas e das patativas, retiniam .... os estrídulos das arapongas, e os gritos dos tiés e das araras." (José de Alencar, *O Sertanejo*, p. 206.) [Var. pros.: *tiê*.]

tiê *S. m. Bras. S. Zool.* V. *tié*.

➔**tie-break** ['tajbɹejk] [Ingl.] *S. m. Esport.* Disputa que se dá no quinto *set* de uma partida de vôlei, em 15 pontos, e no décimo terceiro *game* de um *set* de tênis, para desempate.

tié-da-mata *S. m. Bras. Zool.* Ave passeriforme, traupídea (*Habia rubica*), do Brasil este-meridional. Macho vermelho-escuro, com abdome mais claro e cabeça com topete vermelho, e fêmea uniformemente parda, sem topete. Alimenta-se de frutas em geral. [Sin.: *tié-do-mato-grosso*. Pl.: *tiés-da-mata*.]

➔**tie-die** [taj daj] [Ingl.] *S. m. Tec. Têx.* Método de tingir tecido em que pequenas partes dele são amarradas para prevenir que a cor se espalhe, produzindo estampas irregulares.

tié-do-mato-grosso *S. m. Bras. Zool.* Tié-da-mata. [Pl.: *tiés-do-mato-grosso*.]

tié-fogo *S. m. Bras. Zool.* V. *sangue-de-boi*. [Pl.: *tiés-fogos* (ó) e *tiés-fogo* (ô).]

tié-galo *S. m. Bras. Zool.* Ave passeriforme, traupídea (*Tachyphonus cristatus*), da Amaz. Macho preto, com crista do vértice encarnada na parte anterior, garganta e dorso amarelo-pálido; a fêmea é pardo-avermelhada, mais clara inferiormente. [Pl.: *tiés-galos* e *tiés-galo*.]

tié-guaçu-paroara *S. m. Bras. Zool.* V. *cardeal* (3). [Pl.: *tiés-guaçus-paroaras* e *tiés-guaçus-paroara*.]

tiepana [De *ti(a)-* + *-epana*.] *S. f. Quím.* Substância saturada cujas moléculas têm um ciclo com seis átomos de carbono e um de enxofre [fórm.: $C_6H_{12}S$].

tiepina [De *ti(a)-* + *-epina*.] *S. f. Quím.* Substância insaturada cujas moléculas têm um ciclo com seis átomos de carbono e um de enxofre [fórm.: C_6H_6S].

tié-piranga *S. m. Bras. Zool.* V. *sangue-de-boi*. [Pl.: *tiés-pirangas*.]

tié-preto *S. m. Bras. Zool.* Ave passeriforme, traupídea (*Tachyphonus coronatus*), do S.E. do Brasil, coloração preta com topete vermelho, sendo a fêmea amarelada no dorso. Frequenta matas e capoeiras, e costuma aproximar-se das habitações. [Sin.: *azulão, gurundi, guarundi, guiraundi*. Pl.: *tiés-pretos*.]

tié-sangue *S. m. Bras. Zool.* **1.** V. *sangue-de-boi*. **2.** V. *pipira* (1). [Pl.: *tiés-sangues* e *tiés-sangue*.]

tietagem [De *tiete* + *-agem*[2].] *S. f. Bras. Gír.* Atitude, modos ou ação de tiete.

tietar [De *tiete* + *-ar*[2].] *V. t. d. Int.* Proceder como tiete.

tiete *S. 2 g. Bras. Gír.* Fã, admirador: *Ela é tiete de Gilberto Gil*.

tieté *S. m. Bras. Zool.* V. *tietê*.

tietê [Do tupi = 'tié verdadeiro'.] *S. m. Bras. Zool.* Ave emberizídea (*Euphonia pectoralis*) encontrada no Brasil e no Paraguai, com cerca de 11cm de comprimento. O macho tem plumagem azul-escura, tufos amarelos nas laterais do peito e abdome castanho-avermelhado; a fêmea é verde, peito cinzento-violáceo, e abdome cor de canela. Frequenta matas, e alimenta-se de frutas e alguns insetos. [Var.: *tieté*. Sin.: *alcaide, ferro-velho, gaita, gaturamo-rei, gaturamo-serrador, serrador*.]

tieteano *Adj.* Pertencente ou relativo ao rio Tietê (SP), ou à região por ele banhada.

tieteense (êen) *Adj. 2 g.* **1.** De, ou pertencente ou relativo a Tietê (SP). ● *S. 2 g.* **2.** O natural ou habitante de Tietê.

tieteí [Do tupi = 'tietê pequeno'.] *S. m. Bras. Zool.* V. *gaturamo*.

tietinga (ié) [Do tupi = 'tié branco'.] *S. m. Bras. Zool.* Ave passeriforme, traupídea (*Cissopis l. leveriana*), distribuída por todo o Brasil, com duas subespécies. Tem cabeça, garganta, parte anterior do dorso e do peito pretas, brilhantes, asas e cauda pretas, marginadas de branco, dorso alto cinzento-esbranquiçado, dorso baixo e parte inferior brancos. [Sin.: *sanhaçotinga, pega-do-norte*.]

tié-vermelho *S. m. Bras. Zool.* V. *sangue-de-boi*. [Pl.: *tiés-vermelhos*.]

tiezada [De *tiê* + *-zada*.] *S. f.* Bando de tiês: "O bem-te-vi apareceu acompanhado. Alarmou-se a tiezada. Isso também era demais! Assim, com intrusos daquele tamanho não ia sobrar nada." (Vivaldo Coaraci, *91 Crônicas*, p. 104.)

tifa[1] [Do tax. *Typha* (do gr. *týphe*, 'certa planta aquática').] *S. f. Bot.* **1.** Gênero de plantas tifáceas, herbáceas, altas e eretas, de folhas ensiformes e flores monécias, em densas espigas; ocorrem em pântanos de água doce, e de água salgada. **2.** Qualquer espécie desse gênero, como, p. ex., a *Typha domingensis* (v. *tabua*). **3.** Qualquer espécime desse gênero.

tifa[2] *S. f. Bras. SC Pop.* V. *cafundó* (3).

tifácea [Do tax. *Typha* (v. *tifa*[1]) + *-ácea*; tax. *Typhaceae*.] *S. f. Bot.* Espécime das tifáceas, família de monocotiledôneas, da ordem das pandanales, composta de ervas de folhas dísticas e inflorescências cilíndricas, compactas, com flores unissexuais. O perigônio é representado por pelos longos, que parecem paina. Só inclui o gênero *Typha*, com poucas espécies. No Brasil, a *T. dominguensis*, conhecida como tabua, é extremamente comum em brejos.

tifáceo [De *tifácea*, com var. suf. (v. *-áceo*).] *Adj. Bot.* Pertencente ou relativo às tifáceas.

tifão [Do chin. cantonense *tai fung*, 'grande vento', 'tufão', com infl. do gr. *typhón*, 'turbilhão'.] *S. m. Geol.* Massa de terreno, não estratificada, na crosta da Terra.

tífico [De *tifo* + *-ico*[2].] *Adj.* Relativo ao tifo, ou que tem a natureza dele.

tifinague [Do tuaregue *tifinagh*, 'escrita', 'escritos'.] *Adj. S. m. Graf.* Diz-se de, ou a escrita dos tuaregues.

tiflectasia [De *tifl(o)-* + *-ectas-* + *-ia*[1].] *S. f. Patol.* Distensão do ceco.

tiflectomia [De *tifl(o)-* + *-ectom-* + *-ia*[1].] *S. f. Cir.* Extirpação do ceco.

tiflectômico *Adj. Cir.* V. *tiflectômico*. [Uso freq. em P.]

tiflectômico [De *tiflectomia* + *-ico*[2].] *Adj. Cir.* Relativo a tiflectomia.

tiflite [De *tifl(o)-* + *-ite*[1].] *S. f. Med.* Inflamação do ceco.

▲ **tifl(o)-** [Do gr. *typhlós, ḗ, ón*.] *El. comp.* = 'cego'; 'ceco': *tiflologia; tiflite, tiflomegalia*. [Equiv.: *-tifl(o)-*: *peritiflite*.]

▲ **-tifl(o)-** Equiv. de *tifl(o)-*.

tiflofilia [De *tifl(o)-* + *-filia*.] *S. f.* Filantropia dedicada especialmente a cegos.

tiflofílico [De *tiflofilia* + *-ico*[2].] *Adj.* De, ou relativo a tiflofilia.

tiflografia [De *tifl(o)-* + *-grafia*.] *S. f.* Arte de escrever em relevo para uso dos cegos.

tiflográfico [De *tiflografia* + *-ico*[2].] *Adj.* Relativo a tiflografia.

tiflógrafo [De *tifl(o)-* + *-grafo*.] *S. m.* Instrumento que os cegos usam para escrever.

tiflologia [De *tifl(o)-* + *-logia*.] *S. f.* Tratado sobre a instrução dos cegos.

tiflológico [De *tiflologia* + *-ico*[2].] *Adj.* Relativo a tiflologia.

tiflologista [De *tiflologia* + *-ista*.] *S. 2 g.* Especialista em tiflologia.

tiflólogo [De *tifl(o)-* + *-logo*.] *S. m.* Aquele que se dedica à instrução dos cegos, ou que estuda tiflologia.

tiflomegalia [De *tifl(o)-* + *-megal(o)-* + *-ia*[1].] *S. f. Med.* Hipertrofia do ceco.

tiflomegálico [De *tiflomegalia* + *-ico*[2].] *Adj.* Relativo a tiflomegalia.

tiflopexia (cs) [De *tifl(o)-* + *-pex-* + *-ia*[1].] *S. f. Cir.* Suspensão e fixação de ceco, efetuadas cirurgicamente.

tiflopídeo [Do tax. *Typhlops* + *-ídeo*[1]; tax. *Typhlopidae*.] *Zool. S. m.* **1.** Espécime dos tiflopídeos, família de reptis da ordem dos escamados, na qual se encontram pequenas cobras com escamas regulares e dentição incompleta. Ex.: a cobra-cega. ● *Adj.* **2.** Pertencente ou relativo a eles.

tiflose [De *tifl(o)-* + *-ose*[1].] *S. f. Oftalm.* Cegueira (1).

tifo [Do gr. *týphos*, 'estupor', 'torpor', pelo lat. tard. *typhu*.] *S. m. Patol.* Cada uma de um grupo de doenças infecciosas relacionadas entre si, produzidas por espécies de *rickéttsias* e veiculadas por artrópodes, apresentando grave comprometimento do estado geral, febre alta que se mantém por algum tempo, alterações cutâneas. [Sin., impr.: *febre tifoide*.] ◆ **Tifo abdominal.** *Impr.* V. *febre tifoide*. **Tifo exantemático.** *Med.* Infecção produzida pela *Rickettsia prowazeckii*, que se transmite de homem a homem por meio do *Pediculus humanis*, variante *corporis*. **Tifo icteroide.** *Med.* V. *febre amarela*.

tifoide (ói) [De *tifo* + *-oide*.] *Adj. 2 g.* Semelhante ao, ou que tem os caracteres do tifo; tifóideo, tifoso. ~ V. *febre* —. ❖

tifóideo *Adj.* V. *tifoide*.

tifoso (ô) [De *tifo* + *-oso*.] *Adj.* **1.** V. *tifoide*. **2.** *Obsol.* Diz-se dos fenômenos atáxicos e adinâmicos que complicam a marcha de uma doença. ● *S. m.* **3.** *Med.* Indivíduo atacado de tifo.

tigela [Do lat. **tegella*, por *tegula*, 'telha'.] *S. f.* **1.** Vaso de barro, de louça, de metal, etc., com asas ou sem elas, e sem gargalo; malga. **2.** Disco de barro em que se levam ao forno certos doces. **3.** Vasilha que se põe abaixo do golpe dado na seringueira para lhe recolher a seiva. **4.** *Bras.* Medida de capacidade para secos, equivalente a um litro. ◆ **Quebrar a tigela.** *Bras. N.E. Fam.* Usar pela primeira vez uma roupa ou um objeto qualquer; quebrar a panela.

tigelada [De *tigela* + *-ada*[1].] *S. f.* **1.** Conteúdo de uma tigela. **2.** Tigela cheia. **3.** *Cul.* Caldeirada (3). **4.** Designação geral de comidas doces ou salgadas servidas ou feitas em tigela.

tigrado [De *tigre* + *-ado*[1].] *Adj.* Mosqueado como a pele do tigre; atigrado, tigre.

tigre [Do iraniano, pelo gr. *tígris* e pelo lat. *tigre*.] *S. m.* **1.** *Zool.* Mamífero carnívoro, felídeo (*Felis tigris*), da Sibéria e do Sudeste Asiático, de coloração amarelo-tostada, com barras negras sobre o corpo. **2.** *Bras. Zool.* Designação comum aos indivíduos melânicos da onça-pintada. **3.** *Fig.* Homem sanguinário, bárbaro, cruel. **4.** *Zool.* Inseto que devora as folhas de pereiras e macieiras. **5.** *Bras.* No jogo do bicho (q. v.), o 22º grupo (8), que abrange as dezenas 85, 86, 87 e 88, e corresponde ao número 22. **6.** *Bras.* Barril onde antigamente se transportavam, para despejo, matérias fecais: "Durante o dia trabalhava nos armazéns da Alfândega, e à noite exercia a triste função de esvaziar os tigres." (Ana Maria Gonçalves, *Um Defeito de Cor*, p. 651.) [Cf. *camburão* (2).] **7.** *Bras.* O criado ou escravo que fazia esse transporte. **8.** *Desus.* Primeiranista de medicina. **9.** *Desus. Gír.* Estudante que repete a série mais de uma vez. ● *Adj. 2 g. e 2 n.* **10.** V. *tigrado*. ◆ **Tigres asiáticos.** Designação dada às economias asiáticas que cresceram de forma vigorosa nas últimas décadas do século XX, esp. Coreia do Sul, Singapura, Formosa e Hong Kong.

tigré *S. m. Gloss.* **1.** Língua falada na Eritreia e na Etiópia (África). **2.** Vocábulo dessa língua.

tigre-d'água *S. m. Bras. Zool.* Reptil quelônio, testudinídeo (*Chrysemis d'orbignyi*), do S. do Brasil e países limítrofes, de hábitos aquáticos, e carapaça parda, ornamentada de amarelo ou vice-versa, malhada nos jovens. Comprimento: até 30cm. [Pl.: *tigres-d'água*.]

tigre-da-tasmânia [De *tigre* + *da*[1] + top. *Tasmânia* (Austrália).] *S. m. Zool.* Lobo-da-tasmânia. [Pl.: *tigres-da-tasmânia*.]

tigre-de-dente-de-sabre *S. m. Paleont.* Esmilodonte (2) (q. v.). [Pl.: *tigres-de-dente-de-sabre*.]

tigre-de-dentes-de-sabre *S. m. Paleont.* V. *tigre-de-dente-de-sabre*. [Pl.: *tigres-de-dentes-de-sabre*.]

tigre-dentes-de-sabre *S. m. Paleont.* V. *tigre-de-dente-de-sabre*. [Pl.: *tigres-dentes-de-sabre*.]

tigrense *Adj. 2 g.* **1.** De, ou pertencente ou relativo a Arroio do Tigre (RS). ● *S. 2 g.* **2.** O natural ou habitante de Arroio do Tigre.

tigresa (ê) [De *tigre* + *-esa*.] *S. f. Bras.* **1.** *Zool.* A fêmea do tigre. **2.** *Bot.* Bromeliácea (*Vriesia hieroglyphica*) epífita, de longas folhas laminares, com faixas transversais que têm manchas arroxeadas e como que tigradas, e inflorescências eretas, espiciformes, vermelhas; é natural da Mata Atlântica, e muito exigente quanto às condições de luz e umidade. **3.** Pantera (6): "Uma tigresa de unhas negras / E íris cor de mel / Uma mulher, uma beleza / Que me aconteceu / .... / Me falou que o mal é bom e o bem cruel." (Caetano Veloso, da canção *Tigresa*.)

tigrínia [Desta língua.] *S. m. Gloss.* Uma das línguas semíticas da Etiópia (África).

tigrino [Do lat. *tigrinu*.] *Adj.* **1.** Relativo, pertencente ou semelhante ao tigre, ou próprio dele. **2.** Sanguinário como o tigre: "Sobre o filho curvado, imerso em cruas penas, / Aquele rei sinistro, enérgico e tigrino, / Tinha na frouxa voz modulações serenas." (Gonçalves Crespo, *Obras Completas*, p. 334.)

tiguera (gue ou güe) [Do tupi = 'galhos secos'.] *S. f. Bras. SP a RS* **1.** Milharal já colhido e extinto. **2.** Roça

T

depois de efetuada a colheita. [Sin. ger.: *abatiguera* e (MG) *palha, palhada*.] ◆ **Cair na tiguera.** *Bras. SP a RS* V. *fugir* (1 e 2). ❖

tiirana [De *ti(a)*- + -*irana*.] *S. f. Quím.* Substância cujas moléculas têm um ciclo com dois átomos de carbono e um de enxofre [fórm.: C_2H_4S].

tijibu *S. m. Bras. Zool.* V. *camaleão*[1] (1 e 2).

tijoláceo [De *tijolo* + -*áceo*.] *Adj.* Que é da natureza, ou da cor do tijolo: 📖 "Perambulamos .... pelas ruas do Brás, quando nos empolgou a silhueta escura duma pesada mole tijolácea, com aparência de usina vazia de maquinismos." (Monteiro Lobato, *Urupês, Outros Contos e Coisas*, p. 256.)

tijolar [De *tijolo* + -*ar*[2].] *V. t. d.* Construir com tijolo. [Pres. ind.: *tijolo* (ó), etc. Cf. *tijolo* (ô).]

tijolaria [De *tijolo* + -*aria*.] *S. f.* **1.** Conjunto de tijolos. **2.** *Pop.* Fábrica de tijolos; olaria.

tijoleira [De *tijolo* + -*eira*.] *S. f.* **1.** Fragmento de tijolo para ladrilhos. **2.** Tijolo grande. **3.** Tijolo de pequena espessura, usado para revestimento de pisos.

tijoleiro [De *tijolo* + -*eiro*.] *S. m.* Fabricante de tijolos.

tijolo (ô) [Do esp. *tejuelo*.] *S. m.* **1.** Produto cerâmico, avermelhado, ger. em forma de paralelepípedo, muito usado em construções. **2.** Instrumento com que os ourives vazam arruelas. **3.** *Cul.* Doce em pasta, sólido, de forma semelhante à do tijolo (1): 📖 "A doçaria enfeita a mesa de um extremo ao outro: são torres de fios-d'ovos, ... balas de leite e de cacau com amêndoa, tijolos de pessegada, ladrilhos de bananada" (Martins Fontes, *A Dança*, p. 88). [Cf., nesta acepç., *ladrilho* (4).] **4.** *Edit. Pop.* Colofão. **5.** *Bras.* Livro muito volumoso; calhamaço. **6.** *Bras. Fut.* V. *bomba* (23). **7.** *Bras. Tip.* Composição em que rareiam os claros ou outras particularidades que favorecem o compositor tarefeiro. [Sin., gír., nesta acepç., *catatau*.] **8.** *Bras. SP Gír.* V. *namoro* (1). **9.** A cor vermelha do tijolo (1). [Pl.: *tijolos* (ó).] ● *Adj. 2 g. e 2 n.* **10.** Que tem essa cor. ◆ **Tijolo cheio.** *Constr.* Tijolo maciço. **Tijolo cru.** *Constr.* Adobe (1). **Tijolo de amarração.** *Constr.* Tijolo saliente em paramento de alvenaria de modo a facilitar a união entre duas paredes em esquadro. **Tijolo de cunha.** *Constr.* Tijolo que apresenta ligeira variação de espessura, ao longo de seu comprimento, destinado à construção de arcos e abóbadas. **Tijolo de vidro.** *Constr.* Peça de vidro transparente ou translúcido, em forma de paralelepípedo, us. em substituição ao tijolo comum, como decoração ou para iluminação do ambiente. **Tijolo furado.** *Constr.* Aquele em que se deixam, ao longo de todo o seu comprimento, canais ou orifícios, e que apresenta sobre o tijolo maciço as vantagens de ser mais leve e ter melhores características isolantes do calor, do som e da umidade; tijolo vazado. **Tijolo maciço.** *Constr.* Tijolo que não apresenta orifícios ou canais em sua espessura; tijolo cheio. **Tijolo refratário.** *Constr.* O que é fabricado com argila muito pura, e que, por muito resistente às altas temperaturas, se emprega para revestir fornos, fornalhas, etc. **Tijolo vazado.** *Constr.* Tijolo furado. **De tijolo aparente.** *Constr.* Diz-se da construção em cujas paredes externas se empregam tijolos especiais que dispensam qualquer revestimento e ficam, portanto, aparecendo. **Fazer tijolo.** *Bras. SP Gír.* V. *namorar* (9).

tijolo-quente *S. m. Bras. Fut.* V. *bomba* (23). [Pl.: *tijolos-quentes*.]

tiju [Do tupi = 'nariz ou bico amarelo'.] *S. m. Bras. Zool.* V. *assobiador* (4). [Cf. *teju*.]

tijubina *S. f. Bras. CE Pop.* V. *lambedeira* (3).

tijuca [Var. de *tijuco*.] *S. f. Bras.* **1.** V. *tijuco*. **2.** *Zool.* V. *assobiador* (4).

tijucada [De *tijuco* + -*ada*[1].] *S. f. Bras.* V. *tijucal*.

tijucal [De *tijuco* + -*al*[1].] *S. m. Bras.* Grande atoleiro; lameiro. [Var.: *tujucal*; sin.: *tijucada* ou *tujucada*, *tijucupaua* ou *tijucupava*, *tijuqueira*.]

tijucano[1] *Adj.* **1.** Da, ou pertencente ou relativo à Tijuca, bairro do Rio de Janeiro. ● *S. m.* **2.** O natural ou habitante da Tijuca.

tijucano[2] *Adj.* **1.** De, ou pertencente ou relativo a Tijucas (SC). ● *S. m.* **2.** O natural ou habitante de Tijucas. [Sin. ger.: *tijuquense*.]

tijucano[3] *Adj. S. m.* V. *tijucano-do-sul*.

tijucano-do-sul *Adj.* **1.** De, ou pertencente ou relativo a Tijucas do Sul (PR). ● *S. m.* **2.** O natural ou habitante de Tijucas do Sul. [Sin. ger.: *tijucano*. Pl.: *tijucanos-do-sul*.]

tijuco [Do tupi = 'líquido podre', 'lama'.] *S. m. Bras.* **1.** Charco, pântano, atoleiro: 📖 "A sujeira da lama penetrava até a alma. Boi sujo, cavalo sujo, homem sujo, galinha suja. Lama, barro, tijuco, atoleiro." (Bernardo Élis, *Veranico de Janeiro*, p. 23.) **2.** Lama, lodo. [Var.: *tijuca* e *tujuco*.] ◆ **Fazer tijuco em.** *Bras. SP Pop.* Passar diversas vezes em (um lugar); frequentar (esse lugar).

tijucupaua [Do tupi = 'tudo lama', 'lamaçal'.] *S. f. Bras. N.* V. *tijucal*: 📖 "De trecho em trecho esta orla é truncada pelas tijucupauas, ou praias negras de tijuco" (José Veríssimo, *Cenas da Vida Amazônica*, p. 49). [Var.: *tijucupava*.]

tijucupava [Var. de *tijucupaua*.] *S. f. Bras. N.* V. *tijucal*.

tijupá [De *tijupaba*, com apócope.] *S. m. Bras.* **1.** Cabana de índios, menor que a oca. **2.** Palhoça que os trabalhadores constroem no meio da mata, nos seringais, roças, etc. [Cf. *coió* (6).] **3.** Choupana, choça, rancho. **4.** *Bras. N.* Tolda[1] (4) de canoa. [Var. e f. paral., nessas acepç.: *ajupá, tajupá, tajupar, tijupaba, tijupar, tiupá, tujupar*.] **5.** *Bras. Constr. Nav.* Convés acima do passadiço, ger. aberto, onde estão localizados a agulha magnética padrão e outros instrumentos e de onde o comandante dirige a manobra.

tijupaba [Do tupi = 'pouso de gentalha'.] *S. m. Bras.* V. *tijupá* (1 a 4).

tijupar [De *tijupá*, com ultracorreção.] *S. m. Bras.* V. *tijupá* (1 a 4).

tijuqueira [De *tijuco* + -*eira*.] *S. f. Bras.* V. *tijucal*.

tijuqueiro [De *tijuco* + -*eiro*.] *S. m. Bras. Zool.* Ave pernalta escolopacídea (*Limosa hudsonicus*).

tijuquense *Adj. 2 g. S. 2 g.* Tijucano[2].

til[1] [Do esp. *tilde*, com apócope.] *S. m.* Sinal diacrítico (q. v.) (~) que nasala a vogal à qual se sobrepõe.

til[2] *S. m. Bot.* F. apocopada de *tília*: 📖 "A folhinha do til que se balança" (Antero de Quental, *Sonetos*, p. 74).

tilacino [Do gr. *thýlakos*, 'saco feito de pele ou couro de animais', + lat. cient. -*inus* (v. -*ino*[1]); tax. *Thylacinus*.] *S. m. Zool.* **1.** Gênero de mamíferos marsupiais, carnívoros, fissípedes, caniformes, que habitam a Tasmânia (Austrália). **2.** Qualquer espécie desse gênero, como, p. ex., *Thylacinus cynocephalus*, conhecido popularmente como lobo-da-tasmânia (q. v.), atualmente quase extinto. **3.** Espécie ou espécime desse gênero.

tilacoide (ói) [Do gr. *thýlakos*, 'saco (feito de couro, ou pele de animal)', + -*oide*.] *S. f. Bot.* Cada uma das vesículas achatadas presentes nas cianobactérias e nos cloroplastídios, em cujas membranas estão inseridas as moléculas de clorofila. ❖

tilado [Part. de *tilar*.] *Adj. E. Ling.* Tildado. [Cf. *telado*.]

tilápia [Do tax. *Tilapia*.] *S. f. Zool.* **1.** Gênero de peixes actinopterígios, perciformes, ciclídeos, um dos mais importantes gêneros de peixes de água doce da África. São criados na América do Sul e na Ásia em lagos e tanques. Alimentam-se de vegetais e detritos. **2.** Espécie ou espécime desse gênero.

tilar [De *til* + -*ar*[2].] *V. t. d. E. Ling.* Tildar. [Cf. *telar*.]

tilbureiro [De *tílburi* + -*eiro*.] *S. m. Bras.* Cocheiro e/ou dono de tílburi.

tílburi [Do ingl. *tilbury*, do nome do seu inventor.] *S. m.* Carro de duas rodas e dois assentos, sem boleia, com capota, e tirado por um só animal: 📖 "Súbito meteu-se num tílburi .... e mandou tocar para a Lapa." (Coelho Neto, *Turbilhão*, p. 257).

tildado [Part. de *tildar*.] *Adj. E. Ling.* Em que se pôs o til[1]; tilado: 🗎 *O segundo a de manhã é tildado.*

tildar [Do esp. *tildar*.] *V. t. d. E. Ling.* Pôr o til[1] em; tilar.

tilha [Do fr. *tille* < escand. ant. *thilja*, 'tábua que forma o soalho de um navio'.] *S. f.* **1.** *Ant.* Qualquer dos pavimentos de um navio. **2.** *Ant.* Nas galés, estrado para a artilharia. **3.** *Constr. Nav.* Cobertura à proa ou à popa de embarcação, para resguardar da água do mar e para guarda de utensílios, pertences e objetos da tripulação. **4.** *Constr. Nav.* Qualquer compartimento coberto, à proa ou à popa de uma embarcação miúda. [Cf. *tília* e *tílea*.]

tilhado [De *tilha* + -*ado*[1].] *S. m. Constr. Nav.* **1.** *Ant.* Tilha (1). ● *Adj.* **2.** Diz-se do barco, embarcação, etc., dotado de tilha. [Cf. *telhado*.]

tília [Do lat. *tilia*; tax. *Tilia*.] *S. f. Bot.* **1.** Gênero de árvores tiliáceas, dotadas de folhas alternas, ger. cordiformes, serreadas, em longos pedúnculos, flores reunidas em cimeiras, e fruto drupáceo, globoso. **2.** Qualquer espécie desse gênero, como, p. ex., a *Tilia cordata*, grande árvore nativa da Europa, de folhas cordadas, serreadas, cuspidadas e glaucas por baixo, pequenas flores (cinco a sete) agrupadas em cimeiras frouxas, e cujo fruto é drupáceo, globoso, apiculado, tomentoso, e tem de uma a três sementes; as folhas e flores são oleificantes, e sua infusão é tida como antiespasmódica e calmante. **3.** Qualquer espécime desse gênero. [Var.: *til*. Cf. *tilha*.]

tiliácea [Do tax. *Tilia* + -*ácea*; tax. *Tiliaceae*.] *S. f. Bot.* Espécime das tiliáceas, família de plantas floríferas, da ordem das malvales, composta de arbustos e árvores com folhas estipuladas, cujo aspecto é típico pela nervação, de flores cimosas, de estames concrescidos em cinco a 10 feixes, e fruto capsular. Existem cerca de 700 espécies em todo o mundo.

tiliáceo [De *tiliácea*, com var. suf. (v. -*áceo*).] *Adj. Bot.* Pertencente ou relativo às tiliáceas.

tilim [Voc. onom.] *S. m.* V. *tlim*.

tilintação [De *tilintar* + -*ção*.] *S. f.* Ação ou efeito de tilintar; tilinte, tilintido: 📖 "Tomando a campainha de cobre azinhavrado bimbalhou-a com força, enchendo a sala de tilintações finas, agudas." (José Veríssimo, *Cenas da Vida Amazônica*, p. 127.)

tilintada [De *tilintar* + -*ada*[1].] *S. f.* Som repetido de tilintação.

tilintante [De *tilintar* + -*nte*.] *Adj. 2 g.* Que tilinta.

tilintar [Voc. onom.] *V. t. d.* **1.** Fazer soar como campainha, sino, moedas que se chocam, etc.: 📖 "Achegou-se, tilintando as esporas e a barbela." (Vieira Pires, *Querência*, p. 133.) *Int.* **2.** Soar como campainha, sino, moedas que se chocam, etc.; tintinar: 📖 "o mundo dos homens, onde há luz elétrica a jorros, tilintam copos e rangem violinos." (José Rodrigues Miguéis, *Gente da Terceira Classe*, p. 11). ● *S. m.* **3.** O ato de tilintar: 📖 "o tilintar dos talheres, o aroma íntimo da ceia." (Renard Pérez, *Os Sinos. O Tombadilho*, p. 18). [F. paral.: *tirlintar*. Sin. ger.: *tintilar, tlintar* e *trincolejar*.]

tilinte [Dev. de *tilintar*.] *S. m.* V. *tilintação*: 📖 "Ouço o tilinte vigilante de um cincerro. / É um cavalo errando pelo pasto." (Ribeiro Couto, *Poesias Reunidas*, p. 142.)

tilintido [De *tilintar* + -*ido*[1], poss. com infl. de *tinido*.] *S. m.* V. *tilintação*.

tilito [Do ingl. *till*, 'sedimento glacial não estratificado', + -*ito*[3].] *S. m. Geol.* Sedimento não estratificado, depositado diretamente pela geleira, e formado pela mistura de fragmentos rochosos de todos os tamanhos, desde seixos até material argiloso.

tillândsia [Do tax. *Tillandsia* (do antr. [*Elias Erici*] *Tillands* [1640-1693], botânico finlandês, + lat. cient. -*ia*, v. -*ia*[2]).] *S. f. Bot.* **1.** Gênero de bromeliáceas epífitas nativas de regiões tropicais das Américas, dotadas de raízes apenas rudimentares, sendo os nutrientes absorvidos por todas as partes da planta. **2.** Qualquer espécie desse gênero, como, p. ex., a *Tillandsia usneoides* [v. *barba-de-velho* (3)]. **3.** Qualquer espécime desse gênero.

tilo [Do gr. *týlos*, 'calo'.] *S. m. Bot.* Proliferação de certas células do parênquima axilar ou radial adjacentes a um vaso, cujo lúmen invade através da cavidade das pontoações. Pode preencher parcial ou totalmente o vaso.

tiloma [Do gr. *týloma*, 'calosidade'.] *S. m. Patol.* V. *calo*[1] (1).

tilose [Do gr. *týlosis*, 'ação de tornar caloso'.] *S. f.* **1.** *Patol.* Formação de calos. **2.** *Derm.* Pequeno calo em pé. [Sin., vulg., nesta acepç.: *olho de perdiz*.] **3.** *P. ext.* Calosidade qualquer. **4.** *Bot.* Obstrução dos vasos lenhosos de uma planta por tilos desenvolvidos em grande quantidade.

tiloso (ô) [De *tilo* + -*oso*.] *Adj. Anat.* Que tem tilo: 🗎 *poro tiloso.*

→ **tilsit** ['tilzɪt] [Al.] *S. m. Cul.* Queijo suíço de leite de vaca, originário do L. da Prússia, de massa amarelada, à qual se acrescenta cominho. [Com cap.]

tiltdôzer [Do ingl. *tiltdozer*.] *S. m.* Buldôzer que pode ser girado em torno do eixo longitudinal do trator ao qual é aplicado. [Pl.: *tiltdôzeres*.]

tilte [Do ingl. *tilt*, 'inclinação'; 'gangorra'.] *S. m.* **1.** Pane (2). **2.** Incapacidade de raciocinar direito; confusão mental; pane. ◆ **Dar tilte.** V. *entrar em pane*.

timaca [Do ronga *ti-mhaka*, 'assunto'.] *S. f. Moç.* Briga, rixa: 📖 "quando teve conhecimento da decisão do marido, provocou a segunda grande timaca. A primeira tinha sido na noite de núpcias, uma desilusão para o noivo. Sofia não era virgem!" (Eduardo Paixão, *O Mulungo*, p. 185).

timaço [De *time* + -*aço*.] *S. m. Bras. Pop.* Time (1) excelente.

timão[1] [Do lat. **timone*, por *temone*.] *S. m.* **1.** Peça longa do arado ou do carro à qual se atrelam os animais que os puxam; tiradoura. [Cf., nesta acepç., *tirante* (4).] **2.** Lança de carruagem. **3.** *Constr. Nav.* Barra do leme; roda do leme; leme. **4.** *P. ext.* Leme (1). **5.** *Marinh.* Adriça do penol da verga grande do caíque. **6.** *P. ext.* Direção, governo.

timão[2] [Var. de *quimão*.] *S. m.* **1.** *Bras.* Camisola comprida. **2.** *Bras. S.* Casaco grosseiro que os escravos e crianças usavam como abrigo contra o frio: 📖 "a escravatura recebia timões de baeta azul e roupa de algodão para o gasto do ano" (Melo Morais Filho, *Festas e Tradições Populares do Brasil*, p. 292).

timão[3] [De *time* + -*ão*[1].] *S. m.* Timaço.

timaoã *Bras. S. 2 g.* **1.** *Etnôn.* Indivíduo dos timaoãs [ou (etnôn. bras.) *Timauán], povo indígena extinto que habitava as cabeceiras do rio Peixes (MT). ● *Adj. 2 g.* **2.** Pertencente ou relativo a esse povo.

timarquia [Do gr. *timarchía*.] *S. f.* Governo dos homens cuja competência tem reconhecimento público geral.

timba[1] *S. f. Bras. PI Chulo* O pênis.

timba[2] *S. m. Zool. Afric.* V. *orictéropo* (2 e 3).

timbabas *S. f. Bras. Bot.* V. *abóbora-d'anta*.

timbale [Do ár. *ṭabl* (e um ár.-hisp. **tabal*), 'tambor', com infl. de *tímpano*, poss.; ou pelo fr. *timbale*, em que há infl. de *tambour*, 'tambor', e de *cymbale*, 'címbalo'.] *S. m.* **1.** *Mús.* Tímpano (7): 📖 "Num canto, músicos tocam pífaros e timbales." (Antero de Figueiredo, *Toledo*, p. 200.) **2.** *Mús.* Tambor de cavalaria. **3.** Fôrma semiesférica. **4.** *Cul.* Pastelão com recheios diversos, em forma de taça sem pé. **5.** *Zool.* V. *agulhão* (3 e 4).

timbaleiro [De *timbale* + *-eiro.*] *S. m.* Tocador de timbale (1 e 2).

timbatu [De or. indígena, poss.] *S. m. Bras.* Instrumento de teclas usado pelos índios amazônicos: 📖 "Como as corujas, como os corvos crocitando, em uivos surdos, ... lúgubres, fúnebres, soturnos se misturam os zumbos dos urucungos e os rufos dos timbatus." (Martins Fontes, *A Dança*, p. 93).

timbaúba [Do tupi = 'árvore da espuma'.] *S. f. Bras. Bot.* **1.** Árvore mimosácea (*Stryphnodendron guianense*) da floresta pluvial, de folhas subdivididas em inúmeros folíolos pequenos, flores pequeninas e organizadas em espigas alongadas, e cujos frutos são legumes. A madeira é branca e mole, e a casca encerra grande quantidade de tanino. [Var.: *timbaúva*. Sin.: *timbó-da-mata, timborana, barbatimão.*] **2.** V. *fava-de-rosca.*

timbaubense[1] (a-u) *Adj. 2 g.* **1.** De, ou pertencente ou relativo a Timbaúba (PE). ● *S. 2 g.* **2.** O natural ou habitante de Timbaúba.

timbaubense[2] (a-u) *Adj. 2 g.* **1.** De, ou pertencente ou relativo a Timbaúba dos Batistas (RN). ● *S. 2 g.* **2.** O natural ou habitante de Timbaúba dos Batistas.

timbaúva *S. f. Bras. Bot.* V. *timbaúba* (1).

timbé [De or. indígena.] *S. m. Bras. Bot.* Árvore fabácea (*Ateleia glazioveana*) nativa do S. do Brasil.

timbeense (êen) *Adj. 2 g.* **1.** De, ou pertencente ou relativo a Timbé do Sul (SC). ● *S. 2 g.* **2.** O natural ou habitante de Timbé do Sul.

timbila [Do tsonga.] *S. f. Moç.* V. *marimba* (1): 📖 "eu tocador de presságios nas teclas das timbilas tchôpis / eu caçador de leopardos" (José Craveirinha, *Chigubo*, p. 7).

timbileiro [De *timbila* + *-eiro.*] *S. m. Moç.* Tocador de timbila: 📖 "São os timbileiros do Sul, percutindo, num frenesim, as marimbas que trouxeram. Ajoelham no solo e batem, com os pequenos martelos arredondados, os instrumentos feitos de madeiras e cabaças ocas" (Guilherme de Melo, *Os Leões não Dormem Esta Noite*, p. 215).

timbira *Gloss. S. m.* **1.** Subfamília linguística da família jê, tronco macro-jê, que reúne línguas faladas por povos indígenas do MA, do PA e de GO. ● *Adj. 2 g.* **2.** Pertencente ou relativo a timbira. [Sin. ger.: *jê-timbira.*]

timbirense *Adj. 2 g.* **1.** De, ou pertencente ou relativo a Timbiras (MA). ● *S. 2 g.* **2.** O natural ou habitante de Timbiras.

timbo *S. m. Zool. Afric.* V. *orictéropo* (2 e 3).

timbó [Do tupi = 'o que tem cor branca ou cinzenta'; 'vapor', 'exalação', 'fumaça'.] *S. m. Bras.* **1.** *Bot.* Designação comum a plantas, basicamente sapindáceas ou fabales, que induzem efeitos narcóticos em peixes e, por isso, são usadas para pescar. Fragmentadas e esmagadas, são lançadas na água; logo os peixes começam a boiar e podem ser facilmente apanhados a mão. Deixados na água, recuperam-se, podendo ser comidos sem inconveniente. [Sin.: *tinguí.*] **2.** *Bot.* V. *cipó-de-sapo.* **3.** *Bras. SP Fig. Pop.* Entorpecimento de membros; moleza, quebreira.

timbó-açu [De *timbó* + *-açu.*] *S. m. Bras. Amaz. Bot.* Grande cipó fabáceo (*Derris guianensis*) da floresta inundável, venenoso para os peixes, de folhas com cinco folíolos, flores branco-esverdeadas dispostas em espigas terminais e axilares, e cujo fruto é um legume globoso, ferrugíneo e unilocular. [Pl.: *timbós-açus.*]

timbó-amarelo *S. m. Bras. Bot.* V. *cipó-timbó.* [Pl.: *timbós-amarelos.*]

timbó-boticário *S. m. Bras. L. Bot.* Árvore fabácea (*Lonchocarpus peckoltii*) da floresta pluvial, cuja seiva é tóxica para peixes, servindo para tinguijar. [Pl.: *timbós-boticários.*]

timbó-bravo *S. m. Bras. Bot.* V. *cipó-de-timbó.* [Pl.: *timbós-bravos.*]

timbó-caá [De *timbó* + *-caá.*] *S. m. Bras. Amaz. Bot.* Ajaré (q. v.) [Pl.: *timbós-caás.*]

timbó-catinga *S. m. Bras. Amaz. Bot.* Arbusto fabáceo (*Lonchocarpus floribundus*) de larga difusão nas terras amazônicas; timbó-taturuaia. [Pl.: *timbós-catingas* ou *timbós-catinga.*]

timbó-da-mata *S. m. Bras. Bot.* **1.** V. *timbaúba* (1). **2.** V. *fava-de-rosca.* [Pl.: *timbós-da-mata.*]

timbó-de-caiena [De *timbó* + *de* + o top. *Caiena.*] *S. m. Bras. Amaz. Bot.* Erva fabácea (*Tephrosia toxicaria*) que habita as margens dos rios, de folíolos estreitos, compridos e pilosos, flores alvas ou levemente violáceas e dispostas em cachos densos, e cujo legume é encurvado e peludo. É venenosa para peixes. [Pl.: *timbós-de-caiena.*]

timbó-de-peixe *S. m. Bot.* V. *cipó-timbó.* [Pl.: *timbós-de-peixe.*]

timbó-de-raiz *S. m. Bras. Bot.* V. *guaraná-timbó.* [Pl.: *timbós-de-raiz.*]

timbó-do-campo *S. m. Bot.* V. *cipó-d'água.* [Pl.: *timbós-do-campo.*]

timbó-do-rio-de-janeiro [De *timbó* + *do*[1] + o top. *Rio de Janeiro.*] *S. m. Bras. Bot.* Erva solanácea (*Physalis virginiana*) oriunda dos E.U.A., que se caracteriza pelo cálice frutífero vesiculoso, inflado, parecendo um balãozinho colorido; bate-testa. [Pl.: *timbós-do-rio-de-janeiro.*]

timboense (ô) *Adj. 2 g.* **1.** De, ou pertencente ou relativo a Timbó (SC). ● *S. 2 g.* **2.** O natural ou habitante de Timbó.

timbó-grandense *Adj. 2 g.* **1.** De, ou pertencente ou relativo a Timbó Grande (SC). ● *S. 2 g.* **2.** O natural ou habitante de Timbó Grande. [Pl.: *timbó-grandenses.*]

timboína [De *timbó* + *-ina*[1].] *S. f. Bras.* Alcaloide que se extrai do timbó.

timbó-legítimo *S. m. Bras. Bot.* V. *cipó-timbó.* [Pl.: *timbós-legítimos.*]

timbó-macaquinho *S. m. Bras. Amaz. Bot.* Cipó fabáceo (*Lonchocarpus nicou*) das capoeiras e cultivado, de folhas com três a cinco folíolos (os quais, quando novos, têm pelos dourados), flores purpúreas, organizadas em racemos axilares, florescendo raramente, e cuja raiz contém cópia de rotenona. É o mais ativo dos timbós para apanhar peixes. [Pl.: *timbós-macaquinhos* e *timbós-macaquinho.*]

timbó-manso *S. m. Bras. Bot.* V. *dragão-fedorento.* [Pl.: *timbós-mansos.*]

timbó-mirim *S. m. Bras. Bot.* V. *anileira-verdadeira.* [Pl.: *timbós-mirins.*]

timbó-pau *S. m. Bras. Amaz. Bot.* Árvore fabácea (*Clathrotropis macrocarpa*) da floresta pluvial não inundável, de casca malcheirosa e madeira de coloração branco-suja. [Pl.: *timbós-paus* e *timbós-pau.*]

timborana (ô) [Do tupi = 'semelhante ao timbó', 'falso timbó'.] *S. f. Bras. Bot.* **1.** V. *timbaúba* (1). **2.** V. *fava-de-rosca.*

timbó-taturuaia *S. m. Bras. Bot.* Timbó-catinga. [Pl.: *timbós-taturuaias* e *timbós-taturuaia.*]

timboteuense *Adj. 2 g.* **1.** De, ou pertencente ou relativo a Nova Timboteua (PA). ● *S. 2 g.* **2.** O natural ou habitante de Nova Timboteua.

timboúva [Do tupi = 'árvore do timbó'.] *S. m. Bras. Bot.* V. *tamburi.*

timbrado [Part. de *timbrar.*] *Adj.* Marcado com timbre. ~ V. *papel —.*

timbrador (ô) [De *timbrar* + *-dor.*] *Adj.* **1.** Que timbra. ● *S. m.* **2.** Aquele ou aquilo que timbra.

timbragem [De *timbrar* + *-agem*[2].] *S. f.* **1.** Ato ou efeito de timbrar. **2.** *Art. Gráf.* Processo de impressão em relevo a seco, em papel, cartolina, etc., no qual se usam, como moldes, cunhos, placas gravadas a entalhe ou caracteres gravados às direitas, e respectivos contramoldes, para tiragem em balancim; timbrogravura. [Cf. *estampagem* (3).]

timbrar [De *timbre* + *-ar*[2].] *V. t. d.* **1.** Abrir ou pôr timbre em; marcar com timbre: 🗎 *timbrar um escudo.* ***Transobj.*** **2.** Qualificar, chamar: 🗎 *Timbrou de competente o aluno.* ***T. i.*** **3.** Jactar-se, ufanar-se: 🗎 *Timbra de sábio;* 📖 "Pobre cidade [Coimbra] que, orgulhosa, timbra / em ser das outras guia, salvação!" (Alberto de Serpa, *Almanaque de Lembranças Luso-Brasileiro*, p. 23).

timbre [Do fr. *timbre.*] *S. m.* **1.** Insígnia apensa exteriormente ao escudo para designar a nobreza do proprietário. **2.** *P. ext.* Marca, sinal. **3.** Selo, carimbo. **4.** *Fig.* Honra, capricho, orgulho. **5.** Remate, cúmulo; auge. **6.** *E. Ling.* Efeito acústico resultante dos diversos graus de abertura da cavidade oral, *i. e.*, da distância entre a língua e o céu da boca, distância que é máxima para o *a*, a mais aberta das vogais, e a mínima para o *i* e para o *u*, as mais fechadas. O *e* e o *o* são vogais abertas (é, ó) quando se articulam mais perto da vogal *a*, e vogais fechadas (ê, ô) quando articuladas mais perto das vogais fechadas *i* e *u*. O timbre das vogais *e* e *o*, quando situadas em sílaba postônica, tende a identificar-se com o das vogais *i* e *u* (p. ex.: as palavras *mole* e *lento* soam *móli* e *lêntu*); na palavra *casa*, p. ex., o *a* final não é aberto. A essas vogais de timbre indistinto, pronunciadas com escassa tensão muscular e pouca duração e sonoridade, dá-se o nome de *vogais reduzidas* ou *neutras.* **7.** *Fís. Mús.* Qualidade distintiva de sons da mesma altura e intensidade, e que resulta dos harmônicos coexistentes com o som principal. **8.** *Mús.* Qualidade distintiva de sons da mesma altura e intensidade, e que resulta da quantidade maior ou menor dos harmônicos coexistentes com o som fundamental. [V. *série harmônica* (2).] **9.** *Mús.* A membrana inferior de um tambor de duas peles, a qual fica do lado oposto ao da percussão. **10.** *Mús.* A corda ou cada uma das cordas transversais que estão em contato com essa membrana. **11.** *Mús.* Motivo melódico já existente, usado por compositores populares para novos textos. **12.** *Mús.* Qualidade da voz que lhe confere maior ou menor pureza, amplidão e riqueza sonora. **13.** Na Idade Média, o pandeiro. **14.** *Tip.* Cabeço composto em medida estreita, para ser impresso ao canto do envelope, papel de carta, etc.; sinete.

timbri [Do guzerate *timbrum.*] *S. m. Bot.* Árvore ebenácea (*Diospyros tupru*) cuja madeira é preta como o ébano.

tímbrico [De *timbre* + *-ico*[2].] *Adj.* Relativo a timbre (8) ou próprio dele.

timbrogravura [De *timbre* + *-o-* + *gravura.*] *S. f. Art. Gráf.* Timbragem (2).

timbroso (ô) [De *timbre* + *-oso.*] *Adj.* **1.** Que tem timbre ou honra; caprichoso: 📖 "Joanito rico, timbroso, irresistível, nunca humilhado, Joanito desapontado acenou em despedida à viscondessa." (Xavier Marques, *As Voltas da Estrada*, p. 9.) **2.** Timorato (3).

timbu [De or. tupi, poss.] *S. m. Bras. N.E. Zool.* V. *gambá* (1).

timbuar *V. int. Bras. MG Pop.* Ter (o doente) uma recaída; piorar.

timbucu [Do tupi = 'nariz comprido'.] *S. m. Bras. Zool.* V. *peixe-cachorro* (2).

timburana *S. f. Bras. BA Zool.* Parelheira.

timburé [De or. tupi.] *S. m. Zool.* **1.** *Bras.* Designação comum a várias espécies de peixes actinopterígios, caraciformes, caracídeos, anostomatíneos e outras. São peixes de pequeno porte, de corpo cilindriforme, esguio, quase sempre com faixas longitudinais escuras em número variável. **2.** *Bras. Amaz.* Designação comum às espécies do gênero *Leporellus*, principalmente *L. nattereri*, com cerca de 11 linhas longitudinais e duas manchas negras ao longo da linha lateral. **3.** Designação do *Schizodon knerii*, do rio São Francisco, com faixa negra ao nível do pedúnculo caudal. [Var.: *ximburé*, (pros.) *timburê.*]

timburê *S. m. Bras. Zool.* V. *timburé.*

timburé-pintado *S. m. Bras. Zool.* Peixe actinopterígio, caraciforme, caracídeo (*Leporinus reinhardti*), da BA, MG, SP e MT, que se caracteriza pelas três pintas negras ao longo da lateral, sendo a primeira delas ao nível da nadadeira dorsal. [Pl.: *timburés-pintados.*]

timburetinga (è) [De *timburé* + *-tinga.*] *S. m. Bras. Zool.* Espécie de timburé que alcança 40cm de comprimento, bem caracterizado pelo perfil côncavo da parte superior da cabeça. O nome popular ainda não está bem correlacionado com o científico. [Var.: *ximburetinga.* Sin.: *capineiro, piaba-torta.*]

timburi [Alter. de *tamboril*[2], poss.] *S. m. Bras. Bot.* V. *tamburi* (1).

timburiense *Adj. 2 g.* **1.** De, ou pertencente ou relativo a Timburi (SP). ● *S. 2 g.* **2.** O natural ou habitante de Timburi.

time [Do ingl. *team.*] *S. m.* **1.** Nos esportes coletivos, número de pessoas selecionadas que, na disputa de uma partida, constituem a equipe; quadro: 🗎 *time de futebol; time de vôlei.* **2.** *P. ext.* Conjunto de indivíduos associados numa ação comum, com vista a determinado fim: 🗎 *Em matéria de batucada, o Bando da Lua era um bom time.* **3.** *Bras. MT* Grupo de cerca de 10 peões que empreita uma tarefa rural. ◆ **Do segundo time.** Que não é dos mais importantes; que está em segundo plano. **Jogar no time de.** *Bras. Fam.* Simpatizar ou dar-se bem com (alguém). **Tirar o time.** *Bras. Pop.* V. *ir embora.* **Tirar o time de campo.** *Bras. Pop.* **1.** V. *ir embora.* **2.** Abandonar um empreendimento, afastar-se de determinada situação, desistir de uma pretensão, etc.: 📖 "Mandou-me tirar o time de campo, que não tinha prestígio nenhum pra pedir nada a ninguém." (Permínio & Lúcio Asfora, *Confidências no Largo da Segunda-Feira*, p. 99.)

tímele [Do gr. *thyméle*, pelo lat. tard. *thymele.*] *S. f.* **1.** Entre os antigos gregos, elemento cênico da tragédia, reminiscência da ara do deus Dioniso e em torno da qual se processavam as danças ritualísticas. **2.** *Ant.* A cena; o teatro.

timeleácea [Do tax. *Thymelaea* + *-ácea*; tax. *Thymelaeaceae.*] *S. f. Bot.* Espécime das timeleáceas, família de plantas floríferas, da ordem das mirtales, composta de arbustos e arvoretas com folhas inteiras, e flores racemosas, que podem ser monoclamídeas e têm estames isômeros, gineceu monocarpelar e lóculos uniovulados, sendo o fruto, em geral, drupáceo. Não têm nenhuma utilidade. Há umas 500 espécies, predominantes nos países temperados; poucas ocorrem no Brasil.

timeleáceo [De *timeleácea*, com var. suf. (v. *-áceo*).] *Adj. Bot.* Pertencente ou relativo às timeleáceas.

➔**timer** ['tajmər] [Ingl.] *S. m.* **1.** Dispositivo que indica, através de sinal sonoro, o término de um intervalo de tempo. **2.** Dispositivo que liga ou desliga automaticamente qualquer equipamento, em momento(s) predeterminado(s).

timerosal *S. m. Quím.* V. *tiomersal.*

T

→time-sharing ['tajmʃeʒɪŋ] [Ingl.] *S. m.* **1.** Uso compartilhado do tempo em dispositivo para duas ou mais finalidades, de forma intercalada e controlada. **2.** *Inform.* Tipo de algoritmo de controle de tempo dentro de um computador, que permite a determinado número de usuários executar seus programas de forma concorrente.

timiatecnia [Do gr. *thymiân*, 'perfumar', + *-tecn(o)-* + *-ia*[1].] *S. f.* Arte de fabricar perfumes.

timiatécnico [De *timiatecnia* + *-ico*[2].] *Adj.* Relativo à timiatecnia.

timiatério [Do gr. *thymiatérion*, pelo lat. tard. *thymiateriu*.] *S. m.* Na Grécia antiga, recipiente em que se queimava incenso.

tímico[1] [De *timo*[1] + *-ico*[2].] *Adj. Anat.* Relativo a timo[1].

tímico[2] [De *tim(o)-*[2] + *-ico*[2].] *Adj. Bot.* Relativo a timo[2].

timicu *S. m. Bras. Zool.* V. *peixe-agulha* (1).

timicuí *S. m. Bras. Zool.* V. *micuim* (1).

timicuim (u-ím) *S. m. Zool.* V. *micuim* (1).

timidez (ê) [De *tímido* + *-ez*.] *S. f.* **1.** Qualidade de tímido; acanhamento. **2.** Debilidade, fraqueza.

timidina *S. f. Quím.* Desoxitimidina.

tímido [Do lat. *timidu*.] *Adj.* **1.** Que tem temor; receoso. **2.** Que tem dificuldade de relacionar-se com outrem; acanhado, retraído. **3.** Próprio de tímido (2): *gesto tímido, olhar tímido*. **4.** *Fig.* Fraco, frouxo, débil: *os tímidos gorjeios dos pássaros.*

timiminó *S. 2 g. Adj. 2 g. Bras.* V. *temiminó*.

timina [Do ingl. *thymine* (este de *thym[ic acid]* + *-ine*).] *S. f. Quím.* Base nitrogenada cuja fórmula é $C_5H_6N_2O_2$, e que participa somente da formação ADN.

→timing ['tajmɪŋ] [Ingl.] *S. m.* Senso de oportunidade relativo à escolha do momento e do tempo de duração de alguma ação.

timirém *Bras. S. 2 g.* **1.** *Etnôn.* Indivíduo dos timiréns [ou (etnôn. bras.) *Timirén], povo indígena extinto, da família linguística caribe, que habitava a região próxima à cabeceira do rio Pacajá (PA). ● *Adj. 2 g.* **2.** Pertencente ou relativo a esse povo.

timo[1] [Do gr. *thýmos*, pelo lat. cient. *thymus*.] *S. m. Anat.* Órgão formado por dois lobos, de situação retroesternal, que recobre parte do pericárdio e dos grandes vasos da base do coração. [O timo desenvolve-se até a puberdade, iniciando-se, a partir dessa fase, a sua involução, e desenvolve importante papel na transmissão neuromuscular e em processos imunológicos.]

timo[2] [Do lat. *thymu* (do gr. *thýmon*); tax. *Thymus*.] *S. m.* **1.** *Bot.* Gênero de ramiáceas com cerca de 150 espécies nativas do N. da África e Eurásia, us. como ornamentais ou como condimento. **2.** Qualquer espécie desse gênero, p. ex., a *Thymus vulgaris* [v. *tomilho* (1)]. **3.** Qualquer espécime desse gênero.

▲tim(o)-[1] [Do lat. cient. *thymus* < gr. *thýmos, ou*, 'moleja de vitela ou de ovelha'.] *El. comp.* = 'timo'[1]: *timócito*.

▲tim(o)-[2] [Do lat. *thymum, i* < gr. *thýmon, ou*.] *El. comp.* = 'tomilho': *timol*.

▲tim(o)-[3] [Do gr. *thymós, oû* (♂).] *El. comp.* = 'alma', 'espírito', 'emoção': *timocêntrico*. [Equiv.: *-tim(o)-*: *ciclotimia, lipotimia* (< gr.).]

▲tim(o)-[4] [Do gr. *timḗ, ês* < gr. *timân*, 'honrar'.] *El. comp.* = 'valor': *timocracia* (< gr.), *timuco* (< gr.).

▲-tim(o)- Equiv. de *tim(o)-*[3].

timoanaléptico [De *tim(o)-*[3] + *analéptico*.] *Adj. S. m. Farmac. Psiq.* Diz-se de, ou medicamento antidepressivo e psicotrópico.

timocêntrico [De *tim(o)-*[3] + *-centr(o)-* + *-ico*[2].] *Adj.* Que se deixa orientar mais pelo sentimento e pela emoção do que pela razão.

timócito [De *tim(o)-*[1] + *-cito*.] *S. m. Citol.* Célula do timo.

timocracia [Do gr. *timokratía*.] *S. f.* Sistema de governo em que preponderam os ricos.

timocrata [De *tim(o)-*[4] + *-crata*.] *S. 2 g.* Partidário da timocracia. [Sobre a prosódia deste voc., v. *-crata*.]

timocrático [Do gr. *timokratikós*.] *Adj.* Relativo à, ou próprio da timocracia.

timo-dependente *Adj. 2 g.* V. *antígeno —*.

timo-independente *Adj. 2 g.* V. *antígeno —*.

timol [De *tim(o)-*[2] + *-ol*[2].] *S. m. Quím.* Substância cristalina, incolor, obtida de certos vegetais ou sinteticamente, com odor característico, usada em medicina e perfumaria [fórm.: $C_{10}H_{14}O$]. [Pl.: *timóis*.]

timologia [De *tim(o)-*[4] + *-logia*.] *S. f. Filos.* Doutrina dos valores.

timonear [De *timão*[1] + *-ear*[2], seg. o padrão erudito.] *V. t. d. Bras. S.* Dirigir (embarcação) como timoneiro. [Conjug.: v. *frear*.]

timoneira [De *timão*[1] + *-eira*, seg. o padrão erudito.] *S. f. Ant. Constr. Nav.* Vão do casco do navio por onde passa a cana do leme.

timoneiro [De *timão*[1] + *-eiro*, seg. o padrão erudito.] *S. m.* **1.** Aquele que governa o timão da embarcação; o homem do leme: "Logo que o barco principia a ser arrebatado pela corrente, os remadores recolhem as suas longas pás, o timoneiro em pé tira o seu barrete e encomenda-se mentalmente a uma imagem da Virgem" (Ramalho Ortigão, *Banhos de Caldas e Águas Minerais*, p. 152). **2.** *Fig.* Aquele que dirige ou regula qualquer coisa; guia, chefe.

timonense *Adj. 2 g.* **1.** De, ou pertencente ou relativo a Timon (MA). ● *S. 2 g.* **2.** O natural ou habitante de Timon.

timor (ô) *S. 2 g.* Timorense (2). [Cf. *temor*.]

timorato [Do lat. *timoratu*.] *Adj.* **1.** Medroso, receoso, tímido: "Embora fosse remota, a possibilidade no Brasil de uma insurreição com sangue, nos centros urbanos, preocupava espíritos timoratos." (Carolina Nabuco, *Oito Décadas*, p. 101); "E tu ficaste hirta, assombrada, timorata" (Eugênio de Castro, *Obras Poéticas*, III, p. 135). **2.** Que receia errar. **3.** Escrupuloso, meticuloso, timbroso.

timorense *Adj. 2 g.* **1.** De, ou pertencente ou relativo a Timor-Leste (Ásia). ● *S. 2 g.* **2.** O natural ou habitante de Timor-Leste; timor.

timoteense *Adj. 2 g.* **1.** De, ou pertencente ou relativo a Timóteo (MG). ● *S. 2 g.* **2.** O natural ou habitante de Timóteo.

timpanal [De *tímpano* + *-al*[1].] *Adj. 2 g. Anat.* Relativo ou pertencente a tímpano (3); timpânico.

timpanão [Do gr. *thýmpanon*, 'tambor'.] *S. m.* Instrumento da Idade Média, trapezoidal, montado com cordas metálicas percutíveis com baquetas de madeira ou de ferro.

timpânico [De *tímpano* + *-ico*[2].] *Adj. Anat.* Timpanal. ~ V. *bula —a, membrana —a* e *som —*.

timpanilho [Do esp. *timpanillo*.] *S. m.* Caixilho de ferro, recoberto de estofo, e que se encaixa na parte posterointerior do tímpano do prelo, para segurar a almofada.

timpanismo [Do gr. *tympanismós*, 'ação de bater tambor'.] *S. m. Med.* Distensão devida a gases e que fornece, pela percussão, som timpânico.

timpanista [Do gr. *tympanistés*, pelo lat. *tympanista*.] *S. 2 g. Mús.* Tocador de tímpano.

timpanite [De *tímpano* + *-ite*[1].] *S. f. Otor.* Inflamação do tímpano.

timpanítico [De *timpanite* + *-ico*[2].] *Otor. Adj.* **1.** Relativo ao timpanismo. **2.** Que sofre de timpanismo. ● *S. m.* **3.** Aquele que sofre desse mal.

timpanizar [De *tímpano* + *-izar*.] *V. t. d.* **1.** Produzir timpanismo em. *P.* **2.** Tornar-se timpanítico (2).

tímpano [Do gr. *týmpanon*, 'tambor', pelo lat. *tympanu*.] *S. m.* **1.** Peça metálica em forma de sino, que vibra, percutida pelo martelo, nas campainhas. **2.** Recipiente cilíndrico, oco, com repartimentos em espiral, pelos quais se eleva a água de um depósito ou de uma corrente; tambor. **3.** *Anat.* V. *membrana timpânica*. **4.** *Arquit.* Espaço limitado pelas três cornijas dum frontão. **5.** *Arquit.* Espaço liso ou esculpido, circunscrito por diversos arcos ou retas. **6.** *Marc.* Painel entre molduras. **7.** *Mús.* Espécie de tambor, de origem árabe, que se percute com baquetas (*bilros*), e é constituído de uma grande bacia metálica, ger. de cobre, semiesférica, em cuja abertura se estende uma pele fortemente retesada por um mecanismo, que permite produzir sons variáveis e de tonalidades determinadas; timbale. **8.** Marimba (1), em certas regiões da América. **9.** *Tip. Ant.* Peça ligada por charneiras a uma das tiras de madeira do cofre do prelo manual, e onde se estende a branqueta com a folha de preparo, sustentadas pelo timpanilho. É, como este, um caixilho de madeira ou ferro que se recobre de seda ou de pergaminho.

timpanoplastia [De *tímpano* + *-plast(o)-* + *-ia*[1].] *S. f. Otor.* Intervenção cirúrgica para restaurar a capacidade funcional de orelha média.

tim-tim [Voc. onom., que sugere o tinido de moedas, de copos ao entrechocarem-se, etc.] *S. m.* Saudação que se faz ao erguer o copo ou ao tocá-lo no do companheiro, ao beber à saúde de alguém. ◆ **Tim-tim por tim-tim.** Com todas as particularidades; ponto por ponto; minuciosamente, minudenciosamente. [Esta loc. indicava, a princípio, um pagamento feito com minúcia, moeda por moeda.]

timuco [Do gr. *timoûchos*.] *S. m.* Magistrado supremo de Massília [nome latino da antiga colônia grega que deu origem à atual Marselha (v. *marselhês*)].

timucu [Var. de *timbucu*.] *S. m. Bras. Zool.* V. *peixe-agulha* (1).

timutu [De or. indígena, poss.] *S. m. Bras. Amaz. Bot.* Erva poligalácea (*Polygala timoutou*) de folhas pequenas, flores minutas dispostas em racemos densos, e cuja raiz é considerada vomitiva e diurética.

tina [Do esp. *tina*, ou do lat. vulg **tinna*, em lugar do láss. *tina*, 'vasilha para vinho'.] *S. f.* **1.** Vasilha de aduelas, usada para carregar água, lavar roupa, etc. **2.** Vaso de pedra ou de metal em que se tomam banhos; banheira. [Var.: *tinha*; sin. ger.: *tino*. Dim. irreg.: *tinote*.]

tinada [De *tina* + *-ada*[1].] *S. f.* **1.** O conteúdo de uma tina. **2.** Tina cheia.

tinalha [Do esp. ant. *tenalha*, por infl. de *tina*.] *S. f.* Tina ou dorna pequena para vinho.

tinamalu *S. m. Bras. Bot.* V. *caraná* (1).

tinamídeo [Do tax. *Tinamus* (< fr. *tinamou*) + *-ídeo*[1]; tax. *Tinamidae*.] *Zool. S. m.* **1.** Espécime dos tinamídeos, família de aves tinamiformes, de dedos livres, três anteriores e um posterior, pernas de comprimento médio e cauda ausente. Alimentam-se de insetos e frutas; vivem em matas e capoeiras, na América do Sul. São os macucos, os jaós, as perdizes e as codornas. ● *Adj.* **2.** Pertencente ou relativo a eles.

tinamiforme [Do tax. *Tinamus* (v. *tinamídeo*) + *-iforme*; tax. *Tinamiformes*.] *Zool. S. m.* **1.** Espécime dos tinamiformes, ordem de aves neórnites, paleógnatas, com asas adaptadas ao voo, esterno com pequena carena, pigóstilo ausente ou muito reduzido. São os macucos, os inambus, as codornas e as perdizes da região neotrópica. ● *Adj. 2 g.* **2.** Pertencente ou relativo a eles. [Sin. ger.: *cripturiforme*.]

tincal [Var. de *tincar*.] *S. m. Min.* Mineral monoclínico, borato de sódio hidratado, usado como fundente e antisséptico. [Var.: *atincal*.]

tincaleira [De *tincal* + *-eira*.] *S. f.* Vasilha onde os ourives deitam o tincal.

tinção [Do lat. tard. *tinctione*.] *S. f.* Ato ou efeito de tingir; tintura.

tincar [Do persa *tinkār*, do sânscr. *tankana*.] *S. m. P. us.* V. *tincal*.

tincoã [Do tupi.] *S. f. Bras. Amaz. Zool.* V. *alma-de-gato* (1).

tindzolé [Do ronga.] *S. m. Moç.* Pequeno fruto avermelhado dum arbusto (*Mimusops caffra*) da família das sapotáceas, comum no litoral S. de Moçambique (África): "tindzolé e um tambor / encanto / de amor natural." (Filimone Meigos, *Poema & Kalash in Love*, p. 35).

tineídeo [Do tax. *Tinea* + *-ídeo*[1]; tax. *Tineidae*.] *Zool. S. m.* **1.** Espécime dos tineídeos, família de insetos lepidópteros, heteróforos, que apresentam palpos grandes e dobrados. As larvas transportam seus casulos e alimentam-se de fungos ou de tecidos de lã. São as traças de roupa [v. *traça*[1] (2)], com três espécies principais: *Tineola bisselliela*, *Tinea pellionella* e *Trichophaga tapetzella*. ● *Adj.* **2.** Pertencente ou relativo a eles.

tineleiro [De *tinelo* + *-eiro*.] *S. m.* **1.** Aquele que trata do tinelo. ● *Adj.* **2.** Relativo ao tinelo.

tinelo [Do it. *tinello*.] *S. m.* Sala onde os criados de uma casa fazem refeições em comum; refeitório.

tineóideo [Do tax. *Tinea* + *-óideo*; tax. *Tineoidea*.] *Zool. S. m.* **1.** Espécime dos tineóideos, superfamília de insetos lepidópteros, cujo gênero principal é *Tinea*. São borboletas pequenas que formam o grupo dos microlepidópteros. ● *Adj.* **2.** Pertencente ou relativo a eles.

tíner [Do ingl. *thinner*.] *S. m. Tec.* Solvente que se adiciona a uma tinta com o intuito de torná-la menos viscosa.

tineta (ê) [De *tino*[1] + *eta* (ê).] *S. f.* **1.** V. *telha* (7). **2.** Queda, tendência, propensão: "tinha tineta para boticário." (Camilo Castelo Branco, *Sentimentalismo e História*, p. 163). **3.** Teimosia, pertinácia.

▲-tinga [Do tupi.] *El. comp.* = 'branco': *biguatinga, caatinga, surucucutinga*.

tingido [Part. de *tingir*.] *Adj.* **1.** Que se tingiu; que foi submetido a tingidura; tinto: *roupa tingida*. **2.** *Joc.* Que usa tinta de cabelo; que o tinge: "um quarentão muito espartilhado e tingido" (Valentim Magalhães, *Vinte Contos*, p. 42).

tingidor (ô) [De *tingir* + *-dor*.] *Adj. S. m.* Que, ou aquele que tinge.

tingidura [De *tingir* + *-dura*.] *S. f.* V. *tintura* (1).

tingimento [De *tingir* + *-mento*.] *S. m.* V. *tintura* (1).

tingir [Do lat. *tingere*.] *V. t. d.* **1.** Meter ou molhar em tinta (2), alterando a cor primitiva. **2.** Dar certa cor a; colorir: *A luz crepuscular tingia o vale.* **3.** Fazer corar; ruborizar: *A timidez tingiu-lhe as faces.* **4.** Tornar escuro; escurecer. **5.** Manchar (1): *O sangue tingia-lhe as roupas. T. d. e i.* **6.** Dar certa cor a; fazer adquirir determinada cor: *O sol tingiu a parede das variadas cores da vidraça. P.* **7.** Tomar certa cor: "Tingem-se vales e montes / Por toda a parte de verde." (Conde de Monsaraz, *Musa Alentejana*, p. 50). [Part.: *tingido* e *tinto*. Conjug.: v. *dirigir*.]

tingitano [Do lat. *tingitanu*.] *Adj. S. m.* V. *tangerino*[2].

tinguaciba [Do tupi.] *S. f. Bras. Bot.* V. *tamanqueira* (1).

tinguaçu [Do tupi = 'nariz grande'.] *S. m. Bras. Zool.* **1.** V. *alma-de-gato* (1). **2.** Capitão-de-saíra (1).

tinguaíto [Do top. *Tinguá* + *-ito*[2].] *S. m. Petr.* Rocha magmática em geral com a forma de diques ou chaminés, e textura granular e porfirítica.

tingui [Do tupi.] *S. m.* **1.** *Bras. Bot.* Arvoreta sapindácea (*Magonia pubescens*) vulgar nos cerrados, caracterizada pelas grandes cápsulas lenhosas e triangulares, e cujas sementes, aladas e amplas, contêm óleo. 2. *Bras. Bot.* Timbó (1). 3. *Bras. Bot.* V. *cipó-timbó.* 4. *Bras. N.E.* Nordeste (4). ● *S. 2 g.* 5. *Bras. S.* V. *paranaense* (3). ● *Adj. 2 g.* 6. V. *paranaense* (1).

tingui-botó *Bras. S. 2 g.* 1. *Etnôn.* Indivíduo dos tinguis-botós, povo indígena que habita os municípios de Feira Grande e Olho D'Água do Meio (AL). ● *Adj. 2 g.* 2. Pertencente ou relativo a esse povo. [Tb. us. como *s. 2 g. e 2 n.* (com cap.) e *adj. 2 g. e 2 n.*] [Pl.: *tinguis-botós.*]

tingui-capeta *S. m. Bras. L. Bot.* Arbusto sapindáceo (*Serjania erecta*) escandente, que ocorre nos cerrados, e cujas folhas são amplas, trifolioladas, moles e serreadas, sendo alado o pecíolo. As flores, alvas e minutas, organizam-se em panículas; o fruto tem asas coriáceas e fragmenta-se na maturidade. [Sin.: *cipó-de-timbó, turari.* Pl.: *tinguis-capetas* e *tinguis-capeta.*]

tingui-de-leite *S. m. Bras. Bot.* V. *agaí.* [Pl.: *tinguis-de-leite.*]

tingui-de-peixe *S. m. Bras. Bot.* Arbusto mirsináceo (*Jacquinia*) us. no N. para envenenar o peixe na água, não causando o peixe assim envenenado nenhum dano a quem o come. [Pl.: *tinguis-de-peixes.*]

tinguijada [De *tinguijar* + *-ada*[1].] *S. f. Bras. N. N.E.* Pescaria em que se emprega o tingui.

tinguijar [Do tupi.] *V. t. d. Bras. N.* 1. Envenenar (as águas de um rio ou de uma lagoa) com tingui ou com timbó (q. v.), ou de modo semelhante: "O sangue tinguijou o gapó." (Lauro Palhano, *O Gororoba*, p. 235.) *Int.* 2. *Bras.* Ser envenenado pelo tingui.

tinha[1] [Do lat. *tinea.*] *S. f.* 1. *Derm.* Designação comum a várias espécies de infecções cutâneas superficiais fúngicas, cujo tipo específico está na dependência das características do agente causal; porrigem. 2. *Fig.* Defeito, mancha, mácula. ◆ **Tinha favosa.** *Derm. Obsol.* V. *favo* (4).

tinha[2] *S. f.* V. *tina.*

tinhanha *S. f. Bras.* V. *troca* (2).

tinhorão [Do tupi = 'tajá amargo'.] *S. m. Bras. L. a S. Bot.* Erva arácea (*Caladium bicolor*) cultivada extensamente por sua beleza, que tem um tubérculo do qual partem as folhas, grandes, longamente pecioladas, herbáceas, sagitadas, manchadas de vermelho ou de branco, ou alvas ou, ainda, róseas, e flores insignificantes, que se agregam em espigas compactas, envolvidas em grande bráctea, dita *espata.* [Sin.: *ará, tajurá* e (Amaz.) *tajá.*]

tinhoso (ô) [De *tinha*[1] + *-oso.*] *Adj.* 1. Que tem tinha[1] (1). 2. *Fig.* Que provoca nojo; repugnante, nojento. 3. *Bras.* Teimoso, pertinaz. ● *S. m.* 4. V. *diabo* (2): "Nem haveria meio de persuadi-lo que ele, Aleixo, fora vencido duas vezes numa queda de corpo, tão expeditamente, ainda mais por um magriço. Eram artes do tinhoso." (José de Alencar, *O Sertanejo*, p. 85.)

tinhuma *S. f. Bras. Zool.* V. *querê-querê* (1).

tini [De or. indígena, poss.] *S. m. Bras. MT* O primeiro corte de folhas de erva-mate, em cada dia.

tinideira [De *tinir* + *-deira.*] *Adj.* 1. Fem. de *tinidor.* ● *S. f.* 2. *Bras. S. Pop.* Situação angustiosa; falta de dinheiro; aperto, apertura: *estar, andar, viver na tinideira.*

tinido [Do lat. *tinnitu.*] *S. m.* 1. Ato ou efeito de tinir. 2. Som vibrante de vidro, de metal, etc.: "lábios grossos deixando escapar... uma risada... que, ao ecoar pelo corredor da casa-grande, mais parecia o tinido de cristais." (José Maria de Melo, *Os Canoés*, p. 13). 3. *Otor.* Ruído de qualidade variável, podendo assemelhar-se ao de campainha, ou ao de zumbido, ou ser ensurdecedor, etc., e que pode ser percebido, eventualmente, por outra pessoa, além do paciente.

tinidor (ô) [De *tinir* + *-dor.*] *Adj.* 1. Que tine; tininte. ● *S. m.* 2. Aquilo que tine.

tininte [De *tinir* + *-nte.*] *Adj. 2 g.* Tinidor (1).

tinir [Do lat. *tinnire*, de or. onom.] *V. int.* 1. Soar (vidro ou metal) aguda ou vibrantemente: *Os cristais tiniam entrechocando-se*; "Tiniam na rua as campainhas das vacas" (Coelho Neto, *Turbilhão*, p. 45). 2. Zunir (os ouvidos): *O estrondo foi tão forte que meus ouvidos tiniram.* 3. Tiritar de frio ou de medo. 4. Emitir som, voz, etc., em tom alto: *Tiniu, para que o ouvissem do outro lado do rio.* 5. Sentir grande fome ou vivo apetite. 6. Estar quentíssimo: *Era uma da tarde, e o Sol tinia.* [Defect., não conjugável nas f. em que ao *n* da raiz se seguiria *o* ou *a.*] ◆ **Tinir de.** Achar-se em (determinado estado) ou ter (determinada qualidade) em altíssimo grau: *Está tinindo de zangado*; "Espera-me com um poderoso Chevrolet tipo 1963, tinindo de azul" (Guilherme Figueiredo, *Deus sobre as Pedras*, p. 77). **A tinir.** *Fam.* Sem nenhum dinheiro; a nenhum: *estar, ficar, andar a tinir.* **De tinir.** Imprime caráter superlativo à palavra à qual se segue: *É bonita de tinir; O molho está de tinir.*

tino[1] [De or. incerta; poss. dev. aferético de *atinar.*] *S. m.* 1. Juízo, discernimento; discrição; atino. 2. Prudência, cuidado; tato: *Nas situações difíceis sempre agiu com tino.* 3. Intuição; queda; faro: "E o caso era que Campos, ou devido à fortuna ou ao bom tino para os negócios, prosperava sempre." (Aluísio Azevedo, *Casa de Pensão*, p. 8.) 4. Atenção, circunspeção. 5. Conhecimento, ideia. 6. Facilidade de andar às escuras. ◆ **A tino.** Por um cálculo aproximado; por estimativa; a olho.

tino[2] *S. m.* V. *tina.*

tino[3] [Dev. de *tinir.*] *S. m. Desus.* Tinido.

tinote[1] [De *tina* + *-ote*[1].] *S. m.* Pequena tina.

tinote[2] [De *tino*[1] + *-ote*[1].] *S. m. Pop.* O cérebro.

tinta[1] [F. subst. de *tinto.*] *S. f.* 1. Substância química constituída de um corante e de um aglutinante, ou de um coloide, a qual tem a propriedade de aderir à superfície sobre a qual é aplicada, e que é usada para pintura. 2. Essa tinta, no estado líquido ou pastoso, usada para escrever, tingir ou imprimir. 3. Tintura (2). 4. Cor, colorido, tom: *as tintas de ouro das paisagens outonais.* 5. *Fig.* Vestígios, laivos, traço: *Em suas palavras notava-se uma tinta de maldade.* 6. *Fig.* V. *laivos* (1). [Nesta acepç. é m. us. no pl.] ~ V. *tintas.* ◆ **Tinta de doble-tom.** Tinta usada para imprimir autotipias, e na qual se combina um colorante solúvel em óleo com um pigmento básico estável de cor diferente, a fim de provocar na estampa, durante a secagem, o aparecimento de tons secundários causados pela difusão do colorante, à maneira de halo, em volta dos pontos da retícula; tinta dúplex. [V. *autotipia dúplex* e *bicromia.*] **Tinta de impressão.** Substância líquida ou pastosa usada nos vários processos de imprimir, constituída por um veículo viscoso (o verniz), ou fluido, e um pigmento de origem animal, vegetal ou mineral, e que podem ser, segundo a sua natureza, graxas e fluidas, opacas e transparentes, mates e brilhantes, ou, segundo seu emprego, tipográficas, litográficas, rotográficas, flexográficas, etc., sendo suas características mais significativas a adesividade, a compacidade (que combina as de coesão, escoamento e viscosidade), a elasticidade, a intensidade, a penetração, a sicatividade, a solidez à luz e a tenacidade. **Tinta dúplex.** Tinta de doble-tom (q. v.). **Tinta litográfica.** 1. A que se compõe de cera, sabão, sebo, etc., e pigmento, para desenho a pena ou a pincel no processo de litografia. [V. *lápis litográfico.*] 2. A tinta graxa usada na impressão litográfica. **Tinta simpática.** Tinta invisível quando se escreve, mas que, submetida à ação de certos agentes, se torna visível. **Carregar nas tintas.** Mostrar-se exagerado, exagerar, numa descrição, num relato: "Os biógrafos do romancista russo [Dostoievski (v. *dostoievskiano*)] sempre carregaram nas tintas ao tentarem detectar em sua experiência privada o caos moral, o dilaceramento psíquico e a atmosfera apocalíptica onipresentes em obras como *O Idiota, Os Demônios* e *Os Irmãos Karamazov*" (Manuel da Costa Pinto, em *Folha de S.Paulo*, 18.04.1998). **Estar-se nas tintas (para).** *Angol. Lus.* Não ligar a mínima (a); ficar-se nas tintas: "– Dantes, inda .... aparecia por cá. Bebíamos um copo, falávamos um bocado e o tempo passava. Mas agora nem isso. Está-se nas tintas." (José Cardoso Pires, *Histórias de Amor*, p. 42.) **Ficar-se nas tintas.** V. *estar-se nas tintas.* **Levar tinta.** *Bras. MG Gír.* V. *levar ferro.*

tinta[2] [F. red. de *uva-tinta.*] *S. f. Bot.* V. *sousão.*

tinta-dos-gentios *S. f. Bot.* V. *anil-trepador.* [Pl.: *tintas-dos-gentios.*]

tintagem [De *tintar* + *-agem*[2].] *S. f.* 1. Ação ou efeito de tintar. 2. *Art. Gráf.* V. *entintamento.* 3. *Art. Gráf.* Modo de distribuição da tinta, nos diversos tipos de prensas.

tintar [De *tinta* + *-ar*[2].] *V. t. d. Tip.* V. *entintar.*

tintas [Pl. de *tinta.*] *S. f. pl.* V. *laivos* (1).

tinteira [De *tinta* + *-eira.*] *S. f. Art. Gráf.* Tinteiro (5).

tinteiro [De *tinta* + *-eiro.*] *S. m.* 1. Pequeno vaso próprio para conter tinta de escrever. 2. Utensílio de escritório, com um ou mais vasos para tinta de escrever. 3. *Bras.* Pó fino de magnetita. 4. *Bras. BA Zool.* Designação comum aos moluscos nudibrânquios do gênero *Aplysia* (v. *aplísia*). 5. *Art. Gráf.* Recipiente da tinta, nas várias espécies de prensas, constituído, em geral, por uma espécie de calha com tampa (*caixa do tinteiro*), onde gira um cilindro de aço, ao qual se apoia uma lâmina graduável (*telha* ou *faca*), reguladora da saída. [F. paral., ant.: *tinteira.*] ◆ **Ficar no tinteiro.** Ficar (uma coisa) por ser dita ou escrita, e, p. ext., feita, por esquecimento.

tintilante [De *tintilar* + *-nte.*] *Adj. 2 g.* Que tintila; tintinante, tililante: *o som tintilante da sineta.*

tintilar [Voc. onom.] *V. t. d. Int. S. m.* V. *tilintar.*

tintinabulação [De *tintinabular* + *-ção.*] *S. f.* Ato ou efeito de tintinabular.

tintinabulante [De *tintinabular* + *-nte.*] *Adj. 2 g.* Que tintinabula.

tintinabular [De *tintinábulo* + *-ar*[2].] *V. int. Bras.* 1. Soar, ressoar: "Não colocava [Euclides da Cunha] vocábulos pelo prazer romântico de ouvir tintinabular a frase sonora e cascalhante." (Antônio Torres, *Pasquinadas Cariocas*, p. 3.) *T. d.* 2. Fazer soar (campainha). [Pres. ind.: *tintinabulo*, etc. Cf. *tintinábulo.*]

tintinábulo [Do lat. *tintinnabulu.*] *S. m.* Campainha, sineta. [Cf. *tintinabulo*, do v. *tintinabular.*]

tintinante [De *tintinar* + *-nte.*] *Adj. 2 g.* Que tintina; tilintante.

tintinar [Do lat. *tintinnare.*] *V. int.* Tilintar (2).

tintiolim [De or. obscura.] *S. m. Bras.* Entre os açougueiros, o útero da vitela.

tinto [Do lat. *tinctu.*] *Adj.* 1. Tingido. 2. *Fig.* Sujo, enodoado. ~ V. *uva —a* e *vinho —.* ● *S. m.* 3. Vinho tinto: "Embora homens de trabalho e tineta, não tinham as unhas roídas dos tintos." (João da Silva Correia, *Farândola*, p. 130.)

tintométrico [De *tinta* + *-o-* + *-metr(o)-*[2] + *-ico*[2].] *Adj.* Diz-se de processo ou de sistema de mistura de tintas básicas e corantes realizado com o auxílio de recursos computacionais específicos, a fim de se obter uma cor predeterminada.

tintorial [De *tintório* + *-al*[1].] *Adj. 2 g.* 1. Que serve para tingir. 2. Relativo a tinturaria. 3. Relativo a tinta ou a tintura. [Sin. ger.: *tintório.*]

tintório [Do lat. *tinctoriu.*] *Adj.* 1. Que produz substância empregada em tinturaria. 2. V. *tintorial.*

tintura [Do lat. *tinctura.*] *S. f.* 1. Ato ou operação de tingir; tingidura, tingimento, tinção. 2. Tinta (2) usada especialmente para tingir; tinta. 3. *Fig.* V. *tinta* (6). 4. *Fig.* V. *laivos* (1): *Tem lá a sua tintura de grego e de latim.* [Nesta acepç., é m. us. no pl.] 5. *Farm.* Álcool ou éter carregado, por maceração ou lixiviação, dos princípios ativos de uma ou diversas substâncias de natureza vegetal, animal ou mineral. ~ V. *tinturas.*

tinturado [De *tintura* + *-ado*[1].] *Adj.* Tingido, tinto: *cabelo tinturado.*

tinturaria [De *tintura* + *-aria.*] *S. f.* 1. Ofício ou arte de tintureiro. 2. Estabelecimento onde se tingem panos. 3. *Bras.* Lavanderia (1).

tinturas [Pl. de *tintura.*] *S. f. pl.* V. *laivos* (1). ~ V. *tintura.*

tintureira [Fem. de *tintureiro.*] *S. f.* 1. Mulher que tinge panos. 2. Dona de tinturaria. 3. *Bras. Zool.* O maior dos tubarões carcarrinídeos (*Galeocerdo cuvier*), com até 6m de comprimento, corpo robusto, cabeça achatada, focinho curto, dorso variando do cinza-claro ou cinza-azulado, ou esverdeado, ao cinza-escuro e abdome esbranquiçado ou amarelado; as manchas escuras no dorso e nos flancos dos indivíduos jovens tornam-se, nos adultos, em faixas transversais. É tida como espécie muito feroz e sua carne é muito apreciada. [Sin., nesta acepç.: *alecrim, cação-jaguara, jaguara, tintureiro, tubarão-jaguara, tubarão-tigre, tubarão-tintureiro.*] 4. *Bras. Bot.* Pequena árvore cesalpiniácea (*Caesalpinia tinctoria*) espinescente, com folhas penadas, opostas, flores amarelas, e frutos que são vagens que contêm tanino. Fornece matéria tintorial preta e vermelha.

tintureiro [De *tintura* + *-eiro.*] *Adj.* 1. Que tinge. ● *S. m.* 2. Aquele que tinge panos. 3. Dono de tinturaria. 4. Empregado de tinturaria. 5. *Bras. Bot.* V. *quaró.* 6. *Bras. RJ Desus.* V. *camburão* (2). 7. *Bras. Zool.* V. *tintureira* (3).

tintureiro-das-pedras *S. m. Bras. RS Zool.* V. *lesma* (1). [Pl.: *tintureiros-das-pedras.*]

tio[1] [Do gr. *theîos*, pelo lat. tard. *thiu.*] *S. m.* 1. Irmão dos pais, em relação aos filhos destes. 2. *P. ext.* Marido da tia, em relação aos sobrinhos desta. 3. *Bras. Pop.* Tratamento dado, por jovens, a qualquer indivíduo de mais idade. 4. *Bras.* Tratamento carinhoso dado pelos jovens aos amigos dos pais, ou pelos amigos aos pais de seus amigos. 5. *Bras. S.* Designação que se usa dar a negro velho. 6. *Bras. Mar. Merc.* Chico[1] (3).

tio[2] *S. m. Adj. 2 g.* V. *anzico*: "E, subindo as águas, os vários reinos da floresta, entre os quais o dos tios, tequês ou anzicos" (Alberto da Costa e Silva, *A Enxada e a Lança*, p. 606); "a sociedade tio dividia-se claramente entre aristocratas e homens comuns" (Id., *ib.*, p. 499).

▲**ti(o)-** [Do gr. *theion, ou.*] *Quím. El. comp.* = 'enxofre': *tiamida, tioácido.* [Equiv.: *tion-, -ti(o)(n)-*: *tiônico; metionina.*]

tioacetal [De *ti(o)-* + *acetal.*] *S. m. Quím.* Composto análogo a acetal, com enxofre em lugar de oxigênio.

tioácido [De *ti(o)-* + *ácido.*] *S. m. Quím.* Ácido em que um átomo de oxigênio foi substituído por um de enxofre.

tio-avô *S. m.* Irmão do avô ou da avó. [Fem.: *tia-avó.* Pl.: *tios-avôs* e *tios-avós.*]

tiobactéria [De *ti(o)-* + *bactéria.*] *S. f. Microbiol.* Bactéria que utiliza compostos de enxofre como fonte de energia; sulfobactéria.

tiobacteriáceo [De *tiobactéria* + *-áceo.*] *Adj. Microbiol.* Pertencente ou relativo à tiobactéria; sulfobacteriáceo.

T

tioca *S. f. Bras.* V. *tauoca.*
tiocetal [De *ti(o)-* + *cetal.*] ***S. m. Quím.*** Composto análogo a cetal, com enxofre em lugar de oxigênio.
tiocianato [De *ti(o)-* + *cianato.*] ***S. m. Quím.*** Sal do ácido tiociâncio, em que o grupamento eletronegativo é o aníon monovalente $(SCN)^-$; sulfocianato, tiocianeto.
tiocianeto (ê) [De *ti(o)-* + *cianeto.*] ***S. m. Quím.*** V. *tiocianato.*
tiociânico [De *ti(o)-* + *-cian(o)-* + *-ico*[2].] ***Adj. Quím.*** ~ V. *ácido —.*
tioéter ***S. m. Quím.*** Designação genérica de substâncias que contêm dois grupos hidrocarbônicos ligados ao mesmo átomo de enxofre [fórm. geral: R-S-R'].
tiofeno [De *ti(o)-* + *-feno.*] ***S. m. Quím.*** Composto heterocíclico aromático, líquido incolor, com cheiro que lembra o do benzeno [fórm.: C_4H_4S].
tioglicolato ***S. m. Quím.*** Qualquer sal ou éster do ácido tioglicólico, dos quais alguns têm emprego em cosméticos.
tioglicólico [De *ti(o)-* + *glicólico.*] ***Adj. Quím.*** ~ V. *ácido —.*
tiol ***S. m. Quím.*** **1.** Designação genérica de substâncias que contêm o grupo -SH ligado a carbono saturado; mercaptan. **2.** O grupo -SH. [Pl.: *tióis.*]
tiomersal [De *ti(a)-* + *-o-* + *mer(cúrio)* + *sal(icitato).*] ***S. m. Quím.*** Sal sódico de um ácido carboxílico aromático, composto organometálico de mercúrio, sulfurado, us. como antisséptico; mertiolato, tiomerosal [fórm.: $(C_9H_9HgO_2S)^-Na^+$].
tiom-tiom [Voc. onom.] ***S. m. Bras. Amaz. Zool.*** V. *corucão.* [Pl.: *tiom-tions.*]
▲tion- V. *ti(o)-.*
▲-ti(o)(n)- V. *ti(o)n-.*
tiónico ***Adj.*** V. *tiônico.* [Uso freq. em P.]
tiônico [De *tion-* + *-ico*[2].] ***Adj. Quím.*** V. *ácido —.*
tionila [De *tion-* + *-ila*[2].] ***S. f. Quím.*** O grupo divalente =SO, esp. quando presente em compostos inorgânicos.
tionina [De *tion-* + *-ina*[3]; nome comercial.] ***S. f.*** Substância orgânica, violeta, empregada como corante em bioquímica [fórm.: $C_{12}H_{10}N_3S^+Cl^-$]
tiopental [De *ti(o)-* + *-pent(a)-* + *-al*[2].] ***S. m. Quím.*** Substância cristalina, heterocíclica, derivada do ácido barbitúrico, fórm.: $C_{11}H_{18}N_2O_2S$, us. como anestésico, em geral sob a forma de sal sódico, fórm.: $C_{11}H_{17}N_2O_2S^-Na^+$.
tiorba [Do it. *tiorba.*] ***S. f. Mús.*** Instrumento da família do alaúde, do qual se distingue por ter um segundo cravelhal onde se prendem as cordas mais graves, as quais ficam fora do ponto, e que se usou nos sécs. XVI e XVII como instrumento acompanhador e solista: "Vinha cantando atrás esta canção feliz / Ao som de tiorbas d'oiro e avenas pastoris" (Guerra Junqueiro, *A Velhice do Padre Eterno*, p. 232).
tiorega ***S. f. Bras. N.E. Pop.*** Coisa complicada; estrovenga, estrupício.
tiorga ***S. f. Bras. S. Pop.*** V. *bebedeira* (1).
tiossulfato [De *ti(o)-* + *sulfato.*] ***S. m. Quím.*** Sal do ácido tiossulfúrico; hipossulfito.
tiossulfúrico [De *ti(o)-* + *sulfúrico.*] ***Adj. Quím.*** ~ V. *ácido —.*
tiotê [Do fr. *tuyauté.*] ***S. m. Bras.*** Dobras tubiformes em um tecido (4), usadas principalmente em folhos ou babados que adornam blusas.
tipa[1] [Fem. de *tipo* (6 e 7).] ***S. f.*** **1.** *Chulo* Qualquer mulher. **2.** Mulher de costumes fáceis.
tipa[2] [Do quíchua, pelo hisp.-amer.] ***S. f. Bras. L. a S. Bot.*** V. *pau-de-mocó.*
tipa-branca [De *tipa*[2] + o f. de *branco.*] ***S. f. Bras. Bot.*** V. *pau-de-mocó.* [Pl.: *tipas-brancas*]
tipacoema [Do tupi = 'vazante da manhã'.] ***S. f.*** **1.** *Bras. AM* Baixa-mar matutina. **2.** A parada da maré, ao amanhecer, no final da vazante. [Cf. *tepacuema.*]
tipão [De *tipo* + *-ão*[1].] ***S. m. Bras. Fam.*** **1.** Tipo estranho, curioso; pessoa excêntrica. **2.** Pessoa vistosa, atraente pelo físico: *O rapaz é um tipão; Que tipão, a Vera!*
tipi [Do tupi.] ***S. m. Bras. Bot.*** Erva fitolacácea (*Petiveria alliacea*) das regiões tropicais e subtropicais das Américas, de folhas alternas, flores espiciformes, frutos capsulares e raízes que têm uso como antiespasmódico e abortivo; amansa-senhor, erva-pipi, guiné, pau-guiné, pau-da-guiné, raiz-da-guiné, tipi-manso, tipi-verdadeiro.
▲tipi- V. *tipo-*[2].
tipicidade [De *típico* + *-(i)dade.*] ***S. f.*** **1.** Qualidade ou caráter de típico. **2.** *Jur.* Qualidade daquilo que preenche todos os elementos da definição legal de um delito ou da situação jurídica.
típico [Do gr. *typikós*, pelo lat. *typicu.*] ***Adj.*** **1.** Que serve de tipo; característico: "E as torres redondas .... cediam lugar às torres retangulares tão típicas do feudalismo medieval e do urbanismo renascentista italianos" (Alceu Amoroso Lima, *A Realidade Americana*, p. 19). **2.** Alegórico, simbólico. ~ V. *charada —a.*
tipificação [De *tipificar* + *-ção.*] ***S. f.*** Ato de tipificar-(se); tipização.
tipificado [Part. de *tipificar.*] ***Adj.*** Tipizado.
tipificar [De *tipi-* + *-ficar.*] ***V. t. d. P.*** Tornar(-se) típico; caracterizar(-se). [Conjug.: v. *trancar.*]
tipi-manso ***S. m. Bras. Bot.*** V. *tipi.* [Pl.: *tipis-mansos.*]
tipió [Voc. onom., poss.] ***S. m. Bras. Zool.*** Ave passeriforme, fringilídea (*Sicalis luteola luteiventris*), do Brasil meridional e ocidental, de dorso oliváceo, com barras longitudinais escuras, a região inferior amarela com manchas oliváceas. Vive em bandos, nidificando em buracos de árvores, em muros e nos capinzais. Alimenta-se de sementes e alguns insetos.
tipiri [Do tupi, poss.] ***S. f. Bras. Bot.*** V. *araribá-rosa.*
tipisca [De or. obscura.] ***S. f. Bras. AM*** Lagoa que se forma na época da enchente, no rio Amazonas e em seus afluentes ocidentais, dum lado pela sinuosidade do leito fluvial e de outro pelo impulso da água, que tende a correr em linha reta, convertendo em lençóis de água as curvas forçadas que as margens apresentam; sacado.
tipiti [Do tupi.] ***S. m.*** **1.** Utensílio que consiste numa espécie de cesto cilíndrico extensível, feito de palha, com uma abertura na parte superior e duas alças, us. entre os povos indígenas brasileiros para extrair, por pressão, o ácido hidrociânico da mandioca brava. [Var. e sin., nesta acepç.: *tapiti* e *paneiro.*] **2.** *Bras. S. Fig.* Candimba (1). ◆ **No tipiti.** *Bras. S. Pop. Fig.* Em apuros; em aperto, em apertura; em situação difícil.
tipitinga [Do tupi = 'turvo'.] ***Adj. 2 g. Bras. N.*** Diz-se das águas barrentas mas esbranquiçadas.
tipi-verdadeiro ***S. m. Bras. Bot.*** V. *tipi.* [Pl.: *tipis-verdadeiros.*]
tipização [De *tipizar* + *-ção.*] ***S. f.*** Ato de tipizar(-se); tipificação.
tipizado [Part. de *tipizar.*] ***Adj.*** Que apresenta as características de determinado tipo; tipificado: "Grandet é o tipo do avaro; .... o Conselheiro Acácio o lugar-comum tipizado." (Temístocles Linhares, *Introdução ao Mundo do Romance*, p. 52.)
tipizar [De *tipo* + *-izar.*] ***V. t. d. P.*** Tornar(-se) típico; tipificar(-se). [Conjug.: v. *trancar.*]
tiple [Do esp. *tiple.*] ***S. 2 g.*** **1.** Soprano (1): "Aquela voz de tiple, voz típica de anonimato telefônico, soa aos seus ouvidos como a própria voz da Verdade" (Eduardo Frieiro, *O Cabo das Tormentas*, p. 126). **2.** *Mús.* Espécie de charamela com embocadura de palheta dupla.
tipo[1] [Do gr. *týpos*, 'cunho', 'molde', 'sinal'.] ***S. m.*** **1.** Aquilo que inspira fé como modelo. **2.** Coisa que reúne em si os caracteres distintivos de uma classe; símbolo: "Estêvão era o tipo do rapaz sério." (Machado de Assis, *Contos Fluminenses*, p. 86.) **3.** Exemplar, modelo. **4.** Personagem paradigmático da ficção ou da tradição oral: *Arlequim, Don Juan e Romeu são tipos eternos.* **5.** *Fam.* Pessoa esquisita, excêntrica. **6.** *Burl.* Qualquer indivíduo: "Veja, ilustre passageiro, / O belo tipo faceiro / Que o senhor tem ao seu lado" (antigo anúncio em bondes cariocas). **7.** Pessoa pouco respeitável. **8.** *Biol.* Exemplar que, examinado pelo autor de uma espécie, é explicitamente indicado por ele como padrão da descrição original da espécie. [Se não houve menção do tipo, outro exemplar é escolhido, posteriormente, para servir de tipo.] **9.** *Econ.* Porcentagem do valor nominal de um empréstimo que é efetivamente transferida ao tomador. **10.** Qualquer peça, ger. móvel e em relevo, que tem a função do tipo (9). **11.** *Tip.* Paralelepípedo de metal fundido (ou de madeira, nos grandes corpos), cujo olho, convenientemente entintado, imprime determinada letra ou sinal. [V. *linha-bloco.*] **12.** *Tip.* Letra impressa, resultante de composição tipográfica ou de fotocomposição. [Sin., nesta acepç.: *caractere, caráter, letra, letra de imprensa, letra de fôrma, letra redonda.*] ◆ **Tipo crenado.** *Tip.* V. *letra crenada.* **Tipo de caixa.** *Tip.* Tipo de composição manual, assim dito em contraposição aos tipos das compositoras mecânicas. **Tipo de fantasia.** *Tip.* Tipo de ostensão caracterizado por ornamentação profusa ou desenho excêntrico. [Cf. *tipo de ostensão.*] **Tipo de máquina.** *Tip.* Mecanal, que imita o tipo comum de máquina de escrever. **Tipo de obra.** O que serve para a composição corrente de textos de livros e periódicos. **Tipo de ostensão.** *Tip.* Aquele cujo desenho procura ser antes de tudo vistoso, e que, por isso, serve apenas para anúncios, títulos e pequenos impressos. [Cf. *tipo de obra* e *tipo de fantasia.*] **Tipo de vegetação.** *Fitogeogr.* Grande unidade fitogeográfica, como, p. ex., floresta atlântica, floresta amazônica, cerrado, caatinga. Pode coincidir com a formação (7). **Tipo gótico.** *Tip.* Caráter tipográfico que reproduz letra gótica, outrora tipo de obra e hoje tipo de ostensão da classe dos manuários. **Tipo levantado.** *Tip.* **1.** O que está composto. **2.** *P. ext.* V. *composição em pé.* **Tipo selvagem.** *Bioquím.* Alelo que tem a maior parte de uma população que vive em seu ambiente natural, e que, normalmente, é dominante. **Tipos de frases.** *E. Ling.* Aqueles comuns à língua. [V. *afirmação, comando, exclamação* e *interrogação.*] **Ser o tipo de.** Corresponder ao ideal de, em matéria amorosa ou sexual: *Aquela pequena é o tipo do Eduardo; É ótimo rapaz, mas não é o seu tipo.*
tipo[2] [F. red. de *tipografia.*] ***S. f.*** Tipografia (1 e 2).
▲tipo-[1] [Do gr. *týptein.*] ***El. comp.*** = 'bater', 'marcar batendo': *tipofonia.* [Equiv.: *tipto-*: *tiptologia.*]
▲tipo-[2] [Do gr. *týpos*, ou (ÿ).] ***El. comp.*** = tipo[1], 'marca', 'modelo', 'característica': *tipografia, tipologia.* [Equiv.: *tipi-, -tip(o)-, -tipo*: *tipificar; estereotipia; logótipo, protótipo* (q. v.).]
▲-tip(o)- V. *tipo-*[2].
▲-tipo V. *tipo-*[2].
tipo-altura ***S. f. Tip.*** Altura do papel (q. v.). [Pl.: *tipos-alturas.*]
tipocromia [De *tipo-*[2] + *-crom(o)-* + *-ia*[1].] ***S. f. Tip.*** Impressão em cores.
tipocrómico ***Adj.*** V. *tipocrômico.* [Uso freq. em P.]
tipocrômico [De *tipocromia* + *-ico*[2].] ***Adj.*** Referente à tipocromia.
tipofone [De *tipo-*[1] + *-fone.*] ***S. m. Mús.*** V. *celesta.* [F. paral., p. us.: *tipofono.*]
tipofonia [De *tipo-*[1] + *-fon(o)-* + *-ia*[1].] ***S. f.*** Arte ou maneira de marcar a voz ou o compasso, batendo.
tipofónico ***Adj.*** V. *tipofônico.* [Uso freq. em P.]
tipofônico [De *tipofonia* + *-ico*[2].] ***Adj.*** Relativo a tipofonia.
tipofono ***S. m. Mús. P. us.*** Tipofone.
tipofsete [De *tipo-*[2] + *ofsete.*] ***S. m. Tip.*** Sistema de impressão tipográfica pelo método de transferência sobre cilindro de borracha, como no ofsete, dispensada a molhagem; ofsete seco.
tipografar [De *tipo-*[2] + *-graf(o)-* + *-ar*[2].] ***V. t. d.*** Reproduzir por meio tipográfico; imprimir. [Pres. ind.: *tipografo*, etc. Cf. *tipógrafo.*]
tipografia [De *tipo-*[2] + *-grafia.*] ***S. f.*** **1.** Arte que compreende as várias operações conducentes à impressão dos textos, desde a criação dos caracteres à sua composição e impressão, de modo que resulte num produto gráfico ao mesmo tempo adequado, legível e agradável. [Cf. *imprensa* (2).] **2.** Tipologia (2). **3.** *Art. Gráf. Restr.* Sistema de imprimir com fôrmas em relevo; impressão tipográfica. [F. red., nessas acepçs.: *tipo.*] **4.** Estilo ou arranjo do texto tipográfico. **5.** Estabelecimento tipográfico.
tipográfico [De *tipografia* + *-ico*[2].] ***Adj.*** Relativo à tipografia. ~ V. *caracteres —os, erro —, impressão —a, linha —* e *relevo —.* ◆ **Primeira tipográfica.** *Tip.* V. *prova de granel.*
tipógrafo [De *tipo-*[2] + *-grafo.*] ***S. m.*** **1.** Indivíduo versado na arte da tipografia, e que executa, ou dirige a execução, das operações conducentes à produção de impressos; mestre-impressor. **2.** Compositor tipográfico. [Cf. *compositor* (2), *impressor* (3 e 4) e *tipografo*, do v. *tipografar.*]
tipói [Do tupi.] ***S. m. Bras.*** Vestido em forma de camisola, sem mangas. [Var.: *tipoia.*]
tipoia[1] (ói) [De or. afr.] ***S. f.*** **1.** Palanquim de rede. **2.** Rede pequena: "O sertanejo modorrava, na tipoia à sombra da alpendrada." (Gustavo Barroso, *Terra de Sol*, p. 186.) **3.** Carruagem reles ou velha. **4.** Carro de aluguel puxado a cavalos: "Para poupar aos seus cavalos a soalheira ia na tipoia do Mulato, o batedor favorito do Ega" (Eça de Queirós, *Os Maias*, II, p. 169). **5.** *Bras. GO* Barraca feita com folhagem. ❖
tipoia[2] (ói) [Var. de *tipói.*] ***S. f. Bras.*** **1.** Lenço, echarpe ou tira de pano que se prende ao pescoço e que serve para repouso de braço, ou de mão, que sofreu alguma lesão. **2.** Rede velha. [Cf., nesta acepç., *fiango.*] **3.** Tipói. ❖
tipoia[3] (ói) [De *tipa*, poss.] ***S. f. Pleb.*** Mulher ordinária, reles, desprezível. ❖
tipólita [De *tipo-*[2] + *-lita.*] ***S. f. Min.*** Pedra que tem impressa a forma de algumas plantas ou animais.
tipologia [De *tipo-*[2] + *-logia.*] ***S. f.*** **1.** V. *biotipologia.* **2.** Coleção de caracteres tipográficos utilizados num projeto gráfico; tipografia. **3.** *E. Ling.* O estudo dos diversos modos pelos quais as línguas podem diferir umas das outras.
tipológico [De *tipologia* + *-ico*[2].] ***Adj.*** **1.** Biotipológico. **2.** Relativo a tipologia (2 e 3).
tipometria [De *tipo-*[2] + *-metria.*] ***S. f.*** **1.** Sistema de medidas tipográficas baseadas no ponto. [V. *sistema Didot, sistema anglo-norte-americano* e *sistema Fournier.*] **2.** *Desus. Impr.* A arte de compor e imprimir mapas ou figuras com material tipográfico.
tipométrico [De *tipometria* + *-ico*[2].] ***Adj.*** Relativo à tipometria.
tipómetro ***S. m.*** V. *tipômetro.* [Uso freq. em P.]
tipômetro [De *tipo-*[2] + *-metro.*] ***S. m.*** **1.** *Tip.* Instrumento do fundidor tipográfico, formado pelo encontro, em esquadria, de três planos metálicos, e usado para

verificar a exatidão do corpo e da altura dos tipos; protótipo. [Cf. *justificador* (3).] **2.** *Tip.* Instrumento do tipógrafo, constituído por uma régua ou fita de metal, madeira, plástico, etc., graduada em cíceros e pontos numa das margens, e em centímetros ou polegadas e seus submúltiplos na outra, e que serve para estabelecer ou verificar as medidas tipográficas.

tipótono [De *tipo-*[1] + *-tono.*] *S. m.* Espécie de diapasão (5) que se coloca entre os dentes, para, com o sopro, fazer vibrar uma lingueta metálica.

▲**tipto-** Equiv. de *tipo-*[1].

tiptologia [De *tipto-* + *-logia.*] *S. f. Espir.* **1.** Experiência a que procedem os espíritas, com mesas giradoras, chapéus, etc. **2.** Comunicação dos espíritos por meio de pancadas.

tiptológico [De *tiptologia* + *-ico*[2].] *Adj.* Relativo à tiptologia.

tiptólogo [De *tipto-* + *-logo.*] *S. m. Espir.* Médium que está apto a praticar a tiptologia.

tipu [Do tupi.] *S. m. Bras. Bot.* V. *pau-de-mocó.*

tipuana [Do tax. *Tipuana* (de *tipu*).] *S. f. Bot.* **1.** Gênero de fabáceas com espécies nativas do Brasil, Bolívia e Argentina. **2.** Qualquer espécie desse gênero, como, p. ex., a *Tipuana speciosa* (v. *pau-de-mocó*). **3.** Qualquer espécime desse gênero, ou a sua flor.

tipuca [Do tupi.] *S. f. Bras. AM* O último leite extraído das tetas da vaca, muito grosso e gorduroso; apojo.

tipulídeo [Do tax. *Tipula* + *-ídeo*[1]; tax. *Tipulidae.*] *Zool. S. m.* **1.** Espécie dos tipulídeos, família de insetos dípteros, com centenas de espécies comuns. Vulgarmente chamados pernilongos, por serem os segmentos das pernas extremamente longos. Habitam os lugares úmidos, abundantes em vegetação. Suas larvas são aquáticas e semiaquáticas. ● *Adj.* **2.** Pertencente ou relativo a eles.

tiquara [Do tupi.] *S. f.* **1.** *Bras. PA MA* V. *jacuba.* (1). **2.** Qualquer bebida refrigerante.

tique[1] [Do fr. *tic.*] *S. m.* **1.** Hábito ridículo. **2.** *Neur. Psiq.* Contração muscular involuntária e rápida, mais ou menos localizada, que aparece periodicamente e é de frequência variável, sendo dependente de fatores psíquicos e podendo chegar a incluir emissões verbais impulsivas; cacoete, trejeito, tico, tique nervoso: 📖 "Sentiu que eles não perdiam um só dos seus movimentos, das contrações do rosto, do tique nervoso das mãos" (Caci Cordovil, *Ronda de Fogo*, p. 263). ◆ **Tique doloroso.** *Neur.* Neuralgia trigeminal. **Tique nervoso.** *Neur. Psiq.* V. *tique* (2).

tique[2] [Dev. de *ticar.*] *S. m. Bras.* Ato ou efeito de ticar; tico.

tique[3] *El. s. m. Bras. SP* Us. na loc. adv. *nem tique nem taque.* ◆ **Nem tique nem taque.** Nem uma palavra; nada: 📄 *Não disse nem tique nem taque.*

tiquear [De *tique*[1] + *-ear*[2].] *V. int.* Ter ou fazer tiques. [Conjug.: v. *frear.*]

tique-taque [Voc. onom.] *S. m.* **1.** Voz imitativa de som regular e cadenciado: 📖 "os dedos, que percorrem buracos de órbitas vazias, tremem. E a treva reproduz o tique-taque de um relógio." (Graciliano Ramos, *Insônia*, pp. 15-16); "ferrei no sono, embalando-me com o tique-taque da chuva no telhado." (Reginaldo Guimarães, *Uma Blusa no Cais*, p. 90). **2.** O bater do coração; palpite. [Pl.: *tique-taques.*] ❇

tiquetaqueador (ô) [De *tiquetaquear* + *-dor.*] *Adj.* Tiquetaqueante.

tiquetaqueante [De *tiquetaquear* + *-nte.*] *Adj. 2 g.* Que tiquetaqueia; tiquetaqueador: 📖 "Os meus passarinhos estão chilreando lá fora, a insistir para que eu .... largue esta máquina desconjuntada e tiquetaqueante, e vá para o jardim conversar com eles." (Vivaldo Coaraci, *91 Crônicas*, p. 99.)

tiquetaquear [De *tique-taque* + *-ear*[2].] *V. int.* **1.** Fazer tique-taque. *T. d.* **2.** Assinalar ou marcar com tique-taque. [Conjug.: v. *frear.* Defect., conjugável só nas 3.ªs pess.]

tíquete [Do ingl. *ticket*, 'bilhete'.] *S. m.* **1.** V. *cupom* (1). **2.** Cupom, recebido por assalariado como parte de sua remuneração, us. para compras de alimentos (*tíquete-alimentação*), ou para pagamento de despesas em restaurantes (*tíquete-restaurante*) ou passagens (*tíquete-passagem*).

tíquete-alimentação *S. m.* V. *tíquete* (2). [Pl.: *tíquetes-alimentação.*]

tíquete-refeição *S. m.* Tíquete, fornecido por firmas e outras instituições, que dá direito a refeição, de preço nele impresso, em alguns restaurantes. [Pl.: *tíquetes-refeições* e *tíquetes-refeição.*]

tíquete-restaurante *S. m.* V. *tíquete* (2). [Pl.: *tíquetes-restaurantes* e *tíquetes-restaurante.*]

tique-tique [Voc. onom.] *S. m.* Tique-taque. [Pl.: *tique-tiques.*] ❇

tiquinho [De *tico*[1] + *-inho*[1].] *S. m.* Pedacinho, pouquinho, poucadinho, bocadinho.

tiquira [Do tupi = 'líquido que goteja, que pinga (do alambique)'.] *S. f. Bras. N.* Aguardente de mandioca: 📖 "A sua tentação não era .... a cerveja, nem o conhaque ....: era a aguardente nacional, o parati indígena, a cachaça cabocla, a tiquira maranhense" (Humberto de Campos, *Memórias Inacabadas*, pp. 46-47).

tiquismo [Do gr. *týche, es*, 'acaso', 'destino', + *-ismo.*] *S. m. Filos.* Doutrina que admite a existência de acaso radical. [Cf. *acidentalismo* e *casualismo.*]

tira[1] [Dev. de *tirar.*] *S. f.* **1.** Pedaço de pano, papel, etc., mais comprido que largo. **2.** Fita, faixa, ourela. **3.** Friso, filete. **4.** Lista, risca. **5.** Segmento de uma história em quadrinhos, usualmente constituído de uma única faixa horizontal contendo três ou mais quadros. ● *S. 2 g.* **6.** *Gír.* Agente de polícia. ◆ **Quebrar a tira.** *Bras. CE Pop.* V. *morrer* (10).

tira[2] [Da 3.ª pess. do sing. do pres. ind. do v. *tirar.*] *El. v.* Us. na expr. *tira que tira.* ◆ **Tira que tira.** Indica o movimento ou trabalho rápido e continuado ou incessante.

tira-bragal [De *tirar* + *bragal.*] *S. m.* **1.** Funda usada por quem tem quebradura ou hérnia intestinal. **2.** Correia que faz parte do arreio do cavalo, situada sobre as ancas. [Pl.: *tira-bragais.*]

tiração [De *tirar* + *-ção.*] *S. f.* **1.** Ato ou efeito de tirar. **2.** *Bras. AM* Extração de madeiras nas matas.

tira-cisma [De *tirar* + *cisma.*] *S. m. Bras. SP* **1.** Canivete grosseiro que trazia a palavra *tira-cisma* gravada na lâmina. **2.** Arma ou relho com que alguém pretende impor-se aos valentões. [Pl.: *tira-cismas.*]

tiraço [De *tiro*[1] + *-aço.*] *S. m.* Tirázio: 📖 "esticara a canela ali perto o Bentinho Baiano, ... baleado por dois tiraços de rifle na volta esquerda da pá." (Hugo de Carvalho Ramos, *Tropas e Boiadas*, p. 5).

tiracolo [Do esp. *tiracuello.*] *S. m.* **1.** Correia que cinge o corpo, passando por cima dum ombro e por baixo do braço oposto a esse ombro. **2.** V. *boldrié* (1). ◆ **A tiracolo.** Indo de um ombro para o lado contrário, na cintura ou debaixo do braço oposto a esse ombro: 📖 "a lufa-lufa das gentes, que entravam e saíam, nacionais, estrangeiros, ... uma confusão de línguas, um cafarnaum de chapéus, ... binóculos a tiracolo" (Machado de Assis, *Quincas Borba*, pp. 244-245).

tirada[1] [De *tirar* + *-ada*[1].] *S. f.* **1.** Ato ou efeito de tirar; tiradura, tiragem, tiramento, tiradela. **2.** Exportação de gêneros. **3.** Longo espaço de tempo. **4.** Grande extensão de caminho; caminhada.

tirada[2] [Do fr. *tirade.*] *S. f.* **1.** Frase longa que é o desenvolvimento ininterrupto de uma mesma ideia. **2.** *P. ext.* Trecho longo. **3.** Rasgo, ímpeto, no falar, escrever, etc.

tiradeira [De *tirar* + *-deira.*] *S. f.* **1.** Aquela que tira. **2.** *Bras.* Correia ou corrente que, nos carros de bois puxados por quatro animais, prende a canga dos da frente à dos do coice: 📖 "Os bois não tiravam mais por igual, apostando forças, mostrando de um para outro quem era mais valente em manter a tiradeira tesa, as cabeças altas" (Nélson de Faria, *Tiziu e Outras Estórias*, p. 110). **3.** *Bras.* Corda de relho que ata os cambões das juntas do carro de bois. **4.** *Bras.* Linha de pesca com muitos anzóis. **5.** *Bras. BA* Mulher que se ocupa em retirar as amêndoas dos frutos do cacaueiro, revestindo de pano os dedos para esse fim. ~ V. *tiradeiras.*

tiradeiras [Pl. de *tiradeira.*] *S. f. pl.* Tirantes entre os quais vão as cavalgaduras, nos engenhos de açúcar. ~ V. *tiradeira.*

tiradela [De *tirar* + *-dela.*] *S. f.* V. *tirada*[1] (1).

tiradentense[1] *Adj. 2 g.* **1.** De, ou pertencente ou relativo a Novo Tiradentes (RS). ● *S. 2 g.* **2.** O natural ou habitante de Novo Tiradentes.

tiradentense[2] *Adj. 2 g.* **1.** De, ou pertencente ou relativo a Tiradentes do Sul (RS). ● *S. 2 g.* **2.** O natural ou habitante de Tiradentes do Sul.

tira-dentes [De *tirar* + *dente.*] *S. m. 2 n. Pop.* V. *dentista.* [Cf. *Tiradentes*, pros. e top.]

tiradentino *Adj.* **1.** De, ou pertencente ou relativo a Tiradentes (MG). ● *S. m.* **2.** O natural ou habitante de Tiradentes.

tirado [Part. de *tirar.*] *Adj.* **1.** Que se tirou. **2.** Que foi objeto de tiragem. ~ V. *letra —a.*

tiradoira [De *tirar* + of. de *-doiro*[2].] *S. f.* Tiradoura (q. v.).

tirador[1] (ô) [Do esp. plat. *tirador.*] *S. m.* Tira de couro que os laçadores usam à volta da cintura quando laçam a pé.

tirador[2] (ô) [De *tirar* + *-dor.*] *Adj.* **1.** Que tira. ● *S. m.* **2.** Aquele que tira. **3.** *Marinh.* A parte da beta de um aparelho de laborar (teque, talha, estralheira, etc.) pela qual se puxa para que o aparelho funcione. **4.** *Bras. BA* Aquele que se ocupa em retirar as amêndoas dos frutos do cacaueiro. **5.** *Bras. MT* V. *mineiro*[1] (7). ◆ **Tirador de provas.** **1.** *Tip.* Gráfico encarregado de tirar provas da composição em granel ou em página; prelista (q. v.). **2.** *Art. Gráf.* V. *prelo de provas.*

tirador de cipó [De *tirador*[2] + *de* + *cipó.*] *S. m. Bras. SP Pop.* Escravo negro fujão. [Pl.: *tiradores de cipó.*] ☑

tiradoura [De *tirar* + of. de *-douro*[2]; var. de *tiradoira.*] *S. f.* Timão do carro ou do arado.

tiradura [De *tirar* + *-dura.*] *S. f.* V. *tirada*[1] (1).

tira-dúvidas [De *tirar* + o pl. de *dúvida.*] *S. m. 2 n.* Pessoa ou coisa que tira ou esclarece dúvidas, ou resolve questão.

tira e retira *S. f. 2 n. Tip.* Técnica que permite a impressão dos dois lados da folha com a mesma matriz. ☑

tira-faca [De *tirar* + *faca.*] *S. m. Bras. MT Zool.* V. *carapó.* [Pl.: *tira-facas.*]

tira-flor [De *tirar* + *flor.*] *S. m.* Instrumento para tirar a flor (11) do vinho. [Pl.: *tira-flores.*]

tira-fundo [Do fr. *tire-fond.*] *S. m.* **1.** Verruma de torneiro. **2.** Parafuso usado para fixar nos dormentes os trilhos de caminho de ferro. [Pl.: *tira-fundos.*]

tiragem [De *tirar* + *-agem*[2].] *S. f.* **1.** V. *tirada*[1] (1). **2.** Fluxo de ar quente que sai pela chaminé de uma fornalha e é substituído pelo ar frio que entra pela boca da fornalha. [A velocidade de combustão, nesta, depende da intensidade da tiragem.] **3.** Passagem dos metais pela fieira. **4.** *Art. Gráf.* Operação de imprimir. **5.** *Art. Gráf.* Número de exemplares impressos de uma só vez. [Cf., nesta acepç. *impressão* (9) e, nas acepçs. 4 e 5, *edição* (4) e *reimpressão* (2).]

tira-gosto [De *tirar* + *gosto.*] *S. m. Bras.* Qualquer salgadinho (q. v.) com que se acompanham certas bebidas, coquetéis, etc., fora das refeições; beberete: 📖 "todos os meninos do time, ela Mundinha, várias colegas, bebedeira até de madrugada, rum com tira-gosto de caranguejo." (Juarez Barroso, *Mundinha Panchico e o Resto do Pessoal*, p. 136). [Sin., bras., PB: *parede.* Pl.: *tira-gostos.*]

tira-jejum [De *tirar* + *jejum.*] *S. m.* V. *desjejum*: 📖 "— Bons-dias, Zizinha, cadê o Coronel? | — Já se alevantou. Mas não tomou nem tira-jejum e saiu correndo lá pra Rua da Sanfona." (Antônio Celso Alves Pereira, *Rua do Quenta-Sol*, p. 249.) [Pl.: *tira-jejuns.*]

tira-leite [De *tirar* + *leite.*] *S. m.* Instrumento com que se extrai o leite das fêmeas em geral, ou das mamas das mulheres. [Pl.: *tira-leites.*]

tira-linhas [De *tirar* + o pl. de *linha.*] *S. m. 2 n.* Instrumento de metal rematado em dois bicos, que serve para tirar ou traçar à tinta linhas de grossura toda igual.

tira-manchas [De *tirar* + o pl. de *mancha.*] *S. m. 2 n.* Substância ou preparado químico próprio para tirar manchas ou nódoas. [Sin.: *tira-nódoas* e (lus.) *limpa-nódoas.*]

tirambaço [Aum. irreg. de *tiro*[1].] *S. m. Bras. Fut.* Chute violento, para gol. [Var.: *tirombaço.*]

tiramboia (ói) *S. f. Bras. Zool.* V. *jequitiranaboia.* ❖

tiramento [De *tirar* + *-mento.*] *S. m.* V. *tirada*[1] (1).

tiramina [De *tiro(sina)* + *amina.*] *S. f. Quím.* Substância cristalina natural, que é uma amina fenólica obtida por decomposição da tirosina e encontrada em tecido animal putrefato [fórm.: $C_8H_{11}NO$].

➔**tiramisù** [tirami'su] [It.] *S. m. Cul.* Doce servido gelado, que alterna camadas de pão de ló, embebido em café e às vezes em vinho, com um creme à base de mascarpone e ovos, polvilhado com cacau em pó.

tirana[1] [F. subst. de *tirano.*] *S. f. Fam.* Mulher má, impiedosa, cruel.

tirana[2] [Das palavras *Ay tirana, tirana!*, com que principia a canção.] *S. f.* **1.** No Minho (Portugal) e na Andaluzia e Galiza (Espanha), no séc. XVIII, canção e dança cantada, em compasso de 6/8, andamento moderado e caráter lamuriante. **2.** *Bras. RS* Modalidade do fandango: tirana grande, tirana de dois, tirana de ombro, tirana tremida, tirana dos farrapos, tontilha. **3.** *Bras. BA* Cantiga de amor, em andamento lento, e de caráter lânguido. **4.** *Bras. BA* Canto de trabalho, entoado ao desafio por lavadeiras, roceiros, canoeiros. ◆ **Tirana de dois.** *Bras. RS* V. *tirana* (2). **Tirana de ombro.** *Bras. RS* V. *tirana* (2). **Tirana dos farrapos.** *Bras. RS* V. *tirana* (2). **Tirana grande.** *Bras. RS* V. *tirana* (2). **Tirana tremida.** *Bras. RS* V. *tirana* (2).

tiranaboia (ói) *S. f. Bras. Zool.* V. *jequitiranaboia.* ❖

tiranete (ê) [De *tirano* + *-ete* (ê).] *S. m. Burl.* Aquele que vexa ou oprime os que dele dependem: 📖 "Ia em cima do bicho, mas, em vez de lhe agradecer o transporte, magoava-o com chibatas. Era um tiranete!" (João de Araújo Correia, *Cinza do Lar*, p. 25.)

tirania [Do gr. *tyrannía.*] *S. f.* **1.** Na Grécia antiga, qualquer governo instituído à margem da legalidade. **2.** Domínio ou poder de tirano. **3.** Governo opressor e cruel. **4.** Violência, opressão. **5.** *Pop.* Ingratidão, desagradecimento.

tiranicida [Do lat. *tyrannicida.*] *Adj. 2 g.* **1.** Diz-se de quem mata um tirano. ● *S. 2 g.* **2.** Indivíduo tiranicida.

tiranicídio [Do lat. *tyrannicidiu.*] *S. m.* Execução (2) de um tirano.

tirânico [Do gr. *tyrannikós*, pelo lat. *tyrannicu.*] *Adj.* **1.** Relativo a tirano ou à tirania. **2.** Próprio de tirano ou da tirania. 3. Que tiraniza. 4. Opressivo, injusto, cruel, tirano.

tiranídeo [Do tax. *Tyrannus* + *-ídeo*[1]; tax. *Tyrannidae*.] *Zool. S. m.* 1. Espécime dos tiranídeos, família de aves passeriformes caracterizadas por terem o tarso exaspidiano, unha do dedo posterior curva, dedo exterior ligado ao médio só até a primeira articulação. Muito numerosas e variadas, na maioria insetívoras, algumas frugívoras. Nelas se incluem os bem-te-vis, as viuvinhas, as tesouras, as lavandeiras, os lecres, as maria-é-dia. ● *Adj.* 2. Pertencente ou relativo a eles.

tiranizador (ô) [De *tiranizar* + *-dor*.] *Adj. S. m.* Que, ou aquele que tiraniza.

tiranizar [De *tirania* + *-izar*.] *V. t. d.* 1. Tratar ou governar com tirania; oprimir: 🗎 *É impossível tiranizar um povo eternamente*; 📖 "— O senhor quer talvez lembrar-me que os autocratas têm o costume de tiranizar os povos e vexá-los de imposições" (José de Alencar, *Lucíola*, p. 107). 2. Tratar com excessivo rigor ou severidade: 🗎 *Os pais não devem tiranizar os filhos*. 3. Agir como tirano; oprimir, vexar: 🗎 *Era servil com os superiores e tiranizava os subalternos*. 4. Influir cruelmente em. 5. Opor obstáculos a; embaraçar, constranger: 🗎 *O excessivo regulamento tiraniza a vida dos cidadãos*. *Int.* 6. Proceder como tirano: 📖 "Os oficiais, ... cheios de desdém pelo restante do mundo, à parte a valentia profissional a cujo mandato não faltavam, roubavam, tiranizavam, eram simplesmente ridículos em arrogância e prepotência com o indígena invadido." (Aquilino Ribeiro, *Alemanha Ensanguentada*, p. 88.)

tirano [Do gr. *týrannos*, 'senhor absoluto', 'usurpador do poder', pelo lat. *tyrannu*.] *S. m.* 1. Na Grécia antiga, indivíduo que usurpava o poder. 2. Governante injusto, cruel ou opressor, que abusa de sua autoridade. 3. Indivíduo que abusa de sua autoridade. 4. Indivíduo cruel, impiedoso, tirânico. ● *Adj.* 5. Tirânico (4).

tira-nódoas [De *tirar* + o pl. de *nódoa*.] *S. m. 2 n.* V. *tira-manchas*.

tiranossauro [Do tax. *Tyrannosaurus*.] *S. m. Paleont.* 1. Gênero de enormes dinossauros carnívoros, talvez os maiores que já existiram e, certamente, os mais assustadores, que viveram no cretáceo superior da América do Norte, nas regiões de Montana e Wyoming (E.U.A.); mediam cerca de 14m de comprimento e 6m de altura e eram dotados de poderosas mandíbulas, com dentes aguçados, de 18cm, numa cabeça que tinha 1,5m de comprimento. 2. Espécie ou espécime desse gênero.

tirantaço [De *tiro* + el. express. + *-aço*, poss.] *S. m. Bras. Fut.* V. *bomba* (23).

tirante [De *tirar* + *-nte*.] *Adj. 2 g.* 1. Que tira ou puxa. 2. Excetuado, exceto, excluído: 🗎 *Tirantes dois ou três, estes livros são ótimos*. 3. Que dá aparência de. ● *S. m.* 4. Cada uma das correias que prendem um veículo à(s) cavalgadura(s) que o puxa(m). [Cf., nesta acepç., *timão* (1).] 5. *Constr.* Viga que suporta o madeiramento de um teto. 6. *Constr.* Barra, cabo de aço, ou peça longilínea, com as extremidades ancoradas para suportar esforços de tração em uma construção, como, p. ex., a posta em duas paredes mestras, para absorver os esforços que tendem a tirá-las de prumo. 7. *Mil.* Corda usada para puxar os reparos em artilharia. 8. *Tip.* Cada um dos fios verticais de uma tabela ou formulário. [Cf. *risco*[1] (5) e *pauta* (2).] 9. *Bras.* Barra de ferro que transmite à roda motora o movimento do êmbolo. ● *Prep.* 10. Exceto, salvo, salvante: 📖 "O pescoço sólido, firme, antigo [de Ramalho Ortigão], faz lembrar o de Danton, tirante a cor bronzeada." (Gonçalves Crespo, *Obras Completas*, p. 431.)

tirão[1] [De *tirar* + *-ão*[1].] *S. m.* 1. Puxão com força. 2. Grande caminhada; estirão.

tirão[2] [Do esp. plat. *tirón*.] *El. s. m.* Us. na loc. *tirão seco*. ◆ **Tirão seco.** *Bras. RS* Golpe imprevisto que o animal leva ao ser laçado ou puxado pelo cabresto.

tirão[3] [Do lat. *tirone*.] *S. m. P. us.* Aprendiz (1 e 2).

tira o chapéu *S. m. 2 n. Bras. RJ Folcl.* Dança de roda, com os pares uns atrás dos outros, fazendo movimentos com os chapéus. ☑

tirapé [De *tirar* + *pé*.] *S. m.* Correia com que os sapateiros prendem o calçado sobre a fôrma.

tirapeia (éi) *S. f. Bras. N.E. Zool.* V. *jararaca-pintada*. ✥

tira-prosa [De *tirar* + *prosa*.] *S. 2 g. Bras.* V. *valentão* (3). [Pl.: *tira-prosas*.]

tira-provas [De *tirar* + o pl. de *prova*.] *S. m. 2 n. Art. Gráf.* V. *prelo de provas*.

tirar [De or. incerta.] *V. t. d.* 1. Fazer sair de algum ponto ou lugar; retirar: 🗎 *Tirou o cinzeiro, colocando em seu lugar o jarro*; 📖 "Fez intenção de dizer alguma coisa, mas meteu a mão no bolso e tirou o lenço." (Joel Silveira, *Onda Raivosa*, p. 10). 2. Puxar, sacar, arrancar: 🗎 *Tirou o revólver e disparou*. 3. Extrair, arrancar: 🗎 *tirar um dente*. 4. Descalçar: 🗎 *tirar o sapato, as luvas*. 5. Tirar do corpo; despir: 📖 "tirou o paletó, vestiu um macacão e pôs-se a trabalhar." (Francisco de Assis Barbosa, *Santos Dumont Inventor*, p. 29); "os demais sobreviventes tiraram a roupa e correram no meio da pancadaria, ... escorregando no óleo e no sangue derramado, com os cachorros no encalço." (Drauzio Varela, *Estação Carandiru*, p. 290). 6. Retirar de si: 🗎 *tirar os óculos, tirar lentes de contato, etc.* 7. Cobrar, arrecadar: 🗎 *tirar impostos*. 8. Livrar, libertar: 🗎 *Fugiu da prisão, prometendo tirar os amigos*. 9. Obter, conseguir, receber; auferir: 🗎 *Fez a prova e tirou nota dez; Tirou este mês uma boa quantia de comissão*. 10. Frequentar, seguir, até o fim: 📖 "Estava bem resolvida a tirar um curso superior, naturalmente o de Direito" (Vergílio Ferreira, *Aparição*, p. 177). 11. Arremessar, atirar: 🗎 *tirar pedras*. 12. Copiar; transcrever, trasladar: 🗎 *Peguei uma antologia e tirei dois sonetos*. 13. Excluir, excetuar: 🗎 *Leu bem o artigo, para tirar o supérfluo*. 14. Abolir, extinguir, extirpar: 🗎 *Um bom tratamento é capaz de tirar o vício da bebida*. 15. Fazer desaparecer; apagar: 🗎 *tirar manchas*. 16. Fazer (uma fotografia [2]): 🗎 *Fique aí quieto, vou tirar a fotografia*. 17. Fazer tirar, parar para tirar (uma fotografia [2]): 🗎 *Aprontou-se toda para tirar o retrato*. 18. Fazer (radiografia [2]): 🗎 *Tirou uma radiografia da coluna e viu que tinha cifose*. 19. *Bras.* Retirar, de conta bancária, via caixa (4), ou via caixa eletrônico (demonstrativo de saldo, extrato bancário, ou valor em espécie, etc.). 20. Atrair; suscitar: 🗎 *Amor tira amor*. 21. Medir, avaliar: 🗎 *tirar a pressão; tirar a temperatura*. 22. Traçar, descrever: 🗎 *tirar linhas*. 23. Servir-se de; colher, tomar: 🗎 *Posso tirar uma fruta?* 24. Furtar, roubar: 🗎 *O cleptomaníaco sofre do impulso de tirar objetos*. 25. Fazer reproduzir (texto, ilustração, etc.), mediante processo fotomecânico. 26. Puxar, arrastar: 📖 "Tiram o arado os bois." (Bulhão Pato, *Livro do Monte*, p. 4.) 27. Convidar para dançar: 🗎 *No meio do baile, tirou-me e eu recusei*. 28. *Bras.* Transcrever (letra de música que se ouve): 🗎 *Pedi-lhe que tirasse aquele samba*. 29. *Bras.* Tocar (música ou trecho musical) de ouvido. 30. *Bras.* Compor (sobretudo de improviso): 🗎 *Tira sambas com a maior facilidade*. 31. *Bras.* Avaliar, julgar. 32. *Bras. Fut. Desus.* Efetuar cobrança de (lateral, tiro de meta, etc.); bater: 📖 "Tira esse lateral direito, ô palhaço!" (Armando Nogueira, *Na Grande Área*, p. 77.) 33. *Art. Gráf.* Imprimir (2); estampar. *T. d. e c.* 34. Livrar, libertar: 🗎 *Um bom advogado o tiraria da prisão*. 35. Fazer sair, retirar: 🗎 *Tirou as crianças da sala; Tirou os filhos do internato*. 36. Fazer sair, desempedindo, desestorvando (literal ou figuradamente): 🗎 *O motorista só tirou o carro do meio da rua depois que a perícia chegou*; 📖 "Tira o seu sorriso do caminho/ Que eu quero passar com a minha dor" (Nélson Cavaquinho, na canção *A Flor e o Espinho*). 37. Arrancar, arrebatar: 🗎 *Num golpe destro, tirou-lhe a arma das mãos*. 38. Mudar a direção de; desviar: 🗎 *Tentou evitar o acidente, tirando o carro para a direita, mas a colisão foi inevitável*. 39. Tirar (11): 🗎 *O moleque passou de bicicleta, tirando ovos nas casas*. *T. d. e i.* 40. Tirar (11) em: 📖 "Ali verão as setas estridentes / Reciprocar-se, a ponta no ar virando / Contra quem as tirou" (Luís de Camões, *Os Lusíadas*, X, 40). 41. Roubar, furtar, subtrair: 🗎 *O gatuno tirou-lhe um relógio*. 42. Arrebatar, usurpar: 🗎 *Tirou o trono a seu herdeiro legal*. 43. Demover, dissuadir: 🗎 *Tirou-o do intento*. 44. Desviar, afastar: 🗎 *Os maus exemplos tiram os jovens do bom caminho*. 45. Contestar; negar: 📖 "O Braga [Rubem Braga] conhece bem sua passarada, isso ninguém lhe tira." (Vinícius de Morais, *Para Viver um Grande Amor*, p. 90.) 46. Obter em resultado; colher, auferir, lucrar: 🗎 *Não soube tirar proveito da oportunidade*; 📖 "Do gozo tiras o maior tormento" (Guimarães Passos, *Horas Mortas*, p. 48). 47. Retirar, ou suprimir trecho, parte, pedaço, etc., de: 🗎 *Não satisfeito com o resultado, o autor tirou alguns parágrafos do texto original*. 48. Deduzir, inferir: 🗎 *De onde você tirou essa conclusão?* 49. Privar, despojar: 🗎 *O choque emocional tirou-lhe todo o bom senso*; 📖 "Verão os cafres ásperos e avaros / Tirar à linda dama seus vestidos" (Luís de Camões, *Os Lusíadas*, V, 47). 50. Levar, arrancar, arrebatar: 🗎 *O destino tirou-o cedo de nosso convívio*. *T. i.* 51. Chamar, reclamar, atrair: 🗎 *Vários deveres tiram por mim*. 52. Visar, objetivar: 🗎 *Tira a grandes realizações*. 53. Dar ares; ser tirante ou semelhante: 🗎 *Este roxo tira ao violeta*. *T. c.* 54. *Bras.* Cumprir (sentença): 🗎 *Tirou 20 anos de cadeia*. *Bit. c.* 55. Subtrair (número, parcela, quantia, etc.) a outro número, parcela, quantia, etc.: 🗎 *Tirar dois de cinco*. *Int.* 56. Dar tiros; atirar: 🗎 *Correu, de arma na mão, sempre tirando*. *P.* 57. Sair, arredar-se: 🗎 *Não me tirei de casa*. 58. Livrar-se, libertar-se; 🗎 *Tirou-se de um problema*. 59. Desviar-se; afastar-se; sair: 🗎 *Tire-se do mau caminho*. ◆ **Sem tirar nem botar.** Sem tirar nem pôr. **Sem tirar nem pôr.** Exatamente; tal qual; sem diferença nenhuma; sem tirar nem botar: 📖 "Ele .... era .... um belo e atraente tipo de homem e ela, sem tirar nem pôr, uma verdadeira pintura." (Gastão Cruls, *De Pai a Filho*, p. 29.)

tira-rolhas [De *tirar* + *rolhas*.] *S. m. 2 n.* Saca-rolhas.

tira-teima [De *tirar* + *teima*.] *S. m.* 1. V. *tira-teimas* (1 a 3). 2. *Telev. Bras.* Equipamento eletrônico ger. us. em transmissão de jogos, capaz de analisar as imagens captadas e fornecer informações sobre velocidade da bola, distância entre jogadores, campo de visão de jogador em determinado momento, etc. ● *S. 2 g.* 3. V. *tira-teimas* (4). [Pl.: *tira-teimas*.]

tira-teimas [De *tirar* + o pl. de *teima*.] *S. m. 2 n.* 1. Argumento decisivo. 2. *Fam.* Dicionário. 3. Qualquer instrumento de castigo, como pau, cacete, etc. ● *S. 2 g. e 2 n.* 4. *Bras. SE* V. *cachaça* (1).

tira-testa [De *tirar* + *testa*.] *S. m.* Parte do arreio que corresponde à testa da cavalgadura. [Pl.: *tira-testas*.]

tiratron *S. m. Eletrôn.* Válvula a gás, de catodo aquecido, com uma ou mais grades de controle, utilizada como chave eletrônica em diversos circuitos de medida ou de controle.

tiravira [De *tirar* + *virar*, poss.] *S. m. Bras. Zool.* 1. Peixe actinopterígio, sinodontídeo (*Synodus foetens*), da costa brasileira, muito próximo do peixe-lagarto. Mede apenas 33cm de comprimento, vive em fundo arenoso e alimenta-se de outros peixes. 2. Peixe (*Percophis brasiliensis*), do Atlântico sul, e que vem até o rio da Prata, de dorso pardo e abdome mais claro, e até 0,60m de comprimento. [Sin., nesta acepç., *congro-real*.]

tirázio [Aum. de *tiro*[1].] *S. m.* Tiro estrepitoso; tiraço: 📖 "Os conservadores fugiam, era um voar de gente que lembrava a abalada dos papagaios do milharal, quando um tirázio atroa." (Coelho Neto, *Treva*, p. 68.)

tirefom [Do fr. *tire-fond*.] *S. m. Eng. Civ.* Parafuso especial, us. para fixar no dormente de madeira o trilho, a placa de apoio ou ambos, simultaneamente, em uma ferrovia.

tirense *Adj. 2 g.* 1. De, ou pertencente ou relativo a Tiros (MG). ● *S. 2 g.* 2. O natural ou habitante de Tiros.

▲**tireo-** [Do V. C. I., f. red. do gr. *thyreoeidés*.] V. *tireoid(e)-*.

tireoide (ói) [Do gr. *thyreoeidés*, 'em forma de escudo, de broquel'.] *Adj. 2 g.* 1. *Anat.* V. *glândula tireóidea*. ● *S. f.* 2. Essa glândula. 3. Cartilagem situada na parte anterior e superior da laringe. ✥

▲**tireoid(e)-** [Do gr. *thyreoeidés*, *é*, *on* < gr. *thyreós*, *ou*, 'grande pedra que serve de porta', 'escudo oblongo', < gr. *thýra*, *as*, 'porta'.] *El. comp.* = 'cartilagem tireóidea'; 'glândula tireóidea': *tireoidectomia*, *tireóideo*, *tireoidite*. [Equiv.: *tireo-*, *-tireoid(e)-*, *tir(o)-*: *tireomegalia*, *tireotomia*, *tireotoxicose*; *hipotireoidismo*; *tiroxina*.]

▲ **-tireoid(e)-** V. *tireoid(e)-*.

tireoidectomia [De *tireoid(e)-* + *-ectom-* + *-ia*[1].] *S. f. Cir.* Extirpação, em extensão variável, da glândula tireóidea.

tireoidectómico *Adj. Cir.* V. *tireoidectômico*. [Uso freq. em P.]

tireoidectômico [De *tireoidectomia* + *-ico*[2].] *Adj. Cir.* Relativo a tireoidectomia.

tireóideo [De *tireoid(e)-* + *-eo*.] *Adj. Anat.* ~ V. *cartilagem —a* e *glândula —a*.

tireoidiano [De *tireoid(e)-* + *-iano*.] *Adj.* De, ou relativo a tireoide (denom ant. de glândula tireóidea).

tireoidite [De *tireoid(e)-* + *-ite*[1].] *S. f. Endocr.* Inflamação da glândula tireóidea.

tireomegalia [De *tireo-* + *-megal(o)-* + *-ia*[1].] *S. f. Endocr.* Hipertrofia da glândula tireóidea. [Sin.: *bócio*, *estruma* e (pop.) *papeira*.]

tireomegálico [De *tireomegalia* + *-ico*[2].] *Adj.* Relativo a tireomegalia.

tireotomia [De *tireo-* + *-tom(o)-* + *-ia*[1].] *S. f. Cir.* 1. Corte ou incisão na glândula tireóidea. 2. Seção cirúrgica de cartilagem tireóidea.

tireotómico *Adj. Cir.* V. *tireotômico*. [Uso freq. em P.]

tireotômico [De *tireotomia* + *-ico*[2].] *Adj. Cir.* Relativo a tireotomia.

tireotoxicose (cs) [De *tireo-* + *-toxic(o)-* + *-ose*[1].] *S. f. Endocr.* Intoxicação orgânica por excesso de secreção tireóidea.

tirete (ê) [Do fr. *tiret*.] *S. m.* V. *hífen*.

tiriba [Do tupi.] *S. m. Bras. Zool.* 1. Ave psitaciforme, psitacídea (*Pyrrhura cruentata*), do E. do Brasil, de coloração geral verde, cabeça enegrecida, face escura com tons avermelhados, pescoço azul, abdome e dorso inferior vermelho-escuros, encontro escarlate, rêmiges azuis, cauda olivácea em cima e vermelho-escura embaixo; tiriba-grande. 2. Ave psitaciforme, psitacídea (*Pyrrhura frontalis*), e outras espécies do gênero. Coloração verde; margem da fronte escura com tons avermelhados, oliváceos; barriga vermelha; rêmiges azuis; retrizes verdes em cima e vermelhas embaixo e na ponta. [Var.: *tiriva*, *ti-*

ribaí. Sin. ger.: *tiribinha, fura-mato, periquito-tapuia.* Cf. *tiriba-pequeno.*]

tiriba-grande *S. m. Bras. Zool.* Tiriba (1). [Pl.: *tiribas-grandes.*]

tiribaí [De *tiriba* + *-i.*] *S. m. Bras. Zool.* V. *tiriba.*

tiriba-pequeno *S. m. Bras. Zool.* Ave psitaciforme, psitacídea (*Pyrrhura leucotis*), distribuída do S. da BA até o RJ. Coloração geral verde, com mancha branco-acinzentada característica na região da orelha; cabeça parda; mancha azul na nuca, dorso inferior e abdome vermelhos; encontro vermelho; rêmiges azuis. [Sin.: *fura-mato, tiriva.* Pl.: *tiribas-pequenos.* Cf. *tiriba.*]

tiribinha [De *tiriba* + *-inha.*] *S. f. Bras. Zool.* V. *tiriba.*

tirió *Bras. S. 2 g.* **1.** *Etnôn.* Indivíduo dos tiriiós [ou (etnôn. bras.) *Tiriyó, *Tiryó, *Yawi], povo indígena da família linguística caribe que habita no Parque do Tumucumaque (PA) e no Suriname. ● *Adj. 2 g.* **2.** Pertencente ou relativo a esse povo. [Sin. gen.: *tarona, piano.*]

tirineta (ê) *S. f. Bras. N.E.* V. *tirinete.*

tirinete (ê) *S. m. Bras. N.E. Pop.* Faina, azáfama; tirineta.

tirintintim [Voc. onom.] *S. m.* Voz imitativa do som da trombeta.

tiríntio [Do gr. *tirýnthios*, pelo lat. *tirynthiu.*] *Adj.* **1.** De, ou pertencente ou relativo a Tirinte, antiga cidade da Argólida. ● *S. m.* **2.** O natural ou habitante de Tirinte.

tírio [Do gr. *týrios*, pelo lat. *tyriu.*] *Adj.* **1.** De, ou pertencente ou relativo a Tiro, antiga cidade fenícia. **2.** Purpúreo, purpurino, púrpuro. ● *S. m.* **3.** O natural ou habitante de Tiro.

tiriri [Voc. onom.] *S. m. Bras. Zool.* V. *siriri*[1] (2).

tiririca [Do tupi = 'arrastar-se'.] *S. f.* **1.** *Bras. L. a S. Bot.* Erva ciperácea (*Cyperus rotundus*) graminiforme, famosa pela capacidade de invadir velozmente terrenos cultivados. Rizoma tuberculoso, com pequenos bolbos; folhas lineares, flores inconspícuas, pardo-avermelhadas e agregadas em amplas inflorescências. É difícil de erradicar, a não ser com herbicidas químicos. **2.** *Zool.* V. *canivete* (5). **3.** *Bras. PA* Fenômeno que se observa no rio Pará e consiste na agitação incessante de suas águas, com ondas desencontradas e mais altas que no resto do rio. ● *S. m.* **4.** *Bras. RS Gír.* Batedor de carteira; punguista. ● *Adj. 2 g.* **5.** *Bras. Fam.* Muito irritado; furioso: *Ele ficou tiririca e pôs-se a berrar.*

tiririca-do-campo *S. f. Bras. Bot.* V. *barba-de-bode* (4). [Pl.: *tiriricas-do-campo.*]

tiririca-falsa *S. f. Bras. Bot.* V. *falsa-tiririca.* [Pl.: *tiriricas-falsas.*]

tiririca1 [De *tiririca*[1] + *-al*[1].] *S. m.* **1.** *Bras.* Quantidade mais ou menos considerável de tiriricas dispostas proximamente entre si. **2.** Área ocupada por tiririca1 (1).

tiristor (ô) *Eletrôn.* Dispositivo semicondutor constituído de quatro camadas de diferentes concentrações de portadores, formando três junções PN, com três terminais de acesso, denominados *anodo, catodo* e *porta*, estabelecidos como contatos ôhmicos em três dessas camadas, e cuja característica principal é o controle que uma tensão aplicada à porta exerce sobre a corrente direta entre anodo e catodo. [Sin.: *retificador controlado de silício.* Mais us. a abrev. (ingl.) *SCR.*]

tiritana [Do fr. *tiretaine.*] *S. f.* **1.** Manteu de seriguilha usado por algumas camponesas por cima do outro manteu. **2.** *Bot.* Erva urticácea (*Parietaria officinalis*) ornamental e medicinal, de caule rastejante, fixa por meio de raízes adventícias, folhas arredondadas e frutos inconspícuos.

tiritante [De *tiritar* + *-nte.*] *Adj. 2 g.* Que tirita.

tiritar [Voc. onom.] *V. int.* Tremer e/ou bater os dentes com frio e/ou medo; badalejar: "vinha a labareda fustigar a pobre gente seminua, tiritando sob o açoite de um nordeste frígido." (Oliveira Martins, *História de Portugal*, II, p. 175); "Como um rebanho vil, a um lado, os prisioneiros / Ouvem-no, a tiritar, cheios de um medo atroz" (Gonçalves Crespo, *Obras Completas*, p. 337); "erguido a meio corpo / Na rede, escuta pávido, e tirita / De frio e medo" (Gonçalves Dias, *Obras Poéticas*, II, p. 277).

tiriúma [Do tupi, poss.] *Adj. 2 g. Bras.* Desacompanhado, só, sozinho.

tiriva *S. m. Bras. Zool.* **1.** V. *tiriba.* **2.** V. *tiriba-pequeno.*

tirlintar *V. t. d. Int.* *S. m.* V. *tilintar.*

tiro[1] [Dev. de *tirar* (1).] *S. m.* **1.** Ato ou efeito de tirar ou atirar. **2.** O disparar de arma de fogo; explosão, disparo. [Aum., nesta acepç.: *tirázio.*] **3.** Carga disparada por arma de fogo; bala. [Sin. (bras., gír.): *teco.*] **4.** Distância que a carga da arma de fogo normalmente alcança. **5.** *Tip.* Cada uma das duas metades em que a cruzeira divide a rama. **6.** *Fig.* Referência picante; remoque. **7.** *Fig.* Expansão, explosão, ímpeto. **8.** Tirante com que se atrela um animal a um veículo. **9.** Ato de puxar carros (exercido por cavalgaduras). **10.** Os animais que puxam um carro. **11.** Distância que o parelheiro corre. **12.** Ação de atirar o laço ou as bolas contra um animal. **13.** *Bras. RJ Gír.* Assalto e roubo. **14.** *Bras. Fut.* V. *chute* (1). **15.** *Lus. Gír.* V. *facada* (3): *dar um tiro.* ◆ **Tiro de barragem.** Barreira de fogo, constituída por tiros simultâneos em séries sucessivas, suficientemente poderosa para impedir a progressão do inimigo através dela. **Tiro de canto.** *Fut.* V. *escanteio* (1 e 2). **Tiro de festim.** Aquele que é dado com o festim (3). **Tiro de flagelação.** *Lus.* Tiro destinado a provocar a ruptura de uma couraça e destroçar as organizações inimigas. **Tiro de flanco.** Aquele cuja linha de tiro se dirige para o flanco do objetivo. [Sin. (lus.): *tiro de flanqueamento.*] **Tiro de flanqueamento.** *Lus.* Tiro de flanco. **Tiro de frente.** Tiro executado num plano perpendicular à frente, da posição defensiva ou de ataque. **Tiro de inquietação.** Tiro, de menor intensidade que o de neutralização, destinado a infligir ou ameaçar perdas e atrapalhar o resto da tropa inimiga, prejudicando-lhe o movimento e baixando-lhe o moral; tiro enervante. **Tiro de instrução.** Exercício de tiro, feito sobre alvos determinados, com a supervisão de um instrutor. **Tiro de meta.** *Fut.* Reposição de bola em jogo, quando esta sai pela linha de fundo. **Tiro de misericórdia.** O que põe fim à vida daquele que, gravemente ferido, demora a morrer. **Tiro de pólvora seca.** O que é realizado apenas com a carga de projeção, sem o projetil, para fins de advertência, de sinal de alarma ou de emergência, de instrução ou como saudação (*salva*). **Tiro de proteção.** Tiro, especialmente de artilharia, destinado a proteger tropa amiga que ataca e reforçar o fogo sobre o inimigo; fogo de proteção. **Tiro de ricochete.** Aquele em que o projetil, após o impacto, resvala pela superfície, e é, às vezes, aproveitado, em artilharia, para obter arrebentamento no ar, após o impacto. **Tiro desenfiado.** Tiro indireto executado sobretudo pelas bocas de fogo de tiro curvo, às vezes por metralhadoras, por detrás de uma massa de terreno ou obra que as protege contra as vistas e até contra o fogo inimigo. **Tiro direto. 1.** Tiro em que o objetivo (ou alvo) é visível da própria arma ou boca de fogo. **2.** *Fut.* Chute com a bola parada, na cobrança de uma falta, e que pode ser dado diretamente para o gol; tiro livre. [Cf. *tiro indireto.*] **Tiro enervante.** Tiro de inquietação. **Tiro indireto. 1.** Tiro dirigido sobre objetivos (alvos) ocultos à vista do atirador. **2.** *Fut.* Chute com a bola parada, em cobrança de falta, que não pode ser dado diretamente para o gol. [Cf. *tiro direto.*] **Tiro livre.** *Fut.* Tiro direto (2). **Tiro por rajadas.** O que é executado por uma arma em série de disparos, dados em sequência imediata. **Tiro rasante.** Aquele cuja trajetória, tensa, permite lançar os projetis sensivelmente paralelos ao solo, não ultrapassando a altura de um homem em pé; tiro raso. **Tiro raso.** Tiro rasante. **Dar um tiro em.** Deixar de se ocupar com, acabar, encerrar, liquidar (um trabalho, um assunto, etc.). **Dar um tiro na praça.** *Bras. Gír.* Causar prejuízo a diversas pessoas com falência fraudulenta. **Dar um tiro no pé.** V. *atirar no (seu) próprio pé.* **Nem a tiro.** *Gír.* V. *nem a pau:* "E eu dou-te também a minha palavra que nem a tiro conseguirás que eu mude de resolução!" (Aluísio Azevedo, *Filomena Borges*, p. 182.) **Sair o tiro pela culatra.** Ser o resultado de uma ação contrário à expectativa de quem a praticou. **Ser tiro e queda. 1.** Ser certeira a pontaria. **2.** *Fig.* Produzir resultado seguro e imediato: "O recurso, reconheço, não é tiro e queda." (João Antônio, *Casa de Loucos*, p. 19.) **Trocar tiros.** Atirar um contra outro.

tiro[2] [Do fenício, pelo lat. *tyru.*] *S. m. Poét.* Púrpura.

tiro[3] *S. m. Bras.* V. *tiro de guerra.*

▲ **tir(o)-** V. *tireoid(e)-.*

tirocinante [De *tirocinar* + *-nte.*] *Adj. 2 g.* Que faz tirocínio.

tirocinar [De *tirocín(io)* + *-ar*[2].] *V. int.* Fazer tirocínio; praticar.

tirocínio [Do lat. *tirociniu.*] *S. m.* **1.** Primeiro ensino; aprendizado. **2.** Prática, exercício, atividade: "Ao cabo de quatro anos de tirocínio na advocacia, a imprensa diária .... arrebatou-me." (José de Alencar, *O Guarani*, I, p. 66.) **3.** Prática em determinada profissão; experiência.

tiro de guerra *S. m. Bras.* Centro de instrução militar e formação de reservistas do Exército, destinado aos cidadãos que, por qualquer motivo, não se incorporam às unidades e subunidades regulares. [F. red.: *tiro.* Pl.: *tiros de guerra.*]

tiroide (ói) *Adj. 2 g. S. f.* V. *tireoide.* ❖

tirolês *Adj.* **1.** Do, ou pertencente ou relativo ao Tirol, província da Áustria. ● *S. m.* **2.** O natural ou habitante do Tirol. [Flex.: *tirolesa* (ê), *tiroleses* (ê), *tirolesas* (ê).]

tirolesa (ê) [F. subst. de *tirolês.*] *S. f.* **1.** Canto típico do Tirol e da Suíça, que consiste na passagem rápida da voz de falsete para a voz de peito, e vice-versa. **2.** Dança do Tirol, em andamento moderado, compasso ternário, com o segundo tempo geralmente mais forte. **3.** *Esport.* Travessia sobre um precipício ou espaço aberto entre duas elevações, que se faz preso a uma pequena corda que desliza por um cabo ou corda resistente, ancorada em suas extremidades. **4.** O conjunto da corda, cabo e, por vezes, da estrutura armada, comuns a essa prática esportiva.

tiromancia (cí) [De *tiro(s)-* + *-mancia.*] *S. f.* Adivinhação na qual se empregava o queijo.

tiromante [Do gr. *tyromántis.*] *S. 2 g.* Pessoa que praticava a tiromancia.

tiromântico *Adj.* Relativo a tiromancia, ou a tiromante.

tirombaço *S. m. Bras. Fut.* V. *tirambaço.*

tironeada [De *tironear* + *-ada*[1].] *S. f. Bras. RS* Ação de tironear.

tironear [Do esp. plat. *tironear.*] *V. t. d. Bras. RS* **1.** Dar puxão ou tirão nas rédeas de (o cavalo), para o incitar. **2.** Dar tirão no laço de (a rês) para a desenlaçar. [Conjug.: v. *frear.*]

tironiano [Do antr. *Tiro* ou *Tirão*, de *Marco Túlio Tiro*, liberto de Cícero a quem se costuma atribuir o desenvolvimento de determinada notação taquigráfica, + *-iano.*] *Adj.* ~ V. *notas —as.*

tiropterídeo [Do tax. *Thyroptera* + *-ídeo*[1]; tax. *Thyropteridae.*] *Zool. S. m.* **1.** Espécime dos tiropterídeos, família de mamíferos quirópteros que reúne pequenos morcegos de cores vistosas, caracterizados por terem pequenos discos adesivos na planta dos pés e na palma do polegar, e uropatágio bem desenvolvido, que toma três quartas partes da cauda. ● *Adj.* **2.** Pertencente ou relativo a eles.

▲ **tiro(s)-** [Do gr. *tyrós, oû.*] *El. comp.* = 'queijo': *tiromancia, tirosina.*

tirosina [De *tiro(s)-* + *-ina*[3].] *S. f. Quím.* Aminoácido fenólico, cristalino, formado na hidrólise de certas proteínas [fórm.: $C_9H_{11}NO_3$].

tirotear [Do esp. *tirotear*, freq. de *tirar*, 'atirar'.] *V. t. d.* **1.** Dirigir tiroteio contra. *Int.* **2.** Fazer tiroteio. [Conjug.: v. *frear.*]

tiroteio [Do esp. *tiroteo.*] *S. m.* **1.** Fogo de fuzilaria no qual os tiros são numerosos e sucessivos. **2.** *P. ext.* Troca ou sucessão de tiros: *No tiroteio entre os cangaceiros morreram dois deles.* **3.** Fogo de guerrilhas ou de atiradores dispersos. **4.** *Fig.* Troca de acusações, de insultos, etc., entre pessoas que discutem.

tiroxina (cs) [De *tir(o)-* + *-ox(i)-* + *-ina*[3].] *S. f. Quím.* Aminoácido natural pouco frequente, que contém iodo e é encontrado na glândula tireóidea, com ação hormonal e us. em medicina [fórm.: $C_{15}H_{11}I_4NO_4$].

tirrénio *Adj. S. m.* V. *tirrênio.* [Uso freq. em P.]

tirrênio *Adj. S. m.* V. *tirreno.*

tirreno [Do gr. *tyrrhenós*, pelo lat. *tyrrhenu.*] *Adj.* **1.** V. *etrusco* (1). **2.** Pertencente ou relativo ao mar Tirreno. ● *S. m.* **3.** V. *etrusco* (2). [Var.: *tirrênio.*]

tirri [Voc. onom., poss.] *S. m. Bras. BA Zool.* V. *relógio* (4).

tirsígero [Do lat. *thyrsigeru.*] *Adj.* Que tem tirso.

tirso [Do gr. *thýrsos*, pelo lat. *thyrsu.*] *S. m.* **1.** *Poét.* Bastão enfeitado com hera e pâmpanos, e terminado em forma de pinha, com que se representam Baco e as bacantes: "O grupo florido das bacantes surge, agitando tirsos, coroados de pâmpanos." (Alphonsus de Guimaraens, *Obra Completa*, p. 420.) **2.** *Bot.* Inflorescência composta, na qual os ramos laterais vão diminuindo do meio para as duas extremidades, pelo que assume aspecto aproximadamente fusiforme. Na panícula, à qual é semelhante, a base é mais larga e a forma geral cônica.

tirsoide (ói) [De *tirso* + *-oide.*] *Adj. 2 g. Bot.* Semelhante ao tirso: *cacho tirsoide.* ❖

tir-te [Da 2ª pess. sing. do imperat. de *tirar*, com apócope, + *te*[1].] *El. s. m.* Us. na loc. adv. *sem tir-te nem guar-te.* ◆ **Sem tir-te nem guar-te. 1.** Sem aviso prévio. **2.** Sem cerimônia: "ela tornou para o frade: – Voltai a cara .... / E sem tir-te nem guar-te chegou a face aos lábios de D. Sebastião." (Aquilino Ribeiro, *Aventura Maravilhosa*, p. 183).

tisana [Do gr. *ptisáne*, pelo lat. *ptisana.*] *S. f.* **1.** Cozimento de cevada. **2.** Medicamento líquido que constitui a bebida comum de um enfermo: "... E entretanto, em Lisboa, fundava-se uma Ervanária para vender ingredientes ressumantes de vapor de água, mandésios, tisanas, ervagens colhidas à meia-noite nos cemitérios" (José Gomes Ferreira, *O Mundo dos Outros*, p. 174).

tisânia *S. f. Bras. Zool.* V. *agripina.*

▲ **tisan(o)-** [Do gr. *thýsanos, ou.*] *El. comp.* = 'franja': *tisanóptero, tisanuro.*

tisanóptero [De *tisan(o)-* + *-ptero*; tax. *Thysanoptera.*] *Zool. S. m.* **1.** Espécime dos tisanópteros, ordem de insetos caracterizados pelo sistema bucal adaptado à punção e à raspagem, tetrápteros, de asas estreitas, com longas franjas pilosas. Têm pequeno porte (até 14mm), e reproduzem-se por via sexuada, podendo haver partenogênese. Algumas espécies são vivíparas. Paurometabólicos, são encontrados em flores, folhas e troncos de árvores. Ex.: o lacerdinha (q. v.). • *Adj.* **2.** Pertencente ou relativo a eles. [Sin. ger.: *fisápode, fisópode.*]

tisanuriforme [De *tisanuro* + *-iforme.*] *Adj. 2 g. S. 2 g. Zool.* Diz-se de, ou larvas de insetos ápteros tisanuros, cujas características são próximas das larvas campodeiformes.

tisanuro [De *tisan(o)-* + *-uro*; tax. *Thysanura.*] *Zool. S. m.* **1.** Espécime dos tisanuros, ordem de insetos apterigotos, cosmopolitas, de antenas longas, sistema bucal mastigador, corpo revestido de escamas, abdome terminado em dois cercos, e um apêndice mediano articulado com o corpo. Podem atingir até 30mm e preferem viver em lugares úmidos, onde haja matéria orgânica vegetal em decomposição. Do grupo fazem parte as conhecidas traças dos livros. • *Adj.* **2.** Pertencente ou relativo a eles. [Sin. ger.: *áptero, ectógnato, ectótrofo.*]

tisca *S. f. Bras. Fam.* V. *tisco.*

tíscio [De *tisco* + *-io*[3].] *Adj.* Relativo a tisco; pequenino.

tisco *S. m. Bras. Fam.* Pedacinho (de qualquer coisa); tiquinho, tisca.

▲**-tise** Equiv. de *tisio-.*

➔**tishri** [ti'ʃri] [Hebr.] *S. m. Cronol.* O primeiro mês do calendário judaico, que incide entre os meses de setembro e outubro dos calendários juliano e gregoriano.

tísica [F. subst. do adj. *tísico.*] *S. f. Patol.* **1.** Desgaste do corpo ou de qualquer parte dele. **2.** *Restr.* Tuberculose pulmonar (q. v.). ◆ **Tísica galopante.** *Pneum.* V. *tuberculose galopante.* [Tb. se diz apenas *galopante.*] **Tísica pulmonar.** *Pneum.* Tuberculose pulmonar. [Tb. se diz apenas *tísica.*] **Tísica pulmonar galopante.** *Pneum.* V. *tuberculose galopante.* [Tb. se diz apenas *galopante.*]

tísico [Do gr. *phthisikós*, 'que produz consumpção', pelo lat. *phthisicu.*] *Adj. S. m.* Que, ou aquele que padece de tísica.

▲**tisio-** [Do gr. *phthísis, eōs*, 'deterioração'; 'extinção'.] *El. comp.* = 'tuberculose pulmonar'; 'consumpção': *tisiologia.* [Equiv.: *-tise*; *galactotise.*]

tisiologia [De *tisio-* + *-logia.*] *S. f. Med.* Ramo da medicina que estuda a tuberculose em todos os seus aspectos e localizações.

tisiológico [De *tisiologia* + *-ico*[2].] *Adj.* Referente à tisiologia.

tisiologista [De *tisiologia* + *-ista.*] *S. 2 g.* Especialista em tisiologia; tisiólogo.

tisiólogo [De *tisio-* + *-logo.*] *S. m.* Tisiologista.

tisna [Dev. de *tisnar.*] *S. f.* **1.** Ato ou efeito de tisnar(-se); tisnadura. **2.** Substância preparada para enegrecer qualquer coisa.

tisnado [Part. de *tisnar.*] *Adj.* **1.** Requeimado, tostado. **2.** Enegrecido, escurecido. • *S. m.* **3.** *Bras. Pop.* V. *diabo* (2).

tisnadura [De *tisnar* + *-dura.*] *S. f.* Tisna (1).

tisnar [Do lat. vulg. **titionare* < lat. *titio, onis*, 'tição'.] *V. t. d.* **1.** Tornar negro como carvão, fumo, etc.: "No forno a farinha queimara-se e punha de si uma fumaça acre que espiralava em rolos negros tisnando o tecto da palhoça." (José Veríssimo, *Cenas da Vida Amazônica*, p. 169.) **2.** Requeimar, tostar. **3.** Manchar, macular. *P.* **4.** Tornar-se negro; enegrecer(-se). **5.** Sujar-se, macular-se.

tisne [Dev. de *tisnar.*] *S. m.* **1.** Cor que o fogo ou a fumaça produzem na pele. **2.** Fuligem: "o pequeno Damião, negro de tisne e avermelhado pelos reflexos da forja, insuflava o fole cantarolando, a olhar para a estrada." (Coelho Neto, *Miragem*, p. 47).

tisso [Do fr. *tissu*, poss.] *S. m. Tec. Têx.* Antigo tecido leve e ralo: "O véu de tisso bordado ora folga livre com o vento, ora desce em pregas graciosas sobre o seio palpitante." (Rebelo da Silva, *Contos e Lendas*, p. 33.)

tissular [Do fr. *tissulaire.*] *Adj. 2 g. Bot. Gal.* Relativo ao tecido: *lesão tissular; organização tissular.* [A palavra preferível, *hístico*, é desus.]

titã[1] [Do gr. *Titán*, pelo lat. *Titane.*] *S. m.* **1.** Cada um dos gigantes que, segundo a mitologia, pretenderam escalar o Céu e destronar Júpiter. **2.** *Fig.* Pessoa que tem caráter de grandeza gigantesca, física, intelectual ou moral. **3.** *Astr.* Satélite de Saturno, e o mais volumoso de todos, descoberto pelo astrônomo holandês C. Huygens (1629-1695) em 1655. [Com cap., nesta acepç.] [Var.: *titão.*]

titã[2] [Do ingl. *titan crane.*] *S. m.* Guindaste poderosíssimo.

titanado [De *titânio* + *-ado*[1].] *Adj.* Titanífero.

titanato *S. f. Quím.* Designação genérica dos sais que contêm o ânion TiO_3^{-2}.

titânia *S. f. Quím.* Óxido de titânio, branco, pulverulento, usado como pigmento [fórm.: TiO_2].

titânico[1] [Do gr. *titanikós.*] *Adj.* **1.** Relativo ou pertencente aos titãs. **2.** *Fig.* Que revela ou denota grande força. [Cf. *tetânico.*]

titânico[2] [De *titânio* + *-ico*[2].] *Adj.* Relativo ao titânio. [Cf. *tetânico.*]

titanífero [De *titânio* + *-fero.*] *Adj.* Que contém titânio; titanado.

titânio [Do lat. cient. *titanium* < mit. gr. *Titán* (v. *titã*[1]).] *S. m. Quím.* Elemento de número atômico 22, metálico, branco-prateado, leve, resistente, usado em ligas especiais [símb.: *Ti*].

titanita [De *titânio* + *-ita*[3].] *S. f. Min.* Mineral monoclínico, silicato de titânio e cálcio; esfênio.

titanomaquia [Do gr. *titanomachía.*] *S. f.* **1.** *Mit.* O combate dos titãs contra Zeus e os outros deuses. **2.** *Fig.* Combate de gigantes.

titão *S. m.* V. *titã*[1].

titara [Do tupi.] *S. f. Bras. BA Bot.* V. *jacitara.*

titela [Do lat. **tittela*, dim. de *titta*, 'teta'.] *S. f.* **1.** A parte carnuda do peito da ave. **2.** *Fig.* Coisa preciosa, ou a melhor parte de qualquer coisa.

titenídias [Adapt. do gr. *tithenídia.*] *S. f. pl.* Na Grécia antiga, festas das amas e das crianças de peito que se celebravam em Esparta.

títere [Do esp. *títere.*] *S. m.* **1.** Boneco articulado, de madeira, pano ou outro material, suspenso por fios fixados em uma trave e presos na cabeça, mãos, joelhos e pés, pelos quais o operador o movimenta; fantoche, marionete: "Nem se pense que D. Pedro [D. Pedro I] fosse fácil de manejar, como uma espécie de títere" (Otávio Tarquínio de Sousa, *História dos Fundadores do Império do Brasil*, I, p. 212). **2.** V. *testa de ferro.* **3.** Governante sem posições próprias, que representa os interesses de outrem mais forte. **4.** *Pop.* Palhaço (4). **5.** *Fig.* V. *fantoche* (3). • *Adj. 2 g.* **6.** Que não tem posições próprias; que representa os interesses de outrem: *governo títere; organização títere.*

titereado [Part. de *titerear.*] *Adj.* Movido como títere, ou como se fosse um títere.

titerear [De *títere* + *-ear*[2].] *V. int.* **1.** Fazer mover, ou trabalhar com títere(s) (1). **2.** Mover-se como um títere. *T. d.* **3.** Mover [títere (1)]. [Conjug.: v. *frear.*]

titereiro [De *titerear* + *-eiro.*] *Adj. S. m.* Que, ou aquele que titereia; titeriteiro.

titeri [Voc. onom., talvez.] *S. m. Bras. RS Zool.* V. *cochicho*[2] (1).

titeriteiro *Adj. S. m.* Titereiro: "Tempos depois veio o titeriteiro argentino Javier Villafañe; armou-se um teatrinho no jardim e apresentou-se uma peça de bonecos." (Maria Julieta Drummond de Andrade, *Um Buquê de Alcachofras*, p. 41.)

titia [Hipocorístico de *tia.*] *S. f. Fam. Inf.* Tia (1 a 3). ◆ **Ficar para titia.** V. *ficar para tia.*

titica [De or. afric., poss.] *Bras. Pop. S. f.* **1.** Excremento de aves. **2.** Merda (4). • *S. 2 g.* **3.** Merda (5).

titicar [Var. de *tutucar.*] *V. int. Bras.* Tocar de leve; cutucar. [Conjug.: v. *trancar.*]

titicas *S. 2 g. e 2 n.* Pessoa tímida, ou pouco expressiva.

titilação [Do lat. *titillatione.*] *S. f.* Ato ou efeito de titilar; titilamento.

titilamento [De *titilar*[2] + *-mento.*] *S. m.* Titilação.

titilante [Do lat. *titilante.*] *Adj. 2 g.* Que titila; titiloso.

titilar[1] [Do lat. *titillus*, 'cócegas', + *-ar*[1].] *Adj. 2 g.* ~ V. *veia* —.

titilar[2] [Do lat. *titillare.*] *V. t. d.* **1.** Fazer cócegas a. **2.** Causar prurido em. **3.** *Fig.* Afagar, lisonjear. *Int.* **4.** Ter estremecimentos; palpitar: "Um suor gelado inundava-lhe a testa, e as artérias lhe titilavam nas fontes com dolorosa vibração." (Bernardo Guimarães, *O Seminarista*, p. 255.) **5.** Causar pruridos; pruir, prurir.

titiloso (ô) [Do lat. *titillosu.*] *Adj.* Titilante.

titímalo [Do gr. *tithýmalos*, 'eufórbio', pelo lat. *tithymalu*; tax. *Tithymalus.*] *S. m. Bot.* **1.** Gênero de plantas euforbiáceas, herbáceas, arbustivas. **2.** Espécie ou espécime desse gênero.

titímalo-maior *S. m. Bot.* Trovisco-macho. [Pl.: *titímalos-maiores.*]

titinga [Do tupi = 'branco, branco'.] *S. f. Bras. N.* **1.** Manchas no rosto ou no corpo; pano. **2.** V. *sarda*[2].

titio [Hipocorístico de *tio.*] *S. m. Bras. Fam. Inf.* Tio (1 e 2).

titiricar [De *tiririca* + *-ar*[2].] *V. int. Bras. Fam.* Ficar tiririca; irritar-se, enfurecer-se, encolerizar-se.

ti-ti-ti *S. m. Bras.* **1.** Confusão, tumulto, rolo. **2.** Vozearia; vozerio. **3.** Discussão, altercação. **4.** Falatório, murmuração. [Pl.: *ti-ti-tis.*] ❄

titoísmo [De *Tito*, antr., + *-ismo.*] *S. m.* **1.** Pensamento ou ação política de Josip Broz (1892-1980), conhecido como Tito, revolucionário e estadista iugoslavo. **2.** O socialismo iugoslavo, que se caracterizava pela autonomia relativa das unidades políticas e pela autogestão das empresas.

titônia *S. f. Poét.* V. *titônia.* [Uso freq. em P.]

titônia [Do mit. lat. *Tithonia*, 'Aurora'.] *S. f. Poét.* A aurora (1).

titonídeo [Do lat. cient. *Tyton-* (< tax. *Tyto*) + *-ídeo*[1]; tax. *Tytonidae.*] *Zool. S. m.* **1.** Espécime dos titonídeos, família de aves estrigiformes, caracterizadas por terem os dedos médio e interior de comprimento igual. Têm os mesmos hábitos das corujas e mochos. No Brasil, são as suindaras, mas a família encerra também outras espécies das Américas, da Europa, da Austrália, da Indonésia e da Nova Guiné. • *Adj.* **2.** Pertencente ou relativo a eles.

titubação [De *titubar* + *-ção.*] *S. f.* V. *titubeação.*

titubante [De *titubar* + *-nte.*] *Adj. 2 g.* Titubeante: "— Vossa Senhoria, ainda que eu seja confiada, é destes sítios? — perguntou ela titubante." (Camilo Castelo Branco, *A Mulher Fatal*, p. 59.)

titubar [Do lat. *titubare.*] *V. int. T. i.* V. *titubear.*

titubeação [De *titubear* + *-ção.*] *S. f.* Ato ou efeito de titubear; titubação, titubeamento, titubeio.

titubeada [De *titubear* + *-ada*[1].] *S. m.* Hesitação, vacilação: "— Ele é médico de quê? — Das vias urinárias — apressou-se a mentir o amigo, ante a minha titubeada." (Stanislaw Ponte Preta, *Rosamundo e os Outros*, p. 168.)

titubeador (ô) [De *titubear* + *-dor.*] *Adj.* Diz-se de, ou aquele que titubeia.

titubeamento [De *titubear* + *-mento.*] *S. m.* V. *titubeação.*

titubeante [De *titubear* + *-nte.*] *Adj. 2 g.* Que titubeia; que vacila, que oscila; titubante: *Bebeu muito e saiu titubeante*; "As velhas casas, titubeantes de vetustez, trepam pelas encostas, amparando-se umas às outras." (Sousa Bandeira, *Evocações e Outros Escritos*, p. 62).

titubear [F. frequentativa de *titubar* < lat. *titubare.*] *V. int.* **1.** Não poder-se manter de pé; cambalear: "O golpe foi tão violento / que o homem titubeou, / e, como se fosse um morto, / quase morto ali ficou." (Catulo da Paixão Cearense, *Poemas Bravios*, p. 121.) **2.** Vacilar, hesitar: *Não titubeou; correu em auxílio do amigo.* **3.** Falar hesitando ou trepidando; exprimir-se com dificuldade: *Tal era o seu terror que apenas titubeava*; "Tenho má dicção e além disso titubeio muito, à procura de palavras." (Ciro dos Anjos, *Abdias*, p. 4). *T. i.* **4.** Ter dúvidas; vacilar, duvidar: "O certo é que o autor [Alcântara Silveira] nos deixa insatisfeitos quando, a propósito de Rimbaud, ... não titubeia em proclamar .... que a poesia desse poeta maldito não lhe desperta a menor ressonância" (Temístocles Linhares, *Interrogações*, p. 65). [F. paral., p. us.: *titubar.* Conjug.: v. *frear.*]

titubeio [Dev. de *titubear.*] *S. m.* V. *titubeação.*

titulação [De *titular*[2] + *-ção.*] *S. f.* **1.** Ato ou efeito de titular[2]; titulagem. **2.** *Quím.* Método de análise quantitativa baseado na determinação dos volumes de soluções que reagem entre si.

titulado [Part. de *titular.*] *Adj.* **1.** Fundado em título. **2.** Que tem ou obteve título. ~ V. *solução —a.* **3.** *Quím.* Diz-se de solução com título (13) conhecido.

titulador (ô) [De *titular*[2] + *-dor.*] *S. m.* Aquele que titula.

titulagem [De *titular*[2] + *-agem*[2].] *S. f.* Titulação (1).

titulando [De *titular*[2] + *-ando.*] *Adj. S. m.* Que, ou aquele que vai receber título ou diploma.

titular[1] [De *título* + *-ar*[1].] *Adj. 2 g.* **1.** Que tem título honorífico, honorário, nominal. **2.** Efetivo (ocupante de cargo ou função): *juiz titular.* **3.** *Tip.* Diz-se do tipo de grande corpo, usado na composição de títulos. ~ V. *professor* —. • *S. 2 g.* **4.** Pessoa nobre; fidalgo. **5.** Ocupante efetivo de um cargo ou função: *O reserva joga melhor que o titular.* • *S. m.* **6.** Cada um dos membros de um ministério: *O titular da Fazenda dará entrevista.* **7.** Nas bolsas de valores, o comprador de uma opção (4). **8.** *Bras.* Dono, senhor, possuidor: *titular de um direito.* **9.** *Tip.* Tipo titular (3).

titular[2] [Do v. lat. *titulare.*] *V. t. d.* **1.** Dar título a; intitular: *titular uma obra.* **2.** Dar título jurídico a; basear em título. **3.** Registrar em títulos autênticos; registrar. **4.** *Quím.* Determinar o título (13) (de uma solução). *Transobj.* **5.** Chamar, apelidar, apodar: *O povo titulou o Padre Bartolomeu Lourenço de Gusmão, precursor brasileiro da aeronáutica, de "o Voador".* [Pres. ind.: *titulo*, etc. Cf. *título.*]

titularidade [De *titular*[1] + *-(i)dade.*] *S. f. Bras.* Qualidade de titular[1] (8).

titulativo [De *titular*[2] + *-tivo.*] *Adj.* Que dá título.

tituleira [De *título* + *-eira.*] *S. f. Tip.* Máquina que utiliza, seja o sistema de composição a quente, seja o sistema de composição a frio, para produção de títulos (letras grandes, usualmente até o corpo 72).

tituleiro [De *título* + *-eiro.*] *S. m.* **1.** *Jorn.* Redator encarregado de pôr título nas matérias. **2.** *Tip.* Gráfico que se ocupa na composição de títulos.

título [Do lat. *titulu.*] ***S. m.*** **1.** *Bibliogr. Edit.* Designação que se põe no começo de um livro, capítulo, artigo, etc., e que indica o assunto. **2.** Rótulo, letreiro. **3.** Denominação honorífica: *o título de conde.* **4.** Nome, designação, qualificação: *Merece bem o título de chefe.* **5.** Qualidade, predicado, atributo: "tal era a predisposição malsã do meu espírito rebelde e refratário a toda a disciplina, que o melhor título dum homem ou dum animal à minha afeição era ser desprezado por todos." (Inglês de Sousa, *Contos Amazônicos*, p. 178). **6.** Subdivisão de código, orçamento, etc. **7.** Reputação, renome. **8.** Razão aparente; desculpa, pretexto. **9.** Objetivo, causa, intuito. **10.** Documento que autentica um direito; padrão. **11.** *Econ.* Papel (7). **12.** Relação entre o metal fino contido em moeda ou em outro objeto, e o total da liga; toque. **13.** *Quím.* Numa solução, massa do soluto presente na unidade de volume da solução. [Cf. *titulo*, do v. *titular*.] ◆ **Título alternativo.** *Edit.* Subtítulo introduzido por conjunção alternativa ("ou", etc.). **Título coletivo.** O que abrange os livros pertencentes a uma série ou a uma obra em vários volumes com títulos próprios. **Título corrente.** *Edit.* Título da obra ou dos capítulos, que aparece no alto de cada página. [Cf. *cabeço* (8).] **Título de bolsa.** *Econ.* O que é negociável nas bolsas de valores. **Título de começo.** *Edit.* V. *título de partida*. **Título de crédito.** *Econ.* Documento negociável, representativo de um valor certo a receber, de uma dívida, ou do direito de receber uma mercadoria; nota. [V. *promissória, letra de câmbio, duplicata, debênture, conhecimento,* warrant, *cédula de crédito, cheque*.] **Título de entrada.** *Edit.* V. *título de partida*. **Título de partida.** *Edit.* Título da obra, igual ou não ao da folha de rosto, e colocado ao alto da primeira página de texto; título de entrada, título de começo. **Título de renda fixa.** *Econ.* Título (11) com regras predeterminadas quanto ao rendimento a ser auferido pelo investidor. [V. *fundo de renda fixa*.] **Título de série.** *Bibliogr.* O que designa uma série (7). **A título de. 1.** Na qualidade de: "A Sr.ª Jesuína ficara a título de caseira ou dona de companhia" (José de Alencar, *Lucíola*, p. 135). **2.** A pretexto de. **Falso título.** *Edit.* Título de livro, impresso na falsa folha de rosto, e que indica o nome da obra, sem autor nem editor. **Justo título.** Aquele que é hábil para o fim a que se destina.

título-chave ***S. m.*** *Docum.* Título normalizado e distinto atribuído a cada publicação seriada para fins de controle pelo Sistema Internacional sobre Publicações Seriadas. [Pl.: *títulos-chaves* e *títulos-chave*.]

tiu ***S. m.*** *Bras. Bot.* V. *gafanhoto* (4). [Cf. *tiú*.]

tiú [F. contrata de *teiú*.] ***S. m.*** *Bras.* **1.** *Bot.* V. *caapiá-verdadeiro*. **2.** *Zool.* V. *teiú* (2). **3.** *Zool.* V. *tuim*. [Cf. *tiu*.] ◆ **Surdo como um tiú.** *Bras. MG Pop.* Muito surdo.

tiúba ***S. f.*** **1.** *Bras. N. Pop.* V. *cachaça* (1). [Cf. *teúba*.] **2.** *Zool.* V. *mandaguari-amarelo*. [Cf. *teúba*.]

tiufadia [De *tiufado* + *-ia*^{1}.] ***S. f.*** Entre os godos, tropa de mil homens: "Juliano capitaneou, ... , uma tiufadia na guerra cantábrica" (Alexandre Herculano, *Eurico, o Presbítero*, p. 63.)

tiufado [Do gót.] ***S. m.*** Comandante de uma tiufadia.

tiupá (i-u) [De *tijupá*, com síncope.] ***S. m.*** *Bras.* V. *tijupá* (1 a 4).

▲ **-tivo** [Do lat. *-tīvus* < *-t-* (< part. pass. lat.) + lat. *-ivus* (v. *-ivo*).] ***Suf. nom.*** formador de voc. a partir de radicais verbais = 'referência'; 'agente'; 'que é próprio para': *aplicativo, apreciativo, comutativo, conciliativo, concitativo, confederativo, conformativo, consolidativo, consignativo, decorativo, nutritivo.*

tivolino ***Adj.*** **1.** De, ou pertencente ou relativo a Tívoli (Itália). • ***S. m.*** **2.** O natural ou habitante de Tívoli. [Cf. *tiburtino*.]

tixotropia (cs) [Do gr. *thíxis, eos*, 'ação de tocar', + *-tropia*.] ***S. f.*** *Fís.-Quím.* Fenômeno que apresentam certos líquidos cuja viscosidade diminui quando são agitados. [Sin.: *tixotropismo*.]

tixotrópico (cs) [De *tixotropia* + *-ico*^{2}.] ***Adj.*** Próprio de, relativo a, ou que induz a tixotropia.

tixotropismo (cs) [Do gr. *thíxis, eos*, 'ação de tocar', + *-ismo*.] ***S. m.*** *Fís.-Quím.* Tixotropia.

tiziu [Voc. onom.] ***S. m.*** *Bras. Zool.* Ave passeriforme, fringilídea (*Volatinia jacarina*), do Brasil e países limítrofes. O macho é preto-azulado brilhante; a fêmea, pardo-olivácea superiormente, pardo-amarelada listrada de pardo-escuro no peito e nos flancos. Tem o hábito curioso de, todas as vezes que emite seu canto (*tiziu*), dar um salto vertical, retornando ao lugar onde está pousado. Alimenta-se de sementes de capim. [Sin.: *alfaiate, jacarina, papa-arroz-preto, pinéu, saltador, serrador, serra-serra, salta-toco, veludinho, tiã-tiã-preto*.]

■ **TJ** Sigla de *Tribunal de Justiça*.

■ **TJD** Sigla de *Tribunal de Justiça Desportiva*.

■ **TJLP** Sigla de *Taxa de Juros de Longo Prazo*, taxa de juros inferior à do mercado, fixada pelo Conselho Monetário Nacional para empréstimos concedidos pelo Banco Nacional de Desenvolvimento Econômico e Social.

■ **t.km.** Símb. de *tonelada-quilômetro*.

■ **Tl** *Quím.* Símb. de *tálio*.

tlim [Voc. onom.] ***S. m.*** Voz imitativa do sino, da campainha, do choque de moedas, etc.; tlim-tlim, tilim.

tlim-tlim [Voc. onom.] ***S. m.*** V. *tlim*: "Apesar das vozes agudas, pode-se ouvir o vento brando soprar os pingentes que batem uns nos outros num tlim-tlim de taças." (Lígia Fagundes Teles, *A Disciplina do Amor*, pp. 67-68.) [Pl.: *tlim-tlins*.] ❄

tlinguite [Desta língua.] ***S. 2 g.*** **1.** *Etnôn.* Indivíduo dos tlinguites, povo indígena do Alasca. • ***S. m.*** **2.** *Gloss.* A língua desse povo, considerada uma família linguística. **3.** Vocábulo dessa língua. • ***Adj. 2 g.*** **4.** Pertencente ou relativo aos tlinguites, ou à sua língua.

tlintar [De *tilintar*, com síncope.] ***V. t. d. Int.*** **1.** V. *tilintar* (1 e 2): "As campainhas, / Tlintam, chamando o povo" (Antônio Correia d'Oliveira, *Líricas*, I, p. 240). • ***S. m.*** **2.** Tilintar (3): "manadas reuniam-se, deslocavam-se nas rechãs soalheiras .... ouvia-se o tlintar de cincerros" (Alcides Maia, *Ruínas Vivas*, p. 58).

■ **Tm** *Quím.* Símb. de *túlio*.

tmese [Do gr. *tmêsis*, 'corte', pelo lat. *tmese*.] ***S. f.*** *E. Ling.* Mesóclise.

■ **Tn** *Obsol. Quím. Nucl.* Símb. de *torônio*.

■ **TNT** *Expl. Mil.* Sigla de *trinitrotolueno*.

to **1.** Equiv. dos pron. *te*^{2} e *o*^{2} (2): *Esse livro, eu to ofereço;* "Se eu lhe apanhasse o retrato, oh! oh! mostrava-to" (Artur Azevedo, *Contos Fora da Moda*, p. 23). [Flex.: *ta, tos, tas*.] **2.** Equiv. dos pron. *te*^{2} e *o*^{2} (4): *Sê bom, eu to aconselho;* "Não te esqueci, eu to juro" (Gonçalves Dias, *Obras Poéticas*, I, p. 346).

■ **TO** Sigla do Estado de Tocantins.

toa (ô) [Do ingl. *tow*, poss.] ***S. f.*** Corda com que uma embarcação reboca outra; sirga, reboque. ◆ **À toa. 1.** Ao acaso; a esmo; à doida: "Pus-me a passear, à toa, sem saber o que fazia." (José Régio, *Histórias de Mulheres*, p. 49.) [Sin., bras.: *atoamente*.] **2.** Sem razão, ou por motivo frívolo; irrefletidamente: *Brigou com o velho amigo à toa;* "Joaquim estende as mãos para procurar o coração de quem seja seu igual e o entenda. E se às vezes, à toa, à toa, ele mata, é por isso mesmo..." (Carlos Lacerda, *Xanã*, p. 21). **3.** Sem razão, sem fundamento ou base: "Não é à toa que aquele escritor francês diz: o patriotismo é o que a gente lembra da infância." (Id., *A Casa do Meu Avô*, p. 15.) **4.** Inutilmente, debalde: "acordando, custa-me dormir outra vez, rolo na cama, à toa, levanto-me, ... torno a deitar-me e nada." (Machado de Assis, *Páginas Recolhidas*, p. 84); *Coitado! sacrifica-se à toa.* **5.** Sem ocupação; sem ter que fazer: "Vou à emissora. / Estranhei. Estava trabalhando? / — Bom. Não é bem trabalho, é uma coisinha. Prá não ficar à toa." (Ricardo Ramos, *Matar um Homem*, p. 90); "Estava à toa na vida, / o meu amor me chamou / pra ver a banda passar / cantando coisas de amor." (Chico Buarque de Holanda, da marcha *A Banda*). **6.** Sem mais nem menos; sem mais nem mais: "Morreu um dia, assim à toa, acho que de cansaço." (Maria Julieta Drummond de Andrade, *A Busca*, p. 50.) [Cf. *à toa*, adj., e *atoa*, do v. *atoar*.] **De toa.** *Bras.* Diz-se, no rio São Francisco, da navegação em que as embarcações são levadas, rio abaixo, pela correnteza, quase dispensando o trabalho dos remeiros.

toada [De *toar* + *-ada*^{1}.] ***S. f.*** **1.** Ato ou efeito de toar. **2.** Ruído, rumor. **3.** Boato, atoarda. **4.** Maneira, sistema, gosto. **5.** *Mús.* Qualquer cantiga de melodia simples e monótona, texto curto, sentimental ou brejeiro, de estrofe e refrão; melopeia. **6.** Entoação, tom: "Um dos vigias .... — muito ancho, nas suas roupas de lã, tendo por fora a japona amarela de pano oleado, cantava, numa toada rude e nostálgica, fixando muito a crista elevada das ondas" (Virgílio Várzea, *Nas Ondas*, p. 31). [Dim. irreg., nesta acepç.: *toadilha*.] **7.** *Bras. Liter. Pop.* A parte musical do canto das estrofes tradicionais da cantoria; cantiga, solfa: *a toada do martelo; a toada do repente.*

toadeira [De **toar*, de *toa* + *-ar*^{2}, 'puxar', 'arrastar' (= ingl. *to tow*), + *-deira*.] ***Adj. (f.) S. f.*** *Bras. BA* Diz-se de, ou a baleia que, arpoada, ainda mergulha, ou a que, quando perseguida, não bufa.

toadilha [De *toada* + *-ilha*.] ***S. f.*** Dim. irreg. de *toada* (6).

toalete [Do fr. *toilette*.] ***S. f.*** **1.** Ato de se aprontar (lavando-se, penteando-se, maquilando-se, etc.) para aparecer em público: "Horas de almoço, horas de chá, sinetas chocalhando, advertindo para a toalete do jantar de cerimônia." (Jaime Adour da Câmara, *Oropa, França e Bahia*, p. 25.) • ***S. m.*** **2.** Traje feminino requintado, próprio para cerimônias, bailes, etc. **3.** Compartimento com lavatório e espelho, para as senhoras recomporem o penteado, a pintura, etc., e que, em geral, tem anexo um gabinete sanitário.

toalha [Do provenç. *toalha* < frâncico *thawahlja*.] ***S. f.*** **1.** Peça de linho, de algodão ou de outro tecido, para enxugar qualquer parte do corpo que se lave. **2.** Tecido que se estende sobre a mesa às refeições. **3.** Peça semelhante, com rendas, para cobrir o altar. **4.** Camada externa. ◆ **Toalha interfolha.** Toalha de mão, de papel, em folhas que se interpenetram nas pontas, de sorte que, ao serem puxadas, sai uma de cada vez, deixando de fora a ponta da folha seguinte, e que é muito usada em bares, restaurantes, etc.

toalheiro [De *toalha* + *-eiro*.] ***S. m.*** **1.** Utensílio próprio para nele se pendurar a toalha (1). **2.** Fabricante e/ou vendedor de toalhas. **3.** *Bras.* Empresa fornecedora de toalhas para consultórios, escritórios, etc., e que substitui periodicamente as sujas por limpas.

toalhete (ê) [De *toalha* + *-ete* (ê).] ***S. m.*** *Ant.* Guardanapo.

toalhinha [De *toalha* + *-inha*.] ***S. f.*** Touca de freira.

toância [De *toar* + *-ância*.] ***S. f.*** Sonância.

toante [De *toar* + *-nte*.] ***Adj. 2 g.*** Que toa. ~ V. *rimas —s*.

toantemente [De *toante* + *-mente*.] ***Adv.*** De maneira toante (v. *rimas toantes*): "Tanto se rima consoantemente como toantemente e de outras maneiras." (Manuel Bandeira, *Itinerário de Pasárgada*, p. 17.)

toar [Do lat. *tonare*, 'trovejar'.] ***V. int.*** **1.** Produzir ou emitir tom ou som forte; soar em tom alto: "A todo o arco do horizonte toava agora a artilharia." (Aquilino Ribeiro, *Caminhos Errados*, p. 194.) **2.** Trovejar, estrondar, atroar. ***T. i.*** **3.** Convir, quadrar, servir: *Os termos da proposta não lhe toaram.* **4.** Agradar, aprazer, soar: *Toaram-lhe os elogios, deixando-o arrebatado.* **5.** Ficar bem; condizer, adaptar-se: *Estes móveis não toam com o ambiente.* **6.** Ter o tom ou o som; ter ares; parecer: *A proposta toou a despropósito; Este instrumento toa a sax.* ***Pred.*** **7.** Ser considerado ou julgado; afigurar-se: "toava como absurda a proposta de criação de uma escola para treinar pessoas em administração pública." (Benedito Silva, em *Informativo*, ano 5, n.º 1, jan. 1973, p. 10). [Conjug.: v. *coroar*.]

toba^{1} [De *atobá*, com aférese e hiperbibasmo.] ***S. m.*** **1.** *Bras. Zool.* V. *atobá*. **2.** *Bras. N.* Homem forte, robusto, corpulento.

toba^{2} [Do tupi.] ***S. m.*** *Bras. N. Chulo* O ânus.

tobachana ***S. 2 g. Adj. 2 g.*** V. *tobaxana*.

tobaguiano [Do top. *Tobago* + *-iano*.] ***Adj. S. m.*** V. *trinitário*^{2}.

tobajara *Bras.* ***S. 2 g.*** **1.** *Etnôn.* Indivíduo dos tobajaras, povo indígena extinto, do tronco linguístico tupi, que habitava as margens dos rios Mearim, Itapirucu, Gurupi, divisa do PA com o AM, na costa da PB e de PE. • ***Adj. 2 g.*** **2.** Pertencente ou relativo a esse povo. [Tb. us. como *s. 2 g. e 2 n.* (com cap.) e *adj. 2 g. e 2 n.*]

tobatinga [Do tupi.] ***S. f.*** *Bras.* V. *tabatinga*.

tobaxana *Bras.* ***S. 2 g.*** **1.** *Etnôn.* Indivíduo dos tobaxanas, povo indígena extinto que habitava a região da margem direita do alto Solimões, entre os rios Juruá e Jutaí (AM). • ***Adj. 2 g.*** **2.** Pertencente ou relativo a esse povo. [Tb. us. como *s. 2 g. e 2 n.* (com cap.) e *adj. 2 g. e 2 n.*] [Outra f.: *tobachana*.]

tobeiro [De *toba*^{2} + *-eiro*.] ***S. m.*** *Bras. N. Gír.* Pederasta passivo.

tobiano^{1} ***Adj.*** Pertencente ou relativo a Tobias Barreto (1839-1889), escritor brasileiro, ou próprio dele.

tobiano^{2} [Do antr. (*Brigadeiro Rafael*) *Tobias (de Aguiar)* (1795-1857), que em 1842 se reuniu aos partidários do revolucionário farroupilha Bento Gonçalves e presenteou um cidadão de Cruz Alta (RS) com animais de pelo desta natureza + *-ano*^{1}.] ***Adj.*** *Bras. RS* Diz-se do cavalo cujo pelo apresenta manchas brancas em fundo escuro ou vermelho.

tobiano^{3} ***Adj.*** **1.** De, ou pertencente ou relativo a Paraíso do Tobias (RJ). • ***S. m.*** **2.** O natural ou habitante de Paraíso do Tobias.

tobiense ***Adj. 2 g.*** **1.** De, ou pertencente ou relativo a Tobias Barreto (SE). • ***S. 2 g.*** **2.** O natural ou habitante de Tobias Barreto.

tobó [De or. indígena, poss.] ***S. m.*** *Bras.* O diamante grande, na região diamantífera do Araguaia e seus afluentes.

toboágua [De *tobo(gã)* + *água*.] ***S. m.*** Escorregador ou conjunto de escorregadores, ger. com grande altura e com fluxo de água, que terminam em piscinas, comuns em parques aquáticos.

toboci [Do jeje, poss.] ***S. f.*** *Bras. MA Rel.* Espírito infantil feminino, espécie de erê (q. v.) que cada filha de santo na Casa Grande das Minas, em São Luís, possui, e que desce [v. *descer* (15)] em certas datas especiais. [Com cap.]

tobogã [Do algonquiano, pelo fr. canadense *tabagan* e *tobogan*, e pelo ingl. *toboggan*.] ***S. m.*** **1.** Espécie de trenó baixo para deslizar nas encostas cobertas de neve. **2.** *Bras.* Escorregador (3) de grande altura, com ondulações, para diversão coletiva.

toboganista [De *tobogã* + *-ista.*] *S. 2 g.* O que desliza em tobogã.

■ **TOC** Sigla de *transtorno obsessivo-compulsivo.*

toca [De or. pré-romana, poss.] *S. f.* **1.** Buraco no tronco de árvores, na terra, ou na pedra, onde se abrigam vários animais; covil, furna. **2.** *Fig.* V. *biboca* (3). **3.** *Fig.* Abrigo, refúgio, buraco.

tocada [De *tocar*[2] + *-ada*[1].] *S. f. Bras. S.* Corrida de experiência, para apurar a velocidade ou o estado do cavalo.

tocadela [De *tocar*[2] + *-dela.*] *S. f.* **1.** Ato ou efeito de tocar de cada vez; tocadura. **2.** *Fam.* Tocarola (2).

tocadilho [De *tocar*[2].] *S. m.* Jogo semelhante ao do gamão.

toca-discos [De *tocar*[2] + o pl. de *disco.*] *S. m. 2 n.* Aparelho elétrico provido de um dispositivo que imprime movimento giratório em discos fonográficos, e que, ligado a um amplificador de áudio por meio de um transdutor apropriado, permite a reprodução do material sonoro neles gravado. [Sin., ingl.: *pickup.*]

tocado [Part. de *tocar*[2].] *Adj.* **1.** *Fam.* V. *alegre*[2] (6): "O soldadinho, cada vez mais tocado, emborcou o corpo para segredar cousas." (João do Rio, *Vida Vertiginosa*, p. 147.) **2.** *Bras. Fam.* Amalucado, adoidado. **3.** *Bras. Pop.* Muito apressado: *Saiu daqui tocado, para resolver negócio urgente*; *Mandei chamá-la, e ela veio tocada.* **4.** *Bras.* Posto para fora de onde se encontrava; expulso: "Veio a expulsão de suas terras, a violência, o jagunço, o desemprego, e finalmente a marginalização social. Criou-se um povo retirante. Tocado. Sempre tocado." (Edilson Martins, *Nós, do Araguaia*, p. 134.) [Cf. *toucado.*]

tocador (ô) [De *tocar*[2] + *-dor.*] *Adj.* **1.** Que toca. ~ V. *rolo —*. ● *S. m.* **2.** Aquele que toca. **3.** *Bras.* Arrieiro, recoveiro, almocreve. **4.** *Bras. S.* Espécie de vaqueiro. **5.** *Bras. MG* Tangerino[1]. [Cf. *toucador.*]

tocadura [De *tocar*[2] + *-dura.*] *S. f.* **1.** Tocadela (1). **2.** Contusão originada de um pé do animal tocar no outro do lado interior.

toca-fitas [De *tocar*[2] + o pl. de *fita.*] *S. m. 2 n. Bras.* Aparelho constituído de transdutor de sinais magnéticos em sinais elétricos e de pré-amplificador destes, usualmente com controles de volume e de tonalidade, e que é destinado à reprodução de sinais de áudio pré-gravados em fitas magnéticas.

tócai [Do top. *Tokaj* (Hungria).] *S. m.* Vinho licoroso procedente da Hungria. [Cf. *tocai*, do v. *tocar.*]

tocaia *S. f. Bras. Angol.* Espreita ao inimigo, ou caça; emboscada.

tocaiar [De *tocaia* + *-ar*[2].] *V. t. d.* **1.** *Bras.* Emboscar-se a fim de agredir ou matar (o inimigo ou a caça). **2.** Espreitar a chegada de. *Int.* **3.** Estar de espreita. [Sin. ger.: *atocaiar*, *entocaiar.*]

tocaieiro [De *tocaia* + *-eiro.*] *S. m. Bras.* Indivíduo que arma tocaia(s).

tocainará *S. f. Bras. Zool.* V. *tocandira* (1).

tocaio [Do esp. *tocayo*; ao RS o voc. terá vindo pelo esp. platino.] *S. m. Bras. Prov. port.* V. *xará*[1] (1).

tocaió *Bras. S. 2 g.* **1.** *Etnôn.* Indivíduo dos tocaiós [ou (etnôn. bras.) *Tocayó], povo indígena extinto que habitava a margem direita do rio Jequitinhonha (BA). ● *Adj. 2 g.* **2.** Pertencente ou relativo a esse povo.

toca-lápis [De *tocar*[2] + *lápis.*] *S. m. 2 n.* Uma das pernas do compasso, na qual se encaixa o lápis para descrever arcos ou circunferências.

tocamento [De *tocar*[2] + *-mento.*] *S. m.* Toque[1] (1).

tocandira [Do tupi = 'fere muito'.] *S. f. Bras. Zool.* Inseto himenóptero, formicídeo (*Paraponera clavata*), comum na Amaz., de coloração preta, e que atinge até 22mm de comprimento. Tem um tubérculo no protórax e outro no pedúnculo do primeiro segmento abdominal, e constrói ninho subterrâneo. De picada muito dolorosa, capaz de produzir vômitos, é utilizada pelos índios para cerimônias de emancipação dos adolescentes. [Var.: *tocanera*, *tocantera*, *tocainará*, *tocanguira*, *tocanquibira*. Sin.: *saracutinga*, *tracutinga*, *tracuxinga*, *formigão*, *formigão-preto.*]

tocanera (ê) *S. f. Bras. Zool.* V. *tocandira.*

tocanguira *S. f. Bras. Zool.* V. *tocandira.*

tocanquibira *S. f. Bras. Zool.* V. *tocandira.*

tocante [De *tocar*[2] + *-nte.*] *Adj. 2 g.* **1.** Que toca. **2.** Relativo, referente. **3.** Comovente, comovedor: *um espetáculo tocante.* ◆ **No tocante a.** A respeito de; em relação a: "Dom Pedro II, no tocante a fidelidade conjugal, não era flor que se cheirasse" (Lêdo Ivo, *Ninho de Cobras*, pp. 120-121.)

tocantera (ê) *S. f. Bras. Zool.* V. *tocandira.*

tocantim *Bras. S. 2 g.* **1.** *Etnôn.* Indivíduo dos tocantins [ou (etnôn. bras.) *Tocantin], povo indígena extinto que habitava a margem esquerda do baixo Tocantins (PA). ● *Adj. 2 g.* **2.** Pertencente ou relativo a esse povo.

tocantinense *Adj. 2 g.* **1.** Do, ou pertencente, ou relativo ao Estado do Tocantins, ou à cidade de Tocantins (MG). ● *S. 2 g.* **2.** O natural ou habitante desse estado ou cidade.

tocantiniense *Adj. 2 g.* **1.** De, ou pertencente ou relativo a Tocantínia (TO). ● *S. 2 g.* **2.** O natural ou habitante de Tocantínia.

tocantinopolino *Adj.* **1.** De, ou pertencente ou relativo a Tocantinópolis (TO). ● *S. m.* **2.** O natural ou habitante de Tocantinópolis.

tocar[1] *S. m. Bras. S.* Moléstia do gado vacum, causada pela falta de sais na pastagem. [Cf. *toucar.*]

tocar[2] [Do lat. vulg. **toccare.*] *V. t. d.* **1.** Pôr a mão em; apalpar, palpar: *Tocou a fazenda e disse que era seda pura.* **2.** Ter contato com; palpar: *Suas mãos tocaram o chão.* **3.** Atingir com um golpe, na esgrima. **4.** Tirar sons de; fazer soar; tanger: "Tem ainda o talento de tocar piano, que a mãe não possuía." (Machado de Assis, *Relíquias de Casa Velha*, p. 117); "nas torres altas / o louco / toca o sino à meia-noite" (Solange Berard Lajes, *Canto/Desencanto*, p. 66); "o Senhor Ricardo Coração dos Outros, homem célebre pela sua habilidade em cantar modinhas e tocar violão." (Lima Barreto, *Triste Fim de Policarpo Quaresma*, p. 36). **5.** Fazer ouvir (um som): *O sino tocava as seis badaladas.* **6.** Executar (música): *O pianista tocou uma bela valsa*; "Na praça a banda toca, de repente / Um samba histérico..." (Mário Quintana, *A Rua dos Cata-Ventos*, p. 134); "E a flauta e a viola tocaram um lundum." (José Veríssimo, *Cenas da Vida Amazônica*, p. 333). **7.** Anunciar por meio de batidas, badaladas, música, etc.: *O relógio tocou as cinco horas.* **8.** Comover, sensibilizar, abalar, impressionar: *A notícia tocou-a profundamente.* **9.** Agitar, excitar. **10.** Chegar a; atingir: *Cabral tocou a Bahia em 1500.* **11.** Estar junto de; confinar com; limitar-se com: *O Rio Grande do Sul toca o Uruguai.* **12.** Provar, experimentar: *No alto da montanha o Demônio procurou tocar Jesus com promessas.* **13.** *Marinh.* Afrouxar as pernadas da beta de (um aparelho de laborar), de modo que a peça inferior do aparelho arrie. **14.** *Marinh.* Afrouxar, deixar correr (um cabo). **15.** *Bras.* Conduzir, tanger (gado): *tocar bois.* **16.** *Bras. P. ext.* Fazer sair de lugar em que se achava; expulsar (pessoas ou animais). **17.** *Bras.* Açular (cães). **18.** Levar adiante, à frente; fazer progredir ou avançar; avançar: "O que eu dizia nas lições, com as frases que me ocorressem no momento, porque tinha de tocar o programa, a aluna reproduzia com igual sentido, mas de outra forma, bem simples, bem natural." (Genolino Amado, *O Reino Perdido*, p. 35.) *T. d. e i.* **19.** Comunicar-se, ou tentar comunicar-se, por telefone; ligar: *Tocou o telefone para o amigo, mas este viajara.* *T. i.* **20.** Caber em partilha: *Por morte do pai, tocaram-lhe dois apartamentos e uma fazendola.* **21.** Referir-se a; mencionar: *Não toque neste assunto.* **22.** Dizer respeito; pertencer, interessar: *Esta conversa não lhe toca.* **23.** Caber, competir, incumbir: *Toca-lhe administrar os bens do avô.* **24.** Relacionar-se; prender-se: *O problema toca ao direito civil e ao penal.* **25.** Comunicar-se, ou tentar comunicar-se, pelo telefone; ligar: *Era meio-dia e meia quando tocou para mim.* **26.** Pôr a mão em; apalpar: *Toquei na massa para ver se estava no ponto.* **27.** Bater de leve em; cutucar: "o meu marido estatelado na carpete protegia-se do meu pai que lhe tocava com o bico do sapato" (Lobo Antunes, *O Esplendor de Portugal*, p. 54). *T. c.* **28.** Atingir aproximadamente; orçar, raiar: *Sua fortuna toca a 3 milhões*; "tocava já aos seus nove anos" (Bernardo Guimarães, *O Seminarista*, p. 26). **29.** Ter contato; passar de leve: *Seus pés mal tocavam na água.* **30.** *Mar.* Entrar (em um porto), de passagem ou fazendo escala: *O navio não tocará em Santos.* **31.** *Mar.* Roçar com a quilha (no fundo): *A embarcação, tocando no baixio, encalhou de pronto.* **32.** Seguir, partir, ir(-se); tocar-se: *Mal recebeu a notícia, tocou para casa.* *Int.* **33.** Extrair sons de instrumentos musicais. **34.** Produzir som; fazer ouvir o seu som; soar: "Os sinos tocavam, tocavam." (Renard Pérez, *Os Sinos. O Tombadilho*, p. 19.) **35.** Exercer ou aplicar o sentido do tato: "Prova. Olha. Toca. Cheira. Escuta. / Cada sentido é um dom divino." (Manuel Bandeira, *Estrela da Vida Inteira*, p. 20.) **36.** Fazer prosseguir, fazer que ande, que siga: "Mandei tocar, mas enquanto o velho táxi rolava lentamente ao longo da praia eu fui possuído pela certeza .... de que acabara de ver a primeira mulher do Nunes." (Rubem Braga, *Ai de Ti, Copacabana!*, p. 75). **37.** Dar (o telefone) sinal de ligação feita: "O telefone toca — e o pânico de mim se apodera." (Mário da Silva Brito, *Conversa Vai, Conversa Vem*, p. 19); "De instante a instante o telefone de sua casa tocava" (Carlos Drummond de Andrade, *O Observador no Escritório*, p. 57). *P.* **38.** Ter um ponto comum de contato: *Duas circunferências se tocam.* **39.** Pôr-se em contato; entrechocar-se: *As espadas tocaram-se.* **40.** Ofender-se, melindrar-se, sensibilizar-se: *Tocou-se com as rudes palavras.* **41.** Dar-se conta de, capacitar-se de; perceber: *Ao comentar, durante a conversa, o erro gramatical, eu me toquei e corrigi-me.* **42.** Aproximar-se, unir-se: *Os extremos se tocam*; "Os outros passam, tocam-se" (Jorge de Sena, *Versos e Alguma Prosa*, p. 100); "Seu seio nevado de amor se intumesce... / E os lábios se tocam no ardor da paixão!" (Casimiro de Abreu, *Obras*, p. 157). **43.** Tocar (32): "Haviam-me dito que os estudantes gostavam muito de laranjas. Toquei-me para a Escola de Direito e estabeleci-me na calçada" (Joraci Camargo, *Anastácio*, p. 24). **44.** Começar a apodrecer (a fruta). **45.** *Fig. Gír.* Ficar um pouco embriagado. [Conjug.: v. *trancar*. Pres. ind.: *toco*, *tocas*, etc.; imperat.: *toca*, ... *tocai*, *toquem*. Cf. *toco* (ô), s. m., *tócai*, s. m., *touco*, do v. *toucar*, e este verbo.] ◆ **Tocar de mal.** *Bras. BA* V. *trocar de mal.* **Não se tocar.** Não se dar por achado (q. v.).

tocari [Do caraíba, us., como empréstimo, no tupi amazonense.] *S. m. Bras. Bot.* V. *castanheira-do-pará.*

tocariano [Do gr. *Tócharoi* (nome de um povo da Ásia central), pelo lat. *Tochari*, + *-ano*[1].] *S. m.* **1.** *Gloss.* Grupo linguístico da família indo-europeia do qual faz parte o tocariano (2). **2.** *Gloss.* Língua desse ramo indo-europeu que ainda era falada, no séc. VII, no Turquestão, e da qual se encontraram textos em escrita de origem indiana; tocário. **3.** Vocábulo do tocariano (1 e 2). ● *Adj.* **4.** Pertencente ou relativo a tocariano (1 e 2).

tocário [Do gr. *Tocharoi* (nome de um povo asiático).] *S. m. Gloss.* Tocariano (2).

tocarola [De *tocar*[2].] *S. f.* **1.** *Fam.* Aperto de mãos. **2.** Tocata[1] desafinada; tocadela.

tocata[1] [De *tocar*[2] + *-ata.*] *S. f.* Ato ou efeito de tocar instrumentos: "as tocatas de violão e os bailes modestos alegravam aquela gente" (Melo Morais Filho, *Festas e Tradições Populares do Brasil*, p. 234).

tocata[2] [Do it. *toccata.*] *S. f. Mús.* **1.** Forma de composição, originalmente destinada a instrumentos de tecla, que apresenta características próprias de vivacidade e virtuosismo, sem repetição de partes nem desenvolvimento de temas. [Cf. *sonata*[1] (1).] **2.** Espécie de fanfarra, música solene para instrumentos de sopro, de metal. **3.** Atualmente, espécie de movimento perpétuo, composição instrumental livre, em andamento rápido e imutável.

tocável [De *tocar*[2] + *-vel.*] *Adj. 2 g.* Que se pode tocar; tangível.

toca-viola [De *tocar*[2] + *viola*[1].] *S. m. Bras. Zool.* V. *serra-pau.* [Pl.: *toca-violas.*]

tocha [Do fr. *torche.*] *S. f.* **1.** Grande vela de cera; brandão. **2.** Facho, archote. **3.** Luz, brilho. **4.** *Bras.* Parte do tronco que resta das árvores partidas. **5.** Árvore de que resta apenas o tronco. ◆ **Acender uma tocha.** *Gír. Mil.* Dar um passeio, abandonando a unidade durante um dia ou uma noite, sem permissão superior.

tocheira [De *tocha* + *-eira.*] *S. f.* Tocheiro.

tocheiro [De *tocha* + *-eiro.*] *S. m.* Castiçal para tocha (1); tocheira.

toco (ô) [De or. incerta, pré-romana poss.] *S. m.* **1.** Parte do tronco vegetal que permanece ligada à terra depois de cortada a árvore. **2.** Cacete, bordão. **3.** Pedaço de vela ou de tocha; coto. **4.** Resto de coisa que se partiu ou se consumiu; ponta: "Era um sujeito pouco simpático, em mangas de camisa, sempre a fumar um toco de charuto." (Rubem Braga, *O Homem Rouco*, p. 135.) **5.** V. *talão*[1] (4). **6.** *Constr. Nav.* Coluna reforçada que sustenta o pau de carga quando este não é armado em um mastro. **7.** *Ant. Mar.* Pedaço de um mastro, mastaréu ou verga que ficava, quando algum desses paus se partia ou era picado; tarouco, toro. **8.** *Bras. RJ Gír.* Quinhão de roubo. **9.** *Bras. Esport.* Interrupção da trajetória da bola imediatamente após ela ter saído da mão do arremessador. **10.** Vôlei *Bras.* V. *bloqueio* (5). ● *Adj.* **11.** *Bras. S. Pop.* Firme, decidido. **12.** *Bras. S. Pop.* V. *valentão* (1). [Pl.: *tocos* (ô). Cf. *toco*, do v. *tocar*, e *touco*, do v. *toucar.*] ~ V. *tocos.* ◆ **Bater os tocos.** *Bras. SP Pop.* Viajar para algum lugar; ir(-se) embora. **No toco.** *Bras. Gír.* À vista; na ficha: *Comprou a geladeira no toco.*

▲ **toc(o)-** [Do gr. *tókos*, *ou.*] *El. comp.* = 'ação de conceber'; 'parto'; 'germinação': *tocografia*, *tocologia*. [Em Quím., 'tocol': *tocoferol.*] [Equiv.: *-toc(o)-* (exceto em quím.): *tomotocia.*]

toco de amarrar besta (ô) *S. m. Bras. AL SP Pop.* V. *catatau*[2] (3). [Pl.: *tocos de amarrar besta.*] ☑

toco de amarrar jegue (ô) *S. m. Bras. BA Pop.* V. *catatau*[2] (3). [Pl.: *tocos de amarrar jegue.*] ☑

toco de amarrar onça (ô) *S. m. Bras. N. Pop.* V. *catatau*[2] (3). [Pl.: *tocos de amarrar onça.*] ☑

▲ **-toc(o)-** Equiv. de *toc(o)-*.

toco-duro *S. m. Bras.* Carro de carga, sem molas, de duas rodas. [Pl.: *tocos-duros.*]

tocoferol [De *toc(o)-* + *-fer(o)-* + *-ol*[2].] *S. m. Quím.* Qualquer de vários fenóis derivados do cromano (α-tocoferol, β-tocoferol, γ-tocoferol, etc.), que formam o complexo vitamínico E, amplamente dispersos na natureza, especialmente em cereais, legumes, óleos vegetais, ovos e manteiga, dos quais o α-tocoferol é o mais abundante e mais us. em medicina; vitamina E [fórm. do α-tocoferol: $C_{29}H_{50}O_2$]. [Pl.: *tocoferóis*.]

tocofobia [De *toc(o)-* + *-fobia*.] *S. f. Psiq.* Medo patológico de parir.

tocofóbico [De *tocofobia* + *-ico*[2].] *Psiq. Adj.* **1.** Relativo a tocofobia. **2.** Que sofre de tocofobia; tocófobo. ● *S. m.* **3.** Aquele que sofre de tocofobia; tocófobo.

tocófobo [De *toc(o)-* + *-fobo*.] *Adj. S. m. Psiq.* Tocofóbico (2 e 3).

tocografia [De *toc(o)-* + *-grafia*.] *S. f. Obst.* Registro gráfico das contrações uterinas.

tocográfico [De *tocografia* + *-ico*[2].] *Adj.* Relativo a tocografia.

tocógrafo [De *toc(o)-* + *-grafo*.] *S. m. Obst.* Instrumento que registra contrações uterinas.

tocoiene *Bras. S. 2 g.* **1.** *Etnôn.* Indivíduo dos tocoienes [ou (etnôn. bras.) *Tocoyenne], povo indígena extinto que habitava as cabeceiras do rio Cajari (S. do AP). ● *Adj. 2 g.* **2.** Pertencente ou relativo a esse povo.

tocoió *S. 2 g. Adj. 2 g. Bras.* Diz-se de, ou exemplar de certa raça bovina do N. de MG: "Uma porqueira de bezerro tocoió que nem chifres tinha!" (Nélson de Faria, *Cabeça-Torta*, p. 40.)

tocologia [De *toc(o)-* + *-logia*.] *S. f.* V. *obstetrícia*.

tocológico [De *tocologia* + *-ico*[2].] *Adj.* Relativo à tocologia.

tocólogo [De *toc(o)-* + *-logo*.] *S. m.* Parteiro, obstetra.

toconoma [Do jap. *tokonoma*.] *S. m.* Em casas japonesas tradicionais, parte recuada, mas bem visível, onde se colocam o caquemono (q. v.) e uma iquebana.

tocos (ô) [Pl. de *toco*.] *S. m. pl. Bras. S.* V. *armas* (7). ~ V. *toco*.

toda[1] [Do lat. *todu*, 'ave muito pequena', poss.] *S. f. Zool.* Todeiro. [Pl.: *todas*. Cf. *toda* (ô) e *todas* (ô), flex. de *todo*.]

toda[2] *S. f. Gloss.* Uma das línguas da família dravídica. [Cf. *toda* (ô), fem. de *todo*.]

toda (ô) [Do lat. *tota*.] *Adj. (f.) Pron. indef.* Fem. de *todo*. [Pl.: *todas* (ô). Cf. *toda* e pl. *todas*.] ◆ **A toda.** A toda a velocidade; muito rapidamente; a todo o vapor; à disparada: *Chegada a polícia, os ladrões fugiram a toda*; "Ainda outro dia, eu subia a toda, quando uma velha começou a empalidecer; passei logo para a primeira e a velhinha se aliviou." (Aníbal M. Machado, *Histórias Reunidas*, p. 97.)

todas (ô) [F. pl. subst. de *todo*.] *El. s. f. pl.* Us. na expres. *estar em todas*. ◆ **Estar em todas.** *Bras. Fam.* Participar ativamente da vida social, política, literária, etc.; estar muito bem informado do que se passa nesses meios.

todavia [Aglut. da loc. *toda via* < *toda* (ô) + *via*.] *Conj.* Contudo, porém; entretanto; ainda assim.

todeiro [De *toda*[1] + *-eiro*.] *S. m. Zool.* Certo pássaro fissirrostro; toda.

todo (ô) [Do lat. *totu*.] *Adj.* **1.** Completo, inteiro, total: *Esperei-o toda a semana; O ano todo foi de muito trabalho*; "Corram brandos perfumes no ar vizinho, / Que todo o brilho já se manifesta / Da Virgem admirável e modesta." (José Albano, *Rimas*, p. 216); "para lá devia partir o rapaz logo depois da festa da Expiação e em toda a viagem só jornadear de noite." (João Ribeiro, *Crepúsculo dos Deuses*, p. 90); "O traço todo da vida é para muitos um desenho da criança esquecido pelo homem, e ao qual este terá sempre que se cingir sem o saber..." (Joaquim Nabuco, *Minha Formação*, p. 210); "Lutaram bravamente o dia todo" (Eduardo Canabrava Barreiros, *O Segredo de Sinhá Ernestina*, p. 5). **2.** Que não deixa nada de fora; a que não falta parte alguma: *Toda a família compareceu à cerimônia; A escola toda desfilou.* [Nessas acepç., é de rigor o emprego do artigo, podendo ele, juntamente com o substantivo, pospor-se ou antepor-se ao *todo*; mas não se usa o artigo, normalmente, se dele não costuma vir precedido o substantivo. Comparem-se estes exemplos: *Conheço todo o Brasil e toda a Alemanha; Viajei por todo São Paulo e toda Santa Catarina.*] ● *Pron. indef.* **3.** Qualquer, cada: "Ai! por que todo ser nasce chorando?" (Da Costa e Silva, *Sangue*, p. 49); "Em toda parte vejo que procuras / O pecador ingrato" (José Albano, *Rimas*, p. 243); "Por toda a parte a sombra do mistério" (Alphonsus de Guimaraens, *Obra Completa*, p. 269); "Só hoje sei que em toda a criatura, / Desde a mais bela até à mais impura, / Ou numa pomba ou numa fera brava, / Deus habita, Deus sonha, Deus murmura!..." (Guerra Junqueiro, *A Velhice do Padre Eterno*, p. 176). [É facultativo, como se vê nos exemplos, o uso do artigo nesse caso; uso muito mais comum em Portugal que no Brasil. Flex.: *toda* (ô), *todos* (ô), *todas* (ô). Cf. *toda*, s. f., pl. *todas* e *tudo*.] ● *Adv.* **4.** V. *de todo*: "Um dia a vi tomando banho, no lago de águas claras. Fiquei atônito, todo maluco." (Ursulino Leão, *Existência de Marina*, p. 122.) ● *S. m.* **5.** Conjunto, massa, generalidade: *Não me refiro às partes, mas ao todo.* ~ V. *todos*. ◆ **De todo.** Totalmente, completamente, inteiramente; de todo em todo; todo: *Estava absorto de todo*; "Mas depois que tu partiste, / Perdi de todo a alegria: Fiquei triste, triste, triste." (Manuel Bandeira, *Estrela da Vida Inteira*, p. 354). **De todo em todo.** V. *de todo*.

tôdolos [Do pl. de *todo* (ô) + o pl. de *lo*.] *Pron. indef. Ant. Pop.* Todos os: "Foram por tôdalas partes / A gritar: Fogo e mais fogo!" (João de Deus, *Campo de Flores*, II, p. 180.)

todo-poderoso (ô) *Adj.* **1.** Que pode tudo; onipotente. ● *S. m.* **2.** Aquele que pode tudo. [Flex.: *todo-poderosa* (ó), *todo-poderosos* (ó), *todo-poderosas* (ó).] **3.** Deus. [Nesta acepç., escreve-se, é óbvio, com iniciais maiúsculas.]

todorokita [De *Todoroki*, mina de Hokkaido (Japão), + *-ita*[3].] *S. f. Min.* Mineral monoclínico, óxido hidratado de manganês, cálcio e magnésio.

todos (ô) [Pl. de *todo*.] *Pron. indef.* Todas as pessoas; toda a gente; todo o mundo; o mundo inteiro; deus e o mundo, deus e todo mundo, deus e todo o mundo: "Em Portugal todos falam de tudo" (Luís Forjaz Trigueiros, *Ventos e Marés*, p. 111). [Cf. *tudo*.] ~ V. *todo*.

todos os dias *S. m.* O cotidiano, o dia a dia: "E, outra vez feliz por não prender ninguém, por persistir tudo na monotonia uniforme das mesmas ruas, na repetição sem surpresas do mesmo todos os dias, desfez o ajuntamento" (José Gomes Ferreira, *O Mundo dos Outros*, p. 167). ☑

toé [De or. indígena, poss.] *S. m. Bras. Amaz. Bot.* Arbusto solanáceo (*Datura insignis*) de folhas oblongas, moles e pilosas, flores especiosas, enormes, róseas e infundibuliformes. [Os indígenas usavam a infusão das folhas em práticas de bruxaria, o que se justifica por nelas haver escopolamina, alcaloide que provoca sonolência.] [Sin.: *maricaua*.]

toeira [De *toar* + *-eira*.] *S. f.* **1.** Cada uma das duas cordas imediatas aos dois bordões da guitarra. **2.** *Bras. SP Açor.* Corda de viola: "Eis senão quando, começam a repenicar as toeiras das violas e um dos reis põe-se a pé e vai espairecer à janela." (Vitorino Nemésio, *O Mistério do Paço do Milhafre*, p. 47.) ◆ **Nas toeiras.** *Bras. SP Pop.* Em situação de grande aperto, atrapalhação ou confusão: *estar, andar, viver nas toeiras*.

toesa (ê) [Do fr. *toise*, no tempo em que o ditongo *oi* soava *oe*.] *S. f.* **1.** Antiga unidade de medida de comprimento, equivalente a seis pés [v. *pé* (17)], ou seja, 1,98m. **2.** *Pop.* Pé muito grande.

toesar [De *toesa* + *-ar*[2].] *V. t. d.* Medir tomando por unidade a toesa.

tofe [Do ingl. *toffee*.] *S. m.* Caramelo de consistência dura e grudenta, feito em geral com açúcar mascavo.

➔**toffee** [ˈtɑfij] [Ingl., alter. do ingl. *taffy*.] *S. f. Cul.* **1.** Bala ou doce caramelizados, feitos de manteiga, açúcar (ger. o granulado), água ou leite, aos quais se podem acrescentar mel, chocolate, nozes, etc.: "Sabia que Ranulfo metia a mão no empório dos ingleses, mas não devolvia nada: escondia os pacotes de biscoito e as latas de toffee, e os oferecia às clientes." (Milton Hatoum, *Cinzas do Norte*, p. 96) ● *Adj. 2 g.* **2.** Feito a exemplo das balas *toffees*; caramelizado: *calda toffee*.

tofo [Do gr. *tóphos*, pelo lat. *tophu*, *tofu*.] *S. m. Reum.* Cada um dos depósitos de uratos que, no curso da gota[1] (6), se formam em diversas partes do corpo.

tô-fraca *S. f. Bras.* V. *galinha-d'angola*. [Pl.: *tô-fracas*.]

tô-fraco [Voc. onom.] *S. m. Bras.* V. *galinha-d'angola*: "Galinhas e tô-fracos retêm-se entre as pixiricas e malvas-do-campo" (Alberto Rangel, *Quando o Brasil Amanhecia*, p. 23). [Pl.: *tô-fracos*.]

tofu [Do jap.] *S. m.* Queijo de soja (q. v.).

toga [Do lat. *toga*.] *S. f.* **1.** *Vest.* Túnica de lã, ampla e comprida, tecida com lã fina, linho ou seda, e que era us. na Roma antiga. **2.** Vestuário de magistrado; beca. **3.** *Fig.* A magistratura.

togado [Do lat. *togatu*.] *Adj.* **1.** Que usa toga. **2.** Que exerce a magistratura judicial. ~ V. *juiz* — ● *S. m.* **3.** Magistrado judicial.

togolês *Adj.* **1.** Do, ou pertencente ou relativo ao Togo (África ocidental). ● *S. m.* **2.** O natural ou habitante do Togo. [Flex.: *togolesa* (ê), *togoleses* (ê), *togolesas* (ê).]

toiça *S. f. Bot.* V. *touça*.

toiceira *S. f. Bot.* V. *touceira*.

toicinhama [Var. de *toucinhama*.] *S. f.* Grande quantidade de toicinho.

toicinho [Var. de *toucinho* < **tuccinu* (subentende-se o lat. *lardu*, 'toicinho'), der. do céltico *tucca*, 'suco manteigoso', e formado no lat. hispânico.] *S. m.* Gordura dos porcos, subjacente à pele, com o respectivo couro. ◆ **Ter comido toicinho com mais cabelo.** *Bras. N.E. Pop.* Ter já enfrentado e vencido desgraça ou perigo ainda maior do que aquele que está atravessando.

toicinho do céu [De *toicinho* + *do*[1] + *céu*.] *S. m. Cul.* Doce de origem portuguesa feito com gemas de ovos, amêndoas e açúcar. [Var.: *toucinho do céu*. Pl.: *toicinhos do céu*.] ☑

➔**toile** [twal] [Fr.] *S. f. Tec. Têx.* Tecido muito fino, de linho ou de algodão, us. na alta-costura para compor as peças diretamente no manequim, por meio de uma técnica denominada *modelagem tridimensional*.

toirada *S. f.* V. *tourada*.

toiral *S. m.* V. *toural*[1].

toireação *S. f.* V. *toureação*.

toirear *V. t. d. Int.* V. *tourear*. [Conjug.: v. *frear*.]

toireio *S. m.* V. *toureio*.

toireiro *S. m. Adj.* V. *toureiro*.

toirejão *S. m.* V. *tourejão*.

toiril *S. m.* V. *touril*.

toirinha *S. f.* V. *tourinha*.

toiro *S. m.* V. *touro*.

toiros *S. m. pl.* V. *touros*.

toiruno *Adj.* V. *touruno*.

toita *S. f.* V. *touta*.

toiteador (ô) *Adj. S. m.* V. *touteador*.

toitear *V. int.* V. *toutear*. [Conjug.: v. *frear*.]

toitiçada *S. f.* V. *toutiçada*.

toitiço *S. m.* V. *toutiço*.

tojal [De *tojo* + *-al*[1].] *S. m.* **1.** Quantidade mais ou menos considerável de tojos dispostos proximamente entre si. **2.** Área ocupada por tojal (1).

tojeira [De *tojo* + *-eira*.] *S. f. Bot.* Tojo (q. v.).

tojeiro [De *tojo* + *-eiro*.] *S. m.* **1.** Indivíduo que conduz tojo para os fornos. **2.** Tojo grande.

tojo (ô) [De or. pré-romana, poss.] *S. m. Bot.* Arbusto fabáceo (*Ulex europaeus*) que tem pouquíssimas folhas, espinhos fortes, flores amarelas e vistosas, e cujo fruto é uma vagem; tojeira. [Pl.: *tojos* (ó).]

tojoso (ô) [De *tojo* + *-oso*.] *Adj.* Onde crescem tojos em abundância: *O terreno tojoso dificulta a passagem.*

➔**tokay** [toˈkaj] [Fr., do top. húngaro *Tokaj*.] *S. m. Enol.* Vinho branco seco da Alsácia (v. *alsaciano*), produzido com a uva *pinot gris*.

tola[1] *S. f. Pop.* A cabeça; o juízo. [Pl.: *tolas*. Cf. *tola* (ô) e pl. *tolas* (ô).]

tola[2] *S. f.* Espécie de torquês de madeira, empregada pelos penteeiros. [Pl.: *tolas*. Cf. *tola* (ô) e pl. *tolas* (ô).]

tola (ô) *S. f.* Fem. de *tolo*. [Pl.: *tolas* (ô). Cf. *tola* e pl. *tolas*.]

tolã [De *tolo*.] *S. f. Pop.* Logro, fraude.

tolacíssimo *Adj.* Superl. abs. sint. de *tolaz*.

tolaço [De *tolo* + *-aço*.] *S. m.* Aum. irreg. de tolo (8); toleirão.

tolano [Do esp. *tolano*.] *S. m.* Sulco no palato das cavalgaduras.

tolar *S. m.* Unidade monetária, e moeda, da República da Eslovênia (Europa).

tolaz [De *tolo* + *-az*.] *Adj. 2 g. S. 2 g.* Que, ou aquele que se deixa ludibriar facilmente; demasiado tolo; pacóvio, toleirão. [Superl. abs. sint.: *tolacíssimo*.]

tolda[1] [Var. de *toldo* (ô).] *S. f.* **1.** *Ant. Constr. Nav.* Nas naus e nos galeões, o primeiro pavimento coberto do acastelamento de popa, e sobre o qual se erguia, mais recuada, a alcáçova (q. v.). **2.** *Ant. Constr. Nav.* O pavimento acima da primeira coberta em que houvesse bateria de canhões. **3.** *Constr. Nav.* Parte do convés principal situada entre o mastro grande e o tombadilho, ou (nos navios sem tombadilho) entre o mastro grande e a popa. **4.** *Bras.* Cobertura de palha ou de madeira, abaulada ou em forma de telhado, para abrigar, nas embarcações, a carga e/ou os passageiros.

tolda[2] [Dev. de *toldar*.] *S. f.* **1.** Ato ou efeito de toldar(-se). **2.** Turvação do vinho.

toldador (ô) [De *toldar* + *-dor*.] *Adj.* Que tolda.

toldar [De *toldo* + *-ar*[2].] *V. t. d.* **1.** *Mar. Desus.* Cobrir com toldo: *toldar uma embarcação.* **2.** Tapar, cobrir, anuviar, nublar: *As nuvens toldam o sol.* **3.** Tornar escuro; obscurecer, obumbrar: "Nem uma nuvem tolda o firmamento" (Zeferino Brasil, *Na Torre de Marfim*, p. 20). **4.** Tornar ininteligível; obscurecer: *As paixões cegam o homem, toldam a realidade.* **5.** Obscurecer, turvar, obcecar, cegar: *Os vícios toldam a razão.* *P.* **6.** Turvar-se (o vinho) na vasilha. **7.** Cobrir-se, anuviar-se, nublar-se: *O céu toldou-se.* **8.** Embriagar-se, embebedar-se. [Pres. ind.: *toldo*, etc. Cf. *toldo* (ô), s. m.]

toldável [De *toldar* + *-vel*.] *Adj. 2 g.* Sujeito a toldar-se.

tolderia [Do esp. plat. *toldería*.] *S. f. Bras. PR RS* Grupo de toldos de índios.

toldo (ô) [Do germ., pelo fr.] *S. m.* **1.** Cobertura de lona ou brim, destinada a abrigar, do sol e da chuva, porta, varanda, eirado, convés de embarcação, etc. **2.** *Bras.*

T

PR RS Aldeamento de índios já semiaculturados. [Pl.: *toldos* (ô). Cf. *toldo*, do v. *toldar*.]

toledana [Do lat. *toletana*, 'natural de Toledo'.] *S. f.* Espada fabricada em Toledo (Espanha): "As lanças dos dous contendores haviam-se feito pedaços, e o alfanje do mouro cruzou-se com a boa toledana do fronteiro de Beja." (Alexandre Herculano, *Lendas e Narrativas*, II, p. 92.)

toledano *Adj.* **1.** De, ou pertencente ou relativo a Toledo (Espanha e PR). ~ V. *letra –a*. ● *S. m.* **2.** O natural ou habitante de Toledo.

toledense[1] *Adj. 2 g.* **1.** De, ou pertencente ou relativo a Pedro de Toledo (SP). ● *S. 2 g.* **2.** O natural ou habitante de Pedro de Toledo.

toledense[2] *Adj. 2 g.* **1.** De, ou pertencente ou relativo a Toledo (MG). ● *S. 2 g.* **2.** O natural ou habitante de Toledo.

toleima [De *tolo* + *-eima*.] *S. f.* Qualidade ou estado de atoleimado; tolice: "as variadas formas da tolice escrita e da monstruosidade literária fornecem matéria que farte para os que se divertem em colecionar os espécimes mais representativos ou engraçados da toleima humana." (Eduardo Frieiro, *Os Livros Nossos Amigos*, p. 180).

toleirão [De *tolo* + *-eirão*.] *Adj. S. m.* Que, ou aquele que é muito tolo; pateta, bobalhão, paio. [Fem.: *toleirona*.]

toleirona *S. f.* V. *toleirão*.

tolejar [De *tolo* + *-ejar*.] *V. int.* Dizer ou praticar tolices. [Conjug.: v. *pelejar*.]

tolendo [Do lat. *tollendu*.] *Adj.* Que se deve tomar ou tirar.

toler (ê) [Do lat. *tollere*, 'alçar', 'levantar', 'tomar', 'tirar'.] *V. t. d. Ant.* Tomar; tirar.

tolerabilidade [Do lat. *tolerabilitate*.] *S. f.* Qualidade de tolerável.

tolerada [F. subst. de *tolerado*.] *S. f.* **1.** Em Portugal, segundo regulamento que vigorou até 1963, a prostituta inscrita nos registros administrativos e sujeita a inspeção e regulamentação policial. **2.** Meretriz. [Tb. us. deprec.]

tolerado [Part. de *tolerar*.] *Adj.* **1.** Que se tolera. **2.** Apreciado ou considerado com indulgência.

tolerância [Do lat. *tolerantia*.] *S. f.* **1.** Qualidade de tolerante. **2.** Ato ou efeito de tolerar. **3.** Pequenas diferenças para mais ou para menos, permitidas por lei no peso ou no título das moedas. **4.** Tendência a admitir modos de pensar, de agir e de sentir que diferem dos de um indivíduo ou de grupos determinados, políticos ou religiosos. **5.** Diferença máxima admitida entre um valor especificado e o obtido; margem especificada como admissível para o erro em uma medida ou para discrepância em relação a um padrão. **6.** Margem de tempo admissível para ultrapassar determinado prazo ou atraso, etc.: *O pagamento desta conta tem 3 dias de tolerância.* **7.** *Imun.* Incapacidade, por parte de um indivíduo, de desencadear, em face da exposição a antígeno, a resposta imunológica que esse antígeno provoca em outros indivíduos; imunoparalisia. **8.** *Med.* Capacidade de tolerar, sem efeito danoso para o organismo, doses de medicamento mais altas do que as habitualmente suportáveis. **9.** *Med.* Diminuição de efeito de uma droga usada em caráter permanente e em doses inalteradas.

tolerante [Do lat. *tolerante*.] *Adj. 2 g.* **1.** Que tolera. **2.** Que desculpa; indulgente, benigno. **3.** Que admite e respeita opiniões contrárias à sua.

tolerantismo [De *tolerante* + *-ismo*.] *S. m.* **1.** Opinião daqueles que defendem a tolerância religiosa. **2.** Sistema daqueles segundo os quais se devem tolerar num Estado todas as espécies de religião.

tolerar [Do lat. *tolerare*.] *V. t. d.* **1.** Ser indulgente para com: *Tolerou as injúrias com perfeita resignação.* **2.** Consentir tacitamente: *O governo tolera a prostituição.* **3.** Suportar, aguentar: *Não tolerava o ronco do marido.*

tolerável [Do lat. *tolerabile*.] *Adj. 2 g.* **1.** Que se pode tolerar; sofrível, patível: *dor tolerável.* **2.** Que não tem grandes defeitos: *O trabalho ficou tolerável.* **3.** Digno de indulgência: *falta tolerável.*

tolete (ê) [Do fr. *tolet*, este de or. germânica.] *S. m.* **1.** *Constr. Nav.* Pequena haste de madeira ou de metal, que se prende verticalmente na borda de certas embarcações miúdas a fim de servir de apoio ao remo, para remar: "O golpe das remadas, batendo compassadamente nos toletes e arrepiando a corrente, parecia remexer um turbilhão de estrelas no fundo tenebroso da água" (Ramalho Ortigão, *As Farpas*, I, p. 183). **2.** Pau aguçado com que os índios americanos caçam os crocodilos. **3.** *Bras.* Rolo de madeira, de fumo ou de outra coisa qualquer: "Apanhou o tolete de fumo de rolo, alisou a palha." (Nélson de Faria, *Bazé*, p. 110.) **4.** *Bras. Pop.* V. *cagalhão*. ◆ **Tolete da puíta.** *Bras. N.E.* Torno, à proa das jangadas, para enrolar a corda ou puíta do tauaçu.

toleteira [De *tolete* + *-eira*.] *S. f. Bras. Constr. Nav.* Cada uma das peças de madeira ou de metal, pregadas na borda de embarcação miúda, com um furo onde encaixa tolete (1) ou a forqueta do remo. [Cf. *chumaceira*.]

tolhedura *S. f.* Excremento de ave de rapina.

tolheita [F. subst. de *tolheito*.] *S. f.* Embaraço, estorvo, tolhimento.

tolheito [Part. irreg. de *tolher*.] *Adj. Ant. Prov. port.* Tolhido.

tolher [Do lat. *tollere*.] *V. t. d.* **1.** Embaraçar, estorvar, dificultar: *O peso da espada tolhia sua ação na luta.* **2.** Causar paralisia a; paralisar, entorpecer: *O frio tolheu-lhe os membros;* "Quis fugir, mas o medo parece que lhe tolhia as pernas." (Trindade Coelho, *Os Meus Amores*, p. 154). **3.** Pôr obstáculo a; opor-se a; embargar: *Era preciso tolher o avanço das tropas.* **4.** Não deixar manifestar-se; coibir: *A emoção tolheu a voz do orador. T. d. e i.* **5.** Proibir, impedir: *O medo tolhia-o de prosseguir na busca.* **6.** Privar (1): *A catarata tolheu-o da visão. P.* **7.** Ter paralisia; ficar imóvel.

tolhido [Part. de *tolher*.] *Adj.* Entrevado, paralítico.

tolhimento [De *tolher* + *-imento*.] *S. m.* Ato ou efeito de tolher(-se).

tolice [De *tolo* + *-ice*.] *S. f.* **1.** Qualidade, ação ou dito de tolo; parvoíce, asneira, disparate, desconchavo, pasPalhice, toleima. **2.** V. *vaidade* (5).

▲ **tolil-** [De *tol(i)-*[1] + *-il*.] *Quím. El. comp.* Indica a presença do grupo tolila: *tolilacético*.

tolila [De *tol(u)-* + *-ila*[2].] *S. f. Quím.* Grupo C_7H_7, derivado do tolueno, por retirada de um dos hidrogênios do anel benzênico deste.

tolilacético [De *tolil-* + *acético*.] *Adj. Quím.* ~ V. *ácido –*.

tolina [De *tolo* + *-ina*[1].] *S. f. Pop.* Logro ou burla a um tolo.

tolinar [De *tolina* + *-ar*[2].] *V. t. d. Pop.* Fazer tolina a.

tolineiro [De *tolinar* + *-eiro*.] *S. m. Pop.* Aquele que tolina.

tolismo [De *tolo* + *-ismo*.] *S. m.* Tolice.

tolo (ó) [Do gr. *thólos*, pelo lat. *tholu*.] *S. m.* Na antiguidade greco-romana, templo redondo cercado de colunas, com telhado cônico e sem cúpula. [F. paral.: *tolos*.]

tolo (ô) [De or. obscura.] *Adj.* **1.** Que diz ou pratica tolices; sem inteligência ou sem juízo. **2.** Tonto, simplório, ingênuo. **3.** Boquiaberto, pasmado. [Sin., nessas acepç., muitos deles pop. ou de gíria e alguns bras.: *abestalhado, abobado, abobalhado, abobarrado, amalucado, aparvalhado, apatetado, apombocado, assonsado, atolado, atolambado, atoleimado, babaca, babão, babaquara, baboso, badó, bajoujo, basbaque, bobo, bobó, boboca, bocó, bolônio, calino, chapetão, débil, idiota, imbecil, leso, lorpa, maluco, mandu, paca, pacóvio, palerma, palúrdio, parvo, paspalhão, patego, pateta, patola, pongó, sambanga, saranga, sarango, soronga, sorongo, tabaca, tonto* e *zote*.] **4.** Vaidoso, presunçoso. **5.** Ridículo (pessoa ou coisa). **6.** Que não tem razão de ser; infundado: *receios tolos.* **7.** Que não faz sentido; disparatado. ● *S. m.* **8.** Indivíduo tolo. [Sin., nesta acepç., muitos deles pop. ou de gíria e alguns bras.: *aranha, arara, arigó da vazante, babaca, babão, babaquara, baboso, badana, badó, bajoujo, basbaque, belarmino, beldroegas, bobo, bobó, boboca, bocó, bolônio, cabaça, calino, coió, débil, gaivota, girolas, idiota, imbecil, leseira, leso, lorpa, maluco, mama na égua, mandu, mané, mané-coco, mané do jacá* ou *mané-jacá, manema, mamembro, paca, pacóvio, palerma, palúrdio, pancrácio, pandorga, papalvo, papa-moscas, parvo, pascácio, paspalhão, patau, patego, pateta, patinho, pato, patola, patureba, pengó, pongó, sambanga, sarambé, saranga, sarango, sebastião, soronga, sorongo, tabaca, tongo, tonto* e *zote*, etc. Aum. (referente só a pessoas): *toleirão* e *tolaz*. Flex.: *tola* (ô), *tolos* (ô), *tolas* (ô). Cf. *tola* e pl. *tolas*.] **9.** *Bras. Zool.* V. *sebastião* (1).

tolontro [Do esp. *tolondro*.] *S. m.* **1.** Tumor causado por contusão. **2.** Caroço, tumor.

tolos [Do gr. *thólos*.] *S. m.* V. *tolo* (ó).

tolstoiano *Adj.* **1.** Relativo, ou pertencente ao escritor russo Leão Tolstoi [Lev Nikolaievitch, conde Tolstoi] (1828-1910), ou próprio dele. **2.** Que é seu admirador e/ou profundo conhecedor de sua obra. ● *S. m.* **3.** Admirador e/ou profundo conhecedor da obra de Leão Tolstoi.

tolteca *S. 2 g.* **1.** Indivíduo dos toltecas, povo indígena pré-colombiano do altiplano central do México, arquitetos e artesãos extraordinários e que ofereciam sacrifício humano a seu deus Quetzacoalt. ● *Adj. 2 g.* **2.** Pertencente ou relativo a eles.

tolu *S. m.* V. *bálsamo de tolu*.

▲ **tol(u)-** [De *tolu*.] *Quím. El. comp.* Indica: **1.** 'tolu': *tolueno* **2.** 'tolueno': *toluidina, tolila*.

tolueno [De *tol(u)-* + *-eno*[2].] *S. m. Quím.* Líquido incolor, com cheiro característico, obtido na destilação do petróleo e do carvão, e usado como solvente [fórm.: $C_6H_5CH_3$].

tolueno-di-isocianato [De *tolueno* + *di-isocianato*.] *S. m. Quím.* Líquido, muito reativo e sensível à umidade, us. na preparação de poliuretano [fórm.: $C_9H_6N_2O_2$].

toluenossulfonato [De *toluenossulfôn(ico)* + *-ato*[2].] *S. m. Quím.* Qualquer sal ou éster do ácido toluenossulfônico. [F. red.: *tosilato*.]

toluenossulfônico *Adj. Quím.* V. *toluenossulfônico*. [Uso freq. em P.]

toluenossulfônico [De *tolueno* + *sulfônico*.] *Adj. Quím.* ~ V. *ácido –*.

toluidina (u-i) [De *tol(u)-* + *-idina*.] *S. f. Quím.* Designação genérica dos derivados do tolueno por substituição de um hidrogênio do anel aromático por um grupo amina [fórm.: C_7H_9N].

toluífero [De *tol(u)* + *-ífero*.] *Adj.* Que produz o bálsamo de tolu.

tom [Do gr. *tónos*, 'tensão', pelo lat. *tonu*.] *S. m.* **1.** Tensão, tono (q. v.). **2.** Efeito de tonificar; fortaleza, vigor. **3.** Altura de um som: *tom agudo; tom grave.* **4.** Qualidade sonora da voz humana: *O tom de sua fala é muito suave.* **5.** *P. ext.* Inflexão da voz: *Respondeu em tom áspero.* **6.** Modo de expressar-se: *O tom da sua oratória é muito rebuscado.* **7.** Caráter, estilo: *O tom geral do filme é super-realista.* **8.** Cor, colorido, coloração, matiz; tonalidade: "E nisto a flor, sem mancha concebida, / Foi-se tornando como que dorida, / Tomando aquele tom violáceo, frouxo..." (Sabino Romariz, *ap.* Ad. Marroquim, *Terra das Alagoas*, p. 253.) **9.** V. *nuança* (1): *Decorou a sala em diversos tons de azul.* **10.** *E. Ling.* Fenômeno suprassegmental caracterizado por variações de altura no corpo do vocábulo, resultantes da velocidade e vibração das pregas vocais. **11.** *Mús.* Intervalo de segunda maior formado por dois semitons, um cromático e um diatônico. **12.** *Mús.* Na antiga música da Grécia, o processo empregado para determinar a altura absoluta em que se localizava, na escala, o sistema que ia ser adotado; tropo. **13.** *Mús.* A altura de um som na escala geral dos sons; diapasão: *O tom padrão oficialmente adotado é o lá, de 440 vibrações duplas por segundo.* **14.** *Mús.* No sistema tonal ocidental. [v. *tonalidade* (3)], entoação dos sucessivos tons e semitons que caracterizam uma escala diatônica qualquer, assim como a própria escala em que está escrito qualquer trecho musical. [A palavra *tom* deve preceder o nome da tônica dessa escala e a indicação do respectivo modo (v. *modo* [14]), como, p. ex., *tom de dó maior, tom de fá sustenido menor*, mas é omitida com frequência, ficando apenas subentendida, dizendo-se, p. ex., *uma sonata em sol maior*, ou *modular para ré menor*, etc.] **15.** *Mús.* O tom (14) principal em que está escrito um trecho musical, e em torno do qual se articulam os outros tons e os modos, que se sucedem no decorrer de uma composição feita segundo as regras da tonalidade (2): *modulação para um tom vizinho.* **16.** *Mús.* Até o séc. XVIII, a altura em que se afinavam os instrumentos. **17.** *Mús.* Cada um dos oito modos [v. *modo* (14)] usados na música gregoriana: *primeiro tom, segundo tom*, etc. **18.** *Mús.* Cada um dos tubos suplementares e móveis, de comprimentos diversos, que os instrumentistas intercalavam no circuito sonoro da trompa lisa e do trompete simples, para obter novas séries harmônicas, mediante a modificação do comprimento do tubo principal; mudança, pontilho, rosca, volta. **19.** *Mús. Desus.* Espaço entre os trastos divisórios do ponto de certos instrumentos de cordas, como a guitarra e as antigas violas. ◆ **Sem tom nem som.** V. *sem trelho nem trabelho*.

toma[1] [Dev. de *tomar*.] *S. f.* Ato de tomar; tomada.

toma[2] [Da 2.ª pess. do sing. do imperat. de *tomar*.] *Interj.* Designa congratulação e, também, satisfação por ser alguém castigado de má ação ou de teimosia.

tomação [De **tomar* (< *tomo* + *-ar*[2]) + *-ção*.] *S. f. Bibliogr.* **1.** Divisão de uma obra em tomos. **2.** O número correspondente a cada um desses tomos.

tomada [De *tomar* + *-ada*[1].] *S. f.* **1.** Ato ou efeito de tomar; toma, tomadia. **2.** Conquista (de cidade, fortaleza, etc.). **3.** Pequena represa de água, para fim industrial. **4.** *Cin. Telev.* Trecho de filme rodado ininterruptamente. [Equiv. (ingl.): *take*.] **5.** *Tip.* Porção de linhas que o tipógrafo toma de cada vez, para distribuir ou paginar, transportando-as sobre um filete ou, mais geralmente, sobre a linha de compor. **6.** *Bras.* Ramificação duma instalação elétrica para ligar qualquer aparelho elétrico (ventilador, lâmpada, ferro de passar, etc.). **7.** *Eletr.* Peça que permite a conexão de um circuito a um circuito de alimentação. ◆ **Tomada de preços.** *Dir.* Forma simplificada de licitação, baseada em propostas apresentadas por fornecedores previamente registrados no órgão licitante. [Cf. *concorrência* (6) e *convite* (5).]

tomadete [De *tomado* + *-ete*.] *Adj. 2 g. Lus. Fam.* Um tanto embriagado; tomadote.

tomadia [De *tomada* + *-ia*[1].] *S. f.* **1.** V. *tomada* (1). **2.** Apreensão (de contrabando). **3.** A coisa apreendida.

tomadiço [De *tomar* + -*(d)iço*[1].] *Adj.* Que se agasta, se irrita, se toma de ira facilmente.

tomado [Part. de *tomar*.] *Adj.* **1.** Agarrado, preso, seguro. **2.** Apreendido, sequestrado. **3.** Ganho ou adquirido em luta ou à custa de muito trabalho; conquistado. **4.** Dominado, subjugado. **5.** *Bras. Pop.* Acometido de grande quantidade de secreção nas vias respiratórias, em consequência de gripe, resfriado, etc. **6.** *Bras. Gír.* V. *embriagado* (1). ~ V. *tomados.*

tomador (ô) [De *tomar* + -*dor*.] *S. m.* **1.** Aquele que contrai um empréstimo. **2.** Aquele que emite contra alguém uma letra de câmbio; sacador. ● *Adj.* **3.** ~ V. *rolo* —.

tomados [Pl. de *tomado*.] *S. m. pl.* **1.** Refegos em vestido de mulher; apanhados. **2.** Pontos com que se consertam as roupas. ~ V. *tomado.*

tomadote [De *tomado* + -*ote*[1].] *Adj. 2 g. Lus. Fam.* Tomadete.

tomadura [De *tomar* + -*dura*.] *S. f.* Ferida que se forma no lombo da cavalgadura pelo roçar da sela ou da albarda.

toma lá dá cá [De *tomar* + *lá*[2] + *dar* + *cá*.] *S. m. 2 n. Pop.* Troca de favores: *Na política, infelizmente permanece o velho sistema do toma lá dá cá.* ☑

toma-largura [De *tomar* + *largura*.] *S. m. Bras. Ant. Burl.* Criado do paço; talaveira. [Pl.: *toma-larguras*.]

tomar [De or. incerta.] *V. t. d.* **1.** Pegar ou segurar em; empunhar: *A Nação tomou armas em defesa de sua soberania*; "Tomai as rédeas vós do Reino vosso." (Luís de Camões, *Os Lusíadas*, I, 18). **2.** Agarrar, segurar: "Dizendo isto, Constâncio tomou o chapéu e saiu." (Joaquim Manuel de Macedo, *Os Romances da Semana*, p. 27.) **3.** Apoderar-se, apossar-se, assenhorar-se de. **4.** Arrebatar, arrancar, tirar. **5.** Roubar, furtar: *Pouco a pouco tomou todos os bens que administrava.* **6.** Capturar, conquistar: *Napoleão tomou Lisboa.* **7.** Invadir, assaltar: "Louco, aflito, a saciar-me / D'agravar minha ferida, / Tomou-me tédio da vida, / Passos da morte senti" (Gonçalves Dias, *Obras Poéticas*, I, p. 343). **8.** Preencher, abranger, ocupar: *O quadro toma toda a parede.* **9.** Ocupar ou preencher a junta (7) de. **10.** Contratar, assalariar: *Tomou dois criados.* **11.** Seguir (uma direção ou caminho); ganhar: *Tomou a estrada da direita e seguiu em frente.* **12.** Receber, aceitar: *Só tomo ordens de meu superior imediato.* **13.** Assumir, adotar, adquirir, apresentar: *Tomou, ultimamente, ares de rico*; "Veneza ao pôr do sol toma aspectos nevoentos..." (Olegário Mariano, *Toda uma Vida de Poesia*, I, p. 38). **14.** Aspirar, sorver: *tomar rapé.* **15.** Comer (1): *tomar as refeições.* **16.** Beber, ingerir: *tomar água*; "Quintino Bocaiuva e eu fomos tomar chá." (Machado de Assis, *Páginas Recolhidas*, p. 161); "tomas à pressa o teu café com leite" (Bernardo Guimarães, *O Seminarista*, p. 29). **17.** Engolir o conteúdo de: *Tomou um copo de leite.* **18.** Beneficiar-se de (conhecimentos, etc., transmitidos por outrem); ter: *tomar aulas.* **19.** Ser salteado ou surpreendido por; receber, levar: "Ontem eu tomei um susto muito grande." (Helena Morley, *Minha Vida de Menina*, p. 7.) **20.** Ser alvo de, ou homenageado, etc., com (coisa imprevisível e/ou, em geral, maçante, incômoda): *Quando menos esperava, começaram a aplaudi-lo, e tome elogio, tome discurso*; "Você não vai ter paz, graças a mim! Tome televisão, retrato no jornal, capa de revista..." (Chico Buarque de Holanda, *Roda-Viva*, p. 18); *Foi à sessão da Academia, e tome saudações e conferência.* **21.** Entrar em veículo e nele seguir viagem: "às três e quarenta, por aí assim, tomava o bonde" (Lima Barreto, *Triste Fim de Policarpo Quaresma*, p. 27). **22.** *Mar.* Medir: *tomar a altura do Sol*; *tomar a distância à Terra.* **23.** Vestir, envergar: "De volta da missa, tomaram de novo as suas alvas roupas de cetim" (José de Alencar, *Lucíola*, p. 178). *T. d. e i.* **24.** Tomar emprestado: "Certo indivíduo houve, que a título de empréstimo lhe tomou quantias mui avultadas" (Pe. Silvério Gomes Pimenta, *Vida de D. Antônio Ferreira Viçoso*, p. 341). **25.** Suspender; sustentar, aguentar: *Tomou a criança nos braços.* **26.** Passar a ter (sentimento, emoção, etc.) por: "O pai tomara ódio à mãe" (Irene Lisboa, *Voltar atrás para quê?*, p. 12). *T. c.* **27.** Gastar, consumir (tempo): *O meu trabalho toma um terço do dia.* *Transobj.* **28.** Considerar; julgar: *Tomaram-no por estrangeiro.* *P.* **29.** Ser invadido (por sentimento, emoção): *Tomou-se de horror aos avarentos*; *Toma-se de entusiasmo ante uma bela obra de arte.* **30.** Deixar-se persuadir ou influenciar: *Não se toma dos conselhos que lhe dão.* **31.** Embeber-se, impregnar-se. **32.** Encher-se de bebida(s) espirituosa(s); embriagar-se, embebedar-se: "E vai o fidalgo e começou a tomar-se de vinho, a ver se esquecia a sua desgraça." (Camilo Castelo Branco, *O Santo da Montanha*, p. 299.) ◆ **Tomar dentro.** *Chulo* Ser pederasta passivo.

tomara [Da 1ª pess. do sing. do m.-q.-perf. ind. de *tomar*.] *Interj. Bras.* Prouvera a Deus; oxalá: "*Hélio era pirralhinho. Em seu primeiro dia de aula foi logo dizendo: | — Tomara que essa escola comece as férias hoje!*" (Pedro Bloch, *Essas Crianças de Hoje*, p. 76.)

tomara que caia [Da 1ª pess. do sing. do m.-q.-perf. ind. de *tomar* + *que*[2] + a 3ª pess. do sing. do pres. subj. de *cair*.] *Adj. 2 g. e 2 n. S. m. 2 n. Bras. Gír.* Diz-se de, ou peça de vestuário feminino que vai até a altura das axilas, sem nada que a prenda aos ombros ou ao pescoço. [Sin. (lus.): *cai-cai*.] ☑

tomarense *Adj. 2 g.* **1.** De, ou pertencente ou relativo a Tomar (Portugal). ● *S. 2 g.* **2.** O natural ou habitante de Tomar; tomarista.

tomarista *S. 2 g.* **1.** Tomarense (2). ● *S. f.* **2.** Freira da Ordem de Cristo.

tomasinense *Adj. 2 g.* **1.** De, ou pertencente ou relativo a Tomasina (PR). ● *S. 2 g.* **2.** O natural ou habitante de Tomasina.

tomatada [De *tomate* + -*ada*[1].] *S. f.* Massa de tomate que se utiliza para tempero ou em sopas, etc.

tomate [Do náuatle *tomatl*, pelo esp.] *S. m.* O fruto do tomateiro (q. v.). ~ V. *tomates.*

tomate-do-amazonas [De *tomate* + *do*[1] + o top. *Amazonas*.] *S. m. Bras. Amaz. Bot.* Erva solanácea (*Lycopersicum humboldtii*) semelhante ao tomateiro, mas com frutos menores, que podem substituir o tomate comum. [Pl.: *tomates-do-amazonas*.]

tomate-grande *S. m.* **1.** *Bot.* V. *tomateiro.* **2.** O fruto do tomate-grande. [Pl.: *tomates-grandes*.]

tomateira [De *tomate* + -*eira*.] *S. f. Bot.* Tomateiro.

tomateiro [De *tomate* + -*eiro*.] *S. m. Bot.* Erva solanácea (*Lycopersicum esculentum*) originária do Peru e cultivada no mundo inteiro graças ao fruto alimentar, o tomate, de baga vermelha carnosa e rica em vitamina C. Folhas moles e profundamente partidas; flores alvas, reunidas em cimeiras. Grande é o número de formas hortenses: *tomate-grande, tomate-pera*, etc. [F. paral.: *tomateira*.]

tomate-pera *S. m.* **1.** *Bras. Bot.* V. *tomateiro.* **2.** O fruto do tomate-pera. [Pl.: *tomates-peras* e *tomates-pera*.] ❖

tomates [Pl. de *tomate*.] *S. m. Chulo* Os testículos. ~ V. *tomate.*

tomba[1] *S. f.* **1.** Rodelo. **2.** *Encad.* Rótulo (2).

tomba[2] *S. f. Bot.* V. *espelina.*

tombada [F. subst. do adj. *tombado*[1].] *S. f. Bras. S.* V. *vertente* (3).

tombadilho [Do esp. *tombadillo*.] *S. m. Constr. Nav.* **1.** Superestrutura levantada à popa, sobre o convés superior, e destinada a câmaras e alojamentos do comandante e de oficiais. [Nos navios à vela, ia geralmente do mastro da gata à grinalda. Em alguns navios, tal estrutura tinha mais de um pavimento.] **2.** O pavimento dessa superestrutura: "os dois oficiais amigos mantinham no tombadilho, desde o arriar da bandeira, animada conversação" (Eugênio de Castro [o brasileiro], *Terra à Vista*, p. 22).

tombado[1] [Part. de *tombar*[1].] *Adj.* Caído, derribado, derrubado.

tombado[2] [Part. de *tombar*[2].] *Adj.* Que se tombou; que foi objeto de tombamento.

tombadoiro [De *tombar*[1] + -*doiro*[2].] *S. m.* Tombadouro (q. v.).

tombador[1] (ô) [Var. de *tombadouro* (q. v.).] *S. m.* **1.** *Bras.* Região do rio São Francisco. Morro em forma de tabuleiro, com escarpa quase vertical sobre o rio. **2.** *Bras. N. BA* Encosta escarpada. **3.** *Bras. CE* Terreno alto e ger., pedregoso. **4.** *Bras. CE* Terreno cheio de barrocas. [Sin. ger.: *tombadoiro, tombadouro*.]

tombador[2] (ô) [De *tombar*[1] + -*dor*.] *Adj.* **1.** Que tomba ou faz tombar. ● *S. m.* **2.** Aquele que tomba ou faz tombar. **3.** *Bras. N.E.* Trabalhador que, nos engenhos de banguê, leva as canas do picadeiro para a moenda.

tombadouro [De *tombar*[1] + -*douro*[2]; var. de *tombadoiro*.] *S. m. Bras.* V. *tombador*[1].

tomba las águas *S. m. 2 n. Bras. MA PE* V. *tramba las águas.* ☑

tombamento[1] [De *tombar*[1] + -*mento*.] *S. m.* Tombo[1] (1).

tombamento[2] [De *tombar*[2] + -*mento*.] *S. m.* Ato ou efeito de tombar[2] (esp. [2]).

tombão [De *tombar*[1] + -*ão*[3], poss.] *S. m. Bras. BA Pop.* Mar agitado.

tombar[1] [Da onom. do ruído (tombo) de um objeto que cai.] *V. t. d.* **1.** Deitar ao chão; fazer cair; derribar: *A pedra atirada tombou o ninho*; "O carroceiro arrastava o baú pesado, tombando-o sobre a calçada" (Coelho Neto, *Turbilhão*, p. 300). *T. c.* **2.** Inclinar-se, voltar-se: *O navio tombou para a esquerda.* **3.** *Bras. N.E. Pop.* Mudar de rumo, em viagem. *Int.* **4.** Cair no chão; cair: *O relógio escapou-lhe das mãos e tombou*; "Como um roto mendigo, à porta dum vergel, / Sofregamente espreita algum fruto outoniço / A tombar, já sem viço!" (Guerra Junqueiro, *A Velhice do Padre Eterno*, p. 217). **5.** Declinar, descair: *Embriagado, caminhava tombando.* **6.** Descer, baixar; chegar, vir: "Vinha tombando a noite silenciosa" (Guerra Junqueiro, *A Velhice do Padre Eterno*, p. 161). **7.** Morrer; finar-se: *Tombou no cumprimento do dever.* *P.* **8.** Cair para o lado.

tombar[2] [De *tombo*[2] + -*ar*[2].] *V. t. d.* **1.** Fazer o tombo[2] de; arrolar, inventariar, registrar: *Tombou as velhas lendas da região.* **2.** Pôr (o Estado) sob sua guarda, para os conservar e proteger (bens móveis e imóveis cuja conservação e proteção sejam do interesse público, por seu valor histórico, ou artístico, ou arqueológico, ou etnográfico, ou paisagístico ou bibliográfico).

tombazana [Do zulu *thimbazana*, pelo ronga *tombazana*.] *S. f. Moç.* Mulher virgem; donzela: "Bom proveito com essas tombazanas — acrescenta piscando-me o olho." (Albino Magaia, *Malungate*, p. 26.)

tombeiro *Adj. Bras. RS* Diz-se do animal vacum que é manso. [Cf. *tambeiro* (3) e *tumbeiro*.]

tombense *Adj. 2 g.* **1.** De, ou pertencente ou relativo a Tombos (MG). ● *S. 2 g.* **2.** O natural ou habitante de Tombos. [Sin. ger.: *tomboense*.]

tombo[1] [Dev. de *tombar*.] *S. m.* **1.** Ato ou efeito de tombar[1]; queda, tombamento. **2.** *Bras. MG* Designação comum a cachoeiras altas, volumosas, de queda vertical; cachão. **3.** *Pop.* Capacidade, inclinação, gênio de uma pessoa. ◆ **Dar um tombo em.** *Bras. S.* Causar prejuízo a.

tombo[2] [De *tumba*, poss.] *S. m.* **1.** Inventário de terrenos demarcados. **2.** Registro de coisas ou fatos referentes a uma especialidade ou a uma região.

tombo da ladeira *S. m. Bras. BA Cap.* Golpe que se desfere contra um capoeira[2] (4) em movimento em pleno ar, derrubando-o. [Pl.: *tombos da ladeira*.] ☑

tomboense *Adj. 2 g. S. 2 g.* V. *tombense.*

tômbola [Do it. *tombola*.] *S. f.* **1.** Espécie de loto em que é preciso completar um cartão para ganhar. **2.** Jogo de azar que consiste em impelir, por meio de uma manivela, uma esfera de marfim sobre um tabuleiro com várias cavidades de cores diferentes, ganhando o jogador que tiver previamente escolhido a cor sorteada. **3.** *Bras.* Espécie de loteria, de sociedade para fins beneficentes, com prêmios não em dinheiro, mas em objetos. [Cf. *tombola*, do v. *tombolar*.]

tombolar [De *tômbola* + -*ar*[2].] *V. int.* Ganhar no jogo da tômbola. [Pres. ind.: *tombolo, tombolas, tombola*, etc. Cf. *tômbola*.]

tômbolo *S. m.* Depósito arenoso de forma mais ou menos curva.

tomé [Do antr. *Tomé*, poss.] *S. m. Bras. Gír.* O fato de um parceiro, no jogo de cartas, parar subitamente de jogar. ◆ **Dar o tomé.** *Bras. Gír.* Retirar-se do jogo.

tomé-açuense *Adj. 2 g.* **1.** De, ou pertencente ou relativo a Tomé-Açu (PA). ● *S. 2 g.* **2.** O natural ou habitante de Tomé-Açu. [Pl.: *tomé-açuenses*.]

tome-juízo [De *tomar* + *juízo*.] *S. m. Bras. Gír.* V. *cachaça* (1). [Pl.: *tome-juízos*.]

tomelista [De *tomé* + -*l*- + -*ista*.] *S. 2 g. Bras. Gír.* Parceiro que, ganhando, abandona o jogo, dá o tomé.

tomentelo (ê) [De *tomento* + -*elo* (ê).] *S. m.* **1.** Dim. irreg. de *tomento.* ● *Adj.* **2.** ~ V. *folha* —*a*.

tomento [Do lat. *tomentu*.] *S. m.* **1.** V. *tasco*[2] (1). **2.** Conjunto de pelos curtos e densos que revestem um órgão ou parte dele. [Dim. irreg.: *tomentelo*.]

tomentoso (ô) [De *tomento* + -*oso*.] *Adj.* Que tem tomento (2). ~ V. *folha* —*a*.

tomilhal [De *tomilho* + -*al*[1].] *S. m.* **1.** Quantidade mais ou menos considerável de tomilhos dispostos proximamente entre si. **2.** Área ocupada por tomilhal (1).

tomilho [Do esp. *tomillo*, dim. do esp. arc. *tomo* (< lat. vulg. *tumu*, lat. *thymu*).] *S. m. Bot.* **1.** Erva lamiácea (*Thymus vulgaris*) originária da Europa, cultivada graças às propriedades aromáticas intensas, de flores pequenas e racemosas, e da qual se extrai um óleo essencial rico em timol, com apreciável poder antisséptico; timo. **2.** As folhas do tomilho (1), aromáticas, us. largamente como tempero.

tomíparo [De *tom(o)*- + -*i*- + -*paro*.] *Adj. Hist. Nat.* Diz-se de algumas plantas e de certos animais que se multiplicam por incisão ou corte.

tomismo [Do antr. *Tom(ás)* + -*ismo*.] *S. m. Filos.* Doutrina escolástica de S. Tomás de Aquino (1225-1274), teólogo italiano, adotada oficialmente pela Igreja Católica, e que se caracteriza sobretudo pela tentativa de conciliar o aristotelismo com o cristianismo.

tomista [De *tomismo* + -*ista*.] *Adj. 2 g.* **1.** Relativo ao, ou que é adepto do tomismo. ● *S. 2 g.* **2.** Adepto do tomismo.

tomístico [De *tomista* + -*ico*[2].] *Adj.* Relativo ou pertencente a S. Tomás de Aquino, ou ao tomismo (q. v.).

tomo [Do gr. *tómos*, 'pedaço', pelo lat. *tomu*.] *S. m.* **1.** *Bibliol.* Unidade ideológica de uma obra, determinada pelo autor, e que pode coincidir ou não com divisão em volumes no trabalho editado: "Não é possível ver nessa obra [o *Direito das Obrigações*, de Clóvis Beviláqua], escrita num só tomo de qua-

T

trocentas e poucas páginas, senão uma síntese .... de um tema que pediria mais largo desenvolvimento" (San Tiago Dantas, *Figuras do Direito*, p. 87). **2.** Divisão, parte. **3.** *Fig.* Valia, alcance, importância: 🕮 "Realmente, ocupar-lhe a cadeira mais tempo que o devido era uma razão de <u>tomo</u>." (Aquilino Ribeiro, *Lápides Partidas*, p. 86.) ◆ **Ser o segundo tomo de.** Ser muito parecido, moral ou fisicamente, com (alguém).

▲tom(o)- [Do gr. *tomḗ, ês.*] ***El. comp.*** = 'corte', 'incisão cirúrgica'; 'separação': *tomíparo, tomotocia.* [Equiv.: *-tom(o)-, -tomo*: *prostatotomia; viscerótomo.*]

▲-tom(o)- V. *tom(o)-.*

▲-tomo V. *tom(o)-.*

tomocom *Bras. S. 2 g.* **1.** *Etnôn.* Indivíduo dos tomocons, povo indígena extinto que habitava o S.O. do AP. ● ***Adj. 2 g.*** **2.** Pertencente ou relativo a esse povo. [Tb. us. como *s. 2 g. e 2 n.* (com cap.) e *adj. 2 g. e 2n.*]

tomografia [De *tom(o)-* + *-grafia.*] ***S. f.*** *Radiol.* Processo especial de exame radiológico que demonstra, com minúcia, imagens de órgãos existentes num plano predeterminado, diminuindo ou eliminando pormenores de imagens presentes em outros planos; planigrafia, estratigrafia. ◆ **Tomografia computadorizada.** *Radiol.* Forma de tomografia baseada na detecção, mediante equipamento próprio, de raios X transmitidos através de uma seção do corpo, deslocando-se a fonte emissora desses raios X em segundo movimento circular, e permanecendo o eixo do feixe de raios X, sempre, no mesmo plano. O instrumental inclui um computador acoplado, que reconstrói a imagem topográfica com base nos dados transmitidos e segundo um programa previamente estabelecido, além de gravá-la na memória e transmiti-la para um sistema de televisão.

tomográfico [De *tomografia* + *-ico*[2].] ***Adj.*** Relativo a tomografia ou a tomógrafo.

tomógrafo [De *tom(o)-* + *-grafo.*] ***S. m.*** *Radiol.* Aparelho com que se pratica tomografia.

tomomania [De *tom(o)-* + *-mania.*] ***S. f.*** *Psiq.* Compulsão de realizar, ou de sofrer intervenção cirúrgica.

tomomaníaco [De *tomomania* + *-íaco.*] ***Adj.*** **1.** Relativo a tomomania. **2.** Que tem tomomania; tomômano. ● ***S. m.*** **3.** Aquele que tem tomomania, tomômano.

tomómano ***Adj. S. m.*** V. *tomômano.* [Uso freq. em P.]

tomômano [De *tom(o)-* + *-mano*[1].] ***Adj. S. m.*** Tomomaníaco (2 e 3).

tomotocia [De *tom(o)-* + *-toc(o)-* + *-ia*[1].] ***S. f.*** *Obst.* V. *cesariana.*

tomotócico [De *tomotocia* + *-ico*[2].] ***Adj.*** Relativo à tomotocia.

tona[1] [Do céltico *tunna*, 'pele', 'superfície', pelo lat. tard. *tunna.*] ***S. f.*** **1.** Casca tênue; película. **2.** A face externa de um corpo; superfície. ◆ **À tona. 1.** À superfície, ao lume, à flor (da água): 🕮 "Mergulhou, voltou <u>à tona</u> trazendo Dunga, manteve-o no ar com a mão esquerda." (Lia Correia Dutra, *Navio sem Porto*, p. 141.) **2.** À baila, à balha: 🗎 *Quisera evitar, mas o assunto terminou vindo <u>à tona</u>; Na conversa, trouxeram <u>à tona</u> velhas recordações.*

tona[2] [F. red. de *inambutona.*] ***S. f.*** *Bras. MA Zool.* V. *macuco.*

tona[3] ***S. f.*** *Luso-asiat.* Barco de carga usado no Oriente; tone.

tonadilha [Do esp. *tonadilla.*] ***S. f.*** Canção ligeira e rústica; toada, toadilha; tonilho, tono.

tonal [Do lat. *tonus*, 'tom', + *-al*[1].] ***Adj. 2 g.*** *Mús.* Relativo ao tom, ou à tonalidade: 🗎 *sistema <u>tonal</u>; modulações <u>tonais</u>.* [Cf. *tunal.*] ~ V. *língua —.*

tonalidade [De *tonal* + *-(i)dade.*] ***S. f.*** **1.** Cor, matiz, nuança; tom: 🕮 "o nariz adunco .... põe uma <u>tonalidade</u> cor-de-rosa no seu carão pálido, de tresnoitado." (Ribeiro Couto, *A Cidade do Vício e da Graça*, p. 157). **2.** *Mús.* Conjunto de fenômenos harmônicos e melódicos que regem a formação das escalas e seu encadeamento, e decorrem diretamente de suas afinidades com um centro tonal, a tônica[1] (2), e, por via indireta e secundária, da interdependência dos graus daquelas escalas, *i. e.*, das atrações que umas notas ou graus exercem sobre outros, em determinados pontos da sequência. [Enquanto os tons (v. *tom* [13 e 14]) são móveis, variando em altura (dó, dó sustenido, ré bemol, ré, ré sustenido, etc.) e modo (maior e menor), a tonalidade varia apenas quanto ao modo.] **3.** *P. ext. Mús.* O sistema tonal, surgido em fins do séc. XVI, e que estabeleceu as regras da tonalidade (2). **4.** *P. us.* Designação impr. de *tom* (13). **5.** *Ópt.* Atributo da sensação de cor que é diretamente associado à cor dominante de uma radiação policromática visível.

tonalito [Do top. *Tonale* (Alpes italianos) + *-ito*[2].] ***S. m.*** *Petr.* Variedade de diorito rica em quartzo, biotita e anfibólio.

tonalização [De *tonalizar* + *-ção.*] ***S. f.*** Ação de tonalizar.

tonalizar [De *tonal* + *-izar.*] ***V. t. d.*** Dar tom ou tonalidade a.

tonante [Do lat. *tonante.*] ***Adj. 2 g.*** **1.** Que troveja; trovejante. **2.** Que atroa. **3.** Forte, vibrante: 🕮 "Descruza os braços e pra o céu os ergue; / Brônzea, <u>tonante</u> voz rouca e medonha, / Sobe do peito aos lábios arquejando, / E troveja este cântico de guerra" (Domingos José Gonçalves de Magalhães, *A Confederação dos Tamoios*, p. 83). ~ V. *gás —.* [Cf. *tunante.*]

tonantinense ***Adj. 2 g.*** **1.** De, ou pertencente ou relativo a Tonantins (AM). ● ***S. 2 g.*** **2.** O natural ou habitante de Tonantins.

tonar [Do lat. *tonare.*] ***V. int.*** *Ant.* Trovejar. [Pres. subj.: *tone, tonemos, toneis*, etc. Cf. *tôni*, s. m.; *tonéis*, pl. de *tonel*; *tuneis*, do v. *tunar*; este verbo; e *túneis*, pl. de *túnel.*]

tonário [Do gr. *tonárion*, 'pequena flauta para dar o tom aos cantores e oradores'.] ***S. m.*** *Mús.* V. *diapasão* (5).

tonca [Do caribe, pelo tupi amazonense.] ***S. f.*** *Bras. Bot.* V. *fava-de-cheiro.*

tondinho [Do it. *tondino.*] ***S. m.*** **1.** *Arquit.* Pequena moldura na base das colunas. **2.** *Anat.* Tarso (1).

tone ***S. m.*** *Luso-asiat.* Tona[3]. [Cf. *tôni.*]

▲-tone V. *ton(o)-.*

tonel [Do fr. ant. *tonel*, atual *tonneau.*] ***S. m.*** **1.** Vasilha grande para líquidos, formada de aduelas, tampos e arcos. **2.** Antiga unidade de medida de capacidade para líquidos, equivalente a duas pipas, ou seja, 9,94 hectolitros. **3.** *Fig.* V. *ébrio* (8). [Pl.: *tonéis.* Cf. *toneis*, do v. *tonar*, e *tuneis*, do v. *tunar.*]

tonelada [De *tonel* + *-ada*[1].] ***S. f.*** **1.** Tonel cheio. **2.** *Fís.* Unidade fundamental de medida de massa no sistema MTS, igual a 1.000kg [símb.: *t*]. **3.** Antiga unidade de medida de peso, equivalente a 13,5 quintais, ou seja, 793,238 quilogramas. ◆ **Tonelada americana.** Tonelada curta. **Tonelada curta.** Tonelada equivalente a 907,18474kg; tonelada americana. **Tonelada de arqueação.** *Mar. Merc.* Unidade de volume, convencional, fixada em 100 pés cúbicos [equivalentes a exatos 2,8316846592 metros cúbicos], usada para medir a capacidade total dos espaços internos de uma embarcação mercante. **Tonelada inglesa.** Tonelada longa. **Tonelada longa.** Tonelada equivalente a exatos 1.016,0469088kg; tonelada inglesa. **Tonelada métrica.** Unidade de peso ou de massa, equivalente a 1.000kg.

tonelada-quilómetro ***S. m.*** V. *tonelada-quilômetro.* [Uso freq. em P. Pl.: *toneladas-quilómetros* e *toneladas-quilómetro.*]

tonelada-quilômetro ***S. f.*** Unidade de medida de transporte, equivalente ao transporte de uma tonelada à distância de um quilômetro [símb.: *t. km*]. [Pl.: *toneladas-quilômetros* e *toneladas-quilômetro.*]

tonelagem [Do fr. *tonnelage*, poss.] ***S. f.*** **1.** A capacidade dum caminhão, trem, etc. **2.** Medida dessa capacidade. **3.** *Mar. Merc.* Tonelagem de arqueação (q. v.). ◆ **Tonelagem bruta.** *Mar. Merc.* O volume de todos os espaços abertos e fechados de uma embarcação mercante. [Caracteriza o tamanho da embarcação.] **Tonelagem de arqueação.** *Mar. Merc.* Volume de todos os espaços internos de uma embarcação mercante, expresso em toneladas de arqueação. [Tb. se diz apenas *tonelagem.* É comum a confusão entre *tonelagem* e *deslocamento.* Verdadeiramente, uma significa capacidade interna da embarcação, e o outro, peso da embarcação, não coincidindo, pois, as respectivas expressões numéricas. No caso de navios mercantes, interessa conhecer-lhes mais a capacidade do que o peso; no caso de navios de guerra, não interessando a sua capacidade volumétrica, usa-se o deslocamento, *i. e.*, o peso, com o fim de caracterizar-lhes o tamanho. Cf. *deslocamento* (5) e *porte* (8).] **Tonelagem de registro.** *Mar. Merc.* Tonelagem de arqueação (q. v.) que consta nos documentos de registro fornecidos a cada embarcação mercante pelas autoridades competentes do seu país. [Geralmente corresponde à tonelagem líquida.] **Tonelagem líquida.** *Mar. Merc.* O volume de todos os espaços internos de uma embarcação mercante, utilizáveis, para o transporte de carga e de passageiros. [Caracteriza o valor comercial da embarcação, e é em função dela que se calculam as taxas portuárias, as taxas de praticagem, etc., que a embarcação deve pagar.]

tonelame [De *tonel* + *-ame.*] ***S. m.*** *Mar. Ant.* Conjunto dos tonéis, pipas, etc., nos quais se armazenava água potável, a bordo dos navios.

tonelaria [De *tonel* + *-aria.*] ***S. f.*** **1.** Tanoaria (1). **2.** V. *tanoa.*

toneleiro [De *tonel* + *-eiro.*] ***S. m.*** Tanoeiro (1).

tonelete (ê) [Do fr. *tonnelet.*] ***S. m.*** V. *escarcela* (2): 🕮 "Chamava-se couraça às [armaduras] que revestiam o tronco, assentes sobre um corpete de couro, até à cintura, donde pendia a escarcela, fraldão, ou <u>tonelete</u>, feito de malhas pendentes como saio, ou de chapas que se articulavam nas peças inferiores do arnês ou da armadura completa." (Oliveira Martins, *A Vida de Nun'Álvares*, p. 154.)

➔toner ['tonər] [Ingl.] ***S. m.*** *Tec.* **1.** Corante orgânico que se usa como portador da cor de certas tintas, em que está presente na forma de pequeninas partículas, por ser insolúvel no veículo. **2.** Pó pigmentado, us. por impressoras a *laser* e por fotocopiadoras no processo de impressão ou de formação de imagem, e que se funde ao papel por aquecimento.

tonfa [Do chinês, poss. pelo jap. e pelo ingl.] ***S. m.*** **1.** Arma de defesa e ataque oriental, feita de madeira maciça, ger. carvalho, algo semelhante a um cassetete roliço nas extremidades (achatado quase ao centro) com cerca de 58cm, apresentando, porém, próximo a uma das extremidades, um cabo menor, o qual serve para o manejo do objeto. [Nas artes marciais, manipulam-se, ger., dois tonfas, ao mesmo tempo.] **2.** *P. ext. Bras. Gír.* V. *cassetete.*

tonga[1] [Do quimb.] ***S. f.*** **1.** *Angol.* Campo (2) por lavrar: 🕮 "— Quê da <u>tonga</u> que ocupaste com tua plantação? / — Cala a boca cala negro para tua salvação." (João Maria Vilanova, *Caderno dum Guerrilheiro*, p. 17.) **2.** *Angol.* Lavoura (2): 🕮 "é o bater compassado / do aço de enxadas / dos negros na <u>tonga</u>..." (Viriato da Cruz, *Poemas*, p. 13). **3.** *Santom. Deprec.* Descendente de serviçais [v. *serviçal* (6)], nascido em São Tomé e Príncipe: 🕮 "a puíta é dança dos serviçais / <u>tongas</u> de Monte Café" (Carlos Espírito Santo, *Poesia do Colonialismo*, p. 52). **4.** *Santom.* Descendente de europeus nascido em São Tomé e Príncipe.

tonga[2] ***S. m.*** *Gloss.* Tsonga (2).

tonga[3] [Do top. *(Reino de) Tonga* (Oceania).] ***S. m.*** *Gloss.* Tonganês (3).

tonganês ***Adj.*** **1.** Do, ou pertencente ou relativo ao Reino de Tonga, arquipélago a S.E. do Pacífico (Oceania). ● ***S. m.*** **2.** O natural ou habitante do Reino de Tonga. **3.** *Gloss.* Língua malaio-polinésia desse reino; tonga. [Juntamente com o inglês, é língua oficial do país.] **4.** Vocábulo dessa língua. [Flex.: *tonganesa* (ê), *tonganeses* (ê), *tonganesas* (ê).]

tongo ***S. m.*** *Bras. PR Pej.* V. *tolo* (8).

toni ***S. m.*** V. *tôni.*

▲toni- V. *ton(o)-.*

tôni [Adapt. do antr. ingl. *Tony.*] ***S. m.*** Palhaço de circo que faz papel de ingênuo, de pateta. [Var.: *toni.* Cf. *tone*, do v. *tonar* e s. m.]

tónica ***S. f.*** V. *tônica*[2]. [Uso freq. em P.]

tônica[1] [F. subst. de *tônico.*] ***S. f.*** **1.** *E. Ling.* Sílaba ou vogal tônica. **2.** *Mús.* O primeiro grau de uma escala diatônica qualquer. **3.** *Mús.* A nota que dá o seu nome ao tom sobre o qual se constrói essa escala: 🗎 *A <u>tônica</u> da escala de fá maior é fá.* **4.** *Mús. Impr.* Num acorde, a nota fundamental (q. v.). **5.** *P. ext.* O ponto a que se dá maior realce, em que se insiste mais, no tratamento ou debate de um tema, de um problema, de um assunto qualquer: 🗎 *A <u>tônica</u> da reunião dos economistas foi a alta da Bolsa.*

tônica[2] ***S. f.*** V. *água tônica.*

tonicidade [De *tônico* + *-(i)dade.*] ***S. f.*** **1.** Qualidade ou estado de tônico. **2.** *Fisiol.* Estado em que os tecidos orgânicos apresentam tono.

tónico ***Adj. S. m.*** V. *tônico.* [Uso freq. em P.]

tônico [Do gr. *tonikós*, 'relativo ao tom', 'marcador de tensão'.] ***Adj.*** **1.** Relativo a tom (1). **2.** Que tonifica ou dá energia. **3.** *E. Ling.* Diz-se do elemento (vogal, sílaba) que recebe o acento de intensidade, ou icto. ~ V. *acento —, charada —a, sílaba —a* e *vogal —a.* ● ***S. m.*** **4.** Medicamento supostamente revigorante.

tonificação [De *tonificar* + *-ção.*] ***S. f.*** Ato ou efeito de tonificar(-se).

tonificador (ô) [De *tonificar* + *-dor.*] ***Adj.*** Tonificante.

tonificante [De *tonificar* + *-nte.*] ***Adj. 2 g.*** Que tonifica; tonificador.

tonificar [De *toni-* + *-ficar.*] ***V. t. d.*** **1.** Dar tom ou vigor a; fortalecer; avigorar, vigorar. ***P.*** **2.** Fortificar-se, robustecer-se. [Conjug.: v. *trancar.*]

tonilho [Do esp. *tonillo.*] ***S. m.*** **1.** Tom débil. **2.** V. *tonadilha.*

toninha [Do lat. tard. *thunnina.*] ***S. f.*** *Zool.* V. *boto-da-baía-de-guanabara.*

toninha-amarela ***S. f.*** *Zool.* V. *boto-amarelo.* [Pl.: *toninhas-amarelas.*]

tonismo [De *ton(o)-* + *-ismo.*] ***S. m.*** Tétano (2).

▲tonitr(o)- [Do lat. *tonitrus, us.*] ***El. comp.*** = 'trovão': *tonitrofobia, tonitrófobo.*

tonitrofobia (tô) [De *tonitr(o)-* + *-fobia.*] ***S. f.*** *Psiq.* Medo patológico de trovão.

tonitrofóbico (tô) [De *tonitrofobia* + *-ico*[2].] *Psiq.* ***Adj.*** **1.** Relativo a tonitrofobia. **2.** Que sofre de tonitrofobia; tonitrófobo. ● ***S. m.*** **3.** Aquele que sofre de tonitrofobia; tonitrófobo.

tonitrófobo [De *tonitr(o)-* + *-fobo.*] ***Adj. S. m.*** *Psiq.* Tonitrofóbico (2 e 3).

tonitruância [De *tonitruante* + *-ia*[2], seg. o padrão analógico.] ***S. f.*** Qualidade de tonitruante.

tonitruante [Do lat. *tonitruante.*] ***Adj. 2 g.*** Que troveja; atroador; tonitruoso, tonítruo: 🕮 "um Deus ainda javético, <u>tonitruante</u> como Júpiter" (Vitorino Nemésio, *Ondas Médias*, p. 328).

tonítruo [Do lat. *tonitruu.*] ***Adj.*** V. *tonitruante*: "estilo <u>tonítruo</u> e oratório" (Álvaro J. da Costa Pimpão, *Gente Grada*, p. 24).

tonitruoso (ô) [Do lat. *tonitrus*, 'trovão', + *-oso.*] ***Adj.*** **1.** V. *tonitruante*. **2.** Sujeito a trovoadas.

tono [Do lat. *tonu*, 'som'.] ***S. m.*** **1.** Tom de voz. **2.** V. *tonadilha*. **3.** Ária, modinha, cantiga. **4.** *Fisiol.* Contração muscular leve e contínua, normalmente presente; tônus.

▲ **ton(o)-** [Do gr. *tónos, ou.*] ***El. comp.*** = 'tensão'; 'acentuação', 'tom'; 'tono': *tonismo, tonometria*. [Equiv.: *-tone, toni-, -ton(o)-, -tono*: *ecotone*; *tonificar, politonar, átono* (< gr.).]

▲ **-ton(o)-** V. *ton(o)-*.

▲ **-tono** V. *ton(o)-*.

tonoa [Do gaulês *tonna*, 'pele', e p. ext. 'odre', 'tonel'; fr. *tonne, tonneau.*] ***S. f.*** Conserto de tonéis.

tonometria [De *ton(o)-* + *-metria.*] ***S. f.*** **1.** *Fís.-Quím.* Investigação quantitativa da pressão de vapor de soluções líquidas, realizada, em geral, com o objetivo de determinar a massa molecular dos solutos. **2.** *Fís.-Quím.* Investigação do abaixamento da pressão de vapor de um solvente, provocado pela adição de um soluto. **3.** *Fisiol. Med.* Medida de tensão ou de pressão. **4.** *Oftalm.* Medição digital ou instrumental de pressão intraocular.

tonométrico [De *tonometria* + *-ico*^{2}.] ***Adj.*** Relativo a tonometria.

tonómetro ***S. m.*** *Med.* V. *tonômetro*. [Uso freq. em P.]

tonômetro [De *ton(o)-* + *-metro.*] ***S. m.*** **1.** *Fisiol. Med.* Instrumento com que se mede tensão ou pressão. **2.** *Oftalm.* Instrumento com que se mede a pressão intraocular.

tonoplasto [De *ton(o)-* + *-plasto.*] ***S. m.*** *Bot.* Membrana unitária que limita o vacúolo das células vegetais.

tonquim [Do top. *Tonquim* (Ásia).] ***S. 2 g.*** **1.** Tonquinês (2). • ***S. m.*** **2.** *Gloss.* Tonquinês (3).

tonquinês ***Adj.*** **1.** De, ou pertencente ou relativo ao Tonquim, antigo estado da Indochina francesa e atualmente parte do Vietnã (v. *vietnamita*). • ***S. m.*** **2.** O natural ou habitante do Tonquim; tonquim. **3.** *Gloss.* A língua dessa região; tonquim. [V. *vietnamita*.] **4.** Vocábulo dessa língua. [Flex.: *tonquinesa* (ê), *tonquineses* (ê), *tonquinesas* (ê).]

tonsila [Do lat. *tonsillas*, tornado sing.] ***S. f.*** *Anat.* Aglomerado de tecido linfoide entre os pilares do véu do paladar (*tonsila palatina*), na base da língua (*tonsila lingual*) ou na rinofaringe (*tonsila rinofaríngea*); amígdala (denom. ant.). ◆ **Tonsila lingual.** *Anat.* V. *tonsila*. **Tonsila palatina.** *Anat.* V. *tonsila*. **Tonsila rinofaríngea.** *Anat.* V. *tonsila*.

tonsilar [De *tonsila* + *-ar*^{1}.] ***Adj. 2 g.*** Relativo a tonsila. ~ V. *angina* —.

tonsilectomia [De *tonsila* + *-ectom-* + *-ia*^{1}.] ***S. f.*** *Otor.* Resseção de uma ou de ambas as tonsilas palatinas; amigdalectomia (denom. ant.).

tonsilectómico ***Adj.*** *Otor.* V. *tonsilectômico*. [Uso freq. em P.]

tonsilectômico [De *tonsilectomia* + *-ico*^{2}.] ***Adj.*** *Otor.* Relativo a tonsilectomia.

tonsilite [De *tonsila* + *-ite*^{1}.] ***S. f.*** *Patol.* Inflamação da tonsila. [Sin.: *amigdalite, angina tonsilar* e *esquinância*.]

tonsiloide (ói) [De *tonsila* + *-oide.*] ***Adj. 2 g.*** *Anat.* Semelhante a tonsila. ❖

tonsura [Do lat. *tonsura.*] ***S. f.*** *Rel.* **1.** Ato ou efeito de tonsurar. **2.** Corte circular, rente, do cabelo, na parte mais alta e posterior da cabeça, que se faz nos clérigos; cercilho, coroa. ◆ **Prima tonsura.** Cerimônia religiosa em que o prelado, conferindo ao ordinando o primeiro grau de clericato, lhe dá a tonsura (2).

tonsurado [Part. de *tonsurar.*] ***Adj.*** **1.** Que se tonsurou; cercilhado. **2.** Tosquiado (1). • ***S. m.*** **3.** Clérigo.

tonsurar [De *tonsura* + *-ar*^{2}.] ***V. t. d.*** **1.** Praticar a cerimônia de prima tonsura em; cercilhar. **2.** Tosquiar (1).

tonta ***S. f.*** *Bras. RN* Modalidade valsada e sapateada do fandango, e cujos versos improvisados devem incluir referências ao Sol, porque a tonta é dançada e cantada unicamente ao raiar desse astro.

tontamente [Do f. de *tonto* + *-mente.*] ***Adv.*** De modo tonto; disparatadamente, com certa perturbação; às tontas.

tontaria [De *tonto* + *-aria.*] ***S. f.*** Tontice, tolice. [F. paral.: *tonteria*.]

tontas [F. pl. subst. de *tonto.*] ***El. s. f. pl.*** Us. na loc. adv. *às tontas*. ◆ **Às tontas.** À toa; sem tino; sem reflexão; atarantadamente, atonitamente: "abraçados para todo o sempre, levados <u>às tontas</u> no turbilhão de sangue e fogo, os dois amantes preferiam a união no inferno à separação no céu." (Olavo Bilac, *Crítica e Fantasia*, pp. 261-262); "As pretas corriam <u>às tontas</u>" (José de Alencar, *O Tronco do Ipê*, p. 176).

tonteador (ô) [De *tontear* + *-dor.*] ***Adj.*** Que tonteia; estonteante, tonteante.

tonteante [De *tontear* + *-nte.*] ***Adj. 2 g.*** V. *tonteador*.

tontear [De *tonto* + *-ear*^{2}.] ***V. int.*** **1.** Dizer ou fazer tolices ou disparates; disparatar; proceder como tonto. **2.** Estar tonto. **3.** Atrapalhar-se, atarantar-se, perturbar-se. **4.** Perturbar, turbar, alvoroçar, alvorotar, estontear: "O ar metia-lhe pelo nariz acima um aroma fino e raro, cousa de <u>tontear</u>, o aroma deixado por ela." (Machado de Assis, *Quincas Borba*, p. 116.) **5.** Ter tonturas. ***T. d.*** **6.** Perturbar, turbar, atordoar, alvoroçar, alvorotar, estontear: "O mesmo cuidado particular de Sofia, embora lhe fosse agradável, não o <u>tonteava</u>, como outrora." (Machado de Assis, *Quincas Borba*, p. 215); "Cinco anos depois, a musa desses versos é a moça feita, de extraordinária beleza [Ana Amélia], que <u>tonteia</u> o grande lírico [Gonçalves Dias], já aclamado como o maior poeta brasileiro." (Josué Montelo, *Estante Giratória*, p. 77). **7.** Atordoar, aturdir; estontear: "o reflexo da fogueira punha tons quentes de ouro queimado, e essa réstia de luz, caindo até meio rio, <u>tonteava</u> as piranhas pretas" (Inglês de Sousa, *O Missionário*, p. 254). [Conjug.: v. *frear*.]

tonteio [Dev. de *tontear.*] ***S. m.*** Ação ou efeito de tontear; estonteamento.

tonteira [De *tonto* + *-eira.*] ***S. f.*** **1.** Tontice (1). **2.** V. *vertigem* (1 e 2).

tonteria [De *tonto* + *-eria.*] ***S. f.*** V. *tontaria*: "Abalam-me as instâncias de um amigo, decidem-me as <u>tonterias</u> de um jornal, que por mexeriquice quis encabeçar em desígnio político determinado a minha visita." (Almeida Garrett, *Viagens na Minha Terra*, p. 4.)

tontice [De *tonto* + *-ice.*] ***S. f.*** **1.** Ato, modos ou dito de tonto; tolice. **2.** Demência, idiotia.

tontilha ***S. f.*** *Bras. RS* V. *tirana*^{2} (2).

tontina [Do it. *tontina.*] ***S. f.*** **1.** Associação na qual os capitais dos sócios que morrem passam para os sobreviventes. **2.** O rendimento que recebe cada sócio duma dessas associações. **3.** Qualquer operação financeira que se baseia na duração da vida humana.

tontinha [Do f. do adj. *tonto* + *-inha.*] ***S. f.*** *Bras. SP Folcl.* Dança de roda de terreiro e salão, com o sistema da cana-verde e um sapateado semelhante ao do cateretê.

tonto [De or. express., poss.] ***Adj.*** **1.** Que tem tontura; zonzo: *Ao sair da cama sentiu-se <u>tonto</u> e quase caiu.* **2.** Aturdido, estonteado, atordoado, azoinado, zoina, zonzo: *Fico <u>tonto</u> com muito barulho.* **3.** Idiota, aloucado. **4.** Simplório, ingênuo. **5.** V. *tolo* (1 a 3). **6.** *Bras.* V. *embriagado* (1). ~ V. *barata —a*. • ***S. m.*** **7.** V. *tolo* (8).

tontonguê ***S. m.*** *Bras.* V. *tantanguê*.

tontonto [Do tsonga *nthonthontho*, onom. do gotejar do alambique.] ***S. m.*** *Moç.* V. *aguardente* (1): "é um inveterado bebedor de <u>tontonto</u>. A aguardente que chega clandestinamente da Manhiça, vem em garrafões bem camuflados" (Calane da Silva, *Xicandarinha — Na Lenha do Mundo*, p. 57). [Sin. (moç.): *sope*.]

tontura [De *tonto* + *-ura.*] ***S. f.*** **1.** Estado de tonto, de zonzo: "<u>Tontura</u> gostosa dava a pinga forte do Gerôncio." (Mário Palmério, *Vila dos Confins*, p. 37.) **2.** V. *vertigem* (1 e 2).

tónus ***S. m. 2 n.*** *Fisiol.* V. *tônus*. [Uso freq. em P.]

tônus [Do lat. *tonus*, pelo fr.] ***S. m. 2 n.*** *Fisiol.* V. *tono* (4).

➔**top** [tạp] [Ingl.] ***S. m.*** **1.** *Fís. Part.* Quark com carga elétrica +2/3, *spin* 1/2, número bariônico 1/3 e *top* +1, [v. *top* (2)]; esse tipo de *quark*, previsto na cromodinâmica quântica (q. v.), foi descoberto em 1995 [símb.: *t*]. **2.** *Fís. Part.* Número quântico introduzido para caracterizar propriedades de partículas que contêm, pelo menos, um *top* (1). **3.** *Vest.* Blusa curta, ger. sem mangas, que deixa o colo, os ombros e a barriga à mostra. [Pl.: *tops*.]

topa [Dev. de *topar.*] ***S. f.*** Certo brinquedo de crianças.

topa a tudo [De *topar* + *a*^{3} + *tudo.*] ***S. m. 2 n.*** *Lus.* Topa-tudo. ☑

topada [De *topar* + *-ada*^{1}.] ***S. f.*** **1.** Ato ou efeito de bater involuntariamente com a ponta do pé. **2.** V. *tropeção* (2). **3.** Choque, encontrão. ◆ **Dar uma topada.** *Fig.* V. *dar uma cabeçada* (2).

topador (ô) [De *topar* + *-dor.*] ***Adj.*** **1.** *Bras.* Diz-se do animal que tropeça. **2.** *Bras. S. Gír.* Diz-se do indivíduo que topa ou aceita qualquer parada. • ***S. m.*** **3.** *Bras. S. Gír.* Indivíduo topador.

topar [De *top*, onom. de um choque brusco, + *-ar*^{2}.] ***V. t. d.*** **1.** Encontrar, achar: *Quando menos esperava, <u>topou</u> o pequeno; <u>Topou</u> o velho amigo numa esquina.* **2.** Aceitar (a parada, no jogo): *O jogador apostou muito, mas os demais <u>toparam</u> a parada.* **3.** Jogar contra (todo o dinheiro que estiver na banca do jogo). **4.** Aceitar (uma proposta, um convite): *<u>Topou</u> a viagem.* ***T. i.*** **5.** Encontrar, achar: *Leio-lhe duas páginas, e <u>topo</u> em três imprecisões de estilo; Não consigo <u>topar</u> com deslizes nesse escritor.* **6.** Encontrar(-se), deparar: *Indo pela Rua do Ouvidor, <u>topei</u> com um velho amigo.* **7.** Ir de encontro; encontrar-se, chocar-se: *Espadas <u>topam</u> em espadas, e o combate demora.* ***T. c.*** **8.** Dar com o pé: *<u>Topou</u> numa pedra.* ***Int.*** **9.** *Bras.* Ferir o boi de frente com aguilhada. **10.** *Bras. Gír.* Acordar, concordar: *— Quero ir agora a São Paulo — você <u>topa</u>?* **11.** *Lus. Pop.* Entender, compreender: *Estás a <u>topar</u>?* ***P.*** **12.** Encontrar-se, deparar. [Pres. ind.: *topo*, etc. Cf. *topo* (ô).]

toparca [Do gr. *topárches*, pelo lat. *toparcha.*] ***S. m.*** Chefe de uma toparquia.

toparquia [Do gr. *toparchía.*] ***S. f.*** Na Antiguidade, espécie de principado independente.

topárquico [De *toparquia* + *-ico*^{2}.] ***Adj.*** Relativo ou pertencente à toparquia.

topatinga [Do tupi = 'rosto branco', 'cara pálida'.] ***S. m.*** *Bras.* Denominação que os aborígines davam aos holandeses, no tempo da invasão holandesa em PE (1630-1654).

topa-tudo [De *topar* + *tudo.*] ***S. m. 2 n.*** *Bras.* Indivíduo que sempre busca aproveitar-se de tudo quanto se lhe oferece, ou que aceita ou topa qualquer incumbência, ainda que não tenha tempo e/ou competência para desempenhá-la. [Em Portugal, *topa a tudo*.]

topázio [Do gr. *topázion*, pelo lat. *topaziu.*] ***S. m.*** *Min.* Mineral ortorrômbico, fluossilicato fluorífero de alumínio, pedra preciosa. ◆ **Falso topázio.** V. *citrino* (3).

tope [Do germ.] ***S. m.*** **1.** Encontro ou choque de objetos. [Sin., p. us.: *topo*.] **2.** Cimo, sumidade, topo (ô): "Nos últimos ramos, lá no <u>tope</u> do jacarandá, havia o sertanejo armado a rede, em que se embalava." (José de Alencar, *O Sertanejo*, p. 66.) **3.** *Fig.* O mais alto grau. **4.** Laço de fita em chapéu, toucado, etc.: "O que arruinou tudo foi uma festa de cavalhada que fizeram para a Tudinha, o índio voltando todo ganjento com o <u>tope</u> de fita vermelha que ela tirou do cabelo e amarrou na ponta do ferro." (M. Cavalcanti Proença, *Manuscrito Holandês*, p. 80.) **5.** *Mar.* Extremidade superior do mastro ou do mastaréu: "No <u>tope</u> dos mastros flutuavam bandeirolas." (Eça de Queirós, *Últimas Páginas*, p. 201.) **6.** Pequeno círculo de metal, de cores diversas, usado nos bonés e barretinas militares, e que serve para distinguir a arma a que pertence quem o usa. **7.** Embaraço, obstáculo. **8.** *Bras.* Pião que, colocado num círculo, serve de alvo aos outros piões. **9.** *Bras.* Pancada com o bico de um pião sobre outro pião. **10.** Espécie, laia. **11.** *Bras.* Tamanho, altura: *O Chico é do meu <u>tope</u>.* **12.** *Bras.* Topada, tropeção.

topetada [De *topete* + *-ada*^{1}.] ***S. f.*** Pancada com a cabeça; marrada.

topetado [De *topete* + *-ado*^{1}.] ***Adj.*** Que tem topete.

topetar [De *topete* + *-ar*^{2}.] ***V. t. d.*** **1.** Tocar com a cabeça. **2.** *Fig.* Subir ou ascender à altura de: *A árvore, altíssima, parecia <u>topetar</u> as nuvens.* **3.** Encimar, rematar: "um solidéu vermelho surgiu <u>topetando</u> uma cabeça empoada e frisada de príncipe da Igreja Patriarcal." (Júlio Dantas, *O Amor em Portugal no Século XVIII*, p. 124). **4.** Tocar o tope ou o ponto mais alto de; atingir. **5.** *Mar.* Atopetar (2). ***T. i.*** **6.** Bater com o topete ou a cabeça: *De tão alto, chega a <u>topetar</u> com o teto da casa.* **7.** Tocar no ponto mais alto. **8.** Alçar-se, elevar-se. [Pres. subj.: *topete, topetes*, etc. Cf. *topete* (ê) e pl. *topetes* (ê), e *atopetar*.]

topete ***S. m.*** V. *topete* (ê).

topete (ê) [Do fr. *toupet*, aliás com *e* aberto.] ***S. m.*** **1.** Cabelo levantado na parte anterior da cabeça. [Sin. (bras., BA e lus.): *poupa*.] **2.** Parte anterior e elevada da cabeleira do palhaço. **3.** Parte da crina do cavalo que cai sobre a testa. **4.** Penas alongadas que se levantam na cabeça de algumas aves. **5.** *Bras.* Atrevimento, ousadia: *Teve o <u>topete</u> de dizer tudo.* [No Brasil é pouquíssimo us. a pronúncia *topete* (com *e* fechado). Pl.: *topetes* (ê). Cf. *topete* e *topetes*, do v. *topetar*.] ◆ **Abaixar o topete.** *Bras.* Deixar-se abater; submeter-se; humilhar-se, abaixar a trunfa. **Fazer suar o topete.** Molestar, incomodar, preocupar. **Suar o topete.** Trabalhar intensamente; mourejar.

topeteira [De *topete* + *-eira.*] ***S. f.*** Testeira (5).

topetuda [F. subst. do adj. *topetudo.*] ***S. f.*** *Bras. RJ Zool.* V. *maria-é-dia* (1).

topetudo [De *topete* + *-udo.*] ***Adj.*** **1.** Que traz topete. **2.** *Bras. S.* Diz-se do cavalo de grandes crinas, que lhe caem pelas costas. **3.** *Bras. N.E. S.* V. *valentão* (1). **4.** Atrevido, ousado.

topiaria [Do lat. *topiaria.*] ***S. f.*** Arte de adornar os jardins dando a uma planta ou a grupos de plantas configurações diversas. [Cf. *topiária*, fem. de *topiário*.]

topiário [Do lat. *topiariu.*] ***S. m.*** Jardineiro que pratica a topiaria. [Fem.: *topiária*. Cf. *topiaria*.]

tópica [F. subst. do adj. *tópico* (3).] ***S. f.*** *Med.* Doutrina dos tópicos ou remédios tópicos.

topicalização [De **topicalizar* (< *tópico* + *-al-* + *-izar*) + *-ção.*] ***S. f.*** *E. Ling.* Processo sintático de deslocamento de um constituinte (7) para o início da sentença.

T

tópico [Do gr. *tópikós*, 'local', pelo lat. *topicu*.] ***Adj.*** **1.** Relativo a lugar. **2.** Relativo precisamente àquilo de que se trata. **3.** *Med.* Diz-se de medicamento cuja ação é exercida no local em que é aplicado. **4.** *E. Ling.* Diz-se dos lugares-comuns. • ***S. m.*** **5.** *Med.* Medicamento tópico. **6.** *P. ext.* Medicamento, remédio. **7.** Ponto principal. **8.** Assunto, tema. **9.** *E. Ling.* Parte da sentença sobre a qual se veicula informação; tema. [Cf., nesta acepç., *comentário* (4).] **10.** *E. Ling.* Num parágrafo, a sentença que contém a ideia principal. **11.** *Bras.* Pequeno comentário de jornal, normalmente sobre assunto do dia; suelto, vária. ~ V. *tópicos*.

tópicos [Pl. de *tópico*.] ***S. m. pl.*** **1.** Lugares-comuns. **2.** Rudimentos, generalidades. ~ V. *tópico*.

topim *Bras.* ***S. 2 g.*** **1.** *Etnôn.* Indivíduo dos topins, povo indígena extinto que habitava a margem esquerda do rio Paraguaçu (BA). • ***Adj. 2 g.*** **2.** Pertencente ou relativo a esse povo. [Tb. us. como *s. 2 g. e 2 n.* (com cap.) e *adj. 2 g. e 2 n.*]

topinambo ***S. m.*** *Bot.* V. *tupinambor*.

topinambor (ô) [Do fr. *topinambour*.] ***S. m.*** *Bot.* V. *tupinambor*.

topiquista [De *tópico* + *-ista*.] ***S. 2 g.*** *Bras.* Autor de tópicos de jornal; sueltista.

topitá [De or. indígena, poss.] ***S. m.*** *Bras. PR* Corte de folhas de erva-mate que se deixou para ser completado no dia seguinte.

→**topless** ['tɑplɛs] [Ingl., 'sem a parte de cima'.] ***Adj. 2 g. S. m.*** Diz-se de, ou indumentária feminina que deixa o corpo nu da cintura aos ombros: *biquíni topless; Surge o topless na praia de Ipanema.*

→**top model** [tɑp' mɑdˌl] [Ingl.] ***S. 2 g.*** Modelo internacional de alto nível, que alcançou grande fama, fortuna e sucesso.

topo [Dev. de *topar*.] ***S. m.*** *Desus.* Ato de topar; choque, embate; encontro, tope. [Pl.: *topos*. Cf. *topo* (ô) e pl. *topos* (ô).]

topo (ô) [Var. de *tope*.] ***S. m.*** **1.** A parte mais elevada; sumidade, cimo, tope. **2.** Fim, extremidade, ponta. **3.** O mais alto grau ou degrau concebível, ou que se possa alcançar: *Agora, está no topo da carreira.* **4.** Superfície ou lado de menor dimensão, numa chapa metálica ou tábua. [Pl.: *topos* (ô). Cf. *topo*, do v. *topar* e s. m., e pl. *topos*.] ◆ **De topo.** *Bras. SP* De repente, de supetão.

▲**top(o)-** [Do gr. *tópos, ou*.] ***El. comp.*** = 'lugar', 'localidade': *topônimo, toporama*. [Equiv.: *-top(o)-*, *-topo*: *atópico, isótopo*.]

▲**-top(o)-** V. *top(o)-*.

▲**-topo** V. *top(o)-*.

topocêntrico [De *top(o)-* + *-centr(o)-* + *-ico*^{2}.] ***Adj.*** ~ V. *ascensão reta —a, coordenadas —as, declinação —a, elongação —a* e *posição —a*.

topofobia [De *top(o)-* + *-fobia*.] ***S. f.*** *Psiq.* Medo mórbido de determinados lugares.

topofóbico [De *topofobia* + *-ico*^{2}.] *Psiq.* ***Adj.*** **1.** Relativo a topofobia. **2.** Que sofre de topofobia; topófobo. • ***S. m.*** **3.** Aquele que sofre de topofobia; topófobo.

topófobo [De *top(o)-* + *-fobo*.] ***Adj. S. m.*** *Psiq.* Topofóbico (2 e 3).

topografar [De *topografia* + *-ar*^{2}.] ***V. t. d.*** Fazer a topografia de. [Pres. ind.: *topografo*, etc. Cf. *topógrafo*.]

topografia [Do gr. *topographía*.] ***S. f.*** **1.** Descrição minuciosa de uma localidade; topologia. **2.** Arte de representar no papel a configuração duma porção do terreno com todos os acidentes e objetos que se achem à sua superfície. **3.** Descrição anatômica e particularizada de qualquer parte do organismo humano.

topográfico [De *topografia* + *-ico*^{2}.] ***Adj.*** Referente à topografia. ~ V. *carta —a, levantamento —* e *planta —a*.

topógrafo [Do gr. *topographos*.] ***S. m.*** Especialista em topografia. [Cf. *topografo*, do v. *topografar*.]

topoinversão (o-in) [De *top(o)-* + *inversão*.] ***S. f.*** Cada uma de várias práticas sexuais, executadas por pessoas de sexos diferentes, ou não, e que se realizam em cavidades naturais, ou em partes do corpo estranhas à fecundação.

topoisomerase (o-i) [De *topoisômero* + *-ase*.] ***S. f.*** *Bioquím.* Qualquer enzima capaz de catalisar modificação nas superespiras de um ADN circular fechado.

topoisómero (o-i) ***S. m.*** *Bioquím.* V. *topoisômero*. [Uso freq. em P.]

topoisômero (o-i) [De *top(o)-* + *isômero*.] ***S. m.*** *Bioquím.* Isômero de um ADN circular fechado, que difere deste apenas em sua topologia.

topologia [De *top(o)-* + *-logia*.] ***S. f.*** **1.** Topografia (1). **2.** *E. Ling.* Tratado da colocação ou disposição de certas espécies de palavras. **3.** Parte da matemática na qual se investigam as propriedades das configurações que permanecem invariantes nas transformações biunívocas e bicontínuas.

topológico [De *topologia* + *-ico*^{2}.] ***Adj.*** Relativo à topologia. ~ V. *grupo —* e *propriedades —as*.

toponímia [De *topônimo* + *ia*^{2}.] ***S. f.*** *E. Ling.* Estudo linguístico ou histórico da origem dos topônimos.

toponímico [De *topônimo* + *-ico*^{2}.] ***Adj.*** Relativo à toponímia, ou a topônimos.

topónimo ***S. m.*** V. *topônimo*. [Uso freq. em P.]

topônimo [De *top(o)-* + *-ônimo*.] ***S. m.*** Nome próprio de lugar. Ex.: Europa, Espanha, Amazonas, Pará, Brasília, Maceió, Serra do Mar, Solimões.

toponomástica [De *top(o)-* + *onomástica*.] ***S. f.*** Onomástica dos lugares.

toponomástico [De *toponomástica*, com var. suf. (v. *-ico*^{2}).] ***Adj.*** Relativo à toponomástica.

toporama [De *top(o)-* + *-orama*.] ***S. m.*** Panorama de um determinado lugar.

toporâmico [De *toporama* + *-ico*^{2}.] ***Adj.*** Relativo a toporama.

→**tópos** ['topos] [Gr.] ***S. m.*** Em obras de criação literária, motivo que aparece com frequência; tema recorrente. [Pl.: *topoi*.]

topotesia [Do gr. *topothesía*.] ***S. f.*** Descrição da posição de determinado lugar.

topotipo ***S. m.*** *Bot.* V. *topótipo*.

topótipo [De *top(o)-* + *-tipo*.] ***S. m.*** *Bot.* Exemplar oriundo da localidade donde procede o tipo, e cujos caracteres concordam com os deste.

→**top-spin** ['tɑpspɪn] [Ingl.] ***S. m.*** *Tên.* Rebatida de efeito em que a raquete atinge a bola num plano inclinado, de baixo para cima.

toque^{1} [Dev. de *tocar*.] ***S. m.*** **1.** Ato ou efeito de tocar; contato, tocamento. **2.** Pancada, choque. **3.** Som ou ruído produzido por atrito, choque ou percussão. **4.** Ato de tocar instrumentos. **5.** Som que determina a execução de certos atos, esp. operações ou manobras militares: *toque de sinos; toque do tambor.* **6.** Aperto de mão como cumprimento. **7.** Retoque (2). **8.** Apuro artístico; esmero. **9.** *Fig.* Sinal, traço, marca: "O ambiente se transfigurara, os filetes de luz a escorrerem das barracas aumentavam o toque irreal." (Renard Pérez, *Os Sinos. O Tombadilho*, p. 77.) **10.** Dito picante; motejo, remoque. **11.** Sabor ou cheiro especial de certos vinhos. **12.** Mancha que denota início de putrefação na fruta. **13.** Título (12). **14.** *Fig.* Meio de conhecer ou de experimentar. **15.** *Edit.* O espaço ocupado por uma letra, ou o equivalente, em branco, desse espaço, num original datilografado, ou digitado; batida: *lauda de 2.100 toques.* **16.** *Med.* Exame digital. **17.** Conselho dado discretamente: *Bras. Pop.* *Deu-lhe um toque para que falasse mais baixo; receber um toque de um amigo.* ◆ **Toque de Asuero.** *Med.* Excitação de gânglio nervoso existente na parte posterior de cada uma das cavidades nasais, visando a despertar reflexos que supostamente curariam diversas enfermidades; asueroterapia. **Toque de berimbau.** *Cap.* Cada um dos ritmos de capoeira, determinado pelos toques do berimbau. Os mais difundidos são: angola, benguela, cavalaria, iúna, são-bento-grande e são-bento-pequeno. **Toque de recolher.** **1.** Toque de corneta para militares se recolherem aos quartéis. **2.** Num país ocupado, ou que se acha em estado de sítio, interdição do trânsito de civis durante certo horário. **Toque de reunir.** **1.** Toque de corneta destinado a fazer com que os militares se reúnam para receber ordens. **2.** *Fig.* Exortação para uma ação comum. **Toque de silêncio.** **1.** Toque regulamentar que, nos quartéis, determina o silêncio necessário ao sono. **2.** Toque dado à beira do túmulo dos mortos a quem se prestam honras militares. **Toque maçônico.** *Maç.* Cada um dos sinais com que os maçons se dão a conhecer mutuamente, e revelam o grau em que estão investidos: "A trasladação da corte portuguesa .... fez que, no ano de 1812, ... se organizasse uma loja maçônica, denominada Distintiva, com sinais, toques e palavras simbólicas" (A. Melo Morais, *História do Brasil-Reino e Brasil-Império*, p. 16). **Toque retal.** *Med.* Exame digital do reto. **Toque vaginal.** *Gin. Obst.* Exame digital da vagina. **A toque de caixa.** A toda a pressa: "Criada por decreto de 11 de agosto de 1827, a Academia [de Ciências Jurídicas e Sociais da Cidade de São Paulo] começava a funcionar a toque de caixa, mesmo sem estatutos, que só a 7 de novembro de 1831 seriam aprovados." (R. Magalhães Júnior, *Poesia e Vida de Álvares de Azevedo*, p. 4.).

toque^{2} ***S. m.*** Denominação oriental do carbúnculo (1).

toque^{3} [Do fr. *toque*.] ***S. m.*** Chapéu de senhora, de copa arredondada e sem aba.

toque-emboque [De *tocar* + *embocar*.] ***S. m.*** Croqué. [Pl.: *toque-emboques*.]

toqueiro [De *toco* (ô) + *-eiro*.] ***S. m.*** *Bras. Amaz.* Seringueiro que vende a borracha ao patrão.

toquelauano [Do top. *Toquelau*, ilhas no Pacífico, + *-ano*^{1}.] ***Adj.*** **1.** De, pertencente ou relativo a Toquelau (território da Nova Zelândia no Oceano Pacífico). • ***S. m.*** **2.** O natural ou habitante de Toquelau. **3.** *Gloss.* Língua malaio-polinésia de Toquelau. **4.** Vocábulo dessa língua.

toque-toque [Da 2ª pess. sing. do imperat. de *tocar*, repetida.] ***S. m.*** *Bras.* Marcha acelerada: *Foi e voltou num toque-toque danado.* [Pl.: *toque-toques* e *toques-toques*.]

toquista [De *toco* (ô) + *-ista*.] ***S. m.*** *Bras. RJ Gír.* Agente de polícia que conchava com ladrões, recebendo o toco ou quinhão do roubo.

▲**-tor** V. *-or*.

tora^{1} [De *toro*.] ***S. f.*** **1.** Porção, pedaço. **2.** Grande tronco de madeira. **3.** *P. ext.* Cada uma das partes de uma árvore cortada. **4.** *Gír. Mil.* Carne do rancho, correspondente a cada marmita. **5.** *Bras. RS* Conversa rápida. **6.** *Bras. RS* V. *sesta* (2). ◆ **Na tora.** *Bras. Gír.* Por meio violento; à força bruta; na marra, na raça. **Tirar uma tora.** *Bras.* **1.** Dormir um instante; cochilar, sestear: "o capitão já chegou? Se não chegou, me acordem quando chegar. E ia tirar uma tora." (Fernando Sabino, *O Homem Nu*, p. 60). **2.** Brigar, lutar.

tora^{2} [De or. incerta.] ***S. f.*** *Bot.* Erva cesalpiniácea (*Cassia tora*) anual, ruderal nos trópicos do Velho e Novo Mundo, de folhas com quatro a seis folíolos obovados, membranáceos e pilosos, flores pequenas, solitárias, ou até três nas axilas foliares, e cujo legume, de 2 a 4mm, é linear, longo e delgado.

tora^{3} [Do hebr. *tōrāh*.] ***S. f. e m.*** **1.** V. torá^{1}: "No muro do fundo [da sinagoga] estava a Tora, o sagrado rolo da Lei, a tábua eterna do Sinai, pergaminho imenso e venerável" (Alberto Rangel, *Papéis Pintados*, p. 91). **2.** O livro que a encerra; o Pentateuco. [Com cap.]

torá^{1} *Bras.* ***S. 2 g.*** **1.** *Etnôn.* Indivíduo dos torás, povo indígena extinto, da família linguística xapacura, que habitava as cabeceiras dos rios Maici e Marmelos (AM). • ***Adj. 2 g.*** **2.** Pertencente ou relativo a esse povo. [Outra f.: *turá*. Tb. us. como *s. 2 g. e 2 n.* (com cap.) e *adj. 2 g. e 2 n.*]

torá^{2} [Do hebr. tōrāh.] ***S. m. e f.*** *Rel.* **1.** A lei de Moisés (v. *mosaico*^{2}). **2.** Os cinco livros que a encerram, o Pentateuco (q. v.). [Com cap.]

▲**-tórace** V. *torac(o)-*.

torácico^{1} [Do gr. *thorakikós*.] ***Adj.*** Pertencente ou relativo ao tórax. ~ V. *caixa —a* e *gaiola —a*.

torácico^{2} [Adapt. do tax. *Thoracica*.] *Zool.* ***S. m.*** **1.** Espécime dos torácicos, ordem de artrópodes, crustáceos, cirrípedes, de corpo revestido por manto (7), com seis pares de apêndices no tronco. No grupo se incluem as cracas. • ***Adj.*** **2.** Pertencente ou relativo a eles.

▲**torac(o)-** [Do gr. *thṓrax, akos*.] ***El. comp.*** = 'tórax': *toracocentese*. [Equiv.: *-tórace*, *-torac(o)-*, *-tórax*: *eritrotórace; abdominotorácico; pneumotórax*.]

▲**-torac(o)-** V. *torac(o)-*.

toracocentese (à) [De *torac(o)-* + *-centese*.] ***S. f.*** *Cir.* Punção torácica que visa a promover o esvaziamento de um derrame.

toracografia (àc) [De *torac(o)-* + *-grafia*.] ***S. f.*** *Med.* Registro dos movimentos torácicos.

toracográfico (àc) [De *toracografia* + *-ico*^{2}.] ***Adj.*** Relativo à toracografia.

toracometria (àc) [De *torac(o)-* + *-metria*.] ***S. f.*** Mensuração do tórax.

toracométrico (à) [De *toracometria* + *-ico*^{2}.] ***Adj.*** Relativo a toracometria.

toracoplastia (àc) [De *torac(o)-* + *-plast(o)-* + *-ia*^{1}.] ***S. f.*** *Cir.* Remoção cirúrgica de algumas costelas a fim de propiciar o movimento para dentro de parte de parede torácica, promovendo o colapso de porção doente de um pulmão.

toracoplástico (àc) [De *toracoplastia* + *-ico*^{2}.] ***Adj.*** *Cir.* Relativo a toracoplastia.

toracopneumia (àc) [De *torac(o)-* + *-pneum(o)-* + *-ia*^{1}.] ***S. f.*** *Cir.* V. *pneumotórax*.

toracoscopia (àc) [De *torac(o)-* + *-scop-* + *-ia*^{1}.] ***S. f.*** *Med.* **1.** Exame do tórax. **2.** Exame direto de cavidade pleural mediante o uso de endoscópio especial.

toracoscópico (àc) [De *toracoscopia* + *-ico*^{2}.] ***Adj.*** Relativo à toracoscopia.

toracostomia [De *torac(o)-* + *-stom(o)-* + *-ia*^{1}.] ***S. f.*** *Cir.* Abertura construída cirurgicamente na parede torácica, visando drenagem.

toracostómico (àc) ***Adj.*** *Cir.* V. *toracostômico*. [Uso freq. em P.]

toracostômico (àc) [De *toracostomia* + *-ico*^{2}.] ***Adj.*** *Cir.* Relativo a toracostomia.

toracostráceo (àc) [De *torac(o)-* + *-ostrac(o)-* + *-eo*; tax. *Thoracostraca*.] ***S. m. Adj.*** *Zool.* V. *podoftalmo*.

toracotomia (àc) [De *torac(o)-* + *-tom(o)-* + *-ia*^{1}.] ***S. f.*** *Cir.* Incisão da parede torácica.

toracotómico (à) ***Adj.*** *Cir.* V. *toracotômico*. [Uso freq. em P.]

toracotômico (à) [De *toracotomia* + *-ico*^{2}.] ***Adj.*** *Cir.* Relativo a toracotomia.

torado [Part. de *torar*.] ***Adj.*** **1.** Feito em toros. **2.** *Bras.* Cortado muito curto; cortado rente: *cabelos torados.* **3.** V. *suru* (1).

toraí [De or. indígena, poss.] *S. m. Bras. Zool.* V. *pirarara*. [Cf. *torai*, do v. *torar*.]

toral [De *toro* + *-al*[1].] *S. m.* A parte mais grossa e forte da laranja. [Cf. *toural*.]

toranja [Do ár. *turunğa(t)*.] *S. f.* **1.** *Bot.* Toranjeira. **2.** O fruto da toranjeira; turíngia. [Var.: *toronja*. Sin., ingl.: *grapefruit*.]

toranjeira [De *toranja* + *-eira*.] *S. f. Bot.* Árvore rutácea (*Citrus maxima*) originária da Malásia, de lançamentos, pecíolos e ovários pubescentes, folhas com largas asas no pecíolo, flores em inflorescência multiflora, e cujo fruto edule, grande, arredondado, branco, vermelho ou alaranjado, tem casca grossa e pelos sucosos. [Var.: *toronjeira*.]

torar[1] [De *toro* + *-ar*[2].] *V. t. d.* **1.** Partir em toros. **2.** *Bras. N.E. MG* Fazer em pedaços; partir, cortar. **3.** *Bras.* Cortar rente: *O barbeiro torou o teu cabelo.* [F. paral.: *atorar*. Pres. subj.: *tore*, ... *torem*; imperat.: *tora*, ... *torai*, *torem*. Cf. *tóri*, *tori*, *toré*m e *toraí*.]

torar[2] *V. int. Bras. SP* V. *atorar*[2]. [Pres. subj.: *tore*, ... *torem*; imperat.: *tora*, ... *torai*, *torem*. Cf. *tóri*, *toritoraí*.]

tórax (cs) [Do gr. *thórax*, pelo lat. *thorax*.] *S. m. 2 n.* **1.** *Anat.* Conjunto que compreende a cavidade torácica, órgãos nela contidos (coração, pulmões, etc.), e paredes que circunscrevem essa cavidade, situando-se entre o pescoço, acima, e o abdome, abaixo, e tendo como limites: acima, um plano levemente oblíquo dirigido para diante e para baixo, passando pelo ápice da apófise espinhosa da sétima vértebra cervical, e borda superior do esterno; abaixo, o músculo diafragma. **2.** *Zool.* Segmento intermediário do corpo dos insetos.

▲-tórax V. *torac(o)-*.

torba [Alter. de *turfa*, poss.] *S. f. Bras. SP* Terra negra, turfosa, própria das várzeas, empregada na fabricação de tijolos.

torbernita [Do antr. *Torbern* (*O. Bergman*) (1736-1784), químico sueco, + *-ita*[3].] *S. f. Min.* V. *uranita*.

torça [De or. obsc.] *S. f.* **1.** Pedra quadrilonga e esquadriada. **2.** *Constr.* Verga de porta; padieira, torçado. [Pl.: *torças*. Cf. *torça* (ô) e *torças* (ô), do v. *torcer*.]

torçado [De *torça* + *-ado*[1].] *S. m. Constr.* V. *torça* (2).

torçal [Do esp. *torzal*.] *S. m.* **1.** Cordão de fios de retrós. **2.** Cordão de seda com fios de ouro ou prata: "O vestido de montar era de fino droguete verde-garrafa com alamares de torçal de ouro" (José de Alencar, *O Sertanejo*, p. 29). **3.** *Bras.* Cabresto (1).

torçalado [De *torçal* + *-ado*[1].] *Adj.* Guarnecido com torçal ou torçais: "mobília pesada e negra, sobre pés finos e torçalados" (Xavier Marques, *As Voltas da Estrada*, p. 28).

torção [Do lat. *tortione*.] *S. f.* **1.** V. *torcedura* (1). **2.** Cólica de certos animais, especialmente do cavalo. **3.** *Mat.* Grandeza t que se define por $db/ds = -t \times n$, onde b é um vetor unitário na direção da binormal a uma curva de elemento de arco ds, e n é o vetor unitário na direção da normal. **4.** *Fís.* Deformação de um sólido em que ocorrem deslocamentos circulares das camadas vizinhas, umas em relação às outras.

torcaz [Do lat. vulg. **torquace* (< lat. *Torques*, 'colar'), ou do esp. *torcaz*.] *Adj. 2 g. Zool.* V. *pomba-trocal* (1). [Var. metatética *trocaz*.]

torce [Dev. de *torcer*, poss.] *S. m. Bras.* Epizootia do gado equino do alto São Francisco.

torce-cabelo [De *torcer* + *cabelo*.] *S. f. Bras. Zool.* **1.** Designação comum a certas espécies de abelhas meliponíneas, agressivas, que, às centenas, atacam o homem, zunindo, beliscando-lhe a pele com as mandíbulas, e enroscando em seus cabelos; enrola-cabelo, irapuá. **2.** V. *irapuá*. [Pl.: *torce-cabelos*.]

torcedela [De *torcer* + *-dela*.] *S. f.* Ação de torcer uma vez.

torcedor (ô) [De *torcer* + *-dor*.] *Adj.* **1.** Que torce. ● *S. m.* **2.** Instrumento para torcer. **3.** Fuso (1). **4.** Certo engenho rústico. **5.** *Bras.* Antigo aparelho para extrair o suco da cana. **6.** *Bras.* Aquele que torce. V. *torcer* (11 e 12). [Sin. (lus.): *adepto*, *apoiante*.]

torcedura [De *torcer* + *-dura*.] *S. f.* **1.** Ato ou efeito de torcer; torção, torcilhão. **2.** *Restr.* Ato ou efeito de torcer (3); jeito. **3.** Sinuosidade, tortuosidade. **4.** *Fig.* Sofisma, evasiva. [Sin. ger.: *torcimento* e (p. us.) *torço*.]

torcegão [De *torcegar* + *-ão*[3].] *S. m.* **1.** Ato de torcegar; estorcegão. **2.** Beliscão.

torcegar [De *estorcegar*, com aférese.] *V. t. d. P.* V. *estorcegar*.

torcel *S. m. Bras. Zool.* V. *berne*[1]. [Pl.: *torcéis*. Cf. *torceis*, do v. *torcer*.]

torcer [Do lat. vulg. **torcere*, por *torquere*.] *V. t. d.* **1.** Obrigar a se volver sobre si mesmo ou em espiral: "Na atitude convulsa do tormento, / Torcia e retorcia os magros braços..." (Antero de Quental, *Sonetos*, p. 97); "Torce, aprimora, alteia, lima / A frase" (Olavo Bilac, *Poesias*, p. 2); *torcer um pano molhado.* **2.** Dobrar, vergar, entortar: *torcer um ferro.* **3.** Deslocar, desarticular, desconjuntar: *torcer o tornozelo.* **4.** Alterar, desvirtuar, distorcer: *Torceu o sentido de minhas palavras.* **5.** Corromper, perverter, adulterar. **6.** Fazer mudar de rumo ou de tenção; desviar: *Este acontecimento torcerá o meu destino.* **7.** Fazer ceder; sujeitar; vencer: *Os bons argumentos o torceram.* **8.** Encurvar, encaracolar: *torcer um arame.* *T. d. e i.* **9.** Levar, induzir (para qualquer coisa): *Torceu as palavras amigas a um sentido de ironia.* *T. i.* **10.** Desviar-se, afastar-se, apartar-se: *A palavra, com o tempo, torceu da sua significação.* **11.** Acompanhar a ação de outrem por simpatia e desejo de que ele se saia bem: *Torço por você.* **12.** *Bras.* Simpatizar com um clube esportivo: *Torce pelo Flamengo.* **13.** *Bras.* Incentivar os jogadores de um clube esportivo, gritando, gesticulando, etc.: *Torceu para o seu clube até o último minuto.* *T. c.* **14.** Inclinar-se, pender, dobrar-se, vergar-se: *Com a ventania, a árvore torceu para a direita.* **15.** Mudar de direção: *O barco torceu para o Norte.* *Int.* **16.** Dar voltas. **17.** Torcer (15). **18.** Desistir de um plano. **19.** Submeter-se, sujeitar-se. **20.** *Bras.* Gritar e gesticular (o espectador de uma partida esportiva) para animar os jogadores de sua simpatia. *P.* **21.** Dobrar-se, vergar-se, inclinar-se: *Os ramos da frágil árvore torcem-se ao vento.* **22.** Deixar-se seduzir ou peitar. **23.** Render-se, ceder: *Torceu-se à tentação da riqueza.* **24.** Anuir, assentir. **25.** Contrair-se pelo desespero ou pela dor; contorcer-se. [Muda o *c* do radical em *ç* antes de *o* e *a*: *torço* (ô), *torças* (ô), *torça* (ô), etc. O *o* é aberto nas formas rizotônicas: *torces*, *torce*, *torcem*. Pres. ind.: *torço* (ô), *torces*, *torce*, *torcemos*, *torceis*, *torcem*; pres. subj.: *torça* (ô), *torças* (ô), etc.; part.: *torcido* e *torso*. Cf. *torça*, s. f., pl. *torças*; *torcéis*, pl. de *torcel* e *torso* (ô), s. m.]

torcicolado [De *torcicolo* + *-ado*[1].] *Adj.* Que torcicola; em torcicolos.

torcicolar [De *torcicolo* + *-ar*[2].] *V. int.* Descrever ou fazer torcicolos, rodeios; serpentear, serpear, serpejar, ziguezaguear: "o pessoal da cidade olhava para a encosta fronteiriça, doutra banda do rio, por onde torcicolava a estrada que levava para a Prata." (Bernardo Élis, *Veranico de Janeiro*, p. 124).

torcicolo [Do it. *torcicollo*.] *S. m.* **1.** Volta tortuosa; rodeio, sinuosidade. **2.** *Med.* Estado de contração de músculos cervicais, levando a torção do pescoço e posição anormal da cabeça. **3.** *Fig.* Ambiguidade, equivocação. [Var.: *torticolo*.]

torcida[1] [De *torcer* + *-ida*[3].] *S. f.* **1.** *Bras.* Ato ou efeito de torcer (12). **2.** *Bras.* Coletividade de adeptos de um clube esportivo; grupo de torcedores. [Sin., nesta acepç.: (bras. gír.) *galera*; (lus.) *claque*.]

torcida[2] [F. subst. de *torcido*.] *S. f.* **1.** Mecha de candeeiro ou de vela; pavio. **2.** Objeto semelhante a uma torcida. **3.** *Bras. BA* Enchimento do charuto, formado de folhas de fumo enroladas.

torcido [Part. de *torcer*.] *Adj.* **1.** Que se torceu: *fios torcidos.* **2.** V. *torto* (1): "parou a chuva; correm sussurrando / Os torcidos regatos vagarosos" (Correia Garção, *Obras Poéticas e Oratórias*, p. 7).

torcilhão [De *torcer* + *-ilh(o)-* + *-ão*[3].] *S. m.* **1.** V. *torcedura* (1). **2.** Objeto torcido irregularmente.

torcimento [De *torcer* + *-imento*.] *S. m.* V. *torcedura*.

torcível [De *torcer* + *-ível*.] *Adj. 2 g.* Que se pode torcer.

torço (ô) [Dev. de *torcer*.] *S. m.* **1.** V. *torcedura*. **2.** *Bras.* Xale ou manta que se enrola na cabeça à guisa de turbante: "Mulheres, mais de cinquenta, de torço, de bata, saia rodada, a pele negra ou mulata destacando-se das roupas alvas." (Vasconcelos Maia, *O Leque de Oxum*, p. 27.) [Cf. *torso*.]

torcular[1] [Do lat. *torculum*, 'lagar', 'prensa', + *-ar*[1].] *Adj. 2 g.* Que tem forma de tórculo. ◆ **Torcular de Herófilo.** *Anat.* Confluência dos seios venosos da dura-máter.

torcular[2] [De *tórculo* + *-ar*[2].] *V. t. d.* Alisar ou polir com tórculo. [Pres. ind.: *torculo*, etc. Cf. *tórculo*.]

tórculo [Do lat. *torculu*, 'lagar', 'prensa'.] *S. m.* **1.** *Ant.* Aparelho dotado de mós, para polir pedras preciosas. **2.** *P. us.* V. *prensa de talho-doce*. **3.** Prelo tipográfico primitivo, feito à semelhança da prensa de lagar. [V. *prelo manual*. Cf. *torculo*, do v. *torcular*.]

tordião [Do fr. *tordion* < fr. *tordre*, 'torcer'.] *S. m.* Dança do séc. XVI, em compasso ternário, variante da galharda.

tordilhada [De *tordilho* + *-ada*[1].] *S. f. Bras. RS* Porção de animais cavalares tordilhos.

tordilho [De *tordo* + *-ilho*.] *Adj.* **1.** Que tem colorido semelhante ao do tordo (1). **2.** Diz-se do cavalo de pelo negro com manchas brancas que lembram a plumagem do tordo (1). ● *S. m.* **3.** Cavalo tordilho: "Montava um belo tordilho, ajaezado com sela de marroquim" (Eduardo Frieiro, *O Mameluco Boaventura*, p. 21).

tordo (ô) [Do lat. *turdu*.] *S. m. Zool.* V. *turdo* (2 e 3).

toré [Var. desnasalada de *torém*.] *S. m.* **1.** *Bras. Etnogr. Mús.* Trombeta indígena, feita de taquaruçu, em forma de porta-voz com boca de sino, e que produz sons roucos e lúgubres; boré. **2.** *Bras.* Dança do Norte e Nordeste brasileiro que combina elementos ameríndios e portugueses, semelhante ao coco[2] (ô) (1) pela coreografia e pela música. **3.** *Bras. PE* Cerimônia religiosa dos índios pancarus. **4.** *Bras. AL* Dança guerreira e canto dos caboclos, ao som de pífaros e trombetas, durante o auto dos quilombos. **5.** *Bras. AL* V. *quilombo* (2). **6.** *Bras.* Variante de catimbó em que os caboclos baixam para indicar remédios, como nos candomblés de caboclo.

torém[1] [De or. tupi, poss.] *S. m. Bras. Bot.* V. *embaúba* (1 e 2). [Cf. *torem*, do v. *torar*.]

torém[2] [Do tupi = 'torto'.] *S. m. Bras.* Toré (q. v.). [Cf. *torem*, do v. *torar*.]

torena *Adj. S. m. Bras. S.* **1.** Diz-se de, ou homem elegante, bem-posto, forte, valente, ou exímio nalgum mister. **2.** V. *valentão* (1 e 3). [Aum.: *torenaço*.]

torenaço [De *torena* + *-aço*.] *Adj. S. m. Bras. S.* Aum. de *torena*.

torengo [De *torar*, poss.] *Adj. S. m. Bras. PE Pop.* Diz-se de, ou indivíduo de pequena estatura.

toreumatografia (êu) [Do gr. *tóreuma*, *atos*, 'obra de cinzel', + *-grafia*.] *S. f.* Descrição dos monumentos esculpidos, em especial os antigos baixos-relevos.

toreumatográfico (êu) [De *toreumatografia* + *-ico*[2].] *Adj.* Relativo à toreumatografia.

toreumatógrafo [De *toreuma-*, como em *toreumatografia*, + *-grafo*.] *S. m.* Especialista em toreumatografia.

toreumatologia (êu) [Do gr. *tóreuma*, *atos*, 'obra de cinzel', + *-logia*.] *S. f.* O estudo da torêutica.

toreumatológico (êu) [De *toreumatologia* + *-ico*[2].] *Adj.* Relativo à toreumatologia.

toreuta [Do gr. *toreutés*, pelo lat. *toreuta*.] *S. 2 g.* Especialista em torêutica; cinzelador.

torêutica [F. subst. de *torêutico*.] *S. f.* Arte ou processo de esculpir ou cinzelar sobre metais, marfim ou madeira, etc.: "o antropomorfismo mineiro é tão cioso da natureza caseira, que põe anjos machos e fêmeas na profusa torêutica dos altares." (Vitorino Nemésio, *O Segredo de Ouro Preto*, p. 235).

torêutico [Do gr. *toreutikós*.] *Adj.* Relativo à, ou próprio da torêutica.

torga [Do lat. **torica* < lat. *torus*, 'toro', 'nó'.] *S. f. Lus.* **1.** *Bot.* V. *urze* (1). **2.** Raiz de urze, da qual se faz carvão. [Var.: *torgo*.]

torgal [De *torga* (1) + *-al*[1].] *S. m.* **1.** *Lus.* Quantidade mais ou menos considerável de torgas dispostas proximamente entre si. **2.** Área ocupada por torgal (1).

torgo *S. m. Lus.* V. *torga*.

tori[1] [Do jap. *torii*.] *S. m.* Portão típico colocado, em regra, à entrada dos templos japoneses. [Cf. *tóri*, s. m., e *tore*, do v. *torar*.]

tori[2] *S. m. Bras. PA Etnogr.* Bugio dos índios parintintins. [Cf. *tóri*, s. m., e *tore*, do v. *torar*.]

tóri [Do ingl. *tory*.] *Adj. S. m.* **1.** Diz-se do, ou o partido conservador, no Reino Unido da Grã-Bretanha. **2.** Diz-se de, ou membro desse partido. [Cf. *whig*; *tore*, do v. *torar*; e *tori*, s. m.]

tória [Do lat. cient. *thoria*.] *S. f. Quím.* Dióxido de tório, sólido cristalino, branco [fórm.: ThO_2].

torianita [De *tória* + *-n-* + *-ita*[3]; ingl. *thorianite*.] *S. f. Min.* Mineral isométrico, óxido de tório e urânio, cristalino, cúbico, negro ou pardo.

torilo [De *toro*.] *S. m. Bot. P. us.* Ponto do pedúnculo de onde nasce a flor; toro.

tório [Do mit. *Thor*, deus do trovão na mitologia escandinava, + *-io*[3].] *S. m. Quím.* Elemento de número atômico 90, metálico, acinzentado, denso, radioativo, fissionável [símb.: *Th*].

▲-tório [Do lat. *-toriu(-torius, a, um* ou *-torium, ii)*, por via erudita ou semierudita.] Equiv. de *-douro*[2]. [V. *-ório*.]

torita [De *torio* + *-ita*[3].] *S. f. Min.* Mineral tetragonal, silicato de tório; minério de tório.

toritamense *Adj. 2 g.* **1.** De, ou pertencente ou relativo a Toritama (PE). ● *S. 2 g.* **2.** O natural ou habitante de Toritama.

torixoreno *Adj.* **1.** De, ou pertencente ou relativo a Torixoreu (MT). ● *S. m.* **2.** O natural ou habitante de Torixoreu.

tormenta [Do lat. tard. *tormenta*.] *S. f.* **1.** Temporal violento. **2.** *Fig.* Grande barulho. **3.** *Fig.* Desordem, agitação.

tormentar [De *tormento* + *-ar*[2].] *V. t. d. Int. P.* Atormentar, afligir.

tormento [Do lat. *tormentu*.] *S. m.* **1.** Ato ou efeito de atormentar(-se). **2.** Suplício, tortura. **3.** Angústia, aflição. **4.** Desgraça, miséria.

tormentório [De *tormento* + *-ório*.] *Adj.* **1.** Relativo a tormenta. **2.** Em que há tormentas. [Sin. ger.: *tormentoso*.]

tormentoso (ô) [De *tormento* + *-oso*.] *Adj.* **1.** V. *tormentório*. **2.** *Fig.* Que causa tormentos. **3.** Trabalhoso, custoso, árduo.

torna[1] [Dev. de *tornar*.] *S. f.* **1.** Aquilo que, além do objeto que se troca por outro, se dá para igualar o valor deste; volta. **2.** Compensação dada a outro(s) por um coerdeiro mais favorecido na partilha, a fim de igualar os quinhões. [Cf., nesta acepç., *licitação* (3).] 3. Reposição em dinheiro.

torna[2] *S. f.* Espécie de pálio indiano.

tornada[1] [De *tornar* + *-ada*[1].] *S. f.* 1. Ato ou efeito de tornar. 2. *Arte Poét.* A meia estrofe (três versos) com que terminam, de ordinário, as sextinas; envio, remate. 3. *Bras.* Banco de areia no fim dos cabedelos.

tornada[2] [De *torno* (ô) + *-ada*[1].] *S. f.* Líquido que sai duma vasilha, tirada a chave da torneira.

tornadiço [De *tornar* + *-(d)iço*[1].] *Adj.* 1. Que torna ou volta. 2. Renegado, desertor. 3. Apóstata, abjurador.

tornado [Do esp. *tornado*.] *S. m. Met.* Fenômeno que se manifesta pela formação de grande nuvem negra com prolongamento em forma de cone invertido, o qual, torneando em velocidades que podem atingir 500km/h, desce até à superfície da Terra, onde produz forte remoinho e eleva pó, destelha casas, arranca árvores, etc. [Quando ocorre no mar, chama-se *tromba-d'água*. Cf. *ciclone*, *furacão* e *tufão*.]

tornadura [De *tornar* + *-dura*.] *S. f.* Instrumento com que se torcem arcos e vimes.

torna-fio [De *tornar* + *fio*.] *S. m.* Peça de ferro que os penteeiros usam para aguçarem as ferramentas. [Pl.: *torna-fios*.]

tornar [Do lat. *tornare*, 'lavrar ao torno (ô)'; 'dar voltas (a um objeto)'.] *V. t. c.* 1. Voltar, regressar, vir, retornar: *O trem tornou de Paris*; "Batista passeava, as mãos nas costas, os olhos no chão, suspirando, sem prever o tempo em que os conservadores tornariam ao poder." (Machado de Assis, *Esaú e Jacó*, p. 141); "Torna a meu leito, Colombina!" (Manuel Bandeira, *Estrela da Vida Inteira*, p. 62). *Int.* 2. Voltar ao lugar de onde saíra; volver ao ponto de partida: *Já estava na metade do caminho, quando tornou*; "há ideias que são da família das moscas teimosas: por mais que a gente as sacuda, elas tornam e pousam." (Id., *Várias Histórias*, p. 46); "O meu coração, torna para trás." (Camilo Pessanha, *Clepsidra e Outros Poemas*, p. 177). 3. Manifestar-se novamente; ressurgir; reviver: *Com a recuperação da saúde, sua alegria tornou.* *T. d.* 4. Responder; replicar: *Espicaçado, o jovem tornou: — Não me venham com provocações!* *T. d. e i.* 5. Fazer voltar; restituir: *Tornou o anel à sua dona*; "vira uma pastora no caminho a tornar à manada uma cabra que se desgarrara" (Camilo Castelo Branco, *Noites de Lamego*, p. 88). 6. Trasladar de uma língua para outra; traduzir: *Tornou* Madame Bovary *em português.* 7. Transformar, mudar: *Na missa, o padre torna a água e o vinho em sangue de Cristo*; "um milagre profundo, que tornara a Morte em Vida, como só os tinham feito os homens Apostólicos, depois do Senhor." (Eça de Queirós, *Últimas Páginas*, p. 300). *T. i.* 8. Recuperar, ou voltar a (um estado, uma qualidade, uma condição, etc.): *Dias depois vi-o tornar à alegria de sempre.* *Transobj.* 9. Converter em; fazer ficar; transformar, fazer: *Às vezes uma coisa à toa pode tornar o dia mais bonito*; *tornar fácil o difícil, tornar simples o complicado*; "A maldita política dividiu a população, azedou os ânimos, avivou a intriga, e tornou insuportável a vida nos lugarejos da beira do rio." (Inglês de Sousa, *Contos Amazônicos*, p. 59); "Fazer arte é querer tornar o mundo mais belo" (Fernando Pessoa, *Páginas de Doutrina Estética*, p. 63). *P.* 10. Tornar (1): *Dez anos depois tornei-me à terra natal*; "Reis e vassalos, servos e senhores / Tornam-se em breve tempo à cinza pura, / Servem de pasto a vermes roedores." (José da Natividade Saldanha, *ap.* Sérgio Buarque de Holanda, *Antologia dos Poetas Brasileiros da Fase Colonial*, II, p. 257). 11. Recorrer, apelar: *Velho e sem amigos, não tem a quem se tornar.* 12. Vir a ser; fazer-se: *O calor tornou-se abafador*; "Porque o anarquista é .... um socialista que se tornou herético." (Eça de Queirós, *Ecos de Paris*, pp. 196-197); "tornei-me perito em extrair / faíscas das britas e leite das pedras." (Waly Salomão e Adriana Calcanhoto, na canção *A Fábrica do Poema*). 13. Converter-se, transformar-se; fazer-se: *O ferimento tornou-se em tumor maligno.* 14. Fazer-se, ficar: "E o vermelho oleoso do seu rosto / Tornava-se amarelo dia a dia" (Guerra Junqueiro, *A Velhice do Padre Eterno*, p. 157). [Ocorre tb. como auxiliar, junto a um verbo no infinitivo, com a noção de voltar a fazer (algo): *Dez minutos depois, tornou a dizer que precisava partir.*] [Pres. ind.: *torno*, *tornas*, etc.; pres. subj.: *torne*, ... *torneis*, *tornem*. Cf. *torno* (ô), s. m., e *tornéis*, pl. de *tornel*.]

tornassol [De *tornar* + *sol*[1].] *S. m. Quím.* Indicador de pH extraído de certos liquens, azul em meio alcalino, vermelho em meio ácido. [Pl.: *tornassóis*.]

torna-viagem [De *tornar* + *viagem*.] *S. f.* 1. Volta de uma viagem por mar. 2. Vinda, regresso, retorno: "De torna-viagem, iriam [os dromedários] carregados de goma, âmbar cinzento, pimenta malagueta, peles, marfim." (Alberto da Costa e Silva, *A Enxada e a Lança*, p. 254.) 3. *Fig.* Refugo, rebotalho, resto. [Pl.: *torna-viagens*.]

torneado [Part. de *tornear*[1].] *Adj.* 1. Feito ao torno. 2. Roliço, redondo, cilíndrico. 3. *Fig.* Bem contornado como se fora feito ao torno. 4. Escrito e redigido com elegância.

torneador (ô) [De *tornear* + *-dor*.] *Adj.* 1. Que torneia. ● *S. m.* 2. Indivíduo que torneia. 3. Banco sobre o qual se fazem as rodas das seges. 4. Instrumento que os espingardeiros usam para abrir escorvas.

torneamento [De *tornear* + *-mento*.] *S. m.* Ato ou efeito de tornear[1]; torneio.

tornear[1] [De *torno* (ô) + *-ear*[2].] *V. t. d.* 1. Fabricar ao torno (1); afeiçoar, modelar, lavrar ao torno (1): *Torneou um pedaço de jacarandá.* 2. Dar forma redonda, cilíndrica, arredondada ou roliça a: *O artista soube tornear com perfeição o busto da atriz.* 3. Polir, aprimorar: *tornear uma frase.* 4. Cingir, rodear: *O riacho torneia o seu sítio*; *Torneia-lhe o pescoço um afogador de pérolas barrocas.* [Conjug.: v. *frear*.]

tornear[2] [De *torneio*[2] + *-ar*[2].] *V. int.* Andar em torneio ou justa. [Conjug.: v. *frear*.]

tornearia [De *tornear*[1] + *-aria*.] *S. f.* Arte ou oficina de torneiro. [Cf. *torneária*, do v. *tornear*.]

torneável [De *tornear*[1] + *-vel*.] *Adj. 2 g.* Que se pode tornear[1].

torneio[1] [Dev. de *tornear*.] *S. m.* 1. Torneamento. 2. Elegância de frase. 3. Flexibilidade ou elegância de formas.

torneio[2] [Dev. do provenç. *torneiar*, 'fazer evoluções girando de um lado para outro'.] *S. m.* 1. Justa[1] (1). 2. Competição ger. esportiva, em que não há, necessariamente, numa fase inicial, disputa direta entre todos os participantes. [Cf. *campeonato* (1).] 3. *Fig.* Polêmica, controvérsia, discussão.

torneira [De *torno* + *-eira*.] *S. f.* 1. Tubo com uma espécie de chave, usado para reter ou deixar sair um fluido contido em vaso, barrica, etc.; bica 2. A chave desse tubo.

torneiro [De *torno* + *-eiro*.] *S. m.* Artífice que trabalha ao torno (1).

torneja (ê) [De *torno*, poss.] *S. f.* Cada uma das cavilhas situadas na extremidade do eixo do carro, e que evitam que as rodas saiam, ou que saia a maça onde entram os raios das rodas.

tornejado [Part. de *tornejar*.] *Adj.* Curvo, encurvado, arredondado.

tornejamento [De *tornejar* + *-mento*.] *S. m.* Ato ou efeito de tornejar.

tornejar [De *torno* (ô) + *-ejar*.] *V. t. d.* 1. Dar forma de curva a; encurvar. 2. Dar volta a; andar à roda de; contornar, tornear. *Int.* 3. Encurvar-se, recurvar-se. 4. Dar volta: "Sobrevoou [o avião] as colinas da margem, ... e, numa larga curva, tornejou para a banda do mar, de que a cidade e o posto o separavam." (Joaquim Paço d'Arcos, *Neve sobre o Mar*, pp. 24-25). 5. Ser curvo. [Conjug.: v. *pelejar*.]

tornel [De *torno* + *-el*.] *S. m.* 1. Argola cravada na extremidade duma haste, sobre a qual gira. 2. Cada uma das peças móveis que atravessam as testeiras da serra e nas quais se fixam as extremidades da lâmina da mesma serra. [Pl.: *tornéis*. Cf. *torneis*, do v. *tornar*.]

tornilheiro [Do esp. *tornillero*.] *Adj. S. m.* Diz-se de, ou soldado desertor.

tornilho [Do esp. *tornillo*.] *S. m.* 1. Castigo que se infligia aos soldados apertando-lhes uma espingarda ao pescoço e outra nas curvas das pernas, o que os obrigava a curvarem-se. 2. *Fig.* Lance apertado; aperto, apertura.

torninho [Dim. de *torno*.] *S. m.* Torno pequeno, usado por serralheiro ou ferreiro para apertar as peças que querem limar; torno.

torniquete (ê) [Do fr. *tourniquet*.] *S. m.* 1. Cruz móvel posta horizontalmente à entrada de rua ou estrada, etc., para impedir a passagem de veículos. [Cf. *molinete* (2).] 2. Aparelho de física usado para demonstrar a reação dos fluidos. 3. Trapézio fixo. 4. Torno (1). 5. Instrumento destinado a apertar, ou a cingir apertando. 6. Antigo instrumento de tortura inquisitorial. 7. *Fotograv.* Cuba usada nos processos de fotogravuras em relevo e ofsete, para distribuição uniforme da solução sensibilizadora sobre a placa de zinco, que se fixa sobre braços dotados de movimento giratório; centrifugador, dobadoura. 8. *Bras.* V. *borboleta* (10). 9. *Bras. Fig.* Lida, azáfama. 10. *Bras. Fig.* Situação crítica; embaraço, dificuldade: *De repente se viu num torniquete.*

torno (ô) [Do gr. *tórnos*, pelo lat. *tornu*.] *S. m.* 1. Engenho em que se faz girar uma peça de madeira, ferro, aço, etc., para lavrá-la, ou para arredondá-la. 2. Chave de torneira. 3. Torninho. 4. Roda (10) de convento. 5. Prego de madeira; pino, cavilha. 6. *Ant.* Volta, giro. 7. *Bras. Chulo* Posição de cópula em que a mulher fica por cima do homem. [Pl.: *tornos* (ó). Cf. *torno*, do v. *tornar*.] ◆ **Em torno a.** V. *em torno de*: "Que em torno a vivo incêndio / Tudo arde em seus ardores." (Antônio Feliciano de Castilho, *Os Amores*, I, p. 49.) **Em torno de.** Em redor de; à roda de; à volta de; em torno a.

tornozeleira [De *tornozelo* + *-eira*.] *S. f. Bras.* Peça de malha que serve para proteger os tornozelos dos jogadores de futebol, basquetebol, vôlei, etc. [Sin., bras., RS: *tubigeira*.]

tornozelo (ê) [De *torno* (ô).] *S. m. Anat.* Cada uma de duas regiões do corpo humano que reúne a perna e o pé homolaterais, e compreende duas articulações (da fíbula com a tíbia, e da tíbia com o tarso), e as partes moles que as circundam. [Sin., pop., bras.: *mocotó* (N.E.) e *osso do vintém* (CE).]

toro [Do lat. *toru*.] *S. m.* 1. Tronco de árvore abatida, ainda com a casca. 2. O corpo do animal privado de membros. 3. Pedaço de cabo náutico para desfiar. 4. *Bot.* A parte central, mais grossa, da membrana de uma pontoação. 5. *Arquit.* Moldura circular na base das colunas. 6. *Geom.* Sólido gerado pela rotação de um círculo em torno de um eixo que lhe é externo e coplanar. 7. *Bot. P. us.* Torilo. 8. *Poét.* Leito conjugal: "o leito pouco importa / Seja de pedra ou paina, / Rota enxerga de palha ou toro de veludo" (Alberto de Oliveira, *Poesias*, 3.ª série, p. 197). 9. *Ant. Mar.* V. *toco* (7).

toró[1] [Voc. onom.] *S. m. Bras. Amaz.* 1. *Zool.* V. *rato-toró*. 2. *Zool.* V. *rato-de-espinho*. 3. *Zool.* V. *sauiá*. 4. *Etnogr.* Pequena buzina dos índios.

toró[2] [Voc. onom.] *S. m.* 1. *Bras. N.E.* V. *garoa*[1] (3). 2. *Bras. MG RJ* Chuvada violenta, repentina e, ger., curta.

toró[3] [De *torar*.] *Adj. 2 g. Bras.* Diz-se de pessoa defeituosa por falta de um dedo, ou da falange de um deles.

torocana [Do tupi.] *S. m. Bras. Etnogr.* Tambor, feito de um toro de madeira, com que, em grande parte da zona tropical sul-americana, os índios dão sinais às tabas vizinhas. [Var.: *trocano*.]

toroidal [De *toroide* + *-al*[1].] *Adj. 2 g.* ~ V. *coordenadas toroidais*, *lente* — e *superfície* —.

toroide (ói) [De *toro* + *-oide*.] *S. m. Geom.* Sólido gerado pela rotação de uma superfície plana fechada em torno de um eixo que não lhe seja secante. ❖

torom-torom [Voc. onom.] *S. m. Bras. Zool.* Ave passeriforme, formicariídea (*Grallaria berlepeschi*), dos afluentes meridionais do Amazonas e N.E. de MT. Tem dorso oliváceo, garganta e meio da barriga brancos, peito e resto do abdome ocráceo pintado de pardo-escuro. [Var.: *trom-trom*. Pl.: *torom-torons*.]

torônio *S. m. Quím. Nucl.* V. *torônio*. [Uso freq. em P.]

torônio [De *tór(io)* + *-ônio*.] *S. m. Quím. Nucl.* Nuclídeo alfaemissor, de meia-vida igual a 52 s, isótopo do radônio com número de massa 220, e pertencente à série do tório [símb. obsol.: *Tn*].

toronja *S. f. Bot.* V. *toranja*.

toronjeira *S. f. Bot.* V. *toranjeira*.

toropixi [De or. tupi, poss.] *S. m. Bras. AM Zool.* Ave cotingídea (*Cephalopterus ornatus*), de plumagem preta, e com grande penacho no alto da cabeça.

torori *Bras. S. 2 g.* 1. *Etnôn.* Indivíduo dos tororis, povo indígena extinto que habitava as margens do rio Ipixuna, afluente do rio Madeira (AM). ● *Adj. 2 g.* 2. Pertencente ou relativo a esse povo. [Tb. us como *s. 2 g. e 2 n.* (com cap.) e *adj. 2 g. e 2 n.*]

tororó[1] [De *mororó*, poss.] *S. m. Bras. Zool.* V. *caramuru* (1).

tororó[2] *S. m. Bras. S. Gír.* Conversa fiada.

tororó[3] [De *torar*, poss.] *Adj. 2 g. Bras.* 1. De pequena estatura; baixo. 2. Baixo e grosso; atarracado. 3. Aparado em excesso; muito curto.

tororoma [Do tupi; voc. onom.] *S. f. Bras. N.* Corrente fluvial forte e ruidosa.

toroso (ô) [Do lat. *torosu*.] *Adj.* 1. Polpudo, polposo, carnoso. 2. Robusto, vigoroso.

torpe[1] (ô) [Do lat. *turpe*.] *Adj. 2 g.* 1. Desonesto, impudico. 2. Infame, vil, abjeto, ignóbil. 3. Repugnante, nojento, asqueroso, ascoso. 4. Obsceno, indecente. 5. Manchado, enodoado, maculado.

torpe[2] (ô) [Do lat. *torpidu*, 'entorpecido'.] *Adj. 2 g.* 1. V. *torpente*: "Os torpes braços sem cessar movendo, / Em vão aperta a límpida corrente" (Correia Garção, *Obras Poéticas e Oratórias*, p. 9). 2. Embaraçado, acanhado.

torpecer [De *torpe*[2] + *-ecer*.] *V. t. d. Int. P.* V. *entorpecer*. [Conjug.: v. *aquecer*.]

torpedeamento [De *torpedear* + *-mento*.] *S. m.* Ato ou efeito de torpedear.

torpedear [De *torpedo* + *-ear*[2].] *V. t. d.* 1. *Mar. G.* Lançar torpedos contra. 2. *Mar. G.* Destruir por meio de torpedo. 3. *Bras. Fig.* Promover meios, diligenciar, para fazer malograr-se (um plano, empreendimento, etc.): *Torpedeou o projeto do rival*; *O líder da maioria torpedeou duramente o discurso do senador* *oposicionista. T. d. e i.* **4.** Apoquentar, afligir, massacrar, bombardear: *Torpedeou-o com perguntas descabidas.* [Conjug.: v. *frear.*]

torpedeira [De *torpedo* + *-eira.*] *S. f. Bras. Mar. G. Desus.* Navio de guerra colocador de torpedo(s). [Cf. *torpedeiro.*]

torpedeiro [De *torpedo* + *-eiro.*] *S. m. Mar. G. Desus.* Navio de guerra lançador de torpedo(s). [Cf. *torpedeira.*]

torpedinho [De *torpedo*[2] + *-inho*[1].] *S. m. Bras. Zool.* Peixe actinopterígio, caraciforme, caracídeo (*Nannostomus anamalus*), da Amaz., de coloração clara, com uma faixa escura que lhe percorre todo o corpo, desde o focinho até a nadadeira caudal. Comprimento: até 4cm. Mantém na água posição oblíqua, com a cabeça voltada para cima, donde o nome popular.

torpedinídeo [Do lat. cient. *Torpedin-* (< tax. *Torpedo* < lat. tard. *torpedo, inis,* 'torpor'; 'certo tipo de peixe') + *-ídeo*[1]; tax. *Torpedinidae.*] *Zool. S. m.* **1.** Espécime dos torpedinídeos, família de raias torpediniformes, providas de um par de órgãos elétricos, provenientes da musculatura branquial que, em muitas espécies, chega a ser forte o bastante para atordoar as pequenas presas que lhe servem de alimento. Têm olhos pequenos, nadadeira caudal bem desenvolvida, rostro curto ou ausente; vivem nas regiões costeiras de todo o mundo. • *Adj.* **2.** Pertencente ou relativo a eles.

torpediniforme [Do tax. *Torpediniformes.*] *Zool. S. m.* **1.** Espécime dos torpediniformes, ordem de raias batoídeas, marinhas, de olhos pequenos ou vestigiais, dotadas de órgãos elétricos, com espécies dotadas de duas nadadeiras dorsais e outras sem estas, e que habitam zonas temperadas dos oceanos Atlântico, Pacífico e Índico. • *Adj. 2 g.* **2.** Pertencente ou relativo a eles.

torpedo[1] (ê) [Do lat. tard. *torpedo,* 'raia-elétrica'.] *S. m.* **1.** *Ant. Mar. G.* Engenho explosivo para afundar navios, inventado em princípios do séc. XIX pelo mecânico norte-americano Robert Fulton (1765-1815). Consistia num recipiente cheio de material explosivo, pendente de um flutuador, ambos presos a uma linha atada a um arpão. Este era arremessado, por meio de uma espingarda, contra o costado do alvo (que, na época, era sempre de madeira), e depois de certo tempo um aparelho de relojoaria fazia o engenho explodir. [Outros tipos de torpedo vieram a ser inventados; com a invenção do torpedo-automóvel (q. v.), o nome passou a designar só esse tipo, reservando-se aos demais a designação de mina submarina (q. v.).] **2.** *Mar. G.* Engenho explosivo, de forma cilíndrica alongada, com propulsão e direção próprias, destinado a afundar embarcações mediante uma explosão submarina, e que pode ser lançado de um submarino, de uma embarcação de superfície ou de uma aeronave, e atingir alvos situados a considerável distância do lançador. **3.** Bombona (1). **4.** *Bras. Pop.* Bilhete enviado a uma pessoa determinada, em recinto público. **5.** Mensagem de texto enviada de um celular para outro celular, ou de um *e-mail* para um celular. ◆ **Torpedo nuclear.** *Mar. G.* O que é carregado de explosivo nuclear.

torpedo[2] (ê) [Do tax. *Torpedo* (< lat. tard. *torpedo*).] *S. m. Zool.* **1.** Gênero de peixes elasmobrânquios, torpedinídeos, que habitam os mares quentes, com distribuição cosmopolita. Têm cauda curta, terminando em uma nadadeira raiada, e um par de órgãos elétricos formados por um par de músculos peitorais modificados. **2.** Qualquer espécie desse gênero, como, p. ex., *Torpedo nobiliana* do oceano Atlântico, que atinge 1,80m. **3.** Qualquer espécime desse gênero.

torpedo-automóvel *S. m. Ant. Mar. G.* Designação que se dava, até à II Guerra Mundial, ao torpedo de propulsão e direção próprias. [Pl.: *torpedos-automóveis.*]

torpente [Do lat. *torpente.*] *Adj. 2 g.* **1.** Que entorpece; torpe (q. v.): "a china envolvia o gaúcho no seu olhar torpente, luminoso e doce..." (Alcides Maia, *Tapera,* p. 77). **2.** Entorpecido, tórpido, torpe.

torpeza (ê) [De *torpe*[1] + *-eza.*] *S. f.* **1.** Qualidade de torpe[1]. **2.** Procedimento ignóbil, indigno, torpe. **3.** Desvergonha, impudicícia. [Sin. ger.: *torpitude, torpidade.*]

torpidade [De *torpe*[1] + *-(i)dade.*] *S. f.* V. *torpeza.*

tórpido [Do lat. *torpidu.*] *Adj.* V. *torpente* (2).

torpitude [Do lat. *torpitudine.*] *S. f.* V. *torpeza.*

torpor (ô) [Do lat. *torpore.*] *S. m.* **1.** V. *entorpecimento:* "Vejo, no canto, um sofá enorme. Deixo-me cair nele e só então sinto o torpor do cansaço da viagem" (Cornélio Pena, *Fronteira,* p. 7). **2.** Indiferença ou inércia moral. **3.** *Med.* Ausência de resposta a estímulos comuns.

torporoso (ô) [De *torpor* + *-oso.*] *Adj.* **1.** Em que há torpor. **2.** *Med.* Diz-se de paciente com torpor (3).

torque [Do lat. *torquere,* 'torcer'.] *S. f. Fís.* V. *conjugado* (7).

torquemadesco (ê) [Do antr. *Torquemada* + *-esco.*] *Adj.* Pertencente ou relativo a Tomás Torquemada (1420-1498), famoso inquisidor: "a autoridade mais modesta e mais transitória que seja procura abandonar os meios estabelecidos em lei e recorre à violência, ao chanfalho, ao chicote, ao cano de borracha, à solitária a pão e água, e outros processos torquemadescos e otomanos." (Lima Barreto, *Marginália,* p. 27).

torquês [Do fr. ant. *turcoises* (subentende-se *tenailles*), 'tenazes turcas'] *S. f.* Espécie de tenaz ou alicate. [Em Portugal, *turquês.* Pl.: *torqueses* (ê).]

torquímetro [Do rad. do lat. *torquere,* 'torcer', + *-i-* + *-metro.*] *S. m.* Aparelho para medir a resistência de metais à torção.

torr [Do antr. (*Evangelista*) *Torricelli* (1608-1647), físico e matemático italiano, inventor do barômetro.] *S. m. Fís.* Milímetro de mercúrio.

torra [Dev. de *torrar.*] *S. f.* **1.** Torração (1). **2.** *Bras. BA GO* Carbonato de qualidade inferior; melê. • *S. m. Bras. Pop. MG* **3.** V. *repreensão* (1): "O pai deu um torra no menino, só pra cumprir obrigação, no fundo achou muita graça." (Adélia Prado, *Os Componentes da Banda,* p. 24.)

torração [De *torrar* + *-ção.*] *S. f.* **1.** Ato ou efeito de torrar; torra. **2.** *Bras.* Venda por qualquer preço; queima.

torrada [F. subst. do adj. *torrado.*] *S. f.* Fatia de pão torrado; tosta.

torradeira [De *torrar* + *-deira.*] *S. f. Bras.* Aparelho, ordinariamente elétrico, próprio para fazer torradas, sanduíches quentes, etc.; tostadeira.

torrado [Part. de *torrar.*] *Adj.* **1.** Que se torrou. **2.** Murcho, seco. **3.** *Bras. SP Pop.* V. *embriagado* (1). • *S. m.* **4.** *Bras. N. N.E.* V. *rapé.* **5.** *Bras. N. N.E.* Dança popular, lasciva, espécie de samba.

torrador (ô) [De *torrar* + *-dor.*] *S. m.* Aparelho para torrar café.

torrão [Var. de *terrão* < *terra* + *-ão*[2].] *S. m.* **1.** Pedaço de terra endurecido. **2.** V. *gleba* (1). **3.** Território (1). **4.** Pedaço de qualquer coisa; bocado, porção. **5.** *P. ext.* V. *terra* (6). **6.** *Bras. AM* Salão[2] (4). [Cf. *turrão.*] ~ V. *torrões.* ◆ **Torrão de açúcar.** *Fig.* Fruta (em geral) muito doce: *Esta laranja é um torrão de açúcar.* **Torrão natal.** V. *pátria* (1).

torrar [Do lat. *torrere,* com mudança de conjugação.] *V. t. d.* **1.** Ressequir por meio do calor do fogo, ou ao sol: "A seca calcina a terra, resseca os matagais, torra as capoeiras decotadas" (Gustavo Barroso, *Terra de Sol,* p. 177). **2.** Secar muito. **3.** Queimar de leve; assar, tostar. **4.** Crestar[1] (3), por efeito do calor: *O sol intenso torrou a plantação;* "Torre o sol a verde alfombra" (Olavo Bilac, *Poesias,* p. 127). **5.** *Bras.* Vender por preço baixo ou por qualquer preço; queimar: *Torrou o automóvel para pagar as dívidas;* "Torrou mercadorias, trocou burros por vacas e bois." (Nélson de Faria, *Cabeça-Torta,* p. 9). **6.** *Bras. Gír.* Dar fim, dar cabo a, como que torrando: *Torrou toda a sua herança em menos de seis meses.* **Int. 7.** *Bras. Chulo Gír.* V. *torrar o saco: Vê se não torra!* **P. 8.** Ressequir-se ao sol; tostar-se: *Torrou-se na praia.* **9.** Crestar-se por efeito do calor: "Que a teus passos a relva se torre; Murchem prados, a flor desfaleça" (Gonçalves Dias, *Obras Poéticas,* II, p. 31). [Pres. subj.: *torre, torres,* etc. Cf. *torre* (ô), pl. *torres* (ô); *Torres* (ô), antr. e top.; e *turrar.*]

torre (ô) [Do lat. **turre* (clás. *turrim*).] *S. f.* **1.** Edifício alto que se construía principalmente para defesa em caso de guerra; fortaleza. **2.** Construção redonda ou prismática, alta e estreita, isolada ou anexa a uma igreja, e que serve para ter os sinos e/ou para comunicar sinais a distância; campanário: "nas torres altas / o louco / toca o sino à meia-noite" (Solange Berard Lajes, *Canto/Desencanto,* p. 66). **3.** No jogo de xadrez (q. v.), peça que, depois da rainha, é a mais poderosa e se movimenta vertical e horizontalmente nas colunas do tabuleiro. **4.** *Aer.* Órgão do sistema de proteção ao voo, que controla e coordena o movimento de aeronaves na área circunvizinha de um aeródromo, e abaixo de determinada altitude. **5.** *Mar. G.* Construção couraçada, aproximadamente cilíndrica, instalada em navios de guerra de grande porte, no interior da qual se instalam dois ou mais canhões de grande calibre e com dispositivos que permitem atirar em várias direções. **6.** *Fig.* Pessoa muito alta e corpulenta. [Pl.: *torres* (ô). Cf. *torre, torres,* do v. *torrar.*] ◆ **Torre de borbulhamento.** *Eng. Ind.* Aparelhagem de destilação em que o vapor é forçado a borbulhar no líquido mediante calotas deflectoras convenientemente colocadas nos pratos da coluna. **Torre de comando.** *Mar. G.* Torreão de comando. **Torre de menagem.** A principal de uma fortaleza: "Os atalaias vigiam dos altos miradouros da torre de menagem." (Rebelo da Silva, *Contos e Lendas,* p. 32.)

▲**torre-** [Do lat. *torrĕre.*] *El. comp.* = 'torrar': *torrefação.* [Equiv.: *torri-*: *torrificar.*]

torreado [De *torre* + *-eado.*] *Adj.* **1.** Turriforme. **2.** Guarnecido de torres.

torreame [De *torre* + *-ame.*] *S. m. Bras. CE RN* Grossas nuvens turriformes, que são sinal de inverno: "O tempo, as nuvens, o sol, os torreames, o vento, as abelhas, ... o lunário perpétuo; .... todos os meios ele [o nordestino] emprega para saber se o ano é bom ou mau." (M. Rodrigues de Melo, *Várzea do Açu,* pp. 27-28.)

torreante [De *torrear* + *-nte.*] *Adj. 2 g.* Que torreia, que se eleva à maneira de torre.

torreão [De *torre* + *-ão*[1].] *S. m.* **1.** Torre larga e ameada, sobre um castelo: "Tudo passou! Mas dessas arcarias / Negras, e desses torreões medonhos, / Alguém se assenta sobre as lájeas frias" (Raimundo Correia, *Poesias,* p. 164). **2.** Espécie de torre, pavilhão ou eirado no ângulo ou no alto de um edifício. ◆ **Torreão de comando.** *Mar. G.* Abrigo encouraçado existente nos navios de guerra de grande porte, do qual o comandante dirige a manobra e as ações do navio em combate; torre de comando.

torrear [De *torre* + *-ear*[2].] *V. t. d.* **1.** Munir ou fortificar com torres. **2.** Elevar, ostentar, à maneira de torre: "Que esplendor! Esta luz é o gozo da alma forte. / Ama-a, torreando além suas babéis ao norte, / A nuvem" (Alberto de Oliveira, *Poesias,* 3.ª série, p. 20). *Int.* **3.** Elevar-se à maneira de torre. **4.** Ostentar-se, pompear. [F. paral.: *torrejar.* Conjug.: v. *frear.*]

torrefação [De *torre-* + *fação.*] *S. f.* **1.** Ato ou efeito de torrefazer. **2.** Estabelecimento onde se faz torrefação.

torrefacção *S. f.* V. *torrefação.*

torrefacto *Adj.* V. *torrefato.*

torrefactor (ô) *Adj. S. m.* V. *torrefator.*

torrefador (ô) *Adj. S. f.* Que, aquele ou aquilo que realiza torrefação.

torrefato [Do lat. *torrefactu,* por via erudita.] *Adj.* Que se torrificou; torrefeito, torrado.

torrefator (ô) [De *torrefato* + *-or.*] *Adj.* **1.** Que torrefaz. • *S. m.* **2.** Aparelho para torrefazer.

torrefazer [Do lat. *torrefacere.*] *V. t. d.* V. *torrificar.* [Irreg. Conjug.: v. *fazer.*]

torrefeito [Do lat. *torrefactu;* part. de *torrefazer.*] *Adj.* V. *torrefato.*

torreira [De *torre-* + *-eira.*] *S. f.* **1.** Calor exagerado. **2.** O pino da calma. **3.** Lugar onde é mais intenso o calor do Sol; soalheira.

torrejano *Adj.* **1.** De, ou pertencente ou relativo a Torres Novas (Portugal). • *S. m.* **2.** O natural ou habitante de Torres Novas. [Cf. *torresão.*]

torrejar [De *torre* + *-ejar.*] *V. t. d. Int.* Torrear. [Conjug.: v. *pelejar.*]

torrencial [Do lat. *torrentia,* nom. acus. neutro pl. de *torrens, tis,* 'torrente', + *-al*[1].] *Adj. 2 g.* **1.** Relativo a torrente. **2.** Semelhante a torrente; impetuoso como torrente; caudaloso, caudal, torrentoso. **3.** Muito abundante: *chuvas torrenciais.*

torrencialidade [De *torrencial* + *-(i)dade.*] *S. f.* Qualidade de torrencial.

torrencialismo [De *torrencial* + *-ismo.*] *S. m.* Caráter ou qualidade de torrencial.

torrense *Adj. 2 g.* **1.** De, ou pertencente ou relativo a Torres (RS). • *S. 2 g.* **2.** O natural ou habitante de Torres.

torrente [Do lat. *torrente* (subentende-se *fluviu*), 'rio que seca'.] *S. f.* **1.** Curso de água, temporário e violento, originário das enxurradas. **2.** Grande abundância ou fluência: "E me vieram palavras, uma torrente de palavras, discorrendo sobre o que seria a nossa vida inteira naquele lugar sem conforto" (João Alphonsus, *Eis a Noite!,* p. 50); "Atrouu os ares .... uma torrente de insultos." (Nélson de Faria, *Tiziu e Outras Estórias,* p. 97). **3.** Multidão que se precipita impetuosamente.

torrentoso (ô) [De *torrente* + *-oso.*] *Adj.* V. *torrencial* (2).

torresã *S. f.* Fem. de *torresão.*

torresão *Adj.* **1.** De, ou pertencente ou relativo a Torres Vedras (Portugal). • *S. m.* **2.** O natural ou habitante de Torres Vedras. [Flex.: *torresã, torresãos, torresãs.* Cf. *torrejano.*]

torresmo (ê) [Do esp. *torrezno.*] *S. m.* **1.** Toicinho frito em pequenos pedaços. [Sin., lus.: *rojão.*] **2.** *Bras. Zool.* V. *pão-de-galinha.* **3.** *Bras. S. Fam.* Criança gorda.

torreta (ê) [De *torre* + *-eta* (ê).] *S. f. Bras. Mar. G.* Compartimento estanque que se ergue acima do casco fusiforme do submarino, e no qual se instalam os seus órgãos de comando, os periscópios, os radares, etc.

▲**torri-** Equiv. de *torre-.*

tórrido [Do lat. *torridu.*] *Adj.* Muito quente; ardente: "Pés .... queimados pelas tórridas areias saarianas" (Cruz e Sousa, *Obras Completas,* II, p. 300); "vem-me também à memória uma tarde de tórrido verão, por volta de 1931" (Herman Lima, *Poeira do Tempo*, p. 65). ~ V. *zona —a*.

torrificar [De *torri-* + *-ficar*.] *V. t. d.* **1.** Tornar tórrido. **2.** Tostar, torrar. **3.** Fazer torrar. [Sin. ger.: *torrefazer*. Conjug.: v. *trancar*.]

torrija [Do esp. *torrija*.] *S. f.* Torrada embebida em vinho e coberta com ovos e açúcar.

torrinha [De *torre* + *-inha*.] *S. f.* Galeria (11), nos teatros; camarote do torres, galinheiro, poleiro: "Palmas e ululos ressoaram nas torrinhas." (Ribeiro Couto, *Baianinha e Outras Mulheres*, p. 118.)

torrinheiro [De *torrinha* + *-eiro*.] *S. m. Bras.* Indivíduo que, nos teatros, vai para a torrinha.

torrinhense *Adj. 2 g.* **1.** De, ou pertencente ou relativo a Torrinha (SP). ● *S. 2 g.* **2.** O natural ou habitante de Torrinha.

torroada [Var. de *terroada*.] *S. f.* **1.** Porção de torrões. **2.** Pancada com torrão. **3.** *Bras. PA* Terra alta cheia de bons seringais. **4.** *Bras. MA* Fenda nos terrenos alagadiços quando secam.

torrões [Pl. de *torrão*.] *S. m. pl.* Propriedades rústicas. ~ V. *torrão*.

→**torrone** [to'rone] [It.] *S. m. Cul.* Doce de origem italiana feito de açúcar, mel, clara de ovo batida, amêndoas ligeiramente tostadas (ou, mais raramente, pistache, e, no Brasil, amendoim ou castanha-do-pará) e baunilha ou água de flor de laranjeira.

torsiversão [Do lat. med. *torsio, onis*, 'torção', + versão.] *S. f. Odont.* Giroversão.

torso[1] (ô) [Do it. *torso*.] *S. m.* **1.** Representação da figura humana truncada, sem cabeça e sem membros: *um torso helenístico.* **2.** V. *tronco*[1] (3): "surdiam os ombros roliços, a pele dourada do torso, os seios duros, desnudos." (Herman Lima, *Tijipió*, p. 146); "uma estranha figura de mulher, vestida de algodão branco, com o torso pendido a uma dor intensa, sopitada a custo" (Afonso Arinos, *Pelo Sertão*, p. 118). **3.** Busto de pessoa ou de estátua inteira. [Cf. *torço* (ô), do v. *torcer* e s. m.]

torso[2] (ô) [Do lat. *torsu*.] *Adj.* Torcido, sinuoso, tortuoso: "a cama larga, de colunas torsas" (Coelho Neto, *Treva*, p. 87). [Cf. *torço* (ô), do v. *torcer* e s. m.]

torsoplastia [De *torso*[1] + *-plast(o)-* + *-ia*[1].] *S. f. Cir. Plást.* Intervenção cirúrgica plástica realizada no tronco[1] (3), com objetivo cosmético ou restaurador.

torta [Do lat. tard. *torta*, 'pão redondo'.] *S. f.* **1.** *Cul.* Espécie de pastelão doce ou salgado, recheado, com a tampa de massa ou sem ela. **2.** *Cul.* Bolo (2) de camadas, recheado e em geral com cobertura. **3.** Bagaço proveniente da prensagem das sementes oleaginosas (na extração do óleo), e que se usa como adubo e forragem. **4.** *Lus. Cul.* Rocambole (1) doce. ◆ **Torta capixaba.** *Cul.* Prato feito com bacalhau, peixe fresco, camarão (fresco e seco), triturados e misturados com batata, cebola e ovos batidos, e depois levado ao forno para firmar a massa e dourar a cobertura.

tortamente [Do f. de *torto* + *-mente*.] *Adv.* De modo torto; impropriamente, torcidamente, tortuosamente: "Pedro e Paulo falavam-lhe por exclamações, por exortações, por súplicas, a que ela respondia mal e tortamente" (Machado de Assis, *Esaú e Jacó*, p. 258).

tortéi [Do it. *tortelli*, poss.] *S. m. pl. Cul.* Variedade de *tortelli* típico da serra gaúcha.

torteira [De *torta* + *-eira*.] *S. f.* Fôrma ou prato para tortas.

→**tortelli** [tor'tel.li] [It.] *S. m. pl. Cul.* Raviólis, ger. redondos, recheados com ingredientes que variam conforme a região. [V. *tortéi*.]

tortelos [De *torto*.] *Adj. 2 n. S. m. 2 n.* V. *estrábico* (1 e 4).

torticolo *S. m.* V. *torcicolo*.

tortilha [Do esp. *tortilla*.] *S. f. Cul.* Tipo de panqueca ou bolo mexicano feito com massa de farinha de milho moída a que se acrescenta uma pitada de cal virgem, apresentada aberta ou enrolada com diversos recheios.

torto (ô) [Do lat. *tortu*, 'torcido'.] *Adj.* **1.** Que não é reto, direito; sinuoso, torcido, tortuoso: *rua torta; pernas tortas.* **2.** Que está de través; oblíquo: *poste torto.* **3.** V. *estrábico* (2). **4.** *Fig.* Errado. **5.** *Fig.* Sem lealdade; desleal. **6.** *Bras. Pop.* Que só tem um olho. [Flex.: *torta, tortos* (ó), *tortas*.] ~ V. *avô — e pé —*. ● *Adv.* **7.** De maneira errada; erradamente. **8.** Com falta de respeito. ● *S. m.* **9.** *Ant.* Ofensa, injúria; agravo, dano. ◆ **A torto e a direito.** **1.** Sem conhecer o bem nem o mal; sem discernimento. **2.** Sem escolher; irrefletidamente; a esmo: "Já todo o mundo sabia que a inglesinha namorava a torto e a direito." (Machado de Assis, *Contos Avulsos*, p. 245.) **3.** Em grande quantidade; aos montes. **Quebrar o torto.** *Bras.* **1.** Comer qualquer coisa (pouca) enquanto se aguarda a refeição principal. **2.** Quebrar o jejum.

tortolho [Do cabo-verd.] *S. m. Cabo-verd. Bot.* Arbusto euforbiáceo (*Euphorbia tuckeyana*) cuja madeira é us. como lenha: "Aquela mulher tinha chegado lá em casa ainda muito cedo para vender um feixe de lenha de tortolho." (Onésimo Silveira, *A Saga das As-Secas e das Graças de Nossenhor*, p. 215.)

tortor (ô) [Do lat. *tortore*, 'o que tortura', 'torcedor'.] *S. m. Ant. Marinh.* **1.** Cada um dos cadernais que se passavam sujeitando um bordo ao outro, do navio, pelo interior do casco, quando havia risco de este se abrir. **2.** Volta dada numa espicha ou num pedaço de pau, a fim de socar botões feitos em cabos.

tortricídeo [Do lat. cient. *Tortric-* (< tax. *Tortrix*) + *-ídeo*[1]; tax. *Tortricidae*.] *Zool. S. m.* **1.** Espécime dos tortricídeos, grande família de insetos lepidópteros, cosmopolitas, constituída por pequenas mariposas com asas largas; as lagartas nutrem-se de folhas, brotos e frutos, e várias espécies atacam as macieiras. ● *Adj.* **2.** Pertencente ou relativo a eles.

tortual [De *torto* (torcido) + *-ual*.] *S. m.* **1.** Tranca de ferro ou de madeira que se atravessa no fuso do lagar para fazer que ele gire. **2.** Disco que se adapta ao fuso da roca para facilitar-lhe o giro. [Sin. ger.: *tortueiral*.]

tortueiral *S. m.* V. *tortual*.

tortulho [Do lat. *tertublo*, do lat. *terrae tuberum*.] *S. m.* **1.** Designação comum aos cogumelos, principalmente antes de abertos: "crescem os tortulhos na base do madeiramento dos altares" (Ramalho Ortigão, *As Farpas*, I, p. 10). **2.** Molho de tripas secas e atadas para exposição à venda. **3.** *Fig.* Indivíduo atarracado.

tortuosidade [Do lat. tard. *tortuositate*.] *S. f.* Qualidade de tortuoso; sinuosidade, tortura.

tortuoso (ô) [Do lat. *tortuosu*.] *Adj.* **1.** V. *torto* (1). **2.** Que dá muitas voltas; muito torto. **3.** *Fig.* Oposto à verdade e à justiça: "Em verdade, Lille estava no direito de negacear com um homem tortuoso nos desígnios, para quem a palavra valia pouco." (Aquilino Ribeiro, *Portugueses das Sete Partidas*, p. 196.)

tortura [Do lat. tard. *tortura*.] *S. f.* **1.** Suplício ou tormento violento infligido a alguém. **2.** V. *tortuosidade*. **3.** *Fig.* Grande mágoa. **4.** *Fig.* Lance difícil.

torturado [Part. de *torturar*.] *Adj.* **1.** Submetido a tortura (1). **2.** Aflito, angustiado, atormentado. ● *S. m.* **3.** Indivíduo torturado.

torturador (ô) [De *torturar* + *-dor*.] *Adj.* **1.** Torturante. ● *S. m.* **2.** Aquele que tortura.

torturante [De *torturar* + *-nte*.] *Adj. 2 g.* **1.** Que tortura, que atormenta; torturador. **2.** Aflitivo, angustiante, torturador: *sonhos torturantes.*

torturar [De *tortura* + *-ar*[2].] *V. t. d.* **1.** Submeter a tortura; atormentar, supliciar: *A Santa Inquisição torturou milhares de criaturas.* **2.** Afligir muito; angustiar: *A incerteza torturava-o.* **3.** Molestar, desconfortar, incomodar fisicamente, em alto grau: *Os sapatos novos torturavam-lhe os pés*; "Queixou-se duma dor de cabeça que a torturava." (Eça de Queirós, *Os Maias*, II, p. 382). *P.* **4.** Afligir-se, angustiar-se.

tórula [Do tax. *Torula*.] *S. f. Micol.* **1.** Criptococo (1). **2.** Qualquer de certos fungos imperfeitos que, tipicamente, formam ácidos, como o láctico e o cítrico.

tórulo [Do lat. *torulu*, 'alburno'.] *S. m. Anat.* Pequena saliência papilar.

torulose [De *tórula* + *-ose*[1].] *S. m. Patol.* Criptococose.

toruloso (ô) [De *tórulo* + *-oso*.] *Adj.* **1.** Que tem tórulos. **2.** *Bot.* Diz-se dos órgãos alongados e moniliformes: *fruto toruloso; filamento toruloso.*

torunguenga *Adj. 2 g. Bras. RS* **1.** Diz-se de pessoa destemida e respeitada como tal. V. *valentão* (1). ● *S. 2 g.* **2.** Pessoa torunguenga. V. *valentão* (3). **3.** Pessoa destra no manejo de qualquer arma e/ou no tocar a viola ou a gaita. [Var.: *tourunguenga*.]

torvação [De *torvar* + *-ção*.] *S. f.* **1.** Ato ou efeito de torvar(-se). **2.** *Fig.* Irritação, agastamento, cólera. **3.** Perturbação de ânimo. [Sin. ger.: *torvamento*. Cf. *turvação*.]

torvado [Part. de *torvar*.] *Adj.* **1.** Perturbado, turbado, confuso. **2.** Agastado, irado, encolerizado.

torvamento [De *torvar* + *-mento*.] *S. m.* V. *torvação*. [Cf. *turvamento*.]

torvar [Var. de *turvar*.] *V. t. d.* **1.** Confundir, perturbar: *A exibição pública torvou a ordem no centro da cidade.* *Int. P.* **2.** Confundir-se, perturbar-se. **3.** Irritar-se, agastar-se. **4.** Tornar-se torvo, carrancudo, sombrio. [Pres. ind.: *torvo, torvas, torva*, etc. Cf. *torvo* (ô), flex. *torva* (ô), *torvos* (ô), *torvas* (ô), e *turvar*.]

torvelim [De *torvelinho*, com apócope.] *S. m.* V. *torvelinho*: "um torvelim de paixões e um remoinho de torturas" (Olavo Bilac, *Conferências Literárias*, p. 22).

torvelinhante [De *torvelinhar* + *-nte*.] *Adj. 2 g.* Que torvelinha.

torvelinhar [De *torvelinho* + *-ar*[2].] *V. int.* **1.** Fazer torvelinho; remoinhar, redemoinhar; agitar-se: "Torvelinhai, torrentes do ar!" (Manuel Bandeira, *Estrela da Vida Inteira*, p. 36.) *T. d.* **2.** Agitar em torvelinho: *A ventania torvelinhava a poeira do largo.*

torvelinho [De *torvelino*.] *S. m.* Remoinho, redemoinho; torvelino, torvelim: "A lembrança do cachorro pôde tomar pé no torvelinho de pensamentos que iam pela cabeça do nosso homem." (Machado de Assis, *Quincas Borba*, p. 26); "As folhas secas, nos caminhos, / Cantam em doudos torvelinhos / Canções de seda." (Da Costa e Silva, *Sangue*, p. 73).

torvelino [Do esp. *torbellino*.] *S. m.* V. *torvelinho*.

torvo (ô) [Do lat. *torvu*.] *Adj.* **1.** Que causa terror. **2.** Iracundo, irascível, carrancudo. **3.** Pavoroso, sinistro: "Era de ver a fúnebre bacante [a morte]! / Que torvo olhar! que gesto de demente!" (Antero de Quental, *Sonetos*, p. 327.) ● *S. m.* **4.** Qualidade do que é torvo. [Flex. do adj.: *torva* (ô), *torvos* (ô), *torvas* (ô). Cf. *torvo, torvas, torva*, do v. *torvar*.]

tosa[1] [Dev. de *tosar*[1].] *S. f.* Operação de tosar a lã ou aparar-lhe a felpa.

tosa[2] [Dev. de *tosar*[2].] *S. f.* **1.** V. *surra* (1). **2.** *Fig.* V. *repreensão* (1).

tosado [Part. de *tosar*[1].] *Adj.* **1.** Tosquiado. **2.** *Constr. Nav.* Que tem tosamento.

tosador (ô) [De *tosar*[1] + *-dor*.] *Adj. S. m.* Que, ou aquele que tosa.

tosadura [De *tosar*[1] + *-dura*.] *S. f.* Ato ou efeito de tosar[1].

tosamento [De *tosar*[1] + *-mento*.] *S. m. Constr. Nav.* Curvatura que a quilha de certas embarcações apresenta, ou por construção, ou em consequência de esforços excessivos, e caracterizada por ficar a seção de meia-nau mais baixa que a proa e a popa.

tosão [Do fr. *toison*.] *S. m.* Velo de carneiro.

tosar[1] [Do lat. **tonsare*, freq. de *tondere*, 'tosquiar'.] *V. t. d.* **1.** Aparar a felpa de; tosquiar. **2.** Aparar por igual. **3.** Cortar rente; tosquiar: *tosar o cabelo.* **4.** *Fig.* Roer, ratar. **5.** Comer, roer, pastando: *O carneiro tosa o capim*; "As duas éguas tosavam a boa erva pintalgada de papoulas e botões-de-oiro." (Eça de Queirós, *Contos*, p. 132). **6.** Comer ou roer o capim, a relva de: *O boi tosa o prado.* [Pres. ind.: *toso, tosas, tosa*, etc. Cf. *toso* (ô).]

tosar[2] [Do lat. **tunsare*, freq. de *tundure*, 'bater repetidas vezes'.] *V. t. d.* Dar tosa[2] em. V. *surrar* (2). [Pres. ind.: *toso, tosas, tosa*, etc. Cf. *toso* (ô).]

toscanejamento [De *toscanejar* + *-mento*.] *S. m.* Ação de toscanejar.

toscanejar [Do cruz. de *pestanejar* com *tosco*, 'informe', 'rude'.] *V. int.* Cabecear com sono, abrindo e fechando os olhos repetidamente; cochilar: "Dormitando [o papagaio] em sua placa, no umbral da porta, toscanejou" (João Guimarães Rosa, *Corpo de Baile*, I, p. 171). [Conjug.: v. *pelejar*. Var.: *tosquenejar*.]

toscano[1] [Do lat. *tuscanu*.] *Adj.* **1.** Da, ou pertencente ou relativo à Toscana (Itália). ~ V. *coluna —a* e *ordem —a*. ● *S. m.* **2.** O natural ou habitante da Toscana. **3.** *Gloss.* O dialeto lá falado. **4.** Vocábulo desse dialeto.

toscano[2] [De *tosco* + *-ano*[1].] *Adj. Bras. S.* Que tem nariz grande; narigudo.

toscar [De *tosco* + *-ar*[2].] *V. t. d. Lus. Gír.* **1.** Ver ao longe; avistar. **2.** Entender, perceber, compreender. [Conjug.: v. *trancar*. Pres. ind.: *tosco, toscas, tosca*, etc. Cf. *tosco* (ô) e flex. *tosca* (ô), *toscas* (ô).]

tosco (ô) [Poss. do lat. vulg. *tuscu*, 'dissoluto', 'vil', por alusão à gente que vivia no bairro etrusco de Roma, *Vicus Tuscus*.] *Adj.* **1.** Tal como veio da natureza. **2.** Não lapidado nem polido. **3.** Bronco, grosseiro, rude. **4.** Malfeito; informe. **5.** V. *inculto* (3). [Flex.: *tosca* (ô), *toscos* (ô), *toscas* (ô). Cf. *tosco, toscas, tosca*, do v. *toscar*.]

tosilato *S. m. Quím. toluenossulfonato*.

toso (ô) [Dev. de *tosar*[1].] *S. m. Bras. S.* Certa maneira de cortar a crina do equídeo. [Pl.: *tosos* (ô). Cf. *toso*, do v. *tosar*.]

tosquenejar *V. int.* V. *toscanejar*: "E tardando o esposo, começaram a tosquenejar todas; e assim vieram dormir." (Antônio Pereira de Figueiredo, *O Novo Testamento de Jesus Cristo* [trad.], p. 35.) [Conjug.: v. *pelejar*.]

tosquia [Dev. de *tosquiar*.] *S. f.* **1.** Ato ou efeito de tosquiar. [Sin. (bras., RS): *esquila*.] **2.** Época própria para o corte do pelo ou da lã dos animais. **3.** *Fig.* Crítica muito severa.

tosquiadela [De *tosquiar* + *-dela*.] *S. f.* **1.** Ato de tosquiar de cada vez. **2.** Tosquia ligeira. **3.** *Fig.* V. *repreensão* (1). **4.** *Fig.* V. *surra* (1).

tosquiado [Part. de *tosquiar*.] *Adj.* **1.** Que tem o pelo ou a lã cortada rente; tonsurado. **2.** *Fam.* Cujo cabelo é cortado rente.

tosquiador (ô) [De *tosquiar* + *-dor*.] *Adj. S. m.* Que, ou aquele que tosquia.

tosquiar [Do esp. ant. *tosquilar*, atual *trosquilar*.] *V. t. d.* **1.** Cortar rente (pelo, lã ou cabelo); tonsurar: *tosquiou o pelo do carnívoro.* **2.** Cortar rente o pelo, lã ou cabelo de; tosar: *Tosquiou a ovelha.* [Sin. (bras., RS), nessas acepç.: *cerdear* e *esquilar*.] **3.** Aparar as extremidades da rama de (plantas). **4.** Despojar, espoliar, esbulhar: *Os impostos pesados tosquiavam o povo.* **5.** *Encad.* Aparelhar (o corte do livro), igualando com a tesoura, faca ou tesourão as margens dos cadernos. *P.* **6.** Cortar o próprio cabelo rente ao couro cabeludo.

tosse [Do lat. **tusse* (cláss. *tussim*).] ***S. f. Med.*** Expulsão súbita e ruidosa de ar pela boca, visando, habitualmente, à eliminação de matéria estranha presente em vias aéreas. ◆ **Tosse comprida.** *Bras.* V. *coqueluche* (1): "Siá Maricota, quando se punha a recordar a tosse comprida que lhe matara o filho, ... acreditava que o aleijado tinha parte com o Sujo, livrando-se, como se livrara, dos apertos da moléstia ingrata" (Nélson de Faria, *Tiziu e Outras Estórias*, p. 178). **Tosse convulsa.** V. *coqueluche* (1): "A doença era febre, o corpo cheio de manchas .... Antes, foi a tosse convulsa." (Osmã Lins, *Nove, Novena*, p. 106.) **Tosse de cachorro.** *Bras.* Tosse rouca, ladrante, que se observa na coqueluche, nos aneurismas da aorta, nas afecções laríngeas, etc. **Tosse de guariba.** *Bras.* V. *coqueluche* (1): "A tosse de guariba, que matou uns quatro meninos, ... não causou ao enjeitado dano maior que o aumento de salivação." (Nélson de Faria, *Tiziu e Outras Estórias*, p. 178). **Tosse seca.** *Med.* Tosse não acompanhada de expectoração. **Ver o que é bom para tosse.** *Bras. Pop.* Experimentar as consequências de procedimento incorreto ou errôneo, sobre o qual foi advertido.

tossegoso (ô) [Do lat. *tussicus*, 'doente de tosse', 'sujeito a tosse', + *-oso*.] ***Adj.*** Que tem tosse.

tossicar [De *tosse* + *-icar*.] ***V. int.*** Tossir fraca e repetidamente. [Conjug.: v. *trancar*.]

tossidela [De *tossir* + *-dela*.] ***S. f. Pop.*** **1.** Ato de tossir uma vez. **2.** Ato de tossir.

tossido[1] [Subst. do part. de *tossir*.] ***S. m.*** Ato de tossir deliberadamente, para dar qualquer sinal ou exprimir algum sentimento.

tossido[2] [Part. de *tossir*.] ***Adj.*** Lançado de si, ou enunciado, entre tossidelas: "Vinham tossidas estas palavras, às golfadas, ... como se fossem migalhas de um pulmão desfeito." (Machado de Assis, *Memórias Póstumas de Brás Cubas*, p. 240).

tossir [Do lat. *tussire*.] ***V. int.*** **1.** Ter tosse: "ia à janela escarrar e lá ficava, curvado, tossindo aos arrancos" (Coelho Neto, *Turbilhão*, p. 9). ***T. d.*** **2.** Provocar (a tosse) artificialmente: "Leu a carta chegada de Lisboa, tossiu sua tossinha de cemitério, foi ver a cara no espelho" (José Cândido de Carvalho, *Por que Lulu Bergantim não Atravessou o Rubicon*, p. 7). **3.** Expelir da garganta; lançar fora de si: "a tossir sempre uma expectoração dos bofes requeimados." (Camilo Castelo Branco, *Sentimentalismo e História*, p. 176); *O dragão tossia fogo.* [Irreg. Pres. ind.: *tusso, tosses, tosse, tossimos, tossis, tossem*; pres. subj.: *tussa, tussas*, etc.]

tosta [Dev. de *tostar*.] ***S. f.*** **1.** Torrada. **2.** *Lus.* Sanduíche de pão, esp. o de fôrma, torrado ou aquecido. [Cf. *tosta*, do v. *tostar*.]

tostadeira [De *tostar* + *-deira*.] ***S. f.*** Aparelho para tostar pão, sanduíche, etc.; torradeira.

tostadela [De *tostar* + *-dela*.] ***S. f.*** Ato ou efeito de tostar de leve.

tostado [Part. de *tostar*.] ***Adj.*** **1.** Levemente queimado; crestado. **2.** Escuro, moreno; trigueiro. ● ***S. m.*** **3.** Animal tostado (2): "o tostado arrebentou as duas paletas na enxurrada e caiu" (Simões Lopes Neto, *Contos Gauchescos e Lendas do Sul*, p. 233).

tostadura [De *tostar* + *-dura*.] ***S. f.*** Ato ou efeito de tostar(-se).

tostão[1] [Do it. *testone*, pelo fr. *teston*, com assimilação.] ***S. m.*** **1.** Antiga moeda de níquel, de Portugal e do Brasil, que valia cem réis. **2.** *Bras.* V. *dinheiro* (5). **3.** *Bras. Pop.* Joelhada nos músculos da coxa. **4.** *Bras. RJ Gír.* Pingo de chuva. ◆ **Um tostão de.** *Bras. Fam.* Um pouquinho de; um tiquinho de.

tostão[2] [F. red. de *erva-tostão*.] ***S. f. Bras. Bot.*** V. *agarra-pinto*.

tostar [Do lat. **tostare*, freq. de *torrere*, 'secar'.] ***V. t. d.*** **1.** Queimar superficialmente; torrar, crestar: "O sol não lhe tostava a pele fresca, / Nem lhe feria o espinho a nívea mão" (Luís Murat, *Ondas*, II, p. 105). **2.** Dourar (prato assado, pão, etc.). **3.** Dar cor escura a; tisnar. ***P.*** **4.** Queimar-se superficialmente; torrar-se, crestar-se. [Pres. ind.: *tosto, tostas, tosta*, etc.; pres. subj.: *toste*, etc. Cf. *tosta*, s. f., *toste* (ô).]

toste (ô) [Do ingl. *toast*.] ***S. m.*** **1.** Saudação ou brinde, em um banquete. **2.** Ato de beber à saúde de alguém. [Cf. *toste*, do v. *tostar*.]

tota ***S. f. Bras. N.E.*** Pequeno impulso que se dá às castanhas, no jogo.

total [Do lat. med. *totale*.] ***Adj. 2 g.*** **1.** Que constitui ou abrange um todo; completo. ~ V. *derivada —, diferencial —, eclipse —, guerra —, probabilidade —, transmitância —* e *vão —*. ● ***S. m.*** **2.** Resultado da adição; soma.

totalidade [De *total* + *-(i)dade*.] ***S. f.*** **1.** O conjunto das partes que constituem um todo; soma. **2.** *Filos.* Unidade de partes; sistema. [Cf., nesta acepç., *unidade* (14).]

totalitário [Do it. *totalitario*.] ***Adj.*** Diz-se do governo, país ou regime em que um grupo centraliza todos os poderes políticos e administrativos, não permitindo a existência de outros grupos ou partidos políticos.

totalitarismo [De *totalitário* + *-ismo*.] ***S. m.*** Sistema de governo totalitário.

totalitarista [De *totalitarismo* + *-ista*.] ***Adj. 2 g.*** **1.** Relativo ao, ou próprio do totalitarismo. **2.** Que é adepto desse sistema. ● ***S. 2 g.*** **3.** Partidário dele.

totalização [De *totalizar* + *-ção*.] ***S. f.*** Ato ou efeito de totalizar.

totalizado [Part. de *totalizar*.] ***Adj.*** **1.** Que se totalizou. **2.** Globalizado.

totalizador (ô) [De *totalizar* + *-dor*.] ***Adj.*** **1.** Que totaliza; totalizante. ● ***S. m.*** **2.** Aquele que totaliza. **3.** *Bras. Turfe* Aparelho que registra eletronicamente, antes de cada páreo, o movimento de apostas de vencedor, dupla e placê, e, depois, os rateios e o tempo do ganhador da prova; bicho-verde.

totalizante [De *totalizar* + *-nte*.] ***Adj. 2 g.*** Totalizador (1).

totalizar [De *total* + *-izar*.] ***V. t. d.*** **1.** Calcular o total de; avaliar na totalidade. **2.** Apreciar em conjunto. **3.** Realizar totalmente. **4.** *Bras.* Atingir o total de; perfazer: *Os efetivos totalizavam 20.000 combatentes.*

totalmente [De *total* + *-mente*.] ***Adv.*** De modo total, completo, absoluto; absolutamente.

totem [Poss. de um termo algonquiano que designa 'marca familiar ou tribal'; 'relação social de parentesco ou amizade'; pelo ingl.] ***S. m. Antrop.*** **1.** Em diversos povos e sociedades, animal, vegetal ou qualquer entidade ou objeto em relação ao qual um grupo ou subgrupo social (p. ex., uma tribo ou um clã) se coloca numa relação simbólica especial, que envolve crenças e práticas específicas, variáveis conforme a sociedade ou cultura considerada: "É de supor que, primitivamente, foi a cigarra, como a formiga, totem de alguma tribo, do qual se conservaria reminiscência, no emblema, através da mitologia." (Alberto Faria, *Acendalhas*, p. 57.) [Cf. *totemismo*.] **2.** Representação desse animal, vegetal ou objeto. [F. paral.: *tóteme*.]

tóteme ***S. m.*** Totem.

totêmico ***Adj.*** V. *totêmico*. [Uso freq. em P.]

totêmico [De *totem* + *-ico*[2].] ***Adj.*** **1.** Pertencente ou relativo a totem. **2.** Relativo ao totemismo.

totemismo [De *totem* + *-ismo*.] ***S. m.*** **1.** Crença no totem. **2.** *Antrop.* O conjunto de práticas sociais, crenças religiosas e ritos relacionados aos totens. **3.** *Restr. Antrop.* Termo com o qual se designava a associação simbólica que, em certos povos e culturas, se faz entre determinado objeto ou ser não humano e determinado grupo ou classe de pessoas, e que ger. se apresenta como um sistema de práticas e crenças institucionalizadas, cuja característica mais comumente observada é a existência de algum tipo de vínculo entre a espécie natural e um clã exógamo, manifestada na afirmação de que os indivíduos desse clã pertencem àquela espécie ou têm com ela um ancestral comum, e estão por isso obrigados a demonstrar respeito e cumprir certas obrigações para com o totem.

▲**toti-** [Do lat. *totus, a, um*.] ***El. comp.*** = 'todo', 'inteiro'; 'totalmente': *totipalmado*.

totipalmado[1] (tò) [De *toti-* + *palmado*.] ***Adj. Zool.*** Cujos dedos dos pés são unidos por membranas (diz-se de aves).

totipalmado[2] (tò) [De *toti-* + lat. *palmatus*; tax. *Totipalmatae*.] ***S. m. Adj. Zool.*** V. *pelicaniforme*[2].

totó[1] ***S. m. Lus.*** Maria-chiquinha.

totó[2] [Do fr. *toutou*.] ***S. m.*** **1.** *Fam.* Cão pequeno. **2.** *Bras. Fut.* Chute fraco. **3.** Futebol totó. **4.** *Bras. PB* V. *cocó*[1].

totobola ***S. m. Lus.*** Loteria esportiva.

totoparcial ***Adj. 2 g. Filos.*** Segundo William Hamilton (1778-1856), filósofo e lógico escocês, diz-se de proposição afirmativa ou negativa cujo sujeito é universal e o predicado particular. ❖

tototal ***Adj. 2 g. Filos.*** Segundo William Hamilton (1778-1856), filósofo e lógico escocês, diz-se de proposição afirmativa ou negativa, cujos sujeito e predicado são universais. ❖

touaou ***S. m. Bras. Bot.*** V. *camboatã-branco*.

touca [Do b.-lat. *taucca*.] ***S. f.*** **1.** Adorno de fazenda ou de lã usado na cabeça por mulheres e crianças. **2.** Peça de vestuário que cobre a cabeça, pescoço e ombros de freiras. **3.** Arranjo que se faz no cabelo, ger. com uso de grampos [v. *grampo* (3)], touca (1) ou afins, com o intuito de alisá-lo e prepará-lo para o penteado. ◆ **Dormir de touca.** **1.** *Bras. Fam.* Deixar-se enganar, ludibriar. **2.** Perder boa oportunidade. [Sin. ger.: *bobear, cochilar, dar uma bobeada, dar uma vacilada, dormir no ponto* e *marcar bobeira*. M. us. na f. negativa.]

touça [Do pré-romano **taucia*, 'mata', 'cepa de árvore', poss.] ***S. f. Bot.*** Moita (1): "veio .... pela estrada rodeada de verdes touças e cortada, de onde em onde, por pequeninos fios d'água inconstantes e numerosos." (Clodomir Silva, *Minha Gente*, p. 93); "inclinava a fronte sobre uma touça da ramagem" (José de Alencar, *O Sertanejo*, p. 71). [F. paral.: *toiça*.]

touca-de-viúva ***S. f. Bras. Bot.*** **1.** V. *flor-de-são-miguel* (1). **2.** V. *coroa-de-viúva*. [Pl.: *toucas-de-viúva*.]

toucado [Part. de *toucar*.] ***Adj.*** **1.** Ornado de touca. **2.** *Fig.* Orlado, circundado, coroado. ● ***S. m.*** **3.** O conjunto dos adornos da cabeça das mulheres. [Cf. *tocado*.]

toucador (ô) [De *toucar* + *-dor*.] ***Adj.*** **1.** Que touca. ● ***S. m.*** **2.** Aquele que touca. **3.** Espécie de cômoda encimada por um espelho e que serve a quem se touca ou penteia. **4.** *P. ext.* Quarto ou gabinete em que, antigamente, ficava o toucador (3), e onde as mulheres se penteavam, pintavam, etc. **5.** Touca que as mulheres usavam para envolver o cabelo ao deitarem-se. [Cf. *tocador*.]

toucar [De *touca* + *-ar*[2].] ***V. t. d.*** **1.** Pôr touca em. **2.** Cobrir com touca: cobrir: "duas graciosas fieiras de mocinhas, vestidos brancos, véus toucando os cabelos encrespados a papelotes" (Mário Sete, *Senhora de Engenho*, p. 20). **3.** Pentear e dispor convenientemente (o cabelo): "Então Lúcia ocupava-se em anelar os cabelos louros da irmã e toucá-la com tanto esmero como se a preparasse para alguma festa esplêndida" (José de Alencar, *Lucíola*, p. 183). **4.** *Desus.* Adornar, enfeitar, ataviar, embelezar o vestuário de. **5.** Aureolar, coroar, circundar. **6.** Encimar, rematar. ***T. d. e i.*** **7.** Toucar (4): *Toucaram-na de fitas coloridas.* ***P.*** **8.** Preparar o seu próprio cabelo. **9.** Adornar-se, enfeitar-se, ataviar-se: "Calçou as sandálias, toucou-se de flores" (Antônio Nobre, *Só*, p. 9). [Conjug.: v. *trancar*. Pres. ind. *touco, toucas, touca*, etc. Cf. *toco* (ô), s. m., *toco*, do v. *tocar*, este verbo, e *tocar*, s. m.]

touceira [De *touça* + *-eira*.] ***S. f. Bot.*** **1.** Grande touça ou moita. **2.** Parte da árvore que fica viva no solo depois de cortado o caule da árvore; cepa. **3.** Conjunto de rebentos ou filhos de uma planta. [F. paral.: *toiceira*.]

➔**touch screen** [tʌtʃ skɹijn] [Ingl.] ***S. f. Adj. 2 g. 2 n.*** Diz-se de, ou tela de aparelho eletrônico (celular, caixa eletrônico, etc.) no qual os comandos de operação são dados a partir do toque na tela.

toucinhama [De *toucinho* + *-ama*.] ***S. f.*** V. *toicinhama*.

toucinho ***S. m.*** Toicinho (q. v.).

toucinho do céu [De *toucinho* + *do*[1] + *céu*.] ***S. m. Cul.*** V. *toicinho do céu*. [Pl.: *toucinhos do céu*.] ☑

toupeira [Do arc. *toupa* < lat. *talpa*, + *-eira*.] ***S. f.*** **1.** *Zool.* Mamífero insetívoro (*Talpa europaea*), que vive sob a terra, minando-a. **2.** *Fig.* Pessoa de olhos pequenos e piscos. **3.** *Fam.* Pessoa estúpida, muito curta de inteligência. **4.** *Desus.* Mulher velha e malvestida.

toupeira-europeia (éi) ***S. f. Zool.*** Rato-toupeira. [Pl.: *toupeiras-europeias*.] ❖

toupeirinha [De *toupeira* + *-inha*.] ***S. f. Bras. Zool.*** V. *grilo-toupeira* (1).

tourada [De *touro* + *-ada*[1].] ***S. f.*** **1.** Manada de touros. **2.** Espetáculo em arena, no qual um ou mais participantes enfrentam um touro, levando-o à morte ou derrubando-o ao chão; corrida de touros, corrida, touros. [Var.: *toirada*.]

toural[1] [De *touro* + *-al*[1].] ***S. m.*** **1.** Campo da feira dos touros ou bois. **2.** Lugar onde os coelhos costumam estercar e onde os esperam os caçadores. [Var.: *toiral*. Cf. *toral*.]

toural[2] ***Adj. 2 g. Bot.*** V. *madural*. [Cf. *toral*.]

➔**tour de force** [tuʀ də fɔʀs] [Fr.] Emprego de muita força ou muito esforço para alcançar um fim.

toureação [De *tourear* + *-ção*.] ***S. f. Bras. S.*** Ato de tourear; lide, toureio. [Var.: *toireação*.]

toureador (ô) [De *tourear* + *-dor*.] ***S. m.*** Toureiro (1).

tourear [De *touro* + *-ear*[2].] ***V. t. d.*** **1.** Correr ou lidar (touros) em um circo ou praça. **2.** Perseguir, atacar. **3.** Zombar ou escarnecer de; chacotear. **4.** Provocar, desafiar. **5.** *Bras. S.* V. *namorar* (1). ***Int.*** **6.** Correr touros; participar de tourada, como toureiro. [Var.: *toirear*. Conjug.: v. *frear*.]

toureio [Dev. de *tourear*.] ***S. m.*** V. *toureação*. [Var.: *toireio*.]

toureiro [De *touro* + *-eiro*.] ***S. m.*** **1.** Indivíduo que toureia, principalmente aquele que o faz como amador ou por profissão; toureador. ● ***Adj.*** **2.** Relativo a touro. [Var.: *toireiro*.] ◆ **À toureiro.** À valentona; à bruta; na marra.

tourejão ***S. m.*** Cavilha destinada a amparar as rodas da carreta, nas extremidades do eixo. [Var.: *toirejão*.]

tourense ***Adj. 2 g.*** **1.** De, ou pertencente ou relativo a Touros (RN). ● ***S. 2 g.*** **2.** O natural ou habitante de Touros.

touriga-nacional [Do f. de *Tourigo* + *nacional*.] ***S. f.*** **1.** *Vitic.* Casta de uva tinta, us. na fabricação do vinho do Porto e de alguns vinhos tintos da região do Douro. **2.** *Enol.* Vinho produzido com essa uva. [Pl.: *tourigas-nacionais*.]

T

touril [De *touro* + *-il*[1].] *S. m.* **1.** Curral de gado bovino. **2.** Lugar anexo à praça de touros, onde eles ficam antes da corrida. [Var.: *toiril*.]
tourinha [De *tour(ada)* + *-inha*, poss.] *S. f.* Corrida de novilhas mansas, paródia à corrida de touros. [Var.: *toirinha*.]
→**tournedos** [tuʁnə'do] [Fr.] *S. m. Cul.* V. *turnedó*.
→**tournée** [tuʁ'ne] [Fr.] *S. f.* V. *turnê*.
touro [Do lat. *tauru*.] *S. m.* **1.** *Zool.* Boi inteiro, não castrado. **2.** Boi bravo. [Fem.: *vaca*.] **3.** *Fig.* Homem fogoso e robusto. **4.** *Astr.* A segunda constelação do zodíaco, situada no hemisfério norte, próximo a 4h30min de ascensão reta e 16° de declinação norte. **5.** O segundo signo do zodíaco, relativo aos que nascem entre 20 de abril e 20 de maio; Tauro. **6.** *Bras.* No jogo do bicho (q. v.), o 21º grupo (14), que abrange as dezenas 81, 82, 83 e 84, e corresponde ao número 21. [Com cap., nas acepç. 4 e 5. Var.: *toiro*.] ~ V. *touros*. ◆ **Touro de capa.** *Bras. RS* Touro (1) que vai ser capado. **Pegar o touro pelos chifres.** *Bras.* Tomar o pião na unha (q. v.).
touros [Pl. de *touro*.] *S. m. pl.* V. *tourada* (2). [Var.: *toiros*.] ~ V. *touro*.
tourunguenga *Adj. S. m. Bras. S.* V. *torunguenga*. [Cf. *valentão* (1 e 3).]
touruno [Do esp. plat. *toruno*.] *Adj. Bras. S.* **1.** Diz-se do boi que, malcastrado, ainda procura as vacas. **2.** V. *valentão* (1). [Var.: *toiruno*.]
touta *S. f. Pop.* V. *toutiço* (2). [Var.: *toita*.]
→**tout court** [tu'kuʁ] [Fr.] Sem mais nada; somente, só.
touteador (ô) [De *toutear* + *-dor*.] *Adj. S. m.* Que, ou aquele que touteia. [Var.: *toiteador*.]
toutear [De *tonta* + *-ear*[2].] *V. int.* Dizer ou praticar tolices. [Var.: *toitear*. Conjug.: v. *frear*.]
→**tout est bien qui finit bien** [tute'bjẽ ki fini'bjẽ] [Fr.] Tudo o que termina bem está bem.
toutiçada [De *toutiço* + *-ada*[1].] *S. f.* Pancada no toutiço. [Var.: *toitiçada*.]
toutiço [De *touta* + *-(d)iço*[2].] *S. m.* **1.** A parte posterior da cabeça; cachaço, nuca. **2.** A cabeça; touta. [Var.: *toitiço*.]
toutinegra (ôu... ê) [De *touta* + *-i-* + o f. do adj. *negro*.] *S. f. Zool.* Designação comum a certas espécies de pássaros dentirrostros, e de canto ameno, de plumagem escura, fulva.
toutinegra-dos-valados (ôu) *S. f. Lus. Zool.* Fura-balsas (q. v.). [Pl.: *toutinegras-dos-valados*.]
tovaca [Do tupi.] *S. f. Bras. Zool.* Designação comum a duas aves passeriformes, formicariídeas (*Chamaeza brevicauda* e *C. ruficauda*) do S.E. do Brasil, de dorso escuro, abdome amarelado, garganta branca, lado inferior malhado de preto, branco e amarelado. Vivem na mata, em geral frequentam apenas o solo, onde se alimentam de toda sorte de artrópodes e onde nidificam. [Sin.: *espanta-porco*, *tegui* e *teú*.]
tovacuçu [Do tupi.] *S. f. Bras. Zool.* Designação de duas aves passeriformes, formicariídeas (*Grallaria varia*), distribuída por todo o Brasil, e *Grallaria varia imperator* do S.E. do país, de dorso escuro, cabeça cinzenta, região abdominal amarelada, e uma estria bifurcada que sai da mandíbula, transformando-se em malha de cor igual no pescoço. Nidificam no chão e alimentam-se de insetos. [Sin.: *galinha-do-mato* e *perna-lavada*.]
tovariácea (vá) [Do tax. *Tovaria* (do antr. *[Simón] Tovario* [séc. XVIII], médico espanhol) + *-ácea*; tax. *Tovariaceae*.] *S. f. Bot.* Espécime das tovariáceas, família de vegetais floríferos, constituída exclusivamente do gênero *Tovaria*, inexistente no Brasil, e situada entre as papaveráceas e as caparidáceas, na ordem das readales.
tovariáceo [De *tovariácea*, com var. suf. (v. *-áceo*).] *Adj. Bot.* Pertencente ou relativo às tovariáceas.
toxafeno (cs) [Nome comercial.] *S. m. Quím.* Inseticida clorado, tóxico tb. para animais, derivado do canfeno [fórm.: $C_{10}H_{10}Cl_8$].
toxemia (cs) [De *tox(i)-* + *-emia*.] *S. f. Patol.* Intoxicação resultante da ação de produtos bacterianos difundidos pela corrente circulatória. ◆ **Toxemia gravídica.** *Obst.* Grupo de estados patológicos ligados à gravidez, e que se exteriorizam como pré-eclampsia ou como eclampsia.
toxêmico (cs) *Adj. Patol.* V. *toxêmico*. [Uso freq. em P.]
toxêmico (cs) [De *toxemia* + *-ico*[2].] *Adj. Patol.* Relativo a toxemia; toxiquêmico.
▲**tox(i)-** (cs) V. *toxic(o)-*.
▲**-tox(i)-** (cs) V. *toxic(o)-*.
toxicar (cs) [De *toxic(o)-* + *-ar*[2].] *V. t. d. P.* V. *intoxicar*. [Sin.: v. *trancar*. Pres. ind.: *toxico*, etc. Cf. *tóxico*.]
toxicidade (ócs) [De *tóxico* + *-(i)dade*.] *S. f.* **1.** Caráter do que é tóxico. [Sin. (malformado): *toxidez*.] **2.** O quociente, expresso em quilogramas, da quantidade duma substância necessária para matar um animal.
toxicisto (ócs) [De *tox(i)-* + *-cisto*.] *S. m. Zool.* Organela observada em determinados protozoários, com filamento que contém veneno capaz de eliminar outros protozoários.
▲**toxic(o)-** [Do lat. *toxĭcum, i*.] *El. comp.* = 'veneno', 'tóxico': *toxicóforo*, *toxicomania*. [Equiv.: *tox(i)-*, *-tox(i)-*, *-toxic(o)-*, *-tóxico*, *toxiqu-*, *toxo-*, *-toxo*: *toxina*; *actinotoxemia*; *coniotoxicose*; *nefrotóxico*; *toxoplasmose*; *gerotoxo*. Antes de *e* e *de i*, o *c* passa a *qu*: *toxiquemia*.]
▲**-toxic(o)-** V. *toxic(o)-*.
tóxico (cs) [Do gr. *toxikón* (subentende-se *phármakon*), 'veneno que convém ao arco ou à flecha', pelo lat. *toxicu*.] *Adj.* **1.** Que envenena. **2.** Que tem a propriedade de envenenar. ~ V. *ambliopia —a*. ● *S. m.* **3.** Veneno, peçonha. **4.** Substância nociva ao organismo e que produz alterações físicas e/ou psíquicas diversas, podendo causar sérias modificações de comportamento além de, comumente, gerar dependência (5). [Sin. (nesta acepç.): *droga* (4). Cf. *toxico*, do v. *toxicar*.]
▲**-tóxico** V. *toxic(o)-*.
toxicodependência (cs) [De *toxic(o)-* + *dependência*.] *S. f.* Dependência de tóxico(s), de droga(s).
toxicodependente (cs) [De *toxic(o)-* + *dependente*.] *Adj. 2 g. S. 2 g.* Toxicômano: 📖 "mães toxicodependentes que se recusassem a tratar-se perderiam de imediato e em definitivo o direito aos filhos, que deveriam ser dados para adoção." (Inês Pedrosa, *Fazes-Me Falta*, p. 57).
toxicofobia (ócs) [De *toxic(o)-* + *-fobia*.] *S. f. Psiq.* Medo patológico de veneno.
toxicofóbico (ócs) [De *toxicofobia* + *-ico*[2].] *Psiq. Adj.* **1.** Relativo a toxicofobia. **2.** Que sofre de toxicofobia; toxicófobo. ● *S. m.* **3.** Aquele que sofre de toxicofobia; toxicófobo.
toxicófobo (ócs) [De *toxic(o)-* + *-fobo*.] *Adj. S. m. Psiq.* Toxicofóbico (2 e 3).
toxicóforo (ócs) [De *toxic(o)-* + *-foro*.] *Adj.* Que produz tóxico ou veneno.
toxicografia (ócs) [De *toxic(o)-* + *-grafia*.] *S. f.* Descrição dos tóxicos.
toxicográfico (ócs) [De *toxicografia* + *-ico*[2].] *Adj.* Relativo à toxicografia.
toxicologia (ócs) [De *toxic(o)-* + *-logia*.] *S. f. Med.* O estudo dos tóxicos [v. *tóxico* (4)].
toxicológico (ócs) [De *toxicologia* + *-ico*[2].] *Adj.* Relativo à toxicologia.
toxicologista (ócs) [De *toxicologia* + *-ista*.] *S. 2 g.* Toxicólogo: 📖 "Exame atrasa porque IML só tem quatro toxicologistas trabalhando em 50 casos." (*Jornal do Brasil*, 12.04.1981.)
toxicólogo (ócs) [De *toxic(o)-* + *-logo*.] *S. m.* Especialista em toxicologia; toxicologista.
toxicomania (ócs) [De *toxic(o)-* + *-mania*.] *S. f. Psiq. Desus.* Transtorno (5) caracterizado por intoxicação periódica ou crônica causada por consumo de substâncias psicoativas.
toxicomaníaco (ócs) [De *toxicomania* + *-íaco*.] *Psiq. Adj.* **1.** Relativo a toxicomania. **2.** Que sofre de toxicomania; toxicômano. ● *S. m.* **3.** Aquele que sofre de toxicomania; toxicômano.
toxicómano (ócs) *Adj. S. m. Psiq.* V. *toxicômano*. [Uso freq. em P.]
toxicômano (ócs) [De *toxic(o)-* + *-mano*[1].] *Adj. S. m. Psiq.* Toxicomaníaco (2 e 3).
toxidez (cs... ê) [De *tox(i)-* + *-id(o)-*[2] + *-ez*.] *S. f.* V. *toxicidade* (1).
toxiferina (ócs) [Do tax. (*Strychnos*) *toxifera* + *-ina*[3].] *S. f. Quím.* Alcaloide catiônico [fórm.: $C_{40}H_{46}N_4O_2^{+2}$], tóxico, encontrado em certos tipos de curare, ger. isolado sob forma de dicloreto [fórm.: $C_{40}H_{46}Cl_2N_4O_2$].
toxina (cs) [De *tox(i)-* + *-ina*[3].] *S. f. Imun. Microbiol.* Substância venenosa segregada por seres vivos e capaz de, injetada em animal, provocar a formação de antitoxina. ◆ **Toxina botulínica.** *Bioquím.* Neurotoxina extremamente potente, que causa paralisia muscular, encontrada na bactéria *Clostridium botulinum* (v. *botulismo*); botulina. [Existem sete diferentes sorotipos desta toxina, um dos quais, o sorotipo A, purificado, é us. no tratamento de espasmos musculares e com finalidades cosméticas.] [V. *botox*.]
toxínico (cs) [De *toxina* + *-ico*[2].] *Adj.* Relativo a toxina.
▲**toxiqu-** (cs) V. *toxic(o)-*.
toxiquemia (ócs) [De *toxiqu-* + *-emia*.] *S. f. Patol.* Toxemia.
toxiquémico (ócs) [De *toxiquemia* + *-ico*[2].] *Adj.* V. *toxiquêmico*. [Uso freq. em P.]
toxiquêmico (ócs) *Adj.* Relativo a toxiquemia; toxêmico.
▲**toxo-** (cs) V. *toxic(o)-*.
▲**-toxo** (cs) V. *toxic(o)-*.
toxocaríase (cs) [Do tax. *Toxocara* + *-íase*.] *S. f. Med.* Infecção por nematódeo do gênero *Toxocara*.
toxofilo (cs) [Do gr. *tóxon*, 'arco (flecha)', + *-filo*[1].] *Adj. Bot. P. us.* Sagitifoliado.
toxoide (cs...ói) [De *tox(ina)* + *-oide*.] *S. m. Microbiol.* Toxina bacteriana que, tornada atóxica, mantém, contudo, a capacidade de ligar-se a antitoxina e de estimular a produção dela; anatoxina. ❖
toxoplasma (ócs) [Do tax. *Toxoplasma* (v. *tox(o)-* e *-plasma*).] *S. m. Zool.* **1.** Gênero de protozoários coccídios que reúne parasitas intracelulares de vários órgãos de aves e mamíferos, inclusive do homem. **2.** Qualquer espécie desse gênero, como, p. ex., a *Toxoplasma gondii*, agente etiológico da toxoplasmose no homem, e que infecta, também, outros animais, como gatos, suínos e cachorros. **3.** Qualquer espécime desse gênero.
toxoplasmose (ócs) [De *tox(o)-* + *-plasm(o)-* + *-ose*[1].] *S. f. Med.* Infecção causada pelo protozoário *Toxoplasma gondii*, que pode ser congênita ou adquirida, e incide no homem, noutros mamíferos e em aves. A forma congênita acomete o sistema nervoso central e, também, causa coriorretinite; a forma adquirida apresenta duas modalidades: a *linfadenopática* e a *disseminada*, nesta última podendo ser atingidos vários órgãos (pulmões, fígado, coração, órgãos encefálicos, etc.). ◆ **Toxoplasmose disseminada.** *Med.* V. *toxoplasmose*. **Toxoplasmose linfadenopática.** *Med.* V. *toxoplasmose*.
toxotídeo (cs) [Do tax. *Toxotes* + *-ídeo*[1]; tax. *Toxotidae*.] *Zool. S. m.* **1.** Espécime dos toxotídeos, família de peixes perciformes, de água doce, de corpo ovalado, com a nadadeira dorsal e as grandes anais situadas bem atrás. A espécie *Toxotes chatareus* é capaz de lançar um jato de água pela boca, capturando insetos que lançam na água. Habitam os mares do S.E. da Ásia e do N. da Austrália. ● *Adj.* **2.** Pertencente ou relativo a eles.
toynbiano [Do antr. *Toynbee* + *-iano*.] *Adj.* **1.** De, ou pertencente ou relativo a Arnold Joseph Toynbee (1889-1975), historiador inglês, ou próprio dele. **2.** Que é seu admirador e/ou profundo conhecedor de sua obra. ● *S. m.* **3.** Grande admirador e/ou profundo conhecedor da obra de Toynbee.
t-pentanol [De *t-* + *pentano* + *-ol*[2].] *S. m. Quím.* Álcool pentílico terciário, o 2-metil-2-butanol [fórm.: $C_5H_{12}O$]. [Pl.: *t-pentanóis*.]
■ **TR** Sigla de *Taxa Referencial de Juros* (q. v.).
▲**tra-** V. *trans-*[1].
▲**-tr(a)-** V. *trans-*[1].
trabal [Do lat. *trabale*, 'da grossura duma trave'.] *Adj. 2 g.* ~ V. *prego —*.
trabalhabilidade [De *trabalhável* + *-(i)dade*, seg. o padrão erudito.] *S. f. Constr.* Propriedade que apresenta um material de ser facilmente preparado e aplicado em obras.
trabalhadeira [De *trabalhar* + *-deira*.] *Adj.* (*f.*) **1.** Diz-se da mulher que gosta de trabalhar, que é diligente e cuidadosa. **2.** Que trabalha; que é dado ao trabalho: 📖 "mocidade estudiosa, trabalhadeira" (Machado de Assis, *Crônicas*, I, p. 148); "Minha avó tinha criado no sertão uma menina escurinha, órfã de pai e mãe .... Era trabalhadeira e despachada." (Povina Cavalcanti, *Volta à Infância*, p. 147). ● *S. f.* **3.** Mulher trabalhadeira.
trabalhado [Part. de *trabalhar*.] *Adj.* **1.** Posto em obra; lavrado: 📖 "Finas colchas e alfaias, porcelanas valiosas e prata trabalhada vinham para esses lares" (Eugênio de Castro [o brasileiro], *Terra à vista*, p. 106); "Alta [a cadeira], de braços trabalhados terminando em volutas sobre o assento" (Samuel Rawet, *Os Sete Sonhos*, p. 10). **2.** Custoso, trabalhoso. **3.** Feito com arte, com esmero: 📄 *conto trabalhado.* **4.** Em que se trabalhou, se exerceu atividade: 📄 *Recebeu a soma correspondente a 35 dias trabalhados.*
trabalhador (ô) [De *trabalhar* + *-dor*.] *Adj.* **1.** Que trabalha; laborioso; ativo. ● *S. m.* **2.** Aquele que trabalha; lidador, pelejador. **3.** Jornaleiro, empregado, operário. **4.** *Bras. RS* Jumento padreador de éguas. ◆ **Trabalhador autônomo.** Indivíduo que exerce habitualmente, sem qualquer vínculo empregatício, atividade profissional remunerada. [O trabalhador autônomo, como os profissionais liberais ou representantes comerciais, pode trabalhar para um empregador como subordinado deste; será, em tal caso, empregado. Tb. se diz apenas *autônomo*.]
trabalhão [De *trabalho* + *-ão*[1].] *S. m.* Grande trabalho ou grande fadiga; trabalheira, azáfama.
trabalhar [Do lat. vulg. **tripaliare*, 'martirizar com o *tripalium*' (instrumento de tortura), pela f. **trebalhar*.] *V. int.* **1.** Ocupar-se em algum mister; exercer o seu ofício; aplicar a sua atividade. [Sin. (gír.): *batalhar*.] **2.** Esforçar-se para fazer ou alcançar alguma coisa; empregar diligência, trabalho; lidar, empenhar-se: 📄 *Sua inteligência trabalha sempre, tentando a solução do problema*; 📖 "Bem trabalho por fazer do Mestre de Aviz um rei; mas sai-me sempre cavaleiro andante." (Alexandre Herculano, *Lendas e Narrativas*, I, p. 289). **3.** Estar em funcionamento, em movimento; funcionar: 📖 "Fixais tempos de

fartura, banguês, engenhos e usinas trabalhando, para alegria dos seus donos" (Austregésilo de Ataíde, em José Lins do Rego e Austregésilo de Ataíde, *Discursos de Posse e Recepção na Academia Brasileira de Letras*, p. 55); *Este relógio trabalha automaticamente*. **4.** Desempenhar funções de ator; representar. **5.** Cogitar, pensar, matutar. **6.** Exercer a prostituição; ser prostituta. ***T. i.* 7.** Ocupar-se de algum mister; exercer o seu ofício; aplicar a sua atividade: *Trabalha em imóveis*. **8.** Empregar esforços; fazer diligência; esforçar-se: *Trabalhou em reconciliar os velhos amigos desavindos*. **9.** Negociar, comerciar: *A loja não trabalha com artigos de arame*. ***T. d.* 10.** Pôr em obra; lavrar: *trabalhar a terra, a madeira; trabalhar metais*. **11.** Fazer com cuidado; esmerar-se na feitura ou execução de: *trabalhar um texto literário*. **12.** Procurar granjear a simpatia, a estima, a boa vontade de: *É preciso trabalhá-lo bem para obter-lhe o voto*. **13.** Pôr (pessoa, grupo, coletividade) em condições de assumir determinado papel político, técnico, profissional, etc: *Os chefes políticos incumbiram-se de trabalhar a população votante; Os novos técnicos trabalharam os operários, tornando-os aptos à tarefa*. **14.** *Bras. Gír.* Delinear (músculo ou musculatura de parte do corpo) através de exercícios físicos, de musculação, etc.: *trabalhar as pernas, os braços*, etc. **15.** *Turfe* Exercitar-se (o cavalo) galopando determinada distância como preparativo para a corrida. **16.** *P. us.* Atormentar, ralar, afligir: *A aflição trabalhava o pobre pai*.

trabalhável [De *trabalhar* + *-vel*.] ***Adj. 2 g.*** Que pode ser trabalhado.

trabalheira [De *trabalho* + *-eira*.] ***S. f.*** *Fam.* V. *trabalhão*.

trabalhismo [De *trabalho* + *-ismo*.] ***S. m.* 1.** Doutrina política que visa à defesa dos interesses dos trabalhadores. **2.** Doutrina ou ação política dos partidos trabalhistas, ou seja, dos partidos cuja doutrina é o trabalhismo (1).

trabalhista [De *trabalho* + *-ista*.] ***Adj. 2 g.* 1.** Do, ou relativo ao trabalhismo. **2.** Do trabalho, da classe trabalhadora. **3.** Que é membro, partidário ou sectário do trabalhismo. **4.** *Bras.* Relativo ao direito do trabalho: *legislação trabalhista, advogado trabalhista*. • ***S. 2 g.* 5.** Membro, partidário ou sectário do trabalhismo. **6.** *Bras.* Especialista em Direito do Trabalho.

trabalho [Dev. de *trabalhar*.] ***S. m.* 1.** Aplicação das forças e faculdades humanas para alcançar um determinado fim: *O trabalho permite ao homem certo domínio sobre a natureza; Divide bem o tempo entre o trabalho e o lazer*. **2.** Atividade coordenada, de caráter físico e/ou intelectual, necessária à realização de qualquer tarefa, serviço ou empreendimento: *trabalho especializado; trabalho de responsabilidade*. **3.** O exercício dessa atividade como ocupação, ofício, profissão, etc.: *O trabalho de uma dona de casa, de uma costureira, de um advogado*. **4.** Trabalho (2) remunerado ou assalariado; serviço: *Os bancários têm seis horas de trabalho*. **5.** Local onde se exerce essa atividade: *Meu trabalho fica a dois quarteirões de casa; Já lhe dei o meu telefone do trabalho?* **6.** Qualquer obra realizada: *Aquela ponte é um belo trabalho de engenharia; O professor publicou um trabalho sobre física nuclear; Possui vários trabalhos de Di Cavalcanti*. **7.** Maneira de trabalhar a matéria, com manejo ou a utilização dos instrumentos de trabalho: *trabalho com cinzel; trabalho ao microscópio*. **8.** Esforço incomum; luta, faina, lida, lide: *Vai enfrentar um novo dia de trabalho; Foi um trabalho a salvação do prematuro*. **9.** Tarefa para ser cumprida; serviço: *O pedreiro desapareceu antes de terminar o trabalho*. **10.** Fatura, feitura, lavor: *trabalho delicado; trabalho mal-acabado*. **11.** Atividade que se destina ao aprimoramento ou ao treinamento físico, artístico, intelectual, etc.: *o trabalho de um técnico de futebol; trabalho escolar*. **12.** Ação contínua e progressiva duma força natural, e o resultado dessa ação: *A erosão eólia resulta do trabalho do vento*. **13.** Resultado útil do funcionamento de qualquer máquina: *o trabalho de uma escavadeira, de um trator*. **14.** Tarefa, obrigação, responsabilidade: *Seu trabalho é apenas impedir que os adversários se defrontem*. **15.** *Biol.* Fenômeno ou conjunto de fenômenos que ocorrem num organismo e de algum modo lhe alteram a natureza ou a forma. **16.** *Econ.* Atividade humana, considerada como fator de produção (q. v.). **17.** *Fís.* Grandeza cuja variação infinitesimal é igual ao produto escalar de uma força pelo vetor deslocamento infinitesimal de seu ponto de aplicação [símb.: *W*]. **18.** *Med.* Trabalho de parto. **19.** *Turfe* Galope de treinamento, com tempo cronometrado, realizado durante a semana, como preparação para o páreo. **20.** *Bras. Rel.* Em cultos afro-brasileiros, esp. na umbanda e na quimbanda, ritual mágico-religioso realizado com finalidades quer apotropaicas e auxiliatórias, quer maléficas e antissociais. **21.** *Bras. Restr.* V. *bruxaria* (2). ~ V. *trabalhos*. ◆ **Trabalho braçal.** Trabalho humano que exige força muscular. **Trabalho de cheio.** *Tip.* V. *composição corrida*. **Trabalho de fôlego.** Trabalho difícil e/ou extenso, que exige capacidade, disposição, coragem. **Trabalho de parto.** *Obst.* O conjunto dos fenômenos especiais que ocorrem no organismo feminino ao termo da gestação e que caracterizam as diversas fases do parto. [Tb. se diz apenas *trabalho*.] **Trabalho de sapa.** Conspiração ou ação oculta contra alguém. **Trabalho de Sísifo.** [Segundo a lenda grega, Sísifo, rei de Corinto, tendo escapado astuciosamente a Tânatos, o deus da morte, enviado por Zeus para castigá-lo, foi levado por Hermes ao Inferno, onde o condenaram ao suplício de rolar uma rocha até o cimo de um monte, donde ela se despencava, devendo o condenado recomeçar incessantemente o trabalho.] Trabalho esgotante e inútil, pois uma vez terminado, se tem de recomeçar; enxugar gelo: "Com a situação por ele [Campos Sales] criada o Brasil renasceu. A nove anos de agitações e descrédito sucederam quatro de reconstrução e oito de progresso e confiança .... Mas em vez de persistirem os homens nessa senda, um dia, querendo impedir uma candidatura presidencial, em lugar de organizarem-se para resistir, como se fizera em 1894 contra o imenso poder de Floriano, voltaram a namorar os quartéis. Sem sair da bainha, uma espada produziu o efeito procurado. E o trabalho de Sísifo recomeçou..." (Tobias Monteiro, *O Presidente Campos Sales na Europa*, p. XCV.) **Trabalho elétrico.** *Fís.* O que é necessário para deslocar uma carga elétrica num campo elétrico. **Trabalho líquido.** *Fís.* A diferença entre o trabalho fornecido por um sistema e o trabalho de expansão realizado pelo sistema no mesmo processo. **Trabalho no eixo.** *Fís.* O trabalho de um sistema motriz que se manifesta pela rotação de um eixo, como é o caso, p. ex., num motor de explosão, numa turbina, num gerador a vapor. **Trabalho virtual.** *Fís.* O que as forças que atuam sobre um sistema realizariam quando efetuassem deslocamentos infinitesimais e virtuais compatíveis com os vínculos do sistema. **Agradecer o trabalho.** *Bras. SE* Agradecer o emprego (q. v.). **Dar trabalho.** Exigir esforço ou atenção; causar transtorno ou preocupação. **Intensivo em trabalho.** *Econ.* Diz-se de processo de produção que requer, em relação a outro(s) processo(s), maior número de trabalhadores por unidade de capital investido. [V. *intensivo em capital*.]

trabalhos [Pl. de *trabalho*.] ***S. m. pl.* 1.** Discussões ou deliberações (duma corporação). **2.** Empresas, empreendimentos. **3.** Aflições, cuidados. ~ V. *trabalho*. ◆ **Trabalhos forçados.** Pena de direito comum, aflitiva e infamante, que a princípio se executava em enxovias, depois deportando o condenado, e que hoje se executa encarcerando-o por mais de 10 anos.

trabalhoso (ô) [De *trabalho* + *-oso*.] ***Adj.*** Que dá trabalho ou fadiga; custoso; difícil.

trabécula [Do lat. *trabecula*.] ***S. f.* 1.** Trave pequena; travinca. **2.** *Anat. Histol.* Designação genérica de pequena trave de sustentação, constituída de tecido conjuntivo, como, p. ex., as que se estendem da substância de um órgão à cápsula deste. **3.** *Bot.* Fileira de células que atravessam uma lacuna tissular ou um espaço intercelular. **4.** *Bot.* Filamento protoplasmático que atravessa um vacúolo. ◆ **Trabéculas esplênicas.** *Anat.* Trabéculas que se estendem da cápsula fibrosa do baço a este órgão, onde formam a trama de sustentação dele.

trabecular [De *trabécula* + *-ar*[1].] ***Adj. 2 g.*** Relativo a, ou que apresenta trabécula.

trabelho (ê) [Do lat. **trabeculu*, 'pequena trave'.] ***S. m.* 1.** Peça de madeira com que se torce a corda da serra para retesá-la. **2.** Peia (1). [Var.: *trambelho* (q. v.).]

trabucada [De *trabuco* + *-ada*[1].] ***S. f.* 1.** Ruído do trabuco. **2.** *P. ext.* Ruído; estrondo.

trabucador (ô) [De *trabuco* + *-dor*.] ***Adj. S. m.*** Que, ou aquele que trabuca. ◆ **Trabucador da vida.** *Bras. SP Pop.* Homem muito trabalhador.

trabucar [De *trabuco* + *-ar*[2].] ***V. t. d.* 1.** Atacar com o trabuco. **2.** Agitar, revolver. ***Int.* 3.** Trabalhar com grande afã; labutar. **4.** Virar ou emborcar (uma embarcação): *O navio trabucou*. **5.** Fazer estrondo; estrondear, estrondar, atroar. [Conjug.: v. *trancar*.]

trabuco [Do cat. *trabuc*, pelo esp. *trabuco*.] ***S. m.* 1.** Antiga máquina de guerra com que se atiravam pedras; balestra. **2.** Espécie de bacamarte: "os fregueses correram aos trabucos que haviam trazido consigo e travaram combate com a polícia." (Machado de Assis, *A Semana*, II, p. 163). **3.** *Bras. Fig.* Charuto grande e/ou ordinário. [Dim. irreg.: *trabuquete*.]

trabulança ***S. f.*** *Bras. Pop.* Pequeno negócio ou ganho; gancho, bico, biscate.

trabuqueiro [De *trabuco* + *-eiro*.] ***S. m.*** Salteador armado de trabuco.

trabuquete (ê) [De *trabuco* + *-ete* (ête).] ***S. m.*** Pequeno trabuco.

trabuzana [De or. express., poss.] ***S. f.*** *Pop.* **1.** Tempestade, temporal. **2.** Incômodo ou doença. **3.** Tristeza, melancolia. **4.** V. *indigestão* (1). **5.** V. *bebedeira* (1). **6.** *Bras. S.* V. *rolo*[1] (16). • ***S. m.* 7.** *Bras. S. Pop.* V. *valentão* (3). [F. paral.: *tribuzana*.]

traça[1] [De or. incerta.] ***S. f.* 1.** *Zool.* Designação comum a vários insetos ápteros, de coloração prateada, tisanuros, esp. os lepismatídeos da espécie *Lepisma saccharina*, que constituem praga doméstica, e atacam livros e roupas. [Tb. se diz, apenas, *lepisma*. Sin.: *traça-dos-livros*.] **2.** *Zool.* A rigor, as larvas de lepidópteros, quase todas de origem europeia, e que atacam roupas de lã, tapetes, artigos de crina, peles e chifres. **3.** *Zool.* A espécie *Tineola biselliella*, caseira, que produz maiores estragos. **4.** *Zool.* A traça cuja larva vive em casinhas chatas, abertas nas extremidades, deslocando-se sobre as paredes (*Tineola uterella*). [A mariposa tem de 12 a 16mm de comprimento.] **5.** *Fig.* Aquilo que destrói a pouco e pouco. **6.** *Fam.* Pessoa maçante, cacete.

traça[2] [Var. de *traço*.] ***S. f.* 1.** V. *traçado*[2] (3 e 5). **2.** Plano, esboço, projeto. **3.** Organização, disposição, plano: "Ao amanhecer, cada um dos capitães inimigos viu com assombro que a mesma traça de guerra de que pretendera valer-se para obter a vitória ocorrera à mente do seu adversário." (Alexandre Herculano, *Eurico, o Presbítero*, p. 111.) **4.** *Fig.* Manha, trama, ardil: "o compadre Repenicado .... compreendeu a traça de que fora vítima." (Aquilino Ribeiro, *Quando ao Gavião Cai a Pena*, pp. 267-268). **5.** *Bras.* Figura, aspecto.

traçado[1] ***S. m.*** *Bras.* **1.** Lona estreita, para velas. **2.** Lençol que se usa atravessado no centro da cama dos doentes.

traçado[2] [Part. de *traçar*[1].] ***Adj.* 1.** Representado por meio de traços. **2.** Delineado, esboçado, projetado. ~ V. *cal —a*. • ***S. m.* 3.** Ato ou efeito de traçar[1]; traçamento, traça, traço. **4.** Conjunto de traços [v. *traço*[1] (2)]. **5.** Planta, projeto, risco, traça: *traçado de uma casa*.

traçado[3] [Part. de *traçar*[2].] ***Adj.* 1.** Roído ou corroído pela traça[1] (1 a 4). **2.** Partido em pedaços.

traçado[4] ***S. m.* 1.** *Bras.* Bebida feita com a mistura de cachaça e vermute. • ***Adj.* 2.** *Bras. Rel.* Nos cultos afro-brasileiros, diz-se do terreiro cuja liturgia mescla elementos de dois ou mais ritos (p. ex., umbanda com ritual e vestuário nagô).

traçador (ô) [De *traçar* + *-dor*.] ***Adj.* 1.** Que traça (v. *traçar*[1]). • ***S. m.* 2.** Aquele ou aquilo que traça (v. *traçar*[1]). **3.** *Bras.* Serrote grande, de lâmina elíptica. **4.** Agulha ou ponteiro que os carpinteiros e marceneiros utilizam para riscar. ◆ **Traçador gráfico.** *Inform.* V. *plotter*. **Traçador radioativo.** *Quím. Nucl.* Nuclídeo radioativo usado para marcar uma fase, ou uma molécula, num sistema, a fim de se acompanharem as transformações da fase, ou da molécula, num processo de evolução do sistema.

traça-dos-livros ***S. f.*** *Bras. Zool.* V. *traça*[1] (1). [Pl.: *traças-dos-livros*.]

tracajá [Do tupi.] ***S. m.*** *Bras. Amaz. Zool.* Reptil quelônio, pelomedusídeo (*Podocnemis unifilis*), da Amaz., de coloração pardo-escura, plastrão amarelado, cabeça vermelho-pardacenta com listra amarela em cada mandíbula, mancha amarela atrás do olho e um par de manchas também amarelas, com centro preto, no interparietal. O primeiro par dos escudos marginais é extremamente estreito, mais comprido que largo. [Sin.: *bracajá, capinima, capininga, pitiú, taracaiá, tarecaí, terecaí, tartaruga-da-amazônia*.]

tracalhaz ***S. m.*** *Pop.* **1.** Grande fatia ou naco. **2.** Grande porção. [Var.: *tracanaz*.]

tracambista [De *tra(tante)* + *cambista*, poss.] ***S. 2 g.*** *Bras.* Tratante, biltre.

traçamento [De *traçar*[1] + *-mento*.] ***S. m.*** V. *traçado*[2] (3).

tracanaz ***S. m.*** *Pop.* V. *tracalhaz*.

traçanga [Do tupi = 'a formiga assanhada ou embravecida'.] ***S. f.*** *Bras. CE Zool.* Designação popular de uma espécie de formiga cujo nome comum ainda não está correlacionado com o científico. Sabe-se que produz picada dolorosa. [Var.: *crauçanga*.]

tração [Do lat. *tractione*.] ***S. f.* 1.** Ação duma força que desloca objeto móvel por meio de corda, etc. **2.** Ato de deslocar. **3.** *Mec.* Força que provoca um alongamento num corpo sólido. **4.** *Traum.* Ato de tracionar, com instrumento(s) próprio(s), uma estrutura (11), como, p. ex., coluna vertebral, ao longo de seu maior eixo. ◆ **Tração animal.** Tração (1) exercida por animais: *veículo de tração animal*. **Tração dianteira.** *Autom.* Sistema de transmissão de movimento em que a energia motriz é apenas transmitida às rodas dianteiras. **Tração nas quatro rodas.** *Autom.* Sistema de movimento em que a energia motriz é transmitida às quatro rodas. **Tração traseira.** *Autom.*

Sistema de transmissão de movimento em que a energia motriz é transmitida apenas às rodas traseiras.

traçar[1] [Do lat. **tractiare*. do lat. *tractus*, part. pass. de *trahere*, 'arrastar'.] ***V. t. d.*** **1.** Fazer ou representar por meio de traços [v. *traço*[1] (2)]: "muros altos, onde de dia os moleques se divertiam traçando calungas e sinais obscenos." (Gilberto Freire, *Assombrações do Recife Velho*, p. 50). **2.** Descrever (3). **3.** Dar traços [v. *traço*[1] (2)] em; pautar, riscar: *traçar a cartolina.* **4.** Descrever, expor: *Na conferência traçou a situação da empresa.* **5.** Esboçar, delinear, projetar: *Costumam os jovens traçar planos irrealizáveis.* **6.** Marcar, demarcar, delimitar: *traçar fronteiras.* **7.** Determinar-se a; determinar, resolver, decidir: *Traçou viajar imediatamente.* **8.** Armar, tramar, maquinar: *Traçaram uma conspiração.* **9.** Supor, presumir, conjeturar. **10.** Escrever, compor: *Traçou 10 laudas elogiosas*; "Traço estas linhas preguiçosamente" (Gilca da Costa Melo Machado, *Mulher Nua*, p. 53). **11.** *Maç.* Escrever ou redigir qualquer documento maçônico. **12.** Pôr de través; pôr a tiracolo; cruzar: "Quando Felícia apareceu, traçando o xale, persignou-se e soprou a lamparina." (Coelho Neto, *Turbilhão*, p. 154); "para em frente da escadaria do Tesouro, traça e destraça a capa espanhola" (Augusto Meyer, *No Tempo da Flor*, p. 14). **13.** *Bras.* Serrar transversalmente (uma tora). [Conjug.: v. *laçar*.]

traçar[2] [De *traça*[1] + *-ar*[2].] ***V. t. d.*** **1.** Roer ou corroer (a traça[1] [1 a 4]). **2.** Partir em pedaços, gastar, consumir. **3.** Afligir, atormentar, apoquentar, amolar. **4.** *Bras. Fam.* Beber ou comer com grande apetite ou avidez; devorar, bater: *Num abrir e fechar de olhos traçou três bifes.* **5.** *Bras. Pop.* Copular com; comer, papar. ***Int. P.*** **6.** Cortar-se (pano, papel, etc., roído pela traça[1] [1 a 4]): *A sobrecasaca traçou; Meu terno traçou-se todo.* [Conjug.: v. *laçar*.]

tracejado [Part. de *tracejar*.] ***Adj.*** **1.** Que se tracejou. **2.** Diz-se da linha formada por pequenos traços, uns em seguimento aos outros.

tracejamento [De *tracejar* + *-mento*.] ***S. m.*** Ato ou efeito de tracejar.

tracejar [De *traço*[1] + *-ejar*.] ***V. int.*** **1.** Fazer traços ou linhas. ***T. d.*** **2.** Formar com pequenos traços, uns adiante dos outros. **3.** Descrever ligeiramente. **4.** Planejar; delinear, esboçar. [Conjug.: v. *pelejar*.]

trácio [Do gr. *thrákios*, pelo lat. *thraciu*.] ***Adj.*** **1.** Da, ou pertencente ou relativo à Trácia, antiga região da Europa oriental, atualmente dividida entre a Grécia, Turquia e a Bulgária. • ***S. m.*** **2.** O natural ou habitante da antiga Trácia.

tracionar [De *tração* + *-ar*[2], seg. o padrão erudito.] ***V. t. d.*** Deslocar por tração (1); puxar.

tracista [De *traço*[1] + *-ista*.] ***Adj. 2 g.*** **1.** Que faz traços. • ***S. 2 g.*** **2.** Pessoa que faz traços, planos, alvitres.

traço[1] [Dev. de *traçar*[1].] ***S. m.*** **1.** V. *traçado*[2] (3). **2.** Risco ou linha traçada a lápis, pincel ou pena. **3.** Ponto ou linha de interseção de uma reta ou de um plano com outra, ou outro. **4.** Feição, caráter, aspecto: "Outro traço nacional da sua psicologia [do Regente Diogo Antônio Feijó] é a sua simplicidade de costumes." (Oliveira Viana, *Pequenos Estudos de Psicologia Social*, p. 189.) **5.** Esboço, delineamento: "o traço dos *Contrabandistas*, como o gizei aos 18 anos, ainda hoje o tenho por um dos melhores e mais felizes de quantos me sugeriu a imaginação." (José de Alencar, *O Guarani*, p. 66). **6.** Impressão, marca, sinal: *O sofrimento deixou-lhe profundos traços.* **7.** Vestígio, indício. **8.** Trabalho gráfico (arte-final, clichê, fotolito, etc.) no qual a imagem consiste apenas em linhas e superfícies contínuas sem meios-tons ou gradações que impliquem utilização de retícula, como, p. ex., o trabalho a traço, o clichê-traço ou clichê a traço. **9.** *Genét.* Qualquer característica determinada geneticamente. **10.** *Bras. N.E. Pop.* Porção de bebida tomada de uma só vez. ◆ **Traço cultural.** *Antrop.* Cada uma das entidades, concretas ou abstratas, que constituem a cultura de um grupo, consideradas como as unidades mais simples e básicas a que pode chegar a análise, e às quais se atribui existência independente das demais, podendo difundir-se em outras regiões ou grupos e incorporar-se a outras culturas, formando diferentes padrões culturais complexos. [Como conceito, foi empregado especialmente pela corrente difusionista.] **Traço foliar.** *Bot.* Conexão vascular que surge do caule e se estende em direção às folhas. **Traço meteórico.** *Astr.* Linha luminosa deixada no céu por um meteoro brilhante, e que se mantém visível por alguns segundos após a sua aparição.

traço[2] [Dev. de **traçar* < *terçar* (2).] ***S. m.*** Composição (de um concreto ou uma argamassa) expressa por uma relação numérica indicativa das proporções, em peso ou em volume, dos diversos componentes.

traço de união ***S. m.*** **1.** V. *hífen*. **2.** *Fig.* Elo[1] (3): "É possível que, já no século VII, esse chefe, traço de união entre o divino e o humano, vivesse em Cuquia" (Alberto da Costa e Silva, *A Enxada e a Lança*, p. 296).

tracoma [Do gr. *tráchoma, atos*.] ***S. m.*** *Oftalm.* Oftalmopatia crônica, de origem bacteriana, e que compromete córnea e conjuntiva, levando à fotofobia, dor e lacrimejamento.

tracomatoso (ô) [De *tracomat-*, por *tracoma* (q. v.), + *-oso*.] ***Adj.*** **1.** Referente a, ou que tem caráter ou aspecto de tracoma. **2.** Que tem tracoma. • ***S. m.*** **3.** Aquele que o tem.

tractório ***Adj.*** V. *tratório*.

tractriz ***S. f.*** *Geom.* V. *tratriz*.

tracuá [Do tupi = 'devorador de espigas'.] ***S. f.*** *Bras. PA Zool.* V. *tacuá*.

tracunhaense (nhà) ***Adj. 2 g.*** **1.** De, ou pertencente ou relativo a Tracunhaém (PE). • ***S. 2 g.*** **2.** O natural ou habitante de Tracunhaém.

tracutinga [Do tupi = 'taracuá branco'.] ***S. f.*** *Bras. S. Zool.* V. *tocandira*. [Var.: *tracuxinga, saracutinga*.]

tracuxinga [Var. de *tracutinga* (q. v.).] ***S. f.*** *Bras. Zool.* V. *tocandira*.

tradar [De *trado* + *-ar*[2].] ***V. t. d.*** *Bras. Amaz.* Tradear. [Aplica-se especialmente em relação à copaibeira, assim furada para se lhe extrair o óleo.]

tradear [De *trado* + *-ear*[2].] ***V. t. d.*** Furar com trado ou pua; tradar. [Conjug.: v. *frear*.]

tradescância [Adapt. do tax. *Tradescantia* (do antr. [*John*] *Tradescant* [-1638], viajante e botânico inglês, + lat. *-ia*, v. *-ia*[2]).] ***S. f.*** *Bot.* **1.** Gênero de plantas comelináceas, herbáceas, prostradas, ger. de pequenas folhas estreitas, compridas, por vezes coloridas, e flores bracteadas, efêmeras, brancas, ou róseas, ou violáceas; algumas espécies são cultivadas como ornamentais. **2.** Espécie ou espécime desse gênero.

tradição [Do lat. *traditione*, por via erudita.] ***S. f.*** **1.** Ato de transmitir ou entregar. **2.** Transmissão oral de lendas, fatos, etc., de idade em idade, geração em geração. **3.** Transmissão de valores espirituais através de gerações. **4.** Conhecimento ou prática resultante de transmissão oral ou de hábitos inveterados. **5.** Recordação, memória. **6.** *E. Ling.* O conjunto dos testemunhos [v. *testemunho* (5)], conservados ou desaparecidos, em que se materializou um texto ao longo do tempo. [Cf., nesta acepç., *transmissão* (6).]

tradicional [De *tradição* + *-al*[1], seg. o padrão erudito.] ***Adj. 2 g.*** **1.** Relativo ou pertencente à tradição. **2.** Conservado na tradição. ~ V. *gramática* –.

tradicionalidade [De *tradicional* + *-(i)dade*.] ***S. f.*** Qualidade de tradicional.

tradicionalismo [De *tradicional* + *-ismo*.] ***S. m.*** **1.** Aferro, apego, amor às tradições ou usos antigos. **2.** Sistema de crença baseado na tradição. [Sin. ger.: *conservantismo*.]

tradicionalista [De *tradicional* + *-ista*.] ***Adj. 2 g.*** **1.** Relativo ao, ou próprio do tradicionalismo. **2.** Que é partidário do tradicionalismo. • ***S. 2 g.*** **3.** Partidário dele.

tradicionário [De *tradição* + *-ário*, seg. o padrão erudito.] ***Adj. S. m.*** Que, ou aquele que segue a tradição.

tradinha [De *trado* + *-inha*.] ***S. f.*** V. *verruma*.

trado [Do céltico, pelo lat. tard. *talatru*, com sonorização, síncope, crase e metátese: **taladro*, **taadro*, **tadro*.] ***S. m.*** **1.** Verruma grande, usada por carpinteiros e tanoeiros; verrumão, gonete. **2.** Furo aberto por ela. **3.** *Constr.* Instrumento de forma helicoidal com que se fazem furos de sondagem nos solos.

tradução [Do lat. *traductione*, 'ato de conduzir além, de transferir'.] ***S. f.*** **1.** Ato ou efeito de traduzir. **2.** Obra traduzida: *Quase só lê traduções.* **3.** Versão (2). **4.** *Inform.* O processo de converter uma linguagem em outra. **5.** *Genét.* Etapa final do processamento da informação genética através da síntese de uma cadeia polipeptídica, a partir da sequência de nucleotídios do ácido ribonucleico mensageiro. ◆ **Tradução justalinear.** Aquela em que o texto de cada linha vai traduzido ao lado, ou na linha imediata. **Tradução literal.** A que é feita ao pé da letra. [Opõe-se a *tradução livre*.] **Tradução livre.** A que não se atém às palavras do texto original. [Opõe-se a *tradução literal*.] **Tradução simultânea.** Interpretação simultânea.

traducianismo [Do ingl. *traducianism*.] ***S. m.*** *Rel.* Doutrina segundo a qual a alma do nascituro também é herdada dos pais, juntamente com o pecado original; generacionismo. [Cf. *criacionismo* (1).]

tradutibilidade [De *tradutível* (*tradutibil-*) + *-(i)dade*, seg. o padrão erudito.] ***S. f.*** Qualidade ou condição do que pode ser traduzido.

tradutível [De *tradut-*, rad. do lat. *traductum* (do sup. e do part. pass. do v. lat. *traducere* < port. *traduzir*) + *-ível*.] ***Adj. 2 g.*** Que pode ser traduzido.

tradutor (ô) [Do lat. *traductore*, 'o que conduz além', 'o que transfere'.] ***Adj. S. m.*** Que, ou aquele que traduz.

traduzibilidade [De *traduzível* + *-(i)dade*, seg. o padrão erudito.] ***S. f.*** Qualidade e/ou caráter de traduzível.

traduzir [Do lat. *traducere*, 'conduzir além', 'transferir'.] ***V. t. d.*** **1.** Transpor, trasladar de uma língua para outra: *O rapaz traduz bem o inglês*; "Louis Fabulet traduz exclusivamente Rudyard Kipling" (Paulo Rónai, *Escola de Tradutores*, p. 26). **2.** Revelar, explicar, manifestar, explanar: *Aquelas palavras não traduziam com clareza o seu pensamento*; "Quando o artista deforma a imagem visual, no desenho ou na cor, para melhor traduzir os seus sentimentos, não deixa por isso de ser figurativo, apenas não é um realista visual. Ex.: Van Gogh." (Carlos Cavalcanti, *História das Artes*, I, p. 27). **3.** Ser o reflexo ou a imagem de; representar, simbolizar: *O movimento modernista traduzia uma ânsia de renovação*; "De tudo o que levamos dito se depreende que somente a língua viva, espontânea, exuberante, desordenada, ... pode traduzir a vida real com todas as suas vicissitudes, as suas aspirações, os seus ideais" (Silva Ramos, *Pela Vida fora...*, p. 237). ***T. d. e i.*** **4.** Trasladar de uma língua para outra; verter: *Traduz em nossa língua autores ingleses*; "Há meses a sociedade Amigos do Livro Americano, traduziu para o espanhol dois romances inteiramente inofensivos" (Graciliano Ramos, *Linhas Tortas*, p. 121); *Já traduziu ao português diversas obras.* **5.** Traduzir (2): *Traduziu para a amada toda a sua paixão.* ***Int.*** **6.** Saber traduzir; ser capaz de o fazer: *Traduz excelentemente.* **7.** Exercer a profissão de tradutor: *É professor e traduz.* **8.** Efetuar tradução (5). ***P.*** **9.** Transparecer, manifestar-se: "O entusiasmo da folha pelas ideias republicanas e liberais se traduzia numa demonstração expressiva: a publicação de um número especial para comemorar o aniversário da Bastilha." (Barbosa Lima Sobrinho, *Presença de Alberto Torres*, p. 35); *Sua tristeza traduzia-se no olhar.* [Conjug.: v. *aduzir*.]

traduzível [De *traduzir* + *-vel*.] ***Adj. 2 g.*** Que pode ser traduzido.

trafegabilidade [De *trafegável* + *-(i)dade*, seg. o padrão erudito.] ***S. f.*** Qualidade de trafegável.

trafegar [Alter. de *traficar*.] ***V. int.*** **1.** Andar no tráfego. **2.** Lidar, afadigar-se. ***T. i.*** **3.** Negociar, mercadejar, traficar. ***T. d.*** **4.** Percorrer ou passar apressadamente. ***T. c.*** **5.** Transitar; passar, andar: *Esta linha de ônibus trafegava pela zona sul.* [F. paral.: *trafeguear*. Conjug.: v. *regar*. Pres. ind.: *trafego*, etc. Cf. *tráfego*, s. m.]

trafegável [De *trafegar* + *-vel*.] ***Adj. 2 g.*** Que pode ser trafegado ou transitado.

tráfego [Alter. de *tráfico*.] ***S. m.*** **1.** V. *tráfico* (1). **2.** Grande atividade; afã, lida, trabalho. **3.** Convivência, familiaridade. **4.** Fluxo das mercadorias transportadas por aerovia, ferrovia, hidrovia ou rodovia. **5.** Repartição ou pessoal que se ocupa desse transporte. **6.** Fluxo das mensagens transmitidas por determinado meio de comunicação: *tráfego telefônico; tráfego telegráfico.* **7.** *Prop.* Controle de fluxo de trabalho, desde a criação até a veiculação. **8.** *Prop.* Setor de uma agência responsável pelo tráfego (7). **9.** *Bras.* V. *trânsito* (6 e 7). [Cf. *trafego*, do v. *trafegar*.] ◆ **Tráfego aéreo.** *Aer.* O movimento de toda e qualquer aeronave no ar ou na superfície de um aeródromo. **Tráfego marítimo.** O fluxo (2) da navegação mercante por mares e oceanos.

trafeguear [De *tráfego* + *-ear*[2].] ***V. int. T. i. T. d. T. c.*** Trafegar. [Conjug.: v. *frear*.]

traficância [De *traficar* + *-ância*.] ***S. f.*** **1.** Ato ou efeito de traficar. **2.** *Pop.* Negócio fraudulento; tratantada.

traficante [De *traficar* + *-nte*.] ***Adj. 2 g.*** **1.** Que pratica negócios fraudulentos. • ***S. 2 g.*** **2.** Quem os pratica: *A polícia prendeu o traficante de maconha.* **3.** Negociante, mercador.

traficar [Do it. *trafficare*.] ***V. t. i. Int.*** **1.** Comerciar, mercadejar, trafegar: *Seu avô traficava em escravos; Era dado a traficar.* **2.** Fazer negócios fraudulentos: *traficar com entorpecentes; Já foi preso, mas vive de traficar.* [Conjug.: v. *trancar*. Pres. ind.: *trafico*, etc. Cf. *tráfico*.]

tráfico [Do it. *traffico*.] ***S. m.*** **1.** Comércio, negócio, tráfego. **2.** *Fam.* Negócio indecoroso. **3.** Uso de prestígio junto a autoridade ou órgão público a fim de conseguir vantagens, benefícios, favores ilegais ou irregulares. **4.** *Bras.* V. *trânsito* (7). [Cf. *trafico*, do v. *traficar*.] ◆ **Tráfico de entorpecentes.** *Jur.* Crime caracterizado pelos atos de importar, exportar, remeter, preparar, produzir, fabricar, adquirir, vender, expor à venda, oferecer, ter em depósito, transportar, trazer consigo, guardar, prescrever, ministrar, entregar a consumo ou fornecer drogas, ainda que gratuitamente, sem autorização ou em desacordo com determinação legal ou regulamentar. **Tráfico de influência.** *Jur.* Crime caracterizado pelos atos de solicitar, exigir, cobrar ou obter, para si ou para outrem, vantagem ou promessa de vantagem, a pretexto de influir em ato praticado por funcionário público no exercício da função. **Tráfico de mulheres.** *Jur.* Crime caracterizado pelo recrutamento e transporte, dum país para outro, de mulheres destinadas à prostituição. **Tráfico internacional de pessoas.** *Jur.* Crime consistente em promover, intermediar ou facilitar a entrada, no território nacional, de pessoa que venha exercer a prostituição ou a saída de pessoa para exercê-la no estrangeiro. **Tráfico interno de pessoas.** *Jur.* Crime consistente em promover, intermediar ou facilitar, no território nacional, o recrutamento, o transporte, a transferência, o alojamento ou o acolhimento da pessoa que venha exercer a prostituição.

trafulha [De or. incerta.] *Lus.* ***S. f.*** **1.** Ação ardilosa; trapaça. • ***Adj. 2 g. S. 2 g.*** **2.** Diz-se de, ou pessoa que engana, trapaceia; trapaceiro.

trafulhice[1] ***S. f.*** *Lus. Fam.* Trapaça, vigarice.

trafulhice[2] [De *trafulha* + *-ice.*] ***S. f.*** *Lus.* Ato ou comportamento de trafulha (2).

tragacanto [Do gr. *tragákantha*, pelo lat. *tragacantha.*] ***S. m.*** *Bot.* V. *alcatira.*

tragada [De *tragar* + *-ada*[1].] ***S. f.*** *Bras.* Ato isolado de tragar (fumaça de cigarro ou bebida, especialmente alcoólica).

tragadeiro [De *tragar* + *-deiro.*] ***S. m.*** **1.** *Pop.* V. *garganta* (1). **2.** V. *tragadouro.*

tragadoiro [De *tragar* + *-doiro*[1].] ***S. m.*** Tragadouro (q. v.).

tragador (ô) [De *tragar* + *-dor.*] ***Adj. S. m.*** Que ou o que traga.

tragadouro [De *tragar* + *-douro*[1]; var. de *tragadoiro.*] ***S. m.*** Aquilo que traga ou absorve; sorvedouro, tragadeiro.

tragamento [De *tragar* + *-mento.*] ***S. m.*** Ato ou efeito de tragar.

traga-moiros ***S. m. 2 n.*** V. *traga-mouros.*

traga-mouros [De *tragar* + *mouro.*] ***S. m. 2 n.*** Homem violento. [Var.: *traga-moiros.*]

tragante [De *tragar* + *-nte.*] ***Adj. 2 g. S. m.*** *Tec.* Diz-se da, ou boca de um forno por onde se lançam os materiais que devem ser processados.

tragar [De or. obscura.] ***V. t. d.*** **1.** Beber, engolir, de um trago. **2.** Engolir com avidez e sem mastigar; devorar. **3.** Aguentar, tolerar: *Não traga o novo colega.* **4.** Fazer desaparecer; absorver: *As profundezas do oceano tragaram os restos do navio.* **5.** Aspirar, sorver. **6.** Crer, acreditar: *Não podia tragar semelhante mentira.* ***Int.*** **7.** Inalar a fumaça do tabaco. [Conjug.: v. *largar.*]

tragável [De *tragar* + *-vel.*] ***Adj. 2 g.*** Que pode ser tragado.

tragédia [Do gr. *tragoidía*, pelo lat. *tragoedia.*] ***S. f.*** **1.** *Teatr.* Na Grécia antiga, obra teatral em verso que se originou do ditirambo (1), de caráter grandioso, dramático e funesto, em que intervêm personagens ilustres ou heroicas, e que é capaz de infundir terror e piedade. **2.** *Teatr.* Peça de ordinário em verso, e que termina, em regra, por acontecimentos fatais. **3.** *Teatr.* Gênero dramático a que pertencem tais peças: *Na Grécia, onde teve origem, a tragédia atingiu a culminância com Ésquilo, Sófocles e Eurípides.* [Sin., nessas acepçs.: *cena trágica.*] **4.** *Fig.* Acontecimento que desperta lástima ou horror; ocorrência funesta; sinistro. **5.** *Fig.* Mau fado; desgraça, infortúnio. ◆ **Fazer tragédia de.** Dar aspecto trágico a (um fato ou acontecimento mais ou menos insignificante).

tragediógrafo [De *tragédia* + *-o-* + *-grafo.*] ***S. m.*** Autor de tragédia(s).

trager ***V. t. d. T. d. e i. Transobj.*** *Ant.* Trazer.

trágica [Fem. de *trágico* (3).] ***S. f.*** Mulher que representa tragédias.

tragicidade (trà) [De *trágico* + *-(i)dade.*] ***S. f.*** Qualidade do que é trágico.

trágico [Do gr. *tragikós*, pelo lat. *tragicu.*] ***Adj.*** **1.** Relativo a, ou próprio de tragédia. **2.** *Fig.* Funesto, sinistro. **3.** Que é dado a fazer tragédia (q. v.): *É um sujeito trágico: considera-se infeliz porque a filhinha está com uma febre de nada.* ~ V. *cena —a.* • ***S. m.*** **4.** Aquele que escreve e/ou representa tragédias: *Shakespeare, Antônio Ferreira e João Caetano foram grandes trágicos.*

tragicomédia (trà) [Do lat. *tragicomoedia.*] ***S. f.*** **1.** *Teatr.* Peça que participa da tragédia pelo assunto e personagens, e da comédia pelos incidentes e desenlace: "Eram quadras de uma antiga peça teatral portuguesa, a tragicomédia *O Capitão Valentia*" (Virgílio Várzea, *Nas Ondas*, p. 4). **2.** *Fig.* Acontecimento tragicômico.

tragicomicidade (trà) [De *tragicômico* + *-(i)dade.*] ***S. f.*** Qualidade e/ou caráter de tragicômico.

tragicómico (trà) ***Adj.*** V. *tragicômico.* [Uso freq. em P.]

tragicômico (trà) [De *trágico* + *cômico*, com haplologia.] ***Adj.*** **1.** Relativo a, ou próprio de tragicomédia. **2.** Funesto, porém acompanhado de incidentes cômicos.

tragifarsa (trà) [De *trági(co)* + *farsa.*] ***S. f.*** *Teatr.* Obra dramática em que se associam as características da tragédia e as da farsa: "*O Diletante* [de Martins Pena], tragifarsa em um ato, representada pela primeira vez no Teatro São Pedro, a 25 de fevereiro de 1845" (Sílvio Romero, *Martins Pena*, p. 68).

trago[1] [Dev. de *tragar.*] ***S. m.*** **1.** V. *gole*: "Quando eu ouço uma cordeona, / No dia em que tomo uns tragos, / Saudades tenho do pingo/ E das caboclas dos pagos." (Vargas Neto, *Tropilha Crioula e Gado Xucro*, p. 19.) **2.** *Fig.* Aflição, angústia. **3.** Infelicidade, adversidade. ◆ **Beber um trago.** *Bras.* Beber uma bebida alcoólica qualquer; beber um copo.

trago[2] [Do lat. *tragu.*] ***S. m.*** *Anat.* Saliência cartilaginosa, anterior, de cada meato auditivo externo, a qual se cobre de pelos quando se chega à meia-idade.

traguá ***S. f.*** *Bras. Amaz. Zool.* V. *tacuá.*

tragueado [Part. de *traguear.*] ***Adj.*** *Bras. RS* Meio bêbedo; tocado, alegrete, alegre.

traguear [De *trago*[1] (1) + *-ear*[2].] ***V. int.*** *Bras. RS* Ingerir bebidas alcoólicas; beber. [Conjug.: v. *frear.*]

traguira [De *targuira*, com síncope.] ***S. f.*** *Bras. SP Zool.* Designação dada às formas jovens da tubarana (1).

trágus [Do gr. *trágos*, 'bode', pelo lat. cient. *tragus.*] ***S. m. 2 n.*** *Anat.* Trago[2].

traição (a-i ou ai) [Do lat. *traditione*, 'entrega', por via pop.] ***S. f.*** **1.** Ato ou efeito de trair(-se). **2.** Crime de quem, perfidamente, entrega, denuncia ou vende alguém ou alguma coisa ao inimigo. **3.** Perfídia, deslealdade, aleivosia. **4.** Infidelidade no amor. [Sin., nessas acepçs.: *traimento* (p. us.) e *traidoria* (bras., SP).] **5.** *Bras. MT* Espécie de mutirão (q. v.), com a particularidade de o fazendeiro que pretende auxiliar o vizinho chegar à casa deste alta noite, de surpresa, em companhia dos trabalhadores, acordando-o, em geral, ao som de cantos. [Cf., nesta acepç., *suta* (3) e *estalada* (5).]

traiçoeiro (a-i ou ai) [De *traição* + *-eiro*, com desnasalação.] ***Adj.*** **1.** Que usa de traição. **2.** Em que há traição; tredo. **3.** Relativo a traição. **4.** Pérfido, desleal, aleivoso. **5.** Diz-se de arma brandida ou manejada contra alguém à traição: *punhal traiçoeiro.* **6.** Vibrado, desferido, despedido, etc., à traição: *golpe traiçoeiro; punhalada traiçoeira;* "Talvez nos bosques forasteira, / Laço, armadilha ou bala traiçoeira / De falaz caçador te aguarde um dia!" (Raimundo Correia, *Poesias*, p. 103).

traído [Part. de *trair.*] ***Adj.*** Que sofreu traição; atraiçoado.

traidor [Do lat. *traditore.*] (a-i...ô) ***Adj.*** **1.** Que atraiçoa. **2.** Perigoso, com aparência de seguro. • ***S. m.*** **3.** Aquele que atraiçoa.

traidoria (a-i) [De *traidor* + *-ia*[1].] ***S. f.*** *Bras. SP* V. *traição* (1 a 4).

→**trailer** [ˈtɹejlɚ] [Ingl.] ***S. m.*** **1.** Exibição de curtos trechos de um filme de próxima apresentação, com fito publicitário. **2.** Reboque[2] (3). **3.** Reboque[2] (3) tipo casa, adaptado à traseira de um automóvel, utilizado em geral para *camping.* [Sin. (lus.), nesta acepç.: *rolote* ou a f. fr. *roulotte.*]

traimento (a-i) [De *trair* + *-mento.*] ***S. m.*** *Desus.* V. *traição* (1 a 4).

→**train** [tɹejn] [Fr.] ***S. m.*** *Turfe* Padrão de velocidade imprimido à carreira. [V. *páreo* (2).]

→**trainee** [tɹejˈnij] [Ingl.] ***S. 2 g.*** **1.** Aquele ou aquela que está em treinamento, esp. profissional para determinado cargo. **2.** *Restr.* Jovem executivo recém-formado, ou formado há dois anos, em curso de graduação, o qual recebe treinamento e participa de cursos em firma ou empresa com interesse em investir na carreira do profissional. • ***S. m.*** **3.** O cargo de *trainee* (2).

traineira [Do esp. *trainera.*] ***S. f.*** **1.** Embarcação motorizada, com rede de arrastar pelo bordo, e que, na costa sul do Brasil, onde se usa sobretudo na pesca da sardinha, tem um camarim a ré: "Os pais de Dolores e esta obtiveram asilo numa traineira de pesca, que os levou, sob temporal desapiedado, às praias de Biarritz." (Joaquim Paço d'Arcos, *Neve sobre o Mar*, p. 187.) **2.** *Bras.* Rede grande, trapeziforme, usada sobretudo na pesca da sardinha.

trainel ***S. m.*** *Teatr.* Elemento cenográfico bidimensional e móvel, de diferentes formas e tamanhos, e que pode ser pintado para imitar muro, porta, folhagem, etc., exercendo diversas funções no cenário. [Pl.: *trainéis.*]

→**training** [ˈtɹejnɪŋ] [Ingl., nome comercial.] ***S. m.*** Traje esportivo para ambos os sexos, de malha, moletom, etc., composto, em geral, de calças compridas ajustadas ao tornozelo, e blusão.

traipuense ***Adj. 2 g.*** **1.** De, ou pertencente ou relativo a Traipu (AL). • ***S. 2 g.*** **2.** O natural ou habitante de Traipu.

trair [Do lat. *tradere*, 'entregar'.] ***V. t. d.*** **1.** Enganar por traição; atraiçoar: *Este homem jamais traiu alguém.* **2.** Entregar por traição; denunciar, delatar: *Joaquim Silvério dos Reis traiu Tiradentes.* **3.** Ser infiel a: *Traiu a esposa.* **4.** Abandonar traiçoeiramente; ofender com traição: *Traiu seu Deus, mas arrependeu-se.* **5.** Não cumprir: *trair um juramento.* **6.** Manifestar, revelar, dar a perceber, involuntariamente: *As contrações faciais traíam a angústia que lhe ia no coração;* "Não apresentava [o semblante do governador] uma só ruga que pudesse trair oculto desgosto, ou indicar grave apreensão." (Franklin Távora, *O Cabeleira*, pp. 182-183); "Em John Keats, o sentimento da beleza traía um fundo de religiosidade que conciliava o místico e o pagão." (Eugênio Gomes, *Espelho contra Espelho*, p. 194). **7.** Não corresponder a: *Traiu minhas esperanças.* ***P.*** **8.** Tornar evidente ou óbvio involuntariamente aquilo que se devia ou queria ocultar; comprometer-se: *Não admitia culpa, mas traiu-se ao negar um fato óbvio.* **9.** Manifestar-se, revelar-se: *Ao dizer as primeiras palavras, a sua aflição traiu-se.* [Irreg. Conjug.: v. *sair.*]

traíra[1] [Var. de *taraíra*, do tupi.] ***S. f.*** **1.** *Bras. Zool.* Peixe teleósteo, caracídeo (*Hoplias malabaricus*), distribuído por todo o Brasil. Tem dorso negro, flancos pardo-escuros, abdome branco, manchas escuras irregulares pelo corpo, e é desprovido de nadadeira adiposa. Seus dentes são muito cortantes, é carnívoro e considerado um dos maiores inimigos da piscicultura. Comprimento: até 40cm. [Outras var.: *tararira* e *tarira*. Sin.: *dorme-dorme, maturaqué, robafo, rubafo.*] **2.** Irmão ou pessoa íntima que ganha do outro no jogo (em especial no pôquer). **3.** *Bras. BA Chulo* O pênis. ◆ **Pegar traíra.** *Bras. CE Fam. Pop.* Cabecear com sono; toscanejar; puxar camurim, puxar piraíba.

traíra[2] [De *trair*, poss. com infl. de *traíra*[1].] *Bras. Pop.* ***Adj. 2 g.*** **1.** Diz-se de pessoa falsa, que pela frente age de um jeito e, por traz, de outro. • ***S. 2 g.*** **2.** Essa pessoa.

trairaboia (a-i...ói) [Var. desnasalada de *trairamboia.*] ***S. f.*** *Bras. N.E. Zool.* **1.** V. *cobra-lisa.* **2.** V. *piramboia.* ❖

trairamboia (a-i...ói) [Do tupi.] ***S. f.*** *Bras. Zool.* V. *piramboia.* ❖

trairão (a-i) [De *traíra* + *-ão*[1].] ***S. m.*** *Bras. Zool.* Peixe eritrinídeo (*Hoplias lacerdae*) de coloração geral quase preta, os flancos cinzentos com faixas transversais escuras, abdome esbranquiçado, nadadeiras com pontos escuros. É encontrado em rios do S.E. brasileiro e pode atingir até 1m.

traíra-pixuna ***S. f.*** *Bras. Zool.* V. *jeju.* [Pl.: *traíras-pixunas.*]

traíra-pixúria ***S. f.*** *Bras. Amaz. Zool.* V. *jeju.* [Pl.: *traíras-pixúrias.*]

trairiense[1] (a-i) ***Adj. 2 g.*** **1.** De, ou pertencente ou relativo a Trairi (CE). • ***S. 2 g.*** **2.** O natural ou habitante de Trairi.

trairiense[2] (a-i) ***Adj. 2 g.*** **1.** De, ou pertencente ou relativo a São Bento do Trairi (RN). • ***S. 2 g.*** **2.** O natural ou habitante de São Bento do Trairi.

trajanense ***Adj. 2 g.*** **1.** De, ou pertencente ou relativo a Trajano de Morais (RJ). • ***S. 2 g.*** **2.** O natural ou habitante de Trajano de Morais.

trajar [De *traje* + *-ar*[2].] ***V. t. d.*** **1.** Aplicar ou usar como vestuário; usar, trazer: *Trajava um belo vestido;* "Trajava por costume roupas escuras." (Rebelo da Silva, *Contos e Lendas*, p. 59); "jamais trajava vermelho ou rosa ou amarelo porque não eram cores de viúva." (Raquel de Queirós, *Dora, Doralina*, p. 11). ***T. i.*** **2.** Vestir-se (de certo modo): "Trajava de cetim escuro" (Camilo Castelo Branco, *Perfil do Marquês de Pombal*, p. 16); "Ambas trajavam de preto" (José de Alencar, *Lucíola*, p. 178); "Traja de luto a vizinha / Pelo marido defunto." (Alberto de Oliveira, *Poesias*, 3ª série, p. 145). **3.** Cobrir-se, revestir-se: *Na primavera as árvores trajam de verde.* **4.** Enfeitar-se, adornar-se, ataviar-se. ***P.*** **5.** Vestir-se (19): "Musa querida, traja-te de branco" (Antônio Sales, *Poesias*, p. 53). **6.** Cobrir-se, revestir-se. [Pres. ind.: *trajo, trajas*, etc. Cf. *trajo*, s. m.]

traje [Dev. do port. ant. e dialetal *trager*, var. de *trazer.*] ***S. m.*** *Vest.* **1.** Vestuário habitual. **2.** Vestuário próprio de uma profissão. **3.** V. *roupa* (2). [Var.: *trajo.*] ◆ **Traje a rigor.** *Vest.* Roupa de cerimônia que se usa à noite em reuniões de gala, bailes, banquetes, espetáculos, etc., e que inclui casaca, *smoking*, vestido longo. **Traje de passeio.** *Vest.* O que se caracteriza pelo aspecto convencional como, p. ex., para os homens, o uso de terno e gravata. **Traje espacial.** *Astron.* Traje pressurizado, para uso no espaço ou em regiões de baixa pressão. **Trajes menores.** *Vest.* Roupas que se usam só por baixo de outras, como camisetas, combinações, cuecas, etc.; roupas íntimas. **Em trajes de Adão.** Nu em pelo; em pelo; pelado.

trajeto [Do lat. *trajectu*, 'passagem'.] ***S. m.*** Espaço que alguém ou algo tem de percorrer para ir de um lugar a outro; trajetória, percurso.

trajetória [Do lat. *trajectore*, 'o que atravessa', + *-ia*².] *S. f.* **1.** Linha descrita ou percorrida por um corpo em movimento. **2.** *Fís.* Lugar geométrico das posições ocupadas por uma partícula que se move. **3.** *Fig.* V. *trajeto*. **4.** *Fig.* Meio, via. ◆ **Trajetória de fase.** *Fís.* Num espaço de fase, linha descrita por um ponto de fase.

trajo *S. m. Vest.* V. *traje*: "O seu trajo, cortado à moda da corte de Luís XV, de veludo preto, fazia realçar a elegância do corpo." (Rebelo da Silva, *Contos e Lendas*, pp. 175-176.) [Cf. *trajo*, do v. *trajar*.]

trá-lá-lá [De or. obsc.] *S. m. Bras. Pop.* V. *nádegas*. [Pl.: *trá-lá-lás*.]

tralha [De or. express., poss.] *S. f.* **1.** Rede pequena, que pode ser lançada ou armada por um só homem [Var.: *tralho*.] **2.** Malha de rede. **3.** *Marinh.* Cabo cosido na orla de uma vela, toldo, rede de pesca, etc., para reforçá-la. **4.** *Marinh.* Cabo cosido em uma bandeira, insígnia, etc., e por meio do qual está é presa à adriça que permite içá-la num mastro, verga, etc. **5.** *Bras.* Fio de arremate das redes de pesca. **6.** V. *cacaréus*.

tralhada [De *tralha* + *-ada*¹.] *S. f. Bras.* V. *cacaréus*.

tralhar [De *tralha* + *-ar*².] *V. t. d.* Lançar tralha em.

tralho *S. m.* V. *tralha* (1).

tralhoada [De *tralho* + *-oada*.] *S. f.* **1.** Grande porção de miudezas. **2.** Confusão, trapalhada, embrulhada, salsada.

tralhoto (ô) [De *tralha* ou de *tralho*, poss.] *S. m. Bras. Zool.* Peixe actinopterígio, ciprinodonte, anablepídeo, gênero *Anablepe*, com olhos divididos em duas porções, uma para ver fora da água e outra para ver dentro dela. Vive sempre à flor da água, e tem a nadadeira anal transformada em órgão copulador. As duas espécies conhecidas são *A. anableps* e *A. microlepis*, ambas da foz do rio Amazonas e das Guianas, até a Venezuela. [Sin.: *quatro-olhos* e *tariota*.]

trama [Do lat. *trama*.] *S. f.* **1.** V. *tela* (1). **2.** *Tec. Têx.* O conjunto dos fios dispostos no sentido transversal, horizontal ou de largura do tecido, e que são entrelaçados pelo fio da urdidura. **3.** Fio grosso, de seda. **4.** Fio grosso com que se fazem certos tecidos. **5.** *Fig.* Enredo, intriga, teia. **6.** *Teatr.* V. *intriga* (4). **7.** *Fig.* Conluio, conspiração. **8.** *Fig.* Procedimento ardiloso. **9.** *Fotograv.* V. *retícula*¹ (2). **10.** *Arquit.* Conjunto de linhas principais, ou eixos, que estruturam um edifício. **11.** *Constr.* Na armadura do telhado, conjunto de terças, caibros e ripas que servem de apoio às telhas da cobertura. **12.** *Bras.* Contrato, ajuste. **13.** *Bras.* Negócio, empresa. **14.** *Bras.* Troca, barganha. **15.** *Bras.* Ladroeira, roubalheira; velhacaria. **16.** *Bras. S.* Travessa de madeira que se põe entre os vãos dos mourões das cercas de arame, presa aos respectivos fios por um arame flexível.

tramado [De *trama* + *-ado*¹.] *Adj.* **1.** *Fotograv.* Obtido por meio de trama; reticulado. **2.** *Lus. Pop.* Ferrado² (4).

tramador (ô) [De *tramar* + *-dor*.] *Adj. S. m.* Que, ou aquele que trama.

tramaga *S. f. Bot.* V. *tamarga*.

tramagal *S. m.* V. *tamargal*.

tramagueira *S. f. Bot.* V. *tamargueira*.

tramandaiense (a-i) *Adj. 2 g.* **1.** De, ou pertencente ou relativo a Tramandaí (RS). • *S. 2 g.* **2.** O natural ou habitante de Tramandaí.

tramanzola *S. 2 g. Bras. RS* Pessoa muito jovem, alta, corpulenta, e um tanto moleirona.

tramar [De *trama* + *-ar*².] *V. t. d.* **1.** Passar (a trama) por entre os fios da urdidura; tecer, entretecer, entecer, entrelaçar. **2.** Maquinar, urdir: *Tramou toda a história, pretendendo iludir pessoas ingênuas.* **3.** Intrigar, enredar. *T. i.* **4.** Armar uma conspiração; conspirar: *Tramava contra a ordem estabelecida.*

trambaculhada [Voc. express.] *S. f. Bras. Fam.* Encontroada, encontrão, colisão.

tramba las águas [Da expr. *entre âmbalas* (= *ambas as*) *águas*.] *S. m. 2 n. Bras. SP* Lugar onde duas marés se encontram, em um canal que tenha duas saídas para o mar. [F. paral., MA e PE: *tomba las águas*.] [Seria de esperar que tal forma não perdesse os hifens (por ser alter. de *entre ambas las águas*).]

trambalear *V. int. Bras. RS* Cambalear, trambecar, trambolhar. [Var.: *trambalhar*. Conjug.: v. *frear*.]

trambalhar *V. int. Bras. RS* V. *trambalear*.

trambecar *V. int. Bras.* Andar aos bordos, como um ébrio; tropeçar, cambalear, vacilar, trambolhar: "O bezerro, faminto, trambecava de magro." (Adalberon Cavalcanti Lins, *Curral Novo*, p. 169.) [Conjug.: v. *trancar*.]

trambelho (ê) [Var. nasalada de *trabelho*.] *S. m.* **1.** Trabelho. **2.** *Marinh.* Pequena peça de madeira com uma caneladura na parte média, por onde se amarra ao chicote de uma tralha (4), e destinada a prender esta a uma alça feita num dos chicotes de uma adriça. **3.** *Marinh. Bras.* Qualquer dispositivo que serve para prender a tralha (4) a uma adriça.

trambicar *V. t. d. Bras. Gír.* **1.** Praticar trambique(s) contra: *Desonesto, trambicou o próprio amigo.* *Int.* **2.** Praticar trambique(s): *Vive a trambicar.* [Conjug.: v. *trancar*.]

trambique *S. m. Bras. Gír.* **1.** Negócio fraudulento: *Não é pessoa em quem se confie: vive de trambiques.* **2.** *P. ext.* V. *logro* (2).

trambiqueiro [De *trambique* + *-eiro*.] *Adj. S. m. Bras. Gír.* Diz-se de, ou indivíduo dado a trambiques; trapaceiro, vigarista: *Não queira negócios com ele: é o sujeito mais trambiqueiro do mundo.*

trambolhada [De *trambolho* + *-ada*¹.] *S. f.* Porção de coisas atadas ou enfiadas. ◆ **De trambolhada.** Aos trambolhões: *A cheia levou de trambolhada casas, pontes, barranco, tudo que achou no seu caminho.*

trambolhão [De *trambolho* + *-ão*².] *S. m.* **1.** Ato de cair, rebolando; banho de poeira. **2.** Queda com estrondo. **3.** *Fam.* Decadência, declínio. **4.** Contratempo inesperado. ◆ **Aos trambolhões.** Aos tombos; aos esbarros [v. *esbarro* (1)], de trambolhada.

trambolhar [De *trambolho*, como em *trambolhão*, + *-ar*².] *V. int.* **1.** Andar ou ir aos trambolhões: "No tempo das águas o pátio alagava-se em atascadeiro e os negrinhos refestelavam no enxurdo espojando-se, trambolhando, patinhando no lameiro nauseante." (Coelho Neto, *Rei Negro*, p. 8.) [Sin., no RS: *trambalear*.] **2.** Falar com embaraço ou confusão. [Pres. ind.: *trambolho*, etc. Cf. *trambolho* (ô).]

trambolho (ô) [De or. incerta.] *S. m.* **1.** Qualquer corpo pesado que se ata aos pés dos animais domésticos a fim de não se afastarem para longe; trangalho. **2.** Molho grande; enfiada. **3.** *Fig.* Obstáculo, embaraço, estorvo, empecilho. **4.** *Fam.* Pessoa muito nutrida, que anda a custo. [Pl.: *trambolhos* (ô). Cf. *trambolho*, do v. *trambolhar*.]

tramela [Do lat. vulg. **trabella*, dim. de *trabe*, 'trave'.] *S. f.* **1.** Peça de madeira, que gira ao redor de um prego, para fechar porta, porteira, postigo, etc. **2.** Peça de madeira que, batendo na mó do moinho, produz o atrito, fazendo cair o grão da tremonha. **3.** *Ant. Marinh.* Peça de madeira presa na parte superior da retranca (2), que servia de cunho para mantê-la presa ao mastro. [Var., nessas acepç.: *taramela*.] **4.** *Bras. N.E. Pop.* Objeto que serve de estorvo à caminhada. **5.** *Bras. S.* Peça de madeira que se prende ao pescoço dos bezerros para impedir que mamem. • *S. 2 g.* **6.** *P. ext.* V. *tagarela* (2).

tramembé *S. m. Bras.* V. *tremembé*¹.

tramista [De *trama* + *-ista*.] *S. 2 g. Bras.* Pessoa que faz tramas, roubalheiras, maroteiras; caloteiro, velhaco.

tramitação [De *tramitar* + *-ção*.] *S. f. Bras.* Ato ou efeito de tramitar.

tramitar [De *trâmite* + *-ar*².] *V. int. Bras.* Seguir os trâmites (um processo, um documento): *O seu requerimento ainda está tramitando, mas daqui a um mês será despachado.* [Pres. subj.: *tramite*, etc. Cf. *trâmite*.]

trâmite [Do lat. *tramite*.] *S. m.* **1.** Caminho ou atalho determinado. **2.** *Fig.* Trâmites (1). [Nesta acepç., é m. us. no pl. Cf. *tramite*, do v. *tramitar*.] ~ V. *trâmites*.

trâmites [Pl. de *trâmite*.] *S. m. pl.* **1.** Meios apropriados à consecução de um fim. [Tb. us. no sing.] **2.** Curso de um processo, segundo as regras; via: *O requerimento seguiu os trâmites legais.* ~ V. *trâmite*.

tramo [De or. obsc., talvez do esp. *tramo*.] *S. m.* **1.** *Arquit.* Espaço compreendido entre quatro elementos arquitetônicos verticais, como, p. ex., pilares. [O termo é mais us. em relação à divisão de fachadas de antigas edificações por pilastras e cunhais.] **2.** *Arquit. Constr.* Intervalo entre duas tesouras [v. *tesoura* (6)] consecutivas. **3.** *Lus.* Vão (11).

tramoia (ói) [Do esp. *tramoya*, 'máquina teatral'.] *S. f.* **1.** Intriga, enredo, maranha: "D. Cirila, pela aversão que o capitão Mendes da Fonseca, o coletor, ganhara à confissão, graças às tramoias do patife do Chico Fidêncio, deixara a freguesia do engomado" (Inglês de Sousa, *O Missionário*, p. 107). **2.** Velhacaria, trampolinice, trampolinada.

tramoieiro [De *tramoia* + *-eiro*.] *S. m.* Aquele que faz tramoias.

tramolhada [Aglut. de *terra* + o f. de *molhado*, com síncope em *terra*.] *S. f.* Terra úmida; lameiro.

tramontana [Do it. *tramontana*.] *S. f.* **1.** Estrela polar. **2.** Vento ou lado do norte. **3.** *Fig.* Rumo, direção. ◆ **Perder a tramontana.** Desnortear-se; atarantar-se: "a escuridão cresceu e desfechou em vento, trovões, chuva e raios. O mancebo perdia a tramontana, e o onagro dobrava a carreira e bufava violentamente." (Alexandre Herculano, *Lendas e Narrativas*, II, p. 28).

tramontar [Do it. *tramontare*.] *V. int.* **1.** Esconder-se (o Sol) além dos montes; transmontar: "O viajante .... tinha que fazer breve parada num sítio ermo, além do apeadouro de Irará, precisamente à hora em que o Sol tramonta na serra." (Xavier Marques, *Terras Mortas*, p. 126.) • *S. m.* **2.** Ato de tramontar.

trampa¹ [De or. incerta.] *S. f. Chulo* **1.** Excremento, fezes: "a falta de arejamento mantinha ali um relento de trampa e urina." (Pedro Nava, *Beira-Mar*, p. 33). **2.** V. *ninharia*.

trampa² [Do esp. *trampa*.] *S. f.* **1.** *Ant.* Trama, enredo, tramoia. **2.** *Bras. RS* Armadilha para apanhar caça.

trampão [De *trampa*² (1) + *-ão*².] *Adj. Ant.* Que usa de ardis, tramas, tramoias; trapaceiro. [Fem.: *trampona*.]

trampear [Do esp. plat. *trampear*.] *V. int. Bras. RS Ant.* Fazer trampolinas; calotear, trapacear. [Conjug.: v. *frear*.]

trampesco (ê) *S. m. Bras. N. Prov. port.* Bofetada, tapa.

trampo *S. m. Bras. SP Pop.* V. *trabalho* (4).

trampolim [Do it. *trampolino*.] *S. m.* **1.** Prancha comprida, fixa numa das extremidades, de onde os acrobatas, os nadadores, etc., tomam impulso para os saltos. **2.** *Fig.* Pessoa ou coisa que, como se fosse um trampolim, impulsiona alguém; degrau: *A mulher rica servira-lhe de trampolim para a ascensão social.*

trampolina [De *trampa*², talvez com infl. do it. *trampolino*.] *S. f.* Dito ou ato de trampolineiro; trampolinice, trampolinada, trampolinagem.

trampolinada [De *trampolinar* + *-ada*¹.] *S. f. Bras.* V. *trampolina*.

trampolinagem [De *trampolinar* + *-agem*².] *S. f. Bras.* V. *trampolina*.

trampolinar [De *trampolina* + *-ar*².] *V. int.* Fazer trampolinas; proceder como trampolineiro.

trampolineiro [De *trampolina* + *-eiro*.] *Adj. S. m.* Diz-se de, ou aquele que tem o hábito de fazer trapaças, embustes, trampolinas; trapaceiro, velhaco.

trampolinice [De *trampolina* + *-ice*.] *S. f.* V. *trampolina*.

tramposear [De *tramposo*² + *-ear*².] *V. int.* **1.** *Bras. RS* Intrometer-se nos negócios dos outros, na vida alheia. *T. d.* **2.** Enganar, lograr. [Conjug.: v. *frear*.]

tramposo¹ (ô) [De *trampa*¹ + *-oso*.] *Adj. Chulo* Nojento, imundo, porco, porcalhão, seboso.

tramposo² (ô) [Do esp. plat. *tramposo*.] *Adj. Bras. RS Ant.* **1.** Intrigante, mexeriqueiro. **2.** Intrometido, metediço. **3.** Trapaceiro, velhaco.

trâmuei [Do ingl. *tramway*.] *S. m.* **1.** Trilho chato para bondes. **2.** O próprio bonde. [Sin. ger.: *tranvia*.]

tranar [Do lat. *tranare*.] *V. t. d.* **1.** Transnadar (1). **2.** Atravessar, cruzar. **3.** Cortar, fender.

tranca [Da mesma or. incerta que o esp. *tranca*; poss. pré-romana.] *S. f.* **1.** Barra de ferro ou de madeira que se põe transversalmente atrás das portas para segurá-las. **2.** Qualquer dispositivo de segurança contra furtos, que se adapta a portas, veículos, etc.: *A tranca do automóvel impede a livre movimentação do veículo.* **3.** *P. ext.* V. *travanca*. **4.** Peça do correame do carro que cinge o peito do animal. **5.** *Fig.* Traço muito grosso. **6.** *Prov. port.* Ramo de árvore; pernada. • *S. 2 g.* **7.** *Bras.* V. *avaro* (3). **8.** *Bras.* Indivíduo que serve de empecilho, ou que é ordinário, de mau caráter. • *Adj. 2 g.* **9.** *Bras.* V. *avaro* (1). **10.** *Bras.* Diz-se de tranca (8). [Cf. *tranca*, do v. *trancar*.] ~ V. *trancas*.

trança [De or. incerta.] *S. f.* **1.** Entrelaçamento de três ou mais madeixas [v. *madeixa* (2 e 3)], passando-se alternadamente a madeixa da direita ou da esquerda sobre a(s) do meio; trançado. **2.** *Restr.* Trança (1) de cabelos. **3.** Galão¹ (1) trançado. **4.** *Cul.* Pão, doce ou salgado, de massa trançada, com certa extensão e largura. **5.** *Ant.* Pedaço de corda com que se deitava fogo às antigas peças de artilharia; morrão. **6.** *Bras. Folcl.* Folguedo de origem ibérica, ligado aos reisados do Natal e Ano-Bom, e que consiste numa dança em torno de uma vara à qual se prendem longas fitas multicores. **7.** *Bras.* Enredo, trama, tramoia, intriga. **8.** *Bras.* Trancinha (3). **9.** *Bras. PE Pop.* V. *rolo*¹ (16).

trancaço [Do esp. plat. *trancazo*.] *S. m. Bras. RS* V. *coriza*.

trancada [De *tranca* + *-ada*¹.] *S. f.* **1.** Pancada com tranca; paulada. **2.** *Pesc.* Estacada que atravessa um rio.

trançadeira [De *trançar* + *-deira*.] *S. f.* Fita de prender o cabelo; trançado.

trancado [Part. de *trancar*.] *Adj.* **1.** Fechado ou seguro com tranca. **2.** Completamente fechado. **3.** V. *fechado* (5).

trançado [Part. de *trançar*.] *Adj.* **1.** Disposto em trança (1): *cesto trançado*. • *S. m.* **2.** Trança (1). **3.** Trançadeira. **4.** Obra trançada: *trançado em duas cores*.

trançador (ô) [De *trançar* + *-dor*.] *Adj.* **1.** Que trança. • *S. m.* **2.** Aquele que trança. **3.** *Bras.* Aquele que por ofício faz tranças (de couro, crina, etc.). **4.** *Bras. S.* Indivíduo intrigante, dado a fazer trancinhas por ofício.

trancafiamento [De *trancafiar* + *-mento*.] *S. m.* Ação ou efeito de trancafiar.

trancafiar [De *trancar*.] *V. t. d. Bras. Pop.* Prender, encarcerar, trincafiar.

trancafio [De *tranchefilas* (q. v.), com infl. de *trancar*, + *fio*.] *S. m. Encad. P. us.* V. *cabeçada* (3).

trancamento [De *trancar* + *-mento*.] *S. m.* Ato ou efeito de trancar(-se).

trancão [De *tranco* + *-ão*^{1}.] *S. m. Bras.* Encontrão, repelão, tranco.

trancar [De *tranca* + *-ar*^{2}.] *V. t. d.* **1.** Segurar ou fechar com tranca(s): "Zelinda começou a fechar as janelas e trancar as portas." (Guido Vilmar Sassi, *Piá*, p. 59.) **2.** *P. ext.* Fechar (3). **3.** Prender, enclausurar: "justamente ele, sobrevivente daquele caso em que os carcereiros de um distrito da capital trancaram mais de cinquenta homens numa cela apertada, matando dezoito por asfixia." (Drauzio Varela, *Estação Carandiru*, p. 287). **4.** Cancelar, riscar (documento escrito). **5.** Pôr fim a; concluir, terminar, rematar: *Trancaram a discussão sem entendimento.* **6.** *Bras. Esport.* Afastar (o adversário) com um trancão ou tranco, para apoderar-se da bola. *P.* **7.** Fechar-se, encerrar-se, em lugar seguro. **8.** *Bras.* Mostrar-se fechado, não muito comunicativo: *Costuma trancar-se até com os amigos mais íntimos.* **9.** Não dizer nada; não se manifestar; fechar-se em copas: *Interrogado, trancou-se a respeito do assunto dizendo que nada tinha que declarar.* [F. paral.: *atrancar*. O *c* do radical transforma-se em *qu* antes de *e*: *tranquei*, *tranque*, etc. Pres. ind.: *tranco*, *trancas*, *tranca*, etc.; fut. pret.: *trancaria*, etc. Cf. *tranco*, s. m., *trancas*, s. f. pl., *tranca*, adj. e s. f., e *trancaria*, s. f.]

trançar [De *trança* + *-ar*^{2}.] *V. t. d.* **1.** Pôr em trança (1 e 2); entrançar. **2.** Entretecer, entrelaçar, entrançar. *Int.* **3.** *Bras. Fam.* Andar seguidamente e para diversos lados; zanzar. **4.** *Bras. SP Pop.* Cruzar-se (os dançadores), em certa parte do fandango. *P.* **5.** Entrelaçar-se, enredar-se, entrançar-se: "Entrebatem-se, enredam-se, trançam-se .... e embaralham-se milhares de chifres." (Euclides da Cunha, *Os Sertões*, p. 128.) [Conjug.: v. *laçar*.]

trancaria [De *tranca* + *-aria*.] *S. f.* Feixe, monte ou grande porção de toros de lenha. [Cf. *trancaria*, do v. *trancar*.]

tranca-ruas [De *trancar* + o pl. de *rua*.] *S. 2 g. e 2 n.* **1.** V. *valentão* (3). **2.** *Bras. Pop.* Motorista que dirige lerdamente, ou que retarda o tráfego.

trancas [Pl. de *tranca*.] *S. f. pl. Pop.* As pernas. [Cf. *trancas*, do v. *trancar*.] ~ V. *tranca*.

tranca-trilhos [De *trancar* + o pl. de *trilhos*.] *S. m. 2 n. Bras.* Trave com que se impede o trânsito através dos trilhos de uma estrada de ferro.

trance *S. m.* V. *transe*: "Magalhães caiu, quando eram passados os trances gloriosos daquele circuito aventuroso de milhares de léguas, o qual não ousariam nem sequer fantasiar os que contaram a famosa expedição dos Argonautas." (Latino Coelho, *Fernão de Magalhães*, p. 212.)

trancelim [Do esp. *trencellín*, dim. de *trencillo*.] *S. m.* **1.** Galão ou trança fina, de seda, ouro ou prata, para guarnições e obras de costura; trancinha. **2.** Cordão delgado, de ouro: "Tia Irineia até lhe dera um pequeno crucifixo, num trancelim, para ele botar no pescoço" (Gilvã Lemos, *Jutaí Menino*, p. 158); "Assim que me reconheceu, aumentou os bugalhos redondos, soltando o lornhão - que ficou a balançar, preso ao trancelim" (Josué Montelo, *O Baile da Despedida*, p. 36).

trancha [Do fr. *tranche*.] *S. f.* Ferramenta com que os funileiros viram beiradas das folhas de flandres.

tranchã [Do fr. *tranchant*.] *Adj. 2 g. Bras. Gal.* **1.** Categórico, decisivo; cortante: *argumento tranchã.* **2.** *Gír.* V. *bacana* (1).

tranchefilas [Do fr. *tranchefile*.] *S. m. 2 n. Encad. P. us.* V. *cabeçada* (3).

trancinha [De *trança* + *-inha*.] *S. f.* **1.** Trancelim (1). **2.** *Bras.* Enredo, tramoia, intriga, mexerico. **3.** *Bras.* Sequência de laçadas simples de crochê; trança. ● *S. 2 g.* **4.** Intrigante, enredeiro, mexeriqueiro. ● *Adj. 2 g.* **5.** Diz-se de pessoa trancinha (4).

tranco [Var. de *tranca*.] *S. m.* **1.** Salto que dá o cavalo. **2.** V. *solavanco*. **3.** Abalo, comoção. **4.** *Bras.* Esbarro, encontrão, empurrão, safanão. **5.** *Bras. Gír.* Admoestação, observação, advertência; fora: *Há muito merecia o tranco que hoje levou da turma.* **6.** *Bras. RS* Marcha normal, habitual, não apressada, do cavalo; tranquito. [Cf. *tranco*, do v. *trancar*.] ◆ **A trancos. 1.** Aos trancos. **2.** Com interrupções; intervaladamente. **Aos trancos.** Aos saltos, aos trambolhões; aos trancos e barrancos. **Aos trancos e barrancos. 1.** Com muita dificuldade; a muito custo. **2.** Aos trancos.

trancucho [Do esp. plat. *trancucho*.] *Adj. Bras. S. Pop.* Meio embriagado; um tanto bêbado; trancudo.

trancudo *Adj. Bras. S. Pop.* Trancucho.

trangalhadanças [De **trangalhar* (de *trangalho* + *-ar*^{2}) + *dança*.] *S. 2 g. e 2 n. Burl.* Pessoa alta e desajeitada.

trangalho [Do esp. *trangallo*.] *S. m.* **1.** Trambolho (1). **2.** Toro ou ramo de madeira.

trangla [Do fr. *tringle*.] *S. f.* Barra de metal para prender passadeiras aos degraus das escadas.

trangola *S. m. Burl.* Homem alto, magricela e feio.

tranqueado [Part. de *tranquear*.] *Adj.* **1.** Que se tranqueou ou tranqueiru; atravancado. ● *S. m.* **2.** *Bras. AL* Ato de tranquear, de suster o cavalo nas rédeas. **3.** *Bras. AL* Certa dança, variedade de coco^2 (ô) (1).

tranquear [De *tranco* + *-ear*^{2}.] *V. int.* **1.** *Bras. N.* Andar (o cavalo) de lado. **2.** *Bras. S.* Andar (o cavalo) em marcha natural, no tranco (6). *T. d.* **3.** Tranqueirar. **4.** *Bras. AL* Suster (o cavalo) nas rédeas. [Conjug.: v. *frear*.]

tranqueira [De *tranca* + *-eira*.] *S. f.* **1.** Estacada para cercar ou fortificar; tranquia. **2.** Trincheira (1). **3.** *Tip.* Morsa. **4.** *Bras. Desus.* Porteira, cancela. **5.** *Bras. SP* Coivara velha no meio da mata. **6.** *Bras. SP* Coivara derrubada que impede o trânsito. **7.** *Bras. SP* Merenda, lanche.

tranqueirar [De *tranqueirar* + *-ar*^{2}.] *V. t. d.* Pôr tranqueira (1) em; tranquear.

tranqueiro [De *tranca* + *-eiro*.] *S. m.* Cada um dos paus ou escoras que sustentam um madeiro que vai ser serrado com serra braçal.

tranqueta (ê) [De *tranca* + *-eta* (ê).] *S. f.* **1.** Pequena tranca. **2.** Peça de ferro que se coloca verticalmente por detrás das portas ou das janelas para fechá-las.

tranquia [De *tranca* + *-ia*^{1}.] *S. f.* **1.** Tranqueira (1). **2.** Pau atravessado para impedir a passagem.

tranquibernar *V. int.* Fazer tranquibérnias.

tranquiberneiro *Adj. S. m.* Que, ou aquele que tranquiberna.

tranquibérnia *S. f.* Tramoia, burla, fraude, trapaça, tranquibernice: "as comissões fiscais, pagas e bem pagas, andavam de mãos dadas em todas as traficâncias e tranquibérnias!" (Visconde de Taunay, *O Encilhamento*, p. 238). [F. paral.: *traquibérnia*.]

tranquibernice *S. f.* V. *tranquibérnia*.

tranquilamente (qüi) [Do f. de *tranquilo* + *-mente*.] *Adv.* De modo tranquilo; com tranquilidade. ❖

tranquilha [Do esp. *tranquilla*.] *S. f.* **1.** Peça de madeira com que se aperta o cavalo, no manejo (3). **2.** O pau que se coloca de viés, no jogo da bola.

tranquilidade (qüi) [Do lat. *tranquilitate*.] *S. f.* **1.** Estado ou qualidade de tranquilo. **2.** Serenidade, concórdia, paz: *Segundo os últimos noticiários, reina tranquilidade no país.* **3.** Calma, sossego, quietude: *A tranquilidade do campo faz-lhe bem à alma.* **4.** Paz de espírito; estado de tranquilo (5): *Desejo-lhe saúde e tranquilidade.* ❖

tranquilização (qüi) [De *tranquilizar* + *-ção*.] *S. f.* Ação ou efeito de tranquilizar(-se). ❖

tranquilizador (qüi...ô) [De *tranquilizar* + *-dor*.] *Adj.* **1.** Que tranquiliza; tranquilizante. ● *S. m.* **2.** Aquele que tranquiliza. ❖

tranquilizante (qüi) [De *tranquilizar* + *-nte*.] *Adj. 2 g.* **1.** Tranquilizador (1). **2.** *Farm.* Diz-se de medicamento que exerce a sua ação, predominantemente, sobre a ansiedade e a tensão nervosa, sem ter ação hipnótica direta, podendo contudo, dependendo da dose administrada e da susceptibilidade do paciente, ter efeito hipnótico; ansiolítico, tensiolítico. ● *S. m.* **3.** *Farm.* Medicamento tranquilizante (2); ansiolítico, tensiolítico. ❖

tranquilizar (qüi) [De *tranquilo* + *-izar*.] *V. t. d. P.* Tornar(-se) tranquilo; sossegar, pacificar(-se), acalmar(-se), aquietar(-se). ❖

tranquilo (qüi) [Do lat. *tranquillu*.] *Adj.* **1.** Em que reina a calma, a ordem, o equilíbrio: *A Suíça é um país tranquilo.* **2.** Que se efetua ou decorre sem agitação, de modo regular: *Entrou na sala com seu costumeiro passo tranquilo; Tem um sono tranquilo.* **3.** Sem agitação; manso, quieto, sereno, sossegado: *lugar tranquilo; mar tranquilo; Hoje o menino travesso está tranquilo.* **4.** Que é de natureza calma, serena, estável: *homem tranquilo.* **5.** Que não tem, ou em que não há inquietação, preocupação, remorso ou culpa: *consciência tranquila; sonhos tranquilos.* **6.** Certo, seguro, infalível: *Não te preocupes, pois é tranquila a tua admissão ao cargo.* ~ V. *vinho* —. ❖

tranquitana *S. f.* V. *traquitana*.

tranquito [Do esp. *tranquito*.] *S. m. Bras. RS* **1.** Tranco (6). **2.** Cavalo que anda bem, que é estradeiro. ◆ **A tranquito.** *Bras. RS* Devagar, vagarosamente, lentamente; no tranquito. **No tranquito.** *Bras. RS* V. *a tranquito*: "No tranquito ia, cantando, e pensando na sua pobreza" (Simões Lopes Neto, *Contos Gauchescos e Lendas do Sul*, p. 290).

trans *Adj. 2 g. e 2 n. S. m. 2 n. Quím.* Designação de estereoisômeros em que dois substituintes iguais (ou hidrogênios), em dois estereocentros distintos, estão 'em lados opostos' (do plano de um ciclo, ou de um plano que contenha o eixo, mas não os substituintes, de uma ligação dupla). [O termo se aplica a derivados de cicloalcanos e a alcenos. Tb. us. com valor de adj., quando posposto a outro substantivo: *isômero trans.*] [Opõe-se a *cis*.]

▲**trans-**^{1} [Do lat. *trans*.] *Pref.* = 'movimento para além de', 'através de'; 'posição para além de'; 'posição ou movimento de través'; 'intensidade': *transumância*, *transecular*; *transplatino*; *transverso* (< lat.); *transfazer*. [Equiv.: *tra-*, *-tr(a)-*, *tras-*, *tre(s)-*: *tramontar*; *cístron*; *traspassar*; *trasvisto*; *trecheio*, *tresgastar*, *tresnoitar*, *tressuar*. Alternam-se, às vezes, entre si: *transbordar*, *trasbordar*; *transpassar*, *traspassar*, *trespassar*. Cf. trans-^{2}.]

▲**trans-**^{2} [Do lat. *trans*, pela terminologia científica.] *Pref. Quím.* Us. na formação de nomes de compostos que são isômeros do tipo trans: *ácido trans-butenodioico*. [Usa-se ger. seguido de hífen, embora não canônico. Cf. *trans-*^{1}.]

transa (za) [F. red. de *transação*.] *S. f. Bras. Gír.* Palavra-ônibus que traduz ideias de: entendimento, combinação, acordo, ajuste, pacto, comunicação, ligação, trama, conluio, maquinação, relação amorosa, sexual, etc.; transação.

transaariano [De *trans-*^{1} + *saariano*.] *Adj.* Situado além do deserto de Saara: "A captura e venda de escravos às cáfilas transaarianas pode ter sido um dos fatores de consolidação dos primeiros reinos sudaneses." (Alberto da Costa e Silva, *A Enxada e a Lança*, p. 255); "As mercadorias mais importantes e mais antigas do comércio transaariano foram o escravo, o ouro e o sal." (Id., *ib.*, p. 255).

transabdominal (za) [De *trans-*^{1} + *abdominal*.] *Adj. 2 g.* Relativo a procedimento que se realiza através da parede abdominal, ou da cavidade abdominal.

transação (za) [Do lat. *transactione*.] *S. f.* **1.** Ato ou efeito de transigir. **2.** Combinação, convênio, ajuste. **3.** Operação de compra e venda: *Centenas de transações se efetuam cada dia na Bolsa de Valores.* **4.** *Inform.* Em um sistema de informações, operação lógica que não fere a coerência dos dados armazenados. **5.** Operação em que há troca ou transferência de valores: *As transações bancárias são feitas cada vez mais por meios eletrônicos.* **6.** *Jur.* Negócio jurídico que dirime obrigações litigiosas ou duvidosas mediante concessões recíprocas das partes litigantes; acordo, composição. **7.** *Bras. Gír.* V. *transa*. ● *S. m.* **8.** *Bras. Gír. Desus.* Velhaco, patife. ◆ **Transações correntes.** *Econ.* No balanço de pagamentos, as transações relativas a exportação ou importação de mercadorias e serviços e a transferências unilaterais.

transacionado (za) [Part. de *transacionar*.] *Adj.* Que foi objeto de transação ou negócio.

transacional (za) [De *transação* + *-al*^{1}, seg. o padrão erudito.] *Adj. 2 g.* Relativo a, ou que tem o caráter de transação. ~ V. *análise* —.

transacionar (za) [De *transação* + *-ar*^{2}, seg. o padrão erudito.] *V. int.* Fazer transação ou negócio; contratar, negociar, comerciar.

transacto (za) *Adj.* Transato.

transactor (zactôr) *Adj. S. m.* Transator.

transadmitância (za) [Do ingl. *transadmittance*.] *S. f. Eletrôn.* Numa válvula, o quociente da intensidade do componente alternativo da corrente num eletrodo pela intensidade do componente alternativo da tensão noutro eletrodo, quando as tensões dos eletrodos restantes permanecem constantes.

transado [Part. de *transar*.] *Adj. Gír.* Palavra-ônibus que exprime inúmeras ideias apreciativas, e equivale a original, caprichado, requintado, bem-equipado ou elegante, etc.: "Seu pedaço [de Nova York] mais fascinante .... passou a ser a área .... entre o Soho e Tribeca. .... As galerias são mais informais, as lojas, mais transadas — e baratas. (Washington Olivetto, *Os Piores Textos de Washington Olivetto*, pp. 113-114).

transalpino (zal) [Do lat. *transalpinu*.] *Adj.* Situado além dos Alpes. [Antôn.: *cisalpino*.]

transamazónico (za) *Adj.* V. *transamazônico*. [Uso freq. em P.]

transamazônico (za) [De *trans-*^{1} + *amazônico*.] *Adj.* Que atravessa a Amazônia.

transaminação (za) [De *trans-*^{1} + *aminação*.] *S. f. Bioquím.* Reação em que ocorre a interconversão entre um aminoácido e um cetoácido.

transaminase (za) [De *transamin(ação)* + *-ase*.] *S. f. Bioquím.* Transferase que catalisa transaminação; aminotransferase.

transandino (zan) [De *trans-*^{1} + *andino*.] *Adj.* **1.** Situado além dos Andes. [Antôn.: *cisandino*.] **2.** Que atravessa os Andes.

transar (zar) [De *transa* + *-ar*^{2}.] *Bras. Gír. V. t. d.* **1.** Fazer transa a respeito de; combinar, ajustar, pactuar; maquinar, tramar. *T. i.* **2.** Ter transa. *Int.* **3.** Ter transa com alguém.

transaraliano (za) [De *trans-*^{1} + *araliano*.] *Adj.* Que atravessa o mar de Aral ou a região por ele banhada.

transatlântico (za) [De *trans-*^{1} + *atlântico*.] *Adj.* **1.** Situado além do Atlântico. [Antôn.: *cisatlântico*.] **2.** Que atravessa o Atlântico. ● *S. m.* **3.** Navio que faz a carreira da Europa para a América, ou vice-versa; que atravessa o Atlântico. **4.** *P. ext.* Grande navio, com

T

instalações confortáveis e alta velocidade, destinado a transportar passageiros através do oceano.

transato (za) [Var. de *transacto* < lat. *transactu*.] ***Adj.*** Que já passou; passado, anterior; pretérito: *o mês transato*; "Mas considerar essa invenção como a revelação da realidade total das cousas foi o erro de uma escola hoje transata." (Oliveira Martins, *Quadro das Instituições Primitivas*, p. 69).

transator (zatôr) [Var. de *transactor* < lat. *transactore*.] ***Adj. S. m.*** Que, ou aquele que realiza transação.

transbordamento [De *transbordar* + *-mento*.] ***S. m.*** **1.** Ato ou efeito de transbordar; transbordo. [Var.: *trasbordamento*.] **2.** *Arte Poét.* V. *enjambement*. **3.** *Inform.* Condição em que o resultado de uma operação aritmética excede a capacidade de representação numérica de um computador digital.

transbordante [De *transbordar* + *-nte*.] ***Adj. 2 g.*** Que transborda. [Var.: *trasbordante*.]

transbordar [De *trans-*[1] + *borda* + *-ar*[2].] ***V. t. d.*** **1.** Fazer sair fora das bordas: *A enchente transbordou o riacho*. **2.** Sair fora das bordas de: *O molho transbordava a travessa; O champanha transbordou a taça*. **3.** Expandir, estender, derramar: *Não podia conter-se: transbordava alegria*. **4.** Derramar, verter, entornar. ***Int.*** **5.** Sair fora das bordas: *O rio transbordou; O jarro estava muito cheio, e a água transbordou*. **6.** Lançar fora, extravasar (o seu conteúdo). **7.** Manifestar-se com ímpeto; ultrapassar os limites da prudência: *Não se conteve, e sua indignação transbordou*. **8.** Derramar-se, espalhar-se. **9.** Sobejar, superabundar. ***T. i.*** **10.** Estar possuído (de um sentimento): *Encontrei-o a transbordar de alegria*. [Var.: *trasbordar*. Pres. ind.: *transbordo*, etc. Cf. *transbordo* (ô).]

transbordo (ô) [Dev. de *transbordar*.] ***S. m.*** **1.** V. *transbordamento* (1). **2.** Passagem (de viajantes, mercadorias, etc.) de um trem, ônibus, avião, navio, etc., para outro; baldeação. [Var.: *trasbordo*. Pl.: *transbordos* (ô). Cf. *transbordo*, do v. *transbordar*.]

transcaspiano [De *trans-*[1] + *caspiano*.] ***Adj.*** Que está ou vai além do mar Cáspio.

transcaucásio [De *trans-*[1] + *caucásio*.] ***Adj.*** Que está ou vai além do Cáucaso.

transcendência [Do lat. *transcendentia*, 'escalada (de um muro)'.] ***S. f.*** **1.** Qualidade ou estado de transcendente. **2.** *Rel.* O conjunto de atributos do Criador (5) que lhe ressaltam a superioridade em relação à criatura.

transcendentais [Pl. de *transcendental*.] ***S. f. pl. Filos.*** Qualidades que pertencem ao ser como tal, convindo, em graus diversos, a todos os seres. [No tomismo, admitem-se três transcendentais: a unidade, a verdade e a bondade; outros incluem tb. o *aliquid*, o ser, e a beleza.] ~ V. *transcendental*.

transcendental [De *transcendente* + *-al*[1].] ***Adj. 2 g.*** **1.** V. *transcendente* (1 a 3). **2.** *Filos.* No kantismo, diz-se quer do que se refere ao conhecimento das condições *a priori* da experiência, quer do que ultrapassa os limites da experiência. ~ V. *idealismo —*, *ideia —*, *lógica —*, *realismo —* e *transcendentais*.

transcendentalidade [De *transcendental* + *-(i)dade*.] ***S. f.*** Qualidade ou caráter de transcendental.

transcendentalismo [De *transcendental* + *-ismo*.] ***S. m.*** **1.** Filosofia crítica de Kant (1724-1804), e designação comum aos sistemas idealistas dos seus sucessores na Alemanha. **2.** Escola filosófica norte-americana, representada por Emerson (1803-1882) e caracterizada por certo misticismo panteísta.

transcendentalista [De *transcendentalismo* + *-ista*.] ***Adj. 2 g.*** **1.** Relativo ao, ou que é partidário do transcendentalismo. • ***S. 2 g.*** **2.** Partidário dele.

transcendentalizar [De *transcendental* + *-izar*.] ***V. t. d. P.*** Tornar(-se) transcendental: "Vê como a Dor te transcendentaliza!" (Cruz e Sousa, *Últimos Sonetos*, p. 73); *Seu pensamento transcendentalizou-se*.

transcendente [Do lat. *transcendente*.] ***Adj. 2 g.*** **1.** Que transcende; muito elevado; superior, sublime, excelso: *virtudes transcendentes*. **2.** Que transcende do sujeito para algo fora dele. **3.** Que transcende os limites da experiência possível; metafísico. [Sin., nessas acepçs.: *transcendental*.] **4.** *Filos.* Que se eleva além de um limite ou de um nível dado. **5.** *Filos.* Que não resulta do jogo natural de uma certa classe de seres ou de ações, mas que supõe a intervenção de um princípio que lhe é superior. [Opõe-se, nesta acepç., a *imanente* (2).] **6.** *Filos.* Que ultrapassa a nossa capacidade de conhecer. **7.** *Filos.* Que é de natureza diversa da de uma dada classe de fenômenos. ~ V. *curva —*, *equação —*, *finalidade —*, *função —*, *número —* e *operação —*. • ***S. m.*** **8.** Aquilo que é transcendente. **9.** *Mat.* Número transcendente.

transcender [Do lat. *transcendere*.] ***V. t. d.*** **1.** Ser superior a; exceder: *Sua inteligência transcende o padrão normal*. **2.** Passar além de; ultrapassar: "Já temos visto que o Estado, criatura espiritual, opõe-se à ordem natural e a transcende." (Sérgio Buarque de Holanda, *Raízes do Brasil*, p. 142.) **3.** Elevar-se acima de: "A 'nostalgia dos anjos' não é manifesta em *A Cidade do Sul* [de Alphonsus de Guimaraens Filho], mas, sem embargo, este livro já mistura ao lirismo individualista elementos que o transcendem." (Carlos Drummond de Andrade, *Passeios na Ilha*, p. 213.) ***T. i.*** **4.** Ser superior aos outros ou a outra coisa; exceder, avantajar-se: *Sua inteligência transcende a todos os seus méritos*. **5.** Distinguir-se, evidenciar-se: *Aquele homem transcende em numerosos talentos*. **6.** Passar além; ultrapassar: "Quase tudo transcende à nossa compreensão, mas nada transcende à nossa vaidade." (Matias Aires, *Reflexões sobre a Vaidade dos Homens*, p. 46); "Essa humanização só é conseguida em poemas que transcendam das limitações do fenômeno amoroso" (Melo Nóbrega, *O Soneto de Arvers*, p. 94).

transceptor (ô) [De *trans(missor)* + *re(ceptor)*.] ***S. m.*** Transreceptor.

transcetor (ô) ***S. m.*** V. *transceptor*. [Uso próprio de P.]

transcoação [De *transcoar* + *-ção*.] ***S. f.*** Ato ou efeito de transcoar.

transcoar [Do lat. *transcolare*.] ***V. t. d.*** **1.** Coar através de; destilar, filtrar. ***Int.*** **2.** Transpirar, transudar, suar. [Conjug.: v. *coar*, mas não leva acento circunflexo nas três pess. do sing. do pres. do ind., e, sim, apenas na primeira, *transcoo*.]

transcodificação [De *transcodificar* + *-ção*.] ***S. f.*** Ato ou efeito de transcodificar.

transcodificador (ô) [De *transcodificar* + *-dor*.] ***S. m.*** Equipamento us. para transcodificar.

transcodificar [De *trans-*[1] + *codificar*.] ***V. t. d.*** **1.** Passar de uma forma de código para outra: *transcodificar uma mensagem*. ***T. d. e i.*** **2.** *Telev.* Passar (vídeo) de um sistema de cor para outro: *transcodificar do sistema PAL para o sistema NTSC*.

transcodificável [De *transcodificar* + *-vel*.] ***Adj. 2 g.*** Que se pode transcodificar.

transcondutância [De *trans-*[1] + *condutância*.] ***S. f.*** *Eletrôn.* Derivada parcial da corrente num dado terminal de acesso de um circuito, ou dispositivo, em relação à tensão em outro terminal deste, sendo constantes as tensões em todos os demais terminais do circuito ou dispositivo; condutância mútua.

transcontinental [De *trans-*[1] + *continental*.] ***Adj. 2 g.*** Que atravessa um continente.

transcorrência [Do lat. *transcurrentia*.] ***S. f.*** V. *transcurso*.

transcorrer [Do lat. *transcurrere*.] ***V. int.*** **1.** Decorrer, perpassar: "Os dias passavam sem lhe trazerem alívio algum, as horas transcorriam, e cada vez mais aumentavam a sua agonia" (Guido Vilmar Sassi, *São Miguel*, p. 162). **2.** Passar além de: *Os viandantes transcorreram o perigoso vale*. ***Pred.*** **3.** Permanecer, decorrer (em certo estado ou condição): *Os dias transcorreram felizes*; "As sessões transcorreram tumultuárias, ruidosas." (Euclides da Cunha, *À margem da História*, p. 251).

transcorvo (ô) [De *trans-*[1] + *curvo*.] ***Adj.*** Diz-se do cavalo que, visto só de lado, não é bem aprumado das patas dianteiras.

transcrever [Do lat. *transcribere*.] ***V. t. d.*** **1.** Reproduzir, copiando; copiar textualmente; trasladar. **2.** *E. Ling.* Fazer transcrição (3) de. ***Int.*** **3.** Efetuar transcrição. [Part.: *transcrito*.]

transcrição [Do lat. *transcriptione*.] ***S. f.*** **1.** Ato ou efeito de transcrever. **2.** Trecho transcrito. **3.** *E. Ling.* Expressão gráfica dos sons duma língua, independentemente do sistema de escrita usado em sua literatura. **4.** *Citol. Genét.* Síntese de uma molécula de RNA a partir de uma molécula de DNA como molde. **5.** *Mús.* Adaptação de uma obra musical a um instrumento ou grupo de instrumentos diferentes dos da versão original: *Bach fez transcrições para o órgão dos concertos para violino de Vivaldi*. **6.** *Inform.* Conversão de dados de um meio de armazenamento para outro, sem alterar seu conteúdo original, mas efetuando as conversões necessárias para que sejam aceitos pelo meio receptor. **7.** *Bras. Jur.* Registro do título de transferência de um imóvel em livro próprio do ofício público competente, para o fim de obtenção da propriedade do bem adquirido. ◆ **Transcrição fonêmica.** *E. Ling.* Representação gráfica dos fonemas de um enunciado. **Transcrição fonética.** *E. Ling.* Representação gráfica de um enunciado, em geral para fins de estudo, por meio de um conjunto de símbolos especiais, ou alfabeto fonético (q. v.), para isso especialmente idealizado. [Cf. *grafia* (2).]

transcricional [De *transcrição* (*transcricion-*) + *-al*[1], seg. o padrão erudito.] ***Adj. 2 g.*** Próprio de, ou relativo a transcrição.

transcriptase [Do ingl. *transcrip(tion)* (v. *transcrição* [4]) + *-ase*.] ***El. s. f.*** Us. na loc. *transcriptase reversa*. ◆ **Transcriptase reversa.** *Bioquím.* Polimerase existente em retrovírus, e que catalisa a síntese de ADN.

transcrito [Do lat. *transcriptu*, part. pass. do v. lat. *transcribere*, 'transcrever' (q. v.).] ***Adj.*** **1.** Que se transcreveu; copiado, trasladado. • ***S. m.*** **2.** Cópia, traslado.

transcritor (ô) [De *transcrito* + *-or*.] ***Adj. S. m.*** Que, ou aquele que transcreve.

transculturação [Do ingl. *transculturation*.] ***S. f.*** Processo de transformação cultural caracterizado pela influência de elementos de outra cultura (5 a 7), com a perda ou alteração dos já existentes.

transcurar [De *trans-*[1] + *curar*.] ***V. t. d.*** Esquecer-se de; preterir, descurar.

transcurral [De *trans-*[1] + *curral*.] ***S. m. Bras. RS*** Pequeno curral, ao lado da mangueira, onde se põem os animais orelhanos que vão ser marcados.

transcursão [Do lat. *transcursione*.] ***S. f.*** V. *transcurso*.

transcursar [De *transcurso* + *-ar*[2].] ***V. t. d.*** **1.** Passar além de; transpor; transcorrer. ***Int.*** **2.** Decorrer, transcorrer.

transcurso [Do lat. *transcursu*.] ***S. m.*** Ato ou efeito de transcorrer; decurso, transcursão, transcorrência.

transdanubiano [Do lat. *transdanubianu*.] ***Adj.*** Que está ou vai além do Danúbio, rio europeu. [Antôn.: *cisdanubiano*.]

transdisciplinar [De *trans-* + *disciplinar*[1].] ***Adj. 2 g.*** **1.** Que ultrapassa o conteúdo de uma disciplina ou de uma área do conhecimento, alcançando os de outras disciplinas ou áreas do conhecimento. **2.** Que integra ou visa a integrar várias disciplinas.

transdisciplinaridade [De *transdisciplinar* + *-(i)dade*.] ***S. f.*** *Pedag.* **1.** Qualidade ou caráter de transdisciplinar. **2.** Processo que reúne e integra todas as disciplinas possíveis e que leva a uma nova compreensão, a um novo conhecimento. [Busca-se na transdisciplinaridade a compreensão do todo sob todos os aspectos disciplinares.]

transdução [Do ingl. *transduction*.] ***S. f.*** *Genét.* Transferência de material genético de uma bactéria para outra através de um bacteriófago.

transdutor (ô) [Do ingl. *transductor*.] ***S. m.*** *Fís.* Qualquer dispositivo capaz de transformar um tipo de sinal em outro tipo, com o objetivo de transformar uma forma de energia em outra, possibilitar o controle de um processo ou fenômeno, realizar uma medição, etc.

transe (ze) [Do fr. *transe*, ou dev. de *transir*, poss.] ***S. m.*** **1.** Momento aflitivo: "Sofrera muito no Seminário, mas desses tormentos indizíveis, de que apenas recordava os transes principais, saíra robustecido na fé e na crença" (Inglês de Sousa, *O Missionário*, p. 69). **2.** Ato ou feito arriscado; ocasião perigosa; lance. **3.** Crise de angústia. **4.** Falecimento, passamento, morte. **5.** Combate, luta. **6.** *Psiq.* Estado de alteração acentuada da consciência, da percepção e de outras faculdades mentais, ger. acompanhado de mudança de comportamento, sinais de inconsciência ou semi-inconsciência, perda ou modificação das sensações físicas, etc., e que pode ser causado ou induzido por diversos meios ou fatores, como drogas, traumas, estímulos psicológicos ou sensoriais, etc. **7.** *Restr.* Episódio em que um indivíduo se encontra nesse estado, no qual supostamente entra em contato com forças ou entidades a ele exteriores, e que pode ou não ser atribuído à ação destas. [Cf., nesta acepç., *possessão* (2).] [Encontra-se tb. a f. *trance*.] ◆ **Transe hipnótico.** Estado de profunda sonolência, provocado por hipnose. **Transe histérico.** *Psiq.* Etapa mais aguda de certas crises histéricas. **A todo o transe.** A todo o custo; à viva força: "A princípio, os habitantes de S. Salvador exigiam a todo o transe um encontro em campo raso com os invasores" (Elísio de Carvalho, *Brava Gente*, p. 41).

transeção (se) [Var. de *transecção* < *trans-*[1] + *secção*.] ***S. f.*** **1.** Seção transversal, feita por micrótomo. **2.** Método de análise da vegetação de uma certa área, o qual consiste em delimitar uma faixa desta, devidamente medida, e contar as plantas ali incluídas, a fim de obter um corte transversal e levá-lo, em escala, para o papel.

transecção (se) ***S. f.*** Transeção.

transecular (se) [De *trans-*[1] + *secular*.] ***Adj. 2 g.*** Que se realiza através de séculos.

transena [Do it. *transenna*.] ***S. f.*** *Arquit.* Cada uma das placas delgadas de pedra polida ou metal, trabalhada com motivos ornamentais, que revestem uma superfície.

transepto (sé) [Do ingl. *transept*.] ***S. m.*** Galeria transversal que, numa igreja, separa a nave do corpo, e que forma os braços da cruz nas igrejas que apresentam essa disposição: "Organiza-se uma pequena procissão dentro da igreja, que vai desde a capela da *Virgem del Sagrario*, pelo transepto, desce a nave direita e sobe pela esquerda" (Antero de Figueiredo, *Toledo*, p. 63).

transespacial (zes) [De *trans-*[1] + *espaço* + *-ial*.] ***Adj. 2 g.*** Que se situa além, ou fora, do espaço: "O sabugo do milho vira foguete nas mãos do menino, mas o foguete vira sabugo nas mãos transespaciais de Deus." (Paulo Mendes Campos, *Homenzinho na Ventania*, p. 112.)

transesterificação (zes) [De *trans-*[1] + *esterificação*.] *S. f. Quím.* Reação entre um éster e um álcool que leva à formação de um novo éster e um novo álcool; alcoólise.

transeunte (ze-ún) [Do lat. *transeunte*, 'que passa'.] *Adj. 2 g.* **1.** Que passa. **2.** Que vai andando ou passando; viandante. • *S. 2 g.* **3.** Indivíduo que vai andando ou passando; passante, caminhante, andante, viandante. **4.** Indivíduo que circula no trânsito, no tráfego: "Devagar os carros, avançando no meio dos transeuntes, das carroças" (Ricardo Ramos, *Matar um Homem*, p. 160).

transexual (secs) [De *trans-*[1] + *sexual*.] *Adj. 2 g. S. 2 g. Psiq.* Diz-se de, ou indivíduo movido pelo transexualismo.

transexualismo (secs) [De *transexual* + *-ismo*.] *S. m. Psiq.* Anseio de querer pertencer ao sexo oposto, acompanhado de desconforto em relação ao próprio sexo e desejo de se submeter a tratamento hormonal e intervenção cirúrgica visando a transformação sexual; transtorno de identidade sexual.

transfazer [De *trans-*[1] + *fazer*.] *V. t. d. T. d. e i. P.* Transformar (q. v.): "o menino dos seus tempos de vaqueiro no Mangabal transfizera-se num homem magro, de barba crescida, feições encovadas." (Herberto Sales, *Além dos Marimbus*, p. 115); "Transfiltrou-se [o ouro] para o Oeste, na avidez de novos assaltos à virgindade da terra nova; ou se transfez nos palacetes em ruína; ou reentrou na circulação europeia por mão de herdeiros dissipados." (Monteiro Lobato, *Urupês, Outros Contos e Coisas*, p. 139). [Conjug.: v. *fazer*.]

transferase [De *transfer(ência)* + *-ase*; ingl. *transferase*.] *S. f. Bioquím.* Designação genérica das enzimas que catalisam a transferência de grupos entre substâncias.

transferência [Do lat. *transferentia*, de *transferre*, 'transferir'.] *S. f.* **1.** Ato ou efeito de transferir(-se). **2.** Deslocamento (de empregados, funcionários, etc.) de uma seção para outra, ou de um para outro cargo. **3.** Deslocamento (de alunos) de uma escola para outra. **4.** Passagem, troca, substituição. **5.** Ato pelo qual se declara ceder ou transferir a outrem a propriedade de algo, ou uma renda ou um título, etc. **6.** *Inform.* Mudança de dados de uma área ou meio de armazenamento para outra área ou meio de armazenamento. Ex.: transferência de dados de uma fita magnética para memória; transferência de dados de memória para um disco magnético; transferência de dados de uma área da memória para outra área da memória. **7.** *Psiq.* Transferência (1) ou projeção de um sentimento de um indivíduo para outro, como o que ocorre de um paciente para seu psicanalista, baseado em identificação inconsciente.

transferidor (ô) [De *transferir* + *-dor*.] *Adj.* **1.** Que transfere. • *S. m.* **2.** Aquele que transfere. **3.** Instrumento circular ou semicircular, com o limbo dividido em graus, usado para medir ângulos. [Cf., nesta acepç., *acuta*.] **4.** *Tip.* Mecanismo que, na linotipo, leva as matrizes da goela do primeiro elevador para o prisma do guindaste.

transferir [Do lat. *transferere, por *transferre*.] *V. t. d. e c.* **1.** Fazer passar (de um lugar para outro); deslocar: *Transferiu a empresa para São Paulo*; "Dizem que esta semana será sancionada a lei que transfere provisoriamente para Petrópolis a capital do Estado do Rio de Janeiro." (Machado de Assis, *A Semana*, II, p. 23). **2.** Adiar, retardar, delongar: *Transferiu a viagem para a próxima semana. T. d. e i.* **3.** Transmitir ou ceder a outrem, observando as formalidades legais; traspassar: *Transferiu toda a fortuna ao primogênito.* **4.** Pôr a cargo de; passar ou fazer passar a outrem; passar: "Rousseau é o gênio que deu forma às democracias, transferindo de Deus ao povo a origem do poder." (Tarquínio J. B. de Oliveira, *As Cartas Chilenas*, p. 13.) *T. d.* **5.** Adiar, retardar, delongar: *transferir a aula.* **6.** Mudar de um lugar para outro; deslocar. **7.** Ceder, transmitir. *P.* **8.** Sair de um lugar para outro; mudar-se: *Transferiu-se para Lisboa.* [Irreg. Conjug.: v. *aderir*.]

transferível [De *transferir* + *-vel*.] *Adj. 2 g.* Que pode ser transferido. ~ V. *caractere —*, *caráter —* e *letra —*.

transférmico *Adj.* ~ V. *elemento —*.

transferrina [De *trans-*[1] + *-ferr(o)-* + *-ina*[3].] *S. f. Bioquím.* Qualquer de certas proteínas que transportam o ferro us. em processos biológicos.

transfiguração [Do lat. *transfiguratione*.] *S. f.* **1.** Ato ou efeito de transfigurar(-se). **2.** Mudança radical na aparência, no caráter, na forma; transformação, metamorfose. **3.** Transformação espiritual que exalta ou glorifica: *a transfiguração da natureza pela arte.* [Sin., nessas acepçs.: *transfiguramento*.] **4.** *Rel.* Estado glorioso em que apareceu Cristo aos apóstolos sobre o monte Tabor. [Com cap., nesta acepç.]

transfigurado [Part. de *transfigurar*.] *Adj.* **1.** Alterado, transformado, demudado. • *S. m.* **2.** Alteração, mudança, transformação.

transfigurador (ô) [Do lat. *transfiguratore*.] *Adj. S. m.* Que ou o que transfigura.

transfiguramento [De *transfigurar* + *-mento*.] *S. m.* V. *transfiguração* (1 a 3).

transfigurante [De *transfigurar* + *-nte*.] *Adj. 2 g.* Que transfigura; transfigurador.

transfigurar [Do lat. *transfigurare*.] *V. t. d.* **1.** Mudar a figura, feição ou caráter de; transformar: *A dor transfigurou-a*; "tantos outros poemas, que aprofundam, enriquecem, transfiguram a noção de amor, despojando-o da veste profana." (Carlos Drummond de Andrade, *Passeios na Ilha*, p. 207). **2.** Dar uma ideia falsa de; alterar: *O ator transfigurou a personagem que representava. T. d. e i.* **3.** Converter, mudar, transformar: *Transfigurou a derrota numa quase vitória*; "Ali estava a morta, trazida do mar. Os oceanos a transfiguraram em alga, esponja, líquen, coral, gosma e resina." (Mário da Silva Brito, *Conversa Vai, Conversa Vem*, p. 10). *P.* **4.** Mudar de figura; transformar-se, transfazer-se: "O ambiente se transfigurara, os filetes de luz a escorrerem das barracas aumentavam o toque irreal." (Renard Pérez, *Os Sinos. O Tombadilho*, p. 17.)

transfigurativamente [Do f. de *transfigurativo* + *-mente*.] *Adv.* De modo transfigurativo; com transfiguração: "vede como ainda a magia de sua arte [de Camões (v. *camoniano*)] transfigurativamente aformoseia o velho tema das albas medievais" (Hernâni Cidade, *Luís de Camões — O Lírico*, p. 221).

transfigurativo [De *transfigurar* + *-tivo*.] *Adj.* Transfigurador.

transfigurável [Do lat. *transfigurabile*.] *Adj. 2 g.* Que se pode transfigurar.

transfinito [De *trans-*[1] + *finito*.] *Adj.* ~ V. *número —*.

transfixação (cs) [De *transfixar* + *-ção*.] *S. f.* Ato ou efeito de transfixar; perfuração, transfixão.

transfixão (cs) [Do lat. tard. *transfixione*.] *S. f.* **1.** V. *transfixação*. **2.** *Cir.* Forma de ligadura de vaso sanguíneo em que este é atravessado, abaixo do local onde há, ou haverá, solução de continuidade, por agulha conduzindo fio, com o qual se faz a ligadura. **3.** *Cir.* Seção de tecidos moles efetuada de dentro para fora, como pode ocorrer em amputações, em desarticulações.

transfixar (cs) [Do lat. *transfixus*, 'vazado de um lado a outro', 'traspassado', + *-ar*[2].] *V. t. d.* Atravessar de lado a lado; perfurar.

transformação [Do lat. *transformatione*.] *S. f.* **1.** Ato ou efeito de transformar(-se); metamorfose. **2.** *E. Ling.* Regra linguística que muda uma estrutura em outra. **3.** *Fís.* Modificação do estado de um sistema. **4.** *Genét.* Transferência de material genético de uma bactéria para outra através de ácido desoxirribonucleico extracelular. **5.** *Mat.* Qualquer operação em que se modifica um ente matemático, ou em que se mapeia uma configuração em outra. ◆ **Transformação adiabática.** *Fís.* Aquela em que não há troca de calor entre o sistema e o exterior. **Transformação afim.** *Álg.* Aquela em que se mapeia um espaço em outro mediante relações lineares entre as coordenadas. **Transformação colinear.** *Geom.* Colineação. **Transformação contínua.** *Mat.* Transformação de um conjunto em outro, realizada por uma correspondência que conserva as vizinhanças de cada ponto; correspondência contínua. **Transformação de calibre.** *Fís.* Transformação de um espaço na qual as grandezas de um campo eletromagnético, sujeitas a medição e observação, permanecem invariantes. **Transformação de Galileu.** *Fís.* Transformação das coordenadas com que se passa, na física não relativista, de um referencial inercial para outro. **Transformação de homotetia.** *Álg.* V. *transformação de semelhança.* **Transformação de Lorentz.** *Fís.* Transformação de coordenadas com que, na física relativista, se passa de um referencial inercial para outro. **Transformação de semelhança.** *Álg.* Transformação biunívoca que multiplica todas as distâncias por um fator positivo; transformação homotética, transformação de homotetia. **Transformação homotética.** *Álg.* V. *transformação de semelhança.* **Transformação isentálpica.** *Fís.* Aquela em que a variação de entalpia é igual a zero. [Tb. se diz apenas *isentálpica*.] **Transformação isentrópica.** *Fís.* Aquela em que a entropia do sistema se mantém constante. [Tb. se diz apenas *isentrópica*.] **Transformação isobárica.** *Fís.* A que se realiza sob pressão constante. [Tb. se diz apenas *isobárica*.] **Transformação isócora.** *Fís.* Aquela em que o volume do sistema se mantém constante; transformação isocórica, transformação isométrica, transformação isovolumar, transformação isovolumétrica. [Tb. se diz apenas *isócora*.] **Transformação isocórica.** *Fís.* V. *transformação isócora*. [Tb. se diz apenas *isocórica*.] **Transformação isométrica.** *Fís.* V. *transformação isócora*. [Tb. se diz apenas *isométrica*.] **Transformação isoterma.** *Fís.* Transformação isotérmica. [Tb. se diz apenas *isoterma*.] **Transformação isotérmica.** *Fís.* A que se realiza sem que se modifique a temperatura do sistema; transformação isoterma. [Tb. se diz apenas *isotérmica*.] **Transformação isovolumar.** *Fís.* V. *transformação isócora*. [Tb. se diz apenas *isovolumar*.] **Transformação isovolumétrica.** *Fís.* V. *transformação isócora*. [Tb. se diz apenas *isovolumétrica*.] **Transformação linear.** *Álg.* A que transforma um conjunto de coordenadas em outro conjunto mediante uma expressão algébrica racional de primeiro grau nas coordenadas iniciais. **Transformação politrópica.** *Fís.* A que sofre um sistema num processo em que se mantém constante o quociente entre a quantidade de calor trocada entre o sistema e o exterior e a temperatura absoluta do sistema. [Tb. se diz apenas *politrópica*.] **Transformação sobre.** *Álg.* A que transforma um conjunto em outro de tal modo que todos os elementos deste segundo são imagem de, pelo menos, um elemento do primeiro.

transformacional [De *transformação* + *-al*[1], seg. o padrão erudito.] *Adj. 2 g.* **1.** Relativo a, ou que tem caráter de transformação. **2.** Que promove ou gera transformação. ~ V. *gramática —*.

transformado [Part. de *transformar*.] *Adj.* **1.** Que se transformou. **2.** Mudado, alterado ou modificado.

transformador (ô) [De *transformar* + *-dor*.] *Adj.* **1.** Que transforma; transformante. • *S. m.* **2.** Aquele ou aquilo que transforma. **3.** *Eng. Elétr.* Aparelho estático de indução eletromagnética, destinado a transformar um sistema de correntes variáveis em um ou em vários outros sistemas de correntes variáveis, de intensidade e tensão, em geral, diferentes, e de frequência igual.

transformante [Do lat. *transformante*.] *Adj. 2 g.* Transformador (1).

transformar [Do lat. *transformare*.] *V. t. d.* **1.** Dar nova forma, feição ou caráter a; tornar diferente do que era; mudar, alterar, modificar, transfigurar, metamorfosear: *Em 15 dias transformou o ambiente que encontrara.* **2.** Disfarçar, dissimular. *T. d. e i.* **3.** Converter, mudar, transfigurar: *A indiferença transformara em ódio o amor. P.* **4.** Converter-se, tornar-se; transfigurar-se: "A dúvida transforma-se em certeza, / A certeza em vontade de morrer." (Dante Milano, *Poesias*, p. 18); "A indiferença, segundo ele [Ellie Wiesel, o ganhador do Prêmio Nobel da Paz de 1986], é o que há de pior, porque a omissão acaba se transformando numa forma passiva de colaboração." (Zuenir Ventura, em *O Globo*, 15.05.1999). **5.** Disfarçar-se, dissimular-se: *Transformou-se em pedinte para poder escapar.* [Sin. ger.: *transfazer*.]

transformativo [De *transformar* + *-tivo*.] *Adj.* Que pode transformar.

transformável [De *transformar* + *-vel*.] *Adj. 2 g.* Que pode ser transformado.

transformismo [De *transformar* + *-ismo*; fr. *transformisme*.] *S. m.* **1.** *Biol.* Doutrina segundo a qual as espécies se formam por sucessivas transformações de organismos anteriores. **2.** *Geol.* Teoria pela qual as rochas magmáticas se formam por atividades metamórficas.

transformista [De *transformismo* + *-ista*.] *Adj. 2 g.* **1.** Relativo ao, ou que é partidário do transformismo. • *S. 2 g.* **2.** Partidário dele. **3.** *Bras.* Ator que se disfarça rapidamente mudando de trajes.

transformístico [De *transformista* + *-ico*[2].] *Adj.* Relativo ao transformismo; transformista.

transfretano [Do lat. *transfretanu*.] *Adj. P. us.* De além-mar; ultramarino: "a borda girou sibilando no ar, e o guerreiro transfretano caiu para o lado morto, como se o fulminara o raio." (Alexandre Herculano, *Eurico, o Presbítero*, p. 212).

trânsfuga [Do lat. *transfuga*.] *S. 2 g.* **1.** Pessoa que em tempo de guerra deserta de suas fileiras para passar às do inimigo; desertor. **2.** *P. ext.* Pessoa que abandona os seus deveres ou o seu partido. **3.** Pessoa que muda de religião.

transfúgio [Do lat. *transfugiu*.] *S. m.* Ação de transfugir; deserção.

transfugir [Do lat. *transfugere*.] *V. t. i.* Fugir de um lugar para outro como trânsfuga; desertar. [Irreg. Conjug.: v. *fugir*.]

transfundir [Do lat. *transfundere*.] *V. t. d.* **1.** Fazer passar (um líquido) de um recipiente para outro; transvasar. **2.** Fazer transfusão (2) de (sangue, etc.). **3.** Espalhar, derramar, difundir: *transfundir a doutrina cristã. T. d. e i.* **4.** Espalhar, transmitir, difundir: *Transfundia o catecismo nas crianças*; "Uma rês se espanta e o contágio, uma descarga nervosa subitânea, transfunde o espanto sobre o rebanho inteiro." (Euclides da Cunha, *Os Sertões*, p. 128). ***P.* 5.** Transformar-se; tornar-se outro.

transfusão [Do lat. *transfusione.*] ***S. f.* 1.** Ato ou efeito de transfundir(-se). **2.** *Terap.* Ação de introduzir sangue, plasma, soluções diversas, diretamente na corrente sanguínea do paciente. ◆ **Transfusão de sangue.** *Terap.* Transfusão (2) que se faz quer diretamente de indivíduo a indivíduo, quer injetando no paciente sangue armazenado para esse fim, em ambos os casos observando-se medidas que evitem que ela seja danosa ao receptor.

transfusional [De *transfusão* (*transfusion-*) + *-al*^{1}, seg. o padrão erudito.] ***Adj. 2 g.*** De, ou relativo a transfusão.

transgangético [De *trans-*^{1} + *gangético.*] ***Adj.*** Situado além do Ganges, rio sagrado da Índia. [Antôn.: *cisgangético.*]

transgênero [De *trans-* + *gênero,* para trad. o ingl. *transgender.*] ***S. m.* 1.** Designação que se dá a todo e qualquer indivíduo cujo comportamento ou papel social difere daquele tipicamente convencionado para o seu gênero de nascimento. • ***Adj.* 2.** Pertencente ou relativo a transgênero (1).

transgénico ***Adj. S. m.*** *Bioquím.* V. *transgênico.* [Uso freq. em P.]

transgênico [De *trans-*^{1} + *-gen(o)-* + *-ico*^{2}.] ***Adj. S. m.*** *Bioquím.* Diz-se de, ou organismo que possui em seu genoma um ou mais genes provenientes de outra espécie, inseridos por processo natural ou, mais destacadamente, empregando métodos da engenharia genética: "Hoje já existem no mercado americano 56 produtos agrícolas transgênicos, a maioria dos quais produzidos a partir de sementes manipuladas geneticamente por laboratórios multinacionais" (*Jornal do Brasil*, 10.08.1999); "Nesse debate contam [os governos dos países pobres] com um aliado poderoso, a Comunidade Europeia, que encara com desconfiança os transgênicos, por considerá-los potencialmente nocivos à saúde." (*Id.*, 10.08.1999).

transgredir [Do lat. **transgredire*, por *transgredi.*] ***V. t. d.* 1.** Passar além de; atravessar. **2.** Desobedecer a; deixar de cumprir; infringir; violar, postergar: *Transgrediu a Constituição*; "Aceitava .... a reserva da amiga; quebrá-la, teria sido transgredir a sua própria regra." (José Rodrigues Miguéis, *Onde a Noite Se Acaba*, p. 174). [Irreg. Conjug.: v. *agredir.*]

transgredível [De *transgredir* + *-vel.*] ***Adj. 2 g.*** Que pode ser transgredido.

transgressão [Do lat. *transgressione.*] ***S. f.* 1.** Ato ou efeito de transgredir; infração, violação. **2.** *Geol.* Invasão do mar, que acarreta a formação de depósitos marinhos onde dantes era continente. ◆ **Transgressão marinha.** Movimento das águas do mar ao invadirem um trecho do continente: "Muitas vezes mudaram, no curso do tempo, o perfil da baía do Recife, as regressões e transgressões marinhas, e as aluviões dos numerosos rios" (Osmã Lins, *Nove, Novena*, p. 235).

transgressivo [Do lat. *transgressivu.*] ***Adj.*** Que transgride, ou que envolve transgressão: *procedimento transgressivo das boas normas.*

transgressor (ô) [Do lat. *transgressore.*] ***Adj. S. m.*** Que, ou aquele que transgride; infrator.

transiberiano (si) [De *trans-*^{1} + *siberiano.*] ***Adj.* 1.** Situado além da Sibéria. **2.** Que atravessa a Sibéria. • ***S. m.* 3.** Estrada de ferro que atravessa a Sibéria em toda a extensão, da Rússia europeia à costa do Pacífico.

transição (zi) [Do lat. *transitione.*] ***S. f.* 1.** Ato ou efeito de transitar. **2.** Trajeto, trajetória. **3.** Passagem de um lugar, de um assunto, de um tom, de um tratamento, etc., para outro. **4.** *E. Ling.* A fronteira entre fones (v. *fone*^{1}) sucessivos. **5.** *Fís.* Mudança de fase num sistema; transição de fase. **6.** *Fís.* Passagem de um sistema dum estado quântico para outro. ◆ **Transição de fase.** *Fís.* Transição (5). **Transição isomérica.** *Fís. Nucl.* Transformação espontânea de um nuclídeo em outro que lhe é isômero. **Transição nuclear.** *Fís. Nucl.* Designação geral das modificações de um núcleo, que inclui as desintegrações e as transições isoméricas. **Transição permitida.** *Fís.* Transição a que está associada uma grande probabilidade de realização. **Transição proibida.** *Fís.* Num sistema atômico ou nuclear, transição a que está associada uma probabilidade muito pequena de realização.

transicional (zi) [De *transição* + *-al*^{1}, seg. o padrão erudito.] ***Adj. 2 g.*** De, ou relativo a transição: "Situou-se [Getúlio Vargas] numa época transicional, entre regimes que já não tinham força e os novos regimes, que tinham força demais." (Cândido Mota Filho, *Contagem Regressiva*, p. 19.) ~ V. *romano —.*

transido (zi) [Part. de *transir.*] ***Adj.* 1.** Impregnado, repassado. **2.** Esmorecido ou inteiriçado (de frio, dor, vergonha, susto, etc): "Lá, fugido ao mundo, / Sem glória, sem fé, / Num perau profundo / E solitário, é // Que soluças tu, / Transido de frio, / Sapo cururu / Da beira do rio..." (Manuel Bandeira, *Estrela da Vida Inteira*, p. 52); "Sentiu-se aniquilado, transido de verdadeiro medo" (Valdomiro Silveira, *Os Caboclos*, p. 72).

transiente [Do lat. *transiens, entis,* do verbo *transire* 'passar de um lugar para outro'.] ***Adj. 2 g.*** Que não permanece; transitório.

transigência (zi) [Do lat. *transigentia.*] ***S. f.*** Ato ou efeito de transigir; condescendência, tolerância.

transigente (zi) [Do lat. *transigente.*] ***Adj. 2 g.* 1.** Que transige; tolerante, condescendente. • ***S. 2 g.* 2.** Pessoa que transige.

transigir (zi) [Do lat. *transigere*, 'impelir através'; 'levar a cabo'.] ***V. int.* 1.** Chegar a acordo; condescender: *Após duas horas de propostas e contrapropostas, o plenário transigiu.* ***T. i.* 2.** Chegar a acordo; ceder, condescender, contemporizar: *Não transige com os desonestos*; "Não cortejeis a popularidade. Não transijais com as conveniências." (Rui Barbosa, *Oração aos Moços*, p. 73); *Em questões de honra não transige.* ***T. d.* 3.** Compor por transação: *Concluiu que nada tinha que ganhar e transigiu a demanda.* [Conjug.: v. *dirigir.*]

transigível (zi) [De *transigir* + *-vel.*] ***Adj. 2 g.* 1.** Sobre que se pode transigir. **2.** Que pode ser objeto de transação.

transilvano (sil) ***Adj.* 1.** Da, ou pertencente ou relativo à Transilvânia, região a N.O. da Romênia (Europa). • ***S. m.* 2.** O natural ou habitante da Transilvânia.

transir (zir) [Do lat. *transire*, 'ir além de', 'trespassar'; 'morrer'.] ***V. t. d.* 1.** Penetrar, repassar: *O ar gelado transia as suas vestes*; "Pôs os olhos em meu rosto, e correu-me um olhar frio e gelado, que me transiu." (José de Alencar, *Diva*, p. 212). **2.** Assombrar, assustar, aterrar. ***Int.* 3.** Estar ou ficar hirto, gelado, de frio, dor, medo, susto, etc. [Defect., só conjugável nas f. em que o *s* vem seguido de *i.*]

transistor (zistôr) [Do ingl. *transistor.*] ***S. m.* 1.** *Eletrôn.* Dispositivo constituído por semicondutores, e que pode funcionar como um amplificador de maneira análoga a uma válvula eletrônica. **2.** *Bras.* Rádio provido desse dispositivo. ◆ **Transistor bipolar.** *Eletrôn.* Aquele em que o transporte de carga é feito pelos portadores majoritários e pelos minoritários. **Transistor de efeito de campo.** *Eletrôn.* Transistor unipolar (q. v.) no qual flui corrente através de um canal condutor situado entre dois eletrodos, chamados *dreno* e *fonte,* cuja condutividade é controlada pelo campo elétrico produzido por uma tensão aplicada ao terceiro eletrodo, denominado *porta.* [Abrev.: *TEC.* Tb. us. a abrev. (ingl.) *FET.*] **Transistor de efeito de campo de porta isolada.** *Eletrôn.* Transistor de efeito de campo (q. v.) cuja porta se encontra eletricamente isolada do corpo do dispositivo por meio de uma fina camada de dióxido de silício. [Tb. us. a abrev. (ingl.) *MOSFET.*] **Transistor N-P-N.** *Eletrôn.* O que é constituído por uma camada de um semicondutor *P* colocada entre duas camadas de um semicondutor *N.* **Transistor P-N-P.** *Eletrôn.* O que é constituído por uma camada de semicondutor *N* colocada entre duas camadas de semicondutor *P.* **Transistor unijunção.** *Eletrôn.* Transistor bipolar que tem três terminais e uma junção, sendo constituído de uma barra de material semicondutor tipo N (ou P) levemente dopado (alta resistividade), contendo uma região de material tipo P (ou N) fortemente dopado (baixa resistividade), localizada próximo do centro da barra. **Transistor unipolar.** *Eletrôn.* Aquele em que a condução de carga é determinada pelos portadores de um só sinal.

transístor (zístor) ***S. m.*** *Eletrôn.* V. *transistor.* [Pl.: *transistores* (ô).]

transistorizado (zis) [Part. de *transistorizar.*] ***Adj.*** *Eletrôn.* Diz-se do equipamento eletrônico que usa transistores em lugar de válvulas termiônicas.

transistorizar (zis) [De *transistor* + *-izar.*] ***V. t. d.*** *Eletrôn.* Construir (um circuito eletrônico) utilizando transistores em lugar de válvulas.

transitabilidade (zi) [De *transitável* + *-(i)dade*, seg. o padrão erudito.] ***S. f.*** Qualidade de transitável.

transitado (zi) [Part. de *transitar.*] ***Adj.*** Por onde se transita ou transitou.

transitador (zi... ô) [De *transitar* + *-dor.*] ***Adj.*** Que transita.

transitar (zi) [De *trânsito* + *-ar*^{2}.] ***V. int. T. c.* 1.** Fazer caminho; passar, andar: "diante da estação, atropelada pelos que transitavam, entre carros e tílburis, ficou estonteada, sem saber dirigir-se" (Coelho Neto, *Turbilhão*, p. 137); *Transitou por toda a cidade*; "Via os arruamentos e pessoas que transitavam neles." (João de Araújo Correia, *Terra Ingrata*, p. 177). **2.** Mover-se, deslocar-se, passar, andar: *Olho para o chão, e vejo que centenas de formigas transitam continuamente*; "Na fatia de céu, sempre azul, transitavam fiapos de nuvens." (Antônio Olavo Pereira, *Fio de Prumo*, p. 19). ***T. i.* 3.** Mudar de lugar, classe ou estado, condição, etc.: *Já maduro, transitou para o casamento.* ***T. d.* 4.** Passar por; percorrer: *Ninguém queria transitar a região empestada*; "Andar que anseia, que respira, que transita os caminhos compridos / sem pouso final." (Iolanda Jordão, *Poesias*, p. 73). [Pres. ind.: *transito,* etc. Cf. *trânsito,* s. m.]

transitável (zi) [De *transitar* + *-vel.*] ***Adj. 2 g.*** Que se pode transitar.

transitiva (zi) [F. subst. do adj. *transitivo.*] ***S. f.*** *E. Ling.* Conjunção transitiva (q. v.).

transitivar (zi) [De *transitivo* + *-ar*^{2}.] ***V. t. d.*** Tornar (o verbo) transitivo.

transitividade (zi) [De *transitivo* + *-(i)dade.*] ***S. f.* 1.** Qualidade ou estado de transitivo. **2.** *E. Ling.* Propriedade que têm alguns verbos de se fazerem acompanhar de complementos. [Cf. *intransitividade.*] **3.** *Mat.* Propriedade de uma relação entre elementos dum conjunto que é verdadeira entre os elementos *a* e *c* quando for simultaneamente verdadeira entre *a* e *b* e entre *b* e *c*.

transitivo (zi) [Do lat. *transitivu.*] ***Adj.* 1.** V. *transitório* (1). **2.** Que se transmite ou transforma. **3.** Que transita ou faz transitar. ~ V. *ação —a, conjunção —a, relação —a, verbo —, verbo — direto, verbo — direto e indireto,* e *verbo — indireto.*

transitivo-predicativo ***Adj.*** ~ V. *verbo —.* [Pl.: *transitivo-predicativos.*]

transitivo-relativo ***Adj.*** ~ V. *verbo —.* [Pl.: *transitivo-relativos.*]

trânsito (zi) [Do lat. *transitu.*] ***S. m.* 1.** Ato ou efeito de caminhar; marcha. **2.** Ato ou efeito de passar; passagem: *É proibido o trânsito de veículos*; *São passageiros em trânsito.* **3.** Caminho, trajeto; passagem. **4.** Morte, passamento: "Esta ilusão era efeito da sobre-excitação nervosa, produzida em todo o seu organismo pela falta de alimentos, pela dor moral que lhe causara o trânsito da moça" (Franklin Távora, *O Cabeleira*, p. 265). **5.** Mudança, passagem: *O trânsito da alegria para a tristeza.* **6.** Movimento, circulação, afluência de pessoas ou de veículos; tráfego: *o trânsito dos visitantes duma exposição*; *o trânsito de uma estrada.* **7.** *Restr.* Trânsito (6) nas cidades, considerado no conjunto; circulação, tráfego, tráfico. **8.** Acesso fácil; boa aceitação: *Ele tem trânsito em todas as áreas políticas.* **9.** Instrumento us. em topografia para medir ângulos horizontais. [Cf. *transito,* do v. *transitar.*]

transitoriedade (zi) [De *transitóri(o)* + *-edade.*] ***S. f.*** Qualidade de transitório.

transitório (zi) [Do lat. *transitoriu.*] ***Adj.* 1.** De pouca duração; que passa; passageiro, efêmero, transitivo. **2.** Sujeito à morte; mortal.

transjurano [De *trans-*^{1} + o top. *Jura* + *-ano*^{1}.] ***Adj.*** Situado além do Jura, cordilheira entre a França e a Suíça. [Antôn.: *cisjurano.*]

translação [Do lat. *translatione.*] ***S. f.* 1.** Ato ou efeito de transladar; transporte, transladação, trasladação. **2.** *Fís.* Movimento de um corpo em que todas as partículas têm, em cada instante, a mesma velocidade e esta mantém uma direção constante. **3.** *E. Ling.* Metáfora. ◆ **Translação da Terra.** Movimento executado pela Terra, de oeste para leste, em volta do Sol, descrevendo uma elipse alongada, em 365,3 dias, ou um ano.

transladação [De *transladar* + *-ção.*] ***S. f.*** V. *translação* (1).

transladar [De *translado* + *-ar*^{2}.] ***V. t. d. e c. T. d. e bit. c. T. d. T. d. e i. P. P. us.*** Trasladar.

transladável [De *transladar* + *-vel.*] ***Adj. 2 g. P. us.*** Trasladável.

translado ***S. m. P. us.*** V. *traslado.*

translador (ô) [De *translado* + *-or.*] ***S. m.*** *Bot.* Orgânulo, próprio das polínias das asclepiadáceas, que serve para transferir o pólen de uma flor para outra por meio dos insetos. Tem a forma de uma pinça formada de dois braços curvos, a cada um dos quais se prende uma polínia, e que aderem às patas do inseto, sendo, assim, o pólen transportado por ele.

translatício [Do lat. *translaticiu.*] ***Adj.*** *E. Ling.* Translato (2).

translativo [Do lat. *translativu.*] ***Adj.* 1.** Que produz mudança. **2.** Relativo a translativo (3). ~ V. *caso —.* • ***S. m.* 3.** *E. Ling.* Caso translativo (q. v.).

translato [Do lat. *translatu.*] ***Adj.* 1.** Trasladado (4). **2.** *E. Ling.* Metafórico, figurado; translatício: *usar uma palavra no sentido translato.*

translineação [De *translinear* + *-ção.*] ***S. f.*** Ação ou efeito de translinear.

translinear [De *trans-*^{1} + lat. *linea,* 'linha', + *-ar*^{2}.] ***V. t. d.*** Passar, na escrita, de uma linha para outra, ficando parte do vocábulo no fim da linha superior e o restante no princípio da linha inferior. [Conjug.: v. *frear.*]

transliteração [De *transliterar* + *-ção.*] ***S. f.*** Ato ou efeito de transliterar. [V. *romanização* (2).]

transliterar [De *trans-*[1] + lat. *littera*, 'letra', + *-ar*[2].] *V. t. d. e i.* Representar (os caracteres de um vocábulo) por caracteres diferentes no correspondente vocábulo de outra língua.

transliterável [De *transliterar* + *-vel*.] *Adj. 2 g.* Que se pode transliterar.

translocação [De *trans-* + *locação*.] *S. f. Genét.* Alteração na estrutura cromossômica que consiste na transferência de um segmento de um cromossomo para outro não homólogo.

translucidação [De *translucidar* + *-ção*.] *S. f.* Ato ou efeito de translucidar.

translucidamente (lù) [Do f. de *translúcido* + *-mente*.] *Adv.* De modo translúcido; com translucidez: "As bolas de sabão que esta criança / Se entretém a largar de uma palhinha / São translucidamente uma filosofia toda." (Fernando Pessoa, *Poemas de Alberto Caeiro*, p. 49.)

translucidar [De *translúcido* + *-ar*[2].] *V. t. d.* Tornar translúcido. [Pres. ind.: *translucido*, etc. Cf. *translúcido*.]

translucidez (ê) [De *translúcido* + *-ez*.] *S. f.* Qualidade ou estado de translúcido; diafaneidade, transluzimento.

translúcido [Do lat. *translucidu*.] *Adj.* **1.** Que deixa passar a luz sem permitir que se vejam os objetos do outro lado: "Era verão; .... alguma vela corria ao largo, e as montanhas envoltas em translúcidos vapores, deixavam-se adormecer com as legendas de sereias e naus, que as ondas do Tejo iam dizendo ao passar." (Fialho d'Almeida, *Lisboa Galante*, p. 94.) **2.** V. *transluzente*: "O céu translúcido, sem um retalho de nuvem, ... rebrilhava." (Coelho Neto, *Treva*, p. 261.) **3.** *Fig.* Claro, evidente. [Cf. *translucido*, do v. *translucidar*.] ~ V. *vidro —*.

translumbrante [De *translumbrar* + *-nte*.] *Adj. 2 g.* Deslumbrante.

translumbrar [De *deslumbrar*, com mudança de prefixo.] *V. t. d. Int.* Deslumbrar (1 e 6): "berilos faiscavam, topázios translumbravam" (Martins Fontes, *Terras da Fantasia*, p. 213).

transluminoso (ô) [De *trans-*[1] + *luminoso*.] *Adj.* Que é luminoso por transparência: "Rede transluminosa a alongar as estranhas / Antenas de ouro e fogo" (Da Costa e Silva, *Poesias Completas*, p. 15).

translunar [De *trans-*[1] + *lunar*.] *Adj. 2 g.* ~ V. *satélite —*.

transluzente [Do lat. *translucente*.] *Adj. 2 g.* Que transluz; diáfano, translúcido.

transluzimento [De *transluzir* + *-imento*.] *S. m.* Qualidade ou estado do que transluz; translucidez.

transluzir [Do lat. *translucere*.] *V. t. c.* **1.** Luzir (através de algum corpo): *Os peixes transluzem sob a água límpida.* **2.** Mostrar-se (através de algo); transparecer: *Toda a sua mágoa transluzia no rosto triste*; "luz tão linda / Nas trevas pouco transluz" (Junqueira Freire, *Obras Póstumas*, II, p. 153). *T. i.* **3.** Deduzir-se, concluir-se: *Transluzia de suas palavras viva indignação.* **4.** Transpirar (4): *Sua bondade transluz de seus atos.* *P.* **5.** Manifestar-se, refletir-se: *Em seu modo de falar e agir, transluziam-se a graça e a feminilidade.* [Normalmente, é defect., unipess. Conjug.: v. *aduzir*.]

transmarino [Do lat. *transmarinu*.] *Adj.* V. *ultramarino* (1): "inúmeras trovas populares de origem transmarina" (Paulino Santiago, *Temas e Processos do Cancioneiro de Alagoas*, pp. 4-5).

transmeável [Do lat. *transmeabile*.] *Adj. 2 g.* **1.** Que se pode atravessar; permeável. **2.** Transpirável (1).

transmigração [Do lat. *transmigratione*.] *S. f.* **1.** Ato ou efeito de transmigrar(-se). **2.** *Filos.* Metempsicose (1).

transmigrador (ô) [De *transmigrar* + *-dor*.] *Adj. S. m.* Transmigrante.

transmigrante [Do lat. *transmigrante*.] *Adj. 2 g. S. 2 g.* Que, ou quem transmigra; transmigrador.

transmigrar [Do lat. *transmigrare*.] *V. int.* **1.** Passar de uma região, um país (para outro): *Muitos nipônicos, árabes e portugueses transmigram.* **2.** Passar (a alma) de um corpo para outro. *T. c.* **3.** Mudar de uma região, um país (para outro): *Em 1808, a família real portuguesa transmigrou para o Brasil.* *T. d.* **4.** Fazer mudar de domicílio. *P.* **5.** Mudar-se de um lugar para outro: *Transmigrou-se com toda a família.*

transmigratório [De *transmigrar* + *-tório*.] *Adj. Bras.* Relativo à transmigração: *direção transmigratória.*

transmissão [Do lat. *transmissione*.] *S. f.* **1.** Ato ou efeito de transmitir(-se). **2.** Transferência (de coisa, direito ou obrigação). [Cf., nesta acepç., *registro* (2).] **3.** Comunicação do movimento de um mecanismo a outro por meio de engrenagens, polias, correias, etc. **4.** Instrumento destinado a transmitir movimento. **5.** Trabalho efetuado por um transmissor radiodifusor ou telegráfico. **6.** *E. Ling.* A reprodução de um texto em testemunhos [v. *testemunho* (5)] ao longo do tempo. [V. *tradição* (6).] **7.** *Fís.-Quím.* V. *transmitância* (2). **8.** *Inform.* Transporte de dados (envio e recepção) que utiliza meios de telecomunicação. **9.** *Med.* Ato ou efeito de transmitir (5) doença. **10.** *Rád. Telev.* Difusão de som, de imagem, ou de som e imagem, por meio de ondas radioelétricas, processos eletromagnéticos, sinais de satélite, fio, cabo, fibra óptica, etc.; emissão. [Cf., nesta acepç., *radiodifusão*.] ◆ **Transmissão ao vivo.** *Rád. Telev.* Transmissão de um acontecimento, no momento exato de sua ocorrência. **Transmissão assíncrona.** *Inform.* Forma de transmissão de dados na qual cada caráter, palavra ou dado a ser transmitido é precedido de um sinal dito *de partida* e seguido por um sinal dito *de parada*. [Cf. *transmissão síncrona*.] **Transmissão de pensamento.** Comunicação telepática por meio do pensamento. [Cf. *telepatia*.] **Transmissão síncrona.** *Inform.* Transmissão de dados de forma contínua, em que os *bits* de um caráter ou dado vão sendo transmitidos sem identificação de começo ou de fim. A individualidade de cada caráter é determinada pelo sincronismo de transmissão (intervalos regulares de tempo). [Cf. *transmissão assíncrona*.]

transmissibilidade [De *transmissível* + *-(i)dade*, seg. o padrão erudito.] *S. f.* Qualidade de transmissível.

transmissível [Do lat. *transmissus*, 'transmitido', + *-ível*.] *Adj. 2 g.* Que se pode transmitir. ~ V. *doença —*.

transmissivo [Do lat. *transmissus*, 'transmitido', + *-ivo*.] *Adj.* Que transmite; transmissor.

transmissor (ô) [Do lat. *transmissus*, 'transmitido', + *-or*.] *Adj.* **1.** Transmissivo. ● *S. m.* **2.** Aquele que transmite. **3.** Aparelho que transmite sinais telegráficos; manipulador. **4.** Equipamento ou parte de equipamento que se destina a transmitir sinais telefônicos, radiofônicos ou televisuais.

transmitância [Do ingl. *transmittance*.] *S. f.* **1.** *Fís.* Num sistema que recebe energia radiante, fração dessa energia que é transmitida pelo sistema. **2.** *Fís.-Quím.* Fração de energia luminosa que atravessa uma coluna de solução; transmissão, transparência. ◆ **Transmitância de caminho.** *Eng. Elétr.* Num diagrama de fluxo de sinal, produto das transmitâncias dos ramos que constituem o caminho. **Transmitância de malha.** *Eng. Elétr.* Num diagrama de fluxo de sinal, produto das transmitâncias dos ramos que constituem a malha. **Transmitância de ramo.** *Eng. Elétr.* Num diagrama de fluxo de sinal, parâmetro associado ao ramo e que caracteriza a dependência do sinal do nó de destino do ramo relativamente ao sinal do nó de onde o ramo se originou. **Transmitância total.** *Eng. Elétr.* Transmitância total de diagrama de fluxo de sinal (q. v.). **Transmitância total de diagrama de fluxo de sinal.** *Eng. Elétr.* Sinal disponível no nó-sorvedouro por unidade de sinal aplicado ao nó-fonte. [Tb. se diz apenas *transmitância total*.]

transmitente [De *transmitir* + *-ente*.] *Adj. 2 g. S. 2 g.* Que, ou aquele que transmite.

transmitir [Do lat. *transmittere*.] *V. t. d.* **1.** Mandar de um lugar para outro, ou de uma pessoa para outra; expedir, enviar: *transmitir instruções.* **2.** Fazer passar dum ponto ou dum possuidor ou detentor para outro; transferir: *Transmitiu o cargo de diretor*; "Pode um intendente eleito transmitir o mandato, no fim de tão curto prazo?" (Machado de Assis, *A Semana*, II, p. 286). **3.** Deixar passar além; conduzir, transportar: *O cobre transmite a eletricidade.* **4.** Exalar, recender, trescalar: *A rosa transmite um doce aroma.* **5.** Comunicar por contágio; propagar: *Os ratos podem transmitir bubônica.* **6.** *Telec.* Enviar (informações) por meio de ondas eletromagnéticas. **7.** *Teor. Inf.* Emitir (sinais) através de um canal de comunicação. *T. d. e i.* **8.** Noticiar, referir, narrar: *Os historiadores transmitem-nos os grandes feitos do passado.* **9.** Fazer passar por sucessão, transferir (coisa, direito ou obrigação): *Ainda em vida transmitiu os bens ao filho*; "Não tive filhos, não transmiti a nenhuma criatura o legado da nossa miséria." (Machado de Assis, *Memórias Póstumas de Brás Cubas*, p. 382). **10.** Mandar, enviar: *Chegando à cidade, transmitiu-me votos de felicidade.* **11.** Transmitir (5): *O mosquito transmitiu-lhe dengue.* **12.** Dar; comunicar: *Ele me transmite paz.* *T. d. e c.* **13.** Mandar de um lugar para outro; expedir, enviar: *Transmitiu um telegrama para Brasília.* *P.* **14.** Comunicar-se, propagar-se.

transmontano [Do lat. *transmontanu*.] *Adj.* **1.** Situado além dos montes; ultramontano. **2.** Trasmontano (1). ● *S. m.* **3.** Aquilo que está situado além dos montes; ultramontano. **4.** Trasmontano (2).

transmontar [De *trans-*[1] + *monte* + *-ar*[2].] *V. t. d.* **1.** Passar por cima de, transpor (monte): "À semelhança de Eurico, o herói de Alencar acaba abandonando o convívio dos homens, transmontando a serra e desaparecendo, em fuga para o deserto." (Brito Broca, *Horas de Leitura*, p. 127.) **2.** Exceder muito; ser superior a; ultrapassar: "A soberana, augustíssima e adorável grandeza de nosso Deus, e Senhor, ... não só enche os Céus, e a Terra, ... senão que infinitamente os transmonta, e sobre-excede" (P.[e] Manuel Bernardes, *Nova Floresta*, IV, p. 474). *Int.* **3.** Passar além; transmontar-se. **4.** Transmontar (1): "Uma vez, transmontava o Sol, ... enrubescia-se a faixa do ocidente" (Camilo Castelo Branco, *Doze Casamentos Felizes*, p. 17). **5.** Desaparecer. *P.* **6.** Transmontar (3). [F. paral.: *trasmontar*.]

transmudação [Do lat. *transmutatione*, por via pop.] *S. f.* Ato ou efeito de transmudar(-se); transmudamento, transmutação.

transmudador (ô) [De *transmudar* + *-dor*.] *Adj.* Que (se) transmuda; transmudante, transmutador.

transmudamento [De *transmudar* + *-mento*.] *S. m.* V. *transmudação*.

transmudante [De *transmudar* + *-nte*.] *Adj. 2 g.* V. *transmudador*

transmudar [Do lat. *transmutare* (v. *transmutar*), por via pop.] *V. t. d.* **1.** Alterar, transformar, mudar: *Os anos de solidão transmudaram-no.* *T. d. e i.* **2.** Converter, alterar; transformar: "afeito às belezas de Virgílio, Horácio e Ovídio, alatinou o jovem More, à moda dos humanistas, o próprio nome, transmudando-o em Morus [Tomás Morus]" (Ivã Lins, *Tomás Morus e a Utopia*, p. 4); "É das eras perdidas na memória / das eras esse gosto amargo e doce / de transmudar a desventura em canto." (Valdemar Lopes, *Sonetos de Portugal*, p. 51). **3.** Fazer mudar de lugar ou de domínio. *P.* **4.** Alterar-se, transformar-se, demudar-se: "súbito toda a expressão do infante se transmudou, o olhar endoideceu enchendo-se de chamas" (Antero de Figueiredo, *Leonor Teles*, p. 170). [F. paral.: *trasmutar*.]

transmutabilidade [De *transmutável* + *-(i)dade*, seg. o padrão erudito.] *S. f.* Qualidade de transmutável.

transmutação [Do lat. *transmutatione* < v. lat. *transmutare* (v. *transmutar*), por via erudita.] *S. f.* **1.** V. *transmudação*. **2.** *Alq.* A transformação de metais comuns em ouro, segundo os procedimentos alquímicos. [Cf. *pedra filosofal*.] **3.** *Biol.* Formação de nova espécie por meio de mutações. **4.** *Fís.* Mudança dum elemento químico em outro. [Sonho dos alquimistas, hoje realidade, nos fenômenos de radioatividade natural e artificial.] **5.** *Fís. Nucl.* Transformação, mediante uma reação nuclear, de um nuclídeo em outro.

transmutador (ô) [De *transmutar* + *-dor*.] *Adj.* V. *transmudador*.

transmutar [Do lat. *transmutare*, 'fazer mudar de lugar, de posição', por via erudita.] *V. t. d. T. d. e i. P.* V. *transmudar*: "Organizava-se por outro lado, ... na zona sertaneja, a fixação da plebe rural, transmutando-lhe a vida nômada e desordenada em vida sedentária e laboriosa." (Oliveira Viana, *Pequenos Estudos de Psicologia Social*, p. 169.)

transmutativo [De *transmutar* + *-tivo*.] *Adj.* Que transmuta ou pode transmutar.

transmutável [De *transmutar* + *-vel*.] *Adj. 2 g.* Que pode ser transmutado.

transnacional [De *trans-*[1] + *nacional*.] *Adj. 2 g.* **1.** Que ultrapassa os limites da nacionalidade; mais do que nacional. **2.** Multinacional (4). ● *S. f.* **3.** Multinacional (5).

transnadar [Do lat. *transnatare*.] *V. t. d.* **1.** Atravessar a nado; tranar: "o alcantil mais horrendo, / a corrente mais brava, põe-se-lhes vâmente: / transvoa-se o alcantil, transnada-se a corrente." (Antônio Feliciano de Castilho, *As Geórgicas*, p. 177.) **2.** Conduzir nadando.

transnoitado [Part. de *transnoitar*.] *Adj.* V. *tresnoitado*.

transnoitar [De *trans-*[1] + *noite* + *-ar*[2].] *V. t. d. Int.* V. *tresnoitar*.

transnominação [Do lat. *transnominatione*.] *S. f. E. Ling.* Metonímia.

transnoutado [Var. de *transnoitado*.] *Adj.* V. *tresnoitado*.

transnoutar [Var. de *transnoitar*.] *V. t. d. Int.* V. *tresnoitar*.

transobjetivo (zo) [De *trans-*[1] + *objetivo*.] *Adj.* ~ V. *verbo —*.

transoceânico (zo) [De *trans-*[1] + *oceânico*.] *Adj.* **1.** V. *ultramarino* (1). **2.** Que se realiza através do oceano: *viagem transoceânica.*

transônico (só) *Adj.* V. *transônico*. [Uso freq. em P.]

transônico (sô) [De *trans-*[1] + *sônico*.] *Adj.* Que tem velocidade vizinha à do som. ~ V. *aerodinâmica —a*.

transordinário (zo) [De *trans-*[1] + *ordinário*.] *Adj. P. us.* V. *extraordinário* (1 a 7).

transpadano [Do lat. *transpadanu*.] *Adj.* Situado além do rio Pó (Itália). [Antôn.: *cispadano*.]

transpaleteira [De *trans-*[1] + *palete* + *-eira*.] *S. f. Tec.* Veículo provido de garras apropriadas, us. no transporte de paletes; paleteira.

transparecer [De *trans-*[1] + *(a)parecer*.] *V. t. c.* **1.** Aparecer ou avistar-se através de algo; transluzir: *Por trás do arvoredo transparecia um vulto.* **2.** Mostrar-se em parte: *A alva pele transparecia sob o véu.* **3.** Manifestar-se, revelar-se: *O prazer transparecia no rosto da jovem.* [Conjug.: v. *aquecer*.]

T

transparência [De *transparecer* + *-ência*.] *S. f.* **1.** Qualidade de transparente; diafaneidade (q. v.), limpidez: *a transparência da água.* **2.** Fenômeno pelo qual os raios luminosos visíveis são percebidos através de certas substâncias. **3.** Trabalho efetuado por um transmissor radiodifusor ou telegráfico. **4.** *Fís.-Quím.* V. *transmitância* (2). **5.** Folha de material transparente, na qual se imprimem ou escrevem textos, gráficos, desenhos, mapas, etc., para projeção em retroprojetor (q. v.) **6.** *Fig.* Caráter daquilo que é feito de modo claro, correto, honesto, sincero: *A transparência de um projeto.* ◆ **Transparência de cor.** V. *cromo*[2] (3).

transparentar [De *transparente* + *-ar*[2].] *V. t. d.* **1.** Fazer transparente (1). **2.** Tornar transparente (3), evidente, claro.

transparente [De *transparecer* + *-nte*.] *Adj. 2 g.* **1.** Que se deixa atravessar pela luz, permitindo a visão dos objetos; diáfano. **2.** Que permite distinguir os objetos através da sua espessura. [Cf., nessas acepçs., *translúcido* (1).] **3.** *Fig.* Que deixa perceber um sentido oculto; evidente, claro. ~ V. *sabão* —. ● *S. m.* **4.** Pedaço de tela, papel, etc., usado para atenuar a ação da luz. **5.** Pedaço de tela branca destinada a experiências ópticas.

transparentizar-se [De *transparente* + *-izar* + *se*[1].] *V. p.* Tornar-se transparente, claro, evidente; evidenciar-se.

transpassar [De *trans-*[1] + *passar*.] *V. t. d. T. d. e i. T. c. P.* Traspassar.

transpiração [De *transpirar* + *-ção*.] *S. f.* **1.** *Fisiol. Med.* Ato ou efeito de transpirar. **2.** *P. ext.* O suor (1): *A transpiração abundante molhara-lhe as costas da blusa.* **3.** *Bot.* Perda de água, sob a forma de vapor, através dos estômatos ou da cutícula das folhas das plantas.

transpirar [Do lat. med. *transpirare*.] *V. t. d.* **1.** Fazer sair pelos poros; exalar: *A canícula fazia-o transpirar bagas de suor.* **2.** Lançar de si; deixar sair; exalar, respirar: "Alma suave a transpirar virtudes, / Gênio maldito arremessou-te ao lado!" (Fagundes Varela, *Poesias Completas*, I, p. 204.) **3.** Exalar, manifestar, exprimir: *Sua fisionomia transpirava felicidade.* *T. i.* **4.** Exalar-se, emanar; transluzir: *Seu grande amor transpirava das palavras afetuosas.* *Int.* **5.** Sair do corpo, exalando-se pelos poros. **6.** Exalar suor. **7.** Espalhar-se, divulgar-se: *A verdade transpirou rapidamente.*

transpirável [De *transpirar* + *-vel*.] *Adj. 2 g.* **1.** Que pode transpirar; transmeável. **2.** Que pode ser transpirado. **3.** Que dá lugar à transpiração ou lhe serve de veículo.

transplantação [De *transplantar* + *-ção*.] *S. f. P. us. Imun. Cir.* V. *transplante.*

transplantador (ô) [De *transplantar* + *-dor*.] *Adj.* **1.** Que transplanta. ● *S. m.* **2.** Aquele que transplanta. **3.** Instrumento para transplante de vegetais.

transplantar [Do lat. tard. *transplantare*.] *V. t. d.* **1.** Arrancar (planta, árvore) de um lugar e plantar em outro. **2.** *Imun. Cir.* Transferir (órgão ou porção deste) de uma para outra parte do mesmo indivíduo. **3.** *Imun. Cir.* Transferir (órgão ou porção deste) de indivíduo vivo ou morto para outro indivíduo. **4.** Fazer passar de um país para outro: *transplantar os costumes franceses.* *T. d. e i.* **5.** Traduzir, verter, trasladar: *Transplantou Racine para o português.* *P.* **6.** Mudar(-se), transferir-se: *Há cerca de um mês transplantou-se para Portugal.*

transplantatório [De *transplantar* + *-tório*.] *Adj.* Que se pode transplantar; transplantável.

transplantável [De *transplantar* + *-vel*.] *Adj. 2 g.* Transplantatório.

transplante [Dev. de *transplantar*.] *S. m. Imun. Cir.* Transferência efetuada mediante técnicas e cuidados especiais, variáveis segundo o caso, de órgão, ou de parte de órgão, de um para outro local de um mesmo indivíduo, ou de indivíduo, vivo ou morto, para outro indivíduo. ◆ **Transplante alogênico.** *Imun. Cir.* O que se realiza entre dois animais da mesma espécie, porém antigenicamente distintos. **Transplante heterotópico.** *Imun. Cir.* Aquele em que tecido ou órgão típico de um local é transplantado para outro diferente no receptor. **Transplante homotópico.** *Imun. Cir.* Transplante ortotópico. **Transplante ortotópico.** *Imun. Cir.* Aquele em que tecido, ou órgão, típico de um local é transplantado para outro idêntico no receptor; transplante homotópico.

transplatino [De *trans-*[1] + *platino*.] *Adj.* Situado além do rio da Prata (América do Sul). [Antôn.: *cisplatino*.]

transpolar [De *trans-*[1] + *polar*.] *Adj. 2 g.* Que se situa ou vai além dos polos.

→**transponder** [tænsˈpandər] [Ingl., do ingl. *trans(mit)* + ingl. *(res)pond* + ingl. *-er*.] *S. m.* **1.** *Automat.* Feixe de canais de comunicação que funciona como unidade repetidora. **2.** *Aer.* Equipamento existente em algumas aeronaves que responde aos sinais emitidos pelo centro de controle aéreo, indicando a sua posição.

transponível [De *transpor* (*transpon-*) + *-ível*, seg. o padrão erudito.] *Adj. 2 g.* Que se pode transpor.

transpor [Do lat. *transponere*.] *V. t. d.* **1.** Pôr (algo) em lugar diverso daquele em que estava ou devia estar. **2.** Inverter a ordem de: *Transpôs as letras, formando anagramas.* **3.** Passar além de; galgar: *transpor os Alpes.* **4.** Deixar atrás; ultrapassar, exceder: *transpor a barreira do som.* **5.** *Mús.* Transportar (4). *P.* **6.** Desaparecer, ocultar-se: *A Lua transpôs-se atrás das nuvens.* [Irreg. Conjug.: v. *pôr*.]

transportabilidade [De *transportável* + *-(i)dade*, seg. o padrão erudito.] *S. f.* Qualidade de transportável.

transportação [Do lat. *transportatione*.] *S. f.* V. *transporte* (1).

transportador (ô) [De *transportar* + *-dor*.] *Adj.* **1.** Que transporta. ● *S. m.* **2.** Aquele que transporta: "Eram os barqueiros .... tipos desagradáveis, sinistros, como seria de esperar, mas Ratinho não estava em condições de fazer exigências quanto a seus transportadores." (Moacir Scliar, *Os Leopardos de Kafka*, p. 25.)

transportadora (ô) [F. subst. de *transportador*.] *S. f. Bras.* Firma ou empresa especializada em transportes de cargas: "De Jerônimo, chofer recifense da transportadora Ristar, da linha Recife-São Paulo, conta-se que foi multado na capital paulista por excesso de buzina" (Marcos Vinícios Vilaça, *Em Torno da Sociologia do Caminhão*, p. 31).

transportamento [De *transportar* + *-mento*.] *S. m.* V. *transporte* (1 e 6).

transportar [Do lat. *transportare*.] *V. t. d.* **1.** Conduzir ou levar de um lugar para outro; transpor: *transportar carga;* "Com os presos trancados, os carros da polícia e do IML transportaram os mortos até tarde da noite" (Drauzio Varela, *Estação Carandiru*, p. 295). **2.** Extasiar, enlevar, arrebatar: *A beleza da paisagem transportou o turista.* **3.** *Litogr.* Transferir (imagem e caracteres) para a pedra ou metal granido, por meio do papel autográfico. [Cf., nesta acepç., *autografia* (3).] **4.** *Mús.* Transcrever ou ler (trecho ou peça musical) em tom (14) diferente do tom original, elevando ou baixando todas as notas ao mesmo intervalo existente entre as duas tônicas; transpor. *T. d. e c.* **5.** Transportar (1): *Um automóvel transporta-os até o limite entre as duas fazendas.* *T. d. e i.* **6.** Pôr em comunicação; transmitir: *A distância, através da saudade, transporta aos amantes a imagem da pessoa querida.* **7.** *Fig.* Conduzir ou levar de um lugar para outro, ou de um tempo a outro: "Passeio, distraído, à sombra das minhas árvores. De repente, um canto de ave transporta-me ao Passado." (Teixeira de Pascoais, *Obras Completas*, VII, p. 120.) **8.** Mudar o alcance, o sentido, de. **9.** Traduzir, verter, trasladar: *transportar Cícero para o português.* **10.** *Mús.* Transportar (4). *P.* **11.** Passar de um lugar para outro; transferir-se: *Transportar-se com a família para Lisboa.* **12.** Remontar mentalmente: *Transportou-se aos seus cinco anos.* **13.** Ficar entusiasmado, enlevado; arrebatar-se, extasiar-se: *Em frente da amada, enleva-se, transporta-se.*

transportável [De *transportar* + *-vel*.] *Adj. 2 g.* Que pode ser transportado.

transporte [Dev. de *transportar*.] *S. m.* **1.** Ato, efeito ou operação de transportar; transportação, transportamento. **2.** V. *veículo* (1): *O metrô é um transporte utilizado desde o princípio do séc. XX.* **3.** Veículo de provisões para um exército em campanha. **4.** *Cont.* Soma que se transporta da página de um livro (de contas) para outra, ou de uma coluna para outra. **5.** Conjunto de fenômenos geológicos pelo qual os produtos de destruição se deslocam de um ponto para outro. **6.** *Fig.* Êxtase, arrebatamento, enlevo, transportamento: "A que de olhos tristes mirara / paisagens, multidões, semblantes, / sentindo a turba alucinada, / em vãos transportes delirantes" (Cecília Meireles, *Obra Poética*, p. 852). **7.** *Mar. G.* Navio ou outro meio apropriado para transportar tropas e material de guerra de um lugar para outro. **8.** *Mús.* Ato ou efeito de transportar (4). [Sin., p. us., nesta acepç.: *transposição*. F. paral., p. us.: *transporto*.] ◆ **Transporte intermodal.** Aquele em que uma mesma carga é movimentada, sucessivamente, por diferentes meios: ferrovia, aquavia, rodovia e/ou aerovia. **Transporte molecular.** *Citol.* Transporte de moléculas através da membrana plasmática. **Transporte molecular ativo.** *Citol.* Transporte de moléculas contra o gradiente de concentração, com gasto de energia química. **Transporte molecular passivo.** *Citol.* Transporte de moléculas a favor do gradiente de concentração, sem gasto de energia química.

transporto (ô) [Dev. de *transportar*.] *S. m. P. us.* Transporte (q. v.).

transposição [Do lat. med. *transpositione*.] *S. f.* **1.** Ato ou efeito de transpor(-se). **2.** *Álg.* Permutação cíclica de grau dois. **3.** *Bioquím.* Deslocamento de material genético de uma posição no genoma para outra. **4.** *Cir.* Operação (4) em que se transfere um retalho (4) de um local para outro sem que se interrompa, totalmente, sua conexão com a sua origem, até que ele esteja firmemente implantado no novo local. **5.** *Mús. P. us.* Transporte (8). **6.** *Odont.* Anomalia caracterizada pelo intercâmbio de posição entre dois dentes adjacentes. **7.** *Patol.* Deslocamento de um órgão para o lado oposto ao normal. **8.** *Tip.* Erro tipográfico: troca da posição relativa de duas letras, palavras, linhas ou frases. ◆ **Transposição didática.** *Educ.* Ato de saber ensinar, de ensinar com eficiência.

transpositivo [Do lat. *transpositivu*.] *Adj. E. Ling.* Diz-se das línguas, como o grego e o latim, nas quais as relações gramaticais são determinadas pelas terminações.

transpositor (ô) [Do lat. *transpositus*, 'transposto', + *-or*.] *Adj. Mús.* **1.** Que transporta [v. *transportar* (4)]. **2.** Diz-se da maior parte dos instrumentos de sopro (clarinete, corne-inglês, trompa, trompete, saxofone, etc.), que ressoam em tom diferente daquele que corresponde à nota escrita. ~ V. *piano* — e *teclado* —.

transpóson [Do ingl. (< *(to) transpo(se)*, 'transpor', + *-on*).] *S. m. Bioquím.* Qualquer segmento móvel de ADN, capaz de mudar sua posição no genoma, e que pode ser empregado para neste introduzir material genético exógeno.

transposta [F. subst. do adj. *transposto*.] *S. f. Álg.* Matriz transposta.

transposto (ô) [Do lat. *transpositu*.] *Adj.* **1.** Que sofreu transposição. ~ V. *determinante* — e *matriz* —*a*. ● *S. m.* **2.** *Álg.* Determinante transposto.

transracional [De *trans-*[1] + *racional*.] *Adj. 2 g.* Que está além, ou fora do domínio da razão.

transreceptor (ô) [De *trans(missor)* + *receptor*.] *S. m.* Equipamento com capacidade de transmitir e receber sinais; transceptor.

transrecetor (ô) *S. m.* V. *transreceptor*. [Uso próprio de P.] ⊙

transregional [De *trans-* + *regional*.] *Adj. 2 g.* **1.** Que se estende através de uma região: *A nova estrada transregional atravessará todo o Pantanal.* **2.** Que está situado além de uma determinada região.

transrenano [Do lat. *transrhenanu*.] *Adj.* Situado além do Reno, rio europeu. [Antôn.: *cisrenano*.]

transtagano [De *trans-*[1] + top. lat. *Tagus*, 'Tejo', + *-ano*[1].] *Adj.* Situado além do Tejo, rio que banha a Espanha e Portugal: "Este é o rijo português das touradas, que, ... nas cidadezinhas transtaganas, rabeja, com mãos de aço, um touro escouceador" (Antero de Figueiredo, *Jornadas em Portugal*, p. 24). [Antôn.: *cistagano*.]

transtemporal [De *trans-*[1] + *temporal*.] *Adj. 2 g.* Que está além, ou fora do tempo; que transcende o temporal; extratemporal.

transtornado [Part. de *transtornar*.] *Adj.* **1.** Perturbado, atrapalhado, confundido. **2.** Cujo juízo se turvou. **3.** Diz-se daquilo cuja ordem foi alterada ou perturbada.

transtornador (ô) [De *transtornar* + *-dor*.] *Adj.* Que transtorna; transtornante.

transtornante [De *transtornar* + *-nte*.] *Adj. 2 g.* Transtornador: "o que me enlouquecia era ver a entrega, a mesma entrega fácil e transtornante de olhos da minha primeira viagem." (Orígenes Lessa, *A Desintegração da Morte*, p. 284).

transtornar [De *trans-*[1] + *tornar*.] *V. t. d.* **1.** Alterar a ordem de; pôr em desordem; desorganizar: *Transtornou os meus pertences tão bem arranjados;* "O crack transtornou a cadeia, todos reconhecem. É droga traiçoeira." (Drauzio Varela, *Estação Carandiru*, p. 132). **2.** Perturbar, atrapalhar: *O incidente transtornou o meu dia.* **3.** Agitar, perturbar: *Sua chegada turbulenta transtornou o ambiente.* **4.** Alterar o viver de. **5.** Desfigurar, demudar: *A doença transtornava-o.* **6.** Fazer mudar de opinião. **7.** Alterar, adulterar. **8.** Turvar o juízo de. **9.** Corromper, desencaminhar: *A ambição demasiada transtornou o jovem.* **10.** Causar desordem ou dissensão em. **11.** Confundir, aturdir, atordoar. *P.* **12.** Perturbar-se, alterar-se, desfigurar-se, torvar-se. [Pres. ind.: *transtorno*, etc. Cf. *transtorno* (ô).]

transtorno (ô) [Dev. de *transtornar*.] *S. m.* **1.** Ato ou efeito de transtornar(-se). **2.** Contrariedade, decepção. **3.** Desarranjo, desordem. **4.** Ligeira perturbação de saúde. **5.** *Psiq.* Termo us. para designar qualquer distúrbio psíquico. ◆ **Transtorno bipolar.** *Psiq.* Qualquer dos transtornos que se caracterizam por história de episódios maníacos, mistos, ou hipomaníacos, e que ger. apresenta história prévia de um ou mais episódios depressivos graves. **Transtorno bipolar do tipo I.** *Psiq.* Transtorno que se manifesta por fases, que se alternam, de excitação psíquica e depressão psíquica. [Sin., desus.: *psicose maníaco-*

-*depressiva*.] **Transtorno bipolar do tipo II.** *Psiq.* Transtorno que se caracteriza pela ocorrência de um ou mais episódios maníacos graves, mas que apresenta, pelo menos, um episódio hipomaníaco. **Transtorno conversivo.** *Psiq.* Transtorno caracterizado por conversão de sintomas (perda ou alteração do funcionamento motor ou sensorial, sugerindo doenças físicas tais como convulsões, paralisias, discinesia, anestesia, cegueira e afonia), sem que haja base fisiológica aparente, e cuja base psicológica é sugerida por exacerbação de sintomas, em fase de estresse, alívio da tensão ou dos conflitos íntimos decorrentes dos sintomas, etc. [Sin. (desus.): *histeria de conversão, neurose histérica de conversão*.] **Transtorno de déficit de atenção.** *Psiq.* Distúrbio mental que se caracteriza por falta de atenção, hiperatividade e impulsividade, bem mais acentuados do que o esperável no comportamento de indivíduos de determinada faixa etária; tem causas genéticas, surge na infância e, ger., acompanha o indivíduo por toda a vida. [Sin.: *transtorno de déficit de atenção com hiperatividade* e (desus.) *disfunção cerebral mínima*. Abrev.: *TDA*.] **Transtorno de déficit de atenção com hiperatividade.** *Psiq.* V. *transtorno de déficit de atenção*. **Transtorno de estresse pós-traumático.** *Psiq.* Termo us. para designar um conjunto de problemas mentais que se podem manifestar em indivíduo que está ou esteve em atividade militar. [Sin. (desus.): *neurose de guerra*.] **Transtorno de identidade sexual.** *Psiq.* Transexualismo (q. v.). **Transtorno delirante.** *Psiq.* Transtorno mental que pode apresentar várias formas clínicas, e que se caracteriza por delírios persecutório e de grandeza, estruturados sobre bases lógicas, não havendo, aparentemente, interferência sobre outros aspectos do pensamento e da personalidade do indivíduo. [Sin.: *paranoia*.] **Transtorno de pânico.** *Psiq.* Ataque recorrente de pânico (6). **Transtorno de personalidade antissocial.** *Psiq.* Transtorno caracterizado por desvios, sobretudo de personalidade ou caracterológicos, que acarretam comportamentos antissociais. [Sin., desus.: *psicopatia*.] **Transtorno dismórfico corporal.** *Psiq.* Dismorfofobia (2). **Transtorno dissociativo.** *Psiq.* Nome comum a transtornos que se caracterizam por alterações súbitas, temporárias, de identidade, memória, ou consciência, isolando memórias normalmente integradas, ou aspectos da personalidade ou da identidade dominante do indivíduo. [Sin.: *dissociação* e (desus.) *histeria de dissociação, neurose histérica de dissociação*.] **Transtorno distímico.** *Psiq.* Transtorno (5) caracterizado por depressão, apatia, aprosexia, astenia, falta de autoestima, sentimento de desesperança, sintomas que persistem por longo tempo, mas não apresentam gravidade para se incluírem em quadro psicótico mais sério. [Sin.: *distimia*.] **Transtorno obsessivo-compulsivo.** *Psiq.* Transtorno (5) que se caracteriza essencialmente por ideias obsessivas e comportamentos compulsivos recorrentes (atividades repetitivas) que perturbam o indivíduo, o qual, consciente delas, procura evitá-las, sem sucesso. [Abrev.: *TOC*.] **Transtorno psicótico compartilhado.** *Psiq.* V. *transtorno psicótico induzido*. **Transtorno psicótico induzido.** *Psiq.* Aparecimento simultâneo de psicose em duas pessoas intimamente relacionadas, ou tendo uma delas influenciado a outra a assumir sua condição delirante. A de papel dominante é considerada a portadora da psicose primária. [Sin.: *transtorno psicótico compartilhado* e *folie à deux* (desus.).] **Transtornos da ansiedade.** *Psiq.* Nome comum a um grupo de transtornos em que predominam a ansiedade e o transtorno de personalidade antissocial (q. v.).

transtravado [De *trans-*[1] + *travado*.] *Adj.* Diz-se do cavalo que tem a mão e o pé direito brancos.

transtrocar [De *trans-*[1] + *trocar*.] *V. t. d.* **1.** Trocar a ordem de; inverter. **2.** Confundir, perturbar, transtornar. [Conjug.: v. *trancar*.]

transubstanciação (su) [Do lat. med. *transubstantiatione*.] *S. f.* **1.** Mudança duma substância em outra. **2.** *Rel.* Palavra adotada na Igreja Católica, sobretudo a partir da filosofia escolástica, para explicar a presença real de Jesus Cristo no sacramento da Eucaristia (q. v.) pela mudança da substância do pão e do vinho na de seu corpo e de seu sangue. [Cf., nesta acepç., *consagração* (9).]

transubstancial (su) [De *trans-*[1] + *substancial*.] *Adj. 2 g.* Que se transubstancia.

transubstancialidade (su) [De *transubstancial* + -*(i)dade*.] *S. f.* Qualidade de transubstancial.

transubstanciar (su) [Do lat. med. *transubstantiare*.] *V. t. d. e i.* **1.** Mudar a substância; mudar, transformar uma substância em outra; transformar: *É impossível transubstanciar a água em licor.* **2.** Operar a transubstanciação (2) de. *P.* **3.** Converter-se, transmudar-se (uma substância em outra).

transudação (su) [De *transudar* + -*ção*.] *S. f.* **1.** Ato ou efeito de transudar. **2.** *Patol.* Passagem, de causa não inflamatória, de líquido de capilares para cavidades naturais ou acidentais, caracterizando-se o líquido por teor muito baixo de proteína, alta fluidez e baixo conteúdo de células ou produtos destas.

transudar (su) [De *trans-*[1] + o lat. *sudare*, 'suar'.] *V. t. c.* **1.** Transpirar, exsudar: *Camarinhas de suor transudam do seu rosto.* **2.** Transparecer, manifestar-se, revelar-se: *Profunda mágoa transudava naqueles olhos.* **3.** Introduzir-se, penetrar, vencendo obstáculo; coar-se: *Os raios de sol transudavam da vidraça, iluminando o ambiente.* *T. d.* **4.** Verter, ressumar; transvazar.

transudato (su) [De *trans-*[1] + lat. *sudatus*, part. pass. de *sudare*, 'suar'.] *S. m. Patol.* Líquido resultante de processo de transudação. [Cf. *exsudato* (2).]

transumanado (zu) [Part. de *transumanar*.] *Adj.* A que se deu natureza humana; transumano.

transumanar (zu) [De *trans-*[1] + *humanar*.] *V. t. d.* Dar natureza humana a; humanizar.

transumância (zu) [De *transumar* + -*ância*; fr. *transhumance*.] *S. f.* **1.** Migração periódica dos rebanhos da planície, os quais vão habitar durante o calor as altas montanhas, delas descendo ao aproximar-se o inverno, ou vice-versa: "Salvo nessas regiões dos pastores nômades, onde o espaço é ilimitado, sempre aberto e livre à transumância dos rebanhos e à vida errante das tribos, tanto no Ocidente como no Oriente o povo vive em pequenos espaços." (Oliveira Viana, *Populações Meridionais do Brasil*, p. 327.) **2.** *P. ext.* Migração: "Essa enorme transumância [para a região amazônica] indica claramente que a fins do século passado já existia no Brasil um reservatório substancial de mão de obra" (Celso Furtado, *Formação Econômica do Brasil*, p. 131).

transumano (zu) [De *trans-*[1] + *humano*.] *Adj.* A que se deu natureza humana; que se transumanou; transumanado.

transumante (zu) [De *transumar* + -*nte*.] *Adj. 2 g.* **1.** Diz-se dos rebanhos sujeitos ao regime da transumância. **2.** *P. ext.* Migratório: *fluxo transumante*.

transumar (zu) [De *trans-*[1] + lat. *humus*, 'terra', + -*ar*[2]; fr. *transhumer*.] *V. t. d.* **1.** Fazer mudar de pasto (os rebanhos). *Int.* **2.** Realizar a transumância.

transunto (sún) [Do lat. *transumptu*, 'tomado'.] *S. m.* **1.** Cópia, traslado: "Porém, cópia fiel, fiel transunto / Das tradições escuras dos helenos, / Os titães atrevidos se amontoam / Ao redor do meandro cristalino..." (Fagundes Varela, *Poesias Completas*, III, p. 323.) **2.** Retrato fiel; imagem. **3.** Modelo, exemplo.

transuraniano[1] (zu) [De *trans-*[1] + o astr. *Urano* + -*iano*[1].] *Adj.* Situado além do planeta Urano.

transuraniano[2] (zu) *Quím. Adj.* **1.** Diz-se de qualquer elemento que tem número atômico superior ao número 92, que é o número atômico do urânio. *S. m.* **2.** Esse elemento. [Sin. ger.: *transurânico*.]

transurânico (zu) [De *trans-*[1] + *urânio* + -*ico*[2].] *Quím. Adj.* **1.** V. *transuraniano*[2] (1). ~ V. *elemento* —. *S. m.* **2.** V. *transuriano*[2] (2).

transuretral [De *trans-*[1] + *uretral*.] *Adj. 2 g. Urol.* Que é efetuado, ou que se estende, através da uretra.

transvaliana [Fem. de *transvaliano*.] *S. f. Bras. N.E.* Bomba transvaliana (q. v.): "No silêncio que se fez, as batidas na porta ecoavam agudas como estouro de transvalianas em noites de S. João." (A. S. de Mendonça Júnior, *O Anel de Brilhante e Outras Estórias*, p. 17.)

transvaliano *Adj.* **1.** Da, ou pertencente ou relativo à província do Transval (República da África do Sul). ~ V. *bomba* —*a*. *S. m.* **2.** O natural ou habitante do Transval.

transvariação [De *trans-*[1] + *variação*.] *S. f. Estat.* Superposição (3).

transvasar [De *trans-*[1] + *vaso*[1] + -*ar*[2].] *V. t. d.* Passar dum vaso para outro; trasfegar, transfundir. [Var.: *trasvasar*. Cf. *transvazar*.]

transvazar [De *trans-*[1] + *vazar*.] *V. t. d.* **1.** Pôr fora; entornar, verter, transudar: *transvazar a lata de água.* *P.* **2.** Entornar-se, derramar-se. [Cf. *transvasar*.]

transver [De *trans-*[1] + *ver*.] *V. int.* Ver para além do horizonte, do limite natural da visão.

transverberação [Do lat. tard. *transverberatione*.] *S. f.* Ato ou efeito de transverberar.

transverberado [Part. de *transverberar*.] *Adj.* Em que houve transverberação: "Quando morreu, línguas de sangue ardente, / Aleluias de fogo acometiam, / Tomavam todo o céu de lado a lado, // E longamente, indefinidamente, / Como um coro de ventos sacudiam / Seu grande coração transverberado!" (Manuel Bandeira, *Estrela da Vida Inteira*, p. 192.)

transverberar [Do lat. *transverberare*.] *V. t. d.* **1.** Fazer transparecer; deixar passar (luz, cor, etc.); refletir: *A claraboia transverbera a claridade, iluminando a sala.* *T. c.* **2.** Manifestar-se, transparecer, transluzir: *Funda tristeza transverbera nos seus olhos.* **3.** Dimanar, brilhando; derivar. *P.* **4.** Manifestar-se; refletir-se.

transversal [De *transverso* + -*al*[1].] *Adj. 2 g.* **1.** Que passa, ou que está, de través ou obliquamente: *rua transversal*. **2.** *Bot.* Que atravessa perpendicularmente a superfície de um órgão: *seção transversal*. ~ V. *flauta* —, *linha* —, *onda elétrica* —, *onda eletromagnética* —, *onda magnética* — e *onda* —. *S. f.* **3.** Linha transversal.

transversalidade [De *transversal* + -*(i)dade*.] *S. f.* Qualidade de transversal.

transversão [De *trans-* + *(in)versão*.] *S. f. Odont.* Inversão total do posicionamento do dente ao longo de seu eixo.

transversina [De *transverso* + -*ina*[1].] *S. f. Constr.* Qualquer viga disposta segundo a largura de uma estrutura. [Cf. *longarina*.]

transverso [Do lat. *transversu*.] *Adj.* **1.** Situado de través; oblíquo, atravessado. **2.** *Bot.* Colocado ou dirigido de maneira transversal: *eixo transverso*. ~ V. *aceleração* —, *eixo* — e *flauta* —*a*.

transverter [Do lat. tard. *transvertere*.] *V. t. d.* **1.** Transtornar, perturbar, alterar. **2.** Transformar, converter. **3.** Traduzir, verter. *T. d. e i.* **4.** Transpor (de uma língua para outra, de prosa para poesia, etc.); verter: "Este livro [*Santo Antônio*, de Afonso Lopes Vieira] é um dos mais encantadores que saíram das mãos do escritor que transverteu para a prosa os belos e deliciosos ritmos que usava na poesia." (Aquilino Ribeiro, *Camões, Camilo, Eça e Alguns mais*, p. 333.) *P.* **5.** Transformar-se, converter-se. **6.** Transtornar-se, torvar-se.

transvesical [De *trans-*[1] + *vesical*.] *Adj. 2 g. Urol.* **1.** Que atravessa a bexiga. **2.** Que se realiza através da bexiga.

transvestir [De *trans-*[1] + *vestir*.] *V. t. d. e i. Bras.* Transformar, transmudar, transmutar, metamorfosear: *Eça de Queirós transvestiu seu conto "Civilização" no romance* A Cidade e as Serras; *Transvestiram o rapazinho em velho, para a representação da peça.* [Irreg. Conjug.: v. *aderir*.]

transvestismo [Do fr. *transvestisme*.] *S. m. Psiq.* V. *travestismo*.

transviada [F. subst. do adj. *transviado*.] *S. f. Bras.* Meretriz. [Tb. us. deprec.]

transviado [Part. de *transviar*.] *Adj. S. m. Bras.* Diz-se de, ou aquele que se desviou dos padrões éticos e sociais vigentes.

transviador (ô) [De *transviar* + -*dor*.] *Adj. S. m.* Que, ou aquele que transvia.

transviamento [De *transviar* + -*mento*.] *S. m.* Transvio.

transviar [De *trans-*[1] + *via* + -*ar*[2].] *V. t. d.* **1.** Desviar do dever; corromper, seduzir, desencaminhar, extraviar. *T. d. e c.* **2.** Desviar, desencaminhar: "podem influências de fora intervir, transviando essa alma do seu caminho natural" (Afonso Arinos, *Pelo Sertão*, p. 188). *P.* **3.** Afastar-se ou desviar-se do dever; desencaminhar-se.

transvio [Dev. de *transviar*.] *S. m.* Ato ou efeito de transviar(-se); transviamento.

transvoar [Do lat. *transvolare*.] *V. t. d.* **1.** Transpor voando: *Lindbergh foi o primeiro aviador a transvoar, sem escala, o oceano Atlântico*; "o alcantil mais horrendo, / a corrente mais brava, opõe-se-lhes valente: / transvoa-se o alcantil, transnada-se a corrente." (Antônio Feliciano de Castilho, *As Geórgicas*, p. 177). *T. c.* **2.** Dirigir-se, em voo: *No inverno, certas aves transvoam para o Sul.* [Conjug.: v. *voar*.]

tranvia [Adapt. do ingl. *tramway*; esp. *tranvía*.] *S. m. Desus.* Trâmuei.

trapa[1] [Do germ. **trappa*, pelo b.-lat. *trappa*.] *S. f.* **1.** Cova, ou alçapão, apropriada para capturar feras. **2.** *Marinh.* Cabo cujo seio passa por fora dum objeto que esteja sendo posto a bordo, a fim de guiá-lo. **3.** *Marinh.* Cabo ou corrente que se passa num objeto pendente a fim de impedir que balance ou despenque. **4.** *Quím.* Num aparelho de laboratório, dispositivo que serve para retirar de uma corrente de fluido um ou vários componentes, retendo-os para posterior recolhimento.

trapa[2] [Do top. *(La) Trappe* (França).] *S. f.* Ordem religiosa nascida de uma reforma cisterciense empreendida na França no séc. XVII. [Com cap.]

trapaça [De *trapa*[1] + -*aça*.] *S. f.* **1.** Contrato fraudulento; dolo. **2.** V. *logro* (2). [Sin. ger.: *trapalhice, trapaçaria*.]

trapaçador (ô) [De *trapaça* + -*dor*.] *Adj. S. m. P. us.* V. *trapaceiro*.

trapaçaria [De *trapaça* + -*aria*.] *S. f.* V. *trapaça*.

trapaceador (ô) [De *trapacear* + -*dor*.] *Adj. S. m.* V. *trapaceiro*.

trapacear [De *trapaça* + -*ear*[2].] *V. t. d.* **1.** Tratar (algo), fraudulentamente. *Int.* **2.** Fazer trapaças: "Os ciganos, ninguém sabe de onde vinham. Chegavam e ficavam meses, trapaceando, negaceando, furtan-

T

do." (Nélson de Faria, *Tiziu e Outras Estórias*, p. 191.) [Conjug.: v. *frear.*]

trapaceiro [De *trapaça* + *-eiro.*] *Adj. S. m.* **1.** Que trapaceia. ● *S. m.* **2.** Aquele que trapaceia; argamandel. [Sin. ger.: *trampolineiro, trapaceador, trapacento, trapalhão*, (p. us.) *trapaçador* e (lus.) *aldravaz.*]

trapacento [De *trapaça* + *-ento.*] *Adj. S. m.* V. *trapaceiro.*

trapagem [De *trapo* + *-agem*[2].] *S. f.* Montão ou porção de trapos; traparia, trapalhada, trapalhagem, trapalhice.

trapalhada[1] [De *trapo* + *-alhada.*] *S. f.* V. *trapagem.*

trapalhada[2] [De *trapa*[1] + *-alhada.*] *S. f.* **1.** Confusão, barafunda, baralhada. **2.** V. *logro* (2).

trapalhado [De *trapo* (3) + *-alh(o)-* + *-ado*[1].] *Adj.* Diz-se do leite malcoalhado.

trapalhagem [De *trapo* + *-alh(o)-* + *-agem*[2].] *S. f.* V. *trapagem*: "Levando a pontapés a trapalhagem espalhada no chão, coscuvilhava afuroando nos cantos" (Coelho Neto, *Rei Negro*, p. 208).

trapalhão[1] [De *trapo* + *-alhão.*] *S. m.* **1.** Trapo grande. **2.** Farrapo, frangalho. **3.** Indivíduo malvestido. ● *Adj.* **4.** Andrajoso, esfarrapado. [Fem. (nas acepçs. 3 e 4): *trapalhona.*]

trapalhão[2] [De **atrapalhão* < *atrapalhar* + *-ão*[1], com aférese.] *Adj. S. m.* **1.** Que, ou aquele que se atrapalha facilmente, ou que atrapalha tudo. **2.** V. *trapaceiro.* [Fem.: *trapalhona.*]

trapalhice[1] [De *trapo* + *-alh(o)-* + *-ice.*] *S. f.* **1.** V. *trapagem.* **2.** Vestuário roto ou ridículo.

trapalhice[2] [De *trapalh(ão)*[2] + *-ice.*] *S. f.* **1.** Ato de trapalhão[2]. **2.** V. *trapaça.*

trapalhona[1] *S. f.* Fem. de *trapalhão*[1].

trapalhona[2] *S. f.* Fem. de *trapalhão*[2].

traparia [De *trapo* + *-aria.*] *S. f.* V. *trapagem.*

trape *Interj. P. us.* Designa som produzido por pancada ou golpe.

trapeada [De *trapear* + *-ada*[1].] *S. m. Ant. Marinh.* Batida da vela contra o mastro; estrupada.

trapear [De *trape* + *-ear*[2].] *V. int.* **1.** *Ant. Marinh.* Bater (a vela) de encontro ao mastro em consequência do balanço da embarcação, principalmente com calma, ou da ação do vento. **2.** Bater (um pano) contra qualquer coisa. [F. paral.: *trapejar.* Normalmente é defect., unipess. Conjug.: v. *frear.*]

trapeira [De *trapa*[1] + *-eira.*] *S. f.* **1.** Armadilha para caça. **2.** Abertura ou janela sobre o telhado: "Uma pobre costureira de Londres anseia por ver florir, na sua trapeira, um vaso cheio de terra negra" (Eça de Queirós, *O Mandarim*, p. 23). **3.** *Bras. S.* Grande desordem; atrapalhação.

trapeiro [De *trapo* + *-eiro.*] *S. m.* **1.** Negociante de trapos, ou aquele que os apanha na rua para vendê-los. **2.** *Bras.* Indivíduo que cata papéis nas ruas, nas latas e carroças de lixo, para vendê-los às fábricas de papel. **3.** Montureiro.

trapejante [De *trapejar* + *-nte.*] *Adj. 2 g.* Que trapeja.

trapejar [De *trape* + *-ejar.*] *V. int.* **1.** V. *trapear*: "Molambos trapejavam em cordas tendidas de muro a muro" (Coelho Neto, *Rei Negro*, p. 7). **2.** Estralar, estralejar. [Conjug.: v. *pelejar.* Normalmente é defect., unipess. Cf. *drapejar.*]

trape-zape [Voc. onom.] *S. m.* Ruído de espadas ao entrechocarem-se. [Pl.: *trape-zapes.* Cf. *zapetrape.*]

trapeziforme [De *trapézi(o)* + *-forme.*] *Adj. 2 g.* V. *trapezoide* (1).

trapézio [Do gr. *trapézion*, pelo lat. tard. *trapeziu.*] *S. m.* **1.** *Geom.* Quadrilátero com dois lados paralelos. **2.** Aparelho balouçante de ginásio (1), constituído por uma barra de madeira ou de ferro suspensa por duas cordas ou peças verticais. **3.** *Anat.* Cada um de dois músculos do pescoço e porção superior do tórax, de situação superficial, que se estendem do occipício à 12.ª vértebra torácica, e cuja principal ação é a de rotação escapular por ocasião da elevação de membro superior, e de controle do abaixamento gravitacional deste. **4.** *Anat.* O primeiro osso da segunda fileira do carpo. ◆ **Trapézio isóscele.** *Geom.* Aquele cujos lados não paralelos são iguais. **Trapézio retangular.** *Geom.* O que tem dois ângulos retos.

trapezista [De *trapézio* + *-ista.*] *S. 2 g.* Artista que trabalha em trapézio (2).

trapezoedro [De *trapéz(io)* + *-o-* + *-edro.*] *S. m. Geom.* Poliedro cujas faces são trapézios.

trapezoidal [De *trapezoide* + *-al*[1].] *Adj. 2 g.* V. *trapezoide* (1).

trapezoide (ói) [Do gr. *trapezoeidés.*] *Adj. 2 g.* **1.** Que tem forma de trapézio; trapezoidal, trapeziforme. ● *S. m.* **2.** Fileira de cada carpo (1). ❖

trapiá [Do tupi.] *S. f. Bras. Bot.* V. *catauari.*

trapiarana [De *trapiá* + *-rana.*] *S. f. Bras. Bot.* Fruta-doce.

trapiche [Do esp. *trapiche.*] *S. m.* **1.** Armazém onde se guardam mercadorias importadas ou para exportar; armazém-geral. **2.** *Bras. N.E. Cabo-verd.* Pequeno engenho de açúcar, movido por animais.

trapicheiro [De *trapiche* + *-eiro.*] *Adj. S. m.* **1.** Que, ou aquele que tem e/ou administra trapiches. **2.** Diz-se de, ou trabalhador de trapiche.

trapincola [Voc. express., poss.] *Adj. 2 g. S. 2 g. Bras. Pop.* Caloteiro, fintador.

trapinho [De *trapo* + *-inho*[1].] *El. s. m. pl.* Us. na expr. *juntar os trapinhos.* ◆ **Juntar os trapinhos.** *Bras. Pop. Fam.* Casar-se ou amigar-se.

trapista [De *trapa*[2] (q. v.) + *-ista.*] *Adj. 2 g.* **1.** Pertencente ou referente à ordem monástica da Trapa. ● *S. 2 g.* **2.** Religioso ou religiosa dessa ordem.

trapitinga *S. f. Bras. Zool.* V. *pirapitinga* (1).

trapizonga [Talvez do top. *Trebizonda* (Turquia), com possível infl. de *trapa*[1].] *S. f. Bras. Pop.* **1.** Coisas confusas ou desordenadas. **2.** Porção de trastes miúdos.

trapo [De provável or. céltica, pelo lat. tard. *drappu.*] *S. m.* **1.** Pedaço de pano velho ou usado; farrapo. **2.** Roupa velha ou muito surrada. **3.** Sedimento de alguns líquidos com a aparência de trapo. **4.** *Bot.* Arbusto celastráceo (*Evonymus agglomeratus*) silvestre. **5.** Pessoa velha, gasta, cansada, ou atingida por séria depressão física e/ou moral: *Mal chegou aos 50 anos, e já está um trapo; Hoje, com a morte da mulher, ele é um trapo.* **6.** Indivíduo sem energia, moleirão ou pusilânime. ◆ **Trapos quentes.** V. *panos quentes.* **A todo o trapo.** *Bras. RS* A toda a brida; à disparada, em disparada; a toda. **Estar um trapo.** Estar exausto, ou desalentado.

trapoeraba [Do tupi.] *S. f. Bras. Bot.* Planta comelinácea (*Tradescantia elongata*) de valor medicinal; olho-de-santa-luzia.

trapoeraba-azul *S. f. Bras. Bot.* Didi-da-porteira. [Pl.: *trapoerabas-azuis.*]

trapoerabarana [De *trapoeraba* + *-rana.*] *S. f. Bras. N.E. a L. Bot.* Erva comelinácea (*Commelina deficiens*) de hábito prostrado, e de pontas ascendentes, folhas oblongas e moles, e flores trímeras, alvas e pouco numerosas. [Sin.: na BA, *marianinha*; no MA, *grama-da-terra.*]

trapoeraba-vermelha [De *trapoeraba* + o f. de *vermelho*[1].] *S. f. Bras. L. Bot.* Erva comelinácea (*Zebrina pendula*) ornamental, de folhagem vermelha e algo variegada, e flores pouco aparentes, de cor azul. Tem hábito prostrado, e, plantada em vasos, fica pendente. [Pl.: *trapoerabas-vermelhas.*]

trápola [Do it. *trappola.*] *S. f.* Armadilha para caça.

trapus [Voc. onom.] *S. m.* **1.** Ruído de coisa que cai estrondosamente. ● *Interj.* **2.** Catrapus.

trapuz *S. m. Interj.* V. *trapus.*

traque [Voc. onom.] *S. m.* **1.** Estouro, estrépito. **2.** *Chulo* Ventosidade que sai (em geral estrepitosamente) pelo ânus; peido, pum. **3.** *Expl.* Dispositivo pirotécnico constituído por um tubinho de cartão carregado com mistura pirotécnica, e cujo pavio, ao ser acendido, inflama e faz explodir a composição, provocando ruído: "O finado marido de D. Etelvina fazia fogos de artifício, traques e bombinhas para as festas da igreja e noites de São João." (Nélson de Faria, *Cabeça-Torta*, p. 57.) **4.** *Bras. N.* V. *estalo* (4). ◆ **Traque de chio.** *Bras. AL* Artefato pirotécnico provido de um chio, e que, ao ser inflamado, dá um estalo ou pequena explosão. **Traque de chumbo.** *Bras. AL* V. *estalo* (4). **Traque de massa.** *Bras. BA* V. *estalo* (4).

traqueado[1] [Do lat. cient. *tracheatus* (v. *traque(o)-* e *-ado*[1]).] *Adj. Zool.* Que apresenta traqueia como órgão respiratório.

traqueado[2] [De *traque(o)-* + *-ado*[3]; tax. *Tracheata.*] *Zool. S. m.* **1.** Espécime dos traqueados, em algumas classificações, subfilo de artrópodes com respiração traqueal. ● *Adj.* **2.** Pertencente ou relativo a eles.

traqueal [De *traque(o)-* + *-al*[1].] *Adj. 2 g. Anat.* Relativo ou pertencente à traqueia; traqueano.

traqueano [De *traque(o)-* + *-ano*[1].] *Adj.* **1.** Que tem traqueia. **2.** *Anat.* Traqueal.

traquear[1] *V. t. d.* Traquejar[1] (1 a 3). [Conjug.: v. *frear.* Pres. ind.: *traqueio, traqueias, traqueia*, etc. Cf. *traqueia*, s. f., e *Traqueia*, top.]

traquear[2] [De *traque* (2) + *-ear*[2].] *V. int. Bras. Chulo* Soltar traques; traquejar, peidar. [Conjug.: v. *frear.* Pres. ind.: *traqueio, traqueias, traqueia*, etc. Cf. *traqueia*, s. f., e *Traqueia*, top.]

traqueia (éi) [Do fr. *trachée* < lat. cient. *trachea* < gr. *tracheîa.*] *S. f.* **1.** *Anat.* Tubo cartilaginoso e membranoso que se segue ao laringe e que, ao seu término, se bifurca, originando os dois brônquios principais, direito e esquerdo; traqueia-artéria. **2.** *Bot.* Vaso[1] (8). **3.** *Zool.* Cada um dos canais que nos insetos conduzem o ar a todas as partes do corpo. **4.** *Anest.* Tubo flexível, de calibre considerável, que lembra a traqueia (1), e empregado para conduzir gases ou vapores do aparelho de anestesia e/ou de alguns respiradores [v. *respirador* (2)] ao paciente; traqueia artificial. [Cf. *traqueia*, do v. *traquear.*] ◆ **Traqueia artificial.** *Anest.* Traqueia (4). ❖

traqueia-artéria (éi) [Do fr. *trachée-artère* < gr. *tracheîa artería*, 'canal respiratório áspero'.] *S. f. Anat.* Traqueia (1). [F. red.: *traqueia.* Pl.: *traqueias-artérias.*] ❖

traqueíde [Do ingl. *tracheid.*] *S. f. Bot.* Traqueoide.

traqueiro [De *traque* (2) + *-eiro.*] *Adj. Chulo* Que dá traque(s), que traqueia (v. *traquear*[2]).

traqueíte [De *traque(o)-* + *-ite*[1].] *S. f. Med.* Inflamação da traqueia.

traquejado [Part. de *traquejar.*] *Adj.* **1.** Perseguido, acossado. **2.** *Bras. Ant.* Perito em qualquer atividade; experimentado; experiente: *advogado traquejado*; "Sentia .... que a paisanada era bastante mais desembaraçada, sabida e traquejada do que os militares orgulhosamente supunham" (Marques Rebelo, *O Simples Coronel Madureira*, pp. 47-48). **3.** *Bras. Gír. Mil.* Diz-se do oficial que gosta de traquejar[1] (4 e 5) o subalterno.

traquejar[1] *V. t. d.* **1.** Perseguir, acossar, traquear. **2.** Bater (mato) para fazer sair a caça; traquear. **3.** *Bras. Ant.* Tornar apto; exercitar, traquear. **4.** *Bras. Gír. Mil.* Repreender, censurar. **5.** *Bras. Gír. Mil.* Dar (o oficial) ordens desagradáveis a (o subalterno): *O major tem traquejado o sargento.* [Conjug.: v. *pelejar.*]

traquejar[2] [De *traque* (2) + *-ejar.*] *V. int. Chulo* V. *traquear*[2]. [Conjug.: v. *pelejar.*]

traquejo (ê) [Dev. de *traquejar.*] *S. m. Bras.* Prática, experiência, perícia.

traquelectomia [De *traquel(o)-* + *-ectom-* + *-ia*[1].] *S. f. Gin.* Extirpação do colo uterino.

traquelectómico *Adj.* V. *traquelectômico.* [Uso freq. em P.]

traquelectômico [De *traquelectomia* + *-ico*[2].] *Adj.* Relativo a traquelectomia.

▲**traqueli-** Equiv. de *traquel(o)-*.

traqueliano [De *traqueli-* + *-ano*[1].] *Adj.* Pertencente ou relativo a colo[1] (1 e 3).

traquelípode [De *traqueli-* + *-pode.*] *Adj. 2 g. Zool.* Que tem os pés aderentes à base do pescoço.

traquelismo [De *traquel(o)-* + *-ismo.*] *S. m. Neur.* Contração espasmódica de músculos do pescoço.

▲**traquel(o)-** [Do gr. *tráchēlos, ou.*] *El. comp.* = 'pescoço', 'colo': *traquelectomia, traquelismo.* [Equiv.: *traqueli-*: *traquelípode.*]

▲**traque(o)-** [Do lat. cient. *trache-, tracheo-* < lat. cient. *trachea* < gr. *tracheîa.*] *El. comp.* = 'traqueia': *traqueal, traqueorragia.* [Equiv.: *-traque(o)-*: *endotraqueal.*]

▲**-traque(o)-** Equiv. de *traque(o)-*.

traqueobrônquico (trà) [De *traque(o)-* + *brônquico.*] *Adj.* Dos brônquios e da traqueia, ou relativo a eles.

traqueobronquite (trà) [De *traque(o)-* + *bronquite.*] *S. f. Pneum.* Inflamação da traqueia e dos brônquios.

traqueocele (trà) [De *traque(o)-* + *-cele*[1].] *S. f. Cir.* Protrusão de mucosa através de ponto fraco em parede traqueal.

traqueófita [Do tax. *Tracheophyta.*] *S. f. Bot.* Planta vascular; são as plantas com tecidos especializados — o *xilema* e o *floema* — para o transporte de água e seiva que alimentam as suas células. [Pertencem a esta divisão o grupo dos pteridófitos e os espermatófitos.]

traqueoide (ói) [De *traque(o)-* + *-oide.*] *S. m. Bot.* Célula do lenho, não perfurada, com pontoações areoladas junto aos elementos congêneres; traqueíde. ❖

traqueorragia (trà) [De *traque(o)-* + *-ragia.*] *S. f. Med.* Hemorragia de origem traqueal.

traqueorrágico (trà) [De *traqueorragia* + *-ico*[2].] *Adj.* Relativo a traqueorragia.

traqueostenose (trà) [De *traque(o)-* + *estenose.*] *S. f. Med.* Estenose da traqueia.

traqueostomia (trà) [De *traque(o)-* + *-stom(o)-* + *-ia*[1].] *S. f. Cir.* Traqueotomia seguida de introdução de uma cânula no interior da traqueia, com o fim de estabelecer uma comunicação com o meio exterior.

traqueostómico (trà) *Adj. Cir.* V. *traqueostômico.* [Uso freq. em P.]

traqueostômico (trà) [De *traqueostomia* + *-ico*[2].] *Adj. Cir.* Relativo a traqueostomia.

traqueotomia (trà) [De *traque(o)-* + *-tom(o)-* + *-ia*[1].] *S. f. Cir.* Incisão praticada na traqueia.

traqueotómico (trà) *Adj. Cir.* V. *traqueotômico.* [Uso freq. em P.]

traqueotômico (trà) [De *traqueotomia* + *-ico*[2].] *Adj. Cir.* Relativo a traqueotomia.

traquete (ê) [Do fr. ant. *triquet*, atual *trinquet.*] *S. m. Marinh.* A vela redonda que enverga na verga mais baixa do mastro de proa: "de pé no tombadilho, junto ao homem do leme, logo que o ferro veio a pique, mandou largar velas rasteiras — bujarrona, polaca, traquete e vela grande." (Virgílio Várzea, *Nas Ondas*, p. 15).

▲**traqui-** [Do lat. cient. *trachy-* < gr. *trachýs, eîa, ý.*] *El. comp.* = 'rude'; 'áspero'; 'desigual'; 'desagradável': *traquilino, traquimedusa.*

traquibérnia *S. f.* V. *tranquibérnia*: "não nos enxergam para simular desprezo pela nossa pobreza e pela nossa fé na honestidade — cousa desprezível aos olhos desses *preux* do 'arame' e desses inspiradores de altas traquibérnias." (Lima Barreto, *Coisas do Reino do Jambon*, p. 183).

traquilino [De *traqui-* + *-lino*; tax. *Trachylina*.] *Zool. S. m.* **1.** Espécime dos traquilinos, ordem de cnidários hidrozoários, em que a geração de pólipos se acha muito reduzida ou ausente; são medusas de tamanho regular, providas de véu debaixo da margem da campânula e tentáculos supermarginais; sexos separados. São as traquimedusas e as narcomedusas. ● *Adj.* **2.** Pertencente ou relativo a eles.

traquimedusa [De *traqui-* + *medusa*; tax. *Trachymedusae*.] *S. f. Zool.* Espécime das traquimedusas, subordem de cnidários traquilinos, que se caracterizam por terem a margem da campânula lisa e pela presença de gônadas nos ductos radiais.

traquimedúseo [De *traquimedusa* + *-eo*.] *Adj. Zool.* Pertencente ou relativo às traquimedusas.

traquina *Adj. 2 g. S. 2 g.* V. *traquinas*: "O pequeno morgado forte, rijo e traquina, atira o folar para dentro da caldeirinha" (Bernardo Pinheiro Pindela, *Azulejos*, p. 35). [Cf. *traquina*, do v. *traquinar*.]

traquinada [De *traquina* + *-ada*[1].] *S. f.* **1.** Algazarra; barulho; estrondo. **2.** V. *traquinice*. **3.** Intriga, enredo, tramoia.

traquinagem [De *traquina* + *-agem*[2].] *S. f. Bras.* V. *traquinice*.

traquinar [De *traquina* + *-ar*[2].] *V. int.* **1.** Fazer traquinadas, travessuras; mostrar-se traquina(s), irrequieto; trasguear: "Três lindos pequerruchos, filhos da tal senhora, traquinavam, batendo forte no chão com os tacões dos borzeguins." (Xavier Marques, *Jana e Joel*, p. 47.) **2.** Fazer ruído. **3.** Estar inquieto, irrequieto; fazer motim. [Pres. ind.: *traquino*, ... *traquina*, etc. Cf. *traquina*, adj. 2 g. e s. 2 g.]

traquinas [De *traque* (1), poss.] *Adj. 2 g. e 2 n.* **1.** V. *travesso* (1). ● *S. 2 g. e 2 n.* **2.** Criança ou pessoa traquinas; trique-traz. [Var.: *traquina* e (bras., pop.) *traquino*.]

traquinice [De *traquina* + *-ice*.] *S. f.* Ato ou efeito de traquinar. [Sin.: *traquinada* e (bras.) *traquinagem*.]

traquínida [Do tax. *Trachinus* (v. *traquinídeo*) + *-ida*[1].] *S. m. Adj. 2 g. Zool.* V. *traquinídeo*.

traquinídeo [Do tax. *Trachinus* (< lat. med. *trachina*, 'certo peixe') + *-ídeo*[1]; tax. *Trachinidae*.] *Zool. S. m.* **1.** Espécime dos traquinídeos, família de peixes actinopterígios, perciformes, providos de glândulas venenosas na base do primeiro raio dorsal e perto da base da espinha opercular. Ger., de pequeno porte. São os peixes-aranhas. ● *Adj.* **2.** Pertencente ou relativo a eles. [Sin. ger.: *traquínida*.]

traquino *Adj. S. m. Bras. Pop.* V. *traquinas*.

traquitana [De or. obscura.] *S. f.* **1.** Carruagem de quatro rodas para duas pessoas: "Quase não há cidade velha do Brasil que não guarde a tradição de algum carro velho — sege, cabriolé ou traquitana — a rolar pelas ruas mal-empedradas" (Gilberto Freire, *Assombrações do Velho Recife*, p. 51). **2.** *Pop.* Carro mais ou menos desconjuntado; calhambeque: "por entre a carga, agarrados aos balaústres, ou sentados em sacas, homens descalços, em mangas de camisa, oscilando com os solavancos da traquitana, que ameaçava desmanchar-se na primeira cova em que entrassem as suas rodas" (Coelho Neto, *Turbilhão*, p. 75). [Var.: *tranquitana* e *traquitanda*.]

traquitanar [De *traquitana* + *-ar*[2].] *V. int.* Dirigir uma traquitana.

traquitanda [F. epentética de *traquitana*.] *S. f. Bras.* **1.** Almanjarra (1). **2.** V. *traquitana*.

traquítico [De *traquito*.] *Adj. Geol.* Que é da natureza do traquito.

traquito [De *traqui-* + *-ito*[2].] *S. m. Geol.* Rocha magmática, extrusiva, de composição química correspondente à do sienito, *i. e.*, desprovida ou pobre de quartzo, e constituída essencialmente de ortoclásio e qualquer mineral escuro.

traquitoide (ói) [De *traquito* + *-oide*.] *Adj. 2 g. Geol.* Que apresenta a estrutura e o aspecto do traquito. ❖

▲ **tras-** V. *trans-*[1].

trás[1] [Do lat. *trans*, 'além de', 'para lá de'.] *Prep. Adv.* **1.** Atrás, detrás. **2.** Em seguida; após: "uma aurora semelhante à de ontem e à de amanhã, todos os dias iguais, ano trás ano" (Maria Julieta Drummond de Andrade, *Um Buquê de Alcachofras*, p. 124). [Cf. *traz*, do v. *trazer*.] ◆ **Por trás de.** Às ocultas de; às escondidas de.

trás[2] [Voc. onom.] *Interj.* Voz imitativa de pancada muito ruidosa. [Cf. *traz*, do v. *trazer*.]

trasanteontem [De *tras-* + *anteontem*.] *Adv.* No dia anterior ao de anteontem. [Var.: *trasantontem*.]

trasantontem *Adv.* V. *trasanteontem*: "mas como passou ela de trasantontem pra cá?" (Visconde de Taunay, *Inocência*, p. 41).

trasbordamento [De *trasbordar* + *-mento*.] *S. m.* V. *transbordamento* (1).

trasbordante [De *trasbordar* + *-nte*.] *Adj. 2 g.* V. *transbordante*.

trasbordar [De *tras-* + *borda* + *-ar*[2].] *V. t. d. T. i. T. c. Int.* V. *transbordar*: "Desabando das crespas ribanceiras, / Inda barrentas correm as levadas; / Trasbordam, espumantes, as ribeiras; / Das campinas refogem as manadas!" (Bulhão Pato, *Livro do Monte*, p. 109); "Teu ventre maternal a trasbordar d'amor / Quem é que o fecundou, teu ventre abrasador?" (Guerra Junqueiro, *A Morte de D. João*, p. 23). [Pres. ind.: *trasbordo*, etc. Cf. *trasbordo* (ô).]

trasbordo (ô) [Dev. de *trasbordar*.] *S. m.* V. *transbordo* (ô). [Pl.: *trasbordos* (ô). Cf. *trasbordo*, do v. *trasbordar*.]

trascâmara [De *tras-* + *câmara*.] *S. f.* Quarto esconso, ou mais interior do que a câmara.

traseira [F. subst. do adj. *traseiro*.] *S. f.* **1.** A parte posterior; retaguarda. [Antôn.: *dianteira*.] **2.** *Chulo* Traseiro (3 e 4).

traseiro [De *trás*[1] + *-eiro*.] *Adj.* **1.** Situado detrás; que fica na parte posterior. [Antôn.: *dianteiro*.] **2.** *Bras. Pop.* Diz-se da mulher cujas partes genitais ficam sensivelmente recuadas. ~ V. *tração* —*a*. ● *S. m.* **3.** *Pop.* V. *nádegas*. **4.** *Chulo* O ânus.

trasfega [Dev. de *trasfegar*.] *S. f.* Ato ou efeito de trasfegar; trasfegadura, trasfego.

trasfegador (ô) [De *trasfegar* + *-dor*.] *Adj. S. m.* Que, ou aquele que trasfega.

trasfegadura [De *trasfegar* + *-dura*.] *S. f.* V. *trasfega*.

trasfegar [De or. controversa.] *V. t. d.* **1.** Passar (líquido) de uma vasilha para outra, limpando-o do sedimento; transvasar, trasvasar. *Int.* **2.** Ter negócios; azafamar-se, lidar. [Conjug.: v. *regar*. Pres. ind.: *trasfego*, etc. Cf. *trasfego* (ê).]

trasfego (ê) [Dev. de *trasfegar*.] *S. m.* V. *trasfega*. [Pl.: *trasfegos* (ê). Cf. *trasfego*, do v. *trasfegar*.]

trasflor (ô) [De *trás* + *flor*.] *S. m.* Lavor de ouro sobre esmalte.

trasfogueiro [De *trás*[1] + *fogo* + *-eiro*.] *S. m.* Toro de lenha, ou travessão de ferro ou de pedra, em que se apoiam as achas no lume ou na lareira.

trasfoliar [De *tras-* + *-foli-* + *-ar*[2].] *V. t. d.* Copiar (pintura ou desenho) em papel transparente aplicando este sobre outro de que se quer extrair a cópia.

trasgo [De or. incerta.] *S. m.* **1.** Aparição fantástica; diabrete, duende: "Não tínhamos duendes, nem trasgos; tínhamos poucas fadas e nenhum geniozinho da noite, errante nas névoas crepusculares." (Vitorino Nemésio, *A Mocidade de Herculano*, II, p. 105.) **2.** Pessoa traquinas.

trasguear [De *trasgo* + *-ear*[2].] *V. int.* Traquinar. [Conjug.: v. *frear*.]

trasladação [De *trasladar* + *-ção*.] *S. f.* V. *translação* (1).

trasladado [Part. de *trasladar*.] *Adj.* **1.** Mudado de um para outro lugar. **2.** Transposto de uma língua para outra; traduzido. **3.** Adiado, transferido, delongado. **4.** Copiado, transcrito, translato. [F. paral.: *transladado*.]

trasladador (ô) [De *trasladar* + *-dor*.] *Adj. S. m.* Que, ou aquele que traslada. [F. paral.: *transladador*.]

trasladar [De *traslado* + *-ar*[2].] *V. t. d. e c. T. d. Bit. c.* **1.** Mudar de um lugar para outro; transferir, transportar: *O governo trasladou os restos mortais dos nossos pracinhas da Itália para o Rio. T. d. e i.* **2.** Traduzir, verter: "Eu não me dependo em considerações banais acerca das dificuldades que empecem trasladar a português os livros de Balzac." (Camilo Castelo Branco, *Noites de Insônia*, III, p. 52); *trasladar Dante para o português. T. d.* **3.** Adiar, transferir: *trasladou o passeio.* **4.** Copiar, transcrever: "era poeta de improviso, não escrevia os versos, os outros é que os ouviam e trasladavam ao papel, dando-lhe cópias, muitas das quais perdia." (Machado de Assis, *Páginas Recolhidas*, pp. 28-29). **5.** Delinear, esboçar, debuxar. **6.** Dar significação translata ou metafórica a. *P.* **7.** Transferir a residência; mudar-se. **8.** Retratar-se, debuxar-se. [F. paral. (menos us.): *transladar*.]

trasladável [De *trasladar* + *-vel*.] *Adj. 2 g.* Que pode ser trasladado. [F. paral. (menos us.): *transladável*.]

traslado [Do lat. *translatu*, 'transferido'; 'copiado', 'transcrito'.] *S. m.* **1.** Ato ou efeito de trasladar. **2.** Apógrafo (1). **3.** Cópia, transcrição. **4.** Imagem, retrato. **5.** Modelo, exemplo. [F. paral. (menos us.): *translado*.]

traslar [De *trás*[1] + *lar*.] *S. m.* A parte posterior da lareira ou do fogão.

trasmontano [De *tras-* + *monte* + *-ano*[1].] *Adj.* **1.** De, ou pertencente ou relativo à província portuguesa de Trás-os-Montes. ● *S. m.* **2.** O natural ou habitante de Trás-os-Montes. [F. paral.: *transmontano*.]

trasmontar *V. t. d. Int. P.* V. *transmontar*: "Trasmonta fulvo o Sol. E a natureza assiste, / Na mesma solidão e na mesma hora triste, / À agonia do herói e à agonia da tarde." (Olavo Bilac, *Poesias*, p. 266.)

trasnoitado [Part. de *trasnoitar*.] *Adj.* V. *tresnoitado*.

trasnoitar [De *tras-* + *noite* + *-ar*[2].] *V. t. d. Int.* V. *tresnoitar*.

trasnoutado [Var. de *trasnoitado*.] *Adj.* V. *tresnoitado*.

trasnoutar [Var. de *trasnoitar*.] *V. t. d. Int.* V. *tresnoitar*.

trasorelho (ê) [De *trás*[1] + *orelha*.] *S. m. Patol.* V. *parotidite epidêmica*.

traspassação [De *traspassar* + *-ção*.] *S. f.* Ato ou efeito de traspassar(-se); traspassamento, traspasse, traspasso.

traspassamento [De *traspassar* + *-mento*.] *S. m.* V. *traspassação*.

traspassar [De *tras-* + *passar*; var. de *transpassar*.] *V. t. d.* **1.** Passar além de; transpor, atravessar: *traspassar as montanhas.* **2.** Passar através de; atravessar, penetrar: "Caía [a neve] agora fofa e densa, mais úmida, traspassando-o todo até aos ossos." (Domingos Monteiro, *Contos do Natal*, p. 75.) **3.** Furar de lado a lado; penetrar: *A seta traspassou-lhe o braço.* **4.** Fechar (peça de vestuário) sobrepondo duas partes. **5.** Pungir, ferir, alancear, contristar, afligir: *A má notícia traspassou-lhe a alma*; "A mágoa, que o traspassa, não tem igual." (Rebelo da Silva, *Contos e Lendas*, p. 182). **6.** Causar desfalecimento a; fazer desmaiar. **7.** Violar, transgredir: *traspassar ordens superiores.* **8.** Ceder ou vender a outrem: "Aconselhou o abade à comadre que traspassasse a botica, alugasse a casa e fosse para Pedraça." (Camilo Castelo Branco, *Novelas do Minho*, VI, p. 22). **9.** Exceder, ultrapassar: *Traspassou os limites da boa educação.* **10.** Copiar, transcrever, trasladar. **11.** Passar a outrem (o contrato de aluguel de um prédio). *T. d. e i.* **12.** Ceder, transferir, alhear: *Traspassou o imóvel aos herdeiros.* **13.** Vender, negociar: *Traspassou o sítio ao comprador por uma bagatela.* **14.** Passar às mãos de; dar, entregar: *Traspassará o livro a seu dono.* **15.** Traduzir, verter, trasladar: *Manuel Odorico Mendes traspassou Homero e Virgílio para o português. T. c.* **16.** Transportar-se; transferir-se: *Pretende traspassar desta cidade. P.* **17.** Desmaiar, esmorecer. **18.** Morrer, finar-se. [Var.: *trespassar*.]

traspasse [Dev. de *traspassar*.] *S. m.* **1.** V. *traspassação*. **2.** Subarrendamento, sublocação. **3.** Morte, falecimento.

traspasso [Dev. de *traspassar*.] *S. m.* **1.** V. *traspassação*. **2.** Dor penetrante. **3.** Demora, delonga.

traspés [De *tras-* + o pl. de *pé*.] *S. m. pl.* **1.** Passos falsos. **2.** V. *rasteira* (1). **3.** Estado de quem cambaleia.

traspilar [De *trás*[1] + *pilar*.] *S. m.* Pilar situado atrás de outro.

trastalhão [De *traste*[1] + *-alhão*.] *S. m. Pop.* **1.** Grande traste; refinado velhaco: "E como costumava a miúdo sopesar curiosa o cofrezinho esquecido pelo trastalhão do cigano, nesse dia o levou às escondidas para fora de casa e o arrombou no *cerrado*." (Visconde de Taunay, *Ao Entardecer*, p. 44.) **2.** Pessoa imprestável. [Sin., bras.: *trastejão*. Fem.: *trastalhona*.]

trastalhona *S. f. Pop.* Fem. de *trastalhão* (q. v.).

trastaria [De *traste*[1] (1 e 2) + *-aria*.] *S. f. Bras. S.* Grande porção, ou acúmulo, de trastes caseiros.

traste[1] [Do lat. *transtru*, 'banco de remador'.] *S. m.* **1.** Móvel caseiro; alfaia. **2.** Móvel ou utensílio velho de escasso ou nenhum valor: "à luz do ponderoso candeeiro de latão amarelo de três bicos, talvez o traste mais luxuoso de toda a sua mobília." (Rebelo da Silva, *Contos e Lendas*, p. 9). **3.** Pessoa de mau caráter, ou sem préstimo; trem, velhaco, tratante. **4.** *Bras.* Pessoa sem préstimo, inútil. [Aum. (nas acepç. 3 e 4): *trastalhão* e *trastejão*.]

traste[2] *S. m. Mús.* V. *trasto*.

trastejamento [De *trastejar*[1] + *-mento*.] *S. m.* Ato ou efeito de trastejar[1] (6): "Um armário, uma cadeira preguiçosa e várias cadeiras simples completavam o trastejamento." (Júlio Ribeiro, *A Carne*, p. 83.)

trastejão [De *traste*[1] (3 e 4).] *S. m. Bras.* Trastalhão. [Fem.: *trastejona*.]

trastejar[1] [De *traste*[1] + *-ejar*.] *V. int.* **1.** Negociar em trastes ou em coisas pouco valiosas. **2.** Cuidar dos trastes caseiros. **3.** Fiscalizar os serviços domésticos. **4.** Andar de um para outro lado. **5.** Ter ações de velhaco; proceder como um velhaco. *T. d.* **6.** *Bras.* Mobiliar, alfaiar: "foi a bordo recebê-los, conduziu-os à Tijuca, onde um velho amigo da família de Carlos Maria alugara e trastejara uma casa, por ordem dele." (Machado de Assis, *Quincas Borba*, p. 310). [Conjug.: v. *pelejar*.]

trastejar[2] [De *trasto* + *-ejar*.] *V. int.* **1.** *Bras. Mús.* Bater a corda do violão contra os trastos, quebrando a pureza do som. **2.** *Fig.* Gaguejar, por hesitação ou timidez, ao responder. **3.** Vacilar, hesitar, oscilar: *Decida-se depressa, não trasteje.* **4.** Deixar de proceder bem, de andar na linha. *T. d.* **5.** *Mús.* Pôr trastos em (instrumento que deles necessite). [Conjug.: v. *pelejar*.]

trastejona *S. f. Bras.* Fem. de *trastejão* (q. v.).

trasto [Do it. *trasto*.] *S. m. Mús.* Cada um dos filetes de metal que, nos instrumentos de cordas dedilháveis,

T

dividem o ponto numa série de semitons e indicam o lugar dos dedos. [Nas antigas violas, essa divisão era feita com cordas de tripa móveis, e enroladas em volta do braço do instrumento.] [Var.: *traste*.]

trasvasar *V. t. d.* V. *transvasar*.

trasvisto [De *tras-* + *visto*.] *Adj.* **1.** Visto de lado ou de través. **2.** *Fig.* V. *malvisto* (1). **3.** Detestável, detestando, odioso.

trasvoltear [De *tras-* + *voltear*.] *V. int. P.* **1.** Voltar-se para trás. **2.** Voltar-se de lado ou de través. [Conjug.: v. *frear*.]

tratada [De *tratar* + *-ada*[1], poss.] *S. f.* V. *tratantada*.

tratadista [De *tratado* + *-ista*.] *S. 2 g.* Pessoa que escreveu tratado (4) ou tratados.

tratado [Do lat. *tractatu*.] *Adj.* **1.** Part. de tratar; trato. • *S. m.* **2.** Contrato internacional referente a comércio, paz, etc. **3.** V. *trato*[2] (3). **4.** Estudo ou obra desenvolvida a respeito de uma ciência, arte, etc.

tratador (ô) [De *tratar* + *-dor*.] *Adj. S. m.* Que, ou aquele que trata de algo, particularmente de cavalos e doutros animais. ◆ **Tratador de texto.** *Inform.* Processador de textos (q. v.).

tratamento [De *tratar* + *-mento*.] *S. m.* **1.** Ato ou efeito de tratar(-se); trato. **2.** Acolhimento, agasalho, recepção. **3.** Modo de tratar, de executar qualquer trabalho: *o tratamento de um tema; o tratamento da madeira.* **4.** Alimentação diária; passadio. **5.** *Terap.* Processo destinado a curar ou a paliar. **6.** Título honorífico ou de graduação. ◆ **Tratamento acústico.** *Arquit.* Processo pelo qual se procura evitar a penetração ou saída de ruídos ou sons em um recinto ou numa edificação, ou garantir o seu condicionamento acústico. **Tratamento de choque.** *Fig.* Série de medidas de caráter radical aplicadas com o fim de alcançar o mais rapidamente possível o(s) objetivo(s) em vista: "O Presidente José Sarney definiu a política anti-inflacionária de seu governo, ao afirmar no Rio .... que não usará tratamento de choque contra a inflação, pois a estratégia de combate gradual está surtindo efeito." (*Jornal do Brasil*, 03.06.1985.)

tratantada [De *tratante* + *-ada*[1].] *S. f.* Ação de tratante; velhacada, logro, traficância, tratantice, tratada.

tratante [De *tratar* + *-nte*.] *Adj. 2 g.* **1.** Que trata de qualquer coisa ardilosamente, ou procede com velhacaria. • *S. 2 g.* **2.** Indivíduo tratante. [Sin., nessas acepç. no RS: *tratista*.] **3.** *Ant.* Pessoa que trafica ou faz negócios: "Viam-se em palanques modestos os argentários do comércio — os tratantes, como então se dizia proféticamente e inconscientemente." (Camilo Castelo Branco, *Perfil do Marquês de Pombal*, p. 27.)

tratantice [De *tratante* + *-ice*.] *S. f.* V. *tratantada*.

tratar [Do lat. *tractare*.] *V. t. d.* **1.** Fazer uso de; usar, praticar: *Trata mentiras para enganar os incautos.* **2.** Manusear, manejar, manear. **3.** Travar ou manter relações com; frequentar: *Trata gente de alta-roda.* **4.** Discorrer verbalmente ou por escrito acerca de; expor, explanar: *Tratou o tema com erudição.* **5.** Discutir, debater, questionar: "e, como se tratasse um negócio grave, falou-lhe com animação: era um hóspede a mais; ele, o que queria, era que o Hotel prosperasse, hein!" (Eça de Queirós, *A Capital*, p. 201). **6.** Fazer por curar ou por paliar; cuidar de; medicar: *O médico tratou a doença.* **7.** Ajustar, acertar, combinar, concertar, pactuar: *Tratou a venda da casa.* **8.** Dedicar-se a; cultivar: *Quer ser escritor, e passou a tratar as letras e artes.* **9.** Sustentar, alimentar, nutrir: *Trata o filho muito bem.* **10.** Preparar [carne, peixe, etc., ou determinado peso (25)] para o cozimento, ger. limpando, e/ou cortando e temperando: *tratar o peru, o frango.* *T. d. e i.* **11.** Combinar, ajustar, concertar, pactuar: *Tratei com a firma a instalação da fábrica.* **12.** Acolher, receber: *Tratou o visitante com descaso.* **13.** Aplicar medicamento, ou penso[1] (2), etc.: *Tratou a infecção pela penicilina; Tratou o tumor com emplastros.* **14.** Modificar, transformar, por meio de um agente: *tratar uma substância com ácido.* **Transobj. 15.** Dar certo título, cognome, alcunha ou tratamento: *Tratava-o por 'barão'; Trata a mãe de tu.* *T. i.* **16.** Discorrer, falar: *Trataremos primeiro deste assunto;* "A rigor, já tratava do desenvolvimento econômico Adam Smith, quando promovia, em 1776, na Inglaterra, a investigação em torno da natureza e das causas da riqueza das nações." (Barbosa Lima Sobrinho, *Estudos Nacionalistas*, p. 1). **17.** Cuidar, ocupar-se: "recebeu o prato que este lhe apresentava e tratou de comer" (Machado de Assis, *Várias Histórias*, p. 41); *Por que não trata de sua vida?* **18.** Ter por assunto, por objeto; versar, constar: *A primeira aula tratou da introdução à matéria.* **19.** Fazer preparativos; preparar-se: *Agora ele trata de entrar em férias.* **20.** Conversar, palestrar: "Quando este lhe falava, ela respondia com bondade e doçura, mas a doçura e a bondade de quem trata com um inferior" (Machado de Assis, *Histórias Românticas*, p. 265); *Trata cordialmente com todos.* **21.** Ter conhecimento; manter relações; conviver: *Trata com a elite intelectual do país.* **22.** Portar-se, proceder, avir-se, haver-se: *Tenho horror a tratar com ladrões.* **23.** Promover os meios para; esforçar-se por: *À chegada da polícia, tratou de escapulir.* **24.** Tratar com medicamentos e/ou por outros meios; cuidar: *tratar de um enfermo; O médico tratou da doença;* "Antes de dizer missa, / O velho abade inevitavelmente / Tratava da hortaliça." (Guerra Junqueiro, *A Velhice do Padre Eterno*, p. 171). **25.** Negociar, comerciar: *Tratou com aquela empresa, e ficou satisfeito.* *P.* **26.** Cuidar da própria saúde: *Você não está bem, procure tratar-se;* "apanhou [João Ribeiro] uns chuviscos e adoeceu, sendo necessário regressar a Laranjeiras para tratar-se." (Joaquim Ribeiro, *9 Mil Dias com João Ribeiro*, p. 152). **27.** Cuidar da higiene corporal, de vestir-se bem, da boa aparência; cuidar-se. **28.** Sustentar-se, alimentar-se; nutrir-se: *Trata-se com as melhores iguarias.* **29.** Alimentar-se ou nutrir-se bem, com requinte: *Come do bom e do melhor — trata-se.* **30.** Manter relações entre si: *Tratam-se com cerimônia.* **31.** Dirigir mutuamente (um tratamento): *Tratam-se por você.*

tratativa *S. f.* Tratado, ajuste, pacto; negociação: "O Brasil já pode 'pensar grande' no processo de renegociação do serviço da dívida. De preferência, em tratativa direta com os bancos credores, sem a intromissão das patrulhas contábeis do FMI." (Joelmir Betting, em *Folha de S.Paulo*, 18.02.1986.)

tratável [De *tratar* + *-vel*.] *Adj. 2 g.* **1.** Que se pode tratar. **2.** Lhano, afável, amável, benévolo.

tratear [De *trato*[2] + *-ear*[2].] *V. t. d.* **1.** Dar tratos a. **2.** Afligir, atormentar, maltratar. [Cf. *trautear*. Conjug.: v. *frear*.]

tratista [De *trato*[2] (3) + *-ista*.] *Adj. 2 g. S. 2 g. Bras. RS* V. *tratante* (1 e 2).

trato[1] [Do lat. *tractu*.] *S. m.* **1.** Espaço de terreno; região. **2.** Separação, intervalo. **3.** Decurso, sucessão: *trato de tempo.* **4.** *Anat.* Designação genérica de feixe de neurofibras que têm mesma origem, terminação e função. **5.** *Anat.* Designação genérica de grupo de órgãos dispostos seriadamente e contribuindo todos, embora de modo diferente, para o exercício da mesma função geral. **6.** *Mús.* Cada um dos versículos que se cantam nas missas de réquiem e nas épocas de penitência, logo após o gradual (4), para substituir a aleluia, e cuja melodia é das mais ricas do canto gregoriano. [V. *próprio* (12).] ~ V. *tratos*.

trato[2] [Dev. de *tratar*.] *Adj.* **1.** Tratado (1): "Roldão estava de casamento trato com a irmã do Balduíno" (Manuel Lobato, *Garrucha 44*, p. 60). • *S. m.* **2.** Tratamento (1). **3.** Ajuste, convênio, pacto, contrato, tratado. **4.** Intimidade, familiaridade, convivência. **5.** Conversação, palestra. **6.** Alimentação, passadio. **7.** Procedimento, modos, maneiras. **8.** Delicadeza, cortesia, lhaneza. ~ V. *tratos*. ◆ **Dar tratos a.** Torturar, atormentar. **Dar tratos à bola.** Dar tratos à imaginação: "Passei um dia inteiro num virar e revirar de dicionários, dando tratos à bola, riscando e refazendo continuamente o já refeito." (Paulo Rónai, *Escola de Tradutores*, p. 90.) **Dar tratos à imaginação.** Empregar muito tempo e atenção para desvendar ou decifrar alguma coisa; dar tratos à bola. **De fino trato.** De comportamento ou trato social cortês, educado; de trato. **De trato.** De fino trato: "— .... É duro de roer, mas gosto daquele homem. Não tem este negócio de grito, fala manso. É homem de trato." (José Lins do Rego, *Fogo Morto*, p. 4.)

trator (ô) [Do lat. *tractus*, part. pass. de *trahere*, 'puxar, arrastar', + *-or*.] *S. m.* **1.** Veículo motorizado que, deslocando-se sobre rodas ou esteiras de aço, é capaz de rebocar cargas ou de operar, rebocando ou empurrando, equipamentos agrícolas, de terraplenagem, etc. • *Adj.* **2.** Que imprime tração.

tratorar [De *trator* + *-ar*[2].] *V. t. d.* **1.** Passar com o trator sobre (estrada, etc.). **2.** *Fig.* Passar por cima de; demolir de forma terminante: "[O voto do ministro do STF] Tratorou, um por um, os débeis argumentos alinhavados na ação movida no interesse de meia dúzia de fazendeiros de arroz." (Marcelo Leite, em *Folha de S.Paulo*, 28.08.2008.)

tratória *S. f. Geom.* Tratriz.

tratório [Do lat. *tractoriu*.] *Adj.* Relativo a tração.

tratorista [De *trator* + *-ista*.] *S. 2 g. Bras.* Pessoa que lida com trator.

tratos [Pl. de *trato*[1].] *S. m. pl.* Mau tratamento; torturas, tormentos: "Esteve ali preso; padeceu tratos, e mostrou-me nas costas as costuras branqueadas, vestígios do suplício da vara" (Bulhão Pato, *Memórias*, I, p. 46); "Do Infortúnio cruel sofreste os tratos" (Eugênio de Castro, *Obras Poéticas*, VI, p. 174). ~ V. *trato*.

tratriz *S. f. Geom.* Curva plana cujas tangentes têm comprimento igual; tratória.

→**trattoria** [tratto'ria] [It.] *S. f.* Restaurante italiano rústico.

traulitada [De *traulito* + *-ada*[1].] *S. f. Bras. Pop.* Pancada, bordoada, cacetada.

traulito *S. m. Prov. port.* Cacete, pau.

trauma [Do gr. *traûma*.] *S. m. Traum. Psiq.* V. *traumatismo*.

traumaticidade [De *traumático* + *-(i)dade*.] *S. f.* Qualidade de traumático.

traumático [Do gr. *traumatikós*, pelo lat. *traumaticu*.] *Adj.* Relativo a trauma.

traumatismo [De *traumat(o)-* + *-ismo*.] *S. m.* **1.** *Traum.* Lesão de extensão, intensidade e gravidade variáveis, que pode ser produzida por agentes diversos (físicos, químicos, etc.), de forma acidental. **2.** *Psiq.* Agressão emocional capaz de desencadear perturbações mentais e físicas. **3.** *Fig.* Dor moral. [Sin. ger.: *trauma*.] ◆ **Traumatismo oclusal.** *Odont.* Qualquer alteração patológica do periodonto devido às forças excessivas produzidas pelos músculos da mastigação, ou pela pressão sobre os dentes causada pelos dentes opositores.

traumatização [De *traumatizar* + *-ção*.] *S. f.* Ato ou efeito de traumatizar(-se).

traumatizado [Part. de *traumatizar*.] *Adj.* Que sofreu traumatismo; que se traumatizou.

traumatizante [De *traumatizar* + *-nte*.] *Adj. 2 g.* Que traumatiza.

traumatizar [De *traumat(o)-* + *-izar*.] *V. t. d.* **1.** Causar traumatismo a. *P.* **2.** Sofrer traumatismo.

▲**traumat(o)-** [Do gr. *traûma, atos (ăt)*.] *El. comp.* = 'ferimento', 'contusão': *traumatismo, traumatologia*.

traumatofilia (àu) [De *traumat(o)-* + *-filia*.] *S. f. Psiq.* Desejo mórbido de sofrer traumatismo ou contusões.

traumatofílico (àu) [De *traumatofilia* + *-ico*[2].] *Psiq. Adj.* **1.** Relativo a traumatofilia. **2.** Que tem traumatofilia; traumatófilo. • *S. m.* **3.** Aquele que tem traumatofilia; traumatófilo.

traumatófilo [De *traumat(o)-* + *-filo*[2].] *Adj. S. m. Psiq.* Traumatofílico (2 e 3).

traumatofobia (àu) [De *traumat(o)-* + *-fobia*.] *S. f. Psiq.* Pavor de sofrer contusões, de machucar-se.

traumatofóbico (àu) [De *traumatofobia* + *-ico*[2].] *Psiq. Adj.* **1.** Relativo a traumatofobia. **2.** Que sofre de traumatofobia; traumatófobo. • *S. m.* **3.** Aquele que sofre de traumatofobia; traumatófobo.

traumatófobo [De *traumat(o)-* + *-fobo*.] *Adj. S. m. Psiq.* Traumofóbico (2 e 3).

traumatologia (àu) [De *traumat(o)-* + *-logia*.] *S. f.* Ramo da medicina que se ocupa dos traumatismos [v. *traumatismo* (1)].

traumatológico (àu) [De *traumatologia* + *-ico*[2].] *Adj.* Relativo a traumatologia.

traumatologista (àu) [De *traumatologia* + *-ista*.] *S. 2 g.* Especialista em traumatologia.

tráupida [Do tax. *Thraupis* + *-ida*[1].] *S. m. Adj. 2 g. Zool.* V. *traupídeo*.

traupídeo [Do tax. *Thraupis* (< gr. *thraupís*, 'pássaro pequeno') + *-ídeo*[1]; tax. *Thraupidae*.] *Zool. S. m.* **1.** Espécime dos traupídeos, família de aves que, em modernas classificações, é considerada como a subfamília traupínea dos emberizídeos. • *Adj.* **2.** Pertencente ou relativo a eles. [Sin. *tanagrídeo*.]

traupíneo [Adapt. do tax. *Thraupinae*.] *Zool. S. m.* **1.** Espécime dos traupíneos, subfamília de aves emberizídeas caracterizadas pelo tarso ocreado, tegumento não ou indistintamente dividido em placas, a primeira das rêmiges igual à segunda, ou mais comprida que esta, bico mais ou menos grosso, ponta de maxila sempre um pouco entalhada. Alimenta-se de frutas, insetos e sementes. São os tem-tens, as pipiras e as saíras. • *Adj.* **2.** Pertencente ou relativo a eles.

trauta [Do lat. *tracta*, fem. do part. pass. de *trahere*, 'arrastar', 'puxar'.] *S. f.* Rasto de caça.

trautear [De or. onom., poss.] *V. t. d. Int.* **1.** Cantarolar, em geral emitindo apenas sílabas que expressam a melodia: "A porta solitária / Range. E o homem feliz entra, trauteando uma ária." (Alberto de Oliveira, *Poesias*, 2ª série, p. 247.) **2.** Fraudar, burlar, intrujar. **3.** Censurar, repreender. **4.** *Pop.* Importunar, apoquentar. [Conjug.: v. *frear*. Cf. *tratear*.]

trauteio [Dev. de *trautear*.] *S. m.* Ação de trautear.

trava[1] [Dev. de *travar*.] *S. f.* **1.** V. *travação* (1). **2.** Ligação, nexo, conexão. **3.** Travão (1). **4.** V. *freio* (1). **5.** Aquilo que trava: *a trava da chuteira.* **6.** Inclinação alternada dos dentes da serra. **7.** *Constr.* Qualquer peça, ou dispositivo, us. para prender porta, janela, etc. V. *tranca*.

trava[2] [De *trave*.] *S. f. Desus.* Pequena trave.

travação [De *travar* + *-ção*.] *S. f.* **1.** Ato ou efeito de travar; trava, travamento. **2.** Ligação de traves; travamento.

trava-contas [De *travar* + o pl. de *conta*.] ***S. m. 2 n.*** Disputa, discussão, altercação, sobretudo em ajustes de contas.

travada [De *travar* + *-ada*[1].] ***S. f.*** *Bras.* Freada, brecada: "de repente .... Mário de Tal .... deu uma travada violenta, os passageiros foram atirados uns contra os outros, o carro derrapa" (Sérgio Porto, *A Casa Demolida*, p. 198).

travadeira [De *travar* + *-deira*.] ***S. f.*** V. *travadoura* (1).

travado [Part. de *travar*.] ***Adj.*** **1.** Estreitamente ligado; íntimo. **2.** Peado, represado. **3.** Começado, principiado; entabulado. **4.** Sem desembaraço na língua; tartamudo. **5.** Encarniçado, renhido. **6.** Atravancado, embaraçado. **7.** Moderado (passo de cavalgadura). **8.** Diz-se da língua (1) que tem o freio cortado. **9.** Diz-se de equídeo que anda com travas ou tem a andadura adquirida com as travas. ~ V. *letra —a*, *sílaba —a*, *ventos —s* e *travados*.

travadoira [De *trava* + o f. de *-doiro*[2].] ***S. f.*** V. *travadoura*.

travadoiro [De *travar* + *-doiro*[2].] ***S. m.*** Travadouro (q. v.).

travador (ô) [De *travar* + *-dor*.] ***Adj.*** **1.** Que trava. ● ***S. m.*** **2.** Aquele que trava. **3.** V. *travadoura*.

travados [Pl. de *travado*.] ***S. m. pl.*** Ventos travados. ~ V. *travado*.

travadoura [De *travar* + o f. de *-douro*[2]; var. de *travadoira*.] ***S. f.*** **1.** Lâmina de ferro com que os serradores inclinam alternadamente os dentes da serra; travadeira, travicha. **2.** *Constr.* Pedra aparelhada, em parede de pedra miúda, para segurança da construção, ou para receber as pontas das vigas, cantarias, etc. [Sin. ger.: *travador*.]

travadouro [De *travar* + *-douro*[2]; var. de *travadoiro*.] ***S. m.*** Lugar a que se prende a trava ou peia na perna dos animais; miúdo.

travagem [De *travar* + *-agem*[2].] ***S. f.*** *Bras. Veter.* Hipertrofia das gengivas do equídeo, que lhe acarreta a queda dos dentes, impossibilitando-o de pastar.

traval [Do lat. *trabale*.] ***Adj. 2 g.*** Relativo a trave.

trava-língua [De *travar* + *língua*.] ***S. m.*** Certa modalidade de parlenda (3): "Sob a denominação genérica de 'literatura oral', agrupam-se múltiplas espécies do folclore narrativo, do folclore poético e do folclore linguístico. Entre essas últimas, destaca-se o trava-língua, modalidade de parlenda, em prosa ou verso, caracterizada, e de tal forma ordenada, que se torna extremamente difícil e, às vezes, quase impossível, pronunciá-la sem tropeço." (Antônio Henrique Weitzel, "Trava-Língua Educando e Divertindo", *Minas Gerais*, Suplemento Literário, 23.08.1980.) [Pl.: *trava-línguas*.]

travamento [De *travar* + *-mento*.] ***S. m.*** V. *travação*.

travanca [Aum. de *trava*.] ***S. f.*** Obstáculo, embaraço, estorvo, empecilho, empeço, peia, tranca.

travante [De *travar* + *-nte*.] ***Adj. 2 g.*** Que trava ou prende.

travão [De *trava* + *-ão*[1].] ***S. m.*** **1.** Cadeia de pear bestas; trava: "descobria o [boi] tresmalhado, punha-lhe travão nos chifres, fazia-o manso, cordato, trazia-o de volta à boiada." (Nélson de Faria, *Tiziu e Outras Estórias*, p. 148). **2.** V. *freio* (1 e 2).

travar [De *trave* + *-ar*[2].] ***V. t. d.*** **1.** Prender, pegar, unir, encadear (peças de madeira). **2.** Fazer parar com o travão; frear, brecar. **3.** Prender com travão ou peia; pear. **4.** Tolher ou impedir os movimentos a: *Travou os músculos e cerrou os dentes, tentando não reagir.* **5.** Agarrar, tomar, segurar: *Travou a mão do amigo.* **6.** Iniciar, começar, entabular: *travar conversação.* **7.** Cruzar, encruzar, entrecruzar: *travar floretes.* **8.** Tramar, entreter, entrelaçar: *Travou com arte os fios da teia.* **9.** Maquinar, urdir, tramar: "assim .... que se acabavam as missas, e que saíam as verdadeiras beatas, reuniam-se os dous, e começavam a contar suas diabruras mais recentes, travando o plano de mil outras novas." (Manuel Antônio de Almeida, *Memórias de um Sargento de Milícias*, p. 160). **10.** Ocupar, obstruir, atravancar, entravar: *A carroça trava o caminho.* **11.** Causar travo, amargor, a; amargar: "sabor de fruta selvagem / que a gente morde e que fica / travando a boca" (Judas Isgorogota, *Cantos da Visitação*, p. 56). **12.** Inclinar alternadamente (os dentes da serra) para um e outro lado. **13.** Refrear metendo a passo, ou pôr travas a (uma cavalgadura). **14.** *Caligr.* Unir (letras) mediante ligadura. **15.** *Inform.* Fazer com que (um computador, sistema ou programa) deixe de interagir com o usuário [v. *travar* (22)]. ***T. i.*** **16.** Causar desgosto ou dissabor: *A má notícia travou em sua alma.* **17.** Lançar mão; puxar, arrancar: *travar da espada.* **18.** Segurar, agarrar, tomar: *Travou da caneta e assinou.* ***Int.*** **19.** Frear (3 e 4). **20.** Ficar impedido de movimentar-se; tornar-se perro; emperrar: *Com a ferrugem, o portão travou.* **21.** Ter gosto amargo ou adstringente; amargar: *Este tempero trava um pouco.* **22.** *Inform.* Deixar (um computador, sistema ou programa) de interagir com o usuário, devido à não finalização imprevista de alguma tarefa em execução. ***P.*** **23.** Unir-se; juntar-se; confundir-se: *Naquela disputa travaram-se amor e ódio.* **24.** Cruzar-se, encruzar-se, entrecruzar-se: *As espadas travaram-se ruidosamente.* **25.** Lutar, brigar, contender: "Cada cavaleiro árabe travou-se com um cavaleiro godo, e os dois contendores esquecem-se de tudo quanto os rodeia" (Alexandre Herculano, *Eurico, o Presbítero*, p. 97).

trave [Do lat. *trabe*.] ***S. f.*** **1.** *Constr.* Grande tronco ou madeiro grosso, usado para sustentar o sobrado ou o teto de uma construção. **2.** *Constr.* Viga. **3.** *P. ext.* Pedaço de madeira ou de outro material utilizado para sustentar ou reforçar uma estrutura: *Mandou colocar traves fechando a porta arrombada.* **4.** Arame que liga ao arco a charneira da fivela. **5.** *Esport.* No futebol, cada uma das duas hastes verticais que sustentam o travessão e delimitam, com este, o gol. [Dim. irreg.: *travinca*, *trabécula*.]

traveca [De *trav(esti)* + o f. de *-eco*.] ***S. f.*** *Bras. Gír.* V. *travesti* (3).

traveco [De *trav(esti)* + *-eco*.] ***S. m.*** *Bras. Gír.* V. *travesti* (3).

travejamento [De *travejar* + *-mento*.] ***S. m.*** **1.** Conjunto das traves. **2.** Vigamento.

travejar [De *trave* + *-ejar*.] ***V. t. d.*** **1.** Pôr traves em. **2.** Vigar. [Conjug.: v. *pelejar*.]

➔**traveler's check** [ˈtɹævələ˞z tʃɛk] [Ingl.] V. *cheque de viagem*.

➔**traveling** [ˈtɹævəlɪŋ] [Ingl.] ***S. m.*** *Cin. Telev.* Tomada na qual a câmera é deslocada, ger. por *dolly* (q. v.), para acompanhar o deslocamento da ação no cenário ou para produzir algum efeito dramático.

travento [De *travo* + *-ento*.] ***Adj.*** Que tem travo; travoso.

travertino [Do it. *travertino*.] ***S. m.*** Tufo[2] calcário de cores claras, não raro com vestígios de plantas, muito us. no revestimento de paredes.

través [Do lat. *transversu*.] ***S. m.*** **1.** Direção oblíqua ou atravessada; esguelha, soslaio, obliquidade, viés. **2.** Flanco (1). **3.** Travessa (1). **4.** *Marinh.* Direção normal ao plano longitudinal da embarcação, a meia-nau: *O farol está pelo través do navio.* **5.** *Marinh.* Espia[2] (1) de amarração disposta perpendicularmente ao plano longitudinal da embarcação. [Cf., nesta acepç., *lançante* (2) e *espringue*. Pl.: *traveses*.] ◆ **De través.** De lado; de raspão; obliquamente: "jogou longe a bagana fedorenta, me olhou de través, ofendido" (Nélson de Faria, *Tiziu e Outras Estórias*, p. 199).

travessa [F. subst. de *travesso* (q. v.).] ***S. f.*** **1.** Peça de madeira atravessada sobre outra(s); través. **2.** Viga, trave. **3.** A parte superior dos marcos das portas; padieira. **4.** *Lus.* V. *dormente* (12). **5.** Rua transversal entre duas outras mais importantes. **6.** Galeria subterrânea que liga duas outras. **7.** Prato, geralmente oval, em que vão à mesa as iguarias: "E ele, diante das pesadas travessas que coloriam a mesa, ... quase não soube como compor o seu prato" (Josué Montelo, *A Noite sobre Alcântara*, p. 197). **8.** V. *rasteira* (1). **9.** Travessia (1). **10.** Pente pequeno e curvo com que mulheres e crianças seguram o cabelo. **11.** *Caligr.* Barra horizontal de certas letras maiúsculas, como o *A*, o *H*, o *E*, etc. [Pl.: *travessas*. Cf. *travessa* (ê), *travessas* (ê), flex. de *travesso* (ê).]

travessão[1] [De *travessa* + *-ão*[1].] ***S. m.*** **1.** Travessa grande. **2.** Os dois braços da balança. **3.** Sinal de pontuação (—) empregado na escrita para separar frases, substituir parênteses e evitar a repetição de termo já mencionado. **4.** *Mús.* Traço perpendicular à pauta, e que a atravessa, servindo para separar os compassos; barra de compasso. **5.** *Bras.* Queda-d'água, cachoeira. **6.** *Bras. Amaz.* Pedras que encachoeiram as águas dum rio. **7.** *Bras. PA GO* Espécie de recife que vai de uma a outra margem dum rio, porém dividido em várias seções, formando canais mais ou menos profundos, por onde passam as canoas. **8.** *Bras. MA* Banco de areia, ou amontoado de rochas, que atravessa um rio e dá vau. **9.** *Bras. PE BA SP* Cerca que separa os terrenos de lavoura dos de pastagem. **10.** *Bras. CE* Dança cantada, em fileiras opostas, sem acompanhamento instrumental, e durante a qual os pares se aproximam e os cavalheiros trocam de lugar com as damas. **11.** *Bras. Esport.* Barra metálica, de madeira, etc., que delimita a parte superior do gol.

travessão[2] ***S. m.*** *Mar.* V. *vento de travessia*.

travessão[3] [De *travesso* (ê) + *-ão*[1].] ***Adj.*** Muito travesso (ê).

travessar [De *travesso* + *-ar*[2].] ***V. t. d. T. d. e i. T. c. T. d. e c. Int. P.*** *Bras.* Atravessar. [Pres. ind.: *travesso*, *travessas*, *travessa*, etc. Cf. *travesso* (ê) e flex. *travessa* (ê), *travessas* (ê).]

travessear [De *travesso* (ê) + *-ear*[2].] ***V. int.*** Fazer travessuras; traquinar, trasguear, reinar. [Conjug.: v. *frear*.]

travesseira [De *travesso* + *-eira*.] ***S. f.*** *Lus.* V. *travesseiro* (1).

travesseiro [De *travesso* + *-eiro*.] ***S. m.*** **1.** Almofada de paina, penas, lâminas de cortiça, etc., que se estende ao longo da testeira superior do leito e serve de apoio à cabeça de quem se deita. **2.** *Bras.* Pano em que se enfia o travesseiro; fronha. **3.** *Lus.* Almofada comprida que se atravessa sobre o colchão, ao longo da cabeceira da cama. **4.** *Arquit.* Face do lado das volutas, em um capitel de ordem jônica. ◆ **Travesseiro de orelha.** *Bras. Fam.* Pessoa que dorme com outra. **Travesseiro de Sintra.** *Lus. Cul.* Doce de massa folhada recheado de ovos moles com amêndoa, cuja forma se assemelha a uma pequena almofada. **Consultar o travesseiro.** Delongar para o dia seguinte a solução de um negócio, a tomada de uma resolução.

travessia [De *travessar* + *-ia*[1].] ***S. f.*** **1.** Ato ou efeito de atravessar uma região, um continente, um mar, etc.; travessa. **2.** *Mar.* V. *vento de travessia*. **3.** *Bras.* Ação de atravessar gêneros, de açambarcar mercadorias. **4.** Longo trecho de caminho ermo.

travesso [Do lat. *transversu*.] ***Adj.*** **1.** Posto de través; atravessado. **2.** Lateral; colateral. **3.** Fronteiro, oposto. [Flex.: *travessa*, *travessos*, *travessas*. Cf. *travesso* (ê) e flex. *travessa* (ê), *travessas* (ê), *travessos* (ê).]

travesso (ê) [De *travesso*.] ***Adj.*** **1.** Turbulento, irrequieto, buliçoso, traquina(s), treloso. **2.** Astucioso, malicioso, manhoso, treloso. **3.** Engraçado, espirituoso. [Flex.: *travessa* (ê), *travessos* (ê), *travessas* (ê). Cf. *travesso*, adj., flex. *travessa*, *travessos*, *travessas*; *travesso*, *travessas*, do v. *travessar*; e *travessa*, s. f., pl. *travessas*.]

travessura [De *travesso* (ê) + *-ura*.] ***S. f.*** **1.** Ação de pessoa travessa; traquinice. **2.** Maldade de criança. **3.** Malícia; desenvoltura.

travessurar [De *travessura* + *-ar*[2].] ***V. int.*** Fazer travessuras: "crianças travessuravam, em correrias, alteando castelos, recolhendo búzios" (Mário Sete, *Rosas e Espinhos*, p. 66).

travesti [Do fr. *travesti*.] ***S. m.*** *Gal.* **1.** Disfarce no trajar. ● ***S. 2 g.*** **2.** Indivíduo que, geralmente em espetáculos teatrais, se traja com roupas do sexo oposto. **3.** Homossexual (3) que se veste com roupas do sexo oposto.

travestir [Do fr. *travestir*.] ***V. transobj.*** **1.** Colocar fantasia em; fantasiar: *Travestiu-a de colombina.* ***P.*** **2.** Disfarçar-se; dissimular-se: *Travestiu-se de mendigo para desvendar um crime.*

travestismo [De *travesti* + *-ismo*.] ***S. m.*** Hábito, prática ou maneira de travesti (3); transvestismo.

travicha [De *trava*[1] + *-icha*.] ***S. f.*** *Bras.* V. *travadoura* (1).

travinca [Dim. de *trave*.] ***S. f.*** **1.** Trave pequena; trabécula. **2.** *P. us.* Cravelha.

travo [Dev. de *travar*.] ***S. m.*** **1.** Sabor adstringente de comida ou de bebida; amargor. **2.** Impressão de desagrado ou de amargor. [Sin. ger.: *travor*.]

travoela ***S. f.*** Espécie de pequeno trado ou verruma.

travor (ô) [De *travo* + *-or*.] ***S. m.*** V. *travo*: "Desgraçadamente, a doçura do nome trazia em si um travor." (Miguel Torga, *Bichos*, p. 92.)

travoso (ô) [De *travo* + *-oso*.] ***Adj.*** Travento: *Esse caqui é muito travoso*; "Os olhos ardiam-me, travosos. As pálpebras iam ficando pesadas, pesadas." (Cordeiro de Andrade, *Anjo Negro*, p. 115).

trazedor (ô) [De *trazer* + *-dor*.] ***Adj. S. m.*** Que, ou aquele que traz.

trazer [Do lat. *trahere*, 'puxar', 'arrastar', pelo lat. vulg. **tragere* e pelo port. arc. *trager*.] ***V. t. d.*** **1.** Conduzir ou transportar para o local onde está o falante: *O ônibus trouxe os passageiros em segurança.* **2.** Transferir de um lugar para outro; transmitir: *A televisão traz imagens longínquas.* **3.** Fazer-se acompanhar de: *Veio ao almoço e trouxe o irmão.* **4.** Conduzir, dirigir, guiar: *Depois da festa, aborrecido, trouxe o carro sem nada dizer.* **5.** Vestir, usar, trajar: "Trazia ordinariamente um vestido escuro e simples" (Eça de Queirós, *Os Maias*, II, p. 37). **6.** Ter consigo; transportar, levar, portar: *Supersticioso, traz sempre o talismã ao pescoço.* **7.** Ocasionar, acarretar, causar, originar: *Teu ato impensado trouxe graves consequências*; "Na longa noite de insônia, / escrever teu nome não traz sono mas descansa" (Odilo Costa Filho, *Cantiga Incompleta*, p. 106). **8.** Chamar, atrair: *Dizem que dinheiro traz dinheiro e que dinheiro traz felicidade.* **9.** Ter, apresentar: *O ferido trazia queimaduras.* **10.** Mostrar, exibir, ostentar: *O vencedor trazia as cores do Brasil.* **11.** Ter no coração, na alma, no íntimo; ter: "Meneses trazia amores com uma senhora, separada do marido" (Machado de Assis, *Páginas Recolhidas*, p. 78). **12.** Ter sob suas ordens; comandar: *O capitão trazia 600 homens.* **13.** Fazer referência a; citar, alegar: *Tentando justificar sua análise, trouxe autores especialistas na matéria.* ***T. d. e c.*** **14.** Trazer (4): *Trouxe o automóvel desde o Sul do País.* **15.** Fazer vir; atrair; chamar: *A delicadeza dos balconistas trouxe mais fregueses à loja*; *O festival de música trouxe muitos turistas à cidade.* ***T. d. e i.*** **16.** Oferecer, ofertar, dar: *Trouxe flores à aniversariante.* **17.** Conduzir, guiar, dirigir. **18.** Receber ou obter por transmissão; herdar: *Trouxe do pai a inteligência e da mãe a ternura.* **19.** Causar, acarretar, ocasionar:

Os maus governantes trazem infelicidade às nações; "É verdade que o ensino meticuloso de Ciências Sociais em nível superior nos dois primeiros anos da escola nos trouxe algumas dores de cabeça." (Benedito Silva, em *Informativo*, ano 5, jan. 1973, nº 1, p. 13). **20.** Dar, sugerir, suscitar: "Naquele tempo, ... pelo menos aqui em Minas, a ida à Europa ainda trazia aos espíritos a ideia das viagens coloniais" (Afonso Pena Júnior, *Saudação a Teófilo Ribeiro*, p. 5). **21.** Submeter, sujeitar: *Alexandre trouxe vários impérios ao seu domínio.* ***Transobj.*** **22.** Manter, conservar: *Traz, invariavelmente, a roupa limpa e a barba feita.* [Irreg. Pres. ind.: *trago, trazes, traz, trazemos, trazeis, trazem;* perf.: *trouxe* (ss), *trouxeste* (ss), etc.; m.-q.-perf.: *trouxera* (ss), *trouxeras* (ss), etc.; fut. pres.: *trarei, trarás,* etc.; fut. pret.: *traria,* etc.; imperat.: *traze* ou *traz,* .... *trazei, tragam;* pres. subj.: *traga,* etc.; imperf.: *trouxesse* (ss), etc.; fut.: *trouxer* (ss), etc. Cf. *trás* e *trouxe-mouxe.*]

trazida [De *trazer* + *-ida*[3].] ***S. f. P. us.*** Ato ou efeito de trazer; trazimento.

trazimento [De *trazer* + *-imento.*] ***S. m. P. us.*** Trazida.

■ **TRD** Sigla de *Taxa Referencial Diária.*

■ **TRE** Sigla de *Tribunal Regional Eleitoral.*

trebelhar [De or. incerta.] ***V. int.* 1.** Mover trebelhos no xadrez. **2.** *Desus.* Brincar, folgar. [Conjug.: v. *aparelhar.*]

trebelho (ê) [De or. incerta.] ***S. m.* 1.** Brincadeira, brinquedo, brinco, folguedo: "Nas clareiras das matas, ... os poetas viam, sonhando de olhos abertos, os trebelhos dos sátiros lascivos e das esquivas naias tentadoras..." (Martins Fontes, *A Dança*, pp. 17-18.) **2.** Dança de crianças. **3.** Cada uma das peças do jogo do xadrez.

treboço ***S. m. Bras. Pop.*** Homem ou animal volumoso, corpulento.

trecentésimo (zi) [Do lat. *trecentesimu.*] ***Num.* 1.** Ordinal e fracionário correspondente a trezentos; trezentos. ● ***S. m.* 2.** Cada uma das 300 partes iguais em que se divide um todo. **3.** Aquele ou aquilo que ocupa o trecentésimo lugar.

trecentismo ***S. m.*** Escola, estilo ou gosto dos trecentistas.

trecentista [Do it. *trecentista.*] ***Adj. 2 g.* 1.** Pertencente ou relativo ao trecentismo ou ao séc. XIV. **2.** Diz-se do escritor ou artista desse século. ● ***S. 2 g.* 3.** Escritor ou artista do séc. XIV.

trecheio [De *tre-* + *cheio.*] ***Adj.*** Muito cheio.

trecho (ê) [Do esp. *trecho.*] ***S. m.* 1.** Espaço de tempo ou de lugar; intervalo. **2.** Excerto de uma obra literária ou musical; fragmento, extrato. **3.** Parte de um todo; segmento: "Parava algumas vezes, examinando um trecho de cortina" (Machado de Assis, *Páginas Recolhidas*, p. 82); *Esta rua tem um trecho deserto.* ◆ **A breve trecho.** Dentro de pouco tempo. **A trecho.** A trechos. **A trechos.** De quando em quando (q. v.): "O seu rosto estava pálido, da cor da alva camisola rendada que lhe cobria o corpo e que o arfar agitado dos seios soerguia a trechos." (Inglês de Sousa, *Contos Amazônicos*, p. 73.)

treco ***S. m. Bras. Gír.* 1.** Qualquer objeto pequeno e mais ou menos insignificante; trem, terém. **2.** Mal-estar (1). ~ V. *trecos.*

trecos [Pl. de *treco.*] ***S. m. pl. Bras. Gír.*** Coisas de pouco valor, despreziva ou jocosamente assim consideradas; tralha, cacaréus, cacarecos: "aluguei uma casa mobiliada, e o velho casal de proprietários fez uma lista de seus trecos para eu conferir." (Rubem Braga, *Ai de Ti, Copacabana!*, p. 9). ~ V. *treco.*

tredécimo [Do lat. *tredecimu.*] ***Num.*** V. *trezeno.*

tredice [De *tredo* + *-ice.*] ***S. f.*** Qualidade ou caráter de tredo.

tredo (ê) [De or. incerta.] ***Adj.* 1.** Em que há traição; traiçoeiro: *golpe tredo.* **2.** Falso, traiçoeiro: "Era alta noite, Caudaloso e tredo, / Entre barrancos espumava o rio" (Fagundes Varela, *Poesias Completas*, I, p. 145).

trefegamente (trê) [Do f. de *trêfego* + *-mente.*] ***Adv.*** De maneira trêfega; a modo de quem é trêfego.

trefegar [De *trêfego* + *-ar*[2].] ***V. int.*** Agitar-se com irrequietação: "trefegava no lombo do macho, bambeando as pernas, a atirar relhadas a esmo espantando as muriçocas." (Coelho Neto, *Banzo*, p. 66). [Conjug.: v. *regar.*]

trêfego ***Adj.* 1.** Turbulento, irrequieto, traquina(s): "Trêfega e linda, / Papeia, e, sem parar, arfa e moureja." (Raimundo Correia, *Poesias*, p. 132.) **2.** Astuto, sagaz, ardiloso, manhoso.

trefilação [De *trefilar* + *-ção.*] ***S. f.*** Ato ou efeito de trefilar.

trefilado [Part. subst. de *trefilar.*] ***S. m.*** O produto de trefilação; designação genérica de fio, cabo e vergalhão metálicos.

trefilar [Do fr. *tréfiler.*] ***V. t. d.*** Fabricar, por estiramento (fios, cabos e/ou vergalhões metálicos).

trefilaria [De *trefilar* + *-ia*[1].] ***S. f.*** Usina de trefilação.

trégua [Do gót. *triggwa,* 'tratado'.] ***S. f.* 1.** Suspensão temporária de hostilidades. **2.** Cessação temporária de trabalho, de dor, de incômodo, etc. **3.** Férias, descanso.

treição ***S. f. Bras. Pop. Ant.*** Traição.

treina [Do fr. ant. *traïne*, atual *traîne.*] ***S. f.* 1.** Animal sobre o qual os caçadores davam de comer ao falcão, para o treinarem na caça. **2.** *Fig.* Refeição habitual; cevo.

treinado [Part. de *treinar.*] ***Adj.* 1.** Diz-se do falcão ou do açor já adestrado para a caça. **2.** Diz-se do cavalo preparado para a corrida e, p. ext., de alguém preparado para o exercício dum esporte. **3.** *P. ext.* Habituado, acostumado. [Var.: *trenado.*]

treinador (ô) [De *treinar* + *-dor.*] ***S. m.*** Profissional que treina ou adestra, que dirige ou orienta o treino. [Var.: *trenador.*]

treinagem [De *treinar* + *-agem*[2].] ***S. f.*** V. *treinamento* (1). [Var.: *trenagem.*]

treinamento [De *treinar* + *-mento.*] ***S. m.* 1.** Ato ou efeito de treinar(-se); treinagem. **2.** V. *treino* (2). [Var.: *trenamento.*]

treinando [De *treinar* + *-ando.*] ***S. m.*** Aquele que treina para prestar concurso, etc.

treinar [Do fr. ant. *traïner* (< lat. vulg. **traginare* < lat. cláss. *trahere*), atual *traîner.*] ***V. t. d.* 1.** Dar cevo a (aves). **2.** Tornar apto, destro, capaz, para determinada tarefa ou atividade; habilitar, adestrar: *Treinar atletas; treinar cães para a caça.* **3.** Exercitar, praticar: *treinar a caligrafia; Os jogadores passaram a manhã treinando arremessos da linha de três metros.* ***Int. P.* 4.** Exercitar-se para jogos desportivos, ou para outros fins. [Var.: *trenar.*]

treino [Dev. de *treinar.*] ***S. m.* 1.** Ato de se treinarem ou adestrarem pessoas ou animais para torneios ou festas de esportes; adestramento. **2.** *P. ext.* Adestramento em qualquer ramo de atividades; destreza, treinamento, adestramento: *Dactilografa sete páginas por hora: tem muito treino.* [Var.: *treno.*]

treita[1] [Do lat. *tracta,* 'arrastada'.] ***S. f.* 1.** Vestígio, rasto, pegada. **2.** *Fig.* Norma, regra.

treita[2] ***S. f. Bras.*** Treta (q. v.).

treitas [Pl. de *treita* (q. v.).] ***S. f. pl. Bras.*** Tretas.

treiteiro [De *treita* + *-eiro.*] ***Adj. S. m. Bras.*** V. *treteiro*: "a surtida foi rendosa .... pois me restituiu .... o treiteiro amor de Priscila." (Ciro dos Anjos, *A Menina do Sobrado*, p. 221).

treitento [De *treita* + *-ento.*] ***Adj. S. m. Bras.*** V. *treteiro.*

treito [Do lat. *tractu.*] ***Adj.*** V. *atreito.*

trejeitador (ô) [De *trejeitar* + *-dor.*] ***Adj. S. m.*** Que, ou aquele que trejeita.

trejeitar [De *trejeito* + *-ar*[2].] ***V. int.* 1.** Fazer trejeitos ou momices. ***T. d.* 2.** Fazer (momices ou trejeitos): *Trejeitou uma careta.* **3.** Fazer (gesto, trejeito): "trejeitava por trás da pobre iludida uns acenos de cabeça e encolher de ombros" (José Régio, *Histórias de Mulheres*, p. 317). [F. paral.: *trejeitear.*]

trejeitear [De *trejeito* + *-ar*[2].] ***V. int. T. d.*** Trejeitar. [Conjug.: v. *frear.*]

trejeiteiro [De *trejeito* + *-eiro.*] ***Adj. S. m.*** Que, ou aquele que faz muitos trejeitos ou caretas; careteiro. [Sin., bras.: *mogangueiro* (q. v.).]

trejeito [De *tres-* + lat. *jactu,* poss.] ***S. m.* 1.** Gesto, movimento: "Seus braços fazem no ar angustiosos trejeitos..." (Eugênio de Castro, *Obras Poéticas*, III, p. 144.) **2.** Careta, esgar, gaifona, momice: "trabalhávamos intermitentemente, entre trejeitos simiescos, a nos catar, a nos coçar, a nos esfregar" (Vivaldo Coaraci, *Todos Contam Sua Vida*, p. 244). **3.** Ilusionismo, passe-passe, prestidigitação. **4.** V. *tique*[1] (2).

trejurar [Do lat. *tres,* 'três', + *jurar.*] ***V. t. d.* 1.** Afirmar, jurando repetidas vezes. ***Int. T. i.* 2.** Jurar repetidas vezes. **3.** Jurar três vezes.

trela [Do lat. **tragella,* por *tragula.*] ***S. f.* 1.** Tira de couro ou de metal com que se prendem os cães, sobretudo os de caça. **2.** *Fig.* Licença, liberdade. **3.** *Bras.* Travessura, traquinada, traquinice. **4.** *Pop.* Conversa, cavaco, tagarelice. ◆ **Bater trela.** *Bras. ES* Andar muito, ociosamente. **Dar trela a.** *Bras.* **1.** Conversar com. **2.** Dar confiança a. **3.** Corresponder ao namoro de.

trelência [De *treler* + *-ência.*] ***S. f. Bras.*** Ato ou efeito de treler.

trelente [De *treler* + *-nte.*] ***S. 2 g. Bras.* 1.** Pessoa que trelê ou dá trela; tagarela. **2.** V. *treloso* (2).

treler [De *tresler* (q. v.).] ***V. int. T. i.* 1.** Dar trela; tagarelar: *Gosta de treler; Fica horas a treler com as moças.* **2.** Ser intrometido, implicante. **3.** Não saber o que diz nem o que faz; caducar: *Pobre velhinho: está trelendo.* **4.** *Bras. SP* Duvidar; discutir. [Irreg. Conjug.: v. *ler.*]

trelho (ê) ***S. m.*** Instrumento usado para bater a nata no preparo da manteiga. ◆ **Sem trelho nem trabelho.** Sem jeito; à toa, desordenadamente; sem tom nem som; sem trelho nem trebelho. **Sem trelho nem trebelho.** V. *sem trelho nem trabelho.*

treliça [Do fr. *treillis.*] ***S. f. Bras.* 1.** Sistema de vigas cruzadas empregado no travejamento das pontes. **2.** *Arquit. Constr.* Estrutura composta por uma ou mais unidades triangulares construídas com elementos retilíneos e delgados. **3.** Trabalho de ripas de madeira cruzadas utilizado, com fins ornamentais ou funcionais, em portas, biombos, caramanchões, etc. ◆ **Treliça espacial.** *Arquit. Constr.* Treliça (2) cujos elementos estão dispostos em três dimensões. **Treliça plana.** *Arquit. Constr.* Treliça (2) na qual todos os elementos estão dispostos em um mesmo plano.

treloso (ô) [De *trela* + *-oso.*] ***Adj. Bras. Fam.* 1.** V. *travesso* (ê) (1 e 2). **2.** Intrometido, importuno, implicante, trelente: "A expressão de deboche do treloso foi de tal ordem que a mestra caiu em si de repente e compreendeu a que .... ele estava se referindo." (Antônio Bulhões, *Contos Inatuais*, p. 125).

trem [Do fr. *train.*] ***S. m.* 1.** Conjunto de objetos que formam a bagagem de um viajante. **2.** Comitiva, séquito. **3.** Mobiliário duma casa. **4.** Conjunto de objetos apropriados para certos serviços. **5.** Carruagem, sege. **6.** Vestuário, traje, trajo. **7.** *Mar. G. Bras.* Grupamento de navios auxiliares destinados aos serviços (reparos, abastecimento, etc.) de uma esquadra. **8.** *Bras.* Comboio ferroviário; trem de ferro. **9.** *Bras.* Bateria de cozinha. **10.** *Bras. MG C.O. Pop.* Qualquer objeto ou coisa; coisa, negócio, treco, troço: "ensopando o arroz e abusando da pimenta, trem especial, apanhado ali mesmo, na horta." (Humberto Crispim Borges, *Cacho de Tucum*, p. 186). **11.** *Bras. MG S. Fam.* Indivíduo sem préstimo, ou de mau caráter; traste. ● ***Adj. 2 g. e 2 n.* 12.** *Bras. MG Pop.* Diz-se de pessoa ou coisa ruim, ordinária, imprestável; trenheiro: *É um sujeito muito trem; São mulherzinhas muito trem.* ~ V. *trens.* ◆ **Trem da alegria.** *Pop.* Nomeação (2 e 3) irregular de grande número de pessoas para cargos públicos, no âmbito federal, ou no estadual, ou no municipal. "Magalhães lhe dissera 'vou meter você no trem da alegria do Senado'". (Rubem Fonseca, *Agosto*, p. 36.) **Trem de aterragem.** *Aer.* V. *trem de aterrissagem.* **Trem de aterrissagem.** *Aer.* Mecanismo sustentador das rodas do avião; trem de aterragem, trem de pouso. **Trem de ferro.** *Bras.* Trem (8). **Trem de onda.** *Fís.* V. *pacote de ondas.* **Trem de pouso.** *Aer.* V. *trem de aterrissagem.* **Trem de vida.** Maneira de alguém ou uma família viver, geralmente quanto aos gastos, ao nível econômico: "Não há .... desprestígio para o sertanejo nordestino em ter permanecido dentro dessas limitações com o seu trem de vida insignificante, em termos de riqueza." (Sousa Barros, *Cercas Sertanejas*, pp. 15-16.)

trema [Do gr. *trêma,* 'orifício (ponto)'.] ***S. m.*** Sinal diacrítico (¨) que, sobreposto a uma vogal, serve para indicar que ela não forma ditongo com a que lhe está próxima; ápices, diérese. [No Brasil, até o presente acordo ortográfico, o trema era us. apenas sobre o *u*, quando este, sendo sonoro, vinha depois de *g* ou *q* e precedia *e* ou *i*, como, p. ex., em *freqüentar, ungüento, tranqüilo, argüir.* Recentemente abolido em tais condições, o trema atualmente só é us. em estrangeirismos e derivados de antropônimos estrangeiros: Müller e mülleriano, p. ex.]

tremado[1] [Part. de *tremar*[1].] ***Adj.*** Em que se pôs o trema; marcado com trema.

tremado[2] [Part. de *tremar*[2].] ***Adj.*** A que se descompuseram os fios; destramado.

tremandrácea [Do tax. *Tremandra* + *-ácea*; tax. *Tremandraceae.*] ***S. f. Bot.*** Espécime das tremandráceas, família de plantas da ordem das geraniales, composta de umas 25 espécies de arbustos exclusivos da Austrália.

tremandráceo [De *tremandrácea*, com var. suf. (v. *-áceo*).] ***Adj. Bot.*** Pertencente ou relativo às tremandráceas.

tremar[1] [De *trema* + *-ar*[2].] ***V. t. d.*** Pôr trema em; marcar com trema: *Em certas palavras, como, p. ex., frequente, costumávamos tremar o u.*

tremar[2] [Do ant. fr. *tremuer*, poss.] ***V. t. d.*** Descompor os fios de; destramar.

tremate [De or. obsc.] ***S. f. Bras. Bot.*** Planta asterácea (*Veronia scabra*) de folhas ásperas, pubescentes, inflorescências paniculadas e que têm propriedades estimulantes.

trematódeo [Adapt. do tax. *Trematoda.*] ***Zool. S. m.* 1.** Espécime dos trematódeos, classe de animais platelmintos parasitas, de sistema digestório incompleto e corpo geralmente foliáceo e assegmentado, desprovido de cílios. Fixam-se por meio de ventosas ou ganchos ou ambos. Muito conhecido é o esquistossomo, causador da esquistossomose humana. ● ***Adj.* 2.** Pertencente ou relativo a eles.

trem-bala [De *trem* (8) + *bala* (1).] ***S. m.*** Trem (8) que desenvolve velocidade muitíssimo superior às dos demais. [Pl.: *trens-balas* e *trens-bala.*]

tremebundo [Do lat. *tremebundu*.] *Adj.* **1.** V. *tremedor*: "aquele que se deitou aquecidamente confiante no dia de amanhã saltará para esse amanhã um anarquista de sangue-frio e coração resfriado, de alma e pés insensíveis, gripado, tiritante e tremebundo" (Fernando Sabino, *Medo em Nova Iorque. A Cidade Vazia*, p. 203). **2.** Que faz tremer. **3.** *Fig.* Formidando, tremendo.

tremecém [De *três meses*.] *Adj. 2 g.* V. *tremês*. [Cf. *tremessem*, do v. *tremer*.]

tremedal [De *tremer*.] *S. m.* **1.** V. *pântano*: "a cada momento o pé encontra um tremedal, terra empapada, barro amolecido até os penetrais" (Aquilino Ribeiro, *Aldeia*, p. 272). **2.** *Fig.* Degradação moral; torpeza: "os outros rebalsaram-se no tremedal das sensações brutais, e endeusaram o celibato, escoltado de escândalos, e o amor material com todas as suas impurıdades." (Camilo Castelo Branco, *Doze Casamentos Felizes*, p. 242). **3.** *Bras. MA Bot.* Vegetação flutuante que se alastra sobre grandes extensões de rios.

tremedalense *Adj. 2 g.* **1.** De, ou pertencente ou relativo a Tremedal (BA). ● *S. 2 g.* **2.** O natural ou habitante de Tremedal.

tremedeira [De *tremer* + *-deira*.] *S. f.* **1.** V. *tremor* (1). **2.** V. *malária*. **3.** *Bras. RS* Os últimos instantes dum moribundo.

tremedor (ô) [De *tremer* + *-dor*.] *Adj.* Que treme; tremente, tremebundo.

tremela[1] [Do tax. *Tremella*.] *S. f. Micol.* **1.** Gênero de fungos tremeláceos, dotados de esporóforos amarelados, gelatinosos, e com circunvoluções que lembram as do cérebro. **2.** Espécie ou espécime desse gênero.

tremela[2] *S. f. Bras. Pop.* V. *tramela* (1).

tremelácea [Do tax. *Tremella* (v. tremela[1]) + *-ácea*; tax. *Tremellaceae*.] *S. f. Micol.* Espécime das tremeláceas, família de grandes fungos basidiomicetos, com esporóforo conspícuo e gelatinoso quando umedecido, que vivem sobre galhos apodrecidos.

tremeláceo [De *tremelácea*, com var. suf. (v. *-áceo*).] *Adj. Micol.* Pertencente ou relativo às tremeláceas.

tremelear [Por *tremerear (< *tremer* + *-ear*[2]).] *V. int.* **1.** V. *tremelicar*. **2.** Estar perplexo. **3.** Gaguejar, tartamudear. [Conjug.: v. *frear*.]

tremelga *S. f. Lus. Zool.* V. *treme-treme* (1).

tremelica [Dev. de *tremelicar*.] *Adj. 2 g. S. 2 g.* **1.** Diz-se de, ou pessoa muito assustadiça. **2.** Medroso, frouxo, pusilânime.

tremelicação [De *tremelicar* + *-ção*.] *S. f.* Tremelique.

tremelicante [De *tremelicar* + *-nte*.] *Adj. 2 g.* V. *tremelicoso*.

tremelicar [Por *tremericar (< *tremer* + *-icar*).] *V. int.* **1.** Tremer de susto, ou de frio. **2.** Tremer frequentes vezes, repetidamente. *T. d.* **3.** Fazer tremer; tremer, estremecer: "ela virava e tremelicava as espáduas, remexia as nádegas" (Marques Rebelo, *A Mudança*, p. 452). [Sin. ger.: *tremelear*. Conjug.: v. *trancar*.]

tremelicoso (ô) [De *tremelicar* + *-oso*.] *Adj.* Que tremelica; trêmulo, tremelicante.

tremelique [Dev. de *tremelicar*.] *S. m.* Ato de tremelicar; tremelicação.

tremeluzente [De *tremeluzir* + *-ente*.] *Adj. 2 g.* Que tremeluz.

tremeluzir [De *tremer* + *luzir*.] *V. int.* Brilhar com luz trêmula; cintilar, lucilar, luciluzir, luziluzir, tremer: "Uma estrelinha tremeluzia no céu." (Eça de Queirós, *Contos*, p. 140); "O vale abriu-se em pirilampos cheio, / Luzindo aqui, e ali tremeluzindo..." (Olegário Mariano, *Toda uma Vida de Poesia*, I, p. 194). [Normalmente, é unipess. Conjug.: v. *luzir*.]

tremembé[1] [Do tupi = 'escoar molemente'.] *S. m.* Terreno alagadiço, apaulado, muitas vezes coberto de vegetação aquática. [Sin.: *teremembé* e *tramembé*.]

tremembé[2] *Bras. S. 2 g.* **1.** *Etnôn.* Indivíduo dos tremembés, povo indígena extinto que habitava o município de Itarema (CE). ● *Adj. 2 g.* **2.** Pertencente ou relativo a esse povo. [Tb. us. como *s. 2 g. e 2 n.* (com cap.) e *adj. 2 g. e 2 n.*]

tremembeense (eên) *Adj. 2 g.* **1.** De, ou pertencente ou relativo a Tremembé (SP). ● *S. 2 g.* **2.** O natural ou habitante de Tremembé.

tremenda [F. subst. de *tremendo*.] *S. f.* Pedaço de toicinho que os frades de S. Bento comiam altas horas da noite.

tremendo [Do lat. *tremendu*.] *Adj.* **1.** Que causa temor; que faz tremer; terrível, horroroso. **2.** Respeitável, formidável. **3.** Fora do comum; extraordinário: *um tremendo guri; um tremendo carro; um tremendo filme.*

tremente [Do lat. *tremente*.] *Adj. 2 g.* V. *tremedor*: "Como pequenas lâmpadas trementes / Fosforeavam na relva os pirilampos." (Olavo Bilac, *Poesias*, p. 85.)

tremer [Do lat. *tremere*.] *V. t. d.* **1.** Ter medo de; temer, recear: *Treme a desgraça.* **2.** Agitar com tremor; tremular: "tremeu os lábios, um instante, como aquele que vai, com ditos grandes, botar o mundo abaixo." (Valdomiro Silveira, *Os Caboclos*, p. 10). **3.** Fazer tremer; estremecer: *O trovão tremeu a terra.* **4.** Tiritar por causa de: *A criança treme sezões; Febril, tremia calafrios.* *Int.* **5.** Experimentar tremor ou abalo; agitar-se, abalar-se, estremecer: "Perde o lume dos olhos, pasma, e treme, / Pálida a cor, o aspecto moribundo" (Santa Rita Durão, *Caramuru*, VI, p. 42); *A terra tremeu com o estrondo.* **6.** Ser abalado pelo temor; assustar-se: *Não trema diante do perigo.* **7.** Ondular, tremular: *A bandeira treme ao vento.* **8.** Tiritar de frio, de susto ou de doença: *Tremeu de febre a noite toda.* **9.** Tremeluzir, cintilar: "Através da janela aberta podia ver as estrelas que tremiam no seu brilho distante." (Autran Dourado, *Nove Histórias em Grupos de Três*, p. 198.) *T. i.* **10.** Ter medo; temer-se, arrecear-se: *Treme da morte.* [Imperf. subj.: *tremesse* (ê), *tremesses* (ê), *tremesse* (ê), *tremêssemos, tremêsseis, tremessem* (ê). Cf. *tremecém*.]

tremês [De *três* + *mês*.] *Adj. 2 g.* **1.** Que dura três meses. **2.** Que nasce e amadurece em três meses. [Sin. ger.: *tremesinho, tremecém*. Pl.: *tremeses* (ê).]

tremesinho [De *tremês* + *-inho*[2].] *Adj.* V. *tremês*.

tremetara *S. f. Bras. Zool.* **1.** V. *castanha* (12). **2.** V. *papa-terra* (3).

treme-treme [Da 3ª pess. do sing. do pres. ind. de *tremer*, repetida.] *S. m. Bras.* **1.** *Zool.* Raia narcinídea (*Narcine brasiliensis*) do Atlântico ocidental, de dorso pardo escuro a cinza pardacento, ger. com manchas ou anéis escuros, irregulares, e superfície ventral branca ou amarelada. Comprimento: até 50cm. Tem órgão elétrico, capaz de imobilizar pequenas presas, crustáceos e moluscos, os quais devora. Vive no fundo do mar, em águas rasas. [Sin.: *arraia-elétrica, raia-elétrica* e (lus.) *tremelga*.] **2.** *Bot.* Flor-de-cabocло. **3.** Tremor contínuo: "o mundo enfeitado de vitrilhos suspensos / Nos treme-tremes dos potreiros" (Filipe d'Oliveira, *Lanterna Verde*, p. 28). **4.** *Bot.* Nome comum a duas plantas poáceas (a *Bryza brachycaeta* e a *B. viridis*) de espículas dotadas de pequenas flores violáceas, que recebem este nome porque estremecem ao mais leve sopro. [Pl.: *treme-tremes e tremes-tremes*.]

tremetremer [De *tremer* + *tremer*.] *V. int.* Tremer continuamente; tremelicar: "— Pois não, Tenente, pois não, disse a mulher, olhos arregalados de espanto, enquanto os seios tremetremiam como gelatina." (Orígenes Lessa, *Omelete em Bombaim*, p. 127.)

tremido [Part. de *tremer*.] *Adj.* **1.** Que revela tremor; sem firmeza; incerto, vacilante, trêmulo: *voz tremida*; "Escreveu num retalho de papel, com aquela sua letra tremida como um gráfico de febre, ... o seu endereço" (Raquel de Queirós, *A Donzela e a Moura Torta*, p. 67). **2.** *Fam.* Duvidoso, incerto, arriscado. ~ V. *água —* e *tirana*[2]*— a.* ● *S. m.* **3.** Tremura, tremor. **4.** Tortuosidade, sinuosidade.

tremifusa [De *trem(er)* + *-i-* + *fusa*.] *S. f. Mús.* Nota musical equivalente à metade de uma semifusa.

treminhão *S. m. Bras.* Caminhão com dois ou três reboques.

trémito *S. m.* V. *trêmito*. [Uso freq. em P.]

trêmito [De *frêmito*, com infl. de *tremer*.] *S. m.* Frêmito: "um trêmito geral o corre fibra a fibra" (Antônio Feliciano de Castilho, *As Geórgicas*, p. 151); "O chão riscava-se dos passos / Das sombras em tropel, em trêmitos e abraços, / Lentas, a espreguiçar-se." (Alberto de Oliveira, *Poesias*, 2ª série, p. 381).

tremó [Do fr. *trumeau*.] *S. m.* **1.** Aparador com espelho alto, e que cobre o espaço de parede entre duas janelas: "Era um gabinete forrado de azul, com um bonito tremó do século XV" (Eça de Queirós, *Os Maias*, I, p. 445). **2.** O espaço da parede entre duas janelas.

tremoçada [De *tremoço* + *-ada*[1].] *S. f.* Grande porção de tremoços.

tremoçal [De *tremoço* + *-al*[1].] *S. m.* **1.** Quantidade mais ou menos considerável de tremoceiros dispostos proximamente entre si. **2.** Área ocupada por tremoçal (1).

tremoceiro [De *tremoço* + *-eiro*.] *S. m.* **1.** *Bot.* V. *tremoço* (1). **2.** Vendedor ambulante de tremoços.

tremoço (ô) [Do gr. *thérmos*, ár. *turmus*.] *S. m. Bot.* **1.** Nome comum a plantas fabáceas do gênero *Lupinus* (v. *lupino*) forrageiras ou ornamentais, cujas sementes encerram alcaloides; tem sido cultivada desde a Antiguidade por serem suas sementes nutritivas, comestíveis após cozimento. [Sin.: *tremoceiro*.] **2.** Semente de tremoço (1). **3.** V. *abrótea*[2] (2). [Pl.: *tremoços* (ó).]

tremoço-amarelo *S. m. Bot.* Planta fabácea (*Lupinus luteus*) nativa do Mediterrâneo, com flores amarelas, dispostas em racemos terminais, folhas digitadas e vagens oblongas. [Pl.: *tremoços-amarelos*.]

tremoço-branco *S. m. Bot.* Planta fabácea (*Lupinus albus*) anual, nativa da região mediterrânea e, hoje, amplamente dispersa pelo mundo. Tem flores alvas, em inflorescências eretas, folhas digitadas e vagens com sementes achatadas. [Pl.: *tremoços-brancos*.]

tremoço-de-flor-azul *S. m. Bot.* Planta fabácea (*Lupinus varius*) anual, ornamental, nativa da Europa. [Pl.: *tremoços-de-flor-azul*.]

tremolita [Do top. *Tremola* (Itália) + *-ita*[3].] *S. f. Min.* Mineral monoclínico do grupo dos anfibólios, silicado de cálcio e magnésio, e que pode conter ou não conter ferro.

tremonha *S. f.* V. *canoura*.

tremonhado [De *tremonha* + *-ado*[1].] *S. m.* Lugar, vaso ou utensílio onde cai a farinha que vai sendo moída.

tremor (ô) [Do lat. *tremore*.] *S. m.* **1.** Ato ou efeito de tremer; tremura, tremedeira. **2.** *Med.* Tremor (1) involuntário que compromete extensão variável do corpo. **3.** Medo, receio, temor. ◆ **Tremor de terra.** *Geofís.* V. *sismo*: "Em 1 de novembro de 1755, um terrível tremor de terra sacudiu Lisboa." (José Hermano Saraiva, *História Concisa de Portugal*, p. 243.)

trempe [Do lat. *tripes, dis*; formação algo obscura.] *S. f.* **1.** Arco de ferro com três pés sobre o qual se põem panelas que vão ao fogo. [Sin., bras.: *tripé*.] **2.** Espécime de manilha[2] (2) de três parceiros. **3.** Jangada de três paus. **4.** *Fam.* Conjunto de três pessoas reunidas para o mesmo objetivo ou por interesse comum. **5.** *Bras. Prov. port.* Conjunto de três pedras sobre o qual se assenta, ao fogo, a panela.

trem-tipo *S. m. Constr.* Conjunto de cargas de grandezas e espaçamentos padronizados, para o qual se dimensiona a estrutura de uma ponte. [Pl.: *trens-tipos* e *trens-tipo*.]

tremulação [De *tremular* + *-ção*.] *S. f.* Ato de tremular.

tremulante [De *tremular* + *-nte*.] *Adj. 2 g.* Que tremula; tremulento.

tremular [Do lat. *tremulare*.] *V. t. d.* **1.** Mover com tremor; agitar, desfraldar, brandir, vibrar: *Tremulando panos brancos pediram paz.* *Int.* **2.** Mover-se com tremor: "Anoitece... / Tremula ainda, no poente, a luz de alguns clarões" (Ronald de Carvalho, *Poemas e Sonetos*, p. 12); "No Aquidabã, o possante couraçado, tremulava o pavilhão do chefe" (Virgílio Várzea, *Nas Ondas*, p. 202); "O Conde .... fitava os olhos turvos na folha de papel azul, que tremulava no chão assoprada pelo vento." (D. João da Câmara, *Contos*, p. 43). **3.** Cintilar, tremeluzir: *Nos montes o Sol tremulava.* **4.** Hesitar, vacilar, titubear: *Tremulava, sem saber que deliberação tomar.* **5.** Ressoar, tremendo: "Nos lagos de esmeralda um canto ardente / Tremula, e sobe, num rumor de liras, / Por entre jorros de água transparente" (Ronald de Carvalho, *Poemas e Sonetos*, p. 165). [Pres. ind.: *tremulo*, etc. Cf. *trêmulo*, adj., e *Trêmulo*, antr.]

tremulento [De *trêmulo* + *-ento*.] *Adj.* Tremulante: "Ajeitava a vela, tornava a proteger a chama tremulenta" (Nélio Reis, *O Rio Corre para o Mar*, p. 158).

tremulina *S. f.* **1.** Tremor superficial. "Jana .... ficou a mirar na tremulina das águas o reflexo das estrelas." (Xavier Marques, *Jana e Joel*, p. 103.) **2.** Reflexo trêmulo da luz na superfície das águas levemente agitadas: "Sobre o debrum negro de Niterói fosforeavam as primeiras luzes que o mar debuxava numa esteira em tremulina de ouro..." (Gastão Cruls, *Contos Reunidos*, p. 43.)

trémulo *Adj. S. m.* V. *trêmulo*. [Uso freq. em P.]

trêmulo [Do lat. *tremulu*.] *Adj.* **1.** Que treme: *De trêmula, a mão quase não lhe permite escrever*; "E no seu rosto / Uma lágrima trêmula resvala" (Olavo Bilac, *Tarde*, p. 55). **2.** Hesitante, vacilante. **3.** Brilhante, cintilante. **4.** Acanhado, tímido. ● *S. m.* **5.** Efeito produzido pela repetição rápida dos mesmos sons num instrumento. **6.** *Mús.* Na técnica vocal, repetição rápida de uma nota sem produzir oscilações em sua altura. [Cf. *vibrato*.] **7.** *Mús.* Leve tremido na voz falada ou cantada. **8.** *Mús.* Na escrita musical, desdobramento de uma figura de valor em outras figuras de valores menores. **9.** *Mús.* Efeito próprio dos instrumentos de arco, consistente na repetição acelerada da mesma nota, por meio de arcadas rapidíssimas, e que é indicado, na notação, por pequenos traços oblíquos que atravessam a nota repetida. **10.** *Mús.* Som que se obtém, nos órgãos e harmônios, introduzindo-lhes no tubo que conduz o ar ao someiro uma caixinha provida de mola. **11.** *Acúst.* V. *intermitência* (2). [Cf. *tremulo*, do v. *tremular*.] ~ V. *trêmulos*.

trêmulos [Pl. de *trêmulo*.] *S. m. pl.* Conjunto de pedras preciosas em forma de flores, que oscilam nas extremidades de pequenos arames. ~ V. *trêmulo*.

tremura [De *trem-*, como em *tremor*, + *-ura*.] *S. f.* V. *tremor* (1): "rosnava incoerências com os joelhos entrebatendo-se em tremuras convulsas." (Coelho Neto, *Treva*, p. 193). ~ V. *tremuras*.

T

tremuras [Pl. de *tremura*.] ***S. f. pl.*** **1.** Susto com tremor. **2.** Transes, angústias. ~ V. *tremura*.

trena [Do lat. *trini*, 'de três em três', com infl. da term. dos distributivos seguintes: *seni*, *septeni*, etc.] ***S. f.*** **1.** Fita de seda, ouro ou prata, para atar o cabelo. **2.** Baraço de pião. **3.** *Bras.* Fita metálica, por via de regra com 10m, 20m ou 25m de comprimento, usada na medição de terrenos. **4.** Fita métrica de menor comprimento, usada por alfaiates e outros profissionais.

trenado [Part. de *trenar*.] ***Adj.*** V. *treinado*.

trenador (ô) ***S. m.*** V. *treinador*.

trenagem ***S. f.*** V. *treinagem*.

trenamento ***S. m.*** V. *treinamento*.

trenar ***V. t. d. Int. P.*** V. *treinar*.

trenheira [De *trem* (10) + *-eira*.] ***S. f.*** *Bras. SP MG Pop.* Porção de trens misturados: "O veeiro de malacacheta podre, um trem marmo, deste tamanho, misturada com osso de cavalo, e aquela trenheira toda, ... 'tá rumeando pro lado de cá de suas terras." (Nélson de Faria, *Bazé*, p. 118.)

trenheiro [De *trem* + *-eiro*.] ***Adj.*** *Bras. MG Pop.* Trem (12).

treno[1] [Do gr. *thrênos*, 'lamento', pelo lat. *threnu*.] ***S. m.*** Canto plangente; elegia: "Não venho, senhora minha, / Ao som dum treno choroso, / Lembrar-lhe a história mesquinha / Dum romance desditoso." (João Penha, *Rimas*, p. 120.)

treno[2] ***S. m.*** V. *treino*.

trenó [Do fr. *traîneau*.] ***S. m.*** Veículo provido de esquis em vez de rodas, e apropriado para deslizar sobre gelo ou neve.

trenodia [Do gr. *threnodía*.] ***S. f.*** Ode de caráter fúnebre.

trens [Pl. de *trem*.] ***S. m. pl.*** *Bras. Fam.* Coisas, objetos; bagagem, trastes. [Var.: *teréns*.] ~ V. *trem*.

trentino ***Adj.*** **1.** De, ou pertencente ou relativo a Trento (Itália). ● ***S. m.*** **2.** O natural ou habitante de Trento.

treónico ***Adj.*** *Quím.* V. *treônico*. [Uso freq. em P.]

treônico [De *tre-* (v. *treose*) + *-ônico* (< *glicônico*).] ***Adj.*** *Quím.* ~ V. *ácido —*.

treonina [Do rad. *treon-* (< [*ácido*] *treônico*) + *-ina*[3].] ***S. f.*** *Quím.* Aminoácido natural, essencial, hidroxilado [fórm.: $C_4H_9NO_3$].

treose [De *tre-*, poss. anagrama de *eritr(o)-* (q. v.), + *-ose*[2].] ***S. f.*** *Quím.* Substância de consistência xaroposa, de sabor doce, solúvel em água, aldotetrose da qual se conhece somente o enantiômero D [fórm.: $C_4H_8O_4$]. [Cf. *triose*.]

trepa ***S. f.*** *Pop.* **1.** V. *surra* (1). **2.** V. *repreensão* (1).

trepação [De *trepar* + *-ção*.] ***S. f.*** **1.** *Bras.* O falar mal de alguém; maledicência. **2.** *Bras.* Caçoada, motejo, pilhéria. **3.** *Bras. Chulo* Sucessão de trepadas ou cópulas.

trepada [De *trepar* + *-ada*[1].] ***S. f.*** **1.** *Bras.* Subida, ladeira. **2.** *Bras. Chulo* Cópula carnal. **3.** *Pop.* V. *repreensão* (1).

trepadeira [De *trepar* + *-deira*.] ***Adj.*** ***(f.)*** ***S. f.*** Diz-se de, ou planta que trepa, apoiando-se em suportes dos mais variados tipos: "trepadeiras enlaçavam as grades." (Graciliano Ramos, *Caetés*, p. 242).

trepado [Part. de *trepar*.] ***Adj.*** *Bras. Gír.* **1.** Com arma de fogo: "— Tava trepado? — perguntou Inferninho. — Não, não tava de revólver, não." (Paulo Lins, *Cidade de Deus*, p. 38.) **2.** Diz-se de veículo (bicicleta, moto ou carro) que tenha recebido peças roubadas. **3.** Que é fruto de assalto: *celular trepado.*

trepadoiro [De *trepar* + *-doiro*[2].] ***S. m.*** Trepadouro (q. v.).

trepador (ô) [De *trepar* + *-dor*.] ***Adj.*** **1.** Que trepa. **2.** *Bot.* Diz-se do caule e da planta que se apoiam em suportes para subir, ou por enrolamento, ou por meio de gavinhas e órgãos semelhantes; escandente. **3.** *Bras.* Maldizente, maledicente, difamador. **4.** *Bras.* Diz-se de indivíduo muito dado a trepadas ou cópulas. **5.** *Zool.* Cujos dedos dos pés se distribuem em dois para a frente, e dois para trás (diz-se de ave). ● ***S. m.*** **6.** Aquele que trepa. **7.** *Bras.* Indivíduo trepador (3 e 4).

trepadouro [De *trepar* + *-douro*[2]; var. de *trepadoiro*.] ***S. m.*** Lugar por onde se trepa.

trepa-moleque [De *trepar* + *moleque*.] ***S. m.*** *Bras.* **1.** Armário antigo, de dois corpos. **2.** Travessa (10) ornamental, de tartaruga ou de marfim, mais alta que larga, em geral com enfeites de ouro e prata, usada dos fins do séc. XVII a meados do XIX; tapa-missa: "pentes, que na primeira metade do século XIX, com os nomes de 'tapa-missa' e 'trepa-moleque', atingiram no Brasil formas bizarras e tamanhos incríveis" (Gilberto Freire, *Sobrados e Mocambos*, I, p. 261). **3.** *Zool.* V. *jaburu-moleque*. **4.** *Zool.* V. *potó*[2]. **5.** Artefato pirotécnico que, uma vez aceso, salta, dando vários pequenos estalos sucessivos. [Sin., nesta acepç., no RJ: *pega-moleque*. Pl.: *trepa-moleques*.]

trepanação [De *trepanar* + *-ção*.] ***S. f.*** *Cir.* Ato ou efeito de trepanar.

trepanar [De *trépano* + *-ar*[2].] ***V. t. d.*** *Cir.* Perfurar (osso) mediante uso de trépano. (1). [Pres. ind.: *trepano*, etc. Cf. *trépano*.]

trépano [Do gr. *trýpanon*, 'verruma', pelo b.-lat. *trepanu*.] ***S. m.*** **1.** *Cir.* Instrumento cirúrgico, movimentado manual ou eletricamente, e de que há vários tipos, sendo empregado para abertura de orifício em osso, esp. da abóbada craniana. **2.** *Constr.* Instrumento provido de gumes muito cortantes, com que se fazem furos de sondagem nos solos. [Cf. *trepano*, do v. *trepanar*.]

trepar [Da onom. *trep*, imitativa do ato de pisar, + *-ar*[2].] ***V. t. d.*** **1.** Subir a, valendo-se das mãos e/ou dos pés. **2.** Ir para cima de; subir: "numa ou noutra nesga longínqua, fendendo a brenha na figura de ofídios gigantescos, as rodovias de tom laranja, que trepam e descem o terreno movimentado." (Raimundo Morais, *País das Pedras Verdes*, p. 166). ***T. i.*** **3.** Elevar-se em categoria: *Trepou a posições altíssimas.* **4.** *Bras.* Falar mal; difamar: *É dado a trepar em todo o mundo.* **5.** *Bras. Chulo* Ter contato carnal; copular: *Trepa com várias pessoas.* ***T. c.*** **6.** Alçar-se, subir, segurando-se com as mãos e com os pés: *Trepou a uma jaqueira*; "Indagamos de D. Guilhermina se o menino João [João Ribeiro] era arteiro, se gostava de trepar às árvores" (Joaquim Ribeiro, *9 Mil Dias com João Ribeiro*, p. 150); "Ia ao pomar, comia frutas, trepava em árvores" (Júlio Ribeiro, *A Carne*, p. 23). ***T. d. e c.*** **7.** Fazer subir; alçar: *O pai trepou a criança no muro.* ***Int.*** **8.** Ascender (plantas trepadeiras). **9.** *Bras. Chulo* Ter relações sexuais; copular. ***P.*** **10.** Subir, elevar-se: "O terreno se aplainava, nenhuma saliência onde nos trepássemos e nos desse a impressão de nos tornarmos salientes." (Graciliano Ramos, *Memórias do Cárcere*, 1º vol., p. 329.)

trepidação [Do lat. *trepidatione*.] ***S. f.*** **1.** Ato ou efeito de trepidar: "Vibra uma trepidação no solo; e a boiada estoura..." (Euclides da Cunha, *Os Sertões*, p. 128.) **2.** Tremura dos nervos. **3.** Tremor das imagens, no cinematógrafo. **4.** Movimento vibratório de baixo para cima, semelhante ao que se experimenta num veículo em movimento. **5.** Leve abalo sísmico. **6.** *Mar.* Vibração continuada e intensa, no casco da embarcação movida a máquina ou motor, e que ocorre quando o período de pulsação da máquina ou do motor coincide com o período de vibração do casco, ou quando o hélice gira fora da água em virtude de jogo longitudinal muito forte.

trepidante [Do lat. *trepidante*.] ***Adj. 2 g.*** **1.** Que trepida. **2.** Trêmulo, hesitante, vacilante. **3.** Assustado, sobressaltado.

trepidar [Do lat. *trepidare*.] ***V. int.*** **1.** Tremer, estremecer; vibrar: *O automóvel está trepidando.* **2.** Tremer com medo ou susto. **3.** Andar ou apoiar-se tremendo. **4.** Vacilar, hesitar, titubear. **5.** Ter ou causar trepidação. ***T. i.*** **6.** Vacilar, hesitar, titubear: *Não trepide em aceitar o convite.* [Pres. ind.: *trepido*, *trepidas*, etc. Cf. *trépido*.]

trepidez (ê) [De *trépido* + *-ez*.] ***S. f.*** Qualidade ou estado de trépido.

trépido [Do lat. *trepidu*.] ***Adj.*** **1.** Trêmulo de susto. **2.** Assustado, sobressaltado: "examina receoso a consciência, investiga, trépido, o futuro" (Capistrano de Abreu, *Ensaios e Estudos*, 1ª série, p. 57). **3.** Que revela ou denota susto, sobressalto: "Logo o seu passo trépido, miúdo, / na breve escada e no meu coração / ressoava" (Carlos Magalhães de Azeredo, *Vida e Sonho*, p. 137). **4.** Que corre ou flui tremendo: *o trépido regato*; "Vai a noite calada — ao longe apenas / Trépida veia de cristal murmura." (Gonçalves Dias, *Obras Poéticas*, II, p. 348). [Cf. *trepido*, do v. *trepidar*.]

trepidómetro ***S. m.*** *Geofís.* V. *trepidômetro*. [Uso freq. em P.]

trepidômetro [De *trepid-*, como em *trepidare* e *trepidação*, + *-o-* + *-metro*.] ***S. m.*** *Geofís.* Instrumento destinado a medir vibrações, trepidações, ou oscilações de construções ou do próprio solo.

tréplica [Dev. de *treplicar*.] ***S. f.*** **1.** Ato de treplicar. **2.** Resposta a uma réplica; contrarréplica. [Cf. *treplica*, do v. *treplicar*.]

treplicar [Do lat. *triplicare*, por via pop.] ***V. int. T. i.*** **1.** Responder (a uma réplica): *Terminada a réplica, treplicou e com brilho; Não esperava que eu lhe treplicasse.* ***T. d.*** **2.** Refutar ou responder com tréplica a (uma réplica). [Conjug.: v. *trancar*. Pres. ind.: *treplico*, *treplicas*, *treplica*, etc. Cf. *tréplica* e *triplicar*.]

treponema [Do v. gr. *trépein*, 'virar', 'dar voltas', *-o-* + *-nema*; tax. *Treponema*.] ***S. m.*** *Microbiol.* **1.** Gênero de bactérias espiroquetáceas, gram-negativas, com algumas espécies patogênicas para o homem e outros animais. **2.** Qualquer espécie desse gênero, como, p. ex., a *Treponema carateum*, agente etiológico do *caraté* (q. v.) e a *T. pallidum*, agente etiológico da sífilis. **3.** Qualquer espécime desse gênero.

treponematose [Do lat. cient. *Treponemat-* (do tax. *Treponema*) + *-ose*[1].] ***S. f.*** *Patol.* Infecção produzida por treponema; treponemose.

treponemo ***S. m.*** V. *treponema*.

treponemose [De *treponemo* + *-ose*.] ***S. f.*** *Patol.* Treponematose.

▲**tre(s)-** V. *trans-*[1].

três [Do lat. *tres*.] ***Num.*** **1.** Quantidade que é uma unidade maior que dois; dois mais um. **2.** Número (4) correspondente a essa quantidade. [Nessas acepç., representa-se em algarismos arábicos por 3 e em algarismos romanos, por III.] **3.** Que está marcado ou identificado com o número 3. **4.** Terceiro (1). ● ***S. m.*** **5.** Representação, em algarismos, do número três. **6.** Carta de jogar, face de dado ou peça de dominó que tem três sinais. **7.** A nota três, em exame ou concurso. **8.** Aquele ou aquilo que ocupa o último lugar numa série de três. ◆ **A três por dois.** Amiúde, frequentemente: "— Que colosso esse Santos Dumont! — diziam a três por dois." (Francisco de Assis Barbosa, *Santos Dumont. Inventor*, p. 63.)

tresandante [De *tresandar* + *-nte*.] ***Adj. 2 g.*** **1.** Que tresanda, que cheira mal. **2.** Nauseante, repugnante: "Mas Sancho .... só sentiu um tresandante cheiro seboso de suor e gordura de cebola e alho" (Martins Fontes, *A Alegria*, p. 20).

tresandar [F. dissimilada de **trasandar*, 'fazer andar para trás'.] ***V. t. d.*** **1.** Fazer andar para trás; desandar. **2.** Transtornar, confundir, perturbar, desordenar. **3.** Exalar (mau cheiro). ***Int. T. i.*** **4.** Cheirar mal: *Tinha-se de levar o lenço ao nariz: o ambiente tresandava*; "deixava-se [o refeitório] invadir por um vapor denso e gorduroso, tresandando a cebola e a feijão." (Marques Rebelo, *O Trapicheiro*, p. 387).

três-arroiense ***Adj. 2 g.*** **1.** De, ou pertencente ou relativo a Três Arroios (RS). ● ***S. 2 g.*** **2.** O natural ou habitante de Três Arroios. [Pl.: *três-arroienses*.]

tresavó ***S. f.*** V. *trisavó*: "As nossas tresavós liam romances que explicam bastantemente as virtudes delas." (Camilo Castelo Branco, *O Santo da Montanha*, p. 140.)

tresavô ***S. m.*** V. *trisavô*.

três-barrense ***Adj. 2 g.*** **1.** De, ou pertencente ou relativo a Três Barras (SC). ● ***S. 2 g.*** **2.** O natural ou habitante de Três Barras. [Pl.: *três-barrenses*.]

três-cachoeirense ***Adj. 2 g.*** **1.** De, ou pertencente ou relativo a Três Cachoeiras (RS). ● ***S. 2 g.*** **2.** O natural ou habitante de Três Cachoeiras. [Pl.: *três-cachoeirenses*.]

trescalante [De *trescalar* + *-nte*.] ***Adj. 2 g.*** Que trescala.

trescalar [De *tre(s)-* + *calar*[2].] ***V. t. d.*** **1.** Emitir cheiro forte de: "Queima-me no incêndio, destruidor e vândalo, / Dessa infinda trança que trescala sândalo!" (Luís Guimarães [Filho], *Pedras Preciosas*, p. 100.) **2.** Lançar de si; exalar: "Talvez seja para eles que as seis mulheres estão sempre .... cambiando saias imprevistas e trescalando fragrâncias matinais ou sensuais" (Rubem Braga, *A Cidade e a Roça*, p. 134). ***Int.*** **3.** Exalar cheiro forte; cheirar: "Onde quer que se achasse, todo o ambiente se enchia de um eflúvio castíssimo, respirando o inefável incenso, que o seu ser vaporava, como se místicas roseiras trescalassem invisíveis no éter límpido e fresco." (Raimundo Correia, *Poesia Completa e Prosa*, p. 593.)

trescalo [Dev. de *trescalar*.] ***S. m.*** Ato ou efeito de trescalar.

três-cantense ***Adj. 2 g.*** **1.** De, ou pertencente ou relativo a Lagoa dos Três Cantos (RS). ● ***S. 2 g.*** **2.** O natural ou habitante de Lagoa dos Três Cantos. [Pl.: *três-cantenses*.]

três-cocos (cô) [Voc. onom.] ***S. m. 2 n.*** *Bras. AL BA Zool.* Designação vulgar de certo passarinho, tirada de seu canto.

três-coroense ***Adj. 2 g.*** **1.** De, ou pertencente ou relativo a Três Coroas (RS). ● ***S. 2 g.*** **2.** O natural ou habitante de Três Coroas. [Pl.: *três-coroenses*.]

■ **3D** [Sigla de *tridimensional*.] Diz-se de filmes ou imagens bidimensionais que dão a ilusão de profundidade, como numa cena real, ger. com auxílio de óculos especiais.

tresdobrado [Part. de *tresdobrar*.] ***Adj.*** V. *triplicado*.

tresdobradura [De *tresdobrar* + *-dura*.] ***S. f.*** Ato ou efeito de tresdobrar.

tresdobrar [De *três* + *dobrar*.] ***V. t. d.*** **1.** Aumentar três vezes; triplicar: "A vida habitual pesa em nosso espírito como o trambolho no pé de uma galinha, dilatam-se-nos os pulmões, tresdobra-nos a vida" (Ramalho Ortigão, *Em Paris*, p. 9). ***Int.*** **2.** Aumentar-se três vezes. [Pres. ind.: *tresdobro*, etc. Cf. *tresdobro* (ô).]

tresdobre [Dev. de *tresdobrar*.] ***Adj. 2 g.*** **1.** V. *triplicado*. **2.** Diz-se de certa evolução militar antiga. ● ***S. m.*** **3.** *Pop.* Tresdobro (q. v.).

tresdobro (ô) [Dev. de *tresdobrar*.] ***S. m.*** V. *triplo* (3 e 4). [Pl.: *tresdobros* (ô). Cf. *tresdobro*, do v. *tresdobrar*.]

três-estrelinhas ***S. f. pl.*** **1.** Sinal (***) que se põe abaixo dum escrito quando o autor pretende conservar-se anônimo, ou, em jornais, abaixo de notícias ou de artigos, para indicar tratar-se de matéria paga. **2.** Sinal (***) que se usa em lugar de nome de pessoa, de lugar, etc., que se quer omitir: *O Sr. ***; a Sr.ª ***; o Dr. ***; a Baronesa de ***; a vila de ***.*

tresfolegar [De *tre(s)-* + *fôlego* + *-ar*².] *V. int.* Respirar a custo; ofegar: "Sem botar reparos ao chão em que pisam, tropicando em raízes, formigueiros, buracos de tatus, cavalos correm, rebatendo fujões. Ressuam. Tresfólegam." (Nélson de Faria, *Tiziu e Outras Estórias*, p. 208.) [Var.: *tresfolgar*. Conjug.: v. *resfolegar*.]

tresfolgar *V. int.* V. *tresfolegar*. [Conjug.: v. *largar*.]

tresfoliar [De *tre(s)-* + *foliar*.] *V. int.* Foliar ou pandegar muito; divertir-se à farta.

tresgastar [De *tre(s)-* + *gastar*.] *V. t. d. Int.* Gastar em demasia; prodigalizar; prodigar.

tresidela *S. f. Bras. MA* Lugarejo fronteiro a uma cidade de mais importante, na margem oposta de um rio.

três-irmãs *S. f. pl. Astr.* V. *Três-Marias* (1). [Com cap.]

três-lagoano *Adj.* **1.** De, ou pertencente ou relativo a Três Lagoas (MS). • *S. m.* **2.** O natural ou habitante de Três Lagoas. [Sin. ger.: *três-lagoense*. Pl.: *três-lagoanos*.]

três-lagoense *Adj. 2 g. S. 2 g.* V. *três-lagoano*. [Pl.: *três-lagoenses*.]

tresler [De *tre(s)-* + *ler*.] *V. int.* **1.** Ler às avessas. **2.** Perder o juízo, enlouquecer, por ler muito. **3.** Dizer ou praticar tolices. **4.** Enganar-se, errar. [Irreg. Conjug.: v. *ler*.]

tresloucado [Part. de *tresloucar*.] *Adj. S. m.* Desvairado, doido, louco.

tresloucar [De *tre(s)-* + *louco* + *-ar*².] *V. t. d.* **1.** Tornar louco; desvairar. *Int.* **2.** Ficar louco; enlouquecer. **3.** Tornar-se imprudente. [Conjug.: v. *trancar*.]

três-maiense *Adj. 2 g.* **1.** De, ou pertencente ou relativo a Três de Maio (RS). • *S. 2 g.* **2.** O natural ou habitante de Três de Maio. [Pl.: *três-maienses*.]

tresmalhação [De *tresmalhar* + *-ação*.] *S. f.* Tresmalho².

tresmalhado [Part. de *tresmalhar*.] *Adj.* Fugido, desgarrado, transviado, esmadrigado: "Vou como ovelha tresmalhada / Que viu lobo" (Afonso Duarte, *Obra Poética*, p. 131).

tresmalhar [De *tre(s)-* + *malha* + *-ar*².] *V. t. d.* **1.** Trocar ou deixar cair as malhas de. **2.** Tirar do rebanho ou da malhada; esmadrigar. **3.** Deixar fugir, escapar ou perder: *O vaqueiro tresmalhou uma rês.* **4.** Fazer fugir; fazer que se disperse ou se afugente. *Int.* **5.** Tresmalhar (8): *Duas vacas tresmalharam.* **6.** Dispersar-se, extraviar-se, perder-se: "Depois de acidentes de vária ordem, naus que tresmalharam com o temporal, perda de doze portugueses desembarcados numa ilhota ...., chegaram a Maçuá em meados de fevereiro" (Aquilino Ribeiro, *Portugueses das Sete Partidas*, p. 70). *P.* **7.** Escapar por entre as malhas. **8.** Afastar-se do bando; fugir, dispersando-se; debandar(-se), espalhar-se, dispersar-se; esmadrigar-se, tresmalhar: "A rês, que se tresmalha, o cão da Beira, / Um rafeiro de raça, / Latindo, a faz voltar." (Bulhão Pato, *Livro do Monte*, p. 116.) **9.** Desaparecer, perder-se, extraviar-se.

tresmalho¹ [De *três* + *malha*¹.] *S. m.* Rede de pesca, composta de três panos, dos quais o do centro é o mais largo e de malha mais cerrada.

tresmalho² [Dev. de *tresmalhar*.] *S. m.* Ato ou efeito de tresmalhar(-se); tresmalhação.

três-marias [De *três* + o pl. do antr. *Maria*.] *S. f. pl.* **1.** *Astr.* Asterismo na constelação de Órion, formado por três estrelas brilhantes, em linha reta, e igualmente espaçadas; Três-Irmãs, Cinto de Órion. [Com cap., nesta acepç.] **2.** *Bras.* Certo brinquedo infantil. **3.** *Bras. Bot.* V. *sempre-lustrosa*. **4.** *Bras. RS* V. *boleadeiras*.

três-martelos [De *três* + o pl. de *martelo*.] *S. f. 2 n. Bras. Pop.* V. *cachaça* (1).

tresnoitado [Part. de *tresnoitar*.] *Adj.* **1.** Privado de sono. **2.** Que passou em claro a noite, ou a maior parte dela. • *S. m.* **3.** Indivíduo tresnoitado: "Hesito em começar esta relação de casos de visagens recifenses com a história do Boca de Ouro por saber que noutras cidades do Brasil tem aparecido essa figura meio de diabo, meio de gente, pavor dos tresnoitados" (Gilberto Freire, *Assombrações do Recife Velho*, p. 30). [Var. e sin. ger.: *tresnoutado*, *transnoitado*, *transnoutado*, *trasnoitado*, *trasnoutado*.]

tresnoitar [De *tre(s)-* + *noite* + *-ar*².] *V. t. d.* **1.** Tirar o sono a; não deixar dormir. *Int.* **2.** Passar a noite, ou a maior parte dela, em claro. [Var. e sin. ger.: *tresnoutar*, *transnoitar*, *transnoutar*, *trasnoitar*, *trasnoutar*.]

tresnoutado *Adj. S. m.* V. *tresnoitado*.

tresnoutar *V. t. d. Int.* V. *tresnoitar*.

treso (ê) [Alter. de *tredo*.] *Adj. Desus.* De má índole; manhoso, malicioso.

três-palmeirense *Adj. 2 g.* **1.** De, ou pertencente ou relativo a Três Palmeiras (RS). • *S. 2 g.* **2.** O natural ou habitante de Três Palmeiras. [Pl.: *três-palmeirenses*.]

trespano [De *três* + *pano*¹.] *S. m. Tec. Têx.* Tecido de três liços.

trespassar [De *tre(s)-* + *passar*.] *V. t. d. T. d. e i. T. c. P.* V. *traspassar*: "Matou os quatro filhos, trespassando / Quatro vezes o próprio coração!" (Guerra Junqueiro, *A Velhice do Padre Eterno*, p. 174.)

trespassável [De *trespassar* + *-vel*.] *Adj. 2 g.* Que se pode trespassar: "no centro dessa dança de frases não há nada aprisionável ou trespassável." (Fidelino de Figueiredo, *Música e Pensamento*, p. 104).

trespasse [Dev. de *trespassar*.] *S. m.* **1.** Ato ou efeito de trespassar(-se). **2.** Falecimento, passamento, óbito: "Via diante de si o entroncado homem com os beiços roxos e a boca aberta. Imaginava-o no trespasse e no caixão." (João de Araújo Correia, *Terra Ingrata*, p. 221.)

três-passense *Adj. 2 g.* **1.** De, ou pertencente ou relativo a Três Passos (RS). • *S. 2 g.* **2.** O natural ou habitante de Três Passos. [Pl.: *três-passenses*.]

três-paus [De *três* + o pl. de *pau*.] *S. m. pl. Bras. Fut.* O conjunto formado pelas traves e pelo travessão; o gol.

três-peças [De *três* + o pl. de *peça*.] *S. m. 2 n. Bras.* Apartamento² (1) com três peças.

três-pedaços [De *três* + o pl. de *pedaço*.] *S. m. pl. Bras. AL Folcl.* Variante do bumba meu boi pernambucano.

três-pontano *Adj.* **1.** De, ou pertencente ou relativo a Três Pontas (MG). • *S. m.* **2.** O natural ou habitante de Três Pontas. [Pl.: *três-pontanos*.]

três-pontinhos *S. m. pl. Fam.* V. *reticências*.

três-portas [De *três* + o pl. de *porta*.] *S. m. 2 n. Bras. Zool.* V. *jataí* (3).

três-potes [De *três* + o pl. de *pote*.] *S. m. 2 n. Bras. BA Zool.* V. *saracura-do-brejo*.

três-quartos [De *três* + o pl. de *quarto*.] *Adj. 2 g. e 2 n.* **1.** Diz-se de peça de vestuário ou de parte desta cujo comprimento corresponde a três quartos do comprimento total: *saia três-quartos; manga três-quartos.* • *S. m. 2 n.* **2.** *Bras.* Apartamento² (1) de três quartos.

tresquiáltera [De *tres-* + *(ses)quiáltera* (q. v.), por anal.] *S. f. Mús.* Quiáltera de três figuras, que tomam o lugar de duas; tercina.

tresquiórnis [Do tax. *Threskiornis*.] *S. m. 2 n. Zool.* Íbis (1).

tresquiornitídeo [Do lat. cient. *Threskiornith-* (< tax. *Threskiornis*) + *-ídeo*¹; tax. *Threskiornithidae*.] *Zool. S. m.* **1.** Espécime dos tresquiornitídeos, família de aves ciconiiformes, de grande a médio porte, de plumagem ger. branca, ou marrom-acinzentada, ou preta tirante ao verde; têm bico longo, curvo e achatado na extremidade, o que facilita o hábito de revolverem a lama e a areia em busca de pequenos crustáceos, a cabeça coberta de penas, na maior parte, e vivem aos bandos, nos lugares encharcados, beiras de lagos e de rios. São as íbis, encontradas na África, Ásia, Indonésia, e Austrália, e as curicacas, os coró-corós e os guarás. • *Adj.* **2.** Pertencente ou relativo a eles. [Sin. ger.: *ibidídeo*.]

tressuar [De *tre(s)-* + *suar*.] *V. int.* **1.** Suar muito. *T. d.* **2.** Verter, trescalar, suar.

trestampar [De *tre(s)-* + *tampar*; cf. *destampar*.] *V. int.* Dizer destemperos, disparates; disparatar, desconchavar.

tresvariado [Part. de *tresvariar*.] *Adj.* Que tresvariou; alucinado, delirante.

tresvariar [De *tre(s)-* + *variar*.] *V. int.* **1.** Dizer ou fazer desvarios: "Havia ali um bêbado tresvariando em voz alta" (Graciliano Ramos, *Vidas Secas*, pp. 40-41). **2.** Estar fora de si; delirar.

tresvario [Dev. de *tresvariar*.] *S. m.* Ato ou efeito de tresvariar.

três-ventos [De *três* + o pl. de *vento*.] *S. m. 2 n. Bras. Desus.* V. *tricórnio*: "Chamou-se ao tricórnio, entre nós, *candeeiro*, alusão aos castiçais de três luzes, que então havia, três-ventos, *anastácio* e *tribico*" (Luís Edmundo, *O Rio de Janeiro no Tempo dos Vice-Reis*, p. 225).

três-vinténs [De *três* + o pl. de *vintém*.] *S. m. pl. Bras. Chulo* A virgindade; o hímen.

tresvoltear [De *três* + *voltear*.] *V. t. d.* **1.** Fazer dar três voltas. **2.** Fazer dar numerosas voltas. [Conjug.: v. *frear*.]

treta (ê) [Var. de *treita* (q. v.) < lat. *tracta*, f. do part. pass. de *trahere*, 'arrastar', 'puxar'; 'refletir', 'meditar', poss. pelo esp. *treta*.] *S. f.* **1.** Ardil, estratagema. **2.** Habilidade na luta ou na esgrima. ~ V. *tretas*.

tretas (ê) [Pl. de *treta*.] *S. f. pl.* Palavreado para burlar: "— .... Derrotados [fomos] à partida, perante a massa dos populistas que querem dar prestígio ao Parlamento, fazendo parecer que os deputados são representantes do povo anônimo e desgraçado. | — E não são? | — Tretas! Só hipocrisia." (Pepetela, *O Desejo de Kianda*, p. 69.) [No Brasil, *treitas*.] ~ V. *treta*.

tretear [De *treta* + *-ear*².] *V. int. Bras.* Usar de tretas; proceder como treteiro. [Conjug.: v. *frear*.]

treteiro [De *treta* + *-eiro*.] *Adj. S. m.* Que, ou aquele que é dado a estratagemas ou tretas [v. *treta* (1)]; velhaco, tratante, patife: "um sujeito mau como Seu Juca, de coração duro como pedra, de alma suja, nojenta, sujeito treteiro, que furtava até no jogo de cartas" (Nélson de Faria, *Tiziu e Outras Estórias*, p. 133). [F. paral. (bras.): *treiteiro*. Sin. (bras.): *tretento*.]

treva [Do lat. *tenebra*.] *S. f.* Trevas (q. v.).

treval [De *trevo* (1) + *-al*¹.] *S. m.* **1.** *Bras.* Quantidade mais ou menos considerável de trevos dispostos proximamente entre si: "os lábios da morocha deviam ser macios como treval, doces como mirim, frescos como polpa de guabiju..." (Simões Lopes Neto, *Contos Gauchescos e Lendas do Sul*, p. 132). **2.** Área ocupada por treval (1).

trevas [Pl. de *treva*.] *S. f. pl.* **1.** Escuridão absoluta. **2.** V. *noite* (2). **3.** *Fig.* Estupidez, ignorância. **4.** *Rel.* Quarta-feira de trevas. **5.** *Rel.* O ofício divino celebrado nesse dia e nos seguintes, no qual se comemoram as trevas que caíram sobre Jerusalém, quando da morte de Cristo na cruz. [Tb. us. (menos) no sing.]

trevelô *S. 2 g. Bras.* V. *barbeiro* (8): "Motorista ruim é 'barbeiro', 'munheca de pau', 'trevelô'." (Marcos Vinícios Vilaça, *Em torno da Sociologia do Caminhão*, p. 44.)

trevite *S. f.* Certa droga medicinal da Índia.

trevo (ê) [Do lat. *trifoliu*, 'três folíolos', com infl. de uma f. **tripulu*, calcada no gr. *triphyllon*.] *S. m.* **1.** *Bot.* Designação comum a diversas plantas herbáceas cujas folhas são dotadas de três folíolos, e que crescem espontaneamente nas terras das regiões temperadas; trifólio. **2.** Trifólio¹ (3). **3.** *Bras. Bot.* V. *caruru-de-sapo*. **4.** *Bras.* Entroncamento de vias elevadas e/ou rebaixadas, que se entrelaçam lembrando a forma de um trevo e se destinam a evitar cruzamentos em pontos de tráfego muito movimentado.

trevo-aquático *S. m. Bot.* Arbusto meniantáceo (*Menyanthes trifoliata*) das turfeiras dos climas temperados do Velho Mundo, de folhas com três folíolos ovados ou oblongo-obovados, flores alvas ou violáceo-pálidas, pequenas, organizadas em cachos, e frutos que são cápsulas minutas, ovoides; trifólio, menianto. [Pl.: *trevos-aquáticos*.]

trevo-azedo *S. m. Bras. Bot.* Designação comum a várias espécies oxalidáceas, do gênero *Oxalis*, que são pequenas ervas bolbosas, de flores amarelas ou róseas, folhas com três folíolos obovados e de acentuado sabor azedo, que se deve à presença do oxalato de cálcio, e cujo fruto é uma cápsula alongada, dita *bananinha* pela forma; azedinha, bananinha. [Pl.: *trevos-azedos*.]

trevo-cervino *S. m. Bot.* Erva asterácea (*Eupatorium cannabinum*) originária da Europa e cultivada pelo valor ornamental, de folhas oblongas ou lanceoladas, acuminadas e serrilhadas, e cujas flores formam capítulos violáceo-claros, que se ordenam em densos conjuntos terminais. [Pl.: *trevos-cervinos*.]

trevo-cheiroso *S. m. Bot.* Trevo-de-cheiro. [Pl.: *trevos-cheirosos*.]

trevo-d'água *S. m. Bot.* Planta marsileácea (*Marsilea deflexa*) que se caracteriza pelos quatro folíolos que lembram os do trevo e que é por vezes cultivada como planta de aquário. [Pl.: *trevos-d'água*.]

trevo-de-cheiro *S. m. Bot.* Erva fabácea (*Melilotus officinalis*) dotada de pequenas flores, e de folhas odoríferas us. como carminativo e, tb., como aromatizante. [Pl.: *trevos-de-cheiro*.]

trevo-do-pará [De *trevo* + *do*¹ + o top. *Pará*.] *S. m. Bras. Bot.* Erva acantácea (*Justicia pectoralis*) perene, florífera, nativa do N. do Brasil; é considerada medicinal. [Pl.: *trevos-do-pará*.]

trevor (ô) *S. m.* Treva: "Voltam as aves ao ninho, / desce a noite em seu trevor, / veste de luto o caminho..." (Adelmar Tavares, *Poesias Completas*, p. 75.)

trevoso (ô) [Do lat. *tenebroso*, por via pop., ou de *treva* + *-oso*.] *Adj.* V. *tenebroso*: "Nesse universo torvo e angustiante, trevoso e sofrido, o romancista pesquisa e revela as grandezas e misérias dos homens, a sua inocência e culpa" (Mário da Silva Brito, *Conversa Vai, Conversa Vem*, p. 12).

treze (ê) [Do lat. *tredecim*.] *Num.* **1.** Quantidade que é uma unidade maior que doze; doze mais um. **2.** Número (4) correspondente a essa quantidade. [Nessas acepç., representa-se em algarismos arábicos por 13, e em algarismos romanos por XIII.] **3.** Que está marcado ou identificado com o número 13. **4.** Décimo terceiro. • *S. m.* **5.** Representação, em algarismos, do número treze. **6.** Aquilo ou aquele que numa série ocupa o décimo terceiro lugar.

treze de maio [Por alusão à data da abolição da escravidão no Brasil, *13 de maio* de 1888.] *S. m. 2 n. Bras.* Apelido algumas vezes dado aos negros.

treze-maioense *Adj. 2 g.* **1.** De, ou pertencente ou relativo a Treze de Maio (SC). • *S. 2 g.* **2.** O natural ou habitante de Treze de Maio. [Pl.: *treze-maioenses*.]

trezena [De *treze*.] *S. f.* **1.** Conjunto de treze. **2.** Espaço de 13 dias. **3.** Reza ou devoção que se faz nos 13 dias antecedentes à festa de um santo: "Continuava [Santo Antônio] surdo aos apelos, responsos, terços, ladainhas, trezenas, ... promessas e correntes de tanta solteirona desiludida" (Guiomar Alcides de Castro, *São Miguel dos Campos*, p. 158). **4.** *Bras.* Castigo de açoites durante 13 dias seguidos, que se infligia aos escravos.

trezeno [De *treze* + a term. *-eno* (lat. *enniu*), dos distributivos latinos.] ***Num.*** Décimo terceiro; tércio-décimo, tredécimo.

trezentos [Do lat. *trecentos.*] ***Num.*** **1.** Quantidade que é uma unidade maior que 299; duzentos mais cem. **2.** Número (4) correspondente a essa quantidade. [Nessas acepçs., representa-se em algarismos arábicos por 300, e em algarismos romanos, por CCC.] **3.** Que está marcado ou identificado com o número 300. **4.** Trecentésimo (1). • ***S. m.*** **5.** O século XIV, ou o século de trezentos; o período trecentista. [Com cap., nesta acepç.] **6.** Representação, em algarismos, do número trezentos. **7.** Aquilo ou aquele que numa série ocupa o trecentésimo lugar.

treze-tiliense ***Adj. 2 g.*** **1.** De, ou pertencente ou relativo a Treze Tílias (SC). • ***S. 2 g.*** **2.** O natural ou habitante de Treze Tílias. [Pl.: *treze-tilienses.*]

treziano *Bras.* ***Adj.*** **1.** Pertencente ou relativo ao Treze Futebol Clube (Campina Grande, PB). **2.** Que é torcedor ou jogador dessa agremiação. • ***S. m.*** **3.** Membro, torcedor ou jogador dela. [Sin. ger.: *galo.*]

■ **TRF** Sigla de *Tribunal Regional Federal.*

tri[1] ***S. m.*** V. *tricampeão.*

tri[2] ***S. m.*** V. *tricampeonato.*

▲**tr(i)-** [Do lat. *tri-* (conexo com o lat. *tres, tria*), como em *triangŭlus*, 'que tem três ângulos', e do gr. *tri-*, como em *trimerẽs*, 'que tem três partes'.] ***El. comp.*** = 'três': *triciclo, trifásico, trigrama, trilhão, trilítero.* [É seguido de hífen quando anteposto a palavra iniciada por *h* ou *i*: *tri-iodeto, tri-hídrico* (em tais casos, apenas o 2º el. é flexionado na formação do plural); é grafado com *r* ou *s* duplicados quando anteposto a palavra iniciada por *r* ou *s*: *trirramoso, trissecular.*] [Equiv.: *-tri-, tris-*: *trisanual.*]

▲**-tr(i)-** *Quím.* ***El. comp.*** Designa, na nomenclatura sistemática dos elementos transférmicos (q. v.), a presença do dígito 3 no número atômico do elemento. Ex.: *uníltrio.*

▲**-tri-** V. *tr(i)-.*

triacanto [De *tr(i)-* + *-acanto.*] ***Adj.*** *Bot.* Que tem três espinhos.

triacetina [De *tr(i)-* + (*ácido*) *acét(ico)* + *-ina*[3].] ***S. f.*** *Quím.* Triacilglicerídeo sintético em que as três hidroxilas da glicerina estão esterificadas por ácido acético, e que é us. como aditivo em indústria de alimentos e como plastificante no filtro dos cigarros [fórm.: $C_9H_{14}O_6$].

triacilglicerídeo [De *tr(i)-* + *-acil-* + *glicerídeo.*] ***S. m.*** *Quím.* Qualquer éster da glicerina no qual as três hidroxilas desta sofreram condensação com ácidos, especialmente ácidos graxos; triglicídeo, triglicéride, triglicerídeo. [V. *óleo* (8) e *gordura* (1).]

▲**triacont(a)-** [Do gr. *triakonta-*, como no gr. *triakontámẽnos*, 'de trinta meses', < gr. *triákonta*, 'trinta', < gr. *treîs, treîs, tría*, 'três', conexo com o lat. *tres* (v. *tr(i)-*), + gr. *-konta*, 'dezena'.] ***El. comp.*** = '30': *triacontano.*

triacontaedro [De *triacont(a)-* + *-edro.*] ***S. m.*** *Geom.* Poliedro de 30 faces.

triacontágono [De *triacont(a)-* + *-gono.*] ***S. m.*** *Geom.* Polígono de 30 lados. [A pronúncia correta seria *triacontagono*, v. *-gono.*]

triacontano [De *triacont(a)-* + *-ano*[2].] ***S. m.*** *Quím.* Qualquer alcano acíclico com trinta átomos de carbono, esp. o linear [fórm.: $C_{30}H_{62}$].

tríada ***S. f.*** **1.** V. *tríade.* **2.** *Mat.* Operador formado pela justaposição de três vetores. [Cf. *díada, políada.*]

tríade [Do gr. *triás, ádos*, 'trindade', pelo lat. *triade.*] ***S. f.*** **1.** Conjunto de três pessoas ou três coisas; trindade, trilogia. **2.** *Anat.* Grupo de três formações [v. *formação* (5)] situadas num mesmo órgão. **3.** *Bot.* Conjunto de três órgãos ou partes vegetais (ou células) iguais. Ex.: flores em tríades. **4.** *Mús.* Acorde de três sons. **5.** *Med.* Grupo de três órgãos, de três lesões, ou de três sinais [v. *sinal* (9)], que se apresentam inter-relacionados do ponto de vista patológico e clínico ou, sem explicação aparente, são encontrados simultaneamente. [Var.: *tríada.*]

triadelfo [De *tr(i)-* + *adelfo.*] ***Adj.*** *Bot.* Diz-se dos estames cujos filetes estão soldados em três feixes.

triádico [De *tríade* + *-ico*[2].] ***Adj.*** **1.** Relativo a tríade ou trindade. **2.** *Geol.* Triásico. ~ V. *período —.* • ***S. m.*** **3.** *Mat.* Soma de duas ou mais tríadas [v. *tríada* (2)].

triaga ***S. f.*** V. *teriaga.*

triagem [Do fr. *triage.*] ***S. f.*** Seleção, escolha; separação: "Como censor e um dos diretores da Impressão Régia é [o Visconde de Cairu] um fiscal da cultura, pela triagem constante das obras que nela se publicam." (San Tiago Dantas, *Figuras do Direito*, p. 15.)

triagueiro [De *triaga* + *-eiro.*] ***S. m.*** Indivíduo que prepara triagas.

trial [De *tr(i)-* + *-al*[1].] ***Adj. 2 g. S. m.*** Diz-se de, ou o número que indica 'três de'.

trialado [De *tr(i)-* + *alado.*] ***Adj.*** **1.** *Bot.* Diz-se de órgão que apresenta três expansões ger. membranáceas (esp. sementes). **2.** *Zool.* Que tem três asas.

triandria [De *triandro-* + *-ia*[1].] ***S. f.*** *Bot.* Ocorrência de três estames [v. *estame* (3)]. [Cf. *triândria.*]

triândria [Do lat. cient. *Triandria.*] ***S. f.*** *Bot.* O conjunto de vegetais triandros, segundo o sistema de Lineu (v. *lineano*). [Cf. *triandria.*]

triândrico [De *triandro* + *-ico*[2].] ***Adj.*** *Bot.* Relativo a triandro, ou a triandria.

triândrio [De *tr(i)-* + *-andr(o)-* + *-ia*[1].] ***Adj.*** *Bot.* V. *triandro.*

triandro [De *tr(i)-* + *-andro.*] ***Adj.*** *Bot.* Que apresenta triandria; triândrio.

triangulação [De *triangular*[2] + *-ção.*] ***S. f.*** **1.** Ato ou efeito de triangular[2]. **2.** Levantamento topográfico ou geodésico, que consiste em cobrir a área levantada por uma rede de triângulos, e no qual só é necessário medir diretamente um lado do triângulo inicial, que passa a constituir a base da triangulação. **3.** *P. ext.* Cálculo de distância que se vale das propriedades matemáticas dos triângulos.

triangulado [Part. de *triangular*[2].] ***Adj.*** Dividido em triângulos.

triangulador (ô) [De *triangular*[2] + *-dor.*] ***S. m.*** *Bras.* Aquele que pratica triangulação (2).

triangular[1] [Do lat. *triangulare.*] ***Adj. 2 g.*** **1.** Que tem forma de triângulo. **2.** Que tem por base um triângulo. **3.** Que tem três ângulos. [Sin. ger.: *trígono.*] **4.** Que se realiza mediante o concurso de três países, firmas, pessoas, etc. ~ V. *determinante —, folha —* e *número —.*

triangular[2] [De *triângulo* + *-ar*[2].] ***V. t. d.*** **1.** Dividir em triângulos. ***Int.*** **2.** *Fut.* Deslocar-se (a bola), descrevendo um triângulo imaginário. **3.** *Fut.* Movimentar-se (parte da equipe), fazendo uma jogada, em formação triangular. [Pres. ind.: *triangulo, triangulas*, etc. Cf. *triângulo*, s. m., e *Triângulo*, astr.]

triangulino ***Adj.*** **1.** De, ou pertencente ou relativo ao Triângulo Mineiro. • ***S. m.*** **2.** O natural dessa região de MG.

triângulo [Do lat. *triangulu.*] ***S. m.*** **1.** *Geom.* Polígono de três lados. [Sin. (p. us.): *trilátero.*] **2.** Qualquer objeto em forma de triângulo. **3.** *Mús.* Instrumento musical feito por um pedaço de ferro torcido em forma de triângulo, tocado por uma vareta de metal, e muito usado no forró; ferrinhos: "A banda de couro, constituída da zabumba, das cinco caixas, dos dois flautins de taquara furada a ferro quente e do triângulo, executava seus toques monótonos." (Bernardo Élis, *Veranico de Janeiro*, p. 31.) **4.** *Pop.* Forca (1). [Cf. *triangulo*, do v. *triangular.*] ◆ **Triângulo acutângulo.** *Geom.* Triângulo em que todos os ângulos são agudos. **Triângulo amoroso.** Situação amorosa em que se acham envolvidas três pessoas: marido, mulher e amante. **Triângulo astronômico.** *Astr. Náut.* Triângulo de posição. **Triângulo birretângulo.** *Geom.* Triângulo esférico que tem dois ângulos retos. **Triângulo de Pascal.** *Mat.* Algoritmo por meio do qual se podem calcular os coeficientes do binômio, dispondo-os num arranjo triangular em que cada número é igual à soma dos dois que se lhe superpõem; triângulo de Tartaglia. **Triângulo de posição.** *Astr. Náut.* Triângulo esférico, traçado na esfera celeste, e que permite calcular as coordenadas geográficas (latitude e longitude) de qualquer observador situado na superfície da Terra, mediante a observação da altura de determinados astros (Sol, Lua, Mercúrio, Marte, Vênus, e cerca de 60 estrelas, cujas efemérides astronômicas são registradas nos almanaques náuticos), e do exato instante em que essa altura é observada. [Sin.: *triângulo astronômico.*] **Triângulo de reversão.** Trecho de ferrovia formado por duas curvas e uma reta, e utilizado para inverter o sentido das locomotivas. **Triângulo de Tartaglia.** *Mat.* Triângulo de Pascal. **Triângulo do açúcar.** Expressão criada por Gilberto Freire (1900-1987), sociólogo e historiador social brasileiro, para designar o conjunto constituído pela casa-grande (inclusive a senzala), o engenho de açúcar e a capela. **Triângulo equiângulo.** *Geom. P. us.* Triângulo equilátero. **Triângulo equilátero.** *Geom.* O que tem os três ângulos iguais. [Sin., p. us.: *triângulo equiângulo.* Cf. *triângulo isóscele* e *triângulo escaleno.*] **Triângulo escaleno.** *Geom.* O que tem todos os ângulos e lados desiguais. [Cf. *triângulo equilátero* e *triângulo isóscele.*] **Triângulo esférico.** *Geom.* **1.** Figura formada por três arcos de círculo máximo que unem três pontos de uma superfície esférica. **2.** Polígono esférico de três lados. **Triângulo espanhol.** *Tip.* Parágrafo espanhol (q. v.). **Triângulo geodésico.** *Mat.* Numa superfície, triângulo formado por três geodésicas que se interceptam duas a duas. **Triângulo isóscele.** *Geom.* O que tem dois lados e, portanto, dois ângulos iguais. [Cf. *triângulo equilátero* e *triângulo escaleno.*] **Triângulo Mineiro.** A porção ocidental de MG, compreendida entre as orlas dos rios Paranaíba e Grande. **Triângulo obliquângulo.** *Geom.* O que não é retângulo. **Triângulo obtusângulo.** *Geom.* O que tem um ângulo obtuso. **Triângulo retângulo.** *Geom.* O que tem um ângulo reto. **Triângulo trirretângulo.** *Geom.* Triângulo esférico em que os três ângulos são retos.

triaqueira ***S. f.*** *Bras. Zool.* V. *azeiteiro* (3).

triar [Do fr. *trier.*] ***V. t. d.*** Fazer triagem.

triarca [De *tr(i)-* + *-arca*[1].] ***S. m.*** Cada um dos membros de uma triarquia.

triarestado [De *tr(i)-* + *aresta* + *-ado*[1].] ***Adj.*** *Bot.* Que tem três arestas.

triarquia [Do gr. *triarchía.*] ***S. f.*** **1.** Governo de três indivíduos; triunvirato. **2.** Conjunto de três Estados. **3.** Trirregno (1).

triarticulado [De *tr(i)-* + *artículo* + *-ado*[1].] ***Adj.*** *Zool.* Diz-se do apêndice dos artrópodes quando formado por três artículos: *antena triarticulada.*

triásico [Do gr. *triâs*, pelo lat. *trias*, 'trindade', + *-ico*[2].] ***Adj. S. m.*** *Geol.* V. *período —.*

triássico ***Adj. S. m.*** V. *triásico.*

triatleta ***S. 2 g.*** Atleta que pratica o triatlo.

triatlo [De *tr(i)-* + *-atlo.*] ***S. m.*** *Esport.* **1.** Competição que reúne três modalidades esportivas. **2.** Modalidade de triatlo (1) cuja disputa inclui 4km de natação, 180km de ciclismo e 42km de corrida, realizadas nessa sequência. [F. paral.: *triátlon.*]

triátlon ***S. m.*** *Esport.* V. *triatlo.*

triatômico [De *tr(i)-* + *atômico.*] ***Adj.*** *Quím.* Formado por três átomos.

triatomíneo [Do tax. *Triatoma*, 'gênero-tipo', + *-in(o)-*[3] + *-eo*; tax. *Triatominae.*] *Zool.* ***S. m.*** **1.** Espécime dos triatomíneos, subfamília de insetos hemípteros, na qual se encontram o barbeiro e outros insetos reduviídeos (q. v.). • ***Adj.*** **2.** Pertencente ou relativo a eles.

triaxífero (cs) [De *tr(i)-* + *axífero.*] ***Adj.*** *Bot.* Que tem três eixos.

triazina [De *tr(i)-* + *azina.*] ***S. f.*** *Quím.* **1.** Qualquer das bases heterocíclicas aromáticas de anel hexagonal com três átomos de nitrogênio [fórm.: $C_3H_3N_3$]. **2.** Qualquer derivado de triazina (1).

triazol [De *tr(i)-* + *azol.*] ***S. m.*** *Quím.* **1.** Qualquer substância heterocíclica aromática com anel formado por três átomos de nitrogênio e dois de carbono [fórm.: $C_2H_3N_3$]. **2.** Qualquer derivado de triazol (1). [Pl.: *triazóis.*]

tríbade [Do gr. *tribás, ádos*, de *tríbein*, 'esfregar'.] ***S. f.*** Lésbica.

tribadismo [De *tríbade* + *-ismo.*] ***S. m.*** **1.** Homossexualismo feminino; lesbianismo. **2.** *Restr.* Prática do tribadismo (1) que consiste no atrito recíproco dos órgãos genitais. [Cf. *lesbianismo.*]

tribal [De *tribo* + *-al*[1].] ***Adj. 2 g.*** **1.** Pertencente ou relativo a tribo. **2.** Próprio de tribo. **3.** *Restr. Antrop.* Diz-se de grupos sociais ou étnicos que constituem tribos ou que, embora não sejam estritamente classificados como tais, possuem certas características (sociais, culturais, políticas, etc.) semelhantes às das tribos [v., esp., *tribo* (8)]: *sociedades tribais.* ~ V. *metade —.*

tribalismo [De *tribal* + *-ismo.*] ***S. m.*** **1.** Condição, ou conjunto de características, do que é tribal. **2.** O modo de vida ou de organização social das sociedades tribais.

tribalista [De *tribal* + *-ista.*] ***Adj. 2 g.*** Relativo a, ou próprio de tribalismo.

tribarrense ***Adj. 2 g.*** **1.** De, ou pertencente ou relativo a Três Barras do Paraná (PR). • ***S. 2 g.*** **2.** O natural ou habitante de Três Barras do Paraná.

tribásico [De *tr(i)-* + *básico.*] ***Adj.*** **1.** *Quím.* Diz-se de ácido que cede três prótons por molécula, em solução (ex.: o ácido fosfórico); triprótico. **2.** Diz-se de base que cede três hidroxilas por molécula, em solução (ex.: o hidróxido de alumínio). ~ V. *ácido —.*

tribico [De *tr(i)-* + *bico*[1].] ***S. m.*** *Bras.* V. *tricórnio.*

triblástico [De *tr(i)-* + *-blast(o)-* + *-ico*[2].] ***Adj. S. m.*** *Zool.* Triploblástico.

tribo [Do lat. *tribu.*] ***S. f.*** **1.** Cada uma das partes em que se dividiam algumas nações ou povos antigos, ger. com um território e algum tipo de chefia, e com atribuição de um ancestral comum. **2.** *Restr.* Cada uma das doze subdivisões do povo hebreu, descendentes, segundo os relatos bíblicos, dos doze filhos do patriarca Jacó (Israel) e que ocuparam Canaã (atual região da Palestina), provavelmente na segunda metade do 2º milênio a. C. **3.** *Restr.* Nos primórdios da antiga Roma, cada uma das três divisões políticas dos cidadãos patrícios: Ramnes, Titii e Luceres. [Tb. designa cada uma das 30 (posteriormente, 35) divisões, ou cúrias, dos cidadãos plebeus.] **4.** Qualquer povo, ger. não letrado, unido quanto ao território, língua, cultura e instituições sociais: *tribos indígenas; terras e tribos exóticas.* [Este emprego não antropológico do termo é muitas vezes criticado, por trazer conotação pejorativa, que reflete concepções que associam o povo designado por *tribo* a um suposto estágio "primitivo" ou de "barbárie".] **5.** *Pop.* Agrupamento de indivíduos ligados por vínculos rudimentares ou não formalizados, mas que têm ou cultivam certas afinidades e características comuns: *tribos urbanas.* **6.** *Joc.* Grupo numeroso e unido; família muito grande: *Veio à festa com toda a sua tribo.* **7.** *Mat.* Subconjunto não vazio das partes de um conjunto, estável sobre complementação e uniões enumeráveis entre seus elementos. **8.** *Antrop.* Grupo social (ou, nos esquemas neoevolucionistas, estágio intermediário entre o bando (q. v.)) e o cacicado (q. v.) caracterizado por relativa coesão territorial e homogeneidade linguística e cultural, com pequeno desenvolvimento da autoridade central e da organização política, e que pode incluir (ger. segundo critérios genealógicos) famílias, bandos, subgrupos ou comunidades em estreita interação econômica, religiosa e social. [O termo, pouco preciso, foi aplicado sem rigor a grupos muito diferentes entre si quanto à organização social, sendo atualmente evitado pelos antropólogos (principalmente em contextos mais distantes dos estudos funcionalistas de povos africanos); no entanto, sociedades ou grupos anteriormente chamados *tribos* continuam muitas vezes a ser qualificados como "tribais".] **9.** *Bot. Zool.* Categoria taxonômica inferior a subfamília. ◆ **Tribo boreliana.** *Mat.* A que é gerada pelo conjunto das partes abertas de um espaço.

▲tribo- [Do gr. *tríbein*, 'esfregar'; 'friccionar'; 'triturar', 'esmagar'.] *El. comp.* = 'ação de esfregar', 'atrito'; 'esmagamento': *triboeletricidade.* [Equiv.: *-tribo*: *basiótribo.* V. *-trips-*.]

▲-tribo [Do gr. *-tribēs* (ī) < gr. *tríbein.*] Equiv. de *tribo-*.

triboeletricidade [De *tribo-* + *eletricidade.*] *S. f. Fís.* Eletricidade que se forma mediante o atrito de dois corpos.

triboelétrico [De *tribo-* + *elétrico.*] *Adj.* Respeitante à triboeletricidade.

tribofar [De *tribofe* + *-ar*[2].] *V. int.* **1.** Trapacear em corridas de cavalos. **2.** *P. ext.* Trapacear (2).

tribofe *S. f. Bras. Gír.* **1.** Conchavo fraudulento em corridas de cavalos. **2.** Trapaça em qualquer jogo. **3.** *P. ext.* Trapaça, logro (q. v.). **4.** Namoro pouco sério; namorico, namorilho. **5.** V. *namoro* (1).

tribofeiro [De *tribofe* + *-eiro.*] *S. m. Bras. Gír.* Indivíduo que faz tribofes; trapaceiro.

triboluminescência [De *tribo-* + *luminescência.*] *S. f. Fís.* Luminescência produzida por atrito, em certas substâncias.

tribometria [De *tribo-* + *-metria.*] *S. f. P. us.* Parte da ciência que trata da medida das forças de atrito.

tribométrico [De *tribometria* + *-ico*[2].] *Adj.* Relativo à tribometria.

tribômetro *S. m.* V. *tribômetro.* [Uso freq. em P.]

tribômetro [De *tribo-* + *-metro.*] *S. m.* Aparelho com que se mede a força do atrito.

tríbon [Do gr. *tríbōn.*] *S. m.* Na Grécia antiga, manto grosseiro, mais curto que o himácio, us. por camponeses e pobres, e também pelos espartanos.

tríbraco [Do gr. *tríbrachys*, 'que tem três breves', pelo lat. *tribrachu.*] *S. m. Arte Poét.* Pé de verso grego ou latino, formado de três sílabas.

tribracteado [De *tr(i)-* + *bracteado.*] *Adj. Bot.* Que tem três brácteas.

tribracteolado [De *tr(i)-* + *bracteolado.*] *Adj. Bot.* Que tem três bractéolas.

tribufe *Adj. 2 g. Bras. Pop.* V. *maltrapilho* (1).

tribufu *Adj. 2 g. Bras. BA Pop.* **1.** V. *maltrapilho* (1). ● *S. m.* **2.** *Bras. MG* Indivíduo feio. [F. paral.: *trubufu.*]

tribul [Do lat. *tribule.*] *Adj. 2 g.* Tribal.

tribulação [Do lat. *tribulatione.*] *S. f.* **1.** Adversidade, contrariedade: "Para levar a carta a seu destino, teve o matuto de caminhar a pé. Ele viu nisso uma nova tribulação com que a sorte o punia da sua loucura." (Franklin Távora, *O Cabeleira*, p. 261.) **2.** Aflição, amargura, tormento. [F. paral.: *atribulação.*]

tribular [Do lat. *tribulare.*] *V. t. d. Int. P. Ant.* Atribular. [Pres. ind.: *tribulo*, etc. Cf. *tríbulo.*]

tríbulo [Do gr. *tríbolos*, pelo lat. *tribulu*; tax. *Tribulus.*] *S. m. Bot.* **1.** Gênero de plantas zigofiláceas, herbáceas, tropicais e subtropicais, dotadas de folhas penadas e flores brancas ou amarelas, a que sucedem frutos espinhosos, com cinco carpelos tuberculosos, indeiscentes. **2.** Qualquer espécie desse gênero, como, p. ex., a *Tribulus maximus* que ocorre na Índia e América do Norte, e alcança o Peru e a Bolívia, mas não o Brasil, e que tem folhas pequenas, estipuladas e com seis a oito folíolos sésseis, ovados e pilosos, flores inconspícuas, douradas e solitárias, e cujo fruto é uma cápsula que se fragmenta em 10 cocos. **3.** Qualquer espécime desse gênero. [Cf. *tribulo*, do v. *tribular.*]

tríbulo-aquático *S. m. Bot.* Erva enoterácea (*Trapa natans*) natante, nativas na Europa, cujas folhas flutuantes e rosuladas são arredondadas, denteadas na porção superior e algo vilosas embaixo, e cujas folhas submersas são radiciformes. As flores são pequenas, solitárias, têm quatro pétalas e quatro estames, e o fruto é turbiniforme, duro, monospermo, com 2,5 a 5cm de diâmetro e comestíveis. [Sin.: *abrolho-aquático, castanha-d'água.* Pl.: *tríbulos-aquáticos.*]

tribuna [Do lat. *tribuna.*] *S. f.* **1.** Lugar elevado de onde falam os oradores. **2.** Púlpito (1). **3.** Lugar reservado para autoridades e pessoas importantes por ocasião de reunião pública. **4.** *P. ext.* Arquibancada (1): *a tribuna popular do Jóquei Clube.* **5.** *Fig.* Arte de falar em público; eloquência.

tribunado [Do lat. *tribunatu.*] *S. m.* **1.** Cargo de tribuno. **2.** Tempo de exercício desse cargo. [F. paral.: *tribunato.*]

tribunal [Do lat. *tribunale.*] *S. m.* **1.** Cadeira de juiz ou magistrado. **2.** Jurisdição dum magistrado, ou de um corpo de magistrados que julgam em conjunto. **3.** Casa onde se discutem e julgam as querelas judiciais. **4.** Entidade moral capaz de formar juízo e considerar-se juiz. **5.** Tudo que julga. **6.** Lugar onde se é julgado. **7.** Corpo coletivo superior; conselho. **8.** *Ant.* Designação genérica de qualquer órgão de deliberação coletiva, fosse de natureza administrativa, ou judiciária, ou consultiva, etc. ◆ **Tribunal de contas.** *Bras.* Órgão independente dos três poderes constitucionais, com jurisdição própria, e privativa, incumbido de fiscalizar a execução do orçamento e julgar as contas dos responsáveis por dinheiros e outros bens públicos, e bem assim de apreciar a legalidade de certos atos. **Tribunal de Deus.** A justiça divina. **Tribunal de justiça.** *Bras.* Órgão colegiado constituído de juízes de segunda instância (desembargadores), com jurisdição comum, subdividido em seções, câmaras ou turmas, e competente para julgar os recursos das decisões de primeira instância e as causas originárias que lhe são reservadas por lei; foro. **Tribunal do júri.** V. *júri* (1). **Tribunal misto.** O que se compõe de juízes leigos e togados, como o tribunal do júri. **Tribunal pleno.** Sessão de um tribunal para exame de matéria especial, e à qual devem comparecer todos os membros. [Tb. se diz apenas *pleno.*] **Supremo Tribunal Federal.** *Bras.* A mais alta corte de justiça do Brasil, cujos membros são designados *ministros* [sigla *STF*]. [Tb. se diz apenas *Supremo.*]

tribunato [Do lat. *tribunatu.*] *S. m.* Tribunado.

tribunício [Do lat. *tribuniciu.*] *Adj.* **1.** Relativo a, ou próprio de tribuno. **2.** Que tem ares, modos, ou vocação ou talento de tribuno: "pouco depois o tipo mais perfeitamente tribunício que ainda sustentou em Portugal uma pasta e um partido, deixava devoluto .... o eminente lugar que ocupara na tribuna parlamentar." (Ramalho Ortigão, *Em Paris*, p. 85).

tribuno [Do lat. *tribunu.*] *S. m.* **1.** Na Roma antiga, magistrado que atuava junto ao Senado em defesa dos direitos e interesses do povo. **2.** Orador revolucionário ou de assembleias políticas.

tributação [De *tributar* + *-ção.*] *S. f.* Ato ou efeito de tributar(-se).

tributal [De *tributo* + *-al*[1].] *Adj. 2 g.* Relativo a tributo.

tributando [De *tributar* + *-ando.*] *Adj.* **1.** Que deve ser tributado. **2.** Sujeito a tributo.

tributar [De *tributo* + *-ar*[2].] *V. t. d.* **1.** Impor tributos ou impostos a; taxar: *Os romanos tributavam as províncias.* **2.** Prestar ou dedicar a (alguém ou algo), como tributo. *T. d. e i.* **3.** Pagar como tributo. **4.** Prestar, render, dedicar: *Tributemos-lhe homenagens: foi um grande homem. P.* **5.** Tornar-se tributário; cotizar-se, contribuir. [Fut. do pret.: *tributaria*, etc. Cf. *tributária*, fem. de *tributário*, adj. e s. m.]

tributário [Do lat. *tributariu.*] *Adj.* **1.** Que paga tributo, que é sujeito a pagá-lo; contribuinte. ~ V. *direito* —. ● *S. m.* **2.** Aquele que é tributário (1). **3.** Afluente (4). [Fem.: *tributária.* Cf. *tributaria*, do v. *tributar.*]

tributarista [De *tributário* + *-ista.*] *S. 2 g.* **1.** Especialista em direito tributário ou fiscal. ● *Adj. 2 g.* **2.** Referente a direito tributário ou fiscal. [Sin. ger.: *fiscalista.*]

tributável [De *tributar* + *-vel.*] *Adj. 2 g.* Que se pode ou deve tributar.

tributo [Do lat. *tributu.*] *S. m.* **1.** Prestação monetária compulsória devida ao poder público; imposto. **2.** *Ant.* Pagamento que um Estado é forçado a fazer a outro. **3.** *Fig.* Inconveniência ou privação associada a determinada circunstância: *A perda de privacidade é o tributo que se paga à fama.* **4.** Homenagem, preito: *Seus ex-alunos prestaram-lhe um tributo póstumo.*

tribuzana *S. 2 g. Bras.* V. *trabuzana.*

trica [Do lat. *trica.*] *S. f.* **1.** Chicana, trapaça, tramoia. **2.** Enredo, intriga, mexerico: "Logo ao desembarcar foi servir numa paróquia em Minas, onde viveu, quase vinte anos, dizendo missas, casando, batizando e se metendo em tricas de política." (Luís Edmundo, *De um Livro de Memórias*, II, p. 345.) **3.** V. *ninharia.*

tricama [De *tr(i)-* + *cama.*] *S. f. Bras.* Conjunto formado de três camas sobrepostas e móveis. [Cf. *beliche* (1).]

tricampeã *S. f.* Fem. de *tricampeão* (q. v.).

tricampeão [De *tr(i)-* + *campeão.*] *Adj. S. m.* **1.** Diz-se de, ou indivíduo, equipe, grupo etc., que foi campeão por três vezes (consecutivas ou não) em competição ou modalidade esportiva, artística, ou cultural, ou em concurso: "fiquei felicíssimo de o Brasil ser tricampeão [no *Grammy*, prêmio anual da indústria fonográfica norte-americana] e de a Bahia ser bi, já que Gil ganhou ano passado." (Caetano Veloso, em *O Globo*, 25.02.2000). **2.** *Restr.* Diz-se de, ou o indivíduo que participou da conquista de um tricampeonato. [F. red.: *tri.* Fem.: *tricampeã.* F. red.: *tri.*]

tricampeonato [De *tr(i)-* + *campeonato.*] *S. m.* **1.** Campeonato (2) obtido por um mesmo disputante pela terceira vez. **2.** *Restr.* Aquele que é conquistado pela terceira vez consecutiva: "Estou feliz com o tricampeonato do Brasil e o bi da Bahia, já que Gil ganhou ano passado" (Caetano Veloso, em *O Globo*, 24.02.2000). [F. red.: *tri.*]

tricana [De or. obscura] *S. f.* **1.** Espécie de burel (1) antigo. **2.** A saia feita desse burel: "uma rapariga vestida de tricana, xaile e lenço preto" (Júlio Dantas, *Abelhas Doiradas*, p. 111). **3.** *Lus.* Moça do povo ou do campo.

tricapsular [De *tr(i)-* + *capsular.*] *Adj. 2 g. Bot.* Que tem três cápsulas.

tricarboxílico (cs) [De *tr(i)-* + *carboxílico.*] *Adj. Quím.* ~ V. *ácido* —.

tricarpelar [De *tr(i)-* + *carpelar.*] *Adj. 2 g. Bot.* Diz-se do ovário constituído por três carpelos.

tricásio *S. m. Bot.* Inflorescência cimosa que, abaixo do eixo principal, terminado por uma flor, apresenta três râmulos floríferos.

tricéfalo [De *tr(i)-* + *-céfalo.*] *Adj. S. m.* Que ou o que tem três cabeças.

tricelular [De *tr(i)-* + *celular.*] *Adj. 2 g. Bot.* Que tem três células.

tricenal [Do lat. *tricennale.*] *Adj. 2 g.* Que dura trinta anos.

tricentenário [De *tr(i)-* + *centenário.*] *Adj.* **1.** Que tem trezentos anos. ● *S. m.* **2.** Comemoração de fato notável ocorrido trezentos anos antes.

tricentésimo (zi) [De *tr(i)-* + *centésimo.*] *Num. S. m.* Trecentésimo.

tricêntrico [De *tr(i)-* + *-centr(o)-* + *-ico*[2].] *Adj. Constr.* **1.** Que tem três centros: "A portada da igreja, de arco tricêntrico firmado em pilares polistilos de meio-relevo, era o mais claro testemunho da idade provecta do presbitério." (Alexandre Herculano, *Lendas e Narrativas*, II, p. 211.) **2.** Que tem três arcos sucessivos.

tríceps [Do lat. *triceps.*] *Adj. 2 g. S. m. Anat.* Tricípite.

triceratope [Adapt. do tax. *triceratops.*] *S. m. Paleont.* **1.** Gênero de dinossauros ornitísquios, com cerca de 9m de comprimento e que lembravam um rinoceronte; tinham dois chifres sobre os olhos, um, menor, entre as narinas, e carapaça óssea no dorso, junto à cabeça. Viveram no cretáceo superior e fósseis foram encontrados na América do Norte. **2.** Espécie ou espécime desse gênero.

tricésimo [Do lat. *tricesimu.*] *Num.* Trigésimo.

triciclo [De *tr(i)-* + *ciclo.*] *S. m.* **1.** Veículo leve, especial para crianças, dotado de selim, montado sobre três rodas (uma dianteira e duas traseiras), e impulsionado a pedal; velocípede. **2.** Veículo semelhante, maior, impulsionado a manivela ou a motor, e muito us. por deficientes físicos. **3.** Veículo para pequenas entregas, impulsionado por meio de pedais, dotado de uma roda traseira e duas dianteiras, e com uma caixa fixada no eixo destas últimas. **4.** Antiga carruagem de três rodas.

tricinquentenário (qüen) [De *tr(i)-* + *cinquentenário.*] *S. m.* Sesquicentenário. ❖

trício[1] [Do lat. cient. mod. *tritium* gr. *trítos*, 'terceiro'.] *S. m. Fís.* Isótopo do hidrogênio, de número de massa 3, gasoso, radioativo; trítio.

trício[2] *Adj.* **1.** De, ou pertencente ou relativo a Trício, antiga cidade espanhola. ● *S. m.* **2.** O natural ou habitante de Trício.

tricípite [Do lat. *tricipite*, 'de três cabeças'.] *Adj. 2 g.* **1.** Que tem três cabeças; tricéfalo. ● *S. m.* **2.** *Anat.* Cada um dos músculos que tem três feixes distintos em uma das extremidades. [F. paral.: *tríceps.*]

tricládida [De *tr(i)-* + *-clad(o)-* + *-ida*[1]; tax. *Tricladida.*] *Zool. S. m.* **1.** Espécime dos tricládidas, ordem de platelmintos turbelários, terrestres ou de água doce, providos de tubo digestivo com três ramificações, boca ventral e faringe protrátil. Comprimento: até 50cm. ● *Adj. 2 g.* **2.** Pertencente ou relativo a eles.

triclinário [Do lat. *triclinariu.*] *S. m.* Escravo que servia os comensais no triclínio: "trouxeram-me .... um dos meus escravos rústicos, ainda jovem, para aprendiz de triclinário" (Mário de Carvalho, *Um Deus Passeando pela Brisa da Tarde*, p. 162).

T

triclínico [De *tr(i)-* + *-clin(o)-*[2] + *-ico*[2].] *Adj.* Que tem três ângulos desiguais, os quais se cortam em ângulos oblíquos. ~ V. *sistema —*.

triclínio [Do gr. *triklínion*, pelo lat. *tricliniu*.] *S. m.* **1.** Na Roma antiga, refeitório com três (ou mais) leitos inclinados dispostos em redor de uma mesa: 📖 "Lisonjeado Jove onipotente, / Falaz sempre, porém jamais vencido, / Cada um dos imortais farto e bebido / Vai deixando o triclínio de repente." (Luís Delfino, *Imortalidades*, I, p. 65.) **2.** Cada um desses leitos.

▲ **triclor(o)-** [De *tr(i)-* + *-clor(o)-*.] *Quím. El. comp.* = 'que contém três átomos de cloro': *tricloroetano*.

tricloroacetaldeído *S. m. Quím.* Nome químico do cloral.

tricloroetano [De *triclor(o)-* + *etano*.] *S. m. Quím.* Substância líquida, não inflamável, de odor agradável, possivelmente cancerígena, us. como solvente [fórm.: $C_2H_3Cl_3$].

tricloroetileno [De *triclor(o)-* + *etileno*.] *S. m. Quím.* Substância líquida, não inflamável, possivelmente cancerígena, us. como solvente e em lavagem de roupas a seco [fórm.: C_2HCl_3].

triclorofenoxiacético (cs) [De *triclor(o)-* + *-fen(o)-* + *-ox(i)-* + *acético*.] *Adj. Quím.* V. *ácido —*.

tricloronitrometano *S. m. Quím.* V. *cloropicrina*.

▲**tric(o)-** [Do gr. *thríx, trichós (ich)*.] *El. comp.* = 'pelo', 'cabelo': *tricoglossia, tricologia*. [Equiv.: *-tric(o)-, -trico, triqu(i)-, -triqu(i)-*: *atricose, atriquia; liótrico; triquíase* (< gr.).]

▲**-tric(o)-** V. *tric(o)-*.

▲**-trico** [Do gr. *-trichos, os, on* (ī) < gr. *thríx, trichós*.] V. *tric(o)-*.

tricô [Do fr. *tricot*.] *S. m.* **1.** *Tec. Têx.* Tecido utilizado na confecção de peças de vestuário e outras, executado à mão com duas agulhas onde se armam as malhas, de modo que o fio, passando de uma agulha para a outra, permite a execução de dois tipos de ponto que servem de base a grande variedade de padrões. [Cf. *malha*[1] (2), *ponto de meia* e *ponto de tricô*.] **2.** *Tec. Têx.* O mesmo tecido feito à máquina, quer de fabricação caseira, quer produzido industrialmente. **3.** *P. ext. Vest.* Artigo feito de tricô: 📄 *O tricô está muito na moda este ano.* **4.** O ato ou ofício de fazer tricô, de tricotar: 📄 *Graças ao tricô, ela conseguiu equilibrar o orçamento da família.*

tricobezoar *S. m. Patol.* V. *bezoar*.

tricobrânquia [De *tric(o)-* + *brânquia*.] *S. f. Zool.* Brânquia encontrada em crustáceos decápodes macruros, constituída por longo tubo axilar no qual estão inseridos numerosos filamentos.

tricoca [De *tricoco*.] *S. f. Bot.* Fruto composto de três cocos independentes, embora unidos.

tricocéfalo [De *tric(o)-* + *-céfalo*.] *S. m. Biol.* Tricuro (2).

tricociste [De *tric(o)-* + *-ciste*.] *S. f. Patol.* Cisto piloso; tricocisto.

tricocisto [De *tric(o)-* + *-cisto*.] *S. m. Patol.* V. *tricociste*.

tricoco (ó) [De *tr(i)-* + *coco*.] *Adj. Bot.* Que tem três cocos: 📄 *cápsula tricoca*.

tricofitobezoar *S. m. Patol.* V. *bezoar*.

tricogénico *Adj.* V. *tricogênico*. [Uso freq. em P.]

tricogênico [De *tric(o)-* + *-gen(o)-* + *-ico*[2].] *Adj.* Tricógeno.

tricógeno [De *tric(o)-* + *-geno*.] *Adj.* Que promove o crescimento de pelos, ou de cabelos; tricogênico.

tricógino [De *tric(o)-* + *-gino*.] *S. m. Bot.* Orgânulo alongado, piliforme, que capta os espermácios. Encontra-se em rodofíceas e líquens.

tricoglossia [De *tric(o)-* + *-gloss(o)-* + *-ia*[1].] *S. f. Med.* Aspecto da língua que, em consequência de hipertrofia das suas papilas, parece achar-se coberta de pelos.

tricoglosso [De *tric(o)-* + *-glosso*; tax. *Trichoglossus*.] *S. m. Zool.* **1.** Gênero de aves psitaciformes, psitacídeas, com cerca de vinte espécies na Nova Caledônia e nas Ilhas Celebes; são pequenos papagaios de cores vivas e fortes, com o peito ger. vermelho ou laranja manchado de preto. **2.** Qualquer espécie, ou espécime desse gênero.

tricogramatídeo [Do lat. cient. *Trichogrammat-* (< tax. *Trichogramma* + *-ídeo*[1].] *Zool. S. m.* **1.** Espécime dos tricogramatídeos, família de insetos himenópteros, apócritos, que reúne vespas diminutas cujo tarso tem três segmentos. Com exceção de algumas fêmeas ápteras, encontradas nas figueiras, são todas parasitas de ovos e larvas de outros insetos, e atacam grande gama de hospedeiros, principalmente lepidópteros, sendo, portanto, controladores biológicos de várias pragas agrícolas. ● *Adj.* **2.** Pertencente ou relativo a eles.

tricoide (ói) [De *tric(o)-* + *-oide*.] *Adj. 2 g. Bot.* Piliforme: 📄 *papila tricoide*. ❖

tricolina [Do fr. *tricoline*.] *S. f. Tec. Têx.* Tecido de fios de algodão penteado, puro ou misto, sedoso e leve, de trama bem fechada: 📖 "Dulce vestiu um chambre de tricolina e atendeu-a" (O. G. Rego de Carvalho, *Somos Todos Inocentes*, p. 20).

tricoline *S. f.* V. *tricolina*.

tricologia [De *tric(o)-* + *-logia*.] *S. f.* Tratado sobre os pelos ou os cabelos.

tricológico [De *tricologia* + *-ico*[2].] *Adj.* Relativo à tricologia.

tricologista [De *tricologia* + *-ista*.] *S. 2 g.* Especialista em tricologia.

tricolor (ôr) [Do lat. *tricolore*.] *Adj. 2 g.* **1.** Que tem três cores. **2.** *Bras.* V. *fluminense*[2] (1 e 2): 📖 "Paulo Amaral já tem um esquema de abordagem direta dos problemas tricolores" (*Correio da Manhã*, Rio, 05.03.1970). **3.** *Bras.* V. *são-paulino* (1 e 2). ● *S. 2 g.* **4.** *Bras.* V. *fluminense*[2] (3). **5.** *Bras.* V. *são-paulino* (3).

tricolpado [De *tr(i)-* + *-colp(o)-* + *-ado*[1].] *Adj. Bot.* Diz-se do pólen dotado de três sulcos.

tricolporado [De *tr(i)-* + *-colp(o)-* + *-por(o)-* + *-ado*[1], com haplologia.] *Adj. Bot.* Diz-se do pólen provido de três sulcos com poros.

tricoma [Do gr. *tríchoma*.] *S. m. Bot.* Qualquer prolongamento ou produção da parede externa das células epidérmicas, como, p. ex., o pelo, que é o tipo mais comum. [Nas cianofíceas, o tricoma é formado por células enfileiradas e revestido de uma bainha mucilaginosa.]

tricomicose [De *tric(o)-* + *micose*.] *S. f. Patol.* Qualquer infecção de pelo causada pela ação parasitária de fungos.

tricomicterídeo [Adapt. do tax. *Trichomycteridae*.] *Zool. S. m.* **1.** Espécime dos tricomicterídeos, família de peixes siluriformes, de água doce, com cerca de 36 gêneros e 160 espécies, vários deles parasitas. São peixes de corpo alongado, desprovidos de escamas, ger. com dois pares de barbilhões na maxila, encontrados, usualmente, em cabeceiras de cursos d'água, inclusive em regiões altas, das Américas Central e do Sul. ● *Adj.* **2.** Pertencente ou relativo a eles.

tricômona [Do tax. *Trichomonas*.] *S. f. Biol.* **1.** Gênero de protozoários zoomastiginos, parasitos, encontrados no trato intestinal e geniturinário de vários invertebrados e vertebrados, inclusive no do homem. **2.** Qualquer espécie desse gênero, como, p. ex., a *Trichomonas vaginalis*, encontrada na vagina e no trato genital masculino, e que é sexualmente transmitida. **3.** Qualquer espécime desse gênero.

tricomoníase [De *tricômona* + *-íase*.] *S. f. Patol.* Infecção por tricômonas.

triconotídeo [Adapt. do tax. *Trichonotidae*.] *Zool. S. m.* **1.** Espécime dos triconotídeos, pequena família de peixes actinopterígios, perciformes, marinhos, de corpo longo e fino, focinho pontudo, nadadeiras dorsal e anal com larga base. Vivem encobertos nos fundos lamacentos e arenosos, com cerca de dezenove espécies dos mares tropicais e subtropicais. ● *Adj.* **2.** Pertencente ou relativo a eles.

tricóptero [De *tric(o)-* + *-ptero*; tax. *Trichoptera*.] *Zool. S. m.* **1.** Espécime dos tricópteros, ordem de artrópodes, insetos com corpo revestido de pelos ou escamas, sistema bucal rudimentar, e quatro asas membranosas e pilosas, havendo, porém, algumas espécies ápteras. As fêmeas são braquípteras. Holometabólicos, vivem em lugares sombrios, junto aos rios e lagos, e depositam os ovos na água. As larvas têm o nome de curubixá. ● *Adj.* **2.** Pertencente ou relativo a eles. [Sin. ger.: *friganeídeo, friganeoide, friganeóideo, friganído, plicipene*.]

tricordiano [De *tr(i)-* + *-cord(i)-* + *-ano*[1].] *Adj.* **1.** De ou pertencente ou relativo a Três Corações (MG). ● *S. m.* **2.** O natural ou habitante de Três Corações.

tricorne [Do lat. *tricorne*.] *Adj. 2 g.* **1.** Que tem três cornos, pontas ou bicos. ● *S. m.* **2.** Tricórnio.

tricórnio [De *tricorne* + *-io*[3].] *S. m.* Chapéu de três bicos; tricorne: 📖 "magníficos cocheiros, de tricórnios emplumados" (Antero de Figueiredo, *Toledo*, p. 117). [Sin.: *tricorne*, (bras.) *tribico* e (bras., desus.) *três-ventos, candeeiro, anastácio*.]

tricosaedro *S. m. Geom.* Poliedro de 23 faces.

tricoságono *S. m. Geom.* Polígono de 23 lados. [A pronúncia correta seria *tricosagono*; v. *-gono*.]

tricoseno [De *tr(i)-* + *-(ei)cos(a)-* + *-eno*[2].] *S. m. Quím.* Qualquer alceno acíclico com 23 átomos de carbono, um dos quais, o cis-9-tricoseno, é feromônio sexual da mosca doméstica [fórm.: $C_{23}H_{46}$].

tricósporo [De *tric(o)-* + *-sporo*.] *S. m. Micol.* Esporo que nasce na extremidade de um filamento miceliano.

tricotar [Do fr. *tricoter*.] *V. int.* **1.** Fazer tricô (1): 📖 "A criança dorme. A mãe tricota junto ao leito, sonolenta." (Guido Vilmar Sassi, *Piá*, p. 73.) **2.** *Fig.* Fazer intrigas; mexericar. *T. d.* **3.** Fazer com o tricô (1): 📖 "tricotou uma suéter para o inverno." (Clarice Lispector, *A Via-Crúcis do Corpo*, p. 18). [Sin. ger. (bras.): *tricotear*.]

tricotear [De *tricô* (< fr. *tricot*) + *-ear*[2], ou de *tricotar*, com mudança de suf.] *Bras. V. int. T. d.* Tricotar: 📖 "A mulher esperava o marido na varanda, tricoteando em sua cadeira de balanço." (Dalton Trevisan, *Novelas nada Exemplares*, p. 170.) [Conjug.: v. *frear*.]

tricoteceno [Do tax. *Trichothec(ium)* (v. *tricotécio*) + *-eno*[2].] *S. m. Quím.* Qualquer das substâncias que contêm certo esqueleto molecular tetracíclico com anel de epóxido unido por espiro-átomo, que são produzidas principalmente por fungos, muitas das quais são extremamente tóxicas, podendo prejudicar a agricultura e, alega-se, têm uso militar. [Cf. *micotoxina*.]

tricotecina [De *tricotec(eno)* + *-ina*[3].] *S. f. Quím.* Tricoteceno com atividade antibiótica [fórm.: $C_{19}H_{24}O_5$].

tricotécio [Do tax. *Trichothecium*.] *S. m. Micol.* **1.** Gênero de fungos imperfeitos moniliáceos, que têm conidióforos eretos, septados, não ramificados, e esporos bicelulares, hialinos ou de colorido vivo. **2.** Espécie ou espécime desse gênero.

tricoteiro [De *tricô* (< fr. *tricot*) + *-eiro*.] *S. m.* **1.** Pessoa que se ocupa em trabalhos de tricô. **2.** *P. ext. Bras. Fam.* Alcoviteiro, mexeriqueiro. [M. us. no fem.]

tricotiledóneo *Adj. Bot.* V. *tricotiledôneo*. [Uso freq. em P.]

tricotiledôneo [De *tr(i)-* + *cotilédone* + *-eo*.] *Adj. Bot.* Diz-se da semente, ou da plantinha recém-germinada, anormalmente provida de três cotilédones.

tricótilo [De *tr(i)-* + *-cótilo*.] *Adj. Bot.* Que tem três cotilédones.

tricotilomania (tì) [De *tric(o)-* + gr. *tíllein*, 'depenar', 'arrancar', + *-o-* + *-mania*.] *S. f. Psiq.* Hábito mórbido de arrancar recorrentemente fios de cabelo ou pelos de uma determinada região corporal.

tricotilomaníaco (tì) [De *tricotilomania* + *-íaco*.] *Psiq. Adj.* **1.** Relativo a tricotilomania. **2.** Que tem tricotilomania; tricotilômano. ● *S. m.* **3.** Aquele que tem tricotilomania; tricotilômano.

tricotilómano *Adj. S. m.* V. *tricotilômano*. [Uso freq. em P.]

tricotilômano [De *tricotilo-*, como em *tricotilomania*, + *-mano*[1].] *Adj. S. m.* Tricotilomaníaco (2 e 3).

tricotomia[1] [Do gr. *trichotomía*.] *S. f.* **1.** Divisão em três partes, classes ou elementos. **2.** *Bot.* Ramificação em que cada ramo se divide em três partes, e estas novamente em três, etc.

tricotomia[2] [De *tric(o)-* + *-tom(o)-* + *-ia*[1].] *S. f. Bras. Cir.* Raspagem de uma região do corpo que será submetida a operação (4).

tricotómico *Adj. Bot.* V. *tricotômico*. [Uso freq. em P.]

tricotômico [De *tricotomia*[1] + *-ico*[2].] *Adj. Bot.* Relativo a tricotomia[1] (2).

tricotomismo [De *tricótomo* + *-ismo*.] *S. m. Filos.* Doutrina que admite que são três os princípios que se integram no homem; o corpo, a alma e o espírito.

tricótomo [Do gr. *trichótomos*.] *Adj.* **1.** Dividido em três. **2.** Que se faz por sucessivas divisões de três. **3.** *Bot.* Que apresenta tricotomia (2): 📄 *caule tricótomo*.

tricroísmo [De *tr(i)-* + *-cro(a)-* + *-ismo*.] *S. m.* **1.** Propriedade de ter três cores diferentes, característica de certas substâncias. **2.** *Ópt.* Variação da cor de um cristal birrefringente biaxial, com a direção de observação.

tricromia [De *tr(i)-* + *-crom(o)-* + *-ia*[1].] *S. f. Fotograv.* **1.** Qualquer dos processos fotomecânicos que reproduzem as cores do original mediante superposição de três placas ou clichês, os quais, obtidos de negativos preparados por seleção cromática, se imprimem sucessivamente com as tintas correspondentes às cores amarela, vermelha e azul. [Para maior rendimento tonal da imagem e melhor percepção do modelado, acrescenta-se um quarto clichê (v. *quadricromia*), para o preto ou cinza, e, às vezes, um quinto, um sexto, ou mesmo um sétimo, representativos de variantes de cada cor.] **2.** Estampa obtida por esse processo. [Cf. *bicromia* e *policromia*.]

tricurídeo [Do tax. *Trichuris* (v. *tricuro*) + *-ídeo*[1]; tax. *Trichuridae*.] *Zool. S. m.* **1.** Espécime dos tricurídeos, família de nematódeos que têm o tricuro como gênero-tipo. ● *Adj.* **2.** Pertencente ou relativo a eles.

tricuro [Do tax. *Trichuris*.] *S. m. Biol.* **1.** Gênero de asquelmintos nematódeos, parasitos intestinais. **2.** Qualquer espécie desse gênero, como, p. ex., a *Trichuris roederer* e a *T. trichiura*, espécie esta que mais infecta o homem; seus ovos medem 50 a 56 micrômetros por 20 a 25 micrômetros, podendo a fêmea adulta atingir o comprimento de 50mm. [Sin., nesta acepç.: *tricocéfalo*.] **3.** Qualquer espécime desse gênero.

tricuróideo [Adapt. do tax. *Trichuroidea*.] *Zool. S. m.* **1.** Espécime dos tricuróideos, superfamília de nematódeos afasmídios que inclui, entre outros, os gêneros capilária e tricuro. ● *Adj.* **2.** Pertencente ou relativo a eles.

tricuspidado [De *tricúspide* + *-ado*[1].] *Adj. Bot.* Tricúspide (2).

tricúspide [Do lat. *tricuspide*.] *Adj. 2 g.* **1.** Que tem três pontas. [Cf. *trífido* (1).] **2.** *Bot.* Que é tricúspide (1); tricuspidado: 📄 *filete tricúspide*. ~ V. *valva —*. ● *S. f.* **3.** *Geom.* Hipocicloide em que o raio da circunferência móvel é três vezes menor que o da fixa; deltoide.

tridacna [Do tax. *Tridacna.*] *S. f. Zool.* **1.** Gênero de grandes moluscos eulamelibrânquios, tridacnídeos, marinhos, que apresentam valvas grandes e pesadas, sem o músculo adutor anterior; os bordos, lisos e plicados, formam três grandes dentes. São os mariscos-gigantes dos mares tropicais, que vivem na areia ou entre os recifes de coral, até 30m de profundidade, e que podem pesar até 200kg. **2.** Qualquer espécie desse gênero, como, p. ex., a *Tridacna gigas*, a que se atribui a causa de acidentes com os caçadores de pérolas. **3.** Qualquer espécime desse gênero.

tridacnídeo [Do tax. *Tridacna*, 'gênero-tipo', + *-ideo*¹; tax. *Tridacnidae.*] *Zool. S. m.* **1.** Espécime dos tridacnídeos, família de moluscos bivalves, cardiáceos, cujo gênero-tipo é tridacna (q. v.). ● *Adj.* **2.** Pertencente ou relativo a eles.

tridáctilo [Do gr. *tridáktylos.*] *Adj. Zool.* Que tem três dedos. [Var.: *tridátilo.*]

tridátilo *Adj. Zool.* V. *tridáctilo.*

tridecaedro [De *tr(i)-* + *decaedro.*] *S. m. Geom.* Poliedro de 13 faces.

tridecágono [De *tr(i)-* + *decágono.*] *S. m. Geom.* Polígono de 13 lados. [A pronúncia correta seria *tridecagono*; v. *-gono.*]

tridentado [De *tridente* + *-ado*¹.] *Adj. Bot.* Que tem três dentes: 📄 *lacínia tridentada.*

tridente [Do lat. *tridente.*] *Adj. 2 g.* **1.** Que tem três dentes; tridentado. ● *S. m.* **2.** O cetro mitológico de Netuno, terminado por três dentes: 📖 "Argonautas aos remos, ao leme Netuno de barbas fluviais, empunhando o tridente clássico." (Ramalho Ortigão, *A Holanda*, p. 213.) **3.** *Fig.* O domínio dos mares. **4.** *P. ext.* O mar.

tridênteo [De *tridente* + *-eo.*] *Adj.* Relativo a tridente (2).

tridentífero [Do lat. *tridentiferu.*] *Adj. Poét.* **1.** Que tem tridente (2). **2.** Que leva o tridente (2). [Sin. ger.: *tridentígero.*]

tridentígero [Do lat. *tridentigeru.*] *Adj.* Tridentífero.

tridentino [Do lat. *tridentinu.*] *Adj.* **1.** De, ou pertencente ou relativo a Trento (Itália). ● *S. m.* **2.** O natural ou habitante de Trento.

tridérmico [De *tr(i)-* + *-derm(o)-* + *-ico*².] *Adj. Biol.* Que tem três camadas.

tridi [Voc. onom., talvez.] *S. m. Bras. Zool.* V. *macuquinho.*

tridimensional [De *tr(i)-* + *dimensional.*] *Adj. 2 g.* Referente às três dimensões: comprimento, largura e altura. ~ V. *espaço —.*

tridimensionalizar [De *tri-* + **dimensionalizar* (*dimensional* + *-izar*).] *V. t. d.* Dar três dimensões a.

tridimita [Do gr. *trídymos*, 'triplo', + *-ita*³.] *S. f. Min.* Uma das fases cristalinas da sílica, cristalizada no sistema trigonal e formada em temperatura mais alta que a do quartzo. Ocorre, geralmente, em lavas.

triduano [Do lat. *triduanu.*] *Adj.* Que dura um tríduo (1).

tríduo [Do lat. *triduu.*] *S. m.* **1.** Espaço de três dias consecutivos. **2.** *Lit.* Festa (4) que dura três dias. **3.** *P. ext. Rel.* Oração (1) que se faz em três dias consecutivos: 📄 *Ontem comecei o tríduo de Nossa Senhora, para ele ficar bom.* ◆ **Tríduo de Momo.** V. *carnaval* (2). **Tríduo Pascal.** *Rel.* A quinta-feira, a sexta-feira e o sábado que antecedem ao Domingo de Páscoa.

triecia [De *tr(i)-* + *-ecia.*] *S. f. Bot.* Faculdade que tem uma espécie de planta de possuir flores masculinas, femininas e hermafroditas em pés diferentes, o que, aliás, é bem raro.

triécico [De *triecia* + *-ico*².] *Adj.* Trioico.

triedro [De *tr(i)-* + *-edro.*] *S. m. Geom.* Figura formada por três planos mutuamente interceptantes, com um ponto comum, *i. e.*, por três vetores com a mesma origem.

trienado [De *triênio* + *-ado*¹.] *S. m. P. us.* Triênio.

trienal [Do lat. *trienne*, 'de três anos', + *-al*¹.] *Adj. 2 g.* **1.** Que dura um triênio (1). **2.** Que serve durante um triênio (1). **3.** Que frutifica de três em três anos. ● *S. f.* **4.** Exposição (de arte, em geral) que se realiza de três em três anos.

triénio *S. m.* V. *triênio.* [Uso freq. em P.]

triênio [Do lat. *trienniu.*] *S. m.* **1.** Espaço de três anos. **2.** Exercício dum cargo por três anos. [Sin. ger., p. us.: *trienado.*]

triental [Do tax. *Trientalis.*] *S. f. Bot.* **1.** Gênero de plantas primuláceas, herbáceas, naturais da América do Norte e da Eurásia, dotadas de folhas íntegras, verticiladas, e inúmeras flores pentâmeras em pedúnculos delgados. **2.** Qualquer espécie desse gênero, como, p. ex., a *Trientalis americana*. **3.** Qualquer espécime desse gênero, ou a flor dele.

triestino *Adj.* **1.** De, ou pertencente ou relativo a Trieste (Itália). ● *S. m.* **2.** O natural ou habitante de Trieste.

trifásico [De *tr(i)-* + *fase* + *-ico*².] *Adj. Eletr.* **1.** Diz-se de sistema elétrico composto por três tensões alternadas senoidais, normalmente de mesma amplitude, mesma frequência e defasadas entre si de 120 graus. **2.** Diz-se de aparelho que produz ou utiliza tal tensão.

trifauce [Do lat. *trifauce.*] *Adj. 2 g. Poét.* Que tem três fauces.

▲**trifenil-** *Quím. El. comp.* Indica a presença de três grupos fenila: *trifenileno.*

trifenilamina *S. f. Quím.* Amina sólida, que contém três anéis benzênicos [fórm.: $C_{19}H_{12}N$].

trifenileno [De *trifenil-* + *-eno*².] *S. m. Quím.* Hidrocarboneto aromático tetracíclico, isômero do pireno, cujas moléculas podem ser consideradas formadas por três anéis benzênicos fundidos a lados alternados de um benzeno central [fórm.: $C_{18}H_{12}$].

trífido [Do lat. *trifidu.*] *Adj.* **1.** Dividido em três, ou que tem três partes; tríplice, trigêmino. [Cf. *tricúspide, trifurcado* e *trissulco.*] **2.** *Bot.* Trifurcado: 📄 *gavinha trífida.*

trifilo [De *tr(i)-* + *-filo*¹.] *Adj. Bot.* **1.** Que tem três folhas ou três folíolos. **2.** Diz-se do cálice formado de três peças.

trifloro [De *tr(i)-* + *-floro.*] *Adj. Poét.* Que tem três flores.

trifluralina [Voc. farmac.] *S. f. Quím.* Substância cristalina, amarela, aromática, fluorada e nitrada, tóxica, us. como herbicida [fórm.: $C_{13}H_{16}F_3N_3O_4$].

trifocal [De *tr(i)-* + *focal.*] *Adj. 2 g.* **1.** Que tem três focos. **2.** Diz-se de lente ou de óculos com três distâncias focais diferentes: uma para visão próxima, outra para visão a distância, e uma terceira intermediária. ● *S. m.* **3.** Óculos trifocais.

trifoliado [De *tr(i)-* + *-foli-* + *-ado*¹.] *Adj.* Que tem três folhas; trifólio.

trifólio¹ [Do lat. *trifoliu.*] *S. m.* **1.** *Bot.* Trevo (1). **2.** *Bot.* V. *trevo-aquático.* **3.** Ornato em forma de trevo (1); trevo. **4.** *Mat.* Podária da tricúspide em relação a um ponto do seu eixo de simetria, entre o vértice e a cúspide. ● *Adj.* **5.** Trifoliado.

trifólio² [Do tax. *Trifolium.*] *S. m. Bot.* **1.** Grande gênero de plantas fabáceas, herbáceas, vastamente distribuídas pelas regiões temperadas, e que reúnem os trevos comuns; são dotadas de folhas trifoliadas e capítulos de flores púrpuras, róseas, ou brancas, de corola persistente, seguidas por vagens membranosas e indeiscentes. **2.** Qualquer espécie desse gênero, como, p. ex., a *Trifolium hybridum*, de flores róseas, e que é muito us. como planta forrageira. **3.** Qualquer espécime desse gênero. **4.** Denominação comum a ervas forrageiras da família das leguminosas, dos gêneros *Trifolium* (exótico) e *Stylosanthes* (nativo).

trifoliolado [De *tr(i)-* + *foliolado.*] *Adj.* ~ V. *folha —a.*

trifoliose [De *trifólio*¹ + *-ose*¹.] *S. f.* Envenenamento do cavalo, produzido pelo trevo híbrido.

trifório [De *tr(i)-* + lat. *fores*, 'porta exterior', + *-io*³.] *S. m.* Galeria apertada, numa igreja, sobre as arquivoltas das naves laterais, e que em geral apresenta três aberturas em cada vão: 📖 "as rosáceas e os vitrais, vencidos pela noite, entram no sono das suas cores místicas; e a arcatura gótica do trifório cada vez mais se empasta no claro-escuro do granito antigo." (Antero de Figueiredo, *Toledo*, p. 66).

triforme [Do lat. *triforme.*] *Adj. 2 g.* Que tem três formas.

trifosfato [De *tr(i)-* + *fosfato.*] *S. m. Quím.* Denominação genérica de certos compostos que contêm a cadeia de átomos -O-P-O-P-O-P-O-, e que podem fornecer, por hidrólise, um difosfato e ácido fosfórico. ◆ **Trifosfato de adenosina.** *Quím.* Substância cuja hidrólise resulta na formação de difosfato de adenosina e ácido fosfórico. [Mais conhecida por sua sigla, *ATP* (ingl.), é muito reativa como agente de fosforilação, parte essencial de muitos processos bioquímicos. É classificada, juntamente com algumas outras substâncias orgânicas fosfatadas, como *composto de alta energia*, ou *composto rico em energia*, pois a sua hidrólise é bastante exergônica.]

trifraternese [De *tr(i)-* + lat. *frater*, 'irmão', + *-ense.*] *Adj. 2 g.* **1.** De, ou pertencente ou relativo a Três Irmãos (RJ). ● *S. 2 g.* **2.** O natural ou habitante de Três Irmãos.

trifronteirano *Adj.* **1.** De, ou pertencente ou relativo a Três Fronteiras (SP). ● *S. m.* **2.** O natural ou habitante de Três Fronteiras.

trifurcação [De *trifurcar* + *-ção.*] *S. f.* Divisão em três ramos ou partes.

trifurcado [Part. de *trifurcar.*] *Adj.* Dividido em três ramificações: 📄 *tronco trifurcado; estrada trifurcada.* [Cf. *trífido* (1).]

trifurcar [Do lat. *trifurcus*, 'que tem três pontas', + *-ar*².] *V. t. d.* **1.** Dividir em três partes, ramos, caminhos, etc. *P.* **2.** Dividir-se em três partes, ramos, caminhos, etc. **3.** Classificar-se triplicemente. [Conjug.: v. *trancar.*]

triga [Do lat. *triga.*] *S. f. Desus.* Pressa, afã, azáfama, trigança.

trigal [De *trigo* + *-al*¹.] *S. m.* **1.** Quantidade mais ou menos considerável de trigos dispostos proximamente entre si. **2.** Campo de trigo; seara.

trigamia [Do gr. *trigamía.*] *S. f.* Estado ou condição de trígamo.

trigamilha *Adj.* (*f.*) **1.** Diz-se da farinha mista de trigo e milho. ● *S. f.* **2.** Pão feito com essa farinha.

trígamo [Do gr. *trígamos.*] *S. m.* Indivíduo casado com três mulheres ao mesmo tempo, ou que se casou três vezes.

trigança *S. f. Desus.* V. *triga.*

trigar-se [De *triga* + *-ar*² + *se*¹.] *V. p. Desus.* Andar com pressa; apressar-se, azafamar-se. [Conjug.: v. *largar.*]

trigémeo *Adj. S. m.* V. *trigêmeo.* [Uso freq. em P.]

trigêmeo [Do lat. *trigeminu*, por via pop.] *S. m.* **1.** Cada um dos três indivíduos nascidos do mesmo parto. **2.** *Anat.* Nervo trigêmeo. ● *Adj.* **3.** Diz-se de cada um dos indivíduos nascidos do mesmo parto; tergêmino. ~ V. *nervo —.*

trigeminada [F. subst. de *trigeminado.*] *S. f.* Janela.

trigeminado [De *trigêmino* + *-ado*¹.] *Adj.* Dividido em seis vãos (diz-se de janela).

trigeminal [De *trigêmino* + *-al*¹.] *Adj. 2 g.* Relativo a nervo trigêmeo, ou que nele se localiza.

trigémino *Adj.* V. *trigêmino.* [Uso freq. em P.]

trigêmino [Do lat. *trigeminu*, por via erudita.] *Adj.* V. *trífido* (1).

trigésimo (zi) [Do lat. *trigesimu.*] *Num.* **1.** Ordinal e fracionário correspondente a trinta; trinta (q. v.). ● *S. m.* **2.** Cada uma das trinta partes em que se divide um todo; a trigésima parte; trintena. **3.** Aquele ou aquilo que ocupa o trigésimo lugar.

triginia [De *trígino* + *-ia*¹.] *S. f. Bot.* Qualidade de trígino. [Cf. *triginía.*]

triginía [De *trígino* + *-ia*².] *S. f. Bot.* O conjunto das plantas que têm três carpelos. [Cf. *triginia.*]

trigínico [De *tr(i)-* + *-gin(o)-* + *-ico*².] *Adj. Bot.* Trígino.

trígino [De *tr(i)-* + *-gino.*] *Adj. Bot.* Que tem três carpelos; trigínico.

trigla [De *tr(i)-* + a term. de *sigla.*] *S. f.* Vocábulo composto com as três primeiras letras de cada palavra fundamental de uma denominação dada. [Cf. *bigla* e *sigla* (4).]

triglicéride *S. m. Quím.* V. *triacilglicerídeo.*

triglicerídeo *S. m. Quím.* V. *triacilglicerídeo.*

triglicerídio *S. m. Quím.* V. *triglicerídeo.*

triglicídeo *S. m. Quím.* V. *triacilglicerídeo.*

triglídeo [Do tax. *Trigla* + *-ídeo*¹; tax. *Triglidae.*] *Zool. S. m.* **1.** Espécime dos triglídeos, família de peixes actinopterígios, escorpeniformes, marinhos, de cabeça grande, duas nadadeiras dorsais separadas, e grandes nadadeiras peitorais típicas, nas quais as três espinhas inferiores são grandes e livres de membrana. Ex.: a cabrinha. ● *Adj.* **2.** Pertencente ou relativo a eles.

tríglifo [Do gr. *tríglyphos*, 'com três sulcos', pelo lat. *triglyphu.*] *S. m.* Ornato arquitetônico em um friso de ordem dórica, e que consta de três sulcos.

triglota [De *tr(i)-* + *-glota.*] *Adj. 2 g.* **1.** Escrito ou composto em três línguas. **2.** Que conhece ou fala três línguas. ● *S. 2 g.* **3.** Quem conhece ou fala três línguas. [Sin. ger.: *trilíngue.*]

trigo [Do lat. *triticu.*] *S. m.* **1.** *Bot.* Planta poácea (*Triticum vulgare*) herbácea, cultivada em todas as terras temperadas, inclusive no S. do Brasil, em virtude dos frutos alimentícios. As flores, mínimas, reúnem-se em espículas, que se congregam em espigas compostas bem amplas; os frutos são cariopses ricas em amido, com as quais se prepara a farinha de trigo, panificável por conter proteína (glute). **2.** O grão dessa planta: 📄 *moer o trigo.* **3.** *Fig.* O pão (7): 📄 *Comungou nas duas espécies: o vinho e o trigo.* ● *Adj.* **4.** Feito de trigo: 📖 "Regalou-o com um pastelão de ovos e linguiça, pão trigo e um copo de vinho." (João de Araújo Correia, *Cinza do Lar*, p. 193.) ◆ **Trigo durázio.** Escândea. **Trigo de prioste.** Trigo escolhido. **Não ser trigo limpo.** *Bras. S.* **1.** Não ser boa pessoa. **2.** Ser pouco escrupuloso, ou ser valente, de gênio irascível: 📖 "Blau!... não cochiles: o ruivo não é trigo limpo!..." (Simões Lopes Neto, *Contos Gauchescos e Lendas do Sul*, p. 179.)

trigo-moiro *S. m. Bot.* V. *trigo-mouro.* [Pl.: *trigos-moiros.*]

trigo-mouro *S. m. Bot.* V. *fagopiro* (2). [Var.: *trigo-moiro.* Pl.: *trigos-mouros.*]

trígona [Do tax. *Trigona.*] *S. f. Zool.* **1.** Um dos gêneros das *Trigonini*, tribo que reúne o maior número de espécies de abelhas meliponíneas. **2.** Espécie ou espécime desse gênero. [Cf. *melípona.*]

trigonal [Do lat. *trigonale.*] *Adj. 2 g.* **1.** *Anat.* Relativo a trígono (2) ou ao trígono vesical. **2.** *Min.* Romboédrico (2). **3.** *Quím.* Diz-se de átomo cujas valências se orientam segundo os eixos que vão do centro aos vértices de um triângulo equilátero, ou de orbitais que têm tal disposição, ou da hibridização que nela resulta. ~ V. *orbital —* e *sistema —.*

trigoniácea [Do tax. *Trigonia* + *-ácea*; tax. *Trigoniaceae.*] *S. f. Bot.* Espécime das trigoniáceas, família de plantas floríferas, da ordem das geraniales, composta de arbustos, árvores e trepadeiras, de flores hermafrodi-

T

tas, zigomorfas, com cinco a 10 estames, e cujo fruto é cápsula trilobada e septicida. Habitam as zonas tropicais do orbe, e são poucas as brasileiras.

trigoniáceo [De *trigoniácea*, com var. suf. (v. *-áceo*).] *Adj. Bot.* Pertencente ou relativo às trigoniáceas.

trigônido *Adj. Paleont.* V. *trigônido*. [Uso freq. em P.]

trigônido [Do lat. *trigonus* + *-ido*[1].] *Adj. Paleont.* Diz-se do dente molar dos mamíferos placentários primitivos, formado por três cúspides simples.

trígono [Do gr. *trígonos*, 'triangular', pelo lat. *trigonu*.] *Adj.* **1.** V. *triangular*[1]. ● *S. m.* **2.** *Anat.* Designação genérica de espaço triangular. [A pronúncia correta seria *trígono*, v. *-gono*.] ◆ **Trígono vesical.** *Anat.* Espaço triangular na bexiga, entre as aberturas dos ureteres e o orifício da uretra.

trigonocarpo [De *trígono* + *-carpo*.] *Adj. Bot.* Diz-se da planta cujos frutos têm a seção transversal triangular.

trigonocéfalo [De *trígono* + *-céfalo*.] *Adj. S. m.* Que, ou aquele que tem cabeça triangular[1] (1).

trigonocórneo [De *trígono* + *-corn(i)-* + *-eo*.] *Adj. Zool.* Diz-se do inseto cujas antenas são triangulares.

trigonodonte [De *tr(i)-* + *-gon(o)-* + *-odonte*.] *S. m. Paleont.* Dente molar dos mamíferos placentários primitivos, com três cúspides cônicas simples.

trigonometria [De *trígono* + *-metria*.] *S. f.* **1.** Parte da matemática em que se estudam as funções trigonométricas (q. v.) e se estabelecem os métodos de resolução de triângulos. **2.** Tratado ou compêndio dessa matéria: *Comprou uma boa trigonometria.* **3.** Exemplar de um desses tratados ou compêndios. ◆ **Trigonometria esférica.** Parte da trigonometria em que se estudam os triângulos esféricos. **Trigonometria plana.** Parte da trigonometria que investiga os triângulos planos.

trigonométrico [De *trigonometria* + *-ico*[2].] *Adj.* **1.** Relativo à trigonometria. **2.** Conforme às regras da trigonometria. [Cf. *secante*[2].] ~ V. *função —a*, *função —a inversa*, *paralaxe —a* e *sentido —*.

trigo-sarraceno *S. m. Bot.* V. *fagopiro* (2). [Pl.: *trigos-sarracenos*.]

trigrama [De *tr(i)-* + *-grama*.] *S. m.* **1.** Palavra de três letras. **2.** Sinal formado por três caracteres reunidos.

trigueira [De *trigo* + *-eira*; esp. *triguera*.] *S. f. Bot.* Planta poácea perene, muito semelhante ao alpiste, porém menor em tamanho; cresce em semeadas de trigo, e é us. como forragem.

trigueiro [De *trigo* + *-eiro*.] *Adj.* **1.** Que tem a cor do trigo maduro; moreno, bistrado; triguenho: "Ele é moreno, / Da cor trigueira dos meridionais, / E tem olhar nostálgico e sereno / De um sonhador de ideais." (Mário Pederneiras, *Histórias do Meu Casal*, p. 16.) **2.** Referente ou semelhante ao trigo; triguenho. ● *S. m.* **3.** Indivíduo trigueiro. [Fem.: *trigueira*.]

triguenho [De *trigo* + *-enho*.] *Adj.* V. *trigueiro* (1 e 2).

triguilho [De *trigo* + *-ilho*.] *S. m.* Resíduo ou farelo de trigo.

tri-iodado [De *tr(i)-* + *iodo* + *-ado*[1].] *Adj. Quím.* Diz-se de substância que tem três átomos de iodo por molécula. ❖

trijugado [Do lat. *trijugus*, 'triplo', + *-ado*[1].] *Adj. Bot.* Constituído de três pares de folíolos.

trilaminar [De *tr(i)-* + *laminar*[1].] *Adj. 2 g.* Constituído de três lâminas.

trilar [De *trilo* + *-ar*[2].] *V. int.* **1.** Trinar; gorjear: "Gemem as juritis de volta ao pouso / E trilam docemente as patativas." (Ricardo Gonçalves, *Ipês*, p. 38.) **2.** Emitir som de trilo (1): "Trila na noite uma flauta." (Fernando Pessoa, *Poesias de Fernando Pessoa*, p. 101.) *T. d.* **3.** Cantar formando trilos: "E o canário, quedando-se em cima do poleiro, trilou isto: / — Quem quer que sejas tu, certamente não estás em teu juízo." (Machado de Assis, *Páginas Recolhidas*, p. 93.)

trilateral [De *tr(i)-* + *-later(i)-* + *-al*[1].] *Adj. 2 g.* Trilátero (1). ~ V. *guilhotina —*.

trilátero [Do lat. *trilateru*.] *Adj.* **1.** Que tem três lados; trilateral. ● *S. m.* **2.** *Geom. P. us.* Triângulo (1).

trilema [De *tr(i)-* + *-lema*[2].] *S. m.* Situação difícil, de que só se logra sair por um de três modos, todos muito penosos. [Cf. *dilema* (2).]

trilha[1] [Dev. de *trilhar*.] *S. f.* **1.** Ato ou efeito de trilhar; trilhada. **2.** Debulha de cereais, na eira. **3.** Pista, vestígio, rasto. **4.** Vereda, senda, trilho. **5.** *Fig.* Exemplo, modelo. ◆ **Trilha sonora.** **1.** *Cin.* Fita magnética sobre a qual se grava o som de um filme. **2.** *P. ext.* A parte sonora de um filme, de uma produção de televisão, etc. **3.** *Son.* O registro sonoro obtido mediante determinado canal de áudio (q. v.); pista sonora. [Sin. ger.: *banda sonora*.] **Dar na trilha.** *Desus.* Adivinhar as intenções de alguém; dar nos chesmininés.

trilha[2] [Do it. *triglia*.] *S. f. Zool.* V. *salmonete*.

trilhada [De *trilhar* + *-ada*[1].] *S. f.* Trilha[1] (1).

trilhado [Part. de *trilhar*.] *Adj.* **1.** Que se trilhou. **2.** Calcado, pisado, batido. **3.** *Fig.* Conhecido, usado, trivial.

trilhador (ô) [De *trilhar* + *-dor*.] *Adj. S. m.* Que, ou aquele que trilha.

trilhadura [De *trilhar* + *-dura*.] *S. f.* Trilhamento.

trilhamento [De *trilhar* + *-mento*.] *S. m.* Ato ou efeito de trilhar; trilhadura.

trilhão [De *tr(i)-* + *-ilhão*.] *Num.* Mil bilhões; 10 elevado à 12ª potência. [F. paral.: *trilião*.]

trilhar [Do lat. *tribulare*, 'debulhar'.] *V. t. d.* **1.** Esbagoar ou debulhar (cereais) com o trilho[1] (1). **2.** Moer, triturar, esmagar: *trilhar o grão.* **3.** Bater, pisar: *Costuma-se trilhar os talos de linho para extrair-lhes as sementes.* **4.** Reduzir a pequenos pedaços. **5.** Marcar com pegadas ou com rastos: *trilhar a terra.* **6.** Magoar, contundir. **7.** Seguir (caminho, direção); percorrer; palmilhar: *Trilhou o atalho à procura do companheiro.* **8.** Seguir (norma ou regra moral): *trilhar o bem.* **9.** Abrir caminho por; andar por: *trilhar a mata*; "Adão foge, estonteado, trilha saibros pegajosos" (Eça de Queirós, *Contos*, p. 174).

trilheira [De *trilho* + *-eiro*.] *S. f. Bras.* Trilho ou caminho muito acentuado na mata.

trilho[1] [Do lat. *tribulu*.] *S. m.* **1.** Utensílio de lavoura para debulhar cereais. **2.** Utensílio de bater o leite no fabrico de queijo.

trilho[2] [Dev. de *trilhar*.] *S. m.* **1.** Caminho, vereda, trilha. **2.** Rumo, direção. **3.** *Constr.* Barra metálica perfilada que serve de guia ou de apoio a rodízios, carretes, etc., de painéis corrediços. **4.** *Tip.* Cada uma das barras de ferro, em parte denteadas, sobre as quais correm as rodas do carro, em certas prensas de cilindro; calha, caminho. **5.** *Tip.* Cada uma das duas saliências laterais do cofre das minervas, onde giram as roldanas [castanhas] das extremidades dos rolos; calha. **6.** *Bras.* Cada uma das barras de aço (em geral em número de duas, e paralelas entre si), de formato especial, que se prolongam, assentadas e fixadas sobre dormentes, e que suportam e guiam as rodas dos veículos ferroviários, constituindo, assim, a superfície de rolamento de uma via férrea. [Sin., nesta acepç.: *linha* e (ant. e lus.) *carril*.] ◆ **Trilho de fenda.** Trilho especial, usado em vias férreas urbanas e em linhas de bonde, com ranhura na superfície de rolamento para guiar as rodas dos veículos. **Andar fora dos trilhos.** Pisar fora do rego. **Andar nos trilhos.** Comportar-se dignamente. **Meter (alguém) nos trilhos.** Pôr (alguém) no bom caminho: "Essa cunhada do meio não encontrou um homem que a entenda e a meta nos trilhos." (João Antônio, *Leão de Chácara*, p. 29.) **Sair fora dos trilhos.** Sair da linha.

trilião [De *tr(i)-* + *-ilião*.] *Num.* Trilhão.

trilice [Do lat. *trilice*.] *Adj. 2 g.* Que tem três fios.

trilingue *Adj. 2 g. S. 2 g.* V. *trilíngue*. [Uso freq. em P.]

trilíngue (güe) [Do lat. *trilingue*.] *Adj. 2 g. S. 2 g.* Triglota. [Var. lus.: *trilingue*.] ❖

trilionésimo *S. m. Mat.* Fração ordinária cujo numerador é a unidade e denominador um trilião.

triliteral [De *tr(i)-* + lat. *littera*, 'letra', + *-al*[1].] *Adj. 2 g.* Trilítero.

trilítero [De *tr(i)-* + lat. *littera*, 'letra'.] *Adj.* Composto de três letras; triliteral.

trilo [Do it. *trillo*.] *S. m.* **1.** Trinado, gorjeio: "E vem dos capoeirões onde anoitece / O trilo vesperal dos inambus." (Ricardo Gonçalves, *Ipês*, p. 45.) **2.** Silvo de apito. **3.** *Mús.* V. *trinado* (2).

trilobado [De *tr(i)-* + *lobado*.] *Adj.* Que tem três lóbulos; trilobulado.

trilobite [Adapt. do tax. *Trilobita*.] *Paleont.* *S. m.* **1.** Espécime dos trilobites, grupo de artrópodes marinhos, pertencentes ao filo, ou subfilo, dos trilobitomorfos. ● *Adj. 2 g.* **2.** Pertencente ou relativo a eles.

trilobitomorfo [Adapt. do tax. *Trilobitomorpha*.] *Paleont.* *S. m.* **1.** Espécime dos trilobitomorfos, o filo, ou subfilo, mais primitivo de artrópodes, conhecidos pelas mais de 3.900 espécies fósseis encontradas. Habitavam os mares do paleozoico, tendo surgido no início do cambriano, e se distribuíram, e diversificaram, no cambriano e no ordoviciano, extinguindo-se no permiano. Tinham o corpo dividido em três partes: a anterior, cefálica, compreendendo pelo menos cinco somitos; a segunda, torácica, com número variado de somitos; e a posterior, formada pelo pigídio (q. v.). A boca ficava situada na parte mediana da superfície central da região cefálica. A maior parte das espécies tinha de 3 a 10cm de comprimento. ● *Adj. 2 g.* **2.** Pertencente ou relativo a eles.

trilobulado [De *tr(i)-* + *lobulado*.] *Adj.* Trilobado.

trilocular [De *tr(i)-* + *locular*.] *Adj. 2 g. Bot.* Que tem três lóculos.

trilogia [Do gr. *trilogía*.] *S. f.* **1.** Na Grécia antiga, poema dramático constituído de três tragédias sobre um mesmo tema, para apresentação nos concursos públicos. **2.** *P. ext.* Peça científica ou literária em três partes. **3.** Conjunto de três obras ligadas entre si por um tema comum: "Com a *Revolta do Sangue*, termina, ao que parece, Francisco Costa a trilogia de romances iniciada com *A Garça e a Serpente*, de que a *Primavera Cinzenta* é o painel central." (João Gaspar Simões, *Liberdade do Espírito*, p. 251.) **4.** Trindade, tríade, terno. **5.** *Patol.* Conjunto de três lesões, três sintomas, observados num indivíduo. ◆ **Trilogia de Fallot.** *Patol. Card.* Combinação de estenose arterial pulmonar, comunicação interauricular e hipertrofia ventricular direita.

trilógico [De *trilogia* + *-ico*[2].] *Adj.* Relativo a trilogia.

trílogo [De *tr(i)-* + *-logo*.] *S. m. Desus.* Conversação ou diálogo entre três pessoas.

trilongo [Do lat. *trilongu*.] *Adj. S. m. Arte Poét.* V. *verso —*.

trilupa [De *tr(i)-* + *lupa*[1].] *S. f.* Espécie de lupa composta de três lentes.

trimaculado [De *tr(i)-* + *maculado*.] *Adj.* Que tem três malhas ou manchas.

trimarã [De *tr(i)-* + *-marã*, como em *catamarã*.] *S. m.* Embarcação com três cascos [v. *casco* (9)] esguios: "Assim que subir no *Cuan Law*, o maior trimarã — barco com três cascos — do mundo, você vai tirar as havaianas." (Adriana Moreira, em *O Estado de S. Paulo*, 27.10.2009.)

trimariense *Adj. 2 g.* **1.** De, ou pertencente ou relativo a Três Marias (MG). ● *S. 2 g.* **2.** O natural ou habitante de Três Marias.

trimembre [Do lat. *trimembre*.] *Adj. 2 g.* Que tem três membros.

trimensal [Do lat. *trimense*, 'que vem em três meses', + *-al*[1].] *Adj. 2 g.* Que se realiza três vezes por mês. [Cf. *trimestral*.]

trímero [Do gr. *trimerés*.] *Adj.* **1.** Dividido em três partes. ● *S. m.* **2.** Substância cujo peso molecular é o triplo do de outra.

trimestral [De *trimestre* + *-al*[1].] *Adj. 2 g.* **1.** Que dura três meses; trimestre. **2.** Que aparece ou se realiza de três em três meses. [Cf. *trimensal*.]

trimestralidade [De *trimestral* + *-(i)dade*.] *S. f. Bras.* **1.** Quantia em dinheiro relativa a um trimestre. **2.** Prestação trimestral.

trimestre [Do lat. *trimestre*.] *S. m.* **1.** Período de três meses. **2.** Aquilo que se deve pagar ou receber no fim de cada três meses; prestação trimestral. ● *Adj. 2 g.* **3.** Trimestral (1).

trimetoprima [Voc. farmac.] *S. f. Quím.* Substância aromática, base heterocíclica, empregada como medicamento antibacteriano, ger. em associação com sulfas [fórm.: $C_{14}H_{18}N_4O_3$].

trimétrico [De *tr(i)-* + *-metr(o)-*[2] + *-ico*[2].] *Adj.* Relativo a três medidas diferentes.

trímetro [Do gr. *trímetros*, pelo lat. *trimetru*.] *S. m. Arte Poét.* **1.** Na métrica greco-romana, verso de três pés. **2.** Na métrica silábica, verso composto de três seções iguais, como, p. ex., o dodecassílabo divisível em três versos de quatro sílabas.

trimilenário [De *tr(i)-* + *milenário*.] *Adj.* **1.** Que tem três mil anos; três vezes milenário. ● *S. m.* **2.** Trimilênio (2).

trimilénio *S. m.* V. *trimilênio*. [Uso freq. em P.]

trimilênio [De *tr(i)-* + *milênio*.] *S. m.* **1.** Período de três milênios. **2.** O terceiro milênio; trimilenário.

trimontita *S. f. Min.* V. *scheelita*.

trimorfia [De *trimorfo* + *-ia*[1].] *S. f.* Trimorfismo.

trimorfismo [De *trimorfo* + *-ismo*.] *S. m.* Qualidade ou estado de trimorfo; trimorfia.

trimorfo [Do gr. *trímorphos*.] *Adj.* Diz-se das substâncias que podem cristalizar sob três diferentes fases cristalinas.

trimotor (ô) [De *tr(i)-* + *motor*.] *Adj.* **1.** Que tem três motores. ● *S. m.* **2.** Avião de três motores.

trimúrti [Do sânscr. *Trimurti*.] *S. f.* A trindade indiana que se compõe de Brama (o criador), Vixnu (o conservador) e Siva ou Xiva (o destruidor), e simboliza as três faces da Natureza.

trinacional [De *tr(i)-* + *nacional*.] *Adj. 2 g.* **1.** Pertencente ou relativo a três nações: "Uma empresa trinacional, formada pelas estatais petrolíferas do Brasil, Venezuela e México, será criada em 90 dias com o objetivo de procurar petróleo em países da América Latina." (*Jornal do Brasil*, 19.10.1981.) **2.** Que se efetua entre três nações: *acordo trinacional.* ● *S. 2 g.* **3.** Empresa ou organização que opera entre três países: "Cals informou que a trinacional poderá operar também refinarias nos três países." (*Jornal do Brasil*, 19.10.1981.)

trinado [De *trinar* + *-ado*[1].] *S. m.* **1.** Ato de trinar; gorjeio, trilo, trino. **2.** *Mús.* Ornamento que consiste na articulação rápida e alternada de duas notas consecutivas, das quais a mais grave é a nota real; trilo, trino.

trinador (ô) [De *trinar* + *-dor*.] *Adj.* Que trina.

trinar [De or. onom.] *V. t. d.* **1.** Cantar com trinos; gorjear, trilar: *O pássaro trinava uma triste melodia.* *T. d. e i.* **2.** Dizer ou proferir em tom suave como um trinado: "Ela, a noiva, ela, a medrosa, / Trinou-me as juras primeiras, / Com doce voz." (Raimundo Correia, *Poesias*, p. 89.) ***Int.*** **3.** Soltar trinos ou trinados; gorjear, trilar: "Os passarinhos trinavam nas árvores" (José Veríssimo, *Cenas da Vida Amazônica*, p. 313). **4.** Soar à maneira de trino ou gorjeio: "a flauta trinou rapidamente, o contrabaixo, em tom profundo, respondeu" (Coelho Neto, *Sertão*, p. 192). **5.** Ferir tremulamente as cordas de um instrumento. ***Pred.*** **6.** Trinar (4): "Sua risada trina pitoresca" (Raimundo Correia, *Poesias*, p. 131).

trinca¹ [De *três*.] ***S. f.*** **1.** Reunião de três coisas semelhantes. **2.** Conjunto de três cartas de jogar do mesmo valor: *trinca de valetes*. **3.** *Citol. Genét.* Cada grupo de três nucleotídeos em uma molécula de ácido desoxirribonucleico ou de ácido ribonucleico. **4.** *Bras. Pop.* Trio (4). **5.** *Bras. Pop.* Malta de garotos de rua.

trinca² [Dev. de *trincar*.] ***S. f.*** *Bras.* **1.** Arranhão, arranhadura. **2.** Fresta, rachadura.

trinca³ [Do esp. *trinca*.] ***S. f.*** *Constr. Nav.* Corrente ou cabo forte que prende o gurupés ao beque.

trinca-cevada [De *trincar* + *cevada*.] ***S. f.*** Certo jogo popular. [Pl.: *trinca-cevadas*.]

trincada [De *trincar* + *-ada*¹.] ***S. f.*** *Bras.* Ato de trincar; dentada, mordida.

trincado [Part. de *trincar*.] ***Adj.*** **1.** Rachado, fendido. **2.** *Constr. Nav.* Diz-se do tabuado ou chapeamento do forro externo do casco de certas embarcações, no qual cada fiada de tábuas ou de chapas se sobrepõe parcialmente à fiada seguinte. **3.** *Fig.* Malicioso, maldoso.

trincadura [De *trincar* + *-dura*.] ***S. f.*** *Bras.* Rachadura, fenda.

trinca-espinhas [De *trincar* + o pl. de *espinha*.] ***S. m. 2 n.*** *Burl.* Indivíduo alto e magríssimo.

trinca-ferro [De *trincar* + *ferro*.] ***S. m.*** *Bras. Zool.* Ave passeriforme, fringilídea (*Saltator maximus*), que ocorre no Brasil e países limítrofes, de coloração geral olivácea, cabeça acinzentada, garganta ocre-clara, peito e abdome cinzento-oliváceo, lavado de ocre no meio. [Sin.: *sabiá-da-campina, sabiá-pimenta, sabiá-gongá, vaqueiro, estêvão, papa-pimenta, tempera-viola, bom-dia-seu-chico*. Pl.: *trinca-ferros*.]

trincafiado [Part. de *trincafiar*.] ***Adj.*** ~ V. *volta —a*.

trincafiar [F. dissimilada de *trancafiar*, com infl. de *trincar*.] ***V. t. d.*** **1.** Prender, amarrar ou coser com trincafio. **2.** Enclausurar, encarcerar, trancafiar. [Pres. ind.: *trincafio*, etc. Cf. *trincafio*, s. m.]

trincafio [Do esp. *trincafía* < v. esp. *trincar*, termo de Marinha, de or. incerta.] ***S. m.*** **1.** Linha de sapateiro. **2.** Porção de estopa que se enrola no parafuso a fim de que se apertem bem as respectivas porcas. **3.** *Fig.* Manha, astúcia, sagacidade. **4.** *Encad. P. us.* V. *cabeçada* (3). **5.** *Marinh.* Cabo fino usado para aguentar as percintas de lona passadas em um cabo grosso, ou para ferrar uma maca, toldo ou vela. [Cf. *trincafio*, do v. *trincafiar*.]

trincaniz [Do it. *trincarino* (< it. *trincare*, da mesma or. incerta que o esp. *trincar*), pela f. port. *trincanis*, inicialmente pl.] ***S. m.*** *Constr. Nav.* **1.** Nas embarcações de madeira, fiada de vigas, assente sobre os vaus, junto à amurada, e cavilhada para as balizas, com o fim de, juntamente com os dormentes, reforçar o casco no sentido longitudinal. **2.** Nas embarcações metálicas, fiada de chapas dispostas de maneira semelhante e com o mesmo fim.

trincar [De or. incerta.] ***V. t. d.*** **1.** Cortar ou partir com os dentes: *Trincou o biscoito com prazer.* **2.** Morder comprimindo com os dentes: "sofreu um movimento de cólera, trincou o beiço grosso" (Coelho Neto, *Sertão*, p. 49). **3.** Picar, cortar: *trincar o papel.* **4.** Comer, mastigar: *trincar um bife.* **5.** Estalar, rachar: *O calor trincou a madeira.* ***Int.*** **6.** Fazer ruído (algo) ao ser partido nos dentes. **7.** Comer, petiscar: "Todos se precipitam doidamente / Sobre os montões de carne rechinante, / Trincam, devoram, vozeando sempre" (Eugênio de Castro, *Obras Poéticas*, V, p. 40). **8.** Estalar, rachar. **9.** *Bras. N.* Produzir som metálico; tinir. ***P.*** **10.** Desesperar-se, zangar-se, encolerizar-se, irar-se. [Conjug.: v. *trancar*.]

trincha [Dev. de *trinchar*.] ***S. f.*** **1.** Espécie de enxó de carpinteiro. **2.** Apara; posta; pedaço. **3.** Espécie de pincel espalmado. **4.** Ferramenta para arrancar pregos. **5.** *Bras. Gír.* Qualquer ferro que sirva para arrombamento de portas.

trinchador (ô) [De *trinchar* + *-dor*.] ***Adj.*** **1.** Que trincha; trinchante. ● ***S. m.*** **2.** Aquele que trincha.

trinchante [Do fr. *tranchant*, 'que tem gume'; 'cortante'.] ***Adj. 2 g.*** **1.** Trinchador (1). **2.** Que serve para trinchar. ● ***S. 2 g.*** **3.** Pessoa que trincha. ● ***S. m.*** **4.** Grande faca apropriada para trinchar. **5.** *P. ext.* O conjunto da faca e do garfo com que se trincha: *Este faqueiro não tem trinchante.* **6.** Mesa ou aparador sobre o qual se trincha.

trinchão ***S. m.*** Aquele que trincha.

trinchar [Do fr. ant. *trencher*, atual *trancher*, 'cortar, separar em partes'.] ***V. t. d.*** **1.** Cortar em pedaços (a carne que se serve à mesa): "Trinchou o peru assado com gestos corretos" (Conde de Ficalho, *Uma Eleição Perdida*, p. 54). **2.** Cortar em pedaços e com certa arte. ***Int.*** **3.** Recortar bainhas na roupa, para que esta caia bem.

trincheira [Do fr. *tranchée*, pela f. ant. *tranchiée*.] ***S. f.*** **1.** *Mil.* Escavação no terreno, para que a terra escavada proteja os combatentes; tranqueira. V. *parapeito* (3). **2.** *Bras. MT* Obstáculo de madeira, que abriga contra o fogo o mineiro, *i. e.*, o cortador de folhas de erva-mate. **3.** *Bras. Fig.* Fortaleza; baluarte: *O partido erigiu sua trincheira no bairro industrial.* ◆ **Trincheira de macas. 1.** *Constr. Nav.* Cada um dos caixões ou armários construídos ao longo da amurada dos navios antigos e destinados a guardar macas. **2.** *P. ext.* Qualquer local destinado a guardar macas.

trincheiro [De *trincheira*.] ***S. m.*** Socalco ou degrau na trincheira (1), destinado a facilitar a subida.

trinchete (ê) [Do fr. *tranchet*.] ***S. m.*** Faca de sapateiro, terminada em faceta e muito aguçada.

trincho [Dev. de *trinchar*.] ***S. m.*** **1.** Ato ou maneira de trinchar. **2.** Travessa na qual se trincham iguarias. **3.** O lado da peça de carne por onde se trincha mais facilmente. **4.** Tábua sobre a qual assenta a massa do queijo apertada no cincho. **5.** Peça das prensas de fuso fixo. **6.** *Fig.* A maneira mais fácil de resolver uma dificuldade.

trinclido [Voc. onom., de *trancar*, poss.] ***S. m.*** Tinido (2): "O córrego sonolento / Murmura o acompanhamento / Com trinclidos de cristal." (Ricardo Gonçalves, *Ipês*, p. 42.)

trinco [Dev. de *trincar*.] ***S. m.*** **1.** Tranqueta com que se trancam portas e que se levanta por meio de chave, cordão ou aldraba. **2.** Espécie de fechadura por onde se introduz a chave que levanta essa tranqueta. **3.** Estalido com os dedos. **4.** Som semelhante a estalido. **5.** *Bras. N.E.* Luxo, trinque.

trincolejar [Voc. onom.] ***S. m. V. t. d. Int.*** V. *tilintar*: "Tinem, tintinem, trincolejam-lhe os vidrilhos, os bilros e as lentejoilas dos babados do saiote." (Martins Fontes, *A Dança*, p. 59.) [Conjug.: v. *pelejar*.]

trincolejo (ê) [Dev. de *trincolejar*.] ***S. m.*** Ato de trincolejar: "Da venda do Chico Ventura .... saíam lufadas de risos e de conversas e trincolejos de garrafas." (Valentim Magalhães, *Vinte Contos*, p. 96.)

trincolhos-brincolhos (ô... ô) ***S. m. pl.*** Certo brinquedo infantil.

trindade [Do lat. ecles. *trinitate*.] ***S. f.*** **1.** O conjunto de três entidades. **2.** *Teol.* Dogma da união de três pessoas distintas (o Pai, o Filho e o Espírito Santo) em um só Deus; Santíssima Trindade. [Com cap.] **3.** *Rel.* A festa cristã que se celebra no domingo seguinte ao de Pentecostes. **4.** *Rel.* A ordem religiosa da Santíssima Trindade, fundada em 1198. [Cf., nesta acepç., *trinitário*¹ (2).] **5.** *Fig.* Grupo de três pessoas ou coisas análogas; trilogia, tríade, terno: *a trindade romântica portuguesa: Garrett, Herculano e Castilho.* ~ V. *trindades*. ◆ **Santíssima Trindade.** *Teol.* Trindade (2).

trindadense¹ ***Adj. 2 g.*** **1.** De, ou pertencente ou relativo a Trindade (GO e PE). ● ***S. 2 g.*** **2.** O natural ou habitante de Trindade.

trindadense² ***Adj. 2 g.*** **1.** De, ou pertencente ou relativo a Trindade do Sul (RS). ● ***S. 2 g.*** **2.** O natural ou habitante de Trindade do Sul.

trindades [Pl. de *trindade*.] ***S. f. pl.*** **1.** O toque das ave-marias: "A tarde morre tranquilamente: / Na freguesia soam trindades" (Conde de Monsaraz, *Musa Alentejana*, p. 17). **2.** A hora desse toque. ~ V. *trindade*.

trinervado [De *tr(i)-* + *-nerv(i)-* + *-ado*¹.] ***Adj.*** *Bot.* Que tem três nervuras que partem da base do limbo; trinérveo. [Cf. *triplinérveo*.]

trinérveo [De *tr(i)-* + *-nerv(i)-* + *-eo*.] ***Adj.*** *Bot.* V. *trinervado*.

trineto [De *tr(i)-* + *neto*¹.] ***S. m.*** Filho do bisneto ou da bisneta; abneto.

trinfar [Voc. onom.] ***V. int.*** **1.** V. *grinfar*. ● ***S. m.*** **2.** V. *trisso*.

trinidadiano [Do top. *Trinidad* + *-iano*.] ***S. m.*** **1.** *Gloss.* Crioulo de base francesa falado em Trinidad (Pequenas Antilhas). [V. *trinitário*².] **2.** Vocábulo do trinidadiano (1).

trinir [T. onom.] ***V. int.*** V. *nitrir* (1): "Triniu um relincho dorido, e o cavalo .... enveredou por um caminho de silvas" (Coelho Neto, *Sertão*, p. 70). [Usa-se, em geral, como defect.]

trinitário¹ [Do lat. ecles. *trinitate*, 'trindade', + *-ário*.] ***Adj.*** **1.** Relativo a Trindade (2). **2.** Diz-se de religioso membro da Ordem Hospitalar da Santíssima Trindade, fundada por São João da Mata e São Félix de Valois; trino. [Cf. *trindade* (4).] ● ***S. m.*** **3.** *Rel.* Religioso trinitário; trino.

trinitário² ***Adj.*** **1.** Da, ou pertencente ou relativo à República de Trinidad e Tobago (Pequenas Antilhas). ● ***S. m.*** **2.** O natural ou habitante da República de Trinidad e Tobago.

trinitro [F. red. de *trinitrotolueno*.] ***S. m.*** *Expl.* Designação usual do trinitrotolueno em seu processo de fabricação.

trinitrofenol [De *tr(i)-* + *nitro* + *fenol*.] ***S. m.*** *Quím. Expl.* Qualquer dos seis derivados do fenol (1) em que três hidrogênios do anel benzênico estão substituídos por grupos nitro, esp. o ácido pícrico [fórm.: $C_6H_3N_3O_7$]. [Pl.: *trinitrofenóis*.]

trinitroglicerina [De *tr(i)-* + *nitro* + *glicerina*.] ***S. f.*** *Quím. Expl.* Nitroglicerina.

trinitrotolueno [De *tr(i)-* + *nitro* + *tolueno*.] ***S. m.*** *Quím. Expl.* Substância cristalina, amarela, poderoso explosivo; trotil [sigla: *TNT*; fórm.: $C_7H_5O_6N_3$].

trino¹ [Dev. de *trinar*.] ***S. m.*** **1.** Trinado, gorjeio, trilo. **2.** *Mús.* V. *trinado* (2).

trino² [Do lat. *trinu*.] ***Adj.*** **1.** Composto de três. **2.** *Rel.* Trinitário¹ (2). ● ***S. m.*** **3.** *Rel.* Trinitário¹ (3).

trinômine ***Adj. 2 g.*** *Poét.* v. *trinômine*. [Uso freq. em P.]

trinômine [Do lat. *trinomine*.] ***Adj. 2 g.*** *Poét.* Que tem três nomes.

trinómio ***S. m. Adj.*** V. *trinômio*. [Uso freq. em P.]

trinômio [De *tr(i)-* + *(bi)nômio*.] ***S. m.*** **1.** *Mat.* Polinômio cujo número de termos é três. **2.** *P. ext.* Aquilo que tem três termos ou partes. ● ***Adj.*** **3.** Diz-se daquilo que tem três termos ou partes. ~ V. *equação —a*.

trinque [Do fr. *tringle*, poss.] ***S. m.*** **1.** Cabide de algibebe. **2.** *Fig.* Elegância, esmero. **3.** *Fig.* Qualidade do que é novo em folha. **4.** *Bras.* Luxo no vestir. ◆ **Andar no trinque.** Andar nos trinques. **Andar nos trinques.** Andar muito elegante, muito bem-posto; andar no trinque. **Estar no trinque.** Estar nos trinques (1). "Quanto a este, estava no trinque; e nunca o *pince-nez* lhe brilhou melhor sobre o nariz." (Machado de Assis, *Contos sem Data*, p. 139.) **Estar nos trinques. 1.** *Bras.* Estar elegantíssimo, muito bem vestido; estar no trinque. **2.** *Bras. RS* Estar bêbedo.

trinta [Do lat. *triginta*.] ***Num.*** **1.** Quantidade que é uma unidade maior que 29; vinte mais dez. **2.** Número (4) correspondente a essa quantidade. [Nessas acepç., representa-se em algarismos arábicos por 30, e em algarismos romanos, por XXX.] **3.** Que está marcado ou identificado com o número 30. **4.** Trigésimo. ● ***S. m.*** **5.** Representação, em algarismos, do número trinta. **6.** Aquilo ou aquele que numa série ocupa o trigésimo lugar. ◆ **Trinta e cinco mm. 1.** *Cin.* Formato de filme com bitola de trinta e cinco milímetros: *produção em trinta e cinco mm.* **2.** *Fot.* Formato de filme fotográfico com trinta e cinco milímetros. **3.** *Cin. Fot.* Equipamento para filme trinta e cinco milímetros.

trinta e dois ***S. m. 2 n.*** Revólver de calibre 32.

trinta e oito ***S. m. 2 n.*** Revólver de calibre 38.

trinta e um ***S. m. 2 n.*** Espécie de jogo de cartas em que vence o parceiro que fizer 31 ou que mais pontos tiver. ◆ **Bater o trinta e um.** *Bras. Pop.* V. *morrer* (1).

trinta e um de roda ***El. s. m.*** Us. na loc. *bater o trinta e um de roda*. ◆ **Bater o trinta e um de roda.** *Bras. N.E. Pop.* V. *morrer* (1): "Muitas outras [criaturas] nascem, mas tão sem vitalidade, tão frágeis, tão quebradiças, que batem o trinta e um de roda na primeira coqueluche" (A. S. de Mendonça Júnior, *Jornal da Província*, p. 173).

trintanário [Do fr. ant. *trantaner*, poss.] ***S. m.*** Criado que viajava ao lado do cocheiro na boleia do carro, para abrir a portinhola, fazer recados, etc.: "Os cavalos .... relinchavam fogosos rente às pilecas da diligência. E o trintanário erecto na boleia .... parecia mesmo de pau." (João da Silva Correia, *Os Outros*, p. 37.) [Cf. *trintenário*.]

trintão [De *trinta* + *-ão*¹.] ***Adj.*** **1.** Que está na casa dos trinta anos de idade. **2.** Próprio de trintão (1): "caiada de melancolia e batom, a boca de Severina era impecável no seu pudor trintão." (Homero Homem, *Cabra das Rocas*, p. 85). **3.** *P. ext.* De uma das décadas de 30 (1030, 1930, etc.). ● ***S. m.*** **4.** Aquele que é trintão (1). [Sin. de 1 e 4: *trintenário*. Fem. de 1, 3 e 4: *trintona*.]

trintar [De *trinta* + *-ar*².] ***V. int.*** *Fam.* Completar trinta anos de idade.

trinta-réis [Voc. onom.] ***S. m. 2 n.*** **1.** *Zool.* **1.** *Bras.* V. *andorinha-do-mar*. **2.** *Bras. RS a BA* A espécie *Thalasseus maximus*, que frequenta costas pacíficas e atlânticas da América setentrional, emigrando periodicamente para o sul. Tem o dorso cinzento-claro, rêmiges da mão pretas, alto da cabeça preto ou misturado de branco, porção inferior do corpo branca. **3.** Ave caradriiforme, larídea (*Sterna hirundinacea*), das costas pacíficas e atlânticas da América meridional; trinta-réis-do-bico-vermelho.

trinta-réis-anão *S. m. Bras. Zool.* Trinta-réis-pequeno. [Pl.: *trinta-réis-anões* e *trinta-réis-anãos*.]

trinta-réis-do-bico-vermelho *S. m. 2 n. Bras. Zool.* Trinta-réis (3).

trinta-réis-grande *S. m. Bras. Zool.* V. *andorinha-do-mar*. [Pl.: *trinta-réis-grandes*.]

trinta-réis-pequeno *S. m. Bras. Zool.* Ave caradriiforme, larídea (*Sterna superciliaris*), dos estuários e grandes rios da América cisandina. Tem dorso cinzento-escuro, bico amarelo, e a asa mede menos de 20cm. [Sin.: *trinta-réis-anão*. Pl.: *trinta-réis-pequenos*.]

trintário [De *trinta* + *-ário*.] *S. m.* **1.** Exéquias no trigésimo dia após o falecimento. **2.** Trinta missas, celebradas ou por 30 padres em um dia, ou em 30 dias por um padre: "Sim, averiguei mais tarde que a conhecia de toda essa caterva de gerações crentes e fanáticas, sôfregas a viver e no entanto temerosas do Inferno, e acabando por jogar a cartada da beatitude eterna à força de trintários e legados pios." (Aquilino Ribeiro, *Uma Luz ao Longe*, p. 31.)

trintena [De *trinta* + *-ena*.] *S. f.* **1.** Grupo de trinta. **2.** Conjunto de 30 pessoas ou coisas. **3.** Trigésimo (2).

trintenário [De *trintena* + *-ário*.] *Adj. S. m.* V. *trintão*. [Cf. *trintanário*.] ~ V. *filiação —a*.

trintídio *S. m.* **1.** Período de trinta dias. **2.** Missa no trigésimo dia após o falecimento.

trio [Do it. *trio*.] *S. m.* **1.** *Mús.* Trecho musical próprio para três vozes ou instrumentos. [Vindo sem outra indicação, entende-se trio de piano, violino e violoncelo. Cf. *terceto* (2).] **2.** *Mús.* A segunda parte de certas formas musicais, como, p. ex., o minueto, a marcha, o *scherzo*, geralmente na mesma tonalidade, porém menor, e de caráter mais sereno e movimento mais lento. **3.** V. *terno*[1] (1). **4.** Conjunto ou grupo de três pessoas; trinca. ◆ **Trio de arcos.** *Mús.* Violino, viola e violoncelo. **Trio elétrico.** *Bras. Mús.* Caminhão provido de aparelhagem de som ou música ao vivo, alto-falantes, e que executa, em geral em alto som e em movimento, sambas, frevos, forrós, etc.

triodo (ô) [De *tr(i)-* + *-odo*.] *S. m. Eletrôn.* Válvula eletrônica com três eletrodos: um catodo, uma grade e uma placa. ◆ **Duplo triodo.** Válvula que pode funcionar como dois triodos, constituída por dois conjuntos de catodo, grade e placa, colocados em um mesmo bulbo.

trioico (ói) [De *tr(i)-* + *-oico*[1].] *Adj.* Que tem flores masculinas, femininas e hermafroditas em três indivíduos separados; triécico.

triolé [Do fr. *triolet*.] *S. m. Arte Poét.* Estrofe de oito versos, com duas rimas, na qual o primeiro, o quarto e o sétimo versos são iguais, e o oitavo é repetição do segundo: "Nem sempre eram quadras. Saíam também sonetos, poesias mais longas, triolés." (R. Magalhães Júnior, *Artur Azevedo e Sua Época*, p. 146.)

triose [De *tr(i)-* + *-ose*[2].] *S. f. Quím.* Açúcar com três átomos de carbono. [Cf. *treose*.]

triovulado [De *tr(i)-* + *ovulado*.] *Adj. Bot.* Que tem três óvulos.

trióxido (cs) [De *tr(i)-* + *-ox(i)-* + *-ido*[2].] T. us. em certas loc., como, p. ex., o trióxido de cromo, e que indica a presença de três átomos de oxigênio. ◆ **Trióxido de cromo.** *Quím.* Substância cristalina, de cor vermelho-escura, fortemente oxidante, que é o anidrido do ácido crômico; ácido crômico (2 [fórm.: CrO_3].

tripa [Do ár. *èarb*, 'prega de tecido'.] *S. f.* **1.** Intestino do animal. **2.** *Marinh. Ant.* Cada uma das talhas ou estralheiras com que se içavam ou arriavam as vergas de papafigos. **3.** *Bras. Gír.* Linguiça (2). **4.** V. *dobradinha* (1 e 2). **5.** *Cul.* Iguaria feita com tripa (4). ◆ **Tripa gaiteira.** *Bras. N.E. Pop.* O intestino grosso. **À tripa forra. 1.** À larga[2] (2): "fazia um esforço sobre si mesmo para não enxotar aquela gente que ali bebia e comia à tripa forra" (R. Magalhães Júnior, *Artur Azevedo e Sua Época*, p. 43). **2.** Sem ter de pagar; gratuitamente. **Fazer das tripas coração.** Realizar grande esforço para fazer face a uma situação difícil ou desagradável: "A fazer das tripas coração .... mês a mês, ele, sabe Deus à custa de quanta ginástica, lá fora honrando o seu compromisso." (João da Silva Correia, *Farândola*, p. 115.)

tripa-de-galinha *S. f. Bot.* **1.** Caracoleiro. **2.** Planta ramnácea (*Hovenia dulcis*) caducifólia, oriunda da Ásia, que apresenta intumescimento dos ramos das inflorescências, os quais se tornam carnosos, adocicados e de coloração acastanhada. Na extremidade dos mesmos se formam os verdadeiros frutos. É muito frequente no S. do Brasil, sendo os frutos muito apreciados, inclusive por pássaros. [Sin.: *uva-japonesa, uva-chinesa*.] [Pl.: *tripas-de-galinha*.]

tripagem [De *tripa* + *-agem*[2].] *S. f.* Porção de tripas; tripalhada.

tripalhada [De *tripa* + *-alhada*.] *S. f.* Tripagem.

▲ **tripano-** [Do gr. *trýpanon, ou*.] *El. comp.* = 'verruma': *tripanorrinco, tripanossomo*.

tripanorrinco [De *tripano-* + *-rinco*; tax. *Trypanorhyncha*.] *Zool. S. m.* **1.** Espécime dos tripanorrincos, ordem de animais platelmintos, cestódeos, cujo escólex é provido de quatro ventosas alongadas e quatro probóscidas delgadas e espinhosas. As larvas vivem em invertebrados marinhos ou em peixes osteíctes, e os adultos em elasmobrânquios. ● *Adj.* **2.** Pertencente ou relativo a eles.

tripanossoma [De *tripano-* + *-soma*; tax. *Trypanosoma*.] *S. m. Zool.* **1.** Gênero de protozoários zoomastiginos que reúne hemoflagelados, alguns deles patogênicos, que são parasitos de invertebrados e de vertebrados, inclusive do homem. **2.** Qualquer espécie desse gênero, como, p. ex., o *Trypanosoma cruzi*, estercorário, que infecta inúmeros animais selvagens, e domésticos, das Américas, como tatus, gatos, cachorros, etc., e outros mamíferos, que servem de hospedeiros intermediários; é o agente etiológico da doença de Chagas, no homem. **3.** Qualquer espécime desse gênero.

tripanossomatídeo [Do lat. cient. *Trypanosomat* (< tax. *Trypanosoma* v. *tripanossoma*) + *-ídeo*[1]; tax. *Trypanosomatidae*] *Zool. S. m.* **1.** Espécime dos tripanossomatídeos, família de protozoários zoomastiginos, parasitas de vertebrados, invertebrados, e de plantas, cuja célula pode assumir formas variadas, dependendo do tipo de hospedeiro e das condições que se apresentam. ● *Adj.* **2.** Pertencente ou relativo a eles.

tripanossomíase [Do tax. *Trypanosoma* (v. *tripanossoma*) + *-íase*.] *S. f. Patol.* Doença produzida por tripanossomo. ◆ **Tripanossomíase americana.** *Patol.* Doença descoberta e estudada pelo cientista brasileiro Carlos Chagas (1879-1934), veiculada por um inseto hemíptero conhecido no Brasil por diversos nomes [v. *barbeiro* (6)], e que tem como agente etiológico o *Trypanosoma cruzi*. [Sin.: *doença de Chagas, tripanossomíase sul-americana*.] **Tripanossomíase sul-americana.** *Patol.* V. *tripanossomíase americana*.

tripartição [De *tripartir* + *-ção*.] *S. f.* Ato ou efeito de tripartir(-se).

tripartidário [De *tr(i)-* + *partido* + *-ário*.] *Adj.* Referente ao tripartidarismo.

tripartidarismo [De *tripartidário* + *-ismo*.] *S. m.* Situação política de um Estado onde só existem ou só têm importância três partidos políticos.

tripartidarista [De *tripartidarismo* + *-ista*.] *Adj. 2 g. S. 2 g.* Diz-se de, ou adepto do tripartidarismo.

tripartido [Do lat. *tripartitu*.] *Adj.* **1.** Dividido em três partes; tripartite. **2.** *Bot.* Partido em três segmentos.

tripartir [De *tr(i)-* + *partir*.] *V. t. d.* **1.** Partir em três partes. *P.* **2.** Dividir-se em três partes.

tripartite *Adj. 2 g.* Tripartido (1).

tripartível [De *tripartir* + *-vel*.] *Adj. 2 g.* Que pode ser tripartido.

tripé [De *tr(i)-* + *pé*.] *S. m.* **1.** V. *tripeça* (1). **2.** *P. ext.* Tripó. **3.** Suporte portátil com três escoras, sobre o qual se põe a máquina fotográfica, o telescópio, ou outro aparelho. [Cf., nesta acepç., *monopé*.] **4.** *Bras.* Trempe (1): "no tripé, a manta de carne, ao calor mortiço das brasas, vai começando a dourar." (Caci Cordovil, *Ronda de Fogo*, p. 12). **5.** *Bras. Fig.* Conjunto de três coisas diversas, ligadas entre si por um ou mais traços comuns: *Educação, saúde e desenvolvimento — nesse tripé consistiu a temática do congresso*.

tripeça [Do b.-lat. *tripetia*.] *S. f.* **1.** Banco de três pés; tripé, trípoda, trípode. **2.** *Fig.* Ofício de sapateiro. **3.** *Burl.* Reunião de três pessoas conluiadas.

tripeiro [De *tripa* + *-eiro*.] *S. m.* **1.** Vendedor de tripas e outras vísceras de animais; fateiro, bucheiro. **2.** Aquele que se sustenta de tripas. **3.** *Lus. Deprec.* V. *portuense*[1] (2).

tripenado [De *tr(i)-* + *penado*.] *Adj. Bot.* Subdividido penadamente três vezes: *folha tripenada*.

tripétalo [De *tr(i)-* + *-pétalo*.] *Adj. Bot.* Que tem três pétalas.

tripetídeo [Do tax. *Trypeta* + *-ídeo*[1]; tax. *Trypetidae*.] *Zool. S. m.* **1.** Espécime dos tripetídeos, família de insetos dípteros, acaliptrados, caracterizados pelas asas margeadas de listas e manchas escuras. ● *Adj.* **2.** Pertencente ou relativo a eles.

tripetrepe [Voc. onom.] *Adv.* **1.** De mansinho; manso e manso; pé ante pé. **2.** Com dissimulação; dissimuladamente: "Amâncio acompanhou-os, de longe, e tripetrepe." (Aluísio Azevedo, *Casa de Pensão*, p. 166.)

triple *Num. 2 g.* V. *triplo* (1).

triplete (ê) *S. m.* V. *tripleto*.

tripleto (ê) [Do ingl. *triplet*.] *S. m.* **1.** *Fís.* Raia espectral constituída por três componentes. **2.** *Fís.* Estado que origina tal raia, e que tem número quântico de *spin* igual a 1 e, portanto, multiplicidade igual a 3; estado tripleto. **3.** *Fís. Nucl.* Multipleto constituído por três partículas, como, p. ex., os mésons pi. **4.** *Ópt.* Lente constituída de três componentes. [F. paral.: *triplete* (ê).]

tríplex (cs) [Do lat. *triplex* (nom.), 'triplo'.] *Adj. 2 g. e 2 n. S. m. 2 n. Bras. S.* Diz-se de, ou apartamento composto de três pavimentos: *Os novos proprietários do apartamento são ricos: família tão pequena ocupando um tríplex!* [Pronuncia-se geralmente como oxítono. Cf. *dúplex*.]

▲ **tripli-** Equiv. de *tripl(o)-*.

triplicação [Do lat. *triplicatione*.] *S. f.* Ato ou efeito de triplicar(-se).

triplicado [Part. de *triplicar*.] *Adj.* Multiplicado por três; tresdobrado, tresdobre.

triplicar [Do lat. *triplicare*, por via erudita.] *V. t. d.* **1.** Tornar triplo; tresdobrar: "Ao cabo de algumas horas deste espetáculo, ... toda a polícia de Lisboa estaria em movimento, a guarda municipal triplicaria as patrulhas" (Ramalho Ortigão, *As Farpas*, IX, pp. 30-31). **2.** Multiplicar (1). **3.** *Mat.* Multiplicar (uma quantidade) pelo fator três. *Int. P.* **4.** Tornar-se triplo. **5.** Aumentar em demasia; multiplicar-se. [Conjug.: v. *trancar*. Cf. *treplicar*.]

triplicata [Do lat. *triplicata*, 'coisas triplicadas'.] *S. f.* **1.** Terceira cópia. **2.** *Bras.* Título substitutivo da duplicata extraviada ou perdida. [Cf., nesta acepç., *duplicata* (2).]

tríplice [Do lat. *triplice*.] *Num. 2 g.* **1.** V. *triplo* (1): "A América é, ao mesmo tempo, una, tríplice e múltipla, conforme o ponto de vista em que nos colocarmos." (Alceu Amoroso Lima, *A Realidade Americana*, p. 247.) ● *Adj. 2 g.* **2.** Que consta de três elementos ou se efetua em três etapas; triplo: *a Tríplice Aliança; um salto tríplice*. **3.** V. *trífido*. ~ V. *— coroa*.

triplicidade (tri) [De *tríplice* + *-(i)dade*.] *S. f.* Qualidade do que é tríplice.

triplinérveo (tri) [De *tripli-* + *-nerv(i)-* + *-eo*.] *Adj.* Diz-se de ramificação com três nervos. ~ V. *folha —a*. [Cf. *trinervado*.]

triplo [Do lat. *triplu*.] *Num.* **1.** Que é três vezes maior que outro; triple, tríplice. ● *Adj.* **2.** Tríplice (2). ~ V. *ligação —a, ponto —, raiz —a, salto — e — salto*. ● *S. m.* **3.** Quantidade três vezes maior que outra; tresdobro. **4.** Coisa triplicada; tresdobro.

▲ **tripl(o)-** [Do lat. *triplus, a, um*.] *El. comp.* = 'triplo': *triploblástico, triplóptero, triplostêmone*. [Equiv.: *tripli-*; *triplinérveo*.]

triploblástico [De *tripl(o)-* + *-blast(o)-* + *-ico*[2].] *Adj. S. m. Zool.* Diz-se de, ou animal metazoário formado embrionariamente por três folhetos: ectoderma, mesoderma e endoderma; triblástico.

triploide (ói) [De *tripl(o)-* + *-oide*.] *Adj. 2 g. S. m. Biol.* Diz-se de, ou organismo que tem três conjuntos de cromossomos haploides em cada núcleo. Nos organismos cujos tecidos são formados por dois conjuntos paternos e um materno, a triploidia é denominada *androide*, e é denominada *ginoide* quando dois conjuntos forem maternos e um paterno.

triploidia [De *triploide* + *-ia*[1].] *S. f. Biol.* Qualidade ou condição de triploide.

triplóptero [De *tripl(o)-* + *-ptero*.] *Adj. Zool.* Que tem asas ou barbatanas tripartidas.

triplostémone *Adj. 2 g. Bot.* V. *triplostêmone*. [Uso freq. em P.]

triplostêmone [De *tripl(o)-* + *-stêmone*.] *Adj. 2 g. Bot.* Diz-se da flor cujos estames são em número três vezes maior que o das pétalas.

▲ **tripo-** [Do gr. *thripo-* < gr. *thríps, thripós*.] *El. comp.* = 'verme'; 'caruncho': *tripófago*.

tripó [De *tripé*, com infl. de *trípode*.] *S. m.* Tripeça cujos pés são presos por um eixo e o assento é de couro; tripé.

trípoda *S. f. Poét.* V. *trípode* (4).

trípode [Do gr. *tripous, odos*, pelo lat. *tripode*.] *Adj. 2 g.* **1.** Que tem três pés. ● *S. f.* **2.** Tripeça em que a pitonisa proferia os seus oráculos: "O áugure de Teos, assentado, / Na trípode tremente, auspícios canta." (Junqueira Freire, *Obras Poéticas*, I, p. 71.) **3.** Vaso antigo, de três pés. **4.** *Poét.* V. *tripeça* (1).

tripófago [De *tripo-* + *-fago*.] *Adj. Zool.* Que se nutre de insetos e de pequenos vermes.

trípole [Do top. *Trípoli* (Ásia).] *S. m. Geol.* Rocha sedimentar, leve em extremo, porosa e friável, constituída essencialmente de resíduos silicosos de radiolários e diatomáceas, e que se usa para polir metais, vidros, etc.; farinha-fóssil, terra de infusórios. [Cf. *Trípoli*, top.]

tripolino *Adj. S. m.* V. *tripolitano*[1].

tripolitano[1] [Do lat. *tripolitanu*.] *Adj.* **1.** De, ou pertencente ou relativo a Trípoli, capital da Líbia (N. da África), ou a Trípoli, cidade do Líbano (Ásia). ● *S. m.* **2.** O natural ou habitante de Trípoli. [Sin. ger.: *tripolino*.]

tripolitano[2] *Adj.* **1.** Da, ou pertencente ou relativo à Tripolitânia, região da Líbia (N. da África). ● *S. m.* **2.** O natural ou habitante da Tripolitânia.

tripolo [De *tr(i)-* + *polo*[1].] *S. m. Eletr.* Dispositivo elétrico com três terminais diretamente acessíveis.

triprótico [De *tr(i)-* + *prót(on)* + *-ico*[2].] *Adj. Quím.* Tribásico (1).

▲-trips- [Do gr. *trîpsis, eōs*, 'fricção'; 'esmagamento', < v. gr. *tríbein*.] *El. comp.* = 'esmagamento': *histotripsia.* [V. *tribo-*.]

tripsina [Do gr. *try-* (< gr. *trýein*, 'usar', 'consumir' e, p. ext., 'digerir') + a term. de *(pe)psina*.] *S. f. Bioquím.* Enzima proteolítica, presente na pancreatina, muito ativa.

tripsínico [De *tripsina* + *-ico*[2].] *Adj. Bioquím.* **1.** Referente à tripsina. **2.** Que tem ação semelhante à dela.

tripsinogénio *S. m. Bioquím.* V. *tripsinogênio*. [Uso freq. em P.]

tripsinogênio [De *tripsina* + *-gen(o)-* + *-io*[3].] *S. m. Bioquím.* Substância inativa do suco pancreático, transformada pela enteroquinase em tripsina.

triptamina [De *tript(ofano)* + *-amina*.] *S. f. Quím.* **1.** Substância cristalina, amina derivada do triptofano, que ocorre em várias plantas e da qual certos derivados são alucinógenos [fórm.: $C_{10}H_{12}N_2$]. **2.** Qualquer substância derivada da triptamina (1).

triptase [Do ingl. *tryptase* (poss. do gr. *t[h]rýpto*, 'quebrar', + *-ase*).] *S. f. Bioquím.* Enzima que desdobra as proteínas e os polipeptídeos em peptídeos e aminoácidos.

tríptico[1] [Do gr. *tríptychos*, 'dobrado em três'.] *S. m.* **1.** Obra de pintura ou de escultura, constituída de um painel central e duas meias-portas laterais capazes de se fecharem sobre ele, recobrindo-o completamente. **2.** Livrinho de três folhas. **3.** Caderneta que autoriza a entrada de um veículo num país sem pagamento de direitos alfandegários. **4.** V. *tábula* (2).

tríptico[2] [De *tripsina* + a term. de *(pép)tico*.] *Adj. Quím.* Da, ou relativo à tripsina, ou à ação dela.

triptofano [De *tript-* (< *tríptico*[2]) + *-o-* + *-fano*.] *S. m. Quím.* Aminoácido essencial ao organismo, cristalino, que se pode considerar um derivado do indol [fórm.: $C_{11}H_{12}N_2O_2$].

trípton [Do ingl. *tripton*.] *S. m. Ecol.* V. *séston*.

tripudiante [Do lat. *tripudiante*.] *Adj. 2 g. S. 2 g.* Que, ou quem tripudia.

tripudiar [Do lat. *tripudiare*.] *V. int.* **1.** Saltar ou dançar batendo com os pés; sapatear: 📖 "em todos aqueles dramas de sangue e de fogo havia uma figura saliente, o chefe, o matador, o incendiário, demônio vivo que tripudiava sobre os cadáveres quentes das vítimas, no meio das chamas dos incêndios" (Inglês de Sousa, *Contos Amazônicos*, p. 158). **2.** Divertir-se desenvoltamente; exultar. **3.** Viver, atascar-se, atolar-se, no vício ou no crime. **4.** Levar ou pretender levar vantagem sobre alguém humilhando-o, escarnecendo-o, explícita ou implicitamente. **5.** Executar dança tripudiando; dançar ou saltar batendo com os pés; sapatear: 📄 *Tripudiou demoradamente. T. i.* **6.** Atolar-se, atascar-se (no vício ou no crime). **7.** Tripudiar (4): 📄 *Tripudiou do inimigo.* [Pres. ind.: *tripudio*, etc. Cf. *tripúdio*.]

tripúdio [Do lat. *tripudiu*, 'dança religiosa'; 'transporte de alegria'.] *S. m.* **1.** Ato ou efeito de tripudiar. **2.** *Fig.* Libertinagem, licenciosidade. [Cf. *tripudio*, do v. *tripudiar*.]

tripulação [De *tripular* + *-ção*.] *S. f.* **1.** *Mar. G. Mar. Merc.* O conjunto de pessoas empregadas, ou ocupadas duradouramente, no serviço de uma embarcação. [Cf. *guarnição* (3).] **2.** *Aer.* Pessoal de bordo de uma aeronave, espaçonave, etc.

tripulante [De *tripular* + *-nte*.] *Adj. 2 g. S. 2 g.* Que ou pessoa que tripula, que pertence à tripulação.

tripular [Do esp. *tripular*.] *V. t. d.* **1.** Prover (uma embarcação ou uma aeronave) do pessoal necessário para as manobras e mais serviços. **2.** Dirigir ou governar (uma embarcação ou um avião): 📖 "Tripulando grandes canoas de voga, os seus pescadores traziam o produto de sua humilde indústria .... até Sepetiba" (Lima Barreto, *Vida e Morte de M. J. Gonzaga de Sá*, p. 232). **3.** *Mar.* Prestar serviços profissionais em (uma embarcação).

tríqueco [Do tax. *Trichechus*.] *S. m. Zool.* **1.** O único gênero dos triquequídeos, que se subdivide em três espécies. **2.** Qualquer dessas espécies, como, p. ex., a *Trichechus manatus* (v. *manati*). **3.** Qualquer espécime desse gênero; manati.

triquequídeo [Do tax. *Thrichechus* + *-ídeo*[1]; tax. *Thrichechidae*.] *Zool. S. m.* **1.** Espécime dos triquequídeos, família de sirênios com apenas um gênero e três espécies (v. *tríqueco*). ● *Adj.* **2.** Pertencente ou relativo a eles.

triques-troques [De *trocar*.] *S. m. 2 n.* V. *trocadilho* (1). ☑

triquete (ê) [Do esp. *triquete*.] *El. s. m.* us. na loc. adv. *a cada triquete*. ◆ **A cada triquete.** A cada passo, a cada momento.

trique-traque [Voc. onom.] *S. m.* **1.** Artefato pirotécnico que dá estalos repetidos. **2.** Tabuleiro do gamão. **3.** O jogo do gamão. [Pl.: *trique-traques*.] ☑

trique-traz *Adj. S. m.* V. *traquinas*. [Pl.: *trique-trazes*.] ☑

tríquetro [Do lat. *triquetru*.] *Adj.* **1.** Que tem três ângulos. **2.** *Bot.* Que tem seção triangular e, portanto, três ângulos maciços, como os escapos das ciperáceas. ● *S. m.* **3.** Reunião de três coxas, com as pernas e pés respectivos, que se vê nalgumas medalhas antigas.

▲triqu(i)- V. *tric(o)-*.

▲-triqu(i)- V. *tric(o)-*.

triquíase [Do gr. *trichíasis*, pelo lat. *trichiase*.] *S. f. Patol.* **1.** Desvio de crescimento de pelos em torno de um orifício, de forma que se dirigem para dentro deste, como pode ocorrer em relação às pestanas, caso em que se dá atrito ocular. **2.** Aparecimento, na urina, de filamentos que lembram pelos.

triquilha [De *tr(i)-* + *quilha*.] *S. f.* **1.** Suporte que sustenta a roda dianteira do avião: 📖 "o suporte de sustentação da roda dianteira do avião, chamado triquilha" (*Jornal do Brasil*, 23.05.1971). **2.** *Surf.* Modelo de prancha de surfe com três quilhas [v. *quilha* (4)].

triquina [Do lat. cient. *Trichina*.] *S. f. Zool.* Designação de vermes intestinais, gênero *Trichinella*, que vivem em estado larvar nos músculos dos animais, e que originariamente é transmitido ao homem pela carne de porco triquinada.

triquinado [De *triquina* + *-ado*[1].] *Adj.* Que tem triquinas; triquinoso.

triquinelíase [Do tax. *Trichinella* + *íase*.] *S. f. Patol.* V. *triquinose*.

triquinelose [Do tax. *Trichinella* + *-ose*[1].] *S. f. Patol.* V. *triquinose*.

triquiníase [Do lat. cient. *Trichina* + *-íase*.] *S. f. Patol.* V. *triquinose*.

triquinose [Do lat. cient. *Trichina* + *-ose*[1].] *S. f. Patol. Med.* Infecção por triquinas (*Trichinella spiralis*) contidas em carne. [Sin.: *triquiníase, triquinelose, triquinelíase*.]

triquinoso (ô) [De *triquina* + *-oso*.] *Adj.* Triquinado.

triquismo [Do gr. *trichismós*.] *S. m. Ort.* Fratura filiforme dum osso.

triquiurídeo [Do tax. *Trichiuridae*.] *Zool. S. m.* **1.** Espécime dos triquiurídeos, família de peixes perciformes, marinhos, de corpo alongado e comprimido, boca grande com dentes fortes e afiados; a nadadeira dorsal, única, é muito longa, mas as outras são pouco desenvolvidas. Há 9 gêneros e 31 espécies, distribuídas em águas temperadas e tropicais. ● *Adj.* **2.** Pertencente ou relativo a eles.

trirradiado [De *tr(i)-* + *radiado*.] *Adj. Hist. Nat.* Que tem três raios.

trirradicular [De *tr(i)-* + *radicular*.] *Adj. Odont.* Diz-se de dente que tem três raízes.

trirramoso (ô) [De *tr(i)-* + *ramoso*.] *Adj.* Que tem três ramos.

trirranchense *Adj. 2 g.* **1.** De, ou pertencente ou relativo a Três Ranchos (GO). ● *S. 2 g.* **2.** O natural ou habitante de Três Ranchos.

trirregno [De *tr(i)-* + lat. *regnum*, 'reino'.] *S. m.* **1.** Domínio de três reinos; triarquia. **2.** A tiara papal.

trirreme [Do lat. *trireme*.] *S. f.* **1.** Embarcação grega da Antiguidade, impelida por remos, armados em três pavimentos (três ordens), e eventualmente por uma vela redonda: 📖 "No dia em que as trirremes mercantes de Cartago e de Roma se encontraram em Agrigento, ... as tripulações olharam-se com rancor não fingido, condensando a ameaça que emanava da recíproca concorrência." (Aquilino Ribeiro, *Os Avós dos Nossos Avós*, pp. 74-75). ● *Adj. 2 g.* **2.** *Zool.* Diz-se dos apêndices terminais de membros de crustáceos trilobados.

trirremo [De *tr(i)-* + *remo*[1].] *S. m.* V. *trirreme*: 📖 "Visava, sobretudo, a divisão de Lutácio, cujo trirremo reluzente d'ouro e riquíssimo corria já ao seu encontro" (Virgílio Várzea, *Nas Ondas*, p. 130).

trirretângulo [De *tr(i)-* + *retângulo*.] *Adj.* Que tem três ângulos retos. ~ V. *triângulo* —.

trirriense [De *tr(i)-* + *rio* + *-ense*.] *Adj. 2 g.* **1.** De, ou pertencente ou relativo a Três Rios (RJ). ● *S. 2 g.* **2.** O natural ou habitante de Três Rios.

tris[1] [Voc. onom.] *Interj.* Voz imitativa do ruído de coisa que se parte, principalmente vidro. [Cf. *triz*.]

tris[2] *S. m. Quím.* V. *tris(hidroximetil)aminometano*.

▲tri(s)- *Quím. Pref.* Indica, numa molécula, a existência de três grupos (ger. formados por muitos átomos) iguais: *tris(hidroximetil)aminometano*.

▲tris- V. *tr(i)-*.

triságio [Do gr. *triságios*, 'três vezes santo'.] *S. m.* Aclamação litúrgica em que três vezes se repete a mesma palavra, especialmente *Santo, Santo, Santo*.

trisanual [De *tris-* + *anual*.] *Adj. 2 g.* **1.** Que dura três anos. **2.** Que ocorre ou se efetua de três em três anos.

trisarquia [De *tris-* + *-arquia*, ou do gr. *triarchía*, com mudança do prefixo.] *S. f.* Governo formado de três chefes.

trisárquico [De *trisarquia* + *-ico*[2].] *Adj.* Relativo a trisarquia.

trisavó [De *tris-* + *avó*.] *S. f.* Fem. de *trisavô*; *tresavó*.

trisavô [De *tris-* + *avô*.] *S. m.* Pai do bisavô ou da bisavó; tresavô. [Fem.: *trisavó*.]

trisca [Dev. de *triscar*.] *S. f.* Ato ou efeito de triscar.

triscado [Part. de *triscar*.] *Adj. Bras. Pop.* V. *embriagado* (1).

triscar [Do gót. *thriskan*, 'debulhar'.] *V. int.* **1.** Fazer bulha, ruído. **2.** Aprontar desordem. **3.** Discutir, altercar, brigar. **4.** Intrigar, enredar. **5.** *Bras.* Roçar levemente. [Conjug.: v. *trancar*.]

tríscele [Do gr. *triskelés*, 'de três pernas'.] *S. m.* Variante da suástica, com três pernas em vez de quatro.

tris(hidroximetil)aminometano (cs) [Voc. farmac.] *S. m. Quím.* Nome corrente de derivado tri-hidroxilado da t-butilamina, us. como tampão (9) em preparações biológicas [fórm.: $C_4H_{11}O_3N$]. [F. red.: *tris*.]

trismegisto [Do gr. *trismégistos*, 'três vezes máximo', pelo lat. *trismegistu*.] *Adj.* **1.** Três vezes grande: 📖 "Satã! Mefisto! Rei das revoltas regiões tartáricas! / Pai dos possessos! Deus Trismegisto!" (Martins Fontes, *Verão*, p. 243.) **2.** Sobrenome que os antigos gregos davam a Hermes e ao deus Tot dos egípcios.

trismo [Do gr. *trismós*, 'sibilo'.] *S. m. Med.* Alteração motora dos nervos trigêmeos, que impossibilita a abertura da boca, constituindo sinal característico e precoce do tétano (1).

trispermo [De *tr(i)-* + *-spermo*.] *Adj. Bot.* Que tem três sementes.

trisqueira *S. f. Bras. Zool.* V. *azeiteiro* (3).

trissacarídeo [De *tr(i)-* + *sacarídeo*.] *S. m. Quím.* Holosídeo que fornece, por hidrólise, três oses.

trissacramental [De *tr(i)-* + *sacramental*.] *Adj. 2 g.* Diz-se daqueles que, tal como os anglicanos, só aceitam três sacramentos.

trissar [De *trisso* + *-ar*[2].] *V. int.* **1.** *Bras.* V. *grinfar*: 📖 "Não trissara uma andorinha que fosse. O alvoroço dessas asas núncias não cindira o Marzagão." (José Américo de Almeida, *A Bagaceira*, p. 83.) ● *S. m.* **2.** V. *trisso*.

trissecado [Part. de *trissecar*.] *Adj.* Dividido (o ângulo) em três partes iguais.

trisseção *S. f.* V. *trissecção*.

trissecar [De *tr(i)-* + lat. *secare*, 'cortar'.] *V. t. d.* Dividir (especialmente o ângulo) em três partes iguais. [Conjug.: v. *trancar*.]

trissecção [De *tr(i)-* + *secção*.] *S. f.* Divisão duma coisa em três partes. [Var.: *trisseção*.]

trissector (ô) [De *tr(i)-* + lat. *sectore*, 'cortador'.] *Adj.* **1.** Que corta em três partes. ● *S. m.* **2.** Instrumento com que se dividem ângulos em três partes iguais. [Var.: *trissetor*.]

trissectriz [Fem. de *trissector*.] *S. f. Geom.* Curva plana que se utiliza para resolver o problema da trissecção de ângulo. [Var.: *trissetriz*.]

trissecular [De *tr(i)-* + *secular*.] *Adj. 2 g.* Que tem três séculos; três vezes secular.

trissegmentado [De *tr(i)-* + *segmento* + *-ado*[1].] *Adj. Zool.* Diz-se do animal que apresenta o corpo dividido em três segmentos, como ocorre nos escorpionídeos.

trissépalo [De *tr(i)-* + *-sépalo*.] *Adj. Bot.* Que tem três sépalas.

trisseriado [De *tr(i)-* + *seriado*.] *Adj.* Disposto em três séries.

trissetor (ô) *Adj. S. m.* V. *trissector*.

trissetriz *S. f. Geom.* V. *trissectriz*.

trissilábico [De *trissílabo* + *-ico*[2].] *Adj.* Que tem três sílabas; trissílabo.

trissílabo [Do gr. *trisýllabos, os, on*.] *Adj.* **1.** Trissilábico. ● *S. m.* **2.** *E. Ling.* Vocábulo de três sílabas.

trissilano [De *tr(i)-* + *silano*.] *S. m. Quím.* Substância gasosa, de cheiro repulsivo, inflamável, espontaneamente, em contato com o ar, que é um silano (1) análogo do propano (q. v.) [fórm.: Si_3H_8].

trisso [Voc. onom.] *S. m. Bras.* O canto ou voz da calhandra e da andorinha; trissar, trinfar.

trissomia [De *tr(i)-* + *-som(o)-* + *-ia*[1].] *S. f. Citol. Genét.* Alteração cromossômica numérica em que núcleo, célula ou organismo apresenta um cromossomo adicional que se junta ao lote diploide normal. [Diz-se que o número de cromossomos é 2 *n* + 1, onde *n* é o número haploide.]

trissubstituído [De *tr(i)-* + *substituído*.] *Adj. Quím.* Que tem três substituintes.

trissulcado [De *tr(i)-* + *sulcado*, part. de *sulcar*.] *Adj.* Trissulco.

trissulco [Do lat. *trisulcu*.] *Adj.* Que tem três sulcos; trissulcado. [Cf. *trífido* (1).]

tristaminífero [De *tr(i)-* + *-stamin(i)-* + *-ífero*.] *Adj. Bot.* Que tem três estames.

tristânico [Do antr. *Tristão* (ficción.) + *-ico*[2].] *Adj. Mús.* Que sofre a influência da técnica de composição uti-

T

lizada por Richard Wagner (v. *wagneriano*) em sua ópera *Tristão e Isolda*, e que consiste, sobretudo, na predominância do cromatismo (q. v.) e em seu emprego além dos limites da tonalidade.

triste [Do lat. *triste*.] *Adj. 2 g.* 1. Que tem mágoa ou aflição; magoado, aflito. 2. Sem alegria; cheio de melancolia e/ou de cuidados; infeliz, desgraçado, lastimoso. 3. Abatido, deprimido. 4. Que infunde tristeza; sombrio, lúgubre: "O caixão estava no meio da sala entre velas tristes, um lenço segurava o queixo do defunto." (Moreira Campos, *Portas Fechadas*, p. 225.) 5. Severo, grave: *estilo triste.* 6. Enfadonho, aborrecido: *Deixou o triste mundo.* 7. Muito reduzido; insignificante, mesquinho: *Recebia um triste salário;* "andava sempre esmolambado, com uns caraminguás mui tristes" (Simões Lopes Neto, *Contos Gauchescos e Lendas do Sul*, p. 175). 8. Diz-se de pessoa, situação, ambiente, coisa, etc., desagradável, hostil, adversa. 9. *Fam.* Como palavra-ônibus, traduz numerosas ideias depreciativas, equivalendo a 'mau, genioso, maldizente, preguiçoso, vadio', etc.: *Sujeito perigoso, aquele: é triste; Este garoto é triste: não levanta uma palha para ajudar os pobres pais; A vizinha é triste, ninguém escapa da língua dela.* ● *S. 2 g.* 10. Pessoa propensa à tristeza, à melancolia: "Ele era um triste de natureza. Já em pequeno se distinguira das demais crianças pelo feitio esquisito, aborrecido" (João de Araújo Correia, *Terra Ingrata*, p. 191). 11. Pessoa triste, infeliz: "Ó doce cantiga dos namorados da beira do rio, tu és uma verdade sempre nova! Ainda hoje o triste anda penando nas águas escuras" (Eça de Queirós, *Prosas Bárbaras*, p. 2). ● *S. m.* 12. *Arte Poét.* Composição poética dos gaúchos da República Argentina.

triste-pia [De *triste* + *piar*.] *S. f. 2 n. Bras. Zool.* Ave emberizídea icterínea (*Dolichonyx orzivorus*), do Canadá e dos Estados Unidos, que migra durante o inverno para o S., atingindo a Argentina. O macho é branco no dorso inferior, tem as coberteiras superiores das asas, a cabeça, a parte inferior do corpo e a cauda negras, e rêmiges negras orladas de amarelo. A fêmea tem o abdome amarelo com tons cinza, flancos listrados de negro, dorso pardo-amarelento e uma linha subocular amarela. Alimenta-se de sementes e de insetos.

triste-vida [Voc. onom.] *S. f. Bras. Zool.* V. *bem-te-vi* (1). [Pl.: *tristes-vidas*.]

tristeza (ê) [Do lat. *tristitia*.] *S. f.* 1. Qualidade ou estado de triste. 2. Falta de alegria. 3. Pena, desalento, consternação. 4. Aspecto revelador de mágoa ou aflição. [Sin. menos us. (nessas acepçs.): *tristura*.] 5. *Bras. Pop. Veter.* V. *babesíase*.

trístico [Do gr. *tristichós*, 'disposto em três ordens'.] *Adj. Bot.* Disposto em três fileiras: *brácteas trísticas.*

tristimania (is) [De *triste* + *-i-* + *-mania*.] *S. f. Psiq.* 1. *Desus.* Monomania acompanhada de tristeza. 2. Tristeza habitual sem razão aparente.

tristimaníaco (is) [De *tristimania* + *-íaco*.] *Psiq. Adj.* 1. Relativo a tristimania. 2. Que sofre de tristimania; tristímano. ● *S. m.* 3. Aquele que sofre de tristimania; tristímano.

tristímano [De *triste* + *-i-* + *-mano*[1].] *Adj. S. m. Psiq.* Tristimaníaco (2 e 3).

tristonho [De *triste* + *-onho*.] *Adj.* 1. Que experimenta ou denota tristeza: *É um indivíduo tristonho; Tem um ar tristonho.* [Sin.: *abetumado, melancólico*, (bras.) *abatumado, capiongo, jururu, piongo*.] 2. Que produz tristeza: *tarde tristonha.* 3. Medonho, horrível.

tristura [De *triste* + *-ura*.] *S. f.* V. *tristeza* (1 a 4): "Cuidava padecer a maior tristura; mas ali estava outra tão grande como a sua, e muito mais aflitiva." (Machado de Assis, *Quincas Borba*, p. 232.)

tritagonista [Do gr. *tritagonistés*.] *S. 2 g. Teatr.* Ator que representava o terceiro papel na antiga tragédia grega. [Cf. *deuteragonista* e *protagonista* (1).]

tritão [Do mit. *Tritão* < lat. *Tritone*, gr. *Tríton, onos*.] *S. m.* 1. *Mit.* Deus marítimo, descendente do divino Tritão, filho de Netuno e Anfitrite. 2. *Astr.* Um dos satélites telescópicos de Netuno, com 3.700km de diâmetro e magnitude aparente de 13,5 na oposição. [Foi descoberto em 10.10.1846 pelo astrônomo inglês William Lassell (1799-1880).] [Com cap., nessas acepçs.] 3. *Zool.* Animal, cordado, anfíbio, mutabílio, salamandrídeo, gênero *Triturus*, com espécies providas de pulmões na fase adulta, os dentes situados no céu da boca, atrás das narinas, divergentes posteriormente, e vértebras opistocelas. Ocorrem na região holártica.

triteísmo [De *tr(i)-* + *-te(o)-* + *-ismo*.] *S. m.* Doutrina daqueles que afirmam haver em Deus não só três pessoas, mas também três essências, três substâncias e três deuses.

triteísta *Adj. 2 g.* 1. Relativo ao, ou que é partidário do triteísmo. ● *S. 2 g.* 2. Partidário dessa doutrina.

triternado [De *tr(i)-* + *ternado*.] *Adj. Bot.* Três vezes ternado e, portanto, com 27 folíolos.

triterpeno [De *tr(i)-* + *terpeno*.] *S. m. Quím.* Designação genérica dos terpenos [v. *terpeno* (1)] com trinta átomos de carbono, que se podem considerar resultantes da união de seis isoprenos.

triterpenoide (ói) [De *triterpeno* + *-oide*.] *Quím. Adj. 2 g.* 1. Semelhante em estrutura, ou derivado, de triterpeno (1). ● *S. m.* 2. Substância triterpenoide. ❖

▲**triti-** [F. red. do lat. *triticum, i*.] *El. comp.* = 'trigo': *tritícola, triticultura.*

tritibial [De *tr(i)-* + *tibial*.] *Adj. 2 g. Zool.* Diz-se de uma das peças livres do tarso do embrião de aves, que, na fase adulta, vai soldar-se à tíbia.

triticale [Do lat. cient. *Triticale* < *triti(cum)*, 'trigo', + *-(se)cale*, 'centeio'.] *S. m.* Híbrido de trigo e centeio.

tritíceo [Do lat. *triticeu*.] *Adj.* 1. Relativo ao trigo. 2. Que possui certas qualidades do trigo.

tritícola [De *triti-* + *-cola*[1].] *Adj. 2 g. Bras.* Do, ou relativo ao trigo.

triticultor (ţt... ô) [De *triti-* + *-cultor*.] (ţt...ô) *S. m. Bras. Agr.* Aquele que se dedica à triticultura.

triticultura (ţt) [De *triti-* + *-cultura*.] *S. f. Bras. Agr.* Cultura do trigo.

▲**tritil-** *Quím. El. comp.* Indica a presença do grupo tritila: *tritilamina.*

tritila [De *trifenilmetila*.] *S. f. Quím.* Grupo $-C_{19}H_{15}$, derivado de metila por substituição dos três átomos de hidrogênio desta por grupos fenila.

trítio *S. m. Fís.* Trício[1] (q. v.).

tríton [Do ingl. *triton* < gr. *trítos*, 'terceiro', + *-on*.] *S. m. Fís. Nucl.* Núcleo do trício [símb.: *t*].

tritongo [De *tr(i)-* + gr. *phthóngos*, 'som', 'tom'.] *S. m. E. Ling.* União, em uma sílaba só, de três vogais, ou melhor, de uma vogal (a base) cercada de semivogais: *Paraguai, averiguei, quão.*

tritonídeo [Do tax. *Triton* (< mit. greco-romano *Triton*, 'semideus do mar') + *-ídeo*[1]; tax. *Tritonidae*.] *Zool. S. m.* 1. Espécime dos tritonídeos, família de moluscos gasterópodes, prosobrânquios, que compreende o gênero *Triton* e afins. A concha é pesada, com uma espiral cônica, alongada, de superfície rugosa, e perióstraco piloso. Habitam as águas tropicais e são alguns dos maiores gastrópodes conhecidos. ● *Adj.* 2. Pertencente ou relativo a eles.

trítono [Do gr. *trítonos*, 'que encerra o espaço de três tons'.] *S. m. Mús.* Intervalo dissonante, constituído por três tons. Ex.: uma quinta diminuta ou uma quarta aumentada.

tritriacontaedro *S. m. Geom.* Poliedro de 33 faces.

tritriacontágono *S. m. Geom.* Polígono de 33 lados. [A pronúncia correta seria *tritriacontagono*; v. *-gono*.]

trituberculado [De *tr(i)-* + *tuberculado*.] *Adj. Hist. Nat.* Que tem três tubérculos.

tritura [Do lat. *tritura*.] *S. f.* V. *trituração.*

trituração [Do lat. *triturationе*.] *S. f.* Ato ou efeito de triturar; trituramento, tritura.

triturado [Part. de *triturar*.] *Adj.* Que se triturou; esmagado; esmigalhado.

triturador (ô) [De *triturar* + *-dor*.] *Adj.* 1. Que tritura. ● *S. m.* 2. Aquilo que tritura. 3. *Ind. Pap.* Aparelho, de que há diversos tipos, usado nas fábricas de papel para transformar em pasta a matéria-prima, sendo comum o que consiste em armação de ferro dentro da qual giram dois cilindros paralelos, dotados de facas e de sulcos que se interpenetram. [Cf. *molassa*.]

trituramento [De *triturar* + *-mento*.] *S. m.* V. *trituração.*

triturar [Do lat. *triturare*.] *V. t. d.* 1. Reduzir a pequenos fragmentos; moer. 2. Reduzir a pó; pulverizar. 3. Converter em massa. 4. Contundir muito por espancamento; massacrar: *Triturou o adversário com socos.* 5. Afligir, magoar, atormentar: *Profunda tristeza tritura sua alma.* 6. Reduzir a nada; nulificar: *Aquela resposta triturou o seu argumento.*

triturável [De *triturar* + *-vel*.] *Adj. 2 g.* Que pode ser triturado.

triunfador (i-un... ô) [Do lat. *triumphatore*.] *Adj.* 1. Triunfante (1). ● *S. m.* 2. Aquele que triunfa.

triunfal (i-un) [Do lat. *triumphale*.] *Adj. 2 g.* 1. Relativo a triunfo. 2. Em que há triunfo.

triunfalismo (i-un) [De *triunfal* + *-ismo*.] *S. m.* 1. *Neol.* Sentimento exagerado de triunfo. 2. *Rel.* Atitude daqueles que, na Igreja Católica, tendem a não ver-lhe as falhas históricas, ou suas deficiências em geral.

triunfalista (i-un) [De *triunfalismo* + *-ista*.] *Adj. 2 g.* 1. Relativo ao triunfalismo. ● *S. 2 g.* 2. Pessoa que tem triunfalismo (1) ou segue o triunfalismo (2).

triunfamento (i-un) [De *triunfar* + *-mento*.] *S. m.* Triunfo (1).

triunfano (i-un) *Adj.* 1. De, ou pertencente ou relativo a Triunfo (RJ). ● *S. m.* 2. O natural ou habitante de Triunfo.

triunfante (i-un) [Do lat. *triumphante*.] *Adj. 2 g.* 1. Que triunfa; triunfador. 2. Ostentoso, magnífico, esplêndido. 3. Radiante de alegria.

triunfar (i-un) [Do lat. *triumphare*.] *V. int.* 1. Conseguir triunfo ou vitória: *Em 1945 os aliados triunfaram.* 2. Levar vantagem; sagrar-se vencedor; prevalecer: *A justiça deveria triunfar sempre.* 3. Vencer qualquer resistência. 4. Estar ou tornar-se radiante de alegria; exultar. *T. i.* 5. Sair vencedor ou triunfante; levar vantagem: "os cuidados da ciência e a ciência dos cuidados triunfaram do mal, e Fadinha ficou boa" (Artur Azevedo, *Contos Cariocas*, pp. 231-232); "Três vezes o ouro triunfara da beleza naquela noite." (Joaquim Manuel de Macedo, *Os Romances da Semana*, p. 109). 6. Jactar-se, gloriar-se, vangloriar-se: *Costuma triunfar de sua sabedoria. T. d. P. us.* 7. Obter triunfo sobre; vencer: *enfrentar adversários e triunfá-los. P.* 8. Vencer-se, dominar-se.

triunfense (i-un) *Adj. 2 g.* 1. De, ou pertencente ou relativo a Triunfo (PB, PE e RS). ● *S. 2 g.* 2. O natural ou habitante de Triunfo.

triunfo (i-ún) [Do lat. *triumphu*.] *S. m.* 1. Ato ou efeito de triunfar; triunfamento. 2. Entrada solene e aparatosa dos generais vitoriosos na Roma antiga. 3. Vitória[1] (1): *Nossos exércitos alcançaram notável triunfo.* 4. Êxito brilhante: *O filme brasileiro foi um triunfo no festival.* 5. Grande alegria; satisfação plena; regozijo: *Os resultados dos exames foram um triunfo para mim.* 6. Esplendor, pompa, suntuosidade. 7. Dominação de paixões. 8. Superioridade, vantagem. 9. Aclamação ruidosa; palmas. 10. Enfeite central de mesa de banquete.

triunvirado (i-un) [Do lat. *triumviratu*, por via semierudita.] *S. m.* Triunvirato.

triunviral (i-un) [De *triúnviro* + *-al*[1].] *Adj. 2 g.* Relativo a triúnviro.

triunvirato (i-un) [Do lat. *triumviratu*, por via erudita.] *S. m.* 1. Magistratura dos triúnviros. 2. *P. ext.* Associação de três cidadãos que em si reúnem toda a autoridade. 3. Governo de três indivíduos; triarquia. [F. paral.: *triunvirado*.]

triúnviro [Do lat. *triumviru*.] *S. m.* 1. Magistrado romano incumbido, com mais dois colegas, de uma parte da administração pública. 2. Membro de qualquer triunvirato.

triuridácea (i-u) [Do lat. cient. *Triurid-* (do tax. *Triuris*) + *-ácea*; tax. *Triuridaceae*.] *S. f. Bot.* Espécime de monocotiledôneas, da ordem das triuridales, composta de minutas plantas saprofíticas, com folhas reduzidas a escamas, e flores pequenas. Há umas 40 espécies tropicais, que vivem no chão da floresta.

triuridáceo (i-u) [De *triuridácea*, com var. suf. (v. *-áceo*).] *Adj. Bot.* Pertencente ou relativo às triuridáceas.

triuridal (i-u) [Do lat. cient. *Triurid-* (v. *triuridale*) + *-al*[1].] *Adj. 2 g. Bot.* Relativo ou pertencente às triuridales.

triuridale (i-u) [Do lat. cient. *Triurid-* (v. *triuridácea*) + *-ale*; tax. *Triuridales*.] *S. f. Bot.* Espécime das triuridales, ordem de vegetais monocotiledôneos, aclorofilados e heterotróficos, que inclui apenas a família das triuridáceas.

trivalência [De *tr(i)-* + *valência*.] *S. f. Quím.* Propriedade do que é trivalente.

trivalente [De *tr(i)-* + *valente*.] *Adj. 2 g. Quím.* Que tem três valências.

trivalvar [De *tr(i)-* + *valva* + *-ar*[1].] *Adj. 2 g.* Que tem três valvas.

trivela *El. s. f.* Us. na loc. *de trivela*. ◆ **De trivela.** *Bras. Fut.* Diz-se do chute com que o jogador, usando o lado externo do pé, imprime à bola um efeito especial: *passe de trivela; drible de trivela.*

trivial [Do lat. *triviale*.] *Adj. 2 g.* 1. Sabido de todos; notório, comum, vulgar, corriqueiro: "A mais trivial palavra .... solta ódios largamente represados" (Marques Rebelo, *O Trapicheiro*, p. 69). 2. Usado, corrente. 3. Ordinário, baixo. ● *S. m.* 4. Os pratos simples e cotidianos das refeições caseiras.

trivialidade [De *trivial* + *-(i)dade*.] *S. f.* 1. Qualidade de trivial. 2. Coisa, dito ou conceito trivial.

trivializado [Part. de *trivializar*.] *Adj.* Que se tornou trivial: "O aperto de mão, ainda que hoje tão trivializado, que bela afirmação de cordialidade! que eloquente modo de exprimir a afeição!" (Lúcio de Mendonça, *Horas do Bom Tempo*, p. 219.)

trivializar [De *trivial* + *-izar*.] *V. t. d. P.* Tornar(-se) trivial, corriqueiro ou banal; banalizar.

trívio [Do lat. *triviu*.] *S. m.* 1. Lugar onde se cruzam três ruas ou três caminhos. 2. Na Idade Média, a parte elementar do currículo das universidades, composta pela gramática, lógica e retórica e que, junto com as quatro que compunham o quadrívio (2), eram conhecidas como as sete artes liberais. 3. *Zool.* Os três ambulacros superiores das holotúrias. ● *Adj.* 4. Que se reparte em três caminhos.

trivoli [Alter. de *Tívoli*, famoso parque de diversões de Copenhague.] *S. m. Bras. N.E.* V. *carrossel.* [Antenor Nascentes (*Dicionário Etimológico*) dá *trívoli*, pronúncia menos us.]

trívoli *S. m. Bras. N.E.* V. *trivoli.*

triz[1] *El. s. m.* Us. na loc. adv. *por um triz.* [Cf. *tris.*] ◆ **Por um triz.** 1. Por um pouco; por pouco, por um tudo-nada, por um és não és, por um fio, por um fio de cabelo, por um ápice, por uma linha: *Por um triz o jarro não se quebrou;* "Marcolino por um triz não caiu fulminado de espanto, sobressalto e satisfação ao mesmo tempo." (Franklin Távora, *O Cabeleira*, p. 261). 2. Com grande custo; milagrosamente: *Escapou por um triz.*

triz[2] [Alter. de *icterícia*.] *S. f. Pop.* Icterícia. [Cf. *tris.*]

troada [De *troar* + *-ada*[1].] *S. f.* 1. Ato ou efeito de troar. 2. Som de muitos tiros; estrondo. [Sin. ger.: *troar.*]

troante [De *troar* + *-nte.*] *Adj. 2 g.* V. *atroador*: "Lançando raios no volver dos olhos, / Figurando o trovão na voz troante" (Gonçalves Dias, *Obras Poéticas*, II, p. 345).

troar [Do lat. *tonare*, 'trovejar', com *r* onom.] *V. int.* 1. Trovejar; estrondear; retumbar: "De ambos a voz troou aterradora" (Junqueira Freire, *Obras Póstumas*, p. 53); "Era tarde! Troando pelo espaço / Amplo e sonoro, repicava o sino" (Raimundo Correia, *Poesias*, p. 236). *T. i.* 2. Bradar, clamar; trovejar: *O verbo de José do Patrocínio troava contra a escravatura.* [Conjug.: v. *coroar.*] ● *S. m.* 3. Troada.

trobadoresco (ê) [Do fr. *troubadouresque.*] *Adj.* V. *trovadoresco*: "Camões [Luís de Camões (v. *camoniano*)] e Herrera [Fernando de Herrera] militavam o conceito cortesão e provençalesco do amor, à maneira trobadoresca" (Fidelino de Figueiredo, *Últimas Aventuras*, p. 303).

troca [Dev. de *trocar*.] *S. f.* 1. Ato ou efeito de trocar(-se). 2. Transferência mútua e simultânea de coisas entre seus respectivos donos. [Sin., nesta acepç.: *alborque, barganha, baldroca, permuta, permutação,* e (bras.) *tinhanha.*] 3. V. *substituição* (2). ◆ **Troca isotópica.** *Fís. Nucl.* Substituição, num sistema ou num processo, de um nuclídeo por outro que lhe é isótopo. **Trocas e baldrocas.** Negócios fraudulentos; tretas, tricas: "'Enganar'! Tal qual como na Feira da Vida, em toda a espécie de interesses materiais ou morais, graúdos ou miúdos, trocas e baldrocas, em que os de lúzio no olho empazinam os incautos, enfiam pelo fundo de uma agulha os bem-intencionados, os de boa fé" (Antero de Figueiredo, *Miradouro*, p. 121). **Bolar as trocas.** Trocar as bolas (q. v.).

troça [Dev. de *troçar*.] *S. f.* 1. V. *zombaria.* 2. V. *graça* (6). 3. *Bras.* Pândega, farra. 4. *Bras.* Vida devassa. 5. *Pop.* Ajuntamento (de pessoas); multidão.

trocabilidade [De *trocável* + *-(i)dade*, seg. o padrão erudito.] *S. f.* Qualidade de trocável.

trocadilhar [De *trocadilho* + *-ar*[2].] *V. int.* Fazer trocadilhos.

trocadilhista [De *trocadilho* + *-ista.*] *S. 2 g.* Pessoa dada a fazer trocadilhos.

trocadilho [De *trocado* + *-ilho.*] *S. m.* 1. Jogo de palavras parecidas no som e diferentes no significado, e que dão margem a equívocos; calembur, calemburgo, equívoco, trocados, triques-troques, tenções dobradas. 2. Emprego de expressão ambígua.

trocado [Part. de *trocar*.] *Adj.* 1. Mudado, substituído: *O livro que encomendei veio trocado.* 2. Diz-se do dinheiro miúdo (q. v.). ~ V. *mourão* —. ● *S. m.* 3. V. *dinheiro miúdo.* 4. Antiga dança popular. 5. *Bras. Liter. Pop.* Mourão[3].

trocador (ô) [De *trocar* + *-dor.*] *Adj.* 1. Que troca. ● *S. m.* 2. Aquele que troca. 3. *Bras.* Indivíduo encarregado de cobrar as passagens, nos ônibus. ◆ **Trocador de calor.** *Eng. Ind.* V. *cambiador de calor.*

trocados [Pl. subst. do adj. *trocado.*] *S. m. pl.* 1. Trocadilhos [v. *trocadilho* (1)]. 2. Lavores antigos em panos de armas ou em vestidos. 3. V. *dinheiro miúdo.*

trocaico [Do gr. *trochaikós*, pelo lat. *trochaicu.*] *Adj. S. m. Arte Poét.* ~ V. *verso* —.

trocal[1] *S. f. Bras. Zool.* V. *pomba-trocal* (1).

trocal[2] [De *troc(o)-* + *-al*[1].] *Adj. 2 g.* Em forma de roda, de círculo; circular. ~ V. *órgão* —.

troçal *S. m.* V. *torçal*: "Estas argutas parafusações de direito pontifício, ... não se podem assaz destrinçar sem barrete de troçal e grande cópia de meio-grosso sobre fólios máximos." (Camilo Castelo Branco, *Boêmia do Espírito*, p. 301.)

trocano *S. m. Bras.* V. *torocana.*

trocanter (tér) [Do gr. *trochantér.*] *S. m. Anat.* Cada uma das duas tuberosidades existentes na parte superior de cada fêmur. [Pl.: *trocanteres.*]

trocanteriano [De *trocanter* + *-iano.*] *Adj.* Relativo a trocanter.

troca-pernas [De *trocar* + o pl. de *perna.*] *S. m. 2 n. Bras.* V. *vagabundo* (6).

trocar [De or. incerta.] *V. t. d.* 1. Dar (uma coisa) por outra; permutar: *Trocou o velho automóvel; Os rapazes trocaram os livros;* "Trocaram beijos ao luar tranquilo." (Augusto Gil, *Luar de Janeiro*, p. 75). 2. Substituir (uma coisa) por outra; mudar: *trocar a camisa.* 3. Tomar (uma coisa) por outra; confundir: *Na pressa, trocou um dos embrulhos.* 4. Alterar, modificar, transtornar: *Não troque a ordem em que arrumei os livros; O tempo troca, às vezes, os sentimentos.* 5. Pôr de través; cruzar. 6. Mudar a roupa de: *Após o banho, a babá trocou o bebê.* 7. *Bras.* Comprar ou vender (santos, imagens). *T. d. e i.* 8. Dar em troca; permutar: *Trocou os móveis velhos por novos;* "Torrou mercadorias, trocou burros por vacas e bois." (Nélson de Faria, *Cabeça-Torta*, p. 9). 9. Dar primazia ou preferência; preferir: *Não troca o Brasil por nenhum outro país.* 10. Deixar, abandonar: *Trocou a liberdade dos solteiros pela estabilidade dos casados.* 11. Converter, transformar: *Trocou os impostos por serviços;* "o cego arrastou-se até o portão de ferro do cemitério, ... e lá ficou à espera de Elias, que fora trocar por mantimentos as esmolas que tinham recebido." (Alphonsus de Guimaraens, *Obra Completa*, p. 298). 12. Vender ou comprar (santos, imagens): "um artista, que fazia os mais belos santos da igreja e os 'trocava' (era proibido dizer-se que se vendiam os santos) com uma clientela de capital e do interior." (Povina Cavalcanti, *Volta à Infância*, p. 21). *T. i.* 13. Deixar ou substituir (uma coisa por outra); mudar: *trocar de roupa; trocar de vida.* 14. Permutar entre si: *Trocaram de lugar.* *P.* 15. Transformar-se, converter-se: "Enquanto rezava, via eu a pobre alma, que padecia deveras, conquanto a esperança começasse a trocar-se em certeza intuitiva." (Machado de Assis, *Várias Histórias*, p. 34); "Troca-se em paraíso a casinha branca da montanha." (Manuel Bandeira, *Estrela da Vida Inteira*, p. 225). 16. Reciprocar-se, mutuar-se: *Os namorados trocavam-se beijos.* 17. *Bras.* Mudar a roupa; trocar de roupa. [Conjug.: v. *trancar*. Pres. ind.: *troco*, etc. Pres. subj.: *troque*, ... *troqueis*, *troquem*. Cf. *troco* (ô), s. m., e *troquéis*, pl. de *troquel*, s. m.] ◆ **Trocar de bem.** *Bras.* Reatar amizade rompida, fazer as pazes; reconciliar-se. **Trocar de mal.** *Bras.* Romper relações; brigar, desavir-se; tocar de mal.

troçar [De or. obscura.] *V. t. d.* 1. Zombar de; escarnecer, ridicularizar, ridicularizar: "o cabinda .... a olhar os colegas que o troçavam" (Lobo Antunes, *O Esplendor de Portugal*, p. 76). *T. i.* 2. Fazer troça; gracejar, caçoar: *De tudo ri, troça de tudo.* 3. Zombar, escarnecer, ridicularizar: "Garrett envergonha-se da humilde conquista, e em versos que ficarão inéditos tem a crueldade de troçar desse amor." (José Osório de Oliveira, *O Romance de Garrett*, p. 33.) [Conjug.: v. *laçar*. Pres. ind.: *troço*, etc. Cf. *troço* (ô).]

trocarte [Do fr. *trocart.*] *S. m. Cir.* Instrumento pontiagudo e que dispõe de cânula, us. para punções em cavidade e retirada de material nela contido.

troca-tintas [De *trocar* + o pl. de *tinta.*] *S. m. 2 n.* 1. V. *borra-tintas* (1). 2. *P. ext.* Indivíduo trapalhão: "Macário desconfiava da concorrência de José do Lago, um troca-tintas que aprendia com o Chico Fidêncio, e nada fazia que prestasse." (Inglês de Sousa, *O Missionário*, p. 102.)

troca-troca [Do v. *trocar*, repetido.] *S. m. Pop.* 1. Ato ou processo, relativamente contínuo, de trocar uma coisa por outra, ger. entre três ou mais pessoas, grupos, etc. 2. A troca constante de par, entre conhecidos ou elementos de um grupo. [Pl.: *trocas-trocas* e *troca-trocas*.] ◆ **Fazer troca-troca.** *Bras. Chulo* Jogo sexual entre adolescentes do sexo masculino, envolvendo penetração recíproca; fazer meia, fazer meinha: "Jogando muito botão / Rodopiando pião / Fazendo troca-troca" (Chico Buarque, na canção *Doze anos*).

trocável [De *trocar* + *-vel.*] *Adj. 2 g.* Que pode ser trocado.

trocaz *Adj. 2 g.* V. *torcaz.*

trochada [De *trocho* + *-ada*[1].] *S. f.* 1. Pancada com trocho. 2. Pancada, bordoada. [Cf. *tronchada.*]

trochado [Part. de *trochar.*] *Adj.* 1. Diz-se do cano que foi torcido para tornar-se reforçado. 2. *Bras.* Diz-se do cano de espingarda feito de uma fita de aço espiralada. ● *S. m.* 3. Antigo lavor em seda ou noutros tecidos.

trochar *V. t. d.* Torcer (cano de espingarda) para reforçar. [Pres. ind.: *trocho*, etc. Cf. *trocho* (ô).]

trocho (ô) [Do lat. *trunculu*, poss.] *S. m.* 1. Pau tosco; bordão, cacete. 2. Garaveto, cavaco. [Pl.: *trochos* (ô). Cf. *trocho*, do v. *trochar.*]

trociscação [De *trociscar* + *-ção.*] *S. f.* Ato ou efeito de trociscar.

trociscar [De *trocisco* + *-ar*[2].] *V. t. d.* Reduzir a trociscos ou fragmentos. [Conjug.: v. *trancar.*]

trocisco [Do gr. *trochískos*, 'pastilha redonda', pelo lat. *trochiscu.*] *S. m. Farm. Desus.* Designação de medicamentos apresentados sob forma de pastilha, de cone, etc.; morsolo.

trocista [De *troça* + *-ista.*] *Adj. 2 g. S. 2 g.* Que, ou quem gosta de troçar; caçoador.

tróclea [Do gr. *trochilía*, 'polé', pelo lat. *trochlea.*] *S. f. Anat.* Designação genérica de acidente anatômico semelhante a roldana, e que pode ser encontrado em alguns ossos, como, p. ex., úmeros e calcâneos.

troclear [De *trocléa* + *-ar*[1].] *Adj. 2 g. Anat.* Relativo a tróclea.

trocleiforme [De *tróclea* + *-iforme.*] *Adj. 2 g.* Que tem forma de tróclea.

troco (ô) [Dev. de *trocar.*] *S. m.* 1. Ação de trocar; troca. 2. Moedas ou cédulas de valor menor, equivalentes a uma só que representa quantia superior. 3. Dinheiro que o vendedor devolve ao comprador que pagou um objeto com moeda(s) de valor superior ao preço ajustado. [Sin. (lus.), nesta acepç.: *demasia.*] 4. *Fam.* Réplica, revide. 5. Resposta oportuna. [Pl.: *trocos* (ô). Cf. *troco*, do v. *trocar.*] ◆ **A troco de.** 1. Em compensação ou recompensa de; em troco de: *A troco de pequenos favores que obteve do amigo, faz tudo por ele.* 2. *Bras. Prov. port.* Por causa de; por via de; por amor de: *Esteve com o Romão, não sei a troco de quê.* **A troco de reza.** *Bras. S. Fam.* Por preço vil; muito barato: *Vendeu a casa a troco de reza; Comprou um bom sítio a troco de reza.* **Dar o troco.** Revidar a ofensa anterior com outra. **Dar o troco a.** *Lus. Gír.* Dar bola a (q. v.). **Dar um pelo outro e não querer troco.** *Deprec.* Considerar (duas pessoas) de qualidade e condição idênticas. **Faturar um troco.** *Bras.* Ganhar bem; ter ótimo salário. **Fazer troco.** Converter nota (ou moeda) em troco (2); trocar dinheiro.

▲ **troc(o)-** [Do gr. *trochós, oû*, 'roda'.] *El. comp.* = 'circular', 'redondo': *trococéfalo.* [Equiv.: *-troc(o)-*: *epitrocoide.*]

▲ **-troc(o)-** Equiv. de *troc(o)-*.

troço [De *troço* (ô), com mudança de timbre de consequências semânticas.] *S. m. Bras. Gír.* 1. Coisa imprestável; traste velho; tralha. 2. Qualquer objeto cujo nome não importa, ou não se sabe, ou não se quer declinar; coisa, negócio, trem, troféu, chorumela. [Sin., no RS (nessas acepç.): *xicaca.*] 3. Pessoa importante, influente; figurão: *O homem é troço na política.* 4. Mal-estar indeterminado; coisa: *Teve um troço e morreu;* "Li esta notícia [sobre troca de jogadores] num jornal velho e quase tive um troço." (João Saldanha, em *Jornal do Brasil*, 05.01.1982). [Cf. *troço* (ô).] ◆ **Um troço.** *Bras. Gír.* 1. V. *um amor* (1): *A nova gravação daquele disco é um troço.* 2. Uma coisa (2).

troço (ô) [Do provenç. *tros*, 'pedaço', poss.] *S. m.* 1. Trocho. 2. *Artilh.* Cada uma das partes do molde de um canhão, formado por aduelas ligadas em si. 3. *Lus.* Trecho de estrada, caminho, etc. 4. *Ant.* Corpo (11) de tropa: "Capitaneando um troço de soldados, caía de improviso sobre um lugar" (Oliveira Martins, *Histórias de Portugal*, I, p. 67). 5. Porção de gente; multidão. 6. *Bras. Chulo* Troçulho. [Pl.: *troços* (ó). Cf. *troço*, do v. *troçar* e s. m.]

trococéfalo [De *troc(o)-* + *-céfalo.*] *Adj. Zool.* Que tem cabeça redonda.

trocófora [De *troc(o)-* + *-fora.*] *S. f. Zool.* Larva livre, natante, característica de vários animais invertebrados, tais como moluscos, anelídeos, rotíferos e vermídios. [V. *trocozoários*. Cf. *trocóforos.*]

trocóforo [De *troc(o)-* + *-foro*; lat. cient. *trochophora.*] *Zool. S. m.* 1. Espécime dos trocóforos, grupo de animais metazoários, invertebrados, cujas larvas pelágicas são providas de uma cintura ciliada em torno do corpo. ● *Adj.* 2. Pertencente ou relativo a eles.

trocoide (ói) [De *troc(o)-* + *-oide.*] *S. f. Geom.* Curva plana descrita por um ponto rigidamente ligado a um círculo que rola, sem deslizar, sobre uma reta fixa de seu plano. [Tb. se diz, impr., *cicloide.*] ❖

trocóideo [Do gr. *trochoeidés*, 'semelhante a uma roda', + *-eo.*] *Adj.* 1. Semelhante a uma roda; rotiforme, rotáceo. 2. *Anat.* Diz-se da articulação em que um osso gira sobre outro.

trocomalho *S. m. Bras. Gír.* 1. Bilhete falso de loteria. 2. Falsificador, esp. de bilhete de loteria.

trocosferídeo [Adapt. do tax. *Trochosphaeridae.*] *Zool. S. m.* 1. Espécime dos trocosferídeos, em algumas classificações, ordem de animais metazoários, rotíferos, anuros, com disco trocal sob forma de um círculo equatorial provido de cílios. ● *Adj.* 2. Pertencente ou relativo a eles.

trocozoário [De *troc(o)-* + *-zo(o)-* + *-ário.*] *Zool. S. m.* 1. Espécime dos trocozoários, grande grupo de animais invertebrados, morfologicamente diferentes, mas cujas fases embrionárias se desenvolvem de maneira semelhante, a partir de trocófora (q. v.). São os moluscos, anelídeos, rotíferos e vermídios. ● *Adj.* 2. Pertencente ou relativo a eles.

troçulho [De *troço* (ô) + *-ulho.*] *S. m. Bras. N.E. Chulo* Cagalhão. [Sin.: *troço* (ô).]

trofâmnio [De *trof(o)-* + *âmnio.*] *S. m. Zool.* Invólucro contínuo, com a forma de sincício provido de núcleos gigantes, e que protege e alimenta o embrião dos insetos himenópteros.

troféu [Do gr. *trópaion*, pelo lat. *tropaeu* e pelo lat. vulg. *trophaeu*.] ***S. m.*** **1.** Despojos de inimigo vencido. **2.** Despojo de caça. **3.** Taça ou qualquer objeto comemorativo de uma vitória. **4.** Insígnias militares arranjadas de modo artístico para servirem de ornamento; panóplia. **5.** Representação dos atributos particulares a uma ciência ou arte, em pintura ou escultura. **6.** *Fig.* Vitória, triunfo. **7.** *Bras. Gír.* Coisa, negócio, trem, troço (q. v.).

troféu de cabeça ***S. m.*** *Etnol.* Cabeça de inimigo morto que, entre muitos povos naturais, costuma ser conservada, por dar ao seu possuidor prestígio ou força mágica. [Pl.: *troféus de cabeça*.] ☑

▲-trofia [Do gr. *-trophía* < gr. *-trophos* < v. gr. *trephein*, 'nutrir'.] ***El. comp.*** = 'nutrição', 'alimentação'; 'síntese'; 'desenvolvimento': *abiotrofia, auxotrofia, cacotrofia, autotrofia, amiotrofia*. [V. *trof(o)-* e *-ia*[1].]

trófico [De *trof(o)-* + *-ico*[2].] ***Adj.*** Referente à nutrição. ~ V. *úlcera —*.

▲trof(o)- [Do gr. *trophḗ, ês* do v. gr. *trepheîn*, 'nutrir', 'alimentar'.] ***El. comp.*** = 'nutrição'; 'que alimenta': *trófico, trofoneurose*. [Equiv.: *-trofia* (q. v.), *-trof(o)-*, *-trofo*: *luteotrófico, heterótrofo*.]

▲-trof(o)- V. *trof(o)-*.

▲-trofo [Do gr. *-trophos, os, on* < v. gr. *trephein*, 'nutrir', 'alimentar'.] V. *trof(o)-*.

trofobiose [De *trof(o)-* + *-biose*.] ***S. f.*** *Ecol.* Simbiose entre duas espécies em que cada uma delas fornece alimento para a outra, como ocorre, por exemplo, entre as formigas e os pulgões.

trofoblástico [De *trofoblasto* + *-ico*[2].] ***Adj.*** Pertencente ou relativo ao, ou da natureza do trofoblasto. ~ V. *célula —a*.

trofoblasto [De *trof(o)-* + *-blasto*.] ***S. m.*** *Embr.* A camada externa do blastocisto, que formará, mais tarde, as estruturas extraembrionárias e a parte embrionária da placenta. ◆ **Trofoblasto celular.** *Embr.* Camada interna do trofoblasto em fase de implantação; citotrofoblasto. **Trofoblasto sincicial.** *Embr.* Camada externa do trofoblasto em fase de implantação; sinciciotrofoblasto.

trofoneurose [De *trof(o)-* + *neur(o)-* + *-ose*[1].] ***S. f.*** Alteração trófica de um tecido por influência do sistema nervoso. [Var.: *trofonevrose*.]

trofonevrose ***S. f.*** V. *trofoneurose*.

trofonúcleo [De *trof(o)-* + *núcleo*.] ***S. m.*** *Zool.* Núcleo volumoso observado em protozoários mastigóforos, como, p. ex., os tripanossomos, e que preside as funções nutritivas da célula, poliploide e é responsável pelo seu fenótipo.

trofosperma [De *trof(o)-* + *-sperma*.] ***S. m.*** *Bot. P. us.* Placenta (2).

trofozoítico [De *trofozoíto* + *-ico*[2]] ***Adj.*** Pertencente ou relativo ao trofozoíto.

trofozoíto [De *trof(o)-* + *-zo(o)-* + *-ito*[1].] ***S. m.*** *Zool.* **1.** Forma ativa de protozoário, observada em geral nos esporozoários, como ocorre no causador da malária. **2.** Forma ativa de protozoário que se movimenta e se nutre num ciclo reprodutor.

trogalho [Do lat. **torquaculo torquere*, 'torcer'.] ***S. m.*** Pequena corda que serve para atilho.

▲trogl(o)- [Do gr. *trōglo-* (como em *trōglodýtēs*) < gr. *trṓglē*, 'buraco feito por roedor'; 'toca'; 'caverna'.] ***El. comp.*** = 'caverna': *troglobionte, troglófilo, trogloxeno*.

troglóbio [De *trogl(o)-* + *-bio*.] ***Adj. S. m.*** *Zool.* Diz-se de, ou animal adaptado a viver na escuridão das cavernas, e que, por isso, tem os sentidos da audição, do tato, e da gustação aguçados, mas que, ger., perde a visão e outras características anatômicas (como a pigmentação, etc.) supérfluas na falta da luz; troglobionte.

troglobionte [De *trogl(o)-* + *-bionte*.] ***Adj. 2 g. S. m.*** *Zool.* Troglóbio.

troglodita [Do gr. *troglodýtes*, pelo lat. *troglodyta*.] ***Adj. 2 g.*** **1.** Que vive debaixo da terra ou em cavernas. • ***S. 2 g.*** **2.** Pessoa que vive sob a terra. **3.** Membro de comunidade pré-histórica que habitava em cavernas: 📖 "verdadeiros trogloditas, que em covas faziam sua habitual vivenda." (Latino Coelho, *Fernão de Magalhães*, p. 176).

troglodítico [Do gr. *troglodytikós*.] ***Adj.*** Referente a troglodita.

trogloditídeo [Do tax. *Troglodytes* + *-ídeo*[1]; tax. *Troglodytidae*.] *Zool.* ***S. m.*** **1.** Espécime dos trogloditídeos, família de aves passeriformes, caracterizadas pelo tarso ocreado, tegumento não ou indistintamente dividido em placas, a primeira das rêmiges curta, cauda pouco mais comprida que a asa, plumagem parda ou vermelha. Insetívoros, são bons cantores, e entre eles se encontram os uirapurus-verdadeiros, as corruíras e os cutipuruís. Habitam a Europa, a Ásia e as Américas. • ***Adj.*** **2.** Pertencente ou relativo a eles.

troglófilo [De *trogl(o)-* + *-filo*[2].] ***Adj.*** *Biol.* Que tem hábitos cavernícolas, sem estar inteiramente adaptado a eles.

trogloxeno (cs) [De *trogl(o)-* + *-xeno*.] ***Adj.*** *Biol.* Que, não sendo cavernícola, procura cavernas, ou lugares subterrâneos, para aí viver.

trogonídeo [Do tax. *Trogon* + *-ídeo*[1]; tax. *Trogonidae*.] *Zool.* ***S. m.*** **1.** Espécime dos trogonídeos, família de aves trogoniformes caracterizadas por terem os dedos livres, dispostos dois para a frente e dois para trás, bico com as margens serradas, plumagem mole, cores geralmente brilhantes. Vivem nas matas virgens e alimentam-se de insetos. São os surucuás. • ***Adj.*** **2.** Pertencente ou relativo a eles.

trogoniforme [Do tax. *Trogon* + *-iforme*; tax. *Trogoniformes*.] *Zool.* ***S. m.*** **1.** Espécime dos trogoniformes, ordem de aves neórnites, neógnatas, de bico serrado, curto e grosso, com pelos na base, pernas curtas, pequenas, zigodáctilas, plumagem brilhante, geralmente verde, porém mole e frouxa. Diurnas, frequentam matas, onde se alimentam de insetos e outros artrópodes. Encerra uma só família, os trogonídeos (q. v.). • ***Adj. 2 g.*** **2.** Pertencente ou relativo a eles.

troia[1] (ói) [Do top. *Troia*, antiga cidade da Ásia Menor.] ***S. f.*** Jogo antigo, que simulava um combate. ❖

troia[2] (ói) ***S. f.*** *Bras.* Grande rede de pescar. ❖

troiano ***Adj.*** **1.** De, ou pertencente ou relativo a Troia, antiga cidade da Ásia Menor. • ***S. m.*** **2.** O natural ou habitante de Troia. [Sin. ger.: *dardânio, ilíaco, teucro*.]

troiar [De *troia*[2] + *-ar*[2].] ***V. int.*** *Bras.* Pescar com troia[2]. [Conjug.: v. *apoiar*.]

troica (ói) [Do russo *troika*.] ***S. f.*** Grande trenó, na Rússia, puxado por três cavalos emparelhados. ❖

troilita [Do antr. (*Domenico*) *Troili*, mineralogista italiano, + *-ita*[3].] ***S. f.*** *Min.* Mineral hexagonal, variedade de pirrolita pobre em ferro.

troixa ***S. f.*** V. *trouxa*.

troixe-moixe ***El. s. m.*** V. *trouxe-mouxe*.

troixinha ***S. f.*** *Bras. Gír.* V. *trouxinha*.

trolado ***Adj.*** *Bras. MG* V. *embriagado* (1).

trole [Do ingl. *trolley*.] ***S. m.*** **1.** *Bras.* Pequeno carro descoberto que anda sobre os trilhos das ferrovias e é movido pelos operários por meio de varas ou paus ferrados. [Cf. *dresina*.] **2.** *Bras. S.* Carruagem rústica que se usava nas fazendas e nas cidades do interior antes da introdução do automóvel.

trólebus [Do ingl. *trolley-bus*.] ***S. m. 2 n.*** Veículo de transporte coletivo urbano, que roda sobre pneumáticos, movido a energia elétrica transmitida por cabos aéreos; ônibus elétrico.

trolha[1] (ô) [Do lat. *trullia*, var. do lat. *trulla*, 'colher de mexer panela; escumadeira; trolha'.] ***S. f.*** **1.** Espécie de pá na qual o pedreiro tem a argamassa que vai usando. **2.** *Bras.* Desempoladeira. • ***S. m.*** **3.** Pedreiro ruim. **4.** Servente de pedreiro. [Sin. (nesta acepç.), em SP: *meia-colher*.] **5.** *Pop.* V. *maltrapilho* (2). **6.** Homem ordinário. [Pl.: *trolhas* (ô).] • ***S. f.*** **7.** *Bras. Chulo* Membro viril avantajado; pé de mesa.

trolha[2] (ô) ***S. f.*** *Fam.* Bofetada, tabefe, tapa. [Pl.: *trolhas* (ô).]

trolho[1] (ô) [Do lat. *trulleu*, 'bacia', 'jarro', poss.] ***S. m.*** Medida antiga de capacidade, que equivalia a meio celamim. [Pl.: *trolhos* (ô).]

trolho[2] (ô) ***S. m.*** *Fam.* Homem atarracado. [Pl.: *trolhos* (ô).]

trolista [De *trole* + *-ista*.] ***S. m.*** *Bras.* Indivíduo incumbido de movimentar o trole (1).

tró-ló-ló [Voc. onom.] ***S. m.*** *Bras.* **1.** Música de caráter ligeiro e fácil. **2.** *Pop.* Nádegas. [Pl.: *tró-ló-lós*.] ❊

trom [Voc. onom.] ***S. m.*** **1.** *Ant.* Boca de fogo rudimentar, constituída de um tubo de madeira rija ou ferro forjado, reforçado externamente por barras de ferro dispostas como aduelas e apertadas por cintos de ferro. **2.** *Ant.* O estrondo produzido por tiros de artilharia: 📖 "Trons festivais, bandeiras desfraldadas. / Girândolas, clarins, atropeladas / Legiões de povo, bimbalhar de sinos..." (Raimundo Correia, *Poesias*, p. 163); "E a bala sibilando, / E o trom da artilharia" (Alexandre Herculano, *Poesias*, p. 78). **3.** *P. ext.* Som de trovão.

tromba[1] [Alter. de *trompa*.] ***S. f.*** **1.** Órgão do olfato e sistema de preensão dos proboscídeos, como o elefante, o tapir, etc. **2.** Peça sugadora de determinados insetos, em forma de bico alongado. **3.** Focinho (1). **4.** *Pleb.* Rosto, cara. **5.** *Bras. Pop.* Cara amarrada, que demonstra zanga ou aborrecimento; carranca. **6.** *Bras. SP* Desfiladeiro aberto pelas águas, proveniente de grande erosão. **7.** *Bras. MG* Morro isolado. **8.** *Bras. MT* Designação comum às saliências do araxá ou planalto na baixada do Paraguai.

tromba[2] [Do it. *tromba*.] ***S. f.*** Tromba-d'água (q. v.).

trombada [De *tromba*[1] + *-ada*[1].] ***S. f.*** **1.** Pancada ou choque com a tromba ou focinho. **2.** *P. ext.* Pancada, choque, batida, colisão.

tromba-d'água ***S. f.*** **1.** Fenômeno meteorológico que ocorre no mar e consiste numa grande nuvem negra, donde vai saindo um prolongamento parecido a uma tromba de elefante, o qual, girando rápido em torno do seu eixo, desce até a superfície, onde produz forte remoinho e eleva a água, na forma de um cone com o vértice voltado para cima. [Tb. se diz apenas *tromba*. Sin.: *manga*. Fenômeno semelhante, quando ocorre em terra, chama-se *tornado*. Cf. *bomba-d'água*.] **2.** *Fig.* V. *bomba-d'água*: 📄 *Caiu uma tromba-d'água nas cabeceiras e provocou uma enchente no rio.* [Pl.: *trombas-d'água*.]

tromba-de-elefante ***S. f.*** *Bras. Bot.* Planta agavácea (*Agave attenuata*) cujas longas e rígidas folhas compõem enorme roseta basal. É ornamental, porém morre depois de florescer pela primeira vez. As flores, verde-pálidas, são vistosas e agregam-se em grandes panículas terminais. [Pl.: *trombas-de-elefante*.]

trombadinha [De *trombada* + *-inha*.] ***S. f.*** *Bras. Gír. Pop.* Menor delinquente que atua em pequenos grupos, na rua.

trombar [De *tromba*[1] + *-ar*[2].] ***V. int.*** *Bras.* **1.** Dar trombada (2); chocar-se, colidir; bater: 📄 *O automóvel trombou, e o conserto vai ser caro.* ***T. i.*** **2.** Trombar (1): 📄 *O carro trombou com o caminhão.* **3.** Fazer tromba[1] (5): 📄 *Não vá trombar comigo.*

trombelas [De *tromba* + *-ela* + o *-s* de pl., us. express.] ***S. 2 g. e 2 n.*** Pessoa que está sempre de cara amarrada, de mau humor: 📖 "E nem por isso granjeara grandes simpatias no sexo feminino: é porque tinha ares de neutro. | — É um trombelas! — dizia a Rosa do Cruzeiro." (Camilo Castelo Branco, *Novelas do Minho*, VI, p. 5.)

trombense ***Adj. 2 g.*** **1.** De, ou pertencente ou relativo a Trombas (GO). • ***S. 2 g.*** **2.** O natural ou habitante de Trombas.

trombeta[1] (ê) [Do arc. *tromba*, 'trompa', + *-eta* (ê).] ***S. f.*** **1.** *Mús.* Qualquer instrumento musical de sopro, com tubo mais ou menos longo e em geral afunilado, e em cuja feitura, rudimentar, se utiliza o chifre de um animal, uma concha, um pedaço tubiforme de vegetal, etc.; corneta. **2.** *Mús.* Instrumento de sopro, de metal, espécie de corneta sem voltas, usado para fazer sinais e também como instrumento musical. **3.** *Mús. P. us.* Trompete (1). **4.** *Mús.* Registro de órgão. **5.** *Fig.* Pessoa mexeriqueira. **6.** *Bras.* Máscara de couro que se põe no focinho dos equídeos para que não comam nem bebam fora da ração. • ***S. 2 g.*** **7.** *Mús.* Trombeteiro (1). ◆ **Trombeta bastarda.** *Mús.* A de tubo estreito e muito longo, que dá sons agudíssimos. **Trombeta da fama.** Fama, vulgarização. **Trombeta marinha.** *Mús.* Antigo instrumento monocórdio, espécie de contrabaixo, de forma poligonal, muito alongada, e tocado com arco que feria a corda entre a pestana e a mão esquerda do executante.

trombeta[2] (ê) ***S. f.*** *Bras. Zool.* V. *peixe-trombeta*.

trombeta-do-juízo-final ***S. f.*** *Bras. Bot.* V. *trombetão-azul*. [Pl.: *trombetas-do-juízo-final*.]

trombetão-azul ***S. m.*** *Bras. Bot.* Arbusto solanáceo (*Datura fastuosa*) cultivado como ornamental graças às enormes flores infundibuliformes e violáceas, mas venenoso por conter atropina e hiosciamina. Os frutos são cápsulas coriáceas. [Sin.: *trombeta-do-juízo-final, trombetão-roxo, trombeteira-roxa*. Pl.: *trombetões-azuis*.]

trombetão-roxo ***S. m.*** *Bras. Bot.* V. *trombetão-azul*. [Pl.: *trombetões-roxos*.]

trombetear [De *trombeta*[1] + *-ear*[2].] ***V. int.*** **1.** Tocar trombeta. **2.** *Bras.* Imitar o som da trombeta. ***T. d.*** **3.** Fazer soar em trombeta. **4.** *Fig.* Apregoar, alardear. [Conjug.: v. *frear*.]

trombeteira [De *trombeta*[1] + *-eira*.] ***S. f.*** *Bras. Bot.* Designação de dois arbustos solanáceos (*Datura arborea* e *D. suaveolens*) ornamentais, que podem ser arvoretas. As flores, alvas como leite, são afuniladas e chegam a 30cm; os frutos são cápsulas. Procedem do Peru e podem ser subespontâneos.

trombeteira-roxa ***S. f.*** *Bras. Bot.* V. *trombetão-azul*. [Pl.: *trombeteiras-roxas*.]

trombeteiro [De *trombeta*[1] + *-eiro*.] ***S. m.*** **1.** *Mús.* Tocador ou fabricante de trombetas [v. *trombeta*[1] (1 a 3)]; trombeta. **2.** *Zool.* Espécie de mosquito que vive nos lugares úmidos; muchão. **3.** *Bras. Zool.* Tarã.

trombicar ***V. int.*** **1.** *Pleb.* Ter relações sexuais; copular. **2.** Burlar, lograr, intrujar. ***P.*** **3.** *Bras. Gír.* Trumbicar-se (q. v.). [Conjug.: v. *trancar*.]

trombidídeo ***S. m. Adj.*** *Zool.* V. *trombidiídeo*.

trombidiforme [Do tax. *Trombidium* + *-forme*; tax. *Trombidiformes*.] *Zool.* ***S. m.*** **1.** Espécime dos trombidiformes, subordem, ou, para alguns autores, ordem, de artrópodes aracnídeos, acarinos, que têm o corpo sem estigmas traseiros ou com um par na boca ou próximo dela; quelíceras modificadas para punção; palpos modificados em órgão sensorial ou adesivo, em forma de pinças. No grupo se incluem os micuins e ácaros aquáticos ou hidracarinos. ● *Adj. 2 g.* 2. Pertencente ou relativo a eles.

trombidiídeo [Do tax. *Trombidium* + *-ídeo*[1]; tax. *Trombidiidae*.] *Zool. S. m.* 1. Espécime dos trombidiídeos, família de aracnídeos, da ordem dos acarinos, que compreende o gênero *Trombidium* e outros afins. São carrapatos pequenos, vermelhos e aveludados, e que podem viver na terra ou em plantas baixas. Ex.: os micuins, que infestam o homem e outros mamíferos. ● *Adj.* 2. Pertencente ou relativo a eles. [Var.: *trombidídeo*.]

trombina [De *tromb(o)-* + *-ina*[3].] *S. f. Bioquím.* Enzima que provoca a coagulação do sangue; fibrinofermento.

trombo [Do gr. *thrómbos*, 'coágulo'.] *S. m. Patol.* Coágulo sanguíneo.

▲ **tromb(o)-** [Do gr. *thrómbos, ou*, 'grão'; 'grumo', 'coalho'; 'coágulo sanguíneo'.] *El. comp.* = 'coágulo sanguíneo': *trombina, trombose* (< gr.), *tromboplastina*.

trombombó [Alter. de *promombó*, poss.] *S. m. Bras. RJ* Maneira especial de pescar tainhas, fixando esteiras nos bordos das canoas.

trombone [Do it. *trombone*.] *S. m. Mús.* 1. Instrumento de sopro, de metal, com embocadura de bocal, e cujo tubo, longo e cilíndrico, é recurvado sobre si mesmo em cerca de 2/3 de seu comprimento, do bocal até o ponto em que principia a alargar-se para terminar no pavilhão. Há duas espécies: o *trombone de vara*, com dois tubos encaixados um no outro, que funcionam como um êmbolo, e de timbre mais ou menos semelhante ao da trombeta, e o *trombone de pistons*, em que a parte corrediça é substituída por um jogo de três, quatro e até seis pistons, que dão ao instrumentista grandes facilidades técnicas. [Cf. *bomba* (13).] 2. Tocador de trombone; trombonista. ◆ **Trombone de pistons.** *Mús.* V. *trombone* (1). **Trombone de vara.** *Mús.* V. *trombone* (1). **Tocar trombone para.** *Bras. CE Fam.* Servir de alcoviteiro, de pau de cabeleira, a (alguém).

trombonista [De *trombone* + *-ista*.] *S. 2 g. Mús.* Trombone (2).

tromboplastina [De *tromb(o)-* + *-plast(o)-* + *-ina*[3].] *S. f. Histol.* Proteína liberada por tecidos lesados e plaquetas, e que atua na conversão enzimática de protrombina em trombina.

trombose [Do gr. *thrombósis*, 'coagulação'.] *S. f. Patol.* Coagulação do sangue processada, durante a vida, dentro do sistema cardiovascular e em extensão e localização variáveis.

trombótico [De *tromb(ose)* + *-ótico*.] *Adj. Patol.* Relativo a trombose.

tromboxana (cs) [De *trombó(cito)* + *oxana*.] *S. f. Bioquím.* Tromboxano.

tromboxano (cs) [De *trombó(cito)* + *oxano*.] *S. m. Bioquím.* Qualquer de certas substâncias que se originam de endoperóxidos de prostaglandinas, e que causam, p. ex., agregação de plaquetas e constrição de artérias; tromboxana.

trombudense *Adj. 2 g.* 1. De, ou pertencente ou relativo a Trombudo Central (SC). ● *S. 2 g.* 2. O natural ou habitante de Trombudo Central.

trombudo [De *tromba* + *-udo*.] *Adj.* 1. Que tem tromba. 2. *Fig.* De rosto sombrio e torvo; carrancudo, emburrado; de cara amarrada.

trompa [Da onom. *trrrump*, imitativa do som do instrumento.] *S. f.* 1. *Mús.* Instrumento de sopro, de metal, com embocadura de bocal, e longo tubo cônico enrolado sobre si mesmo e terminando em pavilhão largo. Evolveu da primitiva *trompa de caça*, através da *trompa de harmonia*, dotada de tubos adicionais que permitiam ao executante alterar o tom do instrumento, até à moderna *trompa de pistons* ou *trompa cromática*, de timbre aveludado e suave, cujos tipos mais usados são em fá e em mi bemol. 2. V. *buzina* (1). 3. Instrumento de vidro empregado nos laboratórios químicos, e destinado a fazer a aspiração do ar, para auxiliar, p. ex., as filtrações. 4. *Anat.* V. *trompa de Falópio* [denom. ant. de *tuba uterina*]: *ligar as trompas*. 5. *Arquit.* V. *pendente* (12). 6. *Zool.* Nome dado a tubo, ger. encurvado, que prolonga a parte bucal ou nasal de moluscos, vermes e insetos. 7. *Bras. S.* Bigodeira (1). ● *S. 2 g.* 8. Trompista (2). ◆ **Trompa cromática.** *Mús.* V. *trompa*[1] (1). **Trompa de caça.** *Mús.* Trompa lisa (q. v.), de tubo cônico mais ou menos largo, e de comprimento variável, o qual determina a afinação do instrumento; buzina, corno. **Trompa de Eustáquio.** *Anat.* V. *tuba auditiva*. **Trompa de Falópio.** *Anat.* V. *tuba uterina*. [Tb. se diz apenas *trompa*.] **Trompa de harmonia.** *Mús.* V. *trompa*[1] (1). **Trompa de pistons.** *Mús.* V. *trompa*[1] (1). **Trompa lisa.** *Mús.* Trompa primitiva, sem orifícios, e de recursos limitados. **Trompa uterina.** *Anat. Denom. ant.* V. *tuba uterina*.

trompaço [De *trompar* + *-aço*.] *S. m. Bras.* V. *trompázio*.

trompada [De *trompar* + *-ada*[1].] *S. f. Bras. S.* V. *trompázio*.

trompar [De *trombar*, poss.] *V. t. d. Bras. RS* Dar encontrão ou esbarro em; encontroar, esbarrar; trompear.

trompázio [De *trompar* + *-ázio*.] *S. m. Bras.* 1. Pancada com a tromba. 2. Empurrão, esbarro. 3. Bofetada; tapa. [Sin. ger.: *trompaço, trompada*.]

trompear *V. t. d. Bras. RS* V. *trompar*. [Conjug.: v. *frear*.]

➔ **trompe l'oeil** [trãp lœj] [Fr.] *S. m. Art. Plást.* Em pintura, estilo no qual a imagem é representada com alto grau de detalhes realísticos, alcançado mediante o uso da perspectiva e do claro-escuro, levando o espectador a pensar que se trata de algo real, em três dimensões.

trompeta (ê) [Do esp. *trompeta*.] *S. 2 g. Bras. RS* 1. Pessoa ruim, ordinária, sem-vergonha. 2. Desmancha-prazeres.

trompetada [De *trompeta* + *-ada*[1].] *S. f. Bras. RS* Ação própria de trompeta.

trompete [Do fr. *trompette*.] *S. m. Mús.* 1. Instrumento de sopro, de metal, com embocadura de bocal e tubo cilíndrico alongado que termina em pavilhão cônico. Há o *trompete liso*, que produz apenas a série harmônica de uma nota fundamental, e o *trompete cromático, trompete de pistons*, ou simplesmente *pistom*, instrumento dotado de pistons [v. *pistom* (2)], de construção análoga à trompa[1] (1), porém com o tubo mais longo, sendo geralmente afinado em fá e em mi bemol. [Sin.: *clarim* e (p. us.) *trombeta*.] 2. Pessoa que toca esse instrumento; trompetista. 3. No órgão, série de jogos de palheta. ◆ **Trompete cromático.** *Mús.* V. *trompete* (1). **Trompete de pistons.** *Mús.* V. *trompete* (1). **Trompete liso.** *Mús.* V. *trompete* (1).

trompetista [De *trompete* + *-ista*.] *S. 2 g.* 1. Fabricante de trompete. 2. *Mús.* Pessoa que toca trompete; trompete.

trompista [De *trompa* + *-ista*.] *S. 2 g.* 1. Fabricante de trompas. 2. *Mús.* Tocador de trompa[1]; trompa.

trom-trom [De *torom-torom*, com síncope e aglutinação.] *S. m. Bras.* Torom-torom. [Pl.: *trom-trons*.]

▲ **-tron** [Da term. do gr. *élektron*; v. *ele(c)tr(o)-*.] *Suf.* formador de termos ger. de eletrônica e de física nuclear = 'instrumento'; 'aparelho': *magnétron*.

tronante [De *tronar*[1] + *-nte*.] *Adj. 2 g.* Que trona.

tronar[1] [Do lat. *tonare*, 'trovejar', com *r* onom.] *V. int.* Trovejar; troar, atroar.

tronar[2] [Do fr. *trôner*.] *V. int.* 1. Exibir-se do alto, majestosamente. 2. Estar como que em trono[1] (1); dominar: "Dona Maria .... despedia comigo para o aconchego do seu lar viúvo de crianças, onde eu tronava feliz e soberano" (Francisco Ribeiro Sampaio, *Renembranças*, p. 89). [Sin. ger.: *tronear, tronejar*.]

troncha *S. f. Bot.* V. *couve-tronchuda*.

tronchada [F. nasalada de *trochada* (q. v.).] *S. f. Bras. AL* 1. Safanão, repelão. 2. Bordoada, pancada. [M. us. no pl. Cf. *trochada*.]

tronchar [Do lat. *truncare*, pelo esp. *tronchar*.] *V. t. d.* Cortar rente; mutilar.

troncho [Do esp. *troncho*.] *Adj.* 1. Privado de algum membro ou ramo; mutilado, tronco, truncado. 2. *Bras.* Curvado para um dos lados; torto: "Preferia aquela sua desordem do quarto da Pensão, o quadro-negro troncho, ... os livros e a roupa suja pelo chão" (Mauro Mota, *O Pátio Vermelho*, p. 169). ● *S. m.* 3. Membro cortado. 4. Talo de couve-tronchuda. 5. *Bras. N.E.* Pessoa perigosa, de maus costumes; mau elemento.

tronchudo [Do esp. *tronchudo*.] *Adj.* 1. Que tem talos grossos (principalmente a couve). 2. *Fig.* Diz-se de quem tem membros fortes.

tronchura [De *troncho* + *-ura*.] *S. f. Bras. N.E.* Qualidade ou ação de troncho (5).

tronco[1] [Do lat. *truncu*.] *S. m.* 1. *Bot.* O caule das árvores. [É sempre muito grande e grosso, tendo crescimento secundário na casca e no cilindro central.] 2. *P. ext.* Ramo grosso de árvore. 3. *Anat.* Parte do corpo humano, excetuada a cabeça, o pescoço e os membros; talhe, torso. 4. *Anat.* Designação genérica de porção principal, habitualmente curta, de nervo ou de vaso sanguíneo ou linfático. 5. Antigo instrumento de tortura, que consistia num cepo com olhais, onde se metia o pé ou o pescoço do paciente. 6. Aparelho, com dois tapumes, entre os quais se prende o gado para ferrá-lo ou prensá-lo. 7. Cadeia, cárcere. 8. Incumbência, obrigação, encargo. 9. Origem de família, raça, etc.; cepa. 10. Parte de sólido geométrico separada por um corte perpendicular ou oblíquo ao respectivo eixo. [Cf. *tronco de cilindro, de cone, de prisma, de pirâmide*.] 11. Tronco de telecomunicações (q. v.): *A telefonista disse que os troncos estão ocupados*. 12. *Bras.* Pau fincado no chão, e ao qual amarravam escravos para os surrar. [Nos seringais da Amaz. vigorou tal espécie de castigo até bem depois da Abolição.] 13. *Bras.* Espaço separado por tapume, em trabalhos de mineração. 14. *Bras. CE Pop.* V. *bebedeira* (1). 15. *Bras. RS* Corredor estreito que se liga com a porteira do curral, e onde se prendem os animais que vão ser castrados, tosquiados, etc. ◆ **Tronco cerebral.** *Anat.* Parte do encéfalo que se divide em bulbo raquiano, protuberância anular e pedúnculos cerebrais. **Tronco cilíndrico.** *Geom.* V. *tronco de cilindro*. **Tronco cônico.** *Geom.* V. *tronco de cone*. **Tronco de amarrar onça.** *Bras. CE* V. *catatau* (3). **Tronco de beneficência.** *Maç.* Caixa para donativos, destinados a socorrer os necessitados. **Tronco de cilindro.** *Geom.* Porção de cilindro compreendida entre dois planos não paralelos que cortam todas as geratrizes do cilindro e se interceptam fora dele; tronco cilíndrico, cilindro truncado. **Tronco de cone.** *Geom.* Porção de cone compreendida entre dois planos que cortam todas as geratrizes do cone e se interceptam fora dele; tronco cônico, cone truncado. **Tronco de pirâmide.** *Geom.* Porção de pirâmide compreendida entre dois planos que cortam as arestas laterais da pirâmide e se interceptam fora dela; tronco piramidal, pirâmide truncada. **Tronco de prisma.** *Geom.* Porção de prisma compreendida entre dois planos não paralelos que cortam as arestas laterais do prisma e se interceptam fora dele; tronco prismático, prisma truncado. **Tronco de telecomunicações.** *Telec.* Cada conjunto de circuitos portadores comuns que interligam centros principais de telecomunicações. [Tb. se diz apenas *tronco*.] **Tronco piramidal.** *Geom.* V. *tronco de pirâmide*. **Tronco prismático.** *Geom.* V. *tronco de prisma*.

tronco[2] [Var. de *troncho*, com infl. de *tronco*[1].] *Adj.* Mutilado, truncado, troncho.

troncocónico *Adj.* V. *troncocônico*. [Uso freq. em P.]

troncocônico [De *tronco*[1] + *cônico*.] *Adj.* V. *troncônico*.

troncónico *Adj.* V. *troncônico*. [Uso freq. em P.]

troncônico [De *tronco*[1] + *cônico*, com haplologia.] *Adj.* Em forma de tronco de cone; troncocônico.

troncudo [De *tronco*[1] + *-udo*.] *Adj. Bras.* Que tem o tronco[1] (3) desenvolvido: "Um homem alto e troncudo entrou na confeitaria" (Davi Antunes, *Briguela*, p. 90).

tronear [De *trono*[1] + *-ear*[2].] *V. int.* V. *tronar*[2]. [Conjug.: v. *frear*.]

troneira [Do esp. *tronera*.] *S. f. Fort.* Intervalos dos merlões, por onde se enfia a boca do canhão ou da bombarda; bombardeira.

tronejar *V. int.* V. *tronar*[2]. [Conjug.: v. *pelejar*.]

troneto (ê) [De *trono*[1] + *-eto*[1].] *S. m. Rel.* Pequeno trono portátil que acompanha a saída da Eucaristia, e que se arma à beira da cama do doente.

tronga [De or. obs.] *S. f. Lus.* Meretriz. [Tb. us. deprec.]

trono[1] [Do gr. *thrónos*, pelo lat. *thronu*.] *S. m.* 1. Sólio elevado em que os soberanos se assentam nas ocasiões solenes. 2. *Fig.* Poder soberano; autoridade. ~ V. *tronos*. ◆ **Trono de Salomão.** *Maç.* Cadeira onde tem assento o venerável mestre; altar da sabedoria.

trono[2] [Dev. de *tronar*.] *S. m.* Ato de tronar ou troar. ~ V. *tronos*.

tronos [Pl. de *trono*.] *S. m. pl. Teol.* Na hierarquia dos anjos, um dos nove coros, aos quais se sobrepõem os querubins e os serafins. ~ V. *trono*.

tronqueira [De *tronco*[1] + *-eira*.] *S. f.* 1. *Bras. AM* Porção de paus fortes cravados casualmente no leito do rio, e que dificultam a navegação. 2. *Bras. PA* Margem de rio, onde há vários troncos de árvores caídas, cobertas de cipós e parasitos floridos; tronqueirada. 3. *Bras. S.* Cada um dos esteios da porteira, em cujos buracos se introduzem as extremidades das varas de uma cancela. ◆ **Fechar a tronqueira.** *Bras. Espir.* Defumar e aspergir aguardente nos quatro cantos do local da sessão, para evitar perturbações dos espíritos importunos, garantindo tranquilidade nos trabalhos de umbanda.

tronqueirada [De *tronqueira* + *-ada*[1].] *S. f. Bras. PA* Tronqueira (2).

troo [Dev. de *troar*.] *S. m.* Troada: "Entre arrancadas estrupidamente, troos brutais. / .... Saem dos antros das tempestades os vendavais!" (Martins Fontes, *Poesias*, p. 411.) ❖

▲ **trop-** *Quím. El. comp.* = 'extraído da *Atropa* (*belladonna*), ou relacionado a uma dessas substâncias': *tropina*. [Ocorre, tb., como infixo: *-trop-*.]

▲ **-trop-** V. *trop-*.

tropa [Do fr. *troupe*, 'bando de pessoas ou de animais'.] *S. f.* 1. Conjunto de muitas pessoas agrupadas; multidão. 2. Conjunto de soldados. 3. Os soldados de qualquer arma. 4. O exército: *Aos 18 anos foi para a tropa*. 5. *Bras. P. ext.* Cada uma das unidades locais de escoteiros. 6. *Bras.* Caravana de animais equídeos, especialmente os de carga. 7. *Bras.* O conjunto dos trabalhadores braçais em empresas de armazéns de depósito. [V. *estivador* (3).] 8. *Bras. RS* Grande porção de gado vacum em marcha dum ponto para outro (normalmente para as charqueadas). 9. *Bras. MG Ant.* Agrupamento de escravos dirigidos por empregados livres, e que trabalhavam na extração de diamantes em lugares que chamavam *serviços.* [V. *serviço* (23).] ● *S. m.* **10.** Soldado, praça: 📖 "estes armários de cabides roubados pelos tropas de passagem" (Lobo Antunes, *O Esplendor de Portugal*, p. 57). ◆ **Tropa de barro.** *Bras. N.E.* Designação dada a tropas irregulares, formadas por civis; tropa de cachimbo. **Tropa de cachimbo.** *Bras. N.E.* Tropa de barro. **Tropa de linha.** *Bras. N.E.* O exército; a tropa destinada a formar um corpo de batalha. **Tropa de resgate.** *Bras. AM* Grupo de entradistas que resgatava índios para os escravizar.

tropeada [De *tropear* + *-ada*[1].] *S. f.* Ato ou efeito de tropear[1]; tropel: 📖 "A tropeada de muitos cavalos, soando a par do alarido e vozes do castelo, anunciou à aldeia alvoroçada a vinda do monarca." (Rebelo da Silva, *Contos e Lendas*, p. 169.)

tropear[1] [De *tropel* + *-ar*[2], com síncope do *l.*] *V. int.* Fazer barulho com os pés ou com as patas, andando; fazer tropel. [Conjug.: v. *frear.*]

tropear[2] [De *tropa* + *-ear*[2].] *V. int. Bras.* Trabalhar como tropeiro; conduzir tropa. [Conjug.: v. *frear.*]

tropeçamento [De *tropeçar* + *-mento.*] *S. m.* Ato ou efeito de tropeçar; tropeção, tropeço.

tropeção [De *tropeçar* + *-ão*[3].] *S. m.* **1.** V. *tropeçamento.* **2.** Ato de tropeçar (1), perdendo o equilíbrio; topada; tropicada. **3.** Animal que tropeça muito; tropicão. ● *Adj.* **4.** Diz-se de animal tropeção. [Sin., bras., S., nas acepç. 2 a 4: *tropicão.*]

tropeçar [Do lat. vulg. **interpediare* (< *interpedire*, 'impedir'), pelo ant. *entrepçar*, com aférese da 1.ª síl. e infl. de *tropa*, poss.] *V. t. i.* **1.** Dar com o pé involuntariamente; dar topada; esbarrar: 📄 *Distraído, tropeçou no passante.* **2.** Encontrar empecilho ou obstáculo inesperado: 📄 *tropeçar em dificuldades.* **3.** Incorrer ou cair em erro; não atinar: 📄 *Tropeçou com a interpretação do texto; Tropeçaram na solução do problema.* **4.** Cair, incorrer: 📄 *A cada avanço da ciência o homem tropeça em novas dúvidas.* **5.** Vacilar, hesitar: 📄 *Perdeu a vivacidade, e tropeçou na resposta.* *Int.* **6.** Dar tropeções; tropicar; cambalear. [Conjug.: v. *laçar.* Pres. ind.: *tropeço*, etc. Cf. *tropeço* (ê), e *Tropeço* (ê), top.] ● *S. m.* **7.** Tropeçamento, tropeção.

tropecilho [De *tropeço* (ê) + *-ilho.*] *S. m.* Obstáculo, estorvo.

tropeço (ê) [Dev. de *tropeçar.*] *S. m.* **1.** V. *tropeçamento.* **2.** Coisa em que se tropeça. **3.** *Fig.* Obstáculo, embaraço, travanca. [Pl.: *tropeços* (ê). Cf. *tropeço*, do v. *tropeçar.*]

tropeçudo [De *tropeço* + *-udo.*] *Adj.* Que tropeça com frequência.

trôpego [Do lat. *hydropicu*, 'hidrópico' (em virtude do caminhar vacilante), pelo arc. *tropigo.*] *Adj.* **1.** Que anda a custo. **2.** Que não move os membros ou só os move com dificuldade, arrastadamente.

tropeirada [De *tropeiro* + *-ada*[1].] *S. f. Bras.* O conjunto de tropeiros.

tropeiro [De *tropa* + *-eiro.*] *S. m.* **1.** *Bras.* Condutor de tropa (6); arrieiro, bruaqueiro. **2.** *Bras. RS* Indivíduo que compra e vende tropas de gado, de mulas ou de éguas. **3.** *Bras. Zool.* V. *vi-vió.*

tropel [Do provenç. *tropel.*] *S. m.* **1.** Ruído ou tumulto produzido por multidão a andar ou a se agitar. **2.** Grande confusão; desordem, balbúrdia. **3.** Agrupamento de pessoas a moverem-se em desordem; turbamulta: 📖 "e vem guiando / Tropel confuso de cavaleria, / Que combate desordenadamente." (Basílio da Gama, *O Uraguai*, V, pp. 75-76). **4.** Estrépito de pés; tropeada. **5.** Tropear estrepitoso de cavalos; tropeada. [Pl.: *tropéis.*]

tropelia [De *tropel* + *-ia*[1].] *S. f.* **1.** Tumulto produzido por muitas pessoas em tropel. **2.** Efeito de tropel. **3.** *Fig.* Bulício; inquietação. **4.** *Fig.* Astúcia, sagacidade, ardil, artimanha. **5.** *Fig.* Travessura, traquinice, estripulia. **6.** Prejuízo, dano. **7.** *Fig.* Maus-tratos.

tropeliar [De *tropelia* + *-ar*[2].] *V. int.* Fazer tropel ou tropelia.

tropeolácea [Do tax. *Tropaeolum* + *-ácea*, tax. *Tropaeolaceae.*] *S. f. Bot.* Espécime das tropeoláceas, família de geraniales composta de ervas, não raro trepadeiras, cujas folhas são, de ordinário, peltadas. Flores vistosas, fortemente zigomorfas em virtude de um grande esporão; fruto esquizocárpico, fragmentando-se em três mericarpos. Há umas 80 espécies sul-americanas, dos Andes na maioria.

tropeoláceo [De *Tropeolácea*, com var. suf. (v. *-áceo*).] *Adj. Bot.* Pertencente ou relativo às tropeoláceas.

▲-tropia [Do gr. *-tropía* < gr. *trópos* (v. *trop(o)-*) + gr. *-ía* (v. *-ia*[1]).] *El. comp.* = 'desvio'; 'afastamento'; 'movimento'; afinidade: *esotropia*; *pliotropia.*

tropicada [De *tropicar* + *-ada*[1].] *S. f. Bras. S.* V. *tropeção* (2).

tropicador (ô) [De *tropicar* + *-dor.*] *Adj.* Que dá tropicões ou tropeções; que tropica ou tropeça: 📖 "E ficava feliz quando o jipe tropicador o levava para a modesta Pasárgada." (Carlos Drummond de Andrade, *A Bolsa & a Vida*, p. 185.)

tropical [De *trópico* + *-al*[1].] *Adj. 2 g.* **1.** Relativo aos trópicos ou às regiões da zona tórrida. **2.** Situado entre os trópicos. **3.** Referente ao clima daquelas regiões. **4.** *Fig.* Abrasador, ardente: 📄 *calor tropical.* ~ V. *doença —, onda — e zona —.* ● *S. m.* **5.** *Tec. Têx.* Tecido leve, em geral de lã, de trama simples e aberta, caracterizado pelo brilho e por amarrotar pouco, e usado principalmente para ternos: 📖 "seu Moacir mandou fazer, no seu alfaiate, o primeiro terno de tropical inglês do rapazinho." (Marisa Raja Gabaglia, *Milho pra Galinha, Mariquinha*, p. 9). **6.** *P. ext. Vest.* A roupa feita desse tecido.

tropicalismo [De *tropical* + *-ismo.*] *S. m.* **1.** Qualidade do que é tropical. **2.** *Mús.* Movimento artístico brasileiro do fim dos anos 1960 que, esp. na música, unia elementos da cultura nacional e outros da arte *pop* e da vanguarda erudita.

tropicalista [De *tropical* + *-ista.*] *S. 2 g.* **1.** Relativo ao tropicalismo. **2.** Tratadista de assuntos referentes às regiões tropicais. **3.** *Med.* Médico especialista em doenças dessas regiões, as chamadas *doenças tropicais.* **4.** *Mús.* Adepto ou seguidor do tropicalismo (2).

tropicão [De *tropicar* + *-ão*[3].] *S. m.* **1.** Ato ou efeito de tropicar. **2.** *Bras. S.* V. *tropeção* (2). **3.** *Bras. S.* Tropeção (3). ● *Adj.* **4.** *Bras. S.* Tropeção (4).

tropicar [Do arc. *tropigo*, 'hidrópico' (v. *trôpego*), + *-ar*[2].] *V. int.* Tropeçar numerosas vezes: 📖 "Sem botar reparos ao chão em que pisam, tropicando em raízes, formigueiros, buracos de tatus, cavalos correm, rebatendo fujões." (Nélson de Faria, *Tiziu e Outras Estórias*, p. 208.) [Conjug.: v. *trancar.* Pres. ind.: *tropico*, etc. Cf. *trópico.*]

trópico [Do gr. *tropikós*, 'relativo aos solstícios', pelo lat. *tropicu.*] *S. m.* **1.** *Astr.* Cada um dos dois paralelos — Trópico de Câncer e Trópico de Capricórnio — situados em latitudes simétricas e iguais à obliquidade da eclíptica (q. v.), e que representam aproximadamente a trajetória aparente diurna da projeção do Sol sobre a superfície terrestre durante os solstícios. **2.** *P. ext.* As regiões ou zonas limitadas por esses paralelos. [Nesta acepç., mais us. no plural.] ● *Adj.* **3.** Relativo aos trópicos. [Cf. *tropico*, do v. *tropicar.*] ~ V. *ano —.* ◆ **Trópico de Câncer.** *Astr.* Trópico situado ao N. do equador, e que é aproximadamente a trajetória aparente diurna da projeção do Sol sobre a superfície terrestre no solstício do verão no hemisfério norte. **Trópico de Capricórnio.** *Astr.* Trópico situado ao S. do equador, e que é aproximadamente a trajetória aparente diurna da projeção do Sol sobre a superfície terrestre no solstício do inverno no hemisfério norte.

tropilha [Do esp. plat. *tropilla.*] *S. f.* **1.** *Bras. MG S. GO* Tropa (6) de cavalos com o mesmo pelame e que seguem uma égua-madrinha: 📖 "O corcel lobuno, pastor da tropilha, ... sacode vaidosamente a cabeça" (Afonso Arinos, *Pelo Sertão*, p. 62). **2.** Bando de pândegos, de farristas.

tropílio [Do V.C.I. *tropylium.*] *S. m. Quím.* Cátion cíclico, aromático, com sete átomos de carbono no anel [fórm.: $(C_7H_7)^+$].

tropina *S. f. Quím.* Substância cristalina, amina bicíclica, hidroxilada, obtida por hidrólise da atropina [fórm.: $C_8H_{15}NO$].

tropismo [De *trop(o)-* + *-ismo.*] *S. m.* **1.** *Biol.* Reação de aproximação ou de afastamento do organismo em relação à fonte de um estímulo. **2.** *Bot.* Movimento de orientação realizado pela planta ou parte dela sob a ação de um estímulo exterior que opera unilateralmente.

tropo (ó) [Do gr. *trópos*, 'desvio', pelo lat. *tropu.*] *S. m.* **1.** *E. Ling.* Emprego de palavra ou expressão em sentido figurado. **2.** *Mús.* Tom (12). **3.** *Mús.* Na música medieval, ampliação de um canto litúrgico de formação melismática, mediante acréscimos ou substituições. **4.** *Teatr.* A primeira manifestação dramática da Idade Média, e que se constituía de pequeno recitativo ou diálogo inserido na liturgia da missa, donde se originaram os dramas litúrgicos (v. *drama litúrgico*). ~ V. *tropos.*

▲trop(o)- [Do gr. *trópos, ou.*] *El. comp.* = 'direção'; 'mudança de direção', 'volta'; 'mudança'; 'movimento'; 'afinidade': *tropismo, troponômico.* [Equiv.: *-trop(o)-*, *-tropo*: *hidrotrópico*; *ortótropo.*]

▲-trop(o)- V. *trop(o)-.*

▲-tropo V. *trop(o)-.*

tropófilo [De *trop(o)-* + *-filo*[1].] *Adj. Ecol.* Que perde as folhas na época desfavorável ao crescimento, quer pelo frio, quer pela seca. Há, pois, um período de atividade e um período de repouso vegetativo.

tropologia [Do gr. *tropología*, 'linguagem figurada'.] *S. f.* **1.** Uso de linguagem figurada. **2.** Tratado acerca dos tropos.

tropológico [De *tropologia* + *-ico*[2].] *Adj.* **1.** Relativo à tropologia. **2.** V. *metafórico* (2).

tropolona *S. f. Quím.* Cetona hidroxilada, derivada da tropona [fórm.: $C_7H_6O_2$].

tropona *S. f. Quím.* Cetona cíclica, totalmente insaturada, com anel de sete átomos de carbono [fórm.: C_7H_6O].

troponômico *Adj. Lus.* V. *troponômico.*

troponômico [De *trop(o)-* + *-nom(o)-* + *-ico*[2].] *Adj.* Diz-se das mudanças que um dado objeto sofre segundo os diversos tempos e lugares.

tropopausa [De *trop(o)-* + *-pausa.*] *S. f. Geofís.* Região limite entre a troposfera e a estratosfera.

tropos [Do gr. *trópos.*] *S. m. pl. Filos.* Argumentos com que os céticos da Antiguidade pretendiam mostrar ser impossível atingir a verdade. ~ V. *tropo.*

troposfera [De *trop(o)-* + *-esfera.*] *S. f. Geofís.* Camada atmosférica que vai da superfície até uma altitude média de 10km.

troquel [Do esp. *troquel.*] *S. m.* **1.** Fôrma para a cunhagem de moedas e medalhas. **2.** *Odont.* Dente replicado em gesso, separado dos demais dentes do modelo da arcada dentária, para facilitar a confecção da prótese sobre o elemento isolado. [Pl.: *troquéis.* Cf. *troqueis*, do v. *trocar.*]

troquelminto [De *troc(o)-* + *-(h)elminto*; tax. *Trochelminthes.*] *S. m. Adj. Zool.* V. *rotífero*[2].

troqueu [Do gr. *trochaîos* (subentende-se *poús*), 'pé rápido, próprio para a corrida', pelo lat. *trochaeu* (subentendendo-se *pede*).] *S. m. Arte Poét.* Pé de verso grego ou latino, constituído de uma sílaba longa e outra breve.

troquídeo [Do tax. *Trochus* + *-ídeo*[1]; tax. *Trochidae.*] *Zool. S. m.* **1.** Espécime dos troquídeos, família de moluscos gastrópodes, prosobrânquios, marinhos, pequenos, da qual a espécie mais comum, nas costas brasileiras, é a rosquinha (1). ● *Adj.* **2.** Pertencente ou relativo a eles.

troquilídeo [Do tax. *Trochilus* + *-ídeo*[1]; tax. *Trochilidae.*] *Zool. S. m.* **1.** Espécime dos troquilídeos, família de aves apodiformes, de pequeno porte, caracterizadas por terem o bico comprido e muito fino, e plumagem de cores brilhantes. Voam muito rápido e são capazes de parar no ar para se alimentarem do néctar de flores e de pequenos artrópodes, esp. insetos. Habitam as matas e florestas úmidas das Américas Central e do Sul, e das ilhas do Caribe. Há espécies norte-americanas que migram do Canadá e Estados Unidos para a América Central, no inverno. São os beija-flores. ● *Adj.* **2.** Pertencente ou relativo a eles.

tróquilo [Do gr. *trochílos*, pelo lat. *trochilu.*] *S. m.* Moldura côncava.

trosquiar *V. t. d.* V. *tosquiar* (1 a 4): 📖 "Na conta não entravam as sextas-feiras, dia da paixão de Cristo, em que seria irreverência trosquiar a vil relé de agarenos" (Alexandre Herculano, *Lendas e Narrativas*, II, p. 20).

trotada [De *trotar* + *-ada*[1].] *S. f.* Ato ou efeito de trotar; troteada.

trotador (ô) [De *trotar* + *-dor.*] *Adj.* **1.** Que trota; troteador, socador, trotão. ● *S. m.* **2.** Aquele que trota; troteador. **3.** Trotão (2).

trotão [De *trotar* + *-ão*[2].] *Adj.* **1.** Diz-se de equídeo que trota; trotador. ● *S. m.* **2.** Equídeo que trota; trotador. [Fem.: *trotona.*]

trotar [Do ant. alto-al. *trottôn*, 'correr', pelo fr. *trotter*, ou pelo it. *trottare.*] *V. int.* **1.** Andar (o cavalo) a trote: 📖 "O cavalo trotava sempre." (Carlos Malheiro Dias, *Os Teles de Albergaria*, p. 257); "Longe, uma tropa trota pela estrada." (Ricardo Gonçalves, *Ipês*, p. 44). **2.** Cavalgar a trote. *T. d.* **3.** Dar ou passar trote (2 e 3) em; zombar ou troçar de; vaiar. [F. paral.: *trotear.*]

trote [Dev. de *trotar.*] *S. m.* **1.** Andadura natural das cavalgaduras, entre o passo ordinário e o galope, a qual se caracteriza pelas batidas regularmente espaçadas, executadas alternadamente por cada par diagonal de patas. **2.** *Bras.* Zombaria a que veteranos das escolas sujeitam os calouros; vaia, flauteio. **3.** *Bras.* Zombaria, intriga, indiscrição, em geral feita por telefone. **4.** *P. ext.* Caçoada, zombaria, troça. ◆ **Trote de peludo.** *Bras. RS* Excesso de ocupações, de trabalho: 📄 *Está vivendo num trote de peludo.*

troteada [De *trotear* + *-ada*[1].] *S. f. Bras.* Trotada.

troteador (ô) [De *trotear* + *-dor.*] *Adj.* **1.** V. *trotador* (1). ● *S. m.* **2.** Aquele que troteia ou trota; trotador.

trotear [De *trote* + *-ear*[2].] *V. int. T. d.* V. *trotar*: 📖 "num momento em que os cavalos troteavam juntos, par a par, arrancou uma flor que trazia no seio, atirou-lha" (Jaime d'Altavila, *Lógica de um Burro*, p. 143). [Conjug.: v. *frear.*]

troteiro [De *trote* + *-eiro.*] *Adj. S. m.* Diz-se de, ou cavalo que anda a trote.

trotil [Do ingl. *trotyl.*] *S. m. Expl. Mil.* Trinitrotolueno.

trotinete [Cruz. de *trot(ar)* + *(pat)inete.*] *S. f. Lus.* Patinete.

trotista [De *trote* + *-ista.*] *S. 2 g. Bras.* Pessoa que passa ou é dada a passar trote (2 e 3).

trotona *S. f.* Fem. de *trotão*.

trotskismo *S. m.* **1.** Desenvolvimento teórico e prático do marxismo (q. v.), realizado pelo político soviético Lev Davidovitch Bronstein (1879-1940), dito Trotski, e que se baseia na tese da "revolução permanente" (mundial), em oposição à tese do stalinismo (q. v.). **2.** O conjunto dos métodos políticos, econômicos e sociais defendidos por Trotski. **3.** Adesão ao trotskismo, ou simpatia por ele.

trotskista *Adj. 2 g.* **1.** Relativo ao, ou próprio do trotskismo (1 e 2). **2.** Que é praticante ou sectário do trotskismo (1). • *S. 2 g.* **3.** Pessoa trotskista.

→**trottoir** [tʁɔ'twaʁ] [Fr.] *S. m.* **1.** Calçada, passeio. **2.** *Bras.* Prostituição de quem faz *trottoir*. ◆ **Fazer *trottoir*.** Exercer a prostituição perambulando pelas ruas para aliciar fregueses.

→**troupe** [tʁup] [Fr.] *S. f.* V. *trupe*.

→**trousse** [tʁus] [Fr.] *S. f.* Recipiente pequeno e chato de pó de arroz (em geral compacto), que as mulheres usam na bolsa.

→**trouvaille** [tʁu'vaj] [Fr.] *S. m.* Ideia espirituosa; achado.

trouxa [Do ant. esp. *troja, troxa*, 'carga que se leva às costas'.] *S. f.* **1.** Fardo de roupa. **2.** Grande pacote. **3.** Mulher mal-amanhada ou malprocedida. **4.** *Bras. PB Chulo* O pênis. • *S. 2 g.* **5.** *Gír.* Pessoa tola, inábil, sem expediente, fácil de ser enganada: "a gente comia quatro empadinhas de camarão muito gostosas e só pagava duas porque a gente não era trouxa." (Antônio de Alcântara Machado, *Cavaquinho e Saxofone*, p. 3). • *Adj. 2 g.* **6.** Diz-se de pessoa trouxa. [Var.: *troixa*.]

trouxe-mouxe [Da loc. esp. *a troche y moche*, poss.] *El. s. m.* Us. na loc. adv. *a trouxe-mouxe*. [Var.: *troixe-moixe*. Cf. *trouxe* (ss), do v. *trazer*.] ◆ **A trouxe-mouxe.** Desordenadamente; atabalhoadamente: "dou esse nome [de jardim] ao conjunto de minhas plantinhas, flores, e folhagens que, meio a trouxe-mouxe, meio ao deus-dará, cultivo em volta da casa onde habito." (Vivaldo Coaraci, *91 Crônicas Escolhidas*, p. 118).

trouxinha [De *trouxa* + *-inha*.] *S. f. Bras. Gír.* Pequeno embrulho de maconha: "O primeiro detido na operação de ontem foi um rapaz de 21 anos, bem-vestido, que tinha uma trouxinha de maconha no bolso." (*Jornal do Brasil*, 20.01.1981.) [Var.: *troixinha*.]

trova [Dev. de *trovar*.] *S. f.* **1.** *Arte Poét.* Composição lírica ligeira e mais ou menos popular. **2.** *Arte Poét.* Composição literária formada de quatro versos setissílabos rimados, e com sentido completo. **3.** Canção, cantiga. **4.** *Arte Poét.* Quadra popular.

trovador (ô) [Do provenç. *trobador*, pelo arc. *trobador*.] *S. m.* **1.** Designação dos poetas líricos dos sécs. XII e XIII, que se expressavam na chamada *língua d'oc* (q. v.), falada no S. da França, especialmente na Provença. [Cf. *troveiro* (1).] **2.** Designação dos poetas líricos portugueses que, nos últimos séculos da Idade Média, seguiam o estilo dos poetas provençais. **3.** Designação comum aos poetas da Idade Média, a partir do séc. XI. **4.** Na Idade Média, poeta ambulante que cantava seus poemas ao som de instrumentos musicais. [Cf. (nas acepçs. 3 e 4) *menestrel*.] **5.** V. *troveiro* (2). **6.** Poeta, vate.

trovadoresco (ê) [De *trovador* + *-esco*.] *Adj.* **1.** De, ou relativo ou pertencente a trovador. **2.** Diz-se da poesia dos trovadores [v. *trovador* (2)], que floresceu em Portugal e na Galiza entre os sécs. XII e XIV.

trovão [Do lat. *turbone*, 'turbilhão', pelo arc. *torvão*.] *S. m.* **1.** Estrondo causado por descarga de eletricidade atmosférica; trovoada. **2.** Grande estrondo; trovoada. **3.** Coisa ruidosa, ou espantosa.

trovar [Do provenç. *trobar*.] *V. int.* **1.** Fazer ou cantar trovas; poetar. *T. d.* **2.** Exprimir por meio de cantigas: *O seresteiro trova as suas mágoas.*

troveiro [Do fr. *trouvère*.] *S. m.* **1.** Designação comum aos poetas do N. da França, autores de poemas líricos ou narrativos na chamada *língua d'oil* (q. v.), e que floresceram nos sécs. XII e XIII. [Cf. *trovador* (1).] **2.** Aquele que trova ou faz trovas; trovador, trovista.

trovejante [De *trovejar* + *-nte*.] *Adj. 2 g.* Que troveja; estrondoso, tonante.

trovejar [De **trovoejar* < *trovão* + *-ejar*.] *V. int.* **1.** Estrondear ou ribombar o trovão; atroar, troar. **2.** Soar fortemente; estrondear, retumbar; troar: "A máquina troveja, / Berra, fuma, atravessa em correria / A amarela paisagem sertaneja." (Humberto de Campos, *Poesias Completas*, p. 17.) **3.** Haver trovoada. **4.** Lançar raios: *Zeus é representado, em várias estátuas, brandindo o raio com que trovejava.* **5.** Falar com indignação e veemência; clamar, bradar. *T. i.* **6.** Bradar, clamar; troar: *trovejar contra as injustiças.* *T. d. T. d. e i.* **7.** Pronunciar ou emitir muito ruidosamente; proferir com voz estrondosa: *Uma voz trovejou: — Não sairei daqui; Trovejou ameaças ao povo.* [Sin. ger.: *trovoar*. Conjug.: v. *pelejar*.] • *S. m.* **8.** Trovão (1). **9.** Estrondo, estampido.

trovejo (ê) [Dev. de *trovejar*.] *S. m. Bras. PB Fig. Pop.* Disputa, altercação.

troviscada [De *trovisco*[1] + *-ada*[1].] *S. f.* Porção de trovisco com que envenenam os peixes para pescá-los; entroviscada.

troviscado [Part. de *troviscar*.] *Adj. Bras. S. Pop.* Meio embriagado; alegre, tocado. V. *embriagado* (1).

troviscal [De *trovisco*[1] + *-al*[1].] *S. m.* **1.** Quantidade mais ou menos considerável de troviscos dispostos proximamente entre si. **2.** Área ocupada por troviscal (1).

troviscar [De *trov(ão)* + *-iscar*.] *V. int. Pop.* **1.** Trovejar um pouco. **2.** *Bras. RS* Dar bordoadas; esbordoar alguém. **3.** *Bras. RS* Embriagar-se ligeiramente; troviscar-se. *P.* **4.** *Bras. RS* Troviscar (3). [Conjug.: v. *trancar*.]

trovisco[1] [Do lat. *turbiscu*.] *S. m. Bot.* Arbusto timeleáceo (*Daphne gnidium*) com até 60cm, próprio da Europa, de folhas lineares e lanceoladas, agudas, glabras, flores pequenas, sem pétalas, branco-amareladas, perfumadas e congregadas em racemos ou panículas terminais, sendo o fruto uma drupa monospérmica. [Sin.: *trovisqueira*, *mezereão*.]

trovisco[2] [Dev. de *troviscar*.] *S. m. Bras. RS* Ato de troviscar (2).

trovisco-macho [De *trovisco*[1] + *macho*.] *S. m. Bot.* Planta euforbiácea (*Euphorbia characias*), nativa da Europa; titímalo-maior. [Pl.: *troviscos-machos*.]

trovisqueira [De *trovisco*[1] + *-eira*.] *S. f. Bot.* V. *trovisco*[1].

trovista [De *trova* + *-ista*.] *S. 2 g.* V. *troveiro* (2).

trovoada [De *trovão* + *-ada*[1], com desnasalação.] *S. f.* **1.** Sucessão de descargas elétricas e trovões, acompanhada, geralmente, de chuva. **2.** Trovão (1). **3.** *Fig.* Grande estrondo; trovão. **4.** Disputa, altercação: "A fidalga, quando soube desses amores, armou uma trovoada em casa que até parecia que ia tudo raso." (Bernardo Pinheiro Pindela, *Azulejos*, p. 21.) **5.** Grande porção de palavras ou expressões ásperas, de xingamentos: "Inácio estremeceu, ouvindo os gritos do solicitador, recebeu o prato que este lhe apresentava e tratou de comer, debaixo de uma trovoada de nomes, malandro, cabeça de vento, estúpido, maluco." (Machado de Assis, *Várias Histórias*, p. 41.) **6.** V. *rolo*[1] (16). **7.** *Bras. Zool.* Ave passeriforme, formicariídea (*Drymophila ferruginea*), do S.E. do Brasil, de dorso vermelho-escuro, sobrancelha branca, coberteiras superiores da asa pretas com pintas amareladas e brancas, peito e garganta pretos, meio do abdome preto com manchas brancas, flancos e crisso avermelhados. Alimenta-se de insetos. **8.** *Bras. BA* Estação das chuvas.

trovoar [De *trovão* + *-ar*[2], com desnasalação.] *V. int. T. i. T. d. T. d. e i.* V. *trovejar*: "Chove, não cessa, não cessa o vento; de quando em quando / Trovoa" (Alberto de Oliveira, *Poesias*, 4.ª série, p. 115); "Talvez essa / Fúria de desatados ventos, quando / Trovoa o céu, relâmpagos rebrilham / O ímpeto seja de alma que não cansa, / Indo-se empós de fugidia sombra..." (Id., *ib.*, 3.ª série, p. 210). [Conjug.: v. *coroar*. Normalmente, é unipess.]

trovoso (ô) [De *trov(ão)* + *-oso*.] *Adj.* Que faz vivo estrondo, lembrando o trovão.

troz-troz [Voc. onom.] *S. m. 2 n. Bras. BA* Chuva rápida e grossa.

■ **TRT** Sigla de *Tribunal Regional do Trabalho*.

truaca *S. f. Bras. N.E. Pop.* V. *bebedeira* (1).

truanaz [De *truão* + *-az*, seg. o padrão erudito.] *S. m.* V. *truão*.

truanear [De *truão* + *-ear*[2], seg. o padrão erudito.] *V. int.* Fazer truanices. [Conjug.: v. *frear*.]

truanesco (ê) [De *truão* + *-esco*, seg. o padrão erudito.] *Adj.* **1.** De, ou próprio de truão. **2.** Semelhante a truanice.

truania [De *truão* + *-ia*[1], seg. o padrão erudito.] *S. f.* V. *truanice*.

truanice [De *truão* + *-ice*, seg. o padrão erudito.] *S. f.* **1.** Momice ou dito de truão. **2.** Impostura, embuste. [Sin. ger.: *truania*.]

truão [Do celta, pelo provenç. *truan* ou pelo fr. *truand*.] *S. m.* **1.** Palhaço (3): "Esse cornoide deus funambulesco / Em torno ao qual as Potestades rugem, / Lembra os trovões, que tétricos estrugem, / No riso alvar de truão carnavalesco." (Cruz e Sousa, *Broquéis*, p. 117.) **2.** V. *bufo*[3] (1): "As representações cênicas foram sempre do agrado dos portugueses, ... e na residência dos nobres havia *bobos* e truões encarregados de divertir os amos e senhores" (P.e Arlindo Ribeiro da Cunha, *A Língua e a Literatura Portuguesa*, p. 200). **3.** Indivíduo vagabundo, desavergonhado, que vive de expedientes. **4.** V. *bobo* (1). [Sin. ger.: *truanaz*.]

trubufu *Adj. 2 g. Bras. Pop.* Tribufu (q. v.).

truca [Do fr. *truc*, poss.] *S. f. Cin.* Equipamento utilizado para produzir efeitos de redução, ampliação, etc., em imagens filmadas.

trucá *Bras. S. 2 g.* **1.** *Etnôn.* Indivíduo dos trucás [ou (etnôn. bras.) *Truká], povo indígena que habita em PE. • *Adj. 2 g.* **2.** Pertencente ou relativo a esse povo.

trucada [De *truque*[3] + *-ada*[1].] *S. f. Bras.* **1.** Ato de jogar o truque. **2.** Ato de trucar[1].

trucagem [De *truca* + *-agem*[2].] *S. f. Cin.* Efeito cinematográfico realizado com a truca (q. v.).

trucar[1] [De *truco* + *-ar*[2].] *V. int.* **1.** No jogo de truque, propor a primeira parada. **2.** *Fig.* Iludir com declarações mentirosas. **3.** Errar no que diz; fazer citação errada. [Conjug.: v. *trancar*.] ◆ **Trucar de falso.** Fazer parada no jogo de truque, dando indícios de que tem bom jogo, quando, na realidade, não tem; blefar.

trucar[2] [De *truque*[1] (por *trucagem*) + *-ar*[2].] *V. int. Cin.* Fazer trucagem. [Conjug.: v. *trancar*.]

trucidação [Do lat. *trucidatione*.] *S. f.* Ato ou efeito de trucidar; trucidamento.

trucidamento [De *trucidar* + *-mento*.] *S. m.* Trucidação.

trucidar [Do lat. *trucidare*.] *V. t. d.* Matar barbaramente, com crueldade: "caíram [os mouros] sobre a feitoria, trucidando os portugueses que lá havia: cinquenta ao todo." (Oliveira Martins, *História de Portugal*, I, p. 228).

trucilar [Voc. onom.] *S. m.* **1.** O cantar do tordo. • *V. int.* **2.** Cantar (o tordo).

truco [Do esp. plat. *truco*.] *S. m. Bras. S.* V. *truque*[3].

truco-fecha [De *truco* + *fechar*.] *S. m. 2 n. Bras. SP Gír.* **1.** V. *valentão* (3). **2.** A última palavra acerca de alguma coisa.

truculência [Do lat. *truculentia*.] *S. f.* Qualidade ou ação de truculento; ferocidade, crueldade.

truculento [Do lat. *truculentu*.] *Adj.* **1.** Atroz, terrível, cruel, bárbaro, feroz: "truculentos e consumados sicários." (Franklin Távora, *O Cabeleira*, p. 29). **2.** *Bras.* Que se mete a valentão; brigão.

trufa [Do fr. *truffe* < provenç. ant. *trufa* < b.-lat. *tufera* < lat. *tufer* < lat. cláss. *tuber*, 'tubérculo'.] *S. f.* **1.** *Micol.* Fungo entuberáceo subterrâneo, que produz corpos esporíferos tuberosos, comestíveis pelo sabor e pelo aroma agradáveis. Há várias espécies, todas europeias e do gênero *Tuber*. [Sin.: *túbera*.] **2.** Espécie de bombom feito inteiramente de chocolate.

trufar [De *trufa* + *-ar*[2].] *V. t. d.* Rechear ou guarnecer com trufas.

trufeira [De *trufa* + *-eira*.] *S. f.* Quantidade mais ou menos considerável de trufas dispostas proximamente entre si.

trufeiro [De *trufa* + *-eiro*.] *S. m.* **1.** Aquele que se ocupa em colher e/ou vender trufas. • *Adj.* **2.** Relativo à trufa.

trugimão [Var. de *turgimão*.] *S. m.* V. *drogomano*.

truirapeva (u-i) [De or. tupi.] *S. m. Bras. PE Zool.* V. *cuviara*.

truísmo [Do ingl. *truism* (de *true*, 'verdadeiro').] *S. m.* Verdade trivial, tão evidente que não é necessário ser enunciada: "É já um truísmo dizer-se que a vida tem um ritmo próprio" (Mário de Alencar, *Contos e Impressões*, p. 179). [Cf. *tautologia* (2 e 3).]

trumaí *Bras. S. 2 g.* **1.** *Etnôn.* Indivíduo dos trumaís, povo indígena de língua isolada, que habita o alto rio Xingu (MT). • *Adj. 2 g.* **2.** Pertencente ou relativo a esse povo. [Tb. us. como *s. 2 g. e 2 n.* (com cap.) e *adj. 2 g. e 2 n.*]

trumbicar-se [Por *trombicar-se* (q. v.), de *tromba* + *se*[1].] *V. p. Bras. Gír.* Dar-se mal; entrar pelo cano; trombicar-se: "Quem não se comunica, se trumbica." (Abelardo Barbosa, o 'Chacrinha'.) [Conjug.: v. *trancar*.]

trumbuca [De or. tupi, poss.] *S. f. Bras. Zool.* Espécie de abelha silvestre.

trumuno *S. m. Angol. Fut.* Jogo de futebol informal, improvisado: "estava automaticamente eliminado dos jogos da bola, os infernais trumunos em tudo o que fosse espaço" (Artur Queirós, *Mukandano*, p. 13).

truncado [Part. de *truncar*.] *Adj.* **1.** Incompleto, mutilado. **2.** *Bot.* Que termina por segmento de reta: *folha truncada.* ~ V. *cilindro —, cone —, pirâmide —a* e *prisma —*.

truncar [Do lat. *truncare*.] *V. t. d.* **1.** Separar do tronco. **2.** Cortar parte de; mutilar. **3.** Omitir parte importante de (uma obra literária). **4.** *Geom.* Interceptar (sólido geométrico) por um plano secante. [Conjug.: v. *trancar*. Fut. pret.: *truncaria*, etc. Cf. *truncária*.]

truncha *S. f. Bras. RJ Gír.* Pé de cabra (1).

truncícola [Do lat. *truncus*, 'tronco', + *-i-* + *-cola*[1].] *Adj. 2 g. Bot.* Que vive sobre tronco de árvores, como liquens, musgos, etc.

trunfa [De or. obscura.] *S. f.* **1.** Certo toucado antigo; turbante: "ornavam a cabeça com uma espécie de turbante a que davam o nome de trunfas, formado por um grande lenço branco muito teso e engomado" (Manuel Antônio de Almeida, *Memórias de um Sargento de Milícias*, p. 179). **2.** Cabelo em desalinho; grenha.

trunfada[1] [De *trunfar* + *-ada*[1].] *S. f.* **1.** Ato de trunfar. **2.** Grande porção de trunfos.

trunfada[2] *S. f. Bras. BA* Almofada em que se descansam os remos da jangada.

trunfar [De *trunfo* + *-ar*[2].] *V. int.* **1.** Jogar trunfo (1). **2.** *Bras. RS* Dar bordoada com alguma coisa. *T. i.* **3.** Ter importância social. **4.** Influir grandemente.

trunfo [De *triunfo.*] *S. m.* **1.** Certo jogo de cartas, com dois, quatro ou seis parceiros. **2.** Naipe que prevalece aos outros, em certos jogos carteados. **3.** *Fig.* Indivíduo de grande influência ou importância social. **4.** Vantagem que propicia ou permite a vitória em luta, discussão, negócio, etc.

trupe [Do fr. *troupe.*] *S. f.* **1.** Grupo de artistas ou comediantes. **2.** Companhia teatral. **3.** *Fig. Deprec.* Grupo de áulicos, de sequazes.

truque[1] [Do fr. *truc.*] *S. m.* **1.** Ardil, tramoia, estratagema. **2.** Maneira habilidosa ou sutil de fazer uma coisa.

truque[2] [Do ingl. *truck.*] *S. m.* Plataforma sobre rodas ou vagão sem caixa.

truque[3] [Do esp. *truque.*] *S. m.* Certo jogo de cartas; truco, liques.

truque[4] [Do al. *Drucken*, 'pressão', 'empurrão'.] *S. m.* **1.** Espécie de bilhar comprido. **2.** Denominação comum a vários processos ou incidentes no jogo de bilhar.

truqueiro [De *truque*[3] + *-eiro.*] *S. m. Bras. S.* Jogador de truque[3].

truste [Do ingl. *trust.*] *S. m.* Acordo ou combinação entre empresas, ger. ilegal, com o objetivo de restringir a concorrência e controlar os preços.

truta [Do gr. *tróktes*, pelo lat. *tructa.*] *S. f. Zool.* Designação genérica de peixes salmonídeos, bem menores do que o salmão, e que habitam, ger., rios de águas claras e frias, no hemisfério norte. Há tb. espécies anádromas, que permanecem no mar por longo tempo, subindo os rios na época da desova. Ex.: truta-comum e truta-salmoneja.

truta-arco-íris *S. f. Zool.* Truta (*Oncorhynchus mykiss*) nativa dos lagos e rios do O. e do N.O. dos Estados Unidos. [Pl.: *trutas-arco-íris.*]

truta-comum *S. f. Zool.* Truta (*Salvelinus fontinalis*) nativa dos rios do L. dos Estados Unidos. [Pl.: *trutas-comuns.*]

trutário [De *truta* + *-ário.*] *S. m.* Criatório de trutas.

truta-salmoneja *S. f. Zool.* Truta (*Salmo trutta*) nativa dos rios europeus. [Pl.: *trutas-salmonejas.*]

truticultor (ô) [De *truta* + *-i-* + *-cultor.*] *S. m.* Criador de trutas.

truticultura [De *truta* + *-i-* + *-cultura.*] *S. f.* Técnica de criação de trutas, esp. para comercialização.

trutífero [De *truta* + *-ífero.*] *Adj.* Que produz trutas.

truxílico (cs) [De *truxil(ina)* + *-ico*[2].] *Adj. Quím.* ~ V. *ácido —.*

truxilina (cs) *S. f. Quím.* Qualquer de dois alcaloides (α-truxilina e β-truxilina) encontrados na coca [fórm.: $C_{38}H_{46}N_2O_8$].

truz [Voc. onom.] *Interj.* **1.** Imita o som de uma queda ou de uma explosão. ● *S. m.* **2.** Ato de bater; batida, pancada. ◆ **De truz.** De primeira ordem; excelente, magnífico: 📖 "Esse olhar está dizendo que a dama é uma sua recordação de outro tempo, e não há de ser de muito tempo, a julgar pelo corpo: é moça de truz." (Machado de Assis, *Histórias sem Data*, p. 45.)

■ **TSE** Sigla de *Tribunal Superior Eleitoral.*

tsé-tsé [Voc. onom.] *S. f. Zool.* Designação comum a diversas moscas africanas do gênero *Glossina*, capazes, quase todas, de transmitir protozoários do grupo dos tripanossomos, inclusive o causador da doença do sono. [Pl.: *tsé-tsés.*]

➔**t-shirt** [tij ʃɜt] [Ingl.] *S. m. Vest.* Camiseta de algodão de mangas curtas, em forma de T, ou sem mangas.

tsonga *S. 2 g.* **1.** *Etnôn.* Indivíduo dos tsongas, povo que habita a região ao S. do rio Zambeze (Moçambique). ● *S. m.* **2.** *Gloss.* Língua nigero-congolesa do grupo banto, falada em Moçambique; tonga. **3.** Vocábulo dessa língua. ● *Adj. 2 g.* **4.** De, pertencente ou relativo aos tsongas, ou ao tsonga (2).

tsoom-diapá *Bras. S. 2 g.* **1.** *Etnôn.* Indivíduo dos tsoons-diapás [ou (etnôn. bras.) *Tsohom-djapá], povo indígena da família linguística catuquina, que habita o AM. ● *Adj. 2 g.* **2.** Pertencente ou relativo a esse povo. [Pl.: *tsoons-diapás.*]

■ **TST** Sigla de *Tribunal Superior do Trabalho.*

tsunâmi [Do jap., de *tsu*, porto, + *nami*, 'onda', 'mar'.] *S. m.* Enorme vaga marinha causada por maremoto ou por erupção vulcânica, podendo atingir mais de 700km/h e provocar devastação em regiões costeiras.

tsuva *Bras. S. 2 g.* **1.** *Etnôn.* Indivíduo dos tsuvas, povo indígena extinto, da família linguística caribe, que habitava a região dos formadores do rio Xingu (MT). ● *Adj. 2 g.* **2.** Pertencente ou relativo a esse povo. [Tb. us. como *s. 2 g. e 2 n.* (com cap.) e *adj. 2 g. e 2 n.*]

tu [Do lat. *tu.*] *Pron. pess. (da 2ª pess. sing.)* Indica a pessoa com quem se fala: 📖 "Tu és como a laranjeira / Que oferece os pomos d'ouro" (José Albano, *Rimas*, p. 53); "Sim, Carlos, sê tu o executor das iras divinas." (Almeida Garrett, *Viagens na Minha Terra*, p. 312). [Emprega-se (neste caso, bem mais em Portugal que no Brasil, onde predomina o *você*) quando nos dirigimos a pessoa de nossa intimidade (ou como se fosse), ou que se acha a nosso serviço ou depende de nós. Por outro lado, usa-se em estilo nobre e em poesia, ao dirigirmo-nos a pessoa de consideração, ou a um santo, ou à própria divindade, ou ainda, a coisas personificadas: 📖 "Tu [Virgem Maria] que em Belém nos deste / A graça suma, / Açucena celeste, / Tu nos perfuma." (José Albano, *Rimas*, p. 127); "Deus, ó Deus! onde estás que não respondes? / Em que mundo, em qu'estrela tu t'escondes / Embuçado nos céus?" (Castro Alves, *Obra Completa*, p. 290); "Tu [pendão do Brasil], que da liberdade após a guerra, / Foste hasteado dos heróis na lança, / Antes te houvessem roto na batalha, / Que servires a um povo de mortalha!..." (Id., *ib.*, p. 283); "— Ó mundo encantador, tu és medonho!" (Fagundes Varela, *Poesias Completas*, I, p. 240). Cf. *vós*, *você* e *vocês*.] ◆ **Tu cá, tu lá.** Com familiaridade; familiarmente, intimamente.

tuá *S. 2 g.* **1.** *Etnôn.* Indivíduo dos tuás, povo nômade da África central, provavelmente originário da região correspondente à atual República Democrática do Congo (antigo Zaire), e que se constitui num dos grupos étnicos de Burundi e de Ruanda (África). ● *Adj. 2 g.* **2.** Pertencente ou relativo aos tuás. [V. *hutu* e *tútsi.*]

tuaiá [Do tupi amazonense.] *S. m. Bras. AM* **1.** A região mais distante de seringais do alto Xingu. **2.** *P. ext.* Lugar longínquo, rio acima.

tuaregue *S. 2 g.* **1.** *Etnôn.* Indivíduo dos tuaregues, povo berbere, nômade, que se desloca entre o centro e o O. do deserto de Saara. ● *S. m.* **2.** *Gloss.* Tamaxeque. **3.** Vocábulo do tuaregue (2). ● *Adj. 2 g.* **4.** Pertencente ou relativo aos tuaregues, ou à sua língua.

tuatara [Do maori.] *S. m. Zool.* Reptil (*Sphenodon punctatum*), o único rincocéfalo existente, e que é sobrevivente dos reptis da era mesozoica; tem glândula pineal que parece ter funcionado, no passado, como um olho, comprimento de cerca de 80cm, é verde-oliva escuro, com pequenas manchas amareladas nas partes laterais do dorso, crista amarela ao longo do dorso, excetuada a cabeça, e, em traços gerais, lembra a iguana.

tuavi *S. m. Etnol.* Entre os grupos indígenas brasileiros da região do alto rio Xingu, espécie de esteira confeccionada com a nervura da folha de buriti e us. em lugar do tipiti para comprimir a massa ralada da mandioca brava.

tuba[1] [Do lat. *tuba.*] *S. f.* **1.** *Mús.* Entre os romanos, trombeta de metal, formada por um simples tubo reto, comprido e estreito. **2.** *Mús.* Designação comum aos baixos da família dos saxornes, especialmente o saxorne contrabaixo, de timbre solene e sonoridade ampla no extremo grave, e que ressoa à oitava inferior da nota escrita (*tuba em dó*), ou à nona maior inferior da nota escrita (*tuba em si bemol*). [Sin., bras.: *bombardão.* V. *contrabaixo* (6).] **3.** *Mús.* Registro de órgão. **4.** *Fig.* Estilo épico. ● *S. m.* **5.** *Mús.* Tocador de tuba (1 e 2); tubista. ◆ **Tuba auditiva.** *Anat.* Cada um de dois canais, um à direita e outro à esquerda, que comunicam cada caixa de tímpano com a rinofaringe; salpinge, trompa de Eustáquio (denom. ant.). **Tuba em dó.** *Mús.* V. *tuba* (2). **Tuba em si bemol.** *Mús.* V. *tuba* (2). **Tuba uterina.** *Anat.* Cada um dos dois canais que se estendem de cada lado do útero ao ovário homolateral; salpinge, trompa uterina (denom. ant.), trompa de Falópio (denom. ant.).

tuba[2] *S. f. Bras.* V. *tiba* (1).

tubã *S. f. Astr.* Nome tradicional da estrela alfa do Dragão. [Com cap.]

tubabo [De or. afr., pelo criol.] *S. m. Guin.* Indivíduo branco: 📖 "Estranhava os seus modos copiados dos tubabos que ela receava" (Fausto Duarte, *Auá*, p. 56).

tubáceo [De *tuba*[1] + *-áceo.*] *Adj.* Que tem forma de tuba[1] (1 e 2).

tubagem [De *tubo* + *-agem*[2].] *S. f.* **1.** Conjunto de tubos; tubulação. **2.** Sistema de disposição ou de funcionamento de certos tubos. **3.** *Med. Obsol.* Introdução de tubo em órgão, com fim diagnóstico e/ou terapêutico. ◆ **Tubagem duodenal.** *Gastr. Obsol.* Introdução de um tubo de borracha provido de uma sonda metálica para, passando pela boca, faringe, esôfago e estômago, atingir o duodeno, onde se colhem suco duodenal e bílis.

tubaiaiá *S. f. Bras. Zool.* V. *cauanã*[1].

tubança *S. f. Bras. CE Pop.* Tumbança.

tubarana [Var. assimilada de *tabarana* (q. v.), talvez por anal. com *tubarão.*] *S. f. Bras. Zool.* **1.** Peixe caracídeo (*Salminus hilarii*), das bacias do São Francisco, Prata e Araguaia-Tocantins, de coloração branco-prateada no fundo, tingindo-se de vermelho, mais carregado no dorso; algumas linhas pretas longitudinais; nadadeiras caudal, anal e ventrais vermelho-alaranjadas, tendo a caudal uma mancha negra mediana. Comprimento: até 50cm; peso: 2,5kg. Alimenta-se de outros peixes, sobretudo de lambaris. [Var.: *jutubarana* e *tabarana.* Sin.: *dourado-branco, rabo-vermelho, traguira.*] **2.** V. *dourado* (8).

tubarão[1] [De or. incerta.] *S. m.* **1.** *Zool.* Designação comum a peixes elasmobrânquios com espécies que podem variar de poucos centímetros a muitos metros. Caracterizam-se pelo corpo ger. fusiforme, pela presença de duas nadadeiras dorsais, embora haja espécies com somente uma, e por terem, na sua grande maioria, dentes triangulares, afiados. São carnívoros, os principais predadores marinhos, ou têm uma dieta mista, como é o caso do tubarão-baleia, capaz de filtrar enormes quantidades de zooplâncton ou fitoplâncton. Têm distribuição cosmopolita. [Sin.: *cação.*] **2.** *Bras. Fig.* Industrial ou comerciante ganancioso, que se vale de quaisquer meios para aumentar os seus lucros, contribuindo para a elevação do custo de vida. **3.** *Bras. BA* Monte mais elevado que o normal.

tubarão[2] *S. 2 g. Adj. 2 g. Bras.* V. *aicaná.*

tubarão-azul *S. m. Bras. Zool.* Peixe carcarrinídeo (*Prionace glauca*) de dorso azul-escuro, flancos de um azul mais claro e região abdominal branca; tem grandes nadadeiras peitorais e pode alcançar 4m ou mais. É agressivo, frequentando águas temperadas e tropicais do alto-mar. [Sin.: *bico-doce, focinhudo, mole-mole.* Plural: *tubarões-azuis.*]

tubarão-baleia *S. m.* Tubarão ricondontídeo (*Rhiniodon tipus*), o maior dos peixes vivos exstantes, manso, que vive em águas marinhas tropicais de todo o mundo, e que pode atingir até 18m de comprimento. Tem a cabeça achatada, olhos pequenos, o dorso marrom-escuro, com manchas claras e o ventre branco ou amarelo; alimenta-se de plâncton. [Pl.: *tubarões-baleias* e *tubarões-baleia.*]

tubarão-branco *S. m. Zool.* Peixe lamnídeo (*Carcharodon carcharias*), de dorso cinza-escuro e abdome branco, cabeça cônica, olhos pretos e boca com sucessivas fileiras de dentes triangulares, afiados. Tem distribuição cosmopolita, ocorrendo principalmente em águas temperadas. É o principal predador marinho, alimentando-se de peixes, outros tubarões, focas, leões-marinhos, etc. [Sin.: *anequim, cação-anequim, cação-branco, iperu.* Pl.: *tubarões-brancos.*]

tubarão-de-água-doce *S. f. Bras. Zool.* V. *piraíba.* [Pl.: *tubarões-de-água-doce.*]

tubarão-de-pontas-brancas *S. f. Lus. Zool.* V. *galha-branca.* [Plural: *tubarões-de-pontas-brancas.*]

tubarão-jaguara *S. f. Bras. N.E. Zool.* V. *tintureira* (3). [Pl.: *tubarões-jaguaras* e *tubarões-jaguara.*]

tubarão-martelo *S. m.* **1.** *Zool.* Nome comum a peixes carcarrinídeos do gênero *Sphyrna*, de mares tropicais e subtropicais, que se caracterizam pelas duas projeções nos lados da cabeça, onde se localizam as narinas e os olhos. **2.** Tubarão carcarrinídeo (*Sphyrna zygaena*) de dorso marrom-acinzentado e parte inferior branca, e cujo comprimento varia de 2,5m a 4,0m de comprimento. Alimenta-se de peixes, crustáceos e moluscos. [Sin.: *cação-martelo, martelo, peixe-martelo, cornuda, cambeba, cambeja cambeva.*] **3.** V. *chapéu-armado.* **4.** V. *pata*[1]. [Pl.: *peixes-martelos* e *peixes-martelo.*]

tubarão-sombreiro *S. m. Zool.* V. *anequim* (1). [Pl.: *tubarões-sombreiros* e *tubarões-sombreiro.*]

tubarão-tigre *S. m. Zool.* V. *tintureira* (3). [Pl.: *tubarões-tigres* e *tubarões-tigre.*]

tubarão-tintureira *S. m. Bras. Zool.* V. *tintureira* (3). [Pl.: *tubarões-tintureiras* e *tubarões-tintureira.*]

tubário [De *tubo* + *-ário.*] *Adj. Med.* Relativo à trompa de Eustáquio, ou à tuba uterina. ~ V. *gravidez —a* e *prenhez —a.*

tubaronato *S. m. Bras.* **1.** Condição de tubarão[1] (2). **2.** A classe dos tubarões [v. *tubarão*[1] (2)].

tubaronense *Adj. 2 g.* **1.** De, ou pertencente ou relativo a Tubarão (SC). ● *S. 2 g.* **2.** O natural ou habitante de Tubarão.

tubeira [De *tubo* + *-eira.*] *S. f.* Boca ou extremidade dum tubo.

tubel [De or. obscura.] *S. m.* Escama que ressalta do metal candente, ao ser batido. [Pl.: *tubéis.*]

túbera [Do lat. *tubera*, pl. de *tuber*, tomado como sing.] *S. f.* **1.** Trufa (1). **2.** Endurecimento cutâneo; calo.

tuberculado [De *tubérculo* + *-ado*[1].] *Adj.* **1.** *Bot.* V. *tuberculoso* (2). **2.** Que apresenta tubérculos.

tubercular [De *tubérculo* + *-ar*[1].] *Adj. 2 g. Bot.* V. *tuberculoso* (2).

tuberculífero [De *tubérculo* + *-ífero.*] *Adj.* Que tem ou produz tubérculos.

tuberculiforme (èr) [De *tubérculo* + *-iforme.*] *Adj. 2 g.* V. *tuberiforme.*

tuberculina [De *tubercul(ose)* + *-ina*[1].] *S. f. Imun.* Preparação de derivados purificados de proteínas provenientes do bacilo da tuberculose (*Mycobacterium tuberculosis*), utilizada como reagente de teste cutâneo para medir a exposição a este bacilo.

tuberculinizar [De *tuberculina* + *-izar*.] *V. int.* Injetar tuberculina em.

tuberculização [De *tuberculizar* + *-ção*.] *S. f.* Ato ou efeito de tuberculizar(-se).

tuberculizar [De *tubercul(ose)* + *-izar*.] *V. t. d.* **1.** Causar ou originar tuberculose em. *Int. P.* **2.** Tornar-se tuberculoso: 📖 "Como a mulher do professor fosse fraquinha ...., tuberculizou-se após o nascimento do segundo filho" (João de Araújo Correia, *Terra Ingrata*, p. 176).

tubérculo [Do lat. *tuberculu*.] *S. m.* **1.** *Anat.* Designação genérica de pequena saliência em formação (5) (osso, nervo, dente, etc.). **2.** *Bot.* Caule curto e grosso, rico em substâncias nutritivas. Ex.: a batata. **3.** *Bot.* Engrossamento mais ou menos globoso em qualquer parte de uma planta, com tecidos de reserva. **4.** *Patol.* Nódulo cutâneo, sobretudo quando perceptível como saliência consistente, maior do que uma pápula. **5.** *Patol.* Qualquer uma das pequenas lesões granulomatosas, arredondadas, causadas por infecção pelo *Mycobacterium tuberculosis*, e que constitui lesão característica da tuberculose. ◆ **Tubérculo articular.** *Zool.* Saliência da carapaça dos equinodermos com a qual se articulam as espículas. **Tubérculo genital. 1.** *Embr.* O primórdio do falo. **2.** *Zool.* Saliência cônica na parte anterior do orifício genital de mamíferos monodelfos. **Tubérculos quadrigêmeos.** *Anat. Denom. ant.* Eminências arredondadas, em número de quatro, situadas no mesencéfalo. V. *colículo inferior* e *colículo superior*.

tuberculoide (ói) [De *tubérculo* + *-oide*.] *Adj. 2 g. Patol.* Sarcoide (2). ❖

tuberculoma [De *tubérculo* + *-oma*[1].] *S. m. Patol.* Tumor resultante de aumento de volume de tubérculo (5).

tuberculose [Do fr. *tuberculose* (do fr. *tubercule* + suf. fr. *-ose*, v. *ose*[3]).] *S. f. Patol.* Infecção observável no homem e noutros animais, produzida por espécies de *Mycobacterium*; no homem, o agente mais frequente é o *Mycobacterium tuberculosis*, mas podem ocorrer, também, casos devidos ao *Mycobacterium bovis* e ao *Mycobacterium avium*. Tende à cronicidade e pode apresentar as mais variadas manifestações e localizações (pulmões, sistema nervoso, intestino, rins, etc.), havendo predileção pelos pulmões como porta de entrada e sede. [A tuberculose pulmonar, ou simplesmente tuberculose, é conhecida, ainda, por *tísica pulmonar*, ou apenas *tísica*, e pelas denominações populares e eufêmicas — *delicada, doença do peito, doença-ruim, fininha, fraqueza do peito, magra, magrinha, moléstia-magra, mal de secar, mal dos peitos, queixa do peito, seca* (ê).] ◆ **Tuberculose galopante.** *Patol. Pop.* Tuberculose de desenlace rápido; tísica galopante. [Tb. se diz apenas *galopante*.] **Tuberculose intestinal.** *Patol.* Tuberculose de localização intestinal; tuberculose mesentérica. **Tuberculose mesentérica.** *Patol. Impr.* V. *tuberculose intestinal*. **Tuberculose pulmonar.** *Patol.* Tuberculose de localização pulmonar; tísica pulmonar. [Tb. se diz apenas *tuberculose* (v. *tuberculose* [1].]

tuberculoso (ô) [Do fr. *tuberculeux*.] *Adj.* **1.** Atacado de tuberculose. **2.** *Bot.* Que tem pequenos tubérculos, em vez de um só, maior; tuberculado, tubercular: 📄 *raiz tuberculosa*. **3.** Referente a tubérculos. ● *S. m.* **4.** Indivíduo atacado de tuberculose.

tuberiforme (ù) [De *tuber(o)-* + *-iforme*.] *Adj. 2 g.* Que tem forma de tubérculo; tuberoide, tuberoso, tuberculiforme.

tuberização *S. f.* Transformação total ou parcial de parte subterrânea de planta em tubérculo.

tuberizado *Adj. Bot.* Que sofreu engrossamento dos tecidos e se tornou tuberiforme.

▲**tuber(o)-** [Do lat. *tūber, ĕris.*] *El. comp.* = 'tumor', 'excrescência': *tuberiforme, tuberoide.*

tuberoide (ói) [De *tuber(o)-* + *-oide*.] *Adj. 2 g.* V. *tuberiforme*. ❖

tuberosa [F. subst. de *tuberoso*.] *S. f. Bot.* Erva amarilidácea (*Polianthes tuberosa*) procedente do México ou dos Andes. As folhas, que partem de um bulbo, são compridas, ensiformes, em número de seis a nove, e vermelhas perto da base; as flores são grandes, chegando a 5cm, vistosas, branco-cerosas, perfumadas e inseridas aos pares no escapo; o fruto é uma cápsula polisperma.

tuberosidade [De *tuberoso* + *-(i)dade*.] *S. f.* **1.** *Anat.* Saliência óssea tuberculiforme. **2.** *Bot.* Excrescência carnuda.

tuberositário *Adj. Anat.* Relativo a, ou próprio de tuberosidade (1).

tuberoso (ô) [Do lat. *tuberosu*.] *Adj.* V. *tuberiforme*. ~ V. *raiz —a.*

tubete [De *tubo* + *-ete*.] *S. m. Bras. Gír.* Pequeno tubo, feito ger. de tampa de caneta esferográfica, usado por traficantes como embalagem de droga aspirável.

tubi [Do tupi.] *S. m.* **1.** *Bras. Zool.* V. *tubiba*. **2.** *Bras. Pop.* O ânus. **3.** *Bras. MG Pop.* O pênis. [Var. (das acepç. 2 e 3): *tibi, tuvi*.]

▲ **tubi-** [Do lat. *tubus, i.*] *El. comp.* = 'tubo': *tubífero, tubiforme*. [Equiv.: *tubo-, -tub(o)-: tubocurarina; fibrotuboscopia*.]

tubiba [Do tupi.] *S. f. Bras. Zool.* Abelha meliponínea (*Scaptotrigona tubiba*), de coloração geral escura e cerca de 5mm de comprimento; tubi, tubim, tapiaçu, tapiçuá.

tubícola [De *tubi-* + *-cola*[1].] *Adj. S. m. Zool.* Diz-se de, ou verme anelídeo que vive fixo e secreta um tubo cornificado, ou calcário, em que se abriga.

tubífero [De *tubi-* + *-fero*.] *Zool. S. m.* **1.** Espécime dos tubíferos, grupo de insetos dípteros, aquáticos, que apresentam um tubo respiratório na extremidade posterior do corpo, podendo viver submersos, como ocorre com os sirfídeos e com alguns culicídeos, na fase larvar. ● *Adj.* **2.** Pertencente ou relativos a eles.

túbifex (cs) [Do tax. *Tubifex*.] *S. m. 2 n. Zool.* **1.** Gênero de vermes anelídeos, oligoquetas, tubificídeos, de corpo fino, avermelhado ou marrom, com quatro feixes de cerdas em cada segmento; habitam a água doce ou salobra, protegidos em tubos alongados por eles fabricados. **2.** Espécie ou espécime desse gênero.

tubífice *S. m. Zool.* V. *túbifex*.

tubificídeo [Do lat. cient. *Tubific-* (< tax. *Tubifex*) + *-ídeo*[1]; tax. *Tubificidae*.] *Zool. S. m.* **1.** Espécime dos tubificídeos, família de vermes anelídeos, da classe dos oligoquetas, cujo gênero-tipo é túbifex. ● *Adj.* **2.** Pertencente ou relativo a eles.

tubiflora [De *tubi-* + *-flora*; tax. *Tubiflorae*.] *S. f. Bot.* Espécime das tubifloras, em antiga classificação, ordem de vegetais dicotiledôneos gamopétalos, com estames isômeros ou oligômeros e gineceu bicarpelar.

tubifloro[1] [De *tubi-* + *-floro*.] *Adj. Bot.* ~ V. *flor —a.*

tubifloro[2] [De *tubiflora*.] *Adj. Bot.* Pertencente ou relativo às tubifloras.

tubiforme [De *tubi-* + *-forme*.] *Adj. 2 g.* Que tem forma de tubo; tubular, tubulado, tubuloso.

tubigeira *S. f. Bras. RS* Tornozeleira.

tubim *S. m. Bras. Zool.* V. *tubiba*.

tubinar [Adapt. do tax. *Tubinares*.] *S. f. Adj. 2 g. Zool.* V. *procelariiforme*.

tubinho [De *tubo* + *-inho*[1].] *S. m. Bras.* Vestido reto, sem corte na cintura.

tubiporíneo [De *tubi-* + *-por(o)-* + *-in(o)-*[2] + *-eo*.] *Adj. Zool.* Diz-se do coral constituído por vários tubos, laterais ou superpostos, formado por cnidários antozoários e alcionários; tubíporo.

tubíporo [De *tubi-* + *-poro*.] *Adj. Zool.* Tubiporíneo.

tubista [De *tuba*[1] + *-ista*.] *S. 2 g. Bras. Mús.* Tuba[1] (5).

tubixaba *S. m. Bras.* V. *morubixaba* (1).

tubo [Do lat. *tubu*.] *S. m.* **1.** Canal cilíndrico por onde passam ou escoam fluidos, líquidos, etc.; cano. **2.** Vaso cilíndrico de vidro. **3.** Qualquer ducto e/ou canal do organismo animal. **4.** *Anat.* Qualquer cavidade tubária. **5.** *Bot.* Porção estreitada do cálice ou da corola, ambos gamopétalos, que fica na base e sustenta o limbo patente. **6.** *Surf.* Onda que, ao quebrar, toma forma semelhante a de um tubo. ~ V. *tubos*. [Dim. irreg.: *túbulo*.] ◆ **Tubo acústico.** *Constr. Nav.* Tubo metálico instalado entre o passadiço e outros compartimentos do navio, para a transmissão de ordens, quando falham os meios normais de comunicação. **Tubo capilar.** Capilar (5). **Tubo contador.** *Fís.* Dispositivo com que se detectam radiações ionizantes mediante a descarga que provocam num gás rarefeito submetido a um campo elétrico conveniente. **Tubo de ensaio.** *Quím.* Proveta (1). **Tubo de fogo.** *Expl.* Dispositivo destinado à iniciação de artifícios pirotécnicos, constituído por um tubo cilíndrico de papel em cujo fundo se põe uma camada de polvorim e, acima desta, uma mistura de sulfonitro e polvorim. **Tubo de força.** *Fís.* Num campo de força, superfície formada pelas linhas de força que passam por um contorno fechado no campo. **Tubo de raios catódicos.** *Eletrôn.* Válvula eletrônica em que se produz e observa, de maneira controlada e controlável, um feixe de elétrons acelerados que incidem sobre uma tela fosforescente. **Tubo de raios X.** *Radiol.* Dispositivo eletrônico composto de ampola (5) em cujo interior há dois eletrodos aos quais se aplica uma corrente elétrica alternada, para a obtenção dos raios X, sendo a alta tensão produzida por um gerador de raios X. **Tubo digestivo.** *Anat.* Conjunto de órgãos ocos, dispostos em sequência, que se estendem da boca ao ânus e por onde, normalmente, transitam alimentos e outras substâncias. **Tubo do cálice.** *Bot.* Hipanto. **Tubo eletrônico.** *Eletrôn.* V. *válvula* (9). **Tubo neural embrionário.** *Embr.* Tubo a partir do qual se formará o sistema nervoso central. **Tubo pneumático.** Aparelho de comunicações interiores, constituído de um tubo no interior do qual, por meio do vácuo nele gerado, se movimentam cartuchos transportadores de correspondência. **Tubo polínico.** *Bot.* Tubo longo e delgado que forma o grão de pólen quando se acha sobre o estigma, e que conduz os dois núcleos dos quais um dará origem aos dois gametas masculinos. **Pegar tubo.** *Surf.* Entrar (o surfista) no tubo (6), ficando encoberto pela crista da onda.

▲**tubo-** V. *tubi-*.

▲**-tub(o)-** V. *tubi-*.

tubo-alma *S. m.* O tubo interior de uma boca de fogo. [Pl.: *tubos-almas* e *tubo-almas*.]

tubocônico *Adj.* V. *tubocônico*. [Uso freq. em P.]

tubocônico [De *tubo-* + *-con(i)-*[1] + *-ico*[2].] *Adj.* Em forma de tubo afunilado.

tubocurarina [De *tubo-* + *curare* + *-ina*[3].] *S. f. Quím.* Alcaloide que é o principal componente ativo do curare, muito venenoso, porém us. com fins terapêuticos e cirúrgicos, ger. sob a forma de cloreto [fórm.: $C_{37}H_{42}Cl_2N_2O_6$]. [Normalmente, é isolado e us. como cloreto.]

tubo-poço [De *tubo* + *poço* (1).] *S. m. Ecol.* Artefato cilíndrico fechado, próprio para ser introduzido no solo, e de cujo interior se pode, pela ação de motor, retirar água, escoando-a para rio. [Pl.: *tubos-poços* (ó) e *tubos-poço* (ô).]

tubos *S. m. pl.* Us. na expr. *Os tubos*. ~ V. *tubo*. ◆ **Os tubos.** *Bras. Gír.* Muito dinheiro: 📄 *Gasta os tubos com a casa; Aquele carro custou os tubos*. [Cf. *dinheiro* (5).]

tubu *S. 2 g.* **1.** *Etnôn.* Indivíduo dos tubus, povo negro cameleiro e embuçado, que nomadiza no Saara (África). ● *Adj. 2 g.* **2.** De, pertencente ou relativo a esse povo.

tubulação [De **tubular* (< *tubul(i)-* + *-ar*[2]) + *-ção*.] *S. f.* **1.** Colocação de tubos. **2.** Tubagem (1). **3.** *Arquit. Constr.* Sistema de tubos para passagem e distribuição de água, gás, eletricidade, etc.; canalização. ◆ **Entrar pela tubulação.** *Bras. Gír.* V. *entrar pelo cano*.

tubulado [Do lat. *tubulatu*.] *Adj.* V. *tubiforme*.

tubuladura [De **tubular* (v. *tubulação*) + *-dura*.] *S. f.* Abertura num vaso à qual se adapta uma rolha, e que servirá, por sua vez, para a adaptação de um tubo; tubulura.

tubulão [De *tubul(i)-* + *-ão*[1].] *S. m. Bras.* **1.** *Mar.* Cada um dos grandes reservatórios de água, ou de água e vapor, existentes nas caldeiras aquatubulares, e destinados a conter os mencionados fluidos e a fazer a distribuição deles pelo feixe tubular que liga tais reservatórios. **2.** Tubo de grande diâmetro. **3.** *Constr.* Fôrma para concretagem de colunas de sustentação de sapatas de fundação.

tubular [De *tubul(i)-* + *-ar*[1].] *Adj. 2 g.* **1.** V. *tubiforme*: 📖 "Melancolia de olhos fundos, profundos, tubulares" (Pontes de Miranda, *Obras Literárias*, p. 506). **2.** Que tem tubuladuras. **3.** *Bot.* Tubuloso (3).

tubulária [De *tubul(i)-* + *-ária*; tax. *Tubularia*.] *S. f. Zool.* **1.** Gênero de cnidários hidrozoários, hidroides, que reúne pólipos antozoários. **2.** Espécie ou espécime desse gênero.

▲**tubul(i)-** [Do lat. *tubŭlus, i* < lat. *tubus, i*.] *El. comp.* = 'tubo', 'pequeno tubo'; 'túbulo': *tubulifloro, tubulão*. [V. *tubi-*.]

tubulidentado (tù) [Adapt. do tax. *Tubulidentata*.] *Zool. S. m.* **1.** Espécime dos tubulidentados, ordem de mamíferos que encerra uma única família, a dos oricteropodídeos, cujo representante é o orictéropo. ● *Adj.* **2.** Pertencente ou relativo a eles.

tubulífero[1] [De *tubul(i)-* + *-fero*.] *Adj. Zool.* Que apresenta na superfície uma multidão de pequenos tubos, como certas esponjas.

tubulífero[2] [Adapt. do tax. *Tubulifera*.] *Zool. S. m.* **1.** Espécime dos tubulíferos, subordem de insetos tisanópteros cujas fêmeas são desprovidas de ovopositor e depositam seus ovos na superfície de plantas. Apresentam vários estágios de pré-pupa na metamorfose. ● *Adj.* **2.** Pertencente ou relativo a eles.

tubulifloro (tù) [De *tubul(i)-* + *-floro*.] *Adj. Bot.* Que tem flores de corolas tubulosas.

tubuliforme (tù) [De *tubul(i)-* + *-forme*.] *Adj. 2 g.* Que tem a forma de pequeno tubo.

tubulina [De *tubul(i)-* + *-ina*[1].] *S. f. Bioquím.* Proteína encontrada nas células dos eucariotos, capaz de associar-se espontaneamente em microtúbulos.

túbulo [Do lat. *tubulu*.] *S. m.* Pequeno tubo; tubinho, tubozinho.

tubuloso (ô) [De *tubul(i)-* + *-oso*.] *Adj.* **1.** V. *tubiforme*. **2.** Constituído por um tubo. **3.** *Bot.* Que tem tubo comprido; tubular: 📄 *cálice tubuloso*. ~ V. *folha —a.*

tubulura [Do fr. *tubulure*.] *S. f.* Tubuladura.

tubuna [Do tupi = 'abelha preta'.] *S. f.* **1.** *Bras. Zool.* Abelha meliponínea (*Scaptotrigona bipunctata*) que ocorre do México ao S. do Brasil; é agressiva, quando molestada, e constrói a entrada da colmeia em forma de funil. [Sin.: *sanharão, tibuna*.] **2.** *Bras. RS* V. *cuera*.

tucanaboia (ói) [Do tupi = 'cobra tucano'.] *S. f. Bras. Zool.* Reptil ofídio, colubrídeo (*Oxybelis argenteus*), da Amaz. e Paraguai. Tem coloração parda, pálida ou avermelhada, com tons cinza, com três linhas longitudinais, das quais a mais externa se estende até

T

o focinho, através dos olhos; lábio superior branco; garganta cinza-azulada, com pontos pretos, lado inferior amarelado, com duas faixas, e uma linha mediana da mesma cor. ❖

tucanaçu [De *tucano* + *-açu*.] *S. m. Bras. Zool.* V. *tucanuçu*.

tucana-tapuia *Bras. S. 2 g.* **1.** *Etnôn.* Indivíduo dos tucanas-tapuias [ou (etnôn. bras.) *Tukána-tapuya], povo indígena extinto, da família linguística tucano, que habitava as margens dos rios Tiquié e Uaupés, na região do alto rio Negro (AM). ● *Adj. 2 g.* **2.** Pertencente ou relativo a esse povo. [Pl.: *tucanas-tapuias*.]

tucanense *Adj. 2 g.* **1.** De, ou pertencente ou relativo a Tucano (BA). ● *S. 2 g.* **2.** O natural ou habitante de Tucano.

tucani *S. m. Bras. Zool.* V. *araçari* (1).

tucaniei *S. m. Bras. Bot.* V. *açaí* (1).

tucaninho [Dim. de *tucano*.] *S. m. Bras. Zool.* V. *araçari* (1).

tucanivar [Do tupi.] *S. m. Bras.* Colar de penas usado pelas índias do povo caapor.

tucano[1] [Do tupi.] *S. m.* **1.** *Bras. Zool.* Ave piciforme, ranfastídea, da qual há quatro espécies brasileiras reunidas no gênero *Ramphastos*, tendo *R. monolis* seis subespécies. Alimentam-se de pequenos frutos e, não raro, pilham ninhos de outras aves. São sociais, e vivem em pequenos bandos. **2.** *Astr.* Constelação austral ao S. da Fênix e do Grou, a E. do Índio, a O. da Hidra e ao N. do Oitante. [Com cap., nesta acepç.] **3.** Partidário ou simpatizante do PSDB (Partido da Social Democracia Brasileira), partido que tem esta ave como símbolo. ● *Adj.* **4.** Relativo ao, ou que é partidário ou simpatizante do PSDB.

tucano[2] *Bras. S. 2 g.* **1.** *Etnôn.* Indivíduo dos tucanos [ou (etnôn. bras.) *Tukano], povo indígena da família linguística tucano, que habita a região do alto rio Negro, conhecida como Boca do Cachorro (AM) e parte da Colômbia. ● *S. m.* **2.** *Gloss.* Família linguística à qual pertencem vários povos indígenas que habitam a região do alto rio Negro, no Brasil e na Colômbia. **3.** Vocábulo do tucano[2] (2). ● *Adj. 2 g.* **4.** Pertencente ou relativo a esse povo.

tucano-boi *S. m. Bras. RS Zool.* V. *tucanuçu*. [Pl.: *tucanos-bois* e *tucanos-boi*.]

tucano-cachorrinho *S. m. Bras. Zool.* V. *tucano-de-peito-branco*. [Pl.: *tucanos-cachorrinhos* e *tucanos-cachorrinho*.]

tucano-de-bico-preto *S. m. Bras. Zool.* Ave piciforme, ranfastídea (*Ramphastos vitellinus*), do N. e L. do Brasil. Coloração preta; garganta e pele nua em volta dos olhos, alaranjadas; fita peitoral, crisso e coberteiras superiores da cauda vermelhos; bico preto, com base verde-amarelada. [Pl.: *tucanos-de-bico-preto*.]

tucano-de-bico-verde *S. m. Bras. MG Zool.* Ave piciforme, ranfastídea (*Ramphastos dicolorus*), do S.E. do Brasil, de coloração preta, pescoço amarelo carregado, peito e crisso vermelhos, bico verde com região enegrecida na base. Vive nas matas, e alimenta-se de frutas em geral. [Sin.: *tucano-de-peito-amarelo, tucano-do-peito-amarelo*. Pl.: *tucanos-de-bico-verde*.]

tucano-de-peito-amarelo *S. m. Bras. Zool.* V. *tucano-de-bico-verde*. [Pl.: *tucanos-de-peito-amarelo*.]

tucano-de-peito-branco *S. m. Bras. Zool.* Ave piciforme, ranfastídea (*Ramphastos m. monilis*), da Amaz. Coloração preta, com coberteiras superiores da cauda amarelas; crisso vermelho; garganta branca marginada de vermelho; bico vermelho-escuro e base verde-amarelada; pele nua em volta do olho; pés azuis. [Sin.: *tucano-do-peito-branco, tucano-cachorrinho, pia-pouco, quirina*. Pl.: *tucanos-de-peito-branco*.]

tucano-do-peito-amarelo *S. m. Bras. Zool.* V. *tucano-de-bico-verde*. [Pl.: *tucanos-do-peito-amarelo*.]

tucano-do-peito-branco *S. m. Bras. Zool.* V. *tucano-de-peito-branco*. [Pl.: *tucanos-do-peito-branco*.]

tucano-grande *S. m. Bras. Zool.* V. *tucanuçu*. [Pl.: *tucanos-grandes*.]

tucanuçu [Do tupi.] *S. m. Bras. Zool.* Ave piciforme, ranfastídea (*Ramphastos toco*), distribuída por quase todo o País, sobretudo na região dos cerrados. Tem coloração preta, uropígio e garganta brancos, esta marginada estreitamente de vermelho, crisso dessa cor, e bico alaranjado com ponta preta. [Var.: *tucanaçu*; sin.: *tucano-boi, tucano-grande*.]

tucanuí *S. m. Bras. Zool.* V. *araçari* (1).

tucão [De *tucano*, poss.] *S. m. Bras. RS Zool.* Designação comum a duas aves passeriformes, tiranídeas (*Elaenia mesoleuca* e *E. obscura sordida*), do Brasil este-meridional e sudeste. São aves de coloração bruna, com ornatos amarelados e barriga brancacenta, e se alimentam de insetos. [Sin. (SP): *guaracava, guracava*.]

tucho *S. m. Bras. Autom.* Peça de aço, cilíndrica, cuja função é transmitir à válvula o movimento proporcionado pelo excêntrico do virabrequim.

tuco *S. m. Bras. RS* Homem que trabalha na conservação do leito de estrada de ferro, removendo terra.

tucolor (ôr) *S. 2 g.* **1.** *Etnôn.* Indivíduo dos tucolores, povo que habita no Tacrur, ao S. do médio rio Senegal (África). ● *Adj. 2 g.* **2.** Pertencente ou relativo aos tucolores ou ao Tacrur.

tuco-tuco [Do tupi.] *S. m. Bras. Zool.* Mamífero roedor, ctenomídeo, gênero *Ctnenomys*, com uma espécie em MG, a *C. brasiliensis*, duas em MT e duas outras no RS, Argentina e Uruguai. Da presença de cerdas laterais pectíneas na palma do pé e da mão vem a denominação genérica de *rato-de-pentes*. A cauda é muito curta, não alcançando a metade do comprimento da cabeça e corpo juntos; pescoço musculoso, unhas fortes. Os tuco-tucos vivem em galerias superficiais, emitem um som especial, que lhes motivou o nome comum; alimentam-se de ervas e frutos silvestres. [Sin.: *curu-curu, rato-de-pentes*. Pl.: *tuco-tucos*.]

tucujá [Do tupi.] *S. m. Bras. Amaz. Bot.* Árvore apocinácea (*Zachokkea arborescens*) da floresta pluvial, cuja madeira é branca e mole, e cujos frutos são bagas amarelas, doces e comestíveis, servindo o látex, abundante, para pegar pássaros; molongó.

tucuju *Bras. S. 2 g.* **1.** *Etnôn.* Indivíduo dos tucujus, povo indígena extinto que habitava a foz do rio Vila Nova (AP). ● *Adj. 2 g.* **2.** Pertencente ou relativo a esse povo. [Tb. us. como *s. 2 g. e 2 n.* (com cap.) e *adj. 2 g. e 2 n.*]

tucum [Do tupi.] *S. m. Bras. Bot.* **1.** Nome comum a várias palmeiras arecáceas dos gêneros *Astrocaryum* (v. *astrocário*) e *Bactris* (v. *báctris*), nativas do Brasil e de países vizinhos, que fornecem fibras e frutos ger. comestíveis; tucunzeiro. [Sin.: *tucunzeiro*.] **2.** Palmeira arecácea (*Astrocaryum vulgare*) entouceirada e espinhosa, nativa do Brasil, Colômbia, Peru e Guianas, de grandes folhas, frutos elipsoides com polpa amarelo-alaranjada, edules, e que fornece palmito; aiará, avará, coqueiro-tucum, cumari, cumarim, cumbari, cumbarim, tucumã, tucumã-piranga, tucum-bravo, tucum-do-amazonas. **3.** V. *tucumã* (2). **4.** Palmeira arecácea (*Bactris lindmanniana*) nativa do S. do Brasil, de estipe espinhoso e frutos pretos, cultivada pelo palmito, pela fibra das folhas, e pelos frutos e sementes comestíveis; coqueiro-tucumã, tecuma. [Var.: *tecum, ticum*.]

tucumã [Do tupi.] *S. m. Bras. Bot.* **1.** V. *tucum* (2). **2.** Palmeira arecácea (*Astrocaryum aculeatum* ou *A. tucuma*) de até 20m, nativa desde a Colômbia e Pequenas Antilhas até o N. do Brasil, ger. solitária, de estipe espinhoso, folhas ascendentes, inflorescências eretas, frutos edules, amarelo-avermelhadas, e que é explorada pelo palmito e frutos, pelo óleo das sementes, de uso culinário, e pela fibra das folhas, us. na feitura de redes e cordas. [Sin.: *acaiúra, acuiuru, coqueiro-tucumã, tucum, tucumã-açu, tucumã-arara, tucumãí-da-terra-firme, tucumãí-uaçu, tucumã-piririca, tucumã-purupuru, tucum-do-mato*.] **3.** *Zool.* Certo cágado da região do rio Tocantins. ● *Adj. 2 g.* **4.** *Bras. Bot.* Diz-se da mandioca de tronco vermelho.

tucumã-açu [De *tucumã* + *-açu*.] *S. m. Bras. Bot.* V. *tucumã* (2). [Pl.: *tucumãs-açus*.]

tucumã-arara *S. m. Bras. Bot.* V. *tucumã* (2). [Pl.: *tucumãs-araras* e *tucumãs-arara*.]

tucumaense *S. 2 g. Adj. 2 g.* V. *tucumãense*.

tucumãense *Adj. 2 g.* **1.** De, ou pertencente ou relativo a Tucumã (PA). ● *S. 2 g.* **2.** O natural ou habitante de Tucumã. [Var. desnasalada: *tucumaense*.]

tucumãí [Do tupi = 'tucumã pequeno'.] *S. m. Bras. Bot.* Palmeira arecácea (*Astrocaryum acaule*) nativa da Colômbia, Brasil e Guianas, de estipe curto ou subterrâneo, ou acaule, de folhas penadas, pecíolos cobertos de espinhos finos e pequenos, e frutos globosos, avermelhados quando maduros; as folhas fornecem fibras, e os frutos têm polpa suculenta. [Sin.: *jarivá, javira, tucumãí-da-várzea, tucum-de-rede*.]

tucumãí-da-terra-firme *S. m. Bras. Bot.* V. *tucumã* (2). [Pl.: *tucumãís-da-terra-firme*.]

tucumãí-da-várzea *S. f. Bras. Bot.* V. *tucumãí*. [Pl.: *tucumãís-da-várzea*.]

tucumãí-uaçu [De *tucumã* + *-uaçu*.] *S. m. Bras. Bot.* V. *tucumã* (2). [Pl.: *tucumãís-uaçu*.]

tucumanfede *Bras. S. 2 g.* **1.** *Etnôn.* Indivíduo dos tucumanfedes [ou (etnôn. bras.) *Tukumãféd, *Tukumãfét], povo indígena extinto, do tronco linguístico tupi, que habitava a cabeceira do rio Branco (RO). ● *Adj. 2 g.* **2.** Pertencente ou relativo a esse povo.

tucumano *Adj. 2 g.* **1.** De, ou pertencente ou relativo a Tucumã (cidade ou província da Argentina). ● *S. 2 g.* **2.** O natural ou habitante de Tucumã.

tucumã-piranga [De *tucumã* + *piranga*[2].] *S. m. Bras. Bot.* V. *tucum* (2). [Pl.: *tucumãs-pirangas*.]

tucumã-piririca *S. m. Bras. Bot.* V. *tucumã* (2). [Pl.: *tucumãs-piriricas* e *tucumãs-piririca*.]

tucumã-purupuru *S. m. Bras. Bot.* V. *tucumã* (2). [Pl.: *tucumãs-purupurus* e *tucumãs-purupuru*.]

tucum-bravo *S. m. Bras. Bot.* V. *tucum* (2). [Pl.: *tucuns-bravos*.]

tucum-de-rede *S. f. Bras. Bot.* V. *tucumãí*. [Pl.: *tucuns-de-rede*.]

tucum-diapá *Bras. S. 2 g.* **1.** *Etnôn.* Indivíduo dos tucuns-diapás [ou (etnôn. bras.) *Tukun-dyapá], povo indígena extinto, da família linguística catuquina, que habitava a margem esquerda do rio Juruá (AM). ● *Adj. 2 g.* **2.** Pertencente ou relativo a esse povo. [Pl.: *tucuns-diapás*.]

tucum-do-amazonas [De *tucum* + *do*[1] + o top. *Amazonas*.] *S. m. Bras. Bot.* V. *tucum* (2). [Pl.: *tucuns-do-amazonas*.]

tucum-do-mato *S. m. Bras. Bot.* V. *tucumã* (2). [Pl.: *tucuns-do-mato*.]

tucum-preto *S. m. Bras. Bot.* V. *airimirim*. [Pl.: *tucuns-pretos*.]

tucunaré [Do tupi.] *S. m.* **1.** *Bras. Zool.* Peixe actinopterígio, perciforme, ciclídeo (*Cichla ocellaris*), da Amaz., de coloração prateada, carregada de pigmento cor de sépia no dorso, com três barras transversais equidistantes sobre os flancos, nadadeira dorsal escura com manchas circulares amarelo-brancacentas, e ocelo negro marginado de amarelo na base da nadadeira caudal. [Sin.: *lacunari, lucunari, tucunaretinga*.] **2.** *Bras. Zool.* Peixe actinopterígio, perciforme, ciclídeo (*C. temensis*), que se diferencia do primeiro pela ausência das faixas transversais, substituídas por uma única longitudinal, em toda a extensão do corpo. Atinge até 60cm, tem carne excelente, e é utilizado em piscicultura. Constitui pesca esportiva de linha altamente apreciada. [Sin.: *tucunaré-pinima, tucunaré-putanga, sarabiana*.] **3.** *Bras. Amaz. Bot.* Arbusto fabáceo (*Drepanocarpus paludicola*) dos terrenos inundados, que se caracteriza pelos folíolos muito numerosos e pequenos, e cujo fruto é um legume indeiscente e coriáceo, com uma semente. **4.** Certa embarcação da Amazônia.

tucunaré-mereçá *S. m. Bras. Amaz. Bot.* Arvoreta melastomatácea (*Mouriria grandiflora*) das várzeas do rio Amazonas, de folhas coriáceas peninérveas, flores vistosas e frutos que, embora insípidos, podem ser ingeridos. [Pl.: *tucunarés-mereçás* e *tucunarés-mereçá*.]

tucunaré-pinima *S. m. Bras. Amaz. Zool.* V. *tucunaré* (2). [Pl.: *tucunarés-pinimas*.]

tucunaré-putanga *S. m. Bras. Zool.* V. *tucunaré* (2). [Pl.: *tucunarés-putangas*.]

tucunaretinga (narè) *S. m. Bras. Zool.* V. *tucunaré* (1).

tucunduvense *Adj. 2 g.* **1.** De, ou pertencente ou relativo a Tucunduva (RS). ● *S. 2 g.* **2.** O natural ou habitante de Tucunduva.

tucunzal [De *tucum* (1) + *-zal*.] *S. m.* **1.** *Bras. N.E.* Quantidade mais ou menos considerável de tucuns dispostos proximamente entre si. **2.** Área ocupada por tucunzal (1).

tucunzeiro [De *tucum* + *-zeiro*.] *S. m. Bras. Bot.* Tucum (1).

tucupi [Do tupi = 'destilado'.] *S. m. Bras. Amaz. Cul.* Tempero e molho de manipueira com pimenta.

tucupipora [Do tupi = 'em que há tucupi'.] *S. m. Bras. AM Cul.* A comida deixada de molho no tucupi.

tucura [Do tupi.] *S. f.* **1.** *Bras. RS Zool.* V. *gafanhoto* (1). [Var.: *ticura*.] **2.** *Bras. AM* Beijos amiudados. ◆ **Fazer tucura.** Dar beijos curtos e repetidos.

tucuri [Var. de *tacuru*, do tupi.] *S. m. Bras. RS* V. *cupim* (2).

tucuruiense (u-i) *Adj. 2 g.* **1.** De, ou pertencente ou relativo a Tucuruí (PA). ● *S. 2 g.* **2.** O natural ou habitante de Tucuruí.

tucuruva [Do tupi.] *S. m. Bras. SP* Cupinzeiro abandonado pelos insetos que o construíram.

tucuxi [Do caraíba.] *S. m. Bras. Amaz. Zool.* Denominação de dois mamíferos cetáceos, delfinídeos (*Sotalia fluviatilis* e *S. pallida*), menores que o boto-branco; têm o dorso escuro, e lado ventral pardo-violáceo. Ocorrem nas costas da América do Sul e na bacia dos rios Amazonas e Orinoco. Atualmente são classificados entre os esteniídeos, com o que não concordam muitos zoólogos. [Sin.: *boto-tucuxi, boto-preto, pirajaguara*.]

▲**-(t)ude** [Do lat. *-tudĭne*, por via semierudita.] *Suf. nom.* formador de substantivos abstratos, ger. a partir de adjetivos = 'qualidade', 'modo de ser', 'propriedade', 'estado': *concretude, finitude, ilicitude, insuetude* (< lat.), *licitude, mansuetude* (< lat.), *requietude*. [Equiv.: *-itude, -idão*: *amplitude* (< lat.), *angelitude, concretitude, excelsitude, firmitude* (< lat.); *mansidão* (< lat.), *servidão* (< lat.), *sofreguidão*.]

tudel [Do esp. *tudel*.] *S. m.* Tubo de metal, recurvado e de comprimento variável, no qual se coloca a palheta de certos instrumentos, como, p. ex., o fagote, o saxofone e o corne-inglês. [Pl.: *tudéis*.]

tudense [Do lat. *tudense*.] ***Adj. 2 g.*** **1.** De, ou pertencente ou relativo a Tui (Espanha). ● ***S. 2 g.*** **2.** O natural ou habitante de Tui.

tudesco (ê) [Do ant. alto-al. *thiutisk, diutisc*, 'popular', em oposição a 'erudito' (al. mod. *deutsch*), pelo lat. med. *theudiscus* e pelo fr. *tudesque* ou do esp. *tudesco*.] ***Adj.*** **1.** Relativo aos, ou próprio dos antigos germanos. ● ***S. m.*** **2.** *Gloss.* A língua alemã. **3.** Vocábulo dessa língua. [F. paral.: *tedesco*.]

tudo [Do lat. *totu*.] ***Pron. indef.*** **1.** A totalidade das coisas e/ou animais e/ou pessoas: "Tudo que existe é imaculado e é santo!" (Guerra Junqueiro, *A Velhice do Padre Eterno*, p. 174); "Teu corpo é tudo o que cheira... / Rosa... flor de laranjeira..." (Manuel Bandeira, *Poesia e Prosa*, I, p. 44); "Tudo tristonho vive: a cachoeira, / A ave, a montanha e o lago." (João Ribeiro, *Versos*, p. 97). **2.** A totalidade das coisas e/ou animais e/ou pessoas de que se trata: "falamos de tudo, menos de Carmélia." (Ciro dos Anjos, *O Amanuense Belmiro*, p. 78); "Quanta dor, quanto amor, quantos carinhos, / Quanta noite perdida / Nem eu sei... / E tudo, tudo em vão!" (Guerra Junqueiro, *A Velhice do Padre Eterno*, p. 166). **3.** Todas as coisas: "Tudo o que de mim se perde / acrescenta-se ao que sou." (Tiago de Melo, *Vento Geral*, p. 131); "Tudo o que te venho dando / é pouco, eu sei, muito pouco." (Id., *ib.*, p. 32). **4.** Todas as pessoas de quem se trata; todos: "e os amigos sem nome (tantos), / em alegria companheira, / tudo se junta, oferecendo-se, / numa rosa, a Manuel Bandeira." (Carlos Drummond de Andrade, *José & Outros*, p. 111). [Como se vê de alguns dos exemplos citados, usa-se indiferentemente *tudo que* ou *tudo o que*. Cf. *todo* e *todos*.] **5.** Coisa essencial, fundamental: *O conhecimento da língua é tudo.*

tudo-nada ***S. m.*** Pequeníssima porção; quase nada; insignificância: "Todas as fidalgas que eu servi se divertiam o seu tudo-nada." (Camilo Castelo Branco, *A Mulher Fatal*, p. 61.) [Pl.: *tudos-nadas* e *tudo-nadas*.] ◆ **Por um tudo-nada.** V. *por um triz* (1).

tufa ***S. m.*** *Bras. MG Pop.* V. *valentão* (3).

tufado [Part. de *tufar*.] ***Adj.*** Cujo volume foi aumentado; avolumado, inchado, intumescido.

tufão [Do ár. *ṭūfān*, 'inundação', 'dilúvio', 'cataclismo'.] ***S. m.*** **1.** Ciclone (2) que se forma nas regiões O. e N. do Pacífico, e S. do mar da China. [Cf. *furacão* e *tornado*.] **2.** Vento fortíssimo e tempestuoso; vendaval. **3.** V. *pé de vento* (2).

tufar[1] [De *tufo*[1] + *-ar*[2].] ***V. t. d.*** **1.** Dar forma de tufo[1] a. **2.** Tomar a forma de tufo[1].

tufar[2] [Do port. ant. **tufo* (< lat. vulg. **tufu* < lat. *typhus*, 'inchação'; 'orgulho', gr. *tŷphos*, 'fumaça'; 'vapor'; 'febre'; 'soberba') + *-ar*[2].] ***V. t. d.*** **1.** Aumentar o volume de; inchar, inflar: "Erguia a cabeça na rede, tufava a boca para imitar o ronco do jacaré." (Dalcídio Jurandir, *Três Casas e Um Rio*, p. 23.) **2.** Envaidecer, enfunar, entufar. ***Int.*** **3.** Inchar(-se), intumescer(-se). **4.** Tornar-se mais grosso ou mais alto. **5.** Inchar-se, envaidecer-se, ensoberbecer-se, enfatuar-se, enfunar-se, tufar-se. **6.** *Bras.* Ficar de mau humor; amuar-se. ***P.*** **7.** Estufar (4).

tufo[1] [Do fr. *touffe*.] ***S. m.*** **1.** Porção de plantas, flores, penas, pelos, juntos, de per si: "Baixinho e seco, curvado em gancho, carapinha em maçarocas, ralas falripas de bigode amarelo de sarro, tufos de barba híspidos como parasitas, este era Sabino" (Coelho Neto, *Banzo*, p. 9). **2.** Velo aberto. **3.** Montículo, proeminência. **4.** Saliência formada pelo tecido num vestuário; papo. **5.** Certo utensílio de espingardeiro. **6.** Certo utensílio de ferreiro. **7.** Válvula de ferro, nos fornos de fundição. **8.** *Marinh.* Pino de ferro ou de madeira que atravessa a manilha e o cavirão para impedir que este saia do seu lugar.

tufo[2] [Do lat. *tufu*, f. dialetal de *tofu*.] ***S. m.*** **1.** Denominação ambígua dada aos calcários com grandes poros, gerados por fontes de águas ricas em bicarbonato de cálcio. **2.** Qualquer dos produtos de projeção vulcânica que se hajam consolidado.

tufoso (ô) [De *tufo*[1] + *-oso*.] ***Adj.*** **1.** Que tem forma de tufo[1]. **2.** Vaidoso, arrogante, entufado.

tuga [De *portuga*, com aférese.] ***Adj. 2 g. S. 2 g.*** *Afric. Deprec.* Português: "não era um colonialista, não era um vendido ao inimigo, não era um criado do tuga." (Pepetela, *As Aventuras de Ngunga*, p. 119).

tugido [De *tugir* + *-ido*[1].] ***S. m.*** Ato de tugir.

tugir [De or. obscura.] ***V. int.*** **1.** Falar baixinho. **2.** Dar sinal de si: "A aterrada menina ergueu-se, e Januário fez uma maquinal cortesia à velha, que não podia tugir, ofegante de cansaço e cólera." (Camilo Castelo Branco, *Doze Casamentos Felizes*, p. 113.) ***T. d.*** **3.** Dizer em voz baixa; murmurar. [Defect., não conjugável nas f. em que ao *g* do radical, transformado em *j*, se seguir *o*, ou *a*.] ◆ **Sem tugir nem mugir.** Sem dizer palavra: "Depois pôs-se a fiar, sem tugir nem mugir." (Júlio Brandão, *Contos Escolhidos*, p. 180.)

tugue [Do hind. *thag*, 'embusteiro', 'velhaco', pelo ingl. *thug*.] ***S. m.*** **1.** Membro de uma seita religiosa da Índia que, em honra da deusa Cáli, praticava sacrifícios humanos. [Considera-se que os tugues foram exterminados, de 1828 a 1835, pelo então governador-geral, Lorde William Bentinck (1774-1839).] **2.** *Pop.* Indivíduo sanguinário.

tugurense ***Adj. 2 g.*** **1.** De, ou pertencente ou relativo a Santa Bárbara do Tugúrio (MG). ● ***S. 2 g.*** **2.** O natural ou habitante de Santa Bárbara do Tugúrio.

tugúrio [Do lat. *tuguriu*.] ***S. m.*** **1.** V. *cabana*. **2.** *P. ext.* Refúgio, abrigo.

tuí[1] [Do tupi.] ***S. m.*** *Bras. Zool.* V. *tuim*. [Cf. *Tui*, top.]

tuí[2] [Do top. *Tui*.] ***S. m.*** *Gloss.* **1.** V. *acã* (1). **2.** Vocábulo do tuí (1).

tuia[1] [Do tax. *Thuja*.] ***S. f.*** **1.** *Bot.* Gênero de árvores e arbustos cupressáceos, sempre-verdes, coníferos, de pequenas folhas escamiformes, e flores e frutos pouco aparentes. **2.** *Bot.* Qualquer espécie desse gênero, como, p. ex., a *Thuja occidentalis* (v. *árvore-da-vida*). **3.** *Bot.* Qualquer espécime desse gênero. **4.** O óleo essencial extraído das diversas espécies da tuia.

tuia[2] [Do ior., poss.] ***S. f.*** *Etnogr.* Fundanga.

tuia-da-china [De *tuia*[1] + *da*[1] + o top. *China*.] ***S. f.*** *Bot.* V. *cipreste* (6). [Pl.: *tuias-da-china*.]

tuia-gigante ***S. f.*** *Bot.* Cipreste (7). [Pl.: *tuias-gigantes*.]

tuição (u-i) [Do lat. *tuitione*.] ***S. f.*** *Jur.* Ato de defender ou patrocinar; defesa judicial.

tuidara (u-i) ***S. f.*** *Bras. Zool.* V. *suindara*.

tuietê (u-i) [Do tupi.] ***S. m.*** *Bras. Zool.* V. *tuim*.

tuijuva (u-i) [Do tupi.] ***S. f.*** *Bras. Bot.* V. *bagaceira*[2].

tuim (u-ím) [Var. nasalada de *tuí*[1].] ***S. m.*** *Bras. Zool.* Ave psitaciforme, psitacídea (*Forpus passerinus vividus*), do N. da Argentina, Paraguai, C.O. e E. do Brasil. Tem coloração geral verde, mais clara inferiormente, com uropígio e dorso inferior azul-vivos, e coberteiras da asa azuis. A fêmea não tem cor azul. Vive em bandos, nidifica em ocos de pau e até em casa de joão-de-barro, e alimenta-se de frutas e sementes. É o menor periquito brasileiro. [Sin.: *tiú, tuietê, tuitirica, tuiuti, cuiuba, coió-coió, cu-cosido, cu-tapado, bate-cu, quilim, periquitinho, periquito-vassoura*.]

tuimaitaca (u-i) ***S. f.*** *Bras. Zool.* V. *cuiú-cuiú* (1).

tuindá (u-in) ***S. f.*** *Bras. Zool.* V. *suindara*.

tuipara (u-i) ***S. f.*** *Bras. Zool.* Ave psitaciforme, psitacídea (*Brotogeris tuipara*), do PA e do N. do MA, de coloração verde, fronte, mento e coberteiras das rêmiges da mão alaranjado-vivos e rêmiges azuis marginadas de verde.

tuíra [Do tupi = 'pardo', 'roxo'.] ***Adj. 2 g.*** *Bras. N.* Cinzento despolido; preto desbotado; ruço, pardo.

tuiroca (u-i) [Do tupi, poss.] ***S. f.*** *Bras. AM* A tinguijada que se faz nos solapos.

tuíste [Do ingl. *twist*.] ***S. m.*** Dança surgida na década de 1960 nos E.U.A., caracterizada por um acentuado movimento de rotação do corpo, esp. das pernas e dos quadris.

tuitar [Do ingl. *twitt(er)* + *-ar*[2].] ***V. int.*** **1.** Postar no *twitter* comentários, informações, fotos, etc. ger. de caráter pessoal ou institucional. **2.** Acompanhar os fatos, ideias, informações, etc. registrados por alguém em seu *twitter*. [Conjug.: v. *ajuizar*.]

tuitirica (u-i) ***S. m.*** *Bras. Zool.* V. *tuim*.

tuitivo (u-i) [Do lat. *tuitus*, part. pass. de *tueri*, 'defender', + *-ivo*.] ***Adj.*** **1.** Que defende ou protege. **2.** Próprio para defesa.

tuiú ***S. m.*** *Bras. Zool.* V. *cuiú-cuiú* (3 e 4).

tuiuca (u-i-ú.) *Bras.* ***S. 2 g.*** **1.** *Etnôn.* Indivíduo dos tuiucas [ou (etnôn. bras.) *Tuyuca], povo indígena da família linguística tucano, que habita na região do alto rio Negro (AM) e na Colômbia. ● ***Adj. 2 g.*** **2.** Pertencente ou relativo a esse povo. ❖

tuiuguaçu (ui-u) [De *tuiuiú* + *-guaçu*, com síncope.] ***S. m.*** *Bras. Zool.* V. *tuiuiú*.

tuiuiú (ui-ui) [Do caraíba.] ***S. m.*** *Bras. Zool.* Ave ciconiiforme, ciconiídea (*Jabiru mycteria*), que ocorre do México ao N. da Argentina. Coloração branca, com parte da pele nua da garganta avermelhada, e a da cabeça acinzentada. [Sin.: *tuiuguaçu, tuiupara, tuiú-quarteleiro, jabiru, jaburu, rei-dos-tuiuiús*.]

tuiupara (ui-u) [Do tupi.] ***S. m.*** *Bras. Zool.* V. *tuiuiú*.

tuiú-quarteleiro ***S. m.*** *Bras. Zool.* V. *tuiuiú*. [Pl.: *tuiús-quarteleiros*.]

tuiuti (ui-u) ***S. m.*** *Bras. Zool.* V. *tuim*.

tuiuva (ui-ú.) ***S. f.*** *Bras. Zool.* V. *tujuba*. ❖

tuixiriri (u-i) ***S. m.*** *Bras. Zool.* Periquito[1] (1).

tuja [Do tax. *Thuja*.] ***S. f.*** *Bot.* Tuia[1] (1 a 3).

tujano [Do tax. *Thuja* (v. *tuia*[1]) + *-ano*[2].] ***S. m.*** *Quím.* Hidrocarboneto bicíclico, monoterpenoide, saturado que contém um anel de três e outro de cinco átomos, com um lado em comum [fórm.: $C_{10}H_{18}$].

tujeno [Do tax. *Thuja* (v. *tuia*[1]) + *-eno*[2].] ***S. m.*** *Quím.* Qualquer de certos monoterpenos bicíclicos, insaturados, com esqueleto como o do tuiano, que ocorrem em eucalipto e terebintina [fórm.: $C_{10}H_{16}$].

tuji [Do quimb.] ***S. f.*** *Angol.* Merda (1 e 2): "E vai dizer no teu comandante que é um comandante de tuji." (Manuel Rui, *Rioseco*, p. 232.)

tujona [Do tax. *Thuja* (v. *tuia*[1]) + *-ona*[2].] ***S. f.*** *Quím.* Cetona monoterpênica bicíclica saturada, derivada do tuieno, que ocorre na tuia e na sálvia [fórm.: $C_{10}H_{16}O$].

tujuba [Do tupi = 'abelha amarela'.] ***S. f.*** *Bras. Zool.* Abelha meliponínea (*Melipona rufiventris*) com cerca de 8mm de comprimento, de coloração geral negra com partes amarelo-avermelhadas e tórax coberto de pelos fulvos. Nidifica em ocos de árvores, sendo a entrada do ninho feita de barro. [Var.: *tujuva, teúba, tuiúva*. Sin.: *jandaíra, uruçu-amarela*.]

tujucada [De *tujuco* + *-ada*[1].] ***S. f.*** *Bras.* V. *tijucal*.

tujucal ***S. m.*** *Bras.* V. *tijucal*.

tujuco ***S. m.*** *Bras.* V. *tijuco*.

tujumirim [De or. tupi.] ***S. m.*** *Bras. Zool.* V. *mandaguari-amarelo*.

tujupar ***S. m.*** *Bras.* V. *tijupá* (1 a 4).

tujuva ***S. f.*** *Bras. Zool.* V. *tujuba*.

tujuveira [De *tujuva* + *-eira*.] ***S. f.*** *Bras. Zool.* V. *mirim-guaçu*.

tule [Do top. *Tule* (França).] ***S. m.*** *Tec. Têx.* Tecido sintético leve, fino e transparente, de textura semelhante ao da rede (1): "fitou vagamente o mosquiteiro de tule que tombava da armação do teto" (José-Augusto França, *Despedida Breve*, p. 196).

tulha ***S. f.*** **1.** Cova onde se aumenta e se comprime a azeitona, antes de ir para o lagar. **2.** Grande arca usada para guardar cereais. **3.** Celeiro: "o engenho de cana, a fábrica do café, tulhas de feijão e milho" (José de Alencar, *Til*, p. 31). **4.** *P. ext.* Montão de cereais. **5.** *Bras.* Eira ou terreno, normalmente cercado, onde se põem a secar os frutos colhidos.

túlio [Do lat. cient. mod. *Thulium* < top. *Thule*, ilha do oceano Ártico, + lat. cient. *-ium* (*-io*[3]).] ***S. m.*** *Quím.* Elemento de número atômico 69, metálico, pertencente aos lantanídeos [símb.: *Tm*].

tulipa [Do turco *tulbend*, 'turbante'; tax. *Tulipa*.] ***S. f.*** **1.** *Bot.* Grande gênero de plantas liliáceas, herbáceas, bulbosas, dotadas de folhas lineares ou lanceoladas e, ger., uma única flor, exuberante, com perianto de seis peças iguais e seis estames hipóginos. **2.** *Bot.* Qualquer espécie desse gênero, como, p. ex., a *Tulipa gesneriana*, muito apreciada como ornamental, de flores lanceoladas, onduladas, glaucas e pilosas, e flores grandes, campanuladas, inodoras, solitárias, de longos pedúnculos, e de rica e variada coloração, esp. de purpúrea a vermelha. **3.** *Bot.* Qualquer espécime desse gênero, ou a flor dele. **4.** Objeto cuja forma lembra a corola de uma tulipa (1): *um lustre com tulipas de cristal.* **5.** *Bras.* Copo alto e estreito, usado ger. para beber chope ou cerveja. **6.** *Bras. P. ext.* O conteúdo de um desses copos.

tulipáceo [De *tulipa* + *-áceo*[1].] ***Adj.*** Referente ou semelhante à tulipa.

tulipa-da-áfrica [De *tulipa* + *da*[1] + o top. *África*.] ***S. f.*** *Bot.* Árvore bignoniácea (*Spathodea campanulata*), nativa da África tropical, cultivada em outras regiões tropicais para arborização urbana. [Pl.: *tulipas-da-áfrica*.]

tulipa-do-cabo [De *tulipa* + *do*[1] + o top. *Cabo*.] ***S. f.*** *Bot.* V. *coroa-de-moçambique*. [Pl.: *tulipas-do-cabo*.]

tumba[1] [Do gr. *týmbos*, pelo lat. *tumba*.] ***S. f.*** **1.** Pedra sepulcral. **2.** V. *sepultura* (1): "descendo às criptas do Panteom para depor uns ramos de orquídeas sobre a tumba de Carnot" (Eça de Queirós, *Cartas Familiares e Bilhetes de Paris*, p. 190). **3.** V. *caixão* (2): "Foi através do incerto lusco-fusco / Buscar a tumba e erguê-la sobre o estrado, / Entre quatro brandões de cada lado." (Conde de Monsaraz, *Musa Alentejana*, p. 249.) **4.** *Encad.* Almofada de couro, abaulada, que o encadernador usa em certos trabalhos de douração das pastas. ● ***S. 2 g.*** **5.** Pessoa infeliz ou desastrada, especialmente no jogo; pessoa azarada.

tumba[2] ***S. f.*** No jogo do quino, ato de fazer as três quinas de um cartão.

tumbal [De *tumba*[1] + *-al*[1].] ***Adj. 2 g.*** Relativo a, ou próprio de tumba[1].

tumbança ***S. f.*** *Bras. CE Cul.* Iguaria preparada com o sumo do caju, a sua castanha assada e pilada, e açúcar. [F. paral.: *tubança*.]

tumbeiro[1] [De *tumba*[1] + *-eiro*.] ***Adj.*** **1.** Relativo a tumba[1]. ● ***S. m.*** **2.** Condutor de tumba[1] (3). **3.** Navio negreiro, em geral de pequeno porte (200 toneladas, ou menos, de deslocamento), que fazia o tráfico para o Brasil em condições tão precárias que grande parte da carga (30 a 40%) morria durante a viagem. "Disseram que o tumbeiro já estava preparado e que embarcaríamos naquele momento, as mulheres primeiro." (Ana Maria Gonçalves, *Um Defeito de Cor*, p. 42.) [Cf. *tombeiro*.]

tumbeiro[2] [Do esp. plat. *tumba*, 'carne de má qualidade', + *-eiro*.] ***Adj. S. m.*** *Bras. RS* Diz-se de, ou vagabundo que vive de estância em estância; parasito, gaudério. [Cf. *tombeiro*.]

tumbice [De *tumba*[1] + *-ice*.] *S. f. Fam.* Azar, caiporismo, sobretudo no jogo.

tumefação *S. f. Med.* Ato ou efeito de tumefazer(-se); inchação.

tumefacção *S. f. Med.* V. *tumefação*.

tumefaciente [Do lat. *tumefaciente*.] *Adj. 2 g.* Que tumefaz; tumeficante.

tumefacto [Do lat. *tumefactu*.] *Adj.* Inchado, intumescido, tumente. [Var.: *tumefato*.]

tumefato *Adj.* V. *tumefacto*.

tumefazer [Do lat. *tumefacere*.] *V. t. d. P.* Tornar(-se) túmido; intumescer(-se), tumeficar(-se). [Irreg. Conjug.: v. *fazer*.]

tumeficante [De *tumeficar* + *-nte*.] *Adj. 2 g.* Que tumefica; tumefaciente.

tumeficar [De *tume-*, como em *tumefazer*, + *-ficar*.] *V. t. d. P.* V. *tumefazer*. [Conjug.: v. *trancar*.]

tumente [Do lat. *tumente*.] *Adj. 2 g.* V. *tumefacto*.

tumescência [Do lat. *tumescentia*.] *S. f.* V. *intumescência*.

tumescente [Do lat. *tumescente*.] *Adj. 2 g.* V. *intumescente*.

tumescer [Do lat. *tumescere*.] *V. t. d. Int. P.* V. *intumescer*. [Conjug.: v. *crescer*.]

tumidez (ê) [De *túmido* + *-ez*.] *S. f.* **1.** Qualidade ou estado de túmido (1); inchação. **2.** Saliência, proeminência: "as carnes ondulantes da mais velha [das duas mulheres], o requebrado dos quadris, a tumidez dos seios atrevidos" (Viriato Correia, *Histórias Ásperas*, p. 96).

túmido [Do lat. *tumidu*.] *Adj.* **1.** V. *intumescente*. **2.** Saliente, proeminente: "Os olhos num delíquio... os rijos seios túmidos..." (Goulart de Andrade, *Poesias*, p. 151.) **3.** Grosso, dilatado. **4.** *Fig.* Cheio de si; vaidoso, arrogante, orgulhoso.

tumiritinguense *Adj. 2 g.* **1.** De, ou pertencente ou relativo a Tumiritinga (MG). ● *S. 2 g.* **2.** O natural ou habitante de Tumiritinga.

tumor (ô) [Do lat. *tumore*.] *S. m.* **1.** *Patol.* Qualquer aumento de volume desenvolvido em qualquer parte do corpo. **2.** *Patol. Restr.* Massa constituída pela multiplicação de células de tecido (5), sem a estrutura dos processos inflamatórios ou parasitários conhecidos. Pode ser maligno ou benigno, conforme apresente ou não tendência a estender-se, a produzir metástase(s) ou a recidivar após ablação. ◆ **Tumor benigno.** *Patol.* O que não invade tecidos [v. *tecido* (5)] em que se não originou e não produz metástase (3). **Tumor branco.** *Patol.* Artrite tuberculosa crônica. **Tumor de escorregamento.** *Geogr.* Talude abaulado, coberto de vegetação, que se forma em áreas de escorregamento ou deslizamento. **Tumor maligno.** *Patol.* O que tem capacidade de invadir tecidos [v. *tecido* (5)] em que se não originou e de produzir metástase(s).

tumoração [De **tumorar*, 'formar tumor', (< *tumor* + *-ar*[2]) + *-ção*.] *S. f. Patol.* **1.** Formação de tumor. **2.** Presença de tumor: "O esculápio constatou .... a tumoração logo abaixo da garganta. Julgou, por isso, que o osso estivesse ao alcance de uma pinça longa." (Aziz Ansarah Rizek, *Histórias Agudas e Crônicas de um Médico*, pp. 129-130.)

tumoroso (ô) [De *tumor* + *-oso*.] *Adj.* Que tem tumor.

tumular[1] [De *túmulo* + *-ar*[1].] *Adj. 2 g.* **1.** Pertencente ou relativo a, ou próprio de túmulo: *silêncio tumular*. **2.** *P. ext.* Muito triste; lúgubre, fúnebre: *vozes tumulares*. [Sin. ger.: *tumulário*. Cf. *tumular*, v.]

tumular[2] [Do lat. *tumulare*.] *V. t. d.* Lançar ao túmulo; sepultar, enterrar, inumar. [Pres. ind.: *tumulo*, etc.; fut. pret.: *tumularia*, etc. Cf. *tumular*, adj.; *túmulo*, s. m., e *tumulária*, fem. de *tumulário*.]

tumulário [De *túmulo* + *-ário*.] *Adj.* Tumular[1]. [Fem.: *tumulária*. Cf. *tumularia*, do v. *tumular*.]

túmulo [Do lat. *tumulu*, 'montículo de terra sobre sepultura'.] *S. m.* **1.** Monumento fúnebre erguido em memória de alguém no lugar onde se acha sepultado. **2.** V. *sepultura* (1). **3.** Vozearia, algazarra. **4.** *Fig.* Fim, termo; destruição: *A opinião da crítica foi o túmulo de suas aspirações literárias*. **5.** *Fig.* Lugar lúgubre, triste: *Esta casa é um túmulo*. [Cf. *tumulo*, do v. *tumular*.] ◆ **Descer ao túmulo.** V. *morrer* (1). **Ser um túmulo.** Saber guardar segredo(s); ser muito discreto.

tumulto [Do lat. *tumultu*.] *S. m.* **1.** Grande movimento; bulício: *Fujo do tumulto da cidade grande*. **2.** Movimento desordenado: *O trânsito continua um tumulto*. **3.** Vozearia, algazarra: *Não quero tumulto na sala de aula*. **4.** Motim, agitação: *Houve um grave tumulto na cidade*. **5.** Discórdia, desarmonia, desavença. **6.** *Fig.* Agitação ou perturbação moral.

tumultuado [Part. de *tumultuar*.] *Adj.* Em que há tumulto; tumultuoso: *Foi uma sessão agitada, tumultuada*.

tumultuador (ô) [De *tumultuar* + *-dor*.] *Adj.* **1.** Que tumultua; tumultuante. ● *S. m.* **2.** Aquele que tumultua.

tumultuante [De *tumultuar* + *-nte*.] *Adj. 2 g.* Tumultuador (1).

tumultuar [Do lat. *tumultuare*.] *V. t. d.* **1.** Incitar à desordem; agitar, amotinar: *tumultuar os trabalhadores*. **2.** *Fig.* Desordenar, desarrumar: *tumultuar os papéis*; "É o amor que tumultua a existência das grandes figuras da história e da arte, explicando gestos heroicos e obras-primas." (Melo Nóbrega, *O Soneto de Arvers*, p. 93). *Int.* **3.** Mover-se desordenadamente: "Era impossível, ... quando nas ruas já tumultuava a mascarada, impor silêncio ao povo da cidade" (Xavier Marques, *As Voltas da Estrada*, p. 32). **4.** Agitar-se, revolver-se. **5.** Amotinar-se, rebelar-se: *O povo tumultuou, expulsando o inimigo*. **6.** Fazer grande barulho ou estrondo; estrondear, troar. **7.** Disseminar-se, espalhar-se confusamente. **8.** Caminhar ao acaso; vaguear, errar. [Var.: *atumultuar*. Fut. pret.: *tumultuaria*, etc. Cf. *tumultuária*, fem. de *tumultuário*.]

tumultuário [Do lat. *tumultuariu*.] *Adj.* **1.** Desordenado, desarranjado, confuso. **2.** Barulhento, ruidoso. **3.** Agitado, revolto. **4.** Amotinado, sublevado. [Sin. ger.: *tumultuoso*. Fem.: *tumultuária*. Cf. *tumultuaria*, do v. *tumultuar*.]

tumultuoso (ô) [Do lat. *tumultuosu*.] *Adj.* **1.** Em que há tumulto; tumultuado. **2.** V. *tumultuário*.

tuna[1] [Do taino.] *S. f. Bot.* Nome comum a duas cactáceas do gênero *Cereus* (v. *céreo*[2]): a *Cereus bonplandii* e a *C. alacriportanus*.

tuna[2] [Do fr. *tune*, *thune* (gír.), 'esmola', 'mendicidade'.] *S. f.* **1.** Vadiação, vadiagem, ociosidade. **2.** Grupo musical organizado por estudantes. **3.** *Santom.* Conjunto musical constituído normalmente por um violino, duas violas, uma ou duas flautas, e instrumentos de percussão: "Sobretudo durante a estação seca (gravana), que dura cerca de quatro meses, as tunas exibem-se por toda a ilha aos sábados e domingos." (Fernando Reis, *Povô Flogá*, p. 23.)

tunado [Part. de *tunar*.] *Adj.* Que foi tunado, que sofreu tunagem.

tunador (ô) [De *tunar* + *-dor*.] *Adj. S. m.* V. *tunante*.

tunagem [De *tunar* + *-agem*[2], para trad. o ingl. *tuning*.] *S. f.* Ato, processo ou efeito de tunar.

tunaiana *Bras. S. 2 g.* **1.** *Etnôn.* Indivíduo dos tunaianas [ou (etnôn. bras.) *Tunayana], povo indígena extinto, da família linguística caraíba, que habitava a região próxima à margem direita do rio Trombetas (PA). ● *Adj. 2 g.* **2.** Pertencente ou relativo a esse povo.

tunal [De *tuna*[1] + *-al*[1]; esp. *tunal*.] *S. m.* **1.** *Bot.* Quantidade mais ou menos considerável de tunas (v. *tuna*[1]) dispostas proximamente entre si. **2.** Área ocupada pelo tunal (1). [Cf. *tonal*.]

tunante [De *tunar* + *-nte*.] *Adj. 2 g. S. 2 g.* **1.** Que, ou quem anda à tuna[2]; vadio, vagamundo. **2.** Trapaceiro, trampolineiro. **3.** Diz-se de, ou estudante que faz parte de uma tuna[2] (2). [Sin. ger.: *tunador* e *tuno*. Cf. *tonante*.]

tunapolitano *Adj.* **1.** De, ou pertencente ou relativo a Tunápolis (SC). ● *S. m.* **2.** O natural ou habitante de Tunápolis.

tunar[1] [De *tuna*[2] + *-ar*[2].] *V. int.* Andar à tuna[2]; vadiar, vagabundear, vagabundar. [Pres. subj.: *tune*, ... *tuneis*, *tunem*. Cf. *túneis*, pl. de *túnel*; *toneis*, do v. *tonar*, e este v.; e *tonéis*, pl. de *tonel*.]

tunar[2] [De rad. do ingl. *tuning* + *-ar*[2].] *V. t. d.* Modificar, mecânica e esteticamente, e colocar acessórios especiais em (veículo), para torná-lo diferenciado, exclusivo.

tunco *S. m. Bras. N.E. Pop.* Muxoxo (2): "A mulher dava uns tuncos e entregava os dois mil-réis" (Adalberon Cavalcanti Lins, *Curral Novo*, p. 215).

tuncum *S. m. Bras. SP Gír.* V. *dinheiro* (5).

tunda[1] [Do lat. *tundere*, 'golpear', poss.] *S. f.* **1.** V. *surra* (1): "Daí a tempos explicava ele aos amigos .... que o seu desastre não tinha sido mais do que uma formidável tunda que lhe dera o diretor do jornal em que trabalhava" (Domício da Gama, *Histórias Curtas*, p. 252). **2.** *Fig.* Crítica severa.

tunda[2] [Do quimb.] *Interj. Angol.* V. *fora* (9): "Estupor do cão! Tunda, ché, tunda! Que te racho!" (Antônio Jacinto, *Vovô Bartolomeu*, p. 28.)

tundá [Do quimb. *kutudá*, 'ultrapassar', 'exceder'; 'sobressair', com aférese.] *S. m.* **1.** *Bras.* Vestido de roda com muitas saias debaixo. **2.** *Bras. RJ Gír.* Nádegas, traseiro. **3.** *Bras. SP* Calombo, excrescência, protuberância; tumor. **4.** *Bras. SP* Inchação nas costas.

tundar [De *tunda* + *-ar*[2].] *V. t. d.* V. *surrar* (2).

tundra [Do lapão, pelo russo e pelo fr. *toundra*.] *S. f. Fitogeogr.* Vegetação ártica e subártica, que vive sobre solos rochosos e turfosos, e sob frio intenso. Consta de liquens, musgos, ervas anuais e subarbustos xeromórficos, e é própria da Rússia, da Sibéria e do Canadá.

túndrico [De *tundra* + *-ico*[2].] *Adj.* De, pertencente ou relativo a tundra.

tuneirense *Adj. 2 g.* **1.** De, ou pertencente ou relativo a Tuneiras do Oeste (PR). ● *S. 2 g.* **2.** O natural ou habitante de Tuneiras do Oeste.

túnel [Do céltico *tunna*, 'pele', 'odre', 'tuna', pelo fr. ant. *tonel*, dim. de *tonne*, e pelo ingl. *tunnel*.] *S. m.* Caminho ou passagem subterrânea. [Pl.: *túneis*. Cf. *tuneis*, do v. *tunar*, e *toneis*, do v. *tonar*.]

tunense *Adj. 2 g.* **1.** De, ou pertencente ou relativo a Tunas (RS). ● *S. 2 g.* **2.** O natural ou habitante de Tunas.

tunga[1] [Do tupi = 'o que come'.] *S. f. Bras. Zool.* V. *bicho-do-pé*.

tunga[2] [Dev. de *tungar*.] *S. f.* **1.** Ato ou efeito de tungar. **2.** Furto, roubo.

tungada [De *tungar* + *-ada*[1].] *S. f. Bras.* Choque; pancada.

tungador (ô) [De *tungar* + *-dor*.] *Adj. S. m. Bras.* Que, ou aquele que tunga, teima, porfia; teimoso, porfiador; renitente.

tungar [Do quimb. *tugu*, 'madeira'; 'pancada', + *-ar*[2].] *V. int.* **1.** *Bras.* Teimar, porfiar; renitir. *T. d.* **2.** *Bras.* Bater em; surrar, sovar. **3.** *Bras.* Enganar, iludir, lograr, burlar, **4.** *Bras. RS* Embeber um pedaço de (o pão) no café que se está ingerindo, para o amolecer. [Conjug.: v. *largar*.]

tungstato [De *tungst(o)-* + *-ato*[2].] *S. m. Quím.* Qualquer sal do ácido túngstico; volframato, wolframato.

tungsténio *S. m. Quím.* V. *tungstênio*. [Uso freq. em P.]

tungstênio [Do sueco *tung*, 'pesado', + *sten*, 'pedra', + *-io*[3].] *S. m. Quím.* Elemento de número atômico 74, metálico, branco, duro, quebradiço, usado em filamentos de lâmpadas de incandescência [símb.: *W*].

túngstico [De *tungst(o)-* + *-ico*[2].] *Adj. Quím.* ~ V. *ácido* —.

▲ **tungst(o)-** [De *tungstênio*.] *Quím. El. comp.* Indica: **1.** 'tungstênio': *túngstico*. **2.** 'ácido túngstico': *tungstato*, *tungstofosfórico*.

tungstofosfórico [De *tungst(o)-* + *fosfórico*.] *Adj. Quím.* ~ V. *ácido* —.

tungue[1] [Do chinês *tung*.] *S. m. Bot.* V. *nogueira-de-iguape*.

tungue[2] [Do turco-tártaro *tonguz*, 'porco', 'suíno' (possivelmente por se dedicarem os tungues à criação de porcos), pelo russo e pelo ingl. *tungus*.] *S. 2 g.* **1.** Indivíduo dos tungues, povo mongol provavelmente relacionado com os manchus, que se irradiou largamente pela Sibéria ocidental, e inclui muitos grupos ainda nômades. ● *S. m.* **2.** *Gloss.* Língua altaica falada na Sibéria e no N.E. da China; evenque. **3.** Vocábulo dessa língua. ● *Adj. 2 g.* **4.** Pertencente ou relativo a esse povo ou à sua língua.

tunguear *V. int. Bras. MT Pop.* Descansar, repousar. [Conjug.: v. *frear*.]

tunguete (ê) *S. m. Bras. Gír.* Qualquer jogo desonesto.

tungurupará [Do tupi.] *S. m. Bras. Zool.* V. *bico-de-brasa*.

túnica [Do lat. *tunica*.] *S. f.* **1.** *Vest.* Veste longa ou curta, de corte reto, com ou sem manga, que era us. pelos antigos gregos e romanos. **2.** *Vest.* Peça do vestuário feminino semelhante à túnica (1), ger. us. sobre saia, calça comprida, *short*, etc., ou, ainda, como vestido curto ou longo. **3.** *Rel.* Paramento que diáconos e subdiáconos usam sob a alva; dalmática. **4.** *Mil.* Casaco reto e justo, característico de certos uniformes militares [v. *uniforme* (7)], usado geralmente sem camisa. **5.** *Anat.* Membrana ou camada que participa das paredes de um órgão. **6.** *Bot.* Membrana ou invólucro de certos órgãos vegetais. **7.** *Bot.* Cada uma das escamas de bulbos, como a da cebola. [Dim. irreg.: *tunicela*, *tuniquete*.] **8.** *Zool.* Manto (7). ◆ **Túnica adventícia.** *Anat.* Camada externa de vários órgãos tubulares (esôfago, vasos sanguíneos, etc.), e que é constituída por tecido conjuntivo e fibras elásticas. [Tb. se diz apenas *adventícia*. Sin.: *túnica externa*.] **Túnica de Nesso.** Paixão que punge a alma. **Túnica externa.** *Anat.* V. *túnica adventícia*. [Tb. se diz apenas *externa*.] **Túnica íntima.** *Anat.* Camada interna de vaso sanguíneo, constituída por células endoteliais circundadas por fibras elásticas longitudinais e por tecido conjuntivo. [Tb. se diz apenas *íntima*.] **Túnica média.** *Anat.* Camada média de vaso sanguíneo, constituída por miócitos e elásticas transversas. [Tb. se diz apenas *média*.] **Túnica vaginal de testículo.** *Anat.* Membrana que reveste as faces anterior e laterais de testículo e de epidídimo, e que se compõe de um folheto visceral e de um parietal.

tunicado[1] [De *túnica* + *-ado*[1].] *Adj. Bot.* Provido de túnica (6 e 7).

tunicado[2] [Adapt. do tax. *Tunicata*.] *S. m. Adj. Zool.* V. *urocordado*.

tunicela [De *túnica* + *-ela*.] *S. f.* **1.** Pequena túnica; tuniquete: "Um padre calvo, ... ladeado por três acólitos jovens, com tunicelas escarlates e alvas casulas rendadas, um deles agitando o turíbulo, reza." (Osmã Lins, *Nove, Novena*, p. 144.) **2.** *Lit.* Espécie de dalmática ou pequena túnica usada pelos bispos entre a alva e a casula, na celebração solene.

tuniquete (ê) [De *túnica* + *-ete* (ê).] *S. m.* Tunicela (1).

tunisiano *Adj.* **1.** Da, ou pertencente ou relativo à Tunísia (N. da África). ● *S. m.* **2.** O natural ou habitante desse país. [Cf. *tunisino*.]

tunisino *Adj.* **1.** De, ou pertencente ou relativo a Túnis, capital da Tunísia. ● *S. m.* **2.** O natural ou habitante de Túnis. [Cf.: *tunisiano*.]

tuno [De *tuna*[2].] *Adj. S. m.* V. *tunante*.

tuntuense *Adj. 2 g.* **1.** De, ou pertencente ou relativo a Tuntum (MA). ● *S. 2 g.* **2.** O natural ou habitante de Tuntum. [Sin. ger.: *tuntunense*.]

tuntunense *Adj. 2 g. S. 2 g.* V. *tuntuense*.

tuntunqué [Var. nasalada de *tutunqué*.] *S. m. Bras. PE Pop.* V. *valentão* (3).

tupá *S. m. Bras.* Tupã.

tupã [Do tupi.] *S. m. Bras.* Designação tupi do trovão, usada pelos missionários jesuítas para designar a Deus; Tupá.

tupãciense *Adj. 2 g.* **1.** De, ou pertencente ou relativo a Tupãci (PR). ● *S. 2 g.* **2.** O natural ou habitante de Tupãci.

tupaciguarense *Adj. 2 g.* **1.** De, ou pertencente ou relativo a Tupaciguara (MG). ● *S. 2 g.* **2.** O natural ou habitante de Tupaciguara.

tupãense *Adj. 2 g.* **1.** De, ou pertencente ou relativo a Tupã (SP). ● *S. 2 g.* **2.** O natural ou habitante de Tupã. [F. paral.: *tupanense*.]

tupanatinguense *Adj. 2 g.* **1.** De, ou pertencente ou relativo a Tupanatinga (PE). ● *S. 2 g.* **2.** O natural ou habitante de Tupanatinga.

tupanciretanense *Adj. 2 g.* **1.** De, ou pertencente ou relativo a Tupanciretã (RS). ● *S. 2 g.* **2.** O natural ou habitante de Tupanciretã.

tupancisense *Adj. 2 g.* **1.** De, ou pertencente ou relativo a Tupanci do Sul (RS). ● *S. 2 g.* **2.** O natural ou habitante de Tupanci do Sul.

tupandiense *Adj. 2 g.* **1.** De, ou pertencente ou relativo a Tupandi (RS). ● *S. 2 g.* **2.** O natural ou habitante de Tupandi.

tupanense *Adj. 2 g. S. 2 g.* Tupãense.

tuparendiense *Adj. 2 g.* **1.** De, ou pertencente ou relativo a Tuparendi (RS). ● *S. 2 g.* **2.** O natural ou habitante de Tuparendi.

tuparetamense *Adj. 2 g.* **1.** De, ou pertencente ou relativo a Tuparetama (PE). ● *S. 2 g.* **2.** O natural ou habitante de Tuparetama.

tupari *Bras. S. 2 g.* **1.** *Etnôn.* Indivíduo dos tuparis, povo indígena da família linguística tupari, tronco tupi, que habita os municípios Costa Marques e Gurajá-Mirim (RO). ● *S. m.* **2.** *Gloss.* Família linguística, do tronco tupi, à qual pertencem vários povos indígenas que habitam em RO. **3.** Vocábulo do tupari (2). ● *Adj. 2 g.* **4.** Pertencente ou relativo a tupari (2) ou aos tuparis. [Tb. us. como *s. 2 g. e 2 n.* (com cap.) e *adj. 2 g. e 2 n.*]

tupé [Do tupi = 'entrançado'.] *S. m. Bras. N.* Esteira geralmente feita de talas de purumã, na qual se espalham os produtos da lavoura, para secarem, e empregada também como tolda de canoa, além de ter uso doméstico: 📖 "Rosinha... sentou-se num tupé, no chão, junto da sua almofada de renda" (José Veríssimo, *Cenas da Vida Amazônica*, p. 4).

tupi [Do tupi.] *Bras. S. 2 g.* **1.** *Etnôn.* Indivíduo dos tupis, povo indígena que habitava o N. e C.O. do Brasil, na região compreendida pelo rio Amazonas e seus afluentes da margem direita, e cuja língua constituía um dos quatro principais troncos linguísticos da América do Sul. [Cf. *guarani*[1] e *tupi-guarani*.] ● *S. m.* **2.** *Gloss.* Língua geral tupi-guarani sistematizada pelos padres jesuítas, falada até o séc. XIX pelos povos indígenas que habitavam o litoral, e ainda hoje pelos que habitam a região amazônica. [V. *língua geral* e *nheengatu*.] **3.** *Gloss.* Tronco linguístico que compreende várias famílias e línguas cujos falantes habitam o Brasil, o Paraguai, a Argentina e a Bolívia. **4.** *Etnôn.* Denominação comum aos povos indígenas de língua tupi, do litoral brasileiro. **5.** *Etnôn.* Povo indígena do alto Machado (bacia do Madeira). **6.** Designação dada pelos guaranis e pelos brancos do alto Paraná aos caingangues e a todos os índios temidos. **7.** Vocábulo do tupi (2 e 3). ● *Adj. 2 g.* **8.** Pertencente ou relativo a tupi ou aos tupis; túpico.

tupia [De or. obscura.] *S. f. Bras.* **1.** Máquina de fazer molduras. **2.** Aparelho para levantar pesos; macaco.

tupiana [De *tupi* + o f. de *-iano*.] *S. f. Bras.* Termo proposto por Herman von Ihering (naturalista alemão naturalizado brasileiro [1850-1930]) para designar a região zoogeográfica que abrange o litoral do Brasil e suas matas, e que se subdivide em duas outras: a *Tupinambana*, que encerra larga faixa da Bahia ao Rio de Janeiro, continuando, ao pé da Serra do Mar, até Santa Catarina, e a *Guaraniana*, que começa no interior de São Paulo e se estende até o Rio Grande do Sul. [Com cap.]

tupiano [De *tupi* + *-iano*.] *Adj. Bras.* Pertencente ou relativo à Tupiana.

tupiçaba *S. f. Bras. Bot.* V. *tupixaba*.

túpico [De *tupi* + *-ico*[2].] *Adj. Bras.* **1.** De origem tupi: 📄 *dialeto túpico*. **2.** Tupi (8).

tupieiro [De *tupia* + *-eiro*.] *S. m. Bras.* Operário que trabalha com a tupia.

tupiense-paulista *Adj. 2 g.* **1.** De, ou pertencente ou relativo a Tupi Paulista (SP). ● *S. 2 g.* **2.** O natural ou habitante de Tupi Paulista. [Pl.: *tupienses-paulista*.]

tupi-guarani *S. m.* **1.** *Gloss.* Família linguística do tronco tupi, constituída por numerosas línguas faladas por povos indígenas do Brasil (AM, AP, RO, PA, MT, RS, SP, RJ, ES, SC, PR e GO), da Argentina, do Paraguai e da Bolívia. **2.** Vocábulo do tupi-guarani (1). ● *Adj. 2 g.* **3.** Pertencente ou relativo a tupi-guarani (1). [Pl.: *tupis-guaranis*.]

tupina *Adj. S. m. Bras. SP* V. *valentão* (1 e 3).

tupiná *Bras. S. 2 g.* **1.** *Etnôn.* Indivíduo dos tupinás, povo indígena extinto, do tronco linguístico tupi, que habitava as regiões situadas entre os rios Jacaré e Salitre, Paraguaçu e Itapicura, e o S. da BA, na divisa com MG. ● *Adj. 2 g.* **2.** Pertencente ou relativo a esse povo. [Tb. us. como *s. 2 g. e 2 n.* (com cap.) e *adj. 2 g. e 2 n.*]

tupinamba *S. f. Bras. Bot.* V. *tupinambor*.

tupinambá [Do tupi.] *Bras. S. 2 g.* **1.** *Etnôn.* Indivíduo dos tupinambás, povo indígena extinto, da família linguística tupi-guarani, tronco tupi, que habitava a costa do PA, entre a foz do rio Tocantins e o rio Caeté, a costa do MA, as cabeceiras do rio Palma, na divisa de GO com BA, a costa da BA e a costa do RJ. [Tb. us. como *s. 2 g. e 2 n.* (com cap.).] ● *S. m.* **2.** V. *mandachuva*. ● *Adj. 2 g.* **3.** Pertencente ou relativo a tupinambá (1). [Nesta acepç., tb. us. como *adj. 2 g. e 2 n.*]

tupinambana [De *tupinambá* + o f. de *-ano*[1].] *S. f. Bras.* V. *Tupiana*. [Com cap.]

tupinambano [De *tupinambá* + *-ano*[1].] *Adj. Bras.* Pertencente ou relativo a Tupinambana.

tupinambara *S. 2 g. Adj. 2 g. Bras.* V. *tupinambarana*.

tupinambarana *Bras. S. 2 g.* **1.** *Etnôn.* Indivíduo dos tupinambaranas, povo indígena extinto, da família linguística tupi-guarani, do tronco linguístico tupi, que habitava a margem direita do rio Amazonas (AM), na divisa do AM com PA e na margem direita do baixo rio Tapajós (PA). ● *Adj. 2 g.* **2.** Pertencente ou relativo a esse povo. [Sin. ger.: *tupinambara*.] [Tb. us. como *s. 2 g. e 2 n.* (com cap.) e *adj. 2 g. e 2 n.*]

tupinambo *S. m. Bot.* V. *tupinambor*.

tupinambor (ô) [Do fr. *topinambour* (< fr. *toupinambaulx* < fr. *toupinambaux*, 'os tupinambás' [v. *tupinambá*]), com infl. de *tupinambá*; no francês, deve-se o nome dessa planta (*Helianthus tuberosus*), de or. norte-americana (Canadá), e do seu tubérculo à associação (indevida) da sua introdução no país à presença de índios tupinambás em visita ao reino.] *S. m. Bot.* Erva asterácea (*Helianthus tuberosus*) de até 3,5m, cultivada pelos tubérculos edules, que têm folhas ovadas, acuminadas, serreadas, em cima ásperas, e pubescentes embaixo, vários capítulos amarelos, medindo 5 a 8cm de diâmetro, e aquênios pilosos. [Outras f.: *topinambo*, *topinambor*, *tupinamba*, *tupinambo*.]

tupinaqui *Bras. S. 2 g.* **1.** *Etnôn.* Indivíduo dos tupinaquis [ou (etnôn. bras.) *Tupinaki], povo indígena extinto, do tronco linguístico tupi, que habitava a costa de SP, do ES e na costa sul da BA. ● *Adj. 2 g.* **2.** Pertencente ou relativo a esse povo.

tupinense *Adj. 2 g.* **1.** De, ou pertencente ou relativo a Boa Vista do Tupim (BA). ● *S. 2 g.* **2.** O natural ou habitante de Boa Vista do Tupim.

tupinimó *Bras. S. 2 g.* **1.** *Etnôn.* Indivíduo dos tupinimós, povo indígena extinto que habitava o ES. ● *Adj. 2 g.* **2.** Pertencente ou relativo a esse povo. [Tb. us. como *s. 2 g. e 2 n.* (com cap.) e *adj. 2 g. e 2 n.*]

tupiniquim *Bras. S. 2 g.* **1.** *Etnôn.* Indivíduo dos tupiniquins, povo indígena da família linguística tupi-guarani, tronco tupi, que habita o município de Aracruz (ES). ● *Adj. 2 g.* **2.** Pertencente ou relativo a esse povo. [Tb. us. como *s. 2 g. e 2 n.* (com cap.) e *adj. 2 g. e 2 n.*]

tupinologia [De *tupi* + *-in(o)-*[2] + *-logia*.] *S. f.* Conjunto de conhecimentos a respeito dos tupis.

tupinológico [De *tupinologia* + *-ico*[2].] *Adj.* Relativo à tupinologia.

tupinologista [De *tupinologia* + *-ista*.] *S. 2 g.* Tupinólogo.

tupinólogo [De *tupino-*, como em *tupinologia*, + *-logo*.] *S. m.* Especialista em tupinologia; tupinologista.

tupioide (ói) [De *tupi* + *-oide*.] *Adj. 2 g.* Semelhante ao tupi. ❖

tupiramense *Adj. 2 g.* **1.** De, ou pertencente ou relativo a Tupirama (GO). ● *S. 2 g.* **2.** O natural ou habitante de Tupirama.

tupixá [Var. apocopada de *tupixaba*.] *S. m. Bras. Bot.* V. *malva-reloginho*.

tupixaba [Do tupi.] *S. f. Bras. Bot.* V. *vassourinha* (2). [Var.: *tupiçaba*.]

tupurapo [De or. indígena.] *S. m. Bras. Bot.* Caferana (1).

tuquira [De or. indígena.] *S. f. Bras. Bot.* Planta herbácea (*Amaryllis principis* ou *A. caroline*) amarilidácea, dotada de folhas ensiformes, espata rósea e flores escarlates, e us. medicinalmente como purgativo e como emético.

▲**-tura** [Do lat. *-tūra*, por via erudita ou semierudita.] *Suf. nom.* V. *-dura* e *-ura*.

turá *S. 2 g. Adj. 2 g. Bras.* V. *torá*.

turaco [Do tax. *Turacus*.] *S. m. Zool.* Designação comum às 23 espécies de aves musofagídeas [v. *musofagídeo*], agrupadas em 5 gêneros (*Corythaeola*, *Corythaixoides*, *Crinifer*, *Tauraco* e *Musophaga*).

turaniano *S. m.* **1.** Grupo de povos da Rússia meridional e do Turquestão, mas com traços mongólicos. **2.** Cada uma das línguas uralo-altaicas. **3.** Vocábulo do turaniano (2). ● *Adj.* **4.** Diz-se do turaniano (1 e 2).

turari [De or. indígena.] *S. m. Bras. Bot.* V. *tingui-capeta*.

turba [Do lat. *turba*.] *S. f.* **1.** Multidão (1) em desordem. **2.** Muitas pessoas reunidas; povo, multidão: 📖 "Moteje embora o mundo! / Ria-nos essa turba ímpia e nojosa, / Sobre a qual cuspo o meu desdém profundo" (Raimundo Correia, *Poesias*, p. 43). **3.** Vozes que cantam em coro.

turbação [Do lat. *turbatione*.] *S. f.* Ato ou efeito de turbar(-se); turbamento.

turbado [Part. de *turbar*.] *Adj.* Perturbado; confuso.

turbador (ô) [Do lat. *turbatore*.] *Adj. S. m.* Que, ou aquele que turba; perturbador.

turbamento [Do lat. *turbamentu*.] *S. m.* Turbação.

turbamulta [Do lat. *turba multa*, 'grande multidão'.] *S. f.* **1.** Grande turba (1) agitada; tropel, turbilhão. **2.** Grande agrupamento de pessoas.

turbante [Do persa *dulbänd*, pelo turco *tulbend* e pelo it. *turbante*.] *S. m.* **1.** Cobertura da cabeça, feita com uma longa faixa de tecido enrolada em sua volta, e usada pelos povos orientais. **2.** *P. ext.* Pano ou lenço enrolado na cabeça, ou chapéu feminino, parecidos com o turbante (1).

turbar [Do lat. *turbare*.] *V. t. d.* **1.** V. *turvar* (1 e 2). **2.** Revolver, agitar: 📄 *A ventania turba o mar.* **3.** Alterar, transtornar, perturbar, turvar: 📖 "Nada turbava aquelas frontes calmas, / Nada curvava aquelas grandes almas / Voltadas pra amplidão..." (Castro Alves, *Obra Completa*, p. 127.) **4.** Inquietar, desassossegar: 📄 *O encontro inesperado turbou-o profundamente.* *P.* **5.** Toldar-se, turvar-se. **6.** Sentir grande comoção; comover-se, abalar-se. **7.** Inquietar-se, desassossegar-se. **8.** Tornar-se sombrio, carregado; turvar-se.

turbativo [De *turbar* + *-tivo*.] *Adj.* Que causa turbação.

turbelário [Adapt. do tax. *Turbellaria*.] *Zool. S. m.* **1.** Espécime dos turbelários, classe de animais platelmintos, cujo corpo é revestido de epiderme ciliada com numerosas glândulas mucosas. Têm tubo digestivo incompleto, com boca ventral, e são desprovidos de ventosas ou ganchos. São animais terrestres, de água doce ou marinhos, ger. de vida livre. ● *Adj.* **2.** Pertencente ou relativo a eles.

turbidância [De *túrbido* + *-ância*.] *S. f. Fís.-Quím.* Cologaritmo da fração da energia luminosa que é transmitida por uma suspensão ou por uma solução coloidal.

turbidez (ê) [De *túrbido* + *-ez*.] *S. f.* Qualidade ou estado de túrbido (2).

turbidimetria (ùr) [Do lat. *turbidus* + *-i-* + *-metria*.] *S. f. Quím.* Método de análise quantitativa de soluções coloidais ou de suspensões, baseado na medição da absorção de luz.

turbidímetro [Do lat. *turbidus* + *-i-* + *-metro*.] *S. m. Fís.-Quím.* Fotômetro destinado a medir a turbidância de suspensões coloidais, e que é, essencialmente, análogo aos fotômetros utilizados em colorimetria.

túrbido [Do lat. *turbidu*.] *Adj.* **1.** Que perturba; perturbador. **2.** Sombrio, escuro, turvo: 📖 "Dorme, ao luar do equador, a túrbida lagoa" (Martins Fontes, *Verão*, p. 40).

turbilhão [Do fr. *tourbillon*.] *S. m.* **1.** Redemoinho de vento: 📖 "De vez em quando, os mastros rangiam com os turbilhões de vento" (Alexandre Herculano, *Lendas e Narrativas*, II, p. 329). **2.** Movimento forte e giratório de águas; sorvedouro, voragem. **3.** Revolução de um planeta. **4.** Aquilo que excita ou impele violentamente. **5.** V. *furacão* (2). **6.** V. *turbamulta* (1).

turbilhonamento [De *turbilhonar* + *-mento*.] *S. m.* Ato ou efeito de turbilhonar[2].

turbilhonar[1] [De *turbilhão* + *-ar*[1], seg. o padrão erudito.] *Adj. 2 g.* Referente a turbilhão. ~ V. *escoamento* —.

T

turbilhonar[2] [De *turbilhão* + *-ar*[2], seg. o padrão erudito.] *V. int.* Voltear como um turbilhão; remoinhar, redemoinhar.

turbina [Do fr. *turbine*.] *S. f.* **1.** Máquina que transforma em trabalho mecânico-rotatório a energia cinética de um fluido em movimento. **2.** *Restr.* Aparelho em que se processa por centrifugação a separação dos cristais de açúcar dos elementos não cristalizáveis. ◆ **Turbina a gás.** Aquela em que se usa um gás como o fluido em movimento. **Turbina a vapor.** A que utiliza o vapor de água como o fluido em movimento. **Turbina hidráulica.** Aquela em que se usa a água como fluido em movimento. **Aquecer as turbinas.** *Bras.* Aquecer (12).

turbinação [De *turbinar* + *-ção*.] *S. f. Bras.* Turbinagem.

turbinado[1] [Do lat. *turbinatu*.] *Adj.* **1.** Em forma de cone invertido, ou de pião: *fruto turbinado.* **2.** *Anat.* Diz-se de dois pequenos ossos na raiz do nariz. **3.** *Zool.* Diz-se da concha univalve cuja espiral forma um cone pouco alongado e sensivelmente largo na base.

turbinado[2] [Part. de *turbinar*.] *Adj.* Que se turbinou [v. *turbinar* (3)]: "Existem algumas formas de perceber se o carro tem um taxímetro turbinado: se o motorista aumentar o volume do rádio, rodar o tempo todo pressionando a buzina (sem que ela funcione) ou o velocímetro estiver descontrolado ou parado, é um forte indício de fraude." (*Folha de S.Paulo*, 17.06.1987.)

turbinagem [De *turbinar* + *-agem*[2].] *S. f. Bras.* Operação industrial que consiste em submeter uma substância à ação da força centrífuga produzida pela turbina; turbinação.

turbinar [De *turbina* + *-ar*[2].] *V. int.* **1.** *Ant.* Redemoinhar, turbilhonar. *T. d.* **2.** Fazer a turbinagem de. **3.** *Bras.* Fazer (os algarismos do taxímetro) correrem mais rápido, o que faz a corrida (5) ter um preço mais alto que o realmente devido. **4.** *Bras. Pop.* Tornar mais ágil, mais forte, maior ou mais poderoso: "Vinte truques para turbinar sua memória." (Revista *Época*, 20.09.2004.) **5.** *Bras. Pop. Restr.* Fortalecer, fortificar: *O apoio do presidente turbinou a candidatura do deputado.* **6.** *Bras. Pop.* Receber implante (2) de silicone em (o[s] seio[s]).

turbiniforme (ür) [Do lat. *turbine*, 'redemoinho', 'turbilhão', + *-iforme*.] *Adj. 2 g.* Que tem forma cônica ou de volta de pião.

turbinoso (ô) [Do lat. *turbine*, 'turbilhão', 'redemoinho', + *-oso*.] *Adj.* **1.** Que gira em derredor de um eixo ou centro. **2.** Semelhante a um turbilhão.

turbito [Do persa *turbud*, pelo ár. *turbed*.] *S. m. Bot.* Trepadeira convolvulácea (*Ipomoea turpethum*) asiática, de grossos caules sarmentosos, folhas mucilaginosas, flores campanuláceas vermelhas e brancas, fruto capsular, e cujas raízes resinosas eram us. como medicamento drástico.

turbo [De *turb(ina)* + *-o*[1].] *S. m.* **1.** Turbina. **2.** Turbocompressor. **3.** *P. ext.* Em mecânica de automóveis, o uso de turbocompressor para aumentar a potência de motores a combustão.

turbocompressor (ô) *S. m. Tec.* Compressor de gás que opera pela ação de uma turbina cujas aletas impelem e comprimem o gás.

turboélice [De *turbo(propulsor)* + *hélice*.] *S. m.* **1.** Veículo (especialmente aeronave) dotado de turbopropulsor. **2.** O motor desse veículo. [Var.: *turbo-hélice*.]

turbogerador (ô) [De *turbo* + *gerador*.] *S. m. Eng. Elétr.* Gerador (5) acionado por turbina.

turbo-hélice *S. f.* V. *turboélice*. [Pl.: *turbo-hélices*.] ❖

turbojacto *S. m.* V. *turbojato*.

turbojato [De *turbo(rreator)* + *jato*; adapt. do ingl. *turbojet*.] *S. m.* **1.** Veículo (especialmente aeronave) provido de turborreator. **2.** O motor desse veículo. [Var.: *turbojacto*.]

turbopropulsor (ô) [De *turb(ina)* + *-o-* + *propulsor*.] *S. m.* Motor de combustão interna em que os gases acionam uma turbina que movimenta uma hélice e são ejetados para trás, fornecendo impulsão adicional ao veículo.

turborreator (ô) [De *turb(ina)* + *-o-* + *reator*.] *S. m.* Motor à reação e de combustão interna no qual os gases são comprimidos num compressor acionado por turbina e ejetados para trás, fornecendo impulsão para o avanço do veículo.

turbulência [Do lat. *turbulentia*.] *S. f.* **1.** Qualidade ou estado de turbulento. **2.** Alteração ou agitação do ar atmosférico, que perturba a sustentação de uma aeronave. **3.** Ato turbulento. **4.** Agitação, desordem, motim.

turbulento [Do lat. *turbulentu*.] *Adj.* **1.** Que está disposto à desordem ou nela se compraz. **2.** Irrequieto; buliçoso. **3.** Agitado, tumultuoso. ● *S. m.* **4.** Indivíduo turbulento.

turca *S. f.* V. *privada turca*.

turcalhada [De *turco* + *-alhada*.] *S. f. Deprec.* Reunião ou multidão de turcos.

túrcico [De *turco* + *-ico*[2].] *Adj. Anat.* ~ V. *sela —a*

turco [Do fr. *turc*, poss.] *Adj.* **1.** Da, ou pertencente ou relativo à Turquia (Ásia e Europa); otomano. **2.** *Bras. Deprec.* Diz-se de turco (7). ~ V. *banho —*, *privada — a* e *sela —a*. ● *S. m.* **3.** O natural ou habitante da Turquia; otomano. **4.** *Constr. Nav.* Coluna de ferro em cuja parte superior, recurvada, se instala um aparelho de içar, e que é montada a bordo para içar e arriar embarcações miúdas ou outros objetos pesados: "Um dos pilotos, à borda, sobre o castelo, presidia à faina de suspender, ultimando-a, a olhar cuidadosamente, com um dos marinheiros, o içar lento do ferro ao pequeno mas forte turco recurvo" (Virgílio Várzea, *Nas Ondas*, p. 315). **5.** *Gloss.* Língua altaica falada na Turquia; anatólio, osmanli. [As atestações do turco datam do séc. VIII, em escrita rúnica. Em 1929 foi adotado o alfabeto latino, em substituição ao alfabeto árabe.] **6.** *Gloss.* V. *altaico* (3). **7.** Vocábulo do turco (5 e 6). **8.** *Bras. Pop.* Designação dada a judeus e a árabes em geral: "As punições mutiladoras, de uso jurídico milenar, não tiveram o Oriente por origem única ..... No Brasil há versões em versos, como a .... do poeta popular Tadeu Serpa Martins ..... O patrão de Malas-artes é um turco, sinônimo popular do judeu." (Tadeu de Serpa Martins, em Câmara Cascudo, *Ensaios de Etnografia Brasileira*, p. 58.) **9.** *Bras.* V. *prestação* (5). ◆ **Turco da prestação.** *Bras.* V. *prestação* (5). **Turco do lambareiro.** *Ant. Constr. Nav.* Turco (4) com talha ou estralheira, existente junto ao escovém dos antigos veleiros, e que levava a âncora à sua posição de descanso quando o navio estivesse navegando. [Cf. *lambareiro* (5).]

turco-árabe *Adj. 2 g. S. 2 g. Bras.* Genericamente, diz-se do, ou o imigrante procedente do antigo Império Turco ou Otomano, havendo-se incluído nessa designação o elemento sírio-libanês. [Pl.: *turco-árabes*.]

turcomâni *S. m. Gloss.* Turcomano (4).

turcomano [Do lat. med. *turcomannu* < persa *tukmān*, 'que se assemelha a um turco'.] *Adj.* **1.** Da, ou pertencente ou relativo à República da Turcomênia (Ásia). ● *S. m.* **2.** O natural ou habitante dessa república. **3.** *Etnôn.* Indivíduo dos turcomanos, povo túrcico que habita a Turcomênia, o Cazaquistão e o Usbequistão. **4.** *Gloss.* Língua altaica falada nessas regiões; turcomâni. [É a língua nacional da Turcomênia.] **5.** *Gloss. Restr.* Língua falada na Síria pelos turcomanos, talvez uma forma arcaica do turcomano (4). **6.** Vocábulo do turcomano (4 e 5). [F. paral.: *turcomeno*.]

turcomeno *Adj. S. m.* V. *turcomano*.

turdetano *Adj.* **1.** Da, pertencente ou relativo à Turdetânia, antiga província da Península Hispânica (Europa). ● *S. m.* **2.** O natural ou habitante da Turdetânia.

turdídeo[1] *Adj. Zool.* Relativo ou semelhante ao tordo.

turdídeo[2] [Do tax. *Turdus* + *-ídeo*[1]; tax. *Turdidae*.] *Zool. S. m.* **1.** Espécime dos turdídeos, família de aves passeriformes, caracterizadas pelo tarso ocreado (escamas anteriores) e de tegumento não ou indistintamente dividido em placas, sendo curta a primeira das rêmiges. São encontrados em todo o mundo, principalmente nas áreas temperadas. Alimentam-se de vermes, insetos e frutos. São aves canoras por excelência, e conhecidas pelo nome popular de sabiá. ● *Adj.* **2.** Pertencente ou relativo a eles.

turdilhada [De *turdilho* + *-ada*[1].] *S. f. Bras. RS* V. *tordilhada*.

turdilho *Adj.* V. *tordilho*.

turdo [Do tax. *Turdus*.] *S. m. Zool.* **1.** O gênero-tipo dos turdídeos (q. v.). **2.** Qualquer espécie desse gênero, como, p. ex., o *Turdus merula* (v. *melro*) e o *Turdus migratorius*, o tordo norte-americano. **3.** Qualquer espécime desse gênero. [Var., nas acepç., 2 e 3: *tordo*.]

túrdulo [Do lat. *turdulu*.] *S. m.* Indivíduo dos túrdulos, antigo povo da Bética, a L. dos turdetanos.

tureba *S. m. Bras. N. Pop.* V. *valentão* (3).

turfa [Do al. *Torf*.] *S. f. Ecol.* Matéria esponjosa, mais ou menos escura, constituída de restos vegetais em variados graus de decomposição, e que se forma dentro da água, em lugares pantanosos, onde é escasso o oxigênio. É muito frequente nas regiões de temperatura mais baixa, onde procede maciçamente de musgos do gênero *Sphagum*. A turfa retém grande cópia de água e forma um meio ácido e pobre. ◆ **Turfa de Maraú.** Maraunita.

turfe [Do ingl. *turf*.] *S. m.* **1.** Prado de corridas de cavalos; hipódromo, prado. **2.** Hipismo (1).

turfeira *S. f. Fitogeogr.* Vegetação, em geral xeromorfa, que se desenvolve sobre turfa. A *turfeira alta* consta de musgos e abriga outras plantas, chegando a formar uma floresta especial; a *turfeira baixa* compõe-se, sobretudo, de ciperáceas, mas inclui gramíneas e outros vegetais. No Brasil há poucas turfeiras. ◆ **Turfeira alta.** *Fitogeogr.* V. *turfeira*. **Turfeira baixa.** *Fitogeogr.* V. *turfeira*.

turfista [De *turfe* + *-ista*.] *S. 2 g. Bras.* Aficionado do turfe.

turfístico [De *turfista* + *-ico*[2].] *Adj.* Relativo ao turfe.

turfoso (ô) [De *turfa* + *-oso*.] *Adj.* Que contém turfa.

turgência [Do lat. *turgentia*, acus. neutro pl. de *turgente*, 'turgente, túrgido'.] *S. f.* V. *turgidez*: "no decote do casaco justo aflorava a turgência macia do seio moreno e lindo." (Herman Lima, *Garimpos*, p. 144).

turgente [Do lat. *turgente*.] *Adj. 2 g.* V. *túrgido*.

turgescência [Do lat. *turgescentia*, acus. neutro pl. de *turgescente*, 'turgescente, túrgido'.] *S. f.* **1.** Qualidade ou estado de turgescente; inturgescência. **2.** *Biol.* Aumento da pressão interna de uma célula (ou tecido) por absorção de água. [O estado de turgescência é indispensável ao bom funcionamento da célula, que se apresenta firme, tensa.]

turgescente [Do lat. *turgescente*.] *Adj. 2 g.* **1.** Que turgesce; túrgido; inturgescente. **2.** *Biol.* Que apresenta turgescência (2).

turgescer [Do lat. *turgescere*.] *V. t. d. Int. P.* Inturgescer(-se). [Conjug.: v. *crescer*.]

turgidez (ê) [De *túrgido* + *-ez*.] *S. f.* Estado de túrgido; intumescimento, inchação; turgência.

túrgido [Do lat. *turgido*.] *Adj.* **1.** Dilatado, por conter grande porção de humores. **2.** Túmido, inchado, turgescente, intumescente: "Quisera ser o espelho, em que o teu rosto plácido / sorri; / a túnica feliz, que sempre se está próxima / de ti; / o banho de cristal, que esse teu corpo cândido / contém; / o aroma de teu uso, e donde eflúvios mágicos / provém; / depois esse listão, que do teu seio túrgido / faz dois" (Antônio Feliciano de Castilho, *A Lírica de Anacreonte*, p. 58). **3.** *Biol.* Diz-se de tecido, etc., que apresenta células em estado de turgescência: *folha túrgida.* [Sin. ger.: *turgente*.]

turgimão *S. m.* V. *drogomano*.

turiaçuense *Adj. 2 g.* **1.** De, ou pertencente ou relativo a Turiaçu (MA). ● *S. 2 g.* **2.** O natural ou habitante de Turiaçu.

turião [Do lat. *turione*.] *S. m.* Rebento de ervas vivazes, que brota da parte subterrânea do caule.

turibular [De *turíbulo* + *-ar*[2].] *V. t. d.* **1.** Queimar incenso em honra de. **2.** *Fig.* Adular, bajular, lisonjear, incensar: "Sempre .... V. Ex.ª é pelos seus discípulos louvaminhado e turibulado" (Eça de Queirós, *Últimas Páginas*, p. 441). [Sin. ger.: *turiferar*, *turificar*. Pres. ind.: *turibulo*, *turibulas*, etc.; fut. pret.: *turibularia*, etc. Cf. *turíbulo*, s. m., e *turibulária*, fem. de *turibulário*.]

turibulário [De *turíbulo* + *-ário*.] *Adj. S. m.* **1.** Que, ou aquele que balança o turíbulo para incensar. **2.** *Fig.* Adulador, lisonjeador, incensador. [Fem.: *turibulária*. Cf. *turibularia*, do v. *turibular*.]

turíbulo [Do lat. *turibulo*.] *S. m. Lit.* Recipiente metálico com tampa e correntes que permitem seja movido de um para outro lado, e em cujo interior se queima incenso; incensário, incensório: "O padre rezava e benzia, a fumaça confortadora dos turíbulos se derramava pela nave." (Maria Julieta Drummond de Andrade, *O Valor da Vida*, pp. 55-56.) [Cf. *turibulo*, do v. *turibular*.]

turica *S. f. Bras. PB Pop.* V. *síncope* (1).

turícremo [Do lat. *turicremu*.] *Adj. Poét.* Em que se queima incenso: "Mas viu esmorecida / Em torno dos turícremos altares / Negra escuma ferver nas ricas taças" (Correia Garção, *Obras Poéticas e Oratórias*, p. 382).

turiense *Adj. 2 g.* **1.** De, ou pertencente ou relativo a Turiaçu (MA). ● *S. 2 g.* **2.** O natural ou habitante de Turiaçu.

turiferar [De *turífero* + *-ar*[2].] *V. t. d.* V. *turibular*. [Pres. ind.: *turifero*, *turiferas*, etc.; fut. do pret.: *turiferaria*, etc. Cf. *turífero*, adj., e *turiferária*, fem. de *turiferário*.]

turiferário [De *turífero* + *-ário*.] *Adj. S. m.* **1.** Diz-se de, ou aquele que leva o turíbulo. **2.** *Fig.* Diz-se de, ou aquele que vive incensando ou adulando alguém. [Fem.: *turiferária*. Cf. *turiferaria*, do v. *turiferar*.]

turífero [Do lat. *turiferu*.] *Adj.* Que produz incenso. [Cf. *turifero*, do v. *turiferar*.]

turificação [Do lat. tard. *turificatione*.] *S. f.* Ato ou efeito de turificar.

turificador (ô) [Do lat. *turificatore*.] *Adj.* **1.** Que turifica; turificante. ● *S. m.* **2.** Aquele que turifica.

turificante [Do lat. *turificante*.] *Adj. 2 g.* Turificador (1).

turificar [Do lat. *turificare*.] *V. t. d.* V. *turibular*. [Conjug.: v. *trancar*.]

turíngia *S. f. Bot.* V. *toranja*.

turíngio *Adj.* **1.** De, ou pertencente ou relativo a Turíngia (Alemanha). ● *S. m.* **2.** O natural ou habitante de Turíngia.

turino[1] [Do lat. *turinu*.] *Adj.* Relativo a incenso.

turino[2] *Adj. S. m.* Diz-se de, ou espécime de uma variedade portuguesa de gado bovino de uma raça holandesa: "Uma vaca turina vale por quatro ou cinco dessas outras." (Adalberon Cavalcanti Lins, *Curral Novo*, p. 171); *Cria numerosos turinos.*

turiri [Var. de *sururina*.] *S. f. Bras. Amaz. Zool.* V. *sururina* (1).

turismo [Do ingl. *tourism*, pelo fr. *tourisme*.] *S. m.* **1.** Viagem ou excursão, feita por prazer, a locais que despertam interesse. **2.** O conjunto dos serviços necessários para atrair aqueles que fazem turismo (1) e dispensar-lhes atendimento por meio de provisão de itinerários, guias, acomodações, transporte, etc. **3.** O movimento de turistas: *O turismo na Espanha é muito intenso durante o verão.*

turista [Do ingl. *tourist*, pelo fr. *touriste*.] *S. 2 g.* **1.** Pessoa que faz turismo (1). **2.** *Bras.* Aluno que quase não vai às aulas. **3.** *Bras.* Pessoa que não para em casa. ● *Adj. 2 g.* **4.** Diz-se de classe (8) ou passagem (7) de preço mais econômico para os viajantes.

turístico [De *turista* + *-ico*[2].] *Adj.* **1.** Relativo ao turismo ou aos turistas. **2.** Que atrai ou interessa aos turistas: *ponto turístico; cidade turística.* **3.** Destinado principalmente ao turismo, ou aos turistas: *viagem turística.*

turiubano (i-u) *Adj.* **1.** De, ou pertencente ou relativo a Turiúba (SP). ● *S. m.* **2.** O natural ou habitante de Turiúba.

turivara *Bras. S. 2 g.* **1.** *Etnôn.* Indivíduo dos turivaras [ou (etnôn. bras.) *Turiwara], povo indígena da família linguística tupi-guarani, tronco tupi, que habita as margens dos rios Acará e Capim (PA). ● *Adj. 2 g.* **2.** Pertencente ou relativo a esse povo. [Sin. ger.: *anambé*.]

turma[1] [Do lat. *turma*.] *S. f.* **1.** Na Roma antiga, grupo de 30 cavaleiros. **2.** Grupo, bando: *uma turma de recrutas.* **3.** Grupo de indivíduos reunidos de propósito ou acidentalmente em torno de um interesse comum: *Uma turma de pacifistas desfilava em silêncio; Turmas de vadios rodeavam os turistas.* **4.** Turno (1), especialmente de estudantes ou trabalhadores: *Muito cedo chega a turma da limpeza.* **5.** Cada um dos grupos de estudantes que compõem uma sala de aulas; classe. **6.** Grupo de animais ou de coisas. **7.** *Bras.* Grupinho de amigos; gente, pessoal; galera: *A turma vai a uma festa.* ◆ **Turma do deixa-disso.** *Bras. Irôn.* Pessoas que intervêm numa discussão, briga, conflito, com propósito pacificador.

turma[2] *S. f.* Moeda siamesa antiga.

turmalina [Do cing. *toramalli*, pelo fr. *tourmaline*.] *S. f. Min.* Mineral trigonal, pedra semipreciosa, que é essencialmente um silicato complexo de boro e alumínio com magnésio, ferro ou metais alcalinos.

turmalinense *Adj. 2 g.* **1.** De, ou pertencente ou relativo a Turmalina (MG e SP). ● *S. 2 g.* **2.** O natural ou habitante de Turmalina.

turmalinoso (ô) [De *turmalina* + *-oso*.] *Adj.* Da natureza da turmalina.

turmeiro [De *turma* + *-eiro*.] *S. m. Bras. S. MG* Indivíduo que faz parte duma turma de trabalhadores de estradas ou de obras rurais.

turné *S. f.* V. *turnê*. [Uso próprio de P.]

turnê [Do fr. *tournée*.] *S. f.* Viagem com itinerário, paradas e visitas predeterminadas, em geral de um artista, de um conferencista, de um grupo de pessoas, etc. [Cf. *excursão* (2).]

turnedô [Do fr. *tournedos*.] *S. m. Cul.* Bife (1) redondo e macio, servido com diferentes molhos e acompanhamentos. [Cf. *bife* (1).]

túrnepo [Do ingl. ant. *turnep*, atual *turnip*, 'nabo'.] *S. m. Bot.* Variedade de nabo (1).

túrnepo-amarelo *S. m. Bot.* Variedade de nabo (*Brassica campestris*). [Pl.: *túrnepos-amarelos*.]

turnerácea [Do tax. *Turnera* + *-ácea*; tax. *Turneraceae*.] *S. f. Bot.* Espécime das turneráceas, família da ordem das violales composta de arbustos e ervas, e de algumas árvores, de folhas alternas, flores solitárias ou racemosas, pentâmeras, salvo no gineceu, que é trímero; ovário unilocular, com óvulos numerosos; frutos capsulares. Há umas 150 espécies tropicais, ger. americanas. A *Turnera ulmifolia* é apreciada entre nós pelas belas flores.

turneráceo [De *turnerácea*, com var. suf. (v. *-áceo*).] *Adj. Bot.* Pertencente ou relativo às turneráceas.

turniácea *S. f. Bot.* V. *thurniácea*.

turniáceo [De *turniácea*, com var. suf. (v. *-áceo*).] *Adj. Bot.* V. *thurniáceo*.

turno [Do esp. *turno*.] *S. m.* **1.** Cada um dos grupos de pessoas que se alternam em certos atos ou serviços; turma: *Os funcionários vinham, em turnos, cumprimentar o chefe.* **2.** *Bras. P. ext.* Cada uma das divisões do horário diário de trabalho (em estabelecimentos de ensino, hospitais, casas comerciais, etc.): *Este é o porteiro do turno da noite; Minhas aulas são em dois turnos diferentes.* **3.** *Bras.* Cada uma das etapas de disputa de campeonatos esportivos. **4.** V. *vez* (3). ◆ **Por seu turno.** Por sua vez; alternativamente: "Ficaram os dois em silêncio cada qual por seu turno procurando a solução do grande problema que tinha diante do espírito." (João da Silva Correia, *Farândola*, p. 134.) **Segundo turno.** *Bras.* Returno.

turpilóquio [Do lat. *turpiloquiu*.] *S. m.* Expressão torpe; dito obsceno; palavrão, palavrada.

turquês *S. f. Lus.* Torquês (q. v.). [Pl.: *turqueses* (ê).]

turquesa (ê) [Do fr. *turquoise*.] *S. f.* **1.** *Min.* Mineral triclínico, azulado ou esverdeado, fosfato hidratado de alumínio e cobre, usado como pedra preciosa. ● *S. m.* **2.** A cor da turquesa: *O turquesa é uma das cores de minha predileção.* ● *Adj. 2 g. e 2 n.* **3.** Da cor da turquesa; turquesado, turquesino: *lã turquesa.* **4.** Diz-se dessa cor; turquesado, turquesino: *Aprecio a cor turquesa.*

turquesado [De *turquesa* + *-ado*[1].] *Adj.* V. *turquesa* (3 e 4).

turquesino [De *turquesa* + *-ino*[1].] *Adj.* V. *turquesa* (3 e 4): "Muito alto e turquesino, ... o céu parecia absorver em si a luz das estrelas" (Saboia Ribeiro, *Contos do Cacau*, p. 135).

turqui [Do ár. *turkī*.] *Adj. 2 g.* Diz-se da cor azul retinta e sem brilho.

turra [De or. onom.] *S. f.* **1.** Pancada com a testa. **2.** Teima, birra, caturrice. **3.** Altercação, disputa, discussão: "Sempre me chamou atenção no Rio a simplicidade com que as pessoas falam de suas dificuldades financeiras, de seus sacrifícios de orçamento, de suas turras, por falta de pagamento, com os fornecedores." (Paulo Mendes Campos, *O Cego de Ipanema*, p. 53.) ● *S. 2 g.* **4.** *Bras.* Indivíduo teimoso, pertinaz, turrão. ● *S. m.* **5.** *Afric. Deprec.* Designação dada pelos colonialistas aos combatentes nacionalistas: "estão a sair do puto para combater os turras." (Domingos Van-Dúnem, *Milonga*, p. 35). ● *Adj. 2 g.* **6.** Turrão. ◆ **Às turras.** Em contenda; em questiúnculas, em conflito: *Andam sempre às turras;* "Viveram às turras, discussões que se amiudavam à medida que envelheciam." (Marques Rebelo, *O Trapicheiro*, p. 63); "Vê se fechas o teu galo, que eu não quero que passe o tempo às turras com o meu!..." (Miguel Torga, *Bichos*, p. 49).

turrão [De *turra* + *-ão*[2].] *Adj. S. m. Pop.* Que, ou aquele que é teimoso, pertinaz; turra. [Fem.: *turrona*. Cf. *torrão*.]

turrar [De *turra* + *-ar*[2].] *V. int.* **1.** Bater com a testa; marrar: "No corredor, próximo aos currais, penetram os bois .... Às vezes, turram, assopram, mugem, bufam, berram, escornam-se." (Nélson de Faria, *Tiziu e Outras Estórias*, p. 210). **2.** Mostrar-se caturra ou teimoso; teimar, embirrar, caturrar. **3.** Discutir com ardor; altercar. *T. i.* **4.** Discutir; altercar: "Os camaradas se afastaram, não querendo turrar com o cozinheiro em momento assim melindroso." (Afonso Arinos, *Pelo Sertão*, p. 10.) [Cf. *torrar*.]

turriculado [Do lat. *turricula*, 'torrinha', + *-ado*[1].] *Adj.* Diz-se de certas conchas univalves que têm a espiral muito alongada.

turriforme [Do lat. *turre*, 'torre (ô)', + *-iforme*.] *Adj. 2 g.* Que tem forma de torre; torreado: "micante e enorme pente .... no alto do cabelo turriforme, cabelo negro e luzente, de um negror de asa corvina" (Martins Fontes, *A Dança*, p. 58).

turrífrago [Do lat. *turre*, 'torre (ô)', + *-i-* + *-frago*.] *Adj. Poét.* Que destrói torres.

turrígero [Do lat. *turrigeru*.] *Adj. Poét.* Que tem torre ou castelo.

turrista [De *turra* + *-ista*.] *S. 2 g.* Pessoa muito dada a turras, birras, caturrices.

turrona *S. f.* Fem. de *turrão* (q. v.).

turturinar [De *turturino* + *-ar*[2].] *V. int. Bras. Poét.* Gemer (a rola); arrulhar, arrolar, rolar: "Caía a tarde rosada; rolas turturinavam e bem-te-vis desferiam a grita alegre." (Coelho Neto, *Sertão*, p. 357.)

turturino [Do lat. *turture*, 'rola (ô)', + *-ino*[1].] *Adj.* Relativo ou pertencente à, ou próprio da rola: "E, freneticos, pelos arvoredos / Soam trinos e beijos, em cardume, / Turturinos, puríssimos e ledos..." (Raimundo Correia, *Poesias*, p. 136.)

turtuveado *Adj. Bras. S.* Perturbado, atarantado, perplexo: "Charuto suspirou, até meio turtuveado com a resposta, mais fria que a indiferença de Eletra." (Davi Antunes, *Briguela*, p. 83.)

turu *S. m. Bras. Zool.* V. *teredo* (2 e 3).

turubi [De uma língua indígena, pelo hisp.-amer. *turibí*.] *S. m. Bras. C.O. Bot.* Arbusto euforbiáceo (*Julocroton stipularis*) de caule anguloso, folhas ovadas, agudas, denticuladas e com pelos escamosos estrelados, flores minutas ocultas em grandes brácteas, formando inflorescências globosas e compactas, e tricocas com 4mm de diâmetro.

turuçu *S. m. Bras. Zool.* V. *uruçu-boi*.

turucué [Voc. onom.] *S. m. Bras. Zool.* V. *joão-tenením*.

turueí *S. f. Bras. Amaz. Zool.* V. *rola* (1).

turumbamba *S. m. Bras. Gír.* Briga, conflito, desordem. V. *rolo*[1] (16). [Var.: *surumbamba*; var. ou f. paral. (em MG) *xirimbamba*. Cf. *jerimbamba*.]

turuna [Do tupi = 'negro poderoso'.] *Adj. S. m. Bras. Pop.* **1.** Forte, poderoso. **2.** V. *valentão* (1 e 3): "O que ele fazia era marchar sobre os pobres animais, ... um homão grande, sujeito turuna de fato, destemido de meter medo." (Nélson de Faria, *Tiziu e Outras Estórias*, p. 112).

turundu *S. m. Bras. MG Folcl.* Dança dramática onde os principais figurantes são os três Reis Magos, nas festas da Purificação da Virgem e de N. S.ª das Candeias.

turundundum *S. m. Bras. PE Pop.* V. *rolo*[1] (16).

tururi [Do tupi.] *S. m.* **1.** *Bot.* V. *castanheira-do-pará*. **2.** *Bot.* V. *cipó-de-timbó*. **3.** *Bot.* Espata duma espécie de palmeira. **4.** *Bras. Zool.* V. *sururina* (1).

tururim [Var. nasalada de *tururi*.] *S. m. Bras. Amaz. Zool.* V. *sururina* (1).

tururu [De or. indígena, poss.] *S. m. Bras. Zool.* V. *paturi*.

tururuense *Adj. 2 g.* **1.** De, ou pertencente ou relativo a Tururu (RN). ● *S. 2 g.* **2.** O natural ou habitante de Tururu.

turuxim (u-ím) *S. m. Bras. Zool.* Ave tinamiforme, tinamídea (*Crypturellus soui albigualris*), da Amaz., de coloração bruno-amarelada quase uniforme, mais clara do lado ventral, e com a garganta branca. Costuma piar regularmente, sendo-lhe atribuída pelo povo a marcação das horas (fato que se dá também com outra espécie).

turvação [Var. de *turbação*.] *S. f.* **1.** Ato ou efeito de turvar(-se); turvamento, turvo. **2.** Doença dos vinhos. [Cf. *torvação*.]

turvador (ô) [De *turvar* + *-dor*.] *Adj.* Que turva.

turvamente [Do f. de *turvo* + *-mente*.] *Adv.* De modo ou com aparência turva; com turvação: "na situação turvamente luminosa de sua alma, sorria como sereia para Nun'Álvares, que baixava os olhos, vergonhoso e mesurado" (Oliveira Martins, *A Vida de Nun'Álvares*, p. 33).

turvamento [De *turvar* + *-mento*.] *S. m.* V. *turvação* (1). [Cf. *torvamento*.]

turvaniense *Adj. 2 g.* **1.** De, ou pertencente ou relativo a Turvânia (GO). ● *S. 2 g.* **2.** O natural ou habitante de Turvânia.

turvar [Var. de *turbar*.] *V. t. d.* **1.** Tornar turvo ou opaco; turbar, turvejar: *A embarcação turvava as águas;* "Encobrindo que a esperava, quis saudar Silvana; mas a voz negou-se-lhe, e uma espécie de deslumbramento turvou-lhe a vista." (Rebelo da Silva, *Contos e Lendas*, p. 133). **2.** Escurecer, toldar, obumbrar, turbar: *Nuvens escuras turvam a tarde.* **3.** V. *turbar* (3). **4.** Embebedar, embriagar. *Int. P.* **5.** Tornar-se turvo ou torvo; turvejar-se, turbar-se. **6.** Tornar-se torvo ou carrancudo; turbar-se. [Cf. *torvar*.]

turvejante [De *turvejar* + *-nte*.] *Adj. 2 g.* Que turveja, que turva: "Consideremos que .... jamais obscureceu em D. Pedro o siso que o levou, através das conturbações e contumélias turvejantes dos seus dias no Brasil, a desenvolver os haras e as olarias" (Alberto Rangel, *Dom Pedro Primeiro e a Marquesa de Santos*, p. 15).

turvejar [De *turvo* + *-ejar*.] *V. t. d.* **1.** Tornar turvo; turvar: "Turvejando os ares, a poeirada sobe, escondendo o sol." (Nélson de Faria, *Tiziu e Outras Estórias*, p. 120.) *Int. P.* **2.** Tornar-se turvo ou torvo; turvar-se. [Conjug.: v. *pelejar*.]

turvelandense *Adj. 2 g.* **1.** De, ou pertencente ou relativo a Turvelândia (GO). ● *S. 2 g.* **2.** O natural ou habitante de Turvelândia.

turvense *Adj. 2 g.* **1.** De, ou pertencente ou relativo a Turvo (PR e SC). ● *S. 2 g.* **2.** O natural ou habitante de Turvo.

turvo [Do lat. *turbidu*.] *Adj.* **1.** Opaco, embaciado. **2.** Escuro, toldado, sombrio, túrbido: *horizonte turvo.* **3.** Revolto, agitado: *mar turvo.* **4.** Desordenado, confuso. **5.** Transtornado, alterado. ● *S. m.* **6.** V. *turvação* (1).

turvolandense *Adj. 2 g.* **1.** De, ou pertencente ou relativo a Turvolândia (MG). ● *S. 2 g.* **2.** O natural ou habitante de Turvolândia.

tussi *S. 2 g. Adj. 2 g.* V. *tútsi*.

tússi *S. 2 g. Adj. 2 g.* V. *tútsi*.

tussígeno [Do lat. *tusse*, 'tosse', + *-i-* + *-geno*.] *Adj. Med.* Que provoca tosse; tussíparo.

tussilagem [Do lat. *tussilagine*.] *S. f. Bot.* Unha-de-cavalo.

tussilago [Do tax. *Tussilago*.] *S. m. Bot.* **1.** Gênero monotípico de plantas asteráceas, herbáceas, rastejantes. **2.** A espécie desse gênero, *Tussilago integerrima* ou *T. farfara* (v. *unha-de-cavalo*). **3.** Qualquer espécime desse gênero.

tussíparo [Do lat. *tusse*, 'tosse', + *-i-* + *-paro*.] *Adj. Med.* Tussígeno.

tussol [Do lat. *tusse*, 'tosse', + *-ol*[1].] *S. m. Terap. Obsol.* Medicamento narcótico, que é um amigdalato de antipirina, usado contra a coqueluche. [Pl.: *tussóis*.]

tussor (ô) [Do hind. *tasar*, pelo ingl. *tussah* e *tussore* e pelo fr. *tussor* ou *tussore*.] *S. m. Terr. Têx.* Tecido fino, de seda natural semelhante ao xantungue: "estava vestido com apuro num terno de tussor de seda" (Pedro Nava, *Beira-Mar*, p. 27).

T

tusta [F. regr. de *tostão*.] *S. m. Bras. Gír.* V. *dinheiro* (5): *Não ganhei nem um tusta no negócio.*

tuta e meia [Da expr. *macuta e meia* < quimb. *mu'kuta*, certa moeda africana, com síncope da 1ª sílaba de *macuta* e assimilação do c.] *S. f.* 1. *Fam.* V. *ninharia*. 2. Quase nada; preço vil; pouco dinheiro: "Comecei então a viver a minha história: era um homem reduzido aos últimos recursos, forçado a vender por tuta e meia a derradeira joia da família" (José Rodrigues Miguéis, *Gente da Terceira Classe*, p. 120). [Pl.: *tuta e meias*.]

tutano *S. m.* 1. Substância mole e gordurosa, do interior dos ossos; medula óssea. 2. A parte mais íntima; âmago, essência. 3. *Fam.* Inteligência; talento: *É escritor de verdade: tem tutano.*

tutear [De *tu*, talvez com infl. do esp. *tutear* e do fr. *tutoyer*.] *V. t. d.* 1. Tratar (alguém) por *tu*: "Abri-a [a carta] antes da outra, e li-a com pasmo. Já me não tuteava; dizia cerimoniosamente: 'Sr. Simeão Antônio de Barros, estou farto de gastar à toa o meu dinheiro com o senhor'." (Machado de Assis, *Páginas Recolhidas*, p. 58.) *P.* 2. Tratar-se mutuamente por *tu*. [Sin. ger.: *atuar*. Conjug. v.: *frear*.]

tuteio [Dev. de *tutear*.] *S. m.* Ação de tutear.

tutela [Do lat. *tutela*.] *S. f.* 1. Encargo ou autoridade que se confere a alguém, por lei ou por testamento, para administrar os bens e dirigir e proteger a pessoa de um menor que se acha fora do pátrio poder, bem como para representá-lo ou assistir-lhe nos atos da vida civil [Cf. *assistência* (9) e *representação* (11)]. 2. Defesa, amparo, proteção; tutoria: *Está sob tutela de um figurão.* 3. Dependência ou sujeição vexatória: *Roma impôs tutela a muitos vencidos.*

tutelado [Do lat. *tutelatu*.] *Adj.* 1. Sujeito a tutela. 2. Protegido, amparado, defendido. ● *S. m.* 3. Indivíduo tutelado; pupilo.

tutelando [De *tutelar*[2] + *-ando*.] *Adj.* 1. Que deve ser tutelado. ● *S. m.* 2. O menor a quem se vai dar tutor em juízo.

tutelar[1] [De *tutela* + *-ar*[1].] *Adj. 2 g.* 1. Relativo a tutela. 2. Protetor, defensor: "— Só um instante mais, exclamou Carlos vendo-a outra vez sentar-se, é necessário saudar o gênio tutelar da casa!" (Eça de Queirós, *Os Maias*, II, p. 143.)

tutelar[2] [De *tutela* + *-ar*[2].] *V. t. d.* 1. Exercer tutela sobre; cuidar de, na qualidade de tutor. 2. Proteger, amparar, defender. [Sin. ger.: *tutorar*.]

tutia [Do persa *tutiyā*.] *S. f.* Óxido de zinco impuro que adere às chaminés dos fornos onde se calcinam certos minérios.

tutiribá [Var. aferética e dissimilada de *cutitiribá*.] *S. m. Bras. Bot.* V. *cutitiribá*. [Var.: *tuturubá*.]

tutoiense (tòi) *Adj. 2 g.* 1. De, ou pertencente ou relativo a Tutoia (MA). ● *S. 2 g.* 2. O natural ou habitante de Tutoia.

tutor (ô) [Do lat. *tutore*.] *S. m.* 1. Indivíduo legalmente encarregado de tutelar alguém. 2. Protetor, defensor. 3. Vara ou estaca usada para amparar um arbusto, trepadeira, ou árvore flexível. 4. *Educ.* Aluno designado como professor de outros alunos, em formas alternativas de ensino. 5. *Educ.* Na educação à distância, o profissional que acompanha e orienta a aprendizagem dos alunos presencialmente ou à distância. [Flex., nas acepçs. 1, 2, 4 e 5: *tutora* (ô), *tutores* (ô), *tutoras* (ô). Cf. *tutora, tutoras, tutores*, do v. *tutorar*.]

tutorar [De *tutor* + *-ar*[2].] *V. t. d.* V. *tutelar*[2]. [Pres. ind.: *tutoro, tutoras*, etc.; pres. subj.: *tutore, tutores*, etc. Cf. *tutora* (ô), *tutoras* (ô), *tutores* (ô), flex. de *tutor*, e *Tutores* (ô), pl. do antr. *Tutor*.]

tutoria [De *tutor* + *-ia*[1].] *S. f.* 1. Cargo ou autoridade do tutor. 2. Exercício de tutela (1). 3. V. *tutela* (2). 4. *Educ.* Sistema de educação à distancia.

tutorial [De *tutor* + *-ial*.] *Adj. 2 g.* 1. Relativo a tutor (4). 2. *Educ.* Diz-se da modalidade de ensino exercido por tutor (4). 3. Diz-se do conjunto de instruções que ensinam como fazer, como proceder, etc., ger. utilizado em autoaprendizagem. ● *S. m.* 4. O tutorial (3).

tutorização [De **tutorizar* (< *tutor* + *-izar*) + *-ção*.] *S. f.* Ato ou efeito de tornar tutorial (2) um programa ou sistema de ensino.

tutriz [Do lat. *tutrice*.] *S. f.* Tutora.

tutsi *S. 2 g. Adj. 2 g.* V. *tútsi*.

tútsi *S. 2 g.* 1. *Etnôn.* Indivíduo dos tútsis, grupo predominantemente pastoril e guerreiro, que divide com os hutus (v. *hutu*) o Burundi e Ruanda (África). ● *Adj. 2 g.* 2. Dos, relativo ou pertencente aos tútsis. [F. paral.: *tutsi*. Sin. ger.: *tússi, tussi, uatúsi, uatútsi, vatúsi, vatútsi*.]

→ **tutti** ['tutti] [It.] *S. m. Mús.* A orquestra inteira, em oposição a um solista, ou a um grupo de solistas (como no concerto grosso). [Cf. *ritornelo* (4).]

→ **tutti quanti** ['tutti 'kwanti] [It.] V. *e tutti quanti*.

→ **tutu** [ty'ty] [Fr.] *S. m.* Saia curta de várias camadas de tule franzido usada pelas bailarinas.

tutu[1] [Do quimb. *kitu'tu*.] *S. m. Bras.* 1. V. *papão*[1] (1): "ameaçam-na .... com o Curupira, o Tutu, pretos velhos que comem meninas" (José Veríssimo, *Cenas da Vida Amazônica*, p. 17). 2. V. *mandachuva*.

tutu[2] [Do quimb. *ki'tutu*.] *S. m. Bras. Cul.* 1. Feijão que, uma vez cozido e refogado, é engrossado com farinha de mandioca ou de milho, tomando consistência de pirão; tutu de feijão, ungui. 2. Iguaria feita de carne de porco salgada, toicinho, feijão e farinha de mandioca. ◆ **Tutu de feijão.** *Cul.* V. *tutu*[2] (1).

tutu[3] *S. m. Bras. Gír.* V. *dinheiro* (5): "essa festa legal era na casa de uma tal de Licinha, cujo pai era contrabandista, estava nadando no tutu." (Rubem Fonseca, *A Coleira do Cão*, pp. 168-169).

tutucar [Do tupi = 'bater', + *-ar*[2].] *Bras. V. int.* 1. Produzir som surdo. ● *S. m.* 2. Tutuque: "Fora o samba continuava: ouvia-se o tutucar dos atabaques, o estrupido surdo dos pés" (Júlio Ribeiro, *A Carne*, p. 109). [Conjug.: v. *trancar*.]

tutumumbuca [De *tutu*[1].] *S. m. Bras. MG Pop.* V. *mandachuva*.

tutunqué [De *tutu*[1].] *S. m. Bras. N.E. Pop.* 1. Senhor poderoso e insolente. 2. V. *mandachuva*.

tutuque [Dev. de *tutucar*.] *S. m. Bras.* Ato ou efeito de tutucar; tutucar.

tuturubá *S. m. Bras. MA Bot.* V. *tutiribá*.

tuvaluano [Do top. *Tuvalu*, protetorado britânico no Pacífico ocidental, antigas ilhas Ellice, + *-uano*.] *Adj.* 1. De, ou pertencente ou relativo a Tuvalu (arquipélago do Pacífico ocidental). ● *S. m.* 2. O natural ou habitante de Tuvalu. 3. *Gloss.* Língua malaio-polinésia falada nessas ilhas; eliceano. 4. Vocábulo dessa língua.

tuvi *S. m. Bras. MG* V. *tubi* (2 e 3).

tuvira [De or. indígena, poss.] *S. f. Bras. Zool.* V. *carapó*.

tuxá *Bras. S. 2 g.* 1. *Etnôn.* Indivíduo dos tuxás, povo indígena que habita a margem direita do rio S. Francisco, N. da BA e PE. ● *Adj. 2 g.* 2. Pertencente ou relativo a esse povo. [Tb. us. como *s. 2 g. e 2 n.* (com cap.) e *adj. 2 g. e 2 n.*]

tuxaua [Do tupi.] *S. m. Bras.* 1. V. *morubixaba* (1): "O tuxaua e o pajé, representantes da lei e do dogma, guardam segredos invioláveis, só transmissíveis aos substitutos na hora da morte." (Raimundo Morais, *País das Pedras Verdes*, pp. 290-291.) 2. *Pej.* Chefe político.

tuzina *S. f. Bras. RS* V. *surra* (1).

■ **TV** Abrev. de *televisão*.

■ **TVA** Abrev. de *televisão por assinatura* (q. v.).

→ **tweed** [twijd] [Ingl.] *S. m. Tec. Têx.* 1. Tecido da região de Tweed (Escócia), produzido com fios cardados de lã natural; é áspero, ger. sarjado, e tramado com fios de duas ou mais cores. 2. Tecido imitante a esse, de material natural ou sintético.

→ **twin-set** [twın set] [Ingl.] *S. m. Vest.* Camiseta de algodão de mangas curtas, em forma de T, ou sem mangas.

→ **twist** [twıst] [Ingl.] *S. m.* V. *tuíste*.

txicão *Bras. S. 2 g.* 1. *Etnôn.* Indivíduo dos txicães [ou (etnôn. bras.) *Txikão, Ikpéng], povo indígena da família linguística caraíba, que habita a região do alto rio Xingu (MT). ● *Adj. 2 g.* 2. Pertencente ou relativo a esse povo.

txucarramãe *Bras. S. 2 g.* 1. Nação indígena caiapó pertencente à família linguística jê. ● *Adj. 2 g.* 2. Pertencente ou relativo a essa nação.

tzar *S. m.* V. *czar*.

tzaréviche *S. m.* V. *czaréviche*.

tzarevna *S. f.* V. *czarevna*.

tzarina *S. f.* V. *czarina*.

tzarismo *S. m.* V. *czarismo*.

tzarista *Adj. 2 g. S. 2 g.* V. *czarista*.

tzigano [Do fr. *tsigane* < húng. *czigany*.] *Adj.* 1. Diz-se de músico cigano, ou de músico vestido com trajes ciganos, que toca músicas ciganas. ● *S. m.* 2. Esse músico. 3. *Gloss.* Romani (1 e 2). 4. Vocábulo do tzigano (3).

Minúscula Moderna	Maiúscula Moderna	Minúscula Carolíngia	Romano	Romano	Etrusco	Grego	Grego	Fenício

A criação de um dicionário exige paciência e determinação, e o resultado deve ser clareza e simplicidade, legado que Aurélio deixou para sua assistente Margarida, que,

juntamente com Marina, coordenou a obra até 2009, mantendo toda a família de dicionários viva e atual.

u *S. m.* **1.** A 21ª letra do nosso alfabeto. [Representa a vogal alta posterior fechada: *uva, luta, caju.* Quando grafada depois de *g* ou *q* e antes de *e* ou *i*, pode ser muda ou pronunciada. (Quando escrita entre *g* e *e*, ou entre *g* e *i*, indica a pronúncia do *g* como oclusiva.) É ger. nasalizada quando seguida de consoante nasal, esp. se ocupa posição tônica ou é seguida de *m* ou *n* na mesma sílaba (*rumba, atum, funcho, função, unha*). É tb. nasalizada no ditongo *ui*, em *muito*.] **2.** A figura dessa letra, ou qualquer representação sua: *A ventania derrubou o U do letreiro.* **3.** Som representado por essa letra. **4.** A forma dessa letra, com um arco entre dois segmentos retos mais ou menos paralelos: *um decote em U.* **5.** *P. ext.* Aquilo que tem forma semelhante à da letra *u*. [Ger. com cap., nas acepçs. 4 e 5.] ● *Num.* **6.** Vigésimo (1), numa série ordenada ou hierárquica cujos elementos são designados ou representados pelas letras do alfabeto, sem considerar o *k* como 11º elemento: *prateleira U* (ou *prateleira u*). **7.** Vigésimo primeiro, numa série em que a letra *k* designa o 11º elemento. [Pl., nas acepçs. 1 a 5: *us* (tb. indicado graficamente pela duplicação da letra: *uu*). Cf. *uh*.]

■ **u 1.** *Fís.* Símb. de *unidade unificada de massa atômica.* **2.** *Fís. Part.* Símb. de *up*.

■ **U** *Quím.* Símb. de *urânio*.

▲ **-u-** Vogal de ligação à frente de suf., tais como *-ada*[1], *-al*[1], *-ário*, etc., ou ligando elementos, palavras.

■ **UA** *Astr.* Sigla de *unidade astronômica*.

ũa [Do lat. *una*.] *Art. indef. Num. Ant. e, hoje, p. us.* Fem. de um; uma: 📖 "Não acabava, quando ũa figura / Se nos mostra no ar, robusta e válida" (Luís de Camões, *Os Lusíadas*, V, p. 39); "ũa alma pura em natureza pura" (Guerra Junqueiro, *Pátria*, p. 143); "ũa madre encarando o filho morto" (Id., *ib.*, p. 149); "como ũa água avante" (Id., *ib.*, p. 171); "Aliás tenho mesmo ũa memória muito fraca" (Mário de Andrade, *Os Filhos da Candinha*, p. 60); "ũa banda do arreio" (Bernardo Élis, *Veranico de Janeiro*, p. 6); "ũa fadiga, ũa falta de ar" (Id., *ib.*, p. 8). [Nos exemplos de Guerra Junqueiro e Mário de Andrade nota-se que o emprego de *ũa* por uma é para evitar cacofonia; tal não se observa, porém, nos exemplos de Bernardo Élis, que procuram apenas fixar a fala popular, de que haure tantos elementos o seu estilo. Aliás, a pronúncia *ũa* é também vigente na linguagem de muitas pessoas cultas. Em Afrânio Peixoto encontramos, diversas vezes, a mesma pronúncia representada pela grafia *um'a*, artificial, decerto, mas preferível ao artificialíssimo e detestável *u'a* preconizado por professores de terceira ordem, e que se encontra em Fontoura Xavier (*Opalas*, p. 121) e em muitos outros autores.]

uabaia [Do fr. *ouabaïo*, do somali *waba yo*.] *S. f. Bot.* Nome comum a arbustos apocináceos africanos do gênero *Acokanthera* dos quais se obtém a ouabaína.

uabaína *S. f. Bioquím.* V. *ouabaína*.

uabatimô [De or. obsc.] *S. m. Bot.* V. *barbatimão* (2).

uabuí *Bras. S. 2 g.* **1.** *Etnôn.* Indivíduo dos uabuís [ou (etnôn. bras.) *Uaboy], povo indígena extinto que habitava a margem direita do rio Nhamundá (AM). ● *Adj. 2 g.* **2.** Pertencente ou relativo a esse povo. [Outras f.: *abuí, uiabuí*.]

uacá [De or. indígena.] *S. m. Bras. Bot.* Árvore quináceа (*Quiina decastyla*), do litoral do Pará, de fruto ovoide.

uaçá [Do tupi, poss.] *S. m. Bras. Zool.* V. *caranguejo* (1).

uaçacu [Do tupi.] *S. m. Bras. Bot.* V. *açacu*.

uaçaí[1] [Do tupi.] *S. m. Bras. Bot.* V. *açaí* (1).

uaçaí[2] *Bras. S. 2 g.* **1.** *Etnôn.* Indivíduo dos uaçaís [ou (etnôn. bras.) *Uassahy], povo indígena extinto que habitava as margens do rio Jatapu (AM). ● *Adj. 2 g.* **2.** Pertencente ou relativo a esse povo.

uaçaí-chumbo *S. m. Bras. Bot.* V. *açaí-chumbo*. [Pl.: *uaçaís-chumbos* e *uaçaís-chumbo*.]

uaçaí-miri *S. m. Bras. Bot.* V. *açaí-chumbo*. [Pl.: *uaçaís-miris*.]

uaçaí-mirim *S. m. Bras. Bot.* V. *açaí-chumbo*. [Pl.: *uaçaís-mirins*.]

uacanga [Do tupi.] *S. f. Bras. Bot.* Palmeira arecácea (*Geonoma princeps*) elegante e delicada, do interior da floresta densa e úmida. O caule é delgado e as folhas se reúnem no seu ápice; unissexuais e pequenas, as flores dispõem-se em espigas protegidas por larga bráctea, dita *espata*; os frutos são bagas minutas.

uacapará *S. m. Bras. Zool.* V. *guajá*[1].

uacapu [Do tupi.] *S. m. Bras. Bot.* Acapu.

uacapurana [Do tupi = 'semelhante ao aucapu'.] *S. f. Bras. Bot.* V. *acapurana*.

uacarauá *Bras. S. 2 g.* **1.** *Etnôn.* Indivíduo dos uacarauás, povo indígena extinto que habitava as margens dos rios Juruá e Jutaí (AM). ● *Adj. 2 g.* **2.** Pertencente ou relativo a esse povo. [Tb. us. como *s. 2 g. e 2 n.* (com cap.) e *adj. 2 g. e 2 n.*]

uacari [Do tupi.] *S. m. Zool.* **1.** *Bras.* V. *cascudo*[2] (2). **2.** *Bras. Amaz.* V. *cacajau* (2).

uacariaçu *S. m. Bras. Zool.* V. *acariaçu*.

uacari-branco *S. m. Bras. Zool.* Primata cebídeo (*Cacajao calvus*), da região norte do rio Solimões, entre o Japurá e o Içá (AM). Tem coloração geral cinzento-esbranquiçada, com a face nua, vermelha, a cauda não ultrapassa um terço do comprimento do corpo. [Pl.: *uacaris-brancos*.]

uacariguaçu [Do tupi = 'uacari grande'.] *S. m. Bras. Zool.* V. *acariaçu*.

uacari-preto *S. m. Bras.* Primata cebídeo (*Cacajao roosevelti*), de pelagem preta, muito fina e comprida, com uma espessa franja na cauda, e que pode atingir cerca de 0,85m de altura. Habita o N. de Mato Grosso. [Pl.: *uacaris-pretos*.]

uacari-vermelho *S. m. Bras. Zool.* Primata cebídeo (*Cacajao rubicundus*), do O. do AM, de coloração geral amarelo-acastanhada, e face nua, vermelha, e cuja cauda não ultrapassa um terço do comprimento do corpo. É animal gregário, diurno, e alimenta-se de frutos. [V. *cacajau* (2). Pl.: *uacaris-vermelhos*.]

uacauã *S. m. e f. Bras. Zool.* V. *acauã*.

uacima *S. f. Bras. Bot.* V. *cabeça-de-preguiça*.

uacindiba *S. f. Bras. Bot.* V. *guaxindiba*.

uaconá *Bras. S. 2 g.* **1.** *Etnôn.* Indivíduo dos uaconás [ou (etnôn. bras.) *Wakóna], povo indígena que habitava as margens do rio S. Francisco, divisa de SE com AL. ● *Adj. 2 g.* **2.** Pertencente ou relativo a esse povo.

uacu [Do tupi.] *S. m. Bras. Amaz. Bot.* Árvore fabácea (*Monopteryx uauca*) da floresta pluvial. É de grande porte, e produz uma semente discoide de cerca de 3,5cm de diâmetro, a qual cede um óleo comestível na proporção de 28%, e pode ser ingerida, assada ou cozida. [Sin.: *itauaçu* e *uauçu*.]

uaçu *Bras. S. 2 g.* **1.** *Etnôn.* Indivíduo dos uaçus [ou (etnôn. bras.) *Wassu], povo indígena extinto que habitava AL. ● *Adj. 2 g.* **2.** Pertencente ou relativo a esse povo.

▲ **-uaçu** V. *-açu*.

uacumã [Do tupi.] *S. m. Bras. Bot.* V. *acumã*.

▲ **-uada** [De *-u-* + *-ada*[1] (o *-u-* representa ger. a vogal temática da 4ª declinação latina).] V. *-ada*[1].

uadio parani diapá *Bras. S. 2 g.* **1.** *Etnôn.* Indivíduo dos uadio parani diapás [ou (etnôn. bras.) *Wadyo-parani-dyapá], povo indígena extinto, da família linguística catuqui, que habitava a margem esquerda do rio Juruá (AM). ● *Adj. 2 g.* **2.** Pertencente ou relativo a esse povo. [Pl.: *uadio parani diapás*.] ❇

uado [Do ior.] *S. m. Bras. Rel.* V. *adum*.

▲ **-uado** [De *-u-* + *-ado*[1] (o *-u-* representa ger. a vogal temática da 4ª declinação latina).] V. *-ado*[1].

uai *Interj. Bras. Prov. port.* Exprime surpresa, espanto, ou terror: 📖 "De repente, peguei a ouvir galo cantar. Uai! Era bem o canto do galo" (Afonso Arinos, *Histórias e Paisagens*, p. 18); "— Vamos matar o bicho, conhecido? | — Não, senhor, eu não tenho costume — respondeu o outro. | — Uai! Costume a gente pega." (Amadeu de Queirós, *Os Casos do Carimbamba*, p. 119).

■ **UAI** Sigla de *União Astronômica Internacional*.

uaia *Bras. S. 2 g.* **1.** *Etnôn.* Indivíduo dos uaias [ou (etnôn. bras.) *Uaya], povo indígena extinto que habitava a região próxima à margem direita do rio Içá (AM). ● *Adj. 2 g.* 2. Pertencente ou relativo a esse povo.

uaiá [Do tupi.] *S. f. Bras.* Estagnação periódica das águas dos lagos amazonenses.

uaiana *Bras. S. 2 g.* 1. *Etnôn.* Indivíduo dos uaianas [ou (etnôn. bras.) *Waiana, *Waiana, *Wayana-aparai], povo indígena da família linguística caraíba, que habita as margens dos rios Paru do Oeste e Iari (PA), o Suriname e a Guiana Francesa. ● *Adj. 2 g.* 2. Pertencente ou relativo a esse povo.

uaiapuçá [Do tupi.] *S. m. Bras. Zool.* Uapuçá (q. v.).

uaicá *Bras. S. 2 g.* 1. *Etnôn.* Indivíduo dos uaicás [ou (etnôn. bras.) *Waiká], povo indígena extinto, da família linguística guarani, que habitava o N. de RR e a Venezuela. ● *Adj. 2 g.* 2. Pertencente ou relativo a esse povo. [Outra f.: *vaicá*.]

uaicima [Do tupi.] *S. f. Bras. Bot.* 1. V. *cabeça-de-preguiça*. 2. V. *saca-rolhas* (5).

uaieira *S. f. Bras. Bot.* V. *uvaia* (1).

uaimiri-atroari *Bras. S. 2 g.* 1. *Etnôn.* Indivíduo dos uaimiris-atroaris [ou (etnôn. bras.) *Waimiri-atroari, *Kinã], povo indígena da família linguística caraíba, que habita a divisa do AM com RR. ● *Adj. 2 g.* 2. Pertencente ou relativo a esse povo. [Pl.: *uaimiris-atroaris*.]

uaimirijuru *S. m. Bras. Bot.* V. *boca-de-velha*.

uaimiuru (i-u) *S. m. Bras. Bot.* V. *boca-de-velha*.

uainamari *Bras. S. 2 g.* 1. *Etnôn.* Indivíduo dos uainamaris, povo indígena extinto, da família linguística aruaque, que habitava a região próxima à cabeceira do rio Inauini (AM). ● *Adj. 2 g.* 2. Pertencente ou relativo a esse povo. [Tb. us. como *s. 2 g. e 2 n.* (com cap.) e *adj. 2 g. e 2 n.*]

uainumá *Bras. S. 2 g.* 1. *Etnôn.* Indivíduo dos uainumás, povo indígena extinto, da família linguística aruaque, que habitava a região situada entre os rios Içá e Caquetá, no médio rio Japurá, próximo à fronteira com a Colômbia (AM). ● *Adj. 2 g.* 2. Pertencente ou relativo a esse povo. [Tb. us. como *s. 2 g. e 2 n.* (com cap.) e *adj. 2 g. e 2 n.*]

uaiô [Var. de *uaiuá*.] *El. s. m.* Us. na loc. *estar de uaiô*. ◆ **Estar de uaiô.** *Bras. Amaz.* Estar de uaiua.

uaioró *Bras. S. 2 g.* 1. *Etnôn.* Indivíduo dos uaiorós [ou (etnôn. bras.) *Wayoró], povo indígena extinto, do tronco linguístico tupi, que habitava a margem esquerda do rio Branco (RO). ● *Adj. 2 g.* 2. Pertencente ou relativo a esse povo.

uaipi [Do tupi.] *S. m. Bras. Bot.* V. *mandioca* (1 e 2).

uairua *Bras. S. 2 g.* 1. *Etnôn.* Indivíduo dos uairuas, povo indígena extinto que habitava a margem direita do rio Juruá (AM). ● *Adj. 2 g.* 2. Pertencente ou relativo a esse povo. [Tb. us. como *s. 2 g. e 2 n.* (com cap.) e *adj. 2 g. e 2 n.*]

uaitá *S. m. Bras. Bot.* V. *aitá*.

uaitacá *Bras. S. 2 g.* 1. *Etnôn.* Indivíduo dos uaitacás [ou (etnôn. bras.) *Waitakásá], povo indígena extinto, que habitava a costa norte do RJ e a costa do ES. ● *Adj. 2 g.* 2. Pertencente ou relativo a esse povo.

uaiua (ai-ú) [Do tupi.] *El. s. f.* Us. na loc. *estar de uaiua*. ◆ **Estar de uaiua.** *Bras. Amaz.* Vir (o peixe), de beiço inchado, respirar à tona da água, talvez por se achar corrompida a água dos rios, e não raro morrendo; estar de uaiô. ❖

uaiuai *Bras. S. 2 g.* 1. *Etnôn.* Indivíduo dos uai-uais [ou (etnôn. bras.) *Wai-wai], povo indígena da família linguística caraíba, que habita os municípios de Oriximiná e Faro (PA), o município de Nhamundá (AM) e em RR. ● *Adj. 2 g.* 2. Pertencente ou relativo a esse povo. ❖

uaiumará *Bras. S. 2 g.* 1. *Etnôn.* Indivíduo dos uaiumarás [ou (etnôn. bras.) *Wayumará], povo indígena extinto, da família linguística caraíba, que habitava as margens do rio Uanamara (RR). ● *Adj. 2 g.* 2. Pertencente ou relativo a esse povo.

uaixima [Do tupi.] *S. f. Bras. Bot.* V. *guaxima-roxa*.

uajará [Do tupi.] *S. m. Bras. Bot.* Guajará[1].

▲ **-ual** [De *-u-* + *-al*[1] (o *-u-* representa ger. a vogal temática da 4ª declinação latina).] V. *-al*[1].

ualamo *S. m. Gloss.* 1. Língua omótica falada na Etiópia (África). 2. Vocábulo dessa língua.

uale [Do ár. *walī*, 'amigo', 'vizinho', 'companheiro'; 'senhor'.] *S. m.* Entre os árabes, governante de província; váli. [Var.: *uáli*, *váli*.]

uáli *S. m.* V. *uale*.

uamiré *Bras. S. 2 g.* 1. *Etnôn.* Indivíduo dos uamirés [ou (etnôn. bras.) *Uahmiré], povo indígena extinto, da família linguística caraíba, que habitava as cabeceiras do rio Anauá e Uatumã (AM). ● *Adj. 2 g.* 2. Pertencente ou relativo a esse povo.

uamiri [Var. de *uamirim*.] *S. m. Bras.* Pequena flecha de zarabatana.

uamirim *S. m. Bras.* Uamiri.

uamói [Do tupi.] *S. 2 g. Adj. 2 g. Bras.* V. *aticum*.

uanambé [Do tupi.] *S. m. Bras. Zool.* V. *anambé*[1] (1).

uanani [Do tupi.] *S. m. Bras. Bot.* V. *anani*.

uanano *Bras. S. 2 g.* 1. *Etnôn.* Indivíduo dos uananos [ou (etnôn. bras.) *Wanano], povo indígena da família linguística tucano, que habita a região do alto rio Negro conhecida como Boca do Cachorro (AM). ● *Adj. 2 g.* 2. Pertencente ou relativo a esse povo.

uanapu *Bras. S. 2 g.* 1. *Etnôn.* Indivíduo dos uanapus, povo indígena extinto que habitava a margem esquerda do rio Anapu (PA). ● *Adj. 2 g.* 2. Pertencente ou relativo a esse povo. [Tb. us. como *s. 2 g. e 2 n.* (com cap.) e *adj. 2 g. e 2 n.*]

uanderu *S. m. Zool.* Primata cercopitecídeo (*Macaca silenus*) de pelagem parda, com a face negra, coberta de juba de pelos brancos. Vive em bandos no S. da Índia. [Sin.: *sileno*.]

uanga [Do quimb.] *S. m. Angol.* V. *feitiço* (3): 📖 "Posso ensinar os teus homens a caçar, lhes explicar tudo o que aprendi. Excepto uma coisa. A magia do uanga. Faz parte mesmo da minha arte." (Pepetela, *Lueji*, p. 280.)

uaniã *Bras. S. 2 g.* 1. *Etnôn.* Indivíduo dos uaniãs [ou (etnôn. bras.) *Wanyam], povo indígena extinto, da família linguística xapacura, que habitava a região situada entre os rios Branco e S. Miguel (RO). ● *Adj. 2 g.* 2. Pertencente ou relativo a esse povo.

uapé [Do tupi.] *S. m. Bras. Amaz. Bot.* 1. V. *flor-da-cachoeira*. 2. V. *vitória* (2). 3. V. *aguapé*[2] (1). [Var. pros.: *uapê*.]

uapê *S. m. Bras. Amaz. Bot.* V. *uapé*.

uapé-da-cachoeira *S. m. Bras. Bot.* V. *flor-da-cachoeira*. [Pl.: *uapés-da-cachoeira*. Var. pros.: *uapê-da-cachoeira*.]

uapê-da-cachoeira *S. m. Bras. Bot.* V. *uapé-da-cachoeira*. [Pl.: *uapês-da-cachoeira*.]

uapiti *S. m. Zool.* Mamífero artiodáctilo, cervídeo, ruminante (*Cervus canadensis*), tido como a variedade americana do cervo europeu; grande, com 1,70m de altura na cernelha, com galhada de 1,60m, pesando de 350kg até 500kg, habita o Canadá e o Alasca, chegando até às Montanhas Rochosas e ao Novo-México. [Sin.: *cervo-americano*, *cervo-canadense*.]

uapixana *Bras. S. 2 g.* 1. *Etnôn.* Indivíduo dos uapixanas [ou (etnôn. bras.) *Wapixana, *Wapisiana, *Wapishana], povo indígena da família linguística aruaque, que habita a região situada na bacia do rio Branco (RR) e na Guiana. ● *Adj. 2 g.* 2. Pertencente ou relativo a esse povo.

uapuçá [Do tupi.] *S. m. Bras. Zool.* V. *sauá*. [F. paral.: *uaiapuçá*.]

uapuçá-de-coleira *S. m. Bras. Amaz. Zool.* Animal mamífero, primata, cebídeo (*Callicebus torquatus*), da Amaz., de coloração escura, com cabeça e extremidades mais escuras, as mãos e um colar no pescoço brancos. [Pl.: *uapuçás-de-coleira*.]

▲ **-uar** [De *-u-* + *-ar*[2] (o *-u-* representa ger. a vogal temática da 4ª declinação latina).] V. *-ar*[2].

▲ **-uara** [Do tupi.] *El. comp.* = 'natural ou habitante de (um lugar)'; 'relativo a, ou próprio de (um lugar)': *manauara*. [Equiv.: *-oara*: *marajoara*.]

uaraicu *Bras. S. 2 g.* 1. *Etnôn.* Indivíduo dos uaraicus [ou (etnôn. bras.) *Waraiku], povo indígena extinto, da família linguística aruaque, que habitava a margem direita do rio Solimões, entre os rios Javari e Jutaí (AM). ● *Adj. 2 g.* 2. Pertencente ou relativo a esse povo.

uaranacoacena *Bras. S. 2 g.* 1. *Etnôn.* Indivíduo dos uaracoacenas, povo indígena extinto, que habitava a margem esquerda do rio Negro (AM). ● *Adj. 2 g.* 2. Pertencente ou relativo a esse povo. [Tb. us. como *s. 2 g. e 2 n.* (com cap.) e *adj. 2 g. e 2 n.*]

uarara *S. m. Bras. Zool.* V. *pirarara*.

uarequena *Bras. S. 2 g.* 1. *Etnôn.* Indivíduo dos uarequenas [ou (etnôn. bras.) *Warekena], povo indígena da família linguística aruaque que habita a região do alto rio Negro conhecida como Boca do Cachorro (AM). ● *Adj. 2 g.* 2. Pertencente ou relativo a esse povo. [Outra f.: *uerequena*.]

uariá [De or. indígena.] *S. m. Bras. Amaz. Bot.* Planta marantácea (*Maranta lutea*) herbácea, de rizomas farináceos e comestíveis depois de cozidos; ariá.

uarinense *Adj. 2 g.* 1. De, ou pertencente ou relativo a Uarini (AM). ● *S. 2 g.* 2. O natural ou habitante de Uarini.

▲ **-uário** [De *-u-* + *-ário* (o *-u-* representa ger. a vogal temática da 4ª declinação latina).] V. *-ário*.

uariquina [Do tupi.] *S. f. Bras.* Pimenta alongada e vermelha.

uarirama *S. f. Bras. Zool.* V. *martim-pescador-grande*.

uariua-tapuia *Bras. S. 2 g.* 1. *Etnôn.* Indivíduo dos uariuas-tapuias [ou (etnôn. bras.) *Waríwa-tapuya], povo indígena extinto que habitava a região próxima à margem esquerda do rio Japurá (AM). ● *Adj. 2 g.* 2. Pertencente ou relativo a esse povo. [Pl.: *uariuas-tapuias*.]

uaru [Do tupi.] *S. m. Bras. Amaz. Zool.* Peixe actinopterígio, perciforme, ciclídeo (*Uaru amphiacanthoides*), da Amaz. [Sin.: *uaruurá*.]

uarubé [Do tupi.] *S. m. Bras.* O sumo da massa da mandioca, do qual se prepara o tucupi.

uaruurá *S. m. Bras. Amaz. Zool.* Uaru.

uatadeu *Bras. S. 2 g.* 1. *Etnôn.* Indivíduo dos uatadeus, povo indígena extinto da família linguística guaicuru, que habitava a margem direita do rio Paraguai (MS). ● *Adj. 2 g.* 2. Pertencente ou relativo a esse povo. [Tb. us. como *s. 2 g. e 2 n.* (com cap.) e *adj. 2 g. e 2 n.*]

uatapu [Do tupi.] *S. m. Bras.* V. *búzio* (1). [Segundo a crença dos índios do PA, a concha deste molusco, quando soprada, tem a virtude de atrair os peixes. Var.: *guatapi*.]

uatumãense *Adj. 2 g.* 1. De, ou pertencente ou relativo a São Sebastião do Uatumã (AM). ● *S. 2 g.* 2. O natural ou habitante de São Sebastião do Uatumã.

uatúsi *S. 2 g. Adj. 2 g.* V. *tútsi*.

uatútsi *S. 2 g. Adj. 2 g.* V. *tútsi*.

uau[1] *S. m.* Nome da 27ª letra do alfabeto árabe.

uau[2] *Interj.* Indica surpresa, alegria.

uauá (u-a-u-á) [Do tupi.] *S. m. Bras. BA Zool.* V. *pirilampo*.

uauaçu (u-au-a) [Do tupi.] *S. m. Bras. Bot.* 1. V. *babaçu*: 📖 "Certo que a casa .... em Mato Grosso [é coberta] com as [folhas] do uauaçu ou com o couro de boi." (E. Roquete-Pinto, *Seixos Rolados*, p. 66.) 2. V. *uacu*.

uauaçuzal (u-au-a) [De *uauaçu* + *-zal*.] *S. m. Bras. Amaz.* V. *babaçual*.

uauaense (u-a-u-à) *Adj. 2 g.* 1. De, ou pertencente ou relativo a Uauá (BA). ● *S. 2 g.* 2. O natural ou habitante de Uauá.

uauarate (u-au-a) *Bras. S. 2 g.* 1. *Etnôn.* Indivíduo dos uauarates, povo indígena extinto que habitava a margem esquerda do rio Jutaí (AM). ● *Adj. 2 g.* 2. Pertencente ou relativo a esse povo. [Tb. us. como *s. 2 g. e 2 n.* (com cap.) e *adj. 2 g. e 2 n.*]

uauçu (u-a-u) [Do tupi.] *S. m. Bras. Bot.* V. *uacu*.

uauiru (u-au-i) *S. m. Bras. Zool.* O rato, entre certos índios da Amazônia.

uaupeense (u-au... eên) *Adj. 2 g.* 1. De, ou pertencente ou relativo a Uaupés (AM). ● *S. 2 g.* 2. O natural ou habitante de Uaupés.

uaurá (u-au) *Bras. S. 2 g.* 1. *Etnôn.* Indivíduo dos uaurás [ou (etnôn. bras.) *Waurá], povo indígena de família linguística aruaque, que habita as margens do rio Batovi (MT). ● *Adj. 2 g.* 2. Pertencente ou relativo a esse povo.

uaxuá (u-a-xu) *S. m. Bras. Bot.* V. *axuá* (2).

ubá[1] [Do tupi = 'árvore'.] *S. f. Bras. Amaz.* Espécie de canoa, us. entre povos indígenas brasileiros, talhada em casca de árvore ou escavada a fogo num único lenho, rasa, sem quilha e sem banco, ger. com pequeno soerguimento da proa, popa e bordadura. [Cf. *casco*.] [Var.: *iuá*.]

ubá[2] [Do tupi.] *S. m. Bras. Bot.* V. *cana-do-rio*.

ubacaba [Do tupi.] *S. f. Bras. S. Bot.* Subarbusto mirtáceo (*Psidium radicans*) rastejante, de folhas quase sésseis, coriáceas, oblongas ou lanceoladas, inferiormente revestidas de curtos pelos brancos, e de flores e frutos não descritos botanicamente.

ubacaiá *S. m. Bras. Bot.* V. *cana-de-macaco* (1 e 2).

ubaense *Adj. 2 g.* 1. De, ou pertencente ou relativo a Ubá (MG). ● *S. 2 g.* 2. O natural ou habitante de Ubá.

ubaia *S. f. Bras. Bot.* V. *uvaia*: 📖 "Também ainda não é tempo de ubaia, fruta azeda, mas muito apreciada, embora muito sujeita a pragas." (Hélio Galvão, *Cartas da Praia*, p. 31.)

ubairense (a-i) *Adj. 2 g.* 1. De, ou pertencente ou relativo a Ubaíra (BA). ● *S. 2 g.* 2. O natural ou habitante de Ubaíra.

ubaitabense *Adj. 2 g.* 1. De, ou pertencente ou relativo a Ubaitaba (BA). ● *S. 2 g.* 2. O natural ou habitante de Ubaitaba.

ubajarense *Adj. 2 g.* 1. De, ou pertencente ou relativo a Ubajara (CE). ● *S. 2 g.* 2. O natural ou habitante de Ubajara.

ubarana [Do tupi.] *S. f. Bras. Zool.* Peixe elopídeo (*Elops saurus*), esguio, de coloração prateada, com o dorso cinza-azulado, cabeça pequena e pontiaguda e boca terminal e cauda fortemente bifurcada. Ocorre em áreas neríticas rasas, em superfícies lamacentas e também em estuários de águas salobras. Frequentemente formam grandes cardumes. Atinge cerca de 1m de comprimento e alimenta-se ger. de crustáceos e peixes menores. [Var.: *obarana*. Sin.: *obaranaçu*, *ubaranaçu*, *urubaiana*, e (pop.) *robalo-de-areia*.]

ubarana-boca-de-rato *S. f. Bras. Zool.* V. *ubarana-rato.* [Pl.: *ubaranas-boca-de-rato.*]

ubaranaçu [De *ubarana* + *-açu.*] *S. f. Bras. Zool.* V. *obarana.* [Var.: *obaranaçu.*]

ubarana-do-norte *S. f. Bras. Zool.* V. *ubarana-rato.* [Pl.: *ubaranas-do-norte.*]

ubarana-focinho-de-rato *S. f. Bras. Zool.* V. *ubarana-rato.* [Pl.: *ubaranas-focinho-de-rato.*]

ubarana-rato *S. f. Bras. Zool.* Peixe albulídeo (*Albula vulpes*) de corpo alongado, focinho cônico, com a nadadeira dorsal triangular, quando ereta, e a caudal fortemente bifurcada; tem cerca de 60cm de comprimento e habita águas costeiras quentes e temperadas do Atlântico ocidental (dos E.U.A. ao Brasil) e do Pacífico oriental (dos E.U.A. ao Peru, e O. do Havaí). Tem coloração prateada, com o dorso azul-esverdeado, e alimenta-se ger. de peixes, crustáceos e moluscos. [Sin.: *arabaiana-rato, banana, focinho-de-rato, peixe-rato, ratão, obarana-rato, obarana-focinho-de-rato, ubarana-boca-de-rato, ubarana-focinho-de-rato.* Pl.: *ubaranas-ratos* e *ubaranas-rato.*]

ubari [Do tupi.] *S. m. Bras. Zool.* Peixe hemiodontídeo (*Hemiodus unimaculatus*) da bacia amazônica, de até c. de 20cm, que se caracteriza por ter pequena mancha preta arredondada acima da linha média longitudinal dos flancos, ao nível da parte posterior das nadadeiras dorsal e ventral. [Sin.: *gordinha, jatuarana.*]

ubatã [Do tupi = 'árvore dura'.] *S. m. Bras. Bot.* **1.** V. *gonçalo-alves.* **2.** V. *mucuri.*

ubatense *Adj. 2 g.* **1.** De, ou pertencente ou relativo a Ubatã (BA). ● *S. 2 g.* **2.** O natural ou habitante de Ubatã.

ubatinga [Do tupi.] *S. f. Bras.* **1.** Batinga (2). **2.** V. *açoita-cavalo* (2).

ubatubano *Adj.* **1.** De, ou pertencente ou relativo a Ubatuba (SP). ● *S. m.* **2.** O natural ou habitante de Ubatuba.

■ **UBE** Sigla de *União Brasileira de Escritores.*

ubeba *S. f. Bras. Zool.* V. *oveva.*

uberabense *Adj. 2 g.* **1.** De, ou pertencente ou relativo a Uberaba (MG). ● *S. 2 g.* **2.** O natural ou habitante de Uberaba.

uberdade [Do lat. *ubertate.*] *S. f.* **1.** Qualidade de úbere[2]; abundância, fartura. **2.** Fertilidade, fecundidade. **3.** Opulência, riqueza, fausto.

úbere[1] [Do s. lat. *ubere,* 'mama', 'seio'.] *S. m. Zool.* Mama de vaca ou de outra fêmea de animal. [Var.: *ubre.*]

úbere[2] [Do adj. lat. *ubere,* 'pleno', 'abundante'.] *Adj. 2 g.* **1.** V. *fecundo* (1): "Por que é nesta terra, ... num solo fecundo, úbere, num clima sereno, ... esta triste raça morre no entorpecimento, sem esperanças, sem remédio?" (Eça de Queirós, *Prosas Esquecidas,* III, p. 35.) [Antôn.: *estéril.*] **2.** Abundante, farto. [Sin. ger.: *ubertoso.* Superl. abs. sint.: *ubérrimo.*]

uberlandense *Adj. 2 g.* **1.** De, ou pertencente ou relativo a Uberlândia (MG). ● *S. 2 g.* **2.** O natural ou habitante de Uberlândia.

ubérrimo [Do lat. *uberrimu.*] *Adj.* Superl. abs. sint. de *úbere*[2]: "Eram as vaquejadas do gado barbatão, que se reproduzia com espantosa fecundidade, por aqueles ubérrimos campos ainda despovoados." (José de Alencar, *O Sertanejo,* p. 197.)

ubertoso (ô) [Do lat. *ubertus,* 'abundante', + *-oso.*] *Adj.* Úbere[2]: *terra ubertosa;* "No esplendor solitário / Das planícies fecundas, ubertosas, / Inundadas de sol" (Raimundo Correia, *Poesias,* p. 263).

■ **Ubes** Sigla de *União Brasileira dos Estudantes Secundaristas.*

ubi [Do tupi.] *S. m. Bras. Bot.* Ubim.

ubiedade [Do lat. escolástico *ubietate.*] *S. f. Filos.* Caráter do que está presente em um lugar.

ubijara *S. f. Bras. Zool.* **1.** V. *cobra-cega* (1). **2.** V. *cobra-de-duas-cabeças.*

ubim [Var. de *ubi.*] *S. m. Bras. Bot.* **1.** *Amaz.* Designação comum a diversas arecáceas, pertencentes aos gêneros *Bactris, Calyptrogyne* e *Geonoma.* **2.** V. *guaraicanga-de-bengala.*

ubiquação [De **ubiquar* (de *ubíquo* + *-ar*[2]) + *-ção.*] *S. f.* **1.** V. *ubiquidade.* **2.** *Filos.* Caráter do ser presente em toda parte.

ubiquidade (qüi) [De *ubíquo* + *-(i)dade.*] *S. f.* Propriedade ou estado de ubíquo ou onipresente; ubiquação, onipresença: "É a ubiquidade do pensamento humano de estar aqui e além, representado pelo pensamento bergsoniano." (Bella Jozef, *Jorge Luis Borges,* p. 124.) ❖

ubiquinona [Do lat. *ubi(que),* 'por toda parte', + *quinona.*] *S. f. Quím.* Qualquer de certas substâncias que se podem considerar derivadas da quinona (1). [Estas substâncias são coenzimas que participam do transporte de elétrons nas mitocôndrias.]

ubiquitário (qüi) [Do fr. *ubiquitaire.*] *Adj.* Que pode ter diversas localizações. ❖

ubíquo [Do adv. lat. *ubique,* 'em toda parte', com desin. de adj.] *Adj.* Que está ao mesmo tempo em toda a parte; onipresente: *Deus é ubíquo;* "Nem de dia, nem de noite descansava o mestre, correndo a toda a parte, ubíquo: de dia à luz do Sol, de noite à luz das tochas, sem conhecer sono." (Oliveira Martins, *A Vida de Nun'Álvares,* p. 165).

ubiracica [Do tupi.] *S. f. Bras. Bot.* V. *icica* (1).

ubiraçoca [Do tupi, poss.] *S. m. Bras. Zool.* V. *teredo* (2 e 3).

ubirajara [Do tupi = 'senhor da terra'.] *Bras. S. 2 g.* **1.** Indivíduo dos ubirajaras, povo que no tempo da chegada dos portugueses ao Brasil existia nas proximidades das nascentes do rio São Francisco. ● *Adj. 2 g.* **2.** Pertencente ou relativo a esse povo.

ubirajarense *Adj. 2 g.* **1.** De, ou pertencente ou relativo a Ubirajara (SP). ● *S. 2 g.* **2.** O natural ou habitante de Ubirajara.

ubiraquá [Do tupi.] *S. f. Bras. N.E. Zool.* V. *corre-campo* (1).

ubre *S. m. Zool.* V. *úbere*[1].

■ **Ubu** *Quím.* Símb. de *umbiúnio* (q. v.).

ubuçu [Do tupi.] *S. m. Bras. Bot.* Buçu.

ubuesco [Do ficción. *Ubu,* da obra *Ubu roi,* 'Ubu rei', de Alfred Jarry (1873-1907), escritor francês precursor do surrealismo, + *-esco;* fr. *ubuesque.*] *Adj.* Que se caracteriza por tirania grotesca e comicidade cruel, cínica e covarde, a qualquer preço, dignas de Ubu: "depois da queda e assassinato do grotesco 'titã dos Cárpatos' — como era designado pela propaganda oficial o .... ubuesco tirano da Romênia [Ceausescu]" (João Medina, em *Jornal de Letras, Artes e Ideias,* 5 a 18 de maio/1999).

uca[1] [Do tax. *Uca,* de or. tupi.] *S. m. Zool.* **1.** Gênero de crustáceos decápodes, ocipodídeos, das regiões tropicais, que se caracterizam, principalmente, pelo grande desenvolvimento de uma das pinças, nos machos, o que os torna semelhantes ao guaiamus (v. *guaiamu*). **2.** Qualquer espécie desse gênero, como, p. ex., a vulgarmente conhecida como *chama-maré* (q. v.). **3.** Qualquer espécime desse gênero. [Sin. ger.: *gelásimo.*]

uca[2] *S. f. Bras. Gír.* V. *cachaça* (1): "No boteco, ... bebeu vários tragos de uca" (Fernando Ramos, *Os Enforcados,* p. 171).

▲ **-uça** V. *-aça.*

uçá [Do tupi.] *S. m. Bras. Zool.* Espécie de crustáceo decápode, braquiúro, gecarcinídeo (*Ucides cordatus*), semelhante ao guaiamu, porém menor, encontrado de PE a SP, de coloração verde-azulada no dorso, e pernas avermelhadas, muito peludas. Vive nos mangues. [Sin.: *caranguejo-verdadeiro, uçaúna.*]

ucamari *S. m. Zool.* Mamífero carnívoro, ursídeo (*Tremarctos ornatus*), de pelagem marrom-escura ou preta, com um círculo branco ao redor de cada olho. Alimenta-se de folhas, frutos e brotos de bambu e, excepcionalmente, ataca pequenos mamíferos; pode atingir 1,80m de altura e pesar 140kg. Habita as regiões andinas da Venezuela, Colômbia, Equador, Peru e Bolívia e é o único ursídeo sul-americano. [Sin.: *urso-de-óculos.*]

ucanhi [Do tsonga *nkanyi.*] *S. m. Moç.* Bebida fermentada, feita do fruto do canhoeiro; canhu: "depois de ter bebido bastante ucanhi, Nwa Xiyakelamunga pegou numa azagaia e quis matar o Dr. Sommerschield" (Raul Bernardo Honwana, *Memórias,* p. 81).

ucarangmã *Bras. S. 2 g.* **1.** *Etnôn.* Indivíduo dos ucarangmãs [ou (etnôn. bras.) *Ukarãgmã], povo indígena que habita a margem esquerda do médio rio Xingu (PA). ● *Adj. 2 g.* **2.** Pertencente ou relativo a esse povo. [Sin. ger.: *arara*[2].]

ucasse [Do russo *ukáz,* 'edito imperial', pelo fr. *ukasse.*] *S. m.* **1.** Decreto dos antigos czares russos. **2.** *Fig.* Decisão contaminada de absolutismo.

ucassiá *S. f. Bras. AM Zool.* Inseto coleóptero, rutelídeo (*Geniatosoma nigrum*), cujas larvas são usadas pelos índios do rio Uaupés (AM) na alimentação e no preparo de uma beberagem.

uçá-tapuia *Bras. S. 2 g.* **1.** *Etnôn.* Indivíduo dos uçás-tapuias [ou (etnôn. bras.) *Uçá-tapuya], povo indígena extinto que habitava as margens do rio Uaupés, fronteira do AM com a Colômbia. ● *Adj. 2 g.* **2.** Pertencente ou relativo a esse povo. [Pl.: *uçás-tapuias.*]

uçaúna [De *uçá* + *-una.*] *S. m. Bras. Zool.* V. *uçá.*

ucha [Do lat. tard. *hutica,* pelo fr. *huche.*] *S. f.* Caixa, arca, para guardar o pão ou outros gêneros alimentícios. ◆ **Ficar à ucha.** Ficar sem nada; ficar a zero.

▲ **-ucha** V. *-acho.*

uchão *S. m.* Encarregado de ucharia; despenseiro.

ucharia [De *ucha* + *-aria.*] *S. f.* **1.** Despensa, especialmente para carnes, nas casas reais ou casas abastadas: "A prodigalidade era grande e a despensa ou ucharia da corte [de D. João VI no Brasil], de que se mantinha a turba inumerável dos criados, consumia, só ela, seis milhões de cruzados" (João Ribeiro, *História do Brasil,* p. 325). **2.** Depósito de mantimentos; despensa.

▲ **-ucho** V. *-acho.*

uchoense *Adj. 2 g.* **1.** De, ou pertencente ou relativo a Uchoa (SP). ● *S. 2 g.* **2.** O natural ou habitante de Uchoa.

uchua [Do ronga.] *S. f. Moç.* Farinha de milho cozida: "preparei-te um jantar de uchua e lagostim / com cebola e pepinos." (Leite de Vasconcelos, *Irmão do Universo,* p. 121).

▲ **-uço** V. *-aço.*

■ **UCP** Sigla de *unidade central de processamento.*

ucraniano [Do top. *Ucrânia* + *-ano*[1].] *Adj.* **1.** Da, ou pertencente ou relativo à República da Ucrânia (centro-leste da Europa). ● *S. m.* **2.** O natural ou habitante da Ucrânia. **3.** *Gloss.* Língua indo-europeia do grupo balto-eslavo, falada na Ucrânia; ruteno. **4.** Vocábulo dessa língua.

ucronia [Do gr. *ou,* 'não', + *-cron(o)-* + *-ia*[1].] *S. f.* Aquilo que não se situa nem se pode situar em nenhum tempo.

▲ **-uçu** V. *-açu.*

úçua *S. f. Santom.* V. *ússua.*

ucuquirana [Do tupi.] *S. f. Bras. Amaz. Bot.* Árvore sapotácea (*Ecclinusa balata*) da floresta densa e úmida. Folhas amplas, subcoriáceas, oblongas e obovais; o enorme tronco, mediante sulcos escavados, deixa escorrer um látex que fornece uma balata com cerca de 40% de goma. [Var.: *coquirana.*]

ucuuba [Do tupi.] *S. f. Bras. Bot.* Árvore miristicácea (*Virola oleifera*) cujo fruto contém semente oleaginosa; ocorre desde o S. da BA até o RS, e pode atingir mais de 20m. Tem importância comercial.

ucuuba-branca [De *ucuuba* + o f. de *branco.*] *S. f. Bras. Amaz. Bot.* Árvore miristicácea (*Virola surinamensis*) dos igapós e várzeas, de folhas lanceoladas, coriáceas e pubérulas embaixo, flores insignificantes, e cujo fruto é uma cápsula que contém uma grande semente, a qual encerra 60 a 68% de gordura combustível. A madeira é branca, leve e macia, servindo para caixas, compensados e pasta para papel. [Pl.: *ucuubas-brancas.*]

ucuubarana [Do tupi = 'semelhante à ucuuba'.] *S. f. Bras. Amaz. Bot.* Designação comum a várias espécies miristicáceas, dos gêneros *Iryanthera* e *Osteophloeum,* cujas sementes fornecem gorduras aproveitáveis.

ucuuba-vermelha [De *ucuuba* + o f. de *vermelho*[1].] *S. f. Bras. Amaz. Bot.* Árvore miristicácea (*Virola sebifera*) semelhante à ucuuba-branca (q. v.), diferindo apenas pelas grandes folhas ferrugíneas na face anterior e pela madeira, que se torna pardo-avermelhada depois de exposta ao ar. [Pl.: *ucuubas-vermelhas.*]

ucuubeira [De *ucuuba* + *-eira.*] *S. f. Bras. Bot.* Ucuuba.

▲ **-uda** Fem. de *-udo.*

udenismo *S. m. Bras.* **1.** O ideário da UDN (União Democrática Nacional), agremiação política fundada em 1945, após a redemocratização do Brasil, e extinta em 1965; o programa, o espírito desse partido. **2.** Filiação a esse partido, ou simpatia por ele.

udenista *Adj. 2 g.* **1.** Relativo à UDN, ou ao udenismo (1). **2.** Que é partidário da UDN. ● *S. 2 g.* **3.** Partidário dela.

■ **Udesc** Sigla de *Universidade do Estado de Santa Catarina.*

▲ **udo-** [Do lat. *udus, a, um.*] *El. comp.* = 'chuvoso', 'úmido', 'molhado': *udômetro.*

▲ **-udo** [Do lat. *-ūtus, a, um.*] *Suf. nom.* = 'provido ou cheio de'; 'que apresenta algo em demasia': *carnudo, peludo.* [Fem.: *-uda: baluda.* Equiv.: *-zudo: pezudo.*]

udómetro *S. m.* V. *udômetro.* [Uso freq. em P.]

udômetro [De *udo-* + *-metro.*] *S. m.* V. *pluviômetro.* [Cf. *hodômetro.*]

udu [Voc. onom.] *S. m. Bras. Zool.* V. *juruva.*

■ **UE** Sigla de *União Europeia.*

ué *Interj.* Uê: "Ué? A festa acabou?" (Maria Julieta Drummond de Andrade, *O Valor da Vida,* p. 48); "É tão miserável .... que o cachorro dele, quando tem fome, trepa nas jabuticabeiras. Ué! Para chupar jabuticaba. Pra que mais havia de ser?" (Rute Guimarães, *Água Funda,* p. 69).

uê *Interj. Bras.* Exprime espanto, admiração ou surpresa: "Avaí sorriu gingando, bambaleando o corpo: | — Uê! depois, não sei, tio Mateus." (Coelho Neto, *Treva,* p. 363.) [Var. pros.: *ué.*]

■ **UECE** Sigla de *Universidade Estadual do Ceará.*

U

■ **UEFS** Sigla de *Universidade Estadual de Feira de Santana.*

■ **UEL** Sigla de *Universidade Estadual de Londrina.*

■ **u.e.m.** Sigla de *unidade eletromagnética.*

■ **UEM** Sigla de *Universidade Estadual de Maringá.*

■ **UEMA** Sigla de *Universidade Estadual do Maranhão.*

■ **UEMG** Sigla de *Universidade do Estado de Minas Gerais.*

■ **UEMS** Sigla de *Universidade Estadual de Mato Grosso do Sul.*

■ **UENF** Sigla de *Universidade Estadual do Norte Fluminense.*

■ **UEPB** Sigla de *Universidade Estadual da Paraíba.*

■ **UEPG** Sigla de *Universidade Estadual de Ponta Grossa.*

uerequena *Bras. S. 2 g. Adj. 2 g.* V. *uarequena.*

■ **UERJ** Sigla de *Universidade do Estado do Rio de Janeiro.*

■ **UESB** Sigla de *Universidade Estadual Sudoeste da Bahia.*

■ **UESC** Sigla de *Universidade Estadual de Santa Cruz.*

■ **Uespi** Sigla de *Universidade Estadual do Piauí.*

uéua [Do tupi = 'escama'.] *S. f. Bras. Zool.* Peixe caracídeo (*Sphyraenocarx pericoptes*).

■ **UF** Sigla de *Unidade Federativa.*

ufa *Interj.* Exprime admiração, ironia, cansaço ou enfado: "quarenta e seis discursos de improviso .... ufa!" (Coelho Neto, *A Conquista*, p. 442). ◆ **À ufa. 1.** À larga; com abundância; fartamente: "Sem ver, ninguém é capaz de figurar o campo da fazenda do Buriti. Campo sujo à ufa, puro bamburro." (M. Cavalcanti Proença, *Manuscrito Holandês*, p. 79.) **2.** À custa de outrem.

■ **UFAL** Sigla de *Universidade Federal de Alagoas.*

ufanar [De *ufano* + *-ar*[2].] *V. t. d.* **1.** Tornar ufano ou vaidoso; causar vaidade em; envaidecer: *Os aplausos do público ufanaram o conferencista.* **2.** Tornar muito contente; regozijar. *P.* **3.** Ter ufania; vangloriar-se, jactar-se, blasonar: "São Paulo .... ufanava-se de haver sido núcleo de irradiação da posse do Brasil até as fronteiras dilatadas pelo ciclo dos bandeirantes" (Menotti del Picchia, *A Longa Viagem*, I, pp. 41-42). **4.** Alegrar-se em excesso; contentar-se muito.

ufania [De *ufano* + *-ia*[1].] *S. f.* **1.** Qualidade de ufano. **2.** Vaidade descabida; vangloria, jactância, soberba. **3.** Motivo de orgulho, de honra, de glória, etc.

ufanismo [De *ufano*, do v. *ufanar*, + *-ismo*; por alusão ao livro *Por que Me Ufano do Meu País*, do Conde Afonso Celso.] *S. m. Bras.* **1.** Atitude, posição ou sentimento exacerbado de orgulho pelo país de origem ou de adoção. **2.** Atitude ou sentimento de quem se orgulha muito de alguma coisa.

ufanista [De *ufania* + *-ista*.] *Bras. Adj. 2 g.* **1.** Relativo ao, ou que adota o ufanismo. ● *S. 2 g.* **2.** Pessoa que o adota.

ufano [Do esp. *ufano*.] *Adj.* **1.** Que se orgulha de algo: "E, muito concha, ufana dos seus galões de prata e oiro ...., caminhava triunfante e feliz no meio do cordão das irmandades religiosas" (Aluísio Azevedo, *O Mulato*, p. 18). **2.** Que se vangloria e se arroga méritos extraordinários; arrogante, ostentoso, jactancioso, bizarro. **3.** Satisfeito consigo mesmo; vaidoso: *Contava, ufano, suas conquistas amorosas.* [Sin. ger.: *ufanoso*.]

ufanoso (ô) [De *ufano* + *-oso*.] *Adj.* V. *ufano.*

■ **UFBA** Sigla de *Universidade Federal da Bahia.*

■ **UFC** Sigla de *Universidade Federal do Ceará.*

■ **UFES** Sigla de *Universidade Federal do Espírito Santo.*

■ **UFF** Sigla de *Universidade Federal Fluminense.*

■ **UFG** Sigla de *Universidade Federal de Goiás.*

■ **UFIR** *Econ.* Sigla de *Unidade Fiscal de Referência.*

■ **UFJF** Sigla de *Universidade Federal de Juiz de Fora.*

■ **UFMA** Sigla de *Universidade Federal do Maranhão.*

■ **UFMG** Sigla de *Universidade Federal de Minas Gerais.*

■ **UFMS** Sigla de *Universidade Federal de Mato Grosso do Sul.*

■ **UFMT** Sigla de *Universidade Federal de Mato Grosso.*

■ **ufo** [Sigla do ingl. *unidentified flying object*, 'objeto voador não identificado'.] *S. m.* Óvni.

ufologia [De *ufo* + *-logia*.] *S. f.* Ovniologia.

ufológico [De *ufo* + *-log(o)-* + *-ico*[2].] *Adj.* Ovniológico.

ufologista [De *ufo* + *-log(o)-* + *-ista*.] *S. 2 g.* V. *ovniologista.*

ufólogo [De *ufo* + *-logo*.] *S. m.* V. *ovniologista.*

ufomania [De *ufo* + *-mania*.] *S. f.* Ovniomania.

ufomaníaco [De *ufomania* + *-íaco*.] *Adj. S. m.* V. *ovniomaníaco.*

ufómano *Adj. S. m.* V. *ufômano.* [Uso freq. em P.]

ufômano [De *ufo* + *-mano*[1].] *Adj. S. m.* V. *ovniomaníaco* (2 e 3).

ufonauta [De *ufo* + *-nauta*.] *S. 2 g.* Ovnionauta.

■ **UFOP** Sigla de *Universidade Federal de Ouro Preto.*

■ **UFPA** Sigla de *Universidade Federal do Pará.*

■ **UFPB** Sigla de *Universidade Federal da Paraíba.*

■ **UFPE** Sigla de *Universidade Federal de Pernambuco.*

■ **UFPEL** Sigla de *Universidade Federal de Pelotas.*

■ **UFPI** Sigla de *Universidade Federal do Piauí.*

■ **UFPR** Sigla de *Universidade Federal do Paraná.*

■ **UFRGS** Sigla de *Universidade Federal do Rio Grande do Sul.*

■ **UFRJ** Sigla de *Universidade Federal do Rio de Janeiro.*

■ **UFRN** Sigla de *Universidade Federal do Rio Grande do Norte.*

■ **UFRRJ** Sigla de *Universidade Federal Rural do Rio de Janeiro.*

■ **UFS** Sigla de *Universidade Federal de Sergipe.*

■ **UFSC** Sigla de *Universidade Federal de Santa Catarina.*

■ **UFSCar** Sigla de *Universidade Federal de São Carlos.*

■ **UFSM** Sigla de *Universidade Federal de Santa Maria.*

■ **UFU** Sigla de *Universidade Federal de Uberlândia.*

■ **UFV** Sigla de *Universidade Federal de Viçosa.*

ugandense *Adj. 2 g.* **1.** De, ou pertencente ou relativo a Uganda (África oriental). ● *S. 2 g.* **2.** O natural ou habitante de Uganda.

ugarítico [Do top. *Ugarit* + *-ico*[2].] *Adj.* **1.** Referente à antiga cidade de Ugarit (na atual Síria). ~ V. *alfabeto* —. ● *S. m.* **2.** *Gloss.* A língua que era falada nessa cidade.

▲ **-ugem** [Do lat. *-ugine*.] *Suf. nom.* = 'semelhança'; 'porção, quantidade': *ferrugem* (< lat.), *lanugem* (< lat.), *pelugem.*

úgrico [Do russo ant. *Ugre*, 'húngaros', + *-ico*[2].] *S. m.* **1.** Indivíduo dos úgricos, povo pescador e criador de renas que habita a Sibéria ocidental (Rússia). **2.** A língua uralo-altaica falada por esse povo. **3.** Vocábulo dessa língua. ● *Adj.* **4.** Pertencente ou relativo a esse povo.

▲ **ugro-** *El. comp.* = 'úgrico': *ugro-fínico.*

ugro-finês [De *ugro-* + *finês*.] *Adj.* **1.** Pertencente ou relativo aos úgricos e aos fineses. **2.** *Gloss.* Relativo ou pertencente a ugro-finês (3). ● *S. m.* **3.** *Gloss.* V. *uraliano* (3). **4.** Vocábulo do ugro-finês (3). [Sin. ger.: *ugro-fínico* e *fino-úgrico*. Flex. do adj. *ugro-finesa, ugro-fineses* e *ugro-finesas*.]

ugro-fínico [De *ugro-* + *fínico*.] *Adj. S. m.* V. *ugro-finês.* [Pl.: *ugro-fínicos*.]

uh *Interj.* Exprime espanto, desprezo ou repugnância, ou intenção de assustar. [Cf. *u*.]

■ **UHF** [Sigla do ingl. *Ultra High Frequency*, 'frequência ultra-alta'.] *Fís.* V. *faixa de ondas decimétricas.*

ui *Interj.* Exprime dor, surpresa, admiração; repugnância: "— Ui! — gritou sua mulher, como se a houveram queimado." (Alexandre Herculano, *Lendas e Narrativas*, II, p. 14); "Ui! Ui! Estou muito mal..." (Eduardo Almeida Reis, *O Papagaio Cibernético*, p. 8).

uiabuí (ui-a) *S. 2 g. Adj. 2 g. Bras.* V. *uabuí.*

uiai (ui-ai) *Interj. Bras. SP Pop.* Uai.

uiana (ui-a) *S. 2 g. Adj. 2 g. Bras.* V. *oaiana.*

uiapé (ui-a) *Bras. S. 2 g.* **1.** *Etnôn.* Indivíduo dos uiapés [ou (etnôn. bras.) *Uyapé], povo indígena extinto que habitava a região entre os rios Aripuanã e Juruena (MT). ● *Adj. 2 g.* **2.** Pertencente ou relativo a esse povo.

uiara (ui-a) [Do tupi = 'senhora da água'.] *S. f.* **1.** *Bras.* V. *mãe-d'água* (1). **2.** *Bras. Amaz. Zool.* V. *boto-branco.*

■ **UIB** Sigla de *União Internacional de Bioquímica.*

uibaiense (a-i) *Adj. 2 g.* **1.** De, ou pertencente ou relativo a Uibaí (BA). ● *S. 2 g.* **2.** O natural ou habitante de Uibaí.

▲ **uio-** [Do gr. *uio-* < gr. *uiós, oû*.] *El. comp.* = 'filho': *uiofobia, uiófobo.*

uiofobia (ui-o) [De *uio-* + *-fobia*.] *S. f.* Mania que consiste na aversão aos próprios filhos: "duas palavras que não existiriam se não correspondessem a uma ideia existente: 'pedofobia', aversão às crianças, e 'uiofobia', aversão aos próprios filhos" (Olavo Bilac, *Últimas Conferências e Discursos*, p. 355).

uiofóbico (ui-o) [De *uiofobia* + *-ico*[2].] *Psiq. Adj.* **1.** Relativo a uiofobia. **2.** Que tem uiofobia; uiófobo. ● *S. m.* **3.** Aquele que tem uiofobia; uiófobo.

uiófobo [De *uio-* + *-fobo*.] *Adj. S. m. Psiq.* Uiofóbico (2 e 3).

uiqué [Do tupi.] *S. m. Bras.* Fruto, comestível, de uma árvore amazônica da família das sapotáceas (*Lucuma mammosa*).

uira *S. 2 g. Adj. 2 g. Bras.* V. *desana.*

uirá [Do tupi.] *S. m. Bras. Zool.* Designação geral de ave, em tupi.

uirá-angu *S. m. Bras. Zool.* V. *japacanim* (2). [Pl.: *uirás-angus* e *uirás-angu*.]

uiraçu (u-i) [De *uirá* + *-açu*.] *S. m. Bras. Zool.* **1.** Gavião-de-penacho. **2.** V. *harpia*[2] (2 e 3).

uirafede (u-i) *Bras. S. 2 g.* **1.** *Etnôn.* Indivíduo dos uirafedes [ou (etnôn. bras.) *Wiraféd], povo indígena extinto, do tronco linguístico tupi, que habitava a margem esquerda do rio Castanho (RO). ● *Adj. 2 g.* **2.** Pertencente ou relativo a esse povo.

uiramembi [Do tupi.] *S. m. Bras. Zool.* **1.** Ave passeriforme, cotingídea (*Cephalopterus ornatus*), da Amaz., de coloração preta com brilho metálico na crista e no penacho do peito, que caracteriza o macho adulto. Alimenta-se de frutas, e vive sobretudo nas ilhas do rio Negro. [Sin.: *guiramombucu, pavão-do-mato, pavão-preto, pavão-de-mato-grosso*.] **2.** V. *anambé-preto* (1).

uiramiri [Do tupi.] *S. m. Bras. Zool.* Ave passeriforme, piprídea (*Pipra aureola*), da Amaz. O macho é preto, com uma fita branca na asa, a cabeça, peito e meio da barriga encarnados, fronte e garganta alaranjadas, coxas brancas; a fêmea é verde, com garganta e meio do abdome amarelados. [Sin.: *uirapuru*.]

uiramirim [Do tupi.] *S. m. Zool.* Uiramiri.

uirana [Do tupi, poss.] *S. f. Bras. Bot.* V. *salgueiro*[1] (2).

uirapaçu [Do tupi.] *S. m. Bras. Zool.* V. *arapaçu.*

uirapajé [Do tupi, poss.] *S. m. Bras. Amaz. Zool.* V. *alma-de-gato* (1).

uirapequi *S. f. Bras. Amaz. Zool. Desus.* Designação indígena dada às tartarugas recém-nascidas.

uirapiana [Do tupi.] *S. f. Bras. Amaz. Zool.* **1.** Ave piciforme, galbulídea (*Jacamerops aurea*), da Amaz. A coloração da parte superior do corpo e do mento é verde, com brilho cúprico; a parte inferior, ferrugínea, com mancha branca na garganta (o macho) ou vermelha uniforme (a fêmea). Alimenta-se de insetos. **2.** V. *ariramba-da-mata-virgem.*

uirapitangue *S. f. Bras. Bot.* Certa árvore vermelha a partir da qual Mair, herói cultural dos índios urubus, do MA, criou homens e mulheres. "Essa entidade criou homens e mulheres, extraindo-os de uma árvore vermelha chamada uirapitangue." (Edilson Martins, *Nossos Índios, Nossos Mortos*, p. 49.)

uiraponga (u-i) *S. f. Bras. Zool.* V. *araponga* (1).

uirapuru [Do tupi.] *S. m. Bras. Zool.* **1.** Designação comum a várias espécies de aves passeriformes, piprídeas, especialmente as mais coloridas dos gêneros *Pipra, Chiroxiphia, Teleonema.* Seu canto, que só se ouve uns 15 dias por ano (quando constrói o ninho) e, ademais, apenas durante cinco a 10 minutos, ao amanhecer, é tido como particularmente melodioso, musical, e diverso do de outra ave qualquer, a ponto de, segundo a lenda, os outros pássaros todos se calarem para escutá-lo: "O uirapuru canta pra mim / e eu sou feliz só por poder ser, / só por ser de manhã" (Fátima Guedes, na canção *Cheiro de Mato*). [Var. e sin., em regiões diversas do Brasil: *irapuru, guirapuru, arapuru, irapurá, tangará, rendeira, pássaro-de-fandango, realejo*.] **2.** V. *uirapuru-verdadeiro.* **3.** Uiramiri. **4.** V. *rendeira*[2] (2).

uirapuru-de-cabeça-branca *S. m. Bras. Zool.* Ave passeriforme, piprídea (*Pipra pipra*), da Amaz., de coloração preta e alto da cabeça branco. A fêmea é verde, com a parte inferior acinzentada. [Sin.: *tangará, tangará-de-cabeça-branca, cabeça-branca.* Pl.: *uirapurus-de-cabeça-branca*.]

uirapuru-de-cabeça-encarnada *S. m. Bras. Zool.* Ave passeriforme, piprídea (*Pipra erythrocephala rubrocapilla*), da Amaz., de coloração preta com a cabeça encarnada, a fêmea, acinzentada ou amarelada na parte inferior; tangará, cabeça-encarnada. [Pl.: *uirapurus-de-cabeça-encarnada*.]

uirapuru-de-costa-azul *S. m. Bras. Amaz. Zool.* Ave passeriforme, piprídea (*Chiroxiphia pareola*). O macho é preto, com crista encarnada e dorso azul-claro; a fêmea, verde com abdome mais claro tendente ao amarelo e sem crista encarnada. Vive na mata, em pequenos bandos, e alimenta-se de frutas e insetos. [Sin.: *tangará.* Pl.: *uirapurus-de-costa-azul*.]

uirapuru-verdadeiro *S. m. Bras. Zool.* Designação comum às espécies de aves passeriformes trogloditídeas, gênero *Leucolepis*, especialmente as *L. larada* e *L. modulator.* O primeiro, pardo-avermelhado, com os lados do pescoço pretos pintados de branco, cauda pardo-escura listrada de escuro, garganta e peito vermelho-vivo; o segundo tem os lados do pescoço unicolores. [Tb. se diz apenas *uirapuru.* Sin.: *irapuru, mandingueiro, músico.* Pl.: *uirapurus-verdadeiros*.]

uirari [Do tupi.] *S. m. Bras. AM* V. *curare* (1).

uiratatá [Do tupi.] *S. m. Bras. Amaz. Zool.* V. *saurá.*

uirataúá (uirà) [Do tupi = 'pássaro amarelo'.] *S. m. Bras. Zool.* V. *irataúá.*

uiraúna [Do tupi = 'pássaro preto'.] *S. f. Bras. Zool.* V. *chupim* (1).

uiraunense (a-u) *Adj. 2 g.* **1.** De, ou pertencente ou relativo a Uiraúna (PB). ● *S. 2 g.* **2.** O natural ou habitante de Uiraúna.

uiraxué [Do tupi = 'pássaro vagaroso'.] *S. m. Bras. Amaz. Zool.* V. *caraxué* (1). [Var. pros.: *uiraxuê*.]

uiraxuê [Var. pros. de *uiraxué*.] *S. m. Bras. Zool.* V. *caraxué* (1).

uiri-diapá (u-i) *Bras. S. 2 g.* 1. *Etnôn.* Indivíduo dos uiris-diapás [ou (etnôn. bras.) *Wiri-dyapá], povo indígena extinto, da família linguística catuquina, que habitava a margem esquerda do rio Taraucá (AM). ● *Adj. 2 g.* 2. Pertencente ou relativo a esse povo. [Pl.: *uiris-diapás*.]

uirina *Bras. S. 2 g.* 1. *Etnôn.* Indivíduo dos uirinas, povo indígena extinto, da família linguística aruaque, que habitava as margens do rio Padauiri (AM). ● *Adj. 2 g.* 2. Pertencente ou relativo a esse povo. [Outra f.: *uiriná*. Tb. us. como *s. 2 g. e 2 n.* (com cap.) e *adj. 2 g. e 2 n.*]

uiriná *S. 2 g. Adj. 2 g. Bras.* V. *uirina*.

uiriri [Voc. onom., poss.] *S. f. Bras. AM Zool.* Designação comum a aves passeriformes, hirundinídeas, como a *Phaeoprogne tapera* e outras andorinhas, e a *Stelgidopterix ruficollis*, largamente distribuídas no Brasil. A primeira é pardo-acinzentada, mais clara na parte inferior, meio do peito e abdome brancos; a segunda é pardo-escura no dorso, garganta vermelha, peito cinzento, barriga e crisso amarelos. [Cf. *andorinha* (1).]

uiruucotim *S. m. Bras. Zool.* V. *gavião pega-macaco*.

uiruuetê [Do tupi.] *S. m. Bras. Amaz. Zool.* V. *harpia*[2] (2 e 3).

uiscada (u-is) [De *uísque* + *-ada*[1].] *S. f. Bras.* 1. Reunião em que se bebe muito uísque. 2. Bebedeira provocada por uísque.

uísque [Do ingl. *whisky* ou *whiskey*.] *S. m.* 1. Aguardente feita de grãos fermentados de centeio, milho ou cevada, e que contém 40 a 50% de álcool. 2. Dose (3) de uísque: "Confissão do jovem bardo, depois do terceiro uísque: | — Ah! Se ao menos eu fosse o maior dos poetas menores!" (Mário da Silva Brito, *Conversa Vai, Conversa Vem*, p. 10.)

uisqueria (u-is) [De *uísque* + *-eria*.] *S. f. Bras.* Bar onde se servem bebidas alcoólicas, especialmente uísque: "não tive remédio senão ir com ele a uma uisqueria da Travessa do Ouvidor." (Carlos Drummond de Andrade, *De Notícias & Não Notícias Faz-se a Crônica*, p. 13).

uíste [Do ingl. *whist*.] *S. m.* Jogo de cartas, considerado o ancestral do bridge, para duas duplas de jogadores, cabendo 13 cartas para cada um. O trunfo é a última carta distribuída, e o objetivo é ganhar vazas.

uitoto (u-i) *Bras. S. 2 g.* 1. *Etnôn.* Indivíduo dos uitotos [ou (etnôn. bras.) *Witoto], povo indígena da família linguística uitoto, que habita os municípios de Alvarães, Uairini e Tefé (AM), a Colômbia e o Peru. ● *S. m.* 2. *Gloss.* Família linguística que compreende a língua dos uitotos e outras, já extintas, do AM, do Peru e da Colômbia. 3. Vocábulo do uitoto (2). ● *Adj. 2 g.* 4. Pertencente ou relativo a uitoto (2) ou aos uitotos. [Outra f.: *huitoto*.]

uivada [De *uivo* + *-ada*[1].] *S. f. Bras.* Uivo longo e agudo.

uivador (ô) [De *uivar* + *-dor*.] *Adj.* 1. Que uiva; uivante. ● *S. m.* 2. Aquele que uiva.

uivante [De *uivar* + *-nte*.] *Adj. 2 g.* Uivador (1).

uivar [De *uivo* + *-ar*[2].] *V. int.* 1. Dar uivos; ulular: "Não longe cães errantes uivavam." (Coelho Neto, *Sertão*, p. 16); "Longe, as feras carniceiras / Uivam nas lapas." (Olavo Bilac, *Poesias*, p. 266). 2. Produzir um ruído semelhante ao uivo: "Sem arrimo e sem lar, em vão procura abrigo, / E lá vai, pela noite, uivando como um lobo!" (Eugênio de Castro, *Obras Poéticas*, III, p. 139); "Uiva de longe o vento." (Júlio Dantas, *Sonetos*, p. 49); "Uivava a negra tormenta / Na enxárcia, nos mastaréus. / Uivavam nos tombadilhos / Gritos insontes de réus." (Castro Alves, *Poesias Escolhidas*, p. 310). 3. Berrar, gritar: "o povo, erguendo as mãos crispadas, / Cansava-se a bradar, a uivar, a soluçar." (Júlio Dantas, *Sonetos*, p. 77). 4. Vociferar, bravejar, esbravejar. [Comumente, não é us. nas 1.ª pess.]

uivo [Voc. onom.] *S. m.* 1. Voz lamentosa do cão, do lobo e doutros animais: "Caíam sobre os meus centros nervosos, / Como os pingos ardentes de cem velas, / O uivo desenganado das cadelas / E o gemido dos homens bexigosos." (Augusto dos Anjos, *Eu*, p. 51.) 2. *Fig.* Ato de vociferar.

▲ **-ujar** *Suf. verb.* = 'ação durativa, frequentativa'; 'transformação', 'mudança de estado': *mamujar*, *papujar*.

■ **ULA** Sigla de *unidade lógica e aritmética*.

▲ **-ul(a)-** V. *-ula*.

▲ **-ula** [Do lat. *-ŭla*. V. *-ulo*.] *Suf. nom.* átono, formador de diminutivos e/ou vocábulos eruditos (cujo valor diminutivo acrescenta noção específica ao termo), a partir de rad. nominal: *acícula* (< lat.), *actínula*, *álula*, *antênula*, *árula* (< lat.), *blástula*, *campânula*, *flâmula* (< lat.), *gêmula* (< lat.), *membrânula* (< lat.), *pílula* (< lat.), *plúmula* (< lat.). [Equiv.: *-ul(a)-*: *serrulado*. V. *-cula*.]

ulano [Do tártaro *oglan*, 'menino', pelo pol., pelo al. e pelo fr. *uhlan*.] *S. m.* Lanceiro de alguns antigos exércitos europeus.

ulatrofia [De *ul(o)-* + *atrofia*.] *S. m. Med.* Enrugamento ou retração das gengivas; uloatrofia.

úlcera [Do lat. *ulcera*, pl. de *ulcus*, *eris*.] *S. f.* 1. *Patol.* Solução de continuidade, aguda ou crônica, de uma superfície dérmica ou mucosa, e que é acompanhada de processo inflamatório; ulceração. 2. *P. ext. Pop.* Ferida, chaga. [Cf. *ulcera*, do v. *ulcerar*.] ◆ **Úlcera atônica.** *Med.* A de evolução crônica, que apresenta granulações patológicas. **Úlcera de Bauru.** *Med.* A que se manifesta na infecção por *Leishmania brasiliensis*. **Úlcera de decúbito.** *Med.* A que, nos doentes acamados, se manifesta em partes do corpo (geralmente dorso e nádegas) prolongadamente em contato com o leito. **Úlcera estercoral.** *Med.* A que se desenvolve na membrana mucosa do intestino grosso, em consequência de irritação devida a contato prolongado com massas fecais coletadas imediatamente antes de local de obstrução crônica nesse órgão. **Úlcera fagedênica.** *Med.* A que se propaga rapidamente com formação de esfácelo. **Úlcera fleimonosa.** *Patol.* A que é acompanhada de processo supurado local. **Úlcera péptica.** *Med.* A que ocorre em locais do tubo digestivo expostos à ação combinada de ácido clorídrico e pepsina (esôfago, estômago, duodeno, área de gastrojejunostomia). **Úlcera perfurante.** *Med.* A que produz perfuração do órgão em que se localiza. **Úlcera trófica.** *Med.* A que é causada por deficiência de nutrição da parte comprometida. **Úlcera varicosa.** *Med.* A causada por perda de superfície cutânea na área de drenagem de uma veia varicosa, manifestando-se em geral nas pernas, e provocada por estase.

ulceração [De *ulcerar* + *-ção*.] *S. f.* 1. Ato ou efeito de ulcerar. 2. *Med.* Úlcera (1). [Sin. ger.: *helcose*.]

ulcerado [Part. de *ulcerar*.] *Adj.* Que apresenta processo de ulceração.

ulcerar [De *úlcera* + *-ar*[2].] *V. t. d.* 1. Produzir úlcera ou ulceração em. 2. Tornar em úlcera. 3. *Fig.* Afligir, atormentar, angustiar, magoar: *A morte do marido ulcerou a alma da pobre mulher.* 4. *Fig.* Alterar, corromper, adulterar: *A riqueza ulcera muitas consciências.* **Int. P.** 5. Cobrir-se de úlceras. 6. Converter-se em úlcera. 7. *Fig.* Atormentar-se, afligir-se, magoar-se. [Pres. ind.: *ulcero*, *ulceras*, *ulcera*, etc. Cf. *úlcera*.]

ulcerativo [De *ulcerar* + *-tivo*.] *Adj.* Relativo a, ou caracterizado por ulceração; ulceroso.

ulceroide (ói) [De *úlcera* + *-oide*.] *Adj. 2 g.* Semelhante a úlcera. ✣

ulceroso (ô) [De *úlcera* + *-oso*.] *Adj.* 1. Que tem úlcera(s). 2. Da natureza da úlcera. 3. Ulcerativo. ● *S. m.* 4. Aquele que tem úlcera(s).

➔ **ulcus rodens** ['ulkos rodens] [Lat.] *Patol. Med.* Tipo de câncer cutâneo ulcerado (carcinoma de células basais), frequentemente múltiplo, que ocorre, em geral, na porção superior da face, e pode, eventualmente, levar a extensa destruição tecidual local. É de crescimento lento e só produz metástase com extrema raridade.

ulectomia [De *ul(o)-* + *-ectom-* + *-ia*[1].] *S. f. Odont.* Remoção de gengiva sobre a coroa de dente ainda não eruptado.

ulemá [Do ár. (tb. persa e turco) *'ulamā'*, pl. de *'ālim*, 'sábio'; 'conhecedor (da lei)'.] *S. m.* Entre os muçulmanos, indivíduo reconhecido como autoridade em matéria de lei e religião. [Var.: *álime*.]

uleritema [Do gr. *oulé*, 'cicatriz', + *eritema*.] *S. m. Patol.* Dermatose eritematosa com atrofia superficial dos tegumentos e formação de cicatrizes.

ulexita [Do antr. (*G. L.*) *Ulexi* (-1883), químico alemão, + *-ita*[3].] *S. f. Min.* Mineral triclínico, borato de sódio e cálcio hidratado.

ulfilano *Adj.* Relativo ou pertencente ao bispo Úlfila (c. 310-381) e ao alfabeto gótico por ele composto.

▲ **-ulha** Equiv. de *-ulho*.

▲ **-ulho** *Suf. nom.* = 'quantidade', 'coleção': *pedregulho*. [Equiv.: *-ulha*: *cambulha*.]

uliginário [Do lat. *uligine*, 'umidade', + *-ário*.] *Adj. Bot.* Que medra em lugares úmidos; uliginoso.

uliginoso (ô) [Do lat. *uligine*, 'umidade do solo', + *-oso*.] *Adj.* 1. Pantanoso, lamacento, alagadiço. 2. Uliginário.

uliiá *S. f. Bras. Bot.* V. *buritirana* (1).

ulissiponense (ip) [Do lat. *olissipponense*.] *Adj. 2 g. S. 2 g.* V. *olisiponense*.

ulite [De *ul(o)-* + *-ite*[1].] *S. f. Patol.* Inflamação da membrana mucosa das gengivas.

ullmannita [Do antr. (*J. C.*) *Ullmann* (1771-1821), mineralogista alemão, + *-ita*[3].] *S. f. Min.* Mineral monométrico, sulfantimoneto de níquel.

ulmácea [Do tax. *Ulmus* + *-ácea*; tax. *Ulmaceae*.] *S. f. Bot.* Espécime das ulmáceas, família de plantas floríferas, da ordem das urticales, formada de arbustos e árvores com folhas assimétricas e flores insignificantes, solitárias ou em cimeiras. Há umas 130 espécies, principalmente dos climas temperados; no Brasil ocorrem algumas.

ulmáceo [De *ulmácea*, com var. suf. (v. *-áceo*).] *Adj. Bot.* Pertencente ou relativo às ulmáceas.

ulmária [De *ulm(i)-* + *-ária*.] *S. f. Bot.* Arbusto rosáceo (*Spiraea ulmaria*) originário da zona temperada, e cultivado pelas belas flores alvas, dobradas e corimbosas, e cujas folhas são simples, pequenas e sem estípulas; olmeira, grinalda-de-noiva, barba-de-bode, rainha-dos-prados.

ulmeiro *S. m. Bot.* Olmeiro: "ali ficou-se a pingar lágrimas, com a alma perdida, longe, nos sítios amados de Santa Clara, entre ulmeiros e faias" (Coelho Neto, *Treva*, p. 26).

▲ **ulm(i)-** [Do lat. *ulmus*, *i*.] *El. comp.* = 'olmo': *ulmária*.

ulmo [Do tax. *Ulmus*.] *S. m. Bot.* 1. O gênero-tipo das ulmáceas, que compreende os olmos, vastamente distribuídos pelas regiões temperadas, dotados de folhas simples, serreadas, oblíquas, e flores perfeitas, fasciculadas, às quais se sucedem sâmaras orbiculares. 2. Qualquer espécie desse gênero, como, p. ex., a *Ulmus campestris* (v. *olmo*). 3. Qualquer espécime desse gênero.

ulna [Do lat. *ulna*.] *S. f.* 1. *Anat.* Osso longo situado na face interna do antebraço. 2. Antiga medida de comprimento, equivalente a uma braça.

ulnal [De *ulna* + *-al*[1].] *Adj. 2 g. Anat.* Ulnário.

ulnário [De *ulna* + *-ário*.] *Adj. Anat.* Pertencente ou relativo à ulna; ulnal.

ulo [Voc. onom.] *S. m.* 1. *Bras.* Gemido, lamentação: "A campa .... soltava os repiques argentinos, sombreados pela surdina dos longos pios das aves noturnas, e dos ulos da brisa nas grotas da serra." (José de Alencar, *O Sertanejo*, p. 57.) 2. Grito de agonia.

▲ **ul(o)-** [Do gr. *oûlon*, *ou*.] *El. comp.* = 'gengiva': *ulite*, *ulorragia*.

▲ **-ul(o)-** V. *-ulo*.

▲ **-ulo** [Do lat. cient. *-ŭlus* (m.) ou *-ŭlum* (neutro).] *Suf. nom.* átono, formador de diminutivos eruditos e/ou de vocábulos eruditos (cujo valor diminutivo acrescenta noção específica ao termo), a partir de rad. nominal, e que exprime noção de: 'diminuição'; '(o) que é um tipo específico de'; '(o) que é um tanto ou levemente'; 'depreciação': *acérvulo* (< lat.), *nódulo* (< lat.), *orgânulo*, *sáculo* (< lat.), *óvulo*; *apendículo*; *zébrulo*; *acídulo* (< lat.), *aspérulo*, *pilósulo*, *pubérulo*, *vilósulo*; *régulo* (< lat.). [Equiv.: *-ul(o)-*: *oxidulado*. V. *-ula* e *-culo*.]

uloatrofia *S. f.* V. *ulatrofia*.

uloma [De *ul(o)-* + *-oma*[1].] *S. m. Patol.* Qualquer formação tumoral das gengivas.

ulonco [De *ul(o)-* + *-onco*.] *S. m. Patol.* Inchação ou tumor das gengivas.

ulorragia [De *ul(o)-* + *-ragia*.] *S. f. Med.* Hemorragia de origem gengival.

ulorrágico [De *ulorragia* + *-ico*[2].] *Adj.* Referente a ulorragia.

ulótrico [Do gr. *oulótrichos*.] *Adj. S. m.* Que, ou aquele que tem cabelos crespos, lanosos. [Var.: *ulótrique*. Cf. *lissótrico*, *euplócamo* e *eutícomo*.]

ulótrique *Adj. 2 g. S. m.* V. *ulótrico*.

ulrei *S. m. Bras. Zool.* 1. Peixe actinopterígio, caraciforme, caracídeo (*Hyphessobrycon heterorhabdus*), da Amaz., de coloração prateada, com uma faixa longitudinal tricolor (negra, amarela e vermelha) percorrendo o flanco. É espécie muito apreciada para aquários. 2. Peixe actinopterígio (*Hemigrammus ulreyi*), do Paraguai, muito semelhante ao precedente. [Sin.: *bandeira-alemã*.]

ulterior (ô) [Do lat. *ulteriore*.] *Adj. 2 g.* 1. Que está ou ocorre depois: "As ruas podiam ser .... ou estreitas, para se alargarem daqui a anos, mediante uma boa lei de desapropriação, ou já largas, para evitar fadigas ulteriores." (Machado de Assis, *A Semana*, II, p. 168.) 2. Que chega depois. 3. *Geogr.* Situado além. [Antôn., nesta acepç.: *citerior*.]

ulterioridade [De *ulterior* + *-(i)dade*.] *S. f.* Qualidade de, ou circunstância de ser ulterior.

última [F. subst. do adj. *último*.] *El. s. f.* Us. na loc. *a última*. ~ V. *últimas*. ◆ **A última.** 1. A última notícia; a novidade mais recente: *Sabe da última?* 2. A última asneira, o último absurdo: "A última da edilidade é um projeto remodelando o velho Largo da Escrava: a lei manda tombar as venerandas gameleiras, extinguir a biquinha, secar a fonte e demolir o bebedouro." (Geraldo França de Lima, *Serras Azuis*, p. 16.)

ultimação [De *ultimar* + *-ção*.] *S. f.* **1.** Ato de ultimar(-se). **2.** Conclusão, fim. **3.** *Fig.* Acabamento; aperfeiçoamento.

ultimado [Part. de *ultimar*.] *Adj.* **1.** Concluído, acabado, terminado. **2.** Diz-se de negócio ajustado, fechado.

ultimamente (ùl) [Do f. de *último* + *-mente*.] *Adv.* **1.** Nos últimos tempos; recentemente: "Mme Brizard arrepelava-se, praguejando contra o maldito caiporismo que a perseguia ultimamente." (Aluísio Azevedo, *Casa de Pensão*, p. 249.) **2.** No derradeiro lugar; por último.

ultimar [Do lat. *ultimare*.] *V. t. d.* **1.** Pôr fim ou termo a; concluir, inteirar, completar: *ultimar uma obra*; "Os egípcios ultimaram os preparativos para o enterro de Sadat" (*Jornal do Brasil*, 09.10.1981). **2.** Realizar definitivamente (um negócio); fechar: *ultimar a compra das mercadorias*. *P.* **3.** Chegar a seu termo; completar-se: *Ultimaram-se os preparativos para a recepção*. [Pres. ind.: *ultimo, ultimas, ultima*, etc. Cf. *último*, flex. *última* e *últimas*.]

últimas [Pl. de *última*.] *S. f. pl.* **1.** O ponto extremo; limite. **2.** A extrema miséria; penúria. **3.** Lance decisivo. ~ V. *última*. [Cf. *ultimas*, do v. *ultimar*.] ◆ **Dizer as últimas a.** Dizer as maiores injúrias a. **Nas últimas. 1.** Em miséria extrema. **2.** Em agonia (1); moribundo. **3.** *P. ext.* Em situação desesperadora; quase agônico: "o tio de Gabriela estava nas últimas. Vinha cuspindo sangue, não aguentava mais andar." (Jorge Amado, *Gabriela, Cravo e Canela*, p. 114). [Sin. ger.: *na capa*.] **Pelas últimas.** V. *pela hora da morte*. "Caro, tudo pelas últimas, dizia, pondo a sogra os corações a luzir no peito. (Fialho d'Almeida, *Contos*, p. 16.)

ultimato [Do lat. med. *ultimatum*.] *S. m.* **1.** Últimas exigências que um Estado apresenta a outro e cuja não aceitação implica declaração de guerra. **2.** Exigência feita durante o estado de guerra, por um chefe militar, no sentido de conseguir a rendição imediata do inimigo, sob ameaça de alcançá-la por meios violentos. **3.** *P. ext.* Declaração final e irrevogável para satisfação de certas exigências: "7 horas: chega ao Catete o ultimato dos generais." (Darci Ribeiro, *Aos Trancos e Barrancos*, p. 1.424.)

ultimátum *S. m.* V. *ultimato*.

último [Do lat. *ultimu*.] *Adj.* **1.** Que está ou vem depois de todos os outros; que está ou vem no final: *o último da fila*. **2.** Que é o mais moderno ou o mais recente: *Compra carros do último modelo*. **3.** Derradeiro, extremo, final: *os últimos arrancos*. **4.** Atual, presente: *a última moda*. **5.** Precedente, antecedente: *O último espetáculo foi mais frequentado que o de hoje*. **6.** Ínfimo, inferior: *arroz de última qualidade*. **7.** Superior, sumo, supremo: *Chegou à última perfeição da pintura*. **8.** Perigosíssimo, gravíssimo: *A doença da pobre moça atingiu o último estágio*. **9.** Decisivo, definitivo, irrevogável: *Esta é a minha última palavra*. ~ V. *—a morada, —a palavra, —s sacramentos* e *pena —a*. ● *S. m.* **10.** Aquele ou aquilo que está ou vem depois de todos. **11.** Aquele que ocupa a mais humilde posição. **12.** Aquele que é o pior de todos. **13.** *Bras. Gír.* O último chope, uísque, etc., que se toma, numa chopada, uiscada, etc.; saideira. [Fem.: *última*. Cf. *ultimo* e *ultima*, do v. *ultimar*.]

ultimogénito (ùl) *S. m.* V. *ultimogênito*. [Uso freq. em P.]

ultimogênito (ùl) [Do lat. *ultimus*, 'último', + *-gênito*.] *S. m.* O filho mais novo; o último filho.

ultor (ô) [Do lat. *ultore*.] *Adj. S. m. Poét.* Que, ou aquele que vinga; vingador. [Fem.: *ultriz*.]

ultra [Do lat. *ultra*.] *S. 2 g.* Partidário das ideias mais avançadas ou extremas; radical.

▲ **ultra-** [Do lat. *ultra*.] *Pref.* = 'além de'; 'em excesso, extremamente': *ultracurto, ultramar*. [É seguido de hífen quando anteposto a palavra iniciada por *a* ou *h*: *ultra-apressado, ultra-humano* (em tais casos, apenas o 2.º el. é flexionado na formação do plural); é grafado com *r* ou *s* duplicados quando anteposto a palavra iniciada por *r* ou *s*: *ultrarrevolucionário, ultrassensível*.]

ultrabásico [De *ultra-* + *básico*.] *Adj.* ~ V. *rocha —a*.

ultracatólico [De *ultra-* + *católico*.] *Adj.* Mais do que católico: "De sorte que a Universidade ultraconservadora e ultracatólica era não só uma escola de revolução política, mas uma escola de impiedade moral." (Eça de Queirós, *Notas Contemporâneas*, p. 378.)

ultracentrífuga [De *ultra-* + o fem. de *centrífugo*.] *S. f. Fís.* Instrumento com um rotor capaz de girar com velocidade angular elevada, destinado a criar um campo de forças centrífugas muito intenso, e utilizado na investigação de soluções coloidais ou de soluções de macromoléculas.

ultraconservador (ô) [De *ultra-* + *conservador*.] *Adj.* Conservador em extremo grau.

ultracorreção [De *ultra-* + *correção*.] *S. f. E. Ling.* **1.** Preocupação de falar bem que redunda em erro; hiperurbanismo, hipercorreção. Ex.: *atocalhar* por *atocaiar*; *descortínio* por *descortino*; *quites* por *quite*. **2.** Palavra, frase, ou outro uso linguístico incorreto, resultante de ultracorreção (1).

ultracurioso (ô) [De *ultra-* + *curioso*.] *Adj.* Que é extremamente curioso.

ultracurto [De *ultra-* + *curto*.] *Adj.* Excessivamente curto. ~ V. *onda —a*.

ultrademocrático [De *ultra-* + *democrático*.] *Adj.* Democrático ao extremo; mais do que democrático.

ultrafiltração [De *ultra-* + *filtração*.] *S. f. Fís.-Quím.* Processo de filtração capaz de reter partículas coloidais, e que se efetua através de membranas em cujos poros se depositou ou se formou um gel apropriado, ou através de membranas de plástico providas de poros idênticos e uniformemente distribuídos.

ultrafino [De *ultra-* + *fino*[1].] *Adj.* Mais do que fino: "as dificuldades de acomodação dos vivos .... têm sido resolvidas .... quer pelo recurso à compressão mecânica horizontal dos processos individuais colocados nas prateleiras ...., quer pelo emprego de cartolinas finas e ultrafinas" (José Saramago, *Todos os Nomes*, p. 13).

ultra-humano [De *ultra-* + *humano*.] *Adj.* V. *sobre-humano*: "Para resgatar uma judia formosa e dissoluta das presas aveludadas da lascívia oriental, foi preciso um ente ultra-humano" (Camilo Castelo Branco, *O General Carlos Ribeiro*, p. 63).

ultraísmo [Do esp. *ultraísmo*.] *S. m. Arte Poét.* O estilo de vanguarda da poesia espanhola e hispano-americana do séc. XX.

ultraísta [De *ultraísmo* + *-ista*, seg. o padrão gr.] *Adj. 2 g.* **1.** De, ou relativo a ultraísmo. **2.** Que é adepto do ultraísmo. ● *S. 2 g.* **3.** Adepto do ultraísmo.

ultrajador (ô) [De *ultrajar* + *-dor*.] *Adj.* **1.** V. *ultrajante*. ● *S. m.* **2.** Aquele que ultraja.

ultrajante [De *ultrajar* + *-nte*.] *Adj. 2 g.* Que ultraja; ultrajador, ultrajoso.

ultrajar [De *ultraje* (q. v.) + *-ar*[2].] *V. t. d.* **1.** Ofender a dignidade de; difamar, injuriar, insultar, afrontar: "A *Presse*, de Paris, deu logo ao princípio rebate contra o embuste literário com que se ultrajava a credulidade pública" (Latino Coelho, *Cervantes*, p. 131). **2.** Ofender os preceitos, as regras de: *É mau escritor: em suas obras, ultraja a língua portuguesa*.

ultraje [Do fr. *outrage*, ant. *oltrage*.] *S. m.* **1.** Ato ou efeito de ultrajar. **2.** Insulto, afronta, ofensa extremamente grave: "julgaria um ultraje bestial roçar sequer as pregas do seu vestido." (Eça de Queirós, *Os Maias*, II, p. 46). **3.** Calúnia, difamação. [A boa grafia seria *ultrage*.]

ultrajoso (ô) [De *ultraje* + *-oso*.] *Adj.* V. *ultrajante*: "Ser ou não ser, eis a questão. Acaso / É mais nobre a cerviz curvar aos golpes / Da ultrajosa fortuna, ou já lutando / Extenso mar vencer de acerbos males?" (Machado de Assis, *Poesias Completas*, p. 310.)

ultraleve [De *ultra-* + *leve*.] *Adj. 2 g.* **1.** Leve em extremo. ● *S. m.* **2.** *Aer. Av.* Avião de peso ínfimo, dotado apenas dos requisitos indispensáveis para alçar voo: asas cobertas de tela, motor de pequena potência, lemes simples e banco para o piloto, tudo permitindo pouso e decolagem em pouco mais de 50m de extensão.

ultramar [De *ultra-* + *mar*[1].] *S. m.* **1.** Região ou regiões situadas além do mar. **2.** Tinta azul, da cor do azul do alto-mar, que se extrai do lápis-lazúli. **3.** A cor dessa tinta.

ultramarino [De *ultra-* + *marino*.] *Adj.* **1.** Situado no ultramar; transmarino, transoceânico: *terras ultramarinas*. **2.** Relativo ao, ou próprio do ultramar: *azul ultramarino*.

ultramicroscopia [De *ultra-* + *microscopia*.] *S. f. Ópt.* Observação de objetos excessivamente pequenos, por meio do ultramicroscópio.

ultramicroscópico [De *ultramicroscópio* + *-ico*[2].] *Adj.* Relativo ao ultramicroscópio. ~ V. *vírus —*.

ultramicroscópio [De *ultra-* + *microscópio*.] *S. m. Ópt.* Microscópio em que a iluminação é quase perpendicular ao eixo óptico, e que permite a observação de pequeníssimos objetos mediante a luz que difundem.

ultramontanismo [Do fr. *ultramontanisme*.] *S. m. Rel.* **1.** Doutrina e política dos católicos franceses (e outros) que buscavam inspiração e apoio além dos montes, os Alpes, *i. e.*, na Cúria Romana. [Cf. *galicanismo*.] **2.** Sistema dos que defendem a autoridade absoluta do Papa em matéria de fé e disciplina.

ultramontano[1] [De *ultra-* + *monte* + *-ano*[2].] *Adj. S. m.* Transmontano (1 e 3).

ultramontano[2] [Do fr. *ultramontain*.] *Adj. S. m.* Que, ou aquele que é partidário do ultramontanismo.

ultrapassado [De *ultra-* + *passado*.] *Adj.* Antiquado; serôdio: *ideias ultrapassadas*.

ultrapassagem [De *ultra-* + *passagem*.] *S. f.* Ato ou efeito de ultrapassar (2).

ultrapassar [De *ultra-* + *passar*.] *V. t. d.* **1.** Passar além de; transpor: *ultrapassaram os Alpes*. **2.** Passar (alguém) à frente de (pessoa ou veículo que se desloca no mesmo sentido): *ultrapassar o caminhão*. **3.** Exceder o limite de: *Ultrapassou as normas da boa educação*. **4.** Ir além de; exceder; extrapolar: "A indignação fez-me ultrapassar os limites da conveniência." (Inglês de Sousa, *Contos Amazônicos*, p. 30.) *Int.* **5.** Passar à frente. [Sin. ger., p. us.: *extrapassar*.]

ultrapassável [De *ultrapassar* + *-vel*.] *Adj. 2 g.* Que pode ser ultrapassado.

➔ **ultra petita** ['ultra pe'tita] [Lat., 'além do pedido'.] *Jur.* Diz-se da sentença que resolve a demanda concedendo além do pedido pelo autor. [Antôn.: *citra petita*.]

ultrarrealismo[1] [De *ultra-* + *realismo*[1].] *S. m.* Sistema ou opinião dos ultrarrealistas [v. *ultrarrealista*[1].] ❖

ultrarrealismo[2] [De *ultra-* + *realismo*[2].] *S. m.* Sistema ou opinião dos ultrarrealistas [v. *ultrarrealista*[2].] ❖

ultrarrealista[1] [De *ultra-* + *realista*[1].] *Adj. 2 g.* **1.** Que é partidário extremado do realismo[1] (1). ● *S. 2 g.* **2.** Artista, escritor ou filósofo ultrarrealista. ❖

ultrarrealista[2] [De *ultra-* + *realista*[2].] *Adj. 2 g.* **1.** Que é partidário extremado da realeza e das doutrinas monárquicas. ● *S. 2 g.* **2.** Partidário extremado dessas doutrinas. ❖

ultrarrevolucionário [De *ultra-* + *revolucionário*.] *Adj.* Exageradamente revolucionário. ❖

ultrarromântico [De *ultra-* + *romântico*.] *Adj.* **1.** Extremamente romântico. **2.** Pertencente ou relativo ao ultrarromantismo. ● *S. m.* **3.** Adepto do ultrarromantismo. ❖

ultrarromantismo [De *ultra-* + *romantismo*.] *S. m. Liter.* Movimento literário português da primeira metade do séc. XIX, e que se prolongou, em casos individuais, até certo ponto da segunda metade. Caracterizam-no, sobretudo, o sentimentalismo melodramático e um erotismo melancólico que ia ao desespero. ❖

ultrassauro [Do tax. *Ultrasaurus*.] *S. m. Paleont.* **1.** Gênero de dinossauros saurópodes, relacionados aos braquiossauros e aos supersauros, porém ainda maiores que estes últimos, medindo até cerca de 30m de comprimento e, poss., pesando até 130 toneladas. Habitaram a região do Colorado (E.U.A.), no jurássico. **2.** Espécie ou espécime desse gênero.

ultrassecreto [De *ultra-* + *secreto*.] *Adj.* Supersecreto. ❖

ultrassecular [De *ultra-* + *secular*.] *Adj. 2 g.* Que tem mais de um século; mais do que secular. ❖

ultrassensível [De *ultra-* + *sensível*.] *Adj. 2 g.* Sensível ao extremo; extrassensível. ❖

ultrassofisticado [De *ultra-* + *sofisticado*.] *Adj.* Sofisticado ou requintado ao extremo. ❖

ultrassom [De *ultra-* + *som*[1].] *S. m. Fís.* Oscilação de natureza acústica com frequência superior a 20.000Hz, inaudível aos ouvidos humanos; supersom. [Cf. *infrassom*.] ❖

ultrassónico *Adj.* V. *ultrassônico*. [Uso freq. em P.] ❖

ultrassônico [De *ultra-* + *sônico*.] *Adj.* **1.** Relativo ao ultrassom, ou da natureza dele. ~ V. *onda —a*. **2.** Que ultrapassa ou tem a capacidade de ultrapassar a barreira do som: *jatos ultrassônicos*. ❖

ultrassonografia [De *ultra-* + *sonografia*.] *S. f.* **1.** *Radiol.* Método de diagnóstico que, mediante emissão de ondas sonoras de alta frequência, permite a visualização de órgãos internos do corpo. **2.** Exame que emprega essa técnica, ou a imagem dele resultante: "O sexo do bebê foi revelado antecipadamente pela ultrassonografia e a atriz [Ângela Leal] já optou pelo parto de cócoras" (*Jornal do Brasil*, 05.09.1982). [Sin. ger. (menos us.): *ecografia*.] ❖

ultrassonográfico [De *ultrassonografia* + *-ico*[2].] *Adj.* Relativo à ultrassonografia. ❖

ultrassonoterapia [De *ultrassom* + *-o-* + *-terapia*, seg. o padrão erudito.] *S. f. Terap.* Tratamento pelo ultrassom, eficaz em várias moléstias, particularmente nas articulares. ❖

ultratumular [De *ultra-* + *tumular*.] *Adj. 2 g.* Que é de além-túmulo: *a vida ultratumular*.

ultravida [De *ultra-* + *vida*.] *S. f.* V. *além* (5): "À eutanásia dos gregos sucedeu o suicídio claustral com a esperança numa ultravida recheada de piedosa fortuna" (Oliveira Martins, *A Vida de Nun'Álvares*, p. 446).

ultravioleta (ê) [De *ultra-* + *violeta*.] *S. 2 g.* **1.** Radiação ultravioleta (q. v.). ● *Adj. 2 g. e 2 n.* **2.** Diz-se de ultravioleta (1). **3.** *Art. Gráf.* Diz-se de verniz (5) em cuja aplicação se utiliza radiação ultravioleta. **4.** *Cin. Fot.* Diz-se de técnica de filmagem ou de fotografia que utiliza radiação ultravioleta. ~ V. *luz —* e *radiação —*.

ultravírus [De *ultra-* + *vírus*.] ***S. m. 2 n.*** *Biol.* V. *vírus filtrável.*

ultrice ***Adj.*** ***(f.)*** *Poét.* V. *ultriz.*

ultriz [Do lat. *ultrice*, por via semierudita.] ***Adj.*** ***(f.)*** *Poét.* **1.** Que vinga; vingadora, ultrice: "Sim, eu devera comprimir meus lábios, / Mordê-los té que o sangue espadanasse, / Afogar na garganta a ultriz sentença, / Apagá-la em meu sangue." (Gonçalves Dias, *Obras Poéticas*, II, p. 160.) ● ***S. f.*** **2.** Mulher vingadora; mulher que se vinga.

ululação [Do lat. *ululatione*.] ***S. f.*** Ato ou efeito de ulular; ululo, ulular.

ululador (ô) [De *ulular* + *-dor*.] ***Adj.*** **1.** Ululante (1). ● ***S. m.*** **2.** Aquele que ulula.

ululante [Do lat. *ululante*.] ***Adj. 2 g.*** **1.** Que ulula; ululador: "Viera desesperado, ululante, feroz, ... vendo tudo escarlate, num frenesi de morticínios e incêndios." (Fialho d'Almeida, *O País das Uvas*, p. 198). **2.** *Bras. Fig.* Evidente, claríssimo, insofismável; gritante: *verdade ululante; mentira ululante.*

ulular [Do lat. *ululare*.] ***V. int.*** **1.** Soltar (o cão) voz triste e lamentosa; ganir, uivar. **2.** Gritar ou uivar, produzindo som plangente: "foi sentar-se ao pé da fogueira para não a deixar extinguir-se, e para impedir que se aproximassem as onças que não cessavam de ulular em derredor deles" (Franklin Távora, *O Cabeleira*, p. 241). **3.** Gritar de aflição ou de dor: *Operado sem anestésico, o doente ululava.* **4.** Produzir som plangente como um ululo ou uivo; uivar: "A luz expira, o vento ulula, o céu é fúnebre" (Guimarães Passos, *Horas Mortas*, p. 57). ***T. d.*** **5.** Soltar, gritando lamentosamente, à maneira de ululo: "Ularei meu cântico sombrio" (Alberto de Oliveira, *Poesias*, 1.ª série, p. 274). **6.** Proferir, berrando; bradar, vociferar: "A multidão, abalada, comovida, ululou aplausos vibrantes, em que o furor e a convicção extravasavam." (Antero de Figueiredo, *Leonor Teles*, p. 86.) ● ***S. m.*** **7.** V. *ululação.*

ululo [Dev. de *ulular*.] ***S. m.*** V. *ululação*: "O vento, entre ululos, as frondes balança." (Martins Fontes, *Vulcão*, p. 175.)

uluri [Do bacairi.] ***S. m.*** *Bras. Etnol.* Entre os povos indígenas brasileiros da região do alto rio Xingu, tanga feminina triangular, feita de entrecasca de árvore, que se usa suspensa por um cordel atado a um cinto de fios que contorna o quadril. [Tal tipo de adorno é exclusivo dos índios dessa região, que já foi por isso designada como "área do uluri".]

ulva [Do tax. *Ulva*.] ***S. f.*** *Bot.* **1.** Gênero-tipo das ulváceas, composto de algas verdes, marinhas, dotadas de talo delgado e achatado, edule, que lembra a alface. **2.** Espécie desse gênero, a *Ulva lactuca*, vulgarmente conhecida como *alface-do-mar*, que cresce, nos estuários, próximo às praias. **3.** Qualquer espécime desse gênero.

ulvácea [Do tax. *Ulva* + *-ácea*; tax. *Ulvaceae*.] ***S. f.*** *Bot.* Espécime das ulváceas, família vastamente distribuída de clorofíceas de talo ou delgado, ou tubular e oco.

ulváceo [De *ulvácea*, com var. suf. (v. *-áceo*).] ***Adj.*** *Bot.* Pertencente ou relativo às ulváceas.

um [Do lat. *unu*.] ***Num.*** **1.** A quantidade daquilo que é inteiro e completo, sem mais nada que o acompanhe, ou que lhe seja acrescentado: "Tiraram-me o casal e o manso gado, / nem tenho, a que me encoste, um só cajado." (Tomás Antônio Gonzaga, *Marília de Dirceu*, p. 107); "Um dia vivemos!" (Gonçalves Dias, *Obras Poéticas*, II, p. 42); *Tem um metro de largura.* [Omite-se, às vezes, antes de palavras relativas a tempo: "No fim de ano e meio, abotoou no horizonte uma esperança" (Machado de Assis, *Várias Histórias*, p. 34).] **2.** *Restr. Mat.* O número (4) correspondente a essa quantidade, e que é a unidade no sistema intuitivo, ou natural, de contagem e numeração. [Nessas acepçs., representa-se por 1 em algarismos arábicos, e por I, em algarismos romanos.] **3.** Que está marcado ou identificado com o número 1. **4.** Primeiro (1). [Nas acepçs. 3 e 4, é us. como aposto (sem flexão), em seguida ao substantivo: *capítulo um, página um, rua um, casa um.*] ● ***Art. indef.*** **5.** Designa pessoa, animal ou coisa de modo impreciso, vago: *Dei esmola a um mendigo*; "Senti de um corvo sobre mim as asas" (Alphonsus de Guimaraens, *Obra Completa*, p. 24); "Primavera. Um sorriso aberto em tudo." (Olavo Bilac, *Poesias*, p. 227). **6.** Todo, cada: "um contista tem de ser um escritor que fixa as coisas em traços incisivos, na sua flagrante realidade" (Valdemar Cavalcanti, *Jornal Literário*, p. 169). **7.** Algum, certo; qualquer: *Creio que uma força oculta o impele; Um dia tudo acabará.* **8.** Certo, determinado: "Um homem se afogava sem remédio de uma inchação interior na garganta" (Fr. Luís de Sousa, *Vida de D. Fr. Bertolameu dos Mártires*, II, p. 301). **9.** Em certos casos, adquire valor intensivo: "Os olhos são / De uma expressão!" (João de Deus, *Campo de Flores*, I, p. 42); "Estes cravos têm um cheiro!" (Alberto de Oliveira, *Poesias*, 3.ª série, p. 36); "— Está um calor, hem?" (Ribeiro Couto, *Largo da Matriz e Outras Histórias*, p. 88). **10.** Antes de um nome de pessoa, serve para fazê-lo sobressair, dar-lhe relevo ou importância: "Um Defoe criou a figura fabulosa de Robinson Crusoe" (Valdemar Cavalcanti, *Jornal Literário*, p. 103); "Vi-o [a Gastão Cruls] muitas vezes ao lado de um Gilberto Amado" (Id., *ib.*, p. 233). **11.** Este, esse, aquele: *Que bate-boca é um?* [Muitas vezes se omite, elegantemente, o art. *um*: *Fez belo trabalho*; mas é condenável a mania de certos puristas de querer omiti-lo a cada passo, com prejuízo, muitas vezes, para a expressividade.] ● ***Adj.*** **12.** Singular, único: *A mocidade é uma, bela e forte.* **13.** Em que não há interrupção ou divisão; contínuo, seguido, indiviso: *O caminho é um; não há perigo de errada.* **14.** Da mesma natureza; homogêneo, igual: *O tecido é todo um.* **15.** *Filos.* Diz-se de indivíduo que é membro de uma multiplicidade quando considerado puramente como tal. **16.** *Filos.* Diz-se do ser que é único (1). ● ***Pron. indef.*** **17.** Uma pessoa; alguém: "Ouvi depois a velha história / De um que ficou depressa instruído" (Lima Júnior, *Canções da Idade de Oiro*, p. 32); *Ele é um que não se mete com a vida alheia.* [Flex., nas acepçs. 1, 2, e 5 a 17: *uma, uns, umas*.] **18.** Algo, uma coisa (considerada diferente daquilo que é mencionado a seguir, e designado por *outro*): *Falar é um, fazer é outro.* ● ***S. m.*** **19.** Algarismo representativo do número um: "os algarismos são malfeitos: o um parece sete sem gravata no pescoço" (Manuel Lobato, *Somos Todos Algarismos*, p. 25). **20.** Face do dado ou peça do dominó que tem apenas um sinal. **21.** A nota um, em prova de exame ou concurso, ou em algum tipo de avaliação. **22.** Aquele ou aquilo que ocupa o primeiro lugar numa série. **23.** *Filos.* Segundo Plotino, filósofo neoplatônico, egípcio de nascimento (205-270), o ser que está além da multiplicidade e do número, além de toda existência e de todo pensamento, que é fonte e princípio deles. [Cf. *hum* e *uns*.] ◆ **Um a um.** Um por um. **Um pelo outro.** Um em lugar do outro. [Us. com referência a pessoas ou coisas a que se atribui o mesmo valor.] **Um por um.** Cada um por seu turno ou separadamente; um a um: "Também dos corações onde abotoam, / Os sonhos, um por um, céleres voam, / Como voam as pombas dos pombais" (Raimundo Correia, *Poesias*, p. 11).

▲ **um-** V. *un-*.

▲ **-um-** V. *-un-*.

▲ **-um**[1] [Do lat. *-unus, a, um*, por via pop.] ***Suf. nom.*** **1.** = 'de ou referente a (certo animal)'; 'próprio de certo animal': *bodum, caprum, carneirum, cervum, gatum, ovelhum, vacum.*

▲ **-um**[2] ***Suf. nom.*** Us. em formações populares, em geral de valor intensificador ou pejorativo: *bebum, fortum.*

uma [De *um*.] **1.** Fem. do num., art. indef., adj., pron. indef. e s. m. *um*. **2.** Fato ou acontecimento estranho, interessante ou desagradável: *Aconteceu-me uma dos diabos*; "Como a vida ficou prosaica, Everardo! | Você tem cada uma..." (Ciro dos Anjos, *Montanha*, p. 356). [Nesta acepç. há obviamente elipse da palavra *coisa*.] ◆ **Umas e outras.** *Bras. Gír.* Várias doses de bebidas alcoólicas. **À uma.** Ao mesmo tempo; simultaneamente, juntamente: "todos à uma, exceção feita do gordo Marcelino, se ergueram das suas mesas para rodear e cumprimentar o noivo." (Artur Azevedo, *Contos Efêmeros*, p. 118). **Dar uma de.** *Bras. Fam.* Agir à maneira de: *Deu uma de escritor.* **Não dizer uma nem duas.** Abster-se de falar; calar-se.

umã *Bras.* ***S. 2 g.*** **1.** *Etnôn.* Indivíduo dos umãs, povo indígena extinto que habitava a região próxima à margem esquerda do rio Pajeú (PE). ● ***Adj. 2 g.*** **2.** Pertencente ou relativo a esse povo. [Tb. us. como *s. 2 g.* e *2 n.* (com cap.) e *adj. 2 g.* e *2 n.*]

umari [Do tupi.] ***S. m.*** *Bras. Bot.* **1.** Designação comum a duas plantas icacináceas: *Poraqueiba paraensis* e *P. sericea*, árvores de frutos comestíveis, madeira leve, pardo-avermelhada, utilizada em marcenaria e como lenha. **2.** V. *angelim-de-espinho.*

umariense ***Adj. 2 g.*** **1.** De, ou pertencente ou relativo a Umari (CE). ● ***S. 2 g.*** **2.** O natural ou habitante de Umari.

umarirana [Do tupi = 'semelhante ao umari'.] ***S. f.*** *Bras. Amaz. Bot.* Árvore rosácea (*Couepia subcordata*) de frutos comestíveis, e que fornece madeira para carpintaria, esteios, lenha e carvão.

umarizal [De *umari* + *-zal*.] ***S. m.*** **1.** *Bras.* Quantidade mais ou menos considerável de umaris dispostos proximamente entre si. **2.** Área ocupada por umarizal (1).

umarizalense ***Adj. 2 g.*** **1.** De, ou pertencente ou relativo a Umarizal (RN). ● ***S. 2 g.*** **2.** O natural ou habitante de Umarizal.

→ **U-matic** [juw 'mætik] [Ingl., nome comercial.] *Telev.* Designação de fita de vídeo com formato de 3/4 de polegada, de uso doméstico e profissional.

umbanda [Do quimb.] ***S. f.*** **1.** *Bras. Rel.* Sincretismo nascido no Rio de Janeiro na virada do século XX e talvez derivado da cabula (q. v.), que já no fim do século XIX registra elementos bantos, espíritas e palavras do jargão umbandista atual; hoje, a umbanda apresenta-se fracionada em dezenas de grupos que englobam influências esotéricas, cabalísticas, orientais, católicas, etc. [Cf. *macumba* (3) e *quimbanda* (1).] **2.** *Angol.* Artes da feitiçaria. ◆ **Umbanda branca.** *Rel.* Culto umbandista muito próximo ao kardecismo, que só trabalha para o bem e no qual só se usam roupas rituais simples e brancas; umbanda de branco, umbanda de cáritas, umbanda de linha branca. **Umbanda de angola.** *Rel.* Culto umbandista muito influenciado pelo candomblé de rito angola, tal como o culto *omolocô* (q. v.). **Umbanda de branco.** *Rel.* V. *umbanda branca.* **Umbanda de cáritas.** *Rel.* V. *umbanda branca.* **Umbanda de linha branca.** *Rel.* V. *umbanda branca.*

umbandismo [De *umbanda* + *-ismo*.] ***S. m.*** A sistematização das várias tendências da umbanda.

umbandista [De *umbanda* + *-ista*.] *Bras.* ***Adj. 2 g.*** **1.** Pertencente ou relativo à umbanda: *cultos umbandistas.* **2.** Que é sectário da umbanda. ● ***S. 2 g.*** **3.** Sectário dela.

umbaru [Do tupi.] ***S. m.*** *Bras. Bot.* V. *cânhamo-brasileiro.*

umbaúba [Var. de *ambaíba* (q. v.).] ***S. f.*** *Bras. Bot.* V. *embaúba.*

umbaúba-do-vinho ***S. f.*** *Bras. Bot.* V. *mapati.* [Pl.: *umbaúbas-do-vinho*.]

umbaubal (a-u) [De *umbaúba* + *-al*¹, var. de *ambaibal*.] ***S. m.*** **1.** *Bras.* Quantidade mais ou menos considerável de umbaúbas dispostas proximamente entre si. **2.** Área ocupada por umbaubal (1). [Outras var.: *ambaubal, embaibal, embaubal, imbaibal* e *imbaubal*.]

umbaúba-mansa [De *umbaúba* + o f. de *manso*.] ***S. f.*** *Bras. Bot.* V. *mapati.* [Pl.: *umbaúbas-mansas*.]

umbaubense (a-u) ***Adj. 2 g.*** **1.** De, ou pertencente ou relativo a Umbaúba (SE). ● ***S. 2 g.*** **2.** O natural ou habitante de Umbaúba.

umbê [Do tupi.] ***S. m.*** *Bras. Bot.* Imbé.

umbela [Do lat. *umbella*.] ***S. f.*** **1.** V. *guarda-chuva.* **2.** Qualquer objeto com a forma de umbela (1): "Nada vos direi das copadas hortênsias, com as suas umbelas de todas as cores" (Luís Guimarães, *Samurais e Mandarins*, p. 100). **3.** Espécie de pálio redondo, cuja forma lembra a da umbela (1), destinado a cobrir o sacerdote que leva o sacramento da Eucaristia de um ponto a outro, dentro das igrejas e outros recintos, e que é conduzido por uma só pessoa. **4.** *Bot.* Inflorescência em que os pedicelos florais partem do mesmo ponto e alcançam igual altura, tendo, pois, comprimento idêntico, e que é típica apiáceas, conquanto apareça noutras famílias. [Var.: *umbrela*.]

umbelado [De *umbela* + *-ado*¹.] ***Adj.*** *Bot.* Que tem umbela (4); umbelífero.

▲ **umbel(i)-** [Do lat. *umbĕlla, ae*, dim. de *umbra, ae*, 'sombra'.] ***El. comp.*** = 'umbela (4)': *umbelífero, umbeliflora, umbeliforme, umbélula.*

umbelífera [De *umbel(i)-* + *-fera*; tax. *Umbelliferae*.] ***S. f.*** *Bot.* Espécime das umbelíferas, família da ordem das apiales atualmente classificadas como apiácea (q. v.).

umbelífero[1] [De *umbel(i)-* + *-fero*.] ***Adj.*** *Bot.* Umbelado.

umbelífero[2] [De *umbelífera*.] ***Adj.*** *Bot.* Pertencente ou relativo às umbelíferas.

umbeliferona ***S. f.*** *Quím.* Substância fenólica, derivada da cumarina, encontrada em muitas plantas e usada em filtros solares [fórm.: $C_9H_6O_3$].

umbeliforme [De *umbel(i)-* + *-forme*.] ***Adj. 2 g.*** *Bot.* Em forma de umbela (4): *cimeira umbeliforme.*

umbélula [De *umbel(i)-* + *-ula*.] ***S. f.*** *Bot.* **1.** Pequena umbela (4). **2.** Umbela simples que faz parte de uma umbela composta.

umbelulado [De *umbélula* + *-ado*¹.] ***Adj.*** *Bot.* Que tem umbélula.

umbigada [De *umbigo* + *-ada*¹.] ***S. f.*** **1.** Pancada com o umbigo ou com a barriga. **2.** A região do umbigo. **3.** *Bras.* Nas danças de roda trazidas pelos escravos bantos, pancada que o dançarino solista dá, com o umbigo, na pessoa ou nas pessoas que vão substituí-lo. [Var. (pop.): *embigada*.]

umbigo [Do lat. *umbilicu*, pela f. **umbiigo*.] ***S. m.*** **1.** *Anat.* Cicatriz no meio do ventre, originada pelo corte do cordão umbilical. **2.** *Bot.* Formação mais ou menos desenvolvida que se nota no centro e na base de certos frutos, como, p. ex., a laranja-da-baía. [Var., ant.

e pop.: *embigo* (q. v.).] ◆ **Deixar o umbigo em.** Ser nascido em; ser natural de: "no próximo 22 de maio inaugura-se em Itabira, terra onde o colunista deixou o umbigo, uma edificação de 3 mil 132 metros quadrados, com instalações para teatro, galeria de arte, biblioteca" (Carlos Drummond de Andrade, em *Jornal do Brasil*, 15.05.1982).

umbigueira [De *umbigo* + *-eira*.] *S. f. Bras. N.E.* Bicheira no umbigo dos bezerros recém-nascidos. [Var.: *embigueira*.]

umbila [Do macua *mpila*, com prótese e sonorização.] *S. f. Moç. Bot.* Árvore fabácea (*Pterocarpus angolensis*) de grande porte, de madeira castanho-avermelhada, resistente a cupins, muito apreciada para obras de marcenaria, de construção civil e naval: "farei um peditório pelos navios / para que tenhas coroas de flores / caixão de umbila, uma cruz escocesa" (Duarte Galvão, *Poemas do Tempo Presente*, p. 89).

umbilicado [Do lat. *umbilicatu*.] *Adj.* **1.** Semelhante ao umbigo. **2.** Provido de umbigo. **3.** *Bot.* Deprimido no centro como um umbigo (1): *A maçã é umbilicada em cima e embaixo.*

umbilical [Do lat. *umbilicus*, 'umbigo', + *-al*[1].] *Adj. 2 g.* **1.** Relativo ou pertencente ao umbigo. ~ V. *cordão —* e *ponto —*. **2.** *P. ext.* Diz-se de estrutura semelhante a um cordão, que, durante a gestação, liga o ventre do feto e a placenta da mãe, e após o parto será cortado: *cordão umbilical.*

umbílico [Do lat. *umbilicu*.] *S. m.* **1.** *Anat.* Cicatriz que assinala o local de inserção do cordão umbilical. **2.** *Zool.* Em concha de molusco gastrópode, cavidade circular na base do eixo da espiral.

umbiúnio [De *um-* + *-b(i)-* + *-un-* + *-io*[3].] *S. m. Quím.* Nome sistemático, provisório, do elemento (hipotético) de número atômico 121 [símb.: *Ubu*]. V. *elementos transférmicos*.

umbonado [Do lat. *umbone*, 'centro de um escudo', 'proeminência', + *-ado*[1].] *Adj. Micol.* Que tem no centro uma eminência mamiforme, tal como o chapéu de alguns fungos.

umbra [Do lat. *umbra*.] *S. f. Astr.* A parte mais escura das manchas solares, que constitui a região mais central dessas manchas.

▲ **-umbra** Equiv. de *umbr(i)-*.

▲ **umbraculi-** [Do lat. *umbracŭla, ōrum*.] *El. comp.* = 'umbela': *umbraculífero, umbraculiforme*.

umbraculífero [De *umbraculi-* + *-fero*.] *Adj. Bot.* Que tem órgão umbeliforme.

umbraculiforme (à) [De *umbraculi-* + *-forme*.] *Adj. 2 g. Bot.* Em forma de umbela (1).

umbráculo [Do lat. *umbraculu*.] *S. m.* **1.** *Bot.* Espécie de disco que coroa o pedúnculo dalgumas plantas criptogâmicas. **2.** *Micol.* A parte dilatada do chapéu dos cogumelos.

umbral [Do esp. *umbral*, 'soleira da porta'.] *S. m.* **1.** Ombreira (2). **2.** Limiar, entrada.

umbrático [Do lat. *umbraticu*.] *Adj.* **1.** Relativo a sombra. **2.** Que se compraz com a sombra ou a procura. **3.** Obscuro, escuro, sombrio, umbrátil. **4.** Imaginário, fantástico, quimérico, umbrátil.

umbrátil [Do lat. *umbratile*.] *Adj. 2 g.* V. *umbrático* (3 e 4): "Entretanto as grutas e os subterrâneos lá têm não menos seus jardins umbráteis, onde mil espécies vegetais, com uma só gota de luz diluída nas trevas, alimentam e aditam a existência." (Antônio Feliciano de Castilho, *Amor e Melancolia*, p. 381.) [Pl.: *umbráteis* e (p. us.) *umbrátiles*.]

umbrela *S. f.* **1.** V. *umbela*. **2.** *Zool.* Disco contrátil das medusas.

▲ **umbr(i)-** [Do lat. *ŭmbra, ae*.] *El. comp.* = 'sombra': *umbrícola*. [Equiv.: *-umbra*: *penumbra*.]

umbria [De *umbr(i)-* + *-ia*[1].] *S. f. Poét.* **1.** Lugar sombrio. **2.** A vertente ocidental de um monte: "Na umbria da serra e da espessa mata que a cinge, a fazenda ainda permanece no crepúsculo da alvorada" (José de Alencar, *O Sertanejo*, p. 97). [Cf. *úmbria*, fem. de *úmbrio*, e *Úmbria*, top.]

úmbrico [Do lat. *umbricu*.] *Adj.* **1.** Úmbrio (1). ● *S. m.* **2.** *Gloss.* V. *úmbrio* (3). **3.** Vocábulo do úmbrico (2).

umbrícola [De *umbr(i)-* + *-cola*[1].] *Adj. 2 g.* Que vive nas sombras.

umbrífero [Do lat. *umbriferu*.] *Adj. Poét.* Umbroso, sombrio: "Vamos encosta acima. O olhar grato se espraia / Pelo umbrífero val, que vai bater na praia." (Bulhão Pato, *O Livro do Monte*, p. 52.)

úmbrio *Adj.* **1.** Da, ou pertencente ou relativo à região da Úmbria (S. da Itália central); úmbrico. ● *S. m.* **2.** O natural ou habitante da Úmbria. [Fem.: *úmbria*. Cf. *umbria*.] **3.** *Gloss.* Dialeto do italiano falado na Úmbria; úmbrico, umbro. **4.** Vocábulo desse dialeto.

umbrívago [De *umbr(i)-* + *-vago*.] *Adj.* Que anda ou vagueia pela sombra; que com ela se dá bem.

umbro[1] [Do lat. *umbru*, 'cão da Úmbria'.] *S. m.* Cão treinado para caçar veados.

umbro[2] *S. m.* **1.** *Etnôn.* Indivíduo dos umbros, povo itálico antigo que vivia entre o Tibre e o Adriático. **2.** *Gloss.* V. *úmbrio* (3). **3.** Vocábulo do umbro[2] (2).

umbroso (ô) [Do lat. *umbrosu*.] *Adj.* **1.** Que tem ou produz sombra; escuro, sombrio: "Ia encontrá-las [às ninfas], cheias de receios, / Entre o líber das árvores umbrosas, / Para os dois bicos lhe morder dos seios." (Da Costa e Silva, *Pandora*, p. 29); "até à casinha oculta entre frondes umbrosas, nos arredores de Coimbra" (Domingos Monteiro, *Contos do Dia e da Noite*, p. 67). **2.** *P. ext.* Copado, frondoso.

umbu [Do tupi.] *S. m. Bras. Bot.* **1.** V. *imbu* (1). **2.** Árvore fitolacácea (*Phytolacca dioica*) de grande copa e folhagem densa, grandes folhas alternas simples, glabras, flores apétalas, róseas, em racemos, e frutos bacáceos, roxos, dispostos em espigas. **3.** O fruto do umbu. [Sin., nas acepç. 2 e 3: *imbu*.]

umbuia *S. f. Bras. Bot.* V. *imbuia*.

umbundo *S. m. Gloss.* **1.** Língua banta falada pelos ovimbundos de Angola (S.O. da África). **2.** Vocábulo dessa língua. ● *Adj.* **3.** Pertencente ou relativo a essa língua.

umbundu [Do umb.] *S. 2 g.* **1.** *Etnôn.* Indivíduo dos umbundus, um dos povos bantos do centro de Angola. ● *S. m.* **2.** *Gloss.* A língua falada pelos umbundus, pertencente ao grupo banto: "parece que fala umbundu e é sulano" (Manuel Rui, *Rioseco*, p. 95). **3.** Vocábulo dessa língua. ● *Adj. 2 g.* **4.** Pertencente ou relativo aos umbundus, ou à sua língua.

umburana *S. f. Bras. Bot.* V. *imburana*.

umburanense *Adj. 2 g.* **1.** De, ou pertencente ou relativo a Umburanas (BA). ● *S. 2 g.* **2.** O natural ou habitante de Umburanas.

umbuzada *S. f. Bras.* V. *imbuzada*.

umbuzal *S. m. Bras.* V. *imbuzal*.

umbuzeirense *Adj. 2 g.* **1.** De, ou pertencente ou relativo a Umbuzeiro (PB). ● *S. 2 g.* **2.** O natural ou habitante de Umbuzeiro.

umbuzeiro *S. m. Bras. Bot.* V. *imbuzeiro*.

um-dois *S. m. 2 n. Bras. Fut.* V. *tabela* (9).

ume *S. m.* Pedra-ume.

▲ **-ume** [Do lat. *-umen, inis*.] *Suf. nom.* = 'coleção'; 'ação ou resultado de ação': *azedume, negrume; curtume, urdume*. [Equiv.: *-úmen*: *cerúmen*.]

umectação [Do lat. *humectatione*.] *S. f.* Ato ou efeito de umectar.

umectador (ô) [De *umectar* + *-dor*.] *Adj. S. m.* Que, ou aquilo que serve para umectar.

umectante [Do lat. *humectante*.] *Adj. 2 g.* Que umecta; umectativo.

umectar [Do lat. *humectare*.] *V. t. d.* Molhar, umedecer, com substância que se dilui.

umectativo [Do lat. *humectatus*, part. pass. de *humectare*, + *-ivo*.] *Adj.* Umectante.

umedecedor (ô) [De *umedecer* + *-dor*.] *Adj.* **1.** Que umedece. ● *S. m.* **2.** *Art. Gráf.* Rolo molhador.

umedecer [Do arc. *umedo*, 'úmido', + *-ecer*.] *V. t. d. P.* Tornar(-se) úmido; molhar(-se) de leve: "Lágrimas umedeceram os olhos de Deco, que fez um grande esforço e sorriu agradecido para os companheiros." (Macedo Miranda, *Pequeno Mundo Outrora*, p. 45); "A sua ternura é verdadeira; os seus olhos umedecem-se; os seus beijos escaldam" (Júlio Dantas, *Abelhas Doiradas*, p. 126). [Conjug.: v. *aquecer*.]

umedecido [Part. de *umedecer*.] *Adj.* Que se umedeceu; tornado úmido.

umedecimento [De *umedecer* + *-imento*.] *S. m.* Ato ou efeito de umedecer(-se).

▲ **-úmen** Equiv. de *-ume*.

umente [Do lat. *humente*.] *Adj. 2 g. Poét.* V. *úmido* (1): "são veludos quentes / os teus carinhos, nestas hibernais / noites longas e umentes..." (Gilca da Costa Melo Machado, *Mulher Nua*, p. 37).

umeral [De *úmero* + *-al*[1].] *Adj. 2 g.* Relativo ou pertencente ao úmero; umerário. ~ V. *véu —*.

umerário [De *úmero* + *-ário*.] *Adj.* Umeral.

úmero [Do lat. *umeru*, 'ombro', por via erudita.] *S. m. Anat.* Osso único do esqueleto de cada braço: "A rija constituição do prisioneiro levou a melhor das espadeiradas e do golpe de partasana que lhe esmigalhara a omoplata, fendendo o úmero." (Aquilino Ribeiro, *Portugueses das Sete Partidas*, p. 203.)

umidade [De *úmido* + *-(i)dade*.] *S. f.* **1.** Qualidade ou estado de úmido ou ligeiramente molhado. **2.** Abundância de humor no organismo animal. **3.** Relento da noite. ◆ **Umidade relativa.** *Fís.* Razão entre a pressão de vapor de água na atmosfera e a pressão de vapor saturado na mesma temperatura.

umidificação [De *umidificar* + *-ção*.] *S. f.* Ato ou efeito de umidificar(-se).

umidificador (ô) [De *umidificar* + *-dor*.] *S. m.* **1.** Agente de umidificação. **2.** Aparelhagem na qual se processam umidificações. **3.** *Ind. Pap.* Pulverizador que, na operação de acetinação, transmite ao papel o necessário grau de umidade.

umidificar [De *úmido* + *-ificar*.] *V. t. d. Int. P.* Tornar(-se) úmido; umedecer(-se). [Conjug.: v. *trancar*.]

umidífobo [De *úmido* + *-i-* + *-fobo*.] *Adj. Bot.* Diz-se de certas plantas que não se dão bem nos terrenos úmidos.

úmido [Do lat. *humidu*.] *Adj.* **1.** Levemente molhado. **2.** Impregnado de água, de líquido, de vapor: *terra úmida; pele úmida; clima úmido.* **3.** Que tem a natureza da água; aquoso, líquido: *Sentiu sob a mão uma substância úmida.* ~ V. *estufa —a, gangrena —a, névoa —a* e *prensa —a*.

umiri [Do tupi.] *S. m. Bras. Amaz. Bot.* Arbusto ou árvore humiriácea (*Humiria floribunda*) de ampla distribuição, cuja casca cede um bálsamo aromático, agradável, e cuja madeira, castanha e dura, serve para construção e dormentes, sendo os frutos, drupáceos, de cor preta, resinosos e edules.

umiriense *Adj. 2 g. S. 2 g.* V. *umirinense*.

umirinense *Adj. 2 g.* **1.** De, ou pertencente ou relativo a Umirim (CE). ● *S. 2 g.* **2.** O natural ou habitante de Umirim. [F. paral.: *umiriense*.]

umirirana [Do tupi = 'semelhante ao umiri'.] *S. f. Bras. Amaz. Bot.* Árvore voquisiácea (*Qualea retusa*) que vive nas areias de margens de lagos e rios, e tem grandes flores amarelas e folhas coriáceas, sendo os frutos cápsulas com sementes aladas. A madeira, castanho-clara, fibrosa e dura, serve para carpintaria grosseira.

umirizal [De *umiri* + *-zal*.] *S. m. Bras.* **1.** Quantidade mais ou menos considerável de umiris dispostos proximamente entre si. **2.** Área ocupada por umirizal (1).

➔ **umlaut** ['umlawt] [Al.] *S. m. E. Ling.* Metafonia. [Com cap.]

um-sete-um [Do artigo 171 do Código Penal, referente ao crime de estelionato.] *S. 2 g. e 2 n. Gír.* Indivíduo trapaceiro, trambiqueiro; vigarista. [Na 5ª ed. do Volp., sem hífen; corrigido em errata.]

umuaramense *Adj. 2 g.* **1.** De, ou pertencente ou relativo a Umuarama (PR). ● *S. 2 g.* **2.** O natural ou habitante de Umuarama.

umutina *Bras. S. 2 g.* **1.** *Etnôn.* Indivíduo dos umutinas [ou (etnôn. bras.) *Omotina], povo indígena da família linguística bororo, tronco macro-jê, que habita os municípios de Barra dos Bugres e Alto Paraguai (MT). ● *Adj. 2 g.* **2.** Pertencente ou relativo a esse povo. [Sin. ger. e f. paral.: *barbado* e *umotina*. Tb. us. como *s. 2 g. e 2 n.* (com cap.) e *adj. 2 g. e 2 n.*]

▲ **un-** *Quím. Pref.* Designa, na nomenclatura sistemática dos elementos transférmicos (q. v.), a presença do dígito 1 no número atômico do elemento. Ex.: *uniléxico*. [Antes de *p* e *b*, grafa-se *um-*: *umbiúnio*.]

▲ **-un-** *Quím.* V. *un-*. Ex.: *uniléxio*. [Antes de *p* e *b*, grafa-se *-um-*: *unúmbio, unumpêntio*.]

▲ **-una** [Do tupi.] *El. comp.* = 'preto': *acaraúna*.

unaiense (a-i) *Adj. 2 g.* **1.** De, ou pertencente ou relativo a Unaí (MG). ● *S. 2 g.* **2.** O natural ou habitante de Unaí.

unamunesco *Adj.* **1.** Relativo ou pertencente ao escritor espanhol Miguel de Unamuno (1864-1936), ou próprio dele. **2.** Que é admirador e/ou profundo conhecedor de sua obra. ● *S. m.* **3.** Admirador e/ou profundo conhecedor da obra de Unamuno.

unanimar *V. t. d.* Tornar unânime; unanimificar. [Pres. subj.: *unanime*, etc. Cf. *unânime*.]

unânime [Do lat. tard. *unanime*.] *Adj. 2 g.* **1.** Que é do mesmo sentimento ou da mesma opinião que outrem. **2.** Relativo a todos. **3.** Proveniente de acordo comum; geral: *opinião unânime*. [Cf. *unanime*, do v. *unanimar*.]

unanimidade [Do lat. *unanimitate*.] *S. f.* **1.** Qualidade de unânime. **2.** Concordância de voto ou de opinião.

unanimificar [De *unânime* + *-ificar*.] *V. t. d.* Unanimar. [Conjug.: v. *trancar*.]

unanimismo [Do fr. *unanimisme*.] *S. m. Liter.* Doutrina literária, particularmente ilustrada pelo escritor francês Jules Romains (1885-1946) e seus seguidores, segundo a qual o escritor deve exprimir a vida e os sentimentos humanos coletivos.

unanimista [De *unanimismo* + *-ista*.] *Adj. 2 g.* **1.** Relativo ao, ou que é seguidor do unanimismo. ● *S. 2 g.* **2.** Seguidor dessa doutrina.

unau [Do tupi.] *S. m. Bras. Zool.* Preguiça (5) da Amaz.

■ **Unb** *Quím.* Símb. de *unílbio*.

■ **UnB** Sigla de *Universidade de Brasília*.

unção [Do lat. *unctione*.] *S. f.* **1.** Ato ou efeito de ungir: "O padre vai-a ungindo, e a cada unção / Esconjura o demônio, mas em vão" (Conde de Monsaraz, *Musa Alentejana*, p. 190). **2.** V. *untura* (1). **3.** *Fig.* Sentimento de piedade religiosa: "No outro dia, logo de manhã cedo, recebe [Almeida Garrett] com unção os últimos sacramentos da Igreja." (José Osório de Oliveira, *O Romance de Garrett*, p. 183.) **4.** Doçura de expressão que comove. **5.** Maneira insinuante de dizer. ◆ **Unção dos enfermos.** *Rel.* V. *extrema-unção.*

▲ -uncho [Do lat. *-uncŭlu*, por via pop.] ***Suf. nom.*** = 'semelhante': *ferruncho.*

▲ unci- [Do lat. *uncus, i.*] ***El. comp.*** = 'gancho', 'garra', 'unha': *unciforme, uncirrostro.*

úncia [Do lat. *uncia.*] ***S. f.*** Polegada (1).

uncial [Do lat. *unciale.*] ***Adj. 2 g. S. f.*** *Paleogr.* Diz-se da, ou a escrita livresca maiúscula latina, usada do IV ao VI século, e caracterizada pelo arredondamento de várias letras e existência de algumas minúsculas. [O nome, depois também aplicado à escrita grega de traçado análogo, foi empregado pela vez primeira por S. Jerônimo, em passagem que permite várias interpretações, sendo a mais corrente justamente a mais improvável: a que se refere à altura das letras, que mediriam uma polegada (*úncia*). V. *semiuncial.*]

unciário [Do lat. *unciariu.*] ***Adj.*** Que tinha direito, segundo a jurisprudência romana, à duodécima parte de uma herança.

unciforme [De *unci-* + *-forme.*] ***Adj. 2 g.*** **1.** *Bot.* Em forma de gancho: 📄 *pelo unciforme.* ● ***S. m.*** **2.** *Anat.* O quarto osso da segunda série do carpo.

uncinado [Do lat. *uncinatu.*] ***Adj.*** **1.** Provido de unha; unguífero. **2.** Que tem forma de unha ou garra. **3.** *Bot.* Que termina em gancho: 📄 *bractéola uncinada.*

uncinariose [Do lat. cient. *Uncinaria*, designação genérica de um helminto, + *-ose*[1].] ***S. f.*** *Patol.* V. *ancilostomíase.*

uncinulado [Do lat. *uncinulus*, 'pequeno gancho', + *-ado*[1].] ***Adj.*** *Bot.* Que termina em pequeno gancho.

uncirrostro [De *unci-* + *-rostro.*] ***Adj.*** **1.** Que tem bico recurvo. **2.** *Zool. Obsol.* Diz-se de aves pernaltas de bico adunco.

▲ -úncula [Do lat. *-uncŭla*, por via erudita.] Equiv. de *-úncul*o.

▲ -úncul*o* [Do lat. *-uncŭlus*, por via erudita.] ***Suf. nom.*** = 'diminuição': *homúnculo* (< lat.). [Equiv.: *-úncula*: *questiúncula* (< lat.).]

undação [Do lat. *undatione.*] ***S. f.*** **1.** Corrente de rio. **2.** V. *inundação* (2).

undante [Do lat. *undante.*] ***Adj. 2 g.*** **1.** Que forma ondas. **2.** V. *ondeante.* **3.** Que tem ou leva muita água. ~ V. *terreno* —.

▲ undec(a)- [Do lat. *undecim*, 'onze', *p. anal.* com *dec(a)-* (q. v.).] ***El. comp.*** = 'onze': *undecano, undecágono.*

undecaedro [De *undec(a)-* + *-edro.*] ***S. m.*** *Geom.* V. *hendecaedro.*

undecágono [De *undec(a)-* + *-gono.*] ***S. m.*** *Geom.* V. *hendecágono.* [A pronúncia correta seria *undecagono*; v. *-gono.*]

undecano [De *undec(a)-* + *-ano*[2].] ***S. m.*** *Quím.* Qualquer alcano acíclico com 11 átomos de carbono, esp. o linear; hendecano [fórm.: $C_{11}H_{24}$].

undecenal ***Adj. 2 g.*** **1.** Que dura 11 anos. **2.** Que se realiza de 11 em 11 anos. ~ V. *período* —.

undécimo [Do lat. *undecimu.*] ***Num.*** **1.** Ordinal e fracionário correspondente a onze. [Sin.: *décimo primeiro*, *onze* e (p. us.) *onzeno.*] ● ***S. m.*** **2.** Cada uma das 11 partes alíquotas em que se divide um todo.

undécuplo [Do lat. *undecim*, 'onze', + a term. de *décuplo.*] ***Num.*** **1.** Que é onze vezes maior. ● ***S. m.*** **2.** Quantidade onze vezes maior que outra.

→ underground [ˈʌndəˈgræwnd] [Ingl.] ***S. m.*** Movimento, organização ou atividade subterrânea que funciona secretamente, e em geral tem por fim solapar ou destruir autoridade estabelecida ou forças inimigas que ocupam um território: 📄 *O underground na França abriu caminho para a invasão dos aliados.*

→ underwriting [ʌndəˈɹijtaŋ/ʌndəˈɹijtaŋ] [Ingl.] ***S. m.*** *Econ.* Subscrição de títulos novos, especialmente ações, por instituição financeira, para revenda posterior a investidores.

▲ undi- [Do lat. *ŭnda, ae.*] ***El. comp.*** = 'onda', 'água': *undífero, undiflavo.*

undícola [Do lat. *undicola.*] ***Adj. 2 g. S. 2 g.*** Que, ou animal que vive nas águas.

undífero [De *undi-* + *-fero.*] ***Adj.*** **1.** Que tem ondas; unduso. **2.** *Poét.* Que contém água; aquoso.

undiflavo [Do lat. *undiflavu.*] ***Adj.*** Que tem ondas flavas, ou seja, da cor do ouro, ou reflexos áureos: 📖 "Súbito, o incêndio! Labaredas undiflavas .... reslumbram, vulcanizadas." (Martins Fontes, *A Dança*, p. 66).

undífluo [Do lat. *undifluu.*] ***Adj.*** Que corre em ondas.

undíssono [Do lat. *undisonu.*] ***Adj.*** Que soa como as ondas revoltas.

undívago [Do lat. *undivagu.*] ***Adj.*** Que anda ou vaga sobre as ondas; flutívago.

undo [Do quimb. *mbundu*, 'negro'.] ***S. m.*** **1.** *Etnôn.* V. *ambundo* (1). **2.** *Gloss.* V. *quimbundo* (1). **3.** *P. ext. Gloss.* Qualquer língua de negros; bunda. **4.** Maneira incorreta de exprimir-se; linguagem estropiada. **5.** Vocábulo do undo (2 e 3). ● ***Adj.*** **6.** Pertencente ou relativo aos bundos; bunda, ambundo, quimbundo. **7.** Diz-se da língua bunda; bunda, ambundo, quimbundo. **8.** Diz-se da maneira estropiada ou incorreta de expressar-se.

undoso (ô) [Do lat. *undosu.*] ***Adj.*** **1.** Em que há ondas; undífero: 📖 "de um lado, as altas montanhas; / de outro lado, o mar undoso" (Antônio Feliciano de Castilho, *Amor e Melancolia*, p. 100). **2.** Que forma ondas. **3.** V. *ondeante.*

■ Une *Quím.* Símb. de *unilênio.*

■ UNE Sigla de *União Nacional dos Estudantes.*

■ UNEB Sigla de *Universidade do Estado da Bahia.*

■ Unemat Sigla de *Universidade do Estado de Mato Grosso.*

unense ***Adj. 2 g.*** **1.** De, ou pertencente ou relativo a Una (BA). ● ***S. 2 g.*** **2.** O natural ou habitante de Una.

■ Unesco [Acrôn. do ingl. *United Nations Educational, Scientific and Cultural Organization.*] Sigla de *Organização das Nações Unidas para a Educação, Ciência e Cultura.*

■ Unesp Sigla de *Universidade Estadual Paulista.*

ungido [Part. de *ungir.*] ***Adj.*** **1.** Que se ungiu. **2.** Fomentado com unguento. **3.** Que recebeu a extrema-unção. **4.** Que foi alvo da cerimônia da sagração. ● ***S. m.*** **5.** Aquele que foi ungido.

ungir [Do lat. *ungere.*] ***V. t. d.*** **1.** Untar com óleo ou com unguento. **2.** Friccionar de leve com substância gorda ou untuosa; fomentar. **3.** Aplicar óleos consagrados a; dar unção a; sagrar: 📖 "Já ninguém .... incomoda o pároco chamando-o para confessar ou ungir um moribundo" (Brito Camacho, *Quadros Alentejanos*, p. 22). **4.** Dar posse a, por meio de unção; investir de autoridade por meio de unção, sagração, ou outra cerimônia que a confere: 📄 *Leão III ungiu Carlos Magno na Basílica de S. Pedro, no ano de 799.* **5.** Dar a extrema-unção a: 📖 "Morre, tão deformada e tão magrinha, / Que a gente mal o corpo lhe adivinha / Por debaixo da roupa! // O padre vai-a ungindo" (Conde de Monsaraz, *Musa Alentejana*, pp. 189-190). **6.** Purificar, corrigir, melhorar: 📄 *ungir as mazelas morais da sociedade*; 📖 "Unja-me o teu amor divino. / Tua mortal paixão me abrase" (Guimarães Passos, *Horas Mortas*, p. 62). **7.** Influenciar com palavras afetivas e insinuantes. ***T. d. e i.*** **8.** Untar com substâncias aromáticas: 📄 *Ungiu a donzela com perfume de rosas.* ***Transobj.*** **9.** Investir (em autoridade ou dignidade); sagrar: 📄 *Segundo a teoria absolutista, Deus ungira os reis autoridade de suprema.* ***P.*** **10.** Friccionar o próprio corpo com substância oleosa. [Defect., segundo muitos, inconjugável na 1.ª pess. do sing. do pres. ind. e, pois, em todo o pres. subj.]

▲ ungue- [Do lat. *ŭnguis, is.*] ***El. comp.*** = 'unha': *ungueal.* [Equiv.: *ungui-*: *unguiforme.*]

úngue (güe) [Do lat. *ungue.*] ***S. m.*** *Anat.* Pequeno osso, semelhante a unha, que se acha na parte anterointerior da cada órbita ocular. ❖

ungueal [De *ungue-* + *-al*[1].] ***Adj. 2 g.*** *Anat.* Relativo ou pertencente a unha. ~ V. *leito* — e *matriz* —.

unguentáceo (güen) [De *unguento* + *-áceo*.] ***Adj.*** *Farmac.* Relativo ou semelhante a unguento; unguentário. ❖

unguentário (güen) [Do lat. *unguentariu.*] ***Adj.*** *Farmac.* Unguentáceo. ❖

unguento (güen) [Do lat. *unguentum.*] ***S. m.*** **1.** *Farm.* Medicamento de escassa consistência, para uso externo e que tem por base uma gordura; unto, untura. **2.** Designação comum, outrora, a certas drogas ou essências com que se perfumava o corpo. [Var., ant. e pop.: *inguento.*] ❖

ungui (gui ou güi) [Do quimbundo *ungui.*] ***S. m.*** V. *tutu*[2] (1). ❖

▲ ungui- (güi) Equiv. de *ungue-*. ❖

unguiculado[1] (güi) [Do lat. *unguiculus*, 'unha', dim. de *unguis*, + *-ado*[1].] *Zool.* ***S. m.*** **1.** Espécime dos unguiculados, coorte (4) de mamíferos placentários nos quais as características ancestrais foram bastante preservadas. São os insetívoros, os quirópteros, os dermópteros, os desdentados, os folídotos e os primatas. ● ***Adj.*** **2.** Pertencente ou relativo a eles.

unguiculado[2] (güi) [Adapt. do tax. *Unguiculata.*] *Zool.* ***S. m.*** **1.** Espécime dos unguiculados. ● ***Adj.*** **2.** Pertencente ou relativo a eles. ❖

unguífero (güi) [De *ungui-* + *-fero.*] ***Adj.*** Que tem unha; uncinado. ❖

unguiforme (güi) [De *ungui-* + *-forme.*] ***Adj. 2 g.*** Que tem forma de unha. ❖

unguinoso (güi...ô) [Do lat. *unguinosu.*] ***Adj.*** Oleoso, gorduroso. ❖

únguis ***S. m. 2 n.*** *Anat.* V. *úngue.*

úngula [Do lat. *ungula*, 'unha pequena'.] ***S. f.*** Saliência membranosa do ângulo interno do olho; unha.

ungulado[1] [Do lat. *ungulatu.*] ***Adj.*** *Zool.* Diz-se dos mamíferos cujos dedos são providos de cascos.

ungulado[2] [Adapt. do tax. *Ungulata*, neutro pl. do lat. tard. *ungulatus.*] *Zool. Desus.* ***S. m.*** **1.** Espécime dos ungulados, em antigas classificações, divisão de mamíferos cordados que apresentam os dedos revestidos de casco. No grupo eram incluídos os perissodáctilos, os artiodáctilos, os hiracoides e os proboscídeos. ● ***Adj.*** **2.** Pertencente ou relativo a eles.

■ Unh *Quím.* Símb. de *unilélio.*

unha [Do lat. *ungula.*] ***S. f.*** **1.** Lâmina córnea semitransparente que recobre a extremidade dorsal dos dedos [v. *dedo* (1)]. **2.** Garra[1] (2). **3.** *Zool.* Casco de paquidermes e ruminantes. **4.** *Zool.* Apêndices preensores, curvos, pontudos, no último segmento da pata dos insetos. **5.** Opérculo de várias conchas. **6.** Úngula. **7.** *Zool.* Pé de caranguejo. **8.** Calosidade no dorso das bestas. **9.** V. *matadura* (1). **10.** Pedaço da cepa ou do tronco da videira que vai preso ao pé do bacelo que foi cortado. **11.** Parte curva ou pontiaguda de alguns instrumentos. **12.** *Bot.* Base alongada e estreita de sépalas e pétalas. **13.** *Marinh.* O vértice exterior da pata da âncora. **14.** *Tip.* V. *pinça* (8). **15.** *Bras. Constr. Nav.* Peça abaulada que se coloca numa vigia, de dentro para fora, a fim de ventilar o interior do navio. ~ V. *unhas.* ◆ **Unha de gavião.** Unha (1) muito comprida e afiada. **Unha de santo.** *Bras. Fig. Fam.* Coisa que se faz cuidadosamente. **Unha perdida.** *Bras.* Unha de animal que não assenta no chão. **A unha de cavalo.** A unhas de cavalo. **A unhas de cavalo.** A toda (a) pressa; a bom correr; a unha de cavalo: 📖 "Vinha ele então ferido no rosto por equívoco de um negro das suas milícias, e fugindo a unhas de cavalo." (Camilo Castelo Branco, *D. Luís de Portugal*, p. 147.) **Botar as unhas de fora.** *Bras. Fam.* V. *botar as manguinhas de fora.* **Com unhas e dentes.** De todas as maneiras possíveis; com todas as forças. **Deitar as unhas em.** Apossar-se com fraude ou violência de. **Enterrar a unha.** Vender muito caro. **Esconder as unhas.** Não mostrar suas verdadeiras intenções; esconder as garras: 📖 "Frederico sabia esconder as unhas. Era gavião que voava feito andorinha." (José Cândido de Carvalho, *Olha para o Céu, Frederico!*, p. 48.) **Fazer as unhas.** Apará-las, limpá-las, tratá-las, e, ger., pintá-las. **Lamber as unhas.** Ficar muito contente. **Mostrar as unhas.** Dar mostra de uma agressividade (maldade ou malícia) até então não revelada; mostrar as garras: 📖 "O raposão que era meu tio não mostrava as unhas." (José Cândido de Carvalho, *Olha para o Céu, Frederico!*, p. 49.) **Não ser unha de santo.** *Fam.* Não necessitar de perfeição, de acabamento perfeito. **Pôr as unhas de fora.** Diz-se de quem se mostra demasiado atrevido, abusando ou tirando partido da liberdade que lhe é concedida: 📖 "O ladrão, porém, pôs as unhas de fora antes de um credo." (Miguel Torga, *Bichos*, p. 50.) **Por uma unha negra.** *Lus.* Por um triz, por pouco. **Roer as unhas.** Dar mostra de impaciência ou nervosismo, sobretudo na expectativa de alguma coisa. **Roer as unhas dos pés.** Estar em situação difícil, aflitiva, desesperadora. [Sin. (bras., gír.): *parir ouriço.*] **Ser unha com carne.** V. *ser unha e carne*: 📖 "pois que o Barroso era nesse tempo caixeiro do pai de Borges; antes do casamento, nunca tinham tido a mais ligeira rusga – foram sempre unha com carne, unidos – inseparáveis; mas depois... esfriaram, nunca mais se deram" (Aluísio Azevedo, *Filomena Borges*, p. 54). **Ser unha com carne com.** V. *ser unha e carne com.* **Ser unha com carne para.** V. *ser unha e carne com.* **Ser unha e carne.** Ser (duas pessoas) muito chegadas entre si, muito íntimas: 📖 "Num S. João fizeram-se compadres – S. João disse, S. Pedro confirmou. Por um certo tempo eram unha e carne" (Fran Martins, *Dois de Ouros*, p. 17). **Ser unha e carne com.** Ser muito chegado a (alguém); ser-lhe íntimo; ser unha com carne com, ser unha com carne para.

unhaca [De *unha*, por *unha de fome*, + *-aca.*] ***S. 2 g.*** **1.** *Burl.* V. *avaro* (3). **2.** Pessoa íntima, muito amiga.

unhaço [De *unha* + *-aço.*] ***S. m.*** *Bras.* Unhada.

unhada [De *unha* + *-ada*[1].] ***S. f.*** Traço, arranhão ou ferimento produzido pela unha. [Sin. (bras.): *unhaço.*] ◆ **Dar unhada e esconder as unhas.** Ser dissimulado, hipócrita, astuto.

unha-de-anta ***S. f.*** *Bras. Bot.* V. *chapada* (6). [Pl.: *unhas-de-antas.*]

unha-de-boi ***S. f.*** *Bras. Bot.* Escada-de-jabuti (1). [Pl.: *unhas-de-boi.*]

U

unha-de-boi-do-campo *S. f. Bras. Bot.* V. *catinga-de--tamanduá.* [Pl.: *unhas-de-boi-do-campo.*]

unha-de-cavalo *S. f. Bot.* Planta asterácea (*Tussilago integerrima* ou *T. farfara*) herbácea, rastejante, de flores amarelas em capítulos, outrora de uso medicinal; tussilagem. [Pl.: *unhas-de-cavalo.*]

unha de fome *Adj. 2 g. S. 2 g. Bras.* V. *avaro* (1 e 3): 📖 "Italianada unha de fome, ... na hora de gastar dinheiro ninguém estava." (João Pacheco, *Negra a Caminho da Cidade*, pp. 84-85.) [Pl.: *unhas de fome.*] ☑

unha de gato *S. f. Bras.* Ancinho (1). [Pl.: *unhas de gato.*] ☑ notas 1 e 2

unha-de-gato *S. f. Bras. Bot.* Designação comum a plantas fabales, esp. dos gêneros *Mimosa* e *Acacia*, providas de acúleos pungentes que rasgam a roupa e ferem a pele com facilidade: 📖 "Quanto mais escuro melhor para .... varar as moitas de unha-de-gato" (Fran Martins, *Dois de Ouros*, p. 12). [Pl.: *unhas-de--gato.*]

unha-de-morcego *S. f. Bras. Bot.* V. *batata-de-caboclo.* [Pl.: *unhas-de-morcego.*]

unha-de-vaca *S. f. Bras. Bot.* V. *cipó-escada.* [Pl.: *unhas--de-vaca.*]

unha-de-vaca-roxa *S. f. Bras. Bot.* V. *catinga-de--tamanduá.* [Pl.: *unhas-de-vaca-roxa.*]

unha-de-veado *S. f. Bras. RJ Bot.* Erva solanácea (*Cyphomandra fraxinella*) de folhas imparipenadas, com oito folíolos lanceolados, acuminados, flores vistosas, violáceo-pálidas, arranjadas em cimeiras racemiformes longamente pedunculadas, e frutos que são bagas globosas, verdes e com manchas brancas. [Pl.: *unhas-de-veado.*]

unha-de-velha *S. f. Bras. Zool.* Molusco bivalve, sanguinolariídeo (*Tagelus plebeius*), da costa atlântica, de concha alongada, delgada, com perióstraco castanho. Vive enterrado em lama ou areia, suportando bem a água de baixa salinidade. [Pl.: *unhas-de-velha.*]

unha do olho *S. f.* V. *pterígio* (1). [Pl.: *unhas do olho.*] ☑

unhamento [De *unhar* + *-mento.*] *S. m.* **1.** Ato ou efeito de unhar(-se). **2.** A parte unhada do bacelo.

unha no olho *S. f.* V. *pterígio* (1). [Pl.: *unhas no olho.*] ☑

unhão [De *unha* + *-ão*[1].] *S. f. Bras.* **1.** *Fam.* Unha grande; unhona. **2.** *Marinh.* Emenda de dois cabos formando uma espécie de pinha.

unhar [De *unha* + *-ar*[2].] *V. t. d.* **1.** Ferir ou riscar com as unhas; arranhar, agatanhar: 📖 "Sentia uma coisa, aqui, nos peitos — que nem lhe digo! — uma zunideira nos ouvidos, uma ganância de unhar a cara delas" (Nélson de Faria, *Bazé*, p. 92). **2.** Marcar ou assinalar com um risco de unha: 📖 "Ao ler uma novela de Camilo, *Madalena* unhou o arcaísmo do verbo *soer*, costumar" (Mário Barreto, *De Gramática e de Linguagem*, I, p. 159). **3.** Colocar (o bacelo) na manta e aconchegá-lo com terra no lugar em que há de criar raízes. **4.** *Bras.* Roubar, furtar, surripiar. *Int.* **5.** *Mar.* Prender-se (a âncora) no fundo do mar, normalmente, peça unha. **6.** *Bras. S. Gír.* V. *fugir* (1 e 2). *P.* **7.** Ferir-se com a(s) unha(s); arranhar-se, agatanhar-se.

unhas [Pl. de *unha.*] *S. m. 2 n.* V. *avaro* (3). ~ V. *unha.*

unhas de fome *S. 2 g. e 2 n.* V. *avaro* (3). ☑

unheira [De *unha* + *-eira.*] *S. f. Bras. RS* V. *cuera.*

unheiro [De *unha* + *-eiro.*] *S. m.* Paroníquia[2] (q. v.), especialmente a superficial; gavarro.

unheirudo [De *unheira* + *-udo.*] *Adj. Bras. RS* Que sofre de unheira.

unhona [De *unha* + *-ona*[1].] *S. f.* Unhão (1).

➔ **uni** ['juni][Jap.] *S. m. Zool.* Ouriço-do-mar.

▲ **uni-** [Do lat. *uni-* < lat. *ūnus, a, um.*] *El. comp.* = 'um': *unilíngue, unissono.*

unialado [De *uni-* + *alado.*] *Adj. Zool.* Que tem uma só asa.

■ **Uniana** Sigla de *Universidade Estadual de Anápolis.*

união [Do lat. *unione.*] *S. f.* **1.** Ato ou efeito de unir(-se); junção, ligação, adesão. **2.** Junção de duas coisas ou pessoas. **3.** Contato, justaposição. **4.** Pacto, aliança, liga. **5.** Reunião de forças, de vontades, etc.; coesão, unidade: 📄 *Sem união não venceremos; A união faz a força.* **6.** Ligação conjugal; casamento, consórcio. **7.** Coito de animais; cruzamento. **8.** Concórdia, harmonia. **9.** V. *confederação* (2). **10.** Reunião de Estados que desfrutam de certa autonomia, mas estão subordinados a um governo central: 📄 *A extinta União das Repúblicas Socialistas Soviéticas.* **11.** O Brasil, como entidade política e administrativa, em distinção às unidades que o compõem: 📖 "A organização político-administrativa da República Federativa do Brasil compreende a União, os Estados, o Distrito Federal e os Municípios" (*Constituição Federal*, Art. 18). **12.** O governo federal: 📖 "O déficit de caixa da União voltou a transformar-se num dos principais focos de inflação de procura." (Mário Henrique Simonsen, *Inflação: Gradualismo x Tratamento de Choque*, p. 44.) **13.** Esforço moral ou intelectual empregado pelos místicos para se unirem à ideia ou objeto que lhes ocupa a mente. **14.** *Mat.* Conjunto de todos os elementos pertencentes a pelo menos um de dois ou mais conjuntos; conjunto união, soma, reunião. **15.** *Bras.* Peça metálica, com a parte central mais alta, e sextavada, que se emprega para unir dois canos. ◆ **União aduaneira.** União alfandegária. **União alfandegária.** Associação de países caracterizada pela eliminação de obstáculos ao comércio recíproco, como tarifas alfandegárias, e estabelecimento de uma política comum quanto ao comércio com os demais países; união alfandegária. [Cf. *área de livre comércio.*] **União hipostática.** *Rel.* União do Verbo Divino com a natureza humana em uma só e única pessoa.

união-oestense *Adj. 2 g.* **1.** De, ou pertencente ou relativo a União do Oeste (SC). ● *S. 2 g.* **2.** O natural ou habitante de União do Oeste. [Pl.: *união-oestenses.*]

união-vitoriense *Adj. 2 g.* **1.** De, ou pertencente ou relativo a União da Vitória (PR). ● *S. 2 g.* **2.** O natural ou habitante de União da Vitória. [Pl.: *união--vitorienses.*]

uniarticulado [De *uni-* + *articulado.*] *Adj. Zool.* Que tem uma só articulação.

uniata [Do russo *uniyat.*] *Adj. 2 g.* **1.** Diz-se de igreja cristã oriental que aceita os dogmas do catolicismo, reconhece a autoridade do papa, mas segue uma liturgia própria. **2.** Diz-se de quem segue essa igreja. ● *S. m. e f.* **3.** Essa igreja. *S. 2 g.* **4.** O seguidor dessa igreja.

uniaxial (cs) [De *uni-* + *axial.*] *Adj. 2 g.* **1.** Que tem um só eixo. **2.** *Crist.* Que só tem um eixo óptico. **3.** *Crist.* Diz-se de direção que não tem dupla refração.

unicamente [Do fem. de *único* + *-mente.*] *Adv.* De modo único ou exclusivo; apenas, só, somente.

unicameral (ù) [Do ingl. *uni-cameral.*] *Adj. 2 g.* Diz-se do sistema de representação política em que há somente uma câmara legislativa.

unicameralidade [De *unicameral* + *-(i)dade.*] *S. f.* Qualidade de unicameral.

■ **Unicamp** Sigla de *Universidade Estadual de Campinas.*

unicapsular [De *uni-* + *capsular.*] *Adj. 2 g. Bot.* Que tem uma só cápsula.

unicarpelar [De *uni-* + *carpelar.*] *Adj. 2 g. Bot.* Que tem um só carpelo.

unicaule [Do lat. *unicaule.*] *Adj. 2 g. Bot.* Que tem um só caule.

■ **Unicef** [Acrôn. do ingl. (*United*) (*Nations*) (*International*) (*Children's*) (*Emergency*) (*Fund*).] Sigla de *Fundo das Nações Unidas para a Infância.*

unicelular [De *uni-* + *celular.*] *Adj. 2 g. Biol. Citol.* Que tem uma só célula, ou é formado de uma só célula; monocelular.

■ **Unicentro** Sigla de *Universidade Estadual do Centro--Oeste.*

unicidade [De *único* + *-(i)dade.*] *S. f.* Qualidade ou estado de único.

unicismo [De *único* + *-ismo.*] *S. m.* Linha terapêutica da homeopatia (1) que preconiza a administração de um só remédio, e que visa, basicamente, à identificação do paciente e do remédio que lhe corresponde, mediante o princípio da similitude (2).

unicista [De *unicismo* + *-ista.*] *Adj. 2 g.* **1.** Pertencente ou relativo ao unicismo. **2.** Que adota o unicismo. ● *S. 2 g.* **3.** Pessoa que exerce o unicismo.

único [Do lat. *unicu.*] *Adj.* **1.** Que é só um. **2.** De cuja espécie não existe outro. **3.** Exclusivo; excepcional. **4.** A que nada é comparável: 📖 "O rapaz ...., de uma calma única, não se desconcertou." (Nélio Reis, *Subúrbio*, p. 93.) **5.** Superior a todos os demais. **6.** *Filos.* Diz-se de ser com quem nenhum outro se identifica. **7.** *Filos.* Diz-se de indivíduo lógico que é membro de uma classe de um só indivíduo. ~ V. *frente —a* e *mão —a.*

unicolor (ôr) [Do lat. *unicolore.*] *Adj. 2 g.* Que tem só uma cor; monocromo. [Cf. *onicolor.*]

unicorne [Do lat. *unicorne.*] *Adj. 2 g.* **1.** Que só tem um corno ou ponta. ● *S. m.* **2.** *Zool.* V. *unicórnio* (1). **3.** *Bras. Zool.* V. *anhima* (2): 📖 "O unicorne denunciava a sua presença nas várzeas da beira do rio, cortando o ar com as vibrações da voz sonora e potente" (Inglês de Sousa, *O Missionário*, p. 244).

unicórnio [De *unicorne* + *-io*[3].] *S. m.* **1.** *Zool.* Designação dada ao rinoceronte de um só corno; unicorne, monoceronte. **2.** Substância do chifre desse animal: 📖 "uma sobrecasaca bem justa, um peito largo, bengala de unicórnio, e um andar firme e senhor" (Machado de Assis, *Quincas Borba*, p. 254). **3.** Licorne (1). **4.** *Bras. Zool.* V. *anhima* (2). **5.** *Astr.* Constelação equatorial, ao S. dos Gêmeos, a O. do Cão Menor e da Hidra, a E. de Órion, e ao N. do Cão Maior e da Popa. [Com cap., nesta acepç.]

unicursal [De *uni-* + lat. *cursus*, 'curso', + *-al*[1].] *Adj. 2 g. Geom.* Diz-se de curva que não tem pontos múltiplos; euleriano.

unicúspide [De *uni-* + *cúspide.*] *Adj. 2 g.* Que tem uma só ponta.

unidade [Do lat. *unitate.*] *S. f.* **1.** Quantidade que se toma arbitrariamente para termo de comparação entre grandezas da mesma espécie. **2.** O número um. **3.** Princípio da numeração. **4.** Qualidade do que é um, ou único, ou uniforme. **5.** Qualidade daquilo que não pode ser dividido: 📄 *a unidade política ou territorial de um país.* **6.** Homogeneidade; igualdade, identidade, uniformidade: 📄 *unidade de movimentos, de ideias.* **7.** Coordenação ou harmonia das partes de uma obra literária, artística, científica, etc. **8.** Ação coletiva orientada para um mesmo fim; coesão, união. **9.** Aquilo que, num conjunto, numa espécie, etc., forma um todo completo: 📄 *as unidades de uma federação; a unidade cirúrgica de um hospital; um edifício de apartamentos com 20 unidades.* **10.** Tropa de soldados destinados a manobrar juntos. **11.** Cada navio, na marinha de guerra. **12.** *Ecles.* Profissão da mesma fé e respeito aos mesmos chefes. **13.** *Filos.* Caráter do ser que é um em qualquer acepção. **14.** *Filos.* Caráter do ser que é uno. ◆ **Unidade amagat.** *Fís.* Unidade convencional utilizada para exprimir as relações entre a pressão, o volume e a temperatura de um gás, e que é igual ao produto da pressão pelo volume medido a 0°C e sob uma atmosfera. **Unidade aritmética.** *Inform.* A parte do processador central que efetua operações aritméticas e lógicas. **Unidade aritmética e lógica.** *Inform.* Parte da unidade central de processamento (q. v.) que executa operações aritméticas e lógicas com os dados. **Unidade astronômica.** *Astr.* Unidade de distância, equivalente à distância média da Terra ao Sol, ou seja, 149.504.200 quilômetros [sigla: *UA*]. **Unidade central de controle.** *Inform.* Parte da unidade central de processamento (q. v.) que administra as operações de controle nas demais unidades de um sistema de computador. **Unidade central de processamento.** *Inform.* Componente de um computador, que realiza todo o processamento aritmético e lógico, e o controle da execução destes. [Tb. chamado *processador central.* Sigla: *UCP* e (ingl.) *CPU.*] **Unidade c.g.s.** *Fís.* Qualquer unidade de medida do sistema c.g.s. **Unidade de ação.** *Teatr.* Segundo Aristóteles (v. *aristotélico*), elemento constitutivo e necessário de toda obra dramática, em particular da tragédia, e cuja regra estabelece que a peça deve desenvolver uma única ação principal, à qual se subordinam todas as ações secundárias. [V. *unidade de lugar* e *unidade de tempo.*] **Unidade de conservação.** Área com características naturais relevantes, e que é legalmente instituída, pelo poder público, para fins de proteção. Ex.: Os parques nacionais. **Unidade de entrada.** *Inform.* V. *input* (2). **Unidade de externa.** *Telev.* Unidade móvel (q. v.) utilizada para a gravação de externa (2); unidade móvel de TV. **Unidade de fita.** Equipamento cuja função é manipular uma fita magnética (q. v.), com a finalidade de ler ou gravar dados. **Unidade de impressão.** *Art. Gráf.* Cada um dos conjuntos independentes através dos quais passa o papel, nas rotativas, e que são integrados por jogos de cilindros, para tiragem e retiração, aparelho de tintagem, e, no caso do ofsete, umedecedor e cilindro de borracha; grupo de impressão. **Unidade de lugar.** *Teatr.* Regra dramática atribuída à *Poética* de Aristóteles (v. *aristotélico*), sobretudo pela leitura restritiva dos comentadores renascentistas, segundo a qual toda a ação da peça deveria ocorrer num mesmo local ou, pelo menos, numa mesma cidade. [V. *unidade de ação* e *unidade de tempo.*] **Unidade de membrana.** *Citol.* Estrutura trilaminar da membrana celular, vista quando esta é analisada ao microscópio eletrônico. **Unidade de tempo.** *Teatr.* Preceito da *Poética* aristotélica (v. *aristotélico*), segundo o qual a ação dramática deve conter-se num ciclo solar, ou ultrapassá-lo em pouco. [V. *unidade de ação* e *unidade de lugar.*] **Unidade eletromagnética.** *Fís.* Qualquer unidade do sistema c.g.s. eletromagnético. [Sigla: *u. e.m.*] **Unidade experimental.** *Estat. Sociol.* Em experimentação, indivíduo ou cobaia do grupo de controle ou do grupo experimental. **Unidade Federativa.** Estado (9) [sigla: *UF*]. **Unidade Fiscal de Referência.** *Econ.* Unidade us. para fins de cálculo de impostos, criada em 1991, com valor monetário fixado mensalmente pelo governo [sigla.: *UFIR*]. **Unidade imaginária.** *Mat.* A raiz quadrada positiva de menos um [símb.: *i*]. **Unidade lógica e aritmética.** *Inform.* Num processador, componente que realiza operações aritméticas e lógicas [sigla: *ULA*]. **Unidade M.K.S.** *Fís.* Qualquer unidade de medida do sistema M.K.S. **Unidade monetária.** *Econ.* Moeda que serve de base, pelo valor e peso, a um sistema monetário (q. v.). **Unidade móvel.** Veículo (carro, caminhão, vagão ferroviário, barco, etc.) dotado de recursos e equipamentos próprios para a realização de atividades, como, p. ex., ensino, atendimento médico, gravação de externa, etc., fora do ambiente usual de trabalho. **Unidade móvel de TV.** *Telev.* Unidade de externa. **Unidade SI.** *Fís.* Qualquer unidade de medida do Sistema Internacional. **Unidade unificada de massa atômica.** *Fís.* Unidade de medida de massa de partículas, átomos e moléculas, igual a 1/12 da massa de um átomo do isótopo 12 do carbono, e que vale $1{,}6605402 \times 10^{-27}$kg [símb.: *u*]. **Unidade X.** *Fís.* Unidade de medida de comprimento de onda utilizada em técnica de raios X, e igual a $1{,}00202 \times 10^{-13}$m.

unidimensional [De *uni-* + *dimensional.*] ***Adj. 2 g.*** Que tem ou envolve uma só dimensão.

unidirecional [De *uni-* + *direcional.*] ***Adj. 2 g.*** **1.** Que se move ou flui numa só direção: *corrente elétrica unidirecional.* **2.** *Fig.* Que tem ou envolve uma só direção: *política unidirecional.* **3.** Que capta sons provenientes de uma única direção. [Cf. *onidirecional.*]

unido [Part. de *unir.*] ***Adj.*** **1.** Que se uniu; junto, ligado. **2.** Que está em contato. **3.** Concomitante, simultâneo.

unifamiliar [De *uni-* + *familiar.*] ***Adj. 2 g.*** Que se destina, ou serve, a uma só família: *residência unifamiliar.* ~ V. *edificação —.*

■ **Unifesp** Sigla de *Universidade Federal de São Paulo.*

unificação [De *unificar* + *-ção.*] ***S. f.*** Ato ou efeito de unificar(-se).

unificado [Part. de *unificar.*] ***Adj.*** Que foi objeto de unificação.

unificador (ô) [De *unificar* + *-dor.*] ***Adj.*** **1.** Que unifica; unificante. ● ***S. m.*** **2.** Aquele ou aquilo que unifica.

unificante [De *unificar* + *-nte.*] ***Adj. 2 g.*** Unificador (1).

unificar [De *uni-* + *-ficar.*] ***V. t. d.*** **1.** Reunir em um todo ou em um só corpo; tornar uno: *Foi-lhe fácil fazer o livro: bastou-lhe unificar velhos escritos.* **2.** Fazer convergir para um só fim: *Unificou as várias tendências;* "Privado de seu porta-voz doutrinário, o grupo romântico de Victor Hugo e Alexandre Guiraud já não tinha como enfrentar a reação dos acadêmicos e prosseguir no esforço de unificar o movimento de renovação literária" (Melo Nóbrega, *O Soneto de Arvers*, p. 7). ***P.*** **3.** Tornar-se um; reunir-se em, ou formar, um só todo: "Depois foi um tempestuar infrene, temulento de carícias ferozes, em que os corpos se conchegavam, se fundiam, se unificavam" (Júlio Ribeiro, *A Carne*, p. 211). **4.** Juntar-se ou reunir-se em um lado só: *Os vários movimentos unificaram-se.* [Conjug.: v. *trancar.*]

unificável [De *unificar* + *-vel.*] ***Adj. 2 g.*** Que pode ser unificado.

unifilar [De *uni-* + *-fil(i)-*[1] + *-ia*[1].] ***Adj. 2 g.*** Que tem apenas um fio.

uniflorense ***Adj. 2 g.*** **1.** De, ou pertencente ou relativo a Uniflor (PR). ● ***S. 2 g.*** **2.** O natural ou habitante de Uniflor.

unifloro [De *uni-* + *-floro.*] ***Adj.*** *Bot.* Que tem uma só flor: *pedúnculo unifloro.*

unifólio [De *uni-* + *-fólio.*] ***Adj.*** *Bot.* Unifoliolado.

unifoliolado [De *uni-* + *foliolado.*] ***Adj.*** *Bot.* Que tem um folíolo; unifólio.

uniformar [De *uniforme* + *-ar*[2].] ***V. t. d.*** *P. P. us.* Uniformizar.

uniforme [Do lat. *uniforme.*] ***Adj. 2 g.*** **1.** Que só tem uma forma. **2.** Que não varia. **3.** Semelhante, análogo, idêntico. **4.** *E. Ling.* V. *comum de dois.* ● ***S. m.*** **5.** Farda ou vestuário confeccionado segundo modelo oficial e comum, para uma corporação, classe, grupo de funcionários, etc. **6.** Vestimenta padronizada para determinada categoria de indivíduos: "O motorista de uniforme debruado tirou o boné em curva homenageante." (Genolino Amado, *O Reino Perdido*, p. 31.) **7.** O conjunto do fardamento, insígnias de posto, graduação, função ou especialização, e de condecoração, em uso pelos militares: *Via-se no retrato um capitão em uniforme de gala; Ali era obrigatório o uniforme de campanha.* **8.** *Bras. N.E.* V. *terno*[1] (4). [Cf. *oniforme.*]

uniformidade [Do lat. *uniformitate.*] ***S. f.*** **1.** Qualidade do que é uniforme. **2.** Falta de variedade; monotonia. **3.** Harmonia, coerência.

uniformitarianismo [Do ingl. *uniformitarianism.*] ***S. m.*** *Geofís.* Teoria segundo a qual as grandes modificações ocorridas na Terra, no passado, resultaram não de catástrofes em grande escala, mas de processos geológicos contínuos, como os que ocorrem no presente.

uniformização [De *uniformizar* + *-ção.*] ***S. f.*** Ato ou efeito de uniformizar(-se).

uniformizado [Part. de *uniformizar.*] ***Adj.*** **1.** Tornado uniforme (1 e 2). **2.** Vestido de uniforme (5 a 7).

uniformizador (ô) [De *uniformizar* + *-dor.*] ***Adj. S. m.*** Que, ou aquele que uniformiza.

uniformizar [De *uniforme* + *-izar.*] ***V. t. d.*** **1.** Tornar uniforme: *Os governos uniformizaram o sistema de medidas.* **2.** Fazer vestir de uniforme: *Uniformizou os escolares.* ***P.*** **3.** Vestir uniforme. [Sin. ger., p. us.: *uniformar.*]

unigénito ***Adj. S. m.*** V. *unigênito.* [Uso freq. em P.]

unigênito [Do lat. *unigenitu.*] ***Adj.*** **1.** Único gerado por seus pais. ● ***S. m.*** **2.** Filho único: "Em casa dos avós ficara a pequena Violante, unigênita da breve e malograda união." (Eduardo Frieiro, *O Mameluco Boaventura*, p. 63.) **3.** O cognome de Cristo.

unijugado [De *unijugo* + *-ado*[1].] ***Adj.*** Que forma um único par.

unijugo [Do lat. *unijugu*, 'sustentado por uma só estaca'.] ***Adj.*** *Bot.* Diz-se da folha composta que só tem um par de folíolos.

unijunção ***Adj. 2 g.*** *Eletrôn.* Que tem uma só junção. ~ V. *transistor —.*

unilabiado [De *uni-* + *labiado.*] ***Adj.*** *Bot.* Diz-se de corola que tem só um lábio ou lóbulo principal.

unilateral [De *uni-* + *lateral.*] ***Adj. 2 g.*** **1.** Situado de um único lado. **2.** Que vem de um lado só. ~ V. *contrato —.*

unilateralidade [De *unilateral* + *-(i)dade.*] ***S. f.*** Qualidade de unilateral; parcialidade, unilateralismo.

unilateralismo [De *unilateral* + *-ismo.*] ***S. m.*** Unilateralidade.

unílbio [De *un-* + *-(n)il-* + *-b(i)-* + *-io*[3]; lat. cient. *unnilbium.*] ***S. m.*** *Quím.* Nome sistemático, provisório, do elemento de número atômico 102, atualmente chamado nobélio [símb.: *Unb*]. V. *elementos transférmicos.*

unilénio ***S. m.*** *Quím.* V. *unilênio.* [Uso freq. em P.]

unilênio [De *un-* + *-(n)il-* + *-en-* + *-io*[3]; lat. cient. *unnilennium.*] ***S. m.*** *Quím.* Nome sistemático, provisório, do elemento de número atômico 109, atualmente chamado meitnério [símb.: *Une*]. V. *elementos transférmicos.*

uniléxio [De *un-* + *-(n)il-* + *-(h)ex-* + *-io*[3]; lat. cient. *unnilhexium.*] ***S. m.*** *Quím.* Nome sistemático, provisório, do elemento de número atômico 106, atualmente chamado seabórgio [símb.: *Unh*]. V. *elementos transférmicos.*

unilinear [De *uni-* + *linear.*] ***Adj. 2 g.*** *Antrop.* **1.** Relativo a, ou que leva em conta a descendência (2) exclusivamente masculina (paterna) ou feminina (materna). **2.** Relativo aos parentes maternos ou, alternativamente, aos parentes paternos de um indivíduo. [Opõe-se a *bilinear*; cf. *matrilinear* e *patrilinear.*]

unilinearidade [De *unilinear* + *-(i)dade.*] ***S. f.*** Caráter ou condição de unilinear.

unilingue ***Adj. 2 g.*** V. *unilíngue.* [Uso freq. em P.]

unilíngue (güe) [De *uni-* + *-língue.*] ***Adj. 2 g.*** Monolíngue: "Na estante, ele [o tradutor] teria suas obras de consulta permanente: gramáticas e dicionários. Entre as últimas, o lugar de honra não caberia aos bilíngues, mas sim aos unilíngues, esses a que Larbaud chama livros consulares" (Paulo Rónai, *Escola de Tradutores*, p. 42). [Cf. *onilíngue.*] [Var. lus.: *unilingue.*] ❖

unilobado [De *uni-* + *lobado.*] ***Adj.*** Que só tem um lobo.

unilobulado [De *uni-* + *lobulado.*] ***Adj.*** Que só tem um lóbulo.

unilóctio [De *un-* + *-(n)il-* + *-oct-* + *-io*[3]; lat. cient. *unniloctium.*] ***S. m.*** *Quím.* Nome sistemático, provisório, do elemento de número atômico 108, atualmente chamado hássio [símb.: *Uno*]. V. *elementos transférmicos.*

unilocular [De *uni-* + *locular.*] ***Adj. 2 g.*** **1.** *Biol.* Que tem só uma cavidade. **2.** *Biol.* Cuja cavidade não apresenta separações interiores. **3.** *Bot.* Que só tem um lóculo: *cápsula unilocular.*

uniloquo [De *uni-* + a term. de palavras como *grandíloquo.*] ***Adj.*** Que exprime o sentimento ou a vontade duma só pessoa.

unilpêntio [De *un-* + *-(n)il-* + *-pent-* + *-io*[3]; lat. cient. *unnilpentium.*] ***S. m.*** *Quím.* Nome sistemático, provisório, do elemento de número atômico 105, atualmente chamado dúbnio [símb.: *Unp*]. V. *elementos transférmicos.*

unilquádio [De *un-* + *-(n)il-* + *-quad-* + *-io*[3]; lat. cient. *unnilquadium.*] ***S. m.*** *Quím.* Nome sistemático, provisório, do elemento de número atômico 104, atualmente chamado rutherfórdio [símb.: *Unq*]. V. *elementos transférmicos.*

unilséptio [De *un-* + *-(n)il-* + *-sept-* + *-io*[3]; lat. cient. ingl. *unnilseptium.*] ***S. m.*** *Quím.* Nome sistemático, provisório, do elemento de número atômico 107, atualmente chamado bóhrio [símb.: *Uns*]. V. *elementos transférmicos.*

unilítrio [De *un-* + *-(n)il-* + *-tr(i)-* + *-io*[3]; lat. cient. *unniltrium.*] ***S. m.*** *Quím.* Nome sistemático, provisório, do elemento de número atômico 103, atualmente chamado lawrêncio [símb.: *Unt*]. V. *elementos transférmicos.*

unilúnio [De *un-* + *-(n)il-* + *-un-* + *-io*[3]; lat. cient. *unnilunium.*] ***S. m.*** *Quím.* Nome sistemático, provisório, do elemento de número atômico 101, atualmente chamado mendelévio [símb.: *Unu*]. V. *elementos transférmicos.*

unímano [De *uni-* + *-mano*[2].] ***Adj.*** Que tem uma só mão.

unimetalismo [De *uni-* + *metal* + *-ismo.*] ***S. m.*** Sistema monetário em que se emprega como moeda um só metal.

unimetalista [De *unimetalismo* + *-ista.*] ***Adj. 2 g.*** **1.** Relativo ao, ou que é partidário do unimetalismo. ● ***S. 2 g.*** **2.** Partidário dele.

unímodo [De *uni-* + *modo.*] ***Adj.*** Que é de uma só maneira ou modo; uniforme. [Cf. *onímodo.*]

unimolecular [De *uni-* + *molécula* + *-ar*[1].] ***Adj. 2 g.*** *Quím.* **1.** Relativo a, ou formado por apenas uma molécula. **2.** Diz-se de reação, ou de processo químico em geral, que ocorre nas moléculas individuais de uma substância, sem a participação de outros reagentes.

uninervado [De *uni-* + *nervado.*] ***Adj.*** *Bot.* Uninérveo.

uninérveo [De *uni-* + *nérveo.*] ***Adj.*** *Bot.* Que tem uma nervura, a central; uninervado.

uninominal [De *uni-* + *nominal.*] ***Adj. 2 g.*** **1.** Referente a um só nome. **2.** Que contém só um nome.

unioculado [De *uni-* + *oculado.*] ***Adj.*** Que tem só um olho.

■ **Unioeste** Sigla de *Universidade Estadual do Oeste do Paraná.*

unionense[1] ***Adj. 2 g.*** **1.** De, ou pertencente ou relativo a União (PI). ● ***S. 2 g.*** **2.** O natural ou habitante de União.

unionense[2] ***Adj. 2 g.*** **1.** De, ou pertencente ou relativo a Porto União (SC). ● ***S. 2 g.*** **2.** O natural ou habitante de Porto União.

unionismo [De *união* + *-ismo*, seg. o padrão erudito.] ***S. m.*** **1.** Sistema, princípio ou doutrina que preconiza a união (de forças, partidos, indivíduos, etc.). **2.** Sistema que preconiza a união das Igrejas cristãs.

unionista [De *unionismo* + *-ista.*] ***Adj. 2 g.*** **1.** Relativo ao, ou que é partidário do unionismo. ● ***S. 2 g.*** **2.** Partidário do unionismo.

uniovulado [De *uni-* + *ovulado.*] ***Adj.*** *Bot.* Que só tem um óvulo no ovário.

uníparo [De *uni-* + *-paro.*] ***Adj.*** **1.** Diz-se das fêmeas que parem só um filho de cada vez. **2.** *Bot.* Que só gera um membro (uma flor, etc.).

unipedal [De *unípede* + *-al*[1].] ***Adj. 2 g.*** **1.** Que só tem um pé; unípede. **2.** Referente a um só pé.

unípede [Do lat. *unipede.*] ***Adj. 2 g.*** Unipedal (1).

unipessoal [De *uni-* + *pessoal.*] ***Adj. 2 g.*** **1.** Referente a uma só pessoa. **2.** Que consta de uma só pessoa. ~ V. *verbo —.* [Cf. *onipessoal.*]

unipétalo [De *uni-* + *-pétalo.*] ***Adj.*** *Bot.* Que tem uma só pétala.

unipolar [De *uni-* + *polar.*] ***Adj. 2 g.*** Que tem só um polo. ~ V. *transistor —.*

unir [Do lat. *unire.*] ***V. t. d.*** **1.** Tornar em um só; unificar: *Em 1974 o Governo decidiu unir a Guanabara e o Estado do Rio.* **2.** Juntar, atar, ligar: *unir dois pedaços de corda.* **3.** Estabelecer comunicação entre; ligar, comunicar: *Por muito tempo as expedições do Velho Mundo buscaram uma passagem que unisse o Atlântico e o Pacífico.* **4.** Tornar unido, ligar (pessoas): *A guerra uniu todos os cidadãos.* **5.** Ligar afetivamente: *Une-os o amor.* **6.** Conciliar, harmonizar, reunir: *unir pessoas desavindas.* **7.** Ligar pelo matrimônio; matrimoniar, casar: *Uniu-os um velho bispo.* **8.** Fazer aderir; juntar: *Uniu a peça partida.* **9.** Ligar, associar: *O Mercado Comum Europeu uniu economicamente vários países.* ***T. d. e i.*** **10.** Ligar, associar: *O tratado uniu vários Estados à Federação.* **11.** Aconchegar, aproximar: *Uniu ao peito a criança chorosa.* **12.** Aliar, combinar, reunir: "Unindo à mocidade a formosura, / A tua estátua esplende na postura / Impassível e clássica de Marte." (Martins Fontes, *Verão*, p. 17); *Unia o ardor com a frieza nas lutas que empreendia.* **13.** Ajuntar, misturar: *A cozinheira uniu a abóbora ao quiabo.* ***Int.*** **14.** Ligar-se, ajuntar-se; aderir: *A cola do envelope não une bem.* ***P.*** **15.** Ligar-se (por afeto, casamento ou interesse): "Tinham morrido todos em sua casa, mãe, irmão, pai. A família unira-se no propósito de fazê-las vir para o

U

Sul." (Oswald de Andrade, *Um Homem sem Profissão*, p. 108.) **16.** Combinar-se, aliar-se, reunir-se: *Unem-se, nela, a simplicidade e a graça*; "O som das flautas pastorais unia-se / Ao balar infantil dos cordeirinhos..." (Eugênio de Castro, *Obras Poéticas*, V, p. 49). **17.** Juntar-se ou reunir-se em um lado só; conglobar-se, unificar-se: *As várias facções uniram-se.* **18.** Fechar-se, cerrar-se. **19.** Abraçar-se; estreitar-se: "ao canto do salão, / O mesmo par azul unia-se num beijo..." (Júlio Dantas, *Sonetos*, p. 21). [Pres. ind.: *uno*, etc. Cf. *huno*.]

■ **UNIR** Sigla de *Universidade Federal de Rondônia*.

■ **Uni-Rio** Sigla de *Universidade do Rio de Janeiro*.

unirreme [De *uni-* + *-reme*; ingl. *unireme*.] ***Adj. 2 g. Zool.*** Diz-se das patas dos crustáceos não bifurcadas.

uniserrano ***Adj.*** **1.** De, ou pertencente ou relativo a União da Serra (RS). • ***S. m.*** **2.** O natural ou habitante de União da Serra.

unissex (cs) [Do ingl. *unisex*.] ***Adj. 2 g. e 2 n. Vest.*** Diz-se da roupa, peça de roupa, penteado, etc., que pode ser usado indistintamente tanto por homem como por mulher.

unissexuado (cs) [De *uni-* + *sexuado*.] ***Adj.*** **1.** Unissexual. **2.** *Bot.* Diz-se da flor que só tem ou androceu ou gineceu, sendo, pois, masculina ou feminina.

unissexual (cs) [De *uni-* + *sexual*.] ***Adj. 2 g.*** Que tem só um sexo; unissexuado.

unissonância [De *uni-* + *sonância*.] ***S. f.*** **1.** Qualidade de uníssono. **2.** Conjunto de sons uníssonos. **3.** Melodia, musicalidade. **4.** Uniformidade fastidiosa; monotonia.

unissonante [De *uni-* + *sonante*.] ***Adj. 2 g.*** Uníssono (1 e 2).

uníssono [De *uni-* + *-sono*.] ***Adj.*** **1.** Diz-se do som que tem a mesma altura (12) que outro; unissonante. **2.** Diz-se daquilo que tem o som uníssono; unissonante: *vozes uníssonas*; "Clamores uníssonos saudaram a vitória." (Rebelo da Silva, *Contos e Lendas*, p. 184). • ***S. m.*** **3.** Conjunto de sons que têm a mesma altura (12). **4.** *Mús.* Ausência de intervalo entre dois sons emitidos simultaneamente. ◆ **Em uníssono.** **1.** Com emissão de sons uníssonos [v. *uníssono* (1)]. **2.** *Fig.* No mesmo tom; ao mesmo tempo: *O povo respondeu em uníssono ao chamado dos líderes.* [Sin. ger.: *em uníssono com*.] **Em uníssono com.** V. *em uníssono*: "Os seus sentidos vibravam em uníssono com a música estrídula, a luz violenta, o desejo bruto dos homens." (Maria Archer, *Fauno Sovina*, p. 206.)

unissulcado [De *uni-* + *sulcado*.] ***Adj.*** Que apresenta um sulco apenas.

unitário [Do lat. *unitariu*.] ***Adj.*** **1.** Da unidade, ou relativo a ela. **2.** Relativo à unidade política de um país. ~ V. *afastamento* — e *processo* —. • ***S. m.*** **3.** Sectário do unitarismo. **4.** Partidário da unidade, da centralização, em política.

unitarismo [De *unitário* + *-ismo*.] ***S. m. Rel.*** Movimento religioso protestante do séc. XVI, cujos adeptos negavam o dogma da Trindade, reconhecendo em Deus uma só pessoa.

unitarista [De *unitarismo* + *-ista*.] ***Adj. 2 g.*** **1.** Relativo ao, ou que é partidário do unitarismo. • ***S. 2 g.*** **2.** Partidário dessa seita.

uniteco [De *uni-* + *-teco*.] ***Adj. Bot.*** Monoteco.

unitivo [Do lat. *unitus*, 'unido', + *-ivo*.] ***Adj.*** Próprio para unir ou para se unir. ~ V. *vida —a*.

unitização [De *unitizar* + *-ção*.] ***S. f. Mar. Merc.*** Ato ou efeito de unitizar.

unitizar ***V. t. d. Mar. Merc.*** Reunir (cargas de diversas naturezas) num só volume, para fins de transporte.

univalve [De *uni-* + *-valve*.] ***Adj. 2 g.*** **1.** *Zool.* Diz-se da concha de molusco constituída de uma só peça. **2.** *Bot.* Diz-se do fruto que se abre de um lado só.

univalvular [De *uni-* + *valvular*.] ***Adj. 2 g. Bot.*** Diz-se dos frutos unicarpelares que na deiscência se abrem por uma só fenda longitudinal, como sucede com os folículos.

universais ***S. m. pl. Hist. Filos.*** Termos, conceitos ou ideias gerais. [V. *conceitualismo, realismo* e *nominalismo*.] ~ V. *universal*.

universal [Do lat. *universale*.] ***Adj. 2 g.*** **1.** Relativo ou pertencente ao universo, ao cosmo. **2.** Que abarca toda a Terra, que se estende a tudo ou por toda a parte; mundial: *O aquecimento gradativo do planeta é um fenômeno universal; Atualmente eletricidade é de aplicação universal.* **3.** Comum a todos os homens, ou a um grupo dado: *história universal; língua universal.* **4.** Que é aplicável a tudo: *A dialética é um método universal.* **5.** Que advêm de todos; geral: "Espanto universal dos cocheiros: onde é que se viu burro andar sem chicote?" (Machado de Assis, *A Semana*, I, p. 145.) **6.** Que não se atêm a uma especialidade; que abrange quase por inteiro um campo de conhecimentos, de ideias, de aptidões, etc.: *Seu espírito universal o põe acima das paixões partidárias.* **7.** Diz-se de alguém a quem se atribuíram totalmente direitos ou deveres: *herdeiro universal; representante universal.* **8.** Que é adaptável ou ajustável de modo que possa atender a diferentes necessidades (de utilização, tamanho, forma, etc.): *bitola universal.* **9.** Ecumênico (1). **10.** *Lóg.* Diz-se de atributo que convém a todos os indivíduos de uma classe. **11.** *Lóg.* Diz-se de termo (14) tomado em toda a sua extensão. ~ V. *componedor —, exposição —, formação —, gramática —, hora —, juízo —, proposição —, proposição — afirmativa, proposição — negativa, quantificador —, sufrágio —* e *tempo —*. • ***S. m.*** **12.** Aquilo que é universal; geral: *Na obra de Cervantes, o universal transcende os episódios relatados.* **13.** *Filos.* O conjunto dos seres ou das ideias que, numa dada circunstância, estão sendo tomados em consideração. ~ V. *universais*.

universalidade [Do lat. *universalitate*.] ***S. f.*** Qualidade de universal; totalidade, universidade, catolicidade. ◆ **Universalidade de direito.** *Jur.* Complexo de direitos e obrigações que forma totalidade distinta dos elementos que o compõem, como é o caso, p. ex., da herança, com a abertura da sucessão, ou da massa falida. **Universalidade de fato.** *Jur.* Complexo de coisas singulares, suscetível de apreciação econômica, e que constitui um ser coletivo distinto dos seus elementos componentes, como é o caso, p. ex., da biblioteca em relação a cada livro que a integra em particular.

universalismo [De *universal* + *-ismo*.] ***S. m.*** **1.** Opinião que não aceita outra autoridade senão o consentimento universal. **2.** Tendência para universalizar uma ideia, obra, sistema, etc.: "Para alardear universalismo, [os poetas 'puros'] elegem temas que repudiem a localização." (Bella Jozef, *Jorge Luis Borges*, pp. 40-41.) **3.** Cosmopolitismo (2). **4.** *Antrop.* Ponto de vista segundo o qual toda atividade e toda crença humana são definíveis a partir de um único sistema de referências e da aplicação de procedimentos lógicos de inferências universais, *i. e.*, invariáveis. [Cf., nesta acepç., *relativismo cultural*.]

universalista [De *universalismo* + *-ista*.] ***Adj. 2 g.*** **1.** Relativo ao, ou que é partidário do universalismo (1) ou tem universalismo (2 e 3). • ***S. 2 g.*** **2.** Pessoa partidária do universalismo (1), ou que tem universalismo (2).

universalização [De *universalizar* + *-ção*.] ***S. f.*** Ato ou efeito de universalizar(-se).

universalizador (ô) [De *universalizar* + *-dor*.] ***Adj. S. m.*** Que, ou aquele que universaliza.

universalizar [De *universal* + *-izar*.] ***V. t. d.*** **1.** Tornar universal; generalizar: *As gerações moças vêm universalizando novos hábitos e costumes.* ***T. d. e i.*** **2.** Tornar comum: *Cumpre universalizar o ensino aos desfavorecidos.* ***P.*** **3.** Tornar-se universal; generalizar-se.

universalizável [De *universalizar* + *-vel*.] ***Adj. 2 g.*** Que se pode universalizar.

universidade [Do lat. *universitate*.] ***S. f.*** **1.** Universalidade. **2.** Instituição de ensino superior que compreende um conjunto de faculdades ou escolas para a especialização profissional e científica, e tem por função precípua garantir a conservação e o progresso nos diversos ramos do conhecimento, pelo ensino e pela pesquisa. **3.** *P. ext.* Edificação ou conjunto de edificações onde funciona essa instituição. **4.** O pessoal docente, discente e administrativo da universidade (2): *A universidade compareceu em peso às últimas homenagens ao seu reitor.*

universitário [Do lat. *universit-* (por *universidade* [q. v.]) + *-ário*; fr. *universitaire*.] ***Adj.*** **1.** Relativo a, ou próprio de universidade (2 a 4). **2.** Que leciona ou estuda na universidade (2). • ***S. m.*** **3.** Professor ou aluno universitário.

universitarismo [De *universitário* + *-ismo*.] ***S. m.*** Espírito universitário.

universo [Do lat. *universu*.] ***S. m.*** **1.** O conjunto de tudo quanto existe (incluindo-se a Terra, os astros, as galáxias e toda a matéria disseminada no espaço), tomado como um todo; o cosmo, o macrocosmo. **2.** O sistema solar: *Acreditavam os antigos que o Sol era o centro do Universo.* [Com cap., nessas acepçs.] **3.** A Terra, o mundo. **4.** Os habitantes da Terra. **5.** Mundo (4 e 5). **6.** *Fig.* O âmbito em que algo existe ou ocorre; o ambiente preferido; mundo: *O seu universo é o teatro.* **7.** *Fig.* Aquilo que se compõe de partes harmonicamente encadeadas; um todo. **8.** *Fig.* Domínio moral ou material comparável ao Universo. **9.** *Estat.* População (7). • ***Adj.*** **10.** Universal. ◆ **Universo de Einstein.** *Cosm.* Modelo de Universo estático com constante cosmológica positiva, cujo raio de curvatura é constante e independente do tempo. **Universo de Friedmann.** *Cosm.* Modelo homogêneo e isotrópico de Universo, que envolve soluções não estáticas, ou seja, com expansão e contração, para as equações de Einstein (com constante cosmológica nula), e que foi calculado pelo astrônomo soviético A. Friedmann (1888-1925) em 1922. **Universo dinâmico.** *Astr.* O concebido pelas teorias cosmológicas que admitem serem variáveis as dimensões do Universo. [Opõe-se a *universo estático*.] **Universo do discurso.** *Filos.* Conjunto de todos os elementos implicados num julgamento ou raciocínio, ou no que está em questão. **Universo em expansão.** O fato de a distância média que separa os objetos no Universo estar, pelo menos aparentemente, aumentando. **Universo estático.** *Astr.* O concebido pelas teorias cosmológicas que admitem serem constantes as dimensões do Universo. [Opõe-se a *universo dinâmico*.] **Universo visível.** *Astr.* O conjunto de todos os astros observáveis pelo homem.

universo-ilha ***S. m. Astr.*** V. *galáxia*[1] (1). [Pl.: *universos-ilhas* e *universos-ilha*.]

univitelino [De *uni-* + *vitelino*.] ***Adj. Embr.*** ~ V. *gêmeos —s*.

univocidade [De *unívoco* + *-(i)dade*.] ***S. f.*** Qualidade de unívoco.

unívoco [Do lat. tard. *univocu*.] ***Adj.*** **1.** *Filos.* Diz-se de palavra, conceito ou atributo que se aplica a sujeitos diversos de maneira absolutamente idêntica. **2.** Que só comporta uma forma de interpretação. **3.** Que é homogêneo, uníssono ou homônimo. **4.** *Mat.* Diz-se da relação, ou da correspondência, entre dois conjuntos em que a cada elemento do primeiro conjunto corresponde apenas um elemento do segundo. [Cf. *biunívoco*.] ~ V. *função —a* e *operação —a*.

uno [Do lat. *unu*.] ***Adj.*** **1.** Singular, um, único: "A América é, ao mesmo tempo, una, tríplice e múltipla, conforme o ponto de vista em que nos colocarmos." (Alceu Amoroso Lima, *A Realidade Americana*, p. 247.) **2.** *Filos.* Diz-se de ser que não tem partes. **3.** *Filos.* Diz-se de ser no qual se podem distinguir partes que, não obstante, se organizam numa totalidade orgânica e não se podem separar sem que o ser mesmo se destrua. [Cf. *huno*.]

■ **Uno** *Quím.* Símb. de *unilóctio*.

▲ **-uno** ***El. comp.*** = 'proveniência', 'origem': *franduno*.

unóculo [Do lat. *unoculu*.] ***Adj. S. m.*** Que, ou aquele que tem um só olho: "resolvi publicar tais *preleções*, que bem podem aproveitar .... a quem desconhecer o idioma do unóculo de Macau [Camões]." (Machado de Assis, *Crônicas*, I, p. 188).

■ **Unp** *Quím.* Símb. de *unilpêntio*.

■ **Unq** *Quím.* Símb. de *unilquádio*.

uns [Pl. de *um*.] ***Pron. indef.*** **1.** Umas ou algumas pessoas; alguns: "Uns tomam éter, outros cocaína." (Manuel Bandeira, *Estrela da Vida Inteira*, p. 103.) **2.** Certa quantidade indeterminada de; alguns: "Tive uns dinheiros – perdi-os..." (Id., *ib.*, p. 103.) **3.** Mais ou menos; pouco mais ou menos; aproximadamente (quando antes de um numeral cardinal): "Homem de uns setenta anos" (Luís Luna, *Lampião e Seus Cabras*, p. 41); "O barão Rosenville .... habitou uns dois anos o nosso litoral." (Alfredo Brandão, *Crônicas Alagoanas*, p. 106). [Cf. *um*.]

■ **Uns** *Quím.* Símb. de *unilséptio*.

■ **Unt** *Quím.* Símb. de *uníltrio*.

untadela [De *untar* + *-dela*.] ***S. f.*** Ato de untar de cada vez, ou levemente.

untador (ô) [De *untar* + *-dor*.] ***Adj. S. m.*** Que, ou aquele que unta.

untadura [De *untar* + *-dura*.] ***S. f.*** V. *untura* (1).

untanha ***S. f. Bras. Zool.*** V. *intanha* (1).

untar [De *unto* + *-ar*[2].] ***V. t. d.*** **1.** Aplicar óleo ou unto a; friccionar ou esfregar com unto; fomentar com óleo ou qualquer gordura; ungir: *O atleta untou o corpo antes da corrida.* **2.** Aplicar gordura, manteiga, óleo a; besuntar, engordurar: *Untou a fôrma de bolo com manteiga.* ***T. d. e i.*** **3.** Friccionar; besuntar; engraxar: "Os Pica-paus hospedaram Nanente numa casa abjeta, onde mulheres de baixa esfera .... a untaram de um creme afrodisíaco." (Vitorino Nemésio, *O Mistério do Paço do Milhafre*, p. 321); *Untou a fôrma com manteiga.*

unto [Do lat. *unctu*, 'óleo'.] ***S. m.*** **1.** Banha ou gordura de porco. **2.** *P. ext.* Gordura, banha, óleo. **3.** V. *unguento* (1). **4.** *Bras. RJ Pop.* V. *dinheiro* (5).

untuosidade [De *untuoso* + *-(i)dade*.] ***S. f.*** Qualidade ou estado de untuoso.

untuoso (ô) [De *unto* + *-uoso*.] ***Adj.*** **1.** Em que há unto ou gordura; gorduroso. **2.** Lubrificado, escorregadio: "E eu vou andando, cheio de chamusco, / Com a flexibilidade de um molusco, / Úmido, pegajoso e untuoso ao tacto!" (Augusto dos Anjos, *Eu*, p. 81.) **3.** *Fig.*

Suave, macio, meigo, melífluo. 4. *Fig. Deprec.* Diz-se de quem tem gestos e atitudes bajuladoras, subservientes, e voz melíflua. 5. *Fig. Deprec.* Que é próprio de indivíduo untuoso (4).

untura [Do lat. *unctura.*] *S. f.* 1. Ato ou efeito de untar; unção, untadura. 2. V. *unguento* (1). 3. *Fig.* Ação ou série de atos superficiais. 4. *Bras. RS* Mistura de sebo, carvão moído e outras substâncias, usada como remédio nas unheiras das cavalgaduras.

■ **Unu** *Quím.* Símb. de *unilúnio.*

unúmbio [De *un-* + *-um-* + *-b(i)-* + *-io*³; lat. cient. *ununbium.*] *S. m. Quím.* Nome sistemático, provisório, do elemento transférmico (q. v.) de número atômico 112, descoberto em 1996 e para o qual o nome copernício (q. v.) foi proposto em 2009 [símb.: *Uub*]. V. *elementos transférmicos.*

unumpêntio [De *un-* + *-um-* + *-pent-* + *-io*³; lat. cient. *ununpentium.*] *S. m. Quím.* Nome sistemático, provisório, do elemento (hipotético) de número atômico 115, descoberto em 2004 [símb.: *Uup*]. V. *elementos transférmicos.*

ununéxio (cs) [De *un-* + *-un-* + *-(h)ex-* + *-io*³; lat. cient. *ununhexium.*] *S. m. Quím.* Nome sistemático, provisório, do elemento transférmico (q. v.) de número atômico 116, descoberto em 2000 [símb.: *Uuh*]. V. *elementos transférmicos.*

ununílio [De *un-* + *-un-* + *-(n)il-* + *-io*³; lat. cient. *ununnilium.*] *S. m. Quím.* Nome sistemático, provisório, do elemento transférmico (q. v.) de número atômico 110, descoberto em 1994, e que em 2003 recebeu o nome de darmstádtio (q. v.) [símb.: *Uun*]. V. *elementos transférmicos.*

ununóctio [De *un-* + *-un-* + *-oct-* + *-io*³; lat. cient. *ununoctium.*] *S. m. Quím.* Nome sistemático, provisório, do elemento transférmico (q. v.) de número atômico 118, descoberto em 2002 [símb.: *Uuo*]. V. *elementos transférmicos.*

ununquádio [De *un-* + *-un-* + *-quad-* + *-io*³; lat. cient. *ununquadium.*] *S. m. Quím.* Nome sistemático, provisório, do elemento transférmico (q. v.) de número atômico 114, descoberto em 1999 [símb.: *Uuq*]. V. *elementos transférmicos.*

ununséptio [De *un-* + *-un-* + *-sept-* + *-io*³; lat. cient. *ununseptium.*] *S. m. Quím.* Nome sistemático, reservado para o elemento transférmico (q. v.) de número atômico 117 [símb.: *Uus*]. V. *elementos transférmicos.*

unúntrio [De *un-* + *-un-* + *-tr(i)-* + *-io*³; lat. cient. *ununtrium.*] *S. m. Quím.* Nome sistemático, provisório, do elemento transférmico (q. v.) de número atômico 113, descoberto em 2004 [símb.: *Uut*]. V. *elementos transférmicos.*

ununúnio [De *un-* + *-un-* + *-un-* + *-io*³; lat. cient. *unununium.*] *S. m. Quím.* Nome sistemático, provisório, do elemento transférmico (q. v.) de número atômico 111, descoberto em 1994, e que em 2006 recebeu o nome de roentgênio (q. v.) [símb.: *Uuu*].

■ **UO** Sigla de *Unidade Orçamentária.*

uolofe *S. 2 g.* 1. *Etnôn.* Indivíduo dos uolofes, o maior grupo étnico do Senegal e que também habita regiões da Gâmbia e da Mauritânia (África). ● *S. m.* 2. *Gloss.* Língua níger-congolesa falada no Senegal, na Gâmbia e na Mauritânia. 3. Vocábulo dessa língua. ● *Adj. 2 g.* 4. Relativo aos uolofes, ou à sua língua.

uomo *Bras. S. 2 g.* 1. *Etnôn.* Indivíduo dos uomos, povo indígena extinto, da família linguística xapacura, que habitava a margem direita do rio Guaporé (RO). ● *Adj. 2 g.* 2. Pertencente ou relativo a esse povo. [Tb. us. como *s. 2 g. e 2 n.* (com cap.) e *adj. 2 g. e 2 n.*]

▲ **-uoso** [De *-u-* + *-oso* (o *-u-* representa ger. a vogal temática da 4ª declinação latina).] V. *-oso.*

➔ **up** [ʌp] [Ingl.] *S. m.* Tipo de *quark* de carga elétrica +2/3, *spin* 1/2, número bariônico 1/3 e com a componente *z* do *isospin* +1/2 [símb.: *u*]. [Pl.: *ups.*] [Cf. *próton.*]

upa *S. f.* 1. Salto brusco: 📖 "O filho único de Romão dos Santos recebeu em upas de alegrias a notícia da sua incapacidade para soletrar nomes de três sílabas." (Camilo Castelo Branco, *Amor de Salvação*, p. 59.) 2. Corcovo do cavalo. ● *Interj.* 3. Próprio para incentivar um animal ou uma pessoa a levantar-se ou a subir: 📖 "Upa, upa, upa, cavalinho alazão" (Ari Barroso, da marcha *Upa, upa*). 4. Designa espanto, admiração: 📖 "Pierrot entra em salto súbito. / Upa! Que força o levanta?" (Manuel Bandeira, *Estrela da Vida Inteira*, p. 53.)

upanemense *Adj. 2 g.* 1. De, ou pertencente ou relativo a Upanema (RN). ● *S. 2 g.* 2. O natural ou habitante de Upanema.

upanixade [Do sânscr. *upanishad*, 'tratado filosófico'.] *S. m.* Texto filosófico composto entre os séc. VIII e IV a. C., anexado ao Veda (q. v.), e no qual se desenvolve a reflexão acerca do relacionamento entre Átmã e Brama; vedanta. [Com cap.]

upar [De *upa* + *-ar*².] *V. int. Bras.* Dar upas (o animal). [Cf. *opar.*]

➔ **upgrade** ['ʌpɡɹejd] [Ingl., 'rampa', 'subida', 'aumento' (como subst.); 'elevar o nível de', 'fazer melhorar ou avançar' (como verbo).] *S. m. Inform.* 1. Atualização ou modernização de programa ou de equipamento. 2. Equipamento de modelo mais moderno ou aprimorado, ou programa em versão mais atualizada.

➔ **upload** ['ʌplowd] [Ingl.] *S. m. Inform.* Numa rede de computadores, envio, para um computador remoto, de cópia(s) de arquivo(s) originado(s) em máquina local. [Cf.: *download.*] ◆ **Fazer upload.** *Inform.* V. *carregar* (19).

■ **UPP** Sigla de *Unidade de Polícia Pacificadora.*

➔ **upper-cut** ['ʌpɚ kʌt] [Ingl.] *S. m.* No boxe, soco desferido de baixo para cima com o braço dobrado.

upsilão *S. m. Lus. Fís. Part.* V. *úpsilon.*

úpsilon [Do gr. *hypsilón* < ingl. *upsilon.*] *S. m.* 1. V. *hipsilo.* 2. *Fís. Part.* Méson de massa 9460,37 MeV/c², de *spin* +1, paridade negativa, carga elétrica nula, composto de um *quark* e de um *antiquark b* [símb.: *ϒ*]. [Seu *isospin* não está ainda determinado; em 1977, foi a primeira partícula que continha *quarks bottom* a ser descoberta.]

➔ **up-to-date** [ʌptəˈdejt] [Ingl.] *Adj. 2 g. e 2 n.* De acordo com a moda; moderno, atualizado.

upupídeo *S. m. Zool.* 1. Espécime dos upupídeos, família de aves coraciiformes, migrantes, que vivem na Europa, Ásia e África. ● *Adj.* 2. Pertencente ou relativo a eles.

upuruí *Bras. S. 2 g.* 1. *Etnôn.* Indivíduo dos upuruís, povo indígena extinto, da família linguística caraíba, que habitava as cabeceiras do rio Oiapoque (AP). ● *Adj. 2 g.* 2. Pertencente ou relativo a esse povo. [Tb. us. como *s. 2 g. e 2 n.* (com cap.) e *adj. 2 g. e 2 n.*]

uputso [Do ronga *bu-putju.*] *S. m. Moç.* Bebida fermentada, feita de farinha de milho ou de outros cereais: 📖 "No sábado, à tarde, a última refeição dos cabritos do sacrifício; os primeiros goles de uputso santificado" (Elton Rebello, *Nyandayeyo*, p. 25).

ura [Do tupi.] *S. f.* 1. *Bras. Zool.* V. *berne*¹. 2. *Bras. AM* Malha redonda no pelo da rês.

▲ **-ura** [Do lat. *-ūra.*] *Suf. nom.* = 'ação, ou efeito da ação'; 'qualidade, ou atributo de': *censura* (< lat.), *cultura* (< lat.), *escritura* (< lat.), *fissura* (< lat.), *fratura* (< lat.); *alvura, brancura, doçura, formosura, grossura, largura, longura, verdura.* [Equiv.: *-dura* (q. v.), *-sura* (em voc. lat., ou em voc. vernáculos formados a exemplo de *grosso*: *grossura*), *-tura* (em voc. lat. [*quadratura*]), ou em voc. vernáculos (formados a exemplo de *formar*: *formatura*; *vergar*: *vergatura*). V. *-sura* e *-tura.*]

uracaçu [Do tupi.] *S. m. Bras. Zool.* V. *cancã*² (2).

uracil *S. m. Quím.* V. *uracila.*

▲ **uracil-** *Quím. El. comp.* Indica a presença de uracila.

uracila [De *ur(o)-* + *-ac-* + *-ila*².] *S. f. Quím.* Substância cristalina nitrogenada, básica, que é um derivado da pirimidina, e ocorre combinada no ARN [fórm.: $C_4H_4N_2O_2$].

úraco [Do gr. *ourachós*, 'ureter de feto'.] *S. m. Anat.* Ducto que, no feto, liga a bexiga à alantoide, persistindo no adulto como um cordão fibroso.

uracrasia [De *ur(o)-* + *acrasia.*] *S. f. Med.* Alteração da urina.

uraçu [Do tupi, decerto.] *S. m. Bras. Zool.* V. *harpia*² (2 e 3).

uraiense (a-i) *Adj. 2 g.* 1. De, ou pertencente ou relativo a Uraí (PR). ● *S. 2 g.* 2. O natural ou habitante de Uraí.

uraliano *Adj.* 1. Pertencente ou relativo aos montes Urais, cordilheira que separa a parte asiática e a parte europeia da Federação Russa, ou aos seus habitantes. 2. *Gloss.* Pertencente ou relativo a uraliano (3). ● *S. m.* 3. *Gloss.* Família linguística da região dos montes Urais. [Seus dois principais ramos são o *samoiedo* e o *ugro-finês*, incluindo este último línguas como o carélio, o estoniano, o finlandês, o húngaro ou magiar, o lapão e o mordoviano.] 4. Vocábulo do uraliano (3). [Sin. ger.: *urálio.*]

urálio *Adj. S. m.* V. *uraliano.*

uralita [Do top. *Ural* (Rússia), + *-ita*³.] *S. f. Min.* Piroxênio alterado para anfibólio.

uralitização [De **uralitizar* (< *uralita* + *-izar*) + *-ção.*] *S. f.* Mudança do piroxênio em anfibólio por alteração.

uralitizado [Part. de **uralitizar* (v. *uralitização*).] *Adj.* Que sofreu uralitização.

▲ **uralo-** [De *urálio.*] *El. comp.* = 'uraliano': *uralo-altaico.*

uralo-altaico [De *uralo-* + *altaico.*] *Adj.* 1. Pertencente ou relativo aos montes Urais (Federação Russa) e aos montes Altai (Ásia central). 2. Pertencente ou relativo ao uralo-altaico (3). ● *S. m.* 3. *Gloss.* O conjunto formado pelas famílias uraliana e altaica. 4. Vocábulo do uralo-altaico (3). [Pl.: *uralo-altaicos.*]

uranđiense *Adj. 2 g.* 1. De, ou pertencente ou relativo a Urandi (BA). ● *S. 2 g.* 2. O natural ou habitante de Urandi.

urânia¹ [Do gr. *ourania*, pelo lat. *Urania*, tax. *Urania.*] *S. f. Zool.* 1. Gênero de insetos lepidópteros, uraniídeos, especialmente de cores brilhantes (verde-esmeralda, azul-metálico, etc.), e com partes douradas ou avermelhadas; as asas posteriores têm prolongamento caudiforme mais ou menos alongado. 2. Qualquer espécie desse gênero, como, p. ex., a *Urania brasiliensis* e a *U. leilus.* 3. Qualquer espécime desse gênero.

urânia² [Do lat. cient. *Urania.*] *S. f. Quím.* Dióxido de urânio, sólido, castanho-escuro [fórm.: UO_2].

uraniano *Adj.* 1. De, ou pertencente ou relativo a Urânia (SP). ● *S. m.* 2. O natural ou habitante de Urânia.

uranífero [De *uran(o)-* + *-ífero.*] *Adj.* Relativo a, ou que contém urânio.

uraniídeo [Do tax. *Urania* + *-ídeo*¹; tax. *Uraniidae.*] *Zool. S. m.* 1. Espécime dos uraniídeos, família de insetos lepidópteros, que reúne mariposas de cores vivas e brilhantes que lembram as borboletas diurnas; ocorrem na América tropical, com duas espécies no Brasil. ● *Adj.* 2. Pertencente ou relativo a eles.

uranila [De *uran(o)-* + *-ila*².] *S. f. Quím.* Cátion divalente formado por um átomo de urânio e três de oxigênio, que ocorre em vários sais de urânio [fórm.: UO_3^{+2}]

uranilo [De *uran(o)-* + *-ilo.*] *S. m. Quím.* V. *uranila.*

uraninita [Do ingl. *uraninite.*] *S. f. Min.* Mineral monométrico, uranato complexo de uranilo e chumbo, e que pode conter lantânio, tório, ítrio, etc.; pechblenda.

urânio [Do astr. *Urano* (q. v.) + *-io*³.] *S. m. Quím.* Elemento de número atômico 92, metálico, branco, denso, radioativo, fissionável, usado na produção de energia nuclear [símb.: *U*].

▲ **uranisco-** [Do gr. *ouranískos, ou*, 'cúpula arredondada'; 'céu da boca'.] *El. comp.* = 'véu palatino': *uraniscoplastia.*

uraniscoplastia [De *uranisco-* + *-plast(o)-* + *-ia*¹.] *S. f. Cir.* Uranoplastia.

uranismo [Do al. *Uranismus* < mit. lat. *Urania* (gr. *Ourania*), um dos epítetos de Afrodite, deusa grega do amor.] *S. m.* 1. Homossexualismo. 2. *Restr.* Homossexualismo masculino.

uranista [De *uranismo* + *-ista.*] *Adj. 2 g. S. 2 g.* Que, ou quem é homossexual.

uranita [De *uran(o)-* + *-ita*³.] *S. f. Min.* Designação comum aos minerais ortorrômbicos do grupo das uranitas, os quais têm como representantes principais a *autunita*, fosfato de urânio e cálcio hidratado, e a *torbernita*, fosfato de urânio e cobre hidratado, e a *zeunerita*, arseniato de cobre e urânio hidratado.

urano [Do mit. gr. *Ouranós*, 'divindade que personificava o Céu, o Universo', atr. do lat. *Uranu.*] *S. m. Astr.* O sétimo planeta do sistema solar pela ordem de afastamento do Sol; foi seu descobridor, em 1781, o astrônomo inglês William Herschel (1738-1822). É visível a olho desarmado em boas condições de visibilidade, pois na oposição atinge a magnitude 5,8; seu diâmetro é pouco maior que quatro vezes o da Terra, a densidade de 4,5 vezes maior, e tem 15 satélites e, pelo menos, 11 anéis ao seu redor. [Com cap.]

▲ **uran(o)-** [Do gr. *ourano-* < gr. *ouranós, oû* (ā).] *El. comp.* = 'céu', 'universo'; 'palato', 'urânio': *uranografia, uranologia, uranoplastia; uranita, uranoso, uranólito.* [Em *Quím.*, 'uranila': *uranovanadato.*]

uranografia [De *uran(o)-* + *-grafia.*] *S. f.* 1. *Ant.* Astronomia; uranologia. 2. *P. us.* Astrometria. 3. *Fot.* Fotografia estelar ou astronômica.

uranográfico [De *uranografia* + *-ico*².] *Adj.* 1. *P. us.* Relativo à uranografia; astronômico. 2. Referente a esfera das fixas.

uranógrafo [De *uran(o)-* + *-grafo.*] *S. m. P. us.* V. *astrônomo.*

uranólito [De *uran(o)-* + *-lito.*] *S. m. Astr.* V. *meteorito* (1).

uranologia [De *uran(o)-* + *-logia.*] *S. f.* 1. Tratado do céu. 2. *P. us.* Uranografia. 3. Estudo do estado do céu nas diferentes épocas da idade da Terra.

uranológico [De *uranologia* + *-ico*².] *Adj.* Relativo à uranologia.

uranologista [De *uran(o)-* + *-log(o)-* + *-ista.*] *S. m. P. us.* V. *astrônomo.*

uranómetro *S. m.* V. *uranômetro.* [Uso freq. em P.]

uranômetro [De *uran(o)-* + *-metro.*] *S. m.* Instrumento para medir as distâncias celestes.

uranoplastia [De *uran(o)-* + *-plast(o)-* + *-ia*¹.] *S. f. Cir.* Restauração do véu palatino; uraniscoplastia.

uranoplástico [De *uranoplastia* + *-ico*².] *Adj.* Referente à uranoplastia.

U

uranorama [De *uran(o)-* + *-orama.*] *S. m.* Vista do céu, ou exposição do sistema planetário por meio de globo móvel.

uranoscopia [De *uran(o)-* + *-scop-* + *-ia*¹.] *S. f.* Astrologia.

uranoscópico [De *uranoscopia* + *-ico*².] *Adj.* Relativo à uranoscopia; astrológico.

uranoscopídeo [Do tax. *Uranoscopus* + *-ídeo*¹; tax. *Uranoscopidae.*] *Zool. S. m.* **1.** Espécime dos uranoscopídeos, família de peixes perciformes que habitam águas tropicais costeiras e se caracterizam pela presença de órgãos elétricos que podem produzir descargas de 50 volts ou mais; alguns apresentam espinhos venenosos. Ex.: o tanduju. • *Adj.* **2.** Pertencente ou relativo a eles.

uranoso (ô) [De *uran(o)-* + *-oso.*] *Adj.* Que contém urânio.

uranovanadato [De *uran(o)-* + *vanadato.*] *S. m. Quím.* Qualquer vanadato de uranila e um outro metal.

urapará *S. m. Bras. Etnogr.* Arco dos índios.

urarema [Var. de *guararema.*] *S. f. Bras. Bot.* V. *angelim-coco.*

urarirana [Do tupi.] *S. f.* **1.** *Bras. Zool.* V. *martim-pescador.* **2.** *Bras. Amaz. Bot.* Cipó sapindáceo (*Paullinia alata*) que alcança a copa das árvores. Tem folhas com cinco folíolos lanceolados ou serrulados, pecíolo alado e estípulas grandes lanceoladas, flores pequenas e ordenadas em panículas curtas, e cápsulas subglobosas com sementes ariladas.

urátea [Adapt. do tax. *Ouratea.*] *S. f. Bot.* **1.** Gênero de arbustos e arvoretas ocnáceas que habitam a África e regiões tropicais das Américas. **2.** Qualquer espécie desse gênero, como, p. ex., a *Ouratea parviflora* (v. *batiputá*). **3.** Qualquer espécime desse gênero.

urato [De *ur*, f. abrev. de *úrico*, + *-ato*².] *S. m. Quím.* Designação comum aos sais e ésteres do ácido úrico.

uraturia [De *urato* + *-uria.*] *S. f. Med.* V. *uratúria.*

uratúria [De *urato* + *-úria.*] *S. f. Med.* Presença de urato na urina. [F. paral.: *uraturia.*]

uraúna [Do tupi.] *S. f. Bras. Bot.* V. *cabiúna-do-campo.*

urbaniciano [Do lat. *urbanicianu.*] *S. m.* Cada um dos soldados da guarnição da Roma antiga.

urbanidade [Do lat. *urbanitate.*] *S. f.* Qualidade de urbano; civilidade, cortesia, afabilidade.

urbanismo [De *urbano* + *-ismo.*] *S. m.* O estudo sistematizado e interdisciplinar da cidade e da questão urbana, e que inclui o conjunto de medidas técnicas, administrativas, econômicas e sociais necessárias ao desenvolvimento racional e humano delas.

urbanista [De *urbanismo* + *-ista.*] *Adj. 2 g. S. 2 g.* Que, ou quem é especialista em urbanismo; urbanólogo. [Cf. *urbanita.*]

urbanístico [De *urbanista* + *-ico*².] *Adj.* Relativo ao, ou próprio do urbanismo.

urbanita [De *urbano* + *-ita*².] *Adj. 2 g. S. 2 g.* Que, ou quem reside em uma cidade. [Cf. *urbanista.*]

urbanitário *Adj. S. m.* Diz-se de, ou indivíduo empregado nos serviços urbanos, tais como água e esgoto: *Se os urbanitários aderirem à greve a cidade para.*

urbanização [De *urbanizar* + *-ção.*] *S. f. Urb.* **1.** Ato de urbanizar, ou o resultado deste ato. **2.** Processo de criação ou de desenvolvimento de organismos urbanos segundo os princípios do urbanismo. **3.** Conjunto dos trabalhos necessários para dotar uma área de infraestrutura (p. ex., água, esgoto, gás, eletricidade) e/ou de serviços urbanos (p. ex., de transporte, de educação, de saúde). **4.** Fenômeno caracterizado pela concentração cada vez mais densa de população em aglomerações de caráter urbano.

urbanizado [Part. de *urbanizar.*] *Adj.* Que se urbanizou; tornado urbano.

urbanizar [De *urbano* + *-izar.*] *V. t. d.* **1.** Tornar urbano: *O prefeito urbanizou a ponte velha da cidade.* **2.** Civilizar, polir. **3.** *Urb.* Proceder à urbanização (3) de.

urbano [Do lat. *urbanu.*] *Adj.* **1.** Relativo ou pertencente à cidade: *planejamento urbano; transportes urbanos.* **2.** Que tem características de cidade: *agrupamento urbano.* **3.** *Fig.* Cortês, afável, civilizado. ~ V. *aglomeração —a, aglomerado —, dialetologia —a, dionisíacas —as, dionísias —as, febre amarela —a, guerrilha —a, malha —a, mobiliário —, prédio —, sítio —* e *tecido —.* • *S. m.* **4.** *Bras. SP* V. *mata-cachorro* (2).

urbanólogo [De *urbano* + *-logo.*] *Adj. S. m.* Urbanista.

urbano-santense *Adj. 2 g.* **1.** De, ou pertencente ou relativo a Urbano Santos (MA). • *S. 2 g.* **2.** O natural ou habitante de Urbano Santos. [Pl.: *urbano-santenses.*] [Sin. ger.: *urbano-santista.*]

urbano-santista *Adj. 2 g. S. 2 g.* V. *urbano-santense.* [Pl.: *urbano-santistas.*]

urbanoviário [De *urbano* + *viário.*] *Adj.* Relativo à viação urbana.

urbe [Do lat. *urbe.*] *S. f.* Cidade (1): "Nada se respeitou até agora [na cidade do Rio]. Nenhuma preservação de elementos tradicionais, nenhuma defesa dos valores históricos da urbe." (Brito Broca, *Horas de Leitura*, pp. 150-151.) [Pl.: *urbes.* Cf. *Urbis*, top.]

→ **urbi et orbi** ['urbet 'orbe] [Lat., 'para a cidade e para o mundo'.] Em toda a parte.

urca [Do neerl. médio *hulke*, pelo fr. *hourque.*] *S. f.* **1.** *Ant.* Embarcação do séc. XVII, de dois ou três mastros, de velas redondas ou latinas, com um grande porão para transporte de carga, e que passou, com o tempo, a chamar-se *charrua*: "Trazia-os a seu bordo a urca flamenga que dava pelo nome romanesco de 'Grifo Dourado', e teve o mau gosto de naufragar junto do porto de chegada." (Afonso Arinos, *Lendas e Tradições Brasileiras*, p. 74.) **2.** *Fig.* Mulher gorda e feia. • *Adj. 2 g.* **3.** *Bras. N.* Grande, avantajado.

urcaço [De *urco* + *-aço.*] *Adj. Bras. S.* Muito urco (2).

urceolado [De *urcéolo* + *-ado*¹.] *Adj. Bot.* Diz-se da corola gamopétala e actinomorfa na qual o tubo é amplo e inflado, e o limbo curto.

urceolífero [De *urcéolo* + *-ífero.*] *Adj. Bot.* Que tem urcéolos.

urcéolo [Do lat. *urceolu*, 'pequeno vaso'.] *S. m. Bot.* Órgão vegetal de base dilatada, e provido de abertura pequena.

urco [De *urca.*] *S. m.* **1.** Frisão (4): "carruagem descoberta, cheia de rendas e de brilhantes, puxada por quatro urcos" (Ramalho Ortigão, *Em Paris*, p. 140). • *Adj.* **2.** *Bras. RS* Diz-se de cavalo grande e bonito.

urdideira [De *urdir* + *-deira.*] *S. f.* **1.** Mulher que urde ou tece. **2.** Nos teares manuais, o conjunto de duas peças paralelas e verticais, munidas, em geral, de pregos de madeira ou de ganchos de ferro, e destinados a dispor os fios da urdidura (2). **3.** Na indústria moderna, máquina destinada à urdidura (2). • *Adj. (f.)* **4.** Diz-se de urdideira (1).

urdidor (ô) [De *urdir* + *-dor.*] *Adj.* **1.** Que urde. • *S. m.* **2.** Aquele que urde. **3.** Caixa baixa, com casas, onde se acham os novelos e donde se tiram os fios que formam o ramo da teia; casal.

urdidura [De *urdir* + *-dura.*] *S. f.* **1.** Ato ou efeito de urdir; urdimento, urdume: "Eu que era branca e linda, eis-me medonha e escura / Inspiro horror... Ó tu que espias a urdidura / Da minha teia, atenta ao que o meu palpo fia" (Manuel Bandeira, *Estrela da Vida Inteira*, p. 16). **2.** *Tec. Têx.* O conjunto de fios dispostos no tear paralelamente ao seu comprimento, e por entre os quais passam os fios da trama (q. v.); urdimento, urdume. **3.** *Fig.* V. *enredo* (5).

urdimento [De *urdir* + *-mento.*] *S. m.* **1.** V. *urdidura* (1). **2.** *Tec. Têx.* V. *urdidura* (2). **3.** *Teatr.* Em palco (1), o travejamento do teto e dos sótãos que ficam por cima dele, sustentando o equipamento dos efeitos cênicos.

urdir [Do lat. **ordire*, por *ordiri*, 'começar o trabalho da tecelagem'.] *V. t. d.* **1.** Dispor os fios da tela (1): *Os artesãos urdem lã ou algodão para executar os tapetes.* **2.** Tecer, entrelaçar os fios de (a teia): "Uma pequenina aranha urde no peitoril da janela a teiazinha finíssima." (Manuel Bandeira, *Estrela da Vida Inteira*, p. 94.) **3.** Preparar o entrecho de. **4.** Preparar cavilosamente; enredar, tramar, maquinar: *Urdiu friamente a vingança contra o inimigo.* **5.** Imaginar, fantasiar: *Sua fértil imaginação urdia mil conjeturas.*

urdu [Do turco *ordu*, 'armado'.] *S. m. Gloss.* V. *hindi.*

urdume [De *urdir* + *-ume.*] *S. m.* **1.** V. *urdidura* (1). **2.** *Tec. Têx.* V. *urdidura* (2).

uréase [De *ur(e)(o)-* + *-ase.*] *S. f. Bioquím.* Enzima extraída da soja e que transforma a ureia em amoníaco e gás carbônico.

uredinal [Do lat. cient. *Uredin-* (v. *uredínea*) + *-al*¹.] *Adj. 2 g. Micol.* Uredíneo.

uredinale [Do lat. cient. *Uredin-* (v. *uredínea*) + *-ale*; tax. *Uredinales.*] *S. f. Micol.* Uredínea.

uredínea [Do lat. cient. *Uredin-* (do tax. *Uredo*) + *-ea*; tax. *Uredineae.*] *S. f. Micol.* Espécime das uredíneas, ordem de fungos basidiomicetos, parasitos de vegetais, nos quais são os agentes da ferrugem (4); uredinale.

uredíneo [De *uredínea*, com var. suf. (v. *-eo*).] *Adj.* Pertencente ou relativo às uredíneas; uredinal.

uredo¹ [Do lat. *uredo*, 'comichão'.] *S. m.* Ardor; comichão, prurido.

uredo² [Do tax. *Uredo.*] *S. m. Micol.* **1.** Gênero artificial de fungos uredíneos (v. *uredíneo*). **2.** Espécie ou espécime desse gênero.

ureia (éi) [Do fr. *urée* < fr. *urine*, 'urina'.] *S. f. Quím.* Substância cristalina, incolor, existente na urina, obtida sinteticamente, usada em medicina e na fabricação de polímeros; carbamida [fórm.: $CO(NH_2)_2$]. ❖

ureico (éi) [De *ureia* + *-ico*².] *Adj.* Referente à ureia, ou a seus compostos. ❖

ureída [De *ur(e)(o)-* + *-ida*⁴.] *S. f. Quím.* Qualquer substância derivada da ureia por substituição de um ou mais átomos de hidrogênio desta por grupos acila.

uremia [De *ur(o)-* + *-emia.*] *S. f. Med.* Situação clínica em que surgem náusea, vômito, cefaleia, vertigem, coma, convulsões, etc. e que resulta da retenção, no sangue, de produtos de metabolismo proteico que, por motivos diversos, o paciente não consegue eliminar por via urinária.

urémico *Adj.* V. *urêmico.* [Uso freq. em P.]

urêmico [De *uremia* + *-ico*².] *Adj.* Respeitante à uremia.

urência [De *urente* + *-ia*², seg. o padrão analógico.] *S. f.* Qualidade de urente.

urente [Do lat. *urente.*] *Adj. 2 g.* **1.** Que queima; ardente. **2.** *Bot.* Que produz ardor; urticante: *pelo urente*; "urtiga urente" (Visconde de Taunay, *Visões do Sertão*, p. 38).

▲ **ur(e)(o)-** [Do V.C.I. *ure-*, *ureo-* < fr. *urée* < fr. *urine.*] *El. comp.* = 'ureia': *uréase, ureída, ureômetro.*

ureómetro *S. m. Med.* V. *ureômetro.* [Uso freq. em P.]

ureômetro [De *ur(e)(o)-* + *-metro.*] *S. m. Med.* Instrumento com que se dosa a ureia.

ureotélico [De *ur(e)(o)-* + *-tel(o)-* + *-ico*².] *Adj. S. m. Biol.* Diz-se de, ou animal cuja principal excreta nitrogenada é a ureia. Ex.: peixes cartilaginosos, anfíbios e mamíferos.

uretana [De *ur-* + *et*, f. abrev. de *éter*, + *-ana*².] *S. f. Quím.* Qualquer éster do ácido carbâmico.

ureter (tér) [Do gr. *ouretér.*] *S. m. Anat.* Cada um dos dois ductos que conduzem a urina de cada rim à bexiga. [Pl.: *ureteres.*]

uréter *S. m. Lus. Anat.* V. *ureter.*

ureteral [De *ureter(o)-* + *-al.*] *Adj. 2 g. Anat.* Relativo ou pertencente a ureter; uretérico.

ureteralgia [De *ureter(o)-* + *-alg(o)-*²+ *-ia*¹.] *S. f. Med.* Dor em ureter.

ureterálgico [De *uretralgia* + *-ico*².] *Adj.* Referente à ureteralgia.

uretérico [De *ureter(o)-* + *-ico*².] *Adj.* Ureteral.

ureterite [De *ureter(o)-* + *-ite*¹.] *S. f. Patol.* Inflamação ureteral.

▲ **ureter(o)-** [Do gr. *ouretér, êros.*] *El. comp.* = 'ureter': *ureteralgia, ureterolitíase.*

ureterolitíase (urè) [De *ureter(o)-* + *litíase.*] *S. f. Med.* Alteração da urina.

ureterolítico (urè) [De *uterolit(íase)* + *-ítico.*] *Adj.* Relativo à ureterolitíase, ou causado por ela.

urético [Do gr. *ourétikós.*] *Adj.* **1.** Relativo à, ou próprio da urina. **2.** Diurético (1). **3.** Diz-se de qualquer enfermidade do ducto da uretra.

▲ **-ureto** [Do lat. cient. *-uretum* < fr. *-ure* < lat. *-ur*, a exemplo do lat. *sulfur, ŭris.*] *Quím. El. comp.* equivalente de *-eto*²: *carbureto.*

uretra [Do gr. *ouréthra.*] *S. f. Anat.* Ducto pelo qual a urina passa da bexiga para o exterior, e que, no homem, conduz o sêmen a ser eliminado.

uretral [De *uretra* + *-al*¹.] *Adj. 2 g.* Da, relativo ou pertencente à uretra.

uretralgia [De *uretr(o)-* + *-alg(o)-*²+ *-ia*¹.] *S. f. Med.* Dor na uretra.

uretrálgico [De *uretralgia* + *-ico*².] *Adj.* Relativo à uretralgia.

uretrite [De *uretr(o)-* + *-ite*¹.] *S. f. Patol.* Inflamação da uretra.

▲ **uretr(o)-** [Do gr. *ouréthra, as.*] *El. comp.* = 'uretra': *uretral, uretrovesical.*

uretrocisto *S. m.* V. *uretrocistografia.*

uretrocistografia [De *uretr(o)-* + *-cist(o)-* + *-grafia.*] *S. f. Med.* Radiografia da uretra e da bexiga. [F. red.: *uretrocisto.*]

uretrofraxia (cs) [De *uretr(o)-* + gr. *phrax* (< *phrásso*, 'obstruir'), + *-ia*¹.] *S. f. Patol.* Obstrução da uretra.

uretrorragia [De *uretr(o)-* + *-ragia.*] *S. f. Med.* Hemorragia de origem uretral.

uretrorrágico [De *uretrorragia* + *-ico*².] *Adj.* Referente a uretrorragia.

uretrorreia (éi) [De *uretr(o)-* + *-reia.*] *S. f. Patol.* Fluxo ou corrimento pela uretra. ❖

uretrorreico (éi) [De *uretr(o)-* + *-reico.*] *Adj.* Relativo à uretrorreia. ❖

uretroscopia [De *uretr(o)-* + *-scop-* + *-ia*¹.] *S. f. Med.* Inspeção visual endoscópica da uretra.

uretroscópico [De *uretroscopia* + *-ico*².] *Adj.* Respeitante à uretroscopia.

uretroscópio [De *uretr(o)-* + *-scópio.*] *S. m.* Instrumento cirúrgico empregado na uretroscopia.

uretrostenia [De *uretr(o)-* + *-(e)sten(o)-* + *-ia*¹.] *S. f. Patol.* Estreitamento da uretra.

uretrosténico *Adj. S. m.* V. *uretrostênico.* [Uso freq. em P.]

uretrostênico [De *uretrostenia* + *-ico*[2].] ***Adj.*** **1.** Relativo a, ou que sofre de uretrostenia. ● ***S. m.*** **2.** Aquele que sofre de uretrostenia.

uretrotomia [De *uretr(o)-* + *-tom(o)-* + *-ia*[1].] ***S. f. Cir.*** Incisão na uretra.

uretrotómico ***Adj.*** V. *uretrotômico.* [Uso freq. em P.]

uretrotômico [De *uretrotomia* + *-ico*[2].] ***Adj.*** Relativo a uretrotomia.

uretrovesical [De *uretr(o)-* + *vesical.*] ***Adj. 2 g. Anat.*** Relativo ou pertencente à uretra e à bexiga.

urgebão [De or. obs.] ***S. m. Bot.*** **1.** Erva verbenácea (*Verbena officinalis*) prostrada, de procedência europeia, que tem flores pequenas e congregadas em maciças inflorescências terminais, e é tida por medicinal. **2.** V. *gervão* (2). [Var.: *urgevão.*]

urgência [Do lat. *urgentia.*] ***S. f.*** **1.** Qualidade de urgente. **2.** Caso ou situação de emergência, de urgência. **3.** *Med. Lus. Angol.* Emergência (4). **4.** *Med. Lus. Angol.* Emergência (5): "se achava meio adormecida – depois de doze horas de trabalho na urgência do hospital" (José Eduardo Agualusa, *Manual Prático de Levitação,* p. 59). ◆ **Urgência urgentíssima.** Na linguagem legislativa, urgência extraordinária.

urgente [Do lat. *urgente.*] ***Adj. 2 g.*** **1.** Que urge; que é necessário ser feito com rapidez. **2.** Indispensável, imprescindível. **3.** Iminente, impendente.

urgevão ***S. m. Bot.*** V. *urgebão.*

▲ **-urgia** [Do gr. *-ourgía.*] ***El. comp.*** = 'trabalho', 'técnica': *halurgia, metalurgia* (< gr.), *mineralurgia.* [V. *-ia*[1].]

urgir [Do lat. *urgere.*] ***V. int.*** **1.** Ser necessário sem demora; ser urgente: "Rubião, voltando a si, ainda não achou que dizer, e contudo urgia dizer alguma cousa." (Machado de Assis, *Quincas Borba,* p. 68); "– Urge que haja resistência / pelo bem do Maranhão!" (Stella Leonardos, *Romanceiro do Bequimão,* p. 110). **2.** Estar iminente; instar: *Segundo os laudos técnicos, a catástrofe urge.* **3.** Não permitir demora: "Mas o tempo urgia; deslacei-lhe as mãos, peguei-lhe nos pulsos, e, fito nela, perguntei-lhe se tinha coragem." (Machado de Assis, *Memórias Póstumas de Brás Cubas,* pp. 175-176). ***T. d.*** **4.** Perseguir de perto; apertar o cerco de. **5.** Tornar imediatamente necessário; exigir, reclamar, clamar: *A ocasião urgia o emprego de força.* ***T. i.*** **6.** Insistir, instar: *Urgiram com o culpado, e ele se apresentou espontaneamente.* ***T. d. e i.*** **7.** Obrigar, impelir: *A miséria urgiu-nos a esta baixeza.* [Defect. Nas acepç. 1, 2, 3 e 5 só se conjuga nas 3.as pess.; nas outras acepç. não se conjuga na 1.ª pess. sing. do pres. ind. e, pois, em todo o pres. subj. Imperf. ind.: *urgia,* etc. Cf. *orgia,* s. f., e *Urgia,* top.]

uri ***S. m. Bras. Amaz. MA*** V. *guri* (2). [Cf. *Ori,* top.]

▲ **-uria** [Do gr. *-ouría* (como no gr. *dysouría*) < gr. *oureîn,* 'urinar', < gr. *oûron, ou,* 'urina'; v. *ur(o)-* e *-ia*[1].] V. *-úria.*

▲ **-úria** [Do lat. *-urĭa* (como no lat. *dysūrĭa* < gr. *dysouría*) < gr. *-ouría;* v. *-uria.*] ***El. comp.*** = 'urina'; 'presença de determinada substância na urina'; 'condição anormal ou patológica caracterizada pela presença de uma substância específica na urina': *disúria* (< lat. < gr.), *acetonúria, piúria.* [As formas gregas e latinas viabilizam paralelismo, como ocorre, p. ex., em *disuria/disúria, acetonuria/acetonúria, piuria/piúria,* em que a pronúncia paroxítona advém do grego e a proparoxítona do latim, sendo esta última a consagrada pelo uso. V. *-ia*[2].]

uribaco [Do tupi.] ***S. m. Bras. N. Zool.*** V. *corcoroca* (2 e 3).

uricana [Do tupi.] ***S. f.*** **1.** *Bras. Bot.* Palmeira arecácea (*Geonoma uricana*) semelhante à uacanga (q. v.). **2.** *Bras. BA Zool.* V. *jararaca-verde.*

uricemia [De *úrico* + *-emia.*] ***S. f. Patol.*** Presença do ácido úrico no sangue.

uricémico ***Adj.*** V. *uricêmico.* [Uso freq. em P.]

uricêmico [De *uricemia* + *-ico*[2].] ***Adj.*** Relativo à uricemia.

urichoa (ô) ***S. f. Bras. Zool.*** V. *curimã* (1).

úrico [De *ur(o)-* + *-ico*[2].] ***Adj. Quím.*** ~ V. *ácido —.*

uricotélico [De *(ácido) úrico* + *-tel(o)-* + *-ico*[2].] ***Adj. S. m. Biol.*** Diz-se de, ou animal cuja principal excreta nitrogenada é o ácido úrico. Ex.: aves, insetos e maioria dos reptis.

uricungo ***S. m. Bras.*** V. *berimbau* (2).

uricurana ***S. f. Bras. Bot.*** V. *urucurana* (1).

uricuri ***S. m. Bras. Bot.*** V. *aricuri.*

uricuriroba ***S. f. Bras. Bot.*** V. *aricuriroba.*

uridílico [Do ingl. *uridylic.*] ***Adj. Quím.*** ~ V. *ácido —.*

uridina [De *ur(o)-* + *-idina.*] ***S. f. Quím.*** Nucleosídeo de ácidos ribonucleicos que, por hidrólise, fornece ribose e uracila.

urina [Do lat. *urina.*] ***S. f.*** Líquido excrementício segregado pelos rins, donde corre pelos ureteres para a bexiga. [Sin. (pop. e fam.): *mijo, pipi, pixi, xixi.*] ◆ **Urina solta.** *Pop.* Incontinência urinária. **Sair na urina.** Us. para referir-se àquilo que acontece naturalmente ou que conseguimos ter, fazer ou passar com relativa tranquilidade: "A única coisa realmente complicada na vida é arranjar dinheiro. O resto sai na urina." (Rubem Fonseca, *Histórias de Amor,* p. 130.)

urinação [De *urinar* + *-ção.*] ***S. f.*** Ato ou efeito de urinar(-se).

urinado [Part. de *urinar.*] ***Adj.*** Molhado e/ou manchado de urina.

urinar [Do lat. *urinare.*] ***V. int.*** **1.** Expelir urina pela via natural. [Sin.: *desaguar* e (fam.) *fazer pipi, fazer xixi, verter água(s).* Cf. *fazer necessidade.*] ***T. d.*** **2.** Expelir, como urina ou de mistura com ela. **3.** *Fam.* Sujar com urina. **4.** Expelir urina sobre. ***P.*** **5.** Urinar (1) involuntariamente; molhar-se: "De pé junto de um lampião uma mulher descabelada e dolorosa urinava-se, muito aflita" (Eneias Ferraz, *Adolescência Tropical,* p. 146). **6.** Molhar-se com a própria urina; molhar-se. **7.** *Fig.* Ter ou mostrar grande medo. [Sin. ger. (pleb.): *mijar.* Fut. do pret. *urinaria,* etc. Cf. *urinária,* fem. de *urinário.*]

urinário [De *urina* + *-ário.*] ***Adj.*** Relativo à urina; urinoso. ~ V. *continência —a, incontinência —a, retenção —a, sedimento — e sistema.* [Fem.: *urinária.* Cf. *urinaria,* do v. *urinar.*]

urindeúva [Do tupi, poss.] ***S. f. Bras. Bot.*** V. *urundeúva.*

urinífero [De *urina* + *-ífero.*] ***Adj.*** Que contém ou conduz urina.

uriníparo [De *urina* + *-i-* + *-paro.*] ***Adj.*** Que produz urina.

urinol [De *urina* + *-ol*[1].] ***S. m.*** **1.** Vaso apropriado para nele se urinar e defecar. [Sin.: *bacio, bacia, banco, louça, vaso, penico, bispote, mijadeiro* e (bras.) *capitão, cabungo* e (ant.) *mátula.*] **2.** *Lus.* V. *mictório* (2). [Pl.: *urinóis.*]

urinoso (ô) [De *urina* + *-oso.*] ***Adj.*** **1.** Urinário. **2.** Da natureza da urina.

urututu ***S. m. Bras. Zool.*** V. *juruva.*

■ **URL** [Sigla do ingl. *u(niform)* (ou, originalmente, *universal*) *r(esource) l(ocator),* 'localizador uniforme (ou universal) de recursos'.] Sigla que designa a localização de um objeto na internet (rede mundial de computadores), segundo determinado padrão de atribuição de endereços em redes.

urmana [De or. indígena, poss.] ***S. f. Bras. AM*** V. *cordeira* (1).

urna [Do lat. *urna.*] ***S. f.*** **1.** Entre os antigos, vaso para água. **2.** Vaso no qual se depositavam as cinzas dos mortos ou o cadáver; urna funerária. **3.** Vaso, caixa, sacola, etc., nos quais se recolhem os votos nas eleições, ou os números em uma loteria, rifa, etc. [Cf. *urna eleitoral.*] ~ V. *urnas.* ◆ **Urna eleitoral.** Urna (3) lacrada oficialmente e, portanto, inviolável, na qual nas eleições [v. *eleição* (3)] se recolhem os votos dos cidadãos. **Urna funerária. 1.** Urna (2). **2.** *P. ext.* V. *caixão* (2).

urnário[1] [Do lat. *urnariu.*] ***S. m.*** **1.** Mesa sobre a qual os romanos assentavam as urnas (de água). **2.** *Micol.* Receptáculo dos esporos de alguns fungos e musgos.

urnário[2] [De *urna* + *-ário.*] ***Adj.*** Relativo ou semelhante a urna.

urnas ***S. f. pl. Fig.*** Pleito eleitoral: *Ainda não se sabe o resultado das urnas.* ~ V. *urna.*

urnígero [Do lat. *urnigeru.*] ***Adj.*** Que tem urna, ou cápsula em forma de urna.

▲ **ur(o)-** [Do gr. *oûron, ou.*] ***El. comp.*** = 'urina': *úrico, urocrasia, urólito, uronefrose.* [Equiv.: *-ur(o)-*[1], *-uria, -úria* (q. v.): *hipúrico.*]

▲ **uro-** [Do gr. *ourá, âs.*] ***El. comp.*** = 'cauda': *uromorfo, uropígio.* [Equiv.: *-ur(o)-*[2], *-uro: antúrio; macruro.*]

▲ **-ur(o)-**[1] V. *ur(o)-.*

▲ **-ur(o)-**[2] V. *uro-.*

▲ **-uro** V. *uro-.*

urobilina [De *ur(o)-* + *-bil(i)-* + *-ina*[1].] ***S. f. Bioquím.*** Pigmento encontrado nas fezes, resultante da oxidação do urobilinogênio.

urobilinemia [De *urobilina* + *-emia.*] ***S. f. Med.*** Presença de urobilina no sangue.

urobilinogénio ***S. m. Bioquím.*** V. *urobilinogênio.* [Uso freq. em P.]

urobilinogênio [De *urobilina* + *-o-* + *(cromó)geno* + *-io*[3].] ***S. m. Bioquím.*** Substância formada no intestino pela redução da bilirrubina, sendo parte dela excretada com fezes, e parte reabsorvida.

urobilinuria [De *urobilina* + *-uria.*] ***S. f. Med.*** V. *urobilinúria.*

urobilinúria [De *urobilina* + *-úria.*] ***S. f. Med.*** Presença de urobilina na urina. [F. paral.: *urobilinuria.*]

urocele [De *ur(o)-* + *-cele*[1].] ***S. f. Patol.*** Infiltração de urina no escroto.

urocordado [De *uro-* + *cordado*[2]; tax. *Urochordata.*] *Zool.* ***S. m.*** **1.** Espécime dos urocordados, subfilo dos cordados que reúne animais marinhos, na maioria sésseis, providos de envoltório externo denominado túnica (donde o nome tunicados), e que apresentam cordão nervoso dorsal e notocórdio apenas no estágio larval. São hermafroditas, com tamanho que varia de milímetros a metros, e podem ser solitários ou coloniais. ● ***Adj.*** **2.** Pertencente ou relativo a eles. [Sin. ger.: *urocórdio, tunicado.*]

urocórdio [De *uro-* + *-cord(o)-* + *-io*[3]; tax. *Urochorda.*] ***S. m. Adj.*** *Zool.* V. *urocordado.*

urocrasia ***S. f. Med.*** V. *urocrisia.*

urocrático ***Adj.*** V. *urocrítico.*

urocrisia [De *ur(o)-* + gr. *krísis,* 'julgamento', + *-ia*[1].] ***S. f. Med.*** Diagnóstico feito mediante o exame das urinas.

urocrítico [De *urocr(isia)* + *-ítico.*] ***Adj.*** Relativo à urocrisia.

urocroma [De *ur(o)-* + *-croma.*] ***S. m.*** Pigmento corante da urina.

urodelo[1] [De *uro-* + *-delo.*] ***Adj. Zool.*** Que tem cauda muito visível.

urodelo[2] [Adapt. do tax. *Urodela.*] ***S. m. Adj. Zool.*** V. *caudado*[2].

urodiálise [De *ur(o)-* + *diálise.*] ***S. f. Med.*** Supressão parcial ou total da urina.

urodialítico [De *urodiál(ise)* + *-ítico.*] ***Adj.*** Relativo a urodiálise.

urodinia [De *ur(o)-* + *-odin(o)-* + *-ia*[1].] ***S. f. Patol.*** Dor causada pelo ato de urinar.

urodínico [De *udofinia* + *-ico*[2].] ***Adj.*** Referente a urodinia.

urogenital [De *ur(o)-* + *genital.*] ***Adj. 2 g.*** **1.** *Med.* Do, ou relativo, conjuntamente, aos sistemas excretor e genital. **2.** *Zool.* Diz-se do segmento do tubo urinário que acumula funções sexuais nas aves e reptis, e que pode ser encontrado nos mamíferos inferiores, como, por ex., o ornitorrinco. ~ V. *câmara — e orifício —.*

urografia [De *ur(o)-* + *-grafia.*] ***S. f. Med.*** Radiografia de qualquer dos componentes do sistema excretor.

urográfico [De *urografia* + *-ico*[2].] ***Adj.*** Relativo a urografia.

uroide (ói) [De *uro-* + *-oide.*] ***Adj. 2 g.*** Em forma de cauda. ❖

urolítico [De *urólito* + *-ico*[2].] ***Adj.*** Referente a urólito.

urólito [De *ur(o)-* + *-lito.*] ***S. m. Patol.*** Cálculo urinário.

urologia [De *ur(o)-* + *-logia.*] ***S. f.*** Parte da medicina que se ocupa das doenças dos rins que demandam intervenção cirúrgica, e das doenças dos demais órgãos das vias urinárias. [Cf. *orologia.*]

urológico [De *urologia* + *-ico*[2].] ***Adj.*** Respeitante à urologia. [Cf. *orológico.*]

urologista [De *urologia* + *-ista.*] ***S. 2 g.*** Especialista em urologia.

uromelia [De *urômelo* + *-ia*[1].] ***S. f. Ter.*** Condição de urômelo.

urómelo ***S. m. Ter.*** V. *urômelo.* [Uso freq. em P.]

urômelo [De *uro-* + *-melo.*] ***Adj. S. m.*** Diz-se de, ou aquele com anomalia caracterizada por membros que se juntam em um só, terminando por um pé.

urómero ***S. m. Zool.*** V. *urômero.* [Uso freq. em P.]

urômero [De *uro-* + *-mero.*] ***S. m. Zool.*** Segmento abdominal dos artrópodes.

uromorfo [De *uro-* + *-morfo.*] ***Adj. Bot.*** Diz-se de órgão vegetal uroide.

uronefrose [De *ur(o)-* + *nefrose.*] ***S. f. Patol.*** Hidronefrose.

uronefrótico [De *uronefr(ose)* + *-ótico.*] ***Adj.*** Hidronefrótico.

urónico ***Adj. Quím.*** V. *urônico.* [Uso freq. em P.]

urônico ***Adj. Quím.*** ~ V. *ácido —.*

uropatágio [De *uro-* + *patágio.*] ***S. m. Zool.*** Membrana que em certos animais liga os membros posteriores entre si e prende a cauda totalmente, ou não.

uropeltídeo [Adapt. do tax. *Uropeltidae.*] *Zool.* ***S. m.*** **1.** Espécime dos uropeltídeos, família de reptis ofídios, cavadores, vivíparos, e que apresentam uma grande escama modificada, com a forma de escudo, na extremidade da cauda; habitam a Índia e o Sri Lanka, são caracteristicamente primitivos, e não venenosos. ● ***Adj.*** **2.** Pertencente ou relativo a eles.

uropigial [De *uropígio* + *-al*[1].] ***Adj. 2 g.*** Relativo ou pertencente ao uropígio.

uropígio [Do gr. *ouropýgion,* pelo lat. *urpygiu.*] ***S. m.*** **1.** *Zool.* Apêndice triangular sobre as últimas vértebras das aves, no qual se implantam as penas da cauda. [Sin., pop.: *sobrecu, sobre, mitra* e (bras.) *sambiquira, curanchim, micula.*] **2.** *Zool.* Bispo (4). **3.** *Bras.* V. *cóccix:* "Ai! - se lembrou a Quincota, e um frio correu-lhe do uropígio à nuca" (Mário Palmério, *Chapadão do Bugre,* p. 183).

uropigo [Adapt. do tax. *Uropygi.*] *Zool.* ***S. m.*** **1.** Espécime dos uropigos, subordem de artrópodes aracnídeos, pedipalpos, de corpo provido de glândulas odoríferas, e cujo abdome tem um flagelo

U

terminal em forma de chicote. • *Adj.* **2.** Pertencente ou relativo a eles.

urópode [De *uro-* + *-pode.*] ***S. m. Zool.*** Apêndice do sexto segmento abdominal dos crustáceos.

uroquilia [De *ur(o)-* + *-quil(o)-*[1] + *-ia*[1].] ***S. f.*** *P. us.* V. *quilúria.*

uroscopia [De *ur(o)-* + *-scop-* + *-ia*[1].] ***S. f.*** Exame das urinas.

uroscópico [De *uroscopia* + *-ico*[2].] ***Adj.*** Relativo à uroscopia.

urosternito [De *uro-* + *(e)sternito.*] ***S. m. Zool.*** Esclerito terminal na face ventral do corpo de artrópodes.

urostilo [De *uro-* + *-stilo*[2].] ***S. m. Zool.*** Osso não segmentado que constitui a parte final da coluna vertebral dos anfíbios anuros.

urotropina [De *ur(o)-* + *-trop(o)-* + *-ina*[3].] ***S. f. Quím.*** A hexametilenotetramina, cristalina, incolor, usada em medicina e na fabricação de explosivos [fórm.: $C_6H_{12}N_4$].

urra-boi [De *urrar* + *boi.*] ***S. m. Mús. Bras.*** V. *zunidor* (2). [Pl.: *urra-bois.*]

urraca [Do antrop. *Urraca.*] ***S. f. Marinh.*** **1.** Cada um dos dois aros de ferro duplo, um fixo no pé da verga e outro um pouco acima, e que, enfiados no mastro, permitem içá-la e arriá-la ao longo deste. **2.** Anel de ferro que corre ao longo do mastro, tendo na parte superior um olhal, no qual engata a adriça, e na inferior um gato, no qual se fixa a verga, permitindo a esta correr ao longo do mastro. **3.** Estropo folgado passado em volta do mastaréu para receber os brandais volantes da gávea e do velacho. **4.** *Bras. RS Zool.* V. *alma-de-gato* (1).

urrado [Part. de *urrar.*] ***Adj.*** Emitido à maneira de urro: "Doirava-se o céu quando se desfez a companhia com um último brinde urrado: aos atenienses de Santa Clara!" (Coelho Neto, *Treva*, p. 17.)

urrar [Do lat. **urulare*, f. dissimilada de *ululare*, ou de *urro* + *-ar*[2].] ***V. int.*** **1.** Dar urros; rugir, bramir: "E os homens .... urram de dor." (Léu Vítor, *Círculo de Giz*, p. 136.) **2.** Rugir, bramir (o vento, o mar, etc.). ***T. d.*** **3.** Emitir, soltar, à maneira de urro(s), ou urrando: *Urrou ameaças e saiu apressado; Urraram vivas;* "Urra [o leão] sinistramente apóstrofes ao mundo!" (Luís Carlos, *Colunas*, p. 68). [Pres. ind.: *urro, urras, urra*, etc. Cf. *hurra.*]

urro [Dev. de *urrar.*] ***S. m.*** **1.** Rugido ou bramido de algumas feras. **2.** *Fig.* Berro ou grito rouco, muito forte: *urro de entusiasmo;* "Trindade solta urros de dor" (José Potiguara, *Terra Caída*, p. 63).

ursa [Do lat. *ursa.*] ***S. f.*** **1.** *Zool.* A fêmea do urso. **2.** *Astr.* Designação comum a duas constelações boreais: a *Ursa Maior* e a *Ursa Menor*. [Com cap., nesta acepç.] ◆ **Ursa Maior.** *Astr.* Ursa (2). **Ursa Menor.** *Astr.* Ursa (2).

ursada [De *(amigo-) urso* + *-ada*[1].] ***S. f.*** *Bras. Fam.* Procedimento mau, traição (principalmente da parte de um amigo); procedimento de amigo-urso (q. v.).

ursídeo[1] [De *urso* + *-ídeo*[3].] ***Adj.*** **1.** Semelhante ao urso. **2.** Ursino.

ursídeo[2] [Do tax. *Ursus* + *-ídeo*[1]; tax. *Ursidae.*] *Zool.* ***S. m.*** **1.** Espécime dos ursídeos, família de mamíferos carnívoros, caniformes, plantígrados, de tamanho avantajado, orelhas curtas, cauda rudimentar, escondida sob a pelagem; o último molar é ausente e os dentes carniceiros são pouco desenvolvidos. Embora classificados como carnívoros, as espécies atuais são adaptadas à nutrição onívora, sendo algumas preferencialmente herbívoras. São os ursos. • ***Adj.*** **2.** Pertencente ou relativo a eles.

ursina [De *(uva-)ursina.*] ***S. f.*** Arbutina.

ursino [Do lat. *ursinu.*] ***Adj.*** Relativo ou pertencente ao, ou próprio do urso; ursídeo.

urso [Do lat. *ursu*; tax. *Ursus.*] ***S. m. Zool.*** **1.** O gênero-tipo dos ursídeos, em que se incluem todos os ursos exstantes; são mamíferos fissípedes, onívoros, que habitam os climas temperados, hibernando nos países em que o inverno é rigoroso; as espécies de grande porte são perigosas para o homem. **2.** *Zool.* Espécie ou espécime desse gênero. **3.** *Fig.* V. *bicho-do-mato* (2). **4.** *Fig.* Homem feio. **5.** *Fam.* Indivíduo que é alvo de escárnio. **6.** *Bras. Zool.* Designação comum às larvas dos insetos lepidópteros, megalopigídeos, esp. a *Megalopyge albicollis superba,* cujos pelos longos e urticantes lembram a pelagem de um urso. **7.** *Bras.* No jogo do bicho (q. v.), o 23º grupo (14), que abrange as dezenas 89, 90, 91 e 92, e corresponde ao número 23. ◆ **Ver urso.** *Bras. CE Pop.* V. *ver-se nas amarelas.* **Ver urso de gole.** *Bras. CE Pop.* V. *ver-se nas amarelas.*

urso-branco ***S. m. Zool.*** Mamífero ursídeo (*Thalarctos maritimus*), com pelagem totalmente branca, habitante das regiões árticas, onde se alimenta de peixes e focas; urso-polar. [Pl.: *ursos-brancos.*]

urso-cinzento ***S. m. Zool.*** Mamífero ursídeo, herbívoro (*Ursus arctos*), considerado tb. como subespécie (*Ursus arctos horribilis*); é uma variedade do urso-pardo que vive no N.O. dos Estados Unidos, nas Montanhas Rochosas, no Canadá e no Alasca, e pode atingir 3m de altura e 700kg de peso. [Pl.: *ursos-cinzentos.*]

urso-de-colar ***S. m. Zool.*** Mamífero ursídeo (*Ursus thibetanus*), de pelagem negra e brilhante, com colar branco no pescoço; atinge 1,60m de altura e 200kg de peso. Habita a Birmânia, o Himalaia, a Manchúria, o Japão e a Indochina. [Sin.: *urso-do-himalaia*; pl.: *ursos-de-colar.*]

urso-de-óculos ***S. m. Zool.*** Ucamari. [Pl.: *ursos-de-óculos.*]

urso-do-himalaia ***S. m. Zool.*** Urso-de-colar. [Pl.: *ursos-do-himalaia.*]

urso-do-mar ***S. m.*** *Bras. Zool.* V. *lobo-marinho.* [Pl.: *ursos-do-mar.*]

urso-dos-coqueiros ***S. m. Zool.*** Urso-malaio. [Pl.: *ursos-dos-coqueiros.*]

urso-escuro ***S. m. Zool.*** Mamífero ursídeo (*Ursus arctos*), de pelagem castanha, quase negra, ruiva ou amarelada, e que atinge de 1,50m a 2,50m de altura e pode pesar cerca de 250kg. Ocorre nos Pireneus, nos Alpes, na Escandinávia, na Sibéria e na Pérsia. [Pl.: *ursos-escuros.*]

urso-formigueiro ***S. m.*** *Lus. Zool.* V. *tamanduá-bandeira.* [Pl.: *ursos-formigueiros.*]

urso-malaio ***S. m. Zool.*** Mamífero ursídeo (*Ursus malayanus*), muito ágil, e que pode atingir 1,30m de altura; urso-dos-coqueiros. [Pl.: *ursos-malaios.*]

urso-negro ***S. m. Zool.*** Mamífero ursídeo (*Ursus americanus*) menor que seus congêneres, com cerca de 1,50m de altura e 200kg de peso; pelagem castanho-escura ou preta. [Pl.: *ursos-negros.*]

urso-polar ***S. m. Zool.*** Urso-branco. [Pl.: *ursos-polares.*]

ursulina [Do antr. *Úrsula* (de Santa Úrsula, mártir do séc. IV), + *-ina*[1].] ***S. f.*** Religiosa de várias ordens femininas, e em particular da Ordem de Santa Úrsula, cujo objetivo é a educação.

urticação [De *urticar* + *-ção.*] ***S. f.*** Ato ou efeito de flagelar a pele com urtigas para irritá-la.

urticácea [Do tax. *Urtica* (do lat. *urtica*, 'urtiga') + *-ácea*; tax. *Urticaceae.*] ***S. f. Bot.*** Espécime das urticáceas, família de plantas da ordem das urticales, composta de grandes e pequenas ervas, raramente de arbustos, com folhas estipuladas e pequeninas flores dispostas em espigas ou racemos. Perigônio tetrâmero; quatro estames; ovário unilocular e uniovulado; fruto nuciforme. Há umas 600 espécies em todo o globo, muitas delas com pelos urentes. Ocorrem no Brasil.

urticáceo[1] [Do lat. *urtica*, 'urtiga', + *-áceo.*] ***Adj. Bot.*** Relativo ou semelhante à urtiga.

urticáceo[2] [De *urticácea*, com var. suf. (v. *-áceo*).] ***Adj. Bot.*** Pertencente ou relativo às urticáceas.

urtical [Do lat. cient. *Urtic-* (v. *urticale*) + *-al*[1].] ***Adj. 2 g. Bot.*** Pertencente ou relativo às urticales.

urticale [Do tax. *Urtica* + *-ale*; tax. *Urticales.*] ***S. f. Bot.*** Espécime das urticales, ordem de dicotiledôneas que reúne as famílias das ulmáceas, das moráceas, das cecropiáceas, das urticáceas, e das canabáceas.

urticante [De *urticar* + *-nte.*] ***Adj. 2 g.*** Urente (2): "Comprazem-se em imitar a inércia das anêmonas e das medusas urticantes" (Osmã Lins, *Nove, Novena*, p. 218).

urticar [Do lat. **urticare*, 'queimar como urtiga'.] ***V. t. d.*** Produzir urticação em; urtigar. [Conjug.: v. *trancar.* Fut. pret.: *urticaria*, etc. Cf. *urticária.*]

urticária [Do lat. *urtica*, 'urtiga', + *-ária.*] ***S. f. Med.*** Reação vascular cutânea caracterizada pela presença transitória de placas lisas e pouco salientes, mais vermelhas ou mais pálidas que a pele adjacente, e muitas vezes acompanhada de intenso prurido. [Sin. (pop.): *fervor-do-sangue.* Cf. *urticaria*, do v. *urticar.*]

urticariforme (à) [De *urticária* + *-iforme.*] ***Adj. 2 g.*** *Patol.* Semelhante à urticária.

urtiga [Do lat. *urtica*; tax. *Urtica*).] ***S. f. Bot.*** **1.** O gênero-tipo das urticáceas, que inclui plantas cujas folhas são cobertas de pelos finos, os quais, em contato com a pele, produzem um ardor irritante, devido à ação do ácido fórmico. **2.** Qualquer espécie desse gênero, como, por ex., a *Urtica dioica* (v. *urtigão*). **3.** Qualquer espécime desse gênero. **4.** V. *folha-gorda.* ◆ **Atirar às urtigas. 1.** Jogar fora, esbanjar. **2.** Esquecer de propósito; votar ao esquecimento. [Sin. ger.: *mandar às urtigas.*] **Mandar às urtigas.** V. *atirar às urtigas.*

urtiga-de-cipó ***S. f.*** *Bras. Bot.* Planta euforbiácea (*Jatropha urnigera*). [Pl.: *urtigas-de-cipó.*]

urtiga-de-leite ***S. f.*** *Bras. Bot.* V. *urtiga-de-mamão.* [Pl.: *urtigas-de-leite.*]

urtiga-de-mamão ***S. f.*** *Bras. Bot.* Arbusto euforbiáceo (*Jatropha urens*) lactescente, dotado de grandes folhas palmadas, flores alvas e minutas, organizadas em cimeiras, e frutos capsulares revestidos de pelos urentes que produzem pápulas na pele, dando verdadeira sensação de queimadura; arre-diabo, cansanção-de-leite, urtiga-de-leite. [Pl.: *urtigas-de-mamão.*]

urtiga-do-mar ***S. f.*** *Bras. Zool.* V. *água-viva* (2). [Pl.: *urtigas-do-mar.*]

urtiga-maior ***S. f. Bot.*** Urtigão. [Pl.: *urtigas-maiores.*]

urtiga-morta [De *urtiga* + o f. de *morto.*] ***S. f.*** *Bras. Bot.* Planta euforbiácea (*Mercurialis annua*) herbácea, de uso medicinal. [Pl.: *urtigas-mortas.*]

urtigão [De *urtiga* + *-ão*[1].] ***S. m. Bot.*** Erva urticácea (*Urtica dioica*) muito espalhada na Europa, como planta ruderal, de folhas herbáceas, crenadas, com pelos urticantes, que produzem placas na pele como as das urticárias, e de flores verdes e inconspícuas; urtiga-maior. [Cf. *Ortigão*, antr.]

urtigar [De *urtiga* + *-ar*[2].] ***V. t. d.*** Urticar. [Conjug.: v. *largar.*]

urtiga-tamearama ***S. f.*** *Bras. Bot.* V. *tamearama.* [Pl.: *urtigas-tamearamas* e *urtigas-tamearama.*]

urtiguense ***Adj. 2 g.*** **1.** De, ou pertencente ou relativo a São João da Urtiga (RS). • ***S. 2 g.*** **2.** O natural ou habitante de São João da Urtiga.

uru[1] [Do tupi.] ***S. m. e f.*** *Bras. Zool.* Designação comum às aves galiformes, fasianídeas como, p. ex., *Odontophorus capueira,* do C.O. e S. do Brasil e *O. gujanensis,* da Amaz. Vivem em bandos, no chão, alimentando-se de pequenos frutos e insetos, e preferem as matas densas, especialmente as primitivas: "As urus, nos capões, solfejavam à aurora" (Afonso Arinos, *Pelo Sertão,* p. 31). [Sin.: *capoeira, corcovado.*]

uru[2] [Do tupi.] ***S. m.*** *Bras.* Cesto de palha de carnaúba, com alça: "Enquanto Caubi pendurava no fumeiro as peças de caça, Iracema colheu sua alva rede de algodão com franjas de penas, e acomodou-a dentro do uru de palha trançada." (José de Alencar, *Iracema,* p. 68.)

uruá [Do tupi.] ***S. m.*** *Bras.* **1.** *Zool.* V. *aruá*[1]. **2.** *Bot.* Louro-amarelo. ◆ **Comer uruá.** *Bras. AM* Entregar-se a práticas lesbianas; fazer uruá. **Fazer uruá.** *Bras. AM* Comer uruá.

uruaçuense ***Adj. 2 g.*** **1.** De, ou pertencente ou relativo a Uruaçu (GO). • ***S. 2 g.*** **2.** O natural ou habitante de Uruaçu.

uruanense ***Adj. 2 g.*** **1.** De, ou pertencente ou relativo a Uruana (GO). • ***S. 2 g.*** **2.** O natural ou habitante de Uruana.

uruaraense (arà) ***Adj. 2 g.*** **1.** De, ou pertencente ou relativo a Uruará (PA). • ***S. 2 g.*** **2.** O natural ou habitante de Uruará.

uruati *Bras.* ***S. 2 g.*** **1.** *Etnôn.* Indivíduo dos uruatis, povo indígena que habitava a foz do rio Monim (MA). • ***Adj. 2 g.*** **2.** Pertencente ou relativo a esse povo. [Tb. us. como *s. 2 g. e 2 n.* (com cap.) e *adj. 2 g. e 2 n.*]

urubá [De or. indígena, poss.] ***S. f.*** *Bras. Bot.* Planta marantácea (*Maranta uruba*).

urubá-de-caboclo ***S. f.*** *Bras. Bot.* Planta marantácea (*Maranta gibba*); cana-brava. [Pl.: *urubás-de-caboclo.*]

urubaiana [Var. de *arabaiana.*] ***S. f.*** *Bras. Zool.* **1.** V. *olho-de-boi* (4). **2.** V. *ubarana.*

urubamba [Do tupi.] ***S. f.*** *Bras. MT Bot.* V. *jacitara.*

urubiciense ***Adj. 2 g.*** **1.** De, ou pertencente ou relativo a Urubici (SC). • ***S. 2 g.*** **2.** O natural ou habitante de Urubici.

urubu[1] [Do tupi.] ***S. m.*** **1.** *Bras. Zool.* Designação comum às aves catartídeas, dos gêneros *Coragyps* e *Cathartes,* de cabeça e pescoço nus, que se alimentam de carne em decomposição. **2.** *Bras. GO* Pequena mancha negra causada pela cristalização imperfeita do diamante. **3.** *Bras. Gír.* Agente funerário: "Prometo .... escrever a favor do comércio, da indústria, da agricultura, ... dos relojoeiros, dos salsicheiros, dos serralheiros, dos urubus" (Machado de Assis, *Crônicas,* I, pp. 235-237). **4.** *Bras. Pop.* Pessoa vestida de preto. **5.** *Bras. P. ext.* Padre ou freira das ordens que vestem hábito preto. **6.** *Bras. Joc.* V. *flamenguista.* ◆ **Escovar urubu.** *Bras. AM Pop.* Lavar urubu. **Lavar urubu.** *Bras. AM Pop.* Andar desempregado ou vadio; escovar urubu.

urubu[2] *Bras.* ***S. 2 g.*** **1.** *Etnôn.* Indivíduo dos urubus, povo indígena do tronco linguístico tupi, que habita RO. • ***Adj. 2 g.*** **2.** Pertencente ou relativo a esse povo. [Tb. us. como *s. 2 g. e 2 n.* (com cap.) e *adj. 2 g. e 2 n.*]

urubucaá [Do tupi = 'folha de urubu'.] ***S. m.*** *Bras. Bot.* Angelicó.

urubu-caapor *Bras.* ***S. 2 g.*** **1.** *Etnôn.* Indivíduo dos urubus-caapores [ou (etnôn. bras.) *Urubu-kaapor, *Ka'apor], povo indígena da família linguística tupi-guarani, tronco tupi, que habita os municípios de Carutapera, Cândido Mendes, Turiaçu e Monção

(AM). • *Adj. 2 g.* 2. Pertencente ou relativo a esse povo. [Pl.: *urubus-caapores.*]

urubu-caçador *S. m. Bras. MG Zool.* V. *urubu-de-cabeça-vermelha.* [Pl.: *urubus-caçadores.*]

urubu-campeiro *S. m. Bras. Zool.* V. *urubu-de-cabeça-vermelha.* [Pl.: *urubus-campeiros.*]

urubu-comum *S. m. Bras. Zool.* Ave catartídea (*Coragyps atratus*), que se distribui do N. dos E.U.A. até a Patagônia, com cerca de 60cm de comprimento e até 150cm de envergadura, coloração preta, cabeça e pescoço nus, canos das rêmiges das mãos brancos. Alimenta-se principalmente de carne em decomposição. [Sin.: *urubu-de-cabeça-preta, urubu-preto, apitau, apitã.*] [Pl.: *urubus-comuns.*]

urubu-de-cabeça-amarela *S. m. Zool.* Ave catartídea (*Cathartes burrovianus*) encontrada do S. do México ao N. da Argentina, com cerca de 50cm a 70cm de comprimento e 1m de envergadura, de plumagem negra, e cabeça e pescoço, nus, amarelados. [Sin.: *urubupeba, urubutinga.* Pl.: *urubus-de-cabeça-amarela.*]

urubu-de-cabeça-preta *S. m. Bras. Zool.* V. *urubu-comum.* [Pl.: *urubus-de-cabeça-preta.*]

urubu-de-cabeça-vermelha *S. m. Bras. Zool.* Ave catartídea (*Cathartes aura*), distribuída desde o Canadá até a Argentina, de coloração preta, com a cabeça e pescoço nus, encarnado-violáceos, e os canos das rêmiges das mãos brancos apenas do lado inferior. Alimenta-se ger. de carne putrefata. [Sin.: *urubu-ministro, urubu-campeiro, urubu-caçador, urubu-peru, urubu-jereba, jereba, camiranga.* Pl.: *urubus-de-cabeça-vermelha.*]

urubu-do-mar *S. m. Bras. Zool.* V. *alcatraz*[1]. [Pl.: *urubus-do-mar.*]

urubu-jereba *S. m. Bras. Zool.* V. *urubu-de-cabeça-vermelha.* [Pl.: *urubus-jerebas* e *urubus-jereba.*]

urubu-ministro *S. m. Bras. Zool.* V. *urubu-de-cabeça-vermelha.* [Pl.: *urubus-ministros* e *urubus-ministro.*]

urubu-paraguá *S. m. Bras. Zool.* V. *periquito-urubu.* [Pl.: *urubus-paraguás.*]

urubupeba [De *urubu* + *-peba.*] *S. m. Bras. Zool.* V. *urubu-de-cabeça-amarela.*

urubu-peru *S. m. Bras. Zool.* V. *urubu-de-cabeça-vermelha.* [Pl.: *urubus-perus* e *urubus-peru.*]

urubu-preto *S. m. Bras. Zool.* V. *urubu-comum.* [Pl.: *urubus-pretos.*]

urubu-real *S. m. Bras. Amaz. Zool.* V. *urubu-rei.* [Pl.: *urubus-reais.*]

urubu-rei *S. m. Bras. Zool.* Ave catartídea (*Sarcoramphus papa*) com cerca de 80cm de comprimento e 140cm de envergadura, distribuída do México ao N. da Argentina, em florestas e descampados. Tem cabeça e pescoço nus, pintados de vermelho, amarelo e alaranjado, plumagem de coloração geral branca, com colar cinza e rêmiges pretas. [Sin.: *urubu-real* e *urubutinga.* Pl.: *urubus-reis* e *urubus-rei.*]

uruburetamense *Adj. 2 g.* 1. De, ou pertencente ou relativo a Uruburetama (CE). • *S. 2 g.* 2. O natural ou habitante de Uruburetama.

urubutinga [De *urubu*[1] + *-tinga.*] *S. m. Bras. Zool.* 1. V. *urubu-rei.* 2. V. *urubu-de-cabeça-amarela.*

urubuzar [De *urubu*[1]+ *-z-* + *-ar*[2].] *V. t. d. Bras. Fam.* 1. Olhar fixamente, com intenção malévola. 2. Dar azar a; azarar.

urubuzinho [Dim. de *urubu*[1].] *S. m. Bras. Zool.* 1. Anambé-branco. 2. Andorinha-do-mato. 3. V. *araponguinha* (2).

urucaca *S. f. Bras.* V. *bruxa* (2).

uruçacanga [Do tupi.] *S. f. Bras.* Aturá.

uruçanguense *Adj. 2 g.* 1. De, ou pertencente ou relativo a Uruçanga (SC). • *S. 2 g.* 2. O natural ou habitante de Uruçanga.

urucaniense *Adj. 2 g.* 1. De, ou pertencente ou relativo a Urucânia (MG). • *S. 2 g.* 2. O natural ou habitante de Urucânia.

urucaraense (arà) *Adj. 2 g.* 1. De, ou pertencente ou relativo a Urucará (AM). • *S. 2 g.* 2. O natural ou habitante de Urucará.

urucari [Var. de *urucuri.*] *S. m. Bras. Amaz. Bot.* Palmeira arecácea (*Attalea excelsa*) de estipe curto e grosso, que mantém caídas as bainhas das folhas eretas. As nozes encerram três amêndoas, que possuem cerca de 45% de óleo alimentício, e o palmito é de boa qualidade.

urucatu [Do tupi.] *S. m. Bras. RJ Bot.* Erva amarilidácea (*Hippeastrum reticulatum*) de grande beleza, provida de bolbo. Folhas largas, oblongas, lanceoladas, e com margem cartilaginosa; duas flores, na ponta do escapo, especiosas, com 10 a 12cm, purpúreo-claras e com raias mais escuras; os frutos são grandes cápsulas vermelhas, com sementes aladas.

urucu[1] [Do tupi = 'vermelho'.] *S. m. Bras.* 1. O fruto do urucuzeiro (q. v.). 2. Substância tintorial que se extrai da polpa desse fruto; açafrão: 🕮 "Depois dos teus, de brônzea pele tinta / Com os sulcos do urucu, de pele branca vieram / Outros" (Olavo Bilac, p. 12). [Var.: *urucum.*]

urucu[2] *Bras. S. 2 g.* 1. *Etnôn.* Indivíduo dos urucus, povo indígena extinto, da família linguística botocudo, que habitava o L. de MG divisa com ES. • *Adj. 2 g.* 2. Pertencente ou relativo a esse povo. [Tb. us. como *s. 2 g. e 2 n.* (com cap.) e *adj. 2 g. e 2 n.*]

uruçu [Do tupi = 'abelha grande'.] *S. f. Bras. Zool.* 1. Abelha meliponínea (*Melipona scutellaris*) típica do N.E. brasileiro, com cerca de 11mm de comprimento, coloração geral escura, pelos em diversos tons de amarelo, e que nidifica em ocos de árvores. [Sin.: *abelha-uruçu, uruçu-boi, uruçu-da-praia, uruçu-de-caboclo.*] 2. V. *guarapu* (1). 3. V. *abelha-mulata.* [Var.: *iruçu.*]

urucuai *Bras. S. 2 g.* 1. *Etnôn.* Indivíduo dos urucuais, povo indígena extinto que habitava a margem esquerda do rio Corumbiara (RO). • *Adj. 2 g.* 2. Pertencente ou relativo a esse povo. [Tb. us. como *s. 2 g. e 2 n.* (com cap.) e *adj. 2 g. e 2 n.*]

uruçu-amarela *S. f. Bras. Zool.* V. *tujuba.* [Pl.: *uruçus-amarelas.*]

urucuana *S. f. Bras. Bot.* V. *urucurana* (1).

urucubaca [Voc. express., poss.] *S. f. Bras.* 1. V. *caiporismo:* 🕮 "Uma praga, uma urucubaca na zona. Cacau desceu. Ficou raso, o preço da arroba." (Jorge Medauar, *Água Preta*, p. 208.) 2. *Tec. Têx.* Tecido quadriculado em preto e branco.

uruçu-boi *S. m. Bras. Zool.* 1. A maior das abelhas meliponíneas (*Melipona fuliginosa*), habitante de florestas da América Central e da Amazônia, com cerca de 15mm de comprimento, de coloração negra, com asas ferrugíneas, e que nidifica em ocos de árvores, tendo a entrada do ninho a forma de trombeta. É agressiva, capaz de pilhar outras colônias de abelhas, e produz mel muito apreciado. [Sin.: *manduri-preto, mel-de-anta, taipeira, tapieira, turuçu.*] 2. V. *urucu* (1). [Pl.: *uruçus-boi, uruçus-bois.*]

urucu-da-mata *S. m. Bras. Amaz. Bot.* Árvore bixácea (*Bixa arborea*) que difere do urucuzeiro pelo porte muito maior. [Pl.: *urucus-da-mata.*]

uruçu-da-praia *S. f. Bras. Zool.* V. *uruçu* (1). [Pl.: *uruçus-da-praia.*]

uruçu-de-caboclo *S. m.* V. *uruçu* (1). [Pl.: *uruçus-de-caboclo.*]

urucueiro *S. m. Bras. Bot.* V. *urucuzeiro.*

urucuiana *S. 2 g. Adj. 2 g. Bras.* V. *oaiana.*

urucuiano *Adj.* 1. Relativo ou pertencente ao rio Urucuia (GO) ou à região por ele banhada. 2. Que habita ou é natural da região banhada por ele. • *S. m.* 3. O natural ou habitante da região banhada pelo rio Urucuia.

urucuíba [Do tupi.] *S. f. Bras. N.E. Bot.* Árvore miristicácea (*Virola oleifera*) da floresta pluvial, de folhas lanceoladas, acuminadas e coriáceas, flores pequeninas, trímeras e paniculadas, e cujo fruto é uma cápsula com uma grande semente rica em gordura. A madeira, castanho-escura, dura e de boa qualidade, serve para construção, tabuado, mourões, etc. [Sin.: *bicuíba, bicuíba-vermelha.*]

uruçuiense (u-i) *Adj. 2 g.* 1. De, ou pertencente ou relativo a Uruçuí (PI). • *S. 2 g.* 2. O natural ou habitante de Uruçuí.

urucum *S. m. Bras.* V. *urucu.*

urucungo [Do quimb.] *S. m.* 1. *Bras. Mús.* V. *berimbau* (2): 🕮 "Zumbem, zunzunem os tambus e os urucungos" (Martins Fontes, *A Dança*, p. 91). 2. *Bras. RS* Cavalo ruim. • *Adj.* 3. *Bras. RS* Diz-se do cavalo ruim.

urucunju *S. m. Bras. RJ* Instrumento musical, de origem africana, composto de um arco com corda de arame, usado nos candomblés.

uruçuquense *Adj. 2 g.* 1. De, ou pertencente ou relativo a Uruçuca (BA). • *S. 2 g.* 2. O natural ou habitante de Uruçuca.

urucurana [Do tupi = 'semelhante ao urucu'.] *S. f. Bras. Bot.* 1. Árvore euforbiácea (*Hieronyma alchorneoides*) das florestas litorâneas, de folhas oblongas, agudas e escamosas, flores unissexuais, esverdeadas e minutíssimas, e cujo fruto é uma drupa pequena e negra, algo oleosa. A madeira é vermelho-pardacenta, dura e pesada, própria para obras externas, pois resiste bem à umidade. [Var.: *urucuana, uricurana, aricurana, licurana;* sin.: *magonçalo.*] 2. Sangue-de-drago. 3. V. *iricurana* (2).

urucuri *S. m. Bras. Bot.* Urucari (q. v.).

urucuriiba [Do tupi.] *S. m. Bras. PE Bot.* V. *aricuri.*

urucuritubense *Adj. 2 g.* 1. De, ou pertencente ou relativo a Urucurituba (AM). • *S. 2 g.* 2. O natural ou habitante de Urucurituba.

urucuuba [Do tupi = 'árvore do urucu'.] *S. m. Bras. Bot.* V. *urucuzeiro.*

urucuzeiro [De *urucu* + *-zeiro.*] *S. m. Bras. Amaz. Bot.* Arvoreta bixácea (*Bixa orellana*) habitante da mata e cultivada extensamente, de folhas grandes e moles, e cujos frutos são cápsulas vermelhas ou amarelas, cobertas de longas pontas secas e cheias de sementes pequenas. O arilo, que envolve as sementes, fornece matéria corante vermelha especial, que era usada pelos índios para pintar o corpo, e que protege a pele da radiação ultravioleta. Essa matéria é de largo emprego na culinária como colorante e condimento, sob a forma de pó. [F. paral.: *urucueiro;* sin.: *urucuuba.*]

uruense *Adj. 2 g.* 1. De, ou pertencente ou relativo a Uru (SP). • *S. 2 g.* 2. O natural ou habitante de Uru.

uru eu uau uau *S. 2 g. Adj. 2 g. Bras. Etnôn.* V. *urueu uau uau.* [Pl.: *uru eu uau uaus.*] ❄

urueu uau uau *Bras. S. 2 g.* 1. *Etnôn.* Indivíduo dos urueu uau uaus [ou (etnôn. bras.) *Urueu-Wau-Wau, Amadáwa e Uru Pa In], povo indígena da família linguística tupi-guarani, tronco tupi, que habita o município de Ji-Paraná (RO). • *Adj. 2 g.* 2. Pertencente ou relativo a esse povo. [Tb.: *uru eu uau uau.* Sin. ger.: *uru pa in* ou *urupaim, amundua.* Pl.: *urueu uau uaus.*] ❄

uruguaianense *Adj. 2 g.* 1. De, ou pertencente ou relativo a Uruguaiana (RS). • *S. 2 g.* 2. O natural ou habitante de Uruguaiana.

uruguaio *Adj.* 1. Do, ou pertencente ou relativo ao Uruguai (América do Sul). • *S. m.* 2. O natural ou habitante do Uruguai.

uruma *Bras. S. 2 g.* 1. *Etnôn.* Indivíduo dos urumas, povo indígena extinto que habitava o N. de SE. • *Adj. 2 g.* 2. Pertencente ou relativo a esse povo. [Tb. us. como *s. 2 g. e 2 n.* (com cap.) e *adj. 2 g. e 2 n.*]

urumã *S. 2 g. Adj. 2 g. Bras.* V. *aticum.*

urumanaue *Bras. S. 2 g.* 1. *Etnôn.* Indivíduo dos urumanaues, povo indígena extinto que habitava as margens dos rios Unini e Jaú, afluentes da margem direita do rio Negro (AM). • *Adj. 2 g.* 2. Pertencente ou relativo a esse povo. [Tb. us. como *s. 2 g. e 2 n.* (com cap.) e *adj. 2 g. e 2 n.*]

urumbeba [Do tupi.] *S. m. Bras. SP* 1. Sujeito crédulo, fácil de ser enganado. 2. V. *caipira* (1). [Var.: *urumbeva.*]

urumbeva [Var. de *urumbeba.*] *S. m. Bras. SP* V. *caipira* (1).

urumi *Bras. S. 2 g.* 1. *Etnôn.* Indivíduo dos urumis, povo indígena que habitava a margem direita do rio Barão de Melgaço (RO). • *Adj. 2 g.* 2. Pertencente ou relativo a esse povo. [Tb. us. como *s. 2 g. e 2 n.* (com cap.) e *adj. 2 g. e 2 n.*]

urumutum [Do tupi.] *S. m. Bras. AM Zool.* Ave cracídea (*Nothocrax urumutum*), com cerca de 60cm de comprimento, das regiões dos rios Madeira e Negro e dos países limítrofes. O macho tem crista preta, a parte superior do corpo marrom-acastanhada, finamente pintada de preto, e a inferior, mais clara, também acastanhada, e na região perioftálmica, nua, uma faixa amarelo-brilhante; a fêmea tem a parte superior mais clara, listrada de amarelo.

urundeúva [Do tupi, poss.] *S. f. Bras. Bot.* Árvore anacardiácea (*Astronium urundeuva*) que habita matas, cerrados e caatingas, de folíolos moles, pilosos, ovados e aromáticos, e flores insignificantes, arrumadas em grandes inflorescências. O fruto é uma noz pequenina, encimada pelo cálice ampliado, que parece um paraquedas; e a madeira, que contém tanino, é pardo-avermelhada, duríssima e imputrescível, e serve para obras externas, expostas ao tempo. [Sin.: *aroeira, aroeira-preta, aroeira-do-sertão, urindeúva.*]

U

urunumacã *Bras. S. 2 g.* 1. *Etnôn.* Indivíduo dos urunumacãs [ou (etnôn. bras.) *Urunumakan], povo indígena extinto, da família linguística xapacura, que habitava a margem direita do rio São Miguel (RO). • *Adj. 2 g.* 2. Pertencente ou relativo a esse povo.

uruoquense *Adj. 2 g.* 1. De, ou pertencente ou relativo a Uruoca (CE). • *S. 2 g.* 2. O natural ou habitante de Uruoca.

urupá *Bras. S. 2 g.* 1. *Etnôn.* Indivíduo dos urupás, povo indígena extinto, da família linguística xapacura, que habitava a margem esquerda do rio Urupá, as cabeceiras do rio Candeias (RO) e as margens do médio Tapajós (PA). • *Adj. 2 g.* 2. Pertencente ou relativo a esse povo. [Tb. us. como *s. 2 g. e 2 n.* (com cap.) e *adj. 2 g. e 2 n.*]

urupaim (a-ím) *S. 2 g. Adj. 2 g. Bras. Etnôn.* V. *urueu uau uau.*

uru pa in *S. 2 g. Adj. 2 g. Bras. Etnôn.* V. *urupaim.* [Pl.: *uru pa ins.*] ❄

urupê [Do tupi.] *S. m. Bras. Micol.* Fungo poliporáceo (*Polyporus sanguineus*); orelha-de-pau, pironga.

urupeense (êên) *Adj. 2 g.* **1.** De, ou pertencente ou relativo a Urupês (SP). ● *S. 2 g.* **2.** O natural ou habitante de Urupês.

urupema [Do tupi = 'uru chato'.] *S. f. Bras. N. N.E.* **1.** Espécie de peneira de fibra vegetal para utilidades culinárias; sururuca. **2.** *P. ext.* Vedação de teto, paredes, janelas, etc., feita com esteira semelhante à urupema (1): "Não tinha ainda amanhecido de todo, quando as balas dos assaltantes já sibilavam pelas urupemas do sobrado de João da Cunha" (Franklin Távora, *O Matuto*, p. 168). [Var.: *urupemba*, *gurupema* e *jurupema*.]

urupemba *S. f. Bras.* V. *urupema*.

urupemense *Adj. 2 g.* **1.** De, ou pertencente ou relativo a Urupema (SC). ● *S. 2 g.* **2.** O natural ou habitante de Urupema.

urupiagara *S. f. Bras. N.E. Zool.* Araboia (2).

urupuca [Do tupi = 'cesto que faz barulho ao cair'.] *S. f. Bras.* **1.** Arapuca (1): "Quando pego algum nhambu na urupuca, ele nem chega a sofrer" (Afonso Arinos, *Histórias e Paisagens*, p. 45). **2.** Armação de achas de lenha com que se protegem as mudas de café ainda muito tenras.

ururau [Do tupi.] *S. m. Bras. Zool.* V. *jacaré-de-papo-amarelo*: "Manuel, lá no fundo, ferido, ensanguentado, arrastou-se ainda, cravando as unhas na terra como um ururau golpeado de morte" (Afonso Arinos, *Pelo Sertão*, p. 30).

ururucu *Bras. S. 2 g.* **1.** *Etnôn.* Indivíduo dos ururucus, povo indígena extinto que habitava a margem direita do rio Amazonas, na confluência com o rio Tapajós (PA). ● *Adj. 2 g.* **2.** Pertencente ou relativo a esse povo. [Tb. us. como *s. 2 g.* e *2 n.* (com cap.) e *adj. 2 g.* e *2 n.*]

ururu-diapá *Bras. S. 2 g.* **1.** *Etnôn.* Indivíduo dos ururus-diapás [ou (etnôn. bras.) *Ururu-dyapá], povo indígena extinto que habitava a margem esquerda do rio Juruá (AM), divisa com AC. ● *Adj. 2 g.* **2.** Pertencente ou relativo a esse povo. [Pl.: *ururus-diapás*.]

urutago *S. m. Bras. Zool.* V. *urutau*.

urutaí *S. m. Bras. Amaz. Zool.* V. *maú*.

urutaíno *Adj.* **1.** De, ou pertencente ou relativo a Urutaí (GO). ● *S. m.* **2.** O natural ou habitante de Urutaí.

urutau [Do tupi.] *S. m. Bras. Zool.* Designação comum a aves caprimulgiformes, nictibídeas, gênero *Nyctibius*, com cinco espécies no Brasil, sendo a mais difundida a *N. griseus*. [Var.: *urutago*, *jurutau*; sin.: *preguiça*, *chora-lua*, *manda-lua*, *ibijaú-guaçu*.]

urutauí *S. m. Bras. Zool.* V. *maú*.

urutaurana [Do tupi = 'semelhante ao urutau'.] *S. m. Bras. Zool.* Ave falconiforme acipitrídea (*Spizaetus ornatus*) com o alto da cabeça preta, dorso e asa brunos com malhas pretas, nuca bruno-avermelhada, meio do peito e rabadilha brancos, abdome preto listrado de branco, uma tira preta que parte do canto da boca, e penacho. Alimenta-se de mamíferos. [Sin.: *apacanim*.]

urutu [Do tupi.] *S. f. e m. Bras. Zool.* Ofídio crotalídeo (*Bothrops alternata*), ovovivíparo, venenosíssimo, de coloração dorsal castanho-pardacenta, com mancha cruciforme na cabeça. Ocorre no C.O., E. e S. do Brasil, no Paraguai, no Uruguai e no N. da Argentina. [Sin.: *urutu-cruzeiro*, *cruzeiro*, *cruzeira*.]

urutu-cruzeiro *S. 2 g. Bras. Zool.* V. *urutu*. [Pl.: *urutus-cruzeiros* e *urutus-cruzeiro*.]

urutu-doirado *S. m. Bras. Zool.* V. *urutu-dourado*. [Pl.: *urutus-doirados*.]

urutu-dourado *S. 2 g. Bras. Zool.* V. *jararacuçu*. [Var.: *urutu-doirado*. Pl.: *urutus-dourados*.]

urutu-estrela [De *urutu* + *estrela*.] *S. 2 g. Bras. Zool.* V. *jararacuçu*. [Pl.: *urutus-estrelas* e *urutus-estrela*.]

uruxi [Do jap. *urushi*.] *S. m.* Verniz que se faz com uma laca (1) do Japão.

urzal [De *urze-* + *-al*[1].] *S. m.* **1.** Quantidade mais ou menos considerável de urzes dispostas proximamente entre si; urzedo. **2.** Brejo (2).

urze [Do lat. *ulice* (< *ulex*, *icis*, 'planta semelhante ao alecrim'), poss. pelo lat. vulg. **ulce*.] *S. f. Bot.* **1.** Designação comum a diversas plantas ericáceas, europeias; torga, torgo, estorga, erice. **2.** *Bras.* Designação comum a duas plantas ericáceas: *Leucothoe duckei* e *Gaylussacia amazonica*.

urzedo (ê) [De *urze* + *-edo*.] *S. m.* Urzal (1).

urzela [Do moçárabe *orchella*.] *S. f. Bot.* Líquen tintorial (*Roccela tinctoria*) que dá um corante azul-violáceo, utilizado na tintura de fibras têxteis e de papel. [Sin. (bras.): *ervinha*.]

usado [Part. de *usar*.] *Adj.* **1.** V. *usual*: *Vale-se de artifícios muito usados, mas eficazes*. **2.** Habituado, acostumado, afeiçoado: *Tem o corpo usado ao trabalho rude*. **3.** Deteriorado pelo uso; gasto: *roupa usada*.

usagre [Do esp. *usagre* (alter. do gr. *psóra agría*).] *S. m. Patol.* **1.** Eczema das crianças de mama. **2.** Eczema impetiginoso.

usança [De *usar* + *-ança*.] *S. f.* **1.** Hábito antigo e tradicional; uso: "Cantar os Reis era uma dessas usanças locais, como o presepe, que o tempo demoliu" (Machado de Assis, *A Semana*, II, p. 13). **2.** V. *uso* (5): "Há um moleque que o lava [ao Quincas Borba, o cão] todos os dias em água fria, usança do diabo, a que ele se não acostuma." (Id., *Quincas Borba*, p. 42.)

usar [Do lat. **usare*, freq. de *uti*, 'usar'.] *V. t. d.* **1.** Ter por costume; costumar: *Usa sair cedo de casa*. **2.** Empregar habitualmente; praticar: *Usa a delicadeza no trato diário*. **3.** Fazer uso de; servir-se de; empregar: *Usa muitos adjetivos*. **4.** Estar acostumado a comer ou beber; fazer uso de: *Os europeus usam o vinho nas refeições*. **5.** Costumar ter; trazer; apresentar-se habitualmente com: "O Tio Joca do Maravalha usava barbas de patriarca" (José Lins do Rego, *Meus Verdes Anos*, p. 57). **6.** Trajar, vestir: "inúmeros guris [em Cantão] usam boné do exército" (Oscar Araripe, *China, Hoje*, p. 17); *Usa sempre o mesmo terno escuro*. **7.** Gastar com o uso; cotiar. **8.** *P. us.* Exercer, praticar. *T. i.* **9.** Fazer uso; servir-se de: "a Margarida usara da maior arma da mulher, diante de certos homens - a dependência." (Conde de Ficalho, *Uma Eleição Perdida*, p. 143); "Anselmo .... queria usar da força" (Coelho Neto, *A Conquista*, p. 432). **10.** Trajar, vestir: "Laura usou sempre de roupas compridas." (José de Alencar, *A Pata da Gazela*, p. 282.) **11.** Proceder, portar-se, haver-se: *Usou mal com a família, deixando-a na casa paterna*. **12.** Estar acostumado; ter costume, hábito: *Usa de trabalhar noite adentro*; "E as aves descem ao campo / Como usavam de descer." (Machado de Assis, *Poesias Completas*, p. 209). *P.* **13.** Gastar-se, deteriorar-se pelo uso: *Suas vestes usaram-se com o passar dos anos*.

usável [De *usar* + *-vel*.] *Adj. 2 g.* **1.** Que pode ser usado. **2.** *Ant.* Usual.

■ **USB** [Abrev. do ingl. *Universal Serial Bus*, 'porta serial universal'.] *Inform.* Porta para conexão de dispositivos ao computador.

usbeque *Adj. 2 g.* **1.** De, ou pertencente ou relativo a Usbequistão (Ásia). ● *S. 2 g.* **2.** O natural ou habitante de Usbequistão.

▲ **-usca**[1] Equiv. de *-isco*[1].

▲ **-usca**[2] Equiv. de *-usco*[2].

▲ **-usco**[1] Equiv. de *-isco*[1].

▲ **-usco**[2] *Suf. nom.* = 'aproximação', 'um tanto'; 'depreciação': *velhusco*, *farrusco*. [Equiv.: *-usca*[2]: *farrusca*.]

▲ **-úsculo** [Do lat. *-uscŭlu*, por via erudita.] *Suf. nom.* = 'diminuição': *corpúsculo* (< lat.), *glabriúsculo*.

useiro [De *uso* + *-eiro*.] *Adj.* Que tem por uso ou costume fazer alguma coisa. ◆ **Useiro e vezeiro.** Que usa fazer numerosas vezes a mesma coisa: *É useiro e vezeiro em mexericar*.

usina [Do fr. *usine*.] *S. f. Bras.* **1.** Qualquer estabelecimento industrial equipado com máquina; fábrica. **2.** Engenho de açúcar. **3.** Usina (1) destinada à produção de energia. ◆ **Usina hidrelétrica.** Usina de energia elétrica gerada por turbinas acionadas por uma corrente de água. [Tb. se diz apenas *hidrelétrica*.] **Usina nuclear.** Usina termonuclear. **Usina termelétrica.** Usina de energia elétrica gerada pela queima de carvão mineral ou óleo combustível: "A Petrobras vai entrar com 25% do investimento previsto — US$ 400 milhões — na construção de uma usina termelétrica de 600MW em Betim (MG)." (*Jornal do Brasil*, 29.10.1998). [Tb. se diz apenas *termelétrica*.] **Usina termonuclear.** Usina de energia elétrica produzida pela transformação de energia nuclear em energia térmica; usina nuclear. [Tb. se diz apenas *termonuclear*.]

usinagem [De *usinar* + *-agem*[2].] *S. f.* **1.** Operação mecânica pela qual se dá forma à matéria-prima. **2.** *Bras.* Designação comum a técnicas que dispensam a utilização de ferramentas que trabalhem em contato com a peça, bem como a retirada de matéria: *usinagem química*; *usinagem por fluorização*.

usinar [De *usina* + *-ar*[2].] *V. t. d.* Fazer a usinagem (1) de.

usineiro [De *usina* + *-eiro*.] *S. m. Bras. N.E.* **1.** Dono de usina de açúcar. ● *Adj. Bras.* **2.** De, ou relativo a usina.

usitar [Do lat. **usitare*, por *usitari*.] *V. t. d. P. us.* Empregar com frequência; usar.

úsnea [Do ár. (e persa) *ušna(t)*, 'musgo', 'líquen'; tax. *Usnea*.] *S. f. Bot.* **1.** Gênero de liquens usneáceos, dotados de talos livremente ramificados. **2.** Qualquer espécie desse gênero, como, p. ex., a *Usnea barbata* [v. *barba-de-velho* (1)]. **3.** Qualquer espécime desse gênero.

usneácea [Do tax. *Usnea* (v. *úsnea*) + *-ácea*; tax. *Usneaceae*.] *S. f. Bot.* Espécime das usneáceas, família de liquens frutescentes que se caracterizam pelos talos prostrados, ou eretos, ou pêndulos, que são, ger., simetricamente radiais.

usneáceo [De *usneácea*, com var. sufixal.] *Adj. Bot.* Pertencente ou relativo às usneáceas.

uso [Do lat. *usu*.] *S. m.* **1.** Ato ou efeito de usar(-se). **2.** Usança (1). **3.** Aplicação, utilidade, emprego: *Este remédio tem usos numerosos*. **4.** Prática, exercício. **5.** Costume, praxe, hábito; usança: *Vestia-se conforme o uso da época*. **6.** Aproveitamento de uma coisa conforme o seu destino. **7.** *Jur.* O aproveitar-se alguém, temporariamente, a título oneroso ou gratuito, das utilidades duma coisa alheia, na medida das necessidades próprias e das de sua família.

■ **USP** Sigla de *Universidade de São Paulo*.

➔ **usque** ['uskwɛ] [Lat.] Até.

➔ **usque ad satietatem** ['uskwat satjɛ'tatɛ(m)] [Lat.] À saciedade.

ússua [Do forro[2].] *S. f. Santom.* **1.** Vinho de palmeira (q. v.): "O vinho que se vendia àquela hora era ússua, extraído há um ou dois dias, vinho fermentado, de alto poder inebriante portanto." (Sacramento Neto, *Peneta*, p. 42.) **2.** Dança de salão executada nas primeiras décadas do séc. XX, e que era dirigida por um mestre-sala.

ustão [Do lat. *ustione*.] *S. f.* **1.** Ato ou efeito de queimar(-se); combustão. **2.** *Cir.* Cauterização.

uste *El. s. m.* Us. na expr. *não dizer uste nem aste*. ◆ **Não dizer uste nem aste.** *Bras. N.E. Fam.* Abster-se de falar; não dar uma palavra; calar-se.

ustório [Do lat. *ustore* + *-io*[3].] *Adj.* Que serve para queimar; que facilita a combustão.

ustulação [Do lat. *ustulatione*.] *S. f.* **1.** Ato ou efeito de ustular. **2.** *Quím.* Procedimento em que se aquece um composto numa corrente de ar ou de oxigênio, com o objetivo de decompô-lo oxidando alguns dos seus elementos.

ustular [Do lat. *ustulare*.] *V. t. d.* **1.** Queimar de leve. **2.** Secar ao fogo. **3.** *Quím.* Fazer a ustulação (2) de.

usual [Do lat. *usuale*.] *Adj. 2 g.* Que se usa habitualmente; comum, frequente, habitual, usado. [Antôn.: *inusitado*.]

usualidade [De *usual* + *-(i)dade*.] *S. f.* Qualidade de usual.

usuário [Do lat. *usuariu*.] *Adj.* **1.** Que possui ou desfruta alguma coisa pelo direito de uso; utente. **2.** Que serve para o nosso uso. **3.** Dizia-se do escravo de quem se tinha o uso, mas não a propriedade. ● *S. m.* **4.** Aquele que possui ou frui alguma coisa pelo direito de uso; utente. **5.** *P. ext.* Cada um daqueles que usam ou desfrutam alguma coisa coletiva, ligada a um serviço público ou particular; utente: *usuário dos trens da Central, do serviço dos correios*.

usucapião [Do lat. *usucapione*.] *S. f. e m. Jur.* **1.** Modo de adquirir propriedade móvel ou imóvel pela posse pacífica e ininterrupta da coisa durante certo tempo. **2.** Prescrição aquisitiva.

usucapiente [Do lat. *usucapiente*.] *Adj. 2 g. S. 2 g.* Que, ou quem adquiriu o direito de propriedade por usucapião.

usucapir [Do lat. *usucapere*.] *V. t. d.* **1.** Adquirir por usucapião. *Int.* **2.** Prevalecer, predominar. **3.** Ter vigor; vigorar.

usucapto [Do lat. *usucaptu*.] *Adj.* Adquirido por usucapião.

usufruidor (ô) [De *usufruir* + *-dor*.] *Adj. S. m.* Que, ou aquele que usufrui.

usufruir [Do lat. *usu frui*, 'fruir do uso'.] *V. t. d.* **1.** Ter a posse e o gozo de (algo que não se pode alienar ou destruir). **2.** Colher os frutos de; gozar, desfrutar, desfruir, fruir: "não podendo usufruir as coisas boas da vida, os trabalhadores contentam-se em obter algo que as represente." (Carlos Drummond de Andrade, *Contos de Aprendiz*, p. 72). *T. i.* **3.** Gozar, desfrutar, fruir: "Ele usufrui de nossa companhia com um apetite que chega a envergonhar-me" (Nélida Piñon, *A Força do Destino*, p. 19). [Sin. ger.: *usufrutuar*. Conjuga-se e grafa-se como *fruir*.]

usufruto [Do lat. jur. *usus-fructus*.] *S. m.* **1.** Ato ou efeito de usufruir; fruição. **2.** Aquilo que se usufrui. **3.** *Jur.* Direito que se confere a alguém para, por certo tempo, retirar de coisa alheia todos os frutos e utilidades que lhe são próprios, desde que não lhe altere a substância ou o destino.

usufrutuar [De *usufruto* + *-uar*.] *V. t. d. T. i.* V. *usufruir*. [Fut. pret.: *usufrutuaria*, etc. Cf. *usufrutuária*, fem. de *usufrutuário*.]

usufrutuário [Do lat. *usufructuariu*.] *Adj.* **1.** Relativo a usufruto. **2.** Que usufrui; desfrutador. ● *S. m.*

3. Aquele que usufrui; desfrutador. **4.** *Dir. Civ.* O beneficiário de usufruto. [Cf., nesta acepç., *nu-proprietário.*] [Fem.: *usufrutuária.* Cf. *usufrutuaria,* do v. *usufrutuar.*]

usura[1] [Do lat. *usura.*] ***S. f.*** **1.** Juro de capital. **2.** Contrato de empréstimo com a cláusula em que o devedor se obriga ao pagamento de juros. **3.** Juro excessivo, exorbitante; onzena. **4.** Lucro exagerado. **5.** *Bras. N.E. S.* Mesquinhez, mesquinharia, avareza. **6.** *Bras. N.E. S.* Ambição (1).

usura[2] [De *uso,* com infl. de *usura*[1].] ***S. f.*** *Bras.* Desgaste que sofrem os materiais por efeito do uso, ou de atrito.

usurar [De *usura* + *-ar*[2].] ***V. int.*** Emprestar dinheiro ou outra coisa com usura: *Há muito que não trabalha, vive só de usurar.* [Fut. do pret.: *usuraria,* etc. Cf. *usurária,* fem. de *usurário.*]

usurário [Do lat. *usurariu.*] ***Adj. S. m.*** **1.** Que, ou aquele que usura. **2.** *Pop.* Agiota. **3.** V. *avaro* (1 e 3). [Sin., p. us.: *usureiro.* Fem.: *usurária.* Cf. *usuraria,* do v. *usurar.*]

usureiro [De *usura* + *-eiro.*] ***Adj. S. m.*** *P. us.* Usurário. V. *avaro* (1 e 3).

usurpação [Do lat. *usurpatione.*] ***S. f.*** Ato ou efeito de usurpar.

usurpador (ô) [Do lat. *usurpatore.*] ***Adj. S. m.*** Que, ou aquele que usurpa.

usurpar [Do lat. *usurpare.*] ***V. t. d.*** **1.** Apossar-se violentamente de: *O malandro usurpou a herança do parente.* **2.** Adquirir com fraude: *Casou-se para usurpar a fortuna da noiva.* **3.** Alcançar sem direito: "Correm já sujeitos às vicissitudes da publicidade tantos filhos espúrios da mesma invenção, que mais esta, entrando no mundo das letras, não usurpará decerto lugar, que pertença de direito às obras-primas dos poetas festejados." (Rebelo da Silva, *Contos e Lendas,* p. 18.) **4.** Exercer indevidamente: *Por 12 anos usurpou o governo.* **5.** Assumir o exercício de, por fraude, artifício ou força: *Usurpou a presidência, fraudando as eleições.* ***T. d. e i.*** **6.** Tomar à força: "Tendo usurpado o trono de Angola ao irmão ...., meditou desfazer-se dos portugueses, entrados já no seu território" (Aquilino Ribeiro, *Portugueses das Sete Partidas,* pp. 346-347). **7.** Obter por fraude: *Astuciosamente usurpou a vaga ao legítimo ocupante.*

usurpável [Do lat. *usurpabile.*] ***Adj. 2 g.*** Que pode ser usurpado. [Pl.: *usurpáveis.* Cf. *usurpáveis,* do v. *usurpar.*]

→ **ut** [ut] [Lat., da 1ª sílaba do 1º verso do hino a São João Batista: *"Ut queant laxis / Resonare fibris / Mira gestorum / Famuli tuorum / Solve polluti / Labii reatum, / Sancte Ioannes."* (Para que possam teus fâmulos exaltar, com voz clara, os teus feitos admiráveis, retira-lhes dos lábios toda a impureza, ó São João.)] ***S. m.*** *Mús.* O nome da primeira nota da escala sem acidentes adotada por Guido d'Arezzo (séc. XI), a qual foi substituída, no séc. XVI, pela sílaba *dó,* de emissão mais fácil. [Cf. *dó, ré*[3], *mi, fá, sol, lá, si,* e *solmização.*]

utar ***V. t. d.*** V. *outar.*

utensílio [Do lat. tard. *utensilium* (lat. clás., pl., *utensilia*), 'tudo quanto serve para nosso uso'.] ***S. m.*** **1.** Qualquer instrumento de trabalho de que se utilize o artista, o operário, ou o artesão. **2.** Objeto que tem utilidade como meio ou instrumento para alguma coisa; utilidade: *utensílios domésticos.*

utente [Do lat. *utente,* 'que usa'.] ***Adj. 2 g. S. 2 g.*** Que, ou aquele que usa ou desfruta alguma coisa; usuário (v. *usuário* 1, 4 e 5): "O Estado Maior da Armada tem procurado .... sensibilizar os utentes, chamar a atenção para a perigosidade de certos atos" (*Diário Popular,* Lisboa, 27.07.1983).

uteralgia [De *uter(o)-* + *-alg(o)-*[2] + *-ia*[1].] ***S. f.*** *Med.* V. *metralgia.*

uterálgico [De *uteralgia* + *-ico*[2].] ***Adj.*** Relativo à uteralgia; metrálgico.

uterino [Do lat. *uterinu.*] ***Adj.*** **1.** Relativo ou pertencente ao útero. ~ V. *anexos —s, ciclo —, furor —, irmãos —s, parente —, parentesco —, trompa —a* e *tuba —a.* **2.** Que provém do mesmo útero; consanguíneo pelo lado da mãe: *irmãos uterinos.* **3.** *P. ext. Antrop.* Relativo ao parentesco pelo lado materno (v. tb. *parentesco uterino*) ou aos parentes entre os quais há esse tipo de relação.

▲ **uter(o)-** [Do lat. *utĕrus, i.*] ***El. comp.*** = 'útero': *uteralgia, uterorragia.*

útero [Do lat. *uteru.*] ***S. m.*** *Anat.* Órgão no qual se gera o feto dos mamíferos. [Sin. (pop.): *matriz, madre, ventre* e (bras.) *mãe do corpo.*] ◆ **Útero gemelar.** *Embr.* O útero no qual se desenvolvem gêmeos.

uteróceps ***S. m. 2 n.*** V. *uterócipe.*

uterócipe [De *uter(o)-* + a term. de *fórcipe.*] ***S. m.*** Instrumento cirúrgico usado para apreender o colo do útero.

uterómana ***S. f.*** *Psiq.* V. *uterômana.* [Uso freq. em P.]

uterômana [De *uter(o)-* + *-mana.*] ***S. f.*** *Psiq.* V. *ninfômana.*

uteromania (ù) [De *uter(o)-* + *-mania.*] ***S. f.*** V. *ninfomania.*

uteromaníaca (ù) [F. subst. de *uteromaníaco.*] ***S. f.*** *Psiq.* V. *ninfômana.*

uteromaníaco (ù) [De *uteromania* + *-íaco.*] ***Adj.*** *Psiq.* V. *ninfomaníaco.*

uterorragia (ù) [De *uter(o)-* + *-ragia.*] ***S. f.*** Metrorragia.

uterorrágico (ù) [De *uterorragia* + *-ico*[2].] ***Adj.*** Relativo à uterorragia; metrorrágico.

uteroscopia (ù) [De *uter(o)-* + *-scop-* + *-ia*[1].] ***S. f.*** *Med.* Histeroscopia.

uteroscópico (ù) [De *uteroscopia* + *-ico*[2].] ***Adj.*** Relativo à uteroscopia.

uterotomia [De *uter(o)-* + *-tom(o)-* + *-ia*[1].] ***S. f.*** *Cir.* Histerotomia.

uterotómico (ù) ***Adj.*** V. *uterotômico.* [Uso freq. em P.]

uterotômico (ù) [De *uterotomia* + *-ico*[2].] ***Adj.*** Relativo à uterotomia.

uterótomo [De *uter(o)-* + *-tomo.*] ***S. m.*** Instrumento com que se faz a uterotomia.

uterovariano [De *uter(o)-* + *-ovar(i)(o)-* + *-ano*[1].] ***Adj.*** Respeitante a útero e ovários.

■ **UTI** Sigla de *Unidade de Terapia Intensiva.*

útil [Do lat. *utile.*] ***Adj. 2 g.*** **1.** Que pode ter algum uso ou serventia: *objeto útil.* **2.** Proveitoso, vantajoso: *negócio útil.* **3.** Diz-se de período reservado ao trabalho produtivo: *tempo útil e tempo de lazer.* **4.** Determinado por lei: *Extinguiu-se o prazo útil para a apresentação do recurso.* ~ V. *ano —, área —, benfeitorias úteis, carga —, dia —, domínio —, inocente —* e *senhorio —.* ● ***S. m.*** **5.** Aquilo que é útil: *unir o útil ao agradável.* [Pl.: *úteis.*]

utilidade [Do lat. *utilitate.*] ***S. f.*** **1.** Qualidade de útil; serventia. **2.** Vantagem, proveito, lucro. **3.** Pessoa ou coisa útil. **4.** Capacidade de um bem (7) de satisfazer necessidades ou desejos humanos. **5.** Utensílio (2).

utilitário [Do lat. **utilitariu.*] ***Adj.*** **1.** Relativo à utilidade. **2.** Que tem a utilidade ou interesse, particular ou geral, como fim principal de seus atos. **3.** *Bras.* Diz-se do veículo automóvel resistente, como o jipe ou a camioneta, em geral de tração elevada, empregado no transporte de mercadorias, sobretudo na zona rural. ~ V. *programa —.* ● ***S. m.*** **4.** Indivíduo utilitário (2). **5.** *Inform.* V. *programa utilitário.* [Cf., nesta acepç., *aplicativo* (2).] **6.** *Bras.* Veículo utilitário (3).

utilitarismo [De *utilitário* + *-ismo.*] ***S. m.*** **1.** Sistema ou modo de agir do indivíduo utilitário. **2.** *Filos.* Doutrina moral cujos principais representantes são os ingleses Jeremy Bentham (1748-1832) e John Stuart Mill (1806-1873), e que põe como fundamento das ações humanas a busca egoística do prazer individual, do que deverá resultar maior felicidade para maior número de pessoas, pois se admite a possibilidade dum equilíbrio racional entre os interesses individuais.

utilitarista [De *utilitarismo* + *-ista.*] ***Adj. 2 g.*** **1.** Relativo ao, ou que é partidário do utilitarismo. ● ***S. 2 g.*** **2.** Partidário dele.

utilização [De *utilizar* + *-ção.*] ***S. f.*** Ato ou efeito de utilizar(-se).

utilizador (ô) [De *utilizar* + *-dor.*] ***Adj. S. m.*** Que, ou aquele que utiliza.

utilizar [De *útil* + *-izar.*] ***V. t. d.*** **1.** Tornar útil; empregar com utilidade; aproveitar: *Precisamos utilizar o tempo.* **2.** Fazer uso de; valer-se de; usar: *utilizar todos os meios para manter a paz;* "Seguindo a tradição épica, Camões utiliza nos *Lusíadas* mais de um narrador." (Cleonice Berardinelli, *Estudos Camonianos,* p. 33); "Queriam forçar-me a excessivo alimento, encher-me, utilizando conselhos e sorrisos, o estômago fraco." (Graciliano Ramos, *Viagem,* p. 33). **3.** Tirar utilidade de; aproveitar. **4.** Ganhar; lucrar. ***T. d. e i.*** **5.** Empregar utilmente: *O governo utilizou na lavoura a mão de obra excedente.* ***T. i.*** **6.** Ser útil ou proveitoso; ter uso ou préstimo: *A má-fé não utiliza a ninguém.* ***P.*** **7.** Lançar mão de; tirar proveito de; servir-se: *Utiliza-se do nome do pai para obter vantagens.*

utilizável [De *utilizar* + *-vel.*] ***Adj. 2 g.*** Que pode ser utilizado.

→ **ut infra** [ut 'infra] [Lat.] ***Loc. adv.*** Como [está] abaixo.

utinguense ***Adj. 2 g.*** **1.** De, ou pertencente ou relativo a Utinga (BA). ● ***S. 2 g.*** **2.** O natural ou habitante de Utinga.

→ **uti non abuti** ['utẹ noŋ a'butẹ] [Lat., 'usar, não abusar'.] Admite-se o uso, não o abuso.

→ **uti possidetis** ['utẹ pɔssẹ'detẹs] [Lat., 'como possuís'.] *Dir. Intern.* Fórmula diplomática que estabelece o direito dum país a um território, direito esse fundado na ocupação efetiva e prolongada, e independente de outro qualquer título.

uto-asteca [De *uto* + *asteca.*] *Gloss.* ***S. m.*** **1.** Família linguística indígena que se estende pelo O. dos E.U.A., México, Salvador, Guatemala e Honduras, e que inclui, entre outras línguas, o chochone, o hopi e o náuatle. [V. *asteca-tanoano.*] ● ***Adj. 2 g.*** **2.** Pertencente ou relativo a uto-asteca (1). [Pl.: *uto-astecas.*]

utopia [Do lat. mod. *utopia* < gr. *ou,* 'não', + gr. *tópos,* 'lugar', + gr. *-ía* (v. *-ia*[1]).] ***S. f.*** **1.** País imaginário, criação de Thomas Morus (1480-1535), escritor inglês, onde um governo, organizado da melhor maneira, proporciona ótimas condições de vida a um povo equilibrado e feliz. **2.** *P. ext.* Descrição ou representação de qualquer lugar ou situação ideais onde vigorem normas e/ou instituições políticas altamente aperfeiçoadas. **3.** *P. ext.* Projeto irrealizável; quimera; fantasia: "a reeleição indefinida de Borges [Borges de Medeiros].... chocava-se evidentemente com as garantias liberais do regime no caso concreto do Brasil, onde a legalidade norte-americana era um mito, a independência dos poderes uma irrisão, o desprendimento de George Washington uma utopia" (Afonso Arinos de Melo Franco, *Um Estadista da República,* II, pp. 563-564).

utópico [De *utopia* + *-ico*[2].] ***Adj.*** **1.** Relativo a utopia. **2.** Que encerra utopia; irrealizável, quimérico. [Sin. ger.: *utopista.*] ~ V. *socialismo —.*

utopista [De *utopia* + *-ista.*] ***Adj. 2 g.*** **1.** V. *utópico.* **2.** Que concebe ou defende utopias. ● ***S. 2 g.*** **3.** Pessoa que concebe ou defende utopias: "Quem nos dissesse no século XVI que o obscuro e desprezível judeu, pai de Espinosa, ao emigrar de Lisboa nos arrebatava uma riqueza comparável à dos imensos territórios do país brasileiro, teria o ar de um utopista em delírio." (Ramalho Ortigão, *A Holanda,* p. 140.)

utopístico [De *utopista* + *-ico*[2].] ***Adj.*** **1.** Próprio de utopista (2 e 3). **2.** *P. ext.* Fantasista.

→ **ut quid?** [ut kwid] [Lat.] Por que razão?

utraquismo [Do lat. *utraque,* 'uma e outra' (subentende-se substância), + *-ismo.*] ***S. m.*** A heresia dos utraquistas.

utraquista [Do lat. *utraque,* 'uma e outra' (subentende-se *substância*), + *-ista.*] ***S. 2 g.*** Designação comum aos hussitas da Boêmia que comungam sob as duas espécies, do pão e do vinho.

→ **ut retro** [ut 'r̄etrɔ] [Lat.] ***Loc. adv.*** Como [está] atrás.

▲ **utri-** [Do lat. *uter, tris.*] ***El. comp.*** = 'odre': *utriforme.*

utricular [De *utrículo* + *-ar*[1].] ***Adj. 2 g.*** **1.** Semelhante a utrículo. **2.** Composto de utrículos. **3.** Relativo ao utrículo: *pericarpo utricular.* [Sin. ger.: *utriculariforme.*]

utriculariforme [De *utricular* + *-iforme.*] ***Adj. 2 g.*** V. *utricular.*

utrículo [Do lat. *utriculu,* 'odrezinho'.] ***S. m.*** **1.** Pequeno saco. **2.** *Anat.* A maior porção do labirinto membranoso da orelha. **3.** *Bot.* Pequena vesícula que, nas plantas insetívoras do gênero *Utricularia,* se acha junto às raízes e serve para apresar e digerir minúsculos animais aquáticos. É de origem foliar, e não passa de 4 a 5mm de diâmetro; sua abertura é fechada por uma válvula. **4.** *Bot.* Frutinho seco, monospérmico, e encerrado em uma vesícula, que pode ser deiscente ou indeiscente. Ocorre, p. ex., nas ciperáceas.

utriculoso (ô) [De *utrículo* + *-oso.*] ***Adj.*** Que tem utrículos.

utriforme [De *utri-* + *-forme.*] ***Adj. 2 g.*** Que tem forma de odre (1).

→ **ut supra** [ut 'supra] [Lat.] ***Loc. adv.*** Como [está] acima.

utuá ***S. m.*** *Bras. Bot.* V. *ituá* (1).

utuaba [Do tupi.] ***S. f.*** *Bras. Bot.* Árvore meliácea (*Guarea martiana*) que tem folhas com quatro a seis folíolos oblongo-lanceolados, cuspidados e quase sésseis, flores pequenas e arranjadas em panículas e cujos frutos são cápsulas piriformes e quadrivalves que medem 1cm.

utuapoca [Do tupi.] ***S. f.*** *Bras. RJ Bot.* Árvore meliácea (*Guarea spiciflora*) que difere da utuaba pelas panículas indivisas e flores sésseis.

utuaúba [Do tupi.] ***S. f.*** *Bras. Bot.* V. *ataúba.*

■ **Uub** *Quím.* Símb. de *unúmbio.*

■ **Uuh** *Quím.* Símb. de *ununéxio.*

■ **Uun** *Quím.* Símb. de *ununílio.*

■ **Uuo** *Quím.* Símb. de *ununóctio.*

■ **Uup** *Quím.* Símb. de *unumpêntio.*

■ **Uuq** *Quím.* Símb. de *ununquádio.*

■ **Uus** *Quím.* Símb. de *ununséptio.*

■ **Uut** *Quím.* Símb. de *unúntrio.*

■ **Uuu** *Quím.* Símb. de *ununúnio.*

■ **UV** [Sigla de *ultravioleta.*] *Fot.* Designação de filtro us. para reduzir a exposição de filme à radiação ultravioleta.

uva [Do lat. *uva.*] ***S. f.*** **1.** Fruto da videira (q. v.). **2.** *P. ext.* Cacho de uvas. **3.** Designação geral dos frutos das vinhas. **4.** *Bras. Gír.* Mulher muito bonita, tentadora: *Que uva é aquela pequena!* **5.** *P. ext.* Coisa muito bonita: *Onde foi que você comprou essa uva de vestido?* ◆ **Uva branca.** Uva cuja película é exteriormente clara. **Uva tinta.** Uva cuja película é exteriormente escura. [Cf. *uva-tinta.*] **Uma uva.** *Bras.* V. *um amor* (1).

■ **UVA** Sigla de *Universidade Estadual Vale do Acaraú.*

uva-brava ***S. f.*** *Bot.* V. *anil-trepador.* [Pl.: *uvas-bravas.*]

uvaça [De *uva* + *-aça.*] ***S. f.*** Grande porção de uvas.

uva-chinesa [De *uva* + o f. de *chinês.*] ***S. f.*** *Bot.* V. *tripa-de-galinha* (2). [Pl.: *uvas-chinesas.*]

uvacupari [Var. de *bacupari.*] ***S. m.*** *Bras. Bot.* V. *bacupari-do-campo.*

uvada [De *uva* + *-ada*[1].] ***S. f.*** **1.** Conserva de uvas. **2.** Doce de uvas em pasta.

uva-de-cão ***S. f.*** *Bot.* V. *doce-amarga.* [Pl.: *uvas-de-cão.*]

uva-de-espinho ***S. f.*** *Bras. Bot.* V. *espinho-de-são-joão.* [Pl.: *uvas-de-espinho.*]

uva-de-mato-grosso [De *uva* + *de* + o top. *Mato Grosso.*] ***S. f.*** *Bras. C. Bot.* Cipó menispermáceo (*Disciphania glaziovii*) de folhas amplas, recortadas, pilosas e membranáceas, flores inconspícuas reunidas em longas espigas delgadas e solitárias, e frutos que são bagas comestíveis. [Pl.: *uvas-de-mato-grosso.*]

uva-do-mato ***S. f.*** *Bot.* V. *abutua-grande.* [Pl.: *uvas-do-mato.*]

uva-espim ***S. f.*** *Bot.* Arbusto berberidáceo (*Berberis vulgaris*) de folhas imparipenadas e com folíolos serreados, e que tem espinhos pungentes. As flores são pequenas; os frutos, bagas. É espécie comum na Europa, onde abriga o fungo *Puccinia graminis,* parasito que devasta os trigais. [Pl.: *uvas-espins* e *uvas-espim.*]

uvaia [Do tupi = 'fruto ácido, azedo'.] ***S. f.*** *Bras. S. Bot.* **1.** Arbusto ou arvoreta mirtácea (*Eugenia pyriformis*) de ramos tetrágonos, folhas oblongas, obtusas, reticuladas e venosas, flores solitárias, axilares e alvas, e cujos frutos são bagas piriformes, amarelas, do tamanho de uma pequena pera e de sabor aceitável, conquanto muito ácido. [Sin.: *uvaieira* e *uaieira.*] **2.** O fruto dessa planta. [Var.: *ubaia.*]

uvaieira ***S. f.*** *Bras. Bot.* V. *uvaia* (1).

uva-japonesa [De *uva* + o f. de *japonês.*] ***S. f.*** *Bot.* V. *tripa-de-galinha* (2). [Pl.: *uvas-japonesas.*]

uval [De *uva* + *-al*[1].] ***Adj. 2 g.*** **1.** Referente a uva. ● ***S. m.*** **2.** *Pop.* Tumores hemorroidais. [Cf. *oval.*]

uvário [De *uva* + *-ário.*] ***Adj.*** *Bot.* Que se compõe de pequenos grãos globulosos como da uva. [Cf. *ovário.*]

uvarovita [Do antr. *(Sergey S.) Uvarov* (1786-1855), estadista russo, + *-ita*[3].] ***S. f.*** *Min.* Mineral monométrico, esverdeado, silicato de cálcio e cromo, do grupo das granadas.

uva-tinta ***S. f.*** *Bot.* V. *sousão.* [Pl.: *uvas-tintas.* Cf. *uva tinta,* loc.]

uva-ursina [De *uva* + o f. de *ursino.*] ***S. f.*** *Bot.* Subarbusto ericáceo (*Arctostaphylos uva-ursi*) prostrado, muito espalhado na Europa, Ásia e América boreal, de folhas obovadas, pequenas, venosas e reticuladas, com elevado teor de tanino e outras glicoses, razão do seu emprego nas moléstias das vias urinárias. [Pl.: *uvas-ursinas.*]

úvea [De *uva* + *-ea.*] ***S. f.*** *Anat.* O conjunto formado pela coroide, íris e processos ciliares.

uveira [De *uva* + *-eira.*] ***S. f.*** *Bot.* V. *videira:* "Tem que seguir a pé, vai por uma quelha pedregosa, entre muros de pedra solta e uveiras" (José Saramago, *Viagem a Portugal,* p. 74).

uveíte [De *úvea* + *-ite*[1].] ***S. f.*** *Patol.* Inflamação da úvea.

úvido [Do lat. *uvidu.*] ***Adj.*** *Poét.* Úmido.

uvífero [Do lat. *uviferu.*] ***Adj.*** *Poét.* Que dá frutos parecidos com os dos cachos de uvas.

uviforme [De *uva* + *-iforme.*] ***Adj. 2 g.*** Semelhante a bago de uva. [Cf. *oviforme.*]

uvilha [De *uva* + *-ilha.*] ***S. f.*** *Bras. Amaz. Bot.* V. *mapati.*

úvula [Do lat. **uvula,* 'pequeno bago de uva'.] ***S. f.*** *Anat.* **1.** Designação genérica de massa carnosa pendente. **2.** Úvula palatina: "Na África, há a superstição de que a úvula ou campainha é responsável por todas as moléstias" (A. da Silva Melo, *Psicologia dos Fatos Cotidianos,* p. 78). ◆ **Úvula palatina.** *Anat.* Pequena massa carnosa pendente do palato mole; campainha. [Tb. se diz apenas *úvula.*]

uvular [De *úvula* + *-ar*[1].] ***Adj. 2 g.*** **1.** *Anat.* Relativo ou pertencente à úvula; uvulário. **2.** Relativo a uvular (3). ● ***S. f.*** **3.** *E. Ling.* Consoante uvular (q. v.). [Cf. *ovular.*]

uvulário [De *úvula* + *-ário.*] ***Adj.*** *Anat.* Uvular (1).

uvulectomia [De *úvula* + *-ectom-* + *-ia*[1].] ***S. f.*** *Cir.* Estafilectomia.

uvulectômico [De *uvulectomia* + *-ico*[2].] ***Adj.*** Estafilectômico.

uvuliforme (ùvu) [De *úvula* + *-iforme.*] ***Adj. 2 g.*** Semelhante à úvula. [Cf. *ovuliforme.*]

uvulite [De *úvula* + *-ite*[1].] ***S. f.*** *Patol.* Inflamação da úvula.

uxi [Do tupi.] ***S. m.*** *Bras. Amaz. Bot.* Grande árvore humiriácea (*Eudopleura uchi*) de folhas alternas, simples, coriáceas, e inflorescências em cimeiras axilares, curtas, com flores odoríferas, amarelo-esverdeadas; os frutos são drupáceos, oblongos, amarelos, de polpa aromática, doce, oleosa e saborosa, e que fornece uns 8% de óleo bom para culinária. É típica da Amaz., e pode atingir mais de 20m, e sua madeira tem grande importância comercial. [Sin.: *uxipuçu.*]

uxicuruá [De or. tupi, poss.] ***S. m.*** *Bras. Amaz. Bot.* Árvore humiriácea (*Sacoglottis verrucosa*) da mata pluvial, de folhas oblongas e agudas, flores pouco aparentes, organizadas em panículas, madeira pardo-violácea, pesada, dura, resistente à putrefação, mas sem emprego, e frutos que são drupas do tamanho de uma tangerina, com mesocarpo untuoso e saboroso.

uxipuçu [De or. indígena, poss.] ***S. m.*** *Bras. Amaz. Bot.* Uxi.

▲ **uxor(i)-** [Do lat. *uxor, ōris.*] ***El. comp.*** = 'mulher casada'; 'esposa': *uxoricida; uxório* (< lat.).

uxoriamitalocal (csò) [De *uxor(i)-* + *amitalocal.*] ***Adj. 2 g.*** *Antrop.* Relativo a regra ou costume institucionalizado, ou padrão de residência por eles determinado, segundo o qual o novo casal passa a viver, após o casamento, junto à irmã do pai da mulher. [Opõe-se a *viriamitalocal.* Cf. *amitalocal.*]

uxoriavunculocal (csò... vùn) [De *uxor(i)-* + *avunculocal.*] ***Adj. 2 g.*** *Antrop.* Relativo a padrão ou residência, ou regra, ou costume, segundo o qual um novo casal, após casar-se, passa a viver na localidade do irmão da mãe da esposa.

uxoricida (cs) [De *uxor(i)-* + *-cida.*] ***Adj. 2 g.*** **1.** Que concorre para uxoricídio, ou o determina: *punhal uxoricida.* ● ***S. m.*** **2.** Aquele que comete uxoricídio.

uxoricídio (cs) [De *uxor(i)-* + *-cídio.*] ***S. m.*** Assassinato da mulher pelo próprio marido.

uxorilocal (csò) [De *uxor(i)-* + *local.*] ***Adj. 2 g.*** *Antrop.* Relativo a regra ou costume institucionalizado, ou ao padrão de residência a eles associado, que determina que, após o casamento, o novo casal passe a viver na localidade (casa, aldeia, acampamento, etc.) da mulher. [Opõe-se a *virilocal;* cf. *matrilocal, patrilocal.*]

uxorilocalidade (csò) [De *uxorilocal* + *-(i)dade.*] ***S. f.*** *Antrop.* **1.** Caráter ou condição de uxorilocal. **2.** Regra ou padrão de residência uxorilocal.

uxório (cs) [Do lat. *uxoriu.*] ***Adj.*** Respeitante à mulher casada: *outorga uxória.*

uzífur ***S. m.*** V. *cinabre.*

uzífuro [De or. obscura, poss. < ár.] ***S. m.*** **1.** V. *cinabre.* **2.** A cor vermelha do cinabre. [Var.: *uzífur.*]

Minúscula Moderna	Maiúscula Moderna	Romano	Romano	Etrusco	Grego	Grego	Fenício
v	V	V	V	V	Y	Ч	Y

Como as palavras são usadas em diferentes regiões? Por que várias delas estão em desuso, se são tão pitorescas, expressivas? Há as que recordam a infância... Ser dicionarista fala à imaginação. É dar vida nova à palavra. É transformar a fala em letra de fôrma. (Com D. Marina, no escritório.)

v (vê) ***S. m.*** **1.** A 22ª letra do nosso alfabeto. [Representa a consoante fricativa labiodental sonora. Foi empregada, no português, em alternância com a letra *u* até o séc. XVII.] **2.** A figura dessa letra, ou qualquer representação sua: *Assinalou com um v a sentença verdadeira.* **3.** O som representado por essa letra. **4.** A forma dessa letra, com dois segmentos em ângulo agudo: *decote em V.* **5.** *P. ext.* Aquilo que tem forma semelhante à da letra *v*: *O bando de pássaros voava, formando no céu um grande V.* [Ger. com cap., nas acepçs. 4 e 5.] • ***Num.*** **6.** Vigésimo primeiro, numa série ordenada ou hierárquica cujos elementos são designados ou representados pelas letras do alfabeto, sem considerar o *k* como 11º elemento: *seção V (ou seção v).* **7.** Vigésimo segundo, numa série em que a letra *k* designa ou representa o 11º elemento. [Pl. (nas acepçs. 1 a 5) indicado graficamente pela duplicação da letra: *vv*.]

■ **v** **1.** Abrev. de *verbo*. **2.** Abrev. de *verso*[2] (2). **3.** Abrev. do lat. *versus*. **4.** Abrev. do lat. *vide*, ou do verbo *ver* e suas formas imperativas (*vê, veja [-se], vede, vejam*). [Us. em remissões a outros textos ou trechos.] **5.** Abrev. de *visto*. **6.** Abrev. de *volume* (1 e 2). **7.** Abrev. de *vitória* (p. ex., em guerra, ou em campanhas civis, os esforços para determinado fim). [Ger. sinalizado como gesto (de saudação, de exortação, de demonstração, etc.) feito com os dedos indicador e médio estendidos e afastados entre si.] **8.** *Fís.* Símb. de *velocidade* (3 e 5).

■ **V** **1.** No sistema romano de numeração, símb. do número 5. **2.** Abrev. de *você*. [Tb. se usa *v* minúsculo.] **3.** *Fís.* Símb. de *volt*. **4.** *Fís.* Símb. de *frequência* (4). **5.** *Quím.* Símb. de *vanádio*.

■ **VA** *Eletr.* Símb. de *volt-ampère*.

vã ***Adj. (f.)*** Fem. do adj. *vão*: "Foram baldadas, / Foram vãs minhas súplicas, Senhor!" (Eugênio de Castro, *Obras Poéticas*, p. 176); "A vida é vã como a sombra que passa..." (Manuel Bandeira, *Estrela da Vida Inteira*, p. 46).

vaca [Do lat. *vacca*.] ***S. f.*** **1.** *Zool.* A fêmea do touro. **2.** A carne de boi ou vaca que se vende para consumo alimentício. **3.** Prato feito com essa carne: "Durante alguns minutos não se ouviu mais que o tinir dos talheres e o ruído da mastigação. Borges abarrotava-se de alface e vaca" (Machado de Assis, *Várias Histórias*, p. 42). **4.** Parada no jogo, proposta por um parceiro, mas em nome de dois ou mais. **5.** *Fig.* Origem constante de interesses. **6.** *Bras. Zool.* V. *piraúna* (1). **7.** *Bras.* Vaquinha (1). **8.** *Bras.* No jogo do bicho (q. v.), o 25º grupo (14), que abrange as dezenas 97, 98, 99 e 00, e corresponde ao número 25. **9.** *Bras. Chulo* Mulher leviana, que aceita qualquer homem. **10.** *Bras. RJ Gír. Obsol.* Nota de cem mil-réis. **11.** *Bras. Prov. port.* Indivíduo falto de energia, frouxo, moleirão, covarde. **12.** *Gír. Surf.* Surfista que cai da prancha. [Cf. *vacá*.] ◆ **Ir a vaca para o brejo.** *Bras.* Malograr-se, frustrar-se; ir para o beleléu. **Nem que a vaca tussa.** De nenhuma forma, de modo algum; nem a pau; nem amarrado: "Mas não aceitei, dei uma desculpa qualquer, não uso um Rolex de ouro nem que a vaca tussa." (Rubem Fonseca, *O Seminarista*, p. 68.)

vacá [De or. obsc.] ***S. m.*** *Bras. Bot.* **1.** Árvore quinácea (*Quiina decastyla*) nativa da Amaz., de folhas obovadas e lanceoladas e frutos ovoides. **2.** V. *guapeba* (4). **3.** V. *mata-olho* (2). [Cf. *vaca*.]

vacada [De *vaca* + *-ada*[1].] ***S. f.*** Manada ou corrida de vacas; vacaria.

vaca-fria [De *vaca* + o f. do adj. *frio*.] ***El. s. f.*** Us. nas loc. *voltar à vaca-fria* e *tornar à vaca-fria*. ◆ **Tornar à vaca-fria.** V. *voltar à vaca-fria*. **Voltar à vaca-fria.** **1.** Repisar assunto ou questão já tratada ou discutida. **2.** Retomar o assunto principal duma conversação. [Sin. ger.: *tornar à vaca-fria*.]

vacagem [Do esp. plat. *vacaje*.] ***S. f.*** *Bras. S.* Lote ou grande número de vacas.

vacal [De *vaca* + *-al*[1].] ***Adj. 2 g.*** *Bras.* Indigno, indecente; desprezível.

vaca-leiteira ***S. f.*** **1.** *Bras. RJ Obsol.* Caminhão com uma pipa no lugar da carroceria, e que percorria a cidade vendendo leite. **2.** *Bras. Pop.* Mulher de mamas grandes. [Pl.: *vacas-leiteiras*.]

vaca-loira ***S. f.*** *Lus. Zool.* Designação vulgar da cantárida (q. v.). [Pl.: *vacas-loiras*.]

vaca-marinha ***S. f.*** *Zool.* V. *manati* (1). [Pl.: *vacas-marinhas*.]

vacância [Do lat. *vacantia*, por via semierudita.] ***S. f.*** **1.** Estado daquilo que se mostra ou ficou vago. **2.** Tempo durante o qual permanece vago um cargo ou emprego; vagância, vaga, vacatura, vagatura, vagação, vagante. **3.** *Jur.* Estado dos bens da herança jacente (q. v.) depois de praticadas todas as diligências legais sem que os herdeiros tenham aparecido. **4.** *Fís.* Numa rede cristalina, defeito provocado pela ausência de uma partícula num dos pontos da rede.

vacante [Do lat. *vacante*.] ***Adj. 2 g.*** Que está vago. ~ V. *herança* —.

vacão [De *vaca* + *-ão*[2].] ***S. m.*** *Prov. port.* **1.** Campônio; rústico; lapuz. **2.** Homem inútil, indolente, mandrião. **3.** Homem estúpido, de curta inteligência; palerma.

vacapari [Do tupi, poss.] ***S. f.*** *Bras. Bot.* V. *bacupari-do-campo*. [Var.: *vacaparilha*.]

vacaparilha [Var. de *vacapari*.] ***S. f.*** *Bras. Bot.* V. *bacupari-do-campo*.

vaca-preta [De *vaca* + o f. do adj. *preto* (ê).] ***S. f.*** *Bras.* Mistura de sorvete com coca-cola. [Pl.: *vacas-pretas*.]

vacar [Do lat. *vacare*.] ***V. int.*** **1.** Estar ou ficar vago, desocupado: *Com a renúncia, o Ministério da Economia vacou.* **2.** Estar em férias. **3.** Interromper por algum tempo as suas funções. ***T. i.*** **4.** Estar ocioso, desocupado. **5.** Descansar, repousar. **6.** Dedicar-se, aplicar-se. **7.** Empregar o tempo; dar atenção.

vacaraí [Do esp. plat. *vacaraí*.] ***S. m.*** *Bras.* V. *nonato* (4). [Var.: *bacaraí*.]

vacari [Do tupi.] ***S. m.*** *Bras. Zool.* Peixe de água doce (*Hypostoma plecostomum*).

vacaria [De *vaca* + *-aria*.] ***S. f.*** **1.** Vacada: "De começo — bezerrada mansa de curral, depois — garrotada sadia; vacaria farta de leite" (Amadeu de Queirós, *Os Casos do Carimbamba*, p. 35). **2.** Curral de vacas. **3.** Gado vacum. **4.** Estabelecimento onde se tratam e guardam vacas para vender-lhes o leite.

vacariano ***Adj.*** **1.** De, ou pertencente ou relativo a Vacaria (RS). • ***S. m.*** **2.** O natural ou habitante de Vacaria. [Sin. ger.: *vacariense*.]

vacariense ***Adj. 2 g. S. 2 g.*** V. *vacariano*.

vacaril [De *vaca* + *-r-* + *-il*[1].] ***Adj. 2 g.*** Relativo ou pertencente a vaca ou a gado vacum.

vaca-sem-chifre ***S. f.*** *Zool.* Pequeno peixe ostraciontídeo (*Lactophrys*). [Pl.: *vacas-sem-chifre*.]

vacatura [Do lat. *vacatus*, part. pass. de *vacare*, 'vagar', + *-ura*.] ***S. f.*** V. *vacância* (2).

vacê ***Pron.*** *Bras. Pop.* V. *você*: "— .... vacê, que toda a vida se mostrou de bom parecer, me dá de conselho casar?" (Amadeu de Queirós, *João*, p. 199).

➔ **vacherin** [vaʃ'ʀɛ̃] [Fr.] ***S. m.*** *Cul.* Queijo de leite de vaca que lembra o *camembert* (q. v.), fabricado na Franche-Comté (L. da França), na Saboia (S.E. da França), e também na Suíça.

vacilação [Do lat. *vacillatione*.] ***S. f.*** **1.** Ato ou efeito de vacilar. **2.** Estado do que vacila. **3.** *Fig.* Perplexidade, dúvida, hesitação, oscilação.

vacilada [De *vacilar* + *-ada*[1].] ***S. f.*** *Bras. Gír.* V. *bobeada*. ◆ **Dar uma vacilada.** *Bras. Gír.* V. *dormir de touca*.

vacilador (ô) [De *vacilar* + *-dor*.] ***Adj.*** Vacilante (1).

vacilante [Do lat. *vacillante*.] ***Adj. 2 g.*** **1.** Que vacila; vacilador. **2.** Pouco firme, malseguro. **3.** Hesitante, perplexo. **4.** Trêmulo, oscilante: *luz vacilante.* **5.** Que está prestes a cair; instável: *ministério vacilante.* **6.** Mudável, volúvel. [Sin. ger.: *vacilatório*.]

vacilão [De *vacilar* + *-ão*[2].] ***Adj. S. m.*** *Pop.* Diz-se de, ou indivíduo que vacila [v. *vacilar* (6)].

vacilar [Do lat. *vacillare*.] ***V. int.*** **1.** Oscilar, balançar-se, por não estar firme, fixo ou seguro: "O bonde vacilava nos trilhos, entrava em ruas largas." (Clarice Lispector, *Laços de Família*, p. 25.) **2.** Caminhar sem firmeza; cambalear: "Ergueu-se, e só então percebeu que estava completamente bêbedo. Vacilou sobre as pernas e caiu ao chão." (Fernando Sabino, *O Homem Nu*, p. 115.) **3.** Perder o vigor; enfraquecer, afrouxar. **4.** Tremer, oscilar: *A luz da lamparina vacila*; "Ao terceiro dobre o castelo tremeu e vacilou nos alicerces, como se um terramoto o abalasse." (Rebelo da Silva, *Contos e Lendas*, pp. 41-42). **5.** Estar ou ficar duvidoso, incerto, irresoluto; hesitar: *Vacilou longo tempo, antes de responder.* **6.** *Pop.* Comportar-se de maneira indevida ou inconsequente; cometer erro; falhar; marcar bobeira: "– Só quero ver se ele vai vacilar." (Paulo Lins, *Cidade de Deus*, p. 331.) *T. i.* **7.** Não estar ou não se mostrar muito seguro; ter hesitações ou dúvidas: *O advogado vacilou em aceitar a causa. T. d.* **8.** Fazer tremer; estremecer, sacudir, abalar: *Os tiros do canhão vacilaram os edifícios próximos.* **9.** Tornar hesitante, irresoluto; abalar.

vacilatório [De *vacilar* + *-tório*.] *Adj.* **1.** V. *vacilante*. **2.** Que produz vacilação.

vacilável [De *vacilar* + *-vel*.] *Adj. 2 g.* Suscetível a vacilar.

vacilo [Dev. de *vacilar*.] *S. m. Bras. Gír.* **1.** V. *bobeada*. **2.** V. *mancada* (1).

vacina [Do lat. *vaccina*, 'de vaca' (subentende-se 'matéria').] *S. f.* **1.** *Med. Impr.* V. *varíola bovina*. **2.** *Saúde Públ.* Substância de origem microbiana (micróbios mortos ou de virulência abrandada) que se ministra a um indivíduo, com fim preventivo, curativo ou paliativo. ◆ **Vacina antivariólica.** *Saúde Públ.* Substância preparada com o vírus da varíola bovina e que se inocula num indivíduo para imunizá-lo contra a varíola.

vacinação [De *vacinar* + *-ção*.] *S. f. Saúde Públ.* Ato ou efeito de vacinar. ◆ **Vacinação preventiva.** *Saúde Públ.* Aplicação de vacina (2), com fins de prevenção.

vacinado [Part. de *vacinar*.] *Adj.* **1.** Que se vacinou; em cujo organismo se inoculou vacina. **2.** *Bras. Gír.* Que não é virgem (diz-se, ger., de mulher jovem).

vacinador (ô) [De *vacinar* + *-dor*.] *Adj.* **1.** Que vacina. ● *S. m.* **2.** Aquele que vacina. **3.** Lanceta apropriada para vacinar.

vacinal [De *vacina* + *-al*[1].] *Adj. 2 g.* Vacínico.

vacinar [De *vacina* + *-ar*[2].] *V. t. d.* **1.** Introduzir uma vacina no organismo de (homem ou outro animal), ou para criar imunidade em relação à infecção correspondente (*vacinação preventiva*) ou para desenvolver as defesas do organismo contra uma infecção já instalada (*vacinoterapia*). *T. d. e i.* **2.** *Fig.* Imunizar, preservar, resguardar, defender: "Inicialmente, o positivismo vacinara-o [a Tobias Barreto] contra o empirismo das soluções demagógicas e revolucionárias." (Hermes Lima, *Tobias Barreto*, p. 77.)

vacínia [Do lat. cient. *vaccinia*.] *S. f.* **1.** *Med.* Erupção localizada, pustular, e que resulta de inoculação de vírus da vacínia (2), com o qual se estimula a produção de anticorpos contra varíola. **2.** *Veter.* Doença virótica de gado[1] que, transmitida ao homem, em geral, pela vacinação, lhe confere maior ou menor grau de imunidade contra a varíola.

vacínico [De *vacina* + *-ico*[2].] *Adj. Saúde Públ.* Referente a vacina; vacinal.

vacinogenia [De *vacina* + *-o-* + *-genia*.] *S. f. Saúde Públ.* Produção de vacinas.

vacinogénico *Adj.* V. *vacinogênico*. [Uso freq. em P.]

vacinogênico [De *vacinogenia* + *-ico*[2].] *Adj. Saúde Públ.* Relativo a vacinogenia, ou próprio para ela.

vacinoide (ói) [De *vacina* + *-oide*.] *Adj. 2 g.* **1.** Que se assemelha a vacina. ● *S. f.* **2.** Vacina atenuada, benigna. ✣

vacinose [De *vacina* + *-ose*[1].] *S. f. Patol.* Doença ou afecção originada de emprego de vacina.

vacinoterapia [De *vacina* + *-o-* + *-terapia*.] *S. f. Terap.* Emprego de vacina (2) com fim terapêutico.

vacinoterápico [De *vacinoterapia* + *-ico*[2].] *Adj. Terap.* Relativo a vacinoterapia.

vacu [Var. de *bacu*.] *S. m. Bras. Zool.* **1.** V. *bacu* (1 e 2). **2.** V. *cuiú-cuiú* (3 e 4).

vacuá [De or. tupi, poss.] *S. m. Bras. Bot.* Pandano (2).

vacuidade (u-i) [Do lat. *vacuitate*.] *S. f.* **1.** Estado ou qualidade do que é vazio; inanidade. **2.** *Fig.* Vaidade, presunção. **3.** *Filos.* Caráter de generalização que só é verdadeira quando não existem objetos portadores da propriedade generalizada.

vacum [De *vaca* + *-um*[1].] *Adj. 2 g.* **1.** Diz-se do gado constituído de vacas, bois e novilhos. ● *S. m.* **2.** Gado vacum. **3.** Espécime desse gado: *Possui centenas de vacuns e ovinos.*

vácuo [Do lat. *vacuu*.] *Adj.* **1.** Que não contém nada; oco, despejado, vazio. ● *S. m.* **2.** Espaço, imaginário ou real, não ocupado por coisa alguma; lacuna, vão, vazio. **3.** *Fís.* Pressão inferior à pressão atmosférica. **4.** *Met.* Zona atmosférica afetada por correntes descentes. ◆ **Vácuo final.** *Fís.* A menor pressão que pode ser estabelecida num sistema em que se faz o vácuo.

vacuolado [De *vacúolo* + *-ado*[1].] *Adj. Citol.* Que tem vacúolos: *célula vacuolada.*

vacuolar [De *vacúolo* + *-ar*[1].] *Adj. 2 g.* ~ V. *textura* —.

vacúolo [Dim. irreg. de *vácuo*.] *S. m. Citol.* **1.** Espaço, ou cavidade, do citoplasma de uma célula, preenchido por fluido aquoso, o suco celular; o compartimento lisossômico da célula vegetal. [Quanto mais velha a célula, maiores os vacúolos; podem ser tão grandes que o protoplasma se acabe reduzindo a uma delgada faixa, localizada junto à parede celular.] **2.** Formação citoplasmática limitada por membrana, e de dimensões variáveis. ◆ **Vacúolo autofágico.** *Citol.* V. *autofagossomo*. **Vacúolo contrátil.** *Citol. Zool.* Formação celular que atua como sistema de excreção de água, e que é encontrada em protozoários de água doce; vacúolo pulsátil. **Vacúolo pulsátil.** *Citol.* Vacúolo contrátil.

vacuoma [De *vacú(olo)* + *-oma*[2].] *S. m. Bot.* O conjunto dos vacúolos duma célula vegetal.

vacuómetro *S. m. Fís.* V. *vacuômetro*. [Uso freq. em P.]

vacuômetro [De *vácuo* + *-metro*.] *S. m. Fís.* Manômetro para medir pressões inferiores a uma atmosfera física (q. v.).

vadeabilidade [De *vadeável* + *-(i)dade*, seg. o padrão erudito.] *S. f.* Qualidade de vadeável.

vadeação [De *vadear* + *-ção*.] *S. f.* Ato ou efeito de vadear. [Cf. *vadiação*.]

vadear [Do lat. *vadum* ou *vadus*, 'vau', + *-ear*[2].] *V. t. d.* Passar ou atravessar a vau: "Era necessário penetrar no coração da espessura, vadear brejos insalubres, atravessar rios profundos" (João Francisco Lisboa, *Obras*, II, p. 339). [Conjug.: v. *frear*. Cf. *vadiar*, v.]

vadeável [De *vadear* + *-vel*.] *Adj. 2 g.* Que se pode vadear.

vade-mécum (dè) [Do lat. *vade mecum*, 'vai comigo'.] *S. m.* Designação comum a livros de conteúdo prático e formato cômodo. [Pl.: *vade-mécuns*.]

vadeoso (ô) [De *vadear* + *-oso*.] *Adj.* Onde há vau ou bancos de areia; vadoso.

vadia [Fem. de *vadio*.] *S. f. Bras. Gír.* V. *piranha* (4).

vadiação [De *vadiar* + *-ção*.] *S. f.* Ato ou efeito de vadiar. [Sin.: *vadiança, vadiagem, vadiice, vagagem, vagância, calungagem*. Cf. *vadeação*.]

vadiagem [De *vadiar* + *-agem*[2].] *S. f.* **1.** V. *vadiação*. **2.** Vida de vadio; vadiice, matulagem. **3.** Os vadios. **4.** *Bras. Jur.* Contravenção penal que consiste em entregar-se alguém, por hábito, à ociosidade, apesar de ser válido para o trabalho e não contar com renda que lhe assegure a subsistência, ou em prover a esta por meio de ocupação ilícita.

vadiamente [Do f. de *vadio* + *-mente*.] *Adv.* À maneira de vadio; com ares de vadio: "– *Paese di fortuna e miracoli*... emendou o Benevenuto e reclinou-se vadiamente na amurada." (Alberto Rangel, *Sombras n'Água*, p. 89.)

vadiança [De *vadiar* + *-ança*.] *S. f.* V. *vadiação*.

vadiante [De *vadiar* + *-nte*.] *Adj. 2 g. S. m.* Que, ou aquele que é dado a vadiagem; vadio.

vadiar [De *vadio* + *-ar*[2].] *V. int.* **1.** V. *vaguear*[1] (1 e 2). **2.** Levar vida ociosa; viver na ociosidade; não trabalhar; vagabundear. [Sin., bras., S. (nesta acepç.): *muquinhar*.] **3.** Não estudar; vagabundear, vagabundar. **4.** *Bras.* Andar em pagodes; brincar, divertir-se. **5.** *Bras. N.E. Pop.* Fornicar: "– Vem aqui, Flor, vem deitar junto de mim, vamos vadiar um pinguinho." (Jorge Amado, *Dona Flor e Seus Dois Maridos*, p. 433.) **6.** *Bras. BA* Dançar no candomblé de caboclo. [Pres. ind.: *vadio, vadias, vadia, vadiamos, vadiais, vadiam*. Cf. *vadear, vadio*, adj., e *vadia*, s. f.]

vadiice [De *vadio* + *-ice*.] *S. f.* **1.** V. *vadiação*. **2.** V. *vadiagem* (2).

vadio [Do lat. **vagativu*, 'vagabundo'.] *Adj.* **1.** Que não tem ocupação, ou que não faz nada; ocioso, desocupado, tunante, vagabundo. **2.** V. *vagabundo* (1). **3.** Próprio de gente ociosa: *vida vadia*. **4.** Diz-se do estudante pouco estudioso; inaplicado, vagabundo. **5.** *Bras. Fam.* Diz-se de certa quantia de dinheiro para a qual não se tem aplicação imediata, que está sobrando em um orçamento, em geral doméstico: *Aproveitei uns dinheirinhos vadios e resolvi aplicá-los na bolsa.* ● *S. m.* **6.** Indivíduo vadio; pé-leve.

vadoso (ô) [Do lat. *vadosu*.] *Adj.* Vadeoso.

→ **vae victis!** [vaj 'vikteś] [Lat., 'Ai dos vencidos!', palavras de Breno, general gaulês, ao atirar a espada ao prato da balança no qual estavam os pesos com que se deveria pesar o ouro do resgate dos romanos, e que eram falsos, tendo estes protestado contra o abuso.] Citação com que se lembra que o vencido está à mercê do vencedor.

vaga[1] [Do fr. *vague*.] *S. f.* **1.** Cada uma das compridas elevações da superfície de oceano ou mar, que se propagam em sucessão umas às outras, produzidas, em geral, pela ação do vento. **2.** *Fig.* Multidão que se espalha ou invade em desordem, como vaga[1] (1); turba. **3.** *Fig.* V. *onda* (4): *vaga de greves, de frio.* **4.** Grande agitação. **5.** *Mil.* Conjunto de meios (homens, veículos, etc.) lançados à uma contra forças inimigas: *vaga de assalto; vaga de ataque.* [Aum.: *vagalhão*.] ◆ **Vaga de fundo.** Tipo de vaga[1] (1) causada por abalo sísmico; vaga sísmica. **Vaga de vento.** Vaga forçada. **Vaga forçada.** Tipo de vaga[1] (1) ocasionada pela ação direta do vento; vaga de vento. **Vaga sísmica.** Vaga de fundo.

vaga[2] [Dev. de *vagar*[2].] *S. f.* **1.** Ato ou efeito de vagar[2]. **2.** V. *vacância* (2). **3.** Falta, ausência, carência. **4.** V. *vagar*[2] (10). **5.** Lugar disponível em hotel, pensão, etc., ou em quarto de hotel, pensão, etc. **6.** Lugar ou cargo não ocupado, não preenchido: *Há uma vaga de secretária.* **7.** Lugar vazio, vago: *Não estacionei o carro por falta de vaga.*

vagabunda [Fem. de *vagabundo*.] *S. f.* **1.** *Bras. Zool.* Formiga ponerínea (*Pachycondylus striata*). **2.** *Bras. Gír.* V. *piranha* (4): "pensará que sou vagabunda, que andei de homem em homem simplesmente para encher o tempo" (Carlos Heitor Cony, *Matéria de Memória*, p. 54).

vagabundagem [De *vagabundo* + *-agem*[2].] *S. f.* **1.** Vida de vagabundo; vagabundismo, vagabundice. **2.** Os vagabundos.

vagabundante [De *vagabundar* + *-nte*.] *Adj. 2 g.* Que vagabundeia.

vagabundar [De *vagabundo* + *-ar*[2].] *V. int.* V. *vagabundear*: "À noitinha, eu jantava e ia para a rua vagabundar até meia-noite" (João Alphonsus, *Eis a Noite!*, p. 160).

vagabundear [De *vagabundo* + *-ear*[2].] *V. int.* **1.** Levar a vida errante de vagabundo; vagamundear. **2.** Andar de terra em terra; vaguear, vagar, errar, sem necessidade. **3.** V. *vaguear*[1] (1): "quero vagabundear pelas ruas, pelas lojas, pelo porto coalhado de embarcações" (Lígia Fagundes Teles, *A Disciplina do Amor*, pp. 64-65). **4.** V. *vadiar* (2 e 3). [F. paral.: *vagabundar*. Conjug.: v. *frear*.]

vagabundice [De *vagabundo* + *-ice*.] *S. f.* V. *vagabundagem* (1).

vagabundismo [De *vagabundo* + *-ismo*.] *S. m.* V. *vagabundagem* (1).

vagabundo [Do lat. tard. *vagabundu*.] *Adj.* **1.** Que leva uma vida errante; que vagueia; vagamundo, vadio, erradio, errante, nômade, andejo, mundeiro. **2.** V. *vadio* (1 e 4) **3.** *Fig.* Inconstante, volúvel, leviano: *ânimo vagabundo*. **4.** *Bras.* Velhaco, pelintra, canalha, biltre. **5.** *Bras.* De má qualidade; reles, ordinário: *couro vagabundo*. ● *S. m.* **6.** Indivíduo vagabundo (1); erradio, mundeiro, nômade, troca-pernas, vagamundo. **7.** Indivíduo desocupado, ocioso, vadio. [Sin., nesta acepç.: *valdevinos* e (bras.) *caça-fecho, cafumango, calaveira, calça-fecho, calça-foice, lustra, lustroso, ximbo*.]

vagação [Do lat. *vacatione*.] *S. m.* V. *vadiação*.

vágado [De *vago*, poss.] *S. m.* V. *vertigem* (1). [Cf. *vagado*, do v. *vagar*.]

vagagem [De *vagar*[1] + *-agem*[2].] *S. f. Bras. Gír.* V. *vadiação*.

vagal [De (*nervo*) *vago* + *-al*[1].] *Adj. 2 g.* Relativo ou pertencente a nervo vago (q. v.).

vagalhão [De *vaga*[1] + *-alhão*.] *S. m.* Grande vaga[1] (1): "Mas a fúria do vento redobrava. Arrojava a embarcação no dorso dos vagalhões, que se abriam em desnivelamentos imensos." (Raul Bopp, *Putirum*, p. 207.)

vaga-lume [De *caga-lume*, com eufemismo.] *S. m.* **1.** *Zool.* V. *pirilampo*. **2.** *Bras. RJ* Empregado que, munido de pequena lanterna, acompanha o espectador até a poltrona, na sala de projeção dos cinemas, em teatros, etc.; lanterninha: "Ela tinha sido vaga-lume de cinema, apontava o lugar onde as pessoas tinham que sentar. Depois foi bilheteira." (Evandro Lins e Silva, *O Salão dos Passos Perdidos — Depoimento ao CPDOC*, p. 239.) [Pl.: *vaga-lumes*.]

vagalumear [De *vaga-lume* + *-ear*[2].] *V. int.* Luzir, brilhar, à maneira de vaga-lume (1): "O preto do olho dele vagalumeava..." (Nélson de Faria, *Bazé*, p. 13.) ❇

vagamundear [De *vagabundear*, com infl. de *mundo*.] *V. int.* V. *vagabundear* (1): "Esse destino de partir, vagamundear e voltar, mesmo para os que não viajam, realiza-se pela imaginação e pela vontade" (Álvaro Lins, *Literatura e Vida Literária*, p. 63). [Conjug.: v. *frear*.]

vagamundo [De *vagabundo*, com infl. de *mundo*.] *Adj. S. m.* V. *vagabundo* (1 e 6).

vagância [Do lat. *vacantia*, por via semierudita.] *S. f.* **1.** V. *vacância* (2). **2.** *Bras. Gír.* V. *vadiação*.

vagante[1] [De *vagar*[1] + *-nte*.] *Adj. 2 g.* Que vagueia ou erra; errante.

vagante[2] [Do lat. *vacante*.] *Adj. 2 g.* **1.** Que não está ocupado ou preenchido. ● *S. f.* **2.** V. *vacância* (2).

vagão [Do ingl. *waggon*, pelo fr. *wagon* e pela f. *vagom*.] *S. m.* **1.** Veículo ferroviário rebocado, destinado ao transporte de pessoas ou de cargas: "Em San Tomé .... peguei um trem. Era um expresso comprido. Entrei num vagão e me sentei junto a uma janela, para ver a paisagem cortada em duas fatias." (Raul Bopp, *Putirum*, p. 189.) [Cf. *carro* (4).] **2.** O conjunto de pessoas, animais ou mercadorias transportados em um vagão: *Os trens despejam vagões de turistas que vêm esquiar.* [Dim. irreg.: *vagonete.*]

vagão-cama [De *vagão* + *cama.*] *S. m. Lus.* V. *vagão-leito.* [Pl.: *vagões-camas* e *vagões-cama.*]

vagão-dormitório [De *vagão* + *dormitório.*] *S. m.* V. *vagão-leito.* [Pl.: *vagões-dormitórios* e *vagões-dormitório.*]

vagão-leito *S. m.* O vagão de trem provido de camas ou beliches; vagão-dormitório, carro-leito; (lus.) carruagem-cama e vagão-cama. [Pl.: *vagões-leitos* e *vagões-leito.*]

vagão-restaurante *S. m.* Vagão (1) onde há serviço de restaurante: "No vagão-restaurante do trem para Paris, [Maryanna] jantou com um estudante italiano." (Flávio Moreira da Costa, *Nem Todo Canário É Belga*, p. 13.) [Pl.: *vagões-restaurantes* e *vagões-restaurante.*]

vagão-tanque *S. m.* Vagão adaptado para o transporte de líquidos, particularmente de combustíveis. [Pl.: *vagões-tanques* e *vagões-tanque.*] ◆ **Vagão-tanque bastardo.** Vagão-tanque cujos compartimentos têm volumes desiguais.

vagar^1 [Do lat. *vagare.*] *V. int.* **1.** Andar sem destino; errar, vagabundear, vaguear: *Aflito, passou a noite vagando;* "Vaguei pelas ruas e recolhi-me às nove horas." (Machado de Assis, *Memórias Póstumas de Brás Cubas*, p. 179). **2.** Espalhar-se, propalar-se, circular: *Vagavam boatos.* **3.** Movimentar-se, oscilar sem rumo, ao sabor do vento, das ondas; vaguear: *Com o leme partido, o barco vagava.* **4.** Andar passeando. *T. d.* **5.** Correr, percorrer, vagando, ao acaso: "Ia vagando o mundo. / À procura da terra do Eldorado." (Fontoura Xavier, *Opalas*, p. 125.) [Conjug.: v. *largar.*]

vagar^2 [Do lat. *vacare.*] *V. int.* **1.** Ficar vago: "Aconteceu vagar o lugar de recebedor na vila, deram-no a meu pai de mão beijada." (Aquilino Ribeiro, *Cinco Réis de Gente*, p. 60.) **2.** Ficar sem proprietário. **3.** Ficar ou estar vazio, desocupado; desocupar-se: *A casa alugada vagou.* **4.** Sobrar, sobejar. *T. i.* **5.** Sobrar, restar (falando-se do tempo): *Não lhe vaga um só momento.* **6.** Dar-se, ocupar-se; entregar-se: *Gosta de vagar às leituras.* **7.** Deixar de haver; faltar. *T. d.* **8.** Dar por vago; deixar vago; abrir vagatura em: *O ministro vagou a pasta.* [Conjug.: v. *largar.* Part.: *vagado.* Cf. *vágado.*] ● *S. m.* **9.** Tempo desocupado. **10.** Falta de ocupação; vaga, ócio, lazer. **11.** Lentidão, vagareza. **12.** Oportunidade, ensejo.

vagarento [De *vagar*^{2} + *-ento.*] *Adj.* V. *vagaroso:* "Na rua violentamente cheia de gente e de pressa, só vendo os movimentos estratégicos que fazíamos, ambos só olhos, calculando o andar deste transeunte com a soma daqueles dois mais vagarentos, para ficarmos sempre lado a lado." (Mário de Andrade, *Contos Novos*, p. 102.)

vagareza (ê) [De *vagar*^{2} + *-eza.*] *S. f.* Falta de pressa; lentidão, vagar^2 (11): "Talvez não fosse perfeita como empregada, mas cozinhava, lavava, engomava, varria — tudo com muita vagareza, é certo" (Albertino Moreira, *Boca-Pio*, p. 153).

vagarosamente [Do f. de *vagaroso* + *-mente.*] *Adv.* De modo vagaroso; com vagar; devagar: "Falcão dobrou a nota vagarosamente, sem tirar-lhe os olhos de cima" (Machado de Assis, *Histórias sem Data*, p. 132).

vagarosidade [De *vagaroso* + *-(i)dade.*] *S. f.* Qualidade ou caráter de vagaroso.

vagaroso (ô) [De *vagar*^{2} + *-oso.*] *Adj.* **1.** Em que há vagar^2 (11); lento, demorado. **2.** Sereno, calmo, tranquilo. **3.** Feito sem rumor. **4.** Que não tem pressa. **5.** Vacilante, indeciso, frouxo. **6.** Sem desembaraço; atrapalhado. [Sin. ger., bras.: *vagarento.*]

vagatura [De *vagar*^{2} + *-tura.*] *S. f.* V. *vacância* (2).

vagem [Do lat. *vagina*, 'bainha', pela f. dialetal *baginha*, tomada como dim. de **bage*, f. ainda hoje pop.] *S. f.* **1.** *Bot.* Legume (1). **2.** Feijão verde. [Var., nessas acepç.: *bagem.*] **3.** *Bras. BA* Certo mineral amarelo-pardacento.

vagido [Do lat. *vagitu.*] *S. m.* **1.** Choro de recém-nascido: "Acabo de escutar o trêmulo vagido / Desse pequeno ser, desse recém-nascido." (Emiliano Perneta, *Poesias Completas*, II, p. 96.) **2.** *Fig.* Lamentação, lamento, gemido: "Atroadores, fantásticos de som, os vagidos do violino abrem-se para a amplidão em estrofes de misericórdia." (Antunes da Silva, *Vila Adormecida*, p. 196.) [Sin. ger.: *vagir* (q. v.).]

vágil [Do ingl. *vagile.*] *Adj. 2 g. Biol.* Diz-se de organismo capaz de se deslocar por si mesmo.

vagilidade [De *vágil* + *-(i)dade.*] *S. f. Biol.* Capacidade que tem um organismo, etc., de se deslocar.

vagina [Do lat. *vagina.*] *S. f. Anat.* **1.** Designação comum a diversas formações com feitio de bainha. **2.** Na mulher, o canal que se estende do colo do útero à vulva. [Sin., pop., nesta acepç.: *vaso.*]

vaginal [De *vagina* + *-al*^{1}.] *Adj. 2 g.* **1.** Relativo ou pertencente a vagina; vaginico. ~ V. *tampão* — e *toque* —. **2.** Vaginiforme. ● *S. f.* **3.** *Anat.* Diz-se de membrana que envolve os testículos.

vaginante [Do lat. cient. *vaginantis.*] *Adj. 2 g. Zool.* Diz-se das asas superiores dos insetos coleópteros e ortópteros.

vaginela [De *vagin(i)-* + *-ela.*] *S. f. Bot.* Pequena bainha que circunda cada feixe de folhas, como se observa, p. ex., no pinheiro.

▲ **vagin(i)-** [Do lat. *vagina, ae*, 'bainha (de espada)'.] *El. comp.* = 'bainha'; 'vagina': *vaginela, vaginiforme, vaginismo, vaginite.* [Equiv.: *-vagin(i)-, vagino-: invaginado; vaginolabial, vaginopexia, vaginotomia.*]

▲ **-vagin(i)-** V. *vagin(i)-.*

vagínico [De *vagina* + *-ico*^{2}.] *Adj.* Vaginal (1).

vaginiforme (gì) [De *vagin(i)-* + *-forme.*] *Adj. 2 g.* Que tem forma de vagina ou de bainha; vaginal.

vaginismo [De *vagin(i)-* + *-ismo.*] *S. m. Gin.* Espasmo doloroso da vagina (2).

vaginite [De *vagin(i)-* + *-ite*^{1}.] *S. f. Gin.* Inflamação da vagina (2); colpite, elitrite.

▲ **vagino-** V. *vagin(i)-.*

vaginolabial [De *vagino-* + *lábios (da vulva)* + *-al*^{1}.] *Adj. 2 g.* Referente ou pertencente à vagina (2) e aos lábios da vulva.

vaginoperitonial [De *vagino-* + *peritônio* + *-al*^{1}.] *Adj. 2 g.* Relativo à vagina (2) e ao peritônio.

vaginopexia (cs) [De *vagino-* + *-pex-* + *-ia*^{1}.] *S. f. Gin.* Fixação de vagina (2) anormalmente móvel.

vaginotomia [De *vagino-* + *-tom(o)-* + *-ia*^{1}.] *S. f. Gin.* Incisão da vagina (2).

vaginotómico *Adj. Gin.* V. *vaginotômico.* [Uso freq. em P.]

vaginotômico [De *vaginotomia* + *-ico*^{2}.] *Adj. Gin.* Relativo a vaginotomia.

vagínula [Do lat. *vaginula.*] *S. f.* Bainha pequena.

vagir [Do lat. *vagire.*] *V. int.* **1.** Dar vagidos (a criancinha); gemer, chorar: "A criança passava fome, frio e desamparo, vagindo e perneando na sua canastra..." (Camilo Castelo Branco, *Vulcões de Lama*, p. 121.) **2.** Lamentar-se, lastimar-se, lamuriar-se. [Defect. Não se conjuga na 1ª pess. sing. do pres. ind. nem, pois, no pres. subj.] ● *S. m.* **3.** V. *vagido.*

vago^1 [Do lat. *vagu.*] *Adj.* **1.** Que vagueia; errante. **2.** Inconstante, instável, versátil, volúvel. **3.** Irresoluto, indeciso, perplexo. **4.** Indeterminado, incerto, indefinido: *um vago cheiro a mofo;* "Há um capítulo na vida de Álvares de Azevedo, em que tudo é vago, confuso, nebuloso. É o capítulo sentimental" (R. Magalhães Júnior, *Poesia e Vida de Álvares de Azevedo*, p. 82). **5.** Confuso, desordenado, misturado. **6.** Sem dono determinado ou conhecido. ~ V. *bens —s, herança —a* e *nervo —.* ● *S. m.* **7.** Aquilo que é indeterminado, indefinido. **8.** Confusão, incerteza, indecisão. **9.** *Anat.* V. *nervo pneumogástrico.*

vago^2 [Do lat. *vacuu.*] *Adj.* **1.** Que não está ocupado ou preenchido: *O cargo continua vago.* **2.** Desocupado, vazio: *Não há no edifício nem um apartamento vago.* **3.** Desabitado, devoluto: *terreno vago.*

▲ **vago-** [Do lat. *vāgus, a, um*, 'vagabundo'.] *El. comp.* = 'nervo vago': *vagotomia, vagotonia.*

▲ **-vago** [Do lat. *-vāgus, a, um* < v. lat. *vagāre.*] *El. comp.* = 'que vaga': *noctívago* (< lat.), *umbrívago, velívago.*

vagomestre [Do al. *Wagenmeister*, 'mestre dos carros', pelo fr. *vaguemestre.*] *S. m.* No exército francês, suboficial que se incumbe do serviço postal dos soldados.

vagonete (ê) [Do fr. *wagonnet.*] *S. m.* Pequeno vagão.

vagonite [De or. obscura.] *S. f. Bord.* Espécie de bordado em que se introduz a linha entre os fios de um tecido especial a fim de formar desenhos decorativos.

vagotomia [De *vago-* + *-tom(o)-* + *-ia*^{1}.] *S. f. Cir.* Seção (12) cirúrgica de nervo vago, a qual pode ser troncular ou radicular.

vagotonia [De *vago-* + *-ton(o)-* + *-ia*^{2}.] *S. f. Med.* Estado mórbido em que há hiperexcitabilidade vagal, ocorrendo, em consequência, instabilidade vasomotora, constipação, sudorese anormal, espasmos musculares involuntários e dolorosos.

vagotónico *Adj. S. m.* V. *vagotônico.* [Uso freq. em P.]

vagotônico [De *vagotonia* + *-ico*^{2}.] *Adj.* **1.** Relativo a, ou que sofre de vagotonia. ● *S. m.* **2.** Aquele que dela sofre.

vagueação [De *vaguear*^{1} + *-ção.*] *S. f.* **1.** Ato ou efeito de vaguear. **2.** Vadiagem, ócio. **3.** Devaneio, fantasia, quimera.

vaguear^1 [De *vagar*^{1} + *-ear*^{2}.] *V. int.* **1.** Andar ao acaso, à toa, sem destino; errar, vagar, vagabundear: "Vagueava a menina pelo campo, arfando-lhe docemente o talhe grácil com a ondulação da marcha" (José de Alencar, *O Sertanejo*, p. 71). **2.** Passear ociosamente; andar ocioso. [Sin., nessas acepç., muitos deles pop.: *vadiar, zaranzar,* e (bras.) *bangolar* ou *bangular, bestar, burlequear, lesar, perambular* e *zanzar.*] **3.** V. *vadiar* (2). **4.** Entregar-se a devaneios ou sonhos; devanear. **5.** Passar facilmente de uma condição a outra, de uma opinião, de um sentimento a outro; ser inconstante. *T. d.* **6.** Percorrer ao acaso; divagar: *Vagueou ruas e ruas, até noite alta.* [F. paral.: *vaguejar.* Conjug.: v. *frear.*]

vaguear^2 [De *vaga*^{1} + *-ear*^{2}.] *V. int.* Andar sobre as vagas; boiar, flutuar. [Conjug.: v. *frear.*]

vagueiro [De *vago*^{2} + *-eiro.*] *Adj. S. m.* Diz-se de, ou terreno escalvado, em que não houve plantações: "E neste ondulante mar esverdido de montes vagueiros e baldios, ... sobe aos céus, contra os homens, a queixa amargurada das terras que querem ser mãe de florestas úteis e belas" (Antero de Figueiredo, *Jornadas em Portugal*, p. 206).

vaguejar [De *vagar*^{1} + *-ejar.*] *V. int. T. d.* V. *vaguear*^{1}. [Conjug.: v. *pelejar.* Cf. *vanguejar.*]

vagueza (ê) [De *vago*^{1} + *-eza.*] *S. f.* **1.** Qualidade ou estado de vago^1; vaguidade, vaguidão. **2.** *Art. Plást.* Ligeireza e finura da tinta, suave e docemente distribuída.

vaguidade [De *vago* + *-(i)dade.*] *S. f.* V. *vagueza* (1): "a-pesar dessa relativa precisão do ambiente, tudo ali parece vago, e é da própria vaguidade que decorre a poesia." (Augusto Meyer, *A Chave e a Máscara*, p. 99).

vaguidão [De *vago* + *-idão.*] *S. f.* V. *vagueza* (1).

vaia [Do it. *baia*, pelo esp. *vaya.*] *S. f.* Manifestação de desagrado ruidosa e geralmente coletiva, em forma de gritos, assovios, etc.; apupada, apupo, assuada: *O teatro parecia vir abaixo com a vaia da assistência.* [Cf. *Vaía*, antr., e *vaia*, do v. *vaiar.*]

vaiador (ô) [De *vaiar* + *-dor.*] *Adj. S. m.* Que, ou aquele que vaia ou apupa.

vaiar [De *vaia* + *-ar*^{2}.] *V. t. d.* **1.** Dar vaias em; apupar: *A multidão vaiou o time derrotado.* **2.** Zombar de; escarnecer; troçar. *Int.* **3.** Dar vaias; fazer assuada; apupar: "Desprovido de bom gosto, o público frequentador do teatro é, entretanto, intransigente diante da cena: vaia ou aplaude com entusiasmo." (Delso Renault, *O Rio Antigo nos Anúncios de Jornais*, p. 45.) [Pres. ind.: *vaio, vaias, vaia,* etc. Cf. *Vaía*, antr., e *vaia*, s. f.]

vaicá *S. 2 g. Adj. 2 g. Bras.* V. *uaicá.*

vaidade [Do lat. *vanitate.*] *S. f.* **1.** Qualidade do que é vão, ilusório, instável ou pouco duradouro. **2.** Desejo imoderado de atrair admiração ou homenagens. **3.** V. *vanglória.* **4.** Presunção, fatuidade. **5.** Coisa fútil ou insignificante; frivolidade, futilidade, tolice.

vai da valsa [Da 3ª pess. sing. do pres. ind. de *ir* (substantivada) + *da*^{1} + *valsa.*] *El. s. m.* Us. na expr. *ir no vai da valsa.* ◆ **Ir no vai da valsa.** *Bras. Fam.* Viver ao sabor dos acontecimentos, sem projetar nada, sem preocupar-se; ir levando.

vaidoso (ô) [F. haplológica de **vaidadoso* < *vaidade* + *-oso.*] *Adj.* Que tem ou denota vaidade; presunçoso, jactancioso, fátuo, vão: *indivíduo vaidoso; pretensões vaidosas.*

vai e vem *S. m. 2 n.* F. paral. de *vaivém:* "— É exato! E a Bertolesa?... repetia o infeliz, sem interromper o seu vai e vem ao comprido da alcova." (Aluísio Azevedo, *O Cortiço*, p. 322.)

vai não vai [Da 3ª pess. sing. do pres. ind. do v. *ir* + *não* + a mesma pess., repetida.] *S. m. 2 n.* Atitude, comportamento ou situação de quem não se decide, vacila, hesita; sai não sai.

vaisesica [Do sânscr. *vai'sesika.*] *S. m.* Sistema ortodoxo de filosofia da Índia, que considera a realidade constituída por dois grupos: o grupo das coisas que existem (organizadas em categorias: substância, qualidade, ação, generalidade, particularidade e inerência) e o grupo das coisas que não existem. [Cf. *darsana* e *hinduísmo.*]

vaivém [Da 3ª pess. do sing. do pres. ind. do v. *ir* + a mesma pess. do v. *vir.*] *S. m.* **1.** Movimento de pessoa ou coisa que vai e vem. **2.** Movimento oscilatório; balanço. **3.** *Fig.* Sucessão de mudanças (fatos, circunstâncias) que acontecem ao longo do tempo. **4.** Antiga máquina de guerra para abater muros e portões de fortificações. [Cf., nesta acepç., *aríete* (1).] **5.** Pancada dessa máquina. **6.** *Fig.* Alternativa, vicissitude. **7.** Capricho da sorte. **8.** Porta de vaivém (q. v.). **9.** *Bras. SP* Pacoca. **10.** *Lus.* Veículo espacial reutilizável; ônibus espacial (bras.). [F. paral.: *vai e vem.* Pl.: *vaivéns.*]

vai-volta [Da 3ª pess. do sing. do pres. ind. do v. *ir* + a mesma pess. do v. *voltar.*] *S. m. 2 n. Bras. MG* Caixão no qual, em hospitais pobres, se conduz defunto ao cemitério, e que volta para servir a outros defuntos.

vaixá [Do sânscr. *vaixia.*] *S. m.* Membro da terceira das grandes castas do bramanismo, formada de comerciantes, criadores de gado e agricultores, que têm as mesmas obrigações dos xátrias (q. v.). [Cf. *brâmane* (1) e *pária* (1).]

vaixiá *S. m.* Vaixá.

val *S. m.* F. apocopada de *vale*^{1}: "Vamos encosta acima. O olhar grato se espraia / Pelo umbrífero val, que vai bater na praia." (Bulhão Pato, *Livro do Monte*, p. 52); "Entanto fora, se algum zagal, / por noites brancas de lua cheia, / Ali passava, vindo do val, / Em si

V

dizia: — Que torre feia!" (Manuel Bandeira, *Estrela da Vida Inteira*, p. 70).

vala [De *valo*[1].] *S. f.* **1.** Espécie de fosso longo e mais ou menos largo, para recolher as águas que escorrem do terreno contíguo ou para conduzi-las a algum ponto, ou, ainda, para a instalação de encanamentos de água, gás ou esgoto. **2.** Vala comum (q. v.). **3.** *Fut.* V. *gol* (1). **4.** *Bras. MG ES* Leito de certos rios cujas águas costumam secar em dada estação do ano, normalmente entre maio e setembro. **5.** *Bras. SP* Matumbo (2). **6.** Alicerce (2). ◆ **Vala cabocla.** *Bras.* Vala profunda que serve para demarcar terras ou domínios. **Vala comum.** Sepultura coletiva onde são enterrados, gratuita mas promiscuamente, corpos de indigentes ou de pessoas que morreram em conjunto. [Tb. se diz apenas *vala*.]

valada [De *vala* + *-ada*[1].] *S. f.* Grande vala (1).

valadarense *Adj. 2 g.* **1.** De, ou pertencente ou relativo a Governador Valadares (MG). ● *S. 2 g.* **2.** O natural ou habitante de Governador Valadares.

valadio [De *valado* + *-io*[2].] *Adj.* **1.** Diz-se do terreno em que há valas para receberem a água. **2.** Diz-se do telhado de telhas soltas, sem cal e argamassa. [Cf. *valedio*.]

valado [Do lat. *vallatu*, 'entrincheirado', 'cercado', 'rodeado'.] *S. m.* **1.** Vala pouco funda, guarnecida de tapume ou sebe, para defesa de propriedades rústicas; fosso. **2.** Propriedade rústica cercada de vala (1). **3.** Elevação de terra que limita propriedade rústica. **4.** V. *rego* (1).

valador (ô) [De *valar*[2] + *-dor*.] *Adj. S. m.* Que, ou aquele que vala, que trabalha em valas ou valados.

valão[1] [De *valo*[1] + *-ão*[1].] *S. m.* **1.** *Bras. N.* V. *rego* (1): 📖 "Essa mansidão que era da própria terra sem grandes acidentes, nem altos picos nem fundos valões, estava também nas pessoas ali nascidas e criadas" (Ferreira Gular, *Cidades Inventadas*, p. 81). **2.** *Bras. RJ* Rio de praia, de 5 a 8m de largura, de coloração mais clara que a das águas do mar.

valão[2] [Do fr. *wallon*.] *Adj.* **1.** Da, ou pertencente ou relativo à Valônia (Bélgica). ● *S. m.* **2.** O natural ou habitante da Valônia. **3.** *Gloss.* O dialeto do francês falado nessa região.

valáquio *Adj.* **1.** Da, ou pertencente ou relativo à Valáquia, região que, juntamente com a Moldávia, passou, em 1859, a formar a atual Romênia. ● *S. m.* **2.** O natural da Valáquia. **3.** *Gloss.* Romeno (3). **4.** *Gloss.* Dialeto do romeno falado nessa região.

valar[1] [Do lat. *vallare* (< *vallaris, e*).] *Adj. 2 g.* Referente a vala ou cerca.

valar[2] [Do lat. *vallare*.] *V. t. d.* **1.** Fazer valas em. **2.** Cercar de valas [v. *vala* (1)]. **3.** Murar, fortificar, com objetivo de defesa. *T. d. e i.* **4.** Cercar; rodear.

vala-sousense *Adj. 2 g.* **1.** De, ou pertencente ou relativo a Vala do Sousa (ES). ● *S. 2 g.* **2.** O natural ou habitante de Vala do Sousa. [Pl.: *vala-sousenses*.]

valdeiro [De *valdo* + *-eiro*.] *Adj. Ant.* Relativo a, ou próprio de valdo ou valdevinos.

valdense[1] [Do antr. *Valdo* + *-ense*.] *S. 2 g.* Membro da seita também chamada *Pobres de Lião*, fundada pelo mercador Pierre Valdo por volta de 1170, na França, inspirada na pobreza evangélica, e que repudiava a riqueza da Igreja Católica.

valdense[2] [Do lat. med. (*pagus*) *valdensis*.] *Adj. 2 g.* **1.** Do, ou pertencente ou relativo ao cantão de Vaud (Suíça). ● *S. 2 g.* **2.** O natural ou habitante de Vaud. ● *S. m.* **3.** *Gloss.* O dialeto de Vaud.

valdevinos [Do antr. *Balduíno*, cavaleiro que aparece em romances de cavalaria, pela forma *Valdovinos*.] *S. m. 2 n.* **1.** V. *vagabundo* (7). **2.** Estroina, doidivanas: 📖 "A mulher .... abriu a porta para o amante, um rapazola, um valdevinos, que era empregado e protegido do marido." (Marques Rebelo, *A Mudança*, p. 205.) **3.** Pobretão, miserável.

valdo *S. m. Ant.* Valdevinos.

vale[1] [Do lat. *valle*.] *S. m.* **1.** Depressão (3) alongada entre montes ou quaisquer outras superfícies. **2.** Planície à beira de um rio ou ribeirão; várzea. [Pl.: *vales*. Cf. *váli* (q. v.) e pl. *vális*.] ◆ **Vale anticlinal.** *Geogr.* Vale que coincide com o eixo de dobramento da anticlinal. **Vale de lágrimas.** *Fig.* O mundo visto como local de sofrimentos. **Vale suspenso.** *Geogr.* Aquele cujo fundo se acha situado em nível superior a uma depressão adjacente, a qual pode ser outro vale, ou um lago, ou o próprio mar.

vale[2] [Da 3ª pess. do sing. do pres. ind. do v. *valer*.] *S. m.* **1.** Escrito sem formalidade legal, representativo de dívida, por empréstimo ou por adiantamento. **2.** Escrito, sem formalidade legal, que autoriza determinadas despesas. **3.** Escrito sem forma legal, comprovante de eventual retirada de numerário em caixa. **4.** Espécie de ordem ou letra postal para transferência de fundos, entre particulares, dum lugar para outro. [Pl.: *vales*. Cf. *váli* (q. v.) e pl. *vális*.] ◆ **Pagar vale.** *Bras. RS* **1.** Desistir da aposta ou da ação; recuar. **2.** *Fig.* Ter medo; fraquejar, afrouxar.

vale[3] [Lat.] *Interj.* Adeus.

vale-brinde [De *vale*[2] + *brinde*.] *S. m. Market.* Impresso utilizado em promoção de venda, que pode ser trocado por prêmio em dinheiro, ou por mercadoria. [Pl.: *vales-brindes* e *vales-brinde*.]

valécula [De *vale*[1] + *-cula*.] *S. f.* **1.** *Anat.* Designação genérica de depressão (5). **2.** *Bot.* Sulco que nos frutos das apiáceas fica entre as linhas em relevo.

valecular [De *valécula* + *-ar*[1].] *Adj. 2 g. Bot.* Referente a valécula.

valedio [De *valer* + *-dio*.] *Adj.* **1.** Que tem valor. **2.** Diz-se de moeda que pode ter curso. [Cf. *valadio*.]

valedoiro [De *valer* + *-doiro*[1].] *S. m.* Valedouro (q. v.).

valedor (ô) [De *valer* + *-dor*.] *Adj. S. m.* Que, ou aquele que vale, auxilia, socorre alguém.

valedouro [De *valer* + *-douro*[1]; var. de *valedoiro*.] *Adj.* **1.** V. *valioso* (1). **2.** Valedor.

valeira[1] [De *vala* + *-eira*.] *S. f.* V. *valeta*.

valeira[2] [De *vale*[1] + *-eira*.] *S. f. P. us.* **1.** Vale[1] pequeno. **2.** Depressão (3) arborizada.

valeiro [De *vala* + *-eiro*.] *S. m.* **1.** V. *valeta*. **2.** *Bras. MG* Indivíduo que trabalha na abertura de valas divisórias de fazendas, pastos, roças, etc.

valência [Do lat. *valentia*, pl. neutro de *valens, tis*, 'que tem força'.] *S. f.* **1.** V. *validade* (2). **2.** *E. Ling.* Número de argumentos [v. *argumento* (11)] que um verbo pode ter. [P. ex.: um verbo impessoal e sem objeto, como *nevar*, tem valência zero; um verbo intransitivo, como *morrer*, tem valência 1; um transitivo, como *comer*, valência 2, e um verbo transitivo direto e indireto, como *dar*, valência 3.] **3.** *Quím.* O número de ligações estáveis que um átomo ou um grupo de átomos pode efetuar com outros átomos, ou outros grupos. **4.** *Bras. S. Pop.* V. *valia* (3). ◆ **Valência ecológica.** *Ecol.* Possibilidade que uma espécie tem de povoar meios diferentes, nos quais as variações dos fatores ecológicos são maiores ou menores.

valenciana[1] [Do fr. *valenciennes*.] *S. f. Tec. Têx.* Tipo de renda que originariamente se fabricava em Valenciennes (França).

valenciana[2] [Do top. esp. *Valencia* (port. *Valença* ou *Valência*), poss.] *S. f. Pesc.* Sistema de armação fixa de pesca.

valenciano[1] *Adj.* **1.** De, ou pertencente ou relativo a Valença (Espanha, Portugal, BA e RJ). ● *S. m.* **2.** O natural ou habitante de Valença.

valenciano[2] *Adj.* **1.** De, ou pertencente ou relativo a Valença do Piauí (PI). ● *S. m.* **2.** O natural ou habitante de Valença do Piauí.

valencina [Do top. *Valença* + *-ina*[2].] *S. f. Ant. Tec. Têx.* Tecido de lã fina fabricado em Valença (Espanha).

valentão [De *valente* + *-ão*[1].] *Adj.* **1.** Que é muito valente, decidido, intrépido. [Sin., na grande maioria pop. ou de gír.: *afoito, alentado, arrojado, decidido, despachado, destemido, estourado* e (bras.) *afuleimado, alarife, amargoso, bamba, batuta, brabo, caborjudo, chegador, colhudo, cumba, cupinudo, cutuba, danado, dente-seco, desabotinado, desempenado, destorcido, disposto, duro, espritado, fuá, grenado, grulha, grulhaço, lanfranhudo, largado, machão, macho, maludo, onça, osso, pavena, peitudo, quebra, quebra-freio, quera, querudo, sacudido, sarado, seco na paçoca, surunganga, taita, tapejara* ou *tapijara, taura, teba* ou *tebas, tiba, toco, topetudo, torena, torunguenga* ou *tourunguenga, touruno, tupina, turuna, venta-furada, ventana, ventania, venta-rasgada, ventena*.] **2.** V. *fanfarrão* (1). ● *S. m.* **3.** Indivíduo valentão (1). [Sin., na grande maioria pop. ou de gír.: *valente, tranca-ruas* e (bras.) *acaba-novenas, acalenta-menino, alarife, anhanguera, arenã, arranca-tocos, arrojado, aspa-torcida, aspa-torta, bamba, bambambã, batuta, bichão, cabra de peia, cabra-feio, cabra-macho, cabra-onça, cabra-seco, cabra-topetudo, capuava, colhudo, coronilha, cotriba, couro-n'água, cumba, cupinudo, curema, danado, dente-seco, desmancha-samba* ou *desmancha-sambas, dunga, espanta-patrulha, fecha-bodegas, garoa, grulha, grulhaço, guampa-torta, guasca-largado, índio, lanfranhudo, machão, macho, maludo, onça, peitudo, polvadeira, quebra, quebra-freio, quebra-largado, surunganga, tabijara, taita, taura, teba* ou *tebas, tira-prosa, torena, torunguenga* ou *tourunguenga, trabuzana* ou *tribuzana, truco-fecha, tufa, tuntunqué, tupina, tureba, turuna, venta-furada, ventana, ventania, venta-rasgada, ventena*. Fem.: *valentona*.] ◆ **Entrosar de valentão.** *Bras.* Querer figurar com impostura; aparentar aquilo que não é.

valente [Do lat. *valente*, 'que vale', 'que tem força'.] *Adj. 2 g.* **1.** Que tem valor ou valentia; audaz, corajoso, intrépido. **2.** Que tem força; forte, vigoroso. **3.** Ativo, enérgico. **4.** Rijo, resistente. **5.** Válido, eficaz: 📄 *remédio valente.* **6.** *Quím.* Que tem valência (3) ou valências. ● *S. m.* **7.** Homem esforçado ou corajoso. **8.** V. *valentão* (3).

valentear [De *valente* + *-ear*[2].] *V. int. Bras. N.E.* Bancar valente; praticar valentias, bazófias. [Conjug.: v. *frear*.]

valentia [De *valente* + *-ia*[1].] *S. f.* **1.** Coragem, audácia, valor. **2.** Força, energia, vigor. **3.** Proeza, façanha. **4.** Qualidade do que é resistente; resistência.

valentim-gentilense *Adj. 2 g.* **1.** De, ou pertencente ou relativo a Valentim Gentil (SP). ● *S. 2 g.* **2.** O natural ou habitante de Valentim Gentil. [Pl.: *valentim-gentilenses*.]

valentinense *Adj. 2 g.* **1.** De, ou pertencente ou relativo a São Valentim (RS). ● *S. 2 g.* **2.** O natural ou habitante de São Valentim.

valentiniano [Do antr. *Valentinus*, heresiarca do séc. II.] *S. m.* Membro dos valentinianos, hereges que afirmavam existirem dois mundos, um visível e outro invisível.

valentona *Adj. (f.) S. f.* Fem. de *valentão*. ◆ **À valentona.** À bruta; violentamente: 📖 "O Esteves .... quer levar tudo de roldão, à valentona e à força." (Virgílio Várzea, *Nas Ondas*, p. 18.)

vale-paraibano (a-i) *Adj.* **1.** Do, ou pertencente ou relativo ao Vale do Paraíba, região de SP. ● *S. m.* **2.** O natural ou habitante dessa região. [Pl.: *vale-paraibanos*.]

valer [Do lat. *valere*, 'ter saúde', 'ter força'; 'valer'.] *V. t. d.* **1.** Ter certo valor, ou ser de certo preço; ser equivalente; ser igual em valor ou em preço: 📖 "Visões valem o mesmo que a retina em que se operam." (Machado de Assis, *Páginas Recolhidas*, p. 161); "Este vinho da quinta vale o néctar dos deuses." (José Vieira, *Sol de Portugal*, p. 162). **2.** Ser digno; merecer: 📄 *Este assunto não vale o tempo que com ele se despende.* *T. i.* **3.** Ser de utilidade ou vantagem; dar proveito, aproveitar, servir: 📄 *O erro valeu-lhe para o aprendizado.* **4.** Socorrer, auxiliar, proteger, defender, acudir: 📄 *Valeu-lhe, na apertura, o velho amigo;* 📖 "D. Luís, exposto o escândalo quase cômico, pede ao marquês que lhe valha nesta conjuntura." (Camilo Castelo Branco, *D. Luís de Portugal*, p. 46). **5.** Mostrar-se ou ser apto ou capaz; conseguir: 📄 *Apesar de seus encantos, não valeu a cativar o homem que amava.* **6.** Ser equivalente; equivaler: 📖 "Criando inimigos [o Marquês de Pombal], abordava, no entanto, problemas administrativos cujas soluções valiam por verdadeiras reformas". (Costa Rego, *Águas Passadas*, p. 61); "Aqui é o céu, — ou um pedaço de céu; uma vez que nós cabemos nele, vale pelo infinito." (Machado de Assis, *Quincas Borba*, p. 225). *T. c.* **7.** Valer (1): 📄 *Esta casa vale cinco milhões.* *T. d. e i.* **8.** Granjear, acarretar, carrear, atrair: 📖 "O jornalismo valeu-lhe .... muitos embates, desafeições e inimizades sem conta." (Moisés Velinho, *Letras da Província*, p. 141.) *Int.* **9.** Ter merecimento, valor ou aplicação: 📄 *Na República de Platão, os sábios eram os cidadãos que mais valiam.* **10.** Ter proveito; ser proveitoso; aproveitar: 📄 *O estudo muito vale;* 📖 "Mais vale adormecer sem ceia do que acordar com dívidas" (prov.). **11.** Ser conveniente, proveitoso; convir; valer a pena: 📖 "Nada vale mudar pasto; o gado em todos morre." (Antônio Feliciano de Castilho, *As Geórgicas*, p. 217); "Vale transcrever quase todo o capítulo, embora longo" (J. Matoso Câmara Jr., *Ensaios Machadianos*, p. 21). **12.** Ter crédito, influência, poder: 📄 *Muito vale o nome de uma pessoa honesta.* **13.** Ser válido ou valioso; ter validade; vigorar: 📄 *O seu argumento valeu.* *P.* **14.** Ter valor, coragem, força: 📄 *Os nossos soldados valeram-se contra o inimigo.* **15.** Servir-se, utilizar-se: 📄 *Valeu-se de todos os meios para atingir seus objetivos;* 📖 "Travou-se .... uma luta horrível entre aqueles tapuios armados de terçados e de grandes cacetes ...., e os três portugueses que heroicamente defendiam o seu lar, valendo-se das espingardas de caça" (Inglês de Sousa, *Contos Amazônicos*, p. 169). [Irreg. Pres. ind.: *valho, vales, vale, valemos, valeis, valem*; imperf.: *valia*, etc.; perf.: *vali*, etc.; fut. pret.: *valeria*, etc.; pres. subj.: *valha, valhas, valha, valhamos, valhais, valham*. Cf. *Vália*, antr.; *váli* (q. v.), s. m., pl. *vális*; e *Valéria*, antr. e top.] ◆ **Valer quanto pesa.** Valer (2) muitíssimo; ser excelente, admirável (um indivíduo). **A valer. 1.** A sério; deveras: 📖 "adormeci. Mas não em sentido figurado, ... mas fisicamente, a valer" (José Gomes Ferreira, *O Mundo dos Outros*, p. 189). **2.** Em grande quantidade, ou com grande intensidade; muito: 📄 *Havia no baile gente a valer;* 📖 "bonita a valer" (José Rodrigues Miguéis, *Gente da Terceira Classe*, p. 121). [Sin. ger., bras.: *para valer*.] **Para valer.** *Bras.* V. *a valer*.

vale-realense *Adj. 2 g.* **1.** De, ou pertencente ou relativo a Vale Real (RS). ● *S. 2 g.* **2.** O natural ou habitante de Vale Real. [Pl.: *vale-realenses*.]

valeriana [Do tax. *Valeriana*.] *S. f. Bot.* **1.** Grande gênero de ervas valerianáceas, perenes, vastamente distribuídas, nativas da Europa, e que fornecem droga proveniente das raízes e que tem uso clássico na medicina; as flores brancas ou róseas, e o fruto, um aquênio, são pequeníssimos. **2.** Qualquer espécie desse gênero, como, p. ex., a *Valeriana jatamansi* (v. *nardo-da-índia*). **3.** Qualquer espécime desse gênero.

valerianácea [Do tax. *Valeriana* (v. *valeriana*) + *-ácea*; tax. *Valerianaceae*.] ***S. f. Bot.*** Espécime das valerianáceas, família de plantas floríferas, da ordem das dipsacales, composta de ervas com folhas opostas e pequenas flores cimosas. Engloba umas 350 espécies que habitam o hemisfério boreal e os Andes.

valerianáceo [De *valerianácea*, com var. suf. (v. *-áceo*).] ***Adj. Bot.*** Pertencente ou relativo às valerianáceas.

valerianato [De *valeriana* + *-ato*[3].] ***S. m. Quím.*** Sal ou éster do ácido valeriânico.

valeriânico [De *valeriana* + *-ico*[2].] ***Adj. Quím.*** ~ V. *ácido* —.

valeriano ***Adj.*** **1.** Relativo ou pertencente ao poeta e prosador francês Paul Valéry (1871-1945), ou próprio dele. **2.** Que é seu admirador e/ou profundo conhecedor de sua obra. ● ***S. m.*** **3.** Admirador e/ou profundo conhecedor da obra de Paul Valéry.

valérico ***Adj. Quím.*** ~ V. *ácido* —.

valeroso (ô) ***Adj. P. us.*** V. *valoroso*.

vale-solense ***Adj. 2 g.*** **1.** De, ou pertencente ou relativo a Vale do Sol (RS). ● ***S. 2 g.*** **2.** O natural ou habitante de Vale do Sol. [Pl.: *vale-solenses*.]

valeta (ê) [De *vala* + *-eta* (ê).] ***S. f.*** Vala pequena para escoamento de águas, à margem de ruas ou estradas; valeira, valeiro.

valetadeira [De **valetar*, 'abrir valetas', + *-deira*.] ***S. f.*** Máquina de terraplenagem, constituída de um sistema contínuo de escavação, que eleva e descarrega o material escavado, e destinada a abrir valetas no terreno.

valete [Do fr. *valet*.] ***S. m.*** Figura das cartas de jogar que na maioria dos jogos vale menos que o rei e a dama, ou que, na cartomancia, representa homem novo; conde.

vale-transporte [De *vale*[2] + *transporte*.] ***S. m.*** Cupom, recebido por assalariado como parte de sua remuneração, us. para pagamento de transporte coletivo. [Pl.: *vales-transportes* e *vales-transporte*.]

➔ **valet service** [væ'lej 'sɜvis] [Ingl.] ***S. m.*** Serviço de manobrista oferecido na porta de hotéis, restaurantes, casas noturnas, etc.

valetudinário [Do lat. *valetudinariu*.] ***Adj. S. m.*** Diz-se de, ou indivíduo de compleição muito fraca, doentio, enfermiço, achacadiço ou, até, inválido: "Juráramos levar pancada até morrer, sendo preciso, fiéis à bandeira da Belloni, uma criatura enfezada, feia, valetudinária, casada e de mais a mais honesta." (Camilo Castelo Branco, *Serões de São Miguel de Ceide*, II, p. 12); "De outra coisa não cuida o grande sábio [o Prof. Steinach] senão de anunciar o rejuvenescimento da velhice, prometendo aos decrépitos e valetudinários a volta da mocidade." (João Ribeiro, *Notas de um Estudante*, p. 13).

valetudinarismo [De *valetudinário* + *-ismo*.] ***S. m.*** Estado ou condição de valetudinário.

vale-tudo [De *valer* + *tudo*.] ***S. m. 2 n.*** Arte marcial brasileira, que reúne elementos de jiu-jítsu, capoeira, boxe, etc., e que, apesar de extremamente violenta, ao contrário do que diz o nome, tem regras (golpes na nuca, p. ex., são vedados).

valgo [Do lat. *valgu*.] ***Adj. Patol. Ort.*** Diz-se de membro, ou de segmento deste, que está voltado para fora por desvio de seu eixo: *coxa valga*; "Os exames revelaram que, apesar de grotescamente valgo e varo, Garrincha pisava com uma perfeição de anjo." (Rui Castro, *Estrela Solitária: Um Brasileiro Chamado Garrincha*, p. 131). [Antôn.: *varo*.]

valhacoito ***S. m.*** V. *valhacouto*: "Desembocou do pinhal, que não lhe oferecia suficiente valhacoito e dissimulando-se com a sombra dos penedos subiu a encosta." (Aquilino Ribeiro, *Aldeia*, p. 245.)

valhacouto [Da 3ª pess. sing. do pres. subj. de *valer* + *couto*[1].] ***S. m.*** **1.** Refúgio, abrigo, asilo: *valhacouto de ladrões*. **2.** Proteção, amparo. [Var.: *valhacoito*.]

valhala [Do antigo alemão *Walhalla* < nórdico antigo *valhöl*, 'paraíso dos guerreiros'.] ***S. m.*** Na mitologia escandinava, local paradisíaco, morada dos deuses e regido pelo deus Odim, para onde iam os guerreiros mortos em combate.

váli ***S. m.*** V. *uale*. "os guerreiros que o seguem serão os vális das suas cidades" (Alexandre Herculano, *Eurico, o Presbítero*, p. 193). [Pl.: *vális*. Cf. *vale, vales, vali*, do v. *valer*; *vale*, s. m., pl. *vales*; e *Vale*, antr., pl. *Vales*.]

valia [De *valer* + *-ia*[1].] ***S. f.*** **1.** Valor (2): *É aluno de valia*. **2.** V. *valor* (5): *Este relógio de ouro é de grande valia*. **3.** Utilidade, préstimo, serventia, valência, valimento, valor: *livro de alta valia*; *O assistente foi de grande valia para o professor*. [Cf. *Vália*, antr.]

validabilidade [De *validável* + *-(i)dade*, seg. o padrão erudito.] ***S. f.*** Validade (1).

validação [De *validar* + *-ção*.] ***S. f.*** **1.** Ato ou efeito de validar(-se). **2.** *Inform.* Comprovação da validade de dados introduzidos em um sistema de computador.

validade [De *válido* + *-(i)dade*.] ***S. f.*** **1.** Qualidade ou condição de válido; validabilidade. **2.** Legitimidade, valência, valimento, valor. **3.** *Lóg.* Qualidade do que é válido em todas as acepções.

validador (ô) [De *validar* + *-dor*.] ***Adj.*** Que valida; validante.

validamento [De *validar* + *-mento*.] ***S. m.*** Ato ou efeito de validar.

validante [De *validar* + *-nte*.] ***Adj. 2 g.*** Validador.

validar [Do lat. tard. *validare*.] ***V. t. d.*** **1.** Dar validade a; tornar válido. **2.** Tornar legítimo ou legal; legitimar. **3.** *Inform.* Proceder à validação (2) de. ***P.*** **4.** Fazer-se válido. [Pres. ind.: *valido*, etc. Cf. *válido*.]

validável [De *validar* + *-vel*.] ***Adj. 2 g.*** Que pode ser validado.

validez (ê) [De *válido* + *-ez*.] ***S. f.*** Qualidade ou estado de válido.

valido [De *valor* + *-ido*[1].] ***S. m.*** **1.** Indivíduo particularmente protegido; favorito: "O galego aventureiro, grã-senhor, valido da rainha, ... encheu-se de orgulho" (Antero de Figueiredo, *Leonor Teles*, p. 236). ● ***Adj.*** **2.** Especialmente estimado. [Cf. *válido*.]

válido [Do lat. *validu*.] ***Adj.*** **1.** V. *valioso* (1). **2.** Que tem saúde; sadio, são. **3.** Vigoroso, forte, sólido, robusto: "Não acabava, quando ũa figura / Se nos mostra no ar, robusta e válida" (Luís de Camões, *Os Lusíadas*, V, p. 39). **4.** Legítimo, lídimo, legal. **5.** Lícito, justo; certo, correto: "É válido .... aplicar às criações literárias os métodos psicológicos de análises e os conhecimentos psicopatológicos oriundos da experiência clínica." (José Leme Lopes, *A Psiquiatria de Machado de Assis*, p. 34.) **6.** Que surte efeito; eficaz. **7.** Diz-se de produto por cuja qualidade o fabricante se responsabiliza até determinada data, ger. marcada no produto. **8.** *Lóg.* Que é formalmente correto, isto é, concordante com as regras da lógica formal. **9.** *Lóg.* Que é verdadeiro em todas as interpretações de um sistema lógico. [Cf. *valido*, dos v. *validar* e *valer*, e s. m. e adj.]

valimento [De *valer* + *-imento*.] ***S. m.*** **1.** Ato ou efeito de valer. **2.** V. *validade* (2). **3.** *P. us.* V. *valia* (3). **4.** Influência, importância, prestígio. **5.** Privança (1).

valina [De *(iso)val(érico)* + *-ina*[3].] ***S. f. Quím.*** Aminoácido natural, essencial [fórm.: $C_5H_{11}NO_2$].

valinhense ***Adj. 2 g.*** **1.** De, ou pertencente ou relativo a Valinhos (SP). ● ***S. 2 g.*** **2.** O natural ou habitante de Valinhos.

valioso (ô) [De *valia* + *-oso*.] ***Adj.*** **1.** Que tem valor ou valia; válido, valedouro. **2.** Que vale muito. **3.** Que tem importância ou muitos merecimentos.

valise [Do fr. *valise*.] ***S. f. Gal.*** Mala de mão.

valo[1] [Do lat. *vallu*.] ***S. m.*** **1.** Parapeito que protege um campo. **2.** Liça[1] (1), nas antigas justas e torneios. **3.** V. *rego* (1): "que ele só sabia capinar, derrubar árvores e rasgar a terra, para valos muito fundos" (Amadeu de Queirós, *Os Casos do Carimbamba*, p. 27).

valo[2] ***S. m.*** Rede de emalhar em cerco[1] (6).

valor (ô) [Do lat. tard. *valore*.] ***S. m.*** **1.** Qualidade de quem tem força; audácia, coragem, valentia, vigor: *Grande o valor dos bandeirantes que desbravaram nossas terras*; "O tanoeiro .... não tinha valor para afrontar-se face a face com D. Fernando" (Alexandre Herculano, *Lendas e Narrativas*, I, p. 144). **2.** Qualidade pela qual determinada pessoa ou coisa é estimável em maior ou menor grau; mérito ou merecimento intrínseco; valia: *É profissional de alto valor*; *O empreendimento tem seu valor*. **3.** V. *valia* (3). **4.** Importância de determinada coisa, estabelecida ou arbitrada de antemão: *Qual o valor do valete no pôquer?* **5.** O equivalente, em dinheiro ou bens, de alguma coisa; preço; poder de compra: *joias de alto valor*; *Com a inflação, o dinheiro perde o valor*; *A má conservação fez cair o valor do imóvel*. **6.** V. *papel*[1] (7): *valores mobiliários*. **7.** V. *validade* (2): *Seu argumento não tem valor*. **8.** *Fig.* Estima, apreço: *Não dá valor ao que tem*. **9.** *Fig.* Importância, consideração: *Não dá valor à mulher*. **10.** Significado rigoroso de um termo; significância. **11.** *Econ.* Título negociável na bolsa. **12.** *Econ.* Maior ou menor apreço que um indivíduo tem por determinado bem ou serviço, e que pode ser de uso ou de troca. [V. *valor de uso* e *valor de troca*.] **13.** *Filos.* Caráter do que, de modo relativo (ou para um só ou para alguns) ou de modo absoluto (para todos), é tido ou deve ser tido como objeto de estima ou de desejo. **14.** *Mús.* Duração de cada um dos sons musicais. Há os *valores positivos*, *i. e.*, as figuras que representam as notas [v. *nota* (18)] e os *valores negativos*, *i. e.*, as pausas [v. *pausa* (6)] que estabelecem a duração dos silêncios ritmados. [Pl.: *valores* (ô). Cf. *valores*, do v. *valorar*.] ~ V. *valores*. ◆ **Valor absoluto.** *Mat.* Raiz quadrada do produto de um número complexo pelo seu conjugado; distância de um número complexo à origem, no plano de Argand. [Sin.: *módulo*.] **Valor adicionado.** *Econ.* Diferença entre o valor de produção de uma mercadoria e o custo total das matérias-primas e serviços adquiridos para sua fabricação; valor agregado. [Equivale à soma dos lucros e dos salários e juros pagos pela empresa fabricante.] **Valor agregado.** *Econ.* Valor adicionado. **Valor atual.** *Mat. Fin.* Importância equivalente, hoje, a um conjunto de quantias a serem recebidas ou pagas no futuro, e que se obtém descontando essas quantias pela taxa de juros; valor presente. **Valor característico. 1.** *Mat.* V. *autovalor* (1). **2.** *Álg.* V. *autovalor* (2). **Valor crítico.** *Estat.* Qualquer dos extremos de uma região crítica. **Valor de crista.** *Eletrôn.* Valor de pico. **Valor de mercado. 1.** *Econ.* Preço de um bem determinado pela interação da oferta e da procura. **2.** *Jur. Com.* Valor pelo qual uma ação ou título de crédito é transacionado no mercado. [Opõe-se, nesta acepç., a *valor nominal* (2).] **Valor de pico.** *Eletrôn.* Numa grandeza que varia com o tempo, o valor máximo durante um intervalo de tempo; valor de crista. **Valor de referência.** Aquele que serve como padrão. **Valor de troca.** *Econ.* Capacidade de um bem de ser trocado por outros bens, ou por dinheiro. [Cf. *valor de uso*.] **Valor de uso.** *Econ.* Capacidade de um bem de satisfazer necessidades humanas. [Cf. *valor de troca*.] **Valor de verdade.** *Lóg.* Na lógica clássica, os valores verdadeiro ou falso que as proposições, como tais, devem assumir. Nas lógicas polivalentes admitem-se valores intermediários, como, p. ex., o valor indeterminado. **Valor dominante.** *Estat.* O de uma variável aleatória que, multiplicado pela respectiva densidade de probabilidade, é um máximo; valor prevalente. **Valor eficaz.** *Eletr.* Intensidade de uma corrente contínua que dissipa num resistor a mesma quantidade de calor que uma corrente alternada. **Valor estimativo.** O que depende da estima ou apreço em que se tem um objeto. **Valor extrínseco.** *Econ.* Valor nominal (3). [Cf. *valor intrínseco*.] **Valor flutuante.** *Automat.* Valor do movimento do elemento final de controle correspondente a um desvio especificado, numa ação flutuante de controle de velocidade. **Valor ideal.** *Automat.* Valor da variável controlada que pode resultar de um sistema idealizado que opera com o mesmo comando do sistema real considerado. **Valor intrínseco.** *Econ.* O que decorre das qualidades próprias da moeda como objeto, e não de convenção ou determinação legal. [Cf. *valor extrínseco*.] **Valor locativo.** Valor estimado do aluguel de um imóvel. **Valor mais provável.** *Estat.* O de uma variável aleatória correspondente a um máximo absoluto da função de densidade de probabilidade. **Valor mobiliário.** *Jur. Com.* Título emitido por sociedade anônima, como, p. ex., ações ou debêntures. **Valor negativo.** *Mús.* V. *valor* (14). **Valor nominal. 1.** *Econ.* O que não foi corrigido para compensar o efeito da inflação. [Cf. *valor real*.] **2.** *Jur. Com.* Valor pelo qual um título é emitido, e nele se declara. [Opõe-se, nesta acepç., a *valor de mercado* (2).] **3.** *Econ.* O que é atribuído por convenção ou determinação legal ao papel-moeda ou à moeda metálica; valor extrínseco. **Valor ótimo.** *Estat.* Valor de um parâmetro de um sistema, que é máximo de acordo com vínculos e critérios que condicionam a evolução do sistema. **Valor positivo.** *Mús.* V. *valor* (14). **Valor presente.** *Mat. Fin.* Valor atual. **Valor prevalente.** *Estat.* Valor dominante. **Valor próprio. 1.** *Mat.* V. *autovalor* (1). **2.** *Álg.* V. *autovalor* (2). **Valor real.** *Econ.* O que foi corrigido para eliminar o efeito da inflação. [Cf. *valor nominal* (1).] **Valor retificado.** *Eletr.* A média dos valores de uma grandeza periódica, em um número inteiro de períodos. **Valor venal.** Valor estimado da venda de um imóvel.

valoração [De *valorar* + *-ção*.] ***S. f.*** Ato ou efeito de valorar: "uma obra [*Introdução ao Estudo da Novela Camiliana*, de Jacinto do Prado Coelho] verdadeiramente notável, que implica não só uma longa e pacientíssima investigação sobre a novela camiliana, mas também uma sua compreensão crítica e valoração estética ainda não tão perfeitamente postas, até hoje, em letra redonda." (José Régio, em João Gaspar Simões, *Perspectiva da Literatura Portuguesa do Século XIX*, p. 213). [Cf. *valorização*.]

valorar [De *valor* + *-ar*[2].] ***V. t. d.*** Emitir juízo de valor acerca de; aquilatar, ponderar. [Pres. subj.: *valore, valores*, etc. Cf. *valores*, s. m., pl. de *valor*, e *valorizar*.]

valoratividade [De *valorativo* + *-(i)dade*.] ***S. f.*** Qualidade de valorativo.

valorativo [De *valorar* + *-tivo*.] ***Adj.*** Que envolve valoração.

valores (ô) [Pl. de *valor*.] ***S. m. pl.*** **1.** Termo que, junto a um número, gradua a qualificação dum exame, duma prova, etc. **2.** Designação comum a quaisquer títulos [v. *título* (11)], públicos ou privados, e a outros bens facilmente realizáveis em dinheiro. **3.** As normas, princípios ou padrões sociais aceitos ou mantidos por indivíduo, classe, sociedade, etc. [Cf. *valores*, do v. *valorar*.] ~ V. *valor*.

valorização [De *valorizar* + *-ção*.] ***S. f.*** **1.** Ato ou efeito de valorizar(-se). **2.** *Econ.* Alta deliberada de preço de

V

mercadoria, esp. quando promovida pelo governo, p. ex., mediante compra a um preço superior ao que seria estabelecido no mercado, ou pelo fornecimento de outras condições favoráveis aos produtores: "O primeiro esquema de valorização [do café] teve de ser posto em prática pelos estados cafeicultores — liderados por São Paulo — sem apoio do governo federal." (Celso Furtado, *Formação Econômica do Brasil*, p. 180.) **3.** *Econ.* Aumento de valor da moeda de um país em relação a outra externa: *A valorização do real diminuiu o nível de exportações.* [Cf. *valoração.*]

valorizado [De *valorizar* + *-ado*[1].] ***Adj.*** A que se deu valor; que sofreu valorização.

valorizador (ô) [De *valorizar* + *-dor.*] ***Adj. S. m.*** Que ou o que valoriza.

valorizar [De *valor* + *-izar.*] ***V. t. d.* 1.** Dar valor ou valores a. **2.** Aumentar o valor ou o préstimo de: *A reforma valorizou o imóvel.* **3.** Reconhecer as qualidades, o mérito de (pessoa, ação, coisa, etc.): *Sabe valorizar os amigos.* ***P.* 4.** Aumentar de valor: *Com a expansão da cidade, valorizaram-se os terrenos da área suburbana.* **5.** Dar-se valor; não se rebaixar. [Cf. *valorar.*]

valorizável [De *valorizar* + *-vel.*] ***Adj. 2 g.*** Que pode ser valorizado.

valor-notícia ***S. m.*** *Comun.* Critério pelo qual editor(es), etc. avalia(m) se determinado fato deve, ou não, ser incluído no noticiário. [Pl.: *valores-notícias* e *valores-notícia.*]

valorosidade [De *valoroso* + *-(i)dade.*] ***S. f.*** Qualidade ou caráter de valoroso.

valoroso (ô) [De *valor* + *-oso.*] ***Adj.* 1.** Que tem valor ou coragem; destemido, corajoso, esforçado. **2.** Ativo, enérgico, forte. [Var.: *valeroso.*]

valparaisense (a-i) ***Adj. 2 g.* 1.** De, ou pertencente ou relativo a Valparaíso (SP). ● ***S. 2 g.* 2.** O natural ou habitante de Valparaíso.

➔ **valpolicella** [valpoli'tʃɛl.la] [It.] ***S. m.*** *Enol.* Vinho tinto leve e frutado produzido na província de Verona (N.E. da Itália).

valquíria [Do al. *Walküre* (< escandinavo ant. *valkyrja*, 'aquela que escolhe os mortos no campo de batalha'), pelo fr. *walkyrie.*] ***S. f.*** Nas mitologias escandinava e germânica, cada uma das três divindades guerreiras, mensageiras de Odim, deus da guerra e da sabedoria, que decidiam a sorte dos combates, e escolhiam, no campo de batalha, os guerreiros que deveriam morrer.

valsa [Do al. *Walzer*, pelo fr. *valse.*] ***S. f.*** *Mús.* **1.** Dança de par, de salão, em compasso de 3 por 4, com acentuação no primeiro tempo e movimento variado (lento, alegreto, alegro). **2.** Música apropriada a essa dança. **3.** Peça instrumental artística com o mesmo ritmo dessa dança: *valsa nobre; valsa sentimental.*

valsado [De *valsa* + *-ado*[1].] ***Adj.* 1.** Que tem características de valsa; que lembra a valsa. **2.** Que se executa valsando.

valsar [De *valsa* + *-ar*[2].] ***V. int.* 1.** Dançar valsa: "Que Maria Benedita gostava de Carlos Maia, é cousa vista ou pressentida desde aquele baile da Rua dos Arcos, em que ele e Sofia valsaram tanto." (Machado de Assis, *Quincas Borba*, pp. 222-223.) ***T. d.* 2.** Dançar em andamento de valsa: *valsar uma polca.*

valseiro [De *valsa* + *-eiro.*] ***S. m.*** *Bras.* Compositor de valsas. [Cf. *valsista.*]

valsista [De *valsa* + *-ista.*] ***Adj. 2 g. S. 2 g.*** Que, ou quem valsa, ou valsa bem: "Virgília recebeu-me com esta graciosa palavra: — O senhor hoje há de valsar comigo. — Em verdade, eu tinha fama e era valsista emérito" (Machado de Assis, *Memórias Póstumas de Brás Cubas*, p. 144). [Cf. *valseiro.*]

valuma [Do esp. *baluma.*] ***S. f.*** *Marinh.* Numa vela latina quadrangular ou triangular, o lado voltado para a popa da embarcação. [Cf. *esteira*[2] (2), *gurutil* e *testa* (4).]

valva [Do lat. *valva.*] ***S. f.* 1.** *Anat.* Designação genérica de prega membranosa que, presente dentro de órgão oco, normalmente regula o fluxo, e evita o refluxo de matéria (sangue, urina, fezes, etc.) que transita no interior dele. **2.** *Bot.* Parte destacável de um órgão cavitário que se abre ao alcançar a maturidade: *valvas da antera, de uma cápsula,* etc. **3.** *Bot.* Parte plana, diversamente ornamentada, paralela ao eixo maior, da teca das diatomáceas. **4.** *Med.* Designação genérica de instrumentos com formato de lâmina curva, us. para afastar órgão(s) ou parede(s) no curso de exame ou de operação. **5.** *Zool.* Qualquer das peças sólidas que revestem o corpo de um molusco. [Cf. *concha* (1). Dim.: *válvula* (q. v.).] ◆ **Valva atrioventricular direita.** *Anat.* A que está situada entre o átrio e o ventrículo direitos e que permite a passagem de sangue do primeiro para o segundo; valva tricúspide (denom. ant.). **Valva atrioventricular esquerda.** *Anat.* A que está situada entre o átrio e o ventrículo esquerdos e que permite a passagem de sangue do primeiro para o segundo; valva bicúspide, valva mitral (denom. ant.). **Valva bicúspide.** *Anat.* V. *valva atrioventricular esquerda.* **Valva ileocecal.** *Anat.* V. *papila ileal.* **Valva mitral.** *Anat.* V. valva atrioventricular esquerda. **Valva tricúspide.** *Anat.* V. *valva atrioventricular direita.*

valvado[1] [De *valva* + *-ado*[1].] ***Adj.*** Provido de valva.

valvado[2] [Adapt. do tax. *Valvatida.*] *Zool.* ***S. m.* 1.** Espécime dos valvados, ordem de equinodermos asteroides cuja face dorsal é protegida por placas cobertas de pequenas granulações; têm pódios providos de ventosas e pedicelárias valvadas ou alveoladas. ● ***Adj.* 2.** Pertencente ou relativo a eles.

valvar [De *valva* + *-ar*[1].] ***Adj. 2 g.* 1.** Semelhante a valva. **2.** Relativo a, ou próprio de valva. **3.** *Bot.* Que se toca pelo bordo, sem superposição: *prefloração valvar; prefoliação valvar.*

▲ **-valve** [Do lat. *vălva, ae,* 'batente', sing. de *valvae*, 'as duas metades da porta'.] *El. comp.* = 'valva'; 'abertura': *bivalve, evalve.*

valverde[1] (ê) [Alter. de *belvedere.*] ***S. m.*** Artefato pirotécnico, cujas faíscas lembram uma figura piramidal ou cônica invertida.

valverde[2] (ê) [Alter. de *bel* (por *belo*) *verde*, poss.] ***S. m.*** *Bot.* Planta quenopodiácea (*Kochia scoparia*) nativa da Eurásia, muito ramosa, de folhas lanceoladas, us. como forragem.

valvífero [De *valva* + *-ífero.*] ***S. m.*** *Zool.* Placa basilar do ovipositor dos insetos.

valviforme [De *valva* + *-iforme.*] ***Adj. 2 g.*** Que tem forma de valva.

valvoplastia [De *valva* + *-o-* + *-plast(o)-* + *-ia*[1].] ***S. f.*** *Cir. Card.* Operação que se destina ao tratamento de lesão de valva cardíaca [v. *valva* (1)]. [O t. *valvuloplastia* é m. us., conquanto seja impr.]

valvoplástico [De *valvoplastia* + *-ico*[2].] ***Adj.*** Relativo a valvoplastia. [Sin. (impr.): *valvuloplástico.*]

valvotomia [De *valva* + *-o-* + *-tom(o)-* + *-ia*[1].] ***S. f.*** *Cir. Card.* Incisão de valva (1) cardíaca. [Sin. (impr.): *valvulotomia.*]

valvotômico ***Adj.*** V. *valvotômico.* [Uso freq. em P.]

valvotômico [De *valvotomia* + *-ico*[2].] ***Adj.*** Relativo a valvotomia. [Sin. (impr.): *valvulotômico.*]

válvula [Do lat. *valvula.*] ***S. f.* 1.** Pequena valva. **2.** Dispositivo mecânico destinado a controlar um fluxo (de ar, água, vapor, etc.), só o permitindo numa dada direção, ou em certas condições: *válvula de ar de um pneu; válvula de segurança de panela de pressão; válvula de descarga de vaso sanitário.* **3.** Dispositivo que fecha por si, e hermeticamente, um tubo. **4.** Designação genérica de qualquer dos dispositivos que, em instalações de máquinas a vapor, motores de explosão ou de combustão interna, etc., permitem interromper ou regular a passagem de água, vapor, ar, gases, etc., por tubulações ou para órgãos da instalação. **5.** *Anat.* Pequena valva (1), como, por ex., em vasos linfáticos, venosos, etc. **6.** *Bot.* Pequena valva, como, por ex., nas anteras das lauráceas. **7.** *Eletrôn.* Dispositivo constituído por um bulbo fechado, que pode ser evacuado ou não, e no interior do qual se produz e controla um feixe de elétrons por um conjunto de eletrodos; válvula eletrônica, tubo eletrônico. **8.** *Tec. Mec.* Acessório de máquina ou de rede de instalação de máquinas, destinado a interromper ou a controlar o fluxo do fluido (água, vapor, ar, etc.) que nelas trabalha. ◆ **Válvula a gás.** *Eletrôn.* Válvula eletrônica cujas propriedades elétricas dependem essencialmente da ionização de um gás ou de um vapor contido no invólucro. **Válvula amplificadora.** *Eletrôn.* A que num circuito exerce uma função de amplificação, e cujo tipo fundamental é um triodo. **Válvula a vácuo.** *Eletrôn.* Válvula eletrônica em que os eletrodos funcionam no vácuo. **Válvula conversora.** *Eletrôn.* Válvula que realiza as funções de misturador e oscilador local de um transdutor de conversão heteródino. **Válvula de agulha.** *Tec.* Tipo de válvula de globo que tem o tampão na forma de uma agulha cônica, possibilitando um controle fino da vazão de líquidos e gases. **Válvula de alívio.** *Tec.* A que se abre automaticamente, desde que a pressão do fluido na tubulação exceda um certo valor predeterminado. **Válvula de bloqueio.** *Tec.* A que só tem duas posições de operação, aberta ou fechada, e não serve para efetuar regulagem contínua do escoamento. **Válvula de bola.** *Eng.* Aquela cuja abertura é regulada pela subida e descida de uma esfera imersa num fluido. **Válvula de controle.** *Tec.* A que pode efetivar a regulagem da vazão do fluido, de forma contínua, pelo ajustamento da posição do tampão. **Válvula de diafragma.** *Tec.* A que opera pela ação de um diafragma, que pode ser apertado contra a sede (8), e na qual o fluido não entra em contato com o mecanismo móvel de comando. **Válvula de esfera.** *Tec.* Tipo de válvula de macho em que o bloqueio do escoamento se faz mediante o comando de uma peça esférica provida de orifício brocado. **Válvula de feixe.** *Eletrôn.* Válvula eletrônica em que eletrodos dispostos apropriadamente determinam a trajetória dos elétrons. **Válvula de gaveta.** *Tec.* Válvula constituída essencialmente de uma cunha ou placa que, comandada por uma haste roscada, desliza transversalmente ao fluxo do fluido, permitindo variar a seção da abertura atravessada por ele. **Válvula de globo.** *Tec.* Válvula para fluidos cujo fechamento é feito por meio de um tampão que se ajusta contra a sede (8) da válvula, cujo orifício está em posição paralela à do escoamento. **Válvula de macho.** *Tec.* Válvula para fluidos na qual o fechamento é feito pela rotação de uma peça (macho) que dispõe de um orifício brocado, no interior do corpo da válvula. **Válvula de pé.** *Tec.* Válvula de retenção na extremidade inferior de tubulação que vai de bomba hidráulica a cisterna, caixa-d'água, etc., situada em nível mais baixo, e cuja função é impedir que esta tubulação se esvazie, quando a bomba está desligada, e permite seu funcionamento, com eficiência, ao ser religada. **Válvula de poça de mercúrio.** *Eletrôn.* Válvula retificadora, de potência, em que um eletrodo é constituído por mercúrio. **Válvula de potência.** *Eletrôn.* A que é capaz de suportar a passagem de correntes intensas e fornecer potência elevada. **Válvula de raios catódicos.** *Eletrôn.* Válvula eletrônica em que se produz e observa, de maneira controlada e controlável, um feixe de elétrons acelerados que incidem sobre uma tela fosforescente. **Válvula de retenção.** *Tec.* A que só permite a passagem do fluido em certo sentido, bloqueando automaticamente a passagem em sentido inverso. **Válvula de segurança.** A que abre automaticamente para a atmosfera quando a pressão numa caldeira ou numa rede atinge um valor perigoso para a instalação. **Válvula eletrométrica.** *Eletrôn.* Válvula eletrônica destinada a medir tensões de baixos valores cujas fontes têm resistência interna elevada, ou correntes muito baixas que circulam em circuitos de grande resistência. **Válvula eletrônica.** *Eletrôn.* V. *válvula* (7). **Válvula farol.** *Eletrôn.* Válvula destinada a trabalhar com frequências elevadas, na qual os eletrodos são planos e paralelos, e que tem, externamente, a aparência de um farol. **Válvula gatilho.** *Eletrôn.* Aquela em que o início da operação é determinado pela aplicação dum sinal de alta tensão a um eletrodo especial. **Válvula globo.** *Tec.* Válvula constituída essencialmente de um disco que pode ser mais ou menos inserido em sua sede (de forma aproximadamente esférica) por meio de uma haste roscada. **Válvula ileocecal.** *Anat.* V. *papila ileal.* **Válvula metálica.** *Eletrôn.* Aquela cujo invólucro é metálico. **Válvula miniatura.** *Eletrôn.* Aquela cujas dimensões são reduzidas. **Válvula múltipla.** *Eletrôn.* A que contém dois ou mais grupos de eletrodos que podem funcionar independentemente uns dos outros, permitindo, assim, que a válvula exerça simultaneamente diferentes funções em um mesmo circuito. **Válvula redutora.** *Anest.* Válvula reguladora de pressão de linha, dando a esta a intensidade adequada, de modo a assegurar um suprimento permanente de gases, dentro de margem de segurança. **Válvula retificadora.** *Eletrôn.* A que transforma corrente contínua em alternada, e é representada, basicamente, por um diodo. **Válvulas coniventes.** *Anat.* Pregas circulares da superfície interna do intestino delgado. **Válvula subminiatura.** *Eletrôn.* Aquela cujas dimensões são menores que as de uma válvula miniatura. **Válvula termiônica.** *Eletrôn.* Aquela em que um eletrodo é aquecido para que haja emissão de elétrons.

valvulado [De *válvula* + *-ado*[1].] ***Adj.*** Que tem válvula (1); valvular.

valvular [De *válvula* + *-ar*[1].] ***Adj. 2 g.* 1.** Valvulado. **2.** *Bot.* Que tem forma de válvula (8): *deiscência valvular.*

valvuloplastia (vàl) [De *válvula* + *-o-* + *-plast(o)-* + *-ia*[1].] ***S. f.*** *Cir. Card. Impr.* V. *valvoplastia.*

valvuloplástico (vàl) [De *valvuloplastia* + *-ico*[2].] ***Adj.*** *Cir. Card. Impr.* Valvoplástico.

valvulotomia (vàl) [De *válvula* + *-o-* + *-tom(o)-* + *-ia*[1].] ***S. f.*** *Cir. Card. Impr.* V. *valvotomia.*

valvulotômico (vàl) [De *valvulotomia* + *ico*[2].] ***Adj.*** *Impr.* V. *valvotômico.*

vampe [Do ingl. *vamp* < f. red. de *vampire*, 'vampiro'.] ***S. f.* 1.** Atriz que faz o papel de mulher fatal. **2.** *P. ext.* Mulher fatal: "Ela também agora ia dar uma de doida, de vampe." (Moreira Campos, *Os Doze Parafusos*, p. 76.) [Sin. ger.: *vampiro.*]

vampiresa (ê) [De *vampiro* + *-esa.*] ***S. f.*** Fem. de *vampiro* (1).

vampiresco (ê) [De *vampiro* + *-esco.*] ***Adj.*** Relativo a, ou próprio de vampiro.

vampírico [De *vampiro* + *-ico*[2].] ***Adj.*** Relativo ou semelhante a vampiro.

vampirismo [De *vampiro* + *-ismo.*] ***S. m.* 1.** Crença nos vampiros. **2.** *Fig.* Avidez demasiada. **3.** Qualidade de vampiro ou vampe.

vampirizador (ô) [De *vampirizar* + *-dor.*] ***Adj. S. m.*** Que, ou aquele que vampiriza.

vampirizar [De *vampiro* + *-izar.*] *V. t. d. Fig.* Extrair energia, esforço, etc. de (alguém), à maneira de vampiro (2 e 3): *Construiu seu império econômico vampirizando os sócios.*

vampiro [Do húng. *vampir*, pelo al. *Vampir* e pelo fr. *vampire.*] *S. m.* **1.** Entidade lendária que, segundo superstição popular, sai das sepulturas, à noite, para sugar o sangue dos vivos; estrige. [Fem.: *vampiresa.*] **2.** *Fig.* Aquele que enriquece à custa alheia e/ou por meios ilícitos. **3.** *Fig.* Aquele que explora os pobres em benefício próprio. **4.** V. *vampe.* **5.** *Bras. Zool.* Designação do morcego hematófago, desmodontídeo, esp. *Desmodus rotundus,* transmissor da raiva aos bovinos. Ocasionalmente suga o homem, retirando pequena quantidade de sangue. Tem coloração castanho-parda, dorso acanelado e ventre cinzento-amarelado, 24 dentes e um só par de incisivos superiores, o que o diferencia dos demais morcegos.

➔ **van** [væn] [Ingl., f. red. de *caravan*, 'caravana'.] *S. f.* **1.** Veículo de médio a grande porte, us. em geral para transporte de passageiros ou de carga: "Muitas vezes, no trajeto entre os hotéis e os locais de apresentação, dispensava o carro exclusivo para viajar na van com os colegas da banda." (Eduardo Belo e Ana Cláudia Landi, *Apenas uma Garotinha*, p. 270.) **2.** *P. ext.* Qualquer automóvel que presta serviço de transporte de passageiros (lícita ou ilicitamente); perua, *kombi*: *Depois do assalto, preferiu pegar uma van a seguir no ônibus.*

vanadato [De *vanad(o)-* + *-ato*[2].] *S. m. Quím.* Qualquer dos sais metálicos derivados do óxido vanádico.

vanadinita [Do al. *Vanadinit.*] *S. f. Min.* Mineral hexagonal, clorovanadato de chumbo.

vanádio [Do lat. cient. *vanadium* < *Vanadis*, nome latino da deusa Freia, da mitologia escandinava, + *-ium.*] *S. m. Quím.* Elemento de número atômico 23, metálico, cinzento, duro, leve, usado em ligas especiais e como catalisador [símb.: *V*].

▲ **vanad(o)-** [De *vanádio.*] *Quím. El. comp.* = 'vanádio': *vanadato, vanadossilicato.*

vanadossilicato [De *vanad(o)-* + *silicato.*] *S. m. Quím.* Qualquer de certas combinações de vanadatos e silicatos metálicos.

vanaquiá [De or. indígena, poss.] *S. m. Bras. Zool.* V. *anacã.*

vancê [De *você*, por nasalação.] ***Pron. de tratamento*** *Bras. Pop.* V. *você*: "Como vancê sabe, o Cabano tem vontade no Quirino por ele ser votante do major Rabelo..." (José Veríssimo, *Cenas da Vida Amazônica*, p. 161)

vandálico [Do lat. tard. *vandalicu.*] *Adj.* Relativo ou pertencente aos vândalos, ou próprio deles; vândalo.

vandalismo [Do fr. *vandalisme.*] *S. m.* **1.** Ação própria de vândalo. **2.** Destruição daquilo que, por sua importância tradicional, pela antiguidade ou pela beleza, merece respeito.

vandalização [De *vandalizar* + *-ção.*] *S. f.* Ato ou efeito de vandalizar.

vandalizar [De *vândalo* + *-izar.*] *V. t. d.* **1.** Destruir, danificar: *vandalizar obras de arte. P.* **2.** Tornar-se vândalo; portar-se como vândalo.

vândalo [Do lat. *vandalu.*] *S. m.* **1.** Membro de um povo germânico de bárbaros que, na Antiguidade, devastaram o S. da Europa e o N. da África. **2.** *Fig.* Aquele que destrói monumentos ou objetos respeitáveis. **3.** Inimigo das artes e das ciências. **4.** *Fam.* Indivíduo que tudo destrói, quebra, rebenta: *Criados com liberdade exagerada, os meninos são uns vândalos.* ● *Adj.* **5.** Vandálico.

vanecer [Do lat. *vanescere.*] *V. t. d. P. Desus.* Desvanecer. [Conjug.: v. *aquecer.*]

vanescer *V. t. d. P. Desus.* V. *desvanecer.*

vanessa [Do tax. *Vanessa.*] *S. f. Zool.* **1.** Gênero de lepidópteros ninfalídeos, de distribuição cosmopolita, que reúne borboletas de grande tamanho, e de colorido variegado; têm patas anteriores pequenas, não funcionais, e pilosas. Há cerca de 5.000 espécies. **2.** Espécie, ou espécime desse gênero.

vanglória [Do f. do adj. *vão* + *glória.*] *S. f.* Presunção infundada; jactância, bazófia, vaidade: "Não era glória nem vanglória, nem volúpia de ter vencido, nada." (Mário de Andrade, *Contos Novos*, p. 109.) [Cf. *vangloria*, do v. *vangloriar.*]

vangloriar [De *vanglória* + *-ar*[2].] *V. t. d.* **1.** Inspirar vanglória ou desvanecimento a; tornar vaidoso; envaidecer, desvanecer. *P.* **2.** Tornar-se vaidoso; ufanar-se em demasia ou sem razão; envaidecer-se, desvanecer-se: "Nobilitado e adulado, o Barão de Itamaracá vangloriava-se de ter calos nas mãos... — calos que lhe vinham de tanto acariciar corpos femininos." (Melo Nóbrega, *Evocação de B. Lopes*, pp. 62-63.) [Pres. ind.: *vanglorio, vanglorias, vangloria*, etc. Cf. *vangloria*, s. f., e *Vanglória*, top.]

vanglorioso (ô) [De *vanglória* + *-oso.*] *Adj.* Que tem ou denota vanglória; jactancioso, vaidoso, afofado: *um tipo vanglorioso; atitude vangloriosa.*

vanguarda [Do fr. *avant-garde*, pela f. ant. *avanguarda.*] *S. f.* **1.** *Exérc.* Extremidade dianteira de unidade ou subunidade em campanha. **2.** Frente, testa, dianteira. [Antôn., nessas acepç.: *retaguarda.*] **3.** A parcela mais consciente e combativa, ou de ideias mais avançadas, de qualquer grupo social. **4.** *P. ext.* Grupo de indivíduos que, por seus conhecimentos ou por uma tendência natural, exerce papel de precursor ou pioneiro em determinado movimento cultural, artístico, científico, etc.: *A vanguarda intelectual brasileira tomou parte na Semana de Arte Moderna, em 1922.* [Sin. ger., p. us.: *anteguarda.*]

vanguardeiro [De *vanguarda* + *-eiro.*] *Adj. S. m.* **1.** Que, ou aquele que marcha na vanguarda. **2.** Que, ou aquele que vem na frente. [Sin. ger.: *vanguardista.*]

vanguardismo [De *vanguarda* + *-ismo.*] *S. m.* **1.** Caráter ou ação da vanguarda (3 e 4). **2.** *Bras.* Forma de ação política que assenta no nível de esclarecimento e combatividade das parcelas mais conscientes de uma classe ou grupo social, desprezando a cooperação das parcelas menos conscientes.

vanguardista [De *vanguarda* + *-ista.*] *Adj. 2 g.* **1.** Relativo a, ou próprio de vanguarda. **2.** Vanguardeiro. **3.** *Bras.* Baseado no vanguardismo: *teoria vanguardista.* ● *S. 2 g.* **4.** Vanguardeiro. **5.** *Bras.* Defensor do vanguardismo.

vanguejar [Var. nasalada de *vaguejar.*] *V. int.* **1.** Escorregar, resvalar. **2.** Oscilar, vacilar. [Conjug.: v. *pelejar.* Cf. *vaguejar.*]

vanhame *S. 2 g. Adj. 2 g. Bras.* V. *pavunva.*

vanherei *Bras. S. 2 g.* **1.** *Etnôn.* Indivíduo dos vanhereis, povo indígena que habitava a margem direita do rio Piquira, divisa com MT e MS. ● *Adj. 2 g.* **2.** Pertencente ou relativo a esse povo. [Tb. us. como *s. 2 g. e 2 n.* (com cap.) e *adj. 2 g. e 2 n.*]

vanilado [De *vanila* + *-ado*[1].] *Adj.* Vanilhado.

vanilhado [De *vanila* + *-ado*[1], com infl. de *baunilha*, ou do esp. *vainilla.*] *Adj.* Que é feito de baunilha, ou a contém.

vanilina [Do fr. *vanilline.*] *S. f. Quím.* Substância cristalina, com odor característico, encontrada na essência da baunilha [fórm.: $C_8H_8O_3$].

vaniloquência (qüen) [Do lat. *vaniloquentia.*] *S. f.* Qualidade de vanílоquo. ❖

vaniloquente (qüen) [Do lat. *vaniloquente.*] *Adj. 2 g.* Vanílоquo. ❖

vaniloquentíssimo (qüen) *Adj.* Superl. abs. sint. de *vanílоquo.* ❖

vanilóquio [Do lat. tard. *vaniloquiu.*] *S. m. P. us.* Palavras vazias; arrazoado inútil.

vanílоquo [Do lat. *vaniloquu.*] *Adj.* **1.** Que fala à toa, em vão, ou diz palavras sem sentido ou inúteis. **2.** V. *fanfarrão* (1). [Sin. ger.: *vaniloquente.* Superl. abs. sint.: *vaniloquentíssimo.*]

vaninense *Adj.* **1.** De, ou pertencente ou relativo a Vanini (RS). ● *S. 2 g.* **2.** O natural ou habitante de Vanini.

vaníssimo [Do lat. *vanissimu.*] *Adj.* Superl. abs. sint. de *vão.*

vantagem [Do fr. *avantage*, pela f. ant. *avantagem.*] *S. f.* **1.** Qualidade do que está adiante ou é superior. **2.** Favor, benefício. **3.** Primazia, superioridade. **4.** Lucro, interesse. **5.** Ganho, proveito. **6.** Vitória, triunfo. **7.** *Esport.* A diferença existente no número de pontos obtidos por adversários numa partida ou competição. **8.** *Esport.* No tênis, o direito de sacar. **9.** *Bras.* Adicional, variável segundo o posto, função ou qualificações, pago aos componentes das forças armadas.

vantajoso (ô) [De *vantagem* + *-oso.*] *Adj.* **1.** Em que há vantagem. **2.** Que dá proveito; útil, proveitoso. **3.** Que dá lucro; lucrativo.

vante [De *avante*, por aférese.] *S. f. Mar.* **1.** A metade dianteira da embarcação. **2.** Frente (1): "arrancou para vante com tal ímpeto que ameaçou dar um tombo, afundar, soçobrar." (Virgílio Várzea, *Nas Ondas*, p. 15). [M. us. em loc. adv. ou prep. *a vante, a vante de*, etc.] ◆ **A vante.** Adiante, à proa, na proa: *Siga a vante; Coloque-se a vante!; Forme a vante.* [Antôn.: *a ré* (1).] **A vante de.** À frente de (considerando como direção de referência a que se volta para a proa da embarcação). [Antôn.: *a ré de.* Cf. *avante de.*] **De vante.** De proa; dianteiro: *metade de vante do navio.* **Para vante.** Para a proa: *Fique voltado para vante.*

vanuatense *Adj. 2 g.* **1.** De, ou pertencente ou relativo a Vanuatu (arquipélago a S.O. do Pacífico, Oceania). ● *S. 2 g.* **2.** O natural ou habitante de Vanuatu.

vão [Do lat. *vanu.*] *Adj.* **1.** Vazio, oco. **2.** Sem valor; fútil, insignificante. **3.** Que só existe na fantasia; fantástico, incrível. **4.** Fútil, frívolo. **5.** Vanglorioso, jactancioso. **6.** Falso, enganador, enganoso, ilusório, ilusivo: "Guarda o que tens, fechado em tua mão, / Pois só há desenganos e pesares / Na sombra triste deste mundo vão..." (Ronald de Carvalho, *Poemas e Sonetos*, p. 103.) **7.** Inútil, baldado, frustrado: *esforço vão.* [Flex.: *vã, vãos, vãs*; superl. abs. sint.: *vaníssimo.*] ● *S. m.* **8.** V. *vácuo* (2). **9.** Espaço vazio entre dois pontos, duas coisas. [Cf., nesta acepç., *intervalo* (1).] **10.** *Arquit.* Nas paredes de um edifício, rasgo que corresponde às portas, janelas, etc.; abertura, envasadura. **11.** Intervalo entre dois apoios de uma estrutura. [Sin., lus., nesta acepç.: *tramo.*] **12.** Jogo de cortinas ou tabuinhas para janela ou porta. **13.** *Bras. Pop.* Região clavicular: "cravou a peixeira .... no vão do Zé Pitanga, o sangue espirrou violento." (José Bezerra Filho, *Fogo!*, p. 141). **14.** *Bras.* Sertão alto, descampado. **15.** *Bras. PI* Despenhadeiro entre tabuleiros. **16.** *Bras. GO* Vale profundo, ou depressão, por onde correm os rios. [Pl.: *vãos.*] ◆ **Vão cego.** *Arquit.* Em paredes ou muros, pano[1] (6) formado entre as aberturas de portas e janelas. **Vão livre.** O que é medido entre as faces de apoios consecutivos. **Vão teórico.** O que é medido entre os eixos de apoios consecutivos. **Vão total.** O que é medido entre as faces de apoios extremos. **Em vão.** Debalde, embalde, inutilmente: "Gesticulas em vão! Para quê te cansares?" (Ronald de Carvalho, *Poemas e Sonetos*, p. 107.)

vapidiana *S. 2 g. Adj. 2 g. Bras.* V. *uapixana.*

vápido [Do lat. *vapidu.*] *Adj. Poét.* **1.** Sem sabor; insípido, insulso. **2.** *Med.* Cheio de exalações.

vaplegá [Do *forro*[2].] *S. m. Santom.* Cabana rudimentar, cujas paredes são feitas de ramos de palmeira: "Rosa Adriana murmurava algo ao ouvido de Mé Léchi, que também acorrera ao local, um vaplegá abandonado que já mais de uma vez lhe servira de poiso, nas ocasiões em que entrara em litígio com esse ou aquele rendeiro, por falta do pagamento de renda." (Albertino Bragança, *Rosa do Riboque e Outros Contos*, p. 30.)

vapor (ô) [Do lat. *vapore.*] *S. m.* **1.** *Fís.* Gás em temperatura inferior à crítica. **2.** Gotículas (de água, etc.) que se encontram suspensas, flutuando no ar e formando uma massa visível. **3.** Energia gerada pela força de expansão da água vaporizada. **4.** Navio propelido por máquina de vapor. [Sin., bras., N.E., pop. (nesta acepç.): *vapor do mar, vapor de água.*] **5.** *Bras. Pop.* Trem (8). [No N.E. diz-se mais frequentemente *vapor de terra.*] **6.** *Bras. SP* Máquina a vapor. **7.** *Bras. Gír.* V. *avião* (3). [Pl.: *vapores* (ô). Cf. *vapores*, do v. *vaporar.*] ◆ **Vapor de água.** *Bras. N.E. Pop.* V. *vapor* (4). **Vapor de terra.** *Bras. N.E.* Vapor (5). **Vapor do mar.** *Bras. N.E. Pop.* V. *vapor* (4): "É verdade que alguém, se não quisesse atravessar o Ceará para alcançar os campestres do Piauí, poderia embarcar num vapor do mar e chegar ao seu destino." (Raquel de Queirós, *100 Crônicas Escolhidas*, p. 18.) **Vapor saturado.** *Fís.* O que, numa temperatura dada, tem pressão igual à de equilíbrio com o líquido na mesma temperatura. **Vapor superaquecido.** *Fís.* O que, sob uma pressão dada, está numa temperatura maior que a de equilíbrio com o líquido na mesma pressão. **Vapor super-resfriado.** *Fís.* Vapor em estado metastável numa temperatura mais baixa que a de equilíbrio com o líquido na pressão a que estiver submetido. **A todo o vapor.** A toda a velocidade; muito rapidamente; a toda a pressa. **A vapor. 1.** Acionado pelo vapor de água: *máquina a vapor.* **2.** Propelido por máquina a vapor: *barco a vapor.* **3.** Que pode lançar vapor sobre o tecido (diz-se de ferro elétrico).

vaporação [Do lat. *vaporatione.*] *S. f.* Ato ou efeito de vaporar(-se).

vaporar [Do lat. *vaporare.*] *V. t. d.* **1.** Exalar ou lançar (vapores): "Os teus cabelos são uns fios d'ouro; / teu lindo corpo bálsamos vapora." (Tomás Antônio Gonzaga, *Marília de Dirceu*, p. 2.) *Int. P.* **2.** Lançar vapores. **3.** Vaporizar-se, evaporar-se. [Pres. subj.: *vapore, vapores*, etc. Cf. *vapores* (ô), pl. de *vapor*, s. m.]

vaporável [De *vaporar* + *-vel.*] *Adj. 2 g.* Que se pode vaporar; volatilizável.

vapor-d'água *S. m. Bras. Pop.* V. vapor (2). [Pl.: *vapores-d'água.*]

vapores (ô) [Pl. de *vapor.*] *S. m. pl.* **1.** Entorpecimento cerebral que era atribuído a vapores mórbidos que subiam ao cérebro. **2.** Agente que se acreditava provocar a embriaguez. ~ V. *vapor.*

vaporífero [Do lat. tard. *vaporiferu.*] *Adj.* Que exala vapores; vaporoso.

vaporização [De *vaporizar* + *-ção.*] *S. f.* Ato ou efeito de vaporizar.

vaporizador (ô) [De *vaporizar* + *-dor.*] *Adj.* **1.** Que vaporiza. ● *S. m.* **2.** Utensílio próprio para vaporizar (1 e 2): *vaporizador de perfumes.*

vaporizar [De *vapor* + *-izar.*] *V. t. d.* **1.** Converter em vapor (1); volatilizar. **2.** Aspergir (líquidos) em gotas finíssimas. *P.* **3.** Converter-se em vapor; evaporar-se, vaporar-se, volatilizar-se. **4.** Encher-se ou impregnar-se de vapores.

vaporosidade [De *vaporoso* + *-(i)dade.*] *S. f.* Qualidade de vaporoso.

vaporoso (ô) [Do lat. *vaporosu.*] *Adj.* **1.** Em que há vapores. **2.** Vaporífero. **3.** Delicado, tênue, leve; aeriforme. **4.** Transparente, diáfano. **5.** *Fig.* Muito magro. **6.** *Fig.* Fantástico, incrível. **7.** *Fig.* Obscuro, incompreensível. **8.** *Fig.* Vaidoso, presunçoso.

V

vapozeiro (pô) [De *vapor* (pronunciado *vapô*) + *-zeiro*.] *S. m. Bras. Gír.* V. *avião* (3).

vapt [T. onom.] *Interj.* Imitativa de golpe rápido; vupt; vapt-vupt.

vapt-vupt [T. onom.] *Interj.* **1.** V. *vapt.* ● *S. m.* **2.** *Bras. Pop.* Lençol dotado de elástico, que se prende facilmente à cama.

vapuaçu [Do tupi.] *S. m. Bras.* V. *búzio* (1).

vapular [Do lat. *vapulare.*] *V. t. d.* **1.** Agitar, abalar. **2.** Açoitar, flagelar, fustigar, vergastar, zurzir.

vaqueanaço [De *vaqueano* + *-aço.*] *S. m. Bras. RS* Vaqueano muito hábil, ou esforçado.

vaqueanagem [De *vaqueanar* + *-agem*[2].] *S. f.* Ato de vaqueanar, de proceder como vaqueano.

vaqueanar [De *vaqueano* + *-ar*[2].] *V. int. Bras. RS* Ter profissão, hábito, ou procedimento de vaqueano ou tapejara.

vaqueano [Do esp. plat. *vaqueano.*] *S. m. MG S. C.O.* V. *tapejara* (1): 📖 "Quando foi do cerco de Uruguaiana pelos paraguaios em 65 e o Imperador Pedro II veio cá, ... andei muito por esses meios, como vaqueano, como chasque, como confiança dele." (Simões Lopes Neto, *Contos Gauchescos e Lendas do Sul*, p. 168.) [No N., N.E. e BA: *baqueano.*]

vaqueira[1] [De *vaca* + *-eira.*] *S. f.* Fem. de *vaqueiro.*

vaqueira[2] [Do esp. plat. *vaquero.*] *S. f. Bras. RS* Matambre (1).

vaqueirada [De *vaqueiro* + *-ada*[1].] *S. f. Bras.* **1.** Grupo de vaqueiros. **2.** Os vaqueiros. [Sin. ger.: *vaqueirama.*]

vaqueiragem [De *vaqueirar* + *-agem*[2].] *S. f. Bras.* Ato de vaqueirar; a profissão de vaqueiro.

vaqueirama [De *vaqueiro* + *-ama.*] *S. f. Bras.* **1.** Vaqueirada: 📖 "Segue a boiada, ao tardo passo, tranquila. Canta a vaqueirama encourada." (Alberto Rabelo, *Contos do Norte*, p. 124.) **2.** *Bras. N.E.* Reunião de vaqueiros, no inverno, para efetuarem a apartação ou vaquejada.

vaqueirar [De *vaqueiro* + *-ar*[2].] *V. int. Bras.* Exercer a profissão de vaqueiro; trabalhar como vaqueiro.

vaqueirice [De *vaqueiro* + *-ice.*] *S. f. Bras.* O ofício de vaqueiro.

vaqueiro [De *vaca* + *-eiro.*] *S. m.* **1.** Guarda ou condutor de vacas, ou de qualquer gado vacum. [Sin. bras.: *campeiro* (N.E.), *casaca de coiro, casaca de couro* (PE) e *chapadeiro* (MG).] **2.** *Zool.* V. *trinca-ferro.* ● *Adj.* **3.** Relativo ou pertencente a gado vacum.

vaquejada [De *vaquejar* + *-ada*[1].] *S. f. Bras.* **1.** Rodeio e reunião do gado de uma fazenda nos últimos meses de inverno; costeio. **2.** Ato de procurar o gado que se encontra espalhado pelos matos, nas caatingas e nos campos, e reuni-los nos rodeadores, donde é conduzido aos currais da fazenda para apartação, ferra, capação, etc.; apartação.

vaquejador (ô) [De *vaquejar* + *-dor.*] *S. m.* **1.** *Bras. PA* Passagem aberta a braço através de qualquer mato que separa duas campinas ou medeia entre o campo e a margem dum rio. **2.** *Bras. N.E.* Caminho aberto nos matos e caatingas, pelo qual os vaqueiros levam o gado dos pastos para os currais, ou de uma fazenda para outra. **3.** *Bras. MA BA* Grande picada, aberta para os campos, nas fazendas de criação.

vaquejar [De *vaca* + *-ejar.*] *V. t. d. Bras. N.E.* Costear (3). [Conjug.: v. *pelejar.*]

vaquejo (ê) [Dev. de *vaquejar.*] *S. m.* Ato de vaquejar.

vaqueta[1] (ê) [De *vaca* + *-eta* (ê).] *S. f.* **1.** Couro delgado e macio, usado sobretudo para forros: 📖 "comprou, no queima, uns sapatos de vaqueta." (Jáder de Carvalho, *Meu Passo na Rua Alheia*, p. 16). **2.** *Bras. S. Chulo* Meretriz.

vaqueta[2] (ê) *S. f.* V. *baqueta* (2).

vaquilhona [Do esp. *vaquillona.*] *S. f. Bras. RS* **1.** Novilha muito nova. **2.** Vaca que ainda não pariu.

vaquinha [De *vaca* + *-inha.*] *S. f. Bras.* **1.** Associação de várias pessoas no jogo, ou para a compra ou realização de algo; vaca. [Us. em geral na expr. *fazer uma vaquinha.*] **2.** *Zool.* Designação comum a coleópteros da família dos meloídeos, crisomelídeos e escarabeídeos, e da subfamília dos melolontíneos. São besouros alongados, de pernas muito compridas, tarsos muito desenvolvidos, sobretudo no gênero *Ecauta*, e atacam as folhas e flores das plantas. [Sin.: *burrinho.*]

var *S. m. Eletr.* Unidade de medida de potência reativa em circuitos de corrente alternada, equivalente a um *watt.* [Pl.: *vars.*]

vara[1] [Do lat. *vara.*] *S. f.* **1.** Ramo fino e flexível. **2.** *P. ext.* V. *bordão*[1] (1). **3.** Pau direito. **4.** *P. ext.* Qualquer haste (1) delgada. [Aum.: *varejão*; dim.: *vareta, varela, varola.*] **5.** Antiga insígnia de magistrados e de vereadores. **6.** O cargo de juiz. **7.** Jurisdição (2). **8.** Antiga unidade de medida de comprimento, equivalente a cinco palmos, ou seja, 1,10m. **9.** Porção de tecido com o comprimento dessa medida: 📖 "um metro de chita ou uma vara de pano cru." (Brito Camacho, *Quadros Alentejanos*, p. 49). **10.** Medida, padrão, bitola. **11.** Manada de porcos; vara de porcos; porcada: 📖 "o cabo .... fazia com os dentes tal barulho que semelhava não um caititu, mas uma vara inteira de porcos." (Visconde de Taunay, *Histórias Brasileiras*, p. 209). **12.** Castigo, punição, correção. **13.** *Chulo* O pênis. **14.** *Teatr.* Parte da manobra (10 e 11), em que se penduram os refletores ou elementos do cenário. **15.** *Bras. PE* Viga mais delgada que a virgem (8), e cuja extremidade superior se encaixa no orifício desta, sendo a extremidade anterior atravessada pelo fuso. [Cf. *arrocho* (4).] **16.** *Bras. RJ* Unidade de medida de comprimento, variável, forjada nas roças de cana: 📖 "O trabalho dos lavradores é medido com uma vara de bambu de dois metros de comprimento. Todos têm de cortar em média 50 ou 60 varas por dia." (*O Globo*, 13.01.1991.) **17.** *Bras. RJ* Bando de 10 a 20 quatis; lotada. ◆ **Vara da infância e da juventude.** *Jur.* Órgão do poder judiciário incumbido da assistência, proteção, defesa, processo e julgamento dos jovens com menos de 18 anos. [Sin., obsol.: *juizado de menores* e *juízo de menores.*] **Vara de bater.** *Bras. PE Pop.* Vara de bater pecado. **Vara de bater pecado.** *Bras. N.E. Pop.* Indivíduo muito alto e magro. [Tb. se diz apenas *vara de bater.*] **Vara de condão.** Vara mágica, atributo encantatório das fadas e feiticeiras; varinha de condão. **Vara de porcos.** V. *vara*[1] (11). **Vara do castelo.** A parte mais alta dele. **Vara real.** O cetro. **À vara e a remo.** Com todo o esforço; por todos os meios. **Corrido à vara.** Perseguido pela justiça. **Cortar vara.** *Bras. CE Pop.* Mentir (1). **Ser conduzido debaixo de vara.** Ser conduzido sob mandado judicial. **Tremer como varas verdes.** Ter muito medo; estar assustadíssimo; tremer que nem varas verdes. **Tremer que nem varas verdes.** Tremer como varas verdes: 📖 "E reparando que o amanuense tremia que nem varas verdes: | — Meu caro senhor, ponha-se à vontade!" (Artur Azevedo, *Contos Efêmeros*, p. 33.)

vara[2] [Do marata *vārā.*] *S. f.* Tufão ou furacão do mar das Índias, ocorrente em setembro ou outubro.

varação [De *varar* + *-ção.*] *S. f.* **1.** Ato ou efeito de varar. **2.** Varadouro (3). **3.** *Bras.* Transporte de embarcações por terra, nos trechos perigosos e encachoeirados dos rios. **4.** *Bras.* Projeção de um barco sobre um baixio ou uma praia, onde encalha.

➔ **varactor** [va'læktɚ] [Ingl., de *var(iable)* + *(re)actor.*] *S. m. Eletrôn.* Diodo semicondutor operado com tensão de polarização inversa, e que se comporta como um capacitor dependente da tensão aplicada. [Sin.: *varicap.*]

varada [De *vara*[1] + *-ada*[1].] *S. f.* **1.** Pancada com vara. **2.** Chibatada, chicotada.

varado [Part. de *varar.*] *Adj.* **1.** Perfurado, traspassado: 📄 *varado de balas.* **2.** Diz-se de navio ou embarcação encalhados no varadouro. **3.** Estupefato, atônito. **4.** Acometido, tomado: 📖 "Roma ficou varada de assombro, mal conhecida a enormidade do desastre." (Aquilino Ribeiro, *Os Avós dos Nossos Avós*, p. 153). **5.** *P. ext.* Totalmente tomado de: 📄 *varado de fome, varado de medo.*

varadoiro [De *varar* + *-doiro*[2].] *S. m.* Varadouro (q. v.).

varador[1] (ô) [De *varar* + *-dor.*] *S. m.* Indivíduo que calcula a capacidade das pipas e dos tonéis utilizando uma vara para medi-los.

varador[2] (ô) [Var. de *varadouro.*] *S. m. Bras. N. MA* V. *varadouro* (1 e 6).

varadouro [De *varar* + *-douro*[2]; var. de *varadoiro.*] *S. m.* **1.** Lugar baixo de pouca água, à beira-mar ou à margem de um rio, onde se varam embarcações. [Var. (no MA e noutros estados do N.): *varador.*] **2.** *Fig.* Lugar onde um grupo de pessoas se reúne para descansar e conversar. **3.** *Bras. Amaz.* Canal aberto com rapidez, e que permite a passagem de um rio para outro em curtíssimo tempo, a fim de se evitarem os acidentes do curso; varação. **4.** *Bras. Amaz.* Canal que liga um lago com um rio. **5.** *Bras. PA* Atalho dum rio que, atravessando a várzea submersa, encurta o caminho. **6.** *Bras. Amaz. MT* Caminho aberto na mata e que vai ter ao centro, ou vice-versa. [Var., nesta acepç. (no MA e noutros estados do N.): *varador.*]

varal [De *vara* + *-al*[1].] *S. m.* **1.** Cada uma das duas grossas varas que saem dos lados de um veículo e entre as quais se atrela o animal que o puxa. **2.** Cada uma das varas semelhantes, em andores, esquifes, cadeirinhas, etc. **3.** *Bras.* Fio esticado em que se penduram as roupas lavadas para que sequem; tendal. **4.** *Bras. RJ Desus.* Mesa de bambu sobre a qual se colocava o peixe trazido da pescaria, e onde ele permanecia ao relento até o dia seguinte. **5.** Conjunto de varas compridas onde secam as redes de pesca. **6.** *Bras. RS* Cada uma das varas onde se expõe ao sol o charque para secar. [M. us. no pl., nesta acepç.]

varame [De *vara*[1] (1) + *-ame.*] *S. m.* Porção de varas.

varancada *S. f. Desus.* Varada.

varanda [Do hindi *varanda*, 'balaustrada', poss.] *S. f.* **1.** Balcão, sacada. **2.** Terraço (1). **3.** Gradeamento de sacadas ou de janelas rasgadas ao nível do pavimento. **4.** Roda dentada do lagar de azeite. **5.** *Teatr.* Balcão que circunda o urdimento (2), us. pelos manobristas para fazer mudança de cenário. **6.** *Bras.* Espécie de alpendre à frente e/ou em volta das casas, especialmente as de campo; varandado, avarandado, alpendre: 📖 "Telhado em duas águas, beirais salientes, sombreando a varanda larga que rodeava a casa." (Vasconcelos Maia, *O Leque de Oxum*, pp. 35-36.) **7.** *Bras.* Guarnição franjada ao longo dos dois lados da rede (18); tanga: 📖 "Mariquinha achava-se deitada na rede alva de linho com ricas varandas de rendas encarnadas, mas não dormia" (Inglês de Sousa, *Contos Amazônicos*, p. 72). **8.** *Bras.* A primeira parte do curral de pesca. **9.** *Bras. N.* Sala de frente nas casas rústicas. **10.** *Bras. Amaz. MA S.* Sala de jantar: 📖 "Na sala de refeições, que no Rio Grande do Sul é ger. chamada varanda, havia dois dunquerques" (Érico Veríssimo, *Solo de Clarineta: Memórias*, p. 72). **11.** *Bras. S.* Mobília de sala de jantar.

varandado [De *varanda* + *-ado*[1].] *S. m. Bras. N.* V. *varanda* (9). [F. paral.: *avarandado.*]

varandim [De *varanda* + *-im.*] *S. m.* **1.** Varanda estreita. **2.** Pequeno terraço [v. *terraço* (1)]: 📖 "À tarde, no alto varandim balaustrado da Glória, eu cismava nostalgicamente a olhar a ampla baía" (Virgílio Várzea, *Nas Ondas*, p. 234). **3.** Grade baixa e elegante, us. nas janelas de peitoril.

varanídeo [Do tax. *Varanidae.*] *Zool. S. m.* **1.** Espécime dos varanídeos, família que reúne grandes lagartos predadores, ágeis, de crânio pontudo, grande membrana timpânica, pescoço longo e delgado, corpo bem desenvolvido, membros dotados de garras poderosas, e cauda longa e espessa. Têm escamas pequenas, de textura granular, são bons trepadores e bons nadadores, e podem alcançar 3m de comprimento e 140kg. Há cerca de 30 espécies, que ocorrem nas regiões tropicais do Velho Mundo, e na Austrália. ● *Adj.* **2.** Pertencente ou relativo a eles.

varano [Do tax. *Varanus.*] *S. m. Zool.* **1.** Gênero de reptis varanídeos. **2.** Qualquer espécie desse gênero, como, p. ex., a *Varanus komodoensis* ou *dragão-de-comodo*, o maior lagarto existente, podendo os machos atingir 3m e pesar 140kg; os adultos alimentam-se de veados, porcos e macacos (muitas vezes, da carniça desses animais) e, os jovens, de insetos e pequenos vertebrados. Habitam ilhas da Indonésia. **3.** Qualquer espécime desse gênero.

varão[1] [Var. de *barão.*] *S. m.* **1.** Indivíduo do sexo masculino. **2.** Homem adulto. **3.** Homem corajoso, esforçado. **4.** Homem respeitável. [Fem., nesta acepç.: *varoa, virago, matrona.*] ● *Adj.* **5.** Que é do sexo masculino. [Fem.: *varoa.*] ◆ **Varão de Plutarco. 1.** Homem probo, cheio de serviços à pátria, e por isso comparável aos gregos e romanos biografados por Plutarco [v. *plutarco*]. **2.** Homem que, por sua vida extraordinária, poderia figurar nas *Vidas Paralelas*, obra desse autor.

varão[2] [De *vara*[1] + *-ão*[1].] *S. m.* Vara[1] (2) grande, de ferro ou de outro metal.

varapau [De *vara*[1] + *pau.*] *S. m.* **1.** Pau comprido. **2.** *P. ext.* V. *bordão*[1] (1). **3.** *Bras. Fam.* Pessoa alta e magra. **4.** *Zool.* V. *peixe-rei* (1).

varar [Do lat. *varare.*] *V. t. d.* **1.** Bater com vara[1] (1). **2.** Furar de lado a lado; atravessar, traspassar: 📄 *A espada varou-lhe o braço;* 📖 "A luz oblíqua das lanternas varava a escuridão, o emaranhado dos matos." (Lia Correia Dutra, *Navio sem Porto*, p. 167). **3.** Passar além de; transpor com ímpeto: 📄 *Os nossos bandeirantes vararam serras e sertões.* **4.** Espantar, aterrar. **5.** Fazer sair; expulsar. **6.** Atravessar (período de tempo); passar: 📄 *Varou a noite estudando.* **7.** *Bras.* Passar (um rio, uma sanga, etc.) **8.** *Mar.* Levar (uma embarcação) a encalhar na praia, para consertá-la ou para guardá-la enquanto não volta a navegar; encalhar. *T. c.* **9.** Sair ou passar impetuosamente: 📄 *Varou pela porta dos fundos.* **10.** Meter-se, embrenhar-se: 📄 *Os fugitivos vararam pelo mato adentro.* **11.** *Bras.* Caminhar reto, com resolução. *Int.* **12.** Dar em seco; encalhar. **13.** *Bras.* Varar (11).

vardenafila [Adapt. do ingl. *vardenafil.*] *S. f. Quím.* Fármaco que inibe a ação da enzima fosfodiesterase do tipo 5 [fórm.: $C_{23}H_{32}N_6O_4S$] e que é empregado, sob a forma de cloreto, em medicamento para disfunção erétil.

varedo (ê) [De *vara*[1] + *-edo.*] *S. m.* Conjunto de vigotas de madeira ou de ferro, que sustém o ripado no telhado.

vareio[1] [Dev. de *variar*, 'delirar', com a desin. própria de um verbo em *ear* (e tb. de vários em *iar*, como, p. ex., *ansiar* e *incendiar*).] *S. m. Bras. S.* **1.** Estado de excitação que leva o indivíduo a proferir coisas sem nexo. **2.** Delírio, desvario. **3.** Susto, sobressalto.

vareio[2] [De *vara*[1].] *S. m.* **1.** V. *repreensão* (1). **2.** V. *surra* (1).

vareiro [De *vara* + *-eiro.*] *S. m. Bras.* Aquele que empurra à vara uma embarcação: 📖 "impulsionado pelos vareiros, o bote foi-se abeirando da margem." (Viriato Correia, *Contos do Sertão*, p. 137).

vareja[1] (ê) [Dev. de *varejar.*] *S. f.* Ato de varejar.

vareja[2] (ê) [F. red. de *varejeira*.] *S. f.* **1.** *Zool.* V. *mosca-varejeira*. **2.** Designação vulgar dos ovos da mosca-varejeira, antes de atingirem a fase de larva. [A vareja é, em geral, formada por massa branca de ovos colados à carne.]

varejador (ô) [De *varejar* + *-dor*.] *Adj.* *S. m.* Que, ou aquele que vareja, que dá ou faz varejo (2).

varejadura [De *varejar* + *-dura*.] *S. f.* Ato ou efeito de varejar; varejamento, varejo.

varejamento [De *varejar* + *-mento*.] *S. m.* V. *varejadura*.

varejante [De *varejar* (4) + *-nte*.] *S. 2 g.* *Bras.* *RJ* Pessoa que trabalha em varejo (6).

varejão[1] [Aum. irreg. de *vara*[1].] *S. m.* Vara grande: "nas balsas que desciam o rio, impelidas a varejão por cinco ou seis negros reluzentes .... levantava-se um berro gemebundo" (Coelho Neto, *Sertão*, pp. 13-14).

varejão[2] [Aum. de *varejo*.] *S. m.* *Bras.* Grande loja de varejo (6).

varejar [De *vara*[1] + *-ejar*.] *V. t. d.* **1.** Agitar ou sacudir com varas. **2.** Fazer cair, batendo com vara. **3.** Açoitar com vara; fustigar; varar. **4.** Medir às varas (o tecido). **5.** Acometer, atacar, investir. **6.** Destruir, arrasar, varrer; assolar: *A tempestade varejou toda a costa.* **7.** Dar varejo ou revista a; rebuscar, revistar: "Já a polícia andava em campo, varejando casas, espionando." (Coelho Neto, *Obra Seleta*, I, p. 511.) **8.** *Bras.* Lançar fora, ou para longe. *T. i.* **9.** *Lus.* Fustigar o inimigo com fogo contínuo de artilharia ou fuzilaria. *Int.* **10.** Soprar rijo, com violência. **11.** Impelir o barco à vara. [Conjug.: v. *pelejar*.]

varejeira *S. f.* **1.** *Zool.* V. *mosca-varejeira*. **2.** *Desus.* Polícia que aplica as multas municipais.

varejista [De *varejo* + *-ista*.] *Bras.* *Adj. 2 g.* **1.** Que vende a varejo. **2.** Relativo ao comércio a varejo. • *S. 2 g.* **3.** Negociante que vende a varejo. [Sin. ger.: *retalhista*, *retalheiro*. Antôn.: *atacadista*.]

varejo (ê) [Dev. de *varejar*.] *S. m.* **1.** V. *varejadura*. **2.** Busca ou revista que faz a polícia em local suspeito, ou autoridade fiscal em estabelecimento onde se supõe ocorrer irregularidade, etc. **3.** *Fig.* V. *repreensão* (1). **4.** *Pop.* Questões do dia a dia; coisas ou assuntos de menor importância: *Só lida com as grandes causas; seus auxiliares cuidam do varejo.* **5.** *Market.* Atividade comercial de venda de produtos ou serviços feita diretamente ao consumidor final. **6.** *Bras.* Comércio de mercadorias em pequenas quantidades. **7.** *Bras.* Local em que se pratica esse comércio: *Na esquina há um varejo de verduras e frutas.* ◆ **A varejo.** Em pequenas quantidades; a retalho, por miúdo.

varela [De *vara*[1] + *-ela*.] *S. f.* V. *vareta* (1).

vareta (ê) [De *vara*[1] + *-eta*.] *S. f.* **1.** Pequena vara; varola, varela. **2.** Vara fina de pau ou de ferro, anexa ao cano das armas de fogo portáteis para limpeza do tubo-alma. **3.** Perna de compasso. **4.** Cada uma das hastes metálicas que compõem a armação do guarda-chuva. **5.** Cada uma das pequenas varas de um leque. **6.** *Bras.* Cada um dos palitos que compõem o pega-varetas. **7.** *Bras.* *Bot.* V. *batatinha-do-campo* (1). **8.** *Bras.* *S.* *Gír.* Decepção, desapontamento. **9.** *Bras.* *S.* *Gír.* Atrapalhação, embaraço.

vareteiro [De *vareta* + *-eiro*.] *S. m.* *Bras.* *Bot.* Árvore ulmácea (*Phyllostylon brasiliensis*) da floresta atlântica, que se estende pela América tropical, desde as Antilhas. Tem folhas oblongas ou elípticas, membranáceas e serreadas, flores inconspícuas, polígamas, ordenadas em fascículos, e seus frutos são sâmaras pêndulas, cujas asas se curvam de ambos os lados. A madeira, clara, é de boa qualidade, conquanto sem uso.

varfarina *S. f.* *Quím.* V. *warfarina*.

varga [Do celta **barga*, 'choça', 'cercado de paliçada para colher peixe', poss.] *S. f.* **1.** Várzea alagadiça. **2.** Armadilha de pesca, espécie de rede.

varge *S. f.* V. *várzea*.

várgea *S. f.* V. *várzea*.

vargedo (ê) [De *vargem* + *-edo*.] *S. m.* **1.** Conjunto ou sequência de vargens. **2.** *Bras.* *SP* Vargem grande; varjão.

vargem [De *várzea*, por infl. de palavras acabadas em *-gem*.] *S. f.* V. *várzea*.

vargem-alegrense *Adj. 2 g.* **1.** De, ou pertencente ou relativo a Vargem Alegre (MG). • *S. 2 g.* **2.** O natural ou habitante de Vargem Alegre. [Pl.: *vargem-alegrenses*.]

vargem-altense *Adj. 2 g.* **1.** De, ou pertencente ou relativo a Vargem Alta (ES). • *S. 2 g.* **2.** O natural ou habitante de Vargem Alta. [Pl.: *vargem-altenses*.]

vargem-grandense[1] *Adj. 2 g.* **1.** De, ou pertencente ou relativo a Vargem Grande (MA). • *S. 2 g.* **2.** O natural ou habitante de Vargem Grande. [Pl.: *vargem-grandenses*.]

vargem-grandense[2] *Adj. 2 g.* **1.** De, ou pertencente ou relativo a Vargem Grande do Sul (SP). • *S. 2 g.* **2.** O natural ou habitante de Vargem Grande do Sul. [Pl.: *vargem-grandenses*.]

vargem-grandense[3] *Adj. 2 g.* **1.** De, ou pertencente ou relativo a Vargem Grande Paulista (SP). • *S. 2 g.* **2.** O natural ou habitante de Vargem Grande Paulista. [Pl.: *vargem-grandenses*.]

vargense *Adj. 2 g.* **1.** De, ou pertencente ou relativo a Santana da Vargem (MG). • *S. 2 g.* **2.** O natural ou habitante de Santana da Vargem.

vargeonense *Adj. 2 g.* **1.** De, ou pertencente ou relativo a Vargeão (SC). • *S. 2 g.* **2.** O natural ou habitante de Vargeão.

vargiano *Adj.* **1.** De, ou pertencente ou relativo a Vargem Bonita (MG). • *S. m.* **2.** O natural ou habitante de Vargem Bonita.

vargim [Dim. irreg. de *vargem*.] *S. m.* *Bras.* *MA* Terreno argiloso onde, nos baixões [v. *baixão* (2)], abundam ervas e capins.

varginha [Dim. de *vargem*.] *S. f.* *Bras.* Pequena vargem.

varginhense *Adj. 2 g.* **1.** De, ou pertencente ou relativo a Varginha (MG). • *S. 2 g.* **2.** O natural ou habitante de Varginha.

vargueiro [De *varga* (2) + *-eiro*.] *S. m.* Fabricante de vargas.

vari [Do malgaxe, pelo fr. *vari*.] *S. m.* *Zool.* Primata lemurídeo, prossímio, lemuriforme (*Lemur varius*), da ilha de Madagascar; é um maqui de pelagem preta e branca. [Sin.: *maqui-de-madagascar*.]

vária [F. subst. de *vário*.] *S. f.* *Bras.* V. *tópico* (11). [Cf. *varia*, do v. *variar*.]

variabilidade [De *variável* + *-(i)dade*, seg. o padrão erudito.] *S. f.* Qualidade de variável.

variação [Do lat. *variatione*.] *S. f.* **1.** Ato ou efeito de variar(-se); variedade. **2.** *Mat.* Variável que se adiciona a outra variável, ou função adicionada a outra função. **3.** *Biol.* Diferença, genética ou não, relativa a determinado caráter entre indivíduos da mesma geração ou de sucessivas gerações. [As variações genéticas são devidas a mutações ou novos agrupamentos de genes, e as não genéticas, induzidas pelo meio ambiente, causam apenas mudanças temporárias no fenótipo.] **4.** *E. Ling.* A parte de uma palavra que corresponde às marcas de flexão, como *o* em *amo*. **5.** *E. Ling.* Numa comunidade linguística (q. v.), possibilidade de representação de determinados elementos linguísticos por diferentes modos. **6.** *Mús.* Até o séc. XVIII, a forma musical em que se repetia a melodia, enriquecendo-a, cada vez, de novos ornatos, e, a partir de então, forma musical em que a melodia passou a obedecer ao princípio de se mudar, em cada repetição, um ou alguns de seus elementos constitutivos (ritmo, compasso, tonalidade, modo, harmonização, arabesco, etc.), com a única e imperiosa condição de permitir que o ouvinte sempre possa reconhecer mais ou menos distintamente o tema original. [Cf., nesta acepç., *passagem* (13).] ◆ **Variação condicionada.** *E. Ling.* Variação (5) estreitamente relacionada a fatores linguísticos, ou extralinguísticos, ou à combinação de ambos. [Na fala coloquial carioca, p. ex., é maior a tendência para a queda do *r* final em verbos do que em palavras pertencentes a outras classes. Assim, é mais provável a queda em *caminhar* do que em *amor*.] **Variação da agulha.** *Náut.* Soma da declinação magnética e do desvio da agulha[1] (25). **Variação livre.** *E. Ling.* Variação (5) em que não há condicionamento do ambiente linguístico. **Variação paramétrica.** *E. Ling.* O modo pelo qual um princípio que se considera universal na linguagem humana se manifesta nas diferentes línguas do mundo.

variacional [De *variação* + *-al*[1], seg. o padrão erudito.] *Adj. 2 g.* ~ V. *cálculo* —.

variado [Part. de *variar*.] *Adj.* **1.** Diverso, sortido, vário. **2.** Matizado, variegado. **3.** Delirante, alucinado. **4.** *Pop.* Inconstante, leviano. ~ V. *ato* —.

variância [Do ingl. *variance*.] *S. f.* **1.** *Estat.* Medida de dispersão dos valores de uma variável em torno de sua média, dada pela soma dos quadrados dos desvios em relação à média, dividida pelo número de observações. [Cf. *desvio padrão*.] **2.** *Fís.* Número de variáveis pertinentes a um sistema em equilíbrio, e que são necessárias e suficientes para caracterizar integralmente o estado do sistema e de suas fases.

variante [Do lat. *variante*.] *Adj. 2 g.* **1.** Que varia ou difere. • *S. f.* **2.** Diferença, variação. **3.** Desvio que, numa estrada, substitui um trecho interrompido ou fornece uma alternativa de outro percurso para o mesmo destino. **4.** Alternativa que substitui ou modifica um plano ou parte de um plano original. **5.** *E. Ling.* Cada uma das várias lições ou formas do mesmo texto ou vocábulo; versão. **6.** *E. Ling.* Entre vocábulos do mesmo étimo mas que apresentam leves variações de forma, ger. sem alteração do sentido, aquele que, em geral, advém daquele tomado por referência, ou que lhe é posterior, ou, ainda, cujo uso é determinado por preceito legal. [A variante pode ser ortográfica (*cãimbra*, var. de *cãibra*; *aguentar* (u-en), var. lus. de *aguentar*); prosódica (*sapê*, var. de *sapé*; *monolito*, var. de *monólito*); morfológica (*manjedoura*, var. de *manjedoira*), etc.] **7.** *E. Ling.* Trecho onde dois ou mais testemunhos [v. *testemunho* (5)] apresentam diferenças entre si. **8.** *E. Ling.* V. *variante linguística*. ◆ **Variante condicionada.** *E. Ling.* Cada uma das formas linguísticas em processo de variação condicionada. **Variante linguística.** *E. Ling.* Forma linguística que representa uma das alternativas possíveis para a expressão, num mesmo contexto, de determinado elemento fonológico, morfológico, sintático, ou léxico. [Cf., nesta acepç., *variável* (7).] **Variante livre.** *E. Ling.* Cada uma das formas linguísticas em processo de variação livre.

variar [Do lat. *variare*.] *V. t. d.* **1.** Tornar vário ou diverso; alterar, diversificar; mudar: *Deu ordem à cozinheira para variar os pratos.* **2.** Alternar, revezar: *Costuma variar as leituras de história e filosofia.* **3.** *Mús.* Fazer variações sobre (um tema). **4.** *Mús.* Adicionar ornatos musicais a. **5.** Dispor ou colorir diversamente; diversificar, matizar, variegar. *T. i.* **6.** Fazer uso alternado de; revezar: *Costuma variar banhos frios com banhos quentes.* **7.** Mudar: *variar de assunto, de método.* *Int.* **8.** Fazer ou sofrer mudança: *O clima varia.* **9.** Apresentar-se sob diversas formas ou aspectos. **10.** Ser inconstante: *O amor não varia, quando amadurecido na vida em comum.* **11.** Não ser conforme; discrepar: *As opiniões variam.* **12.** Mudar de direção; desviar-se. **13.** Dar nova direção, novo rumo, nova orientação, ao procedimento, aos hábitos, à vida: "como tudo cansa, esta monotonia acabou por exaurir-me também. Quis variar, e lembrou-me escrever um livro" (Machado de Assis, *Dom Casmurro*, p. 5). **14.** Delirar; endoidecer, enlouquecer, desvairar. **15.** *Bras.* *S.* Submeter o cavalo a exercício com outro parelheiro. *P.* **16.** Sofrer mudança; alterar-se, transformar-se. [Pres. ind.: *vario*, *varias*, *varia*, etc. Cf. *vário*, adj., flex. *vária*, *várias*; *vária*, s. f., pl. *várias*; *Vário*, antr.; *Vária*, antr. e top.] ◆ **Para variar.** Sem fugir ao habitual; como sempre: "Mamãe, para variar, ficou na porta de casa desmanchando-se em lágrimas, como se o filho partisse para a guerra." (Rubem Mauro Machado, *A Idade da Paixão*, p. 138.) [Antífrase us. ironicamente.]

variável [Do lat. tard. *variabile*.] *Adj. 2 g.* **1.** Sujeito a variações; mudável, incerto, instável, inconstante: *tempo variável; humor variável; pulso variável.* **2.** Que pode apresentar diversos valores distintos: *grandeza variável.* **3.** Que pode ter ou assumir diferentes valores, diferentes aspectos, segundo os casos particulares ou segundo as circunstâncias: *Os hábitos e costumes são variáveis segundo os povos.* **4.** *E. Ling.* Que se flexiona. [Opõe-se, nesta acepç., a *invariável*.] **5.** *E. Ling.* Declinável. ~ V. *campo* —, *custo* —, *estrela* — e *estrela* — *nova*. • *S. f.* **6.** *Astr.* Estrela variável. **7.** *E. Ling.* Parte de um conjunto de variantes linguísticas. **8.** *Inform.* Em um programa (9), elemento de dado cujo valor pode ser modificado ao longo de sua execução. **9.** *Lóg.* Símbolo cujo significado é indeterminado, podendo ser substituído por proposições ou por termos. **10.** *Mat.* Termo que, numa função ou numa relação, pode ser alternadamente substituído por outros. **11.** *Mat.* Símbolo dos elementos de um conjunto. ◆ **Variável aleatória.** *Estat.* Toda variável a que está associada uma probabilidade a qualquer intervalo não nulo do seu domínio; variável estocástica. **Variável cefeida.** *Astr.* Estrela variável pulsante, cujo período está intimamente relacionado com a sua variação de brilho e o seu brilho intrínseco. [Tb. se diz apenas *cefeida*.] **Variável complexa.** *Mat.* Variável cujo domínio é um conjunto de números complexos. **Variável contínua.** *Mat.* A que tem por campo de definição um conjunto contínuo. **Variável controlada.** *Automat.* Aquela cujo valor é mantido dentro de limites preestabelecidos. **Variável de estado.** *Fís.* Variável associada a uma grandeza física pertinente a um sistema, e cujo conhecimento é necessário para determinar o estado do sistema. **Variável dependente.** *Mat.* Variável que, no mapeamento de dois conjuntos, tem papel dependente da variável do outro conjunto [símb.: *y*]. [Usa-se tb. *z*.] **Variável estocástica.** *Estat.* Variável aleatória. **Variável independente.** *Mat.* Variável à qual se atribui papel preponderante no mapeamento de dois conjuntos; argumento [símb.: *x*]. **Variável qui quadrado** (x^2). *Estat.* Variável aleatória igual à soma dos quadrados de *n* variáveis aleatórias independentes e com funções de distribuição normais reduzidas. **Variável real.** *Mat.* A que tem como domínio um conjunto de números reais. **Variável reduzida.** *Fís.* Coordenada reduzida. **Variável termodinâmica.** *Fís.* Variável associada a uma grandeza macroscópica, e que traduz uma propriedade ou característica macroscópica e observável dum sistema.

➔ **varicap** ['vɛærikæp] [Ingl., de *vari(able)* + *cap(acitor)*.] *S. m.* *Eletrôn.* Varactor (q. v.).

V

varicela [Do fr. *varicelle.*] *S. f. Med.* Doença infecciosa causada por vírus, contagiosa, de ordinário benigna, e que se caracteriza por febre acompanhada de máculas [v. *mácula* (7)] que evoluem para pequenas bolhas, posteriormente surgindo crostas; embora, de ordinário, benigna, há casos em que apresenta gravidade, tanto em crianças como em adultos. [Sin. vulg.: *catapora* ou *cataporas*, *tatapora* ou *tataporas*.]

▲ **varic(o)-** [Do lat. *varix, ĭcis.*] *El. comp.* = 'variz': *varicocele.*

varicocele [De *varic(o)-* + *-cele*[1].] *S. f. Patol.* Designação genérica de tumor decorrente de dilatações venosas. ◆ **Varicocele de cordão espermático.** *Urol.* Dilatação de veias de cordão espermático e que redunda no aparecimento de tumor (1), dando à palpação local a impressão de que se trata de um 'saco de vermes'.

varicosidade [De *varicoso* + *-(i)dade.*] *S. f.* Qualidade ou estado de varicoso.

varicoso (ô) [Do lat. tard. *varicosu.*] *Adj. Med.* Que tem varizes, ou relativo a elas. ~ V. *úlcera —a.*

variedade [Do lat. *varietate.*] *S. f.* **1.** Qualidade de vário. **2.** Variação (1). **3.** Diversidade, multiplicidade. **4.** Inconstância, instabilidade, volubilidade. **5.** *Biol.* Categoria taxonômica entre a espécie ou subespécie e a forma (12). **6.** *E. Ling.* Uso linguístico compreendido como a interação entre um sistema gramatical e fatores situacionais; código, fala. [Uma língua como o português conta com variedades, como, p. ex., portuguesa, brasileira, angolana, legal, científica, formal, informal, carioca, etc.] **7.** *E. Ling.* Dialeto (4). **8.** *E. Ling.* Leto[2] (1). ~ V. *variedades.*

variedades [Pl. de *variedade.*] *S. f. pl.* Miscelânea de assuntos vários, em literatura ou em jornalismo, e de apresentações, em teatros, boates, na televisão, etc. ~ V. *variedade.*

variegação [De *variegar* + *-ção.*] *S. f.* **1.** Ato ou efeito de variegar. **2.** Qualidade ou estado de variegado. **3.** Variedade de cores; matiz. **4.** *Bot.* Ocorrência, numa planta, de outras cores além da verde. [Exemplo comum é a ocorrência de folhas amarelas ou vermelhas misturadas com outras de cor verde. A variegação pode ser de origem genética ou de origem infecciosa, neste caso por ação de bactérias ou de vírus.]

variegado [Part. de *variegar.*] *Adj.* **1.** V. *versicolor*: "Zumbem à porta insetos variegados, / Envolvidos do sol na luz tremente." (Gonçalves Crespo, *Obras Completas*, p. 313.) **2.** Diversificado, sortido, variado. **3.** Alternado, revezado. **4.** *Bot.* Que apresenta variegações [v. *variegação* (4)]: *folhas variegadas.*

variegar [Do lat. tard. *variegare.*] *V. t. d.* **1.** Dar cores diversas a; matizar. **2.** Diversificar; alternar, variar. [Conjug.: v. *regar.*]

varietal [Do ingl. *varietal* ou do fr. *variétal.*] *Enol. Adj. 2 g.* **1.** ~ V. *vinho —.* ● *S. m.* **2.** Vinho varietal.

varina [Var. aferética do fem. de *ovarino.*] *S. f. Lus.* **1.** Mulher da beira-mar, no N. de Portugal. **2.** Vendedora ambulante de peixe, em Lisboa. **3.** Aparelho de pesca com rede de arrastar, e que tem no meio um saco.

varinha [Dim. de *vara*[1].] *S. f.* Vara[1] (1) pequena. ◆ **Varinha de condão.** Vara de condão.

▲ **vario-** [Do lat. *varius, a, um.*] *El. comp.* = 'vário', 'diverso': *variômetro, variospermo.*

vário [Do lat. *variu.*] *Adj.* **1.** De diversas cores, feitios, tipos, espécies, etc.: *a plumagem vária do pavão.* **2.** Diverso, diferente: "É um mundo vário. Não é um mundo uniforme. As cidades parece que dominam os campos." (Alceu Amoroso Lima, *A Realidade Americana*, p. 33.) **3.** Inconstante, instável, volúvel. **4.** Mais ou menos numeroso. **5.** Perplexo, indeciso, irresoluto. **6.** Inquieto, buliçoso. ● *Pron.* **7.** Um certo. [Flex.: *vária, vários, várias.* Cf. *vario, varias, varia*, do v. *variar.*]

varíola [Do lat. med. *variola.*] *S. f. Med.* Doença infecciosa, causada por vírus, com período de incubação de cerca de 12 dias, a que se segue etapa febril, surgindo, nos primeiros três a quatro dias desta, erupção macular ou petequial do tronco, a qual desaparece junto com a febre; em seguida, surgem novamente febre e, na face, mãos e pés, erupção papular que evolui para a formação de pústulas, cujas crostas se desprendem ao cabo de 7 a 10 dias, originando cicatrizes despigmentadas e um tanto escavadas. A doença apresenta, ainda, manifestações pneumônicas, artríticas, etc. [Sin., vulg.: *bexiga.*] ◆ **Varíola bovina.** *Veter.* Infecção produzida por poxvírus em vacas leiteiras, que apresentam vesicopústulas em algumas partes do corpo, como as tetas. É transmissível ao homem. [Sin. (impr.): *vacina bovina.*]

variolar [De *varíola* + *-ar*[1].] *Adj. 2 g.* Semelhante às manchas da varíola.

variólico [De *varíola* + *-ico*[2].] *Adj.* Relativo à, ou próprio da varíola; varioloso.

varioliforme [De *varíola* + *-iforme.*] *Adj. 2 g.* Que tem semelhança com a varíola.

varioloide (ói) [De *varíola* + *-oide.*] *S. f. Med.* Forma atenuada de varíola, e que pode ocorrer em indivíduo que já teve essa doença, ou contra ela foi vacinado. ❖

varioloso (ô) [De *varíola* + *-oso.*] *Adj.* **1.** Variólico. **2.** Atacado de varíola. ● *S. m.* **3.** Indivíduo atacado desse mal.

variômetro *S. m. Fís.* V. *variômetro.* [Uso freq. em P.]

variômetro [De *vario-* + *-metro*; ingl. *variometer.*] *S. m. Fís.* Indutância variável constituída por duas bobinas, uma dentro da outra, e cujo acoplamento pode modificar-se entre certos limites.

variospermo [De *vario-* + *-spermo.*] *Adj. Bot.* Que tem sementes de vários tipos.

varistor (ô) [Do ingl. *varistor.*] *S. m. Eng. Elétr.* Resistor feito de um semicondutor, e que não obedece à lei de Ohm.

varístor *S. m. Eng. Elétr.* V. *varistor.*

variz [Do lat. *varice.*] *S. f.* **1.** *Med.* Dilatação de vaso arterial, linfático ou venoso, e que resulta em tortuosidade no trajeto dele(s). **2.** *Zool.* Proeminência no bordo de algumas conchas univalves.

varja *S. f.* V. *várzea.* [Dim. irreg.: *varjota.*]

varjão [De *varja* + *-ão*[1].] *S. m. Bras. N.E.* Vargem grande; vargedo: "A manhã apontou na mansidão dos morros e dos plainos, avermelhando-se ao clarão do sol lá para os lados do varjão da Ema." (Albertino Moreira, *Boca-Pio*, p. 36.)

varjãoense *Adj. 2 g.* **1.** De, ou pertencente ou relativo a Varjão (GO). ● *S. 2 g.* **2.** O natural ou habitante de Varjão.

varjota [De *varja* + *-ota*[1].] *S. f. Bras. N.E.* Pequena várzea ou varja.

varjotense *Adj. 2 g.* **1.** De, ou pertencente ou relativo a Varjota (CE). ● *S. 2 g.* **2.** O natural ou habitante de Varjota.

varo [Do lat. *varu.*] *Adj. Patol. Ort.* Diz-se de membro, ou de segmento deste, que está voltado para dentro, por desvio de seu eixo: *coxa vara*; "Os exames revelaram que, apesar de grotescamente valgo e varo, Garrincha pisava com uma perfeição de anjo." (Rui Castro, *Estrela Solitária: um Brasileiro Chamado Garrincha*, p. 131). [Antôn.: *valgo.*]

varoa (ô) [Fem. de *varão*[1].] *S. f.* **1.** *Desus.* Mulher forte. **2.** Mulher respeitável; matrona; virago. **3.** Heroína[1] (1). ● *Adj.* (*f.*) **4.** Que é do sexo feminino: *filha varoa.*

varola [De *vara*[1] + *-ola*[1].] *S. f.* V. *vareta* (1).

varonia [De *varão*[1] + *-ia*[1], seg. o padrão erudito.] *S. f.* **1.** Qualidade ou condição de varão. **2.** Descendência em linha masculina: "Sua mãe ... era dos Vasconcelos, descendentes, por varonia, de Guterre Osório" (Antero de Figueiredo, *Leonor Teles*, p. 3).

varonil [De *varão*[1] + *-il*[1], seg. o padrão erudito.] *Adj. 2 g.* **1.** Relativo a, ou próprio de varão, de homem; viril. **2.** Forte, rijo; viripotente. **3.** Heroico.

varonilidade [De *varonil* + *-(i)dade.*] *S. f.* Qualidade de varonil.

varote [De *vara*[1] + *-ote.*] *S. m. Bras. PR MT* Erval novo, que se reserva para colheita futura.

varrão [Do lat. **verrone*, der. de *verre*, 'porco por capar', por uma f. *varrom.*] *S. m.* V. *barrão.*

varrasco [Do lat. **verrascu*, der. de *verre*, 'porco por capar', + *-asco.*] *S. m.* V. *barrão.*

varredela [De *varrer* + *-dela.*] *S. f.* **1.** Ato ou efeito de varrer; varredura. **2.** Vassourada (2).

varredoira [De *varrer* + o f. de *-doiro*[2].] *S. f.* V. *varredoura.*

varredoiro [De *varrer* + *-doiro*[1].] *S. m.* Varredouro (q. v.).

varredor (ô) [De *varrer* + *-dor.*] *Adj.* **1.** Diz-se daquele que varre. ● *S. m.* **2.** Aquele que varre. **3.** *Bioquím.* Substância que interfere em uma reação química ao combinar-se, prontamente, com radical livre.

varredoura [De *varrer* + o f. de *-douro*[2]; var. de *varredoira.*] *S. f.* **1.** Mortandade, morticínio, carnificina. **2.** Grande destruição. **3.** *Ant. Marinh.* Cada uma das velas suplementares que se armavam junto às testas do traquete, com vento de popa ou largo. ● *Adj.* (*f.*) **4.** Diz-se de certa rede de pescar.

varredouro [De *varrer* + *-douro*[2]; var. de *varredoiro.*] *S. m.* **1.** Espécie de vassoura para varrer o forno do pão. **2.** Vassoura que, atada às aivecas do arado, varre as raízes levantadas ao lavrar.

varredura [De *varrer* + *-dura.*] *S. f.* **1.** Ato ou efeito de varrer; varredela. [Sin., bras.: *varrição.*] **2.** Aquilo que se ajunta varrendo. **3.** Restos de comida na mesa; restos. **4.** *Fís.* Operação em que um feixe de partículas carregadas (elétrons ou íons) é obrigado a se deslocar, usualmente num plano determinado, pela ação de um campo elétrico ou de um campo magnético variáveis. **5.** *Mar. G.* Operação destinada a remover ou fazer explodir as minas submarinas lançadas pelo inimigo. **6.** *Mar. G.* Ato ou efeito de fazer o feixe de radar ou sonar percorrer seguidamente determinado setor, ou toda a volta em torno do navio ou da aeronave, em busca de possíveis alvos.

varrer [Do lat. *verrere.*] *V. t. d.* **1.** Limpar com vassoura (principalmente o solo ou o soalho): "Dona Custódia foi logo botando ordem na casa: varreu a sala; arrumou o quarto." (Fernando Sabino, *O Homem Nu*, p. 90.) **2.** Arrastar-se por; roçar: *A cauda do vestido varria o chão*; "acabava dormindo, com um dedo na boca, a cabeça encostada ao peito de Mateus, e as tranças compridas varrendo as cartas do baralho." (Lia Correia Dutra, *Navio sem Porto*, p. 100). **3.** Levar, arrastar: "O vento varria as folhas" (Manuel Bandeira, *Estrela da Vida Inteira*, p. 165). **4.** Passar pela superfície de; passar por: *É puro o ar que varre a montanha.* **5.** Destruir, devastar, arrasar, assolar: "Astros! noite! tempestades! / Rolai das imensidades! Varrei os mares, tufão!..." (Castro Alves, *Obra Completa*, p. 250.) **6.** Impelir diante de si: *A ventania varreu as nuvens.* **7.** Fazer desaparecer; desvanecer, apagar: "Por milagre de amor, os teus olhares, / Assim como essa voz de raro encanto, / Varreram de improviso os meus pesares." (Eugênio de Castro, *Éclogas*, p. 31.) **8.** Esvaziar; esgotar, exaurir; limpar: *Desonesto, varreu os cofres públicos.* **9.** Espalhar, dispersar: *O tiroteio varreu os manifestantes*; "esperou que o sol varresse a chuva e tomasse conta do céu e da terra" (Machado de Assis, *Quincas Borba*, p. 297). **10.** Tornar claro, límpido; aclarar: *A brisa varreu o horizonte.* **11.** *Eletrôn. Inform.* Examinar (um objeto) parte a parte sequencialmente, por meios ópticos e/ou eletrônicos capazes de converter nuanças de cor em sinais digitais que podem ser interpretados por um computador, de modo a obter uma imagem ou representação do todo. **12.** *Mar. G.* Perscrutar (o mar ou o céu) em torno do navio (ou em um limitado setor deles), com a vista, o sonar ou o radar, à cata de inimigos ou de obstáculos à navegação. ***T. d. e i.*** **13.** Limpar, livrar: *A polícia procurou varrer de malfeitores a cidade.* **14.** Varrer (7). ***T. d. e c.*** **15.** Varrer (7): "a Portugal cumpria tomar desforço, que lhe assegurasse o direito às suas possessões americanas, que varresse de seus mares os corsários." (Rodolfo Garcia, *Ensaio sobre a História Política e Administrativa do Brasil*, p. 46). ***Int.*** **16.** Limpar o lixo com a vassoura: "Varre, varre, minha vassourinha, / Abana, abana, meu abanador" (*De antiga canção popular*). ***P.*** **17.** Dissipar-se, desvanecer-se, esvanecer-se, esvaecer-se, esvair-se. **18.** Ficar inteiramente esquecido; cair no olvido: *Varreram-se de sua memória aqueles dias amargos.*

varre-saiense *Adj. 2 g.* **1.** De, ou pertencente ou relativo a Varre-Sai (RJ). ● *S. 2 g.* **2.** O natural ou habitante de Varre-Sai. [Pl.: *varre-saienses.*]

varrição [De *varrer* + *-ição.*] *S. f.* **1.** *Bras.* V. *varredura* (1). **2.** *Bras. SP* Operação que consiste em juntar com o rastelo os frutos do café que, por qualquer circunstância, caíram antes de se iniciar a colheita.

varrido [Part. de *varrer.*] *Adj.* **1.** Limpo com vassoura. **2.** *Fig.* Que perdeu o juízo; doido. **3.** Completo, rematado (doido ou pateta). ~ V. *doido —.* ● *S. m.* **4.** Aquilo que se varreu; varredura.

varsoviana [F. subst. de *varsoviano* (1).] *S. f.* Dança de caráter polonês, em compasso ternário, misto de mazurca e polca.

varsoviano *Adj.* **1.** De, ou pertencente ou relativo a Varsóvia, capital da Polônia (Europa). ● *S. m.* **2.** O natural ou habitante de Varsóvia.

varudo [De *vara*[1] + *-udo.*] *Adj.* Diz-se do tronco de árvore direito e comprido.

varvito [Do sueco *varv*, 'camada', + *-ito*[2].] *S. m. Geol.* Rocha sedimentar clástica, que se forma em lagos de regiões glaciais e se caracteriza por camadas claras, arenosas, depositadas no verão, após o degelo, e camadas finas, argilosas e escuras, ricas de substâncias orgânicas, depositadas no inverno, repetindo-se essa deposição de modo cíclico.

várzea [Do b.-lat. *varcena*, poss.] *S. f.* **1.** Planície fértil e cultivada, em um vale[1] (1); veiga: "Lá me ficava com seu teto amigo / A velha casa, a várzea verde e em flores" (Alberto de Oliveira, *Poesias*, 3ª série, p. 241). **2.** Terra chã. **3.** *Bras.* Vale[1] (2): "Fazia dias que os bois vinham aparecendo aqui, ali, nas encostas das serras, nas várzeas, na beira das estradas" (José J. Veiga, *A Hora dos Ruminantes*, p. 83). [Var.: *várgea, varge, vargem, varja.*] ◆ **Na várzea sem cachorro.** *Bras. Pop.* No mato sem cachorro.

várzea-alegrense *Adj. 2 g.* **1.** De, ou pertencente ou relativo a Várzea Alegre (CE). ● *S. 2 g.* **2.** O natural ou habitante de Várzea Alegre. [Pl.: *várzea-alegrenses.*]

várzea-grandense *Adj. 2 g.* **1.** De, ou pertencente ou relativo a Várzea Grande (MT e PI). ● *S. 2 g.* **2.** O natural ou habitante de Várzea Grande. [Pl.: *várzea-grandenses.*]

várzea-novense *Adj. 2 g.* **1.** De, ou pertencente ou relativo a Várzea Nova (BA). ● *S. 2 g.* **2.** O natural ou habitante de Várzea Nova. [Pl.: *várzea-novenses.*]

várzea-pocense *Adj. 2 g.* **1.** De, ou pertencente ou relativo a Várzea do Poço (BA). ● *S. 2 g.* **2.** O natural ou habitante de Várzea do Poço. [Pl.: *várzea-pocenses.*]

varzedense *Adj. 2 g.* **1.** De, ou pertencente ou relativo a Varzedo (BA). ● *S. 2 g.* **2.** O natural ou habitante de Varzedo.

varzelandense *Adj. 2 g.* **1.** De, ou pertencente ou relativo a Varzelândia (MG). ● *S. 2 g.* **2.** O natural ou habitante de Varzelândia.

varziano[1] [De *várzea* + *-iano.*] *Bras. SP a RS Pej. Adj.* **1.** Diz-se daquele que mora nos arredores de uma cidade, num subúrbio, ou daquilo que é daí; suburbano: *um moço varziano; um clube varziano.* ● *S. m.* **2.** Indivíduo varziano. [Cf. *clube da várzea.*]

varziano[2] *Adj.* **1.** De, ou pertencente ou relativo a Várzea (RN). ● *S. m.* **2.** O natural ou habitante de Várzea.

varziano[3] *Adj.* **1.** De, ou pertencente ou relativo a Várzea da Palma (MG). ● *S. m.* **2.** O natural ou habitante de Várzea da Palma.

varziano[4] *Adj.* **1.** De, ou pertencente ou relativo a Várzea da Roça (BA). ● *S. m.* **2.** O natural ou habitante de Várzea da Roça.

varzino *Adj.* **1.** De, ou pertencente ou relativo a Várzea Paulista (SP). ● *S. m.* **2.** O natural ou habitante de Várzea Paulista.

vasa[1] [Do neerl. médio *wase*, pelo fr. *vase.*] *S. f.* **1.** Espécie de lama, fina e inconsistente, característica de certos fundos oceânicos, constituída por carapaças microscópicas de animais ou de diatomáceas ou de elementos minerais. **2.** V. *lodo* (1). **3.** *Fig.* Degradação moral. **4.** As camadas viciosas, corrompidas, degradadas (duma sociedade). [Cf. *vaza*, do v. *vazar* e s. f.]

vasa[2] [De *vaso*[1].] *S. f.* Espaço circular, com o feitio de grande vaso cônico, e onde gira a mó do moinho de azeitona. [Cf. *vaza*, do v. *vazar* e s. f.]

vasca [De or. incerta.] *S. f.* **1.** Grande convulsão: "Quem minha angústia suportar, prefira / A morte, redentora, à desventura / De não poder, nas vascas da loucura, / Distinguir a verdade da mentira." (Martins Fontes, *Verão*, p. 119.) **2.** Ânsia excessiva; estertor: "uma bala vara o peito de Juanillo que cai e, nas vascas da agonia, rolando no chão, aproxima-se da defunta" (Érico Veríssimo, *México*, p. 128).

vascaíno *Bras. Adj.* **1.** Pertencente ou relativo ao Clube de Regatas Vasco da Gama (RJ). **2.** Que é torcedor, ou jogador dessa agremiação. ● *S. m.* **3.** Membro, torcedor, ou jogador dela. [Sin. ger.: *vasco, cruzmaltino* e (pej.) *bacalhau.*]

vasco[1] *Adj. S. m.* V. *basco.*

vasco[2] *Adj. S. m. Bras.* V. *vascaíno.*

▲ **vasco-** Equiv. de *basco—*.

vascolejador (ô) [De *vascolejar* + *-dor.*] *Adj. S. m.* Que, ou aquele que vascoleja.

vascolejamento [De *vascolejar* + *-mento.*] *S. m.* Ato ou efeito de vascolejar.

vascolejar [Do lat. *vasculum*, 'vaso pequeno', + *-ejar.*] *V. t. d.* **1.** Agitar (um líquido em um vaso, ou um vaso que contenha um líquido). **2.** Revolver, agitar, remexer, vasculhar: "Vascolejei a memória, firmei-me na convicção." (Graciliano Ramos, *Memórias do Cárcere*, 1º vol., p. 331.) **3.** Perturbar, turbar, inquietar, desassossegar. [Conjug.: v. *pelejar.*]

vasconcear [De *vasconço* + *-ear*[2].] *V. int.* **1.** Falar vasconço. **2.** Dizer algaravias ou coisas ininteligíveis. **3.** Dizer gracejos; gracejar. *T. d.* **4.** Exprimir em estilo muito sutil ou ininteligível. [Conjug.: v. *frear.*]

vasconcelense *Adj. 2 g.* **1.** De, ou pertencente ou relativo a Diogo de Vasconcelos (MG). ● *S. 2 g.* **2.** O natural ou habitante de Diogo de Vasconcelos.

vasconço [Adapt. do esp. *vascuence.*] *S. m.* **1.** *Gloss.* Basco (3). **2.** *Fig.* Linguagem ininteligível.

vascongado [Do esp. *vascongado.*] *Adj.* **1.** Da, ou pertencente ou relativo à região das Vascongadas (Espanha). ● *S. m.* **2.** O natural ou habitante dessa região.

vascoso (ô) [De *vasca* + *-oso.*] *Adj.* Que tem vascas.

vascular [Do lat. *vasculum*, 'vasinho', + *-ar*[1].] *Adj. 2 g.* **1.** *Anat.* Relativo a vaso [v. *vaso*[1] (6)] em que circule sangue ou linfa ou bile. **2.** *Bot.* Que tem vaso[1] (8): *planta vascular.* ~ V. *acidente — cerebral.*

vascularidade [De *vascular* + *-(i)dade.*] *S. f. Anat.* A existência de maior ou menor porção de vasos sanguíneos ou linfáticos.

vascularização [De *vascularizar* + *-ção.*] *S. f.* **1.** *Anat.* Formação de vasos sanguíneos e linfáticos em um tecido, órgão ou região que não os tinha. **2.** *Anat.* Multiplicação dos vasos sanguíneos e/ou linfáticos primitivos de um tecido, órgão ou região. **3.** *Anat.* O conjunto dos vasos sanguíneos e linfáticos de um órgão ou de uma região; vasculatura. **4.** *Cir.* Formação de vasos sanguíneos, induzida cirurgicamente, em tecido, órgão ou região que não os tinha.

vascularizado [Part. de *vascularizar.*] *Adj.* Em que se efetuou vascularização.

vascularizar [De *vascular* + *-izar.*] *V. t. d.* Produzir ou efetuar a vascularização (1 e 4) de.

vasculatura [De *vascular* + *-tura.*] *S. f. Anat.* Vascularização (3).

vasculhadeira [De *vasculhar* (1) + *-deira.*] *S. f.* Mulher que vasculha; basculhadeira.

vasculhadela [De *vasculhar* + *-dela.*] *S. f.* Ação de vasculhar; basculhadela.

vasculhador (ô) [De *vasculhar* + *-dor.*] *S. m.* Vassoura de piaçava, pena, pano, etc., de cabo longo, usada para limpar tetos e paredes ou objetos colocados no alto; basculhador, basculho, vasculho, bagulho.

vasculhar [De *vasculho* + *-ar*[2], poss.] *V. t. d.* **1.** Varrer com vasculho. **2.** Pesquisar; investigar, esquadrinhar: *Vasculhou uma vasta bibliografia antes de escrever a tese;* "Em companhia do próprio Arinos [Afonso Arinos] pôs-se [Olavo Bilac] a vasculhar arquivos, a folhear velhos manuscritos" (Brito Broca, *Horas de Leitura*, p. 166). [Var.: *basculhar.*]

vasculho [Do lat. *vasculu*, dim. de *vas, vasis* (pl. *vasa, orum*), 'petrechos de cozinha'.] *S. m.* **1.** V. *vassouro.* **2.** V. *vasculhador.*

▲ **vascul(i)-** [Do lat. *vascŭlum, i*, 'vaso pequeno'.] *El. comp.* = 'vaso[1] (6 e 8)': *vascular.*

vasculopatia [De *vascul(i)-* + *-o-*[1] + *-patia.*] *S. f. Med.* Qualquer doença de vaso sanguíneo.

vasectomia [Do lat. *vas (deferens)*, 'ducto deferente', + *-ectom-* + *-ia*[1].] *S. f. Cir.* V. *deferentectomia.*

vasectômico *Adj. Cir.* V. *vasectômico.* [Uso freq. em P.]

vasectômico [De *vasectomia* + *-ico*[2].] *Adj. Cir.* Relativo a vasectomia (denom. ant. de deferentectomia).

vaselina [Do ingl. *vaseline*, marca registrada.] *S. f.* **1.** *Quím.* Parafina de baixo ponto de fusão. ● *S. 2 g.* **2.** *Bras. Pop. Fig.* Pessoa melíflua, muito maneirosa, cheia de lábia. ◆ **Passar vaselina em alguém.** *Pop.* Adular alguém com o intuito de obter algo.

vasento [De *vasa*[1] + *-ento.*] *Adj.* Que tem vasa ou lodo; vasoso.

vasilha [Do lat. vulg. *vasilia* < lat. *vas, vasis*, 'vaso', pelo modelo de *utensilia*, 'utensílios'.] *S. f.* **1.** Vaso para líquidos. **2.** Pipa, tonel, barril. **3.** *Bras.* Recipiente de uso doméstico utilizado particularmente para guardar ou conter alimentos. [Sin., impr., nesta acepç.: *vasilhame.*] ◆ **Vasilha ruim.** *Fig.* Pessoa má, de mau comportamento e/ou maus instintos, má fama.

vasilhame [De *vasilha* + *-ame.*] *S. m.* **1.** Quantidade de vasilhas. **2.** *Impr.* Vasilha (3).

vaso[1] [Do lat. vulg. *vasu.*] *S. m.* **1.** Qualquer objeto côncavo próprio para conter substâncias líquidas ou sólidas. **2.** Peça análoga, que se enche de terra e onde se plantam flores, etc. **3.** *P. ext.* Receptáculo (1). **4.** V. *urinol* (1). **5.** V. *vaso sanitário.* **6.** *Anat.* Qualquer ducto do organismo humano através do qual circule o sangue ou linfa ou bile. **7.** *Pop.* Vagina (2). **8.** *Bot.* Estrutura tubulosa articulada, de comprimento variável, composta de uma série axial de células coalescentes, e pelo interior da qual circula a seiva mineral das plantas, que as raízes retiram do solo; traqueia. **9.** *Ant.* Navio, ou, mais precisamente, casco de navio: "Os vasos das esquadras estrangeiras .... tinham deixado campo livre à ação, fundeando para o fundo da baía." (Virgílio Várzea, *Nas Ondas*, p. 203.) [Nesta acepç., é ainda us. na loc. *vaso de guerra.* Cf. *vazo*, do v. *vazar.*] ◆ **Vaso capilar.** *Anat.* Vaso[1] (6) que estabelece comunicação entre arteríola e vênula, apresentando-se em grupos reticulados disseminados pelo corpo. **Vaso de capitel.** *Arquit.* O corpo côncavo do capitel coríntio ou compósito, sobre o qual parecem estar aplicadas as folhas e volutas. **Vaso de eleição.** Pessoa escolhida de Deus. **Vaso de guerra.** Navio de guerra. **Vaso do reator.** *Eng. Nucl.* V. *caixão do reator.* **Vaso do rio.** O leito dele. **Vaso obliterado.** *Patol.* Vaso[1] (6) cuja luz (15) se encontra obliterada. **Vaso ranino.** *Anat.* Cada um dos vasos sanguíneos existentes na face inferior da língua. **Vaso sanitário.** Aparelho, ger. de louça, próprio para dejeções. [Tb. se diz apenas *vaso*; sin.: *bacia sanitária, bojo, latrina, privada, retrete* e (lus.) *sanita.*]

vaso[2] [De or. incerta.] *S. m.* Antiga fazenda de lã, preta, para luto. [Cf. *vazo*, do v. *vazar.*]

▲ **vaso-** [Do lat. *văsum, i.*] *El. comp.* = 'vaso sanguíneo': *vasoconstrição, vasomotor.*

vasoconstrição [De *vaso-* + *constrição.*] *S. f. Fisiol. Med.* Diminuição de calibre de vaso sanguíneo. [Antôn.: *vasodilatação.*]

vasoconstritor (ô) [De *vaso-* + *constritor.*] *Adj. S. m.* Diz-se de, ou droga ou agente que provoca vasoconstrição. [Antôn.: *vasodilatador.*]

vasodilatação [De *vaso-* + *dilatação.*] *S. f. Fisiol. Med.* Aumento de calibre de vaso sanguíneo. [Antôn.: *vasoconstrição.*]

vasodilatador (ô) [De *vaso-* + *dilatador.*] *Adj. S. m.* Diz-se de, ou droga ou agente que provoca vasodilatação. [Antôn.: *vasoconstritor.*]

vaso-morto *S. m. Bras. N.E.* A caldeira que recebe o caldo frio, nos engenhos de açúcar. [Pl.: *vasos-mortos.*]

vasomotor (ô) [De *vaso-* + *motor.*] *Adj.* Diz-se de qualquer agente capaz de agir sobre a vasomotricidade. [Fem.: *vasomotriz.*]

vasomotricidade [De *vaso-* + *motricidade.*] *S. f. Fisiol. Med.* Capacidade de produzir alteração de calibre de vaso sanguíneo.

vasomotriz *Adj. (f.)* Fem. de *vasomotor.*

vasoso (ô) [De *vasa*[1] + *-oso.*] *Adj.* Vasento.

vasotrófico [De *vaso-* + *trófico.*] *Adj. Med.* **1.** Relativo à nutrição de vaso[1] (6). **2.** Diz-se de fenômeno que, mediante alteração de trânsito no interior de vaso sanguíneo, influi sobre a nutrição (3).

vasquear [De *vasca* + *-ear*[2].] *V. int. Bras.* **1.** Agonizar, vasquejar: "Que formosos que sois, crepúsculos do Sul! / Franjados arrebóis — tendas do Saara azul / Do éter! luz a vasquear em sonolentos raios!" (Alberto de Oliveira, *Poesias*, 4ª série, pp. 83-84.) **2.** Tornar-se raro, vasqueiro; escassear. [Conjug.: v. *frear.*]

vasqueiro[1] [De *vasca* + *-eiro.*] *Adj.* **1.** Que causa vascas ou ânsias. **2.** *Bras.* Difícil de encontrar ou de obter; rasqueiro: "Achava-se o amanuense em toda parte ....; só em dois lugares era ele incerto, e até mesmo vasqueiro: na repartição e na casa de morada." (José de Alencar, *Sonhos d'Ouro*, p. 233.) **3.** Escasso, raro: "o dinheiro é curto e vasqueiro, chorado, e pela hora da morte" (Afrânio Peixoto, *Bugrinha*, p. 173). **4.** Difícil, crítico: *tempos vasqueiros.*

vasqueiro[2] [Por *vesgueiro < *vesgo* + *-eiro*, poss.] *Adj.* V. *estrábico* (2).

vasquejar [De *vasca* + *-ejar.*] *V. int.* **1.** Ter vascas ou convulsões; contorcer-se: "travaram-lhe dos braços; o homem escabujava, vasquejava pegado como um touro" (Júlio Dantas, *Abelhas Doiradas*, pp. 186-187). **2.** Estremecer, tremular; vacilar. **3.** V. *agonizar* (1). *T. d.* **4.** Fazer tremular ou vacilar: *A leve brisa vasquejava a bandeira.* [Conjug.: v. *pelejar.*]

vasquejo (ê) [Dev. de *vasquejar.*] *S. m.* Ato de vasquejar.

vasquim [De *vasquinha* (2).] *S. m. Bras. Desus.* Corpete de vestido de mulher: "vasquim colante, de veludilho, todo enfeitado e rebrilhante de miçangas amarelas" (Martins Fontes, *A Dança*, p. 58).

vasquinha [Do esp. *basquiña.*] *S. f. Vest. Ant.* **1.** Saia pregueada na cintura, usada por cima de toda a roupa. **2.** Casaco curto e muito justo ao corpo: "Cinta de fina escarlata, / Sainho de chamalote; / Traz a vasquinha de cote" (Luís de Camões, *Rimas*, p. 61).

vassalagem [De *vassalo* + *-agem*[2].] *S. f.* **1.** Estado ou condição de vassalo. **2.** Tributo de vassalo(s) ao senhor feudal. **3.** Sujeição, submissão. **4.** Conjunto de vassalos.

vassalar [De *vassalo* + *-ar*[2].] *V. t. d. e i. P. us.* Tributar ou prestar como vassalagem: *Tinha de vassalar obediência ao rei.*

vassalo [Do lat. med. *vassallu* (< celta *vassus*, 'servidor'), pelo fr. *vassal.*] *S. m.* **1.** Na Idade Média, aquele que dependia dum senhor feudal, a quem estava vinculado por juramento de fé e homenagem; feudatário, súdito. ● *Adj.* **2.** Que paga tributo a alguém. **3.** Subordinado, submisso.

vassoira [Do lat. *versoria*, pela f. **vessoira.*] *S. f. S. m.* V. *vassoura.*

vassoirada [De *vassoira* + *-ada*[1].] *S. f.* V. *vassourada.*

vassoira-de-bruxa *S. f. Micol.* V. *vassoura-de-bruxa.* [Pl.: *vassoiras-de-bruxa.*]

vassoira-de-feiticeira *S. f. Micol.* V. *vassoura-de-feiticeira.* [Pl.: *vassoiras-de-feiticeira.*]

vassoira-do-campo *S. f. Bot.* V. *vassoura-do-campo.* [Pl.: *vassoiras-do-campo.*]

vassoiral [De *vassoira* + *-al*[1].] *S. m. Bras.* V. *vassoural.*

vassoirar [De *vassoira* + *-ar*[2].] *V. t. d. Int.* V. *vassourar*: "Marinheiros vassoiravam o convés" (Adolfo Caminha, *Bom-Crioulo*, p. 47).

vassoira-vermelha *S. f. Bras. Bot.* V. *vassoura-vermelha.* [Pl.: *vassoiras-vermelhas.*]

vassoireiro [De *vassoira* + *-eiro.*] *S. m.* Vassoureiro.

vassoirinha [De *vassoira* + *-inha.*] *S. f. S. 2 g.* V. *vassourinha.*

vassoirinha-de-varrer *S. f. Bras. Bot.* V. *vassourinha-de-varrer.* [Pl.: *vassoirinhas-de-varrer.*]

vassoirinha-do-mato *S. f. Bras. Bot.* V. *vassourinha-do-mato.* [Pl.: *vassoirinhas-do-mato.*]

vassoiro *S. m.* V. *vassouro.*

vassoura [Var. de *vassoira* (q. v.).] *S. f.* **1.** Utensílio feito de ramos de giesta, piaçaba (*Sorghum*), pelos naturais ou artificiais, etc., e usado principalmente para varrer o lixo dos pavimentos, etc. [Var. ant., nesta acepç.: *bassoira.*] **2.** *Bras. Bot.* V. *carqueja-amargosa.* **3.** *Bras. Bot.* V. *guaxima* (2). **4.** *Bras. Bot.* V. *malva-relogiinho.* **5.** *Bras. N.E. Bot.* O cacho filamentoso das flores do coqueiro. **6.** *Bras.* Pessoa que ganha sempre, ou quase sempre, em jogos de azar, sorteios, etc.: "Estava rico, só em compras de café aos colonos fazia um negócio e ainda emprestava dinheiro e no jogo era uma vassoura." (Coelho Neto, *Banzo*, p. 34.) ● *S. 2 g.* **7.** *Bras. Gír.* Pessoa que troca muito de namorados, ou de amantes; pente-fino: "come e bebe do bom, namora .... quem encontra — é um vassoura de marca!" (Monteiro Lobato, *Urupês, Outros Contos e Coisas*, p. 104). ● *S. m.* **8.** *Bras. N.E. SP* Caixeiro principiante, que varre a loja. 9. *Bras. N.E. SP* Empregado de classe baixa.

vassourada [De *vassoura* + *-ada*[1]; var. de *vassoirada*.] ***S. f.*** 1. Pancada com vassoura. 2. Varrição ligeira; varredela. 3. Aquilo que se varre com um só movimento de vassoura. 4. *Fig.* Expurgo, limpeza: *Deu uma vassourada na seção, deixando só os bons elementos.*

vassoura-de-bruxa [Var. de *vassoira-de-bruxa*.] ***S. f.*** *Micol.* Qualquer dos fungos (como, por ex., o *Calonectria bahiensis*, o *Corticium lilacinofuscum*, etc.) que ataca o cacaueiro: "12 fazendas de cacau contaminadas pela 'vassoura-de-bruxa', um fungo que se alastra facilmente, dizimando os cacaueiros" (*O Globo*, 17.03.1990). [Sin., p. us.: *vassoura-de-feiticeira*. Pl.: *vassouras-de-bruxas*.]

vassoura-de-feiticeira [Var. de *vassoira-de-feiticeira*.] ***S. f.*** *Micol.* Vassoura-de-bruxa (q. v.). [Pl.: *vassouras-de-feiticeiras*.]

vassoura-do-campo [Var. de *vassoira-do-campo*.] ***S. f.*** *Bras. Bot.* V. *faxina-vermelha*: "as vassouras-do-campo apontam medrosamente para o céu as suas florinhas lilases" (Afonso Arinos, *Histórias e Paisagens*, p. 96). [Pl.: *vassouras-do-campo*.]

vassoural [De *vassoura* + *-al*[1]; var. de *vassoiral*.] ***S. m.*** *Bras.* 1. Quantidade mais ou menos considerável de pés de vassoura (2) dispostos proximamente entre si. 2. Área ocupada por vassoural (1). 3. Saivá.

vassourar [De *vassoura* + *-ar*[2]; var. de *vassoirar*.] ***V. t. d.*** 1. Varrer com vassoura; varrer. ***Int.*** 2. Limpar lixo com vassoura.

vassoura-relógio ***S. f.*** *Bras. Bot.* V. *guaxima* (2). [Pl.: *vassouras-relógios* e *vassouras-relógio*.]

vassoura-vermelha [Var. de *vassoira-vermelha*.] ***S. f.*** *Bras. Bot.* V. *faxina-vermelha*. [Pl.: *vassouras-vermelhas*.]

vassoureiro [De *vassoura* + *-eiro*; var. de *vassoireiro*.] ***S. m.*** 1. Fabricante e/ou vendedor de vassouras. 2. *Bras. C.O. Bot.* Arbusto mimosáceo (*Mimosa insidiosa*) campestre, aculeado, que tem folhas com folíolos numerosos, oblongo-lineares, ciliados, falcados, com 8 a 12mm, flores mínimas, dispostas em capítulos globosos de 1 a 1,5cm de diâmetro, e cujo legume, coriáceo, vai a 2cm.

vassourense ***Adj. 2 g.*** 1. De, ou pertencente ou relativo a Vassouras (RJ). ● ***S. 2 g.*** 2. O natural ou habitante de Vassouras.

vassourinha [De *vassoura* + *-inha*; var. de *vassoirinha*.] ***S. f.*** 1. Espécie de jogo infantil com cinco pedras, no qual a mão que lança uma pedra ao ar varre as demais no chão, tentando apanhá-las todas de uma só vez, e perdendo quem não o conseguir fazer. 2. *Bras. Bot.* Erva escrofulariácea (*Scoparia dulcis*) amplamente disseminada como ruderal, que tem pequenas flores alvas inaparentes e que, como é muito ramosa e lenhificada, pode ser congregada em feixes para compor vassouras simples e baratas; vassourinha-de-varrer, tupixaba. 3. *Bot.* V. *guaxima* (2). 4. Erva malvácea (*Sida veronicaefolia*) perene, de folhas ovadas, com longos pecíolos, agudas e pilosas, e flores axilares, aos pares ou solitárias; rasteirinha, violeta-do-pará. 5. *Bot.* Verbasco (4). ● ***S. 2 g.*** 6. *Bras. Gír.* Indivíduo muitíssimo namorador, de muitos envolvimentos amorosos.

vassourinha-de-relógio ***S. f.*** *Bras. Bot.* V. *guaxima* (2). [Pl.: *vassourinhas-de-relógio*.]

vassourinha-de-varrer [Var. de *vassoirinha-de-varrer*.] ***S. f.*** *Bras. Bot.* V. *vassourinha* (2). [Pl.: *vassourinhas-de-varrer*.]

vassourinha-do-mato [Var. de *vassoirinha-do-mato*.] ***S. f.*** *Bras. Bot.* V. *faxina-vermelha*. [Pl.: *vassourinhas-do-mato*.]

vassouro [Var. de *vassoiro*.] ***S. m.*** Varredouro para fornos; vasculho, basculho.

vassuncê ***Pron.*** *Bras. Pop.* V. *você*.

vastação [Do lat. *vastatione*.] ***S. f.*** *P. us.* Estrago, assolação, devastação.

vastar[1] [Do lat. *vastare*.] ***V. t. d.*** *P. us.* Devastar.

vastar[2] ***V. t. d. Int.*** *Bras. Pop. Afastar*.

vasteza (ê) [De *vasto* + *-eza*.] ***S. f.*** *P. us.* V. *vastidão*.

vastidão [De *vasto* + *-idão*.] ***S. f.*** 1. Qualidade de vasto. 2. Grande extensão; amplidão: "Fitando a vastidão magnífica do mar, / Que ressalta e reluz: — 'Verdes mares bravios...' / Cita um sujeito que jamais leu Alencar." (Manuel Bandeira, *Estrela da Vida Inteira*, p. 57.) 3. Grandes dimensões, ou grande desenvolvimento. 4. Grande importância. [Sin. ger., p. us.: *vasteza*.]

vasto [Do lat. *vastu*.] ***Adj.*** 1. Muito extenso; amplo. 2. Muito dilatado. 3. *Fig.* Considerável, grande. 4. Importante, relevante: "Entre mistérios tão vastos / Que breve instante que somos!" (Marli de Oliveira, *A Suave Pantera*, p. 51.) 5. Que compreende muitos conhecimentos.

vatapá ***S. m.*** *Bras. Cul.* Prato típico da cozinha baiana, muito apimentado, feito com peixe ou galinha, a que se adiciona leite de coco, camarões secos e frescos, pão da véspera, amendoim e castanha de caju torrados e moídos, e que se tempera com azeite de dendê, além dos temperos habituais (sal, cebola, pimentão, coentro, cheiro-verde, etc.).

vatapu [Var. de *uatapu*.] ***S. m.*** *Bras. Amaz.* V. *búzio* (1).

vate [Do lat. *vate*.] ***S. m.*** 1. Aquele que faz vaticínio; profeta. 2. V. *poeta* (1).

vaticana [F. subst. do adj. *vaticano*.] ***S. f.*** A biblioteca do Vaticano (1). [Com cap.]

vaticanista [De *Vaticano* + *-ista*.] ***S. 2 g.*** Especialista em assuntos relativos ao Vaticano (2).

vaticano [Do lat. *Vaticanus collis*, 'colina Vaticano'.] ***S. m.*** 1. Palácio papal na colina Vaticano, em Roma. 2. *P. ext.* Governo pontifício; cúria romana. [Com cap., nessas acepç.] 3. *Bras. AM* Vapor de navegação fluvial maior do que o gaiola (9). 4. *Bras. MG* Casarão, casão. ● ***Adj.*** 5. Pertencente ou relativo ao Vaticano (1 e 2).

vaticinação [Do lat. *vaticinatione*.] ***S. f.*** V. *vaticínio*.

vaticinador (ô) [Do lat. *vaticinatore*.] ***Adj.*** 1. Que vaticina; vaticinante. ● ***S. m.*** 2. Aquele que vaticina.

vaticinante [Do lat. tard. *vaticinante*.] ***Adj. 2 g.*** Vaticinador (1).

vaticinar [Do lat. tard. *vaticinare*.] ***V. t. d. T. d. e i.*** Profetizar, predizer, prognosticar, prever; prenunciar: *Vaticinou a vitória dos aliados;* "enquanto através do seu curso brilhante, lentes e condiscípulos vaticinavam-lhe o mais brilhante futuro, pensava em criar uma família" (João do Rio, *Dentro da Noite*, p. 79).

vaticínio [Do lat. *vaticiniu*.] ***S. m.*** Ato ou efeito de vaticinar; predição, profecia, vaticinação: "A maldição, que lhe cai da boca sobre os covardes .... termina por um vaticínio de liberdade" (Rui Barbosa, *Ensaios Literários*, p. 27).

vatídico [De *vate* + *-i-* + rad. *dic-*, do v. lat. *dicere*, 'dizer', + *-ico*[2].] ***Adj.*** *Poét.* Que faz vaticínios, que vaticina; que é oráculo; vaticinador. [Cf. *fatídico*.]

vatinga [Do tupi = 'fruta' + *-tinga*.] ***S. f.*** *Bras. Bot.* V. *açoita-cavalo* (2).

vatúsi ***S. 2 g. Adj. 2 g.*** V. *tútsi*.

vatútsi ***S. 2 g. Adj. 2 g.*** V. *tútsi*.

vau[1] [Do lat. *vadu*.] ***S. m.*** 1. Trecho raso do rio ou do mar, onde se pode transitar a pé ou a cavalo. 2. V. *baixio* (1). 3. *Constr. Nav.* Cada uma das vergônteas que servem de suporte ao cesto de gávea. 4. *Constr. Nav.* Cada uma das vigas de madeira ou dos perfilados de ferro ou de aço dispostos transversalmente ao plano diametral da embarcação e que ligam os diversos pares de balizas que se defrontam num e noutro bordo, e sobre os quais assenta o tabuado ou o chapeamento dos pavimentos. 5. *Fig.* Ensejo, oportunidade, azo. ◆ **Vau de cauda.** *Bras. GO* Passagem do rio em que as águas só chegam à cauda do animal, ou até à barriga. **Vau de orelha.** *Bras. GO* Passagem do rio que só pode ser atravessada com o animal a nado. **Errar o vau.** *Bras. S.* Errar o pealo (2).

vau[2] [Do hebr. *vav*, 'prego, gancho', pelo gr. *baû*.] ***S. m.*** Nome antigo da letra *V*.

→ **vaudeville** [vod'vil] [Fr.] ***S. m.*** 1. Canção leve ou satírica, dos sécs. XV a XVIII. 2. *Teatr.* Comédia leve e muito movimentada, que originariamente comportava cenas cantadas e passou, em seguida, a caracterizar-se pelos quiproquós, e por situações imprevistas e intriga complexa.

vaurá ***S. 2 g. Adj. 2 g.*** *Bras.* V. *uaurá*.

vavassalo [Do fr. *vavasseur*, 'vassalo dos vassalos', com infl. de *vassalo* (q. v.).] ***S. m.*** Pequeno nobre que tinha apenas o direito de justiça menor e não possuía vassalos próprios.

vá-vá-vá [Voc. onom.] ***S. m.*** *Bras. Fam.* 1. Barulho de vozes; algazarra. 2. Agitação, alvoroço, azáfama. [Pl.: vá-vá-vás. Sin. ger.: *vá-vá-vu*.] ❄

vá-vá-vu [Voc. onom.] ***S. m.*** *Bras. Fam.* V. *vá-vá-vá*. [Pl.: *vá-vá-vus*.] ❄

vaza[1] [Do it. *bazza*.] ***S. f.*** Conjunto de cartas jogadas pelos parceiros em cada lance ou vez, e que são recolhidas pelo ganhador. [Cf. *vasa*.] ◆ **Cortar as vazas (a alguém).** Fazer fracassar as intenções de alguém: "Contava já com ele para levar-lhe as cartas do desafforo e trazer-lhe os presentinhos de flores e os recados dos pelintras!... Ah! mas ele, o Dias, ali estava, para lhes cortar as vazas!" (Aluísio Azevedo, *O Mulato*, p. 41.) **Não perder vaza.** Não desperdiçar nenhuma oportunidade.

vaza[2] [Dev. de *vazar*.] ***S. f.*** Lavor ou feitio vazado ou escavado. [Cf. *vasa*.]

vaza-barris [De *vazar* + o pl. de *barril*.] ***S. m. 2 n.*** 1. Enseada ou costa onde ocorrem muitos naufrágios. 2. *Fig.* Lugar onde há riquezas secretas. 3. *Pop.* Dissipação de haveres; ruína.

vazado [Part. de *vazar*.] ***Adj.*** 1. Que se vazou. 2. Diz-se de elemento, ou de parte de construção, em que há espaços vazios: *tijolos vazados; parede vazada.* 3. *Tip.* Diz-se de letra, fio, ilustração a traço, etc., cuja forma corresponde à de área não impressa dentro de uma área maior chapada ou reticulada. – V. *elemento — e tijolo —*. ● ***S. m.*** 4. A parte vazada [v. *vazado* (3)].

vazadoiro [De *vazar* + *-doiro*[2].] ***S. m.*** Vazadouro (q. v.).

vazador (ô) [De *vazar* + *-dor*.] ***Adj.*** 1. Que vaza. ● ***S. m.*** 2. Aquele que vaza. 3. O ourives que vaza ouro ou prata. 4. Instrumento de correeiro e doutros artífices, que serve para abrir furos ou ilhós no couro ou no pano; saca-bocado.

vazadouro [De *vazar* + *-douro*[2]; var. de *vazadoiro*.] ***S. m.*** Lugar onde se despejam detritos ou onde se vaza qualquer líquido.

vazadura [De *vazar* + *-dura*.] ***S. f.*** 1. V. *vazamento* (1). 2. Orifício retangular situado na parte inferior da ferradura e destinado a sustentar a cabeça do cravo.

vaza-maré [De *vazar* + *maré*.] ***S. m.*** *Bras. BA Zool.* V. *espia-maré* (3). [Pl.: *vaza-marés*.]

vazamento [De *vazar* + *-mento*.] ***S. m.*** 1. Ato ou efeito de vazar; vazadura, vazão. 2. *Restr.* Ato ou efeito de vazar (21): "houvera vazamento de informações, beneficiando alguns exportadores." (Fernando Sabino, *Zélia, uma Paixão*, pp. 209-210). 3. Lugar por onde vaza um líquido. 4. *P. ext.* O líquido que vaza.

vazante [De *vazar* + *-nte*.] ***Adj. 2 g.*** 1. Que vaza. ● ***S. f.*** 2. Refluxo (2). 3. Período em que um rio apresenta o menor volume de águas. 4. Escoamento, saída, vazão. 5. *Bras.* Terreno baixo e úmido, grande vale ao longo dos rios, baixa próxima de aguadas e de lagoas em geral, enfim, qualquer terra baixa e plana, temporariamente alagada pelas enchentes dos rios. 6. *Bras. N.E.* Cultura que se faz no leito dos rios e à margem dos açudes, quando, depois de enchentes, vai o rio tornando ao seu nível normal na época da estiagem. 7. *Bras. MT* Campo alagado por águas de chuva. ◆ **Vazante da maré.** *Geofís.* Movimento de descida das águas do mar, após a preamar; refluxo da maré; maré descendente. [Antôn.: *enchente da maré*.]

vazanteiro [De *vazante* + *-eiro*.] ***S. m.*** 1. *Bras. N.E.* Agricultor de vazantes [v. *vazante* (6)]. 2. *Bras. MG* Aquele que mora nas vazantes.

vazantino ***Adj.*** 1. De, ou pertencente ou relativo a Vazante (MG). ● ***S. m.*** 2. O natural ou habitante de Vazante.

vazão [De *vazar* + *-ão*[3].] ***S. f.*** 1. V. *vazamento* (1). 2. Volume dum fluido que, numa unidade de tempo, se escoa através de determinada seção transversal de um conduto ou curso de água. [Sin., nesta acepç.: *descarga fluvial* ou apenas *fluvial*.] 3. Porção de líquido ou de gás fornecida por uma corrente fluida, na unidade de tempo. 4. *Fig.* Extração, venda, consumo. 5. Solução, resolução. ◆ **Dar vazão a.** 1. Atender, despachar: *Tão grande é a freguesia que é impossível dar-lhe vazão.* 2. Dar solução a; resolver: *dar vazão a (negócios, compromissos).*

vazar [Alter. de *vaziar*.] ***V. t. d.*** 1. Tornar vazio; esvaziar. 2. Entornar, despejar, verter: "Uma senhora de Penacova arrancou o cabelo da cabeça, pô-lo dentro da bacia d'água e todas as manhãs lá ia vazá-la e deitar outra nova." (José Vieira, *Sol de Portugal*, p. 21.) 3. Enterrar, cravar. 4. Furar, traspassar, atravessar: *O punhal vazou-lhe o pescoço.* 5. Arrancar, desarraigar. 6. Tornar oco; abrir um vão em; furar, cavar, escavar: *vazar uma peça de madeira.* 7. Privar do conteúdo; tornar vazio: *vazar uma gaveta.* 8. Beber ou tomar o conteúdo de: *vazar uma garrafa, um copo.* 9. Fundir (2). 10. Vencer, transpor: *vazar uma longa distância.* ***T. d. e c.*** 11. Entornar, derramar: *Vazou o café no chão.* 12. Fazer correr. 13. Lançar, verter (o metal fundido no molde). 14. Despejar, desaguar: *O rio Negro vaza suas águas no Amazonas.* 15. Arrancar, desarraigar. ***T. d. e i.*** 16. Modelar, moldar, calcar: *Vazou a obra nos melhores preceitos da arte.* ***Int.*** 17. Esgotar-se a pouco e pouco; deixar sair o líquido: *A caixa-d'água está vazando.* 18. Entornar-se, verter-se. 19. Sair, retirar-se. 20. Ser transparente. 21. Tornar-se conhecida (notícia) por descuido, indiscrição, inadvertência, etc.: *A notícia do afastamento do ministro vazou muito antes do ato presidencial.* ***P.*** 22. Despejar-se, entornar-se. 23. Ficar vazio, esvaziar-se. [Pres. ind.: *vazo, vazas, vaza*, etc. Cf. *vaso*, s. m., *Vaso*, antr., e *vasa*, s. f.]

vazia [F. subst. do adj. *vazio*.] ***S. f.*** *Pop.* 1. Ilharga (1). 2. *Lus.* Peça de carne bovina que se tira do rosbife completo.

vaziador (ô) [De *vaziar* + *-dor*.] ***Adj.*** Diz-se da cavalgadura que estraba excessivamente.

vaziamento [De *vaziar* + *-mento*.] ***S. m.*** Esvaziamento.

vaziar [De *vazio* + *-ar*[2].] ***V. t. d.*** 1. V. *esvaziar*. ***Int.*** 2. Estrabar em excesso (a cavalgadura).

vazio [Do lat. *vacivu*.] ***Adj.*** 1. Que não contém nada, ou só contém ar: *lata vazia.* 2. Entornado, despejado. 3. Desocupado; despovoado, desabitado: *região vazia.* 4. Frívolo, vão, fútil: *pessoa vazia.* 5. Falto ou destituído de inteligência: *cabeça vazia; pensamentos vazios.* 6. *P. ext.* Falto, destituído, desprovido: "Vazios [os artigos], e sempre! de significação, de conceito que os relacione com alguma realidade autônoma de sua materialidade, formal e funcional." (Jesus Belo Galvão, *Palavra e Estrutura*, p. 33.) ~ V. *categoria — a, conjunto —, denúncia — a* e *maré — a*. ● *S. m.* 7. V. *vácuo* (2). 8. *Filos.* Espaço concebido como um receptáculo plenamente desocupado, com ou sem limites. ~ V. *vazios*.

vazios [Pl. de *vazio* (7).] *S. m. pl.* Ilhargas da cavalgadura. ~ V. *vazio*.

vaziúdo [De *vazios* + *-udo*.] *Adj. Bras. SP Pop.* Diz-se do cavalo magro, cujos vazios estão muito salientes.

■ **VCR** [Ingl., sigla de *video cassete recorder*.] *Telev.* V. *videocassete* (2). [Cf. *VTR*.]

vê[1] *S. m.* A letra *v*. [Pl.: *vês*. Cf. *vez* (ê) e o top. *Vez* (ê).] ◆ **Com dois vês.** Diz-se a quem se empresta algo para lembrar-lhe que a devolução é imprescindível (entendendo-se que o que vai [emprestado] deve voltar para seu dono).

vê[2] [Do eve *vhe*.] *S. m. Gloss.* V. *eve* (2).

veação [Do lat. *venatione*.] *S. f.* 1. V. *montaria*[1] (2). 2. *P. ext.* Os animais mortos na caça. 3. *Cul.* Iguaria preparada com a carne de animais mortos na caça. [Cf. *viação*.]

veada *S. f. Zool.* A fêmea do veado[1] (1).

veadagem [De *veado*[1] + *-agem*[2].] *S. f. Bras. Chulo* Ato, dito ou trejeitos exagerados de certos homossexuais; bichice.

veadeirense *Adj. 2 g.* 1. De, ou pertencente ou relativo a Veadeiros (GO). ● *S. 2 g.* 2. O natural ou habitante de Veadeiros.

veadeiro [De *veado*[1] + *-eiro*.] *S. m. Bras.* 1. Cachorro adestrado na caça de veados. 2. Caçador de veados.

veadeiro-mestre *S. m.* O cão que dirige a matilha na caça ao veado, e é o primeiro que se aproxima do animal. [Pl.: *veadeiros-mestres*.]

veado[1] [Do lat. *venatu*, 'caça morta'.] *S. m.* 1. *Zool.* Animal mamífero, artiodáctilo, cervídeo, desprovido de incisivos superiores e em geral muito tímido e veloz. V. *cervídeos*. [Sin.: *suaçu*.] 2. *Cul.* Prato feito com esse animal. 3. *Bras.* No jogo do bicho (q. v.), o 24º grupo (14), que abrange as dezenas 93, 94, 95 e 96, e corresponde ao número 24. 4. *Bras. Chulo* Homossexual (3). [Cf. *veiado*.] ◆ **Bancar veado.** *Bras. Pop.* V. *fugir* (1 e 2). **Jogar no veado.** *Bras. Pop.* V. *fugir* (1 e 2).

veado[2] *S. m. Bras. Bot.* Espécie de mandioca de talo vermelho.

veado-bororó *S. m. Bras. Zool.* V. *veado-roxo*. [Pl.: *veados-bororós* e *veados-bororó*.]

veado-branco *S. m. Bras. Zool.* V. *veado-campeiro*. [Pl.: *veados-brancos* e *veados-branco*.]

veado-campeiro *S. m. Bras. Zool.* Mamífero artiodáctilo, cervídeo (*Ozotoceros bezoarticus*), das regiões descampadas do Brasil, de coloração escura com tons avermelhados, olhos circundados por anel branco, barriga e porção interna dos membros, claras; mede até 1,45m de corpo e 80cm de altura. Galhada com um máximo de três pontas em cada chifre no terceiro ano, com 25cm de comprimento. Vive em bandos de até oito a 10 indivíduos. [Sin.: *veado-branco, veado-galheiro, suaçuapara, suaçutinga*. V. *campeiro*[3]. Pl.: *veados-campeiros*.]

veado-catingueiro *S. m. Bras.* Mamífero artiodáctilo, cervídeo (*Mazama simplicicornis*), das regiões descampadas da América do Sul cisandina. Tem porte menor do que o veado-mateiro, coloração entre o baio pardacento e o sépia, altura média de 65cm, e chifres com nove a 12cm de comprimento. [Sin.: *veado-virá, virá, virote, guaçutinga, guaçucatinga, guaçubirá*. Pl.: *veados-catingueiros*.]

veado-de-virgínia *S. m. Bras. Zool.* V. *cariacu*. [Pl.: *veados-de-virgínia*.]

veado-do-mangue *S. m. Bras. Zool.* V. *cariacu*. [Pl.: *veados-do-mangue*.]

veado-galheiro *S. m. Bras. Zool.* Designação comum aos veados de chifres ramificados. No Brasil, são conhecidas três espécies: cervo, cariacu e veado-campeiro. [Pl.: *veados-galheiros*.]

veado-galheiro-do-norte *S. m. Bras. Zool.* V. *cariacu*. [Pl.: *veados-galheiros-do-norte*.]

veado-garapu *S. m. Bras. Zool.* V. *veado-roxo*. [Pl.: *veados-garapus* e *veados-garapu*.]

veado-mateiro *S. m. Bras. Zool.* Mamífero artiodáctilo, cervídeo (*Mazama americana*), da porção tropical e subtropical da região cisandina, de coloração do castanho à cor de canela, cauda com pelos brancos embaixo. Mede cerca de 70cm de altura, e os chifres têm 10 a 12cm de comprimento. Prefere as regiões de matas, vivendo isolado ou aos pares. [Sin.: *veado-vermelho, veado-pardo, catingueiro, guatapará, guaçupita, guaçuetê, suaçupita, suçupita*. Tb. se diz apenas *mateiro*. Pl.: *veados-mateiros*.]

veado-pardo *S. m. Bras. Zool.* V. *veado-mateiro*. [Pl.: *veados-pardos*.]

veador[1] (ô) [Do lat. *venatore*, 'caçador'.] *S. m. Ant.* Aquele que caçava nos montes; monteiro. [Cf. *viador*.]

veador[2] (ô) [Do arc. *veedor* < *veer*, com dissimilação do segundo *e*.] *S. m. Ant.* Vedor (3). [Cf. *viador*.]

veado-roxo *S. m. Bras. Zool.* Designação comum a duas espécies de veado de chifres simples e pequeno porte, que vivem dentro das matas. São ambas da família dos cervídeos, gênero *Mazama*, *M. rufina* e *M. rondoni*, difíceis de ser diferenciados na natureza. Alcançam apenas 50cm de altura, os chifres têm cerca de 8cm, e sua coloração varia do vermelho escuro ao castanho. [Sin.: *veado-garapu, garapu, guarapu, gapororoca, foboca, veado-bororó, bororó, camocica, anhambi, mão-curta*. Pl.: *veados-roxos*.]

veado-vermelho *S. m. Bras. Zool.* V. *veado-mateiro*. [Pl.: *veados-vermelhos*.]

veado-virá [De *veado* + tupi = 'ave'.] *S. m. Bras. Zool.* V. *veado-catingueiro*. [Pl.: *veados-virás* e *veados-virá*.]

vearia [De um **venaria* (< fr. *vénerie*), com infl. de *veação*.] *S. f.* Casa onde se guarda a veação (2). [Cf. *viária*, fem. de *viário*.]

vectação [Do lat. *vectatione*.] *S. f.* Ato de ser transportado em veículo, a cavalo, etc.

vector (ô) *S. m.* V. *vetor*.

vectorial [De *vector* + *-ial*.] *Adj. 2 g.* Vetorial (q. v.).

veda[1] [Dev. de *vedar*.] *S. f.* V. *vedação* (1).

veda[2] [Do sânscr. *veda*, 'conhecimento'.] *S. m.* Conjunto de textos sagrados — hinos laudatórios, formas sacrificais, encantações, receitas mágicas — que constituem o fundamento da tradição religiosa (do bramanismo e do hinduísmo) e filosófica da Índia. [Cf. *Upanixade*.] [Com cap.]

vedação [De *vedar* + *-ção*.] *S. f.* 1. Ato ou efeito de vedar; proibição, veda. 2. Aquilo que veda. 3. Cerca, alambrado, sebe, tapume.

vedado [Part. de *vedar*.] *Adj.* 1. Proibido, interdito. 2. Que tem tapume ou muro; murado.

vedanta [Do sânscr. *vedānta*.] *S. m. Filos.* 1. Sistema ortodoxo de filosofia da Índia derivado do mimansa (q. v.), que se cristaliza em diversas escolas que afirmam a unidade essencial de todas as coisas, e fundamentalmente se orienta no sentido da obtenção da mocsa. [V. *darsana*.] [Nesta acepç., com cap.] 2. Upanixade.

vedante [De *vedar* + *-nte*.] *Adj. 2 g.* Que veda ou serve para vedar: *substância vedante*.

vedar [Do lat. *vetare*, por via pop.] *V. t. d.* 1. Impedir, proibir, interditar: *vedar a entrada de estranhos*. 2. Estorvar, embaraçar, tolher. 3. Impedir que corra; estancar: "palpava a ferida, vedava o sangue com os lenços emprestados pelos lacaios." (Eça de Queirós, *Ecos de Paris*, p. 261). 4. Fechar, tapar: *vedar a garrafa*. 5. Fechar porto [v. *porto*[1] (3)]. 6. Não permitir; não consentir; impedir: *vedar licenciosidade*. *T. d. e i.* 7. Não permitir; impedir; proibir: *Pela pouca altura do túnel, vedara a passagem aos ônibus*; "Esse crivo miudíssimo, tecido de rótulas delgadas, servia para esclarecer o corredor de passagem, vedando ao olhar curioso do hóspede a vista do interior" (José de Alencar, *O Sertanejo*, p. 151). *Int. P.* 8. Deixar de correr; estancar-se. [Pres. ind.: *vedo*, etc.; pres. subj.: *vede, vedes*, etc. Cf. *vedo* (ê), s. m.; *vede* (ê), do v. *ver*, e *vidar*, v. e s. m.]

vedável [De *vedar* + *-vel*.] *Adj. 2 g.* Que pode ser vedado.

vedeta[1] [Do it. *vedetta*.] *S. f.* 1. Guarita de sentinela em lugar alto; vigia. 2. Guarda avançada. 3. *Desus.* Cavaleiro que, ficando de sentinela, avisava rapidamente do que descobria: "Desde que tiveram notícia de que a revolução se aproximava, os poucos frades que ainda habitavam a casa puseram vedetas em torno do convento" (Ramalho Ortigão, *As Farpas*, I, p. 242).

vedeta[2] (ê) [Do fr. *vedette*, formado como resistência ao galicismo *vedete* (q. v.).] *S. f.* 1. Vedete. 2. *Mar. G.* Lancha de linhas esguias, com uma cabine a ré, capaz de desenvolver velocidade incomum, e usada para transportar autoridades.

vedeta-da-praia [De *vedeta*[1] + *da* + *praia*.] *S. f. Bras. Zool.* Ave caradriiforme, escolopacídea (*Crocethia alba*), quase cosmopolita, de coloração totalmente branca, com a sobrancelha negra e o dorso cinzento-claro. Frequenta praias dos dois hemisférios, emigrando durante o inverno. [Pl.: *vedetas-da-praia*.]

vedeta-torpedeira *S. f. Mar. G.* Embarcação pequena, veloz, armada com pequenos torpedos, e empregada para ataques de surpresa, junto ao litoral. [Pl.: *vedetas-torpedeiras*.]

vedete [Do it. *vedetta*, pelo fr. *vedette*.] *S. f.* 1. Atriz que sobressai no teatro de revista. [Sin., bras.: *corista*.] 2. *P. ext.* Pessoa que sobressai: *Foi ele a vedete do congresso*. [F. paral.: *vedeta*[2].]

vedetismo [De *vedete* + *-ismo*.] *S. m. Bras.* Comportamento de vedete; estrelismo.

védico [De *veda*[2] + *-ico*[2].] *Adj.* 1. Relativo ou pertencente aos Vedas ou ao vedismo. ● *S. m.* 2. *Gloss.* Língua que era falada pelos arianos nômades por volta de 2000 a. C. [É a mais antiga língua indo-europeia da Índia de que se tem notícia, considerada uma forma ancestral do sânscrito.]

vedismo [De *veda*[2] + *-ismo*.] *S. m.* Forma primitiva da religião dos hindus.

vedista [De *veda*[2] + *-ista*.] *S. 2 g.* Pessoa conhecedora do Veda, nele especializada.

vedo (ê) [Dev. de *vedar*.] *S. m. Bras.* 1. V. *tapume* (1). 2. *Constr.* Qualquer elemento que tenha como função básica a vedação: tapumes, muros, cercas, painéis, divisórias, etc. [Pl.: *vedos* (ê). Cf. *vedo*, do v. *vedar*.]

vedoia (ói) [De or. expressiva, poss.] *S. m. Bras. N.* 1. Caloteiro. 2. Trapaceiro, velhaco, traficante, trampolineiro, canganheiro. ❖

vedor (ô) [Do arc. *veedor* < *veer*, 'ver'.] *Adj.* 1. Que vê. ● *S. m.* 2. Aquele que vê. 3. Inspetor, fiscal, intendente; veador. 4. Pesquisador de nascentes de água.

vedoria [De *vedor* + *-ia*[1].] *S. f.* 1. Funções de vedor (3). 2. Repartição dirigida por um vedor (3).

vedro[1] [Do lat. *vetere*.] *Adj. Ant.* Velho, antigo.

vedro[2] [De or. obscura.] *S. m. Desus.* Valado (1) em volta de terrenos de lavoura.

veeiro [De *veio* + *-eiro*.] *S. m. Bras.* 1. Diáclase ou fendimento numa rocha, preenchido por substâncias de origem hidrotermal, diversas das que formam a rocha encaixante: "Emanuel falava com entusiasmo, destacando sobretudo a experiência por ele adquirida ao contato daquela coisa nova que eram veeiros de pegmatito, impregnados de ricas bolsas de pedras coradas" (Nélson de Faria, *Cabeça-Torta*, p. 156). 2. Linha pela qual uma pedra se quebra quando batida. 3. Imposto de minas [v. *mina*[1] (2)] que se pagava à coroa portuguesa. 4. *Bras. GO* Pessoa que tem a servidão das águas fluviais que lhe banham as propriedades até o veio do rio.

veemência [Do lat. *vehementia*.] *S. f.* 1. Qualidade ou estado de veemente. 2. Impulso rápido no ânimo ou nas paixões; impetuosidade. 3. Grande energia; vigor. 4. Intensidade, atividade, vivacidade. 5. Eloquência comovente.

veemente [Do lat. *vehemente*.] *Adj. 2 g.* 1. Impetuoso, animado, arrojado. 2. Enérgico, forte, vigoroso. 3. Entusiástico, fervoroso, caloroso. 4. Vivo, intenso, forte: "chamou-lhe mártir .... por causa das dores veementíssimas que sofreu no coração em a morte de seu filho" (D. Fr. Amador Arrais, *Diálogos*, p. 788).

veementemente [De *veemente* + *-mente*.] *Adv.* De maneira veemente; com veemência.

veementizar [De *veemente* + *-izar*.] *V. t. d.* Dar veemência a; tornar veemente.

vega [Do lat. med. *Vega* (< ár.).] *S. f. Astr.* Estrela alfa, muito branca, da constelação de Lira[1] (6). [Com cap.]

vegetabilidade [De *vegetável* + *-(i)dade*, seg. o padrão erudito.] *S. f.* Qualidade ou condição de vegetável.

vegetação [Do lat. *vegetatione*, 'movimento', 'agitação'; fr. *végétation*.] *S. f.* 1. Ato ou efeito de vegetar. 2. Força vegetativa. 3. Produto químico que na sua cristalização apresenta o aspecto de planta. 4. *Bot.* Conjunto de plantas que cobrem uma região. [Não se congregam ao acaso, e a vegetação apresenta uma estrutura, uma fisionomia e uma composição que podem ser objeto de estudos; varia bastante, conforme o clima e o solo, donde existirem tipos muito diversos, como, p. ex., o cerrado, a caatinga e a floresta.] 5. *Patol.* Excrescência de tecido patológico, semelhante a fungo[1]. ◆ **Vegetação adenoide.** *Patol.* Cada um dos nódulos de tecido linfoide, habitualmente encontrados na nasofaringe de crianças, e cujo conjunto é conhecido como tonsila rinofaríngea (q. v.).

vegetado [Part. de *vegetar*.] *Adj.* 1. Que vegetou. 2. Que contém vegetação.

vegetal [Do lat. med. *vegetale*.] *Adj. 2 g.* 1. *Bot.* Relativo ou pertencente às plantas: *reino vegetal; vida vegetal; célula vegetal*. 2. Procedente de planta. ~ V. *carvão —, crina —, manteiga —, morfologia —, papel —, pergaminho —, sociologia —* e *terra —*. ● *S. m.* 3. *Bot.* Planta[1] (1). [Nenhuma diferença há que sirva para distinguir, de modo absoluto, todos os vegetais de todos os animais. Deve-se considerar, contudo, uma combinação de várias diferenças importantes, tais como presença de clorofila e de celulose, tipo de nutrição e de metabolismo, mobilidade e sensibilidade, etc.]

vegetalidade [De *vegetal* + *-(i)dade*.] *S. f.* 1. Qualidade de vegetal. 2. O conjunto dos vegetais.

vegetalina [De *vegetal* + *-ina*[1].] *S. f.* Antídoto que combate o veneno dos ofídios.

vegetalização [De *vegetalizar* + *-ção*.] *S. f.* Ação ou efeito de vegetalizar.

vegetalizar [De *vegetal* + *-izar*.] *V. t. d.* 1. Dar a forma de vegetal a. 2. Dar a natureza de vegetal a. *P.* 3. Tomar a forma de planta.

vegetante [Do lat. *vegetante*.] *Adj. 2 g.* Que vegeta.

vegetar [Do lat. *vegetare*.] *V. int.* 1. Viver e desenvolver-se (uma planta): "Aqui e ali, ao acaso, algumas árvores enfezadas .... vegetavam a medo, com os troncos protegidos por velhas grades de madeira" (Trindade Coelho, *Os Meus Amores*, pp. 126-127). 2. Desenvolver-se com exuberância; pulular. 3. Viver sem interesse, sem emoções. 4. Viver na inércia, na

V

inatividade. *T. d.* **5.** Fazer medrar; nutrir; desenvolver. [Pres. ind. *vegeto*, etc. Cf. *végeto*, adj.]

vegetarianismo [De *vegetariano* + *-ismo*; ingl. *vegetarianism*.] *S. m.* O sistema alimentar dos vegetarianos. [Cf. *vegetarismo*.]

vegetariano [Do ingl. *vegetarian*, poss. pelo fr. *végétarien*.] *Adj. S. m.* Diz-se de, ou partidário da alimentação exclusivamente vegetal.

vegetarismo [Do fr. *végétarisme*.] *S. m.* O sistema alimentar dos vegetaristas. [Cf. *vegetarianismo*.]

vegetarista [De *vegetarismo* + *-ista*.] *S. 2 g.* Vegetariano que admite certos alimentos de origem animal, como, p. ex., o leite, o queijo, os ovos.

vegetativo [Do lat. med. *vegetativu*.] *Adj.* **1.** Relativo à vida vegetal. **2.** Referente a crescimento e nutrição. **3.** *Bot.* Diz-se de qualquer atividade vital das plantas que não se refira à reprodução: *órgão vegetativo; função vegetativa; multiplicação vegetativa.* **4.** *Fisiol.* Relativo às funções vitais comuns a animais e a vegetais. **5.** *Fisiol.* Que funciona involuntariamente ou inconscientemente. ~ V. *célula —a, reprodução —a, sistema nervoso —* e *vida —a*.

vegetável [Do lat. *vegetabile*.] *Adj. 2 g.* Que pode vegetar.

végeto [Do lat. *vegetu*.] *Adj.* **1.** Vegetativo (1). **2.** Robusto, forte, vigoroso. [Cf. *vegeto*, do v. *vegetar*.]

vegetoanimal (vè) [De *veget(al)* + *-o-* + *animal*.] *Adj. 2 g.* Que participa da natureza dos animais e da dos vegetais.

vegetomineral (vè) [De *veget(al)* + *-o-* + *mineral*.] *Adj. 2 g.* Que participa da natureza dos minerais e da dos vegetais. ~ V. *água —*.

veia (êi) [Do lat. *vena*.] *S. f.* **1.** *Anat.* Cada vaso sanguíneo cuja parede é formada por três camadas distintas e que conduz o sangue, o qual, com baixo teor de oxigênio, retorna ao coração, sendo as veias pulmonares as únicas que conduzem sangue com alto teor de oxigênio. [Dim. irreg.: *vênula*.] **2.** V. *veio* (4). **3.** *Fig.* Tendência, vocação; disposição: *veia literária*. **4.** *Bot.* Cada uma das nervuras secundárias das folhas dos vegetais. ◆ **Veia cava inferior.** *Anat.* Grande veia em que finalmente deságua o sangue venoso proveniente dos membros inferiores, vísceras pélvicas e vísceras abdominais, tendo início à altura da quinta vértebra lombar, e drenando na aurícula direita do coração. **Veia cava superior.** *Anat.* Grande veia em que finalmente deságua o sangue venoso da cabeça, pescoço, membros superiores e maior parte do tórax, drenando na aurícula direita do coração. **Veia grande safena.** *Anat.* V. *veia safena interna*. **Veia jugular.** *Anat.* Cada uma de três veias (anterior, interna e externa) existentes em cada metade, direita e esquerda, do pescoço. [Tb. se diz apenas *jugular*.] **Veia pequena safena.** *Anat.* V. *veia safena externa*. **Veia porta.** *Anat.* Aquela que conduz ao fígado o sangue venoso proveniente de vários órgãos abdominais (baço, estômago, intestino delgado, cólons, etc.). [Tb. se diz apenas *porta*.] **Veia safena.** *Anat.* Nome comum às veias safenas interna e externa. [Tb. se diz apenas *safena*.] **Veia safena externa.** *Anat.* Veia que, em cada membro inferior, se estende posteriormente, desde o nível maleolar até a articulação do joelho, constituindo frequentemente sede de varizes. [Sin.: *veia pequena safena, veia safena parva*.] **Veia safena interna.** *Anat.* Veia que, em cada membro inferior, se estende do dorso do pé até pouco abaixo da prega da virilha, sendo a de mais longo percurso no corpo humano, e sendo, frequentemente, sede de varizes. [Sin.: *veia grande safena, veia safena magna*.] **Veia safena magna.** *Anat.* V. *veia safena interna*. **Veia safena parva.** *Anat.* V. *veia safena externa*. **Veia salvatela.** *Anat. Obsol.* Veia dorsal da mão e que se estende pelo antebraço. [Supunha-se antigamente que, na melancolia, a compressão de uma dessas veias resultava em efeito salvador, o que explicaria esta designação. Tb. se diz apenas *salvatela*.] **De veia.** De humor característico, seja brincalhão, seja intratável, etc. **Grande veia cardíaca.** *Anat.* Veia que recebe sangue da superfície anterior dos ventrículos e o drena para o seio coronário.

veado[1] [De *veio* + *-ado*[1].] *Adj. Bras.* Que tem marcas ou estrias semelhantes a veio (5 a 7). [Cf. *veado*.]

veado[2] [Part. de *veiar*.] *Adj. Bras.* Que formou veio(s) ou estria(s). [Cf. *veado*.]

veiar [De *veio* + *-ar*[2].] *V. t. d. Bras.* Formar riscas ou estrias à semelhança de veio (5 a 7).

veiculação (e-i) [De *veicular*[2] + *-ção*.] *S. f.* **1.** Ato ou efeito de veicular[2]. **2.** *Prop.* Conjunto de veículos [v. *veículo* (8)] utilizados numa campanha publicitária.

veiculador (e-i...ô) [De *veicular*[2] + *-dor*.] *Adj. S. m.* Que ou o que veicula.

veicular[1] (e-i) [De *veículo* + *-ar*[1].] *Adj. 2 g.* Próprio de, ou referente a veículo, ou que serve de veículo. ~ V. *gás natural —* e *língua —*.

veicular[2] (e-i) [Do lat. *vehiculare*.] *V. t. d.* **1.** Transportar em veículo. **2.** Conduzir, levar, transportar. **3.** Introduzir, importar. **4.** Transmitir, propagar, difundir: "A imprensa veiculava as notícias do tremendo conflito." (Gustavo Barroso, *Mississípi*, p. 18.) **5.** *Prop.* Distribuir (anúncios) de uma campanha publicitária a veículos de publicidade. [Pres. ind.: *veiculo*, etc. Cf. *veículo*.]

veículo [Do lat. *vehiculu*.] *S. m.* **1.** Qualquer dos meios utilizados para transportar ou conduzir pessoas, objetos, etc., de um lugar para outro, especialmente os que são construídos pelo homem ou dotados de mecanismo; meio de transporte; transporte. **2.** Automóvel, carro. **3.** Tudo aquilo que transmite ou conduz. **4.** Aquilo que auxilia ou promove. **5.** *Pop.* V. *menstruação* (1). **6.** *Art. Plást.* Ingrediente da tinta que é o principal responsável pela formação, em pintura, da película, e ao qual se adicionam pigmentos, solventes e aditivos. **7.** *Farm.* Numa forma farmacêutica, substância que conduz a base (15). **8.** *Prop.* V. *veículo de propaganda*. **9.** *Teor. Com.* V. *meio de comunicação*. [Cf. *veiculo*, do v. *veicular*.] ◆ **Veículo aeroespacial.** *Astron.* Veículo destinado a voar tanto abaixo como em cima da aeropausa. **Veículo autônomo.** Veículo terrestre que se desloca sem dependência de trilhos ou de outras instalações fixas. **Veículo de comunicação.** *Teor. Com.* V. *meio de comunicação*. [Tb. se diz apenas *veículo*.] **Veículo de lançamento.** *Astron.* Foguete guiado, destinado a colocar em órbita, ou a lançar, um foguete exploratório. **Veículo de propaganda.** *Prop.* Meio de comunicação através do qual se divulgam anúncios. [Tb. se diz apenas *veículo*; sin.: *veículo de publicidade, veículo publicitário*.] **Veículo de publicidade.** *Prop.* V. *veículo de propaganda*. **Veículo orbital.** *Astron.* Engenho capaz de ser colocado em órbita em torno da Terra. **Veículo publicitário.** *Prop.* V. *veículo de propaganda*. **Grande veículo.** *Filos.* V. *budismo maaiana*. **Pequeno veículo.** *Filos.* V. *budismo hinaiana*.

veleira *S. f. Bras. SP Pop.* V. *abelheira* (1).

veiga [Do pré-romano **baika*, poss.] *S. f.* Várzea (1): "Pelas veigas que o sol doura, / Guia as tímidas ovelhas." (José Albano, *Rimas*, p. 51.)

veio (ê) [De *veia*.] *S. m.* **1.** Faixa de terra ou de rocha que se diferença da que a ladeia pela natureza ou pela cor. **2.** Parte da mina[1] (1 e 2) onde se acha o mineral; filão. **3.** Vaso vertical da madeira. **4.** Riacho, regato, ribeiro, veia: "A água ainda a bebem na nascente vizinha, entre os fetos, com a face mergulhada no veio claro." (Eça de Queirós, *Contos*, p. 202.) **5.** Fibra longa da textura de certas madeiras. **6.** Superfície de rachadura de forma e dimensões variáveis, em mármore ou pedra. **7.** Defeito, semelhante a finas estrias, em massa de vidro. **8.** *P. ext.* Marca fina e estriada; estria, risco. **9.** *Fig.* Ponto capital; fundamento, base, essência. **10.** *Bras. N.* Manivela (1). **11.** *Lus.* Eixo de ferro. **12.** *Art. Gráf.* Cada uma das deformações alongadas, em forma de onda, que ocorrem no sentido paralelo às fibras do papel, esp. em bobinas. **13.** *Zool.* Cada um dos segmentos filiformes que sustentam as asas dos insetos. ◆ **Veio do rio.** *Bras. GO* O meio do rio; a linha mediana do seu leito.

veirado [De *veiro* + *-ado*[1].] *Adj. Heráld.* Diz-se de escudo que tem veiros: "Uma faixa veirada onde a prata irradia" (Júlio Dantas, *Sonetos*, p. 73).

veiro [Do fr. *vair* (< lat. *varius*).] *S. m.* **1.** Pele fina e preciosa, tal como o arminho, a zibelina, etc. **2.** *Heráld.* Cada uma das guarnições metálicas do escudo que consistem em linhas sinuosas regulares traçadas numa faixa, sendo as suas partes côncavas prateadas, e as convexas, azuis.

veiudo (ei-ú) [Da loc. *de veia* + *-udo*.] *Adj. Bras. SP* Diz-se do cão que em certos dias é bom e em outros não. ❖

▲ **-vel** [Do lat. *-bile*.] *Suf. nom.* formador de adjetivos, a partir de rad. verbal latino (infinito, supino, part. pass.), ou vernáculo, e que significa: 'digno de'; 'passível de praticar ou sofrer determinada ação': *aproveitável, evaporável; corrigível.* [Equiv.: *-ível*: *abrangível, imponível, perecível.* Sobre *-bil-*, como em *imprescindibilidade*, v. *-(i)dade*.]

vela[1] [Do lat. *vela*, pl. de *velu*, 'véu'.] *S. f.* **1.** *Marinh.* Peça de lona, de brim, ou de material sintético destinada a, recebendo o sopro do vento, impelir embarcações ou movimentar moinhos. [Sin., no sing. ou no pl.: *pano*.] **2.** *Fig.* Embarcação movida por vela: "Já do áureo Tejo vinham navegando / As velas entre as vagas cristalinas" (José Albano, *Rimas*, p. 82). **3.** *Astr.* Constelação austral, ao N. de Carina e a O. do Centauro, e que outrora fazia parte da constelação de Argo. [Com cap., nesta acepç.] ◆ **Vela bastarda.** *Marinh.* V. *vela de bastardo*. **Vela da gávea.** *Marinh.* V. *gávea* (5). **Vela da mezena.** *Marinh.* Vela latina que se enverga na carangueja do mastro da mezena. [Tb. se diz apenas *mezena*.] **Vela de baioneta.** *Marinh.* Vela triangular envergada parcialmente em verga, içada no prolongamento de mastro curto, no qual desliza por meio de duas urracas. É usada em baleeiras e em jangadas. **Vela de balão.** *Marinh.* Qualquer vela de tecido leve e muito bojuda usada em iates de recreio. **Vela de bastardo.** *Marinh.* Vela triangular ou quadrangular com a testa de vante muito curta, e que arma em verga de bastardo. [Tb. se diz apenas *bastardo*; sin.: *vela bastarda*.] **Vela de cutelo.** *Marinh. Ant.* V. *cutelo*[1] (3). **Vela de entremastros.** *Marinh.* Qualquer das velas latinas triangulares envergadas em estais passados entre dois mastros ou mastaréus. **Vela de espicha.** *Marinh.* Vela latina quadrangular que é mantida aberta por uma vara (*espicha*), de que um dos extremos se apoia próximo ao pé do mastro que a iça, e o outro se prende ao punho superior externo da vela (*punho da pena*). **Vela de estai.** *Marinh.* Vela latina, triangular ou trapezoidal, que se enverga em estai por meio de sapatilho, garrunchos ou cosedura. [Cf. *bujarrona* (1).] **Vela de fumo.** *Marinh. Gír.* Cozinheira (2). **Vela de pendão.** *Marinh.* Vela quadrangular que enverga em verga do mesmo nome e pode ser amurada no mastro, na bancada ou na proa da embarcação. **Vela de proa.** *Marinh.* Qualquer das velas latinas triangulares que se largam em estais passados do mastro do traquete para vante, ao gurupés, pau da bujarrona e pau da giba, e mesmo para o convés junto ao traquete. São velas de proa: a *bujarrona* e a *giba*. [Alguns navios usavam duas bujarronas: a de dentro e a de fora; em mau tempo, largava-se uma vela de proa de menores dimensões, porém mais forte que as outras, a *polaca*.] **Vela de tempo.** *Marinh.* Cada uma das velas usadas pelos navios de pano redondo quando o vento não permitia largar as velas de serviço. As principais eram a *polaca* e a *mezena de tempo*. **Vela grossa.** *Ant.* Navio à vela, de grande porte: "Por fins de 1540 estava concentrada diante de Goa uma garbosa e forte armada composta de sessenta e sete fustas e catures, três galeotas e doze velas grossas" (Aquilino Ribeiro, *Portugueses das Sete Partidas*, p. 70). **Vela latina.** *Marinh.* Vela triangular ou quadrangular, envergada em mastro (com carangueja ou sem ela), em verga, ou em estai, e que trabalha no sentido de proa a popa. [Cf. *vela redonda*.] **Vela ré.** *Marinh. Ant.* Vela, própria para bom tempo, que envergava na carangueja do mastro de ré e ia caçar no extremo da retranca, fora da grinalda. **Vela redonda.** *Marinh.* Vela quadrangular que enverga em verga cruzada horizontalmente no sentido de bombordo a boreste. [Cf. *vela latina*.] **Velas mestras.** *Marinh.* Designação comum à vela grande, ao traquete, à gávea e ao velacho, nos navios redondos. **À vela.** Com as velas desfraldadas. **Dar velas a. 1.** V. *afrouxar a rédea a*. **2.** V. *dar asas a*. **Fazer-se à vela.** Começar a navegar; sair do porto; fazer-se de vela. **Fazer-se de vela.** Fazer-se à vela: "lhe oferecem [os mercadores, a Cervantes] com grande encarecimento de o resgatarem, e dar-lhe passagem em um navio, que se fazia de vela para Espanha." (Latino Coelho, *Cervantes*, p. 71).

vela[2] [Dev. de *velar*[2].] *S. f.* V. *velamento*.

vela[3] [Dev. de *velar*[3].] *S. f.* **1.** V. *velada*: "E longe, como um rancho de cativas / Que em árdua vela sem dormir ficaram, // Balançam-se as palmeiras pensativas." (Alberto de Oliveira, *Poesias*, 1ª série, p. 226.) **2.** A pessoa que está de vela ou vigília. **3.** Peça cilíndrica, de substância gordurosa e combustível, com um pavio no centro a todo o comprimento, e que serve para alumiar; círio. **4.** Peça que produz a ignição nos motores de explosão. **5.** Peça cilíndrica, oca, de material poroso que impede a passagem de partículas, bactérias, etc. us. em filtro (1) para purificar a água. **6.** *Farm.* Forma farmacêutica cilíndrica que se introduz na uretra para ministração de medicamento. **7.** *Fotom.* Antiga unidade de medida de intensidade luminosa, igual à de uma vela[3] (3) de constituição e dimensões estandardizadas. **8.** *Fotom.* Qualquer unidade de medida de intensidade luminosa. ◆ **Vela de Hegar.** *Gin.* Designação genérica de dilatadores do colo do útero, que têm calibres diversos. **Acender uma vela a Deus e outra ao Diabo.** Agradar simultaneamente a dois adversários. **Ficar de vela.** *Bras. Fam.* Segurar vela. **Segurar vela.** Fazer companhia a casal de namorados; ficar de vela. **Tratar à vela de libra.** Tratar excelentemente; regalar: "como a muito bem recomendado ao capitão do navio, fui sempre tratado à vela de libra" (Simões Lopes Neto, *Casos do Romualdo*, p. 171).

velacho [De *vela*[1] + *-acho*.] *S. m.* **1.** *Marinh.* Mastaréu que se prolonga do mastro real do traquete. **2.** *Marinh.* Verga que cruza no mastaréu do velacho. **3.** *Marinh.* Vela que enverga na verga do velacho. **4.** *Bras.* Apelido, alcunha.

velada [De *velar*[3] + *-ada*[1].] *S. f.* Ação de velar[3]; vigília, sentinela, vela: "Esteve [Camões] em contacto com o povo; sentiu palpitar o seu coração possante: aprendeu suas tradições nessas noites de acompanhamento; nas longas veladas das travessias que descreve com tanto vigor no VI canto" (Capistrano de Abreu, *Ensaios e Estudos*, 1ª série, p. 155).

veladamente [Do f. de *velado* (1 e 2) + *-mente*.] ***Adv.*** De modo velado (1 e 2): "A tristeza das coisas que não foram / Na minh'alma desceu veladamente." (Mário de Sá-Carneiro, *Poesias*, p. 65.)

vela-de-pureza ***S. f. Bot.*** Baioneta-espanhola. [Pl.: *velas-de-pureza*.]

velado [Do lat. *velatu*.] ***Adj.*** **1.** Coberto com véu; oculto. **2.** Disfarçado, dissimulado. **3.** *Fot.* Diz-se de filme negativo ou cópia que apresenta velatura (2). **4.** *Zool.* Dotado de véu (4). **5.** *Bras. N.E.* Diz-se do coco quando tem a amêndoa inteiramente solta da casca.

velador (ô) [De *velar*³ + *-dor*.] ***Adj.*** **1.** Que vela ou vigia. ● ***S. m.*** **2.** Aquele que vela ou vigia. **3.** Suporte vertical de madeira, que assenta em uma base ou pé e termina, no alto, por um disco onde se põe um candeeiro ou uma vela.

veladura [De *velar*² + *-dura*.] ***S. f.*** **1.** V. *velamento*. **2.** *Grav.* Operação pela qual, com um pano ou boneca e após a limpeza de placa, se faz alçar a tinta contida nos entalhes de uma gravura em metal, a fim de produzir tons mais fortes em certas partes da estampa. **3.** Velatura (1).

velame¹ [De *vela*¹ + *-ame*.] ***S. m.*** **1.** Porção de velas [v. *vela*¹ (1)]. **2.** *Mar.* O conjunto das velas de uma embarcação: "E, com o velame aberto, fariam a volta que fizeram por Luanda, Beira, Bahia." (Adonias Filho, *Luanda Beira Bahia*, p. 139); "De improviso flutuaram todas [as canoas], com rangidos de adriças e palpitações do velame, que o vento encopava e propelia." (Xavier Marques, *Jana e Joel*, p. 53). **3.** Disfarce, máscara. **4.** Cobertura, invólucro.

velame² [De *velâmen*, com desnasalação.] ***S. m. Bras. S. Bot.*** Arbusto euforbiáceo (*Croton astrogynus*) muito ramoso e tomentoso, de folhas subsésseis, lanceoladas, ferrugíneas e tomentosas na página inferior, flores pequenas, unissexuais, com muitos estames e reunidas em racemos curtos, espiciformes, e cápsulas ovoides.

velame-branco [De *velame*² + *branco*.] ***S. m. Bras. C.O. Bot.*** Subarbusto apocináceo (*Macrosiphonia martii*) peculiar à área campestre, de pequena estatura, caracterizado pelas enormes flores alvas, afuniladas e altamente ornamentais, e cujo fruto é um folículo com sementes cerdosas. Possui também um tubérculo subterrâneo avantajado e leitoso. [Pl.: *velames-brancos*.]

velame-do-campo [De *velame*² + *do* + *campo*.] ***S. m. Bras. C.O. Bot.*** Velame-verdadeiro. [Pl.: *velames-do-campo*.]

velame-do-mato [De *velame*² + *do* + *mato*.] ***S. m. Bras. Bot.*** **1.** V. *braço-de-preguiça*. **2.** V. *bucho-de-boi*. [Pl.: *velames-do-mato*.]

velâmen [Do lat. *velamen*.] ***S. m.*** **1.** Cobertura, véu. **2.** *Bot.* Envoltório de muitas raízes aéreas, constituído de várias camadas de células compactas espessas e cheias de ar. Tem aspecto apergaminhado e brilho argênteo; protege os tecidos internos e absorve água; acha-se em orquídeas e aráceas epifíticas. **3.** *Bras. Bot.* Velame². [Pl.: *velamens* e (p. us. no Brasil) *velâmenes*.]

velamento [Do lat. *velamentu*.] ***S. m.*** Ato ou efeito de velar²; veladura, vela.

velame-verdadeiro [De *velame*² + *verdadeiro*.] ***S. m. Bras. C. Bot.*** Subarbusto euforbiáceo (*Croton campestris*) polimorfo, que atinge até 1,5m, de folhas ovadas ou mesmo obovadas, e providas de pelos estrelados e fulvos em ambas as faces, pequenas flores dispostas em racemos densos, e cápsulas que chegam a 5 ou 6mm. [Sin.: *velame-do-campo*. Pl.: *velames-verdadeiros*.]

velar¹ [Do lat. *velum* + *-ar*¹.] *E. Ling.* ***Adj. 2 g.*** **1.** Relativo ao véu palatino ou palato mole (q. v.), ou aos sons que nele se formam. **2.** Diz-se do som produzido nas regiões velar, uvular, faríngea ou laríngea; posterior. ~ V. *consoante* — e *vogal* —. ● ***S. f.*** **3.** Consoante velar (q. v.).

velar² [Do lat. *velare*.] ***V. t. d.*** **1.** Cobrir com véu: *As mulheres árabes costumam velar o rosto.* **2.** Encobrir; esconder, ocultar, tapando: *A cortina velava o interior da sala.* **3.** Tornar escuro; escurecer. **4.** Pôr veladura em. **5.** Tornar secreto ou recôndito; ocultar, recatar. **6.** Encobrir, disfarçar, dissimular: "Nestor anunciou sua próxima partida. Maria da Betânia velou um amuo de tristeza." (Mário Sete, *Senhora de Engenho*, p. 30.) **7.** Tornar sombrio, ou menos claro; ofuscar, empanar: *O luar velava o brilho das estrelas.* **8.** Tornar sombrio; anuviar: *A triste nova velou-lhe o rosto.* **9.** *Fot.* Produzir velatura (2) em: *Não pude revelar as fotos, porque o sol velou o filme.* ***P.*** **10.** Tornar-se sombrio; anuviar-se. **11.** Acautelar-se, precaver-se; livrar-se: *Traído, procurou velar-se das falsas amizades.* [Fut. pret.: *velaria*, *velarias*, etc. Cf. *velária*, s. f.]

velar³ [Do lat. *vigilare*.] ***V. int.*** **1.** Passar a noite, ou boa parte dela, acordado: "Ah! dorme tudo, e eu velo e sofro" (Alberto de Oliveira, *Poesias*, 2ª série, p. 277). **2.** Conservar-se aceso (vela, candeeiro, etc.). **3.** Estar alerta; vigiar. ***T. d.*** **4.** Passar (a noite) acordado: "as noites de inverno, geladas ou furiosas, velava-as a cismar nos desabrigados." (João de Araújo Correia, *Sem Método*, p. 83). **5.** Estar de vigia, de guarda ou de sentinela a: *velar um quartel*; "Eu velara, Senhor, pelos seus dias, / Como a mãe vela o filho que dormiu." (Casimiro de Abreu, *Obras*, p. 190). **6.** Passar a noite junto à cabeceira de (um doente), para tratar ou cuidar dele, ou ao pé de (um morto): "Depois da meia-noite, apenas umas oito pessoas velavam o corpo." (Almeida Fischer, *10 Contos Escolhidos*, p. 41.) **7.** Proteger, patrocinar: *velar a honra da família.* ***T. i.*** **8.** Interessar-se grandemente, com zelo vigilante: "Deus vela.... pela nossa Terra." (Deolindo Couto, *Vultos e Ideias*, p. 29); "Eu velara, Senhor, pelos seus dias, / Como a mãe vela o filho que dormiu." (Casimiro de Abreu, *Obras*, p. 190). **9.** Interessar-se, preocupar-se, zelar: *velar pela manutenção da ordem.* ***P.*** **10.** Acautelar-se, vigiar-se. [Fut. pret.: *velaria*, *velarias*, etc. Cf. *velária*, s. f.]

velária [De (*curva da*) *vela*¹ + *-ária*.] ***S. f. Mat. Obsol.*** V. *catenária*. [Cf. *velaria*, do v. *velar*.]

velário [Do lat. *velariu*.] ***S. m.*** **1.** Toldo com que, na Antiguidade, se cobriam os circos e os teatros, para os defender da chuva. **2.** *Bras. Teatr. Desus.* Pano de boca: "Aí, a orquestra já ensurdecia o teatro. O velário abriu-se. Palmas e ululos ressoaram nas torrinhas." (Ribeiro Couto, *Baianinha e Outras Mulheres*, p. 118.)

velarização [De *velarizar* + *-ção*.] ***S. f.*** *E. Ling.* Articulação secundária (q. v.) que se caracteriza pela elevação da língua em direção ao palato mole.

velarizar [De *velar*¹ + *-izar*.] ***V. t. d.*** Transformar (consoante ou vogal) em velar¹.

velatura [De *velar*² + *-tura*.] ***S. f.*** **1.** Ato de cobrir uma pintura com uma leve mão de tinta, de sorte que transpareça a tinta anterior; veladura. **2.** *Fot.* Espécie de véu ou mancha que ocorre em negativo ou cópia por conta de incidência de luz, ger. acidental, durante o processo de fabricação, manipulação, ou revelação. **3.** *Art. Gráf.* Defeito de impressão causado pela aderência indevida de tinta na área sem imagem da chapa de ofsete.

velcro [Marca registrada.] ***S. m.*** Conjunto de duas fitas que aderem uma à outra, utilizado como fecho de calções, carteiras, etc. [Sin., bras.: *carrapicho*.]

➔ **veld** [vɛlt] [Africâner.] ***S. m.*** Estepe, savana (na África do Sul).

velear [De *vela*¹ + *-ear*².] ***V. t. d. Mar.*** Prover (a embarcação) de velas. [Conjug.: v. *frear*.]

veleidade [Do lat. escolástico *velleitate*.] ***S. f.*** **1.** Vontade imperfeita, hesitante; intenção passageira: "Vontade é determinação eficaz de procurar algum bem desejado, ou de fugir de algum mal, que se teme: e explica-se pela palavra: *Quero*. Veleidade é um princípio de querer com frieza e ineficácia: e explica-se pela palavra: *Quisera*." (Pe. Manuel Bernardes, *Nova Floresta*, II, p. 50); "Assim, ... o que parecia vontade imperiosa reduzia-se a veleidade pura" (Machado de Assis, *Quincas Borba*, pp. 300-301). **2.** Pretensão, intenção. **3.** Quimera, fantasia: "De então por diante, nenhuma revolta, mais nenhuma veleidade de insubmissão contra o destino que o empolgava." (Vicente de Carvalho, *Luisinha*, p. 106.) **4.** Volubilidade, inconstância; leviandade, irreflexão.

veleidoso (ô) [De *veleidade* + *-oso*, com haplologia.] ***Adj.*** Que tem, ou em que há veleidade.

veleira [De *vela*² + *-eira*.] ***S. f.*** Criada de freiras que faz serviços fora do convento.

veleiro¹ [De *vela*² + *-eiro*.] ***S. m.*** Criado de frades que faz serviços fora do convento.

veleiro² [De *vela*¹ + *-eiro*.] ***S. m.*** **1.** Aquele que faz velas de navio. **2.** Navio à vela: "Veleiros possantes — brigues, bergantins, galeras, fragatas, corvetas, galeões" (Arnoldo Jambo, *Diário de Pernambuco*, p. 148). ● ***Adj.*** **3.** Que anda bem à vela. **4.** Ligeiro, rápido, veloz.

velejador (ô) [De *velejar* + *-dor*.] ***Adj. S. m.*** Que, ou aquele que conduz embarcação à vela.

velejar [De *vela*¹ + *-ejar*.] ***V. int. Mar.*** **1.** Navegar à vela: "Velejando [o navio] a qualquer vento, dir-se-ia um galgo estranho das vagas, tal a galopada da sua marcha." (Virgílio Várzea, *Nas Ondas*, p. 8); "No rio muitas barcaças velejavam" (Guiomar Alcides de Castro, *São Miguel dos Campos*, p. 39). ***T. d.*** **2.** Largar as velas para navegar: "barca encantada / velejando azuis espaços" (Solange Berard Lajes, *Canto/Desencanto*, p. 35). [Conjug.: v. *pelejar*.]

velenho [Do celta, pelo lat. vulg. **beleniu*.] ***S. m. Bot.*** V. *meimendro*.

veleta (ê) [Do esp. *veleta*.] ***S. f.*** V. *cata-vento* (1 e 2).

velha [F. subst. do adj. *velho*.] ***S. f.*** **1.** Mulher idosa. **2.** *Fam.* Mãe: *A velha me quer muito.* **3.** *Pop.* A morte.

velhacaço [De *velhaco* + *-aço*.] ***Adj. S. m. Bras. S.*** V. *velhaco*.

velhacada [De *velhaco* + *-ada*¹.] ***S. f.*** **1.** V. *velhacaria* (1). **2.** Reunião de velhacos.

velhacagem [De *velhaco* + *-agem*².] ***S. f. Bras.*** V. *velhacaria* (1).

velhacão [De *velhaco* + *-ão*¹.] ***S. m.*** V. *velhaco* (5). [Fem.: *velhacona*.]

velhacap [De *velha* + *cap(ital)*.] ***S. f. Bras. P. us.*** Velha capital. [Designação da cidade do Rio de Janeiro quando da transferência da capital do País para Brasília. V. *Novacap*.] [Com cap.]

velhacar [De *velhaco* + *-ar*².] ***V. int.*** **1.** Proceder como velhaco; velhaquear. ***T. d.*** **2.** *Bras.* Ludibriar em negócio; velhaquear. **3.** Não pagar dívida a, como velhaco. [Conjug.: v. *trancar*.]

velhacaria [De *velhaco* + *-aria*.] ***S. f.*** **1.** Ato ou manha de velhaco (5); patifaria, velhacada, velhacagem. **2.** Qualidade de velhaco.

velhaças [Aum. irreg. de *velho*.] ***S. m. 2 n. Fam.*** Homem velhíssimo.

velhacaz [Aum. irreg. de *velho*.] ***S. m.*** V. *velhaco* (5).

velhaco [Do esp. *bellaco*.] ***Adj.*** **1.** Que ludibria de propósito ou por má índole. **2.** Que é traiçoeiro ou fraudulento; patife, ordinário. **3.** Libertino, devasso, brejeiro. **4.** *Bras. N.E.* Diz-se do animal que não se deixa prender ou conduzir com facilidade; rebeldero³. ● ***S. m.*** **5.** Indivíduo velhaco. [Aum., nesta acepç.: *velhacão*, *velhacaz*, *velhacório*; aum. ger.: *velhacaço*; dim. irreg. ger.: *velhaquete*.]

velhacona ***S. f.*** Fem. de *velhacão*.

velhacório [De *velhaco* + *-ório*.] ***S. m.*** V. *velhaco* (5).

velhada [De *velho* + *-ada*¹.] ***S. f.*** **1.** Ato ou dito próprio de velho. **2.** Reunião de velhos. **3.** *Pej.* Os velhos.

velha-guarda ***S. f. 2 n.*** Os de mais idade, ou mais velhos, de determinado grupo de pessoas: *Era da velha-guarda dos alunos daquela escola, e agora é ali professor; a velha-guarda da Portela.*

velhaqueadoiro [De *velhaquear* + *-doiro*².] ***S. m. Bras. S.*** Velhaqueadouro (q. v.).

velhaqueador (ô) [De *velhaquear* + *-dor*.] ***Adj. Bras. S.*** Diz-se do cavalo que corcoveia, que velhaqueia.

velhaqueadouro [De *velhaquear* + *-douro*²; var. de *velhaqueadoiro*.] ***S. m. Bras. S.*** A virilha do cavalo.

velhaquear [De *velhaco* + *-ear*².] ***V. int.*** **1.** Proceder como velhaco; velhacar. **2.** *Bras. S.* Dar corcovos (o cavalo); corcovear. ***T. d.*** **3.** Burlar, enganar, principalmente em negócio; velhacar. [Conjug.: v. *frear*.]

velhaquesco (ê) [De *velhaco* + *-esco*.] ***Adj.*** Relativo a, ou próprio de velhaco.

velhaqueta (ê) [De *velhaco* + *-eta* (ê).] ***Adj. (f.) S. f.*** Fem. de *velhaquete*.

velhaquete (ê) [De *velhaco* + *-ete* (ê).] ***Adj. S. m.*** Diz-se de, ou indivíduo sonso, mas um tanto velhaco. [Fem.: *velhaqueta* (ê).]

velharia [De *velho* + *-aria*.] ***S. f.*** **1.** Ato, dito ou tudo aquilo que é próprio de velhos. **2.** *Pej.* Traste ou objeto antigo: "Abro uma antiga mala de velharias e lá encontro minha máscara de esgrima." (Lígia Fagundes Teles, *A Disciplina do Amor*, p. 53.) **3.** Costume antiquado. **4.** Palavra, locução ou construção sintática antiga. **5.** Grupo de velhos.

velheira [De *velho* + *-eira*.] ***S. f.*** Velhice: "os livros .... desbotam até uma espécie do cinzento que mais tarde toma o amarelo da velheira." (Pedro Nava, *O Círio Perfeito*, p. 341).

velhentado [De *velho* + *-ent(o)*-¹ + *-ado*¹.] ***Adj.*** V. *avelhado*.

velhice [De *velho* + *-ice*.] ***S. f.*** **1.** Estado ou condição de velho. **2.** Idade avançada. **3.** *P. ext.* Antiguidade, vetustez. **4.** As pessoas velhas. **5.** Rabugice ou disparate próprio de velho.

velhinha [Fem. de *velhinho*.] ***S. m. Bras. Zool.*** V. *viuvinha* (1). ◆ **Falar para a velhinha surda da última fila.** *Gír. Teatr.* Esforçar-se (o ator) para projetar a voz com perfeita articulação e volume adequado, de modo que seja ouvido com absoluta nitidez.

velhinho [De *velho* + *-inho*¹.] ***S. m.*** **1.** V. *velhote* (2). **2.** *Bras.* Meu velho: *Anda, velhinho!*

velho [Do lat. *vetulu*, pela f. **vetlu*, pronunciada *veclu*.] ***Adj.*** **1.** Muito idoso: *homem velho.* **2.** De época remota; antigo: *Os velhos homens tinham outros costumes.* **3.** Que tem muito tempo de existência: *Esta casa é velha, mas está em bom estado.* **4.** Gasto pelo uso; usadíssimo: *camisa velha.* **5.** Que há muito possui certa qualidade ou exerce certa profissão: *É um velho advogado.* **6.** Desusado, antiquado, obsoleto. **7.** Empregado ou usado há muito: *método tão velho quanto eficaz.* ~ V. — *Mundo*, — *Testamento*, *caboclo* —, *ferida* — *a*, *ferros* — *s*, *macaco* —, *negro* —, *noite* — *a* e *República* — *a*. ● ***S. m.*** **8.** Homem idoso. **9.** *Bras. Fam.* Pai, papai: *O meu velho comprou um carro*; "Meu velho morreu cedo." (Flávio Moreira da Costa, *Nem Todo Canário É Belga*, p. 121.) [Aum. da acepç. 8: *velhaças*. Dim. irreg., das acepç. 1 e 8: *velhote*, *velhusco*, *velhustro*.] ◆ **Velho e relho.** Muitíssimo velho; velho e revelho. **Velho e revelho.** Velho e relho. **Meu velho.** *Bras.* Tratamento de intimidade, de camaradagem, dado mesmo a quem não seja velho; velhinho: *Ânimo, meu velho!*

velhori [Do esp. *vellorí*.] *Adj. 2 g.* Diz-se do animal cavalar de cor acinzentada.

velhos-crentes [Do pl. de *velho* + o pl. de *crente*.] *S. m. pl. Rel.* Rascolnismo.

velhota [De *velho* + -*ota*[1].] *Adj.* (*f.*) *S. f.* Fem. de *velhote* (q. v.): *uma senhora velhota*; "senhoritas pedantes e velhotas gaiatas." (Rubem Braga, *O Homem Rouco*, p. 136).

velhote [De *velho* + -*ote*[1].] *Adj.* **1.** Diz-se do homem já um tanto velho; velhusco, velhustro. • *S. m.* **2.** Homem velhote; velhinho, velhusco, velhustro. **3.** Velho alegre, folgazão. [Fem.: *velhota*.]

velhusco [De *velho* + -*usco*[2].] *Adj. S. m. Fam.* V. *velhote* (1 e 2): "De quando em vez, ainda encontro a menina rica. ... . Já está velhusca" (Augusto Frederico Schmidt, *As Florestas*, p. 49). [Sin.: *velhustro*.]

velhustro *Adj. S. m. Fam.* V. *velhote* (1 e 2).

velicação [De *velicar* + -*ção*.] *S. f.* Ato ou efeito de velicar; beliscão.

velicar [Do lat. *vellicare*.] *V. t. d. Int. P.* V. *beliscar*. [Conjug.: v. *trancar*.]

velicativo [De *velicar* + -*tivo*.] *Adj.* **1.** Que velica. **2.** Pungente; irritante.

velífero [Do lat. *veliferu*.] *Adj. Poét.* Diz-se da embarcação que tem velas [v. *vela*[1] (1)].

veliforme [Do lat. *velum*, 'véu', + -*iforme*.] *Adj. 2 g.* Que tem forma de véu.

velilho [Do esp. *velillo*.] *S. m. Tec. Têx.* Tecido semelhante à gaze, com o qual se fazem véus, cortinas, etc.

velino [Do fr. *vélin*.] *S. m.* **1.** Pergaminho fino, preparado com a pele de animais recém-nascidos ou natimortos. • *Adj.* **2.** ~ V. *papel* —.

vélite [Do lat. *velite*.] *S. m.* Na Roma antiga, soldado de infantaria armado à ligeira, que dava início ao combate: "Não havia ali vanguarda nem retaguarda, nem vélites nem impedimenta." (Mário de Carvalho, *Um Deus Passeando pela Brisa da Tarde*, p. 204.)

velívago [De *vela*[1] + -*i*- + -*vago*.] *Adj.* **1.** Que veleja. **2.** Movido por velas.

velívolo [Do lat. *velivolu*, 'que vai à vela', pelo it. *velivolo*.] *Adj.* Que veleja com rapidez.

velloziácea [Do tax. *Vellozia* (do antr. [*José*] *Vellozo* [*Xavier*], séc. XVIII, botânico brasileiro) + lat. cient. -*ia*, v. -*ia*[2] + -*ácea*; tax. *Velloziaceae*.] *S. f. Bot.* Espécime das velloziáceas, família de plantas monocotiledôneas, da ordem das pandanales, formada de ervas, às vezes com vários metros de altura, com longas folhas lineares e amplas flores coloridas. Há umas 100 espécies, na quase totalidade brasileiras; muito frequentes nas serras do Planalto Central.

velloziáceo [De *velloziácea*, com var. suf. (v. -*áceo*).] *Adj. Bot.* Pertencente ou relativo às velloziáceas.

velo [Do lat. *villu*, 'pelo de animais, de panos'.] *S. m.* **1.** Lã de carneiro, ovelha ou cordeiro: "Fuminhos de névoa voltejavam, ao fundo, ... leves que nem velo de ovelhas brancas" (Aquilino Ribeiro, *Terras do Demo*, p. 151). **2.** Lã cardada. **3.** Pele de uma rês. **4.** A lã dessa pele.

veloce [Do lat. *veloce*, por via erudita.] *Adj. 2 g. P. us.* V. *veloz*: "Três entes respiram sobre o frágil lenho que vai singrando veloce, mar em fora." (José de Alencar, *Iracema*, p. 49.)

▲ **veloci-** [Do lat. *velox*, *ōcis*.] *El. comp.* = 'veloz'; 'velocidade': *velocímano*; *velocímetro*.

velocidade [Do lat. *velocitate*.] *S. f.* **1.** Qualidade de veloz; rapidez, ligeireza; pressa. **2.** Movimento rápido: *Afastou-se do carro com velocidade tal que se livrou de ser atropelado.* **3.** *Fís.* Relação entre uma distância percorrida e o tempo de percurso, no movimento uniforme [símb., nesta acepç.: *v*]. **4.** *Fís.* Num referencial determinado, o vetor igual à derivada do vetor posição de um ponto em relação ao tempo. **5.** *Fís.* O módulo do vetor velocidade; velocidade escalar [símb., nesta acepç.: v]. **6.** *Fot.* Tempo de exposição de filme à luz, durante o ato de fotografar. [É o tempo em que o obturador da câmara permanece aberto. Cf. *sensibilidade* (13).] ◆ **Velocidade angular.** *Fís.* Num movimento de rotação, a derivada do ângulo de rotação em relação ao tempo. **Velocidade areolar.** *Fís.* Num movimento de rotação, a área varrida pelo raio vetor na unidade de tempo. **Velocidade crítica.** *Fís.* Num fluido em movimento, velocidade acima da qual o escoamento é turbilhonar e abaixo da qual é laminar. **Velocidade da luz no vácuo.** *Fís.* Grandeza fundamental da física, que consiste no módulo da velocidade de grupo da radiação eletromagnética no vácuo (299.792.458m/s) e que, segundo a teoria da relatividade (q. v.), é a velocidade máxima com que um sinal portador de energia se pode propagar [símb.: c]. **Velocidade de análise.** *Inform.* Velocidade de exploração. **Velocidade de circulação da moeda.** *Econ.* Número médio de vezes em que o dinheiro em circulação numa economia muda de mãos, num dado período. **Velocidade de cruzeiro.** Velocidade com que um navio ou uma aeronave normalmente navega ou voa, atendendo a diversos fatores de conveniência. **Velocidade de emulsão.** *Fot.* V. *sensibilidade* (13). **Velocidade de escapamento.** *Astron.* V. *velocidade de escape*. **Velocidade de escape.** *Astron.* A velocidade mínima necessária para um veículo escapar à ação de um campo gravitacional; velocidade de evasão, velocidade de liberação, velocidade de escapamento. **Velocidade de evasão.** *Astr.* V. *velocidade de escape*. **Velocidade de exploração.** *Inform.* Velocidade com que um computador comprova periodicamente o valor de uma quantidade controlada; velocidade de análise. **Velocidade de fase.** *Fís.* A velocidade de deslocamento de uma frente de onda que faz parte de um pacote de ondas. **Velocidade de grupo.** *Fís.* A velocidade de propagação de energia radiante por meio de um pacote de ondas. [O valor máximo desta velocidade, segundo a teoria da relatividade, é a velocidade da radiação eletromagnética no vácuo, ou seja, 299.792.458m/s.] **Velocidade de hemossedimentação.** *Patol.* Medida da capacidade de sedimentação de hemácias, por unidade de tempo, em coluna de sangue fresco tratado por citrato ou outra substância, e que é muito utilizada como auxiliar de diagnóstico de estados inflamatórios. Encontra-se aumentada, frequentemente, em inflamações agudas ou crônicas, estados febris, em presença de foco infeccioso, septicemia, etc. [Não se trata, contudo, de fenômeno específico, podendo ser encontrado sem que haja processo inflamatório importante. Tb. se diz apenas *hemossedimentação*.] **Velocidade de liberação.** *Astr.* V. *velocidade de escape*. **Velocidade de reação.** *Fís.-Quím.* Numa reação química, taxa de variação, em função do tempo, da concentração de um reagente ou de um produto. **Velocidade de separação.** *Astron.* Velocidade com que um dos estágios iniciais de um veículo espacial é separado dos restantes. **Velocidade diretriz.** *Constr.* Velocidade escolhida para base do projeto de uma rodovia, e que correlaciona elementos tais como curvatura, superelevações e distâncias de visibilidade, dos quais depende a segurança de operação dos veículos. [É a velocidade uniforme mais elevada segundo a qual um veículo médio, dirigido por um motorista de habilidade média, poderá deslocar-se com segurança na rodovia quando as condições atmosféricas forem favoráveis, a densidade do tráfego for baixa, e as características geométricas da rodovia forem os únicos fatores de que depende a segurança.] **Velocidade econômica.** Velocidade com que um navio ou uma aeronave obtém o maior raio de ação, por ser a que envolve o menor consumo de combustível por milha navegada ou quilômetro voado. **Velocidade escalar.** *Fís.* Velocidade (5). **Velocidade específica.** *Fís.-Quím.* A velocidade de uma reação por unidade de concentração; constante de velocidade. **Velocidade hipersônica.** *Fís.* Velocidade superior a Mach 5. [Cf. *velocidade supersônica*.] **Velocidade orbital.** **1.** *Astr.* Velocidade dum planeta ou dum satélite em um ponto de sua órbita. **2.** *Astron.* Velocidade mínima que um satélite artificial deverá ter no ponto inicial de sua trajetória balística. **3.** *Astron.* A taxa de variação de uma grandeza com o tempo. **Velocidade parabólica.** *Astr.* Velocidade de um móvel sujeito a um campo central e que descreve uma órbita parabólica. **Velocidade radial.** *Astr.* Componente da velocidade de um astro na direção da linha de visada do observador, que é determinada pelo deslocamento das raias espectrais, o que constitui o efeito Doppler-Fizeau. **Velocidade supersônica.** *Fís.* Velocidade que varia entre Mach 1 e Mach 5. [Cf. *velocidade hipersônica*.] **Velocidade volumar.** *Fís.* Numa onda sonora que se propaga num fluido, o volume de fluido que passa perpendicularmente a uma área unitária por unidade de tempo.

velocímano [De *veloci-* + -*mano*[2].] *S. m.* Cavalo de pau instalado sobre um velocípede, para brinquedo infantil.

velocimetria [De *veloci-* + -*metria*.] *S. f. Taquigr.* Aferimento da velocidade taquigráfica, em termos de palavras ou de sílabas escritas por minuto.

velocímetro [De *veloci-* + -*metro*.] *S. m.* Instrumento indicador da velocidade de deslocamento de um veículo: "O chofer deu de ombros. O ponteiro do velocímetro estava agora em cima do cem" (Érico Veríssimo, *Noite*, p. 90). [Cf. *hodômetro* e *taxímetro*.]

velocino [Do lat. vulg. **velluscinu*, dim. de *vellus*.] *S. m.* **1.** Pele de carneiro, ovelha ou cordeiro, com lã. **2.** *P. ext.* Carneiro mitológico, de velo de ouro.

velocípede [De *veloci-* + -*pede*.] *Adj. 2 g.* **1.** Que tem pés velozes. **2.** Que anda com rapidez; veloz. • *S. m.* **3.** Qualquer dos tipos de bicicleta ou triciclo primitivo. **4.** Triciclo infantil; triciclo.

velocipedista [De *velocípede* + -*ista*.] *S. 2 g.* Pessoa que anda em velocípede.

velocirraptor (ô) [Do tax. *Velociraptor*.] *S. m. Paleont.* **1.** Gênero de dinossauros terópodes, com cerca de 1,5m de comprimento, dotados de dentes e garras afiadas e que se locomoviam velozmente. Viveram no cretáceo superior e fósseis foram encontrados na Mongólia, Rússia e China (Ásia e Europa). **2.** Espécie ou espécime desse gênero.

velocíssimo [Do lat. *velocissimu*.] *Adj.* Superl. abs. sint. de *veloz*: "O Jordão desce, velocíssimo, do mar da Galileia até o mar Morto." (Guilherme Figueiredo, *Deus sobre as Pedras*, p. 109); "A lua, a longas intermitências, parecia .... correr velocíssima entre nuvens pardas" (Camilo Castelo Branco, *A Queda dum Anjo*, p. 163).

velocista [Do rad. *veloc-*, como em *velocidade* e no lat. *veloce*, 'veloz', + -*ista*.] *S. 2 g. Bras.* Pessoa especialista em corridas de velocidade, ou que se dedica a este esporte.

velódromo [Do fr. *vélodrome* < fr. *vélo*, 'bicicleta', + fr. -*drome* (v. -*dromo*).] *S. m.* Pista para corridas de bicicletas.

velório[1] [Var. de *avelórios*, com mudança de número.] *S. m.* Variedade de uvas muito pequenas e sem préstimo. ~ V. *velórios*.

velório[2] [Do esp. *velorio*.] *S. m. Bras.* Ato de velar, com outros, um defunto, *i. e.*, de passar a noite em claro na sala onde se encontra exposto um morto. [Sin.: (bras., N.E.) *quarto* e *sentinela*, (bras., PR) *guardamento*.]

velórios *S. m. pl.* V. *avelórios*. ~ V. *velório*.

velosiácea *S. f. Bot.* V. *velloziácea*.

velosiáceo *Adj. Bras. Bot.* V. *velloziáceo*.

veloso (ô) [Do lat. *villosu*.] *Adj.* **1.** Que tem velo; lanoso, felpudo, veludo. **2.** *P. ext.* Que tem muito pelo: "a fronte [da vaca] bem lunada, / a orelha bem velosa." (Antônio Feliciano de Castilho, *As Geórgicas*, p. 147). **3.** Que tem muito cabelo; peludo. [Cf. *viloso*.]

velosoense *Adj. 2 g.* **1.** De, ou pertencente ou relativo a Salto Veloso (SC). • *S. 2 g.* **2.** O natural ou habitante de Salto Veloso.

veloz [Do lat. *veloce*, por via pop.] *Adj. 2 g.* **1.** Que anda ou corre com rapidez; rápido, ligeiro. **2.** Que passa ou se move depressa, com muita rapidez: *os anos velozes da juventude*. [Superl. abs. sint.: *velocíssimo*.]

velozmente [De *veloz* + -*mente*.] *Adv.* De modo veloz; com velocidade.

velúcia [De *ve*(*ludo*) + (*pe*)*lúcia*.] *S. f.* Material sintético semelhante ao veludo.

veludilho [De *veludo* + -*ilho*.] *S. m.* **1.** *Tec. Têx.* Tecido semelhante ao veludo: *veludilho de algodão*; "Em torno dos esquifes, pousados sobre bancos, que pesados veludilhos recobriam, o abade murmurava um suave latim" (Eça de Queirós, *A Cidade e as Serras*, p. 259). **2.** *Bot.* Planta amarantácea (*Celosia cristata*) ornamental, nativa da América tropical, de folhas lanceoladas, verdes ou avermelhadas, e flores aveludadas vermelhas, róseas, amarelas ou esbranquiçadas; veludo.

veludíneo [De *veludo* + -*in*(*o*)-[2] + -*eo*.] *Adj.* V. *aveludado* (1): *pele veludínea*. [F. paral.: *velutíneo*.]

veludinha [De *veludo* + -*inha*.] *S. f. Tec. Têx.* Tecido aveludado, próprio para estofos.

veludinho [De *veludo* + -*inho*[1].] *S. m. Bras. CE Zool.* V. *tiziu*.

veludo [Do lat. vulg. *villutu* (de *villus*, 'pelo'), pelo cat. *vellut* e pelo esp. *velludo*.] *S. m.* **1.** Tecido de seda, algodão ou lã, natural ou sintético, coberto de pelos cerrados, curtos e presos pelos fios da tela. **2.** *P. ext.* Objeto ou superfície macia. **3.** *Bot.* Veludilho (2). **4.** *Bras. N. a S. Bot.* Subarbusto malváceo (*Pavonia malacophylla*) simples, coberto de pelos densos, que tem folhas ovadas ou arredondadas, serreadas, cordadas, e tomentosas, flores solitárias, no ápice dos ramos, congregadas em panículas amarelas vistosas e frutos que se fragmentam em carpídios de 5mm. **5.** *Bras. Bot.* V. *crista-de-galo* (1). • *Adj.* **6.** V. *veloso* (1).

veludo-de-penca *S. m. Bras. Bot.* V. *crista-de-peru*. [Pl.: *veludos-de-penca*.]

veludoso (ô) [De *veludo* + -*oso*.] *Adj.* V. *aveludado* (1).

velutina [Do fr. *veloutine*.] *S. f. Tec. Têx.* Tecido de seda semelhante ao veludo.

velutíneo [Do lat. vulg. *villutus*, 'veludo', + -*in*(*o*)-[2] + -*eo*.] *Adj.* V. *aveludado* (1).

velutino [Do lat. vulg. *villutus*, 'veludo', + -*ino*[1].] *Adj. Bot.* Revestido de pelos curtos, densos e macios, que dão ao tato a sensação propiciada pelo veludo; aveludado.

vem-cá [Da 2ª pess. sing. do imperat. de *vir* + *cá*[1].] *S. m. 2 n. Bras. SP Zool.* V. *chama-maré*.

vem cá siriri [Da 2ª pess. sing. do imperat. de *vir* + *cá*[1] + *siriri*.] *S. m. 2 n. Bras.* Certa dança e cantiga popular. ☑

vem-vem [Voc. onom.] *S. m. Bras. Zool.* V. *gaturamo*. [Pl.: *vem-vens*.]

vena [Do lat. *vena*, 'veia'.] *S. f. Bot.* Nervura pequena e muito fina, que forma retículos em folhas.

➔ **vena arteriosa** [venaɾteɾiˈosa] [Lat.] *Anat.* V. *artéria pulmonar*.

venábulo [Do lat. *venabulu*.] *S. m.* **1.** Espécie de lança ou dardo para caça de feras. **2.** *Fig.* Meio de defesa. **3.** Meio, expediente, recurso.

venação [De **venor* (< *vena*) + *-ção*.] ***S. f. Bot. Zool.*** Disposição de veias em asas de insetos, em órgãos vegetais, etc. [Cf. *nervação*.]

venado [Do lat. *vena*, 'veia', + *-ado*[1].] ***Adj.*** Que tem veias.

venal[1] [Do lat. *venale*.] ***Adj. 2 g.*** **1.** Que pode ser vendido. **2.** Exposto à venda[1] (1). **3.** Referente a venda[1] (1): "Quanto a valor histórico, sendo subjetiva sua estimação no entender de um perito, esse o arbitrou em 10% sobre o valor venal." (Carlos Drummond de Andrade, *Fala, Amendoeira*, p. 81.) **4.** *Fig.* Que se deixa peitar; subornável, corrupto. ~ V. *valor* —.

venal[2] [Do lat. *vena*, 'veia', + *-al*[1].] ***Adj. 2 g.*** V. *venoso*[1] (2).

venalidade [Do lat. tard. *venalitate*.] ***S. f.*** Qualidade de venal[1].

venalizar [De *venal*[1] + *-izar*.] ***V. t. d. P.*** Tornar(-se) venal[1] (4).

venâncio-airense ***Adj. 2 g.*** **1.** De, ou pertencente ou relativo a Venâncio Aires (RS). • ***S. 2 g.*** **2.** O natural ou habitante de Venâncio Aires. [Pl.: *venâncio-airenses*.]

venatória [F. subst. de *venatório*.] ***S. f.*** A arte da caça; arte venatória.

venatório [Do lat. *venatoriu*.] ***Adj.*** Respeitante à caça: "Não há dois meses que o *Fígaro* .... dava ao mundo a estupenda nova de que os *sportsmen* ingleses de primeira classe, os *blasés* das emoções da caça ao tigre, se tinham organizado em excursão venatória a Madagáscar" (Rui Barbosa, *Cartas de Inglaterra*, p. 20); "O coronel / Seu genro tem em casa um canistrel / De viandas venatórias, para o jantar." (Domingos Carvalho da Silva, *Liberdade embora tarde*, p. 22).

vencedor (ô) [De *vencer* + *-dor*.] ***Adj.*** **1.** Que vence ou venceu. • ***S. m.*** **2.** Aquele que vence ou venceu. **3.** Indivíduo vitorioso.

vencelho (ê) ***S. m.*** Vencilho (q. v.).

vencer [Do lat. *vincere*.] ***V. t. d.*** **1.** Conseguir vitória sobre; triunfar de; obter vantagem sobre: *Depois de dura peleja, o Flamengo venceu o Fluminense*; "Quem vence a mulher vence a vida." (Nestor Vítor, *Folhas Que Ficam*, p. 42). **2.** Ter bom êxito em; obter resultado favorável em: *O piloto brasileiro venceu a competição.* **3.** Ter primazia, levar vantagem, sobre: *Seu inatacável comportamento atual conseguiu vencer o passado anormal.* **4.** Refrear, dominar, reprimir, sopear: *Venceu os ímpetos de cólera e nada respondeu.* **5.** Estar ou ficar além das forças, do poder, da vontade, do domínio, etc., de; dominar: *A fadiga venceu a criança, que caiu no sono.* **6.** Levar a cabo; executar, realizar: *vencer uma tarefa.* **7.** Prostrar, subjugar, dominar, submeter, sujeitar: *Não conseguindo vencer o animal assustado, o cavaleiro tombou.* **8.** Persuadir, convencer: *As instâncias do filho acabaram vencendo o pai.* **9.** Percorrer, ultrapassando; cobrir: "Com pouco vencíamos a curva do rio, vendo desaparecer a meia dúzia de casas" (Saboia Ribeiro, *Contos do Cacau*, p. 133). **10.** Resistir a; aguentar, suportar: *A frágil embarcação conseguiu vencer a fúria do mar.* **11.** Destruir, desfazer, aniquilar: *vencer inconvenientes; vencer embaraços.* **12.** Fazer, executar, realizar: *vencer uma tarefa.* ***T. d. e i.*** **13.** Exceder, sobrelevar: *Vence as companheiras em graça e beleza.* ***T. c.*** **14.** Ter direito a ganhar, perceber, auferir, como vencimento ou ordenado: *O professor vencia 2 mil reais mensais, mas sempre recebeu com atraso.* ***Int.*** **15.** Alcançar a vitória; sair vencedor: *Chorou de alegria ao saber que seu time vencera.* **16.** Conseguir ou alcançar o seu fim. **17.** Chegar ao fim, ao termo; terminar, findar: *Saiu assim que a hora de trabalho venceu.* ***P.*** **18.** Conter-se, reprimir-se, dominar-se: "A ninguém contes, caro amigo, o imenso / Dislate que ofuscou a minha mente... / Graças, graças a ti, eis que me venço!" (Eugênio de Castro, *Éclogas*, p. 44.) **19.** Chegar ao fim do tempo em que se deve fazer um pagamento: *A promissória venceu-se ontem.* [O *c* do radical transforma-se em *ç* antes de *o* e *a*: *venço, vença*, etc.]

venceslauense[1] ***Adj. 2 g.*** **1.** De, ou pertencente ou relativo a Presidente Venceslau (SP). • ***S. 2 g.*** **2.** O natural ou habitante de Presidente Venceslau.

venceslauense[2] ***Adj. 2 g.*** **1.** De, ou pertencente ou relativo a Venceslau Brás (MG e PR). • ***S. 2 g.*** **2.** O natural ou habitante de Venceslau Brás.

venceslau-guimarãense ***Adj. 2 g.*** **1.** De, ou pertencente ou relativo a Venceslau Guimarães (MG). • ***S. 2 g.*** **2.** O natural ou habitante de Venceslau Guimarães.

vencida [De *vencer* + *-ida*[3].] ***S. f.*** Vencimento (1). ◆ **Levar de vencida.** Exceder, ultrapassar; tirar de eito.

vencido [Part. de *vencer*.] ***Adj.*** **1.** Que sofreu derrota; derrotado. **2.** Que se venceu. ~ V. *voto* —. • ***S. m.*** **3.** Aquele que foi vencido. **4.** Aquele que não tem ânimo para enfrentar as dificuldades ou sofrimentos da vida: *A morte do filho fez dele um vencido.*

vencilho [Var. de *vencelho* < lat. vulg. *venciculu*, por *vinculu*, 'ligadura', com infl. de *vincire*, 'ligar'.] ***S. m.*** Atilho de vime, giesta, verga, palha, etc., para molhos, empa de videiras, etc.

vencimento [De *vencer* + *-imento*.] ***S. m.*** **1.** Ato ou efeito de vencer; vencida. **2.** Vitória, triunfo. **3.** Término do prazo para o pagamento de um título ou para o cumprimento de qualquer encargo. **4.** Data em que se extingue esse prazo. **5.** Fim da vigência dum contrato. **6.** Data em que se há de cumprir certa obrigação. **7.** Salário ou ordenado de um emprego ou cargo público. [Nesta acepç., é m. us. no pl.] ◆ **Não dar vencimento a.** *Bras.* Não atender satisfatoriamente, inteiramente, a (pedidos, procura, consumo, de algo que se vende, dá, produz, etc.): *Vende toda a manteiga que produz, não dá vencimento aos pedidos que recebe*; "Os trens de cana apitavam de quando em vez, mas não davam vencimento à fome das moendas." (José Lins do Rego, *Usina*, p. 96).

vencível [Do lat. *vincibile*.] ***Adj. 2 g.*** **1.** Que se pode vencer. **2.** Que se vence: *títulos vencíveis a curto prazo.*

venda[1] [Do lat. *vendita*, part. pass. de *vendere*, 'vender'.] ***S. f.*** **1.** Ato ou efeito de vender; vendagem, vendição. **2.** Pequeno estabelecimento comercial onde se vendem artigos variados. **3.** Botequim onde se vendem, sobretudo, bebidas a varejo e pequenos artigos, como velas, pilhas, sal, etc. ◆ **Venda a descoberto.** *Market.* Venda de algo que o vendedor não possui no momento da transação. **Venda casada.** *Market.* Venda conjunta de dois ou mais produtos, em que, ger., a compra de um dos produtos está condicionada à compra de outro(s). [Cf. *pacote* (5).] **Venda condicionada.** *Market.* Venda em que não há transferência de propriedade do bem até que seja integralizado seu pagamento pelo comprador. **Venda de disponível.** *Market.* Venda de mercadorias que se acham em poder do vendedor ou de terceiro para pronta entrega. **Venda direta.** *Market.* A realizada sem intermediário entre produtor e consumidor. **Venda pessoal.** *Market.* Venda realizada, face a face, pelo vendedor. **Venda por telefone.** *Market.* Sistema de venda utilizado em *telemarketing* (q. v.).

venda[2] [Do germ. *binda*, 'faixa' (em al. *Binde*).] ***S. f.*** Tira de pano com que se cobrem os olhos.

venda-florense ***Adj. 2 g.*** **1.** De, ou pertencente ou relativo a Venda das Flores (RJ). • ***S. 2 g.*** **2.** O natural ou habitante de Venda das Flores. [Pl.: *venda-florenses*.]

vendagem[1] [De *venda* + *-agem*[2].] ***S. f.*** **1.** V. *venda*[1] (1). **2.** Porcentagem do preço da venda em favor daquele que vende por conta alheia. **3.** *P. ext.* Quebra[1] (11): "— Quantos pães por quatro vinténs? | — Dois. | — Só dois? | — Não contando a vendagem, que se dá de graça." (Machado de Assis, *Crônicas*, I, p. 221.)

vendagem[2] [De *vendar* + *-agem*[2].] ***S. f.*** Operação de vendar (os olhos).

venda-novense ***Adj. 2 g.*** **1.** De, ou pertencente ou relativo a Venda Nova do Imigrante (ES). • ***S. 2 g.*** **2.** O natural ou habitante de Venda Nova do Imigrante. [Pl.: *venda-novenses*.]

vendar [De *venda*[2] + *-ar*[2].] ***V. t. d.*** **1.** Cobrir com venda[2]: *Vendou os olhos do prisioneiro.* **2.** Tapar os olhos de: *Vendou o animal para domesticá-lo.* **3.** Cegar, obscurecer, turvar: *O amor vendou-lhe a razão.*

vendaval [Do fr. *vent d'aval*.] ***S. m.*** **1.** *Met.* Vento que sopra com velocidade de 32 a 54 milhas/hora; temporal. **2.** *Fig.* Tumulto interior; torvelinho, turbilhão: *vendaval de paixões.*

vendável [Do fr. *vendable*.] ***Adj. 2 g.*** Que tem boa venda[1]; que se vende com facilidade. [Este vocábulo vem nos dicionários como sinônimo de *vendível* em todas as acepções; mas é inegável a tendência para usar *vendável* apenas no sentido aqui apontado, dando-se a *vendível* a acepção de 'que pode ser vendido'.]

vendedeira [De *vender* + *-deira*.] ***S. f.*** Mulher que vende nas ruas, nos mercados, ou nas praças.

vendedoiro[1] [De *vender* + *-doiro*[1].] ***S. m.*** Vendedouro[2] (q. v.).

vendedoiro[2] [De *vender* + *-doiro*[2].] ***S. m.*** Vendedouro[1] (q. v.).

vendedor (ô) [De *vender* + *-dor*.] ***Adj.*** **1.** Que vende. **2.** *Econ.* Diz-se de mercados em que há mais vendedores que compradores, aos preços vigentes, causando tendência à alta de preços. • ***S. m.*** **3.** Aquele que vende. **4.** Empregado encarregado das vendas ao público, em casas comerciais. ◆ **Vendedor ambulante.** Vendedor que exerce o seu comércio, movimentando-se, em logradouros públicos ou em locais de acesso franqueado ao público. [Tb. se diz apenas *ambulante*.]

vendedouro[1] [De *vender* + *-douro*[2]; var. de *vendedoiro*[1].] ***S. m.*** Lugar público onde se vende alguma coisa.

vendedouro[2] [De *vender* + *-douro*[1]; var. de *vendedoiro*[2].] ***Adj.*** Que pode ser vendido; vendível.

vendeiro [De *venda* + *-eiro*.] ***S. m.*** Dono de venda[1] (2 e 3). [Sin.: *taberneiro, taverneiro* (bras., N.E.), *vendilhão* e (p. us.) *vendelhão*.]

vendelhão ***S. m. Bras. N.E. P. us.*** **1.** V. *vendeiro*. **2.** Vendedor ambulante; vendilhão.

vendemiário [Do fr. *vendémiaire*.] ***S. m.*** *Cronol.* V. *calendário republicano*.

vender [Do lat. *vendere*.] ***V. t. d.*** **1.** Alienar ou ceder por certo preço; trocar por dinheiro: *Vendeu um apartamento.* **2.** Negociar ou comerciar com: *Esta loja vende secos e molhados.* **3.** Não conceder gratuitamente: *Vendia favores.* **4.** Sacrificar por dinheiro ou por interesse: *Muitos, ansiosos do poder, vendem a própria consciência.* **5.** Trair, denunciar, por interesse: *Judas vendeu Cristo.* **6.** Ceder a outrem, mediante vantagem pecuniária, o direito de usar: *vender uma ideia; vender um plano.* **7.** Ter ou mostrar (algo) excelente, ou em alto grau: *vender saúde*; "Fui à escola vendendo alegria, com os livros às vencedoras." (Genolino Amado, *O Reino Perdido*, p. 132). ***T. d. e i.*** **8.** Alienar ou ceder por certo preço: *Vendeu a herança ao irmão.* **9.** Entregar mediante remuneração ou recompensa: *Em troca da liberdade, vendeu à polícia os comparsas.* ***Int.*** **10.** Dispor do que possui ou do que outrem lhe confiou, a troco de dinheiro: "Um povo ali, comprando e vendendo; no Mercado." (Adonias Filho, *Luanda Beira Bahia*, p. 57.) **11.** Exercer a profissão de vendedor: *Vende desde os 13 anos.* **12.** *Bras.* Ter venda, ou ter boa venda; ser vendável: *É um livro que vende bem; Como estas gravatas vendem!* **13.** *Bras.* Fazer vender, tornar vendável, um produto ou produtos: "Classificados que vendem" (de um anúncio-cartaz do *Jornal do Brasil*). ***P.*** **14.** Ceder a sua própria liberdade por certo preço: "Pensou mesmo em se vender como escravo" (Eça de Queirós, *Últimas Páginas*, p. 294). **15.** Deixar-se peitar[1] para ceder ou fazer. **16.** Praticar por interesse atos indignos. **17.** Entregar-se por dinheiro; prostituir-se. ◆ **Vender-se caro.** Valorizar-se ao extremo.

vendeta (ê) [Do it. *vendetta*.] ***S. f.*** Na Córsega, espírito de vingança, entre famílias, provocado por um assassínio, uma ofensa; vingança.

➔ **vendeuse** [vɑ̃'døz] [Fr.] ***S. f.*** Empregada incumbida das vendas ao público, sobretudo em lojas de artigos finos, butiques, etc.

vendição [Do lat. *venditione*.] ***S. f. P. us.*** V. *venda*[1] (1).

vendido [Part. de *vender*.] ***Adj.*** **1.** Que se vendeu. **2.** Adquirido por venda. **3.** *Fig.* Subornado, peitado. **4.** Contrafeito, contrariado: *estar, achar-se vendido*; "O ilhéu é que estava solto!... | Parecia que tinha bicho-carpinteiro, o desgraçado!... | Só estava era meio vendido com o jeito da noiva, mas fingia não se dar por achado, o velhaco..." (Simões Lopes Neto, *Contos Gauchescos e Lendas do Sul*, p. 196). **5.** Assustado, espantado: *ficar, continuar vendido.* • ***S. m.*** **6.** Aquele que se vendeu [v. *vender* (15 e 16)]. **7.** Nas bolsas de valores, aquele que, apostando na baixa de preços, vendeu títulos, mercadorias, etc., para entrega futura. [Cf., nesta acepç., *comprado* e *mercado de futuros*.]

vendilhão ***S. m.*** **1.** Vendedor ambulante; vendelhão. **2.** *Bras. N.E.* V. *vendeiro*. **3.** *Fig.* Aquele que trafica publicamente em coisas de ordem moral. [Fem.: *vendilhona*.]

vendilhona ***S. f.*** Fem. de *vendilhão* (q. v.).

➔ **vending** ['vɛndɪŋ] [Ingl.] ***S. m.*** Venda de produtos ao consumidor por meio de máquinas automáticas [ingl.: *vending machines*], ger. acionadas por moeda ou ficha. [É utilizado, p. ex., para refrigerante, cigarro, cartão de telefone, etc.]

vendinha [Dim. de *venda*[1] (2).] ***S. f. Bras. RJ*** Pequena mercearia (1).

vendível [Do lat. *vendibile*.] ***Adj. 2 g.*** **1.** Que pode ser vendido; vendedouro. **2.** Próprio para venda. **3.** Que tem boa venda. [Cf. *vendável*.]

vendola [De *venda*[1] + *-ola*[1].] ***S. f.*** Pequena venda[1] (2 e 3); tasca: "Ao cair de uma tarde chuvosa de março, chegava o cobrador, extenuado e faminto, a uma vendola à beira da estrada" (Lúcio de Mendonça, *Horas do Bom Tempo*, pp. 221-222). [Sin., em MG: *bitaca*.]

veneciano ***Adj.*** **1.** De, ou pertencente ou relativo a Nova Venécia (ES). • ***S. m.*** **2.** O natural ou habitante de Nova Venécia.

veneficar [Var. de *veneficiar*.] ***V. t. d.*** Veneficiar. [Conjug.: v. *trancar*. Pres. ind.: *venefico*, etc. Cf. *venéfico*.]

veneficiar [De *venefício* + *-ar*[2].] ***V. int.*** Praticar venefício; veneficar. [Pres. ind.: *veneficio*, etc. Cf. *venefício*.]

venefício [Do lat. *veneficiu*.] ***S. m.*** **1.** Ato de preparar veneno para fins criminosos. **2.** O crime de envenenar alguém. [Cf. *veneficio*, do v. *veneficiar*, e *beneficio*.]

venéfico [Do lat. *veneficu*.] ***Adj.*** **1.** Respeitante a venefício. **2.** V. *venenoso* (1). [Cf. *venefico*, do v. *veneficar*, e *benéfico*, adj.]

venenífero [Do lat. *veneniferu*.] ***Adj.*** V. *venenoso* (1).

veneníparo [De *veneno* + *-i-* + *-paro*.] ***Adj.*** Que segrega veneno.

veneno [Do lat. *venenu*.] ***S. m.*** **1.** Designação genérica de substância que, ministrada por qualquer via, ou desenvolvida no próprio corpo, causa lesão orgânica ou distúrbio funcional, pela ação química que exerce. **2.** *Fig. Pop.* Vírus, quando referido a uma doença, ou ao princípio contagioso dela. **3.** *Fig.* Aquilo que corrompe moralmente. **4.** Malignidade, maldade. **5.** Má intenção. **6.** Interpretação maldosa. **7.** Pessoa de má índole. **8.** *Veter.* Doença dos animais, espécie de carbúnculo. **9.** *Bras.* V. *cachaça* (1).

venenosidade [De *venenoso* + *-(i)dade*.] *S. f.* Qualidade de venenoso.

venenoso (ô) [Do lat. tard. *venenosu*.] *Adj.* **1.** Que contém ou produz veneno; venéfico, venenífero, tóxico. **2.** Nocivo à saúde; insalubre, deletério. **3.** *Fig.* Em que há veneno moral; malévolo, nocivo. **4.** *Fig.* Cheio de malícia ou maldade; malicioso, maldoso: *Fez um comentário venenoso.*

venera [Do lat. *veneria*.] *S. f.* **1.** Vieira (2). **2.** Insígnia dos condecorados com qualquer grau duma ordem militar. **3.** *P. ext.* Condecoração (2): "Veneras e títulos rejeitou-os sempre." (Bulhão Pato, *Memórias*, II, p. 19.) [Cf. *vênera*, fem. de *vênero*, e *venera*, do v. *venerar*.]

venerabilidade [Do lat. med. *venerabilitate*.] *S. f.* Qualidade de venerável.

venerabundo [Do lat. *venerabundu*.] *Adj.* Que venera; reverente: "Nos Alpes, como num trono / Que me alçava além do mundo, / A glória do Onipotente / Entoei venerabundo." (Domingos José Gonçalves de Magalhães, *Suspiros Poéticos e Saudades*, p. 281.)

veneração [Do lat. *veneratione*.] *S. f.* **1.** Ato ou efeito de venerar; reverência; respeito, admiração, consideração: *Tem veneração ao pai.* **2.** Devoção, culto, adoração: *Ficaram as relíquias expostas à veneração dos fiéis.*

venerado [Part. de *venerar*.] *Adj.* Que é objeto de veneração.

venerador (ô) [Do lat. *veneratore*.] *Adj. S. m.* Que, ou aquele que venera.

venerando [Do lat. *venerandu*.] *Adj.* V. *venerável* (1).

venerar [Do lat. *venerare*.] *V. t. d.* **1.** Tributar grande respeito a; render culto a; reverenciar: *Os pagãos veneravam inúmeros deuses.* **2.** Tratar com respeito e afeição. **3.** Reverenciar, acatar, respeitar: "O hindu, como se sabe, venera a vaca, enquanto o muçulmano lhe come a carne." (Raul Bopp, *Coisas do Oriente*, p. 28.) **4.** Ter em grande consideração: *Homem culto, venera as letras e as artes.* [Pres. ind.: *venero, veneras, venera*, etc. Cf. *vênero*, adj., e o fem. *vênera*.]

venerável [Do lat. *venerabile*.] *Adj. 2 g.* **1.** Digno de veneração; respeitável; venerando. **2.** *Rel.* Diz-se ordinariamente de pessoa virtuosa já falecida, cujo processo de beatificação já teve começo. [Superl. abs. sint.: *venerabilíssimo*.] ~ V. — *mestre.* • *S. m.* **3.** *Maç.* Venerável mestre (q. v.).

venéreo [Do lat. *venereu*.] *Adj.* **1.** Referente a Vênus, deusa da formosura. [Sin., poét.: *vênero*.] **2.** Relativo à aproximação sexual; sensual, erótico. **3.** Diz-se de doença transmitida por contato sexual. [Fem.: *venérea*. Cf. *Venéria*, top.] ~ V. *doença —a, linfogranuloma —, quarta-moléstia —a* e *quinta-doença —a.* • *S. m.* **4.** *Pop.* V. *sífilis.*

venereofobia (nè) [De *venéreo* + *-fobia*.] *S. f. Psiq.* V. *cipridofobia.*

venereofóbico (nè) [De *venereofobia* + *-ico*².] *Adj. S. m. Psiq.* V. *cipridofóbico.*

venereófobo [De *venéreo* + *-fobo*.] *Adj. S. m. Psiq.* V. *cipridofóbico* (2 e 3).

venereologia (nè) [De (*doença*) *venérea* + *-logia*.] *S. f.* Parte da medicina que se ocupa das doenças venéreas.

venereológico (nè) [De *venereologia* + *-ico*².] *Adj.* Respeitante à venereologia.

venereologista (nè) [De *venereologia* + *-ista*.] *S. 2 g.* Especialista em venereologia.

venerídeo [Do lat. cient. *Vener-* (< tax. *Venus*) + *-ídeo*¹; tax. *Veneridae*.] *Zool. S. m.* **1.** Espécime dos venerídeos, família de moluscos pelecípodes que compreende o gênero *Venus* (v. *vênus*²) e outros afins. • *Adj.* **2.** Pertencente ou relativo a eles.

vênero *Adj. Poét.* V. *vênero*. [Uso freq. em P.]

vênero [Do mit. lat. *Venus, eris*, 'Vênus'.] *Adj. Poét.* V. *venéreo* (1). [Fem.: *vênera*. Cf. *venero* e *venera*, do v. *venerar*, e *venera*, s. f.]

veneta (ê) [Do lat. *vena*, 'veia', + *-eta* (ê).] *S. f.* **1.** Acesso de loucura. **2.** *P. ext.* Impulso repentino. **3.** V. *telha* (7). [Cf. *Vêneta*, antr.] ◆ **Dar na veneta.** **1.** Vir à ideia; dar na telha. **2.** Ter um impulso repentino.

véneto *S. m. Adj.* V. *vêneto*. [Uso freq. em P.]

vêneto [Do lat. *venetu*.] *S. m.* **1.** Indivíduo dos vênetos, antigo povo da Gália, que, desmembrado por sucessivas migrações, se estabeleceu ao N. do Adriático e na Armórica (atual região da Bretanha, França). • *Adj.* **2.** Pertencente ou relativo a esse povo. [Fem.: *vêneta*. Cf. *veneta* (ê).]

veneziana [F. subst. do adj. *veneziano*.] *S. f.* Janela de lâminas de madeira, metal, etc., que, fechada, deixa penetrar o ar, mas obscurece o ambiente. [Sin., lus.: *estore*.]

veneziano¹ [Do it. *veneziano*.] *Adj.* **1.** De, ou pertencente ou relativo a Veneza (Itália). **2.** *Tip.* Humanal (2) (q. v.). ~ V. *chuva —a.* • *S. m.* **3.** O natural ou habitante de Veneza. **4.** *Gloss.* Língua (também classificada como dialeto) falada no N. da Itália. **5.** Vocábulo dessa língua. **6.** *Tip.* Humanal (3) (q. v.).

veneziano² *Adj.* **1.** De, ou pertencente ou relativo a Nova Veneza (SC). • *S. m.* **2.** O natural ou habitante de Nova Veneza.

venezolano [Do esp. *venezolano*.] *Adj. S. m.* Venezuelano: "O ilustre venezolano [Andrés Bello] chegou a fazer até cinco edições de sua excelente obra [*Gramática castellana*]" (Mário Barreto, *De Gramática e de Linguagem*, I, p. 176).

venezuelano *Adj.* **1.** Da, ou pertencente ou relativo à Venezuela (América do Sul). • *S. m.* **2.** O natural ou habitante da Venezuela. [F. paral.: *venezolano*.]

▲ **ven(i)-** [Do lat. *vena, ae*.] *El. comp.* = 'veia': *venífluo*. [Equiv.: *veno-*; *venoso*² (< lat.).]

vénia *S. f.* V. *vênia*. [Uso freq. em P.]

vênia [Do lat. *venia*.] *S. f.* **1.** Licença, permissão, consentimento: "Para aceitar um mote ou devolver uma glosa era indispensável a vênia da camareira-mor" (Ramalho Ortigão, *Figuras e Questões Literárias*, I, p. 174). **2.** Desculpa, absolvição, perdão. **3.** Reverência com a cabeça em sinal de cortesia; mesura, cortesia: "Quando estacou, fez uma vênia graciosa para o público, que equivalia a dizer: Gostaram?" (Aquilino Ribeiro, *Cinco Réis de Gente*, p. 265.)

veniaga [Do mal. *bernyaga*, 'comerciar, mercadejar'.] *S. f.* **1.** Mercadoria, artigo, produto. **2.** Comércio, tráfico. **3.** *Fig.* Trapaça, tramoia, tranquibérnia. **4.** Procedimento de agiota. **5.** V. *sinecura*.

veniagar [De *veniaga* + *-ar*².] *V. int.* Fazer veniaga (2); traficar. [Conjug.: v. *largar*.]

venial [Do lat. tard. *veniale*.] *Adj. 2 g.* **1.** Digno de vênia ou desculpa; perdoável, desculpável. **2.** Diz-se das faltas ou pecados leves: "Continua pecando os seus pecadinhos veniais, já que para os pecados mortais já não tem ocasião nem energia." (Raquel de Queirós, *100 Crônicas Escolhidas*, p. 111.) ~ V. *pecado —*.

venialidade [De *venial* + *-(i)dade*.] *S. f.* Qualidade de venial.

venializar [De *venial* + *-izar*.] *V. t. d.* Tornar venial.

venida [Do esp. *venida*, 'vinda'.] *S. f.* **1.** Investida repentina do inimigo. **2.** Golpe de espada, na esgrima, para ferir. **3.** Diligência, zelo, empenho.

venífluo [De *ven(i)-* + *-fluo*.] *Adj.* Que corre por veia; venoso.

▲ **veno-** Equiv. de *ven(i)-*.

venoplastia [De *veno-* + *-plastia*.] *S. f. Cir.* Plastia para reconstrução de veia.

venoso¹ (ô) [Do lat. *venosu*.] *Adj.* **1.** Que tem veias. **2.** Relativo a veias; venal. **3.** Venífluo. ~ V. *hipertensão —a, hipotensão —a, pulso —, sangue —* e *seio —*. [Cf. *vinoso*.]

venoso² (ô) [De *vena* + *-oso*.] *Adj. Bot.* ~ V. *folha —a*.

venta [Do lat. **ventana* < *ventu*, 'vento', 'lugar por onde passa o vento', pelo arc. *ventãa, ventam*, com hiperbibasmo.] *S. f.* V. *narina*. ~ V. *ventas*. ◆ **Venta de bezerro novo.** *Bras. CE Pop.* Pessoa de nariz achatado; venta de telha emborcada. **Venta de telha emborcada.** *Bras. CE* Venta de bezerro novo. **Dar a venta.** *Bras.* Cansar(-se), fatigar-se. **Ficar de venta inchada.** *Bras. N.E.* Amuar-se, zangar-se.

venta-furada *Adj. 2 g. S. 2 g. Bras. RS* V. *ventana*² (1 a 3). [Cf. *valentão* (1 e 3). Pl.: *ventas-furadas*.]

ventana¹ [Do esp. *ventana*.] *S. f.* **1.** *Ant. Bras.* Janela (1): "Retida em casa, D. Ana, / Qual num cárcere, vivia; / E aí, cerrada a ventana, / Da rua ninguém na via." (Raimundo Correia, *Poesias*, p. 256.) **2.** Ventanilha. ◆ **Trabalhar na ventana.** *Bras. Gír.* Ser ventanista.

ventana² [De *vento* + *-ana*¹.] *Adj. 2 g. S. 2 g. Bras. RS Pop.* **1.** Diz-se de, ou indivíduo mau. **2.** Desordeiro, turbulento. **3.** V. *valentão* (1 e 3). [Var.: *ventena*; sin.: *ventania, venta-furada, venta-rasgada*.] **4.** Diz-se de, ou cavalo matreiro, velhaco.

ventanear [De *ventana*¹ + *-ear*².] *V. t. d.* **1.** Ventilar (1 a 3). **2.** *Fig.* Sacudir, agitar. *Int.* **3.** V. *ventar* (2). [Conjug.: v. *frear*.]

ventaneira [De *ventana*² + *-eira*.] *S. f.* **1.** Ventania (1): "a Via Láctea, que, neste ano de ventaneira e trovão, se espelha nas águas quietas do Pavia, passou, em reflexos, sobre as lâminas mortíferas." (José Vieira, *Sol de Portugal*, p. 81). **2.** Válvula por onde o ar entra no fole (1).

ventanejar [De *ventana*² + *-ejar*.] *V. int.* **1.** V. *ventar* (2). **2.** *Fam.* Ventar (4). [Conjug.: v. *pelejar*.]

ventania [De *ventana*² + *-ia*¹.] *S. f.* **1.** Vento impetuoso e contínuo; ventaneira. • *S. m.* **2.** V. *ventana*² (1 a 3). • *Adj.* **3.** V. *ventana*² (1 a 3). [Cf. *valentão* (1 e 3).]

ventanilha [Do esp. *ventanilla*.] *S. f.* Cada uma das aberturas da mesa do bilhar por onde cai a bola; ventana.

ventanista [De *ventana*¹ + *-ista*.] *S. 2 g. Bras. RJ Gír.* Ladrão que penetra numa casa saltando a janela; pula-ventana.

ventar [De *vento* + *-ar*².] *V. int.* **1.** Haver vento: "Chove, venta, e neva, / Congela-se o rio" (Fr. Agostinho da Cruz, *Obras*, p. 166); "Fazia frio, ventava" (Haroldo Maranhão, *As Peles Frias*, p. 20). **2.** Soprar o vento com força; ventanear, ventanejar: "Venta e relampadeja. A tempestade ruge!" (Martins Fontes, *Verão*, p. 35.) **3.** Manifestar-se ou aparecer de súbito, de repente: *Um entusiasmo ventou — e agora o homem sem esperança é o mais esperançoso dos homens.* **4.** *Fam.* Soltar ventosidades; ventanejar. *T. i.* **5.** Ser propício, favorável; bafejar: *Ventou-lhe a sorte: hoje é homem rico.* **6.** Ventar (3): *Com as palavras animadoras do amigo, a coragem ventou em sua alma desalentada.* *T. d. e i.* **7.** Trazer inesperadamente: *A nova carreira ventou-lhe inúmeras oportunidades.* [Impess., no sentido próprio.]

venta-rasgada *S. 2 g. Adj. 2 g. Bras. RS* V. *ventana*² (1 a 3). [Cf. *valentão* (1 e 3). Pl.: *ventas-rasgadas*.]

ventarola [Do it. *ventarola*, 'ventoinha'.] *S. f.* Espécie de leque que não se fecha, com cabo ou base e sem varetas; abano.

ventas [Pl. de *venta*.] *S. f. pl.* **1.** Nariz. [Sin. (bras., pop.): *tabaqueira*.] **2.** *Cineg.* Olfato, faro. ~ V. *venta*. ◆ **Acender as ventas.** *Bras. N.E.* Farejar (o cão ou o cavalo) pressentindo perigo. **Dizer o que lhe vem às ventas.** *Fam.* Dizer tudo quanto quer ou lhe vem ao pensamento, à cabeça. **Esfregar nas ventas de.** *Pop.* Mostrar, exibir, com irritação e/ou acinte. **Nas ventas de.** V. *nas bochechas de*. **Saber onde tem as ventas.** Saber onde tem o nariz: "Fossem perguntar a Seu Tomás da bolandeira, que lia livros e sabia onde tinha as ventas." (Graciliano Ramos, *Vidas Secas*, p. 39.)

venteira [De *venta* + *-eira*.] *S. f. Bras. C.O.* Peça de madeira que se põe nas ventas do bezerro para que não mame.

ventena [Var. de *ventana*².] *S. m.* **1.** *Bras. S.* V. *ventana*² (1 a 3). • *S. f.* **2.** *Bras. SP Pop.* Meretriz. [Tb. us. deprec.] • *Adj.* **3.** V. *ventana*² (1 a 3). [Cf. *valentão* (1 e 3) e *vintena*.]

▲ **venti-** [Do lat. *ventus, i*.] *El. comp.* = 'vento': *ventifacto, ventígeno* (< lat.).

ventifacto [De *venti-* + lat. *factus*, 'feito', 'produzido'.] *S. m. Geol.* Seixo que tem arestas originadas por faces planas formadas pela corrosão e polimento que o vento produz ao soprar em diversas direções.

ventígeno [Do lat. *ventigenu*.] *Adj.* Que produz vento.

ventilabro [Do lat. *ventilabru*.] *S. m.* Espécie de joeira com que se limpa o trigo.

ventilação [Do lat. *ventilatione*.] *S. f.* **1.** Ato ou efeito de ventilar(-se). **2.** Circulação de ar: *Esta peça não tem boa ventilação.* ◆ **Ventilação pulmonar.** *Med.* Totalidade do câmbio de gases entre os pulmões e o meio ambiente.

ventilado [Part. de *ventilar*.] *Adj.* **1.** Que tem ventilação (2); arejado: *quarto bem ventilado.* **2.** *Fig.* V. *arejado* (4): *É homem lúcido, ventilado.* **3.** Debatido, discutido: *assunto largamente ventilado.* **4.** *Bras. Chulo* V. *arejado* (5).

ventilador (ô) [Do lat. *ventilatore*.] *Adj.* **1.** Que ventila; ventilante. • *S. m.* **2.** Aparelho ou dispositivo para ventilar. **3.** *Anest. Pneum.* Designação genérica de instrumentos que se destinam a controlar ou a auxiliar a ventilação pulmonar, de modo intermitente ou contínuo.

ventilante [Do lat. *ventilante*.] *Adj. 2 g.* Ventilador (1).

ventilar [Do lat. *ventilare*.] *V. t. d.* **1.** Introduzir vento em. **2.** Renovar o ar de: *O condicionador de ar também ventila o ambiente.* **3.** Expor ao vento; arejar: *ventilar a roupa.* [Sin., nessas acepçs.: *ventanear*.] **4.** Limpar (cereais) com joeira ou pá. **5.** Agitar, debater, discutir: *ventilar uma questão.* **6.** Cogitar, imaginar: *ventilar uma hipótese.* *P.* **7.** Abanar-se: *Ventilava-se com um jornal dobrado.*

ventilativo [De *ventilar* + *-tivo*.] *Adj.* **1.** Próprio para ventilar. **2.** Que ventila.

vento [Do lat. *ventu*.] *S. m.* **1.** O ar em movimento, fenômeno ocasionado sobretudo pelas diferenças de temperatura (e, portanto, de pressões) nas várias regiões atmosféricas. **2.** Ar posto artificialmente em movimento, por leque, ventilador, etc. **3.** Ar, atmosfera. **4.** Bolha nas obras fundidas, produzida por uma porção de ar que entrou no metal ao solidificar-se. **5.** *Fig.* Influência (favorável ou desfavorável): *o vento da desgraça.* **6.** Flatulência, ventosidade. **7.** Olfato de animais; faro. **8.** Coisa vã, fugaz, efêmera; vaidade. **9.** *Ant. Náut.* Cada uma das 32 subdivisões da rosa dos ventos (q. v.). [Os antigos gregos dividiam a rosa dos ventos em apenas dois ventos: bóreas e noto; os mesmos gregos foram aumentando esse número para 4, 8 e 12; no séc. XIV, eram 16; e no tempo do Infante D. Henrique, de Portugal, passaram a ser 32.] **10.** *Bras. RJ Gír.* V. *dinheiro* (5). ◆ **Vento alisado.** *Met.* V. *vento alísio*. [Tb. se diz apenas *alisado*.] **Vento aliseu.** *Met.* V. *vento alísio*. [Tb. se diz apenas *aliseu*.] **Vento alísio.** *Met.* Vento persistente que sopra, sobretudo na atmosfera inferior, sobre extensas regiões, a partir de um anticiclone subtropical na direção das regiões equatoriais. [Os ventos alísios predominantes são os de nordeste no hemisfério norte, e os de sudeste no hemisfério sul. Tb. se diz apenas *alísio*; sin.: *vento alisado* e *vento aliseu*.] **Vento aparente.** O vento sentido num veículo em movimento, e resultante da combinação do vento verdadeiro e do deslocamento do veículo. **Vento de baixo. 1.** *Bras. Amaz.* Vento leste, que sopra da foz do Amazonas. **2.** *Bras. BA* Vento que sopra do sul. **Vento de feição.** *Mar.* Vento favorável ao caminho que se deseja seguir. **Vento de rajadas.** Aquele cuja intensidade aumenta e diminui desordenadamente. **Vento de repiquetes.** Aquele cuja direção muda com frequência. **Vento de travessia.** *Mar.* O que sopra em direção normal à costa, ou em direção normal ao rumo seguido pela embarcação. [Tb. se diz apenas *travessia*; sin.: *vento travessão* ou apenas *travessão*.] **Vento escasso.** *Mar.* O que não permite navegar de bolina, no caminho que se deseja seguir. **Vento feito.** *Mar.* Vento constante, que está soprando sem variações de rumo e/ou intensidade. **Vento largo.** *Mar.* O que sopra de uma direção entre o través e a alheta da embarcação. **Vento ponteiro.** *Mar.* Vento contrário ao caminho que se deseja seguir. **Vento real.** Vento verdadeiro, *i. e.*, que independe do movimento do veículo onde se encontra o observador. **Ventos etésios.** Os do solstício de verão. **Ventos gerais.** Ventos que, numa determinada região, reinam constantemente em certas épocas do ano: "Aparecem os primeiros ventos gerais, doidamente, que nem um bando solto de demônios travessos e brincalhões" (Aluísio Azevedo, *O Mulato*, p. 131). **Vento solar.** *Astr.* Fluxo de partículas carregadas de eletricidade, que se constituem, em geral, de prótons e elétrons, e que são emitidas permanentemente pelo Sol. **Ventos repugnantes.** Ventos contrários, ponteiros: "Ao grande Eolo mandam já recado / Da parte de Netuno, que sem conto / Solte as fúrias dos ventos repugnantes, / Que não haja no mar mais navegantes." (Luís de Camões, *Os Lusíadas*, VI, 102.) **Ventos travados.** Ventos fortes da costa da Guiné (África). [Tb. se diz apenas *travados*.] **Vento travessão.** *Mar.* V. *vento de travessia*. **Aos quatro ventos.** Por todos os lados, por todas as direções, por toda a parte: "As ruas de Santa Teresa, é descobrir o par [amoroso] e é deitar a rir proclamando aos quatro ventos o acontecimento." (João do Rio, *A Alma Encantadora das Ruas*, p. 14); "Se caíres de um carro, sem outro dano, além do susto, é útil mandá-lo dizer aos quatro ventos" (Machado de Assis, *Papéis Avulsos*, p. 96). **Beber os ventos por.** Beber os ares por: "A tia Serafina bebia os ventos por ela. A Balbina tinha as mãos tão mimosas que eram mesmo dedos de fidalga." (Camilo Castelo Branco, *Noites de Lamego*, p. 83.) **Cheio de vento.** Cheio de si. **Com vento fraco.** Sem cerimônia. **De vento em popa. 1.** Com vento propício (a embarcação): *O navio ia veloz, de vento em popa.* **2.** *Fig.* Com as circunstâncias a seu favor; prosperamente: *O negócio anda de vento em popa.* **Encher de vento.** Envaidecer, enfatuar, enfunar. **Ver de que lado sopra o vento.** *Fig.* Observar o rumo dos acontecimentos para então tomar uma decisão.

ventoinha (o-i) [De *vento* + *-inha*.] ***S. f.*** **1.** Grimpa (1). **2.** *Fig.* V. *cata-vento* (2). **3.** *Zool.* Abibe. **4.** *Tec.* O rotor impulsor de ar, ou outro gás, de um ventilador. **5.** *Lus.* Ventilador: "Manuel senta-se .... direciona a ventoinha para as suas costas" (*Grande Reportagem*, Lisboa, novembro 1997).

vento-leste ***S. m.*** *Bras. ES Zool.* V. *palombeta*. [Pl.: *ventos-lestes*.]

ventor (ô) [De *vento* + *-or*.] ***S. m.*** *Cineg.* Cão de bom faro.

ventosa [Do lat. tard. *ventosa*.] ***S. f.*** **1.** *Terap.* Vaso cônico, de vidro ou metal, que, aplicado sobre a pele, depois de nele se ter rarefeito o ar, provoca efeito revulsivo e local. **2.** *Zool.* Sugadouro de certos animais aquáticos. **3.** *Bras. Amaz. Bot.* Árvore hernandiácea (*Hernandia guianensis*) que habita as várzeas inundadas e tem folhas amplas e flores mínimas. Caracteriza-se pelo sistema de flutuação, que conduz o fruto sobre as águas a longas distâncias e é constituído pelo cálice muito ampliado e vesiculoso, aberto só na ponta superior, e dentro do qual fica o fruto, que é uma noz semelhante a uma avelã.

ventosidade [Do lat. tard. *ventositate*.] ***S. f.*** **1.** Flatulência (1). **2.** Saída de gases (q. v.), mais ou menos estrepitosa. ~ V. *ventosidades*.

ventosidades [Pl. de *ventosidade*.] ***S. f. pl.*** Gases. ~ V. *ventosidade*.

ventoso[1] (ô) [Do fr. *ventôse*.] ***S. m.*** *Cronol.* V. *calendário republicano*.

ventoso[2] (ô) [Do lat. *ventosu*.] ***Adj.*** **1.** Cheio de vento. **2.** Em que venta muito: "um agosto ventoso e atormentado" (Osmã Lins, *Nove, Novena*, p. 111). **3.** Exposto ao vento. **4.** Produzido por ventosidades. **5.** *Fig.* Fútil; vão; banal. **6.** *Fig.* Cheio de empáfia, de embófia; arrogante, orgulhoso.

vento-virado [De *vento* + *virado*.] ***S. m.*** *Bras. MG GO Pop.* V. *prisão de ventre*: "É sempre entre as pretas velhas que encontramos boas benzedeiras. Benzem quebranto, vento-virado, mau-olhado" (Regina Lacerda, *Papa-Ceia*, p. 17). [Pl.: *ventos-virados*.]

ventral [Do lat. tard. *ventrale*.] ***Adj. 2 g.*** **1.** Relativo ou pertencente ao ventre. **2.** *Zool.* Situado na face inferior do abdome de certos animais. **3.** *Anat.* Anterior (3). **4.** *Bot.* Diz-se da face ou página inferior, nos órgãos laminares ou foliáceos. [Nas folhas, contudo, a página ventral é a superior, em virtude da mudança de posição que elas sofrem ao apartarem-se da gema terminal.]

ventre [Do lat. *ventre*.] ***S. m.*** **1.** Cavidade abdominal. **2.** Abdome (1). **3.** A proeminência externa do abdome; barriga. **4.** *Poét.* V. *útero*. **5.** Bojo de um vaso. **6.** A parte média e mais volumosa de alguns músculos. **7.** *Bot.* V. *arquegônio*. **8.** *Fig.* Parte interior; âmago, cerne. **9.** *Fís.* Ponto de amplitude máxima numa onda estacionária; antinó, antinodo. ◆ **Ventre Livre.** *P. us.* A Lei do Ventre Livre: "A nova denominação [Rua do Visconde do Rio Branco, dada à antiga Rua do Conde] veio .... com o ventre livre, com as festas de 71." (Pedro Rabelo, *A Alma Alheia*, p. 75); "A velha Matilde é filha de escrava, nascida sob o Ventre Livre e natural do Estado do Rio de Janeiro." (Raquel de Queirós, *100 Crônicas Escolhidas*, p. 18). [É preferível o uso com cap.]

▲ **-ventre** V. *ventri-*.

ventrecha (ê) [Do fr. ant. *ventresche*.] ***S. f.*** Posta de peixe que se segue à cabeça; ventrisca: "basta dizer que jamais lhe sucedia arpoar um pirarucu sem presentear com a ventrecha aos vizinhos pobres" (Inglês de Sousa, *Contos Amazônicos*, p. 5).

▲ **ventri-** [Do lat. *vēnter, tris*.] ***El. comp.*** = 'ventre': *ventrilavado*. [Equiv.: *-ventre*: *sessiliventre*.]

ventricoso (ô) [Do lat. *ventricosu*, 'que tem grande ventre'.] ***Adj.*** **1.** *Bot.* Dilatado na porção inferior: *cálice ventricoso*. **2.** *Zool.* Diz-se de concha de molusco que se apresenta arredondada, inflada e cheia, como ocorre com o gênero *Harpa*.

ventricular [De *ventrículo* + *-ar*[1].] ***Adj. 2 g.*** Relativo ou pertencente a ventrículo. ~ V. *bigeminismo* — e *fibrilação* —.

ventrículo [Do lat. *ventriculu*.] ***S. m.*** **1.** *Anat.* Cada uma das duas cavidades do coração, uma direita e outra esquerda, de grossas paredes musculares. Pela contração do ventrículo direito se injeta sangue na artéria pulmonar, e pela contração do esquerdo, na artéria aorta. **2.** *Anat.* Designação comum a certas cavidades de alguns órgãos (laringe, glândula pineal, etc.). **3.** *Anat.* Cada uma de quatro cavidades no âmago do encéfalo. **4.** *Zool.* A cavidade única do coração de certos animais. ◆ **Ventrículo de Morgagni.** *Anat.* Evaginação lateral de membrana mucosa, na laringe, entre as pregas vocais verdadeiras e as falsas.

ventrilateral [De *ventri-* + *-later(o)-* + *-al*[1].] ***Adj. 2 g.*** Que é constituído de uma porção ventral e outra lateral.

ventrilavado [De *ventri-* + *lavado*.] ***Adj.*** Diz-se do equídeo que tem o ventre esbranquiçado.

ventriloquia [De *ventríloquo* + *-ia*[1].] ***S. f.*** Qualidade, arte ou habilidade de ventríloquo.

ventríloquo [Do lat. tard. *ventriloquu*.] ***Adj. S. m.*** Diz-se de, ou aquele que sabe falar sem abrir a boca e mudando de tal modo a voz que esta parece sair de outra fonte que não ele.

ventrimedial [De *ventri-* + *-medi(o)-* + *-al*[1].] ***Adj. 2 g.*** Mais próximo da frente e da linha média.

ventripotente [De *ventri-* + *potente*.] ***Adj. 2 g.*** **1.** Que tem estômago forte. **2.** Gastrônomo: "começa .... a tomar a obesidade do ventripotente Vitélio" (Gonçalves Crespo, *Obras Completas*, p. 436).

ventrisca ***S. f.*** Ventrecha.

ventrudo [De *ventre* + *-udo*.] ***Adj.*** Que tem grande ventre; barrigudo, pançudo: "E um dia, já ventrudo e endinheirado, ... realizou afinal o seu mais caro anelo." (Marques Rebelo, *A Mudança*, p. 206.)

ventura [Do lat. *ventura*.] ***S. f.*** **1.** Fortuna boa ou má; destino, sorte, acaso. **2.** Fortuna próspera; boa sorte; felicidade. **3.** Risco, perigo. ◆ **À ventura.** À toa; ao acaso; a esmo: "Mas ainda nesta atividade febril e parasitária, desencadeada à ventura, o peruano não está só." (Euclides da Cunha, *Contrastes e Confrontos*, p. 139.)

ventureiro [De *ventura* + *-eiro*.] ***Adj.*** **1.** Arriscado; incerto: "Pareceu-lhes ventureiro pôr em prática esta máxima dos Salomões dos nossos dias: é bom dar tempo ao tempo." (Aquilino Ribeiro, *O Príncipe Perfeito*, p. 15.) • ***S. m.*** **2.** Soldado voluntário.

venturo [Do lat. *venturu*.] ***Adj.*** V. *vindouro* (1): "Quem sabe? / Foi capricho falaz da fantasia, / Ou foi certo aventar d'eras venturas?" (Gonçalves Dias, *Obras Poéticas*, I, p. 102.)

venturosense ***Adj. 2 g.*** **1.** De, ou pertencente ou relativo a Venturosa (PE). • ***S. 2 g.*** **2.** O natural ou habitante de Venturosa.

venturoso (ô) [De *ventura* + *-oso*.] ***Adj.*** **1.** Que tem, ou em que há ventura; ditoso, feliz, afortunado: *homem venturoso; dias venturosos*. **2.** Em que há ventura ou risco; arriscado, perigoso: *empreendimento venturoso*.

vénula ***S. f.*** V. *vênula*. [Uso freq. em P.]

vênula[1] [Do lat. *venula*.] ***S. f.*** **1.** *Anat.* Cada um de muitos vasos [v. *vaso*[1] (6)] que recebem sangue proveniente de vasos capilares e que se reúnem para formar veias. **2.** Veia muito fina que percorre a rocha.

vênula[2] [De *vena* + *-ula*.] ***S. f.*** *Bot.* Pequena vena. [Na prática, não se distingue *vena* de *vênula*.]

venulado [De *vênula*[1] + *-ado*[2].] ***Adj.*** Que tem vênulas.

vénus ***S. f. 2 n.*** V. *vênus*. [Uso freq. em P.]

vênus[1] [Do mit. lat. *Venus*, 'deusa da formosura, do amor, dos prazeres'.] ***S. f. 2 n.*** **1.** Mulher formosíssima. **2.** *Astr.* O mais brilhante dos planetas, com órbita situada entre a de Mercúrio e a da Terra. Como é um planeta inferior, apresenta fases semelhantes às da Lua, se observado com instrumento de pequeno porte. Não mostra na superfície marcas bem definidas, pois é coberto por atmosfera nebulosa; tem diâmetro aproximadamente igual ao da Terra, da qual dista de 39 a 260 milhões de quilômetros, e revoluciona em torno do Sol em 225 dias; a sua rotação axial ainda não é bem conhecida, atribuindo-se-lhe valores situados entre algumas horas e 225 dias. [Com cap., nesta acepç.; sin.: *estrela-d'alva, estrela da manhã, estrela da tarde, estrela do pastor, estrela matutina, estrela Vésper, estrela vespertina, matutina Vésper, Véspero* e (bras., pop.) *boieira, papa-ceia*.]

vênus[2] [Do tax. *Venus* < mit. lat. *Venus*.] ***S. f. 2 n.*** *Zool.* **1.** Gênero de moluscos bivalves, venerídeos, marinhos, de concha grossa e oval, ger. com prolongamentos aculeiformes concêntricos e com a face interna ligeiramente denticulada. **2.** Espécie ou espécime desse gênero.

venusiano [De *Vênus* + *-iano*.] ***Adj.*** *Astr.* **1.** Relativo ao planeta Vênus. • ***S. m.*** **2.** Habitante hipotético desse planeta. [Sin. ger.: *venusino*.]

venusino[1] [Do lat. *venusinu*.] ***Adj.*** **1.** De, ou pertencente ou relativo a Venúsia (Itália), terra de Horácio (v. *horaciano*). **2.** Relativo a Horácio. • ***S. m.*** **3.** O poeta Horácio.

venusino[2] [De *Vênus* + *-ino*[1].] ***Adj. S. m.*** V. *venusiano*.

venustidade [De *venusto* + *-(i)dade*.] ***S. f.*** Qualidade de venusto.

venusto [Do lat. *venustu*.] ***Adj.*** Muito formoso ou gracioso: "É tão encantadora como a musa Urânia, ... e exibe no corpo as linhas venustas, que seduzem os homens..." (Cândido Jucá [filho], *Noite Insone*, p. 51.)

vê-oito [De *vê* + *oito*.] ***Adj.*** *Bras.* **1.** Diz-se do motor de explosão cujos oito pistões se acham distribuídos quatro a quatro, em forma de V. • ***S. m.*** **2.** Automóvel, especificamente o Ford, que tinha esse motor. • ***S. f.*** **3.** Modelo de calça (3) cuja cava da perna vai até quase a cintura, lembrando um V. [Pl.: *vê-oitos*.]

ver[1] [Do lat. *videre*.] ***V. t. d.*** **1.** Conhecer ou perceber pela visão; olhar para; contemplar: "Vejo alegre os dias de oiro / Na montanha renascer." (Silva Alvarenga, *ap.* Sérgio Buarque de Holanda, *Antologia dos Poetas Brasileiros da Fase Colonial*, II, p. 139.) **2.** Alcançar com a vista; enxergar; divisar; distinguir, avistar: "Abrindo os olhos, vi a meu lado o guarda" (Geir Campos, *O Vestíbulo*, p. 24); *Viu um cavaleiro que se aproximava.* **3.** Ser espectador ou testemunha de; assistir a; presenciar: *Viu, por acaso, o bárbaro crime.* **4.** Percorrer; viajar; visitar: "Vi terras da minha terra." (Manuel Bandeira, *Estrela da Vida Inteira*, p. 173.) **5.** Encontrar-se, avistar-se com: *Não os vi hoje*; "Neste tempo, viu Laura, falou-lhe, ouviu-a" (Camilo Castelo Branco, *A Mulher Fatal*, p. 32). **6.** Reconhecer, compreender: *Perdida a batalha, viu que já não poderia ganhar a guerra.* **7.** Prestar serviços médicos a; examinar: *O médico foi ver o doente.* **8.** Observar, notar, perceber: *Pelo que vejo, não acabaremos hoje.* **9.** Atentar em; observar: *O diretor pretende ver as normas para a execução do trabalho.* **10.** Deduzir, concluir: *Pelos dados, podemos ver que os resultados serão bons.* **11.** Imaginar, fantasiar: *Grande fantasista, vê coisas incríveis nos mais simples acontecimentos.* **12.** Tomar cuidado em; atentar em; reparar em: *Vê bem os teus passos.* **13.** Examinar, investigar: *Vi minuciosamente os testemunhos, e não encontrei provas.* **14.** Calcular, prever; antever: *ver o futuro nas cartas.* **15.** Estudar; ler: *Mal teve tempo de ver o primeiro capítulo do livro.* **16.** Ponderar, considerar: *Viu os prós e os contras da empreitada.* **17.** Projetar, planejar, idear: *O general viu demoradamente a tática de combate.* **18.** Conhecer; saber: *Segundo os crentes, Deus vê o passado, o presente e o futuro.* **19.** Visitar (1 e 2): *Viajou para ver os parentes.* **20.** Ter elementos para perceber ou chegar à conclusão de (algo): *Examinou o doente, e viu que estava mal.* **21.** Fazer experiência ou tentativa no sentido de obter (certo resultado): *Procurou ver se o convencia.* **22.** Calcular; avaliar: *Ao voltar a si, não conseguiu ver quanto tempo levara na viagem.* ***Transobj.*** **23.** Reputar, considerar, julgar: *Via, desde já, a eleição perdida; Não o vejo como inimigo.* **24.** Enxergar, divisar, avistar: "Vejo turvo o claro dia" (Silva Alvarenga, *ap.* Sérgio Buarque de Holanda, *Antologia dos Poetas Brasileiros da Fase Colonial*, II, p. 132). **25.** Notar, perceber; sentir: "Luto para não ver a fé perdida" (Odilo Costa Filho, *Cantiga Incompleta*, p. 33). *T. d. e i.* **26.** Concluir, deduzir: *A afirmação não era verídica: todos o podiam ver do depoimento.* ***Int.*** **27.** Perceber as coisas pela visão, pelo sentido da vista; enxergar: "Ver é o supremo bem. Eu insisto em cismar / Se a alma será, talvez, uma função do olhar..." (Vicente de Carvalho, *Poemas e Canções*, p. 103); "Ver só com os olhos / É fácil e vão: / Por dentro das coisas / É que as coisas são." (Carlos Queirós, *Breve Tratado de Não Versificação*, p. 25). ***P.*** **28.** Contemplar-se, mirar-se; rever-se: *Via-se nas águas claras da lagoa.* **29.** Reconhecer-se: *Vendo-se vencido, retirou-se do torneio.* **30.** Achar-se (em algum estado, condição, situação): *Vendo-se desarmado, entregou-se à polícia.* **31.** Encontrar-se, achar-se (em algum lugar): *Vendo-se no campo de batalha, sentiu-se forçado a lutar.* **32.** Encontrar-se, avistar-se, reciprocamente: *Quando se viram, depois de tantos anos, abraçaram-se comovidos.* [Irreg. Pres. ind.: *vejo, vês, vê, vemos, vedes* (ê), *veem*; imperf.: *via, vias*, etc.; perf.: *vi, viste, viu*, etc.; m.-q.-perf.: *vira, ... víramos, víreis, viram*; fut. pres.: *verei, verás*, etc.; fut. pret.: *veria, verias*, etc.; imperat.: *vê, ... vede* (ê), etc.; pres. subj.: *veja* (ê), *vejas* (ê), etc.; imperf.: *visse, visses*, etc.; fut.: *vir, vires*, etc.; ger.: *vendo*; part.: *visto*. Cf. *vez*, s. f.; *Vez*, top.; *vedes* e *vede*, do v. *vedar*; *vêm*, do v. *vir*; *viramos*, do v. *virar*; *vireis*, do v. *virar* e *vir*; *Véria*, antr.; o fut. pret. de *vir*; *veraz*, adj. 2 g.; e *Veraz*, antr.] ● ***S. m.*** **33.** Opinião, juízo; modo de ver: *A meu ver, Pedro não tem razão.* ◆ **Ver demais.** Ver coisa que não existe. **Até mais ver.** Até o próximo encontro, até logo. **A ver vamos(!).** Expressão, ger. exclamativa, que traduz uma expectativa; vamos a ver(!): "— .... Vai casar-se com a morgada da Silvã. | — A ver vamos." (Aquilino Ribeiro, *Estrada de Santiago*, [1922], p. 100.) **De ver, cheirar e guardar.** *Bras. N.E. Pop.* Belíssimo; raro; precioso; excelente; maravilhoso: *É uma pequena de ver, cheirar e guardar.* **Estar amarelo de ver.** *Bras. N.E. Pop.* Ter visto muitíssimas vezes; estar careca de ver. **Não poder ver nem pintado.** V. *não querer ver nem pintado*. **Não querer ver nem pintado.** Não tolerar alguém, não o tragar; detestar; não poder ver nem pintado. **Nunca ter visto mais gordo.** Nunca ter avistado anteriormente; desconhecer de todo: *O rapaz de quem falas, nunca o vi mais gordo*; "Se o meu superior, que nunca me viu mais gordo ...., me chamasse, ficava eu sabendo que devia tal honra ao colega" (Aquilino Ribeiro, *Andam Faunos pelos Bosques*, p. 223). **Quem te viu e quem te vê.** Diz-se a quem era um joão-ninguém e de repente passou a ser importante. **Ter a ver com.** Estar relacionado com; ter que ver com. **Ter que ver com.** V. *ter a ver com*. **Vamos a ver(!).** A ver vamos(!)

ver² [Alter. de *vir*, por infl. de *ver*¹, poss.] *V. t. d.* Trazer, buscar: "o Sr. Antunes retirou-se alguns minutos da sala; ia ver charutos." (Machado de Assis, *Iaiá Garcia*, p. 630); "— Vai ver os ovos ali na venda." (França Júnior, *Folhetins*, p. 536); "— Vai-me ver água, disse, estou com sede." (Alberto de Oliveira, *Poesias*, 2ª série, p. 312); "mandei ver, em Torino, as obras sobre a genealogia das casas nobres italianas" (Alfredo Brandão, *Crônicas Alagoanas*, p. 106). [Cremos estar indicionarizado este sentido de 'trazer, buscar', equiv. aproximado de *fazer vir* e *mandar vir*, e que por isso nos parece antes prender-se ao verbo *vir*, contaminado com *ver*, do que a este último verbo, puro e simples. Conjug.: v. *ver*¹.]

vera [Do lat. *vera*, 'verdadeiro'.] *El. s. f.* Us. na loc. *à vera*. ~ V. *veras*. ◆ **À vera.** A valer; para valer; a sério; deveras; às veras: *De agora em diante jogaremos à vera.*

veracidade [Do lat. med. *veracitate*.] *S. f.* **1.** Qualidade de veraz; veridicidade, verdade. **2.** Apego à verdade.

veracíssimo [Do lat. *veracissimu*.] *Adj.* Superl. abs. sint. de *veraz*.

vera-cruzense¹ *Adj. 2 g.* **1.** De, ou pertencente ou relativo a Vera Cruz (BA, RN, SP e RS). ● *S. 2 g.* **2.** O natural ou habitante de Vera Cruz. [Pl.: *vera-cruzenses*.]

vera-cruzense² *Adj. 2 g.* **1.** De, ou pertencente ou relativo a Vera Cruz do Oeste (PR). ● *S. 2 g.* **2.** O natural ou habitante de Vera Cruz do Oeste. [Pl.: *vera-cruzenses*.]

vera-efígie [Do lat. *vera effigie*.] *S. f.* Retrato fiel; cópia exatíssima. [Pl.: *veras-efígies*.]

veranear [De *verão* + *-ear*², seg. o padrão erudito.] *V. int.* **1.** Passar o verão: *Toda a família foi veranear em Teresópolis.* **2.** Passar fora o verão: *Todos os anos veraneia.* [Conjug.: v. *frear*.]

veraneio [Dev. de *veranear*.] *S. m.* Ato ou efeito de veranear. ◆ **De veraneio.** Próprio para passar o verão, as férias ou temporada de lazer: *casa de veraneio, hotel de veraneio.*

veranense *Adj. 2 g.* **1.** De, ou pertencente ou relativo a Veranópolis (RS). ● *S. 2 g.* **2.** O natural ou habitante de Veranópolis.

veranico [De *verão* + *-ico*¹, seg. o padrão erudito.] *S. m.* **1.** Verão ameno, não muito quente. **2.** *Bras. S.* Estiada durante a estação chuvosa, com dias de intenso calor e insolação. [Sin. ger.: *veranito*.] ◆ **Veranico de maio.** *Bras.* Sucessão de dias mais quentes após os primeiros dias invernais do mês de abril: "Nos mais lindos veranicos de maio, quando as paineiras trocavam as folhas em flores, tapetando a areia do jardim com uma camada de pétalas róseas, lá estavam eles." (Augusto Meyer, *No Tempo da Flor*, p. 27.)

veranista [De *veranear* + *-ista*.] *S. 2 g.* Pessoa que veraneia.

veranito [De *verão* + *-ito*¹, seg. o padrão erudito.] *S. m.* V. *veranico*.

verão [Do lat. vulg. *veranum* (< lat. *ver, veris*, 'primavera'), *i. e.*, *veranum tempus*, 'tempo primaveril'.] *S. m.* **1.** Estação do ano que sucede à primavera e antecede o outono; estio. [No hemisfério sul principia quando o Sol alcança o solstício de dezembro (dia 21) e termina quando ele atinge o equinócio de março (dia 20); no hemisfério norte principia quando o Sol alcança o solstício de junho (dia 21) e finda quando ele atinge o equinócio de setembro (dia 21).] **2.** Tempo quente. **3.** *Bras. AM N.E.* Estação da seca. **4.** *Zool.* V. *príncipe*¹ (8). [Pl.: *verões* e *verãos*; dim. irreg.: *veranico, veranito*.]

veras [Do lat. *veras*, 'verdadeiras' (palavras, ações).] *S. f. pl.* Coisas verdadeiras; realidade, verdade. ~ V. *vera*. ◆ **Às veras.** *Bras. RS* À vera. **Com todas as veras.** Com toda a verdade; de todo o coração; deveras.

verascópio [Do lat. *veras*, 'verdadeiras', + *-scop-* + *-io*².] *S. m.* Máquina fotográfica de lente dupla para impressionar chapas duplas, as quais, olhadas em aparelho próprio, dão impressão de relevo.

▲ **veratr-** [De *verátrico*.] *Quím. El. comp.* = 'relativo a ácido verátrico': *veratraldeído*.

veratraldeído [De *veratr-* + *aldeído*.] *S. m. Quím.* Substância natural, que é um derivado, com duas metoxilas, do aldeído benzoico [fórm.: $C_8H_{10}O_3$].

verátrico [De *veratro* + *-ico*².] *Adj.* Relativo ao, ou próprio do veratro. ~ V. *ácido* —.

veratrina [De *veratro* + *-ina*³.] *S. f. Quím.* Mistura de alcaloides, venenosa, que se extrai do veratro.

veratro [Do tax. *Veratrum* (do lat. *veratrum*).] *S. m. Bot.* **1.** Gênero de liliáceas dotadas de pequenos rizomas venenosos, folhas largas e plicadas, e flores paniculadas. **2.** Qualquer espécie desse gênero, como, p. ex., a *Veratrum album* (v. *heléboro-branco*). **3.** Qualquer espécime desse gênero.

veratrol [De *veratr-* + *-ol*³.] *S. m. Quím.* Composto aromático, derivado dissubstituído orto do benzeno, que contém dois grupos metoxila [fórm.: $C_8H_{10}O_2$]. [Pl.: *veratróis*.]

veraz [Do lat. *verace*.] *Adj. 2 g.* **1.** Que diz a verdade; que fala verdade. **2.** Em que há verdade: *afirmação veraz*. [Sin. ger.: *verídico*. Superl. abs. sint.: *veracíssimo*. Cf. *verás*, do v. *ver*.]

verba [Do lat. *verba*, acus. neutro pl. de *verbum, i*, 'palavra'.] *S. f.* **1.** Cada uma das cláusulas ou artigos duma escritura ou doutro documento. **2.** Comentário, nota, apontamento. **3.** Dotação ou consignação de quantia para fins determinados. **4.** *P. ext.* Soma de dinheiro; quantia. **5.** *P. ext.* V. *dinheiro* (5).

verbal [Do lat. tard. *verbale*.] *Adj. 2 g.* **1.** Relativo ao verbo. **2.** *Restr.* Expresso de viva voz; oral. ~ V. *cegueira* —, *complemento* —, *comunicação* —, *definição* —, *nota* — e *sofisma* —.

verbalismo [De *verbal* + *-ismo*.] *S. m.* **1.** Ensino de caráter meramente verbal. **2.** Transmissão de conhecimentos feita unicamente pela palavra, pela explicação oral. **3.** Tendência literária caracterizada pelo culto das palavras e gosto da eloquência vazia de substância e sentido.

verbalista [De *verbal* + *-ista*.] *Adj. 2 g.* **1.** Respeitante ao verbalismo. **2.** Diz-se de escritor dado ao verbalismo (3). ● *S. 2 g.* **3.** Escritor dado ao verbalismo (3).

verbalização [De *verbalizar* + *-ção*.] *S. f.* Ato de verbalizar.

verbalizado [Part. de *verbalizar*.] *Adj.* Transformado em verbo (1); exposto por meio de palavras: "Sempre julguei que linguagem é conteúdo, é significação, é pensamento verbalizado." (Sílvio Elia, *Orientações da Linguística Moderna*, p. X.)

verbalizar [De *verbal* + *-izar*.] *V. t. d.* **1.** Tornar verbal. **2.** Expor verbalmente. ***Int.*** **3.** Expor verbalmente alguma coisa.

verbasco [Do lat. *verbascu*; tax. *Verbascum*.] *S. m. Bot.* **1.** Gênero vastamente distribuído de ervas escrofulariáceas, dotadas de grandes folhas por vezes lanosas, e inflorescências terminais cujas flores, de corola rotiforme e com cinco estames, são amarelas, brancas, ou purpúreas. **2.** Qualquer espécie desse gênero, tais como a *Verbascum crassifolium*, *V. phlomoides*, e a *V. sinuatum*, todas da Europa. **3.** Qualquer espécime desse gênero. **4.** Trepadeira buddleiácea (*Buddleia brachiata*) nativa de MG, de folhas ovadas e flores campanuliformes, em cimeiras paniculadas; vassourinha. **5.** Arbusto buddleiáceo (*Buddleia brasiliensis*) nativo de MG ao PR, de folhas lanceoladas, pequeninas flores amarelas campanuliformes, frutos capsulares, oblongos, e que é dotado de propriedades medicinais; calção-de-velho, barbasco.

➔ **verbatim** [vɛr'batę(m)] [Lat.] Literalmente.

verbena¹ [Do tax. *Verbena* (do lat. *verbena*).] *S. f.* **1.** *Bot.* O gênero-tipo das verbenáceas, que reúne plantas herbáceas e subarbustivas dotadas de flores bracteadas, dispostas em capítulos ou espigas, de corola regular, com limbo de cinco lóbulos. **2.** *Bot.* Qualquer espécie desse gênero, como, p. ex., a *Verbena officinalis* [v. *urgebão* (1)] **3.** *Bot.* Qualquer espécime desse gênero, ou a flor dele. **4.** Licor ou infusão preparada com a verbena (2).

verbena² [Do esp. *verbena*.] *S. f. Lus.* Espécie de arraial (3), em geral noturno.

verbenácea [Do tax. *Verbena* (v. *verbena*¹) + *-ácea*; tax. *Verbenaceae*.] *S. f. Bot.* Espécime das verbenáceas, família de dicotiledôneas da ordem das lamiales, composta de plantas herbáceas, e até arbóreas, com folhas opostas e comumente aromáticas, flores pequenas, mas frequentemente vistosas, corola bilabiada, quatro estames didínamos, fruto drupáceo. Há umas 800 espécies, na maioria americanas, muito ornamentais.

verbenáceo [De *verbenácea*, com var. suf. (v. *-áceo*).] *Adj. Bot.* Pertencente ou relativo às verbenáceas.

verbena-falsa *S. f.* V. *gervão* (2). [Pl.: *verbenas-falsas*.]

verberação [Do lat. *verberatione*.] *S. f.* Ato ou efeito de verberar.

verberado [Part. de *verberar*.] *Adj.* Censurado, reprovado, atacado.

verberador (ô) [De *verberar* + *-dor*.] *Adj.* Verberante.

verberante [Do lat. *verberante*.] *Adj. 2 g.* Que verbera; verberador.

verberão [De **verbenão* < *verbena*.] *S. m. Bot.* V. *jurujuba*.

verberar [Do lat. *verberare*.] *V. t. d.* **1.** Açoitar, fustigar, flagelar. **2.** Reprovar, censurar energicamente: "Em um artigo de grande fôlego ...., verbera os reis, os ministros e os representantes da nação. Pelo que toca aos deputados é moderado." (Camilo Castelo Branco, *Maria da Fonte*, p. 386); "Fora ele o profeta bíblico de toda a vida a verberar sem piedade meus pecados, meus erros, minha pouca-vergonha." (Orígenes Lessa, *João Simões Continua*, p. 28). ***Int.*** **3.** V. *reverberar* (2).

verberativo [De *verberar* + *-tivo*.] *Adj.* Próprio para verberar ou flagelar.

verbetar [De *verbete* + *-ar*².] *V. t. d.* Pôr em verbete(s); fazer verbete(s) de. [Pres. subj.: *verbete, verbetes*, etc. Cf. *verbete* (ê) e pl. *verbetes* (ê).]

verbete (ê) [De *verbo* + *-ete* (ê).] *S. m.* **1.** Nota, apontamento. **2.** Pequeno papel em que se toma uma nota ou apontamento **3.** Na organização dum dicionário, glossário, ou enciclopédia, o conjunto das acepções e exemplos respeitantes a um vocábulo. [Sin., ant., nesta acepç.: *artigo*.] [Pl.: *verbetes* (ê). Cf. *verbete* e *verbetes*, do v. *verbetar*.]

verbetista [De *verbete* + *-ista*.] *S. 2 g.* Pessoa que redige verbetes.

▲ **verbi-** [Do lat. *vĕrbum, i*.] *El. comp.* = 'verbo', 'palavra': *verbiagem*. [Equiv.: *verbo-*: *verborragia, verborreia*.]

verbiagem [De *verbi-* + *-agem*².] *S. f. Bras.* V. *verborragia*: "o Felisberto, o insuportável tagarela que com a sua verbiagem tola concorria para aturdi-lo, era moço, muito menos trigueiro do que o velho" (Inglês de Sousa, *O Missionário*, p. 315).

verbigeração [De *verbi-* + *geração*.] *S. f. Psiq.* Distúrbio em que há repetição contínua e estereotipada de palavras ou de frases incoerentes e sem sentido.

➔ **verbi gratia** ['vɛrbę 'gratęa] [Lat.] Por exemplo. [Abrev.: *v. g.*]

verbo *S. m.* **1.** Palavra, vocábulo. **2.** Tom de voz; entonação. **3.** *Rel.* A segunda pessoa da Santíssima Trindade, encarnada em Jesus Cristo. [Com cap.] **4.** A sabedoria eterna. **5.** Expressão (3). **6.** *E. Ling.* Classe gramatical que tipicamente indica ação e que pode ou constituir, sozinha, um predicado, ou determinar o número de elementos que este conterá. ◆ **Verbo abundante.** *E. Ling.* Aquele que tem duas ou mais formas para um ou mais modos, tempos ou pessoas: *gastar* (cujo particípio é *gastado* ou *gasto*), *nascer* (cujo particípio é *nascido, nato* ou *nado*), *ir* (cuja 1ª pess. do plural do pres. ind. é *vamos* ou [ant.] *imos*). **Verbo acidentalmente pronominal.** *E. Ling.* V. *verbo pronominal*. **Verbo acurativo.** *E. Ling.* Numa locução, o verbo que assinala com precisão o início de um processo, ou seu fim, etc.; verbo determinativo. [P. ex.: *estar, começar, principiar, continuar, acabar, cessar, ir, tornar*, em frases como *estar escrevendo, começar a trabalhar, continuar a ler, cessar de comer, ir trabalhar, tornar a ver*.] **Verbo adjetivo.** *E. Ling. Desus.* Qualquer outro verbo que não o verbo *ser*;

verbo atributivo. **Verbo anômalo.** *E. Ling.* Verbo extraordinariamente irregular em sua formação e conjugação. **Verbo ativo.** *E. Ling.* O que designa ação praticada pelo sujeito. **Verbo atributivo.** *E. Ling. Desus.* Verbo adjetivo. **Verbo aumentativo.** *E. Ling.* Verbo derivado cuja significação é encarecida ou exagerada para mais: *esmurrar, refulgir, rebrilhar, repousar, retremer, tresgastar, ressuar.* **Verbo auxiliar.** *E. Ling.* Aquele que numa conjugação perifrástica precisa o tempo, o modo ou a voz. [Tb. se diz apenas *auxiliar*[1].] **Verbo auxiliar de tempo.** *E. Ling.* Verbo semiauxiliar (q. v.). [Tb. se diz apenas *auxiliar de tempo*.] **Verbo auxiliar modal.** *E. Ling.* V. *verbo modal.* [Tb. se diz apenas *auxiliar modal*.] **Verbo biobjetivo.** *E. Ling. Obsol.* V. *verbo transitivo direto e indireto.* **Verbo birrelativo.** *E. Ling.* Verbo bitransitivo indireto. **Verbo bitransitivo.** *E. Ling.* **1.** Aquele que pede dois objetos, ou, ainda, dois complementos circunstanciais. **2.** V. *verbo transitivo direto e indireto.* **Verbo bitransitivo circunstancial.** *E. Ling.* O que pede dois complementos circunstanciais, como, p. ex., o verbo *ir* em / *Este varal vai da varanda ao portão.* **Verbo bitransitivo indireto.** *E. Ling.* O que pede dois objetos indiretos, como o verbo *resultar* na frase "E desse dano lhe resultou deidade gloriosa." (Luís de Camões, *Os Lusíadas*, VI, p. 24.) [Sin.: *birrelativo*.] **Verbo catenativo.** *E. Ling.* Verbo lexical que rege a forma nominal de outro verbo, que lhe é contíguo: *ele quer comer; ele tentou correr.* **Verbo causativo.** *E. Ling.* Aquele que expressa noção de causa: *mandar* (ex.: *Mandei-a sair*), *fazer* (ex.: *Fiz João escrever*), *deixar* (ex.: *Deixei as crianças irem à praia*). [Cf. *verbo factitivo*.] **Verbo copulativo.** *E. Ling.* V. *verbo de ligação.* **Verbo declarativo.** *E. Ling.* Verbo *dicendi.* **Verbo defectivo.** *E. Ling.* O que não tem todos os tempos, modos ou pessoas: *abolir, precaver, reaver, relampejar.* **Verbo de ligação.** *E. Ling.* Aquele que, juntamente com o predicativo, constitui o predicado de um sintagma nominal com função de sujeito; verbo copulativo, verbo predicativo: *ser* (ex.: Maria é bonita), *andar* (ex.: Ela anda triste), *estar* (ex.: Ele está triste). [É assim denominado por ligar o predicativo ao sujeito.] **Verbo de opinião.** *E. Ling.* Verbo que precede uma declaração, indicando ser esta uma opinião ou uma crença; verbo opinativo. [P. ex.: *achar, crer, pensar*.] **Verbo depoente.** *E. Ling.* O que tem forma passiva e significação ativa: *rapaz lido*, ou *viajado*, ou *experimentado*, *i. e.*, 'que leu', 'que viajou', ou 'que tem ou adquiriu experiência'. [Sin.: *verbo mediopassivo*. Tb. se diz apenas *depoente*.] **Verbo desiderativo.** *E. Ling.* Aquele que exprime desejo. **Verbo desitivo.** *E. Ling.* O que exprime ação que diminuiu ou cessou. **Verbo determinativo.** *E. Ling.* Verbo acurativo. **Verbo *dicendi*.** *E. Ling.* Cada um dos verbos como, p. ex., *dizer, afirmar, exclamar, perguntar, responder, redarguir*, que antecedem, mediata ou imediatamente, uma declaração, pergunta, etc.; verbo declarativo: "O processo mais simples para isso [para o narrador dar a conhecer ao leitor palavras ou pensamentos de outrem] é apresentar-nos o indivíduo e deixá-lo expressar-se, acrescentando-se um verbo *dicendi* (disse, perguntou, respondeu) para anunciar a entrada do novo falante." (J. Matoso Câmara Jr., *Ensaios Machadianos*, p. 25.) [Cf. *verbo de opinião*.] **Verbo diminutivo.** *E. Ling.* Verbo derivado cuja significação se exagera para menos: *bebericar* (ou *beberricar*), *chamuscar, chupitar, dormitar, namoricar* (ou *namoriscar*), *saltitar, saltaricar, saltarilhar.* **Verbo ergativo.** *E. Ling.* Verbo intransitivo cujo sujeito não é o agente da ação verbal, mas tema; verbo inacusativo. [P. ex.: *O gelo derreteu.* Já na frase *O calor derreteu o gelo*, *calor* é agente e *gelo*, tema.] [Tb. se diz apenas *ergativo*.] **Verbo essencialmente pronominal.** *E. Ling.* V. *verbo pronominal.* **Verbo estativo.** *E. Ling.* Aquele que indica uma situação que não é focalizada como um processo dinâmico. [P. ex.: *saber, parecer*.] **Verbo factitivo.** *E. Ling.* Verbo transitivo direto cujo objeto é, por sua vez, um agente sob a influência de um sujeito: *A mãe adormece a criança* (quem adormece é a criança, *i. e.*, o agente). [O caráter factitivo pode ser indicado pelos sufixos *-ecer* (*adormecer, estremecer*); *-entar* (*afugentar, adormentar*); *-izar* (*amenizar, cristianizar*); *-fazer, -ficar* (*liquefazer* e *liquidificar, estupefazer* e *estupidificar*; *mumificar, retificar*), etc.; pelos v. causativos *fazer, mandar*, etc. (*fazer o aluno estudar; mandar o homem trabalhar*).] [V. *verbo causativo*.] **Verbo frequentativo.** *E. Ling.* O que exprime ação repetida ou frequente; verbo iterativo: *bebericar, escoicear, saltitar.* **Verbo imitativo.** *E. Ling.* Verbo derivado de um substantivo, e que exprime ação imitativa da qualidade ou estado inerente ao ser que tal substantivo designa: *borboletear, cabriolar, corvejar, encabritar-se, pavonear, peruar, serpear, serpejar, serpentar, serpentear.* **Verbo impessoal.** *E. Ling.* Aquele que não especifica o sujeito agente e que se apresenta sempre na 3ª pessoa do singular ou em formas nominais: *ventar* (ex.: Venta muito aqui), *nevar* (ex.: Está nevando), *haver* (ex.: Há crianças na rua). **Verbo inacusativo.** *E. Ling.* Verbo ergativo (q. v.). [Tb. se diz apenas *inacusativo*.] **Verbo inativo.** *E. Ling.* Aquele que não exprime ação, mas estado ou fenômeno, não sendo, pois, ativo nem passivo; verbo neutro: *chover, relampejar, morrer, viver.* **Verbo incoativo.** *E. Ling.* Aquele que exprime começo de ação ou de estado: *alvorar, alvorecer, amadurecer, anoitecer, florescer.* **Verbo intensivo.** *E. Ling.* Verbo derivado que exprime reforço da ação. **Verbo intransitivo.** *E. Ling.* O que exprime ação ou estado que não passa ou transita do sujeito a nenhum objeto, como, p. ex., *andar, brincar, lutar, trabalhar*, nas frases: *O pequeno já anda; A criança brinca; Está sempre a lutar; O homem trabalha.* **Verbo irregular.** *E. Ling.* Aquele que não segue o paradigma da sua conjugação: *estar, haver, trazer, sentir, tossir.* **Verbo iterativo.** *E. Ling.* Verbo frequentativo. **Verbo lexical.** *E. Ling.* Aquele que expressa os significados do mundo extralinguístico. **Verbo mediopassivo.** *E. Ling.* Verbo depoente. **Verbo modal.** *E. Ling.* Verbo que exprime modalidades lógicas, como possibilidade, necessidade, probabilidade, etc.; verbo auxiliar modal. [*Poder* e *dever*, quando seguidos de infinitivo, são ex. de verbos modais em português.] [Tb. se diz apenas *auxiliar modal* e *modal*.] **Verbo neutro.** *E. Ling.* Verbo inativo. **Verbo onipessoal.** *E. Ling.* O que tem todas as pessoas. **Verbo opinativo.** *E. Ling.* Verbo de opinião (q. v.). **Verbo passivo.** *E. Ling.* O que exprime ação recebida pelo sujeito: *ser querido.* **Verbo predicativo.** *E. Ling.* V. *verbo de ligação.* **Verbo pronominado.** *E. Ling.* V. *verbo pronominal.* **Verbo pronominal.** *E. Ling.* O que sempre vem acompanhado de um pronome oblíquo da mesma pessoa que o sujeito, como, p. ex., *arrepender-se, queixar-se, aborrecer-se, babar-se, considerar-se.* [Chamam-se *essencialmente pronominais* quando, como se dá com os dois primeiros mencionados, nunca vêm desacompanhados do pronome, e *acidentalmente pronominais* quando, como é o caso dos três últimos, podem vir sem ele. Sin.: *verbo pronominado*.] **Verbo recíproco.** *E. Ling.* Verbo pronominal que designa a ação de dois ou mais sujeitos praticada reciprocamente: *Maria e Fernando amam-se; Os contendores atracaram-se.* **Verbo reflexivo.** *E. Ling.* Verbo pronominal cujo sujeito e objeto fazem referência ao mesmo ser; verbo reflexo. **Verbo reflexo.** *E. Ling.* Verbo reflexivo. **Verbo regular.** *E. Ling.* O que segue o paradigma da sua conjugação: *comprar, render, decidir.* **Verbo relativo.** *E. Ling.* Verbo transitivo indireto. **Verbo semiauxiliar.** *E. Ling.* Verbo que precisa o início ou o término de um processo indicado por outro verbo, como *ir, vir, acabar de* em frases como *vou sair, venho de vê-la, acabo de chegar*; verbo auxiliar de tempo. **Verbo serial.** *E. Ling.* Construção que consiste numa cadeia de dois ou mais verbos, transitivos ou não, que têm o mesmo sujeito, para expressão de casos, tais como *instrumental, dativo, direcional.* [Os verbos seriais têm sido considerados característicos de línguas crioulas.] **Verbo substantivo.** *E. Ling. Obsol.* Designação dada outrora ao verbo *ser.* **Verbo transitivo.** *E. Ling.* O que exprime ação que passa ou transita do sujeito a um objeto direto (*verbo transitivo direto*, como *fazer, comprar, realizar, propor*), ou a um objeto indireto (*verbo transitivo indireto*, como *carecer, depender, obedecer*), ou ainda, mais raramente, a um complemento circunstancial (*verbo transitivo circunstancial*, como *ir, sair, tirar*). **Verbo transitivo circunstancial.** *E. Ling.* O que pede complemento circunstancial, como, p. ex., o verbo *ir* em *Fui a São Paulo*, ou o verbo *sair* em *O vapor saiu do porto de Santos.* **Verbo transitivo direto.** *E. Ling.* V. *verbo transitivo.* **Verbo transitivo direto e circunstancial.** *E. Ling.* Aquele que pede um objeto direto e um complemento circunstancial, como, p. ex., o verbo *tirar* em *Tirou as crianças da sala.* **Verbo transitivo direto e indireto.** *E. Ling.* O que pede dois complementos, objeto direto e objeto indireto, para integrarem-lhe o sentido: *contar* (ex.: *Contei o caso a meu irmão*); *dar* (ex.: *Dei a triste notícia à viúva*); *exigir* (ex.: *De todos o soberano exige obediência*); verbo biobjetivo, verbo bitransitivo, verbo transitivo-relativo. **Verbo transitivo indireto.** *E. Ling.* V. *verbo transitivo.* [Sin.: *verbo relativo*.] **Verbo transitivo-predicativo.** *E. Ling.* Verbo transobjetivo. **Verbo transitivo-relativo.** *E. Ling.* V. *verbo transitivo direto e indireto.* **Verbo transobjetivo.** *E. Ling.* Verbo transitivo direto, ou, em alguns casos, indireto, ou pronominal cuja significação exige, como complemento do objeto direto, um adjunto predicativo: *nomear* (ex.: *Nomeei-o secretário*); *considerar-se* (ex.: *Considerou-se elogiado*); verbo transitivo-predicativo. **Verbo unipessoal.** *E. Ling.* O que só se usa, normalmente, nas 3.as pessoas: *acontecer, ganir, ladrar, zurrar, arensar.* **Verbo vicário.** *E. Ling.* O que se emprega para evitar a repetição de outro: *Necessito viajar, porém só o farei no ano vindouro; Ele trabalha, mas não é tanto como diz.* **Verbo volitivo.** *E. Ling.* O que expressa a vontade do emissor. **Abrir o verbo.** *Bras.* Pôr-se a falar de maneira desabrida, dizendo tudo o que pensa. **Deitar o verbo.** *Bras. Pop.* **1.** Fazer discurso: "Na festa, não faltou um discurso de sobremesa: o Totô deitou o verbo, saudando aquele menino" (Povina Cavalcanti, *Volta à Infância*, pp. 58-59). **2.** *Fig.* V. *vomitar* (11). [Do lat. *verbu*.]

▲ verbo- Equiv. de *verbi-*.

➔ verbo ad verbum ['verbad 'verbo(m)] [Lat.] Palavra por palavra.

verbomania [De *verbo-* + *-mania*.] ***S. f. Psiq.*** Loquacidade patológica.

verbomaníaco [De *verbomania* + *-íaco*.] *Psiq.* ***Adj.*** **1.** Relativo a verbomania. **2.** Que tem verbomania; verbômano. ● ***S. m.*** **3.** Aquele que tem verbomania; verbômano.

verbômano ***Adj. S. m.*** *Psiq.* V. *verbômano.* [Uso freq. em P.]

verbômano [De *verbo-* + *-mano*[1].] ***Adj. S. m.*** *Psiq.* Verbomaníaco (2 e 3).

verbo-nominal ***Adj. 2 g.*** ~ V. *formas verbo-nominais.* [Pl.: *verbo-nominais*.] ❖

verborragia [De *verbo-* + *-ragia*.] ***S. f.*** **1.** *Deprec.* Grande abundância de palavras, mas com poucas ideias, no falar ou discutir. **2.** Logorreia (2). [Sin. ger.: *verborreia* e *verbiagem*.]

verborrágico [De *verborragia* + *-ico*[2].] ***Adj.*** **1.** Dado à verborragia: *orador verborrágico.* **2.** Em que há verborragia: *discurso verborrágico.* [Sin. ger.: *verborreico*.]

verborreia (éi) [De *verbo-* + *-reia*.] ***S. f.*** V. *verborragia.* ❖

verborreico (éi) [De *verbor(reia)* + *-reico*.] ***Adj.*** Verborrágico. ❖

verbosidade [Do lat. tard. *verbositate*.] ***S. f.*** Qualidade de verboso; grande fluência oral.

verboso (ô) [Do lat. *verbosu*.] ***Adj.*** **1.** Que fala muito; palavroso, loquaz. **2.** Que fala com facilidade; loquaz, eloquente, facundo.

verça (ê) [Do lat. *viridia*.] ***S. f.*** V. *berça.*

verçudo [Do port. ant. *verça*, 'couve' (< lat. vulg. **virdia* < lat. *viride*, 'verde'), + *-udo*.] ***Adj.*** **1.** Que tem muitas folhas: "O verão se acentua, / e, de manhã, bem cedo, / vêm dos silêncios amplos e sombrios / dos verçudos moitais .... / murmúrios / macios / de cicios..." (Gilca da Costa Melo Machado, *Mulher Nua*, p. 121.) **2.** Cabeludo, peludo. **3.** Trombudo, carrancudo. [Var.: *berçudo*. Cf. *versudo*.]

verdacho [De *verde* + *-acho*.] ***Adj.*** **1.** V. *esverdeado.* ● ***S. m.*** **2.** Tinta de cor tirante a verde.

verdade [Do lat. *veritate*.] ***S. f.*** **1.** Conformidade com o real; exatidão, realidade: *a verdade do ocorrido.* **2.** Franqueza, sinceridade. **3.** Coisa verdadeira ou certa: *A verdade foi escamoteada por todos.* **4.** Princípio certo: *A maioria das doutrinas políticas apresenta erros e verdades.* **5.** Representação fiel de alguma coisa da natureza: *Há verdade neste quadro.* **6.** Caráter, cunho: *A verdade de suas emoções não transparecia.* **7.** *Filos.* Objeto central da reflexão filosófica, fio condutor em relação ao qual, em última instância, se definem, se aproximam e divergem as escolas filosóficas. ◆ **Verdade de fato.** *Filos.* Verdade que é contingente e cujo oposto é possível. **Verdade de razão.** *Filos.* Verdade necessária e cujo oposto é impossível. **A bem da verdade.** Para não faltar à verdade; por respeito a ela: "... porquanto, a bem da verdade, foi isso, e não exatamente um caminho, o que os homens da expedição tiveram de enfrentar" (Herberto Sales, *Os Pareceres do Tempo*, p. 403). **De verdade.** V. *em verdade*: "Bonita, atraente, isto ela era, de verdade." (Povina Cavalcanti, *Volta à Infância*, p. 177.) **Dizer boas verdades (a).** Falar boas verdades a. **Em verdade.** Conforme a verdade; verdadeiramente; na realidade; de verdade; na verdade: "Quem o visse .... cuidaria que ele admirava aquele pedaço de água quieta [a enseada de Botafogo]; mas, em verdade, vos digo que pensava em outra cousa." (Machado de Assis, *Quincas Borba*, p. 1); "Ser lagarta, em verdade, / É uma coisa bem triste." (Alberto de Oliveira, *Poesias*, 1ª série, p. 233). **Falar boas verdades (a).** Dizer aquilo que é de fato, sem temer as consequências; dizer aquilo que normalmente não se teria coragem de falar; dizer boas verdades (a): "O Domingos foi um dos mais afetados e, ao contrário de muitos outros, não se calou de medo diante da arbitrariedade do rei, falando boas verdades para quem quisesse ouvir." (Ana Maria Gonçalves, *Um Defeito de Cor*, p. 896.) **Na verdade.** V. *em verdade*: "Basta saberes que és feliz, e então / Já o serás na verdade muito menos" (Raul de Leoni, *Luz Mediterrânea*, p. 71).

verdadeiramente [Do fem. de *verdadeiro* + *-mente*.] ***Adv.*** **1.** De fato (2); realmente: *Estava verdadeiramente triste.* **2.** Sinceramente: *Ficou verdadeiramente arrependido de tê-lo constrangido.*

verdadeiro [De *verdade* + *-eiro*.] ***Adj.*** **1.** Em que há verdade: *declaração verdadeira*. **2.** Que fala verdade: *homem verdadeiro*. **3.** Real, exato: *Descobrimos o verdadeiro sentido do texto*. **4.** Autêntico, genuíno, legítimo: *Trata-se de um Renoir verdadeiro*; "E estrelas mil cravejam-te, fagueiras, / Estrelas falsas, mas que, assim de perto, / Rutilam tanto, como as verdadeiras." (Raimundo Correia, *Poesias*, p. 94). **5.** Que não é fingido; sincero: *amor verdadeiro*. **6.** Que tem as qualidades essenciais à sua natureza. ~ V. *colinesterase —a*, *costela —a*, *cota —a*, *dia solar —*, *horizonte —*, *marcação —a*, *ocaso —*, *potência —a*, *rumo —* e *tempo solar —* ● ***S. m.*** **7.** A verdade; a realidade. **8.** O mais conveniente; o melhor. **9.** O dever.

verdasca [De *vergasta* com infl. de *verde*, poss.] ***S. f.*** Vara fina e flexível, para flagelar; vergasta, vergueiro.

verdascada [De *verdasca* + *-ada*[1].] ***S. f.*** Pancada com verdasca.

verdascar [De *verdasca* + *-ar*[2].] ***V. t. d.*** **1.** Dar verdascada(s) em; chibatar com verdasca. **2.** *P. ext.* Dar pancadas em; bater: "Um verdascava-nos com as palmas de Domingo de Ramos; o outro regava-nos com as garrafas de água benta." (Vitorino Nemésio, *O Retrato do Semeador*, p. 121.) [Conjug.: v. *trancar*.]

verdasco [De *verde* + *-asco*.] ***Adj.*** **1.** ~ V. *vinho —*. ● ***S. m.*** **2.** Vinho verdasco.

verde (ê) [Do lat. *viride*.] ***Adj. 2 g.*** **1.** Da cor mais comum nas ervas e nas folhas das árvores; da cor da esmeralda: "Verdes, na verde mata, embalançam-se as ramas" (Olavo Bilac, *Poesias*, p. 269). **2.** Diz-se dessa cor: *vestido de cor verde*. **3.** V. *verdejante*. **4.** Diz-se da planta que ainda tem seiva. **5.** Diz-se da fruta que ainda não está madura. **6.** Diz-se da madeira que não está seca. **7.** Diz-se da carne fresca, não salgada. **8.** Muito pálido: *Ficou verde de susto*. **9.** *Fig.* Tenro, fraco, delicado. **10.** *Fig.* Relativo aos primeiros anos de existência: "Lá se perdia ele para sempre, assim como estes meus verdes anos que em vão procuro reter." (José Lins do Rego, *Meus Verdes Anos*, p. 351.) **11.** Coberto de vegetação (nativa ou cultivada): *área verde*; *cinturão verde*. **12.** Que respeita os princípios da preservação do meio ambiente. **13.** Relativo à preservação dos recursos naturais e do equilíbrio ecológico (q. v.), ou às ideias ou ações políticas, econômicas, administrativas, dos que defendem esta preservação: *partido verde*; *legislação verde*. **14.** Relativo ao uso ou à aplicação de princípios ou técnicas não poluentes de exploração dos recursos naturais: *O mercado de produtos verdes vem crescendo nos países desenvolvidos*. **15.** Relativo ao, ou que é partidário ou simpatizante do PV (Partido Verde [v. *verde* (12)]). ~ V. *algas —s*, *área —*, *bode —*, *caldo —*, *carne —*, *cinturão —*, couro —, *Inferno —*, *luz —*, *marketing —*, *ouro —*, *pano —*, *química —*, *raio —*, *sinal —*, *tapete —* e *vinho —*. ● ***S. m.*** **16.** A cor verde em todas as suas gradações [v. *cor* (ô) (3)]: "A cana, de um verde doce, estendendo-se pelo baixio, longa e ondulante faixa que acompanha a linha da estrada" (Juarez Barroso, *Mundinha Panchico e o Resto do Pessoal*, p. 10). **17.** *Fís.* No espectro visível (q. v.), a cor da radiação eletromagnética de comprimento de onda situado, aproximadamente, entre 510 e 575 nanômetros. **18.** A vegetação, as plantas verdes; verdor, verdura: *Há falta de verde nas grandes cidades*. **19.** Os recursos vegetais em geral, esp. aqueles que formam ecossistemas naturais, ou os encontrados em áreas em que ainda não houve interferência sensível das atividades humanas: *preservar o verde*. **20.** *P. ext.* O meio ambiente; a natureza. **21.** *Bras.* Alimentos verdes para o gado. **22.** *Bras. N.E. GO* A estação chuvosa. **23.** *Bras. MG* Pastagem que rebenta nos campos após a queima dos pastos e as primeiras chuvas. **24.** *Bras. PR RS* Mate amargo; chimarrão. **25.** *Bras. AL* Verdete us. para matar formigas. ● ***S. 2 g.*** **26.** *Bras.* V. *integralista* (2). **27.** *Bras.* Membro do Partido Verde, ou simpatizante dele. ◆ **Cair no verde.** *Bras. RJ Gír.* Fugir para o campo; esconder-se no mato. **Jogar verde.** Plantar verde para colher maduro. **Plantar verde para colher maduro.** Estimular alguém mediante perguntas hábeis, dissimuladas, a fazer uma declaração, contar um fato; jogar verde.

verde-abacate ***Adj. 2 g. e 2 n.*** **1.** Que tem uma tonalidade de verde opaco com reflexos amarelados semelhante à da polpa do abacate. **2.** Diz-se dessa tonalidade. ● ***S. m.*** **3.** Essa tonalidade: *O verde-abacate não fica bem nas morenas*. [Pl. do s. m.: *verdes-abacates* e *verdes-abacate*.]

verde-água ***Adj. 2 g. e 2 n.*** **1.** Que tem uma tonalidade de verde-claro, transparente e luminoso, com reflexo azulado. **2.** Diz-se dessa tonalidade. ● ***S. m.*** **3.** Essa tonalidade. [Pl. do s. m.: *verdes-águas* e *verdes-água*.]

verdeal [De *verde* + *-eal*.] ***Adj. 2 g.*** V. *esverdeado*.

verde-amarelo ***Adj.*** **1.** Que participa da cor verde e da amarela; auriverde: *A nossa bandeira é verde-amarela*. **2.** Diz-se dessa cor. **3.** *Bras. Pop.* Que é muito nacionalista, com relação ao Brasil. ● ***S. m.*** **4.** A cor verde-amarela. [Pl. do adj.: *verde-amarelos*; pl. do s. m.: *verdes-amarelos*.]

verdear [De *verde* + *-ear*[2].] ***V. int.*** **1.** V. *verdejar*: "passava para a ilha, onde verdeavam as suas vastas plantações." (Alberto Rangel, *Sombras n'Água*, p. 214); "Se ali penetras, vês em cada fenda / Verdear o musgo" (Alberto de Oliveira, *Poesias*, 2ª série, p. 325). **2.** *Bras. S.* Reverdecer (5). **3.** *Bras. S.* Dar ao cavalo ração de pasto verde. **4.** *Bras. S.* Pastar o pasto verde; verdecer. **5.** *Bras. S. Fig.* Tomar verde ou mate; verdecer. [Conjug.: v. *frear*.]

verde-azul ***Adj. 2 g.*** **1.** Cuja cor participa do verde e do azul: "Por ti eu me embarquei, cantando e rindo, / — Marinheiro de amor — no batel curvo, / Rasgando afouto em hinos d'esperança / As ondas verde-azuis dum mar que é turvo." (Casimiro de Abreu, *Obras*, p. 49.) ● ***S. m.*** **2.** Essa cor. [Pl. do adj.: *verde-azuis*; pl. do s. m.: *verdes-azuis*.]

verde-bandeira ***Adj. 2 g. e 2 n.*** **1.** Que tem uma tonalidade de verde vivo, semelhante ao da bandeira brasileira. **2.** Diz-se dessa tonalidade. ● ***S. m.*** **3.** Essa tonalidade. [Pl. do s. m.: *verdes-bandeiras* e *verdes-bandeira*.]

verde-bexiga ***S. f.*** Tinta verde-escura, empregada em pintura, e cujo ingrediente principal é o fel da vaca. [Pl.: *verdes-bexigas* e *verdes-bexiga*.]

verdecer [Do lat. tard. *viridescere*.] ***V. int.*** **1.** Tomar cor verde; tornar-se verde: "a pedra negra verdecia" (Olavo Bilac, em Afonso Arinos, *Lendas e Tradições Brasileiras*, p. 6). **2.** V. *verdejar*. **3.** *Bras. S.* Verdear (4 e 5). [Defect. Conjug.: v. *aquecer*.]

verde-cinza ***Adj. 2 g. e 2 n.*** **1.** Que tem uma tonalidade de verde tirante a cinzento. **2.** Diz-se dessa tonalidade. ● ***S. m.*** **3.** Essa tonalidade: "Diante de si o sol alto da manhã, o céu azul e o verde-cinza da pastagem madura." (Amadeu de Queirós, *João*, p. 27.) [Pl. do s. m.: *verdes-cinza*.]

verde-claro ***Adj.*** **1.** Que tem uma tonalidade entre o verde e o branco: "Ínsulas de rocha .... imergiam de perfil, ... dentro o vortilhão das ondas verde-claras" (Fialho d'Almeida, *O País das Uvas*, p. 67). **2.** Diz-se dessa tonalidade. ● ***S. m.*** **3.** Essa tonalidade. [Sin. do adj.: *glauco*. Sin. ger.: *verde-gaio* e *verde-mar*. Pl. do adj.: *verde-claros*; do s. m.: *verdes-claros*.]

verde-cré [De *verde* + *cré*[3].] ***S. m.*** Verde sobre ouro: "E essas colorações [do verde], em conjunto indistintas. / Vêm, desde o verde-escuro ao verde-cré das versas, / Variando, na unidade, a gradação das tintas." (Martins Fontes, *Verão*, p. 33.) [Pl.: *verdes-crés* e *verdes-cré*.]

verde e amarelo ***Adj. S. m.*** Verde-amarelo. [Pl.: *verde e amarelos*.] ☑

verde-escuro ***Adj.*** **1.** Que tem uma tonalidade entre o verde e o preto. **2.** Diz-se dessa tonalidade: "Quando o vento estremecia / Nessa rama verde-escura, / Glaura cheia de ternura / Se afligia de esperar." (Silva Alvarenga, *ap.* Sérgio Buarque de Holanda, *Antologia dos Poetas Brasileiros da Fase Colonial*, II, p. 146.) ● ***S. m.*** **3.** Essa tonalidade: "E as flores a viçar, por mais frescas, mais belas, / Matizavam o verde-escuro da folhagem" (Alberto de Oliveira, *Poesias*, 3ª série, p. 60). [Sin. ger.: *verde-negro*, *verde-montanha*. Pl. do adj.: *verde-escuros*; do s. m.: *verdes-escuros*.]

verde-esmeralda ***Adj. 2 g. e 2 n.*** **1.** Que tem uma tonalidade de verde tirante ao da esmeralda. **2.** Diz-se dessa tonalidade. ● ***S. m.*** **3.** Essa tonalidade. [Pl. do s. m.: *verdes-esmeraldas* e *verdes-esmeralda*.]

verde-gaio [Do fr. *vert gai*, 'verde alegre', pelo ant. *verdegai*.] ***Adj. 2 g. e 2 n.*** **1.** V. *verde-claro*: "estilos disparatados ...., lembram a pelintrice de quem, numa vila sertaneja, arvora gravatas de veludo verde-gaio julgando reproduzir 'os requintes de Paris'" (Eça de Queirós, *Notas Contemporâneas*, p. 155). ● ***S. m.*** **2.** V. *verde-claro*: "A câmara do *trekschuil* é exteriormente pintada de verde-gaio, com cortinas de cassa branca a cada postigo" (Ramalho Ortigão, *A Holanda*, p. 84). **3.** Certa música e dança popular. [Pl. do s. m.: *verdes-gaios*.]

verdegais [De or. obscura.] ***S. m. 2 n. Bras. SP*** Corda de viola, usada em varas de pesca.

verde-garrafa ***Adj. 2 g. e 2 n.*** **1.** Que tem uma tonalidade de verde muito escuro, semelhante ao de certas garrafas: "O vestido de montar era de fino droguete verde-garrafa com alamares de torçal de ouro" (José de Alencar, *O Sertanejo*, p. 29). ● ***S. m.*** **2.** Essa tonalidade. [Pl. do s. m.: *verdes-garrafas* e *verdes-garrafa*.]

verdeia (êi) [De *verde*.] ***S. f. Lus.*** Vinho branco de cor esverdeada.

verdeio [Dev. de *verdear*.] ***S. m.*** **1.** Ato de verdear ou verdejar. **2.** *Bras. S.* Forragem verde para o cavalo. [Sin. ger. (no S. do Brasil): *verdejo*.]

verdejante [De *verdejar* + *-nte*.] ***Adj. 2 g.*** Que verdeja; verdoso, virente, viridente, verde.

verdejantense ***Adj. 2 g.*** **1.** De, ou pertencente ou relativo a Verdejante (PE). ● ***S. 2 g.*** **2.** O natural ou habitante de Verdejante.

verdejar [De *verde* + *-ejar*.] ***V. int.*** Apresentar a cor verde; ser verde; verdear, verdecer: "Grandes prados verdejavam, cobertos de botões-d'ouro." (Eça de Queirós, *Últimas Páginas*, p. 125); "Ao longe campos perdidos / verdejam de hastes e canas." (Marli de Oliveira, *Antologia Poética*, p. 32). [Conjug.: v. *pelejar*. Normalmente é defect., unipess.]

verdejo (ê) [Dev. de *verdejar*.] ***S. m. Bras. S.*** V. *verdeio*.

verdelinho [De *verde*.] ***S. m. Bras. N.E. Zool.*** **1.** V. *saíra-amarela*. **2.** V. *saí-azul*.

verde-mar ***Adj. 2 g. e 2 n. S. m.*** V. *verde-claro*: "Riscos vermelhos de nuvens, como grandes vergas de ferro levadas ao rubro, destacavam imóveis num fundo verde-mar, esvaecido e meigo" (Trindade Coelho, *Os Meus Amores*, p. 76); "já perto / De seu diurno termo, começava [o Sol] a destingir o verde-mar das águas" (Almeida Garrett, *Camões*, p. 9). [Pl. do s. m.: *verdes-mares* e *verdes-mar*.]

verde-montanha ***Adj. 2 g. e 2 n.*** **1.** V. *verde-escuro* (1 e 2): "A mancha verde-montanha das copas dos pinheiros mansos unida à dos chãos violáceos" (Antero de Figueiredo, *Jornadas em Portugal*, p. 54). ● ***S. m.*** **2.** V. *verde-escuro* (3). **3.** A cor verde com uns tons levemente azulados. **4.** Tinta que os pintores usam para representar coloração semelhante à dos montes vistos de longe. [Pl. do s. m.: *verdes-montanhas* e *verdes-montanha*.]

verde-musgo ***Adj. 2 g. e 2 n.*** **1.** Que tem uma tonalidade de verde-escuro, opaco, com reflexos acinzentados, que lembra o musgo: *saia verde-musgo*; "A exposição foi lindamente organizada, ... tudo bem apresentado sobre fundo verde-musgo" (Alfredo Mesquita, *Brasil. Viagem ao Norte e Nordeste*, p. 51). **2.** Diz-se dessa tonalidade. ● ***S. m.*** **3.** Essa tonalidade. [Pl. do s. m.: *verdes-musgos* e *verdes-musgo*.]

verde-negro ***Adj. S. m.*** V. *verde-escuro*. [Pl. do adj.: *verde-negros*; do s. m.: *verdes-negros*.]

verde-oliva ***Adj. 2 g. e 2 n.*** **1.** Da cor verde-escura da oliva ou azeitona: "Surgiu aí, ... envergando a farda verde-oliva do glorioso Exército, com as estrelas de oficial, o Doutor Ananias Guedes" (Bariani Ortêncio, *Vão dos Angicos*, p. 21). **2.** Diz-se dessa cor: "enxames de aviões de cor verde-oliva." (Francisco Inácio Peixoto, *Passaporte Proibido*, p. 39). ● ***S. m.*** **3.** Essa cor. [Pl. do s. m.: *verdes-olivas* e *verdes-oliva*.]

verde-paris ***S. m.*** Inseticida preparado com um pó verde-claro, altamente venenoso, cuja base é o arsênico: "Dizia o tonsurado que ele não se importasse com os outros, que tratasse de pôr verde-paris nos cupins" (Alberto Rangel, *Lume e Cinza*, p. 168). [Pl.: *verdes-paris*.]

verde-piscina ***Adj. 2 g. e 2 n. S. m.*** Verde azulado tirante a azul-piscina. [Pl. do s. m.: *verdes-piscinas* e *verdes-piscina*.]

verdete (ê) [De *verde* + *-ete* (ê); fr. *verdet*.] ***S. m.*** **1.** Tinta de azebre; cardenilho. **2.** Certa casta de uva. **3.** *Pop.* O acetato de cobre.

verdisseco (ê) [De *verde* + *-i-* + *seco*.] ***Adj.*** Meio seco; quase seco.

verdizela [De *verde*.] ***S. f.*** Vara flexível com que se arma a boiz.

verdoengo [De *verde* + *-o-* + *-engo*.] ***Adj.*** **1.** *Bras.* V. *esverdeado*. **2.** Diz-se do fruto que não está bem maduro; verdoso: "Corriam à caça de maracujás, dourados e cheirosos, ... de goiabas verdoengas, provocadoras, cujos carocinhos rubros avivam-lhe a cor dos lábios." (Inglês de Sousa, *Contos Amazônicos*, p. 65.) [Var.: *verdolengo*.]

verdolengo [Var. epentética de *verdoengo*.] ***Adj. Bras.*** **1.** V. *verdoengo*. **2.** V. *esverdeado*.

verdor (ô) [De *verde* + *-or*.] ***S. m.*** **1.** Propriedade do que é verde. **2.** A cor verde dos vegetais; verdura. **3.** V. *verde* (16). **4.** *Fig.* Inexperiência da juventude; verdura. **5.** V. *viço* (2).

verdoso (ô) [De *verde* + *-oso*.] ***Adj.*** **1.** V. *esverdeado*. **2.** V. *verdejante*. **3.** *Bras. N.E.* Verdoengo (2): "as mangas pequenas, os jambos verdosos, as pitangas em desenvolvimento" (Félix Lima Júnior, *Recordações da Velha Maceió*, p. 20).

verdugo [De um lat. hisp. *viruducum (cat. ant. *verduc*) < lat. *viride*, 'verde', 'a vara verde usada como açoite', e depois, p. ext., 'o carrasco'.] ***S. m.*** **1.** Indivíduo que inflige maus-tratos. **2.** V. *carrasco*[1] (1): "dois anos depois que a sua cabeça [de Balboa] rolava no cepo do verdugo, ... cruzava Magalhães o mesmo mar do sudoeste ao noroeste" (Latino Coelho, *Fernão de Magalhães*, pp. 131-132). **3.** Pequena navalha pontiaguda. **4.** Parte saliente da chapa de trilho nas rodas dos vagões, destinada a evitar descarrilamentos. **5.** *Constr. Nav.* Peça reforçada, de madeira, boleada, da proa à popa, junto à falca, ou cravada na cinta dos rebocadores, etc., e destinada a proteger o costado contra choques e roçaduras por ocasião das atracações: "Joel remanchava, preso ao costado da lancha, atônito, agarrando-se com as unhas ao verdugo, às varas, ... esperando um olhar de Jana em despedida." (Xavier Marques, *Jana e Joel*, p. 121.)

verduleiro [Do esp. plat. *verdulero*.] ***S. m. Bras. RS MT*** Verdureiro.

verdura [De *verde* + *-ura*.] ***S. f.*** **1.** Verdor (2): "Em teu seio formoso retratas / Este céu de puríssimo azul, / A verdura sem-par destas matas" (Olavo Bilac, "Hino à Bandeira Nacional", em *Poesias Infantis*, p. 137). **2.** V. *verde* (16). **3.** As plantas: *Escondeu-se entre a verdura.* **4.** Hortaliça: *Não come verduras.* **5.** *Fig.* V. *verdor* (4). ~ V. *verduras*.

verduras [Pl. de *verdura*.] ***S. f. pl.*** Sentimentos ou atos característicos da mocidade. ~ V. *verdura*.

verdureiro [De *verdura* + *-eiro*.] ***S. m. Bras.*** Vendedor ambulante de verduras, ervas e frutas; quitandeiro. [F. paral., no RS e MT: *verduleiro*.]

vereação [De *verear* + *-ção*.] ***S. f.*** **1.** Ato ou efeito de verear; vereamento. **2.** O conjunto dos vereadores duma câmara municipal; municipalidade; edilidade. **3.** Cargo de vereador; edilidade. [Sin., nas acepçs. (2 e 3): *vereança*.] **4.** Tempo de duração desse cargo.

vereador (ô) [De *verear* + *-dor*.] ***S. m.*** Membro eleito de câmara municipal (1); edil.

vereadora (ô) [Fem. de *vereador*.] ***S. f.*** Aquela que foi eleita membro da câmara municipal (1).

vereamento [De *verear* + *-mento*.] ***S. m.*** **1.** Vereação (1). **2.** Jurisdição de vereadores.

vereança ***S. f.*** V. *vereação* (2 e 3): "Diante da escalada de suspeitas [envolvendo a Câmara municipal da cidade de São Paulo], a vereança examina a abertura de novo inquérito para investigá-las." (*Folha de S.Paulo*, 10.08.1999.)

verear [Do arc. *verea*, por *vereda* (q. v.), + *-ar*^{2}.] ***V. t. d.*** **1.** Administrar ou legislar como vereador. ***Int.*** **2.** Exercer as funções de vereador. [Conjug.: v. *frear*.]

verecúndia [Do lat. *verecundia*.] ***S. f.*** *P. us.* Vergonha.

verecundo [Do lat. *verecundu*.] ***Adj.*** *P. us.* Vergonhoso.

vereda (ê) [Do b.-lat. **vereda* < *veredu*, 'cavalo de posta'.] ***S. f.*** **1.** Caminho estreito; senda. **2.** V. *atalho* (2). **3.** *Fig.* Rumo, caminho, direção. **4.** *Fig.* Ocasião, momento, oportunidade: *Naquela vereda, briguei muito.* **5.** *Bras. N.E.* Região mais abundante em água na zona da caatinga, entre as montanhas e os vales dos rios, e onde a vegetação é um misto de agreste e caatinga. **6.** *Bras. S. da BA* V. *planície*. **7.** *Bras. GO* Várzea que margeia um rio; várzea. **8.** *Bras. GO* Clareira de vegetação rasteira. **9.** *Bras. MG C.O.* Cabeceira e curso de água orlados de buritis, especialmente na zona são-franciscana. ◆ **De vereda.** Logo, imediatamente, já.

veredeiro [De *vereda* + *-eiro*.] ***S. m. Bras. PI*** Homem que vive do cultivo da terra, ao qual se consagra com afinco.

veredense ***Adj. 2 g.*** **1.** De, ou pertencente ou relativo a Vereda (BA). • ***S. 2 g.*** **2.** O natural ou habitante de Vereda.

veredicto [Do lat. med. *veredictum* (< lat. *vere dictum*, 'verdadeiramente dito'), pelo ingl. *verdict* (< fr. normando *veir dict*.] ***S. m.*** **1.** Decisão proferida pelo júri, ou por outro qualquer tribunal judiciário, em causa submetida a seu julgamento; sentença. **2.** *P. ext.* Juízo pronunciado em qualquer matéria.

veredito ***S. m.*** V. *veredicto*. [Uso próprio de P.] ⊙

vereense (êên) ***Adj. 2 g.*** **1.** De, ou pertencente ou relativo a Verê (PR). • ***S. 2 g.*** **2.** O natural ou habitante de Verê.

verense ***Adj. 2 g.*** **1.** De, ou pertencente ou relativo a Vera (MT). • ***S. 2 g.*** **2.** O natural ou habitante de Vera.

verga (ê) [Do lat. *virga*.] ***S. f.*** **1.** Vara flexível; virga. **2.** V. *ripa*^{2} (1). **3.** Barra delgada de metal. **4.** *Constr.* Peça que se põe horizontalmente sobre ombreiras de porta ou de janela; torça, padieira, sobrearco. **5.** Parte anteroposterior da entrada de uma chaminé. **6.** *Marinh.* Peça de madeira ou de ferro, cilíndrica ou fusiforme, que cruza num mastro ou mastaréu (*verga redonda*), ou que se prende por um dos extremos em um mastro (*verga latina* ou *carangueja*): "e todos [os navios] ostentavam, numa verga do mastro dianteiro, uma pequenina bandeira triangular vermelha." (Oswald de Andrade, *Um Homem sem Profissão*, p. 95); "Marujos sobem pelas enxárcias, guarnecem as gáveas, enquanto outros suspendem-se nas vergas." (Félix Lima Júnior, *Mapirunga*, p. 19). **7.** *Chulo* O pênis. **8.** *Bras. S.* O sulco produzido pelo arado, no amanho da terra. [Pl.: *vergas* (ê). Cf. *Vergas*, top.] ◆ **Verga da cevadeira.** *Ant. Marinh.* A que cruzava por baixo do gurupés, e onde envergava a cevadeira. **Verga de baioneta.** *Marinh.* Vara comprida e que fica, quando içada, no prolongamento do mastro que arma a vela de baioneta. **Verga de bastardo.** *Marinh.* Verga muito comprida, que iça em mastro curto, inclinada para ré, e arma vela bastarda. **Verga de pendão.** *Marinh.* Verga curta, que cruza pelo terço ou quarto do seu comprimento, e que arma vela de pendão. **Verga de sinais.** *Constr. Nav.* Pequena verga que aguenta adriças para içar sinais de bandeiras, de marcha, etc. **Verga latina.** *Constr. Nav.* V. *verga* (6). **Verga redonda.** *Constr. Nav.* V. *verga* (6). **Verga seca.** *Marinh.* Verga de papafigo do mastro real da gata, em navios de três mastros, assim chamada porque nela não se enverga vela, servindo apenas para prender as amuras da vela que lhe fica acima.

vergada [De *verga* + *-ada*^{1}.] ***S. f.*** V. *andar* (25).

vergadura [De *vergar* + *-dura*.] ***S. f.*** Ato ou efeito de vergar; vergamento.

vergal [De *verga* + *-al*^{1}.] ***S. m.*** Correia com que se atrelam ao carro as cavalgaduras.

vergalhada [De *vergalho* + *-ada*^{1}.] ***S. f.*** **1.** Pancada com vergalho (3); chicotada. **2.** *Pop.* V. *patifaria*.

vergalhamento [De *vergalhar* + *-mento*.] ***S. m.*** Ato ou efeito de vergalhar.

vergalhão [De *vergalho* + *-ão*^{1}.] ***S. m.*** Barra de metal cuja seção reta tem forma circular, quadrada, hexagonal, octogonal, de meia-cana, etc.

vergalhar [De *vergalho* + *-ar*^{2}.] ***V. t. d.*** Bater ou surrar com vergalho ou azorrague; azorragar, chicotear: "Aquela D. Belarmina, que manda vergalhar até sangrar uma mucama de estimação, por ciúmes do marido, ... deve ser neta daquela outra mulher que .... castigava as escravas, com tições acesos pessoalmente aplicados..." (Machado de Assis, *A Semana*, II, p. 427.)

vergalho [De *verga* + *-alho*.] ***S. m.*** **1.** O órgão genital dos bois e dos cavalos, depois de cortado e seco. **2.** Azorrague feito desse órgão. **3.** *P. ext.* V. *chicote* (1). **4.** *Pop.* Velhaco, patife.

vergame [De *verga* (6) + *-ame*.] ***S. m. Marinh.*** O conjunto das vergas de um navio.

vergamento [De *vergar* + *-mento*.] ***S. m.*** Vergadura.

vergamota [Var. de *bergamota*.] ***S. f. Bras. SC RS*** V. *tangerina*.

vergamoteira [Var. de *bergamoteira*.] ***S. f. Bras. SC RS*** *Bot.* V. *tangerineira*.

vergancha [De *verga*.] ***S. f.*** *Lus.* Verga (1) com que se fazem cestos e canastras.

vergão [De *verga* + *-ão*^{1}.] ***S. m.*** **1.** Grande verga. **2.** Vinco ou marca na pele, produzido por pancada, sobretudo de vergasta ou azorrague, ou por outra causa: "vergões na pele de involuntárias unhadas dos companheiros" (Raul Pompeia, *O Ateneu*, p. 48). **3.** *Patol.* Víbice.

vergar [De *verga* + *-ar*^{2}.] ***V. t. d.*** **1.** Curvar como se curva uma verga; dobrar, curvar, envergar: *vergar uma barra de ferro*; "pensava num possível assalto à sua casa, tão frágil que toda tremia quando os ventos passavam vergando as árvores" (Coelho Neto, *Treva*, p. 320); "Scott teve um estremecimento geral de corpo, contraiu-se, vergou a cabeça para trás" (Aluísio Azevedo, *Pegadas*, p. 197). **2.** Submeter, sujeitar, subjugar: *O amor verga o ódio.* **3.** Abater, humilhar: *As palavras ofensivas vergaram o pobre homem.* **4.** Apiedar, comover, abalar. ***T. d. e i.*** **5.** Submeter, sujeitar, subjugar: *Muitas mulheres vergam os maridos a seus caprichos.* **6.** Acostumar, habituar; submeter: *Só a custo o vergaram à disciplina.* ***T. i.*** **7.** Submeter-se, sujeitar-se: *Vergou aos argumentos do chefe.* ***Int.*** **8.** Curvar-se, dobrar-se, inclinar-se; vergar-se: "Se quero levantar-me, as costas vergam; as forças dos meus membros já se gastam" (Tomás Antônio Gonzaga, *Marília de Dirceu*, p. 85); "a elevada estatura inclinou-se vergando ao peso da mágoa excruciante." (Rebelo da Silva, *Contos e Lendas*, p. 180); *O vento era forte, e a árvore vergou.* **9.** Ceder ao peso de alguma coisa: *A pinguela vergava com o peso do homem.* **10.** Abater-se, humilhar-se; vergar-se. **11.** Ceder à influência de alguém; vergar-se. **12.** Perder as forças; desfalecer, esmorecer. ***P.*** **13.** V. *vergar* (8, 10 e 11). [Var.: *avergar*. Conjug.: v. *largar*. Pres. ind.: *vergo*, *vergas*, *verga*, etc. Cf. *verga* (ê) e pl. *vergas* (ê).]

vergasta [Dim. irreg. de *verga*.] ***S. f.*** **1.** Pequena verga (1). **2.** V. *verdasca*. **3.** V. *açoite* (1). **4.** V. *chicote* (1): "O cavalo estafado do Beduíno / Sob a vergasta tomba ressupino / E morre no areal." (Castro Alves, *Obra Completa*, p. 290.) **5.** *Fig.* Flagelo, castigo.

vergastada [De *vergasta* + *-ada*^{1}.] ***S. f.*** Pancada com vergasta; chicotada.

vergastar [De *vergasta* + *-ar*^{2}.] ***V. t. d.*** **1.** Bater com vergasta em: "Os arrieiros vergastavam impiedosamente as cavalgaduras" (Aquilino Ribeiro, *Portugueses das Sete Partidas*, p. 155). **2.** *P. ext.* Açoitar, fustigar, zurzir, varejar. **3.** Gritar duramente contra; condenar com veemência; verberar, zurzir: "Tem [Ramalho Ortigão] perseguido, sem descanso, os vícios portugueses — pequenos e grandes. Não os deixa: ora vergastando-os com sarcasmos, ora persuadindo-os com reflexões." (Eça de Queirós, *Notas Contemporâneas*, p. 42.)

vergatura [Adapt. do fr. *vergeure*.] ***S. f. Ind. Pap.*** **1.** Cada um dos fios metálicos muito juntos que, no sentido da altura e cruzando com os pontusais, compõem o tear da fôrma usada na fabricação manual do papel. **2.** Cada uma das linhas tênues e muito unidas marcadas na folha ainda úmida por esses fios e que se veem por transparência, nos papéis avergoados.

vergável [De *vergar* + *-vel*.] ***Adj. 2 g.*** Que se pode vergar; dobrável, flexível (q. v.).

vergê [Do fr. *vergé*.] ***Adj. 2 g.*** ~ V. *papel* —.

vergel [Do provenç. ant. *vergier*, pelo arc. *virgeu*, *vergeu*.] ***S. m.*** Jardim, pomar: "Pode a vista espairecer-se .... na verde paisagem dos morros de Alcobaça, estender-se por seus vergéis e campos de cultura" (Afonso Arinos, *Histórias e Paisagens*, p. 211). [Pl.: *vergéis*.]

vergência [Do lat. *vergentia*, acus. pl. de *vergens, tis*, part. pres. de *vergere*, 'virar'.] ***S. f.*** *Ópt.* O quociente do índice de refração de um meio em que está imersa uma lente pela distância dum objeto ou duma imagem à superfície da lente.

vergiliano ***Adj.*** V. *virgiliano*.

vergonha [Do lat. *verecundia*, pela f. **verecunnia*.] ***S. f.*** **1.** Desonra humilhante; opróbrio, ignomínia. **2.** Sentimento penoso de desonra, humilhação ou rebaixamento diante de outrem. **3.** Sentimento de insegurança provocado pelo medo do ridículo, por escrúpulos, etc.; timidez, acanhamento: *Tem vergonha de falar em público.* **4.** V. *pudor* (2). **5.** Ato, atitude, palavras, etc., obscenos, indecorosos e/ou vexatórios. **6.** Sentimento da própria dignidade; brio, honra: *Sua vergonha nunca lhe permitiu agir incorretamente.* **7.** *Bot.* V. *dormideira* (2). ~ V. *vergonhas*. ◆ **Ter vergonha na cara.** Ter sentimento da própria dignidade; ter brios.

vergonhas [Pl. de *vergonha*.] ***S. f. pl.*** Os órgãos sexuais do corpo humano: "três ou quatro moças bem moças .... com cabelos muito pretos compridos pelas espáduas e suas vergonhas tã altas .... e tã limpas das cabeleiras que de as nós muito bem olharmos nom tínhamos nhu... a [= nenhuma] vergonha." (Pero Vaz de Caminha, *ap.* Leonardo Arroio, *A Carta de Pero Vaz de Caminha*, p. 78); "já crescido, ... brincou com a mulher pela primeira vez e se estrepou. Além de umas coisas que lhe estragaram as vergonhas, ... ganhou ele uma moléstia de pele que, agora, ao chegar a velhice, se transformara numa cafubira danada." (Nélson de Faria, *Bazé*, p. 100). ~ V. *vergonha*.

vergonheira [De *vergonha* + *-eira*.] ***S. f.*** **1.** Série de vergonhas, opróbrios, ignomínias. **2.** Coisa vergonhosa; vexame: *O desempenho dos artistas daquela peça foi uma vergonheira.*

vergonhosa [F. subst. de *vergonhoso*.] ***S. f.*** *Bot.* V. *dormideira* (2).

vergonhoso (ô) [De *vergonha* + *-oso*.] ***Adj.*** **1.** Que tem vergonha (3); tímido, acanhado. **2.** Que causa desonra; indigno; infame. **3.** Obsceno; indecoroso. **4.** Que tem vergonha (6).

vergôntea [De *verga* ou, poss., alter. do lat. *virgulta*, 'rebentos', 'vergônteas'.] ***S. f.*** **1.** *Bot.* V. *broto* (2). **2.** *Bot.* V. *pimpolho* (1). **3.** *P. ext. Bot.* Ramo (1) de plantas de certo porte: "sob esse devaneio velava o propósito do ânimo deliberado, como sob a camada de flores viça a rija vergôntea do arvoredo." (José de Alencar, *O Sertanejo*, p. 72). **4.** *Bot.* Haste de planta. **5.** *Fig.* Filhos, descendentes; prole. **6.** *Ant. Constr. Nav.* Peça de madeira destinada à feitura de mastaréu, verga, etc.

vergonteado [De *vergôntea* + *-ado*^{1}.] ***Adj.*** Semelhante a uma vergôntea.

vergontear [De *vergôntea* + *-ar*^{2}.] ***V. int.*** Lançar vergônteas. [Conjug.: v. *frear*.]

vergueiro [De *verga* + *-eiro*.] ***S. m.*** **1.** V. *verdasca*. **2.** Cabo de madeira em alguns utensílios de ferreiro. **3.** *Constr. Nav.* Corrente ou cabo de arame que se enfia nos balaústres da borda para resguardo da tripulação. **4.** *Constr. Nav.* Cabo de arame que se enfia nos ferros de sustentação do toldo, ou vergalhão preso ao longo de uma antepara ou verga, e no qual se amarram os fiéis do toldo ou do pano.

vergueta (ê) [Dim. irreg. de *verga*.] ***S. f.*** *Heráld.* Pala^{1} (11) estreita.

▲ **ver(i)-** [Do lat. *vērus, a, um*.] ***El. comp.*** = 'verdade': *verificar* (< lat.), *verissímil* (< lat.). [Equiv.: *vero-*: *verossímil*.]

veridicidade [De *verídico* + *-(i)dade*.] ***S. f.*** Qualidade de verídico; veracidade, verdade.

verídico [Do lat. *veridicu*.] ***Adj.*** Veraz.

verificabilidade [De *verificável* + *-(i)dade*, seg. o padrão erudito.] ***S. f.*** *Filos.* No positivismo lógico, a principal característica das teorias científicas: a possibilidade de ter todas as suas proposições verificadas empiricamente. [Cf. *falseabilidade* e *testabilidade*.]

verificação [De *verificar* + *-ção*.] ***S. f.*** **1.** Ato ou efeito de verificar(-se). **2.** Prova, demonstração. **3.** Cumprimento, realização. ◆ **Verificação de contas.** *Jur.* Perícia judicial feita nos livros do credor e do devedor comerciantes, para se obter prova que legitime a falência. **Verificação de créditos.** *Jur.* Processo imposto por lei para que os créditos do falido sejam admitidos e classificados na falência ou na concordata. **Verificação de poderes.** *Jur.* Processo pelo qual o órgão competente (no Brasil, a Justiça Eleitoral) apura os sufrágios e reconhece e proclama os eleitos para os cargos públicos.

verificador (ô) [De *verificar* + *-dor*.] ***Adj.*** **1.** Que verifica. ● ***S. m.*** **2.** Aquele que verifica. **3.** *Restr.* Funcionário aduaneiro encarregado de verificar a aplicação dos respectivos impostos às fazendas apresentadas a despacho.

verificar [Do lat. *verificare.*] ***V. t. d.*** **1.** Provar a verdade de: *A experiência verifica a teoria.* **2.** Investigar a verdade de: *A polícia verificou os depoimentos, confrontando-os.* **3.** Comprovar a exatidão de; confirmar, corroborar: *Acontecimentos posteriores verificaram a profecia.* ***P.*** **4.** Realizar-se, efetuar-se; cumprir-se: *Verificou-se o seu vaticínio oracular.* [Conjug.: v. *trancar.*]

verificativo [De *verificar* + *-tivo*.] ***Adj.*** Próprio para verificar.

verificável [De *verificar* + *-vel*.] ***Adj. 2 g.*** Suscetível de verificação.

verisímil ***Adj. 2 g. Lus.*** Verossímil (q. v.). [Pl.: *verisímeis*.]

verisimilhança ***S. f. Lus.*** Verossimilhança (q. v.).

verisimilhante ***Adj. 2 g. Lus.*** Verossimilhante (q. v.).

verisimilidade ***S. f. Lus.*** Verossimilidade (q. v.).

verisimílimo ***Adj. Lus.*** Verossimílimo (q. v.).

verisimilitude ***S. f. Lus.*** Verossimilitude (q. v.).

verismo [Do it. *verismo*.] ***S. m.*** **1.** Movimento literário, de caráter naturalista, surgido na Itália no fim do séc. XIX, em oposição ao romantismo. **2.** *Mús.* Na ópera, a escola que surgiu na mesma época, estendendo-se até o princípio do séc. XX, na qual ao intenso realismo do libreto se associa vivo sentimentalismo musical.

verissimense ***Adj. 2 g.*** **1.** De, ou pertencente ou relativo a Veríssimo (MG). ● ***S. 2 g.*** **2.** O natural ou habitante de Veríssimo.

verissímil [Do lat. *verisimile*.] ***Adj. 2 g.*** *P. us.* V. *verossímil.*

verissimilhança [De *verissímil* + a term. de *semelhança*.] ***S. f.*** *P. us.* V. *verossimilhança.*

verissimilhante [De *verissímil* + a term. de *semelhante*.] ***Adj. 2 g.*** *P. us.* V. *verossimilhante.*

verissimilidade [De *verissímil* + *-(i)dade*.] ***S. f.*** *P. us.* V. *verossimilidade.*

verissimílimo [Superl. abs. sint. de *verissímil*.] ***Adj.*** *P. us.* Verossimílimo.

verissimilitude [De *verissímil* + *-itude*.] ***S. f.*** *P. us.* V. *verossimilitude.*

verista [Do it. *verista*.] ***Adj. 2 g.*** **1.** Relativo ao, ou próprio do verismo. **2.** Diz-se de adepto ou seguidor do verismo. ● ***S. 2 g.*** **3.** Adepto ou seguidor deste.

verlainiano (lè) [Do antr. *Verlaine* + *-iano*.] ***Adj.*** **1.** Relativo ou pertencente a Paul Verlaine (1844-1896), poeta francês, ou próprio dele. **2.** Que é seu grande admirador e/ou profundo conhecedor de sua obra. ● ***S. m.*** **3.** Grande admirador de Verlaine e/ou profundo conhecedor de sua obra.

verme[1] [Do lat. *verme*.] ***S. m.*** **1.** *Zool. Pop.* Designação comum às larvas de muitos insetos. **2.** *Pop. P. ext. Zool.* Qualquer animal semelhante ao verme (1). **3.** *Fig.* Aquilo que consome, mina ou corrói intimamente, como se fosse um verme parasito. **4.** *Fig.* Pessoa abjeta, vil, desprezível. [Dim. irreg.: *vermículo*.] ~ V. *vermes.* ◆ **Verme intestinal.** *Pop.* V. *helminto.* **Verme roedor.** Traça[1]. **Verme solitário.** *Bras. Zool.* V. *solitária* (1).

verme[2] [Adapt. do tax. *Vermes* (pl. do lat. *vermis*).] ***S. m.*** **1.** *Zool.* Espécime dos vermes, em antigas classificações, grupo que reunia todos os animais invertebrados, à exceção dos artrópodes. **2.** *P. ext.* Qualquer dos invertebrados de corpo alongado, mole, glabro, seja dos platelmintos, ou dos anelídeos, ou dos acantocéfalos, ou dos asquelmintos. ~ V. *verme*[1].

➔ **vermeil** [vɛʁ'mej] [Fr.] ***S. m.*** Prata dourada: *talheres em vermeil.*

vermelhaço [De *vermelho*[1] + *-aço*.] ***Adj.*** **1.** Muito vermelho. **2.** Muito corado: "É homem vermelhaço. Há dias que está irritadiço." (Moreira Campos, *Vidas Marginais*, p. 106.) **3.** Tirante a vermelho.

vermelhão [De *vermelho* + *-ão*[1].] ***S. m.*** **1.** Sulfato vermelho de mercúrio pulverizado, empregado como pigmento no fabrico de tinta. **2.** *Lus.* Qualquer ingrediente com que se torna corada a pele, o rosto: "era linda, por altura dos seus vinte e cinco! Era-o, com as faces ardentes sem ser deste vermelhão teatral que põe agora" (José Régio, *Histórias de Mulheres*, p. 61). **3.** Vermelhidão (3).

vermelhar [De *vermelho*[1] + *-ar*[2].] ***V. t. d.*** **1.** V. *avermelhar.* ***Int.*** **2.** Ter ou apresentar cor vermelha: "Tetaci, em pedra, não estava mais lá, no lugar havia brotado uma touceira de café vermelhando." (M. Cavalcanti Proença, *Manuscrito Holandês*, p. 203.) [F. paral.: *vermelhejar, vermelhear.*]

vermelhear [De *vermelho*[1] + *-ear*[2].] ***V. int.*** V. *vermelhar.* [Conjug.: v. *frear.*]

vermelhecer [De *vermelho*[1] + *-ecer*.] ***V. int.*** V. *avermelhar.* [Conjug.: v. *aquecer.*]

vermelhejar [De *vermelho*[1] + *-ejar*.] ***V. int.*** V. *vermelhar*: "céus e terras vermelhejavam sangrentos." (Coelho Neto, *Rei Negro*, p. 301). [Conjug.: v. *pelejar.*]

vermelhento [De *vermelho*[1] + *-ento*.] ***Adj.*** Tirante a vermelho: "mais uma andadinha curta de cavalo, neste janeiro, e o Jardim da Luz aparecerá, as primeiras casinhas vermelhentas, a escuridão interrompida em Helena." (Alaor Barbosa, *Picumãs*, p. 23).

vermelhidão [De *vermelho*[1] + *-idão*.] ***S. f.*** **1.** Qualidade de vermelho[1] (8). **2.** Cor vermelha intensa. **3.** Rubor da pele; vermelhão.

vermelhinha [Dim. de *vermelha*, f. subst. do adj. *vermelho*.] ***S. f.*** Jogo da vermelhinha.

vermelho[1] (ê) [Do lat. *vermiculu*, 'pequeno vermezinho (a cochonilha)' (q. v.).] ***Adj.*** **1.** Da cor do sangue, da papoula, do rubi. **2.** Diz-se dessa cor: *manto de cor vermelha.* **3.** Afogueado, corado, rubro: *Ficou vermelho de cólera.* **4.** Diz-se das partes externas do corpo incidentalmente sujeitas a maior afluxo sanguíneo; congestionado: *olhos vermelhos.* **5.** Diz-se de cantiga ou anedota picante, obscena. **6.** Pertencente ou relativo à ex-U. R. S. S.: *o exército vermelho.* **7.** *P. ext. Fig.* Comunista, marxista, ou socialista. ~ V. *açafrão –, anã –a, bode –, cota –a, cruz –a, lama –a, latão –, mancha –a, naipes –s, planeta – e sinal –.* ● ***S. m.*** **8.** A cor vermelha [v. *cor* (3)]. **9.** Indivíduo vermelho[1] (6 e 7). **10.** Verniz de resina de sangue de drago e álcool. **11.** *Fís.* No espectro visível (q. v.), a cor da radiação eletromagnética com os mais longos comprimentos de onda, situados, aproximadamente, entre 620 e 790 nanômetros. **12.** *Pop.* Condição de prejuízo (de indivíduo, empresa, etc.): *estar no vermelho; sair do vermelho.*

vermelho[2] (ê) ***S. m.*** *Zool.* **1.** *Bras.* Designação comum a várias espécies dos lutjanídeos, especialmente o peixe actinopterígio, perciforme, *Lutjanus aya*, de coloração vermelha tendente ao róseo, mais clara no abdome, mancha negra no meio do corpo e na parte anterior. Atinge até 1m de comprimento, e sua carne é boa. Ocorre em toda a costa do Brasil. [Sin., nesta acepç.: *acaraaia, acarapitanga, acarapuã, caranha, carapitanga, caraputanga, cherne-vermelho, dentão, vermelho-verdadeiro.* Cf. *vermelho-henrique.*] **2.** *Bras. PR* V. *piolho-vermelho.*

vermelho-ariacó ***S. m.*** *Bras. Zool. BA* V. *vermelho-henrique.* [Pl.: *vermelhos-ariacós* e *vermelhos-ariacó.*]

vermelho-aricó ***S. m.*** *Bras. BA Zool.* V. *vermelho-henrique.* [Pl.: *vermelhos-aricós* e *vermelhos-aricó.*]

vermelho-do-cafeeiro ***S. m.*** *Bras. Zool.* V. *piolho-vermelho.* [Pl.: *vermelhos-do-cafeeiro.*]

vermelho-ferrugíneo ***Adj.*** **1.** Que tem uma tonalidade vermelha tirante a cor de ferrugem. ● ***S. m.*** **2.** Essa cor. [Pl. do s. m.: *vermelhos-ferrugíneos.*]

vermelho-henrique ***S. m.*** *Bras. Zool.* Peixe actinopterígio, perciforme, lutjanídeo (*Lutjanus synagris*), da costa atlântica, de dorso esverdeado, abdome róseo, flancos com cinco a seis estrias longitudinais da mesma cor, nadadeiras ímpares tendentes ao amarelo, mancha negra sobre a linha lateral, abaixo dos raios moles da dorsal, a caudal vermelha e a dorsal com duas faixas longitudinais douradas. Comprimento: até 35cm. Alimenta-se de peixes e crustáceos, e sua pesca se faz com linha de fundo. [Sin.: *areocó, ariacó, ariocó, aricó, ciobinha, caranho-verdadeiro, caranho-vermelho, vermelho-aricó, vermelho-verdadeiro.* Pl.: *vermelhos-henriques* e *vermelhos-henrique.* Cf. *vermelho*[2] (1).]

vermelho-paramirim ***S. m.*** *Bras. BA Zool.* V. *mulata* (3). [Pl.: *vermelhos-paramirins* e *vermelhos-paramirim.*]

vermelhoso (ô) [De *vermelho*[1] + *-oso*.] ***Adj.*** Tirante a vermelho.

vermelho-turco ***S. m.*** *Tec. Quím.* Processo tradicional de tingimento, que emprega tratamento com certos óleos (v. *óleo sulforricinado*) e mordente. [Pl.: *vermelhos-turcos.*]

vermelho-verdadeiro ***S. m.*** *Zool.* **1.** *Bras.* V. *vermelho*[2] (1). **2.** *Bras. RJ* V. *vermelho-henrique.* [Pl.: *vermelhos-verdadeiros.*]

vermelhusco [De *vermelho*[1] + *-usco*[2].] ***Adj.*** Avermelhado (1): "Atarracado e vermelhusco, de olhos redondos de sapo, e lacrimosos, tinha o quer que fosse de piloto desempregado, em apuros." (José Rodrigues Miguéis, *Gente da Terceira Classe*, p. 115.)

▲ **vermi-** [Do lat. *vĕrmis, is.*] ***El. comp.*** = 'verme': *vermicida, vermífugo, vermívoro.* [Equiv.: *vermin-*: *verminose.*]

vermicida [De *vermi-* + *-cida*.] ***Adj. 2 g.*** **1.** Que mata vermes [v. *verme*[1] (2)]. ● ***S. m.*** **2.** Substância vermicida.

vermicompostagem [De *vermi-* + *compostagem*.] ***S. f.*** *Ecol.* A utilização de minhocas (anelídeos terrestres) na produção de composto (5).

vermiculado [Do lat. *vermiculatu*.] ***Adj.*** **1.** Que tem ornatos vermiformes. **2.** *Bot.* Diz-se de órgão vegetal que apresenta saliências. [Sin. ger.: *vermiculoso.*]

vermicular [De *vermículo* + *-ar*[1].] ***Adj. 2 g.*** Relativo ou semelhante a vermes (q. v.).

vermiculária [De *vermículo* + *-ária*.] ***S. f.*** *Bot.* Erva crassulácea (*Sedum acre*) perene e cespitosa, nativa da Europa, Ásia e África, que tem ramos ascendentes, com folhas minutas, carnosas, ovadas, aproximadas e sésseis. Flores pequenas e amarelas, que se ordenam em cimeiras pouco vistosas; os frutos são folículos.

vermiculita [De *vermículo* + *-ita*[3].] ***S. f.*** *Min.* Grupo de minerais micáceos, silicatos hidratados de composição variada, originados da alteração de micas. [Esses minerais, quando aquecidos, perdem a água, intumescem e adquirem o aspecto de um verme; podem ser utilizados como refratários, e como material de construção para diversos fins especiais.]

vermículo [Do lat. *vermiculu*.] ***S. m.*** Pequeno verme.

vermiculoso (ô) [Do lat. tard. *vermiculosu*.] ***Adj.*** Vermiculado.

vermicultura [De *vermículo* + *-ura*.] ***S. f.*** Ornato arquitetônico imitante ao sulco feito pelos vermes a se arrastarem.

vermiforme [De *vermi-* + *-forme*.] ***Adj. 2 g.*** Que tem forma ou semelhança de verme. ~ V. *apêndice –.*

vermífugo [De *vermi-* + *-fugo*[2].] ***Adj. S. m.*** *Farmac. Terap.* V. *anti-helmíntico.*

vermilingue ***S. m. Adj. 2 g.*** *Zool.* V. *vermilíngue.* [Uso freq. em P.]

vermilíngue (güe) [De *vermi-* + *-língue*; tax. *Vermilinguia*.] *Zool.* ***S. m.*** **1.** Espécime dos vermilíngues, grupo de animais metazoários, cordados, reptis, escamados, sáurios, cuja língua é longa, espessa, viscosa, podendo estender-se para fora da boca até a distância equivalente ao comprimento do corpo. São os verdadeiros camaleões. ● ***Adj. 2 g.*** **2.** Pertencente ou relativo a eles. [Var. lus.: *vermilingue.*] ❖

▲ **vermin-** Equiv. de *vermi-*.

vermina [Do fr. *vermine*.] ***S. f.*** **1.** Tudo o que corrói e destrói progressivamente. [Cf. *vérmina.*] **2.** O povo (6); a plebe: "[Bilac] o poeta sensual dos amores imensos .... curvou-se um dia para a vermina com o fulgor do seu espírito luminoso e resolveu protegê-la." (João do Rio, *O Momento Literário*, p. 6). **3.** *Med.* V. *verminose.*

vérmina [Do lat. *vermina*, 'espasmos', 'convulsões'.] ***S. f.*** *Med.* V. *verminose.* [Cf. *vermina*, do v. *verminar* e s. f.]

verminação [Do lat. *verminatione*.] ***S. f.*** *Biol.* Reprodução de vermes.

verminado [Part. de *verminar*.] ***Adj.*** **1.** Em que há vermes; verminoso. **2.** Corroído por vermes. **3.** *Fig.* Consumido, amofinado, ralado.

verminar [Do lat. *verminare*.] ***V. int.*** **1.** Criar vermes. **2.** Corromper-se, estragar-se. [Defect., unipess. Pres. ind.: *vermina, verminam.* Cf. *vérmina.*]

vermineira [De *vermin-* + *-eira*.] ***S. f.*** Lugar onde, pela fermentação de matérias orgânicas, se criam vermes destinados à alimentação de galinhas e doutras aves.

verminose [De *vermin-* + *-ose*[1].] ***S. f.*** *Patol.* Infecção produzida por verme(s); vermina, vérmina.

verminoso (ô) [Do lat. *verminosu*.] ***Adj.*** **1.** Verminado (1). **2.** Gerado por vermes.

vermívoro [De *vermi-* + *-voro*.] ***Adj.*** Que se alimenta de vermes.

vermizela [De *verme* + *-i-* + *-z-* + *-ela*.] ***S. f.*** Verme da terra, nocivo às raízes de certas plantas.

vermute [Do al. *Wermut*, 'absinto', pelo fr. *vermout* ou *vermouth*.] ***S. m.*** **1.** Vinho composto (branco ou tinto, doce ou seco) ao qual se adicionaram extratos de plantas aromáticas, usado em coquetéis ou como aperitivo. **2.** Cálice cheio dessa bebida: *Toma dois vermutes e fica tonto.* **3.** *Bot.* V. *absinto* (1).

vernação [Do lat. *vernatione*, 'mudança da pele das serpentes na primavera'.] ***S. f.*** *Bot.* Prefoliação.

vernaculamente (nà) [Do f. de *vernáculo* + *-mente*.] ***Adv.*** De maneira vernácula; com vernaculidade; em linguagem pura, castiça.

vernacular [De *vernáculo* + *-ar*[1].] ***Adj. 2 g.*** V. *vernáculo* (1 a 3). ~ V. *arquitetura – e língua –.*

vernaculidade [De *vernáculo* + *-(i)dade*.] ***S. f.*** Qualidade de vernáculo; vernaculismo.

vernaculismo [De *vernáculo* + *-ismo*.] ***S. m.*** **1.** Vernaculidade. **2.** Culto de linguagem vernácula; purismo. **3.** Casticismo (2).

vernaculista [De *vernáculo* + *-ista*.] ***Adj. 2 g. S. 2 g.*** Que, ou quem escreve e/ou fala vernaculamente.

vernaculização [De *vernaculizar* + *-ção*.] ***S. f.*** Ato ou efeito de vernaculizar.

vernaculizar [De *vernáculo* + *-izar*.] ***V. t. d.*** Tornar vernáculo.

vernáculo [Do lat. *vernaculu*, 'de escravo nascido na casa do senhor'; 'de casa, doméstico'; 'próprio do país, nacional'.] ***Adj.*** **1.** Próprio da região em que está; nacional: "Nada mais pitoresco, nada mais vernáculo, nada mais genuinamente e mais encantadoramente português do que essas simples e modestas navegações d'água doce!" (Ramalho Ortigão, *A Holanda*, p. 83); "E à noite o primeiro bródio da serra, com os pitéus vernáculos do velho Portugal!" (Eça de Queirós, *A Cidade e as Serras*, p. 198). **2.** *Fig.* Diz-se da linguagem genuína, correta, pura, isenta de estrangeirismos; castiço. **3.** Diz-se de quem atenta para a correção e a pureza no falar e escrever; castiço. [Sin. nas acepç. 1 a 3: *vernacular.*] ● *S. m.* **4.** *E. Ling.* O idioma próprio de um país, ou região; língua vernácula.

vernal [Do lat. *vernale.*] *Adj. 2 g.* **1.** Da, ou relativo à primavera; primaveril: "Transbordaram, no inverno, os cântaros dos montes; / Ao influxo vernal, fervem agora as fontes." (Bulhão Pato, *Livro do Monte*, p. 59.) **2.** Diz-se dos vegetais que rebentam na primavera. [Sin. ger.: *vero-*.] ~ V. *ponto —.*

vernalidade [De *vernal* + *-(i)dade.*] *S. f.* Qualidade de vernal.

vernalização [De *vernalizar* + *-ção.*] *S. f. Bot.* Tratamento, por agentes físicos ou químicos, usado nos países frios, de uma semente, para que se encurte o período vegetativo. [Assim o trigo, p. ex., semeado na primavera após a vernalização, chega a produzir ao mesmo tempo que o trigo semeado no outono. Sin.: *jarovização.*]

vernalizar [De *vernal* + *-izar.*] *V. t. d.* Realizar a vernalização de.

vernante [Do lat. *vernante.*] *Adj. 2 g.* Que desabrocha ou floresce na primavera.

vernes [Var. de *berne.*] *S. m. pl. Veter.* Inchação entre a pele dos animais e o tecido subjacente.

vernicífero [De *verniz* (com passagem do *z* a *c*) + *-ífero.*] *Adj. Bot.* Diz-se da planta que produz verniz, como, p. ex., as clusiáceas e as rutáceas.

vernicoso (ô) [De *verniz* (sob o rad. *vernic-*) + *-oso.*] *Adj.* Brilhante, luzidio, lustroso, como o verniz: *folhas vernicosas.*

verniê [Do fr. *vernier* < antr. *Vernier*, de Pierre Vernier (1580-1637), geômetra francês.] *S. m. Fís.* Nônio.

➔ **vernier** [vɛʀ'nje] [Fr.] *S. m.* V. *verniê.*

➔ **vernissage** [vɛʀni'saʒ] [Fr., lit., 'ação de envernizar'.] *S. m.* **1.** O dia antecedente ao da abertura duma exposição de pintura (quando se supõe que os artistas dão acabamento a seus quadros). **2.** *P. ext.* Inauguração, ou abertura, de uma exposição de obras de arte. [Tb. us. no fem.]: "detesto essas misturas doces e pegajosas que são servidas em *vernissages*, lançamentos de livros, etc." (Sérgio Sant'Ana, *Um Crime Delicado*, p. 57); "Durante a *vernissage* só conseguiram trocar olhares rápidos e palavras incertas." (Flávio Moreira da Costa, *Nem Todo Canário é Belga*, p. 24).

verniz [Do gr. tard. *beroníke*, pelo lat. med. *veronice* e pelo ant. fr. *verniz*, atual *vernis.*] *S. m.* **1.** Solução de goma ou de resina natural ou sintética em álcool, essência ou óleo sicativo, usada para recobrir e proteger metais, madeiras, etc. **2.** *Bot.* Designação comum a diversos vegetais que fornecem verniz. **3.** Couro a que se aplicou verniz (1); polimento. **4.** *Art. Gráf.* Solução de resina aplicada a partes impressas de um livro, folheto, etc., com o objetivo de ressaltá-las. **5.** *Pint.* Composição desprovida de pigmentos, que fornece película brilhante e transparente, usada quando se quer preservar o aspecto intrínseco da superfície por pintar, ou do trabalho nela existente. **6.** *Fig.* Polidez superficial de maneiras. **7.** *Fig.* Aparência favorável dada a um procedimento mau. ◆ **Verniz branco.** *Grav.* Verniz transparente aplicado a pincel para proteger partes da placa já gravada, quando submetida a nova mordedura para acentuação de certos pormenores da imagem; verniz de recobrir. **Verniz brando.** *Grav.* **1.** Verniz a que se adiciona sebo, usado no gênero de gravura que tem o seu nome. **2.** Gravura a verniz brando. [Sin. ger.: *verniz mole.*] **Verniz de asfalto.** Verniz usado como elemento protetor das partes das chapas que não devem ser mordaçadas, em fotogravura e gravura, nesse último caso dizendo-se mais propriamente *verniz duro.* **Verniz de bola.** *Grav.* Composição resinosa, apresentada em pequenas bolas, que os gravadores passam sobre as placas previamente aquecidas. **Verniz de recobrir.** *Grav.* Verniz branco. **Verniz de remorder.** *Grav.* Verniz que é aplicado a rolo sobre a placa e não penetra nos entalhes, quando se deseja acentuar mordaçagem que ficou fraca. **Verniz duro.** *Grav.* Verniz de asfalto (q. v.). **Verniz mole.** V. *verniz brando.*

vernizagem [De *verniz* + *-agem*².] *S. f.* Operação de revestir o cobre com uma fina camada de verniz, antes da gravação.

verniz-da-china *S. m. Bot.* Planta clusiácea (*Calophyllum augia*) ornamental, originária da Ásia. [Pl.: *vernizes-da-china.*]

verniz do japão *S. m.* Espécie de verniz que se extrai da *Clausena lansium* (v. *verniz-do-japão*), do ailanto e de certas anacardiáceas. [Pl.: *vernizes do japão.*] ☑ notas 1 e 2

verniz-do-japão *S. m. Bras. Bot.* Arvoreta rutácea (*Clausena lansium*) originária da China, onde é chamada *wampi*, de folhas com cinco a nove folíolos ovadoelípticos e brilhantes, flores pequeninas, alvas, e cápsulas ovadas, glandulosas e pilosas, com quatro a cinco lóculos. [Pl.: *vernizes-do-japão.*]

verno [Do lat. *vernu.*] *Adj.* V. *vernal.*

vero [Do lat. *veru.*] *Adj.* Real, exato, verdadeiro.

▲ **vero-** Equiv. de *ver(i)-.*

veronense [Do lat. *veronense.*] *Adj. 2 g. S. 2 g.* Veronês.

veronês [Do lat. *veronense.*] *Adj.* **1.** De, ou pertencente ou relativo a Verona (Itália). ● *S. m.* **2.** O natural ou habitante de Verona. [F. paral.: *veronense.* Flex.: *veronesa* (ê), *veroneses* (ê), *veronesas* (ê).]

verónica *S. f. Bot.* V. *verônica*². [Uso freq. em P.]

verônica¹ [Do hag. *Verônica.*] *S. f.* **1.** Relíquia guardada na basílica de São Pedro, em Roma, e constituída pelo pano em que, segundo a tradição, uma mulher hierosolimita, de nome Verônica, enxugou o rosto de Jesus quando carregava a cruz ao Calvário, tendo ficado ali gravada a sua figura. **2.** *P. ext.* Sudário (4): "vestes encardidas ...., deixando expostos os peitos cobertos de rosários, de verônicas, de cruzes, de figas, de amuletos" (Euclides da Cunha, *Os Sertões*, p. 199). **3.** A imagem do rosto ensanguentado de Cristo gravada em metal. **4.** *P. ext.* Rosto, semblante. **5.** Mulher que nas procissões do enterro de Cristo leva uma reprodução da Verônica (1). **6.** *Taur.* Determinada capinha (1).

verônica² [Do tax. *Verônica.*] *S. f. Bot.* **1.** Gênero de plantas escrofulariáceas, herbáceas e arbustivas, dotadas de pequeninas flores alvas, róseas, azuis, ou purpúreas. **2.** Qualquer espécie desse gênero, como, p. ex., a *Veronica officinalis* (v. *verônica-oficinal*). **3.** Qualquer espécime desse gênero. **4.** *Bras. Amaz.* Cipó fabáceo (*Dalbergia subcymosa*) das matas pluviais, de folhas penadas, pequenas flores em inflorescências congestas, e cujo fruto é uma sâmara de asa coriácea.

verónica-oficinal *Bot.* V. *verônica-oficinal.* [Uso freq. em P. Pl.: *verónicas-oficinais.*]

verônica-oficinal [Adapt. do lat. cient. *Veronica officinalis.*] *S. f. Bot.* Erva escrofulariácea (*Veronica officinalis*) perene, pilosa, de flores de um azul pálido, ou lilases, em racemos axilares. [Pl.: *verônicas-oficinais.*]

verosímil *Adj. 2 g. Lus.* V. *verossímil.* [Pl.: *verosímeis.*]

verosimilhança *S. f. Lus.* Verossimilhança (q. v.).

verosimilhante *Adj. 2 g. Lus.* Verossimilhante (q. v.).

verosimilidade *S. f. Lus.* Verossimilidade (q. v.).

verosimílimo *Adj. Lus.* Verossimílimo (q. v.).

verosimilitude *S. f. Lus.* Verossimilitude (q. v.).

verossímil [Var. de *verissímil.*] *Adj. 2 g.* **1.** Semelhante à verdade; que parece verdadeiro. **2.** Que não repugna à verdade; provável. [Sin. ger.: *verossimilhante.* Pl.: *verossímeis.* Superl. abs. sint.: *verossimílimo.*]

verossimilhança [Var. de *verissimilhança.*] *S. f.* **1.** Qualidade ou caráter de verossímil ou verossimilhante; verossimilitude, verossimilidade: "Quem quer que a ouvisse, aceitaria tudo por verdade, tal era a nota sincera, a meiguice dos termos e a verossimilhança dos pormenores." (Machado de Assis, *Quincas Borba*, p. 285.) **2.** *Liter.* Coerência interna da obra literária no tocante ao mundo imaginário das personagens e situações recriadas. **3.** *Filos.* Aproximação de uma hipótese à confirmação.

verossimilhante [Var. de *verissimilhante.*] *Adj. 2 g.* V. *verossímil.*

verossimilidade [Var. de *verissimilidade* (q. v.).] *S. f.* V. *verossimilhança* (1).

verossimílimo [Var. de *verissimílimo* (q. v.).] *Adj.* Superl. abs. sint. de *verossímil.*

verossimilitude [Var. de *verissimilitude* (q. v.).] *S. f.* V. *verossimilhança* (1).

verossimilmente (ìm) [De *verossímil* + *-mente.*] *Adv.* De modo verossímil; com verossimilhança.

verrina [Do lat. *verrina* < antr. (*Caius*) *Verres* + lat. *-ina.*] *S. f.* **1.** Cada um dos discursos de Cícero (106-43 a. C.), político e escritor, o maior dos oradores romanos, contra Caio Verres (c. 120-43 a. C.), procônsul romano (II-I séc. a. C.). **2.** *P. ext.* Censura violenta, comumente escrita ou feita em discurso público. **3.** *Fig.* Crítica apaixonada e violenta.

verrinário [De *verrina* + *-ário.*] *Adj.* Relativo a, ou que tem o caráter de verrina (2 e 3).

verrineiro [De *verrina* + *-eiro.*] *Adj. S. m.* Que, ou aquele que faz verrinas; verrinista.

verrinista [De *verrina* + *-ista.*] *S. 2 g. Adj. 2 g.* Verrineiro.

verrucal [De *verruc(i)-* + *-al*¹.] *Adj. 2 g.* Respeitante a verruga.

verrucária [Do tax. *Verrucaria.*] *S. f. Bot.* **1.** O gênero-tipo das verrucariáceas, que engloba ascoliquens com pequenos apotécios globulares e que habitam rochas. **2.** Qualquer espécie, ou espécime desse gênero.

verrucariácea [Do tax. *Verrucaria* + *-ácea*; tax. *Verrucariaceae.*] *S. f. Bot.* Espécime das verrucariáceas, família de ascoliquens que se caracterizam por terem peritécios simples, indivisos, e talos crustáceos.

verrucariáceo [De *verrucariácea*, com var. sufixal.] *Adj.* Pertencente ou relativo às verrucariáceas.

▲ **verruc(i)-** [Do lat. *verrūca, ae.*] *El. comp.* = 'verruga': *verrucal, verrucífero, verruciforme.*

verrucífero [De *verruc(i)-* + *-fero.*] *Adj.* Que tem verrugas.

verruciforme [De *verruc(i)-* + *-forme.*] *Adj. 2 g.* Que tem forma de verruga.

verrucoso (ô) [Do lat. *verrucosu*, por via erudita.] *Adj.* Relativo a, ou da natureza de verruga.

verrúcula [De *verruc(i)-* + *-ula.*] *S. f. Bot.* Excrescência semelhante a uma pequena verruga, *i. e.*, globosa e irregular.

verruculoso (ô) [De *verrúcula* + *-oso.*] *Adj. Bot.* Provido de verrúculas: *talo verruculoso.*

verruga [Do lat. *verruca.*] *S. f.* **1.** *Derm.* Tumor epidérmico de origem virótica. **2.** *Derm. P. ext.* Proliferação epidérmica de que há vários tipos, semelhante à verruga (1), benigna, de origem outra que não virótica. **3.** *Bot.* Pequena protuberância rugosa. [Var. (bras., pop.): *berruga.*]

verruga do peru [De *verruga* + *do* + top. *Peru* (América do Sul).] *S. f. Med.* V. *doença de Carrión.* [Pl.: *verrugas do peru.*] ☑

verruga-peruana *S. f. Med.* V. *doença de Carrión.* [Pl.: *verrugas-peruanas.*]

verrugose *S. f.* Doença que ataca os citros: "a verrugose dos citros da qual se conhecem dois tipos é provocada por fungos e acarreta prejuízos" (*O Estado de S. Paulo*, 10.04.1977).

verrugoso (ô) [Do lat. *verrucosu*, por via pop.] *Adj.* V. *verruguento.* [Var. (bras., pop.): *berrugoso.*]

verruguento [De *verruga* + *-ento.*] *Adj.* Que tem verrugas; verrugoso. [Var. (bras., pop.): *berruguento.*]

verruma [De or. obscura.] *S. f. Marc.* Instrumento cuja extremidade inferior é lavrada em hélice e acaba em ponta, usado para abrir furos na madeira; tradinha, broca, barruma.

verrumão [De *verruma* + *-ão*¹.] *S. m.* V. *trado* (1).

verrumar [De *verruma* + *-ar*².] *V. t. d.* **1.** Furar com verruma. **2.** Fazer furo em; furar. **3.** *Fig.* Afligir, torturar, espicaçar. *T. i.* **4.** *Fig.* Meditar, pensar; parafusar: *Ficou verrumando no assunto por longo tempo.* **Int. 5.** Fazer furos com verruma ou instrumento semelhante.

■ **vers** *Mat.* Símb. de *seno verso.*

■ **vers**⁻¹ *Mat.* Símb. de *arco seno verso.*

versa [Do fr. *verse.*] *S. f.* Estado das searas acamadas pela chuva ou por outra causa.

versado [Do lat. *versatu.*] *Adj.* Bom conhecedor; perito, prático, experimentado: "O aristocrata, muito versado em história natural, ensinou ao companheiro rudimentos de entomologia, geologia e botânica." (Melo Nóbrega, *O Soneto de Arvers*, p. 11.)

versal [De *verso*¹ + *-al*¹.] *S. f.* **1.** *Tip.* V. *letra de caixa-alta.* ● *Adj. 2 g.* **2.** ~ V. *letra —.*

versalete (ê) [De *versal* + *-ete* (ê).] *S. m. Tip.* Tipo que tem a forma de versal e a altura da letra de caixa-baixa da fonte a que pertence.

versalhada [De *verso* + *-alhada.*] *S. f. Deprec.* **1.** Conjunto de versos, de poemas. **2.** Versos malfeitos ou insípidos: "Nesta última vila .... havia um cantador. Medíocre, porém. Para o não susceptibilizar, dei-me à pena de escrever a versalhada que ouvi." (Leonardo Mota, *No Tempo de Lampião*, pp. 96-97.) [Sin. ger.: *versaria.*]

versalhês *Adj.* **1.** De, ou pertencente ou relativo a Versalhes (França). ● *S. m.* **2.** O natural ou habitante de Versalhes. [Flex.: *versalhesa* (ê), *versalheses* (ê), *versalhesas* (ê).]

versão [Do lat. med. *versione.*] *S. f.* **1.** Ato ou efeito de verter ou de voltar. **2.** Tradução literal dum texto; tradução. **3.** Explicação, interpretação. **4.** Cada uma das várias interpretações do mesmo ponto: "No dia 2 de outubro de 1992, morreram 111 homens no pavilhão Nove, segundo a versão oficial. Os presos afirmam que foram mais de duzentos e cinquenta" (Drauzio Varela, *Estação Carandiru*, p. 295). **5.** Variante (5). **6.** Boato, balela, rumores. **7.** *Obst.* Manobra que objetiva dar ao feto uma posição mais conveniente ao parto. **8.** *Inform.* Cada uma das várias formas que um programa de computador tem ao longo do processo de sua criação e desenvolvimento. ◆ **Versão beta.** *Inform.* V. *beta-teste.* **Versão dos setenta.** *Teol.* Septuaginta.

versar¹ [Do lat. *versare*, 'voltar, revirar'.] *V. t. d.* **1.** Volver, manejar; examinar, compulsar: *versar as obras clássicas.* **2.** Praticar, exercitar, estudar: *versar línguas estrangeiras.* **3.** Considerar, examinar, ponderar. **4.** Passar de um vaso para outro; transvasar. *T. d. e i.* **5.** Exercitar, adestrar, treinar. *T. i.* **6.** Ter por objeto; incidir, consistir: "A conversação versou sobre a moradia nos sítios do sertão." (Inglês de Sousa, *O Missionário*, p. 49); "Suas conversas com Aurélia versavam ordinariamente sobre temas de sala." (José de Alencar, *Senhora*, p. 163). 7. *P. us.* Ter trato ou convivência; viver, tratar.

versar^2 [De *verso*^{1} + *-ar*^{2}.] *V. int.* 1. Versejar (1). 2. *Bras. Pop.* Pôr em versos (v. *verso*^{1}) uma história em prosa; versificar. *T. d.* 3. Versejar (3).

versaria [De *verso*^{1} + *-aria*.] *S. f. Deprec.* V. *versalhada*.

versátil [Do lat. *versatile*.] *Adj. 2 g.* 1. Inconstante, vário, volúvel: "O espírito se fora, levando consigo tudo o que havia nele de infantil, brincalhão, boêmio, versátil, inconsequente." (Manuel Bandeira, *Poesia e Prosa*, II, p. 342.) 2. Que tem qualidades variadas e numerosas em um determinado gênero de atividades, ou mesmo de modo geral: *escritor versátil; artista versátil.* 3. *Bot.* Diz-se da antera que, estando presa apenas por um ponto dorsal, oscila a todo momento, à mais leve brisa, como se vê, p. ex., nas poáceas. [Pl.: *versáteis*.]

versatilidade [De *versátil* + *-(i)dade*.] *S. f.* Qualidade de versátil.

versejador (ô) [De *versejar* + *-dor*.] *Adj.* 1. Que verseja. • *S. m.* 2. Indivíduo sem inspiração poética, mas que sabe fazer versos.

versejadura [De *versejar* + *-dura*.] *S. f.* Ato ou efeito de versejar.

versejar [De *verso*^{1} + *-ejar*.] *V. int.* 1. Fazer versos, versar: "Sempre haverá uma poesia popular sem arte, e poetas populares sem apuro gramatical e métrico, versejando com o falar da gente rústica." (Olavo Bilac, *Últimas Conferências*, p. 23.) 2. *Deprec.* Fazer maus versos. *T. d.* 3. Pôr em verso; versar. [Sin., nessas acepç.: *versificar*.] 4. Dizer ou recitar (trecho ou composição em verso): "Velhotes borrachos pinoteiam versejando coisas d'amor animal em toada monótona." (José Vieira, *Sol de Portugal*, p. 156.) [Conjug.: v. *pelejar*.]

verseto (ê) [De *verso*^{1} + *-eto*^{1}.] *S. m.* 1. Versículo: "Era mais degradante o culto dos ídolos, ... ou das 'imagens de escultura' ...., a que tão pitorescamente se refere Isaías em irosos versetos do seu capítulo XLIV." (Alcides Maia, *Crônicas e Ensaios*, p. 99.) 2. *Mús.* Pequeno trecho musical correspondente a um verseto (1). [É, especialmente, uma peça curta para órgão, em estilo contrapontístico, e que se intercala, a partir do séc. XVI, entre dois trechos gregorianos ou polifônicos entoados pelos fiéis ou pelo coro.]

versicolor (ôr) [Do lat. *versicolore*.] *Adj. 2 g.* De várias cores; diversicolor, variegado, mesclado: "um mantelete versicolor que lhe descaía para as espáduas em bátega de oiro." (Aquilino Ribeiro, *Aventura Maravilhosa*, p. 125).

versículo [Do lat. *versiculu*.] *S. m.* 1. Divisão de artigos [v. *artigo* (3)] ou parágrafos [v. *parágrafo* (1)]. 2. Cada um dos curtos parágrafos que dividem um texto sagrado: *os versículos da Bíblia; versículo de um salmo;* "sobre um bocado de tapete do Oriente de tons severos, com versículos do Alcorão, desdobrava-se a pastoral gentil dum minuete em Citera sobre a seda de um leque aberto..." (Eça de Queirós, *Os Maias*, II, p. 142). 3. Palavras bíblicas, algumas vezes seguidas dum responso que se reza ou canta, nos ofícios da Igreja. 4. Sinal tipográfico que marca o princípio de cada versículo (1). [Sin. ger., menos us.: *verseto*.]

versidade [De *diversidade*, com aférese.] *S. f. Bras. N.E. Pop.* Qualidade, espécie, variedade.

versífero [De *verso*^{1} + *-ífero*.] *Adj.* Que tem ou que faz versos.

versificação [Do lat. *versificatione*.] *S. f.* 1. Ato ou efeito de versificar. 2. Arte ou forma de versificar; metrificação.

versificador (ô) [Do lat. *versificatore*.] *Adj. S. m.* Que, ou aquele que versifica.

versificar [Do lat. *versificare*.] *V. int.* 1. V. *versejar* (1 e 2). 2. *Pop. Bras.* Versar^2 (2). *T. d.* 3. V. *versejar* (3). [Conjug.: v. *trancar*. Pres. ind.: *versifico*, etc. Cf. *versífico*.]

versificatório [De *versificar* + *-tório*.] *Adj.* 1. Da, relativo à, ou próprio da versificação. 2. Em que há versificação. 3. Que versifica, ou de quem versifica: "o Brasil perdeu um poeta de muito talento. Tolentino tinha um dom versificatório que rarissimamente eu vi na minha vida" (Ivan Junqueira, em *O Globo*, 28.06.2007).

versífico [Do lat. *versificu*.] *Adj.* Respeitante a versos ou à versificação. [Cf. *versifico*, do v. *versificar*.]

versilibrismo [De *verso*^{1} + *-i-* + lat. *liber*, 'livre', + *-ismo*.] *S. m. Arte Poét.* 1. Escola ou movimento dos poetas partidários do verso livre. 2. Uso ou prática do verso livre.

versilibrista [De *versilibrismo* + *-ista*.] *Adj. 2 g.* 1. Relativo ao, ou que é partidário do versilibrismo. • *S. 2 g.* 2. Partidário dele.

versista [De *verso*^{1} + *-ista*.] *Adj. 2 g. S. 2 g.* Que, ou quem verseja: "Letra paragógica não há nenhuma em *fugace, felice*, ... nem são tais formas exclusivamente usadas pelos versistas: encontramo-las também nos prosadores." (Mário Barreto, *Novíssimos Estudos da Língua Portuguesa*, p. 11.)

verso^1 [Do lat. *versu*.] *S. m.* 1. Cada uma das linhas constitutivas de um poema; a unidade rítmica de uma poesia. [Sin. (pop.): *pé*.] 2. O gênero poético. 3. Poesia, versificação. 4. *Pop.* Quadra ou estrofe qualquer: "O Deputado Ursulino Leão, quando Imperador do Divino em Crixás, foi saudado num 'Tambor', com este verso: 'Bate o Tambor, / Tamboreiro, que o Imperador / tem dinheiro.'" (Regina Lacerda, *Papa-Ceia*, p. 37.) 5. *Bras. CE Pop.* Historieta versificada. 6. *Bras. PE* Sutileza, indireta. ◆ **Verso acatalécto.** Verso grego ou latino a que não falta nem sobra nenhuma sílaba. **Verso acéfalo.** Verso hexâmetro cuja sílaba inicial é breve. **Verso adônico.** O que tem um pé dáctilo e outro espondeu; verso adônio. **Verso adônio.** Verso adônico. **Verso agudo.** O que termina em palavra oxítona ou monossílabo tônico. **Verso alcaico.** Verso criado pelo poeta grego Alceu [629-580 a. C.], e constituído de dois dáctilos e dois troqueus (*pequeno alcaico*), ou de seis pés — um troqueu, um espondeu, um dáctilo (seguido de uma sílaba isolada com cesura), outro dáctilo e dois troqueus (*grande alcaico*). **Verso alcmânico.** Verso alcmânio. **Verso alcmânio.** Verso grego ou latino composto de três dáctilos e uma cesura; verso alcmânico. **Verso alexandrino.** O de 12 sílabas, ou dodecassílabo. [Tb. se diz apenas *alexandrino*.] **Verso anacíclico.** O que se pode ler da esquerda para a direita ou vice-versa sem sofrer alteração. [Tb. se diz apenas *anacíclico*.] **Verso asclepiadeu.** Verso grego ou latino formado de um espondeu, dois coriambos e um jambo. [Tb. se diz apenas *asclepiadeu*.] **Verso catalécto.** Verso grego ou latino terminado por um pé incompleto. **Verso dactílico.** Verso esdrúxulo. **Verso de arte-maior.** O de nove sílabas com pausas na terceira, sexta e nona. [Tb. se diz apenas *arte-maior*.] **Verso de arte-menor.** O de número menor de sílabas, como, p. ex., a redondilha. [Tb. se diz apenas *arte-menor*.] **Verso decâmetro.** Verso grego de dez pés. **Verso de pé quebrado.** Verso errado ou malfeito: "Já não podia mais com tanta prosa charra e tantos versos de pé quebrado." (Miguel Torga, *Diário*, IX, p. 69.) **Verso de seis pés.** *Bras. Liter. Pop.* V. *sextilha* (2). **Verso dicatalécto.** Verso a que faltam duas sílabas, no meio e no fim. **Verso ecoico.** Verso grego ou latino, cujas duas últimas palavras findam em vogal idêntica. **Verso esdrúxulo.** O que acaba em palavra proparoxítona; verso dactílico. **Verso glicônico.** Verso grego ou latino formado de um espondeu e dois dáctilos. [Tb. se diz apenas *glicônico*.] **Verso grande alcaico.** V. *verso alcaico*. **Verso grave.** O que acaba em palavra paroxítona; verso inteiro. **Verso heptâmetro.** Verso grego ou latino de sete pés. [Tb. se diz apenas *heptâmetro*.] **Verso heroico.** 1. O verso decassílabo com pausas na 6.ª e 10.ª sílabas. 2. O verso inglês rimado de cinco pés. **Verso heroico quebrado.** O verso de seis sílabas. **Verso hexâmetro.** Verso grego ou latino de seis pés, dos quais os quatro primeiros podem ser dáctilos ou espondeus, o quinto é dáctilo, e o sexto, espondeu ou troqueu. [Tb. se diz apenas *hexâmetro*.] **Verso hipercatalécto.** Verso grego ou latino que tem uma sílaba de mais; hipercatalecto. **Verso inteiro.** Verso grave. **Verso leonino.** Verso em que os hemistíquios rimam. Ex.: "O semblante do ancião de súbito se encova. / Nos seus olhos de leão há um pranto que não cai, / Mesmo na maldição de tão bárbara prova." (Humberto de Campos, *Poesias Completas*, p. 341.) **Verso livre.** Verso não metrificado, que não atende a outro critério senão as pausas espontâneas do movimento lírico. **Verso métrico.** O verso em que, como no grego e no latim, as palavras são escolhidas conforme a quantidade longa ou breve de suas sílabas. **Verso octonário.** Verso de oito pés. [Tb. se diz apenas *octonário*.] **Verso palíndromo.** O que tem o mesmo sentido, leia-se da esquerda para a direita ou vice-versa. [Tb. se diz apenas *palíndromo*.] **Verso pentâmetro.** Verso grego ou latino de cinco pés, composto de dáctilos ou espondeus e uma sílaba longa, mais dois dáctilos e uma sílaba longa ou breve, e que sempre vem após um hexâmetro, com o qual forma um dístico elegíaco. [Tb. se diz apenas *pentâmetro*.] **Verso pequeno alcaico.** V. *verso alcaico*. **Verso rítmico.** Aquele em que, como no alemão e no inglês, as palavras obedecem a certa acentuação rítmica. **Verso ropálico.** Verso grego ou latino que começa por monossílabo, tendo cada uma das palavras seguintes uma sílaba mais que a palavra anterior. **Verso sáfico.** 1. No grego e no latim, verso de cinco pés. 2. No português, verso decassílabo com acentuação na 4.ª, 8.ª e 10.ª sílabas. **Verso silábico.** Aquele que perfaz determinado número de sílabas. **Verso sotádico.** Verso greco-romano que tanto se pode ler da esquerda para a direita, quanto da direita para a esquerda, ou invertendo a ordem das palavras. **Verso tetrarritmo.** O que se compõe de quatro medidas [v. *medida* (9)]. **Verso trilongo.** Verso grego ou latino que tem três sílabas longas. [Tb. se diz apenas *trilongo*.] **Verso trocaico.** Verso formado de troqueus. [Tb. se diz apenas *trocaico*.] **Versos brancos.** Versos não rimados; versos soltos: *O poema O Uraguai, de Basílio da Gama, é em versos brancos.* **Versos soltos.** Versos brancos. **Fazer versos à Lua.** *Bras. N.E. Pop.* Compor uma poesia, uma trova.

verso^2 [Ablativo do lat. *versus, a, um*, 'voltado, virado'.] *Adj.* 1. Contrário, oposto. ~ V. *seno —*. • *S. m.* 2. Página oposta à da frente. [Cf. *reto*^{1} (7).] 3. Face interior das folhas dos vegetais. 4. *P. ext.* Lado posterior; face oposta à da frente.

versta [Do russo *versta*, pelo fr. *verste*.] *S. f.* Antiga medida itinerária russa equivalente a 1.067 metros.

versudo [De *versa* + *-udo*.] *Adj.* Diz-se do pão das searas, muito acamado. [Cf. *verçudo*.]

→ **versus** ['vɛrsos] [Lat.] *Jur.* Contra.

versuto [Do lat. *versutu*.] *Adj.* Manhoso, sagaz, astuto.

vertátur [Do lat. *vertatur*, de *verti*, 'virar, volver'.] *S. m. Tip.* Revertátur (q. v.). [Pl.: *vertátures*.]

vértebra [Do lat. *vertebra*.] *S. f. Anat.* Cada um dos ossos que formam a coluna vertebral do homem e de outros vertebrados; espôndilo. ◆ **Vértebra anficela.** *Zool.* Vértebra côncava em ambas as faces. **Vértebra procélica.** *Zool.* Vértebra com a face articular anterior côncava e a posterior convexa. **Vértebra sacra.** *Anat. Zool.* Cada uma das vértebras que formam o osso sacro, nos reptis, nas aves e nos mamíferos.

vertebrado^1 [Do lat. *vertebratu*.] *Adj.* Que tem vértebras; vertebroso.

vertebrado^2 [Adapt. do tax. *Vertebrata*, do neutro pl. do lat. *vertebratus*.] *Zool. S. m.* 1. Espécime dos vertebrados, subfilo dos cordados, que inclui os peixes, reptis, anfíbios, aves e mamíferos, animais que apresentam coluna vertebral ao longo da superfície dorsal e crânio como proteção do cérebro além de outras características compartilhadas por muitos ou todos: derme e epiderme, endoesqueleto, celoma bem desenvolvido, dois rins, tubo digestivo com glândulas grandes, encéfalo dividido em cinco partes, sistema cardiovascular fechado, reprodução sexuada, etc. • *Adj.* 2. Pertencente ou relativo a eles.

vertebral [Do lat. cient. *vertebrale*.] *Adj. 2 g.* 1. Relativo ou pertencente às vértebras. 2. Formado de vértebras; vertebroso. ~ V. *arco —, canal —, coluna —, corpo —, forame —* e *lâmina —*.

vertebralidade [De *vertebral* + *-(i)dade*.] *S. f.* Qualidade de vertebral.

vertebroso (ô) [De *vértebra* + *-oso*.] *Adj.* 1. Vertebral (2). 2. Vertebrado^1.

vertedoiro [De *verter* + *-doiro*^{2}.] *S. m.* Vertedouro (q. v.).

vertedouro [De *verter* + *-douro*^{2}; var. de *vertedoiro*.] *S. m.* 1. Espécie de escudela usada para despejar a água para fora das embarcações; bartedouro. 2. Estrutura através da qual é vertida ou escoada a água de um reservatório. [Pode ser provido ou não de comportas para regular o fluxo de água.]

vertedura [De *verter* + *-dura*.] *S. f.* 1. Ato ou efeito de verter. 2. Porção de líquido que transborda do vaso onde se despeja.

vertente [Do lat. *vertente*, 'que vira'; 'que muda (a direção da água)'.] *Adj. 2 g.* 1. Que verte. 2. Que se discute; de que se trata: *o caso vertente; as questões vertentes.* • *S. f.* 3. Declive de montanha, por onde derivam as águas pluviais: "Tornei a vê-lo em Coimbra, ... entre uns olivais, longe do bulício da Atenas, na vertente de uma colina onde apenas chegavam os berros obscenos da *Cabra* [sino da Universidade de Coimbra]" (Camilo Castelo Branco, *Serões de São Miguel de Ceide*, III, p. 62). [Sin., nesta acepç.: *declive* ou *declívio*, *clivo*, *descida*, *encosta*, *ladeira*, *quebra*, *quebrada*, *rampa* e (bras.) *caída*, *recosto*, *lançante*, *tombada*, *recosta*, *pendente*, *desabado*, *quembembe*.] 4. Cada uma das superfícies dum telhado.

vertentense *Adj. 2 g.* 1. De, ou pertencente ou relativo a Vertentes (PE). • *S. 2 g.* 2. O natural ou habitante de Vertentes.

verter [Do lat. *vertere*, 'voltar', 'virar'; 'desviar (a água)'.] *V. t. d.* 1. Fazer transbordar; entornar, derramar: *Tombou a garrafa e verteu seu conteúdo;* "Viver! Eu sei que a alma chora / e a vida é só dor ingrata, / Pranto, que a não alivia, / Olhos, que o estão a verter..." (Raimundo Correia, *Poesias*, p. 7.) 2. Fazer sair com ímpeto; jorrar. 3. Espalhar, difundir, deitar, esparzir: *Conta a lenda que o dragão vertia fogo pelas ventas;* "A noite verte um desconsolo imenso" (Antero de Quental, *Sonetos*, p. 316). 4. Traduzir, trasladar: "Louis Fabulet traduz exclusivamente Rudyard Kipling, Marc Logé se dedica a verter Lafcadio Hearn, etc." (Paulo Rónai, *Escola de Tradutores*, p. 34.) *T. d. e i.* 5. Traduzir, trasladar: *Verteu Machado de Assis para o alemão.* *T. c.* 6. Derivar, brotar: *Este rio verte da serra.* 7. Desaguar, despejar-se: *O Amazonas verte no Atlântico.* *Int.* 8. Transbordar, trasbordar, entornar. 9. Ressumar, rever, revir: *Aquela moringa verte.* [Pres. ind.: *verto* (ê), *vertes*, *verte*, etc.] ◆ **Verter água.** *Bras. N.E. Pop.* Urinar.

vértex (cs) [Do lat. *vertex.*] *S. m. 2 n. Anat.* Designação genérica que indica ápice, cume. ◆ **Vértex do crânio.** *Anat.* O ápice da cabeça; mesocrânio.

vertical [Do b.-lat. *verticale.*] *Adj. 2 g.* **1.** Perpendicular ao plano horizontal. **2.** Que segue a direção do fio de prumo; aprumado. **3.** Situado por cima da cabeça. **4.** Diz-se da caligrafia em que as hastes das letras são perpendiculares à linha. ~ V. *arquivo —, flauta —, gradiente termométrico —, leme —, prensa — e sismógrafo —.* ● *S. f.* **5.** Linha vertical (1). **6.** Direção ou posição vertical. **7.** *Geom.* Reta perpendicular a uma reta horizontal ou a uma superfície horizontal. ● *S. m.* **8.** *Astr.* Qualquer plano que, em um dado ponto da superfície da Terra, contém a vertical (5) desse lugar. ◆ **Vertical de um astro.** *Astr.* Para um dado observador situado na superfície da Terra, vertical (5) que passa por esse astro.

verticalidade [De *vertical* + *-(i)dade.*] *S. f.* Qualidade ou posição de vertical.

verticalização [De *verticalizar* + *-ção.*] *S. f.* **1.** Ato ou efeito de verticalizar. **2.** *Econ.* V. *integração vertical.*

verticalizar [De *vertical* + *-izar.*] *V. t. d.* Dar posição vertical a.

vértice [Do lat. *vertice.*] *S. m.* **1.** O ponto culminante; cimo, cume, ápice. **2.** O ponto mais alto da abóbada craniana. **3.** *Geom.* Ponto comum a duas ou mais retas. ◆ **Vértice de mira.** Ponto de mira.

verticidade [Do lat. cient. *verticitas, atis.*] *S. f.* Tendência duma coisa a dirigir-se mais para um lado que para o outro.

verticilado [De *verticilo* + *-ado*[1].] *Adj.* ~ V. *folha —a.*

verticilar [De *verticilo* + *-ar*[1].] *Adj. 2 g. Bot.* Relativo ou pertencente ao verticilo.

verticilastro [De *verticilo* + *-astro.*] *S. m. Bot.* Tipo de inflorescência em que as flores se dispõem compactamente nas axilas foliares, como se observa, p. ex., nas lamiáceas.

verticilifloro [De *verticilo* + *-ifloro.*] *Adj. Bot.* Que tem flores em verticilos.

verticilo [Do lat. *verticillu*, 'remate do fuso'.] *S. m. Bot.* Conjunto de peças foliáceas colocadas no mesmo nível, *i. e.*, inseridas em um só nó caulinar: 📖 "O único mamífero encontrado em Paquetá em estado silvestre é o vulgaríssimo gambá que se desaltera com a água das chuvas retida no verticilo dos gravatás ou em poças efêmeras." (Vivaldo Coaraci, *Paquetá*, p. 5.)

vertigem [Do lat. *vertigine*, 'remoinho'.] *S. f.* **1.** *Med.* Estado mórbido em que o indivíduo tem a impressão de que tudo gira em torno de si (*vertigem objetiva*), ou de que ele próprio está girando (*vertigem subjetiva*). [Sin., pop.: *vágado.*] **2.** *P. ext.* Desfalecimento (1). [Sin., pop. (nessas acepçs.): *tonteira, tontura, zonzeira.*] **3.** *Fig.* Desvario, loucura. **4.** Tentação súbita. ◆ **Vertigem objetiva.** *Med.* V. *vertigem* (1). **Vertigem subjetiva.** *Med.* V. *vertigem* (1).

vertiginosidade [De *vertiginoso* + *-(i)dade.*] *S. f.* Qualidade de vertiginoso.

vertiginoso (ô) [Do lat. *vertiginosu.*] *Adj.* **1.** Que tem ou que causa vertigens. **2.** *Fig.* Que gira com muita rapidez: 📖 "No céu os bulcões de nuvens moviam-se em espirais vertiginosas" (Virgílio Várzea, *Nas Ondas*, p. 9). **3.** Que perturba a razão ou a serenidade do espírito. **4.** *Fig.* Que ocorre muito depressa ou com muita intensidade.

verve [Do fr. *verve.*] *S. f. Gal.* Calor de imaginação que anima o artista, o orador, o conversador, etc.

vesânia [Do lat. *vesania.*] *S. f. Psiq. Desus.* V. *loucura* (1): 📖 "Conta-se que Nietzsche, já dentro da loucura, quando cambaleava pelas ruas de Turim a sussurrar aos ouvidos dos passeantes: 'sou um deus disfarçado!', viu um dia um cocheiro zurzir um cavalo com tal descompaixão que, em plena vesânia, se agarrou a chorar ao pescoço do animal, num protesto convulso." (José Gomes Ferreira, *O Mundo dos Outros*, p. 127.)

vesânico [De *vesânia* + *-ico*[2].] *Adj.* Relativo à, ou próprio da vesânia.

vesano [Do lat. *vesanu.*] *Adj.* **1.** Demente, insensato, delirante. **2.** Que revela vesânia; próprio de demente: 📖 "Que a teus passos a relva se torre; / Murchem prados, a flor desfaleça, / E o regato que límpido corre, / Mais te acenda o vesano furor" (Gonçalves Dias, *Obras Poéticas*, II, p. 31).

vesco (ê) [Do lat. *vescu.*] *Adj.* Bom ou próprio para se comer; comestível: 📖 "Viça o vesco faval, com o humor que encerra" (Alberto de Oliveira, *Poesias*, 3.ª série, p. 272).

vesgo (ê) [De or. expressiva, poss.] *Adj.* **1.** V. *estrábico* (2). **2.** *Fig.* Tortuoso, torto, oblíquo. **3.** *Fig.* Em que não há lisura; desleal, pérfido, tortuoso: 📄 *intenções vesgas.* **4.** Estrábico (3): 📖 "Eu tenho a infelicidade de não compreender a felicidade. Sou um coração defeituoso, um espírito vesgo, uma alma insípida capaz de fidelidade, incapaz de constância." (Machado de Assis, *Ressurreição*, p. 21). ● *S. m.* **5.** V. *estrábico* (4).

vesguear [De *vesgo* + *-ear*[2].] *V. int.* **1.** Ser vesgo. **2.** Olhar de esguelha ou de soslaio. **3.** *Fig.* Ver mal. [Conjug.: v. *frear.*]

vesgueira [De *vesgo* + *-eira.*] *S. f.* **1.** Estrabismo: 📖 "Sua vesgueira divergente (do berço) completava-lhe o ar da fisionomia, entre espantado e inquiridor." (Pedro Nava, *O Círio Perfeito*, p. 351.)

vesgueiro [De *vesgo* + *-eiro.*] *Adj.* V. *estrábico* (2).

vesguice [De *vesgo* + *-ice.*] *S. f.* Estrabismo.

vesicação [De *vesicar* + *-ção.*] *S. f. Patol.* Ato de gerar vesículas [v. *vesícula* (3)], como, p. ex., mediante substância irritante.

vesical [De *vesic(o)-* + *-al*[1].] *Adj. 2 g. Anat.* Relativo ou pertencente à bexiga. ~ V. *trígono —.*

vesicante [Do lat. *vesicante.*] *Adj. 2 g. S. m. Patol.* Que, ou aquilo que produz vesícula(s) [v. *vesícula* (3)]; vesicatório.

vesicar [Do lat. *vesicare.*] *V. t. d.* Produzir vesículas [v. *vesícula* (3)] em. [Conjug.: v. *trancar.* Normalmente é defect., unipess.]

vesicatório [De *vesicar* + *-tório.*] *Adj. S. m. Patol.* Vesicante: 📖 "A congestão remitiu com a aplicação de vesicatórios e revulsivos enérgicos." (Alberto Braga, *Novos Contos*, p. 107.)

▲ **vesic(o)-** [Do lat. *vesīca, ae*, 'bexiga'.] *El. comp.* = 'bexiga'; 'vesícula': *vesical, vesicorretal; vesicopústula.*

vesicopústula [De *vesic(o)-* + *pústula.*] *S. f. Derm.* Vesícula (3) que se desenvolve numa pústula.

vesicorretal [De *vesic(o)-* + *retal.*] *Adj. 2 g.* Relativo à bexiga e ao reto.

vesícula [Do lat. *vesicula.*] *S. f.* **1.** Pequena bexiga ou cavidade. **2.** *Bot.* Qualquer eminência de um órgão ou orgânulo inteiro em forma de pequena bexiga ou de ampola. **3.** *Derm.* Pequena bolha cutânea que contém líquido seroso; empola. ◆ **Vesícula amniótica.** *Embr.* Cavidade amniótica (q. v.). **Vesícula biliar.** *Anat.* Órgão situado sob o fígado e aderente a ele, e que serve de reservatório para a bile. **Vesícula coriônica.** *Embr.* Saco coriônico. **Vesícula de Graaf.** *Biol.* V. *folículo vesicular.* **Vesícula natatória.** *Zool.* V. *bexiga natatória.* **Vesículas encefálicas primitivas.** *Embr.* O conjunto das três formações mais precocemente presentes no tubo neural embrionário; compreende o prosencéfalo, o mesencéfalo e o rombencéfalo. **Vesícula seminal.** *Anat.* V. *glândula vesiculosa.* **Vesícula vitelina.** *Embr.* Formação que se origina do revestimento da blastocele, e que dá origem ao intestino primitivo e ao saco vitelino; vesícula vitelínica, vesícula vitelina primitiva, vesícula vitelínica primitiva, saco vitelino primitivo. **Vesícula vitelina primitiva.** *Embr.* V. *vesícula vitelina.* **Vesícula vitelínica.** *Embr.* V. *vesícula vitelina.* **Vesícula vitelínica primitiva.** *Embr.* V. *vesícula vitelina.*

vesicular [De *vesícula* + *-ar*[1].] *Adj. 2 g.* **1.** Semelhante a uma vesícula. **2.** Formado por vesículas. [Sin., nessas acepçs.: *vesiculoso.*] **3.** Da, ou relativo à vesícula. ~ V. *folículo — e murmúrio —.*

vesiculoso (ô) [Do lat. tard. *vesiculosu.*] *Adj.* **1.** Que tem vesículas. **2.** V. *vesicular* (1 e 2). ~ V. *glândula —a.*

vespa[1] (ê) [Do lat. *vespa.*] *S. f.* **1.** *Zool.* Designação comum aos insetos himenópteros providos de ferrão na extremidade do abdome e com patas posteriores não achatadas. São reunidos em famílias que contêm espécimes com aspecto geral de marimbondos, como, p. ex., os braconídeos, calcidídeos, pompilídeos, esfecídeos, vespídeos. [Cf. *marimbondo* (1).] **2.** *Fig.* Pessoa intratável e mordaz. [Var. pop.: *bespa.*]

vespa[2] (ê) [Do it. *Vespa*, marca registrada.] *S. f.* V. *lambreta.*

vespa-caçadora *S. f. Zool.* V. *marimbondo-caçador.* [Pl.: *vespas-caçadoras.*]

vespa-cega *S. f. Bras. Zool.* V. *marimbondo-chapéu.* [Pl.: *vespas-cegas.*]

vespa-de-cobra *S. f. Bras. Zool.* V. *marimbondo-caçador.* [Pl.: *vespas-de-cobra.*]

vespa-de-rodeio *S. f. Bras. Zool.* V. *mamangaba* (1). [Pl.: *vespas-de-rodeio.*]

vespa-de-uganda *S. f. Bras. Zool.* Inseto himenóptero, betilídeo (*Prorops nasuta*), da África, introduzido no Brasil para combate biológico à broca-do-café. [De porte minúsculo, constitui ótimo meio de combate à broca, sobretudo em regiões montanhosas, onde haja condições ecológicas favoráveis.] [Pl.: *vespas-de-uganda.*]

vespão [De *vespa*[1] + *-ão*[1].] *S. m. Zool.* V. *marimbondo-caçador.*

vespasianense *Adj. 2 g.* **1.** De, ou pertencente ou relativo a Vespasiano (MG). ● *S. 2 g.* **2.** O natural ou habitante de Vespasiano.

vespa-tatu *S. f. Bras. Zool.* V. *marimbondo-tatu.* [Pl.: *vespas-tatus* e *vespas-tatu.*]

vespeiro [De *vespa* + *-eiro.*] *S. m.* **1.** Reunião de vespas. **2.** Ninho de vespas. **3.** Lugar onde elas se ajuntam. **4.** *Fig.* Lugar onde imprevistamente se deparam insídias ou perigos.

vésper [Do lat. *vesper.*] *S. m.* **1.** *Astr.* V. *Vênus* (2): 📖 "No alto já tremeluzia uma estrela, a Vésper diamantina, que é tudo o que neste céu cristão resta do esplendor corporal de Vênus!" (Eça de Queirós, *Contos*, p. 111.) [Com cap.] **2.** *Fig.* O ocidente (1).

véspera [Do lat. *vespera.*] *S. f.* **1.** A tarde. **2.** O dia que antecede imediatamente aquele de que se trata. **3.** Época ou tempo que precede certos acontecimentos. ~ V. *vésperas.*

vesperal [Do lat. *vesperale.*] *Adj. 2 g.* **1.** Da, ou relativo à tarde. **2.** Que se realiza à tarde. ● *S. m.* **3.** *Rel.* Livro que contém as rezas litúrgicas chamadas *vésperas.* ● *S. f.* **4.** *Bras.* Festa, divertimento, concerto, espetáculo teatral, sessão cinematográfica, etc., realizados pela tarde; matinê: 📄 *Todos os domingos ia à vesperal dançante de seu clube.*

vésperas [Pl. de *véspera.*] *S. f. pl.* **1.** Os dias que mais proximamente antecedem qualquer fato. **2.** *Rel.* Na liturgia católica, hora canônica [v. *horas canônicas* (1)] que se diz ao cair da tarde, quando Vésper ou Vênus costuma aparecer, e subsequente à noa. ~ V. *véspera.*

véspero [Do lat. *Vesperu.*] *S. m.* V. *Vênus* (2): 📖 "Véspero, no lusco-fusco, avisava-o da hora tardia por sua chispa celeste." (Alberto Rangel, *Sombras n'Água*, p. 169.) [Com cap.]

vespertilionídeo [Do lat. cient. *Vespertilion-* (< tax. *Vespertilio*) + *-ídeo*[1]; tax. *Vespertilionidae.*] *Zool. S. m.* **1.** Espécime dos vespertilionídeos, família de mamíferos quirópteros, cosmopolitas, com membrana alar e uropatágio muito desenvolvidos, este incluindo toda a cauda, e desprovidos de apêndice foliáceo nasal. São os morcegos mais comuns, com aspecto de ratos voadores, todos insetívoros. ● *Adj.* **2.** Pertencente ou relativo a eles.

vespertino [Do lat. *vespertinu.*] *Adj.* **1.** Da, ou relativo à, ou próprio da tarde. ~ V. *crepúsculo — e estrela —a.* ● *S. m.* **2.** Jornal vespertino.

véspida [Do tax. *Vespa* + *-ida*[1].] *S. m. Adj. 2 g. Zool.* V. *vespídeo.*

vespídeo [Do tax. *Vespa* + *-ídeo*[1]; tax. *Vespidae.*] *Zool. S. m.* **1.** Espécime dos vespídeos, família de insetos himenópteros em que se classificam as vespas típicas do gênero *Vespula*, de cores negras e amarelas. ● *Adj.* **2.** Pertencente ou relativo a eles.

vespinha-das-galhas *S. f. Bras. Pop. Zool.* Inseto himenóptero, cinipídeo, caracterizado pelo abdome ovalado e comprimido, e que forma galhas (v. *galha*[2]) principalmente sobre os carvalhos, onde suas larvas se desenvolvem. [Pl.: *vespinhas-das-galhas.*]

vessada [F. subst. do adj. *vessado.*] *S. f.* Terra fértil e regadia.

vessadela [De *vessar* + *-dela.*] *S. f.* Ato ou efeito de vessar.

vessado [Part. de *vessar.*] *Adj.* Que se vessou; em que se fez vessadela.

vessadoiro [De *vessar* + *-doiro*[1].] *S. m.* Vessadouro (q. v.).

vessadouro [De *vessar* + *-douro*[1]; var. de *vessadoiro.*] *S. m.* Direito de vessar uma terra.

vessar [Do lat. *versare*, 'revirar, revolver'.] *V. t. d.* Lavrar com regos profundos, para a preparação de sementeira(s).

vestal [Do lat. *vestale.*] *S. f.* **1.** Sacerdotisa de Vesta, deusa do fogo, dos romanos: 📖 "Talvez um dia meu amor se extinga, / Como fogo de Vesta malcuidado / Que sem o zelo da Vestal não vinga" (Machado de Assis, *Poesias Completas*, p. 44). **2.** *Fig.* Mulher muito honesta. **3.** Mulher casta ou virgem: 📖 "Mas como seria bom .... ter ainda pudores de vestal, frescuras d'epiderme carmínea, virgindades de noiva... !" (Fialho d'Almeida, *Aves Migradoras*, p. 163.) **4.** *Irôn.* Pessoa que se dá por muito honesta, muito pura. ● *Adj. 2 g.* **5.** *Desus.* Relativo ou semelhante às vestais. **6.** V. *virginal*[2] (1).

vestalino [De *vestal* + *-ino*[1].] *Adj.* Puro como uma vestal; imaculado.

veste [Do lat. *veste.*] *S. f.* **1.** Peça de roupa, em geral aquela que reveste exteriormente o indivíduo e, em grau menor ou maior, o caracteriza; vestido, vestidura, vestimenta: 📄 *veste eclesiástica; veste nupcial.* **2.** Véstia (1).

véstia [Var. paragógica de *veste* (v. *réstia*).] *S. f.* **1.** Espécie de jaqueta folgada na cintura; veste: 📖 "É um gosto vê-lo, / Próspero, anafado, / Véstia alentejana, / Calça de riscado" (Conde de Monsaraz, *Musa Alentejana*, p. 143). **2.** *Bras. N.E.* Casaco de couro usado pelos vaqueiros; gibão (v. *couros*): 📖 "com um chapeirão de carnaúba e véstia sertaneja" (Coelho Neto, *Banzo*, p. 48). [Cf. *vestia*, do v. *vestir.*]

vestiaria [De *veste* + *-i-* + *-aria.*] *S. f.* Lugar onde se guardam as roupas dos membros de qualquer corpo coletivo; rouparia, vestiário. [Cf. *vestiária*, fem. de *vestiário.*]

vestiário [Do lat. *vestiariu.*] *S. m.* **1.** Indivíduo encarregado do guarda-roupa de uma corporação, de um teatro, etc. **2.** Inspetor das vestiarias. [Fem., nessas acepçs.: *vestiária.* Cf. *vestiaria.*] **3.** V. *vestiaria.* **4.** Compartimento nas casas onde as pessoas que chegam da rua guardam, momentaneamente, casacos, chapéus, sobretudos, etc.: 📖 "Nos vestiários

V

fervilha uma turba alegre que lá deixa agasalhos femininos, grossos capotes de homens." (Graciliano Ramos, *Viagem*, p. 40); *vestiário de um teatro.* **5.** Compartimento, em geral dotado de certas comodidades, onde os membros de uma corporação, uma equipe, etc., trocam a vestimenta comum por uniformes, trajes especiais, ou roupas de trabalho, e guardam seus pertences: *o vestiário de um tribunal; o vestiário de um estádio.* [Sin. (lus.), nesta acepç.: *balneário*. Cf. *vestuário*.]

vestibulando [De *vestibular* + a term. de palavras como *bacharelando*, *formando*, estas, sim, regulares, pois têm por base verbos. É f. bárbara, como tb. *engenheirando*, *odontolando* e outras.] ***Adj. S. m.*** Diz-se de, ou estudante que vai prestar exame vestibular.

vestibular [De *vestíbulo* + *-ar*[1].] ***Adj. 2 g.*** **1.** Relativo a vestíbulo. ~ V. *exame* —, *glândula* — *maior* e *janela* —. • ***S. m.*** **2.** Exame vestibular.

vestibularização [De *vestibularizar* + *-ção*.] ***S. f.*** *Odont.* Movimento em direção ao vestíbulo (8) de dentes e demais estruturas bucais.

vestibularizado [Part. de *vestibularizar*.] ***Adj.*** *Odont.* Que sofreu vestibularização.

vestibularizar [De *vestibular* (adj.) + *-izar*.] ***V. t. d. Int. P.*** *Odont.* Provocar ou sofrer vestibularização.

vestibulinho [De *vestibul(ar)* + *-inho*[1].] ***S. m.*** Exame classificatório para curso de ensino fundamental de algumas instituições de ensino.

vestíbulo [Do lat. *vestibulu*.] ***S. m.*** **1.** Espaço entre a rua e a entrada de um edifício. **2.** Porta principal. **3.** Espaço entre a porta e a principal escadaria interior: "coloquei a cadeirinha no vestíbulo da minha casa, no ângulo da escada que sobe para o primeiro andar." (Bernardo Pinheiro Pindela, *Azulejos*, p. 11). **4.** *Arquit.* Átrio (4 e 5). **5.** *Anat.* Designação genérica de espaço situado à entrada de ducto. **6.** *Anat.* Cavidade situada no labirinto ósseo de cada orelha interna, a qual se comunica, homolateralmente, com a cóclea por diante e com os canais semicirculares por trás. **7.** *Anat.* Espaço situado entre os pequenos lábios e no qual estão situados o orifício vaginal e o orifício externo da uretra. **8.** *Anat.* Espaço da cavidade bucal localizado para fora dos dentes e das gengivas, *i. e.*, ocupado pelos tecidos do lábio e das bochechas.

vestibulococlear [De *vestíbulo* (6) + *cóclea*[2] + *-ar*[1].] ***Adj. 2 g.*** *Anat.* V. *nervo* —.

vestição [De *vestir* + *-ção*.] ***S. f.*** Ato ou efeito de vestir(-se).

vestido [Do lat. *vestitu*.] ***S. m.*** **1.** V. *veste* (1): "Sabe-se a que extraordinário requinte levaram o cuidado de suas pessoas e o esmero de seus vestidos Edgar Poe, Charles Baudelaire, Alexandre Dumas, ... Victor Hugo" (Ramalho Ortigão, *As Farpas*, II, p. 237). **2.** *Vest.* Vestimenta feminina usada, em geral, por cima da roupa de baixo (q. v.), e composta de saia e blusa, formando um todo. **3.** Aquilo que veste alguém ou algo; vestimenta, vestidura, revestimento, cobertura: *Ficou olhando o campo e seu vestido de relva macia.* • ***Adj.*** **4.** Que traz vestimenta(s): *Via-se na gravura um homem vestido e outro nu.* ◆ **Vestido de baile.** Vestido de tecido requintado (seda, veludo, renda, etc.), em geral decotado e longo. **Vestido de mijão.** *Bras. PE Pop.* Vestido muito longo.

vestido-saco ***S. m.*** *Vest.* Vestido de forma ampla, de corte abaulado. [Pl.: *vestidos-sacos* e *vestidos-saco*.]

vestidura [De *vestir* + *-dura*.] ***S. f.*** **1.** Tudo que é próprio para vestir (1 e 2); vestuário: *A vestidura dos selvagens brasileiros é sumária, com fins simbólicos e ornamentais.* **2.** V. *veste* (1): "— Sou eu que te mando vás vestir as vestiduras de missa." (Alexandre Herculano, *Lendas e Narrativas*, II, p. 66.) **3.** V. *vestido* (3). **4.** Cerimônia monástica em que se toma o hábito religioso.

vestigial [De *vestígio* + *-al*[1].] ***Adj. 2 g.*** De, relativo a, ou que constitui vestígio.

vestígio [Do lat. *vestigiu*.] ***S. m.*** **1.** Sinal que homem ou animal deixa com os pés no lugar por onde passa; rastro, rasto, pegada, pista. **2.** *Fig.* Indício, sinal, pista, pegada, rastro, rasto, rabeira: *Haviam desaparecido todos os vestígios do crime ali perpetrado.* ◆ **Vestígio arqueológico.** *Arqueol.* Qualquer indício da presença, ou da atividade pretérita do homem, em determinado local, bem como os remanescentes que revelam as condições do meio ambiente em que ele vivia.

vestimenta [Do lat. *vestimenta*.] ***S. f.*** **1.** V. *veste* (1). **2.** Vestes sacerdotais em cerimônias solenes. **3.** V. *vestido* (3).

vestimenteiro [De *vestimenta* + *-eiro*.] ***S. m.*** Aquele que faz vestimentas.

vestir [Do lat. *vestire*.] ***V. t. d.*** **1.** Cobrir com roupa ou veste: *A mãe vestiu a criança;* "Tragicamente silencioso, olhando / O corpito esburgado e miserando / Da filha morta, resolveu tranquilo / Pentear-lhe os cabelos e vesti-lo" (Conde de Monsaraz, *Musa Alentejana*, pp. 244-245). **2.** Pôr ou trazer sobre si (qualquer peça de vestuário): "Bateu gavetas, vestiu o paletó, apagou as luzes." (Ricardo Ramos, *Os Inventores Estão Vivos*, p. 25); "Vestia um costume marrom, avivado no peito por um pequeno lenço branco" (Xavier Placer, *Doze Histórias Curtas*, p. 17); "Ela vestiu seu vestido mais humilde." (Oswald de Andrade, *Um Homem sem Profissão*, p. 171); "Vestia armas azuladas, o elmo com que seu avô Carlos V entrara em Túnis" (Aquilino Ribeiro, *Aventura Maravilhosa*, p. 9). **3.** Usar roupas feitas de: *vestir chita.* **4.** Calçar (luvas). **5.** Dar vestuário a: *O orfanato veste 110 crianças.* **6.** Fazer ou talhar roupa(s) para: *Este alfaiate veste homens elegantes.* **7.** Cobrir, forrar, revestir, alcatifar: *Tapetes persas vestiam o chão.* **8.** Ajustar ao próprio corpo; envolver-se em; envergar: "Poti vestiu suas armas, e caminhou para a várzea" (José de Alencar, *Iracema*, p. 117). **9.** Ornar, adornar, enfeitar, embelezar: "Doze cadeiras de veludo cor de fogo, esculpidas de finos lavores, vestem os vãos e os outros lados da casa" (Rebelo da Silva, *De Noite Todos os Gatos São Pardos*, p. 150). **10.** Adotar, tomar, aceitar: *Os escritores modernos já não vestem expressões antigas.* **11.** Encobrir, disfarçar: *vestir a verdade.* **12.** Resguardar, defender. ***T. d. e i.*** **13.** Cobrir, envolver: *Vestiu o menino de pesada manta.* **14.** Pôr como envoltório, à maneira de veste (1): "O perfume da essência .... foi aspirado com prazer, por Margarida, que se encontrava na alcova, vestindo uma fronha no travesseiro." (Adalberon Cavalcanti Lins, *Curral Novo*, p. 241.) **15.** Enfeitar, ornar, adornar, embelezar. **16.** Resguardar, defender. ***Int.*** **17.** Pôr veste; trajar-se: "Vestia com simplicidade, usava os cabelos lisos e não trazia joia alguma" (Machado de Assis, *Páginas Recolhidas*, p. 46). **18.** Ter bom caimento; ser bem cortado, elegante: *Aquele costume veste bem.* ***P.*** **19.** Cobrir-se com roupa; pôr veste; trajar-se: "dois ou três homens e outras tantas mulheres, que se vestem como rainhas" (Ramalho Ortigão, *Em Paris*, p. 236); "Calçou as sandálias, toucou-se de flores, / Vestiu-se de Nossa Senhora das Dores" (António Nobre, *Só*, p. 9). **20.** Imbuir-se, impregnar-se: "Quando nasce o luar, eu me comovo, / Todo me visto de alma e de tristeza..." (Teixeira de Pascoais, *D. Carlos*, p. 10.) **21.** Cobrir-se, encobrir-se. **22.** Cobrir-se, encher-se de: "Vendo as aves cruzarem-se no espaço / E as paineiras vestirem-se de flores." (Ricardo Gonçalves, *Ipês*, p. 37). **23.** Mascarar-se, disfarçar-se: *Vestiu-se de mendigo e pôde transitar incógnito.* **24.** Fazer ou comprar roupa para o seu uso em: *Veste-se nos melhores alfaiates do Rio.* **25.** Fantasiar-se: *vestir-se de palhaço.* [Irreg. Conjug.: v. *aderir*. Imperf. ind.: *vestia*, etc. Cf. *véstia*, s. f., e *Véstia*, antr. e top.] • ***S. m.*** **26.** Vestuário: *Mulher fútil, o vestir é sua única preocupação.* **27.** Ato de tomar e enfiar a roupa no corpo ou em parte dele.

vestuário [Do lat. med. *vestuariu*, por *vestiariu*.] ***S. m.*** **1.** O conjunto das peças de roupa que se vestem; traje, indumentária. **2.** Vestidura (1). [Cf. *vestiário*.]

vesuvianita [De *vesuviano* + *-ita*[3].] ***S. f.*** *Min.* Idocrásio.

vesuviano ***Adj.*** **1.** Relativo ou pertencente ao Vesúvio, vulcão da Itália. **2.** *Fig.* Explosivo, arrebatado: *índole vesuviana.*

vetar [Do lat. *vetare*, 'proibir', por via erudita.] ***V. t. d.*** **1.** Opor o veto a (uma lei). [Antôn.: *sancionar*.] **2.** *P. ext.* Proibir; vedar: *Vetou a entrada de estranhos.*

veteranice [De *veterano* + *-ice*.] ***S. f.*** Qualidade ou estado de veterano: "Mais de trinta anos de amizade fiel dão domínio e autoridade... Sinto muito que esta referência à minha veteranice não te remoce." (Olavo Bilac, *Últimas Conferências e Discursos*, p. 8.)

veterano [Do lat. *veteranu*, 'velho, antigo'.] ***Adj.*** **1.** Antigo no serviço militar. **2.** *Fig.* Envelhecido em qualquer serviço. **3.** *P. ext.* Antigo e tarimbado em qualquer ramo de atividade. • ***S. m.*** **4.** Soldado antigo ou reformado. **5.** Estudante universitário, de academia militar ou de colégio, que já cursou o primeiro ano. [Nesta acepç., opõe-se a *calouro*.] **6.** *Fig.* Indivíduo que envelheceu em certo serviço ou profissão. **7.** *P. ext.* Indivíduo tarimbado em qualquer atividade por exercê-la desde muito tempo.

veterinária [Do lat. *veterinaria* (subentende-se *medicina*).] ***S. f.*** Medicina dos animais; zooiatria.

veterinário [Do lat. *veterinariu*.] ***Adj.*** **1.** Referente à veterinária, ou aos animais irracionais. • ***S. m.*** **2.** Aquele que exerce veterinária; médico veterinário; hipiatro, zooiatra: "Quem possui um animal doente deve chamar o veterinário." (Nélson Palma Travassos, *O Porco, Esse Desconhecido*, p. 162.)

vetila [De or. obsc.] ***S. f.*** *Bras. AM RJ Bot.* Grande cipó convolvuláceo (*Ipomoea capparoides*) de folhas grandes, cordadas, ovadas, acuminadas, moles e algo pilosas, flores amplas, com 25mm, róseo-purpúreas, campanuladas, raiadas, congregadas em cimeiras multifloras, e cujos frutos são cápsulas de uns 5cm, com quatro sementes.

vetivazuleno ***S. m.*** *Quím.* V. *vetiveno*.

vetiveno [De *vetiv(er)* + *-eno*[2].] ***S. m.*** *Quím.* Hidrocarboneto sesquiterpênico, bicíclico, líquido, aparentado ao azuleno, encontrado no óleo de vetiver; vetivazuleno [fórm.: $C_{15}H_{18}$].

vetivenol [De *vetiveno* + *-ol*[2].] ***S. m.*** *Quím.* Designação genérica de álcoois sesquiterpênicos, bicíclicos, líquidos, oleosos, com odor característico, encontrados no óleo de vetiver [fórm.: $C_{15}H_{24}O$]. [Pl.: *vetivenóis*.]

vetiver [Do tâmul *vettiveru*, pelo fr. *vétiver*.] ***S. m.*** *Bot.* Planta poácea (*Andropogon squarrosus*, *A. zizanioides* ou *Vetiveria zizanioides*) de até 1,5m, perene, originária da Malásia e da Nova Zelândia, cultivada e também subespontânea, cuja raiz fornece óleo essencial us. em perfumaria e tem, ainda, propriedades tônicas e febrífugas; capim-vetiver, capim-de-cheiro, grama-das-índias, raiz-de-cheiro, patchuli: "Entrava o sol distante, / E ficava ao relento, em chão de grama, / Corando a roupa e a se embeber do aroma / Do vetiver e flores de baunilha." (Alberto de Oliveira, *Poesias*, 3ª série, p. 74.)

vetivona [De *vetiv(er)* + *-ona*[2].] ***S. f.*** *Quím.* Qualquer de um grupo de cetonas bicíclicas, sesquiterpênicas, com duas ligações duplas (α-vetivona e β-vetivona), que são encontradas no óleo de vetiver [fórm.: $C_{15}H_{22}O$].

veto [Do lat. *veto*, 1ª pess. do sing. do pres. ind. de *vetare*, 'proibir'.] ***S. m.*** **1.** Proibição, suspensão, oposição. **2.** Direito que assiste ao chefe de Estado de recusar sua sanção a uma lei votada pelas câmaras legislativas. **3.** *P. ext.* Suspensão, por autoridade administrativa, da execução de medida aprovada em outro nível decisório.

vetor (ô) [Var. de *vector* < lat. *vectore*.] ***S. m.*** **1.** *Mat.* Segmento de reta orientado. **2.** *Mat.* Conjunto de *n* quantidades que dependem de um sistema de coordenadas n-dimensionais e que se transforma segundo leis bem determinadas quando se muda o sistema. **3.** *Genét.* Qualquer plasmídeo, bacteriófago ou vírus que sirva como veículo de transporte molecular, através do qual um fragmento específico de ácido desoxirribonucleico pode ser introduzido numa outra célula. **4.** *Inform.* Array (q. v.), esp. aquele unidimensional, *i. e.*, organizado como uma linha ou coluna de dados. **5.** *Mil.* Aeronave ou míssil portador de artefato nuclear. **6.** *Patol.* Vetor biológico (q. v.). [F. mais us. em Portugal: *vector*.] ◆ **Vetor binormal.** *Mat.* Binormal. **Vetor biológico.** *Biol.* Hospedeiro intermediário de agentes causadores de infecções e infestações como, p. ex., a mosca tsé-tsé, o *aedes* e os caramujos transmissores de esquistossomose. **Vetor curvatura.** *Mat.* Num ponto de uma curva, vetor que tem por módulo a curvatura e por direção a da normal principal à curva no ponto. **Vetor de onda.** *Fís.* Numa onda eletromagnética, vetor cuja direção e sentido coincidem com a normal à onda e cujo módulo é igual ao número de onda multiplicado por dois pi. **Vetor de Poynting.** *Fís.* Num campo eletromagnético, o vetor que representa a densidade de fluxo de energia, e que é proporcional ao produto vetorial dos vetores campo elétrico e magnético. **Vetor deslizante.** *Mat.* O que tem como suporte uma reta de direção fixa. **Vetor deslocamento.** *Eletr.* Densidade de fluxo elétrico (q. v.). **Vetor do gênero espaço.** *Fís.* Quadrivetor cuja norma é negativa. **Vetor do gênero tempo.** *Fís.* Quadrivetor cuja norma é positiva. **Vetor do gênero zero.** *Fís.* Quadrivetor cuja norma é nula; vetor isótropo. **Vetor irrotacional.** *Fís.* Vetor de um campo irrotacional. **Vetor isótropo.** *Fís.* Vetor do gênero zero. **Vetor normal.** *Mat.* Numa curva, vetor unitário perpendicular ao vetor tangente e contido no plano osculador (q. v.), formando com os vetores tangente e binormal um triedro tirretângulo. **Vetor solenoidal.** *Fís.* Vetor de um campo solenoidal. **Vetor tangente.** *Mat.* Vetor unitário *t* definido como a derivada *dr/ds*, onde *r* é o vetor posição de um ponto de uma curva de elemento de arco *ds*. **Vetor turbilhão.** *Fís.* A metade do rotacional do campo de velocidade dum fluido em movimento. **Vetores antiparalelos.** *Fís.* Os que têm a mesma direção, mas sentidos opostos. **Vetores ortogonais.** *Mat.* Vetores cujo produto escalar é nulo. Num espaço tridimensional, as retas suportes desses vetores são ortogonais. **Vetores ortonormais.** *Mat.* Vetores ortogonais de módulo unitário. **Vetores paralelos.** *Mat.* Os que têm paralelas as retas suportes e iguais os sentidos.

vetorial [De *vetor* + *-ial*; var. de *vectorial*.] ***Adj. 2 g.*** **1.** Relativo a vetor. **2.** *Fís. Part.* Diz-se de partículas que têm *spin*[-1]. ~ V. *álgebra* —, *ângulo* —, *base* —, *cálculo* —, *campo* —, *imagem* — e *produto* —.

vetustez (ê) [De *vetusto* + *-ez*.] ***S. f.*** Qualidade ou estado de vetusto: "As velhas casas, titubeantes de vetustez, trepam pelas encostas, amparando-se umas às outras." (Sousa Bandeira, *Evocações e Outros Escritos*, p. 62.)

vetusto [Do lat. *vetustu.*] ***Adj.*** **1.** Muito velho; antiquíssimo; antigo: "No pátio, ao pé da casa, a torre alta e vetusta, / Cuja lendária história os ânimos assusta" (Conde de Monsaraz, *Musa Alentejana*, p. 58). **2.** Deteriorado pelo tempo. **3.** Respeitável pela idade.

véu [Do lat. *velu.*] ***S. m.*** **1.** Tecido com que se cobre qualquer coisa. **2.** *Vest.* Tecido transparente com que as mulheres cobrem a cabeça e/ou o rosto em determinadas circunstâncias. **3.** Mantilha de freira. **4.** *Fig.* O que se pode comparar a um véu. **5.** *Fig.* Aquilo que serve para ocultar algum fato; pretexto. **6.** *Anat.* Nome genérico de estrutura anatômica semelhante a um véu. **7.** *Zool.* Membrana única sustentada por feixe de espinhos, ou com várias dessas estruturas, que cobre o dorso dos equinodermos asteroides. **8.** Trevas, noite. **9.** Aflição, angústia, amargura. **10.** *Bras. RS* Manta inteiriça de lã que se tira do animal ovelhum no ato da tosquia, e que abrange os flancos, lombo e pescoço. ◆ **Véu de ombros.** Manto de seda que o padre põe nos ombros ao ter de empunhar a custódia ou transportar os cibórios que contêm hóstias consagradas; véu umeral: "Sempre o vigário ou o padre de maior categoria, revestido da capa de asperges, tinha a missão de levá-la [a custódia], segurando-a pela base, envolvida nas bordas do véu de ombros." (Tobias Monteiro, *História do Império. O Primeiro Reinado*, II, pp. 310-311.) **Véu do cálice.** Retângulo de seda com que o padre cobre o cálice ao dirigir-se ao altar para dizer a missa: "Onde havia paramentos sacerdotais, véu do cálice, sudário, pluvial, que traduzissem na tonalidade uma delicadeza de cores igual àquela?!" (Aquilino Ribeiro, *Dom Frei Bertolameu*, p. 37.) **Véu do paladar.** *Anat.* V. *palato mole.* **Véu palatino.** *Anat.* V. *palato mole.* **Véu umeral.** Véu de ombros.

vexação [Do lat. *vexatione.*] ***S. f.*** Ato ou efeito de vexar. [Var.: *avexação*; sin.: *vexame.*]

vexado [Part. de *vexar.*] ***Adj.*** **1.** Envergonhado: "As virtudes cívicas se encolhem vexadas; campeia a traficância." (Darci Ribeiro, *Aos Trancos e Barrancos*, p. 2.395.) **2.** *Bras. N.E.* Apressado, azafamado. [Var.: *avexado.*]

vexador (ô) [Do lat. *vexatore.*] ***Adj.*** **1.** V. *vexatório.* ● ***S. m.*** **2.** Aquele que vexa.

vexame [Do lat. *vexamen.*] ***S. m.*** **1.** Vexação. **2.** Aquilo que causa vexação. **3.** Vergonha, afronta, ultraje. **4.** *Bras. N.E.* Pressa, afã, azáfama. **5.** *Bras. N.E.* Espécie de afrontação ou palpitação do coração: "quase que o pai o mata a bengaladas, não matando somente porque teve um vexame na hora" (João Ubaldo Ribeiro, *Viva o Povo Brasileiro*, p. 333). ◆ **Dar vexame.** *Bras. Pop.* Fazer, à vista de todos, algo que envergonha, embaraça, constrange: *Disse o técnico que seu time não daria vexame.*

vexaminoso (ô) [Do rad. *vexamin-* (< lat. *vexamen, inis*) + *-oso.*] ***Adj.*** *Bras.* Que causa vexame ou vergonha; vergonhoso, vexatório.

vexante [Do lat. *vexante.*] ***Adj. 2 g.*** V. *vexatório.*

vexar [Do lat. *vexare.*] ***V. t. d.*** **1.** Causar tormento a; atormentar, molestar, maltratar: "o seu olhar terrível, cheio de nobre desprezo, humilha-me, e a sua indiferença vexa-me" (Coelho Neto, *Obra Seleta*, I, p. 719). **2.** Humilhar, afligir, afrontar: *As palavras sarcásticas vexaram o rapaz acanhado.* **3.** Causar vergonha a; envergonhar: *Vexava-o conviver com pessoas mais modestas.* **4.** V. *apoquentar.* **5.** *Bras. N.E.* Apressar, azafamar. ***P.*** **6.** Sentir vergonha; envergonhar-se. **7.** V. *apoquentar.* **8.** *Bras. N.E.* Apressar-se, azafamar-se. [Var.: *avexar.* Pres. ind: *vexo* (ê), *vexa* (ê), etc.]

➔ **vexata quaestio** [vɛk'sata 'kwajstẹo] [Lat.] Questão muito controversa.

vexativo [Do lat. tard. *vexativu.*] ***Adj.*** V. *vexatório.*

vexatório [De *vexar* + *-tório.*] ***Adj.*** Que vexa ou provoca vexame; vexador, vexante, vexativo.

vexilar (cs) [Do lat. *vexillare.*] ***Adj. 2 g.*** *Bot.* Relativo a, ou que apresenta vexilo: *prefloração vexilar.*

vexilário (cs) [Do lat. *vexillariu.*] ***S. m.*** *Ant.* Porta-bandeira.

vexilo[1] (cs) [Do lat. *vexillu.*] ***S. m.*** **1.** *Ant.* Bandeira, estandarte: "o estandarte do clube, o vexilo das Violetas embrulhado em papel" (João do Rio, *Vida Vertiginosa*, pp. 149-150). **2.** *Bot.* Pétala superior ou posterior, maior e diferentemente conformada, da corola papilionada; estandarte. **3.** *Zool.* Lâmina da pena das aves, que se estende de cada lado da raque, e que é formada pelo conjunto de barbas.

vexilo[2] (cs) [Do tax. *Vexilum.*] ***S. m.*** *Zool.* **1.** Gênero de ctenóforos das ilhas Canárias. **2.** Espécie ou espécime desse gênero.

vez (ê) [Do lat. *vice.*] ***S. f.*** **1.** Termo que indica um fato na sua unidade ou na sua repetição: *O sino badalou três vezes*; "Sinto a emoção de ser outra vez marinheiro." (Moacir C. Lopes, *Cais, Saudade em Pedra*, p. 195). **2.** Ensejo, ocasião, oportunidade: *Raras vezes aparece.* **3.** A ocasião ou oportunidade que cabe a cada um, dentro de uma sequência estabelecida; turno, hora: *Agora é a sua vez de montar guarda.* **4.** Alternativa, opção. **5.** Pequena porção; dose, quinhão: *uma vez de vinho.* ~ V. *vezes.* "gargalaçou da borracha uma vez de vinho" (Camilo Castelo Branco, *Novelas do Minho*, VII, p. 12). [Pl.: *vezes* (ê). Cf. *vês*, do v. *ver* e pl. do s. m. *vê*, e *vezes*, do v. *vezar.*] ◆ **Vez a vez.** V. *de quando em quando.* **Vez em vez.** V. *de quando em quando*: "Vez em vez, uma inquieta saracura, / Saindo, cautelosa, do brejal, / Da sua face luminosa e pura / Mirava-se no límpido cristal." (Ricardo Gonçalves, *Ipês*, p. 64.) **Vez por outra.** V. *de quando em quando*: "Quando construía esta casa neste recanto, vez por outra aqui chegava o meu inesquecível colega e amigo Guedes de Miranda." (Carlos de Gusmão, *Boca da Grota*, p. 4.) **Vez por vez.** V. *de quando em quando*: "Já respondia às perguntas sem ser sacudindo apenas a cabeça, largava a mania de olhar para o chão, vez por vez sorria." (Mário Palmério, *Chapadão do Bugre*, p. 28.) **Às vezes.** Por vezes; algumas vezes; vezes: "Terras áridas. Nenhuma beleza. Às vezes, ao longe, surge uma serra, e o panorama cria interesse, poesia." (Alfredo Mesquita, *Brasil. Viagem ao Norte e Nordeste*, p. 22.) **Cada vez.** *Angol. Moç.* Talvez; porventura: "Hoje cada vez não vai chegar." (Ascêncio de Freitas, *Ontem Era a Madrugada*, p. 65.) **De quando em vez.** V. *de quando em quando*: "De quando em vez depara-se com uma ruína de casa senhorial." (José Vieira, *Sol de Portugal*, p. 64.) **De uma vez para sempre.** De uma vez por todas: "Que fica fazendo em casa? Que venha. E, de uma vez para sempre, precisamos acabar com estes passeios." (Coelho Neto, *Treva*, p. 167.) **De uma vez por todas.** Sem ser necessário repetir ainda; de uma vez para sempre. **De vez. 1.** De maneira definitiva; em definitivo: "Agora .... que o marido assentara de vez naquela povoação interior, agora é que ela perdera as últimas esperanças de respirar os ares da nossa boa cidade" (Machado de Assis, *Papéis Avulsos*, p. 14). **2.** No tempo adequado de ser colhido; entremaduro: *A banana está de vez.* **De vez em onde.** V. *de quando em quando*: "São bois de vigor estranho, / Mas começam de cansar; / E o lavrador vigilante, / De vez em onde a bradar — Chega, chega!..." (Bulhão Pato, *Livro do Monte*, p. 79.) **De vez em quando.** V. *de quando em quando*: "De vez em quando, tirava da abóbada palatina com a ponta da língua uns estalidos como as cegonhas." (Camilo Castelo Branco, *Vulcões de Lama*, p. 163.) **De vez em vez.** V. *de quando em quando*: "A paisagem corria, mostrando de vez em vez estaçõezinhas humildes" (Raul Bopp, *Putirum*, p. 189). **Em vez de.** Em lugar de: *Em vez destes livros, traga-me outros.* [Cf. *ao invés de.*] **Fazer as vezes de. 1.** Desempenhar as funções que competem a (outrem). **2.** Servir para o mesmo fim que (alguma coisa); substituir. **Lá uma vez perdida.** *Bras.* Muito raramente: "Lá uma vez perdida, quando em uma caçada mais feliz, conseguiam abater carne capaz de fartá-los, ... surgia o problema do sobejo da comida a preservar para o amanhã." (Osvaldo Lamartine de Faria, *Conservação de Alimentos nos Sertões do Seridó*, p. 26.) **Muita vez.** Muitas vezes; frequentemente: "O mar batia no navio e muita vez caía água em cima deles." (José Lins do Rego, *Gregos e Troianos*, p. 165.) **Pensar duas vezes.** Refletir, ponderar, antes de tomar uma decisão, de agir. **Por sua vez.** Por seu turno. **Por vez.** V. *de quando em quando*: "Marcos das eras mortas, florões de arte / em que o sonho, por vez, se transfigura" (Valdemar Lopes, *Sonetos de Portugal*, p. 37). **Ser outra vez.** Ser a cara de. **Ter vez. 1.** Ter oportunidade: *Há países em que o pobre de berço não tem vez.* **2.** Ter cabimento; ser cabível, oportuno: *Este argumento, é claro, não tem vez.* **Uma vez.** Em certa ocasião; outrora. **Uma vez na vida, outra na morte.** *Bras.* Muito raramente: "Em geral, na cidade, compravam apenas sal e café — e uma vez na vida, outra na morte um pedaço de pano ou uma rede." (Raquel de Queirós, *A Donzela e a Moura-Torta*, p. 47.) **Uma vez ou outra.** V. *uma vez por outra*: "podiam transportar-se uma vez ou outra na almofada dos trens" (Fialho d'Almeida, *A Cidade do Vício*, p. 113). **Uma vez por outra.** Poucas vezes; raramente; uma vez ou outra: "uma vez por outra, pedia ao seu diretor espiritual que mandasse vir o cadáver de seu filho para o sepultar em um jazigo que mandara fazer na sua capela." (Camilo Castelo Branco, *Vulcões de Lama*, p. 179). **Uma vez que. 1.** Visto que; dado que; como: *Uma vez que ele veio, haverá festa;* "Não poderia [Silva Jardim] deixar de ser considerado como o chefe virtual da política republicana no Estado do Rio de Janeiro, uma vez que Quintino Bocaiuva havia preferido a área federal." (Barbosa Lima Sobrinho, *Presença de Alberto Torres*, p. 91). **2.** Dado que; caso: *Uma vez que você baixe o preço, eu compro-lhe a casa.*

vezar [De *vezo* + *-ar*[2].] ***V. t. d. e i. P.*** Avezar[1]: "Essa plebe escura, ... se a vezarem à glorificação dos déspotas defuntos, não saberá resistir aos vivos." (Camilo Castelo Branco, *Perfil do Marquês de Pombal*, p. XV.) [Pres. ind.: *vezo*, etc.; pres. subj.: *veze*, *vezes*, etc. Cf. *vezo* (ê), s. m., e *vezes* (ê), pl. de *vez.*]

vezeiro [De *vezo* + *-eiro.*] ***Adj.*** **1.** Que tem vezo; acostumado, habituado: "Dizem .... que esse tal de Vilanova era vezeiro em vender refugo de couro como couro bom." (Herberto Sales, *Histórias Ordinárias*, p. 163.) **2.** Reincidente. [Fem.: *vezeira.* Cf. *viseira.*]

vezes (ê) [Pl. de *vez.*] ***Adv.*** Às vezes; por vezes; algumas vezes: "Céu de dias de sol e noites enluaradas, vezes também cheio de nuvens carregadas" (Ascenso Ferreira, *Catimbó e Outros Poemas*, p. 159); "Todo o homem, por mais materialista que seja, vezes se torna panteísta e então sente a alma das coisas." (João Clímaco Bezerra, *O Homem e Seu Cachorro*, p. 39). ~ V. *vez.*

vezo (ê) [Do lat. *vitiu*, 'vício', por via pop.] ***S. m.*** **1.** Costume vicioso ou criticável. **2.** Qualquer hábito ou costume: "O vezo de cantar as cousas da terra, de nomeá-las, citá-las ou descrevê-las, ... era velho na nossa poesia." (José Veríssimo, *História da Literatura Brasileira*, p. 170.) [Pl.: *vezos* (ê). Cf. *vezo*, do v. *vezar.*]

■ **VFR** [Sigla do ingl. *v(isual) f(light) r(ules)*, 'normas de voo visual'.] Sigla us. na expr. *voo VFR* (q. v.).

■ **v. g.** Abrev. de *verbi gratia.*

■ **VHF** [Sigla do ingl. *V(ery) H(igh) F(requency)*, 'frequência muito alta'.] *Fís.* V. *faixa de ondas métricas.*

■ **VHS** [Ingl., sigla de *v(ideo) h(ome) s(ystem).*] *Telev.* Sigla designativa de fita de vídeo de uso doméstico corrente, com formato de 1/2 polegada. [Cf. *Betamax*; *U-matic.*]

via [Do lat. *via*, 'caminho'.] ***S. f.*** **1.** Lugar por onde se vai ou se é levado; estrada, caminho: "Algumas das modernas rodovias europeias aproveitam longos trechos de vias construídas há dois milênios!" (Heitor Lisboa de Araújo, *Engenharia de Transportes*, p. 6.) [Dim. irreg.: *viela.*] **2.** Direção, rumo. **3.** Bitola (2). **4.** Qualquer ducto do organismo. **5.** V. *conduto* (1). **6.** V. *meio*[1] (10). **7.** Maneira, meio, modo. **8.** Exemplar de uma letra, documento, etc. **9.** Causa, razão, motivo. ● ***Prep.*** **10.** Pelo caminho de. ◆ **Via aérea.** *Anat.* O trajeto por onde passam o ar inalado e o ar exalado, respectivamente do meio exterior aos pulmões, e destes ao meio exterior. **Via arterial.** Aquela que se caracteriza por cruzamentos em nível, ger. controlada por semáforo, com acessibilidade aos lotes lindeiros e às vias secundárias e locais, possibilitando o trânsito entre as regiões da cidade. [Cf. *via coletora* e *via local.*] **Via coletora.** Aquela que se destina a coletar e distribuir fluxo de veículos para a entrada ou saída das vias de trânsito rápido, ou das vias arteriais. [Cf. *via arterial* e *via local.*] **Via de acesso.** *Cir.* Conjunto de manobras que permite ao cirurgião atingir, no corpo humano, região ou parte de região, órgão ou parte de órgão, para realizar, convenientemente, uma operação (4). **Via férrea.** Conjunto de duas linhas de trilhos, assentadas e fixadas paralelamente em dormentes, e cuja separação constitui a bitola da via. [Cf. *ferrovia.*] **Via Láctea.** *Astr.* **1.** Nebulosa que forma longa mancha branca no escuro do céu. [Sin., pop.: *caminho de São Tiago, estrada de Santiago, estrada de São Tiago, carreira de São Tiago, carreiro de São Tiago.*] **2.** Galáxia[1] (2). [Var.: *Via Látea.*] **Via Látea.** *Astr.* V. *Via Láctea.* **Via local.** Aquela que se caracteriza por interseções em nível e que não são controladas por semáforo, e que serve ao acesso local, ou a áreas restritas. [Cf. *via arterial* e *via local.*] **Via permanente.** Conjunto da via férrea e das instalações que lhe ficam abaixo. **Vias de fato.** Violências, pancadas. **Em via de. 1.** A caminho de, em processo de: "Algumas [gentes], com tal hóspede ainda não carmeado inteiramente da lã minhota, julgar-se-iam em via de regeneração." (Camilo Castelo Branco, *Novelas do Minho*, V, p. 42.) **2.** Prestes a: *A represa está em via de romper.* [Tb. se usa *em vias de.*] **Em vias de.** V. *em via de.* **Oito vias.** *Rel.* No budismo, os caminhos que conduzem o homem à libertação do *samsara* (q. v.); são eles: a visão perfeita das quatro verdades (q. v.), a decisão perfeita a favor do ainsa (q. v.), o discurso perfeito, a ação perfeita, o modo de vida perfeito, o esforço perfeito, a atenção e o controle perfeito do pensamento e a contemplação perfeita. **Por via das dúvidas.** Para prevenir enganos: *Achou que não ia chover, mas por via das dúvidas levou guarda-chuva.* **Por via de. 1.** Por intermédio de. "Esta causa principal, ... , gerou a dissolução política por via da dissolução moral." (Alexandre Herculano, *Eurico, o Presbítero*, p. 41.) **2.** Por causa de; por virtude de; por amor de: "Já os homens, por via do escuro, não conseguiam segurar no olho suas presas quando o silvo saiu de

V

cortar no ouvido." (João Felício dos Santos, *João Abade*, p. 246.) **Por via de regra.** Em regra.

viabilidade[1] [De *viável*[1] + *-(i)dade*, seg. o padrão erudito.] ***S. f.*** **1.** Qualidade de viável[1]. **2.** Condição de caminho ou via por onde se pode transitar.

viabilidade[2] [Do fr. *viabilité*.] ***S. f.*** Qualidade de viável[2].

viabilização [De *viabilizar* + *-ção*.] ***S. f.*** Ato ou efeito de viabilizar.

viabilizar [De *viável*[2] (sob a f. *viabil-*) + *-izar*, seg. o padr. erud.] ***V. t. d. P.*** Tornar(-se) viável, exequível, realizável: *A alta do preço do petróleo viabilizou a exploração da jazida; Até agora, só um dos projetos da firma se viabilizou.*

viação [De um **viar* (< lat. *viare*, 'caminhar') + *-ção*.] ***S. f.*** **1.** Modo ou meio de deslocar(-se) de um lugar para outro, por caminhos ou ruas. **2.** Conjunto de estradas ou caminhos. **3.** Serviço de veículos de carreira, para utilização pública. [Cf. *veação*.]

via-crúcis [Do lat. *via crucis*, 'o caminho da cruz'.] ***S. f.*** **1.** V. *via-sacra*. **2.** *Fig.* V. *calvário* (3): "Percorreu outra via-crúcis: pediu proteção à polícia." (Flávio Moreira da Costa, *Nem Todo Canário É Belga*, p. 64.)

viador (ô) [Do lat. *viatore*.] ***S. m.*** **1.** Aquele que viaja; passageiro. **2.** Antigo empregado superior da casa real que servia a rainha. **3.** Antigo camarista da rainha. [Cf. *veador*.]

viadutense ***Adj. 2 g.*** **1.** De, ou pertencente ou relativo a Viadutos (RS). ● ***S. 2 g.*** **2.** O natural ou habitante de Viadutos.

viaduto [Do ingl. *viaduct*.] ***S. m.*** Construção destinada a transpor uma depressão de terreno ou a servir de passagem superior. [Cf. *ponte* (1).] ◆ **Viaduto de acesso.** Construção que serve para dar acesso a uma ponte.

viagear [De *viagem* + *-ear*[2].] ***V. int.*** **1.** *Bras. MG* Viajar: "Por conta de que patrão viageia agora?" (Mário Palmério, *Chapadão do Bugre*, p. 8.) **2.** *Bras. SP* Viajar como caixeiro-viajante. [Conjug.: v. *frear*.]

viageiro [De *viagem* + *-eiro*.] ***Adj.*** **1.** Referente a viagem. **2.** Que viaja, que é dado a viajar: "O autor é viageiro, conhece um bocado da América" (Carlos Drummond de Andrade, *Passeios na Ilha*, p. 88). ● ***S. m.*** **3.** Aquele que viaja; viajor: "Andorinhas do céu de Campinas, viageiras / Dos descampados do ar, na terra em que as palmeiras / São mais verdes e o azul mais diáfano" (Alberto de Oliveira, *Poesias*, 4.ª série, p. 83).

viagem [Do prov. *viatge*.] ***S. f.*** **1.** Ato de ir de um a outro lugar relativamente afastado. **2.** Experiência causada por ingestão ou administração de droga (4), e que faz o indivíduo ter alucinação ou alucinações. [Cf. *viajem*, do v. *viajar*.] ◆ **Viagem redonda.** *Mar. Merc.* Viagem contada desde que o navio deixa o porto inicial até regressar a ele; viagem de ida e volta. **Passar de viagem.** *Turfe* Passar de passagem.

viajada [De *viajar* + *-ada*[1].] ***S. f.*** *Bras.* Viagem, caminhada.

viajado [Part. de *viajar*.] ***Adj.*** Que viajou muito; que percorreu diversas terras ou países: "O velho Matos era um solteirão rico e viajado" (Artur Azevedo, *Contos Efêmeros*, p. 231).

viajante [De *viajar* + *-nte*.] ***Adj. 2 g.*** **1.** Que viaja. ● ***S. 2 g.*** **2.** Pessoa que viaja. ● ***S. m.*** **3.** *Bras.* V. *caixeiro-viajante*.

viajão [De *viagem* + *-ão*[1].] ***S. m.*** *Bras.* Viagem boa, excelente: "— Que sorte! Que fortuna! Que viajão vamos ter..." (Simões Lopes Neto, *Casos do Romualdo*, p. 173); "— Fizeram um viajão, não foi?" (Adalberon Cavalcanti Lins, *Curral Novo*, p. 114).

viajar [De *viagem* + *-ar*[2].] ***V. int.*** **1.** Fazer viagem ou viagens: "ganhei bastante dinheiro. Comecei a viajar — mas nunca fui ao Peru." (Carlos Heitor Cony, *Matéria de Memória*, p. 71); "Que ilusão, viajar! Todo o Planeta é zero." (Antônio Nobre, *Só*, p. 92). **2.** Estar sob a influência de droga(s) [v. *droga* (4)] que causa(m) alucinação ou alucinações. ***T. d.*** **3.** Andar por; percorrer, correr: "Viajou o sertão, andou por Sergipe" (Anísio Melhor, *Violas*, p. 46); "Lambsdorff ...., tendo viajado quase todo o globo, mais parisiense do que os parisienses, ... é o mais bondoso, o mais modesto, o mais simples dos homens." (Ramalho Ortigão, *Notas de Viagem*, pp. 19-20). [Pres. subj.: *viaje, ... viajem*. Cf. *viagem*.]

viajor (ô) [De *viaj-*, como em *viajar*, + *-or*.] ***S. m.*** Viageiro (3): "Eterno viajor de eterna senda..." (Castro Alves, *Obra Completa*, p. 86.)

viamonense ***Adj. 2 g.*** **1.** De, ou pertencente ou relativo a Viamão (RS). ● ***S. 2 g.*** **2.** O natural ou habitante de Viamão.

vianda [Do fr. *viande*, 'alimento'.] ***S. f.*** **1.** Qualquer tipo de alimento. **2.** Qualquer carne alimentar. **3.** Carne de animais terrestres: "comiam também, em roda dos alforjes abertos, cortando com os punhais nacos de gordura nas grossas viandas de porco" (Eça de Queirós, *A Ilustre Casa de Ramires*, p. 485). **4.** *Bras. RS* Refeições fornecidas, em marmitas, a domicílio. ◆ **Comer de vianda.** *Bras. RS* Comer de marmita.

viandante [De *viandar* + *-nte*.] ***Adj. 2 g. S. 2 g.*** **1.** Que, ou quem vianda ou viaja; caminheiro, viajante. **2.** Transeunte (2 e 3).

viandar [De *via* + *andar*.] ***V. int.*** Viajar, peregrinar: "Muita vez dia e noite, e por um mês inteiro, / vai pascendo e viandando o gado aventureiro" (Antônio Feliciano de Castilho, *As Geórgicas*, p. 187).

viandeiro[1] [De *viandar* + *-eiro*.] ***S. m.*** Aquele que vianda; viajante, viandante.

viandeiro[2] [De *vianda* + *-eiro*.] ***Adj. S. m.*** **1.** Que, ou aquele que gosta de vianda. **2.** Comilão, glutão.

vianense[1] ***Adj. 2 g.*** **1.** De, ou pertencente ou relativo a Manuel Viana (RS). ● ***S. 2 g.*** **2.** O natural ou habitante de Manuel Viana.

vianense[2] ***Adj. 2 g.*** **1.** De, ou pertencente ou relativo a Viana (MA e ES). ● ***S. 2 g.*** **2.** O natural ou habitante de Viana.

vianense[3] ***Adj. 2 g. S. 2 g.*** V. *vianês*. [Cf. *vienense*.]

vianês ***Adj.*** **1.** De, ou pertencente ou relativo a Viana do Castelo (Portugal). ● ***S. m.*** **2.** O natural ou habitante de Viana do Castelo. [Sin. ger.: *vianense*. Flex.: *vianesa* (ê), *vianeses* (ê), *vianesas* (ê). Cf. *vienês*.]

vianopolino ***Adj.*** **1.** De, ou pertencente ou relativo a Vianópolis (GO). ● ***S. m.*** **2.** O natural ou habitante de Vianópolis.

vianteiro [De *vinhateiro*, pelo forro[2].] ***S. m.*** *Santom.* Indivíduo que sobe às palmeiras e extrai a seiva destinada à preparação da úcua (q. v.): "Vem ver o vianteiro a transportar / o néctar que a palmeira oferece todo o ano" (Maria Olinda Beja, *Bô Tendê?*, p. 35).

viário [Do lat. *viariu*.] ***Adj.*** **1.** Referente a, ou de viação: *sistema viário; Pensava-se que o metrô resolveria os problemas viários do Rio.* [Fem.: *viária*. Cf. *vearia*.] ● ***S. m.*** **2.** O leito da via férrea. **3.** O espaço ocupado por ela.

via-sacra [Do lat. *via sacra*, 'caminho sagrado'.] ***S. f.*** *Rel.* **1.** Série de 14 quadros que representam as principais cenas da paixão de Cristo; caminho da cruz. **2.** As orações que se rezam em frente a esses quadros. [Sin. ger.: *via-crúcis*. Pl.: *vias-sacras*.] ◆ **Fazer a via-sacra.** **1.** *Rel.* Contemplar os quadros da via-sacra (1) detendo-se ante cada um deles para rezar. **2.** *Rel.* Visitar as igrejas na semana santa, principalmente na quinta e na sexta-feira. **3.** *Fig.* Ir a vários lugares semelhantes, e com o mesmo fito: *Fez a via-sacra das lojas mas nada comprou.*

viático [Do lat. *viaticu*.] ***S. m.*** **1.** Provisão de dinheiro e/ou de gêneros para viagem; farnel. **2.** *Rel.* Sacramento da Eucaristia administrado aos enfermos impossibilitados de sair de casa. [Sin., pop., nesta acepç.: *nosso-pai*.]

viatório [Do lat. *viatoriu*.] ***Adj.*** Referente a via, a caminho.

viatura [Adapt. do fr. *voiture*.] ***S. f.*** **1.** Qualquer veículo. **2.** Meio de transporte.

viável[1] [Do b.-lat. *viabile*.] ***Adj. 2 g.*** Que pode ser percorrido; que não oferece obstáculo; transitável.

viável[2] [Do fr. *viable*.] ***Adj. 2 g.*** *Gal.* **1.** Duradouro, vivedouro. **2.** Executável, exequível, realizável.

víbice [Do lat. *vibice*.] ***S. m.*** *Med.* Efusão sanguínea linear subcutânea; vergão.

víbora [Do lat. *vipera*.] ***S. f.*** **1.** *Zool.* Réptil ofídio da família dos viperídeos [v. *vípera* (2)]. **2.** *Bras. Pop. Zool.* V. *lagartixa* (1). **3.** *Fig.* Pessoa de má índole ou de gênio mau.

viborão [De *víbora* + *-ão*[1].] ***S. m.*** *Bras. Amaz. Zool.* V. *sucuri*.

vibração [Do lat. tard. *vibratione*.] ***S. f.*** **1.** Ato ou efeito de vibrar. **2.** Oscilação, balanço. **3.** Tremor do ar, ou de uma voz. **4.** Movimento vibratório; trepidação.

vibráculo [Do lat. cient. *vibraculum*.] ***S. m.*** *Zool.* Cada um dos filamentos longos, em forma de chicote, que se observam na superfície de determinadas colônias de briozoários.

vibrado [Part. de *vibrar*.] ***Adj.*** ~ V. *concreto* —.

vibrador (ô) [De *vibrar* + *-dor*.] ***Adj.*** **1.** Que vibra ou faz vibrar. ● ***S. m.*** **2.** Aparelho que produz vibrações elétricas ou mecânicas.

vibrafone [Do ingl. *vibraphone*.] ***S. m.*** *Mús.* Espécie de xilofone (2) muito usado em música de *jazz*, com uma série de lâminas de aço que se percutem com baquetas e com ressoadores, dentro dos quais uma pequena pá elétrica agita o ar e amplia as vibrações sonoras.

vibrafonista [De *vibrafone* + *-ista*.] ***Adj. 2 g. S. 2 g.*** Que, ou quem que toca vibrafone.

vibrante [Do lat. *vibrante*.] ***Adj. 2 g.*** **1.** Que vibra; vibrátil, vibratório. ~ V. *consoante* —. ● ***S. f.*** **2.** *E. Ling.* Consoante vibrante (q. v.).

vibrar [Do lat. *vibrare*.] ***V. t. d.*** **1.** Agitar, brandir: *Os guerreiros vibravam a arma;* "Quem vibra o tacape / Com mais valentia?" (Gonçalves Dias, *Obras Poéticas*, I, p. 23). **2.** Fazer tremular ou oscilar. **3.** Deslocar, mover. **4.** Pulsar, dedilhar, tanger, ferir: *vibrar um instrumento de corda.* **5.** Fazer soar: "E a cotovia .... / Vai pelo ar um cântico vibrando" (Guerra Junqueiro, *A Morte de D. João*, p. 331). **6.** Comunicar vibrações, trepidações, a; fazer trepidar: *A estrada mal conservada vibrava o automóvel.* **7.** Lançar, arremessar: *O lutador vibrava golpes a esmo.* **8.** Comover, abalar. ***T. d. e i.*** **9.** Arremessar vibrando: *Vibrou-lhe uma pedra.* ***Int.*** **10.** Entrar em vibração; estremecer, abalar: *Com os abalos sísmicos, os alicerces do edifício vibraram.* **11.** Bater, pulsar. **12.** Produzir sons; soar; ecoar: "Súbito um grito vibrou longo e agudo." (Coelho Neto, *Rei Negro*, p. 108.) **13.** Ter som claro e distinto. **14.** Sentir tremura, estremecer; tremer. **15.** Produzir vibração ou trepidação; trepidar: *O veículo vibra na rua mal pavimentada.* **16.** Manifestar alegria, felicidade intensa; entusiasmar-se.

vibrátil [Do lat. *vibratus*, part. pass. de *vibrare*, 'vibrar', + *-il*[1].] ***Adj. 2 g.*** **1.** V. *vibrante* (1). **2.** Suscetível de vibrar. [Pl.: *vibráteis*.]

vibratilidade [De *vibrátil* + *-(i)dade*.] ***S. f.*** Qualidade de vibrátil.

vibrato [Do it. *vibrato*.] ***S. m.*** *Mús.* Nos instrumentos de cordas (violino, viola e violoncelo), efeito técnico que consiste em produzir uma ligeira oscilação na altura de um som, a fim de reforçar o valor expressivo das notas. [Tb. se obtém esse efeito nos instrumentos de sopro e com a voz humana. Cf. *trêmulo* (6).]

vibratório [De *vibrar* + *-tório*.] ***Adj.*** **1.** V. *vibrante* (1). **2.** Que produz vibração ou é acompanhado de vibração: *massagem vibratória.*

vibrião [Do fr. *vibrion*.] ***S. m.*** *Microbiol.* Nome comum às bactérias do gênero *vibrio* (v. *víbrio*).

víbrio [Do tax. *Vibrio*.] ***S. m.*** *Microbiol.* **1.** Gênero de bactérias gram-negativas, móveis, em forma de bastonete curvo, com muitas espécies patogênicas. **2.** Qualquer espécie desse gênero, como, p. ex., a *Vibrio cholerae*, que habita águas doces e salgadas e é o agente patológico da cólera (4). **3.** Qualquer espécime desse gênero.

vibrissas [Do lat. *vibrissae, -arum*.] ***S. f. pl.*** **1.** *Anat.* Pelos rijos que crescem em torno das narinas, ou em outras partes da face de muitos mamíferos (como os bigodes do gato, ou os pelos das narinas do homem) e que são não apenas sensitivos, mas costumam ter uma função tátil. **2.** *Zool.* Penas modificadas, perto do bico de certas aves insetívoras.

vibrissiforme [De *vibrissas* + *-iforme*.] ***Adj. 2 g.*** Semelhante a vibrissas.

viburno [Do tax. *Viburnum*.] ***S. m.*** *Bot.* **1.** Grande gênero de árvores e arbustos caprifoliáceos, de larga distribuição, e de origem europeia, dotados de folhas simples e flores alvas, e raramente róseas, em cimeiras; os frutos são, ger., bagas brancas. **2.** Qualquer espécie desse gênero, como, p. ex., a *Viburnum prunifolium*, de pequenas flores alvas, densamente congregadas em panículas, e drupas violáceas, escuras. **3.** Qualquer espécime desse gênero.

viçar[1] [De *viço* + *-ar*[2].] ***V. int.*** **1.** Vicejar (1): "Longe do teu olhar a terra é escura, / A flor não viça, as águas são pedrentas" (Ronald de Carvalho, *Poemas e Sonetos*, p. 148). **2.** *Fig.* Desenvolver-se, alastrar-se, aumentar. **3.** *Bras. N.* Conceber, parir (o animal). [Normalmente é defect., unipess. Conjug.: v. *laçar*.]

viçar[2] [De *vício* + *-ar*[2], com síncope.] ***V. int.*** *Bras. N.E.* **1.** Ter ou praticar o vício (8). **2.** Estar (o animal) no cio ou no vício. [Conjug.: v. *laçar*.]

vicarial [Do lat. *vicarius*, 'vicário', + *-al*[1].] ***Adj. 2 g.*** Relativo a vigário, ou a vicariato.

vicariância [De *vicariante* + *-ia*[2], seg. o padrão analógico.] ***S. f.*** *Ecol.* Evento biogeográfico associado à formação de uma barreira geográfica que isola populações previamente unidas.

vicariante [Do fr. *vicariant*; cf. *vicário*.] ***Adj. 2 g.*** **1.** *Biogeogr.* Diz-se de duas espécies intimamente ligadas sob o aspecto filogenético, e que habitam áreas geograficamente distintas. **2.** *Med.* Diz-se de órgão que compensa a insuficiência funcional de outro, ou de função que se processa em lugar de outra.

vicariato [Do lat. *vicarius*, 'vigário', + *-ato*[1].] ***S. m.*** **1.** Cargo ou exercício de vigário (2 e 3); vigairaria, vigararia. **2.** Tempo de duração desse cargo. **3.** Residência do vigário. **4.** Território compreendido na jurisdição dum vigário. **5.** *P. ext.* Substituição no exercício de quaisquer funções.

vicário [Do lat. *vicariu*.] ***Adj.*** **1.** Que faz as vezes de outrem ou de outra coisa. **2.** Diz-se do poder exercido por delegação de outrem. ~ V. *verbo* —.

vice [Do lat. *vice*, 'em vez de'.] ***S. 2 g.*** F. red. de *vice-presidente, vice-governador, vice-cônsul*, etc.

▲ **vice-** [Do lat. *vice*, ablat. de *vicis*, gen. de *vix*.] ***El. comp.*** = 'em vez de'; 'substituição'; '(o) que substitui': *vice-reitor, vice-cônsul.* [Equiv.: *vis-, vizo-*: *visconde* (q. v.), vizo-rei.] [É sempre seguido de hífen.]

vice-almirantado [De *vice-almirante* + *-ado*[2].] *S. m. Desus.* Cargo ou dignidade de vice-almirante. [Pl.: *vice-almirantados*.]

vice-almirante [De *vice-* + *almirante*.] *S. m.* **1.** V. *hierarquia militar.* **2.** Oficial que detém o posto de vice-almirante. [V. *almirante* (3). Pl.: *vice-almirantes*.]

vice-bailio [De *vice-* + *bailio*.] *S. m.* Antigo oficial, substituto do bailio. [Pl.: *vice-bailios*.]

vice-campeã *S. f.* Fem. de *vice-campeão*.

vice-campeão [De *vice-* + *campeão*.] *Adj. S. m.* Diz-se de, ou clube ou atleta que alcançou vice-campeonato. [Fem.: *vice-campeã*; pl.: *vice-campeões*, *vice-campeãs*.]

vice-campeonato [De *vice-* + *campeonato*.] *S. m.* O segundo lugar, num campeonato. [Pl.: *vice-campeonatos*.]

vice-chanceler [De *vice-* + *chanceler*.] *S. m.* **1.** Substituto do chanceler (q. v.). **2.** Cardeal presidente da cúria romana, para o despacho de bulas e breves apostólicos. [Pl.: *vice-chanceleres*.]

vice-comissário [De *vice-* + *comissário*.] *S. m.* Aquele que substitui o comissário na ausência ou impedimento deste; subcomissário. [Pl.: *vice-comissários*.]

vice-comodoro [De *vice-* + *comodoro*.] *S. m.* Aquele que substitui o comodoro na ausência ou impedimento deste. [Pl.: *vice-comodoros*.]

vice-cônsul [De *vice-* + *cônsul*.] *S. m.* **1.** Aquele que substitui o cônsul na sua ausência ou impedimento. **2.** V. *carreira diplomática.* [Pl.: *vice-cônsules*.]

vice-consulado [De *vice-cônsul* + *-ado*[2].] *S. m.* **1.** Cargo de vice-cônsul. **2.** Repartição de vice-cônsul. **3.** Território compreendido na jurisdição do vice-cônsul. [Pl.: *vice-consulados*.]

vice-consular [De *vice-cônsul* + *-ar*[1].] *Adj. 2 g.* Relativo ou pertencente a vice-cônsul. [Pl.: *vice-consulares*.]

vice-governador (ô) [De *vice-* + *governador*.] *S. m.* Aquele que, em caso de impedimento do governador, lhe faz as vezes. [Pl.: *vice-governadores*.]

vice-governança [De *vice-* + *governança*.] *S. f.* Cargo ou dignidade de vice-governador. [Pl.: *vice-governanças*.]

vicejante [De *vicejar* + *-nte*.] *Adj. 2 g.* Que viceja: "Tu continuas na azinhaga; ao lado / Verdeja, vicejante, a nossa vinha." (Cesário Verde, *Obra Completa*, p. 117.)

vicejar [De *viço* + *-ejar*.] *V. int.* **1.** Ter viço, vegetar com opulência; viçar: "inda a lembrança guardo / Dessa linda moça, flor de teu caminho, / Flor do teu areal, onde viceja o cardo." (Alberto de Oliveira, *Poesias*, 2.ª série, p. 234). **2.** Ostentar-se de maneira brilhante ou exuberante; garrir: *Vicejava na sua juventude saudável.* *T. d.* **3.** Dar o viço a: *Ali, o clima viceja as plantas.* **4.** Fazer brotar exuberantemente: *Chegava a primavera, vicejando campos e florestas.* **5.** Brotar, produzir, lançar: "Não era para eles que as aves cantavam contentamentos, que as árvores vicejavam esperanças" (Antônio Feliciano de Castilho, *Amor e Melancolia*, p. 313). [Conjug.: v. *pelejar*.]

vicejo (ê) [Dev. de *vicejar*.] *S. m.* Ato ou efeito de vicejar.

vice-legação [De *vice-* + *legação*.] *S. f.* Cargo ou função de vice-legado. [Pl.: *vice-legações*.]

vice-legado [De *vice-* + *legado*.] *S. m.* Aquele que, em caso de impedimento do legado, lhe faz as vezes. [Pl.: *vice-legados*.]

vice-líder [De *vice-* + *líder*.] *S. m.* Auxiliar e substituto do líder. [Pl.: *vice-líderes*.]

vice-liderança [De *vice-* + *liderança*.] *S. f.* **1.** Cargo ou posto de vice-líder. **2.** O conjunto dos vice-líderes. [Pl.: *vice-lideranças*.]

vice-ministro [De *vice-* + *ministro*.] *S. m.* Aquele que exerce funções imediatamente abaixo das de ministro e que o substitui em sua ausência: "Atirou-a [uma chuteira] contra os inimigos e acertou o rosto do vice-ministro de Esportes da Hungria." (Rui Castro, *Estrela Solitária: Um Brasileiro Chamado Garrincha*, p. 86.) [Pl.: *vice-ministros*.]

vice-mordomo [De *vice-* + *mordomo*.] *S. m.* Aquele que faz as vezes do mordomo. [Pl.: *vice-mordomos*.]

vice-morte [De *vice-* + *morte*.] *S. f.* Estado análogo ou semelhante ao da morte. [Pl.: *vice-mortes*.]

vicenal [Do lat. *vicennale*.] *Adj. 2 g.* Que se faz ou renova de 20 em 20 anos. [Cf. *vicinal*.]

vicenciano *Adj.* **1.** De, ou pertencente ou relativo a São Vicente de Minas (MG). ● *S. m.* **2.** O natural ou habitante de São Vicente de Minas.

vicenciense *Adj. 2 g.* **1.** De, ou pertencente ou relativo a Vicência (PE). ● *S. 2 g.* **2.** O natural ou habitante de Vicência.

vicénio *S. m.* V. *vicênio*. [Uso freq. em P.]

vicênio [Do lat. tard. *vicenniu*.] *S. m.* Período de vinte anos.

vicente [Do antr. *Vicente*, poss.] *El. s. m.* Us. na loc. *pitar do Vicente*. ◆ **Pitar do Vicente.** *Bras. RS* Passar maus bocados; sofrer, padecer.

vicentense *Adj. 2 g.* **1.** De, ou pertencente ou relativo a São Vicente do Sul (RS). ● *S. 2 g.* **2.** O natural ou habitante de São Vicente do Sul.

vicentina [F. subst. do adj. *vicentino*[5].] *S. f.* Religiosa vicentina.

vicentinense *Adj. 2 g.* **1.** De, ou pertencente ou relativo a Vicentina (MS). ● *S. 2 g.* **2.** O natural ou habitante de Vicentina.

vicentino[1] *Adj.* **1.** Pertencente ou relativo a Gil Vicente (c. 1470-c. 1540), dramaturgo português, ou próprio dele: "Vejamos alguns exemplos desse processo vicentino de satirizar pelo silêncio, calando." (Cleonice Berardinelli, *Antologia do Teatro de Gil Vicente*, p. 11.) **2.** Que é grande admirador e/ou profundo conhecedor de sua obra; vicentista. ● *S. m.* **3.** Grande admirador e/ou profundo conhecedor da obra de Gil Vicente; vicentista. [Sin. ger.: *gilvicentesco*.]

vicentino[2] *Adj.* **1.** De, ou pertencente ou relativo a São Vicente (SP). ● *S. m.* **2.** O natural ou habitante de São Vicente.

vicentino[3] *Adj.* **1.** De, ou pertencente ou relativo a São Vicente de Fora (Portugal). ● *S. m.* **2.** O natural ou habitante de São Vicente de Fora.

vicentino[4] *Adj.* **1.** De, ou pertencente ou relativo a São Vicente Ferrer (MA). ● *S. m.* **2.** O natural ou habitante de São Vicente Ferrer.

vicentino[5] *Adj.* **1.** Relativo a S. Vicente de Paulo (1581-1660), padre francês, canonizado em 1737, graças às suas virtudes ou às obras de socorro aos pobres fundadas por ele ou sob sua orientação, especialmente a congregação das Irmãs de Caridade. **2.** Relativo à Conferência de S. Vicente de Paulo, associação fundada na França no séc. XIX por Frederico Ozanam (1813-1853). ● *S. m.* **3.** Membro dessa conferência.

vicentino[6] *Adj.* **1.** De, ou pertencente ou relativo a Vicente Dutra (RS). ● *S. m.* **2.** O natural ou habitante de Vicente Dutra.

vicentinopolino *Adj.* **1.** De, ou pertencente ou relativo a Vicentinópolis (GO). ● *S. m.* **2.** O natural ou habitante de Vicentinópolis.

vicentista *Adj. 2 g.* **1.** V. *vicentino*[1] (2). ● *S. 2 g.* **2.** V. *vicentino*[1] (3): "Nela [edição completa] não figura o *Auto da Festa*, (....) nem os que o ilustre vicentista I. S. Révah atribui a Gil Vicente" (Cleonice Berardinelli, *Antologia do Teatro de Gil Vicente*, p. 9).

vice-prefeito [De *vice-* + *prefeito*.] *S. m.* Aquele que, em caso de impedimento do prefeito, lhe faz as vezes. [Pl.: *vice-prefeitos*.]

vice-presidência [De *vice-* + *presidência*.] *S. f.* Cargo ou dignidade de vice-presidente. [Pl.: *vice-presidências*.]

vice-presidencial [De *vice-presidência* + *-al*[1].] *Adj. 2 g.* Relativo ou pertencente à vice-presidência, ou ao vice-presidente. [Pl.: *vice-presidenciais*.]

vice-presidente [De *vice-* + *presidente*.] *S. 2 g.* Pessoa designada ou eleita antecipadamente para, no caso de impedimento ou ausência do presidente, lhe fazer as vezes. [Pl.: *vice-presidentes*.]

vice-primeiro-ministro *S. m.* Aquele que exerce funções imediatamente abaixo das de primeiro-ministro e que o substitui na ausência dele. [Pl.: *vice-primeiros-ministros*.]

vice-real [De *vice-rei* + *-al*[1].] *Adj. 2 g.* Relativo ou pertencente a vice-rei. [Pl.: *vice-reais*.]

vice-rei [De *vice-* + *rei*.] *S. m.* Governador dum Estado subordinado a um reino. [Pl.: *vice-reis*.]

vice-reinado *S. m.* **1.** Cargo de vice-rei. **2.** O tempo de duração desse cargo. **3.** Território governado por um vice-rei. [Pl.: *vice-reinados*.]

vice-reinar [De *vice-* + *reinar*.] *V. int.* Governar como vice-rei; exercer as funções de vice-rei.

vice-reitor [De *vice-* + *reitor*.] *S. m.* **1.** Aquele que faz as vezes do reitor. **2.** Funcionário imediatamente abaixo do reitor e que exerce junto com este as suas funções. [Pl.: *vice-reitores*.]

vice-reitorado [De *vice-reitor* + *-ado*[2].] *S. m.* **1.** Cargo de vice-reitor. **2.** Tempo de duração desse cargo. **3.** Lugar onde o vice-reitor exerce as suas funções. [Sin. ger.: *vice-reitoria*. Pl.: *vice-reitorados*.]

vice-reitoral [De *vice-reitor* + *-al*[1].] *Adj. 2 g.* Relativo ou pertencente a vice-reitor. [Pl.: *vice-reitorais*.]

vice-reitoria [De *vice-reitor* + *-ia*[1].] *S. f.* V. *vice-reitorado*. [Pl.: *vice-reitorias*.]

vice-secretário [De *vice-* + *secretário*.] *S. m.* Funcionário imediatamente abaixo do secretário. [Pl.: *vice-secretários*.]

vicésimo [Do lat. *vicesimu*.] *Num. P. us.* V. *vigésimo* (1 e 2).

vice-versa [Do lat. *vice versa*, 'às avessas'.] *Adv.* **1.** Em sentido inverso ou oposto; ao contrário. **2.** Reciprocamente, mutuamente.

vichi [Do fr. *vichy* < top. *Vichy*.] *S. m.* **1.** *Tec. Têx.* Tecido de algodão, fabricado, em geral, de dois fios de cores diversas, tecidos alternadamente. ● *S. f.* **2.** Água mineral originária de Vichy (França).

➔ **vichyssoise** [viʃi'swaz] [Fr.] *S. f. Cul.* Sopa cremosa de batata, alho-poró, creme de leite e cebolinha verde, servida fria.

vícia [Do tax. *Vicia*.] *S. f. Bot.* **1.** Gênero de ervas trepadeiras fabáceas vastamente distribuído, de folhas penadas, e flores azuis, purpúreas ou amarelas, solitárias ou em racemos axilares; as vagens são bivalves, achatadas, e contêm várias sementes. **2.** Qualquer espécie desse gênero, como, p. ex., a *Vicia faba* (v. *fava*[1]); algumas espécies, como, p. ex., a *Vicia sativa* (v. *ervilhaca*), são forraginosas. **3.** Qualquer espécime desse gênero. [Cf. *vicia*, do v. *viciar*.]

viciação [Do lat. *vitiatione*.] *S. f.* Ato ou efeito de viciar(-se); viciamento.

viciado [Part. de *viciar*.] *Adj.* **1.** Que tem vício ou defeito. **2.** Corrupto, impuro. **3.** Falsificado, adulterado. ~ V. *estimador* —. ● *S. m.* **4.** Indivíduo viciado.

viciador (ô) [Do lat. *vitiatore*.] *Adj. S. m.* Que, ou aquele que vicia.

viciamento [De *viciar* + *-mento*.] *S. m.* Viciação.

viciar [Do lat. *vitiare*.] *V. t. d.* **1.** Comunicar vício a: *Os entorpecentes viciam o homem.* **2.** Alterar com falsificação; adulterar, falsificar: *Viciou o documento, invalidando-o.* **3.** Estragar, corromper, deteriorar: *A falta de refrigeração viciou os alimentos.* **4.** Tornar nulo; anular. **5.** Seduzir, perverter; corromper. **6.** Modificar parcialmente (aparelho, mecanismo ou dispositivo aferidor) para obter vantagem ilícita; adulterar: *viciar balança, taxímetro, medidor de água. P.* **7.** Adquirir vício: *Com as más companhias, viciou-se em cocaína.* **8.** Corromper-se, estragar-se. **9.** Perverter-se, depravar-se. [Pres. ind.: *vicio, vicias, vicia*, etc. Cf. *vício* e *vícia*.] **10.** *Fig.* Adquirir hábito a que não pode fugir: *Viciou-se em trabalho, e não para.*

vicieira [De *vício* + *-eira*.] *S. f.* Vício, vezo.

vicinal [Do lat. *vicinale*.] *Adj. 2 g.* **1.** Vizinho (1 e 3). **2.** Diz-se particularmente do caminho ou estrada que liga povoações próximas: "Entestando a encruzilhada vicinal, deu ordem ao cargueiro de ir seguindo adiante com a bagagem, enviesou a marcha de jeito a passar por dentro do povoado." (Mário Sete, *Senhora de Engenho*, p. 41.) [Cf. *vicenal*.]

vicinalidade [De *vicinal* + *-(i)dade*.] *S. f.* Qualidade de vicinal (2).

vício [Do lat. *vitiu*, por via erudita.] *S. m.* **1.** Defeito grave que torna uma pessoa ou coisa inadequadas para certos fins ou funções. **2.** Inclinação para o mal. [Nesta acepç., opõe-se a *virtude* (1).] **3.** Costume de proceder mal; desregramento habitual. **4.** Conduta ou costume censurável ou condenável; libertinagem, licenciosidade, devassidão. **5.** Qualquer deformação física ou funcional. **6.** Costume prejudicial; costumeira: *Tem o vício de roer unhas; Este cavalo tem o vício de derrubar o cavaleiro.* **7.** *Jur.* Defeito que pode invalidar ato ou negócio jurídico. **8.** *Psiq. Desus.* Abuso ou dependência de substância(s) psicoativa(s). **9.** *Bras. N.E. Pop.* O hábito de comer terra; geofagia. **10.** *Bras. N.E. MG* V. *cio* (1). [Cf. *vicio*, do v. *viciar*.] ◆ **Vício de linguagem.** *E. Ling.* Uso linguístico que foge à norma (5), como no caso dos barbarismos. **Vício de refração.** *Oftalm.* Distúrbio visual em que o processamento normal da refração (3) está alterado. **Vício solitário.** A automasturbação. **Comer vício.** *Bras. N.E. Pop.* Praticar a geofagia; comer terra. **Desponta o vício.** *Bras. S.* Contentar-se com pouco, ou com coisa parecida, ao satisfazer um vício: *Parou de fumar, porém às vezes ainda desponta o vício fumando um cigarrinho.*

viciogénico (vi) *Adj.* V. *viciogênico*. [Uso freq. em P.]

viciogênico (vi) [De *vício* + *-gen(o)-* + *-ico*[2].] *Adj.* Diz-se de droga que produz dependência física e psíquica, como, p. ex., o álcool.

viciosidade [Do lat. *vitiositate*.] *S. f.* Qualidade de vicioso.

vicioso (ô) [Do lat. *vitiosu*.] *Adj.* **1.** Que tem, ou em que há vício(s). **2.** Corrompido, desmoralizado. **3.** Defeituoso, imperfeito. **4.** Contrário a certos preceitos ou regras. ~ V. *círculo* —.

vicissitude [Do lat. *vicissitudine*.] *S. f.* **1.** Mudança ou variação de coisas que se sucedem; alternativa: "Sem dúvida, é preciso não exagerar a relação entre vida e obra. Dificilmente as vicissitudes daquela influirão essencialmente sobre esta, modificando-a na sua substância." (Lúcia Miguel Pereira, *A Vida de Gonçalves Dias*, p. 199.) **2.** Eventualidade, acaso, contingência; lance. **3.** Mudança, transformação, alteração. **4.** Acidente desfavorável; revés. **5.** Instabilidade ou volubilidade das coisas.

vicissitudinário *Adj.* **1.** Em que há vicissitudes. **2.** Sujeito a elas.

vico [Do lat. *vicu*.] *S. m.* Povoação, aldeia.

viço [Do lat. *vitiu*, por via semierudita.] *S. m.* **1.** Vigor de vegetação nas plantas: "A chuva lhe vem dar [ao lavrador] / Mais viço ao arvoredo" (Ricardo Gonçalves, *Ipês*, p. 68). **2.** Exuberância de vida; vigor, verdor, frescura. **3.** Carinho em excesso; mimo. **4.** Braveza, ardor, de certos animais, oriundos de bom tratamento.

viçosense[1] *Adj. 2 g.* **1.** De, ou pertencente ou relativo a Viçosa (AL, MG e RN). • *S. 2 g.* **2.** O natural ou habitante de Viçosa.

viçosense[2] *Adj. 2 g.* **1.** De, ou pertencente ou relativo a Viçosa do Ceará (CE). • *S. 2 g.* **2.** O natural ou habitante de Viçosa do Ceará.

viçoso (ô) [De *viço* + *-oso*.] *Adj.* **1.** Que tem viço. **2.** *Fig.* Tenro; inexperiente.

victorense *Adj. 2 g.* **1.** De, ou pertencente ou relativo a Victor Graeff (RS). • *S. 2 g.* **2.** O natural ou habitante de Victor Graeff.

victória [Do tax. *Victoria* (do antr. *Victoria* [1819-1901], rainha da Inglaterra).] *S. f. Bot.* **1.** Gênero de grandes plantas aquáticas ninfeáceas que habitam a América do Sul, dotadas de grandes folhas orbiculares, lisas na face superior, de até 2m, com orla recurvada e fendas para escoamento de águas pluviais, flores de até 40cm de diâmetro; prendem-se ao lodo de águas lentas por rizoma que é comestível. **2.** Qualquer espécie desse gênero, como, p. ex., a *Victoria amazonica* (v. *vitória-régia*). **3.** Qualquer espécime desse gênero.

vicunha [Do quíchua *huik'unha*, pelo hisp.-amer. *vicuña*.] *S. f.* **1.** *Zool.* Mamífero ruminante (*Lama vicugna*) distribuído nos Andes, do Equador à Bolívia, de pelame marrom-claro, esbranquiçado no ventre. São sociais, vivendo em pequenos bandos, e produzem lã finíssima; taruca, taruga. [V. *lama*[3] (2).] **2.** A lã da vicunha. **3.** *Tec. Têx.* Tecido feito dessa lã.

vida [Do lat. *vita*.] *S. f.* **1.** *Biol.* Conjunto de propriedades e qualidades graças às quais animais e plantas, ao contrário dos organismos mortos ou da matéria bruta, se mantêm em contínua atividade, manifestada em funções orgânicas tais como o metabolismo (1), o crescimento (1), a reação a estímulos, a adaptação ao meio, a reprodução (1), e outras; existência. **2.** Estado ou condição dos organismos que se mantêm nessa atividade desde o nascimento até a morte; existência: *O moribundo sentia fugir-lhe a vida.* **3.** A flora e/ou a fauna: *a vida submarina; A vida torna-se rara nas grandes altitudes.* **4.** A vida humana: *Não havia sinais de vida naquelas matas; Têm os cientistas encontrado recursos para prolongar a vida.* **5.** O espaço de tempo que decorre desde o nascimento até a morte; existência: "Há numa vida humana cem mil vidas, / Cabem num coração cem mil pecados." (Olavo Bilac, *Poesias*, p. 174); *A vida de um cão é de cerca de 12 anos.* **6.** *P. ext.* O tempo de existência ou de funcionamento de uma coisa: *a vida de um automóvel; a vida de uma estrela.* **7.** Um dado período da vida: *a vida intrauterina; a vida adulta.* **8.** Estado ou condição do espírito depois da morte: *a vida eterna.* **9.** Biografia: *Eça de Queirós escreveu as vidas de S. Cristóvão, Santo Onofre e S. Fr. Gil.* **10.** Modo de viver: "Minha vida era um palco iluminado. / Eu vivia vestido de dourado / — Palhaço das perdidas ilusões." (Orestes Barbosa, *Chão de Estrelas*, p. 274); *a vida cotidiana; vida sedentária.* **11.** Atividade que se desenvolve em determinado setor, quer como ocupação individual, quer como ocupação de grupo: *Afastou-se da vida eclesiástica por falta de vocação.* **12.** As atividades de qualquer grupo humano: *Nas primeiras civilizações a vida agrícola sucedeu à pastoril.* **13.** O que é necessário para manter a vida (4); sustento, a subsistência: *Luta duramente pela vida; A vida encarece dia a dia.* **14.** O que é essencial para que algo subsista; base, fundamento: *Por muito tempo o café constituiu a vida da economia brasileira.* **15.** O que representa para alguém motivo de prazer, de estímulo, de amor à vida: *A leitura é tudo para ele, é a sua vida.* **16.** O que representa força, ânimo, entusiasmo; vitalidade: *A cantora deu vida ao espetáculo; Esta menina tem muita vida.* **17.** O que, sendo inanimado, transmite ideia de vida (1): *Esta decoração não tem vida, é morna, desbotada; Quanta vida neste quadro!* **18.** V. *vida fácil*: *Caiu na vida.* ◆ **Vida airada.** **1.** Vida desregrada, de estroina ou de vagabundo: "Apesar de amar até ao delírio a vida airada .... e de ser o que se chama em França *um homem de boas fortunas*, nunca deixou [Lambert Thiboust] de ir em certas épocas do ano passar alguns dias na província em casa de sua mãe." (Ramalho Ortigão, *Em Paris*, p. 127.) **2.** V. *vida fácil*. **Vida bêntica.** *Ecol. Ocean.* O conjunto dos organismos do fundo do mar; a flora e a fauna do fundo do mar. **Vida civil.** Complexo dos direitos civis e políticos de cada indivíduo. **Vida de cachorro.** Vida penosa, trabalhosa, dura, de maus-tratos e/ou miséria; vida de cão; vida de cachorro de comboieiro. **Vida de cachorro de comboieiro.** *Bras. N.E. Pop.* V. *vida de cachorro*. **Vida de cão.** V. *vida de cachorro*. **Vida fácil.** Prostituição, má vida, vida airada; vida: *mulher de vida fácil.* **Vida latente.** *Bot.* A do órgão vegetal que, estando vivo, não apresenta sintoma de vida. [As sementes maduras são órgãos com vida latente.] **Vida mundana.** Vida social ou da sociedade. **Vida particular.** Vida privada. **Vida pelágica.** *Ecol. Ocean.* O conjunto dos organismos na massa líquida não contínua ao fundo do mar; a flora e a fauna dessa massa líquida. **Vida privada.** Vida (10) afastada do convívio ou da observação de estranhos; vida particular. **Vida pública.** **1.** O exercício de quaisquer cargos ou funções ligadas aos interesses do Estado ou da coletividade. **2.** Os atos praticados durante esse exercício. **Vida unitiva.** *Teol.* Vida de união perpétua com Deus. **Vida vegetativa.** **1.** *Med.* A que se processa sem interferência da vontade do indivíduo. **2.** *Fig.* Vida sem interesses reais, alheia a tudo quanto se passa ao redor. **À boa vida.** Na ociosidade; sem trabalhar. **Bem de vida.** *Pop.* Em boa situação financeira; estar por cima da carne-seca. **Boa vida.** Vida confortável, ociosa, dedicada sobretudo aos prazeres; vidão: "Naturalmente robusto, a boa vida, se assim a podemos chamar, dotou Alaor de camadas adiposas no ventre" (Rubem Mauro Machado, *A Idade da Paixão*, p. 30). **Cair na vida.** *Bras.* Entregar-se à prostituição. **Cavar a vida.** *Bras.* Trabalhar muito para viver; lutar pela vida; trabucar a vida. **Danado da vida.** *Fam.* Muito zangado; furioso, indignado. [Sin. (todos ou quase todos bras.): *louco da vida* (fam.), *fulo da vida, safado da vida* (pop.), *puto, puto da vida* (chulo), *soltando fumaça pelas ventas; soltando fumaça*.] **Dar a vida por.** **1.** Fazer o possível para ajudar, alegrar, tornar feliz (alguém): *A professora dá a vida pelos alunos.* **2.** Fazer o possível para obter (algo): *Daria a vida por conhecer o Oriente.* **3.** Gostar muito de: *Dá a vida por uma festa.* **Entre a vida e a morte.** Em iminente perigo de vida. **Estar com a vida ganha.** *Bras.* Não ter motivos para preocupar-se. **Estar com a vida que pediu a Deus.** Estar vivendo de acordo com a sua própria índole ou vontade. **Fazer a vida.** *Bras.* Exercer o meretrício. **Fazer vida de casados.** Viver maritalmente. **Fazer vida santa.** *Joc.* Viver sem alimentar-se. **Feliz da vida.** *Bras.* Muito contente, muito satisfeito; felicíssimo: *Está feliz da vida com a notícia da chegada do amigo.* **Fulo da vida.** *Bras. Pop.* V. *danado da vida*. **Ganhar a vida.** Obter pelo trabalho meios de subsistência. **Ir à vida.** *Bras. Fam.* Ir à luta. **Longa vida.** Diz-se de produto de consumo (esp. leite) que sofreu tratamento para aumentar sua durabilidade. **Louco da vida.** *Fam.* V. *danado da vida*. **Lutar pela vida.** V. *cavar a vida*. **Mal de vida.** *Pop.* Em má situação financeira; de tanga. **Má vida.** V. *vida fácil*. **Mudar de vida.** Passar a viver de forma diferente; assumir novo comportamento, novos hábitos. **Passar desta para melhor vida.** V. *morrer* (1): "O Emílio Adet passara desta para melhor vida no meio dos seus trabalhos." (Joaquim Manuel de Macedo, *Os Romances da Semana*, p. 67.) **Puto da vida.** *Bras. Chulo* V. *danado da vida*. **Puxa vida.** *Bras.* V. *puxa*[2]. **Que não era vida.** *Bras. Fam. Pop.* V. *que não é vida*: "Beatriz comia que não era vida: era gorda e enxundiosa." (Clarice Lispector, *A Via-Crúcis do Corpo*, p. 27.) **Que não é vida.** *Bras. Fam. Pop.* Em grande quantidade ou intensidade; muito: *Ganha dinheiro que não é vida; Trabalha que não é vida.* [A expr. pode aparecer, naturalmente, com o verbo no imperf. ou no perf. ind. (*que não era vida, que não foi vida*), etc., se o verbo da oração principal está num desses tempos.] **Que não foi vida.** *Bras. Fam. Pop.* V. *que não é vida*: "Veio gente de fora, garotas, que não foi vida." (Lausimar Laus, *Tempo Permitido*, p. 47.) **Safado da vida.** *Bras. Pop.* V. *danado da vida*: "Se a segunda casasse, eu ficava safado da vida, dava pra beber e nunca mais telefonava." (Manuel Bandeira, *Estrela da Vida Inteira*, p. 135.) **Sepultar-se em vida.** Isolar-se do convívio do mundo. **Subir na vida.** Melhorar de condição socioeconômica: "publicaremos um teste para você descobrir seu grau de aptidão para o puxa-saquismo e perspectiva de subir na vida" (Luís Fernando Veríssimo, em *Jornal do Brasil*, "Domingo", 19.06.2006). **Toda a vida.** **1.** *Bras. MG RJ SP Pop.* Sempre e na mesma direção, sem se desviar: *Siga reto toda a vida*; "— Estrada batida, meu patrão; não tem errada: é seguir toda a vida." (Afonso Arinos, *Pelo Sertão*, p. 101). **2.** *Bras.* A beça; demais: *Ir à praia é bom toda a vida.* **Trabucar a vida.** *Bras. SP Pop.* V. *cavar a vida*.

vida de lopes [De *vida* + *de* + antr. (*Solano*) *Lopes*.] *S. f. Bras. Pop. Desus.* V. *vidão*. [Pl.: *vidas de lopes*.] ☑

vidala [Do esp. plat. *vidala*.] *S. f.* Vidalita.

vidalita [Do esp. plat. *vidalita*.] *S. f.* Canção popular argentina, lenta e melancólica, cantada, em geral, com acompanhamento de violão; vidala.

vidal-ramense *Adj. 2 g.* **1.** De, ou pertencente ou relativo a Vidal Ramos (SC). • *S. 2 g.* **2.** O natural ou habitante de Vidal Ramos. [Pl.: *vidal-ramenses*.]

vidama [Do fr. *vidame*.] *S. m.* Governador temporal de terras de um bispado, ou que mantinha a posse delas como feudo hereditário.

vida-média *S. f. Fís.* Intervalo médio de tempo em que um sistema atômico ou nuclear permanece num determinado estado. [Pl.: *vidas-médias*.]

vidamia [De *vidama* + *-ia*[1].] *S. f.* Dignidade ou qualidade de vidama.

vidão [De *vida* + *-ão*[1].] *S. m. Bras.* Vida regalada, de prazeres. [Sin.: *boa vida, vidoca* e (desus.) *vida de lopes*.]

vidar[1] [Do fr. *vider*, 'esvaziar', 'vazar'.] *S. m.* Instrumento com que se fabricavam os dentes aos pentes. [Cf. *vedar*.]

vidar[2] [De *vide* + *-ar*[2].] *V. t. d.* Plantar vides ou vinhas em. [Cf. *vedar*.]

vidarabina [Voc. farmac.] *S. f. Quím.* Glicosídeo sintético, derivado da adenina e da arabinose, us. no tratamento de certas infecções viróticas [fórm.: $C_{10}H_{13}N_5O_4$].

➔ **vide** ['vide] [Lat., 'veja'.] Fórmula para remeter a outro livro ou trecho.

vide [Do lat. *vite*.] *S. f.* **1.** Braço ou vara de videira. **2.** Bacelo (1). **3.** V. *videira*. **4.** *Pop.* Parte do cordão umbilical que fica presa à placenta; envide, envidilha.

videasta [De *vídeo* + a term. de *cineasta*.] *S. 2 g. Telev.* Diretor ou criador de obras de ficção em vídeo. [Cf. *videomaker*.]

vide-branca [De *vide* + o f. de *branco*.] *S. f. Bot.* **1.** Trepadeira ranunculácea (*Clematis vitalba*) originária da Europa e África, que tem folhas penadas e com folíolos ovados a ovado-lanceolados, acuminados e cordados. As flores, vistosas, alvas, com 2cm de diâmetro, desprendem fraco odor de amêndoas e ordenam-se em panículas axilares, e o fruto é um aquênio com estiletes longos e plumosos. **2.** *Bras.* V. *cipó-do-reino*. [Pl: *vides-brancas*.]

videira [De *vide* + *-eira*.] *S. f. Bot.* Nome comum às trepadeiras vitáceas, lenhosas, do gênero *Vitis* (v. *vitis*), cultivadas no mundo inteiro pelos seus frutos, as uvas, e que têm folhas ovadas, lobadas e tomentosas, flores pequeninas reunidas em cachos, e bagas ricas em açúcares, razão por que fermentam com facilidade, dando o vinho; vide, vinha, cepa, uveira.

videirense *Adj. 2 g.* **1.** De, ou pertencente ou relativo a Videira (SC). • *S. 2 g.* **2.** O natural ou habitante de Videira.

videiro [De *vida* + *-eiro*.] *Adj. S. m.* Diz-se de, ou aquele que trata diligentemente da sua vida, dos seus interesses.

➔ **videlicet** [vede'liket] [Lat.] A saber; isto é.

vidência [De *vidente* + *-ia*[2], seg. o padrão analógico.] *S. f.* Qualidade ou faculdade de vidente.

vidente [Do lat. *vidente*.] *Adj. 2 g.* **1.** Diz-se de pessoa dotada, segundo a crença de muitos, da faculdade de visão sobrenatural de cenas futuras ou de cenas que estão ocorrendo em lugares onde ela não está presente. • *S. 2 g.* **2.** Pessoa dotada dessa faculdade. **3.** Pessoa que profetiza. **4.** Pessoa perspicaz. **5.** Pessoa que tem o uso da vista (em oposição aos cegos).

vídeo[1] [Do lat. *video*, 1ª pess. do sing. do pres. ind. de *videre*, 'ver', pelo ingl. *video*.] *S. m.* **1.** A parte do equipamento do circuito de televisão que atua sobre os sinais de imagem, por oposição aos sinais sonoros, e permite a percepção visual das emissões. **2.** *P. ext.* Televisor (2). **3.** *P. us.* Tela de TV. **4.** Parte visual de uma transmissão de TV. **5.** Obra audiovisual videofonográfica: *festival de vídeo; vídeo de treinamento.* **6.** Parte de um roteiro ou de um *script* em que se fazem as indicações relativas às imagens a serem registradas.

vídeo[2] *S. m.* V. *videoteipe*.

vídeo[3] *S. m.* V. *videocassete*.

videoarte (vì) [De *vídeo(teipe)* + *arte*.] *S. f.* **1.** Gênero das artes plásticas que utiliza recurso de imagens e sons gravados em videoteipe. **2.** A obra de videoarte (1).

videoartista (vì) [De *videoarte* + *-ista*.] *S. 2 g.* Criador de videoarte (2). [Cf. *videasta*.]

➔ **videobook** ['vidijowbuk] [Ingl.] *S. m.* V. *book*[2].

videocâmara (vì) [De *vídeo*[1] + *câmara*.] *S. f.* Câmara de gravação utilizada em TV.

videocassete (vì) [De *vídeo*[1] + *cassete*.] *S. m.* **1.** Cassete (1) com fita gravada pelo processo de videoteipe. **2.** *P. ext.* Equipamento utilizado para reprodução de gravações registradas em videocassete (1); magnetoscópio, VCR.

videocharge (vì) [De *vídeo*[1] + *charge*.] *S. f. Telev.* Cartum animado, ger. criado mediante computação gráfica; charge eletrônica.

videoclipe (vì) [Do ingl. *video-clip*.] *S. m. Telev.* Vídeo (5) para apresentação de música, em que se editam imagens de excepcional interesse visual, embora estas não se liguem, frequentemente, à execução da música em si. [Tb. se diz apenas *clipe*.]

videoclube (vì) [De *vídeo*[1] + *clube*.] *S. m.* Clube especializado cujos sócios, mediante pagamento regular de mensalidade, podem retirar, por empréstimo, filmes em videocassete e/ou *videogame*.

videocolonoscopia (vì) [De *vídeo*[1] + *colonoscopia*.] *S. f. Endosc.* Exame da superfície interna do cólon, mediante o uso de equipamento de vídeo. [Cf. *colonoscopia*.]

videoconferência (vì) [De *vídeo*[1] + *conferência*.] ***S. f.*** Teleconferência (q. v.) que emprega recursos televisuais.

videodisco (vì) [De *vídeo*[1] + *disco*.] ***S. m.*** Disco a *laser* no qual se gravam simultaneamente sinais de imagem e de som, para reprodução posterior em aparelho com dispositivo de leitura óptica *(videolaser)* acoplado a televisor, computador, etc.

videoendoscopia (vì) [De *vídeo*[1] + *endoscopia*.] ***S. f.*** *Med.* Cada um dos vários tipos de procedimento para o qual se associam equipamentos endoscópicos e videoscópicos, tornando possível a visualização e o acesso físico à superfície interna de cavidades do corpo humano (abdome, articulações, tórax), bem como às superfícies interna e externa de órgãos e estruturas [v. *estrutura* (12)] dessas cavidades e, com instrumental especializado, a execução, neles, de intervenções cirúrgicas, inclusive de grande porte.

videofax (vì) [De *vídeo*[1] + *fax*.] ***S. m. 2 n.*** Aparelho de fax que, em vez de imprimir a mensagem, a exibe em tela de cristal líquido.

videofone (vì) [De *vídeo*[1] + *fone*.] ***S. m.*** Tipo de comunicação telefônica em que os aparelhos são dotados de vídeo, que mostra a imagem dos interlocutores.

videofonográfico (vì) [De *vídeo*[1] + *-fon(o)-* + *-graf(o)-* + *-ico*[2].] ***Adj.*** Relativo ou pertencente a videofonograma: *indústria videofonográfica; obra videofonográfica.*

videofonograma (vì) [De *vídeo*[1] + *fonograma*.] ***S. m.*** Produto da fixação de imagem e som em suporte material (p. ex., o *videocassete* e o *videodisco*).

videofrequência (vì... qüên) [De *vídeo*[1] + *frequência*.] ***S. f.*** Frequência empregada na transmissão dos sinais de imagens, e que varia de dois a três mega-hertz. ❖

➔ **videogame** ['vɪdijow gejm] [Ingl.] ***S. m.*** Programa interativo de finalidade recreativa acoplado a um dispositivo para exibição visual de dados e a outro dispositivo de entrada de dados. [Sin.: *videojogo*.]

videografia (vì) [De *vídeo*[1] + *-grafia*.] ***S. f.*** *Telec.* Forma de telecomunicação que se caracteriza pela transmissão de textos e gráficos simples, que podem ser visualizados em tela como a de monitor de televisão. [Cf. *videografismo*.]

videografismo (vì) [De *vídeo*[1] + *-graf(o)-* + *-ismo*.] ***S. m.*** *Telev.* Cada um dos elementos visuais criados, ger. mediante computação gráfica, para vinhetas, chamadas, aberturas, etc. [Cf. *videografia*.]

videograma (vì) [De *vídeo*[1] + *-grama*.] ***S. m.*** Produto da fixação exclusiva de imagem em suporte material. [Cf. *fonograma* e *videofonograma*.]

videojogo (vì...ô) [De *vídeo*[1] + *jogo* (ô).] ***S. m.*** *Videogame.*

videojóquei (vì) [De *vídeo*[1] + *jóquei*.] ***S. m.*** Indivíduo que apresenta e comenta gravações em vídeo, em programas de TV ou em discotecas. [F. red.: *VJ*. Cf. *disc-jóquei*.]

videojornal (vì) [De *vídeo*[1] + *jornal*.] ***S. m.*** *Jorn.* Publicação jornalística periódica produzida em vídeo, destinada ger. ao público interno de empresas.

videolaparoscopia (vì) [De *vídeo*[1] + *laparoscopia*.] ***S. f.*** *Med.* Procedimento de videoendoscopia (q. v.) mediante o qual se examina a cavidade abdominal e, eventualmente, nela se realizam intervenções cirúrgicas.

➔ **videolaser** ['vɪdijow 'lejzɚ] [Ingl.] ***S. m.* 1.** Aparelho próprio para reproduzir videodiscos. **2.** *P. ext.* Videodisco.

videolocadora (ô) [De *vídeo* + *locadora*.] ***S. f.*** Estabelecimento onde se alugam filmes gravados em DVD, *blu-ray disc*, ou em cassete: “uma cidade fantasma como as dos filmes de faroeste preto e branco que trazia da videolocadora!” (Luís Ruffato, *Eles Eram Muitos Cavalos*, pp. 72-73).

➔ **videomaker** ['vɪdijow 'mejkɚ] [Ingl.] ***S. 2 g.*** *Telev.* Produtor(a) independente de vídeos, ger. de comerciais para TV.

videomíssil (vì) [De *vídeo*[1] + *míssil*.] ***S. m.*** *Astron.* Míssil guiado por televisão (1).

➔ **video-on-demand** ['vɪdijow an̩ də'mænd] [Ingl.] ***S. m.*** *Telev.* Serviço interativo oferecido por operadora de TV a cabo, que permite ao assinante escolher filmes e assistir a eles, como se fosse em videocassete (2), com recursos de pausa, avanço e retrocesso.

videopôquer (vì) [De *vídeo*[1] + *pôquer*.] ***S. m.*** Pôquer jogado em máquinas eletrônicas, que podem ser encontradas em cassinos e casas de jogo de azar.

videoscópico (vì) [De *vídeo*[1] (1) + *-scop-* + *-ico*[2].] ***Adj.*** Obtido mediante visualização em vídeo[1] (1).

videoteca (vì) [De *vídeo*[3] + *-teca*.] ***S. f.* 1.** Coleção de videocassetes [v. *videocassete* (1)]. **2.** Móvel ou local para guarda de videocassetes [v. *videocassete* (1)].

videoteipe (vì) [Do ingl. *video tape*, 'fita de vídeo'.] ***S. m.* 1.** Fita plástica, recoberta de partículas magnéticas, us. para registrar imagens de televisão, em geral associadas ao som, destinadas a futuras transmissões. **2.** *P. ext.* O processo pelo qual as produções da televisão são registradas nessa fita. [F. reduz.: *teipe*.]

videotexto (vì...ês) ***S. m.* 1.** Sistema interativo de comunicação e de comercialização, no qual a informação alfanumérica e gráfica, transmitida de central de computador via linha telefônica, ou a cabo, é apresentada na tela de aparelho televisor ou monitor de computador, à medida que o usuário chama a informação por meio de dispositivo de controle, como, p. ex., teclado. **2.** A informação recebida por meio de videotexto (1).

➔ **videowall** ['vɪdijow wɔl] [Ingl.] ***S. m.*** Agrupamento, num mesmo plano vertical, de monitores de vídeo ou de televisores que funcionam como tela única, cada qual exibindo uma parte do quadro do vídeo apresentado. [Cf. *telão*[2].]

vidigalense ***Adj. 2 g.* 1.** De, ou pertencente ou relativo a Gastão Vidigal (SP). ● ***S. 2 g.* 2.** O natural ou habitante de Gastão Vidigal.

vidoca [De *vida* + *-oca*.] ***S. f.*** *Bras.* V. *vidão.*

vidoeiro [De uma var. do lat. **betulla*, poss. **betulo*, pelas f. *bido*, *bidueiro* (galego), *vido*, *vidueiro* (arc. ant.).] ***S. m.*** *Bot.* Bétula (2).

vidonho [De *vide* + *-onho*.] ***S. m.*** Vide cortada, mas que traz um pedaço de cepa.

vidraça [De *vidro* + *-aça*.] ***S. f.* 1.** Lâmina de vidro. **2.** Caixilhos com vidros para janela ou porta.

vidraçaria [De *vidraça* + *-aria*.] ***S. f.* 1.** Conjunto de vidraças: “O clarão louro do sol, incendiando as vidraçarias, ofuscou-a.” (Xavier Marques, *Jana e Joel*, p. 169.) **2.** V. *vidraria* (1 e 2).

vidraceiro [De *vidraça* + *-eiro*.] ***S. m.* 1.** Fabricante ou vendedor de vidros. **2.** Indivíduo que põe vidros em caixilhos.

vidracista [De *vidraça* + *-ista*.] ***S. 2 g.*** Pintor de vidraças e/ou de vitrais.

vidraço [De *vidro* + *-aço*.] ***S. m.* 1.** Pedra branca, parecida com vidro. **2.** *Bras.* V. *satélite* (7).

vidrado [Part. de *vidrar*.] ***Adj.* 1.** Coberto de substância vitrescível; vidrento: “A esposa do prisioneiro atravessou o campo e ofereceu ao vencedor um grande vaso de barro vidrado cheio de vinho de ananás ainda espumante.” (José de Alencar, *O Guarani*, II, p. 444.) **2.** Brilhante como o vidro; vítreo. **3.** Sem brilho; embaciado, baço. **4.** *Bras. Gír.* Encantado, apaixonado, gamado: “— Ficou vidrado na minha irmã, quando ela passou de bicicleta.” (Irene Moutinho, *Até agora, Nada*, p. 60); *Está vidrado no carro novo.* ● ***S. m.* 5.** A substância vitrificável aplicada na louça.

vidragem [De *vidrar* + *-agem*[2].] ***S. f.*** Ato ou operação de vidrar.

vidral [De *vidro* + *-al*[1].] ***S. m.*** *P. us.* Vitral.

vidralhada [De *vidro* + *-alhada*.] ***S. f.*** Vidraria (4).

vidrar [De *vidro* + *-ar*[2].] ***V. t. d.* 1.** Cobrir ou revestir de substância vitrificável. **2.** Fazer perder o brilho; embaciar, embaçar, deslustrar. ***T. i. int.* 3.** *Bras. Gír.* Ficar encantado (com alguém ou algo); cativar-se, encantar-se; gamar: *O rapaz vidrou pela nova conhecida; Vidrou no novo modelo de automóvel;* “Eu vidrei, porque ele usava anel de ouro no dedo, com brasão, e media 1 metro e 80.” (Marisa Raja Gabaglia, *Milho pra Galinha, Mariquinha*, p. 74); “Mineiro é vidrado em mar” (Carlos Drummond de Andrade, *De Notícias & Não Notícias Faz-se a Crônica*, p. 22). ***P.* 4.** Perder o brilho; embaciar.

vidraria [De *vidro* + *-aria*.] ***S. f.* 1.** Estabelecimento que fabrica ou vende vidros; vidraçaria. **2.** Comércio de vidros; vidraçaria. **3.** A arte de fabricar vidros. **4.** Porção de vidros; vidralhada. **5.** Conjunto de objetos e recipientes de vidro, seja os de uso doméstico ou em laboratório.

vidreiro [De *vidro* + *-eiro*.] ***S. m.* 1.** Aquele que trabalha em vidro. ● ***Adj.* 2.** Concernente à indústria do vidro.

vidrento [De *vidro* + *-ento*.] ***Adj.* 1.** Semelhante ao vidro; vidrino: “Farta [a garça], do lodo à flor, vidrento e imundo, / Espalma as asas cândidas, serenas” (Alberto de Oliveira, *Poesias*, 2.ª série, p. 228). **2.** Vidrado (1). **3.** Quebradiço, frágil. **4.** *Fig.* Agastadiço, irascível. [Sin. ger.: *vidroso*.]

vidrilho [De *vidro* + *-ilho*.] ***S. m.*** Espécie de conta ou miçanga de vidro, ou de outro material, com a forma de um pequeno cilindro oco, usada na confecção de delicados ornatos e bordados sobre tecido: “Ela vinha de lá, com os braços para cima, suspendendo um vestido de baile com muitos vidrilhos e lantejoulas.” (M. Cavalcanti Proença, *Manuscrito Holandês*, p. 239.) ~ V. *vidrilhos.*

vidrilhos [Pl. de *vidrilho*.] ***S. m. pl.*** V. *avelórios* (1). ~ V. *vidrilho.*

vidrino [De *vidro* + *-ino*[1].] ***Adj.* 1.** Feito de vidro. **2.** Vidrento (1).

vidro [Do lat. *vitru*.] ***S. m.* 1.** *Quím.* Substância sólida, transparente e quebradiça, que se obtém pela fusão e consequente solidificação duma mistura de sílica, óxidos ou carbonatos de cálcio e de sódio, e outros ingredientes. **2.** Qualquer artefato de tal substância. **3.** Frasco (1). **4.** Lâmina de vidro usada para proteger desenho ou estampa, ou para preencher caixilho de porta ou de janela. **5.** *Fig.* Coisa quebradiça, frágil. **6.** *Fig.* Pessoa muito suscetível ou melindrosa. ◆ **Vidro alcalino.** *Quím.* O mais comum dos vidros, com cerca de 95% da produção mundial (composição típica: 70% de sílica, 15% de óxido de sódio, 11% de óxido de cálcio e 2% de alumina). **Vidro aramado.** Chapa de vidro em que está embutida uma rede metálica, com grande resistência mecânica. **Vidro borossilicato.** *Quím.* Contém óxido de boro (cerca de 10%) em sua massa, o que lhe dá estabilidade química e resistência a choques térmicos. **Vidro corrugado.** Placa de vidro com estrias paralelas, que deixa passar os raios solares de modo difuso e evita a visão para o interior. **Vidro de chumbo** *Quím.* Vidro que tem alto índice de refração, por conter até 35% óxido de chumbo, o que lhe dá brilho especial, sendo empregado em vidraria doméstica fina e na fabricação de lentes ópticas; cristal. **Vidro de cobalto.** *Quím.* Vidro de coloração azul, consequência da presença de óxido de cobalto em sua massa. **Vidro de garrafa.** *Quím.* Vidro com coloração esverdeada, que contém quantidade apreciável de ferro. **Vidro de relógio.** *Quím.* Peça de vidro, circular, côncavo-convexa, usada para pesagem de material em laboratório. **Vidro de segurança.** Chapa constituída por diversas placas de vidro entre as quais se colocam lâminas finas de material plástico transparente, que aderem ao vidro. **Vidro fantasia.** Chapa de vidro em cuja superfície foram impressas figuras mais ou menos regulares, a fim de conseguir-se maior ou menor grau de difusão da luz. **Vidro fotocrômico.** *Quím.* Chapa de vidro que escurece quando exposta à luz intensa e retorna à transparência inicial quando cessa a ação da luz, em virtude da presença de partículas pequeníssimas de halogeneto de prata dispersas na massa. **Vidro martelado.** *Arquit.* Placa de vidro de superfície trabalhada que deixa passar ligeiramente os raios solares, mas não permite visão através dela; pode ter várias cores. **Vidro opaco.** *Arquit.* Placa de vidro em que é retirado o polimento de uma das faces; vidro translúcido. **Vidro opala.** *Quím.* Vidro translúcido, com aspecto leitoso, que lhe é atribuído pela adição de fluoreto de cálcio ou alumina à massa líquida, no processo de fabricação. **Vidro óptico.** Vidro muito homogêneo, isento de bolhas e imperfeições, usado na fabricação de instrumentos ópticos. **Vidro rubi.** *Quím.* Vidro transparente, de coloração vermelha característica, resultante da presença de partículas coloidais de ouro suspensas na massa. **Vidro solúvel.** *Quím.* Silicato de sódio ou de potássio, com diferentes graus de hidratação, usado na fabricação de adesivos e sabões, e também como endurecedor. **Vidro temperado.** *Constr.* Vidro grosso, plano, submetido a tratamento térmico para aumento da resistência ao impacto. **Vidro translúcido.** Vidro opaco. **Vidro vulcânico.** *Geol.* Lava cujo aspecto semelha o do vidro. **Lamber os vidros por dentro.** Estar bem informado, ter informações de cocheira: “Não me foi difícil ver que o homem sabia, mas era obrigado a guardar segredo. Compreendi que aquele é que lambia os vidros por dentro, expressão muito usada em tempo de crise.” (Machado de Assis, *Contos Avulsos*, p. 245.) **Ser o vidro de.** *Bras. SP Pop.* Ser muito amado, muito querido, muito mimado por: “Ela .... desde menina fora o vidro do pai: não havia vestido bonito que o Cândido lhe negasse, nem sapato de luxo que não lhe viesse parar aos pés.” (Valdomiro Silveira, *Os Caboclos*, p. 166.)

vidro-mole ***S. m.*** *Bras. PE Chulo* Excremento, fezes. [Pl.: *vidros-moles*.]

vidroso (ô) [De *vidro* + *-oso*.] ***Adj.*** V. *vidrento.*

vidual [Do lat. tard. *viduale*.] ***Adj. 2 g.*** Referente a viuvez ou a pessoa viúva.

viegas ***S. m. 2 n.*** *Bras. CE Pop.* V. *ânus.*

vieira [Do lat. *veneria*.] ***S. f.* 1.** V. *leque* (7). **2.** A concha da vieira (1), que os romeiros usavam presa ao chapéu; venera. **3.** *Heráld.* Ornato que tem forma de concha.

vieirense[1] ***Adj. 2 g.* 1.** Pertencente ou relativo ao P.^e Antônio Vieira (1608-1697), clássico português, ou próprio dele. ● ***S. m.* 2.** Grande admirador e/ou profundo conhecedor de sua obra.

vieirense[2] ***Adj. 2 g. S. 2 g.*** V. *marcelinense*[2].

vieirense[3] ***Adj. 2 g.* 1.** De, ou pertencente ou relativo a Vieira (Portugal). ● ***S. 2 g.* 2.** O natural ou habitante de Vieira.

vieirense[4] ***Adj. 2 g.* 1.** De, ou pertencente ou relativo a Vieiras (MG). ● ***S. 2 g.* 2.** O natural ou habitante de Vieiras.

viela[1] [De *via* + *-ela*.] ***S. f.*** Rua estreita; beco, quelha: “Bandos e bandos de raparigas, falando alto, desciam a Estrada Nova. Dos recantos e vielas que ali desembocavam, de momento a momento, surgiam vultos apressados.” (Amando Fontes, *Os Curumbas*, p. 18.)

viela[2] [Do fr. *bielle*.] *S. f.* Ferro com argolas, no rodízio dos moinhos.

viela[3] [Do fr. *vielle*.] *S. f. Mús.* Cada um dos diversos tipos de instrumentos de cordas friccionáveis que apareceram por volta do séc. XI, com diferentes formatos e número variável de cordas. Todos eram provenientes da rota[4] (2), mas já tinham o braço independente, e depois se aperfeiçoaram nos vários elementos da família das violas. [Sin., nesta acepç.: *sanfona*.] ◆ **Viela de roda.** *Mús.* Antigo instrumento de teclado e cordas friccionáveis por meio de uma roda acionada por uma manivela, com a forma aproximada de uma guitarra ou de alaúde, o qual se toca sobre os joelhos. Tem timbre gritante e rangente, e até hoje se usa como instrumento popular, sobretudo na França. [Sin.: *sanfona*.]

vienense *Adj. 2 g.* **1.** De, ou pertencente ou relativo a Viena, capital da Áustria (Europa). ● *S. 2 g.* **2.** O natural ou habitante de Viena. [Sin. ger.: *vienês*. Cf. *vianense*.]

vienês *Adj. S. m.* V. *vienense*. [Flex.: *vienesa* (ê), *vieneses* (ê), *vienesas* (ê). Cf. *vianês*.]

➔ **vient de paraître** [vjẽ də pa'ʀɛtʀ] [Fr., 'acaba de aparecer'.] Expr. us. (já muito pouco) no comércio livreiro para anunciar ou expor novidades bibliográficas.

viés [Do fr. *biais*.] *S. m.* **1.** Direção oblíqua: "Condu-lo .... para lá, arrastando-o em descida, pelo viés dos barrancos avergoados de enxurros." (Euclides da Cunha, *À margem da História*, p. 91.) **2.** *Fig.* Propensão, inclinação: "Eu acrescentaria até outros deslizes de conduta [da imprensa], como o voyeurismo que leva a invadir a privacidade alheia, uma boa dose de soberba, o viés denuncista .... a perigosa tendência, enfim, a achar que notícia boa é notícia ruim." (Zuenir Ventura, em *O Globo*, 31.05.2003.) **3.** Tira estreita de pano cortada de viés ou no sentido diagonal da peça. **4.** *Econ.* Tendência ou distorção associada a algum fenômeno econômico: *O viés antiexportação de certas políticas governamentais.* **5.** *Estat.* Distorção ou tendenciosidade associada a procedimento estatístico. **6.** *Vest.* Corte[1] (8) que visa a provocar um caimento suave, com pregas verticais. [Var.: *enviés*. Pl.: *vieses*.] ◆ **Ao viés.** De viés. **De viés.** Obliquamente; em diagonal; de esguelha; de través, ao viés: "olhava de viés, não encarava mais ninguém." (Nélson de Faria, *Bazé*, p. 108).

viesado [De *viés* + *-ado*[1].] *Adj. Estat.* Que contém ou acarreta viés (3); tendencioso: *estimador viesado.* ~ V. *estimador* —.

vietcongue [Abrev. do vietnamita *Viet Nam Cong San*, 'vietnamita comunista'.] *S. 2 g.* **1.** Designação dada outrora pelos sul-vietnamitas aos membros da Frente Nacional de Libertação, organização ligada ao então governo de Hanói (antigo Vietnã do Norte). **2.** A própria organização, e especialmente suas forças armadas. ● *Adj. 2 g.* **3.** Relativo ou pertencente aos vietcongues.

vietnamita *Adj. 2 g.* **1.** Do, pertencente ou relativo ao Vietnã (Ásia). ● *S. 2 g.* **2.** O natural ou habitante do Vietnã. ● *S. m.* **3.** *Gloss.* Língua *mon-khmer* falada na República Socialista do Vietnã, onde é a língua nacional, e no Camboja; anamês, anamita.

viga [De or. incerta.] *S. f. Arquit. Constr.* Peça de sustentação, ger. horizontal, utilizada em construções, constituída por um madeiro grosso ou por uma barra de ferro, ou, ainda, por um conjunto de concreto armado; trave: "Entraram voando pela varanda, o Sr. Pardal sempre na frente, e foram pousar numa das vigas do telhado." (Herberto Sales, *O Sobradinho dos Pardais*, p. 27.) ◆ **Viga em balanço.** *Arquit. Constr.* Viga com um só apoio; cantiléver. **Viga invertida.** *Arquit. Constr.* Viga disposta na estrutura de modo que sua altura forme um ressalto sobre a laje do piso, ficando esta alinhada com a sua superfície inferior. **Viga mestra.** *Arquit. Constr.* Na estrutura de uma edificação, a viga que recebe a maior carga.

vigairaria [De *vigairo* + *-aria*.] *S. f.* **1.** O cargo de vigário; vigararia, vicariato. **2.** A dignidade de vigário.

vigairo *S. m. Ant. Pop.* V. *vigário* (1 a 4).

vigamento [De *viga* + *-mento*.] *S. m.* O conjunto das vigas de uma construção; travejamento.

vigar [De *viga* + *-ar*[2].] *V. t. d.* **1.** Pôr vigas em. **2.** Pôr sobre vigas. [Sin. ger.: *travejar*. Conjug.: v. *largar*. Fut. pret.: *vigaria*, etc. Cf. *vigária*.]

vigararia *S. f.* V. *vigairaria*: "Veloso cônego e pregador, Soares com uma grande vigararia, Vasconcelos a caminho de bispar" (Machado de Assis, *Histórias sem Data*, pp. 185-186).

vigária [Fem. de *vigário*.] *S. f.* Freira que fazia as vezes da superiora. [Cf. *vigaria*, do v. *vigar*.]

vigariaria *S. f.* V. *vigairaria*.

vigarice [De *(conto-do-)vigário* + *-ice*.] *S. f.* **1.** Ato de, ou próprio de vigarista. **2.** Caráter de vigarista. **3.** Logro, burla, trapaça, intrujice. [Sin. ger.: *vigarismo*.]

vigário [Do lat. *vicariu*, i. e., 'vicário' (subentende-se pároco), 'padre que faz as vezes do bispo'.] *S. m.* **1.** Aquele que faz as vezes de outro. **2.** Padre que faz as vezes do prelado. **3.** Padre que substitui o pároco em uma paróquia. **4.** Título do pároco, no uso popular. [Var., ant. e pop., nestas acepç.: *vigairo*.] **5.** *Bras. PE* Caboje. **6.** *Bras. MG Pop.* Vigarista (2). **7.** *Zool. Bras.* V. *soldado* (8). ◆ **Vigário capitular.** Padre eleito pelo cabido ou capítulo de uma diocese, para responder por ela durante a vacância ocasionada pela morte ou transferência do bispo. **Vigário da vara.** Vigário forâneo. **Vigário de Cristo.** O Papa. **Vigário forâneo.** Delegado do bispo para um grupo de paróquias; vigário da vara.

vigário-geral *S. m.* Prelado subordinado ao bispo, mas a quem são confiadas as mesmas funções e jurisdição que a este. [Pl.: *vigários-gerais*.]

vigarismo [De *(conto-do-)vigário* + *-ismo*.] *S. m.* V. *vigarice*.

vigarista [De *(conto do) vigário* + *-ista*.] *S. 2 g.* **1.** Ladrão ou ladra que passa o conto do vigário. [Sin. (bras., gír.): *cantante*.] **2.** *P. ext.* Velhaco, intrujão, trapaceiro. [Sin. (bras., MG): *vigário*.] ● *S. f.* **3.** *Bras. Deprec.* Meretriz. ● *Adj. 2 g. e 2 n.* **4.** Embusteiro, trapaceiro.

vigência [Do lat. *vigentia*, neutro pl. de *vigens*, *entis* (v. *vigente*).] *S. f.* **1.** Qualidade de vigente. **2.** Tempo durante o qual uma coisa vige ou vigora.

vigente [Do lat. *vigente*, part. pres. de *vigere*, 'estar em vigor'.] *Adj. 2 g.* Que vige ou vigora; vigorante: "Uma forma vigente de governo ficava exposta a comparações que poderiam amesquinhá-la." (Machado de Assis, *Papéis Avulsos*, p. 211.)

viger [Do lat. *vigere*.] *V. int.* Ter vigor, ou estar em vigor ou em execução; vigorar: "A atividade agrícola, subordinada às estações do ano, dificulta evidentemente a regulamentação das horas de trabalho diário de maneira tão estrita como a que vige na indústria." (Clóvis Caldeira, *Menores no Meio Rural*, p. 59.) [Defect. Pres. ind.: *viges*, *vige*, *vigemos*, *vigeis*, *vigem*; pret. imperf. ind.: *vigia*, *vigias*, *vigia*, *vigíamos*, *vigíeis*, *vigiam*; imperat.: *vige*, *vigei*. Cf. *vigia*, do v. *vigiar*, s. m. e s. f., e *vígeis*, pl. de *vigil*.]

vigesimal (zi) [De *vigésimo* + *-al*[1].] *Adj. 2 g.* **1.** Referente a vigésimo. **2.** Que tem por base vinte.

vigésimo (zi) [Do lat. *vigesimu*.] *Num.* **1.** Ordinal e fracionário correspondente a vinte. [Sin., p. us.: *vicésimo* e *vinteno*.] ● *S. m.* **2.** Cada uma das 20 partes iguais em que se divide um todo: *a vigésima parte.* **3.** Aquele ou aquilo que ocupa o vigésimo lugar.

vigia [Dev. de *vigiar*.] *S. f.* **1.** Ato ou efeito de vigiar. **2.** Estado de quem vigia. **3.** *P. ext.* Vedeta[1] (1). **4.** Orifício pelo qual se espreita. **5.** *Constr. Nav.* Abertura, geralmente circular, praticada no costado ou numa superestrutura de embarcação, para iluminar-lhe e arejar-lhe o interior, e que pode ser fechada com uma tampa de vidro grosso: "Permanecia a parte do tempo no seu vasto camarim ...., olhando tudo a bordo por uma das amplas vigias .... desse apartamento" (Virgílio Várzea, *Nas Ondas*, p. 255). **6.** *Ant. Mar.* Baixo, recife, parcel, etc., muito afastado do litoral, e por isso de posição pouco precisa, e nas proximidades do qual devia o navegante exercer vigilância cuidadosa para evitar sinistro. [Comprovou-se que a maior parte das vigias assinaladas nos antigos roteiros eram fictícias.] ● *S. 2 g.* **7.** Pessoa que vigia; guarda, sentinela. **8.** *Bras. Fut.* V. *goleiro*. [Cf. *vigia*, dos v. *viger* e *vigiar*.]

vigiado [Part. de *vigiar*.] *Adj.* Que está sendo objeto de vigia (1). ~ V. *liberdade* —*a*.

vigiador (ô) [De *vigiar* + *-dor*.] *Adj. S. m.* Que, ou aquele que vigia.

vigiante [De *vigiar* + *-nte*.] *Adj. 2 g.* V. *vigilante* (1 a 3).

vigiar [Do lat. *vigilare*, por via pop.] *V. t. d.* **1.** Observar atentamente; estar atento a; atentar em: *Vigiava o leite a ferver.* **2.** Observar ocultamente; espreitar: *Passou a noite vigiando a estrada.* **3.** Velar por: *Orou para que os santos vigiassem a criança.* **4.** *Bras.* Procurar, campear: *O tropeiro vigia o rebanho.* *T. i.* **5.** *P. us.* Tomar cuidado; estar atento; cuidar: *A mãe vigia no filhinho.* *Int.* **6.** Estar acordado ou atento; velar. **7.** Estar de sentinela; estar alerta; velar. *P.* **8.** Precaver-se, precatar-se, acautelar-se. [F. paral.: *vigilar*.]

vigieiro [De *vigiar*.] *S. m. Ant.* Guarda campestre.

vigiense *Adj. 2 g.* **1.** De, ou pertencente ou relativo a Vigia (PA). ● *S. 2 g.* **2.** O natural ou habitante de Vigia. [Sin. ger.: *vigilengo*.]

vígil [Do lat. *vigile*.] *Adj. 2 g.* **1.** Que está velando. **2.** Que vigia; vigilante. **3.** Acordado, desperto. ~ V. *coma* —. [Pl.: *vígeis*. Cf. *vigeis*, do v. *viger*.]

vigilância [Do lat. *vigilantia*.] *S. f.* **1.** Ato ou efeito de vigilar(-se). **2.** Precaução, cuidado, prevenção. **3.** Zelo, diligência.

vigilante [Do lat. *vigilante*.] *Adj. 2 g.* **1.** Que vigia ou vigila; vigiante, vígil. **2.** Zeloso, diligente, vigiante. **3.** Cuidadoso, cauteloso, precavido, atento, vigiante. ● *S. 2 g.* **4.** Pessoa vigilante. ◆ **Primeiro vigilante.** *Maç.* O segundo cargo mais elevado de uma loja maçônica. **Segundo vigilante.** *Maç.* O terceiro cargo mais elevado de uma loja maçônica.

vigilar [Do lat. *vigilare*, por via erudita.] *V. t. d. T. i. Int. P.* V. *vigiar*.

vigilenga [Do top. *Vigia* (PA).] *S. f. Bras. PA* Tipo de canoa de pesca, quase redonda: "No vão quadrado do Ver-o-Peso, dezenas de canoas, desde as casquinhas e as montarias leves, até as geleiras, as vigilengas" (Peregrino Júnior, *A Mata Submersa e Outras Histórias da Amazônia*, p. 67).

vigilengo *Adj. S. m.* V. *vigiense*.

vigília [Do lat. *vigilia*.] *S. f.* **1.** Privação ou falta de sono; insônia, lucubração: "Cresce a noite, e a vigília cada vez mais acesa; sem dormir, sonha." (Antônio Feliciano de Castilho, *A Lírica de Anacreonte*, p. 14.) **2.** Estado de quem, durante a noite, vela, permanecendo acordado; vela, velada: *a vigília de uma sentinela.* **3.** Desvelo; cuidado, dedicação. **4.** Véspera de festa. **5.** *Rel.* Ofício divino recitado somente à noite.

vigintivirado [Do lat. *vigintiviratu*, por via semierudita.] *S. m.* Vigintivirato.

vigintivirato [Do lat. *vigintiviratu*, por via erudita.] *S. m.* Cargo ou dignidade de vigintíviro; vigintivirado.

vigintíviro [Do lat. *vigintiviru*.] *S. m.* **1.** Cada um dos 20 magistrados romanos, 10 dos quais eram adjuntos do pretor, tendo a seu cargo os outros 10 a polícia e limpeza das ruas, a cunhagem das moedas e a execução dos criminosos. **2.** Cada um dos 20 membros da comissão nomeada por César (v. *cesáreo*[1]) para a repartição das terras da Campânia.

vigor (ô) [Do lat. *vigore*.] *S. m.* **1.** Força, robustez. **2.** Grande energia; veemência. **3.** V. *viço* (2). **4.** Valor, vigência: *Esta lei já não tem vigor.* [Pl.: *vigores* (ô). Cf. *vigores*, do v. *vigorar*.]

vigorante [Do lat. *vigorante*.] *Adj. 2 g.* Que vigora; vigente.

vigorar [De *vigor* + *-ar*[2].] *V. t. d.* **1.** Dar vigor a; fortalecer, vigorizar, avigorar. **2.** Tornar mais vigoroso, mais enérgico. *Int.* **3.** Adquirir força, robustez, vigor. **4.** Estar em vigor, ou não estar ab-rogado ou prescrito; viger: *A lei vigorará de hoje em diante;* "Nestas funções não vigorava a severidade das últimas pragmáticas." (Rebelo da Silva, *Contos e Lendas*, p. 174). [Pres. subj.: *vigore*, *vigores*, etc. Cf. *vigores* (ô), pl. de *vigor*.]

vigorite [De *vigor* + *-ite*[2].] *S. f.* Variedade de pólvora altamente explosiva.

vigorizar [De *vigor* + *-izar*.] *V. t. d.* **1.** Dar vigor a; fortalecer, avigorar, vigorar. *P.* **2.** Tornar-se forte, vigoroso; robustecer-se, avigorar-se.

vigoroso (ô) [De *vigor* + *-oso*.] *Adj.* **1.** Que tem vigor; forte, robusto: *um rapaz vigoroso.* **2.** Ativo, enérgico, vivo: *Atacado, o país ofereceu resistência vigorosa.* **3.** Que impressiona pelo vigor, força, energia, poder criador com que é realizado: *um quadro vigoroso; romance vigoroso.*

vigota [De *viga* + *-ota*[1].] *S. f.* Pequena viga; sarrafão, vigote.

vigote *S. m.* V. *vigota*.

vil [Do lat. *vile*.] *Adj. 2 g.* **1.** Que se compra por baixo preço. **2.** Que tem pouco valor. **3.** Reles, ordinário. **4.** Mesquinho, miserável, insignificante. **5.** Desprezível, infame: "o ente mais vil e ignóbil que eu conheço" (José de Alencar, *Lucíola*, p. 120). ● *S. 2 g.* **6.** Pessoa desprezível, infame.

vila[1] [Do lat. *villa*.] *S. f.* **1.** Povoação de categoria superior à de aldeia ou arraial e inferior à de cidade. **2.** Os habitantes da vila (1). **3.** Conjunto de pequenas habitações independentes, em geral idênticas, e dispostas de modo que formem rua ou praça interior, por via de regra sem caráter de logradouro público; avenida. **4.** *Bras.* Qualquer conjunto de casas que tenha características análogas às da vila (3): *Vila Militar, Vila Kennedy* (no Rio de Janeiro). [Dim. irreg.: *vileta*, *vilela*, *vilota*, dim. deprec.: *vilório*, *vilória*.]

vila[2] [Do it. *villa*.] *S. f.* **1.** Casa ou habitação nas cercanias das cidades italianas. **2.** Casa de habitação, em geral de certo requinte, cercada de jardim. **3.** *P. ext.* Vila (2) de recreio, na cidade ou em seus arredores: "É [Miami].... parque de diversões de milionários, os quais têm suas belas vilas de inverno ao longo destas lânguidas praias brancas que a névoa e o frio nunca visitam." (Érico Veríssimo, *A Volta do Gato Preto*, p. 24.)

vilã *S. f.* Fem. de *vilão* (q. v.).

vila-belense *Adj. 2 g.* **1.** De, ou pertencente ou relativo a Vila Bela da Santíssima Trindade (MT). ● *S. 2 g.* **2.** O natural ou habitante de Vila Bela da Santíssima Trindade. [Pl.: *vila-belenses*.]

vila-boense[1] *Adj. 2 g.* **1.** De, ou pertencente ou relativo a Vila Boa (GO). ● *S. 2 g.* **2.** O natural ou habitante de Vila Boa. [Pl.: *vila-boenses*.]

vila-boense[2] *Adj. 2 g. S. 2 g.* V. *goiano*. [Pl.: *vila-boenses*.]

vila-condense *Adj. 2 g.* **1.** De, ou pertencente ou relativo a Vila do Conde (Portugal). ● *S. 2 g.* **2.** O natural ou habitante de Vila do Conde. [Pl.: *vila-condenses*.]

vila-diogo *El. s. f.* Us. na loc. *dar às de vila-diogo.* ◆ **Dar às de vila-diogo.** V. *fugir* (1 e 2): 📖 "Surpreendidos .... por aquele brusco tiroteio, os assaltantes de reserva deram às de vila-diogo, desmoralizando na fuga a guarda deixada à porta." (Vitorino Nemésio, *O Mistério do Paço do Milhafre*, pp. 121-122.)

vila-florense[1] *Adj. 2 g.* **1.** De, ou pertencente ou relativo a Vila Flor (RN). ● *S. 2 g.* **2.** O natural ou habitante de Vila Flor. [Pl.: *vila-florenses.*]

vila-florense[2] *Adj. 2 g.* **1.** De, ou pertencente ou relativo a Vila Flores (RS). ● *S. 2 g.* **2.** O natural ou habitante de Vila Flores. [Pl.: *vila-florenses.*]

vilafranca *S. m. Bras. Zool.* Camarão-rosa (1).

vilaiete (ê) [Do turco *vilâyet*, 'província', pelo fr. *vilayet.*] *S. m.* Divisão administrativa do império otomano.

vila-mariense *Adj. 2 g.* **1.** De, ou pertencente ou relativo a Vila Maria (RS). ● *S. 2 g.* **2.** O natural ou habitante de Vila Maria. [Pl.: *vila-marienses.*]

vilãmente [Do f. de *vilão* + *-mente.*] *Adv.* De modo vilão; com vilania ou vileza.

vilanaço [De *vilão* + *-aço*, seg. o padrão erudito.] *Adj. S. m.* Vilanaz.

vilanagem [De *vilão* + *-agem*[2], seg. o padrão erudito.] *S. f.* **1.** V. *vilania* (1). **2.** Ajuntamento ou grupo de vilãos.

vilanaz *Adj. 2 g. S. m.* Que, ou aquele em que predomina a qualidade de vilão (q. v.); vilanaço.

vilancete (ê) [Do esp. *villancete.*] *S. m.* **1.** Composição poética, em geral curta e de caráter campesino. **2.** Composição poética formada de um mote e uma glosa. [As mais das vezes, o mote é um grupo de três versos, dos quais o primeiro é solto e o segundo rima com o terceiro, e a glosa compõe-se de duas oitavas, sendo o último verso da primeira oitava o segundo verso do mote, e o último verso da segunda o terceiro do mote. F. paral.: *vilhancete.*]

vilancico [Do esp. *villancico.*] *S. m.* Gênero de canção do séc. XVI, cujo tema é amoroso ou encomiástico.

vilanela [Do fr. *villanelle* < it. *villanella.*] *S. f.* **1.** Canção, poesia popular antiga. **2.** Dança que a acompanha. **3.** Certo poema de forma fixa dos fins do séc. XVI.

vilanesco (ê) [De *vilão* + *-esco*, seg. o padrão erudito.] *Adj.* **1.** Concernente a vilão. **2.** Próprio de vilão; rude, rústico, grosseiro.

vilania [De *vilão* + *-ia*[1], seg. o padrão erudito.] *S. f.* **1.** Qualidade de vil ou vilão; vileza, vilanagem. **2.** Mesquinhez, avareza. **3.** Ato vil; vileza: 📖 "Denunciar o infame? – atirar-lhe à cara a prova de sua vilania e nunca mais o procurar para nada ....?" (Aluísio Azevedo, *Casa de Pensão*, p. 309.)

vila-novense[1] *Adj. 2 g.* **1.** De, ou pertencente ou relativo a Vila Nova do Mamoré (RO). ● *S. 2 g.* **2.** O natural ou habitante de Vila Nova do Mamoré. [Pl.: *vila-novenses.*]

vila-novense[2] *Adj. 2 g.* **1.** De, ou pertencente ou relativo a Vila Nova do Sul (RS). ● *S. 2 g.* **2.** O natural ou habitante de Vila Nova do Sul. [Pl.: *vila-novenses.*]

vilão [Do lat. vulg. **villanu*, 'habitante de vila ou casa de campo'.] *Adj.* **1.** Que vive numa vila. **2.** *Fig.* Rústico, rude, plebeu, grosseiro. **3.** Abjeto, desprezível, sórdido. **4.** V. *avaro* (1). ● *S. m.* **5.** Habitante de vila. **6.** Camponês, plebeu. **7.** Homem desprezível e miserável. **8.** Agente causador de algo danoso ou prejudicial: 📰 *Este mês os vilões da inflação foram o arroz, a carne e o feijão.* **9.** Na Idade Média, camponês que trabalhava a terra do senhor feudal sem, no entanto, estar preso a ela. **10.** V. *avaro* (3). [Pl.: *vilãos, vilões, vilães.* Fem.: *vilã, viloa.* Aum. nas acepç. 2 a 4 e 7 e 9: *vilanaço* e *vilanaz.*] **11.** Antiga dança popular portuguesa. **12.** *Bras.* Baile popular, variante do folguedo da trança, e no qual os participantes dançam com lenços ou paus, ou com facas, em vez de fitas; vilão de faca, vilão de lenço.

vilão de faca *S. m. Bras.* V. *vilão* (11). [Pl.: *vilãos de faca, vilões de faca* e *vilães de faca.*] ☑

vilão de lenço *S. m. Bras.* V. *vilão* (11). [Pl.: *vilãos de lenço, vilões de lenço* e *vilães de lenço.*] ☑

vilão de mala *S. m. Bras.* Espécie de sarandi[2], ao som da viola. [Pl.: *vilãos de mala, vilões de mala* e *vilães de mala.*] ☑

vilar [Do b.-lat. *villare*, subst.] *S. m.* Pequena aldeia ou pequena vila; lugarejo. [Dim.: *vilarinho, vilarejo.*]

vila-realense *Adj. 2 g.* **1.** De, ou pertencente ou relativo a Vila Real (Portugal). ● *S. 2 g.* **2.** O natural ou habitante de Vila Real. [Pl.: *vila-realenses.*]

vilarejo (ê) [De *vilar* + *-ejo.*] *S. m.* **1.** V. *vilar*: 📖 "Conheci-o no vilarejo onde veraneou a grei dos Amados. Foi em Catu, então um lugarzinho bucólico, hoje um centro petrolífero." (Genolino Amado, *O Reino Perdido*, p. 42.) ● *Adj.* **2.** Relativo a, ou próprio de vila[1] (1): 📖 "De lá vinha o clarão tristonho dos círios, a alumiar ao fundo, soturnamente, a paramentação dos altares de pobreza vilareja" (Hugo de Carvalho Ramos, *Tropas e Boiadas*, p. 68).

vilarinho [De *vilar* + *-inho*[1].] *S. m.* V. *vilar.*

vila-riquense *Adj. 2 g.* **1.** De, ou pertencente ou relativo a Vila Rica (MT e Portugal). ● *S. 2 g.* **2.** O natural ou habitante de Vila Rica. [Pl.: *vila-riquenses.*]

vila-velhense *Adj. 2 g.* **1.** De, ou pertencente ou relativo a Vila Velha (ES). ● *S. 2 g.* **2.** O natural ou habitante de Vila Velha. [Pl.: *vila-velhenses.*]

vilegiatura [Do it. *villeggiatura.*] *S. f.* Temporada que habitantes da cidade passam no campo, na praia, ou em digressão de recreio, na estação calmosa; veraneio: 📖 "Benigno de calmas, e com um ar de primavera monótona que nem justifica sequer as vilegiaturas ruidosas dos ricaços, por essas quintas, praias de banhos, e estações d'águas, o verão este ano como que participa .... da consciência dos nossos homens públicos" (Fialho d'Almeida, *O País das Uvas*, p. 35).

vilegiaturar [De *vilegiatura* + *-ar*[2].] *V. int.* Andar em vilegiatura.

vilegiaturista [De *vilegiatura* + *-ista.*] *S. 2 g.* Pessoa que vilegiatura.

vilela [De *vila* + *-ela.*] *S. f.* V. *vileta.*

vilelano *Adj.* **1.** De, ou pertencente ou relativo a Teotônio Vilela (AL). ● *S. m.* **2.** O natural ou habitante de Teotônio Vilela.

vileta (ê) [De *vila*[1] + *-eta* (ê).] *S. f.* Pequena vila[1]; vilela, vilota.

vileza (ê) [De *vil* + *-eza.*] *S. f.* **1.** Qualidade de vil ou vilão; vilanagem. **2.** Ação vil. [Sin. ger.: *vilania.*]

vilhancete (ê) *S. m.* Vilancete.

vilhenense *Adj. 2 g.* **1.** De, ou pertencente ou relativo a Vilhena (RO). ● *S. 2 g.* **2.** O natural ou habitante de Vilhena.

vili *S. 2 g.* **1.** *Etnôn.* Indivíduo dos vilis, povo que vive ao N. do rio Zaire, no O. da República do Congo (Brazzaville), África. ● *Adj. 2 g.* **2.** Pertencente ou relativo aos vilis.

▲ **vil(i)-** [Do lat. *villus, i.*] *El. comp.* = 'pelo': *vilífero.* [Equiv.: *-vilo*: *microvilo.*]

▲ **vili-** [Do lat. *vilis, e.*] *El. comp.* = 'vil': *vilificar.*

vilico [Do lat. *villicu.*] *S. m. Ant.* Regedor: 📖 "Um antigo vilico do nobre conde fora quem destas mudanças o avisara." (Alexandre Herculano, *Lendas e Narrativas*, II, p. 26.)

vilífero [De *vil(i)-* + *-fero.*] *Adj. Anat.* Que tem vilosidades.

vilificação [De *vilificar* + *-ção.*] *S. f.* Ato ou efeito de vilificar.

vilificar [De *vili-* + *-ficar.*] *V. t. d.* Tornar vil; envilecer, aviltar. [Conjug.: v. *trancar.*]

viliforme [De *vil(i)-* + *-forme.*] *Adj. 2 g.* Semelhante a, ou com aspecto de pelos ou cerdas.

vilipendiação [De *vilipendiar* + *-ção.*] *S. f.* Ação ou efeito de vilipendiar.

vilipendiador (ô) [De *vilipendiar* + *-dor.*] *Adj. S. m.* Que, ou aquele que vilipendia.

vilipendiar [De *vilipêndio* + *-ar*[2].] *V. t. d.* **1.** Tratar com vilipêndio. **2.** Ter ou considerar como vil; desprezar; repelir. [Pres. ind.: *vilipendio*, etc. Cf. *vilipêndio.*]

vilipêndio [Do b.-lat. *vilipendiu.*] *S. m.* Desprezo, menoscabo; aviltamento: 📖 "não entende por que se impropera uma sociedade tão perfeita, onde a pobreza e o vilipêndio são o automático castigo da iniquidade e da protérvia" (Antônio Sérgio, *Ensaios*, I, p. 350). [Cf. *vilipendio*, do v. *vilipendiar.*]

vilipendiosamente [Do f. de *vilipendioso* + *-mente.*] *Adv.* De maneira vilipendiosa; com vilipêndio.

vilipendioso (ô) [De *vilipêndio* + *-oso.*] *Adj.* Em que há vilipêndio.

▲ **-vilo** Equiv. de *vil(i)-.*

viloa (ô) *Adj. (f.) S. f.* Fem. de *vilão* (q. v.): 📖 "elogiam a polidez das salas de Versailles em gíria viloa das antecâmaras de Fouché." (Ramalho Ortigão, *As Farpas*, IX, p. 54).

vilória [De *vila* + o f. de *-ório.*] *S. f. Deprec.* Vilório: 📖 "Na época em que a politicagem do branco fez paróquia da maloca, eram os dous caboclos as relíquias anosas da vilória" (Alberto Rangel, *Lume e Cinza*, p. 219).

vilório [De *vila* + *-ório.*] *S. m. Deprec.* Vila pequena, de pouca ou nenhuma importância; vilória.

vilosidade [De *viloso* + *-(i)dade.*] *S. f.* **1.** Qualidade de viloso. **2.** *Anat.* Pequena saliência vascular, especialmente em superfície livre de membrana. ◆ **Vilosidade coriônica.** *Embr.* Cada uma das projeções filiformes que crescem em tufos sobre a superfície externa do cório (1).

vilosite [De *viloso* + *-ite*[1].] *S. f. Obst.* Inflamação das vilosidades placentárias.

viloso (ô) [Do lat. *villosu.*] *Adj.* **1.** Cheio de pelos; cabeludo, hirsuto. **2.** *Bot.* Coberto de pelos longos, macios e flexuosos: 📰 *sépala vilosa; folha vilosa.* ~ V. *córion* —. [Cf. *veloso*, adj., e *Veloso*, antr. e top.]

vilósulo [De *viloso* + *-ulo.*] *Adj. Bot.* Um tanto viloso: 📰 *folha vilósula.*

vilota [De *vila* + *-ota*[1].] *S. f.* V. *vileta.*

vilta [Dev. do arc. *viltar* < lat. *vilitare*, 'aviltar'.] *S. f. P. us.* Palavra ou ação para injuriar alguém.

vimaranense [Do b.-lat. *vimaranense.*] *Adj. 2 g.* **1.** De, ou pertencente ou relativo a Guimarães (MA e Portugal). ● *S. 2 g.* **2.** O natural ou habitante de Guimarães. [Sin. ger. (referente à cidade do MA): *guimarantino.*]

vimbunde [De or. afr., poss.] *S. m. Bras. MG Pop.* Escravo (4).

vime [Do lat. *vimen.*] *S. m.* **1.** Vara de vimeiro tenra e flexível; buinho. **2.** Qualquer vara muito flexível. **3.** *Bot.* V. *salgueiro*[1] (1).

vimeiro [De *vime* + *-eiro.*] *S. m. Bot.* V. *salgueiro*[1] (1).

vimieiro [Do lat. vulg. **viminariu.*] *S. m.* Terreno onde abundam vimes.

vimíneo [Do lat. *vimineu.*] *Adj.* Feito de vime; vimoso, viminoso.

viminoso (ô) [Do rad. lat. *vimin-* (< *vimen, inis*, 'vime') + *-oso.*] *Adj.* V. *vimíneo.*

vimoso (ô) [De *vime* + *-oso.*] *Adj.* V. *vimíneo.*

vim-vim [Voc. onom.] *S. m. Bras. Zool.* V. *gaturamo.* [Pl.: *vim-vins.*]

vina [Do hind. *bīnā* < sânscr. *vīṇā.*] *S. f. Mús.* Na Índia, instrumento de cordas, do tipo da cítara, montado sobre um bastão, geralmente oco, sob o qual se fixam duas cabaças, e sobre o qual se esticam as cordas, em geral sete, por meio de cravelhas de madeira.

vináceo [Do lat. *vinaceu.*] *Adj.* **1.** Feito de vinho. **2.** Misturado com vinho. **3.** Que tem a natureza e/ou a cor do vinho. [Sin. ger., poét.: *víneo.*]

vinagrão [De *vinagre* + *-ão*[1].] *S. m.* Vinho de má qualidade; zurrapa.

vinagrar [De *vinagre* + *-ar*[2].] *V. t. d. P.* V. *avinagrar.*

vinagre [Do cat. *vinagre.*] *S. m.* **1.** Produto oriundo da transformação em ácido acético do álcool contido em certas bebidas, pela fermentação. **2.** Ácido acético. **3.** *Fig.* Bebida muito acre ou de baixa qualidade. **4.** *Fig.* Coisa acre. **5.** Pessoa de gênio ou maneiras desabridas. **6.** *Bras. Fam.* V. *avaro* (3).

vinagreira [De *vinagre* + *-eira.*] *S. f.* **1.** Recipiente onde se prepara ou guarda o vinagre. **2.** *Zool.* V. *água-viva* (2). **3.** *Bot. Bras. N.* V. *caruru-azedo.* **4.** *Bot.* V. *fanfã.*

vinagreiro [De *vinagre* + *-eiro.*] *S. m.* Aquele que vende e/ou fabrica vinagre.

vinagrento [De *vinagre* + *-ento.*] *Adj.* Que sabe a vinagre.

vinagrete [Do fr. *vinaigrette.*] *Adj. Cul.* Diz-se de molho feito de vinagre puro ou aromatizado e azeite de oliveira, sal e pimenta-do-reino, com que se temperam saladas cruas ou cozidas, ou certas iguarias que se comem frias. [Tb. us. como s.]

vinagreza (ê) [De *vinagre* + *-eza.*] *S. f. Bras. Fam.* Qualidade de vinagre (5) ou avaro; sovinice, avareza.

vinagrista *S. m. Bras.* Cada um dos sequazes de Francisco Vinagre, um dos chefes da cabanagem (2).

vinário [Do lat. *vinariu.*] *Adj.* **1.** Do, ou referente ao vinho; vinhaceo, vínico. **2.** Apropriado para conter vinho.

vinblastina [Voc. farmac.] *S. f. Quím.* Alcaloide encontrado em certas apocináceas relacionadas à vinca (2), us. como medicamento antineoplásico [fórm.: $C_{46}H_{58}N_4O_9$].

vinca [Do tax. *Vinca.*] *S. f. Bot.* **1.** Gênero de ervas apocináceas, lenhosas, que compreende as pervincas do Velho Mundo, e cujas flores solitárias, axilares, são azuis, vermelhas ou amarelas, com estigma plumoso. **2.** Qualquer espécie desse gênero, como, p. ex., a *Vinca minor* (v. *pervinca*). **3.** Qualquer espécime desse gênero.

vincada [De *vincar* + *-ada*[1].] *S. f.* Vinco (1).

vincadeira [De *vincar* + *-deira.*] *S. f. Art. Gráf.* Máquina para fazer vincos em cartolina, papelão, etc.

vincado [Part. de *vincar.*] *Adj.* **1.** Que se vincou; que tem vinco(s). **2.** *Fig.* Acentuado, marcante, evidente: 📰 *Tem vincada paixão pelas artes.*

vincamina [Do tax. *Vinca* (v. *vinca*) + *-amina.*] *S. f. Quím.* Alcaloide encontrado na pervinca (*Vinca minor*), us. como medicamento vasodilatador [fórm.: $C_{21}H_{26}N_2O_3$].

vincapervinca [Do lat. *vincapervinca.*] *S. f. Bot.* V. *pervinca.*

vincar [De *vinco* + *-ar*[2].] *V. t. d.* **1.** Fazer vincos ou dobras em; preguear. **2.** *Fig.* Marcar bem; acentuar: 📖 "O caráter nacional da criação camiliana, também ao longo deste pequeno estudo o procurei vincar." (José Régio, em João Gaspar Simões, *Perspectiva da Literatura Portuguesa do Século XIX*, p. 213.) [F. paral.: *avincar.* Conjug.: v. *trancar.*]

vincendo [Do lat. *vincendu*, part. fut. pass. de *vincere*, 'vencer'.] *Adj.* Diz-se de juros, dívidas, etc., que estão por vencer.

vincetóxico (cs) [Do tax. *Vincetoxicum.*] *S. m. Bot.* **1.** Grande gênero de trepadeiras asclepiadáceas, herbáceas, dotadas de folhas cordadas e de flores grandes, cimosas, purpúreas ou esverdeadas, de corola rotiforme. **2.** Qualquer espécie desse gênero, como, p. ex., a *Vincetoxicum hirsutum*, de folhagem pilífera e flores de um púrpura escuro. **3.** Qualquer espécime desse gênero.

V

vinciano (txano) *Adj.* Pertencente ou relativo a Leonardo da Vinci. [V. *leonardesco*.]

vincituro [Do lat. *vincituru*, part. fut. ativo de *vincere*, 'vencer'.] *Adj.* Que há de vencer.

vinco [De or. obscura.] *S. m.* **1.** Aresta ou marca produzida por uma dobra; vincada. **2.** Sulco ou sinal produzido por pancada, passagem de roda, aperto de cordão, unhada, etc. **3.** Vergão (2). **4.** *Fig.* Ruga. **5.** Primeira camada seguida à côdea inferior da broa, quando esta sai malcozida do forno. **6.** *Art. Gráf.* Sulco produzido por filete, em papel ou em outro material, geralmente para facilitar a dobragem; dobra seca. [V. *fio de vincar*.] **7.** *Grav.* V. *bisel* (4).

vincristina [Voc. farmac.] *S. f. Quím.* Alcaloide encontrado em certas apocináceas relacionadas à vinca (2), us. como medicamento antineoplásico [fórm.: $C_{46}H_{56}N_4O_{10}$].

vinculação [De *vincular*[2] + *-ção*.] *S. f.* Ato ou efeito de vincular(-se).

vinculado [Do lat. tard. *vinculatu*.] *Adj.* **1.** Instituído por vínculo. **2.** Da natureza do vínculo. **3.** Vincular[1]. **4.** Fortemente ligado ou preso. ~ V. *bens —s* e *voto —*.

vinculador (ô) [De *vincular*[2] + *-dor*.] *Adj.* **1.** Que vincula; vinculativo, vinculatório. ● *S. m.* **2.** Aquele que vincula.

vinculante [De *vincular* + *-nte*.] *Adj.* Que serve para vincular. ~ V. *súmula —*.

vincular[1] [De *vínculo* + *-ar*[1].] *Adj. 2 g.* Relativo a vínculo; vinculado.

vincular[2] [Do lat. tard. *vinculare*.] *V. t. d.* **1.** Ligar ou prender com vínculos; apertar. **2.** Ligar ou prender moralmente: *O amor à família vincula os filhos.* **3.** Firmar a posse de. **4.** Impor obrigação a; penhorar; gravar; onerar: *O favor recebido vinculou-o.* **5.** Submeter (coisas) a vínculo. *T. d. e i.* **6.** Ligar ou prender moralmente: *A obrigação vinculou-a ao benfeitor.* **7.** Ligar, prender, unir, ou deixar ligado, unido, preso: "O general da frota cristã de Lepanto vinculou a sua memória àquela batalha gloriosa." (Latino Coelho, *Cervantes*, p. 43.) **8.** Anexar, apensar: *vincular um processo a outro.* **9.** Sujeitar, obrigar. **10.** *Inform.* Estabelecer vínculo (8) entre (dois itens de dados, ou dois programas). *P.* **11.** Prender-se ou ligar-se moralmente: *Vinculou-se ao seu benfeitor.* **12.** Ligar-se, prender-se, unir-se: "É bem conhecida a teoria do enraizamento de Barrès, exposta no romance *Les Déracinés*, segundo a qual o homem se vincula à terra, à região em que nasce e onde nasceram os seus, truncando o próprio destino quando se transplanta para ambiente diverso." (Brito Broca, *Horas de Leitura*, p. 79.) **13.** Eternizar-se, perpetuar-se; imortalizar-se. [Pres. ind.: *vinculo*, etc. Cf. *vínculo*.]

vinculativo [Do lat. *vinculatus*, part. pass. do lat. tard. **vinculare*, 'vincular', + *-ivo*.] *Adj.* V. *vinculador* (1).

vinculatório [De *vincular*[2] + *-tório*.] *Adj.* V. *vinculador* (1).

vinculável [De *vincular* + *-vel*.] *Adj. 2 g.* Que é passível de ser vinculado.

vínculo [Do lat. *vinculu*.] *S. m.* **1.** Tudo o que ata, liga ou aperta: "Este [o presente], segundo o escritor italiano [Salviolli], mesmo depois das mais profundas revoluções, liga-se ao passado por vínculos tais que não se poderiam romper sem torná-lo um enigma." (Paulo Mercadante, *A Consciência Conservadora no Brasil*, p. 7.) **2.** Nó, liame. **3.** *Fig.* Ligação moral. **4.** Gravame, ônus, restrições. **5.** Relação, subordinação. **6.** Nexo, sentido. **7.** *Fís.* Num sistema mecânico, a relação entre suas coordenadas generalizadas, que traduz a existência duma restrição material que limita o movimento do sistema. **8.** *Inform.* Ligação entre itens de dados, ou programas, e que permite, ao se usar ou consultar um deles, fácil acesso ao(s) outro(s). **9.** *Inform.* Em hipertextos e hipermídias, ligação análoga e que serve de elo (4) entre documentos, us. como recurso de navegação (7). [Cf. *vinculo*, do v. *vincular*.] ◆ **Vínculo esclerônomo.** *Fís.* Aquele em cujas equações de definição não figura explicitamente a variável tempo. **Vínculo holônomo.** *Fís.* O que pode ser expresso por um número finito de equações entre as coordenadas generalizadas do sistema e o tempo. **Vínculo não holônomo.** *Fís.* O que não é holônomo. **Vínculo reônomo.** *Fís.* O que é definido por equações que incluem explicitamente a variável tempo.

vinda [F. subst. de *vindo*, part. de *vir*.] *S. f.* **1.** Ato ou efeito de vir. **2.** Volta, regresso.

vindecaá [De or. incerta; o segundo el. é de or. tupi.] *S. m. Bras. Amaz. Bot.* Designação comum a grandes ervas zingiberáceas, ornamentais, rizomatosas, do gênero *Alpinia* (v. *alpínia*), originárias da Ásia e encontradiças em jardins em virtude das belas e perfumadas flores alvas ou vermelhas reunidas em cachos vistosos.

→ **vin d'honneur** [vɛ̃ dɔ'nœʁ] [Fr.] Recepção oficial de homenagem, em que se servem vinhos, coquetéis, etc.

vindicação [Do lat. *vindicatione*.] *S. f.* **1.** Ato ou efeito de vindicar; reclamação. **2.** *Jur.* Ato de exigir judicialmente que se reconheça a alguém o seu estado civil.

vindicador (ô) [De *vindicar* + *-dor*.] *Adj. S. m.* Que, ou aquele que vindica; vindicante.

vindicante [Do lat. *vindicante*.] *Adj. 2 g. S. 2 g.* Vindicador.

vindicar [Do lat. *vindicare*.] *V. t. d.* **1.** Reclamar ou exigir, em juízo, a restituição de; reivindicar, reclamar. **2.** Exigir em nome da lei. **3.** Pretender a legalização de. **4.** Justificar, defender: *Costuma vindicar as causas dos humildes.* **5.** Corrigir, consertar. **6.** Reaver, recuperar, recobrar. **7.** *Ant.* Vingar (1). [Conjug.: v. *trancar*.]

vindicativo [De *vindicar* + *-tivo*.] *Adj.* **1.** Apropriado para vindicar. **2.** Que defende, que vinga.

víndice [Do lat. *vindice*.] *Adj. 2 g. S. 2 g.* Que, ou quem vinga; vingador.

vindícia [Do lat. *vindicia*.] *S. f.* Ato ou efeito de vindicar; reivindicação.

vindiço [De *vindo* + *-(d)iço*[2].] *Adj.* Que veio de fora; adventício.

vindicta *S. f.* V. *vindita*.

vindima [Do lat. *vindemia*.] *S. f.* **1.** Colheita ou apanha de uvas; vindimadura: "Cacho aqui, cacho ali, juntava em cada vindima uvas suficientes para atestar dois lagares." (João de Araújo Correia, *Terra Ingrata*, p. 189.) **2.** Uvas vindimadas. **3.** *P. ext.* O tempo da vindima (1). **4.** *Fig.* Colheita de qualquer fruto. **5.** Granjeio, aquisição.

vindimadeiro [De *vindimar* + *-deiro*.] *Adj. S. m.* Vindimador.

vindimado [Part. de *vindimar*.] *Adj.* **1.** Colhido, apanhado em vindima: *uvas vindimadas.* **2.** De que já se colheram as uvas: *vinha vindimada.* **3.** *Fig.* Acabado, terminado; extinto.

vindimador (ô) [Do lat. *vindemiatore*.] *Adj. S. m.* Que, ou aquele que vindima; vindimadeiro.

vindimadura [De *vindimar* + *-dura*.] *S. f.* Vindima (1).

vindimal [Do lat. tard. *vindemiale*.] *Adj. 2 g.* Referente a vindima; vindimo.

vindimar [Do lat. *vindemiare*.] *V. t. d.* **1.** Fazer a vindima de. **2.** *Fig.* Colher, apanhar. **3.** Dar cabo de; destruir, dizimar. **4.** Cortar, ceifar. **5.** Matar, assassinar. *Int.* **6.** Fazer a vindima.

vindimo [De *vindima*.] *Adj.* **1.** Vindimal. **2.** Apropriado para a vindima. **3.** Serôdio ou outoniço.

vindita [Var. de *vindicta* < lat. *vindicta*.] *S. f.* **1.** Punição legal. **2.** V. *vingança* (1): "Lá vem, como o furacão, / A desabar da montanha; / E na truculenta sanha, / No torvo rancor eterno / Da recalcada vindita, / Vibra esta praga maldita, / Com um corisco do inferno" (Bulhão Pato, *Livro do Monte*, p. 190).

vindo [Part. de *vir*.] *Adj.* **1.** Que veio; chegado. **2.** Procedente, proveniente.

vindoiro [Do lat. *venturu*, com infl. de *vindo*.] *Adj.* Vindouro (q. v.).

vindoiros [Pl. de *vindoiro*.] *S. m. pl.* V. *vindouros*.

vindouro [Var. de *vindoiro*.] *Adj.* **1.** Que há de vir ou acontecer; futuro, venturo. ● *S. m.* **2.** *Bras. SP Pop.* Pessoa que veio de outro lugar, que não é natural da povoação e nela se acha há pouco; adventício: "Quem foi agora na boleia já não era pessoa conhecida, que sim um vindouro da Mococa, por nome Antônio Cabeça." (Valdomiro Silveira, *Os Caboclos*, p. 155.) [Var.: *vindoiro*.] ~ V. *vindouros*.

vindouros [Pl. de *vindouro*.] *S. m. pl.* As gerações futuras; a posteridade. [Var.: *vindoiros*.] ~ V. *vindouro*.

víneo [Do lat. *vineu*.] *Adj. Poét.* Vináceo.

vingado [Part. de *vingar*.] *Adj.* Que se vingou; desforçado, desafrontado.

vingador (ô) [De *vingar* + *-dor*.] *Adj.* **1.** Que vinga; víndice. ● *S. m.* **2.** Aquele que vinga; víndice. **3.** Aquilo que serve para vingar.

vingança [De *vingar* + *-ança*.] *S. f.* **1.** Ato ou efeito de vingar(-se); desforço, desforra; vindita. **2.** Punição, castigo: *É um crime que clama aos céus e pede a Deus vingança.*

vingar [Do lat. *vindicare*, por via pop.] *V. t. d.* **1.** Tirar desforço ou desforra de; desforrar, desafrontar: *Soube vingar a honra ultrajada;* "decidiram ir ao encontro do imã de Zeila, impelidos mais que tudo pela tenção raivosa de vingar a morte do Gama e dos outros portugueses." (Aquilino Ribeiro, *Portugueses das Sete Partidas*, p. 135). **2.** Causar a punição de; castigar, punir: *A justiça vinga os crimes.* **3.** Promover a reparação de; reparar: *Cumpre vingar os agravos.* **4.** Chegar a; atingir, galgar: "Eis do Tinguí, porém, vingo a montanha! / Eis, de seu alto, abaixo o olhar agora" (Alberto de Oliveira, *Poesias*, 3ª série, p. 245). **5.** Ultrapassar, vencer, transpor (uma distância). **6.** Conseguir, lograr: *Vingou reparar a falta.* **7.** Vencer, dominar, subjugar. **8.** Lutar por; defender, sustentar. *T. d. e i.* **9.** Indenizar, compensar, galardoar; consolar: *As vitórias futuras nos vingarão da derrota sofrida.* *Int.* **10.** Lograr bom êxito; sair a contento: *A empreitada vingou.* **11.** Chegar à maturidade: *As crias vingaram.* **12.** Prosperar, medrar, crescer: *As flores vingaram.* **13.** Acontecer, realizar-se, efetuar-se. *T. c.* **14.** Atingir, alcançar, chegar: *O alpinista vingou ao cume da montanha.* **15.** Vingar (5): *Já vingara oito andares, quando o elevador parou.* *P.* **16.** Tirar vingança de ofensa recebida, ou de algo que é como uma ofensa; desforrar-se, desforçar-se, despicar-se: *Não descansará enquanto não se vingar da derrota;* "Em O 'Alienista', vinga-se Machado dos cultivadores da linguagem enfática, fazendo Simão Bacamarte metê-los na 'Casa Verde'." (Maria Nazaré Lins Soares, *Machado de Assis e a Análise da Expressão*, p. 13). **17.** Declarar-se satisfeito, dar-se por contente. [Conjug.: v. *largar*.]

vingativa [F. subst. de *vingativo*.] *S. f. Bras. Cap.* Golpe desequilibrante em que o capoeirista, com o tronco semifletido, encaixa uma das pernas atrás das pernas do adversário e, apoiando o cotovelo no abdome dele, tenta derrubá-lo.

vingativo [De *vingar* + *-tivo*.] *Adj.* **1.** Que se vinga; que se apraz com a vingança. **2.** Em que há, ou que implica vingança.

vinha[1] [Do lat. *vinea*.] *S. f.* **1.** Quantidade mais ou menos considerável de videiras dispostas proximamente entre si; terreno plantado de videiras: "ao lado / Verdeja, vicejante, a nossa vinha." (Cesário Verde, *Obra Completa*, p. 117). [Sin.: *vinhal*, *vinhago*. Cf. *vinhedo*.] **2.** *Bot.* V. *videira*. **3.** *Fig.* Aquilo que é proveitoso; vantagem; pechincha. ◆ **Vinha do Senhor.** Prática da religião.

vinha[2] *S. f.* V. *vinha-d'alhos* (q. v.).

vinhaça [De *vinho* + *-aça*.] *S. f.* **1.** Grande porção de vinho. **2.** Vinho ordinário; vinhoca. **3.** *P. ext.* V. *bebedeira* (1): "Chegam os *ranchos* com a merenda em saquinhos, ... espessos copos e garrafões cheios para a vinhaça." (José Vieira, *Sol de Portugal*, p. 97.) **4.** V. *vinhoto*.

vinháceo [De *vinho* + *-áceo*.] *Adj.* **1.** V. *vinário* (1). **2.** Semelhante ao vinho.

vinhaço [De *vinho* + *-aço*.] *S. m.* **1.** Bagaço de uvas. **2.** Resíduos da pisa de uvas, nos quais ainda há vinho.

vinha-d'alho *S. f.* Vinha-d'alhos. [Pl.: *vinhas-d'alho*.]

vinha-d'alhos *S. f.* Espécie de molho feito com vinagre (ou mais raramente vinho), alho, cebola, louro, etc., no qual se põem carnes, peixes, aves, etc., durante algum tempo a fim de impregná-los de tempero, antes de irem ao fogo; marinada: "Eu estava apenas a impregnar-me de Paris, como a carne que se deixa em vinha-d'alhos para melhor saber ao paladar." (Costa Rego, *Águas Passadas*, p. 261.) [Tb. se diz apenas *vinha*. Pl.: *vinhas-d'alhos*.]

vinhádego [Do lat. *vineaticu*, 'da vinha', por via pop.] *S. m. Ant.* Vinha[1] (1) (q. v.). V. *vinhago*.

vinhadeiro [De *vinha*[1] + *-deiro*.] *S. m.* V. *vinheiro*.

vinhado *S. m. Bras.* V. *avinhado*[2].

vinhago [Do ant. *vinhádego* (q. v.).] *S. m.* V. *vinha*[1] (1).

vinhal [Do lat. *vineale*, 'da vinha'.] *S. m.* V. *vinha*[1] (1).

vinhão [De *vinho* + *-ão*[1].] *S. m.* **1.** Bom vinho. **2.** Vinho forte. **3.** Vinho encorpado e de boa cor, com que se temperam vinhos inferiores.

vinhataria [Do rad. *vinhat-*, como em *vinhático*, + *-aria*.] *S. f.* **1.** Cultura de vinhas [v. *vinha*[1] (2)]. **2.** Fabricação de vinho.

vinhateiro [Do rad. *vinhat-*; como em *vinhático*, + *-eiro*.] *Adj.* **1.** Relativo à vinhataria. **2.** Que cultiva vinhas [v. *vinha*[1] (2)]. ● *S. m.* **3.** Cultivador de videiras. **4.** Fabricante de vinho.

vinhático [Do lat. *vineaticu*, 'de vinha'.] *S. m. Bot.* Designação comum das árvores mimosáceas do gênero *Plathymenia*, providas de excelentes madeiras amarelas. [Sin., bras.: *aranhagato*.]

vinhático-da-mata *S. m. Bras. Bot.* Árvore mimosácea (*Plathymenia foliolosa*) que tem folíolos e flores muito pequenas, legumes amplos e coriáceos, e cuja madeira, amarela, é excelente. [Pl.: *vinháticos-da--mata*.]

vinhático-de-espinho *S. m. Bras. Bot.* V. *jurema* (1). [Pl.: *vinháticos-de-espinho*.]

vinhático-do-campo *S. m. Bras. Bot.* Árvore mimosácea (*Plathymenia reticulata*) comum no cerrado, que tem folíolos e flores muito pequenas, legumes amplos e coriáceos, e cuja madeira amarela, algo pesada e dura, serve para construções civis e navais; acende--candeia, amarelinho, amarelo, oiteira, paricazinho. [Pl.: *vinháticos-do-campo*.]

vinhedense *Adj. 2 g.* **1.** De, ou pertencente ou relativo a Vinhedo (SP). ● *S. 2 g.* **2.** O natural ou habitante de Vinhedo.

vinhedo (ê) [De *vinha*[1] + *-edo*.] *S. m.* **1.** Grande extensão de vinhas: "Por todas as encostas do primeiro plano descem os vinhedos em largos degraus de verdura" (Ramalho Ortigão, *As Farpas*, I, p. 116). **2.** O conjunto das vinhas de uma região, de um país. [Cf. *vinha*[1] (1).]

vinheiro [De *vinha*[1] + *-eiro*.] ***S. m.*** **1.** Cultivador de vinhas [v. *vinha*[1] (2)]. **2.** Guarda de vinhas. [Sin. ger.: *vinhadeiro*.]

vinheta (ê) [Do fr. *vignette*, 'pequena vinha'; primitivamente as vinhetas representavam folhas e cachos de videira.] ***S. f.*** **1.** *Bibliogr.* Pequena ilustração intratextual. **2.** *Rád. Telev.* Chamada de curta duração utilizada em abertura, encerramento ou reinício de programa de rádio ou TV, com o objetivo de identificar o programa, a estação ou o patrocinador. **3.** *Tip.* Ornato tipográfico de uma só peça, que representa desenho abstrato ou figurativo. ◆ **Vinheta de combinação.** *Tip.* A que serve como elemento de composição de ornatos, guarnições, etc. **Vinheta de remate.** *Tip.* A que é usada em fim de capítulo, e cuja forma se inscreve num triângulo invertido. [Tb. se diz apenas *remate*. Sin.: *vinheta final* (ou apenas *final*) e *fundo de lâmpada*.] **Vinheta final.** *Tip.* V. *vinheta de remate*.

vinhete (ê) [De *vinho* + *-ete* (ê).] ***S. m.*** Vinho fraco; vinhote.

vinheteiro [De *vinheta* + *-eiro*.] ***S. m.*** *Tip.* Móvel onde se guardam vinhetas.

vinhetista [De *vinheta* + *-ista*.] ***S. 2 g.*** Artista que se dedica ao desenho e/ou à gravura de vinhetas.

vinho [Do lat. *vinu*.] ***S. m.*** **1.** Bebida alcoólica de amplo consumo, resultante da fermentação total ou parcial do mosto da uva, e produzida, atualmente, por aperfeiçoados processos tecnológicos. [Sua fabricação e consumo remontam à mais alta Antiguidade. Cf. *vinhaça*, *vinhoca*, *vinhete*, *vinhote*.] **2.** *P. ext.* Designação comum a diversos tipos de bebidas (principalmente fermentadas) provenientes da fermentação do sumo de frutas ou plantas, e algumas delas com propriedades medicinais: *A sidra é um vinho de maçã*; "queijo, rapadura, vinhos de caju, jenipapo, açaí e bacaba" (Raimundo Morais, *País das Pedras Verdes*, p. 168); "Menino a precisar de remédios, tomando quinino, vinho de jurubeba e de jenipapo" (Carlos de Gusmão, *Boca da Grota*, p. 484). **3.** Copo ou cálice de vinho. **4.** A cor do vinho tinto. **5.** *Fig.* V. *bebedeira* (1). **6.** *Fig.* Coisa que embriaga, que inebria: *o vinho da fama, do poder, da glória.* ● ***Adj. 2 g. e 2 n.*** **7.** Da cor do vinho tinto: *vestido vinho; camisas vinho.* [Cf., nas acepçs. 4 e 7: *bordô* (1 e 4) e *grená*.] ◆ **Vinho abafado.** Aquele cuja fermentação natural é interrompida pela adição de álcool de vinho, e us. entre os camponeses de Portugal; vinho surdo. [Cf. *jeropiga* (2).] **Vinho adamado.** **1.** V. *vinho doce*. **2.** Vinho de mesa de sabor adocicado. [Sin. ger., no Brasil: *vinho suave*.] **Vinho aveludado.** Vinho pouco ácido, rico em glicerina, que dá uma sensação suave ao paladar. **Vinho botado.** O que perdeu a cor. **Vinho branco.** Vinho de mesa de cor amarelada, mais ou menos clara, feito de uvas brancas ou pretas cujo mosto resulta apenas do esfacelamento da polpa, sem o aproveitamento da película, e cuja fabricação obedece a técnicas especiais. [Cf. *vinho tinto* e *vinho rosado*.] **Vinho carrascão.** Vinho rascante de baixa qualidade. [Tb. se diz apenas *carrascão*.] **Vinho comum.** V. *vinho de mesa*. **Vinho de bica aberta.** *Enol.* Vinho em cujo processo de vinificação (sem curtimenta), a bebida passa diretamente para o vasilhame depois da pisa. **Vinho de consumo.** V. *vinho de mesa*. **Vinho de honra.** V. *vin d'honneur*. **Vinho de mesa.** Vinho que se costuma beber com pratos antecedentes à sobremesa; vinho comum, vinho de consumo, vinho de pasto. [Cf. *vinho fino*, *vinho generoso* e *vinho licoroso*.] **Vinho de mortos.** *Enol.* V. *vinho dos mortos*: "Quem for a Boticas, coma um peixe desses e beba-lhe 'vinho de mortos' em cima." (Miguel Torga, *Portugal*, p. 35.) **Vinho de palma.** Bebida feita com a seiva, fermentada, do borasso (q. v.) ou de outras palmeiras, ou com a inflorescência da palmeira *Raphia vinifera* [v. *ráfia* (2)], e, ger., de alto teor alcoólico. **Vinho de palmeira.** *Afric.* Vinho de palma: "E levam muita comida e bebidas! Ele é calulu, misongué, pombos, carnes, vinho de palmeira" (Fernando Reis, *Ilha do Meio do Mundo*, p. 176). **Vinho de pasto.** V. *vinho de mesa*. **Vinho de sabugueiro.** Infusão da baga do sabugueiro em vinho branco. **Vinho doce.** Vinho de mesa ou vinho generoso, feito de uvas muito maduras, ou de certas castas de uva (como a moscatel), e que, depois de fermentado, conserva certa proporção de açúcar; vinho adamado, vinho suave. **Vinho do Porto.** Vinho generoso português, doce ou seco, ger. tinto, fabricado no alto Douro (região entre a cidade do Porto e a fronteira com a Espanha). [F. abrev.: *porto*.] **Vinho dos mortos.** *Enol.* Aquele que, produzido em Trás-os-Montes, é enterrado no chão de saibro das adegas abaixo das pipas e dos lagares, por 1 ou dois anos; vinho de mortos. [Com a invasão francesa (1808), os vinicultores da região, em fuga, enterraram seus vinhos no chão para escondê-los dos inimigos. No retorno ao lar, os portugueses da região surpreenderam-se com a qualidade do vinho e passaram a enterrá-lo, donde sua denominação.] **Vinho encorpado.** Vinho de mesa que tem corpo (16). [Opõe-se a *vinho leve*.] **Vinho espumante.** Designação comum a diversos vinhos que produzem espuma abundante, pelo desprendimento de anidrido carbônico ao abrir-se a garrafa. [Pode ser natural, quando preparado pelos métodos clássicos de uma segunda fermentação em garrafas fechadas ou em outros recipientes apropriados, ou gaseificado, quando se lhe adiciona artificialmente o anidrido carbônico. Cf. *champanha*.] **Vinho filante.** Vinho deteriorado, doente. **Vinho fino.** Vinho generoso de qualidade superior. [Cf. *vinho de mesa*, *vinho generoso* e *vinho licoroso*.] **Vinho frisante.** Vinho de mesa levemente gasoso. **Vinho generoso.** Designação comum a diversos vinhos de qualidade superior, em geral de elevada graduação alcoólica (como o porto, o madeira, o moscatel, o xerez, etc.), que se bebem fora das refeições ou à sobremesa. [Cf. *vinho de mesa*, *vinho fino* e *vinho licoroso*.] **Vinho leve.** Vinho de mesa que não tem corpo (16). [Opõe-se a *vinho encorpado*.] **Vinho licoroso.** O que tem doçura pronunciada e forte teor alcoólico. [Cf. *vinho de mesa*, *vinho fino* e *vinho generoso*.] **Vinho palhete.** Vinho tinto leve pouco carregado na cor; clarete. [Tb. se diz apenas *palhete*.] **Vinho passeado.** *Lus.* O que se prepara pelo antigo processo, calcando as uvas com os pés. **Vinho rascante.** Vinho adstringente, que deixa certo travo na garganta. [Tb. se diz apenas *rascante*. Cf. *vinho carrascão*.] **Vinho resinado.** Vinho, em geral, branco, produzido na Grécia, ao qual se adiciona resina de pinheiro. **Vinho rosado.** Vinho de mesa de coloração vermelho-clara obtido pela maceração das uvas pretas, seguindo o mesmo processo do vinho tinto, porém por período mais breve, não se completando, assim, a fermentação. [Cf. *vinho tinto* e *vinho branco*.] **Vinho seco.** Vinho branco ou rosado em que todo o açúcar, ou quase todo, foi submetido ao processo de fermentação. [Pode ser vinho de mesa ou vinho generoso.] **Vinho suave.** *Bras.* V. *vinho adamado*. **Vinho surdo.** V. *vinho abafado*. **Vinho tinto.** Vinho de mesa de cor vermelho-escura, tirante a roxo, mais ou menos acentuada, a qual provém do aproveitamento da película das uvas pretas, onde se encontra a matéria corante. [Cf. *vinho branco*, *vinho rosado* e *vinho palhete*.] **Vinho tranquilo** *Enol.* Vinho não espumante. **Vinho varietal.** *Enol.* Vinho feito predominantemente com uma única variedade de uva ou produzido com, no mínimo, 75% de uma mesma cepa. [No Brasil, porém, o vinho já é tido como varietal se contiver apenas 60% de uma só casta. Tb. se diz apenas *varietal*.] **Vinho verdasco.** Certa espécie de vinho verde (1) muito ácido. [Tb. se diz apenas *verdasco*: "tudo regado a bom verdasco da região de Cambra." (João da Silva Correia, *Farândola*, p. 85).] **Vinho verde.** **1.** Vinho ácido feito de uvas não de todo amadurecidas. **2.** *Restr.* Tipo de vinho de mesa, tinto ou branco, produzido em região demarcada do N.E. de Portugal, e proveniente de videiras que crescem apoiadas em árvores, ao contrário das de outras regiões, e que se caracteriza pela leveza, pelo teor mediano de álcool, e por certa acidez original, que lhe imprime agradável frescura. [Cf. *vinho verdasco*.] **Ser vinho da mesma pipa.** V. *ser farinha do mesmo saco*.

vinhoca [De *vinho* + *-oca*.] ***S. f.*** Vinhaça (2).

vinhoneira [De or. obscura.] ***S. f.*** *Bras. BA* V. *vioneira*.

vinhote [De *vinho* + *-ote*.] ***S. m.*** **1.** Vinhete. **2.** *Pop.* V. *ébrio* (8).

vinhoto (ô) ***S. m.*** *Tec. Quím.* O produto de calda (5) na destilação do licor de fermentação do álcool de cana-de-açúcar; é líquido residual, poluidor; vinhaça, restilo.

▲ **vin(i)-** [Do lat. *vini-* < lat. *vīnum*, *i*.] ***El. comp.*** = 'vinho': *vínico*, *vinícola*, *vinicultor*, *vinífero* (< lat.).

vínico [De *vin(i)-* + *-ico*[2].] ***Adj.*** **1.** V. *vinário* (1). **2.** Proveniente do vinho.

vinícola [De *vin(i)-* + *-cola*[1].] ***Adj. 2 g.*** Respeitante à vinicultura. ● ***S. f.*** **2.** Propriedade em que se cultivam vivas e se fabricam vinhos.

vinicultor (ô) [De *vin(i)-* + *-cultor*.] ***S. m.*** Indivíduo que se ocupa de vinicultura.

vinicultura [De vin(i)- + -cultura.] ***S. f.*** **1.** Fabricação de vinho. **2.** Viticultura.

vinífero [Do lat. *viniferu*.] ***Adj.*** Que produz vinho; vinoso.

vinificação [De *vinificar* + *-ção*.] ***S. f.*** **1.** Fabrico de vinhos. **2.** Processo de tratar os vinhos.

vinificador (ô) [De *vinificar* + *-dor*.] ***S. m.*** Aparelho com que se fabrica vinho.

vinificar [De *vin(i)-* + *-ficar*.] ***V. t. d.*** Reduzir (uva) a vinho. [Conjug.: v. *trancar*.]

vinil [F. impr. de *vinila*.] ***S. m.*** Polímero de um composto de vinílico, ou o produto que dele se origina: *plástico de vinil; resina de vinil*; "De couro, vinil, plástico, lona ou algodão, geralmente pretos, de forma alguma obedecem [os sapatos] a qualquer detalhe ligado à moda." (*Jornal do Brasil*, 18.06.1981).

▲ **vinil-** [Do rad. *vin-* (< lat. *vinum*, 'vinho', + *-il*[2]).] ***El. comp.*** *Quím.* = 'vinila': *vinilfórmico*.

vinila [De *vin(il)* + *-ila*.] ***S. f.*** *Quím.* O grupo monovalente $CH_2=CH$-, derivado do eteno por abstração de um átomo de hidrogênio.

vinilfórmico [De *vinil-* + *fórmico*.] ***Adj.*** *Quím.* ~ V. *ácido* —.

vinílico [De *vinil-* + *-ico*[2].] ***Adj.*** Próprio de, ou que contém, ou que provém de vinila.

➔ **vino de crianza** [βinoðekri'ansa] [Esp.] ***S. m.*** *Enol.* Vinho de boa qualidade que tem de envelhecer dois anos (os tintos) e pelo menos um ano (os brancos e *rosés*) antes de ser comercializado.

vinolência [Do lat. *vinolentia*.] ***S. f.*** Qualidade ou estado de vinolento.

vinolento [Do lat. *vinolentu*.] ***Adj.*** **1.** Que ingere muito vinho. **2.** Impregnado ou cheio de vinho.

vinosidade [Do lat. tard. *vinositate*.] ***S. f.*** Qualidade de vinoso.

vinoso (ô) [Do lat. *vinosu*.] ***Adj.*** **1.** Que produz vinho; vinífero. **2.** Semelhante ao vinho, na cor e/ou no sabor: "o nariz grosso e salpicado de botões vinosos rubros como rubins, assumia dimensões quase fenomenais." (Rebelo da Silva, *Contos e Lendas*, p. 79). **3.** De qualidades semelhantes às do vinho. [Cf. *venoso*.]

➔ **vin santo** [vin'santo] [It.] ***S. m.*** *Enol.* Vinho doce (tinto ou branco) de alta graduação alcoólica, obtido de uvas secas na videira ou em estufa e ger. fabricado na Toscana (v. *toscano*).

➔ **vintage** ['vıntədʒ] [Ingl.] ***S. m.*** *Enol.* Vinho do Porto de ótima qualidade, proveniente de uma só colheita e engarrafado entre o segundo e o terceiro anos após a vindima.

vintaneiro [De *vinte* + *ano*[1] + *-eiro*.] ***Adj. S. m.*** *P. us.* Que, ou aquele que está na casa dos 20 anos de idade; vintão.

vintão [De *vinte* + *-ão*[1].] ***Adj. S. m.*** *P. us.* Vintaneiro. [Fem.: *vintona*.]

vinte [Do lat. *viginti*, poss. pela f. **veinte*.] ***Num.*** **1.** Quantidade que é uma unidade maior que dezenove; dez mais dez. **2.** Número (4) correspondente a essa quantidade. [Nessas acepçs., representa-se em algarismos arábicos por 20, e em algarismos romanos por XX.] **3.** Que está marcado ou identificado com o número 20. **4.** Vigésimo. ● ***S. m.*** **5.** Representação, em algarismos, do número vinte. **6.** Aquilo ou aquele que numa série ocupa o vigésimo lugar. **7.** *Bras. S. Gír.* V. *guimba*. ~ V. *vintes*. ◆ **Dar no vinte.** Adivinhar, perceber, acertar: "— Queres saber, Araújo?! Dei no vinte! Achei uma excelente cozinheira!" (Artur Azevedo, *Contos fora da Moda*, p. 49.).

vinte e quatro [Do número *24*, que, no jogo do bicho, corresponde ao grupo do *veado* (q. v.).] ***S. m. 2 n.*** *Bras. Chulo* Pederasta passivo. ☑

vinte e um ***S. m. 2 n.*** Jogo de cartas em que ganha quem, pedindo cartas, completa 21 pontos exatos. ☑

vinte-e-um-pintado ***S. m.*** *Bras. Zool.* V. *tico-tico-rei* (1). [Pl.: *vinte-e-um-pintados*.]

vintém [Do arc. *vinteno* < *vinte*; era a 20ª parte do cruzado[2] (6).] ***S. m.*** Antiga moeda de cobre, de Portugal e do Brasil, equivalente a 20 réis. ~ V. *vinténs*. ◆ **Dandar pra ganhar vintém.** *Bras.* Expr. us. para estimular a criança que está começando a andar: "Vivia deitado mas se punha os olhos em dinheiro Macunaíma dandava pra ganhar vintém." (Mário de Andrade, *Macunaíma*, p. 9.) **Não ter (um) vintém.** V. *não ter onde cair morto*. **Os três vinténs.** *Chulo* A virgindade da mulher. **Sem vintém.** Sem dinheiro.

vintena [De *vinte* + *-ena*.] ***S. f.*** **1.** Grupo de vinte: "Lembre-se que, tendo publicado apenas um livro de versos, Arvers escreveu, sozinho ou de parceria, quase uma vintena de dramas e comédias." (Melo Nóbrega, *O Soneto de Arvers*, p. 24.) **2.** A vigésima parte. [Cf. *ventena*.]

vinteno [De *vinte* + *-eno*[1].] ***Num.*** **1.** *P. us.* V. *vigésimo* (1). ● ***Adj.*** **2.** Diz-se do pano que tem 2.000 fios de urdidura.

vinténs [Pl. de *vintém*.] ***S. m. pl.*** Dinheiro, pecúlio: *Não é rico, mas tem lá seus vinténs.* ~ V. *vintém*.

vintes [Pl. de *vinte*.] ***S. m. 2 n.*** *Bras. S. Gír.* V. *guimba*. ~ V. *vinte*.

vintona ***S. f.*** *P. us.* Fem. de *vintão* (q. v.).

➔ **viognier** [vjoɲi'e] [Fr.] ***S. m.*** **1.** *Vitic.* Casta nobre de uva branca, cultivada no vale do Ródano. **2.** *Enol.* Vinho produzido com essa uva.

viola[1] [Do provenç. ant. *viula*, *viola*, pelo it. **viola*.] ***S. f.*** **1.** *Mús.* Instrumento de cordas dedilháveis e que se assemelha ao violão (1) na forma e na sonoridade. [Foi trazido para o Brasil pelos jesuítas, fez parte da orquestra típica de catequese, e ainda anima os bailes populares de N. a S. do País e acompanha a cantiga sertaneja; o número de cordas, bem como a afinação e o material de que é feita, varia, nas diferentes regiões.] **2.** *Mús.* Instrumento musical da família do violino, porém de maior dimensão, afinado uma quinta abaixo da afinação do violino e uma oitava acima da do violoncelo: dó$_2$, sol$_2$, ré$_3$, lá$_3$. [Sem dispor da variedade de timbres do violino, tem em comum com este o mecanismo de produção do som e os pormenores de técnica, sendo a sua sonoridade mais melancólica, mais patética, sombria e austera, um tanto nasal. Sin.: *alto* e *violeta*.] **3.** *Mús.* Designação comum aos instrumentos de uma família conhecida na Idade Média, e que atingiu o apogeu nos sécs. XVII e XVIII, caracterizados pelo fundo chato, pelo tampo abaulado com aberturas geralmente em forma de CC, pelas costilhas altas, e pelo braço longo e chato, com trastos de tripas, e rematado por uma cabeça de mulher ou de animal, ou por uma flor trilobada. [O número de cordas era variável, mas para a música de conjunto se utilizava um quarteto de violas, todas com seis cordas.] **4.** *Bras. Mús.* V. *violão* (1). **5.** *Bras. Zool.* Raia rinobatídea (*Rhinobatos percellens*), de coloração dorsal marrom-olivácea com pintas brancas, nadadeiras peitorais e pélvicas marrom-claras, e superfície ventral branca. Habita o Atlântico, chega a cerca de 1m de comprimento, e alimenta-se sobretudo de crustáceos. [O nome provém do fato de ter a cabeça e as nadadeiras peitorais alargadas e o corpo longo, o que lhe dá o aspecto de viola. Sin.: *arraia-viola, guitarra*.] **6.** *Bras. Zool.* V. *japacanim* (2). ● *S. m.* **7.** *Bras.* Berimbau de tom mais agudo responsável pelas viradas [v. *virada* (4).] ◆ **Viola bastarda.** *Mús.* Espécie de baixo de viola com seis ou sete cordas essenciais, às quais os ingleses acrescentaram cordas simpáticas afinadas em uníssono com as outras, de sonoridade doce e melancólica. [É o tipo de transição entre a *viola de gamba* (q. v.) e a *viola de braço* (q. v.).] **Viola braguesa.** *Mús.* Viola (1) muito popular em Portugal (distrito de Braga), nos Açores, na Madeira e no Brasil, montada com cinco ou seis pares de cordas de aço ou de arame, e cuja afinação é a mesma do violão; viola de arame. **Viola da gamba.** *Mús.* V. *viola de gamba*: 📖 "a gambista Kristina Augustin .... decidiu apostar numa carreira como solista de viola da gamba, o instrumento precursor, de sonoridade entre o grave do violoncelo e o agudo do violino, espécie de viola grande a ser tocada 'entre as pernas' (*da gamba*, em italiano)." (Clóvis Marques, em *Jornal do Brasil*, 11.03.1999). **Viola de amor.** *Mús.* Instrumento da antiga família das violas de braço, que tinha as mesmas proporções da viola moderna, sendo, em geral, dotado de duas ordens de cordas, das quais sete, essenciais, eram afinadas segundo o acorde perfeito de ré maior, e outras tantas vibravam apenas por simpatia, quando as de cima eram tocadas pelo arco: 📖 "Cornamusas, mandolinetes, flautas sicilianas, violas de amor, acompanham a dança" (Martins Fontes, *A Dança*, p. 42). **Viola de arame.** Viola braguesa. **Viola de braço.** *Mús.* Viola (3) que era executada como o atual violino. **Viola de gamba.** *Mús.* Viola (3) que se apoiava na perna, como o atual violoncelo. [Tb. se diz apenas *gamba*.] **Viola francesa.** *Lus. Mús.* V. *violão* (1). **Viola pomposa.** *Mús.* Espécie de pequeno baixo de viola, com cinco cordas, construído em 1720, segundo indicações de J. S. Bach (v. *bachiano*), e cuja afinação era a do atual violoncelo, mais o mi, prima do violino, para facilitar a execução nas tessituras agudas. **Adeus, viola.** Adeus, minhas encomendas (q. v.). **Enfiar a viola no saco.** V. *meter a viola no saco*: 📖 "Vendo-os de acordo, enfiamos a viola no saco. Tinham falado os Mestres!" (Ciro dos Anjos, *A Menina do Sobrado*, p. 269.) **Meter a viola no saco.** Não ter que responder ou contestar; calar(-se), emudecer, embatucar; enfiar a viola no saco. **Tocar viola sem corda.** *Bras. SP Pop.* Dizer coisas sem nexo; falar à toa.

viola^{2} [Do lat. *viola*; tax. *Viola*.] *S. f. Bot.* **1.** Grande gênero de plantas violáceas, herbáceas, acaules ou de caules estolhosos, e de subarbustos, de folhas alternas, estipuladas, e flores solitárias, que nascem de pedúnculos, ou de estolhos por vezes ocultos sob a terra, estas últimas com pétalas ou purpúreas, ou amarelas, ou brancas, ou de cores variegadas, tendo corola irregular e que pode ser dotada de esporos. **2.** Qualquer espécie desse gênero, como, p. ex., a *Viola odorata* (v. *violeta*^{2}). **3.** Qualquer espécime desse gênero.

violabilidade [De *violável* + *-(i)dade*, seg. o padrão erudito.] *S. f.* Qualidade de violável.

violação [Do lat. *violatione*.] *S. f.* **1.** Ato ou efeito de violar. **2.** Estupro. **3.** Ofensa ao direito alheio. **4.** Infração de normas ou disposições legais ou contratuais.

violácea [Do tax. *Viola* (v. *viola*^{2}) + *-ácea*; tax. *Violaceae*.] *S. f. Bot.* Espécime das violáceas, família da ordem das violales que reúne ervas, arbustos e trepadeiras de folhas alternas e estipuladas, flores comumente solitárias, vistosas, de corola zigomorfa, ovário unilocular e fruto capsular ou bacáceo. Há quase 800 espécies, quase todas dos países temperados; no Brasil existem várias, entre as quais a violeta e o amor-perfeito.

violáceo^{1} [Do lat. *violaceu*.] *Adj.* **1.** V. *violeta*^{2} (5 e 6). **2.** Referente ou semelhante à violeta; aviolado.

violáceo^{2} [De *violácea*, com var. suf. (v. *-áceo*).] *Adj. Bot.* Pertencente ou relativo às violáceas.

violada [De *viola*^{1} (1 e 4) + *-ada*^{1}.] *S. f.* Toque simultâneo de várias violas.

viola de cocho (ô) *S. f. Bras. MT Mús.* Instrumento musical semelhante à viola, mas munido de cinco cordas simples de tripa, e com caixa de ressonância e braço construídos em um único pedaço de madeira. É muito us. no acompanhamento do cururu, guarânia e outras danças pantaneiras. [Tb. se diz apenas *cocho*. Pl.: *violas de cocho*.] ☑

violado^{1} [Part. de *violar*.] *Adj.* Que se violou ou sofreu violação.

violado^{2} [De *viola* + *-ado*^{1}.] *Adj. Mús.* **1.** Que tem forma ou som de viola; aviolado. **2.** *Bras.* Em que o instrumento predominante é a viola^{1} (1), ou outro congênere: ▣ *quarteto violado*. ~ V. *folha —a.*

violador (ô) [Do lat. *violatore*.] *Adj. S. m.* Que, ou aquele que viola ou violou.

violal^{1} [Do lat. *viola*, 'violeta', + *-al*^{1}.] *S. m.* **1.** Quantidade de mais ou menos considerável de pés de violeta^{2} (1) dispostos proximamente entre si. **2.** Área ocupada por violal (1). [Pl.: *violais*. Cf. *violais*, do v. *violar*.]

violal^{2} [Do tax. *Viola* (v. *viola*^{2}) + *-al*^{1}.] *Adj. 2 g. Bot.* Pertencente ou relativo às violales.

violale [Do tax. *Viola* + *-ale*; tax. *Violales*.] *S. f. Bot.* Espécime das violales, ordem de dicotiledôneas que reúne 22 famílias, várias delas de grande importância econômica, sendo cultivadas para a extração de madeiras, pelos frutos edules, como medicinais e como ornamentais, principalmente entre as flacourtiáceas, as salicáceas, as passifloráceas, as cucurbitáceas e as begoniáceas.

violão [De *viola* + *-ão*^{1}.] *S. m.* **1.** *Mús.* Instrumento de madeira, com seis cordas simples, dedilháveis, dotado de caixa de ressonância em forma de 8, com fundo chato, abertura circular no tampo, e braço longo, largo e reto. [Sin.: *bronze, buzo, guitarra, guitarra espanhola, pinho, viola* e (lus.) *viola francesa*.] **2.** *P. ext. Mús.* Violonista. **3.** *Bras. Fig.* Mulher cujo corpo, pela cintura fina, ancas largas e formas arredondadas, lembra o feitio do violão. **4.** *Bras. P. ext.* Quadris femininos muito desenvolvidos. ◆ **Comigo não, violão.** Expr. us. para indicar repulsa, indignação ou discordância de modo categórico (como quem dissesse: *o que você está acostumado a fazer com os outros não vai conseguir fazer comigo*): 📖 "– Essa léria não pega não, mano. Não pode entrar nem fazer reportagem... Comigo não, violão." (Pedro Nava, *O Círio Perfeito*, p. 362.)

violão sem braço *S. m. Bras. Gír.* O número oito. [Pl.: *violões sem braço*.] ☑

violar^{1} *S. m.* Certo jogo popular.

violar^{2} [Do lat. *violare*.] *V. t. d.* **1.** Ofender com violência. **2.** Infringir, transgredir: ▣ *violar a lei*. **3.** Estuprar, violentar. **4.** Profanar, poluir: ▣ *violar locais sagrados*. **5.** Devassar ou divulgar abusivamente; revelar: ▣ *violar segredos*. **6.** Entrar sem autorização; invadir: 📖 "[Conforme] informou um ministro, o Brasil ainda espera [da Colômbia] 'desculpas sinceras' e o 'compromisso de que não mais violarão o território de países vizinhos'." (Ilimar Franco, em *O Globo*, 05.03.2008).

violável [Do lat. *violabile*.] *Adj. 2 g.* Que pode ser violado; sujeito a violação.

violeiro [De *viola*^{1} + *-eiro*.] *S. m.* **1.** Fabricante de instrumentos de cordas. **2.** *Bras. Mús.* Tocador de viola^{1} (1 e 4). **3.** *Bras. MG Zool.* V. *cuitelão* (1).

violência [Do lat. *violentia*.] *S. f.* **1.** Qualidade de violento. **2.** Ato violento. **3.** Ato ou efeito de violentar. **4.** *Jur.* Constrangimento físico ou moral; uso da força; coação.

violentado [Part. de *violentar*.] *Adj.* **1.** Constrangido; forçado; coagido. **2.** Estuprado, violado.

violentador (ô) [De *violentar* + *-dor*.] *Adj. S. m.* Que, ou aquele que violenta.

violentamente [Do f. de *violento* + *-mente*.] *Adv.* De modo violento; com violência: 📖 "Fernando sentiu palpitar-lhe violentamente o coração." (Machado de Assis, *Contos Recolhidos*, p. 77.)

violentar [De *violento* + *-ar*^{2}.] *V. t. d.* **1.** Exercer violência sobre; forçar; coagir; constranger: ▣ *A insistência do amigo violentou a sua vontade, forçando-o a votar*. **2.** Estuprar, violar. **3.** Forçar, arrombar: ▣ *violentar uma tranca*. **4.** Torcer o sentido de; alterar, inverter: ▣ *Violentou as palavras do político, usando-as para fins inconfessáveis*. *P.* **5.** Fazer ou deixar que façam a si algo que constrange, magoa, humilha.

violento [Do lat. *violentu*.] *Adj.* **1.** Que age com ímpeto; impetuoso. **2.** Que se exerce com força. **3.** Agitado, tumultuoso. **4.** Irascível, irritadiço. **5.** Intenso, veemente. **6.** Em que se faz uso de força bruta. **7.** Contrário ao direito e à justiça. ~ V. *morte —a.*

violeta^{1} (ê) [Do it. *violetta*.] *S. f. Mús.* **1.** *Desus.* V. *viola*^{1}. **2.** No séc. XVI, viola^{1} (3), com três cordas.

violeta^{2} (ê) [Do lat. *viola* + *-eta*.] *S. f.* **1.** *Bot.* Pequena planta herbácea (*Viola odorata*) da família das violáceas, de origem europeia, muito cultivada pelo valor decorativo e pelo perfume, e que floresce mal em climas quentes. Folhas arredondadas, e cordadas, com longo pecíolo, que parte de um rizoma pequenino; flores isoladas e pequenas, mas vistosas pela coloração, e de um odor peculiar, agradável. **2.** *Bot.* A flor dessa planta. ● *S. m.* **3.** A cor mais comum da violeta (2), a cor da ametista, etc.; roxo. [V. *de cor* (3).] **4.** *Ópt.* Cor da radiação eletromagnética cujo comprimento de onda está compreendido, aproximadamente, entre 420 e 380 nanômetros; roxo. ● *Adj. 2 g. e 2 n.* **5.** Que tem essa cor; roxo, violáceo: ▣ *tecido violeta*; 📖 "O Faial adormece em azul sob o céu de cinza e com o Pico todo violeta ao lado" (Raul Brandão, *As Ilhas Desconhecidas*, p. 122). **6.** Diz-se dessa cor; roxo, violáceo: ▣ *tecido de cor violeta*. ◆ **Violeta cristal.** *Quím.* Violeta de genciana. **Violeta de genciana.** *Quím.* Substância corante sintética, usada como antisséptico e na coloração de Gram (q. v.); violeta cristal; violeta de metila [$C_{25}H_{30}ClN_3$]. **Violeta de metila.** *Quím.* Violeta de genciana.

violeta-do-pará [De *violeta*^{2} + *do* + top. *Pará*.] *S. f.* **1.** *Bras. Bot.* Rasteirinha (1). **2.** V. *vassourinha* (4). [Pl.: *violetas-do-pará*.]

violeta-tricolor (ôr) [De *violeta*^{2} + *tricolor*.] *S. f. Bot.* V. *amor-perfeito*. [Pl.: *violetas-tricolores*.]

violeteira [De *violeta*^{2} + *-eira*.] *S. f.* **1.** Vendedora de violetas. **2.** *Bras. Bot.* Arbusto verbenáceo (*Duranta repens*) de origem asiática e bastante cultivado como decorativo, de folhas pequenas, oblongas e moles, flores alvas ou roxo-claras, tubulosas e vistosas, em cachos pequenos, e frutos que são pequenas bagas esféricas e amarelas. **3.** *Bot.* V. *fruta-de-jacu*.

violinista [De *violino* + *-ista*.] *S. 2 g. Bras. Mús.* Pessoa que toca violino; violino.

violino [Do it. *violino*.] *S. m. Mús.* **1.** Instrumento (5) tipo, e o de tessitura mais aguda, do moderno quarteto de arcos (violino, viola, violoncelo e contrabaixo), feito de madeira e dotado de quatro cordas afinadas em quintas justas (mi^4, lá^3, ré^3, sol^2), e que se ferem com um arco, apoiando a base da ilharga do instrumento na clavícula esquerda. **2.** Violinista: 📖 "foram ambos apresentar-se ao diretor de um teatro que os escriturou como violinos." (Ramalho Ortigão, *As Farpas*, II, p. 63).

violista [De *viola*^{1} + *-ista*.] *S. 2 g. Mús.* Tocador de viola^{1}.

violoncelista [De *violoncelo* + *-ista*.] *S. 2 g. Mús.* Tocador de violoncelo; violoncelo.

violoncelo [Do it. *violoncello*.] *S. m. Mús.* **1.** Instrumento musical com a forma do violino, mas de grandes dimensões, derivado da antiga *viola de gamba*, e dotado de quatro cordas afinadas em quintas justas (dó$_1$, sol$_1$, ré$_2$, lá$_2$), como a viola, mas uma oitava abaixo, e que se ferem com um arco, apoiando o instrumento entre as pernas e fixando-o ao solo por meio de um espigão. [Abrev.: *celo*.] **2.** Violoncelista. **3.** Registro de órgão e harmônios.

➔ **violon d'Ingres** [vjɔlɔ̃ 'dɛ̃gʀ] [Fr.] Violino de Ingres (1780-1867), pintor francês: ocupação secundária, que se exerce com menor brilho.

violonista [De *violão* + *-ista*.] *S. 2 g. Mús.* Tocador de violão; violão.

vioneira *S. f. Bras. Pesc.* Cabo que se usa nas baleeiras, e ao qual se prendem arpões, distanciados entre si oito braças. [Var. (na BA): *vinhoneira*.]

■ **VIP** [Ingl., sigla de *Very Important Person*, 'pessoa muito importante'.] *S. 2 g.* **1.** Pessoa de considerável influência ou prestígio. ● *Adj. 2 g.* **2.** Diz-se dessa pessoa. **3.** Diz-se de local destinado a ela: ▣ *sala VIP*.

víbora [Do tax. *Vipera*.] *S. f. Zool.* **1.** O gênero-tipo dos viperídeos, que abrange cerca de quinze espécies, todas elas dotadas de cabeça mais larga que o colo, com olhos de pupilas verticais, cauda curta e cônica, escamas notadamente carenadas, escudo anal indiviso; são providas de presas solenóglifas, e muitas são ovovivíparas. **2.** Espécie, ou espécime desse gênero; víbora.

vipéreo [Do lat. *vipereu*.] *Adj.* V. *viperino*.

viperídeo [Do tax. *Vipera* + *-ídeo*^{1}; tax. *Viperidae*.] *Zool. S. m.* **1.** Espécime dos viperídeos, família de reptis escamados, da subordem das serpentes, que reúne cobras pequenas, de cabeça ger. triangular e larga, escamas pequenas e cristadas, e cauda curta. Compreende dois gêneros principais: *Vipera* e *Aspis*, distribuídos pela Europa, Ásia e África. [O veneno é injetado por dentes que ficam protegidos no palato quando a boca está fechada.] ● *Adj.* **2.** Pertencente ou relativo a eles.

viperino [Do lat. *viperinu*.] *Adj.* **1.** Relativo ou semelhante à, ou próprio da víbora; equídnico. **2.** Da natureza da víbora. **3.** Venenoso, peçonhento:

"Farpeados pela viperina língua dele, os fidalgos provincianos retaliavam quanto podiam a prosápia dos Benevides" (Camilo Castelo Branco, *A Queda dum Anjo*, pp. 11-12). **4.** *Fig.* Mordaz; perverso, maléfico. [Sin. ger.: *vipéreo* e *vípero*.] ~ V. *língua —a*.

vípero [Do lat. *vipera*, 'víbora'.] ***Adj.*** *Desus.* V. *viperino*.

viquingue [Do nórdico *vikingr*.] ***S. 2 g.*** **1.** Um dos bandos de navegadores escandinavos que atacavam e pilhavam as povoações litorâneas do N. e O. da Europa, do séc. VIII ao X. • ***Adj. 2 g.*** **2.** Relativo ou pertencente aos viquingues: *as naus viquingues; arte viquingue*.

vir [Do lat. *venire*, pelo arc. *vẽir*, *vĩir*.] ***V. t. c.*** **1.** Transportar-se de um lugar (para aquele em que estamos): *O professor veio à escola;* "Venha o leitor comigo a um leilão de trastes na Rua do Senhor dos Passos." (Machado de Assis, *Crônicas de Lélio*, p. 23). **2.** Regressar, voltar, chegar: *Virá da Europa em janeiro.* **3.** Proceder, provir: *Esta porcelana veio do Japão.* ***T. i.*** **4.** Proceder, provir, resultar, advir: "Nos primeiros tempos do Passeio Público, o povo corria para ele, e o nome de Belas Noites, dado à Rua das Marrecas, vinha de serem as noites de luar as escolhidas para as passeatas." (Machado de Assis, *A Semana*, II, p. 348.) **5.** Derivar, provir, resultar: *O amor vem da compreensão recíproca;* "E essa força, que é tudo, vem de um nada" (Emílio de Meneses, *Últimas Rimas*, p. 98). **6.** Derivar, provir, advir, proceder, originar-se: *A palavra amor vem do latim.* **7.** Afluir, concorrer: *Toda a população veio ao espetáculo.* **8.** Ocorrer; chegar: *O fato não vem à memória.* **9.** Coincidir, convir: *O frio veio com o outono.* ***Bit. i.*** **10.** Resultar, proceder, advir, provir: *O ferimento lhe veio do tombo.* ***Int.*** **11.** Ser trazido; transportar-se: *O menino veio de trem.* **12.** Aparecer, surgir. **13.** Caminhar, andar: *O homem vinha com passo rápido.* **14.** Acudir, socorrer: *Gritou muito, mas ninguém veio.* **15.** Sobrevir, intervir. **16.** Chegar (um determinado tempo ou ocasião): *Tempo virá em que tudo lhe será mais fácil.* **17.** Estar para acontecer ou para chegar. **18.** Apresentar-se, comparecer: *O coronel ordenou ao soldado que viesse em duas horas.* **19.** Crescer, medrar. **20.** Seguido de verbo no infinitivo, refere-se ao fim expresso por este: *Veio visitar o pai.* ***Pred.*** **21.** Aparecer, surgir (em certo estado ou condição): *O menino veio ótimo de saúde.* ***P.*** **22.** Atingir o orgasmo. **23.** Transportar-se para cá; dirigir-se (para perto da pessoa que fala ou daquela de quem se fala); chegar-se: *Amedrontado, veio-se para o meu lado.* — Seguido da prep. *de* e mais um verbo, significa: a) voltar, regressar, após haver praticado ou sido paciente de (certo ato): "— O Sr. Gonçalinho? .... Há cousa de mês que meu homem o topou na serra do Mésio, quando vinha de vender o carvão." (Camilo Castelo Branco, *O Santo da Montanha*, p. 300); "Vinha de guardar a carta e o relógio, quando me procurou um homem magro e meão" (Machado de Assis, *Memórias Póstumas de Brás Cubas*, p. 247); "Custódio aceitou os cinco mil-réis, ... risonho, palpitante, como se viesse de conquistar a Ásia Menor." (Machado de Assis, *Papéis Avulsos*, p. 204); *Vinha de sofrer pequena intervenção cirúrgica, quando, ainda perto do hospital, foi agredido.* b) acabar de: "Vinha de ler o seu primeiro livro [de Alberto de Oliveira], *Canções Românticas*, de lhe dizer que havia ali inspiração e forma" (Machado de Assis, *Crítica*, p. 223); "O poeta [Casimiro de Abreu] vinha de estar três anos e meio em Portugal, e escreveu esta poesia ainda a bordo." (Sousa da Silveira, em Casimiro de Abreu, *Obras*, p. 195). Esta última acepção é atacada por muitos puristas maníacos, mas defendida por um Heráclito Graça (*Fatos de Linguagem*) e outros estudiosos. Pareceu-nos desnecessário multiplicar exemplos em favor dela. [Irreg. Pres. ind.: *venho, vens, vem, vimos, vindes, vêm*; imperf.: *vinha, vinhas*, etc.; perf.: *vim, vieste, veio, viemos, viestes, vieram*; m.-q.-perf.: *viera, vieras*; etc.; fut. pres.: *virei, virás, virá, viremos, vireis, virão*; fut. pret.: *viria, virias*, etc.; imperat.: *vem*, ... *vinde*, etc.; pres. subj.: *venha, venhas*, etc.; imperf.: *viesse, viesses*, etc.; fut.: *vier, vieres*, etc.; ger. e part.: *vindo*. Cf. *veem* e *víreis*, do v. *ver*, e *Víria*, antr. Os compostos deste verbo — *provir, convir*, etc. —, conjugáveis por ele, levam acento agudo na 3ª pess. sing. do pres. ind. — *provém, provéns, convém, convéns*, etc. —, o que não se dá com o v. *vir*.] ◆ **Vir abaixo.** Cair, desabar. **Que vem.** Próximo, futuro; vindouro: *O filme entrará em cartaz na semana que vem; Pretende ir à França o ano que vem.*

vira¹ [Do lat. *viria*, 'bracelete'.] ***S. f.*** Tira de couro que se costura entre as solas do calçado, junto à borda destas: "Este sapateiro, batendo solas ou cosendo viras, ponto a ponto, com linhol encerado, conversa demoradamente com o povo" (Antero de Figueiredo, *Jornadas em Portugal*, p. 80). [Cf. *vira*, do v. *virar*.]

vira² [Dev. de *virar*.] ***S. m.*** **1.** *Lus. Mús.* Música popular e dança acompanhada de instrumentos típicos. É, comumente, em andamento moderado, compasso de 6/8, e apresenta-se em várias formas rítmicas, musicais e coreográficas, sendo a mais conhecida a chamada *vira do Minho*: "Come-se, bebe-se, dança-se o vira e, à noite, canta-se e dança-se ainda pulando em roda das fogueiras." (José Vieira, *Sol de Portugal*, p. 97.) **2.** *Bras. S.* Peça de tecido macio que se vira sobre a parte da manta dos recém-nascidos que fica em contato com a cabeça, para protegê-la do atrito. [Cf. *vira*, do v. *virar*.] ◆ **Vira do Minho.** V. *vira²* (1).

vira³ [F. red. (e eufêmica) de *vira-bosta*.] ***S. f.*** *Bras. Zool.* V. *chupim* (1).

vira⁴ [Do fr. ant. *vire* < lat. *verua*, pl. de *veru*, 'espeto, dardo', pela f. **veria*.] ***S. f.*** *Ant.* Seta aguda. [Cf. *vira*, do v. *virar*.]

virá [F. red. de *veado-virá*.] ***S. m.*** *Bras. Zool.* V. *veado-catingueiro*. [Cf. *virá*, do v. *virar*.]

vira-bosta [De *virar* + *bosta*.] ***S. m.*** *Bras. Zool.* **1.** V. *escaravelho* (1). **2.** V. *chupim* (1). **3.** V. *pássaro-preto*. [Pl.: *vira-bostas*.]

vira-bosta-grande [De *vira-bosta* + *grande*.] ***S. m.*** *Bras. Zool.* V. *graúna* (1). [Pl.: *vira-bostas-grandes*.]

vira-bosta-mau [De *vira-bosta* + *mau*.] ***S. m.*** *Bras. Zool.* V. *pássaro-preto*. [Pl.: *vira-bostas-maus*.]

virabrequim [Do fr. dialetal *virebrequin* (fr. *vilebrequin*).] ***S. m.*** Em um motor de explosão, peça que possibilita o movimento alternado dos êmbolos; árvore de manivelas.

vira-buxo [De *virar* + *buxo*.] ***S. m.*** *Zool.* Fura-buxo. [Pl.: *vira-buxos*.]

vira-campo ***S. m.*** *Bras. Zool.* V. *pássaro-preto*. [Pl.: *vira-campos*.]

viração [De *virar* + *-ção*.] ***S. f.*** **1.** Vento brando e fresco que, à tarde, costuma soprar do mar para a terra; aragem, brisa marítima: "A viração do oceano acariciava o rosto / Como incorpóreas mãos." (Manuel Bandeira, *Estrela da Vida Inteira*, p. 43.) [Cf. *terral*.] **2.** V. *bico¹* (13). **3.** V. *viradela* (1). **4.** *Bras. Gír.* V. *caso* (7): *Tem uma viração lá para Madureira.* **5.** *Bras. Gír.* Prostituição, meretrício: *Vive de viração.* **6.** *Bras. Amaz. GO* Ação de imobilizar a tartaruga, virando-a de costas. **7.** *Bras. Amaz. GO* Local onde as tartarugas costumam desovar. **8.** *Bras. S.* Cerração que frequentemente ocorre pelo verão, entre as duas e quatro horas da tarde.

vira-casaca [De *virar* + *casaca*.] ***S. 2 g.*** *Bras.* Indivíduo que troca de partido ou de ideias, de acordo com as conveniências próprias. [Pl.: *vira-casacas*.]

viracento [Aglut. de *virar* + *acento*.] ***S. m.*** *E. Ling.* Apóstrofo.

virada [De *virar* + *-ada¹*.] ***S. f.*** *Bras.* **1.** V. *viradela* (1). **2.** A última etapa de uma competição, na qual o perdedor reage e passa a vencedor. **3.** *P. ext.* V. *guinada* (3). **4.** *Bras. Cap.* Mudança de compasso (5) de um instrumento da capoeira sem, no entanto, mudar o andamento (4) da música. ◆ **Virada de rio.** *Bras. MG Ant.* Designação comum aos canais laterais que os mineradores abriam nos rios auríferos para desviar o curso das águas e, assim, permitir que se tirasse todo o cascalho do leito. **Dar uma virada.** *Bras. Fam. Pop.* Desenvolver esforço, em geral em conjunto, para o término de qualquer empreendimento.

viradela [De *virar* + *-dela*.] ***S. f.*** **1.** Ato de virar(-se); virada, viragem, viramento, viração. **2.** Ato de virar uma vez.

viradinho [Dim. de *virado* (7).] ***S. m.*** *Bras.* V. *virado de feijão*: "a bela tartaruga do Amazonas, o fresco chimarrão do Paraná, o sangrento churrasco dos pampas, o fino viradinho de S. Paulo..." (Olavo Bilac, *Ironia e Piedade*, p. 45).

virado [Part. de *virar*.] ***Adj.*** **1.** Voltado, volvido. **2.** Posto às avessas. **3.** V. *dobrado* (2). **4.** *Bras. RS* Trocista, galhofeiro. **5.** *Bras. RS* Travesso, levado. ~ V. *página — a.* • ***S. m.*** **6.** *Encad.* Margem da cobertura, que se vira e cola no lado de dentro das pastas. **7.** V. *virado de feijão*: "Às 7 horas da noite, já havia caipiras nas arquibancadas devorando virados e comendo amendoim." (Cornélio Pires, *Quem Conta um Conto...*, p. 100.)

virado de feijão ***S. m.*** *Bras.* Prato típico da cozinha paulista, feito de feijão (geralmente mulatinho) que, depois de cozido e escorrido, é refogado com bastante gordura e temperos, e misturado com um pouco de farinha de milho ou de mandioca, sendo muitas vezes guarnecido com linguiça frita, ovos estrelados e costeletas de porco. [Tb. se diz apenas *virado*. Sin.: *viradinho*. Cf. *feijão-virado*. Pl.: *virados de feijão*.] ☑

virador (ô) [De *virar* + *-dor*.] ***S. m.*** **1.** *Marinh.* Cabo de massa ou calabroteado, de grande bitola, ou grosso cabo de arame, empregado para reboque, atracação, amarração a boia, etc. **2.** Utensílio usado pelos encadernadores para dourar as capas dos livros. **3.** *Bras. S.* No curso de um rio, o ponto de onde os canoeiros retornam. **4.** Triângulo de reversão das estradas de ferro, para fazer que as locomotivas mudem de direção, em sentido contrário: "a locomotiva, desengatada, partia veloz para a manobra no virador" (Coelho Neto, *A Conquista*, p. 225). **5.** Estrado móvel que executa a mesma manobra; girador. **6.** *Bras.* Aquele que se vira [v. *virar* (24)] bem, que é vivo, esperto. • ***Adj.*** **7.** Que é virador (6); safo.

viradourense ***Adj. 2 g.*** **1.** De, ou pertencente ou relativo a Viradouro (SP). • ***S. 2 g.*** **2.** O natural ou habitante de Viradouro.

vira e mexe [De *virar* + *e* + *mexer*.] *Bras. Fam.* ***S. 2 g. e 2 n.*** **1.** Vira-mexe. • ***S. m. 2 n.*** **2.** Roda-viva; pressa, azáfama. ☑

vira-folhas [De *virar* + o pl. de *folha*.] ***S. m. 2 n.*** *Bras. Zool.* Ave passeriforme, furnariídea (*Sclerurus scansor*), do C.O. e E. do Brasil, com peito e uropígio avermelhado, e garganta brancacenta. Nidifica em barrancos e se alimenta de insetos. [Sin.: *pincha-cisco*.]

viragem [De *virar* + *-agem²*.] ***S. f.*** **1.** V. *viradela* (1). **2.** Mudança na direção dos automóveis. **3.** *Fot.* Tratamento químico realizado numa chapa fotográfica para modificar as suas cores.

virago [Do lat. *virago*.] ***S. f.*** **1.** V. *machão* (1): "As mulheres eram, na maioria, repugnantes. Fisionomias ríspidas, de viragos, de olhos zanagas e maus." (Euclides da Cunha, *Os Sertões*, p. 523.) **2.** Matrona (2). • ***S. m.*** **3.** Cabo, corda.

viral¹ [De *vir(o)-* + *-al¹*.] ***Adj. 2 g.*** V. *virótico*.

viral² [De *virale*, com var. suf.] ***Adj. 2 g.*** *Microbiol.* Pertencente ou relativo às virales. [Pl.: *virais*. Cf. *virais*, do v. *virar*.]

vira-lata [De *virar* + *lata*.] ***S. m.*** *Bras.* **1.** Cão de rua, sem raça determinada: "A mais antiga imagem de cão de que guardo memória é a do cão Peludo. Era um vira-lata qualquer que apareceu lá por casa e 'ficou', passando a fazer parte da família." (Otávio de Faria, *Novelas da Masmorra*, p. 10.) [Sin., angol.: *cabíri*.] **2.** Indivíduo desclassificado, sem-vergonha. [Pl.: *vira-latas*.]

virale [Adapt. do tax. *Virales*.] ***S. f.*** *Microbiol.* Espécime das virales, ordem de microrganismos ultramicroscópicos que atravessam filtros finos, parasitos obrigatórios de células vivas. São os vírus.

viramento [De *virar* + *-mento*.] ***S. m.*** **1.** V. *viradela* (1). **2.** Efeito de virar(-se).

vira-mexe [De *virar* + *mexer*.] ***S. 2 g.*** *Bras. Fam.* Pessoa desinquieta; vira e mexe. [Pl.: *viras-mexes* e *vira-mexes*.]

vira-mundo [De *virar* + *mundo*.] ***S. m.*** **1.** *Bras.* Grilhão de ferro, pesado, com que se mantinham presos os escravos: "Miseráveis! Mereciam era cepo, vira-mundo, tronco, libambo, gargalheira, golilha, anjinhos" (Fontes Ibiapina, *Congresso de Duendes*, p. 31). **2.** *Bras. BA Rel.* Entidade dos candomblés de caboclo. [Pl.: *vira-mundos*.]

vira-pedra [De *virar* + *pedra*.] ***S. m.*** *Bras. Zool.* V. *agachada* (10). [Pl.: *vira-pedras*.]

virapuru ***S. m.*** *Bras. Zool.* V. *uirapuru*.

virar [De um provável hibridismo celta-latino **virare* galês *gwyro*, 'inclinar-se para um lado'.] ***V. t. d.*** **1.** Inverter a direção ou a posição de; volver, voltar: *Virou o automóvel para fazer a manobra.* **2.** Pôr do avesso, voltar (o lado interior) para fora; revirar: *Virou os bolsos, à procura de dinheiro.* **3.** Pôr em posição contrária àquela em que se encontrava: *Virou o disco para ouvir a música do outro lado.* **4.** Despejar, bebendo; entornar: *Virou a garrafa de vinho.* **5.** Fazer dobra em; dobrar: *virar a ponta do papel.* **6.** Dar a volta a; dobrar, tornear, circundar, voltear, quebrar: *Quando o vi, virava a esquina.* **7.** Fazer girar em torno de um eixo: *virar a manivela.* **8.** Fazer mudar de opinião, tenção ou partido: *É impossível virar os políticos sérios.* **9.** *Pop.* Atacar¹ (11). ***T. d. e c.*** **10.** Voltar (a um lado); dirigir; apontar: *O motorista virou o carro para a direita.* **11.** Mudar de posição: *Virou o rosto para a parede.* ***T. c.*** **12.** Mudar de direção, de rumo: "O Capitão, que em tudo o mouro cria, / Virando as velas, a Ilha demandava" (Luís de Camões, *Os Lusíadas*, I, 102); *O navio virou ao largo.* **13.** Estar voltado; apontar: *A janela virava para o nascente.* ***T. i.*** **14.** Sustentar partido, opinião ou tenção contra; levantar-se, rebelar-se: *O povo virou contra o monarca despótico.* ***Pred.*** **15.** Transformar-se; tornar-se: *No conto, o sapo vira um belo príncipe;* "qualquer problema vira caso de família." (Manuel Lobato, *Somos Todos Algarismos*, p. 27). ***Int.*** **16.** Ficar de borco: *A embarcação bateu contra as rochas e virou.* **17.** Mudar de rumo, de direção: *Pouco antes das eleições a opinião pública virou.* **18.** Dar voltas; agitar-se, virar-se. **19.** Mudar (o tempo): *Com a ventania, o tempo virou.* **20.** Sofrer mudança súbita e radical: *A política virou, e o deputado não se reelegeu.* ***P.*** **21.** Voltar-se, rebelar-se: *Virou-se contra o próprio pai.* **22.** Virar (18). **23.** Voltar-se, volver-se: *Virando-se, deparou com o assaltante.* **24.** Diligenciar para sair, por seus próprios recursos, de uma situação difícil, complicada, penosa; procurar superar dificuldades, complicações, penúrias. **25.** Tomar providências, diligenciar, para conseguir ou obter alguma coisa. **26.** Pôr-se em posição contrária àquela em que se encontrava: *Virou-se de bruços, para poder queimar as costas.* **27.** *Bras.* Exercer a prostituição. [Pres. ind.: *viro, viras, vira, viramos, virais, viram*; pres. subj.: *vire, ... vireis, virem*. Cf. *víramos* e *víreis*, do v. *ver*.] ◆ **Virar e mexer. 1.** Andar, virar e mexer (q. v.). **2.** Quando menos se espera; sem mais nem menos: *Ele vira e mexe volta a falar naquele caso.* **3.** Com frequência; volta e meia: "compadre Bento e comadre Cotinha .... vira e mexe iam assar [biscoitos] lá em casa, por causa da boa qualidade do forno." (Adélia Prado, *Os Componentes da Banda*, p. 66). **Virar por d'avante.** *Mar.* Mudar (embarcação à vela) o bordo por onde recebe o vento, passando com a proa pela linha do vento. [Cf. *virar em roda*.] **De virar e romper.** *Bras. SP Pop.* De sola e vira.

vir a ser [De *vir* + *a*[3] + *ser* (verbo).] ***S. m. 2 n. Filos.*** V. *devenir* (2). ☑

vira-vira [Da 3ª pess. do sing. do pres. ind. de *virar*, repetida.] ***S. m.*** *Bras. Zool.* V. *chupim* (1). [Pl.: *vira-viras* e *viras-viras*.]

viravolta [De *virar* + *volta*.] ***S. f.*** **1.** Volta completa. **2.** V. *reviravolta* (2). **3.** Subterfúgio, rodeio. **4.** *Fig.* Reviravolta (3).

viravoltar ***V. int.*** *Bras.* Dar viravolta; viravoltear.

viravoltear ***V. int.*** *Bras.* Viravoltar. [Conjug.: v. *frear*.]

viremia [De *vir(o)-* + *-emia*.] ***S. f.*** *Patol.* Presença de vírus no sangue.

virémico ***Adj.*** V. *virêmico*. [Uso freq. em P.]

virêmico [De *viremia* + *-ico*[2].] ***Adj.*** Relativo a viremia.

virente [Do lat. *virente*.] ***Adj. 2 g.*** **1.** Que verdeja; verdejante, viridente, viridante, verde: "Luzente aljôfar nas virentes folhas / Das tenras plantas, gracioso, brilha" (Garção-Stockler, em Pe. Sousa Caldas, *Salmos de Davi*, p. 329). **2.** *Fig.* Próspero, florescente, magnífico, viridente, viridante.

vireonídeo [Do lat. cient. *Vireon-* (< tax. *Vireo*) + *-ídeo*[1]; tax. *Vireonidae*.] *Zool.* ***S. m.*** **1.** Espécime dos vireonídeos, família de aves passeriformes, insetívoras, caracterizadas por terem o tarso ocreado (escamas anteriores), tegumento não ou indistintamente dividido em placas, a primeira das rêmiges da mão curta, plumagem esverdeada, e bico terminado em gancho. São as juruviaras e os uirapurus. ● ***Adj.*** **2.** Pertencente ou relativo a eles.

virga [Do lat. *virga*.] ***S. f.*** Verga (1).

virga-férrea [Do lat. *virga ferrea*, 'vara de ferro'.] ***S. f.*** **1.** Grande violência. **2.** Extrema severidade. **3.** Uso da força. [Pl.: *virgas-férreas*.]

virgem [Do lat. *virgine*.] ***S. f.*** **1.** Mulher (especialmente mulher jovem) que nunca teve relações sexuais, através da vagina, com homem; donzela. **2.** *P. ext.* Mulher solteira; moça. **3.** *Restr.* A mãe de Jesus Cristo; Virgem Maria. [Nesta acepç., com inicial maiúscula, é claro.] **4.** Retrato da Virgem: *Ganhei uma boa reprodução de uma Virgem de Murilo.* **5.** A menina que, nas procissões ou em certas festas de igreja católica, usa túnica branca e coroa de flores na cabeça. **6.** *Astr.* A sexta constelação do Zodíaco, situada no equador celeste, com 13h de ascensão reta e 2° de declinação sul. [Com cap., nesta acepç.] **7.** O sexto signo do Zodíaco, relativo aos que nascem entre 23 de agosto e 22 de setembro; Virgo. [Com cap., nesta acepç.] **8.** *Bras. N.E.* Viga de madeira cuja parte superior é atravessada por um orifício onde se encaixa a vara (14), e que faz parte do arrocho (4), da casa de farinha. **9.** *Bras. S.* Alavanca em que gira a haste do monjolo. ● ***S. m.*** **10.** Aquele que nunca teve relações sexuais: *No cinema, estava em cartaz 'O virgem de 40 anos'.* ● ***Adj. 2 g.*** **11.** Que nunca teve relações sexuais: *Perguntavam no blogue quem já havia transado com um rapaz virgem.* **12.** Característico ou próprio de virgem; casto, inocente, modesto, virginal. **13.** Puro, intato, intocado: *O granizo virgem cobria o campo.* **14.** Livre, isento. **15.** Franco, sincero. **16.** Que ainda não foi usado: *filme virgem*; "ela [a *História do Império*, de Tobias Monteiro] está singularmente valorizada pela inédita e virgem documentação" (Álvaro Lins, *A Glória de César e o Punhal de Brutus*, p. 250); "Disse isso e entrou rápido, pela sala, ... para apanhar o bacamarte boca de sino, virgem de qualquer disparo no tempo do alferes." (José Maria de Melo, *Os Canoés*, p. 78). ~ V. *azeite —, cal —, cera —, mata —, mel —* e *nêutron —*.

virgemente [De *virgem* + *-mente*.] ***Adv.*** À maneira de virgem; como virgem: "Minha alma estava estreita / Entre tão grandes almas minhas pares, / Inutilmente eleita, / Virgemente parada." (Fernando Pessoa, *Mensagem*, p. 35.)

virgem-lapense ***Adj. 2 g.*** **1.** De, ou pertencente ou relativo a Virgem da Lapa (MG). ● ***S. 2 g.*** **2.** O natural ou habitante de Virgem da Lapa. [Pl.: *virgem-lapenses*.]

virgiliano [Do lat. *virgilianu*.] ***Adj.*** **1.** Pertencente ou relativo a Virgílio (70-19 a. C.), poeta latino, ou próprio dele. **2.** Que tem o caráter da poesia de Virgílio, especialmente das suas églogas. **3.** Que é grande admirador e/ou conhecedor profundo da obra desse poeta. ● ***S. m.*** **4.** Grande admirador e/ou conhecedor profundo da obra de Virgílio. [F. paral.: *vergiliano*.]

virginal[1] [Do ingl. *virginal*.] ***S. m.*** *Mús.* Instrumento musical de teclado e cordas que se ferem por bico de pena, como na espineta, com a qual se parece, tendo, porém, geralmente, a forma de uma caixa retangular, pequena e leve, e sendo de uso posterior (sécs. XV e XVI).

virginal[2] [Do lat. *virginale*.] ***Adj. 2 g.*** **1.** Relativo a, ou próprio de virgem; virgíneo, virgem, vestal. **2.** Puro, imaculado: "Eu quis também rever o lar paterno, / O meu primeiro e virginal abrigo" (Luís Guimarães, *Lírica. Sonetos e Rimas*, p. 11).

virginalidade [De *virginal* + *-(i)dade*.] ***S. f.*** Qualidade de virginal: "Simplicidade, / graça, pudor e virginalidade" (Hermes Fontes, *A Fonte da Mata...*, p. 98).

virginalizar [De *virginal* + *-izar*.] ***V. t. d.*** Tornar virginal.

virgindade [Do lat. *virginitate*.] ***S. f.*** Estado ou qualidade de virgem.

virginense ***Adj. 2 g.*** **1.** De, ou pertencente ou relativo a Virgínia (MG). ● ***S. 2 g.*** **2.** O natural ou habitante de Virgínia.

virgíneo [Do lat. *virgineu*.] ***Adj.*** V. *virginal*[2] (1): "E a freira cisma e cora, ao ver, ansioso, / Do seu catre virgíneo sobre o linho / Um par de borboletas amoroso." (Gonçalves Crespo, *Obras Completas*, p. 312.) [Fem.: *virgínea*. Cf. *Virgínio*; antr. e *Virgínia*, antr. e top.]

virginiano [Do lat. *virgine*, 'virgem', + *-iano*.] ***S. m.*** **1.** Indivíduo nascido sob o signo de Virgem. ● ***Adj.*** **2.** Diz-se de, ou pertencente ou relativo a virginiano (1).

virginizar [Do lat. *virgine*, 'virgem', + *-izar*.] ***V. t. d.*** Dar o caráter de virgem a; purificar.

virginopolitano ***Adj.*** **1.** De, ou pertencente ou relativo a Virginópolis (MG). ● ***S. m.*** **2.** O natural ou habitante de Virginópolis.

virgo [Do lat. *virgo*.] ***S. m.*** **1.** Virgem (7). [Com cap.] **2.** *Chulo* A virgindade da mulher.

virgolandense ***Adj. 2 g.*** **1.** De, ou pertencente ou relativo a Virgolândia (MG). ● ***S. 2 g.*** **2.** O natural ou habitante de Virgolândia.

virgo-lapense ***Adj. 2 g.*** **1.** De, ou pertencente ou relativo a Virgem da Lapa (MG). ● ***S. 2 g.*** **2.** O natural ou habitante de Virgem da Lapa. [Pl.: *virgo-lapenses*.] ❖

vírgula [Do lat. *virgula*, 'varinha', 'tracinho'.] ***S. f.*** **1.** *E. Ling.* V. *sinal de pontuação*. **2.** Palavra que se emprega para fazer uma objeção ou restrição, ou um comentário malicioso, picante, às palavras de outrem: *— É um sujeito sério. — Sério, vírgula!; O pequeno foi passear com sua mãe. — Sua mãe, vírgula;* "— Então, bem. | — Bem, vírgula." (Vergílio Godinho, *Não Há Nada Mais Simples*, pp. 150-151). **3.** *Bras.* Pequena mecha de cabelo recurvada, grudada à testa ou às faces, junto às orelhas; monete: "Vestida de vermelho e branco, os seios fortes explodindo do decote em V, duas vírgulas de cada lado do rosto" (Marisa Raja Gabaglia, *Milho pra Galinha, Mariquinha*, p. 20). [Cf. *virgula*, do v. *virgular*.] ◆ **Vírgula decimal.** *Mat.* Sinal que indica a posição da unidade na representação decimal de um número. [Em nenhum caso se deve usar o ponto em lugar de vírgula.] **Vírgulas dobradas.** V. *aspas* (2).

virgulação [De *virgular* + *-ção*.] ***S. f.*** Ato ou efeito de virgular.

virgular [De *vírgula* + *-ar*[2].] ***V. t. d.*** **1.** Pôr vírgula em. ***T. d. e i.*** **2.** Entremear, alternar: "Borges abarrotava-se de alface e vaca; interrompia-se para virgular a oração com um gole de vinho" (Machado de Assis, *Várias Histórias*, p. 42). ***Int.*** **3.** Pôr vírgulas nos lugares apropriados: *Vírgula muito bem.* **4.** Pôr vírgula: *Tem mania de virgular: vírgula a torto e a direito.* [Pres. ind.: *virgulo, virgulas, virgula*, etc. Cf. *vírgula*.]

virgulta [Do lat. *virgulta*.] ***S. f.*** Varinha flexível.

▲ **vir(i)-** [Do lat. *vir, viri*.] ***El. comp.*** = 'homem', 'varão': *viripotente* (< lat.). [Equiv.: *-viro*: *triúnviro* (< lat.).]

▲ **viri-** V. *vir(o)-*.

virial [Do lat. *vires*, pl. de *vis*, 'força', + *-ial*[1].] ***S. m.*** *Fís.* Num sistema constituído por várias partículas, cada uma das quais sujeita à ação duma força, é a metade da média do produto escalar das forças pelo vetor posição da respectiva partícula. Se o sistema for conservativo, é, em valor absoluto, igual à energia cinética média associada às partículas do sistema.

viriamitalocal (vì) [De *vir(i)-* + *amitalocal*.] ***Adj. 2 g.*** *Antrop.* Relativo ao padrão de residência, ou a regra ou costume que o determinam, em que um casal, após o casamento, vai viver junto à irmã do pai do marido. [Opõe-se a *uxoriamitalocal*; cf. *amitalocal*.]

viriavunculocal [De *vir(i)-* + *avunculocal*.] ***Adj. 2 g.*** *Antrop.* Relativo a padrão de residência (ou a regra ou costume institucionalizado que o determinam) em que o casal, após o casamento, vai morar na localidade do irmão da mãe do marido. [Cf. *avunculocal*.]

viricida [De *viri-* + *-cida*.] ***Adj. 2 g.*** **1.** Que extermina vírus. ● ***S. m.*** **2.** Substância viricida. [Sin. ger.: *virucida*.]

viridante [Do lat. *viridante*.] ***Adj. 2 g.*** *P. us.* V. *virente*.

víride [Do lat. *viride*.] ***Adj. 2 g.*** *P. us.* Verde (1): "o machado de um lavrador fendeu-lhe o tronco. A árvore gemeu ante a violação. Golpe a golpe, foi abaixo a fronde víride" (Jaime d'Altavila, *Lógica de um Burro*, p. 50).

viridência [De víride + -ência.]. ***S. f.*** Qualidade de viridente.

viridente [De *viridante*, com infl. de *virente*.] ***Adj. 2 g.*** V. *virente*.

virífero [De *vir(o)-* + *-ífero*.] ***Adj.*** Que gera vírus.

viril[1] [Por **vidril* < *vidro* + *-il*[1].] ***S. m.*** Espécie de âmbula ou redoma de vidro onde se guardam relíquias e/ou objetos de valor.

viril[2] [Do lat. *virile*.] ***Adj. 2 g.*** **1.** Respeitante a, ou próprio de homem; varonil: "O anão é de cor branca, uma barba viril e muito azulada" (Moreira Campos, *O Puxador de Terço*, p. 16). **2.** Esforçado, enérgico, vigoroso. ~ V. *membro —*.

virilha [Do lat. *virilia*, 'partes sexuais do homem, dos machos'.] ***S. f.*** *Anat.* Área de junção da coxa com o abdome.

virilidade [Do lat. *virilitate*.] ***S. f.*** **1.** Qualidade de viril; masculinidade. **2.** Idade de homem entre a adolescência e a velhice. **3.** Vigor, energia.

virilismo [De *viril* + *-ismo*.] ***S. m.*** *Med.* Presença de caracteres masculinos, físicos e mentais, na mulher.

virilizar [De *viril* + *-izar*.] ***V. t. d.*** **1.** Tornar viril. **2.** Tornar forte; fortalecer, robustecer: "a imagem da desgraça virilizara o grupo." (Mário de Andrade, *Contos Novos*, p. 25).

virilocal (vì) [De *vir(i)-* + *local*.] ***Adj. 2 g.*** *Antrop.* Relativo a regra, ou costume institucionalizado, ou ao padrão de residência a eles associado, segundo o qual, após o casamento, o novo casal passa a viver na localidade (casa, aldeia, acampamento, etc.) do homem. [Opõe-se a *uxorilocal*; cf. *matrilocal, patrilocal* e *avunculocal*.]

virilocalidade (vì) [De *virilocal* + *-(i)dade*.] ***S. f.*** **1.** Caráter ou condição de virilocal. **2.** *Antrop.* Regra ou padrão de residência virilocal.

vírion [De *viri-* + *-on*; lat. cient. *virion*.] ***S. m.*** *Microbiol.* Partícula virótica elementar de que se compõe uma população de vírus, e que consiste em ARN ou ADN circundada por cápsula proteica, o capsídeo, sendo capaz de sobreviver sob forma cristalina e de infectar célula viva.

viripotente (vì) [Do lat. *viripotente*.] ***Adj. 2 g.*** **1.** Que pode casar (indivíduo do sexo feminino ou masculino); núbil. **2.** Que tem muita força; forte, rijo, varonil.

▲ **vir(o)-** [Do V.C.I. *viro-* < lat. cient. *virus*.] ***El. comp.*** = 'vírus': *virologia, virose*. [Equiv.: *viri-, -vir(o)-*: *viricida, virífero; antivirótico*.]

▲ **-vir(o)-** V. *vir(o)-*.

▲ **-viro** Equiv. de *vir(i)-*.

viroide (ói) [De *vir(o)-* + *-oide*.] ***S. m.*** *Microbiol.* Agente infeccioso menos complexo do que o vírus; não apresenta capsídeo, é formado por uma curta cadeia de ARN (não associada a proteínas), sendo ainda responsável por várias doenças que afetam as plantas. ❖

virola[1] [Do fr. *virole*.] ***S. f.*** **1.** Aro metálico que aperta ou reforça um objeto e às vezes serve para ornamento. **2.** *Bras. N.E.* Peça de madeira ou de ferro adaptada ao centro das moendas, nos engenhos de açúcar, para encaminhar as canas.

virola[2] [De *virar*.] ***S. f.*** **1.** Parte da borda que fica virada para fora: *a virola de um bolso.* **2.** *Bras.* Espécie de açoite, comumente de borracha.

virologia [De *vir(o)-* + *-logia*.] ***S. f.*** *Microbiol.* Parte da microbiologia que estuda os vírus.

virológico [De *virologia* + *-ico*[2].] ***Adj.*** Referente a virologia.

virologista [De *virologia* + *-ista*.] ***S. 2 g.*** Especialista em virologia; virólogo.

virólogo [De *vir(o)-* + *-logo*.] ***S. m.*** Virologista.

virose [De *vir(o)-* + *-ose*[1].] ***S. f.*** *Patol.* Enfermidade produzida por um vírus. Ex.: a gripe.

viroso (ô) [Do lat. *virosu*.] ***Adj.*** **1.** Que tem vírus ou veneno; venenoso, peçonhento. **2.** Nauseabundo, repugnante. **3.** Nocivo, danoso, prejudicial.

virotada [De *virote* + *-ada*[1].] ***S. f.*** Ferimento feito com virote.

virotão [De *virote* + *-ão*[1].] ***S. m.*** Grande virote.

virote [De *vira*[4] + *-ote*[1].] ***S. m.*** **1.** Seta curta. **2.** Travessa de ferro nos copos das espadas antigas. **3.** *Ant. Náut.* Haste quadrada, que era a principal da balestilha. **4.** *Constr. Nav.* Cada uma das aposturas da popa, que, pelo seu caimento, dão a conformação própria do painel e da almeida. **5.** *Bras. Zool.* V. *veado-catingueiro*. ◆ **Andar num virote.** *Lus.* Estar ocupadíssimo: "— Deixe-me cá, D. Flávia, tenho andado num virote!" (Aquilino Ribeiro, *Lápides Partidas*, p. 26.)

virótico [De *vir(o)-* + *-ótico*.] ***Adj.*** Relativo a vírus, ou que tem como uma das características ser causado por ele. ~ V. *inclusão —a*.

virtual [Do lat. escolástico *virtuale*.] ***Adj. 2 g.*** **1.** Que existe como faculdade, porém sem exercício ou efeito atual. **2.** Suscetível de se realizar; potencial. **3.** *Filos.* Diz-se do que está predeterminado e contém todas as condições essenciais à sua realização. [Opõe-se, nesta acepç., a *potencial* (3) e *atual* (4).] **4.** *Inform.* Que resulta de, ou constitui uma emulação, por programas de computador, de determinado objeto físico ou equipamento, de um dispositivo ou recurso, ou de certos efeitos ou comportamentos seus. ~ V. *imagem —, realidade —* e *trabalho —*.

virtualidade [De *virtual* + *-(i)dade*.] ***S. f.*** Qualidade de virtual.

virtualização [De *virtualizar* + *-ção*.] ***S. f.*** Ato ou efeito de virtualizar: *virtualização dos serviços bancários.*

virtualizar [De *virtual* + *-izar*.] ***V. t. d.*** Criar de modo virtual (canais de comunicação ou de atendimento): *No próximo mês, o banco virtualizará a maior parte de seus serviços.*

virtude [Do lat. *virtute*.] ***S. f.*** **1.** Disposição firme e constante para a prática do bem. [Opõe-se a *vício* (2).] **2.** Boa qualidade moral; força moral; valor. **3.** Ato virtuoso. **4.** Castidade, pureza. **5.** Modo austero de vida. **6.** Qualidade própria para que se produzam certos efeitos; característica, propriedade: "O interesse do português pelas suas conquistas foi sobretudo apego a um meio de fazer fortuna rápida, dispensando o trabalho regular, que nunca foi virtude própria dele." (Sérgio Buarque de Holanda, *Raízes do Brasil*, p. XVIII.) **7.** Causa, motivo, razão. **8.** Validade, valor, legitimidade. ~ V. *virtudes*. ◆ **Em virtude de.** Em consequência de; por causa de: *Voltou cedo em virtude da chuva.*

virtudes [Pl. de *virtude*.] ***S. f. pl.*** **1.** Disposições constantes do espírito, as quais, por um esforço da vontade, inclinam à prática do bem. **2.** *Teol.* Um dos coros de anjos. ~ V. *virtude*. ◆ **Virtudes teologais.** *Teol.* A fé, a esperança e a caridade.

virtuose (ô) [Do it. *virtuoso*, pelo fr. *virtuose*.] ***S. 2 g.*** **1.** *Mús.* Músico de grande talento, com habilidades musicais extraordinárias; virtuoso. **2.** Toda pessoa que domina em alto grau a técnica de uma arte. **3.** *Pej.* Aquele que tem, em arte, habilidade meramente malabarística, destituída de sentimento, probidade interpretativa, etc. [Cf. *virtuoso*[1].]

virtuosidade [De *virtuoso*[1] + *-(i)dade*.] ***S. f.*** Qualidade de virtuoso; virtuosismo.

virtuosismo [De *virtuoso* + *-ismo*.] ***S. m.*** Virtuosidade.

virtuosístico [De *virtuos(ismo)* + *-ist(a)-* + *-ico*[2].] ***Adj.*** Referente ao, ou em que há virtuosismo.

virtuoso[1] (ô) [Do it. *virtuoso*.] ***S. m. Mús.*** Virtuose (1).

virtuoso[2] (ô) [Do lat. tard. *virtuosu*.] ***Adj.*** **1.** Que tem virtudes. **2.** Que produz efeito; eficaz: *remédio virtuoso.*

virucida [De *vírus* + *-cida*.] ***Adj. 2 g. S. m.*** V. *viricida*.

viruçu [Do tupi = 'pássaro grande'.] ***S. m. Bras. Zool.*** **1.** V. *sabiá-da-mata-virgem*. **2.** V. *vi-vió*.

virulência [Do lat. tard. *virulentia*.] ***S. f. Patol.*** **1.** Capacidade patogênica de um microrganismo, medida pela mortalidade que ele produz e/ou por seu poder de invadir tecidos do hospedeiro. **2.** *P. ext.* O poder de um agente infeccioso de produzir lesão (6).

virulento [Do lat. tard. *virulentu*.] ***Adj.*** **1.** Relativo a, ou que se caracteriza por virulência; que tem alto poder patogênico. **2.** Que tem vírus ou veneno; venenoso, peçonhento. **3.** Da natureza do vírus. **4.** Produzido por vírus. **5.** *Fig.* Rancoroso, odiento.

vírus [Do lat. *virus*, 'veneno'.] ***S. m. 2 n.*** **1.** *Microbiol.* Diminuto agente infeccioso que não tem capacidade metabólica autônoma e apenas se reproduz no interior de células vivas. [Assim como outros organismos, pode multiplicar-se com continuidade genética e é passível de mutação, podendo apresentar formas diversas, bem como ser subgrupado, de acordo com o hospedeiro, em *vírus de bactéria, vírus de animal* e *vírus de planta*, embora haja outros critérios de classificação.] **2.** V. *vírus filtrável*. **3.** *Inform.* Programa estranho ao sistema de computador capaz de copiar e instalar a si mesmo, ger. concebido para provocar efeitos nocivos ou estranhos à funcionalidade do sistema ou aos dados nele armazenados. [Cf. *virose*.] ◆ **Vírus da vacínia.** *Microbiol.* Vírus obtido da vacínia (2), e que é inoculado no homem para conferir-lhe imunidade contra a varíola. **Vírus de ação lenta.** *Med. Microbiol.* Cada um de um grupo de vírus cujos caracteres comuns são um longo período de latência (de meses a anos), comprometimento eletivo de um só órgão ou tecido, afinidade exclusiva por algumas espécies animais, como, p. ex., o homem, e produção de doença que, progressivamente, leva à morte. **Vírus DNA.** *Microbiol.* Cada um de vários vírus cujo ácido nucleico é o DNA, e cujo contorno é variável (quadrangular, icosaédrico); os vírus DNA são capazes de produzir graves infecções, tais como herpes simples, herpes-zóster, varicela, varíola, febre faringoconjuntival, etc. **Vírus filtrável.** *Microbiol.* Designação geral de agentes patogênicos não detidos por filtros finos; ultravírus, vírus ultramicroscópico. **Vírus RNA.** *Microbiol.* Cada um de vários vírus cujo ácido nucleico é o RNA, e que se apresentam sob forma esférica, ou tubular; são capazes de produzir importantes infecções, como caxumba, sarampo, encefalites, dengue, etc. **Vírus ultramicroscópico.** *Microbiol.* V. *vírus filtrável*.

▲ **vis-** Equiv. de *vice-*.

visada [De *visar* + *-ada*[1].] ***S. f.*** **1.** *Bras.* Ato ou efeito de visar. **2.** Observação, com uso de instrumento óptico, para determinar a direção da reta que une a localização do observador a um outro ponto.

visado [Part. de *visar*.] ***Adj.*** Que foi submetido a visto (documento, cheque, etc.). ~ V. *cheque —*.

visagem [Do fr. *visage*.] ***S. f.*** **1.** V. *careta* (1). **2.** *Bras.* V. *fantasma* (3). **3.** *Bras.* Visão (4): "Careta nunca me meteu medo. Quando alguém me vinha falar de visagem, de alma de outro mundo e de outras bobagens, eu ria" (Viriato Correia, *Novelas Doidas*, p. 135). **4.** *Bras. Gír.* Gestos exagerados para impressionar.

visagento [De *visagem* + *-ento*.] ***S. m. Bras. Amaz. Folcl.*** Personagem mítica, em forma de animal, que protege a natureza contra as depredações.

visamento [De *visar* + *-mento*.] ***S. m.*** Ato de visar (3).

visante [De *visar* + *-nte*.] ***Adj. 2 g.*** Que visa; que tem por fim: *medidas visantes ao bem-estar coletivo.*

visão[1] [Do lat. *visione*.] ***S. f.*** **1.** Ato ou efeito de ver. **2.** O sentido da vista (2) (q. v.). **3.** Ponto de vista; aspecto. **4.** Imagem vã, que se acredita ver em sonhos, ou por medo, loucura, superstição, etc.; visagem. **5.** V. *fantasma* (3). **6.** Fantasia, quimera. **7.** Maneira de compreender, de perceber determinadas situações: *Sua visão do caso é prejudicada pelo seu sectarismo.* **8.** Revelação (2): *a visão dos profetas.* ◆ **Visão de mundo.** Compreensão geral do universo e da posição nele ocupada pelo homem que se expressa por um conjunto mais ou menos integrado de representações e que deve determinar, em última instância, a vontade e os atos de seu portador. [Sin.: *cosmovisão, mundividência* e (al.) *Weltanschauung*.]

visão[2] [Do fr. *vison*.] ***S. m.*** **1.** *Zool.* Mamífero carnívoro, mustelídeo (*Mustela vison*), de pele pardacenta, macia e lustrosa, e cujo tamanho e aspecto lembram o do furão (1) e o da lontra (2). Em estado selvagem é encontrado na América do Norte e na Sibéria; é tb. criado em cativeiro. **2.** A pele desse mamífero.

visar [Do fr. *viser*.] ***V. t. d.*** **1.** Dirigir a vista ou o olhar fixamente para; mirar: *visar um alvo.* **2.** Apontar arma de fogo contra: *Visou o ladrão, imobilizando-o.* **3.** Pôr o sinal de visto em: *visar um cheque.* **4.** Ter por fim ou objetivo; ter em vista; mirar a: "Ao escrever esta novela ['Leiam'], animada por um forte sentimento de indignação, o autor [Camilo Castelo Branco] visa um fim moral." (Jacinto do Prado Coelho, *Introdução ao Estudo da Novela Camiliana*, p. 187); "Visando estimular a vaidade do seu aliado" (Antônio Sales, *Aves de Arribação*, p. 214); "*Trabalho de sapa*. Ação oculta contra alguém, visando destruição progressiva." (Antenor Nascentes, *Tesouro da Fraseologia Brasileira*, p. 294); "Não visa [o *Manual de Estilo*].... fabricar escritores." (José Oiticica, *Manual de Estilo*, p. 8). [Os exemplos de *visar*, nesta acepç., como transitivo direto, poderiam facilmente ser multiplicados. Não há razão, pois, para condenar esta regência, só admitindo a seguinte.] ***T. i.*** **5.** Ter por fim ou objetivo; ter em vista; mirar: *Estas medidas visam ao bem público;* "Monopólio, por si só, implica limitação ..... Nunca foi terapêutica estimulante, visando a fins de expansão ou gestação de riqueza." (Cosme Ferreira Filho, *Amazônia em Novas Dimensões*, p. 152). **6.** Dispor-se, propor-se.

→ **vis-à-vis** [viza'vi] [Fr.] ***Adv.*** **1.** Em face; defronte. • ***S. 2 g.*** **2.** Pessoa sentada ou colocada na frente de outra à mesa, num bailado ou numa quadrilha, etc.

viscácea [Adapt. do tax. *Viscaceae*.] ***S. f. Bot.*** Espécime das viscáceas, família da ordem das santalales que reúne plantas semiparasíticas, com folhas simples, íntegras, opostas, flores espiciformes ou racemosas, ger. amarelas ou verdes, e frutos bacáceos, que podem ser explosivos. Parasitam árvores esp. nas regiões tropicais e subtropicais.

viscáceo [De *viscácea*, com var. suf. (v. *-áceo*).] ***Adj. Bot.*** Pertencente ou relativo às viscáceas.

víscera [Do lat. *viscera*, acus. neutro pl. de *viscus*, 'entranhas'.] ***S. f. Anat.*** Designação comum a qualquer grande órgão alojado na cavidade craniana, na torácica ou na abdominal. ~ V. *vísceras*.

visceral [Do lat. tard. *viscerale*.] ***Adj. 2 g.*** **1.** Relativo ou pertencente a víscera(s); visceroso. **2.** *Fig.* Profundo, entranhado: *antipatia visceral.* ~ V. *larva migrans —, leishmaniose —, peritônio —* e *pleura —*.

vísceras [Pl. de *víscera*.] ***S. f. pl.*** **1.** Entranhas, intestinos. **2.** *Fig.* A parte mais íntima de qualquer coisa; âmago. ~ V. *víscera*.

▲ **viscer(o)-** [Do lat. *viscus, ĕris*.] ***El. comp.*** = 'víscera', 'entranhas': *viscerotomia*. [Equiv.: *-viscer(o)-*: *periviscerite*.]

▲ **-viscer(o)-** Equiv. de *viscer(o)-*.

visceroso (ô) [De *víscera* + *-oso*.] ***Adj.*** Visceral (1).

viscerotomia (vìs) [De *viscer(o)-* + *-tom(o)-* + *-ia*[1].] ***S. f.*** *Patol.* Seção de víscera.

viscerotómico (vìs) ***Adj.*** V. *viscerotômico*. [Uso freq. em P.]

viscerotômico (vìs) [De *viscerotomia* + *-ico*[2].] ***Adj.*** Relativo a viscerotomia.

viscerótomo [De *viscer(o)-* + *-tomo*.] ***S. m.*** *Patol.* Instrumento que, por punção, permite a retirada de fragmento de víscera de cadáver, com mutilação mínima.

▲ **visci-** [Do lat. *vīscum, i*.] ***El. comp.*** = 'visco': *viscívoro*.

viscidez (ê) [De *víscido* + *-ez*.] ***S. f.*** Viscosidade (1).

víscido [Do lat. tard. *viscidu*.] ***Adj.*** V. *viscoso* (1 e 2).

viscívoro [De *visci-* + *-voro*.] ***Adj.*** *Zool.* Que come os frutos do visco.

visco [Do lat. *viscu*, por via erudita; tax. *Viscum*.] ***S. m.*** **1.** *Bot.* Gênero de plantas lorantáceas, hemiparasitas, que se caracterizam pelas flores bracteadas, de anteras adnatas, dispostas em racemos axilares. **2.** *Bot.* Qualquer espécie desse gênero, como, p. ex., a *Viscum album*, nativa das regiões temperadas do hemisfério norte. **3.** *Bot.* Qualquer espécime desse gênero. **4.** Suco vegetal glutinoso no qual se envolvem varinhas para apanhar pássaros; visgo: "Entretinha as manhãs a caçar pássaros com visco!" (Eça de Queirós, *Os Maias*, II, p. 255.) **5.** Isca, engodo, chamariz.

viscondado [De *visconde* + *-ado*[2].] ***S. m.*** **1.** Título ou dignidade de visconde ou viscondessa. **2.** *P. us.* Terras ou bens de visconde ou viscondessa.

viscondalho ***S. m. Pej.*** Visconde.

visconde [Do b.-lat. *vicecomite*, 'substituto do conde'.] ***S. m.*** **1.** V. *barão* (1). **2.** Funcionário que substituía o conde no governo do respectivo condado. **3.** Senhor feudal de um viscondado (2). [Fem.: *viscondessa*; pej.: *viscondalho*.]

viscondessa (ê) ***S. f.*** **1.** Mulher ou viúva de visconde. **2.** Mulher que tem o título de viscondado.

viscose [Do ingl. *viscose*.] ***S. f.*** **1.** *Tec. Quím.* Solução viscosa obtida pelo tratamento de celulose com dissulfeto de carbono em condições alcalinas (o que gera um xantato), de grande importância industrial, especialmente no fabrico do raiom e do celofane. **2.** *Tec. Têx.* Fio ou tecido feito de viscose: *saia de viscose estampada.*

viscosidade [Do lat. med. *viscositate*.] ***S. f.*** **1.** Qualidade de viscoso; viscidez. **2.** Coisa viscosa. **3.** *Fís.* Resistência que todo fluido real oferece ao movimento relativo de qualquer de suas partes; atrito interno de um fluido. **4.** *Fís.* Num fluido, força tangencial necessária para atribuir uma velocidade relativa igual à unidade a duas camadas planas e paralelas, de área unitária, separadas por uma distância igual à unidade, em que se deslocam paralelamente uma à outra; coeficiente de viscosidade; viscosidade dinâmica. ◆ **Viscosidade cinemática.** *Fís.* O quociente da viscosidade pela massa volumétrica. **Viscosidade dinâmica.** *Fís.* V. *viscosidade* (4). **Viscosidade específica.** *Fís.-Quím.* Numa solução, o quociente da diferença entre a viscosidade relativa e a unidade, pela concentração. **Viscosidade intrínseca.** *Fís.-Quím.* Numa solução, o limite da viscosidade específica quando a concentração tende para zero. **Viscosidade relativa.** *Fís.* O quociente da viscosidade dum fluido pela de outro tomada como padrão.

viscosimetria [De *viscosi(dade)* + *-metria*.] ***S. f. Fís.*** Medida da viscosidade de um líquido.

viscosimétrico [De *viscosimetria* + *-ico*[2].] ***Adj.*** Relativo a viscosimetria, ou a viscosímetro.

viscosímetro [De *viscosi(dade)* + *-metro*.] ***S. m. Fís.*** Instrumento, de que existem diversos tipos e modelos, destinado a medir a viscosidade de líquidos ou de gases.

viscoso (ô) [Do lat. tard. *viscosu*.] ***Adj.*** **1.** Que tem visco. **2.** Pegajoso como o visco. [Sin., nessas acepçs.: *visguento, víscido*.] **3.** V. *xaroposo* (1). ~ V. *escoamento —*.

viseira [Do fr. *visière*.] ***S. f.*** **1.** A parte anterior do capacete, a qual encobre e defende o rosto: "A viseira do elmo de diamante / Alevantando um pouco, mui seguro, / Por dar seu parecer se pôs diante / De Júpiter, armado, forte e duro" (Luís de Camões, *Os Lusíadas*, I, 37). **2.** Pala de boné. **3.** Aba para proteger o rosto do sol. **4.** *Fig.* Aquilo que resguarda; disfarce. **5.** Aspecto, aparência. **6.** Cara feia; carranca. [Cf. *vezeira*, fem. de *vezeiro*.]

viseuense ***Adj. 2 g. S. 2 g.*** V. *visinense*.

visgo [Var. de *visco*.] *S. m.* **1.** *Bras. C.O. Bot.* Subarbusto cesalpiniáceo (*Chamaecrista hispidula*) decumbente, que é rizomatoso, setoso e de glândulas viscosas. Tem folhas com quatro folíolos obovado-orbiculares, obtusos e membranáceos, flores amarelas, vistosas e arranjadas em cachos terminais e laxifloros, e legumes que alcançam até 3cm e são setosos. **2.** *Bot.* Visco (2). **3.** *Fig.* Coisa que prende ou atrai.

visgueira [De *visgo* + *-eira*.] *S. f. Bras.* Haste de madeira envolvida em visgo (2), com engodo em uma das extremidades, e que se prende a um galho de árvore ou estaca para apanhar pássaros.

visgueiro [De *visgo* + *-eiro*.] *S. m. Bras. Bot.* V. *fava-de-bolota* (1 e 2).

visguento [De *visgo* + *-ento*.] *Adj.* **1.** V. *viscoso* (1 e 2). **2.** V. *xaroposo* (1).

visibilidade [Do lat. tard. *visibilitate*.] *S. f.* **1.** Qualidade ou caráter daquilo que se pode ver, do que é visível: "Como estigma, a lepra era ideal. Manifesta-se na pele — tem, pois, visibilidade — e invoca o contato entre os corpos, que pode ser pecaminoso." (Moacir Scliar, *Saturno nos Trópicos*, p. 26.) **2.** Capacidade de ver, de enxergar: *Os aeroportos operavam por instrumentos, pois uma forte neblina impedia a visibilidade.* **3.** O fato de tornar-se conhecido, de ganhar projeção: *O jogador só adquiriu visibilidade ao ir para um grande time.*

visibilíssimo *Adj.* Superl. abs. sint. de *visível*.

visibilizar [De *visível* + *-izar*, seg. o padrão erudito.] *V. t. d.* Tornar visível.

visiense *Adj. 2 g.* **1.** De, ou pertencente ou relativo a Viseu (Portugal). ● *S. 2 g.* **2.** O natural ou habitante de Viseu. [Cf. *viseuense*.]

visigodo (ô) [Do b.-lat. *visigothu* < germ. *west*, 'oeste', + lat. *gothu*, 'godo'.] *S. m.* **1.** Indivíduo dos visigodos ou godos do oeste. ● *Adj.* **2.** Pertencente ou relativo aos visigodos. [Cf. *godo*[1].]

visigótico *Adj.* Relativo aos visigodos.

visinense *Adj. 2 g.* **1.** De, ou pertencente ou relativo a Viseu (PA). ● *S. 2 g.* **2.** O natural ou habitante de Viseu. [Sin. ger.: *viseuense*.]

visiómetro *S. m.* V. *visiômetro*. [Uso freq. em P.]

visiômetro [Do lat. *visio*, 'visão', + *-metro*.] *S. m. Obsol.* Instrumento para avaliar as características do globo ocular dum indivíduo e determinar as lentes que lhe convêm.

visionar [De *visão* + *-ar*[2], seg. o padrão erudito.] *V. t. d.* **1.** Entrever como que em visão. *Int.* **2.** Ter visões; fantasiar. [Fut. pret.: *visionaria*, etc. Cf. *visionária*, fem. de *visionário*.]

visionário [De *visão* + *-ário*, seg. o padrão erudito.] *Adj.* **1.** Relativo a visões. **2.** Que tem ideias extravagantes; excêntrico. ● *S. m.* **3.** Aquele que tem visões ou acredita ver fantasmas. **4.** Devaneador; utopista. [Fem.: *visionária*. Cf. *visionaria*, do v. *visionar*.]

visita [Dev. de *visitar*.] *S. f.* **1.** Ato ou efeito de visitar; visitação. **2.** Ato de ir ver alguém por cortesia, dever ou afeição. **3.** Pessoa que faz visita (2). **4.** Vistoria, inspeção. **5.** Antigo tributo pago pelo enfiteuta ao senhorio, e que consistia em um mimo ou presente de gêneros alimentícios. **6.** *Bras. Fam.* V. *menstruação* (1). **7.** *Bras. Zool.* V. *serra-pau*. ~ V. *visitas*. ◆ **Visita da cegonha.** *Fam.* Nascimento de filho: *Estão esperando a visita da cegonha.* **Visita da saúde.** *Fam.* Falsa melhora de um doente em estado grave, e que em geral antecede a morte. **Visita de médico.** *Bras. Fam.* Visita muito rápida. **Receber visita.** Ser visitado.

visitação [Do lat. tard. *visitatione*.] *S. f.* **1.** Ato ou efeito de visitar(-se); visita. **2.** Designação de uma ordem religiosa feminina fundada por S. Francisco de Sales no séc. XVII. ~ V. *visitações*.

visitações [Pl. de *visitação*.] *S. f. pl. Desus.* V. *visitas*. ~ V. *visitação*.

visitador (ô) [Do lat. tard. *visitatore*.] *Adj. S. m.* **1.** Visitante (1). **2.** Que, ou aquele que faz muitas visitas. [Sin. pop., nesta acepç.: *visiteiro*.]

visitandina [Do lat. *visitandus*, gerundivo de *visitare*, 'visitar', + *-ina*[1]; fr. *visitandine*.] *S. f.* Religiosa da ordem da Visitação.

visitante [Do lat. *visitante*.] *Adj. 2 g. S. 2 g.* **1.** Que, ou quem visita; visitador. **2.** Que, ou quem percorre uma exposição, um museu, uma terra, com tenção de ver, de conhecer.

visitar [Do lat. *visitare*, 'ver com frequência'.] *V. t. d.* **1.** Ir ver (alguém) em casa ou em outro lugar onde esteja, por cortesia, dever, afeição, etc.: *Visita os amigos por ocasião dos aniversários;* "O Alfredo estava doente dos intestinos e o Fradique visitava-o todos os dias." (Antunes da Silva, *Gaimirra*, p. 237). **2.** Ir ver (regiões, monumentos, etc.) por interesse ou curiosidade. **3.** Inspecionar, vistoriar: *O fiscal visitou muitos restaurantes do bairro.* **4.** Revelar (Deus) a sua cólera ou a sua graça a. **5.** Surgir, mostrar-se, aparecer, em: "Nenhum sentimento nele [em Casimiro de Abreu] se diferencia dos sentimentos gerais, que visitam qualquer espécie de homem" (Carlos Drummond de Andrade, *Confissões de Minas*, p. 27). *P.* **6.** Fazer visitas mutuamente: *Visitam-se com assiduidade.*

visitas *S. f. pl.* Lembranças, recomendações, cumprimentos. ~ V. *visita*.

visiteiro [De *visita* + *-eiro*.] *Adj. S. m. Pop.* Visitador (2).

visiva [F. subst. do adj. *visivo*.] *S. f.* O sentido, o órgão, da vista; a visão.

visível [Do lat. *visibile*.] *Adj. 2 g.* **1.** Que se pode ver; claro, aparente, perceptível, visivo. **2.** Patente, manifesto. **3.** Acessível, ou que pode receber visita. ~ V. *espectro —, horizonte —* e *universo —*. [Superl. abs. sint.: *visibilíssimo*.]

visivo [Do lat. *visus*, 'vista', 'visão', + *-ivo*.] *Adj.* **1.** Visual. **2.** V. *visível* (1).

vislumbrar [Do esp. *vislumbrar*.] *V. t. d.* **1.** Alumiar frouxamente: *O lampião vislumbra o ambiente.* **2.** Entrever, lobrigar. **3.** Conhecer imperfeitamente; conjeturar. **4.** Assemelhar-se ligeiramente a; lembrar: *Aquele homem vislumbrava um antigo colega meu.* *Int.* **5.** Lançar luz frouxa: *No quartinho, uma lamparina vislumbrava.* **6.** Começar a surgir ou a aparecer; deixar-se entrever; entremostrar-se.

vislumbre [Do esp. *vislumbre*.] *S. m.* **1.** Luz tênue, frouxa. **2.** Pequeno clarão; reflexo. **3.** Aparência vaga. **4.** Ideia indistinta; conjetura, suposição, hipótese. **5.** Sinal, indício, vestígio: "Apenas nos primeiros capítulos do livro, uns vislumbres da vida nervosa do seu espírito bruxuleiam aqui e além" (Fialho d'Almeida, *Pasquinadas*, p. 242). **6.** Semelhança, parecença.

viso [Do lat. *visu*.] *S. m.* **1.** Aspecto, fisionomia. **2.** Indício, vestígio, vislumbre: "a sua sensibilidade era romântica demais para não se criar um romance íntimo com todos os visos de um episódio real." (Eugênio Gomes, *D. H. Lawrence e Outros*, p. 151). **3.** Pequena porção; bocado. **4.** Cume de outeiro ou de monte: "Um sentimento de abandono e nulidade, uma sensação de queda de muito alto, como se ele acabasse de rolar do viso da montanha até a praia, o derreava ali, numa lassidão extrema, com a cabeça e o coração esmagados." (Xavier Marques, *Jana e Joel*, p. 26.) **5.** Pequeno monte; outeiro.

visom [Do fr. *vison*.] *S. m. Zool.* V. *visão*[2].

visonha [De *visão* + o f. de *-onho*.] *S. f.* **1.** Visão medonha. **2.** V. *fantasma* (3).

visor (ô) [Do fr. *viseur*.] *Adj.* **1.** Que permite ver ou ajuda a ver. ● *S. m.* **2.** Aquilo que permite ver ou ajuda a ver. **3.** *Fot.* Dispositivo adaptado às câmeras fotográficas, que permite verificar o enquadramento do objeto que se pretende fotografar. **4.** Em certos aparelhos, dispositivo em que são exibidas informações.

visório [De *visor* + *-io*[3].] *Adj.* Visual (1).

vispar-se [De *víspere*, poss.] *V. p.* Desaparecer, escapulindo; esgueirar-se, safar-se. [Var.: *bispar-se*.]

víspere [Do fr. *disparais* (imperat. do v. *disparaître*), 'desaparece'.] *Interj.* Exprime ordem para despedir ou mandar retirar; fora, rua: *Víspere, seu canalha!*

víspora [De *víspere*.] *S. f. e m. Bras.* V. *loto* (1). [Cf. *vispora*, do v. *visporar*.]

visporar [De *víspora* + *-ar*[2].] *V. int. Bras.* Quinar[1]. [Pres. ind.: *visporo, visporas, vispora*, etc. Cf. *víspora*.]

vista [F. subst. do adj. *visto*.] *S. f.* **1.** Ato ou efeito de ver. **2.** Faculdade de ver, de perceber, a forma, a cor, o relevo das coisas materiais; visão. **3.** Órgão visual; os olhos. **4.** Aquilo que se vê. **5.** Panorama, paisagem. **6.** Quadro, estampa, ou fotografia de uma paisagem: *Este volume é cheio de vistas de Ipanema.* **7.** Aparência, aspecto. **8.** Plano, projeto, desígnio, intento. **9.** Cenário teatral. **10.** Maneira de julgar ou apreciar um assunto; ponto de vista. **11.** Pequena acha de lenha com que se iluminava o interior dos fornos. **12.** Vivo (16). **13.** Parte do capacete em que há duas fendas correspondentes aos olhos. **14.** *Jur.* Entrega de autos a fim de que o interessado, depois de ver o que neles se contém, se pronuncie como lhe competir. **15.** *Bras. PR* Braguilha (2). ~ V. *vistas*. ◆ **Vista cansada.** *Oftalm. Pop.* V. *presbiopia*. **Vista curta. 1.** Dificuldade ou impossibilidade de ver longe. **2.** *Fig.* Curteza de espírito; falta de perspicácia. **3.** *Oftalm. Pop.* Miopia. **Vista de lince.** Olho de lince: "A vista de lince do ministro, sempre vigilante, acompanhava .... este diálogo" (Rebelo da Silva, *De Noite Todos os Gatos São Pardos*, p. 209). **A perder de vista. 1.** Tão longe que a vista não mais pode alcançar: "os roçados cheios de milho apendoando e as várzeas cobertas de melancia ou jerimum, ou a terra calcinada pela soalheira, vazia a perder de vista" (Austregésilo de Ataíde, em José Lins do Rego e Austregésilo de Ataíde, *Discursos de Posse e Recepção na Academia Brasileira de Letras*, p. 53). **2.** Com prazo dilatadíssimo: *pagamento a perder de vista.* **À prima vista.** À primeira vista: "A prima vista se averigua que lhes falece a convicção, a coerência, a lógica, e a unidade." (Antônio Feliciano de Castilho, *O Presbitério da Montanha*, p. 116.) **À primeira vista. 1.** Da primeira vez que alguma coisa é vista. **2.** Sob a influência das primeiras impressões. **3.** Sem prévio exame ou reflexão. **4.** De repente; repentinamente. [Sin. ger., p. us.: *à prima vista*.] **À simples vista. 1.** V. *a olho nu*. **2.** *Fig.* Sem necessidade de reflexão ou estudo; por instinto; instintivamente. **Até a vista.** Até o próximo encontro; até mais ver. **À vista. 1.** Na presença de; diante. **2.** Com pagamento imediato; a dinheiro: *Aqui só vendemos à vista.* [Cf., nesta acepç., *a prazo* e *a crédito*.] **3.** Diz-se de títulos de crédito pagáveis contra sua apresentação ao devedor: *duplicata à vista.* **À vista desarmada.** V. *a olho nu*: "O Silvestre agrupava os seus autores prediletos em estantes só dele, na maioria encadernados, e identificáveis à vista desarmada." (José Rodrigues Miguéis, *Gente da Terceira Classe*, p. 206.) **Com vista a. 1.** Palavras com que se submete um requerimento, problema, demanda, à consideração de outrem ou de outra instituição, repartição, etc.; com vistas a. **2.** Com o objetivo ou o propósito de; na intenção de, visando a. **Com vistas a.** Com vista a (1). **Curto de vista.** Deficiente de vista; que tem pouca visão. **Dar nas vistas.** Dar na vista. "Tratava de arranjar a vida (a sua vida particular) sem dar nas vistas e sem acompanhamentos, que acabavam sempre em cenas desagradáveis." (Miguel Torga, *Bichos*, p. 16.) **Dar na vista.** Ser notado; tornar-se evidente. [Tb. se diz *dar nas vistas*.] **De encher a vista.** Muito bom e/ou belo; ótimo, excelente: *Seu apartamento é de encher a vista; Aquilo é mulher de encher a vista.* **Fazer a vista grossa a.** Fazer vista grossa a. **Fazer vista.** Atrair a atenção, destacar-se; brilhar na aparência; fazer figura: *O rapaz fazia vista com a farda de gala.* **Fazer vista grossa a.** Ver e fingir que não vê; deixar passar: "alguns leitores fizeram vista grossa aos defeitos e me condenaram firmes o pessimismo." (Graciliano Ramos, *Memórias do Cárcere*, IV, p. 83). [Tb. se diz *fazer a vista grossa a*.] **Haja vista.** Que se oferece à vista, aos olhos: *É rico, haja vista o quanto gastou na última eleição.* [Evite-se a construção *haja visto*, incorreta.] **Ir com vista a.** Ser (um processo) entregue a magistrado ou às partes, para que nele se lance despacho, ou alegações, etc. **Meter vista.** Agradar aos olhos; ser vistoso: "— .... Lá a minha Eva não é nenhuma senhora que meta vista, lá isso não é!..." (Aluísio Azevedo, *Filomena Borges*, p. 114.) **Saltar à vista.** Saltar aos olhos. **Ter em vista. 1.** Planejar, tencionar. **2.** Atender a; levar em conta.

vista-alegrense[1] *Adj. 2 g.* **1.** De, ou pertencente ou relativo a Vista Alegre (RS). ● *S. 2 g.* **2.** O natural ou habitante de Vista Alegre. [Pl.: *vista-alegrenses*.]

vista-alegrense[2] *Adj. 2 g.* **1.** De, ou pertencente ou relativo a Vista Alegre do Alto (SP). ● *S. 2 g.* **2.** O natural ou habitante de Vista Alegre do Alto. [Pl.: *vista-alegrenses*.]

vista-alegrense[3] *Adj. 2 g.* **1.** De, ou pertencente ou relativo a Vista Alegre do Prata (RS). ● *S. 2 g.* **2.** O natural ou habitante de Vista Alegre do Prata. [Pl.: *vista-alegrenses*.]

vista de olhos *S. f.* V. *vista-d'olhos*. [Pl.: *vistas de olhos*.] ☑ nota 3

vista-d'olhos [De *vista* + *de* + o pl. de *olho*.] *S. f.* Olhada, olhadela; lance de olhos, lance de vista: "E só se alterava para fazer uma visita ao copo ou dar uma vista-d'olhos ao que escrevia o Borges." (Aluísio Azevedo, *Filomena Borges*, p. 192.) [Pl.: *vistas-d'olhos*.]

vista-gauchense (a-u) *Adj. 2 g.* **1.** De, ou pertencente ou relativo a Vista Gaúcha (RS). ● *S. 2 g.* **2.** O natural ou habitante de Vista Gaúcha. [Pl.: *vista-gauchenses*.]

vistas [Pl. de *vista*.] *S. f. pl.* **1.** Planos, intuito. **2.** Decoração teatral. ~ V. *vista*.

vista-serranense *Adj. 2 g.* **1.** De, ou pertencente ou relativo a Vista Serrana (PB). ● *S. 2 g.* **2.** O natural ou habitante de Vista Serrana. [Pl.: *vista-serranenses*.]

visto [Part. de *ver*.] *Adj.* **1.** Percebido pelo sentido da visão. **2.** Acolhido, aceito, recebido. **3.** Considerado, reputado. **4.** Sabido, sabedor. ~ V. *a olhos —s*. ● *S. m.* **5.** Declaração de autoridade ou funcionário num documento, para validá-lo, significando que foi examinado, verificado e achado conforme. ◆ **Visto que.** Dado que; porquanto: *Visto que você não quer ir, ninguém vai.* **Pelo visto.** Pelo que se sabe, vê, supõe ou deduz: *Pelo visto, choverá amanhã.*

vistor (ô) [De *vista* + *-tor*.] *S. m. Desus.* Vistoriador.

vistoria [De *vistor* + *-ia*[1].] *S. f.* **1.** Inspeção judicial a um prédio ou lugar sobre o qual existe litígio. **2.** *P. ext.* Revista, inspeção. ◆ **Vistoria clínica.** *Check-up* (1 e 2) (q. v.).

vistoriador (ô) [De *vistoriar* + *-dor*.] *Adj. S. m.* Que, ou aquele que vistoria. [Sin. desus.: *vistor*.]

vistoriar [De *vistoria* + *-ar*[2].] *V. t. d.* Fazer vistoria a; inspecionar: "Se .... a porcaria insistir, a polícia não durma, e em vez de vistoriar os bairros pobres só quando nos ameaça a epidemia, estabeleça o seu serviço de fiscalização permanente, quotidiano, implacável" (Fialho d'Almeida, *Pasquinadas*, p. 355).

vistoso (ô) [De *vista* + *-oso*.] ***Adj.*** **1.** Que dá na vista; que chama a atenção. **2.** Ostentoso, aparatoso. **3.** Agradável à vista; admirável.

visual [Do lat. tard. *visuale*.] ***Adj. 2 g.*** **1.** Relativo à vista ou à visão; visório. **2.** Que assimila melhor as noções ou conhecimentos pela visão que pela audição; que apreende melhor o que lê do que o que ouve: "Em geral todos os que são mais auditivos do que visuais só em voz alta sentem o que leem, como era aliás comum entre os antigos, para quem um período era como um todo fisiológico, uma respiração articulada." (Olívio Montenegro, *Retratos e Outros Ensaios*, p. 161.) [Cf. *auditivo* (2).] **3.** Diz-se de pessoa particularmente sensível às impressões visuais, marcadamente impressionável por elas, na qual o sentido da visão atua de maneira muito significativa: "Visual [Castro Alves] como Vítor Hugo, é ainda como Vítor Hugo um colorista intenso, um desenhista, um pintor" (Homero Pires, em Castro Alves, *Poesias Escolhidas*, p. XIV). ~ V. *administração —, campo —, comunicação —, contato —, horizonte —, identidade —, memória —, programação —, programador — e voo —.* ● ***S. 2 g.*** **4.** Pessoa visual (2). [Cf. *auditivo* (3).] **5.** Pessoa visual (3): "esse sensorial, esse auditivo, esse visual [Castro Alves], também sabia .... voltar-se profundamente sobre si mesmo" (Homero Pires, em Castro Alves, *Poesias Escolhidas*, p. XV). ● ***S. m.*** **6.** *Bras. Gír.* Aparência, aspecto: "Agora, que os eleitores de FHC têm o mesmo visual dos eleitores de Collor, isso têm." (Carlos Heitor Cony, em *Folha de S.Paulo*, 05.10.1994.) **7.** *Bras. Gír.* Aquilo que se vê; vista, panorama, aspecto: *De sua cobertura se tem um dos mais belos visuais da cidade.*

visualidade [Do lat. tard. *visualitate*.] ***S. f.*** **1.** Vista. **2.** Aspecto cambiante; miragem.

visualização [De *visualizar* + *-ção*.] ***S. f.*** **1.** Ato ou efeito de visualizar. **2.** Transformação de conceitos abstratos em imagens real ou mentalmente visíveis. **3.** Processo de visualizar (1).

visualizar [De *visual* + *-izar*.] ***V. t. d.*** **1.** Tornar visível, mediante manobra ou procedimento. **2.** Formar ou conceber uma imagem visual mental de (algo que não se tem ante os olhos no momento): *O grande arquiteto é capaz de visualizar cada detalhe de seu projeto.*

→ **vis viva** [vis 'viva] [Lat.] *Fís.* Força viva.

vitácea [Do tax. *Vitis* + *-ácea*; tax. *Vitaceae*.] ***S. f.*** *Bot.* Espécime das vitáceas, família de plantas floríferas da ordem das ramnales, composta, em geral, de trepadeiras, muitas delas suculentas e com gavinhas. As flores são insignificantes; os frutos, bagas sucosas. Há cerca de 600 espécies, a maioria intertropical; poucas ocorrem no Brasil. A videira (*Vitis vinifera*, v. *vitis*) fornece a uva.

vitáceo [De *vitácea*, com var. suf. (v. *-áceo*).] ***Adj.*** *Bot.* Pertencente ou relativo às vitáceas.

vital[1] ***S. m.*** Casta de videira europeia (*Vitis vinífera*, v. *vitis*) de uvas brancas, caracterizadas pelos bagos ovado-arredondados e alambreados.

vital[2] [Do lat. *vitale*.] ***Adj. 2 g.*** **1.** Respeitante à vida. **2.** Próprio para a preservação da vida; fortificante. **3.** De importância capital; essencial. ~ V. *aura —, ciclo —, espaço — e espíritos vitais.*

vitaliciedade [De *vitalíci(o)* + *-edade*.] ***S. f.*** **1.** Qualidade de vitalício. **2.** Garantia constitucional dada a certos titulares, civis e militares, de funções públicas, para não serem afastados, destituídos ou demitidos de seus cargos, postos ou patentes, salvo por motivo expresso em lei e reconhecido por sentença do órgão judiciário competente. **3.** Garantia análoga assegurada pelos estatutos de uma organização ou de uma empresa. [Cf. *estabilidade*.]

vitalício [De *vital* + *-ício*.] ***Adj.*** **1.** Que dura a vida inteira, ou que a isso é destinado: *pensão vitalícia.* **2.** Que tem a garantia da vitaliciedade (2 e 3): *cargo vitalício.*

vitalidade [Do lat. *vitalitate*.] ***S. f.*** **1.** Qualidade de vital. **2.** O conjunto das funções orgânicas. **3.** Força vital; vigor.

vitalina [Do antr. *Vitalina*.] ***S. f.*** *Bras. N.E. Fam.* Moça idosa; solteirona: "Sempre sofreu [o Ceará] certa crise de matrimônios e uma proporção assustadora de solteironas (vitalinas, como lá as chamamos)" (Raquel de Queirós, *A Donzela e a Moura-Torta*, p. 29).

vitalismo [De *vital* + *-ismo*.] ***S. m.*** **1.** *Filos.* Doutrina que afirma a necessidade dum princípio irredutível ao domínio físico-químico para explicar os fenômenos vitais. [Cf. *dinamismo* (3) e *duodinamismo*.] **2.** *Filos.* Filosofias da vida.

vitalista [De *vital* + *-ista*.] ***Adj. 2 g.*** **1.** Relativo ao, ou que é adepto do vitalismo. ● ***S. 2 g.*** **2.** Adepto do vitalismo.

vitalização [De *vitalizar* + *-ção*.] ***S. f.*** Ato de vitalizar.

vitalizador (ô) [De *vitalizar* + *-dor*.] ***Adj.*** Que vitaliza.

vitalizar [De *vital* + *-izar*.] ***V. t. d.*** **1.** Restituir à vida; dar nova vida a. **2.** Dar força, vigor, vitalidade, a: *Os adubos vitalizam o solo.*

vitamina [Do lat. *vit(a)*, 'vida', + *-amina*; ingl. *vitamine*, atualmente *vitamin*.] ***S. f.*** **1.** *Bioquím.* Designação comum a diversas substâncias orgânicas, não relacionadas entre si, presentes em quantidades pequenas em muitos tipos de alimentos, e que desempenham importante papel em vários processos metabólicos, podendo ser hidrossolúveis ou lipossolúveis. [A falta delas acarreta várias doenças, como o beribéri e o escorbuto, entre outras. Distinguem-se presentemente por letras: *vitamina A, vitamina B, vitamina C*, etc.] **2.** Grupo de substâncias, de constituições diversas, essenciais à vida do organismo. **3.** *Bras.* Creme ralo preparado com fruta(s) e/ou legume(s), a que se adiciona água, leite ou suco, batendo-se tudo no liquidificador. ◆ **Vitamina A.** Aquela cuja ação se faz sentir na adaptação visual ao escuro e na regeneração dos tecidos epiteliais, sendo encontrada em óleo de fígado de peixes, notadamente o bacalhau, na manteiga, em gema de ovo, queijo, etc. **Vitamina B.** *Impr.* V. *complexo vitamínico B.* **Vitamina** B_1. Tiamina. **Vitamina** B_2. Biotina. **Vitamina** B_{12}. Cianocobalamina. **Vitamina C.** O ácido ascórbico, encontrado sobretudo em frutas cítricas. **Vitamina D.** Grupo de substâncias lipossolúveis com efeitos antirraquíticos. [Podem ser encontrados precursores desses grupos na pele ou em alimentos como cereais; pré-formados, existem noutras substâncias nutritivas, como o óleo de fígado de peixes.] **Vitamina** D_2. V. *ergocalciferol.* **Vitamina** D_3. Colecalciferol. **Vitamina E.** Tocoferol (q. v.). **Vitamina** K_1. V. *fitomenadiona.*

vitaminação [De *vitaminar* + *-ção*.] ***S. f.*** Ato ou efeito de vitaminizar ou vitaminar; vitaminização.

vitaminado [Part. de *vitaminar*.] ***Adj.*** Enriquecido ou reforçado com vitaminas; vitaminizado.

vitaminar [De *vitamina* + *-ar*[2].] ***V. t. d.*** **1.** Adicionar vitamina(s) a (um alimento), para enriquecê-lo; vitaminizar. **2.** *Fig.* Tornar mais forte, maior, etc.; reforçar: *A instalação da fábrica vitaminou a economia da cidade.*

vitamínico [De *vitamina* + *-ico*[2].] ***Adj.*** De, ou relativo a vitamina.

vitaminização [De *vitaminizar* + *-ção*.] ***S. f.*** Vitaminação.

vitaminizado [Part. de *vitaminizar*.] ***Adj.*** Vitaminado.

vitaminizar [De *vitamina* + *-izar*.] ***V. t. d.*** Vitaminar (1).

vitando [Do lat. *vitandus*, part. fut. passivo de *vitare*, 'evitar'.] ***Adj.*** Que deve ser evitado; abominável, detestável, execrável, execrando, vitável: "Valem tais livros pelo seu aspecto negativo, como descrição de males vitandos, não pelo seu aspecto positivo ou construtivo." (Fidelino de Figueiredo, *O Medo da História*, p. 58.)

vitatório [Do lat. *vitatus*, part. pass. de *vitare*, 'evitar', + *-ório*.] ***Adj.*** Próprio para evitar.

vitável [Do lat. *vitabile*.] ***Adj. 2 g.*** V. *vitando.*

vitela [Do lat. **vitella*, por *vitula*.] ***S. f.*** **1.** *Zool.* Novilha menor de um ano. **2.** Carne de novilha ou novilho. **3.** *P. ext. Cul.* Iguaria feita de vitela: *Comi ontem uma vitela gostosíssima.* **4.** Pele de vitela tratada para calçado e outros empregos.

▲ **vitel(i)-** [Do lat. *vitellum, i*.] ***El. comp.*** = 'vitelo[2]', 'gema de ovo': *vitelífero, vitelina.*

vitelífero [De *vitel(i)-* + *-fero*.] ***Adj.*** Que contém gema de ovo.

vitelina [De *vitel(i)-* + *-ina*[3].] ***S. f.*** **1.** Substância nitrogenada contida na gema do ovo. **2.** Membrana que recobre a gema do ovo das aves.

vitelínico [De *vitelina* + *-ico*[2].] ***Adj.*** Relativo ao vitelo[2]. ~ V. *saco —, vesícula — a e vesícula — a primitiva.*

vitelino [De *vitel(i)-* + *-ino*[1].] ***Adj.*** **1.** Relativo ou pertencente à gema do ovo. **2.** Amarelo como a gema do ovo. ~ V. *saco —, saco — primitivo e vesícula — a.*

vitelo[1] [Do lat. *vitellu*, de *vitellus, i*.] ***S. m.*** *Zool.* Novilho menor de um ano.

vitelo[2] [Do lat. *vitellu*, de *vitellum, i*.] ***S. m.*** *Biol. Embr.* O protoplasma de reserva do óvulo dos animais, e que é material nutritivo para o embrião.

vitelógeno [De *vitelo*[2] + *-geno*.] ***Adj.*** *Biol. Desus.* Que produz o vitelo do ovo: *glândula vitelógena.*

▲ **viti-** [Do lat. *vitis, is*.] ***El. comp.*** = 'videira', 'vinha': *viticultor, vitífero* (< lat.), *vitivinicultor.*

vitícola [Do lat. tard. *viticola*.] ***Adj. 2 g.*** **1.** Respeitante à viticultura. ● ***S. 2 g.*** **2.** Viticultor (2).

viticomado [Do lat. *viticomus*, 'coroado de pâmpanos', + *-ado*[1].] ***Adj.*** Coroado de parras.

viticultor (ô) [De *viti-* + *-cultor*.] ***Adj.*** **1.** Que cultiva vinhas. ● ***S. m.*** **2.** Cultivador de vinhas; vitícola.

viticultura [De *viti-* + *-cultura*.] ***S. f.*** Cultura das vinhas; vinicultura.

vitífero [Do lat. *vitiferu*.] ***Adj.*** **1.** Que produz videira. **2.** Coberto de videiras. **3.** Apropriado para a viticultura.

vitiligem [Do lat. *vitiligine*.] ***S. f.*** *Derm.* Afecção cutânea, de causa não esclarecida, que se caracteriza por zonas de despigmentação, de tamanho variável e que podem aumentar, cingidas, frequentemente, por bordas muito pigmentadas; vitiligo. [Cf. *leucodermia*.]

vitiligo [Do lat. *vitiligo* (nom.).] ***S. m.*** *Derm.* V. *vitiligem.*

vítima [Do lat. *victima*.] ***S. f.*** **1.** Homem ou animal imolado em holocausto aos deuses. **2.** Pessoa arbitrariamente condenada à morte, ou torturada, violentada: *as vítimas do nazismo.* **3.** Pessoa sacrificada aos interesses ou paixões alheias. **4.** Pessoa ferida ou assassinada. **5.** Pessoa que sofre algum infortúnio, ou que sucumbe a uma desgraça, ou morre num acidente, epidemia, catástrofe, guerra, revolta, etc. **6.** Tudo quanto sofre qualquer dano. **7.** *Jur.* Sujeito passivo do ilícito penal; paciente. **8.** *Jur.* Pessoa contra quem se comete crime ou contravenção. [Cf. *vitima*, do v. *vitimar*.]

vitimar [Do lat. *victimare*.] ***V. t. d.*** **1.** Tornar vítima; sacrificar. **2.** Causar a morte de; matar: *A peste vitimou grande parte da população.* **3.** Abater, prostrar. **4.** Prejudicar, danificar: "Delineando no artigo anterior um fugitivo esboço da reação contra o clima singular que vitima todo o Norte do Brasil, vimos de relance os vários recursos que, simultaneamente aplicados, poderiam melhorá-lo" (Euclides da Cunha, *Contrastes e Confrontos*, p. 83). ***P.*** **5.** Tornar-se vítima; sacrificar-se. **6.** Fazer-se de vítima. [Pres. ind.: *vitimo, vitimas, vitima*, etc.; fut. pret.: *vitimaria*, etc. Cf. *vítima*, s. f., e *vitimária*, fem. do adj. *vitimário*.]

vitimário [Do lat. *victimariu*.] ***S. m.*** **1.** Popa. ● ***Adj.*** **2.** Relativo à(s) vítima(s). [Fem. (do adj.): *vitimária*. Cf. *vitimaria*, do v. *vitimar*.]

vitimizar [De *vítima* + *-izar*.] ***V. t. d. P.*** V. *vitimar.*

vitimologia (vi) [De *vítima* + *-o-* + *-logia*.] ***S. f.*** Teoria que tende a justificar um crime pelas atitudes tomadas pela vítima, como se ela o tivesse motivado.

vitimológico (vi) [De *vitimologia* + *-ico*[2].] ***Adj.*** Referente à vitimologia.

vitinga [De or. tupi, poss.] ***S. f.*** *Bras.* Espécie de farinha.

vitis [Do tax. *Vitis*.] ***S. f. 2 n.*** *Bot.* **1.** O gênero-tipo das vitáceas, composto de trepadeiras lenhosas de folhas simples, ger. lobadas, e pequenas flores dioicas, polígamas, cujas pétalas são unidas em cápsula que se destaca inteiramente do disco hipógino. **2.** Qualquer espécie desse gênero, como, p. ex., a *Vitis vinifera* (v. *videira*). **3.** Qualquer espécime desse gênero.

vitivinícola (viti) [De *viti-* + *vinícola*.] ***Adj. 2 g.*** Referente à vitivinicultura.

vitivinicultor (vì... vì...ô) [De *viti-* + *vinicultor*.] ***S. m.*** Aquele que se dedica à vitivinicultura.

vitivinicultura (vì... vì) [De *viti-* + *vinicultura*.] ***S. f.*** Cultura de vinhas e fabricação de vinho.

vitória[1] [Do lat. *victoria*.] ***S. f.*** **1.** Ato ou efeito de vencer o inimigo ou competidor em uma guerra, batalha, ou, ainda, em qualquer competição; triunfo. **2.** *P. ext.* Triunfo ou êxito brilhante em qualquer campo de ação. **3.** *Fig.* Bom êxito; sucesso; vantagem. [Cf. *vitoria*, do v. *vitoriar*.] ◆ **Vitória de Pirro.** Vitória em que as perdas do vencedor são tão grandes quanto as do vencido.

vitória[2] [Do antr. *Vitória* (v. *vitoriano*[1]), da rainha da Inglaterra que pela primeira vez usou este veículo.] ***S. f.*** Carruagem de quatro rodas, para dois passageiros, com cobertura dobrável e um assento alto, na frente, para o cocheiro: "Era uma vitória, bem-posta e correta, avançando com lentidão e estilo, ao trote .... de duas éguas inglesas." (Eça de Queirós, *Os Maias*, II, p. 548.) [Cf. *vitoria*, do v. *vitoriar*.]

vitoriano[1] ***Adj.*** **1.** Pertencente ou relativo à rainha Vitória, da Inglaterra, ou ao período de seu reinado (1837-1901). **2.** Que demonstra a respeitabilidade, o puritanismo, a intolerância, etc., atribuídos geralmente à classe média da Inglaterra vitoriana. **3.** Diz-se de um estilo de móveis do séc. XIX.

vitoriano[2] ***Adj.*** **1.** De, ou pertencente ou relativo a Vitória das Missões (RS). ● ***S. m.*** **2.** O natural ou habitante de Vitória das Missões.

vitoriar [De *vitória*[1] + *-ar*[2].] ***V. t. d.*** **1.** Aplaudir estrepitosamente; aclamar. **2.** Saudar com entusiasmo: "No dia da inauguração das obras do porto, enquanto o povo, na Prainha, vitoriava o governo, eu andei .... acompanhando um vulto" (Olavo Bilac, *Crítica e Fantasia*, p. 287). [Pres. ind.: *vitorio, vitorias, vitoria*, etc. Cf. *Vitório*, antr., *vitória*, s. f., e *Vitória*, mit., antr. e top.]

vitória-régia [Do antr. *Vitória* (v. *vitoriano*[1]) + o f. de *régio* (2).] ***S. f.*** *Bot.* Planta ninfeácea (*Victoria amazonica*) aquática, nativa do N. do Brasil, Bolívia e Guianas, com caule rizomatoso, folhas flutuantes, de grande tamanho, e flores tb. de grande porte, branco-violáceas. "formando um mundo à parte, nos remansos tranquilos de um lago menos batido dos pescadores, ... a vitória-régia, o 'forno-de-jacaré' dos naturais, desdobra as enormes folhas circulares

V

de bordos cairelados de vivo carmesim virados para cima como um forno indígena" (José Veríssimo, *Cenas da Vida Amazônica*, p. 50). [Sin.: *apé, forno, forno-d'água, forno-de-jaçanã, forno-de-jacaré, iapunaque-uaupê, iaupê-jaçanã, jaçanã, uapé.*]

vitoriense[1] ***Adj. 2 g.*** **1.** De, ou pertencente ou relativo a Santa Vitória do Palmar (RS). ● ***S. 2 g.*** **2.** O natural ou habitante de Santa Vitória do Palmar.

vitoriense[2] ***Adj. 2 g.*** **1.** De, ou pertencente ou relativo a Vitória, capital do ES. ● ***S. 2 g.*** **2.** O natural ou habitante de Vitória. [Sin. ger. (desus.): *capixaba* (2 e 4).]

vitoriense[3] ***Adj. 2 g.*** **1.** De, ou pertencente ou relativo a Vitória de Santo Antão (PE). ● ***S. 2 g.*** **2.** O natural ou habitante de Vitória de Santo Antão.

vitoriense[4] ***Adj. 2 g.*** **1.** De, ou pertencente ou relativo a Vitória do Mearim (MA). ● ***S. 2 g.*** **2.** O natural ou habitante de Vitória do Mearim.

vitorinense[1] ***Adj. 2 g.*** **1.** De, ou pertencente ou relativo a Vitorino (PR). ● ***S. 2 g.*** **2.** O natural ou habitante de Vitorino.

vitorinense[2] ***Adj. 2 g.*** **1.** De, ou pertencente ou relativo a Vitorino Freire (MA). ● ***S. 2 g.*** **2.** O natural ou habitante de Vitorino Freire.

vitorioso (ô) [Do lat. *victoriosu.*] ***Adj.*** **1.** Que alcançou vitória; triunfante: *guerreiro vitorioso; ideia vitoriosa.* ● ***S. m.*** **2.** Indivíduo vitorioso.

vítor-meirelense ***Adj. 2 g.*** **1.** De, ou pertencente ou relativo a Vítor Meireles (SC). ● ***S. 2 g.*** **2.** O natural ou habitante de Vítor Meireles. [Pl.: *vítor-meirelenses.*]

vitral [Do fr. *vitrail.*] ***S. m.*** Vidraça de cores ou com pinturas sobre o vidro. [F. paral., p. us.: *vidral.*]

vitralista [De *vitral* + *-ista.*] ***S. 2 g.*** Artista que faz vitrais.

vítreo [Do lat. *vitreu.*] ***Adj.*** **1.** Relativo a, ou próprio do vidro. **2.** Feito de vidro. **3.** Que tem a natureza ou o aspecto do vidro: "Olhos vítreos olhando o Nada... o Vácuo... a Sombra..." (Da Costa e Silva, *Pandora*, p. 58.) **4.** Vidrado (2). **5.** Límpido, transparente, diáfano. **6.** *Petr.* Diz-se da textura da rocha ou da massa fundamental que não tem elementos cristalinos. ~ V. *humor* — e *rocha —a.*

vitrescibilidade [De *vitrescível* + *-(i)dade*, seg. o padrão erudito.] ***S. f.*** Qualidade de vitrescível; vitrificabilidade.

vitrescível [Do lat. **vitrescibile*, calcado num **vitrescu*, de *vitru*, 'vidro'.] ***Adj. 2 g.*** Que pode ser transformado em vidro; vitrificável.

▲ **vitri-** [Do lat. *vitrum, i.*] ***El. comp.*** = 'vidro': *vitrificar.* [Equiv.: *vitro-*: *vitrófiro.*]

vítrice [Do lat. *victrice.*] ***Adj. (f.) S. f.*** Diz-se da, ou aquela que conseguiu vitória; vencedora.

vitrificabilidade (vì) [De *vitrificável* + *-(i)dade*, seg. o padrão erudito.] ***S. f.*** Qualidade de vitrificável; vitrescibilidade.

vitrificação (vì) [De *vitrificar* + *-ção.*] ***S. f.*** Ação ou efeito de vitrificar(-se).

vitrificado (vì) [Part. de *vitrificar.*] ***Adj.*** A que se deu a aparência de vidro; convertido em vidro.

vitrificador [De *vitrificar* + *-dor.*] (ô) ***Adj. S. m.*** Que, ou aquele que vitrifica.

vitrificar (vì) [De *vitri-* + *-ficar.*] ***V. t. d.*** **1.** Converter em vidro. **2.** Dar a aparência de vidro a. ***Int. P.*** **3.** Converter-se em vidro. **4.** Tomar a aparência de vidro. [Conjug.: v. *trancar.*]

vitrificável (vì) [De *vitrificar* + *-vel.*] ***Adj. 2 g.*** Vitrescível.

vitrina [Do fr. *vitrine.*] ***S. f.*** **1.** Vidraça atrás da qual ficam expostos objetos destinados à venda. **2.** Espécie de caixa com tampa envidraçada, ou armário com vidraça móvel, onde se guardam objetos expostos à venda ou a serem vistos. [Sin. ger., lus.: *escaparate.*]

vitrinista [De *vitrina* + *-ista.*] ***S. 2 g.*** *Bras.* Pessoa especializada no arranjo e/ou adorno de vitrinas.

vitriolado [Part. de *vitriolar.*] ***Adj.*** **1.** Que tem vitríolo. ● ***S. m.*** **2.** Aquilo que o tem.

vitriolar [De *vitríolo* + *-ar*[2].] ***V. t. d.*** Vitriolizar. [Pres. ind.: *vitriolo*, etc. Cf. *vitríolo.*]

vitriólico [De *vitríolo* + *-ico*[2].] ***Adj.*** Que tem a natureza do vitríolo; sulfúrico.

vitriolização [De *vitriolizar* + *-ção.*] ***S. f.*** Ato ou efeito de vitriolizar.

vitriolizar [De *vitríolo* + *-izar.*] ***V. t. d.*** **1.** Converter em vitríolo. **2.** Compor ou misturar com vitríolo. [Sin. ger.: *vitriolar.*]

vitríolo [Do lat. med. *vitriolu.*] ***S. m.*** Designação comum a vários sulfatos, esp. o ácido sulfúrico. [Cf. *vitriolo*, do v. *vitriolar.*] ◆ **Vitríolo azul.** Pedra-lipes.

▲ **vitro-** Equiv. de *vitri-*.

vitrocerâmica [De *vitro-* + *cerâmica.*] ***S. f.*** *Quím.* Material com constituição e propriedades intermediárias, entre vidro e cerâmica, ger. resistente ao calor, a mudanças bruscas de temperatura e a choques, porém transparente, us., p. ex., como superfície de trabalho em fogões domésticos.

vitrófiro [De *vitro-* + a term. de *pórfiro.*] ***S. m.*** *Geol.* Rocha magmática de textura porfírica, na qual os fenocristais se encontram em meio a uma matriz de aspecto vítreo.

vitrola [De *Victrola*, marca registrada.] ***S. f.*** **1.** *Desus.* Aparelho elétrico para reproduzir sons gravados em disco; eletrola. [Cf. *fonógrafo.*] ● ***S. 2 g.*** **2.** *Bras. Fam.* Pessoa tagarela.

vitu [F. aferética de *içabitu.*] ***S. m.*** *Bras. Zool.* V. *bitu*[1].

vitualha ***S. f.*** *P. us.* V. *vitualhas.*

vitualhas [Do lat. *victualia.*] ***S. f. pl.*** V. *víveres*: "Levavam os expedicionários os bornais bem providos de vitualhas, odres e borrachas cheias de vinho e hidromel" (Aquilino Ribeiro, *Estrada de Santiago*, p. 97). [Tb. us. (pouco) no sing.]

vituperação [Do lat. *vituperatione.*] ***S. f.*** Ato ou efeito de vituperar; vitupério.

vituperador (ô) [Do lat. *vituperatore.*] ***Adj. S. m.*** Que, ou aquele que vitupera.

vituperar [Do lat. *vituperare.*] ***V. t. d.*** **1.** Tratar com vitupérios; injuriar, insultar, afrontar. **2.** Repreender com dureza. **3.** Censurar, desaprovar. **4.** Desprezar, desestimar, menoscabar.

vituperável [Do lat. *vituperabile.*] ***Adj. 2 g.*** Digno de vitupério.

vitupério [Do lat. tard. *vituperiu.*] ***S. m.*** **1.** Vituperação. **2.** Insulto, injúria. **3.** Ato vergonhoso, infame ou criminoso.

vituperioso (ô) [De *vitupério* + *-oso.*] ***Adj.*** Que encerra vitupério.

viúva [Do lat. *vidua*, com deslocação do acento para o *u*, pela f. **viduva.*] ***S. f.*** **1.** Mulher a quem morreu o marido e que não voltou a casar-se. **2.** *Bras. Zool.* V. *viuvinha* (1). **3.** *Bras. Zool.* Ave passeriforme, traupídea (*Pipraeidea m. melanonota*), do S.E. do Brasil. Dorso azul-violáceo, vértice e uropígio mais claros, asa e cauda quase negras marginadas de azul, e parte inferior amarela com tonalidade avermelhada. A fêmea tem dorso pardo-escuro, tinta azulada na fronte, lados da cabeça e coberteira da cauda. Alimenta-se de frutas e de insetos. **4.** *Bras.* Pessoa que continua adepta ou admiradora fervorosa de personalidade morta ou no ostracismo: *as viúvas de Rodolfo Valentino.* **5.** *Bras. BA* Melancia de miolo branco. **6.** *Bras. RJ Cul.* V. *luminária* (6). **7.** *Tip.* Linha quebrada (2). ◆ **Viúva branca.** Mulher que enviuvou sem ter conhecido sexualmente o marido.

viúva-alegre ***S. f.*** *Bras. RJ SP* V. *camburão* (2). [Pl.: *viúvas-alegres.*]

viúva-negra ***S. f.*** *Bras. Zool.* Espécie de aranha teridiídea (*Latrodectus mactans*), distribuída por toda a América, de coloração negra, com larga mancha vermelha no abdome, e cerca de 1cm de comprimento. O nome provém do fato de a fêmea geralmente comer o macho após a cópula. Sua picada é muitas vezes fatal, e é considerada a mais peçonhenta das aranhas. No Brasil, é encontrada atualmente, próximo ao mar, sobretudo em praias pouco frequentadas em torno da baía de Guanabara. [Sin.: *flamenguinha.* Pl.: *viúvas-negras.*]

viuvar (i-u) [De *viúva* + *-ar*[2].] ***V. int. T. i.*** Enviuvar (2): "Quando Balbina viuvou, ia em dois meses a filha de Doroteia." (Camilo Castelo Branco, *Vulcões de Lama*, p. 121); "A Andresa viuvara ainda moça dum negociante de Vila Bela" (Inglês de Sousa, *Contos Amazônicos*, p. 219). [Conjug.: v. *amiudar.*]

viuvez (i-u... ê) [De *viúva* + *-ez.*] ***S. f.*** **1.** Estado de quem é viúvo. **2.** *Fig.* Desconsolo por desamparo; solidão, privação.

viuvinha (i-u) [De *viúva* + *-inha.*] ***S. f.*** **1.** *Bras. Zool.* Designação comum a duas aves passeriformes, tiranídeas, *Colonia colonus* e *Lichenops perspicillata*. A primeira tem coloração negra, cabeça cinzento-clara e uropígio brancacento, e ocorre no Brasil central e oriental. A segunda é preta, rêmiges primárias brancas, exceto na base e no ápice, bico e área em redor dos olhos brancos. Frequenta terrenos alagadiços, e ocorre no S.O. e Extremo S. do Brasil. [Sin.: *viúva, velhinha, lavadeira-de-nossa-senhora, lavandeira-de-nossa-senhora.*] **2.** *Bras. Zool.* V. *jandaia* (3). **3.** *Bot.* V. *flor-de-são-miguel* (1). **4.** *Bot.* V. *coroa-de-viúva.* **5.** *Bras. CE* Certa dança popular.

viuvinha-do-igapó ***S. f.*** *Bras. Amaz. Bot.* Cipó verbenáceo (*Petrea brevicalyx*) próprio dos igapós, e caracterizado pelas vistosas flores violáceas ordenadas em longos racemos, porém sem perfume. [Pl.: *viuvinhas-do-igapó.*]

viúvo [De *viúva.*] ***S. m.*** **1.** Homem a quem morreu a mulher e que não contraiu novas núpcias. ● ***Adj. 2 g.*** **2.** Que é viúvo. **3.** Desamparado, abandonado, só. **4.** Privado, falto, carecente, carente: "Que faz quem vive / Órfão de mimos, viúvo de esperanças, / Solteiro de venturas, que não tive?" (Antônio Nobre, *Despedidas*, p. 16); "ramos viúvos das flores recém-abertas, cujas pétalas exsicadas se despegam e caem, mortas" (Euclides da Cunha, *Os Sertões*, p. 76).

viva [Imperat. de *viver.*] ***S. m.*** **1.** Exclamação de aplauso ou de felicitação, que encerra o desejo de que viva e prospere a pessoa ou coisa à qual se dirige. ● ***Interj.*** **2.** Designa aplauso, aclamação, entusiasmo. [Antôn. (da interj.): *morra.*]

➔ **vivace** [vi'vatʃe] [It.] *Mús.* Com vivacidade.

vivace [Do lat. *vivace*, por via erudita.] ***Adj. 2 g.*** *Desus.* V. *vivaz*: "A fresca e vivace expansão de saúde desaparecera sob uma langue morbidez" (José de Alencar, *Lucíola*, p. 176).

vivacidade [Do lat. *vivacitate.*] ***S. f.*** **1.** Qualidade de vivaz; atividade, intensidade, energia. **2.** Esperteza, finura. **3.** Modo expressivo de falar ou gesticular. **4.** Brilho, brilhantismo. [Sin. ger.: *viveza.*]

vivacíssimo [Do lat. *vivacissimu.*] ***Adj.*** Superl. abs. sint. de *vivaz*: "O santista é vermelho, sanguíneo, corajoso, ... vivacíssimo, porque o temperamento ardente é a imaginação do corpo." (Martins Fontes, *Terras da Fantasia*, p. 275.)

vivaldino ***S. m.*** *Bras. Gír.* Indivíduo muito vivo, muito esperto, sabidíssimo, grande malandro; espertalhão.

vivalma [De *viva* + *alma.*] ***S. f.*** Alma, ser vivo; vivente: "Quem estará a tocar a estas horas? Olha em torno e não vê vivalma." (Érico Veríssimo, *Noite*, p. 177.)

vivandeira [Do fr. *vivandière.*] ***S. f.*** Mulher que vende mantimentos, ou que os leva, acompanhando tropas em marcha.

vivar [De *viva* + *-ar*[2].] ***V. t. d.*** **1.** Dar vivas a; aplaudir com vivas. ***Int.*** **2.** Dar vivas.

vivaracho [Do esp. *vivaracho.*] ***Adj.*** *Bras. S.* Muito vivo; muito esperto; sagacíssimo.

viva-voz [Do f. de *vivo* + *voz.*] ***S. m.*** Função e/ou dispositivo em aparelho telefônico, fixo ou móvel, que permite a participação, ouvindo e/ou falando, de todos os que estejam próximos ao telefone. [Pl.: *vivas-vozes.*]

vivaz [Do lat. *vivace*, por via pop.] ***Adj. 2 g.*** **1.** V. *vivedouro* (2). **2.** V. *vivo* (2). **3.** Forte, vigoroso, enérgico: "E esta vivaz, veemente natureza, / Toda de fogo e luz" (Almeida Garrett, *Folhas Caídas*, p. 167). **4.** Ligeiro, rápido, vivo. **5.** Diz-se da planta que vive muitos anos. [Superl. abs. sint.: *vivacíssimo.*]

vivedoiro [Do lat. *vivituru*, part. fut. do v. lat. *vivere*, 'viver'.] ***Adj.*** Vivedouro (q. v.).

vivedor (ô) ***Adj.*** **1.** V. *vivedouro* (2). **2.** Solícito, agenciador, diligente, ativo. **3.** *Bras. CE* Diz-se daquele que ganha dinheiro facilmente e consegue enriquecer.

vivedouro [Var. de *vivedoiro.*] **1.** Que pode viver. **2.** Que vive ou pode viver muito; duradouro, vivaz, vivedor, vivo.

viveirista [De *viveiro* + *-ista.*] ***S. 2 g.*** Pessoa que trabalha com viveiros de plantas, ou os explora comercialmente.

viveiro [Do lat. *vivariu.*] ***S. m.*** **1.** Lugar onde se criam e se reproduzem animais. **2.** Escavação natural ou artificial, ou depósito, cheio de água, onde se criam peixes ou plantas aquáticas; aquário. **3.** Canteiro ou recinto próprio para semear vegetais ou cereais que depois serão transplantados; sementeira, pepineira. **4.** *P. ext.* Centro de criação e formação; seminário: "Viveiro de titulares do Império, de políticos de destaque, ... o vale do Camaragibe [em AL] produziu também um inventor de máquinas." (Raul Lima, *O Fio do Tempo*, p. 141.) **5.** *P. ext.* Grande porção; quantidade, enxame. **6.** *Marn.* Cada um dos reservatórios, nas salinas, onde a água entra diretamente. **7.** *Bras. N.* Gré. **8.** *Bras. RS Pop.* V. *zona* (11).

vivência [Do lat. *viventia*, acus. neutro pl. de *vivens, tis*, 'vivente'.] ***S. f.*** **1.** O fato de ter vida, de viver; existência. **2.** Experiência da vida. **3.** O que se viveu. **4.** *Bras. N.* Situação, modos ou hábitos de vida. [Cf. *vivencia*, do v. *vivenciar.*]

vivencial [De *vivência* + *-al*[1].] ***Adj. 2 g.*** **1.** Referente a vivência (1 e 2). **2.** Em que há vivência (1 e 2): "O sonho foi compreendido por Borges como uma das formas vivenciais mais profundas, o momento em que se pode produzir a revelação estética." (Bella Jozef, *Jorge Luis Borges*, p. 162.)

vivenciamento [De *vivenciar* + *-mento.*] ***S. m.*** Ato ou efeito de vivenciar.

vivenciar [De *vivência* + *-ar*[2].] ***V. t. d.*** Viver, sentir ou captar em profundidade: *vivenciar uma situação.* [Pres. ind.: *vivencio, vivencias, vivencia*, etc. Cf. *vivência.*]

vivenda [Do lat. *vivenda*, part. fut. passivo de *vivere*, 'viver'.] ***S. f.*** **1.** Casa (1) onde se vive, às vezes suntuosa: "É silenciosa / A modesta vivenda em que ela habita" (Gonçalves Crespo, *Obras Completas*, p. 302). **2.** Modo de vida. **3.** Subsistência, passadio. **4.** Maneira ou sistema de viver; comportamento.

vivente [Do lat. *vivente.*] ***Adj. 2 g.*** **1.** Que vive. ● ***S. 2 g.*** **2.** Pessoa que vive. **3.** Criatura viva: "Se o boi bufava, os viventes / viam fogo no sertão" (Stella Leonardos, *Geolírica*, p. 47).

viver [Do lat. *vivere.*] ***V. int.*** **1.** Ter vida; estar com vida; existir: *O doente ainda vive;* "Oh! eu quero viver, beber perfumes / Na flor silvestre, que embalsama os ares" (Castro Alves, *Obra Completa*, p. 88); "Cabral viveu ainda cerca de vinte anos depois de sua viagem afortunada" (Rodolfo Garcia, *Ensaio sobre a História Política e Administrativa do Brasil*, p. 41). **2.** Perdurar, subsistir, existir; durar: *Até quando* *viverá este desentendimento?* 3. Passar à posteridade; perpetuar-se: *As grandes obras de arte viverão.* 4. Gozar a vida, sabendo aproveitá-la: *Viva, não vegete.* 5. Tirar partido de tudo. *T. c.* 6. Habitar, residir, morar: *Vive na Europa desde a infância. T. i.* 7. Alimentar-se, sustentar-se: *Vive de carne e vegetais.* 8. Tirar a subsistência ou os meios para passar a vida; manter-se: *O homem honrado vive de seu trabalho.* 9. Passar a vida; dedicar-se habitualmente: *Vive a trabalhar em obras sociais.* 10. Dedicar-se inteiramente: *Vive para os prazeres mundanos.* 11. Entreter relações; conviver: *Vive com os piores elementos do bairro.* 12. Ter vida; estar com vida: "De tão magra e pálida, ninguém mais a reconhecia. Nela somente viviam os olhos, os seus grandes olhos doces e sonhadores." (Cordeiro de Andrade, *Anjo Negro*, p. 15.) *Pred.* 13. Passar a vida (de certa maneira): *Vive feliz. T. d.* 14. Passar (a vida): *Sempre viveu uma vida desregrada.* 15. Gozar, desfrutar, fruir (a vida): "A vida perdoa raramente aqueles que não a vivem bastante." (Gilberto Amado, *Depois da Política*, p. 253.) 16. Passar; ter: *Maldiz a vida que vive;* "Ser como os peixes que vivem sua vida própria / ignorando o curso das águas" (Odilo Costa Filho, *Cantiga Incompleta*, p. 26). 17. Experimentar; vivenciar: *Viveu a solidão do exílio. P.* 18. Existir, passar a vida; ir vivendo. [Inf. pess.: *viver, viveres* (ê), etc.; part.: *vivido*. Cf. *víveres* e *vívido*.] ● *S. m.* 19. A vida: *Triste viver tem aquela moça.* ◆ **Vivendo e colhendo.** Vivendo e bem.

víveres [Do fr. *vivres*.] *S. m. pl.* Gêneros alimentícios; comestíveis, mantimentos, vitualhas. [Cf. *viveres* (ê), do v. *viver*.]

viverra [Do tax. *Viverra* < lat. *viverra*.] *S. m. Zool.* 1. Gênero-tipo dos viverrídeos, que compreende as grandes civetas [v. *civeta* (1 e 2)]. 2. Qualquer espécie desse gênero, como, p. ex., a *Viverra zibetha*, que habita a Índia e o Sudeste Asiático. 3. Qualquer espécime desse gênero.

viverrícula [Do tax. *Viverricula*.] *S. m. Zool.* 1. Gênero de viverrídeos que compreende as pequenas civetas [v. *civeta* (2)]. 2. Qualquer espécie desse gênero, como, p. ex., a *Viverricula indica* ou *V. mallaccencis*, que habita o Sudeste Asiático. 3. Qualquer espécime desse gênero.

viverrídeo [Do tax. *Viverra* + *-ídeo*¹; tax. *Viverridae*.] *Zool. S. m.* 1. Espécime dos viverrídeos, família de mamíferos carnívoros, fissípedes, noturnos, de corpo longilíneo e patas curtas, crânio alongado, caninos pequenos e molares pouco desenvolvidos. Habitam as regiões tropicais do Velho Mundo e alimentam-se ger. de pequenos animais, embora algumas espécies sejam herbívoras. São os mangustos e civetas. ● *Adj.* 2. Pertencente ou relativo a eles.

viveza (ê) [De *vivo* + *-eza*.] *S. f.* V. *vivacidade*.

vivi [Voc. onom.] *S. m. Bras. Zool.* Ave emberizídea traupínea (*Euphonia chlorotica*), do Brasil central e este-meridional. Tem o dorso azul-turquesa, fronte e lado inferior amarelos, garganta preta, duas retrizes de cada lado pintadas de branco, e pescoço com tonalidade violácea. A fêmea é olivácea, lavada de amarelo. [Sin.: *puvi* e *gaturamo-miudinho*.]

vivianita [Do antr. (*J. G.*) *Vivian*, mineralogista inglês, + *-ita*³.] *S. f. Min.* Mineral monoclínico, fosfato de ferro hidratado.

vividamente (vìvi) [Do f. de *vívido* + *-mente*.] *Adv.* De modo vívido; com vivacidade.

vividez (ê) [De *vívido* + *-ez*.] *S. f.* Qualidade de vívido.

vivido [Part. de *viver*.] *Adj.* 1. Que viveu muito. 2. Que tem larga experiência da vida. [Cf. *vívido*.]

vívido [Do lat. *vividu*.] *Adj.* 1. Que tem vivacidade. 2. Ardente, intenso, vivo: *amor vívido.* 3. Luminoso, brilhante: *raios vívidos.* 4. Expressivo, significativo. 5. Que tem cores vivas: *vívidas tapeçarias.* [Cf. *vivido*, part. de *viver* e adj.]

vivificação [Do lat. tard. *vivificatione*.] *S. f.* Ato ou efeito de vivificar.

vivificador (ô) [Do lat. tard. *vivificatore*.] *Adj.* 1. V. *vivificante*. ● *S. m.* 2. Aquilo que vivifica.

vivificante [Do lat. tard. *vivificante*.] *Adj. 2 g.* Que vivifica; vivificador, vivificativo, vivífico.

vivificar [Do lat. tard. *vivificare*.] *V. t. d.* 1. Dar vida ou existência a; animar: *Conta a Bíblia que Deus vivificou o barro.* 2. Reanimar, reviver: *O médico vivificou o morto com massagens no coração.* 3. Conservar a existência de: *Os remédios vivificam os doentes.* 4. Tornar vívido; animar. 5. Fecundar, fertilizar. 6. Dar movimento, atividade a; ativar: "Ela [a personalidade] vivifica as funções em que se investe" (San Tiago Dantas, *Figuras do Direito*, p. 107). *Int.* 7. Ser vivificante; produzir vivificação. *P.* 8. Tornar-se vivo. 9. *Fig.* Criar ou ganhar energia, vigor, animação. [Conjug.: v. *trancar*. Pres. ind.: *vivifico*, etc. Cf. *vivífico*.]

vivificativo [De *vivificar* + *-tivo*.] *Adj.* V. *vivificante*.

vivífico [Do lat. *vivificu*.] *Adj.* V. *vivificante*. [Cf. *vivifico*, do v. *vivificar*.]

vi-vió [Voc. onom.] *S. m. Bras. Zool.* Ave passeriforme, cotingídea (*Lipaugus vociferans*), das matas da Amaz., BA e ES, de coloração cinza, e asas e cauda tirantes ao pardo. [Sin.: *bastião, cri-crió, coni-conió, goela-d'água, sabiá-tropeiro, pi-piô, viruçu, poaieiro, seringueiro, sim-senhor, tropeiro*.] [Pl.: *vi-viós*.] ❄

viviparidade (vìvi) [De *vivíparo* + *-(i)dade*.] *S. f.* 1. O modo de reprodução dos animais vivíparos. 2. *Bot.* Crescimento de embrião enquanto a semente ainda está dentro do fruto e este preso à árvore. Quando o fruto se desprende, já a plântula está em formação. 3. *Bot.* Formação da jovem planta mediante o crescimento de gemas adventícias e bulbilhos, como sucede com o agave.

vivíparo [Do lat. *viviparu*.] *Adj.* 1. *Biol.* Diz-se de animal, como a maioria dos mamíferos, muitos reptis e alguns peixes, que pare filhos. [Cf. *ovíparo*.] 2. *Bot.* Diz-se das plantas que apresentam viviparidade. ● *S. m.* 3. Espécime vivíparo.

vivisseção (vìvi) *S. f.* V. *vivissecção*.

vivissecção (vìvi) [Do lat. *vivus*, 'vivo', + *-i-* + lat. *sectione*, 'seção'.] *S. f.* Operação feita em animais vivos para estudo de fenômenos fisiológicos. [Var.: *vivisseção*.]

vivissecionista (vìvi) [De *vivissecção* + *-ista*, seg. o padrão erudito.] *S. 2 g.* Pessoa que faz vivissecção. [Var.: *vivissecionista*.]

vivissecionista (vìvi) *S. 2 g.* V. *vivisseccionista*.

vivível [De *viver* + *-ível*.] *Adj. 2 g.* 1. Que se pode viver. 2. Que vale a pena de ser vivido.

vivo [Do lat. *vivu*.] *Adj.* 1. Que vive; que tem vida; animado. 2. Ativo, intenso, forte, penetrante: *Que vivo o aroma desta rosa!* 3. Diz-se de cor forte, chamativa: *Disse que o laranja é um amarelo vivo.* 4. V. *vivedouro* (2). 5. Que tem uso corrente; usual: *linguagem viva; regência viva.* 6. Fervoroso, ardente: *Tem uma viva fé em Deus;* "Convidei o meu companheiro .... para tomar uma dose de vodca, num vivo regozijo pelo meu regresso" (Raul Bopp, *Coisas do Oriente*, p. 60). 7. Aceso, acalorado: *um debate muito vivo.* 8. Que surte efeito; eficaz. 9. Diligente, pronto. 10. Ligeiro, rápido, vivaz. 11. Persuasivo, persuasor, suasório. 12. Esperto, matreiro. ~ V. *arquivo* —, *cal* —*a*, *cerca* —*a*, *dicionário* —, *dinheiro* —, *enciclopédia* —*a*, *fôlego* —, *força* —*a*, *fronteira* —*a*, *língua* —*a*, *matéria* —*a*, *obras* —*as*, *olho* —, *quadro* —, *sebe* —*a* e *seio* —. ● *S. m.* 13. Criatura viva; ser dotado de vida. 14. Parte viva ou extremamente sensível do organismo animal. 15. Âmago, cerne. 16. Debrum ou tira de cor contrastante com a da peça debruada: *O lençol é azul com um vivo vermelho em toda a volta;* "criados de farda, parecidos com os do bispo, e tendo as cores das respectivas casas nas golas, nos canhões e nos vivos da libré arcaica, cheirando a mofo e a azebre." (Ramalho Ortigão, *As Farpas*, I, p. 185). 17. *Veter.* Vívula. 18. *Marinh.* A parte do cabo que está retesada, suportando um esforço de tração: *Afastem-se do vivo, para evitar acidente!* ◆ **Vivo e colhendo.** Vivo e bem. **Ao vivo.** 1. Com aparência de realidade; sem ficção. 2. No exato momento em que ocorre, ou se executa: *televisionar uma cena ao vivo; transmitir um programa radiofônico ao vivo.* [Sin. lus., nesta acepç.: *em direto*.] 3. Apresentado diretamente ao público por músicos, atores, locutores, etc.: *uma festa com música ao vivo.*

vivório [De *viva* (2) + *-ório*.] *S. m.* 1. Muitos vivas. 2. Entusiasmo estrepitoso.

vívula [De *vivo* + *-ula*.] *S. f. Veter.* Inflamação da pele e tendões na parte anterior da quartela das cavalgaduras; vivo.

➔ **vixit** ['vikset] [Lat., 'viveu'.] Eufemismo com que os romanos anunciavam a morte de alguém.

vizindário [Do esp. plat. *vecindario*.] *S. m. Bras. RS* Conjunto das pessoas que moram nas redondezas de um lugar. [Cf. *vizinhança* (2).]

vizinhada [De *vizinho* + *-ada*¹.] *S. f. Bras.* Vizinhança (2).

vizinhança [De *vizinho* + *-ança*.] *S. f.* 1. Qualidade do que é vizinho. 2. Pessoas ou famílias vizinhas. 3. Arrabaldes, arredores, cercania. 4. *Fig.* Analogia, semelhança. 5. *Mat.* Qualquer região do espaço em torno de um ponto desse espaço. Numa reta, é qualquer intervalo aberto cujos extremos estejam em lados opostos de um ponto.

vizinhar [Do lat. **vicinare*, por *vicinari*.] *V. t. d.* 1. Ser vizinho de. 2. Ser limítrofe ou contíguo a. 3. Aproximar-se de, ou achegar-se a. *T. i.* 4. Confinar, limitar-se: *O Brasil vizinha ao S. com o Uruguai.* 5. Tornar-se vizinho. 6. Aproximar-se, avizinhar-se, apropinquar-se.

vizinho [Do lat. *vicinu*, 'da aldeia'.] *Adj.* 1. Que está próximo; vicinal. 2. Que mora perto. 3. Limítrofe, confinante; vicinal. 4. Análogo, semelhante. 5. Diz-se de parente (1) não afastado. 6. *Mús.* Diz-se do tom (14) que tem a mesma armadura de clave de outro, ou difere de outros tons por uma alteração a mais ou a menos na armadura. Ex.: *mi maior* (4 sustenidos) é vizinho de *dó sustenido menor* (mesma armadura), de *si maior* e *sol sustenido menor* (5 sustenidos) e de *lá maior* e *fá sustenido menor* (3 sustenidos). ● *S. m.* 7. Habitante, morador. 8. Aquele que reside próximo a nós.

vizir [Do ár. *wazīr*, lit., 'aquele que ajuda a carregar um peso'; 'ajudante ou assessor para determinado encargo; ministro'; pelo turco *vezir* ou *vesir*, fr. *vizir*.] *S. m.* Nos reinos muçulmanos, ministro, governador de província, ou alto funcionário, com poderes a ele conferidos pelo soberano; aguazil.

vizirado [De *vizir* + *-ado*².] *S. m.* 1. Cargo ou dignidade de vizir. 2. O tempo que dura este cargo. [F. paral.: *vizirato*.]

vizirato [De *vizir* + *-ato*¹.] *S. m.* Vizirado.

▲ **vizo-** Equiv. de *vice-*. [É sempre seguido de hífen.]

vizo-rei *S. m.* Vice-rei: "e assim houve Vizo-Reis que se vingaram de homens que testemunharam contra eles." (Diogo do Couto, *Soldado Prático*, p. 7); "qual é o Vizo-Rei, ou Governador tão puro (não digo que não haja alguns), que, na homenagem que dá, não se arrisque a mil perjúrios?" (Id., *ib.*, p. 19). [Pl.: *vizo-reis*.]

■ **VJ** V. de *videojóquei*.

■ **VLDL** [Sigla do ingl. *Very low-density lipoprotein*, 'lipoproteína de densidade muito baixa'.] *Med.* Sigla designativa de lipoproteína plasmática em que as concentrações de triglicerídeos são altas, as de fosfolipídeos e de colesterol são moderadas, e a de proteína é baixa.

■ **VLF** [Sigla do ingl. *Very Low Frequency*, 'frequência muito baixa'.] *Fís.* V. *frequência muito baixa*.

■ **VLSI** [Sigla do ingl. *Very Large Scale Integration*.] *Eletrôn.* V. *integração em muito larga escala*.

vó *S. f.* F. aferética de *avó*. [Cf. *vô*.]

vô *S. m.* F. aferética de *avô*. [Cf. *vó*.]

voadeira¹ [De *voar* + *-deira*.] *S. f. Bras. N. C.O.* Barco com motor de popa, muito veloz.

voadeira² *S. f. Bras. Zool.* V. *tainhota-voadeira* (q. v.).

voadoiros [De *voar* + o pl. de *-doiro*¹.] *S. m. pl.* V. *voadouros*.

voador¹ (ô) *S. m. Zool.* V. *peixe-voador*.

voador² (ô) [De *voar* + *-dor*.] *Adj.* 1. Que voa ou pode voar; volátil. 2. *Fig.* Muito ligeiro, rápido, veloz. ~ V. *cheque* —, *disco* —, *foguete* — e *lêmure* —. ● *S. m.* 3. O que voa. 4. Acrobata que pula de um trapézio para outro, mais ou menos distante. 5. Aparelho de madeira ou metal, formado por dois arcos superpostos e de diâmetros desiguais, ligados entre si por meio de hastes, com rodinhas no inferior (maior), usado para firmar crianças que começam a andar. [Sin. (lus.), nesta acepç.: *andarilho, aranha*.] 6. *Bras. Zool.* V. *sapopema* (2). 7. *Bras. Zool.* V. *tainhota-voadeira* (2).

voadora (ô) [De *voar* + *-dora*.] *S. f. Esport.* Golpe em que o indivíduo salta, com uma ou as duas pernas esticadas, para atingir o adversário com ela(s).

voador-cascudo *S. m. Bras. Zool.* V. *peixe-voador*. [Pl.: *voadores-cascudos*.]

voador-de-pedra *S. m. Zool.* V. *peixe-voador*. [Pl.: *voadores-de-pedra*.]

voador-do-alto *S. m. Zool.* V. *tainhota-voadeira* (2). [Pl.: *voadores-do-alto*.]

voadouros [De *voar* + o pl. de *-douro*¹; var. de *voadoiros*.] *S. m. pl.* 1. As penas mais longas das asas, nas extremidades dos respectivos cotos; guias, remígios. 2. *Fig.* Maneiras de proceder, de abrir carreira. [Var.: *voadoiros*.]

voadura [Do lat. *volatura*.] *S. f.* Ato ou efeito de voar.

voagem [De *voar* + *-agem*².] *S. f.* A limpadura ou rabeiras dos cereais debulhados nas eiras.

voamento [De *voar* + *-mento*.] *S. m. Constr.* Saliência (2).

voante [Do lat. *volante*.] *Adj. 2 g.* 1. Que voa ou pode voar; volante: "caminho sem princípio nem margem de todos os bichos voantes — morcegos, mariposas, aves de pequena ou grande envergadura." (Osmã Lins, *Nove, Novena*, p. 93). 2. Transitório, passageiro, efêmero.

voa-pé [De *voar* + *pé*.] *S. m. Bras. Ant.* Certo golpe de capoeira: "Desferiram-se navalhas contra navalhas, jogaram-se as cabeçadas e os voa-pés." (Aluísio Azevedo, *O Cortiço*, p. 278.) [Pl.: *voa-pés*.]

voar [Do lat. *volare*.] *V. int.* 1. Sustentar-se ou mover-se no ar por meio de asas ou de aeronaves: "No ar transparente, as andorinhas / Voam, revoam" (Ronald de Carvalho, *Poemas e Sonetos*, p. 66); *Com o avanço da técnica, o homem chegou a voar;* "Seu desejo [de Santos Dumont] de voar num balão de verdade acabou sendo satisfeito." (Francisco de Assis Barbosa, *Santos Dumont. Inventor*, p. 23). 2. Ir pelo ar com grande rapidez: *Dispararam o revólver e a bala voou.* 3. Correr velozmente: "Esporeio o animal que infrene voa" (Alberto de Oliveira, *Poesias*, 3ª série, p. 245). 4. Fazer-se ouvir rapidamente: *Os insultos voavam de parte a parte.* 5. Desaparecer com rapidez; dispersar-se, dissipar-se, sumir(-se): *Dado o esclarecimento, as*

V

dúvidas voaram. 6. Escapar da memória; ser esquecido; esquecer. 7. Passar ou decorrer rapidamente (o tempo): "Pausado outrora, o tempo ia voando..." (Eugênio de Castro, *Églogas*, p. 23.) 8. Propagar-se ou propalar-se rapidamente. 9. Explodir, rebentar: *A explosão fez o edifício voar.* 10. Desaparecer no ar. 11. Elevar-se em pensamento; ter concepções sublimes ou elevadas. *T. c.* 12. Ir, dirigir-se, com grande rapidez: *Notando que era tarde, voou para casa.* 13. Acudir com presteza. 14. Transportar-se em aeronave: *Voou para São Paulo. T. d. e i.* 15. *Bras. Pop.* Sapecar, tascar, tacar: *Ofendida, voou a mão no rosto do agressor. T. d.* 16. Jogar, atirar, arremessar. 17. Fazer saltar, explodir: voar uma granada. [Conjug.: v. *coroar*. Pres. ind.: *voo, voas* (ô), *voa* (ô), etc.; pres. subj.: *voe* (ô), *voes* (ô), etc.] ◆ **Voar alto.** *Fig.* Ser otimista em extremo; fazer projetos irrealizáveis ou de realização difícil. **Voar baixinho.** *Bras. RS Fig.* Andar em má situação, sem dinheiro, mal de negócios, e por isso com aspirações modestas. **Voar em cima de.** *Bras. Gír. Fig.* Assediar (alguém) com objetivo de conquista ou de namoro; voar para cima de (alguém). **Voar para cima de.** *Bras. Gír. Fig.* Voar em cima de.

vocabular [De *vocábulo* + *-ar*[1].] *Adj. 2 g.* Relativo ou pertencente a vocábulo.

vocabulário [Do lat. med. *vocabulariu.*] *S. m.* 1. O conjunto das palavras de uma língua. 2. O conjunto das palavras em certo estágio de uma língua: *o vocabulário quinhentista.* 3. O conjunto das palavras especializadas em qualquer campo de conhecimento ou atividade; nomenclatura, terminologia: *vocabulário de medicina, de sociologia, de eletrônica.* 4. O conjunto das palavras e expressões conhecidas e/ou empregadas por pessoa(s) de determinada faixa etária, social, etc.: *o vocabulário infantil; o vocabulário do poder jovem; o vocabulário dos marginais.* 5. O conjunto das palavras usadas por um autor em sua obra, ou em parte dela: *O vocabulário de* Os Lusíadas *é de umas 6.000 palavras.* 6. Lista de vocábulos de uma língua dispostos em ordem alfabética: *vocabulário ortográfico; vocabulário etimológico.* 7. Lista de palavras ou expressões de uma língua ou de um estágio dela, de um dialeto, de um autor, e de um ramo de conhecimento, técnica ou atividade, geralmente dispostas em ordem alfabética, e que podem vir ou não acompanhadas das classes gramaticais a que pertencem e/ou de outras indicações: *vocabulário de expressões idiomáticas inglesas; vocabulário de artes plásticas; vocabulário de termos esportivos.* 8. Livro ou compêndio que contém uma dessas listas: *Comprei um vocabulário de economia muito atualizado.* 9. Dicionário sucinto: *Vocabulário Etimológico, Ortográfico e Prosódico das Palavras Portuguesas Derivadas da Língua Grega,* de Ramiz Galvão. 10. Relação de termos que apresentam determinada(s) peculiaridade(s), e que figuram como apêndice a uma obra, ou, nalguns casos, no fim de cada uma das peças de que ela se compõe; glossário, elucidário: *Seu estudo sobre a poesia trovadoresca traz anexo um ótimo vocabulário; O professor mandou estudar o vocabulário das leituras para a prova mensal; Cada um dos quatro livros de contos regionais de Valdomiro Silveira contém um vocabulário.* 11. *Inform.* Lista de códigos de operação ou de instruções capazes de expressar ao programador as soluções do problema para um computador específico.

vocabularista [De *vocabulário* + *-ista.*] *S. 2 g.* Autor de vocabulário(s); vocabulista.

vocabularização [De *vocabularizar* + *-ção.*] *S. f.* Ato ou efeito de vocabularizar.

vocabularizado [Part. de *vocabularizar.*] *Adj.* Incluído em vocabulário ou dicionário; dicionarizado.

vocabularizar [De *vocabulário* + *-izar.*] *V. t. d.* Incluir em vocabulário ou dicionário. [Cf. *dicionarizar.*]

vocabularizável [De *vocabularizar* + *-vel.*] *Adj. 2 g.* Que pode ser vocabularizado; dicionarizável.

vocabulista [De *vocábulo* + *-ista.*] *S. 2 g.* Vocabularista.

vocábulo [Do lat. *vocabulu.*] *S. m. E. Ling.* Palavra que faz parte duma língua. [Sin.: *termo* e (desus.) *dição.*]

vocação [Do lat. *vocatione.*] *S. f.* 1. Ato de chamar. 2. Escolha, chamamento, predestinação. 3. Tendência, disposição, pendor. 4. *P. ext.* Talento, aptidão. ◆ **Vocação hereditária.** *Jur.* Chamamento dos herdeiros legítimos à sucessão aberta, com observância da ordem prevista na lei civil.

vocacional [De *vocação* + *-al*[1], seg. o padrão erudito.] *Adj. 2 g. Bras.* Referente a vocação: *teste vocacional.*

vocal [Do lat. *vocale*, 'referente à voz humana'.] *Adj. 2 g.* 1. Referente à voz. 2. Que serve para produzir a voz. 3. Que se exprime por meio da voz. [Cf. *vocálico.*] ~ V. *corda —, prega —, quarteto —* e *trato —*.

vocálico [Do lat. *vocale*, 'vogal', + *-ico*[2].] *Adj.* Relativo às vogais. [Cf. *vocal.*] ~ V. *alternância —a, harmonia —a* e *qualidade —a*.

vocalise [Do fr. *vocalise.*] *S. m. Mús.* 1. Exercício vocal que consiste em cantar sobre uma vogal uma série de notas convenientemente escolhidas com objetivos didáticos ou de aquecimento vocal. 2. Trecho vocal sem palavras, sobretudo na música polifônica dos sécs. XIII e XV, quando as partes nem sempre tinham textos. [F. vernácula, porém desus.: *vocalizo.* Cf. *vocalize*, do v. *vocalizar.*]

vocalismo [Do lat. *vocale*, 'vogal', + *-ismo.*] *S. m. E. Ling.* O conjunto das alterações fonéticas referentes às vogais. [Cf. *consonantismo* (1).]

vocalista [De *vocal* + *-ista.*] *S. 2 g. Mús.* Indivíduo que canta em conjunto de música popular.

vocalização [De *vocalizar* + *-ção.*] *S. f.* Ato ou efeito de vocalizar.

vocalizador (ô) [De *vocalizar* + *-dor.*] *Adj. S. m.* Que, ou aquele que vocaliza.

vocalizar [De *vocal* + *-izar.*] *V. int.* 1. *Mús.* Cantar sem articular palavras ou nomear notas, modulando a voz sobre uma vogal. 2. *E. Ling.* Converter (consoante) em vogal. [Nesta acepç., cf. *consonantizar.*] *T. d.* 3. *Mús.* Cantar (melodia, canção, etc.) sem articular palavras ou nomear notas, modulando a voz sobre uma vogal. 4. *Bras.* Dar voz a; veicular, transmitir: "Ao assumir, o novo ministro da Fazenda .... vocalizando a posição do PMDB, mostrou-se favorável à manutenção do gatilho." (*Jornal do Brasil*, 04.05.1987.) [Pres. subj.: *vocalize*, etc. Cf. *vocalise.*]

vocalizável [De *vocalizar* + *-vel.*] *Adj. 2 g.* Que se pode vocalizar.

vocalizo [Dev. de *vocalizar.*] *S. m. Mús. Desus.* V. *vocalise.*

vocativo [Do lat. *vocativu.*] *S. m. E. Ling.* 1. Caso vocativo (q. v.). 2. Forma linguística (usualmente um substantivo) que expressa, no discurso direto, aquele a quem o emissor se dirige. [Ex.: Ana, *venha cá.*] ● *Adj.* 3. Relativo a vocativo (1). ~ V. *caso —*.

você [De *vosmecê* < *vossemecê* < *Vossa Mercê.*] ***Pron. de tratamento*** 1. Em certas partes de Portugal, ainda indica respeito, prendendo-se, semanticamente, ao *Vossa Mercê* originário, como já se deu (porém, cremos, bem pouco) no Brasil. Veja-se este exemplo, onde o autor (morto em 1896) começa: "Ex. Sr. e meu jovem amigo.", e escreve adiante: "V. é ainda muito novo" (João de Deus, *Prosas*, p. 117). E mais: "Minha ilustre senhora.", terminando assim a carta: "Peço desculpa a V. destas escusadas reflexões, e sempre às suas ordens." (Id., *ib.*, pp. 124-125.) Poderiam acrescentar-se muitas outras abonações, de autores de hoje. 2. Tratamento íntimo entre iguais, ou de superior para inferior: "— Estou velha para casamento. | — Assim, você me acabrunha: sou da sua idade e ainda me acredito moço." (Mário Sete, *Senhora de Engenho*, p. 180); "— Homem, você não acaba mais? bradou de repente o solicitador [a um seu empregado]." (Machado de Assis, *Várias Histórias*, p. 44). 3. Dos fins da 1ª metade do século XX para cá, tratamento dado (no Brasil, pelo menos) por filho, neto, sobrinho, etc., ao pai, avô, tio, etc., mas que ainda não excluiu o emprego de *o senhor*: "— Mamãe, acho que tem uma moça chamando você lá embaixo..." (Aníbal M. Machado, *Histórias Reunidas*, p. 257.) 4. Tratamento dado, hoje em dia, geralmente no singular, em anúncios de jornais, e por locutores de rádio e televisão, artistas de teatro, etc., a leitores, ouvintes e espectadores. [A palavra *você* apresenta numerosas var. e f. paralelas, na maioria brasileiras: *vassuncê, vossemecê, vosmecê, vancê, voncê, vacê, ancê, acê, ocê, cê, cecê.* Chegam talvez a 30 as f. derivadas de *Vossa Mercê.* Cf. *vocês, seu*[1], *tu.*] ● ***Pron. indef.*** 5. *Bras.* Alguém (1): *Você espera, espera e a encomenda não chega.*

vocês ***Pron. pess.*** Além do seu emprego como o pl. normal de *você*, apresenta as seguintes peculiaridades: **a)** Pode ser o pl. de *tu* (= vós): "Fazes-me dó, rã inchada! Que sabes tu, e que sabe a tua geração? Donde vêm vocês?" (Camilo Castelo Branco, *Noites de Lamego*, p. 66); "Quanto ao que me dizes do Chico Sousa, não acho que devas ter nenhum escrúpulo; vocês não são amigos, dão-se." (Machado de Assis, *Páginas Recolhidas*, p. 119). [Em sua *Gramática Histórica da Língua Portuguesa*, p. 93, observa Said Ali: "dirigindo-nos a mais de um indivíduo, servimo-nos hoje de *vocês* como plural semântico de *tu.*"] **b)** *Bras.* Na boca de empregadas domésticas e pessoas de outras classes, *vocês* é o pl. de *o senhor*: *Que é que vocês querem jantar?* — perguntará a empregada aos patrões, ao passo que a um deles, separadamente, perguntaria: *Que é que o senhor* [ou a senhora] *quer jantar?* [Cf. *você, seu*[1], *vós, vosso, tu.*]

vociferação [Do lat. *vociferatione.*] *S. f.* Ato ou efeito de vociferar.

vociferador (ô) [Do lat. *vociferatore.*] *Adj.* 1. Que vocifera; vociferante. ● *S. m.* 2. Aquele que vocifera.

vociferante [Do lat. *vociferante.*] *Adj. 2 g.* Vociferador (1).

vociferar [Do lat. *vociferare.*] *V. t. d.* 1. Proferir em voz alta ou clamorosa; clamar, bradar, exclamar: "vociferavam lamentações" (Raul Pompeia, *O Ateneu*, p. 268); "Uma bala fraturou-lhe a perna esquerda. Caiu, vociferando pragas." (Gustavo Barroso, *Heróis e Bandidos*, p. 157). *T. i.* 2. Dizer coisas desagradáveis; dirigir censuras ou reclamações: "Vociferam contra tudo e todos ... Não perdoam aos rapazes a mais pequena falta." (França Júnior, *Folhetins*, p. 471). *Int.* 3. Falar colericamente: "o mulherio praguejava, vociferava, contava o caso às que vinham descendo de Lavos" (Júlio Dantas, *Abelhas Doiradas*, p. 184). 4. Berrar, bramir.

vocoide (ói) [Do rad. *voc-* (< lat. *vox, vocis*, 'voz', 'som da voz)', + *-oide.*] *S. m. E. Ling.* Som produzido sem obstrução à passagem do ar ou sem ruído audível de fricção, como é o caso, p. ex., das vogais e consoantes laterais. [Cf. *contoide.*] ❖

voçoroca [Do tupi.] *S. f. Bras.* Desmoronamento oriundo de erosão subterrânea causada por águas pluviais que facilmente se infiltram em terrenos muito permeáveis, ao atingirem regiões de menor permeabilidade; buracão. [Cf. *boçoroca.*]

vodca [Do russo *vodka*, 'aguinha'.] *S. f.* Aguardente russa, feita de cereais, esp. centeio e cevada: "Convidei o meu companheiro .... para tomar uma dose de vodca, num vivo regozijo pelo meu regresso" (Raul Bopp, *Coisas do Oriente*, p. 60).

vodu [De or. africana.] *S. m. Rel.* 1. Designação comum às divindades do Daomé. 2. Culto de origem jeje-daomeana, praticado nas Antilhas, principalmente no Haiti, e que combina elementos de possessão e magia com influências cristãs, apresentando semelhanças com o candomblé afro-brasileiro. 3. *Bras.* Vodum.

vodum [Do jeje, poss.] *S. m. Bras. Rel.* Denominação genérica das divindades de origem jeje, presentes em cultos afro-brasileiros e que correspondem aos orixás iorubanos. [Var.: *vodu.*]

vodunce [Do jeje.] *S. f. Bras. Rel.* 1. Filha de santo, nos candomblés jejes. 2. No candomblé jeje-nagô, filha de santo com 30 anos de feita [v. *feito*[2] (9)].

vodúnsi [Do jeje.] *S. f. Bras. Rel.* V. *vodunce.*

voejar [De *voo* + *-ejar.*] *V. int. P.* V. *esvoaçar* (1): "Um inseto voejava zumbindo, aos baques pelas paredes." (Coelho Neto, *Rei Negro*, p. 115.) [Conjug.: v. *pelejar*. Normalmente só se usa nas 3ªs pess.]

voejo (ê) [Dev. de *voejar.*] *S. m.* 1. Ato de voejar. 2. Pó que sobe da farinha agitada.

voga [Dev. de *vogar.*] *S. f.* 1. Ato de vogar. 2. Divulgação, propagação. 3. Popularidade; grande aceitação: "A voga do romance policial, como gênero à parte, de caracteres bem marcados e vida própria, data dos nossos dias." (Brito Broca, *Horas de Leitura*, p. 67.) 4. Uso atual; moda. 5. *Mar.* Ação de remar; remada. 6. *Mar.* A cadência da remada. 7. *P. ext.* Ritmo que se imprime a uma atividade ou trabalho. ● *S. m.* 8. *Mar.* Remador, ou qualquer dos remadores, que se senta na bancada mais de ré, numa embarcação miúda, e pelo qual os demais se guiam para remar na mesma cadência. ◆ **Voga apertada.** *Mar.* Remada forte, com vigor; voga arrancada, voga forçada. **Voga arrancada.** *Mar.* V. *voga apertada.* **Voga demorada.** *Mar.* Cadência lenta; voga larga. **Voga forçada.** *Mar.* V. *voga apertada.* **Voga larga.** *Mar.* Voga demorada. **Voga surda.** *Mar.* Remada sem ruído. **Em voga.** Na moda. **Picar a voga.** *Mar.* Acelerar a cadência das remadas.

vogal [Do lat. *vocale.*] *Adj. 2 g.* 1. *E. Ling.* Diz-se de som produzido sem obstrução à corrente de ar no trato vocal. 2. *E. Ling.* Diz-se de letra que representa esse som. ● *S. f.* 3. *E. Ling.* Som vogal (1). [São sete na língua portuguesa /a/, /é/, /ê/, /i/, /ó/, /ô/, /u/.] 4. *E. Ling.* Letra vogal (2): *a, e, i, o, u.* [Com o acordo firmado entre os países lusófonos, o uso das letras *w* e *y* em estrangeirismos, derivados e em abreviaturas internacionais, consagrado em dicionários, vocabulários e gramáticas da língua, passou a ser reconhecido oficialmente com a inclusão destas letras no alfabeto do português.] ● *S. m.* 5. *Bras.* Juiz de fato, representante paritário da classe dos empregados ou dos empregadores, junto aos órgãos judicantes da Justiça do Trabalho. ● *S. 2 g.* 6. Pessoa que tem voto em uma assembleia. 7. Membro de uma corporação, de um júri, etc. ◆ **Vogal aberta.** *E. Ling.* Vogal (3) produzida com menor grau de elevação da língua em relação ao palato. [Cf. *vogal fechada.*] **Vogal alta.** *E. Ling.* Vogal (3) produzida com alto grau de elevação da língua. [Cf. *vogal baixa* e *vogal média.*] **Vogal anterior.** *E. Ling.* Vogal (3) para cuja emissão a língua se eleva em direção ao palato duro. [Cf. *vogal central* e *vogal posterior.*] **Vogal arredondada.** *E. Ling.* Vogal (3) produzida com arredondamento dos lábios. [Cf. *vogal não arredondada.*] **Vogal átona.** *E. Ling.* Vogal não acentuada. [Cf. *vogal tônica.*] **Vogal baixa.** *E. Ling.* Vogal (3) produzida sem elevação da língua. [Cf. *vogal alta* e *vogal média.*] **Vogal cardinal.** *E. Ling.* Vogal (3) que representa um ponto de referência fixo e imutável, e que serve de meio para identificar os sons vocálicos de uma língua. **Vogal central.** *E. Ling.* Vogal (3) produzida com o movimento do dorso da língua em direção à região palatal. [Cf. *vogal anterior* e *vogal posterior*.] **Vogal fechada.** *E. Ling.* Vogal (3) produzida com maior estreitamento da cavidade oral, em consequência da elevação da língua em relação à região palatal ou à velar. [Cf. *vogal aberta*.] **Vogal indefinida.** *E. Ling.* Chuá. **Vogal média.** *E. Ling.* Vogal (3) articulada com grau médio de elevação da língua. [Cf. *vogal alta* e *vogal baixa*.] **Vogal não arredondada.** *E. Ling.* Vogal (3) produzida sem arredondamento (2) dos lábios. [Cf. *vogal arredondada*.] **Vogal nasal.** *E. Ling.* Vogal (3) produzida com o véu palatino abaixado, de modo que a corrente de ar flui em parte pela cavidade oral, e em parte pela cavidade nasal. [Representam-se na escrita cinco letras *a, e, i, o, u*, seguidas de *m* ou de *n*; em sílaba final, o *a* nasal grafa-se com til: *lã, anã*. Cf. *vogal oral*.] **Vogal oral.** *E. Ling.* Vogal (3) produzida com o véu palatino levantado, de modo que a corrente de ar flui através da cavidade oral. [Cf. *vogal nasal*.] **Vogal palatal.** *E. Ling.* Vogal anterior alta, em que a lâmina da língua se aproxima do palato duro. [Tb. se diz apenas *palatal*.] **Vogal posterior.** *E. Ling.* Vogal (3) produzida com a língua em elevação na direção do véu palatino; vogal velar. [Cf. *vogal anterior* e *vogal central*.] **Vogal postônica.** *E. Ling.* Vogal átona (q. v.) em sílaba que segue, imediatamente ou não, a sílaba tônica. [Cf. *vogal pretônica*.] **Vogal pretônica.** *E. Ling.* Vogal átona (q. v.) em sílaba que antecede, imediatamente ou não, a sílaba tônica. [Cf. *vogal postônica*.] **Vogal reduzida.** *E. Ling.* Na Nomenclatura Gramatical Brasileira, denominação dada às vogais átonas finais. **Vogal subtônica.** *E. Ling.* Vogal (3) que recebe o acento secundário (q. v.). **Vogal temática.** *E. Ling.* V. *índice temático*. **Vogal tônica.** *E. Ling.* Vogal (3) que recebe o acento primário (q. v.). **Vogal velar.** *E. Ling.* Vogal posterior (q. v.).

vogante [De *vogar* + *-nte*.] ***Adj. 2 g.*** Que voga.

vogar [Do it. *vogare*, ou do ant. provenç. *vogar*.] ***V. int.*** **1.** *Ant.* Deslocar-se sobre a água impelido com o auxílio de remos. **2.** *P. ext.* Navegar (embarcação): "Voga o navio." (Eduardo Guimaraens, *A Divina Quimera*, p. 198.) **3.** Flutuar, boiar: "Destacava, a um quadrante, ... o casco recurvo de uma galé desmastreada, vogando ao acaso." (Virgílio Várzea, *Nas Ondas*, pp. 185-186.) **4.** *Ant.* Mover os remos para impelir um barco; remar. **5.** Derivar com suavidade; deslizar. **6.** *Fig.* Correr, divulgar-se, circular: *Vogam boas notícias.* **7.** Estar em uso; estar na moda, em voga. **8.** *Bras. Prov. port.* Importar, valer: *O que você diz não voga.* **9.** *Bras. Prov. port.* Estar em vigor; prevalecer. ***T. d.*** **10.** Percorrer, navegando. **11.** *Ant.* Impelir com a ajuda dos remos; remar. [Conjug.: v. *largar*.]

→ **voile** [vwal] [Fr.] ***S. m.*** *Tec. Têx.* Tecido leve e transparente feito com fios muito finos, de algodão, seda ou sintéticos: *cortina de voile de algodão; vestido de voile de seda.*

■ **VoIP** [Abrev. do ingl. *Voice over Internet Protocol*, 'voz sobre protocolo *Internet*'.] *Inform.* Tecnologia que permite a transmissão de voz utilizando-se a Internet.

voivoda [Do fr. *voïvode*, de or. eslava.] ***S. m.*** **1.** Título dado aos antigos príncipes da Moldávia, da Valáquia e doutros países da Europa oriental. **2.** Título dos antigos chefes do exército sérvio. **3.** Título do príncipe herdeiro na antiga Romênia e na Bulgária.

voivodia [De *voivoda* + *-ia*[1]; fr. *voïvodie*.] ***S. f.*** **1.** O governo de um voivoda. **2.** Território de sua jurisdição.

volácio ***S. m.*** *Bras. Bot.* V. *boi-gordo*.

volandeira ***S. f.*** *Bras.* Bolandeira (1).

volante [Do lat. *volante*, por via erudita.] ***Adj. 2 g.*** **1.** Que voa ou pode voar; voante. **2.** Flutuante, ondulante. **3.** Que se pode mudar facilmente; móvel. **4.** V. *voltívolo* (1). **5.** Errante, nômade, vagabundo. **6.** Passageiro, transitório, efêmero. ~ V. *fogo —, folha —* e *moscas —s.* ● ***S. m.*** **7.** *Tec. Têx.* Tecido leve e transparente, apropriado para véus de senhoras, etc. **8.** Peça feita de material leve, com penas espetadas em redor, e que se joga ao ar com a raquete. [Cf. *peteca* (1).] **9.** Jogo no qual os parceiros impelem com a raquete o volante (8) de uns para outros. **10.** Seta, dardo. **11.** *Mec.* Peça circular, presa transversalmente a um eixo, e que serve para fazê-lo girar: *volante de uma válvula; volante de direção (dum automóvel).* **12.** *Autom.* Nos veículos motorizados, volante (11) que, manipulado pelo condutor, dá rumo a este; direção. **13.** Pesada roda cuja inércia atua como força reguladora do movimento de um maquinismo. **14.** Correia contínua na roda das máquinas. **15.** Rede dum só pano, para enredar pescadas. **16.** Lacaio, servo. **17.** V. *folha volante*. **18.** *Bras.* Condutor de automóveis **19.** *Bras.* Impresso onde se marcam apostas de jogos. ● ***S. 2 g.*** **20.** Jogador de meio campo que atua como zagueiro. ● ***S. f.*** **21.** *Bras.* Tropa ligeira, sem bagagem nem artilharia.

volantim [Var. nasalada de *volatim*.] ***S. m.*** **1.** Andarilho (2). **2.** V. *funâmbulo* (1).

volapuque [Do volapuque *Volapük* < *vol*, 'mundo', + *pük*, 'língua'.] ***S. m.*** Língua auxiliar de comunicação internacional, lançada em 1879 pelo padre alemão Johann Martin Schleyer (1831-1912).

volapuquista [De *volapuque* + *-ista*.] ***S. 2 g.*** Especialista em volapuque.

volar [Do lat. *vola*, 'palma da mão', + *-ar*[1].] ***Adj. 2 g.*** *Anat.* De, ou pertencente ou relativo a palma de mão ou planta de pé.

volata [Do it. *volata*.] ***S. f.*** **1.** *Mús.* Série de sons executados com rapidez. **2.** *Mús.* Progressão das notas de uma oitava, executadas com velocidade. **3.** *Bras.* Grande pressa; disparada.

volataria [Var. de *volateria* < esp. *volatería*.] ***S. f.*** **1.** Arte de caçar com falcões ou outras aves. [Cf. *altanaria* (3).] **2.** Aves caçadas.

volateante [De *volatear* + *-nte*.] ***Adj. 2 g.*** Que volateia; esvoaçante: "As névoas volateantes fugiam impelidas pelas auras da manhã" (Afonso Arinos, *Pelo Sertão*, p. 40).

volatear [Do lat. *volatus*, part. pass. de *volare*, 'voar', + *-ear*[2].] ***V. int.*** V. *esvoaçar* (1): "Recebe-nos à porta / Do templo de verdura / Azul, trêfega, leve borboleta; / Vai volateando inquieta, / Recruza o atalho, o espaço corta" (Alberto de Oliveira, *Poesias*, 2.ª série, p. 308). [Conjug.: v. *frear*.]

volateria ***S. f.*** V. *volataria*.

volátil [Do lat. *volatile*.] ***Adj. 2 g.*** **1.** Que pode voar; voador. **2.** Relativo a aves. **3.** *Fig.* V. *volúvel* (3). **4.** Que pode ser reduzido a gás ou vapor. ~ V. *óleo —*. **5.** *Inform.* Diz-se de dispositivo de memória cujo conteúdo se perde na ausência de tensão elétrica de alimentação, como, p. ex., a RAM. ● ***S. m.*** **6.** Animal que voa; ave. [Pl.: *voláteis*.]

volatilidade [De *volátil* + *-(i)dade*.] ***S. f.*** Qualidade de volátil.

volatilização [De *volatilizar* + *-ção*.] ***S. f.*** **1.** Ato ou efeito de volatilizar(-se). **2.** *Astron.* Destruição de um engenho espacial, causada pelo atrito com a atmosfera.

volatilizante [De *volatilizar* + *-nte*.] ***Adj. 2 g.*** Que volatiliza ou se volatiliza.

volatilizar [De *volátil* (4) + *-izar*.] ***V. int. P.*** **1.** Reduzir(-se) a gás ou vapor; vaporizar(-se): "enchi um tubozinho de remédio homeopático com um líquido cristalino quanto possível e que, poucos minutos depois, se tinha todo volatilizado, deixando o vidrinho seco" (Visconde de Taunay, *Visões do Sertão*, p. 37). ***T. d.*** **2.** Reduzir (uma substância) a gás ou vapor; vaporizar.

volatilizável [De *volatilizar* + *-vel*.] ***Adj. 2 g.*** Que se pode volatilizar; vaporável.

volatim [Do esp. *volatín*.] ***S. m.*** V. *funâmbulo* (1). [Var.: *volantim*.]

volatina [Do it. *volatina*.] ***S. f.*** *Mús.* Trecho musical simples, de andamento rápido.

volatório [Do lat. *volatus*, part. pass. de *volare*, 'voar', + *-ório*.] ***Adj.*** Que serve para voar.

volcana ***S. f.*** *Bras. Bot.* V. *flor-do-monturo*.

vôlei ***S. m.*** V. *voleibol*. ◆ **Vôlei de praia.** *Esport.* Modalidade de voleibol jogado na praia, ou em quadra artificial de areia, com regras adaptadas, e equipes de dois ou quatro participantes.

voleibol [Do ingl. *volley-ball*.] ***S. m.*** Jogo entre duas equipes de seis jogadores, separadas por uma rede, no qual se manda por cima dessa rede uma bola, batendo-lhe com a mão ou com o punho. [F. paral.: *volibol*; f. red.: *vôlei*. Pl.: *voleibóis*.]

voleibolista [De *voleibol* + *-ista*.] ***S. 2 g.*** **1.** Especialista em coisas de voleibol e/ou aficionado por ele. **2.** Jogador do voleibol. [F. paral.: *volibolista*.]

voleio [De *vôlei*.] ***S. m.*** **1.** *Fut.* Jogada na qual o jogador salta, colocando o corpo quase paralelo ao solo, para chutar a bola enquanto ela ainda está no ar. **2.** *Tên.* Devolução da bola para a quadra adversária antes de ela tocar o chão.

volemia [De *vol(ume)* + *-emia*.] ***S. f.*** *Fisiol. Med.* Volume de sangue.

volémico ***Adj.*** V. *volêmico*. [Uso freq. em P.]

volêmico [De *volemia* + *-ico*[2].] ***Adj.*** Relativo a volemia.

→ **volenti non fit injuria** [vɔ'lentę noŋ fit ęn'jurea] [Lat.] Não sucede injustiça àquele que consente. [É um axioma de jurisprudência.]

volframato [De *volfrâmio* + *-ato*[2].] ***S. m.*** *Quím.* V. *tungstato*.

volfrâmio [Do al. *Wolfram* + *-io*[3].] ***S. m.*** *Desus.* Tungstênio.

volframita [De *volfrâmio* + *-ita*[3].] ***S. f.*** *Min.* Mineral monoclínico de brilho metálico, tungstato de ferro e manganês, minério de tungstênio.

volibol ***S. m.*** V. *voleibol*. [Pl.: *volibóis*.]

volibolista ***S. 2 g.*** Voleibolista.

volição [Do lat. escolástico *volitione*, calcado em *vol*, raiz do lat. pop. **volere* (< lat. *velle*) 'querer'.] ***S. f.*** Ato pelo qual a vontade se determina a alguma coisa: "não acredito no poder dado a cada um de pôr em exercício a vontade, realizando o ato chamado volição." (Ramalho Ortigão, *Folhas Soltas*, p. 151). [Antôn.: *nolição*.]

volitante [Do lat. *volitante*.] ***Adj. 2 g.*** Que volita.

volitar [Do lat. *volitare*.] ***V. int.*** V. *esvoaçar* (1): "cestinhos de rosas, em torno a cuja ansa volitam pássaros azuis das Filipinas" (Fialho d'Almeida, *Pasquinadas*, p. 89).

volitivo [Do lat. med. *volitivu*.] ***Adj.*** Respeitante à volição ou à vontade. ~ V. *realismo —* e *verbo —*.

volível [De *vol-*, rad. do lat. pop. **volere* (< lat. *velle*), 'querer', + *-ível*.] ***Adj. 2 g.*** *P. us.* **1.** Que se pode querer. **2.** Que pode depender da vontade.

volo [De or. obscura.] ***S. m.*** Um dos lances do jogo do solo. [Cf. *vo-lo*.]

vo-lo **1.** Equiv. do pron. pess. *vos* e de *lo* (2): *O livro, não vo-lo posso emprestar*; "— Serei o portador dessa carta. — Dar-vo-la-ei amanhã" (Camilo Castelo Branco, *Livro Negro de Padre Dinis*, p. 149). **2.** Equiv. do pron. pess. *vos* e de *lo* (3): "Oh! desde já vo-lo digo: quero muitos divertimentos." (Gonçalves Dias, *Teatro*, p. 111); "Que espécie de observador seja eu, não vo-lo poderia dizer." (Rui Barbosa, *Oração aos Moços*, p. 60). [Flex.: *vo-la, vo-los, vo-las*. Cf. *volo*.]

▲ **-volo**[1] [Do lat. *-vŏlus, a, um* < lat. *volare*, 'voar'.] ***El. comp.*** = 'que voa': *altívolo* (< lat.), *noctívolo* (< lat.).

▲ **-volo**[2] [Do lat. *-vŏlus, a, um* < *velle*, 'querer'.] ***El. comp.*** = 'que quer', 'que deseja': *benévolo* (< lat.), *malévolo* (< lat.), *multívolo* (< lat.).

volovã [Do fr. *vol-au-vent*.] ***S. m.*** *Cul.* Prato de massa folhada, servido ger. como entrada e em porções individuais, com recheio cremoso de ave, carne, crustáceo, cogumelo, etc.

volt [Do fr. *volt* < antr. *Volta* (v. *voltaísmo*).] ***S. m.*** *Fís.* No Sistema Internacional, unidade de medida de diferença de potencial elétrico, igual à diferença de potencial existente entre duas seções transversais de um condutor percorrido por uma corrente elétrica variável de um ampère, quando a potência dissipada entre as duas seções é igual a um watt [símb.: *V*]. [Pl.: *volts*.]

volta [Dev. de *voltar*.] ***S. f.*** **1.** Ato ou efeito de voltar(-se). **2.** Regresso, retorno: *Aguardemos sua volta à pátria.* **3.** Ato de virar, de girar; giro: *A bailarina fez uma volta graciosa; Ficou a olhar as voltas das pás do moinho.* **4.** Movimento que completa um percurso fechado; circuito: *A volta da Gávea foi uma prova famosa no automobilismo nacional.* **5.** Pequeno passeio ou caminhada; giro: *Dá sempre uma volta depois do jantar.* [Sin. (bras., RS), nesta acepç.: *volteada*.] **6.** Resposta, réplica; troco: "Jurou a si mesmo que esta do inquérito teria volta e que o Cordovil havia de pagar-lhe..." (Pedro Nava, *O Círio Perfeito*, p. 468.) **7.** Mudança, alteração, transformação de ideias, atitudes, fatos, etc.; viravolta, reviravolta: *Depois de 1930 houve uma volta marcante na política brasileira.* **8.** Vicissitude, revés. **9.** Curva, sinuosidade. **10.** Aquilo que está à volta, que rodeia; redor; contorno, roda: *A volta do lenço é de renda.* **11.** V. *torna*[1] (1). **12.** Tira branca na parte superior da gola das vestes dos padres, e das togas, becas, etc. **13.** Cada uma das curvas duma espiral. **14.** Curva de rua, de estrada, etc.; reviravolta: "desapareceu por entre os *flamboyants* que ensombravam uma volta do jardim" (Coelho Neto, *Obra Seleta*, p. 611). **15.** Roda (18). **16.** Glosa poética. **17.** Turvação de vinho. **18.** *Marinh.* Designação genérica de certos entrelaçamentos feitos à mão, no chicote ou no seio de um cabo ou fio, para prendê-lo a um objeto ou a outro cabo ou fio, ou para prender dois ou mais objetos uns aos outros. [Nesta acepç., cf. *costura* (1) e *nó* (1).] **19.** *Mús.* V. *tom* (18). **20.** *Bras.* Meandro dos rios. **21.** *Bras. N.E.* Colar[1] (1). [Pl.: *voltas*. Cf. *volta* (ô), fem. de *volto* (ô), e pl. *voltas* (ô).] ◆ **Volta da terra.** *Mar.* Bordada (4) que faz o navio aproximar-se da terra. [Antôn.: *volta do mar*.] **Volta do mar.** *Mar.* Bordada (4) que faz o navio afastar-se da terra. [Antôn.: *volta da terra*.] **Volta e meia.** A cada passo; frequentemente: "Também na poesia lírica volta e meia se impõe uma indagação ....: exprime o poeta fatos reais de sua vida, ou meramente imaginários?" (Péricles Eugênio da Silva Ramos, *O Amador de Poemas*, p. 15.) **Volta esganada.** *Marinh.* Volta mordida. **Volta falida.** *Marinh.* Volta em forma de 8, dada com um cabo entre dois objetos (p. ex., dois cabeços) justapostos. **Volta mordida.** *Marinh.* Aquela em que a pernada livre fica presa (mordida) entre o vivo do cabo e o objeto em que ele se enrola; volta esganada. **Volta redonda.** *Marinh.* Volta em que se enrola mais de uma vez, sempre no mesmo sentido, um cabo em torno de um objeto. **Volta singela.** *Marinh.* Volta em que se enrola uma só vez um cabo em torno de um objeto, sem morder ou dar qualquer nó. **Volta trincafiada.** *Marinh.* Volta singela mordida. **Aguentar sob volta.** *Marinh.* Segurar um cabo que esteja portando, dando-lhe num cabeço, cunho, etc., uma ou mais voltas redondas. **Às voltas com.** Diante de (problemas, dificuldades, perigos): *Terminada a II Guerra Mundial, a Europa andou às voltas com a desorganização econômica;* "Andavam às voltas sempre com as discussões, por qualquer bobagem, jamais chegando a um entendimento." (Cordeiro de Andrade, *Anjo Negro*, p. 37). **À volta de. 1.** Em redor de, em torno de. **2.** Próximo de; cerca de; por volta de: *À volta de 1800, liquidaram-se as reminiscências feudais na França.* **Cortar uma volta.** V. *cortar volta.* **Cortar volta.** *Bras. Pop.* Suportar trabalho duro, dificuldades, ou sofrimento; comer da banda podre, cortar um dobrado, cortar um doze, cortar uma volta, cortar voltas: "A pobrezinha [da índia] se perdeu há mais de um mês, / Deve estar cortando volta, pois não fala o português" (Haroldo Lobo e Mílton Oliveira, na marcha carnavalesca *Pele-Vermelha*). **Cortar voltas.** V. *cortar volta.* **Dar as voltas em.** *Bras.* Vencer ou convencer (alguém). **Dar a volta por cima.** Superar uma situação difícil: "ali onde eu chorei / qualquer um chorava. / Dar a volta por cima que eu dei / quero ver quem dava." (Paulo Vanzolini, no samba *Dar a Volta por Cima*). **Dar volta a.** *Marinh.* Dar por encerrada (uma faina, manobra, serviço, etc.). **Dar volta à faina.** *Marinh.* Sustar ou concluir determinada faina. **Dar volta à manobra.** *Marinh.* Sustar ou concluir determinada manobra. **Dar volta ao estômago.** Provocar enjoo, engulho: "Agora, só a lembrança de torresmos dava-lhe volta ao estômago." (Miguel Torga, *Bichos*, p. 18.) **Dar volta ao juízo.** Enlouquecer, endoidecer; dar volta ao miolo. **Dar volta ao miolo.** Dar volta ao juízo: "Aquela história de descobrir uma causa para defender; .... ; isso é que lhe fazia confusão e dava-lhe volta ao miolo" (Aluísio Azevedo, *Filomena Borges*, p. 172.) **Dar volta aos cabos.** *Marinh.* Na embarcação à vela, prender os cabos de laborar, depois de concluída uma manobra ou faina. **Dar (uma) volta em.** *Marinh.* **1.** Prender convenientemente (um cabo, etc.) em um cunho, cabeço, etc., pelo seio ou pelo chicote. **2.** *Bras. Gír.* Deixar de pagar o que deve a; enganar, ludibriar. **Numa volta de mão.** Rapidamente. "Tem experiência... harmoniza tudo numa volta de mão." (Aquilino Ribeiro, *Andam Faunos pelos Bosques*, p. 140). **Por volta de.** Em torno de; cerca de; mais ou menos: "Cheguei por volta de meia-noite." (José de Alencar, *Lucíola*, p. 52.)

volta da lua *S. f. Bras. Pop.* V. *menstruação* (1). [Pl.: *voltas da lua.*] ☑

voltado [Part. de *voltar.*] *Adj.* ~ V. *mourão* —.

volta-face [Do fr. *volte-face.*] *S. f.* Retratação (1 a 3). [Pl.: *volta-faces.*]

voltagem [De *volt* + *-agem*².] *S. f.* Tensão elétrica expressa em volts.

volta-grandense *Adj. 2 g.* **1.** De, ou pertencente ou relativo a Volta Grande (MG). ● *S. 2 g.* **2.** O natural ou habitante de Volta Grande. [Pl.: *volta-grandenses.*]

voltaico¹ [Do antr. *Volta* (v. *voltaísmo*) + *-ico*².] *Adj. Fís.* Diz-se de fenômeno em que ocorrem manifestações provocadas por diferença de potencial elétrico entre dois eletrodos metálicos, como, p. ex., arco voltaico, pilha voltaica. ~ V. *arco — e pilha —.*

voltaico² [Do top. *Volta*, rio da África, + *-aico.*] *Adj. S. m. Gloss.* Gur.

voltairiano (tè) *Adj.* **1.** Pertencente ou relativo a Voltaire, pseudônimo de François-Marie Arouet (1694-1778), escritor francês, ou próprio desse autor. ● *S. m.* **2.** Grande admirador e/ou profundo conhecedor de sua obra.

voltaísmo [Do antr. *Volta* + *-ismo.*] *S. m. Fís.* Teoria de Alessandro Volta (1745-1827), físico italiano, acerca da geração de eletricidade.

voltâmetro [De *volt(aico)* + *-metro.*] *S. m. Fís.-Quím.* Coulômetro. [Cf. *voltômetro.*]

volt-ampère *S. m. Eletr.* Unidade de medida de potência aparente em circuitos de corrente alternada, igual à potência aparente de um watt [símb.: *VA*]. [Pl.: *volts-* ampères.]

voltar [Do lat. **volvitare*, **voltare*, calcado no part. pass. **volvitu*, (lat. clás. *volutus*), do v. lat. *volvere*, 'virar'.] *V. t. c.* **1.** Ir ou dirigir-se ao ponto de onde partiu; regressar, retornar: *O navio voltou ao porto.* **2.** Ir ou vir pela segunda vez; tornar: *Voltei à Espanha 10 anos depois de conhecê-la.* **3.** Vir, regressar, retornar: *Os excursionistas voltarão da Europa amanhã;* "Como tinha bastante dinheiro, viajei à Europa e parte da América, voltando desse passeio com um livro de impressões" (Aluísio Azevedo, *Demônios*, p. 108). **4.** Mudar de direção: *O avião voltou a leste.* *T. i.* **5.** Tornar, recomeçar: *Depois de 11 anos livre do vício, voltou a fumar.* **6.** Ocupar-se ou tratar de novo de um assunto: *Os novos dados levaram-me a voltar à questão.* *Int.* **7.** Ir ou tornar ao ponto donde partiu; regressar: "fumava demais, andava pra cá, subia, descia, andava pra lá, ... voltava" (João Uchoa Cavalcanti Neto, *O Menino*, p. 27). **8.** Reproduzir-se, repetir-se, renovar-se: *As crises da doente voltaram com intensidade maior.* **9.** Voltear, girar, rodopiar. *T. d.* **10.** Mudar a posição ou a direção de; volver: *O motorista voltou o automóvel com perícia.* **11.** Mostrar, apresentar, pelo lado oposto ou pelo verso. **12.** Pôr do avesso; virar. **13.** Passar além de, volteando; dobrar, virar: *O homem voltou a esquina.* **14.** Mexer, revolver, remexer, volver: *voltar o solo para o plantio.* **15.** Replicar, retrucar, volver. *T. d. e i.* **16.** Dirigir, apontar: *Volta a arma contra o inimigo.* **17.** Aplicar, dirigir, encaminhar: *Voltou o pensamento para Deus.* **18.** Devolver, restituir, volver: *Então ele ainda não lhe voltou os objetos emprestados?* **19.** Dar em troca, em saldo de contas. *T. d. e c.* **20.** Voltar (16): *Voltou a cabeça para trás.* *P.* **21.** Mover-se para o lado ou em torno; virar-se. **22.** Apresentar a cara, a frente. **23.** Dirigir-se, recorrer, apelar: *Vendo-se em dificuldades, voltou-se para o irmão;* "De quando em quando, voltava-se para o estudante, e perguntava alguma cousa acerca do ferido" (Machado de Assis, *Várias Histórias*, p. 105). **24.** Ir de regresso; tornar para donde viera. **25.** Revoltar-se; investir: *Sem o menor motivo, voltou-se contra a família.* [Pres. ind.: *volto*, etc.; fut. pret.: *voltaria*, etc.; part.: *voltado* e (desus.) *volto* (ô), flex. *volta* (ô), *voltos* (ô), *voltas* (ô). Cf. *volto* e *volto* (ô), *volta* e *volta* (ô), e *voltária*, fem. de *voltário.*]

volta-redondense *Adj. 2 g.* **1.** De, ou pertencente ou relativo a Volta Redonda (RJ). ● *S. 2 g.* **2.** O natural ou habitante de Volta Redonda. [Pl.: *volta-redondenses.*]

voltarete (ê) [Do esp. *voltereta.*] *S. m.* Jogo de baralho em que cada um dos parceiros, que são três, recebe nove cartas.

voltário [De *volta* + *-ário.*] *Adj.* V. *volúvel* (3): "E tornou à rede servil que, nos vaivéns, se lhe afeiçoava à índole voltária." (José Américo de Almeida, *A Bagaceira*, p. 14.) [Fem.: *voltária.* Cf. *voltaria*, do v. *voltar.*]

volte [Dev. de *voltar.*] *S. m.* No voltarete, ato de voltar a primeira das cartas que se acham na mesa, tomando como trunfo o seu naipe.

volteada [De *voltear* + *-ada*¹.] *S. f. Bras. RS* **1.** Ato de percorrer o campo com o fim de arrebanhar ou recolher os animais para a mangueira ou o rodeio. **2.** Ato de apanhar de surpresa o gado. **3.** Cilada, emboscada, em uma volta de capão ou de mata. **4.** Volta (5). **5.** *P. ext.* Viagem. ◆ **Cair na volteada.** *Bras. RS* Ser (o animal) trazido para o rodeio ou para o curral.

volteador (ô) [De *voltear* + *-dor.*] *Adj.* **1.** Que volteia; volteante. ● *S. m.* **2.** Aquele que volteia. **3.** V. *funâmbulo* (1). **4.** *Bras. GO* Indivíduo que tange o gado das boiadas, não permitindo que se espalhe em forma de leque, para não atrasar a marcha.

volteadura [De *voltear* + *-dura.*] *S. f.* Ato ou efeito de voltear; volteio, voltejo, volteamento.

volteamento [De *voltear* + *-mento.*] *S. m.* V. *volteadura.*

volteante [De *voltear* + *-nte.*] *Adj. 2 g.* Volteador (1).

voltear [De *volta* + *-ear*².] *V. t. d.* **1.** Andar à volta de; contornar. **2.** Fazer girar; dar voltas a: "Um homem grosso, ... curvado sob um realejo, apareceu então ao alto da rua; .... parou, pôs-se a voltear a manivela" (Eça de Queirós, *O Primo Basílio*, p. 37). **3.** Fazer dar muitas voltas. **4.** Mexer, revolver, remexer. **5.** Dar voltas a; contornar. *Int.* **6.** Dar voltas; rodopiar, girar, volutear: "em turbilhões de cem cores, em colos ondeados e graciosos, giram e volteiam as danças" (Rebelo da Silva, *Contos e Lendas*, p. 37). **7.** V. *esvoaçar* (1): "três minutos depois, as borboletas da esperança volteavam diante dele" (Machado de Assis, *Quincas Borba*, p. 327). **8.** Mover-se ou agitar-se em roda. **9.** Fazer equilíbrios. **10.** *Marinh.* Bordejar (1). [F. paral.: *voltejar.* Conjug.: v. *frear.* Pres. ind.: *volteio*, etc. Cf. *Vulteio*, antr.]

volteio [Dev. de *voltear.*] *S. m.* **1.** V. *volteadura.* **2.** Exercícios de funâmbulo. [Cf. *Vulteio*, antr.]

volteiro [De *volta* + *-eiro.*] *Adj.* V. *voltívolo* (1).

voltejar [Do it. *volteggiare.*] *V. t. d. Int.* Voltear. [Conjug.: v. *pelejar.*]

voltejo (ê) [Dev. de *voltejar.*] V. *volteadura.*

▲ **volti-** [De *volt.*] *El. comp.* = 'volt': *voltímetro.* [Equiv.: *volto-*: *voltômetro.*]

voltímetro [De *volti-* + *-metro.*] *S. m. Eletr.* Instrumento para medir a diferença de potencial elétrico entre dois pontos, e do qual existem vários tipos e modelos; voltômetro (q. v.).

voltívolo [De *volt(ar)* + *-i-* + *-volo*².] *Adj.* **1.** Que dá muitas voltas; volante, volteiro, volúvel: "São voltívolas asas adejantes!..." (Luís Guimarães [Filho], *Pedras Preciosas*, p. 68.) **2.** V. *volúvel* (3).

volto¹ (ô) *Desus.* Part. irreg. de voltar; voltado. [Flex.: *volta* (ô), *voltos* (ô), *voltas* (ô). Cf. *volto*, *voltas*, *volta*, do v. *voltar*, *volta*, s. f., pl. *voltas*; e *Volta*, top.]

volto² (ô) *Desus.* Part. irreg. de volver; volvido. [Flex.: *voltos* (ô), *volta* (ô), *voltas* (ô). Cf. *volto*, *voltas*, *volta*, do v. *voltar*, *volta*, s. f., pl. *voltas*; e *Volta*, top.]

▲ **volto-** Equiv. de *volti-.*

voltômetro *S. m. Eletr.* V. *voltômetro.* [Uso freq. em P.]

voltômetro [De *volto-* + *-metro.*] *S. m. Eletr.* Voltímetro. [Cf. *voltâmetro.*]

volubilado [Do lat. *volubilis*, 'volúvel', + *-ado*¹.] *Adj. Bot.* Diz-se do caule de certas plantas que, não se podendo suster por si próprias, têm a propriedade de enroscar-se nos corpos vizinhos.

volubilidade [Do lat. *volubilitate.*] *S. f.* Qualidade ou caráter de volúvel; inconstância.

volubilíssimo *Adj.* Superl. abs. sint. de *volúvel.*

volumão [De *volume* + *-ão*¹.] *S. m.* Grande volume.

volumar¹ [De *volume* + *-ar*¹.] *Adj. 2 g. Geom.* Referente a volume. ~ V. *massa — e velocidade —.*

volumar² [De *volume* + *-ar*².] *V. t. d. Int. P.* Avolumar (1, 4 e 6).

volume [Do lat. *volumen*, 'coisa enrolada', 'rolo de um manuscrito'.] *S. m.* **1.** *Bibliol.* Unidade física de uma obra impressa ou manuscrita, que pode coincidir ou não com o tomo; livro. **2.** *Bibliol.* Conjunto dos fascículos ou números de um periódico, publicados durante 12 meses: *Boletim Técnico do Senac, volume 4, número 3.* [De forma menos conveniente, emprega-se também a palavra 'ano' no lugar de 'volume' na identificação bibliográfica de periódicos.] **3.** *Geom.* Medida do espaço ocupado por um sólido. **4.** Pacote, embrulho, fardo. **5.** Corpulência, tamanho, desenvolvimento. **6.** Intensidade (de som ou voz). ◆ **Volume atômico.** *Quím.* Valor que se obtém quando se divide o peso atômico de um elemento por sua densidade. **Volume de homenagem.** V. *miscelânea* (2). **Volume específico. 1.** *Fís.* O volume da unidade de massa duma substância. **2.** *Expl.* Volume do gás produzido na decomposição de um quilograma de um explosivo, reduzido às condições normais. **Volume molar.** *Quím.* **1.** O volume de um mol duma substância. **2.** Numa solução, o quociente do volume da solução pelo número de mols do solvente e do soluto contidos nesse volume. **Volume reduzido.** *Fís.* O quociente do volume duma massa de gás pelo volume crítico dessa massa. **Ser um segundo volume de.** Ser muitíssimo parecido com outrem: "Os leitores ficaram conhecendo esta nova personagem com a simples indicação de que era um segundo volume de Augusta; bela, como ela; elegante, como ela; vaidosa, como ela." (Machado de Assis, *Contos Fluminenses*, p. 136.)

volumetria [De *volume* + *-metria*, com haplologia.] *S. f.* **1.** *Quím.* Processo de análise quantitativa que consiste em despejar um volume mensurável de solução titulada em volume conhecido da solução que se vai dosar, até o momento em que um indicador possibilite reconhecer o término da reação. **2.** *Arquit.* O conjunto das dimensões que determinam o volume de uma edificação ou de um grupo de edificações.

volumétrico [De *volumetria* + *-ico*².] *Adj.* Relativo à determinação dos volumes ou à volumetria. ~ V. *balão — e massa —a.*

voluminoso (ô) [Do lat. tard. *voluminosu.*] *Adj. P. us.* Volumoso.

volumoso (ô) [De *volume* + *-oso.*] *Adj.* **1.** Que tem grande volume. **2.** Que tem grandes proporções em todos os sentidos. **3.** Intenso, forte (som ou voz). **4.** Que abarca muitos volumes. [Sin. ger. p. us.: *voluminoso.*]

voluntariado [De *voluntário* + *-ado*².] *S. m.* **1.** Qualidade ou condição de voluntário nas forças armadas. **2.** A classe dos voluntários.

voluntariedade [De *voluntári(o)* + *-edade.*] *S. f.* **1.** Qualidade de voluntário; espontaneidade. **2.** Capricho; arbítrio; veleidade. **3.** Teima, birra. **4.** Arbítrio.

voluntário [Do lat. *voluntariu.*] *Adj.* **1.** Que age espontaneamente. **2.** Derivado ou resultante da vontade própria; em que não há ou que não é fruto de coação; espontâneo: *ação voluntária, trabalho voluntário.* **3.** *Bras. RS* Diz-se do cavalo que marcha com facilidade, espontaneamente, sem ser preciso fustigá-lo. ~ V. *jurisdição —a.* ● *S. m.* **4.** Aquele que se alista espontaneamente nas forças armadas. **5.** Aquele que, por vontade própria, realiza certa atividade. **6.** Estudante a quem se permitiu frequentar uma aula em condições diversas das dos alunos ordinários. ◆ **Voluntário da Pátria.** *Bras.* Cada um dos integrantes dos Voluntários da Pátria, batalhões organizados, em 1865, para suprir a necessidade de homens nas tropas brasileiras, então empenhadas na Guerra do Paraguai.

voluntariosidade [De *voluntarioso* + *-(i)dade.*] *S. f.* Qualidade de voluntarioso.

voluntarioso (ô) [De *voluntário* + *-oso.*] *Adj.* **1.** Que age só pela sua vontade. **2.** Caprichoso, teimoso, birrento.

voluntarismo [De *voluntário* + *-ismo.*] *S. m. Filos.* **1.** Doutrina que afirma a preeminência da vontade, quer no plano psicológico, quer no domínio ético (em que a vontade supera a razão, divina ou humana), quer no domínio do conhecimento, quer, por fim, no domínio metafísico. **2.** Caráter de doutrina que atribui à vontade, humana, cósmica ou divina, papel absoluto na determinação da verdade, quer no domínio psicológico, quer no domínio ético (em que a vontade supera a razão na justificação dos fins últimos do homem), quer no domínio do conhecimento. [Cf., nesta acepç., *intelectualismo*.]

voluntarista [De *voluntarismo* + *-ista*.] ***Adj. 2 g.*** **1.** Relativo ao, ou que é partidário do voluntarismo. ● ***S. 2 g.*** **2.** Partidário dessa doutrina.

volúpia [Do lat. *volupia*.] ***S. f.*** **1.** Grande prazer dos sentidos: "Que suave calor, que volúpia divina / As carnes me penetra e os nervos me domina!" (Olavo Bilac, *Poesias*, p. 106.) **2.** Grande prazer, em geral: "Volúpia dos abandonados... / Dos sós... — ouvir a água escorrer, / Lavando o tédio dos telhados / Que se sentem envelhecer..." (Manuel Bandeira, *Estrela da Vida Inteira*, p. 37.) **3.** Grande prazer sexual. [Sin. ger.: *voluptuosidade*.]

voluptuário [Do lat. tard. *voluptuariu*.] ***Adj.*** **1.** Relativo à volúpia. **2.** Propenso à volúpia: "Depois de uma ceia esplêndida, como o devia ser nesta corte voluptuária, apenas ficara na câmara real D. Fernando e sua mulher" (Alexandre Herculano, *Lendas e Narrativas*, I, p. 189). **3.** Que gosta de se divertir. **4.** Relativo a divertimentos ou a despesas desnecessárias. [Var.: *volutuário*.] ~ V. *benfeitorias —as*.

voluptuosidade [De *voluptuoso* + *-(i)dade*.] ***S. f.*** Volúpia: "Grande lascivo, espera-te a voluptuosidade do nada." (Machado de Assis, *Memórias Póstumas de Brás Cubas*, p. 22.) [Var.: *volutuosidade*.]

voluptuoso (ô) [Do lat. *voluptuosu*.] ***Adj.*** **1.** Em que há prazer ou volúpia; sensual, deleitoso, delicioso: "Quando te aperto em meus braços, / Num delírio voluptuoso, / São estreitos os espaços / Para conter o meu gozo." (Luís Murat, *Ondas*, II, p. 33.) **2.** Que inspira ou exprime volúpia: "um sofá voluptuoso" (Latino Coelho, *Tipos Nacionais*, p. 27). **3.** Dado à libertinagem. **4.** Amante de divertimentos ou deleites. ● ***S. m.*** **5.** Indivíduo voluptuoso. [Var.: *volutuoso*.]

voluta[1] [Do it. *voluta*.] ***S. f.*** **1.** *Arquit.* Ornato espiralado de um capitel de coluna: "para assegurar à alma piedosa a atmosfera de recolhimento e de luto condizente com os mistérios da Paixão, seria preciso tapar as enormes e convulsionadas colunas do altar-mor, as volutas, as flores de talha, as cabeças e troncos de anjos" (Carlos Drummond de Andrade, *Passeios na Ilha*, p. 67). **2.** Espiral (3). **3.** Parte de objeto, ou ornato, etc., em forma de espiral. **4.** *Mús.* Parte superior da cabeça dos instrumentos de arco, enrolada em forma de espiral.

voluta[2] [Do lat. cient. *voluta* (fem. do lat. *volutus*).] ***S. f.*** *Zool.* Espiral da concha de moluscos gastrópodes.

voluta[3] [Do tax. *Voluta*.] ***S. f.*** *Zool.* **1.** Gênero de moluscos gastrópodes, volutídeos, com espiral muito marcada e colorida. Habitam os mares tropicais e subtropicais. **2.** Qualquer espécie, ou espécime desse gênero.

volutabro [Do lat. *volutabru*.] ***S. m.*** **1.** Lodaçal, lamaçal. **2.** V. *monturo* (2). **3.** *Fig.* Torpeza, desonestidade.

volutear [Do lat. *volutus*, part. pass. de *volvere*, 'volver', 'virar', + *-ear*[2].] ***V. int.*** **1.** Voltear (6 e 7): "morcegos voluteavam possessos, assoviando sobre minha cabeça." (Reginaldo Guimarães, *Manhã Vermelha*, p. 111). [Conjug.: v. *frear*.] ● ***S. m.*** **2.** Giro, volta.

volutídeo [Do tax. *Voluta*, gênero-tipo, + *-ídeo*[1].] *Zool.* ***S. m.*** **1.** Espécime dos volutídeos, família de moluscos gastrópodes que encerra o gênero *Voluta* (v. *voluta*[3]). ● ***Adj.*** **2.** Pertencente ou relativo a eles.

volutite [De *voluta*[2] + *-ite*[3].] ***S. f.*** Voluta[2] fóssil.

volutuário ***Adj.*** V. *voluptuário*.

volutuosidade ***S. f.*** V. *voluptuosidade*.

volutuoso (ô) ***Adj. S. m.*** V. *voluptuoso*.

volúvel [Do lat. *volubile*.] ***Adj. 2 g.*** **1.** Que gira com facilidade. **2.** V. *voltívolo* (1): "Sai do telhado / Tênue fumo e se enovela, / Suspenso volúvel no ar" (Alberto de Oliveira, *Poesias*, 2.ª série, p. 254). **3.** *Fig.* Inconstante, mudável, instável; voltívolo, voltário, volátil: *pessoa volúvel; humor volúvel.* [Superl. abs. sint.: *volubilíssimo*.] **4.** *Bot.* Diz-se da planta cujo caule se enrola num suporte.

volva (ô) [Do lat. *volva*.] ***S. f.*** *Micol.* Porção inferior do véu que permanece em torno da base do estipe, à maneira de uma bainha, nos corpos frutíferos de muitos cogumelos.

volváceo [De *volva* + *-áceo*.] ***Adj.*** Que tem forma de volva ou bolsa.

volvado [De *volva* + *-ado*[1].] ***Adj.*** Provido de volva.

volvedor (ô) [De *volver* + *-dor*.] ***Adj.*** Que volve; volvente.

volvele [Do ingl. *volvelle*, poss. < lat. med. *volvella* < lat. *volvere*, 'volver', 'fazer girar'.] ***S. m.*** *Astr.* Instrumento astronômico medieval que servia para indicar as fases da Lua e ajudar a resolver certos problemas astronômicos.

volvente [Do lat. *volvente*.] ***Adj. 2 g.*** Volvedor.

volver [Do lat. *volvere*.] ***V. t. d.*** **1.** Mudar de posição ou direção; voltar: *volver a cabeça;* "Volvo o rosto para o teu afago, / Vendo o consolo dos teus olhares..." (Alphonsus de Guimaraens, *Obra Completa*, p. 139). **2.** Mexer, remexer, voltar, revolver: *volver a terra.* **3.** Pôr em movimento; agitar. **4.** Transportar, rolando: *A correnteza volvia galhos e folhas.* **5.** Fazer girar sobre si. **6.** Retrucar, replicar, voltar: *Sem levantar a voz, volvia as injúrias recebidas.* **7.** Mudar, alterar, transformar. ***T. d. e i.*** **8.** Dirigir, voltar: "Volve ao passado o olhar piedoso e triste / E mede a longa estrada percorrida." (Félix Pacheco, *Poesias*, p. 17.) **9.** Dirigir, apontar, voltar: *O traidor volveu armas contra a pátria.* **10.** Restituir, devolver, tornar: *Ainda não me volveu o livro.* ***T. c.*** **11.** Regressar ou regredir; retornar, voltar: *Depois de longa ausência, volveu ao Brasil;* "pode-se (e talvez, até, se deva) acrescentar que o romantismo se compõe de sentimentalismo, do desejo apaixonado do homem urbano de volver às condições do campo" (Abgar Renault, *O Romantismo na Poesia Inglesa*, p. 24). ***T. i.*** **12.** Voltar-se; dedicar-se: *Volveu para o trabalho e o estudo;* "Desenganado dos homens e das cousas, Alencar [José de Alencar] volveu de todo às suas queridas letras." (Machado de Assis, *Páginas Recolhidas*, p. 130). ***Int.*** **13.** Decorrer, passar, transcorrer: *Dez anos volveram desde o primeiro encontro.* ***P.*** **14.** Virar-se, voltar-se: "Olhos meus, se ao passado vos volverdes, / Algum dia, vereis, nessa ansiedade, / O céu mais lindo e as mais verdes." (Da Costa e Silva, *Pandora*, p. 88.) **15.** Dar voltas; agitar-se. **16.** Agitar-se, revirar-se. [Part.: *volvido* e (desus.) *volto* (ô). Cf. *volto*, do v. *voltar*.] ● ***S. m.*** **17.** Ato ou efeito de volver.

volvo (ô) [Alter. de *vólvulo*.] ***S. m.*** *Cir. Impr.* V. *vólvulo*.

volvocal [Do lat. cient. *Volvoc-* (v. *volvocale*) + *-al*[1].] ***Adj. 2 g.*** *Zool.* Fitomonadino.

volvocale [Do lat. cient. *Volvoc-* (< tax. *Volvox*) + *-ale*; tax. *Volvocales*.] ***S. m.*** *Zool.* Fitomonadino.

vólvox [Do tax. *Volvox*.] ***S. m. 2 n.*** *Zool.* **1.** Gênero de protozoários flagelados que formam grandes colônias, dispondo-se de forma a constituir uma esfera multicelular oca. **2.** Qualquer espécie ou espécime desse gênero.

vólvulo [Do it. *volvolo*.] ***S. m.*** *Cir.* Forma de obstrução intestinal em que se verifica torção de alça intestinal.

vombate [Adapt. do tax. *Vombatus* < ingl. *wombat*.] ***S. m.*** *Zool.* **1.** Gênero de mamíferos marsupiais, vombatídeos, noturnos, de corpo pesado, membros curtos, dentes incisivos de crescimento contínuo, como ocorre nos roedores, cabeça grande e achatada, e cauda vestigial. Habitam a Austrália e a Tasmânia. **2.** Qualquer espécie ou espécime desse gênero.

vombatídeo [Adapt. do tax. *Vombatidae*.] *Zool.* ***S. m.*** **1.** Espécime dos vombatídeos, família de mamíferos marsupiais, noturnos, herbívoros, escavadores, de porte grande; têm dentes incisivos com crescimento contínuo, corpo largo e achatado, pelo denso e grosso, membros curtos e fortes e cauda vestigial. Ocorrem na Austrália e na Tasmânia. ● ***Adj.*** **2.** Pertencente ou relativo a eles. [Sin. ger.: *fascolomiídeo*.]

vômer ***S. m.*** V. *vômer*. [Uso freq. em P.]

vômer [Do lat. *vomer*, 'relha do arado'.] ***S. m.*** *Anat.* Osso chato e ímpar que constitui a parte posterior e inferior da parede divisória das cavidades nasais. [Pl.: *vômeres*.]

vomeriano [De *vômer* + *-iano*.] ***Adj.*** Vomerino.

vomerino [De *vômer* + *-ino*[1].] ***Adj.*** Pertencente ou relativo ao vômer; vomeriano. ~ V. *dente —*.

vómica ***S. f.*** V. *vômica*. [Uso freq. em P.]

vômica [Do lat. *vomica*.] ***S. f.*** **1.** *Pneum.* Eliminação brutal, durante esforços de tosse, de coleção supurada pulmonar que, mediante ruptura, passou para o(s) brônquio(s). **2.** *Patol.* Cavidade patológica em um órgão, decorrente de supuração e de ruptura tecidual nele.

vomição [Do lat. *vomitione*.] ***S. f.*** *Med.* Vômito.

vómico ***Adj.*** V. *vômico*. [Uso freq. em P.]

vômico [Do lat. *vomicu*.] ***Adj.*** V. *vomitório* (1).

vomífico [Do lat. *vomificu*.] ***Adj.*** V. *vomitório* (1).

vomitado [Part. de *vomitar*.] ***Adj.*** **1.** Sujo ou manchado de vômito. ● ***S. m.*** **2.** As matérias expelidas pelo vômito; vômito.

vomitador (ô) [De *vomitar* + *-dor*.] ***Adj. S. m.*** Que, ou aquele que vomita.

vomitar [Do lat. *vomitare*.] ***V. t. d.*** **1.** Expelir pela boca (substâncias que já estavam no estômago): *Vomitou a comida toda;* "vomitou toda a água que lhe encharcava o estômago." (Lia Correia Dutra, *Navio sem Porto*, p. 144). **2.** Lançar pela boca: "andava fraco, doente... gasto. Um dia vomitou sangue." (Veiga Miranda, *Pássaros Que Fogem...*, p. 34); *Viu em sonho uma figura que vomitava fogo.* **3.** Manchar com vômito: *Vomitou a camisa e o paletó.* **4.** *Fig.* Proferir com intenção injuriosa: "um zangarralho bêbado .... vomita obscenidades contra as fêmeas" (José Vieira, *Sol de Portugal*, p. 156). **5.** Pronunciar (coisas vergonhosas ou irreverentes). **6.** Expelir com ímpeto; jorrar, verter: *O ferimento profundo vomitava sangue.* **7.** Espalhar, despejar. **8.** Causar, ocasionar. **9.** *Pop.* Contar (segredo). **10.** Falar, contar (coisa que ocultava); desembuchar. ***Int.*** **11.** Expelir pela boca substâncias que já estavam no estômago; lançar, arrevessar. [Sin. (bras., pop. ou gír.), nesta acepç.: *alojar, arrojar, baldear, botar bezerro, botar pelo ladrão, chamar o raul, deitar o verbo, destripar o mico, deitar carga ao mar, falar aos peixes*; var., pop., lus.: *gomitar*.] ***P.*** **12.** Sujar-se ao vomitar; sujar-se de vômito(s). [Sin.: *lançar, arrevessar, bolçar, devolver, gomitar*, e (bras., pop.) *alojar, baldear*. Pres. ind.: *vomito*, etc. Cf. *vômito*.]

vomitivo [De *vômito* + *-ivo*.] ***Adj. S. m.*** V. *vomitório* (1 e 2). ~ V. *gás —*.

vómito ***S. m.*** V. *vômito*. [Uso freq. em P.]

vômito [Do lat. *vomitu*.] ***S. m.*** **1.** Ato ou efeito de vomitar(-se). **2.** O vomitado (2). [Sin. ger.: *vomição*, (pop.) *lanço*, (MG) *alojo*. Cf. *vomito*, do v. *vomitar*.]

vômito-negro ***S. m.*** V. *febre amarela*. [Pl.: *vômitos--negros*.]

vomitório [Do lat. *vomitoriu*.] ***Adj.*** **1.** V. *emético* (1). ● ***S. m.*** **2.** *Terap.* Emético (2). **3.** Interrogatório prolongado e minucioso. **4.** Interrogatório dissimulado.

vomitoxina (cs) ***S. f.*** *Quím.* Micotoxina que é um tricoteceno derivado do nivalenol, e que é responsável por prejuízos na criação de aves e outros animais [fórm.: $C_{15}H_{20}O_6$].

▲**-vomo** [Do lat. *-vŏmus, a, um* < lat. *vomĕre*.] ***El. comp.*** = 'que vomita', 'que expele': *fumívomo, ignívomo* (< lat.), *terrívomo*.

você ***Pron. Bras. Pop.*** V. *você*.

vontade [Do lat. *voluntate*.] ***S. f.*** **1.** Faculdade de representar mentalmente um ato que pode ou não ser praticado em obediência a um impulso ou a motivos ditados pela razão. **2.** Sentimento que incita alguém a atingir o fim proposto por esta faculdade; aspiração; anseio; desejo: *Sentiu vontade de rever a terra natal;* "Mudam-se os tempos, mudam--se as vontades" (Luís de Camões, *Rimas*, p. 178). **3.** Capacidade de escolha, de decisão: *vontade firme; vontade fraca; casar por legítima vontade; não ter vontade própria.* **4.** Deliberação, decisão ou arbítrio que parte de entidade superior: "seja feita a vossa vontade" (do padre-nosso); *a vontade do governo; a vontade do povo.* **5.** Ânimo firme; firmeza, coragem: *Sua vontade vence obstáculos.* **6.** Capricho, fantasia; veleidade: *Vê-se que é filho único: é cheio de vontades.* **7.** Desejo, decisão ou determinação expressa: *as últimas vontades de um morto.* **8.** Empenho, interesse, zelo: *Pôs toda a vontade na execução do plano.* **9.** Disposição do espírito, espontânea ou compulsiva: *vontade de estudar, de fazer teatro; Não pode conter a vontade de rir.* **10.** Necessidade fisiológica: *vontade de comer, de dormir, de vomitar.* **11.** *Pop.* Tendência (observada nas coisas): *O carro está com vontade de enguiçar.* ◆ **Vontade de ferro.** Firmeza e energia nas decisões; força de caráter. **Vontade de potência.** *Filos.* Segundo Nietzsche (v. *nietzschiano*), impulso fundamental inerente a todos os seres vivos, que se manifesta na aspiração sempre crescente de maior poder de dominação. [Cf. *voluntarismo*.] **Vontade geral.** *Filos.* Segundo Rousseau (v. *rousseauniano*), a vontade da sociedade expressada através das suas instituições, mesmo que, eventualmente, nem todos estejam de acordo com elas. **À vontade.** **1.** Sem constrangimento, sem cerimônia; a cômodo; a bel--prazer: *Esteja à vontade, a casa é sua.* **2.** Sem embaraço, sem se sentir tolhido: "Deborah notou que Cássia cantava bem, porém não estava à vontade no palco, ainda." (Eduardo Belo e Ana Cláudia Landi, *Apenas uma Garotinha*, p. 119.) **3.** À larga; com fartura; sem peias: "Frutas e leite à vontade, cavalos e armas quando quiseres e caça não falta." (Coelho Neto, *Treva*, p. 82); *Sirva-se à vontade.* **4.** *Mil.* Voz de comando que indica permissão para afrouxar o rigor da posição de formatura ou de marcha, para descanso. [Cf. *à vontade* (s. m.).] **Boa vontade.** **1.** Disposição favorável; benevolência. **2.** *Filos.* Segundo Kant (v. *kantismo*), vontade movida pela pura noção de dever, excluídos quaisquer outros motivos. **Com vontade.** Com gosto; com gana; com prazer. **Contra vontade.** Com repugnância; a contragosto. **De vontade.** Com disposição e prazer; espontaneamente; por vontade. **Estar com vontade de.** Haver aparência, indício ou prenúncio de (que se vai produzir certo fenômeno atmosférico): *Está com vontade de chover; Está com vontade de nevar.* **Má vontade.** Disposição desfavorável; prevenção. **Pôr em sua vontade.** Tomar uma decisão; determinar, decidir sem hesitação. **Por vontade.** V. *de vontade*.

voo [Dev. de *voar*.] ***S. m.*** **1.** Movimento no ar e sem contato com o solo, próprio das aves, de muitos insetos e de alguns outros animais, ou de aeronaves. **2.** Extensão que uma ave ou aeronave cobre de uma vez, voando. **3.** *Aer.* O trajeto percorrido por uma aeronave: *voo Rio-Brasília.* **4.** *Aer.* Viagem aérea. **5.** Maneira de voar: *voo cego.* **6.** Movimento rápido de qualquer objeto pelo ar. **7.** *Fig.* Marcha rápida. **8.**

Elevação do pensamento e/ou do talento; êxtase, arroubamento, arroubo. ◆ **Voo cego.** *Aer.* Aquele em que a pilotagem da aeronave se faz apenas por meio das informações dos instrumentos de bordo. **Voo charter.** *Aer.* Voo contratado mediante fretamento de aeronave, ger. para fins turísticos. **Voo coruja.** *Aer.* Na aviação comercial, voo noturno, de carreira, que oferece preços mais convenientes; corujão. **Voo de galinha.** Aquilo que tem curta duração: *O crescimento econômico não será voo de galinha, disse o ministro.* **Voo doméstico.** *Aer.* O realizado por aeronave de matrícula brasileira, cujos pontos de partida, intermediários e de destino se situam em território brasileiro, mesmo que, por motivo de força maior, a aeronave faça escala em território estrangeiro. **Voo IFR.** *Aer.* Voo por instrumentos. **Voo livre.** *Esport.* Arte de voar que imita o voo dos pássaros (sem motor ou outro auxílio, sequer um leme), e cujo instrumento é a asa-delta (q. v.); esta parte, necessariamente, de um ponto elevado, sobe graças às correntes de ar quente e desce por gravidade. [Cf. *voo planado*.] **Voo pairado.** *Aer.* Aquele em que o helicóptero é mantido no ar sem nenhum movimento de translação em relação a um ponto no solo ou na água. **Voo picado.** *Aer.* Aquele em que o avião desce a pique, ou quase na vertical. **Voo planado. 1.** Voo próprio das aves grandes, e em que as asas permanecem imóveis, bastando uma corrente de ar quente para sustentar a ave, que se deixa deslizar para o solo com sensível obliquidade. **2.** *Aer.* Voo do avião cujo motor está vagaroso demais, ou parado. [Cf. *voo livre*.] **Voo por instrumentos.** *Aer.* Voo sem visibilidade, sem referência visual com o solo, realizado com o auxílio de instrumentos localizados no painel do piloto. **Voo solo.** *Aer.* No período de formação do piloto, primeiro voo sem a presença de um instrutor a bordo; lachê. [Nos períodos subsequentes (de adaptação a outros tipos e modelos de aeronaves), primeiro voo após aprovação em testes teóricos e práticos sobre a operação das mesmas.] **Voo VFR.** *Aer.* Voo visual. **Voo visual.** *Aer.* Voo no qual a aeronave mantém, continuamente, separação prevista de nuvens e outras formações meteorológicas de opacidade equivalente, e com referências visuais no solo; voo vfr. **Alçar voo.** Levantar voo (1): "E de súbito eis que o pardal alçou voo." (Clarice Lispector, *Uma Aprendizagem ou O Livro dos Prazeres*, p. 63.) **A voo de pássaro. 1.** Em linha reta: "e depois pela inverosimilhança de se ir restituir à Cotovia o que se furtara em Xabregas, sítios tão opostos e distantes, ordens tão pouco parentes, na distância quase uma légua a voo de pássaro" (José Saramago, *Memorial do Convento*, [8ª ed.] pp. 23-24). **2.** De modo muito geral, perfunctório; por alto; superficialmente. **Levantar voo. 1.** Voar, elevar-se; alçar voo. **2.** *Fig.* V. *fugir* (1 e 2). **Num voo.** V. *num abrir e fechar de olhos*: "carregávamos o cesto num voo, escondendo-o nas moitas mais próximas." (Augusto Meyer, *No Tempo da Flor*, p. 13). ❖

voo do morcego *S. m. Bras. Cap.* Golpe traumatizante em que o capoeirista salta em direção ao adversário tentando atingi-lo, com os pés juntos, na altura do tórax. [Pl.: *voos do morcego*.] ☑

voorara *S. f. Bras.* V. *curare* (1).

voquisiácea [Do tax. *Vochysia* + *-ácea*; tax. *Vochysiaceae*.] *S. f. Bot.* Espécime das voquisiáceas, família de vegetais floríferos, da ordem das geraniales, composta de arbustos e árvores com folhas opostas ou verticiladas, flores vistosas e estranhamente conformadas, de corola com menos de cinco pétalas e androceu com um só estame, e fruto capsular. Há umas 120 espécies americanas, a maioria do Brasil. São comuns no cerrado e na floresta amazônica.

voquisiáceo [De *voquisiácea*, com var. suf. (v. *-áceo*).] *Adj. Bot.* Pertencente ou relativo às voquisiáceas.

vorá [Var. de *borá*[2] < tupi = 'o que há de ter (mel)'.] *S. m. Bras. RS Zool.* V. *borá*[2] (1). [Pl.: *vorás*. Cf. *voraz*.]

voracidade [Do lat. *voracitate*.] *S. f.* **1.** Qualidade de voraz. **2.** V. *glutonaria*.

voracíssimo *Adj.* Superl. abs. sint. de *voraz*.

voragem [Do lat. *voragine*.] *S. f.* **1.** Aquilo que sorve ou devora. **2.** V. *turbilhão* (2). **3.** Qualquer abismo: "Ele esperava-a, e ela almejava a oportunidade da fuga, sem que a filha lhe fosse estorvo, ou lhe abrisse os olhos como a lâmpada providencial à orla duma voragem." (Camilo Castelo Branco, *A Filha do Regicida*, p. 158.) **4.** *Fig.* Tudo o que subverte ou consome.

voraginoso (ô) [Do lat. *voraginosu*.] *Adj.* **1.** Que contém voragem. **2.** Que tem a forma ou a natureza da voragem. **3.** *Fig.* Que subverte ou consome, como a voragem.

voraz [Do lat. *vorace*.] *Adj. 2 g.* **1.** Que devora; edaz. **2.** V. *glutão* (1). **3.** *Fig.* Que subverte ou consome, corrói, destrói; destruidor, destrutivo. [Sin., nessas acepçs.: *devorante*.] **4.** Muito ávido; ambicioso. [Superl. abs. sint.: *voracíssimo*. Cf. *vorás*, pl. de *vorá*.]

vórmio [Do antr. *Wormius*, f. lat. do nome de Ole Worm (1588-1654), médico e anatomista dinamarquês.] *S. m. Anat.* Designação comum a pequenos ossos, variáveis em número e forma, que se encontram nos ângulos das suturas cranianas.

▲ **-voro** [Do lat. *-vŏrus, a, um* < lat. *vorāre*, 'comer', 'devorar'.] *El. comp.* = 'que devora', 'que come': *carnívoro, frutívoro, herbívoro, piscívoro*.

vórtice [Do lat. *vortice*.] *S. m.* **1.** Redemoinho, remoinho, voragem: "ébrios de prazer, alheados da realidade ambiente, ei-los que, envolvidos no vórtice das fascinações de momento, se julgam no melhor dos mundos." (Sílvio Romero, *Provocações e Debates*, p. 170). **2.** *Fig.* V. *furacão* (2).

vorticela [Do tax. *Vorticella*.] *S. f. Zool.* **1.** Gênero de protozoários ciliados, campanuliformes, dotados de fortes cílios que rodeiam o citóstoma; vivem em águas doces, estagnadas. **2.** Espécie, ou espécime desse gênero.

vorticidade [De *vórtice* + *-(i)dade*.] *S. f. Fís.* A circulação do vetor velocidade dum fluido em movimento.

vorticoso (ô) [Do lat. *vorticosu*.] *Adj.* **1.** Que forma vórtice. **2.** Que se movimenta em turbilhão.

vos [Do lat. *vos* (átono).] *Pron. pess.* Designa a 2ª pess. do pl., caso oblíquo, valendo por: **a)** A vós (objeto direto ou indireto): "A angústia que se lê por claro em vosso rosto / Pungiu-me o coração com tal força que vim / Para vos consolar." (Eugênio de Castro, *Obras Poéticas*, III, p. 117); "Belos amores perdidos, / Muito fiz eu com perder-vos" (Vicente de Carvalho, *Poemas e Canções*, p. 267); "Vós vos destes tão acrisoladamente às cousas do céu, que não se vos dá do que se passa na terra" (Gonçalves Dias, *Teatro*, p. 72); "Não serei eu que desvendarei os mistérios desses amores fantásticos, e vos contarei as horas deliciosas que corriam no silêncio do gabinete" (José de Alencar, *Obra Completa*, IV, p. 639); "Dir-vos-ei que as nações semelham os indivíduos." (Gonçalves Dias, *Teatro*, p. 32); "Vem matar vossos bravos guerreiros, / Vem roubar-vos a filha, a mulher!" (Id., *Obras Poéticas*, I, p. 30). **b)** Em vós: "Inclinai por um pouco a majestade, / Que nesse tenro gesto vos contemplo" (Luís de Camões, *Os Lusíadas*, I, p. 9); *Alguém vos espancou, vos bateu?* **c)** Para vós: *Comprei-vos esta lembrança.* **d)** De vós: *É excelente o conceito que vos faço.* **e)** Diante de vós: *A que hora vos surgiu o fantasma?* **f)** Indica, com certos verbos, a voz passiva: *Sei que vos batizastes já crescido e não vos crismastes.* **g)** Pode funcionar como dativo ético: *Então o pequeno que estais criando não vos tem saído da linha?* **h)** Às vezes, elegantemente, vale como possessivo: "Ascetas imortais da Idade Média, os joelhos / Sangraram-vos de tanto orar" (Alphonsus de Guimaraens, *Obra Completa*, p. 71). [Cf. *vós, me, te, se, lhe, nos*[1].]

vós [Do lat. *vos* (tônico).] *Pron. pess.* (da 2ª pess. do pl. de ambos os gêneros) Usa-se quando nos dirigimos a muitas pessoas (ou animais ou coisas personificados), funcionando como sujeito, como predicativo e como regime de preposições: "Todos vós conheceis essa conjuração" (Rui Barbosa, *Ensaios Literários*, p. 17); "Vós, os que vistes Deus, como ficastes?" (Cecília Meireles, *Obra Poética*, 2ª ed., p. 845); "Vós, ó côncavos vales que pudestes / A voz extrema ouvir da boca fria, / O nome do seu Pedro, que lhe ouvistes, / Por muito grande espaço repetistes." (Luís de Camões, *Os Lusíadas*, III, p. 133); *Os premiados sois vós;* "De vós [pastores] me aparta agora a lei funesta." (Cláudio Manuel da Costa, *Obras Poéticas*, I, p. 304); "As nuvens para vós [ascetas da Idade Média] eram como evangelhos." (Alphonsus de Guimaraens, *Obra Completa*, p. 71); *Nada se fará sem vós, senhores.* [Usa-se também falando com uma só pessoa, em sinal de cortesia ou de respeito, ou a um santo, ou à própria divindade, ou, ainda, a animal ou coisa personificada: "Vós, que tão novo sois, por que chorais assim?" (Eugênio de Castro, *Obras Poéticas*, III, p. 117.)]; "'— Tu prisioneiro, tu? — Vós o dissestes.' [fala entre pai e filho]" (Gonçalves Dias, *Obras Poéticas*, II, p. 28); "Vós vos tendes esquecido de mim, meu Senhor!" (Id., *Teatro*, p. 120); "Foi para vós que ontem colhi, senhora, / Este ramo de flores que ora envio." (Manuel Bandeira, *Estrela da Vida Inteira*, p. 28); "Vós, poderoso Rei, cujo alto Império / O Sol logo em nascendo vê primeiro" (Luís de Camões, *Os Lusíadas*, I, p. 8); "Virgem Maria, Noiva eleita, a Vós recorro!" (Alphonsus de Guimaraens, *Obra Completa*, p. 129); "Dizei-me vós, Senhor Deus! / Se é loucura... se é verdade / Tanto horror perante os céus..." (Castro Alves, *Obra Completa*, p. 281); etc. [O tratamento *vós* não é hoje corrente; persiste, contudo, em certos discursos, e na linguagem familiar, como observa, com razão, Mário Marroquim (*A Língua do Nordeste*, p. 120), em alguns Estados do Brasil. "Já li" — escreve o Autor — "que, no Brasil, só em S. Paulo restava esse uso. O povo de Alagoas e Pernambuco, porém, emprega também o *vós* no tratamento cotidiano, conservando o verbo, entretanto, na 3ª pessoa do singular." Certamente o uso se estende a todo o N.E.: o próprio Marroquim o abona com versos do cantador cearense Anselmo Vieira, figurantes nos *Cantadores*, de Leonardo Mota (pp. 206 [e não 207] e 209, 210 [e não somente 210]). Poderia ter dado, ainda, esta abonação (p. 209), mais significativa, por trazer o *vós* repetido: "— Ela não passa sem vós / E vós não passa sem ela..." Quando o vós rege a prep. *com*, emprega-se, normalmente, com vós, em vez de convosco, se em seguida ao vós vier *mesmo, próprio, todos*, etc., ou uma oração relativa. Só conhecemos um exemplo de com vós, em escritor, aliás, muito cuidadoso da correção gramatical, Antero de Figueiredo: "— Penso com vós." *Leonor Teles*, p. 96.)] [Cf. *vos, eu, tu, ele, vocês, nós* e *voz*.]

vosear [De *vós* + *-ear*[2].] *V. t. d.* Tratar por vós. [Fut. pret.: *vosearia*, etc. Cf. *vozear*, v., e *vozearia*, do v. *vozear* e s. f. Conjug.: v. *frear*.]

vosmecê *Pron. Bras.* Contr. de *vossemecê*: "— Sim senhor. Vosmecê até parece desembargador da Justiça." (José Cândido de Carvalho, *O Coronel e o Lobisomem*, p. 63.) [Cf. *você*.]

vosselência *Pron. P. us. no Brasil* . Contr. de *Vossa Excelência*; Vossência.

vossemecê *Pron.* **1.** Contr. de *Vossa Mercê*. **2.** Tratamento dirigido, de ordinário, a pessoas de condição mediana: "— Vossemecê fica cego; lê que é um desespero." (Machado de Assis, *Histórias sem Data*, p. 189.) **3.** *Bras. Desus.* Tratamento dado pelos filhos aos pais e avós. [Cf. *você*.]

vossência *Pron. P. us. no Brasil* . Vosselência: "— Vossência não faz ideia do que tenho padecido .... desde que o meu homem morreu." (José Gomes Ferreira, *O Mundo dos Outros*, p. 103.)

vosso [Do lat. vulg. *vostru*, em vez do cláss. *vestru*, por analogia com *nostru*.] *Pron. poss.* **1.** Pertencente à(s), ou próprio da(s), ou experimentado ou inspirado pela(s) pessoa(s) a quem se fala por vós: *o vosso apartamento; vossos filhos; Grande é vosso amor filial; Embora o desprezeis, ele vive por vosso amor; Vossas saudades dele não têm fim — e ele não tem saudades vossas;* "Bem conheço os vossos títulos, Senhor Marsio" (Gonçalves Dias, *Teatro*, p. 39); "E enquanto eu estes canto, e a vós não posso, / Sublime Rei, que não me atrevo a tanto, / Tomai as rédeas vós do reino vosso" (Luís de Camões, *Os Lusíadas*, I, p. 15); "os vossos santos, e servos [de Jesus], que vos buscam com desejo, choram os males, pelos quais vos perderam" (Fr. Tomé de Jesus, *Trabalhos de Jesus*, I, p. 81). **2.** Pertencente ao povo e/ou à terra onde nascestes e/ou habitais: "Hartos troncos, robustos, gigantes, / Vossas matas tais monstros contêm." (Gonçalves Dias, *Obras Poéticas*, II, p. 30.) **3.** Que gozais ou desfrutais como se vos pertencesse, se fosse propriedade vossa: *Vossos domingos sempre são de passeios.* **4.** Que vos serve, vos convém, vos interessa: *Vosso trem sai às 15 horas; Não achei em nenhum lugar as vossas azeitonas gregas.* **5.** Que vos é devido; que vos cabe ou toca: *A vossa recompensa há de ser proporcional ao vosso esforço.* **6.** Preferido por vós; da vossa predileção: *Sei que a lagosta é o vosso prato; Tolstoi ainda é o vosso romancista.* [É obrigatório, neste caso, o artigo.] **7.** Passado ou vivido por vós: *Sou vosso amigo desde os vossos dias difíceis.* **8.** Dedicado ou reservado a vós: *Não há razão para zangas: o meu próximo sábado será vosso.* **9.** Onde vós trabalhais, exerceis atividade: *Como está mudada a vossa repartição!* **10.** Esse, aquele; o tal (com relação a pessoa a quem dantes já vos havíeis referido, ou a respeito de quem íeis, ou ides falar): *Que é feito do vosso homem?* [É de rigor, neste caso, o emprego do artigo.] **11.** Da vossa amizade; do vosso afeto; que vos é ou a quem sois caro: *Só os recebo porque são pessoas muito vossas.* **12.** *Lus.* De, ou pertencente ou relativo a vocês; seu: "Torga, — aqui, firme, declaro: / aquele vinho raro / que Você / e Andrée / soltaram em minha honra neste dia / — víamos o Mondego da vossa janela — / é a própria Poesia / ou mais do que ela." (Alberto de Serpa, *Almanaque de Lembranças Luso-Brasileiro*, p. 20); "Tudo em vocês nos revolta — .... vosso jogo, vossas fraquezas, a forma como passam a vida a enganar-se uns aos outros..." (Luís Forjaz Trigueiros, *O Carro de Feno*, p. 264); "para vocês e outros como vocês .... jogarem os vossos jogos" (Urbano Tavares Rodrigues, *As Torres Milenárias*, p. 69). [É frequente — e talvez exclusivo — este uso. Um português pergunta, normalmente, a um amigo: — *Esta casa é sua?*; mas, se a pergunta é dirigida ao casal, o *sua* converte-se em *vossa*. Flex.: *vossa, vossos, vossas*. Cf. *vocês, meu, teu, seu*[2], *nosso*. Paralelamente ao uso do pronome pessoal *vós* por *tu* como tratamento cerimonioso aplicado a um indivíduo, aparece o do pronome possessivo *vosso*(*a*) por *teu* (*tua*): "Pai nosso que estais no Céu, santificado seja o vosso nome" (do padre-nosso).]

• *S. m.* **13.** Aquilo que pertence à(s) pessoa(s) a quem se fala, a vós: *É incrível que não disponhais do vosso.* ~ V. *vossos.*

vossos [Pl. de *vosso.*] ***El. s. m. pl.*** Us. na loc. s. m. pl. *os vossos.* ~ V. *vosso.* ◆ **Os vossos. 1.** A vossa família; os vossos parentes. **2.** Os vossos amigos, aliados, sequazes, correligionários.

votação [De *votar* + *-ção.*] ***S. f.* 1.** Ato ou efeito de votar. **2.** O conjunto dos votos de uma assembleia eleitoral.

votado [Part. de *votar.*] ***Adj.* 1.** Aprovado pela maioria ou pela unanimidade de votos. **2.** Em que ou em quem recaíram votos: *a chapa mais votada; senador muito votado.*

votalhada [De *voto* + *-alhada.*] ***S. f.*** *Deprec.* Grande porção de votos.

votante [Do lat. *votante.*] ***Adj. 2 g. S. 2 g.*** Que, ou quem vota.

votar [Do lat. *votare.*] ***V. t. d.* 1.** Aprovar por meio de votos: *A Assembleia votou o projeto.* **2.** Submeter a votação, aprovando ou não: *O Conselho votou e rejeitou a proposta.* **3.** Fazer voto de; prometer solenemente: *O padre votou castidade.* **4.** Eleger por meio de votos: *O povo deve votar o Presidente.* ***Int.*** **5.** Dar ou emitir voto: *Votou nas últimas eleições.* **6.** Ter direito a voto; ser votante: *Os presos não votam.* ***T. i.*** **7.** Manifestar por voto o que sente ou pensa; dar o seu voto (a favor de, ou contra alguém ou algo): *Votaram em bons candidatos ao Senado; Votou pela absolvição do acusado; A maioria dos jurados votou contra o réu;* "vários países que nas discussões preliminares .... haviam combatido e até ironizado o projeto brasileiro, na Assembleia-Geral de Paris votaram a seu favor." (Benedito Silva, em *Informativo,* ano V, nº 1, jan. 1973, p. 8). ***T. d. e i.*** **8.** Consagrar, dedicar: "ali mesmo [entre túmulos de escravos], aos vinte anos, formei a resolução de votar a minha vida .... ao serviço da raça generosa entre todas" (Joaquim Nabuco, *Minha Formação,* p. 225). **9.** Empregar, destinar, aplicar: *O artista plástico vota muitas horas à pintura.* **10.** Expor; sujeitar. ***Int.*** **11.** Ter ou exercer o direito de voto em eleição ou assembleia: "Sou eleitor, voto, desejo saber o que fazem e dizem os meus representantes." (Machado de Assis, *A Semana,* II, p. 362.) ***P.*** **12.** Consagrar-se, dedicar-se, entregar-se. **13.** Arriscar-se, aventurar-se, abalançar-se: *Votou-se a uma empresa perigosa.* **14.** Dedicar-se, entregar-se: *Descrente dos homens, votou-se ao mais completo isolamento.* [Pres. subj.: *vote,* etc. Cf. *vote* (ô).]

vote (ô) ***Interj. Bras.*** Exprime repugnância, repulsa: "Cruzes! Tibe! Vote! Abrenúncio! O cinema estava acabando de apodrecer a gente com as micagens de uns saltimbancos impalpáveis e mudos." (Alberto Rangel, *Lume e Cinza,* p. 169.) [Cf. *vote,* do v. *votar.*]

votivo [Do lat. *votivu.*] ***Adj.* 1.** Relativo a voto. **2.** Ofertado em cumprimento de voto ou promessa.

voto [Do lat. *votu,* 'promessa'.] ***S. m.* 1.** Ação de votar; votação: *O voto é obrigatório.* **2.** Promessa solene com que nos obrigamos para com Deus: *voto de castidade.* **3.** Promessa solene; juramento. **4.** Promessa feita pelos religiosos membros de ordens e congregações religiosas. **5.** Oferenda em paga de promessa. **6.** Súplica à divindade. **7.** Desejo íntimo, ardente. **8.** Maneira de expressar a vontade ou opinião num ato eleitoral ou numa assembleia. **9.** Sufrágio, votação. **10.** Lista que se vota numa eleição; cédula. ◆ **Voto de confiança. 1.** Decisão das câmaras legislativas pela qual o governo fica autorizado a proceder livremente acerca de qualquer negócio. **2.** *P. ext.* Decisão de qualquer assembleia no sentido de autorizar as decisões tomadas pelo presidente. **Voto deliberativo.** Direito de sufrágio, numa assembleia. **Voto de Minerva.** Voto de desempate, concedido aos presidentes dos corpos administrativos, judiciários, etc.; voto de qualidade. **Voto de qualidade. 1.** Voto de Minerva. **2.** Sistema eleitoral em que o número de votos de cada eleitor varia de acordo com os títulos que ele tem: chefe de família, proprietário, diploma universitário, etc.; pluralismo. **Voto nominal. 1.** Voto dado por indivíduo que se nomeia ou é nomeado. **2.** Sufrágio em que o nome do votante não é mantido em segredo, mas sim indicado no ato de votar, geralmente por chamada. **Voto plural.** Sistema eleitoral que atribui, em determinadas condições, várias vozes a uma mesma pessoa. **Votos do batismo.** As promessas e renúncias feitas pelo catecúmeno, ou padrinhos, em seu nome, antes da administração do batismo. **Voto simples.** O emitido pelo religioso de congregações, e que não invalida os atos que lhe forem contrários. **Voto solene.** O voto emitido pelo religioso de ordem aprovada pela Igreja, e que invalida os atos que lhe forem contrários. **Voto vencido.** O que é dado em separado, num tribunal judiciário, pelo membro divergente da maioria, fundamentando ele ou não a divergência. [Cf. *tenção* (6).]

votorantinense ***Adj. 2 g.* 1.** De, ou pertencente ou relativo a Votorantim (SP). • ***S. 2 g.* 2.** O natural ou habitante de Votorantim.

votuporanguense ***Adj. 2 g.* 1.** De, ou pertencente ou relativo a Votuporanga (SP). • ***S. 2 g.* 2.** O natural ou habitante de Votuporanga.

vouacapoua [Do tax. *Vouacapoua* (do caraíba).] ***S. f.*** *Bot.* V. *andira.*

➔ **voucher** ['vawtʃɚ] [Ingl.] Documento emitido por agência de viagem, etc., e enviado aos seus clientes, que comprova o pagamento antecipado de despesas, como reserva em hotéis, refeição, locação de automóvel, etc.

vouvê *Bras.* ***S. 2 g.* 1.** *Etnôn.* Indivíduo dos vouvês, povo indígena extinto que habitava a região próxima à margem esquerda do rio Pajeú (PE). • ***Adj. 2 g.* 2.** Pertencente ou relativo a esse povo. [Tb. us. como *s. 2 g. e 2 n.* (com cap.) e *adj. 2 g. e 2 n.*]

vovente [Do lat. *vovente.*] ***Adj. 2 g. S. 2 g.*** Que, ou quem faz votos ou promessas.

vovó [De *avó,* com aférese e redobramento da sílaba final.] ***S. f.*** *Bras.* Avó, em linguagem infantil ou afetiva. [Cf. *vovô.*] ◆ **Morrer sem ver vovó.** *Bras. CE Pop.* Sofrer um fiasco sem ao menos ter o consolo esperado.

vovô [De *avô,* com aférese e redobramento da sílaba final.] ***S. m.* 1.** *Bras.* Avô, em linguagem infantil ou afetiva. [Fem.: *vovó.*] **2.** *Bras. PA Zool.* Ave passeriforme, troglod/itídea (*Thryothorus genibarbis*), largamente distribuída pelo Brasil, de coloração pardo-avermelhada, com cauda preta listrada de cinzento, sobrancelha branca, lados da cabeça pretos pintados de branco, faces brancas, garganta branca, peito e abdome pardo-amarelados. [Sin., nesta acepç.: *avô, pai-avô, pia-vovó.*]

vovozinha (vovò) ***S. f.*** Dim. de *vovó.* ◆ **É a vovozinha.** *Pop.* Revide a uma provocação real ou aparente: *Você é um idiota. – Idiota é a vovozinha.*

➔ **vox clamantis in deserto** [vɔks kla'mantes ẹndɛ'sɛr̃tɔ] [Lat., 'a voz daquele que clama no deserto'.] Palavras com que (na trad. da Vulgata) S. João Batista se designa a si mesmo, e aplicadas, p. ext., a quem profetiza e não é escutado.

➔ **vox organalis** [vɔks ɔr̃ga'nalẹs] [Lat.] V. *órgano.*

➔ **vox populi, vox Dei** [vɔks 'popole̜ voks 'dei] [Lat., 'a voz do povo (é) a voz de Deus'.] A concordância das opiniões do público é bastante para estabelecer a verdade dum fato.

➔ **vox principalis** [vɔks prenkẹ'pales] [Lat.] V. *órgano.*

➔ **voyeur** [vɔwa'jœʁ] [Fr.] ***S. m.*** Aquele que experimenta o voyeurismo. [Fem.: *voyeuse.*]

voyeurismo [Do fr. *voyeur* + *-ismo.*] ***S. m.*** *Psiq.* Parafilia que se caracteriza pela excitação sexual ao observar cópula praticada por outros, ou simplesmente ver os órgãos genitais de outrem, independentemente de qualquer atividade própria; mixoscopia.

➔ **voyeuse** [vɔwa'jøz] [Fr.] ***S. f.*** Fem. de *voyeur.*

voz [Do lat. *voce.*] ***S. f.* 1.** *E. Ling.* Som ou conjunto de sons emitidos pelo sistema fonador. **2.** Faculdade de falar; fala: *perder a voz;* "Mas horas há que marcam fundo... / Feitas, em cada um de nós, / De eternidades de segundo, / Cuja saudade extingue a voz." (Manuel Bandeira, *Estrela da Vida Inteira,* p. 21). **3.** V. *clamor* (2): *No recinto ecoaram vozes de protesto.* **4.** Ordem em voz alta. [Aum.: *vozeirão.*] **5.** V. *boato*: *É voz corrente que ele era mau pai.* **6.** Manifestação verbal; palavra: "Nenhuma voz me diriges!... / Julgas-te acaso ofendida?" (Gonçalves Dias, *Obras Poéticas,* I, p. 344.) **7.** Direito de falar em algum lugar. **8.** Sugestão íntima. **9.** *E. Ling.* Categoria gramatical que indica as relações entre o sujeito, o objeto e o verbo, quanto à ação indicada por este. [V. *voz ativa, voz causativa, voz média, voz passiva.*] **10.** *E. Ling.* Som resultante da vibração das pregas vocais. **11.** *Mús.* Trecho vocal de uma composição musical. **12.** *Mús.* Cada uma das linhas melódicas em um contexto polifônico. **13.** *Mús.* Na fuga, cada uma das várias alturas em que o tema é desenvolvido. [Cf. *vós.*] ◆ **Voz anserina.** Voz rouca, que semelha o grasnar do pato. **Voz antipassiva.** *E. Ling.* Numa língua ergativa (q. v.), colocação do sintagma nominal agente na posição de sujeito, recebendo o caso absolutivo. **Voz ativa.** *E. Ling.* Voz (9) em que a ação verbal parte do sujeito: *O menino comeu doces.* **Voz causativa.** *E. Ling.* Voz (9) em que o objeto e o sujeito são atores de uma ação. [P. ex.: *O lobo afugentou o rebanho* (= 'o lobo fez o rebanho fugir').] **Voz cheia.** Voz nítida e forte, que se ouve bem: "ouvia-se .... a voz quente e cheia de Maria, nas serenatas longas" (Alberto Deodato, *Canaviais,* p. 110). **Voz de advertência.** *Mil.* Voz de comando (q. v.) com que se transmite, advertindo, a natureza da ordem que vai ser dada, e antecedente à voz de execução. P. ex.: *ordinário, em ordinário, marche!; meia-volta, em meia-volta, volver!* [Cf. *voz de execução.*] **Voz de cabeça.** A que não exige esforço do peito e cujas ressonâncias se produzem nas cavidades nasais e na faringe. **Voz de cana rachada.** Voz desagradável, muito desafinada. [Sin., bras.: *voz de taboca rachada, voz de taquara rachada.*] **Voz de comando.** *Mil.* Ordem, dada de viva voz, mediante a qual os comandados executam determinado movimento ou desenvolvem qualquer ação, e que se divide em *voz de advertência* e *voz de execução.* P. ex.: *ordinário, marcha!; meia-volta, volver!* **Voz de execução.** *Mil.* Voz de comando (q. v.) que se segue à de advertência e que, enunciada em tom incisivo, é a ordem de execução do movimento. P. ex.: *marche, em ordinário, marche!; volver, em meia-volta, volver!* [Cf. *voz de advertência.*] **Voz de papo.** A que tem um tom de importância, não raro impertinente: "sublime nessa arte, antigamente nacional e hoje mais particularmente provinciana, de arranjar, numa voz de teatro ou de papo, combinações sonoras de palavras..." (Eça de Queirós, *Os Maias,* II, pp. 365-366). **Voz de pipia.** Voz de falsete. **Voz de sovelão.** Voz aguda e estridente de homem. **Voz de taboca rachada.** *Bras. Fam.* V. *voz de cana rachada.* **Voz de taquara rachada.** *Bras. Fam.* V. *voz de cana rachada.* **Voz de trovão.** Voz estrondosa em excesso. **Voz do peito.** A que exige esforço do peito e resulta das ressonâncias que se produzem sobretudo na traqueia e na boca. **Voz em grita.** Aos gritos; gritando; com forte alarido: "— Pois vou lá, que o meu homem é meu — vociferou ela, voz em grita." (Camilo Castelo Branco, *A Queda dum Anjo,* p. 229.) **Voz média.** *E. Ling.* Voz (9) em que sujeito e objeto se referem ao mesmo ser; voz medial, voz reflexa: *Eu me lavo.* **Voz medial.** *E. Ling.* V. *voz média.* **Voz passiva.** *E. Ling.* Voz (9) em que a ação verbal não parte do sujeito, mas de um complemento: *Os livros foram destruídos pelos vândalos.* [V. *agente da passiva* e *verbo depoente.*] **Voz passiva analítica.** *E. Ling.* Em português, voz passiva (q. v.) expressa por uma construção composta pelo verbo auxiliar *ser,* seguido do particípio do verbo principal, e que pode ou não mencionar o agente (12), introduzido pelas preposições *por* ou *de*: *Foi vendida a casa; a casa foi vendida pela imobiliária;* "Aires era amado dos dous" Machado de Assis, *OC* I, p. 929). **Voz passiva sintética.** *E. Ling.* Em português, voz passiva (q. v.) expressa pela 3ª pessoa da forma ativa do verbo a que se junta o pronome *se* na função de apassivador: *Vendeu-se a casa; Dão-se aulas de matemática; Alugam-se casas.* **Voz pastosa.** Voz arrastada e pouco clara. **Voz reflexa.** *E. Ling.* V. *voz média.* **A meia voz.** Baixinho, discretamente: "ficava bem, contente de a ter ali, ... de a ouvir no quintal, cantando a meia voz a moda nova da vila." (Conde de Ficalho, *Uma Eleição Perdida,* p. 88). **Dar voz de prisão a.** Anunciar, em seu nome ou no de outrem, que alguém está preso. **De viva voz.** Falando; não por escrito. **Ter voz ativa.** Ter influência; ter o direito de opinar, decidir, eleger; ser ouvido em deliberações.

vozão [De *voz* + *-ão*[1].] ***S. m.*** *Bras.* Voz extensa e bem timbrada.

vozeada [De *voz* + *-eada.*] ***S. f.*** V. *vozearia.*

vozeador (ô) [De *vozear* + *-dor.*] ***Adj. S. m.*** Que, ou aquele que vozeia.

vozeamento [De *vozear* + *-mento.*] ***S. m.* 1.** V. *vozearia.* **2.** *E. Ling.* Sonorização.

vozear [De *voz* + *-ear*[2].] ***V. int.* 1.** Falar em voz alta; clamar, gritar, bradar: "Em sinal de alegria dispararam / Mil setas para o ar; e vozeando, / Os sons interrompiam num trinado, / Sobre as bocas batendo coas mãos ambas." (Domingos José Gonçalves de Magalhães, *A Confederação dos Tamoios,* p. 60.) ***T. d.*** **2.** Proferir em voz alta; dizer aos gritos; vozeirar: *A multidão vozeava aclamações e apupos.* **3.** Dar, soltar (gritos). [Conjug.: v. *frear.*] • ***S. m.* 4.** V. *clamor* (2): "Era um tumulto indescritível, vozear de populaça em revolta, silvos, brados, injúrias" (Raul Pompeia, *O Ateneu,* p. 196). [Cf. *vosear.*]

vozearia [De *vozear* + *-aria.*] ***S. f.* 1.** Ato ou efeito de vozear; vozeio. **2.** Clamor de muitas vozes juntas; assuada. [Sin. ger.: *vozeada, vozeamento, vozeria* e (bras.) *vozerio.* Cf. *vosearia,* do v. *vosear.*]

vozeio [Dev. de *vozear.*] ***S. m.* 1.** V. *vozearia* (1). **2.** Ruído surdo de vozes.

vozeirão [De *vozeiro* + *-ão*[1].] ***S. m.* 1.** Voz muito forte; vozeiro: "Vinham rapazes cantando num vozeirão atroador." (Coelho Neto, *A Conquista,* p. 56.) **2.** Indivíduo que tem a voz muito grossa; vozeiro. [Fem., nesta acepç.: *vozeirona.*]

vozeirar [De *vozeiro* + *-ar*[2].] ***V. int.*** Falar em voz alta ou muito forte; vozear: "um vendedor de melado, vozeirando, cantarolando, a chamar crianças." (Coelho Neto, *Obra Seleta,* I, p. 487).

vozeiro [De *voz* + *-eiro.*] ***Adj.* 1.** Que fala muito; palrador. • ***S. m.* 2.** Aquele que fala muito. **3.** V. *vozeirão* (1 e 2): "E o vozeiro estranho soou mais uma vez pelas quebradas da serra." (Afonso Arinos, *Lendas e Tradições Brasileiras,* p. 31); "Um vozeiro arcaico vem saindo da sombra" (Cecília Meireles, *Obra Poética,* p. 844).

vozeirona ***S. f.*** Fem. de *vozeirão* (2) (q. v.).

vozeria [De *voz* + *-eria.*] ***S. f.*** V. *vozearia.*

vozerio [De *vozeria*.] *S. m. Bras.* V. *vozearia*: "a criançada trêfega .... espalhava-se com vozerio atroante" (Coelho Neto, *Obra Seleta*, I, p. 488).

vriésia [Do tax. *Vriesia* (do antr. [*Willem Hendrik de*] *Vriese* [1806-1862], botânico holandês, + lat. cient. *-ia*, v. *-ia*[2]).] *S. f. Bot.* **1.** Gênero de bromeliáceas epífitas ou terrestres, dotadas de folhas em roseta densa e inflorescências espiciformes, ramificadas ou não. **2.** Qualquer espécie desse gênero, como, p. ex., a *V. hieroglyphica* [v. *tigresa* (2)]. **3.** Qualquer espécime desse gênero.

■ **vt** Sigla de *videoteipe* (q. v.).

■ **VTR** [Ingl., sigla de *video tape recorder*.] *Telev.* Aparelho utilizado para gravar programas de televisão em fita magnética. [Cf. *VCR*.]

vu[1] [De or. afr.] *S. m. Bras. Mús.* **1.** Certo instrumento musical de origem africana. **2.** V. *cuíca* (2).

vu[2] *El. s. m. Bras. S.* Us. na loc. adv. *num vu*. ◆ **Num vu.** *Bras. S.* Num instante; num átimo; num abrir e fechar de olhos.

■ **VU** [Ingl., abrev. de *volume unit*, 'unidade de volume'.] *Acúst.* Unidade de volume. [Posposto a um substantivo, tem valor adjetivo: *medidor VU*.]

vuarame [Do tupi = 'indivíduo fétido'.] *S. m. Bras. Bot.* Saca-rolhas (6).

vubá [De or. indígena, poss.] *S. f. Bras. Bot.* **1.** Designação de duas poáceas (*Gynerium saccharoides* e *Arundo sagittaria*) cultivadas como decorativas pela beleza do conjunto. São de grande tamanho e apresentam as inflorescências terminais muito amplas. **2.** V. *cana-do-rio*.

vulcâneo [Do mit. *Vulcano* + *-eo*.] *Adj.* Relativo ou pertencente a Vulcano, deus do fogo e da metalurgia na mitologia romana.

vulcânico [De *vulcão* + *-ico*[2], seg. o padrão erudito.] *Adj.* **1.** Pertencente ou relativo a vulcão: *lavas vulcânicas*. **2.** Que tem características de vulcão: "os seus olhos brilhavam como dois fogos vulcânicos no seio das trevas." (José de Alencar, *O Guarani*, II, p. 443). **3.** *Fig.* Impetuoso, ardente: *temperamento vulcânico*. ~ V. *bloco* —, *bomba* —*a*, *conduto* —, *cone* —, *erupção* —*a*, *extrusão* —*a*, *lago* —, *paroxismo* —, *poeira* —*a*, *rocha* —*a* e *vidro* —.

vulcanismo [De *vulcão* + *-ismo*, seg. o padrão erudito.] *S. m.* **1.** Ação dos vulcões. **2.** Conjunto de fatores que provocam saída de material magmático, em estado sólido, líquido ou gasoso, à superfície da crosta terrestre. **3.** *Fig.* Irrupção desastrosa.

vulcanite [De *vulcan(izar)* + *-ite*[2].] *S. f.* Ebonite.

vulcanização [De *vulcanizar* + *-ção*.] *S. f.* **1.** Ato ou efeito de vulcanizar(-se). **2.** *Quím.* Processo em que se torna elástica, resistente, insolúvel, a borracha natural, e que se baseia na introdução de átomos de enxofre na cadeia do polímero natural.

vulcanizador (ô) [De *vulcanizar* + *-dor*.] *Adj.* **1.** Que produz vulcanização. **2.** Diz-se de operário especializado em vulcanização. ● *S. m.* **3.** Operário vulcanizador. **4.** *Bras. S.* Borracheiro (1).

vulcanizadora (ô) [F. subst. do adj. *vulcanizador*.] *S. f. Bras.* Estabelecimento onde se trabalha em vulcanização.

vulcanizar [Do lat. *vulcanus*, 'fogo', 'chama', + *-izar*.] *V. t. d.* **1.** Tratar (a borracha) pelo processo de vulcanização. **2.** Tornar ardente; abrasar, calcinar. **3.** Exaltar, entusiasmar, inflamar. *P.* **4.** Exaltar-se, inflamar-se, arrebatar-se.

vulcano [Do mit. lat. *Vulcanus* (v. *vulcâneo*).] *S. m. Astr.* Planeta que se supunha existir, com uma órbita interior à de Mercúrio e que seria capaz de explicar por sua atração sobre este as perturbações observadas; planeta intramercurial. [Com cap.]

vulcanodonte [Do tax. *Vulcanodon*.] *S. m. Paleont.* **1.** Gênero de dinossauros prossaurópodes do jurássico da América do Sul que, pelos vestígios encontrados, parecem constituir o elo entre os prossaurópodes e os saurópodes. Tinham cerca de 6,5m de comprimento, ossos da bacia característicos de prossaurópodes, e membros muito próximos, em semelhança, aos dos saurópodes. **2.** Espécie ou espécime desse gênero.

vulcanologia [Do mit. lat. *Vulcanus* (v. *vulcâneo*) + *-logia*.] *S. f.* Parte da geologia que trata dos vulcões.

vulcanológico [De *vulcanologia* + *-ico*[2].] *Adj.* Referente à vulcanologia.

vulcanologista [De *vulcanologia* + *-ista*.] *S. 2 g.* Especialista em vulcanologia; vulcanólogo.

vulcanólogo [De *vulcano-*, como em *vulcanologia*, + *-logo*.] *S. m.* Vulcanologista.

vulcão [Do mit. lat. *Vulcanus* (v. *vulcâneo*).] *S. m.* **1.** Conduto que liga a superfície da Terra com uma câmara íntima e profunda que fornece o material magmático que aflora à superfície. **2.** *Pop.* Montanha que expele ou já expeliu material magmático. **3.** *Expl.* Dispositivo pirotécnico de forma cônica, por cujo vértice é lançada uma chuva luminosa que imita a erupção de um vulcão. **4.** *Fig.* Imaginação ardente. **5.** *Fig.* Pessoa ou coisa impetuosa. **6.** *Fig.* Perigo iminente contra a ordem social. [Pl.: *vulcões* e *vulcãos*.] ◆ **Vulcão de lama.** *Geol.* Orifício em áreas vulcânicas ou petrolíferas, pelo qual se desprendem gases e água carregada de lama, que se deposita em forma de cone; salsa-ardente, salsa. **Dançar sobre um vulcão.** *Fig.* Folgar em ocasião de perigo iminente, mas oculto.

vulgacho [De *vulgo* + *-acho*.] *S. m.* V. *ralé* (1).

vulgar[1] [Do adj. lat. *vulgare*.] *Adj. 2 g.* **1.** Relativo ou pertencente ao vulgo; comum, ordinário, trivial, usual. **2.** Reles, ordinário. **3.** Sabido, notório. ~ V. *latim* —, *lúpus* —, *nome* —, *realismo* — e *sicose* —. ● *S. m.* **4.** Aquilo que é vulgar: "só a ilusão é verdadeira. A verdade é a mentira porque é o comum e o vulgar." (João do Rio, *Dentro da Noite*, p. 177). **5.** Língua vernácula: "ainda que seja muito difícil explicar, em vulgar, o que tal coisa quer dizer." (José Saramago, *História do Cerco de Lisboa*, p. 22).

vulgar[2] [Do v. lat. *vulgare*.] *V. t. d.* V. *vulgarizar* (1): "Quis-me punir do ousado sacrilégio / Com que os segredos seus vulguei na lira." (Almeida Garrett, *Camões*, I, p. 103.) [Conjug.: v. *largar*.]

vulgaridade [Do lat. tard. *vulgaritate*.] *S. f.* **1.** Qualidade ou estado de vulgar; vulgarismo: "O encanto de Casimiro de Abreu está na sua tocante vulgaridade. Em sua poesia tudo é comum a todos." (Carlos Drummond de Andrade, *Confissões de Minas*, p. 27.) **2.** Coisa, ação ou dito vulgar. **3.** Pessoa vulgar.

vulgarismo [De *vulgar* + *-ismo*.] *S. m.* **1.** O falar ou o pensar característico do vulgo. **2.** Vulgaridade (1).

vulgarização [De *vulgarizar* + *-ção*.] *S. f.* Ato ou efeito de vulgarizar(-se).

vulgarizador (ô) [De *vulgarizar* + *-dor*.] *Adj. S. m.* Que, ou aquele que vulgariza.

vulgarizar [De *vulgar*[1] + *-izar*.] *V. t. d.* **1.** Tornar vulgar ou notório; propagar, divulgar, difundir, vulgar: *vulgarizar uma doutrina*; "O gaiato .... é no mundo musical um meio que a Providência destinou a vulgarizar os cantos que devem tornar-se populares." (Latino Coelho, *Tipos Nacionais*, p. 29). **2.** Fazer comum. **3.** Acanalhar, abandalhar. *P.* **4.** Tornar-se muito conhecido; popularizar-se: "Só depois dos românticos .... veio a vulgarizar-se o verso dodecassílabo sem qualquer pausa ou acento na sexta sílaba, como o queria Hugo [Vítor Hugo]." (Melo Nóbrega, *O Soneto de Arvers*, p. 88.) **5.** Abandalhar-se, acanalhar-se.

vulgata [Do lat. med. *Vulgata* < lat. *vulgata* (*editio*), do f. do lat. *vulgatus*, part. pass. do v. lat. *vulgare*, 'tornar público'; 'publicar'.] *S. f.* **1.** *Rel.* Tradução latina da Bíblia feita no séc. IV segundo textos massoréticos, obra em parte de S. Jerônimo, e que foi declarada de *uso comum* na Igreja Católica pelo Concílio de Trento. **2.** *E. Ling.* A versão mais difundida de um texto, ou aquela considerada autêntica.

vulgívaga [Do lat. *vulgivaga*, fem. de *vulgivagu*.] *S. f. Deprec.* Meretriz: "A Dama tinha caprichos físicos: / Era uma estranha vulgívaga." (Manuel Bandeira, *Estrela da Vida Inteira*, p. 68.)

vulgívago [Do lat. *vulvivagu*.] *Adj.* **1.** Que se avilta. **2.** Que se prostitui ou se abandalha. ● *S. m.* **3.** Indivíduo vulgívago.

vulgo[1] [Do lat. *vulgu*.] *S. m.* **1.** O povo, a plebe. **2.** O comum dos homens; a pluralidade das pessoas: *Só fala em coisas que o vulgo desconhece*. **3.** *P. ext.* V. *ralé* (1).

vulgo[2] [Do lat. *vulgo*, 'por toda parte', 'universalmente'.] *Adv.* Na língua vulgar; vulgarmente: *Francisco Gomes da Silva, vulgo o Chalaça; Aparício Torelli, vulgo Aporelli ou Barão de Itararé.*

vulgocracia [De *vulgo*[1] + *-cracia*.] *S. f.* Preponderância das classes populares. [Cf. *democracia* (1).]

vulnerabilidade [De *vulnerável* + *-(i)dade*, seg. o padrão erudito.] *S. f.* Qualidade ou estado de vulnerável.

vulnerabilizar [De *vulnerável* (*vulnerabil-*) + *-izar*, seg. o padrão erudito.] *V. t. d. P.* Tornar(-se) vulnerável.

vulneração [Do lat. *vulneratione*.] *S. f.* Ato ou efeito de vulnerar.

vulnerador (ô) [Do lat. tard. *vulneratore*.] *Adj.* V. *vulnerante*.

vulneral [Do lat. *vulner-* (< *vulnus, eris*, 'ferida') + *-al*[1].] *Adj. 2 g. Med.* Vulnerário. [Pl.: *vulnerais*. Cf. *vulnerais*, do v. *vulnerar*.]

vulnerante [Do lat. *vulnerante*.] *Adj. 2 g.* Que vulnera; vulnerador, vulnerativo.

vulnerar [Do lat. *vulnerare*.] *V. t. d.* **1.** V. *ferir* (1): "Comprazia-se Camões nestas histórias façanhosas, chasqueando os pimpões de lá e os de cá, uns que nunca lhe viram as solas dos pés por onde unicamente podiam vulnerá-lo como ao herói grego." (Camilo Castelo Branco, *Boêmia do Espírito*, p. 182.) **2.** Melindrar, ofender. [Flex. pret.: vulneraria, etc. Cf. *vulnerária*, fem. de *vulnerário*, adj.]

vulnerário [Do lat. *vulnerariu*.] *Adj. Med.* Próprio para curar feridas; vulneral. [Fem.: *vulnerária*. Cf. *vulneraria*, do v. *vulnerar*.]

vulnerativo [De *vulnerar* + *-tivo*.] *Adj.* V. *vulnerante*.

vulnerável [Do lat. *vulnerabile*.] *Adj. 2 g.* **1.** Que pode ser vulnerado: "Perdidos e sós no grande descampado, sentem-se desamparados e vulneráveis como crianças." (Miguel Torga, *Portugal*, pp. 114-115.) **2.** Diz-se do lado fraco de um assunto ou de uma questão, ou do ponto pelo qual alguém pode ser atacado ou ferido.

vulnífico [Do lat. *vulnificu*.] *Adj.* Que fere ou pode ferir.

vulpina [Do tax. (*Cetraria*) *vulpina*.] *S. f.* Matéria corante extraída de liquens como, p. ex., os da espécie *Cetraria vulpina*.

vulpínico *Adj. Zool.* V. *vulpino*.

vulpinita [Do top. *Vulpino* (Itália) + *-ita*[3].] *S. f. Min.* Anidrita compacta, sacaroide, capaz de receber um belo polimento.

vulpino [Do lat. *vulpinu*.] *Adj.* **1.** Respeitante à, ou próprio da raposa; vulpínico: "O que havia nele de notável era o seu olhar vulpino, que pedia escuridão para brilhar com força; mas que, à luz, era esquivo e de mirada erradia." (Lima Barreto, *Vida e Morte de M. J. Gonzaga de Sá*, p. 223.) **2.** *Fig.* Astuto, manhoso, malicioso. [Sin. ger.: *raposeiro* e *raposino*.]

vulto [Do lat. *vultu*.] *S. m.* **1.** Rosto, aspecto, semblante. **2.** Figura, corporatura; corpo. **3.** Figura indistinta; imagem: "vi um vulto de mulher, ao longe." (Machado de Assis, *Quincas Borba*, p. 170). **4.** Tamanho, volume, porte. **5.** *Fig.* Importância, notabilidade. **6.** Pessoa importante: "Napoleão Bonaparte é nos tempos modernos o primeiro vulto da França." (Ramalho Ortigão, *Em Paris*, p. 170.) **7.** Consideração, importância: "— .... Não dê vulto a essa suspeita aleivosa." (Camilo Castelo Branco, *Novelas do Minho*, I, p. 294).

vultoso (ô) [De *vulto* + *-oso*.] *Adj.* **1.** Que faz vulto; volumoso: *embrulho vultoso*. **2.** De grande vulto ou importância; importante: "negócios vultosos entre fazendeiros vizinhos e boiadeiros de outras terras." (Nélson de Faria, *Tiziu e Outras Estórias*, p. 36). **3.** Muito grande; considerável, polpudo: *Vendeu a propriedade por vultosa soma.* [Cf. *vultuoso*.]

vultuosidade [De *vultuoso* + *-(i)dade*.] *S. f. Med.* Qualidade ou estado de vultuoso.

vultuoso (ô) [Do lat. *vultuosu*.] *Adj. Med.* Diz-se do aspecto da face quando está vermelha e tumefacta, e com os olhos salientes. [Cf. *vultoso*.]

vulturino [Do lat. *vulturinu*.] *Adj.* Semelhante a, ou característico de abutre: "Vê-se de pronto que é um homem-ave, com o seu nariz vulturino, o seu olhar largo, firme e quase duro" (Gilberto Amado, *A Chave de Salomão e Outros Escritos*, p. 90).

vulturno [Do lat. *vulturnu*, 'vento do sudoeste'.] *S. m. Ant.* Vento do sueste.

vulva [Do lat. *vulva*.] *S. f. Anat.* Parte externa dos órgãos genitais femininos, que inclui grandes e pequenos lábios, vestíbulo vaginal, etc.

vulvar [De *vulv(o)-* + *-ar*[1].] *Adj. 2 g.* Relativo ou pertencente à vulva; vulvário.

vulvária [Do lat. cient. (*Chenopodium*) *vulvaria*.] *S. f. Bot.* V. *erva-fedegosa*.

vulvário [De *vulv(o)-* + *-ário*.] *Adj.* Vulvar.

vulvite [De *vulv(o)-* + *-ite*[1].] *S. f. Gin.* Inflamação da vulva, e de que há várias causas e formas. ◆ **Vulvite fleimonosa.** *Gin.* Noma (2).

▲ **vulv(o)-** [Do lat. *vulva, ae*.] *El. comp.* = 'vulva': *vulvite, vulvovaginal*.

vulvovaginal [De *vulv(o)-* + *vaginal*.] *Adj. 2 g.* Relativo ou pertencente à vulva e à vagina.

vulvovaginite [De *vulv(o)-* + *vaginite*.] *S. f. Patol.* Inflamação simultânea da vulva e da vagina.

vulvuterino (vù) [De *vulv(o)-* + *uterino*.] *Adj.* Relativo ou pertencente à vulva e ao útero.

vumbi [Do quicongo *wumbi*, 'funeral'.] *S. m.* Cerimônia funerária nos candomblés bantos. [Os pertences do morto são lançados ao mar ou a um rio, para que possam voltar com ele à África.]

vum-vum [Voc. onom.] *S. m. Bras. Zool.* V. *barbeiro* (6). [Pl.: *vum-vuns*.] ❄

vunje [De or. afr.] *Adj. 2 g. Bras. PE Pop.* Muito sabido; atilado; esperto.

vunzar [De or. afr., poss.] *V. t. d. Bras. BA Pop.* Remexer (gavetas, caixa, mala).

vupt [T. onom.] *Interj.* V. *vapt*.

vurapiá [De or. obsc.] *S. m.* V. *grão-de-galo* (6).

vurmo [De or. obscura.] *S. m.* O pus das úlceras.

vurmoso (ô) [De *vurmo* + *-oso*.] *Adj.* Que tem vurmo.

vu-vu [De or. express.] *S. m. Bras. MG Pop.* Briga, conflito, confusão, rolo. [Pl.: *vu-vus*.] ❄

vuvuzela [De or. afric., porém de étimo controv.] *S. f.* Corneta bem longa e muito barulhenta, usada pelos torcedores sul-africanos em partidas e competições esportivas, esp. de futebol.

Minúscula Moderna	Maiúscula Moderna	Romano	Romano	Etrusco	Grego	Grego	Fenício
w	W	V	V	Y	Y	Y	Y

W

"... a tarefa de lidar com as palavras – defini-las, grupá-las, dar-lhes sinônimos – não deixa de estar ligada à profissão de escritor. Eis por que acho prazer nesse trabalho, que frequentemente me prende a esta mesa até alta madrugada."
Aurélio

w (dáblio) ***S. m.*** **1.** A 23ª letra do nosso alfabeto. [Figura em nomes próprios estrangeiros e seus derivados, ou em abreviaturas e símbolos de uso internacional, ou ainda em empréstimos cuja grafia aportuguesada não foi devidamente estabelecida ou é a menos us. É pronunciada como a semivogal /u/, nas palavras provindas do ingl. (p. ex.: *watt*), ou como /v/, naquelas provindas do al. (*wagneriano, Weltanschauung*).] **2.** A figura dessa letra, ou qualquer representação sua. **3.** Som representado por essa letra. ● ***Num.*** **4.** Vigésimo terceiro, numa série ordenada ou hierárquica em que os elementos são designados ou representados pelas letras do alfabeto, e na qual a letra *k* corresponde ao 11º elemento. [Pl. (nas acepç. 1 a 3) indicado graficamente pela duplicação da letra: *ww*.]

■ **W** **1.** Abrev. de *oeste* (1 a 3). [Do ingl. *West*, tb. se usa a abrev. *O*.] **2.** *Fís.* Símb. de *watt*. **3.** *Fís.* Símb. de *trabalho*. **4.** *Fís. Part.* V. *bóson W*. **5.** *Quím.* Símb. de *tungstênio*. [Nesta acepç., do al. *Wolfram* (cf. a f. obsol. *volfrâmio*).]

➔ **wade-giles** [wejdʤajlz] [Ingl. (< antr. [*Thomas*] *Wade* e [*Herbert*] *Giles*).] ***S. m.*** *Graf.* Sistema de escrita com caracteres latinos, criado em 1859 por Sir Thomas Wade e desenvolvido por Herbert Giles, e que se tornou, no Ocidente, o modo mais familiar de transcrição de nomes chineses. [Atualmente começa a ser suplantado pelo *pin-yin* (q. v.).]

➔ **waffle** [ˈwɔfəl] [Ingl.] ***S. m.*** Espécie de panqueca de massa grossa, assada em torradeira especial.

wagneriano (va) ***Adj.*** **1.** Pertencente ou relativo a Wilhelm Richard Wagner (1813-1883), compositor alemão, ou próprio dele. ● ***S. m.*** **2.** Grande admirador e/ou profundo conhecedor da obra de Wagner. **3.** Partidário do wagnerismo.

wagnerismo (va) [De antr. *Wagner* + *-ismo*.] ***S. m.*** *Mús.* O sistema musical de Wagner (v. *wagneriano*).

➔ **waiver** [ˈwejvɚ] [Ingl.] ***S. m.*** *Econ.* Dispensa de cumprimento de condição contratual, esp. em contratos de empréstimo com instituições financeiras internacionais.

➔ **wakashan** [wakaˈʃɑn] [Ingl.] *Gloss.* ***S. m.*** **1.** Grupo de línguas norte-americanas, do N.O. dos E.U.A. e O. do Canadá. ● ***Adj. 2 g.*** **2.** Relativo ou pertencente a esse grupo linguístico.

➔ **walkie-talkie** [wɔkijˈtɔkij] [Ingl.] ***S. m.*** Emissor e receptor portátil para comunicações radiofônicas a curta distância.

➔ **walkover** [ˈwɔˌkowvɚ] [Ingl.] ***S. m.*** *Esport.* Competição em que um adversário desiste da luta, sendo dada vitória ao outro. [Usa-se ger. a abrev. *w.o.*]

■ **WAN** [Do ingl. *Wide Area Network*, 'área ampla de rede'.] *Inform.* Rede utilizada para conectar computadores que estejam a mais de um quilômetro de distância.

warfarina [Voc. farmac.; das iniciais do ingl. *Wisconsin Alumni Research Foundation* + (*cum*)*arina*.] ***S. f.*** *Quím.* Substância cristalina, incolor ou amarelada, que tem caráter ácido, derivada da cumarina, tóxica, us. como medicamento anticoagulante e como raticida [fórm.: $C_{19}H_{16}O_4$].

➔ **warrant** [ˈwaɹɪnt] [Ingl.] ***S. m.*** **1.** *Econ.* Instrumento financeiro que dá ao portador o direito, mas não a obrigação, de comprar ou vender uma ação ou título de crédito, por preço predeterminado, dentro de certo período. **2.** *Dir. Com.* Título de crédito negociável, emitido por empresa ou cooperativa que recebe mercadorias em depósito, sob garantia do penhor delas; cédula pignoratícia.

warrantado (uò) [Part. de *warrantar*.] ***Adj.*** Garantido por *warrant*.

warrantagem (uò) [De *warrantar* + *-agem*².] ***S. f.*** Ato ou efeito de warrantar.

warrantar (uò) [De *warrant* + *-ar*².] ***V. t. d.*** Garantir (uma mercadoria depositada) por meio de *warrant*.

➔ **wasabi** [wasaˈbi] [Jap.] ***S. m.*** Tempero em pó ou em pasta, de cor esverdeada e sabor picante, feito do rizoma da wasábia (2) e que ger. é usado para temperar *sushi* ou *sashimi*.

wasábia [Do tax. *Wasabia*.] ***S. f.*** *Bot.* **1.** Gênero de plantas brassicáceas, asiáticas. **2.** Qualquer espécime desse gênero como, p. ex., a *Wasabia japonica*, nativa do Japão, e de cujo rizoma é feito o wasabi (q. v.). **3.** Qualquer espécime desse gênero.

washingtônia (uòchin) [Do tax. *Washingtonia* (do antr. [*George*] *Washington* [1732-1799], o primeiro presidente dos E.U.A., + lat. cient. *-ia* [v. *-ia*²]).] ***S. f.*** *Bot.* **1.** Gênero de arecáceas originárias do México e dos E.U.A., dotadas de folhas flabeliformes e tronco simples, revestido pelas bases das folhas já caídas. **2.** Qualquer espécie ou espécime desse gênero.

➔ **water closet** [ˈwɔtɚˌklazət] [Ingl.] V. *banheiro* (2). [Abrev.: *w.c.*]

➔ **water polo** [ˈwɔtɚ ˈpowlow] [Ingl.] *Esport.* V. *polo aquático*.

➔ **watt** [wɔt] [V.C.I., do antr. (*James*) *Watt* (1736-1819), físico escocês.] ***S. m.*** *Fís.* No Sistema Internacional, unidade de medida de potência igual à potência duma fonte capaz de fornecer, contínua e uniformemente, um joule por segundo [símb.: *W*]. [Pl.: *watts*.]

wattado (uò) [De *watt* + *-ado*¹.] ***Adj.*** ~ V. *corrente —a*.

watt-hora ***S. m.*** *Fís.* Unidade de medida de energia, igual a 3.600 J [símb.: *Wh*]. [Pl.: *watts-horas* e *watts-hora*.]

watt-horímetro [De *watt-hora* + *-i-* + *-metro*.] ***S. m.*** Medidor de watt-hora. [Pl.: *watts-horímetros*.]

wattímetro (uotí) [De *watt* + *-i-* + *-metro*.] ***S. m.*** *Fís.* Instrumento para medida de potência elétrica.

watt-segundo ***S. m.*** *Fís.* Unidade de energia, igual a um joule [símb.: *Ws*]. [Pl.: *watts-segundos* e *watts-segundo*.]

wavellita (uei) [Do antr. (*William*) *Wavell* (-1829), físico inglês, + *-ita*³.] ***S. m.*** *Min.* Mineral ortorrômbico, fosfato hidratado de alumínio.

■ **Wb** *Fís.* Símb. de *weber*.

■ **w.c.** [Abrev. do ingl. *water closet*.] ***S. m.*** V. *banheiro* (2).

➔ **web** [wɛb] [Ingl., lit., 'teia'; f. red. de *Worldwide Web*, lit., 'teia (de âmbito) mundial'.] ***S. f.*** *Inform.* **1.** Recurso ou serviço oferecido na Internet (rede mundial de computadores), e que consiste num sistema distribuído (q. v.) de acesso a informações, as quais são apresentadas na forma de hipertexto, com elos entre documentos e outros objetos (menus, índices), localizados em pontos diversos da rede. **2.** O conjunto das informações e recursos assim disponibilizados. [Tb. se usa a sigla (ingl.) *WWW*.] [Com cap.]

➔ **webcam** [ˈwɛbkæm] [Ingl.] ***S. f.*** *Inform.* Câmera conectada ao computador que permite o registro e transmissão de imagens pela Internet.

weber [Do antr. (*Wilhelm E.*) *Weber* (1804-1891), físico alemão.] ***S. m.*** *Fís.* No Sistema Internacional, unidade de medida de fluxo de indução magnética, igual ao fluxo de indução magnética que atravessa uma superfície plana de área igual a um metro quadrado, perpendicular à direção dum campo magnético uniforme e invariável de indução magnética igual a um tesla [símb.: *Wb*]. [Pl.: *webers*.]

weberiano ***Adj.*** **1.** Pertencente, relativo a, ou próprio de Max Weber (1864-1920), sociólogo e economista político alemão. **2.** Que é adepto das teorias socioeconômicas de Max Weber ou profundo conhecedor de sua obra. ● ***S. m.*** **3.** Seguidor de suas concepções ou profundo conhecedor de sua obra.

webjornalismo [De *Web* + *jornalismo*, para trad. o ingl. *Web journalism*.] ***S. m.*** *Jorn.* Jornalismo digital.

➔ **webmail** [ˈwɛbmejl] [Ingl.] ***S. m.*** *Inform.* Forma de apresentação e utilização de *e-mail* utilizando-se exclusivamente a *web* e um navegador (5).

➔ **weekend** [ˈwijkɛnd] [Ingl.] ***S. m.*** Fim de semana.

➔ **welfare State** [ˈwɛlfæɹstejt] [Ingl.] O Estado como provedor de condições mínimas de renda, educação, saúde, etc., consideradas como direitos dos cidadãos; Estado assistencial.

➔ **weltanschauung** [ˈvɛltanʃawʊŋ] [Al.] ***S. m.*** V. *visão de mundo*. [Com cap.]

welwitschiácea (velvitchi) [Do tax. *Welwitschia* (do antr. [*Friedrich*] *Welwitsch* [1806-1872], botânico austríaco, + lat. cient. *-ia* [v. *-ia*²]) + *-ácea*; tax. *Welwitschiaceae*.]

S. f. Bot. Espécime das welwitschiáceas, família de gimnospermas, da classe das gnetales, constituída tão só de *Welwitschia bainesii* (*W. mirabilis*), notável planta desértica da África. O tronco é quase inexistente, mas as duas únicas folhas, opostas, atingem cerca de 3m; são grossas, duras, e arrastam-se pela areia do deserto.

welwitschiáceo (velvitchi) [De *welwitschiácea*, com var. suf. (v. *-áceo*).] *Adj. Bot.* Pertencente ou relativo às welwitschiáceas.

werneckense (ver) *Adj. 2 g.* **1.** De, ou pertencente ou relativo a Werneck (RJ). ● *S. 2 g.* **2.** O natural ou habitante de Werneck.

wesleyanismo (uès) [Do antr. (*John*) *Wesley* (1703-1791), teólogo inglês, fundador do metodismo, + *-ismo*.] *S. m.* Metodismo.

➔**western** ['westərn] [Ingl.] *S. m.* V. *bangue-bangue* (1 e 2).

westphalense (vestfa) *Adj. 2 g.* **1.** De, ou pertencente ou relativo a Frederico Westphalen (RS). ● *S. 2 g.* **2.** O natural ou habitante de Frederico Westphalen.

■ **Wh** *Fís.* Símb. de *watt-hora*.

➔**whig** [wɪg] [Ingl.] *Adj. S. m.* **1.** Diz-se do, ou o partido liberal, no Reino Unido da Grã-Bretanha. **2.** Diz-se de, ou membro desse partido. [Cf. *tóri*.]

➔**white-collar** ['wajtkalər] [Ingl.] *Adj. 2 g. S. 2 g.* V. *colarinho-branco*.

➔**Wi-Fi** ['wayfay] [Do ingl. *Wireless Fidelity*, 'fidelidade sem fio'.] *Inform.* Tecnologia que permite a conexão entre dispositivos sem a utilização de cabos.

wildiano (uàil) [Do antr. *Wilde* + *-iano*.] *Adj.* **1.** Pertencente ou relativo a Oscar Wilde (1854-1900), escritor irlandês, ou próprio dele. ● *S. m.* **2.** Grande admirador e/ou profundo conhecedor da sua obra.

willemita (u-i) [Do antr. *Willem*, do rei Guilherme I da Holanda (1772-1843), + *-ita*[3].] *S. f. Min.* Mineral trigonal, silicato de zinco, minério de zinco.

■ **WIMP** [Sigla do inglês *weakly interacting massive particle*, 'partícula com massa que interage fracamente'.] *Fís. Part.* Partícula elementar hipotética, estável e sem carga elétrica, que só interagiria muito fracamente com prótons e nêutrons e que poderia constituir ou ser parte da matéria escura (q. v.).

➔ **winchester** ['winʃestər] [Ingl.] *S. m. Obsol.* Disco rígido (q. v.). [Com cap.]

windsurfe (uin) [Do ingl. *wind*, 'vento', + *surfe*.] *S. m. Esport.* Navegação para uma só pessoa, sobre prancha semelhante à do surfe (q. v.), equipada com vela, a qual tem uma barra horizontal capaz de permitir a manobra e o equilíbrio do windsurfista.

windsurfista (uin) [De *windsurfe* + *-ista*.] *S. 2 g.* Praticante de windsurfe.

wino [De (*bóson*) *W* + *-ino*[1].] *S. m. Fís. Part.* S-partícula de bóson W.

winterácea (uin) [Do tax. *Wintera* (do antr. [John] Winter [séc. XVI], oficial da Marinha britânica) + *-ácea*; tax. *Winteraceae*.] *S. f. Bot.* Espécime das winteráceas, família de árvores e arbustos da ordem das iliciales, dotados de folhas simples, alternas, aromáticas, glandulíferas, exstipuladas, inflorescências em panículas terminais, e frutos bacáceos, subglobosos. Habitam regiões tropicais do hemisfério sul.

winteráceo (uin) [De *winterácea*, com var. suf. (v. *-áceo*).] *Adj. Bot.* Pertencente ou relativo às winteráceas.

wistéria (uis) [Do tax. *Wisteria* (do antr. [*Caspar*] *Wist*[*ar*] [1761-1818], médico americano, + lat. cient. *-eria*).] *S. f. Bot.* **1.** Gênero de trepadeiras fabáceas, lenhosas, decíduas, dotadas de folhas alternas, penadas, e flores fragrantes, reunidas em exuberantes inflorescências racemosas, pêndulas. **2.** Qualquer espécie desse gênero, como, p. ex., a *Wisteria floribunda* (v. *wistéria-japonesa*). **3.** Qualquer espécime desse gênero, ou a sua flor.

wistéria-japonesa (uin... ê) [De *wistéria* + o f. de *japonês*.] *S. f. Bot.* Trepadeira (*Wisteria floribunda*) lenhosa, ornamental, muito ramificada, de inflorescências pêndulas, com numerosas flores pequenas, azuis-violeta. V. *glicínia*. [Pl.: *wistérias-japonesas*.]

witherita (u-i) [Do antr. (*William*) *Withering* (1741-1799), médico inglês, + *-ita*[3].] *S. f. Min.* Mineral ortorrômbico, carbonato de bário.

witmarsumense *Adj. 2 g.* **1.** De, ou pertencente ou relativo a Witmarsum (SC). ● *S. 2 g.* **2.** O natural ou habitante de Witmarsum.

wittgensteiniano (vitguenstai) [Do antr. *Wittgenstein* + *-iano*.] *Adj.* **1.** Pertencente, relativo a, ou próprio do filósofo austríaco Ludwig Wittgenstein (1889-1951). **2.** Que é adepto das ideias filosóficas de Wittgenstein, ou profundo conhecedor de sua obra. ● *S. m.* **3.** Seguidor de suas ideias filosóficas ou profundo conhecedor de sua obra.

➔**witzesucht** [vɪtsə'zuχt] [Al., 'desejo de fazer gracejos, de dizer coisas espirituosas'.] *S. m. Psiq.* Comportamento patológico que se pode observar em indivíduo com lesão de lobo frontal, e que consiste em fazer gracejos, trocadilhos tolos, contar histórias despropositadas, etc., com o que se diverte intensamente. [Com cap.]

■**W.N.W.** [Abrev. do ingl. *west-northwest*, 'oés-noroeste'.] V. *oés-noroeste*.

■ **w.o.** Abrev. de *walkover*.

wolframato (vol) [Do al. *Wolfram*, 'tungstênio', + *-ato*[2].] *S. m. Quím.* V. *tungstato*.

wollastonita (u-ó) [Do antr. (*William Hyde*) *Wollaston* (1766-1828), físico e químico inglês, + *-ita*[3].] *S. f. Min.* Mineral monoclínico, silicato de cálcio.

➔**workaholic** [wərka'holɪk] [Ingl.] *Adj. 2 g. S. 2 g.* Diz-se de, ou indivíduo que trabalha compulsivamente, relegando outras atividades.

➔**workshop** [wər-kʃap] [Ingl.] *S. m.* Reunião de trabalho, ou de treinamento, em que os participantes discutem e/ou exercitam determinadas técnicas numa área específica: workshop *de canto*; workshop *de tênis*.

➔**wow** [wæw] [Ingl., voc. onom.] *S. m. Acúst.* Tipo de distorção audível na saída de sistemas de reprodução sonora, que consiste em pequenas oscilações (abaixo de 10Hz) na altura do sinal de áudio, e que é causada por flutuações na velocidade dos mecanismos de transporte de fita (nos gravadores e toca-fitas) ou de filme (nos projetores), ou na velocidade do motor, no caso dos toca-discos. [Cf. *intermitência* (2).]

➔**writ** [rɪt] [Ingl., 'ordem escrita'.] *S. m. Bras. Jur.* Mandado de segurança (q. v.).

wronskiano [Do antr. *Wronski* + *-iano*.] *Adj.* **1.** Pertencente ou relativo a José Maria Hoene-Wronski (1778-1853), matemático e filósofo polonês, ou próprio dele. **2.** Que é seguidor, ou grande conhecedor das teorias de Wronski. ● *S. m.* **3.** Seguidor ou grande conhecedor dessas teorias. **4.** *Mat.* Determinante de ordem n em que os elementos da primeira fila são n funções de uma variável e os elementos da fila de ordem $k+1$ são as derivadas de ordem k dessas funções.

■ **W.s.** *Fís.* Símb. de *watt-segundo*.

■**W.S.W.** [Abrev. do ingl. *west-southwest*, 'oés-su-doeste'.] V. *oés-sudoeste*.

wu *S. m. Gloss.* Conjunto de dialetos do chinês (4) falados em parte da província de Chekiang (ou *Zhèjiaeng*) e ainda em Kiangsu (ou *Jiangsu*), ao S. do rio Iangtzé, excetuada a área próxima a Nanquim (ou *Nánjing*), onde se fala mandarim.

wuchéria [Do tax. *Wuchereria* < antr. *Wucherer*, médico alemão do séc. XIX.] *S. f. Patol.* **1.** Gênero de nematódeos filarióideos que habitam regiões de clima quente. **2.** Qualquer espécie desse gênero, como, p. ex., a *Wuchereria brancrofti*, agente etiológico da elefantíase e de outras doenças. **3.** Qualquer espécime desse gênero.

wuchereríase [Do tax. *Wuchereria* (v. *wuchéria*) + *-íase*.] *S. f. Med.* Infecção devida a organismos do gênero *Wuchereria*.

wulfenita (vul) [Do antr. (*F. X. von*) *Wulfen* (1728-1805), mineralogista austríaco, + *-ita*[3].] *S. f. Min.* Mineral tetragonal, molibdato de chumbo, minério de molibdênio.

wurtzita [Do antr. (*Carlos Adolfo*) *Wurtz* (1817-1884), químico francês, + *-ita*[3].] *S. f. Min.* Mineral hexagonal, preto-acastanhado, sulfeto de zinco.

■ **WWW** [Sigla do ingl. *W*(*orld*) *W*(*ide*) *W*(*eb*).] *Inform.* V. *web*.

wycliffismo (uai) [Do antr. *Wycliffe* + *-ismo*.] *S. m.* Heresia de John Wycliffe (c. 1330-1384), teólogo inglês do séc. XIV, precursor da Reforma protestante.

➔**wysiwyg** ['wɪzijwɪg] [Ingl., sigla de *w*(*hat*) *y*(*ou*) *s*(*ee*) *i*(*s*) *w*(*hat*) *y*(*ou*) *g*(*et*), 'o que você vê é o que obtém'] *Inform.* Sigla que designa recurso de *software* capaz de processar certos tipos de dados (texto, imagem) e exibi-los, na tela do computador, com o mesmo aspecto que teriam se impressos fossem, e permitindo a visualização imediata do trabalho realizado (p. ex., em editoração eletrônica).

Minúscula Moderna	Maiúscula Moderna	Minúscula Carolíngia	Romano	Grego	Grego	Fenício
x	X	x	X	X	王	丰

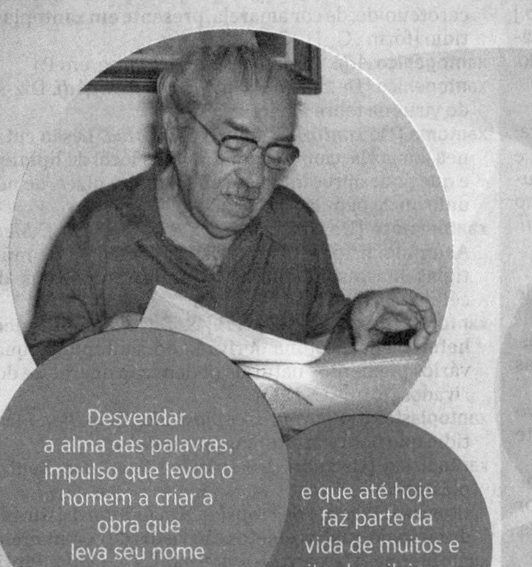

Desvendar a alma das palavras, impulso que levou o homem a criar a obra que leva seu nome

e que até hoje faz parte da vida de muitos e muitos brasileiros.

x (chis) *S. m.* **1.** A 24ª letra do nosso alfabeto. [Representa diversos sons em português: (1) uma fricativa palatal surda (como o *ch*), em *lixo, xarope;* (2) uma fricativa dental surda (como o *s*) em *auxílio, cálix;* (3) uma fricativa dental sonora (como o *z*), em *exame, existência;* (4) o encontro consonantal *cs*, como em *axiforme, oxigênio, tórax;* (5) o encontro consonantal *cz*, em *hexâmetro, hexassílabo.* Compõe ainda dígrafo com a consoante *c*, como em *exceder, excelso.* São mais raros os casos em que vem acompanhado de *s* na mesma sílaba, quando toma o valor dessa letra: *exscrito, exsicata, exsicante, exsolver, exspuição, exstante, exstipulado, exsudar.*] **2.** Som representado por essa letra. **3.** A figura dessa letra, ou qualquer representação sua: *O x inicial da palavra foi escrito em vermelho.* **4.** Qualquer sinal ou símbolo gráfico semelhante a essa letra: *Marcou com um x o item escolhido.* **5.** A forma dessa letra, ou seja, dois segmentos retos cruzados, ou aquilo que tem essa forma: *alça(s) em x; Usou uma armação em X para dar firmeza ao móvel.* **6.** Aquilo que falta conhecer ou descobrir; a resposta ou solução desconhecida; incógnita: *o x do problema.* **7.** *P. ext.* Quantidade ou quantia indeterminada, ou não informada diretamente: *Precisa de x para cobrir os gastos.* **8.** *Fig.* Aquilo que é a parte principal, ou mais difícil: *Falou muito, mas não abordou o x da questão.* [As acepçs. 6 a 8 advêm do símb. *x*, em matemática, para representar a incógnita; cf. ■ *x* (4).] [Quanto ao uso com função de prep., cf. ■ *x* (1).] ● *Num.* **9.** Vigésimo segundo, numa série ordenada ou hierárquica cujos elementos são designados ou representados pelas letras do alfabeto, sem considerar o *k* como 11º elemento e o *w* como o 23º: *casa X* (ou *casa x*). **10.** Vigésimo quarto, numa série em que o *k* designa ou representa o 11º elemento, e o *w*, o 23º. [Usa-se (nas acepçs. 1 a 8) a duplicação da letra (*xx*), para indicar graficamente o plural.] ◆ **O x do problema.** *Bras.* Aquilo que é mais difícil: "Ser estrela é bem fácil/ Sair do Estácio é que é o x do problema" (Noel Rosa, Do samba *O x do problema*).

■ **x 1.** Símb. (por vezes us. com valor prepositivo), que indica *oposição, antítese,* podendo ser lido como 'contra', '*versus*', 'em oposição a', ou como 'e' (porém com ideia de 'contrários'): *relação custos x benefícios; o par filosófico idealismo x materialismo;* "O vencedor fará uma das semifinais contra o ganhador de Brasil x Dinamarca." (*O Globo*, 01.07.1998.) **2.** *Mat.* Representa a primeira das coordenadas cartesianas (q. v.). **3.** *Mat.* Us. como símb. de *variável independente* (q. v.), numa equação. **4.** *Mat.* Us. como símb. da *incógnita* (q. v.), numa equação. [Cf., nesta acepç., *x* (6 a 8).] **5.** *P. ext.* Sinal (tb. us. com valor adjetivo ou com função de numeral) que representa um número ou quantidade indeterminados, ou que se quer omitir, ou que se desconhece: *Avaliou a distância em x quilômetros; O aparelho desliga automaticamente, quando atinge uma temperatura x.* [Nas acepçs. 4 e 5, tb. se usam os sinais *y* e *z*, ger. em relação a, respectivamente, um segundo e um terceiro números (ou incógnitas), mencionados ou expressos juntamente com aquele indicado por *x*: *Recebeu x, gastou y, restou-lhe z.* Cf. *x* (6 e 7).] **6.** Sinal que indica eliminação, cancelamento, anulação.

■ **X 1.** No sistema romano de numeração, símb. do número 10. **2.** Us. em substituição a um nome próprio que se desconhece ou que não se quer mencionar: *O senhor X pediu-nos sigilo absoluto.* [Nesta acepç., tb. se usam *Y* e *Z*, ger. em relação a, respectivamente, um segundo e terceiro nomes, quando o primeiro foi substituído por *X*]. **3.** *Eletr.* Símb. de *reatância.*

xá [Do persa *shāh*, 'rei'.] *S. m.* Título do ex-soberano do Irã (antiga Pérsia): "Tornava-se rajá, nababo, xá da Pérsia, e tonteava-nos com a sua megalomania." (Agripino Grieco, *Recordações de um Mundo Perdido*, p. 280.) [Cf. *chá.*]

xabã [Do ár. *šaʿbān.*] *S. m.* O oitavo mês do calendário muçulmano. [Var.: *chabã.*]

xabeba *S. f.* V. *axabeba.*

xabepa *S. f.* V. *axabeba.*

xaboque [De or. obscura.] *S. m. Bras. Pop.* Pedaço ou naco, em geral arrancado com os dentes: "A arraia possui um dente no céu da boca, agudo e penetrante, que arranca o xaboque da carne da pessoa atacada" (Hélio Galvão, *Cartas da Praia*, pp. 22-23).

xabouqueiro [De *xaboque* + *-eiro.*] *Adj. Bras. N.E.* V. *chamboqueiro.*

xabraque [Do al. *Schabracke.*] *S. m.* Xairel que cobre a anca dos cavalos e os coldres.

xabregano *S. m.* **1.** Frade franciscano do convento de Xabregas (Lisboa). **2.** *P. ext.* Franciscano[1] (5) (q. v.).

xácara [Da mesma or. que o esp. *jácara*, 'romance popular alegre em que se narram trechos de vida airada'; poss. < ár.] *S. f.* Narrativa popular em verso: "Hoje ainda, nos serões dos ranchos, os sertanejos cantam uma longa xácara que tem por título: *O casamento do senhor do engenho.*" (Coelho Neto, *Sertão*, p. 112.) [Cf. *chácara.*]

xacoco (ô) [Do quimb. *xacoco*, 'linguareiro'.] *Adj. S. m.* **1.** Enxacoco (1 e 3). **2.** Que, ou aquele que é falto de graça, de arte. **3.** Que, ou quem é desengraçado, desenxabido.

xacriabá *Bras. S. 2 g.* **1.** *Etnôn.* Indivíduo dos xacriabás [ou (etnôn. bras.) *Xakriabá], povo indígena da família linguística jê, tronco macro-jê, que habita a região situada entre os rios Urucuia e Preto, afluentes do rio Paracatu (MG). ● *Adj. 2 g.* **2.** Pertencente ou relativo a esse povo. [V. *acuém.* Sin.: *xicriabá.*]

xacuruina *Bras. S. 2 g.* **1.** *Etnôn.* Indivíduo dos xacuruinas, povo indígena extinto que habitava a margem direita do rio Sangue (MT). ● *Adj. 2 g.* **2.** Pertencente ou relativo a esse povo. [Tb. us. como *s. 2 g. e 2 n.* (com cap.) e *adj. 2 g. e 2 n.*]

xador (ó) [Do persa *chaddar*, < sânscr. *satram*, 'tela'.] *S. m.* Veste feminina, ger. negra, que envolve todo o corpo, até os tornozelos, e encobre a cabeça e grande parte do rosto, us. no Irã e noutros países muçulmanos. [Tb. grafado *chador* (por infl. do ingl.).]

xadrez (ê) [Do arc. *axedrez, enxadrez*, ár. e persa *šaṭranğ* < sânscr. *chaturanga*, lit., 'os quatro membros' (*i. e.*, as quatro divisões do exército: elefantes, cavalos, carros e peões, representadas no jogo de xadrez).] *S. m.* **1.** Antigo jogo, sobre um tabuleiro de 64 casas, alternativamente pretas e brancas, no qual dois parceiros movimentam 32 peças ou figuras de diferentes valores, em geral esculpidas em marfim, madeira, massa, etc., sendo 16 para cada jogador: 1 rei, 1 rainha, 2 torres, 2 bispos, 2 cavalos e 8 peões. [Sin., ant.: *acedrenche, enxadrez.*] **2.** O tabuleiro desse jogo. **3.** *Tec. Têx.* Padronagem originariamente escocesa, us. como alternativa para o *tartan* (q. v.), e cujas cores estão dispostas em quadrados alternados, semelhante ao tabuleiro de xadrez. [Sin. (lus.), nesta acepç.: *tecido aos quadrados.*] **4.** Embutido de madeira, pedra, etc., cujo aspecto lembra o tabuleiro de xadrez. **5.** *Constr. Nav.* Gradeamento de madeira que se coloca nos patins, nas bocas de escotilha, em locais de manobra, etc., para servir de piso. **6.** *Zool.* Pequena borboleta da família dos hesperiídeos, gênero *Hesperia.* **7.** *Bras. Pop.* V. *cadeia* (3): "Era seu primeiro domingo de liberdade, depois de tantos meses de xadrez" (Newton Navarro, *ap.* Nei Leandro de Castro, *Contistas Norte-Rio-Grandenses*, p. 70). ● *Adj. 2 g. e 2 n.* **8.** *Bras.* Feito de xadrez (3), de tecido xadrezinho; axadrezado: "os homens me observavam com desconfiança, parecendo estranhar a minha indumentária, ou as valises que eu trazia nas mãos. Talvez mais o meu paletó xadrez" (Murilo Rubião, *O Dragão e Outros Contos*, p. 154). [Sin. (lus.): *aos quadrados.* Pl.: *xadrezes* (ê). Cf. *xadrezes*, do v. *xadrezar.*]

xadrezar [De *xadrez* + *-ar*[2].] *V. t. d.* Dispor em feitio de xadrez; enxadrezar. [Pres. subj.: *xadreze, xadrezes*, etc. Cf. *xadrezes* (ê), pl. de *xadrez.*]

xadrezinho (drêzi) [De *xadrez* + *-inho*[1].] *Adj.* **1.** Diz-se de fazenda disposta em quadradinhos alternados [v. *xadrez* (3)]: *algodão xadrezinho.* ● *S. m.* **2.** Fazenda xadrezinha: "As calças de xadrezinho de um certo Senhor Bandeira" (Martins Fontes, *Nós, as Abelhas*, p. 14); "O atoalhado novo, de xadrezinho" (Mário Palmério, *Chapadão do Bugre*, p. 181).

xadrezista [De *xadrez* + *-ista.*] ***S. 2 g.*** Enxadrista (2).

xafetão ***S. m.*** *Bras.* Pilar oco por onde passa a fiação que liga a rede elétrica aos vários pontos de luz de um prédio.

xaguão ***S. m.*** *P. us.* V. *saguão.*

xaiá [Voc. onom.] ***S. f.*** *Bras.* V. *tachã.*

xaile ***S. m.*** V. *xale:* 📖 "Nos dias ordinários, estas mesmas mulheres de lenço à cabeça e longos xailes caindo dos ombros sobem com o almoço de seus homens" (José Vieira, *Sol de Portugal*, p. 17).

xailemanta ***S. m.*** V. *xalemanta*: 📖 "Empregados do fisco, ... tabeliães de província fugidos a responsabilidades locais, chegam a Santa Apolônia, de xailemanta e alforjinho às costas" (Fialho d'Almeida, *Pasquinadas*, pp. 216-217).

xainxá (a-in) ***S. m.*** O xá dos xás.

xairel [Do ár. *ǧilāl.*] ***S. m.*** Cobertura de besta (ê) (1), feita de tecido ou de couro, sobre a qual se põe a sela ou a albarda; gualdrapa, sobreanca. [Var.: *xarel, chairel.* Pl.: *xairéis.* Cf. *chaireis*, do v. *chairar*, e *xaréu*[2].]

xajá [Voc. onom.] ***S. f.*** *Bras.* V. *tachã.*

xale [Do persa *šāl* ou *shāl* > ár. *šāla(t)*, urdu *shal* pelo ingl. *shawl* e pelo fr. *châle.*] ***S. m.*** Espécie de manta, em geral de lã ou de seda, com que as mulheres cobrem e agasalham os ombros e o tronco, e às vezes a cabeça: 📖 "Ela entrou cerimoniosamente, cumprimentou-o com um gesto de cabeça, e deixou cair o longo xale que a envolvia" (Artur Azevedo, *Contos Possíveis*, p. 83). [Var.: *xaile.*] ◆ **Xale de Tonquim.** Xale de seda bordado, oriundo da China, o mesmo que os espanhóis designam por *mantón de Manila.*

xalemanta [De *xale* + *manta.*] ***S. m.*** Grande xale que se usa dobrado em quadrilongo, ou aberto, à maneira de uma manta. [Var.: *xailemanta.*]

xalma [De or. obscura; do gr. *ságma*, 'carga', 'quantidade ou amontoado de coisas'; 'sela para montaria ou transporte de carga', pelo lat. *sagma*, e por uma f. ant. *salma*, poss.; a acepç. ant. e a relação com *açalmo* (q. v.), no entanto, sugerem proveniência, ou infl., do ár. *as-sullam*, 'escada'.] ***S. f.*** **1.** *Ant.* Escadinha, em cada um dos lados de um veículo alto (como, antigamente, os de tração animal). **2.** Engradamento que se faz num veículo (como carro ou barco) para segurar-lhe a carga. [Nesta acepç., tb. us. no pl.] [Var.: *xelma.*]

xalmas ***S. f. pl.*** Xalma (2).

xaloco (ô) [Var. de *xaroco.*] ***S. m.*** Siroco (1).

xamã [Do *tungue*[2], pelo russo, pelo ingl. *shaman* e/ou pelo fr. *chaman*, poss.] ***S. 2 g.*** *Antrop.* **1.** Entre certos povos asiáticos (Sibéria), espécie de sacerdote ou médico feiticeiro (q. v.), que atua como curandeiro e adivinho. **2.** *P. ext.* Em diversos povos e sociedades, especialista a que se atribui a função e o poder, de natureza ritual mágico-religiosa, de recorrer a forças ou entidades sobrenaturais para realizar curas, adivinhação, exorcismo, encantamentos, etc., e cuja atuação pode ou não envolver um estado de transe. [Não há, na antropologia, consenso geral quanto à diferenciação precisa entre xamã, feiticeiro e sacerdote. Costuma-se empregar o termo *xamã* (assim como *xamanismo* [q. v.]) no contexto dos povos asiáticos setentrionais (inclusive os esquimós) e ameríndios, em que esse tipo de especialista tem papel social de destaque.]

xamanismo [De *xamã* + *-ismo*; ingl. *shamanism*, fr. *chamanisme.*] ***S. m.*** *Antrop.* **1.** Conjunto de crenças e práticas associadas às atividades dos xamãs. **2.** O sistema religioso dos povos asiáticos setentrionais (Sibéria), em que o xamã tem papel central como agente capaz de interceder junto aos espíritos, considerados responsáveis pelos acontecimentos bons e maus. **3.** *P. ext.* Designação dada a sistemas religiosos análogos de outros povos, esp. indígenas das Américas.

xamanista [De *xamanismo* + *-ista.*] ***Adj. 2 g.*** **1.** Relativo ao, ou próprio do xamanismo; xamanístico. **2.** Que é adepto ou praticante dele. • ***S. 2 g.*** **3.** Indivíduo que é adepto ou praticante do xamanismo.

xamanístico [De *xamanista* + *-ico*[2].] ***Adj.*** Xamanista (1).

xamata [Do persa *xam-m~ah~ut*, 'tecido de Damasco'.] ***S. f.*** Manto de seda lavrado com ouro, usado no Oriente.

xambioá *Bras.* ***S. 2 g.*** **1.** Indivíduo dos xambioás, povo indígena da família linguística carajá, que habita o alto Araguaia. • ***Adj. 2 g.*** **2.** Pertencente ou relativo a esse povo. [Tb. us. como *s. 2 g. e 2 n.* (com cap.) e *adj. 2 g. e 2 n.*]

xambioaense ***Adj. 2 g.*** **1.** De, ou pertencente ou relativo a Xambioá (TO). • ***S. 2 g.*** **2.** O natural ou habitante de Xambioá.

xamboqueiro ***Adj.*** *Bras. N.E.* **1.** V. *chamboqueiro.*

xambouqueiro [Var. de *xabouqueiro.*] ***Adj.*** *Bras. N.E.* V. *chamboqueiro*: 📖 "Maracajá não era .... um cabo-clo desajeitado e xambouqueiro" (Jaime d'Altavila, *Lógica de um Burro*, p. 13). [Var.: *xabouqueiro.*]

xambregado [Var. de *xumbergado.*] ***Adj.*** *Bras. CE Pop.* V. *embriagado* (1).

xambrense ***Adj. 2 g.*** **1.** De, ou pertencente ou relativo a Xambrê (PR). • ***S. 2 g.*** **2.** O natural ou habitante de Xambrê.

xampanã [Do ior.] ***S. m.*** *Bras. Rel.* V. *Omolu.* [Com cap.]

xampu [Do hindi ('apertar', 'amassar'), pelo ingl. *shampoo.*] ***S. m.*** Substância saponácea, em geral líquida, usada para a lavagem dos cabelos e do couro cabeludo. [Var. gráfica (lus.): *champô.*]

xandanga ***S. f.*** *Bras. MA Chulo* A vulva.

xanduca ***S. f.*** *Bras.* Cachimbo (1) indígena de madeira: 📖 "A roda do toré gira no chocoalhar do maracá e em torno dela se movimenta o cacique Kwarav, fumando a xanduca — o cachimbo ritual cinzelado no galho do angico." (Lena Frias, em *Jornal do Brasil*, 31.05.1999.)

xangó ***S. m.*** *Bras. Zool.* V. *manjuba* (1). [Cf. *xangô.*]

xangô [Do ior.] ***S. m.*** *Bras. Rel.* **1.** Quarto rei lendário de Oyo (África), tornado orixá de caráter violento e vindicativo, cuja manifestação são os raios e os trovões. **2.** *Bras. PE AL* O lugar e o conjunto de cerimônias religiosas afro-brasileiras. [Com cap.]

xangri-laense ***Adj. 2 g.*** **1.** De, ou pertencente ou relativo a Xangri-Lá (RS). • ***S. 2 g.*** **2.** O natural ou habitante de Xangri-Lá. [Pl.: *xangri-laenses.*]

xantana [De *xant(o)-* + *-ana*[2].] ***S. f.*** *Quím.* Qualquer de certas gomas, polissacarídeos, que fornecem, por hidrólise, glucose, manose e ácido glicurônico, us. como espessantes em alimentos.

xantato [De *xant(o)-* + *-ato*[2].] ***S. m.*** *Quím.* Qualquer sal ou éster derivado do ácido xântico.

xanteína [De *xant(o)-* + *-eína.*] ***S. f.*** Matéria corante que se extrai da dália amarela.

xantelasma [De *xant(o)-* + gr. *élasma*, 'lâmina metálica'.] ***S. m.*** *Med.* Xantoma palpebral que se apresenta como mancha(s) ou como nódulo(s) amarelado(s).

xanteno [De *xant(o)-* + *-eno*[2].] ***S. m.*** *Quím.* Substância heterocíclica, com dois anéis benzênicos fundidos a um de tetraidropirano, em arranjo que lembra o antraceno, e da qual vários corantes são derivados; dibenzopirano [fórm.: $C_{13}H_{10}O$].

▲ **xant(i)-** Equiv. de *xantin-.*

xântico [De *xant(o)-* + *-ico*[2].] ***Adj.*** *Quím.* ~ V. *ácido —.*

xantídeo [Do tax. *Xanthus* (v. *xant(o)-*) + *-ídeo*[1]; tax. *Xanthidae.*] *Zool.* ***S. m.*** **1.** Espécime dos xantídeos, família de crustáceos decápodes que reúne mais de 900 espécies de caranguejos de carapaça muito espessa. Habitam as praias rochosas e recifes de coral e algumas espécies são predadoras de ostras. • ***Adj.*** **2.** Pertencente ou relativo a eles.

▲ **xantin-** [De *xantina.*] ***El. comp.*** = 'xantina': *xantinúria.* [Equiv.: *xant(i)-*: *xantúria.*]

xantina [De *xant(o)-* + *-ina*[3].] ***S. f.*** *Bioquím.* Substância escamosa amarelada, extraída dos músculos, da urina e de diversas plantas, e derivada da purina [fórm.: $C_5H_4N_4O_2$].

xantinuria [De *xantin-* + *-uria.*] ***S. f.*** *Med.* V. *xantinúria.*

xantinúria [De *xantin-* + *-úria.*] ***S. f.*** *Med.* **1.** Teor de xantina na urina. **2.** Distúrbio metabólico, hereditário, purínico, do qual resulta excesso de xantina e de hipoxantina na urina, o que pode levar à formação de cálculos urinários de xantina. [F. paral.: *xantinuria.* Sin. ger.: *xantúria.*]

xântio [Do tax. *Xanthium.*] ***S. m.*** *Bot.* **1.** Gênero de plantas asteráceas herbáceas de folhas ásperas ou espinhosas, que ocorrem como ruderais; são dotadas de pequenos capítulos de flores esverdeadas, e as flores femininas encerram-se em invólucros providos de cerdas que agarram nos pelos dos mamíferos [v. *carrapicho* (3)]. **2.** Qualquer espécie desse gênero, muitas delas vulgarmente chamadas *carrapicho.* **3.** Qualquer espécime desse gênero.

▲ **xant(o)-** [Do gr. *xanthós, ḗ, ón.*] ***El. comp.*** = 'amarelo'; 'amarelado': *xântico, xantina, xantorrizo.* [Em *Quím.*, 'ácido xântico': *xantato.*] [Equiv.: *-xant(o)-, -xanto*: *axantopsia, zooxantela; melanoxanto.*]

▲ **-xant(o)-** V. *xant(o)-.*

▲ **-xanto** V. *xant(o)-.*

xantocéfalo [De *xant(o)-* + *-céfalo.*] ***Adj.*** *Zool.* Cuja cabeça ou vértice é amarelo.

xantocianopsia [De *xant(o)-* + *-cian(o)-* + *-opsia.*] ***S. f.*** *Oftalm.* Distúrbio visual em que o indivíduo pode distinguir o amarelo e o azul, mas não o vermelho e o verde.

xantocromia [De *xant(o)-* + *-crom(o)-* + *-ia*[1].] ***S. f.*** *Med.* Designação genérica de coloração amarelada, patológica, encontrada em qualquer órgão ou líquido corporal, como, p. ex., pele ou líquido cefalorraquiano; xantodermia.

xantocrómico ***Adj.*** V. *xantocrômico.* [Uso freq. em P.]

xantocrômico [De *xantocromia* + *-ico*[2].] ***Adj.*** Relativo a xantocromia.

xantodermia [De *xant(o)-* + *-derm(o)-* + *-ia*[1].] ***S. f.*** *Med.* Xantocromia.

xantodérmico [De *xantodermia* + *-ico*[2].] ***Adj.*** Relativo a xantodermia.

xantoeritrodermia [De *xant(o)-* + *eritrodermia.*] ***S. f.*** *Med.* Alteração de coloração cutânea, que se apresenta vermelho-amarelada.

xantofila [De *xant(o)-* + *-fila*[1].] ***S. f.*** *Bioquím.* Pigmento carotenoide, de cor amarela, presente em xantoplastídio [fórm.: $C_{40}H_{56}O_2$].

xantogénico ***Adj.*** V. *xantogênico.* [Uso freq. em P.]

xantogênico [De *xant(o)-* + *-gen(o)-* + *-ico*[2].] ***Adj.*** Diz-se do vírus da febre amarela.

xantoma [De *xant(o)-* + *-oma*[1].] ***S. m.*** *Med.* Lesão cutânea, amarela, causada por acúmulo local de lipídios, e que pode apresentar-se sob forma de placa, de nódulo ou de pápula.

xantomatose [De *xant(o)-* + *-omat-* + *-ose*[1].] ***S. f.*** *Med.* Acúmulo, na pele ou em outro(s) órgão(s), de múltiplas massas nodulares amarelas compostas de células carregadas de lipídios.

xantona [De *xant(o)-* + *-ona*[2].] ***S. f.*** *Quím.* Substância heterocíclica, cetona derivada do xanteno, da qual vários pigmentos naturais podem considerar-se derivados [fórm.: $C_{13}H_8O$].

xantoplastídio [De *xant(o)-* + *plastídio.*] ***S. m.*** *Bot.* Plastídio que possui xantofila; xantoplasto.

xantoplasto [De *xant(o)-* + *-plasto.*] ***S. m.*** *Bot.* Xantoplastídio.

xantopsia [De *xant(o)-* + *-opsia.*] ***S. f.*** *Oftalm.* Distúrbio da visão no qual os objetos são vistos de cor amarela.

xantopterina [De *xant(o)-* + *pterina.*] ***S. f.*** *Quím.* Pterina amarela, encontrada em borboletas amarelas e na urina de mamíferos [fórm.: $C_6H_5N_5O_2$].

xantóptero [De *xant(o)*+ *-ptero.*] ***Adj.*** *Zool.* Que tem asas amarelas.

xantorrizo [De *xant(o)-* + *-rizo.*] ***Adj.*** *Bot.* Que tem raízes amarelas.

xantose [De *xant(o)-* + *-ose*[1].] ***S. f.*** **1.** *Patol.* Coloração amarelada. **2.** *Zool.* Substância amarela que se encontra nas manchas irregulares dos caranguejos. **3.** *Alq.* Citrinitas.

xantospermo [De *xant(o)-* + *-spermo.*] ***Adj.*** *Bot.* Que tem sementes amarelas.

xantóxilo (csi) [Do tax. *Xanthoxylum.*] ***S. m.*** *Bot.* V. *zantóxilo.*

xantungue [Do top. *Xantungue* (China) < chin. *shän dōong.*] ***S. m.*** *Tec. Têx.* **1.** Tecido fabricado com diferentes fibras naturais ou sintéticas, de seda, raiom ou algodão, e com superfície rústica devida à diferença de espessura dos fios. **2.** *P. ext.* Qualquer tecido natural ou sintético semelhante ao xantungue (1).

xanturia [De *xant(i)-* + *-uria.*] ***S. f.*** *Med.* V. *xantúria.* [F. paral.: *xantinúria.*]

xantúria [De *xant(i)-* + *-úria.*] ***S. f.*** *Med.* V. *xantinúria.* [F. paral.: *xanturia.*]

xantusiídeo [Do tax. *Xantusia* + *-ídeo*[1]; tax. *Xantusiidae.*] *Zool.* ***S. m.*** **1.** Espécime dos xantusiídeos, família de reptis escamados, sáurios, que reúne pequenos lagartos insetívoros, noturnos, cujos olhos são semelhantes aos das lagartixas, com pupila vertical. Algumas espécies são vivíparas, com placenta rudimentar; habitam a América Central e os Estados Unidos. • ***Adj.*** **2.** Pertencente ou relativo a eles.

xanxão ***S. m.*** *Bras. Zool.* V. *pixoxó* (1 e 2).

xanxerense ***Adj. 2 g.*** **1.** De, ou pertencente ou relativo a Xanxerê (SC). • ***S. 2 g.*** **2.** O natural ou habitante de Xanxerê.

xaorô [Do ior.] ***S. m.*** *Bras. Rel.* Tornozeleira de guizos usada pelas iniciadas de um candomblé como símbolo de sujeição.

xapacura *Gloss.* ***S. m.*** **1.** Família linguística que reúne línguas faladas por povos indígenas de RO e da Bolívia. • ***Adj. 2 g.*** **2.** Pertencente ou relativo a xapacura (1). [Var.: *txapacura.*]

xapanã [Do ior.] ***S. m.*** *Bras. Rel.* V. *Omolu.* [Com cap.]

xaponã [Do ior.] ***S. m.*** *Bras. Rel.* V. *Omolu.* [Com cap.]

xapuriense ***Adj. 2 g.*** **1.** De, ou pertencente ou relativo a Xapuri (AC). • ***S. 2 g.*** **2.** O natural ou habitante de Xapuri.

xaque ***S. m.*** *Ant.* Xeque[1] (q. v.).

xáquema ***S. f.*** V. *xáquima.*

xaque-mate ***S. m.*** *Ant.* Xeque-mate. [Pl.: *xaques-mates* e *xaques-mate.*]

xaque-xaque [Voc. onom.] ***S. m.*** V. *ganzá* (1). [Pl.: *xaque-xaques.*]

xáquima [Do ár. *šakīma(t)*, 'freio', 'cabresto'.] ***S. f.*** **1.** *Tec. Têx.* Tecido grosso usado para cilhas. **2.** *Ant.* Cabeçada do cabresto. [Var.: *xáquema.*]

xara[1] [Do sânscr. *çara.*] ***S. f.*** Seta feita de pau tostado. [Cf. *chara.*]

xara[2] [Do ár. *šaʿrāʾ*(v. *enxara*).] ***S. f.*** **1.** Enxara. **2.** *Bot.* Esteva[1]. [Cf. *chara.*]

xará[1] [De or. incerta.] ***S. m.*** Certo bailado campestre.

xará^2 *S. 2 g. Bras. Angol.* **1.** Pessoa que tem o mesmo nome de batismo que outra. [Var. e sin.: *xarapa, xarapim* (var. paragógicas), *xera, xero, tocaio.*] **2.** Companheiro; cara: *Como vai, xará?*

xará^3 [De or. obsc.] *Adj. 2 g. Bras. RS* Diz-se do equídeo de pelo crespo.

xarada *S. f. Cronol.* Uma das estações do ano do calendário hindu. [Cf. *charada*.]

xarapa *S. 2 g. Bras. N.E. Pop.* V. *xará*^{1} (1).

xarapim *S. 2 g. Bras.* V. *xará*^{1} (1).

xarda [Do húng. *csárdás.*] *S. f.* Dança húngara, com introdução de caráter patético e melancólico, à qual se segue a parte principal, de caráter selvagem, em compasso de 2/4 ou 4/4. [F. preferível a *czarda*, sendo esta, no entanto, m. us.]

xarel *S. m.* V. *xairel.*

xarelete (ê) [Dim. de *xaréu*^{1}.] *S. m. Bras. Zool.* **1.** Peixe carangídeo (*Caranx crysos*) do Atlântico ocidental (do Canadá à Argentina) e oriental (de Angola ao Senegal e tb. no Mediterrâneo ocidental), com o dorso que vai do oliváceo ao verde-azulado, flancos e abdome prateados ou dourados, com desenhos pretos e amarelos na cauda e mancha no opérculo. Atinge até 70cm de comprimento. [Sin.: *xaréu-pequeno, xaréu-dourado, solteira, cavaca, cavaco, guaracema, guaraçuma, guaricema, guricema.*] **2.** V. *xaréu-branco* (2). [Var.: *xerelete, xererete.*]

xareta (ê) [Do ár. *šarīṭ(t)*, 'cordel'.] *S. f.* **1.** *Ant. Mar. G.* Rede com que se cobriam a tolda e o convés das naus e galeões de guerra, por ocasião dos combates, para dificultar aos assaltantes a entrada a bordo, nas abordagens. **2.** Rede de pescar.

xaréu^1 *S. m. Bras. Zool.* **1.** Designação comum a várias espécies de peixes carangídeos, do gênero *Caranx*, dos oceanos Atlântico, Pacífico e Índico. [Sin.: *guaracema, guaraçuma, guaricema, guricema.*] **2.** V. *xaréu-branco* (2).

xaréu^2 [Var. de *xairel.*] *S. m. Bras. N.E.* Capa de couro usada pelos vaqueiros para cobrir as ancas do cavalo. [Cf. *xairel.*]

xaréu-branco *S. m.* **1.** *Bras. Zool.* V. *aracanguira.* **2.** Peixe carangídeo (*Caranx hippos*) do Atlântico ocidental (do Canadá à Argentina) e oriental (de Portugal à Angola e tb. no Mediterrâneo ocidental), com até 1,50m de comprimento, cabeça volumosa, com uma área sem escamas na base das peitorais, dorso verde-azulado, lados e abdome prateados ou amarelados, mancha negra no opérculo e outra na base das nadadeiras peitorais. [Sin.: *xaréu, xarelete, xaréu-roncador, xaréu-vaqueiro, aracaroba, cabeçudo, carimbamba, guaracimbora, aracimbora, guiará, guaracema.* Pl.: *xaréus-brancos.*]

xaréu-dourado *S. m. Bras. Zool.* V. *xarelete* (1). [Pl.: *xaréus-dourados.*]

xaréu-pequeno *S. m. Bras. Zool.* V. *xarelete* (1). [Pl.: *xaréus-pequenos.*]

xaréu-preto (ê) *S. m. Bras. Zool.* Peixe actinopterígio, perciforme, carangídeo (*Caranx lugubris*), do Atlântico, cuja coloração escura lhe deu origem ao nome. [Pl.: *xaréus-pretos.*]

xaréu-roncador *S. m. Bras. Zool.* V. *xaréu-branco* (2). [Pl.: *xaréus-roncadores.*]

xaréu-vaqueiro *S. m. Bras. Zool.* V. *xaréu-branco* (2). [Pl.: *xaréus-vaqueiros* e *xaréus-vaqueiro.*]

xaria *S. 2 g. Bras. RN Pop.* O natural ou habitante da cidade alta, em Natal. [Os da cidade baixa (Ribeira) são chamados *canguleiros.*]

xariá [Do ár. *šarᶜ*, 'lei divina'.] *S. f.* A lei canônica islâmica; o conjunto de preceitos morais presentes no Corão e na tradição oral associados ao profeta Maomé, e que servem de orientação para a vida religiosa e civil dos muçulmanos.

xarife *S. m.* V. *xerife*^{1}.

xaroco (ô) [Do ár. *šarqī*, 'oriental', de *šaraqa*, 'brilhar (o Sol)'; f. paral. de *siroco.*] *S. m. P. us. no Brasil.* Siroco (1).

xaropada [De *xarope* + *-ada*^{1}.] *S. f.* **1.** Porção de xarope que se toma de uma vez. **2.** Qualquer medicamento contra a tosse. **3.** *Bras. Fam.* Coisa fastidiosa, enfadonha, chata: "Cardoso .... põe-se a lê-lo [o soneto] em voz alta, dando-nos a impressão de que se encanta e se deslumbra com a xaropada lírica e imbecil." (Luís Edmundo, *De um Livro de Memórias*, II, p. 534.)

xaropar [De *xarope* + *-ar*^{2}.] *V. t. d.* **1.** Tratar com xarope. **2.** Dar tisana (2). **3.** *Bras. Fam.* V. *xaropear. Int.* **4.** *Bras. Fam.* V. *xaropear.*

xarope [Do ár. *šarāb*, 'bebida'; 'poção'.] *S. m.* **1.** *Farm.* Forma (18) farmacêutica em que se veicula medicamento em solução concentrada de um açúcar, e água ou outra substância aquosa. **2.** Remédio caseiro. V. *tisana* (2). **3.** Calda (1). **4.** *Bras. Fam.* V. *purgante* (3).

xaropear [De *xarope* + *-ear*^{2}.] *V. t. d. Int. Bras. Fam.* Aborrecer, amolar, cacetear, chatear, com xaropada(s); xaropar. [Conjug.: v. *frear.*]

xaroposo (ô) [De *xarope* + *-oso.*] *Adj.* **1.** Que tem a consistência do xarope (1). [Sin.: *viscoso, visguento, pastoso, pegajoso* e (p. us.). *siroposo.*] **2.** *Bras.* Enfadonho, fastidioso, tedioso, chato: *discurso xaroposo.*

xarrasca *S. f.* Aparelho especial, de linha e de anzol, para pescar peixes de beiços carnudos.

xarrua *Bras. S. 2 g.* **1.** *Etnôn.* Indivíduo dos xarruas, povo indígena que habitava parte do território do RS. ● *Adj. 2 g.* **2.** Pertencente ou relativo a esse povo. [Tb. us. como *s. 2 g. e 2 n.* (com cap.) e *adj. 2 g. e 2 n.*]

xaru *S. m. Bras. Zool.* Bagre pimelodídeo (*Pseudopimelodus charus*) da bacia do rio São Francisco; bagre-sapo.

xátria [Do sânscr. *ksatriya.*] *S. m. Filos.* No sistema hindu de castas [v. *brâmane* (1)], a segunda delas, a dos guerreiros. [Cf. *vaixá* e *pária* (1).]

xauá *S. f. Bras. Zool.* V. *xauã.*

xauã [Do tupi, poss.] *S. m. Bras. Zool.* Ave psitaciforme, psitacídea (*Amazona rhodocorytha*), do ES, RJ, SE e da BA, de coloração geral verde, distinguindo-se das outras espécies de papagaios por ser a cabeça escarlate, a fronte e loros vermelhos, com tons amarelos, e ter nas asas espelho vermelho. [Sin. e var.: *acamatanga, acamutanga, acumatanga, acumutanga, camatanga, camutanga, chauá, chauã, cumatanga, jauá, xauá.*]

xaual [Do ár. *šawwāl.*] *S. m.* O décimo mês do calendário muçulmano, de 29 dias. [Var.: *chaual.*]

xauanauá *Bras. S. 2 g.* **1.** *Etnôn.* Indivíduo dos xauanauás [ou (etnôn. bras.) *Shawanauá], tb. conhecidos como araras, povo indígena que habitava as imediações do igarapé Humaitá, região do rio Juruá (AC). ● *Adj. 2 g.* **2.** Pertencente ou relativo a esse povo. [Sin. ger.: *arara.*]

xauianá *Bras. S. 2 g.* **1.** *Etnôn.* Indivíduo dos xauianás, povo indígena extinto, da família linguística caraíba, que habitava a margem esquerda do rio Nhamundá (PA), divisa com o AM. ● *Adj. 2 g.* **2.** Pertencente ou relativo a esse povo. [Tb. us. como *s. 2 g. e 2 n.* (com cap.) e *adj. 2 g. e 2 n.*]

xauim (au-ím) *S. m. Bras. Amaz. Zool.* V. *sagui.*

xavante *Bras. S. 2 g.* **1.** *Etnôn.* Indivíduo dos xavantes, povo indígena da família linguística jê, tronco macro-jê, que habita a região situada entre o rio Culuene e o rio das Mortes (MT). ● *Adj. 2 g.* **2.** Pertencente ou relativo a esse povo. [V. *acuém.*] [Tb. us. como *s. 2 g. e 2 n.* (com cap.) e *adj. 2 g. e 2 n.*]

xavantense *Adj. 2 g. S. 2 g.* Xavantino.

xavantinense *Adj. 2 g.* **1.** De, ou pertencente ou relativo a Xavantina (SC). ● *S. 2 g.* **2.** O natural ou habitante de Xavantina.

xavantino *Adj.* **1.** De, ou pertencente ou relativo a Xavantes (SP). ● *S. m.* **2.** O natural ou habitante de Xavantes. [Sin. ger. *xavantense.*]

xavecagem [De *xaveco* + *-agem*^{2}.] *S. f. Bras. Gír.* Xaveco (5).

xavecar^1 [De *xaveco* + *-ar*^{2}.] *V. int. Bras. Gír.* Praticar xaveco (5). [Conjug.: v. *trancar.*]

xavecar^2 [De *xaveco*^{2} + *-ar*^{2}.] *V. t. d. Int. Bras. Gír.* Paquerar (1 e 3). [Conjug.: v. trancar.]

xaveco^1 [Do ár. *šabbak.*] *S. m.* **1.** Navio mourisco, de formas finas, proa e popa lançadas, com dois ou três mastros que envergam velas redondas ou latinas, o qual nos sécs. XVIII e XIX adquiriu fama pelo intenso emprego que teve na pirataria contra o comércio marítimo no Mediterrâneo. **2.** Barco velho e/ou sem resistência; calhambeque: "De bordo do xaveco real o governador disparou um tiro de peça sobre a parte do horizonte em que apareciam os pontos tão negros como rebeldes." (Ramalho Ortigão, *As Farpas*, IV, p. 253.) **3.** *Bras.* Pessoa ou coisa sem importância, sem merecimento, sem valor. **4.** *Bras. Pop.* Pessoa muito feia. **5.** *Bras. Gír.* Tratantice, patifaria, velhacada; xavecagem. [Var. (de 1 a 5): *enxabeque.*] **6.** *Bras. Pop.* Discurso bem articulado; lábia: "X tem xaveco hábil, e seus notáveis talentos impressionam" (Folha de S.Paulo, 21.05.2010).

xaveco^2 [De or. incerta.] *S. m. Bras. Gír.* **1.** Flerte, paquera. **2.** V. *cantada* (2).

xávega *S. f.* V. *enxávega.*

xavier [Do antr. *Xavier.*] *Adj. 2 g. Bras. S. Gír.* Sem graça; acanhado, desenxabido, encalistrado: *ficar xavier.* ◆ **Sair xavier.** *Bras. S.* Sair aborrecido do jogo por haver perdido.

xavierense *Adj. 2 g.* **1.** De, ou pertencente ou relativo a Coronel Xavier Chaves (MG). ● *S. 2 g.* **2.** O natural ou habitante de Coronel Xavier Chaves.

xaxado [De *xá-xá-xá*, onomatopeia do rumor das alpercatas arrastadas no solo.] *S. m. Bras.* Dança masculina originária do alto sertão de Pernambuco e divulgada por cangaceiros até o interior da BA. É dançada "em círculo, fila indiana, um atrás do outro, sem volteio, avançando o pé direito em três e quatro movimentos laterais e puxando o esquerdo, num rápido e deslizado sapateado." (Luís da Câmara Cascudo, *Dicionário do Folclore Brasileiro*, II, p. 786). **2.** A versão dessa dança de que participam homens e mulheres.

xaxará [Do ior.] *S. m. Bras. Rel.* Espécie de cetro, ger. de talo de dendezeiro, decorado com tiras de couro negras ou vermelhas, conchas de cauri e contas, atributo (2) cerimonial do orixá Omolu.

xaxiense *Adj. 2 g. S. 2 g.* V. *xaxinense.*

xaxim [De or. incerta.] *S. m. Bras. Bot.* **1.** O tronco de certas samambaias ciateáceas arborescentes, como, p. ex., a ameaçada de extinção *Dicksonia sellowiana*, muito usado em floricultura, e cuja massa fibrosa se constitui inteiramente de raízes adventícias entrelaçadas. **2.** Qualquer dessas plantas. [Sin. ger.: *samambaiaçu.*]

xaxinense *Adj. 2 g.* **1.** De, ou pertencente ou relativo a Xaxim (SC). ● *S. 2 g.* **2.** O natural ou habitante de Xaxim. [Sin. ger.: *xaxiense.*]

■ **Xe** *Quím.* Símb. de *xenônio.*

xecado [De *xeque*^{2} + *-ado*^{2}.] *S. m.* **1.** Cargo ou funções de xeque^2. **2.** Duração desse cargo ou função. **3.** Área da jurisdição de um xeque^2.

xeique *S. m.* V. *xeque*^{2}.

xeleléu *S. m. Bras. RN Pop.* V. *bajulador* (2).

xelim^1 [Do ingl. *shilling.*] *S. m.* **1.** Moeda divisionária que até fevereiro de 1971 representou a vigésima parte da libra (5). **2.** Unidade monetária, e moeda, de Quênia, Somália, Tanzânia e Uganda (África).

xelim^2 [Do al. *Schilling.*] *S. m.* Antiga unidade monetária, e moeda, da Áustria, até ser substituída pelo euro (q. v.).

xelita [De (*K. W.*) *Scheele* (1742-1785), químico sueco, + *-ita*^{3}.] *S. f. Min.* V. *scheelita.*

xelma *S. f.* V. *xalma.*

xem-xem *S. m. Bras.* Moeda de cobre, de dez réis, que circulou no Brasil algum tempo: "O dinheiro designado por expressões esquecidas: o xem-xem, a pataca, o cinquinho." (Alberto Rangel, *Papéis Pintados*, p. 262.) [Pl.: *xem-xens.*] [Na 1ª impress. da 5ª ed. do Volp., com acento no el. final; corrigido em errata virtual.] ❇

xenagia [Do gr. *xenagía.*] *S. f.* **1.** Na Grécia antiga, tropa de infantaria de Esparta, composta de 256 homens. **2.** Tb. lá, o comando de uma tropa mercenária.

xenartro [De *xen(o)-* + *-artro*; tax. *Xenarthra.*] *Zool. S. m.* **1.** Espécime dos xenartros, subordem de mamíferos edentados cuja coluna vertebral tem zigapófises nos arcos das vértebras lombares, e, também, em alguns casos, nas vértebras dorsais. São as preguiças, os tatus e os tamanduás. ● *Adj.* **2.** Pertencente ou relativo a eles.

xendengue [Do quimb. *ndenge*, 'pequeno'.] *Adj. 2 g. Bras. N.E. Pop.* **1.** Magro, seco, franzino. **2.** Ordinário, imprestável.

xenelasia [Do gr. *xenelasía.*] *S. f.* Em algumas cidades da Grécia antiga, sobretudo em Esparta, impedimento que se fazia a estrangeiros de nelas entrarem.

xenêntese [De *xen(o)-* + gr. *énthesis*, 'introdução', 'inserção'.] *S. f. Med.* Introdução, no organismo (1), de substância estranha a ele.

xenenxerto (êr) [De *xen(o)-* + *enxerto.*] *S. m. Cir. Plást.* Enxerto de tecido transplantado de um indivíduo para outro de espécie diferente.

xenhenhém *S. m.* **1.** *Bras. PB N.E.* Dança popular do N.E. do Brasil. **2.** *Chulo* A vulva.

xénia *S. f.* V. *xênia.* [Uso freq. em P.]

xênia [Do gr. *xénia.*] *S. f.* **1.** Na Grécia antiga, a qualidade de estrangeiro. **2.** Entre os gregos antigos, tratamento hospitaleiro; hospitalidade. **3.** Xênio. **4.** *Bot.* Influência do pólen de uma espécie ou variedade sobre o endosperma da semente resultante da fecundação de outra por ele. Assim, quando as flores de um milho cujos grãos são amarelos recebem o pólen de outro cujos grãos são vermelhos, a espiga daí oriunda tem grãos de ambas as cores.

xénico *Adj. Bot.* V. *xênico.* [Uso freq. em P.]

xênico [De *xenia* + *-ico*^{2}.] *Adj. Bot.* Relativo à, ou próprio da xênia (4).

xénio *S. m.* V. *xênio.* [Uso freq. em P.]

xênio [Do gr. *xénion.*] *S. m.* Na Grécia antiga, presente que se dava aos hóspedes, após as refeições, ou aos amigos, em certas épocas do ano; xênia.

▲ **xen(o)-** [Do gr. *xénos, ē, on.*] *El. comp.* = 'estranho', 'estrangeiro': *xenartro, xenofobia, xenólito.*

xenobiose [De *xen(o)-* + *biose.*] *S. f. Ecol.* Associação simbiótica em que uma espécie vive em estruturas coloniais de outra espécie, mantendo, porém, sua independência reprodutiva.

xenobiótico [De *xenobi(ose)-* + *ótico.*] *Adj.* Da, ou relativo à xenobiose.

xenoblástico [De *xen(o)-* + *-blast(o)-* + *-ico*^{2}.] *Adj.* ~ V. *textura* ~ *a.*

xenocongrídeo [Adapt. do tax. *Xenocongridae.*] *Zool. S. m.* **1.** Espécime dos xenocongrídeos, família de peixes osteíctes, actinopterígios, anguiliformes, que habitam mares quentes e tropicais; são enguias de corpo fino e liso, com aberturas branquiais arredondadas, nadadeiras peitorais muito pequenas e as pélvicas ger. ausentes. ● *Adj.* **2.** Pertencente ou relativo a eles.

xenodiagnóstico [De *xen(o)-* + *diagnóstico.*] *S. m.* Diagnóstico laboratorial em que se encontram, nas fezes de hemíptero não infectado e alimentado com material proveniente de indivíduo doente, formas infectantes do agente causador da doença. [É us., p. ex., para diagnosticar a doença de Chagas (q. v.).]

xenofilia [De *xenófilo* + *-ia*[1].] *S. f.* Simpatia por pessoas e coisas estrangeiras; xenofilismo. [Antôn.: *xenofobia.*]

xenofílico [De *xenofilia* + *-ico*[2].] *Adj.* Relativo a xenofilia, ou a xenófilo.

xenofilismo [De *xenófilo* + *-ismo.*] *S. m.* V. *xenofilia.*

xenófilo [Do gr. *xenóphilos.*] *Adj. S. m.* Diz-se de, ou aquele que tem xenofilia. [Antôn.: *xenófobo.*]

xenofobia [De *xen(o)-* + *-fobia.*] *S. f.* Aversão a pessoas e coisas estrangeiras; xenofobismo: 📖 "captar .... o apoio da grande maioria do povo, em quem o nacionalismo antidinástico é um caso particular de xenofobia, o ódio ao estrangeiro, que o caracteriza." (Euclides da Cunha, *Contrastes e Confrontos*, p. 123). [Antôn.: *xenofilia.*]

xenofóbico [De *xenofobia* + *-ico*[2].] *Adj.* **1.** Relativo a xenofobia. **2.** Que tem xenofobia; xenófobo. ● *S. m.* **3.** Aquele que tem xenofobia; xenófobo.

xenofobismo [De *xen(o)-* + *-fob(o)-* + *-ismo.*] *S. m.* V. *xenofobia.*

xenófobo [De *xen(o)-* + *-fobo.*] *Adj. S. m.* Xenofóbico (2 e 3).

xenofonia [Do gr. *xenophonía*, 'expressão ou pronúncia estrangeira'.] *S. f.* Perturbação da voz, que adquire um tom estranho.

xenoftalmia [De *xen(o)-* + *-(o)ftalm(o)-* + *-ia*[1].] *S. f. Oftalm.* Oftalmia produzida por corpo estranho em olho.

xenogénese *S. f. Biol.* V. *xenogênese.* [Uso freq. em P.]

xenogênese [De *xen(o)-* + *-gênese.*] *S. f. Biol.* Produção hipotética de descendente diferente do ascendente.

xenogenético [De *xenogên(ese)* + *-ético.*] *Adj. Biol.* Produzido por xenogênese.

xenoglossia [De *xen(o)-* + *-gloss(o)-* + *-ia*[1].] *S. f. E. Ling.* A fala espontânea em língua(s) que não fora(m) previamente aprendida(s). [Cf. *glossolalia.*]

xenólito [De *xen(o)-* + *-lito.*] *S. m. Geol.* Rocha encravada em outra, e que apresenta constituição diferente desta; encrave.

xenologia [De *xen(o)-* + *-logia.*] *S. f. Biol.* Ciência que estuda as relações entre os parasitos e seus hospedeiros.

xenomania [De *xen(o)-* + *-mania.*] *S. f.* Mania por tudo quanto é estrangeiro.

xenomaníaco [De *xenomania* + *-íaco.*] *Adj.* **1.** Relativo a xenomania. **2.** Que tem xenomania; xenômano. ● *S. m.* **3.** Aquele que tem xenomania; xenômano.

xenómano *Adj. S. m.* V. *xenômano.* [Uso freq. em P.]

xenômano [De *xen(o)-* + *-mano*[1].] *Adj. S. m.* Xenomaníaco (2 e 3).

xenomenia [De *xen(o)-* + *-men(o)-* + *-ia*[1].] *S. f. Gin.* Menstruação vicariante (q. v.).

xenomórfico [De *xen(o)-* + *-morf(o)-* + *-ico*[2].] *Adj. Geol.* Diz-se do mineral formado em rocha magmática de faces cristalinas que não são próprias, devendo a sua constituição aos minerais adjacentes; alotriomórfico. ~ V. *textura —a.*

xénon *S. m. Quím.* V. *xênon.* [Uso freq. em P.]

xênon [Do gr. *xénon*, 'estranho'.] *S. m. Quím. P. us.* V. *xenônio.*

xenónio *S. m. Quím.* V. *xenônio.* [Uso freq. em P.]

xenônio [Do gr. *xénon*, neutro de *xénos*, 'estrangeiro', + *-io*[3].] *S. m. Quím.* Elemento de número atômico 54, pertencente à família dos gases nobres [símb.: *Xe*].

xenoparasito [De *xen(o)-* + *parasito.*] *S. m. Biol.* Organismo que, não sendo parasito habitual de determinado hospedeiro, passa a sê-lo, dado o enfraquecimento desse hospedeiro.

xenopeltídeo [Do tax. *Xenopeltis* + *-ídeo*[1]; tax. *Xenopeltidae.*] *Zool. S. m.* **1.** Espécime dos xenopeltídeos, família monoespecífica de reptis escamados, ofídios, em que se localiza a espécie *Xenopeltis unicolor*, serpente que cava tocas onde se abriga, e cujas escamas são marrons e iridescentes. Habita o S.O. da Ásia e alimenta-se de pequenos invertebrados, inclusive de outras serpentes. ● *Adj.* **2.** Pertencente ou relativo a eles.

xenopterígio [De *xen(o)-* + *-ptérigio*; tax. *Xenopterygii.*] *Zool. S. m.* **1.** Espécime dos xenopterígios, ordem de peixes actinopterígios caracterizados pela presença de largo disco em forma de ventosa entre as nadadeiras ventrais, e pela pele lisa, sem escamas. Frequentam o fundo do mar, onde vivem agarrados em pedras ou conchas. ● *Adj.* **2.** Pertencente ou relativo a eles.

xenorexia (cs) [De *xen(o)-* + *-orex-* + *-ia*[1].] *S. f. Med.* Perversão alimentar em que um indivíduo ingere repetidas vezes material que, normalmente, não é ingerido.

xenotima [De *xen(o)-* + gr. *timé*, 'honra'.] *S. f. Min.* Mineral tetragonal, fosfato de ítrio.

xenungulado [Adapt. do tax. *Xenungulata.*] *Paleont. S. m.* **1.** Espécime dos xenungulados, subordem extinta de mamíferos ungulados do continente americano, que viveram do paleoceno ao eoceno. ● *Adj.* **2.** Pertencente ou relativo a eles.

xepa (ê) *S. f.* **1.** *Bras. Pop.* Comida de quartel. **2.** *Bras. Pop.* Sobra de comida. **3.** *Bras. Pop.* Papel usado, recolhido para venda às fábricas de celulose. **4.** *Bras. RJ Pop.* As últimas mercadorias vendidas nas feiras livres, mais baratas e de qualidade inferior. **5.** *P. ext. Bras. RJ Pop.* Sobras de verduras e outros alimentos perecíveis que as pessoas catam nas feiras e mercados. **6.** *Bras. SC Gír.* V. *guimba.*

xepeiro [De *xepa* + *-eiro.*] *S. m.* **1.** *Bras.* Soldado arranchado, que come no quartel. **2.** *Bras.* Indivíduo que se mantém de esmola e doutros recursos, abrigando-se em qualquer parte. **3.** *Bras. Pop.* Pessoa que costuma pedir coisas emprestadas ou aproveitar o que não é seu. **4.** *Pop.* Pessoa que recolhe xepa (3). **5.** *Bras. RJ* Indivíduo que compra ou cata xepa (4 e 5) nas feiras ou mercados.

xeque[1] [Do persa *xāh*, 'rei' (v. *xá*), e pelo ár. *šāh* 'ataque ao rei (no jogo de xadrez)' pela f. ant. *xaque* (em que há infl. do fr. *échec*); v. tb. *xeque-mate.*] *S. m.* **1.** No jogo de xadrez, lance em que o rei fica em casa atacada por uma peça adversária. **2.** *Fig.* Acontecimento parlamentar que envolve perigo para o governo. **3.** *Fig.* Risco, perigo, contratempo. [Cf. *cheque.*] ◆ **Pôr em xeque. 1.** Pôr em dúvida o valor, a importância, o mérito, de: 📖 "Henrique Bernardelli, seu professor na Academia, talvez não visse com bons olhos aquelas exaltações fantasiosas que, de certa maneira, vinham pôr em xeque os cânones tradicionais da pintura acadêmica." (Luís Edmundo, *De um Livro de Memórias*, III, p. 724.) **2.** Ameaçar (3).

xeque[2] [Do ár. *šayḫ*, 'velho', 'ancião'; 'chefe', 'soberano'.] *S. m.* **1.** Chefe muçulmano de um território (país, cidade, bairro ou tribo): 📖 "o poeta proclamava-se descendente de xeques do deserto" (Jorge Amado, *Farda Fardão Camisola de Dormir*, p. 37). **2.** Muçulmano idoso e respeitável. [Var.: *xeique.* Cf. *cheque.*]

xeque[3] [Voc. onom.] *S. m. Mús.* V. *ganzá* (1). [Cf. *cheque.*]

xeque-mate [Do ár. *šayḫ māka*, 'o rei morreu (ou: o rei está morto)', persa *xāhmāt*, v. tb. etim. de *xeque*[1].] *S. m.* No jogo de xadrez, xeque em que o rei atacado não pode escapar e que põe fim à partida com a derrota do jogador que o recebe. [Tb. se diz apenas *mate.* Pl.: *xeques-mates* e *xeques-mate.*]

xeque-xeque [Voc. onom.] *S. m. Mús.* V. *ganzá* (1). [Pl.: *xeque-xeques.*]

xera (ê) *S. 2 g. Bras. AM PA MA* V. *xará*[1] (1). [Cf. *cheira*, do v. *cheirar.*]

▲ **-xera** *Equiv.* de *xer(o)-.*

xerardização [Do ingl. *sherardization.*] *S. f. Metal.* Recobrimento de peças de ferro pelo zinco, mediante aquecimento em vaso fechado, na presença de zinco em pó.

xerardizar [Voc. deduz. de *xerardização* (v. *-ar*[2]).] *V. t. d. Metal.* Efetuar xerardização em.

xerasia [Do gr. *xerasía*, 'secura'.] *S. f. Derm.* Afecção de pelos em que estes se tornam duros e ressecados, apresentando queda.

xerbro *S. 2 g.* **1.** *Etnôn.* Indivíduo dos xerbros, povo que habita a Serra Leoa (O. da África). ● *Adj. 2 g.* **2.** Pertencente ou relativo aos xerbros.

xeré [Do ior.] *S. m. Bras. Mús. Rel.* Cabaça cheia de sementes, ou chocalho feito com dois cones de cobre presos pela base, us. no culto a Xangô; xerê.

xerê *S. m. Bras. Mús. Rel.* V. *xeré.*

xereca *S. f. Bras. Chulo* A vulva.

xerelete (ê) *S. m. Bras. Zool.* V. *xarelete.*

xerém *S. m.* **1.** *Bras. Cabo-verd. Cul.* Milho pilado grosso, que não passa na peneira; canjiquinha: 📖 "As mulheres ...., umas pilavam milho para fazer o xerém; outras andavam nos poleiros guardando a criação para livrá-la das raposas" (José de Alencar, *O Sertanejo*, p. 183); "Até lhe falava nos passarinhos do céu que estavam à espera dos grãos de xerém para o jantar" (Baltasar Lopes, *Chiquinho*, p. 239). **2.** *Cabo-verd.* Papa de xerém (1), e que se pode comer com carne acompanhada do próprio molho: 📖 "iam nesse momento saborear o guisado de capado mais o xerém da praxe" (Teixeira de Sousa, *Na Ribeira de Deus*, p. 212). **3.** *Bras.* Chocalho de cobre usado no xangô (2). **4.** *Bras.* Espécie de polca. **5.** *Bras. N.E.* Dança de roda, ao som da sanfona: 📖 "Os caboclos dançam nos sambas, sapateando, o xerém, uma espécie de *schottisch*" (Gustavo Barroso, *Terra de Sol*, p. 219).

xerengue *S. m. Bras.* V. *caxirenguengue.*

xerente *Bras. S. 2 g.* **1.** *Etnôn.* Indivíduo dos xerentes, povo indígena da família linguística jê, tronco macro-jê, que habita a região situada entre os rios Sono e Tocantins (TO). ● *Adj. 2 g.* **2.** Pertencente ou relativo a esse povo. [V. *acuém.*] [Tb. us. como *s. 2 g. e 2 n.* (com cap.) e *adj. 2 g. e 2 n.*]

xereré *S. m.* **1.** *Bras. MA* V. *garoa*[1] (3). [Var., nesta acepç.: *xererém.*] **2.** *Bras.* V. *xerê.*

xererém [Var. de *xereré* (1).] *S. m. Bras. GO* V. *garoa*[1] (3).

xereta (rê) [De *cheirar*, poss.] *S. 2 g. Bras. Pop.* **1.** Bisbilhoteiro, intrometido, novidadeiro, leva e traz: 📖 "E combinaram que pra qualquer recado ou carta ou aviso, ela teria o nome de Melancia e ele de Coco Verde. Só eles, ninguém mais saberia; que era para despistar algum xereta." (Simões Lopes Neto, *Contos Gauchescos e Lendas do Sul*, p. 191.) **2.** V. *bajulador* (2). ● *Adj. 2 g.* **3.** Diz-se de pessoa xereta (1). **4.** V. *bajulador* (1). [Pl.: *xeretas* (rê). Cf. *xereta* e *xeretas*, do v. *xeretar.* A grafia normal seria *cheireta* (de *cheiro*).]

xeretar [De *xereta* (q. v.) + *-ar*[2].] *V. t. d. Int.* **1.** *Bras. S. Pop.* Adular, bajular, engrossar, xeretear. **2.** Bisbilhotar; esquadrinhar. [Pres. ind.: *xereto, xeretas, xereta*, etc. Cf. *xereta* (ê) e pl. *xeretas* (ê).]

xeretear [De *xereta* (q. v.) + *-ear*[2].] *V. t. d. Int. Bras. S. Pop.* Xeretar. [Conjug.: v. *frear.*]

xereu *Bras. S. 2 g.* **1.** *Etnôn.* Indivíduo dos xereus, povo indígena da família linguística caraíba, que habita o PA e o AM. ● *Adj. 2 g.* **2.** Pertencente ou relativo a esse povo. [Tb. us. como *s. 2 g. e 2 n.* (com cap.) e *adj. 2 g. e 2 n.*]

xerez (ê) [Do top. *Xerez* (Espanha), cidade onde se fabrica o vinho.] *S. m.* **1.** Casta de uva tinta. **2.** Vinho generoso espanhol, seco ou doce, fabricado em Andaluzia: 📖 "bocejando alguns, falando animadamente outros, levípedes, de faces rubras, aos estos de um xerez ancião, ou de um madeira longo tempo sopitado em garrafas poentas." (Afonso Arinos, *Pelo Sertão*, p. 138).

xerga (ê) [Do lat. *serica*, pl. de *sericum, i*, 'tecido de seda'.] *S. f.* **1.** *Tec. Têx.* Tecido grosseiro, espécie de burel. **2.** *Bras.* Espécie de enxerga que se estende por baixo da albarda das bestas.

xerife[1] [Do ár. *šarīf*, 'nobre', 'eminente'.] *S. m.* **1.** Título adotado por príncipes mouros descendentes de Maomé. **2.** Título de muçulmano que já fez três ou mais visitas ao templo de Meca. [Var.: *xarife.*]

xerife[2] [Do ingl. *sheriff.*] *S. m.* **1.** Na Inglaterra, funcionário graduado de um condado. **2.** Nos E.U.A., o funcionário mais graduado de um município, investido de muito poder policial, e de poder judicial limitado. ◆ **Xerife de cadeia.** *Bras. Gír.* Preso encarregado da organização da rotina da cela coletiva e do contato com os carcereiros.

xerimbabo [Do tupi = 'minha criação'.] *S. m. Bras. AM PA MA* Qualquer animal de criação ou estimação: 📖 "Capaz [a sucuriju] de alagar a montaria do selvagem, comia-lhe ainda os xerimbabos no terreiro, os curumins no porto" (Raimundo Morais, *País das Pedras Verdes*, p. 60). [Sin., no PR: *mumbavo.*]

xeripana *S. f. Bras. AM* Jiribana.

xero (ê) [Var. de *xera.*] *S. m. Bras. AM PA* V. *xará*[1] (1). [Cf. *cheiro*, do v. *cheirar* e s. m.]

▲ **xer(o)-** [Do gr. *xērós, á, ón.*] ***El. comp.*** = 'seco', 'secura': *xerodermia, xerófito.* [Equiv.: *-xera*: *filoxera.*]

xerocar *V. t. d.* V. *xeroxar.* [Conjug.: v. *trancar.*]

xerocópia [De *xer(o)-* + *cópia.*] *S. f.* V. *xerografia* (2): 📖 "Xerocópias da edição de 1845 [de *As Cartas Chilenas*] foram-nos obtidas quase simultaneamente por dois amigos" (Tarquínio J. B. de Oliveira, *As Cartas Chilenas*, p. 36).

xerocopiar [De *xerocópia* + *-ar*[2].] *V. t. d.* Fazer xerocópia de.

xerodermia [De *xer(o)-* + *-derm(o)-* + *-ia*[1].] *S. f. Derm.* Forma atenuada de ictiose em que a pele se apresenta seca, áspera, descorada e com desprendimento de escama [v. *escama* (2)].

xerodérmico [De *xerodermia* + *-ico*[2].] *Adj.* Referente a xerodermia.

xerofagia [De *xer(o)-* + *-fag(o)-* + *-ia*[1].] *S. f.* Alimentação que não inclui qualquer líquido.

xerofágico [De *xerofagia* + *-ico*[2].] *Adj.* Respeitante a xerofagia.

xerófago [De *xer(o)-* + *-fago.*] *S. m.* **1.** Aquele que observa a xerofagia. **2.** Entre os primitivos cristãos, aquele que só se alimentava de pão e de fruta seca.

xerofilia [De *xer(o)-* + *-filia.*] *S. f. Bot.* Preferência por lugares secos, como a caatinga e os desertos.

xerofílico [De *xerofilia* + *-ico*[2].] *Adj.* Relativo a xerofilia, ou a xerófilo.

xerófilo [De *xer(o)-* + *-filo*[2].] *Adj. Bot.* **1.** Que vive em lugares secos, como a caatinga e os desertos. **2.** Diz-se de, ou estrutura das folhas de plantas xerófilas. [Antôn.: *higrófilo.*]

xerofítico [De *xerófito* + *-ico*[2].] *Adj. Bot.* Relativo ao, ou próprio do xerófito: *estrutura xerofítica.*

xerofitismo [De *xerófito* + *-ismo*.] *S. m. Bot.* Conjunto de caracteres apresentados pelos xerófitos. [Antôn.: *higrofitismo*.]

xerófito [De *xer(o)-* + *-fito*.] *Bot. Adj.* **1.** Diz-se dos vegetais que têm uma estrutura especial, na qual domina o reforço das paredes celulares e há, portanto, abundância de tecidos mecânicos, tendo, ainda, adaptações funcionais contra a falta de água, razão por que resistem bem às carências de água disponível: 📖 "Começa o letargo dessa vegetação interessante, xerófita ao tempo da seca, higrófita no inverno, morta e ressequida na aparência" (Gustavo Barroso, *Terra de Sol*, p. 13). ● *S. m.* **2.** Vegetal xerófito. [Antôn.: *higrófito*.]

xeroftalmia [De *xer(o)-* + *-(o)ftalm(o)-* + *-ia*[1].] *S. f. Oftalm.* Oftalmia caracterizada pelo ressecamento de córnea e de conjuntiva, e devida a deficiência de vitamina A. A condição mórbida inicia-se com cegueira noturna e secura anormal primeiramente de conjuntiva e depois de córnea, evoluindo, finalmente, para ceratomalacia.

xeroftálmico [De *xeroftalmia* + *-ico*[2].] *Adj.* Relativo a xeroftalmia.

xerogel [De *xer(o)-* + *gel*.] *S. m. Fís.-Quím.* Substância sólida com grande quantidade de poros e capilares, e na qual são importantes os fenômenos de adsorção. Pode ser um adsorvente, como, p. ex., o carvão ativo, ou um gel seco. [Pl.: *xerogéis*.]

xerografado [Part. de *xerografar*.] *Adj.* Reproduzido por xerografia (1).

xerografar [De *xer(o)-* + *-graf(o)-* + *-ar*[2].] *V. t. d.* Reproduzir por xerografia (1).

xerografia [De *xer(o)-* + *-grafia*.] *S. f.* **1.** *Art. Gráf.* Processo de impressão eletrostática (q. v.) em que a imagem do original é projetada sobre uma placa ou um cilindro revestido de selênio, sensível à luz, e cuja carga positiva se dissipa nas áreas iluminadas, ficando a imagem representada pelas partes carregadas, que passam a atrair o licopódio, que então se esparge, saturado negativamente. O papel, recebendo carga positiva, atrai as partículas representativas da imagem, que nele é fixada por meio de calor ou de solventes vaporizados. O processo destina-se tanto à tiragem rápida de cópias de qualquer documento, ou até de objetos, em papel comum, pano, plástico, etc., como à obtenção de provas de textos e desenhos, para reprodução por ofsete. [Sin.: *xérox*.] **2.** *Art. Gráf.* Cópia obtida por esse processo; cópia xerográfica, xerocópia, xérox. **3.** Ramo da geografia que estuda as regiões secas do globo.

xerográfico [De *xerografia* + *-ico*[2].] *Adj.* Respeitante à xerografia, ou ao xérox. ~ V. *cópia —a*.

xeromamografia [De *xero(rradiografia)* + *mamografia*.] *S. f. Radiol.* Xerorradiografia de mama (1).

xeromenia [De *xer(o)-* + *-men(o)-* + *-ia*[1].] *S. f. Gin.* Situação em que ocorrem os fenômenos próprios da menstruação, excetuada a eliminação de sangue.

xeromórfico [De *xer(o)-* + *-morf(o)-* + *-ico*[2].] *Adj. Ecol.* Xeromorfo.

xeromorfo [De *xer(o)-* + *-morfo*.] *Adj. Ecol.* Que tem estrutura semelhante à dos xerófitos e não sofre deficiência hídrica, como é o caso da vegetação de cerrado; xeromórfico: 📄 *vegetal xeromorfo.*

xerorradiografia [De *xer(o)-* + *radiografia*.] *S. f. Radiol.* Registro de imagem ou imagens radiológica(s) mediante processo fotoelétrico, com o emprego de placas metálicas revestidas de um semicondutor.

xerose [Do gr. *xérosis*.] *S. f. Med.* Estado de secura que, anormalmente, pode ser observado em locais diversos, como olho(s), boca, etc.

xerostomia [De *xer(o)-* + *-stom(o)-* + *-ia*[1].] *S. f. Med.* Secura excessiva da boca.

xerostómico *Adj.* V. *xerostômico*. [Uso freq. em P.]

xerostômico [De *xerostomia* + *-ico*[2].] *Adj.* Relativo a xerostomia.

xerotribia [Do gr. *xerotribía*.] *S. f.* Fricção seca, feita com a mão.

xerox (cheróc̣s) *S. m. e f. e 2 n.* V. *xérox*.

xérox (chérocs) [Do ingl. *Xerox*, marca registrada.] *S. m. e f. e 2 n.* **1.** *Art. Gráf.* V. *xerografia* (1 e 2). **2.** A máquina empregada nesse processo.

xeroxar (csar) [De *xerox* + *-ar*[2].] *V. t. d.* Reproduzir por xérox (1).

xerva [De or. obscura.] *S. f.* Variedade de linho.

xeta (ê) *S. f. Bras. N.E.* **1.** Provocação amorosa. **2.** Gesto de beijo feito de longe. [Cf. *cheta*.]

xetá *S. 2 g. Adj. 2 g. Bras. Etnôn.* V. *aré*.

xetrar [De or. obscura.] *V. int. Bras. CE Pop.* Sofrer um insucesso, ou por não conseguir o que esperava, ou por ir ao encontro de alguém em vão.

xeura [De or. obscura.] *S. f. Lus. Constr. Nav.* A chanfradura que se faz na face de uma peça de madeira para que nela possa assentar bem outra peça; escantilhão.

xexé [De or. obscura.] *S. m.* **1.** Mascarado de carnaval, que representa um velho ridículo, de casaca, calção e meia, e armado de grande faca de pau. **2.** Idiota, pateta.

xexeiro [De *xexo* + *-eiro*.] *Adj. S. m. Bras. N.E. Chulo* Diz-se de, ou indivíduo que passa calote ou xexo.

xexelento [De *xexé* + *-lento*.] *Adj. Bras. Gír.* **1.** De má qualidade; inferior. **2.** De mau aspecto; desagradável. **3.** Implicante e/ou maçante.

xexéu [Do tupi.] *S. m.* **1.** *Bras.* V. *bodum* (2). **2.** *Bras. N.E. Zool.* V. *japim*.

xexéu-bauá [De *xexéu* + a onom. *bauá*.] *S. m. Bras. N.E. Zool.* V. *guaxe* (1). [Pl.: *xexéus-bauás* e *xexéus-bauá*.]

xexéu-de-banana *S. m. Bras. PE Zool.* V. *encontro* (11). [Pl.: *xexéus-de-banana*.]

xexéu-de-bananeira *S. m. Bras. PE Zool.* V. *encontro* (11). [Pl.: *xexéus-de-bananeira*.]

xexéu do mangue *S. m. Bras. N.E.* V. *bodum* (2). [Pl.: *xexéus do mangue*.] ☑ notas 1 e 2

xexéu-do-mangue *S. m. Bras. N.E. Zool.* V. *japim*. [Pl.: *xexéus-do-mangue*.]

xexo (ê) [Alter. de *seixo*.] *S. m. Bras. PB RN* V. *seixo* (2).

xi (cs) *S. m.* V. *csi*.

xi[1] *S. m.* V. *qui*.

xi[2] *Interj. Bras.* Exprime admiração, espanto, inquietação, surpresa ou alegria. [Outra f. (moç.): *chi*.]

xiamen [Do top. *Xiamen* (China).] *S. m. Gloss.* V. *min*.

xiba [De *chiba*[1], 'cabra nova'.] *S. f. e m.* **1.** Espécie de dança rural cantada, popular, provavelmente de origem portuguesa, mas cujo ritmo sofreu alterações por influência negra: 📖 "Findas as primeiras quadrilhas, ... o elemento nacional e dominante — o xiba — campeava absoluto, lânguido, peneirado, buliçoso" (Melo Morais Filho, *Festas e Tradições Populares do Brasil*, p. 13). [Sin.: *samba* (N.), *cateretê* (MG e SP), *fandango* (S.).] **2.** *Bras. RJ* Espécie de quadrilha (3). [Cf. *chiba*.]

xibará *Bras. S. 2 g.* **1.** Indivíduo dos xibarás, povo indígena que habita as margens do rio Juruá (AM). ● *Adj. 2 g.* **2.** Pertencente ou relativo a esse povo. [Tb. us. como *s. 2 g. e 2 n.* (com cap.) e *adj. 2 g. e n.*]

xibaro [De uma língua americana, pelo esp. *jíbaro*.] *S. m. Bras. PR* Mestiço de caboclo (1) e negro.

xibatã [De or. incerta.] *S. m. Bras. Bot.* V. *gonçalo-alves*. [Var.: *chibatã*.]

xibimba *S. 2 g. Bras. S. Pop.* Pessoa obesa.

xibio *S. m. Bras. MG GO MT* V. *xibiu* (1).

xibiu *S. m.* **1.** *Bras. MG MT GO* Diamante pequeno, usado em instrumentos de cortar vidro. **2.** *Bras. N.E. BA Chulo* A vulva.

xibolete [Do hebr. *shibolet*, 'espiga'.] *S. m.* **1.** Palavra pela qual os soldados de Jefté reconheceram os efraimitas, que pronunciavam como *s* o dígrafo inicial (sh). **2.** *P. ext.* Sinal; senha.

xibungo [De or. indígena, poss.] *S. m. Bras. N.E. Chulo* Pederasta passivo.

xicaca [De or. afr.] *S. f.* **1.** *Bras.* Balaio com tampa; cesto. **2.** *Bras.* V. *troço* (1 e 2). **3.** *Bras. RS* Papagaio (5), quadrangular.

xicalamidades [Do ronga *xikala*, 'o que não tem', + *(cala)midades*.] *S. f. pl. Moç.* V. *calamidades*: 📖 "milhares de camponeses se concentravam, famintos, à espera de xicalamidades." (Mia Couto, *Terra Sonâmbula*, p. 195).

xícara [Do náuatle *xicalli*, pelo esp.] *S. f.* **1.** Pequena vasilha com asa para servir em especial bebidas quentes, como, p. ex., café, chá e leite. **2.** O conteúdo de uma xícara: 📖 "bebeu uma xicara de café requentado" (Ézio Pinto Monteiro, *Chico*, p. 10).

xicarada [De *xícara*[1] + *-ada*.] *S. f.* Líquido contido em uma xícara.

xico *Bras. S. 2 g.* **1.** *Etnôn.* Indivíduo dos xicos, povo indígena que habitava a serra Negra (AL). ● *Adj. 2 g.* **2.** De, ou pertencente ou relativo a esse povo. [Tb. us. com o *s. 2 g. e 2 n.* (com cap.) e *adj. 2 g. e 2 n.*]

xicriabá *S. 2 g. Adj. 2 g. Bras.* V. *xacriabá*.

xicrinha [Dim. de *xícara*, com síncope.] *S. f. Bras.* Xícara pequena; xicarazinha: 📖 "serviam café numas xicrinhas de beiço lascado" (Cecília Meireles, *Obra Poética*, p. 1.004).

xicu *S. m. Bras. Zool.* V. *guaxe* (1).

xicuembo [Do tsonga.] *S. m. Moç.* **1.** Deus (3): 📖 "tens um filho muito bonito! | — Foi Xicuembo, senhora. Passava já dez anos e não ficava..." (Eduardo Paixão, *O Mulungo*, p. 251). **2.** Espírito (2): 📖 "você é que vai morrer de castigo dos xicuembos." (Mia Couto, *Contos do Nascer da Terra*, p. 176). **3.** Feitiço, bruxaria: 📖 "Dindinde parecia ter xicuembo nos dedos." (Calane da Silva, *Xicandarinha — Na Lenha do Mundo*, p. 45.)

xié [Do tupi, poss.] *S. m. Bras. Zool.* V. *chama-maré*.

xifiídeo [Do tax. *Xiphias* (< gr. *xíphos*, 'espada') + *-ídeo*; tax. *Xiphiidae*.] *Zool. S. m.* **1.** Espécime dos xifiídeos, família monoespecífica de peixes actinopterígios, perciformes, marinhos, muito ferozes, de corpo fusiforme, e cuja maxila superior se prolonga em forma de uma lâmina de espada com bordos cortantes. São os espadartes. ● *Adj.* **2.** Pertencente ou relativo a eles.

xifiplastrão *S. m. Zool.* Placa dérmica posterior observada em cada lado do peito das tartarugas, e que compõe parte do plastrão.

▲ **xifo-** [Do gr. *xíphos, eos-ous*.] *El. comp.* = 'espada', 'apêndice xifoide': *xifofilo, xifódimo, xifópago*. [Equiv.: *xifos-*: *xifosuro*.]

xifodimia [De *xifódimo* + *-ia*[1].] *S. f. Ter.* Condição de xifódimo.

xifódimo [De *xifo-* + *-dídimo*, com haplologia.] *Adj. S. m. Ter.* Diz-se de, ou aquele com anomalia caracterizada pela presença de dois corpos distintos até a proximidade do apêndice xifoide, e que só tem dois membros inferiores.

xifofilo [De *xifo-* + *-filo*[1].] *Adj. Bot.* Que tem folhas ensiformes.

xifoide (ói) [Do gr. *xiphoeidés*.] *Adj. 2 g.* Cuja forma é de espada; xifóideo, xifoídeo, ensiforme. ~ V. *apêndice —*. ❖

xifóideo *Adj.* V. *xifoide*.

xifoídeo [De *xifoide* + *-eo*.] *Adj.* V. *xifoide*. ~ V. *apêndice —*.

xifoidiano [De *xifoide* + *-iano*.] *Adj.* Relativo ou pertencente ao apêndice xifoide.

xifopagia [De *xifópago* + *-ia*[1].] *S. f. Ter.* Condição de xifópago.

xifópago [De *xifo-* + *-pago*.] *Adj. S. m.* **1.** *Ter.* Diz-se de, ou gêmeos com anomalia congênita caracterizada pela ligação na altura do tórax ou da área do apêndice xifoide. [Cf. *teratópago*.] **2.** *Fig.* Diz-se de, ou pessoas intimamente unidas por inclinação e/ou temperamento. [V. *irmãos siameses*.]

xifopagotomia [De *xifópago* + *-tom(o)-* + *-ia*[1].] *S. f. Cir.* Operação (4) em que se efetua a separação de xifópagos.

▲ **xifos-** Equiv. de *xifo-*.

xifosuro [De *xifos-* + *-uro*; tax. *Xiphosura*.] *Zool. S. m.* **1.** Espécime dos xifosuros, subclasse de artrópodes quelicerados, merostomados, de cefalotórax em forma de ferradura, abdome trapezoide, não segmentado, e telso em forma de espada. ● *Adj.* **2.** Pertencente ou relativo a eles.

xiismo *S. m.* Sistema ou doutrina dos xiitas.

xiita [Do ár. *šī'a(t)*, 'grupo', 'partido', 'seita', + *-ita*[2].] *S. 2 g.* **1.** *Rel.* Cada um dos adeptos do movimento religioso iniciado no séc. VII por muçulmanos partidários de Ali, primo e genro de Maomé, que afirma, em oposição à corrente majoritária sunita, serem autênticas apenas as tradições transmitidas pelos descendentes de Ali e Fátima, filha do Profeta. **2.** *Deprec.* Pessoa que pertence a uma minoria extremista radical. ● *Adj. 2 g.* **3.** *Rel.* Relativo ou pertencente a esse movimento religioso. **4.** *Deprec.* Que tem ideias ou atitudes radicais, dogmáticas, extremistas.

xila [Do quimb. *kuxila*, 'enegrecer', 'ficar sujo'.] *S. m.* Imundície, sujidade. [Cf. *chila*.]

▲ **-xila** V. *xil(o)-*.

xilado [De or. obscura.] *Adj. Bras. Pop.* V. *ébrio* (2).

xilarmónica *S. f. Mús.* V. *xilarmônica*. [Uso freq. em P.]

xilarmônica [De *xil(o)-* + *harmônica*.] *S. f. Mús.* V. *xilofone*.

xilarmónico *S. m. Mús.* V. *xilarmônico*. [Uso freq. em P.]

xilarmônico [De *xil(o)-* + *harmônico*.] *S. m. Mús.* V. *xilofone*.

xilema [De *xil(o)-* + *-ema*.] *S. m. Bot.* Lenho (1).

xilemático [De *xilema* + *-ático*.] *Adj. Bot.* Relativo ao xilema; lenhoso. ~ V. *seiva —a*.

xilénio *S. m. Quím.* V. *xilênio*. [Uso freq. em P.]

xilênio *S. m. Quím.* V. *xileno*.

xileno *S. m. Quím.* Líquido incolor, com cheiro parecido ao do tolueno, com três isômeros, obtido na destilação do carvão ou de certos petróleos, e usado como solvente; xilênio [fórm.: C_8H_{10}]. [Cf. *chileno*.]

xílico [De *xil(o)-* + *-ico*[2].] *Adj. Quím.* ~ V. *ácido —*.

xilidina [Do V.C.I. *xylidine*.] *S. f. Quím.* Qualquer de seis aminas derivadas dos xilenos, us. na produção de corantes, fármacos, etc. [fórm.: $C_8H_{11}N$].

xilindró *S. m. Bras. Gír.* V. *cadeia* (3).

xilitol [Do V.C.I. *xylitol* (v. *xil(o)-* e *-itol*).] *S. m. Quím.* Alditol da xilose, us. em alimentos e em dietas, por ser menos calórico que o açúcar [fórm.: $C_5H_{12}O_5$].

xilo *S. f. Grav.* V. *xilogravura*.

▲ **xil(o)-** [Do gr. *xylo-* < gr. *xýlon, ou* (ỹ).] *El. comp.* = 'madeira', 'lenha'; 'lenhoso': *xilocarpo, xilogravura; xiloma*. [Em *Quím.*, 'xileno'.] [Equiv.: *-xila, -xil(o)-, -xilo*: *piroxila*; *eritroxilácea*; *epíxilo*.]

▲ **-xil(o)-** V. *xil(o)-*.

▲ **-xilo** V. *xil(o)-*.

xilocaína [Voc. farmac.] *S. f. Quím.* Lidocaína.

xilocarpo [De *xil(o)-* + *-carpo*.] *Bot. S. m.* **1.** Fruto duro e lenhoso. ● *Adj.* **2.** Diz-se das árvores que dão frutos duros e lenhosos.

xilocopíneo [Adapt. do tax. *Xylocopinae*.] *Zool. S. m.* **1.** Espécime dos xilocopíneos, subfamília de insetos antoforídeos, composto de dois gêneros de abelhas solitárias, porém gregárias, pois fazem seus ninhos individuais próximos uns dos outros. As do gênero *Ceratina*, com cerca de 5mm de comprimento, são em geral pretas, verdes ou azul-metálicas, as do gênero *Xylocopa* são grandes, pretas, ger. com densa pilosidade amarela no tórax. ● ***Adj.*** **2.** Pertencente ou relativo a eles.

xilócopo [Do gr. *xylokópos*.] ***Adj.*** Que corta, pica ou fura a madeira; xilótomo: *inseto xilócopo.*

xilódia [Do gr. *xilódes*, 'lenhoso', + *-ia*[1].] ***S. f. Bot.*** Tipo de frutos lenhosos, como a avelã.

xilofagia [De *xil(o)-* + *-fag(o)-* + *-ia*[1].] ***S. f.*** **1.** Ato de roer a madeira praticado pelos xilófagos. **2.** O regime alimentar desses insetos.

xilofágico [De *xilofagia* + *-ico*[2].] ***Adj.*** Relativo a xilofagia.

xilófago [Do gr. *xylophágos*.] ***Adj. S. m.*** Diz-se do, ou inseto que rói madeira e dela se nutre; lignívoro.

xilófilo [De *xil(o)-* + *-filo*[2].] ***Adj. Zool.*** Que vive na madeira.

xilofone [De *xil(o)-* + *-fone*.] ***S. m. Mús.*** **1.** Instrumento de percussão, que consta, basicamente, de lâminas de madeira, as quais são graduadas no comprimento para formar escala(s); repousam, nos instrumentos primitivos, sobre cordões de palha, e nos mais aperfeiçoados sobre feltro, e são percutidas por baquetas de madeira, produzindo sonoridade doce. **2.** Marimba (1). **3.** Xilofone (1) com escala cromática de três a cinco oitavas, dotado de ressoadores, e cujas lâminas se apoiam sobre borracha, tendo sido introduzido na orquestra sinfônica a partir do séc. XIX: *Na célebre Dança Macabra, Saint-Saens utilizou o xilofone para imitar o ruído de ossos que se entrechocam.* [F. paral., p. us.: *xilofono*. Sin. ger., p. us.: *xilarmônica* e *xilarmônico*. Cf. *vibrafone*.]

xilofonista [De *xilofone* + *-ista*.] ***S. 2 g. Mús.*** Tocador de xilofone.

xilofono [De *xil(o)-* + *-fono*.] ***S. m. P. us. Mús.*** V. *xilofone*.

xiloglifia [De *xil(o)-* + *-glif(o)-* + *-ia*[1].] ***S. f. P. us.*** **1.** Arte de esculpir em madeira. **2.** Arte de gravar em madeira grandes caracteres ornados para capitulares de livros, ou grandes letras para impressão de manchetes ou cartazes.

xiloglífico [De *xiloglifia* + *-ico*[2].] ***Adj. P. us.*** Referente a xiloglifia.

xiloglifo [De *xil(o)-* + *-glifo*.] ***S. m.*** Aquele que pratica a xiloglifia.

xilografado [Part. de *xilografar*.] ***Adj.*** ~ V. *livro* —.

xilografar [De *xil(o)-* + *-graf(o)-* + *-ar*[2].] ***V. t. d.*** Xilogravar.

xilografia [De *xil(o)-* + *-grafia*.] ***S. f.*** **1.** Técnica de impressão anterior à invenção da tipografia, e durante a qual a reprodução de imagens e textos se fazia por meio de pranchas de madeira gravadas em relevo. [V. *livro xilografado*.] **2.** *P. ext.* V. *gravura em madeira*.

xilográfico [De *xilografia* + *-ico*[2].] ***Adj.*** Relativo a xilografia ou a xilogravura. ~ V. *livro* —.

xilógrafo [De *xil(o)-* + *-grafo*.] ***S. m.*** **1.** Gravador em madeira; xilogravador: "As rudíssimas gravuras anônimas, em madeira, insertas na obra de Staden .... , parecem ter sido o resultado de informações intencionalmente deformadas pelos xilógrafos seiscentistas" (Alberto Rangel, *Trasanteontem*, p. 186). **2.** V. *livro xilografado*. [Nesta acepç., cf. *incunábulo* (3).]

xilogravador (ô) [De *xilogravar* + *-dor*.] ***S. m.*** Xilógrafo (1).

xilogravar [De *xil(o)-* + *gravar*.] ***V. t. d.*** Gravar em madeira; xilografar.

xilogravura [De *xil(o)-* + *gravura*.] ***S. f.*** V. *gravura em madeira*. [F. red.: *xilo*.]

xilogravurista [De *xilogravura* + *-ista*.] ***S. 2 g.*** Pessoa que se dedica à xilogravura.

xiloide (ói) [Do gr. *xyloeidés*.] ***Adj. 2 g.*** **1.** Relativo ou semelhante a madeira. **2.** Proveniente de um corpo lenhoso. ❖

xiloidina [De *xiloide* + *-ina*[3].] ***S. f. Expl.*** Explosivo que se obtém mediante reação do ácido nítrico sobre o amido.

xilol ***S. m. Quím.*** Mistura dos três isômeros do xileno, usada industrialmente como solvente. [Pl.: *xilóis*.]

xilólatra [De *xil(o)-* + *-latra*.] ***S. 2 g.*** Pessoa que pratica a xilolatria.

xilolatria [De *xil(o)-* + *-latria*.] ***S. f.*** O culto dos ídolos de madeira.

xilolátrico [De *xilolatria* + *-ico*[2].] ***Adj.*** Referente a xilolatria.

xilologia [De *xil(o)-* + *-logia*.] ***S. f.*** Parte da botânica dedicada ao estudo da madeira.

xilológico [De *xilologia* + *-ico*[2].] ***Adj.*** Referente a xilologia.

xilólogo [De *xil(o)-* + *-logo*.] ***S. m.*** Especialista em xilologia.

xiloma [De *xil(o)-* + *-oma*[1].] ***S. m. Bot.*** Tumor lenhoso em árvore ou planta.

xilomancia (cí) [De *xil(o)-* + *-mancia*.] ***S. f.*** Adivinhação por meio da disposição de pauzinhos secos que se acham pelo caminho.

xilomante [De *xil(o)-* + *-mante*.] ***S. 2 g.*** Pessoa que pratica a xilomancia.

xilomântico ***Adj.*** Relativo a xilomancia, ou a xilomante.

xilômetro ***S. m.*** V. *xilômetro*. [Uso freq. em P.]

xilômetro [De *xil(o)-* + *-metro*.] ***S. m.*** Instrumento usado para determinar a densidade da madeira.

xilomicete [De *xil(o)-* + *-micete*.] ***Adj. 2 g. Ecol.*** Diz-se dos cogumelos que medram sobre a madeira ou nas árvores.

xilópia [Do tax. *Xilopia*.] ***S. f. Bot.*** **1.** Gênero de anonáceas que reúne cerca de 160 espécies oriundas de regiões tropicais das Américas e da África. **2.** Qualquer espécie desse gênero, como, por ex., a *Xylopia fructescens* (v. *coajerucu*). **3.** Qualquer espécime desse gênero.

xilopódio [De *xil(o)-* + *-pod(o)-* + *-io*[3].] ***S. m. Bot.*** Tubérculo lenhoso e gemífero de muitas plantas subarbustivas dos campos. Originam-se do hipocótilo ou da raiz primária, raramente englobando parte do caule; armazena água e alimento; durante a época seca persiste no solo, e ao voltarem as chuvas rebrota, refazendo a parte aérea, que é, pois, anual. [É, assim, o xilopódio um órgão perene, que permite às plantas resistirem a condições ambientais inclementes.]

xilose [De *xil(o)-* + *-ose*[2].] ***S. f. Quím.*** Substância sólida, incolor, de sabor açucarado, aldopentose da qual existem dois enantiômeros, extraída de madeiras, us. como adoçante especial e dietético [fórm.: $C_5H_{10}O_5$].

xiloterapia [De *xil(o)-* + *-terapia*.] ***S. f. Terap.*** Sistema de tratamento mediante o emprego de madeira(s).

xilótomo [De *xil(o)-* + *-tomo*.] ***Adj.*** Xilócopo.

ximango[1] [Do guar.] ***S. m.*** **1.** *Bras. Zool.* Ave falconiforme, falconídea (*Milvago chimango*), do extremo S. do Brasil, países limítrofes e Chile, de coloração ocrácea e creme, uma mancha clara em cada asa, e lado ventral bruno-amarelado com estrias longitudinais escuras. Assemelha-se ao carancho, e é uma das aves de rapina mais comuns na Argentina. **2.** *Bras.* Epíteto dado aos liberais moderados pelos conservadores, e que tinha, a princípio, caráter depreciativo. Depois de 1842 os liberais dividiram-se em *ximangos* e *luzias*. [*Ximango* opunha-se a *cascudo* (conservador). Cf. *luzia*, *saquarema* (1) e *caramuru* (3).] **3.** *Bras. RS* Sob a República, alcunha dada pelos federalistas aos governistas, membros do Partido Republicano. **4.** *Bras. RS* Tenaz de arame, para pegar brasas nos fogões.

ximango[2] ***Adj. S. m.*** V. *alenquerense*.

ximango-branco ***S. m. Bras. RS Zool.*** V. *gavião-carrapateiro*. [Pl.: *ximangos-brancos*.]

ximango-carrapateiro ***S. m. Bras. Zool.*** V. *gavião-carrapateiro*. [Pl.: *ximangos-carrapateiros*.]

ximango-do-campo ***S. m. Bras. Zool.*** V. *gavião-carrapateiro*. [Pl.: *ximangos-do-campo*.]

ximão ***S. m. Bras. CE Pop.*** Menino dado a olhar insistentemente para quem está comendo. [V. *goderar* (1).]

ximbé [Do guar. *xibé*.] ***Adj. 2 g. Bras. RS*** **1.** Ximbeva. **2.** Diz-se do animal de focinho curto e chato. [Var. ortográf.: *chimbé*.]

ximbelo ***S. m. Bras.*** **1.** Jangada nordestina, com 5m de comprimento, no máximo, por 1m de largura. **2.** Jangada velha.

ximbeva [Do guar. = 'nariz chato'.] ***Adj. 2 g. Bras. SP Pop.*** Diz-se de quem tem o nariz pequeno e achatado. [Sin. no RS.: *ximbé*.]

ximbica [De or. controversa.] ***S. f.*** **1.** *Bras. SP* Jogo de cartas, popularíssimo. **2.** *RJ* A vulva.

ximbicar [Do quimb. *ku-ximbika*.] ***V. int. Angol.*** Varejar (11): "estamos bem perto para chegar à costa e ximbicar até casa." (Manuel Rui, *Rioseco*, p. 21).

ximbo ***S. m. Bras. RS*** **1.** Cavalo cujo dono é desconhecido. **2.** V. *vagabundo* (7).

ximboré ***S. m. Bras. Zool.*** V. *amboré*.

ximbra ***S. f. Bras. AL*** V. *gude*.

ximburé ***S. m. Bras. Zool.*** V. *timburé*.

ximburetinga [De *ximburé* + *-tinga*.] ***S. m. Bras. Zool.*** V. *timburetinga*.

ximbute ***S. m.*** **1.** *Bras. N.E. Fam.* Sujeito ordinário, covarde. **2.** *Bras. PE Pop.* Indivíduo baixo e barrigudo. [Cf., nesta acepç., *catatau*[2] (3).]

ximênia [Do tax. *Ximenia* (do antr. [*Francisco*] *Ximén*[*ez*] [c.1721], missionário espanhol, + lat. cient. *-ia* [v. *-ia*[2]]).] ***S. f. Bot.*** **1.** Pequeno gênero, vastamente distribuído, de árvores e arbustos olacáceos, tropicais, espinhosos, dotados de folhas alternas, coriáceas, cálice persistente, de sépalas eriçadas, e fruto drupáceo. **2.** Qualquer espécie desse gênero, como, p. ex., a *Ximenia americana* (v. *ameixeira-do-brasil*). **3.** Qualquer espécime desse gênero.

xinane [De or. indígena, poss.] ***S. m. Bras. Bot.*** V. *xique-xique* (1).

xinapre ***S. m. Bras. Pop.*** V. *cachaça* (1).

xingação [De *xingar* + *-ção*.] ***S. f. Bras. Angol.*** Ato ou efeito de xingar; xingamento, xingaria, xingo.

xingadela [De *xingar* + *-dela*.] ***S. f. Bras.*** Ação de xingar uma vez.

xingador (ô) [De *xingar* + *-dor*.] ***Adj. S. m. Bras. Angol.*** Que, ou aquele que xinga.

xingamento [De *xingar* + *-mento*.] ***S. m. Bras. Angol.*** **1.** V. *xingação*. **2.** Xingo: "Havia gente reclamando, falatórios, discussões, xingamentos." (Guido Vilmar Sassi, *Piá*, p. 53.)

xingar [Do quimb. *kuxinga*, 'injuriar', 'descompor'.] ***V. t. d. Bras. Angol.*** **1.** Dirigir insultos ou palavras afrontosas a; descompor, insultar, injuriar, destratar. ***Transobj.*** **2.** *Bras.* Tachar, censurar, xingando: "O Sodré, pudico, / De ingrato e espertalhão o Eneias xinga" (Emílio de Meneses, *Mortalhas*, p. 83). ***Int.*** **3.** *Bras. Angol.* Dizer insultos ou palavras afrontosas: "sua boca não conhecia palavras ternas. Só sabia xingar, dizer nomes feios." (Guido Vilmar Sassi, *Piá*, p. 46). ***P.*** **4.** *Bras. Angol.* Trocar insultos: *Xingaram-se raivosamente.* [Conjug.: v. *largar*.]

xingaraviz ***S. m.*** Aquele ou aquilo que se intromete, que atrapalha, que complica.

xingaria [De *xingar* + *-ia*[1].] ***S. f. Bras.*** V. *xingação*: "dos bigodões borbotava um chorrilho de blasfêmias e xingarias..." (Augusto Meyer, *No Tempo da Flor*, p. 13).

xingatório [De *xingar* + *-tório*.] ***Adj. Bras.*** **1.** Que envolve xingação; insultuoso, injurioso. ● ***S. m.*** **2.** Grande número de xingações.

xingo [Dev. de *xingar*.] ***S. m. Bras.*** **1.** V. *xingação*. **2.** Palavra(s) com que se xinga; xingamento: "pauladas, lambadas, pontapés, ... berros, apóstrofes, xingos e imprecações, a nada ligava ele a mínima importância" (Léu Vaz, *O Burrico Lúcio*, pp. 83-84).

xingombela [Do tsonga *xi-ngombela*.] ***S. f. Moç.*** Dança do S. de Moçambique (África), praticada sobretudo por jovens, à noite, e acompanhada de cantos: "No batuque e na xingombela encantava velhos e novos, com trejeitos que dava com as ancas e os seios." (Raul Honwana, *O Algodão e o Ouro*, p. 42.)

xinguano (u-a) ***Bras. Adj.*** **1.** Pertencente ou relativo ao Parque Indígena do Xingu. ● ***S. m.*** **2.** O natural ou habitante deste parque.

xinguara (u-a) ***Adj. 2 g. S. 2 g.*** V. *xinguense*[2].

xinguarense (u-a) ***Adj. 2 g.*** **1.** De, ou pertencente ou relativo a Xinguara (PA). ● ***S. 2 g.*** **2.** O natural ou habitante de Xinguara.

xinguense[1] (u-e) ***Adj. 2 g. S. 2 g.*** V. *altamirense*[1].

xinguense[2] (u-e) ***Adj. 2 g.*** **1.** De, ou pertencente ou relativo a São Félix do Xingu (PA). ● ***S. 2 g.*** **2.** O natural ou habitante de São Félix do Xingu. [Sin. ger.: *xinguara*.]

xinguilar [Do quimb. *ku-xing'ila*, 'evocar os mortos'.] ***V. int. Angol.*** **1.** Cair em transe: "De repente começou a xinguilar, sacudindo os ombros freneticamente e gemendo. O espírito entrou nela. Se atirou no chão, rebolando e gritando palavras incompreensíveis." (Pepetela, *Lueji*, p. 181.) ***T. d.*** **2.** Lançar; chispar: "vi-lhe o medo nos olhos xinguilar as pragas obscenidades, as bochechas arreganhar um ricto nervoso" (Arnaldo Santos, *O Cesto de Katandu e Outros Contos*, p. 82).

xintó [Do jap. *shinto*, 'caminho dos deuses'.] ***S. m.*** Xintoísmo.

xintoísmo [De *xintó* + *-ismo*.] ***S. m.*** A religião nacional do Japão, anterior ao budismo; xintó.

xintoísta [De *xintoísmo* + *-ista*.] ***Adj. 2 g.*** **1.** Relativo ao, ou que é adepto do xintoísmo. ● ***S. 2 g.*** **2.** Adepto do xintoísmo.

xinxim [De or. afr.] ***S. m. Bras. BA Cul.*** Guisado de galinha, ou de outra carne, com sal, cebola e alho, ralados, a que se adicionam azeite de dendê e camarões secos, amendoim e castanha de caju moídos: "E ouro e sol .... em pratos de louça lavada, no efó e no caruru, na moqueca de ostras e no xinxim de galinha" (Vasconcelos Maia, *O Leque de Oxum*, p. 22).

xipaia ***Bras. S. 2 g.*** **1.** *Etnôn.* Indivíduo dos xipaias [ou (etnôn. bras.) *Shipaya], povo indígena da família linguística juruna, tronco tupi, que habita o PA. ● ***Adj. 2 g.*** **2.** Pertencente ou relativo a esse povo. [F. paral.: *axipaie*.]

xipalapala [Do ronga.] ***S. 2 g. Moç.*** Corneta feita de chifre de antílope, vaca ou búfalo, us. antigamente para convocar a população: "toca xipalapala e as pessoas começam a aparecer pelos diversos caminhos para ouvirem as notícias do chefe." (Lindo Nhlongo, *2 Peças de Teatro — Os Noivos ou Conferência Dramática sobre o Lobolo*, p. 53).

xipante ***S. m.*** Barco empregado na pesca do xipo.

➔**xiphefo** [Tsonga.] ***S. m. Moç.*** Lamparina (2), candeeiro rústico: "Ninguém chorou quando aquela mulher estoica, como um <u>xiphefo</u>, se foi lentamente apagando." (Elton Rebello, *Nyandayeyo*, p. 100.)

xipo *S. m.* A ostra do aljôfar.

xipoca *S. f. Bras. Ant.* Modalidade de arma infantil para atirar projetis inofensivos, corrente ainda no princípio deste século.

xipoco [Do africâner *spook*, 'fantasma', pelo ronga.] *S. m. Moç.* V. *fantasma* (3): 📖 "já se atrevem a expulsar a cadela, transformada nos seus pensamentos num <u>xipoco</u>, que Stefana invoca para lhes fazer mal." (Calane da Silva, *Xicandarinha – Na Lenha do Mundo*, p. 52).

xipócue (u-è) [Do ronga *xi-pokwe*.] *S. m. Moç.* V. *fantasma* (3): 📖 "Daqui vemos a cidade / crescendo sobre nós, / abatendo-se sobre nós / como gigantesco <u>xipócue</u> / de cimento armado." (Rui Knopfli, *Reino Submarino*, p. 33.)

xiputa [De or. obsc.] *S. m. Bras. Bot.* V. *mandapuçá* (2).

xiquexique [De or. tapuia.] *S. m.* **1.** *Bras. N.E. Bot.* Planta cactácea (*Pilocereus gounellei*) característica das caatingas sáfaras, cujo caule é um cladódio sem folhas, espinhoso, rico em água. É cilíndrico-angulosa e cespitosa. [Sin.: *alastrado, xinane.*] **2.** *Bras. N. a S. Bot.* Designação comum a várias ervas ou subarbustos fabáceos lenhosos e eretos, de flores dispostas em racimos terminais, com colorações amareladas, e cujos frutos são vagens; chocalho, chocalho-de-cascavel, maracá. **3.** *Bot.* V. *feijão-de-guizos* (1). **4.** *Bras. Bot.* V. *palmeira-piaçaba.* **5.** Bebida extraída do suco dos frutos do xiquexique (4). **6.** *Bras. Zool.* V. *bicho-do-pé.* [Cf. *xique-xique.*]

xique-xique [Voc. onom.] *S. m. Bras. Mús. MG* V. *ganzá* (1): 📖 "Ao longe, numa sala de dentro, fervia um fandango ao som de <u>xique-xiques</u>." (Afonso Arinos, *Pelo Sertão*, p. 146.) [Pl.: *xique-xiques.* Cf. *xiquexique*, s. m., e *Xiquexique*, top.]

xiquexique-do-sertão *S. m. Bras. Bot.* V. *jumbeba.* [Pl.: *xiquexiques-do-sertão.*]

xiquexiquense *Adj. 2 g.* **1.** De, ou pertencente ou relativo a Xiquexique (BA). ● *S. 2 g.* **2.** O natural ou habitante de Xiquexique.

xiquimato [De *xiquím(ico)* + *-ato*^{2}.] *S. m. Quím. Impr.* V. *chiquimato.*

xira [De or. tupi, poss.] *S. f. Bras. N. Zool.* **1.** V. *corcoroca* (2 e 3). **2.** V. *cotinga*^{2}.

xiranha [De or. obscura.] *S. f. Bras. N.E. Chulo* A vulva.

xiri [De or. obscura.] *S. m. Bras. MA Chulo* A vulva.

xiriana *Bras. S. 2 g.* **1.** *Etnôn.* Indivíduo dos xirianas, povo indígena extinto, da família linguística aruaque, que habitava as margens do rio Demini (N. do AM). **2.** Indivíduo dos xirianas, povo indígena da família linguística ianomâmi, que habitava as margens do rio Uraricuera (RR). ● *Adj. 2 g.* **3.** Pertencente ou relativo a esses povos. [Tb. us. como *s. 2 g. e 2 n.* (com cap.) e *adj. 2 g. e 2 n.*]

xirianá *S. 2 g. Adj. 2 g. Bras.*, *Etnôn.* V. *xiriana.*

xiridácea [Do lat. cient. *Xyrid-* (do tax. *Xyris*, do gr. *xyrís, ídos*) + *-ácea*; tax. *Xyridaceae.*] *S. f. Bot.* Espécime das xiridáceas, família de commelinales que reúne cinco gêneros e cerca de 260 espécies de ervas por vezes rizomatosas, com folhas basais, dísticas, achatadas ou teretiformes, flores trímeras, hermafroditas, em capítulos cilíndricos ou espiciformes, e frutos capsulares; ocorrem, ger., em regiões tropicais e subtropicais úmidas.

xiridáceo [De *xiridácea*, com var. suf. (v. *-áceo*).] *Adj. Bot.* Pertencente ou relativo às xiridáceas.

xirimbamba *S. f. Bras. MG Pop.* V. *turumbamba.*

xiririca [Do tupi.] *S. f. Bras. SP* V. *corredeira* (1).

xiró [Do jap. *xiru*, 'caldo', 'sopa'.] *S. m. Bras.* Caldo de arroz temperado com sal.

xiru [Do tupi = 'meu companheiro'.] *Bras. S. S. m.* **1.** Índio ou caboclo. ● *Adj.* **2.** Acaboclado. [Var. ortográf.: *chiru.* Fem.: *xirua.*]

xirua *S. f.* Fem. de xiru. [Var. ortograf.: *chirua.*]

xis *S. m. 2 n.* **1.** A letra *x.* **2.** *Pop. Obsol.* Moeda de dez-réis. [Cf. *xis*, pl. de *xi.*]

X-9 *S. 2 g. Bras. Gír.* Informante da polícia; alcaguete: 📖 "Cada delegacia .... tem seus arranjos, seus jeitinhos, ... seus presos, seus informantes (os famigerados <u>X-9</u>) (Luís Eduardo Soares, *Meu Casaco de General*, p. 359).

xistáceo [De *xist(o)-*^{1} + *-áceo.*] *Adj.* **1.** Da cor do xisto, *i. e.*, cinza-escuro, tirante a preto. **2.** *Min.* De estrutura lamelar ou foliácea (em camadas) semelhante à do xisto: 📄 *folhelho <u>xistáceo</u>.*

xisto^{1} [Do gr. *schistós*, 'fendido'.] *S. m.* Designação comum às rochas metamórficas cujos minerais, lamelares ou aciculares, são visíveis a olho nu e dispostos com a mesma orientação, graças à pressão dirigida sob a qual são eles formados, o que confere à rocha um aspecto folheado típico.

xisto^{2} [Do gr. *xystón*, pelo lat. *xystu.*] *S. m.* **1.** Entre os gregos, pórtico coberto em que se exercitavam os atletas. **2.** Entre os romanos, galeria descoberta, para passeio.

▲ **xist(o)-**^{1} [De *xisto*^{1}.] *El. comp.* = 'xisto^{1}': *xistoquímica.*

▲ **xist(o)-**^{2} Equiv. de *esquisto-.*

xistoide (ói) [De *xist(o)-*^{1} + *-oide.*] *Adj. 2 g. Geol.* Que tem vestígio ou aspecto xistoso. ~ V. *rocha —.* ❖

xistoquímica [De *xist(o)-*^{1} + *química.*] *S. f. Quím.* Investigação das propriedades e comportamento químico do xisto^{1}.

xistoquímico [De *xistoquímica*, com var. suf. (v. *-ico*^{2}).] *Adj.* Relativo à xistoquímica.

xistosa [Der. regress. de *xistosomose* (q. v.), com alteração na desinência.] *S. f. Bras. MG GO DF Pop.* V. *esquistossomose.* [Cf. *chistosa*, fem. de *chistoso.*]

xistosidade [De *xistoso* + *-(i)dade.*] *S. f.* **1.** Estado ou qualidade do que se apresenta como o xisto^{1}. **2.** Disposição paralela dos minerais que constituem o xisto^{1}. [É desus. a f. *esquistosidade.*]

xistoso (ô) [De *xist(o)-*^{1} + *-oso.*] *Adj.* **1.** Em que há xisto^{1}. **2.** Da natureza do xisto^{1}. **3.** Que apresenta xistosidade. ~ V. *estrutura —a.* [Cf. *chistoso.*]

xistosomose *S. f. Patol.* V. *esquistossomose.*

xistossomíase [De *xistossomo* + *-íase.*] *S. f. Patol.* V. *esquistossomose.*

xistossomo [De *xist(o)-*^{2} + *-somo.*] *S. m. Biol.* V. *esquistossomo.*

xistossomose [De *xistossomo* + *-ose*^{1}.] *S. f. Patol.* V. *esquistossomose.*

▲ **xistro-** [Do gr. *xýstra, as.*] *El. comp.* = 'raspadeira': *xistrópode.* [Equiv.: *-xistro*: *oftalmoxistro.*]

▲ **-xistro** Equiv. de *xistro-.*

xistrópode [De *xistro-* + *-pode.*] *S. m. Zool.* Designação comum a galiformes e columbiformes.

xitau [De or. indígena, poss.] *S. m. Bras.* Peixe actinopterígio, caraciforme, caracídeo, provavelmente uma das espécies de piranhas, cujo nome científico ainda não está bem correlacionado com o popular. [Var. ortograf.: *chitau.*]

xitende [Do tsonga *xi-tjendje.*] *S. m. Moç. Mús.* Instrumento de percussão semelhante ao berimbau (2): 📖 "é um ótimo tocador de <u>xitende</u> que, não sei por quê, nunca leva para as pastagens." (Albino Magaia, *Malungate*, p. 20).

xitique [Do ronga *xi-tiki.*] *S. m. Moç.* **1.** Tipo de associação em que várias pessoas depositam dinheiro, regularmente e numa caixa comum, sendo o montante distribuído, por rotação, a cada membro: 📖 "O dinheiro assim obtido, ou pelo menos parte dele, possibilitava à pessoa participar num '<u>xitique</u>', que era uma forma de poupança acordada entre algumas pessoas." (Raul Bernardo Honwana, *Memórias*, p. 120.) **2.** O montante dessa caixa comum: 📖 "Ao receber o seu '<u>xitique</u>', a pessoa comprava, por hipótese, algumas chapas de zinco, que guardava. Na vez seguinte, poderia comprar mais zinco ou então caniço ou outros materiais de construção, e aos poucos e poucos ia construindo barracas" (Raul Bernardo Honwana, *Memórias*, p. 120).

xixá [Do tupi, poss.] *S. f. Bras. N. Bot.* Árvore esterculiácea (*Sterculia apetala*) alta, de tronco grosso e ereto, que ocorre desde o S. da BA até SP. Tem flores apétalas, com cálice avermelhado, frutos internamente epinescentes, com duas a quatro sementes ovoides, e que fornece madeira útil para obras internas; araxixá, coaxixá, boia, camajondura, pau-de-cortiça, panamá.

xixá-bravo *S. m. Bras. Bot.* V. *embira* (6). [Pl.: *xixás-bravos.*]

xixi [Voc. onom.] *S. m.* **1.** *Bras. Fam.* V. *urina.* **2.** *Bras. N.E.* V. *garoa*^{1} (3). ◆ **Fazer xixi.** *Bras. Fam.* V. *urinar* (1).

xixica *S. f. Bras. Pop.* V. *gorjeta*^{1} (2).

xixi de anjo *S. m. Bras. BA RJ* Variedade de batida (11). [Pl.: *xixis de anjo.*] ☑

xixilado *Adj. Bras. BA Pop.* Sem-vergonha, descarado, desavergonhado.

xi-xi-xi [Voc. onom.] *S. m. Bras. N.E. Pop.* V. *garoa*^{1} (3). [Pl.: *xi-xi-xis.*] ❇

xó *Interj.* Serve para fazer parar cavalgaduras. [Cf. *xô.*]

xô *Interj.* Serve para enxotar galinhas e outras aves: 📖 "<u>Xô</u>, daninha / Passarada dos trigais!" (Antônio Correia d'Oliveira, *Líricas*, p. 198.) [Cf. *xó.*]

xoclengue *Bras. S. 2 g.* **1.** *Etnôn.* Indivíduo dos xoclengues [ou (etnôn. bras.) *Xokleng, *Shokleng], povo indígena da família linguística jê, tronco macro-jê, que habita o município de Ibirama (SC). ● *S. m.* **2.** *Gloss.* V. *caingangue* (2). ● *Adj. 2 g.* **3.** Pertencente ou relativo a xoclengue ou aos xoclengues.

xocó *Bras. S. 2 g.* **1.** *Etnôn.* Indivíduo dos xocós [ou (etnôn. bras.) *Chocó], povo indígena que habita o município de Porto da Folha (SE). ● *Adj. 2 g.* **2.** Pertencente ou relativo a esse povo.

xodó [De or. express.] *S. m. Bras.* **1.** V. *namoro* (1). **2.** V. *namorado* (4). **3.** Amor, paixão. **4.** Estima especial; apreço. **5.** Mexerico, intriga.

xofrango [Alter. do lat. *ossifragu*, 'que quebra ossos'.] *Zool. S. m.* A águia-pesqueira (q. v.) quando nova.

xofrango-brita-ossos *S. m.* Ave da família dos acipitrídeos (*Gypaetus barbatus*) de grande porte e envergadura, de regiões montanhosas do Sul da Europa, África e Ásia. [Tb. se diz apenas *brita-ossos.* Pl.: *xofrangos-brita-ossos.*]

xogum [Do jap. *shogun.*] *S. m.* No Japão, até meados do séc. XIX, chefe militar com poderes não raro superiores aos do imperador.

xogunato [De *xogum* + *-ato*^{1}.] *S. m.* **1.** Dignidade ou cargo de xogum. **2.** O governo ou o tempo durante o qual o xogum exercia a sua autoridade.

xona *S. 2 g.* **1.** *Etnôn.* Indivíduo dos xonas, povo que vive em Moçambique e no Zimbábue (África). ● *S. m.* **2.** *Gloss.* A língua falada por esse povo. **3.** Vocábulo do xona (2). ● *Adj. 2 g.* **4.** Pertencente ou relativo aos xonas ou à sua língua.

xongas *Pron. indef. Bras. Gír.* Coisa nenhuma; nada, neca: 📄 *Não entendi <u>xongas</u> do que foi dito.*

xontaquiro *S. m. Bras.* **1.** Indivíduo dos xontaquiros, povo aruaque da bacia do Purus. ● *Adj.* **2.** Pertencente ou relativo a esse povo. [Tb. us. como *s. 2 g. e 2 n.* (com cap.) e *adj. 2 g. e 2 n.*]

xopotó *Bras. S. 2 g.* **1.** *Etnôn.* Indivíduo dos xopotós, povo indígena extinto que habitava em MG. ● *Adj. 2 g.* **2.** Pertencente ou relativo a esse povo. [Tb. us. como *s. 2 g. e 2 n.* (com cap.) e *adj. 2 g. e 2 n.*]

xoroca *S. f. Bras. N. Pop.* Velha ridícula, desfrutável.

xosa *S. 2 g.* **1.** *Etnôn.* Indivíduo dos xosas, povo que habita a República da África do Sul. ● *S. m.* **2.** *Gloss.* Língua banta desse povo. [Apresenta cliques como as línguas coissãs, e cerca de 20% de seu vocabulário tem origem cói.] **3.** Vocábulo dessa língua. ● *Adj. 2 g.* **4.** Pertencente ou relativo aos xosas, ou à sua língua. [Var.: *xossa.*]

xossa *S. 2 g. S. m. Adj. 2 g.* V. *xosa*: 📖 "As palavras com estalidos — 20% do vocabulário <u>xossa</u> e 14% do zulu — derivariam sobretudo do falar dos cóis" (Alberto da Costa e Silva, *A Enxada e a Lança*, p. 630).

xota *S. f. Bras. Chulo* A vulva. [Cf. *chota.*]

xote [Do al. *Schottisch.*] *S. m.* **1.** Antiga dança de salão, talvez proveniente da Europa, em compasso binário ou quaternário, e cujos passos se aproximam dos da polca. **2.** *Mús.* Música que acompanha essa dança: 📖 "íamos assobiando o compasso do <u>xote</u> do último bochinche" (Vargas Neto, *Tropilha Crioula e Gado Xucro*, p. 73). [Sin. ger.: *escocesa.*]

xoxo (ô) *S. m. Bras. Fam.* Beijoca. [Cf. *chocho* (ô), adj., e *chocho*, do v. *chochar.*]

xoxota [De or. incerta.] *S. f. Bras. Chulo* A vulva.

■ **X.p.t.o.** Abrev. paleográfica de *Cristo.*

x-tudo [Da representação gráfica da base fonêmica de *cheese*, de *cheeseburger*, + *tudo.*] *S. m. Cul. Pop. Cheeseburger* ao qual se acrescentam ovo e *bacon* fritos sobre a chapa, salada de tomate e alface, e, por vezes, batata frita palha, milho e ervilha. [Pl.: *x-tudos.*]

xuá^{1} *S. m. E. Ling.* V. *chuá*^{1}.

xuá^{2} *S. m. Bras. Gír.* Coisa extraordinária, estupenda; maravilha; espetáculo: 📖 "Você veja, poxa, que eu estou eleito ...., sem falar no pessoal do Cais do Porto, nem postalistas, nem professoras primárias, que só aí, de professoras, vai ser um <u>xuá</u>" (Rubem Braga, *Ai de Ti, Copacabana!*, p. 142). [Cf. *chuá.*] ◆ **De xuá.** *Bras. Basq.* Sem que a bola toque no aro ou na tabela: 📄 *Fez uma bela cesta <u>de xuá</u>.*

xuatê *S. m. Bras.* V. *maracá* (1).

xucrice [De *xucro* + *-ice.*] *S. f. Bras.* **1.** Qualidade de xucro. **2.** Ignorância, rudeza. **3.** Falta de educação; grosseria. [Sin. ger.: *xucrismo.* A boa escrita seria com *ch.*]

xucrismo [De *xucro* + *-ismo.*] *S. m. Bras.* Xucrice. [*Chucrismo* seria a boa escrita.]

xucro [Do quíchua *chucru*, 'duro', pelo esp. plat. *chúcaro.*] *Adj.* **1.** *Bras. MG S.* Diz-se do animal de sela ainda não domesticado: 📖 "Não havia garrote que ele não quisesse esperar na ponta da vara, nem cavalo <u>xucro</u> de que ele não quisesse tirar a nica." (Afonso Arinos, *Pelo Sertão*, p. 163); "O amor, quando pega um coração virgem, é como peão aguentando corcovos de potro <u>xucro</u>." (Rute Guimarães, *Água Funda*, p. 80); "somente nas volteadas se apanhava a gadaria <u>xucra</u>" (Simões Lopes Neto, *Contos Gauchescos e Lendas do Sul*, p. 329); "tropeços e incômodos de montar .... lombo <u>xucro</u> de animal ruim ou passarinheiro" (Hugo de Carvalho Ramos, *Tropas e Boiadas*, p. 16). [No último exemplo ocorre a figura chamada *sinédoque* ou (mais modernamente) *metonímia*: em vez de referir-se ao animal, ao todo, *xucro* vem referido a uma parte dele (o lombo).] **2.** *Bras. P. ext.* Diz-se do indivíduo ainda não treinado em qualquer tarefa, ou de coisa ainda muito imperfeita. **3.** *Bras. P. ext.* Ignorante, rude, bronco. **4.** *Bras. P. ext.* Mal-educado, grosseiro, grosseirão. [A grafia legítima seria *chucro.*]

xucuru *Bras. S. 2 g.* **1.** *Etnôn.* Indivíduo dos xucurus [ou (etnôn. bras.) *Xukuru], povo indígena que habita o município de Pesqueira (PE). ● *Adj. 2 g.* **2.** Pertencente ou relativo a esse povo.

X

xucuru-cariri *Bras. S. 2 g.* **1.** *Etnôn.* Indivíduo dos xucurus-cariris [ou (etnôn. bras.) *Xukuru-kariri], povo indígena que habita o município de Palmeiras dos Índios (AL). ● **Adj. 2 g. 2.** Pertencente ou relativo a esse povo. [Pl.: *xucurus-cariris.*]

xué [Do tupi = 'vagaroso'.] *S. m. Bras. Zool.* **1.** Bagre pimelodídeo (*Pimelodella lateristriga*) com até 20cm de comprimento, largamente distribuído pelo Brasil. **2.** Bagre pimelodídeo (*Pimelodella vittata*) dos rios São Francisco e Jequitinhonha, estriado e de tamanho pequeno; chorolambre. [Var. pros.: *xuê.* Cf. *chué.*]

xuê *S. m. Bras. Zool.* V. *xué.*

xué-açu *S. m. Bras. Zool.* V. *sapo-cururu* (1). [Pl.: *xués-açus.*]

xuê-açu *S. m. Bras. Zool.* V. *xué-açu.* [Pl.: *xuês-açus.*]

xué-guaçu *S. m. Bras. Zool.* V. *sapo-cururu* (1). [Pl.: *xués-guaçus.*]

xuê-guaçu *S. m. Bras. Zool.* V. *xué-guaçu.* [Pl.: *xuês-guaçus.*]

xumberga[1] [Dev. de *xumbergar.*] *S. f. Bras. PE Pop.* V. *bebedeira* (1).

xumberga[2] *S. m. Bras. BA Zool.* Filhote de xarelete.

xumbergado [Part. de *xumbergar.*] *Adj. Bras. PE Pop.* V. *embriagado* (1). [Var., no CE: *xambregado.*]

xumbergar [Do prosônimo o *Xumbregas* (do antr. al. [*Friedrich Hermann*] *Schomberg* [1616-1690] militar alemão que introduziu diversos usos na corte de Lisboa, esp. o do corte das casacas e o do uso dos bigodes em tufo) dado ao governador pernambucano *Jerônimo de Mendonça Furtado*, deposto em 1666, e nesse ano enviado preso a Lisboa, o qual usava bigodes à *xumbrega* (q. v.) + *-ar*[2], com metátese.] *V. int. Bras. PE Pop.* **1.** Ingerir bebidas alcoólicas, ou outras. **2.** Embriagar-se, embebedar-se. [Conjug.: v. *largar.*]

xumbrega [Dev. de *xumbergar*, com metátese.] *Adj. 2 g.* De má qualidade, malfeito: *Ficou um conserto meio xumbrega.* ◆ **À xumbrega.** Diz-se de bigodes grandes, em tufos, como o usava o Xumbregas (v. *xumbergar*).

xumbregação [De *xumbregar* + *-ção.*] *S. f. Bras. Chulo* **1.** Ato ou efeito de xumbregar. **2.** V. *bolinagem.*

xumbregar [De *xumbrega* + *-ar*[2].] *V. t. d.* **1.** Azoinar, importunar. **2.** *Bras. Chulo* V. *bolinar* (4). **Int. 3.** *Bras. Chulo* V. *bolinar* (2). [Conjug.: v. *regar.*]

xumetó *Bras. S. 2 g.* **1.** *Etnôn.* Indivíduo dos xumetós, povo indígena extinto que habitava a margem esquerda do rio Paraíba do Sul (RJ). ● **Adj. 2 g. 2.** Pertencente ou relativo a esse povo. [Tb. us. como *s. 2 g.* e *2 n.* (com cap.) e *adj. 2 g.* e *2 n.*]

xuri [Do tupi.] *S. m. Bras. Zool.* V. *ema*[1] (1).

xurreira [Var. de *enxurreira.*] *S. f.* Entrada do enxurro.

xuru [Do tupi.] *S. m. Bras. Amaz. Bot.* Árvore lecitidácea (*Allantoma lineata*) dos igapós marginais da região do estuário do Amazonas, cuja folhagem nova tem bela coloração castanho-violácea, cujo fruto é um pixídio cilíndrico com 10 a 15cm que contém sementes comestíveis, ricas em óleo, e cuja madeira é branco-rosada e dura.

xurumbambo *S. m. Bras. Pop.* V. *cacaréus.* ~ V. *xurumbambos.*

xurumbambos [Pl. de *xurumbambo.*] *S. m. pl. Bras. Pop.* V. *badulaques* (1). ~ V. *xurumbambo.*

Minúscula Moderna	Maiúscula Moderna	Romano	Romano	Etrusco	Grego	Grego	Fenício
y	Y	Y	V	Y	Y	Ч	Y

Y

Aurélio teve uma vida recheada de palavras e amigos de diversas gerações.

Amigos como James Amado e sua esposa, Luísa. Foto tirada por Zélia Gattai.

y (ipsilo ou ipsílon ou ípsilon) *S. m.* **1.** A 25ª letra do nosso alfabeto. [Figura em nomes próprios estrangeiros e seus derivados, ou em abreviaturas e símbolos de uso internacional, ou ainda em empréstimos cuja grafia aportuguesada é a menos us., ou não foi devidamente estabelecida.] [Sin.: *i grego*.] **2.** Som representado por essa letra. **3.** A figura dessa letra, ou qualquer representação sua. **4.** A forma da letra Y, semelhante a uma forquilha, ou aquilo que tem esse formato: *uma bifurcação em Y.* ● *Num.* **5.** Vigésimo quinto, numa série ordenada ou hierárquica em que os elementos são designados ou representados pelas letras do alfabeto, e na qual a letra *k* corresponde ao 11º elemento e a letra *w*, ao 23º. [Usa-se (nas acepçs. 1 a 3) a duplicação da letra (*yy*), para indicar graficamente o plural.]

⑤ **y** **1.** *Mat.* Representa a segunda das coordenadas cartesianas (q. v.). **2.** *Mat.* Us. como símb. de *variável dependente.* **3.** *Mat.* Us. como símb. de *função* (11). **4.** *Mat.* Us. como símb. da *incógnita*, numa equação ou num problema. [Ger. representa uma segunda incógnita, quando a primeira é indicada por *x*.] **5.** *P. ext.* V. ■ *x* (5).

⑤ **Y** **1.** *Quím.* Símb. de *ítrio*. **2.** V. ■ *X* (2). **3.** *Eng. Elétr.* Símb. de *admitância.*

yá [Do africâner, pelo ronga.] *Adv. Moç.* Sim (1): ✂ "Isto é um trabalho fácil — diz-me ele. | — Yá, parece-me que não vamos demorar muito aqui" (Albino Magaia, *Malungate*, p. 112).

yagi [Do antr. *Yagi*.] *S. f.* Antena de ondas curtas, altamente direcional e seletiva, criada por Hidetsugu Yagi, engenheiro eletricista japonês (1886), e que consiste num condutor horizontal de um ou dois dipolos, ligados ao receptor ou transmissor, e num aparelho de dipolos isolados aproximadamente iguais, paralelos, e ao mesmo nível do condutor horizontal.

✦**yakimeshi** [ja'ki:meʃi:] [Jap.] *S. m. Cul.* **1.** Prato oriental de arroz japonês (grãos curtos), cenoura cozida e cebolinha picadas em pedacinhos, aos quais se podem acrescentar, variavelmente, entre outros ingredientes, ovos levemente cozidos ou mexidos em pequenos flocos, presunto, frango ou camarão em cubinhos, e *shoyo*.

✦**yakisoba** [ja:'kisoba:] [Chin./Jap.] *S. m. Cul.* Prato originalmente chinês, difundido na cozinha japonesa e mundial, feito de macarrão oriental frito, legumes e verduras, aos quais, ger., se acrescenta frango, ou carne, ou camarão, ou peixe, ou dois ou três destes, e *shoyo*. [Tb. *yakissoba*.]

✦**yakissoba** [ja:'kisoba:] [Chin./Jap.] *S. m. Cul.* V. *yakisoba.*

✦**yaki-tori** [jakito'ri] [Jap.] *S. m. Cul.* Espeto de frango (carne, fígado, etc.) grelhado com cebola, pimentão, cogumelos, etc., e temperados num molho chamado *teriyaki* (saquê, *shoyu*, açúcar e gengibre).

✦**yang** [jʌŋ] [Chin.] *S. m.* No taoismo (q. v.), o princípio masculino, ativo, celeste, penetrante, quente e luminoso; com ele coexiste o *yin* (q. v.). [V. *yin-yang*.]

⑤ **Yb** *Quím.* Símb. de *itérbio.*

⑤ **yd** Símb. de *jarda* (ingl. *yard*).

✦**yearling** ['jirlɪŋ] [Ingl.] *S. m. Turfe* Animal puro-sangue entre um e dois anos de idade.

✦**yin** [jɪn] [Chin.] *S. m.* No taoismo (q. v.), o princípio feminino, passivo, terrestre, absorvente, frio e obscuro; com ele coexiste o *yang* (q. v.). [V. *yin-yang*.]

✦**yin-yang** [jɪn jʌŋ] [Chin.] *S. m.* No pensamento oriental, par de forças ou princípios complementares, que abrange todos os aspectos e fenômenos da vida, e que é representado por um círculo dividido ao meio por uma linha contínua constituída de curva e contracurva. [V. *yang* e *yin*.][Tem como símb. ☯]

▲**yocto-** *Pref.* Anteposto ao nome duma unidade de medida, forma o de outra 10^{-24} vezes menor [símb.: *y*]. Ex.: 1 *yoctograma* = 1yg = 10^{-24}g.

▲**yotta-** *Pref.* Anteposto ao nome duma unidade de medida, forma o de outra 10^{24} vezes maior [símb.: *Y*]. Ex.: 1 *yottahertz* = 1YHz = 10^{24} Hz.

✦**yué** [ju'e] [Chin.] *S. m. Gloss.* Conjunto de dialetos do chinês (4) falados nas províncias de Kwangtung (ou *Guangdong*) e Kwangsi (ou *Guangxi*) e ainda em Macau e Hong Kong; cantonês.

✦**yuppie** ['jupɪ] [Ingl.] *S. m.* Homem jovem, bem-sucedido profissionalmente: ✂ "*A fogueira das vaidades* [de Tom Wolfe] — saudado como o romance da década de 80, verdadeira radiografia da geração de *yuppies* que ficou milionária no mercado de ações" (*Jornal do Brasil*, 03.04.1999).

Minúscula Moderna	Maiúscula Moderna	Minúscula Carolíngia	Romano	Etrusco	Grego	Grego	Fenício
z	Z	ʒ	Z	I	Z	I	I

O professor Aurélio faleceu em 28 de fevereiro de 1989, aos 79 anos, vítima do mal de Parkinson.

Trabalhou até morrer. Sua obra continua viva e atual.

z (zê) *S. m.* **1.** A 26ª e última letra do nosso alfabeto. [Representa a consoante fricativa dental sonora.] **2.** A figura dessa letra, ou qualquer representação sua: 📄 *O símbolo da firma é um* Z *estilizado.* **3.** O som representado por essa letra. ● *Num.* **4.** Vigésimo terceiro, numa série ordenada ou hierárquica cujos elementos são designados ou representados pelas letras do alfabeto, sem considerar o *k* como 11º elemento, o *w* como o 23º e o *y* como o 25º: 📄 *estante z* (ou *estante Z*). **5.** Vigésimo sexto, numa série em que o 11º elemento corresponde à letra *k*, o 23º ao *w*, e o 25º ao *y*. [Pl. (nas acepç. 1 a 3) indicado graficamente pela duplicação da letra: *zz*.]

■ **z** **1.** *Mat.* Representa a terceira das coordenadas cartesianas (q. v.). **2.** *Mat.* Us. como símb. de *variável dependente*. **3.** *Mat.* Us. como símb. de *função* (11). **4.** *Mat.* Us. como símb. da *incógnita*, numa equação ou num problema. [Ger. representa uma terceira incógnita, quando a primeira é indicada por *x* e a segunda, por *y*.] **5.** *P. ext.* V. ■ *x* (5).

■ **Z** **1.** V. *X* (2). **2.** *Eng. Elétr.* Símb. de *impedância*. **3.** *Fís. Nucl.* Símb. de *número atômico*. **4.** *Mat.* Símb. do conjunto dos números inteiros (v. *número inteiro*). **5.** *Quím.* Designação do estereoisômero de alceno, em que substituintes de mesma prioridade (q. v.), um em cada carbono da ligação dupla, estão 'do mesmo lado' (de plano que contém o eixo, mas não os substituintes, da ligação dupla). [Nesta acepç.: **a)** Pode substituir o termo *cis*, mas tem uso mais geral, pois se aplica a alcenos com quatro substituintes diferentes; **b)** É us. com valor de adj., posposto a um substantivo: 📄 *isômero* Z; **c)** É a inicial do al. *zusammen*, 'junto'; **d)** Opõe-se a *E*.]

▲**Z-** *Quím. Pref.* Designa o estereoisômero *Z*.

▲**-z-** Consoante de ligação, à frente de suf., tais como *-ada*[1], *-ado*[1], *-al*[1], *-eiro*, etc., ou ligando elementos, palavras.

➔**zabaione** [dzaba'jone] [It.] *S. m. Cul.* Creme espesso e espumoso, feito com gema de ovo, açúcar e vinho fortificado (ger. marsala), us. como acompanhamento de sobremesa ou como base para musses.

zabaneira *S. f.* **1.** Mulher impudica, desavergonhada. **2.** *Deprec.* Meretriz.

zabaneiro [De *zabaneira*.] *Adj.* Devasso, desavergonhado.

zabelê *S. 2 g. Bras. BA Zool.* V. *jaó*. [Var.: *zambelê*.]

zabucaí *S. m. Bras. Zool.* V. *galo-branco* (2).

zabumba [Voc. onom., ou do conguês *bumba*.] *S. m. e f.* **1.** *Mús.* V. *bombo* (1): 📖 "Perguntei que contentamento se expandia nos zabumbas, e clarinetes, e morteiros que atroavam montes e vales." (Camilo Castelo Branco, *Doze Casamentos Felizes*, p. 50); "A banda de couro, constituída da zabumba, das cinco caixas, dos dois flautins .... e do triângulo, executava seus toques monótonos." (Bernardo Élis, *Veranico de Janeiro*, p. 31). **2.** *Mús.* V. *terno de zabumba*. ● *S. 2 g.* **3.** *Mús.* Zabumbeiro: 📖 "vigilante Rômulo, ... uma besta, grandalhão, último na ginástica ...., último nas aulas, ... mas exercendo no colégio .... as complexas e delicadas funções de zabumba da banda." (Raul Pompeia, *O Ateneu*, p. 51). **4.** *Bras. Zool.* V. *camarão-castanho*. ● *S. m.* **5.** *Bras. CE Bot.* V. *estramônio*. [Cf. *zambumba*.]

zabumbada [De *zabumba* + *-ada*[1].] *S. f.* **1.** Ato ou efeito de zabumbar. **2.** Alarido intenso produzido por zabumbas; atroada.

zabumbar [De *zabumba* + *-ar*[2].] *V. t. d.* **1.** Atordoar, aturdir. **2.** Apregoar, propalar (novidades). *Int. T. i.* **3.** Dar pancadas; bater, surrar, espancar: 📖 "montado num burro de carroça, estafado e manco, zabumbando-lhe com os calcanhares na barriga" (Melo Morais Filho, *Festas e Tradições Populares do Brasil*, p. 152).

zabumbeiro [De *zabumba* + *-eiro*.] *S. m.* Tocador de zabumba (1); zabumba.

zaburreiro [De *zaburro* + *-eiro*.] *S. m.* Pé de milho zaburro.

zaburro [Do persa, pelo ár.] *Adj. S. m.* **1.** Diz-se de, ou certa variedade de milho indiano. **2.** Diz-se de, ou uma variedade portuguesa de milho vermelho-escuro. [Var.: *acaburro*.]

zaca *S. m.* V. *zaco*.

zaco [Do jap. *jaku*, 'nirvana'.] *S. m.* Entre os bonzos, o supremo sacerdote. [Var.: *zaca*.]

zacónio *S. m. Gloss.* V. *zacônio*. [Uso freq. em P.]

zacônio *S. m.* **1.** *Gloss.* Dialeto subpadrão do grego moderno, falado na região montanhosa situada na costa oriental do Peloponeso (Grécia), e que deriva do dórico falado pelos antigos espartanos. [É us. por comunidades de pastores que ficam isoladas nas montanhas no verão, e que descem para Leonídion e cidades circunvizinhas no inverno.] **2.** Vocábulo do zacônio (1).

▲**-zada** [De *-z-* + *-ada*[1].] V. *-ada*[1].

▲**-zado** [De *-z-* + *-ado*[1].] V. *-ado*[1].

zafimeiro *Adj. Bras.* Esperto, velhaco, ardiloso, astucioso, astuto.

zaga[1] [Der. regress. de *zagaia* ou *azagaia*.] *S. f. Bot.* Espécie de palmeira de que se fazem azagaias.

zaga[2] [Do esp. *zaga* (< ár. *saga*, 'retaguarda'), pelo esp. plat. *zaga* (lido o *z* como em port.).] *S. f. Fut.* **1.** A posição dos jogadores da defesa, entre a linha média e o gol. **2.** Os dois beques.

zagaia *S. f.* V. *azagaia*.

zagaiada *S. f.* V. *azagaiada*.

zagaiar *V. t. d.* V. *azagaiar*.

zagaieiro [De *zagaia* + *-eiro*.] *S. m. Bras. MT* Indivíduo que, armado de zagaia, nas caçadas de onça, acompanha o atirador e, se preciso, o defende.

zagal [Do ár. *zagal*, 'homem valente, forte e animoso'.] *S. m.* Pastor, pegureiro: 📖 "Zagais do monte que um lindo / Rebanho estais a guardar, / — Essa empós da qual vou indo, / Acaso a vistes passar?" (Raimundo Correia, *Poesias*, p. 138.) [Fem.: *zagala*. Dim. irreg.: *zagalejo, zagalete, zagaleto*.]

zagala *S. f.* Fem. de *zagal* (q. v.): 📖 "Zagala ou bom pastor, quem quer que sejas, / Detém-te com o rebanho" (Alberto de Oliveira, *Póstuma*, p. 74).

zagalejo (ê) [De *zagal* + *-ejo*.] *S. m.* V. *zagaleto*.

zagalete (ê) [De *zagal* + *-ete* (ê).] *S. m.* V. *zagaleto*.

zagaleto (ê) [De *zagal* + *-eto*[1].] *S. m.* Pequeno zagal; zagalejo, zagalete.

zagalote [De *zagal* + *-ote*[1].] *S. m. Obsol.* Pequena bala de chumbo para espingarda: 📖 "— Ó alma do diabo! — dizia o Patarro de Monte Córdova, cevando a arma com zagalotes para lhe atirar." (Camilo Castelo Branco, *A Brasileira de Prazins*, p. 62.)

zagueiro [Do esp. *zaguero*.] *S. m. Fut.* Jogador que ocupa a zaga (1); beque: 📖 "Pepe continua avançando, dribla os dois zagueiros, invade a área, tira o goleiro da jogada..." (Fernando Sabino, *O Homem Nu*, p. 141.)

zagunchada [Var. de *zarguchada* < *zarguncho* + *-ada*[1].] *S. f.* **1.** Ferimento produzido por zaguncho. **2.** *Fig.* Remoque, zombaria, motejo. **3.** Censura, crítica, condenação.

zagunchar [Var. de *zarguchar* < *zarguncho* + *-ar*[2].] *V. t. d.* **1.** Ferir com zaguncho. **2.** *Fam.* Dirigir remoques a; zombar ou escarnecer de. **3.** Censurar, criticar, condenar. **4.** Ferir, molestar; espicaçar.

zaguncho [Var. de *zarguncho*; poss. do mal.] *S. m.* Arma de arremesso, semelhante à azagaia.

zâibo [Var. de *zambo*.] *Adj.* **1.** V. *cambaio* (1). **2.** V. *estrábico* (2). [F. paral.: *zâimbo*.]

zâimbo [F. paral. de *zâibo*.] *Adj.* **1.** V. *cambaio* (1). **2.** V. *estrábico* (2).

zainfe (a-ín) [Do fenício *zaimph*.] *S. m.* O manto de Tanit, deusa cartaginesa.

zaino [Do ár. *zayān*, 'belo'.] *Adj.* **1.** Diz-se de cavalo castanho-escuro sem mescla. **2.** Diz-se de cavalo sem malhas brancas. **3.** Que tem o pelo preto e pouco brilhante. **4.** *Fig.* Dissimulado, astuto, ardiloso, velhaco. ● *S. m.* **5.** Cavalo zaino (1 a 3): 📖 "Estrada .... castigada pelos cascos de zainos e alazães." (Chico Anísio, *Teje Preso*, p. 12.) [Var.: *saino*.]

zaire [Do quicongo *zaire*, 'grande rio'.] *S. m.* Unidade monetária, e moeda, do antigo Zaire (África central). [Cf. *franco*[1].] ◆ **Novo zaire.** Unidade monetária, e moeda, da República Democrática do Congo (África central).

zairense *Adj. 2 g.* **1.** Do, ou pertencente ou relativo ao antigo Zaire, atual República Democrática do Congo (África central). • *S. 2 g.* **2.** O natural ou habitante do antigo Zaire [v. *zairense* (1)].

▲ **-zal** [De *-z-* + *-al*^{1}.] V. *-al*^{1}.

zaluanda *S. f. Bras. PE* V. *aluanda*.

zamacueca [Do esp. chileno *zamacueca*.] *S. f.* A dança nacional chilena.

zambaio [Cruz. de *zambro* com *cambaio*.] *Adj. S. m. Bras. Prov. port.* V. *estrábico* (2 e 4).

zambê [Do quimb. *zambe*, 'tambor batido com as mãos'.] *S. m.* **1.** *Bras.* V. *coco*^{2} (1). **2.** *Bras. P. ext.* Festa popular; pagode, função. **3.** *Bras. Mús.* Pequeno ingono de percussão direta e com um só dos lados recoberto de couro. **4.** *Bras. RN Mús.* V. *bombo* (1).

zambelê [Var. de *zabelê*.] *S. 2 g. Bras. Zool.* V. *jaó*.

zambembe [De *zambo* (2), com infl. de *mambembe*.] *Adj. 2 g.* Medíocre, ordinário, inferior; mambembe.

zambe o pombo [*Alter.* de Zambiampungo.] *S. m. 2 n. Bras. N.E.* V. *Zambiampungo*. [Com cap.] ☑

zambeta (ê) [De *zambo* + *-eta* (ê).] *Adj. 2 g. S. 2 g.* V. *zambo* (2). [Cf. *cambaio* (1 e 5).]

zambi [Do quimb. e do quicongo *nzambi*, 'divindade', 'espírito' e tb. 'rei divino'.] *S. m. Bras.* Zumbi (1). [Cf. *zâmbi*.]

zâmbi [Do quimb.] *S. m. Bras. Rel.* Inquice angolano correspondente ao Olorum dos iorubas, deus supremo dos cultos bantos, ou de cultos por eles influenciados, inclusive a umbanda. [Com cap.]

zambiampungo [Do quicongo.] *S. m. Bras. Rel.* Supremo inquice congo (5), cuja denominação foi quase obliterada pela de Zâmbi (q. v.). [Com cap. Var. *Zambiapongo, Zambiapungo*.]

zambiano *Adj.* **1.** Da, ou pertencente ou relativo à Zâmbia (África central). • *S. m.* **2.** O natural ou habitante da Zâmbia.

zambiapongo [Do quicongo *Nzambi Npungu*, 'deus supremo'.] *S. m. Bras. Rel.* V. *Zambiampungo*. [Com cap.]

zambiapunga [De or. afr.] *S. f. Bras. S. da BA* Certa dança de origem africana.

zambiapungo *S. m. Bras. Rel.* V. *Zambiampungo*. [Com cap.]

zambo [Do lat. vulg. **strambu*, cláss. *strabus*, 'vesgo'.] *Adj. S. m.* **1.** *Bras.* Diz-se de, ou mestiço negro-acobreado, filho de negro e mulata ou de negro e índia. **2.** Diz-se de, ou indivíduo que tem os pés ou as pernas tortos; cambaio, zambeta. [Cf. *cambaio* (1 e 5).] **3.** *Bras. RS Gír.* Desnorteado, tonto, atoleimado. ~ V. *mão —a*.

zamboa (ô) [Do berbere, pelo ár.; esp. *zamboa*.] *S. f.* **1.** *Bot.* Fruta cítrica um tanto insípida, semelhante à cidra. **2.** *Fig.* Pessoa estúpida, idiota, parva.

zamboada *S. f. Bras. MT* Lugar, no mato, onde se amontoam e se entrançam galhadas de árvores, paus podres, cipós e lianas, formando moitas cerradas, que os animais procuram muitas vezes para repouso ou esconderijo.

zamboeira [De *zamboa* + *-eira*.] *S. f. Bot.* Variedade de limão.

zamboque *S. m. Bras. RN Zool.* V. *abreu*^{2}.

zamborrada *S. f.* **1.** V. *quantidade* (3). **2.** *Bras. Prov. port.* Bátega de água, rápida e forte.

zambra [Do esp. *zambra*.] *S. f.* Antiga dança espanhola, de origem mourisca.

zambro [Var. de *zambo*.] *Adj.* **1.** V. *cambaio* (1): 📖 "A estátua de Esopo, feio, zambro, corcovado, vesgo, disforme, inspira admiração e respeito" (Ramalho Ortigão, *Primeiras Prosas*, p. 186). **2.** Torto (diz-se das pernas): 📖 "Dentre a marinhagem do *Maria Dolores*, toda ilhoa, distinguia-se o *Perneta*, assim apelidado por ter as pernas zambras." (Galpi, *Narrativas Brasileiras*, p. 74.)

zambuco *S. m.* V. *sambuco*.

zambuipombo *S. m. Bras. N.E.* V. *Zambiampungo*. [Com cap.]

zambuja *S. f. Bot.* V. *azambujo*.

zambujal *S. m.* V. *azambujal*.

zambujeiro *S. m. Bot.* V. *azambujeiro*.

zambujo *S. m. Bot.* V. *azambujo*.

zambumba *S. f.* **1.** *Mús.* V. *bombo* (1). **2.** *Bot.* V. *estramônio*. **3.** *Zool.* V. *camarão-castanho*. [Cf. *zabumba*.]

zamiácea [Do tax. *Zamia* + *-ácea*; tax. *Zamiaceae*.] *S. f. Bot.* Espécime das zamiáceas, família de gimnospermas muito próxima das cicadáceas, das quais se distingue pelas folhas carpelares providas de apenas dois óvulos, os quais constituem flores femininas de crescimento limitado. São plantas lenhosas que lembram pequenas palmeiras; das poucas espécies existentes, duas habitam terras do Brasil.

zamiáceo [De *zamiácea*, com var. suf. (v. *-áceo*).] *Adj. Bot.* Pertencente ou relativo às zamiáceas.

zamiapombo *S. m. Bras. N.E.* V. *Zambiampungo*. [Com cap.]

zampar [Do esp. *zampar*.] *V. t. d.* **1.** Comer muito, com pressa e voracidade. **2.** Encher muito, empachar (o estômago). [Sin. ger.: *enzampar*.]

zamparina [Do antr. *Zamperini*, de uma cantora italiana que atuou em Portugal de 1770 a 1774.] *S. f.* **1.** *Bras.* O surto gripal que irrompeu no Rio de Janeiro em 1780, caracterizado por séria alteração do sistema nervoso e do locomotor. **2.** *Bras. BA* Dança ao som de batuque rápido e acompanhada de palmas em volta dos bailarinos e cantadores. ◆ **À zamparina.** Diz-se do modo de usar o chapéu inclinado para a frente e para a direita, muito em voga por volta da passagem do séc. XVIII ao XIX.

zamuripongo *S. m. Bras. N.E.* V. *Zambiampungo*. [Com cap.]

zanaga *Adj. 2 g.* **1.** V. *estrábico* (2): 📖 "As mulheres eram .... repugnantes. Fisionomias ríspidas, de viragos, de olhos zanagas e maus." (Euclides da Cunha, *Os Sertões*, p. 523.) • *S. 2 g.* **2.** V. *estrábico* (4). [F. paral.: *zanago*.]

zanago *Adj. S. m.* V. *estrábico* (2 e 4).

→ **zang** ['zaɪn] [Chin.] *S. m. Gloss.* V. *tibetano* (3).

zanga [Dev. de *zangar*, poss.] *S. f.* **1.** V. *cólera* (1). **2.** Sentimento de irritação contra aquele ou aquilo que nos causa aborrecimento ou prejuízo; mau humor; amolação. **3.** Desavença, desinteligência, inimizade, quizila. **4.** Mau agouro; quebranto, enguiço. **5.** Jogo semelhante ao voltarete, sem o naipe de copas, entre dois parceiros; arrenegada, renegada. **6.** *Bras. MG* Desarranjo, enguiço, avaria.

zanga-burrinha [De *zangar* + *burrinha*, dim. do f. de *burro*.] *S. f. Bras.* V. *gangorra*^{1} (1). [Pl.: *zanga-burrinhas*.]

zanga-burrinho [De *zangar* + *burrinho*, dim. de *burro*.] *S. m. Bras.* V. *gangorra*^{1} (1). [Pl.: *zanga-burrinhos*.]

zangadiço [De *zangar* + *-diço*^{2}.] *Adj.* V. *zangado* (2).

zangado [Part. de *zangar*.] *Adj.* **1.** Que se zangou; encolerizado, irritado, aborrecido, amolado. **2.** Que se zanga facilmente; mal-humorado, irritável, irritadiço, zangadiço. **3.** De relações cortadas; desavindo.

zangador (ô) [De *zangar* + *-dor*.] *Adj.* Que zanga, que origina zanga.

zangalete (ê) [De or. obsc.] *S. m. Tec. Têx.* Tecido resistente, de algodão ou de seda.

zangalhão [De *zangalho* + *-ão*^{1}.] *S. m.* V. *zangaralhão*. [Fem.: *zangalhona*.]

zangalho [De **zanganalho* (< *zângano* + *-alho*).] *S. m.* V. *zangaralhão*.

zangalhona *S. f.* Fem. de *zangalhão* (q. v.).

zângano [Do esp. *zángano*.] *S. m.* **1.** V. *parasito* (2). **2.** Agiota desonesto, fraudulento. **3.** Agente de negócios particulares, ou preposto de corretor; zangão: 📖 "Este emprego de zângano, que tenho, / Com a alcunha de corretor dourado, / De todo deu em droga, está perdido" (Correia Garção, *Obras Poéticas e Oratórias*, p. 290). **4.** V. *adeleiro*. **5.** Tolo, parvo, bobo, truão; zangão.

zangão [Voc. onom.] *S. m.* **1.** *Zool.* Macho das espécies de abelhas eussociais. Nasce de ovo não fecundado, é desprovido de ferrão e não fabrica mel. Tem como função a fecundação de uma rainha virgem, e morre logo após a cópula. [Sin.: *abelha-macha*.] **2.** *Fig.* V. *parasito* (2). **3.** *Fig.* Maçador, maçante, importuno, seringador. **4.** Zângano (3 e 5). **5.** Pracista (1). **6.** *Bras.* Nas bolsas de valores, operador independente, não credenciado. **7.** *Bras. BA* Agenciador de hotéis e pensões. [Pl.: *zangãos* e *zangões*. Var. pros.: *zângão*.]

zângão *S. m.* V. *zangão*. [Pl.: *zângãos*. Cf. *zangam*, do v. *zangar*.]

zangar [De *zangão*, poss.] *V. t. d.* **1.** Causar zanga a; molestar, afligir, aborrecer, amolar: 📖 "A mãe abraçou-se com o marido quando o caixãozinho desceu e a terra foi batendo em cima. .... Soluçava baixinho humildemente. Não queria zangar os poderes lá de cima" (Raquel de Queirós, *100 Crônicas Escolhidas*, pp. 44-45). **2.** Provocar mau humor em. *Int.* **3.** Zangar (4 e 5): 📖 "Corei. Zanguei. Tive mesmo vontade de chorar de raiva." (Otávio de Faria, *A Sombra de Deus*, p. 150.) *P.* **4.** Irritar-se, aborrecer-se, amolar-se, zangar. **5.** Irar-se, encolerizar-se, zangar: 📖 "Aborreci-me claramente, / Zanguei-me mesmo, lembro agora." (Lima Júnior, *Canções da Idade de Oiro*, p. 31.) [Var.: *azangar*. Conjug.: v. *largar*. Pres. ind.: *zango, ... zangais, zangam*. Cf. *zângão*.]

zangaralhão [De **zangarão* (por *zangalhão*) + *-alhão*.] *S. m.* Homem muito alto e malfeito; zangalhão, zangalho: 📖 "um zangaralhão bêbado, magro, molengo, ... vomita obscenidades contra as fêmeas" (José Vieira, *Sol de Portugal*, p. 156). [Fem.: *zangaralhona*.]

zangaralhona *S. f.* V. *zangaralhão*.

zangarelha (ê) [De *zangarelho*.] *S. f.* Tarrafa de arrastar; zangarelho.

zangarelho (ê) *S. m.* **1.** Rede de um só pano, para apanhar pescadas. **2.** Zangarelha.

zangarrear [Voc. onom.] *V. int.* **1.** Tocar viola: 📖 "O rancho negro desenvolveu-se em hemiciclo com os músicos ao centro zangarreando, as mulheres aos guinchos" (Coelho Neto, *Rei Negro*, p. 110). *T. d.* **2.** Tocar na viola de modo desafinado, marcando sempre o mesmo ritmo e com os mesmos acordes em rasgado (8). [Conjug.: v. *frear*.]

zangarreio [Dev. de *zangarrear*.] *S. m.* Ato de zangarrear: 📖 "retumbo de atabaques .... e zangarreios de violas." (Coelho Neto, *O Rajá do Pendjab*, I, p. 9).

zanguizarra [Voc. onom.] *S. f.* **1.** Algazarra, tumulto, confusão: 📖 "De um bosque vizinho, em zanguizarra louca, aos pinchos, cabriolas e rodopios, os sátiros .... se arremessavam sobre as pobres ninfas desprecatadas" (Gastão Cruls, *Contos Reunidos*, p. 195). **2.** Toque desafinado de viola. **3.** Toque ou som estridente.

zanguizarrear [De *zanguizarra* + *-ear*^{2}.] *V. int. Bras.* Produzir zanguizarra: 📖 "Papagaios e maracanãs passaram zanguizarreando no banho tépido e matutinal do céu azul-faiança." (Alberto Rangel, *Sombras n'Água*, p. 74.) [Conjug.: v. *frear*.]

zanguizarreio [Dev. de *zanguizarrear*.] *S. m.* Ação ou efeito de zanguizarrear: 📖 "flautas sicilianas, violas de amor, ... acompanham a dança, em fanhos zanguizarreios e estrídulos assobios." (Martins Fontes, *A Dança*, p. 42).

zangurriana [Voc. onom.] *S. f.* **1.** Cantilena monótona e persistente. **2.** *Pop.* V. *bebedeira* (1): 📖 "E cambaleando, a despertar e a enfurecer os cães de guarda, o bando desceu, caminho da ponte, em zangurriana alegre" (Coelho Neto, *Treva*, p. 17).

zangurrina *S. f. Pop.* V. *bebedeira* (1).

zanho *Adj. Bras. CE Pop.* Fingido, dissimulado, hipócrita.

→ **zanni** ['dzanni] [It., do antr. *Giovanni*.] *S. m. Teatr.* Personagem-tipo da *commedia dell'arte*, sempre cômico, e que representa o criado bufão, sendo o Arlequim o mais popular dos *zanni*.

zanolho (ô) [F. arbitrária, com base em *olho*.] *Adj. S. m.* **1.** V. *zarolho* (1 e 4). **2.** V. *estrábico* (2 e 4). [Pl.: *zanolhos* (ô).]

zantóxilo (cs) [Do tax. *Zanthoxylon*.] *S. m. Bot.* **1.** Gênero de rutáceas que reúne plantas amplamente dispersas pelo mundo, cujas cascas, aromáticas, são alcaloides de uso medicinal. **2.** Qualquer espécie desse gênero, como, p. ex., a *Zanthoxylon rhoifolium* [v. *tamanqueira* (1)]. **3.** Qualquer espécime desse gênero. [F. paral.: *xantóxilo*.]

zanzar [De *zaranzar*, com síncope, poss.] *V. int. Bras.* V. *vaguear*^{1} (1 e 2): 📖 "zanzava de uma banda para outra o dia inteiro, sem perder de vista a casa do retiro onde estava a família." (Afonso Arinos, *Pelo Sertão*, p. 161); "Quanto a Robério Dias, ... zanzou pelo sertão sem rumo nem norte" (Id., *Lendas e Tradições Brasileiras*, p. 76); "Ficamos meio abandonados quando zanzávamos aí pelos matos feito doidos" (Antônio Calado, *Quarup*, p. 305).

zanzibarita *Adj. 2 g.* **1.** De, ou pertencente ou relativo a Zanzibar, ilha da África oriental (v. *tanzaniano*). • *S. 2 g.* **2.** O natural ou habitante de Zanzibar.

zanzo [De or. obsc.] *S. m. Bras. Bot.* V. *guaxima* (2).

▲ **-zão** [De *-z-* + *-ão*^{1}.] *Suf. nom.* **1.** V. *-ão*^{1}.

zão-zão *S. m.* Onomatopeia usada para indicar um som repetido e monótono. [Pl.: *zão-zãos*.]

zape [Voc. onom.] *S. m.* **1.** Pancada, golpe. • *Interj.* **2.** Voz imitativa dessa pancada.

zapear [Adapt. do ingl. (to) zap; ver -ear^{2}.] *V. int.* Ver televisão, trocando frequentemente os canais, por meio de controle remoto: 📖 "Nas noites olímpicas, eu não parava de zapear entre os canais de notícias .... e os canais de esporte." (Contardo Calligaris, em *Folha de S.Paulo*, 28.08.2008.)

zápete *S. m.* **1.** No jogo do truque, o quatro de paus. **2.** O jogo do truque.

zapetrape [Voc. onom.] *S. m.* Patada de gato. [Cf. *trape-zape*.]

zapoteca [Do esp. *zapoteca*, de or. náuatle.] *S. 2 g.* **1.** *Etnôn.* Povo pré-colombiano, dos mais antigos do México, natural do S.E. do Estado de Oaxaca. • *S. m.* **2.** *Gloss.* A língua zapotecana desse povo. • *Adj. 2 g.* **3.** Pertencente ou relativo aos zapotecas, ou à sua língua; zapotecano.

zapotecano *Adj.* **1.** Diz-se de, pertencente ou relativo a povo de língua zapotecana, como, p. ex., os zapotecas. **2.** Pertencente ou relativo ao zapotecano (3). • *S. m.* **3.** *Gloss.* Grupo de línguas ameríndias do México.

→ **zapping** ['zæpɪŋ] [Ingl.] *S. m. Telev.* Sequência de mudanças rápidas de um canal para outro, por meio de controle remoto, e que ger. é feita para evitar os intervalos comerciais.

zapucaia *Bras. S. 2 g.* **1.** *Etnôn.* Indivíduo dos zapucaias [ou (etnôn. bras.) *Zapucaya], povo indígena extinto que habitava a margem direita do rio Amazonas (AM). • *Adj. 2 g.* **2.** Pertencente ou relativo a esse povo.

zarabatana [Do persa, pelo ár. vulg.] *S. f.* V. *sarabatana* (2): 📖 "As setas da zarabatana e as taquaras do arco, de toda a tribo, ... levam no bico a dosagem necessária [de veneno] que ele [o pajé] calcula para derrubar o pássaro, entorpecer o quadrúpede, deter o peixe, imobilizar o homem." (Raimundo Morais, *País das Pedras Verdes*, pp. 225-226.)

zaraga ***S. f.*** *Bras.* Espécie de cretone de algodão.

zaragalhada [Do esp. *zaragalha*, 'bando de meninos', + *-ada*[1].] ***S. f.*** Alvoroto, alvoroço, tumulto, algazarra.

zaragata [Do esp. *zaragata.*] ***S. f.*** Desordem, confusão, algazarra, banzé: "Detestava [o Peidinhas] a alcunha, já se vê, a ponto de haver, com frequência, zaragata." (Antônio Silva Graça, *Viagem ao Fim da História*, p. 105.)

zaragateiro [De *zagarata* + *-eiro.*] ***Adj. S. m.*** Diz-se de, ou aquele que é muito dado a zaragatas.

zaragatoa (ô) [Do esp. *zaragatona.*] ***S. f.* 1.** *Bot.* Designação comum a duas ervas plantagináceas (*Plantago cynops* e *P. psylium*) humildes, de folhas variáveis quanto à forma, e flores mínimas, paleáceas, ordenadas em espigas finas e alongadas. **2.** Pequena esponja ou pincel de fios de linho, na extremidade de uma haste, própria para aplicar remédios na garganta ou nas cavidades nasais. **3.** *P. ext.* Medicamento que se aplica com esses objetos.

zaranza [De or. obscura.] ***S. 2 g.* 1.** Pessoa atabalhoada, aturdida, adoidada. • ***S. f.* 2.** *Bot.* Capim poáceo (*Leptocoryphium lanutum*) dos campos secos, que é pastagem de má qualidade, e cujas panículas são brancas, de tonalidade argêntea. • ***Adj. 2 g.* 3.** Atabalhoado, aturdido, perturbado: "Zaranza, ... sufocado com o cheiro a suor da flibusteira, não tive forças para resistir e entreguei-lhe a tremura duma nota de 20 escudos." (José Gomes Ferreira, *O Mundo dos Outros*, p. 40); "Outra vez que fui desinfeliz, de ficar até zaranza, foi quando Duardo se casou com Nazinha" (Nélson de Faria, *Tiziu e Outras Estórias*, p. 18).

zaranzar [De *zaranza* + *-ar*[2].] ***V. int.* 1.** V. *vaguear*[1] (1 e 2). **2.** Atrapalhar-se no andar ou nos movimentos. **3.** Mover-se atabalhoadamente, às tontas, como zaranza (1): "Balbina saltou no terreiro energúmena, ... e pôs-se a zaranzar em volta, riscando com o facho um círculo de claridade." (Coelho Neto, *Rei Negro*, p. 109.)

zaratempo [De uma língua banta.] ***Interj.*** *Bras. Rel.* Saudação a Tempo[2], quando desce [v. *descer* (15)] num terreiro.

zarcão [Do ár.-hisp. *zarqūn* < ár. *zayrqūn* < persa *āzargūn* 'alaranjado'.] ***S. m.* 1.** Óxido salino de chumbo, muito usado, especialmente a bordo das embarcações, para a primeira demão de pintura nas peças de ferro ou de aço, por dificultar a formação de ferrugem; mínio. [Cf. *zircão.*] **2.** A cor desse óxido, de laranja ou de tijolo muito vivo. **3.** Tinta anticorrosiva à base de zarcão (1). **4.** *P. ext.* Tinta anticorrosiva, ger. aplicada como revestimento inicial de uma superfície metálica. [Cf. *primer* (1).] • ***Adj. 2 g. 2 n.* 5.** Que tem a cor de zarcão: *parede zarcão.* **6.** Diz-se dessa cor: *porta de cor zarcão.* [F. paral.: *azarcão.*]

zarco [Do ár. *zarqā'* (fem.), 'azul'.] ***Adj.* 1.** Que tem olhos azul-claros. **2.** Diz-se do cavalo que tem malha branca em torno de um dos olhos.

zaré [De or. obsc.] ***Adj. 2 g.*** *Lus. Gír.* V. *embriagado* (1).

zarelha (ê) [Fem. de *zarelho.*] ***S. f.*** Mulher intrometida, abelhuda.

zarelhar [De *zarelho* + *-ar*[2].] ***V. int.* 1.** Intrometer-se em tudo; intrigar; mexericar. **2.** Traquinar, doidejar. [Conjug.: v. *aparelhar.*]

zarelho (ê) ***S. m.* 1.** Indivíduo metediço, intrometido. **2.** Menino traquinas, travesso.

zargo [De *zarco.*] ***Adj.*** *Bras.* Diz-se do cavalo que tem os olhos ou um só olho branco.

zargunchada [De *zarguncho* + *-ada*[1].] ***S. f.*** Zagunchada.

zargunchar [De *zarguncho* + *-ar*[2].] ***V. t. d. Int.*** Zagunchar: "Uma frecha, subtil, silva e zarguncha... É a guerra!" (Olavo Bilac, *Poesias*, p. 264.)

zarguncho ***S. m.*** Zaguncho.

zarolho (ô) [F. arbitrária, com base em *olho.*] ***Adj.* 1.** Cego de um olho. **2.** V. *estrábico* (2). **3.** *Bras. N. N.E.* Diz-se do milho no começo da maturação. • ***S. m.* 4.** Indivíduo zarolho. **5.** V. *estrábico* (4). [F. paral. de 1 e 4: *zanolho.* Sin., bras., de 1 e 4: *caolho, caraolho, piloto, zerê.* Pl.: *zarolhos* (ô).]

zarpar [Do gr. *exarpázein*, 'levantar (âncora)', pelo lat. **exharpare* e pelo it. ant. *sarpare*, atual *salpare.*] ***V. int. T. c.* 1.** Levantar âncora; fazer-se ao mar; partir: "Quantas vezes em pequeno, ao contemplar o oceano, e ao ver os navios que zarpavam barra afora, senti o impulso ardente de Sindbad o Marítimo" (Sousa Bandeira, *Evocações e Outros Escritos*, p. 56). [Var. (ant.): *sarpar.*] **2.** *Bras.* V. *fugir* (1 e 2). **3.** *Bras.* Ir; partir.

▲-(z)arrão V. *-ão*[1].

zarro ***Adj.* 1.** *Bras.* Muito desejoso; sequioso, roxo: "Há aí alguma coisa que se beba? Estou zarro." (Coelho Neto, *A Conquista*, p. 421); *A menina estava zarra por um vestido novo.* **2.** *Bras. Pop.* V. *embriagado* (1). **3.** *Bras. RS Prov. port.* Difícil de fazer ou resolver; incômodo, maçante.

zarza [Do esp. *zarzaparilha.*] ***S. f.*** *Bras. Bot.* V. *salsaparrilha.*

zarzuela [Do esp. *zarzuela.*] ***S. f.*** *Teatr.* Obra dramática e musical de origem espanhola, espécie de ópera-cômica, na qual alternadamente se declama e se canta: "Era uma antiga corista de zarzuelas e agora beata fanática" (Cardoso de Oliveira, *Dois Metros e Cinco*, p. 61).

zarzuelista [De *zarzuela* + *-ista.*] ***S. 2 g.*** Autor de zarzuelas.

zás [Voc. onom.] ***Interj.*** Imita pancada rápida, ou designa ação rápida e decidida; zás-trás.

zás-trás [Voc. onom.] ***Interj.*** Zás.

zavar [De or. obscura.] ***V. int.*** Morder com raiva.

zé [De *Zé*, hipocorístico de *José.*] ***S. m.*** *Pop.* **1.** V. *zé-povinho* (1). **2.** V. *ralé* (1). **3.** Toleirão, pateta, pacóvio. [Cf. *zê* e *z.*]

zê [Do gr. *zêta*, nome da sexta letra do alfabeto grego, pelo lat. tard. *zeta*, com apócope resultante do valor de soletração.] ***S. m.*** A letra *z*. [Pl.: *zês.* Cf. *zé.*]

zearalenona [Voc. farmac.] ***S. f.*** *Quím.* Micotoxina com atividade estrogênica, produzida por fungos do gênero *Fusarium*, que causa prejuízos na criação de animais, esp. suínos.

zebra (ê) [De or. incerta.] ***S. f.* 1.** *Zool.* Designação comum a mamíferos africanos, equídeos, gênero *Equus*, caracterizados pela pelagem listrada de preto sobre fundo branco ou camurça, com crina curta em forma de escova. Vivem em pequenos grupos, são herbívoros e alimentam-se esp. de gramíneas. Há três espécies atuais: *Equus grevyi*, das regiões áridas da Etiópia, Quênia e Somália, *E. zebra*, da região do Cabo, e *E. quagga granti*, que pertence ao chamado tipo *quagga*, com variedades já desaparecidas atualmente. **2.** *Bras.* Pessoa estúpida, sem inteligência, burra. **3.** *Bras. RJ* Uniforme de presidiário, feito de fazenda listrada. **4.** *Bras.* Em futebol, loteria, etc., resultado inesperado, contrário aos prognósticos; azarão. [Pl.: *zebras* (ê). Cf. *zebra* e *zebras*, do v. *zebrar.*] ◆ **Dar zebra.** Dar resultado mau e/ou inesperado: "Sim, houve algumas mulheres. Mas com elas nunca fui muito jeitoso, é, pois é, deu zebra." (Edilberto Coutinho, *Sangue na Praça*, p. 25.)

zebrado [Part. de *zebrar.*] ***Adj.* 1.** Listrado como as zebras. **2.** Que lembra as listras da pele das zebras: "Vestidinhos engomados, chitas de ramagem de flores e de quadradinhos, algumas listras zebradas" (José Sarney, *Norte das Águas*, p. 22). **3.** *Zool.* Diz-se do animal que apresenta listras pretas e brancas. ~ V. *faixa —a* e *papel —.*

zebral [De *zebra* + *-al*[1].] ***Adj. 2 g.*** Relativo ou pertencente à zebra (1); zebrário, zebrino.

zebrar [De *zebra* + *-ar*[2].] ***V. t. d.* 1.** Listrar, dando a aparência de pele de zebra: "Longe na deserta e funérea planície, raios zebravam o negror das nuvens." (Coelho Neto, *Banzo*, p. 89.) ***T. d. e i.* 2.** Matizar de listras; listrar: "a pequena casa caiada e o barracão das mercadorias, perdidos num país chato e feio, onde raras culturas zebravam de amarelo o verde-negro da charneca, tinham um ar muito abandonado." (Conde de Ficalho, *Uma Eleição Perdida*, p. 11). [Pres. ind.: *zebro, zebras, zebra*, etc. Fut. pret.: *zebraria*, etc. Cf. *zebra* (ê), pl. *zebras* (ê), e *zebrária*, fem. de *zebrário.*]

zebrário [De *zebra* + *-ário.*] ***Adj.*** V. *zebral.* [Fem.: *zebrária.* Cf. *zebraria*, do v. *zebrar.*]

zebrino [De *zebra* + *-ino*[1].] ***Adj.*** V. *zebral.* [Cf. *zebruno.*]

zebroide (ói) [De *zebra* + *-oide.*] ***Adj. 2 g.* 1.** Da natureza ou aspecto da zebra. • ***S. m.* 2.** Híbrido de cavalo com zebra fêmea. **3.** *Bras.* Indivíduo tolo, estúpido, incapaz; burroide. ❖

zébrulo [De *zebra* + *-ulo.*] ***S. m.*** *Zool.* Híbrido de égua e zebra macha.

zebruno [Do esp. plat. *cebruno.*] ***Adj.*** *Bras.* Diz-se do cavalo de pelo baio. [Cf. *zebrino.*]

zebrura [De *zebra* + *-ura.*] ***S. f.*** Listras semelhantes às malhas das zebras.

zebu [Do tibetano *zeu, zeba*, pelo fr. *zébu.*] ***S. m.* 1.** *Zool.* Espécime de um gado bovino indiano (*Bos indicus*), por via de regra corpulento e dotado de grande giba ou corcova cheia de reservas nutritivas, e que compreende várias raças, como o gir, o nelore, o guzerá ou guzerate, o sindi, etc. • ***Adj. 2 g.* 2.** Diz-se do gado bovino que apresenta essas características. [Sin. ger. (p. us): *gebo.*]

zebueiro [De *zebu* + *-eiro.*] ***S. m.*** *Bras. MG GO* Criador ou negociante de gado zebu; zebuzeiro.

zebuíno [De *zebu* + *-ino*[1].] ***Adj.*** Relativo ou pertencente ao zebu, ou próprio dele.

zebuzeiro [De *zebu* + *-zeiro.*] ***S. m.*** *Bras. MG GO* Zebueiro.

zé da véstia ***S. m.*** *Pop.* V. *joão-ninguém.* [Pl.: *zés da véstia.*] ☑

zé de quinca ***S. m.*** *Bras. PB* V. *ânus.* [Pl.: *zés de quinca.*] ☑

zedoária [Do persa *zadwar*, pelo ár. *zidwar* e pelo lat. tard. *zedoaria.*] ***S. f.*** *Bot.* Planta zingiberácea (*Curcuma zedoaria*) herbácea e medicinal.

zé-doquense ***Adj. 2 g.* 1.** De, ou pertencente ou relativo a Zé Doca (MA). • ***S. 2 g.* 2.** O natural ou habitante de Zé Doca. [Pl.: *zé-doquenses.*]

zé dos anzóis ***S. m.* 1.** V. *fulano* (1). **2.** V. *joão-ninguém.* [Pl.: *zés dos anzóis.*] ☑

zé dos anzóis carapuça ***S. m.* 1.** V. *fulano* (1). **2.** V. *joão-ninguém.* [Pl.: *zés dos anzóis carapuça.*] ☑

zefir [Do fr. *zéphyr* ou *zephire.*] ***S. m.*** *Tec. Têx.* Tecido de algodão, leve e transparente, com os fios do tecido geralmente formando listras.

zefirino [Adapt. do fr. *zéphyrien.*] ***Adj.*** Referente ao zéfiro. [Cf. *Zeferino*, antr.]

zéfiro [Do gr. *zéphyros*, pelo lat. *zephyru.*] ***S. m.* 1.** Entre os antigos, vento do Ocidente. [Antôn., nesta acepç.: *euro.*] **2.** *P. ext.* Vento suave e fresco; aragem, brisa: "Vede além no alto cerro a cena que aparece: / todas [as éguas] coa boca aberta ao zéfiro voltadas, / estáticas sorvendo as auras delicadas." (Antônio Feliciano de Castilho, *As Geórgicas de Virgílio*, p. 179.)

zegri [Do ár. *ṯagrī.*] ***S. 2 g.* 1.** Indivíduo dos zegris, tribo árabe estabelecida na Espanha, rival da tribo abencerrage (séc. XV): "os descendentes dos conquistadores de Espanha, abencerrages e zegris, caíram no abismo" (Camilo Castelo Branco, *A Enjeitada*, p. 234). • ***Adj. 2 g.* 2.** Pertencente ou relativo a essa tribo. [Sin. (cognato): *tagarino.*]

zeídeo [Do tax. *Zeus* (do lat. *zaeus* ou *zeus*, 'certo peixe') + *-ídeo*[1]; tax. *Zeidae.*] *Zool.* ***S. m.* 1.** Espécime dos zeídeos, família de peixes actinopterígios, zeomorfos, marinhos, conhecidos vulgarmente como galos. Ex.: galo-do-alto, galo-do-fundo, galo-do-mar. • ***Adj.* 2.** Pertencente ou relativo a eles.

zeiforme [Adapt. do tax. *Zeiformes.*] ***S. m. Adj. 2 g.*** *Zool.* V. *zeomorfo.*

▲-zeira [De *-z-* + *-eira.*] V. *-eiro.*

▲-zeiro [De *-z-* + *-eiro.*] V. *-eiro.*

zeísmo [De *ze(o)-* + *-ismo.*] ***S. m.*** *Med.* Estado mórbido, em especial a pelagra, que se possa atribuir a excessivo teor de milho na alimentação.

zelação [De *exalação*, 'ato ou efeito de exalar', certamente por analogia com *zelar.*] ***S. f.*** *Bras. N.E. Pop.* V. *meteoro* (2): "No alto céu negro pingado de ouro, correu uma estrela com fulgurante rapidez. Margarida levantou-se da poltrona de ferro em que se recostara e fez o sinal da cruz: | — Deus te guie, zelação! murmurou." (Gustavo Barroso, *Mississípi*, p. 102.)

zelador (ô) [Do b.-lat. eclesiástico *zelatore.*] ***Adj.* 1.** Que zela; zelante. • ***S. m.* 2.** Empregado fiscal de um município. **3.** Chefe de grupo, em certas confrarias, congregações, associações, etc., de caráter pio ou meramente religioso. **4.** Administrador das santas casas (v. *santa casa*). **5.** *Bras.* Indivíduo encarregado de tomar conta dum edifício de apartamentos, ou de escritórios, etc. **6.** *Bras. Rel.* Pai de santo, nos candomblés baianos.

zelador de inquice ***S. m.*** *Bras. Rel.* Em candomblés de rito angola-congo, denominação do pai de santo; zelador de santo. [Pl.: *zeladores de inquice.*] ☑

zelador de santo ***S. m.*** *Bras. Rel.* **1.** Zelador de inquice. **2.** Em candomblés de rito angola-congo, pessoa que toma a chefia do terreiro enquanto não se indica oficialmente o sucessor para esse posto, quando da morte de seu dirigente. [Pl.: *zeladores de santos.*] ☑

zeladoria [De *zelador* + *-ia*[1].] ***S. f.* 1.** Ofício ou cargo de zelador. **2.** Repartição onde trabalha o zelador.

zelandês ***Adj.* 1.** Da, ou pertencente ou relativo à Zelândia, província dos Países Baixos (Europa). • ***S. m.* 2.** O natural ou habitante da Zelândia. [Flex.: *zelandesa* (ê), *zelandeses* (ê), *zelandesas* (ê).]

zelante [Do lat. *zelante.*] ***Adj. 2 g.*** Zelador (1).

zelar [Do b.-lat. eclesiástico *zelare.*] ***V. t. d.* 1.** Ter zelo por. **2.** Ter zelos ou ciúmes de. **3.** Tratar com zelo. **4.** Administrar diligentemente; tomar conta de (algo) com o máximo cuidado e interesse: *Zela os bens da família.* **5.** Tomar conta de (alguém) com o maior cuidado e interesse; tratar com zelo ou desvelo; velar: *Zelou com todo o carinho a mãe doente.* ***T. i.* 6.** Cuidar; velar, interessar-se: "Zelar pelo enriquecimento, aperfeiçoamento e difusão da nossa [língua] é, antes do mais, um ato patriótico, que visa a evitar se torne ela um mero instrumento de comunicação elementar entre os seus usuários." (Celso Cunha, *Língua, Nação, Alienação*, p. 24); *Zela pela saúde dos filhos.* [Pres. ind.: *zelo*, etc.; pres. subj.: *zele, zeles*, etc. Cf. *zelo* (ê), s. m., e *Zélis*, antr.]

zelo (ê) [Do gr. *zêlos*, 'fervor', 'ardor', 'emulação', pelo lat. *zelu.*] ***S. m.* 1.** Afeição ou dedicação, cuidado, desvelo ardente, por alguém ou por algo. **2.** Vivo ardor a serviço de Deus ou da religião. **3.** Pontualidade e diligência em qualquer serviço. [Pl.: *zelos* (ê). Cf. *zelo*, do v. *zelar*.] ~ V. *zelos*.

zelos (ê) [Pl. de *zelo*.] *S. m. pl.* Ciúme (1). ~ V. *zelo*.

zeloso (ô) [De *zelo* + *-oso*.] *Adj.* **1.** Que tem zelo(s). **2.** Cuidadoso, diligente, desvelado. **3.** Pontual e diligente.

zelote [Do gr. *zelótes*, pelo lat. *zelote*.] *S. m.* **1.** Membro de um partido judeu do tempo de Cristo, que se opunha à dominação romana, como incompatível com a soberania do Deus de Israel. **2.** Aquele que finge que tem zelos. ● *Adj.* **3.** Que finge ter zelos: 📖 "Fui denunciado pelos zelotes da monarquia, hoje quase todos aderentes, como sendo um aliado da república" (Joaquim Nabuco, *Escritos e Discursos Literários*, pp. 65-66).

zelotipia [Do lat. *zelotypia* < gr. *zelotypía*.] *S. f. Psiq.* Distúrbio em que há ciúme ou inveja exageradas, doentios, de outrem.

zé-mané *S. m. Bras.* V. *mané*. [Pl.: *zés-manés* e *zé-manés*.]

zen [Do chin. *ch'an*, f. red. de *ch'an-na*, 'meditação', pelo jap. *zen*.] *S. m.* **1.** *Filos.* Forma de budismo que se difundiu sobretudo no Japão, a partir do séc. VI, e se vem difundindo no Ocidente, caracterizada por valorizar a contemplação intuitiva (em oposição à meditação racional abstrata) suscitada pelo amor à natureza e à vida, o qual se exercita pela prática de toda espécie de trabalhos manuais e leva ao desenvolvimento da personalidade mediante o conhecimento próprio; budismo zen, zen-budismo. ● *Adj. 2 g.* **2.** Pertencente ou relativo ao zen, ou próprio dele: 📄 *mosteiro zen; meditação zen.*

zen-budismo [De *zen* + *budismo*.] *S. m. Filos.* V. *zen*. [Pl.: *zen-budismos*.]

zen-budista [De *zen-budismo* + *-ista*.] *Adj. 2 g.* **1.** Pertencente ou relativo ao, ou que é sectário do zen-budismo. ● *S. 2 g.* **2.** Sectário do zen-budismo. [Pl.: *zen-budistas*.]

zenda *S. m. Adj. 2 g.* Zende.

zendavesta *S. m. Filos.* Avesta.

zende [Do persa *zend*, 'interpretação', 'comentário'.] *S. m.* **1.** Tradução e comentário do Avesta em pálavi (q. v.). **2.** *Gloss. Desus.* Avéstico (2). [F. paral.: *zenda*.]

zeneta [Do ár. *zanātī*.] *S. 2 g.* **1.** Indivíduo dos zenetas, tribo berbere, famosa por sua cavalaria, que participou da defesa do reino árabe de Granada, no século XIII. ● *Adj. 2 g.* **2.** Relativo ou pertencente a essa tribo.

zé-ninguém *S. m. Bras. Pop.* Pé de chumbo (4). [Pl.: *zés-ninguém*.]

zenital [De *zênite* + *-al*[1].] *Adj. 2 g.* Relativo ao zênite. ~ V. *distância —*, *iluminação —*, *luneta —*, *luneta — fotográfica* e *tubo — fotográfico*.

zénite *S. m.* V. *zênite*. [Uso freq. em P.]

zênite [Do ár. *samt*, 'caminho', 'direção', 'rumo', lido erroneamente *senit* pelos escribas medievais.] *S. m.* **1.** *Astr.* Interseção da vertical superior do lugar com a esfera celeste: 📖 "Gaimirra olhava a terra desde os píncaros do zênite azulado até os recôncavos do horizonte" (Antunes da Silva, *Gaimirra*, p. 14). [Opõe-se a *nadir*.] **2.** *Fig.* Auge, apogeu, culminância.

zenocêntrico [Do mit. gr. *Zen*, *Zeu* ou *Zeus*, 'Zeus', *+-centr(o)-* + *-ico*[2].] *Adj.* Relativo ao centro do planeta Júpiter.

zenográfico [Do mit. gr. *Zen*, *Zeu* ou *Zeus*, 'Zeus', *+-graf(o)-* + *-ico*[2].] *Adj.* Relativo ao disco aparente do planeta Júpiter.

▲ **ze(o)-** [Do gr. *zéa*, *as*.] *El. comp.* = 'milho': *zeofagia*, *zeófago*.

▲ **zeo-** [Do gr. *zeîn*, 'ferver'.] *El. comp.* = 'que ferve': *zeólita*, *zeoscópio*. [Equiv.: *-ze(o)-*: *azeótropo*.]

▲ **-ze(o)-** Equiv. de *zeo-*.

zeofagia [De *ze(o)-* + *-fag(o)-* + *-ia*[1].] *S. f.* Qualidade ou hábito alimentar de zeófago.

zeofágico [De *zeofagia* + *-ico*[2].] *Adj.* Referente à zeofagia.

zeófago [De *ze(o)-* + *-fago*.] *Adj. S. m.* Diz-se de, ou animal que se alimenta de milho.

zeólita [De *zeo-* + *-lita*.] *S. f. Min.* Denominação comum aos silicatos hidratados de alumínio e a um ou mais metais alcalinos ou alcalinoterrosos, mais comumente o sódio e o cálcio.

zeomorfo [Do tax. *Zeus* (v. *zeídeo*) + *-morfo*; tax. *Zeomorphii*.] *Zool. S. m.* **1.** Espécime dos zeomorfos, ordem de peixes actinopterígios, de corpo muito comprimido, nadadeira espinhosa, grande boca protrátil e nadadeira caudal truncada ou arredondada, precedida de um a quatro espinhos formando nadadeiras separadas. São encontrados nas costas e em mar alto; a família mais importante é a dos zeídeos (v. *zeídeo*). ● *Adj.* **2.** Pertencente ou relativo a eles. [Sin. ger.: *zeiforme*.]

zeoscópio [De *zeo-* + *-scópio*.] *S. m.* Dispositivo com que se determina a quantidade de álcool contida em um líquido, com base no estudo da ebulição deste.

zepelim [Do antr. *Zeppelin*.] *S. m.* **1.** Aeróstato dirigível, já em desuso, formado por uma armação de duralumínio em feitio de grande charuto, e que foi criado em 1900 pelo Conde Zeppelin (1838-1917), inventor alemão. **2.** *Bras. Zool.* Peixe teleósteo, caraciforme, caracídeo (*Poecilobrycon trifasciatus*), da Amaz., de coloração prateada, com três faixas escuras que lhe percorrem longitudinalmente o corpo, sendo a do meio mais longa, sobre os olhos, e máculas carminadas e azuis. Comprimento: até 5cm.

zé-pereira *S. m.* **1.** Certo ritmo carnavalesco executado no bombo. [Cf. *bombo* (1).] **2.** Grupo carnavalesco que executa esse ritmo. **3.** *Prov. port.* Conjunto de zabumbas que animam o carnaval, as festas locais e as romarias. [Pl.: *zé-pereiras*.]

zé-povinho [De *zé-povo* + *-inho*[1].] *S. m.* **1.** Homem comum; homem do povo; zé; povão, povinho. **2.** V. *ralé* (1): 📖 "O aspecto dessas mulheres, todas muito bem-postas, farfalhando sedas, ... era tanto mais chocante quanto contrastava com o zé-povinho, sujo e andrajoso" (Gastão Cruls, *De Pai a Filho*, p. 20). [Sin. ger.: *zé-povo*. Pl.: *zé-povinhos*.]

zé-povo *S. m.* V. *zé-povinho*. [Pl.: *zé-povos*.]

zé-pregos [De *zé* + o pl. de *prego*.] *S. m. 2 n. Bras. Zool.* O macho da tartaruga. [Cf. *capitari* (2).]

zé-prequeté *S. m. Bras. Fam.* V. *joão-ninguém*. [Pl.: *zé-prequetés*.]

▲ **zepto-** *Pref.* que, anteposto ao nome duma unidade de medida, forma o de outra 10^{-21} vezes menor [símb.: *z*]. Ex.: 1 *zeptocoulomb* = 1 zC = 10^{-21} C.

zerado [Part. de *zerar*.] *Adj.* Reduzido a zero; liquidado: 📄 *As contas zeradas restituíram-lhe a calma.*

zeragem [De *zerar* + *-agem*[2].] *S. f.* **1.** Ação ou efeito de zerar, de reduzir a zero: 📄 *a zeragem de uma dívida.*

zerar [De *zero* + *-ar*[2].] *V. t. d.* **1.** Reduzir (conta bancária) a zero. **2.** Dar nota zero a: 📄 *A professora zerou metade da classe.* **3.** Saldar, liquidar: 📄 *Uma das metas do acordo é zerar, no ano vindouro, o déficit público.* **4.** Reduzir a zero; tornar nulo. **5.** *Fig.* Anular ou esquecer (algo): 📄 *Resolveram zerar o assunto.* **6.** *Fig.* Dar novo início a (algo), como se passasse a contar do zero, novamente: 📄 *Depois de tudo que aconteceu, precisávamos zerar a amizade.* ***T. i.*** **7.** Receber nota zero: 📄 *Para ser aprovado no vestibular, o candidato não pode zerar em nenhuma matéria.*

zerbo *S. m.* V. *zirbo*.

zerê *Adj. 2 g. S. 2 g. Bras.* **1.** V. *zarolho* (1 e 4): 📖 "Ouvi dizer que Dasdores, ... já passada, magrinha e zerê, espera ser pedida a qualquer momento." (Nélson de Faria, *Tiziu e Outras Estórias*, p. 159.) **2.** V. *estrábico* (2 e 4).

zerinho (zè) [De *zero* + *-inho*[1].] *Adj. Bras. Pop.* Novo em folha. [Por alusão a automóvel zero-quilômetro.]

zero [Do ár. *ṣifr*, lit., 'vazio', > it. **zefiro*, de que *zero* é f. contracta; v. tb. etim. de *cifra*.] *Num.* **1.** Cardinal dos conjuntos vazios. ● *S. m.* **2.** Algarismo representativo do número zero (0). **3.** *Álg.* Elemento que, somado a outro, reproduz este outro; a identidade da operação de soma. **4.** *Mat.* Valor da variável que torna nula uma função dessa variável. **5.** A nota 0, em prova de exame ou concurso. **6.** Ponto em que se principiam a contar os graus, e que corresponde, nalguns termômetros, à temperatura de gelo fundente. **7.** Ponto inicial da escala da maioria dos instrumentos de medição. **8.** *Fig.* Pessoa ou coisa sem valor ou préstimo: 📖 "Que ilusão, viajar! Todo o Planeta é zero." (António Nobre, *Só*, p. 92.) ◆ **Zero absoluto.** *Fís.* Zero numa escala de temperaturas absolutas. Na escala centesimal é igual a -273,15°C. **Zero à esquerda.** Pessoa que não significa absolutamente nada, que não tem nenhum valor; zero, nada: 📄 *F. é uma nulidade, é um zero à esquerda.* **Zero hidrográfico.** *Geofís.* Nível de referência para definir a altura da maré a cada instante, função de características hidrográficas locais, inerentes ao comportamento da maré em cada região. **Ficar a zero.** Ficar sem nada; ficar à ucha.

zero-quilômetro *Bras. Adj. 2 g. e 2 n.* **1.** Diz-se de automóvel novo, que ainda não foi rodado. **2.** *P. ext.* Diz-se de máquina ou aparelho novo, sem uso. ● *S. m. 2 n.* **3.** Automóvel zero-quilômetro.

zerumba [Do persa *zarambad*.] *S. f.* Droga (1) que vinha da Índia pela Turquia.

zerumbete (ê) [De *zerumba* + *-ete* (ê).] *S. m. Bot.* Gengibre silvestre.

zervanismo *S. m.* Seita que floresceu na dinastia iraniana sassânida, e que é oriunda do masdeísmo (q. v.) e admitia um princípio superior ao mundo, a partir do qual tudo se engendraria.

zesto [Do fr. *zeste*.] *S. m.* A camada mais externa das frutas cítricas, como, p. ex., o limão.

zeta [Do gr. *zêta*, pelo lat. tard. *zeta*.] *S. m.* Dzeta.

zetacismo [De *zeta* + a term. de *(lambda)cismo*.] *S. m. E. Ling.* Vício de linguagem que consiste na passagem de uma consoante a |z|: *esparzir* (< *espargir*), *zinebra* (por **ginebra* < *genebra*), *rezistrar* (por *registrar*).

zetética [Do gr. *zetetiké*, subst. do f. *zetetikós*, *é*, *ón*, 'que ama a pesquisa ou que é apto à pesquisa'.] *S. f.* **1.** Método de investigação, ou conjunto de preceitos, para a resolução de um problema filosófico ou matemático. **2.** *Filos. P. us.* A doutrina de Pirro (v. *pirronismo*) em sua posição metodológica inicial, que consiste no incentivo à busca incessante de novos conhecimentos.

zetético [Do gr. *zetetikós*.] *Adj.* Relativo à zetética.

zé-tranquilino (qüi) [Do hipocorístico *Zé* (v. *zé*), + o antr. *Tranquilino*, der. arbitrário de *tranquilino* ou *Tranquilino*, antr.] *S. m. Bras. BA* Certo punhal de lâmina feita cuja lâmina é espada, e com cabo de prata lavrada. [Pl.: *zé-tranquilinos*.] ✧

▲ **zetta-** *Pref.* que, anteposto ao nome duma unidade de medida, forma o de outra 10^{21} vezes maior [símb.: *Z*]. Ex.: 1 *zettajoule* = 1 ZJ = 10^{21} J.

zettajoule *S. m. Fís.* Unidade de medida de energia, igual a 10^{21} joules [símb.: *ZJ*].

zeugita [Do gr. *zeugítes*.] *S. m.* Na Atenas da época de Sólon, cidadão da terceira classe (literalmente, 'o que possui uma junta de bois'), cujo rendimento era de 200 medimnos.

zeuglodonte [Do tax. *Zeuglodon*.] *S. m. Paleont.* Basilossauro.

zeugma [Do gr. *zeûgma*, 'junção', pelo lat. *zeugma*.] *S. f. e m. E. Ling.* **1.** Figura pela qual uma palavra, expressa em determinada parte do período, é subentendida em outra(s) parte(s), posterior(es) ou anterior(es) àquela. Ex.: 📖 "Vieira vivia para fora, para a cidade, para a corte, para o mundo; Bernardes [vivia] para a cela, para si, para o seu coração." (Antônio Feliciano de Castilho, *ap.* Álvaro Lins e Aurélio Buarque de Holanda, *Roteiro Literário de Portugal e do Brasil*, I, p. 169.) **2.** Emprego de um vocábulo que rege mais de um termo, dos quais só um lhe convém perfeitamente. [Como, p. ex.: 📖 "Ele contou-me a sua sombria história, desafivelando a minha maleta. Era de *Trancoso de desgraçado*." (Eça de Queirós, *A Relíquia*, pp. 96-97).]

zeugmático [De *zeûgma* + *-ático*.] *Adj.* Relativo a, ou em que ocorre zeugma.

zeugo [Do gr. *zeûgos*, 'par'.] *S. m.* Instrumento musical, na Grécia antiga, composto de duas flautas reunidas.

zeunerita [Do antr. (*Gustav*) *Zeuner* (1828-1907), engenheiro alemão, + *-ita*[3].] *S. f. Min.* V. *uranita*.

zezinha (zè) *S. f. Bras. Chulo* A vulva.

zezinho (zè) *S. m. Bras. Chulo* O pênis.

zibelina [Do russo *sobolj*, 'marta negra', pelo it. *zibellino* e pelo fr. *zibeline*.] *Adj.* (*f.*) **1.** *Zool.* Diz-se duma espécie de marta castanho-escura da Europa setentrional e partes do N. da Ásia, um dos mais valiosos animais produtores de pele. ● *S. f.* **2.** Marta zibelina. **3.** A pele desse animal.

zidovudina [Do ingl. *zidovudine* (alter. de [*a*]*zido* [*thymi*]*dine*).] *S. f. Quím.* Azidotimidina.

zifiídeo [Do tax. *Ziphius* + *-ídeo*[1]; tax. *Ziphiidae*.] *Zool. S. m.* **1.** Espécime dos zifiídeos, família de cetáceos de focinho alongado e estreito e em que, nalgumas espécies, a testa é alta e proeminente, as nadadeiras dorsais e laterais são pequenas, a cauda tem apenas uma pequena chanfradura medial. Atingem de 4 a 12m de comprimento, mergulham a grandes profundidades, e são encontrados em todos os continentes. ● *Adj.* **2.** Pertencente ou relativo a eles.

zigapófise [De *zig(o)-* + *apófise*.] *S. f. Anat.* Apófise que serve para articular uma vértebra com outra.

zigenídeo [Adapt. do tax. *Zygaenidae*.] *Zool. S. m.* **1.** Espécime dos zigenídeos, família de insetos pterigotos, lepidópteros, representada por pequenas mariposas diurnas, de cores brilhantes e voo lento. O casulo, duro e alongado, é posto sobre o solo; as larvas apresentam pelos pequenos, densos, e algumas são tóxicas. ● *Adj.* **2.** Pertencente ou relativo a eles.

▲ **zig(o)-** [Do gr. *zygós*, *oû* (ȳ).] *El. comp.* = 'par', 'união de dois': *zigapófise*, *zigócero*, *zigodáctilo*. [Equiv.: *-zig(o)-*.]

▲ **-zig(o)-** Equiv. de *zig(o)-*.

zigobrânquio [De *zig(o)-* + *-brânquio*.] *Zool. S. m.* **1.** Espécime dos zigobrânquios, grupo de moluscos gastrópodes prosobrânquios em que as brânquias estão dispostas simetricamente de cada lado do corpo. O grupo reúne os pleurotomariídeos e os gêneros *Haliotis* e *Fissurella*. ● *Adj.* **2.** Pertencente ou relativo a eles.

zigócero [De *zig(o)-* + *-cero*.] *Adj. S. m. Zool.* Diz-se de, ou inseto que possui tentáculos em número par.

zigocisto [De *zig(o)-* + *-cisto*.] *S. m. Micol.* Zigosporio de paredes espessas, capaz de permanecer em inatividade durante certo tempo.

zigodáctilo [De *zig(o)-* + *-dá(c)tilo*.] *Adj. Zool.* Que tem dedos em número par. [Var.: *zigodátilo*.]

zigodátilo *Adj. Zool.* V. *zigodáctilo*.

zigofilácea [Do tax. *Zygophyllum* + *-ácea*; tax. *Zygophyllaceae*.] *S. f. Bot.* Espécime das zigofiláceas, família de plantas floríferas, da ordem das geraniales, que compreende desde ervas até árvores de

Z

folhas penadas, flores com dois a três verticilos estaminais, e frutos em baga ou drupa. Existem umas 260 espécies, das quais raras ocorrem no Brasil.

zigofiláceo [De *zigofilácea*, com var. suf. (v. *-áceo*).] ***Adj. Bot.*** Pertencente ou relativo às zigofiláceas.

zigofilo [Do tax. *Zygophyllum*.] ***S. m. Bot.*** **1.** Gênero de arbustos zigofiláceos que se caracterizam, principalmente, pelas folhas bifoliadas e opostas. **2.** Qualquer espécie desse gênero como, p. ex., a *Zygophillum fabago*. **3.** Qualquer espécime desse gênero.

zigoma [Do gr. *zýgoma*.] ***S. m. Anat.*** **1.** Apófise zigomática de cada osso temporal. **2.** Cada um dos dois arcos zigomáticos. **3.** Osso zigomático: "Era um tipo alto, ... de olhar vivaz num rosto longo e anguloso, de zigomas bem marcados." (Gastão Cruls, *Contos Reunidos*, p. 278.)

zigomático [De *zigoma* + *-ático*.] ***Adj.*** De, ou pertencente ou relativo a zigoma. V. *osso* —.

zigomorfia [De *zig(o)-* + *-morf(o)-* + *-ia*[1].] ***S. f. Bot.*** Tipo de simetria floral em que o órgão só admite um plano de simetria. É, pois, uma simetria bilateral. [Sin.: *zigomorfismo*.]

zigomorfismo [De *zigomorfo* + *-ismo*.] ***S. m. Bot.*** Zigomorfia (q. v.).

zigomorfo [De *zig(o)-* + *-morfo*.] ***Adj. Bot.*** Que apresenta zigomorfia: *corola zigomorfa*. [Opõe-se a *actinomorfo*.]

zigóptero [De *zig(o)-* + *-ptero*; tax. *Zygoptera*.] ***Zool. S. m.*** **1.** Espécime dos zigópteros, subordem de insetos odonatos, cosmopolitas, da subordem *Zygoptera*, com asas anteriores e posteriores idênticas, tendo as ninfas três brânquias caudais, foliáceas, externas. • ***Adj.*** **2.** Pertencente ou relativo a eles.

zigospório [De *zig(o)-* + *-spor(o)-* + *-io*[3].] ***S. m. Micol.*** O zigoto de certos fungos provenientes da fusão das partes terminais de duas hifas (que funcionam como conjuntos de gametas), revestido de membrana eriçada de numerosos espinhos; zigósporo.

zigósporo [De *zig(o)-* + *-sporo*.] ***S. m. Micol.*** Zigospório.

zigoteno [De *zig(o)-* + *-teno*.] ***S. m. Citol.*** Fase inicial da meiose (q. v.); anfiteno.

zigótico [De *zigoto* + *-ico*[2].] ***Adj.*** Relativo ou pertencente ao zigoto.

zigoto (ô ou ó) [Do gr. *zygotós*, 'unido'.] ***S. m. Biol.*** Célula resultante da fecundação de óvulo por espermatozoide; célula-ovo, ovo.

▲**-zigoto** [Do gr. *zygōtós, ḗ, ón*.] ***El. comp.*** = 'zigoto': *heterozigoto, hipnozigoto*.

zigue-zague [Do al. *Ziekzack*, pelo fr. *zigzag*.] ***S. m.*** **1.** Linha quebrada ou sinuosa, que forma ângulos salientes e reentrantes alternados. **2.** Maneira de andar em que se descreve esse tipo de linha. **3.** Sinuosidade, flexuosidade. **4.** Ornato em forma de zigue-zague. **5.** *Bras. Bord.* Passamanaria de algodão ou de seda, feita com um cadarço estreito que forma alternadamente ângulos salientes e reentrantes. [Pl.: *zigue-zagues*.] ❄

ziguezagueante [De *ziguezaguear* + *-nte*.] ***Adj. 2 g.*** Que ziguezagueia.

ziguezaguear [De *zigue-zague* + *-ear*[2].] ***V. int.*** **1.** Fazer zigue-zagues. **2.** Andar aos zigue-zagues: "Um homem de média estatura .... ziguezagueia por entre os grupos, equilibrando no braço um enorme cartucho de pipocas" (Viana Moog, *Toia*, p. 42). [Conjug.: v. *frear*.]

zigue-zigue [Voc. onom.] ***S. m.*** **1.** Certa brincadeira de crianças. **2.** *Fig.* Traquinas, traquino, travesso. • ***S. m. e f.*** **3.** *Bras. Zool.* V. *libélula*. [Pl.: *zigue-zigues*.] ❄

ziguizira ***S. f. Bras. Gír.*** Qualquer doença que não se pode ou não se quer nomear. [Var.: *ziquizira*.]

zigurate [Do assírio *zigguratu*, 'altura', 'montanha'.] ***S. 2 g.*** Templo babilônio antigo em forma de torre piramidal, com plataformas recuadas e sucessivas, degraus externos e santuário no topo.

zilhão [De *z* + *-ilhão*.] ***S. m. Pop.*** Grande quantidade, indeterminada: *Ganhou zilhões com a especulação financeira*.

zímase [De *zim(e)-* + *-ase*.] ***S. f.*** **1.** Diástase causada pela levedura da cerveja. **2.** Zimose.

zimbabuano ***Adj.*** **1.** Da, ou pertencente ou relativo a Zimbábue, antiga Rodésia (África). • ***S. m.*** **2.** O natural ou habitante de Zimbábue. [Sin. ger.: *zimbabuense*. V. *rodesiano*.]

zimbabué [Do xona *dzymbawe*, 'corte ou casa de chefe', ou *dzimba dezemabwe*, 'casas de pedra', ou ainda *dzimbawe*, 'casas veneradas'.] ***S. m.*** Grande muralha de pedra, que encerrava cidades, em vários pontos do atual Zimbábue e de Moçambique (África). [Var.: *zimbaué*.]

zimbabuense ***Adj. 2 g. S. 2 g.*** Zimbabuano.

zimbaué ***S. m.*** V. *zimbabué*: "Bem menores eram os demais zimbabués, ou zimbaués ..... Contam-se cerca de 150 ruínas ..... Deviam os zimbaués ser, porém, mais numerosos, uma vez que muitos recintos amuralhados foram destruídos nos últimos cem anos." (Alberto da Costa e Silva, *A Enxada e a Lança*, p. 419.)

zimbo [Var. de *jimbo*.] ***S. m.*** Concha univalve, utilizada como moeda entre os congoleses: "Outra moeda incipiente foi o zimbo, pequena concha espiralada, cor pérola ou cinzenta .... | | Os zimbos existiam em toda a costa de Angola, mas da ilha de Luanda vinham os melhores e os mais belos." (Alberto da Costa e Silva, *A Enxada e a Lança*, p. 494.)

zimbório [Do gr. *kibórion*, 'taça com a forma do fruto do nenúfar', pelo lat. *ciboriu*.] ***S. m.*** **1.** *Arquit.* A parte superior, em geral convexa, que exteriormente remata a cúpula de um grande edifício, sobretudo de igrejas; domo: "A torre do Galo é como se chama o zimbório da Sé Velha de Salamanca." (Oliveira Martins, *Cartas Peninsulares*, p. 155.) **2.** *Fig.* Cabeça: "meninos de zimbório nu patinhando na água que gotejava das bocas de incêndio" (Aquilino Ribeiro, *Lápides Partidas*, p. 34).

zimbrada [De *zimbrar* + *-ada*[1].] ***S. f.*** Ato de zimbrar.

zimbral [De *zimbro* + *-al*[1].] ***S. m.*** **1.** Quantidade mais ou menos considerável de zimbros dispostos proximamente entre si; mata ou bosque de zimbros. **2.** Área ocupada por zimbral (1).

zimbrar ***V. t. d.*** **1.** Açoitar, fustigar, vergastar, zurzir: "De espaço em espaço, ... as linhas dos pingalins zimbravam o ar por cima da burrama carregada." (Xavier Marques, *As Voltas da Estrada*, p. 47.) **2.** Colocar bordões estirados e retesos sobre a pele de (um tambor), para requintar o som.

zimbro[1] [Do lat. *juniperu*, **jiniperu*, pela f. **ziibro*.] ***S. m. Bot.*** Arbusto cupressáceo (*Juniperus communis*) das regiões temperadas do hemisfério norte, de folhas lineares e frutos que são bagas coniformes, femininas, doces e aromáticas, edules, us. no preparo do gim e da genebra, e na aromatização de conservas.

zimbro[2] [De or. obscura.] ***S. m.*** **1.** Orvalho (1): "Entre os zimbros e a névoa, entre o vento e a salsugem, / A voz incompreendida, a voz da Tentação / Canta, ao surdo bater dos macaréus que rugem" (Olavo Bilac, *Poesias*, p. 250). **2.** V. *garoa*[1] (3).

▲**zim(e)-** [Do gr. *zýmē, ēs*.] ***El. comp.*** = 'fermento'; 'fermentação': *zimeose, zímase* [Equiv.: *-zim(e)-, zimo-: azimia, zimogênio, zimotecnia*]

▲**-zim(e)-** V. *zim(e)-*.

zimeose [De *zim(e)-* + *-ose*[1].] ***S. f.*** Doença dos vinhos, que os faz grossos. [Cf. *zimose*.]

zímico [De *zim(e)-* + *-ico*[2].] ***Adj.*** Relativo ou inerente à fermentação; zimótico.

▲**zimo-** V. *zim(e)-*.

zimóforo [De *zimo-* + *-foro*.] ***Adj.*** Que transporta fermento.

zimogenia [De *zimo-* + *-genia*.] ***S. f.*** Fermentação química.

zimogénico ***Adj.*** V. *zimogênico*. [Uso freq. em P.]

zimogênico [De *zimogenia* + *-ico*[2].] ***Adj.*** Respeitante à zimogenia, ou que a provoca.

zimogénio ***S. m. Bioquím.*** V. *zimogênio*. [Uso freq. em P.]

zimogênio [De *zimo-* + *-gen(o)-* + *-io*[3].] ***S. m. Bioquím.*** Precursor inativo que, pela ação de outra substância (ácido, enzima, etc.), é transformado em enzima ativa.

zimologia [De *zimo-* + *-logia*.] ***S. f.*** Ciência que trata dos fermentos e da fermentação.

zimológico [De *zimologia* + *-ico*[2].] ***Adj.*** Relativo ou pertencente à zimologia.

zimoscópio [De *zimo-* + *-scópio*.] ***S. m.*** Instrumento com que se calcula o grau de fermentação de um líquido.

zimose [Do gr. *zýmosis*.] ***S. f.*** Fermento solúvel; zímase. [Cf. *zimeose*.]

zimotecnia [De *zimo-* + *-tecn(o)-* + *-ia*[1].] ***S. f.*** Técnica de provocar, dirigir e estudar a fermentação.

zimotécnico [De *zimotecnia* + *-ico*[2].] ***Adj.*** Referente à zimotecnia.

zimotérmico [De *zimo-* + *térmico*.] ***Adj.*** Diz-se do calor gerado pela fermentação de substância orgânica.

zimótico [Do gr. *zymotikós*.] ***Adj.*** **1.** Próprio para a fermentação. **2.** Zímico.

zina[1] [De or. obscura.] ***S. f.*** O maior grau de intensidade; auge, apogeu: "Ribeiras torrenciais no inverno; mas no estio, / Na zina do calor, debalde o forasteiro / Procura fonte fria, ou límpido ribeiro!" (Bulhão Pato, *Livro do Monte*, p. 83.)

zina[2] ***S. f. Bot.*** V. *zínia* (2 e 3).

zinabre ***S. m.*** V. *azinhavre*: "suor de animal de sela muito viajado, e zinabre de instrumento de latão, corneta" (Mário Palmério, *Chapadão do Bugre*, pp. 183-184).

zincado [Part. de *zincar*.] ***Adj.*** Coberto ou revestido de zinco. ~ V. *aço* —.

zincagem [De *zincar* + *-agem*[2].] ***S. f. Metal.*** Operação de zincar; galvanização.

zincalismo [Do ingl. *zincalism*.] ***S. m. Med.*** Intoxicação por zinco, cuja manifestação clínica inclui febre, calafrios, dores musculares, cefaleia, pneumonite.

zincar [De *zinco* + *-ar*[2].] ***V. t. d.*** Cobrir ou revestir de zinco. [Conjug.: v. *trancar*.]

zincato [De *zinco* + *-ato*[2].] ***S. m. Quím.*** Sal com os ânions $Zn(OH)_3^-$ e/ou $Zn(OH)_4^{-2}$, resultantes de reação de zinco, ou o seu óxido, com álcalis em solução.

zíncico [De *zinco* + *-ico*[2].] ***Adj.*** Que contém zinco.

zincita [De *zinco* + *-ita*[3].] ***S. f. Min.*** Mineral hexagonal, óxido de zinco, minério de zinco.

zinco [Do al. *Zink*, pelo fr. *zinc*.] ***S. m.*** **1.** *Quím.* Elemento de número atômico 30, metálico, branco-acinzentado, denso, us. em ligas e puro para diversos e variados fins [símb.: *Zn*]. **2.** Folha desse metal, corrugada, com que se cobrem casas, galpões, etc. **3.** *Bras. N.E.* Sabre, facão: *Levou uma surra de zinco*. **4.** *Bras. S.* V. *dinheiro* (5). **5.** *Bras. RS* Moeda de níquel.

zincografar [De *zinco* + *grafar*.] ***V. t. d.*** Reproduzir pelo processo de zincografia.

zincografia [De *zinco* + *-grafia*.] ***S. f.*** **1.** Processo metalográfico em que o zinco em placas especialmente preparadas (granidas) substituí a pedra litográfica. **2.** Designação usual da fotogravura a traço.

zincográfico [De *zincografia* + *-ico*[2].] ***Adj.*** Relativo à zincografia ou à zincogravura.

zincógrafo [De *zinco* + *-grafo*.] ***S. m.*** Aquele que faz a zincografia ou a zincogravura. [Cf. *zincografo*, do v. *zincografar*.]

zincogravar [De *zinco* + *gravar*.] ***V. t. d.*** Gravar em zinco.

zincogravura [De *zinco* + *gravura*.] ***S. f.*** Qualquer processo de gravura em zinco.

zincoteca [De *zinco* + *-teca*.] ***S. f. Fotograv.*** Parte da oficina onde se guardam as chapas zincográficas. [Cf. *litoteca*.]

zincotipia [De *zinco* + *-tip(o)-* + *-ia*[1].] ***S. f. P. us.*** V. *fotogravura a traço*.

zine ***S. m. Jorn.*** V. *fanzine*.

zinga [De or. controversa.] ***S. f.*** **1.** Vara comprida, usada na propulsão de embarcações em lugares de pouco fundo. **2.** *Bras.* Remo us. como leme na popa da canoa ou da jangada. [Cf., nesta acepç.: *ginga* (1).]

zingador (ô) [De *zingar* + *-dor*.] ***S. m. Bras.*** Remador de zinga (2); aquele que zinga.

zingamocho (ô) [De or. obscura.] ***S. m.*** **1.** V. *cata-vento* (1). **2.** Remate de zimbório, cúpula, etc. **3.** *P. ext.* Cume, pináculo.

zingar [De *zinga* + *-ar*[2].] ***V. int. Bras.*** **1.** Manejar a zinga; ir à vara. **2.** Fazer avançar uma embarcação com zinga. [Conjug.: v. *largar*. Cf. *gingar* (4).]

zingarear [De *zíngaro* + *-ear*[2].] ***V. int.*** Vadiar, vagabundear. [Conjug.: v. *frear*.]

zíngaro [Do it. *zingaro*.] ***S. m.*** Cigano: "muitos [sertanejos] se misturam aos bandos vagabundos de zíngaros que vivem à gandaia pelas várzeas, aprendem sua língua, vestem como eles, transformam-se." (Gustavo Barroso, *Terra de Sol*, p. 179).

zíngiber [Do tax. *Zingiber* (do lat. *zingiber, eris*, 'gengibre', do gr. *zingíberis*).] ***S. m. Bot.*** **1.** O gênero-tipo das zingiberáceas. **2.** Qualquer espécie desse gênero, como, por ex., o *Zingiber zingiber* ou *gengibre* (q. v.). **3.** Qualquer espécime desse gênero.

zingiberácea [Do tax. *Zingiber* (v. *zíngiber*) + *-ácea*; tax. *Zingiberaceae*.] ***S. f. Bot.*** Espécime das zingiberáceas, família de plantas da ordem das escitamíneas, composta de ervas, comumente de grandes dimensões, que possuem rizomas e flores vistosas, coloridas. Há um único estame fértil, sendo os outros petaloides; fruto capsular. Compreende 1.300 espécies, em geral tropicais, algumas nativas no Brasil e muitas cultivadas como ornamentais. O gengibre é um exemplo.

zingiberáceo [De *zingiberácea*, com var. suf. (v. *-áceo*).] ***Adj. Bot.*** Pertencente ou relativo às zingiberáceas.

zingiberal [De *zíngiber* + *-al*[1].] ***Adj. 2 g. Bot.*** V. *escitamíneo*.

zingiberale [Adapt. do tax. *Zingiberales*.] ***S. f. Bot.*** V. *escitamínea*.

zingibereno [Do tax. *Zingiber* (v. *zingíber*) + *-eno*[2].] ***S. m. Quím.*** Sesquiterpeno com três ligações duplas, isômero do bisaboleno, com esqueleto semelhante ao deste, e que é constituinte do óleo essencial de gengibre [fórm.: $C_{15}H_{24}$].

zingração [De *zingrar* + *-ção*.] ***S. f.*** Ação de zingrar.

zingrar [Do ár. *sajara*, poss.] ***V. t. d.*** **1.** Motejar, zombar, escarnecer de. **2.** Burlar, iludir, intrujar. ***T. i.*** **3.** Dizer motejos, escarnecer, motejar. **4.** Não dar importância; desdenhar.

zinha [Subst. do suf. *-zinha*.] ***S. f. Bras. Pop.*** Qualquer mulher. [M. us. depreciativamente.]

▲**-zinha** [De *-z-* + *-inha*.] Fem. de *-zinho*. [V. *-inho*[1].]

zinho [Masc. de *zinha*.] ***S. m. Bras. Pop. P. us.*** Qualquer homem; indivíduo, pessoa.

▲**-zinho** [De *-z-* + *-inho*[1].] V. *-inho*[1].

zínia [Do tax. *Zinnia* (do antr. [*Johann G.*] *Zinn* [1727-1759], anatomista e botânico alemão + lat. cient. *-ia* [v. *-ia*[2]]).] ***S. f. Bot.*** **1.** Pequeno gênero de plantas asteráceas, tropicais, dotadas de flores exuberantes, radiadas, em capítulos, e brácteas florais imbricadas em várias séries. **2.** Qualquer espécie desse gênero, como, p. ex., a *Zinnia elegans* (v. *moças-e-velhas*). **3.** Qualquer espécime desse gênero. [Var., nas acepç. 2 e 3: *zina*. Cf. *zinia*, do v. *zinir*.]

zinir [Voc. onom.] *V. int.* **1.** Zunir: 📖 "Outras [balas].... vinham de longe, afiadas pela distância; ziniam num sibilo, subindo ou descendo" (Albertino Moreira, *Boca-Pio*, p. 35). **2.** V. *ziziar* (1): 📖 "O sol é grande. Zinem as cigarras / Em Laranjeiras." (Manuel Bandeira, *Estrela da Vida Inteira*, p. 211.) [Imperf. ind.: *zinia*, etc. Cf. *zínia*.]

zino [De (*bóson*) *Z*(*-zero*) + *-ino*².] *S. m. Fís. Part.* S-partícula de bóson Z-zero.

zinzilular [Do lat. tard. *zinzilulare*.] *V. int.* **1.** Soltar a sua voz (algumas aves, principalmente a andorinha). **2.** V. *trinfar*. ● *S. m.* **3.** A voz dessas aves.

zipagem [De *zipar* + *-agem*².] *S. f.* **1.** Ação ou efeito de zipar. **2.** *Arquit.* Processo de fixação de telhas metálicas em coberturas que consiste na união de uma telha a outra por meio de justaposição.

zipar [Do ingl. *zip* (marca registrada e nome de um aplicativo computacional) + *-ar*².] *V. t. d. Bras. Inform.* Compactar (arquivo) para armazenamento ou transmissão de dados.

zipe [Do ingl. *zipper*, marca registrada.] V. *fecho ecler*.

zíper [Do ingl. *zipper*, marca registrada.] *S. m.* V. *fecho ecler*: 📖 "Abriu o zíper da jaqueta de couro, fazia calor." (Lígia Fagundes Teles, *Seminário dos Ratos*, p. 93.) [Pl.: *zíperes*.]

ziquizira *S. f. Bras. Gír.* V. *ziguizira*.

zircão [De or. controversa; poss. do ár. *zayrqūn* (v. etim. de *zarcão*), pelo fr. *zircon* (< esp.); ou do fr. (ant.) *jargon* (< it. *giargone*).] *S. m.* Silicato de zircônio. [Cf. *zirconita* e *zarcão* (1).]

zircónio *S. m. Quím.* V. *zircônio*. [Uso freq. em P.]

zircônio [Do lat. cient. *zirconium*, baseado no fr. *zircon*.] *S. m. Quím.* Elemento de número atômico 40, metálico, branco, denso [símb.: *Zr*].

zirconita [De *zircônio* + *-ita*².] *S. f. Min.* Mineral tetragonal, silicato de zircônio, o qual, quando transparente e límpido, é pedra preciosa. [Cf. *zircão*.]

zirzelim *S. m.* V. *gergelim*.

▲**-zita** [De *-z-* + *-ita*¹.] V. *-ito*¹.

▲**-zito** [De *-z-* + *-ito*¹.] V. *-ito*¹.

zizânia [Do lat. tard. *zizania*.] *S. f.* V. *cizânia*.

ziziamento [De *ziziar* + *-mento*.] *S. m.* Zizio.

ziziar [Voc. onom.] *V. int.* **1.** Fazer (a cigarra) um ruído repetido, imitado onomatopeicamente pela sílaba *zi*; zinir (v. *fretenir*): 📖 "Mas tanta luz se derrama, / que tanta cigarra zizia, / que tudo clama, e proclama / teu nome na luz do dia, / Luzia!..." (Adelmar Tavares, *Poesias Completas*, p. 153.) **2.** Sibilar, zunir. [Ger. us. só nas 3.ªˢ pessoas, embora figuradamente possa ser em todas.]

zízifo [Do tax. *Zizyphus* (dolat. *zizyphum* < gr. *zízyphon*).] *S. m. Bot.* **1.** Grande gênero de arbustos ramnáceos, espinhosos, originariamente asiáticos, e que habitam, também, a América tropical. **2.** Qualquer espécie desse gênero, como, p. ex., a *Zizyphus jujuba* [v. *jujuba* (1)]. **3.** Qualquer espécime desse gênero.

zizio [Voc. onom.] *S. m.* O canto da cigarra; ziziamento.

➔**zloty** ['zlɔti] [Pol.] *S. m.* Unidade monetária, e moeda, da Polônia.

■ **Zn** *Quím.* Símb. de *zinco*.

▲**-zo-** [Do gr. *zōé*, *zōês*, conexo com o gr. *zâion*, ou (v. *zo(o)-*).] *El. comp.* = 'vida': *hilozoísmo*.

zoacantose [De *zo(o)-* + *-(a)cant(o)-* + *-ose*¹.] *S. f. Derm.* Dermatite produzida por matéria (cerda, ferrão, etc.) proveniente de animal e que ficou retida no corpo de um indivíduo.

zoada [De *zoar* + *-ada*¹.] *S. f.* **1.** Ato ou efeito de zoar: 📖 "Pareceu-lhe ouvir .... a zoada plangente de um sino ao longe." (Afonso Arinos, *Pelo Sertão*, p. 21.) [Sin. (bras. e prov. lus.): *zoeira*.] **2.** V. *zumbido* (2). **3.** Barulheira, bulício, gritaria, confusão. ◆ **Bater zoada.** *Bras. MG Pop.* Contar casos, conversar fiado; bater papo; papear.

zoadeira [De *zoada* + *-eira*.] *S. f.* Zoada intensa e contínua; zoadeiro.

zoadeiro [De *zoada* + *-eiro*.] *S. m.* Zoadeira.

zoadento [De *zoada* + *-ento*.] *Adj.* Que faz zoada; barulhento.

zoantário [Do tax. *Zoanthus* (v. *zo(o)-* e *ant(o)-*) + *-ário*; tax. *Zoantharia*.] *Zool. S. m.* **1.** Espécime dos zoantários, subclasse de cnidários, isolados ou coloniais, com exosqueleto ou sem ele; apresentam-se ger. como pólipos unidos por estolões basais, sendo alguns sedentários, com base pedunculada. Numerosas espécies vivem no exterior de vertebrados. ● *Adj.* **2.** Pertencente ou relativo a eles. [Sin. ger.: *zoantídeo* e *hexacoraliário*.]

zoante [De *zoar* + *-nte*.] *Adj. 2 g.* Que zoa: 📖 "o rumor crescia com a monotonia zoante da sanfona." (Coelho Neto, *Rei Negro*, p. 104).

zoantela *S. f. Zool.* Larva pelágica de zoantários, desprovida de tentáculos, e que nada por meio de uma faixa de cílios vibráteis.

zoantídeo [Do tax. *Zoanthus* (v. *zo(o)-* e *ant(o)-*) + *-ideo*¹; tax. *Zoanthidae*.] *S. m. Adj. Zool.* V. *zoantário*.

zoantropia [De *zo(o)-* + *-antrop(o)-* + *-ia*¹.] *S. f. Psiq.* Perturbação mental em que o enfermo se acredita convertido num animal.

zoantrópico [De *zoantropia* + *-ico*².] *Adj. Psiq.* Relativo à, ou da natureza da zoantropia.

zoantropo (trô) [De *zo(o)-* + *-antropo*.] *S. m.* Indivíduo acometido de zoantropia.

zoar [Var. onom.] *V. int.* **1.** Soar fortemente; ter som forte e confuso; fazer zoada: 📖 "Levantou a cabeça .... e inclinou o ouvido, alerta: o som continuava, zoando, zoando, parecendo ora morrer de todo, ora vibrar ainda, mas sempre ao longe." (Afonso Arinos, *Pelo Sertão*, p. 21.) **2.** V. *zumbir* (1 e 2). **3.** V. *zumbar* (1). [Normalmente é defect., unipess. Pres. subj.: *zoe* (ô), *zoes* (ô), etc. Cf. *Zóis*, antr.] **4.** *Pop.* Divertir-se: 📄 *Aos sábados, sai com os amigos para zoar.* **5.** *Gír.* Fazer troça, brincadeiras: 📄 *Depois da confusão, disse que estava apenas zoando.* *T. d.* **6.** *Gír.* Caçoar, zombar, de: 📄 *Zoou o primo quando o time dele levou uma goleada.* *T. i.* **7.** *Gír.* Zoar (6): 📄 *Não deixou os meninos zoarem com o velho.* [Norm. é defect., unipess. nas acepç. de 1 a 3. Pres. subj.: *zoe* (ô), *zoes* (ô), etc. Cf. *Zóis*, antr.]

▲**-zoário** [De *-z-* + *-o-*¹ + *-ário*.] V. *-ário*.

zodiacal [De *zodíaco* + *-al*¹.] *Adj. 2 g.* Relativo ao zodíaco. ~ V. *constelação* — e *luz* —.

zodíaco [Do gr. *zodiakós* (subst. já no grego).] *S. m. Astr.* Faixa, na esfera celeste, de 16° de largura e 8° de cada lado da eclíptica, e dividida em doze seções de 30° de extensão, habitualmente designadas por signos, alguns dos quais não correspondem às constelações designadas pelas convenções da astronomia.

zoé *Bras. S. 2 g.* **1.** *Etnôn.* Indivíduo dos zoés [ou (etnôn. bras.) *Zo'é], povo indígena do tronco linguístico tupi, que habita o PA. ● *Adj. 2 g.* **2.** Pertencente ou relativo a esse povo. [Sin. gen.: *poturu*.]

zoécio [De *zo(o)-* + *-ec(o)-*¹ + *-io*³.] *S. m.* Célula ou tubo de paredes membranosas, gelatinosas, quitinosas ou calcárias, que encerra o zooide de um briozoário.

zoeira [De *zoar* + *-eira*.] *S. f.* **1.** *Bras. Prov. port.* Zoada (1): 📖 "Que zoeira não farão as cigarras!" (Rubem Braga, *O Homem Rouco*, p. 29.) **2.** *Bras. RJ Gír.* Desordem, barulho, confusão, zoada.

zogó *S. m. Bras. N. Zool.* V. *sauá*.

zogue-zogue *S. m. Bras. Zool.* V. *sauá*. [Pl.: *zogues-zogues* e *zogue-zogues*.]

zoiatra *S. 2 g.* V. *zooiatra*.

zoiatria *S. f.* V. *zooiatria*.

zoiátrico *Adj.* V. *zooiátrico*.

zoico (ói) [Do gr. *zoïkós*.] *Adj.* Concernente à vida animal. ❖

▲**-zoico** (ói) [Do gr. *zōïkós*, *é*, *ón*.] *El. comp.* = 'relativo à vida e/ou aos animais': *mesozoico*, *paleozoico*. ❖

zoidógamo [De **zoide*, por *zooide*, + *-o-* + *-gamo*.] *Adj. Biol.* Que se fertiliza por meio de espermatozoide, ou célula sexual masculina móvel.

zoilo [Do antr. *Zoilo*, crítico grego do séc. IV a. C., detrator de Homero.] *S. m.* Crítico injusto e/ou invejoso: 📖 "o mais indesculpável defeito que até aqui esgravataram críticos e zoilos na *Ilíada* dos povos modernos, os imortais *Lusíadas*, é sem dúvida a heterogênea e heterodoxa mistura da teologia com a mitologia, do maravilhoso alegórico do paganismo com os graves símbolos do cristianismo." (Almeida Garrett, *Viagens na Minha Terra*, pp. 45-46).

zoina [Do ár. *za'nya(t)*, 'prostituta'.] *Adj. 2 g.* **1.** V. *tonto* (2). ● *S. f.* **2.** *Lus. Deprec.* Meretriz.

zoisita [Do antr. (*Sigismund*) *Zois* (*von Edelstein*) (1747-1819), barão eslavônio, + *-ita*³.] *S. f. Min.* Epídoto ortorrômbico, silicato ácido de alumínio e cálcio.

zoísmo [De *zo(o)-* + *-ismo*.] *S. m.* **1.** O conjunto dos caracteres que fazem incluir um ser vivo entre os animais. **2.** O conjunto dos fenômenos típicos da vida animal.

zolaniano [Do antr. (*Émile*) *Zola* + *-iano*.] *Adj.* **1.** Relativo ou pertencente ao escritor francês Émile Zola (1840-1902), ou próprio dele. **2.** Que é grande admirador e/ou profundo conhecedor da obra desse escritor. ● *S. m.* **3.** Grande admirador e/ou profundo conhecedor da obra de Zola.

zombador (ô) [De *zombar* + *-dor*.] *Adj. S. m.* Que, ou aquele que zomba; zombeirão; zombeteiro.

zombar [De or. controv.; poss. onom.] *V. t. i.* **1.** Fazer zombaria, debochar, escarnecer, ludibriar, mofar, troçar, mangar: 📖 "se um desgraçado precisa de piedade, ele parece que zomba do desgraçado" (Valdomiro Silveira, *Os Caboclos*, p. 88); "— Porventura estareis vós zombando com o vosso velho freire, dom prior?" (Arnaldo Gama, *O Balio de Leça*, p. 83). **2.** Não fazer caso; desdenhar, ludibriar. *T. d.* **3.** Fazer zombaria de; debochar, motejar, ludibriar, troçar. *Int.* **4.** Fazer zombaria; escarnecer, ludibriar, motejar, mangar. [Sin. ger.: *caçoar*, *chacotear* e *zombetear*. Fut. pret.: *zombaria*, etc.; pres. subj.: *zombe*, *zombes*, etc. Cf. *zombaria*, s. f., e *Zômbis*, top.]

zombaria [De *zombar* + *-ia*¹.] *S. f.* Manifestação intencional, malévola, irônica ou maliciosa, por meio do riso, de palavras, atitudes ou gestos, com que se procura levar ao ridículo ou expor ao desdém ou menosprezo uma pessoa, instituição, coisa, etc., e até os sentimentos. [Sin.: *caçoada*, *chacota*, *chacoteação*, *deboche*, *escarnecimento*, *escárnio*, *gaita*, *galhofa*, *ludíbrio*, *mangação*, *moca*, *mofa*, *momo*, *motejo*, *remoque*, *sarcasmo*, *troça* e (bras., CE) *mangoça* ou *mangofa*. Cf. *zombaria*, do v. *zombar*.]

zombeirão [De *zombar* + *-eirão*.] *Adj. S. m.* V. *zombador*. [Fem.: *zombeirona*.]

zombeirona *S. f.* Fem. de *zombeirão* (q. v.).

zombetear *V. t. i. T. d. Int.* V. *zombar*. [Conjug.: v. *frear*.]

zombeteiro [De *zombar*.] *Adj. S. m.* V. *zombador*.

zomoterapia [Do gr. *zōmós*, 'caldo de carne', + *-terapia*.] *S. f. Terap.* Uso terapêutico de alimentação cárnea (carne integral, suco de carne).

zona [Do gr. *zónē*, 'cintura', pelo lat. *zona*.] *S. f.* **1.** Cinta, faixa. **2.** Ponto, parte, local: 📄 *A zona mais atingida pelo desastre foi a frente do carro.* **3.** Região que se caracteriza por certas particularidades (de temperatura, de vegetação, de população, econômicas, sociais, etc.): 📄 *zona da mata*; *zona desértica*; *zona rural*. **4.** Região delimitada, ou parte de uma cidade, que se caracteriza pelo aspecto exterior, pela natureza das atividades que ali se desenvolvem, etc.: 📄 *zona militar*; *zona bancária*; *zona residencial*. **5.** *Anat.* Designação genérica de área que apresenta limites ou características nítidas. **6.** *Crist.* Conjunto de faces paralelas a uma mesma reta, a qual se denomina *eixo de zona*. **7.** *Derm. Neur.* V. *herpes-zóster*. **8.** *Geogr.* Cada uma das faixas em que se divide a Terra, determinadas pelo equador, pelos trópicos e pelos círculos polares. **9.** *Geom.* Porção de uma superfície de revolução compreendida entre dois planos paralelos entre si, perpendiculares ao eixo de rotação, e dos quais pelo menos um é secante. **10.** *Restr.* Porção de uma superfície esférica compreendida entre dois planos paralelos, um dos quais, pelo menos, é secante; zona esférica. **11.** *Bras. Gír.* Zona (4) onde se acha estabelecido o meretrício. [Sin., nesta acepç.: no N.E., *brega*, *zona estragada*; no CE, *curral*; no N.E. e MG, *coreia*; na PB, *bereu*; no RS, *viveiro*.] **12.** *Bras. Gír.* Desordem, bagunça, confusão. [Cf. *zona*, do v. *zonar*.] ◆ **Zona afótica.** *Ocean. Biol.* A camada de oceano não penetrada pela luz solar com intensidade suficiente para ser percebida pelo olho humano, ger. situada abaixo de 100m. **Zona cega.** *Eng. Eletrôn.* Área dentro do limite de cobertura de um transmissor, a qual, em virtude de qualquer obstrução, não é alcançada pelas ondas transmitidas. **Zona contígua.** *Dir. Intern.* Parte do alto-mar contígua ao mar territorial e sobre a qual o Estado ribeirinho pode exercer controle e vigilância para prevenir infrações aos seus regulamentos alfandegários, fiscais, sanitários e imigratórios, bem como punir as infrações a esses regulamentos cometidas no seu território ou no seu mar territorial. Tal poder de controle não modifica, porém, o regime jurídico das águas sobre as quais se exerce, e que continuam sendo parte integrante do alto-mar, não estando submetidas à soberania do Estado ribeirinho. **Zona de articulação.** *E. Ling.* O ponto do sistema fonador (q. v.) onde se produz a articulação (5). **Zona de atrito.** *Geogr. Pol.* Área onde existe choque de interesses político-econômicos entre dois ou mais Estados; zona de fricção. **Zona de fricção.** *Geogr. Pol.* Zona de atrito. **Zona de livre comércio.** *Econ.* Área de livre comércio (q. v.). **Zona de sombra.** *Telec.* Área em que não se consegue captar a transmissão de telefonia celular, televisão, rádio, etc. **Zona de transição.** *Fís.* Numa junção entre um semicondutor *n* e outro semicondutor *p*, região em que existe uma carga espacial e onde se forma uma barreira de potencial entre os dois cristais; camada de depleção. **Zona do agrião.** *Bras. Fut.* Porção do campo, nas proximidades da grande área, onde a bola é mais ardorosamente disputada. **Zona entremarés.** *Ecol.* Zona no litoral, situada na região entre marés, que fica exposta ao ar nas marés baixas; zona intertidal. **Zona epipelágica.** *Ocean.* Zona eufótica. **Zona equatorial.** V. *zona tórrida*. **Zona esférica.** *Geom.* Zona (8). **Zona estragada.** *Bras. N.E. Gír.* V. *zona* (10). **Zona eufótica.** *Ocean. Biol.* A camada de oceano ou lago penetrada pela luz solar com intensidade suficiente para permitir a fotossíntese; zona epipelágica. **Zona franca.** *Econ.* Zona de um país onde as importações são isentas de impostos, sob certas condições e limites. **Zona glacial.** Cada uma das zonas terrestres compreendidas entre o polo da esfera e o círculo polar do respectivo hemisfério, e que apresentam temperatura média geralmente

Z

abaixo de 0°C; zona polar. [Há duas zonas glaciais: a *ártica*, no polo norte, e a *antártica*, no polo sul.] **Zona glacial antártica.** V. *zona glacial*. **Zona glacial ártica.** V. *zona glacial*. **Zona hiperacústica.** *Met.* Região da atmosfera superior, acima de 60 milhas, e em que a distância entre moléculas do ar rarefeito se iguala, aproximadamente, à extensão da onda sonora, de modo que o som é transmitido com menos volume do que nas camadas mais baixas. [Acima dessa zona, as ondas sonoras não se propagam.] **Zona intertidal.** *Ecol.* Zona entremarés (q. v.). **Zona morta.** *Fut. Basq.* Cada uma das porções do campo, ou da quadra, próximas aos córneres. **Zona oligofótica.** *Ocean. Biol.* A camada de oceano apenas só penetrada por algumas radiações selecionadas do espectro solar. **Zona pelúcida.** *Biol.* Membrana espessa que circunda o ovócito. **Zona polar.** Zona glacial. **Zona temperada.** Cada uma das zonas terrestres compreendidas entre a zona tórrida e cada uma das zonas glaciais, e onde o clima é mais ou menos moderado. **Zona tórrida.** A zona terrestre situada entre o trópico de Câncer e o de Capricórnio, e que apresenta clima quente e úmido, com chuvas abundantes; zona equatorial, zona tropical. **Zona tropical.** V. *zona tórrida*. **Cair na zona.** *Bras. N.E. Gír.* Prostituir-se. **Fazer a zona.** *Bras.* Andar pelas ruas do meretrício à busca de aventuras; zonar.

zonado [De *zona* + *-ado*[1].] ***Adj. Bot.*** Que tem faixa quase sempre de cor diferente da que constitui o fundo. ~ V. *estrutura —a*.

zonal [De *zona* + *-al*[1].] ***Adj. 2 g.*** **1.** Relativo ou pertencente a zona (4 e 7). **2.** Disposto ou dividido em zonas. [Pl.: *zonais*. Cf. *zonais*, do v. *zonar*.]

zonar[1] [De *zona* + *-ar*[1].] ***Adj. 2 g.*** ~ V. *estrutura —*. [Cf. *zonar*, v.]

zonar[2] [De *zona* (11) + *-ar*[2].] ***V. t. d.*** *Bras. RN Chulo* Fazer a zona (q. v.). [Pres. ind.: *zono, zonas, zona, zonamos, zonais, zonam*. Cf. *zonar*, adj., *zona*, s.f., e *zonais*, pl. de *zonal*.]

zoneamento [De *zonear* + *-mento*.] ***S. m.*** **1.** Ato ou efeito de zonear. **2.** Divisão racional de uma área em setores sujeitos a normas específicas para o desenvolvimento de certas atividades, para a conservação do meio ambiente, ou para a preservação de patrimônio cultural, etc.

zonear [De *zona* + *-ear*[2].] ***V. t. d.*** **1.** Dividir por zonas [v. *zona* (3 e 4)] específicas: *zonear um país, uma cidade*. **2.** *Bras. Gír.* Fazer zona (12) em: *O bêbado zoneou o restaurante*. ***Int.*** **3.** *Bras. Gír.* Fazer zona (12). [Conjug.: v. *frear*.]

zoneiro [De *zona* + *-eiro*.] ***Adj. S. m.*** **1.** Diz-se de, ou aquele que frequenta a zona (11). **2.** Diz-se de, ou aquele que zoneia [v. *zonear* (3)], que faz bagunça, confusão.

zoniforme [De *zona* + *-iforme*.] ***Adj. 2 g.*** Que tem feitio de zona (1).

zonofone ***S. m.*** *Bras. N.E. Pop.* Alter. de *gramofone*: "Apareceu um homem com uma máquina que tinha um funil enorme em cima. Era um zonofone." (José Lins do Rego, *Meus Verdes Anos*, p. 155.)

zônula [De *zona* + *-ula*.] ***S. f.*** *Anat.* Designação genérica de pequena zona (5). ◆ **Zônula ciliar.** *Anat.* Sistema de fibras que, em cada olho, se situa entre o corpo ciliar e o cristalino (6), mantendo este último em seu lugar.

zonulite [De *zônula* + *-ite*[1].] ***S. f.*** *Oftalm.* Inflamação de zônula ciliar.

zonulotomia (zô) [De *zônula* + *-o-* + *-tom(o)-* + *-ia*[1].] ***S. f.*** *Oftalm.* Seção (1) de zônula ciliar.

zonzar [De *zonzo* + *-ar*[2].] ***V. int.*** *Bras.* Ficar zonzo; zonzear: "Quanta vez o subi [o caminho], buscando a um guaxe o ninho, / Ou, saltando, o desci com o regato ligeiro, / Para voar num balanço, embaixo, o dia inteiro, / E ver girar, zonzando, as asas de um moinho!" (Alberto de Oliveira, *Poesias*, 4ª série, p. 223.)

zonzear [De *zonzo* + *-ear*[2].] ***V. int.*** *Bras.* Zonzar. [Conjug.: v. *frear*.]

zonzeira [De *zonzo* + *-eira*.] ***S. f.*** *Bras.* V. *vertigem* (1 e 2): "A vista escurece. Dá zonzeira, tontura." (Manuel Lobato, *Garrucha 44*, p. 30.)

zonzo [Voc. onom., poss.] ***Adj.*** *Bras.* V. *tonto* (1 e 2): "Bertoldo .... repetiu que assim poderíamos beber durante toda a noite, sem sentir nada. .... Concordei, com a cabeça já um tanto zonza." (Ézio Pinto Monteiro, *Chico*, p. 22.)

zoo ***S. m.*** V. *zoológico* (2). ❖

▲**zo(o)-** [Do gr. *zōi-, zōio-* < gr. *zôion, ou*, conexo com o gr. *zōḗ*, 'vida' (v. *-zo-*).] ***El. comp.*** = 'animal': *zoantropia, zootecnia*. [Equiv.: *-zo(o)-*: *entozoário*.]

▲**-zo(o)-** Equiv. de *zo(o)-*.

zoobia [De *zo(o)-* + *-bi(o)-* + *-ia*[1].] ***S. f.*** **1.** Funcionamento dos órgãos vitais. **2.** *P. ext.* Ciência da vida.

zoobiologia [De *zo(o)-* + *biologia*.] ***S. f.*** Ciência que trata da vida animal.

zoobiológico [De *zoobiologia* + *-ico*[2].] ***Adj.*** Referente à zoobiologia.

zooclorela [De *zo(o)-* + *-clor(o)-* + *-ela*.] ***S. f.*** *Bot.* Clorofícea unicelular que vive simbioticamente no interior de um organismo animal.

zoocoria (ô-o) [De *zoocoro* + *-ia*[1].] ***S. f.*** *Fitogeogr.* Condição de zoócoro.

zoocórico [De *zoocoro* + *-ico*[2].] ***Adj.*** *Fitogeogr.* Zoóroco.

zoócoro [De *zo(o)-* + *-coro*.] ***Adj.*** *Fitogeogr.* Diz-se do vegetal cujos diásporos são disseminados pelos animais. [Muitos frutos e sementes aderem ao pelo dos animais e são carreados por eles para longe; outros, ingeridos, são assim transportados. Sin.: *zoocórico*.]

zoocorografia [De *zo(o)-* + *corografia*.] ***S. f.*** Descrição dos animais de uma região.

zoocorográfico [De *zoocorografia* + *-ico*[2].] ***Adj.*** Relativo à zoocorografia.

zooematina [De *zo(o)-* + *hematina*.] ***S. f.*** Princípio corante do sangue. [Var.: *zoo-hematina*.]

zooerastia [De *zo(o)-* + a term. de palavras como *pederastia*.] ***S. f.*** Relação sexual com animais. [Cf. *bestialidade* (2).]

zooética [De *zo(o)-* + *ética*.] ***S. f.*** Tratado sobre os costumes dos animais.

zoofagia [Do gr. *zoophagía*.] ***S. f.*** Voracidade que instiga os animais a devorarem a presa antes de morta; qualidade de zoófago.

zoofágico [De *zoofagia* + *-ico*[2].] ***Adj.*** Respeitante à zoofagia.

zoofagínea [De *zo(o)-* + *-fag(o)-* + *-ínea*; tax. *Zoophagineae*.] ***S. f.*** *Microbiol.* Espécime das zoofagíneas, subordem das virales cujos espécimes causam infecção em animais.

zoofagíneo [De *zoofagínea*, com var. suf. (v. *-eo*).] ***Adj.*** *Microbiol.* Pertencente ou relativo às zoofagíneas.

zoófago [Do gr. *zoophágos*.] ***Adj. S. m.*** Diz-se de, ou animal que pratica a zoofagia.

zoofilia [De *zo(o)-* + *-filia*.] ***S. f.*** **1.** Qualidade ou sentimento de zoófilo (1). **2.** *Bot.* Polinização efetuada por animais, quase sempre insetos. ◆ **Zoofilia erótica.** *Psiq.* Parafilia em que a satisfação sexual é obtida com animais.

zoofílico [De *zoofilia* + *-ico*[2].] ***Adj.*** Relativo a zoofilia, ou a zoófilo.

zoófilo [De *zo(o)-* + *-filo*[2].] ***Adj. S. m.*** **1.** Que, ou aquele que gosta de animais; amigo dos animais. **2.** Diz-se de, ou planta polinizada por animais, especialmente por insetos.

zoofitário [De *zoófito* + *-ário*.] ***Adj.*** Relativo ou pertencente a zoófito; zoofítico.

zoofítico [De *zoófito* + *-ico*[2].] ***Adj.*** **1.** Zoofitário. **2.** Que contém zoófitos.

zoófito[1] [Do gr. *zoóphyton*.] ***S. m.*** *Obsol.* Designação comum aos animais cujas formas recordam as das plantas, como, p. ex., o coral e a esponja.

zoófito[2] [Adapt. do tax. *Zoophyta*.] ***S. m. Adj.*** *Zool.* V. *radiado*[2].

zoofobia [De *zo(o)-* + *-fobia*.] ***S. f.*** *Psiq.* Medo mórbido a qualquer animal: "Aqui devemos distinguir as verdadeiras zoofobias, medo gratuito dos animais inócuos." (E. Roquete-Pinto, *Seixos Rolados*, p. 36.)

zoofóbico [De *zoofobia* + *-ico*[2].] *Psiq.* ***Adj.*** **1.** Relativo a zoofobia. **2.** Que sofre de zoofobia; zoófobo. • ***S. m.*** **3.** Aquele que sofre de zoofobia; zoófobo.

zoófobo [De *zo(o)-* + *-fobo*.] ***Adj. S. m.*** *Psiq.* Zoofóbico (2 e 3).

zoofórico [De *zoóforo* + *-ico*[2].] ***Adj.*** Respeitante a zoóforo.

zoóforo [De *zo(o)-* + *-foro*.] ***S. m.*** *Arquit.* Espaço entre arquitrave e cornija, ornado outrora com cabeças de animais.

zoogénese ***S. f.*** V. *zoogênese*. [Uso freq. em P.]

zoogênese [De *zo(o)-* + *-gênese*.] ***S. f.*** Zoogenia.

zoogenia [De *zo(o)-* + *-genia*.] ***S. f.*** Geração ou formação de animais; zoogênese.

zoogénico ***Adj.*** V. *zoogênico*. [Uso freq. em P.]

zoogênico [De *zo(o)-* + *-gen(o)-* + *-ico*[2].] ***Adj.*** **1.** Relativo a zoogenia. **2.** Que é causado por, ou associado a animais, ou a suas atividades; zoógeno: *vírus zoogênico*.

zoogénio ***S. m.*** V. *zoogênio*. [Uso freq. em P.]

zoogênio [De *zo(o)-* + *-gen(o)-* + *-io*[3].] ***S. m.*** Substância viscosa existente nas águas termais.

zoógeno [De *zo(o)-* + *-geno*.] ***Adj.*** Zoogênico.

zoogeografia [De *zo(o)-* + *geografia*.] ***S. f.*** *Biogeogr.* Ciência que trata da distribuição geográfica das espécies animais atuais e fósseis.

zoogeográfico [De *zoogeografia* + *-ico*[2].] ***Adj.*** Respeitante à zoogeografia.

zoogeógrafo [De *zo(o)-* + *geógrafo*.] ***S. m.*** Especialista em zoogeografia.

zoogleia (éi) [De *zo(o)-* + gr. *gloiá*, 'grude'.] ***S. f.*** *Micol.* Massa de bactérias ou algas unicelulares aglutinadas pela mucilagem que produzem. ❖

zoogleico (éi) [De *zoogleia* + *-ico*[2].] ***Adj.*** Referente à zoogleia. ❖

zooglifito [De *zo(o)-* + *-glif(o)-* + *-ito*[2].] ***S. m.*** Impressão deixada numa rocha por animal fóssil.

zoografar [De *zo(o)-* + *grafar*.] ***V. t. d.*** Descrever, desenhar ou pintar (animais). [Pres. ind.: *zoografo*, etc. Cf. *zoógrafo*.]

zoografia [De *zo(o)-* + *-grafia*.] ***S. f.*** Arte de zoografar.

zoográfico [De *zoografia* + *-ico*[2].] ***Adj.*** Referente à zoografia.

zoógrafo [De *zo(o)-* + *-grafo*.] ***S. m.*** Aquele que se dedica à zoografia. [Cf. *zoografo*, do v. *zoografar*.]

zoo-hematina ***S. f.*** V. *zooematina*. [Pl.: *zoo-hematinas*.] ❖

zooiatra [De *zo(o)-* + *-iatra*.] ***S. 2 g.*** Pessoa que pratica a zooiatria; veterinário.

zooiatria [De *zo(o)-* + *-iatria*.] ***S. f.*** Medicina veterinária; veterinária.

zooiátrico [De *zooiatria* + *-ico*[2].] ***Adj.*** Relativo à zooiatria.

zooide (ói) [De *zo(o)-* + *-oide*.] ***Adj. 2 g.*** *Zool.* **1.** Que tem aparência de animal, ou duma parte dum animal: *mineral zooide*. **2.** Diz-se do ser vivo que tem forma de animal ou no qual predominam caracteres animais. • ***S. m.*** **3.** Cada exemplar de uma espécie colonial. **4.** Esporozoíto formado pela divisão dos esporoblastos. ❖

zoolagnia [De *zo(o)-* + *-lagnia*.] ***S. f.*** *Patol.* Perturbação psíquica em que se observa atração sexual por animais.

zoólatra [De *zo(o)-* + *-latra*.] ***Adj. 2 g. S. 2 g.*** Que, ou quem pratica a zoolatria.

zoolatria [De *zo(o)-* + *-latria*.] ***S. f.*** Adoração dos animais.

zoolátrico [De *zoolatria* + *-ico*[2].] ***Adj.*** Relativo à zoolatria.

zoólico [De *zo(o)-* + *-l-* + *-ico*[2].] ***Adj.*** Movido por força animal: *máquina zoólica*.

zoólite [De *zo(o)-* + *-lite*.] ***S. m.*** **1.** Animal fóssil. **2.** Parte dum animal fóssil ou petrificado. [Sin. ger.: *zoomorfite*.]

zoolítico [De *zoólite* + *-ico*[2].] ***Adj.*** **1.** Relativo a zoólite. **2.** Que contém zoólite.

zoologia [De *zo(o)-* + *-logia*.] ***S. f.*** Ciência que trata dos animais.

zoológico [De *zoologia* + *-ico*[2].] ***Adj.*** **1.** Relativo à zoologia. ~ V. *jardim —*. • ***S. m.*** **2.** Jardim zoológico. [F. red., da 2ª acepç.: *zoo*.]

zoologista [De *zoologia* + *-ista*.] ***S. 2 g.*** Zoólogo.

zoólogo [De *zo(o)-* + *-logo*.] ***S. m.*** Especialista em zoologia; zoologista.

➔ **zoom** [zuwm] [Ingl.] ***S. m.*** V. *zum*.

zoomagnético [De *zoomagnetismo* + *-ico*[2], seg. o padrão erudito.] ***Adj.*** Referente ao zoomagnetismo.

zoomagnetismo [De *zo(o)-* + *magnetismo*.] ***S. m.*** Magnetismo animal.

zoomancia [De *zo(o)-* + *-mancia*.] ***S. f.*** Adivinhação por meio dos animais.

zoomania [De *zo(o)-* + *-mania*.] ***S. f.*** Amor exagerado aos animais.

zoomaníaco [De *zoomania* + *-íaco*.] ***Adj.*** **1.** Relativo a zoomania. **2.** Que tem zoomania; zoômano. • ***S. m.*** **3.** Aquele que tem zoomania; zoômano.

zoómano ***Adj. S. m.*** V. *zoômano*. [Uso freq. em P.]

zoômano [De *zo(o)-* + *-mano*[1].] ***Adj. S. m.*** Zoomaníaco (2 e 3).

zoomante [De *zo(o)-* + *-mante*.] ***S. 2 g.*** Pessoa que pratica a zoomancia.

zoomântico ***Adj.*** Relativo a zoomancia, ou a zoomante.

zoomastigino [De *zo(o)-* + *-mastig(o)-* + *-ino*[1].] ***Adj. S. m.*** Diz-se do, ou animal protozoário, da classe dos flagelados e mastigóforos, em que se observa predomínio de características animais.

zoomorfia [De *zo(o)-* + *-morf(o)-* + *-ia*[1].] ***S. f.*** **1.** Parte da zoologia que trata da forma dos animais. **2.** Representação dos animais vivos que vivem nas conchas.

zoomórfico [De *zoomorfia* + *-ico*[2].] ***Adj.*** Referente à zoomorfia.

zoomorfismo [De *zo(o)-* + *-morf(o)-* + *-ismo*.] ***S. m.*** **1.** Representação de divindades sob a forma de animais. **2.** O uso de formas ou de símbolos animais na arte, na literatura, etc.

zoomorfite [De *zo(o)-* + *-morf(o)-* + *-ite*[2].] ***S. m.*** Zoólite.

zoomorfo [De *zo(o)-* + *-morfo*.] ***Adj.*** Que tem forma de animal: *signos zoomorfos*.

zoonitado [De *zoonito* + *-ado*[1].] ***Adj.*** *Zool.* Diz-se dos animais articulados, vermes e equinodermos.

zoonito [Do gr. *zôion*, 'animal', + *-ito*[1].] ***S. m.*** *Zool.* Cada uma das partes constitutivas do tronco de certos animais (conhecidas como *segmentos* ou *somitos*), outrora consideradas tipo elementar, mas ideal, das formas animais.

zoonomia [De *zo(o)-* + *-nom(o)-* + *-ia*[1].] ***S. f.*** O conjunto das leis orgânicas que presidem à vida animal.

zoonómico ***Adj.*** V. *zoonômico*. [Uso freq. em P.]

zoonômico [De *zoonomia* + *-ico*[2].] ***Adj.*** Referente à zoonomia.

zoonose [De *zo(o)-* + *-nose*.] ***S. f.*** *Patol.* **1.** Doença que incide sobretudo em animais. **2.** *Restr.* Doença transmissível de outros animais vertebrados ao homem, e vice-versa, sob condições naturais.

zoonosologia [De *zo(o)-* + *nosologia.*] *S. f.* Ramo da veterinária que trata da classificação das doenças dos animais.

zoonosológico [De *zoonosologia* + *-ico*^{2}.] *Adj.* Relativo à zoonosologia.

zoonótico [De *zoon(ose)* + *-ótico.*] *Adj.* Diz-se de doença transmissível, sob condições naturais, de outro animal ao homem.

zooparasito [De *zo(o)-* + *-parasito.*] *S. m. Zool.* Qualquer animal parasito do homem e de outros animais.

zoopatia [De *zo(o)-* + *-patia.*] *S. f. Psiq.* Delírio (1) em que o indivíduo supõe estar sendo habitado por um animal.

zoopático [De *zoopatia* + *-ico*^{2}.] *Adj. Psiq.* Pertencente ou relativo à zoopatia.

zoopatologia [De *zo(o)-* + *patologia.*] *S. f.* Estudo das doenças dos animais.

zoopatológico [De *zoopatologia* + *-ico*^{2}.] *Adj.* Respeitante à zoopatologia.

zoopedia [De *zo(o)-* + *-pedia.*] *S. f.* Conjunto de regras e preceitos que se devem observar para domar animais.

zoopédico [De *zoopedia* + *-ico*^{2}.] *Adj.* Referente à zoopedia.

zooplancto *S. m. Biol.* Zooplâncton.

zooplâncton [De *zo(o)-* + *plâncton.*] *S. m. Biol.* V. *plâncton.*

zoopraxinoscópio (cs) [De *zo(o)-* + *-prax(i)-* + *in(o)-*^{2} + *-scópio.*] *S. m.* Dispositivo fotográfico aperfeiçoado a partir do zootrópio, e que permitia filmar o movimento natural dos animais.

zoopsia [De *zo(o)-* + *-opsia.*] *S. f. Psiq.* Alucinação em que o paciente julga ver animais.

zooquímica [De *zo(o)-* + *química.*] *S. f.* Estudo da composição química dos tecidos animais e das reações que neles ocorrem.

zooquímico [De *zooquímica*, com var. suf. (v. *-ico*^{2}).] ***Adj.*** Respeitante à zooquímica.

zooscopia [De *zo(o)-* + *-scop-* + *-ia*^{1}.] *S. f.* Observação científica dos animais a olho nu, ou com auxílio de uma lente ou do microscópio.

zooscópico [De *zooscopia* + *-ico*^{2}.] *Adj.* Respeitante à zooscopia.

zoose [De *zo(o)-* + *-ose*^{1}.] *S. f. Patol.* Qualquer doença infecciosa ou parasitária de origem animal.

zoosporângio [De *zo(o)-* + *esporângio.*] *S. m. Micol.* Esporângio que forma zoósporos.

zoospório [De *zo(o)-* + *-spor(o)-* + *-io*^{3}.] *S. m. Bot. Micol.* Zoósporo.

zoósporo [De *zo(o)-* + *-sporo.*] *S. m. Bot. Micol.* Esporo provido de flagelo e, portanto, móvel, característico das algas e de certos fungos que vivem na água; zoospório.

zoossadismo [De *zo(o)-* + *sadismo.*] *S. m. Psiq.* Sadismo praticado em relação a outro animal que não o homem.

zootáctico (ô-o) [De *zoo(taxia)* + *-tá(c)tico*, seg. o padrão erudito.] *Adj.* Relativo à zootaxia. [Var.: *zootático.* F. paral. menos pref.: *zootáxico.*]

zootático *Adj.* V. *zootáctico.*

zootaxia (cs) [De *zo(o)-* + *-taxia.*] *S. f.* Classificação metódica do reino animal.

zootáxico (cs) [De *zootaxia* + *-ico*^{2}.] *Adj.* V. *zootáctico.*

zootecnia [De *zo(o)-* + *-tecn(o)-* + *-ia*^{1}.] *S. f.* Estudo científico da criação e aperfeiçoamento dos animais domésticos.

zootécnico [De *zootecnia* + *-ico*^{2}.] *Adj.* Relativo à zootecnia.

zooterapêutica [De *zo(o)-* + *terapêutica.*] *S. f.* Terapêutica dos animais; zooterapia.

zooterapêutico [De *zooterapêutica*, com var. suf. (v. *-ico*^{2}).] ***Adj.*** Referente à zooterapêutica; zooterápico.

zooterapia [De *zo(o)-* + *-terapia.*] *S. f.* Zooterapêutica.

zooterápico [De *zooterapia* + *-ico*^{2}.] *Adj.* Relativo à zooterapia; zooterapêutico.

zootomia [De *zo(o)-* + *-tom(o)-* + *-ia*^{1}.] *S. f.* Dissecação ou anatomia dos animais.

zootómico *Adj.* V. *zootômico.* [Uso freq. em P.]

zootômico [De *zootomia* + *-ico*^{2}.] *Adj.* Referente à zootomia.

zootomista [De *zootomia* + *-ista.*] *S. 2 g.* Pessoa que se dedica à zootomia.

zootoxina (cs) [De *zo(o)-* + *toxina.*] *S. f. Med.* Qualquer substância tóxica produzida por animais como cobra, aranha, etc.

zootropia [De *zootróp(io)* + *-ia*^{1}.] *S. f.* Emprego do zootrópio.

zootrópico [De *zootropia* + *-ico*^{2}.] *Adj.* Referente à zootropia.

zootrópio [De *zo(o)-* + *-trop(o)-* + *-io*^{3}; ingl. *zootrope.*] ***S. m.*** Aparelho que consta de um cilindro giratório por meio do qual podem observar-se as diversas fases do movimento dos seres animados.

zooxantela [De *zo(o)-* + *-xant(o)-* + *-ela*; lat. cient. *Zooxanthella.*] *S. f. Bot.* Dinoflagelada unicelular que vive em simbiose com certos corais.

zopeiro [De *zopo* + *-eiro.*] *Adj.* **1.** Que anda com dificuldade; trôpego, zopo. **2.** *P. ext.* Acanhado, tímido. **3.** Indolente, preguiçoso, mandrião, zorreiro, zorro, zopo.

zopo (ô) [Voc. onom., poss.] *Adj.* **1.** V. *zopeiro* (1 e 3). • *S. m.* **2.** Homem zopeiro.

zoráptero [Do gr. *zorós*, 'puro', + *áptero*^{2}; tax. *Zoraptera.*] *Zool. S. m.* **1.** Espécime dos zorápteros, ordem de insetos de pequeno porte (2 a 3mm de comprimento), alados ou ápteros, providos de antena moniliforme, sistema bucal mastigador, e cerco curto e oval com cerda terminal. Vivem em colônias, em troncos de árvores em decomposição, e alimentam-se de pequenos artrópodes e de esporos de cogumelos. • *Adj.* **2.** Pertencente ou relativo a eles.

zoró^{1} *Bras. S. 2 g.* **1.** *Etnôn.* Indivíduo dos zorós, povo indígena da família linguística mondé, tronco tupi, que habita o município de Aripuanã (MT). • *Adj. 2 g.* **2.** Pertencente ou relativo a esse povo. [Tb. us. como *s. 2 g. e 2 n.* (com cap.) e *adj. 2 g. e 2 n.*]

zoró^{2} *Adj. 2 g. Bras. Pop.* V. *zuruó.* [Cf. *zorô.*]

zorô [De or. afr.] *S. m. Bras. Cul.* Prato tradicional do Norte, preparado com camarões, quiabos, azeite e muitos condimentos. [Cf. *zoró.*]

zoroastriano *Adj. S. m.* V. *zoroastrista.*

zoroástrico *Adj.* Pertencente ou relativo a Zoroastro; zoroastrista, zoroastrista, zoroastrista. [Cf. *masdeísta.*]

zoroastrismo *S. m.* Religião de Zoroastro ou Zaratustra, nascido na Média, no séc. VII a. C., criador da casta dos magos e reformador do masdeísmo (q. v.), do qual conservou a concepção dualística do Universo.

zoroastrista *Adj. 2 g.* **1.** V. *zoroástrico.* **2.** Que é sectário do zoroastrismo. • *S. 2 g.* **3.** Sectário dessa religião. [Sin. ger.: *zoroastriano.*]

zorongo [Do esp. *zorongo.*] *S. m.* Dança espanhola, muito viva, em compasso ternário: 📖 "o fandango, ... o zorongo, a cachucha, ... a jota aragonesa, a dança da Espanha rubra!" (Martins Fontes, *A Dança*, p. 57).

zorra^{1} (ô) *S. f.* **1.** Carro muito baixo, de quatro rodas, para transportar cargas muito pesadas: 📖 "A pipa, amarrada na zorra, estava cheia, e a cada solavanco a água espirrava, porque o tampão não fora bem apertado." (Darci Azambuja, *Coxilhas*, p. 158.) **2.** Pedaço de tronco bifurcado, que, arrastado por bois ou trator, se usa para transporte de cana (v. *cana-de-açúcar*). **3.** Espécie de pião de folha de flandres, que assobia ao girar; piorra. **4.** Pequena rede de arrasto para a pesca de caranguejo. **5.** *Fig.* Coisa ou pessoa muito vagarosa. **6.** *Bras. RJ Gír.* Desordem, bagunça, zona. **7.** *Bras. Gír.* Mistura de cocaína com certo sulfato, para duplicar a dose do entorpecente: 📖 "Os médicos Ivone de Almeida e Orlando Queirós .... declararam que a cocaína misturada com sulfato usada pelos viciados poderá ocasionar sérias complicações nasais. | Para os médicos a mistura — *zorra* — foi feita com o objetivo de dobrar a dose" (*Correio da Manhã*, Rio, 06.12.1970).

zorra^{2} (ô) [Do esp. *zorra.*] *S. f.* Raposa velha.

zorragar *V. t. d. P. us.* Azorragar. [Conjug.: v. *largar.*]

zorrague *S. m. P. us.* Azorrague (q. v.).

zorreiro [De *zorra*^{1} + *-eiro.*] *Adj. S. m.* Diz-se de, ou indivíduo ronceiro, lerdo, vagaroso, preguiçoso.

zorrilho [Do esp. *zorrillo.*] *S. m. Bras. Zool.* Mamífero carnívoro, mustelídeo (*Conepatus suffocans*), do N. da Argentina, do Uruguai e do S. do Brasil. É uma espécie muito semelhante à jaritataca (q. v.), de tamanho um pouco menor e coloração pardacenta; alimenta-se de pequenos mamíferos, aves e insetos.

zorro^{1} (ô) [Do esp. *zorro.*] *S. m.* **1.** *Zool.* Raposo (1). **2.** Criado velho. **3.** Rede de pesca de arrasto. **4.** *Bras. S.* Pessoa astuta, velhaca; sorro. • *Adj.* **5.** *Bras. S.* V. *zopeiro* (3). **6.** *Bras. S.* Astuto, velhaco, matreiro, sorro.

zorro^{2} (ô) [De *zorra*^{1}.] *El. s. m.* Us. nas loc. *andar a zorros* e *andar de zorro.* ◆ **Andar a zorros.** Andar de zorro. **Andar de zorro.** Andar de rojo; andar de rastos; andar a zorros.

zoster [Do gr. *zostér*, 'cinturão'.] *S. m.* **1.** Faixa, cinta, zona. **2.** *Med.* Herpes-zóster.

zostera [Do tax. *Zostera* (do gr. *zostér, êros*, 'cinturão').] ***S. f.*** **1.** *Bot.* Gênero de plantas potamogetonáceas, próprias dos mares temperados, que, em abundância, servem de berçário para muitas espécies de peixes, crustáceos e moluscos. **2.** Qualquer espécie desse gênero, como, p. ex., a *Zostera maritima*, durante séculos aproveitada como material de enchimento e acondicionamento. **3.** Qualquer espécime desse gênero.

zosteropídeo [Do tax. *Zosterops* + *-ídeo*^{1}; tax. *Zosteropidae.*] *Zool. S. m.* **1.** Espécime dos zosteropídeos, família de aves passeriformes que reúne pequenos pássaros canoros, de coloração olivácea, com pescoço amarelo e abdome branco. Constroem os ninhos nas forquilhas das árvores; habitam as regiões tropicais do Velho Mundo. • *Adj.* **2.** Pertencente ou relativo a eles.

zote *Adj. 2 g. S. 2 g.* V. *tolo* (1 a 3 e 8).

▲**-zote** [De *-z-* + *-ote*^{1}.] V. *-ote*^{1}.

zoteca [Do gr. *zothéke*, pelo lat. *zotheca.*] *S. f.* Entre os antigos gregos e romanos, saleta de repouso.

zotismo [De *zote* + *-ismo.*] *S. m.* Estado, condição ou ação de zote; estupidez, palermice, tolice, idiotice.

■ **Zr** *Quím.* Símb. de *zircônio.*

zuana *Bras. S. 2 g.* **1.** *Etnôn.* Indivíduo dos zuanas, povo indígena extinto que habitava a margem esquerda do rio Solimões (AM). • *Adj. 2 g.* **2.** Pertencente ou relativo a esse povo. [Tb. us. como *s. 2 g. e 2 n.* (com cap.) e *adj. 2 g. e 2 n.*]

zuarte [Do hol. *zwaart*, 'preto', poss.] *S. m. Tec. Têx.* **1.** Tecido de algodão azul, preto ou vermelho: 📖 "Calça de zuarte azul, blusa branca, cabelo apanhado na nuca, Francisca fazendo seu estágio no mundo." (Antônio Calado, *Quarup*, p. 235.) **2.** Mescla (4) de algodão encorpado, rústico, com fios brancos e azuis; azulão: 📖 "— Eu já te disse, pede a tua avó umas calças de zuarte e uma baeta..." (Xavier Marques, *Jana e Joel*, p. 32.)

zuavo [Do berbere *zwawa*, pelo fr. *zouave.*] *S. m.* Soldado de infantaria argelino, outrora a serviço da França.

▲**-zudo** [De *-z-* + *-udo.*] V. *-udo.*

zuir [Voc. onom.] *V. int.* V. *zumbir* (1 e 2): 📖 "Ao retumbar de castanhedas e de guizos, / De zabumbas e fanfarras, / De timbales retinindo / E de assovios zuindo" (Martins Fontes, *Verão*, p. 49). [Defect., normalmente unipess. Conjug.: v. *atribuir.*]

zulo *Adj. S. m.* V. *zulu.*

zulu *S. 2 g.* **1.** *Etnôn.* Indivíduo dos zulus, povo negro da África austral, atualmente concentrado sobretudo na província de *Kwazulu* (antiga Natal), na África do Sul. **2.** O natural ou habitante de Zululândia, região histórica do N.E. da província de Natal (atual *Kwazulu/Natal*, África do Sul). • *S. m.* **3.** *Gloss.* Língua banta falada na África do Sul, e tb., em menor escala, em Lesoto, Suazilândia e Maláui; zunda. [É língua nacional na África do Sul.] • *Adj. 2 g.* **4.** Pertencente ou relativo aos zulus, ou ao zulu (3). **5.** Da, pertencente ou relativo à Zululândia. [A. f. *zulo*, preconizada por alguns, quase não tem uso.] ◆ **Zulu básico.** *Gloss.* Pídgin de base zulu falado na África do Sul, Zimbabué e Zâmbia; cafre das minas, cafre de cozinha. [É rejeitado por muitos africanos, por ser considerado uma estratégia dos brancos europeus para impedir o aprendizado do inglês pelos povos nativos.]

zum [Do ingl. *zoom.*] *S. m.* **1.** Conjunto de lentes cujo alcance focal pode ser continuamente ajustado para fornecer vários graus de grandeza sem perda de foco, combinando, assim, as características de uma lente de grande abertura, de abertura normal, e telefotográfica. **2.** O efeito de afastamento ou de aproximação produzido por esse conjunto de lentes, em cinema e televisão. **3.** *Inform.* Ampliação ou diminuição de imagem na tela do computador, sem alteração do tamanho da imagem original ou do arquivo em que está armazenada.

zumba [Voc. onom.] *Interj.* Voz imitativa de pancada, ou queda, ou estrondo.

zumbaia [Do mal. *sembahyang.*] *S. f.* V. *salamaleque* (2): 📖 "Mal me encarou ...., curvou-se em zumbaias, ignobilmente serviçais como das outras vezes" (José Gomes Ferreira, *O Mundo dos Outros*, p. 180).

zumbaiar [De *zumbaia* + *-ar*^{2}.] *V. t. d.* Fazer zumbaias a; lisonjear; bajular, adular, cortejar.

zumbaieiro [De *zumbaia* + *-eiro.*] *S. m.* Indivíduo que é dado a fazer zumbaias.

zumbar [Do esp. *zumbar.*] *V. int.* **1.** Fazer grande ruído; zoar, zunzunar. **2.** V. *zumbir* (1 e 2).

zumbi [Do quimb. *nzumbi*, 'duende'.] *S. m.* **1.** *Bras.* O chefe do quilombo dos Palmares, na sua fase final; zambi. **2.** *Bras.* Fantasma que, segundo a crença popular afro-brasileira, vaga pela noite morta; cazumbi. **3.** *Bras.* Indivíduo que só sai à noite. **4.** *Bras. AL* Designação dada, no interior, à alma de certos animais, como, p. ex., o cavalo e o boi. **5.** *Bras.* Lugar deserto do sertão.

zumbido [De *zumbir* + *-ido*^{1}.] *S. m.* **1.** Ato ou efeito de zumbir. **2.** Qualquer som assemelhável ao zumbido dos insetos: ▮ *o zumbido dos motores*; 📖 "Na rua, muito embaixo, o zumbido do tráfego." (Macedo Miranda, *As Três Chaves*, p. 96). [Sin., nesta acepç.: *sibilo, zoada, zumbo, zunido, zum-zum.*] **3.** Ruído subjetivo, semelhante ao zumbir dos insetos, que a pessoa acredita ouvir e determinado por uma causa orgânica ou psicológica, ou em consequência de estampido, explosão ou qualquer estrondo exterior.

zumbidor (ô) [De *zumbir* + *-dor.*] *Adj.* **1.** Que produz ou emite zumbido: que zumbe. • *S. m.* **2.** *Bras.* V. *reco-reco* (3).

Z

zumbir [Voc. onom.] *V. int.* **1.** Fazer ruído ao esvoaçar (insetos): 📖 "Ensinou alguém à abelha / Que no prado anda a zumbir / Se à flor branca ou à vermelha / O seu mel há de ir pedir?" (Almeida Garrett, *Folhas Caídas*, p. 93); "Zumbem à porta insetos variegados" (Gonçalves Crespo, *Obras Completas*, p. 313). **2.** Produzir ruído semelhante ao das abelhas e outros insetos; sibilar, sussurrar: 📖 "Rumor de vozes finas que zumbia / Como enxame de abelhas entre as flores" (Almeida Garrett, *Folhas Caídas*, p. 166). [Sin., nessas acepçs.: *zoar, zuir, zumbar, zunir.*] **3.** Sentir (os ouvidos) o zumbido (3): 📖 "cresceu tanto [a voz]...., que os ouvidos do capitão zumbiram, tremeram-lhe as pernas e caiu" (Inglês de Sousa, *Contos Amazônicos*, p. 85). *T. d.* **4.** Dizer em voz baixa, semelhante a zumbido (2). ● *S. m.* **5.** Ação de zumbir: 📖 "o zumbir das varejeiras" (Fialho d'Almeida, *À Esquina*, p. 74).

zumbo [Dev. de *zumbir.*] *S. m.* **1.** Ruído confuso; rumor. **2.** V. *zumbido* (2): 📖 "soturnos se misturam os zumbos dos urucungos e os rufos dos timbatus." (Martins Fontes, *A Dança*, p. 93).

zumbrir-se [De *azumbrar*, poss.] *V. p.* **1.** Curvar-se, dobrar-se, vergar-se: 📖 "o padre, indo e vindo ante o altar coberto de flores, ... zumbrindo-se em mesuras, ... resmoneava passagens dos Evangelhos" (Coelho Neto, *Rei Negro*, p. 93). **2.** Mostrar-se humilde; humilhar-se.

zum-zum [Voc. onom.] *S. m.* **1.** V. *zumbido* (2): 📖 "já se dispunha a dormir quando notou o sussurro abafado e monótono, ... zum-zum obscuro" (João Alphonsus, *Eis a Noite!*, p. 72). **2.** V. *boato*: 📖 "Andou correndo um zum-zum que o Olímpio amanheceu morto na cadeia." (Rute Guimarães, *Água Funda*, p. 172.) [Pl.: *zum-zuns.*] ✻

zum-zum-zum [F. reforçada de *zum-zum.*] *S. m. Bras.* V. *boato*: 📖 "Surgiu o zum-zum-zum, quando alguns meses depois uma das participantes – viúva! – começou a dar sinais visíveis de que em breve viria a ser mãe." (Hermano Requião, *Itapagipe*, p. 118.) [Pl.: *zum-zum-zuns.*] ✻

zuna *S. f. Angol.* Velocidade, rapidez, pressa: 📖 "Os miúdos desapareceram das ruas numa zuna danada" (Pepetela, *Yaka*, p. 100). ◆ **Na zuna.** *Angol.* A toda a velocidade: 📖 "ninguém viu a marca, o carro fugiu na zuna." (Jofre Rocha, *Crónicas de Ontem e de Sempre*, p. 19).

zunda *S. m. Gloss.* Zulu (3).

zunga [Var. de *tunga.*] *S. m.* **1.** *Bras. Pop. Zool.* V. *bicho-do-pé*. **2.** Hotel de ínfima classe.

zungu [Do quimb. *nzangu*, 'barulho'.] *S. m. Bras. S.* **1.** V. *cortiço* (2): 📖 "são os míseros escravos das senzalas, dos zungus e cafundós, ... festejando o São João, dançando o cateretê." (Martins Fontes, *A Dança*, p. 90). **2.** Conflito sem gravidade; bagunça, confusão, desordem.

zunhi *S. 2 g.* **1.** *Etnôn.* Indivíduo dos zunhis, povo indígena norte-americano que habitava o O. do Novo México (E.U.A.). ● *S. m.* **2.** *Gloss.* Língua desse povo, de filiação incerta. ● *Adj. 2 g.* **3.** Pertencente ou relativo aos zunhis, ou à sua língua. [F. paral.: *zuni.*]

zuni *S. 2 g. S. m. Adj. 2 g.* V. *zunhi*.

zuniada [De *zunir* + *-ada*[1].] *S. f.* Zunido forte e constante: 📖 "Fora / Cessa a zuniada do vento." (Alberto de Oliveira, *Poesias*, 3.ª série, p. 115.)

zunideira [De *zunir* + *-deira.*] *S. f.* **1.** Pedra sobre a qual os ourives alisam o ouro. **2.** Som agudo e prolongado.

zunido [De *zunir* + *-ido*[1].] *S. m.* **1.** Ato ou efeito de zunir; zumbido: 📖 "Do meio-dia pela calma ardente, / Exalta-se o zunido das cigarras / Nos choupos do Mondego" (Eugênio de Castro, *Obras Poéticas*, V, p. 25). **2.** V. *zumbido* (2). [Sin. ger.: *zunimento.*]

zunidor (ô) [De *zunir* + *-dor.*] *Adj.* **1.** Que zune. ● *S. m.* **2.** *Pop.* Tábua volteada no ar por meio de uma corda com o fim de produzir um zunido, e que, entre muitos povos primitivos, serve de instrumento cerimonial ou de brinquedo; berra-boi, urra-boi, rói-rói.

zunimento [De *zunir* + *-mento.*] *S. m.* V. *zunido*.

zuninga *S. f. Bras. PE Pop.* V. *cachaça* (1).

zunir [Voc. onom.] *V. int.* **1.** Produzir (o vento) som agudo e sibilante, atravessando frestas, por entre ramarias de árvores, etc.: 📖 "O vento zunia pela janela em ogiva" (Renard Pérez, *Os Sinos. O Tombadilho*, p. 63). **2.** V. *zumbir* (1 e 2): 📖 "tufos rasteiros de palmas e plumas sob os quais zunem os grilos e chiam as cigarras." (Raimundo Morais, *País das Pedras Verdes*, p. 99). **3.** Soar asperamente. **4.** *Bras. Angol.* Deslocar-se velozmente: 📖 "Ouvem os carros zunir nas ruas?" (Henrique Guerra, *Quando me Acontece Poesia*, p. 47.) *T. d. T. d. e i.* **5.** *Bras. N.E. Angol.* Jogar, atirar, arremessar: 📖 "Zunia pedras nas toscas folhas do mundo" (José Luandino Vieira, *No Antigamente, na Vida*, p. 13). [F. paral.: *zinir.*]

zunzunar [De *zum-zum* + *-ar*[2], seg. o padrão erudito.] *V. int.* **1.** Zunzunir. **2.** V. *zumbar* (1).

zunzunir [De *zum-zum* + *-ir*, seg. o padrão erudito.] *V. int.* Produzir zum-zum; zunzunar: 📖 "Zumbem, zunzunem os tambus e os urucungos" (Martins Fontes, *A Dança*, p. 91).

zupa *Interj.* Voz imitativa do som produzido por marrada.

zupador (ô) [De *zupar* + *-dor.*] *Adj. S. m.* Que ou o que zupa.

zupar [De *zupa* + *-ar*[2].] *V. t. d. T. i.* **1.** Dar marradas em. **2.** V. *surrar* (2).

zura [Der. regress. de *usurário.*] *Adj. 2 g. S. 2 g. Bras.* V. *avaro* (1 e 3).

zuraco [De *zura.*] *Adj. S. m. Bras. S. Pop.* V. *avaro* (1 e 3).

zureta (ê) [De *azoretado.*] *S. 2 g.* **1.** *Bras. MG Pop.* Adoidado, amalucado, zuruó: 📖 "um pobre louco manso, zureta completamente, mas inofensivo" (Marisa Raja Gabaglia, *Milho pra Galinha, Mariquinha*, p. 75). **2.** Genioso, irascível, indignado. [Cf. *azoretado.*]

zurina *Bras. S. 2 g.* **1.** *Etnôn.* Indivíduo dos zurinas, povo indígena extinto que habitava o Paraná do Mamori, à margem direita do rio Amazonas (AM). ● *Adj. 2 g.* **2.** Pertencente ou relativo a esse povo. [Tb. us. como *s. 2 g. e 2 n.* (com cap.) e *adj. 2 g. e 2 n.*]

zurrada [De *zurrar* + *-ada*[1].] *S. f.* V. *zurro* (1).

zurrador (ô) [De *zurrar* + *-dor.*] *Adj. S. m.* Que ou o que zurra; azurrador.

zurrapa [De or. obscura.] *S. f.* Vinho de má qualidade; vinho ruim, ou estragado; morraça, jeropiga: 📖 "Em todos os tempos, ... os oficiais fidalgos, quando se não batiam, bebiam, segundo as circunstâncias, zurrapa ou *champagne.*" (Eça de Queirós, *Ecos de Paris*, p. 122.)

zurrar [De *zurro* + *-ar*[2].] *V. int.* **1.** Emitir zurros; ornejar, ornear, rebusnar, azurrar: 📖 "duas mulas zurravam" (Eça de Queirós, *Últimas Páginas*, p. 62). **2.** *Bras. RS Fig.* Trabalhar muito, com afinco. *T. d.* **3.** Dizer, proferir (asneiras, sandices, tolices). [Normalmente só se conjuga nas 3.as pess.]

zurraria [De *zurro* + *-aria.*] *S. f.* Muitos zurros simultâneos.

zurre *Interj.* Voz imperativa com que se faz sair ou se despede.

zurro [Voc. onom.] *S. m.* **1.** A voz do burro; ornejo, orneio, rebusno, zurrada: 📖 "o canto de um galo ou o zurro de um jumento." (Hélio Galvão, *Cartas da Praia*, p. 36). **2.** Espécie de grande cega-rega da qual se tiram sons muito fortes.

zuruaã *Bras. S. 2 g.* **1.** *Etnôn.* Indivíduo dos zuruaãs [ou (etnôn. bras.) *Zuruahã], povo indígena da família linguística arauá, que habita o AM. ● *Adj. 2 g.* **2.** Pertencente ou relativo a esse povo.

zurumata *Bras. S. 2 g.* **1.** *Etnôn.* Indivíduo dos zurumatas, povo indígena extinto, da família linguística caribe, que habitava a margem direita do rio Trombetas (PA). ● *Adj. 2 g.* **2.** Pertencente ou relativo a esse povo. [Tb. us. como *s. 2 g. e 2 n.* (com cap.) e *adj. 2 g. e 2 n.*]

zuruó *Adj. 2 g. Bras. N.E. Pop.* Amalucado, adoidado, zureta, zoró.

zurupar [Alter. de *usurpar*, com metátese.] *V. t. d. Bras. Gír.* Furtar, surripiar, surrupiar.

zurzidela [De *zurzir* + *-dela.*] *S. f.* **1.** Ato ou efeito de zurzir uma vez, ou de leve. **2.** V. *surra* (1).

zurzir [Alter. de *cerzir*, poss.] *V. t. d.* **1.** Açoitar, espancar, maltratar, molestar, verdascar: 📖 "trepava ligeiro para a boleia e zurzia o burrico, que disparava" (Coelho Neto, *Treva*, p. 303). **2.** Punir; castigar. **3.** Afligir, magoar. **4.** Criticar com severidade; repreender asperamente. [Desus., a 1.ª pess. sing. do pres. ind., *zurzo*, e, portanto, o pres. subj.]

zuuii-madia *Bras. S. 2 g.* **1.** *Etnôn.* Indivíduo dos zuuiis-madias [ou (etnôn. bras.) *Zuwihi-madiha], povo indígena extinto, da família linguística aruaque, que habitava as margens dos rios Gregório e Tarauacá (AC). ● *Adj. 2 g.* **2.** Pertencente ou relativo a esse povo. [Pl.: *zuuiis-madias.*]

zwinglianismo (zuin) [De *zwingliano* + *-ismo.*] *S. m.* Doutrina e heresia do reformador suíço Ulrich Zwinglio (1484-1531), contemporâneo de Lutero (v. *luteranismo*), que pregava uma reforma da Igreja de tipo mais liberal e racionalista.

zwingliano (zuin) *Adj.* **1.** Relativo ao, ou que é sectário do zwinglianismo. ● *S. m.* **2.** Sectário dele.

zwitterion [Do al. *Zwitterion* (< al. *zwitter*, 'híbrido', + al. *-ion*).] *S. m. Quím.* Íon dipolar.

zwitteriónico *Adj. Quím.* V. *zwitteriônico*. [Uso freq. em P.]

zwitteriônico [De *zwitterion* + *-ico*[2].] *Adj. Quím.* Próprio ou relativo a zwitterion.

z-zero *S. m. 2 n. Fís. Part.* Bóson de massa 91,19 GeV/c^2, *spin* 1, carga elétrica nula, mediador das correntes neutras nas interações fracas, descoberto em 1983 [símb.: Z^0].

BIBLIOGRAFIA

ABELAIRA, Augusto
Bolor. Rio de Janeiro. Lacerda Ed. 1999.
Enseada Amena. 2ª edição. Lisboa. Editorial Presença. 1997.
O Bosque Harmonioso. 2ª edição. Lisboa. Editora "O Jornal". 1987.
ABRANCHES, Henrique
Kissako de Guerra. Luanda. União dos Escritores Angolanos. 1989.
Misericórdia para o Reino do Kongo!. Lisboa. Dom Quixote. 1996.
ABREU, Caio Fernando
Estranhos Estrangeiros e *Pela Noite.* São Paulo. Companhia das Letras. 1996.
Morangos Mofados. 9ª edição. São Paulo. Companhia das Letras. 1995.
Os Dragões não Conhecem o Paraíso. São Paulo. Companhia das Letras. 1988.
Pedras de Calcutá. São Paulo. Companhia das Letras. 1998.
Pequenas Epifanias. Editora Sulina. 1996.
ABREU, Capistrano de
Correspondência de Capistrano de Abreu. 2 v. Edição organizada e prefaciada por José Honório Rodrigues. Rio de Janeiro. Instituto Nacional do Livro. 1954.
— V. tb. ABREU, J. Capistrano de
ABREU, Casimiro de
Obras de Casimiro de Abreu. Apuração e revisão do texto, escorço biográfico, notas e índices por Sousa da Silveira. 2ª edição, melhorada. Rio de Janeiro. Ministério da Educação e Cultura. 1955.
ABREU, J. Capistrano de
Capítulos de História Colonial. 4ª edição. Revista, aumentada e prefaciada por José Honório Rodrigues. Rio de Janeiro. Sociedade Capistrano de Abreu – Livraria Briguiet. 1954.
Ensaios e Estudos. 1ª série. Rio de Janeiro. Livraria Briguiet. 1931.
— V. tb. ABREU, Capistrano de
ACCIOLY, Maria Rocha
Amando a Vida. Maceió. Edições Catavento Ltda, 2006.
ADAMODJY, Bahassan
Mussodji. Beira. Diálogo. 1993.
ADELAIDE FÉLIX
Cada qual com Seu Milagre... Lisboa. Editora Argo. 1941.
ADONIAS FILHO
Léguas da Promissão. Rio de Janeiro. Editora Civilização Brasileira S. A. 1968.
Luanda Beira Bahia. Rio de Janeiro. Editora Civilização Brasileira S. A. 1971.
ADOUR DA CÂMARA, Jaime
Oropa, França e Bahia. São Paulo. Companhia Editora Nacional. S.d.
ADRIANO
— em *Xiphefo*, n. 5 (abril/maio 1988), n. 8 (out./nov. 1988). Inhambane.
AFONSO CELSO
Notas e Ficções. Lupe. Giovannina Minha Filha. Nova edição. Rio de Janeiro – Paris. H. Garnier, Livreiro-Editor. S.d.
AGUALUSA, José Eduardo
A Conjura. Lisboa. Caminho. 1989.
A Feira dos Assombrados. Lisboa. Vega. 1992.
As Mulheres do Meu Pai. Rio de Janeiro. Língua Geral Livros Ltda. 2007.
Coração dos Bosques. Luanda. União dos Escritores Angolanos. 1991.
D. Nicolau Água-Rosada e Outras Estórias Verdadeiras e Inverossímeis. Lisboa. Vega. 1990.
Estação das Chuvas. Lisboa. Dom Quixote. 1996.
Manual Prático de Levitação. Rio de Janeiro. Companhia Editora Forense. 2005.
AGUIAR, Etelvino de
— em *Xiphefo*, n. 16 (dez. 1996). Inhambane.
AGUIAR E SILVA, Vítor Manuel de
Teoria da Literatura. 2ª edição, revista e aumentada. Coimbra. Livraria Almedina. 1968.
AIRES, Matias
Reflexões sobre a Vaidade dos Homens. Lisboa. Na Oficina de Francisco Luís Ameno. MDDCLII.
AIRES DE ALMEIDA SANTOS
Meu Amor da Rua Onze. Luanda. União dos Escritores Angolanos. 1987.
ALBA, Sebastião
O Ritmo do Presságio. Lisboa. Edições 70. 1981.
ALBANO, José
Rimas de José Albano. Edição organizada, revista e prefaciada por Manuel Bandeira. Rio de Janeiro. 1948.
ALBANO JÚNIOR
— em *Xiphelo*, n. 10 (abr./jun. 1989). Inhambane.
ALBUQUERQUE, Pe. Júlio de
Almas das Catedrais. Avinhão. Aubanel Irmãos, Editores. 1926.
ALBUQUERQUE, Mateus de
Da Arte e do Patriotismo. Lisboa. Portugal – Brasil Ltda. Rio de Janeiro. Livraria Francisco Alves. S.d.
Visionário. Lisboa. Portugal – Brasil Ltda. Rio de Janeiro. Livraria Francisco Alves. S.d.
ALÇADA BAPTISTA, António
O Tecido do Outono. Lisboa. 5ª edição. Editorial Presença. 2000.
ALCÂNTARA MACHADO
Vida e Morte do Bandeirante. [Nova edição]. São Paulo. Livraria Martins Editora. 1965.
ALCÂNTARA MACHADO, Antônio de
Cavaquinho e Saxofone. Rio de Janeiro. Livraria José Olímpio Editora. 1940.
Novelas Paulistanas. Rio de Janeiro. Livraria José Olímpio Editora. 1961.
Pathé-Baby, São Paulo. Editorial Hélios Ltda. 1926.
ALCÂNTARA, Osvaldo
Cântico da Manhã Futura. Praia. Banco de Cabo Verde. 1986.
ALELUIA, Aníbal
Mbelele e Outros Contos. Maputo. Associação dos Escritores Moçambicanos. 1987.
ALENCAR, Edigar de
O Fabuloso e Harmonioso Pixinguinha. Rio. Livraria Editora Cátedra. Brasília. Instituto Nacional do Livro. 1979.
ALENCAR, José de
Alfarrábios. Rio de Janeiro. Ed. da Livraria José Olímpio Editora. 1951.
A Pata da Gazela. V. *Cinco Minutos.*
As Minas de Prata. 3 v. Rio de Janeiro. Ed. da Livraria José Olímpio Editora. 1951.
A Viuvinha. V. *Cinco Minutos.*
Cinco Minutos. A Viuvinha. A Pata da Gazela. Encarnação. Rio de Janeiro. Livraria José Olímpio. 1951.
Encarnação. V. *Cinco Minutos.*
Guerra dos Mascates. Rio de Janeiro. Ed. da Livraria José Olímpio Editora. 1951.
Iracema. Edição do Centenário Organizada por M. Cavalcanti Proença. Rio de Janeiro. Livraria José Olímpio Editora. 1965.
Lucíola. Diva. Rio de Janeiro. Ed. da Livraria José Olímpio Editora. 1951.
Obra Completa. Vol. IV. Rio de Janeiro. Editora José Aguilar Ltda. 1960.
O Gaúcho. Rio de Janeiro. Ed. da Livraria José Olímpio Editora. 1951.
O Guarani. 2 tomos. Rio de Janeiro. Ed. da Livraria José Olímpio Editora. 1951.
O Sertanejo. Rio de Janeiro. Ed. da Livraria José Olímpio Editora. 1951.
O Tronco do Ipê. Rio de Janeiro. Ed. da Livraria José Olímpio Editora. 1951.
Senhora. Rio de Janeiro. Ed. da Livraria José Olímpio Editora. 1951.
Sonhos d'Ouro. Rio de Janeiro. Ed. da Livraria José Olímpio Editora. 1951.
Til. Rio de Janeiro. Ed. da Livraria José Olímpio Editora. 1951.
Ubirajara. 14ª edição. Apuração do texto, revisão, introdução, notas e índices por Maximiano de Carvalho e Silva. São Paulo. Edições Melhoramentos. 1970.
ALENCAR, Mário de
Alguns Escritos. Rio de Janeiro. H. Garnier, Livreiro – Editor. 1910.
Contos e Impressões. Rio de Janeiro. Anuário do Brasil. 1920.
— em MACHADO DE ASSIS. *Teatro* (q. v.).
ALEXANDRE HERCULANO
Cartas. 2ª edição. 2 tomos. Lisboa. Livraria Bertrand. Rio de Janeiro. Livraria Francisco Alves. S.d.
Eurico, o Presbítero. 27ª edição, Paris – Lisboa. Livrarias Aillaud e Bertrand. S.d.
História de Portugal. 4 tomos. 4ª edição [o I e o II]. 3ª edição [o III e o IV]. Lisboa. Viúva Bertrand e Cia. MDCCCLXXV. MDCCCLXXVIII. MDCCCLXVIII. MDCCCLXXIV.
Lendas e Narrativas. 13ª edição. 2 v. Paris – Lisboa – Rio de Janeiro. Livrarias Aillaud e Bertrand. S.d.
O Bobo. 18ª edição. Lisboa. Livraria Bertrand. S.d.
O Monge de Cister. 11ª edição. 2 tomos. Paris – Lisboa – Rio de Janeiro. Livrarias Aillaud e Bertrand. S.d.
Opúsculos. 10 tomos. Lisboa. Livraria Bertrand. Rio de Janeiro. Livraria Francisco Alves. S.d. [o 1º (6ª edição), o 2º (5ª edição) e o 3º (4ª edição)]. Rio de Janeiro. Livraria Francisco Alves. 1908. [o 4º (1ª edição brasileira).]. Lisboa. Livraria Bertrand. Rio de Janeiro. Livraria Francisco Alves. S.d. [o 5º (4ª edição)]. Lisboa. Tavares Cardoso & Irmão – Editores. 1897 (o 6º (2ª edição).] Lisboa. Livraria Bertrand. Rio de Janeiro. Livraria Francisco Alves. S.d. [o 7º (3ª edição) e o 8º (3ª edição).] Lisboa. Antiga Casa Bertrand – José Bastos & Cia. – Livraria Editora. 1908 [o 9º (3ª edição) e o 10º (3ª edição)].
Poesias. Nova edição definitiva, dirigida por Davi Lopes. Paris – Lisboa. Livraria Aillaud e Beltrand. S.d.
ALMEIDA, Germano
A Ilha Fantástica. Lisboa. Editorial Caminho, S. A. 1994
Estóreas de Dentro de Casa. Praia/Mindelo. Instituto Camões, Centro Cultural Português. 1996.
O Meu Poeta. Mindelo. Ilhéu Editora. 1990.
— em *Ponto & Vírgula.* n. 2 (abril/maio 1983), n. 6 (dez. 1983). Mindelo.
ALMEIDA, Guilherme de
Toda a Poesia. 6 tomos. São Paulo. Livraria Martins Editora S. A. 1952.
ALMEIDA, Horácio de
— em *Revista das Academias de Letras.* n. 178. Rio de Janeiro – Guanabara. 1971.
ALMEIDA, José Américo de
A Bagaceira. 10ª edição. Rio de Janeiro. Livraria José Olímpio Editora. 1968.
O Boqueirão. Rio de Janeiro. Livraria José Olímpio Editora. 1935.
O Boqueirão. 2ª edição. Rio de Janeiro. Editora Leitura S. A. Instituto Nacional do Livro (MEC). 1971.
ALMEIDA, Manuel Antônio de
Memórias de um Sargento de Milícias. Edição preparada por Teresinha Marinho. Rio de Janeiro. Instituto Nacional do Livro. 1969.
ALMEIDA, Renato
Fausto. Ensaio sobre o Problema do Ser. 2ª edição. Rio de Janeiro. F. Briguiet & Cia. – Editores. 1951.
Inteligência do Folclore. Rio de Janeiro. Livros de Portugal. 1957.

ALMEIDA FARIA
Cavaleiro Andante. Rio de Janeiro. Editora Nova Fronteira. 1987.
Lusitânia. 5ª edição. Lisboa. Editorial Caminho, S. A. 1987.
O Conquistador. Rio de Janeiro. Editora Roco. 1993.
ALMEIDA FISCHER
10 Contos Escolhidos. Brasília. Horizonte Editora Ltda. Instituto Nacional do Livro (MEC). 1980.
ALMEIDA GARRETT
Camões. 2ª edição. Lisboa. Tipografia de José Batista Morando. 1838.
Folhas Caídas. Lisboa. Ed. da Portugália Editora. 1955.
Frei Luís de Sousa. Viagens na Minha Terra. Edição dirigida e apresentada por Antônio Soares Amora. São Paulo. Difusão Europeia do Livro. 1965. [Nesta edição conjunta (da qual só vem citada neste dicionário a primeira obra) o nome do autor está reduzido a "Garrett".]
Obras Completas de Almeida Garrett. 2 v. Rio de Janeiro. Lisboa. H. Antunes. Livraria Editora. [1904].
Viagens na Minha Terra. Edição comemorativa do centenário. Revista e prefaciada pelo Prof. Dr. Vitorino Nemésio. Porto. Livraria Tavares Martins. 1946.
ALMEIDA MAGALHÃES, Dario de
Páginas Avulsas. São Paulo. 1957.
ALMEIDA REIS, Eduardo
De Colombo a Kubitschek. 2ª edição revista. Rio de Janeiro. Editora Nova Fronteira. 1979.
O Papagaio Cibernético. Rio de Janeiro. Editora Record. 1984.
ALORNA, Marquesa de
Poesias. Seleção, prefácio e notas do Prof. Hernani Cidade. Lisboa. Livraria Sá da Costa – Editora. 1941.
ALTAVILA, Jaime d'
Lógica de um Burro. São Paulo. Oficina Gráfica Monteiro Lobato & Cia. 1924.
ALVARENGA PEIXOTO
— Ap. M. Rodrigues Lapa. *Vida e Obra de Alvarenga Peixoto*. Rio de Janeiro. Instituto Nacional do Livro. 1960.
ÁLVARES DE AZEVEDO
Obras Completas de Álvares de Azevedo. 8ª edição. Organizada e anotada por Homero Pires. 2 tomos. São Paulo. Companhia Editora Nacional. 1942.
ALVES, Audálio
Analogia Poética. Guanabara. Editora Leitura S. A. – INL (MEC). 1971.
ALVES, Constâncio
Figuras. Rio de Janeiro. Edição do Anuário do Brasil. 1921.
ALVES, Dário Moreira de Castro
Era Porto e Entardecia. Rio de Janeiro. Nórdica. 1995.
ALVES DE SOUSA, Nahum
"Strippers" in Conto para um Natal Brasileiro. Rio de Janeiro. Relume-Dumará. 1986.
ALVES PEREIRA, Antônio Celso
Rua do Quenta-Sol. Rio de Janeiro. Editora Nova Fronteira S. A. 1967.
— V. tb. ANTÔNIO CELSO.
AMADO, Genolino
O Reino Perdido. Rio de Janeiro. Livraria José Olímpio Editora. 1971.
AMADO, Gilberto
A Chave de Salomão e Outros Escritos [2ª edição]. Rio de Janeiro. Livraria José Olímpio Editora. 1947.
A Dança sobre o Abismo. Rio de Janeiro. Ed. da Livraria José Olímpio Editora. 1952.
Depois da Política. Rio de Janeiro. Livraria José Olímpio Editora. 1960.
Inocentes e Culpados. Rio de Janeiro. Livraria José Olímpio Editora. 1941.
Minha Formação no Recife. Rio de Janeiro. Livraria José Olímpio Editora. 1955.
Mocidade no Rio e Primeira Viagem à Europa. Rio de Janeiro. Livraria José Olímpio Editora. 1956.
Presença na Política. Rio de Janeiro. Livraria José Olímpio Editora. 1956.
Sabor do Brasil. Rio de Janeiro. Edições O Cruzeiro. 1953.
AMADO, James
Chamado do Mar. 2ª edição. São Paulo. Livraria Martins Editora. 1960.
AMADO, Jorge
Dona Flor e Seus Dois Maridos. São Paulo. Livraria Martins Editora. 1966.
Farda Fardão Camisola de Dormir. Rio de Janeiro. Editora Record. S.d.
Gabriela, Cravo e Canela. São Paulo. Livraria Martins Editora. 1958.
Jubiabá. 3ª edição. São Paulo. Livraria Martins Editora. S.d.
Os Velhos Marinheiros. São Paulo. Livraria Martins Editora. 1961.
Seara Vermelha. 17ª edição. São Paulo. Livraria Martins Editora S.A. 1969.
Teresa Batista Cansada de Guerra. São Paulo. Livraria Martins Editora. 1972.
Terras do Sem-Fim. São Paulo. Livraria Martins Editora. 1943.
Tieta do Agreste. Rio de Janeiro. Editora Record. 1977.
AMADO, Jorge e DRAEGER, Alain
Terra Mágica da Bahia. São Paulo. Edição do Banco Francês e Brasileiro S. A. [1984].
AMADO, Zélia Gattai e AMADO, James
Jorge Amado, Fotobiografia. Rio de Janeiro. Edições Alumbramento. 1986.
AMARAL, Amadeu
O Elogio da Mediocridade. São Paulo. Empresa - Editora Nova Era. 1924.
Tradições Populares. São Paulo. Instituto Progresso Editorial S. A. 1948.
AMARO JUVENAL
Antônio Ximango. Porto Alegre. 1915.
AMOROSO LIMA, Alceu
A Realidade Americana. 2ª edição, Rio de Janeiro. Livraria Agir Editora. 1955.
João XXIII. Rio de Janeiro. Livraria José Olímpio Editora. 1966.
O Espírito e o Mundo. Rio de Janeiro. Livraria José Olímpio Editora. 1936.
Pelo Humanismo Ameaçado. Rio de Janeiro. GB. Edições Tempo Brasileiro Ltda. 1965.
Quadro Sintético da Literatura Brasileira. Rio de Janeiro. Livraria Agir Editora. 1956.
— V. tb. ATAÍDE, Tristão de

ANA CRISTINA CESAR
Inéditos e Dispersos. Poesia/Prosa. 3ª edição. São Paulo. Editora Ática. 1998.
ANDRADE, Almir de
As Duas Faces do Tempo. Rio de Janeiro. Livraria José Olímpio Editora, São Paulo. Editora da Universidade de São Paulo. 1971.
ANDRADE, Garibaldino de
O Sol e a Nuvem. Lisboa. Portugália Editora. 1946.
Vila Branca. Lisboa. Editorial Inquérito Ltda. 1944.
ANDRADE, Mário de
Aspectos da Literatura Brasileira. Rio de Janeiro. Americ. Edit. 1943.
Contos Novos. São Paulo. Livraria Martins Editora S. A. 1947.
Macunaíma. O Herói sem Nenhum Caráter. São Paulo. 1928.
Namoros com a Medicina. Porto Alegre. Edição da Livraria do Globo. 1939.
O Baile das Quatro Artes. São Paulo. Livraria Martins Editora. S.d.
O Empalhador de Passarinho. São Paulo. Livraria Martins Editora. S.d.
Os Contos de Belasarte. 3ª edição. São Paulo. Livraria Martins Editora. 1947.
Os Filhos da Candinha. São Paulo. Livraria Martins Editora. 1943.
Poesias Completas. São Paulo. Livraria Martins Editora. 1965.
Táxi e Crônicas no Diário Nacional. Estabelecimento de texto, introdução e notas de Telê Porto Ancona Lopez. São Paulo. Livraria Duas Cidades. Secretaria da Cultura, Ciência e Tecnologia. 1976.
ANDRADE, Oswald de
Um Homem sem Profissão. Memórias e Confissões. I [e único] volume. 1890–1919. Rio de Janeiro. Livraria José Olímpio Editora. 1954.
ANDRADE, Rodrigo M. F. de
Velórios. Belo Horizonte. Os Amigos do Livro. S.d.
ANDRADE MURICI
A Festa Inquieta. Seguida de Partida para a Europa. Rio de Janeiro. Irmãos Pongetti Editores. 1957.
O Suave Convívio. Rio de Janeiro. Anuário do Brasil. 1922.
ANDREI, C. C.
— V. VIEIRA, P. C. e ANDREI, C. C.
ANDRESSEN, Sofia de Melo Breyner
Poemas Escolhidos. São Paulo. Companhia das Letras. 2004.
ANJOS, Augusto dos
Eu. Rio de Janeiro. 1912.
Eu. 30ª edição. Rio de Janeiro. Livraria São José. 1965.
Toda a Poesia. Com um estudo crítico de Ferreira Gullar. 2ª edição. Rio de Janeiro. Paz e Terra. 1978.
ANJOS, Ciro dos
Abdias. 4ª edição. Porto Alegre. Editora Globo. 1965.
A Menina do Sobrado. Rio de Janeiro. Livraria José Olímpio Editora. 1979.
Explorações no Tempo. Rio de Janeiro. Livraria José Olímpio Editora. 1963.
Montanha. Rio de Janeiro. Livraria José Olímpio Editora. 1956.
O Amanuense Belmiro. 6ª edição. Rio de Janeiro. Livraria José Olímpio Editora. 1966.
ANJOS, Frederico Gustavo dos
Bandeira Para um Cadáver. São Tomé. Caderno Gravana Nova. 1984.
ANSARAH RIZEK, Aziz
Histórias Agudas e Crônicas de um Médico. São Paulo. Livraria Martins Editora. 1967.
ANTÔNIO CÂNDIDO
Ficção e Confissão. Rio de Janeiro. Livraria José Olímpio Editora. 1956.
ANTÔNIO CELSO
A Porta de Jerusalém. Rio de Janeiro. Livraria José Olímpio Editora. INL. 1982.
Girassol de Ouro. Rio de Janeiro. Livraria Francisco Alves Editora S. A. 1973.
— V. tb. ALVES PEREIRA. Antônio Celso
ANTÔNIO SÉRGIO
Cartas do Terceiro Homem. Porta Voz das "Pedras Vivas" do "País Real". Lisboa. Editorial Inquérito Ltda. 1953.
Ensaios. Tomo I. 2ª edição. Coimbra. Atlântida. 1949.
Ensaios. Tomo IV. Lisboa. MCMXXXIV.
Ensaios. Tomo VI. Lisboa. Editorial Inquérito Ltda. 1946.
— V. tb. SOUSA, Antônio Sérgio de
ANTUNES, Davi
Briguela. São Paulo. Edição Saraiva. 1966.
ANTUNES, Gabriela
Estórias Velhas. Roupa Nova. Luanda. União dos Escritores Angolanos. 1988.
APA, Lívia / BARBEITOS, Arlindo / DÁSKALOS, Maria Alexandre
Poesia Africana de Língua Portuguesa (Antologia). Rio de Janeiro. Lacerda Editores. 2003.
ARARIPE, Oscar
China, Hoje. O Pragmatismo Possível. Rio de Janeiro. Editora Artenova S. A. 1974.
ARARIPE JÚNIOR, T. A.
Gregório de Matos. Rio de Janeiro. Livraria Garnier Irmãos. S.d.
Ibsen. Porto. Livraria Chardron. 1911.
ARAÚJO, Bárbara de
O Bezerro de Ouro. Belo Horizonte. 1970.
ARAÚJO, Carlos
Percurso Vulgar. Mindelo. Ilhéu Editora. 1990.
ARAÚJO, Lara
— em *Aulil. Contos e Poemas*. Sal. Município do Sal. 1987.
ARAÚJO, Murilo
Poemas Completos. 3 tomos. Rio de Janeiro. Irmãos Pongetti Editores. 1960.
ARAÚJO CORREIA, João de
Cinza do Lar. Régua. Imprensa do Douro. 1951.
Contos Bárbaros. Régua. Imprensa do Douro. 1939.
Sem Método. Régua. Imprensa do Douro. 1938.
Terra Ingrata. Lisboa. Portugália Editora. 1946.

ARAÚJO COSTA, De
O Menino e o Tempo. Maceió – Alagoas. Departamento Estadual de Cultura. 1967.
ARAÚJO LEÃO, Wellington de
— em *Contos Alagoanos de Hoje*. São Paulo. L. R. Editores Ltda. 1982.
ARAÚJO PORTO-ALEGRE, Manuel de
Colombo. Rio de Janeiro. Ed. do Instituto Histórico e Geográfico Brasileiro. Companhia Tipográfica do Brasil. 1892.
ARCHER, Maria
Fauno Sovina. Vila Nova de Famalicão. Grandes Oficinas Gráficas "Minerva". 1941.
Nada lhe Será Perdoado. Lisboa. Edições Sit. S.d. [1952].
AREOSA PENA
— em *Gostar de Ler*. Maputo. Tempo. 1981.
ARINOS, Afonso
Histórias e Paisagens. Rio de Janeiro. Livraria Francisco Alves. 1921.
Lendas e Tradições Brasileiras. 2ª edição. Rio de Janeiro. F. Briguiet & Cia. – Editores. 1937.
Notas do Dia. Comemorando. São Paulo. Tip. Andrade, Meio & Cia. 1900.
O Contratador de Diamantes. Rio de Janeiro. Livraria Francisco Alves. 1917.
Pelo Sertão. Rio de Janeiro. Laemmert & Cia. 1898.
ARINOS FILHO, Afonso
Primo Conto (Memórias da Mocidade). Rio de Janeiro. Editora Civilização Brasileira S. A. 1976.
ARRAIS, D. Fr. Amador
Diálogos. Nova edição. Lisboa. Tipografia Rolandiana. 1846.
ARROIO, Leonardo
Absalão e o Rei. São Paulo. Difusão Europeia do Livro. 1961.
ASFORA, Permínio
Vento Nordeste. Rio de Janeiro. Livraria José Olímpio Editora. 1957.
ASFORA, Permínio & Lúcio.
Confidências no Largo da Segunda-Feira. Petrópolis. Catedral das Letras. 2004.
ASSIS BARBOSA, Francisco de
A Vida de Lima Barreto. 2ª edição revista. Rio de Janeiro. Livraria José Olímpio Editora. 1959.
Santos Dumont. Inventor. Rio de Janeiro. Livraria José Olímpio Editora. 1974.
ATAÍDE, Tristão de
Estudos. 1ª série. 2ª edição. Rio de Janeiro. Edição de A Ordem. 1929.
Estudos. 3ª série, I. Rio de Janeiro. Edição de A Ordem. 1930.
— V. tb. AMOROSO LIMA. Alceu.
AUGUSTO GIL
Alba Plena. 3ª edição. Paris – Lisboa. Livraria Aillaud & Bertrand. 1920.
Luar de Janeiro. 9ª edição. Lisboa. Edições Ática. MCMXLV.
O Craveiro da Janela. 3ª edição. Paris – Lisboa. Livrarias Aillaud & Bertrand. Porto. Livraria Chardron. Rio de Janeiro. Livraria Francisco Alves. 1920.
Versos. Nova edição. Lisboa. Livraria Aillaud & Bertrand. 1919.
AUSTREGÉSILO, A.
Obras Completas. 10 v. Rio de Janeiro. Editora Guanabara. 1944. 1945. 1945. 1946. 1946. 1946. 1947. 1947. 1948. 1949.
Patologia Mental. Rio de Janeiro. Editora Guanabara. 1949.
AUSTREGÉSILO DE ATAÍDE
Vana Verba. Conversas na Barbearia Sol. Rio de Janeiro. Edições O Cruzeiro. [1971].
— V. LINS DO REGO, José e AUSTREGÉSILO DE ATAÍDE.
AUSTRO-COSTA
Mulheres e Rosas. Recife. Costa Pinto & Cia. 1922.
AUTRAN DOURADO
Confissões de Narciso. Rio de Janeiro. Livraria Francisco Alves Editora. S. A. 1997.
O Risco do Bordado. Rio de Janeiro. Editora Expressão e Cultura Ltda. 1970.
Ópera dos Fantoches. Rio de Janeiro. Francisco Alves. 1995.
— V. tb. AUTRAN DOURADO, Valdomiro
AUTRAN DOURADO, Valdomiro
Nove Histórias em Grupos de Três. Rio de Janeiro. Livraria José Olímpio Editora. 1957.
AVEIRO, Fr. Pantaleão de
Itinerário da Terra Santa e Suas Particularidades. 7ª edição, conforme a primeira. Revista e prefaciada por Antônio Baião. Coimbra. Imprensa da Universidade. 1927.
AVELAR, Romeu de
Crônicas de Ontem e de Hoje. Maceió. Alagoas. Imprensa Oficial. 1948.
ÁVILA, Afonso
Resíduos Seiscentistas em Minas. 2 v. Belo Horizonte. Centro de Estudos Mineiros. 1967.
AZAMBUJA, Darci
A Prodigiosa Aventura e Outras Histórias Possíveis. Porto Alegre. Edição da Livraria do Globo. 1939.
Coxilhas. Porto Alegre. Editora Globo. 1956.
AZEVEDO, Aluísio
A Condessa Vésper. São Paulo. Livraria Martins Editora. 1959.
Casa de Pensão. Nova edição. Rio de Janeiro – Paris. Livraria Garnier. S.d.
Demônios. São Paulo. Teixeira & Irmão – Editores. 1893.
Filomena Borges. Rio de Janeiro. F. Briguiet & Cia. – Editores. S.d.
Livro de uma Sogra. Rio de Janeiro – Paris. Livraria Garnier. S.d.
O Cortiço. Rio de Janeiro. Livraria Garnier. S.d.
O Coruja. Rio de Janeiro – Paris. Livraria Garnier. S.d.
O Homem. Rio de Janeiro – Paris. Livraria Garnier. S.d.
O Mulato. 5ª edição. Rio de Janeiro – Paris. Livraria Garnier. S.d.
Pegadas. Rio de Janeiro – Paris. H. Garnier, Livreiro. Editor. S.d.
AZEVEDO, Artur
Contos Cariocas. Rio de Janeiro. Livraria Editora Leite Ribeiro. 1928.
Contos Efêmeros. 4ª edição. Rio de Janeiro – Paris. Livraria Garnier. S.d.
Contos em Verso. Rio de Janeiro – Paris. H. Garnier, Livraria Editora. 1910.
Contos fora da Moda. 4ª edição. Rio de Janeiro. Livraria Garnier. S.d.
Contos Possíveis. Rio de Janeiro. B. L. Garnier, Editor. 1889.
Sonetos e Peças Líricas. Rio de Janeiro – Paris. Livraria Garnier. S.d.
— Ap. BANDEIRA, Manuel. *Antologia dos Poetas Brasileiros da Fase Parnasiana* (q. v.).
AZEVEDO, Fernando de
Um Trem Corre para o Oeste. 2ª edição. São Paulo. Edições Melhoramentos. S.d.
AZEVEDO, J. Lúcio d'
O Marquês de Pombal e a Sua Época. 2ª edição, com emendas. Rio de Janeiro. Anuário do Brasil. Lisboa. Seara Nova. Porto. Renascença Portuguesa. 1922.
AZEVEDO FILHO, Leodegário A. de
Anchieta, a Idade Média e o Barroco. Rio de Janeiro. Edições Gemasa. 1988.
História da Literatura Portuguesa. V. 1. A Poesia dos Trovadores Galego-Portugueses. Rio de Janeiro. Tempo Brasileiro. Maceió. Edufal. 1983.
AZURARA, Gomes Eanes de
Crônica do Descobrimento e Conquista de Guiné. Paris. J. P. Ailland. 1841.
BA KA KHOSA, Ungulani
Orgia dos Loucos. Maputo. Associação dos Escritores Moçambicanos. 1990.
Ualalapi. Lisboa. Editorial Caminho, S. A. 1990.
BANDEIRA, Manuel
Andorinha, Andorinha. Rio de Janeiro. Livraria José Olímpio Editora. 1966.
Antologia dos Poetas Brasileiros da Fase Parnasiana. 3ª edição. Revisão crítica, em consulta com o Autor, por Aurélio Buarque de Holanda. Rio de Janeiro. Instituto Nacional do Livro. 1951.
Antologia dos Poetas Brasileiros da Fase Romântica. 3ª edição. Revisão crítica, em consulta com o Autor, por Aurélio Buarque de Holanda. Rio de Janeiro. Instituto Nacional do Livro. 1949.
Apresentação da Poesia Brasileira. Rio de Janeiro. Casa do Estudante do Brasil. 1946.
Estrela da Vida Inteira. Rio de Janeiro. Livraria José Olímpio Editora. 1966.
Poesia e Prosa. 2 v. Rio de Janeiro. Editora José Aguilar Ltda. 1958.
BAPTISTA, Heliodoro
A Filha de Thandi. Maputo. Associação dos Escritores Moçambicanos. 1991.
Por Cima de Toda a Folha. Maputo. Associação dos Escritores Moçambicanos. 1987.
BARBEITOS, Arlindo
Angola Angolê Angolema. Lisboa. Sá da Costa. 1976.
Fiapos de Sonho. Lisboa. Vega. 1992.
Nzoji (Sonho). Lisboa. Sá da Costa. 1979.
O Rio, Estórias de Regresso. Lisboa. Imprensa Nacional – Casa da Moeda. 1985.
BARBOSA, Alaor
Picumãs. Goiânia. Goiás. Livraria Brasil Central Editora. 1966.
BARBOSA, Alexandre
Guinéus. Lisboa. Edição do Autor. 1962.
BARBOSA, Jorge
Poesias I. Praia. Instituto Caboverdiano do Livro e do Disco. 1989.
BARBOSA, Orestes
Chão de Estrelas. Rio de Janeiro. J. Ozon Editor. 1965.
BARBOSA, Rui
Cartas de Inglaterra. Rio de Janeiro. Tip. Leuzinger. 1896.
Ensaios Literários. Rio de Janeiro – São Paulo. Gráfica Editora Brasileira Ltda. 1949.
Obras Seletas de Rui Barbosa. V. Tribuna Parlamentar. República. Rio de Janeiro. Casa de Rui Barbosa. 1956.
Oração aos Moços. Nova edição. Estabelecimento do texto e notas de Adriano da Gama Kury. Rio de Janeiro. Casa de Rui Barbosa. 1956.
Réplica do Senador Rui Barbosa às Defesas da Redação do Projeto da Câmara dos Deputados. Rio de Janeiro. Imprensa Nacional. 1904.
Trabalhos Jurídicos. Tomo V. Rio de Janeiro. Ministério da Educação e Cultura. 1958.
BARBOSA LESSA
O Boi das Aspas de Ouro. Porto Alegre. Editora Globo. 1958.
BARBOSA LIMA SOBRINHO
A Língua Portuguesa e a Unidade do Brasil. Rio de Janeiro. Livraria José Olímpio Editora. 1958.
Estudos Nacionalistas. Rio de Janeiro. Editora Civilização Brasileira S. A. 1981.
Presença de Alberto Torres. (Sua Vida e Pensamento). Rio de Janeiro. Editora Civilização Brasileira S. A. 1968.
BARBOSA MENDES SAMY, Domingas
A Escola. Bissau. Edição da Autora. 1993.
BARBOSA NOGUEIRA, Rui
Curso de Direito Tributário. 10ª edição. São Paulo. Editora Saraiva. 1990.
BARIANI ORTÊNCIO
Vão dos Angicos. Rio de Janeiro. Livraria José Olímpio Editora. 1969.
BARRETO, Mário
De Gramática e de Linguagem. 2 tomos. Rio de Janeiro. Empresa Industrial Editora "O Norte". 1922.
Novíssimos Estudos da Língua Portuguesa. 2ª edição. Rio de Janeiro. Livraria Francisco Alves. 1924.
Novos Estudos da Língua Portuguesa. 2ª edição, corrigida e aumentada. Rio de Janeiro. Livraria Francisco Alves. 1921.
Últimos Estudos. Rio de Janeiro. Epasa. 1944.
BARRETO, Tobias
Dias e Noites. Nova edição, aumentada. Rio de Janeiro e São Paulo. Laemmert & Cia. Livreiros Editores. 1903.
Discursos. Rio de Janeiro. Edição do Estado de Sergipe. 1926.
Filosofia e Crítica. Rio de Janeiro. Edição do Estado de Sergipe. 1926.
BARRETO CARDOSO
— Ap. MARROQUIM, Ad. *Terra das Alagoas* (q. v.).
BARRETO FILHO
Introdução a Machado de Assis. Rio de Janeiro. Livraria Agir Editora. 1947.
Sob o Olhar Malicioso dos Trópicos. 2ª edição. Rio de Janeiro. Editora Record. 1934.
BARROS, Manuel de
Livro sobre Nada. 3ª edição. Rio de Janeiro. Editora Record. 1997.
Matéria de Poesia. Rio de Janeiro. Livraria São José. 1974.

BARROS, Olavo de
Palco Giratório. Rio de Janeiro. MEC. Companhia Nacional de Teatro. 1960.
BARROS LATIF, Miran M. de
As Minas Gerais. Rio de Janeiro Editora S. A. A Noite. S.d.
BARROSO, Gustavo
A Ronda dos Séculos. 3ª edição. São Paulo. Livraria José Olímpio Editora. 1933.
As Colunas do Templo. Rio de Janeiro. Civilização Brasileira Editora. 1932.
Através dos Folclores. São Paulo. Comp. Melhoramentos de São Paulo. S.d.
Heróis e Bandidos. 2ª edição. Rio de Janeiro. Livraria Francisco Alves. 1931.
Livro dos Milagres. Rio de Janeiro. Livraria Francisco Alves. 1924.
Mississípi. Rio de Janeiro. Edições O Cruzeiro. 1961.
O Sertão e o Mundo. Rio de Janeiro. Editora – A Livraria Leite Ribeiro. 1923.
Terra de Sol. 3ª edição. Rio de Janeiro. Livraria Francisco Alves. 1930.
BARROSO, Ivo
Arthur Rimbaud. Poesia Completa. Tradução de Ivo Barroso. 2ª edição revista. Rio de Janeiro. Topbooks. 1995.
BARROSO, Juarez
Mundinha Panchico e o Resto do Pessoal. Rio de Janeiro. Livraria José Olímpio Editora. 1969.
BARROSO, Maria Alice
Um Nome para Matar. Rio de Janeiro. Edições Bloch. 1967.
BATINI, Tito
Inácio, Pastor de Nuvens. São Paulo. Edições Autores Reunidos Ltda. 1960.
BATISTA, Djalma
Da Habitabilidade da Amazônia. Manaus. Amazonas. Instituto Nacional de Pesquisas da Amazônia. S.d.
BEJA, Maria Olinda
Bô Tendê?. Aveiro. Câmara Municipal de Aveiro. S.d.
15 Dias de Regresso. 2ª edição. Aveiro. Câmara Municipal de Aveiro. S.d.
BELO, Eduardo
Apenas uma Garotinha: a História de Cássia Eller. São Paulo. Editora Planeta do Brasil. 2005.
BELO, José Maria
Memórias. Rio de Janeiro. Livraria José Olímpio Editora. 1958.
BELO, Júlio
Memórias de um Senhor de Engenho. Rio de Janeiro. Livraria José Olímpio Editora. 1938.
BELO GALVÃO, Jesus
Palavra e Estrutura. Guanabara. DASP – Centro de Aperfeiçoamento. 1968.
BELO MARQUES
Música Negra (Estudos do Folclore Tonga). Lisboa. Agência Geral das Colônias. 1943.
BENEDETTI, Lúcia
Maria Isabel. Rio de Janeiro. Edições O Cruzeiro. 1960.
Vesperal com Chuva. Rio de Janeiro. Gráfica Tupi Ltda. Editora. 1950.
BENEVIDES, Walter
Compositores Surdos. Beethoven – Smetana – Fauré. Rio de Janeiro. 1970.
Da Arte de Ter Clínica. Rio de Janeiro. Separata da Revista Brasileira de Medicina. Vol. 26. 1969.
Sobre Raul de Leoni. Rio de Janeiro. Livraria São José. 1973.
BERARDINELLI, Cleonice
Antologia do Teatro de Gil Vicente. Rio de Janeiro. Editora Nova Fronteira. 1984.
Estudos Camonianos. Departamento de Assuntos Culturais Ministério da Educação e Cultura. 1973.
BERMUDES, Nuno
Eu, Caçador, e Tu, Impala e Outras Histórias de Homens e de Bichos. Lisboa. Guimarães & Cia. Editores. 1978.
O Círculo de Luz. Beira. M. Salema & Carvalho. S.d. [1973].
BERNARDES, Carmo
Jurubatuba. Goiânia. Departamento Estadual de Cultura. 1972.
BERNARDES, Diogo
Obras Completas. Com prefácio e notas do Prof. Marques Braga. 3 v. Lisboa. Livraria Sá da Costa – Editora. 1946.
BERNARDES, Pe Manuel
Exercícios Espirituais e Meditações da Via Purgativa. 2 tomos. Lisboa. Na Oficina de Miguel Deslandes. 1686.
Luz e Calor. Lisboa. Na Oficina de Miguel Deslandes. MDCXCVI.
Nova Floresta. 5 tomos. Lisboa. Na Oficina de Valentim da Costa Deslandes [o 1º e o 2º]. MDCCVI. 1708. Lisboa. Na Oficina Deslandesiana [o 3º]. MDCCXI. Lisboa Ocidental. Na Oficina de José Antônio da Silva [o 4º e o 5º] MDCCXXVI. MDCCXXVIII.
Os Últimos Fins do Homem. Lisboa Ocidental. Na Oficina de José Antônio da Silva. MDCCXXVIII.
Vários Tratados. Tomo I. *Meditações sobre os Principais Mistérios da Virgem Santíssima.* Lisboa Ocidental. Na Oficina da Congregação do Oratório. MDCCXXXVII. Tomo II. *Pão Partido em Pequeninos.* 4ª impressão. Lisboa Ocidental. Na Oficina da Congregação do Oratório. MDCCXXXVII.
BERREDO CARNEIRO, Paulo E. de
O "Curare", Veneno das Flechas na Amazônia. Lisboa. Academia das Ciências de Lisboa. 1945.
BESSA-LUÍS, Agustina
A Sibila. Rio de Janeiro. Editora Nova Fronteira. 1982.
Aquário e Sagitário. Lisboa. Contexto Editora Ltda.
Memórias Laurentinas. Lisboa. Guimarães Editores. 1996.
Vale Abraão. São Paulo. Editora Planeta do Brasil. 2004.
BETTENCOURT, Lúcia
A Secretária de Borges. Rio de Janeiro. Editora Record. 2006.
BEZERRA, João Clímaco
A Vinha dos Esquecidos, Rio de Janeiro. Livraria José Olímpio Editora. MEC. 1980.
Não Há Estrelas no Céu. Rio de Janeiro. Livraria José Olímpio Editora. 1948.
O Homem e Seu Cachorro. Rio de Janeiro. Ministério da Educação e Cultura. Serviço de Documentação. 1959.
O Semeador de Ausências. Rio de Janeiro. Gráfica Record Editora S. A. 1967.
BEZERRA FILHO, José
Fogo!. João Pessoa. Paraíba. 1970.
B. FREITAS CAVALCANTI
A Profecia das Águas. Aventura de Um Conto Plural. Brasília. Senado Federal, Centro Gráfico. 1985.
BILAC, Olavo
Conferências Literárias. Rio de Janeiro. Francisco Alves & Cia. 1912.
Crítica e Fantasia. Lisboa. Livraria Clássica Editora. 1904.
Ironia e Piedade. Rio de Janeiro. Livraria Francisco Alves. 1916.
Poesias. 6ª edição. Rio de Janeiro. Francisco Alves & Cia. 1916.
Poesias Infantis. 20ª edição. Rio de Janeiro. Livraria Francisco Alves. 1957.
Tarde. Rio de Janeiro. Livraria Francisco Alves. 1919.
Últimas Conferências e Discursos. Rio de Janeiro. Livraria Francisco Alves. 1924.
BLOCH, Pedro
Essas Crianças de Hoje!. Rio de Janeiro. Bloch Editores S. A. 1970.
BOCAGE
Poesias. Seleção, prefácio e notas pelo Prof. Guerreiro Murta. Lisboa. Livraria Sá da Costa – Editora. 1943.
BOPP, Raul
Coisas do Oriente. Rio de Janeiro. Gráfica Tupi Ltda. Editora. 1971.
Putirum. Rio de Janeiro. Editora Leitura S. A. [1969].
BORBA, Osório
A Comédia Literária. 2ª edição. Rio de Janeiro. Editora Civilização Brasileira S. A. 1959.
BORBA FILHO, Hermilo
Sol das Almas. Rio de Janeiro. Editora Civilização Brasileira S. A. 1964.
Um Cavaleiro da Segunda Decadência, Margem das Lembranças. Rio de Janeiro. Editora Civilização Brasileira S. A. 1966.
Um Cavaleiro da Segunda Decadência. III. *O Cavalo da Noite.* Rio de Janeiro. Editora Civilização Brasileira S. A. 1968.
BORGES, Humberto Crispim
Cacho de Tucum. Goiânia – Goiás. Publicação do Departamento Estadual de Cultura. 1970.
Chico Melancolia. Goiânia – Goiás. Publicação da Bolsa "Hugo de Carvalho Ramos". 1967.
BOTELHO, Abel
Amanhã. 3ª edição. Porto. Livraria Chardron, de Lelo & Irmão, Ltda. – Editores. Lisboa – Paris. Aillaud e Bertrand. 1924.
Amor Crioulo. 2ª edição. Porto. Livraria Chardron. 1921.
Mulheres da Beira. 3ª edição, refundida. Porto. Livraria Chardron. S.d.
O Livro de Alda. 3ª edição. Porto. Livraria Chardron. 1922.
Os Lázaros. 2ª edição. Porto. Livraria Chardron. 1919.
Próspero Fortuna. 2ª edição. Porto. Livraria Chardron, de Lelo & Irmão. Editores. 1919.
Sem Remédio. 2ª edição. Porto. Livraria Chardron. 1924.
BOTELHO, Fernanda
Lourenço É Nome de Jogral. 1ª edição. Lisboa. Livraria Bertrand. 1971.
Festa em Casa de Flores. Contexto. 1990.
BOTELHO DE OLIVEIRA, Manuel
Música do Parnasso. 2 tomos. Prefácio e organização do texto por Antenor Nascentes. Rio de Janeiro. Ed. do Instituto Nacional do Livro. 1953.
BOTO, Antônio
As Canções de Antônio Boto. Nova edição, definitiva e aumentada. Lisboa. 1941.
BRAGA, Alberto
Novos Contos. Porto. Livraria Universal. S.d.
BRAGA, Mário
Serranos. Coimbra. 1948.
BRAGA, Rubem
A Cidade e a Roça. Rio de Janeiro. Livraria José Olímpio Editora. 1957.
Ai de Ti, Copacabana!. 4ª edição. Rio de Janeiro. Editora do Autor. 1960.
As Boas Coisas da Vida. Rio de Janeiro. Editora Record. 1988.
Com a F.E.B. na Itália. 2ª edição. Rio de Janeiro. Livraria Editora Zélio Valverde. 1945.
O Homem Rouco. Rio de Janeiro. Livraria José Olímpio Editora. 1949.
Recado da Primavera. Rio de Janeiro. Editora Record. 1964.
— em RAJA GABAGLIA, Marisa (q. v.).
BRAGA, Teófilo
História da Literatura Portuguesa. II. *Renascença.* Porto. Livraria Chardron, 1914.
BRAGA MONTENEGRO
As Viagens. Rio de Janeiro. Gavião Editora e Livraria S. A. 1960.
Uma Chama ao Vento. Fortaleza – Rio. Edições Aequitas, 1946.
BRAGANÇA, Albertino
Rosa do Riboque e Outros Contos. São Tomé. Cadernos Gravana n. 2. 1985.
BRANDÃO, Alfredo
A Escrita Pré-Histórica do Brasil. Rio de Janeiro. Editora Civilização Brasileira S. A. 1937.
Crônicas Alagoanas. Maceió. Casa Ramalho Editora. 1939.
BRANDÃO, Inácio de Loiola
Manifesto Verde. O Presente é o Futuro. 7ª edição. São Paulo. Global e Gaia. 2001.
BRANDÃO, Júlio
Contos Escolhidos. Porto. Livraria Chardron. S.d.
BRANDÃO, Mário
Almas do Outro Mundo. Rio de Janeiro. Gráfica Ipiranga. 1931.
BRANDÃO, Raul
A Farsa. 3ª edição. Paris – Lisboa. Livrarias Aillaud & Bertrand. 1926.
As Ilhas Desconhecidas. 3ª edição. Rio de Janeiro. Livraria Francisco Alves. Paris – Lisboa. Livrarias Aillaud & Bertrand. S.d.

Húmus. 4.ª edição. Paris – Lisboa. Livrarias Aillaud & Bertrand. S.d.
Memórias. Vol. I. 4.ª edição. Paris – Lisboa. Livrarias Aillaud & Bertrand. MCMXXV.
Memórias. Vol. II. 2.ª edição. Paris – Lisboa. Livrarias Aillaud & Bertrand. MCMXXV.
Os Pescadores. Edição definitiva 10.º milhar. Lisboa. Livraria Bertrand. S.d.
Os Pobres. 7.ª edição. Paris – Lisboa. Livrarias Aillaud & Bertrand. 1925.
Vale de Josafá. III Volume de Memórias. Lisboa. Seara Nova, 1933.

BRANDÃO, Téu
Folclore de Alagoas. Maceió – Alagoas. Casa Ramalho. 1949.
Folguedos Natalinos de Alagoas. Maceió – Alagoas. Divulgação do Departamento Estadual de Cultura. 1961.

BRANDÃO VILELA, Teotônio
Andanças pela Crônica. Maceió – Alagoas. Divulgação do Departamento Estadual de Cultura. 1963.

BRANQUINHO DA FONSECA
Caminhos Magnéticos. Lisboa. Edições Europa. S.d. [Publicado com o pseudônimo Antônio Madeira.].
Rio Turvo e Outros Contos. Lisboa. Editorial Inquérito Ltda. 1945.
— V. tb. MADEIRA. Antônio

BRASIL, Zeferino
Na Torre de Marfim. Porto Alegre. Oficinas Gráficas da "Livraria do Globo". 1910.

BRITO BROCA
Horas de Leitura. Rio de Janeiro. Instituto Nacional do Livro. 1957.
Memórias. Texto organizado, anotado e com introdução de Francisco de Assis Barbosa. Rio de Janeiro. Livraria José Olímpio Editora. 1963.

BRITO CAMACHO
Gente Rústica. 2.ª edição. Lisboa. Livraria Editora Guimarães & Cia. 1927.
Quadros Alentejanos. Lisboa. Livraria Editora Guimarães & Cia. 1925.

BUARQUE, Chico
Budapeste. São Paulo. Companhia das Letras. 2003.
Fazenda Modelo. São Paulo. Círculo do Livro. S.d.
— V. BUARQUE DE HOLANDA, Chico

BUARQUE DE HOLANDA, Aurélio
— V. ÉLIS, Bernardo e BUARQUE DE HOLANDA, Aurélio
— V. LINS, Álvaro e BUARQUE DE HOLANDA, Aurélio

BUARQUE DE HOLANDA, Aurélio e RÓNAI, Paulo
Mar de Histórias. Antologia do Conto Mundial III. Romantismo. 2.ª edição revista e aumentada. Rio de Janeiro. Editora Nova Fronteira. 1980.

BUARQUE DE HOLANDA, Chico
Roda Viva. Rio de Janeiro. Editora Sabiá Ltda. 1968.

BUARQUE DE HOLANDA, Sérgio
Antologia dos Poetas Brasileiros da Fase Colonial. 2 tomos. Revisão crítica de Aurélio Buarque de Holanda Ferreira. Rio de Janeiro. Instituto Nacional do Livro. 1952. 1953.
Caminhos e Fronteiras. Rio de Janeiro. Livraria José Olímpio Editora. 1957.
Raízes do Brasil. 6.ª edição. Rio de Janeiro. Livraria José Olímpio Editora. Instituto Nacional do Livro. MEC. 1971.
Visão do Paraíso. Rio de Janeiro. Livraria José Olímpio Editora. 1959.

BUCUANE, Juvenal
A Raiz e o Canto. Maputo. Associação dos Escritores Moçambicanos, 1984.
— em *Eco*, n. 2. Maputo. Universidade Eduardo Mondiane. Novembro 1989.

BUENO, Alexei
Correspondência de Alphonsus de Guimaraens. Rio de Janeiro. Academia Brasileira de Letras. 2002.

BUENO, Rute
O Livro de Aula. Rio de Janeiro. Livraria Editora Cátedra, 1984.

BULHÃO PATO
Livro do Monte. Lisboa. Tipografia da Academia. 1896. *Memórias.* 3 tomos. Lisboa. Tipografia da Academia Real das Ciências. 1894. 1894. 1907.

BULHÕES, Antônio
Contos Inatuais. São Paulo. Editora Arx, 2002.

CAIUBI, Amando
Sapezais e Tigueras. Porto Alegre. Edição da Livraria do Globo. 1941.

CAJÃO, Luís
A Estufa. 2.ª edição. Lisboa. Editorial Escritor. 1996.

CALADO, Antônio
A Madona de Cedro. Rio de Janeiro. Livraria José Olímpio Editora. 1957.
Quarup. Rio de Janeiro. Editora Civilização Brasileira S. A. 1967.

CALANE DA SILVA
Dos Meninos da Malanga. Maputo. Tempo. 1982.
Xicandarinha – Na Lenha do Mundo. Maputo. Associação dos Escritores Moçambicanos. 1987.

CALDAS BARBOSA, Domingos
— Ap. BUARQUE DE HOLANDA, Sérgio. *Antologia dos Poetas Brasileiros da Fase Colonial* (q. v.).

CALDEIRA, Almiro
Maré Alta. Porto Alegre. Editora Movimento. 1980.

CALDEIRA, Clóvis
Menores no Meio Rural. Rio de Janeiro. Centro Brasileiro de Pesquisas Educacionais (INEP). 1960.

CALMON, Pedro
História da Casa da Torre. Rio de Janeiro. Livraria José Olímpio Editora. 1939.

CÂMARA, D. João da
Contos. Lisboa. Guimarães & Cia Editores. S.d.

CÂMARA CASCUDO, Luís da
Canto de Muro. Rio de Janeiro. Livraria José Olímpio Editora. 1959.
Contos Tradicionais do Brasil. Rio de Janeiro. Americ. Edit. 1946.
Dicionário do Folclore Brasileiro. 2.ª edição, revista e aumentada. 2 v. Rio de Janeiro. Instituto Nacional do Livro. Ministério da Educação e Cultura 1962.
Meleagro. Rio de Janeiro. Livraria Agir Editora. 1951.
Pequeno Manual do Doente Aprendiz. Natal. Imprensa Universitária. 1969.
Prelúdio da Cachaça. Rio de Janeiro. Instituto do Açúcar e do Álcool. 1968.
Vaqueiros e Cantadores. Porto Alegre. Edição da Livraria do Globo. 1939.

CAMARGO, Joraci
Anastácio. 3.ª edição. Rio de Janeiro. Livraria Editora Zélio Valverde. 1945.

CAMINHA, Adolfo
A Normalista. (Cenas do Ceará). 2.ª edição. São Paulo. Empresa Editora J. Fagundes. S.d.
Bom-Crioulo. São Paulo. Empresa Editora J. Fagundes. S. d.

CAMÕES, Luís de
Os Lusíadas. Reimpressão fac-simulada da verdadeira 1.ª edição. Introdução e aparato crítico do Dr. José Maria Rodrigues. Lisboa. Tip. da Biblioteca Nacional. 1921.
Rimas. Texto estabelecido e prefaciado por Álvaro J. da Costa Pimpão. Coimbra. Por ordem da Universidade. 1953.

CAMPEDELLI, Samira
Dias Gomes. São Paulo. Abril Educação. 1982.

CAMPOS, Agostinho de
Estudos sobre o Soneto. Coimbra. Biblioteca da Universidade. 1936.
Junqueiro. 2.ª edição. Paris – Lisboa. Livrarias Aillaud & Bertrand. Porto. Livraria Chardron. Rio de Janeiro. Livraria Francisco Alves. 1921.

CAMPOS, Eduardo
O Chão dos Mortos. Rio de Janeiro. Edições O Cruzeiro. 1964.

CAMPOS, Geir
Cantar de Amigo ao Outro Homem da Mulher Amada. Vitória – ES. Fundação Ceciliano Abel de Almeida. Universidade Federal do Espírito Santo. 1982.
O Vestíbulo. São Paulo. Editora Ática S. A. 1979.

CAMPOS, Humberto de
Memórias. 1.ª parte. T. I. 3.ª edição. Rio de Janeiro. Livraria Editora Marisa. 1933.
Memórias Inacabadas. Rio de Janeiro. Livraria José Olímpio Editora. 1935.
O Monstro e Outros Contos. 7.ª edição. Rio de Janeiro. Livraria José Olímpio Editora. 1953.
Poesias Completas. Rio de Janeiro. W. M. Jackson Inc. Editores. 1954.

CAMPOS, Roberto de Oliveira
A Lanterna na Popa. Memórias. Rio de Janeiro. Topbooks. 1994.

CAMPOS DE FIGUEIREDO
Imagem da Noite. Coimbra. Edição do Autor. MCMXLVII.
Imagem do Dia. Rio de Janeiro. Livros de Portugal. 1958.
– em SIMÕES, João Gaspar. *Perspectiva da Literatura Portuguesa do Século XIX* (q. v.).

CANABRAVA, Eurialo
Estética da Crítica. Rio de Janeiro. Ministério da Educação e Cultura. Serviço de Documentação. S.d.

CANABRAVA BARREIROS, Eduardo
O Segredo de Sinhá Ernestina. Rio de Janeiro. Livraria José Olímpio Editora. 1967.

CARDIM, Elmano
Justiniano José da Rocha. São Paulo. Companhia Editora Nacional. 1964.

CARDOSO, Antônio
A Casa de Mãezinha. Lisboa. Ulmeiro. 1980.
A Fortuna, Novela de Amor. Lisboa. Plátano Editora. 1980.
Baixa & Musseques. Lisboa. Edições 70. 1980.

CARDOSO, Boaventura
A Morte do Velho Kipacaça. Luanda. União dos Escritores Angolanos. 1987.
Dizanga Dia Muenhu. Luanda. União dos Escritores Angolanos. 1977.
O Fogo da Fala. Lisboa. Edições 70. 1980.
O Signo do Fogo. Porto. Asa. 1992.

CARDOSO, Carlos
Direto ao Assunto. Maputo. Tempo. 1985.
– em *Gostar de Ler.* Maputo. Tempo. 1981.

CARDOSO, Joaquim
Poesias Completas. Rio de Janeiro. Editora Civilização Brasileira S. A. 1971.

CARDOSO, Lúcio
Maleita. 2.ª edição. Rio de Janeiro. Edições O Cruzeiro. 1953.
O Desconhecido. Rio de Janeiro. Livraria José Olímpio Editora. 1940.

CARDOSO, Maria Helena
Vida-Vida. Rio de Janeiro – Brasília. Livraria José Olímpio Editora. Instituto Nacional do Livro (MEC). 1973.

CARDOSO, Vicente Licínio
Figuras e Conceitos. Rio de Janeiro. Edição do Anuário do Brasil , 1924.
Pensamentos Brasileiros. Rio de Janeiro. Edição do Anuário do Brasil. 1924.

CARDOSO DE OLIVEIRA, J. M.
Dois Metros e Cinco. 2.ª edição, revista. Rio de Janeiro – Paris. Garnier, Livreiro-Editor. 1909.

CARDOSO PIRES, José
De Profundis. Valsa Lenta. 3.ª edição. Lisboa. Publicações Dom Quixote. 1997.
Histórias de Amor. 2.ª edição. Edições Nelson de Matos. Lisboa. 2008.
Jogos de Azar. Lisboa. Editora Arcádia Ltda. 1963.
O Anjo Ancorado. 2.ª edição. Lisboa. Editora Ulisseia. 1958.
O Delfim. Lisboa. Livraria Morais Editora. 1968.

CARLOS MAGNO, Pascoal
Sol sobre as Palmeiras. Rio de Janeiro. Editora Letras e Artes. 1962.

CARLOS MARIA
— em *Poetas de Moçambique.* [Prefácio de Alfredo Margarido]. Lisboa. Casa dos Estudantes do Império. 1962.

CARNAXIDE, Visconde de
D. João V e o Brasil. Lisboa. 1952.

CARNEIRO, Edison
A Sabedoria Popular. Rio de Janeiro. Instituto Nacional do Livro. 1957.
Candomblés da Bahia. 3.ª edição. Rio de Janeiro. Conquista. 1961.

CARONE, Edgard

A República Velha. I. Rio de Janeiro. Difel Difusão Editorial S. A. 1978.

CARPEAUX, Oto Maria

A Cinza do Purgatório. Rio de Janeiro. Edição da Casa do Estudante do Brasil. 1942.

História da Literatura Ocidental. Volume I. 2ª edição, revista e atualizada. Rio de Janeiro. Alhambra. 1978.

História da Literatura Ocidental. Vol. III. 2ª edição, revista e atualizada. Rio de Janeiro. Editorial Alhambra. 1977.

Presenças. Rio de Janeiro. Instituto Nacional do Livro. 1958.

Uma Nova História da Música. 3ª edição, revista e atualizada. Rio de Janeiro. Editorial Alhambra, 1977.

CARRASCO, Walcyr

Anjo de Quatro Patas. São Paulo. Editora Gente. 2008.

CARREIRO, José Bruno

Antero de Quental. Subsídios para a Sua Biografia. 2 v. Lisboa. Edição do Instituto Cultural de Ponta Delgada. 1948.

CARRILHO, Júlio

Dentro de Mim Outra Ilha (1969–1993). Maputo. Associação dos Escritores Moçambicanos. 1995.

CARVALHO, Apolônio de

Vale a Pena Sonhar. 2ª edição. Rio de Janeiro. Editora Rocco Ltda. 1997.

CARVALHO, Daniel de

Capítulos de Memórias. 1ª série. Rio de Janeiro. Livraria José Olímpio Editora. 1957.

De Outros Tempos. Rio de Janeiro. Livraria José Olímpio Editora. 1961.

CARVALHO, Elísio de

Brava Gente. Rio de Janeiro. S. A. Monitor Mercantil. 1921.

Five o'Clock. Rio de Janeiro. H. Garnier. 1909.

CARVALHO, Francisco

Rosa dos Eventos. Fortaleza. Edições Universidade Federal do Ceará. 1982.

CARVALHO, Jáder de

Delírio da Solidão. Fortaleza. Editora Terra de Sol Ltda. S.d.

Meu Passo na Rua Alheia. Fortaleza. Editora Terra de Sol Ltda. 1981.

CARVALHO, José Cândido de

O Coronel e o Lobisomem. 3ª edição. Rio de Janeiro. Livraria José Olímpio Editora. 1970.

Olha para o Céu, Frederico! 4ª edição. Rio de Janeiro. Livraria José Olímpio Editora. 1974.

Por que Lulu Bergantim Não Atravessou o Rubiron. Rio de Janeiro. Livraria José Olímpio Editora. 1971.

Um Ninho de Mafagafes Cheio de Mafagafinhos. Rio de Janeiro. Livraria José Olímpio Editora. 1972.

CARVALHO, José Cândido M.

Notas de Viagem ao *Rio Negro.* São Paulo. Edições GRD. (Brasília: INL, Fundação Nacional Pró-Memória). 1983.

CARVALHO, José G. Herculano de

Teoria da Linguagem. Tomo I. (reedição). Coimbra. Atlântica Editora. 1970.

CARVALHO, Maria Judite de

Os Armários Vazios. Portugal. Publicações Europa–América Ltda. 1993.

CARVALHO, Mário de

Um Deus Passeando pela Brisa da Tarde. Rio de Janeiro. Contraponto, 1995.

CARVALHO, Ronald de

Estudos Brasileiros. 3 séries. Rio de Janeiro. F. Briguiet & Cia. – Editores. 1930. 1931. 1931.

Pequena História da Literatura Brasileira. 5ª edição, revista e aumentada. Rio de Janeiro. F. Briguiet & Cia Editores. 1935.

Poemas e Sonetos. Rio de Janeiro. Editores – Leite Ribeiro & Maurilo. 1919.

CARVALHO, Rui

— V. DUARTE DE CARVALHO, Rui

CARVALHO, Tito

Bulha d'Arroio. (Páginas serranocatarinenses). Florianópolis. Imprensa Oficial do Estado de Santa Catarina. 1939.

CARVALHO, Vicente de

Luisinha. São Paulo. Companhia Gráfico-Editora Monteiro Lobato. 1924.

Poemas e Canções. 8ª edição. São Paulo. Companhia Editora Nacional. 1928.

Versos da Mocidade. Porto. Livraria Chardron. 1912.

CARVALHO DA SILVA, Domingos

Liberdade Embora Tarde. Brasília. Thesaurus. 1984.

CARVALHO RAMOS, Hugo de

Tropas e Boiadas. 5ª edição. Introdução de M. Cavalcanti Proença. Rio de Janeiro. Livraria José Olímpio Editora. 1965.

CASAIS MONTEIRO, Adolfo

De Pés Fincados na Terra. Lisboa. Editorial Inquérito, Ltda. 1940.

O Romance (Teoria e Crítica) Rio de Janeiro. Livraria José Olímpio Editora. 1964.

CASASSANTA. Mário

Machado de Assis e o Tédio à Controvérsia. Belo Horizonte. Os Amigos do Livro. 1934.

CASSAMO, Suleiman

O Regresso do Morto. Maputo. Associação dos Escritores Moçambicanos. 1989.

— em *Notícias,* 17/2 e 21/7/1994. Maputo.

CASSIANO RICARDO

Marcha para Oeste. 2 v. Rio de Janeiro. Livraria José Olímpio Editora. 1940.

O Homem Cordial. Rio de Janeiro. Instituto Nacional do Livro. 1959.

Poesias Completas. Rio de Janeiro. Livraria José Olímpio Editora. 1957.

Viagem no Tempo e no Espaço. Rio de Janeiro. Livraria José Olímpio Editora. 1970.

CASTELO BRANCO, Camilo

A Brasileira de Prazins, Porto. Ernesto Chardron. Editor 1882.

A Enjeitada. Porto. Tipografia do Comércio, 1866.

A Filha do Regicida. Lisboa. Livraria Editora de Matos Moreira & Cia. 1875.

Agulha em Palheiro 3ª edição. Porto. Empresa Literária e Tipográfica – Editora. 1888.

Amor de Salvação 2ª edição. Porto. Livraria Moré. 1874.

A Mulher Fatal. Lisboa. Livraria de Campos Júnior – Editor. S.d.

A Queda dum Anjo. Edição definitiva, revista e corrigida pelo autor. Lisboa. Campos & Cia. – Editores. 1887.

Anátema. 3ª edição. Porto. 1875.

Anos de Prosa. Prefácio, estudo e notas do Prof. Júlio Nogueira. Rio de Janeiro. Edição da Organização Simões. 1955.

As Três Irmãs. Porto. Em Casa da Viúva Moré – Editora. 1862.

Aventuras de Basílio Fernandes Enxertado. 3ª edição. Lisboa. Parceria Antônio Maria Pereira. 1907.

Boêmia do Espírito. Porto. Livraria Civilização. 1886.

Carlota Angela. 2ª edição. Porto. Em Casa de Cruz Coutinho – Editor. 1860.

Cenas da Foz. 3ª edição. Porto. A. R. da Cruz Coutinho Editor. 1873.

Curso de Literatura Portuguesa. Lisboa. Livraria Editora de Matos Moreira & Cia. 1876.

Dispersos de Camilo. Coimbra. Imprensa da Universidade Vol. I [1924]. Vol. II. [1925]. Vol. III. [1926]. Vol. IV. [1928]. Vol. V. [1929].

D. Luís de Portugal. Porto. Livraria Civilização. 1883.

Doze Casamentos Felizes. 2ª edição, revista pelo autor. Porto. Em Casa da Viúva Moré – Editora. 1863.

Eusébio Macário (continuação). Porto e Braga. Livraria Internacional de Ernesto Chardron – Editor. 1880. [Esta obra é mais conhecida por *A Corja.*].

História e Sentimentalismo. I. Poetas e Raças Finas. II.

Livro Negro de Padre Dinis. 4ª edição. Porto. Paulo Podestá, Editor. 1880.

Maria da Fonte. Porto. Livraria Civilização. 1885.

Memórias do Cárcere. 6ª edição. 2 v. Lisboa. Parceria Antônio Maria Pereira. Livraria Editora. 1918.

Mistérios de Fafe. Lisboa. Livraria de Campos Júnior. 1877.

Mosaico e Silva de Curiosidades Históricas, Literárias e Biográficas. Porto. Anselmo de Morais – Editor. 1888.

Narcóticos. 2 tomos. Porto. Livraria de Clavel & Cia. – Editores. MDCCCLXXXII.

No Bom Jesus do Monte. Porto. Em Casa da Viúva Moré – Editora. 1864.

Noites de Insônia. 12 fascículos. Porto – Braga. Livraria Internacional. Janeiro a dezembro de 1874.

Noites de Lamego. 2ª edição. Lisboa. Livraria de Antônio Maria Pereira. 1873.

Novelas do Minho. 12 v. Lisboa, Livraria Editora de Matos Moreira & Cia. 1875. [o 1º vol.]. 1876 [do 2º ao 7º]. 1877 [do 8º ao 12º].

O Bem e o Mal. Prefácio, notas e vocabulário do Prof. Mário Casassanta. Edição da "Organização Simões". 1955.

Obra Seleta. 2 v. Rio de Janeiro. Editora José Aguilar Ltda. 1960.

O General Carlos Ribeiro. Porto. Livraria Civilização. MDCCCLXXXIV.

O Judeu. 2 v. Lisboa. Ed. da Companhia Editora de Publicações Ilustradas. S.d.

O Que Fazem Mulheres. Porto. Em Casa de Cruz Coutinho – Editor. 1858.

O Regicida. Lisboa. Livraria Editora de Matos Moreira. e Cia. 1874.

O Santo da Montanha. Lisboa. Livraria de Campos Júnior – Editor. S.d.

Otelo, o Mouro de Veneza. Porto. Livraria Civilização. 1886.

O Vinho do Porto. Porto. Livraria Civilização. 1884.

Perfil do Marquês de Pombal. Porto e Rio de Janeiro. Clavel & Cia. e L. Couto & Cia. MDCCCLXXXII.

Quatro Horas Inocentes. Lisboa. Livraria de Campos Júnior – Editor. 1872.

Sentimentalismo e História. I. Porto e Braga. Livraria Internacional de Ernesto Chardron. 1879. [Esta obra é mais conhecida por *Eusébio Macário.*].

Serões de São Miguel de Ceide. 5 v. Porto. Livraria Civilização. 1885. [1º vol.]. 1886 [os quatro restantes].

Um livro. 3ª edição, novamente correta e acrescentada com um prefácio por Tomás Ribeiro. Porto. Em Casa de Viúva Moré – Editora. 1866.

Vulcões de Lama. Porto. Livraria Civilização. 1886.

CASTELO BRANCO, Carlos

Continhos Brasileiros. Rio de Janeiro. Editora A Noite. 1952.

CASTILHO, Antônio Feliciano de

A Lírica de Anacreonte. [Tradução]. Paris. Tipografia de Ad. Lainé e J. Havard. 1886.

Amor e Melancolia ou A Novíssima Heloísa. Nova edição, correta e aumentada. Lisboa. Tip. da Sociedade Tipográfica Franco-Portuguesa. 1861.

A Noite do Castelo. Lisboa. Ed. da Empresa da História de Portugal. 1907.

A Primavera. 2ª edição, correta e aumentada. Lisboa. Na Tipografia de A. I. S. de Bulhões. 1837.

As Geórgicas de Virgílio. [Tradução]. Paris. Tipografia de Ad. Lainé e J. Havard. 1867.

As Metamorfoses de Públio Ovídio Nasão. [Tradução]. T. I. [e único]. Lisboa. Na Imprensa Nacional. 1841.

Camões. 2ª edição. 3 tomos. Lisboa. Tip. da Sociedade Tipográfica Franco-Portuguesa. 1863.

Escavações Poéticas. Lisboa. Tipografia Lusitana. 1844.

Fausto. [De Goethe. Tradução] 3ª edição. São Paulo. Livraria Teixeira. S.d.

O Doente de Cisma. [De Molière. Tradução]. Tipografia da Academia Real das Ciências de Lisboa. 1878.

O Outono. Lisboa. Imprensa Nacional. 1863.

O Presbitério da Montanha. Lisboa. Empresa da História de Portugal. 1905.

Os Amores, de P. Ovídio Nasão. [Tradução]. 3 tomos. Rio de Janeiro. Editor – Bernardo Xavier Pinto de Sousa. 1858.

Os Fastos de Públio Ovídio Nasão. [Tradução]. 3 tomos. Lisboa. Tipografia da Academia Real das Ciências. MDCCCLXII.

Ou Eu ou Eles. Tosquia de um Camelo. Lisboa. Empresa da História de Portugal. 1910.

— Ap. LINS, Álvaro, e BUARQUE DE HOLANDA, Aurélio (q. v.).

— Ap. SILVA CORREIA, João da, *A Linguagem da Mulher.* Lisboa. Academia das Ciências de Lisboa. 1935.

CASTRO, Alcides de

São Miguel dos Campos. Maceió — Alagoas. Divulgação do Departamento Estadual de Cultura. 1964.

CASTRO, Aloísio de
Excertos. Rio de Janeiro. F. Briguiet & Cia., Editores. MCMXXIX.

CASTRO, Eugênio de
Églogas. Lisboa. Lumen. Empresa Internacional Editora. MCMXXIX.
Obras Poéticas de Eugênio de Castro. 10 v. Lisboa. Lumen. Empresa Internacional Editora. 1927 [o 1º e 2º vols.]. 1928 [o 3º]. 1929 [o 4º e 5º]. 1930 [o 6º]. 1931 [7º].1940 [o 8º]. Barcelos. Companhia Ed. do Minho. 1944 [0 9º e o 10º].

CASTRO, Eugênio de [o brasileiro]
Terra à Vista. Rio de Janeiro. Tip. do Jornal do Commércio. 1920.

CASTRO, Rui
Cármen. Uma Biografia. São Paulo. Companhia das Letras. 2005.
O Anjo Pornográfico: a Vida de Nelson Rodrigues. São Paulo. Companhia das Letras. 1992.
Estrela Solitária – Um Brasileiro Chamado Garrincha. São Paulo. Companhia das Letras. 1995.
Saudades do Século 20. São Paulo. Companhia das Letras. 1994.

CASTRO ALVES
Obra Completa. Organização, fixação do texto, cronologia, notas e estudo crítico por Eugênio Gomes. Rio de Janeiro. Editora José Aguilar Ltda. 1960.
Poesias Escolhidas. Seleção, prefácio e notas de Homero Pires. Rio de Janeiro. Instituto Nacional do Livro. 1947.

CASTRO BARRETO
Povoamento e População. 2ª edição, revista e aumentada. 2 v. Rio de Janeiro. Livraria José Olímpio Editora. 1959.

CASTRO SOROMENHO
Homens sem Caminho. 2ª edição. Lisboa. Editorial Inquérito Ltda. 1946.
Nhári. Porto. Livraria Civilização. 1938.
Rajada e Outras Histórias. Lisboa. Portugália Editora. S.d. [1943].
Terra Morta. 2ª edição. Lisboa. Sá da Costa. S.d. [1ª edição: 1949].

CAVALCANTI, Carlos
História das Artes. Curso Elementar I. Rio de Janeiro. J. Ozon Editor. 1963.

CAVALCANTI, E. di
Viagem de Minha Vida. I. O Testamento da Alvorada. Rio de Janeiro. Editora Civilização Brasileira S. A. 1955.

CAVALCANTI, Edgard
Monteiro Lobato, 2ª edição, revista e aumentada. 2 tomos. São Paulo. Companhia Editora Nacional. 1956.

CAVALCANTI, Valdemar
Jornal Literário. Rio de Janeiro. Livraria José Olímpio Editora. 1960.

CAVALCANTI BORGES, José Carlos
Contos do Céu e da Terra. Recife. Edições Pirata. 1981.
Contos Vários. Recife. Secretaria de Educação e Cultura de Pernambuco. 1955.
O Assassino. Rio de Janeiro. Livraria José Olímpio Editora. Brasília. Instituto Nacional do Livro. 1980.
Padrão G. Rio de Janeiro. Livraria Agir Editora. 1948.

CAVALCANTI LINS, Adalberon
Curral Novo. Rio de Janeiro. Livraria São José. 1958.

CAVALCANTI PROENÇA, M.
Manuscrito Holandês ou A Peleja do Caboclo Mitavaí com o Monstro Macobeba. Rio de Janeiro. Antunes & Cia. Ltda. 1959.
No Termo de Cuiabá. Rio de Janeiro. Instituto Nacional do Livro. 1958.
Ribeira do S. Francisco. Rio de Janeiro. Gráfica Laemmert Ltda. 1944.
Roteiro de Macunaíma. Rio de Janeiro. Editora Civilização Brasileira S.A. 1969.
Uniforme de Gala. Rio de Janeiro. Editora Opama. 1953.

CESARINY, Mário
Titânia. Lisboa. Assírio e Alvim. 1994.

CHAGAS, Fr. Antônio das
Cartas Espirituais. Seleção, prefácio e notas pelo Prof. M. Rodrigues Lapa. Lisboa. Livraria Sá da Costa – Editora. 1939.

CHICO ANÍSIO
Teje Preso. Rio de Janeiro. Editora Rocco. 1975.

CHIDE FERRÃO, Virgílio
Norte. Lourenço Marques. Acadêmica. 1975.

CHIZIANE, Paulina
Balada de Amor ao Vento. Maputo. Associação dos Escritores Moçambicanos. 1990.
Ventos do Apocalipse. Maputo. Edição da Autora. 1995.

CIDADE, Hernâni
Lições de Cultura e Literatura Portuguesa. 1º volume. 2ª edição, refundida e ampliada. Coimbra. Coimbra Editora, Lim. 1942.
Luís de Camões. O Lírico. 2ª edição, revista e ampliada. Lisboa. Livraria Bertrand. 1952.
– em LUÍS DE CAMÕES. Obras Completas. 5 v. Com prefácio e notas do Prof. Hernâni Cidade. Lisboa. Livraria Sá da Costa – Editora. 1946 [do 1º ao 3º vol.]. 1947 [4º e o 5º].
– em SIMÕES, João Gaspar, *Perspectiva da Literatura do* Século XIX (q.v.).

CINATTI, Rui
Anoitecendo, a Vida Recomeça. Lisboa. Tipografia da Liga dos Combatentes da Grande Guerra. 1942.

CINTRA, Luis Felipe Lindley & CUNHA, Celso Ferreira da
Nova Gramática do Português Contemporâneo. Rio de Janeiro. Editora Nova Fronteira. 1985.

COARACI, Vivaldo
91 Crônicas Escolhidas. Rio de Janeiro. Livraria José Olímpio Editora. 1961.
O Rio de Janeiro no Século 17. Rio de Janeiro. Livraria José Olímpio Editora. 1944.
Paquetá. Rio de Janeiro. Livraria José Olímpio Editora. 1964.
Todos Contam sua Vida. Rio de Janeiro. Livraria José Olímpio Editora. 1959.

COCHOFEL, João José
Os Dias Íntimos. Coimbra. 1950.

COELHO, César
Striptease da Cidade. Fortaleza. Editora Terra de Sol. 1968.

COELHO, Jacinto do Prado
Diversidade e Unicidade em Fernando Pessoa. 4ª edição revista e atualizada. Lisboa. Editorial Verbo Ltda. 1973.

COELHO FROTA, Lélia
Mitopoética de 9 Artistas Brasileiros. Rio de Janeiro. Editora Fontana Ltda. 1975.

COELHO NETO
A Conquista. 3ª edição. Porto. Livraria Chardron. 1921.
Banzo. 2ª edição. Porto. Livraria Chardron. 1927.
Miragem. 4ª edição. Porto. Livraria Chardron. 1926.
O Rajá de Pendijab. 2ª edição, refundida. 2 v. Porto. Livraria Chardron. 1927.
Obra Seleta. V. 1 [e único]. Rio de Janeiro. Editora José Aguilar Ltda. 1958.
Rei Negro. 2ª edição. Porto. Livraria Chardron. 1926.
Sertão. 3ª edição. Porto. Livraria Chardron. S.d.
Treva. 2ª edição. Porto. Livraria Chardron. 1916.
Turbilhão. 3ª edição. Porto. Livraria Chardron. 1925.

COLASANTI, Marina
A Morada do Ser. Rio de Janeiro. Livraria Francisco Alves Editora S. A. 1978.

COLLOR, Lindolfo
Europa 1939. Rio de Janeiro. Emiel Editora. S.d.

CONDE, José
Como Uma Tarde em Dezembro. Rio de Janeiro. Editora Civilização Brasileira S. A. 1969.
Tempo Vida Solidão. Rio de Janeiro. Editora Civilização Brasileira. S. A. 1971.
Terra de Caruaru. Rio de Janeiro. Editora Civilização Brasileira S. A. 1971.

CONDE CHICOO
Taúlo. Queluz. Literal. 1978.

CONY, Carlos Heitor
A Verdade de Cada Dia. Rio de Janeiro. Biblioteca Universal Popular S. A. 1963.
Da Arte de Falar Mal. Rio de Janeiro. Editora Civilização Brasileira S. A. 1963.
Matéria de Memória. Rio de Janeiro. Editora Civilização Brasileira S. A. 1962.
Pilatos. Rio de Janeiro. 6ª edição. Editora Objetiva Ltda.
Posto 6. Rio de Janeiro. Editora Civilização Brasileira S. A. 1965.

CORÇÃO, Gustavo
Lições de Abismo. 7ª edição. Rio de Janeiro. Livraria Agir Editora. 1954.

CORDEIRO DE ANDRADE
Anjo Negro. 2ª edição. Rio de Janeiro – Brasília. Livraria Editora Cátedra Ltda. Instituto Nacional do Livro. 1984.

CORDOVIL, Caci
Ronda de Fogo. Rio de Janeiro. Livraria José Olímpio Editora. 1941.

CORREIA, Afonso
Bocomé Sambu (Romance Negro). Lisboa. Nunes de Carvalho. 1931.

CORREIA, Clara Pinto
Ponto Pé de Flor. Rio de Janeiro. Rocco. 1996.

CORREIA, Leôncio
A Boêmia do Meu Tempo. 2ª edição. Edição do Estado do Paraná. 1955.

CORREIA, Nereu
O Canto do Cisne Negro e Outros Estudos. Florianópolis. Secretaria de Educação e Cultura de Santa Catarina. 1964.

CORREIA, Raimundo
Poesia Completa e Prosa. Rio de Janeiro. Editora José Aguilar Ltda. 1961.
Poesias. 4ª edição. Rio de Janeiro – Anuário do Brasil. Lisboa – Seara Nova. Porto – Renascença Portuguesa. 1922.
Sinfonias. Rio de Janeiro. Livraria Editora de Faro & Lino. 1883.

CORREIA, Viriato
Contos do Sertão. Rio de Janeiro – Paris. Livraria Garnier. 1919.
Histórias Ásperas. São Paulo. Companhia Editora Nacional. 1928.
Novelas Doidas. 2ª edição. Rio de Janeiro. Livraria Castilho. 1928.

CORREIA DE OLIVEIRA, Antônio
Antologia. I. Líricas. Porto. Livraria Tavares Martins. 1946.

CORREIA D'OLIVEIRA, Antônio
A Minha Terra. 9 tomos. Paris – Lisboa. Livrarias Aillaud e Bertrand. Rio de Janeiro. Livraria Francisco Alves. 2ª edição. 1917 [o 1º e 2º t.]. 1919 [o 3º e o 4º t.]. Paris – Lisboa. Livrarias Aillaud e Bertrand. Rio de Janeiro. Livraria Francisco Alves. Porto. Livraria Chardron. 1919 [o 5º t. Paris –Lisboa. Livrarias Aillaud e Bertrand. S. d. [o 6º t.]. Paris – –Lisboa. Livrarias Aillaud & Bertrand. Rio de Janeiro. Livraria Francisco Alves. Porto. Livraria Chardron. 1919 [o 7º t.]. Paris – Lisboa. Livraria Aillaud & Bertrand. 3ª edição. S. d. [o 8º t.]. 2ª edição. S. d. [o 9º t.]

CORREIA DE SÁ, Filipe
Tala Mungongo. Praia. Spleen. 1995.

CORREIA DUTRA, Lia
Navio sem Porto. Rio de Janeiro. Livraria José Olímpio Editora. 1943.

CORREIA GARÇÃO, P. A.
Obras Poéticas e Oratórias de P. A. Correia Garção. Com introdução e notas por J. A. de Azevedo Castro. Roma. Tipografia dos Irmãos Centenari. 1888.

CORTESÃO, Jaime
A Carta de Pero Vaz de Caminha. Rio de Janeiro. Livros de Portugal. 1943.

COSTA, Cecília
Damas de Copas. Rio de Janeiro. São Paulo. Editora Record, 2003.

COSTA, Cláudio Manuel da
Obras Poéticas de Cláudio Manuel da Costa (Glauceste Satúrnio). Nova edição, com um estudo sobre a sua vida e obras por João Ribeiro. 2 tomos. Rio de Janeiro. H. Garnier, Livreiro-Editor. 1903.

COSTA, Flávio Moreira da
Nem Todo Canário É Belga. Rio de Janeiro. Editora Record. 1997.

COSTA, Lúcio
Lúcio Costa: Registro de Uma Vivência. São Paulo. Empresa das Artes. 1995. Editora UnB.
Considerações em Torno do Plano Piloto de Brasília. 1ª Conferência em: I Seminário de Estudos dos Problemas Urbanos de Brasília: Estudos e Debates. Senado Federal – Comissão do Distrito Federal. Senado Federal – Centro Gráfico, Brasília, 1974.

COSTA, Manuel da
A Força da Vontade. Bissau. Edição do Autor. 1993.

COSTA, Nélson
Páginas Cariocas. 11ª edição. Guanabara. Secretaria de Estado de Educação e Cultura. 1961.
COSTA ALEGRE, Francisco
Mussandá. São Tomé. Edição do Autor. 1994.
COSTA ANDRADE
Estórias de Contratados. Luanda. União dos Escritores Angolanos. 1980.
Ontem e Depois. Lisboa. Edições 70. 1985.
Poesia com Armas. Lisboa. Sá da Costa. 1975.
COSTA E SILVA, Alberto da
A Enxada e a Lança. A África Antes dos Portugueses. 2ª edição. Rio de Janeiro. Editora Nova Fronteira. 1996.
As Linhas da Mão. Rio de Janeiro. São Paulo, Difel. 1978.
Espelho do Príncipe. Ficções da Memória. Rio de Janeiro. Editora Nova Fronteira. 1994.
Francisco Félix de Sousa. Mercador de Escravos. Rio de Janeiro. Editora Nova Fronteira: EdUERJ. 2004.
COSTA E SILVA, Benedito Salomon da
Seis Contos. Belo Horizonte. Edição do Autor. 1955.
COSTA E SILVA, Da
Pandora. Rio de Janeiro. Livraria Castilho. 1919.
Poesias Completas. Rio de Janeiro. Edições O Cruzeiro. 1950.
Sangue. Recife. Oficinas da Livraria Francesa. MCMVIII.
COSTA FILHO, J. F. da
As Facetas do Diabo. Rio de Janeiro. 1971.
COSTA FILHO, Odilo
A Faca e o Rio mais *A Invenção da Ilha da Madeira*. Lisboa. Livros do Brasil. [1967.]
Boca da Noite, Rio de Janeiro. Salamandra. 1979.
Cantiga Incompleta. Prefácio de Heráclito Sales. Rio de Janeiro. Livraria José Olímpio Editora. 1971.
História de Seu Tomé Meu Pai e Minha Mãe Maria. Lisboa. Estúdios Cor. 1970.
Histórias da Beira do Rio. Rio de Janeiro. Editora Record. 1983.
COSTA PIMPÃO, Álvaro J. da
Gente Grada. Coimbra. MCMLII.
— em SIMÕES, João Gaspar. *Perspectiva da Literatura Portuguesa do Século XIX* (q. v.).
COSTA REGO
Águas Passadas. Rio de Janeiro. Livraria José Olímpio Editora. 1954.
COSTA SEMEDO, Odete
— em *Tcholona*, n. 2/3. Outubro 1994. Bissau.
COSTALLAT, Benjamim
Modernos... 2ª edição. Rio de Janeiro. Benjamim Costallat & Miccolis, Editores. 1923.
COUTINHO, Afrânio
A Tradição Afortunada. Rio de Janeiro. Livraria José Olímpio Editora. 1968.
COUTINHO, Edilberto
Onda Boiadeira e Outros Contos. Recife. Edições Região. [1954].
Sangue na Praça. Rio de Janeiro. Editora Codecri Ltda. 1979.
COUTO, Deolindo
Vultos e Ideias. Rio. Livraria Editora Guanabara. 1961.
COUTO, Diogo do
O Soldado Prático. Texto restituído, prefácio e notas pelo Prof. M. Rodrigues Lapa. Lisboa. Livraria Sá da Costa – Editora. 1937.
COUTO, Mia
Cada Homem É uma Raça. Lisboa. Editorial Caminho, S. A. 1990.
Contos do Nascer da Terra. Lisboa. Editorial Caminho, S. A. 1997.
Cronicando. Lisboa. Editorial Caminho, S. A. 1991.
Estórias Abensonhadas. Lisboa. Editorial Caminho, S. A. 1994.
Terra Sonâmbula. Lisboa. Editorial Caminho, S. A. 1992. Rio de Janeiro. Editora Nova Fronteira. 1995.
CRAVEIRINHA, José
Chigubo. Lisboa. Casa dos Estudantes do Império. 1964.
Karingana ua Karingana. Lourenço Marques. Acadêmica. 1974.
— em *Casa Velha*, n. 7. Maputo. S.d.
— em *O Brado Africano*, 16/4/1955 e 15/6/1957. Maputo.
CRAVEIRO COSTA
História das Alagoas. São Paulo. Companhia Melhoramentos de São Paulo. S.d.
CRULS, Gastão
A Amazônia Que Eu Vi. 2ª edição. São Paulo. Companhia Editora Nacional. 1938.
Contos Reunidos. Coivara. Ao *Embalo da Rede. Quatuor. História Puxa História*. Rio de Janeiro. Livraria José Olímpio Editora. 1951.
De Pai a Filho. Rio de Janeiro. Livraria José Olímpio Editora. 1954.
4 Romances. Amazônia Misteriosa. Elza e Helena. A Criação e o *Criador. Vertigem*. Rio de Janeiro. Livraria José Olímpio Editora. 1958.
CRUZ, Fr. Agostinho da
Obras de Fr. Agostinho da Cruz. Coimbra. França Amado – Editor. 1918.
CRUZ, Viriato da
Poemas. 2ª edição. Lobito. Capricórnio. 1974.
CRUZ E SOUSA
Broquéis. Rio de Janeiro. Magalhães & Cia – Editores. 1893.
Faróis. Rio de Janeiro. Tipografia do Instituto Profissional. 1900.
Missal. Rio de Janeiro. Magalhães & Cia. – Editores. Livraria Moderna. 1893.
Obra Completa. Edição comemorativa do centenário. Rio de Janeiro. Editora José Aguilar Ltda. 1961.
Prosa. Com introdução e anotações de Nestor Vitor. Rio de Janeiro. Edição do Anuário do Brasil. 1923.
Últimos Sonetos. Paris. Aillaud & Cia. 1905.
CRUZ OLIVEIRA, Júlio Auto da
— Ap. MARROQUIM. Ad. *Terra das Alagoas* (q.v.).
CUNHA, Celso
Língua e Verso. Rio de Janeiro. Livraria São José. 1963.
Língua. Nação. Alienação. Rio de Janeiro. Editora Nova. Fronteira. 1981.
CUNHA, Celso Ferreira da. CINTRA, Luís Felipe Lindley
Nova Gramática do Português Contemporâneo. Rio de Janeiro. Editora Nova Fronteira. 1985.
CUNHA, Euclides da
À margem da História. 3ª edição. Porto. Livraria Chardron. 1922.
Contrastes e Confrontos. 6ª edição. Porto. Livraria Chardron. 1923.
Os Sertões. 8ª edição, corrigida. Rio de Janeiro. Livraria Francisco Alves. 1925.
Obra Completa. V. II. Rio de Janeiro. Editora Nova Aguilar. 1996.
CUNHA, Fausto
Caminhos Reais, Viagens Imaginárias. Rio de Janeiro. Ministério dos Transportes. 1974.
O Romantismo no Brasil. De Castro Alves a Sousândrade. Rio de Janeiro. Editora Paz e Terra S. A. 1971.
Situações da Ficção Brasileira. Rio de Janeiro. Paz e Terra Editora. 1970.
CUNHA, Tristão da
À Beira do Estix. Rio de Janeiro. Edição de "Terra de Sol". 1927.
Cousas do Tempo. Rio de Janeiro. Anuário do Brasil. 1927.
Histórias do Bem e do Mal. Rio de Janeiro. Edição da Sociedade Filipe d'Oliveira. 1936.
DAMASCENO, Atos
O Carnaval Porto-Alegrense no Século XIX. Porto Alegre. Livraria do Globo. 1970.
DANTAS, Júlio
Abelhas Doiradas. 3ª edição. Lisboa. Portugal – Brasil Sociedade Editora. Artur Brandão & Cia. S.d.
A Ceia dos Cardeais. 10ª edição. Lisboa. Livraria Clássica Editora. 1910.
Espadas e Rosas. 5ª edição. Lisboa. Portugal – Brasil Ltda. Sociedade Editora. S.d.
Figuras de ontem e de hoje. 3ª edição. Lisboa. Portugal – Brasil Ltda. S.d.
O Amor em Portugal no Século XVIII. Porto. Livraria Chardron. 1927.
Pátria Portuguesa. 8ª edição. Lisboa. Livraria Bertrand. S.d.
Sonetos. 5ª edição. Lisboa. Portugal – Brasil. Companhia Editora. S.d.
DANTAS, San Tiago
D. Quixote. Um Apólogo da Alma Ocidental. Rio de Janeiro. Livraria Agir Editora. 1948.
Figuras do Direito. Rio de Janeiro. Livraria José Olímpio Editora. 1962.
D'ARAÚJO, Maria Celina e CASTRO, Celso
Ernesto Geisel. Rio de Janeiro. Fundação Getúlio Vargas. 1997.
DEODATO, Alberto
Canaviais. Rio de Janeiro. Edição do "Anuário do Brasil". 1922.
DEUS, João de
Campo de Flores. Ed. organizada por Teófilo Braga. 2 tomos, 7ª edição. Lisboa. Livraria Bertrand. S.d.
Prosas. Coordenadas por Teófilo Braga. Lisboa. Antiga Casa Bertrand – José Bastos. 1898.
DIAS, Genebaldo Freire
Iniciação à Temática Ambiental. 2ª edição. São Paulo. Global Editora, 2002.
DIAS, João
Godido e Outros Contos. Lisboa. Seção de Moçambique da Casa dos Estudantes do Império. 1952.
DIAS, Milton
As Cunhãs. Fortaleza. Editora Comédia Cearense. 1966.
Entre a Boca da Noite e a Madrugada. Fortaleza. Imprensa Universitária da U.F.C. 1971.
DIAS, Teófilo
Fanfarras. São Paulo. Editor Dolivais Nunes. 1882.
DIAS DA COSTA
Canção do Beco. São Paulo. Editora Rumo Ltda. 1939.
DIAS FERNANDES, Carlos
Canção de Vesta. Recife. Editor Manuel Nogueira de Sousa. Livraria Econômica. 1908.
DIAS GOMES
Dias Gomes. Seleção de textos, notas, estudos biográfico, histórico e crítico e exercícios por Samira Youssef Campedelli. São Paulo. Editora Abril Educação. 1982.
Apenas um Subversivo. Rio de Janeiro, Bertrand Brasil. 1998.
DIDIAL, G. T.
O Estado Impenitente da Fragilidade. Praia. Instituto Caboverdiano do Livro e do Disco. 1989.
DIEGUES JÚNIOR, Manuel
Ocupação Humana e Definição Territorial do Brasil. Rio de Janeiro. Conselho Federal de Cultura. 1971.
Regiões Culturais do Brasil. Rio de Janeiro. Centro Brasileiro de Pesquisas Educacionais. 1960.
DINARTE, Sílvio
— V. TAUNAY, Visconde de
DINIS, Almáquio
A Carne de Jesus. 5º milheiro. Bahia. Livraria Catilina, 1913.
DINIS, Júlio
A Morgadinha dos Canaviais. Nova edição, conforme a primeira. Porto. Livraria Civilização – Editora. 1955.
As Pupilas do Senhor Reitor. Porto. Lello & Irmão Editores. 1961.
Uma Família Inglesa. Porto. Livraria Civilização – Editora. S.d.
DOBAL, H.
A Cidade Substituída. São Luís. Edições Sioye. 1978.
A Serra das Confusões. Teresina. Edições Corisco. 1978.
A Viagem Imperfeita. Rio. Editora Artenova S. A. 1973.
DOLZANI, Luís
— V. INGLÊS DE SOUSA, H.
DOMINGOS OLÍMPIO
Luzia-Homem. São Paulo. Ed. da Gráfico-Editora Brasiliense Ltda. 1949.
DONATO, Mário
A Parábola das 4 Cruzes. São Paulo. Difusão Europeia do Livro. 1959.
DOURADO, Mecenas
A Conversão do Gentio. Rio de Janeiro. Livraria São José J. 1958.
Mecenas ou o Suborno da Inteligência. Rio de Janeiro. Edições do Povo Ltda. 1947.

DRUMMOND, Roberto
Hilda Furacão. 17ª edição. São Paulo. Editora Siciliano. 2001.
DRUMMOND DE ANDRADE, Carlos
A Bolsa & a Vida. Rio de Janeiro. Editora do Autor. 1962.
Cadeira de Balanço. 2ª edição. Rio de Janeiro. Livraria José Olímpio Editora. 1968.
Caminhos de João Brandão. Rio de Janeiro. Livraria José Olímpio Editora. 1970.
Confissões de Minas. Rio de Janeiro. Americ. Edit. 1944.
Contos de Aprendiz. 7ª edição. Rio de Janeiro. Editora Sabiá Ltda. 1969.
De Notícias & Não Notícias Faz-se a Crônica. 4ª edição. Rio de Janeiro. Livraria José Olímpio Editora. 1979.
Fala, Amendoeira. Rio de Janeiro. Livraria José Olímpio Editora. 1957.
José & Outros. Rio de Janeiro. Livraria José Olímpio Editora. 1967.
O Observador no Escritório: Páginas de Diário. Rio de Janeiro. Editora Record. 1985.
O Poder Ultrajovem e mais 79 Textos em Prosa e Verso. Rio de Janeiro. 4ª edição. Livraria José Olímpio Editora. 1975.
Passeios na Ilha. Rio de Janeiro. Edição da "Organização Simões". 1952.
Poemas. Rio de Janeiro. Livraria José Olímpio Editora. 1959.
Reunião. Rio de Janeiro. Livraria José Olímpio Editora. 1971.
Viola de Bolso. Novamente Encordoada. Rio de Janeiro. Livraria José Olímpio Editora. 1955.
DRUMMOND DE ANDRADE, Maria Julieta
A Busca. Rio de Janeiro. Livraria José Olímpio Editora. 1946.
O Valor da Vida. Rio de Janeiro. Editora Nova Fronteira. 1982.
Um Buquê de Alcachofras. Rio de Janeiro. Livraria José Olímpio Editora.
DUARTE, Abelardo
Ladislau Neto. Imprensa Oficial, Maceió, 1950.
DUARTE, Afonso
Obra Poética (1906–1956). Lisboa. Iniciativas Editoriais. 1955.
Três Ensaios. Maceió. Alagoas, 1966.
DUARTE, Fausto
A Revolta. Porto. Livraria Latina Editora. 1945.
Auá. Lisboa. Livraria Clássica Editora. 1934.
Foram Estes os Vencidos. Lisboa. Editorial Inquérito. 1945.
DUARTE, Vera
Amanhã Amadrugada. Lisboa. Vega. 1993.
DUARTE DE CARVALHO, Rui
Chão de Oferta. Luanda. Culturang. 1972.
Como se o Mundo Não Tivesse Leste. Luanda. União dos Escritores Angolanos. 1977.
Hábito da Terra. Luanda. União dos Escritores Angolanos. 1988.
DUARTE GALVÃO
Poemas do Tempo Presente. Lourenço Marques. Edição do Autor. 1960.
DUARTE SERRÃO, Antônio
Macarrônea Latino Portuguesa.
DURO, José
Fel. 6ª edição. Lisboa. Livraria Editora Guimarães & Cia. S. d.
D. XIQUOTE (pseudônimo de BASTOS TIGRE)
Saguão da Posteridade. Subsídio para um Pantheon Ceroplástico. Rio de Janeiro. 1902.
EÇA DE QUEIRÓS
A Capital. 3ª edição. Porto. Livraria Chardron. 1926.
A Cidade e as Serras. 3ª edição. Porto. Livraria Chardron. 1908.
A Correspondência de Fradique Mendes. Porto. Livraria Chardron. 1909.
A Ilustre Casa de Ramires. 2ª edição. Porto. Livraria Chardron. 1904.
A Relíquia. 4ª edição. Porto. Livraria Chardron. 1909.
Cartas de Inglaterra. 4ª edição. Porto. Livraria Chardron. 1919.
Cartas Familiares e Bilhetes de Paris. Porto. Livraria Chardron. 1907.
Cartas Inéditas de Fradique Mendes e Mais Páginas Esquecidas. 2ª edição. Porto, Livraria Chardron. 1929.
Contos. Porto. Livraria Chardron. 1902.
Crônicas de Londres. Lisboa. Editorial Aviz. 1944.
Ecos de Paris. 2ª edição, Porto. Livraria Chardron. 1911.
Notas Contemporâneas. 2ª edição. Porto. Livraria Chardron. 1913.
O Conde d'Abranhos. 3ª edição. Porto. Livraria Chardron. 1926.
O Crime do Padre Amaro. 5ª edição. Porto. Livraria Chardron. 1910.
O Egito. 3ª edição. Porto. Livraria Chardron. 1926.
O Mandarim. 4ª edição. Porto. Livraria Chardron. 1900.
O Primo Basílio. 5ª edição. Porto. Livraria Chardron. 1908.
Os Maias. 2 v. 3ª edição. Porto. Livraria Chardron. S. d.
Prosas Bárbaras. 3ª edição. Porto. Livraria Chardron. 1917.
Prosas Esquecidas. III. Lisboa. 1965.
Últimas Páginas. 2ª edição. Porto. Livraria Chardron. 1917.
EÇA DE QUEIRÓS, José Maria d'
em EÇA DE QUEIRÓS. *A Capital* (q. v.).
ELIA, Antônio d'
Os Pistoleiros de Pistoia. São Paulo. Edart — Livraria Editora Ltda. 1967.
ELIA, Sílvio
Orientações da Linguística Moderna. 2ª edição, revista e ampliada. Rio de Janeiro. Ao Livro Técnico S/A. 1978.
ELIAS JOSÉ,
Inquieta Viagem no Fundo do Poço. Belo Horizonte. Imprensa Oficial. 1974.
ÉLIS, Bernardo
Caminhos e Descaminhos. Goiânia. Livraria Brasil Central Editora. 1965.
Ermos e Gerais. São Paulo. Empresa Gráfica da "Revista dos Tribunais" Ltda. 1944.
O Tronco. 2ª edição, refundida. Rio de Janeiro. Livraria José Olímpio Editora, 1967.
Veranico de Janeiro. Rio de Janeiro. Livraria José Olímpio Editora. 1966.
ÉLIS, Bernardo e BUARQUE DE HOLANDA, Aurélio
Cadeira Um. Rio de Janeiro. Livraria Editora Cátedra Ltda. 1983.
ENEIDA
Cão da Madrugada. Rio de Janeiro. Livraria José Olímpio Editora, 1954.
ESPANCA, Florbela
Sonetos Completos. 7ª edição. Coimbra. Livraria Gonçalves. 1946.
ESPÍRITO SANTO, Alda
É Nosso o Solo Sagrado da Terra. Lisboa. Ulmeiro. 1978.
ESPÍRITO SANTO, Carlos
Aguêdê Zó Véssu. Lisboa. Edição do Autor. 1879.
Poesia do Colonialismo. Lisboa. África Editora. 1978.
ESPÍRITO SANTO PORTO, Ilza
Contos do Vale de Jacarecica. Alagoas. 1979.
João sem Terra e Outros Contos. Maceió – AL. 1983.
FABIAN, Vanda
Zé Canarinho. Rio de Janeiro. Editora Nova Aguilar S. A. – MEC. 1976.
FACÓ, Américo
Poesia Perdida. Rio de Janeiro. Livraria José Olímpio Editora. MCMLI.
Sinfonia Negra. Rio de Janeiro. Livraria Editora Zélio Valverde. 1946.
FAGUNDES TELES, Lígia
A Disciplina do Amor. Rio de Janeiro. Editora Nova Fronteira. 1980.
A Noite Escura Mais Eu. Rio de Janeiro. Editora Nova Fronteira. 1995.
Antes do Baile Verde. 7ª edição. Rio de Janeiro. Livraria José Olímpio Editora. 1982.
Filhos Pródigos. [São Paulo]. Livraria Cultura Editora. 1978.
Histórias do Desencontro. Rio de Janeiro. Livraria José Olímpio Editora. 1958.
O Jardim Selvagem. São Paulo. Livraria Martins Editora. 1965.
Seminário dos Ratos. Rio de Janeiro. Livraria José Olímpio Editora. 1977.
FAGUNDES VARELA, L. N.
Poesias Completas de L. N. Fagundes Varela. Organização e apuração do texto por Miécio Tati e E. Carrera Guerra. 3 v. São Paulo. Ed. da Companhia Editora Nacional, 1957.
FALCÃO, Adriana
A Comédia dos Anjos. São Paulo. Editora Planeta do Brasil, 2004.
FAORO, Raimundo
Machado de Assis: a Pirâmide e o Trapézio. São Paulo. Companhia Editora Nacional. 1974.
FARIA, Alberto
Acendalhas. Rio de Janeiro. Livraria Editora de Leite Ribeiro & Maurilo. 1920.
FARIA, Nélson de
Bazé. Rio de Janeiro. Livraria José Olímpio Editora. 1965.
Cabeça-Torta. Rio de Janeiro. Livraria José Olímpio Editora. 1963.
Tiziu e Outras Estórias. Rio de Janeiro. Livraria José Olímpio Editora. 1962.
FARIA, Otávio de
A Sombra de Deus. Rio de Janeiro. Livraria José Olímpio Editora. 1966.
Novelas da Masmorra. Rio de Janeiro. Gráfica Record Editora. 1966.
O Pássaro Oculto. Rio de Janeiro – Brasília. Pallas S. A. Editora e Distribuidora – Instituto Nacional do Livro – MEC. 1979.
FARIAS BRITO
O Mundo Interior. 2ª edição. Rio de Janeiro. Instituto Nacional do Livro. 1951.
FAUSTINO, Mário
Poesia-Experiência. São Paulo. Editora Perspectiva. 1977.
FEIJÓ, Antônio
Poesias Completas de Antônio Feijó. 2ª edição. Lisboa. Livraria Bertrand. S.d.
FEITOSA, Policarpo
Gisinha. Natal. Edições da Fundação José Augusto. 1965.
FERNANDES, Carlos D.
— V. DIAS FERNANDES, Carlos
FERNANDES, Francisco
Dicionário de Verbos e Regimes. 11ª edição (revista e aumentada). Rio de Janeiro – Porto Alegre – São Paulo. Editora Globo. 1953.
FERNANDES, Henrique de Sena
Nam Van, Contos de Macau. Rio de Janeiro: Gryphus. Lisboa: Direção-Geral do Livro e das Bibliotecas. 2008.
FERNANDES, Millor
Lições de um Ignorante. 3ª edição. Rio de Janeiro. José Álvaro, Editor. 1967.
FERNANDES BRAGA, Henriqueta Rosa
Do Coral e Sua Projeção na História da Música. Rio de Janeiro. Livraria Kosmos Editora. 1958.
FERNANDES LIMA, Ivã
Geografia de Alagoas. São Paulo. Editora do Brasil, S. A. 1965.
FERNANDES PIMENTA, Eduardo
Dipanda. Luanda. União dos Escritores Angolanos. 1987.
FERNANDES SAMPAIO, Adovaldo
O Sol na Rede. Goiânia. Editora Oriente. 1979.
FERNANDO MANUEL
O Homem Sugerido. Maputo. Tempo. 1991.
FERRAZ, Eneias
Adolescência Tropical. 2ª edição brasileira. São Paulo. Academia Brasileira de Letras. 1978.
FERREIRA, Alípio
Chipangara. Porto. Tartaruga. 1991.
FERREIRA, Antônio
Obras Completas do Doutor Antônio Ferreira. 4ª edição. Anotada e prefaciada pelo Cônego Doutor J. C. Fernandes Pinheiro. 2 tomos. Rio de Janeiro – Paris. 1865.
FERREIRA, Ascenso
Catimbó e Outros Poemas. Rio de Janeiro. Livraria José Olímpio Editora. 1963.
FERREIRA, João
Uaná: Narrativa Africana. São Paulo. Global Editora. 1986.
FERREIRA, Manuel
A Aventura Crioula. 2ª edição aumentada. Lisboa. Plátano Editora. 1973.

Hora di Bai. Coimbra. Edição do Autor. 1962.
Morabeza. Contos de Cabo Verde. Lisboa. Agência Geral do Ultramar. 1958.
Morna. 2ª edição. Lisboa. Início. S.d. [1966].
Voz de Prisão. Porto. Editorial Inova. S.d. [1971].

FERREIRA, Vergílio
Alegria Breve. São Paulo. Editora Verbo Ltda. 1972.
Aparição. Lisboa. Editorial Verbo. 1971.
Manhã Submersa. 18ª edição. Venda Nova. Bertrand Editora Ltda. 1996.
Signo Sinal. 2ª edição. Lisboa. Bertrand Editora Ltda. 1990.

FERREIRA DE CASTRO
A Selva. 10ª edição. Livraria Editora Guimarães & Cia. S.d.
A Tempestade. 1ª edição brasileira. Rio de Janeiro. Editorial Inquérito. 1941.
Obra completa. 3 v. Rio de Janeiro. Editora José Aguilar Ltda. 1961.

FERREIRA DE VASCONCELOS, Jorge
Memorial das Proezas da Segunda Távola Redonda. 2ª edição. Lisboa. Tip do Panorama. MDCCCLXVII.

FERREIRA FILHO, Cosme
Amazônia em Novas Dimensões. Rio de Janeiro. Conquista. S.d.

FERREIRA GULAR
Cidades Inventadas. Rio de Janeiro. Livraria José Olímpio Editora S. A. 1997.
— em *Augusto dos Anjos, Toda a Poesia* (q. v.).

FERREIRA REIS, Artur César
A Amazônia e a Cobiça Internacional. 3ª edição, aumentada. Rio de Janeiro. Gráfica Record Editora. 1968.
O Seringal e o Seringueiro. Rio de Janeiro. Ministério da Agricultura. Serviço de Informação Agrícola. 1953.

FIALHO D'ALMEIDA
A Cidade do Vício. 6ª edição. Lisboa. Livraria Clássica Editora. 1922.
À Esquina. 6ª edição. Lisboa. Livraria Clássica Editora. 1943.
Aves Migradoras. 5º milhar. Lisboa. Livraria Clássica Editora. 1922.
Barbear, Pentear. 4ª edição. Lisboa. Livraria Clássica Editora. 1923.
Contos. 6ª edição. Lisboa. Livraria Clássica Editora. 1922.
Estâncias d'Arte e de Saudade. 4º milhar. Lisboa. Livraria Clássica Editora. 1924.
Figuras de *Destaque*. 5º milhar. Lisboa. Livraria Clássica Editora. 1923.
Lisboa Galante. 3ª edição. Porto. Livraria Chardron. 1920.
O País das Uvas. 6ª edição. Lisboa. Livraria Clássica Editora. 1922.
Os Gatos. 6 v. Nova Edição. Revista, prefaciada e anotada pelo Dr. Álvaro L. da Costa Pimpão. Lisboa. 1958 [o 1º vol.]. 1945 [o 2º]. 1947 [o 3º]. 1949 [o 4º]. 1951 [o 5º]. 1953 [o 6º].
Pasquinadas. 4ª edição. Porto. Livraria Chardron. S.d.
Vida Errante. 3º milhar. Lisboa. Livraria Clássica Editora. 1925.

FICALHO, Conde de
Uma Eleição Perdida. Lisboa. Livraria Ferin. 1888.

FIGUEIREDO, A. J. de
Conceição, Minha Namorada. Rio de Janeiro. Departamento de Imprensa Nacional. 1960.

FIGUEIREDO, Antero de
Cômicos. 5ª edição. 8º milhar. Lisboa. Livraria Bertrand. S.d.
D. Pedro e D. Inês. 3ª edição, revista. 5º milhar. Paris – Lisboa. Livraria. Aillaud e Bertrand. Rio de Janeiro. Livraria Francisco Alves. 1916.
Espanha. 2ª edição. Paris – Lisboa. Livrarias Aillaud e Bertrand. Porto. Livraria Chardron. Rio de Janeiro. Livraria Francisco Alves. 1923.
Jornadas em Portugal. 7ª edição. Lisboa. Livraria Bertrand. S.d.
Leonor Teles, "Flor de Altura". 8ª edição. 12º milhar. Lisboa. Livraria Bertrand. S.d.
Miradouro. 2ª edição. Lisboa. Livraria Bertrand. 1934.
Toledo. 38ª edição. Lisboa. Livraria Bertrand. 1932.

FIGUEIREDO, Fidelino de
Aristarcos. 2ª edição, revista e precedida de dois estudos de Tristão de Ataíde. Rio de Janeiro. Livraria H. Antunes. 1941.
Entre Dois Universos. Lisboa. Guimarães Editores. 1959.
Música e Pensamento. Lisboa. Guimarães Editores. 1954.
O Medo da História. Lisboa. Guimarães Editores. 1957.
Sob a Cinza do Tédio. 2º milhar. Porto. Empresa Literária Fluminense Ltda. 1925.
Últimas Aventuras. Rio de Janeiro. Empresa A Noite. S.d.
Um Colecionador de Angústias. Lisboa. Guimarães & Cia. Editores. 1953.
Um Homem na Sua Humanidade. Lisboa. Guimarães Editores. 1956.
"*...um pobre homem do Póvoa* de *Varzim...*". Lisboa. Portugália Editora. S. d.

FIGUEIREDO, Guilherme
A Pluma e o Vento. Rio de Janeiro. Livraria Editora Cátedra. 1977.
Cobras & Lagartos. Rio de Janeiro. Editora Nova Fronteira. 1984.
Despropósitos. Rio de Janeiro. Livraria Editora Cátedra. Brasília. Instituto Nacional do Livro. 1983.
Deus sobre as Pedras. Rio de Janeiro. José Alvaro, Editor. 1965.
História para se Ouvir de Noite. Rio de Janeiro. Editora Civilização Brasileira S. A. 1964.
14 Tilsitt, Paris. Rio de Janeiro. Editora Civilização Brasileira S. A. 1975.

FILINTO ELÍSIO
Poesias. Seleção, prefácio e notas do Prof. José Pereira Tavares. Lisboa Livraria Sá da Costa – Editora. 1941.
— Ap. SOUSA DA SILVEIRA. *Trechos Seletos*. 5ª edição. São Paulo. Companhia Editora Nacional. 1942.

FILIZZOLA, Mário
Como Emplacar 100 Anos. Rio de Janeiro. Edições do Val. 1964.

FONSECA, Gondin da
Histórias de João Mindinho. São Paulo. Companhia Editora Nacional. 1945.

FONSECA, Manuel da
Aldeia Nova, Lisboa. Livraria Portugália. 1942.

FONSECA, Maria Cecília Londres
O Patrimônio em Processo. Rio de Janeiro. Ed. UFRJ. Minc-IPHAN. 1997.

FONSECA, Mário
— em *No Reino de Caliban I*. [Antologia organizada por Manuel Ferreira]. Lisboa. Seara Nova. 1975.

FONSECA, Rubem
A Coleira do Cão. Rio de Janeiro. Edições GRD. 1965.
Agosto. São Paulo. Companhia das Letras. 1990.
Histórias de Amor. São Paulo. Companhia das Letras. 1997.
O Buraco na Parede. Rio de Janeiro. Companhia das Letras. 1995.
O Seminarista. Rio de Janeiro. Agir Editora Ltda. 2009.
Vastas Emoções e Pensamentos Imperfeitos. São Paulo. Companhia das Letras. 1988.

FONSECA AMARAL
— em *Poetas de Moçambique*. (Prefácio de Alfredo Margarido.]. Lisboa. Casa dos Estudantes do Império. 1962.

FONSECA FERNANDES, José
Joatão e a Ilha. Rio de Janeiro. Livraria José Olímpio Editora. 1966.

FONTES, Amando
Os Curumbas. 8ª edição. Rio de Janeiro. Livraria José Olímpio Editora. 1967.
Rua do Siriri. Rio de Janeiro. Ed. da Tecnoprint Gráfica S. A. 1968.
Rua do Siriri. Rio de Janeiro. Livraria José Olímpio Editora. 1937.

FONTES, Hermes
A Fonte do Mata... 1830 em 1930. Rio de Janeiro. S.d.
— V. tb, HERMES-FONTES.

FONTES, Lourival
Discurso aos Surdos. Rio de Janeiro. Livraria José Olímpio Editora. 1955.

FONTES IBIAPINA
Congresso de Duendes. Teresina – Piauí. S.d.
Tombador. Teresina. Companhia Editora do Piauí. 1971.

FONTOURA XAVIER
Opalas. 4ª edição. Rio de Janeiro. Gráfica Sauer. 1928.

FORJAZ DE SAMPAIO, Albino
Crônicas Imorais. 5ª edição. Lisboa. Livraria Bertrand. S.d.

FORJAZ TRIGUEIROS, Luís
Ainda Há Estrelas no Céu. Lisboa. Parceria Antônio Maria Pereira. S.d.
Campos Elíseos. Amadora. Portugal. Livraria Bertrand. 1956.
O Carro de Feno. Amadora. Portugal. Livraria Bertrand. 1974.
Pátio das Comédias. Lisboa. Edições Ática. MCMXLVII.
Perspectivas. Lisboa. Ensaístas Contemporâneos. Aster. 1961.
Ventos e Marés. Lisboa. Sociedade de Expansão Cultural. 1967.

FRAGA, Clementino
Paisagens de Outono. Rio de Janeiro. Livraria São José. 1960.
Reencontros Imaginários. Rio de Janeiro. Livraria José Olímpio Editora. 1966.

FRAGA FILHO, Clementino
Ideias e Ideais. Rio de Janeiro. Livraria José Olímpio Editora. Instituto Nacional do Livro. Fundação Nacional Pró-Memória. 1983.

FRAGA FILHO, Clementino, e REIS ROSE, Alice
Temas de Educação Médica. Rio de Janeiro. MEC. Secretaria de Ensino Superior. 1980.

FRANÇA, José-Augusto
Despedida Breve e Outros Contos. Lisboa. Publicações Europa-América. 1958.

FRANÇA DE LIMA, Geraldo
Branca Bela. Rio de Janeiro. Livraria São José. 1965.
Jazigo dos Vivos. Rio de Janeiro. Livraria José Olímpio Editora. 1969.
Serras Azuis. Rio de Janeiro. Edições GRD. 1961.

FRANÇA JÚNIOR
Folhetins. 4ª edição, aumentada. Rio de Janeiro. Jacinto Ribeiro dos Santos, Editor. 1926.

FRANÇA JÚNIOR, Osvaldo
Um Dia no Rio. Rio de Janeiro. Editora Sabiá Ltda. 1969.

FRANCISCA JÚLIA
Esfinges. São Paulo. Monteiro Lobato & Cia. Editores. S.d.

FRANCISCO JULIÃO
Cachaça. Recife. Editora Nordeste. 1951.

FRANCISCO OTAVIANO
— Ap. MANUEL BANDEIRA. *Antologia dos Poetas Brasileiros da Fase Romântica* (q. v.).

FRANCO, J. B.
O Plano Real e Outros Ensaios. Rio de Janeiro. Francisco Alves. 1995.

FREI BETO
Batismo de Sangue. Rio de Janeiro. Editora Civilização Brasileira. 1982.

FREIRE, Gilberto
Assombrações do Recife Velho. 2ª edição, revista e aumentada. Rio de Janeiro. Livraria José Olímpio Editora. 1970.
Aventura e Rotina. Rio de Janeiro. Livraria José Olímpio Editora. 1953.
Casa-Grande & Senzala. 9ª edição brasileira. 2 tomos. Rio de Janeiro. Livraria José Olímpio Editora. 1958.
Nordeste. 2ª edição, revista e aumentada. Rio de Janeiro. Livraria José Olímpio Editora. 1951.
Pessoas, Coisas & Animais. (Porto Alegre). MPM Propaganda. 1979.
Problemas Brasileiros de Antropologia. 2ª edição, revista e aumentada. Rio de Janeiro. Livraria José Olímpio Editora. 1959.
Sobrados e Mocambos. 2ª edição, revista e aumentada. Rio de Janeiro. Livraria José Olímpio Editora. 1951.
Vida, Forma e Cor. Rio de Janeiro. Livraria José Olímpio Editora. 1962.

FREIRE, Natércia
A Alma da Velha Casa. Lisboa. Parceria Antônio Maria Pereira. 1945.

FREIRE DA FONSECA, Aníbal
Conferências e Alocuções. Rio de Janeiro. S. A. Editora Jornal do Brasil. 1958.

FREIRE DE ANDRADA, Jacinto
Vida de D. João de Castro. Quarto Vizo-Rei da Índia. Nova edição. Lisboa. Na Tipografia Rolandiana. 1861.

FREITAS, Ascêncio de
Carmen Era o Nome. Lisboa. Vega. 1997.

E as Raiva Passa por Cima, Fica Engrossar um Silêncio. Lisboa. África Editora. 1979.
Ontem Era a Madrugada. Lisboa. Livraria Bertrand. 1978.
FREITAS, Caio de
Intrusos no Paraíso. Rio de Janeiro. Livraria José Olímpio Editora. 1975.
FREITAS CASTRO, Rejane Machado de
A Dimensão das Pedras. Rio de Janeiro. Livraria Editora Cátedra. 1972.
FREITAS CAVALCANTI
A Profecia das Águas. Brasília. Senado Federal, Centro Gráfico. 1985.
FREITAS MOURÃO, Ronaldo Rogério de
Astronomia e Astronáutica. 2.ª edição. Rio de Janeiro. Livraria Francisco Alves Editora S. A. 1981.
FRIEIRO, Eduardo
A Ilusão Literária. Nova edição. Belo Horizonte. Livraria Editora Paulo Bluhm. 1941.
Feijão, Angu e Couve. Belo Horizonte. Centro de Estudos Mineiros. 1966.
O Alegre Arcipreste e Outros Temas de Literatura Espanhola. Belo Horizonte. Edição da Livraria Oscar Nicolai. 1959.
O Brasileiro Não É Triste. Nova edição. Rio de Janeiro. Instituto Nacional do Livro. 1957.
O Cabo das Tormentas. Belo Horizonte. Os Amigos do Livro. 1936.
O Mameluco Boaventura. Nova edição. Belo Horizonte. Livraria Paulo Bluhm. 1941.
O Romancista Avelino Fóscolo. Belo Horizonte. Secretaria da Educação de Minas Gerais. 1960.
Os Livros Nossos Amigos. 3.ª edição. São Paulo. Empresa Editora "O Pensamento". MCMLVII.
Torre de Papel. Belo Horizonte. Imprensa/Publicações. 1969.
FÜHRER, Maximilianus C. A. e MILARÉ, Edis
Manual de Direito Público e Privado. 6.ª edição. São Paulo. Editora Revista dos Tribunais. 1991.
FURTADO, Celso
Formação Econômica do Brasil. 14.ª edição. São Paulo. Cia. Editora Nacional. 1976.
Teoria e Política da Desenvolvimento Econômico. 6.ª edição. São Paulo. Editora Nacional. 1977.
FUSCO, Rosário
Introdução à Experiência Estética. Rio de Janeiro. Ministério da Educação e Saúde. Serviço de Documentação. 1952.
GABRIEL MARIANO
Vida e Morte de João Cabafume. Lisboa. Via Editora. 1976.
GALENO, Juvenal
Lendas e Canções Populares. 2.ª edição, aumentada. Fortaleza. Gualter R. Silva – Editor. 1892.
GALPI
Narrativas Brasileiras. 2.ª edição. Rio de Janeiro. Tip. Leuzinger. 1897.
GALVÃO, Hélio
Cartas da Praia. Rio de Janeiro. Edições do Val. S.d.
GAMA, Arnaldo
O Balio de Leça. Porto. Livraria Simões Lopes. 1949.
GAMA, Domício da
Histórias Curtas. Rio de Janeiro. Francisco Alves, Editor. 1901.
GAMA, José Basílio da
O Uraguai. Lisboa. Na Régia Oficina Tipográfica. MDCCLXIX.
GAMA, Luís D.
— em BANDEIRA, Manuel, *Antologia dos Poetas Brasileiros da Fase Romântica* (q. v.).
GAMA, Marcelo
Via-Sacra e Outros Poemas. Rio de Janeiro. Sociedade Filipe d'Oliveira. 1944.
GAMA, Sebastião da
Cabo da Boa Esperança. Lisboa. Edições Ática. 1959.
G. ANHÃO, Fernando
— em *Poetas de Moçambique*. Lisboa. Casa dos Estudantes do Império. 1952.
GARÇÃO-STOCKLER, Francisco de Borja
— em SOUSA CALDAS, Antonio Pereira de. *Salmos de Davi* (q. v.).
GARCIA, José Alves
Psicanálise e Psiquiatria. Tese. Rio de Janeiro. 1947.
GARCIA, Othon Moacir
Esfinge Clara. Rio de Janeiro. Livraria São José. 1955.
GARCIA, Rodolfo
Ensaio sobre a História Política e Administrativa do Brasil. (1500–1810). Rio de Janeiro. Livraria José Olímpio Editora. 1956.
GARCIA REDONDO
A Choupana das Rosas. São Paulo. Tipografia Carlos Gerke & Cia. 1897.
GARCIA-ROSA, Lívia
A Palavra Que Veio do Sul. Rio de Janeiro. Editora Record. 2004.
Milamor. Rio de Janeiro. São Paulo. Editora Record. 2008.
Solo Feminino: Amor e Desacerto. Rio de Janeiro. Editora Record. 2002.
GARCIA-ROZA, Luís Alfredo
Achados e Perdidos. São Paulo. Companhia das Letras. 1998.
Palavra e Verdade: na Filosofia Antiga e na Psicanálise. 4.ª edição. Rio de Janeiro. Jorge Zahar Editor Ltda. 2001.
GASPARI, Elio
A Ditadura Derrotada. São Paulo. Companhia das Letras. 2003.
GERSÃO, Teolinda
A Árvore das Palavras. São Paulo. Editora Planeta do Brasil Ltda. 2004.
GIL VICENTE
Obras Completas de Gil Vicente. Reimpressão fac-similada da edição de 1562. Lisboa. Oficinas Gráficas da Biblioteca Nacional. 1928.
GODINHO, Vergílio
Não Há Nada mais Simples. Lisboa Portugália Editora. S.d.
GODÓI GARCIA, José
O Caminho de Trombas. Rio de Janeiro. Editora Civilização Brasileira S. A. 1966.
GOMES, Eugênio
D. H. Lawrence e Outros. Porto Alegre. Edição da Livraria do Globo. 1937.
Espelho contra Espelho. São Paulo. Instituto Progresso Editorial S. A. 1949.
Machado de Assis. Rio de Janeiro. Livraria São José. 1958.
GOMES, Lindolfo
Contos Populares Brasileiros. 2.ª edição. São Paulo. Edições Melhoramentos. 1948.
GOMES FERREIRA, José
O Mundo dos Outros. Lisboa. Centro Bibliográfico. 1950.
GOMES LEAL
A Mulher de Luto. Lisboa. Livraria Central. 1902.
Claridade do Sul. 2.ª edição (revista e aumentada). Lisboa. 1901.
História de Jesus. Lisboa. Ed. da Casa Católica de Almeida de Miranda. S.d.
O Anticristo. 3.ª edição. Lisboa. Livraria Popular. S.d.
GOMES MONTEIRO
Vencidos da Vida. Lisboa. Edição Romano Torres. 1944.
GOMES PIMENTA, P.ª Silvério
Vida de D. Antônio Ferreira Viçoso. Bispo de Mariana. Conde da Conceição. 3.ª edição, revista pelo autor. Mariana. Tipografia Arquiepiscopal. 1920.
GONÇALVES, Ana Maria
Um Defeito de Cor. Rio de Janeiro—São Paulo. Editora Record. 2006.
GONÇALVES, Antônio Aurélio
Noite de Vento. Praia. Instituto Caboverdiano do Livro. 1985.
Recaída. Lisboa/Praia. Vega/Instituto Caboverdiano do Livro. 1993.
GONÇALVES, Orlando
Este Mundo dos Homens. Lisboa. Orion. S.d.
GONÇALVES, Ricardo
Ipês. São Paulo. Monteiro Lobato & Cia. Editores. S.d.
GONÇALVES CRESPO
Obras Completas. 2.ª edição. Lisboa. Empresa Literária Fluminense. S.d.
GONÇALVES DE MAGALHÃES. Domingos José
A Confederação dos Tamoios. Rio de Janeiro. Empresa Tipográfica Dous de Dezembro. 1857.
Obras Completas de D. J. G. de Magalhães. V. II. *Suspiros Poéticos e Saudades*. Edição anotada por Sousa de Silveira. Rio de Janeiro. Serviço Gráfico do Ministério da Educação. 1939.
GONÇALVES DIAS
Meditação. Rio de Janeiro – Paris. H. Garnier. Livreiro-Editor. 1909.
O Brasil e a Oceania. Rio de Janeiro – Paris. H. Garnier. Livreiro-Editor. S.d.
Obras Poéticas de A. Gonçalves Dias. 2 v. Organização, apuração do texto, cronologia e notas por Manuel Bandeira. São Paulo. Companhia Editora Nacional. 1944.
Teatro. Rio de Janeiro. H. Garnier. Livreiro-Editor. 1909.
GONZAGA, Tomás Antônio
Marília de Dirceu e Mais Poesias. Com prefácio e notas do Prof. M. Rodrigues Lapa. Lisboa. Livraria Sá da Costa – Editora. S.d.
Obras Completas de Tomás Antônio Gonzaga. Edição crítica de Rodrigues Lapa. São Paulo. Companhia Editora Nacional. 1942.
GONZAGA DUQUE
Mocidade Morta. Rio de Janeiro. Oficinas da Livraria Moderna. 1899.
— Ap. MELO NÓBREGA. *Evocação de B. Lopes* (q. v.).
GOULART DE ANDRADE, J. M.
Poesias. 1900–1905. Rio de Janeiro. Paris. H. Garnier. Livreiro-Editor. 1907.
Poesias. 2.ª série. 1908–1909. Rio de Janeiro. Paris. H. Garnier, Livreiro-Editor. 1911.
GRAÇA, Antônio Silva
Viagem ao Fim do História. Lisboa. Edições Asa. 1995.
GRAÇA ARANHA
A Estética da Vida. Rio de Janeiro – Paris. Livraria Garnier. S.d.
Canaã. 8.ª edição, revista. Rio de Janeiro. Livraria Garnier. 1926.
Espírito Moderno. São Paulo. Cia. Gráfico, Editora Monteiro Lobato. 1925.
Obra Completa. São Paulo. MEC. Instituto Nacional do Livro. 1969.
GRANDAL NKEPE
Casa da Justiça. Maputo. Edição do Autor. 1995.
GREGORI, Ana Elisa
Os Barões da Candeia. Rio de Janeiro. Livraria José Olímpio Editora. 1982.
GRIECO, Agripino
Amigos e Inimigos do Brasil. Rio de Janeiro. Livraria José Olímpio Editora. 1954.
Caçadores de Símbolos. 2.º milheiro. Rio de Janeiro. Editora Grande Livraria Leite Ribeiro. 1923.
Estrangeiros. 2.ª edição, revista. Rio de Janeiro. Livraria José Olímpio Editora. 1947.
Evolução da Poesia Brasileira. 3.ª edição, revista. Rio de Janeiro. Livraria José Olímpio Editora. 1947.
Gente Nova do Brasil. Rio de Janeiro. Livraria José Olímpio Editora. 1935.
Memórias. Rio de Janeiro. Conquista. 1972.
O Sol dos Mortos. Rio de Janeiro. Livraria José Olímpio Editora. 1957.
Recordações de um Mundo Perdido. Rio de Janeiro. Livraria José Olímpio Editora. 1955.
São Francisco de Assis e a Poesia Cristã. 2.ª edição, revista. Rio de Janeiro. Livraria José Olímpio Editora. 1950.
Vivos e Mortos. Rio de Janeiro. Schmidt. 1931.
Zeros à Esquerda. Rio de Janeiro. Livraria José Olímpio Editora. 1947.
GUEBUZA, Armando
— em *Poesia de Combate* (2). Maputo. Frelimo. 1977.
GUEDES DE MIRANDA
Eu e o Tempo. Maceió. Departamento Estadual de Cultura. 1967.
GUEDES DE MORAIS, Edson
Outras Lembranças, Outra Casa, Outros Mortos. Brasília. André Quicé Editora. 1984.
GUEIROS, Neemias
A Advocacia e o Seu Estatuto. Rio de Janeiro. Livraria Freitas Bastos S. A. 1984.
GUERRA, José Augusto
Testemunhos de Crítica. Recife. Editora Universitária. 1974.

GUERRA JUNQUEIRO
A Morte de D. João. 8.ª edição, emendada. Lisboa. Parceria Antônio Maria Pereira. 1908.
A Musa em Férias. 10.ª edição. Porto. Lelo & Irmão, Editores. 1949.
A Velhice do Padre Eterno. Porto. Livraria Lelo & Irmão, Editores. 1946.
Contos para a Infância. Porto. Lelo & Irmão, Editores. 1953.
Junqueiro (verso e prosa). ('Antologia portuguesa organizada por Agostinho de Campos'). 2.ª edição. Paris – Lisboa. Livrarias Aillaud e Bertrand. Porto. Livraria Chardron. Rio de Janeiro. Livraria Francisco Alves. 1921.
Os Simples. Porto. Tipografia Ocidental. MDCCCXCII.
Pátria. 3.ª edição. Porto. Livraria Chardron. S.d.
Vibrações Líricas. Porto. Livraria Chardron. 1929.
GUILHERME AFONSO
Circuito. Maputo. Associação dos Escritores Moçambicanos. 1988.
GUILHERMINO CESAR
Bouterwek. Porto Alegre. Livraria Lima Ltda. 1968.
GUIMARAENS, Alphonsus de
Obra Completa. Rio de Janeiro. Editora José Aguilar Ltda. 1960.
Pastoral aos Crentes do Amor e da Morte. São Paulo. Monteiro Lobato & Cia. – Editores. 1923.
GUIMARAENS, Eduardo
A Divina Quimera. Edição definitiva. Porto Alegre. Livraria do Globo. 1944.
GUIMARAENS FILHO, Alphonsus de
Poemas Reunidos. Rio de Janeiro. Livraria José Olímpio Editora. 1960.
GUIMARÃES, Bernardo
A Escrava Isaura. Rio de Janeiro. Editora Nova Aguilar. 1976.
História e Tradições da Província de Minas Gerais. Rio de Janeiro. H. Garnier, Livreiro-Editor. S.d.
O Seminarista. Rio de Janeiro. B. L. Guimarães. S.d.
Poesias Completas de Bernardo Guimarães. Organização, introdução, cronologia e notas por Alphonsus de Guimaraens Filho. Rio de Janeiro. Instituto Nacional do Livro. 1959.
GUIMARÃES, Luís
Lírica. Sonetos e Rimas. 2.ª edição, revista e aumentada. Lisboa. Tavares Cardoso & Irmão – Editores. MDCCCLXXXVI.
Samurais e Mandarins. Rio de Janeiro. Francisco Alves & Cia. S.d.
GUIMARÃES, Reginaldo
Manhã Vermelha. Rio de Janeiro. Livraria Editora Cátedra. 1973.
Uma Blusa no Cais. Rio de Janeiro. Imagem. 1962.
GUIMARÃES, Rute
Água Funda. Porto Alegre. Edição da Livraria do Globo. S.d.
GUIMARÃES [filho], Luís
Pedras Preciosas. Montevidéu. Oficina de Barreiro e Ramos. MCMIV.
GUIMARÃES PASSOS
Horas Mortas. Rio de Janeiro. Laemmert & Cia. 1901.
Versos de um Simples. Rio de Janeiro. MDCCCXCI.
GUIMARÃES ROSA, João
Ave, Palavra. Rio de Janeiro. Livraria José Olímpio Editora. 1970.
Corpo de Baile. 2 v. Rio de Janeiro. Livraria José Olímpio Editora. 1956.
Estas Estórias. Rio de Janeiro. Livraria José Olímpio Editora. 1969.
Magma. Rio de Janeiro. Editora Nova Fronteira. 1997.
Manuelzão e Miguilim. "Corpo de Baile". 4.ª edição. Rio de Janeiro. Livraria José Olímpio Editora. 1970.
Primeiras Estórias. 2.ª edição. Rio de Janeiro. Livraria José Olímpio Editora. 1964.
Sagarana. 4.ª edição. Versão definitiva. Rio de Janeiro.
Livraria José Olímpio Editora. 1956. São Paulo. Círculo do Livro. 1984.
— em PAULO RÓNAI. *Antologia do Conto Húngaro.* Prefácio de João Guimarães Rosa. Rio de Janeiro. Editora Civilização Brasileira S/A. 1957.
GUITA Jr.
O Agora e o Depois das Coisas (1990–1992). Maputo. Associação dos Escritores Moçambicanos. 1997.
GUSMÃO, Carlos de
Boca da Grota. Maceió. Serviços Gráficos Gazeta de Alagoas. 1970.
HATOUM, Milton
Dois Irmãos. 4.ª reimpressão. São Paulo. Companhia das Letras. 2007.
Cinzas do Norte. S. Paulo. Companhia das Letras. 2005.
HERMES-FONTES
Apoteoses. 2.ª edição. Rio de Janeiro. Livraria Francisco Alves. 1915.
Ciclo da Perfeição. Rio de Janeiro. MCMXIV.
Despertar!. Rio de Janeiro. Jacinto Ribeiro dos Santos. Editor. 1922.
Gênese. Rio de Janeiro. Tipografia W. Martins & Cia. MCMXIII.
Microcosmo. Rio de Janeiro. Livraria Leite Ribeiro & Maurilo. 1919.
Miragem do Deserto. 2.ª edição. Rio de Janeiro. Livraria Leite Ribeiro & Maurilo. 1917.
— V. tb. FONTES, Hermes.
HILST, Hilda
Estar Sendo, Ter Sido. São Paulo. Nankin. 1997.
HOFFMANN, Ricardo L.
A Superfície. Rio de Janeiro. Edições GRD. 1967.
HOLANDA, Gastão de
O Burro de Ouro. Recife. Editora Igaraçu Ltda. 1960.
HOLANDA, Nestor de
Memórias do Café Nice. Rio de Janeiro. Conquista. 1969.
HOMEM, Homero
Menino de Asas. Rio de Janeiro. Edições Gernasa. 1971.
Cabra das Rocas. 2.ª edição. São Paulo. Editora Ática S. A. 1973.
HONWANA, Luís Bernardo
Nós Matámos o Cão Tinhoso. 2.ª edição. Lourenço Marques. Livraria Acadêmica. 1975.
HONWANA, Raul
O Algodão e o Ouro. Maputo. Associação dos Escritores Moçambicanos. 1995.
HONWANA, Raul Bernardo
Memórias. Porto. Asa. 1939.
HOPFFER ALMADA, David
Canto a Cabo Verde. Praia. Instituto Caboverdiano do Livro. 1988.
HOPFFER C. ALMADA, José Luís
Assomada Noturna. Praia. Instituto Caboverdiano do Livro e do Disco. S.d.
HOUAISS, Antônio
Crítica Avulsa. Bahia. Universidade da Bahia. 1960.
Seis Poetas e Um Problema. Rio de Janeiro. Ministério da Educação e Cultura. Serviço de Documentação. 1960.
HUNGUANA, Teodato
Nwamatibjana. Maputo. Edição do Autor. 1997.
INGLES DE SOUSA, H
Contos Amazônicos. Rio de Janeiro. Laemmert & Cia – Editores. 1893.
O Coronel Sangrado. (Cenas da Vida do Amazonas). São Paulo. Tip. do Diário da Manhã. 1882. [Publicado com o pseudônimo de Luis Dolzani.].
O Missionário. 3.ª edição. Prefácio de Araripe Júnior. Revisão, prefácio e apêndice de Aurélio Buarque de Holanda. Rio de Janeiro. Livraria José Olímpio Editora. 1946.
ISGOROGOTA, Judas
Cantos do Visitação. São Paulo. 1970.
ISSA, Otávio
Os Inquietos. São Paulo. Companhia Editora Nacional. 1957.
IVO, Lêdo
As Alianças. Belo Horizonte. Editora Leitura. 2007.
A Cidade e os Dias. Rio de Janeiro. Edições O Cruzeiro. 1957.
A Morte do Brasil. Rio de Janeiro. Editora Record. 1984.
A Noite Misteriosa. Rio de Janeiro. Editora Record. 1982.
Ninho de Cobras. Rio de Janeiro. Livraria José Olímpio Editora. 1973.
O Flautim e Outras Histórias Cariocas. Rio de Janeiro. Bloch Editores S. A. 1966.
JACINTO, Antônio
Fábulas de Sanji. Luanda. União dos Escritores Angolanos. 1988.
Poemas. Lisboa. Casa dos Estudantes do Império. 1961.
Vovô Bartolomeu. Lisboa. Edições 70. 1979.
JACOBBI, Ruggero
A Expressão Dramática. [Rio de Janeiro]. Instituto Nacional do Livro. 1956.
JACOBINA LACOMBE, Américo
À sombra de Rui Barbosa. São Paulo. Companhia Editora Nacional. MEC. 1978.
Capitanias Hereditárias. Em Revista Portuguesa de História. Tomo XVI. Faculdade de Letras da Universidade de Coimbra. 1978.
Um Passeio pela História do Brasil. 2.ª edição. Rio de Janeiro. Organização Simões. 1951.
JAMBO, Arnoldo
Diário de Pernambuco. História e Jornal de Quinze Décadas. Recife. Diário de Pernambuco. 1975.
JARDIM, Ana Teresa
A Mesa Branca. Rio de Janeiro. 7 Letras. 2002.
JARDIM, Luís
As Confissões do Meu Tio Gonzaga. Rio de Janeiro. Livraria José Olímpio Editora. 1949.
Maria Perigosa. 2.ª edição (revista e aumentada). Rio de Janeiro. Livraria José Olímpio Editora. 1959.
Proezas do Menino Jesus. Rio de Janeiro. Livraria José Olímpio Editora. 1968.
JARDIM, Raquel
Inventário das Cinzas. Rio de Janeiro. Editora Nova Fronteira. 1980.
O Penhoar Chinês. Rio de Janeiro. Livraria José Olímpio Editora. 1995.
JESUS, Fr. Tomé de
Trabalhos de Jesus. 2 tomos. Lisboa. Em Casa do Editor A. J. Fernandes Lopes. MDCCCLXV.
JOÃO ANTÔNIO
Casa de Loucos. 4.ª edição, revista pelo autor. Rio de Janeiro. Editora Rocco Ltda. 1994.
Leão de Chácara. 2.ª edição. Rio de Janeiro. Editora Civilização Brasileira. 1975.
JOÃO ALPHONSUS
Eis a Noite!. São Paulo. Livraria Martins. 1943.
Pesca da Baleia. Belo Horizonte. Livraria Editora Paulo Bluhm. 1941.
Rola-Moça. Rio de Janeiro. Livraria José Olímpio Editora. 1938.
Totônio Pacheco. São Paulo. Companhia Editora Nacional. 1935.
JOÃO LÚCIO
Bom-Viver. Belo Horizonte. Imprensa Oficial do Estado de Minas. 1917.
JORDÃO, Iolanda
Poesias. Rio de Janeiro. Livros de Portugal. 1957.
JORGE, Lídia
A Manta do Soldado. Rio de Janeiro. Editora Record. 2003.
JOSÉ AGOSTINHO
Eça de Queirós. Porto. Casa Editora de A. Figueirinhas. 1925.
JOSÉ BONIFÁCIO (Américo Elísio)
Poesias. Rio de Janeiro. Ed. da Academia Brasileira. 1942.
JOSÉ BONIFÁCIO, o MOÇO
Poesias. Texto organizado e apresentado por Alfredo Bosi e Nilo Scalzo. São Paulo. Conselho Estadual de Cultura. 1962.
JOSÉ INÁCIO FILHO
Capiongo. Rio de Janeiro. Editora Companhia Brasileira de Artes Gráficas. 1968.
JOYCE, Patrícia
A Maior Distância. Lisboa. Sociedade de Expansão Cultural. S.d.
Anúncio de Casamento e Outras Novelas. Lisboa. Edições Alvorada. 1947.
JOZEF, Bella
Jorge Luís Borges. Rio de Janeiro. Livraria Francisco Alves Editora S. A. 1996.
JUCÁ (FILHO), Cândido
Noite Insone. Rio de Janeiro. Organização Simões. 1963.
JUNQUEIRA, Ivan
Melhores Poemas / Ivan Junqueira: Seleção Ricardo Thomé, São Paulo: Global, 2003 – Coleção melhores poemas).

JUNQUEIRA FREIRE
Obras Poéticas de L. J. Junqueira Freire. 4ª edição. Tomo I. *Inspirações do Claustro*. Rio de Janeiro – Paris. H. Garnier, Livreiro-Editor. S.d.
Obras Póstumas de L. J. Junqueira Freire. 4ª edição, Tomo II *Contradições Poéticas*. Rio de Janeiro – Paris, H. Garnier, Livreiro-Editor. S.d.
JURANDIR, Dalcídio
Marajó. Rio de Janeiro. Livraria José Olímpio Editora. 1947.
Ponte do Galo. São Paulo. Livraria Martins Editora S. A. 1972.
Três Casas, Um Rio. São Paulo. Livraria Martins Editora. 1958.
JUSTA, Antônio
Praia do Desterro. Rio de Janeiro. Livraria São José. 1965.
KADIR, Momed
em Xiphefo. n. 7 (ag./set. 1988) e n. 16 (dez. 1996). Inhambane.
KASSOTCHE, Florentino Dick
Confabulâncias e (Estória d') a Morte Anunciada. Maputo. Florana. 1996.
KELLY, Celso
Portinari, Rio de Janeiro. Edições G. T. L. S.d.
KHAN, Gulamo
Moçambicanto. Maputo. Associação dos Escritores Moçambicanos. 1990.
KNOPFLI, Rui
Mangas Verdes com Sal. Lourenço Marques. Edição do Autor. 1969.
O País dos Outros. Lourenço Marques. Edição do Autor. 1959.
KONDER, Leandro
A Poesia de Brecht e a História. Rio de Janeiro. Jorge Zahar Editor. 1996.
KUBITSCHEK, Juscelino
Meu Caminho para Brasília. 1º Vol. Rio de Janeiro. Bloch Editores S. A. 1974.
LABIENO (Lafayette Rodrigues Pereira)
Vindiciae. Rio de Janeiro. Livraria Cruz Coutinho. 1889.
LACERDA, Carlos
A Casa do Meu Avô. 2ª edição. Rio de Janeiro. Editora Nova Fronteira. 1977.
O Cão Negro. Rio de Janeiro. Editora Nova Fronteira. 1971.
Xanã (Histórias Antigas e Novas). 2ª edição. Rio de Janeiro. Editora Nova Fronteira. 1977.
LACERDA, Regina
Papa-Ceia. Goiânia – Goiás. Instituto Goiano do Livro. Departamento de Cultura da Secretaria da Educação e Cultura. 1968.
LAET, Carlos de
Obras Seletas. I. *Crônicas*. Rio de Janeiro. Livraria Agir Editora. Fundação Casa de Rui Barbosa. Brasília. Instituto Nacional do Livro. 1963.
O Frade Estrangeiro e Outros Escritos. Rio de Janeiro. Organização e prefácio de Múcio Leão. Edição da Academia Brasileira de Letras. 1953.
LAJES, Solange Bérard
Canto/Desencanto. Maceió. 1975.
Passagem. Maceió. 1971.
LAMARTINE DE FARIA, Osvaldo
Conservação de Alimentos nos Sertões do Seridó. Recife. Instituto Joaquim Nabuco de Pesquisas Sociais. 1965.
LANGA, Hortêncio
Magoda. Maputo. Associação dos Escritores Moçambicanos. 1995.
LARA, Hugo de
Argemiro e Rosalindo e Outras Estórias. Rio de Janeiro. José Olímpio Editora. 1984.
LARA FILHO, Ernesto
O Canto do Martrindinde. Lobito. Capricórnio. 1974.
Picada de Marimbondo. Nova Lisboa. Bailundo. 1961.
LARA RESENDE, Oto
As Pompas do Mundo. Rio de Janeiro. Editora Rocco Ltda. 1957.
Boca do Inferno. Rio de Janeiro. Livraria José Olímpio Editora. 1957.
O Braço Direito. Rio de Janeiro. Edição do Autor. 1963.
O Retrato na Gaveta. Rio de Janeiro. Edição do Autor. 1963.
LATINO COELHO
A Oração da Coroa, de Demóstenes. Versão do original grego, precedida de um estudo sobre a civilização da Grécia. 3ª edição. Lisboa. Academia das Ciências de Lisboa. 1914.
Cervantes. Prefácio de Manuel Pinheiro Chagas. 2ª edição. Lisboa. Empresa Literária Fluminense. S.d.
Elogio Histórico de José Bonifácio de Andrada e Silva. Prefácio de Afrânio Peixoto. Rio de Janeiro. Edições Livros de Portugal Ltda. 1942.
Fernão de Magalhães. Lisboa. Empresa Literária Fluminense. S.d.
Tipos Nacionais. 1º milhar. Lisboa. Editores Santos. Vieira. MCMXIX.
LAUS, Lausimar B.
Tempo Permitido. Rio de Janeiro. Companhia Editora Americana. 1970.
LA VENÈRE, L.
O Padre Cornélio. Maceió. Livraria Machado. 1921.
LEANDRO DE CASTRO, Nei
Contistas Norte-Rio-Grandenses. Natal. Rio Grande do Norte. Departamento Estadual de Imprensa. 1966.
LEÃO, Anilda
Riacho Seco. Maceió. Alagoas. 1980.
LEÃO, Múcio
Emoção e Harmonia. Rio de Janeiro. Gráfica Editora Aurora, Ltda. 1952.
LEÃO, Ursulino
Existência de Marina. Goiânia. Departamento Estadual de Cultura. 1968.
LEITE, Ascendino
Passado Indefinido. Os Dias Duvidosos. O Lucro de Deus. Belo Horizonte. Editora Itatiaia Ltda. 1968.
LEITE, Aureliano
Pequena História da Casa Verde. São Paulo. Elvino Pocai. MCMXL.
LEITE DE VASCONCELOS
Irmão do Universo. Maputo. Associação dos Escritores Moçambicanos. 1994.
LEITE DE VASCONCELOS, Dr. J.
Antroponímia Portuguesa. Lisboa. Imprensa Nacional. 1928.
— V. tb. LEITE DE VASCONCELOS, J.
LEITE DE VASCONCELOS, J.
Opúsculos. Volume II. Dialetologia. (Parte I). Imprensa da Universidade de Coimbra. 1928.
— V. tb. LEITE DE VASCONCELOS, Dr. J.
LEME LOPES, José
A Psiquiatria de Machado de Assis. Rio de Janeiro. Livraria Agir Editora. 1974.
LEMOS, Gilvã
Jutaí Menino. Rio de Janeiro. Edições O Cruzeiro. 1968.
LEONARDOS, Stella
Geolírica. Rio de Janeiro. Livraria São José. 1966.
Romanceiro de Bequimão. São Luís. Edições Sioge. 1979.
LEONI, Raul de
Luz Mediterrânea. 2ª edição. Rio de Janeiro. Edição do Anuário do Brasil. 1928.
LEOPOLDO BRÍGIDO
Poemas do Tempo. Rio de Janeiro. Livraria Agir Editora. 1947.
LESSA, Elsie
A Dama da Noite. Rio de Janeiro. Livraria José Olímpio Editora. 1963.
LESSA, Orígenes
A Desintegração da Morte. Rio de Janeiro. Empresa Gráfica "O Cruzeiro" S. A. 1948.
Balbino, Homem do Mar. Rio de Janeiro. Livraria José Olímpio Editora. 1960.
João Simões Continua. São Paulo. Difusão Europeia do Livro. 1959.
O Omelete em Bombaim. Rio de Janeiro. Empresa Gráfica "O Cruzeiro" S. A. 1946.
Rua do Sol. Rio de Janeiro. Livraria José Olímpio Editora. 1955.
LÉU VITOR
Círculo de Giz. Rio de Janeiro. Lia Editor. S.d.
LEVENTHAL, José
A Terceira Base. (Libertação de Fausto). Rio de Janeiro. Novacultura Editora/PLC – Comunicação. 1979.
LEWIN, Willy
Ensaios de Circunstância. Rio de Janeiro. Ministério da e Educação e Saúde. Serviço de Documentação. 1952.
LIMA, Augusto de
Poesias. Rio de Janeiro – Paris. H. Garnier, Livreiro-Editor. 1909.
LIMA, Herman
Garimpos. 5ª edição, revista. Rio de Janeiro/Brasília. Editora Civilização Brasileira/ Instituto Nacional do Livro. 1977.
Poeira do Tempo. Rio de Janeiro. Livraria José Olímpio Editora. 1967.
Tijipió e Garimpos. Rio de Janeiro. Edição da "Organização Simões". 1951.
LIMA, Hermes
Tobias Barreto. 2ª edição. São Paulo. Companhia Editora Nacional. 1957.
LIMA, Jorge de
Calunga. Porto Alegre. Livraria do Globo. 1935.
Guerra dentro do Beco. Rio de Janeiro. Editora A Noite. 1950.
Obra Completa. Vol. I [e único] Poesia e Ensaios. Rio de Janeiro. Editora José Aguilar Ltda. 1958.
Salomão e as Mulheres. Rio de Janeiro. Empresa Gráfica Editora Paulo, Pongetti & Cia. 1927.
LIMA, Raul
O Fio do Tempo. Recife. Universidade Federal de Pernambuco. 1970.
Presença de Alagoas. Maceió. Departamento Estadual de Cultura. 1967.
LIMA, Sílvio
Ensaio sobre a Essência do Ensaio. Coimbra. Armênio Amado, Editor. 1944.
LIMA BARRETO
Clara dos Anjos. São Paulo. Editora Brasiliense. 1956.
Coisas do Reino do Jambon. São Paulo. Editora Brasiliense. 1956.
Diário Íntimo. São Paulo. Editora Brasiliense. 1956.
Histórias e Sonhos. São Paulo. Editora Brasiliense. 1956.
Marginália. São Paulo. Editora Brasiliense. 1956.
Numa e a Ninfa. 4ª edição. São Paulo. Editora Brasiliense. 1956.
Recordações do Escrivão Isaías Caminha. São Paulo. Editora Brasiliense. 1956.
Triste Fim de Policarpo Quaresma. São Paulo. Editora Brasiliense. 1956.
Vida e Morte de M. J. Gonzaga de Sá. São Paulo. Editora Brasiliense. 1956.
LIMA JÚNIOR
Alguns Homens do Meu Tempo. Maceió. Departamento Estadual de Cultura. 1963.
Canções da Idade de Oiro. Maceió. Tip. da Livraria Fonseca. 1920.
LIMA JÚNIOR, Félix
Mapirunga. Maceió. Casa Ramalho Editora. S.d.
Recordações da Velha Maceió. Maceió. Arquivo Público de Alagoas. 1966.
LINHARES, Temístocles
Interrogações. 1ª série. Rio de Janeiro. Livraria José Olímpio Editora. 1959.
Introdução ao Mundo do Romance. Rio de Janeiro. Livraria José Olímpio Editora. 1953.
LINS, Álvaro
A Glória de César e o Punhal de Brutus. Rio de Janeiro. Editora Civilização Brasileira. 1962.
História Literária de Eça de Queirós. 3ª edição. Lisboa. Livraria Bertrand. 1959.
Literatura e Vida Literária. Notas de um Diário de Crítica. 1º e 2º volumes (o primeiro em 2ª edição), reunidos em um só. Rio de Janeiro. Editora Civilização Brasileira S. A. 1963.
Missão em Portugal. 1º [e único] vol. Rio de Janeiro. Editora Civilização Brasileira S. A. 1960.
O Relógio e o Quadrante. Rio de Janeiro. Editora Civilização Brasileira. 1964.
LINS, Álvaro, e BUARQUE DE HOLANDA, Aurélio
Roteiro Literário de Portugal e do Brasil. 2ª edição, revista e melhorada. 2 volumes. Rio de Janeiro. Editora Civilização Brasileira S. A. 1966. [Na 1ª edição, o título da obra era *Roteiro Literário do Brasil e de Portugal*.].

LINS, Ivã

Erasmo, a Renascença e o Humanismo. Rio de Janeiro. Editora Civilização Brasileira. 1967.

Tomás Morus e a Utopia. 2ª edição, corrigida e melhorada. Rio de Janeiro. Editora Civilização Brasileira S. A. 1969.

LINS, Osmã

Nove, Novena. São Paulo. Livraria Martins Editora. 1966.

LINS, Paulo

Cidade de Deus. São Paulo. Editora Schwarcz Ltda. 2007.

LINS, Wilson

Responso das Almas. São Paulo. Livraria Martins Editora S. A. 1970.

LINS DE ALBUQUERQUE, Ulisses

Um Sertanejo e o Sertão. Rio de Janeiro. Livraria José Olímpio Editora, 1957.

LINS DO REGO, José

Banguê. 6ª edição. Rio de Janeiro. Livraria José Olímpio Editora. 1966.

Bota de Sete Léguas. Rio de Janeiro. Editora A Noite. 1952.

Doidinho. 8ª edição. Rio de Janeiro. Livraria José Olímpio Editora. 1965.

Ficção Completa. Volume I. Rio de Janeiro. Editora Nova Aguilar S. A. 1976.

Fogo Morto. 7ª edição. Rio de Janeiro. Livraria José Olímpio Editora. 1968.

Gordos e Magros. Rio de Janeiro. Casa do Estudante do Brasil. 1942.

Gregos e Troianos. Rio de Janeiro. Bloch Editores S. A. 1957.

Homens, Seres e Coisas. Rio de Janeiro. Ministério da Educação e Saúde. 1952.

Meus Verdes Anos. Rio de Janeiro. Livraria José Olímpio Editora. 1956.

Pedra Bonita. 7ª edição. Rio de Janeiro. Livraria José Olímpio Editora. 1968.

Riacho Doce. 5ª edição. Rio de Janeiro. Livraria José Olímpio Editora. 1969.

Usina. 6ª edição. Rio de Janeiro. Livraria José Olímpio Editora. 1967.

LINS DO REGO, José e AUSTREGÉSILO DE ATAÍDE

Discursos de Posse e Recepção na Academia Brasileira de Letras. Rio de Janeiro. Livraria José Olímpio Editora. 1957.

LINS E SILVA, Evandro

O Salão dos Passos Perdidos. Depoimento ao CPDOC. Rio de Janeiro. Editora Nova Fronteira S. A. 1997.

LINS SOARES, Maria Nazaré

Machado de Assis e a Análise da Expressão. Rio de Janeiro. Instituto Nacional do Livro. 1968.

LISBOA, Adriana

Os Fios da Memória. Rio de Janeiro. Editora Rocco. 2008.

LISBOA, Henriqueta

Madrinha Lua. Belo Horizonte. Coordenadoria de Cultura de Minas Gerais. 1980.

Vigília Poética. Belo Horizonte. Edições Imprensa Publicações. 1968.

LISBOA, Irene

O Pouco e o Muito. Lisboa. Portugália Editora. S.d.

Voltar Atrás para Quê?. Lisboa. Livraria Bertrand. S.d.

LISBOA, João Francisco

Obras de João Francisco Lisboa, Natural do Maranhão. Edição organizada e prefaciada por Antônio Henriques Leal. 4 v. São Luís do Maranhão. 1865.

LISBOA, J. Carlos

Isabel, a do Bom Gosto. Rio de Janeiro. Ministério da Educação e Cultura. Serviço de Documentação. 1953.

LISBOA, José Carlos

O Teatro de Cervantes. Rio de Janeiro. Ministério da Educação e Saúde. 1952.

LISBOA DE ARAÚJO, Heitor

Engenharia de Transportes. Instituto de Pesquisas Rodoviárias. 1966.

LISPECTOR, Clarice

A Legião Estrangeira.

A Via-Crúcis do Corpo. Rio de Janeiro. Editora Artenova S. A. 1974.

Laços de Família. 2ª edição. Rio de Janeiro. Livraria Francisco Alves. 1961.

Uma Aprendizagem ou O Livro dos Prazeres. Rio de Janeiro. Editora Sabiá Ltda. 1969.

LOBATO, Manuel

Contos de Agora, Belo Horizonte, Edições Oficina. 1970.

Garrucha 44. Rio de Janeiro. Elos. 1961.

Os Outros São Diferentes. Rio de Janeiro. Editora Artenova Ltda. 1971.

Somos Todos Algarismos. São Paulo. Editora Moderna. 1979.

LOBO ANTUNES, António

Exortação aos Crocodilos. Rio de Janeiro. Editora Rocco Ltda. 2001.

Memória de Elefante. Rio de Janeiro. Editora Objetiva Ltda. 2006.

O Esplendor de Portugal. Rio de Janeiro. Editora Rocco Ltda. 1999.

Os Cus de Judas. Rio de Janeiro. Editora Objetiva Ltda. 2003.

Ontem não Te Vi em Babilônia. Rio de Janeiro. Editora Objetiva Ltda. 2006.

LOBO SOROPITA, Fernão Rodrigues

Poesias e Prosas Inéditas. Porto. Tipografia Lusitana. 1868.

LOFORTE, Luís José

Diálogos do Desencanto. Maputo. Publicações Notícias. 1991.

LOPES, B.

Cromos. 2ª edição, aumentada. Rio de Janeiro. Fauchon & Cia. Editores. 1896.

Val de Lírios. Rio de Janeiro. 1900.

— Ap. LINS, Álvaro, e BUARQUE DE HOLANDA, Aurélio (q. v.).

LOPES, Baltasar

Chiquinho. S. Vicente. Edições Claridade. 1947.

Os Trabalhos e os Dias. Linda-a-Velha. ALAC. 1987.

LOPES, Manuel

Chuva Braba. Lisboa. Instituto de Cultura e Fomento de Cabo Verde. 1956.

Os Flagelados do Vento Leste. Lisboa. Ulisseia. 1960.

O Galo Que Cantou na Baía. Lisboa. Orion. 1959.

Paúl. São Vicente. Sociedade de Tipografia e Publicidade. 1932.

LOPES, Moacir C.

Cais, Saudade em Pedra. Rio de Janeiro. Editora Civilização Brasileira S. A. 1963.

Maria de Cada Porto. 2ª edição. Rio de Janeiro. Editora Civilização Brasileira S. A. 1962.

LOPES, Óscar

V. SARAIVA, Antônio José, e LOPES, Óscar

LOPES, Raimundo

Uma Região Tropical. Rio de Janeiro. Cia. Editora Fon-Fon e Seleta. 1970.

LOPES, Valdemar

Austro-Costa. Poeta da Província. Recife. Universidade Federal de Pernambuco. 1970.

Elegia para Joaquim Cardoso. Rio de Janeiro. Edições Cadernos da Serra. 1978.

Sonetos de Portugal. Brasília. Clube de Poesia e Crítica. 1984.

Sonetos do Tempo Perdido. Rio de Janeiro. Editorial Palmares. 1970.

LOPES DE ALMEIDA, Júlia

Ânsia Eterna. Rio de Janeiro. Editora S. A. A Noite. S.d.

LOPES FILHO, João

Estória, Estória. Contos Cabo-verdianos, 2ª edição. Lisboa. Ulmeiro. 1983.

LOPES MARQUES, A.

O Feitiço do Branco (Tadúa Muzungo). Lisboa. Livraria Luso-Espanhola. S.d. [1968].

LOPES MEIRELES, Hely

Direito de Construir. 3ª ed. refundida. São Paulo. Editora Revista dos Tribunais de São Paulo. 1979.

LOPES VIEIRA, Afonso

Nova Demanda do Graal. Lisboa. Livraria Bertrand. 1942.

Os Versos de Afonso Lopes Vieira. Edição da Sociedade Editora Portugal – Brasil. Oficinas Gráficas da Biblioteca de Lisboa. 1927.

LOUREIRO BOTAS, José

Maré Alta. Lisboa. 1952.

LUANDINO VIEIRA, (José)

A Cidade e a Infância. Lisboa. Casa dos Estudantes do Império. S.d. [1960].

A Vida Verdadeira de Domingos Xavier. Lisboa. Edições 70. 1974.

Estória da Baciazinha de Quitaba. Luanda. União dos Escritores Angolanos. 1986.

João Vêncio: os Seus Amores. Luanda. União dos Escritores Angolanos. 1979.

Laurentinho, Dona Antônia de Sousa Neto & Eu. Lisboa. Edições 70. 1981.

Luanda. 5ª edição. Lisboa. Edições 70. 1976.

Macandumba. Lisboa. Edições 70. 1970.

No Antigamente, Na Vida. Lisboa. Edições 70. 1974.

Nós, os do Makulusu. Lisboa. Sá da Costa. 1975.

Velhas Estórias. Lisboa. Plátano Editora. 1974.

— Ap. ANDRADE, Garibaldino de e COSME, Leonel. *Novos Contos d'África*. Sá da Bandeira. Coleção Imbondeiro, 1962.

LUCENA, João de

História da Vida do Padre Francisco de Xavier, Edição fac-similada, comemorativa do 4º centenário do seu falecimento. Prefácio de Álvaro J. da Costa Pimpão. 2 v. Agência-Geral do Ultramar. Lisboa. MCMLII.

LUFT, Lia

A Asa Esquerda do Anjo. Rio de Janeiro, Editora Nova Fronteira. 1981.

Perdas & Ganhos. 3ª edição. Rio de Janeiro. Editora Record. 2003.

LUÍS CARLOS

Colunas. Rio de Janeiro. Jacinto Ribeiro dos Santos Editor. 1920.

LUÍS DELFINO

A Angústia do Infinito. Rio de Janeiro. Irmãos Pongetti, Editores. 1936.

Algas e Musgos. Vol. I [e único]. Rio de Janeiro. Pimenta de Meio & Cia. S.d.

Esboço da Epopeia Americana. Rio de Janeiro. Irmãos Pongetti, Editores. 1939.

Imortalidades. Livro de Helena. Vol. 1. Rio de Janeiro. Irmãos Pongetti, Editores. 1941.

Íntimas e Aspásias. Rio de Janeiro. Irmãos Pongetti, Editores. 1935.

Poesias Líricas. São Paulo. Companhia Editora Nacional. 1934.

Posse Absoluta. Rio de Janeiro. Gráfica Guarani Ltda. 1941.

Rosas Negras. Rio. Irmãos Pongetti, Editores. 1938.

LUÍS EDMUNDO

De um Livro de Memórias. 5 v. Rio de Janeiro. Departamento de Imprensa Nacional. 1958.

LUNA, Luís

Lampião e Seus Cabras. Rio de Janeiro. Livros do Mundo Inteiro. 1972.

LUSTOSA DA COSTA

Sobral do Meu Tempo. Brasília. Senado Federal. 1982.

LUZ, Clemente

Invenção da Cidade. Brasília. Editora de Brasília S. A. [1967].

MACEDO, Fernando

Anguéné. Lisboa. Sá da Costa. 1989.

MACEDO, Joaquim Manuel de

A Moreninha. Rio de Janeiro. Ed. da Livraria Editora Zélio Valverde. 1945.

Memórias da Rua do Ouvidor. Rio de Janeiro – Paris. H. Garnier, Livreiro-Editor. S.d.

Os Romances da Semana. 4ª edição. Rio de Janeiro – Paris. H. Garnier. Livreiro-Editor. 1002.

MACEDO, Jorge

As Mulheres. Luanda. Edição do Autor. 1970.

Gente do Meu Bairro. Lisboa. Edições 70. 1977.

Irmã Humanidade. Lobito. Capricórnio. 1973.

MACEDO MIRANDA

As Três Chaves. Rio de Janeiro. Editora Letras e Artes Ltda. 1964.

Pequeno Mundo Outrora. Rio de Janeiro. Ministério da Educação e Cultura. Serviço de Documentação. 1957.

MACHADO, Ana Maria

Alice e Ulisses. 5ª edição. Rio de Janeiro. Editora Nova Fronteira, 1990.

Tropical Sol da Liberdade. Rio de Janeiro. Editora Nova Fronteira, 1988.

Palavra de Honra. Rio de Janeiro. Editora Nova Fronteira, 2005.

MACHADO, Aníbal

A Morte da Porta-Estandarte e Tati, a Garota e Outras Histórias. Rio de Janeiro. 7ª edição. Livraria José Olímpio Editora. 1976.

MACHADO, Anibal M.

Histórias Reunidas. Rio de Janeiro. Livraria José Olímpio Editora. 1959.

MACHADO, Dionélio

Os Ratos. 3ª edição. Rio de Janeiro. Editora Civilização Brasileira S. A. 1966.

MACHADO, Gilca

— V. MELO MACHADO, Gilca da Costa.

MACHADO, Rubem Mauro

A Idade da Paixão. Rio de Janeiro. Bertrand Brasil. 2006. [Edição comemorativa dos 20 anos do Prêmio Jabuti.]

Lobos. Rio de Janeiro. Editora Record. 1997.

O Executante. Rio de Janeiro. Editora Record. 2000.

O Inimigo na Noite. 4ª edição. Porto Alegre. Mercado Aberto. 1993.

MACHADO DA GRAÇA

A Talhe de Foice. Maputo. Casa Velha. 1994.

MACHADO DE ASSIS

A Semana. 3 v. Revisão crítica de Aurélio Buarque de Holanda Ferreira. Rio de Janeiro. W. M. Jackson Inc., Editores. 1953.

Casa Velha. São Paulo. Livraria Martins Editora. 1944.

Contos Avulsos. Organização e prefácio de R. Magalhães Júnior. Rio de Janeiro. Editora Civilização Brasileira S. A. 1956.

Contos Esparsos. Organização e prefácio de R. Magalhães Júnior. Rio de Janeiro. Editora Civilização Brasileira S.A. 1956.

Contos Fluminenses. Nova edição. Rio de Janeiro. Paris. Livraria Garnier. S.d.

Contos Recolhidos. Organização e prefácio de R. Magalhães Júnior. Rio de Janeiro. Editora Civilização Brasileira S. A. 1956.

Contos sem Data. Organização e prefácio de R. Magalhães Júnior. Rio de Janeiro. Editora Civilização Brasileira S. A. 1956.

Crítica. Coleção feita por Mário de Alencar. Rio de Janeiro. Livraria Garnier. S.d.

Crítica Literária. Rio de Janeiro – São Paulo – Porto Alegre. W. M. Jackson Inc. Editores. 1938.

Crítica Teatral. Rio de Janeiro. W. M. Jackson Inc., Editores. 1953.

Crônicas. 3 v. Rio de Janeiro. W. M. Jackson Inc., Editores. 1957.

Crônicas de Lélio. Organização, prefácio e notas de R. Magalhães Júnior. Rio de Janeiro. Editora Civilização Brasileira S. A. 1958.

Dom Casmurro. Rio de Janeiro. Livraria Garnier. S.d.

Esaú e Jacó. Rio de Janeiro. Livraria Garnier. S.d.

Helena. Rio de Janeiro – Paris. Livraria Garnier. S.d.

Histórias da Meia-Noite. Rio de Janeiro – Paris. Livraria Garnier. S.d.

Histórias Românticas. Rio de Janeiro. W. M. Jackson Inc. Editores. 1952.

Histórias sem Data. Nova edição revista. Rio de Janeiro. Livraria Garnier. S.d.

Iaiá Garcia. Nova edição. Rio de Janeiro – Paris. Livraria Garnier. S.d.

Memorial de Aires. Rio de Janeiro – Paris. Livraria Garnier. S.d.

Memórias Póstumas de Brás Cubas. Rio de Janeiro. Livraria Garnier. S.d.

Obra Completa em Quatro Volumes. Rio de Janeiro. Editora Nova Aguilar. 2008.

Outras Relíquias. Rio de Janeiro – Paris. Livraria Garnier. S.d.

Páginas Recolhidas. Rio de Janeiro. Livraria Garnier. S.d.

Papéis Avulsos. Rio de Janeiro. Livraria Garnier. S.d.

Poesia e Prosa. Organização e notas de J. Galante de Sousa. Rio de Janeiro. Editora Civilização Brasileira S. A. 1957.

Poesias Completas. Rio de Janeiro. Livraria Garnier. S.d.

Poesias Completas. Rio de Janeiro. W. M. Jackson Inc. Editores. 1953.

Quincas Borba. Rio de Janeiro. Livraria Garnier. S.d.

Relíquias de Casa Velha. Rio de Janeiro. Livraria Garnier. S.d.

Ressurreição. Rio de Janeiro – Paris. Livraria Garnier. S.d.

Teatro. Coligido por Mário de Alencar. Rio de Janeiro – Paris. H. Garnier. Livreiro-Editor. 1910.

Várias Histórias. Rio de Janeiro. Livraria Garnier. S.d.

MACIEL MONTEIRO

Poesias. São Paulo. Conselho Estadual de Cultura. 1962.

MADEIRA, Antônio

— V. BRANQUINHO DA FONSECA

MAGAIA, Albino

Malungate. Maputo. Associação dos Escritores Moçambicanos. 1987.

MAGAIA, Lina

Delehta. Pulos na Vida. Maputo. Editorial Viver. 1994.

Dumba Nengue. São Paulo. Ática. 1990.

Duplo Massacre em Moçambique – Histórias Trágicas de Banditismo – II. Maputo. Tempo. 1989.

MAGALDI, Sábato

Aspectos da Dramaturgia Moderna. São Paulo. Conselho Estadual de Cultura. 1964.

Panorama do Teatro Brasileiro. São Paulo. Difusão Europeia do Livro. S.d.

Temas da História do Teatro. Porto Alegre. Faculdade de Filosofia. Universidade do Rio Grande do Sul. 1963.

O Texto no Teatro. São Paulo. Editora Perspectiva. 1989.

MAGALHÃES, Adelino

Obras Completas. 2 v. Rio de Janeiro. Livraria Editora Zélio Valverde S. A. 1946.

MAGALHÃES, Basílio de

Bernardo Guimarães. Rio de Janeiro. Tipografia do Anuário do Brasil. 1926.

O Café na História, no Folclore e nas Belas-Artes. 2ª edição, aumentada e melhorada. São Paulo. Companhia Editora Nacional. 1939.

MAGALHÃES, Luís de

O Brasileiro Soares. Porto. Lelo & Irmão – Editores. 1981.

MAGALHÃES, Valentim

Vinte Contos. 2ª edição. Rio de Janeiro. Laemmert & Cia. - Editores. 1895.

MAGALHÃES DA COSTA

Estação das Manobras. Projeto Petrônio Portela. Teresina, 1985.

MAGALHÃES DE AZEREDO

Alma Primitiva. Rio de Janeiro. Cunha & Irmãos – Editores. 1895.

— V. tb. MAGALHÃES DE AZEREDO, Carlos

MAGALHÃES DE AZEREDO, Carlos

Ariadne. Rio de Janeiro. Grande Livraria Leite Ribeiro. 1922.

Casos do Amor e do Instinto. Rio de Janeiro. Livraria Francisco Alves. 1924.

Homens e Livros. Rio de Janeiro – Paris. H Garnier. Livreiro-Editor. 1902.

Odes e Elegias. Roma. Tipografia Centanari. 1904.

Vida e Sonho. Rio de Janeiro. Livraria Editora Jacinto Ribeiro dos Santos. 1919.

— V. tb. MAGALHÃES DE AZEREDO

MAGALHÃES JÚNIOR, R.

A Arte do Conto. Rio de Janeiro. Bloch Editores S. A. 1972.

MAGALHÃES JR., R.

Artur Azevedo e Sua Época. 4ª edição, refundida e aumentada. São Paulo. Lisa – Livros Irradiantes S. A. 1971.

Machado de Assis Desconhecido. 3ª edição. Texto definitivo. Rio de Janeiro. Editora Civilização Brasileira. 1957.

Poesia e Vida de Álvares de Azevedo. 2ª edição, corrigida e aumentada. São Paulo. Lisa – Livros Irradiantes S. A. 1971. Em *Discursos Acadêmicos (1956–1961)*. Tomo V. Academia Brasileira de Letras. S.d.

MAIA, Alcides

Crônicas e Ensaios. Porto Alegre. Livraria do Globo. 1918.

Ruínas Vivas. Porto. Livraria Chardron. 1910.

Tapera. Rio de Janeiro – Paris. H. Garnier. Livreiro-Editor. 1911.

MALHEIRO DIAS, Carlos

Os Teles de Albergaria. Rio de Janeiro. Livraria Francisco Alves. 1910.

MALLET, Pardal

Pelo Divórcio!. Rio de Janeiro. Fauchon & Cia. Livreiros-Editores. 1894.

MANGABEIRA, Francisco

Poesias. Nova edição. Rio de Janeiro. Edição do Anuário Brasil. S.d.

MANUEL RUI

Cinco Vezes Onze – Poemas em Novembro. Lisboa. Edições 70. 1984.

Crônica de um Mujimbo. Luanda. União dos Escritores Angolanos. 1989.

Regresso Adiado. Lisboa. Plátano Editora. S.d. [1974].

Rioseco. Lisboa. Cotovia. 1997.

1 Morto & os Vivos. Lisboa. Cotovia. 1993.

MARANHÃO, Haroldo

A Estranha Xícara. Rio de Janeiro. Editora Saga S. A. 1968.

As Peles Frias. Rio de Janeiro. Francisco Alves. Brasília. INL. 1983.

O Tetraneto del-Rei. Rio de Janeiro. Livraria Francisco Alves S. A. 1982.

MARANHÃO SOBRINHO

Papéis Velhos. Maranhão. Tip. Frias. 1998.

MARGARIDO, Maria Manuela

— em *Estudos Ultramarinos*, n. 3 (1959). Lisboa. Instituto Superior de Estudos Ultramarinos.

— em *Poetas de São Tomé e Príncipe*. [Prefácio de Alfredo Margarido.]. Lisboa. Casa dos Estudantes do Império. 1963.

MARICÁ, Marquês de

Máximas, Pensamentos e Reflexões do Marquês de Maricá. Edição dirigida e anotada por Sousa da Silveira. Rio de Janeiro. Casa de Rui Barbosa. 1958.

MARINHO PAIVA DE CARVALHO, Juvenal

A Ilha do Príncipe (Descritivo Histórico). Porto. Imprensa Moderna. 1928.

MARINS, Francisco

...e a Porteira Bateu!. 2ª edição. São Paulo. Edições Melhoramentos. S.d.

MÁRIO ANTÔNIO,

100 Poemas. Luanda. ABC. 1963.

Farra no Fim de Semana. Braga. Pax. 1965.

MÁRIO DIONÍSIO

O Dia Cinzento. Coimbra. Coimbra Editora, Ltda. 1944.

MARQUES, Oswaldino

A Seta e o Alvo. Rio de Janeiro. Ministério da Educação e Cultura. INL. 1957.

MARQUES ANDRADE, Euclides

Lendo Charles Morgan. Belo Horizonte. Imprensa Publicações. 1966.

MARQUES MOREIRA, Marcílio

Indicações para o Projeto Brasileiro. Rio de Janeiro. Edições Tempo Brasileiro Ltda. 1971.

MARQUES REBELO

A Guerra Está em Nós. São Paulo. Livraria Martins Editora. 1968.

A Mudança. São Paulo. Livraria Martins Editora. 1962.

Cenas da Vida Brasileira. Rio de Janeiro. Edições O Cruzeiro. 1951.

Correio Europeu. São Paulo. Livraria Martins Editora. 1959.

Marafa. [3ª edição.]. São Paulo. Livraria Martins Editora S. A. 1956.

O Simples Coronel Madureira. Rio de Janeiro. Biblioteca Universal Popular S. A. 1967.

O Trapicheiro. São Paulo. Livraria Martins Editora. 1959.

MARROQUIM, Ad.

Terra das Alagoas. Editora Maglione & Strini. Succ. E. Loescher. 1922.

MARROQUIM, Mário

A Língua do Nordeste. (Alagoas e Pernambuco). 2ª edição. São Paulo. Companhia Editora Nacional. 1945.

MARTINS, Ciro

Paz nos Campos. Porto Alegre. Editora Globo. 1957.

MARTINS, Cristiano

Camões. Rio de Janeiro. Americ. Edit. 1944.

MARTINS, Edilson

Amazônia, a Última Fronteira. 2ª edição. Rio de Janeiro. Editora Codecri. 1982.

Makaloba. São Paulo. Editora Brasiliense S. A. 1983.

Nós, do Araguaia. Rio de Janeiro. Edições Graal Ltda. 1980.

Páginas Verdes. Rio de Janeiro. Editora Codecri. 1983.

MARTINS, Fran

Dois de Ouros. 2ª edição. Fortaleza. Edições Clã. 1975.

Estrela do Pastor. Rio de Janeiro. Livraria José Olímpio. 1942.

MARTINS, João

— Ap. *A Cidade e as Ruas.* Novelas Cariocas. Rio de Janeiro. Lidador. 1965.

MARTINS. Luís

A Girafa de Vidro. São Paulo. Livraria Martins Editora S. A. 1971.

MARTINS, Ovídio

Tutchinha. Sá da Bandeira. Coleção Imbondeiro. 1962.

MARTINS DE AGUIAR

Notas de Português de Filinto e Odorico. Rio de Janeiro. Edição da 'Organização Simões'. 1955.

MARTINS FONTES

A Alegria. São Paulo. Nova Era Empresa Editora. S.d.

A Dança. Santos. Tip. do Instituto D. Escolástica Rosa. 1919.

Arlequinada. Edição do "Bazar Americano" Santos. 1922.

Fantástica. São Paulo. Empresa Editora J. Fagundes. S.d.

Guanabara. São Paulo. Empresa Editora J. Fagundes. 1936.

Nós, as Abelhas. São Paulo. Empresa Editora J. Fagundes. S.d.

Nos Jardins de Augusto Comte. São Paulo. Edição da Comissão Glorificadora de Martins Fontes. 1938.

O Mar. São Paulo. Nova Era Empresa Editora. S.d.

Poesias. 5º vol. das Poesias Completas. Santos. 1928.

Prometeu. São Paulo. Seção de Obras d'"O Estado de São Paulo". Separata da 'Revista de Filologia Portuguesa'. 1924.

Sol das Almas. Rio de Janeiro. A Noite S. A. Editora. 1936.

Terras da Fantasia. Santos. Tip. do Inst. D. Escolástica Rosa. 1933.

Verão. Santos. Tipografia Escolástica Rosa. 1928.

Volúpia. 1925.

Vulcão. Santos. Tip. do Instituto D. Escolástica Rosa. 1926.

MARTINS MOREIRA, Thiers

O Menino e o Palacete. Rio de Janeiro. Edição da 'Organização Simões'. 1954.

Os Seres. Rio de Janeiro. Livraria São José. 1963.

Visão em Vários Tempos. I. Rio de Janeiro. Livraria São José. 1970.

MARTINS NAPOLEÃO

O Oleiro Cego. Rio de Janeiro. 1956.

Pequena Antologia de Poemas Alheios. Rio de Janeiro. Gráfica Olímpica Editora. 1960.

MASCARENHAS, Maria Margarida

...Levedando a Ilha. Praia. Instituto Caboverdiano do Livro. 1988.

MATA MACHADO FILHO, Aires da

Camões Épico. 7ª edição. Rio de Janeiro. Livraria Agir Editora. 1974.

Crítica de Estilos. Rio de Janeiro. Livraria Agir Editora. 1956.

Dias e Noites em Diamantina. Belo Horizonte. Edição do Autor. 1972.

Falar, Ler e Escrever. Instituto Nacional do Livro. 1956.

MATOS, Ciro de

Os Brabos. Rio de Janeiro – Brasília. Editora Civilização Brasileira S. A. Instituto Nacional do Livro. 1979.

MATOS, Cláudia Neiva de

Gentis Guerreiros – O Indianismo em Gonçalves Dias. 1ª edição. São Paulo. Editora Atual. 1988.

MATOS, Gregório de

Obra Poética. 2 v. 2ª edição. Rio de Janeiro. Editora Record. 1990.

MATOS, Mário

Casa das Três Meninas. Belo Horizonte. Movimento Editorial Panorama. 1949.

MATOSO CÂMARA JR., J.

Ensaios Machadianos. Rio de Janeiro. Livraria Acadêmica. 1962.

Estrutura da Língua Portuguesa. 2ª edição. Petrópolis. Editora Vozes Ltda. 1970.

Manual de Expressão Oral e Escrita. Rio de Janeiro. J. Ozon Editor 1961.

MATSINHE, Inácio

Transformei-me em Tartaruga para Resistir. Lisboa. Casa Viva. S.d. 1975.

MATUSSE, Hilário

— em *Tempo,* 5/9/1982. Maputo.

MEDAUAR. Jorge

Água Preta. São Paulo. Editora Brasiliense. 1958.

MEDEIROS, Maurício de

Homens Notáveis. Rio de Janeiro. Livraria José Olímpio Editora. 1964.

MEDEIROS DE SANT'ANA, Moacir

História do Modernismo em Alagoas (1922–1932). Maceió. Editora da Universidade Federal de Alagoas. 1980.

MEDEIROS E ALBUQUERQUE

Contos Escolhidos. Rio de Janeiro – Paris. H. Garnier, Livreiro-Editor. 1907.

Mãe Tapuia. Rio de Janeiro – Paris. H. Garnier, Livreiro-Editor. S.d.

Poesias. Edição definitiva. Rio de Janeiro – Paris. H. Garnier, Livreiro-Editor. 1905.

Surpresas... Rio de Janeiro. Flores & Mano – Editores. 1934.

MEDEIROS LEANDRO, Sineide

— Ap. LEANDRO DE CASTRO, Nei. *Contistas Norte-Rio-Grandenses* (q. v.).

MEIGOS, Filimone

Poema & Kalash in Love. Maputo. Associação dos Escritores Moçambicanos. 1995.

MEIRELES, Cecília

Eternidade de Israel. Rio de Janeiro. Ed. do Centro Cultural Brasil – Israel. 1959.

Giroflê Giroflá. Rio de Janeiro. Editora Civilização Brasileira. MCMLVI.

Nunca mais... e Poema dos Poemas. Rio de Janeiro. Editora A Grande Livraria Leite Ribeiro. S.d.

Obra Poética. 2ª edição. Rio de Janeiro. Cia José Aguilar Editora. 1967.

Poemas Escritos na Índia. Rio de Janeiro. Livraria São José. S. d.

Romanceiro da Inconfidência. Rio de Janeiro. Livros de Portugal. MCMLIII.

MELHOR, Anísio

Violas. Bahia. Imprensa Vitória. 1935.

MELO, Arnon de

África. Rio de Janeiro. Livraria José Olímpio Editora. 1941.

MELO, D. Francisco Manuel de

Apólogos Dialogais. Prefácio e notas de Fernando Néri. Rio de Janeiro. Livraria Castilho. 1920.

Carta de Guia de Casados. Estudo crítico, notas e glossário por Edgar Prestage. Lisboa. Nova edição de Álvaro Pinto – 'Ocidente'. 1954.

MELO, Evaldo Cabral de

A Outra Independência. O Federalismo Pernambucano de 1817 a 1824. São Paulo. Editora 34. 2004.

MELO, Guilherme de

A Estranha Aventura. Beira. Notícias da Beira. 1961.

A Sombra dos Dias. Amadora. Bertrand. 1981.

Os Leões Não Dormem Esta Noite. Lisboa. Notícias. 1989.

Raízes do Ódio. Lisboa. Notícias. 1990. [1ª edição: 1965].

MELO, João

Canção do Nosso Tempo. Luanda. União dos Escritores Angolanos. 1989.

Definição. Luanda. União dos Escritores Angolanos. 1985.

MELO, José Maria de

Enigmas Populares. Rio de Janeiro. Editora A Noite. 1950.

Os Canoés. Recife. Universidade Federal de Pernambuco. 1971.

MELO, Patrícia

Valsa Negra. São Paulo. Companhia das Letras. 2003.

MELO, Tiago de

Mormaço na Floresta. Rio de Janeiro – São Paulo. Editora Civilização Brasileira S. A. – Massao Ohno. 1981.

Vento Geral. Rio de Janeiro. Livraria José Olímpio Editora. 1960.

MELO FRANCO, Afonso Arinos de

A Alma do Tempo. Rio de Janeiro. Livraria José Olímpio Editora. 1961.

Alto-Mar. Maralto. Rio de Janeiro. Livraria José Olímpio Editora. 1976.

Amor a Roma. Rio de Janeiro. Editora Nova Fronteira. 1982.

O Índio Brasileiro e a Revolução Francesa. Rio de Janeiro. Livraria José Olímpio. 1937.

Planalto. Rio de Janeiro. Livraria José Olímpio Editora. 1955.

Um Estadista da República. Rio de Janeiro. Livraria José Olímpio Editora. 1937.

MELO FRANCO, Caio de

O Inconfidente Cláudio Manuel da Costa. Rio de Janeiro. Schmidt, editor. 1931.

MELO MACHADO, Gilca da Costa

Mulher Nua. 2ª edição. Rio de Janeiro. Jacinto Ribeiro dos Santos. Editor. 1922.

Poesias. Rio de Janeiro. Editor Jacinto Ribeiro dos Santos. 1918.

MORAIS, A. MELO

História do Brasil-Reino e Brasil-Império, t. 1. Rio de Janeiro. Tipografia de Pinheiro. 1871.

MELO MORAIS FILHO

Cantos do Equador. Edição definitiva. Rio de Janeiro – Paris. H. Garnier, Livreiro--Editor. 1900.

Festas e Tradições Populares do Brasil. Nova edição revista e aumentada. Rio de Janeiro – Paris. H. Garnier, Livreiro-Editor. 1901.

Quadros e Crônicas. Rio de Janeiro. H. Garnier, Livreiro-Editor. S.d.

MELO MOURÃO, Gerardo

O Valete de Espadas. 2ª edição. Rio de Janeiro. Edições GRD. 1965.

MELO NETO, João Cabral de

Duas Águas. Rio de Janeiro. Livraria José Olímpio Editora. 1956.

Poesias Completas (1940–1965). Rio de Janeiro. Editora Sabiá. 1968.

MELO NÓBREGA

Arredores da Poesia. São Paulo. Conselho Estadual de Cultura. 1970.

Educação de B. Lopes. Rio de Janeiro. Livraria São José. 1959.

O Soneto de Arvers. 2ª edição. Rio de Janeiro. Livraria São José. 1957.

MENDES, João Maria

A Mulher do Terrorista. Lisboa. Quetzal Editores. 1995.

MENDES, Manuel Odorico

Ilíada de Homero em Verso Português. Rio de Janeiro. Tipografia Gutenberg. 1874.

MENDES, Murilo

O Discípulo de Emaús. Rio de Janeiro. Livraria Agir Editora. 1945.

MENDES, Orlando

Adeus de Gutucumbui. Lourenço Marques. Livraria Acadêmica. 1974.

Depois do Sétimo Dia. Lourenço Marques. Tribuna. 1963.

Portagem. Maputo. Instituto Nacional do Livro e do Disco. 1981.[1ª edição: 1966].

Véspera Confiada. Lourenço Marques. Livraria Acadêmica. 1968.

MENDES CAMPOS, Paulo

Homenzinho na Ventania. Rio de Janeiro. Editora do Autor. 1962.

O Cego de Ipanema. Rio de Janeiro. Editora do Autor. 1960.

Os Bares Morrem numa Quarta-Feira. São Paulo. Editora Ática S. A. 1960.

MENDES LEAL

— em CASTILHO, Antônio Feliciano de, O *Médico à força* [de Molière]. [Tradução]. Por ordem e na Tipografia da Academia das Ciências de Lisboa. 1869.

MENDES PINTO, Fernão

Peregrinação. Nova edição, conforme a de 1614, preparada e organizada por A. J. da Costa Pimpão e César Pegado. 7 v. Porto. Portucalense Editora. 1944 [os 2 primeiros volumes.]. 1945 [os demais].

MENDONÇA, Fernando de

13 Decassílabos, Maceió. 1922.

MENDONÇA, José Luis

Respirar as Mãos na Pedra. Luanda. União dos Escritores Angolanos. 1989.

MENDONÇA, Lúcio de

Caricaturas instantânea. Rio de Janeiro. Editora S. A. A Noite. S.d. [Esta obra, póstuma, traz, em seguida ao nome, o pseudônimo Juvenal Gavarni, com que foram publicados na Gazeta de Notícias, em 1869, os trabalhos nela enfeixados.].

Esboços e Perfis. Rio de Janeiro. Livraria H. Lombaerts & Cia. 1889.

Horas do Bom Tempo. Rio de Janeiro. Laemmert & Cia. Editores. 1901.

MENDONÇA, Salvador de
— em MENDONÇA, Lúcio de, *Esboços e Perfis* (q. v.).
MENDONÇA JR., A. S. de
Jornal da Província, Maceió – Alagoas. 1948.
O Anel de Brilhante e Outras Estórias. Brasília. Senado Federal. 1979.
Poemas fora da Moda. Rio de Janeiro. Apex Gráfica e Editora Ltda. 1971.
MENDONÇA TELES, Gilberto
Camões e a Poesia Brasileira. Rio de Janeiro. MEC – Departamento de Assuntos Culturais. 1973.
Plural de Nuvens. Porto. Editora Gota de Água. 1984.
Saciologia Goiana. Rio de Janeiro. Editora Civilização Brasileira. INL. 1982.
MENESES, Emílio de
Mortalhas (Os Deuses em Ceroulas). Rio de Janeiro. Livraria Editora Leite Ribeiro. 1924.
Últimas Rimas. Rio de Janeiro. Livraria Editora Leite Ribeiro & Maurilo. 1917.
MENESES E SOUSA, João Cardoso de (Barão de Paranapiacaba)
— V. PARANAPIACABA, Barão de
MENEZES, Euclides de
Totí Cadabra e Novas Estórias. Linda-a-Velha. ALAC. 1990.
MERCADANTE, Paulo
A Consciência Conservadora no Brasil. Rio de Janeiro. Editora Zahar. 1965.
Graciliano Ramos – O Manifesto do Trágico. Rio de Janeiro. Topbooks. 1994.
Portugal Ano Zero. Rio de Janeiro. Editora Artenova S. A. 1975.
Os Sertões do Leste. Rio de Janeiro. Zahar Editores. 1973.
MERQUIOR, José Guilherme
De Anchieta Euclides. Breve História da Literatura Brasileira. I. Rio de Janeiro. Livraria José Olímpio Editora. 1977.
— em *Edições Críticas de Obras de Machado de Assis. Várias Histórias*. Rio de Janeiro. Editora Civilização Brasileira. Brasília. INL. 1975.
Formalismo e Tradição Moderna: O Problema da Arte na Crise da Cultura. Rio de Janeiro. Forense Universitária. São Paulo. Ed. da Universidade de São Paulo. 1974.
MESQUITA, Alfredo
Brasil. Viagem ao Norte e Nordeste. São Paulo. Livraria Martins Editora. 1974.
MESQUITA, José de
No Tempo da Cadeirinha. Rio de Janeiro. Edições O Cruzeiro. 1964.
MEYER, Augusto
A Chave e a Máscara. Rio de Janeiro. Edições O Cruzeiro. 1964.
A Forma Secreta. Rio de Janeiro. Editora Lidador. 1965.
À Sombra da Estante. Rio de Janeiro. Livraria José Olímpio Editora. 1954.
Machado de Assis (1935–1958). Rio de Janeiro. Livraria São José. 1958.
No Tempo da Flor. Rio de Janeiro. Edições O Cruzeiro. 1966.
Preto & Branco. Rio de Janeiro. Ministério da Educação e Cultura. Instituto Nacional do Livro. 1956.
Prosa dos Pagos. [2ª edição]. Rio de Janeiro. Livraria São José. 1960.
Segredos da Infância. Porto Alegre. Editora Globo. 1949.
MIGUEL, Salim
Alguma Gente. Florianópolis. Edições Sul. 1953.
MILANO, Atílio
Literatura Dissipada. Rio de Janeiro. Livraria José Olímpio Editora. 1954.
MILANO, Dante
Poesias. 3ª edição, revista e aumentada. Rio de Janeiro. Editora Sabiá Ltda. Instituto Nacional do Livro. 1971.
MILARÉ, Edis
— V. FÜHRER. Maximilianus e MILARÉ, Edis
MIRANDA, Nuno de
Cais de Pedra. Praia. Instituto Caboverdiano do Livro e do Disco. 1989.
Compreensão de Cabo Verde. Lisboa. Junta de Investigações do Ultramar. 1963.
Gente da Ilha. Lisboa. Agência Geral das Colônias. 1961.
MOISÉS, Massaud
A Criação Literária. São Paulo. Edições Melhoramentos. Universidade de São Paulo. 1967.
MOLITERNO, Carlos
Notas sobre Poesia Moderna em Alagoas. Maceió. Departamento Estadual de Cultura. 1965.
MOMPLÉ, Lília
Neighbours. Maputo. Associação dos Escritores Moçambicanos. 1995.
Ninguém Matou Suhura. Maputo. Associação dos Escritores Moçambicanos. 1988.
MONSARAZ, Conde de
Musa Alentejana. Lisboa. Livraria Clássica Editora. 1908.
MONTEIRO, Clóvis
Português da Europa e Português da América. 2ª edição. Rio de Janeiro.
MONTEIRO, Domingos
Contos do Dia e da Noite. Lisboa. Sociedade de Expansão Cultural. S.d.
Enfermaria, Prisão e Casa Mortuária. Lisboa. Sociedade de Expansão Cultural. S. d.
Histórias Castelhanas. Lisboa. Sociedade de Expansão Cultural. S.d.
Histórias das Horas Vagas. Lisboa. Sociedade de Expansão Cultural. 1966.
O Primeiro Crime de Simão Bolandas. Lisboa. Sociedade de Expansão Cultural. S.d.
MONTEIRO, Tobias
História do Império. O Primeiro Reinado. Tomo II. Rio de Janeiro. F. Briguiet & Cia. – Editores. 1946.
O Presidente Campos Sales na Europa. Rio de Janeiro. F. Briguiet & Cia – Editores. 1928.
Pesquisas e Depoimentos Para a História. 2º milheiro. Rio de Janeiro. Livraria Francisco Alves & Cia. 1913.
MONTEIRO DOS SANTOS, Carlos
20 Canções da Zambeze. Lisboa. África Editora. 1980.
MONTEIRO LOBATO
A Barca de Gleyre. São Paulo. Companhia Editora Nacional. 1944.
América. São Paulo. Companhia Editora Nacional. 1932
Cidades Mortas. São Paulo. Editora Brasiliense Ltda. 1959.
Negrinha. São Paulo. 7ª edição. Editora Brasiliense Ltda. 1956.
Urupês, Outros Contos e Coisas. São Paulo. Companhia Editora Nacional. 1943.
MONTELO, Josué
A Décima Noite. Rio de Janeiro. Livraria José Olímpio Editora. 1959.
A Luz da Estrela Morta. Rio de Janeiro. Livraria José Olímpio Editora. 1948.
A Noite sobre Alcântara. Rio de Janeiro. Livraria José Olímpio Editora. 1978.
Artur Azevedo e a Arte do Conto. Rio de Janeiro. Livraria São José. 1958.
Cais da Sagração. São Paulo. Livraria Martins Editora S. A. 1971.
Estante Giratória. Rio de Janeiro. Livraria São José. 1971.
Janelas Fechadas. Rio de Janeiro. Editora Nova Fronteira. 1982.
O Baile de Despedida. Rio de Janeiro. Editora Nova Fronteira. 1992.
O Fio da Meada. Rio de Janeiro. Edições O Cruzeiro. 1955.
O Labirinto de Espelhos. São Paulo. Livraria Martins Editora. 1962.
Os Degraus do Paraíso. São Paulo. Livraria Martins Editora. 1965.
Os Tambores de São Luís. Rio/Brasília. Livraria José Olímpio Editora.
Uma Tarde, Outra Tarde. São Paulo. Livraria Martins Editora. 1968.
MONTENEGRO, Olívio
Retratos e Outros Ensaios. Rio de Janeiro. Livraria José Olímpio Editora. 1959.
MONTENEGRO, Teresa e MORAIS, Carlos de
Uori: Stórias de Lama e Philosophia. Bissau. Ku Si Mon Editora. 1995.
MORAIS, Carlos
Agora Deus Vai Te Pegar lá fora. Rio de Janeiro. Editora Record. 2004.
MORAIS, Carlos de
— V. MONTENEGRO, Teresa e MORAIS, Carlos de
MORAIS, Emanuel de
Manuel Bandeira. Rio de Janeiro. Livraria José Olímpio Editora. 1962.
MORAIS, Raimundo
Anfiteatro Amazônico. 2ª edição. São Paulo. Comp. Melhoramentos de São Paulo. S.d.
Na Planície Amazônica. 3ª edição. Rio de Janeiro. Civilização Brasileira Editora. S.d.
País das Pedras Verdes. Manaus. Imprensa Pública. 1930.
MORAIS, Vinicius de
Antologia Poética. 2ª edição, revista e aumentada. Rio de Janeiro. Editora do Autor. 1960.
Para Viver um Grande Amor. Rio de Janeiro. Editora do Autor. 1962.
Poemas, Sonetos e Baladas. São Paulo. Edições Gaveta. 1946.
Poesia Completa e Prosa. Rio de Janeiro. Editora Nova Aguilar S. A. 1976.
MORAIS FILHO, Evaristo de
Literatura e Filosofia. Separata de *A Literatura no Brasil*. 2ª edição. v. 6. Rio de Janeiro. 1971.
MORAIS ROCHA, José de
"O Major Fausto".
— Ap. Revista do Brasil. Ano III. 3ª fase. nº 26. Agosto. 1940. Rio de Janeiro.
MOREIRA, Albertino
Boca-Pio. Rio de Janeiro. Edição da 'Organização Simões'. 1955.
Gente de Serra acima. São Paulo. Editora Brasiliense Ltda. S.d.
Uruguai – Argentina – Chile. São Paulo. Editora Brasiliense. 1946.
MOREIRA, Álvaro
As Amargas, não... 2ª edição. Rio de Janeiro. Editora Lux. 1955.
Havia uma Oliveira no Jardim. Rio de Janeiro. Jotapé. Livreiro, Editor. 1958.
MOREIRA CAMPOS
As Vozes do Morto. São Paulo. Livraria Francisco Alves. 1963.
O Puxador de Terço. Rio de Janeiro. Livraria José Olímpio Editora. 1969.
Os Doze Parafusos. São Paulo. Editora Cultrix. 1978.
Portas Fechadas. Rio de Janeiro. Edições O Cruzeiro. 1957.
MOREIRA DA COSTA, Flávio
Nem Todo Canário É Belga. Rio de Janeiro. Editora Record. 1997.
MOREIRA DA FONSECA, José Paulo
Breves Memórias de Alexandros Apollonios. Rio de Janeiro. 1960.
Tua Morada é a Viagem. Rio de Janeiro. Olga G. Bahiense Gráfica Editora. 1980.
MOREIRA DUARTE, José Afrânio
A Muralha de Vidro. Belo Horizonte. Imprensa Oficial de Minas Gerais. 1971.
MORENO, Bento
— V. TEIXEIRA DE QUEIRÓS
MORLEY, Helena
Minha Vida de Menina. 4ª edição. Rio de Janeiro. Livraria José Olímpio Editora. 1958.
MOTA, Artur
José de Alencar. Rio de Janeiro. F. Briguiet & Cia. – Editores. MCMXXI.
MOTA, Leonardo
A "Padaria Espiritual". Fortaleza. Ceará. Edésio – Editor. 1938.
Cantadores. Rio de Janeiro. Livraria Castilho. 1921.
No Tempo de Lampião. Rio de Janeiro. Oficina Industrial Gráfica. 1930.
Sertão Alegre. Belo Horizonte. Imprensa Oficial de Minas. 1928.
Violeiros do Norte. São Paulo. Cia. Gráfico-Editora Monteiro Lobato. 1925.
MOTA, Mauro
A Estrela de Pedra e Outros Ensaios Nordestinos. Recife. Assembleia Legislativa do Estado de Pernambuco. 1981.
Geografia Literária. Rio de Janeiro. Instituto Nacional do Livro. 1961.
O Pátio Vermelho. Rio de Janeiro. Edições Orfeu. 1968.
Votos e Ex-Votos. Recife. Universidade Federal de Pernambuco. 1968.
MOTA BERARDINELI, Cleonice Seroa da
Sonetos de Camões. Lisboa – Paris. Centre Culturel Portugais. Rio de Janeiro. Fundação Casa de Rui Barbosa. 1980.
MOTA FILHO, Cândido
Contagem Regressiva. Rio de Janeiro. Livraria José Olímpio Editora. 1972.
MOURA, Emílio
Itinerário Poético. Belo Horizonte. Edições Imprensa Publicações. 1969.
MOURA, Luís
Jeito Carioca. Rio de Janeiro. Editora Prestígio. 2010.

MOURA, Vasco Graça
Partida do Sofonisba às Seis e Doze da Manhã. Lisboa. Quetzal Editores. 1993.
MOUTINHO, Irene
Até Agora, Nada. Rio de Janeiro. Editora Nova Fronteira A/Instituto Nacional do Livro. 1984.
MUHLANGA, Orlando
Diário de Sangue. Maputo. Coopimagem. 1993.
MULANGA, Aldino
A Noiva de Kebera. Maputo. Editora Escolar. 1992.
Magustana. Maputo. Tempo. 1992.
MURAT, Luís
Ondas. 3 volumes. [I]. Rio de Janeiro. Jerônimo Silva e Adolfo – Editores. 1800. [II]. Rio de Janeiro. Tip. Leuzinger. 1895. [III]. Porto Livraria Chardron. 1910.
MURICI, Gen. José Cândido
Parada Morta. Rio de Janeiro. Alba. S.d.
MUTEIA, Hélder
Nhambaro. Maputo. Associação dos Escritores Moçambicanos. 1996.
NABUCO, Carolina
Oito Décadas. Rio de Janeiro. Livraria José Olímpio Editora. 1973.
NABUCO, Joaquim
Escritos e Discursos Literários. Rio de Janeiro – Paris. Livraria Garnier. S.d.
Minha Formação. Rio de Janeiro – Paris. H. Garnier, Livreiro-Editor. 1900.
Um Estadista do Império. 2ª edição. 3 tomos. Rio de Janeiro – Paris. H. Garnier, Livreiro Editor. 1927.
NACRE, Mardoqueu.
4 Fuloreios.
— Ap. MARROQUIM, Mário. *A Língua do Nordeste* (q. v.).
NAMORA, Fernando
Os Clandestinos. Lisboa. Publicações Europa-América. 1972.
Retalhos da Vida de um Médico. 3ª edição, ampliada. Lisboa. Editorial Inquérito Ltda. S.d.
NASCENTES, Antenor
Tesouro da Fraseologia Brasileira. 2ª edição. Rio de Janeiro. Livraria Freitas Bastos S. A. 1966.
NASSER, Davi
O Velho Capitão e Outras Histórias Reais. Rio de Janeiro. Edições O Cruzeiro. 1962.
Portugal, Meu Avozinho. Rio de Janeiro. Edições O Cruzeiro. 1965.
NATIVIDADE SALDANHA, José da
— Ap. BUARQUE DE HOLANDA, Sérgio. *Antologia dos Poetas Brasileiros da Fase Colonial* (q. v.).
NAVA, Pedro.
Balão Cativo. Rio de Janeiro. Livraria José Olímpio Editora. 1973.
Baú de Ossos. Rio de Janeiro. Editora Sabiá Ltda. 1972.
Beira-Mar. Rio de Janeiro. Livraria José Olímpio Editora. 1978.
Chão de Ferro. Rio de Janeiro. Livraria José Olímpio Editora. 1976.
O Círio Perfeito, 4ª edição. Rio de Janeiro. Editora Nova Fronteira. 1985.
NAVARRO, Newton
— Ap. LEANDRO DE CASTRO, Nei. *Contistas Norte-Rio-Grandenses* (q. v.).
NESTOR VÍTOR
A Crítica de Ontem. Rio de Janeiro. Livraria Editora Leite Ribeiro & Maurilo. 1919.
Folhas que Ficam. Rio de Janeiro. Grande Livraria Editora Leite Ribeiro & Maurilo. 1920.
Obra Crítica. 2 volumes. Rio de Janeiro. Ministério da Educação e Cultura. Fundação Casa de Rui Barbosa. 1969 e 1973.
Paris. 2ª edição, corrigida. Rio de Janeiro. Livraria Francisco Alves. 1913.
NESTROVSKI, Arthur
Ironias da Modernidade. São Paulo. Editora Ática S. A. 1996.
NETO, Agostinho
Sagrada Esperança. Lisboa. Sá da Costa. 1974.
NEVES DA FONTOURA, João
Memória. V. I. Borges de Medeiros e Seu Tempo. Porto Alegre. Editora Globo. 1958.
NHLONGO, Lindo.
2 Peças de Teatro – Os Noivos ou Conferência Dramática Sobre o Lobolo. Maputo. Associação dos Escritores Moçambicanos. 1995.
NIEMEYER, Oscar
As Curvas do Tempo: Memórias. RJ. Revan. 1999.
NOBRE, Antônio
Despedidas. 3ª edição. Porto. 1945.
Só. 3ª edição. Paris – Lisboa. Livrarias Aillaud e Bertrand. 1913.
NOGUEIRA, Armando
Na Grande Área. Rio de Janeiro. Bloch Editores S. A. 1966.
NORONHA, Rui de
— em *No Reino de Caliban III.* [Antologia organizada por Manuel Ferreira]. Lisboa. Plátano Editora. 1985.
NUNES, Dr. J. J.
Digressões Lexicológicas. Lisboa. Livraria Clássica Editora. 1928.
NUNES PEREIRA
Moronguetá. 2 v. Rio de Janeiro. Editora Civilização Brasileira S. A. 1967.
OITICICA, José
Curso de Literatura. Rio de Janeiro. Editora Germina. 1960.
Fonte Perene. Rio de Janeiro. Edição da 'Organização Simões'. 1954.
Manual de Estilo. 2ª edição. Rio de Janeiro. Livraria Francisco Alves. 1933.
OLEGÁRIO MARIANO
Toda uma Vida de Poesia. 2 v. Rio de Janeiro. Livraria José Olímpio Editora. 1957.
OLINTO, Antônio
Copacabana. 2ª edição. Rio de Janeiro. Editorial Nórdica Ltda. Brasília. Instituto Nacional do Livro. 1981.
OLIVEIRA, Alberto de
Lírica. Rio de Janeiro. Livraria São José. 1971.
Poesias. Edição melhorada. 1ª série, Rio de Janeiro – Paris. Livraria Garnier. 1912.
Poesias. Edição melhorada. 2ª série. Rio de Janeiro – Paris. Livraria Garnier. 1912.
Poesias. 3ª série. 3ª edição. Rio de Janeiro. Livraria Francisco Alves. 1928.
Poesias. 4ª série. 2ª edição. Rio de Janeiro. Livraria Francisco Alves. 1928.
Póstuma. Rio de Janeiro. Academia Brasileira de Letras. 1944.
— Ap. *Contos e Novelas.* 3 v. Seleção de Graciliano Ramos. Rio de Janeiro. Livraria. Editora da Casa do Estudante do Brasil. 1957.
OLIVEIRA, Alberto d'
Prosa & Verso. T. 1. Paris – Lisboa. Livrarias Aillaud e Bertrand. MDCCCXVII.
OLIVEIRA, Felipe d'
Lanterna Verde. 2ª edição. Rio de Janeiro. Edição de Pimenta de Melo & Cia. 1933.
OLIVEIRA, José Carlos
A Revolução das Bonecas. Rio de Janeiro. Editora Sabiá. 1967.
OLIVEIRA, José Osório de
O Romance de Garrett. 2ª edição, revista e ampliada. Lisboa. Livraria Bertrand. 1952.
OLIVEIRA, Leôncio C. de
Vida Roceira. São Paulo. Casa Editora "O Livro" S. A. 1919.
OLIVEIRA, Marli de
Aliança. Rio de Janeiro. Editora Nova Fronteira. 1979.
A Suave Pantera. Rio de Janeiro. Edição do Anuário de Literatura Brasileira. 1962.
OLIVEIRA, Tarquínio J. B. de
Cartas Chilenas. Fontes Textuais [e 5ª edição completa da sátira de Tomás Antônio Gonzaga]. São Paulo. Editora Referência. 1972.
OLIVEIRA LIMA
Memórias. Rio de Janeiro. Livraria José Olímpio Editora. 1937.
OLIVEIRA MARTINS
A Vida de Nun'Alvares. Parceria Antônio Maria Pereira. Lisboa. MDCCCCXVII.
Cartas Peninsulares. Lisboa. Guimarães & Cia. Editores. 1952.
História da Civilização Ibérica. 7ª edição. Parceria Antônio Maria Pereira. 1923.
História de Portugal. 2 tomos. 9ª edição. Lisboa. Parceria. Antonio Maria Pereira. 1917.
O Brasil e as Colônias Portuguesas. 3ª edição, aumentada. Lisboa. Livraria Bertrand. 1887.
Portugal Contemporâneo. 6ª edição. 2 v. Lisboa. Parceria Antônio Maria Pereira. 1925.
Quadro das Instituições Primitivas. 3ª edição. Lisboa. Parceria A. M. Pereira. 1909.
OLIVEIRA PAIVA, Manuel de
Dona Guidinha do Poço. São Paulo. Edição Saraiva. 1952.
OLIVEIRA VIANA
O Idealismo da Constituição. Rio de Janeiro. Edição de Terra de Sol. 1927.
O Ocaso do Império. São Paulo. Comp. Melhoramentos de S. Paulo. S.d.
Pequenos Estudos de Psicologia Social. São Paulo. Monteiro Lobato & Cia. – Editores. 1923.
Populações Meridionais do Brasil. 1º [e único] volume. 4ª edição. São Paulo. Companhia Editora Nacional. 1938.
Problemas de Política Objetiva. São Paulo. Companhia Editora Nacional. 1930.
OLIVETTO, Washington
Os Piores Textos de Washington Olivetto. São Paulo. Editora Planeta do Brasil, 2004.
ONOFRE JÚNIOR, M.
— Ap. LEANDRO DE CASTRO, Nei, *Contistas Norte-Rio-Grandenses* (q. v.).
OPAZO, Elly M.
— em *Sorondo,* n. 10 (julho 1990). Instituto Nacional de Estudos e Pesquisa. Bissau.
ORICO, Osvaldo
Vinha do Senhor. Rio de Janeiro. Editora Civilização Brasileira S. A. S.d.
ORLANDA AMARÍLIS
A Casa dos Mastros. Linda-a-Velha. ALAC. 1989.
Cais-do-Sodré Té Salamansa. Coimbra. Centelha. 1974.
Facécias e Peripécias. Porto. Porto Editora, 1990.
Ilhéu dos Pássaros. Lisboa. Plátano Editora. 1982.
OSÓRIO, Osvaldo
— em *Raízes,* n. 4 (out./dez. 1977). Praia.
OTTONI, José Elói
— Ap. BUARQUE DE HOLANDA, Sérgio. *Antologia dos Poetas Brasileiros da Fase Colonial* (q. v.).
OURO PRETO, Malu de
Ardentia. Rio de Janeiro. Editora Nova Fronteira. 1975.
Siri na Noite sem Lua. Rio de Janeiro. Irmãos Pongetti Editores. 1959.
— em *Vozes da Cidade.* Rio de Janeiro. Distribuidora Record. 1945.
PACAVIRA, Manuel (Pedro)
Gentes do Mato. Lisboa. Edições 70. 1981.
Nzinga Mbandi. Luanda. Biblioteca Popular Nzinga Mbandi. S.d. [1975].
PACHECO, Álvaro
A Matéria do Sonho. Rio de Janeiro. Editora Artenova Ltda. 1971.
PACHECO, Félix
Poesias. Rio de Janeiro. Jacinto Ribeiro dos Santos. 1914.
PACHECO, João
Negra a Caminho da Cidade. São Paulo. Livraria Martins Editora S. A. S.d.
PAÇO D'ARCOS, Anrique
Estrada sem Fim. Lisboa. Edições Ática. 1947.
PAÇO D'ARCOS, Joaquim
Carnaval e Outros Contos. Lisboa. Guimarães Editores. 1958.
Neve sobre o Mar. 4ª edição. Lisboa. Edições Sit. 1951.
O Navio dos Mortos e Outras Novelas. Lisboa. Edições Sit. 1952.
PÁDUA, Antônio de
Aspectos Estilísticos da Poesia de Castro Alves. Rio de Janeiro. Livraria São José. 1972.
PAIVA DE ANDRADE, Diogo de
Casamento Perfeito. Prefácio e notas do Prof. Fidelino de Figueiredo. Lisboa. Livraria Sá da Costa – Editora, 1944.
PAIXÃO, Eduardo D.
Cacimbo. 2ª edição. Lourenço Marques. Edição do Autor. 1974.
O Mulungo. Lourenço Marques. Edição do Autor. 1973.

PAIXÃO CEARENSE, Catulo da

Poemas Bravios. Rio de Janeiro. Livraria Castilho. 1921.

Meu Sertão. 14ª edição. Rio de Janeiro. Bedeschi. 1950.

PALHANO, Lauro

O Gororoba. Rio de Janeiro. Edição de Terra de Sol. 1931.

PALMA TRAVASSOS, Nélson

O Porco, Esse Desconhecido. 3ª edição. São Paulo. Edart. Livraria-Editora. 1964.

PALMÉRIO, Mário

Chapadão do Bugre. Rio de Janeiro. Livraria José Olímpio Editora. 1965.

Vila dos Confins. Rio de Janeiro. Livraria José Olímpio Editora. 1956.

PANGUANA, Marcelo

A Balada dos Deuses. Maputo. Associação dos Escritores Moçambicanos. 1991.

As Vozes que Falam de Verdade. Maputo. Associação dos Escritores Moçambicanos. 1987.

PAPINIANO CARLOS

Terra com Sede. Porto. Imprensa Portuguesa. 1946.

PARANAPIACABA, Barão de

Poesias Escolhidas. São Paulo. Conselho Estadual de Cultura. 1965.

PASSOS GUIMARÃES, Alberto

Quatro Séculos de Latifúndio. Rio de Janeiro. Editora Paz e Terra Ltda. 1968.

PATRAQUIM, Luís Carlos

Monção. Maputo. Edições 70. 1980.

PATRÍCIO, Antônio

Serão Inquieto. 2ª edição. Paris – Lisboa. Livrarias Aillaud e Bertrand. 1920.

PATROCÍNIO, José do

Mota Coqueiro ou A Pena de Morte. Rio de Janeiro. Domingos de Magalhães – Editor. S.d.

PAURÍLIO, Carlos

Solidão. Maceió. M. J. Ramalho & Cia. Ltda. Editores. 1933.

PEDERNEIRAS, Mário

Ao Léu do Sonho e à Mercê da Vida. Rio de Janeiro. 1912.

Histórias do Meu Casal. Rio de Janeiro. Companhia Tipográfica do Brasil. 1906.

Outono. Rio de Janeiro. Livraria Editora Leite Ribeiro. 1921.

PEDERNEIRAS, Raul

— Ap. COSTA, Nélson. *Páginas Cariocas*. 11ª edição, modificada. Estado da Guanabara. Secretaria de Estado de Educação e Cultura. 1961.

PEDREIRA, Fernando.

O Quebra Cabeças. Rio de Janeiro. Paz e Terra. 1998.

PEDRO IVO

Contos. 3ª edição. Lisboa. Portugal – Brasil Sociedade Editora. S.d.

PEDROSA, Inês

A Eternidade e o Desejo. Rio de Janeiro. Editora Objetiva. 2008.

Fazes-Me Falta. São Paulo. Editora Planeta do Brasil Ltda. 2003.

Nas Tuas Mãos. São Paulo: Editora Planeta do Brasil Ltda. 2005.

PEIXOTO, Afrânio

A Esfinge. 5ª edição. Rio de Janeiro. Livraria Francisco Alves. 1923.

As Razões do Coração. Rio de Janeiro. Livraria Francisco Alves. 1925.

Bugrinha. 3ª edição. Rio de Janeiro. Livraria Francisco Alves. 1928.

Castro Alves. Paris – Lisboa. Livrarias Aillaud e Bertrand. 1922.

Fruta do Mato. 3ª edição. Rio de Janeiro. Livraria Francisco Alves. 1922.

Maria Bonita. 6ª edição. São Paulo. Companhia Editora Nacional. 1934.

Miçangas, Poesia e Folclore. São Paulo. Companhia Editora Nacional. 1931.

Noções de História da Literatura Brasileira. Rio de Janeiro. Livraria Francisco Alves. 1931.

Poeira da Estrada. 2ª edição. Rio de Janeiro. Livraria Francisco Alves. 1921.

Ramo de Louro. São Paulo. Companhia Editora Nacional. 1928.

Viagem Sentimental. Rio de Janeiro. Editora Americana. 1931.

Viagens na Minha Terra. I. Portugal. Porto. Livraria Lelo & Irmão, Editores. Lisboa. Aillaud & Lelos, Ltda. 1938.

PEIXOTO, Francisco Inácio

Passaporte Proibido. Rio de Janeiro. 'Organização Simões' Editora. 1960.

PENA, Cornélio

A Menina Morta. Rio de Janeiro. Livraria José Olímpio Editora. 1954.

Fronteira. 2ª edição, revista. Rio de Janeiro. Edições O Cruzeiro. 1953.

Repouso. Rio de Janeiro. Editora A Noite. S.d.

PENA, Maria Luísa

Discurso de Posse. P.E.N. Clube do Brasil. Rio de Janeiro. Editora Dois Irmãos Ltda. 1997.

PENA FILHO, Carlos

Memórias do Boi Serapião. Recife. O Gráfico Amador. 1955.

PENA JÚNIOR, Afonso

A Arte de Furtar e o Seu Autor. 2 v. Rio de Janeiro. Livraria José Olímpio Editora. 1946.

Saudação a Teófilo Ribeiro ao Completar Cem Anos. Rio de Janeiro. Jornal do Comércio – Rodrigues & Cia. 1943.

Rimas. Edição *ne varietur*. Braga Cruz & Cia. – Editores. 1906.

PENHA, João

Ecos do Passado. Colombina. Porto. Companhia Portuguesa Editora. 1914.

PENNAFORT, Onestaldo de

Romanceiro. Edição do autor comemorativa do sexagésimo aniversário da publicação do seu primeiro livro. 1981.

O Festim, a Dança e a Degolação. Rio de Janeiro. Livraria São José. 1960.

Poesias. Rio de Janeiro. Edição da 'Organização Simões'. 1954.

Um Rei da Valsa. Rio de Janeiro. Livraria São José. 1958.

PEPETELA

A Corda. 2ª edição. Luanda. União dos Escritores Angolanos. 1980.

A Geração da Utopia. Lisboa. Dom Quixote. 1992.

As Aventuras de Ngunga. Luanda. União dos Escritores Angolanos, 1976.

Lueji. Luanda. União dos Escritores Angolanos. 1989.

Mayombe. Lisboa. Edições 70. 1980.

O Cão e os Caluandas. Lisboa. Dom Quixote. 1985.

O Desejo de Kianda. 1ª edição. Lisboa. Publicações Dom Quixote. 1995.

Yaka. São Paulo. Editora Ática. 1984.

PEREGRINO, Umberto

Três Mulheres. Rio de Janeiro. Antunes & Cia. Ltda. 1959.

PEREGRINO JÚNIOR

A Mata Submersa e Outras Histórias da Amazônia. Rio de Janeiro. Livraria José Olímpio Editora. 1960.

PEREIRA, Antônio Olavo

Fio de Prumo. Rio de Janeiro. Livraria José Olímpio Editora. 1965.

Marcoré. 5ª edição. Rio de Janeiro. Livraria José Olímpio Editora. 1971.

PEREIRA, Astrogildo

Machado de Assis. Livraria São José. Rio de Janeiro. 1959.

PEREIRA, José Pacheco

O Nome e a Coisa. 3ª edição. Lisboa. Editorial Notícias. 1997.

PEREIRA, Lúcia Miguel

A Vida de Gonçalves Dias. Rio de Janeiro. Livraria José Olímpio Editora. 1955.

Cobra-Cega. Rio de Janeiro. Livraria José Olímpio Editora. 1954.

História da Literatura Brasileira. Rio de Janeiro – São Paulo. Livraria José Olímpio Editora. 1950.

Machado de Assis. 5ª edição, revista. Rio de Janeiro. Livraria José Olímpio Editora. 1955.

PEREIRA CORUJA, Antônio Álvares

Antigualhas. Reminiscências de Porto Alegre. Porto Alegre. Erus. 1983.

PEREIRA DA SILVA, A. J.

Holocausto. Rio de Janeiro. Grande Livraria Editora de Leite Ribeiro. 1921.

PEREIRA DE FIGUEIREDO, Antônio

O Novo Testamento de Jesus Cristo. Tradução segundo a Vulgata Latina. Lisboa. Adolfo Modesto & Cia. – Impressores. 1891.

PEREZ, Renard

Os Sinos. O Tombadilho. 2ª edição, revista. Rio de Janeiro. Editora Civilização Brasileira S. A. 1970.

PERNETA, Emiliano

Poesias Completas. 2 v. Rio de Janeiro. Livraria Editora Zélio Valverde. 1945.

PESSANHA, Camilo

Clepsidra e Outros Poemas. Lisboa. Edições Ática. 1969.

PESSOA, Fernando

Cartas a Armando Cortes-Rodrigues. Lisboa. Editorial Confluência Ltda. S.d.

Mensagem. Lisboa. Editorial Ática. 1945.

Obra Poética. Rio de Janeiro. Companhia José Aguilar Editora. 1974.

Obras em Prosa. Rio de Janeiro. Editora Nova Aguilar, S. A. 1982.

Páginas de Doutrina Estética. Seleção, prefácio e notas de Jorge de Sena. Lisboa. Editorial Inquérito Ltda. 1946.

Páginas Íntimas e de Autointerpretação. Lisboa. Edições Ática. 1966.

Poemas de Alberto Caeiro. Lisboa. Edições Ática. 1946.

Poemas Dramáticos. 1. Lisboa. Ática, Ltda. 1952.

Poesias de Álvaro de Campos. Lisboa. Editorial Ática. 1944.

Poesias de Fernando Pessoa. 2ª edição. Lisboa, Editorial Ática. 1943.

PICCHIA, Menotti del

A Longa Viagem. 1ª etapa. São Paulo, Livraria Martins Editora. 1970.

Juca Mulato. 5ª edição. São Paulo. Cia. Gráfica-Editora Monteiro Lobato. 1925.

Máscaras. São Paulo. Oficinas Gráficas Monteiro Lobato & Cia. 1920.

O Árbitro. São Paulo. Livraria Martins Editora. 1958.

Salomé. São Paulo. Livraria Martins Editora. 1958.

PIGNATARI, Décio

Signagem da Televisão. 2ª ed. São Paulo. Editora Brasiliense S. A. 1984.

PIMENTEL, Alberto

O Romance do Romancista. Lisboa. Empresa Editora de F. Pastor. 1890.

PINA DE MORAIS

Sangue Plebeu. Porto. Edição Marânus. 1942.

Vidas e Sombras. Porto. Edição Marânus. 1949.

PINHEIRO CHAGAS

A Varanda de Julieta. Lisboa. Livraria Editora de Matos Moreira & Cia. 1876.

PINHEIRO PINDELA, Bernardo

Azulejos. Porto. Campos & Godinho – Editores. 1886.

PIÑON, Nélida

A Força do Destino. Rio de Janeiro. Editora Record. Cia. 1977.

O Calor das Coisas. Rio de Janeiro. Editora Nova Fronteira. 1980.

Sala de Armas. 2ª edição. Rio de Janeiro. Editora Nova Fronteira. 1981.

PINTO, Ângelo C.

Química Nova. São Paulo. 1995.

PINTO, Estêvão

Etnologia Brasileira. (Fulniô – Os Últimos Tapuias). São Paulo. Companhia Editora Nacional. 1956.

Muxarabis & Balcões e Outros Ensaios. São Paulo. Companhia Editora Nacional. 1958.

PINTO, José Alcides

O Criador de Demônios. Rio de Janeiro. Edições GRD. 1967.

PINTO DA SILVA, João

Fisionomias de "Novos". São Paulo. Monteiro Lobato & Cia. Editores. 1922.

PINTO DE ABREU, Antônio

— em *Tempo*. 12/5/1985. Maputo.

PINTO MONTEIRO, Ézio

Chico. Rio de Janeiro. Ministério da Educação e Cultura. Serviço de Documentação. 1963.

PIRES, Cornélio

Cenas e Paisagens da Minha Terra. 1º milheiro. São Paulo. Edição *Revista do Brasil*. 1921.

Quem Conta um Conto... São Paulo. Tip. Piratininga. 1919.

PIRES, Homero

Junqueira Freire. Rio de Janeiro. Edição de "A Ordem" 1929.

— em CASTRO ALVES. *Poesias Escolhidas* (q. v.).

PIRES, Virgílio
— em *No Reino de Caliban I*. Antologia organizada por Manuel Ferreira. Lisboa. Seara Nova. 1975.
PÓLVORA, Hélio
A Força da Ficção. Petrópolis – Rio de Janeiro. Editora Vozes Ltda. 1971.
POMPEIA, Raul
O Ateneu. 4ª edição, definitiva. Rio de Janeiro. Livraria Francisco Alves. S. d.
Obras. Vol. III. Organização de Afrânio Coutinho. Rio de Janeiro. MEC/Fename/Editora Civilização Brasileira S. A. 1981.
PONTE PRETA, Stanislaw
Febeapá 1. 8ª edição. Rio de Janeiro. Editora Civilização Brasileira. 1975.
Febeapá 2. Segundo Festival de Besteira Que Assola o País. Rio de Janeiro, Editora Sabiá. 1967.
Rosamundo e os Outros. Rio de Janeiro. Editora do Autor. 1963.
Tia Zulmira e Eu. 3ª edição. Rio de Janeiro. Edição do Autor. 1961. [É pseudônimo de Sérgio Porto (q. v.).].
PONTES, Carlos
Motivos e Aproximações. Rio de Janeiro. Jornal do Comércio. 1953.
Tavares Bastos. São Paulo. Companhia Editora Nacional. 1939.
PONTES DE MIRANDA
Fontes e Evolução do Direito Civil Brasileiro. 2ª edição. Rio de Janeiro. Ed. Forense. 1981.
Obras Literárias. Rio de Janeiro. Livraria José Olímpio Editora. 1980.
Tratado de Direito Privado. Parte Especial. Tomo XXXIX. Rio de Janeiro. Editor Borsoi. 1962.
PORTO, Sérgio
A Casa Demolida. Rio de Janeiro. Editora do Autor. 1963.
O Homem ao Lado. Rio de Janeiro. Livraria José Olímpio Editora, 1958.
— V. tb. PONTE PRETA, Stanislaw.
PORTO SEGURO, Visconde de
História Geral do Brasil. 3ª edição integral. 5 tomos. São Paulo. Companhia Melhoramentos de S. Paulo. S.d.
POTIGUARA, José
Terra Caída. Rio de Janeiro. Livraria Sant'Ana Editora S. A. S.d.
POVINA CAVALCANTI
Hermes Fontes. Rio de Janeiro. Livraria José Olímpio Editora. 1964.
Vida e Obra de Jorge de Lima. Rio de Janeiro. Edições Correio da Manhã. 1969.
Volta à Infância – Memórias. Rio de Janeiro. Livraria José Olímpio Editora. Instituto Nacional do Livro. 1972.
PRADO, Adélia
Cacos para um Vitral. Rio de Janeiro. Editora Nova Fronteira. 1980.
Filandras. Rio de Janeiro. Editora Record, 2001.
Manuscritos de Felipa. 2ª edição. São Paulo. Editora Siciliano. 1999.
Os Componentes da Banda. Rio de Janeiro. Editora Nova Fronteira, 1984.
Solte os Cachorros. Rio de Janeiro. Editora Nova Fronteira, 1979.
PRADO, Eduardo
Coletâneas. 4 v. São Paulo. Escola Tipográfica Salesiana. 1904. [os dois primeiros volumes.]. 1906 [os dois últimos].
Fastos da Ditadura Militar no Brasil. 1ª série. 4ª edição. 1890.
PRADO, Paulo
Retrato do Brasil. 2ª edição. São Paulo. D. P. & Cia. 1928.
PRADO COELHO, Jacinto do
Diversidade e Unidade em Fernando Pessoa. Lisboa. Edição da Revista 'Ocidente'. 1949.
Introdução ao Estudo da Novela Camiliana. Coimbra. 1946.
PRADO VALADARES, Clarivaldo
Riscadores de Milagres. Rio de Janeiro. Publicação da Superintendência de Difusão Cultural da Secretaria de Educação do Estado da Bahia. 1967.
PRATA, Ranulfo
Navios Iluminados. 3ª edição. Rio de Janeiro. Edições O Cruzeiro. 1959.
QUADROS, Antônio
Ensaios. A Existência Literária. Lisboa. Sociedade de Expansão Cultural. 1959.
QUEIRÓS, Amadeu de
João. Porto Alegre. Edição da Livraria do Globo. 1945.
Os Casos do Carimbamba. Rio de Janeiro. Editora S. A. A Noite. S.d.
QUEIRÓS, Artur
Kapitupitu – A Verdadeira Estória dum Anarquista Fuzilado. Porto. Afrontamento. 1980.
Mukandono. Lisboa. Ulmeiro, 1980.
QUEIRÓS, Carlos
Breve Tratado de Não Versificação. Lisboa. Edição do Autor. 1948.
QUEIRÓS, Maria José de
Como me Contaram. Belo Horizonte. Imprensa/Publicações. 1973.
Homem de Sete Partidos. Rio de Janeiro. Civilização Brasileira Editora. 1980.
QUEIRÓS, Raquel de
A Donzela e a Moura Torta. Rio de Janeiro. Livraria José Olímpio Editora. 1948.
As Três Marias. 5ª edição. Rio de Janeiro. Livraria José Olímpio Editora. 1970.
100 Crônicas Escolhidas. 2ª edição. Rio de Janeiro. Livraria José Olímpio Editora. 1970.
Memorial de Maria Moura. 3ª edição. São Paulo. Siciliano. 1992.
O Brasileiro Perplexo. Rio de Janeiro. Editora do Autor. 1963.
O Caçador de Tatu. Rio de Janeiro. Livraria José Olímpio. Editora. 1967.
QUEIRÓS, Venceslau
Poesias Escolhidas. São Paulo, Conselho Estadual de Cultura. 1962.
QUENTAL, Antero de
Primaveras Românticas. 3ª edição. Coimbra. Imprensa da Universidade. 1926.
Prosas. 3 v. Coimbra. Imprensa da Universidade. 1923. Lisboa. Couto Martins. S.d. Lisboa. Couto Martins. 1931.
Raios de Extinta Luz. 2ª edição. Lisboa. Couto Martins. 1946.
Sonetos. Edição organizada, prefaciada e anotada por Antônio Sérgio. Lisboa. Propriedade e edição de Couto Martins. 1943.

QUINTANA, Mário.
A Rua dos Cata-Ventos. Porto Alegre. Edição da Livraria do Globo. S.d.
Esconderijos do Tempo. 2ª edição. Porto Alegre. L&PM Editores Ltda. 1981.
Sapato Florido. Porto Alegre. Editora Globo. 1948.
RABELO, Alberto
Contos do Norte. Rio de Janeiro. Jacinto Ribeiro dos Santos – Editor. 1927.
RABELO, Laurindo
Poesias Completas de Laurindo Rabelo. Coligadas e anotadas por Antenor Nascentes. Rio de Janeiro. Instituto Nacional do Livro. 1963.
RABELO, Pedro
A Alma Alheia. Rio de Janeiro. Casa Mont'Alverne. 1895.
RABELO, Sílvio
Euclides da Cunha. 2ª edição. Rio de Janeiro. Editora Civilização Brasileira S. A. 1966.
RAINHO, Cleonice
João Mineral. Rio de Janeiro. Livraria José Olímpio Editora. 1983.
RAJA GABAGLIA, Marisa
Milho pra Galinha, Mariquinha. 10ª edição. Rio de Janeiro. Editora Sabiá Ltda. 1972.
RAMALHETE, Clóvis
O Anjo Torto. São Paulo. Livraria Martins Editora. 1966.
RAMALHO ORTIGÃO
A Holanda. 3ª edição. Lisboa. Parceria Antônio Maria Pereira. 1900.
Arte Portuguesa. 2ª edição. 3 tomos. Lisboa. Livraria Clássica Editora. 1943. 1943. 1947.
As Farpas. II tomos. Lisboa. Davi Corazzi Editor. 1887 [o 1º, o 2º e o 3º tomos]. 1888 [o 4º, o 5º e o 6º]. Lisboa. Companhia Nacional Editora. 1889 [o 7º, o 8º e o 9º]. 1890 [o 10º e o 11º].
As Praias de Portugal. Guia do Banhista e do Viajante. Lisboa. Livraria Clássica Editora. 1943.
Banhos de Caldas e Água Minerais. Lisboa. Livraria Clássica Editora. 1944.
Contos e Páginas Dispersas. Lisboa. Livraria Clássica Editora. 1945.
Correio de Hoje (1870–1871). 2 tomos. Lisboa. Livraria Clássica Editora. 1948.
Costumes e Perfis. Lisboa. Livraria Clássica Editora. 1944.
Em Paris. 3ª edição. Lisboa. Empresa Literária Fluminense Ltda. MCMXXLV.
Farpas Esquecidas. 2 v. Lisboa. Livraria Clássica Editora. 1946.
Figuras e Questões Literárias. 2 tomos. Lisboa. Livraria Clássica Editora. 1943 [o 1º tomo]. 1945 [o 2º].
Folhas Soltas (1865–1915). Lisboa. Livraria Clássica Editora. 1956.
John Bull. 3ª edição. Rio de Janeiro. Livraria Francisco Alves. Paris – Lisboa. Livrarias Aillaud e Bertrand. S.d.
Notas de Viagem. Lisboa. Livraria Clássica Editora. 1945.
O Culto da Arte em Portugal. 2ª edição. Rio de Janeiro. Livraria Francisco Alves, Paris – Lisboa, Livrarias Aillaud e Bertrand. S.d.
Pela Terra Alheia. Notas de Viagem (1878–1910). 2 tomos. Rio de Janeiro. Livraria Francisco Alves. Paris – Lisboa. Livrarias Aillaud e Bertrand. S.d.
Portuenses (1859–1866). Lisboa. Livraria Clássica Editora. 1944.
Primeiras Prosas. Lisboa. Livraria. Clássica Editora. 1944.
Últimas Farpas. Rio de Janeiro. Livraria Francisco Alves. Paris – Lisboa. Livrarias Aillaud e Bertrand. 1917.
RAMOS, Alberto
Poemas. Rio de Janeiro. Ariel Editora Ltda. 1934.
Prosas de Ariel. Rio de Janeiro. Ariel Editora Ltda. 1936.
RAMOS, Artur
O Negro Brasileiro. 1º volume: Etnografia Religiosa. 2ª edição, aumentada. São Paulo. Companhia Editora Nacional. 1940.
RAMOS, Feliciano
História da Literatura Portuguesa. Braga. Livraria Cruz. 1950.
RAMOS, Fernando
Os Enforcados. Salvador. 1970.
RAMOS, Graciliano
Angústia. 7ª edição. Rio de Janeiro. Livraria José Olímpio Editora. 1955.
Caetés. 5ª edição. Rio de Janeiro. Livraria José Olímpio Editora. 1955.
Infância. Rio de Janeiro. Livraria José Olímpio Editora. 1945.
Insônia. 4ª edição. Rio de Janeiro. Livraria José Olímpio Editora. 1955.
Linhas Tortas. São Paulo. Livraria Martins Editora. 1962.
Memórias do Cárcere. 4 v. 3ª edição. Rio de Janeiro. Livraria José Olímpio Editora. 1955.
S. Bernardo. 6ª edição. Rio de Janeiro. Livraria José Olímpio Editora. 1955.
Viagem. Rio de Janeiro. Livraria José Olímpio Editora. 1954.
Vidas Secas. 5ª edição. Rio de Janeiro. Livraria José Olímpio Editora. 1955.
RAMOS, Ivone Aida
Vidas Vividas. Mindelo. Organização de Mulheres C. Verde O.M.C.V. 1990.
RAMOS, Ricardo
Circuito Fechado. São Paulo. Livraria Martins Editora S. A. 1972.
Matar um Homem. São Paulo. Livraria Martins Editora S. A. 1970.
Memória de Setembro. Rio de Janeiro. Livraria José Olímpio Editora. 1968.
Os Caminhantes de Santa Luzia. São Paulo. Difusão Europeia do Livro. 1959.
Os Inventores Estão Vivos. Rio de Janeiro. Editora Nova Fronteira. 1980.
O Sobrevivente. São Paulo. Global Editora. 1984.
Tempo de Espera. Rio de Janeiro. Livraria José Olímpio Editora. 1954.
RAMOS IVENS FERRAZ, Márcia
Sozinha no Mato. Lisboa. Livraria Popular de Francisco Franco. S.d. [1955].
RAMOS TINHORÃO, José
O Samba Agora Vai... Rio de Janeiro. JCM Editores. 1969.
RANGEL, Alberto
Dom Pedro Primeiro e a Marquesa de Santos. 2ª edição, com acréscimos e correções. Tours. Tipografia E. Arrault e Companhia. 1928.
Fura-Mundo!. Paris. Edições Duchartre & Van Buggenhoudt. 1928.
Livro de Figuras. Tours. Tipografia E. Arrault e Cia. 1921.
Lume e Cinza. Rio de Janeiro. Livraria Científica Brasileira. 1924.
Papéis Pintados. Paris. Edições Duchartre & Van Buggenhoudt. 1928.

Quando o Brasil Amanhecia. Lisboa. Livraria Clássica Editora. 1919.
Quinzenas de Campo e Guerra. Tours. Imprimerie E. Arrault et Cia. 1915.
Sombras n'Água. Leipzig. Imprensa de F. A. Brockhaus. 1913.
Textos e Pretextos. Tours – França. Tipografia de Arrault e Cia. 1926.
Trasanteontem. São Paulo. Livraria Martins Editora. 1943.

RANGEL, Godofredo
Andorinhas. São Paulo. Monteiro Lobato & Cia. Editores. S.d.
Falange Gloriosa. São Paulo. Edições Melhoramentos. S.d.
Os Humildes. São Paulo. Editora Universitária. 1944.
Vida Ociosa. 2.ª edição. São Paulo. Companhia Editora Nacional. S.d.

RAUL DAVID
Cantares do Nosso Povo. Luanda. União dos Escritores Angolanos. 1987.
Colonizados e Colonizadores. 3.ª edição, aumentada. Lisboa. Edições 70. 1984.
Escamoteados na Lei. Luanda. União dos Escritores Angolanos. 1987.
Narrativas ao Acaso. Luanda. União dos Escritores Angolanos. 1981.
Poemas. Luanda. Edições de Angola. 1977.

RAWET, Samuel
Os Sete Sonhos. Rio de Janeiro. Edições Orfeu. 1967.

REBELLO, Elton
Nyandayeyo. Maputo. Associação dos Escritores Moçambicanos. 1990.
— em *As Palavras Amadurecem*. Beira. Diário de Moçambique. 1988.
O Homem ao Lado. Rio de Janeiro. Livraria José Olímpio Editora, 1958.

REBELO DA SILVA
Bosquejos Histórico-Literários. 3 v. Lisboa. Empresa da História de Portugal. 1909.
Contos e Lendas. Lisboa. Livraria Editora de Matos Moreira e Cia. 1873.
De Noite Todos os Gatos São Pardos. Lisboa. Livraria Editora. S.d.

RÉCIO, Álvaro
Tchaya – Da Inocência à Revolução Adiada. Lisboa. Editorial Notícias. 1996.

RÉCIO, Manuel
Homens do Mato... (Reportagem no Mato de Moçambique) 1.ª Jornada. Lisboa. Edição do Autor. 1952.

REGALLA, Agnelo (Augusto)
— em *Antologia Poética da Guiné-Bissau*. [Prefácio de Manuel Ferreira.]. Lisboa. Editorial Inquérito Ltda. 1990.
— em *Mantenhas Para Quem Luta! A Nova Poesia da Guiné-Bissau*. Bissau. Conselho Nacional de Cultura. 1977.

RÉGIO, José
A Chaga do Lado. Lisboa. Portugália Editora. 1954.
As Encruzilhadas de Deus. 2.ª edição. Lisboa. Editorial Inquérito Ltda. 1946.
Biografia. 2.ª edição, refundida e aumentada. Porto. Armênio Amado – Editor. 1939.
Histórias de Mulheres. Porto. Livraria Portugália. S.d.
Mas Deus É Grande. Lisboa. Editorial Inquérito Ltda. 1945.
O Príncipe com Orelhas de Burro. 3.ª edição. Lisboa. Editorial Inquérito Ltda. S.d.
Poemas de Deus e do Diabo. Porto. Ed. "As Velas e os Ventos". 1951.
— em SIMÕES, João Gaspar. *Perspectiva da Literatura Portuguesa do Século XIX* – Volume I (q. v.).

REGO DE CARVALHO, O. G.
Somos Todos Inocentes. Rio de Janeiro. Editora Civilização Brasileira S. A. 1971.

REIS, Fernando
A Lezíria e o Equador. Lisboa. Editorial Adastra. 1954.
Histórias da Roça. Lisboa. Sociedade de Expansão Cultural. 1970.
Ilha do Meio do Mundo. Lisboa. Edição do Autor. 1982.
Povô Flogá.
Roça. 4.ª edição. Lisboa. Sociedade de Expansão Cultural. 1973.

REIS, Nélio
O Rio Corre para o Mar. Rio de Janeiro. Editora A Noite. 1941.
Subúrbio. Rio de Janeiro. Livraria José Olímpio Editora. 1937.

REIS QUITA, Domingos dos
Obras de Domingos dos Reis Quita. 2 tomos. Lisboa. Na Tipografia Rolandiana. 1831.

RENAULT, Abgar
A Lápide sob a Lua. Belo Horizonte. Imprensa da Universidade Federal de Minas Gerais. 1968.
A Outra Face da Lua. Rio de Janeiro. Livraria José Olímpio Editora. Instituto Nacional do Livro. Fundação Nacional Pró-Memória. 1983.
O Romantismo na Poesia Inglesa. Tomo I. Rio de Janeiro. Colégio Pedro II. 1966.

RENAULT, Delso
O Rio Antigo nos Anúncios de Jornais. Rio de Janeiro. Livraria José Olímpio Editora. 1969.

REQUIÃO, Hermano
Itapagipe. Rio de Janeiro. Livraria José Olímpio Editora. S. d.

RESENDE, Garcia de
Cancioneiro Geral de Garcia de Resende. Nova edição. Preparada pelo Dr. A. J. Gonçalves Guimarães. 5 tomos. Coimbra. Imprensa da Universidade. MDCCCCX. MDCCCCX. MDCCCCXIII. MDCCCCXV. MDCCCCXVII.
Crônica dos Valerosos e Insignes Feitos del-Rei Dom João II de Gloriosa Memória. Na Real Oficina da Universidade. MDCCLXXXXVIII.

RESENDE, José Severiano de
Mistérios. Belo Horizonte. Ed. do Centro de Estudos Mineiros. 1971.

RIBAS, Oscar
Ecos da Minha Terra – Dramas Angolanos. 2.ª edição. Luanda. União dos Escritores Angolanos. 1988.
Izomba – Associativismo e Recreio. Luanda. Tip. Angolana. 1965.
Missosso – Literatura Tradicional Angolana. Luanda. Tip. Angolana. 3 v. 1961, 1962, 1964.
Quilanduquilo – Contos e Instantâneos. Luanda. Edição do Autor. 1973.
Sunguilando – Contos Tradicionais Angolanos. Lisboa. Agência-Geral do Ultramar. 1967.
Tudo Isto Aconteceu. Luanda. Edição do Autor. 1975.
Uanga – Feitiço. 2.ª edição. Luanda. Edição do Autor. 1969.

RIBEIRO, Afonso
África Colonial. 2.ª edição. Lisboa. Livros Horizonte. 1963.

RIBEIRO, Antônio Pinto
Abrigos: Condições das Cidades e Energia da Cultura. Lisboa. Edições Colônia Ltda, 2004.

RIBEIRO, Aquilino
A Batalha sem Fim. 3.ª edição. Lisboa. 1932.
Aldeia. 3.ª edição. Lisboa. Livraria Bertrand. S. d.
Alemanha Ensanguentada. 2.º milhar. Lisboa. Livraria Bertrand. S.d.
Andam Faunos pelos Bosques. 4.ª edição. Lisboa. Livraria Bertrand. S.d.
Arcas Encoiradas. 3.ª edição. Lisboa. Livraria Bertrand. S.d.
As Três Mulheres de Sansão. Lisboa. Livraria Bertrand. S.d.
Aventura Maravilhosa de D. Sebastião. Rei de Portugal, depois da Batalha com o Miramolim. 3.ª edição. Lisboa. Livraria Bertrand. S.d.
A Via Sinuosa. 7.ª edição. Lisboa. Livraria Bertrand. S.d.
Caminhos Errados. Lisboa. Livraria Bertrand. S.d.
Camões, Camilo, Eça e Alguns mais. Lisboa. Livraria Bertrand. S.d.
Cinco Réis de Gente. 3.ª edição. Lisboa. Livraria Bertrand. S.d.
Constantino de Bragança. VII Vizo-Rei da Índia. Lisboa. Portugália Editora. S.d.
Dom Frei Bartolomeu. As Três Desgraças Teologais. Lisboa. Livraria Bertrand. 1959.
É a Guerra. 2.º milhar. Lisboa. Livraria Bertrand. S.d.
Estrada de Santiago. Edição *ne varietur*. Lisboa. Livraria Bertrand. 1956.
Estrada de Santiago. Paris-Lisboa. Livrarias Aillaud & Bertrand. 1922.
Filhas de Babilônia. 2.ª edição. Paris – Lisboa. Livrarias Aillaud e Bertrand. 1920.
Humildade Gloriosa. 3.ª edição. Lisboa. Livraria Bertrand. S.d.
Jardim das Tormentas. 3.ª edição. Paris – Lisboa. Livrarias Aillaud e Bertrand. 1926.
Lápides Partidas. 4.ª edição. Lisboa. Livraria Bertrand. S.d.
Luís de Camões. Fabuloso. Verdadeiro. 2 v. Lisboa. Livraria Bertrand. S.d.
Maria Benigna. 2.º milhar. Lisboa. Livraria Bertrand. 1933.
Mônica. 5.ª edição. Lisboa. Livraria Bertrand. S.d.
O Homem da Nave. 3.ª edição. Lisboa. Livraria Bertrand. S.d.
O Homem que Matou o Diabo. Paris – Lisboa. Livrarias Aillaud e Bertrand. S.d.
O Malhadinhas. Lisboa. Livraria Bertrand. MCMXLVI.
Os Avós dos Nossos Avós. 4.ª edição. Lisboa. Livraria Bertrand. S.d.
Por Obra e Graça. 3.ª edição. Lisboa. Livraria Bertrand. S.d.
Portugueses das Sete Partidas. 3.ª edição. Lisboa. Livraria Bertrand. S.d.
Príncipes de Portugal. Suas Grandezas e Misérias. Lisboa. Livros do Brasil, Ltda. S.d.
Quando ao Gavião Cai a Pena. 4.º milhar. Lisboa. Livraria Bertrand. S.d.
S. Bonaboião, Anacoreta e Mártir. 3.ª edição. Lisboa. Livraria Bertrand. S.d.
Terras do Demo. Edição definitiva. Lisboa. Livraria Bertrand. S.d.
Uma Luz ao Longe. Lisboa. Livraria Bertrand. S.d.
Volfrâmio. Edição *ne varietur*. Lisboa. Livraria Bertrand. S.d.

RIBEIRO, Berta G.
— V. RIBEIRO, Darci, e RIBEIRO, Berta

RIBEIRO, Darci
Aos Trancos e Barrancos: Como o *Brasil Deu no que Deu*. Rio de Janeiro. Editora Guanabara. 1985.

RIBEIRO, Darci, e RIBEIRO, Berta
Arte Plumária dos Índios Caapor. Rio de Janeiro. 1957.

RIBEIRO, João
A Língua Nacional. Edição da "Revista do Brasil". São Paulo. Monteiro Lobato & Cia. S.d.
Cartas Devolvidas. Porto. Livraria Chardron. 1926.
Colmeia. São Paulo. Monteiro Lobato & Cia., Editores. 1923.
Crepúsculo dos Deuses. Contos e Histórias Traduzidas do Alemão. Lisboa. Livraria Clássica Editora. 1905.
Crítica. Volume IV. Críticas e Ensaístas. Organização, prefácio e notas, de Múcio Leão. Rio de Janeiro. Publicações da Academia Brasileira de Letras. 1959.
Crítica. Volume V. Filólogos. Organização, prefácio e notas de Múcio Leão. Rio de Janeiro. Publicações da Academia Brasileira de Letras. 1961.
Crítica. Volume IX. Os Modernos. Organização e prefácio de Múcio Leão. Rio de Janeiro. Edição da Academia Brasileira de Letras. 1952.
Curiosidades Verbais. São Paulo. Caieiras – Rio. Companhia Melhoramentos de São Paulo. S.d.
Floresta de Exemplos. Rio de Janeiro. J. R. de Oliveira & Cia. 1931.
Goethe. Rio de Janeiro. Revista de Língua Portuguesa. 1932.
História do Brasil. Curso Superior. 16.ª edição. Revista e completada por Joaquim Ribeiro. Rio de Janeiro. Livraria São José. 1957.
Notas de um Estudante. São Paulo. Monteiro Lobato & Cia. Editores. S.d.
O Folclore. Rio de Janeiro. Jacinto Ribeiro dos Santos – Livreiro. Editor. 1919.
Páginas de Estética. Lisboa. Livraria Clássica Editora. 1905.
Versos. 3.ª edição. Com grande número de poesias inéditas. Rio de Janeiro. Jacinto Ribeiro Santos Editor. S.d.

RIBEIRO, João Ubaldo
Já Podeis da Pátria Filhos – e Outras Histórias. Rio de Janeiro. Editora Nova Fronteira. 1991.
O Feitiço da Ilha do Pavão. Rio de Janeiro. Editora Nova Fronteira. 1997.
O Sorriso do Lagarto. 3.ª edição. Rio de Janeiro. Editora Nova Fronteira. 1991.
Sargento Getúlio. 7.ª edição. Rio de Janeiro. Editora Nova Frontetra. 1982.
Sempre aos Domingos. Rio de Janeiro. Editora Nova Fronteira. 1985.
Viva o Povo Brasileiro. Rio de Janeiro. Editora Nova Fronteira. 1984.

RIBEIRO, Joaquim
História Administrativa do Brasil. V. 3. Rio de Janeiro. Departamento Administrativo do Serviço Público. 1957.
9 Mil Dias com João Ribeiro. Editora Record. S.d.
Rui Barbosa e João Ribeiro. Rio de Janeiro. Casa de Rui Barbosa. 1958.

RIBEIRO, Júlio
A Carne. São Paulo. Teixeira & Irmão – Editores. 1888.

Padre Belchior de Pontes. 6ª edição. São Paulo. Livraria Editoral J. Fagundes. S.d.
A Planície Heroica. 4ª edição. Lisboa. Guimarães & Cia. Editores. 1953.
A Ressurreição. 5ª edição. Lisboa. Guimarães & Cia. Editores. 1952.
RIBEIRO, Manuel
A Catedral. 23º milhar. Lisboa. Guimarães & Cia. Editores. 1953.
RIBEIRO, Tomás
D. Jaime. Porto. Livraria Lelo & Irmão – Editores. Lisboa. Aillaud & Lelo Ltda. S.d.
RIBEIRO COUTO
A Cidade do Vício e da Graça. Rio de Janeiro. Benjamin Costallat & Miccolis Editores. 1924.
Baianinha e Outras Mulheres. Rio de Janeiro. Anuário do Brasil. 1927.
Clube das Esposas Enganadas. Rio de Janeiro. Schmidt, Editor. 1933.
Conversa Inocente. Rio de Janeiro. Schmidt, Editor. 1935.
Largo da Matriz e Outras Histórias. Rio de Janeiro. Getúlio Costa, Editor. 1940.
Poesias Reunidas. Rio de Janeiro. Livraria José Olímpio Editora. 1960.
Prima Belinha. Rio de Janeiro. Civilização Brasileira S. A. Editora. 1940.
Uma Noite de Chuva e Outros Contos. Lisboa. Editorial Inquérito. S.d.
RIBEIRO DA CUNHA, Pe. Arlindo
A Língua e a Literatura Portuguesa. 3ª edição. Braga. Edição do Autor. 1948.
RIBEIRO SAMPAIO, Francisco
Renembranças. Academia Campinense de Letras. 1975.
RICARDO JORGE
Canhenho dum Vagamundo. 3ª edição. Lisboa. Instituto de Alta Cultura. S.d.
Passadas de Erradio. Lisboa. Instituto de Alta Cultura. S.d.
Sermões dum Leigo. 2º milhar. Lisboa. Empresa Literária Fluminense, Ltda. S.d.
RIO, João do
A Alma Encantadora das Ruas. Nova Edição. Rio de Janeiro. Livraria Garnier. 1910.
As Religiões no Rio. Rio de Janeiro – Paris. H. Garnier, Livreiro-Editor. 1906.
Cinematógrafo. Porto. Livraria Chardron. 1909.
Dentro da Noite. Rio de Janeiro – Paris. Livraria Garnier. S.d.
O Momento Literário. Rio de Janeiro. H. Garnier. Livreiro-Editor. S. d.
Portugal dagora. Rio de Janeiro – Paris. H. Garnier, Livreiro-Editor. 1911.
Sésamo. Rio de Janeiro. Livraria Francisco Alves. 1917.
Vida Vertiginosa. Rio de Janeiro – Paris. H. Garnier. Livreiro-Editor. 1911.
ROCHA, Ilídio
Os Quatro Cavalos Já Chegados. Coimbra. Coimbra Editora. 1968.
ROCHA, Jofre
Crônicas de Ontem e de Sempre. Luanda. União dos Escritores Angolanos. 1985.
Estórias do Musseque. Luanda. União dos Escritores Angolanos. 1976.
ROCHA, Lindolfo
Maria Dusá. Porto. Livraria Chardron. 1910.
ROCHA, Tadeu
Delmiro Gouveia. O Pioneiro de Paulo Afonso. 3ª edição, revista e aumentada. Recife. Universidade Federal de Pernambuco. 1970.
ROCHA FILHO
— Ap. AVELAR, Romeu de. *Antologia de Contistas Alagoanos.* Maceió. Departamento de Ciência e Cultura. 1970.
ROCHA LIMA, Carlos Henrique da
Uma Preposição Portuguesa. Rio de Janeiro. 1954.
ROCHA POMBO
No Hospício. 2ª edição. Rio de Janeiro. Instituto Nacional do Livro. 1970.
RODOLFO TEÓFILO
Lira Rústica. Lisboa. Tipografia de "A Editora Ltda.". 1913.
RODRIGO OTÁVIO
Contos de Ontem e de Hoje. Rio de Janeiro. Editora Guanabara, 1932.
Minhas Memórias dos Outros (Nova Série). Rio de Janeiro. Civilização Brasileira. MEC. 1969.
RODRIGO OTÁVIO, Laura Oliveira
Elos de uma Corrente. Rio de Janeiro. Livraria São José. 1974.
RODRIGO OTÁVIO FILHO
Simbolismo e Penumbrismo. Rio de Janeiro. Livraria São José. 1970.
Velhos Amigos. Rio de Janeiro. Livraria José Olímpio Editora. 1938.
RODRIGUES, Armindo
A *Vida Perto de Nós.* Lisboa. Sociedade de Expansão Cultural. 1953.
RODRIGUES, Hugo D. F.
— em *Magma,* n. 1 (abril 1988). Fogo.
RODRIGUES, José Honório
Teoria da História do Brasil. 3ª edição, revista, atualizada e aumentada. São Paulo. Companhia Editora Nacional. 1969.
Filosofia e História. Rio de Janeiro. Editora Nova Fronteira. 1981.
Vida e História. Rio de Janeiro. Editora Civilização Brasileira S. A. 1966.
RODRIGUES, Leda Boechat
A Corte de Warren (1953–1969) Revolução Constitucional. Rio de Janeiro. Editora Civilização Brasileira. 1991.
RODRIGUES, Nélson
100 Contos Escolhidos. A Vida como Ela É. V. II. Rio de Janeiro. J. Ozon Editor. 1961.
RODRIGUES DE CARVALHO
Cancioneiro do Nordeste. 2ª edição, aumentada. Paraíba do Norte. Tip. da Livraria S. Paulo. 1928.
RODRIGUES DE MELO, M.
Várzea do Açu. 2ª edição. Rio de Janeiro. Livraria Agir Editora, 1951.
RODRIGUES JÚNIOR
Calanga. Lourenço Marques. Edição do Autor. 1955.
Negros e Brancos. Lourenço Marques. Edição do Autor. 1958.
O Branco da Motase. Lisboa. Edição do Autor. 1952. *Sehura.* Lisboa. Edição do Autor. 1944.
RODRIGUES LAPA, M.
Estilística da Língua Portuguesa. 3ª edição, revista e acrescentada. Rio de Janeiro. Livraria Acadêmica. 1959.
RODRIGUES LOBO, Francisco
Corte na Aldeia, & Obras Pastoris de Francisco Rodrigues Lobo. Lisboa Ocidental. Na Oficina de João Antunes Pedroso, e Francisco Xavier de Andrade. MDCCXXII.
Églogas. Conforme a edição *princeps* (1605). Coimbra. Imprensa da Universidade. 1928.
RODRIGUES MIGUÉIS, José
Gente da Terceira Classe. Lisboa. Editorial Estúdios Cor, Ltda. 1962.
Léah e Outras Histórias. Lisboa. Estúdios Cor. 1958.
Onde a Noite Se Acaba. Rio de Janeiro. Edições Dois Mundos. 1946.
Páscoa Feliz. Edições Alfa. 1932.
Um Homem Sorri à Morte – com Meia Cara. Lisboa. Estúdios Cor, 1959.
RODRIGUES PEREIRA, Lafayette
— V. LABIENO.
ROGADO QUINTINO, Fernando
em *A Habitação Indígena* (Direção de A. Teixeira da Mota e M. G. Ventim Neves), Bissau, Centro de Estudos da Guiné Portuguesa, 1948.
ROIZ DE CASTEL BRANCO, Joam
— Ap. RESENDE, Garcia de, *Cancioneiro Geral.* MDCCCCXIII (q. v.).
ROMANO, Luís
Cabo Verde – Renascença de uma Civilização no Atlântico Médio. 2ª edição. Edição da Revista Ocidente. Lisboa. 1970.
Famintos. (Romance do Povo Caboverdiano Sob o Domínio Colonialista). Lisboa. Publicações Nova Aurora. 1975.
Ilha. Contos Lusoverdianos de Temática Europáfrica + Brasilamérica. Mindelo. Ilhéu Editora. 1991.
Negrume (Lzimparin). Rio de Janeiro. Editora Leitura. 1973.
ROMANO DE SANT'ANA, Afonso
Política e Paixão. Editora Rocco. Rio de Janeiro. 1986.
ROMARIZ, Sabino
— Ap. MARROQUIM, Ad. *Terra das Alagoas* (q. v.).
ROMERO, Sílvio
Machado de Assis. Rio de Janeiro. Laemmert & Cia. Editores. 1987.
Martins Pena. Porto. Livraria Chardron. 1901.
Provocações e Debates. Porto. Livraria Chardron. 1910.
RÓNAI, Cora
Ideias: Um Livro de Entrevistas. Brasília. Editora Universidade de Brasília. Fundação Roberto Marinho. 1981.
RÓNAI, Paulo
Babel & Antibabel ou o Problema das Línguas Universais. São Paulo. Editora Perspectiva S. A. 1970.
Encontros com o Brasil. Rio de Janeiro. Instituto Nacional do Livro. 1958.
Escola de Tradutores. 3ª edição, Rio de Janeiro. Edições de Ouro. 1967.
— V. tb. RÓNAI VIEIRA, Cora, e RÓNAI, Paulo
— V. tb. BUARQUE DE HOLANDA, Aurélio e RÓNAI, Paulo
RÓNAI VIEIRA, Cora e RÓNAI, Paulo
Aventuras de Fígaro. O Barbeiro de Sevilha e o Casamento de Fígaro. [Tradução livre.]. Rio de Janeiro. Edições de Ouro. 1972.
ROQUETE, J. I.
Manual de Eloquência Sagrada. Paris. Vª J. – P. Aillaud. Monlon e Cia. 1857.
ROQUETE-PINTO, E.
Seixos Rolados. Rio de Janeiro. Mendonça. Machado & Cia. 1927.
RUBENS PAIVA, Marcelo
Não És Tu, Brasil. São Paulo. Editora Mandarim. 1996.
RUBIÃO, Murilo
O Ex-Mágico. Rio de Janeiro. Editora Universal. 1947.
Os Dragões e Outros Contos. Belo Horizonte Edições Movimento-Perspectiva. 1965.
RUFFATO, Luís
Eles Eram Muitos Cavalos. 2ª edição. São Paulo. Boitempo Editorial, 2002.
S. CARLOS, Fr. Francisco de
A Assunção. Nova edição. Rio de Janeiro. Livraria de B. L. Garnier. 1862.
SABINO, Fernando
A Campanheira de Viagem. Rio de Janeiro. Editora do Autor. 1965.
A Falta que Ela me Faz. Rio de Janeiro. Editora Record 1980.
A Inglesa Deslumbrada. Rio de Janeiro. Editora Sabiá Ltda. 1967.
A Mulher do Vizinho. Rio de Janeiro. Editora do Autor. 1962.
Medo em Nova Iorque. A Cidade Vazia. 5ª edição. Rio de Janeiro. Editora Sabiá Ltda. 1969.
O Gato Sou Eu. Rio de Janeiro. Editora Record. 1983.
O Grande Mentecapto. 30ª edição. Rio de Janeiro. Editora Record. 1988.
O Homem Nu. Rio de Janeiro. Editora do Autor. 1960.
Zélia, uma Paixão. 5ª edição. Rio de Janeiro. Editora Record. 1991.
SABOIA RIBEIRO
Contos do Cacau. Rio de Janeiro. Editora Pongetti. 1966.
SABUGOSA, Conde de
Embrechados. 4ª edição. Lisboa. Livraria Bertrand. S.d.
SÁ-CARNEIRO, Mário de
A Confissão de Lúcio. Lisboa. Editorial Ática. 1945.
Céu em Fogo. Lisboa. Edições Ática. S.d.
SACRAMENTO NETO
A Rainha. Lisboa. Edição do Autor. 1992.
Milongo. Lisboa. Edição do Autor. S.d.
Peneta. Lisboa. Edição do Autor. 1989.
Tonga Sofia. Lisboa. Edição do Autor. 1981.
SÁ DE MIRANDA, Francisco de
Obras Completas. 2 v. Texto fixado, notas e prefácio pelo Prof. M Rodrigues Lapa. Lisboa. Livraria Sá da Costa – Editora. 1942. 1943.
SAID ALI, M.
Dificuldades da Língua Portuguesa. 4ª edição, revista e acrescida. Rio de Janeiro. Livraria Acadêmica. 1950.

Gramática Histórica da Língua Portuguesa. Estabelecimento do texto, revisão, notas e índices pelo Prof. Maximiliano de Carvalho e Silva. São Paulo. Edições Melhoramentos. 1964.
Meios de Expressão e Alterações Semânticas. 2.ª edição, revista. Rio de Janeiro. Edição da Organização Simões, 1951.
SALDANHA, João
Os Subterrâneos do Futebol. Rio de Janeiro. Edições *Tempo Brasileiro Ltda*. 1963.
SALES, Antônio
Aves de Arribação. 2.ª edição. São Paulo. Companhia Editora Nacional. 1929
Poesias. Edição definitiva. Rio de Janeiro – Paris. H. Garnier, Livreiro-Editor. 1902.
SALES, Artur de
Poesias. Bahia. S.d.
SALES, Herberto
Além dos Marimbus. Rio de Janeiro. Edições O Cruzeiro. 1961.
Armado Cavaleiro, o Audaz Motoqueiro. Rio de Janeiro. Editora Civilização Brasileira S. A. 1980.
Cascalho. 3.ª edição, revista. Rio de Janeiro. Edições O Cruzeiro. 1956.
Dados Biográficos do Finado Marcelino. 2.ª edição. Rio de Janeiro. Edições O Cruzeiro. 1965.
Histórias Ordinárias. Rio de Janeiro. Edições O Cruzeiro. 1966.
O Fruto do Vosso Ventre. Rio de Janeiro. Editora Civilização Brasileira. 1976.
O Lobisomem e Outros Contos Folclóricos. Rio de Janeiro. Edições de Ouro. MCMLXX.
O Sobradinho dos Pardais. São Paulo. Edições Melhoramentos. 1968.
Os Pareceres do Tempo. Rio de Janeiro. Editora Nova Fronteira. 1984.
Rebanho do Ódio. Rio de Janeiro. Editora Civilização Brasileira. 1995.
Uma Telha de Menos. Rio de Janeiro. Editorial Tormes. 1970.
SALGADO, Plínio
O Estrangeiro. 8.ª edição. Rio de Janeiro. Livraria São José. 1972.
SALGADO JÚNIOR, Antônio
em SIMÕES, João Gaspar, *Perspectiva da Literatura Portuguesa do Século XIX* (q. v.).
SALUSSE, Júlio
— Ap. BANDEIRA, Manuel. *Antologia de Poetas Brasileiros da Fase Parnasiana* (q. v.).
SALVADOR, Frei Vicente de
História do Brasil. Nova edição. Revista por Capistrano de Abreu. São Paulo e Rio de Janeiro. Weiszlog Irmãos. 1918.
SALVA-REY, João (João Reis)
Ku Femba. 3.ª edição. Lisboa. Vento-Sul. 1986. [1.ª edição. 1972].
SAN BRUNO, Emílio de
Zambeziana – Scenas da Vida Colonial. Lisboa. Tipografia do Comércio. 1927.
SANDRONI, Cícero
O Peixe de Amarna. Rio de Janeiro. Editora Record. 2003.
SANTA MARIA ITAPARICA, Manuel de
— Ap. BUARQUE DE HOLANDA, Sérgio. *Antologia dos Poetas Brasileiros da Fase Colonial* (q. v.).
SANTA RITA DURÃO
Caramuru. Lisboa. Na Régia Oficina Tipográfica. MDCCLXXXI.
SANTA RITA DURÃO, Frei José de
V. SANTA RITA DURÃO
SANTA ROSA
Roteiro de Arte. Rio de Janeiro. Ministério da Educação e Saúde. 1952.
SANT'ANA, Afonso
Eu Não Sou Eu e Outras Peças de Teatro. Maputo. Instituto Nacional do Livro e do Disco. 1981.
SANT'ANA DIONÍSIO
— em SIMÕES, João Gaspar. *Perspectiva da Literatura Portuguesa do Século XIX* (q. v.).
SANT'ANA, Glória de
Livro de Água. Lourenço Marques. Edição da Autora. 1961.
Zum-zum. Lisboa. Dinossauro. 1995.
SANT'ANA, Sérgio
Amazona. Rio de Janeiro. Editora Nova Fronteira. 1986.
Um Crime Delicado. São Paulo. Companhia das Letras, 1997.
SANTIAGO, Paulino
Temas e Processos do Cancioneiro de Alagoas. Maceió. 1965.
SANTIAGO, Silviano
Keith Jarrett no Blue Note. Rio de Janeiro. Editora Rocco Ltda. 1996.
Nas Malhas da Letra. Ensaios. São Paulo. Companhia das Letras. 1989.
Stella Manhattan. Rio de Janeiro. Editora Nova Fronteira. 1985.
SANTO-TIRSO
Cartas de Algures. 1.º milhar. Lisboa. Portugália Editora. 1921.
De Rebus Pluribus. 2.ª edição. Paris – Lisboa, Livraria. Aullaud e Bertrand. 1923.
SANTOS, Arnaldo
A Boneca de Quilengues. Luanda. União dos Escritores Angolanos. 1991.
O Cesto de Katandu e Outros Contos. Lisboa. Edições 70. 1986.
Prosas. Luanda. União dos Escritores Angolanos. 1977.
Quinaxixe. Lisboa. Casa dos Estudantes do Império. S.d. 1965.
Tempo de Munhungo. Luanda. Editorial NOS. 1968.
SANTOS, Eurico
Histórias, Lendas e Folclore de Nossos Bichos. Rio de Janeiro. Edições O Cruzeiro. 1957.
SANTOS, João Felício dos
João Abade. Rio de Janeiro. Livraria Agir Editora. 1958.
Major Calabar. Rio de Janeiro. Editora Francisco Alves. 1960.
SANTOS, Rui
Teixeira Moleque. Rio de Janeiro. Livraria José Olímpio. Editora. 1960.
SANTOS LIMA, Manuel dos
As Lágrimas e o Vento. Lisboa. África Editora, 1975.
As Sementes da Liberdade. Rio de Janeiro. Civilização Brasileira. 1965.
SANTOS MORAIS
Menino João. Rio de Janeiro. Livraria São José. 1959.
SARAIVA, Antônio José e LOPES, Óscar
História da Literatura Portuguesa. 6.ª edição, corrigida e atualizada. Porto. Porto Editora Ltda. S.d.
SARAIVA, José Hermano
História Concisa de Portugal. 3.ª edição. Lisboa. Publicações Europa-América. 1979.
SARAMAGO, José
Ensaio sobre a Lucidez. São Paulo. Companhia das Letras. 2004.
História do Cerco de Lisboa. São Paulo. Companhia das Letras. 1989.
Memorial do Convento. 8.ª edição. Rio de Janeiro. Editora Bertrand Brasil S. A. 1989.
Memorial do Convento. São Paulo. Difel. 1983.
O Ano da Morte de Ricardo Reis. São Paulo. Companhia das Letras. 1988.
O Evangelho Segundo Jesus Cristo. São Paulo. Companhia das Letras, 1991.
Todos os Nomes. São Paulo. Companhia das Letras. 1997.
Viagem a Portugal. Lisboa. Editorial Caminho. S.d.
SARMENTO PIMENTEL, João
Memórias do Capitão. São Paulo. Editora Felman-Rego. S.d.
SARNEY, José
Norte das Águas. São Paulo. Livraria Martins Editora S. A. 1969.
Os Maribondos de Fogo. Rio de Janeiro. Editora Artenova S. A. 1978.
SASSI, Guido Vilmar
Piá. Florianópolis. Edições Sul. 1953.
São Miguel. São Paulo. Boa Leitura Editora S. A. 1962.
SATIRO, Ernâni
Sempre aos Domingos. João Pessoa. Paraíba. A União Cia. Editora. 1978.
SAÚTE, Nelson
O Apóstolo da Desgraça. Maputo. Ndjira. 1996.
SCHMIDT, Afonso
Mocidade. Santos. Tip. Instituto. 1921.
SCHMIDT, Augusto Frederico
As Florestas. Rio de Janeiro. Livraria José Olímpio Editora. 1959.
O Galo Branco. 2.ª edição, aumentada. Rio de Janeiro. Livraria José Olímpio Editora. 1957.
Poesias Completas. Rio de Janeiro. Livraria José Olímpio Editora. 1956.
SCLIAR, Moacir
A Mulher Que Escreveu a Bíblia. São Paulo. Companhia das Letras. 1999.
Mãe Judia, 1964. São Paulo. Companhia das Letras. 2004.
O Centauro no Jardim. Porto Alegre. 4.ª edição. L&PM Editores S.A. 1991.
O Exército de um Homem Só. Porto Alegre. 3.ª edição. L&PM Editores S.A. 1980.
Os Leopardos de Kafka. São Paulo. Companhia das Letras. 2000.
Saturno nos Trópicos. São Paulo. Companhia das Letras. 2003.
SENA, Homero
Gilberto Amado e o Brasil. 2.ª edição. Rio de Janeiro. Livraria José Olímpio Editora. 1968.
SENA, Jorge de
Líricas Portuguesas. 3.ª série. Lisboa. Portugália Editora. 1958.
Metamorfoses. Lisboa. Livraria Morais Editora. 1963.
Versos e Alguma Prosa de Jorge de Sena. Prefácio e seleção de textos de Eugênio Lisboa. Lisboa. Arcádia e Morais Editores. 1979.
SERPA, Alberto de
Almanaque de Lembranças Luso-Brasileiro. Lisboa. Editorial Inquérito Ltda. 1954.
Drama. Poemas da Paz e da Guerra. Lisboa. Edição Presença. Imprensa Portuguesa, 1940.
Fonte. Porto. Livraria Tavares Martins. 1943.
Rua. Lisboa. Editorial Inquérito Ltda. 1945.
SETE, Mário
Arruar. Rio de Janeiro. Livraria Editora da Casa do Estudante do Brasil. 1948.
Senhora de Engenho. 4.ª edição. Porto. Livraria Chardron. 1923.
SETÚBAL, Paulo
Alma Cabocla. 5.ª edição. São Paulo. Livraria Carlos Pereira Editora. S.d.
SILA, Abdulai
A Última Tragédia. Bissau. Ku Si Mon Editora. 1995.
Eterna Paixão. Bissau. Ku Si Mon Editora. 1994.
Mistida. Bissau. Ku Si Mon Editora. 1997.
SILVA, Antunes da
Gaimirra. Lisboa. Editorial Inquérito Ltda. 1945.
O Aprendiz de Ladrão. Lisboa. Orion. S.d.
Vila Adormecida. Lisboa. Portugália Editora. S.d.
SILVA, Benedito
— em *Informativo*. Rio de Janeiro. Fundação Getúlio Vargas. Ano V. jan. 1973.
SILVA, Clodomir
Minha Gente. (Costumes de Sergipe). 2.ª edição. Aracaju. Livraria Regina Ltda. 1962.
SILVA ALVARENGA, Manuel Inácio da
Glaura. Rio de Janeiro. Ed. do Instituto Nacional do Livro. 1943.
SILVA BRITO, Mário da
Ângulo e Horizonte. São Paulo. Livraria Martins Editora S. A. 1969.
Conversa Vai, Conversa Vem. Rio de Janeiro. Editora Civilização Brasileira S. A. 1974.
Diário Intemporal. Rio de Janeiro. Editora Civilização Brasileira S. A. 1970.
O Fantasma sem Castelo. Rio de Janeiro. Civilização Brasileira. 1980.
SILVA CORREIA, João da
Farândola. Lisboa. Editorial Inquérito Ltda. 1945.
Os Outros. Algês – Lisboa. Orton. 1957.
SILVA GUIMARÃES
Os Borrachos. Belo Horizonte. Tip. Athene. 1921.
SILVA JARDIM, Antônio da
Propaganda Republicana (1888–1889). Rio de Janeiro. Fundação Casa de Rui Barbosa. 1978.
SILVA MELO
Estados Unidos. Prós e Contras. Rio de Janeiro. Editora Civilização Brasileira S. A. 1958.
Estudos sobre o Negro. Rio de Janeiro. Livraria José Olímpio Editora. 1958.

Nordeste Brasileiro. Rio de Janeiro. Livraria José Olímpio Editora. 1953.
Psicologia dos Fatos Cotidianos. Rio de Janeiro. Editora Civilização Brasileira S. A. 1970.
SILVA MURICI, José Cândido
Parada Morta. Rio de Janeiro. Alba. S.d.
SILVA NETO, Serafim
Fontes do Latim Vulgar. Rio de Janeiro. Imprensa Nacional. 1946.
SILVA RAMOS
Pela Vida fora... Rio de Janeiro. Edição da "Revista de Língua Portuguesa". Lito-Tipografia Fluminense. 1922.
SILVA RAMOS, Péricles Eugênio da
Do Barroco ao Modernismo. São Paulo. Conselho Estadual de Cultura. 1967.
O Amador de Poemas. São Paulo. Clube de Poesia. 1956.
SILVEIRA, Helena
Mulheres Frequentemente. São Paulo. Livraria Martins Editora S. A. 1953.
SILVEIRA, Joel
Onda Raivosa. São Paulo. Editora Rumo Ltda. S.d.
SILVEIRA, Miroel
Bonecos de Engonço. Rio de Janeiro. Casa Editora Vecchi Ltda. 1940.
SILVEIRA, Onésimo
A Saga das As-Secas e das Graças de Nossenhor. Lisboa. Publicações Europa – América. 1991.
Hora Grande (Poesia Caboverdiana). Nova Lisboa. Publicações Bailundo. 1962.
"Toda a Gente Fala – Sim, Senhor". Sá da Bandeira. Coleção Imbondeiro. S.d. 1960.
SILVEIRA, Valdomiro
Lereias. 2ª edição. Rio de Janeiro. Editora Civilização Brasileira. 1975.
Mixuangos. Rio de Janeiro. Livraria José Olímpio Editora. 1937.
Nas Serras e nas Furnas. São Paulo. Companhia Editora Nacional. S.d.
Os Caboclos. 2ª edição. São Paulo. Companhia Editora Nacional. 1928.
SILVEIRA DE QUEIRÓS, Diná
As Noites do Morro do Encanto. Rio de Janeiro. Editora Civilização Brasileira S. A. 1957.
SILVEIRA NETO
Ronda Crepuscular. Rio de Janeiro. Edição do Anuário do Brasil. 1923.
SIMÕES, João Gaspar
A Unha Quebrada. Lisboa. Edições Casa do Livro. 1941.
Crítica I. (A Prosa e o Romance Contemporâneos). Porto. Livraria Latina Editora. 1942.
Crítica. II. I. (Poetas Contemporâneos). (1938–1961). Lisboa. Delfos. S.d.
Crítica. II. II. (Poetas Contemporâneos). (1946–1961). Lisboa. Delfos. S.d.
Liberdade do Espírito. Porto. Livraria Portugália. S.d.
Novos Temas. Lisboa. Editorial Inquérito. 1938.
O Mistério da Poesia. Coimbra Imprensa da Universidade. 1931.
Perspectiva da Literatura Portuguesa do Século XIX. 2 v. Direção, prefácio e notas bibliográficas de João Gaspar Simões. Lisboa. Edições Ática. 1947. 1948.
Vida e Obra de Fernando Pessoa. 2ª edição, revista. Lisboa. Livraria Bertrand. S.d.
SIMÕES LOPES NETO, J.
Casos do Romualdo. Contos Gauchescos. 1ª edição. 2ª impressão. Porto Alegre. 1958.
Contos Gauchescos e Lendas do Sul. Edição crítica, com introdução, variantes, notas e glossário, por Aurélio Buarque de Holanda. Prefácio e notas de Augusto Meyer. Posfácio de Carlos Reverbel. Porto Alegre. Editora Globo. 1949.
SIMONSEN, Mário Henrique
30 Anos de Federação. Rio de Janeiro. Ed. da Fundação Getúlio Vargas. 1995.
SIMONSEN, Mário Henrique e CYSNE, Rubens P.
Macroeconomia. Rio de Janeiro. Ao Livro Técnico. 1989.
SOARES, Jô
O Homem Que Matou Getúlio Vargas. São Paulo. Companhia das Letras. 1998.
O Xangô de Baker Street. São Paulo. Companhia das Letras. 1995.
SOARES, Luís Eduardo
Meu Casaco de General. 1ª edição. São Paulo. Companhia das Letras.
SOARES, Pelópidas
Cordão dos Bichos. Recife. Edições Pirata. 1980.
SOARES DE PASSOS, A. A.
Poesias. 10ª edição. Porto. Livraria Chardron. 1925.
SOARES DUTRA, José
Cairu. Rio de Janeiro. Editora Melso Soc. Anônima. 1964.
SOARES LOPES JÚNIOR, Antônio
— em *Antologia Poética da Guiné-Bissau.* (Prefácio de Manuel Ferreira.]. Lisboa. Editorial Inquérito Ltda. 1990.
SOUSA, Antônio Gonçalves Teixeira e
O Filho do Pescador. São Paulo. Edições Melhoramentos. Brasília. Instituto Nacional do Livro. 1977.
SOUSA, Antônio Sérgio de
Ensaios. Tomo IV. Lisboa. Seara Nova. 1934.
— V. tb. ANTÔNIO SÉRGIO.
SOUSA, Fr. Luís de
História de S. Domingos. 6 v. Lisboa. Tip. do Panorama. MDCCCLXVI. [Os dois últimos volumes são da autoria de Fr. Lucas de Santa Catarina.]
Vida de D. Fr. Bartolomeu dos Mártires. 2 tomos. Lisboa. Ed. da Tipografia Rolandiana. 1850. 1853.
SOUSA, Noêmia de
— em RODRIGUES JÚNIOR. *Para uma Cultura Moçambicana.* Lisboa. Editorial Atividades Gráficas. 1951.
— em TENREIRO, Franciso e PINTO DE ANDRADE, Mário. *Poesia Negra de Expressão Portuguesa.* 2ª edição. Linda-a-Velha. ALAC. 1982. [1a. edição: 1953.]
SOUSA, Otávio Tarquínio de
A Vida de D. Pedro I. Rio de Janeiro. Livraria José Olímpio Editora. 1952.
História dos Fundadores do Império do Brasil. 2ª edição, revista. 10 v. Rio de Janeiro. Livraria José Olímpio Editora. 1958.
SOUSA BANDEIRA, (J. C.)
Evocações e Outros Estudos. Rio de Janeiro. Livraria Castilho. 1920.
SOUSA BARROS
Cercas Sertanejas. Rio de Janeiro. Ministério da Educação e Cultura. Serviço de Documentação. 1959.
SOUSA CALDAS, Antônio Pereira de
Salmos de Davi. Vertidos em Ritmo Português. Notas e observações de Francisco de Borja Garção-Stockler. T. 1º Paris. Na Oficina de P. N. Rougeron. 1820.
SOUSA DA SILVEIRA
Lições de Português. 8ª edição. Rio de Janeiro. Livros de Portugal. 1972.
— em *Homenagem a Manuel Bandeira.* Rio de Janeiro. 1936.
SOUSA DE MACEDO, Antônio de [atribuído a]
Arte de Furtar, Amsterdã. Na Oficina de Martinho Schagen. MDCCXLIV [Esta edição traz o nome do Pº Antônio Vieira como autor da obra.]
SOUSA LIMA, Valdemar de
Graciliano Ramos em Palmeira dos Índios. Brasília. Livraria Editora Marco. 1971.
SOUTO MAIOR, Mário
Como Nasce um Cabra da Peste. São Paulo. Arquimedes Edições. 1969.
Dicionário Folclórico da Cachaça. 2ª edição. Recife. Fundação Joaquim Nabuco. Editora Massangana. 1980.
STOCKLER, Francisco
— em *Antologia Poética de S. Tomé e Príncipe.* São Tomé. Arquivo Histórico. 1978.
SUASSUNA, Ariano
A Pena e a Lei. Rio de Janeiro. Livraria Agir Editora. 1971.
Auto da Compadecida. Rio de Janeiro. Livraria Agir Editora. 1957.
Romance d'A Pedra do Reino e o Príncipe do Sangue do Vai-e-Volta. 2ª edição. Rio de Janeiro. Livraria José Olímpio Editora. 1972.
SUM MARKY
No Altar da Lei. Fundão. Edição do Autor. 1962.
Tempo de Flogá. Lisboa. Edição do Autor. S.d. [1966].
Vila Flogá. Lisboa. Edição do Autor. 1963.
TADEU, Viriato Augusto
Contos do Carmô: Lendas e Fábulas Mandingas da Guiné Portuguesa. Lisboa. Agência Geral das Colônias. 1945.
TATI, Miécio
O Mundo de Machado de Assis. Estado da Guanabara. Secretaria de Estado da Educação e Cultura. 1961.
Rua do Tempo Será. Rio de Janeiro. Livraria José Olímpio Editora. 1959.
TAUNAY, Afonso d'E.
Grandes Vultos da Independência Brasileira. São Paulo. Companhia Melhoramentos de São Paulo. 1922.
TAUNAY, Visconde de
Ao Entardecer. Rio de Janeiro – Paris. H. Garnier, Livreiro-Editor. 1901.
Céus e Terras do Brasil. São Paulo. Edições Melhoramentos. 1948.
Histórias Brasileiras. [Publicado com o pseudônimo de Silvio Dinarte]. Rio de Janeiro. Editor – B. L. Garnier. 1874.
Inocência. Vigésimo segundo milheiro. Rio de Janeiro. Francisco Alves & Cia. 1920.
O Encilhamento. 4ª edição. São Paulo. Edições Melhoramentos. S.d.
Recordações de Guerra e de Viagem. 2ª edição. São Paulo. Companhia Melhoramentos de São Paulo. 1924.
Reminiscências. 2ª edição. Companhia Melhoramentos de São Paulo. 1923.
Visões do Sertão. 2ª edição. São Paulo. Editora Comp. Melhoramentos de São Paulo. S.d.
TAVARES, Adelmar
Poesias Completas. Nova edição. Rio de Janeiro. Livraria São José. 1958.
TAVARES, Miguel Sousa
Equador. Rio de Janeiro. Editora Nova Fronteira. 2004.
TAVARES, Paula
Ritos de Passagem. Luanda. União dos Escritores Angolanos. 1985.
TAVARES BASTOS, A. C.
A Província. 2ª edição. São Paulo. Companhia Editora Nacional. 1937.
O Vale do Amazonas. 2ª edição. São Paulo. Companhia Editora Nacional. 1937.
TAVARES RODRIGUES, Urbano
A Noite Roxa. Lisboa. Livraria Bertrand. 1956.
As Torres Milenárias. Amadora. Livraria Bertrand. 1971.
Estrada de Morrer. Lisboa. Livraria Bertrand. 1971.
Vida Perigosa. Lisboa. Livraria Bertrand. 1955.
TÁVORA, Franklin
Lourenço. Nova edição. Rio de Janeiro – Paris. H. Garnier, Livreiro Editor. 1902.
O Cabeleira. Rio de Janeiro. Tipografia Nacional. 1876.
Matuto. Rio de Janeiro. Oficinas Gráficas do "Jornal do Brasil". 1929.
TCHEKA, Tony
Noites de Insônia na Terra Adormecida. Bissau. Instituto Nacional de Estudos e Pesquisa. 1996.
TEIXEIRA, Anísio
A Universidade e a Liberdade Humana. Rio de Janeiro. Ministério da Educação e Cultura. Serviço de Documentação. 1954.
TEIXEIRA, Múcio
Brasas e Cinzas. Rio de Janeiro. Imprensa Nacional. 1922.
TEIXEIRA DE PASCOAIS
D. Carlos. 2ª edição. Lisboa. MCMXXV.
Obras Completas. 5º volume. *Regresso ao Paraíso.* 6º volume. *O Pobre Tolo.* 7º volume. *Verbo Escuro. A Beira (num relâmpago).* Paris – Lisboa. Livrarias Aillaud e Bertrand. S.d.
TEIXEIRA DE QUEIRÓS
Comédia do Campo. v. 1. 2ª edição. Lisboa. Tipografia. Editora de Matos Moreira & Cia. 1878.
Comédia do Campo. v. II. *Amor Divino.* Lisboa. Tipografia Universal. 1877.
TEIXEIRA DE SOUSA
Capitão de Mar e Terra. Lisboa. Publicações Europa-América. 1984.
Contra Mar e Vento. Lisboa. Prelo. 1972.

Djunga. Lisboa. Publicações Europa-América. 1990.
Entre Duas Bandeiras. Lisboa. Publicações Europa-América. 1994.
Ilhéu de Contenda. Lisboa. O Século. 1978.
Na Ribeira de Deus. Lisboa. Publicações Europa – América. 1992.
Xaguate. Lisboa. Publicações Europa – América. 1987.
TEIXEIRA-GOMES, M.
Gente Singular. 2ª edição. Lisboa. "Seara Nova". 1931.
TENREIRO, Francisco (José)
A Ilha de São Tomé (Estudo Geográfico). Lisboa. Edição do Autor. 1961.
Obra Poética de Francisco José Tenreiro. Lisboa. Edição do Autor. 1967.
TÉU-FILHO
O Perfume de Querubina Dória. Rio de Janeiro. Livraria Editora Leite Ribeiro. 1924.
TEZZA, Cristóvão
Breve Espaço entre Cor e Sombra. Rio de Janeiro. Editora Rocco. 1998.
O Filho Eterno. Rio de Janeiro. Editora Rocco. 1998.
TOLENTINO, Jorge
— *em Raízes*, n. 21 (Junho 1984). Praia.
TOLENTINO DE ALMEIDA, Nicolau
Obras Poéticas de Nicolau Tolentino de Almeida. Nova edição. 2 tomos. Lisboa. Tipografia Rolandiana. 1828.
TOPE VERMELHO, Nicolau de
— em *Ponto & Vírgula*. n. 10/11 (jul./out. 1984). Mindelo. 17 números. 1983-1987.
TORGA, Miguel
Bichos. Alfragide. Leya, S.A. 2008.
Contos da Montanha. 2ª edição, refundida e aumentada. 1935.
Diário. Vol. I. 4ª edição. Coimbra. 1957.
Diário. Vol. III. Coimbra. 1956.
Diário. Vol. IV. Coimbra. 1949.
Diário. Vol. VII. Coimbra. 1956.
Diário. Vol. IX. Coimbra. 1964.
Diário. Vol. X. Coimbra. 1968.
Novos Contos da Montanha. 3ª edição. Coimbra. 1952.
Portugal. 2ª edição refundida. Coimbra. 1957.
Traço de União. Coimbra. 1955.
Vindima. 2ª edição, refundida. Coimbra. 1954.
TORRES, Alberto
O Problema Nacional Brasileiro. São Paulo. Companhia Editora Nacional. 1933.
TORRES, Antônio
Pasquinadas Cariocas. 2ª edição. Rio de Janeiro. Livraria Castilho. 1922.
TORRES, Antônio
Essa Terra. 12ª edição. São Paulo. Editora Ática. 1997.
O Cachorro e o Lobo. Rio de Janeiro. Record. 1997.
TORRES, Francisco Jorge
Bruxaxá/Contos sem Exemplo e Histórias sem Proveito. Campina Grande – Paraíba. Editel / UFPB / PRAI. 1979.
TREVISAN, Dalton
A Trombeta do Anjo Vingador. Rio. Editora Codecri. 1977.
Desastres do Amor. Rio de Janeiro. Editora Civilização Brasileira S. A. 1968.
Essas Malditas Mulheres. Rio de Janeiro. Editora Record. 1982.
Meu Querido Assassino. 2ª edição. Rio de Janeiro. Editora Record. 1988.
Novelas Nada Exemplares. Rio de Janeiro. Livraria José Olímpio Editora. 1959.
O Vampiro de Curitiba. 5ª edição, revista. Rio de Janeiro. Editora Record. 1978.
TRINDADE COELHO
Os Meus Amores. 8ª edição. Lisboa. Portugália Editora. S.d.
TRONI, Alfredo
Nga Mutúri. 2ª edição. Lisboa. Edições 70. 1973. [1ª edição: 1882].
UCHOA CAVALCANTI FILHO, João
O Menino. Rio de Janeiro. Editora Civilização Brasileira. 1964.
UKALIOY, Vandole
— em *Gostar de Ler*. Maputo. Cadernos Tempo. 1981.
URSINO VALE, Gentil
Confidências do Agreste. Belo Horizonte. Editora São Vicente. 1982.
VALADARES, Napoleão
Remanso. Brasília. André Quicé Editor. 2000.
Urucuia. Brasília. Thesaurus, 1990.
VAN-DUNEM, Domingos
Auto de Natal. Luanda. Edição do Autor. 1972.
Dibundu. Lisboa. Vega. S.d. [1988].
Kuluka. Lisboa. Vega. S.d. 1988.
Maria da Pouca Sorte. Lisboa. Edição do Autor. 1993.
Milonga. Porto. Brasília Editora. 1985.
— em *Diário de Luanda*, 15/8/1947. Luanda.
VAN STEEN, Edla
Bolo de Nozes, em *Coleção do Teatro Brasileiro*. Belo Horizonte. Hamdan Editora. 1998.
Cheiro de Amor. Rio de Janeiro. Editora Record. 1996. São Paulo. Global Editora. 1996.
Madrugada. 2ª edição. Rio de Janeiro . Editora Rocco. 2001.
Memórias do Medo. Rio de Janeiro. Editora Record. 1981.
Viver & Escrever. 3 v. 2ª edição. Porto Alegre. L&PM. 2008.
VAREJÃO, Lucilo
Visitação do Amor. Recife. Coleção Concórdia. 1958.
VARELA, Dráuzio
Estação Carandiru. São Paulo. Companhia das Letras. 1999.
VARGAS NETO
Tropilha Crioula e Gado Xucro. Porto Alegre. Editora Globo. 1955.
VARNHAGEN, Francisco Adolfo de
— V. PORTO SEGURO, Visconde de
VÁRZEA, Virgílio
Contos de Amor. Lisboa. Livraria Editora Tavares Cardoso & Irmão. 1901.
Histórias Rústicas. Lisboa. Parceria Antônio Maria Pereira. 1904.

Mares e Campos. 2ª edição. Rio de Janeiro – Paris. H. Garnier. Livreiro-Editor. S.d.
Nas Ondas. Rio de Janeiro – Paris. H. Garnier. Livreiro-Editor. 1910.
O Brigue Flibusteiro. Porto. Livraria Chardron. 1904.
VASCONCELOS, Agripa
Fome em Canaã. Belo Horizonte. Editora Itatiaia Ltda. 1966.
Gongo Soco. Belo Horizonte. Editora Itatiaia Ltda. 1966.
VASCONCELOS, Mons. Cícero de
Sobre a História da Catedral de Maceió. Maceió. Departamento Estadual de Cultura. 1962.
VASCONCELOS MAIA
O Leque de Oxum. Rio de Janeiro. Edições O Cruzeiro. 1961.
VAZ, Léu
O Burrico Lúcio. São Paulo. Edição Saraiva. S.d.
Páginas Vadias. Rio de Janeiro. Livraria José Olímpio Editora. 1957.
VAZ, Nélson
Por Amor ao Idioma. Rio de Janeiro. Livraria Acadêmica. 1959.
VAZ DE CAMINHA, Pero
— Ap. ARROIO, Leonardo, *A Carta de Pero Vaz de Caminha*. São Paulo. Edições Melhoramentos. 1971.
VAZ DE CARVALHO, D. Maria Amália
Contos e Fantasias. 2ª edição. Lisboa. Parceria Antônio Maria Pereira. 1905.
VAZ LEÃO, Ângela
História de Palavras. Belo Horizonte. Imprensa da Universidade de Minas Gerais. 1961.
VEIGA, Evaristo da
Hino da Independência
VEIGA, José J.
A Hora dos Ruminantes. Rio de Janeiro. Editora Civilização Brasileira S. A. 1966.
A Máquina Extraviada. Rio de Janeiro. Editora Prelo. 1966.
Os Pecados da Tribo. Rio de Janeiro. Civilização Brasileira. 1976.
VEIGA, Manuel
Diário das Ilhas. Praia. Spleen – Edições. 1997.
VEIGA, Marcelo da
O Canto do Ossôbó. Linda-a-Velha. ALAC. 1989.
VEIGA MIRANDA
Maria Cecília e Outras Histórias. Rio de Janeiro. São Paulo. Belo Horizonte. Livraria Francisco Alves. 1930.
Pássaros Que Fogem... Porto. Livraria Chardron. 1908.
VELINHO, Moisés
Letras da Província. Porto Alegre. Edição da Livraria do Globo. 1944.
Machado de Assis. Histórias mal Contadas e Outros Assuntos. Rio de Janeiro. Livraria São José. 1960.
VENTURA, Zuenir
Cidade Partida. 12ª reimpressão. São Paulo. Companhia das Letras. 2003.
VERDE, Cesário
Obra Completa de Cesário Verde. Organizada, prefaciada e anotada por Joel Serrão. Lisboa. Portugália Editora. 1964.
VERGARA, Telmo
Contos da Vida Breve. Edições O Cruzeiro. 1966.
VERÍSSIMO, Érico
A Volta do Gato Preto. 2ª edição. Porto Alegre. Livraria do Globo. 1947.
Caminhos Cruzados. Porto Alegre. Edições da Livraria do Globo. 1947.
Incidentes em Antares. 1ª edição. 3ª impressão. Porto Alegre. Editora Globo. 1971.
México. História duma Viagem. Porto Alegre. Editora Globo. 1954.
Música ao Longe. São Paulo. Companhia Editora Nacional. 1935.
Noite. Porto Alegre. Editora Globo. 1954.
O Senhor Embaixador. Porto Alegre. Editora Globo. 1965.
O Tempo e o Vento. I. O Continente. Porto Alegre. Editora Globo. 1949.
Um Lugar ao Sol. 4ª edição. Porto Alegre. Livraria do Globo. 1940.
VERÍSSIMO, José
Cenas da Vida Amazônica. Nova edição. Rio de Janeiro. Laemmert & Cia. 1899.
Estudos de Literatura Brasileira. 6 séries. Rio de Janeiro – Paris. H. Garnier, Livreiro-Editor. 1901. 1901. 1903. 1910. 1910. 1907.
História da Literatura Brasileira. 3º milheiro. Rio de Janeiro. Livraria Francisco Alves & Cia. 1929.
Letras e Literatos. Rio de Janeiro. Livraria José Olímpio Editora. 1936.
— em NERI, Fernando, *Correspondência de Machado de Assis*. Rio de Janeiro. Oficina Industrial Gráfica. Américo Bedeschi Editor. 1932.
VERÍSSIMO, Luís Fernando
Comédias da Vida Privada. Porto Alegre. L&PM. 1996.
Novas Comédias da Vida Privada. Porto Alegre. L&PM. 1996.
O Analista de Bagé. 75ª edição. Porto Alegre. L&PM. Editores Ltda. 1983.
O Clube dos Anjos. Rio de Janeiro. Editora Objetiva Ltda. 1998.
O Jardim do Diabo. Porto Alegre. L&PM. 1999.
O Popular. 2ª edição. Rio de Janeiro. Livraria José Olímpio Editora. 1974.
VERSIANI, Antônio
Paisagens Humanas. Rio de Janeiro. Editora Civilização Brasileira S. A. 1960.
Viola de Queluz. Rio de Janeiro. Irmãos Pongetti Editores. 1956.
VERSIANI DOS ANJOS, Valdemar
Jornal da Serra Verde. Belo Horizonte. Editora Itatiaia Ltda. 1960.
Simplício. Belo Horizonte. Imprensa Oficial. 1971.
VIANA, Hélio
Dom Pedro I. Jornalista. São Paulo. Edições Melhoramentos. 1967.
História do Brasil. 2 volumes. 3ª edição, revista e atualizada. São Paulo. Edições Melhoramentos. 1965.
VIANA FILHO, Luis
Rui & Nabuco. Rio de Janeiro. Livraria José Olímpio Editora. 1949.
VIANA MOOG
Bandeirantes e Pioneiros. 8ª edição. 2 v. Rio de Janeiro. Editora Delta. 1966.
Toia. 2ª edição. 2 v. Rio de Janeiro. Editora Delta. 1966.

Uma Interpretação da Literatura Brasileira. Rio de Janeiro. Casa do Estudante do Brasil. 1943.
Um Rio Imita o Reno. Porto Alegre. Editora Globo. 1948.
VIEIRA, José
Espelho de Casados. Rio de Janeiro. Livraria José Olímpio Editora. 1938.
Sol de Portugal. Rio de Janeiro. Revista dos Tribunais. 1918.
Vida e Aventura de Pedro Malazarte. Rio de Janeiro. Livraria José Olímpio Editora. 1944.
VIEIRA, Padre Antônio
Sertão Brabo. São Paulo. Gráfica Editora Brasileira Ltda. 1968.
VIEIRA, P.ᵉ Antônio
Cópia de huma carta para El Rei N. Senhor. Sobre as missões do Seará, do Maranham, do Pará, e do Grande Rio das Almasónas. Lisboa: Off. de Henrique Valente de Oliveira. 1660.
Sermões do P.ᵉ Antônio Vieira. 14 "partes" ou tomos. Lisboa. Na Oficina de João da Costa. MDCLXXIX [a 1.ª Parte]. Lisboa. Na oficina de Miguel Deslandes. MDCLXXXII [a 2.ª parte]. MDCLXXXIII [a 3.ª parte]. MDCLXXXV [a 4.ª parte]. MDCLXXXIX [a 5.ª parte]. MDCLXXXX [a 6.ª parte]. MDCLXXXXII [a 7.ª parte]. MDCLXXXXIV [a 8.ª parte]. MDCLXXXVI [a 9.ª parte, intitulada *Maria. Rosa Mística*. I parte]. Lisboa. Na Impressão Craesbeeckiana. MDCLXXXVIII [a 10.ª parte, intitulada *Maria. Rosa Mística*. II parte]. Lisboa. Na Oficina de Miguel Deslandes. MDCLXXXXVI [a 11.ª parte]. 1699 [a 12.ª parte]. 1690 [a 13.ª parte, intitulada *Palavra de Deus Empenhada e Desempenhada*]. Lisboa. Valentim da Costa Deslandes. MDCCX [o tomo XIV: intitulado *Sermões e Várias Discursos do Padre Antônio Vieira*].
VIEIRA, José Geraldo
A Mulher que Fugiu de Sodoma. Porto Alegre. Edição da Livraria do Globo. 1945.
Carta a Minha Filha em Prantos. 2.ª edição. São Paulo. Livraria Martins Editora. 1964.
VIEIRA DA CRUZ, Tomaz
Tatuagem – Poesia d'África. Lisboa. Edição do Autor. 1941.
VIEIRA, P. C. e ANDREI, C. C.
Produtos Naturais no Controle de Insetos. J. Tércio B. Ferreira & P. C. Vieira. Soc. Brasileira de Química. 1997.
VIEIRA PIRES
Querência. Porto Alegre. Edição da Livraria do Globo. 1925.
VILAÇA, Antônio Carlos
A Descoberta do Morro. Belo Horizonte. Editora Vigília Ltda. 1984.
O Anel. Rio de Janeiro. Editora Rio. 1972.
O Desafio da Liberdade. Rio de Janeiro. Livraria Agir Editora. 1983.
O Nariz do Morto. Rio de Janeiro. ICM Editores Ltda. 1970.
VILAÇA, Marcos Vinícios
Em Torno da Sociologia do Caminhão. 2.ª edição, revista. Rio de Janeiro. Edições Tempo Brasileiro Ltda.
VILA NOVA, João Maria
Caderno dum Guerrilheiro. Luanda. Kalema. 1974.
Canções para Ximinha. Luanda. Nós. 1971.
VILELA, Luís
Tremor de Terra. 3.ª edição. Rio de Janeiro. Edições Gernasa. 1972.
VIMARÓ, Tomás
Terra no Alambique. Maputo. Associação dos Escritores Moçambicanos. 1996.
— em *Charrua*. n. 7 (ago. 1985). Maputo.
VIRGÍNIO, Teobaldo
Distância. Lisboa. Agência-Geral do Ultramar. 1963.
O Meu Tio Jonas. Boston. Edição do Autor. 1986.
— em *Arquipélago*, n. 19 (nov. 1992). Boston.
VITORINO NEMÉSIO
A Mocidade de Herculano. 2 v. Lisboa. Depositária: Livraria Bertrand. 1934.
Caatinga e Terra Caída. Lisboa. Livraria Bertrand. S. d.
Conhecimento de Poesia. Salvador. Livraria Progresso Editora. 1958.
Mau Tempo no Canal. 3.ª edição. Lisboa. Livraria Bertrand. 1944.
O Mistério do Paço do Milhafre. Lisboa. Livraria Bertrand. 1949.
Ondas Médias. Lisboa. Livraria Bertrand. S.d.
O Retrato do Semeador. Lisboa. Livraria Bertrand. S.d.
O Segredo de Ouro Preto e Outros Caminhos. Lisboa. Livraria Bertrand. S.d.
— em BOCAGE. Sonetos, Introdução, seleção e notas de Vitorino Nemésio. Lisboa. Livraria Clássica Editora, 1943.
WERNECK SODRÉ, Nélson
Memórias de um Soldado. Rio de Janeiro. Civilização Brasileira. 1967.
WESSEL, István
Os Segredos do Carne. São Paulo. DBA Artes Gráficas. 1997.
XAVIER MARQUES
A Cidade Encantada. Bahia. Livraria Catilina. 1919.
As Voltas da Estrada. Rio de Janeiro. Livraria Freitas Bastos. 1930.
Jana e Joel. 3.ª edição. Bahia. Livraria Catilina. S.d.
O Feiticeiro. Rio de Janeiro. Livraria Editora Leite Ribeiro. 1922.
O Sargento Pedro. 2.ª edição. Bahia. Livraria Catilina. 1921.
Terras Mortas. Rio de Janeiro. Livraria José Olímpio Editora. 1936.
Vida de Castro Alves. Rio de Janeiro. Edição do Anuário do Brasil. 1924.
XAVIER PLACER
Doze Histórias Curtas. Rio de Janeiro. Livraria Agir Editora. 1946.
XITU, Uanhenga
Maka na Sanzala (Mafuta). Lisboa. Edições 70. 1979.
Manana. 2.ª edição. Lisboa. Edições 70. 1978.
O Ministro. Luanda. União dos Escritores Angolanos. 1990.
ZARUR, Sandra Beatriz
Vila Planalto: Um Caso de Resistência Popular, em *Brasília, Moradia e Exclusão*. Aldo Paviani (organizador). Brasília. Editora Universidade de Brasília. 1996.
ZITA, Isaac
Os Molwenes. Maputo. Associação dos Escritores Moçambicanos. 1988.

JORNAIS, REVISTAS E OUTRAS PUBLICAÇÕES

- A BOLA. Jornal de Todos os Desportos. Lisboa. Portugal.
- BEAUTIFUL PEOPLE. Rio de Janeiro.
- CATÁLOGO da Bienal Naïfs do Brasil 1998. Sesc Piracicaba. Sesc São Paulo. 1998.
- CIÊNCIA HOJE.
- CORREIO DA MANHÃ. Rio de Janeiro.
- CORREIO DO POVO. Porto Alegre.
- CULT – Revista Brasileira de Literatura. São Paulo.
- DIÁRIO POPULAR. Lisboa. Portugal.
- DOMINGO. Jornal do Brasil. Rio de Janeiro.
- ELLE, edição portuguesa.
- ÉPOCA. Rio de Janeiro.
- FOLHA DE S.PAULO. São Paulo.
- GAZETA MERCANTIL.
- GAZETA DO POVO. Curitiba.
- INFORMATIVO. Fundação Getúlio Vargas. Rio de Janeiro.
- INFORMATIVO. Universidade de São Paulo. São Paulo.
- ISTO É. São Paulo.
- JORNAL DE ALAGOAS. Maceió.
- JORNAL DE BRASÍLIA. Brasília. DF.
- JORNAL DE LETRAS, ARTES E IDEIAS. Lisboa. Portugal.
- JORNAL DO BRASIL. Rio de Janeiro.
- O ESTADO DE S. PAULO. São Paulo.
- O GLOBO. Rio de Janeiro.
- PASQUIM. Rio de Janeiro.
- REVISTA DE DOMINGO do Jornal do Brasil. Rio de Janeiro.
- REVISTA EXAME.
- REVISTA GULA.
- REVISTA LÍNGUA PORTUGUESA.
- REVISTA O GLOBO.
- SUPLEMENTO LITERÁRIO DE MINAS GERAIS.
- VEJA RIO.
- VEJA. São Paulo.

Fenício
Grego
Grego
Etrusco
Romano
Romano
Minúscula Carolíngia
Maiúscula Moderna
Minúscula Moderna
A a B b C c D d
Fenício
Grego
Grego
Etrusco
Romano
Romano
Minúscula Carolíngia
Maiúscula Moderna
Minúscula Moderna
I i J j K k L l
Fenício
Grego
Grego
Etrusco
Romano
Romano
Minúscula Carolíngia
Maiúscula Moderna
Minúscula Moderna
R r S s T t U u